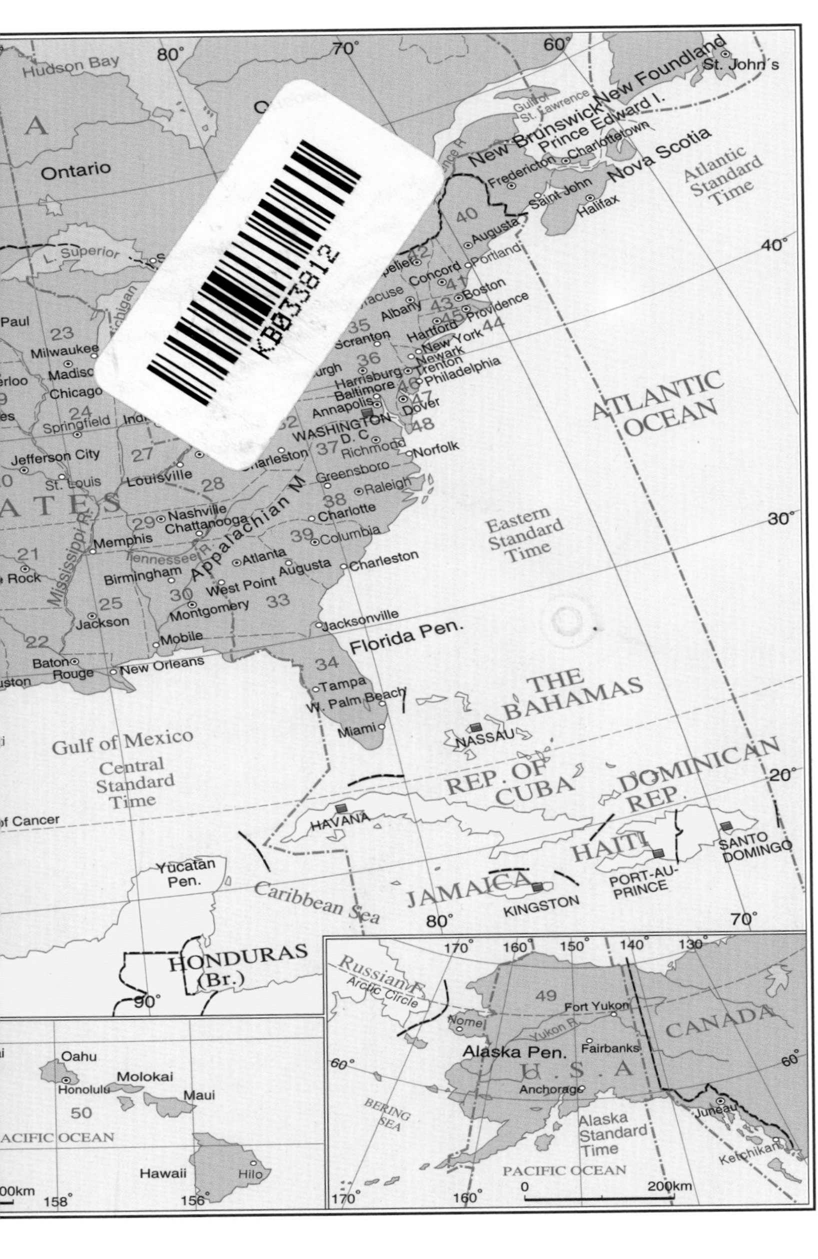

Hudson Bay
80°
70°
60°
St. John's
New Foundland
Gulf of St. Lawrence
New Brunswick
Prince Edward I.
Charlottetown
Nova Scotia
Fredericton
Saint John
Halifax
Atlantic Standard Time
Ontario
A
L. Superior
40
Augusta
Portland
Concord
41
Boston
43
45
Providence
44
Albany
Hartford
New York
Newark
Trenton
Philadelphia
35
Scranton
36
Harrisburg
Baltimore
46
47
Dover
Annapolis
WASHINGTON D. C.
48
Richmond
Norfolk
37
Charleston
Paul
23
Milwaukee
Madison
Chicago
24
Springfield
Jefferson City
St. Louis
27
Louisville
28
Greensboro
Raleigh
38
Charlotte
ATES
29
Nashville
Chattanooga
Appalachian M
Memphis
39
Columbia
Tennessee R.
Mississippi R.
21
Rock
Atlanta
Birmingham
Augusta
Charleston
30
West Point
33
Montgomery
25
Jackson
Jacksonville
22
Mobile
Baton Rouge
New Orleans
Florida Pen.
34
Tampa
W. Palm Beach
Miami
ATLANTIC OCEAN
40°
Eastern Standard Time
30°
THE BAHAMAS
NASSAU
Gulf of Mexico
Central Standard Time
REP. OF CUBA
DOMINICAN REP.
20°
of Cancer
HAVANA
HAITI
SANTO DOMINGO
PORT-AU-PRINCE
Yucatan Pen.
Caribbean Sea
JAMAICA
KINGSTON
80°
70°
HONDURAS (Br.)
90°
Oahu
Honolulu
Molokai
Maui
50
PACIFIC OCEAN
Hawaii
Hilo
158°
156°
170°
160°
150°
140°
130°
Russian F.
Arctic Circle
49
Fort Yukon
Nome
Yukon R.
CANADA
Alaska Pen.
Fairbanks
60°
U. S. A
Anchorage
BERING SEA
Juneau
Alaska Standard Time
Ketchikan
PACIFIC OCEAN
0
200km
170°
160°

동 사 문 형 표

문 형	예 문
1. 《~》	Birds *fly*. / Day *dawns*. / He *died*.
2. 《~+[부]》	He *came in*. / His book is *selling well*.
3. 《~+[보]》	This *is* my car. / She *looks* happy. / He *felt* hungry.
4. 《~+*to be* [보]》	He *happened to be* there. / He *seems to be* asleep.
《~+(*to be*)[보]》	He *seems* (*to be*) angry. / The report *proved* (*to be*) false.
5. 《~+*as* [보]》	Mr. Brown *acted as* chairman. / He *died as* president.
6. 《~+[전]+[명]》	Our school *stands on* a hill. / He *looked out of* the window.
	The house *belongs to* him.
7. 《~+[전]+[명]+*to* do》	I am *waiting for* him *to* arrive.
8. 《~+*done*》	He *stood amazed*. / The knot *came untied*.
9. 《~+[목]》	I *like* sports. / Please *describe* what you saw.
10. 《~+[목]+[부]》	He *put* his coat *on*. / Don't *throw* them *away*. / Carry the baggage *upstairs*.
11. 《~+*-ing*》	I *sat* watch*ing* television.
	He's *stopped* smok*ing*. / She *avoided* meet*ing* him.
12. 《~+*to* do》	His ambition *is to* become a doctor.
	I *want to* see you. / I *forgot to* mail your letters.
13. 《~+[목]+*to* do》	I *told* him *to* wait. / Please *allow* me *to* go home.
14. 《~+[목]+[보]》	We *call* him Teddy. / He *made* her happy. / I *found* the chair quite comfortable.
15. 《~+[목]+*as*[보]》	They *elected* him *as* chairman.
16. 《~+[목]+*to be* [보]》	They *felt* the plan *to be* unwise.
《~+[목]+(*to be*)[보]》	We *think* him (*to be*) a good teacher.
17. 《~+[목]+*do*》	I *saw* him *cross* the street. / I'll *let* you *know* it.
18. 《~+[목]+*-ing*》	I *saw* him cross*ing* the street.
	I can *smell* something burn*ing*.
19. 《~+[목]+*done*》	I *heard* my name *called*. / She *had* her purse *stolen*.
	I *had* my hair *cut*.
20. 《~+*that* [절]》	I *suggested that* he (should) buy a new car.
	It *seems that* he is fond of sweets.
	It *happened that* he was busy when I called.
《~+(*that*)[절]》	I *think* (*that*) he is an honest man.
	He *said* (*that*) he would send his son to college.
21. 《~+[목]+*that* [절]》	He *promised* me *that* he would be home for dinner.
	They *warned* us *that* the roads were icy.
22. 《~+*wh. to* do》	We could not *decide what to* do.
	I don't *know how to* play chess.
23. 《~+[목]+*wh. to* do》	*Ask* him *where to* put it. / I *showed* her *how to* do it.
24. 《~+*wh.* [절]》	He *asked why* I was late. / I *wonder whether* he will come.
	Do you *know if* he is at home today?
25. 《~+[목]+*wh.*[절]》	*Ask* him *where* she lives.
	Can you *tell* me *how* high the mountain is?
26. 《~+[목]+[목]》	I *gave* him a watch. / She *made* herself a new dress.
27. 《~+[목]+[부]+[목]》	Please *bring* me *back* those books.
28. 《~+[목]+[전]+[명]》	I *congratulated* him *on* his success.
	He *sold* his old car *to* one of his friends.
29. 《~+[전]+[명]+*that*[절]》	He *explained to* us *that* he had been delayed by the weather.

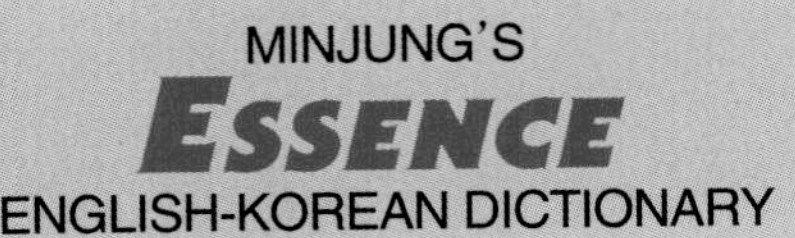

엣센스 영한사전

제11판
수정판

민중서림 편집국 편

사전 전문
민중서림

제 11 판　수정판을 내면서

영어를 학습하고 이해하기 위한 기본적 수단으로서 영한사전이 맡고 있는 역할은 대단히 크다. 더욱이 인터넷, 스마트폰, 전자책 등 변화를 주도하고 있는 정보 통신, 과학 기술 분야는 물론 세계 공용어로서 영어가 갖고 있는 중요성은 현대를 살아가는 사람이라면 어느 누구도 부정할 수 없을 것이다.

〈엣센스 영한사전〉은 일찍이 1971년 초판 발행 이래 10번의 개정과 수정 보완을 거듭하면서 수많은 독자들의 끊임없는 성원과 지도편달에 힘입어 모름지기 학습성과 실용성을 겸비한 사전으로 발전해 왔다.

사전이란 본래 간행되면서부터 개정 작업이라는 숙명을 떠안고 있다. 왜냐하면 언어 자체가 바로 살아 있는 생물체와 같아서 시대와 세대가 바뀜에 따라 새로운 어구나 용법이 생겨나는가 하면, 또 어떤 말에는 전혀 다른 의미와 용법이 추가되는 것을 어렵지 않게 관찰할 수 있기 때문이다. 〈엣센스 영한사전〉이 우리나라 각급 학생과 일반 지식인의 전폭적인 지지 속에 이만큼 성장한 것도 이런 언어의 속성을 정확히 포착하여 갈고 다듬는 개정 작업을 게을리하지 않은 데 그 원인이 있다고 본다.

본 사전에서는 중요 동사에 용례와 대응시켜 문형(文型)을 보이고, NOTE난에 문법 및 용법상의 주의사항을 상세히 해설하였다. 유의어(類義語)란을 설정하여 의미가 비슷한 단어들을 정리하고 그 미묘한 차이를 명쾌히 설명함으로써 학습자뿐만 아니라 영어 전문 연구자 및 일반 실무자에게도 도움을 주도록 하였다. 또한 요즘처럼 세계가 눈부신 발전을 거듭하고 사회기반이 다양하게 분화하면서 신어(新語) 역시 폭발적으로 양산되고 있는 추세를 반영하였다. 그 중에서도 과학 기술 용어를 비롯하여 각 분야의 전문 용어와 현대 문명의 특질을 표출한 시사어의 채록에 최대의 역점을 두었다.

특히 이번 제11판 수정판을 내면서는 독자들의 편의를 위하여 한자 약어들을 한글로 바꾸고 외래어와 과학 용어들의 표기를 현행 표준 표기에 따라 모두 손질하였다. 아울러 그동안 독자들께서 지적해 주신 내용들을 중심으로 본문 전체를 재검토하여 이 수정판에 최대한 반영하였다. 또 11,500개의 주요 어휘와 기능어 등을 적색으로 표시하는 2도 인쇄를 채택하였으며, 600개의 삽화를 새로 넣어 독자로 하여금 서구 문화에 쉽게 접근할 수 있도록 배려하였다.

오늘의 〈엣센스 영한사전〉이 있기까지 아낌없는 후원과 격려를 보내주신 독자 여러분과 사전 편찬에 참여해 주신 선배 제현의 노고에 다시 한 번 깊이 머리 숙여 감사드린다. 우리는 앞으로도 독자들의 기대에 부응하기 위하여 각고의 노력으로 미흡한 부분을 수정 보완하여 더욱 정확하고 알찬 사전으로 키워 나갈 것을 거듭 다짐한다. 독자들의 변함없는 사랑과 지도편달을 기대해 마지 않는다.

2012년 10월
민중서림 편집국

초 판 머 리 말

우리는 일찍이 해방 직후의 혼돈 속에서 이 나라 영한 사전(英韓辭典)의 효시(嚆矢)라 할 수 있는 『스쿨 英韓辭典』(*School English-Korean Dictionary*)을 간행하였고, 1953년에는 『포켓 英韓辭典』(*Pocket English-Korean Dictionary*)을, 1956년에는 『新英韓小辭典』(*New Little English-Korean Dictionary*)을 펴내었으며, 이어 1968년에는 『뉴우 콘사이스 英韓辭典』(*New Concise English-Korean Dictionary*)을, 다시 1970년에는 초보자를 위한 『중학 영어 사전』(*Junior English-Korean Dictionay*)을 내어 우리나라 영어 교육에 자그마한 보탬을 하여 온 것을 스스로 자랑스럽게 생각하는 바이다.

그 중에서도 『포켓 英韓辭典』은 편자(編者)와 민중서관 편집진(民衆書館編輯陣)의 혼연 일체(渾然一體)의 노고의 결정(結晶)으로 이루어진 것인 바, 그것이 간행되자 본격적인 영한 사전의 면모를 갖춘 점에서 높은 평가를 받아, 국내외적으로 우리나라의 대표적인 영한 사전으로 인정되면서 교육계 · 영어학계의 절대적인 애용과 성원을 받게 되었거니와, 우리는 이에 힘입어 7년 후인 1960년에는 다시 이를 전면적으로 증보 개판(增補改版)하여 그 성가(聲價)에 보답했다.

이제, 4반세기 전 해방 직후의 상황과 오늘을 비교하건대, 세계 정세의 격심한 변화와 문화의 일진 월보는 엄청나게 큰 바 있으며, 이에 수반하여 국제어(國際語)로서의 영어도 그 포용하는 새로운 낱말, 새로운 어의(語義) 및 그에 따르는 다양한 용법의 증가에 있어서 실로 놀라운 변모를 가져왔다. 한편, 다른 언어에 비하여 그 뉘앙스나 전의(轉義)에 있어서 비교적 그 범위에 제한성이 없지 않다는 우리말에서도 상당한 발전적 변화를 이룩했을 뿐만 아니라, 각 학술 부문의 우리말 용어도 그런 대로 정착되어 가고 있는 과정에 있다.

이러한 세계적 · 국내적 문물의 변천과 다양하고도 급격히 변모하는 정세 속에서 종래의 영한 사전으로써는 시대적 요청을 충족시키기는 어렵다는 판단 아래, 우리는 시의(時宜)에 맞는 보다 완벽한 영한 사전을 편찬하여 간행하기로 하였다.

우리가 이 새 영한 사전을 편찬함에 있어서 취한 기본 방침을 크게 보아 아래의 두 가지이다.

1. 참신하고도 완전한 사전 : 최소 지면에 최신 내용을 최대량으로 수록하여 독자가 얻고자 하는 지식을 충분한 해설 속에서 쉽게 찾아낼 수 있도록 한다.
2. 실제적 욕망을 충족시키는 학문적 사전 : 실용적이면서도 튼튼한 이론적 바탕 위에 서게 함으로써 독자로 하여금 절대적 신뢰를 가질 수 있게 한다.

위의 근본 방침을 바탕으로 하여 다음의 보다 구체적인 목표를 세웠다.

① 형식 · 내용 양면에서 영어의 산 모습을 포착할 수 있게 한다……영어의 근본을 이루는 기본 어휘(語彙)에 가장 알맞은 우리말 역어(譯語)를 그 사용 빈도 차례로 달고, 여러 경우의 적절한 용례를 풍부히 예시(例示)함으로써 이해력 촉진과 응용력 함양에 힘쓰는 한편, 신어 · 시사 용어 · 전문어 · 속어까지도 최대한으로 수록하여 영자(英字)로 된 신문 · 잡지, 기타 신간 전문 서적을 읽어내는 데 하등의 지장이 없도록 한다.

② 영미어(英美語) 차이의 철저한 구명(究明)……영미어에 있어서는 경중 없이 고르게 이를 다룬다. 다만, 철자 · 발음 등의 기본 구조에 관하여서는 미국 영어는 곧 정통 영어(正統英語)에 그 근원을 두고 있다는 견지에서 편의상 영국식의 것을 앞에 내세우면서 미국식 것도 곁들인다. 그리고 특히 주의해야 할 양어(兩語)의 차이점에 관하여서는 수시로 명쾌한 해설을 내리고, 책머리의 해설에서 이를 일괄적으로 다룬다.

③ 최고의 어휘와 풍부한 숙어……표제어 및 복합어 · 파생어를 합쳐 총 97,000여 어(餘語)를 수록하고 활용도 높은 관용구를 풍부하게 망라한다. 특히 대표적인 뜻풀이 말은 굵은 활자를 사용함으로써 이해 · 기억에 편의를 도모한다.

④ 기능어(機能語)의 입체적인 풀이……문법적으로 골격을 이루는 100여 어휘는 특히 세밀한 배려 밑에 풍부한 용례와 어의(語義), 문법상의 자세하고도 철저한 주의 사항 · 참고 사항까지를 곁들여서 초학자나 전문가에게 두루 도움이 되도록 하되, 특히 이러한 어휘는 테두리를 둘러 입체적 · 시각적 효과를 높인다.

⑤ 유의어(類義語)의 해설……말 뜻의 정확한 파악을 돕기 위하여 우리말로 일괄 표현되는 영어의 유의어군(類義語群)을 독창적인 구분법과 해설로써 미묘한 어감상의 차이점 터득과 뚜렷한 용법 습득에 도움이 되도록 한다.

한편, 교정(校正)에 있어서는 일자 일획(一字一畫)의 틀림이 없도록 세심하게 용심하였으며, 또 인쇄 · 제본 등 외형적 면에도 치중하여 참신하고도 매끈한 모습을 갖추기에 온갖 힘을 다 기울였다. 다만, 서적 특히 사서(辭書)에는 뜻하지 않은 오류(誤謬)가 없다고는 할 수 없으므로, 이러한 미비점은 강호 제현(江湖諸賢)의 편달(鞭撻)을 받아 점차 시정 보완(是正補完)하여 가고자 한다.

이상과 같이 형식 · 내용 양면(兩面)에서 사전이 지닐 수 있는 여러 가지 특징을 확대 발전시키고, 오랜 사전 편찬의 경험과 미국 · 영국 등의 최신 자료를 뒷받침으로 하여, 정밀한 계획성과 면밀한 통일성 밑에 이룩된 이 사전은 반드시 애용자 여러분의 절대적인 기대에 부응할 것을 확신하는 바이다.

1971년 10월 일

편 자 씀

일 러 두 기

이 사전은 영어의 일반 어휘 · 중요한 고유명사 · 접두사 · 접미사, 낱말 형성 요소로서의 결합사, 변화꼴, 약호(略號), 상용 외래어 등을 광범위하게 수록하여 어휘의 충실을 기하였다.

Ⅰ. 표 제 어

1. 배열(配列) 표제어는 일반 단어는 말할 것도 없고, 복합어 · 연어 외에 접두사 · 접미사 · 약어 · 상용(常用) 외래어구 및 가장 보편적인 고유명사를 모두 ABC순으로 배열하여, 일어 일표제어(一語一標題語) 체제를 원칙으로 하였다.
2. 자체(字體) 고딕체 활자를 원칙으로 하되, 아직 완전히 영어화되지 않은 외래어는 이탤릭 고딕체로 보였다. 보기: **vic·to·ry; *frère*** 《프랑스어》.
3. 기본어의 표시 수록된 어휘 중 중학교 기본 어휘 1,000 어(語)에는 †표를, 고등학교 기본 어휘 3,000 어에는 ⁑표, 고등학교 학습 어휘 3,500 어에는 * 표, 대학 교양 정도의 어휘 4,000 어에는 °표를 붙였다.
   보기: **†school** [skuːl] *n.*; **⁑sub·stance** [sʌ́bstəns] *n.*; ***kite** [kait] *n.*; **°slit** [slit] *n.*
4. 철자(綴字) 영 · 미 철자에 차이가 있는 것은 미식을 먼저 내세우고, 《영》 다음에 영식도 병기하였다. 단, 필요에 따라 영식 철자의 표제어를 따로 내세운 것도 있다.
   보기: **hon·or,** 《영》 **-our; honour** ⇨ HONOR 《honour는 영식 철자, honor항에 가보란 뜻》.
   단, 파생어에서는 미식만을 보인 것도 많으며, -ize와 -ise는 거의 -ize만을 취했다.
5. 어원(語源)이 다른 말 같은 철자의 말이라도 어원이 다른 경우에는, 각각 별개의 표제어로 내세우고, 오른쪽 어깨에 작은 숫자로 번호를 붙여 구별하였다.
   보기: **lead**^{1} [liːd]; **lead**^{2} [led]
6. 분철(分綴) 중점(·)으로 분철을 나타내어 하이픈(-)을 쓴 복합어와 구별하였다. 다만, 낱말 첫머리나 끝에서 한 음절을 이루는 경우에는 Webster 대사전의 새 분철법에 따라 분철을 하지 않았다.
   보기: **able** 《**a·ble**로 하지 않음》, **again** 《**a·gain**으로 하지 않음》, **pity** 《**pit·y**로 하지 않음》.
7. 생략 · 대체어 생략할 수 있는 부분은 ( ), 대체할 수 있는 말은 〔 〕로 표시했다.
   보기: **Lu·cil(l)e, frank·furt(·er), fáiry làmp〔lìght〕**

Ⅱ. 발 음

1. 표제어 바로 뒤에 국제 음성 기호를 사용하여 [ ] 속에 표시하였다.
2. 미식과 영식 미식을 주로 삼되 필요가 있을 때엔 (/) 뒤에 영식 발음도 보였다.
   보기: **bosk** [bɑsk/bɔsk], **ful·mi·na·to·ry** [fʌ́lmənətɔ̀ːri, fúl-/-təri]
3. 하이픈의 이용 공통되는 부분은 하이픈을 써서 생략하였다.
   보기: **kin·e·mat·ic** [kìnəmǽtik/kài-]; **pic·tog·ra·phy** [piktágrəfi/-tɔ́g-]
4. 발음은 같고 악센트만 다른 경우에는 각 음절을 대시(-)로 나타내고 악센트의 위치 차이를 나타내었다.
   보기: **sub·spe·cies** [sʌbspíːʃi(ː)z, ⌐⌐-]
5. 생략할 수 있는 음 사람 · 경우에 따라 발음되지 않는 음은 이탤릭으로 보였다.
   보기: **at·tempt** [ətém*p*t]; **length** [leŋ*k*θ] 《[leŋkθ] 또는 [leŋθ]의 뜻》.
6. 장음과 단음 두 가지가 있을 경우에는 장음 부호를 ( ) 속에 넣어 표시하였다.
   보기: **Ae·ge·an** [i(ː)dʒíːən] 《[iːdʒíːən] 혹은 [idʒíːən]》.
7. 외래어의 발음 본래음에 가깝게 표기하되 그 영어화의 정도를 고려하기로 하였다.
8. 파생표제어(어떤 말에 -ly 따위의 파생어미가 붙어서 된 말) 중 다음 어미가 붙는 것은 원칙적으로 발음을 생략하였다. 다만, 기본어 표시 †, ⁑, * 가 붙은 것은 생략하지 않았다.
   able, -ible [əbəl] **-bility** [bíləti] **-ism** [izəm, ìzəm] **-ist** [ist] **-ize** [àiz]
   -ization [izéiʃən/aizéiʃən] **-less** [lis] **-ly** [li] **-ment** [mənt] **-ness** [nis] **-tion** [ʃən]
   -ed [d] (다만, [t], [id] 가 될 때는 그 부분만 보임) **-er** [ər]
   -est [ist] **-ing** [iŋ] **-s** [s, z] **-es** [iz]
   다만, 철자의 일부가 바뀐 것(y→i 따위), 혼동하기 쉬운 것은 원칙적으로 생략하지 않았다.
9. 복합어나 연어는 그 구성어가 표제어로 나올 때에는 철자 위에 악센트 표시만 하고 처음으로 나오는 낱말 외에는 발음 표기를 하지 않았다.
   보기: **lánd·màrk; áctive cárbon; Hób·son's chóice** [hábsnz-/hɔ́bsnz-]

이 때 번잡을 피하기 위해 각 낱말에는 주악센트만을 표시하였다.

10. 파생어 파생어에서는 철자의 공통된 부분의 발음 구성과 같고 악센트가 다른 것은 악센트만 표시하였으나 발음 구성이 달라지는 것은 발음을 표시해 놓았다.

보기: **eu·cary·ote** [juːkǽriout] [파] **eu·càry·ót·ic** [-ɑ́t-/-ɔ́t-]

Ⅲ. 품사와 어형 변화

1. 품사 한 낱말에 둘 이상의 품사로 나뉠 때 흔히는 동일항내에서 **—** 로 품사의 바뀜을 보였으나 복잡한 것은 별도 표제어로 내세우기도 했다.

2. 어형 변화 불규칙한 변화 · 철자 · 발음 등은 다음처럼 표시했다.

a) 명사의 복수형 보기: **man** [mæn] (*pl.* ***men*** [men]); **goose** [guːs] (*pl.* ***geese*** [giːs]); **deer** [diər] (*pl.* **~**, **~s**) *n.*; **fish** [fiʃ] (*pl.* **~·*es*** [fíʃiz], 〖집합적〗 **~**) *n.*; **leaf** [liːf] (*pl.* ***leaves*** [liːvz]) *n.* 자음+o로 끝나는 낱말의 복수형은 다음과 같이 보였다. 보기: **pi·ano**[1] [piǽnou, pjǽnou] (*pl.* **~*s*** [-z]) *n.*; **mos·qui·to** [məskíːtou] (*pl.* **~(*e*)*s***) *n.*

b) 대명사 인칭대명사는 그럴 필요가 있을 때에는 변화형을 보였다. 보기: **who** [huː] (소유격 ***whose*** [huːz]; 목적격 ***whom*** [huːm], 《구어》 ***who*(*m*)**) *pron.*

c) 불규칙 동사의 과거형; 과거분사형; 진행형 보기: **cut** [kʌt] (*p., pp.* **~; ∠·*ting***) *vt.*; **run** [rʌn] (***ran*** [ræn]; ***run; rún·ning***) *vi.*; **fee** [fiː] *n.* ... **—** (*p., pp.* **~*d, fee'd;* ∠·*ing***) *vt.*; **be·gin** [bigín] (***be·gan*** [-gǽn]; ***be·gun*** [-gʌ́n]; ***be·gin·ning***) *vi.*; **lie** [lai] (***lay*** [lei]; ***lain*** [lein]; ***ly·ing*** [láiiŋ]; **read** [riːd] (*p., pp.* ***read*** [red]) *vt.*

최후의 자음을 겹치는 경우에는 다음 요령으로 보였다. 보기: **flip**[1] [flip] (**-*pp*-**) *vt., vi.* 《과거(분사) · 현재분사 flipped; flipping); **trav·el** [trǽvəl] (**-*l*-**, 《영》 **-*ll*-**) *vi.* ... 《영식으로는 travelled; travelling》.

d) 형용사 · 부사의 비교급; 최상급 단음절어에는 -er; -est를 붙이고, 2음절 이상의 것에는 more; most를 붙여줌을 원칙으로 한다. 이렇게 되지 않는 것 또는 철자 · 발음상 주의를 요하는 것은 다음처럼 나타냈다. 보기: **good** [gud] (***bet·ter*** [bétər]; ***best*** [best]) *a.*; **free** [friː] (***fre·er*** [fríːər]; ***fre·est*** [fríːist]) *a.*; **tired**[1] [taiərd] (***more tired, tíred·er; most tired, tíred·est***) *a.*; **big** [big] (**-*gg*-**) *a.* 《비교급 · 최상급이 각기 bigger; biggest》.

Ⅳ. 풀이 · 용례 · 관용구

1. 풀이 †, ⁑, *, ° 의 표를 한 기본 표제어에서 근본 뜻, 또는 자주 쓰이는 말뜻을 굵은 (고딕체) 활자로 표시하였다.

2. 풀이가 복잡한 것은 **A**, **B** 또는 **1**, **2**, **3**이나 **a**, **b**, **c**로 상세히 구분하였으나, 그 밖의 경우는 (,)(;)으로 구별하였다. 또, 관용구에서는 ①, ②, ③으로, 설명 괄호 《 》 안에서는 (1), (2), (3)으로 구별하였다.

3. 풀이 중 그 말뜻에 대한 동의어를 ( ) 속에 보였으며, 동의어 중 따로 표제어에 내세우지 못한 것은 (=) 안에 고딕체로 넣고 악센트 표시를 하였다.

보기: **float** [flout] ... 떠(돌아)다니다, 표류하다(drift) ···
lem·on [lémən] *n.* ··· 레몬나무(= ∠ **trèe**).

4. 중요 동사의 역어 앞에는 문형과 우리 말 조사를 붙여 세밀한 구문상의 차이를 보였으며, 표제어와의 연결 관계를 분명히 하고자 풀이 다음의 《 》 속에 관련 전치사 · 부사 · 부정사 따위를 보였다.

보기: **sa·lute** [səlúːt] *vt.* **1** 《~+[목]/+[목]+[전]+[명]》 ···에게 인사하다《특히 깍듯이》, ···에 경례하다; 맞이하다《*with*》 ···.

동사에는 ( ) 속에 주어 · 목적어와 이해를 돕기 위한 간단한 보충 설명을 보였다.

보기: **in·flict** [inflíkt] *vt.* 《~+[목]/[목]+[전]+[명]》 **1** (타격 · 상처 · 고통 따위를) 주다, 입히다, 가하다《*on, upon*》 ···.

5. 풀이 속 또는 풀이 끝에 [cf.]를 써서 관련어를, [opp] 또는 [opp]를 써서 반대어를 보였다. [opp]는 그 해당 말뜻에, [opp]는 표제어 말뜻 전체에 관련된다.

보기: **in·tagl·io** [intǽljou, -tɑ́ːl-] (*pl.* **~*s***) *n.* **1** 음각, 요조(凹彫). [opp] *relief, relievo.* **2** (무늬를) 음각한 보석. [cf.] cameo.
def·i·nite [défənit] *a.* **1** ··· **3** 한정하는. [opp] *indefinite.*

6. 풀이 앞에 (H-), (m-)과 같이 표시되어 있는 것은 각기 대문자 또는 소문자로 시작할 경우를 나타내며, 또 (*pl.*), (the ~), (a ~)는 각기 복수형 또는 the, a가 붙음을 나타낸다.

보기: **dev·il** [dévl] *n.* **1** 악마; 악귀; 악령; (the D–) 마왕, 사탄(Satan)... **2** ···; **Dom·sat** [dóumsæ̀t, dɑ́m-] *n.* (때로 d–) 〖로켓〗 국내 통신(용) 인공 위성《발사국이 이용의 전유권을

갖는》.

7. 용례 말뜻 · 구문을 분명히 하기 위하여 기본 중요 표제어의 역어 뒤에 (:)를 붙이고 용례를 보였으며, 그 밖의 경우에는 (¶)로 용례를 한데 묶었다.

8. 관용구 각 품사의 말뜻 뒤에 일괄하여 이탤릭 고딕체로 수록하였다. 특히 구동사(句動詞)는 뜻에 따라 그 동사가 자동사와 타동사로 갈라지거나, 동사와 연결된 말이 부사와 전치사로 갈라지는 경우에는 이를 구분 수록하였다.

보기: **get**[1] [get] ... ~ ***across*** 《*vi.*+[전]》 ① (강 · 길 등을) 건너다…. —《*vi.*+[부]》 ③ 건너다, 가로지르다《*to*》…. —《*vt.*+[전]》 ⑤ …을 건네다…. —《*vt.*+[부]》 ⑥ …을 이해시키다….

Ⅴ. 파생어 · 어원

1. 파생어의 처리 표제어에 -ly, -ment, -ness, -ism, -fy, -ize 따위를 붙여 수월히 이루어지는 파생어나, 표제어에 약간의 형태상의 변화를 가져오는 -tion, -ce, -cy, -al 따위에 의한 파생어는 풀이를 반복해야 하는 번거로움을 덜기 위해서 해당 표제어항에 수록하고, [파] 표시로 그 소재를 밝혔다.

2. 파생어를 보일 때 표제어의 형태를 고스란히 간직한 것은 그 부분을 ~로써 나타내고, 표제어의 끝 음절에 변화를 일으킨 경우에는 끝 음절 이외의 부분을 -로써 보였다.

보기: **mind·ful** [máindfəl] *a.* ... [파] **~·ly** *ad.* **~·ness** *n.*
ma·tron·ly [méitrənli] *a.* ... [파] **-li·ness** *n.*

3. 어원 표시 어원은 원칙적으로 표제어 풀이 맨끝에 [ ] 표시로 가급적 간결히 표시했다.

보기: **Com·in·form** [kάminfɔ̀ːrm/kɔ́m-] *n.* (the ~) 코민포름《공산당 정보국(1947-56)》. [◂ *Com*munist *Inform*ation Bureau]
brunch [brʌntʃ] … 이른 점심. [◂ *br*eakfast+l*unch*] 《breakfast와 lunch의 혼성어임을 나타냄》.

Ⅵ. 가산(可算)명사 · 불가산(不可算)명사

셀 수 있는 명사(Countable Noun), 셀 수 없는 명사(Uncountable Noun)에는 각각 [C], [U]를 붙여 구별을 분명히 해 주었다(⇨ 부록 COUNTABLE, UNCOUNTABLE).

1. 말뜻 · 정의에 따라 [C], [U]가 다른 것은 각기 말뜻 번호 다음에 또는 역어의 바로 앞에 보였다. 각 말뜻이 모두 [C]이거나 [U]일 때에는 품사 바로 다음에 대표적으로 보였다.

보기: **land** [lænd] *n.* **1** [U] 뭍, 육지…, **2 a** [U] 땅, 토지. … **3 a** [C] 국토, 나라, 국가: …
fame [feim] *n.* [U] **1** 명성, 명예, 성망. **2** 평판, 풍문; 《고어》 세평, 소문.

2. 가산 · 불가산의 양쪽으로 쓰이는 경우에는 [C]와 [U]를 아울러 보였다. 이때, [C,U]는 가산이 주됨을 표시하며, [U,C]는 그 반대임을 나타낸다.

3. 고유명사, 아직 영어화가 덜 된 외래어, 연어 기타 가산명사임이 자명한 것 및 〖집합적〗, (*pl.*) 따위가 명기되어 있는 것은 [C], [U]를 보이지 않았다.

Ⅶ. 동사의 문형(文型)

동사에는 그것이 글 가운데 쓰이는 형(pattern)을 뜻풀이 앞에 《 》안에 보이고, 일일이 그 문형에 대응하는 용례를 실었다. 또, 문형(文型)상 중요한 전치사 · 부사 · 접속사 등은, 용례 속에서는 이탤릭체로 보였다. 보기: ⁑**creep** [kriːp] (*p., pp.* ***crept*** [krept]) *vi.* **1** … **2** 《~/+[부]/+[전]+[명]》 살금 살금 걷다 …; 천천히 나아가다〔걷다〕: …When did he ~ *out?* 그는 언제 몰래 빠져 나갔는가/Sleepiness *crept over* me. 졸음이 닥쳐왔다.

Ⅷ. 비슷한 말

비슷한 말의 취급 뜻이 비슷한 일군(一群)의 낱말들은 [SYN.] 항에 한데 모아, 서로 비교케 함으로써 그 미묘한 차이를 나타내 보였다. 그밖의 말은 [SYN.] ⇨ 로써 그 중심어를 참조시켰다.

Ⅸ. 여러 가지 기호

1. 〔 〕 속에 보인 것은 서로 대치할 수 있음을, ( )는 그 속에 표시된 것을 생략할 수 있음을 보이거나, 풀이 앞에서 보충적 설명, 주어, 목적어 관계 따위를 보인다. 보기: **dig...** — *vi.* 《~/+[전]+[명]》 **1** (손이나 연장을 써서) 파다; 구멍을 파다: … ~ *for* gold 〔treasure〕 금〔보물〕을 찾아 땅을 파다《~ for gold 또는 ~ for treasure》; **dirt...** ***(as) cheap as*** ~ 《구어》 굉장히 싼《as cheap as ~ 또는 cheap as

~》.

2. 《 》는 뜻의 부연 및 해설에 썼으며, 또한, 풀이의 앞에서 동사의 문형 표시, 주석 뒤에서 관련 전치사 · 부사 따위를 보이는 데에도 썼다.
보기: **jack·et...** **1** (소매 달린 짧은) 웃옷, 재킷《남녀 구별없이 씀》.
con·fess... **1** 《~+목/+목+전+명/…》 (과실 · 죄를) 고백〔자백〕하다.

3. 〖 〗는 풀이 앞에 와서 문법적 관계, 그 풀이의 기본 성격 따위를 보였다.
보기: **high·est** [háiist] *a.* 〖high의 최상급〗 가장 높은.

4. ⇨ 는 그곳에 해당 항목이 있음을 보인다.
보기: **end** 항에서 ***be at the ~ of*** one***'s rope*** ⇨ ROPE《rope 에 가보면 이 뜻이 있다는 뜻》.

5. 풀이 대신 =로써 그 다음에 보인 소형 대문자(SMALL CAPITAL)는 '그 뜻은 다음과 같다, 그것을 보라' 의 뜻이다. 보기: **sted·fast...** *a.* =STEADFAST.
다만, 이 때 =로 보인 것이 다른 항목이 아닌 자체 항목에 있는 것일 때에는 소형 대문자로써가 아니라, 보통의 로만체 활자 또는 ~로 표시했다.

6. ~은 표제어의 되풀이를 피하기 위하여 썼다.
보기: **right...** **1** 옳은, 올바른, (도덕상) 정당한. … ¶ ~ conduct 정당한 행위.

7. ◇ 표는 중요한 낱말의 관련된 품사를 나타낸 것이다.
보기: **har·mo·nize...** *vt.* **1** 《~+목/+목+전+명》 조화시키다, …. ◇ harmony *n.*

8. ★ 표는 어법, 주의 사항, 참고 사항 등을 보일 때 썼다.
보기: **dam·age ...** ★ damage 는 '물건' 의 손상을, '사람 · 동물' 의 손상은 injure.

Ⅹ. 부록

권말 부록에서는 문법편을 실어 학습에 편의를 도모했고 아울러 불규칙 동사표도 곁들였다.

해　　설

(A) 발　　음

1. 발음기호표

자 음

기호	보기
[p]	**cup**
[b]	**back**
[t]	**ten**
[d]	**day**
[k]	**key**
[g]	**leg**
[f]	**fat**
[v]	**vine**
[θ]	**both**
[ð]	**other**
[s]	**sun**
[z]	**zoo**
[ʃ]	**fish**
[ʒ]	**rouge**
[h]	**hat**
[tʃ]	**cheer**
[dʒ]	**gem**
[m]	**moon**
[n]	**note**
[ŋ]	**song**
[w]	**wet**
[l]	**leg**
[r]	**red**
[j]	**yet**

모 음

기호	보기
[i]	**happy**
[iː]	**sheep**
[iə*r*]	**ear**
[e]	**bed**
[ei]	**name**
[εə*r*]	**air**
[ɑ/ɔ]	**ox**
[ɑː]	**father**
[ɑː*r*]	**card**
[ai]	**ice**
[au]	**cow**
[æ]	**hat**
[æ, ɑː/ɑː]	**branch**
[ʌ]	**up**
[ə]	**about**
[ə*r*]	**actor**
[əː, ʌ/ʌ]	**hurry**
[əː*r*]	**bird**
[ɔː]	**all**
[ɔː, ɑ/ɔ]	**orange**
[ɔː*r*]	**cord**
[ɔi]	**boy**
[ou]	**open**
[u]	**book**
[uː]	**boot**
[uə*r*]	**tour**

★ 모음 뒤의 철자 r은 《미》에서는 'r음색의 모음(*r*-colored vowel)' 이라고 하여 [*r*]로 표기하지만, 《영》에서는 자음 앞이나 모음이 바로 이어지지 않는 경우에는 발음되지 않는다. 이 사전에서는 이러한 r의 《미》《영》 발음 차이는 일일이 밝히지 않고 생략한 경우가 많다.

2. 비영어 및 그 밖의 기호

[y] 입술을 둥글려서 [i]를 발음할 때의 소리: *Zürich* [tsýːriç]
[ø] 입술을 둥글려서 [e]를 발음할 때의 소리: *feu de joie* [fødəʒwa], *Neufchâtel* [nøʃɑtεl]
[œ] 입술을 둥글려서 [ε]를 발음할 때의 소리: *jeunesse dorée* [ʒœnεsdɔre], *oeil-de-boeuf* [œjdəbœf]
[ɑ̃] 비음화한 [ɑ]: *pensée* [pɑ̃se], *sans* [sɑ̃]
[ɐ] 혀를 약간 높여서 [a]를 발음할 때의 소리: *Übermensch* [*G.* ýːbɐmεnʃ]
[ε̃] 비음화한 [ε]: *vin* [vε̃]
[ɔ̃] 비음화한 [ɔ]: *bonsoir* [bɔ̃swaːr], *garçon* [gaːrsɔ̃]
[ç] 가운데혓면을 경구개에 다가서 내는 무성 마찰음: *Reich* [raiç]
[x] 뒤혓면을 경구개에 다가서 내는 무성 마찰음: *Bach* [baːx], *loch* [lɑx]
[ɥ] [y]에 대응하는 반모음: *ennui* [ɑ̃nɥi]
[ɲ] 구개화한 [n]: *Montaigne* [mɔ̃tεɲ]
[ɯ] 입술을 둥글리지 않는 [u]: *ugh* [ɯːx]
[Φ] 양 입술을 좁혀서 내는 무성 마찰음; 우리말 「후」의 자음: *phew* [Φː]
[̥] 무성화의 기호: *hem* [m̥m]
[ʇ] 혀를 차면서 내는 소리: *tut* [ʇ, tʌt]

(B) 철 자

《미》《영》 철자의 차이 미국과 영국에서 철자의 관용(慣用)이 서로 다름은 사실이나, 실상 미국에서 교양 있는 사람들이 쓰고 있는 철자는 영국의 그것과 별차이가 없다. 이제 표준적으로 미국식 철자로 널리 보급된 것을 예로 들어 영국식과 대비하면서 살펴보기로 한다.

a. 《미》 **-or** / 《영》 **-our**: color / colour. 같은 예: ardo(u)r; armo(u)r; behavio(u)r; cando(u)r; endeavo(u)r; favo(u)r; harbo(u)r; hono(u)r; labo(u)r, etc. ★ (1) 《미》 arbor, Arbor Day, 《영》 arbour (정자), arbor (축). (2) 《미》에서도 Saviour(=Christ), glamour의 두 낱말은 -our가 보통이지만, Savior, glamor도 쓰인다. (3) 활용어미 -ed, -ing, -s나 접미사 -able, -er, -ite, -ful, -less가 붙는 때도 똑 같이 《미》 **-or-** / 《영》 **-our-**: colored / coloured; armoring / armouring; favorite / favourite; colorful / colourful. (4) 다만 접미사 -ous, -ation, -ific, -ize, -ist가 붙는 경우는, 《미》《영》 공통으로 **-or-**: humorous, vaporous, coloration, colorific, vaporize.

b. 《미》 **-er** / 《영》 **-re**: center, centering / centre, centring. 같은 예: accouter / accoutre; caliber / calibre; fiber / fibre; liter / litre; meter / metre; theater / theatre; meager / meagre. ★ (1) thermometer와 같이 복합어에서는 공통으로 -meter. (2) c의 뒤에서는 공통으로 **-cre**: acre, lucre, massacre, etc. 이것은 c를 [k]로 읽히기 위함이다. (3) ch를 [k], g를 [g]로 읽히기 위해 -chre, -gre는 《미》《영》 공통: euchre, ogre와 같은 예도 있다.

(1) 자음

b = [b] : **b***ig*
c = [k] : **c***ut*, **c***ry*
c (*e*, *i*, *y*의 앞) = [s] : *i***c***e*, *i***c***y*, **c***ity*
ch = [tʃ] : **ch***ild*
ck = [k] : *do***ck**
d = [d] : **d***og*
dg = [dʒ] : *e***dg***e*
f = [f] : **f***ive*
g = [g] : **g***o*
g(*e*, *i*, *y*의 앞) = [dʒ] : **g***em*, **g***iant*, **g***ypsy*
h = [h] : **h***at*
j = [dʒ] : **j***am*
k = [k] : **k***ing*
l = [l] : **l***ittle*
m = [m] : **m***oon*
n = [n] : **n***oon*
n(*k*, *c* [k], *q*, *x*의 앞) = [ŋ] : *ta***n***k*, *u***n***cle*, *ba***n***quet*, *sphi***n***x*
ng = [ŋ] : *ki***ng**
p = [p] : **p***i***p***e*
ph = [f] : **ph***oto*
qu = [kw] : **qu***een*
r(모음의 앞) = [r] : **r***ed*
s = [s] : **s***even*
sh = [ʃ] : **sh***ut*
t = [t] : **t***eacher*
tch = [tʃ] : *ma***tch**
th(어두 · 어미) = [θ] : **th***ink*
th(주로 말 가운데) = [ð] : *fa***th***er*
v = [v] : *fi***v***e*
w(모음의 앞) = [w] : **w***ay*
wh = [*h*w] : **wh***en*
x = [ks] : *bo***x**
y(모음의 앞) = [j] : **y***es*
z = [z] : **z***ero*

(2) 장모음, 이중모음

a, ai, ay = [ei] : *c***a***se*, *f***ai***l*, *s***ay**
e, ee, ea, ie = [iː] : *w***e**, **e***ve*, *s***ee**, *s***ea**, *f***ie***ld*
i, y = [ai] : *f***i***ne*, *cr***y**
o, oa = [ou] : *st***o***ne*, *c***oa***t*
u, eu, ew = [juː] : *c***u***e*, **u***se*, *f***eu***d*, *f***ew**
ah = [ɑː] : *b***ah**
au, aw = [ɔː] : *s***au***ce*, *s***aw**
oo = [uː] : *t***oo**, *m***oo***n*
ou, ow = [au] : *s***ou***nd*, *c***ow**
oi, oy = [ɔi] : **oi***l*, *b***oy**

(3) 1 모음자+re / 2 모음자+r

are, air = [ɛə*r*] : *c***are**, *f***air**
ere, eer, ear, ier = [iə*r*] : *h***ere**, *b***eer**, *h***ear**, *p***ier**
ire = [aiə*r*] : *f***ire**
ore = [ɔː*r*] : *st***ore**
ure = [juə*r*] : *c***ure**
awer = [ɔːə*r*] : *dr***awer**
oor = [uə*r*] : *p***oor**
our = [auə*r*] : *s***our**
oyer = [ɔiə*r*] : *empl***oyer**

(4) 단(短)모음

a = [æ] : *b***a***t*, **a***p·ple* [ǽpəl]
e = [e] : *h***e***n*, *l***e***ss* [les], *m***e***r·ry* [méri]
i, y = [i] : *s***i***t*, *h***y***mn*, *b***i***t·ter* [bítər]
o = [ɑ/ɔ] : *h***o***t*, *d***o***ll*, *d***o***l·lar* [dɑ́lə*r*/dɔ́l-]
u = [ʌ] : *c***u***t*, *b***u***t·ter* [bʌ́tə*r*]
oo = [u] : *b***oo***k*

(5) 1 모음자+r

ar = [ɑː*r*] : *c***ar**, *c***ar***d*
er = [əː*r*] : *h***er**, *h***er***d*
ir = [əː*r*] : *s***ir**, *b***ir***d*
or = [ɔː*r*] : *f***or**, *n***or***th*
ur = [əː*r*] : *f***ur**, *b***ur***n*

(6) 약한 음절의 모음

a, e, o, u = [ə] : **a***·gó*, *sí·l***e***nt*, *lém·***o***n*, *cír·c***u***s*
i, y, e = [i] : *pít·***i***·ful*, *cít·***y**, **be***·gín*

(7) 약한 음절의 모음+r

ar, er, o(u)r, ur = [ə*r*] : *bégg***ar**, *bét·t***er**, *ác·t***or**, *cól·***o(u)r**, *múr·m***ur**

(8) 어미(語尾)의 e는 원칙적으로 묵음(默音); 또 앞 모음을 길게 발음시켜, *c*, *g*, *th*를 [s, dʒ, ð]로 발음시킨다; *not***e** [nout], *ac***e** [eis], *ag***e** [eidʒ], *bath***e** [beið]

c. 《미》 **-l-** / 《영》 **-ll-**: tráveled; tráveling; tráveler / trávelled; trávelling; tráveller. crúeler; crúelest / crúeller; crúellest. 같은 예: appárel; cáncel; cárol; cávil; chísel; cóunsel; équal; lével; jéweler / jéweller; jéwelry / jéwellery.
★ 《미》《영》 tranqil(l)ity.
d. 《미》 **-ll-** / 《영》 **-l-**: distill(ed) / distíl(led); appall(ing) / appal(ling), etc.
e. 《미》 **-se** / 《영》 **-ce**: defense / defence. 같은 예: offense / offence; pretense / pretence; practice(*n.* & *v.*) / practice(*n.*), practise(*v.*)
★ defensive, offensive, expense, suspense는 《미》《영》 공통.
f. 《미》 **-dgment** / 《영》 **-dgement**: judgment / judgement. 같은 예: lodgment / lodgement.
g. 《미》 **-ection** / 《영》 **-exion**: connection / connexion. 같은 예: deflection / deflexion; inflection / inflexion; reflection / reflexion.
h. 《미》 **-ol-** / 《영》 **-oul-**: mold / mould. 같은 예: mo(u)lt; smo(u)lder.
i. 《미》 **e, oe** / 《영》 **oe, œ**: maneuver / manoeuvre.
★ 《미》에서는 그리스, 라틴 계통의 말의 ae(æ), oe를 e로 간소화하는 경향이 많은데, 고전의 고유명사와 그 파생어(보기: Canesar, Aeschylus [éskələs/íːs-], Ægean)나 전문 학명(보기: archaeology, am(o)eba) 등에서는 흔히 《영》《미》 공통으로 ae를 보존한다. (a)esthete [ésθiːt/íːs-]처럼 발음이 다른 것도 있다.
j. 《미》 **-ize** / 《영》 **-ize, -ise**: realize, -ization / realize, -ise, -ization, -isation. 같은 예: colonize / -ize, -ise, etc. ★ chastise, exercise, surprise 등은 《미》《영》 공통.
k. 《미》 홑자음자 / 《영》 겹자음자: fagot / faggot; wagon / waggon; woolen / woollen; paneling / panelling, etc.
l. 《미》에서는 발음에 영향 없는 어미를 생략한다: program / programme; gram / gramme; annex / annex(e); ax(e) / axe, etc.
m. 개개의 말: check / cheque; draft / draught, draft / draft(초안; 수표); jail / gaol; gray / grey, etc.
n. 이 밖에 《미》에서는 tho, thoro, thru, 또는 nite, hiway와 같은 철자를 쓰는 일이 없지도 않으나, 각기 though, thorough, through, night, highway 가 《미》에서도 정식이다.

(C) 문 형(sentence pattern)

이 사전에서는 29의 동사형(動詞型)(verb pattern)을 설정하였는데, 동사형 1(완전자동사)과 동사형 9(완전타동사)의 2형은 원칙적으로 표시를 생략하였다.

1. 《~》 — 동사형 1은 동사형 2 및 동사형 6, 7이외의 완전자동사를 가리킨다. 이 사전에서는 특히 필요가 있는 경우를 제외하고는, 동사형 1을 표시하지 않았다. 따라서 자동사로서 특히 문형 표시가 없으면, 그것은 동사형 1에 속하는 동사라는 뜻이다.
   보기: Birds *fly*. / He *died*. / There *is* a garden in front of the house.

2. 《~+副》 — 이 경우의 副는, 부사 일반을 가리키는 것이 아니라, 동사와 밀접하게 결합하는 부사적 소사(小辭)(adverbial particle) 및 일정한 자동사에 관용적으로 결합하여 쓰이는 소수의 부사를 가리킨다. 부사적 소사란, in, out, on, off, down, up, about, across, around, along, over, through, by, past, under 따위의 말을 이른다.
   보기: He *came in* 〔*out*〕. / Prices are *going up* 〔*down*〕. / He *went back* 〔*away*〕. / His book is *selling well*.

3. 《~+補》 — 이 형의 補는 주격보어(subjective complement)를 나타내며, 쓰이는 동사는 불완전자동사이다. 주격보어에는 명사 및 형용사와 그 상당 어구가 온다. 이 형으로 쓰이는 주요 동사에는 다음과 같은 것이 있다.
   be, look, seem, appear, feel, smell, sound, taste, become, get, grow, turn, come, go, fall, run, keep, remain.
   보기: This *is* my car. / He *looked* happy. / She *became* a singer. / He *remained* poor all his life.

4. 《~+*to be* 補》《~+(*to be*) 補》 — 이 형은 자동사가 ① 반드시 to be를 수반하는 것과, ② to be가 생략될 수 있는 것의 두 가지로 이루어진다. 형용사가 afraid, asleep, awake 등의 서술형용사일 때에는 to be를 생략할 수 없으므로, ①의 형을 취한다. 이 형으로 쓰이는 주요한 동사는 seem, appear, happen, chance, prove, turn out 따위이다.
   보기: ① He *seems to be* asleep. / I *happened to be* out when she called.

② He seems (*to be*) angry. / The street *appeared* (*to be*) deserted.

5. 《～+*as* 보》－as 보란 as에 의해서 이끌리는 일종의 주격보어를 가리킨다. as 다음에는, 자격 · 지위 · 직능 · 구실 등을 나타내는 명사가 온다. 이 경우에 as 다음에 오는 단수형의 countable noun 에는 부정관사를 붙이지 않는 것이 보통이다.

보기: Mr. Brown *acted as* chairman. / He *died as* president.

6. 《～+전+명》－자동사가 그 다음에 전치사와 그 목적어인 명사 또는 명사 상당 어구를 수반할 때의 동사형이다. 전+명은 ① 장소를 나타내는 부사구일 때와, ② 자동사와 의미상 밀접히 결부되어 전체적으로 관용적인 구를 이루며, 동사에 따라 쓰이는 전치사가 일정하게 한정돼 있는 것이 있다. 후자의 경우, 자동사와 전치사의 결합이 거의 타동사에 가까운 것도 있다.

보기: ① He *looked out of* the window. / Our school *stands on* a hill.
② The house *belongs to* him. / Please don't *wait for* me.

7. 《～+전+명+*to* do》－이 형은 엄밀하게는 6의 일종이며, 《～+전+명》에 to부정사가 딸린 것이다. '명사+부정사' 전체가 전치사의 목적어를 이루는 것이 많은데, 명사는 부정사의 의미상의 주어가 되어 있다.

보기: I am *waiting for* him *to* arrive. / They have *arranged for* a taxi *to* meet you at the airport.

8. 《～+*done*》－이 형은 3의 《～+보》의 일종으로, 보어 가운데 특히 과거분사를 취하는 경우의 형을 나타낸 것이다. "*done*"은 자동사의 주격보어에 상당한다.

보기: He *remained undisturbed*. / The knot *came untied*.

9. 《～+목》－목은 목적어를 가리킨다. 이 동사형에서는 동사는 완전타동사이며, 목적어 이외의 다른 요소는 필요로 하지 않는다. 타동사가 목적어를 취함은 자명한 일이므로, 이 사전에서는 필요한 경우를 제외하고는 이 동사형의 표시는 생략하였다. 또, 이 동사형 및 아래의 타동사를 포함하는 각 동사형의 수동태에 관해서는, 이 사전에서는 수동태는 능동태의 운용형으로 간주하여, 같은 동사형으로 다루었다.

보기: I *like* sports. / He *painted* the picture. / This picture was *painted* in 1920.

10. 《～+목+부》－이 형은 2의 《～+부》에 대응하는 것으로서, 그 타동사형이라고 말할 수 있다. 부사는 동사와 밀접하게 결합되는 부사적 소사가 주이지만, 그 밖에도 타동사와 관용적으로 결합되어 쓰이는 약간의 부사도 포함된다. 목적어가 명사인 경우, 부사적 소사는 목적어에 선행하여 동사의 바로 뒤에 오는 수도 있다. 또, 목적어가 긴 경우에도, 부사적 소사는 동사의 직후에 오는 일이 많다. 목적어가 인칭대명사일 때, 부사는 반드시 목적어 뒤에 온다.

보기: He *put* his coat *on*. / He *put on* his hat. / Don't *throw away* anything useful. / I *took* her *home*.

11. 《～+*ing*》－이 동사형의 -ing은 ① 자동사 다음에 놓이어 일종의 보어의 구실을 하는 현재분사와, ② 타동사의 목적어인 동명사의 두 가지로 나뉘어진다. ①은 동사형 8《～+*done*》과 같은 종류의 것이다. 이 경우의 자동사는 반드시 불완전자동사에 한정되어 있지 않으며, 뒤에 이어지는 현재분사는 '…하면서' '…하여서'의 뜻을 나타내고, 동사와 동시적(同時的)인 동작을 나타내는 수도 있다. ②의 타동사 가운데에는 목적어로서 동명사 외에 to 부정사를 취하는 것도 있다(이 경우에는 동사형 12가 된다).

보기: ① He *stood listening* to the music. / He *came running* to meet us.
② He's *stopped smoking*. / Boys *like playing* baseball. / We must *prevent* their *coming*.

12. 《～+*to* do》－이 동사형에는, ① 동사가 자동사이며 to do가 그 보어 또는 부사적 수식어를 이루는 것과, ② 동사가 타동사이며 to do가 그 목적어인 것의 두 가지가 있다. ①의 to do는 목적 · 결과 등 외에 여러 가지 의미 관계를 나타낸다.

보기: ① His ambition *is to* become a doctor. / We *are to* meet at the airport. / We *stopped to* rest.
② I *want to* see you. / I'd *like to* go to the movies. / I *forgot to* mail your letters.

13. 《～+목+*to* do》－이 동사형은 목적어와 목적보어로서 to 부정사를 수반하는 것이다. 이 가운데 동사가 생각 · 판단 등을 나타내고, 목적어와 to 부정사와의 사이에 의미상 주어와 술어의 관계가 있는 것은, to부정사가 to be 로 되는 것이 많으며, 이것은 이 사전에서는 동사형 16으로서 따로 다루었다.

보기: I *told* him *to* wait. / He doesn't *want* his son *to* become an artist.

14. 《～+목+보》－이 형의 동사는 주로 불완전타동사이며, 목적보어를 수반하는 것이다. 목적보어에는 명

사 또는 명사 상당어구 및 형용사 또는 형용사 상당어구가 쓰이며, 동사가 나타내는 동작의 결과나 동시적인 상태 따위를 나타낸다.

보기: We *call* him Teddy./They *elected* him president./He *made* her happy.

15. 《~+목+*as* 보》-이 형은 목적보어가 as로 인도되는 어구의 경우이다. as뒤에는 명사 또는 명사 상당 어구 및 형용사 또는 형용사 상당어구가 온다. The idea *strikes* me as silly. 는 외형상 이 동사형에 속하는 것 같지만, as 이하가 주어에 대한 동격적 서술어를 이루는 특수한 예이다.

보기: We *regard* it *as* a waste of time./I will *describe* him *as* really clever.

16. 《~+목+*to be* 보》《~+목+(*to be*) 보》-이 형은 부정사가 to be 임을 제외하면, 동사형 **13**과 같은 것이다. 이 형의 동사는 생각 · 판단 따위를 나타내며, 목적어와 to be 보 사이에는 의미상 주어와 술어의 관계가 성립한다. 동사에 따라서는 to be를 생략할 수 있는 것이 있는데, 그것들은 《~+목+(*to be*) 보》로 표시된다. to be를 생략한 경우는 동사형 **14**와 같은 것이 된다. 구어에서는 동사형 **16** 대신에 동사형 **20**이 선호된다.

보기: They *felt* the plan *to be* unwise./We *know* him *to* have *been* a spy./They *reported* him (*to be*) the best doctor in town.

17. 《~+목+*do*》-do는 원형부정사를 나타낸다. 이 형에서 쓰이는 동사는 ① 지각동사와 ② 사역동사로 나뉘어진다. 원형부정사는 이들 동사의 목적보어에 상당한다. 동사형 **17**에 쓰이는 주요한 동사로는, ① see, hear, feel, watch, observe, notice, ② make, let, bid, have 따위가 있다. 사역동사는 아니지만 《미》에서는 help를 이 동사형에 쓴다(영국에서는 동사형 **13**이 된다).

보기: ① I *saw* him *cross* the street./Did you *notice* anyone *leave* the building?
② What *makes* you *think* so?/He *has* his secretary *type* his letters.

18. 《~+목+*-ing*》-이 형에서의 -ing은 현재분사로, 목적보어로서 쓰이고 있다. 이 형으로 사용되는 동사는 동사형 **17**의 ①과 공통되는 것 이외에, smell, find, catch, keep, leave, have, set, start 따위가 있다. 그리고, 이 형의 -ing에는 동명사로서 목적격인 명사나 인칭대명사 이외의 대명사를 의미상의 주어로 삼는 용법도 포함된다. 이에 쓰이는 주된 동사는 like, hate, mind, imagine, fancy, remember, understand 등이다.

보기: I *saw* him *crossing* the street./I *heard* her *playing* the piano./I can *smell* something *burning*./I don't *understand* him *behaving* like that./I don't *like* the boys *playing* about here.

19. 《~+목+*done*》-done은 과거분사를 나타낸다. 이 형에서는 과거분사는 목적보어로서 쓰이며, 일반적으로 목적어와의 사이에 피동의 관계가 성립한다. 이 형으로 쓰이는 주요 동사는 feel, hear, see, find, like, make, want, wish, get, have 따위이다.

보기: She *heard* her name *called*./I will *have* my watch *repaired*./He *made* himself *understood*.

20. 《~+*that* 절》《~+(*that*) 절》-that 절은 접속사 that로 인도되는 명사절로서, 이 형의 문에는 ① 타동사의 목적어인 것, ② 《~+전+명》의 형에서 쓰이는 자동사 가운데 전치사 없이 직접 that 절을 수반하는 것, ③ it seems [appears] that... 또는 it happened [chanced] that... 등의 형식이 있다. 또 구어에선 think, suppose, hope, wish, say 따위처럼 흔히 쓰이는 동사 뒤에서는 보통 that가 생략되는데, 그것은 《~+(*that*) 절》로 표시했다.

보기: ① I *think* (*that*) he is an honest man.
② He *insisted that* he was innocent.(*cf.* He *insisted on* his innocence.)/She *complained that* it was too hot.(*cf.* She *complained of* the heat.)
③ It *seems that* he is fond of sweets./It *happened that* he was busy when I called.

21. 《~+목+*that* 절》-이 동사형에는 ① 목적어가 간접목적어이고 that절이 직접목적어에 상당하는 것이고, ② that절이 동사형 **28** 《~+목+전+명》의 전+명에 상당하는 것의 두 가지가 포함된다. 이 형으로 쓰이는 주된 동사는 ① show, teach, tell, promise, ② assure, convince, inform, remind, satisfy, warn 따위가 있다.

보기: ① Experience has *taught* me *that* honesty pays./He *promised* me *that* he would be home for dinner.
② They *warned* us *that* the roads were icy.(*cf.* They *warned* us *of* the icy roads.)/He *informed* us *that* he was willing to help.(*cf.* He *informed* us *of* his willingness to help.)

22. 《~+*wh, to* do》－wh.는 주로 wh로 시작되는 의문대명사와 의문부사(how를 포함) 및 종속접속사 whether를 가리킨다. 다만, 동사형 **22**에서는 why는 쓰이지 아니한다. 이 동사형에서는 *wh.+to* do는 명사구를 이루며, 동사의 목적어가 된다.

보기: We could not *decide what to* do./I don't *know how to* play chess.

23. 《~+목+*wh. to* do》－동사형 **22**의 wh. to do 앞에 목이 놓인 형식으로, 주로 목은 간접목적어에, wh. to do는 직접목적어에 상당한다. 이 동사형에 쓰이는 주요 동사는 동사형 **25**와 공통이며, 본래 동사형 **28**에서 쓰이는 동사도 여기에 포함되어, advise, ask, inform, show, tell 따위이다.

보기: *Ask* him *where to* put it./I *showed* her *how to* do it./Please *inform* me *where to* get them.

24. 《~+*wh.* 절》－이 형에서 wh.절은 타동사의 목적어에 상당하며, wh.-words 로는 동사형 **22**에서 쓰이는 말 외에, 의문부사 why와 종속접속사 if(=whether)가 포함된다. 단, He meant *what he said.* 와 같은 글에서는 what는 관계대명사로 인도되는 종속절이며, 동사형 **9**에 속한다.

보기: He *asked why* I was late./Do you *know if* he is at home today?

25. 《~+목+*wh.* 절》－형 **23**의 wh. to do 대신 wh.-words로 인도되는 종속절이 사용되는 것 외에는 동사형 **23**과 같다. 주로 목은 간접목적어, wh.절은 직접목적어에 해당.

보기: *Ask* him *where* she lives./Can you *tell* me *how* high the mountain is?/Please *inform* me *whether* this train stops at Yongsan.

26. 《~+목+목》－앞의 목은 간접목적어, 둘째 목은 직접목적어이다. 간접목적어는 주로 사람을, 직접목적어는 주로 물건을 나타낸다. 간접목적어가 강조될 때, 또는 긴 경우에는 문장의 균형상, 직접목적어가 먼저 오고, 간접목적어는 to나 for의 뒤에 와, 동사형 **28**이 된다. 수동태에선 양목적어가 다 주어로 될 수 있지만, 한쪽만 허용되는 것도 있다.

보기: I *gave* him a watch./*Tell* me the story./Will you *buy* me some stamps?

27. 《~+목+부+목》－맨 처음의 목은 간접목적어, 다음 목은 직접목적어이다. 이 동사형에서는 부사 또는 부사적 소사는 동사와 의미상 밀접히 관련되어 관용적인 구를 이루며, 간접목적어로서의 명사 또는 대명사는 그 사이에 온다. 그 때, 직접목적어의 위치는 항상 부사의 뒤이다. 직접목적어의 위치를 앞으로 옮기면, 《~+(직)목+부+전+명》 또는 《~+부+(직)목+전+명》이 된다. 《~+목+목+부》 또는 《~+부+목+목》으로는 되지 않는다. 전치사를 쓰는 형에서는 동사에 따라 to 또는 for가 사용된다.

보기: Please *bring* me *back* those books.(=Please *bring back* those books to me.)/He *made* me *up* a parcel of books.(=He *made up* a parcel of books for me.)

28. 《~+목+전+명》－이 동사형에는 ① 전+명이 의미상 동사와 밀접히 관련되어 관용적인 어군을 이루고, 동사에 따라 결합하는 전치사가 항상 일정한 것, ② 전치사는 주로 to 또는 for로 한정되며, 명은 동사형 **26**《~+목+목》의 간접목적어에 상당하는 것, ③ 전+명이 장소·방향·기간 따위의 뜻을 나타내는 부사구인 것이 포함된다. ②에 쓰이는 동사는 동사형 **26**과 같다. 전치사 for를 취하는 주요 동사는 buy, choose, get, save, make, grow, find, do, cook, leave, order, play, reach, prepare 따위이다.

보기: ① I *congratulated* him *on* his success./I *explained* the problem *to* him.
② He *sold* his old car *to* one of his friends./She *made* coffee *for* all of us.
③ Don't *stick* your head *out of* the car window./He *took* his children *to* the park.

29. 《~+전+명+*that* 절》－이 형에서는 that절은 동사의 직접목적어에, 전+명은 간접목적어에 상당한다. 동사형 **21**과 달리, 간접목적어는 반드시 전+명으로 표시된다. 전+명은 동사의 바로 뒤, that절의 앞에 오며, 전치사로는 to가 쓰인다. 이 때 쓰이는 주요 동사엔 admit, complain, confess, explain, remark, say, suggest 등이 있다. 간접화법의 전달동사로서는 *say to* a person *that*... 보다는 *tell* a person *that*...이 보편적.

보기: He *explained to* us *that* he had been delayed by the weather./He *suggested to* John and Mary *that* they go to Spain for their holidays.

약 어 표

a.	adjective(형용사)	*pl.*	plural(복수)
ad.	adverb(부사)	*pp.*	past participle(과거분사)
aux. v.	auxiliary verb(조동사)	*pref.*	prefix(접두사)
conj.	conjunction(접속사)	*prep.*	preposition(전치사)
def. art.	definite article(정관사)	*pron.*	pronoun(대명사)
fem.	feminine(여성)	*rel. pron.*	relative pronoun(관계대명사)
imit.	imitative(의성어)	*sing.*	singular(단수)
impv.	imperative(명령법)	*suf.*	suffix(접미사)
indef. art.	indefinite article(부정관사)	*v.*	verb(동사)
int.	interjection(감탄사)	*vi.*	intransitive verb(자동사)
mas.	masculine(남성)	*vt.*	transitive verb(타동사)
n.	noun(명사)	&	and
p.	past(과거)		

Am. Ind.	American Indian	MDu	Middle Dutch	OF	Old French
Am. Sp.	American Spanish	ME	Middle English	OHG	Old High German
Can. F.	Canadian French	MHG	Middle High German	ON	Old Norse
Egypt.	Egyptian	MLG	Middle Low German	Rom.	Romanic
Finn.	Finnish	NL	Neo-Latin	Sem.	Semitic
Goth	Gothic	ODu	Old Dutch	W. Ind.	West Indies
LG	Low German	OE	Old English		

⟪Ar.⟫	Arabic	⟪Ind.⟫	India	⟪Russ.⟫	Russian
⟪Austral.⟫	Australia	⟪Ir.⟫	Irish	⟪S. Afr.⟫	South Africa
⟪Can.⟫	Canada	⟪It.⟫	Italian	⟪Sans.⟫	Sanskrit
⟪Chin.⟫	Chinese	⟪Jap.⟫	Japanese	⟪Sc.⟫	Scotch
⟪D.⟫	Dutch	⟪L.⟫	Latin	⟪S. Eng.⟫	South England
⟪F.⟫	French	⟪Malay.⟫	Malayan	⟪Slav.⟫	Slavic
⟪G.⟫	German	⟪N. Eng.⟫	North England	⟪Sp.⟫	Spanish
⟪Gr.⟫	Greek	⟪N. Zeal.⟫	New Zealand	⟪Swed.⟫	Swedish
⟪Haw.⟫	Hawaiian	⟪Norw.⟫	Norwegian	⟪Teut.⟫	Teutonic
⟪Heb.⟫	Hebrew	⟪Per.⟫	Persian	⟪Turk.⟫	Turkish
⟪Hind.⟫	Hindustani	⟪Pol.⟫	Polish	⟪Welsh.⟫	Wales
⟪Hung.⟫	Hungarian	⟪Port.⟫	Portuguese	⟪Yid.⟫	Yiddish

⟪미⟫	미국 용법	⟪프⟫	프랑스
⟪영⟫	영국 용법	⟪카리브⟫	Carib
⟪독⟫	독일		

용 어 표

⟪경멸⟫	⟪반어적⟫	⟪소아어⟫	⟪오용⟫
⟪고어⟫	⟪방언⟫	⟪속어⟫	⟪우스개⟫
⟪구어⟫	⟪비어⟫	⟪시어⟫	⟪폐어⟫
⟪군대속어⟫	⟪비유⟫	⟪아어⟫	⟪CB속어: Citizens Band 속어⟫
⟪드물게⟫	⟪비표준⟫	⟪옛투⟫	
⟪문어⟫	⟪상표명⟫	⟪완곡어⟫	

전 문 어 표

【가구】
【가톨릭】
【건축】
【결정】
【경기】
【경제】
【고고학】
【고대그리스】
【고대로마】
【고생물】
【곤충】
【골프】
【공군】
【공학】
【광물】
【광산】
【광학】
【교육】
【교통】
【구약(성서)】
【군사】
【궁술】
【권투】
【그리스사(史)】
【그리스신화】
【금속】
【금융】
【기계】
【기독교】
【기상】
【기생충】
【기하】
【낚시】
【노동】
【논리】
【농구】
【농업】
【대수】
【도량형】
【도서관】
【동물】
【라디오】
【레슬링】
【로마법】
【로마사】
【로마신화】
【로켓】
【마술(馬術)】
【마술(魔術)】
【면역】
【무용】
【문장(紋章)】
【문학】
【물리】
【미국사】
【미술】
【미식축구】
【발레】
【발생(학)】
【방직】
【배구】
【배드민턴】
【법률】
【병리】
【보석】
【보험】
【복식】
【볼링】
【부기】
【북유럽신화】
【불교】
【사냥】
【사진】
【사회】
【상업】
【생태】
【생화학】
【서지】
【선박】
【성서】
【세균】
【세무】
【수사학】
【수산】
【수상】
【수영】
【수의】
【수학】
【스포츠】
【승마】
【식물】
【신약(성서)】
【신문】
【신학】
【신화】
【심리】
【악기】
【안과】
【야구】
【야금】
【약학】
【어류】
【언어】
【역사】
【역학】
【연극】
【염료】
【염색】
【영국교회】
【영국사】
【영화】
【예술】
【외과】
【요업】
【요리】
【우편】
【우주】
【운수】
【운율】
【원예】
【원자】
【유대교】
【유전】
【육군】
【윤리】
【음성】
【음악】
【의학】
【이슬람교】
【인류】
【인쇄】
【임업】
【자기】
【자동차】
【재정】
【전기】
【전자】
【점성】
【정신의학】
【정치】
【제본】
【제지】
【조각】
【조류】
【조선】
【종교】
【종교사】
【증권】
【지리】
【지학】
【직물】
【천문】
【철학】
【철도】
【체스】
【축구】
【축산】
【축성(築城)】
【측량】
【치과】
【카드놀이】
【컴퓨터】
【크리켓】
【크리스천 사이언스】
【토목】
【통계】
【TV】
【패류】
【펜싱】
【포술】
【프랑스사(史)】
【항공】
【해군】
【해사】
【해부】
【해양】
【화폐】
【화학】
【환경】
【회계】
【회화】

A

A[1], **a**[1] [ei] (*pl.* **A's, *As*, a's, *as*** [-z]) **1** 에이《영어 알파벳의 첫째 글자》. **2** (연속하는 것의) 첫번째(의 것). **3** A 자 꼴(의 것): an *A* tent, A 자꼴 천막. **4** 첫째〔제1〕 가정자(假定者), 갑(甲). **5 a** (A) 최상의 것; 제 1 급, A급: *A* milk 최고급 우유. **b** (때로 a) 《미》 (학업 성적의) A, 수(秀)《alpha라고도 함》: all 〔straight〕 *A's* / an *A* student 우등생. **6** (A) 〖음악〗 가음《고정 도 창법의 'la'》; 가조: *A* flat 내림 가음《기호 A♭》 / *A* major 〔minor〕 가장조〔단조〕. **7** (보통 a 자체로) 〖수학〗 첫째 기지수(既知數). **8** (A) (ABO 식 혈액형의) A 형. **9** (A) A 사이즈 《구두의 폭이나 브래지어의 컵 사이즈; B 보다 작고 AA 보다 큰 것》. ***from A to Z*** 처음부터 끝까지, 전부. ***not know A from B*** 일자무식이다. ***the A to Z of*** …에 관한 모든 것.

A[2] *n.* 《미속어》 **1** 암페타민(amphetamine). **2** LSD. [◂ *a*cid]

†**a**[2] ⇨《p. 16》 A, AN.

a[3] [ə] *prep.* 《구어 · 방언》 =OF: thread *a* gold 금실 / kind*a* 〔sort*a*〕 다소(kind of).

a[4] [ei, ɑː] *prep.* 《L.》 from 의 뜻: ⇨ A PRIORI / A POSTERIORI.

a[5] [ə, æ] *aux. v.* 《구어 · 방언》〖종종 앞 조동사에 붙여〗 =HAVE: I'd *a* done it. / could*a* 〔might*a*, would*a*〕.

à [ɑː] *prep.* 《F.》 to, at, in, after 따위의 뜻: ⇨ À LA CARTE, À LA MODE, etc.

a-[1] [ə] *pref.* **1** in, into, on, to, toward 의 뜻. **a** 〖명사에 붙어〗: *a*foot 도보로 / *a*shore / *a*bed. **b** 〖동사에 붙어〗: *a*buzz. ★ a, b 모두 서술 형용사 · 부사를 만들며 명사 앞에는 오지 않음. **c** 〖현재분사에 붙어〗 《고어 · 시어 · 방언》: go *a*-hunt*ing*(=go hunting) / The house is *a*-build*ing*(=is being built). 집은 건축 중. **2** **a** =AB-《m, p, v 앞에서》: *a*vert. **b** =AD-《gn, sc, sp, st 앞에서》: *a*scend.

a-[2] [ə] *pref.* non-, without-의 뜻: *a*chromatic, *a*moral, *a*tonal.

-a [ə] *suf.* '산화물'의 뜻.

A ampere; angstrom (unit); 〖화학〗 argon. **A.** Absolute; Academician; Academy; acre; Admiral; 《영》〖영화〗 adult(=for adults only) 《현재는 PG》; Airplane; America(n); *anno* 《L.》 (=in the year); answer; *ante* 《L.》 (=before); April; Army; Artillery; atomic; *avancer* 《F.》 (=accelerate). **a.** about; 〖상업〗 accepted; acre(s); active; adjective; afternoon; age(d); air; alto; amateur; ampere; *anno* 《L.》 (=in the year); anonymous; answer; *ante* 《L.》 (=before); approved; are[2]; 〖야구〗 assist(s). **Å** angstrom.

@ [ət] *ad.* 《L.》 (=at) 〖상업〗 단가 …로.

aa [áːɑː] *n.* 아아 용암《겉이 거칠고 도톨도톨한 현무암질 용암의 형태》.

AA AA 사이즈《구두나 브래지어의 A 보다 작은 사이즈의 기호》; 《영》 15 세 미만 관람 불가 (영화)《현재는 PG》.

AA Afro-Asian; Asian-African; American Airlines; author's alteration(저자(著者) 정정). **A.A.** Alcoholics Anonymous; antiaircraft (artillery); 《영》 Automobile Association.

AAA (신발 너비의) AAA사이즈《AA보다 좁음》; 〖야구〗 AAA, triple-A《마이너 리그의 최상위》; 〖금융〗 AAA, triple-A《사채 · 공채 따위 등급에서 최우량의 평가》; 〖전기〗 (건전지 사이즈의) AAA.

A.A.A. [èièiéi, trípəl èi] Agricultural Adjustment Administration; 《영》 Amateur Athletic Association; American Automobile Association; Anti-Aircraft Armament. **A.A.A.A.** Amateur Athletic Association of America; American Association of Advertising Agencies. **A.A.A.L.** American Academy of Arts and Letters. **A.A.A.S.** American Academy of Arts and Sciences; [trìpəlèiés] American Association for the Advancement of Science. **AAD** analog analog digital《녹음방식》. **A.A.E.D.** Academic American Encyclopedia Database. **A.A.F.** Army Air Forces 《USAF에 흡수됨》. **AAFP** American Academy of Family Physicians. **A.A.G.** Assistant Adjutant General.

aah [ɑː, áːə] *n., vi.* 탄성(을 발하다), 아아 (하다).

Aal·to [áːltɔː] *n.* **Alvar** ~ 알토《핀란드의 건축가 · 가구 디자이너; 1898–1976》.

A.A.M. air-to-air missile. **AAMC** American Association of Medical Colleges. **A & E** accident and emergency. **a & h** 〖보험〗 accident and health. **A & M** Agricultural and Mechanical《대학 이름에 붙여: Florida *A & M*》; Hymns Ancient and Modern. **A & P** Great Atlantic and Pacific Tea Company《미국의 유명한 슈퍼마켓 회사》. **A. & R.** artists and repertory 〔recording〕: an ~ man (레코드 회사에서의) 제작 부원. **AAP** Association of American Publishers. **A.A.P.S.S.** American Academy of Political and Social Sciences. **A.A.R.** 〖상업〗 against all risks.

aard·vark [áːrdvàːrk] *n.* 〖동물〗 땅돼지《남아프리카산 개미핥기의 일종》.

aard·wolf [áːrdwùlf] (*pl.* ***-wolves*** [-wùlvz]) *n.* 〖동물〗 땅늑대《남아프리카의 하이에나》.

aargh, argh [ɑːr] *int.* 악, 웩, 퀙《놀라움 · 무서움 · 고통 · 불쾌함 · 노여움 등을 나타냄》.

Á-àrms *n.* 원자 무기.

Aar·on [éərən] *n.* 〖성서〗 아론《모세의 형, 유대교 최초의 제사장》.

Aa·ron·ic [eərάnik/-rɔ́n-] *a.* 아론의〔같은〕; 아론 자손의; 〖모르몬교〗 하급 교직의; 성직자다운(priestly). 「따위의 속칭.

Áaron's-bèard *n.* 〖식물〗 범의귀 · 물레나물

Áaron's ród **1** 〖식물〗 미역취《긴 줄기에 꽃이 연해 핌》. **2** 〖건축〗 몰딩의 일종《뱀이 가지에 휘감긴 꼴의 장식》. **3** 〖성서〗 아론의 지팡이《민수기 XVII: 8》.

A.A.R.P. American Association of Retired Persons. **A.A.S.** *Academiae Americanae Socius* 《L.》 (=Fellow of the American Academy); American Academy of Sciences; American Astronomical Society. **A'asia** [èiéiʒə, -ʃə] Australasia. **AAU, A.A.U.** Amateur Athletic Union (전미 체육 협회).

A.A.U.P. American Association of University Professors. **AAUW** American Association of University Women. **AAW** anti-air warfare.

AB [éibí:] *n.* Ⓤ (ABO식 혈액형의) AB형.

Ab, Av [ɑ:b, æb, ɑ:v], [ɑ:v, æv, ɔ:v] *n.* 유대력의 제 11 월《현 태양력의 7-8월》.

ab [æb] *n.*《구어》복근(腹筋)(abdominal muscle).

ab [æb] *prep.*《L.》from 의 뜻.

ab-[1] [æb, əb] *pref.* '이탈'의 뜻: *ab*normal, *ab*use.

ab-[2] [æb] *pref.* (cgs 전자 단위계에서) '절대…' '10^x'의 뜻.

ab-[3] [æb, əb] *pref.* AD- 의 변형《b의 앞에서》.

AB air base; airborne. **A.B.** able-bodied

a, an

부정관사 **a**와 **an**의 사용 구분 (1) 자음으로 시작되는 말 앞에서는 a, 모음으로 시작되는 말 앞에서는 an: *a* pen [ə-pén] / *an* egg [ən-ég] / *an* only child [ən-óunli-tʃáild] / *a* 2 [tu:] / *an* 8 [eit]. (2) 모음으로 시작되어도 발음이 j/w인 경우 a를 쓴다: *a* one-act play / *a* European / *a* ewer / *a* useful tool. 다만, an을 쓰는 경우도 있다. (3) 발음되지 않는 h+모음으로 시작되는 말에는 an을 쓴다: *an* hour / *an* honest boy. h를 발음하는 경우엔 a를 쓴다: *a* hot day. h가 발음되어도 그 음절에 악센트가 없을 때는 an을 쓰는 일도 있지만, 일반적으로는 a를 쓴다: *a(n)* hotel [houtél] / *a(n)* histórian. 각각 발음되는 약어에서 첫 자가 모음으로 시작되면 an을 씀: *an* MP / *an* SOS.

a, an [강 ei, 약 ə], [강 æn, 약 ən] *indef. art.* [one과 동어원] ★ [ei, æn]의 발음은 부정관사를 독립하여 읽거나 특히 강조해서 말할 경우에만 쓰임. 그 밖의 경우에는 [ə, ən]을 씀: "*A*" [ei] is *an* [ən] article.

1 〖많은 동종의 것 중 한 예를 가리킬 때 쓰이며, 보통 번역하지 않음(one of many)〗: I am *a* boy. 나는 소년이다 / Call me *a* taxi. 택시를 불러다오. ★ 처음 화제에 오르는 단수 보통명사에 붙이는 a도 이 부류에 속함. 같은 명사가 두 번째 쓰일 때에는 the를 붙임.

2 〖one의 뜻으로〗 하나의, 한 사람의: *a* dollar, 1 달러 / in *a* day or two 하루 이틀에 / in *a* word 한 마디로 말하면 / *a* watch and chain 사슬 달린 시계《and는 with의 뜻》/ *a* friend of mine 나의 한 친구 / I never said *a* word — never one word. 한 마디도 안 했다 — 단 한 마디 말도 / He is *a* poet and novelist. 그는 시인이자 소설가이다《비교: *a* poet and *a* novelist 시인과 소설가 (두 사람)》/ Yes, I had *a* [ei] reply. 예, 일단 회답은 받았습니다(만)《불만스러움》.

3 〖any의 뜻으로 총칭적〗 …라는 것은, …은 모두: *A* dog is *a* faithful animal. 개는 충실한 동물이다. ★ 복수구문이라도 some, any는 쓰지 않음: Dogs are faithful.

4 〖some, a certain의 뜻으로〗 어떤〔어느〕(정도의), 약간의, 조금의: for *a* time 잠시 동안 / in *a* sense 어떤 의미로는 / I have *a* knowledge of astronomy. 천문학에 관해 좀 알고 있다.

5 〖물질 명사에 붙여서〗 …로 만든 것(하나); 1개의; 일종의; 한 잔의(마실 것 따위): *a* cloth (일종의) 천 / *a* beer 〔coffee, tea〕 맥주〔커피, 차〕 한 잔 / *a* bronze 청동 제품.

6 〖추상 명사에 붙여서〗 …의 (구체적인) 한 예: *a* kindness 친절한 행위 / *a* murder 살인 사건 / have *a* sleep 한숨 자다.

NOTE 이 경우 동사에서 전환된 명사나 동명사에 a가 붙는 일이 많음. 또 유일물(唯一物)에 형용사가 붙을 때 a가 쓰임. 이를테면 달은 유일물로서 일반적으로 *the* moon이지만, a가 올 때도 있음: There was *a* beautiful moon in the sky. 하늘에는 아름다운 달이 떠 있었다.

7 〖고유 명사에 붙여서〗 **a** …라는 (이름의) 사람: *a* Mr. Smith 스미스씨라는 사람. **b** …와 같은(재능·성질이 있는) 사람: *a* Newton 뉴턴과 같은 사람〔대(大)과학자〕/ *an* Edison 에디슨과 같은 발명가. **c** …가문〔문중〕의 사람, …가문 출신: *a* Smith 스미스 가문의 사람 / My mother was *a* Hodge. 나의 어머니는 하지 가문의 출신이었다. **d** …의 작품, …의 제품: *a* Picasso 피카소의 작품 / *a* Ford 포드 차. **e** 문어에서, 사람 등의 새로운 양상(樣相)이나 그때까지 알려지지 않은 면을 나타냄: *a* vengeful Peter Baron 복수심에 불타는 피터 배런.

8 〖per의 뜻〗 …당, 한 …에, 매 …에 (얼마): once *a* day 하루에 한 번 / 5 dollars *a* yard 야드당 5 달러 / We have English four hours *a* week. 영어가 일 주일에 4시간 있다. ★ 이 경우 a는 실은 on, in을 뜻하는 옛 전치사의 an 또는 on의 변형임.

9 〖관용어법으로〗 few, little, good 〔great〕 many의 앞에 붙임. cf. few, little, many.

10 〖기수사와 함께〗 약 (about): *a* twenty miles 약 20 마일 / *a* thirty men 약 30명의 사람들.

11 〖서수사의 앞에 쓰여〗 또 한 번, 또 하나(의) (another): He tried to jump up *a* third time. (두 번 뛰고 나서) 그는 다시 한 번 뛰어오르려 했다.

12 〖of a… 형태로〗 동일한, 같은(one and the same): BIRDS *of a* feather flock together. / They are *of an* age. 그들은 동갑이다 / They are all *of a* mind. 그들은 모두 한마음이다.

13 〖a+최상급〗 대단히〔무척〕 …한(very): It is *a* most discreet decision. 대단히 사려 깊은 결정이다.

14 〖[ei]로 발음하여〗 훌륭한, 대단한: She has *a* voice. 그녀는 고운 목소리를 지니고 있다 / She has *a* leg! 그녀는 정말 춤을 잘 춘다 / It was *a* sight. 굉장한 구경거리였다.

15 〖a… of a ＿의 꼴로〗 …와 같은 —: *a* mountain *of a* wave 산더미 같은 파도 / *an* angel *of a* wife 천사 같은 아내.

NOTE **a(n)**의 어순 관사는 흔히 명사 또는 명사를 꾸미는 어군(語群) 앞에 오는 것이 정칙이나 다음 몇 가지 점에 주의할 것: (1) how, however, so, as, too+형용사+a+명사의 순(順): How beautiful *a* day! / However beautiful *a* day it may be, … / so good *a* student / as diligent *a* man as he 그 사람같이 부지런한 사람 / too difficult *a* problem 지나치게 어려운 문제. (2) quite, rather, half, such, what은 흔히 a의 앞에 나옴: quite *an* old man / rather *a* hard task / half *an* hour 《미국에서는 종종 *a* half hour》. (3) no less는 a보다 앞섬: no less *a* person than himself 다른 사람 아닌 바로 그 사람 자신.

(seaman); *Artium Baccalaureus* 《L.》 (= Bachelor of Arts). **Ab** 〖화학〗 alabamine. **ab** abbreviation; about; absent; 〖야구〗 at bat.

aba [əbáː, áːbə] *n.* Ⓤ 낙타〔염소〕의 털로 짠 옷감; Ⓒ (아랍인의) 소매 없는 긴 옷.

A.B.A. American Bible Association; American Bar Association; American Banking 〔Booksellers〕 Association.

ab·a·ca [æ̀bəkáː, ɑ̀ːbə-] *n.* 〖식물〗 마닐라삼 《필리핀 주산》; 그 섬유, 아바카.

aback [əbǽk] *ad.* 뒤로; 〖해사〗 바람을 돛의 앞으로 받아. ***be taken*** ~ ① 뜻밖의 일을 당하다, 깜짝 놀라(당황하)다: I *was taken* ~ by the news. 나는 그 소식에 놀랐다. ② 〖해사〗 (배가) 역풍을 받다.

abac·te·ri·al [èibæktíəriəl] *a.* 〖의학〗 비세균성의, 무균의.

abac·u·lus [əbǽkjələs] (*pl.* ***-li*** [-lài]) *n.* 〖건축〗 모자이크 타일; 작은 주판.

ab·a·cus [ǽbəkəs] (*pl.* **~·es, -ci** [-sài]) *n.* **1** 주판. **2** 〖건축〗 원주두(圓柱頭)의 관판(冠板), 대접받침.

abacus 2

Abad·don [əbǽdən] *n.* **1** 나락(奈落), 지옥. **2** Apollyon의 헤브라이 명.

abaft [əbǽft, əbáːft] *ad.*, *prep.* 〖해사〗 고물에〔로〕, (…보다) 고물에 가까이; (…의) 뒤에: wind from ~ 순풍 / ~ the mast 돛대 뒤쪽에.

ab·a·lo·ne [æ̀bəlóuni] *n.* 〖패류〗 전복.

ab·amp [ǽbæ̀mp] *n.* =ABAMPERE.

ab·am·pere [æbǽmpiər] *n.* 〖전기〗 절대〔애브〕 암페어《전류의 cgs단위: =10 amperes; 기호 aA》.

⁑**aban·don**[1] [əbǽndən] *vt.* **1** (사람·배·나라·장소·지위 등을) 버리다, 버려 두다; 버리고 떠나다: ~ one's home 생가를 떠나다 / *Abandon* ship! (침몰하고 있는) 배를 떠나라.

> SYN. **abandon** 은 '책임이 있으므로 하는 수 없이 사람이나 물건을 버림' 을 말함. **desert** 는 abandon 보다 뜻이 강하여, '의무나 맹세를 무시하고서까지 버림' 을 말함. **forsake** 는 '자신이 사랑하는 사람이나 물건을 버림' 을 말함. **quit** 는 '그만둠' 을 이름: He may *quit* his job. 그는 일을 그만둘지도 모르겠다.

2 《~+목/+목+전+명》 (계획·습관 등을) 단념하다, 그만두다: ~ all hope 모든 희망을 단념하다 / They ~*ed* the plan *for* another one. 그 계획을 단념하고 다른 것으로 바꾸었다. ★ give up이 구어적임. **3** 《+목+전+명》 (나라·땅·요새)를 (…에게) 명도하다(surrender); 〖~ oneself〗 (쾌락 따위에) 몸을 내맡기다《*to*》: ~ a city *to* a conqueror 정복자에게 도시를 내어주다 / ~ one*self to* drinking 술에 빠지다. **4** 〖법률〗 (재산·권리 등을) 포기하다; (처자를) 유기하다; 〖보험〗 위부(委付)하다.

aban·don[2] *n.* 《F.》 Ⓤ 방종, 방자. ***with*** 〔***in***〕 ~ 멋대로, 마음대로; 닥치는 대로: shout and cheer *in* gay ~ 멋대로 소리치고 환호하다 / The mobs killed *with* ~. 폭도들은 닥치는 대로 살해했다.

abán·doned *a.* 버림받은; 자포자기한; 방탕한, 타락한; 파렴치한; 감정이 내키는 대로의; 폐기된《채굴장·광산 등》: an ~ child 기아(棄兒) / an ~ villain 〔woman〕 무뢰한(無賴漢)〔닳고 닳은 여자〕.

aban·don·ee [əbæ̀ndəníː] *n.* 〖법률〗 피유기자(被遺棄者); 피위부자(被委付者).

abán·don·er *n.* 〖법률〗 유기자; 위부자.

abán·don·ment *n.* Ⓤ 포기; 유기; 자포자기, 방종; 〖법률〗 위부(委付): ~ clause 위부 조항 / ~ of a right 기권.

ab·ap·tis·ton [æ̀bæptístən] *n.* 〖외과〗 소원추 천두기(小圓錐穿頭器)《뇌관통을 피하게 하는 두개골 절단 톱》.

à bas [ɑːbáː] 《F.》 …타도(打倒)! opp. *vive.*

abase [əbéis] *vt.* 깎아내리다, (지위 등을) 낮추다; 창피를 주다; 〖~ oneself〗 자기를 낮추다, 비하하다. ㊞ **~·ment** *n.* Ⓤ (품위의) 실추, 굴욕.

°**abash** [əbǽʃ] *vt.* **1** 〖주로 수동형〗 …을 부끄럽게 하다. **2** (아무)를 당혹하게 하다: Your kindness ~*es* me. 친절히 해주셔서 송구스럽습니다. ***be*** 〔***feel***〕 **~*ed*** (부끄러워) 겸연쩍어하다 《*at*》: She *was* 〔*felt*〕 ~*ed at* the sight of the room filled with strangers. 낯선 사람으로 가득 찬 방을 보고 그녀는 머뭇머뭇하였다. ㊞ **~·ed·ly** [-idli] *ad.* 부끄러워서, 당혹하여. **~·ment** *n.* Ⓤ 수치, 곤혹.

aba·sia [əbéiʒiə, -ziə] *n.* 〖의학〗 (뇌중추 장애 등에 의한) 보행 불능증.

abask [əbǽsk, əbáːsk] *ad.* 포근한 따사로움으로.

*__abate__ [əbéit] *vt.* **1** 수〔양·정도 따위〕를 줄이다; (값을) 내리다; (세를) 낮추다; (고통·기세 따위를) 덜다, 누그러뜨리다: ~ part of a price 값의 얼마를 깎다 / The pain is ~*d*. 아픔이 덜해졌다. **2** 〖법률〗 (불법 방해를) 배제하다, (소송을) 중지하다, (영장을) 무효로 하다. — *vi.* **1** 줄다; (기세·격렬함이) 약해지다, 누그러지다; (홍수·폭풍우·노여움 등이) 가라앉다, 자다: The storm 〔noise〕 ~*d*. 폭풍〔소란〕이 가라앉았다. **2** 〖법률〗 (불법 방해가) 그치다, (영장·소인 등이) 무효가 되다. ㊞ **~·ment** *n.* Ⓤ,Ⓒ 인하, 감소, 경감, 감퇴; 감소액, 《특히》 감세액; 〖법률〗 배제, 중지, 실효: allow no ~*ment* from the price 값을 깎아 주지 않다 / a plea in ~*ment* 〖법률〗 소송 각하 항변. **abát·er** *n.* 경감자, 공제자.

ab·a·tis, -at·tis [ǽbətìː, -tis, əbǽtis/ǽbətis] (*pl.* ~ [-tìːz], **~·es** [-tisiz]) *n.* 〖군사〗 녹채(鹿砦), 가시 울타리; 철조망.

abat-jour [àːbaːʒúər; *F.* abaʒuːʀ] (*pl.* **~s** [-z; *F.* —]) *n.* 《F.》 **1** (채광용) 천창(天窓)(skylight); 반사창(reflector). **2** (창의) 가리개《밖에서 보이지 않게 비스듬히 댄 판자 따위》.

aba·tor [əbéitər] *n.* 〖법률〗 (소송 절차 따위의) 배제자; 유산 불법 점유자.

Á bàttery 〖전기〗 A 전지《진공관의 필라멘트 가열용》. cf. B battery.

ab·at·toir [ǽbətwàːr] *n.* 《F.》 도살장; 육체를 혹사〔학대〕하는 곳《권투의 링 따위》.

ab·ax·i·al [æbǽksiəl] *a.* 〖식물·동물〗 축(軸)〔몸 중추〕에서 떨어져 있는.

abb [æb] *n.* 애브《저급의 털섬유》; 《영》 씨실(woof).

abb. abbess; abbey; abbot.

Ab·ba [ǽbə] *n.* 〖성서〗 아버지《기도할 때 쓰던 아람어; 마가복음 XIV: 36》; (a-) 《고어》 사부님(father)《호칭》.

ab·ba·cy [ǽbəsi] *n.* Ⓤ,Ⓒ 대수도원장(abbot)의 직(권)·관구·임기.

Ab·bas·id [əbǽsid, ǽbəsid], **-bas·sid, -bas·side** [əbǽsaid, ǽbəsàid] *n.* 아바스조(750-1258)의 칼리프: the ~ dynasty.

ab·ba·tial [əbéiʃəl] *a.* (대)수도원의; (여자) 대수도원장의.

ab·bé [æbéi, ⌐⌐] *n.* 《F.》 (프랑스의) 대수도원장; 성직자, 신부.

Áb·be condènser [áːbə-, ǽbi-] 〖광학〗 (현미경의) 아베 집광 렌즈. [◂ Ernst *Abbe*(1840-1905) 독일의 물리학자]

ab·bess [ǽbis] *n.* 여자 대수녀원장.

Ab·be·vill·i·an, -e·an [æbəvíliən] *a.* 〖고고학〗 아브빌리언기(期)의《구석기 시대 전기에 속하는 한 시기; 당시의 석기가 출토된 북(北)프랑스 Abbeville의 이름에서》.

*__ab·bey__ [ǽbi] *n.* **1** (abbot 또는 abbess가 관할하는) 대수도원; 그 건물; 관할 수사〔수녀〕단. **2** (본디 대수도원이었던) 대교회당·성당 또는 큰 저택(邸宅). **3** (the A-) =WESTMINSTER ABBEY.

Ábbey Théatre (the ~) 아베이 극장《Dublin의 극장; 1904년 창립》.

Ab·bie [ǽbi] *n.* 애비《여자 이름; Abigail의 애칭》.

°**ab·bot** [ǽbət] *n.* 대수도원장. ㊞ **~·cy, ~·shìp** *n.* =ABBACY.

abbr(ev). abbreviated; abbreviation(s).

°**ab·bre·vi·ate** [əbríːvièit] *vt.* **1** 《~+목/+목+전+명/+목+*as*보》 (어·구를) 약(略)해서 쓰다, 생략〔단축, 요약〕하다《*to*》: ~ "verb" *to* v, verb를 v로 줄이다/New York is ~*d as* N.Y. 뉴욕은 N.Y.로 단축된다. SYN. ⇨SHORTEN. **2** (이야기·방문 등을) 단축하다: ~ one's visit 일찌거니 하직하다. **3** 《우스개》 (옷 따위를) (아주) 짧게 하다. **4** 〖수학〗 약분〔맞줄임〕하다. ― *vi.* 약해서 쓰다; 생략하다. ― *a.* 생략〔단축〕한. ㊞ **-àt·ed** [-id] *a.* 단축된; (옷이) 간신히 몸을 가리는; 축소형으로 된. **-à·tor** [-ər] *n.* 생략자.

*__ab·bre·vi·a·tion__ [əbrìːviéiʃən] *n.* Ⓤ 생략; Ⓒ 생략형, 약어《*for; of*》; Ⓤ 〖수학〗 약분; 〖음악〗 생략법, Ⓒ 생략 부호.

> NOTE 단어의 생략은 (1) period《.》로 표시함: Jan. [◂January]/cf. [◂confer]. (2) 어미(語尾)를 남길 때도 같은 방식이 보통이나, 《.》를 안 쓰는 방식도 있음: Mr. or Mr [◂Mister]/Ltd. *or* Ltd [◂Limited]/Sgt. or Sgt [◂Sergeant]. (3) 자주 쓰이는 술어·대문자어에서는 《.》를 안 쓰는 일이 많음: OE *or* O.E. [◂Old English]/SE [◂South-East]/UNESCO [◂United Nations Educational, Scientific, and Cultural Organization]. (4) 생략에 의해 된 신어에서 《.》는 불필요함: bus [◂omnibus]/ad [◂advertisement]/exam [◂examination], etc.

ABC [éibìːsíː] (*pl.* **~'s, ~s** [-z]) *n.* **1** (one's 〔the〕 ~('s)) 에이 비 시, 알파벳. **2** (the ~('s)) 초보, 기본, 입문(서): an ~ book 입문서/the ~ of economics 경제학 입문. **3** 《영》 ABC순 철도 여행 안내; ABC 항공 시각표(~ World Airways Guide). ***as simple*** 〔***plain, easy***〕 ***as*** ~ 아주 쉬운, 실로 간단한.

ABC, A.B.C. American Broadcasting Company; Argentina, Brazil, and Chile《A.B.C. Powers라고 함》; Advance Booking Charter; 《영》 Aerated Bread Company('s Shop)《영국의 유명한 체인식 간이식당》. **ABCC** Atomic Bomb Casualty Commission (원폭 상해 조사 위원회). **ABCD** accelerated business collection and delivery.

ab·cou·lomb [æbkúːlɑm/-lɔm] *n.* 〖전기〗 애브쿨롬《전하의 cgs 전자(電磁) 단위: =10 쿨롬; 기호 aC》.

ÁBĆ pówers (the ~) (종종 the ABC Powers) ABC 3국(Argentina, Brazil, Chile).

ABCS automatic broadcast control system.

ÀBĆ wàrfare 〔**wèapons**〕 〖군사〗 화생방전〔무기〕. [◂*a*tomic, *b*iological, and *c*hemical *warfare* 〔*weapons*〕]

ABD [èibìːdíː] *n.* 논문 미수자《필수 과목 시험을 마치고 논문만이 남은 박사 과정의 사람》. [◂*a*ll *b*ut *d*issertation]

abd. abdicated; abdomen.

ab·di·ca·ble [ǽbdəkəbəl] *a.* 퇴위〔사임〕할 수 있는.

ab·di·cant [ǽbdəkənt] *a.* (왕위·권력 등을) 버리는. ― *n.* 퇴위〔퇴관〕자; 포기자.

ab·di·cate [ǽbdəkèit] *vt., vi.* **1** (권리 등을) 버리다, 포기하다. **2** 양위하다; 퇴관〔퇴임〕하다; 〖법률〗 폐적(廢嫡)하다: the ~*d* queen 양위한 여왕/~ the throne 〔crown〕 in the favor of …에게 양위(讓位)하다. **3** 《구어》 (포커에서) 기권하다. ㊞ **àb·di·cá·tion** *n.* Ⓤ 포기, 기권; 양위; 퇴관; 〖법률〗 폐적. **áb·di·cà·tor** [-tər] *n.* 포기하는 사람; 양위자.

°**ab·do·men** [ǽbdəmən, æbdóu-] *n.* 〖해부〗 배(belly); 복부; (곤충 따위의) 복부.

ab·dom·i·nal [æbdɑ́mənəl/-dɔ́m-] *a.* 배의, 복부의: the ~ walls 〔cavity〕 복벽〔복강〕/~ respiration 〔breathing〕 복식 호흡/~ fins 배지느러미/an ~ operation 개복 수술/the ~ region 복부/~ typhus 장티푸스/~ incision 복부 절개술/~ muscles 복근. ㊞ **~·ly** *ad.*

ab·dom·i·nous [æbdɑ́mənəs/-dɔ́m-] *a.* 올챙이배의.

ab·duce [æbdjúːs/-djúːs] *vt.* 〖생리〗 =ABDUCT.

ab·du·cens [æbdjúːsenz, -sənz/-djúː] (*pl.* ***-cen·tes*** [æbdjuséntiːz/-dju-]) *n.* 〖해부〗 외전(外轉) 신경(=∠ **nèrve**).

ab·du·cent [æbdjúːsənt/-djúː-] *a.* 〖해부〗 (근육 등이) 외전(外轉)인: ~ muscles 외전근.

ab·duct [æbdʌ́kt] *vt.* 유괴하다《*from*》; 〖생리〗 외전(外轉)시키다(OPP. *adduct*). ㊞ **ab·duct·ee** [--tíː] *n.* 피유괴자. **ab·dúc·tion** *n.* Ⓤ 유괴, 부녀 유괴; (투표·사람 따위의) 탈취; 〖생리〗 외전(OPP. *adduction*): *abduction* case 유괴 사건. **ab·dúc·tor** [-tər] *n.* 유괴자; 〖해부〗 외전근(外轉筋)(abducent muscle) (OPP. *adductor*).

Abe [eib] *n.* 에이브《남자 이름; Abraham의 애칭》.

abeam [əbíːm] *ad.* 〖해사·항공〗 (배〔항공기〕의 동체와) 직각 방향으로; 뱃전을 마주 보고: have the wind ~ 곧장 옆으로 바람을 받다.

abe·ce·dar·i·an [èibiːsiːdɛ́əriən] *n.* 초학자, 초보〔초심〕자; 초보를 가르치는 교사. ― *a.* 알파벳(순)의; 초보의, 기본의.

abe·ce·dar·i·um [èibiːsiːdɛ́əriəm] (*pl.* ***-ia*** [-riə]) *n.* 입문서(入門書).

abed [əbéd] *ad.* 《영에서는 고어》 잠자리에: stay ~ late 늦잠 자다. ***lie*** ~ 자리에 눕다. ***ill*** 〔***sick***〕 ~ 몸져누워.

abeg·ging [əbégiŋ] *a., ad.* 냉대받는〔받고〕, 등한히 여기는〔여겨져〕.

Abel [éibəl] *n.* **1** 에이블《남자 이름》. **2** 〖성서〗 아벨《Adam의 둘째 아들, 형 Cain에게 피살됨; 창세기 IV: 2》.

abele [əbíːl, éibəl] *n.* 은백양(white poplar).

Abé·li·an gróup [əbíːliən-] 〖수학〗 아벨군(群), 가환군(可換群).

abel·mosk [éibəlmɑ̀sk/-mɔ̀sk] *n.* 닥풀속(屬)의 상록 관목《okra 따위》.

ABEND [ɑ́ːbend] *n.* 〖컴퓨터〗 (작업의) 비정상 종료(終了)《컴퓨터가 그릇된 프로그램을 검출하여 작업을 도중에서 종료함》. [◂*ab*normal *end* (of task)]

Ab·er·deen [æbərdíːn] *n.* **1** 애버딘《스코틀랜드 북부 Grampian 주의 주도(州都)》. **2** 스카치테리어(=∠ **térrier**)《애완견의 일종》.

Áberdeen Ángus 스코틀랜드 원산의 뿔 없는 검은 식용우.

ab·er·de·vine [æbərdəváin] *n.* 〖조류〗 검은방울새《유럽산》.

Ab·er·do·ni·an [æbərdóuniən] *a.* Aberdeen 시(민)의. ― *n.* Aberdeen 사람.

ab·er·ne·thy [ǽbərnìːθi] *n.* (caraway 열매를 넣은) 딱딱한 비스킷(=∼ **biscuit**).

ab·er·rant [əbérənt, ǽbər-] *a.*, *n.* 정도를 벗어난 (것), 상도를 벗어난 (사람); 과실; 〖생물〗 이상형(異常型)(의). ㊞ **-rance, -ran·cy** *n.* Ⓤ,Ⓒ 악덕, 이상, 상규(常規) 일탈.

ab·er·ra·tion [æ̀bəréiʃən] *n.* Ⓤ,Ⓒ **1** 정도〔상궤〕를 벗어남, 착오, 탈선; 이상한 성행위. **2** 〖의학〗 정신 이상〔착란〕《특히 일시적인》; 〖물리〗 (렌즈의) 수차(收差)(ⓒⓕ chromatic 〔spherical〕 ∼); 〖천문〗 광행차(光行差); 〖생물〗 이상형: annual 〔diurnal〕 ∼ 〖천문〗 연주(年周)〔일주(日周)〕 광행차.

abet [əbét] (**-tt-**) *vt.* 《∼+목/+목+전+명》 (부)추기다, 선동〔충동, 교사〕하다: ∼ (a person *in*) a theft (아무를) 부추겨 도둑질하게 하다. ***aid and*** ∼ ⇨AID. ㊞ **∼·ment, ∼·tal** *n.* Ⓤ 교사, 선동.

abet·tor, -ter [əbétər] *n.* 교사자, 선동자. ★ 법률 용어로는 abettor.

ab ex·tra [æb-ékstrə] 《L.》 외부로부터. ⓞⓟⓟ 「*ab intra*.

abey·ance [əbéiəns] *n.* Ⓤ 중지, 중절, 정지; 미정; 〖법률〗 소유자〔귀속〕 미정: be in ∼ 일시 중지로 되어 있다, 정지 중이다 / fall 〔go〕 into ∼ (법률·규칙·제도 등이) 일시 정지되다 / hold 〔leave〕 ... in ∼ …을 미정〔미결〕인 채로 두다. ㊞ **-ant** [-ənt] *a.* 중지(상태)의; 소유자 미정의.

ab·far·ad [æbfǽræd, -əd] *n.* 〖전기〗 절대〔애브〕패럿《정전(靜電) 용량의 cgs 전자(電磁) 단위: $=10^9$ farads; 기호 aF》.

ABH actual bodily harm.

ab·hen·ry [æbhénri] *n.* 〖전기〗 절대〔애브〕헨리 《인덕턴스의 cgs 전자 단위: $=10^{-9}$ henry; 기호 aH》.

°**ab·hor** [æbhɔ́ːr, əb-] (**-rr-**) *vt.* 몹시 싫어하다, 혐오〔증오〕하다; 거부하다, 멸시하다: I ∼ violence. 폭력은 질색이다. ◇abhorrence *n.*

ab·hor·rence [æbhɔ́ːrəns, -hɑ́r-/-hɔ́r-] *n.* Ⓤ 혐오; Ⓒ 딱 질색인 것: have an ∼ of = hold ... in ∼ …을 몹시 싫어하다. ◇ abhor *v.*

ab·hor·rent [æbhɔ́ːrənt, -hɑ́r-/-hɔ́r-] *a.* 몹시 싫은, 지겨운《*to*》; 서로 용납 안 되는, 상극인, 맞지 않는《*to; from*》; 몹시 싫어하는《*of*》: It is ∼ *to* me. 난 그게 아주 싫다 / an ∼ crime 증오할 범죄 / ∼ *of* excess 극단을 싫어하는 / ∼ *to* 〔*from*〕 reason 이치에 맞지 않는. ㊞ **∼·ly** *ad.*

ab·hor·rer [æbhɔ́ːrər, əb-] *n.* **1** 싫어하는 사람. **2** (the A-s) 〖영국사〗 Charles II의 왕당파로 1679 년 Addressers(반대당)의 국회 소집 청원에 반대한 일파.

abid·ance [əbáidəns] *n.* Ⓤ **1** 지속(continuance). **2** 체재, 거주《*in; at*》. **3** 준수《*by*》. ∼ ***by rules*** 규칙의 준수.

°**abide** [əbáid] (*p.*, *pp.* ***abode*** [əbóud], ***abid·ed***) *vi.* **1** 《+전+명》 머무르다, 남다《*in; at*》; (아무의 곳에) 있다《*with*》: *Abide with* us. 우리와 함께 있거라 / ∼ *in* London 런던에 체류하다. **2** 《+전+명》 오래 지속하다, 지탱하다《*in*》: ∼ *in* memory 기억에 남다. **3** 살다《*at; in*》. **—** *vt.* **1** 기다리다: ∼ one's time 때를 기다리다. **2** 《∼+목/+*doing*/+*to* do》 〖의문·부정으로〗 참다: I can*not* ∼ him. 저 사람에 대해서는 참을 수 없다 / I can*not* ∼ be*ing* 〔*to* be〕 made to wait. 기다리게 되면 견딜 수 없다. **3** 감수하다: ∼ a punishment 처벌을 달게 받다. **4** 맞서다, 대항〔저항〕하다: ∼ the storm 폭풍우와 맞서다. ◇ abode *n.* ∼ ***by*** (약속·결의·규칙 등)을 지키다; (협정·결정·결과·운명 따위)에 따르다; …을 감수하다: ∼ *by* the decision 결정에 따르다. ㊞ **abíd·er** *n.*

abíd·ing *a.* 지속〔영속〕하는, 영속적인: ∼ friendship 변치 않는 우정. ㊞ **∼·ly** *ad.* 영속하여, 변치 않고.

Ab·i·djan [æ̀bidʒɑ́ːn] *n.* 아비장《Côte d'Ivoire 의 전 수도》.

Abie [éibi] *n.* 에이비《남자 이름; Abraham 의 「애칭」》.

ab·i·ent [ǽbiənt] *a.* 〖심리〗 배향적(背向的)인 《자극에서 멀어지려는 경향을 말함》. 「보자.

à bien·tôt [abjɛ̃to] *int.* 《F.》 안녕, 다음에 또

ab·i·ét·ic ácid [æ̀biétik-] 〖화학〗 아비에틴산 《니스, 건조제 등에 쓰임》.

Ab·i·gail [ǽbəgèil] *n.* **1** 〖성서〗 아비가일《Nabal 의 아내로 후에 David 의 처가 됨; 사무엘상 XXV》. **2** (a-) 시녀, 몸종.

⁑**abil·i·ty** [əbíləti] *n.* **1** Ⓤ 능력, 할 수 있는 힘, 솜씨, 재간《*in; for; to* do》: ∼ *in* 〔*for*〕 one's work 일을 해낼 수 있는 능력 / ∼ *to* write well 글씨 잘 쓰는 능력 / to the best of one's ∼ 힘이 미치는〔닿는〕 한, 힘껏.

> SYN. **ability** 일을 수행하는 인간의 능력으로서 선천적 또는 후천적인 것. **capacity** 주로 잠재적인 수용 능력을 말하며, 물건·사람에 관해 쓸 수가 있음. **talent** 흔히 특별 분야에서의 타고난 재능을 뜻함.

2 (보통 *pl.*) 재능, 역량, 기량: manifold *abilities* 다방면의 재능 / a woman of literary ∼ 문필의 재능이 있는 여성 / a man of ∼ 〔*abilities*〕 수완가 / natural *abilities* 타고난 재능. **3** 〖법률〗 유자격; (*pl.*) 〖상업〗 (지급) 자금. ◇ able *a.*

-a·bil·i·ty [əbíləti] *suf.* -able 에 대한 명사 어미: cap*ability*. 「*ab init.*》.

ab in·i·tio [æb-iníʃiòu] 《L.》 처음부터《생략:

ab in·tra [æb-íntrə] 《L.》 내부(內部)로부터. ⓞⓟⓟ *ab extra*.

ab·i·o·chem·is·try [èibaioukéməstri, æ̀bi-/èibai-] *n.* 무기 화학.

ab·i·o·gen·e·sis [-dʒénəsis] (*pl.* ***-ses*** [-sìːz]) *n.* 〖생물〗 자연 발생(론), 우발.

ab·i·o·ge·net·ic [-dʒənétik] *a.* 자연 발생(론)의. ㊞ **-i·cal·ly** [-əli] *ad.*

ab·i·og·e·nist [èibaiɑ́dʒənist, æ̀bi-/èibaiɔ́dʒ-] *n.* 자연 발생론자, 우발론자.

ab·i·o·log·i·cal [èibaiəlɑ́dʒikəl, æ̀bi-/èibaiəlɔ́dʒ-] *a.* 비생물(학)적인, 생물에 의하지 않은; 생명 없는. ㊞ **∼·ly** *ad.*

ab·i·o·sis [èibaióusis, æ̀bi-/èibai-] *n.* Ⓤ 무기력 상태; 생활력 결핍.

ab·i·ot·ic [èibaiɑ́tik, æ̀bi-/èibaiɔ́t-] *a.* 생명 없는, 무생물의, 비생물적인; 항생(작용)의: ∼ environment 비생물적 환경. ㊞ **-i·cal·ly** *ad.*

ab·i·ot·ro·phy [èibaiɑ́trəfi, æ̀bi-/èibaiɔ́trə-] *n.* 〖의학〗 무생활력.

ab·ir·ri·tant [æbírətənt] 〖약학〗 *n.* 진정제. **—** *a.* 자극〔흥분〕 완화성의.

ab·ir·ri·tate [æbírətèit] *vt.* 〖의학〗 …의 이상 흥분을 완화하다. ㊞ **ab·ir·ri·tá·tion** *n.*

°**ab·ject** [ǽbdʒekt, -ˊ] *a.* **1** 영락한, 비참한, 절망적인《생활·상태》: ∼ poverty 적빈, 찰가난. **2** 야비한, 비열한, 경멸할, 비굴한《사람·행위》: make an ∼ apology 손이야 발이야 빌다. **—** *n.* 《고어》 비천한 사람. ㊞ **∼·ly** *ad.* 비참하게; 비굴하게. **∼·ness** *n.*

ab·jéc·tion *n.* Ⓤ 영락(한 상태), (신분의) 천함; 비열〔비굴〕(한 행위).

ab·ju·ra·tion [æ̀bdʒəréiʃən] *n.* Ⓤ,Ⓒ 맹세하고 그만둠; (고국·국적) 포기; 이단 포기 선서.

ab·jure [æbdʒúər, əb-] *vt.* 맹세하고 버리다; (공공연히) 포기하다《주의·신앙·나라 등을》: He ∼*d* his religion. 그는 맹세코 그 종교를 버

렸다. ~ *the realm* 고국을 영원히 버릴 것을 선서하다. ㊞ **ab·júr·er** *n.*

Ab·kház Repúblic [æbkáːz-] (the ~) 압하스 공화국((Georgia 공화국 내의 자치 공화국; 1992 년 독립을 선포했으나 Georgia 공화국이 인정치 않아 분쟁이 계속됨)).

abl. ablative.

ab·lac·tate [æblǽkteit] *vt.* …의 젖을 떼다(wean). ㊞ **àb·lac·tá·tion** *n.* 젖떼기, 이유(離乳).

ab·late [æbléit] *vt., vi.* 제거(삭마(削磨)·용발(溶發)·융제(融除))하다(되다).

ab·la·tion [æbléiʃən] *n.* Ⓤ 제거(除去); (수술에 의한) 절제; 【지학】 (암석·빙하 따위의) 삭마(削磨); 【로켓】 용발(溶發)·융제(融除)((우주선의 대기권 재돌입시 피복(被覆) 물질이 녹아 증발하는 현상)); 【의학】 박리(剝離).

ab·la·tive[1] [ǽblətiv] 【문법】 *a.* 탈격(奪格)의. ── *n.* 탈격((‘…에서’의 뜻으로 동작의 수단·원인·장소·때 따위를 나타내는 라틴어 명사의 격(格); 영어의 from, by, at, in 따위로 만드는 부사구에 해당함)). ㊞ **àb·la·tí·val** [-táivəl] *a.*

ab·la·tive[2] [æbléitiv] *a.* ablation 의(을 일으키는); 【로켓】 융제(融除)용의(으로 적합한). ㊞ **~·ly** *ad.*

áblative ábsolute 탈격(奪格) 독립 어구.

ab·la·tor [æbléitər] *n.* 【로켓】 융제재(融除材)((애블레이션 단열을 위한 재료)).

ab·laut [áːblaut, ǽb-] *n.* ((G.)) 【언어】 모음교체(gradation)((s*i*ng, s*a*ng, s*u*ng 등)).

ablaze [əbléiz] *ad., a.* 〖형용사로서는 서술적〗 (활활) 타오르고, 화염에 싸여서; 번쩍거리고, 이글이글하여((*with*)); 격하여, 흥분하여((*with*)): be ~ *with* anger 노여움으로 확 달아오르다 / The car was set ~. 차가 화염에 휩싸였다.

†**able** [éibəl] (*abler; ablest*) *a.* **1** 능력 있는, 재능 있는, 유능한; (the ~) 〖명사적; 집합적; 복수 취급〗 유능한 사람들: an ~ man 수완가.

> SYN. **able** 일반적으로 능력이 있음을 나타내며 특히 보통 이상의 재주가 있음을 나타냄: an *able* teacher 뛰어난 교사. **capable** 일을 하는 데 필요한 보통 능력이 있음을 가리킴: a *capable* teacher 학생을 가르치기에 실력이 충분한 선생. **competent, qualified** 특정한 일에 대한 적임의 능력이 있음을 나타내나, 후자는 인정된 자격과 결부시켜 쓰일 때가 많음: a *qualified* teacher 자격증이 있는 선생.

2 재능을 나타내는, 훌륭한: an ~ speech 훌륭한 연설. **3** 〖서술적〗 …할 수 있는, …해낼 수 있는((*to* do)): I *am* not ~ *to* go. =I cannot go. / In a few days the baby will *be* ~ *to* walk. 며칠만 있으면 아기는 걷게 될 것이다. **4** 유자격의. **5** =ABLE-BODIED. ◇ ability *n.*

> NOTE (1) be able to 의 비교에는 better (more) ~; best (most) ~이 쓰임. (2) can 의 과거형, 미래형, 완료형은 *was* (*were*) *able to; will* (*shall*) *be able to; have* (*has, had*) *been able to*로 씀: Will he *be* ~ *to* come tomorrow? 그분은 내일 오실 수 있을까요. No one *has* ever *been* ~ *to* do it. 지금까지 아무도 그것을 할 수 없었다.

-a·ble [əbəl] *suf.* **1** 타동사에 붙어서 ‘…할 수 있는’ ‘…하기에 적합한’ ‘…할 만한’의 뜻: eat*able*. **2** 명사에 붙여 ‘…에 적합한’ ‘…을 좋아하는’ ‘…을 주는’의 뜻의 형용사를 만듦: peace*able*; marriage*able*. ◇ -ability, -ness *n.*

áble-bódied *a.* 강건한, 건전한; 숙련된; 【해사】 A. B. 급의.

áble(-bodied) séaman 【해사】 A.B. 급 해원(선원)((숙련 유자격 갑판원; 생략: A. B.)).

Áble Dày ((미)) Bikini 섬의 원폭 실험일((1946 년 6 월 30 일(한국 날짜로는 7 월 1 일))).

ab·le·gate [ǽbləgèit] *n.* 교황 특사(特使).

able·ism [éibəlizəm] *n.* 심신 건전자의 신체 장애자 차별. ㊞ **áble·ist** *n., a.*

abloom [əblúːm] *ad., a.* 〖형용사로서는 서술적〗 꽃이 피어, 개화하여(in bloom).

ab·lu·ent [ǽbluənt] *a.* 세척하는(의). ── *n.* 「세제.

ablush [əblʌ́ʃ] *ad., a.* 〖형용사로서는 서술적〗 얼굴을 붉히어, 벌개져서.

ab·lut·ed [əblúːtid] *a.* (손·목 등을) 깨끗이 「씻은.

ab·lu·tion [əblúːʃən] *n.* **1** (주로 *pl.*) 몸(손)을 씻음, 목욕재계; 【기독교】 (성찬식(式) 전후에 손과 성기(聖器)를 씻는) 세정식(洗淨式): perform (make) one's ~s 몸을 씻다; 목욕재계하다. **2** Ⓤ 세정식에 쓰인 물. ㊞ **~·ary** [-èri/-əri] *a.* 세정(식)의.

ábly *ad.* 훌륭히, 교묘히, 솜씨 있게.

ABM antiballistic missile(탄도탄 요격 미사「일).

ab·mho [ǽbmou] (*pl.* **~s**) *n.* 【전기】 절대(애브)모((전도도의 cgs 단위: =10 mhos; 기호 ⌊aΩ⁻¹)).

abn airborne.

ab·ne·gate [ǽbnigèit] *vt.* (소신·권리 따위를) 버리다, 포기하다; (쾌락 따위를) 끊다. ㊞ **àb·ne·gá·tion** *n.* Ⓤ (권리·책임·신념 등의) 포기; 금욕. **áb·ne·gà·tor** [-tər] *n.*

***ab·nor·mal** [æbnɔ́ːrməl] *a.* **1** 보통과 다른, 정상이 아닌; 변칙의, 불규칙한; 변태의, 병적인. OPP. *normal.* ¶ have an ~ IQ 지능 지수가 아주 높다(낮다) / an ~ person (법적으로) 무능력자. **2** 대단히 큰: ~ profit 엄청난 이득. SYN. ⇨ IRREGULAR. ◇ abnormality, abnormity *n.* ㊞ **~·cy, ~·ism** *n.* Ⓤ =ABNORMALITY. **~·ly** *ad.* **~·ness** *n.*

ab·nor·mal·i·ty [æbnɔːrmǽləti] *n.* Ⓤ 이상, 변칙, 변태; Ⓒ 이상물(物), 기형, 불구. ◇ abnormal *a.*

abnórmal psychólogy 변태(이상) 심리(학).

ab·nor·mi·ty [æbnɔ́ːrməti] *n.* Ⓤ 이상, 변칙(irregularity); Ⓒ 이형, 기형.

‡**aboard** [əbɔ́ːrd] *ad.* **1** 배에(로); 배를 타고; ((미)) (배 이외에) 열차(버스, 비행기)를 타고: go ~ …에 승선(승차, 탑승)하다 / take ... ~ …을 태우다, 싣다 / keep the land ~ 육지를 따라 접항(接航)하다 / lay an enemy's ship ~ (옛 해전에서) 배를 적선의 옆에 대고 쳐들어 가다 / have ... ~ …을 태우고(싣고) 있다. **2** ((속어)) 【야구】 출루하여: a homer with two ~ 스리런 호머. **3** 뱃전에, 옆으로. ── *prep.* **1** …을 타고, …의 뱃전에. **2** ((미)) 기차(비행기, 버스)로: get ~ a bus 버스를 타다 / climb ~ a plane 비행기를 타다. **3** ((야구속어)) 출루하여. ***All ~!*** ① 여러분 승선(승차)해 주십시오((떠납니다)). ② 전원 승선(승차) 완료((출발 준비)). ***close*** (***hard***) ~ 뱃전(뭍)에 접하여; (…) 가까이에. ***fall ~ of*** (another ship) (딴 배의) 뱃전에 충돌하다. ***Welcome ~!*** 여러분이 이 배(비행기)에 타신 것을 환영합니다.

ÀBÓ blóod gròup ABO식 혈액형((ABO 식 분류법에 의한 A, B, AB, O의 네 혈액형 중 하나)).

abode[1] [əbóud] *n.* **1** 거주; 주소, 주거, 거처: make (take up) one's ~ 거주하다, 주거를 정하다, 체재하다((*at; in*)) / without any fixed ~ =of (with) no fixed ~ 【법률】 주소 부정의. **2** (장기의) 체류. ◇ abide *v.*

abode[2] ABIDE 의 과거·과거분사.

ab·ohm [æbóum] *n.* 【전기】 절대(애브)옴((전기 저항의 cgs 전자(電磁) 단위: =10^{-9} ohm; 기호 aΩ)).

aboil [əbɔ́il] *ad.*, *a.* 〖형용사로서는 서술적〗 끓어서, 비등(沸騰)하여(boiling); 노하여.

***abol·ish** [əbáliʃ/əbɔ́l-] *vt.* (관례 · 제도 등을) 폐지〔철폐〕하다; 완전히 파괴하다: War should be ~*ed*. 전쟁은 없어져야 한다. ◇ abolition *n.* ㊕ **~·a·ble** *a.* **~·er** *n.* **~·ment** *n.* Ⓤ

◇**ab·o·li·tion** [æ̀bəlíʃən] *n.* Ⓤ (법률 · 습관 등의) 폐지, 철폐, 전폐《*of*》; (때로 A-) 《미》 노예(제도) 폐지. ㊕ **~·ary** [-èri/-əri] *a.* 폐지의, 전폐의. **~·ism** *n.* Ⓤ (사형 · 노예 제도) 폐지론. **~·ist** *n.* (노예) 폐지론자.

àb·o·lí·tion·ìze, 《영》 **-ìse** *vt.* (특히 남북 전쟁 이전의 미국에서) (사람 · 지역 · 주(州) 따위를) 노예 제도 폐지론에 전향(轉向)시키다.

ab·o·ma·sum, -sus [æ̀bəméisəm], [-səs] (*pl.* **-sa** [-sə]; **-si** [-sai, -siː]) *n.* (반추 동물의) 제 4 위(胃), 주름위, 추위(皺胃).

Á-bòmb *n.* 원자 폭탄(atom bomb); 《미속어》 고속을 내도록 개조한 자동차; 《미속어》 배합 마약. ── *vt.* 원폭으로 공격하다.

◇**abom·i·na·ble** [əbámənəbəl/əbɔ́m-] *a.* **1** 지긋지긋한, 혐오스러운, 언어도단의: an ~ crime 극악무도한 범죄. **2** 《구어》 지겨운, 지독한《날씨 등》. ㊕ **-bly** *ad.* 가증스레; 《구어》 몹시, 지독히.

Abóminable Snówman ⇨ SNOWMAN.

abom·i·nate [əbámənèit/əbɔ́m-] *vt.* 지겨워하다, 혐오〔증오〕하다, 몹시 싫어하다, 질색하다: I ~ overpraising. 지나친 칭찬은 싫다. ★ abominate to overpraise 와 같이 부정사를 취하면 틀림. ㊕ **-nà·tor** *n.*

abòm·i·ná·tion *n.* Ⓤ 혐오, 증오, 싫음; Ⓒ 지겨운 사물〔행위〕: hold 〔have〕 ... in ~ …을 몹시 싫어하다.

Á-bòne *n.* 《미속어》 A형 포드 (자동차).

à bon mar·ché [*F.* abɔ̃marʃe] 《F.》 유리한 값으로, 염가로, 싸게; 수월히.

aboon [əbúːn] *prep.*, *ad.*, *a.*, *n.* 《Sc.》 =ABOVE.

ab·o·ral [æbɔ́ːrəl] *a.* 〖해부 · 동물〗 입과 반대쪽의, 입에서 먼; 구강 외의. ㊕ **~·ly** *ad.*

ab·orig·i·nal [æ̀bərídʒənəl] *a.* 원생(原生)의, 원래〔토착〕의; 원주민〔토착민〕의; (A-) 오스트레일리아 원주민의. ── *n.* =ABORIGINE. ㊕ **~·ly** *ad.* 당초부터, 원래는. **àb·orìg·i·nál·i·ty** [-nǽləti] *n.* 원생 상태, 토착; 원시성.

ab orig·i·ne [æb-ərídʒəniː] 《L.》 처음부터.

ab·orig·i·ne [æ̀bərídʒəniː] *n.* 원주민, 토착민; (A-) 오스트레일리아 원주민; (*pl.*) (어느 지역에) 고유한 동식물군(群).

aborn·ing [əbɔ́ːrniŋ] *ad.*, *a.* 〖형용사로서는 서술적〗 실현 직전에, 태어나려 하고 있는: A new era is ~. 새 시대가 다가오고 있다.

abort [əbɔ́ːrt] *vi.*, *vt.* **1** 유산〔낙태〕하다(miscarry), 임신을 중절하다. **2** 〖생물〗 (동식물 · 기관 (器官) 등이) 발육하지 않다, 퇴화하다; (병 · 식물 등)의 진행〔발육〕을 초기 단계에 저지하다. **3** 《비유》 (계획 따위) 좌절되다〔시키다〕. **4** (로켓 · 미사일의) 비행을〔발사를〕 중지하다〔시키다〕. ── *n.* (로켓 · 미사일의) 비행 중지〔중단〕; 〖컴퓨터〗 중단《프로그램 진행의》. ㊕ **~·ed** [-id] *a.* 유산한, 미발달의; 〖생물〗 발육 부전의. 「태약.

abor·ti·cide [əbɔ́ːrtəsàid] *n.* Ⓤ 낙태; Ⓒ 낙

abor·ti·fa·cient [əbɔ̀ːrtəféiʃənt] *a.* 유산을 촉진하는. ── *n.* 인공 임신 중절약.

abór·tion *n.* **1** Ⓤ,Ⓒ 유산(miscarriage); 임신 중절, 낙태: a criminal ~ 위법 낙태 / induced ~ 인공 유산 / get 〔have, procure〕 an ~ 낙태시키다. **2** 유산아; 기형적인 사람〔것〕. **3** (계획 등의) 실패: The attempt proved an ~. 계획은 실패로 끝났다. **4** Ⓤ 〖생물〗 (기관의) 발육 부전(不全)〔정지〕. **5** (병의) 조기 극복. **6** 《속어》 엉터리, 싸구려. ◇ abort *v.* ㊕ **~·ism** *n.* 인공 중절 권리의 옹호. **~·ist** *n.* 낙태 시술자; 낙태 지지자.

abórtion-on-demánd *n.* (임부의) 요청에 의한 낙태; (임부가) 낙태할 권리.

abórtion pìll 낙태약, 임신 중절약.

abor·tive [əbɔ́ːrtiv] *a.* 실패로 끝난, 결실 없는; 유산〔조산〕의; 〖의학〗 유산 촉진의; 병의 진행을 막는, 예방의; 〖병리〗 (질환이) 진행을 멈춘, 부전성의; 〖식물〗 발육 부전〔발아 불능〕의. ── *n.* 낙태약; 유산. ㊕ **~·ly** *ad.* **~·ness** *n.*

abor·tu·ary [əbɔ́ːrtʃuèri/-tʃəri] *n.* 《경멸》 낙태 시술 의원《반임신 중절파 용어》. [◂ *abor*tion+mor*tuary*]

abor·tus [əbɔ́ːrtəs] *n.* 〖의학〗 유산(아).

ÀBÓ sỳstem ABO 식 분류법《혈액을 A, AB, B, O 의 4 형으로 나눔》.

à bouche ou·verte [*F.* abuʃuvɛːʀt] 《F.》 (=with open mouth) 입을 벌리고; 열심히; 무비판적으로.

aboulia, aboulic ⇨ ABULIA.

***abound** [əbáund] *vi.* **1** (동물 · 물건 · 문제 등이) 많이 있다: Frogs ~ in this meadow. 이 초지에는 개구리가 많다 / Cows ~ on that farm. 저 농장에는 젖소가 많다. **2** 《+전+명》 (장소 따위가 …로) 그득하다, 풍부하다, 충만하다《*in; with*》: This meadow ~*s in* 〔*with*〕 frogs. 이 초지에는 개구리가 많다 / English ~*s in* 〔*with*〕 idioms. 영어는 관용어가 풍부하다. ★ 1, 2는 주어를 바꾸어 문장을 구성할 수 있으나 다음 예에서는 불가함: She ~*s in* good will. 그녀는 선의에 차 있다(≒Good will ~*s* in her.). ◇ abundant *a.* abundance *n.* ㊕ **~·ing** *a.* 풍부한, 많은. **~·ing·ly** *ad.*

†**about** ⇨ 《p. 22》 ABOUT.

abóut-fàce *n.* 뒤로 돌기, 온 방향으로 되돌아감; (주의(主義) 따위의) 전향. ── [-ˊ-ˊ] *vi.* 뒤로 돌다; 주의〔태도〕를 일변하다.

abòut-shìp *vi.* 〖해사〗 바람 불어오는 쪽으로 고물을 돌리다.

abóut-slèdge *n.* 대장간에서 쓰는 큰 쇠메.

abòut-tówner *n.* 나이트클럽이나 극장에 뻔질나게 다니는 사람.

abóut-túrn [*v.* -ˊ-ˊ] *n.*, *vi.* 《영》 =ABOUT-FACE.

†**above** [əbʌ́v] *ad.* **1** 위쪽에〔으로〕; 위에〔로〕; 머리 위에〔로〕; 하늘에〔로〕: soar ~ 하늘로 두둥실 떠오르다 / the clouds ~ 하늘의 구름. **2** (지위 · 신분상) 상위에〔로〕, 상급에〔으로〕: appeal to the court ~ 상급 법원에 상소하다. **3** 위층에: My bedroom is just ~. 내 침실은 바로 위에 있습니다 / the floor ~ 위층. **4** (수량이) …이상으로: persons of sixty and ~, 60 세 이상의 사람들. **5** (책 따위의) 앞에, (페이지의) 위쪽에: as is stated 〔remarked〕 ~ 상기〔전술〕한 바와 같이. **6** (강 따위의) 상류에. ── *prep.* **1** 〖공간적〗 …의 위(쪽)에, 보다 높이: fly ~ the earth 지상을 날다 / high ~ the ocean 바다 위 높이. SYN. ⇨ ON. **2** …의 위에, …에 포개어져〔겹치어〕; …의 위층에: one ~ another 겹쳐 쌓이어 / He lives ~ me. 그는 나의 위층에 살고 있다. **3** 〖지리적〗 보다 멀리; 보다 상류에; 보다 북쪽에: There is a waterfall ~ the bridge. 이 다리 상류에 폭포가 있다. **4** 〖초과〗 …이상인(으로): He lives ~ his means. 그는 수입 이상의 생활을 한다 / not ~ five men 겨우 5명 정도 / value honor ~ life 목숨보다 명예를 존중하다 / Health is ~ wealth. 건강은 부보다 중하다. **5** 〖우월〗 …보다 뛰어나: He is ~ all others in originality. 그는 독창력에 있어서 누구보다도 뛰어나다 / His voice was heard ~ the din. 소음에도 불구하고 그의 목소리가 들려 왔다. **6** 〖초월〗 …을 초월하여: his conduct ~ reproach

〔suspicion〕 비난〔의혹〕의 여지 없는 그의 행동. **7** (능력 등이) 미치지 못하는 (곳에): This book is ~ me. 이 책은 내게는 벅차서 이해를 못 하겠다. **8** (사람이 … 등은) 하지 않는, (…하는 것을) 수치로 여기는《do*ing*》: He is ~ tell*ing* lies. 그는 거짓말을 할 사람이 아니다 / I am not ~ ask*ing* questions. 질문하기를 부끄러워하지 않는다. ***~ all*** ⇨ ALL. ***~ all*** (***things***) 다른 무엇보다도 특히, 우선 첫째로. ***~ and beyond …*** =***over and ~ …*** …에 더하여. ***be*** 〔***get, rise***〕 ~ one***self*** 들떠 날뛰다; 자만하다, 우쭐하다.
—*a.* 상기의, 전술한: the ~ facts 상기의 사실, 전술한 사항. ★ the facts (mentioned) ~ 따위가 보다 부드러운 표현. **—***n.* Ⓤ **1** (the ~) 〖단·복수취급〗 상기, 전술(한 사실): The ~ justifies this. 이상은 이를 입증한다 / The ~ will all stand trial. 상기자는 전원 재판에 회부된다. **2** 천상(heaven): truly a gift from ~ 진정 하늘로부터의 선물《천부의 재능》. **3** 상부: an order from ~ 상부로부터의 명령.

abòve-áverage *a.* 평균 이상의; 보통이 아닌.

abóve·bòard *ad., a.* 사실대로, 솔직히, 공명하게; 공명〔솔직〕한: His dealings are all ~. 그의 거래는 공명정대하다 / open and ~ 아주 드러내놓고.

abóve·gròund *a., ad.* 지상의〔에〕; 《미》 공공연한〔히〕; 《비유》 매장되지 않은, 살아 있는: stop ~ tests 지상 실험을 중지하다.

◇**abòve-méntioned** *a.* 상술(上述)한, 위에 말한, 전기의.

abóve·stàirs *ad., a., n.* 《주로 영》 =UPSTAIRS.

ab ovo [æb-óuvou] 《L.》 (요리의 처음에 나오는) 달걀부터; 처음부터《장황하게 말하다》.

Abp., abp. archbishop. **abr.** abridge(d); abridg(e)ment.

ab·ra·ca·dab·ra [æbrəkədǽbrə] *n.* 아브라

about

중심적인 뜻은 '(…의) 주위에' '(…의) 여기저기에' 로서, 곧 근접과 주위의 뜻을 내포하는데, 그로부터 '약' '…에 종사하고' '…에 관하여' 따위의 뜻이 나온다. 특히 미국에서는 about의 어의의 상당한 부분(*prep.* 2, 3, 4; *ad.* 의 대부분 따위)에 대하여 around가 유의어로서 사용됨을 주목할 것.

about [əbáut] *prep.* **1** …에 대〔관〕하여: a book ~ gardening 원예(園藝)에 관한 책 / talk ~ business 사업 이야기를 하다 / *About* what? 〔What ~?〕 무슨 일인가 / Tell me what it's (all) ~. 무슨 일인지 말해 줘 / What is this fuss all ~? 대체 무슨 일로 이렇게 시끄러운가 / She is crazy 〔mad〕 ~ Robert. 그녀는 로버트에게 미쳐〔열중해〕 있다. ★ 'on'의 경우보다 일반적인 내용의 것에 쓰임.
2 …경(에), …(때)쯤: ~ the middle of June. 6월 중순경 / ~ noon 정오 때쯤 / He came ~ four o'clock. 그는 네 시쯤 왔다.
3 …의 근처〔부근〕에; (건물 등의) 안 어디엔가: somewhere ~ here 이 근처 어디〔쯤〕에 / He is ~ the house. 그는 집 안에 있다. ★ around는 '막연한 부근'을, about는 꽤 한정된 부근을 나타냄.
4 …의 둘레〔주변〕에; …의 주위에〔를〕; …을 에워싸고; …의 여기저기를: the railings ~ the excavation 굴 둘레의 울짱 / put one's arms ~ a person 두 팔을 벌려 아무를 안다 / travel ~ the country 나라 여기저기를 여행하다.
5 《문어》 몸에 지니고, 손 가까이에; 갖고 있어: all he has ~ him 그의 소지품(所持品) 전부 / I have no money ~ me. 마침 가진 돈이 없다.
6 〖흔히 there is 구문으로〗 …의 신변에, (일)에는: *There was* an air of mystery ~ her. 그녀에게는 신비한 데가 있었다 / *There is* something ~ his behavior. 그의 행동에는 뭔가 이상한 데가 있다.
7 …에 종사〔관계〕하고: What is she ~? 그녀는 무엇을 하고 있는가 / Be quick ~ it! 빨리 해 / This is how I go ~ it. 이것이 내가 하는 식이야 / Go ~ your business! 쓸데없는 참견 말고 네 일이나 해.
How 〔***What***〕 ***~… ?*** 《구어》 ① 〖제의·권유〗 …하면 어떤가: *How* ~ a lift? (당신)차에 태워 주겠소? ② 〖문의〗 …은 어떤가: *What* ~ you in this respect? 이 점에 대한 자네 의견은 어떤가. ③ 〖반대·비난〗 어떻게 되는 거야: *What* ~ our original plan, then? 그러면 처음 계획은 어떻게 되는 거야. ***What ~ it?*** 《구어》 그래서 어쨌다는 거야. ***What*** 〔***How***〕 ***~ that!*** 〖놀람·경탄 등〗 이거 대단하군.
—*ad.* **1 a** 대략, 약, 어림잡아: ~ 7 miles 약 7마일 / in ~ one hour 약 한 시간쯤 해서 / We walked for ~ 6 kilometers. 약 6킬로를 걸었다 / The child is ~ five years old. 그 애는 다섯 살 정도다 / He is ~ my size 〔height, age〕. 그는 대체로 나만한 몸집〔키, 나이〕이다. **b** 《구어》 거의, 대체로: It's ~ time you were in bed. 이젠 잠잘 시간이야, 빨리 자 / I'm ~ tired of his talk. 그의 이야기엔 진저리가 날 지경이다.
2 둘레〔주위〕에, 둘레〔주위〕를, (둘레를) 빙 둘러: a mile ~ 빙 둘러 1마일, 주위 1마일 / Look ~ and see if you can find it. 찾아낼 수 있을지 주변을 둘러봐.
3 근처〔부근〕에: There was no one ~. 근처에는 아무도 없었다 / He is somewhere ~. 그는 어딘가 부근에 있다.
4 여기저기에; 널려 있어, 빈둥빈둥: hang ~ 방황하다 / travel ~ 여행하며 다니다 / important papers strewn ~ 여기저기에 흩어져 있는 중요 서류.
5 《문어》 방향을 바꾸어, 반대 방향으로; 우회하여: turn a car ~ 차 방향을 바꾸다 / go a long way ~ 죽 우회하다 / the other 〔wrong〕 way ~ 반대로.
6 순번으로, 교대로: turn (and turn) ~ 번갈아가며 / take turns ~ 교대로〔차례로〕 하다.
~ and ~ 《미》 비슷비슷하여, 거의 같아. ***About face!*** 《구령》 뒤로 돌아.
—*a.* 〖서술적〗 **1** (침상에서) 일어난, 움직여 다니는; 활동하는: be out and ~ (앓은 뒤) 기력이 회복되다, 일할 수 있게 되다 / He was ~ a good deal in London. 런던에서 크게 활동하고 있었다. **2** (병·소문 등이) 퍼지는, 나도는: Every kind of rumor was ~. 갖가지 소문이 나돌고 있었다.
be ~ to do 막 …하려고 하다: We *were* ~ *to* start, when it rained. 막 떠나려는데 비가 왔다. ***not ~ to*** do 《구어; 주로 미》 …할 마음이 전혀 내키지 않는: I'm *not* ~ *to* lend you any more money. 더 이상 돈 꾸어줄 마음이 없다.
—*vt.* (배 따위의) 방향을〔진로를〕 돌리다. ***About ship!*** 〖해사〗 바람 (불어오는) 쪽으로 돌려.

카다브라《옛날 '학질' 치유를 위한 주문》; 주문; 《경멸》 영문 모를 말, 헛소리.
abrad·ant [əbréidənt] *a.*, *n.* =ABRASIVE.
abrade [əbréid] *vt.* 문질러〔비벼〕 닳리다, 비벼 대어 벗기다; (바위 따위를) 침식하다; (…를) 몹시 신경 쓰게 하다, (…를) 신경질나게 하다. — *vi.* 닳다, 벗겨지다. ㊞ **abrád·er** *n.* 연마기.
Abra·ham [éibrəhæm, -həm] *n.* **1** 에이브러햄《남자 이름》. **2** 〖성서〗 아브라함《유대인의 선조》. ***in ~'s bosom*** 천국에 잠들어; 행복하게. ***sham ~*** 꾀병을 부리다, 미친 체하다.
Ábraham-màn [-mæ̀n] (*pl.* ***-mèn*** [-mèn]) *n.* 〖영국사〗 미친 체하는 거지《16-17 세기 영국 내를 방랑했음》.
Abram [éibrəm] *n.* =ABRAHAM.
abran·chi·ate [eibrǽŋkiit, -èit] *a.*, *n.* 〖동물〗 아가미가 없는 (동물).
abras·er [əbréizər] *n.* 마모(磨耗) 시험기《재질의 마모 저항력을 조사하는 기계》.
abra·sion [əbréiʒən] *n.* Ⓤ (피부의) 벗겨짐; (암석의) 삭마(削磨); (바닷물의) 침식 작용; (기계의) 마손, 마멸; Ⓒ 찰과상; 마손 부분: ~ of a coin 동전의 마손.
abra·sive [əbréisiv, -ziv] *a.* 닳게 하는, 연마용의; (겉이) 거친; 《비유》 (남과) 마찰을 일으키는, 짜증나게 하는, 신경을 건드리는: an ~ voice 〔personality〕 거슬리는 목소리〔성격〕. —*n.* 연마제, 연마 용구《그라인더 · 샌드페이퍼 따위》. ㊞ **~·ly** *ad.* **~·ness** *n.* (대인 관계의) 마찰.
abra·zo [ɑːbrɑ́ːsou] (*pl.* ***~s***) *n.* 《Sp.》 (인사로서의) 포옹.
ab·re·act [æ̀briǽkt] *vt.* 〖정신의학〗 (억압된 감정을) 소산〔정화〕시키다, 풀다. ㊞ **àb·re·ác·tion** *n.* Ⓤ
abreast [əbrést] *ad.* 나란히, 병행하여: a line two ~, 2 열 종대 / march four ~, 4 열로 행진하다. ***be*** 〔***keep***〕 ~ (***of*** 〔***with***〕) (the times) (시세에) 뒤지지 않고 따라가다. ★ 위의 관용구에서 of, with 를 약하면 abreast 는 전치사 용법.
abri [əbríː, *F.* abʀi] *n.* 《F.》 피난처, 은신처.
***abridge** [əbrídʒ] *vt.* **1** 《~+목 / +목+전+명》 단축〔생략〕하다; 요약〔초록〕하다: ~ a long story 긴 이야기를 짧게 하다 / This is ~*d from* the original. 이것은 원문을 요약한 것이다. **2** 축소하다, 단축하다: ~ a lesson 수업을 단축하다. **3** 《+목+전+명》 《고어》 (특권 등을) 빼앗다: ~ citizens *of* their rights 시민의 권리를 빼앗다. ★ bridge '다리'와는 아무 관계도 없음. ㊞ **abrídg(e)·a·ble** *a.* **abrídg·er** *n.*
◇**abrídg·ment, abrídge-** *n.* **1** Ⓤ 축소, 단축; (권리 등의) 감쇄. **2** 단축〔요약〕된 것, 초록, 초약본〔판〕.
abris·tle [əbrísəl] *ad.*, *a.* 〘형용사로서는 서술적〙 (털 따위를) 곤두세우고; (불만 따위로) 화가 나서; (…이) 밀생〔충만〕하는《*with*》.
ABRO Animal Breeding Research Organization.
abroach [əbróutʃ] *ad.*, *a.* 〘형용사로서는 서술적〙 (통의) 마개를 따내어; (소문 따위가) 퍼져서. ***set ~*** 마개를 따다; (감정 따위를) 토로하다; (신설(新說) 따위를) 퍼뜨리다, (소동을) 일으키다.
****abroad** [əbrɔ́ːd] *ad.* **1** 외국으로〔에〕, 해외로〔에〕: live ~ 해외에 살다 / go ~ 외국에 가다; 집밖에 나가다 / at home and ~ 국내외에서 모두 / a tour ~ 외유 / one's education ~ 해외 유학. **2** 널리, 사방팔방으로〔에〕; (소문 따위가) 퍼져서: The rumor is ~ that .... …라는 소문이 파다하다 / set ~ (소문을) 퍼뜨리다. **3** 문밖에; 외출하여: venture ~ 굳이 밖으로 나가다. **4** 진실〔사실〕에서 벗어나, 틀려서. ***be all ~*** 《구어》 전혀 짐작이 틀리다, 어찔 줄을 모르다. ***from ~*** 해외로부터〔에서〕: news *from* ~ 해외 통신. ***get*** ~ 외출하다; (소문이) 퍼지다.
ab·ro·gate [ǽbrəgèit] *vt.* 취소하다; (법률 · 습관 따위를) 폐지〔철폐, 파기〕하다. ㊞ **ab·ro·ga·ble** [ǽbrəgəbəl] *a.* **àb·ro·gá·tion** *n.* Ⓤ **áb·ro·gà·tive** [-gèitiv] *a.* **áb·ro·gà·tor** [-gèitər] *n.*
***ab·rupt** [əbrʌ́pt] *a.* **1** 느닷없는, 갑작스러운, 뜻밖의: an ~ death 급사 / come to an ~ stop 갑자기 서다〔멈추다〕. SYN. ⇨ SUDDEN. **2** 퉁명스러운, 무뚝뚝한《언사 · 태도 등》: speak in an ~ manner 퉁명스레 말하다. **3** 험준한, 가파른《벼랑》. **4** (문체 따위가) 급전하는, 비약적인. **5** 〖지학〗 단열(斷裂)의; 〖식물〗 열상(裂狀)의. ㊞ ◇**~·ly** *ad.* **~·ness** *n.*
ab·rúp·tion *n.* Ⓤ (부분적 요소의) 급격한 분리〔분열〕; 《고어》 돌연한 중지.
abs [æbz] *n. pl.* 복근(腹筋).
abs- [æbs, əbs] *pref.* =AB-[1] 《c, t 앞에서》.
ABS antilock brake 〔braking〕 system; asset-backing security. **abs.** absent; absolute(ly); abstract. **A.B.S.** American Bible Society.
Ab·sa·lom [ǽbsələm] *n.* 〖성서〗 압살롬《유대왕 다윗(David)의 셋째 아들, 부왕에게 반역하여 살해됨; 사무엘 하 XVIII》.
Ab·scam [ǽbskæ̀m] *n.* 앱스캠《아랍 사업가로 가장한 FBI 수사관이 1980 년 미국 연방의회 의원 및 그 밖의 공직자의 수회 사건을 적발한 함정 수사 암호명》.
ab·scess [ǽbses] *n.*, *vi.* 종기, 농양(膿瘍)(을 형성하다). ㊞ **~ed** [-t] *a.* 종기가 생긴.
ab·scind [æbsínd] *vt.* 잘라내다(cut off).
ab·scise [æbsáiz] *vi.*, *vt.* 〖식물〗 (꽃 · 열매 · 잎 따위가 떨켜에 의해) 떨어지다〔게 하다〕; 이탈하다〔시키다〕.
ab·scis·sa [æbsísə] (*pl.* ***~s, -sae*** [-siː]) *n.* 〖수학〗 가로좌표. cf. ordinate.
ab·scis·sion [æbsíʒən, -ʃən] *n.* Ⓤ 절단; 〖식물〗 기관탈리(器官脫離); 〖수사학〗 돈단법(頓斷法).
ab·scond [æbskɑ́nd/əbskɔ́nd, æb-] *vi.* 《+전+명》 도망〔실종〕하다: ~ *with* the money 돈을 갖고 달아나다 / ~ *from* a place 어떤 장소에서 도망치다. SYN. ⇨ ESCAPE. ㊞ **~·ence** [-əns] *n.* Ⓤ 도망, 실종. **~·er** *n.*
ab·seil [ɑ́ːpzail/-sail] *n.*, *vi.* 〖등산〗 압자일렌〔현수(懸垂) 하강〕(하다).
****ab·sence** [ǽbsəns] *n.* **1** Ⓤ 부재, 결석, 결근: during your ~ 너의 부재중에 / the long years of one's ~ from Seoul 서울을 떠나 있던 오랜 세월. **2** Ⓒ 결석, 결근; 부재 기간: The teacher was worried by Tom's frequent ~*s* from class. 선생님은 톰의 잦은 결석을 걱정하였다 / an ~ of three weeks =three weeks' ~, 3 주간의 부재 / in a person's ~ 아무의 부재 중에; 아무가 없는 곳에서. **3** Ⓤ,Ⓒ 없음, 결여《*of*》: the ~ *of* evidence 증거 없음 / There was an ~ *of* time. 시간이 없었다. **4** Ⓤ 방심, 들뜸. OPP. *presence*. ◇ absent *a.* ***~ of mind*** 방심. ***in the ~ of*** …이 없을 경우에, …이 없으므로.
****ab·sent** [ǽbsənt] *a.* **1** 부재의; 결석의; 결근의. OPP. *present*. ¶ He is ~ *from* school. 그는 학교를 결석하고 있다 / Long ~, soon forgotten. 《속담》 오래 떠나 있으면 소원해진다. **2** 없는, 결여된(lacking): Revenge is ~ *from* his mind. 그의 마음에 복수할 생각은 없다 / This gene is ~ in cats. 이 유전자는 고양이에게는 없다. **3** 방심 상태의, 멍한(~-minded): (with) an ~ air 멍한 모양(으로) / an ~ look on his face 그의 얼굴에 나타난 멍한 표정 / in an ~ sort of way 방심한 상태로, 멍하게. ◇ absence *n.* ***~ over leave*** 〖군사〗 ⇨AOL. ***~ without leave***

〖군사〗 ⇨ AWOL. ― [æbsént] *vt.* 《+목+전+명》 〖~ oneself〗 비우다, 결석〔결근〕하다《*from*》: He often ~*s* him*self from* the meeting. 그는 종종 그 모임에 빠진다.

ab·sen·tee [æbsəntíː] *n.* 부재자; 결석자, 불참자; 부재지주; 부재 투표자(~ voter).

ábsentee bállot 부재자 투표(용지).

àb·sen·tée·ism *n.* 부재지주 제도; 계획적 결근《노동 쟁의 전술의 하나》; 장기 결석〔결근〕.

ábsentee lándlord 부재지주.

ábsentee vóte 부재자 투표.

ábsentee vóter =ABSENT VOTER.

ab·sen·te reo [æbséntiː-ríːou] 《L.》 〖법률〗 피고 궐석으로〔인 경우〕《생략: abs. re.》.

áb·sent·ly *ad.* 멍하니, 방심하여.

◇**ábsent-mínded** [-id] *a.* 방심한, 멍한, 얼빠진, 건성의, 잘 잊어버리는: an ~ person 맹추. ㊕ ~**·ly** *ad.* ~**·ness** *n.*

ábsent vóter 부재 투표자.

ab·sinth(e) [ǽbsinθ] *n.* Ⓤ 압생트《프랑스산 독주》; 〖식물〗 쓴쑥(wormwood). ㊕ **áb·sinth·ìsm** *n.* Ⓤ 압생트 중독.

*‡***ab·so·lute** [ǽbsəlùːt, ⌐-⌐] *a.* **1** 절대의; 비할 바 없는; 완전무결한: an ~ principle 절대 원리 / the ~ being 절대적 존재, 신. **2** 확실한, 의심할 여지없는: an ~ denial 단호한 부정. **3** 순수한, 순전한; 전적인, 틀림없는: an ~ lie 새빨간 거짓말 / an ~ fool 순전한 바보 / ~ ignorance 전적인 무지. **4** 제약을 받지 않는, 무조건의; 전제적, 독재적: an ~ monarch 전제 군주. **5** 〖문법〗 독립한; 유리된: an ~ construction 독립 구문 / an ~ infinitive 〔participle〕 독립 부정사〔분사〕. **6** 〖물리〗 절대 온도의; 〖교육〗 절대 평가의; 〖수학〗 절댓값의. **7** 〖컴퓨터〗 절대의. **8** 〖항공〗 절대 고도의. ― *n.* (the ~) 절대적인 것〔현상〕; (the A–) 〖철학〗 절대(자), 우주, 신; (*pl.*) 절대 불변의 성질〔개념·기준〕; 〖컴퓨터〗 절대. ㊕ ~**·ness** *n.* 절대; 완전; 무제한; 전제, 독재.

ábsolute addréss 〖컴퓨터〗 절대 번지.

ábsolute addréssing 〖컴퓨터〗 절대 번지 지정.

ábsolute álcohol 무수(無水) 알코올.

ábsolute altímeter 〖항공〗 절대 고도계.

ábsolute áltitude 〖항공〗 절대 고도.

ábsolute céiling 〖항공〗 절대 상승 한도.

ábsolute érror 〖수학·컴퓨터〗 절대 오차《측정값에서 이론값을 뺀 차이》.

ábsolute humídity 〖물리·기상〗 절대 습도.

ábsolute impédiment 〖법률〗 절대적 혼인 장애《혼인에 방해가 되는 절대적 사정》.

ábsolute júdgment 〖심리〗 절대 판단.

***ab·so·lute·ly** [ǽbsəlúːtli, ⌐-⌐-] *ad.* **1** 절대적으로, 무조건(으로); 단호히: I refused his offer ~. 나는 그의 제의를 단호히 거절했다. **2** 《구어》 〖힘줌말로〗 참말로, 정말로; 〖부정문〗 전혀: ~ impossible 절대로 불가능한 / I know ~ *nothing* about that. 그 일에 대해서는 전혀 모른다. **3** 《구어》 〖응답문으로〗 정말 (그렇다), 그렇고말고: Are you sure? ― *Absolutely!* 확실한가 ― 확실하고말고. **4** 〖문법〗 독립하여《목적어 없이》.

ábsolute mágnitude 〖천문〗 (천체 광도의) 절대 등급.

ábsolute majórity 절대다수, 과반수.

ábsolute mónarchy 절대 군주제〔국〕.

ábsolute músic 순음악, 절대 음악《표제 음악에 대해》.

ábsolute pítch 절대 음감〔음고〕.

ábsolute préssure 〖물리〗 절대 압력.

ábsolute scále 〖물리〗 (절대 온도 0도를 기점으로 하는) 절대 (온도) 눈금.

ábsolute spáce 〖물리〗 절대 공간.

ábsolute sýstem (of únits) 〖물리〗 절대 단위계(單位系).

ábsolute témperature 〖물리〗 절대 온도.

ábsolute térm 〖수학〗 절대항(項); 〖논리〗 절대 명사(名辭).

ábsolute thréshold 〖심리〗 절대 식역(絶對識閾)《시도(試圖)의 50%로 감각을 유발할 정도의 최소의 유효 자극》.

ábsolute únit 절대 단위.

ábsolute válue 〖수학〗 절댓값.

ábsolute wéapon 절대 병기《종종 핵무기를 가리킴》.

ábsolute zéro 절대 영도《−273.16℃》.

ab·so·lu·tion [æbsəlúːʃən] *n.* Ⓤ **1** 〖법률〗 면제, 방면, 석방(의 선언); (의무·약속의) 면제. **2** 〖교회〗 사죄(赦罪), 사면(赦免); 사죄문; (고행(苦行)·파문(破門) 등의) 면제: ~ *from* 〔*of*〕 sins 죄의 사면.

áb·so·lùt·ism *n.* Ⓤ 전제주의, 전제 정치; 〖철학〗 절대론; 절대성. ㊕ **-ist** *n.* 전제주의자; 절대론자.

ab·so·lut·ìze *vt.* 절대화하다.

ab·solve [æbzálv, -sálv/əbzɔ́lv] *vt.* 《+목+전+명》 용서하다; 면제하다《*from*》; (책임·의무)를 해제하다《*from; of*》; 〖교회〗 사죄(赦罪)를 베풀다, 죄를 용서하다: ~ a person *from* his promise 〔the blame〕 약속을 해제하다〔책임을 면하게 하다〕 / ~ a person *of* a sin 아무의 죄를 사면하다.

ab·so·nant [ǽbsənənt] *a.* 조화되지 않는.

*‡***ab·sorb** [æbsɔ́ːrb, -zɔ́ːrb/əb-] *vt.* **1** 흡수하다, 빨아들이다: A sponge ~*s* water. 스펀지는 물을 흡수한다. **2** (빛·소리·충격 따위를) 흡수하다, 완화시키다, 지우다: ~ sound and light 소리와 빛을 흡수하다 / ~ shock 〔impact〕 충격을 완화하다. **3** 《~+목/+목+전+명》 (작은 나라·도시·기업 따위를) 병합〔흡수〕하다《*into*》: The empire ~*ed* all the small states. 그 제국은 작은 나라들을 모두 병합했다 / A small firm was ~*ed into* a large one. 작은 기업은 큰 기업에 흡수〔병합〕됐다. **4** (이민·사상 등을) 흡수 동화하다. **5** 《~+목/+목+전+명》 (사람·마음을) 열중케 하다; (시간·주의 따위를) 빼앗다: Work ~*s* most of his time. 그는 시간을 일에 대부분 빼앗긴다 / ~ oneself *in* a book 책에 몰두하다. **6** (비용을) 부담하다. **7** 《비유》 (의미를) 이해하다. **8** (펀치를) 맞고 안 쓰러지다, (공격)에 견디다. **9** 《고어》 삼키다. ◇ absorption *n.* ㊕ **ab·sòrb·a·bíl·i·ty** *n.* Ⓤ 흡수됨, 피(被)흡수성. **ab·sórb·a·ble** *a.* 흡수되는, 흡수되기 쉬운.

ab·sórb·ance, -an·cy [-əns], [-ənsi] *n.* Ⓤ 〖물리〗 흡수도, 흡광도(吸光度).

ab·sórbed *a.* 마음을 빼앗긴, 열중한, 여념 없는《*in*》; 흡수〔병합〕된: be ~ *in* (reading) a book 책(읽기)에 열중해 있다. ***with ~ interest*** 열중하여, 흥미진진하게. ㊕ **ab·sórb·ed·ly** [-bidli] *ad.*

absórbed dóse 흡수선량《방사선이 물체에 흡수된 양》.

ab·sor·be·fa·cient [æbsɔ̀ːrbəféiʃənt, -zɔ̀ːr-/əb-] *a.* 흡수(촉진)성의. ― *n.* 흡수(촉진)제.

ab·sorb·en·cy [æbsɔ́ːrbənsi, -zɔ́ːr-/əb-] *n.* Ⓤ 흡수성; 〖물리〗 흡광도(吸光度)(absorbance).

ab·sorb·ent [æbsɔ́ːrbənt, -zɔ́ːr-/əb-] *a.* 흡수하는《*of*》, 흡수력이 있는, 흡수성의. ― *n.* 흡수성 있는 물건; 흡착제; 〖해부·식물〗 도관(導管), 맥관(脈管).

absórbent cótton 《미》 탈지면(《영》 cotton wool).

absórbent páper 압지(押紙).

ab·sórb·er *n.* 흡수하는 물건〔사람〕; 〖물리·화학〗 흡수기(器)〔체(體), 장치〕; 〖기계〗 흡수〔완충〕 장치(shock ~); (방사선·중성자) 흡수재(材).

◇**ab·sórb·ing** *a.* 흡수하는; 열중〔탐닉〕하게 하

는, 무척 재미있는. ㉶ **~·ly** *ad.* 열중케 할 정도로, 열광적으로.

ab·sorp·tance [æbsɔ́ːrptəns, -zɔ́ːrp-/əb-] *n.* 〖광학〗 흡수비〔율〕.

◇**ab·sorp·tion** [æbsɔ́ːrpʃən, -zɔ́ːrp-/əb-] *n.* Ⓤ **1** 흡수 (작용). **2** 열중《*in*》; 전념(專念): ~ *in* one's studies 연구에 몰두함. **3** 병합, 동화《*by; into*》. **4** 〖생물〗 영양의 흡수. **5** (섬·육지의) 함몰. ◇ absorb *v.*

absórption bànd 〖물리〗 흡수대(帶).

absórption coefficient 〖물리〗 흡수 계수; = ABSORPTIVITY; (인체의 특정 물질) 흡수 속도.

absórption èdge 〖물리〗 흡수단(端)《물질의 원자에서 전자를 방출하는 데 필요한 최소한의 에너지를 나타냄》.

absórption fàctor 〖물리〗 흡수 인자; 흡수율.

absórption hygròmeter 흡수 습도계.

absórption lìne 〖광학〗 (흡수 스펙트럼의) 흡수선(線).

absórption spèctrum 〖광학〗 흡수 스펙트럼.

ab·sorp·tive [æbsɔ́ːrptiv, -zɔ́ːrp-/əb-] *a.* 흡수하는, 흡수력 있는, 흡수성의. ㉶ **~·ness** *n.*

ab·sorp·tiv·i·ty [æ̀bsɔːrptívəti, -zɔːrp-/əb-] *n.* 흡수성; 〖물리〗 흡수율; 〖화학〗 (용액의) 흡광률.

ab·squat·u·late [æbskwɑ́tʃəlèit/-skwɔ́-] *vi.* 《속어》 도망치다, 내빼다, 뺑소니치다, 자취를 감추다.

ÀBS rèsin 〖화학〗 아크릴로나이트릴뷰타다이엔스타이렌 수지《충격에 강하며 불투명》. [◂ *a*crylonitrile-*b*utadiene-*s*tyrene]

◇**ab·stain** [æbstéin, əb-] *vi.* 《+전+명》 그만두다, 끊다, 삼가다《*from*》; 금주하다: ~ *from* smoking 금연하다 / ~ *from* voting 기권하다 / ~ *from* food 단식하다. ◇ abstention, abstinence *n.* ㉶ **~·er** *n.* 절제가, 《특히》 금주가: an ~*er from* wine 금주가 / a total ~*er* 절대 금주자.

ab·ste·mi·ous [æbstíːmiəs, əb-] *a.* 절제〔자제〕하는, 음식을 삼가는《*in*》; (음식이) 소박한: an ~ diet 절식 / be ~ *in* drinking 음주를 절제하다. ㉶ **~·ly** *ad.* **~·ness** *n.*

ab·sten·tion [æbsténʃən, əb-] *n.* Ⓤ (조심하여) 삼감, 절제, 자제《*from*》; (투표 등의) 기권; (정치상의) 불개입, 불참가: ~ *from* wine 〔voting〕 금주〔기권〕. ◇ abstain *v.* ㉶ **~·ism** *n.* **~·ist** *n.*, *a.*

ab·sten·tious [æbsténʃəs, əb-] *a.* 끊은, 자제〔절제〕하는.

ab·sterge [æbstə́ːrdʒ/əb-] *vt.* 깨끗이 씻다, 세정〔세척〕하다; 〖의학〗 변을 통하게 하다.

ab·ster·gent [æbstə́ːrdʒənt/əb-] *a.* 씻어내는, 깨끗이〔맑게〕 하는. ── *n.* 세제(洗劑)《비누 따위》; 〖의학〗 하제(下劑).

ab·ster·sion [æbstə́ːrʃən/əb-] *n.* 세정(洗淨), 정화(淨化); 설사케 함, 하제 사용.

ab·ster·sive [æbstə́ːrsiv/əb-] *a.* 깨끗이〔맑게〕 하는(abstergent).

ab·sti·nence, -nen·cy [ǽbstənəns], [-si] *n.* **1** Ⓤ 절제, 금욕, 금주《*from*》: *abstinence from* food 절식 / *abstinence from* pleasure 쾌락을 끊음 / total *abstinence* 절대 금주. **2** 〖교회〗 금육재(禁肉齋); 〖경제〗 제욕(制慾): *abstinence* theory (of interest) 〖경제〗 절욕설(節慾說). ◇ abstain *v.*

ábstinence sỳndrome 〖의학〗 금단(禁斷) 증세〔현상〕.

ab·sti·nent [ǽbstənənt] *a.* 금욕적인, 자제〔절제〕하는; 절대 금주의. ㉶ **~·ly** *ad.* 삼가서; 적당히.

abstr. abstract; abstracted.

ab·stract** [æbstrǽkt, ∠-/∠-] *a.* **1** 추상적인, 관념상의. OPP *concrete*. **2** 이론적인; 이상적인; 관념적인. OPP *practical*. **3** 심원한, 난해한. **4** 방심 상태의, 멍한. **5** 〖미술〗 추상(파)의, 추상주의의: ~ art 추상 미술. OPP *representational*. ── [∠-] *n.* **1** 추상. **2** 〖논리〗 추상 개념, 추상 명사; 〖미술〗 추상주의의 작품. **3** 적요, 요약《*of*》: make an ~ *of* a book 책을 요약하다. ***in the **~** 추상적으로, 이론적으로: beauty *in the* ~ 이론상의 미 / She has no idea of poverty but *in the* ~. 그녀는 관념적으로밖에 가난을 모른다. ── [-∠] *vt.* **1** (개념 따위를) 추상하다. **2** [∠-] 《+목+전+명》 발췌하다, 요약하다: ~ a book *into* a compendium 책을 발췌하다. **3** 《+목+전+명》 제거하다, 분리하다, 감하다: ~ somewhat *from* his credit 얼마간 그의 신용을 떨어뜨리다. **4** 《+목+전+명》 (주의 따위를) 딴 데로 돌리게 하다(disengage): ~ one's attention *from* something 어떤 것에서 주의를 딴 데로 돌리게 하다. **5** 《+목+전+명》 〖화학〗 추출하다: ~ gold *from* ore 광석에서 금을 추출하다. **6** 《+목+전+명》 《완곡어》 빼내다, 훔치다(steal): ~ a purse *from* a person's pocket 아무의 주머니에서 지갑을 훔치다. ㉶ **~·ly** *ad.* 추상적〔관념적, 이론적〕으로. **~·ness** *n.*

ábstract dáta tỳpe 〖컴퓨터〗 추상 데이터형.

ab·stráct·ed [-id] *a.* 마음을 빼앗긴, 멍한; 추상한; 〖화학〗 추출한: with an ~ air 멍하니, 얼빠져. ㉶ **~·ly** *ad.* 멍하니; 추상적으로. **~·ness** *n.* 방심.

ab·stráct·er *n.* 추출하는 사람〔물건〕.

ábstract expréssionism 〖미술〗 추상 표현주의.

***ab·strac·tion** [æbstrǽkʃən] *n.* Ⓤ **1** 추상 (작용); Ⓒ 추상 개념〔명사〕. **2** 분리; 〖화학〗 추출. **3** 방심, 망연자실. **4** 《완곡어》 훔침, 절취. **5** 〖미술〗 추상주의; Ⓒ 추상 작품. ◇ abstract *v.* ㉶ **~·ism** *n.* Ⓤ 추상주의. **~·ist** *n.* 추상파 화가.

ab·strac·tive [æbstrǽktiv] *a.* 추상력 있는; 추상에 관한; 요약〔초록〕의〔적인〕. ㉶ **~·ly** *ad.*

ábstract nóun 〖문법〗 추상 명사.

ab·struse [æbstrúːs] *a.* 심원한, 난해한: ~ theories. ㉶ **~·ly** *ad.* **~·ness** *n.*

ab·stru·si·ty [æbstrúːsəti] *n.* 난해, 심원, 난해〔심원〕한 것〔점·사항〕.

***ab·surd** [æbsə́ːrd, -zə́ːrd/əb-] *a.* **1** 불합리한; 부조리한; 엉터리없는, 터무니없는, 우스꽝스런: an ~ opinion 터무니없는 의견. **2** 바보스런, 어리석은: Don't be ~. 얼빠진 소리〔짓〕 마라 / It was ~ *of* me 〔I was ~〕 *to* think that you loved me. 당신이 나를 사랑하는 줄로 알았으니 나도 바보였소. SYN. ⇨ FOOLISH. ── *n.* (the ~) 부조리(한 일); (the A–) (실존주의의) 부조리. ㉶ **~·ism** *n.* Ⓤ 부조리주의. **~·ist** *n.*, *a.* 부조리주의 작가; 부조리주의의. **~·ly** *ad.* **~·ness** *n.*

◇**ab·surd·i·ty** [æbsə́ːrdəti, -zə́ːr-/əbsə́ːd-] *n.* **1** Ⓤ 불합리, 어리석음, 바보스러움. **2** Ⓒ 엉터리없는 것〔일〕, 어리석은 언행.

absúrd théater (the ~) = THEATER OF THE ABSURD.

ABTA [ǽbtə] Association of British Travel Agents.

Ábt sỳstem [ǽpt-, ɑ́ːpt-] 아프트식 (철도).

abub·ble [əbʌ́bəl] *a.*, *ad.* 〔형용사로서는 서술적〕 거품 일어; 끓어올라, 동요〔흥분〕하여.

Abu Dha·bi [ɑ́ːbuːdɑ́ːbi] 아부다비《아랍 에미레이트 연방 구성국의 하나; 동국(同國) 및 동연방의 수도》.

abuild·ing [əbíldiŋ] *a.* 〔서술적〕 건축〔건설, 건조〕 중인.

abu·lia, abou- [əbjúːliə/əbjúː-] *n.* 〖심리〗 Ⓤ 의지 상실; (정신 분열증에 의한) 무위(無爲). ㉶ **-lic** *a.*

abu·na [əbúːnə] *n.* 아부나《에티오피아 교회의 우두머리》.

***abun·dance** [əbʌ́ndəns] *n.* Ⓤ **1** 풍부, 많음; 부유: in ~ 많이, 풍부히 / live in ~ 유복하게 살

다 / a year of ~ 풍년. **2** (an ~ of) 다수(의), 다량(의): an ~ *of* grain 많은 곡물(穀物). ◇ abound *v.*

*__abun·dant__ [əbʌ́ndənt] *a.* 풍부한(rich), 많은(plentiful); 〖서술적〗 (자원 등이) 풍부하다《*in; with*》: an ~ harvest 풍작 / an ~ supply of water 풍부한 물의 공급 / be ~ *in* hospitality 융숭하게 대접하다 / The river is ~ *in* salmon. 이 강에는 연어가 많다. ◇ abound *v.* ㊞ **~·ly** *ad.*

abúndant númber 〖수학〗 과잉수.

abúndant yéar =PERFECT YEAR.

ab uno dis·ce om·nes [*L.* ɑb-úːnoː-díske-ɔ́mnεs] 《L.》 하나(의 죄)에서 모든 것〔사람〕을 배워라, 하나에서 열을 알아라.

ab ur·be con·di·ta [æb-ə́ːrbi-kɑ́nditə/-kɔ́n-] 《L.》 로마시(市) 건설의 해《기원전 753년》 이래《생략: A.U.C.》.

abus·age [əbjúːsidʒ, -zidʒ] *n.* Ⓤ 말의 오용.

*__abuse__ [əbjúːz] *vt.* **1** (지위·특권·재능·호의 등을) 남용하다, 오용하다, 악용하다: ~ one's authority 직권을 남용하다 / He ~*d* our trust. 그는 우리의 신뢰를 저버렸다. **2** 학대하다, 혹사하다; 《고어》 능욕하다: ~ one's eyesight 눈을 혹사하다. **3** 《~+목/+목+전+명》 …의 욕을 하다, 매도하다: He ~*d* her *for* be*ing* a baby. 그는 그녀를 어린애 같다고 나무랐다. **4** 《고어》 속이다, 기만하다(deceive). ~ one***self*** 자위〔수음〕하다. ~ ***the confidence of*** …의 신뢰를 저버리다. ── [əbjúːs] *n.* **1** Ⓤ,Ⓒ (권력·지위 등의) 악용, 남용, 오용; (약·마약 등의) 난용: drug ~ 마약의 남용〔불법 사용〕 / an ~ of power 권력의 남용. **2** Ⓤ,Ⓒ 학대, 혹사; 《특히》 성폭행: child sex ~ 어린이 성폭행 / physical ~ of horses 말의 혹사. **3** Ⓤ 욕설: a stream 〔torrent〕 of ~ 연이어 내뱉는 욕설. **4** (종종 *pl.*) Ⓒ 악폐, 폐습. **5** 《폐어》 Ⓤ,Ⓒ 기만. ㊞ **abús·a·ble** [-zəbəl] *a.* **abús·er** [-zər] *n.* 남용자, 오용자.

Abu Sim·bel [ɑ́ːbuːsímbel, -bəl/æbuːsímbəl] 아부심벨《이집트 남부의 Nile강에 임한 옛 마을; Ramses II의 두 암굴(岩窟) 신전의 소재지로 현재는 Nasser호 밑에 잠김(=**Ábu Símbil**)》.

°**abu·sive** [əbjúːsiv] *a.* **1** 욕하는, 매도하는, 입정 사나운: use ~ language 욕설을 퍼붓다. **2** (특히 육체적으로) 학대〔혹사〕하는. **3** 악용〔남용〕하는; 부정〔부패〕한: an ~ exercise of power 권력 남용. ◇ abuse *v.* ㊞ **~·ly** *ad.* **~·ness** *n.*

abut [əbʌ́t] (**-*tt*-**) *vi.* (나라·장소 따위가 다른 곳과) 경계를 접하다, 이웃〔인접〕하다《*on, upon*》; (건물의 일부가) 접촉하다, 연하다《*against; on*》; (…에) 기대다《*on; against*》: His garden ~*s on* 〔*upon*〕 the road. 그의 정원은 도로에 접해있다 / The stable ~*s against* the main house. 마구간은 본채와 붙어 있다. ── *vt.* 인접하다, 경계를 접하다; 아치대(abutment)로 받치다.

abu·ti·lon [əbjúːtəlɑ̀n/-lən] *n.* 어저귀속(屬)의 풀《아욱과》.

abút·ment *n.* **1** Ⓤ 인접; 접합(점). **2** Ⓒ 〖건축〗 아치대, 홍예 받침대; 교대(橋臺); 받침대. **3** 〖치과〗 어버트먼트《받침 구실을 하는 이 또는 치근》.

abutment 2

abut·tal [əbʌ́tl] *n.* (*pl.*) 경계; 인접지.

abut·ter [əbʌ́tər] *n.* 인접하는 것; 〖법률〗 이웃 땅임자.

abut·ting [əbʌ́tiŋ] *a.* 이웃하는; 받치고 있는.

abuzz [əbʌ́z] *ad., a.* 〖형용사로서는 서술적〗 붕붕; 와글와글, 왁자지껄하게, 소연(騷然)히; 활기에 넘쳐, 활발히; 《속어》 술이 취해.

ABWR advanced boiling water reactor(개량형 비등수형(沸騰水型) 원자로).

aby, abye [əbái] (*p., pp.* ***abought*** [əbɔ́ːt]) *vt.* 《고어》 (죄를) 씻다; (괴로움을) 견디다. ★ dearly 를 수반함.

abysm [əbízəm] *n.* 《고어·시어》 =ABYSS.

abys·mal [əbízməl] *a.* **1** 심연의〔같은〕, 나락의, 끝없이 깊은; 헤아릴 수 없이 큰. **2** 아주 나쁜, 구원할 길 없는; 《구어》 극히 나쁜: ~ ignorance 전무식 / ~ poverty 찰가난. **3** 〖생태〗 무광(無光)의. ⓒⓕ abyssal. ㊞ **~·ly** *ad.*

°**abyss** [əbís] *n.* 심연(深淵); 끝없이 깊은 구렁; 나락; (천지 창조 전의) 혼돈; 〖해사〗 심해: He was in an ~ of despair. 그는 절망의 구렁텅이에 있었다 / the ~ of time 영원. ◇ abysmal *a.*

abyss·al [əbísəl] *a.* (해면 밑 300 피트를 넘는) 심해의, 심해저의《물·생물》; 헤아릴 수 없는; 〖생태〗 무광(無光)의.

abýssal róck 〖지학〗 심성암(深成岩).

abýssal zòne (the ~) 〖생태〗 심해(저(底))대《수심 3,000－7,000 m 부분》.

Ab·ys·sin·ia [æ̀bəsíniə] *n.* 아비시니아《Ethiopia의 옛 이름》.

Ab·ys·sin·i·an [æ̀bəsíniən] *a.* 아비시니아(사람, 말)의. ── *n.* 아비시니아 사람; 에티오피아 사람; Ⓤ 아비시니아 말.

abỳs·so·pelágic [əbìsə-] *a.* 〖생물·해사〗 심해수층(深海水層)의 《수심 3,000 〔4,000〕- 6,000 m의 층》.

ab·zyme [ǽbzaim] *n.* 〖생물공학〗 애브자임《촉매 작용에 의해 표적(標的) 물질을 변질시키는 항체(抗體)》.

ac- [æk, ək] *pref.* AD-의 변형《c, qu 앞에서》.

-ac [æk, ək] *suf.* **1** '…적인' 의 뜻의 형용사를 만듦: elegi*ac*. **2** '…한 사람' 의 뜻의 명사·형용사를 만듦. ★ 지금은 이 어미의 말은 명사로서 많이 쓰이며, 형용사는 거기에 -al 을 붙여서 씀: mani*ac*, mani*acal*.

AC, A.C. 《영》 Aero Club; Air Corps; 《영》 aircraft(s)man; Alpine Club; 〖전화〗 area code; Army Corps; Athletic Club; Atlantic Charter; Aviation Cadet. **AC, A.C., a.c.** 〖처방〗 *ante cibum* 《L.》 (=before meals); author's correction. **Ac** 〖화학〗 actinium; 〖기상〗 altocumulus. **A.C.** *ante-Christum* 《L.》 (=before Christ). **A.C., a.c.** 〖전기〗 alternating current. **A/C, a/c** account; account current; air conditioning. **A.C.A.** 《영》 Associate of the Institute of Chartered Accountants(공인 회계사 협회 준회원).

°**aca·cia** [əkéiʃə] *n.* **1** 〖식물〗 아카시아. **2** 아라비아 고무(gum arabic).

acad. academic; academy.

ac·a·deme [ǽkədìːm] *n.* 학구적인 세계, 학자의 생활; 학구, 《특히》 학자연하는 사람; (A-) (고대 아테네의) 아카데미 학원; 《시어》 학원, 대학. ***the grove*(*s*) *of Academe*** 대학의 환경.

ac·a·de·mese [æ̀kədəmíːz, -míːs] *n.* 학자티를 부린 문체, 아카데믹풍(의 문체).

ac·a·de·mia [æ̀kədíːmiə] *n.* 대학의 (학문적) 분위기〔환경〕; 학계.

__ac·a·dem·ic__ [æ̀kədémik] *a.* **1 학원(學園)의, 학원(學院)의, 《특히》 대학의; 고등 교육의: an ~ degree 학위. **2** 《미》 인문학과의, 문학부의, 일반 교양의: ~ subjects 인문학과목. **3** 학구적인, 이론적인; 비실용적인: an ~ discussion 탁상공론. **4** 학사원의, 학회의: ~ circles 학계. **5** 격식〔전통〕을 중시하는, 틀에 박힌; 진부한: ~ painting 전통적인 화풍〔회화〕. ◇ academy *n.*

— *n.* **1** 대학생, 대학 교수, 대학인; 학구(적인 사람). **2** (*pl.*) 탁상 공론; (A–) 플라톤 학파의 철학자.

ac·a·dem·i·cal [ækədémikəl] *a.* =ACADEMIC. — *n.* (*pl.*) 대학의 예복. ㊞ **~·ly** *ad.* 학문상; 이론적으로.

académic árt (전통에 매여 독창성이 없는) 아카데미 예술. 「복, 가운.

académic cóstume 〔**dréss**〕 대학의 예

académic fréedom 학문의 자유; (학교에서의) 교육의 자유.

ac·a·de·mi·cian [ækədəmíʃən, əkæ̀də-] *n.* 예술원〔학술원〕 회원, 학회의 회원; 학문〔예술〕적 전통 존중자; 학구적인 사람.

ac·a·dem·i·cism, acad·e·mism [ækədéməsìzəm], [əkǽdəmìzəm] *n.* 예술원〔학술원〕풍; 형식〔전통〕주의.

académic yéar 학년(도).

Aca·dé·mie Fran·çaise [F. akademifrɑ̃sɛːz] =FRENCH ACADEMY.

***acad·e·my** [əkǽdəmi] *n.* **1** 학술원; 예술원; (학술·문예·미술·영화 따위의) 협회; 학회. **2** (the A–) 프랑스 학술원; 《영》 왕립 미술원(the Royal Academy of Arts). **3** 학원(學院), 학원(學園)《보통 university 보다 하급의》; 《미》 (특히 사립) 중등 학교; 전문 학교: an ~ of medicine 〔music〕 의(醫)〔음악〕학교 / ⇨ MILITARY 〔NAVAL〕 ACADEMY. **4** (the A–) =ACADEME; Ⓤ 플라톤 학파〔철학〕. 「car.

Acádemy Awárd 〖영화〗 아카데미상. ⓒⓕ Os-

acádemy bòard 〖미술〗 판지(板紙) 캔버스.

Aca·dia [əkéidiə] *n.* 아카디아《캐나다의 남동부, 지금의 Nova Scotia 주(州)를 포함하는 지역의 구칭》. ㊞ **Acá·di·an** *a., n.* ~의 (주민).

acal·cu·lia [èikælkjúːliə] *n.* 〖정신의학〗 계산 불능증, 실산증(失算症)(dyscalculia).

ac·a·leph [ǽkəlèf] *n.* 〖동물〗 해파리.

acan·tho·cyte [əkǽnθəsàit] *n.* 〖병리〗 유극(有棘) 적혈구《가시 모양의 돌기물이 있는 이상 적혈구》. 「가 있는.

acan·thoid [əkǽnθɔid] *a.* 가시 모양의, 가시

acan·thus [əkǽnθəs] (*pl.* **~·es, *-thi*** [-θai]) *n.* 〖식물〗 아칸서스; 〖건축〗 (코린트식 원주두(圓柱頭) 따위의) 아칸서스 무늬.

acap·nia [əkǽpniə, eik-] *n.* 〖의학〗 탄산가스 결핍(증); 무탄산(증)《신체 조직 및 혈중 이산화탄소의 결핍 상태》.

a ca(p)·pel·la [àːkəpélə] 《It.》 〖음악〗 **1** 반주 없이, 아카펠라의〔로〕. **2** 교회 음악풍으로.

a ca·pric·cio [àːkəpríːtʃiòu] 《It.》 〖음악〗 (템포·형식·발상은) 연주자의 임의로, 아카프리치오로.

Aca·pul·co [æ̀ːkəpúlkou] *n.* 아카풀코《멕시코 태평양 연안의 보양 도시》; = ACAPULCO GOLD.

Acapúlco góld 《속어》 아카풀코 금《멕시코산(産)의 극상 마리화나》.

ac·a·ri·a·sis [ækəráiəsis] *n.* 〖병리〗 진드기 기생증(症)《진드기로 인한 피부병》.

acar·i·cide [əkǽrəsàid, ǽkərə-] *n.* 〖곤충〗 진드기 구충제. ㊞ **acàr·i·cíd·al** *a.*

ac·a·rid [ǽkərid] *n.* 〖곤충〗 진드기.

ac·a·rol·o·gy [ækərálədʒi/-rɔ́l-] *n.* 진드기학(學). ㊞ **-gist** *n.* 「않는.

acar·pous [eikáːrpəs] *a.* 〖식물〗 열매를 맺지

ac·a·rus [ǽkərəs] (*pl.* ***-ri*** [-rài]) *n.* 〖일반적〗 진드기.

ACAS [éikæs] 《영》 Advisory Conciliation and Arbitration Service(조언 화해 중재 기관).

acat·a·lec·tic [eikæ̀təléktik/ækæt-] 《시어》 *a.* 완전 운각(韻脚)의. — *n.* 완전구.

acat·a·lep·sy [eikǽtəlèpsi/ækǽt-] *n.* Ⓤ 이해할 수 없음; 불가지론(不可知論). ㊞ **acàt·a·lép·tic** *a.* 「less).

acau·dal [eikɔ́ːdl] *a.* 〖동물〗 꼬리 없는(tail-

ac·au·les·cent [ækɔːlésnt, èikɔː-/æk-] *a.* 〖식물〗 줄기가 없는(stemless), 줄기가 안 보이는.

acaus·al [eikɔ́ːzəl] *a.* 비(非)인과적인, 인과적이 아닌.

ACC Area Control Center(항공로 관제 센터); Administrative Committee on Coordination (유엔의 행정 조정 위원회); 〖컴퓨터〗 accumulator. **acc.** acceleration; acceptance; accepted; according; account(ant); accusative.

Accad, Accadian ⇨ AKKAD, AKKADIAN.

ac·cede [æksíːd] *vi.* 《+전+명》 **1** (요구 등에) 동의하다, 응하다《*to*》: ~ *to* terms 〔an offer〕 조건〔제의〕에 응하다. **2** (높은 지위·왕위 등에) 오르다, 앉다, 취임하다, 계승하다《*to*》. ⓒⓕ accession. ¶ ~ *to* the throne 즉위하다. **3** (당에) 가입하다《*to*》; (조약에) 참가〔가맹〕하다《*to*》: ~ *to* a convention 협정에 가맹하다. ㊞ **ac·céd·ence** [-əns] *n.* **ac·céd·er** *n.*

accel. accelerando.

ac·ce·le·ran·do [æksèlərǽndou] *ad., a.* 《It.》 〖음악〗 점점 빠르게〔빠른〕, 아첼레란도로〔의〕. — (*pl.* **~s, *-di*** [-di]) *n.* 아첼레란도(의 연주음〔악절〕)《생략: accel.》. 「학」 촉매.

ac·cel·er·ant [æksélərənt] *n.* 촉진제; 〖화

***ac·cel·er·ate** [æksélərèit] *vt.* 빨리하다, 가속하다(ⓞⓟⓟ *decelerate*); 진척〔촉진〕시키다; 〖교육〗 (교과 과정을) 단기에 마치다: ~*d* depreciation 가속 상각(加速償却)《내용(耐用) 연수 단축으로 인한 앞당겨지는 상각》/ ~ a car 차를 가속하다 / ~ the pace 걸음을 빨리하다. — *vi.* 빨라지다, 속력이 더해지다; 〖교육〗 교과 과정을 단기에 마치다. ◇ acceleration *n.*

ac·cèl·er·á·tion *n.* Ⓤ 가속; 촉진; 〖물리〗 가속도(ⓞⓟⓟ *retardation*); 〖교육〗 월반: positive 〔negative〕 ~ 가〔감〕속도 / ~ of gravity 중력가속도 / ~ capability (자동차 등의) 가속 능력.

accelerátion clàuse 변제 기일을 앞당기는 약관. 「속 차로.

accelerátion làne 〔**strìp**〕 (고속도로의) 가

accelerátion prìnciple 〖경제〗 가속도 원리.

ac·cel·er·a·tive [æksélərèitiv, -rət-] *a.* 가속적인, 촉진시키는(=**ac·cél·er·a·to·ry**).

ac·cel·er·a·tor [æksélərèitər] *n.* 가속자; 가속물〔기〕; 〖해부〗 촉진 신경; 가속 장치, (자동차의) 가속 페달, 액셀러레이터(=∠ **pèdal**); 〖화학·사진〗 (현상) 촉진제; 〖물리〗 원자 입자의 가속 장치; 〖컴퓨터〗 가속기《컴퓨터 속도를 높여 주기 위해 기본적으로 사용되는 하드웨어에 추가적으로 설치하여 사용하는 기기》: step on the ~ 액셀러레이터를 밟다, 속도를 내다.

accélerator bòard 〔**càrd**〕 〖컴퓨터〗 증속〔가속〕 보드〔카드〕, 액셀러레이터 보드〔카드〕《본체 기판상의 CPU나 FPU를 대신하여 동작하는 고속의 CPU나 FPU를 탑재한 확장 기판》. 「불린.

accélerator glòbulin 〖생화학〗 촉진성 글로

ac·cel·er·om·e·ter [æksèlərámitər/-rɔ́m-] *n.* (항공기·우주선의) 가속도계.

****ac·cent** [ǽksent] *n.* **1** Ⓤ,Ⓒ 〖음성〗 악센트, 강세; 〖운율〗 강음, 양음(揚音): ⇨ PRIMARY 〔SECONDARY〕 ACCENT. **2** 악센트 부호《발음의 억양·곡절 표시의 ´ ` ^; 시간·각도의 분초 표시의 ′ ″; 피트·인치 표시의 ′ ″; 변수(變數) 표시의 ′ 따위》. ⓒⓕ stress, pitch[1], tone. ¶ ⇨ ACUTE 〔CIRCUMFLEX, GRAVE〕 ACCENT / mark with an ~ 악센트 부호를 붙이다. **3** 〖음악〗 악센트, 악센트 기호(>,

∨, ∧》. **4** 강조; 강의, 뚜렷하게 함; 주(요)점: put the ~ *on* beauty 미를 강조하다. **5** (*pl.*) 어조: sorrowful ~*s* 슬픈 듯한 어조. **6** 지방〔외국〕 사투리〔어투〕: English with a northern 〔foreign〕 ~ 북부〔외국〕 어투가 있는 영어. **7** (*pl.*) 《시어》 말. ── [ǽksent, -⌐] *vt.* **1** …에 악센트를 두다, 강하게 발음하다; …에 악센트 부호를 붙이다: an ~*ed* syllable 악센트가 있는 음절. **2** 강조〔역설〕하다. **3** 뚜렷하게 하다, 두드러지게 하다.

ác·cent·less *a.* 악센트 없는; 사투리 없는: speak the language with ~ fluency 그 언어를 사투리 없이 유창하게 말하다.

áccent màrk 〖음성·음악〗 악센트 부호, 강세 기호.

ac·cen·tu·al [ækséntʃuəl] *a.* 악센트의(가 있는); 〖운율〗 음의 강약을 리듬의 기초로 삼는: an ~ verse 음의 강약을 기초로 하는 시. ⊕ **~·ly** *ad.* 악센트로〔에 관하여〕.

°**ac·cen·tu·ate** [ækséntʃuèit] *vt.* 강조하다, 두드러지게 하다(accent); …에 악센트(부호)를 붙이다; (문제를) 한층 악화시키다. ⊕ **ac·cèn·tu·á·tion** *n.* Ⓤ 억양〔강약〕(법); 악센트 붙이는 법; 강조, 역설; 두드러지게 함.

‡**ac·cept** [æksépt] *vt.* **1** 받아들이다, 수납하다: ~ a favor 호의를 받아들이다 / She was ~*ed* at Harvard. 그녀는 하버드 대학에 입학했다. SYN. ⇨ RECEIVE. **2** (초대·제안·구혼 따위를) 수락하다, (…에) 응하다: I ~ your offer. 당신의 제의를 받아들입니다 / She ~*ed* him 〔her suitor〕. 그녀는 그〔구혼자〕에게 결혼 승낙을 하였다. **3** (임무·명예 따위를) 수락하다, 맡다: ~ the office of president 회장직을 맡다. **4** (사태에) 순응하다, 감수하다: ~ things as they are 현재 상황을 감수하다. **5** 《~+목/+목+*as* 보/+(*that*) 절》 (설명·학설 등을) 용인〔인정〕하다, 믿다: ~ an explanation 설명을 이해하다 / ~ it *as* evidence 그것을 증거로서 받아들이다 / I ~ *that* the evidence is unsatisfactory. 증거가 불충분함을 인정한다. **6** (어구의 뜻을) 취하다, 해석하다: How are these words to be ~*ed*? 이 말들은 어떻게 해석해야 될까요. **7** 〖상업〗 (어음을) 인수하다. OPP. *dishonor*. **8** (소켓 따위가 부속물·삽입물 등을) 끼워넣게〔끼우게〕 하다. ── *vi.* (초대·제안 등을) 수락하다. **~ *of*** 《고어》 =*vt.* 1-6. ◇ acceptance, acceptation *n.*

ac·cèpt·a·bíl·i·ty *n.* Ⓤ 수용성, 받아들여짐; 만족.

*__ac·cept·a·ble__ [ækséptəbəl, ək-] *a.* **1** 받아들일 수 있는, 견딜 수 있는; 조건〔기준〕에 맞는; 마음에 드는, 기꺼운: a most ~ gift 매우 기꺼운 선물. **2** 허용〔용인〕되는: socially ~ behavior 사회적으로 용인되는 행위. **3** 《때로》 겨우 조건〔기준〕에 맞는. ◇ acceptability *n.* ⊕ **~·ness** *n.* **-bly** *ad.* 기꺼이 받아들일 수 있게; 마음에 들도록.

accéptable dàily íntake ⇨ ADI.

accéptable lèvel (방사능 등의) 허용 수준.

*__ac·cept·ance__ [ækséptəns, ək-] *n.* Ⓤ **1** 받아들임, 수령, 수리, 가납(嘉納). **2** 수락, 승인, 채용. cf. acceptation. ¶ find 〔gain, win〕 ~ with 〔in〕 …에게 승인을 얻다. **3** 편애. **4** 〖상업〗 어음의 인수; Ⓒ 인수된 어음: a bank 〔trade〕 ~ 은행〔수출〕 인수 어음 / ~ bill 인수 어음 / ~ payable 지급 어음 / ~ receivable 받을 어음 / ~ for honor 〖상업〗 참가 인수. ◇ accept *v.* **~ *of persons*** 편파, 편애.

accéptance ràte 〖경제〗 수입 어음 결제 시세.

accéptance tèst 〖우주〗 (제품의) 합격 판정 시험.

accéptance tèsting 〖컴퓨터〗 인수 시험.

ac·cept·ant [ækséptənt, ək-] *a.* (…을) 흔쾌히 수락하는《*of*》. ── *n.* 받아들이는 사람, 수락자.

ac·cep·ta·tion [ǽkseptéiʃən] *n.* (일반적으로 통용되는) 어구의 뜻, 어의(語義), 통념; 《고어》 용인, 승인(acceptance). ◇ accept *v.*

ac·cépt·ed [-id] *a.* 일반에게 인정된; 〖상업〗 인수를 마친. ⊕ **~·ly** *ad.*

accépted páiring 용인 광고《경쟁 상대의 장점을 인정하면서 자사 상품이 더 우수함을 강조하는 광고》.

ac·cépt·er *n.* 수락자, 영수인.

accépting hòuse 《영》 인수(引受) 상사《환어음의 인수·보증을 주업무로 하는 영국 특유의 금융 기관》.

ac·cep·tor [ækséptər, ək-] *n.* 수락자; 〖상업〗 어음 인수인; 〖물리·화학〗 수용체(기); 〖전자〗 억셉터《반도체의 정공(正孔)에 기여하는 것》; 〖통신〗 여파기(濾波器)《특정 주파 수신 회로》.

accéptor impùrity 〖전자〗 억셉터 불순물《반도체 내에서 억셉터로서 작용하는 불순물; 게르마늄 속의 indium 따위》.

*__ac·cess__ [ǽkses] *n.* **1** Ⓤ 접근, 면접, 출입《*to*》; 접근〔출입·입수·이용〕하는 방법〔수단·권리·자유〕; 진입로, 통로, 입구; 〖컴퓨터〗 접근; =ACCESS TIME; 〖영방송〗 국〔프로그램〕 개방: be easy 〔hard, difficult〕 of ~ 가까이〔면회〕하기 쉽다〔어렵다〕 / gain ~ *to* …에 접근〔면회〕하다 / give ~ *to* …에 출입〔접근〕을 허가하다 / I have ~ *to* his library. 그의 도서실 출입을 허락받고 있다 / within easy ~ of Seoul 서울에서 쉽게 갈 수 있는 곳에 / the only ~ *to* the house 집으로 들어가는 유일한 길. **2** Ⓒ (병·노여움 등의) 발작, 격발: ~ and recess (병의) 발작과 진정 / in an ~ of fury 불끈 성내어. **3** Ⓒ (재산 따위의) 증대: an ~ of territory 영토의 증대. ── *vt.* 《미》 (마음 속 깊이) 다가들다, 깊이 느끼다; 〖컴퓨터〗 (데이터에) 접근하다.

áccess àrm 〖컴퓨터〗 접근 막대.

ac·ces·sa·ry [æksésəri] *a.*, *n.* 〖법률〗 =ACCESSORY.

áccess chàrge 〖컴퓨터〗 액세스 요금〔차지〕《장거리 전화 사용자가 장거리 전화 회사에 내는 것 외에 지방 전화 회사에도 지불하는 접속료》.

áccess còde 〖컴퓨터〗 접근 부호〔코드〕《특정 서비스를 받기 위해 컴퓨터에 입력하는 숫자〔문자〕 코드》.

áccess contróller 《미》 도어맨(doorman).

áccess contròl régister 〖컴퓨터〗 접근 제어 레지스터.

áccess còurse 《영》 (비자격자에 대한) 진학 특별 코스.

ac·cès·si·bíl·i·ty *n.* Ⓤ 도달 가능성; 다가갈 수 있음; 접근성; 입수하기 쉬움.

°**ac·ces·si·ble** [æksésəbəl, ək-] *a.* **1** 접근〔가까이〕하기 쉬운, 가기 쉬운〔편한〕 《*from*》, 면회하기 쉬운: an ~ mountain 오르기 쉬운 산 / a house that is easily ~ *from* the station 역에서 가기 편한 집 / a very ~ sort of person 가까이하기 쉬운 사람 / His house is not ~ by car. 그의 집은 차로는 갈 수 없다. **2** 입수하기 쉬운, 이용할 수 있는; 이해하기 쉬운: a book ~ *to* the common reader 일반 독자도 잘 알 수 있는 책 / Guns are easily ~ *to* Americans. 총은 미국인에게는 구하기 쉽다. **3** 영향받기 쉬운, 감동되기 쉬운《*to*》: ~ *to* bribery 뇌물에 유혹당하기 쉬운 / ~ *to* pity 정에 약한 / a mind ~ *to* reason 도리를 아는 사람. ⊕ **-bly** *ad.*

ac·ces·sion [ækséʃən, ək-] *n.* Ⓤ **1** (어떤 상태에로의) 근접, 접근; 도달《*to*》: ~ *to* manhood 성년에 이름. **2** (권리·재산 등의) 취득, 상속, 계승. **3** 즉위, 취임: ~ *to* the throne. **4** Ⓤ 증가, 추가; Ⓒ 증가물; (도서관의) 신착본(新着本), 수납 도서; (미술관의) 수납 미술품. **5** 〖법률〗 재산 가치의 (자연) 증가. **6** 응낙, 동의《*to*》: ~

to a demand 요구에 대한 수락. **7** 〖국제법〗 (조약·협정 등의) 정식 수락; (당파·단체·국제 협정 등에의) 가입, 가맹. **8** (종업원의) 신규 채용. **9** (병·감정의) 발작(access). **—** *vt.* 《미》 (도서관·미술관 따위의) 수납 원부에 기재하다. ㊕ **~·al** *a.* 추가의.

accéssion bòok (도서관의) 수납 대장, 신착 도서 목록(=《영》 **accéssions règister**). 「호.

accéssion nùmber (도서관의) 도서 수납 번

áccess mèthod 〖컴퓨터〗 접근법〔방식〕《판독 기록된 정보를 외부 기록 매체에 전송하는 방법》.

ac·ces·so·ri·al [æ̀ksəsɔ́:riəl] *a.* 보조의; 종범의: ~ guilt 종범(從犯). ㊕ **~·ly** *ad.*

ac·ces·so·ri·ly [æksésərili] *ad.* 부속적〔보조적·종속적〕으로.

ac·ces·so·rize [æksésəràiz, ək-] *vt., vi.* (…에) 액세서리를〔부속품을〕 달다《*with*》.

***ac·ces·so·ry** [æksésəri, ək-] *n.* **1** (보통 *pl.*) 부속물; 부속품, 액세서리《장갑·손수건·브로치 따위》: car *accessories* 자동차의 부속품/toilet *accessories* 화장용품류. **2** 〖법률〗 종범, 방조자: an ~ after 〔before〕 the fact 사후〔사전〕 종범자. **3** 〖지학〗 수반〔부속〕 광물. **4** 〖컴퓨터〗 액세서리《마우스나 모뎀과 같이 기본의 컴퓨터 시스템에 선택적으로 추가해 사용하는 장치》. **—** *a.* 부속의, 보조적〔부대적〕인; 〖법률〗 종범의; 〖지학〗 수반하는. 「果).

accéssory frùit 〖식물〗 위과(僞果), 부과(副

accéssory nèrve 〖해부〗 부신경.

áccess pèrmit 《미》 기밀 자료 열람 허가증.

áccess pòint 〖통신〗 부가 가치 통신망(VAN)에서 네트워크측과 이용자측의 접속점.

áccess prògram 《미》 (지방국의) 자주적 프로그램; (국〔프로그램〕 개방을 이용한) 자주적〔국외(局外)〕 제작 프로그램.

áccess requèst 〖컴퓨터〗 접근 요구《데이터 파일을 쓰기 위해 운영 체제에 보내는 메시지》.

áccess ròad (어느 지역·고속도로 등으로의) 진입로.

áccess tèlevision 《영》 (국〔프로그램〕 개방을 이용한) 자주적〔국외(局外)〕 제작 텔레비전(프로그램).

áccess tìme 〖컴퓨터〗 **1** 접근 시간《제어 장치에서 기억 장치로 정보 전송 지령을 내고 실제로 전송이 개시되기까지의 시간》. **2** 〖미TV〗 (지방국의) 자주적 프로그램 방송 시간(대).

áccess tỳpe 〖컴퓨터〗 =ACCESS METHOD.

ac·ci·dence [ǽksədəns] *n.* Ⓤ **1** 〖문법〗 어형변화(론)(morphology). **2** 초보, 입문.

****ac·ci·dent** [ǽksədənt] *n.* **1** (돌발) 사고, 재난; 재해, 상해: have 〔meet with〕 an ~ 상처입다, 뜻밖의 화를 당하다/a railroad 〔traffic〕 ~ 철도〔교통〕 사고/⇨ INEVITABLE ACCIDENT/*Accidents* will happen. 《속담》 사고란 으레 생기는 법《재난을 당한 사람에게 위로하는 말》.

> SYN. **accident** 뜻하지 않은 사건 → 사고. **event** (기억에 남을) 대사건, 예상된 사건 → 행사, 경기의 종목. **incident** 우연히 일어난 사건, 부수적인 작은 사건. **occurrence** 발생 → 일어난 일, 그 중요성은 부정(不定): everyday *occurrences* 항다반사(恒茶飯事).

2 우연(성); 우연한 일〔사태, 기회〕; 운좋음; 〖의학〗 우발증후; 〖법률〗 (작위·과실에 의하지 않은) 우발 사고; 〖논리〗 우유성(偶有性): an ~ of birth (부귀·귀천 따위의) 타고남. **3** 〖지학〗 (토지의) 기복: take advantage of every ~ of the ground 토지의 기복을 이용하다. ***by ~ of*** …라는 우연에 의하여. ***by (a mere) ~*** (아주) 우연히, 우연한 일로. ***without ~*** 무사히.

***ac·ci·den·tal** [æ̀ksədéntl] *a.* **1** 우연한, 우발적인, 뜻밖의: (an) ~ death 불의의 죽음, 사고사/an ~ fire 실화/~ homicide 과실 치사/an ~ war 우발 전쟁. **2** 비본질적인, 부수적인《*to*》. **3** 〖논리〗 우연의, 우유(偶有)의; 〖음악〗 임시표의: an ~ note 임시 음표/~ notation 임시표(標). **—** *n.* **1** 우발적〔부수적〕인 사물; 비본질적인 것. **2** 〖논리〗 우유성; 〖음악〗 임시표; 변화음. ㊕ **~·ness** *n.*

accidéntal cólors 〖광학〗 보색 잔상(補色殘像), 우생색(偶生色).

accidéntal érror 〖수학〗 우연 오차.

ac·ci·dén·tal·ìsm *n.* 〖의학〗 우발설《병인(病因)을 무시하고 징후를 중시하는 의학설》; 〖철학〗 우연론《사건에는 원인이 없다는 설》. ㊕ **-ist** *n.*

àc·ci·dén·tal·ly *ad.* 우연히, 뜻밖에; 문득, 때때로; 부수적으로: ~ on purpose 《구어》 우연을 가장하고, 고의적으로.

accidéntal président 승격 대통령《대통령의 죽음·사임으로 부통령에서 오른》.

áccident bòat (선박에 비치하고 있는) 구명보트, 긴급용 보트.

ác·ci·dènt·ed [-id] *a.* 〖지학〗 기복이 있는.

áccident insùrance 상해〔재해〕 보험.

áccident-pròne *a.* 사고를 일으키기〔만나기〕 쉬운, 사고 다발의; 〖의학〗 재해〔사고〕 빈발성 소질을 지닌.

ac·ci·die [ǽksədi] *n.* =ACEDIA.

ac·cip·i·ter [æksípətər] *n.* 〖조류〗 새매속(屬)의 각종 새; 《널리》 매, 맹금. ㊕ **-i·tral** *a.* 새매속의; 매 같은.

°**ac·claim** [əkléim] *n.* Ⓤ 갈채, 환호, 절찬. **—** *vt.* 《~+목/+목+(*as*) 보》 갈채를 보내다, 환호로써 맞이하다; 갈채를 보내어 …로 인정하다: They ~*ed* the hero of the sea. 바다의 영웅을 환호하여 맞았다/They ~*ed* him (*as*) king. 환호하여 그를 임금으로 맞았다. **—** *vi.* 갈채하다, 환호하다(applaud).

°**ac·cla·ma·tion** [æ̀kləméiʃən] *n.* **1** (보통 *pl.*) 갈채, 환호: hail with ~*s* 환호를 지르며 맞이하다/amidst the loud ~*s* of …의 대갈채 속에. **2** (회의에서 일제히) 찬성을 외침: carry a motion by ~ 만장의 갈채로 의안을 통과시키다. ㊕ **ac·clam·a·to·ry** [əklǽmətɔ̀:ri/-təri] *a.* 갈채〔환호〕의.

ac·cli·mat·a·ble [əkláimətəbəl] *a.* 풍토에 익숙해지게 할 수 있는.

ac·cli·mate [ǽkləmèit, əkláimət] *vt., vi.* 《미》 (사람·동식물 등) 새 풍토〔환경〕에 익히다〔익숙해지다〕; 순치(馴致)하다《*to*》: ~ oneself *to* new surroundings 새 환경에 순응하다.

ac·cli·ma·tion [æ̀kləméiʃən, -lai-/-lai-] *n.* Ⓤ 《미》 **1** 새 환경 순응. **2** 〖생물〗 풍토 순화.

acclimátion fèver (주로 열대 지방에서 새 이주자나 가축이 걸리는) 순화열(馴化熱).

ac·clì·ma·ti·zá·tion *n.* 《영》 =ACCLIMATION.

ac·cli·ma·tize [əkláimətàiz] *vt., vi.* 《영》 =ACCLIMATE.

ac·cliv·i·ty [əklívəti] *n.* 오르막, 치받이 경사. OPP. *declivity*. ㊕ **-i·tous, ac·cli·vous** [-təs], [əkláivəs] *a.* 오르막의.

ac·co·lade [ǽkəlèid, -lɑ̀:d, ╲-╱] *n.* (인사·의례로서) 양볼에 하는 키스; (키스와 dubbing (⇨ DUB[1])을 수반하는) 나이트작(爵) 수여(식); 칭찬, 영예, 표창; 상품; 〖음악〗 (둘 이상의 5선을 잇는) 연결 괄호. ***receive the ~*** 나이트 작위를 받다.

ac·co·lat·ed [ǽkəlèitid] *a.* (경화·메달 따위의 초상이) 같은 방향으로〔을 향해〕 부분적으로 중복된.

*ac·com·mo·date [əkáməděit/əkɔ́m-] vt. 1 《~+목/+목+전+명》 …에 편의를 도모하다; …에 융통〔제공〕하다; 들어주다: ~ a person's wishes 아무의 소망을 들어주다 / ~ a person *with* lodging 〔money〕 아무에게 숙소를〔돈을〕 마련〔융통〕해 주다. 2 〖흔히 수동태〗 (건물·방 등에) 설비를 공급하다: The hotel *is* well ~*d*. 그 호텔은 설비가 좋다. 3 (시설·탈것 따위가) 수용하다, …의 수용력이 있다: This hotel ~*s* 1000 guests. 이 호텔은 투숙객 1000 명을 수용할 수 있다. 4 묵게 하다, 투숙시키다: We can ~ him for the night. 그를 하룻밤 재워 줄 수 있다. 5 조절하다; (모순된 것을) 조화시키다; (분쟁을) 조정하다. SYN. ⇨ADJUST. 6 《+목+전+명》 적응시키다: ~ oneself *to* circumstances 환경에 순응하다. ― *vi.* 순응하다; 화해하다.

°ac·cóm·mo·dàt·ing *a.* 남의 편의를 잘 봐 주는; 남의 말을 잘 듣는, 사람 좋은; 융통성 있는; 싹싹한. ㊞ ~·ly *ad.*

*ac·com·mo·da·tion [əkàmədéiʃən/əkɔ̀m-] *n.* Ⓤ 1 (《미》에선 *pl.*) (호텔·객선·여객기·병원의) 숙박〔수용〕 시설; (열차·비행기 등의) 좌석: phone a hotel for ~(*s*) 호텔에 전화로 숙박 예약을 하다 / We need ~(*s*) for six. 여섯 사람의 숙박 설비가 필요하다 / This hotel has ~(*s*) for 1000 people. 이 호텔은 1000 명을 수용할 수 있습니다. 2 (공중을 위한) 편의; (공공) 시설. 3 편의의 도모; 대접; 친절심: as a matter of ~ 편의상. 4 변통, 융통; 대부금, 융통어음. 5 적응, 조화, 조절; Ⓒ 조정, 화해: come to an ~ 화해하다 / bring … to a friendly ~ …을 원만히 조정하다. 6 〖생리〗 (눈의 수정체의) (원근) 조절. ㊞ ~·al [-ʃənəl] *a.* 눈 조절 작용의〔에 의한〕.

accommodátion addrèss 편의상의 주소 《주소 부정자·주소 알리기를 꺼리는 자들의 우편물수신을 위한》.

accommodátion bìll 〔**nòte, pàper**〕 융통 어음.

accommodátion còllar 《미속어》 건수를 올리기 위한 체포.

ac·còm·mo·dá·tion·ist *a., n.* 《미》 (특히 백인 체제에 대하여) 타협하려는 (흑인), 타협적인(사람).

accommodátion làdder 현제(舷梯), 트랩.

accommodátion lìne 〖보험〗 영업 정책적인 계약 인수.

accommodátion pàyment 암묵 지급《짐짓 초과 지급하고 차액을 몰래 받는 일종의 위장 뇌물》.

accommodátion ròad 특설 도로.

accommodátion sàle 동업자끼리 하는 전매(轉賣).

accommodátion tràin 《미》 (각 역마다 서는) 보통 열차(local train).

accommodátion ùnit 《관청용어》 주택, 가옥.

ac·com·mo·da·tive [əkáməděitiv/əkɔ́m-] *a.* 필요에 대응하는, 적응적〔순응적〕인, 조절(성)의; 편의를 (봐)주는; 친절한.

ac·com·mo·da·tor [əkáməděitər/əkɔ́m-] *n.* 적응〔조절, 조정, 융통〕자; 《미》 파출부.

°ac·com·pa·ni·ment [əkʌ́mpənimənt] *n.* 1 따르는 것, 부수물《*of; to*》: Disease is frequent ~ *of* famine. 병은 종종 기근에 수반하여 발생한다. 2 〖음악〗 반주(부): play one's ~ 반주하다 / without ~ 반주 없이 / I want to sing to his piano ~. 그의 피아노 반주로 노래하고 싶다. ◇ accompany *v.* ***to the ~ of*** …의 반주로, …에 맞추어서.

ac·com·pa·nist, -ny·ist [əkʌ́mpənist], [-niist] *n.* 동반자; 〖음악〗 반주자.

‡ac·com·pa·ny [əkʌ́mpəni] *vt.* 1 《~+목/+목+전+명》 …에 동반하다, …와 함께 가다: May I ~ you on your walk? 산책에 따라가도 괜찮니 / We *accompanied* the guest *to* the door. 손님을 문까지 바래다 줬다 / He was *accompanied* by his wife. 그는 부인을 동반하고 있었다. ★ 능동태로는 His wife *accompanied* him. 이 되지만 「부인이 그를 동반했다」라고 새기면 잘못임.

> SYN. **accompany** 한 쪽이 주역, 다른 쪽이 부수적이기는 하나, 양자 사이의 지위의 우열을 고려치 않고 단지 수반·공존 관계를 나타냄. 사람 이외에도 사용됨: Fire is *accompanied* by heat. 불에는 열이 따른다. **attend** 지위가 낮은 사람이 윗사람에게 따라가는 것. 또 시중을 드는 것이 은연중 함축됨. **escort** 보호를 위해서 따라다니다.

2 (현상 따위가) …에 수반하여 일어나다: Wind *accompanied* the rain. 비에 바람이 더해졌다. 3 《+목+전+명》 …에 수반시키다, …에 첨가시키다《*with*》: ~ a speech *with* gestures 연설에 몸짓을 섞다 / an operation *accompanied with* 〔*by*〕 pain 아픔이 따르는 수술 / He *accompanied* his orders *with* a blow. 그는 때리며 명령했다. 4 《~+목/+목+전+명》 〖음악〗 …의 반주를 하다《*on*》: ~ a singer 〔the violin〕 *on* the piano 피아노로 가수〔바이올린〕의 반주를 하다. ― *vi.* 〖음악〗 반주하다. ◇ accompaniment, accomplice *n.*

ac·cóm·pa·ny·ing *a.* 수반하는《징후 따위》; 동봉〔첨부〕한《편지 따위》: the ~ prospectus 동봉한 취지서.

°ac·com·plice [əkámplis, əkʌ́m-/əkʌ́m-, əkɔ́m-] *n.* 공범자, 연루자, 종범자; 〖일반적〗 동료, 협력〔제휴〕자: an ~ *in* murder 살인 공범자 / the ~ *of* the burglar. ◇ accompany *v.*

‡ac·com·plish [əkámpliʃ, əkʌ́m-/əkʌ́m-, əkɔ́m-] *vt.* 1 이루다, 성취하다, 완성하다; (목적 등을) 달성하다: ~ one's object 〔purpose〕 목적을 달성하다 / ~ a task 일을 완성하다. SYN. ⇨PERFORM. 2 (기간을) 만료하다, 지내다; (거리를) 답파〔주파〕하다: ~ a journey 여정을 마치다. 3 〖보통 수동태〗 학문·기예를 가르치다. ㊞ ~·a·ble *a.* 완성할 수 있는. ~·er *n.*

°ac·cóm·plished [-t] *a.* 1 성취한, 완성한: an ~ fact 기정 사실(*fait accompli*). 2 익숙〔능란〕한, 숙달된《*in*》: an ~ pianist 능숙한 피아니스트. 3 교양 있는, 기예(技藝)를 갖춘, 세련된: an ~ gentleman 교양 있는 신사 / an ~ villain 낙인 찍힌 악당.

*ac·com·plish·ment [əkámpliʃmənt, əkʌ́m-/əkʌ́m-, əkɔ́m-] *n.* 1 Ⓤ 성취, 완성, 수행, 이행: difficult 〔easy〕 of ~ 실행하기 어려운〔쉬운〕. 2 Ⓒ 업적, 공적: the ~*s* of scientists 과학자의 업적. 3 (*pl.*) 재능, 소양, 교양: a man of many ~*s* 재주가 많은 사람 / Sewing is not among her ~*s*. 그녀는 바느질 솜씨가 없다. 4 Ⓒ 《경멸》 서투른 기예.

accómplishment quòtient 〖심리〗 성취 지수《교육 연령의 정신 연령에 대한 백분비; 생략: AQ》.

*ac·cord [əkɔ́ːrd] *vi.* 《~/+전+명》 〖보통 부정〗 일치하다, 조화하다《*with*》. OPP discord. ¶ His words and actions do *not* ~. 그는 언행(言行)이 일치하지 않는다 / I rewrote the article because it did*n't* ~ *with* our policy. 나는 그 논설이 우리 정책에 일치하지 않으므로 다시 썼다. ― *vt.* 1 일치시키다, 조화시키다. 2 《~+목/+목+목/+목+전+명》 주다, 수여하다: ~ a warm welcome 따뜻이 맞이하다 / ~ a literary luminary due honor = ~ due honor *to* a literary luminary 문호(文豪)에게 당연한 찬사를 하다. **—** *n.* Ⓤ **1** 일치, 조화; 음〔소리 등〕의 융화. **2** Ⓒ 협정; 강화. **3** Ⓤ,Ⓒ 〖음악〗 (협)화음. **4** 의향, 발의(發意). ***be in*** 〔***out of***〕 **~ *with*** …와 조화하다〔하지 않다〕: I *am in* full ~ *with* your viewpoint. 당신 견해에 전적으로 찬동합니다. ***be of one*** **~** (모두) 일치해 있다. ***of one's*** 〔***its***〕 ***own*** **~** 자발적으로, 자진하여; 저절로, 자연히. ***with one*** **~** 마음을〔목소리를〕 합하여, 함께, 일제히.

ac·cord·ance** [əkɔ́ːrdəns] *n.* Ⓤ 일치, 조화; 부합; 수여. ***in **~ *with*** …에 따라, …대로, …와 일치하여.

ac·cord·ant [əkɔ́ːrdənt] *a.* 일치하는, 일치한, 화합한; 조화된《*with; to*》: ~ *to* reason 〔*with* truth〕 도리〔진리〕에 맞는. ㊔ **~·ly** *ad.*

ac·cord·ing** [əkɔ́ːrdiŋ] *ad.* =ACCORDINGLY. **~ *as (*conj.*) (…함)에 따라서; …에 응해서《뒤에 clause》: You may either go or stay, ~ *as* you decide. 결심 여하로 가도 되고 안 가도 된다 / We see things differently, ~ *as* we are rich or poor. 우리는 빈부에 따라서 사물을 달리 본다. **~ *to*** (*prep.*) ① …에 따라서, …에 응해서〔일치하여〕《뒤에 (대)명사》: ~ *to* the orders 명령에 따라 / ~ *to* his judgment 그의 판단에 따라 / He came ~ *to* his promise. 그는 약속대로 왔다 / cut the coat ~ *to* the cloth 《비유》 분수에 맞는 생활을 하다 / You must work ~ *to* your ability. 자기 능력에 맞게 일하여야 한다. ② …을 기준으로 하여, …에 준하여; … 순으로: ~ *to* height 키순으로 / We arranged the books ~ *to* size. 우리는 크기순으로 책들을 정리하였다. ③ (…가 말한 바)에 의하면《보통 문장 첫머리에서》: *According to* the paper, there was an earthquake in Japan. 신문에 의하면 일본에 지진이 있었다고 한다. **—** *a.* 일치한, 조화된; 《구어》 …나름: It's all ~ how you set about it. 모든 것은 착수하는 방법 나름이다.

***ac·cord·ing·ly** [əkɔ́ːrdiŋli] *ad.* **1** 〖접속사적〗 따라서, 그러므로, 그래서: I ~ sent for him. 그래서 그를 맞으러 보냈다. **2** 〖바로 앞에 동사를 수식하여〗 (그것에) 따라서, 그에 맞게, 그 나름으로: These are the rules; act ~. 이것이 규칙이므로, 이에 따라서〔맞게〕 행동하여라 / We think that anyone who violates the laws should be treated ~. 누구나 법을 어긴 자는 그에 상응하는 처벌을 받아야 한다고 생각한다.

°**ac·cor·di·on** [əkɔ́ːrdiən] *n.* 아코디언, 손풍금.

accórdion dóor 접었다 폈다 하는 문.

ac·cór·di·on·ist *n.* 아코디언 연주자.

accórdion pléats 아코디언 플리츠《스커트의 입체적인 가는 세로 주름》.

ac·cost [əkɔ́ːst, əkɑ́st/əkɔ́st] *vt.* …에게 다가가서 말을 걸다, (인사 따위의) 말을 걸며 다가가다; (매춘부가 손님을) 부르다, 끌다.

ac·couche·ment [əkúːʃmənt] *n.* 《F.》 분만(分娩), 해산.

ac·cou·cheur [ӕkuːʃə́ːr] *n.* 《F.》 산과의(産科醫)《남자》. 「산파.

ac·cou·cheuse [ӕkuːʃə́ːz] *n.* 《F.》 조산사,

‡**ac·count** [əkáunt] *n.* **1** 계산, 셈; 계산서, 청구서: quick at ~s 계산이 빠른 / a grocery ~ 식료품 가게의 치부책. **2** 계정《생략: A/C》; 예금 계좌; 외상셈(charge ~); 신용 거래: ⇨ CURRENT ACCOUNT / close an ~ with 〔at〕 …와 거래를 끊다, (은행) 계좌를 종결하다 / have an ~ with 〔at〕 …와 거래가 있다, (은행)에 계좌가 있다 / open 〔start〕 an ~ with 〔at〕 …와 거래를 시작하다, (은행)에 계좌를 트다 / Short ~*s* make long friends. 《속담》 대차 기간이 짧으면 교제 기간은 길어진다; 오랜 교제엔 외상 금물 / Put it down to my ~. 셈은 나에게 달아 주세요. **3** (금전 · 책임 처리에 관한) 보고(서), 전말서, 답변, 변명, 설명; (자세한) 이야기; 기술, 기사; (흔히 *pl.*) 소문, 풍문: *Accounts* differ. 사람에 따라 말이 다르다. **4** 고객, 단골; (광고 대리점에 대한) 위탁 업무. **5** Ⓤ 이유, 근거; 원인, 동기. **6** Ⓤ 고려, 감안; 평가, 판단; (곡 따위의) 해석 연주: Don't wait *on* my ~. 나 때문에 기다릴 것 없다. **7** Ⓤ 가치, 중요성; 이익, 유익. **~ *of*** 《구어》 =on ~ of. ***ask*** 〔***demand***〕 ***an*** **~** 계정을 청구하다; 답변을 구하다. ***by*** 〔***from***〕 ***all*** **~*s*** 어느 보도에서도; 누구에게 들어도. ***by one*** **~** 일설에 의하면. ***by*** a person***'s own*** **~** 본인의 말에 의하면. ***call*** 〔***bring, hold***〕 a person ***to*** **~** 〔***for***〕 (…에 관한) 아무의 책임을 묻다, 아무에게 해명을 요구하다; (…의 일로) 꾸짖다. ***cast*** **~*s*** 계산하다. ***charge to*** a person***'s*** **~** 아무의 계정에 달다. ***find*** one's 〔***no***〕 **~ *in*** …은 수지가 맞다〔안 맞다〕. ***for*** **~ *of*** a person 아무의 셈으로《팔다》; …을 위해. ***give a bad*** 〔***poor***〕 **~ *of*** 《속어》 …을 헐뜯다. ***give a good*** **~ *of*** ① 《속어》 …을 좋게 말하다. ② …에게 이기다, 훌륭히 해내다; (사냥감)을 잡다. ***give a good*** 〔***a poor***〕 **~ *of*** one***self*** 훌륭히〔서툴게〕 변명하다; 훌륭히〔서툴게〕 행동하다, (스포츠에서) 좋은〔신통치 않은〕 성적을 올리다. ***give an*** **~ *of*** …을 설명하다, …에 대하여 답변하다, …의 전말을 밝히다; …의 이야기를 하다, …을 기술하다. ★ 이때 account 에는 흔히 full, long, brief, short, summary 등의 형용사가 따름. ***go to*** one***'s*** (***long***) **~** 《옛투》 =《미》 ***hand in*** one***'s*** **~** 죽다. ***hold ... in great*** 〔***little***〕 **~** 대단히 중요시〔경시〕하다. ***hold*** a thing ***in no*** **~** …을 경시하다. ***keep*** (***a***) ***strict*** 〔***careful***〕 **~ *of*** …을 세밀히〔주의깊게〕 장부에 기재해 두다; …을 세밀한 데까지 주의하여 보고 있다. ***lay*** one***'s*** **~ *with*** 〔***on, for***〕... 《고어》 …을 예기〔각오〕하다. ***leave ... out of*** **~** =***take no*** **~ *of*** …을 무시하다. ***make much*** 〔***little, no***〕 **~ *of*** …을 중시하다〔하지 않다〕. ***on*** **~** 계약금으로, 선금으로; 외상으로; 할부로. ***on*** **~ *of*** (어떤 이유) 때문에; (아무)를 위하여; (*conj.*) 《미남부》 …이기 때문에, …이므로: The picnic was put off *on* ~ *of* rain. 소풍은 비 때문에 연기되었다 / We came *on* ~ *of* your sick mother. 자네 모친의 병환이 염려되어 왔네. ***on all*** **~*s*** =***on every*** **~** 모든 점에서; 꼭, 무슨 일이 있어도. ***on no*** **~** =***not ... on any*** **~** 아무리 해도 …않다, 결코 …않다: *On no* ~ should you buy it. 절대로 그것은 살 것이 못 돼. ***on*** a person***'s*** **~** 아무를 위하여; 아무의 셈으로. ***on*** one***'s own*** **~** 자기 책임〔비용〕으로, 자신의 발의로, 독립하여; 자기를〔이익을〕 위해. ***on this*** 〔***that***〕 **~** 이〔그〕 때문에. ***pay*** 〔***send in***〕 ***an*** **~** 셈을 끝내다. ***render an*** **~** ① 결산 보고하다. ② 개진(開陳)하다, 답변하다. ***send*** a person ***to*** his ***long*** **~** 《옛투》 죽이다. ***settle*** 〔***square, balance***〕 **~*s*** 〔***an*** **~**, one***'s*** **~**〕 계정을 청산하다; (…에게) 원한을 갚다《*with*》. ***stand*** (***high***) ***in*** a person***'s*** **~** 아무의 존경을 받다, 높이 평가되다. ***take*** **~ *of*** …을 고려에 넣다, 참작하다; …에 주의를 기울이다; (한숨 돌리고) 확인하다. ***take ... into*** **~** …을 고려해 보다, 참작하다. ***the great*** 〔***last***〕 **~** 〖기독교〗 최후의 심판. ***turn*** 〔***put***〕 ***to good*** 〔***poor, bad***〕 **~** …을 이용하다〔하지 않다〕, …을 전하여 복이〔화가〕 되게 하다, …에서 이익〔불이익〕을 얻다: *Turn* your misfortune *to* ~. 재난을 복으로 전환시켜라.
— *vt.* **1** 《+목+(*to be*) 보》 …라고 생각하다,

간주하다: I ~ him (*to be*) a man of sense. 나는 그가 지각 있는 사람이라고 생각한다. **2** 《+목+전+명》 소유로 간주하다, …을 …에 돌리다《*to*》: the many virtues ~*ed to* him 그가 지니고 있다고 여겨지는 많은 장점. — *vi.* 《+전+명》 **1** 설명을 하다《*for*》, (…의 이유를) 밝히다: This fact ~*s for* his ignorance. 이 사실로 그가 무식함을 알겠다 / ~ *for* the accident 사고의 설명을 하다. **2** (행위·의무 따위에) 책임을 지다, 떠맡다《*for*》: ~ *for* shortages 부족액의 책임을 지다. **3** (맡은 돈 등의) 용도〔조처〕를 설명〔보고〕하다: ~ *to* a treasurer *for* the money received 출납원에게 맡은 돈의 수지 결산을 하다. **4** 원인이 되다《*for*》: His carelessness ~*s for* his failure. 그의 실패는 부주의 탓이다 / There is no ~*ing for* tastes. 《속담》 오이를 거꾸로 먹어도 제멋, 좋고 싫은 데엔 이유가 없다. **5** 〖사냥〗 잡다, 죽이다《*for*》; 〖경기〗 득점하다《*for*》: The dog ~*ed for* all the rabbits. 그 개가 토끼를 전부 잡았다. **6** (…의) 비율을 차지하다《*for*》: Imports from Japan ~*ed for* 40% of the total. 일본으로부터의 수입이 총수입의 40%를 차지했다. ***be much*** 〔***little***〕 ***~ed of*** 중시〔경시〕되다.

ac·còunt·a·bíl·i·ty *n.* Ⓤ **1** 책임, 책무; 석명(釋明) 의무. **2** 〖미교육〗 (학교의 납세자에 대한) 책무성《학교 자금·교사의 급료 배분이 학생의 성적으로 좌우되는》. **3** 회계 책임.

ac·cóunt·a·ble *a.* **1** 〖서술적〗 책임 있는, 해명할 의무가 있는《*to; for*》: We are ~ *to* him *for* the loss. 그 손실에 대해선 우리가 그에게 책임이 있다. **2** 설명할 수 있는; 까닭이 있는《*for*》: His excitement is easily ~ (*for*). 그의 흥분은 쉬이 설명할 수 있다. ***hold*** a person ***~ for*** …의 책임을 아무에게 지우다. ㊕ **-bly** *ad.* 해명〔설명〕할 수 있도록. **~·ness** *n.*

ac·count·an·cy [əkáuntənsi] *n.* Ⓤ 회계사의 직; 회계 사무, 회계학.

°**ac·count·ant** [əkáuntənt] *n.* 회계원; 회계관; (공인) 회계사: an ~'s certificate 감사(監査) 보고서. ㊕ **~·ship** *n.*

accóunt bòok 회계 장부.

accóunt cúrrent 교호(交互) 계산《생략: A/C, a/c》.

accóunt dày 결산일.

ac·count·ee [əkàuntíː] *n.* Ⓒ 신용장(Letter of Credit)을 개설한 의뢰인〔수입업자〕.

accóunt exècutive (광고·서비스 회사의) 섭외부장.

ac·cóunt·ing *n.* Ⓤ 회계(학); 회계 보고; 결산; 〖컴퓨터〗 어카운팅《컴퓨터 시스템의 이용 시간·양 등을 측정·기록하여 각자의 이용도에 따라 요금을 산출하는 기능》.

accóunting file 〖컴퓨터〗 회계 파일《다중 사용자 시스템에서 사용자에 관한 사항을 기록해 두는 파일》.

accóunting machìne 계산기, 회계기.

accóunting official 출납 관리.

accóunting pàckage 〖컴퓨터〗 컴퓨터의 가동 시간을 계측·분석하는 프로그램.

accóunting yèar 회계연도 (《미》 fiscal year, 《영》 financial year).

accóunt páyable (*pl.* ***accóunts páyable***) 외상 매입금, 지불 계정, 미불 계정.

accóunt recéivable (*pl.* ***accóunts recéivable***) 외상 매출금, 수납 계정, 미수금 계정.

accóunt réndered (*pl.* ***accóunts réndered***) 대차 청산서; 지급 청구서.

accóunt sàles (위탁 판매의) 매상 계산(서); 외상 판매.

ac·cou·ple·ment [əkʌ́plmənt] *n.* **1** (두 사람〔가지〕의) 결합, 연결; 연결시키는 것. **2** 〖건축〗 (두 기둥의) 연접(連接); 연결재(材).

ac·cou·ter, 《영》 **-tre** [əkúːtər] *vt.* 〖주로 수동태〗 차려 입히다; 군장시키다: *be accoutered* with 〔in〕 …을 입고 있다. ***be accoutered for battle*** 무장하고 있다. ㊕ **~·ment** *n.* 옷차림, 차려 입음; (*pl.*) (직업 등을 한눈에 알아보게 하는) 장신구, 장식 의상, 휴대품; (*pl.*) 〖군사〗 (무기·군복 이외의) 장비.

Ac·cra [əkráː, ǽkrə] *n.* 아크라《가나의 수도》.

ac·cred·it [əkrédit] *vt.* **1** 《+목+전+명》 (어떤 일을 …의) 공으로〔한 일로〕 치다《*to*》, (사람, 물건 등에 …의) 공(功)이 있다고 하다《*with*》: an invention ~*ed to* him 그가 한 것으로 되어 있는 발명 / a charm ~*ed with* magic powers 마력을 가진 것으로 믿어지고 있는 부적 / He is ~*ed with* the remark. (=The remark is ~*ed to* him.) 그가 그런 말을 한 것으로 되어 있다. **2** 《~+목/+목+전+명》 신용하다, 신임하다; (신임장을 주어 대사·공사 따위를) 파견하다《*at; to*》: ~ an envoy *to* a foreign country (신임장을 주어) 사절을 외국에 파견하다 / He was ~*ed to* the Court of St. James's. 그는 주영(駐英) 대사로 파견되었다. **3** (정부·관청 등이) …을 인가하다. **4** (자격·신용 따위를) 승인하다, (합격을) 증명〔인정〕하다: ~ a school 〔college〕 학교〔대학〕 설립을 인가하다 / an ~*ing* system 자격 인정 제도; (대학의) 단위 제도. ㊕ **~·a·ble** *a.* **ac·crèd·i·tá·tion** *n.* (학교·병원 등의) 인가; 신임장. **ac·créd·it·ed** [-id] *a.* (사람·학교 따위가) 인정된, 공인된; (외교관이) 신임장을 받은; (신앙 등이) 인정된, 정당한; (우유 따위) 기준 품질 보증의: an ~*ed* school 인가 학교《대학 진학 기준에 맞는 고등학교 등》.

ac·cres·cence [əkrésns] *n.* 계속 성장〔증대〕.

ac·cres·cent [əkrésnt] *a.* **1** 증가하는, 확대하는, 넓어지는; 풍부한. **2** 〖식물〗 (꽃핀 후에) 자란, 커진.

ac·crete [əkríːt] *vi.* (하나로) 굳다, 융합하다, 일체가 되다; 부착〔고착〕하다《*to*》. — *vt.* (자체와) 융합〔합체〕시키다; (주위에) 모으다, 부착시키다《*to oneself*》. — *a.* 〖식물〗 유착한.

ac·cre·tion [əkríːʃən] *n.* Ⓤ (하나로) 굳음, 융합, 합체; (부착에 의한) 증대; 첨가, 누적; 〖생물〗 유착 (생장); 〖법률〗 (토지·상속분 등의) 자연 증가; 〖지학〗 결착; Ⓒ 증가물, 부착물. ㊕ **~·àry, ac·cré·tive** *a.*

accrétionary prísm 〖지학〗 부가 퇴적물.

ac·cru·al [əkrúːəl] *n.* Ⓤ 자연 증식〔증가〕, 이자(의 발생), Ⓒ 그 금액.

ac·crue [əkrúː] *vi.* 자연 증가로 생기다, (이익·결과가) (저절로) 생기다; (이자가) 붙다; 〖법률〗 권리로 확립하다: advantage *accruing to* society *from* …에 의하여 사회에 미치는 이익 / Interest ~*s to* a man *from* a loan. 꾸어 준 돈에서 이자가 생긴다. ㊕ **ac·crú·a·ble** *a.* **~·ment** *n.*

accrúed expénse 〖회계〗 미불(未拂) 비용.

accrúed interest 경과 이자, 미수 이자(accrued interest receivable), 미지급 이자(accrued interest payable).

acct. account; accountant; account current.

ac·cul·tur·ate [əkʌ́ltʃərèit] *vi., vt.* (사회·집단·개인이〔을〕) 문화 변용(變容)에 의해 변화하다〔시키다〕.

ac·cùl·tur·á·tion *n.* Ⓤ 어떤 문화형〔사회양식〕에 대한 어린이의 순응; 〖사회〗 문화 변용(變容).

ac·cum·bent [əkʌ́mbənt] *a.* **1** 기댄. **2** 〖식물〗 대위(對位)의, 측위(側位)의.

***ac·cu·mu·late** [əkjúːmjəlèit] *vt.* (조금씩) 모으다, (재산 따위를) 축적하다; (악의 따위를) 부풀리다: an ~*d* fund 적립금 / ~*d* stock 체화(滯貨) / ~ a fortune 재산을 모으다. — *vi.* 쌓

이다; (돈 등이) 모이다, 붇다; (불행 등이) 겹치다: Disasters ~*d* round his path. 그의 앞에는 불행이 겹쳐 있었다. ◇ accumulation *n.*

◇**ac·cù·mu·lá·tion** *n.* **1** Ⓤ 집적, 축적, 누적: the ~ of knowledge 지식의 축적. **2** Ⓒ 축적〔퇴적〕물, 모인 돈: an ~ of rubbish 쓰레기 더미. **3** Ⓤ 이식(移植), 축재; (이식에 의한) 원금의 증대: ~ of capital 자본 축적. ◇ accumulate *v.*, accumulative *a.*

ac·cu·mu·la·tive [əkjúːmjəlèitiv, -lət-] *a.* 돈을 모으고 싶어하는, 이식을 좋아하는; 누적하는, 누적적인: ~ deficit 누적 적자. ㊞ **~·ly** *ad.*

accúmulative séntence 〖법률〗 누적 선고 (이미 과한 형기에 가산한 형기 선고).

ac·cu·mu·la·tor [əkjúːmjəlèitər] *n.* 누적자; 축재가; 〖기계·항공〗 축압기; 축열기; 완충 장치; 《영》 축전지; 〖컴퓨터〗 누산기(累算器).

ac·cu·ra·cy** [ǽkjərəsi] *n.* Ⓤ 정확, 정밀, 정밀도, 정확성. ◇ accurate *a.* ***with ~ 정확하게.

****ac·cu·rate** [ǽkjərət] *a.* **1** 정확한; 정밀한: ~ machines 정확한 기계 / ~ statements 바른 진술. SYN. ⇨ CORRECT. **2** 빈틈없는, 신중한: an ~ typist 미스를 내지 않는 타이피스트. ◇ accuracy *n.* ㊞ ***~·ly** *ad.* **~·ness** *n.*

ac·cu·rize, 《영》 **-rise** [ǽkjəràiz] *vt.* (권총의) 조준 정밀도를 높이다.

ac·curs·ed, ac·curst [əkə́ːrsid, əkə́ːrst], [əkə́ːrst] *a.* 저주받은, 불행한; 《구어》 저주할, 지겨운, 진저리나는: an *accursed* deed 타기할 행위. ㊞ **ac·cúrs·ed·ly** *ad.* **ac·cúrs·ed·ness** *n.*

accus. accusative.

ac·cus·a·ble [əkjúːzəbəl] *a.* 고소〔고발〕해야 할; 나무라야 할.

◇**ac·cu·sa·tion** [æ̀kjuzéiʃən] *n.* **1** Ⓤ,Ⓒ 비난, 규탄 (*against*). **2** 죄(과), 죄명. **3** Ⓤ,Ⓒ 〖법률〗 고발(告發), 고소: bring 〔lay〕 an ~ (of theft) against …을 (절도죄로) 고발〔기소〕하다 / under an ~ of 고소되어. ◇ accuse *v.*

ac·cu·sa·ti·val [əkjùːzətáivəl] *a.* 〖문법〗 직접 목적격의, 대격(對格)의.

ac·cu·sa·tive [əkjúːzətiv] *a.* 〖문법〗 대격(對格)의: ~ language 대격 언어. **—** *n.* 대격 (직접 목적어의 격: I gave him *a book.*).

ac·cu·sa·to·ri·al [əkjùːzətɔ́ːriəl] *a.* 고발인의 〔과 같은〕; 〖법률〗 탄핵〔고발〕주의적인.

ac·cu·sa·to·ry [əkjúːzətɔ̀ːri/-təri] *a.* (말·태도 등) 고발적〔힐문적〕인, 비난어린; 〖법률〗 =ACCUSATORIAL.

****ac·cuse** [əkjúːz] *vt.* **1** 《~+목/+목+*as*보/+목+전+명》 고발하다, 고소하다; …에게 죄를 씌우다 (*of*): ~ a person *as* a murderer 아무를 살인범으로 고발하다 / ~ a person *of* theft 〔being a spy〕 절도〔간첩 행위〕의 혐의로 아무를 고발하다. **2** 《~+목/+목+전+명/+목+*that* 절》 …을 비난하다, 힐난하다, 나무라다 (*of*): ~ oneself 자신을 나무라다 / They ~*d* the man *that* he had taken bribes. 그가 수회했다고 비난했다. SYN. ⇨ CHARGE. **—** *vi.* 고발〔고소〕하다. ◇ accusation *n.*

ac·cúsed *a.* 고발된. **—** *n.* (the ~) 〖법률〗 (형사) 피고인. ★ 민사 피고는 defendant.

ac·cús·er *n.* (형사) 고소인, 고발자; 비난자. cf. plaintiff.

ac·cús·ing *a.* 비난하는, 나무라는; 죄가 있다고 하는: point an ~ finger at …을 비난하다. ㊞ **~·ly** *ad.* 비난하여.

****ac·cus·tom** [əkʌ́stəm] *vt.* 《+목+전+명》 익숙게 하다, 습관이 들게 하다 (*to*): ~ one's ears *to* the din 소음에 귀를 익히다 / ~ oneself *to* early rising 일찍 일어나는 습관을 들이다.

***ac·cus·tomed** [əkʌ́stəmd] *a.* **1** 습관의, 언제나의: his ~ place 늘 그가 가는 장소. **2** 익숙한, 익숙해져서 (*to*): be ~ *to* rising 〔*to* rise〕 early 일찍 일어나는 습관이 들다.

ACDA 《미》 Arms Control and Disarmament Agency(군비 관리 군축국; 국무부 소속).

AC/DC alternating current / direct current (교류 직류〔교직〕 양용(의); 《속어》 양성애(兩性愛)의; 《속어》 이도저도 아닌, 어정쩡한).

◇**ace** [eis] *n.* **1** (카드·주사위·도미노의) 1; 〖구기〗 한 번 쳐서 얻은 점수. **2** 최고〔최량〕의 것; (테니스·배드민턴 등의) 상대가 못 받은 서브; 서브로 얻은 득점; 《미속어》 (학업 성적의) A. **3** (어느 분야의) 제 1 인자, 명수; 〖군사〗 격추왕 (5 대 이상의 적기를 격추한); 〖야구〗 주전 투수, 최우수 선수. **4** 《미속어》 친구; 마리화나 담배; 《흑인속어》 (최신 유행 복장을 좋아하는) 멋쟁이. **5** (수량·정도가) 아주 조금; 《미속어》 1 달러 지폐; 1 년의 형기; (특히 식당의) 한 손님(용 식탁). ***an ~ in the hole*** =***an ~ up*** one's ***sleeve*** 최후에 내놓는 으뜸패; 《구어》 비장의 술수(術數), 비결. ***an ~ of spades*** 《경멸》 흑인; 《비어》 여성의 성기, 음부. ***hold*** 〔***have***〕 ***the ~s*** 우위에 서다, 지배자이다. ***play*** one's ***~*** 비장의 수를 쓰다. ***within an ~ of*** death 〔being injured〕 자칫 죽을〔다칠〕 뻔한 참에. **—** *a.* 우수한, 일류의: an ~ pitcher 최우수 투수. **—** *vt.* **1** 〖테니스〗 …에게서 서브로 1점을 빼앗다; 〖골프〗 홀인원하다. **2** 《미속어》 〔흔히 ~ it 으로〕 완벽히 하다, (시험)에서 A 를 따다. **3** 《미속어》 (아무를) 이기다 (보통 *out*). **~ *in*** 《미속어》 술책을 부리다; 알다.

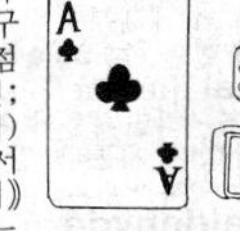
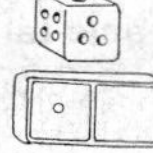
ace 1

ACE 《영》 Advisory Centre for Education.

-a·cea [éiʃiə] *suf.* 〖동물〗 강(綱)·목(目)의 이름을 나타내는 복수 명사를 만듦: Crust*acea* 갑각강.

-a·ce·ae [éisiìː] *suf.* 〖동물〗 과명(科名)을 나타내는 복합명사를 만듦: Ros*aceae* 장미과.

áce bóon 《미속어》 가장 친한 친구.

áce búddy 《미흑인속어》 친구.

aced [eist] *a.* (남에게) 앞지름을 당한; 패배한; 술에 취한.

ace·dia [əsíːdiə] *n.* Ⓤ 게으름, 나태; 무감동, 무감각; 절망.

áce-hígh *a.* 〖포커〗 에이스를 포함한; 《미구어》 매우 인기 있는, 존경받고 있는; 훌륭한.

Acel·da·ma [əséldəmə, əkél-] *n.* 〖성서〗 아겔다마, 피밭 (유다(Judas)가 자살한 곳; 사도행전 I:19); 유혈의 땅, 수라장.

acel·lu·lar [eiséljələr] *a.* 〖생물〗 비〔무〕세포의.

acen·tric [eiséntrik] *a.* 중심이 없는; 중심을 벗어난.

-a·ce·ous [éiʃəs] *suf.* '…의, …의 성질의' 란 뜻의 형용사를 만듦: crust*aceous*, ros*aceous*.

aceph·a·lous [eiséfələs, əs-] *a.* 〖동물〗 무두(無頭)류의 (연체동물), 〖식물〗 암술머리가 없는; 지도자가 없는.

ace·quia [əséikjə] *n.* 《미남서부》 관개용 수로.

acer [éisər] *n.* 〖식물〗 단풍(maple).

ac·er·ate [ǽsərèit, -rət] *a.* 〖식물〗 침상(針狀)의; 침(상)엽이 있는.

acerb [əsə́ːrb] *a.* =ACERBIC.

ac·er·bate [ǽsərbèit] *vt.* 쓰게〔떫게〕 하다; 성나게〔짜증나게〕 하다. **—** [əsə́ːrbət] *a.* 쓰게〔떫게〕한; 표독스러운, 신랄한.

acer·bic [əsə́ːrbik] *a.* **1** 신, 떫은. **2** (기질·태도·표현 등이) 거친, 표독한, 신랄한: ~ criticism. ㊞ **-bi·cal·ly** *ad.*

acer·bi·ty [əsə́ːrbəti] *n.* Ⓤ 신맛, 쓴맛, 떫은

맛; (말 따위의) 가시돋침, 신랄함.

ac·er·ose [ǽsəròus] *a.* 【식물】 (잎이) 침상인.

ac·es [éisiz] *a.* 《미속어》 멋진, 최고의(tops).

aces·cent [əsésənt] *a.* 신 듯한; 쉬 시어지는; 좀 언짢은〔찌무룩한〕.

ac·et- [ǽsət, əsí:t], **ac·e·to-** [-tou, -tə] 【화학】 '초산(의), 아세틸' 의 뜻의 결합사.

ac·e·tab·u·lum [æ̀sətǽbjələm] (*pl.* **-la** [-lə]) *n.* 【해부】 비구(髀臼), 관골구(髖骨臼); 【동물】 빨판. ㊕ **ac·e·táb·u·lar** *a.*

ac·e·tal [ǽsətæ̀l] *n.* 【화학】 아세탈《용제·향료 제조·최면제용의 무색 인화성 액체; 또는 알데하이드나 케톤과 알코올과의 화합물의 총칭》; 아세탈 수지.

àcet·áldehyde *n.* 【화학】 아세트알데하이드 《가연성의 초산 제조용 무색 액체》.

acet·am·ide [əsétəmàid, æ̀sətǽmaid] *n.* 【화학】 아세트아마이드《결정성 초산 아마이드》.

ace·ta·min·o·phen [əsì:təmínəfən, æ̀sətə-] *n.* 【약학】 아세트아미노펜《진통·해열제》.

ac·et·an·i·lide, -lid [æ̀sətǽnəlàid], [-lid] *n.* 【화학】 아세트아닐라이드《진통·해열제》.

ac·e·tar·i·ous [æ̀sətέəriəs] *a.* 샐러드용의《야채 따위》.

ac·e·tate [ǽsətèit] *n.* 【화학】 Ⓤ 아세트산염; 아세트산 섬유소; 아세테이트(인견). ㊕ **-tat·ed** [-tèitid] *a.* 아세트산으로 처리한. 「이온〕.

ácetate fíber 〔ráyon〕 아세테이트 섬유〔레

acet·a·zol·a·mide [əsì:təzóuləmàid, -mid, æ̀sətə-] *n.* 아세타졸아마이드《동물용 강심 이뇨제에 씀》.

ace·tic [əsí:tik, əsét-] *a.* 초의, 초질(醋質)의; 초를 내는; (맛이) 신.

acétic ácid 【화학】 아세트산.

acétic anhýdride 【화학】 아세트산 무수물.

acet·i·fy [əsí:təfài, əsétə-] *vt., vi.* 초가 되게 하다, 아세트산화하다; 시게 하다, 시어지다. ㊕ **acèt·i·fi·cá·tion** [-fikéiʃən] *n.* 아세트산화. **acét·i·fi·er** [-fàiər] *n.* 초화기(醋化器), 아세트산 제조기.

ace·to·bac·ter [əsì:təbǽktər, æ̀sətou-, əsí:təbæ̀ktər] *n.* 【세균】 초산균.

ac·e·tom·e·ter [æ̀sətɑ́mətər/-tɔ́m-] *n.* 【화학】 아세트산 비중계, 아세트산 농도 측정기.

ac·e·tone [ǽsətòun] *n.* Ⓤ 【화학】 아세톤《휘발성의 무색(無色) 액체; 시약(試藥)·용제》. ㊕ **àc·e·tón·ic** [-tɑ́nik/-tɔ́n-] *a.* 아세톤의.

ácetone bòdy 【생화학】 아세톤체(ketone body).

àceto·nítrile *n.* 【화학】 아세토나이트릴 (C_2H_3N)《무색, 유독, 수용성(水溶性)액체; 주로 유기 합성 또는 용제로 쓰임》.

ac·e·tose, ac·e·tous [ǽsətòus], [ǽsətəs, əsí:-] *a.* 초의, 초와 같은; (맛이) 신; 짓궂은, 꾀까다로운, 신랄한.

ace·tyl [əsí:tl, ǽsətl/ǽsətàil, -til] *n.* 【화학】 아세틸.

acet·y·late [əsétəlèit] *vt., vi.* 【화학】 아세틸화(化)하다. 「하제》.

acètyl·chóline *n.* 【화학】 아세틸콜린《혈압 강

acétyl-Có Á [-kóu-] 【생화학】 활성 아세트산 (=**acétyl coénzyme Á**)《대사(代謝) 중간체》.

acet·y·lene [əsétəlì:n, -lin/-lì:n] *n.* 【화학】 아세틸렌(가스).

acétylene sèries 【화학】 아세틸렌열(계).

acétylene tòrch 아세틸렌 등(燈).

acètyl·salicýlic ácid =ASPIRIN.

ac·ey-deucy, -deuc·ey [éisidjú:si/-djú:-] *n.* backgammon 의 일종.

A.C.F. 《영》 Army Cadet Force(육군 후보생대).

A.C.G.B. Arts Council of Great Britain (영국 학술 회의). **ACH** 【생화학·약학】 acetylcholine(아세틸콜린).

Achaea [əkí:ə] *n.* 아카이아《옛 그리스의 한 지방》. ㊕ **Acháe·an** *a., n.* 아카이아(사람)의; 그리스의; 아카이아 사람; 그리스 사람.

acha·la·sia [æ̀kəléiʒiə, -ziə] *n.* 【의학】 이완(弛緩) 불능(증) 경련, 무이완(증), 분문(噴門) 경련.

achar·ne·ment [æʃɑːrnmɑ́ːŋ] *n.* 《F.》 (공격의) 격렬, 사나움, 잔인(ferocity); 열심.

Acha·tes [əkéiti:z] *n.* 아카테스《Virgil 작 *Aeneid* 중의 인물》; 성실한 친구.

⁑ache [eik] *vi.* **1** 아프다, 쑤시다: I am *aching* all over. 나는 온몸이 쑤신다/My head ~*s*. 머리가 아프다. **2** 《+전+명》 마음이 아프다; 동정하다《*for; to*》: Her heart ~*d for* the homeless boy. 그 집 없는 소년 생각으로 그녀는 가슴이 아팠다. **3** 《+*to* do/+전+명》《구어》 간절히 바라다《*for; to*》; …하고 싶어 못 견디다: She ~*s to* see you. 그녀는 너를 만나고 싶어한다/~ *for* a person 아무를 그리워하다. ── *n.* Ⓒ,Ⓤ 아픔, 동통: an ~ in one's head 두통/have ~*s* and pains (몸이) 온통 아프다. SYN. ⇨ PAIN.

achene [eikí:n, əkí:n/əkí:n] *n.* 【식물】 수과(瘦果). ㊕ **aché·ni·al** [-niəl] *a.* 【식물】 수과의.

Acher·nar [éikərnɑ̀:r] *n.* 【천문】 아케르나르《Eridanus 자리의 수성(首星)》.

Ach·er·on [ǽkərɑ̀n/-rɔ̀n] *n.* 【그리스신화·로마신화】 아케론 강, 삼도(三途)내《저승(Hades)에 있다는 강》; 저승, 명도(冥途), 지옥.

Acheu·le·an, -li·an [əʃú:liən] *a.* 【고고학】 (구석기 시대의 한 시기인) 아슐기(期)의.

⁑achieve [ətʃí:v] *vt.* **1** (일·목적)을 이루다, 달성〔성취〕하다, (어려운 일)을 완수하다: ~ one's aim 목적을 이루다. **2** (공적)을 세우다; (승리·명성)을 획득하다(gain): ~ victory. ── *vi.* 목적을 이루다, 소기의 성과를 거두다. ㊕ **achíev·a·ble** *a.* 완수할 수 있는. **achíev·er** *n.*

achíeved státus 【사회】 성취적〔획득적〕 지위 《개인의 노력에 의해 획득된 사회적 지위》.

***achieve·ment** [ətʃí:vmənt] *n.* **1** Ⓤ 성취, 달성. **2** Ⓒ 업적, 위업, 공로. **3** 학력: a test to measure ~ 학력을 재는 테스트. **4** Ⓒ 【문장(紋章)】 대문장(大紋章)《공을 기리어 수여하는 문장이 든 방패》; =HATCHMENT.

achíevement àge 【심리】 학력〔교육〕 연령.

achíevement mòtive 【경영심리】 달성 동기.

achíevement quòtient 【심리】 에이큐, 성취(成就) 지수《학력 연령을 나이로 나누고 100을 곱함; 생략: A.Q.》.

achíevement tèst 성취 검사〔테스트〕. cf. intelligence test. 「의.

achi·la·ry [əkáiləri] *a.* 【식물】 무순판(無脣瓣)

ach·il·lea [æ̀kəlí:ə, əkíliə/æ̀kilí:ə] *n.* 【식물】 국화과(科)의 톱풀; 톱풀의 각종 초본.

Ach·il·le·an [æ̀kəlí:ən, əkíliən/æ̀kilí:ən] *a.* Achilles 의〔같은〕; 용감한; 불사신의; 무적의; 발이 빠른.

Achil·les [əkíli:z] *n.* 【그리스신화】 아킬레스 《Homer 작 *Iliad*에 나오는 그리스의 영웅》. ~ ***and the tortoise*** 아킬레스와 거북《Zeno of Elea 의 역설의 하나》. ***heel of*** ~ =ACHILLES' HEEL.

Achílles(') héel 유일한 약점《아킬레스는 발꿈치 외에는 불사신이었다 함》.

Achílles(') téndon 【해부】 아킬레스건(腱).

ách·ing *a.* 아픈, 쑤시는; 마음 아픈: an ~ heart 아픈 마음. ㊕ **~·ly** *ad.*

ach·kan [ǽtʃkən] *n.* (옷깃을 높게 한 인도 남성의) 웃옷.

achlor·hy·dria [èiklɔ:rháidriə] *n.* 【의학】 (위

액 중의) 염산 결핍(증); 무산증.
ach·lu·o·pho·bia [ækluəfóubiə] *n.* Ⓤ 〖심리〗 암흑 공포증. 「결핍(증).
acho·lia [eikóuliə] *n.* 〖병리〗 무담즙(증), 담즙
achon·dro·pla·sia [eikɑ̀ndrəpléiʒiə, -ziə/-kɔ̀n-] *n.* 〖병리〗 연골 형성〔발육〕 부전(증); 왜인증(矮人症)(dwarfism)의 일종.
achoo ⇨ AHCHOO.
achor·date [eikɔ́ːrdət, -dèit] *a.* 무척색(無脊索)의. — *n.* 무척색동물. cf. chordate.
ach·ro·mat [ǽkrəmæ̀t] *n.* 색지움 렌즈.
ach·ro·mate [ǽkrəmèit] *n.* 〖안과〗 전색맹자(全色盲者).
ach·ro·mat·ic [æ̀krəmǽtik] *a.* 무색의; 〖광학〗 색지움의; 〖생물〗 비염색성의; 〖음악〗 온음계의.
achromátic cólor 〖심리〗 무채색《백·흑·회색》. 「ACHROMATISM.
ach·ro·ma·tic·i·ty [æ̀kroumətísəti] *n.* =
achromátic léns 색지움 렌즈.
achro·ma·tin [eikróumətin] *n.* 〖생물〗 (세포핵질의) 비염색질. ⓜ **achrò·ma·tín·ic** *a.*
achromátic vísion 전색맹(全色盲).
achro·ma·tism [eikróumətìzəm] *n.* Ⓤ 무색(無色); 〖물리〗 색지움, 소색성(消色性).
achro·ma·tize [eikróumətàiz] *vt.* …의 색을 없애다; (렌즈의) 색수차를 없애다.
achro·ma·top·sia [eikròumətɑ́psiə/-tɔ́p-] *n.* 〖의학〗 (전)색맹.
achro·ma·tous [eikróumətəs] *a.* 무색의; (정상적인 색보다) 엷은.
achro·mic [eikróumik] *a.* 무색의; (적혈구·피부가) 색소 결핍(증)의.
Á chròmosome 〖생물〗 A 염색체《과잉 염색체 이외의 보통 염색체》.
Ach·ro·my·cin [æ̀kroumáisin] *n.* 〖약학〗 아크로마이신《TETRACYCLINE의 상표명》.
achy [éiki] (*ach·i·er; -i·est*) *a.* 통증이 있는, 아픈, 쑤시는. ⓜ **ách·i·ness** *n.*
ACI automatic car identification(자동 차량 식별). **ACIA** 〖컴퓨터〗 asynchronous communications interface adapter(비동기 통신 인터페이스 접속기)《직렬 통신(serial communications) 경로용 집적회로》.
acic·u·la [əsíkjələ] (*pl.* **-lae** [-lìː]) *n.* 〖생물〗 침상(針狀)의 것〔돌기〕; 바늘, 가시, 강모; 〖광물〗 침상 결정. ⓜ **-lar** [-lər] *a.* 바늘 모양의〔처럼 뾰족한〕. **-late** [-lət, -lèit] *a.* 침상 돌기가 있는; 바늘로 긁은 자국이 있는; 바늘처럼 뾰족한.
ac·id** [ǽsid] *a.* **1** 신, 신맛의. SYN. ⇨ SOUR. **2** 〖화학〗 산(성)의; 〖지학〗 (암석·토양이) 산성인; (위가) 산성 과다인: an ~ reaction 산성 반응. **3** 언짢은; 신랄한, 심술궂은: ~ looks 찌무룩한 표정. — *n.* **1** Ⓤ (종류는 Ⓒ) 산. **2** Ⓒ 신 것. **3** Ⓤ 《미속어》 LSD; 신랄한 말〔비평 등〕. ***come the ~ 《속어》 ① 잘난 체하다, 쌀쌀맞게 굴다〔대하다〕; 싫은 소리를〔짓을〕 하다. ② 《영》 남에게 책임을 돌리다. ***put on the*** ~ 《속어》 =SHOOT the shit. ***put the*** ~ ***on*** a person 《Austral.속어》 아무에게 돈을 꿔달라고〔은혜를〕 강요하다, 조르다.
ácid dròp 《영》 (타타르산 등으로 신맛을 가한) 드롭스.
ácid dúst 산성진(塵).
ácid-fàst *a.* 산에 의해 퇴색하지 않는.
ácid flúsh 산성 출수(出水)《고농도 산을 함유한 빗물·눈석임물 등의 하천 유출》.
ácid-fòrming *a.* 〖화학〗 산을 만드는(acidic); (식품이) 산성인, 체내에서 주로 산성 물질을 생성하는. 「조〕.
ácid frèak 《속어》 =ACIDHEAD.
ácid fùnk 《속어》 LSD 사용후의 공포〔우울, 초
ácid·hèad *n.* 《속어》 LSD 상용자(常用者).

ácid hòuse 《영》 애시드하우스. **1** 신시사이저 등의 전자 악기를 쓰는 비트가 빠른 환각적인 록 음악. **2** 《속어》 마약을 쓰면서 **1**에 도취하는 젊은 이들의 무리.
acid·ic [əsídik] *a.* 산(酸)을 내는〔만드는〕; 〖화학·지학〗 =ACID; (태도가·기질이) 가시 돋친, 표독한, 신랄한.
acid·i·fi·a·ble [əsídəfàiəbəl] *a.* 산성화(酸性化)할 수 있는. 「화, 산패(酸敗).
acid·i·fi·ca·tion [əsìdəfikéiʃən] *n.* Ⓤ 산성
acid·i·fy [əsídəfài] *vt., vi.* 시게 만들다; 산성(酸性)으로 하다; 시어지다; 〖화학〗 산성화(化)하다; 신랄히 하다〔되다〕. ⓜ **-fi·er** *n.* 산성화하는 것; 〖약학〗 산미제(酸味劑). 「定量器).
ac·i·dim·e·ter [æ̀sədímətər] *n.* 산정량기(酸
acid·i·ty [əsídəti] *n.* Ⓤ 신맛; 〖화학〗 산도(酸度); 《특히》 위산 과다; 찌무룩함, 신랄함.
ácid jàzz 〖음악〗 재즈와 블루스, 솔(soul)의 요소들이 리드미컬하며 펑키한 박자로 융합된 팝 뮤직(=**ácid-jàzz**).
ácid·less tríp 《미속어》 LSD를 쓰지 않는 황홀함《sensitivity training을 비꼬는 말》.
ácid míst 산성 안개《대기 오염에 의한》.
acid·o·phil, -phile [əsídəfil, ǽsə-], [-fàil] *a.* (미생물이) 호산성(好酸性)인(=**acìd·o·phíl·ic**). — *n.* 〖해부〗 호산성 백혈구; 〖생물〗 호산성 세포〔조직, 물질, 미생물 따위〕.
ac·i·dóph·i·lus mílk [æ̀sədɑ́fələs-/-dɔ́f-] 유산균(乳酸菌) 우유. 「산독증.
ac·i·do·sis [æ̀sədóusis] *n.* Ⓤ 〖의학〗 산혈증,
ácid pàd 《미속어》 마약 주사소; LSD 파티.
ácid precipitátion 산성 강하물《대기 오염에 의한 산성비나 눈》(=**ácid deposítion**).
ácid ráin 산성비.
ácid ràpper 《미속어》 LSD 대량 복용자.
ácid ròck 《미》 애시드 록《LSD에 의한 황홀을 연상케 하는 환각적 록 음악》.
ácid sàlt 〖화학〗 산성염(塩), 수소염.
ácid sóil 산성 토양.
ácid tést 질산에 의한 시금(試金); (진위·가치 따위의) 엄밀한 검사.
ácid tèst ràtio 〖경제〗 산성 시험 비율, 당좌비율《유동 부채에 대한 당좌 자산의 비율》.
ácid-tòngued *a.* 말이 신랄한.
ácid trìp 《미속어》 LSD에 의한 환각 체험.
acid·u·late [əsídʒəlèit/-dju-] *vt.* 다소 신맛을 가하다〔갖게 하다〕; (약간) 신랄히 하다. ⓜ **-lat·ed** [-id] *a.* **acid·u·lá·tion** *n.*
acid·u·lous, -lent [əsídʒələs/-dju-], [-lənt] *a.* 다소 신맛이 도는; 신랄한. ⓜ ~**·ly** *ad.* 「ber).
ácid vàlue 〖화학〗 산가(酸價)(=**ácid nùm-**
ac·idy [ǽsidi] *a.* 산성의; 시큼한, 신(sour): an ~ taste 신맛. 「뾰족한.
ac·i·form [ǽsəfɔ̀ːrm] *a.* 침상(針狀)의, 끝이
ac·i·nous [ǽsənəs] *a.* 입상과(粒狀果)〔소핵과〕의; 〖해부〗 포도상선(腺)의, 선포(腺胞)의.
ac·i·nus [ǽsənəs] (*pl.* **-ni** [-nài]) *n.* 〖식물〗 입상과(粒狀果), 소핵과(小核果); 소핵《포도 등의 씨》; 〖해부〗 포도상선(腺).
-a·cious [éiʃəs] *suf.* '…한 경향이 있는, …이 많은' 등의 뜻의 형용사를 만듦: aud*acious*.
-ac·i·ty [ǽsəti] *suf.* -acious로 끝나는 형용사에 대응하는 명사를 만듦: pugn*acity*.
ACK, ack 〖컴퓨터〗 acknowledgment 《긍정 응답을 나타내는 ASCII 문자》. **ack.** acknowledge; acknowledgment.
ack-ack [ǽkæ̀k] *n.* 《구어》 고사포(의 포화). ★ antiaircraft의 약어 A.A.의 통신용 발음.
ack em·ma [ǽkémə] 《속어》 오전(에)(cf.

pip emma); 《영군대속어》 비행기 수리공(air mechanic). ★ '오전'의 약어 A.M.의 통신 용어.

ac·kers [ǽkərz] *n. pl.* 《구어》 돈.

ackgt. acknowledgment.

*__ac·knowl·edge__ [æknálidʒ, ək-/-nɔ́l-] *vt.* **1** 《~+목/+목+*as* 보/+목+*to be* 보/+*that* 절/+*-ing*/+목+*done*》 인정하다, 승인하다, 용인하다, 자인(自認)하다, 고백하다: He ~*d* his faults. 그는 자기 결점을 인정했다/~ it *as* true 그것을 진실로 인정하다/~ oneself *to be* wrong 자신의 잘못을 시인하다/He ~*d that* he was wrong. 그는 잘못했음을 인정했다/He did not ~ hav*ing* been defeated. =He did not ~ himself defeat*ed*. 그는 자신의 패배를 인정하지 않았다. SYN. ⇨ADMIT. **2** (편지·지급 등의) 도착〔수령〕을 통지하다: I ~ (receipt of) your letter. 편지는 잘 받았습니다. **3** 《~+목/+목+전+명》 (친절·선물 등)에 대한 사의를 표명하다; (인사 등)에 답례하다; (표정〔몸짓〕으로) …에게 알았음을 표시하다: ~ a gift 선물에 대한 인사를 하다/~ a greeting *by* nodding 머리를 끄덕여 인사에 답례하다. **4** 〖법률〗 (정식으로) 승인하다, 인지하다: ~ a deed 증서를 (틀림없다고) 인정하다. ㊞ **~·a·ble** *a.* **~d** *a.* 일반적으로 인정된, 정평 있는. **~d·ly** *ad.*

acknówledge chàracter 〖컴퓨터〗 긍정 응답 문자《데이터가 바르게 전해져 왔음을 전하는 전송 제어 문자; 생략: ACK》.

*__ac·knowl·edg·ment,__ 《영》 **-edge-** [æknálidʒmənt, ək-/-nɔ́l-] *n.* **1** U 승인, 용인; 자인, 자백, 고백; 〖법률〗 승인서; 인지(認知). **2** U 감사, 사례, 인사; C 감사의 표시, 답례품; (*pl.*) (협력자에 대한 저자의) 감사의 말: bow one's ~*s* (of applause) (갈채에 대해서) 허리를 굽혀 답례하다/in ~ of …의 답례로, …을 감사하여/I record here my warmest ~*s to* him *for* his permission. 여기에 이를 허락해 주신 그분께 충심으로 사의를 표한다. **3** C 수취 증명〔통지〕, 영수증.

aclín·ic líne [eiklínik-] 〖물리〗 자기(磁氣) 적도 (magnetic equator).

ACLS American Council of Learned Societies. **ACLU** American Civil Liberties Union.

aclut·ter [əklʌ́tər] *a.* 〔서술적〕 몹시 혼잡한, 우왕좌왕하는.

ACM 〖군사〗 anti-armor cluster munitions; Association for Computing Machinery.

ac·me [ǽkmi] *n.* (the ~) 절정, 정점; (…의) 극치; 전성기; 《고어》 (병의) 고비, 위기.

ac·ne [ǽkni] *n.* 좌창(痤瘡), 여드름. ㊞ **~d** *a.*

ac·ne(i)·gen·ic [ækni(ə)dʒénik] *a.* 〖의학〗 좌창유발(痤瘡誘發)〔형성〕성(性)의.

ácne rosácea 〖병리〗 =ROSACEA.

ac·node [ǽknoud] *n.* 〖수학〗 고립점(孤立點) (isolated point).

acock [əkák/əkɔ́k] *a., ad.* 〔형용사로서는 서술적〕 바짝 세우고, 비스듬히 세우고: with ears ~ (개 따위가) 귀를 쫑긋 세우고/set one's hat ~ (종종 도전적인 태도로) 모자의 테를 세우다.

ac·o·lyte [ǽkəlàit] *n.* 〖가톨릭〗 (미사 때 신부를 돕는) 복사(服事); 조수; 신참자(新參者); 〖천문〗 위성.

à compte [ɑːkɔ́ːnt; *F.* akɔ̃ːt] 《F.》 수입금(收入金)으로서.

Acon·ca·gua [ɑ̀ːkɔːŋkɑ́ːgwɑː, ækənkɑ́ːgwə] *n.* Andes 산맥 중의 최고봉.

ac·o·nite [ǽkənàit] *n.* 〖식물〗 바꽃; 〖약학〗 바꽃 뿌리에서 채취하는 강심·진통제. ㊞ **ac·o·nit·ic** [æ̀kənítik] *a.* 바꽃(성질)의.

acon·i·tine [əkánətìːn, -tin/əkɔ́n-] *n.* U 〖화학〗 아코니틴《미나리아재빗과 식물에서 빼내는 유독 물질; 진통제》.

Á-contròl *n.* U 《미》 원자력 관리.

acop·ic [əkápik/əkɔ́p-] *a.* 〖의학〗 피로 회복의.

◇**acorn** [éikɔːrn, -kərn] *n.* 도토리, 상수리: a sweet ~ 모밀잣밤나무의 열매.

ácorn acàdemy 《미속어》 정신병원.

ácorn cùp 각두(殼斗), 깍정이; 《속어》 국자.

ácorn shèll 도토리 깍정이; 〖동물〗 굴 등, 따개비.

ácorn squàsh 《미》 도토리 모양의 호박의 일종.

ácorn tùbe 〔《영》 **vàlve**〕 에이콘관(管)《도토리 모양의 고주파 전자관》.

acot·y·le·don [eikɑ̀təlíːdən/ækɔ̀t-] *n.* 〖식물〗 무자엽(無子葉) 식물. ★ 씨식물보다 하등인 식물. ㊞ **~·ous** [-dənəs] *a.*

acou·me·ter [əkúːmətər] *n.* 청력계.

à coup sur [*F.* akusyːʀ] *ad.* 확실히, 틀림없이 《with sure stroke》.

acous·tic, -ti·cal [əkúːstik], [-əl] *a.* **1** 청각의, 청신경의, 가청음의, 음파의; 〖음악〗 전자 장치를 쓰지 않은《악기》, 그런 악기에 의한《연주(자) 등》: an *acoustic* instrument 청음기, 보청기; 어쿠스틱 악기. **2** (건축 자재 등) 방음의; 음파로 작동〔제어〕할 수 있는《기뢰 등》; 음향(학)상의: *acoustic* tiles 음향 제어 타일. ── *n.* 난청 치료(술); 어쿠스틱 악기. ㊞ **-ti·cal·ly** *ad.*

acóustical clóud 〖건축〗 음향 반사판《뮤직홀 등의 음향 효과를 높이는》.

acóustic cóupler 〖컴퓨터〗 음향 결합기《데이터 통신에서 변복조(變復調) 장치의 하나》.

acóustic féature 〖음성학〗 음향 특성《언어음의 고저·진폭 및 변별적 소성(素性)》.

acóustic féedback 〖전자〗 음향적 피드백《출력측에서 입력측으로의 음의 과도한 환류; 잡음의 원인이 됨》.

acóustic guitár (전기 기타 아닌) 보통 기타.

ac·ous·ti·cian [æ̀kuːstíʃən] *n.* 음향 학자〔기사〕.

acóustic léns 음향 렌즈, 음의 확산기.

acóustic mícroscope 음파현미경《대상물에 음파를 주사(走査)시켜 광학상(像)을 그리게 함》.

acóustic míne 〖군사〗 음향 기뢰.

acóustic nérve 〖해부〗 청신경.

acóustic pérfume 소음 제거를 위한 배경음.

acóustic phonétics 음향 음성학.

acóus·tics *n. pl.* 〔단수취급〕 음향학; 〔복수취급〕 (극장 따위의) 음향 효과〔상태〕; 음질.

acóustic survéillance 음향 수사〔감시〕《음향 탐지 장치를 사용한 정보 수집 및 기록 방식》.

acóustic torpédo 음향 어뢰.

acóustic wáve 음파(sound wave).

ac·ous·tim·e·ter [æ̀kuːstímətər] *n.* 휴대용 (교통) 소음 측정기.

acous·to- [əkúːstou, -tə] '소리, 음파, 음향(학)'의 뜻의 결합사.

acòusto·electrónics *n.* 음향 전자 공학.

acòusto-óptics *n.* 〔단수취급〕 음향광학, 청각광학《매질 속을 통과하는 음파와 광파 간의 상호작용을 연구》. ㊞ **-óptic, -óptical** *a.*

ACP African, Caribbean, and Pacific (Associables)《제3세계의 46개국 사이의 경제 기구》.

A.C.P. American College of Physicians (미국 내과 의사회). **acpt.** acceptance.

ac·qua al·ta [ǽkwəǽltə] 《It.》 (=high water) 고조(高潮).

*__ac·quaint__ [əkwéint] *vt.* 《+목+전+명》 **1** (…에게) 숙지〔정통〕시키다, 알리다, 고하다; 〔~ oneself〕 (…에) 익숙하다, 정통하다《*with*》: ~ one*self with* western ideas 서양 사상에 정통하다/~ him *with* our plan 그에게 우리 계획을 충분히 알도록 하다. **2** (…에게 …을) 알려 주다

《*with*》: ~ the manager *with* one's findings 부장에게 자기의 조사 결과를 알리다. **3** 《주로 미》 (…을) 소개하다, 친분을 맺어 주다《*with*》: He ~*ed* his roommate *with* my sister. 그는 같은 방 동료를 내 누이동생에게 소개하였다.

ac·quaint·ance [əkwéintəns] *n.* **1** Ⓤ (종종 an ~) 지식, 익히 앎《*with; of*》: have a profound ~ *with* one's business 자기 일에 깊은 지식을 갖다. **2** Ⓤ (종종 an ~) 면식, 친면 《*with*》. ★ friendship 보다 교제가 얕음: have 〔have no〕 ~ *with* …와 면식이 있다〔없다〕; 안면이 넓다〔좁다〕/ have a bowing 〔nodding, slight〕 ~ *with* ... (사람·사물)을 조금 알고 있다, 약간의 지식〔면식〕밖에 없다 / renew one's ~ 옛 친분을 새로이하다 / a speaking ~ 이야기나 나눌 정도의 사이 / gain ~ *with* …을 알다 / cut 〔drop〕 one's ~ *with* …와 절교하다 / make the ~ of a person =make a person's ~ 아무와 아는 사이가 되다. **3** Ⓒ 아는 사람, 아는 사이. ★ friend처럼 친하지는 않음: He is not a friend, but an ~. 친구라고 할 것까지는 없어도 안면은 있다. **4** (때로 *pl.*) 〖집합적〗 지기, 교제 범위: have a wide ~ =have a wide circle of ~*s* 교제 범위가〔안면이, 발이〕 넓다. ***keep up** one's* **~ *with*** …와 사귀고 있다. ***scrape* (*an*) ~ *with* ...** ⇨ SCRAPE. ⓟ **~·ship** [-ʃip] *n.* Ⓤ (또는 an ~) 지기(知己)임, 면식; 지식《*with*》.

acquáintance ràpe 아는 사람에 의한 성폭행 《특히 데이트 상대에 의한 date rape를 말함》.

ac·quáint·ed [-id] *a.* **1** …을 아는, …와 아는 사이인《*with*》: He is widely ~. 그는 발이 넓다. **2** …에 밝은, 정통한《*with*》. ***be* 〔*get, become*〕 ~ *with*** ① …을 알(고 있)다, 정통하(고 있)다: He *is* well ~ *with* law. 그는 법률에 정통하다. ② …와 아는 사이이다〔가 되다〕. ***get*** a person ~ 《미》 아무에게 친지를 만들어 주다, 소개해 주다. ***make* 〔*bring*〕** a person **~ *with*** ① 아무에게 …을 알리다. ② 아무에게 …을 소개하다.

ac·quest [əkwést] *n.* 취득(물)(acquisition); 〖법률〗 (상속에 의하지 않은) 취득 재산.

ac·qui·esce [æ̀kwiés] *vi.* 《~/+전+명》 묵묵히 따르다, 묵인하다, (마지못해) 따르다《*in*》. ~ ***in*** (a plan; a proposal) (계획; 제안)을 잠자코 받아들이다.

ac·qui·es·cence [æ̀kwiésəns] *n.* Ⓤ 묵낙, (어쩔 수 없는) 동의《*in; to*》: give ~ *in* …에 묵종(默從)하다.

ac·qui·es·cent [æ̀kwiésənt] *a.* 묵묵히 따르는, 묵인하는, 순종하는. ⓟ **~·ly** *ad.*

ac·quire [əkwáiər] *vt.* **1** 손에 넣다, 획득하다; (버릇·기호·학문 따위를) 얻다, 배우다, 몸에 익히다, 습득하다: ~ a bad habit 나쁜 버릇이 붙다 / ~ a foreign language 외국어를 배우다. SYN. ⇨ GET. **2** (재산·권리 등을) 취득하다: ~ industrial secrets 산업 비밀을 입수하다. **3** (비판·평판 등을) 받다, 초래하다: ~ a good 〔bad〕 reputation 호평〔악평〕을 받다. **4** (레이더로) 포착하다. ◇ acquirement, acquisition *n.*

ac·quíred *a.* 취득한, 획득한; 습성이 된; 〖생물〗 후천적인, 획득한. OPP *inborn.* ¶ ~ rights 기득권 / ~ immunity 후천적 면역성.

acquíred behávior 〖심리〗 습득적 행동.

acquíred cháracter 〔**characterístic**〕 〖생물〗 획득 형질(形質), 후천성 형질.

acquíred immúne deficiency 〔**immunodefíciency**〕 **sỳndrome** ⇨ AIDS.

acquíred táste (반복하여) 익힌 기호〔취미〕; (an ~) 몸에 익혀 좋아진 것《특히 음식》.

ac·quir·ee [əkwaiəríː] *n.* 얻은 물건, 취득〔획득〕한 물건.

ac·quíre·ment *n.* **1** Ⓤ 취득; 습득. **2** (종종 *pl.*) (내적으로) 습득된 것; 기예, 학식, 재능: I am proud of my son's ~*s*. 내 아들의 학식이 자랑스럽다.

ac·qui·si·tion [æ̀kwəzíʃən] *n.* **1** Ⓤ 취득, 획득; 습득. **2** Ⓒ 취득물, 손에 넣은 물건; 〖출판〗 (계약을 맺은) 취득 작품; 입수 도서: a recent ~ to the library 도서관의 신착(新着) 도서. **3** Ⓤ (미사일 등의) 포착: an ~ and tracking radar 포착 추적 레이더. ⓟ **~·al** *a.* **ac·quis·i·tor** [əkwízətər] *n.*

ac·quis·i·tive [əkwízətiv] *a.* 얻고자〔갖고자〕 하는《*of*》; 탐욕스런; 얻을 힘이 있는, 취득성〔습득성〕 있는: an ~ person 욕심쟁이 / be ~ *of* knowledge 지식욕이 있다 / ~ instinct 취득 본능. ⓟ **~·ly** *ad.* **~·ness** *n.*

ac·quit [əkwít] (**-*tt*-**) *vt.* **1** 《~+목/+목+전+명》 석방하다, 무죄로 하다《*of*》: ~ a prisoner 죄인을 석방하다 / be ~*ted of* a charge 고소가 취하되다, 면소되다. **2** 《+목+전+명》 …에게 면제해 주다《*of*》: ~ a person *of* his duty 아무의 임무를 해제하다. **3** (빚 등)을 갚다. **4** 〖~ oneself〗 행동〔처신〕하다; 다하다: He ~*ted* him*self* well in battle. 그는 전투에서 잘 싸웠다. ◇ acquittance *n.* **~ one*self of*** (의무, 책임)을 다하다; (혐의 따위)를 풀다. ⓟ **~·ter** *n.*

ac·quit·tal [əkwítəl] *n.* 〖법률〗 Ⓤ,Ⓒ 석방, 방면, 면소; (빚의) 변제; (임무의) 수행, 이행.

ac·quit·tance [əkwítəns] *n.* Ⓤ 면제, 해제; 변제; Ⓒ (전액) 영수증, 채무 소멸 증서.

ac·ra·sin [əkréisin] *n.* 〖생화학〗 아크라신《세포 점균(粘菌)의 분비물의 일종》.

acrawl [əkrɔ́ːl] *a., ad.* 〔형용사로는 서술적〕 …이 우글거려, 득실거려《*with*》.

acre [éikər] *n.* **1** 에이커《약 4,046.8 m²; 생략: a.》. **2** (*pl.*) 토지, 논밭: broad ~*s* 광대한 토지. **3** (*pl.*) 《구어》 대량: ~*s* of books 막대한 수의〔다량의〕 책.

acre·age [éikəridʒ] *n.* 에이커 수(數), 평수, 면적; 에이커 단위로 팔리는〔분배되는〕 토지.

ácred *a.* **1** 토지의; 토지를 갖는. **2** 〖복합어를 이루어〗 …에이커 되는: a many-~ estate 광대한 소유지.

ácre-fóot *n.* 에이커 풋《관개용수 등 양의 단위; 43,560 세제곱피트, 1,233.46 m³》.

ácre-ínch *n.* 에이커 인치《용수·토양 등 양의 단위; 1 / 12 acre-foot, 3,630 세제곱피트》.

ácre rìght 〖미국사〗 개척자 토지 구입권《자기가 개간한 토지는 매입할 수 있다는 개척자의 권리》.

ac·rid [ǽkrid] *a.* 매운, 쓴, 자극성의 역한 맛〔냄새〕 나는; 짓궂은, 심술 사나운, 혹독한, 신랄한. ⓟ **~·ly** *ad.* **~·ness** *n.* **ac·ríd·i·ty** [-əti] *n.* Ⓤ

ac·ri·dine [ǽkrədìːn, -din] *n.* 〖화학〗 아크리딘《콜타르에서 얻은 물감·의약품의 원료》.

ac·ri·fla·vine [æ̀krəfléivin, -viːn] *n.* 〖약학〗 아크리플라빈《방부·소독약》. 「유; 상표명」.

Ac·ri·lan [ǽkrəlæ̀n] *n.* 아크릴란《아크릴계 섬

ac·ri·mo·ni·ous [æ̀krəmóuniəs] *a.* 매서운, 신랄한, 표독스런. ⓟ **~·ly** *ad.* **~·ness** *n.*

ac·ri·mo·ny [ǽkrəmòuni] *n.* Ⓤ (태도·기질·말 등의) 표독스러움, 신랄함(bitterness).

ac·ro- [ǽkrou, -rə], **acr-** [ǽkr] '처음·끝·꼭대기' 등의 뜻의 결합사.

ac·ro·bat [ǽkrəbæ̀t] *n.* 곡예사; 《비유》 (정견·주의 등을 일조일석에 바꾸는) 표변가(豹變家).

ac·ro·bat·ic [æ̀krəbǽtik] *a.* 곡예의, 재주 부리기의: an ~ feat 〔dance〕 곡예〔곡예 댄스〕. ⓟ **-i·cal·ly** *ad.*

àc·ro·bát·ics *n. pl.* **1** 〖단수취급〗 곡예(술);

〖복수취급〗 (곡예에서의) 일련의 묘기: aerial ~ 곡예 비행. **2** 〖복수취급〗 아슬아슬한 재주, 초인적인 행위: mental ~ 초인적인 두뇌 작용.

ác·ro·bàt·ism *n.* =ACROBATICS. 「原體型)(의).

àcro·céntric 〖생물〗 *a.*, *n.* 말단 동원체형(動

ac·ro·gen [ǽkrədʒən] *n.* 〖식물〗 정생(頂生) 식물《고사리 · 이끼처럼 정단〔선단〕 분열 조직으로 자라는 식물》. ㊥ **acrog·e·nous** [əkrádʒənəs/-rɔ́dʒ-] *a.* 정생(頂生)의. **acróg·e·nous·ly** *ad.*

ac·ro·lect [ǽkrəlèkt] *n.* (어느 사회 안에서) 가장 격식 높은 상층 방언. cf. basilect.

acro·le·in [əkróuliin] *n.* 〖화학〗 아크롤레인 《자극성 냄새가 나는 불포화 알데하이드; 최루 가스 등에 쓰임》.

ac·ro·lith [ǽkrəliθ] *n.* (옛 그리스의) 머리 · 수족은 돌이고 동체는 나무로 된 상(像).

ac·ro·meg·a·ly [æ̀krəmégəli] *n.* Ⓤ 〖의학〗 선단(先端) 비대증《머리 · 수족이 비대해지는 병》. ㊥ **ac·ro·me·gal·ic** [æ̀kroumәgǽlik] *a.*, *n.* 선단 비대증의 (사람).

ac·ro·mic·ria [æ̀krəmíkriə, -máik-] *n.* 〖의학〗 말단 왜소증《신장 · 머리 · 수족이 유달리 작아지는 병》.

ac·ron·i·cal, -y·c(h)al [əkránikəl/-rɔ́n-] *a.* 〖천문〗 일몰에 일어나는; 저녁의《별의 출몰에 관해서 말함》.

ac·ro·nym [ǽkrənìm] *n.* 약성어(略成語), 두문자어(頭文字語)《몇 개 단어의 머리글자로 된 말. 보기: *radar* [◂ *ra*dio *d*etecting *a*nd *r*anging]》. ㊥ **àc·ro·ným·ic** *a.* **-i·cal·ly** *ad.* **acron·y·mous** [əkránəməs/-rɔ́n-] *a.*

acrop·e·tal [əkrápətl/-rɔ́p-] *a.* 〖식물〗 위로 뻗은; 구정〔향정〕적(求頂〔向頂〕的)인. ㊥ **~·ly** *ad.*

ac·ro·pho·bia [æ̀krəfóubiə] *n.* 〖심리〗 고소(高所) 공포증. ㊥ **ác·ro·phòbe** *n.* 고소 공포증인 사람. **àc·ro·phó·bic** *a.*, *n.*

acroph·o·ny [əkráfəni/-rɔ́f-] *n.* 〖언어〗 두음법《그림문자에서 그 나타내는 말의 제 1 음을 〔자(字)를, 음절을〕 나타내기》.

acrop·o·lis [əkrápəlis/-rɔ́p-] *n.* (옛 그리스 도시의 언덕 위의) 성채(城砦); (the A–) 아크로폴리스《Athens 의 성채; Parthenon 신전이 있음》. ㊥ **ac·ro·pol·i·tan** [æ̀krəpálətən/-pɔ́l-] *a.*

ac·ro·sin [ǽkrəsin] *n.* 〖생화학〗 아크로신《정자의 두부에서 난자 표면을 녹이는 효소》.

ac·ro·some [ǽkrəsòum] *n.* 〖해부〗 (정자의 두부에 있는) 선체(先體), 아크로솜.

†**across** [əkrɔ́ːs, əkrás/əkrɔ́s] *ad.* **1** 가로질러서; 저쪽에〔까지〕, 건너서: hurry ~ to the other side 급히 반대쪽으로 건너다. **2** 지름으로, 직경으로, 나비로: a lake 5 miles ~ 지름이 5 마일인 호수. **3** 열십자로 교차하여, 엇갈리어, 어긋매껴: He was standing with his arms ~. 팔짱을 끼고 서 있었다. **4** 이해되게, 알아 주도록: He couldn't get the idea ~ to the class. 그의 생각을 학급에서는 알아 주지 못했다. **5** 바라는 상태로; 성공적으로: put a business deal ~ 거래를 잘 해내다. **6** 《영방언》 사이가 버성겨 《*with*》. **—** *prep.* **1** …을 가로질러; …의 저쪽에, …을 건너서: walk ~ the street 길을 건너가다 / She lives ~ the river. 그 여자는 강 건너편에 살고 있다. **2** …와 교차하여, …와 엇갈리어: lay ~ each other 열십자로 놓다 / He threw a bag ~ his shoulder. 그는 어깨에 가방을 메었다. **3** …의 전역에서: ~ the country 〔world〕 온 나라〔세계〕에, 전국〔전세계〕에.

> SYN. **across** 한쪽에서 다른 쪽으로 가로지름을 강조함. **along** 끝에서 끝으로 평행하여 있음을 나타냄. **through** 한쪽에서 다른 쪽으로 빠져나감을 나타냄.

~ from 《미구어》 …의 맞은쪽에(opposite): The store is ~ *from* the station. 그 가게는 역 맞은쪽에 있다 / He sat ~ *from* me. 그는 (테이블을 사이에 두고) 맞은편에 앉았다. ***be ~ a horse's back*** 말을 타고 있다. ***be ~ to*** a person 아무의 책임〔역할〕이다: It's ~ *to* you. 그것은 네가 해야 할 일이다(=It's up to you.). ***come ~*** ⇨COME. ***get ~*** ⇨GET¹. ***go ~*** ① (…의) 저편으로 건너다. ② (일이) 어긋나다: Things *go* ~. 일이 뜻대로 안 된다.

acróss-the-bóard *a.* **1** 모든 종류를 포함하는, 《특히》 전원에 관계하는, 일괄의; 《미구어》 〖경마〗 연승식 승마(勝馬) 투표의《걸기》: a 20% ~ salary increase, 20 퍼센트의 일괄 임금 인상. **2** 〖방송〗 월요일에서 금요일에 걸쳐 같은 시간대에 방송되는: an ~ program 연속 프로. 「《협상》.

acróss-the-táble *a.* 얼굴을 맞댄, 직접의

acros·tic [əkrɔ́ːstik, -rás-/-rɔ́s-] *n.* 이합체(離合體) 시《각 행의 처음(과 끝) 글자를 맞추면 어구(語句)가 됨》; 위에 의한 글자 퀴즈. **—** *a.* ~의〔같은〕. ㊥ **-ti·cal** *a.* **-ti·cal·ly** *ad.*

ac·ro·te·ri·on, -ri·um [æ̀krətíəriàn, -ən], [-riəm] (*pl.* ***-ria*** [-riə]) *n.* 〖건축〗 조상대(彫像臺)《pediment 정상이나 양끝의 조상용 대좌; 인물 조각 따위를 안치함》.

ac·ro·tism [ǽkrətizəm] *n.* Ⓤ 〖의학〗 무맥증(無脈症), 약맥(弱脈); 정맥(停脈).

ACRR American Council on Race Relations (미국 인종 문제 협의회). **ACRS** accelerated cost recovery system(가속 상각 제도); Advisory Committee on Reactor Safeguards 《미》 (원자로 안전 자문 위원회).

acryl·a·mide [əkríləmàid, æ̀krəlǽmaid, -mid] *n.* 〖화학〗 아크릴아마이드《유기 합성 · 플라스틱 · 접합제의 원료》.

ac·ry·late [ǽkrəlèit, -lit] *n.* 〖화학〗 아크릴레이트, 아크릴산염; =ACRYLIC RESIN(=∠ **résin**): an ~ board 아크릴 투명판. 「의).

acryl·ic [əkrílik] *n.*, *a.* 〖화학〗 아크릴(성(性)

acrýlic ácid 〖화학〗 아크릴산(酸).

acrýlic cólor 아크릴 물감(=**acrýlic páint**)《아크릴수지를 사용한 그림물감으로 빨리 마름》.

acrýlic éster 아크릴산 에스테르《접착제 · 합성수지로 씀》.

acrýlic fíber 아크릴 섬유.

acrýlic páinting 아크릴화《아크릴 그림물감으로 그린 것으로 수채 · 유채보다 속건성(速乾性)과 휘도(輝度)에 우수함》.

acrýlic plástic 아크릴 합성 수지.

acrýlic résin 〖화학〗 아크릴 수지.

ac·ry·lo·ni·trile [æ̀krəlounáitril, -triːl, -trail] *n.* Ⓤ 〖화학〗 아크릴로나이트릴《합성 고무 · 섬유 원료》.

ACS antireticular cytotoxic serum (항망내(抗網內) 세포독). **A.C.S.** American Cancer Society; American Chemical Society; American College of Surgeons; automatic control system (자동 제어 장치). **A / cs** 〔**a / cs**〕 **pay.** accounts payable. **A / cs** 〔**a / cs**〕 **rec.** accounts receivable.

†**act** [ækt] *n.* **1** 소행, 행위, 짓: a heroic 〔foolish〕 ~ 용감한〔어리석은〕 행위 / *Acts* speak louder than words. 《속담》 행위는 말보다 목소리가 크다.

> SYN. **act** 일시적, 개인적인 행위로, 그 결과에 중점을 둠. **action** 어느 기간에 걸친 여러 번의 행위로, 그 과정에 중점을 둠. **behavior** 개인 성질의 자연적 표현, 또는 뱀뱀이의 결과로 여

겨지는 행위. 지금은 짐승에도 쓰임. **deed** act와 마찬가지로 결과에 중점을 두고, 특히 지성과 책임을 수반하는 위대한 행위에 쓰임.

2 (the ~) 행동 (중); 현행. ★흔히 in the (very) ~ (of do*ing*)으로 쓰임. **3** (종종 A-) 법령, 조례; (회의 · 학회 따위의) 의사록; (*pl.*) 회보: an *Act* of Congress (《영》 Parliament) 법률, 법령. **4** (보통 the A-s) (법정 · 의회의) 결의(서)(《*of*》). **5** (the A-s) 〔단수취급〕〘성서〙 사도행전(the Acts of the Apostles). **6** 〘연극〙 막: a one ~ play 단막극 / *Act* III, Scene ii 제 3 막 제 2 장. **7** (라디오 · 연예장 따위의) 연예, 상연물; 예능 그룹(콤비). **8** 《구어》 꾸밈, 시늉: Her tearful farewell was all an ~. 눈물을 흘리며 헤어지던 그녀의 이별은 모두가 연극이었다. **9** 〘철학〙 인간의 행위; 〘심리〙 정신작용. **10** (the ~) 《완곡어》 성교.

~ and deed 후일의 증거, 증거물. ***~ of Congress*** 《미》 법률, 법(령). ***an ~ of God*** 〔***providence***〕 불가항력, 천재. ***an ~ of grace*** 은전, 사면령. ***an ~ of war*** (선전포고 없는) 전쟁 행위. ***do a disappearing ~*** (필요한 때에) 자취를 감추다. ***get into*** 〔***in on***〕 ***the ~*** 《구어》 (수지 맞출) 계획에 한몫 끼다, 성행하는 것에 손을 대다, 남이 시작한 일에 끼어들려 하다, 쓸데없이 참견하다. ***get*** 〔***have***〕 one***'s ~ together*** 《미속어》 일관성 있게 효율적으로 행동하다. ***in the*** (***very***) ***~ of*** …의 현행 중에, …을 하는 현장에서: He was caught *in the very ~ of* stealing. 그는 절도 현장에서 붙잡혔다. ***put on an ~*** 《구어》 (어떤 효과를 위해) '연극'을 하다, 연기하다, 가장하다.

— *vt.* **1** 하다, 행하다. **2** 《흔히 경멸》 …의 시늉을 하다, …처럼 행동하다: ~ reluctance 마음이 내키지 않는 체하다 / ~ the knave 악인인 체하다. **3** 연기를 하다; (극을) 상연하다: ~ Hamlet 햄릿역을 하다. — *vi.* **1** 《~/+전+명》 행동하다; 활동하다; 실행(행동)에 옮기다: ~ promptly 신속히 행동하다 / ~ *on* impulse 충동적으로 행동하다. **2** 《+전+명》 (일이) 잘 되어 가다, 작용하다; 《약 따위가》 듣다(《*on*》): This drug ~*ed on* his nerves. 이 약이 그의 신경과민에 들었다. **3** 《+보/+전+명》 …답게 행동하다, 체하다; 〔형용사를 수반〕 동작(거동)이 …답게 보이다: ~ old 어른답게 행동하다 / ~ *like* a madman 미치광이처럼 행동하다. **4** 《+전+명》 연기하다, (배우로서) 무대에 서다: She will ~ *on* the stage. 그녀는 무대에 설 것이다. **5** 〔well 따위의 양태 부사를 수반하여〕 (각본이) 상연에 적합하다: His plays don't ~ *well*. 그의 희곡은 무대 상연에 적합치 않다. **6** 《+*as* 보/+전+명》 (…로서의) 직무를(기능을) 다하다(《*as*》); 대리를 하다, 대행하다(《*for*》): ~ *as* chairman 의장 일을 보다 / ~ *as* guide (interpreter) 안내인(통역) 노릇을 하다 《★ as 뒤에 오는 단수 보통명사에는 보통 관사가 붙지 않음》 / I'll ~ *for* you while you are away. 안 계신 동안 제가 대리로 일을 보지요. **7** (기계 따위가) 잘 작동하다, 움직이다; (계획 등이) 잘 진척되다: The brake did not ~. 브레이크가 듣지 않았다. **8** 결정을 내리다, 재결(결의, 의결)하다(《*on*》).

~ against …에 반(反)하다; …에 불리한 일(짓)을 하다. ***~ on*** 〔***upon***〕 ① …에 작용하다, …에 영향을 미치다. ② (주의 · 충고 따위)를 좇아 행동하다. ***~ out*** (사건 따위)를 몸짓을 섞어 가며 이야기하다; 실연(實演)하다; 행동으로 옮기다, 실행하다; 〘정신의학〙 (억압된 감정을) 무의식적으로 행동화하다. ***~ up*** 《구어》 ① 예사롭지 않은 행동을 하다; 멋대로의(거친) 행동을 하다; 이목을 끄는 행동을 하다, 보기 좋게 굴다; 장난치다, 희롱거리다: The dog ~*ed up* as the postman came to the door. 집배원이 오자 개는 날뛰며 짖어대었다. ② (기계 따위가) 상태가 좋지 않다: The car always ~*s up* in cold weather. 그 차는 날씨가 차면 언제나 상태가 좋지 않다. ③ (병 · 상처 따위가) 다시 더치다, 재발하다. ④ 잘 대응하다. ***~ up to*** (주의 · 이상 · 약속 따위)에 따라 행동하다, (주의 · 이상 등)을 실천하다, (약속)을 지키다.

㊞ **àct·a·bíl·i·ty** *n.* Ⓤ 상연할 수 있음; 실현(가능)성. **áct·a·ble** *a.* 상연(실행) 가능한.

ACT, A.C.T. American College Test(미국 대학 입학 학력 테스트); Australian Capital Territory; automatically controlled transportation system. **act.** active; actor; actual.

ac·ta [ǽktə] *n. pl.* (종종 A-) (법령 · 증서 · 의사(議事) 등의) 공식 기록.

act·ant [ǽktənt] *n.* 〘언어〙 (결합가(valency)의 이론에서 말하는) 행위주(主)(동작주).

áct brèak 〘연극〙 막간.

áct cùrtain 〔**dròp**〕 〘연극〙 중간 막(막간에 내리는 막).

actg. acting.

ACTH, Acth [èisì:tì:éitʃ, ækθ] *n.* 〘생화학〙 부신피질(副腎皮質) 자극 호르몬(《관절염 따위의 치료용 호르몬제》). [◂ *a*dreno*c*ortico*t*rophic *h*ormone]

ac·ti·graph [ǽktəgræ̀f] *n.* (생물 · 물질의) 거동 기록 장치.

ac·tin [ǽktən] *n.* 〘생화학〙 액틴(《근육을 구성하며, 그 수축에 필요한 단백질의 일종》).

ac·tin- [ǽktən], **ac·tin·o-** [æktínou, -nə, ǽktənou, -nə] '방사 구조를 갖는, 방사상의, 말미잘의, 화학선(특성)의'의 뜻의 결합사.

°**áct·ing** *a.* 대리의; 임시의; 무대극에 어울리는, 연기상의 지시를 갖춘; 지문(地文)이 든: an ~ manager 지배인 대리 / an ~ copy 〘연극〙 대본. — *n.* Ⓤ 행함, 행위; 연기, 연출; 꾸밈, 꾸민 연극: a play suitable for ~ 상연에 적합한 희곡 / good (bad) ~ 훌륭한(서투른) 연기.

ac·tin·ia [æktíniə] (*pl.* **-i·ae** [-iì:], **~s**) 〘동물〙 *n.* 말미잘; (A-) 분홍말미잘속(屬). ㊞ **-i·an** *a.*, *n.* 말미잘(의(비슷한)).

ac·tin·ic [æktínik] *a.* 〘물리〙 화학선(線)의, (방사선이) 화학선 작용이 있는. ㊞ **-i·cal·ly** *ad.*

actínic ráy 〘물리〙 화학선(《광화학 반응을 일으키는 짧은 파장의 광선》).

ác·ti·nide sèries [ǽktənàid-] (the ~) 〘화학〙 악티나이드 계열(《원자 번호 89 의 악티늄부터 103 의 로렌슘까지의 방사성 원소의 총칭》).

ac·tin·i·form [æktínəfɔ̀:rm] *a.* 〘동물〙 방사형(形)의.

ac·tin·ism [ǽktənìzəm] *n.* Ⓤ 화학선 작용.

ac·tin·i·um [æktíniəm] *n.* Ⓤ 〘화학〙 악티늄(《방사성 원소; 기호 Ac; 번호 89》).

actínium sèries 〘화학〙 악티늄 계열(《악티노우라늄에서 악티늄 D까지의 붕괴 계열》).

àctino·biólogy *n.* 방사선 생물학.

actìno·chémistry *n.* 방사(선) 화학, 광(光)화학.

actìno·dermatítis *n.* 〘의학〙 (햇빛에 의한) 방사선 피부염.

ac·tin·o·graph [æktínəgræ̀f, -grɑ̀:f] *n.* 자기 일사계(自記日射計), 광량계(光量計); 〘사진〙 노출계.

ac·ti·noid [ǽktənɔ̀id] *a.* (성게 · 불가사리 따위가) 방사선 모양의.

ac·tin·o·lite [æktínəlàit] *n.* Ⓤ 〘광물〙 각섬석(角閃石)의 일종(《녹색의 결정체》).

ac·ti·nom·e·ter [æ̀ktənɑ́mətər/-nɔ́m-] *n.* (화학) 광량계, 감광계; 〘사진〙 노출계. ㊞ **-try** [-tri] *n.* 〘물리〙 광량 측정, 방사 에너지 측정(학).

ac·tin·o·my·ces [æktìnoumáisiːz, æ̀ktə-, -nə-] (*pl.* ~) *n.* 〖세균〗 방(사)선균.
ac·tin·o·my·cete [-máisiːt, -maisíːt] *n.* 〖세균〗 방(사)선균류.
actìno·mýcin *n.* Ⓤ 〖생화학〗 악티노마이신《항생물질의 하나》.
actìno·mycósis *n.* 〖수의〗 방(사)선균병.
ac·ti·non [ǽktənɑ̀n/-nɔ̀n] *n.* 〖화학〗 악티논《라돈의 방사성 동위원소; 기호 An; 번호 86》.
ac·tin·o·spec·ta·cin [ætìnouspéktəsin] *n.* 〖생화학〗 악티노스펙타신《항페니실린성 성병에 듣는 항생물질》.
actìno·thérapy *n.* 방사선 치료.
actìno·uránium *n.* 〖화학〗 악티노우라늄《우라늄 235; 기호 AcU》.
ac·tin·o·zo·an [æktìnəzóuən, æ̀ktə-] *a.*, *n.* 〖동물〗 =ANTHOZOAN.
ac·tion [ǽkʃən] *n.* **1 Ⓤ 활동, 행동; (기계의) 운전: a man of ~ 활동가. **2** Ⓒ 행위(deed); (*pl.*) (평소의) 행실. SYN. ⇨ ACT. **3** Ⓒ (신체(의 기관)·기계 장치의) 작용, 기능; 작동; (피아노·총 등의) 기계 장치, 작동 부분, 액션: dynamic ~ 역학적 작용 / ~ at a distance 원격 작용 / ~ of the heart 심장의 기능 / ~ of the bowels 용변. **4** Ⓤ,Ⓒ (자연 현상·약 등의) 작용《*on*》; 영향, 효과; 〖생태〗 환경 작용: chemical ~ 화학 작용 / the ~ of acid *on* iron 산이 쇠에 미치는 작용. **5** Ⓒ 조처, 방책(steps): Prompt ~ is needed. 즉각적인 조처가 필요하다. **6** Ⓤ (배우·연설자 등의) 몸놀림, 연기: *Action!* 〖영화〗 연기 시작. **7** Ⓒ (운동 선수·말·개의) 몸짓, 발놀림: That horse has a graceful ~. 저 말은 동작이 우아하다. **8** Ⓒ (소설·각본의) 줄거리; 이야기의 전개. **9** Ⓒ 〖법률〗 소송(suit): a civil ~ 민사 소송 / a criminal 〔penal〕 ~ 형사 소송 / bring 〔take〕 an ~ against …을 상대로 소송을 제기하다. **10** Ⓒ 결정, 판결, 의결. **11** Ⓤ,Ⓒ 〖군사〗 교전(fighting), 전투(battle): see ~ 전투에 참가하다; 실전 경험을 하다. **12** Ⓤ 〖미술〗 (인물의) 생명감, 약동감. **13** Ⓤ,Ⓒ 《속어》 도박 행위, 노름, 노름돈. **14** Ⓤ 《속어》 흥분케 하는〔자극적인〕 행위. **15** 《미속어》 성교. ◇ act *v.*
a piece of the ~ 《속어》 할당 몫, 분담; 《미속어》 성교. ***break off an*** ~ 싸움을 그치다. ***bring*** 〔***come***〕 ***into*** ~ ① 활동시키다〔하다〕; 발휘하다〔되다〕; 실행하다〔되다〕. ② 전투에 참가시키다〔하다〕. ***Clear for*** ~***!*** 전투 준비. ***go into*** ~ 활동을〔전투를〕 개시하다. ***in*** ~ ① 활동〔실행〕하고. ② (기계 등) 작동하고. ③ 교전〔전투〕 중에: missing *in* ~ 전투 중 행방불명《병사》. ④ 경기 중인〔에〕. ⑤ 성교 중인. ***out of*** ~ ① (기계 등) 움직이지 않아; (사람이 병·상처로) 움직이지 못하고. ② (군함·전투기 등) 전투력을 잃고. ***put into*** 〔***in***〕 ~ 운전 상태가 되다; 실행〔실시〕하다. ***put ... out of*** ~ (부상 등이 사람을) 활동하지 못하게 하다; (기계를) 움직이지 못하게 하다; (군함·비행기 등의) 전투력을 잃게 하다. ***take*** ~ 조처를 취하다《*on*》; 착수하다《*in*》; 작용하기 시작하다; 소송을 제기하다. ***where the*** ~ ***is*** 《미속어》 가장 활발한 활동의 중심; 핵심.
—*vt.* 《영에서는 고어》 (사람을) 소송하다(sue).
ác·tion·a·ble *a.* 〖법률〗 기소할 수 있은. ㊞ **-bly** *ad.*
ac·tion·al [ǽkʃənəl] *a.* 동작의, 활동하는; 〖문법〗 동작에 관한: an ~ passive 동작 수동태.
ác·tion·er *n.* 《구어》 액션 영화.
áction figure 전투인형《손·발이 움직이는 남자 어린이용의 완구》.
áction grànt 《미》 시가지 재개발을 위한 연방 정부 보조금.
áction hòuse 일반〔대중〕 영화관.
áction informátion cènter =COMBAT INFORMATION CENTER.
ác·tion·ist *n.* 행동파 (정치가).
ác·tion·less *a.* 움직임이 없는(immobile).
áction lèvel 《미》 (식품 중의 유해 물질 함유량에 대해 정부가 지정한) 한계 수준.
áction lìne (뉴스미디어에 의한) 전화 상담실.
Áction Màn **1** 액션 맨《군복을 입은 장난감; 상표명》. **2** (종종 a– m–) 《구어》 행동파의 남자; 사나이답게 행동하는 남자.
áction-pàcked [-t] *a.* 《구어》 (영화 등이) 액션〔자극적인 것〕으로 가득 찬.
áction pàinting 〖미술〗 행동 회화《그림물감을 뿌리거나 하는 전위 회화》. ㊞ **áction pàinter**
áction pàss 〖미식축구〗 액션패스《러닝플레이하는 척하며 하는 패스플레이》.
áction pìece 《흑인속어》 권총, 산탄총; 여자.
áction potèntial 〖생물〗 (신경 세포 안팎 사이 등의) 활동 전위(電位)(spike).
áction réplay 《영》 =INSTANT REPLAY.
áction stàtion 〖군사〗 전투 배치.
ac·ti·vate [ǽktəvèit] *vt.* **1** 활동〔작동〕시키다. **2** 〖화학〗 활성화하다; (가열 등으로 반응을) 촉진하다. **3** 〖미군사〗 (부대를) 전시 편제로 하다; 〖스포츠〗 (선수를) 전열에 복귀시키다. **4** 〖수도〗 (호기성(好氣性) 세균에 의한 오수(汚水)의 분해 촉진을 위해) 오수를 기체와 접촉시키다. ㊞ **àc·ti·vá·tion** *n.* Ⓤ 활동화; 〖물리〗 활성〔방사〕화; 촉진; 《미》 (육군의) 편성; 전시 편성. **ác·ti·và·tor** [-tər] *n.* 활동적으로 하는 사람〔물건〕; 〖화학〗 활성제(劑); 〖생물〗 활성화체.
áctivated cárbon 〔**chárcoal**〕 활성탄.
áctivated slúdge 활성 슬러지〔오니(汚泥)〕.
activátion anàlysis 〖물리·화학〗 방사화〔활성화〕 분석.
activátion ènergy 〖화학〗 활성화 에너지.
áctivator RNÁ 〖생화학〗 활성화(活性化) RNA.
ac·tive [ǽktiv] *a.* **1 활동적인, 활동하는, 일하는, 민활한: an ~ life (공무 따위로) 바쁜 생활.

> SYN. **active** 사람이나 물건이 활동적인: an *active* man 활동적인 사람. **energetic** active보다 활동력이 강한: an *energetic* man 정력적인 사람. *energetic* laws 강력한 법률. **vigorous** 심신이 왕성한: a *vigorous* old man 원기 왕성한 노인.

2 활동 중인《화산 따위》, 활동성의; (통신 위성 따위가) 작동하고 있는: an ~ volcano 활화산(OPP. *an extinct volcano*). **3** 활기 있는(lively), 생생한: an ~ market 활발한 시황(市況). **4** 적극적인, 의욕적인; 능동적인. OPP. *passive.* ¶ ~ measures 적극적인 방책. **5** 소용 닿는, 실제상의, 실효 있는: I want ~ help. 나는 실제적인 도움이 필요하다. **6** (약이) 특효 있는: ~ remedies 특효적인 요법. **7** (계좌가) 사용 중인; 〖상업〗 이익〔이식〕을 내고 있는; 〖포커〗 태울 권리가 있는. **8** 〖언어〗 (어휘 등이) 활용할 수 있는: one's ~ vocabulary 사용〔표현〕 어휘. **9** 〖물리·화학〗 반응성〔활성, 방사능〕이 있는; 〖전자〗 (회로가) 에너지원을 갖고 있는, (소자가) 에너지를 부여하는. **10** 〖문법〗 능동태의. OPP. *passive.* ¶ the ~ voice 능동태. **11** 〖군사〗 현역의(OPP. *retired*); 〖의학〗 (병이) 활동성인, 진행〔퇴행〕 중인. **12** 〖부기〗 대폭적 흑자인.
—*n.* **1** (명목적 회원에 대해) 정규 회원; (정당 등의) 활동가, 첨예 분자. **2** (흔히 the ~) 〖문법〗 능동태(의 꼴). ***take an*** ~ ***part in*** …에서 활약하다.
㊞ *~·ly *ad.* 활동하여, 활발히. ~·**ness** *n.*

활동성, 적극성.

àctive bírth 적극적 출산법《출산시에 임산부가 좋아하는 자세를 취하도록 권하는 분만법》.

àctive cárbon =ACTIVATED CARBON.

àctive cítizen 《주로 영》 활동적 시민; (때때로 복수) 《우스개》 이(louse).

áctive communicátions sàtellite 능동형 통신 위성《송수신 기능을 갖춘》.

áctive cúrrent 〖전기〗 유효 전류(watt current).

áctive dúty 〖군사〗 현역(근무); 전시〔전지〕 근무. ***be on*** ~ 〖군사〗 현역 복무 중이다.

áctive euthanásia 적극적 안락사《임종 환자에게 죽음을 촉진시키는 일》.

áctive immúnity 능동〔자동, 자력〕 면역《감염·접종에 의한 면역》. cf. passive immunity.

áctive làyer 〖지학〗 활동층《영구동토층 상부의 여름철에 해빙하는 부분》.

áctive líst 〖군사〗 현역 명부: officers on the ~ 현역 장교.

áctive máss 〖화학〗 활동량.

áctive-mátrix LĊĎ 〖전자〗 액티브 매트릭스형(型) LCD〔액정 표시 장치〕. cf. passive-matrix LCD.

áctive prógram 〖컴퓨터〗 활동 프로그램《load되어 실행 가능 상태에 있는》.

áctive sàtellite 능동 위성《적재한 무선기로 전파를 수신·증폭·재(再)송신하는》. OPP. *passive satellite*.

áctive sérvice 〖군사〗 =ACTIVE DUTY.

áctive síte 〖생화학〗 활성 부위《효소 분자 중에 촉매 작용이 생기는 특정 부분》.

áctive sún 〖천문〗 (11년마다 생기는) 활동기의 태양.

áctive terminátion 〖컴퓨터〗 능동종단《주변기기의 데이지 체인(daisy chain)에서, 전기적인 간섭을 보정하는 기능을 가진 종단법》.

áctive tránsport 〖생리〗 능동(能動) 수송.

áctive wíndow 〖컴퓨터〗 액티브 윈도《다중 윈도 시스템에서 사용하고 있는 윈도》.

Áctive Ẋ 〖컴퓨터〗 액티브 엑스《마이크로소프트사가 제작한 하이퍼텍스트 관련 기술》.

ac·tiv·ism [ǽktəvìzəm] *n.* Ⓤ 행동〔실천〕주의. ㊎ **-ist** *a.*, *n.* 행동주의(자)의; 활동가(의). **àc·ti·vís·tic** *a.*

*__ac·tiv·i·ty__ [æktívəti] *n.* **1** Ⓤ 활동, 활약; 행동: mental ~ 정신 활동 / be in ~ (화산 등이) 활동중이다 / with ~ 활발히. **2** (종종 *pl.*) (여러) 활동; 활동 범위, 사업, 운동; (학교의 교과 외) 문화 활동: social *activities* 사회적 활동 / classroom 〔extracurricular〕 *activities* 교내〔과외〕 활동. **3** Ⓤ 활발한 움직임, 활기; 호경기: full of ~ 원기 충만하여. **4** Ⓤ (시장의) 활황; (심신의) 정상적인 움직임. **5** Ⓤ 〖물리·화학〗 활성(도), 활량; 방사능.

ac·tiv·ize [ǽktəvàiz] *vt.* =ACTIVATE.

áct of fáith 신앙〔신념〕에 바탕을 둔 행위, 신앙〔신념〕의 견고함을 실증하는 행위.

áct of indémnity 면책법, 위법성의 조각(阻却)사유 《위법행위를 합법화〔정당화〕하는 법률》.

ac·to·my·o·sin [æ̀ktəmáiəsin] *n.* 〖생화학〗 액토미오신《근육 수축에 관여하는 복합 단백질》.

ac·ton [ǽktən] *n.* 갑옷 밑에 받쳐 입던 옷.

‡**ac·tor** [ǽktər] *n.* **1** 배우, 남(배)우.

> SYN. **actor** 무대나 영화에 출연함을 직업으로 하는 사람. **player** 무대에서 연기하는 사람이며, 초심자에게도 이름.

2 참가자, 관계자. **3** 〖법률〗 행위자.

àctor-mánager *n.* 제작자 겸 주연.

Actors' Équity Associàtion 무대 배우 노동조합.

ACTP American College Testing Program.

‡**ac·tress** [ǽktris] *n.* 여(배)우. cf. actor. ***as the ~ said to the bishop*** 《구어·우스개》 별스러운 뜻이 아니라, 보통의 뜻으로. ㊎ **~y** *a.* 여배우의〔다운〕; 거드름 피우는, 연기성을 띤.

ACTU Australian Council of Trade Unions (오스트레일리아 노동조합 협의회).

‡**ac·tu·al** [ǽktʃuəl] *a.* **1** 현실의, 실제의, 사실의: in ~ fact 사실상(in fact) / an ~ line 〖수학〗 실선(實線). SYN. ⇨ REAL. **2** 현행의, 현재의: ~ money 현금 / the ~ state 〔locality〕 현(現)상황〔현지〕 / ~ stuff 〖상업〗 현물(現物). ***your ~*** 《구어·우스개》 실제〔정말, 진짜〕의.
— *n.* **1** 《구어》 다큐멘터리 (영화 〔프로그램〕). **2** (통계표의 설명어구에서) 실적(實績). **3** 현실; 현물. ㊎ **~·ness** *n.*

áctual addréss 〖컴퓨터〗 =ABSOLUTE ADDRESS.

áctual cásh válue 〖보험〗 실제 (현금) 가액, 시가(時價)《생략: ACV》.

áctual cóst 〖회계〗 실제 원가.

áctual gráce 〖가톨릭〗 도움의 은총.

áctual instrúction 〖컴퓨터〗 실효 명령.

ac·tu·al·ist [ǽktʃuəlist] *n.* 현실주의자.

ac·tu·a·li·té [æktjuæ̀li:téi, à:ktjuɑ:-; *F.* aktɥalite] *n.* 《F.》 현대적〔시사적〕 흥미, 현대성; (*pl.*) 시사적 화제〔사건〕, 뉴스.

ac·tu·al·i·ty [æ̀ktʃuǽləti] *n.* Ⓤ 현실(성), 실제; 사실; (*pl.*) 현상, 실정; 실황 기록〔녹음, 방송〕; 다큐멘터리: ~ film (있는 그대로의) 기록 영화 / face *actualities* 실정을 직시하다. ***in ~*** 현실로, 실제로.

ác·tu·al·ìze *vt.*, *vi.* 실현하다〔되다〕; 현실화하다; 사실적으로 그려내다; 잠재 능력을 발휘하(게 하)다. ㊎ **àc·tu·al·i·zá·tion** *n.* Ⓤ 현실화, 실현.

‡**ac·tu·al·ly** [ǽktʃuəli] *ad.* **1** 현실로, 실제로. **2** 실제(로)는, 사실은(really): He looks a bit weak, but ~ he is very strong. 그는 좀 약해 보이지만 실은 매우 튼튼하다. **3** 지금 현재로는. **4** 《강조 또는 놀람을 나타내어》 정말로(really): He ~ refused! 정말로 거절했다고요.

áctual sín 〖종교〗 자죄(自罪)《original sin 에 대하여 실제로 범한 죄》.

ac·tu·ar·i·al [æ̀ktʃuέəriəl] *a.* 보험 회계사(업무)의〔가 산정한〕; 보험 통계의. ㊎ **~·ly** *ad.*

ac·tu·ary [ǽktʃuèri/-əri] *n.* 보험 회계사; 《고어》 (법정의) 기록원, 서기.

ac·tu·ate [ǽktʃuèit] *vt.* (동력원이 기계를) 움직이다; (장치 등을) 발동〔시동, 작동〕시키다; (아무를) 자극하여 …하게 하다《*to* do》; 격려하다: What ~*d* him *to* kill himself? 어떤 동기로 자살하게 되었는가. ***be ~d by*** (어떤 동기)에 의하여 그 행위를 하다. ㊎ **àc·tu·á·tion** *n.* Ⓤ 발동〔충격〕 작용.

ác·tu·à·tor *n.* **1** 〖기계〗 작동기, 작동 장치. **2** 행동하게 하는 사람, 몰아대는 사람.

ACU 〖컴퓨터〗 automatic calling unit(자동 호출 장치). **AcU** 〖화학〗 actinouranium.

ac·u·ate [ǽkjuət, -èit] *a.* (끝이) 뾰족한.

acu·i·ty [əkjú:əti] *n.* Ⓤ (감각 등의) 예민함; (바늘 따위의) 예리함; (병의) 격렬함. ◇ acute *a.*

acu·le·ate [əkjú:liit, -èit] *a.* 끝이 뾰족한, 예리한; 〖식물〗 가시 있는; 〖동물〗 독침이 있는, (나방이) 날개에 가시 같은 소(小)돌기가 있는; 《비유》 예리한, 신랄한.

acu·le·us [əkjú:liəs] (*pl.* ***-lei*** [-liài]) *n.* (식물의) 가시; (곤충의) 독침.

acu·men [əkjú:mən, ǽkjə-] *n.* **1** Ⓤ 예민, 총명; 날카로운 통찰력: business ~ 상재(商才). **2** 〖식물〗 뾰족한 끝, 예두(銳頭).

acu·mi·nate [əkjú:mənət, -nèit] *a.* 〖식물〗 (잎·잎끝이) 뾰족한 (모양의). — [-nèit] *vt.*

뾰족하게〔날카롭게〕 하다. ㊞ **acù·mi·ná·tion** *n.* **1** Ⓤ 첨예화. **2** 첨두, 예봉.

acu·mi·nous [əkjú:mənəs] *a.* 날카로운, 명민한; 〚식물〛 (잎·잎끝이) 뾰족한 모양의(acuminate).

ac·u·na·tion [ækjənéiʃən] *n.* 화폐 주조. ㊞ **ác·u·nà·tor** *n.* 화폐 주조자.

ac·u·pres·sure [ǽkjəprèʃər] *n.* 지압 (요법). ㊞ **-sur·ist** *n.* 지압(요법)사.

ac·u·punc·tur·al [ækjəpʌ́ŋktʃərəl] *a.* 침에 의한: ~ anesthesia 침 마취.

ac·u·punc·ture [ǽkjəpʌ̀ŋktʃər] *n.* Ⓤ 침술(鍼術), 침 치료: ~ point 침의 혈. ── *vt.* …에게 침을 놓다. ㊞ **-tur·ist** *n.*

acus [éikəs] (*pl.* ~) *n.* (외과 수술용의) 바늘.

acut·ance [əkjú:təns] *n.* 〚사진〛 (화상(畫像) 윤곽의) 정확도(精確度), 첨예도(尖銳度).

***acute** [əkjú:t] *a.* **1** 날카로운, 뾰족한. OPP *obtuse*. ¶ an ~ leaf 끝이 뾰족한 잎. SYN. ⇨SHARP. **2** 민감한; 빈틈없는; 혜안의, 명민한: an ~ observer 예리한 관찰자. **3** 모진, 살을 에는 듯한《아픔·괴로움 등》; 심각한《사태 등》; 격심한《결핍·부족 따위》: ~ pain 격통/The situation is ~. 사태가 심각하다. **4** 〚식물〛 예형(銳形)의, 예두(銳頭)의; 〚수학〛 예각의; 〚음악〛 (음이) 높은, 날카로운: an ~ angle 예각/an ~ triangle 예각 삼각형. **5** 〚의학〛 급성의; (병원이) 급성 환자용의. OPP *chronic*. ¶ an ~ disease 급성병. **6** 양음(揚音) 부호(ˊ)가 붙은; 양음의. ◇acuity *n.* ── *n.* 〚음성〛 =ACUTE ACCENT. ㊞ **~·ly** *ad.* 날카롭게; 격심하게; 예민하게. **~·ness** *n.* 날카로움; 격심함; 명민함.

acúte áccent 양음 악센트 부호(ˊ).

acùte-cáre *a.* 《미》 급성병〔급성 환자〕 치료의.

acúte dóse 급성 선량(急性線量)《생물학적 회복이 어려울 정도로 단기간에 받은 방사 선량》.

ACV actual cash value; air-cushion vehicle.

ACW alternating continuous wave(s) (교류 연속 전파).

-a·cy [əsi] *suf.* '성질, 상태, 직(職)' 따위의 뜻: accur*acy*, celib*acy*, magistr*acy*.

acy·clo·vir [eisáiklouvìər, -klə-] *n.* 〚약학〛 아시클로비어《헤르페스(herpes)에 유효한 약》.

ac·yl [ǽsi(:)l] *n.* 〚화학〛 아실(기)(=∠ **ràdical** 〔**gròup**〕).

ad**[1] [æd] *n.* 《미구어》 광고(advertisement): an ~ agency 〔agent〕 광고 대행업소〔업자〕/an ~ column 광고란/an ~ rate 광고료/an ~ writer 광고 문안가. ***classified ~s (신문의) 안내〔3 행〕 광고.

ad[2] *n.* 〚테니스〛 advantage의 간약형《deuce 다음의 1점; server가 얻은 것을 ad in, receiver가 얻은 것을 ad out이라 함》.

ad [æd] *prep.* 《L.》 to, toward; up to; according to의 뜻.

ad- [æd, əd] *pref.* '접근, 방향, 변화, 첨가, 증가, 강조' 따위의 뜻: *ad*apt, *ad*here, *ad*vance.

-ad[1] [æd, əd] *suf.* 〘명사를 만듦〙 **1** '…개 부분을〔원자가를〕 갖는 것'의 뜻: hept*ad*, mon*ad*. **2** '…의 기간'의 뜻: chili*ad*, pent*ad*. **3** '…찬가'의 뜻: Ili*ad*. **4** '…의 정(精)'의 뜻: dry*ad*. **5** '…종류의 식물'의 뜻: cyc*ad*.

-ad[2] [æd, əd] *suf.* 〘부사를 만듦〙 〚생물〛 '…의 방향으로, …을 향하여'의 뜻: caud*ad*.

AD 〚군사〛 active duty; agent discount (fare). **ad.** adapted; adapter; adverb; advertisement.

***A.D., A.D., AD** [éidí:, ænoudɑ́mənài, -nì:/-dɔ́m-] 그리스도 기원 …, 서력 … 《*anno Domini* 《L.》 (=in the year of our Lord)의 간약형》. cf. B.C. ¶ A.D. 59; 59 A.D. 서력 59년. ★ 연대의 앞《주로 영》 또는 뒤《주로 미》에 쓰며, the 3rd century A.D. 따위에는 항상 뒤임; 인쇄에서는 보통 small capital.

A.D. drug addict《D.A. (District Attorney)와의 혼동을 피하여 위치를 바꿨음》. **a.d.** 〚상업〛 after date; *ante diem* 《L.》 (=before the day). **A/D** analog-to-digital: A/D conversion (아날로그 디지털〔A/D〕 변환).

ADA, Ada [éidə] *n.* 〚컴퓨터〛 에이다《미국 국방부가 개발한 프로그램 언어》.

ADA adenosine deaminase. **ADA, A.D.A.** Americans for Democratic Action; Atomic Development Authority.

ADAD [éidæd] *n.* 자동 전화 연결 장치《전화기에 꽂으면 저절로 연결되는 번호 카드 따위》. [◂ *a*utomatic telephone *d*ialing-*a*nnouncing *d*evice]

ad·age [ǽdidʒ] *n.* 격언, 금언; 속담. SYN. ⇨SAYING.

ada·gio [ədɑ́:dʒou, -ʒiòu] *ad., a.* 《It.》 〚음악〛 느리게; 느린. ── (*pl.* **~s**) *n.* 〚음악〛 아다지오곡〔속도〕; 완만히 추는 발레 댄스.

Ad·am[1] [ǽdəm] *n.* **1** 남자 이름. **2** 〚성서〛 아담《인류의 조상, 창세기 II:7》; 최초의 인간. (***as***) ***old as*** ~ 태고부터의; 진부한《뉴스 등》. ***not know*** a person ***from*** ~ 아무를 전혀 모르다, 본 일도 없다. ***since ~ was a lad*** 《영속어》 먼 옛날부터. ***the old*** ~ (회개하기 전의) 본디의 아담; 원죄, 인성(人性)의 악(惡). ***the second*** 〔***new***〕 ~ 제2의〔새로운〕 아담《그리스도》.

Ad·am[2] *a.* 아담 양식의《18세기 영국의 아담 형제 가구 설계가의 이름에서》.

ad·a·man·cy, -mance [ǽdəmənsi], [-məns] *n.* 불굴.

Adam[2]

ad·a·mant [ǽdəmənt, -mæ̀nt/-mənt] *n.* 더없이 굳은〔견고무비한〕 것, 《시어》 철석같이 굳음. (***as***) ***hard as*** ~ 쉬이 굴하지 않는; 매우 견고한. ── *a.* 더없이 단단한, 철석 같은; 강직한, 완강한; 강경히 주장하는; 불굴의: be ~ to …에 완강히 응하지 않다. ㊞ **~·ly** *ad.*

ad·a·man·tine [ædəmǽnti(:)n, -tain] *a.* (광택 등) 다이아몬드 같은, 견고무비한, 철석 같은; 견고한; 단호한: ~ courage 강용(剛勇).

Ad·am·ic [ədǽmik, ǽdəmik] *a.* (인간의 조상) Adam의〔같은〕. ㊞ **-i·cal** [ədǽmikəl] *a.* **-i·cal·ly** *ad.*

Ád·am·ìsm *n.* 〚의학〛 노출증.

Ad·am·ite [ǽdəmàit] *n.* Adam의 자손, 인간; 벌거숭이; 나체주의자(nudist).

Ad·ams [ǽdəmz] *n.* 애덤스. **1 John** ~ 미국의 제2대 대통령(1735–1826). **2 John Quincy** ~ 미국의 제6대 대통령(1767–1848). **3 Walter Sydney** ~ 미국의 천문학자《항성 분광학(分光學) 실제 연구의 선구자; 1876–1956》.

Ádam's ále 〔**wíne**〕 《구어》 물(water).

Ádam's àpple 결후(結喉). 「독가스의 일종.

ad·ams·ite [ǽdəmzàit] *n.* 재채기를 일으키는

Ádam's proféssion 원예, 농업.

adan·gle [ədǽŋgl] *a.* 매달려 있는.

****adapt** [ədǽpt] *vt.* 《+목+전+명》 **1** 적합〔적응〕시키다《a thing *to* another; *for* a purpose; *to* do; *for doing*》: ~ one's remarks *to* one's audience 청중을 고려하여 말을 조절하다. SYN. ⇨ADJUST. **2** 〘~ oneself〙 (새환경 따위에) 순응하다, 길들다《*to*》: ~ one*self to* a new life. 새 생활에 순응하다. **3** (건물·기계 등을) 개조하다

《*for*》: ~ a motorboat *for* fishing 모터보트를 낚시배로 개조하다. **4** 개작하다; 번안〔각색, 편곡〕하다(modify)《*for; from*》: ~ a novel *for* the stage 소설을 무대용으로 각색하다 / a play ~*ed from* the Latin original 라틴어 원전에서 번안한 희곡. **—** *vi.* (환경 등에) 순응하다《*to*》. ≒adopt. ◇ adaptation *n.* ~ one***self to the company*** 동료와 보조를 맞추다. ⓟ **~·ed** [-id] *a.* 적합한《*to*》; 개작(改作)된. **~·ed·ness** *n.*

adápt·a·ble *a.* 적응〔순응〕할 수 있는《*to*》, 융통성 있는; 개작〔각색〕할 수 있는《*for*》. ⓟ **adàpt·a·bíl·i·ty** *n.* 적응〔융통〕성; 개작 가능함. **~·ness** *n.*

°**ad·ap·ta·tion** [ӕdəptéiʃən] *n.* **1** Ⓤ 적응, 적합, 순응《*to*》; 〚생물〛 적응; 적응(하여 발달한) 구조〔형태, 습성〕: ~ syndrome 〚생리〛 적응 증후군. **2** Ⓒ 개작(물), 번안(물), 각색《*to; for; from*》: an ~ *from* an English novel 영국 소설로부터 번안. ◇ adapt *v.* ⓟ **~·al** *a.* **~·al·ly** *ad.*

adápt·er, adáp·tor *n.* 적합하게 하는 사람〔것〕; 각색자, 번안자; 〚전기·기계〛 어댑터; 〚화학〛 연결관〔기〕; 적응 인자; 〚컴퓨터〛 접속기.

adáp·tion *n.* =ADAPTATION.

adap·tive [ədǽptiv] *a.* 적합한, 적응하는; 적응될 수 있는; 적응을 돕는: ~ power 적응력. ⓟ **~·ly** *ad.* **~·ness** *n.* **ad·ap·tiv·i·ty** [ӕdæptívəti] *n.*

adáptive contról sỳstem 〚컴퓨터〛 적응 제어계.

adáptive convérgence 〚진화〛 적응 수렴《계통적으로 먼 종(種)이 특정 환경 적응으로 비슷한 특징을 가짐》.

adáptive óptics 적응 제어 광학《발사한 레이저광이 대기의 영향을 받지 않도록 미리 보정(補正)된 레이저광을 사출하는 기술》.

adáptive radiátion 〚진화〛 적응 방산(放散)《환경 적응에 따라 계통이 분리되는 것》.

adáptive róuting 〚컴퓨터〛 적응 경로 선정《통신량 등의 상황 변화에 따라 메시지의 전달 경로를 선택하는 방식》.

adap·to·gen [ədǽptədʒən] *n.* 적응 보조 물질《몸이 스트레스에 대하여 적응하는 데 도움을 준다고 생각되는 천연 물질》.

ad·ap·tom·e·ter [ӕdəptɑ́mətər/-tɔ́m-] *n.* 〚안과〛 명암 순응 측정기, 순응계.

ADAPTS [ədǽpts] *n.* 어댑츠《해양에서 기름 유출 사고 때 공중 투하식의 기름 확산 방지 또는 회수 설비》. [◂ *a*ir *d*eliverable *a*nti*p*ollution *t*ransfer *s*ystem]

Adar [ɑːdɑ́ːr, ə-] *n.* (유대력의) 제 12 월《태양력의 2-3월》.

ADAS [éidæs] 《미》 Agricultural Development and Advisory Services《1971년 설치》.

Á-dày *n.* =ABLE DAY; 개시〔완료〕 예정일.

adaz·zle [ədǽzəl] *ad., a.* 〖형용사로는 서술적〗 눈부시게; 눈부신.

ADB Asian Development Bank. **ADC** 《미》 Aerospace Defense Command (방위 항공우주군); 《미》 Aid to Dependent Children(모자(母子) 가정 부조(제도)); 〚컴퓨터〛 analog-to-digital converter(아날로그-디지털 변환기).

A.D.C. aid(e)-de-camp; Amateur Dramatic Club.

ad cap·tan·dum (***vul·gus***) [æd-kæptǽndəm(-vʌ́lgəs)] 《L.》 (=for catching the crowd) 인기를 얻기 위한〔위해〕; 선정적인.

Ád·cock antènna [ǽdkɑk-/-kɔk-] 〚전자〛 애드콕 안테나《방향 탐지용 안테나》.

Á/D convérter 〚컴퓨터〛 A/D 변환기, 연속 이산 변환기.

‡add [æd] *vt.* **1** 《~+목/+목+부/+목+전+명》 더하다, 가산하다; 증가〔추가〕하다《*to; in*》; 합산〔합계〕하다《*up; together*》: ~ a little salt 소금을 조금 넣다 / ~ *up* the grocery bills 식료품의 계정을 합계하다 / ~ sugar *to* tea 홍차에 설탕을 타다 / Two ~*ed to* three makes five. 3+2=5. **2** 《+*that* 절》 부언〔부기〕하다, 덧붙여 말하다: He ~*ed that* he would come again soon. 곧 다시 오겠다고 그는 부언했다. **3** 포함하다《*in*》. **—** *vi.* **1** 덧셈하다. **2** 《+전+명》 늘다, 붇다《*to*》. OPP *subtract*. ¶ This will ~ *to* our pleasure. 이것은 우리를 더욱 즐겁게 할 것이다. ◇ addition *n.* ~ ***in*** 산입하다, 더하다, 포함하다. ~ ***on*** 포함하다, 곁들이다. ~ ***up*** 《*vi.*+부》 ① 계산이 맞다. ② 《구어》 이치〔조리〕에 맞다, 이해되다. **—** 《*vt.*+부》 ③ 합계하다. ④ …에 대해 결론〔판단〕을 내리다. ~ ***up to*** 총계 …이 되다; 《구어》 결국 …의 뜻이 되다, …을 뜻하다(mean). ***to*** ~ ***to*** …에 더하여: *To* ~ *to* my distress... 더욱 곤란하게도…. **—** *n.* 〚신문〛 보충 〔추가〕 원고〔기사〕; 〚컴퓨터〛 더하기. ⓟ **∠-a·ble, ∠-i·ble** *a.* 더할 수 있는.

ADD attention deficit disorder. **add.** addenda; addendum; addition(al); address.

Ád·dams Fàmily [ǽdəmz-] (The ~) 애덤스 유령 일가《미국에서 인기 있던 도깨비 소동을 주제로 한 TV 프로; 1964-66》.

ad·dax [ǽdæks] *n.* 영양(羚羊)의 일종《북아프리카·아라비아산》.

ádded líne 〚음악〛 덧줄(ledger line).

ádded válue 〚경제〛 부가 가치.

ádded-válue tàx =VALUE-ADDED TAX.

ad·dend [ǽdend, ədénd] *n.* 〚수학〛 가수(加數).

ad·den·dum [ədéndəm] (*pl.* **-da** [-də]) *n.* (책의) 보유(補遺), 부록(appendix); 추가(사항); (*pl.* **~s**) 〚기계〛 (톱니바퀴의) 톱니 끝.

ad·der[1] [ǽdər] *n.* 독사의 일종《살무사류》.

add·er[2] *n.* 덧셈하는 사람; 가산기(器)(adding machine); 〚컴퓨터〛 덧셈기.

ádder's-tòngue 〚식물〛 *n.* 나도고사리삼속(屬)의 고사리; 얼레지속의 식물.

ádd·fàre *vi.* (운임의) 정산을 하다. **—** *n.* 운임 정산.

°**ad·dict** [ədíkt] *vt.* 〖보통 ~ oneself 또는 수동태로〗 빠지게 하다, 몰두〔탐닉〕시키다《*to*》, 마약 중독이 되게 하다. ★ 대개 나쁜 뜻. ¶ ~ one*self to* …에 빠지다〔열중하다〕 / *be* ~*ed to* …에 빠지다〔탐닉하다〕. **—** [ǽdikt] *n.* Ⓒ 어떤 습성에 탐닉하는 사람, 《특히》 (마약) 중독자; 열광적인 애호〔지지〕자: a morphine ~ 모르핀 중독자. ⓟ **ad·díc·tion** [əd-] *n.* U,C 열중, 탐닉; (…) 중독. **ad·díc·tive** [əd-] *a.* (약 따위가) 중독성인, 습관성인.

ad·díct·ed [-id] *a.* (나쁜 습관 등에) 빠져 있는; 탐닉한; (마약 따위에) 중독된. ⓟ **~·ness** *n.*

Ad·die, Ad·dy [ǽdi] *n.* 애디《여자 이름; Adelaide, Adelina, Adeline 의 애칭》.

ádd-ìn *n.* 〚컴퓨터〛 애드인. **1** 컴퓨터 등에 덧붙여 짜넣어 그 기능을 강화하는 것《확장 보드나 증설용 기억 IC 등》. **2** 큰 프로그램과 맞추어 사용하여 그 기능을 강화하는 프로그램. **—** *a.* 〚컴퓨터〛 애드인의, 덧붙여 짜넣기용의, 증설용의.

ádding machìne 가산기, 계산기.

ad·dio [ɑːdíːou] *int.* 《It.》 안녕.

Ad·dis Aba·ba [ǽdis-ǽbəbə] 아디스아바바《Ethiopia 의 수도》.

Ad·di·son [ǽdəsən] *n.* 애디슨. **1 Joseph** ~ 영국의 수필가·시인(1672-1719). **2 Thomas** ~ 영국의 의사(1793-1860). ⓟ **Ad·di·so·ni·an** [ӕdəsóuniən] *a.* 애디슨류의《세련된 문체를 말함》.

Áddison's disèase 애디슨병《피부가 갈색으로 되는 부신(副腎) 병》.

ad·dit·a·ment [ədítəmənt] *n.* 부가〔첨가〕물.

‡**ad·di·tion** [ədíʃən] *n.* **1** Ⓤ 추가, 부가. **2** Ⓒ 추가 사항, 부가물; 《미》 (건물의) 증축 부분, (소유지의) 확장 부분: have an ~ *to* one's family 가족이 하나 더 늘다. **3** Ⓤ,Ⓒ 〖수학〗 덧셈. [opp] *subtraction.* **4** (특히 인명에 붙는) 직함: an ~ *to* a name 직함. **5** 〖화학〗 첨가 반응. ◇ add *v.* ***in*** **~** 게다가, 그 위에. ***in*** **~** ***to*** …에 더하여, …위에 또(besides): He writes well *in* ~ *to* being a fine thinker. 그는 뛰어난 사상가인 데다가 문장력도 훌륭하다.

***ad·di·tion·al** [ədíʃənəl] *a.* 부가의〔적〕, 추가의; 특별한: an ~ budget 추가 예산 / an ~ charge 할증료. (파) **~·ly** *ad.* 그 위에, 게다가.

addítional táx 부가세.

addítion pòlymer 〖화학〗 첨가 중합체, 부가 중합체.

addítion pròduct 〖화학〗 첨가 생성물, 부가 생성물《불포화 결합의 포화를 수반함》.

ad·di·tive [ǽdətiv] *a.* 더할, 부가적인, 추가의; 〖수학〗 덧셈의. **—** *n.* 부가물〔요소, 어(語)〕; 혼합〔첨가〕제《내폭제·식품 첨가물 등》. ◇ add *v.* (파) **~·ly** *ad.* **àd·di·tív·i·ty** *n.*

àdditive-frée *a.* 첨가물이 들지 않은.

ad·di·to·ry [ǽdətɔ̀ːri/-təri] *a.* 추가〔확장〕적인, 부가적인; 부가할 수 있는.

ad·dle[1] [ǽdl] *a.* 썩은《달걀》; 혼탁한(muddled)《머리》; 공허한. **—** *vt.* 《~+[목]/+[목]+[전]+[명]》 (계란을) 썩히다; 혼란시키다: Don't ~ your mind *with* such a trifle. 그런 하찮은 것을 가지고 고민하지 마라. **—** *vi.* 혼란하다; (계란 따위가) 썩다. (파) **ád·dled** *a.*

ad·dle[2] *vt., vi.* 《N.Eng.》 벌다(earn).

áddle·bràined, -hèaded [-id], **-pàted** [-id] *a.* 머리가 혼란한, 논리적이 아닌; 아둔한.

addn. addition. **addnl.** additional.

ádd-òn *n.* **1** (컴퓨터·스테레오 등의) 추가 기기: an ~ *to* a computer 컴퓨터의 추가 기기. **2** 추가 요금. **3** 추가 조항, 부기(付記): This is just another legislative ~. 이것은 법률에 흔히 있는 부가 조항이다. **4** 〖금융〗 애드온 방식《원금과 이자를 합산하여 분할 변제하는 방식》(=**ádd-on lóan**). **—** *a.* 누산〔분할〕 방식의, 애드온의; 부가〔부속〕의: an ~ hard disk(컴퓨터에 접속한) 추가 하드 디스크.

ádd-on bòard 〖컴퓨터〗 =EXPANSION BOARD.

ádd-on mémory 〖컴퓨터〗 덧기억 장치《기본 기억 장치에 기억 용량을 확장할 목적으로 부가하는 기억 장치》.

ádd operátion 〖컴퓨터〗 덧셈《연산의 결과가 두 수의 합이 되게 하는 연산》.

†**ad·dress**[1] [ədrés] *n.* **1** [미+ǽdres] 받는이의 주소·성명, (편지 따위의) 겉봉; 주소; 〖컴퓨터〗 번지《(1) 기억 장치의 데이터가 적혀 있는 자리; 그 번호. (2) 명령의 어드레스 부분》: a person of no ~ 주소 불명인 사람. **2** (청중에의) 인사말, 연설(speech): an ~ of thanks 치사(致謝) / the opening 〔closing〕 ~ 개회〔폐회〕사 / an ~ of welcome 환영사 / a congratulatory ~ =an ~ of congratulation 축사 / a funeral ~ 조사(弔辭) / deliver 〔give〕 an ~ 일장의 강연을 하다. [SYN.] ⇨ SPEECH. **3** Ⓤ 응대하는 태도; 말하는〔노래하는〕 태도: a man of pleasing ~ 응대 솜씨가 좋은 사람. **4** Ⓤ 일처리 솜씨, 능란(한 솜씨): with ~ 솜씨 좋게 / show great ~ 솜씨가 매우 능란하다. **5** (*pl.*) 구애, 구혼: pay one's ~*es* to …에게 구애〔구혼〕하다. **6** 《미》 대통령의 교서; (the A–) 〖영의회〗 칙어 봉답문(勅語奉答文). **7** Ⓤ 제언(提言), 청원, 요청. **8** Ⓤ 〖골프〗 (타구 전의) 칠 자세. ***an*** **~** ***to the Throne*** 상주문. ***form of*** **~** ⇨ FORM.

†**ad·dress**[2] [ədrés] *vt.* **1** 《~+[목]/+[목]+*as* [보]》 …에게 이야기를〔말을〕 걸다, …에게 연설〔인사〕하다, (…를 …라고) 부르다: ~ an assembly 일동을 향해 연설〔인사〕하다 / ~ a person *as* 'General' 아무를 장군이라고 부르다. **2** 《~+[목]/+[목]+[전]+[명]》 (편지 등을) 보내다, (편지에) 받는이의 주소 성명을 쓰다, (편지를) …앞으로 내다《*to*》; 〖컴퓨터〗 (데이터를) 기억 장치의 번지에 넣다: ~ a parcel 소포에 받는이의 주소 성명을 쓰다 / ~ a letter *to* a person. **3** 《+[목]+[전]+[명]》 (문서 따위를) 제출하다, (비평·기원·경고 따위를) 보내다, …에게 전하다《*to*》: ~ a memorial 〔complaint〕 *to* the legislature 의회에 건의〔진정〕하다. **4** (여성)에게 구애하다. **5** 《미》 (입법부의 요청으로 법관을) 면관시키다. **6** 〖골프〗 (공을) 칠 자세를 취하다; 〖궁술〗 (활의) 쏠 자세를 취하다; 〖스퀘어댄스〗 (상대)를 향해 자세를 취하다: ~ the ball 〖골프〗 공을 칠 자세를 취하다. **7** (문제를) 역점을 두어 다루다. **~** ***oneself to*** …에게 말을 걸다, …에게 쓰다; …에 본격적으로 착수하다; 《구어》 (요리)에 손을 대다, …을 먹기 시작하다.

ad·dréss·a·ble *a.* 〖컴퓨터〗 어드레스로 끄집어낼 수 있는.

addréssable cúrser 〖컴퓨터〗 번지 지정 가능 커서.

addréssable póint 〖컴퓨터〗 번지 지정.

Áddress Bòok 〖컴퓨터〗 주소록《전자 우편을 사용하면서 자주 전자 우편을 주고받는 사람의 인터넷 및 PC 통신 주소를 저장·보관하는 것》.

áddress bùs 〖컴퓨터〗 어드레스 버스, 번지(番地) 버스.

addréss decóder 〖컴퓨터〗 번지 디코더《번지 데이터를 해독하여 기억 장소를 선택하는 회로》.

ad·dress·ee [ædresíː, ədrèsíː/ǽdresíː] *n.* (우편물·메시지의) 수신인, 받는이.

ad·dréss·er, -drés·sor [əd-] *n.* 말을 거는 사람; 이야기하는 사람; 발신인; 주소성명 인쇄기.

ad·dréss·ing [əd-] *n.* **1** 〖통신〗 어드레싱《국·단말의 교신 상대와의 접속·선택》. **2** 〖컴퓨터〗 번지 지정.

addréssing lèvel 〖컴퓨터〗 번지 지정 단계.

addréssing machine 주소성명 자동인쇄기.

addréssing mòde 〖컴퓨터〗 번지 지정 방식《셈숫자(operand)의 존재 장소를 지정하는 방식의 종별》.

addréss màpping 〖컴퓨터〗 번지 대응《가상 번지를 절대 번지로 변환하는 방법》.

Ad·dres·so·graph [ədrésəgræ̀f, -grɑ̀ːf] *n.* addressing machine의 상표명.

addréss règister 〖컴퓨터〗 번지 레지스터《실행되고 있는 명령의 번지를 기억하고 있는 레지스터》.

Addréss Resolútion Pròtocol 〖컴퓨터〗 주소 도출 프로토콜《인터넷에서 네트워크에 접속돼 있는 컴퓨터 인터넷 주소와 이더넷(Ethernet) 주소를 대응시키는 프로토콜》.

áddress spàce 〖컴퓨터〗 번지 공간《CPU, OS, 응용(application) 등이 접근(access)할 수 있는 기억 번지(memory address)의 범위》.

ad·duce [ədjúːs/ədjúːs] *vt.* (이유, 증거 따위를) 제시하다, 예증으로서 들다. (파) **~·a·ble, ad·dúc·i·ble** *a.* (예증으로) 제시〔인용〕할 수 있는.

ad·du·cent [ədjúːsənt/ədjúː-] *a.* 〖생리〗 내전(內轉)의: ~ muscles 내전근.

ad·duct[1] [ədʌ́kt] *vt.* 〖생리〗 내전(內轉)시키다. [opp] *abduct.*

ad·duct[2] [ǽdʌkt] *n.* 〖화학〗 부가 생성물〔화합물〕, 부가물.

ad·duc·tion [ədʌ́kʃən] *n.* Ⓤ 이유 제시, 인용(引用), 인증(引證); 〖생리〗 내전(內轉).

ad·duc·tive [ədʌ́ktiv] *a.* 〖생리〗 내전(內轉)

하는, 내전의. 「조개의) 폐각근.
ad·duc·tor [ədʌ́ktər] *n.* 내전근(筋); (쌍각류
ádd-ùp *n.* 《미구어》 결론, 요점, 요약.
-ade [éid, ɑ́:d, ǽd] *suf.* '행위, 생성물, 결과, 과즙 음료, 행동 참가자(들)' 의 뜻의 명사를 만듦: block*ade*; pom*ade*; brig*ade*.
Ad·e·laide [ǽdəlèid] *n.* 애들레이드. **1** South Australia주의 주도. **2** 여자 이름《애칭: Addie, Addy》.
Adé·lie (pènguin) [ədéili(-)] 〖조류〗 아델리 펭귄《남극의 소형 펭귄》.
Ad·e·line [ǽdəlàin/-lì:n] *n.* 애덜린《여자 이름; 애칭은 Addie, Addy》.
adel·phic [ədélfik] *a.* (일부다처제〔일처다부제〕하에서) 처〔남편〕들이 서로 자매〔형제〕인; 관련된 요소를 포함하는〔가 서로 관계하는〕.
-adel·phous [ədélfəs] '다발 모양의 수술을 갖는' 의 뜻의 결합사: mon*adelphous*.
ademp·tion [ədémpʃən] *n.* 〖법률〗 유증(遺贈) 철회.
Aden [ɑ́:dn, éi-/éi-] *n.* 아덴《예멘 남서부의 도시; 통일 전 남예멘의 수도》.
aden- [ǽdən], **ad·e·no-** [ǽdənou, -nə] '선(腺)' 의 뜻의 결합사.
Ade·nau·er [ǽdənàuər, ɑ́:d-] *n.* **Konrad** ~ 아데나워《통일 전 서독 초대 수상; 1876-1967》.
ad·e·nec·to·my [æ̀dənéktəmi] *n.* Ⓤ,Ⓒ 〖외과〗 경부(頸部) 림프선 제거.
ad·e·nine [ǽdənì:n, -nàin] *n.* 〖생화학〗 아데닌《췌장 등의 동물 조직 중에 있는 염기(塩基)》.
ad·e·ni·tis [æ̀dənáitis] *n.* 〖의학〗 선염(腺炎).
àdeno·carcinóma (*pl.* **~s, ~·ta**) *n.* 〖의학〗 선암종(腺癌腫). ㊕ **-carcinómatous** *a.*
ad·e·noid [ǽdənɔ̀id] *n.* 〖해부〗 인두(咽頭) 편도(扁桃); (*pl.*) 〖의학〗 아데노이드, 선(腺)증식 비대(증)(= ∠ **grówth**). ― *a.* 선(상)(腺(狀))의, 아데노이드의; 인두 편도선의.
ad·e·noi·dal [æ̀dənɔ́idl] *a.* =ADENOID; 아데노이드 증상(특유)의《입호흡·콧소리 등》.
ad·e·noid·ec·to·my [æ̀dənɔidéktəmi] *n.* Ⓤ,Ⓒ 〖외과〗 아데노이드 절제술, 선(腺)증식 전적출(全摘出).
ad·e·noid·i·tis [æ̀dənɔidáitis] *n.* 〖의학〗 아데노이드염; 인두 편도염.
ad·e·no·ma [æ̀dənóumə] (*pl.* **~s, ~·ta** [-tə]) *n.* 〖의학〗 아데노마, 선종(腺腫). ㊕ **-nóm·a·tous** [-nɑ́mətəs/-nɔ́m-] *a.*
ad·e·nose, -nous [ǽdənòus], [-nəs] *a.* 선(腺)의, 선(腺) 모양의; (보통 adenose) 선(腺)이 있는. 「아데노신.
aden·o·sine [ədénəsì:n, -sin] *n.* 〖생화학〗
adénosine deáminase 아데노신 데아미나아제《핵산 분해 경로에 속하는 효소의 하나; 아데노신을 암모니아로 분해하는 활성을 지님; 생략: ADA》.
adénosine deáminase deficiency 아데노신 데아미나아제 결손증(=**ÁDÁ defíciency**)《면역 부전증을 일으킴》.
adénosine diphósphate 〖생화학〗 아데노신 2 인산(燐酸)《생략: ADP》.
adénosine monophósphate 〖생화학〗 아데노신 1 인산《생략: AMP》.
adénosine triphósphate 〖생화학〗 아데노신 3 인산《생물의 에너지 전달체; 에너지의 획득과 이용에 중요한 작용을 하는 물질; 생략: ATP》.
ad·e·no·sis [æ̀dənóusis] (*pl.* **-ses** [-si:z]) *n.* 〖의학〗 선증(腺症).
àdeno·vírus *n.* 〖의학〗 아데노바이러스.
ad·e·nyl [ǽdənìl] *n.* 〖화학〗 아데닐《아데닌에서 유도되는 1 가의 기(基)》.
ad·e·nyl·ate cy·clase [ədénələtsáikleis, -lèit-, ǽdənəl-] 〖생화학〗 아데닐 시클라아제《ATP에서 cyclic AMP를 생성하는 반응을 촉매하는 효소》.
ádenyl cýclase =ADENYLATE CYCLASE.
ad·e·nýl·ic ácid [æ̀dənílik-] 〖생화학〗 아데닐산《RNA 또는 ATP의 일부 가수분해로 얻어지는 뉴클레오티드》.
adept [ədépt/ǽdept] *a.* 숙련된; 정통한, 환한 《*in* an art; *in* 〔*at*〕 do*ing*》. ― [ǽdept] *n.* 숙련자, 명인(expert), 달인(達人)《*in; at*》, 열렬한 신자〔지지자〕《*of*》. ㊕ **~·ly** *ad.* **~·ness** *n.*
ad·e·qua·cy [ǽdikwəsi] *n.* Ⓤ 적당〔타당〕함 ; 충분함.
***ad·e·quate** [ǽdikwət] *a.* **1** (어떤 목적에) 어울리는, 적당한, 충분한; (직무를 다할) 능력이 있는, 적임의《*to; for*》: ~ *to* one's needs 필요를 충족시키기에 충분한 / ~ food *for* 50 people, 50 명을 위한 충분한 음식 / data ~ *to* prove an argument 주장을 입증하기에 적절한 자료. SYN. ⇨ENOUGH. **2** 겨우 필요조건을 충족하는, 그런대로 어울리는: The leading actor was (only) ~. 주연의 연기는 겨우 합격선이었다. **3** 법적으로 충분한 《근거》. ㊕ **~·ly** *ad.* **~·ness** *n.*
***ad eun·dem* (*gra·dum*)** [æd-i:ʌ́ndəm (gréidəm)] 《L.》 같은 정도로(의); 동학년에 (=to the same (standing)).
à deux [ɑ:də́:] 《F.》 둘이서〔의〕, 두 사람을 위해〔위한〕; 은밀히 둘만으로〔만의〕.
ad ex·tre·mum [æd-ekstrí:məm] 《L.》 (=to the extreme) 결국, 끝내.
ADF automatic direction finder. 「많은 신문.
ád-fàt *a.* 광고가 많은: an ~ newspaper 광고가
ad fi·nem [æd-fáinəm] 《L.》 (=to 〔at〕 the end) 최후(에 이르기)까지《생략: *ad fin.*》.
ad·freeze [ædfrí:z] *vt.* 빙결력(氷結力)으로 고정〔고착〕시키다.
ADH 〖생화학〗 antidiuretic hormone. **ADHD** attention deficit hyperactivity disorder(주의력 결핍 과잉행동 장애).
***ad·here** [ædhíər, əd] *vi.* 《+전+명》 **1** 점착〔부착, 유착〕하다《*to*》: Mud ~*d to* his clothes. 옷에 흙이 말라붙었다. **2** 고수하다, 집착하다 《*to*》; 신봉하다, 지지하다《*to*》: ~ *to* a plan 계획을 고수하다. **3** (조약에) 가맹하다. ◇ adhesion, adherence *n.* ㊕ **ad·hér·er** [-rər] *n.*
ad·her·ence [ædhíərəns] *n.* Ⓤ 고수, 묵수(墨守), 집착《*to*》; 점착(粘着), 부착《*to*》; 충실한 지지: ~ *to* a principle 주의(主義)의 고수. ★ 대체로 adherence는 추상적, adhesion은 구체적인 뜻으로 쓰임.
ad·her·end [ædhíərənd, əd-, æ̀dhiərénd] *n.* 〖화학〗 점착〔밀착, 유착〕물; 접착면.
°**ad·her·ent** [ædhíərənt] *a.* 들러붙는, 부착하는; 점착성의; (주의 등을) 신봉하는《*to*》; (정식으로) 가맹한《*to*》; 〖식물〗 착생(着生)하는. ― *n.* 자기편; 지지자, 신봉자, 신자《*of;* 때로 *to*》; (*pl.*) 여당: nominal ~*s of* a religion 이름뿐인 신자. ㊕ **~·ly** *ad.*
ad·he·sion [ædhí:ʒən] *n.* Ⓤ **1** 점착, 부착, 고착, 흡착. **2** 집착, 애착, 고수. **3** 충실한 지지〔신봉〕, (지지 표명으로서의) 참가, 가맹《*to*》: give in one's ~ *to* a treaty 조약에 가입〔가맹〕을 통지하다. **4** Ⓤ,Ⓒ 〖물리〗 부착(력); 〖의학〗 유착; 〖식물〗 착생, 합착. ㊕ **~·al** *a.*
ad·he·sive [ædhí:siv, -ziv] *a.* 점착성〔접착성〕의; 들러붙어 떨어지지 않는; 염두에서 떠나지 않는: an ~ envelope 풀칠한 봉투. ― *n.* 점착물, 접착제; 접착 테이프, 반창고. ㊕ **~·ly** *ad.* **~·ness** *n.*

adhésive bàndage (거즈가 붙어 있는) 반창고.

adhésive bínding 〖제본〗 무선철(無線綴). ㊞ **adhésive-bòund** *a.*

adhésive tàpe 〔**plàster**〕 접착 테이프, 반창고.

ad·hib·it [ædhíbit] *vt.* (사람 · 물건을) 넣다 (take in, admit); (레터르 따위를) 붙이다 (affix); (의약 · 요법을) 쓰다(apply). ㊞ **ad·hi·bi·tion** [ædhibíʃən] *n.* Ⓤ 사용, 적용.

ad hoc [æd-hάk/-hɔ́k] 《L.》 (=for this) 특별 목적을 위하여〔위한〕, 특별히〔한〕, 임시의; 이 문제에 관하여〔관한〕: an ~ election 특별 선거.

ad hoc(k)·ery [æd-hάkəri/-hɔ́k-] 임기 응변의 정책〔결정〕.

ad·hoc·ra·cy [ædhάkrəsi/-hɔ́k-] *n.* Ⓤ,Ⓒ 임시 심의 기구《일시적으로 편성되어 목적을 이루면 해산하는 조직》.

ad ho·mi·nem [æd-hάmənəm/-hɔ́m-] 《L.》 그 사람에게; 개인적인; (의논이) 지성보다 감정 · 편견에 호소하여, (의논 자체보다) 논적을 향한〔하여〕, 인신공격의〔으로〕.

ADI acceptable daily intake ((유해 물질의) 1일 허용 섭취량); area of dominant influence 《특정 TV〔라디오〕 프로가 잘 시청되는 지역》.

ad·i·a·bat·ic [ædiəbǽtik, èidaiə-] *a.* 〖물리〗 단열의; 열의 드나듦이 없이 일어나는. ─ *n.* 단열곡선. ㊞ **-i·cal·ly** *ad.*

ad·i·an·tum [ædiǽntəm] *n.* 〖식물〗 섬공작고사리; =MAIDENHAIR.

ad·i·aph·o·re·sis [ædiæ̀fəríːsis, ədàiəfə-] *n.* 〖의학〗 발한 결여(發汗缺如); 무한증(無汗症).

ad·i·aph·o·rism [ædiǽfərìzəm] *n.* (성서에서 자유재량에 맡겨져 있는 행위 · 신조에 대한) 무관심(주의), 관용(주의). ㊞ **-rist** *n.* **àd·i·àph·o·rís·tic** *a.*

ad·i·aph·o·rous [ædiǽfərəs] *a.* 도덕적으로 중간적인, 착하지도 악하지도 않은; (약 따위가) 무해무익한, 무반응의.

Adi·das [ədíːdəz] *n.* 아디다스《스포츠웨어 및 용품의 상표명; 그 제조 회사》.

adieu [ədjúː/ədjúː] *int.* 안녕(히 가세요〔계세요〕). ─ (*pl.* **~s, ~x** [-z]) *n.* 이별, 작별, 고별 (good-bye): bid ~ to =make 〔take〕 one's ~ to …에게 이별을 고하다.

ad in·fi·ni·tum [æd-ìnfənáitəm] 《L.》 영구히, 무한히《생략: ad. inf., ad infin.》.

ad in·te·rim [æd-íntərim] 《L.》 당분간; 잠정적인, 임시의《생략: ad int.》: *chargé d'affaires ad int.* 임시 대리 공사〔대사〕/ the Premier *ad int.* 임시 수상 / an ~ report 중간 보고.

ad·i·os [ædióus, ὰːdi-] *int.* 《Sp.》 (=to God) =ADIEU.

ad·i·po- [ǽdəpou, -pə] '지방(脂肪), 지방 조직'의 뜻의 결합사.

ad·i·po·cere [ǽdəpousìər] *n.* Ⓤ 시체의 지방, 시지(屍脂).

ad·i·pose [ǽdəpòus] *a.* 지방(질)의, 지방이 많은. ─ *n.* 동물성 지방. ㊞ **~·ness** *n.*

ádipose fín (물고기의) 기름 지느러미.

ádipose tíssue 〖동물〗 지방 조직.

ad·i·po·sis [ædəpóusis] (*pl.* **-ses** [-siːz]) *n.* 〖의학〗 (특히 간장 · 심장 등의) 지방과다증; 비만증.

ad·i·pos·i·ty [ædəpάsəti/-pɔ́s-] *n.* 비만(증), 지방 과다(증).

Ad·i·ron·dack [ædərάndæk/-rɔ́n-] *n.* **1** (*pl.* **~, ~s**) 아디론댁족(族)《본시 St. Lawrence 강 북안(北岸)에 살던 북아메리카 인디언의 일족》. **2** (the ~s) =ADIRONDACK MOUNTAINS.

Adiróndack Móuntains (the ~) 미국 New York 주 북동쪽에 있는 산맥.

ad·it [ǽdit] *n.* 입구; 〖광산〗 횡갱(橫坑).

ADIZ [éidiz] air defense identification zone(방공 식별권(識別圈)). **adj.** adjacent; adjective, adjourned; adjunct; adjustment; adjutant.

ad·ja·cen·cy [ədʒéisənsi] *n.* Ⓤ 인접《*to*》; 인접하는 것; (보통 *pl.*) 근방, 인접지; 〖방송〗 (다른 프로그램의) 직전〔직후〕의 프로.

◇**ad·ja·cent** [ədʒéisənt] *a.* 접근한, 인접한, 부근의《*to*》. cf. adjoining. ¶ ~ villages 인근 마을들. ㊞ **~·ly** *ad.*

adjácent ángles 〖수학〗 이웃각.

ad·ject [ədʒékt] *vt.* 《고어》 …을 더하다, 붙이다.

ad·jec·ti·val [ædʒiktáivəl] *a.* 형용사(적)인; 형용사를 만드는《접미사》; 형용사가 많은《문체》. ─ *n.* 형용사적 어구. ㊞ **~·ly** *ad.*

***ad·jec·tive** [ǽdʒiktiv] *n.* 형용사. ─ *a.* 형용사의〔적인〕; 부수적〔종속적〕인; 〖법률〗 소송 절차의: an ~ clause 형용사절. ㊞ **~·ly** *ad.*

ádjective láw 부속〔절차〕법. OPP. *substantive law.*

◇**ad·join** [ədʒɔ́in] *vt., vi.* 접하다, …에 인접〔이웃〕하다: The two houses ~. 두 집은 서로 이웃해 있다.

ad·jóin·ing *a.* 인접한; 부근〔이웃〕의. cf. adjacent. ¶ ~ rooms 옆방.

◇**ad·journ** [ədʒə́ːrn] *vt.* **1** …을 휴회〔산회, 폐회〕하다: ~ the court 재판을 휴정하다. **2** 《~+목/+목+전+명》 (심의 등을) 연기하다, 이월하다: The meeting was *~ed until* the next week. 회의는 다음 주까지 연기되었다. ─ *vi.* 《+전+명》 **1** 휴회〔산회, 폐회〕하다; 《구어》 일을 중단하다: ~ *without* day 〔sine die〕 무기 연기되다. **2** 《구어》 자리를 옮기다《*to*》: Let's ~ *to* the hall. 홀로 옮기자. ㊞ **~·ment** *n.* Ⓤ,Ⓒ (의사(議事) 등의) 미룸; (회의 등의) 연기; 휴회 (기간); 자리 이동.

adjt. adjutant. **Adjt. Gen.** Adjutant General.

ad·judge [ədʒʌ́dʒ] *vt.* **1** 《+목+(*to be*) 보/+*that* 절/+목+*to* do/+목+전+명》 …을 결정하다, 재결하다; 선고하다: The will was *~d* (*to be*) void. =They *~d that* the will was void. 유언이 무효 결정을 받았다 / The kidnapper was *~d to* die 〔*to* death〕. 유괴범에게 사형이 선고되었다. **2** 판결하다, 재판하다. **3** 《+목+전+명》 (상품 따위를) 수여하다; 선정하다《*to*》: The prize was *~d to* him. 상이 그에게 수여되었다. **4** 《+목+보》 (…로) 생각하다: It was *~d* wise to take small risks. 너무 위험을 무릅쓰지 않는 것이 현명하다고 생각되었다. ㊞ **ad·júdg(e)·ment** *n.* 판결; 선고; 심판, 판정; (심사에 의한) 시상, 수상(授賞).

ad·ju·di·cate [ədʒúːdikèit] *vt.* **1** (…로) 판결하다, 재결하다. **2** 《~+목/+목+(*to be*) 보》 (…로) 선고하다: The court *~d* him (*to be*) guilty. 법정은 그를 유죄로 선고하였다 / an *~d* lunatic (정신병에 의한) 금치산자. ─ *vi.* 《~/+전+명》 판결하다, 심판하다《*on, upon*》: He *~d upon* the case of murder. 그가 그 살인 사건을 재판하였다. ㊞ **-cà·tive** [-kèitiv, -kətiv] *a.* 판결의. **-cà·tor** [-tər] *n.* 재판관, 심판관.

ad·jù·di·cá·tion *n.* Ⓤ,Ⓒ 판결(을 내림); (파산 등의) 선고를 함: former ~ 〖법률〗 =RES JUDICATA.

ad·junct [ǽdʒʌŋkt] *n.* 부속〔종속〕물《*to; of*》; 보조자, 조수; 〖문법〗 수식어구, 부가어(附加語); 〖논리〗 첨성(添性). ─ *a.* **1** 부속된, 부수의. **2** 일시 고용의. OPP. *permanent.* ㊞ **~·ly** *ad.* **ad·junc·tive** [ədʒʌ́ŋktiv] *a.* 부속의, 보조의; 〖의학〗 adjuvant 를 사용한. **-tive·ly** *ad.*

ad·junc·tion [ədʒʌ́ŋkʃən] *n.* 부가; 〖수학〗 첨가.

ádjunct proféssor 《미》 객원 교수; (일부 대학에서) 부교수(associate professor). 〔킴〕; 간원.

ad·ju·ra·tion [æ̀dʒəréiʃən] *n.* U,C 선서(시

ad·jur·a·to·ry [ədʒúərətɔ̀ːri/-təri] *a.* 서원(誓願)의; 엄명의.

ad·jure [ədʒúər] *vt.* …에게 엄명하다; …에게 간원하다, 탄원하다(entreat)《*to*》: I ~ you *to* do it. 제발 그리 해 주세요.

ad·just [ədʒʌ́st] *vt.* **1** 《~+목/+목+전+명》 (꼭) 맞추다, 조정하다《표준 · 요구 따위에》; (옷의) 치수를 맞추다: ~ a clock 시계를 맞추다/~ expenses *to* income 지출을 수입에 맞추다. **2** 《+목+전+명》 (기계 등을) 조절〔조정〕하다, 정비하다, 매만져 바로잡다: ~ a telescope *to* one's eye 망원경을 눈에 맞추다. **3** 순응시키다. **4** (분쟁 등을) 조정하다. **5** (계산 따위를) 청산하다; 〖보험〗 (지급 금액을) 결정하다《요구액에 대하여》. **6** (총의 올려본 각 · 편차를) 수정하다. **—***vi.* 순응하다; 조정되다. ~ one*self* 옷차림을 단정히 하다; (환경 따위에) 순응하다.

> SYN. **adjust** 낱낱의 것을 조화 · 조정하다. **adapt** 새로운 사태에 순응하다. **accommodate** 표면적 · 일시적인 조화를 나타냄. adapt 보다 양보 · 타협을 나타낼 때 쓰임.

㊕ **~·a·ble** *a.* 조정〔조절〕할 수 있는. **ad·jùst·a·bíl·i·ty** *n.*

adjústable-ràte mórtgage 《미》 변동금리 담보대출〔저당융자〕《생략: ARM》.

adjústable wrénch 《미》 자재 렌치〔스패너〕.

ad·júst·ed [-id] *a.* 조정〔조절〕된〔이 끝난〕, 보정(補正)된; 적응〔순응〕한.

adjústed gróss íncome 조정 후 총소득, 과세 총소득《생략: AGI》.

ad·júst·er, -jús·tor *n.* 조정〔조절〕자; 조절기〔장치〕; 〖보험〗 손해 사정인; 정산인; (보통 adjustor) 〖동물〗 조정체.

ad·jus·tive [ədʒʌ́stiv] *a.* 조절〔조정〕(용)의: a chair with ~ motions 조절 기능이 있는 의자.

ad·just·ment [ədʒʌ́stmənt] *n.* U,C 조정(調整), 정리; 조절; 조정(調停); 〖보험〗 정산(精算)(서); 〖심리〗 적응; 〖생태〗 적합: an ~ board 〖노조〗 조정 위원회.

adjústment bònd 〖증권〗 수익사채(收益社債)(income bond); (수익이 나면 이자를 지급하는) 회사 재건 사채.

adjústment cénter 《미》 교정(矯正) 센터《사납거나 정신 장애의 수형(受刑)자를 위한 독방》.

ad·ju·tage, aj·u- [ǽdʒətidʒ, ədʒúː-] *n.* (분수 따위의) 방수관, 분사관(噴射管).

ad·ju·tant [ǽdʒətənt] *a.* 보조의. **—***n.* 〖군사〗 부관; 조수; 〖조류〗 무수리(=~ **bìrd** 〔**stòrk**〕). ㊕ **ád·ju·tan·cy** *n.* 부관〔조수〕의 직.

ádjutant géneral (*pl.* ***ádjutants géneral***) 총무과장; 부관 참모〔감〕; (the A- G-) 〖미군사〗 군무국장(軍務局長).

ad·ju·vant [ǽdʒəvənt] *a.* 보조의. **—***n.* 도움이 되는 것〔사람〕; (도료 등의) 보조제; 〖의학〗 보조적 수단〔약제〕《X선 · 항생 물질 등》, (약제의 효과를 돕는) 보조약.

ád·lànd *n.* 광고업계.

ad·lay, ad·lai [ǽdlai] *n.* 〖식물〗 율무.

ád·less *a.* 《구어》 광고 없는《잡지 따위》.

ad lib [ædlíb] 《구어》 〔부사적〕 생각대로, 무제한, 자유로이; 〔명사적〕 즉흥적인 연주〔대사〕, 임시 변통의 일. [◂ *ad libitum*]

ad-lib [ædlíb] (*-bb-*) *vt., vi* 《구어》 (대본에 없는 대사 따위를) 즉흥적으로 주워대다〔연기하다〕; (악보에 없는 것을) 즉흥적으로 노래〔연주〕하다. **—***ad.* 즉흥적으로. **—***a.* 즉흥적인; 임의〔무제한〕의. **—***n.* =AD LIB.

ad lib. ad libitum.

ad lib·i·tum [æd-líbitəm] 《L.》 임의로, 무제한으로; 연주자 임의의《생략: ad lib.》.

ad li·tem [æd-láitem] 《L.》 〖법률〗 당해 소송에 관한: a guardian ~ 소송을 위한 후견인.

ad lit·ter·am [æd-lítəræ̀m] 《L.》 (=to the letter) 글자〔정의〕대로, 엄밀히.

ad lo·cum [æd-lóukəm] 《L.》 (=to 〔at〕 the place) 그 장소로〔에서〕《생략: *ad loc.*》.

ADM air-launched decoy missile(공중 발사 유인 미사일); atomic demolition munitions (폭파용 핵자재). **Adm.** Admiral(ty). **adm.** administration; administrative; administrator; admission; admitted.

ád·man [-mæ̀n, -mən] (*pl.* ***-men*** [-mèn, -mən]) *n.* 《구어》 광고업자, 광고 권유원; 광고 전문 식자공. ★ 여성형은 **ád·wòman.**

ád·màss *n., a.* 매스컴을 이용한 판매 방식(의); 그 영향을 받기 쉬운 일반 대중(의): ~ entertainment 대중성 오락.

ad·meas·ure [ædméʒər] *vt.* 할당〔배분〕하다; 달다, 재다, 계량하다. ㊕ **~·ment** *n.* U,C 할당, 배분; 계량, 측정; 용적, 치수.

Ad·me·tus [ædmíːtəs] *n.* 〖그리스신화〗 아드메토스《Thessaly 왕으로 the Argonauts 의 한 사람》.

ad·min [ǽdmin] *n.* 《영구어》 정부(政府). [◂ *admin*istration]

admin. administration; administrator.

ad·min·i·cle [ædmínikəl] *n.* 보조인〔물〕; 〖법률〗 부증(副證), 보강적 증거. ㊕ **ad·mi·nic·u·lar** [æ̀dmənikjələr] *a.*

ad·min·is·ter [ædmínistər, əd-/əd-] *vt.* **1** 관리하다, 지배〔통치〕하다: ~ the affairs of state 국무(國務)를 보다. **2** 《~+목/+목+전+명》 (법령 · 의식 등을) 집행하다: ~ justice *to* a person 아무를 재판에 걸다. **3** 베풀다, 주다, 공급하다《*to*》: ~ aid. **4** 《+목+전+명》 (약 따위를) 복용시키다: ~ medicine *to* a person 아무에게 투약하다. **5** 《+목+목/+목+전+명》 (사람에게 타격 따위를) 가하다, …을 과하다, 지우다, 강제하다: ~ a person a punch on the jaw 턱에 일격을 가하다/~ a severe blow *to* a person 아무에게 통렬한 일격을 가하다/~ a rebuke 꾸짖다《*to*》. **6** 〖법률〗 (유산을) 관리〔처분〕하다. **7** 《+목+전+명》 (…에게) 선서시키다《*to*》: ~ an oath *to* a person 아무에게 선서케 하다. **—***vi.* **1** 관리하다; 〖법률〗 유산을 관리하다. **2** 《+전+명》 보충하다, 돕다; 공헌하다《*to*》: Health ~*s to* peace of mind. 건강은 마음의 평화를 돕는다. ◇ administration *n.*, administrative *a.*

admínistered príce 관리 가격.

admínistered príce inflàtion 관리 가격 인플레이션《관리 가격 인상 원인으로 일어나는 인플레이션》.

ad·min·is·tra·ble [ædmínəstrəbəl, əd-/əd-] *a.* 관리〔처리〕할 수 있는; 집행할 수 있는.

ad·min·is·trant [ædmínəstrənt, əd-/əd-] *a., n.* 관리하는 (사람).

ad·min·is·trate [ædmínəstrèit, əd-/əd-] *vt., vi.* =ADMINISTER.

ad·min·is·tra·tion [ædmìnəstréiʃən, əd-/əd-] *n.* U **1** 관리, 경영, 지배(management); (the ~) 〔집합적〕 관리 책임자들, 집행부, 경영진: the board of ~ 이사회. **2** 행정, 통치; 행정〔통치〕 기간〔임기〕: mandatory ~ 위임 통치/give good ~ 선정을 펴다/during the Bush

Administration 부시 대통령 재임 중에 / civil 〔military〕 ~ 민정〔군정〕. **3** [C] 《미》 행정 기관, 관청, 행정부; (the A-) 《미》 내각, 정부(《영》 government). **4** [U] (법률 등의) 시행, 집행 《*of*》; (종교 의식 · 식전 등의) 집행《*of*》: the ~ *of* justice 법의 집행, 처벌, 처형. **5** [U] (요법 등의) 적용, (약 등의) 투여, (치료 · 원조 등의) 베풂. **6** 〖법률〗 재산 관리《파산자 · 부재자 등의》, 《특히》 유산 관리: letters of ~ 유산 관리장(狀). ◇ administer *v.* [파] **~·al** *a.* **~·ist** *n.*

*__ad·min·is·tra·tive__ [ædmínəstrèitiv, -trə-, əd-/əd-] *a.* 관리〔경영〕의; 행정(상)의: ~ ability 행정 수완 / an ~ court 행정 재판소 / an ~ district 행정구(획) / ~ readjustment 행정 정리(整理). ◇ administer *v.* [파] **~·ly** *ad.*

admínistrative assístant 비서.

admínistrative cóunty 《영》 행정상의 주(州)《종래의 주와는 가끔 어긋남》.

admínistrative láw 행정법.

admínistrative láw jùdge 《미》 행정법 판사《정부 기관에서 임명하는데 청문회 등을 열며, 거기에서 얻은 사실이나 탐지할 방책을 답신하는 연방관》.

ad·min·is·tra·tor [ædmínəstrèitər, əd-/əd-] *n.* **1** 관리자, 행정관; 통치자; 《미》 (흔히 Administration이 붙는 관청의) 장관, 국장. **2** 관리〔경영〕 능력이 있는 자. **3** 〖법률〗 (법원이 지명한, 파산 회사의) 관재인; (법원 지명의) 유산 관리인. [파] **~·shìp** *n.* [U] 관리자〔행정관〕의 직.

ad·min·is·tra·trix [ædmìnəstréitriks, əd-/ədmínistrèi-] (*pl.* ***-tri·ces*** [-trəsì:z]) *n.* 여자 관리〔관재〕인.

*__ad·mi·ra·ble__ [ǽdmərəbəl] *a.* **1** 감탄〔칭찬〕할 만한, 감복할. **2** 훌륭한, 장한(excellent). ◇ admire *v.* [파] **~·ness** *n.* °**-bly** *ad.*

°**ad·mi·ral** [ǽdmərəl] *n.* **1** 해군 대장(full ~); 해군 장성; (함대) 사령관, 제독《생략: Adm., Adml.》: ⇨ LORD HIGH ADMIRAL / a fleet ~ 《미》 =an ~ of the fleet 《영》 해군 원수 / a vice ~ 해군 중장 / a rear ~ 해군 소장 / the board of *Admirals* 《미》 해군 장성 회의. **2** 《고어》 기함(flagship). **3** 《영》 어선대〔상선대〕장. **4** 〖곤충〗 네발나비 등의 속칭《red, white를 앞에 붙임》. [파] **~·shìp** *n.* [U] ~의 직〔지위〕.

Ádmiral's Cúp (the ~) (잉글랜드의 해안에서 2년마다 열리는) 국제 요트 경기.

ad·mi·ral·ty [ǽdmərəlti] *n.* **1** admiral의 직〔지위〕. **2** (the A-) 《영》 해군 본부; (the ~) = ADMIRALTY BOARD. **3** 《문어》 [U] 해상권, 제해권. **4** 해사법; 《미》 해사 법원. ***the*** (***Court of***) ***Admiralty*** 《영》 해사 법원. ***the First Lord of the Admiralty*** ⇨ FIRST LORD.

Ádmiralty Bòard (the ~) 《영》 해군 본부 위원회《원래는 the Board of Admiralty》.

Ádmiralty Íslands (the ~) New Guinea 북방에 있는 군도《오스트레일리아령》.

Ádmiralty mìle 《영》 =NAUTICAL MILE.

*__ad·mi·ra·tion__ [æ̀dməréiʃən] *n.* [U] **1** 감탄, 칭찬《*of; for*》; 찬탄, 탄복하여 바라봄《*of*》: have a great ~ *for* …에게 크게 감탄하다 / in ~ *of* …을 찬미하여〔기리어〕. **2** (the ~) 칭찬의 대상 《*of*》: He is the ~ *of* all. 그는 여러 사람의 칭찬의 대상이다. ◇ admire *v.* ***express*** one***'s ~ for*** …을 기리다. ***struck with ~*** 감탄하는 마음 금할 수 없어. ***the note of ~*** 감탄부《!》. ***to ~*** 훌륭하게. ***with ~*** 감탄하여.

⁑**ad·mire** [ædmáiər, əd-/əd-] *vt.* **1** 《~+[목]/+[목]+[전]+[명]》 (…을) 감복〔찬탄〕하다, 칭찬하다, 사모하다: ~ the view 아름다운 풍치를 찬탄하다 / We ~*d* him *for* his courage. 우리는 그의 용기를 기리었다. [SYN.] ⇨ REGARD. **2** …에 감탄하다, 경탄하다《종종 반어적》: I ~ his audacity. 저자의 뻔뻔스러움에는 질렸어. **3** 《영구어》 (겉치레로) 칭찬하다, 극구 칭찬하다: I forgot to ~ her cat. 그녀의 고양이를 칭찬해 주는 걸 깜박 잊었어. **4** 《+*to* do》 《미방언》 …하고 싶어하다: I'd ~ *to* go. 꼭 가 보고 싶다. ― *vi.* 《고어》 (…에) 감복하다; 놀라다《*at*》. ◇ admiration *n.*

°**ad·mir·er** [ædmáiərər, əd-/əd-] *n.* 찬미자, 팬; 구애자, 구혼자, 애인.

°**ad·mir·ing** [ædmáiəriŋ, əd-/əd-] *a.* 찬미하는, 감복〔감탄〕하는: an ~ glance 감탄하는 눈초리. [파] **~·ly** *ad.*

ad·mìs·si·bíl·i·ty *n.* 허용(성), 용인(성).

ad·mis·si·ble [ædmísəbəl, əd-/əd-] *a.* 참가〔입장, 입회, 입학〕할 자격이 있는; (지위에) 취임할 자격이 있는《*to*》; (행위 · 생각 · 구실이) 용납〔수락〕할 수 있는; 〖법률〗 (증거로서) 인정될 수 있는. ◇ admit *v.* [파] **-bly** *ad.*

⁑**ad·mis·sion** [ædmíʃən, əd-/əd-] *n.* **1** [U] 들어가는 것을 허용함, 입장(허가), 입학(허가), 입국(허가)《*to; into*》: applicants for ~ 입회〔입학〕 지망자.

> [SYN.] **admission** 어떤 장소 · 학교 등에 들어갈 허가 · 권리 · 특권. **admittance** 입장 허가. **entrance** 단순히 어떤 장소에 들어감.

2 [U] 입장료, 입회금; 입장권(~ ticket): ~ free 입장 무료. **3** [U,C] 용인, 승인, 시인, 자백; 허가 《*of*》: His silence is an ~ *of* being guilty. 그의 침묵은 죄를 자인하는 것이다 / make an ~ *of* (the fact) *to* a person 아무에게 (사실)을 고백하다 / make (full) ~ *of* one's guilt 죄상을 자백하다. ◇ admit *v.* ***by*** 〔***on***〕 one***'s own ~*** 본인이 인정하는 바에 의하여. ***charge*** (***an***) ***~*** 입장료를 받다. ***gain ~ to*** …에 입회〔참가〕가 허락되다; …와 친해지다. ***give free ~ to*** …에 자유로이 들어가게 하다.

Admíssion Dày 《미》 (주(州)의) 합중국 편입 기념일《법정 휴일임》.

admíssion fèe 입장료.

admíssion tìcket 입장권.

ad·mis·sive [ædmísiv, əd-/əd-] *a.* 입장〔입회, 입학〕(허가)의; 허용의, 시인의.

⁑**ad·mit** [ædmít, əd-/əd-] (**-tt-**) *vt.* **1** 《~+[목]/+[목]+[전]+[명]》 들이다, …에게 입장〔입회 · 입학 · 입국 따위〕를 허가하다《*in; to; into*》; …에게 신분〔특권〕 취득을 인정하다《*to*》: ~ a student *to* college 학생에게 대학 입학을 허가하다 / This ticket ~*s* one person. 이 표로 한 명 들어갈 수 있다. **2** (장소가) 수용할 수 있다, 들일 수 있다: The theater ~*s* 300 persons. 그 극장은 300명을 수용할 수 있다. **3** 《~+[목]/+[목]+*to be* [보]/+[전]+[명]+*that* [절]/+*-ing*/+(*that*)[절]》 승인〔시인〕하다, 자백하다; (증거 · 주장을) 유효〔정당〕하다고 인정하다: ~ one's guilt 자기 죄를 시인하다 / He ~*s* the charge *to be* groundless. 그는 그 고소가 사실무근이라고 인정하고 있다 / (While) ~*ting* (*that*) …라는 것〔점〕은 일단 인정하나, …하긴 하나 / She ~*ted* (*to* her employer) *that* she had made a mistake. 그녀는 (고용주에게) 자신이 과오를 범했음을 인정하였다 / He ~*s* having done it himself. =He ~*s* (*that*) he did it himself. 그는 자신이 그것을 하였음을 인정하고 있다.

> [SYN.] **admit** 본의 아니지만 사실을 인정하다. **acknowledge** 남에게 알리고 싶지 않은 것을 마지못해 털어놓다. **recognize** 무엇을 무엇으

로서 인정하다: I could not *recognize* him. 그라는 것을 몰랐다.

4 〖보통 부정문으로〗 (사실·사정이) …의 여지를 남기다, 허용하다: This case ~s *no* other explanation. 본건은 달리 설명할 여지가 없다. — *vi.* 《+[전]+[명]》 1 〖보통 부정문으로〗 허용하다《*of*》, (…의) 여지가 있다《*of*》: Circumstances do *not* ~ *of* this. 사정이 이를 허락지 않는다/His conduct ~s *of no* excuse. 그의 행위는 변명의 여지가 없다. 2 (장소로) 인도하다, (길이) 통하다 《*to*》: This gate ~s *to* the garden. 이 문으로 뜰에 들어갈 수 있다. 3 인정하다, 고백하다《*to*》: ~ *to* the allegation 진술을 인정하다. ◇ admission, admittance *n.* [파] **~·ta·ble, -ti·ble** *a.*

ad·mit·tance [ædmítəns, əd-/əd-] *n.* [U] 입장(허가); 《드물게》 입회, 입학; 〖전기〗 어드미턴스. [cf.] admission. ¶ grant 〔refuse〕 a person ~ *to*… 아무에게 …에의 입장을 허락〔거절〕하다/gain 〔get〕 ~ *to* …에 입장이 허락되다, …에 입장하다. ◇ admit *v.* ***No ~*** (***except on business***). (무용자) 입장 금지《게시》.

ad·mít·ted [-id] *a.* 시인〔인정〕된; 명백한: an ~ fact 공인된 사실. [파] **~·ly** *ad.* 일반적으로 인정되어; 명백히, 틀림없이.

ad·mit·tee [ædmitíː, ædmítiː] *n.* 입장이〔입학이, 입회가〕 허가된 사람.

ad·mix [ædmíks, əd-] *vt.* (뒤)섞다, 혼합하다 《*with*》 — *vi.* 섞이다. [파] **~·ture** [-tʃər] *n.* [U] 혼합; [C] 혼합물, 첨가제.

Adml. Admiral; Admiralty.

◇**ad·mon·ish** [ædmániʃ, əd-/ədmɔ́n-] *vt.* 1 《~+[목]/+[목]+*to* do/+[목]+[전]+[명]/+[목]+*that* [절]》 (아무를) 훈계하다, 타이르다(reprove), 깨우치다; 충고하다, (아무에게) 권고하다(advise): I ~*ed* him not *to* go there. =I ~*ed* him *against* going there. =I ~*ed* him *that* he should not go there. 나는 그에게 거기에 가지 말도록 충고했다. [SYN.] ⇨ ADVISE. 2 《+[목]+[전]+[명]/+[목]+*that* [절]》 경고하다(warn), (위험 등을) 알리다, …의 주의를 촉구하다《*of; against; for*》: I ~*ed* him *of* 〔*about*〕 the danger. 나는 그에게 위험을 경고하였다/I ~*ed* him *that* it was dangerous. 나는 그에게 위험하다고 주의하였다. — *vi.* 훈계〔경고〕를 주다. ◇ admonition *n.* [파] **~·er** *n.* **~·ing·ly** *ad.* **~·ment** *n.* =ADMONITION.

ad·mo·ni·tion [ædməníʃən] *n.* [U,C] 훈계; 권고, 충고; 경고. ◇ admonish *v.*

ad·mon·i·tor [ædmánətər, əd-/ədmɔ́n-] *n.* 훈계자, 충고자, 경고자, 권고자.

ad·mon·i·to·ry [ædmánətɔ̀ːri, əd-/ədmɔ́nitəri] *a.* 훈계의, 충고의; 경고의.

admor. administrator. **admov.** 〖처방〗 *admoveature* 《L.》 (=apply) 가할 것.

ad·nate [ǽdneit] *a.* 〖동물·식물〗 착생(着生)한《*to*》; 〖식물〗 (수술이) 측착(側着)한.

ad·na·tion [ædnéiʃən] *n.* 착생, 밀접.

ad nau·se·am [æd-nɔ́ːziəm, -æm] 《L.》 지겹도록, 구역질 나도록.

ad·nexa [ædnéksə] *n. pl.* 〖해부〗 부속기(器), 《특히》 자궁 부속기. [파] **-néx·al** *a.*

ad·nom·i·nal [ædnámənl/-nɔ́m-] *a.* 〖문법〗 (명사적 용법의) 형용사의.

ad·noun [ǽdnàun] *n.* 〖문법〗 (특히 명사적 용법의) 형용사《the *useful*(유용한 것), the *poor*(가난한 사람들) 따위》.

ado [ədúː] *n.* [U] 야단법석, 소동; 노고, 고심: have 〔make〕 much ~ (…하는 데) 법석을 떨다, 애쓰다 《*to* do; *in* do*ing*》/with much ~ (야단)법석을 떨며; 고심한 끝에. ***much ~ about nothing*** 공연한 법석. ***without more*** 〔***further***〕 ~ 그 다음은 애도 안 먹고〔순조로이〕; 손쉽게, 척척.

ado. adagio.

ado·be [ədóubi] *n.* (햇볕에 말려 만든) 어도비 벽돌(집); 어도비 제조용 찰흙. — *a.* 어도비 벽돌로 지은.

ado·bo [ədóubou, ɑːθóu-] *n.* 〖요리〗 아도보《돼지고기, 닭고기 등을 갖가지 양념을 한 소스에 넣어 익힌 다음 다시 기름에 튀긴 필리핀 요리》.

ad·o·lesce [ædəlés] *vi.* 《미》 청년기〔사춘기〕에 이르다, 청년기를 지내다; 청년기의 사내답게 행동하다.

ad·o·les·cence, 《고어》 **-cen·cy** [ædəlésəns], [-i] *n.* [U] 청년기, 사춘기, 청춘기《주로 성인기에 이르는 10 대의 대부분》.

◇**ad·o·les·cent** [ædəlésənt] *a.* 청춘(기)의; 미숙한, 풋내 나는. — *n.* 청춘기의 사람《남녀》, 청년, 젊은이; 《경멸》 나잇값도 못하는 풋내기. [cf.] adult.

Ad·olf, -olph [ǽdɑlf, éi-/-dɔlf] *n.* 남자 이름.

Adol·phus [ədálfəs/ədɔ́l-] *n.* 남자 이름.

Ado·nai [àːdənɔ́i, -nái] *n.* 하느님《히브리인이 신을 부른 완곡어》.

Adon·ic [ədánik/ədɔ́n-] *a.* 1 〖운율〗 (고전시에서) 아도니스 시격(詩格)의《장장격, 또는 장단격을 수반한 장단단격의 격조를 지닌 시형의》. 2 아도니스의. — *n.* 〖운율〗 아도니스격의 시문〔구〕, 아도니스 시격.

Adon·is [ədánis, ədóu-/ədóu-] *n.* 1 아도니스《남자 이름》. 2 〖그리스신화〗 아도니스《Aphrodite 에게 사랑받은 미남》. 3 미청년; 미남자, 멋쟁이(beau). 4 〖식물〗 복수초속(屬)의 풀; (a-) 아도니스 풀《강심제》.

Adónis blúe 〖곤충〗 부전나비.

ad·o·nize [ǽdənàiz] *vt., vi.* 미남인 체하다: ~ oneself (남자가) 멋부리다, 모양내다.

⁑**adopt** [ədápt/ədɔ́pt] *vt.* 1 《~+[목]/+[목]+*as* [보]/+[목]+[전]+[명]》 양자〔양녀〕로 삼다: ~ a child *as* one's heir 상속자로서 아이를 양자들이다/~ a person *into* a family 아무를 가족의 일원으로 맞다. 2 (의견·방침·조처 따위를) 채용〔채택〕하다, 골라잡다: ~ a proposal 제안을 채택하다. 3 〖의회〗 (위원회 보고 등을) 채택〔승인〕하다; 《영》 (정당이 후보자를) 지명하다. 4 《+[목]+[전]+[명]》 〖언어〗 (외래어로) 받아들이다: words ~*ed from* French 프랑스어로부터의 차용어. ≒adapt. ◇ adoption *n.* ***~ out*** (자식을) 양자로 내보내다. [파] **adòpt·a·bíl·i·ty** *n.* **adópt·a·ble** *a.* **adópt·er** *n.*

adopt·ee [ədaptíː/-ɔp-] *n.* 양자; 채용〔채택·선정·차용〕된 것.

◇**adóp·tion** *n.* [U,C] 채용, 채택; 양자결연; (입후보자의) 공천; (외래어의) 차용: a son by ~ 양자. ◇ adopt *v.*

adóption àgency 양자 알선 기관.

adóp·tion·ìsm *n.* 〖신학〗 양자론(養子論)《예수는 본래 보통사람이었으나 성령에 의해 신의 아들이 됐다는 설》.

adop·tive [ədáptiv/ədɔ́p-] *a.* 채용하는; 양자 관계의: an ~ father 〔son〕 양부〔양자〕/an ~ country 귀화국. [파] **~·ly** *ad.*

adóptive immúnity 입양 면역《면역을 가진 사람〔동물〕에게서 가져온 감작(感作) 임파구를 투여·이입하여 얻는 면역》.

◇**ador·a·ble** [ədɔ́ːrəbəl] *a.* 존경〔숭배, 찬탄〕할 만한; 《구어》 사랑스러운, 귀여운, 반하게 하는. ◇ adore *v.* [파] **~·ness** *n.* **-bly** *ad.* **a·dòr·a·bíl·i·ty** *n.*

◇**ad·o·ra·tion** [ædəréiʃən] *n.* Ⓤ 예배, 숭배; 애모, 동경: in ~ 예찬하여, 열애하여. ◇ adore *v.* ***the Adoration of the Magi*** [***Kings***] (아기 예수에 대한) 동방 박사의 경배 그림.

***adore** [ədɔ́ːr] *vt.* **1** 《~+목/+목+*as* 보》 숭배하다(worship), 존경하다, 숭경(崇敬)하다; (신(神)을) 받들다, 찬미하다; 경모〔사모, 흠모〕하다: They ~*d* her *as* a living goddess. 그들은 그녀를 살아 있는 여신으로 경모하였다. **2** 《~+목/+-*ing*》《구어》 (…을) 썩 좋아하다; (…하기를) 매우 좋아하다: I ~ baseball. 야구를 매우 좋아한다 / He ~*s* listen*ing* to music. 그는 음악듣기를 아주 좋아한다. ◇ adoration *n.* ㊞ **adór·er** [-rər] *n.*

adór·ing [-riŋ] *a.* 숭배〔경모, 흠모〕하는. ㊞ **~·ly** *ad.* 숭배하여; 경모〔흠모〕하여.

◇**adorn** [ədɔ́ːrn] *vt.* **1** 《~+목/+목+전+명》 꾸미다, 장식하다《*with*》. ⓒⓕ decorate, ornament. ¶ ~ a bride 신부를 성장(盛裝)시키다 / ~ a room *with* flowers 방을 꽃으로 꾸미다 / ~ oneself *with* jewels 보석으로 몸치장을 하다. **2** …에 광채를〔아름다움을〕 더하다; 보다 매력적〔인상적〕으로 하다: the romances that ~ his life 그의 생애를 아름답게 한 로맨스. ㊞ ◇**~·ment** *n.* Ⓤ 꾸밈; Ⓒ 장식품.

adown [ədáun] *ad., prep.* 《시어·고어》 = DOWN¹.

ADP adenosine diphosphate; automatic data processing.

ád·pèrson *n.* 광고인(=**ád·pèople**)《광고업계에 종사하는 사람》.

ad per·so·nam [æd-pərsóunæm] 《L.》 사람을 향한〔하여〕, 개인적인〔으로〕.

ad quem [æd-kwém] 《L.》 목표, 종점.

ADR American Depositary Receipt (미국 예탁(預託) 증권).

ad ref·er·en·dum [æd-rèfəréndəm] 《L.》 좀더 고려를 요하는, 재고해야 할〔할 만한〕: an ~ contract 가계약서.

ad rem [æd-rém] 《L.》 요령 있게〔있는〕, 적절히〔한〕.

ad·ren- [ədríːn, -rén], **ad·re·no-** [-nou, -nə] '부신(副腎), 아드레날린'의 뜻의 결합사《모음 앞에서는 adren-》.

ad·re·nal [ədríːnl] *a.* 신장〔콩팥〕 부근의; 부신의. ── *n.* 부신(=∠ **glànd**).

Ad·ren·a·lin [ədrénəlin] *n.* 〖약학〗 아드레날린《좌선성(左旋性) 에피네프린(epinephrine) 제제; 상표명》.

ad·ren·a·line [ədrénəlin, -lìːn] *n.* 〖화학〗 아드레날린(epinephrine); 《비유》 흥분시키는 것, 자극제.

ad·re·nal·ize [ədríːnəlàiz] *vt.* 흥분시키다, 자극하다, 분기케 하다.

ad·ren·er·gic [ædrənə́ːrdʒik] *a.* 아드레날린 작용(성)의; 아드레날린의. ㊞ **-gi·cal·ly** *ad.*

adrèno·córtical *a.* 부신피질(로부터)의.

adre·no·cor·ti·co·troph·ic, -trop·ic [ədrìːnoukɔ̀ːrtikoutráfik/-trɔ́fik], [-pik] *a.* 〖화학〗 부신피질을 자극하는.

adrenocorticotróphic hórmone 〖화학〗 부신피질 자극 호르몬《생략: ACTH》.

adret [ædréi] *n.* (특히 Alps에서) 낮에 햇볕을 잘 받는 비탈.

Adri·a·my·cin [èidriəmáisin] *n.* 〖약학〗 아드리아마이신《항암제; 상표명》.

Adri·at·ic [èidriǽtik, æ̀d-] *a.* 아드리아해(海)의.

Adriátic Séa (the ~) 아드리아해(海).

adrift [ədríft] *ad., a.* 물에 떠돌아다니는, 표류하여; 닻줄이 풀려서; (정처 없이) 헤매어, (사람이) 어찌할 바를 모르고; 빈둥거리는; 일정한 직업 없이: They found themselves once more ~. 그들은 다시 망연자실하였다 / cut 〔set〕... ~ (매어 놓은 밧줄을 끊고 배를) 표류시키다 / get 〔come〕 ~ (배가) 떠내려가다. ***be all*** **~** ① 표류하다. ② 아주 망연자실해 있다; 예상에 벗어나다. ***go*** **~** 《구어》 (물건이) 표류하다; (주제에서) 벗어나다《*from*》; 《구어》 (물건이) 없어지다, 도둑맞다. ***turn*** a person **~** 아무를 내쫓다〔거리를 방황하게 하다〕; 해고하다.

ADRMP 〖컴퓨터〗 automatic dialing recorded message program《전화에 의한 판매 활동에 이용되는 소프트웨어》.

adroit [ədrɔ́it] *a.* 교묘한, 솜씨 좋은(dexterous); 기민한, 빈틈없는: an ~ rider 능숙한 기수(騎手) / be ~ *in* handling a person 사람 다루는 솜씨가 있다. ⓈⓎⓃ. ⇨ CLEVER. ㊞ **~·ly** *ad.* **~·ness** *n.*

ADS [ædz] atmospheric diving suit (대기압 잠수복). **A.D.S.** American Dialect Society (미국 방언학회). **a.d.s.** 〖출판〗 autograph document, signed (사인 있는 자필문서).

ad·sci·ti·tious [ædsətíʃəs] *a.* 외래〔보충〕의, 부가적인, 보유(補遺)의.

ad·script [ǽdskript] *a.* **1** (농노가) 토지에 부속된. **2** 후기(後記)의; 병기(併記)의(ⓒⓕ subscript, superscript).

ad·scríp·tion *n.* **1** 귀속(歸屬); 부속; 구속. **2** =ASCRIPTION.

ADSL asymmetrical digital-subscriber line(비대칭 디지털 회원 서비스).

ád·smìth *n.* 《미》 광고 문안 작성자.

ad·sorb [ædsɔ́ːrb, -zɔ́ːrb] *vt.* 〖화학〗 흡착(吸着)하다. ㊞ **~·a·ble** *a.*

ad·sorb·ate [ædsɔ́ːrbeit, -bit, -zɔ́ːr-] *n.* 흡착된 물질.

ad·sorb·ent [ædsɔ́ːrbənt, -zɔ́ːr-] *a.* 흡착성의. ── *n.* 흡착제.

ad·sorp·tion [ædsɔ́ːrpʃən, -zɔ́ːrp-] *n.* Ⓤ 흡착 (작용).

ad·sorp·tive [ædsɔ́ːrptiv, -zɔ́ːrp-] *a.* 흡착력 있는. ── *n.* 흡착매(媒), 흡착질.

ad·sum [ǽdsʌm] *int.* 《L.》 (=I am present.) '예'《점호 따위에서의 대답》.

ADT 〖컴퓨터〗 abstract data type; Atlantic Daylight Time (대서양 지역 서머타임).

ad·u·late [ǽdʒəlèit] *vt.* …에게 아첨하다〔빌붙다〕. ㊞ **àd·u·lá·tion** *n.* Ⓤ,Ⓒ 지나친 찬사, 과찬. **ád·u·là·tor** [-tər] *n.* **ád·u·la·tò·ry** [-lətɔ̀ːri/-lèitəri] *a.*

Adul·lam·ite [ədʌ́ləmàit] *n.* 〖영국사〗 어덜럼당원《1866년 선거권 확장에 반대하여 자유당을 탈당한 약 40명 의원의 속칭》; 탈당파 의원.

****adult** [ədʌ́lt, ǽdʌlt] *a.* 어른의, 성인이 된; 성숙한; 《미》 성인만의〔을 위한〕, 포르노의: ~ movies 포르노 영화. ── *n.* **1** 성인, 어른 (grown-up); 〖법률〗 성년자. **2** 〖생물〗 성충; 성숙한 동식물. ***Adults Only*** 미성년자 사절《게시》. ㊞ **~·hòod** *n.* 성인임. **~·lìke** *a.* **~·ly** *ad.* **~·ness** *n.*

adúlt educátion 성인 교육.

adul·ter·ant [ədʌ́ltərənt] *a.* 섞음질에 쓰는, 타는《물 따위》. ── *n.* 혼합물.

adul·ter·ate [ədʌ́ltərèit] *vt.* …에 섞음질을 하다, …의 질을 나쁘게 하다, (…을 타서) 품질을 떨어뜨리다: ~ milk with water 우유에 물을 타다. ── [-rət, -rèit] *a.* 간통한, 불의의; 섞음질한, 품질이 나쁜; 가짜의: ~ offspring 사생아. ㊞ **adùl·ter·á·tion** *n.* Ⓤ ~함; Ⓒ 혼합물, 조악품. **adúl·ter·à·tor** [-rèitər] *n.*

adúl·ter·àt·ed [-id] *a.* 섞음질을 한; 순도〔제법(製法), 레테르 표시 따위〕가 법정 기준에 맞지 않는.

adul·ter·er [ədʌ́ltərər] *n.* 간부(姦夫).

adul·ter·ess [ədʌ́ltəris] *n.* 간부(姦婦).

adul·ter·ine [ədʌ́ltəriːn, -ràin] *a.* 불의의, 간통의; 간통으로 태어난; 섞음질한; 부정의, 가짜의.

adul·ter·ous [ədʌ́ltərəs] *a.* 불의의, 간통의; 《고어》 가짜의, 부정의. ⓟ **~·ly** *ad.*

◇**adul·tery** [ədʌ́ltəri] *n.* [U,C] 간통, 불의(不義). ***commit ~ with*** …와 간통하다.

adúlt ónset dìabetes (**méllitus**) 성인 발증형(發症型) 당뇨병.

adúlt-ràted [-id] *a.* 어른〔성인〕용의.

adúlt réspiratory distrèss sỳndrome ⇨ARDS.

Adúlt Tráining Cènter 〖사회복지〗 성인 훈련 센터《정신 장애자를 위한 정부 출연의 직업 훈련소》.

adúlt Wéstern 성인용 서부극.

ad·um·bral [ædʌ́mbrəl] *a.* 그늘의〔이 된〕.

ad·um·brate [ædʌ́mbreit, ǽdəmbrèit] *vt.* **1** …의 윤곽을 슬쩍 똥겨주다, (어렴풋이) …의 윤곽을 나타내다. **2** (미래를) 예시하다. **3** 어둡게 하다, 흐릿하게 하다. ⓟ **àd·um·brá·tion** *n.* [U,C]

ad·um·bra·tive [ædʌ́mbrətiv, ǽdəmbrèi-] *a.* 어렴풋이 나타내는; 예시하는《*of*》.

adunc [ədʌ́ŋk] *a.* 안으로 굽은; 갈고리 모양의(hooked).

ad·u·rol [ǽdərɔ̀ːl, -ròul, -ràl] *n.* 〖사진〗 아듀롤《현상제(劑)》.

adust, adúst·ed [ədʌ́st], [-id] *a.* 《고어》 바싹 마른, 몹시 건조한; 볕에 탄; 우울한.

ad utrum·que pa·ra·tus [æd-juːtrʌ́mkwi-pəréitəs] 《L.》 그 어느 경우도 준비되어 있는; 어느 경우에나 형편이 좋은; 어떠한 운명도 각오하고 있는.

adv. ad valorem; advance; advent; adverb(-ial); *adversus* 《L.》 (=against); advertisement; advocate. **ad val.** ad valorem.

ad va·lo·rem [æd-vəlɔ́ːrəm] 《L.》 (=according to the price) 가격에 따라《생략: ad val., a.v.》: an ~ duty 종가세(從價稅).

ad·vance [ædvǽns, əd-/ədvɑ́ːns] *vt.* **1** 《~+[목]/+[목]+[전]+[명]》 나아가게 하다, 앞으로 내보내다, 전진〔진출〕시키다: Please ~ the table a little. 책상을 조금 더 앞으로 내어 주시오/The general ~*d* the troops *to* the front. 장군은 군대를 전선으로 전진시켰다. **2** 《~+[목]/+[목]+[전]+[명]》 (기일 따위를) 앞당기다: ~ the time of meeting *from* 3 o'clock *to* 2 o'clock 모임 시간을 3시에서 2시로 앞당기다. **3** (작업 따위를) 진척시키다, 촉진시키다, 증진하다: ~ growth 성장을 촉진하다. **4** (의견 따위를) 제출하다; (반대·비판을) 감히 하다: ~ reasons for a tax cut 여러 가지 이유를 들어 감세의 필요성을 말하다. **5** (값 따위를) 올리다(raise): ~ the price 값을 올리다. **6** 《~+[목]/+[목]+[전]+[명]》 진급〔승급〕시키다; 끌어 올리다, …의 뒤를 밀다: He has been ~*d from* lieutenant *to* captain. 그는 중위에서 대위로 진급하였다. **7** 《~+[목]/+[목]+[전]+[명]/+[목]+[목]》 선불하다, 선대(先貸)하다: ~*d* freight 선불 운임/~ money *to* a person 아무에게 돈을 선불하다/Can you ~ me a few dollars till the payday? 봉급날까지 2, 3달러 가불(假拂)해 주실 수 없겠습니까. ── *vi.* **1** 《~/+[전]+[명]》 앞으로 나아가다, 전진하다《*to; toward*(*s*)》: She ~*d to* 〔*toward*〕 the table. 그 여자는 테이블 쪽으로 갔다.

> [SYN] **advance** 목표·높은 지위를 향하여 나아가다: *advance* in office 승진하다. **proceed** 일단 정지한 후 다시 계속해 나아가다: *proceed* on one's journey 여행을 계속하다. **move on** proceed의 구어형. 나아갈 목적은 생각하지 않음: "*Move on*, there!"(경관이) 자, 그대로 가. **progress** 발전·향상의 면이 강조됨. 진척되다, 착실히 발전하다. **go on** 계속 …하다. 싫은 일이 여전히 계속되는 경우에도 씀: The fight was still *going on*. 전투는 아직도 계속되고 있었다.

2 (밤이) 이슥해지다: as the night ~*s* 밤이 깊어감에 따라. **3** 《+[전]+[명]》 (나이를) 먹다: ~ *in* age 〔years〕 나이가 들다. **4** 《+[전]+[명]》 진보〔발전, 향상〕하다: ~ *in* knowledge 〔rank〕 지식이 〔지위가〕 향상하다/~ *in* life 〔the world〕 출세하다. **5** 《+[전]+[명]》 승진하다: ~ *to* colonel 대령으로 진급하다. **6** (값이) 오르다(rise); (주가가) 오르다. **7** 《~/+[전]+[명]》 〖군사〗 전진〔진격〕하다《*against; on, upon*》: ~ *against* 〔*on, upon*〕 an enemy 적을 향해 진격하다. **8** (평평한 것이 입체적으로) 솟아오르다. **9** 《미》 입후보자 유세의 사전준비를 하다《*for*》.

── *n.* [U,C] **1** 진전, 진출; (시간의) 진행: with the ~ of the evening 밤이 깊어감에 따라. **2** 진보, 진척, 향상: the ~ of knowledge 지식의 진보. **3** 가격 인상, 등귀: an ~ in the cost of living 생활비의 등귀/There is an ~ *on* wheat. 밀 값이 올랐다/be on the ~ 등귀하고 있다. **4** 승급, 승진《*in*》. **5** 선불, 선금; 선대(금); 선도품(先渡品): an ~ on wages 임금의 가불/make large ~ to a person 아무에게게 많은 액수를 선불해 주다. **6** 〖연극〗 예매권(매상고). **7** (보통 *pl.*) (교섭·교제의) 신청; (남녀간의) 구애, 유혹. **8** 〖군사〗 전진, 진격; 《미》 전위부대. **9** 《미》 입후보자 유세의 사전공작. **10** (신문의) 사전〔예상〕기사. ***in ~*** ① 미리, 앞당겨, 사전에. ② 선두에 서서. ③ 선불로, 선금으로: pay *in* ~ 선불하다. ④ 입체하여: I am *in* ~ to him 10,000 won. 그에게 만 원을 꿔어주었다. ***in ~ of*** ① …보다 앞에. ② …보다 나아가서〔우수하여〕. ***make ~s*** ① 돈을 꿔어주다. ② 신청하다; 환심 사다, 《구어》 (남녀 간에) 구애하다, 유혹하다. ***make an ~ upon*** …을 저당으로 돈을 빌려주다.

── *a.* 전진한; 전의; 미리미리의: ~ notice 사전 통고/~ payment 선불(先拂)/the ~ sale (표의) 예매/an ~ ticket 예매권.

advánce ágent 《미》 (강연·흥행의 교섭·준비 따위를 하는) 교섭인, 선발자(先發者).

advánce cópy 신간 견본《발매 전에 비평가 등에게 보내는》.

ad·vanced [ædvǽnst, əd-/ədvɑ́ːnst] *a.* **1** 앞으로 나온〔낸〕: with one foot ~ 한쪽 발을 앞으로 내어. **2** 진보한, 나아간; 상급〔고급〕의, 고등의: an ~ class in French 프랑스어 고급반. **3** 진보적인; 앞선, 선구의, 유행만 즐겨 찾는: an ~ young woman 유행을 좋아하는 젊은 여성. **4** (나이먹어) 늙은; (밤이) 이슥한; (철이) 깊어진: an ~ age 고령/The night was far ~. 밤이 아주 이슥해졌다. **5** (값이) 오른. **6** 전진한: an ~ base 전진기지/an ~ post 전초.

advánced ballístic re-éntry sỳstem 신형 탄도 (대기권) 재돌입 시스템《생략: ABRS》.

advánced crédit 《미》 (전입 학생이 전(前)대학에서 얻은) 기득 학점수.

advánced degrée 고급 학위《Bachelor 이상, 즉 Master, Doctor》.

advánce-declíne lìne 〖증권〗 등락선(騰落線)《생략: A/D》.

advánced gás-cooled reáctor 〖원자〗 개량형 가스 냉각로(爐)《원자로; 생략: AGR》.

advánced lével 〖영교육〗 =A LEVEL.

advánced stánding 《미》 advanced credit 가 인정된 학생의 신분; =ADVANCED CREDIT.

advánce fréight 선불 운임.

advánce guárd 〖군사〗 전위(前衛)부대.
advánce màn 1 =ADVANCE AGENT. **2** 《미》 입후보자를 위한 사전 공작원.
°**ad·vánce·ment** *n.* Ⓤ **1** 전진, 진출. **2** 진보, 발달; 촉진, 증진, 진흥: ~ in fortune 재산의 증가/~ of learning 학문의 진보/~ of happiness 행복의 증진. **3** 승진, 출세(promotion): ~ in life 입신출세, 영달. **4** 선불(先拂), 가불.
advánce òrder 〖상업〗 계절 전〔예약〕 주문.
advánce póll 《Can.》 사전 투표《투표일에 투표소에 도착할 수 없는 사람이 하는》.
ad·vánc·er *n.* advance 하는 것; 수사슴 뿔의 두 번째 가지.
advánce ráting 〖방송〗 방송 전 시청률.
advánce ràtio 〖항공〗 전진율, 진행률.
advánce shéets 〖출판〗 서평·판매촉진에 쓰이는 제본하지 않은 내용 견본의 하나.
ad·van·tage [ædvǽntidʒ, əd-/ədvɑ́ːn-] *n.* **1** Ⓤ 유리; 이익; 편의: ~ of education 교육의 이득/personal ~ 미모/be of great 〔no〕 ~ to …에게 크게 유리하다〔조금도 유리하지 않다〕/I have learned it with ~. 배워서 얻는 바가 있었다. SYN. ⇨PROFIT. **2** Ⓤ 우세, 우월《*of* something *to* someone》: The ~ is with us. 우리 쪽이 우세하다. **3** Ⓒ 이점, 장점: get a double ~ 일거양득하다/gain 〔win〕 an ~ *over* a person 아무를 능가하다, 아무보다 낫다. **4** 〖테니스〗 어드밴티지《deuce 후 1 점의 득점; 《미》 ad, 《영》 van이라고도 함》: ~ in 〔out〕 서브〔리시브〕의 어드밴티지.
~s and disadvantages 이해득실. ***have the ~ of*** ① …의 장점이 있다. ② …보다 낫다〔유리하다〕: You *have the ~ of* me. 자네가 나보다 유리〔행복〕하다; 몰라 뵙겠는데 누구신지요《특히 친분을 맺고자 하는 상대에 대한 사절의 말》. ***take ~ of*** …을 이용하다; …에 편승하다; 속이다, (여자)를 유혹하다. ***take*** a person ***at ~*** 아무에게 기습을 가하다. ***to ~*** ① 유리하게, 형편 좋게: It turned out *to* his ~. 그에게 유리해졌다. ② 뛰어나게, 훌륭히: They are seen *to* ~. 뛰어나 보인다. ***to the ~ of*** …에 유리하게〔형편 좋게〕. ***turn to ~*** 이용하다, 이롭게〔유리하게〕 하다. ***with ~*** 유리〔유효〕하게.
— *vt.* 이롭게 하다, …에 이익을 가져오다; 촉진〔조장〕하다. — *vi.* 이익을 얻다.
㊞ **~d** *a.* (태생·환경의 면에서) 혜택을 받은《아이 따위》. OPP. *disadvantaged.*
***ad·van·ta·geous** [æ̀dvəntéidʒəs] *a.* 유리한; 형편이 좋은: an ~ offer 유리한 제안. ㊞ **~·ly** *ad.* **~·ness** *n.*
advántage rùle 〔**làw**〕 〖럭비·축구〗 어드밴티지룰《경기 중단이 반칙한 팀에게 유리하거나, 반칙을 당한 팀에게 불리할 경우에는, 경기를 중단하지 않고 속행시키는 규칙》.
ad·vect [ædvékt/əd-] *vt.* (열을) 대기의 대류(對流)에 의해서 옮기다; (물 따위를) 수평 방향으로 이동시키다.
ad·véc·tion *n.* 〖기상〗 수평(기)류: ~ fog 수평류 안개. ㊞ **~·al** *a.* **ad·véc·tive** *a.* 수평류의〔를 일으키는〕.
ad·vent [ǽdvent, -vənt] *n.* **1** 도래(到來), 출현: the ~ of a new age 새 시대의 도래. **2** (the A-) 예수의 강림〔재림〕(the Second A-); 강림절《크리스마스 전의 일요일을 포함한 4 주간》.
Ádvent càlendar 강림절 캘린더《보통 크리스마스 장면을 그린 그림 뒤에 24 개의 그림이 숨겨져 있음; 강림절에 아이들은 숨겨진 그림을 보기 위하여 매일 앞 그림을 한 조각씩 열어 봄》.
Ad·vent·ism [ǽdventìzəm, -vən-] *n.* Ⓤ 예수 재림론. ㊞ **-ist** *n.* 예수 재림론자.
ad·ven·ti·tious [æ̀dvəntíʃəs] *a.* 우연의; 외래의; 〖동물·식물〗 부정(不定)의, 우생(偶生)의; 〖의학〗 우발(偶發)의: ~ roots 부정근/an ~ disease 우발병《후천적(後天的)인 병》. ㊞ **~·ly** *ad.* **~·ness** *n.*
ad·ven·tive [ædvéntiv] *a.* 〖동물·식물〗 외래의, 토착이 아닌. — *n.* 외래 동물〔식물〕.
Ádvent Súnday 강림절 중의 첫 일요일.
***ad·ven·ture** [ædvéntʃər, əd-/əd-] *n.* **1** Ⓤ 모험(심): He is fond of ~. 그는 모험을 좋아한다. **2** (종종 *pl.*) 모험담, 체험담, 기담(奇談). **3** Ⓒ 예사롭지 않은 사건, 진귀한 경험: What an ~! 참으로 굉장한 사건이다/a strange ~ 기묘한 사건/quite an ~ 참으로 진귀한 경험. **4** Ⓤ,Ⓒ 투기, 요행. **5** 〖컴퓨터〗 =ADVENTURE GAME.
— *vt.* **1** 《~+목/+목+전+명》 (목숨 따위를) 걸다, 위험을 무릅쓰고 …하다《*on, upon*》: ~ oneself 위험을 무릅쓰다/~ one's life *on* 〔*upon*〕 an undertaking 사업에 목숨을 걸다. **2** 감행하다; 감히 말하다: ~ an opinion. — *vi.* **1** 위험을 무릅쓰다. **2** 《+전+명》 위험을 무릅쓰고 전진〔감행〕하다《*into; in; upon*》: ~ *on* an enterprise 기업에 손을 대다.
advénture gàme 〖컴퓨터〗 보물〔범인〕 찾기 등의 게임.
advénture plàyground 《영》 어린이의 창의성을 살리기 위해 목수 연장·건축 자재·그림 물감 따위를 마련해 둔 놀이터.
°**ad·vén·tur·er** [-tʃərər] (*fem.* **-ess** [-ris]) *n.* 모험가; 투기꾼, 협잡꾼; 수단을 가리지 않고 부나 권력을 구하는 사람.
ad·ven·ture·some [ædvéntʃərsəm, əd-/əd-] *a.* 모험적인(venturesome).
advénture tràvel 모험 여행《험한 도보 여행, 사파리 따위》.
ad·vén·tur·ìsm [-rìzəm] *n.* Ⓤ 모험주의.
°**ad·ven·tur·ous** [ædvéntʃərəs, əd-/əd-] *a.* **1** 모험적인; 모험을 즐기는. **2** 대담한; 위험한. ㊞ **~·ly** *ad.* 대담하게; 모험적으로. **~·ness** *n.*
***ad·verb** [ǽdvəːrb] *n.* 〖문법〗 부사《생략: adv., ad.》: ⇨INTERROGATIVE 〔RELATIVE〕 ADVERB. — *a.* =ADVERBIAL.
ad·ver·bi·al [ædvə́ːrbiəl] *a.* 부사의; 부사적: an ~ clause 〔phrase〕 부사절〔구〕. ㊞ **~·ly** *ad.*
ad ver·bum [æd-və́ːrbəm] 《L.》 (=to a word) 축어적으로.
ad·ver·sar·ia [æ̀dvərsέəriə] *n.* 《단·복수취급》 메모, 비망록, 초고(草稿); 발췌장, 수첩.
ad·ver·sar·i·al [æ̀dvərsέəriəl] *a.* 반대자의; 〖법률〗 =ADVERSARY.
°**ad·ver·sary** [ǽdvərsèri/-səri] *n.* 적, 상대, 대항자; (the A-) 마왕(魔王)(Satan). — *a.* 반대하는, 적의; 〖법률〗 당사자주의의.
ád·ver·sàr·y·ìsm *n.* 적대(敵對)주의《노사 교섭 등에서 요구가 거절되면 곧 상대방이 비타협적이며 타협에 응할 마음이 없다고 단정하는 태도》.
ádversary sỳstem 〖법률〗 대심(對審)제도《미국 재판 제도의 원칙》.
ad·ver·sa·tive [ædvə́ːrsətiv, əd-] *a.* 반의(反意)의, 반대의: an ~ conjunction 반의 접속사《but, however, nevertheless, only, still, whereas, while, yet 따위》.
ad·verse [ædvə́ːrs, ´-] *a.* **1** 역(逆)의, 거스르는, 반대의, 반대하는《*to*》: an ~ wind 앞바람, 역풍/~ comment 〔criticism〕 비난〔악평〕. **2** 불리한; 적자의; 해로운; 불운〔불행〕한: an ~ trade balance 수입 초과/under ~ circumstances 역경에 처하여/the ~ budget 적자 예산. **3** 〖식물〗 대생(對生)의. ***be ~ to*** …에 불리하다. ***turn ~*** 역조(逆調)가 되다. ㊞ **~·ly** *ad.*

~·ness n.

advérse posséssion 〖법률〗 불법 점유.

advérse seléction 〖보험〗 (보험회사가 바라지 않는) 역선택.

◇**ad·ver·si·ty** [ædvə́:rsəti/əd-] n. Ⓤ (종종 pl.) 역경; 불행, 불운: overcome *adversities* 역경을 극복하다.

ad·vert[1] [ædvə́:rt, əd-/əd-] vi. 《+전+명》 유의하다, 주의를 돌리다, 논급하다, 언급하다 《to》: ~ *to* a person's opinion 아무의 의견에 유의하다.

ad·vert[2] [ǽdvə:rt] n. 《영구어》 광고.

ad·vert·ence, -en·cy [ædvə́:rtəns, əd-/əd-], [-i] n. Ⓤ,Ⓒ 주의, 유의; 용의주도함.

ad·vert·ent [ædvə́:rtənt, əd-/əd-] a. 주의〔유의〕하는. ㊊ **~·ly** ad.

⁑**ad·ver·tise, -tize** [ǽdvərtàiz] vt. **1** 《~+목/+목+as 보》 광고하다, 선전하다: ~ a house (for sale) 매가(賣家) 광고를 하다 / ~ a child *as* lost 미아 광고를 하다. **2** 공시하다: ~ a reward 보상을 공시하다. **3** 짐짓 눈에 띄게 하다: She ~s her grief. 그녀는 슬픔을 짐짓 겉에 드러내 보인다. **4** (사정 등이) …을 돋보이게 하다: His bad manners ~ his lowly birth. 무례한 행동으로 그의 비천한 출신을 알 수 있다. **5** 《폐어》 알리다, 통고하다. ── vi. **1** 《~/+전+명》 광고를 내다; 광고를 내어 구하다: It pays to ~. 광고는 손해가 되지 않는다 / ~ *for* a typist 타자수 모집 광고를 내다. **2** 자기 선전을 하다: He ~s so much. 그는 너무 자기 선전을 한다.

⁑**ad·ver·tise·ment** [ædvərtáizmənt, ædvə́:rtis-, -tiz-/ədvə́:tis-, -tiz-] n. Ⓤ,Ⓒ **1** 광고, 선전: an ~ for a situation 구직 광고 / an ~ column 광고란 / put 〔insert〕 an ~ in (신문 등에) 광고를 내다. **2** 통고, 공시.

ád·ver·tìs·er n. 광고주; (the A-) '… 신문'.

◇**ád·ver·tìs·ing** n. Ⓤ 광고(업). ── a. 광고의: ~ expenditure 〔rates〕 광고비〔료〕 / ~ media 광고매체.

ádvertising àgency 광고 대행사(=ád-àgency).

Advertising Stàndards Authòrity (the ~) 《영》 광고 기준 심사 위원회 《광고 감시 조직; 생략: ASA》.

ad·ver·tize, etc. ⇨ADVERTISE, etc.

ad·ver·to·ri·al [ædvərtɔ́:riəl] n. (잡지 등의) 기사 형식을 취한 광고, PR 기사〔페이지〕.

advg. advertising.

⁑**ad·vice** [ædváis, əd-/əd-] n. **1** Ⓤ 충고, 조언, 권고《*on; of; about*》; 전문가의 의견〔진찰, 감정〕: much good ~ 여러 가지 간곡한 조언 / act on 〔against〕 a person's ~ 아무의 충고에 따라서〔거역하여〕 행동하다 / follow a person's ~ 아무의 권유를 따르다 / give 〔tender〕 ~ 조언하다, 권고하다 / He wanted my ~ *on* the matter. 그는 그 문제에 대해 내 조언을 구했다. ★ 셀 필요가 있을 때에는 a piece 〔bit〕 of *advice* 라고 함: He gave me a useful *bit of advice.* 그는 유익한 충고를 한 가지 해 주었다. **2** (보통 pl.) 알림, 보고; Ⓒ 〖상업〗 통지, 안내: diplomatic ~s 외교 정보 / as per ~ 통지(한) 대로 / a letter of ~ 발송〔수표 발행〕 통지서. ***on the ~ of...*** …의 충고로《by the ~ of 라고도 하나 보통은 on》. ***take ~*** 전문가의 의견〔감정, 진찰〕을 청하다《*from*》.

advíce bòat 통신정(艇)(dispatch boat)《함대와 육지, 또는 함정 간의 문서 연락용 쾌속정》.

advíce cὸlumn (신문·잡지의) 신상 상담란, 상담 코너. ㊊ **advíce còlumnist**

advíce nòte (발송 따위의) 통지서, 안내장《생략: A/N》.

Ad·vil [ǽdvil] n. 애드빌《미국 American Home Products 사제의 진통제; 상표명》.

ad·vìs·a·bíl·i·ty n. Ⓤ 권할 만함, 적당함; 득책(得策).

◇**ad·vís·a·ble** a. 권할 만한, 적당〔타당〕한; 득책의, 현명한: It would be ~ for you to do so. 그렇게 하는 것이 좋겠다. ㊊ **~·ness** n. **-bly** ad.

⁑**ad·vise** [ædváiz, əd-/əd-] vt. **1** 《~+목/+목+to do/+목+wh. to do/+목+wh. 절/+-ing/+that 절/+목+전+명》 …에게 충고하다〔조언하다, 권하다〕: ~ a change of air 전지(轉地)를 권하다 / I ~ you *to* be cautious. 조심하시도록 충고〔말씀〕드립니다 / He ~*d* me *which to* buy. 그는 어느 것을 사면 좋을지 내게 조언해 주었다 / He ~*d* me *whether* I should choose the way. 그는 내가 그 방법을 택해야 할는지 어떤지를 충고해 주었다 / I ~*d* his start*ing* at once. 그에게 곧 출발하도록 권하였다 / I ~ *that* you (should) start at once. 너는 즉시 출발하는 게 좋겠다 / ~ a person *on* the choice of a career 직업 선택에 대해 아무에게 조언하다.

> SYN. **advise** 지식·경험이 있는 자가 취할 방법 등에 대해 조언하다. **counsel** 중대한 문제에 대해서 숙고한 후 종종 전문적인 지식에 의해 조언하다, 상담에 응하다. **admonish** 연장자·그럴 만한 지위에 있는 자가 실수 따위에 대해 충고·훈계하다. **caution, warn** 있을 수 있는 위험·실패 따위에 대해 경고하다. caution은 주의를 환기시키고, warn 은 그것을 무시했을 때 당할 재난·벌을 시사함.

2 《+목+that 절/+목+전+명》 …에게 알리다, 통지하다《*of*》: We were ~*d that* they could not accept our offer. 그들은 우리 제안을 받아들일 수 없다고 통고하였다 / Please ~ us *of* the date. 날짜를 알려 주십시오. ── vi. 《+전+명》 **1** 충고하다, 권하다: He's qualified to ~ *on* economic issues. 그는 경제 문제에 관해 조언할 자격이 있다. **2** 《미》 (아무의) 충고를 구하다, 의논하다《*with*》: ~ *with* friends *on* what to do 무엇을 할것인가에 대해 친구들과 의논하다.

ad·vísed a. 숙고한 후의, 곰곰이 생각한 끝의 《주로 well-advised(분별 있는), ill-advised(무분별한)로 쓰임》. ㊊ **ad·vís·ed·ly** [-idli] ad. 숙고한 뒤에; 짐짓, 고의로.

ad·vis·ee [ædvaizí:, əd-] n. 충고를 받는 사람; 《미》 (지도 교수의) 지도를 받는 학생.

ad·víse·ment n. Ⓤ 숙고, 숙려(熟慮): be under ~ with …와 의논중이다 / take a thing under ~ 무엇을 곰곰이 생각하다, 무엇을 숙려〔숙고〕하다.

***ad·vis·er, -vi·sor** [ædváizər, əd-/əd-] n. **1** 조언자, 충고자; 고문: a legal ~ *to* a firm 회사의 법률 고문. **2** 〖미대학〗 신입생〔이수 과목〕 지도 교수. ★ adviser 는 advise 하는 행위를, advisor는 그 직책을 강조; adviser 가 보통.

ad·vi·so·ry [ædváizəri, əd-/əd-] a. 권고의, 조언을〔충고를〕 주는; 고문의: an ~ letter 충고의 편지 / an ~ committee 자문 위원회. ── n. 《미》 상황 보고, 《특히》 (태풍 정보 따위의) 기상 보고〔통보〕.

advísory bòdy 고문단.

advísory opínion 〖법률〗 권고〔조언〕 의견《행정부·입법부의 요청에 의하여 재판관이 법률상의 문제점에 대하여 내리는 결정》.

ad vi·tam [æd-váitæm; *L.* ɑd-wí:tɑm] 《L.》 종신(終身), 일평생.

ad vi·vum [æd-váivəm; *L.* ɑd-wí:wum] 《L.》 실물 그대로의; 빼쏜, 꼭 닮은.

ad·vo·ca·cy [ǽdvəkəsi] n. Ⓤ 옹호, 지지; 고취, 창도(唱道), 주장.

ádvocacy àdvertising (자기) 옹호 광고.
ádvocacy gròup 보호〔옹호〕 단체: a children's ~ 어린이 보호 단체.
ádvocacy jòurnalism 특정 주의〔견해〕를 옹호하는 보도(기관).
ádvocacy plànning 시민이 참여한 도시계획.
***ad·vo·cate** [ǽdvəkət, -kèit] n. 옹호자, 고취자; 주창자; 《주로 Sc.》 변호사; 대변자; (A–) 그리스도: an ~ *of* 〔*for*〕 peace 평화론자. — [ǽdvəkèit] *vt.* 《~+目/+-*ing*》 옹호〔변호〕하다; 주장하다: ~ peace 평화를 주창하다 / ~ abolish*ing* racial discrimination 인종 차별의 폐지를 창도하다. ㊞ **-cà·tive** [-kèitiv, -kətiv] *a.* **~·shìp** *n.*
ad·vo·ca·tor [ǽdvəkèitər] n. 옹호〔주창〕자.
ad·voc·a·to·ry [ædvákətɔ̀:ri, ǽdvəkə-, ǽdvəkèitəri/ædvəkéitəri] *a.* 창도〔옹호〕자의; 대변〔중재〕인의; 변호인의.
ad·vol [ǽdvɑ̀l/-ɔ̀l] *n.* 광고비. [◂ *ad volume*]
ad·vow·son [ædváuzən, əd-/əd-] *n.* 【영법률】 성직(聖職) 수여권.
advt. advertisement. **advtg.** advantage; advertising.
ad·y·na·mia [æ̀dainǽmiə, -néim-, æ̀də-] *n.* Ⓤ 쇠약. ㊞ **àd·y·nám·ic** [-nǽmik] *a.*
ad·y·tum [ǽditəm] (*pl.* **-ta** [-tə]) *n.* 《L.》 성단(聖壇), (교회 따위의) 안채; 지성소(至聖所); 사실(私室), 밀실.
adz, adze [ædz] *n.* 까뀌. — *vt.* 까뀌로 깎다.

adzes

Adzhár Repúblic [ədʒɑ́:r-] (the ~) 아자르 공화국(=**Adzha·ria** [ədʒɑ́:riə])《그루지야 공화국 남부의 흑해에 접한 자치 공화국》.
ad·zú·ki bèan [ædzú:ki-] 팥《콩과의 1년생 식물》.
Æ, æ [i:] A와 E의 합자《Ae, ae 로도 씀: Cæsar, Æsop(=Caesar, Aesop)》. ★ 미국에서는 고유명사 외에는 æ, ae 를 흔히 e 로 줄임.
AE account executive. **AEA** Atomic Energy Agreement; American Electronics Association. **A.E.A.** 《영》 Atomic Energy Authority; 《미》 Actor's Equity Association (배우 조합).
Ae·a·cus [í:əkəs] *n.* 【그리스신화】 아이아코스《Zeus 의 아들; 사후에 명부 Hades 에서 사자(死者)들의 재판관이 됨》.
A.E. and P. Ambassador Extraordinary and Plenipotentiary (특명(特命) 전권 대사). **AEC** Atomic Energy Commission (원자력 위원회).
ae·ci·al [í:ʃiəl, -si-] *a.* 【세균】 녹균 포자기(胞子器)(aecium)의.
ae·cio·spore [í:siəspɔ̀:r] *n.* 【세균】 녹균 포자.
ae·ci·um [í:ʃiəm, -si-] (*pl.* **-cia** [-ʃiə, -siə]) *n.* 【세균】 녹균포자퇴(胞子堆)《녹균류에서 볼 수 있는 생식 기관》.
ae·des, aë- [eií:di:z] (*pl.* ~) *n.* (황열병(黃熱病)을 매개하는) 각다귀의 일종.
ae·dile [í:dail] *n.* 조영관(造營官)《옛 로마의 공공건물 · 도로 · 공중위생 등을 관장》.
AEEU 《영》 Amalgamated Engineering and Electrical Union. **AEF, A.E.F.** American Expeditionary Force(s) (제1차 대전 중의 미국 해외 파견군).
Á-effèct *n.* 【연극】 (Brecht 의) 이화(異化) 효과 (alienation effect).
Ae·ge·an [i(:)dʒí:ən] *a.* 에게해의, 다도해의.
Aegéan Íslands (the ~) 에게해 제도.
Aegéan Séa (the ~) 에게해, 다도해.
ae·ger [í:dʒər] *n.* 《L.》 【영대학】 질병 진단서. cf. aegrotat.
ae·gis [í:dʒis] *n.* **1** Ⓤ 보호, 옹호; 《미》 주최, 찬조(贊助), 후원(patronage): under the ~ of …의 보호 아래; …의 후원으로. **2** 【그리스신화】 Zeus 신의 방패. **3** (the A–) 【미해군】 이지스함(艦)《항공기나 미사일 공격에 대비하는 최신 방어 시스템(Aegis System)을 장비한》.
Ae·gis·thus [i(:)dʒísθəs] *n.* 【그리스신화】 아이기스토스《Clytemnestra 와 밀통하고 그녀의 남편 Agamemnon을 살해했으나 그의 아들 Orestes에게 살해됨》.
ae·gro·tat [í:groutæ̀t, ˊ-ˊ] *n.* 《L.》 (=he is sick) 【영대학】 (수험불능을 증명하는 대학 발행의) 질병 진단서; (병으로 최종시험을 치르지 못하여) 진단서를 제출하여 취득한 합격〔학위〕.
Ae·ne·as [iní:əs] *n.* 【그리스신화 · 로마신화】 아이네이아스《Troy 의 용사로, Anchises 와 Aphrodite 의 아들; 서사시 *Aeneid* 의 주인공》.
Ae·ne·id [iní:id/í:niid] *n.* (The ~) Virgil 의 서사시(詩)《Aeneas 의 유랑을 읊은》.
Ae·neo·lith·ic [eii:niouliθik] *a.* =CHALCOLITHIC.
ae·ne·ous [eií:niəs] *a.* (곤충 따위가) 청동색의(bronze-colored).
Ae·o·li·an [i:óuliən] *a.* **1** 바람의 신 Aeolus 의. **2** Aeolis 《소아시아의 한 지방》의; Aeolis 사람의. — *n.* Aeolis 사람.
ae·o·li·an *a.* 바람의; 바람의 작용에 의한; 바람이 이룬(windblown): an ~ deposit 풍성층(層) / ~ soil 풍적토(風積土).
aeólian hárp 〔**lýre**〕 에올리언 하프《바람을 받으면 저절로 울림》.
Ae·ol·ic [i:ɑ́lik/-ɔ́l-] *a.* Aeolis 지방의; Aeolis 사람의. — *n.* Ⓤ Aeolis 말.
ae·ol·i·pile, -pyle [i:ɑ́ləpàil/-ɔ́l-] *n.* 구형(球形)의 용기에서 접선 방향으로 증기를 분사하여 그 추진력으로 회전하는 장치《제트 추진의 초기의 것》.
Ae·o·lis [í:əlis] *n.* 아이올리스《소아시아 북서안의 고대 그리스 식민지》.
ae·o·lo·trop·ic [ì:əloutrɑ́pik/-trɔ́p-] *a.* 【물리】 이방성(異方性)의.
ae·o·lot·ro·py [ì:əlɑ́trəpi/-lɔ́t-] *n.* Ⓤ 【물리】 이방성.
Ae·o·lus [í:ələs] *n.* 【그리스신화】 바람의 신.
ae·on, eon [í:ən, -ɑn/-ən, -ɔn] *n.* 무한히 긴 시대; 영구.
Æ1 [í:wʌ́n] 제 2 등급《Lloyd 선급 협회의 선박 등급》. cf. A1.
ae·o·ni·an, eo- [i:óuniən] *a.* 영겁의, 천고의.
ae·on·ic, eon- [i:ɑ́nik/-ɔ́n-] *a.* =AEONIAN.
ae·py·or·nis [ì:piɔ́:rnis] *n.* 【고생물】 융조(隆鳥)(elephant bird)《Madagascar 에 서식하던 타조보다 큰 주금류》.
aeq. 《L.》 *aequalis*(=equal).
ae·quo a·ni·mo [í:kwou-ǽnəmòu; *L.* aékwo:-ɑnímo:] 《L.》 냉정하게, 침착하게.
ae·quor·in [ikwɔ́:rin, -kwɑ́r-/-kwɔ́r-] *n.* 【생물】 에쿼린《해파리의 발광(發光) 단백질》.
aer- [ɛ́ər] =AERO-.
AERA 【항공】 automated en-route air traffic control (자동 항로 관제 시스템).
aer·ate [ɛ́əreit, éiərèit] *vt.* 공기에 쐬다; …에 공기를 통하게 하다, 호흡에 의해서 (혈액에) 산소를 공급하다; (소다수 등을 만들기 위하여) 탄산가스를 넣다. ㊞ **aer·á·tion** *n.* Ⓤ 공기에 쐼; 통기; 【화학】 폭기(曝氣); 탄산가스 포화 (처리); 【생물】 (폐에 의한) 동맥혈화.
áer·at·ed [-id] *a.* 《영속어》 화난, 흥분한.
áerated bréad 탄산가스로 부풀린 무효모(無

酵母) 빵. 「(soda water).
áerated wáter 《주로 영》 탄산수(炭酸水)
aer·a·tor [έəreitər, éiərèi-] *n.* 통풍 장치; 탄산수 제조기; 곡류 훈증 살충 소독 장치.
A.E.R.E. 《영》 Atomic Energy Research Establishment《원자력 공사(A.E.A.)의》.
◇**aer·i·al** [έəriəl, eiíər-/έər-] *a.* **1** 공기의, 대기의; 기체의: ~ regions 공중 / ~ currents 기류(氣流). **2** 공기와 같은, 덧없는, 공허한; 공상적인, 꿈 같은; 영묘한, 천상의: ~ music 영묘한 음악. **3** 공중의; 공중에 치솟은: an ~ performance 공중 곡예 / an ~ railroad 〔railway〕 가공 철도 / ~ ropeway 〔cableway〕 가공 삭도. **4** 공중에 사는〔생기는〕, 기생(氣生)의: an ~ plant 기생 식물. **5** 항공(기)의, 항공기에 의한. ★ 현재는 air를 쓰는 경우가 많음: an ~ attack 공습 / ~ camera 항공 사진용 카메라 / *Aerial* Derby 비행 대회 / ~ farming 항공 농업 《비행기로 파종·농약 살포 따위를 하는》 / ~ lighthouse 〔beacon〕 항공 등대〔표지〕 / an ~ line 〔route〕 항공로 / ~ navigation 항공술 / ~ navigator 항공사 / ~ photography 항공 사진(술)(aerophotography) / ~ reconnaissance 〔inspection〕 공중 정찰〔사찰〕. **6** 〚미식축구〛 포워드 패스의〔에 의한〕. ── [έəriəl] *n.* **1** 〚전기〛 안테나. **2** =AERIAL LADDER. **3** =FORWARD PASS. **4** 〚스키〛 에어리얼 《점프하여 회전하거나 몸을 비트는 등 연기의 프리 스타일 종목》. ㊞ **~·ly** *ad.*
áer·i·al·ist *n.* **1** 공중 곡예사. **2** 《속어》 (지붕을 타고 들어가는) 곡예사 같은 침입 강도.
aer·i·al·i·ty [èəriǽləti, eiìəri-/èər-] *n.* Ⓤ 공기 비슷한 성질; 공허.
áerial làdder (소방용의) 접(摺)사닥다리.
áerial mìne (낙하산에 매단) 투하 폭탄.
áerial perspéctive 농담(濃淡) 원근법.
áerial róot 〚식물〛 기근(氣根).
áerial súrvey 공중 관측.
áerial tánker 공중 급유기.
áerial torpédo 공중 어뢰, 공뢰(空雷).
áerial trámway 가공 철도(aerial cableway.)
áerial wíre 〚통신〛 안테나, 공중〔가공〕선.
aer·ie [έəri, íəri] *n.* (매 따위의) 둥지; (매 등의) 새끼; 높은 곳에 있는 집〔성〕.
aer·i·fi·ca·tion [èərəfikéiʃən, eiìər-/èər-] *n.* Ⓤ 공기와의 화합; 기체화, 기화.
aer·i·form [έərəfɔ̀ːrm, eiíər-/έər-] *a.* 공기〔가스〕 모양의; 기체의; 무형의, 실체 없는.
aer·i·fy [έərəfài, eiíər-/έər-] *vt.* **1** 공기와 화합시키다; 기체화하다, 기화하다. **2** =AERATE.
aero [έərou] *a.* **1** 비행(기)의; 항공의. **2** 《구어》 유선형의. ── (*pl.* **~s**) *n.* 비행기.
aer·o- [έərou, -rə] '공기, 공중, 항공'이란 뜻의 결합사: *aero*dynamics, *aero*nautics. ★ 미국에서는 보통 air-.
àero·acóustics *n. pl.* 〘단수취급〙 항공 음향학《항공기 소음의 환경에 대한 영향을 연구》. ㊞ **-tic** *a.*
àero·állergen *n.* 〚의학〛 에어로알레르겐《대기 중에 있는, 알레르기를 일으키는 물질》.
àero·ballístics *n. pl.* 〘단수취급〙 항공 탄도학.
aer·o·bat·ic [èərəbǽtik] *a.* 곡예 비행의: an ~ flight 곡예 비행.
àer·o·bát·ics *n. pl.* 곡예〔고등〕 비행; 〘단수취급〙 곡예〔고등〕 비행술. [◂ *aero*-+acro*batics*]
aer·obe [έəroub] *n.* 호기성(好氣性)생물, 호기성균(菌). 「형 로켓.
aer·o·bee [έərəbiː] *n.* 초고층 대기 연구용 소
aer·o·bic [εəróubik] *a.* **1** 호기성의; 산소의; 산소에 의한: ~ bacteria 호기성균. **2** 에어로빅스의, 신체의 산소 소비〔활용〕의: ~ dance.
aer·o·bi·cize [εəróubisàiz] *vi.* 에어로빅 체조를 하다.
aer·ó·bics *n. pl.* 〘단수취급〙 에어로빅스《호흡 순환기의 산소 소비를 늘리는 건강 운동법》.
àero·biólogy *n.* 공중 생물학.
aer·o·bi·o·sis [èəroubaióusis] (*pl.* **-ses** [-siːz]) *n.* 〚생물〛 호기(好氣) 생활.
aer·o·bi·um [εəróubiəm] (*pl.* **-bia** [-biə]) *n.* =AEROBE.
àero·bódy *n.* 경비행기.
áero·bràking *n.* 〚우주〛 에어러브레이킹《대기의 마찰 효과를 이용하여 우주선을 감속시킴》.
áero·càmera *n.* 비행기용 사진기, 항공 사진기.
áero·cràft *n.* =AIRCRAFT.
aer·o·do·net·ics [èəroudənétiks] *n. pl.* 〘단수취급〙 (글라이더의) 활공 역학(滑空力學), 활공술; 비행 안정 역학.
áero·dròme *n.* 비행장, 공항(airdrome).
àero·dynámic *a.* 공기 역학(상)의. ㊞ **-ically** *ad.*
aerodynámic bráking 〚항공〛 공력(空力)제동《(1) 착륙 직후의 비행기를 감속시키기 위해 제동 낙하산(drag parachute)을 펼치거나 역(逆)분사 장치(thrust reverser)를 작동시키는 것. (2) 고정익 항공기의 비행속도를 늦추기 위해 에어브레이크나 스포일러를 작동시켜 기체의 기압저항을 증가시키는 것. (3) 대기권 재돌입시의 우주선의 감속을 위해 기체의 공기 저항을 이용하는 것》.
aerodynámic héating 〚로켓〛 공력가열(空力加熱)《공기와의 마찰로 로켓이 가열되는 현상》.
àero·dynámicist *n.* 공기〔항공〕 역학자.
àero·dynámics *n. pl.* 〘단수취급〙 공기〔항공〕 역학.
áero·dỳne *n.* 〚항공〛 중(重)항공기《기체(機體)가 공기보다 무거운 것》. OPP *aerostat.*
àero·elástic *a.* 〚항공〛 공기력(空氣力) 탄성(彈性)의; 공기 역학의 힘으로 변형되는. 「症).
àero·émbolism *n.* 〚의학〛 항공 색전증(塞栓
àero·éngine *n.* 항공(기용) 발동기.
áero·fòil *n.* 〚영항공〛 날개(airfoil)《주날개·꼬리날개 등의 총칭》.
àero·génerator *n.* 풍력 발전기.
aer·o·gram [έərəgrǽm] *n.* **1** 《영》 무선 전보. **2** 《옛투》 항공편, 항공우편. **3** 〚기상〛 고층 기상도. **4** =AEROGRAMME.
aer·o·gramme [έərəgrǽm] *n.* 봉함 항공우편.
aer·o·graph [έərəgrǽf, -grɑ̀ːf] *n.* 〚기상〛 (고층(高層) 기온·기압·습도 등의) 자동기록기, 에어러그래프; 《영》 =AIR BRUSH.
aer·og·ra·pher [εərágrəfər/-rɔ́g-] *n.* 〚미해군〛 고층 기상 관측병.
aer·og·ra·phy [εərágrəfi/-rɔ́g-] *n.* 대기지(大氣誌)《에어러그래프의 기록을 자료로 하여 모은 것》, 기술(記述) 기상학.
àero·hýdroplane *n.* 수상 비행기, 비행정.
aer·o·lite, aero·lith [έərəlàit], [-liθ] *n.* 운석.
aer·ol·o·gy [εərálədʒi/-rɔ́l-] *n.* Ⓤ 고층(高層) 기상학. ㊞ **-gist** *n.* 고층 기상학자.
àero·magnétic *a.* 항공자기(航空磁氣)의.
àero·maríne *a.* 〚항공〛 해양 비행의.
àero·mechánic *a.* 항공 역학의. ── *n.* 항공기사, 항공 역학자. 「학. ㊞ **-ical** *a.*
àero·mechánics *n. pl.* 〘단수취급〙 항공 역
àero·médicine *n.* 항공의학.
àero·méteorograph *n.* 〚기상〛 (고층) 자기(自記) 기상계.
aer·om·e·ter [εərámətər/-rɔ́m-] *n.* 기량계(氣量計), 기체계(計). ㊞ **-try** *n.* Ⓤ 기체 측정, 양기학(量氣學).
áero·mòdeller *n.* 《영》 항공 모형 제작자.

aeron. aeronautics.
aer·o·naut [ɛ́ərənɔ̀:t] *n.* 비행가; 기구〔비행선〕 조종사〔승무원〕. [Gr. *nautēs* sailor]
aer·o·nau·tic, -ti·cal [ɛ̀ərənɔ́:tik], [-əl] *a.* 항공학의, 비행술의; 기구〔비행선〕 승무원의. ㊞ **-ti·cal·ly** *ad.*
aeronáutical chárt 항공도.
aeronáutical engineéring 항공 공학.
aeronáutical en-róute informátion sèrvice 항공로 정보 제공 업무《생략: AEIS》.
aeronáutical státion 〖항공〗 지상 통신국.
àero·náutics *n. pl.* 〔단수취급〕 항공학〔술〕.
àero·neurósis *n.* Ⓤ 〖의학〗 항공 신경증.
ae·ron·o·my [ɛərɑ́nəmi/-rɔ́n-] *n.* Ⓤ 초고층 대기 물리학.
aero-otítis média 〖의학〗 항공 중이염.
aer·o·pause [ɛ́ərəpɔ̀:z] *n.* 〖항공〗 대기계면(大氣界面)《고도 20-23 km간의 대기층》.
aer·o·pha·gia [ɛ̀ərəféidʒiə] *n.* 〖정신의학〗 탐기증(呑氣症); 공기연하증(嚥下症).
aer·o·phobe [ɛ̀ərəfóub] *n.* 비행 공포증자(者).
aer·o·pho·bia [ɛ̀ərəfóubiə] *n.* Ⓤ 〖의학〗 고소 공포증, 공기증(恐氣症), 혐기증(嫌氣症). ㊞ **-bic** *a.*
áero·phòne *n.* 〖음악〗 기명(氣鳴)악기, 취주(吹奏)악기, 관악기.
áero·phòto (*pl.* **~s**) *n.* 항공사진. ㊞ **àero·photógraphy** *n.* Ⓤ 항공사진술.
àero·phýsics *n. pl.* 〔단수취급〕 공기 물리학, 공기역학, 항공 물리학.
aer·o·phyte [ɛ́ərəfàit] *n.* 〖식물〗 착생 식물.
⁑**aer·o·plane** [ɛ́ərəplèin] *n.* 《영》 비행기(《미》 airplane).
àero·plánkton *n.* Ⓤ 공중 부유 생물.
àero·pólitics *n. pl.* 〔단수취급〕 국제 항공 정책.
áero·scòpe *n.* 대기 검사기《대기 중의 극미한 물체를 수집하는 장치》.
àero·shéll *n.* 〖우주〗 (연착륙용의) 소형 제어 로켓이 달린 보호각(殼).
áero·sòl *n.* 〖화학〗 에어로솔, 연무질(煙霧質).
áerosol bòmb 〔**contàiner**〕 (압축가스를 이용한) 분무기.
aer·o·sol·ize [ɛ́ərəsɔ:làiz, -sɑl-/-sɔl-] *vt.* 에어로솔화(化)하다, 분무(噴霧)하다. ㊞ **aer·o·sol·i·za·tion** [ɛ̀ərəsɔ:lizéiʃən/-laiz-] *n.*
áero·spàce *n.* (대기권과 그 밖의 공간을 통틀은) 우주 공간, 대기권 내외; 항공 우주 산업; 항공 우주 과학. ── *a.* 우주 공간의; 항공 우주(산업)의: ~ industries.
áerospace mèdicine 항공 (우주) 의학.
áerospace plàne (대기권 밖 비행의) 우주 항공기.
áero·sphère *n.* 〖항공〗 (흔히 비행 가능한) 대기권.
áero·stàt *n.* 〖항공〗 경(輕)항공기《기구 · 비행선 따위》.
àero·státic, -ical *a.* 기체 정역학(靜力學)의; (경항공기) 항공술의.
àero·státics *n. pl.* 〔단수취급〕 기체 정역학; (경항공기) 항공학.
àero·státion *n.* Ⓤ 경항공기 조종법〔학〕. cf. aviation.
àero·therapéutics, -thérapy *n.* Ⓤ 〖의학〗 대기〔공기〕 요법(학).
àero·thermodynámic *a.* 공기 열역학의: ~ border 〖로켓〗 공기 열역학적 한계《150-160 km 이하의 고도》.
àero·thermodynámics *n. pl.* 〔단 · 복수취급〕 공기 열역학(空氣熱力學).
áero·ti·tis (**média**) [ɛ̀ərətàitis(-)] 〖의학〗 항공(성) 중이염(中耳炎).
áero·tràin *n.* 에어러트레인, 공기 부상식 열차.
Aer·tex [ɛ́ərtèks] *n.* 《영》 에어텍스《내의 따위에 쓰이는 발이 거친 천; 상표명》.
ae·ru·gi·nous [irú:dʒənəs, ai-] *a.* 녹청(綠青)의; 청록색의.
ae·ru·go [irú:gou, ai-] *n.* Ⓤ 녹, 《특히》 녹청.
aery[1] [ɛ́əri, éiəri] *a.* 《시어》 =AERIAL.
aery[2] [ɛ́əri, íəri] *n.* =AERIE.
Aes·chy·lus [éskələs/í:s-] *n.* 아이스킬로스《그리스의 비극 시인; 525-456 B.C.》.
Aes·cu·la·pi·us [èskjəléipiəs/ì:s-] *n.* 〖로마 신화〗 의술의 신; Ⓒ 의사.
Ae·sir [éisiər, éiziər] *n. pl.* 아사 신족(神族)《Asgard 에 살던 북유럽 신화의 신들》.
Ae·sop, Æ·sop [í:səp, -sɑp/-sɔp] *n.* 이솝《그리스의 우화 작가; 619?-564? B.C.》: ~'s Fables 이솝 이야기. ㊞ **Ae·so·pi·an** [i(:)sóupiən] *a.* 이솝(류)의; 이솝 이야기 같은; 우의(寓意)적인.
aes·thete, es- [ésθi:t/í:s-] *n.* 유미(唯美)〔탐미〕주의자; 심미가, 미술가연하는 사람.
°**aes·thet·ic, es-** [esθétik/i:s-], **-i·cal** [-ikəl] *a.* 미(美)의, 미술의; 미학의; 심미적인; 심미안이 있는; 좋은 취미의: an *aesthetic* person 심미안이 있는 사람. ㊞ **-i·cal·ly** *ad.*
aesthétic dístance 심미적 거리.
aes·the·ti·cian, es- [èsθətíʃən/ì:s-] *n.* 미학자.
aes·thet·i·cism, es- [esθétəsìzəm/i:s-] *n.* Ⓤ 유미주의; 예술 지상주의.
aes·thet·i·cize, es- [esθétəsàiz/i:s-] *vt.* 아름답게 하다, 미적으로 하다. ㊞ **aes·thèt·i·ci·zá·tion, es-** *n.*
aes·thét·ics, es- *n. pl.* 〔단수취급〕 〖철학〗 미학(美學); 〖심리〗 미적 정서의 연구.
àes·tho·physiólogy [èsθou-/ì:s-] *n.* Ⓤ 감각 생리학. ★ 미국에서는 esthesiophysiology.
aes·ti·val, es- [éstəvəl, estái-/i:stái-] *a.* 여름의, 하계의, 하절의.
aes·ti·vate, es- [éstəvèit/í:st-] *vi.* 여름을 지내다〔보내다〕; 〖동물〗 하면(夏眠)하다. ㊞ **àes·ti·vá·tion, ès-** *n.* Ⓤ 〖동물〗 하면.
aet., aetat. [i:t], [í:tæt] aetatis.
ae·ta·tis [i:téitis] *a.* 《L.》 당년 …살(의) (at the age of): ~ 10, 10 살의.
aether, aethereal, *etc.* ⇨ ETHER, ETHEREAL, etc.
aetiology ⇨ ETIOLOGY.
A.E.U. 《영》 Amalgamated Engineering Union. **AEW** 〖군사〗 airborne early warning(공중 조기 경보(기)).
af- [æf, əf] *pref.* =AD-《f 앞에서》: *af*firm.
A.F. Admiral of the Fleet; Air Force; Air France; Allied Forces; Anglo-French; Army Form (육군 양식). **Af.** Africa(n). **A.F., a.f.** audio frequency (가청 주파수). **AFA** Amateur Football Association; 《미》 Associate in Fine Arts (초급대학 등의 미술학과 수료자). **A.F.A.M.** Ancient Free and Accepted Masons.
afar [əfɑ́:r] *ad.* 멀리, 아득히(far): ~ off 멀리 저쪽에. ── *n.* 〔다음 관용구로〕 ***from*** **~** 멀리서.
A.F.A.S. Associate of the Faculty of Architects and Surveyors. **AFB** 《미》 Air Force Base (미국내에 있는) 공군 기지. **A.F.B.S.** American and Foreign Bible Society. **AFC** 《미》 American Football Conference《NFL 의 2 대 프로 리그의 하나》; automatic flight control (자동 비행 제어); 〖방송〗 automatic frequency control(주파수 자동 제어). **A.F.C.** Air Force Cross (영국 공군 십자장). **AFCS** 〖항공〗 automatic flight control system(자동 비행 제어 장치). **AfDB** African Development Bank. **AFDC, A.F.D.C.** 《미》 Aid to Families with Dependent Children (아동 부양 세대(世帶) 보조).

afear(e)d [əfíərd] *a.* 《고어 · 방언》 =AFRAID.
afe·brile [eifí:brəl, -féb-] *a.* 열 없는, 무열(성)의(feverless).
aff. affirmative; affirming.
àf·fa·bíl·i·ty *n.* [U] 상냥함, 붙임성 있음, 사근사근함.
◇**af·fa·ble** [ǽfəbəl] *a.* 상냥한, 붙임성 있는, 친절한, 사근사근한. [파] **~·ness** *n.* **-bly** *ad.*
⁑**af·fair** [əfέər] *n.* [C] **1** 일, 용건; (*pl.*) (일상의) 업무, 용무, 직무, 사무: on business ~*s* 상용으로 / ~*s* of state 국사(國事), 정무 / private ~*s* 사사로운 일 / public ~*s* 공무 / worldly ~*s* 세속 일 / a man of ~*s* 사무〔실무〕가. **2** (세상을 떠들썩하게 하는) 사건; 생긴 일(event); 추문: an ~ of honor 결투 / the Watergate ~ 워터게이트 사건. **3** 관심사: That's none of your ~. 그건 네가 알 바 아니다(=That's my own ~.) / It's no ~ of mine. 내 알 바 아니다. **4** (사교적인) 모임, 파티: a social ~ 사교 모임. **5** (주로) 불륜의 연애〔관계〕, 정사: an extramarital ~ 혼외 정사 / have an ~ with …와 관계를 갖다. **6** 《구어》 〖형용사를 수반하여〗 것; 물건, 물품: a complicated ~ 복잡한 것 / a cheap ~ 싸구려. **7** (*pl.*) 사태, 상황, 정세: current ~*s* 시국, 시사 / the state of ~*s* 형세, 사태. ***as ~s* 〔*things, matters*〕 *stand*** 현상태로는. ***put* 〔*set, leave*〕 one's *~s in order*** (경제적으로) 신변의 일을 정리하다〔정리해 두다〕. ***wind up* one's *~s*** 업무의 뒤처리를 하다, 가게를 닫다.
af·faire d'a·mour [*F.* afɛ:ʀdamu:ʀ] 《F.》 (=affair of love) 정사.
af·faire de cœur [*F.* afɛ:ʀdəkœ:ʀ] 《F.》 (=affair of heart) 연애 사건, 정사(情事).
af·faire d'hon·neur [*F.* afɛ:ʀdɔnœ:ʀ] 《F.》 (=affair of honor) 결투.
⁑**af·fect**[1] [əfékt] *vt.* **1** …에게 영향을 주다; …에게 악영향을 미치다: This will ~ business. 이것은 장사에 영향이 있다. **2** 〖보통 수동태로〗 (병 · 고통이 사람 · 인체를) 침범하다, 걸리다: The cancer has ~*ed* his stomach. 그는 위암에 걸렸다 / He *is ~ed with* rheumatism. 그는 류머티스에 걸렸다 / He *is ~ed in* the lungs. 그는 폐병을 앓고 있다. **3** 〖보통 수동태로〗 감동시키다, …에게 감명을 주다: He *was ~ed with* compassion. 그는 측은한 생각이 들었다 / She *was ~ed at* the news. 그녀는 그 소식을 듣고 감동되었다. ◇ affection *n.* ── [ǽfekt] *n.* 〖심리〗 감동, 정서.
◇**af·fect**[2] *vt.* **1** 《~+[목] / +*to* do》 …인〔한〕 체하다, …을 가장하다, …인〔한〕 양 꾸미다: ~ ignorance 모르는 체하다 / ~ *to* be weary 피곤한 체하다. [SYN] ⇨ ASSUME. **2** …을 즐기다, 즐겨 …을 사용하다: ~ loud dress 화려한 옷을 즐겨 입다. **3** (동식물이) …에 즐겨 살다〔생기다〕: Birds ~ the woods. 새는 즐겨 숲에 산다. **4** (물건이 어떤 형태를) 잘 취하다: Drops of fluid ~ a round figure. 액체의 방울은 둥근 형태를 취한다. ◇ affectation *n.*
◇**af·fec·ta·tion** [æ̀fektéiʃən] *n.* [U,C] …인 체함, …연함(*of*); 짐짓 꾸밈〔꾸미는 태도〕: an ~ of speech 척하는 말 / an ~ of kindness 겉치레의 친절 / make ~ *of* …인 체하다, …을 자랑하다 / without ~ 체하지〔꾸미지〕 않고, 솔직히.
◇**af·féct·ed**[1] [-id] *a.* **1** 영향을 받은; (병 따위에) 걸린, 침범된, (더위 등을) 먹은: the ~ district 피해지 / the ~ parts 환부(患部). **2** 감동된, 슬픔에 잠긴; 변질된. **3** 〖부사와 함께〗 (…한) 마음을 품은: well 〔ill〕 ~ to 〔toward〕 …에게 호의〔악의〕를 가진.
◇**af·féct·ed**[2] *a.* 짐짓 꾸민, …인 체하는, 유체스러운; 부자연한: ~ airs 젠체하는〔꾸민〕 태도 / an ~ sorrow 겉뿐인 슬픔. [파] **~·ly** *ad.* **~·ness** *n.*

af·féct·ing *a.* 감동시키는; 애절한, 애처로운: an ~ sight 애처로운 광경. [파] **~·ly** *ad.*
***af·fec·tion** [əfékʃən] *n.* **1** [U,C] 애정, 호의 《*for*; *toward*(*s*)》; (*pl.*) 애착, 연모: filial ~ 효심(孝心) / ~ between the sexes 남녀의 정 / the ~ of a parent *for* his child 어버이의 자식에 대한 애정 / the object of one's ~*s* 사랑하는 사람, 의중의 사람 / set one's ~ on …에게 애정을 품다. **2** [U] 감정, 감동, 정의. [SYN] ⇨ FEELING. **3** [U] 영향. **4** [C] 병(disease); 윌경: an ~ of the throat 인후병(咽喉病). **5** 성질, 성정(性情). **6** 《고어》 편견. ◇ affect[1] *v.* [파] **~·al** *a.* **~·al·ly** *ad.* **~·less** *a.* 애정이 없는.
***af·fec·tion·ate** [əfékʃənət] *a.* **1** 애정 깊은, 사랑에 넘친: an ~ mother 〔letter〕 인자한 어머니〔애정어린 편지〕. **2** 다정한, 인정 많은: He is ~ *to* 〔*toward*〕 her. 그는 그녀에게 애정을 품고 있다 / Your ~ brother 친애하는 형으로부터 《편지의 맺는 말》. [파] ◇**~·ly** *ad.* 애정을 다하여, 애정이 넘치게: Yours ~*ly* =《미》 *Affectionately* yours 친애하는 …으로부터《편지의 맺는말》.
afféctionless chàracter 〖심리〗 애정 상실 성격.
af·fec·tive [əféktiv, æf-] *a.* 감정〔정서〕적인. [파] **~·ly** *ad.*
afféctive lógic 〔**réasoning**〕 〖심리〗 감정 논리《논리에 의한 것처럼 보이나 사실은 감정에 따라 판단하고 있는 것》.
af·fec·tiv·i·ty [æ̀fektívəti] *n.* 정서성; 감정, 정서; 〖심리〗 감정 상태.
af·féct·less *a.* 감동 없는, 무정한, 냉혹한. [파] **~·ness** *n.*
af·fec·tu·al [æféktʃuəl] *a.* 〖사회 · 심리〗 애정〔정감〕의, 애정〔정감〕에 관한.
af·fen·pin·scher [ǽfənpìnʃər] *n.* 아펜핀셔《애완용의 털이 북슬북슬한 작은 개》.
af·fer·ent [ǽfərənt] *a.* 〖생리〗 (혈관이) 중심부로〔기관으로〕 인도되는; (신경이) 구심성(求心性)의. [cf] efferent. ¶ ~ veins 수입 정맥 / ~ nerves 구심성 신경.
af·fet·tu·o·so [əfètʃuóusou] *ad.* 《It.》 〖음악〗 감정을 넣어.
af·fi·ance [əfáiəns] *n.* [U] 약혼; 서약; 《고어》 신용, 신뢰. ── *vt.* 〖보통 수동태 또는 ~ oneself〗 약혼시키다. ***be ~d to*** …의 약혼자이다. ***the ~d*** (***couple***) 약혼 중인 두 사람.
af·fi·ant [əfáiənt] *n.* 〖미법률〗 선서 진술인.
af·fiche [æfí:ʃ] (*pl.* **~s**) *n.* 《F.》 게시, 벽보, 간판, 포스터(poster). ── *vt.* 선전하다.
af·fi·da·vit [æ̀fədéivit] *n.* 〖법률〗 선서서(宣誓書), 선서 진술서: ~ of support 재정 보증서 / swear 〔make, take〕 an ~ (증인이) 진술서에 허위가 없음을 선서하다 / take (down) an ~ (판사가) 진술서를 받다.
af·fil·i·ate [əfílièit] *vt.* **1** 〖~ oneself〗 가입시키다, 회원으로 하다; 관계를 맺다; 지부(支部)로 하다; 합병하다《*with*; *to*》: ~ one*self with* 〔*to*〕 …에 가입하다. **2** 양자로 삼다《*to*》; 〖법률〗 (법정 · 어머니가 사생아의) 아비를 확인하다《*to*》: The mother ~*d* her baby *to* 〔*upon*〕 him. 어머니는 그 아기의 아버지가 그 사람이라고 했다. **3** …의 유래를〔기원을〕 …에 구하다《*to*》; …으로 돌리다 《*upon*》. ── *vi.* **1** 관계〔가맹, 가입〕하다, 입당〔입회〕하다; 제휴하다, 손잡다《*with*》. **2** 《미》 교제하다, 친밀히 하다《*with*》. ***~d company*** 방계〔계열〕 회사. ***~d societies*** 협회 지부. ***be ~d with*** …와 관계가 있다; …와 사귀다; …에 가입하고 있다. ── [əfíliət, -èit] *n.* 가입자, 회원; 《미》 관계〔외곽〕 단체, 가맹 단체, 지부, 분회, 계열〔자매〕 회사; 가맹 계열 방송국.

af·fíl·i·àt·ed [-id] *a.* 관련있는; 가맹〔가입〕한; 제휴〔합병〕한; 계열〔산하, 지부〕의(related): one's ~ school 출신교.

af·fil·i·á·tion *n.* U,C **1** 가입, 입회, 가맹. **2** 동맹, 연합; 제휴, 협력. **3** 양자 결연; 〖법률〗 (사생아의) 부친 확인. **4** 기원(起源)의 결정, 유래를 찾음. **5** (*pl.*) 《미》 관계, 우호 관계.

affiliátion òrder 〖영법률〗 (치안판사가 부친에게 내리는) 비(非)적출자 부양비 지급 명령.

affiliátion procèedings 〖법률〗 부자 관계 결정 절차《보통, 미혼모가 특정 남성이 자기 자식의 아버지라는 법적 인지(認知)를 청구하는 강제 인지 소송》.

af·fi·nal [æfáinl, əfái-, ǽfai-] *a.* (친척이) 혼인으로 연결된, 인척(姻戚) 관계에 있는 《사람》; 공통의 기원을 가진.

af·fine [æfáin, əfáin, ǽfain] *n.* 인척《사람》. ── *a.* 〖수학〗 의사(擬似) 변환의〔에 관한〕.

af·fined [əfáind] *a.* 연고가 닿는, 일가의, 인척 관계의; 동맹한, 밀접히 결합된.

af·fin·i·tive [əfínətiv] *a.* 밀접한 관계가 있는.

af·fin·i·ty [əfínəti] *n.* **1** U,C 인척 (관계); 동족 관계. cf. consanguinity. **2** 유사성〔점〕, 친근성《*between; with*》. **3** 맞는 성질, (끌려) 좋아함; 뜻이〔성미가〕 맞는 사람. **4** U 〖화학·생물〗 친화력; 유연(類緣)(성). cf. elective affinity. ¶ the ~ of iron *for* oxygen 철의 산소에 대한 친화력. **5** 좋아함, 애호《*for*》. ***have an ~ for*** 〔***to***〕 …에 마음이 끌리다, …을 좋아하다.

affínity càrd 어피니티 카드《은행이나 카드 회사가 자선 사업이나 공적인 활동〔환경 보호 등〕에 협찬하여 발행하는 크레디트 카드》.

affínity gròup 유연(類緣) 단체《여행 이외의 목적을 가진 단체; 운임의 특별 할인 대상이 됨》.

***af·firm** [əfə́ːrm] *vt.* **1** 《~+목/+*that*절》 확언하다, 단언하다; 긍정하다: ~ one's loyalty 충성을 맹세하다 / He ~*ed that* the news was true. 그는 그 소식이 사실이라고 단언했다. SYN. ⇨ASSERT. **2** 〖법률〗 (상소에 대하여 원판결 따위를) 확인하다, 지지하다; …에 관해서 무선서 증언을 하다. ── *vi.* 단언〔긍정〕하다; 〖법률〗 무선서 증언을 하다; 하급심의 판결을 지지〔확인〕하다: The witness ~*ed to* the fact. 증인은 사실임을 증언했다. ── *a., n.* 《미구어》 긍정의〔긍정적인〕 (대답); =AFFIRMATIVE: "Do you read me?" "*Affirm.*" (무선에서) '내 말 들려?' '들립니다.' 파 **~·a·ble** *a.* **~·ance** *n.* U 단언, 확인. **~·ant** *a., n.* ~하는 (사람). **~·er** *n.* 확언자; 증언자.

af·fir·ma·tion [æ̀fərméiʃən] *n.* U,C 단언, 주장; 〖논리〗 긍정; 확인; 〖법률〗 (양심적 선서 거부자가 하는) 무선서(無宣誓) 증언; (선서에 대신하는) 확약.

°**af·firm·a·tive** [əfə́ːrmətiv] *a.* **1** 확언〔단언〕적인. **2** 긍정의, 승낙의, 찬성의: an ~ reply 찬성하는 회답 / ~ votes 찬성 투표 / the ~ side 찬성쪽. opp. *negative.* ── *n.* **1** 확언, 단정; 긍정, 찬성. **2** 〖논리〗 긍정문, 긍정어, 긍정 명제. ── *int.* 찬성이오. ***in the ~*** 긍정〔승낙·동의〕하여: 30 percent replied *in the* ~. 30퍼센트가 동의하였다. 파 **~·ly** *ad.*

affírmative áction 《미》 차별 철폐 조처《소수 민족의 차별 철폐·여성고용 등을 적극 추진하는 계획》.

affírmative flág 〖해군〗 yes를 뜻하는 신호기《청·백·적·청의 가로 줄무늬》.

af·firm·a·to·ry [əfə́ːrmətɔ̀ːri/-təri] *a.* 단정적인, 긍정의. cf. affirmative.

°**af·fix** [əfíks] *vt.* 첨부하다, 붙이다《*to; on*》; 더〔첨부해〕 쓰다; (도장을) 찍다; (책임 등을) 지우다: ~ one's signature 서명하다 / ~ blame *to* …에게 죄를 돌리다 / ~ a stamp 우표를 붙이다. ── [ǽfiks] *n.* 첨부물; 〖문법〗 접사(接辭)《접두사·접미사》. 파 **af·fix·a·tion** [æ̀fikséiʃən] *n.* **1** 첨가(물). **2** 〖문법〗 접사 부가(에 의한 말의 형성).

af·fix·ture [əfíkstʃər] *n.* 첨가(물), 부가(물).

af·flat·ed [əfléitid] *a.* 영감을 받은, 고무된.

af·fla·tion [əfléiʃən] *n.* U (생각 따위를) 불어넣음, 고취.

af·fla·tus [əfléitəs] *n.* (시인·예언자 등의) 영감, 인스피레이션.

***af·flict** [əflíkt] *vt.* 《~+목/+목+전+명》 괴롭히다(distress)《*with; by*》: ~ oneself *with* illness 병으로 괴로워하다 / be ~*ed with* arthritis 관절염을 앓다 / be ~*ed by* the heat 더위로 괴로워하다. SYN. ⇨TORMENT.

af·flíct·ing *a.* 심한 고통〔괴로움〕을 주는, 괴로운, 고통스러운.

***af·flic·tion** [əflíkʃən] *n.* **1** U 고통, 고뇌, 고생 (misery): people in ~ 고통받는 사람들. **2** C 병. **3** C 재해 (calamity), 역경; 불행의 원인.

af·flic·tive [əflíktiv] *a.* 괴로운, 고통을 주는.

af·flight [əfláit] *n.* 〖로켓〗 달 플라이바이 (flyby) 궤도《달을 돌아 지구로 귀환하는》.

af·flu·ence [ǽfluəns, əflúː-/ǽflu-] *n.* U 풍부함, 풍요, 유복; 유입(流入): live in ~ 유복하게 살다.

af·flu·ent [ǽfluənt, əflúː-/ǽflu-] *a.* 풍부한; 유복한; 거침 없이 흐르는. SYN. ⇨RICH. ── *n.* 지류(支流). 파 **~·ly** *ad.*

áffluent socíety (the ~) 풍요한 사회.

af·flu·en·za [æ̀fluːénzə] *n.* 애플루엔자, 부자병《막대한 상속을 받은 여자가 무력감, 권태감, 자책감 따위를 갖는 병적 증상》.

af·flux [ǽflʌks] *n.* (물 따위의) 흘러듦, 유입(流入); (군중의) 쇄도; 〖의학〗 충혈: an ~ of blood to the head 뇌충혈, 상기(上氣).

af·force [əfɔ́ːrs] *vt.* (배심원 등의 진용을) 전문가를 참가시켜 보강하다.

****af·ford** [əfɔ́ːrd] *vt.* **1** 〘종종 can, be able to와 함께〙 **a** …의 여유가 있다, …을 살〔지급할, 소유할〕 돈이 있다, …을 참을 여유가 있다: I *can*not ~ the expense. 그 비용을 감당할 수 없다 / I *can*not ~ the loss of a day. 단 하루도 헛되이 할 수 없다. **b** 《+*to* do》 …할 여유가 있다, …할 수 있다: I *can*not ~ *to* be generous. 선심 쓸 여유가 없다 / I *can't* ~ *to* let a chance like this go by. 이런 기회를 그냥 놓칠 수는 없다. **2** 《~+목/+목+목/+목+전+명》 주다, 제공하다, 산출하다, 낳다: Reading ~*s* pleasure. 독서는 즐거움을 준다 / The transaction ~*ed* him a good profit. =The transaction ~*ed* a good profit *to* him. 그 장사로 그는 한몫 잘 보았다.

af·fórd·a·ble *a.* 줄 수 있는; 입수 가능한, (값이) 알맞은. ── *n.* (흔히 *pl.*) 감당할 수 있는 물품·비용 따위. 파 **af·fòrd·a·bíl·i·ty** *n.* **-bly** *ad.*

af·for·est [əfɔ́ːrist, əfár-/əfɔ́r-] *vt.* 조림〔식수〕하다. 파 **af·fòr·est·á·tion** *n.*

af·fran·chise [əfrǽntʃaiz] *vt.* 자유의 몸으로 하다, 해방하다. 파 **~·ment** *n.* U

af·fray [əfréi] *n.* 〖법률〗 (공공장소에서의) 싸움, 난투; 법석, 소란, 소동; 소전투.

af·freight [əfréit] *vt.* (배를) 화물선으로서 용선(傭船)하다. 파 **~·er** *n.* **~·ment** *n.*

af·fri·cate [ǽfrəkət] *n.* 〖음성〗 파찰음(破擦音)《[tʃ, dʒ, ts, dz] 따위》.

af·fric·a·tive [əfríkətiv, ǽfrəkèi-] *n., a.* 〖음성〗 파찰음(의).

af·fright [əfráit] 《고어》 *vt.* 두려워하게 하다, 놀래다; 으르다(frighten). ── *n.* 공포, 놀람; 으름, 협박.

°**af·front** [əfrʌ́nt] *n.* (공공연한·의도적인) 무례, 모욕《*to*》: a gross ~ 심한 모욕/offer an ~ *to* =put an ~ upon …에게 모욕을 주다/suffer an ~ 모욕을 당하다. **—** *vt.* **1**(맞대놓고) 모욕하다, 욕보이다. [SYN.] ⇨OFFEND. **2**《폐어》(적·위험 따위에) 감연히 맞서다. [파] **~·er** *n.* **af·frón·tive** *a.* 모욕적인.

afft. affidavit.

af·fu·sion [əfjúːʒən] *n.* [U] 〖종교〗 (세례의) 관수식(灌水式); 〖의학〗 관주(灌注) (요법).

Afg., Afgh. Afghanistan.

Af·ghan [ǽfgæn, -gən] *a.* 아프가니스탄(사람)의. **—** *n.* 아프가니스탄 사람, [U] 아프가니스탄 말; [C] (a-) 모포〔숄〕의 일종.

Áfghan hóund 아프간 개《사냥개의 일종》.

Afghan hound

af·ghani [æfgǽni, -gáːni] *n.* 아프가니스탄의 화폐 단위《100 puls》; [U] (A-) 아프간어; 《속어》 아프간산(産) 하시시 또는 하시시 오일.

Af·ghan·i·stan [æfgǽnəstæ̀n] *n.* 아프가니스탄《수도는 카불(Kabul)》.

Af·ghán·i·stàn·ism *n.* 《미》 (기자 등이) 자기 지역의 문제보다 먼 곳의 문제에 역점을 두는 일.

afi·cio·na·do [əfìʃiənáːdou] (*pl.* **~s**) *n.* 《Sp.》 열애가(熱愛家), 열성가, 팬, 애호가.

afield [əfíːld] *ad., a.* 〖종종 far ~꼴로〗 **1** 밖으로, 집〔고향〕을 떠나: She has ranged as *far* ~ as Boston and Seoul. 그녀는 멀리 보스턴과 서울까지 내왕한다. **2** 상도를 벗어나, 곁길로 벗어나; 널리, 두루: stray *far* ~ in one's reading 이책 저책 두루 읽다. **3** 과녁〔정곡〕을 벗어나. **4** (군대가) 전장에; (농부 등이) 밭에, 들에; 〖야구〗 수비에 위치하여: drive cattle ~ 소를 들로 몰다. **5** (경험·지식·교우 관계 등의) 범위를 넘어.

AFIPS American Federation of Information Processing Society (미국 정보 처리 협회).

afire [əfáiər] *ad., a.* 〖형용사로는 서술적〗 불타; 격하여, 흥분하여: with heart ~ 마음이 불타/The house is ~. 집이 불타고 있다. ***set*** **~** 타게 하다; (정신적으로) 자극하다.

AFKN American Forces Korea Network.

AFL, A.F.L. American Federation of Labor; American Football League.

aflame [əfléim] *ad., a.* 〖형용사로는 주로 서술적〗 불타올라(ablaze), 이글이글〔활활〕 타올라; 낯을 붉혀, 성나서; 빛나서《*with*》.

af·la·tox·in [æ̀flətɑ́ksin/-tɔ́ks-] *n.* [U] 〖생화학〗 아플라톡신《발암성 독소》.

AFL-CIO American Federation of Labor and Congress of Industrial Organizations (미국 노동 총연맹 산업별 회의)《1955년 AFL과 CIO가 합쳐서 결성》.

°**afloat** [əflóut] *ad., a.* 〖형용사로는 서술적〗 **1** 떠서, (물·하늘에) 떠서: be ~ in the river 강에 떠 있다. **2** 해상에; 선상〔함상〕에: life ~ 해상 생활/duty ~ 해상〔함상〕 근무/all the shipping ~ 해상의 모든 배. **3** 침수〔범람〕하여: The main deck was ~. 주갑판이 침수되었다. **4** (소문이) 퍼져서: There are many rumors ~. 뜬소문이 많이 돌고 있다. **5** 〖상업〗 (어음 따위가) 유통하여. **6** 빚 안 지고, 파산하지 않고; 대활약하여. ***keep*** **~** 가라앉지 않도록 하다; 빚을 지지 않(게 하)다. ***set*** 〔***get***〕 **~** …을 띄우다; 유통〔유포〕시키다; 발족시키다.

aflut·ter [əflʌ́tər] *ad., a.* 〖형용사로는 서술적〗 팔락거리어, 너풀거리어; (가슴이) 두근거리어.

A.F.M., AFM 《영》 Air Force Medal; American Federation of Musicians. **AFN** American Forces Network; Armed Forces Network. **A.F.O.** Admiralty Fleet Order.

afo·cal [eifóukəl] *a.* 〖광학〗 무한초점의, 무한원(遠)에 초점이 있는《렌즈 따위》.

à fond [ɑːfɔ́ːŋ; *F.* afɔ̃] 《F.》 철저하게, 충분히.

afoot [əfút] *ad., a.* 〖형용사로서는 서술적〗 **1** 진행중(에); 계획되어; 활동하여: A plot is ~. 음모가 있다. **2** 《문어》 도보로(on foot). **3** 일어서서; 일어나서: be early ~ 일찍부터 일어나 있다. ***get*** **~** ***again*** 완쾌하다. ***set*** **~** (소문을) 내다; (일을) 벌이다; (음모를) 꾸미다.

afore [əfɔ́ːr] *ad., prep., conj.* 〖해사〗 (…의) 앞쪽에, 전방에; 《고어·방언》 (…의) 앞에. ★ 지금은 보통 before를 씀. ***serve*** **~** ***the mast*** 평(平)선원으로 일하다.

afóre·mèntioned *a.* 앞에 말한, 전술〔전기〕한.

afóre·sàid *a.* 앞서 말한, 전술한.

afóre·thòught *a.* 미리 고려된, 계획적인; 고의(故意)의. **—** *n.* [U,C] 사전의 고려.

afóre·tìme *ad.* 미리, 사전에; 이전에, 앞서. **—** *a.* 이전의, 앞서의.

a for·ti·o·ri [ei-fɔ̀ːrʃiɔ́ːrai] 《L.》 한층 더한 이유로, 더욱더; 더 유력한 논거가 되는.

afoul [əfául] *ad., a.* 〖형용사로는 서술적〗 충돌하여; 엉클어져. ***run*** 〔***fall***〕 **~** ***of*** = run FOUL of.

A4 [éifɔ́ːr] *n., a.* A4 판《297×210 mm; A3 판과 함께 EC 에서의 표준 사이즈》(의).

AFP *Agence France-Presse*(프랑스 통신사).

Afr. Africa; African. **A.-Fr.** Anglo-French.

‡**afraid** [əfréid] *a.* 〖서술적〗 ★ be *much* ~는 낡은 표현이며, be *very much* ~라고도 하지만 근래에는 be *very* ~가 보통임. **1 a** 두려워하는, 무서워하는《*of*》: Don't be ~. 무서워 마라/I'm ~ *of* snakes. 뱀이 무섭다. **b** (…하기를) 겁내는, (겁이나) …못하는; (…할) 용기가 없는《*of doing; to do*》: be ~ *of* address*ing* 〔*to* address〕 a foreigner 외국인에게 말을 걸 용기가 없다. **2** (…에 대해) 걱정〔염려〕하는, 불안한《*about; for; of; that; lest*》: I'm ~ *for* his safety. 그의 안전이 걱정된다/I was ~ *of* wound*ing* her pride. =I was ~ (*that*) I might wound her pride. 그녀의 자존심을 상하게 하지는 않았나 염려가 되었다/He was ~ *lest* the secret (should) leak out. 그는 비밀이 새지 않을까 걱정했다.

> [SYN.] **afraid** 불안, 걱정, 불명(不明)한 것에 대한 두려움: be *afraid* of 〔in〕 the dark 어둠이 무섭다. **alarmed** 갑자기 나타난 위험, 또는 예상되는 위험 등을 알고 느끼는 급작스러운 불안: *alarmed* by the news that war might break out 전쟁이 터질지도 모른다는 뉴스에 걱정이 되어. **frightened** 신체적인 위기를 느껴 겁냄. 일시적이지만 강렬한 공포: The child was *frightened* by the fierce dog. 어린애는 사나운 개에 겁이 났다. **terrified** 기겁을 할 정도의 무서움, 놀람.

3 …을 섭섭하게〔유감스럽게〕 생각하는, (유감이지만) …라고 생각하는《흔히 that을 생략한 명사절을 수반》: I am ~ it is not possible. 불가능하여 안됐습니다. ★ '…라고 생각하다'의 뜻을, 좋은 일일 때는 I hope ..., 나쁜 일일 때는 I am *afraid*...로 표현함. **4** 싫어하는; 꺼리는〔주저하는〕《*of; to do*》: He's ~ *of* formal dinners. 그는 정식 만찬회를 싫어한다/He's ~ *to* show emotion. 그는 감정을 드러내기를 꺼린다.

Á-fràme 《미》 *n.* A꼴 구조의 집; A자 모양의 틀《무거운 물건을 받침》. ★ 우리나라의 '지게'.
Af·ra·sia [æfréiʒə, -ʃə] *n.* 아프라시아《아프리카 북부와 아시아 남서부를 일괄하여 일컫는 호칭》.
AFRC Agriculture and Food Research Council.
af·reet, af·rit [ǽfriːt, əfríːt/ǽfriːt] *n.* 【아랍 「신화】 악마.
°**afresh** [əfréʃ] *ad.* 새로이, 다시(again): start ~ 다시 시작하다.
Af·ric [ǽfrik] *a.* 《고어·시어》 =AFRICAN.
***Af·ri·ca** [ǽfrikə] *n.* 아프리카.
***Af·ri·can** [ǽfrikən] *a.* 아프리카(사람)의; 흑인의. — *n.* 아프리카 사람; 흑인(Negro).
Af·ri·ca·na [æ̀frikǽːnə, -kɑ́nə, -kéinə/-kɑ́ːnə] *n. pl.* 아프리카에 관한 문헌, 아프리카지(誌).
Áfrican-Américan *n.*, *a.* 아프리카계 미국 흑인(의)(Afro-American).
Áfrican bláck 《미속어》 아프리카산 마리화나 「의 한 등급.
Áfrican-Caribbéan *n.*, *a.* 아프리카계 카리브 사람(의).
Af·ri·can·der [æ̀frikǽndər] *n.* =AFRIKANER.
Áfrican dóminoes 〔**gólf**〕 《미속어》 다이스, 크랩《도박의 일종》.
Áf·ri·can·ism *n.* 아프리카 민족(독립)주의; 아프리카 문화의 특질; 아프리카 문화〔혼〕.
Áf·ri·can·ist *n.* 아프리카 문화〔언어〕 연구자〔전문가〕; 아프리카 민족 해방주의자.
Áf·ri·can·ìze *vt.* 아프리카화하다; 아프리카 흑인의 세력하에 두다. ㊎ **Àf·ri·can·i·zá·tion** *n.*
Áfrican mahógany 아프리카 마호가니.
Áfrican Nátional Cóngress (the ~) 아프리카 민족회의《남아프리카 공화국의 민족 운동 조직; 1912년 설립, 60년 불법화, 90년 합법화; 생략: ANC》.
Áfrican sléeping sìckness 【병리】 =SLEEP- 「ING SICKNESS.
Áfrican tíme 《S.Afr.속어》 시간을 안 지키는 「것.
Áfrican tóothache 《속어》 성병.
Áfrican víolet 【식물】 아프리카제비꽃《탕가니카 고지 원산》.
Af·ri·kaans [æ̀frikɑ́ːns] *n.* Ⓤ (남아프리카의) 공용 네덜란드어.
Af·ri·kan·der [æ̀frikǽndər] *n.* **1** 남아프리카산의 육우(肉牛). **2** =AFRIKANER 1.
Af·ri·ka·ner [æ̀frikɑ́ːnər, -kǽn-/-kɑ́ːn-] *n.* **1** 아프리카너(=**Àf·ri·káa·ner**)《남아프리카 태생의 백인; 특히 네덜란드계의》. **2** =AFRIKANDER 1. ㊎ **~·dom** [-dəm] *n.* 아프리카너 세력〔사회·인구〕; 아프리카너 민족주의〔의식〕.
Af·ro [ǽfrou] (*pl.* **~s**) *n.* 아프로《아프리카풍의 둥그런 머리형》. — *a.* 아프로형의; 아프리카풍의. ㊎ **~ed** *a.* 아프로형으로 한.
Af·ro- [ǽfrou, -rə] '아프리카'의 뜻의 결합사: *Afro*-Asian bloc 〔Conference〕.
Àfro-Américan *n.*, *a.* =AFRICAN-AMERICAN.
Àfro-Ásian *a.* 아시아 아프리카의: the ~ bloc 아시아 아프리카 블록. 「족(의).
Àfro-Asiátic *n.*, *a.* 【언어】 아시아 아프리카어
Áfro-bèat *n.* 아프로비트《하이라이프(highlife)·칼립소·아메리카 재즈 따위의 요소를 갖춘 음악의 한 형식》.
Àfro-Caribbéan *n.*, *a.* =AFRICAN-CARIBBEAN.
Àfro-Látin *a.* 아프로라틴 음악의《아프리카와 라틴아메리카 음악의〔에 기인하는〕》. 「자.
Af·ro·phile [ǽfroufàil] *n.* 아프리카 문화 신봉
af·ror·mo·sia [æ̀frɔːrmóuziə, -ʒə] *n.* 아프로모지아《아프리카산의 가구 장식재》.
Áfro-ròck *a.* 아프로록《록 음악을 도입한 현대 아프리카 음악》.
Àfro-Sáxon *n.*, *a.* 《경멸》 (서인도 제도에서) 백인 체제측의 흑인(의).
AFRS Armed Forces Radio Service. **AFS** American Field Service《미국의 국제 고교생 교환 단체》.
aft[1] [æft, ɑːft/ɑːft] *ad.* 【해사·항공】 고물에〔쪽으로〕, 기미(機尾)에〔로〕, 후미에〔로〕: right ~ (배의) 바로 뒤에. ***fore and*** ~ ⇨FORE. — *a.*
aft[2] *ad.* 《Sc.》 =OFT. 「선미〔기미〕의, 후미의.
AFTA ASEAN Free Trade Area(아세안 자유 무역 지역).
†**after** ⇨《p. 61》 AFTER.
áfter·bèat *n.* 【음악】 애프터비트. 「자.
áfter·bìrth *n.* 【의학】 후산(後產), 태(胎); 유복
áfter·bòdy *n.* 【해사】 고물; (로켓·미사일의 nose cone 배후의) 동체.
áfter·bràin *n.* 【해부】 후뇌.
áfter·bùrner *n.* (제트 엔진의) 재연소 장치.
áfter·bùrning *n.* Ⓤ **1** (제트 엔진의) 재연소(법). **2** (로켓 엔진의) 잔류 연료의 불규칙 연소.
áfter·càre *n.* Ⓤ 병 치료 후〔산후〕의 몸조리; 형기 따위를 마친 뒤의 보도(補導), 갱생 지도.
áfter·clàp *n.* (일이 겨우 끝나 안도의 한숨을 쉴 무렵의) 난데없는 타격, 후탈, 의외의 결과, (사건의) 뜻밖의 여파. 「는) 후부 냉각기.
áfter·còoler *n.* (압축공기의 용적 온도를 낮추
áfter còst 【회계】 사후 비용《대금 회수비·제품 보증비 따위와 같이 제품이나 상품의 판매 후에 발생하는 비용》.
áfter·cròp *n.* 그루갈이, 이모작. 「가스.
áfter·dàmp *n.* Ⓤ 폭발 후에 남는 갱내의 유독
áfter-dárk *a.* 해 진 뒤의, 밤의: an ~ hangout 밤의 환락가.
áfter·dèck *n.* 【해사】 후갑판.
áfter-dínner *a.* 식후의: an ~ speech (식후의) 탁상 연설.
áfter·effèct *n.* 잔존 효과; 여파(餘波), 영향; (사고의) 후유증; (약 따위의) 후속 작용〔효과〕; 【심리】 잔효(殘效).
áfter·glòw *n.* Ⓤ 저녁놀; 즐거운 회상〔추억〕; 【기상】 잔광(殘光).
áfter·gràss *n.* Ⓤ 두 번째 나는 풀〔목초〕.
áfter·gròwth *n.* (곡물 따위의) 두 번째 나는 것; 2차 성장; (바람직하지 않은 일의) 2차적 발생〔전개〕.
áfter·guàrd *n.* 《해사속어》 요트 소유자와 승객; 후갑판 (당직) 장교.
áfter·hèat *n.* Ⓤ 【핵물리】 여열(餘熱).
áfter-hóurs *a.* 폐점〔영업 시간〕 후의; 근무 시간 외의: ~ work 잔업.
áfter·ìmage *n.* 【심리】 잔상(殘像).
áfter·lìfe *n.* 내세; 여생.
áfter·lìght *n.* 저녁놀; 때늦은〔뒤늦은〕 생각〔꾀〕. opp *foresight*.
áfter·màrket *n.* 《미》 수리용 부품(部品) 시장, 애프터서비스 시장.
áfter·màth *n.* 그루갈이, 두 번째 베는 풀; (전쟁·재해 따위의) 결과, 여파, 영향; (전쟁 따위의) 직후의 시기. 「하는.
áfter-mèntioned *a.* 뒤에 말하는, 후술〔후기〕
áfter·mòst *a.* 가장 뒤의; 【해사】 최후부(部)의.
†**after·noon** [æ̀ftərnúːn, ɑ̀ːf-/ɑ̀ːf-] *n.* 오후《정오에서 일몰까지》; (the ~) 후기, 후반: in the ~ 오후에 / on the ~ of 8th, 8일 오후에《★ 막연히 '오후에'라고 할 때는 전치사 in을, 특정한 날을 나타내는 형용사(구)가 있을 때는 전치사 on을 쓰는 것이 일반적임》/ this 〔tomorrow, yesterday〕 ~ 오늘〔내일, 어제〕 오후 / the next ~ 그 이튿날 오후《★ afternoon 앞에 this, yesterday, tomorrow, every, all, the next 따위가 붙는 경우에는 전치사 on이 불필요함》/ early 〔at five〕 in the ~ 오후 일찍〔다섯

시에〕/during the ~ 오후 중에/on summer ~ 여름날 오후에/He arrived (on) the same ~. 그는 같은 날 오후에 도착하였다/an ~ farmer 게으름뱅이/on Sunday ~ =in the ~ on Sunday 일요일 오후에《★ 《미구어》에선 전치사 on을 생략하는 경우가 많음》/in the ~ of (one's) life 만년(晩年)에, 늘그막에. — [ˊ-ˋ, ˋ-ˊ] *a.* 오후의〔에 쓰는〕: an ~ nap 낮잠/~ classes 오후 수업. ***Good ~.*** (오후의 인사) 안녕하십니까《내림조》; 안녕(히 가〔계〕십시오)《올림조》.

áfternoon dríve 《미방송속어》 (자동차 통근자가 카 라디오를 들으며 귀가하는) 저녁 러시 아워.

àf·ter·nóon·er *n.* 《미》 석간 (신문).

àf·ter·nóons *ad.* 《미》 오후엔 꼭〔언제나〕: sleep late and work ~ 늦잠 자고 오후에 일하다.

áfternoon téa 오후의 차.

áfter·pàin *n.* 후통(後痛); (*pl.*) 산후 복통, 훗배앓이.

áfter·pèak *n.* 〖해사〗 고물의 선창(船倉). opp. *forepeak*.

áfter·pìece *n.* (극 뒤에 하는) 익살맞은 촌극; 〖야구〗 더블헤더의 둘째 시합.

áf·ters *n. pl.* 《영구어》 =DESSERT.

áfter-sáles sèrvice 《영》 애프터 서비스.

áfter·sensàtion *n.* 〖심리〗 잔류〔잔존〕 감각 《자극이 없어진 뒤에도 아직 남아 있는 감각》.

áfter·shàve *a.* 면도한 뒤에 쓰는. — *n.* 애프터셰이브 로션(=∼ **lòtion**).

áfter·shòck *n.* 여진(餘震), 여파.

áfter-skì *a., ad., n.* =APRÈS-SKI.

áfter·tàste *n.* (특히 불쾌한) 뒷맛; 여운.

áfter·tàx *a.* 세금을 뺀, 실수령의.

áfter-thèater *a.* 영화 · 연극 관람 후의, 연극 · 영화가 끝난 후의.

áfter·thòught *n.* **1** 되씹어 생각함; 고쳐 생각함, 재고; (일이 끝난 뒤에 나는) 때늦은 생각〔지혜〕; 결과론. **2** (계획 · 설계에서의) 추가 부분, 불비함을 고침, 보족. **3** 반성. **4** 〖문법〗 추가 표현. **5** 예정 외에 마지막에 낳은 아이.

áfter·tìme *n.* 금후, 장래, 미래 (future).

áfter·trèatment *n.* 〖염색〗 (염색 견뢰도(堅牢度)를 높이기 위한) 후(後)처리; 〖의학〗 후처치,

after

주로 전치사 · 접속사 · 부사로서 쓰이나, 특히 전치사와 접속사로서의 사용도가 높다. 이 때 위치관계가 비슷하므로 특히 유의할 것. 용법은 대체로 반의어 before와 같다.

af·ter [ǽftər, ɑ́ːf-/ɑ́ːf-] *ad.* 〔순서 · 시간〕 뒤〔후〕에, 다음에, 나중에; 늦게, 뒤처져서: follow ~ 뒤따르다, 뒤따라가다/go ~ 나중에 가다/soon ~ 이내(곧)/three days ~, 3일 후에(=three days later =after three days)/look before and ~ 앞뒤를 둘러보다; 전후를 생각하다/They lived happily ever ~. 그들은 그 후 내내 행복하게 살았다 《동화의 결구》/I never speak to him ~. 그 후 다시 그와는 말을 안 한다. ★ 시간적인 순서가 아니라 단순히 '뒤에, 나중에'란 뜻의 부사로서는 after 대신 afterwards, later를 쓰는 것이 보통임: He will come *afterwards* 〔*later*〕.

— *prep.* **1** 〔순서〕 …의 뒤에〔뒤로〕: Come ~ me. 나를 따라오시오《★ 약간 격식차린 Come with me.가 보통임》/My name comes ~ yours on 〔in〕 the list. 명부에서 내 이름은 당신 다음이다/She closed the door ~ her. 그녀는 들어와 문을 닫았다.

2 〔시간〕 **a** …후에; 《미》 …지나(《영》 past): We'll leave ~ supper. 우리는 저녁식사 후에 떠날 것이다/at ten ~ 〔《영》 past〕 five, 5시 10분에/They will be back the day ~ tomorrow. 그들은 모레 돌아올 것이다. **b** 〔앞뒤에 같은 명사를 써서〕 …에 계속해서, …이고: day ~ day 매일(같이)/man ~ man 몇 사람이고(연달아)/hour ~ hour 몇 시간이고《명사는 흔히 관사 없음》. **c** …의 다음에, …에 뒤이어: the greatest poet ~ Shakespeare 셰익스피어 다음으로 위대한 시인.

> SYN. I. **after** 순서 · 계속의 관념을 수반함: *after* a week, 1주일 후에. **behind** (1) 정지하고 있는 것의 뒤의 위치를 나타냄: *behind* a house 집 뒤에. (2) 진보의 정도, 예정보다 늦어져 있음도 나타냄: *behind* time 시간에 늦어서.
> SYN. II. **after** 계속을 나타내지 않는 동사를 포함하는 절과 함께 씀: He left *after* my arrival(=*after* I arrived). 그는 내가 도착하고 나서 출발하였다. **since** 계속을 나타내는 완료형을 포함하는 절과 함께 쓰임: I have stayed here *since* my arrival(=*since* I arrived). 나는 도착한 이래 여기에 있다.

3 〔인과 관계〕 …했으니, …고로, …했음에 비추어: *After* all he has been through, he deserves a rest. 그는 꽤나 고생을 했으니 당연히 휴식을 취해야 한다/You must succeed ~ such efforts. 그처럼 노력했으니 자네는 틀림없이 성공할 걸세.

4 〔흔히 all과 함께 쓰여〕 …에도 불구하고, (그토록) …했는데도: *After all* my trouble, you have learned nothing. 그토록 애써 가르쳤는데도 너는 도무지 모른다.

5 〔목적 · 추구〕 …의 뒤를 따라〔쫓아〕, …을 찾아〔추구하여〕: The police are ~ you. 경찰이 자네 뒤를 쫓고 있네/What are they ~? 그들은 무엇을 찾고〔노리고〕 있는가.

> SYN. **after** 추구를 강조함: run *after* a dog 개를 쫓아가다. **for** 대상 또는 목표를 강조함: long *for* peace 평화를 열망하다.

6 〔모방 · 순응〕 …을〔에〕 따라서, …을 본받아〔본떠〕, …식〔풍〕의: name a boy ~ his grandfather 사내 아이에게 그 조부의 이름을 따서 붙이다/a picture ~ Rembrandt 렘브란트풍(風)의 그림.

7 〔관련〕 …에 대하여〔관하여〕: inquire 〔ask〕 ~ a person (아무)의 안부를 묻다. ***~ all*** ⇨ ALL. ***After you*** (, ***please***). 먼저 (들어 · 나)가시죠. ***take ~*** ⇨ TAKE.

— *conj.* …한 뒤〔다음〕에, 나중에: *After* he comes, I shall start. 그이가 온 뒤에 떠날 예정이다/I'll go with you ~ I finish 〔have finished〕 my work. 일을 마치고 너와 같이 가겠다/I arrived ~ he (had) left. 그가 떠난 후에 도착했다. ★ 위에서와 같이 after가 이끄는 부사절에서는 미래(완료) 대신 현재(완료)를 씀. 또 after에 의해, 앞뒤의 관계를 알 수 있으므로, 종종 완료형 대신 단순 시제(현재형 · 과거형)가 쓰임. ***~ all is said*** (***and done***) 역시, 결국(=after all).

— *a.* (시간적 · 공간적으로) 뒤의, 나중의, 후방의; 〖해사 · 항공〗 고물〔미익〕(쪽)에 있는: in ~ years후년에/~ ages 후세/the ~ cabins 후부 선실. — *n.* 《구어》 오후(afternoon).

후요법.
áfter·wàr *a.* 전후(戰後)의(postwar).
‡af·ter·ward, (영) -wards [ǽftərwərd, ɑ́ːf-/ɑ́ːf-], [-wərdz] *ad.* 뒤〔나중〕에, 그후. **— *n.*** 내세.
áfter·wit *n.* U,C 때늦은 지혜.
áfter·wòrd *n.* 발문(跋文).
áfter·wòrld *n.* 미래; 내세.
áfter·yèars *n. pl.* 후년, 그후, 금후; 만년.
af·to [ǽftou/ɑ́ːf-] *n.* 《Austral. 속어》 =AFTERNOON.
AFTRA American Federation of Television and Radio Artists. **A.F.V.** 〖군사〗 armored fighting vehicle(장갑 전투차).
ag- [æg, əg] *pref.* =AD-《g 앞에서》: *aggression.*
Ag 〖화학〗 *argentum*《L.》(=silver). **Ag.** agent; agreement; August. **ag.** agriculture. **A.G.** 《영》 Adjutant General; Attorney General. **A/G** air-to-ground.
aga, agha [ɑ́ːgə] *n.* (종종 A-) (터키 따위의) 장군, 고관(高官), 사령관《현재는 하층 계급에서 쓰는 존칭》.
Aga·da [əgɑ́ːdə] *n.* =HAGGADAH.
†again [əgén, əgéin] *ad.* **1** 다시, 또, 다시〔또〕 한 번: Try it ~. 다시 한 번 해보아라/Once ~ please. 다시 한 번(말)해 주세요/Late ~ for school! 또 학교에 늦었다. **2** 본디 상태〔있던 곳〕로 (되돌아와): be home ~ 집에 돌아오다/get 〔be〕 well ~ 건강을 되찾다. **3** (수량이) 두 배로, 다시 또 그만큼, 같은 분량만큼 더 (추가하여): as large 〔many, much〕 ~ as …의 배나 큰〔많은〕/half as large ~ as …의 1배 반이나 큰. **4** 《옛투》 응하여, 대답하여, (소리가) 반향하여: answer ~ 말대꾸하다/Rocks echoed ~. 바위산이 메아리쳤다. **5** 그 위에 (더), 그 밖에: Then ~, why did he go? 게다가 또한 그는 왜 갔을까. **6** 또 한편, 다른 한편, 그 반면, 그 대신: It might happen and ~ it might not. 일어날 것 같기도 하고 또 한편 안 일어날 것 같기도 하다/This ~ is more expensive. 이것은 또한〔그 대신, 그만큼〕 값도 비싸다. ***~ and ~*** 몇 번이고, 되풀이해. ***on ~, off ~*** =***off ~, on ~*** 《구어》 확정되지 않은, 잘 변하는. ***once and ~*** 다시 되풀이해, 새로. ***something else ~*** 전혀 별개의 것. ***then ~*** 〔앞 문장을 받아서〕 그렇지 않고, 반대로. ***time and (time) ~*** =~ and ~. ***to and ~*** 여기저기, 왔다갔다.
†against [əgénst, əgéinst] *prep.* **1** …을 향하여, …에 대해서, …에 부딪치어: dash ~ the door 문에 부딪치다/a regulation ~ smoking 금연법(禁煙法). **2** …와 마주 대하여. **3** …에 대비(對比)하여: 3 ~10, 10 대 3/by a majority of 50 votes ~ 30, 30표 대 50표의 다수로. **4** …에 기대어서: lean ~ the wall 벽에 기대다. **5** …에 반대하여, …에 적대하여, …에 거슬러: Are you ~ the plan or for it? 그 계획에 반대하는가 찬성하는가/~ the stream 흐름에 거슬러; 시세를 거슬러. **6** …을 배경으로 하여: ~ the setting sun 석양을 배경으로 하여. **7** 〖상업〗 …와 교환으로: draw ~ merchandise shipped 발송 화물의 가격만큼 어음을 발행하다. **8** …에 대비하여: ~ cold 〔the winter〕 추위〔겨울〕에 대비하여/Passengers are warned ~ pickpockets. 《게시》 소매치기 조심. **9** (기호·천성)에 맞지 않게; …에 불리하게; …의 부담〔지급〕으로서: Everything was ~ her. 모든 것이 그녀에게 불리했다/There's nothing ~ him. 그에게 불리한 점은 없다/enter a bill ~ his account 그이 앞으로 청구서를 내다. **~ *a rainy day*** 비오는 날에〔만일에〕 대비하여. ***as ~*** …와 비교하여. ***over ~*** ⇨OVER. ***up ~ it*** ⇨UP.
— *conj.* 《고어·방언》 …때까지(에)는(by the time that…).
agal [əgɑ́ːl] *n.* (아랍 사람이 쓰는) 두건을 고정시키기 위해 감는 끈.
ag·a·ma [ǽgəmə] *n.* 〖동물〗 아가마도마뱀《아프리카·인도산》.
Ag·a·mem·non [æ̀gəmémnɑn, -nən/-nən] *n.* 〖그리스신화〗 아가멤논《Troy 전쟁 때의 그리스군의 총지휘관》.
agam·ic [əgǽmik] *a.* =AGAMOUS.
ag·a·mo·gen·e·sis [æ̀gəmoudʒénəsis, èigæmə-] *n.* U 〖생물〗 단위(單爲) 생식(parthenogenesis); 무성(無性) 생식.
ag·a·mo·sper·my [ǽgəmouspə̀ːrmi, eigǽmə-] *n.* 〖식물〗 화분·배낭의 이상 발달에 의하여 성결합이 불완전해진 단위 생식.
ag·a·mous [ǽgəməs] *a.* 〖생물〗 단위〔무성(無性)〕(생식)의; 〖식물〗 은화(隱花)(식물)의.
ag·a·my [ǽgəmi] *n.* (어느 집단에서) 결혼이 없음〔인정되지 않음〕; =AGAMOGENESIS.
ag·a·pan·thus [æ̀gəpǽnθəs] *n.* 〖식물〗 아프리카나리(=**Áfrican líly**)《백합과》.
agape[1] [əgéip, əgǽp/əgéip] *ad., a.* 〔형용사로는 서술적〕 입을 벌려; 기가 막혀, 어이없어: set people all ~ 모두 깜짝 놀라게 하다.
aga·pe[2] [ɑːgɑ́ːpei, ɑ́ːgəpèi, ǽgə-/ǽgəpi] (*pl.* ***-pae*** [-pai, -pài, -piː]) *n.* 애찬(愛餐)《초기 기독교도의 회식》; 사랑, 아가페《비타산적인 사랑》.
ag·a·pe·mo·ne [æ̀gəpéməni/-píː-] *n.* (종종 A-) 사랑의 집《19세기 중엽 영국의 자유연애주의자 단체》; 자유연애 장소.
agar [ɑ́ːgɑːr, ǽgər/éigə] *n.* U **1** 한천(寒天)(=**ágar-ágar**). **2** 우뭇가사리류. **3** 한천 배양기(培養基).
AGARD Advisory Group for Aerospace Research and Development《NATO에 소속됨》.
ag·a·ric [ǽgərik, əgǽr-] *n.* 들버섯; 모균류의 버섯.
ag·a·ta [ǽgətə] *n.* 미국의 공예 유리.
ag·ate [ǽgət] *n.* U 〖광물〗 마노(瑪瑙); C (아이들의) 공기(돌); C 《미》 〖인쇄〗 아게이트(《영》 ruby)《5.5 포인트 활자》.
ágate jàsper 〖광물〗 마노벽옥(碧玉).
ágate lìne 아게이트 라인《광고면의 치수; 1/14 인치 높이에 한 난의 폭》. cf. milline.
ágate·wàre *n.* U 마노 모양의 도기(陶器)〔법랑 철기(鐵器)〕.
Ag·a·tha [ǽgəθə] *n.* 애거서《여자 이름; 애칭 Aggie》.
aga·ve [əgɑ́ːvi, əgéi-/əgéivi] *n.* 용설란속(屬)의 식물.
agaze [əgéiz] *ad., a.* 〔형용사로는 서술적〕 응시하여, 바라보고; 눈이 휘둥그레져.
AGC 〖통신〗 automatic gain control (이득 자동 제어). **agcy.** agency.
†age [eidʒ] *n.* **1** U 나이, 연령: at the early ~ of …살이라는 젊음으로/What is his ~? 그는 몇 살인가(★ How old is he?가 보다 일반적임)/He is just my ~. 나와 동갑이다/a girl my ~ 내 나이 또래의 처녀/They are the same ~. 그들은 한 동갑이다. **2** C 햇수, 연대, 시기: from ~ to ~ 대대로. **3** U 성년, 정년(丁年)(full ~)《보통 만 21세》: come 〔be〕 of ~ 성년에 달하다〔달해 있다〕. **4** 노년《보통 65세》, 만년; 고령; 〔집합적〕 노인들(the old). opp. *youth.* ¶ *Age* before beauty. 《우스개》 미인보다 노인이 우선《양보 때의 변》. **5** U 수명, 일생: The ~ of a horse is from 25 to 30 years. 말의 수명은 25년에서 30년 사이다. **6** C 시대(의 사람들); 세대(의 사람들): in this atomic ~ 이 원자력 시대에/the spirit of an ~ 시대정신/the

golden ~ 황금시대 / the space ~ 우주시대. SYN. ⇨ PERIOD. **7** Ⓒ 《구어》 오랫동안: for an ~ = for ~*s* 오랫동안 / an ~ ago 꽤 오래 전에 / It's ~*s* 〔an ~〕 since I saw you last. 정말이지 오래간만이군요. ***be* 〔*act*〕 *one's* ~** 나이에 걸맞게 행동하다. ***feel* 〔*show*〕 *one's* ~** (피로할 때 등에) 나이를 느끼다〔느끼게 하다〕. ***for one's* ~** 나이에 비해서(는): He looks young 〔old〕 *for* his ~. 그는 나이에 비해 젊어〔늙어〕 뵌다. ***from* 〔*with*〕 ~** 나이 탓으로, 고령으로 (인하여). ***look one's* ~** 나이에 걸맞게 보이다; 노쇠함을 드러내다. ***of all* ~*s*** 모든 시대〔연령〕의. ***over* ~** 성년 이상의. ***the* ~ *of consent*** 〖법률〗 승낙 연령《결혼 등의 승낙이 유효로 인정되는》. ***the* ~ *of discretion*** 〖법률〗 분별 연령《형법상의 책임을 지는; 영국에서는 14 세》. ***under* ~** 나이가 덜 찬.
── (*p., pp.* **aged** [eidʒd]; **ág(e)·ing**) *vi.* 나이 들다, 늙다, 노화하다; 원숙하다; (술·치즈 등이) 익다. ── *vt.* **1** 늙게 하다: Grief ~*s* us. 슬픔은 사람을 늙게 만든다. **2** 낡게 하다; 묵히다; (술 등을) 익히다, 숙성시키다. ~ ***out*** 《미속어》 (약물 중독자가) 약이 듣지 않는 나이가 되다〔되어 약을 끊다〕《30-40 대》.

-age [idʒ] *suf.* '집합, 상태, 행위, 요금, …수(數)'의 뜻의 명사를 만듦: bagg*age*, bond*age*, post*age*, mile*age*, pass*age*.

áge bràcket (일정한) 연령 범위〔층〕.

***aged** *a.* **1** [éidʒid] 〖한정용법〗 늙은, 나이 든; 오래된, 노화된, 노령 특유의; 〖지학〗 노년기의: the ~ = ~ people 노인들 / an ~ pine 노송 / the most ~ 최연장자 / ~ wrinkles 늙어 생긴 주름살. SYN. ⇨ OLD. **2** [eidʒd] 〖수사를 수반하여〗 …살의: a man ~ fifty (years), 50 세의 사람 / die ~ twenty, 20 세에 죽다. ㊕ **~·ness** [éidʒidnis] *n.* 노년.

áge-dàte 〖고고학·지학〗 *vt., vi.* (발굴물·시료(試料)의) 연대를 과학적 수단으로 결정하다. ── *n.* 과학적으로 결정된 연대.

áge discriminàtion 연령차별.

agee [ədʒíː] *ad.* 《영방언·미속어》 한 쪽으로 (to one side); 굽어져서, 일그러져서. ── *a.* 굽은, 일그러진, 조화되지 않는.

áge-gròup, -gràde *n.* 〖사회〗 연령 집단; 연령 계급.

áge hàrdening 〖야금·화학〗 (합금의) 시효경화(時效硬化).

ageing ⇨ AGING.

age·ism, ag·ism [éidʒizəm] *n.* Ⓤ 노인 차별, 연령 차별. ㊕ **áge·ist, ág·ist** *n., a.*

áge·less *a.* 늙지 않는, 불로(不老)의; 영원의. ㊕ **~·ly** *ad.* **~·ness** *n.*

áge lìmit 연령 제한; 정년(停年): retire under the ~ 정년 퇴직하다.

áge·lòng *a.* 오랫동안의; 영속하는: ~ struggles.

áge-màte *n.* 같은 연령층의 사람.

Age·na [ədʒíːnə] *n.* 《미》 어지너《우주 로켓의 일종》.

agen·bite of in·wit [əgénbait-əv-ínwit] 《영》 양심의 가책, 자책(감).

agen·cy** [éidʒənsi] *n.* **1** Ⓤ 기능, 작용; 행위, 힘, 〖철학〗 작인(作因); 매개적 수단, 매체, 매개자: ~ of Providence 하늘의 섭리, 신의 힘. **2** Ⓤ 대리(권), 매개, 중개, 알선, 대리 행위. **3** Ⓒ 대리점, 취급점: a detective ~ 비밀 탐정사 / a news ~ 통신사, 신문 취급소 / a general ~ 총대리점 / ~ marketing 판매 대리점. **4** Ⓒ 《미》 (정부 따위의) 기관, 청(廳), 국(局): the Central Intelligence *Agency* 《미》 중앙 정보국 (CIA). ***through* 〔*by*〕 *the* ~ *of …의 손을 거쳐, …의 중개로.

Ágency for Internátional Devélopment (the ~) 《미》 국제 개발청《국무부의 한 청; 생략: AID》.

ágency shòp 《미》 에이전시 숍《미가입자도 조합비를 무는 노동조합 형태의 하나》.

agen·da [ədʒéndə] (*pl.* **~s,** ~) 〖본디 agendum의 복수꼴; 보통 단수취급〗 *n.* **1** 예정표, 안건, 의사 일정, 의제; 비망록, 메모장(memorandum book): the first item on the ~ 의사 일정의 제 1 항. **2** 〖교회〗 의식, 제전; 실천해야 할 의무; 문제. ㊕ **~·less** *a.*

agen·dum [ədʒéndəm] (*pl.* **~s, -da** [-də]) *n.* 의사 일정(의 안건의 하나), 예정표(의 한 항목).

ag·ene [éidʒiːn] *n.* Ⓤ 〖화학〗 3염화 질소《밀가루 표백용》.

agen·e·sis [eidʒénəsis] *n.* 〖의학〗 (신체의 기관·부분의) 발육 부전; 불임(不姙)(sterility); (남성의) 성교 불능(impotence).

****agent** [éidʒənt] *n.* **1 a** 대행자, 대리인; 취급인; 주선인; 대리점; 《미구어》 지점(의 담당지구) 영업 지배인, 순회 판매원, 판매〔보험〕 외교원: an ~ for …대리점 / a general 〔sole〕 ~ 총대리인〔총판매인〕. **b** 《미》 정부 직원, 관리《경찰관·기관원 따위》, = SPECIAL AGENT; INDIAN AGENT; 첩보원, 간첩(secret ~); 〖미국사〗 노상 강도(road ~); 《영》 (정당의) 선거 운동 출납 책임자: a foreign ~ 외국의 앞잡이. **2 a** 어떤 행위를〔작용을〕 하는 (능력 있는) 사람〔것〕; 작인(作因), 동인(動因), 능인(能因)(efficient cause); 자연력; 〖문법〗 동작주(主). **b** 화학적〔물리적, 생물학적〕 변화를 주는 것, 약품, …제(劑); 병원체: a chemical ~ 화학 약품 / *Agent* Blue 〔Purple, White, Orange〕 미군이 베트남 전쟁에서 쓴 각종 고엽제(枯葉劑). **3** 〖컴퓨터〗 에이전트《상황 발생시 스스로 갖고 있는 자료를 기초로 적절한 처리를 자동적으로 할 수 있는 반독립적인 프로그램》. ***a theatre* ~** 《영》 연예인 알선업자.

ágent-géneral (*pl.* ***ágents-***) *n.* (런던에 주재하는 캐나다·오스트레일리아의) (구)자치령〔주〕 대표.

agen·tial [eidʒénʃəl] *a.* agent 〔agency〕의; 대리인으로서 행동하고 있는; 〖문법〗 = AGENTIVE.

ágent·ing *n.* 대리〔대행〕 업무〔활동〕.

agen·tive [éidʒəntiv] *a., n.* 〖문법〗 행위자를 나타내는 (접사(接辭), 어형).

ágent míddleman 대리상(商)《거간이나 제조업자 대리를 하는》.

ágent nòun 〖문법〗 행위자 명사《보기: actor, maker》.

Ágent Órange 에이전트 오렌지《미군이 월남전에서 사용한 고엽제; 암 유발의 시비를 낳음》.

ágent pro·vo·ca·téur [-prəvɑ̀kətə́ːr/-vɔ̀-] (*pl.* ***ágents provocatéurs*** [-s-]) 《F.》 공작원 《노조·정당 등에 잠입하여 불법 행위를 선동하는》, (권력층의) 밀정.

agent·ry [éidʒəntri] *n.* agent의 직〔의무·행위〕.

Áge of Enlíghtenment (the ~) 〖역사〗 계몽의 시대 《계몽사상이 융성했던 서유럽의 18 세기》.

áge of réason (the ~) 이성의 시대《특히 영국, 프랑스의 18세기》; (아이들이) 선악의 판단을 하기 시작하는 시기.

áge-òld *a.* 세월을 거친, 예로부터의: an ~ custom 예로부터의 습관.

áge·pèers 같은 연령의 사람들.

áge pìgment 〖생화학〗 연령 색소《성장에 따라 세포 안에 축적되는》.

ag·er·a·tum [æ̀dʒəréitəm] *n.* 〖식물〗 아게라툼류(類).

áge-specífic *a.* 특정 연령층에 고유한〔한정된〕.

AGF Asian Games Federation(아시아 경기 연맹).

ag·fay [ǽgfei] *n.* 《미속어》 호모, 비역.

ag·ger [ǽdʒər] *n.* 이중 조수《일시적으로 작은 간만을 수반하는 썰물 또는 밀물》.

Ag·gie [ǽgi] *n.* **1** 애기《여자 이름; Agatha,

Agnes 의 애칭). 2 《미속어》 농업학교, 농대; (흔히 *pl.*) 농업학교〔농대〕 학생〔선수(단)〕.

ag·gie *n.* 《미》 마노(瑪瑙)(와 같은 유리) 구슬.

ag·gior·na·men·to [ədʒɔ̀:rnəméntou] (*pl.* **~s, -ti** [-ti]) *n.* 《It.》 (=bringing up to date) 〚가톨릭〛 (체제·교리 등의) 현대화.

ag·glom·er·ate [əglάmərèit/-lɔ́m-] *vt., vi.* 한 덩어리로 하다〔되다〕. — [-rət, -rèit] *a.* 덩어리진; 〚식물〛 (꽃이) 머리 모양으로 군생(群生)한. — [-rət, -rèit] *n.* **1** 덩이, (정돈되지 않은) 집단. **2** 〚지학〛 집괴암(集塊岩). cf. conglomerate.

ag·glòm·er·á·tion *n.* Ⓤ 덩이짐, 응집; Ⓒ 단괴(團塊), 덩어리.

ag·glom·er·a·tive [əglάmərèitiv/əglɔ́m-] *a.* 응집하는, 집괴성(集塊性)의.

ag·glu·tin·a·bil·i·ty [əglù:tənəbíləti] *n.* (적혈구 따위의) 응집력.

ag·glu·ti·nant [əglú:tənənt] *a.* 교착(膠着)하는〔시키는〕, 들러붙는. — *n.* 교착제.

ag·glu·ti·nate [əglú:tənèit] *vt., vi.* 접착〔교착, 접합, 응집〕시키다〔하다〕; 들러붙다; 〚언어〛 교착에 의하여 파생어를 만들다. — [-nət, -nèit] *a.* 교착한; (언어가) 교착성의.

ag·glù·ti·ná·tion *n.* Ⓤ 점착(粘着), 교착(膠着), 들러붙음; 유착(癒着); (적혈구·세균 등의) 응집(凝集); 〚언어〛 교착법; Ⓒ 교착어형《보기: steamboat》.

ag·glu·ti·na·tive [əglú:tənèitiv, -nə-] *a.* 점착〔교착〕하는; 〚언어〛 교착성의: an ~ form 교착형 / an ~ language 교착 언어《터키·헝가리·한국·일본말 따위》.

ag·glu·ti·nin [əglú:tənin] *n.* Ⓤ 응집소(素).

ag·glu·tin·o·gen [æ̀glutínədʒən, əglú:tənə-] *n.* 〚의학〛 (세포) 응집원(原).

ag·gra·da·tion [æ̀grədéiʃən] *n.* 〚지학〛 매적(埋積) 작용《퇴적의 평탄화 작용》.

ag·grade [əgréid] *vt.* 〚지학〛 매적(埋積)하다.

ag·gran·dize [əgrǽndaiz, ǽgrəndàiz] *vt.* **1** …을 확대〔확장〕하다. **2** …의 힘〔세력·부 등〕을 증대〔증강〕하다, 강화하다; …의 지위〔명예〕를 높이다. **3** …을 크게하여 보이다, 과장하다. 㗊 **~·ment** [əgrǽndizmənt] *n.* Ⓤ **ag·grán·diz·er** *n.*

◇**ag·gra·vate** [ǽgrəvèit] *vt.* 악화시키다, 덧나게 하다; 《구어》 성나게 하다, 괴롭히다: feel ~*d* 화나다. [◂grave] 㗊 **ág·gra·và·tor** [-tər] *n.*

ággravated assáult 〚법률〛 가중 폭행《부녀자에 대한 폭행 따위》.

ág·gra·vàt·ing *a.* **1** 악화〔심각화〕하는: ~ circumstances 점차 악화해가는 정세. **2** 《구어》 화나는, 부아 나는: It's so ~ to be beaten by a man like him. 저런 녀석에게 맞다니 매우 분통 터지는 일이다. 㗊 **~·ly** *ad.*

àg·gra·vá·tion *n.* Ⓤ,Ⓒ **1** 악화〔격화〕시킴; 악화〔격화〕시키는 것. **2** 짜증, 화남, 짜증 나게 하는 것〔사람〕, 짜증거리.

◇**ag·gre·gate** [ǽgrigèit] *vt.* (…을) 모으다, 집합시키다. — *vi.* **1** 모이다; 집합하다. **2** 달하다, 총계 …이 되다: The money collected ~*d* $1,000. 수금된 돈은 총계 천 달러가 되었다. — [-gət, -gèit] *a.* 집합한; 합계〔총계〕의: ~ demand 총수요. — [-gət, -gèit] *n.* **1** 집합, 집성; 집단; 총수; 집합체; (콘크리트의) 혼합재《모래·자갈 등》. **2** 집계, 총계: in the ~ 전체로서; 총계. 㗊 **~·ly** *ad.* 전체로서; 총계로.

ággregate fúnction 〚컴퓨터〛 집계 함수《spreadsheet에서, 표의 어느 열(列)의 모든 데이터에 작용하는 함수; 평균, 합계, 최대값 등》.

àg·gre·gá·tion *n.* Ⓤ,Ⓒ 집합, 집성; 집단; 집합체, 집성물. 㗊 **~·al** *a.*

ag·gre·ga·tive, -to·ry [ǽgrigèitiv], [-gətɔ̀:ri/-təri] *a.* 집합적인, 집합성의, 사회성이 강한; 전체〔총계〕(로서)의.

ag·gress [əgrés] *vi.* 싸움을 걸다, 공세로 나오다《*against*》. — *vt.* 공격하다.

◇**ag·gres·sion** [əgréʃən] *n.* Ⓤ,Ⓒ (이유 없는) 공격, 침략, 침범《*on, upon*》; 〚의학〛 (욕구불만에 기인한) 공격(성): a war of ~ 침략 전쟁 / an ~ *upon* one's rights 권리의 침해.

***ag·gres·sive** [əgrésiv] *a.* **1** 침략적인, 공세의; 공격적인, 호전적인; 싸움조의; 공격용의; 〚의학〛 aggression 의; 《미속어》 굉장히 좋은: an ~ person 싸움쟁이 / ~ weapons 공격용 무기. **2** 진취적〔적극적〕인; 정력적인, 과감한. ***assume* 〔*take*〕 *the* ~** 공세로 나오다, 공세를 취하다, 공격하다. 㗊 **~·ly** *ad.* **~·ness** *n.*

ag·gres·sor [əgrésər] *n.* 공격〔침략〕자; 침략국.

ag·grieve [əgrí:v] *vt.* 《보통 수동태》 (사람을) 학대하다; (권리 등을) 침해하다; (감정·명예 등을) 손상시키다: He *was* ~*d by* 〔*at*〕 her indifference to him. 그녀의 무관심에 그는 매우 기분이 상했다. [◂grieve] 㗊 **~d** *a.* **1** 괴롭혀진, 학대받은, 불만을 품은. **2** 〚법률〛 권리를 침해당한.

ag·gro, ag·ro [ǽgrou] *n.* 《영속어》 항쟁, 분쟁; 도발.

Agh. afghani(s).

aghast [əgǽst/əgά:st] *a.* 《서술적》 소스라치게 〔깜짝〕 놀라서, 겁이 나서: stand 〔be〕 ~ at … 에 기가 막히다, …에 기겁을 하여 놀라다.

AGI adjusted gross income(수정 총소득).

ag·ile [ǽdʒəl, -ail/-ail] *a.* 몸이 재빠른, 경쾌한, 기민〔민활〕한, 날랜: an ~ tongue 다변(多辯). 㗊 **~·ly** *ad.* **~·ness** *n.* **agil·i·ty** [ədʒíləti] *n.* Ⓤ 민첩, 경쾌; 예민함, 민활함.

agin [əgín] *ad.* 《구어·방언》 =AGAIN.

ag·ing, age- [éidʒiŋ] AGE의 현재분사. — *n.* 나이를 먹음; 노화; (술 등의) 숙성(熟成): the ~ process 노화 작용.

agin·ner [əgínər] *n.* 《속어》 변경〔개혁〕 반대자.

ag·io [ǽdʒiòu] (*pl.* **ág·i·òs**) *n.* 〚상업〛 프리미엄; 환전(수수료); 환전업(agiotage).

ag·i·o·tage [ǽdʒiətidʒ/ǽdʒə-] *n.* Ⓤ 〚상업〛 환전업; 〚증권〛 투기, 투기 매매〔거래〕.

agism, agist[1] ⇨ AGEISM, AGEIST.

agist[2] [ədʒíst] *vt.* 〚법률〛 (가축을) 위탁 사육하다; (토지나 그 소유주에게) 과세하다. — *vi.* 남의 가축을 일정 기간 위탁 사육하다.

***ag·i·tate** [ǽdʒitèit] *vt.* **1** 심하게 움직이다, 흔들어대다: ~ a fan 부채질하다. **2** 쑤석거리다, 동요시키다; (물결·액체를) 휘젓다. **3** 《+목+전+명》 (마음·사람을) 동요시키다, 들먹이다, 흥분시키다; 《~ oneself》 초조해하다: She was ~*d by* 〔*with*〕 grief. 그녀는 슬픔으로 마음의 평정을 잃었다 / Don't ~ your*self over* it. 그 일에 대해 초조해하지 마라. **4** (아무를) 선동하다, 부추기다. **5** (문제를) 열심히 논하다, 검토하다, …에 관심을 환기시키다. — *vi.* 《+전+명》 여론〔세상의 관심〕을 환기시키다, (…을 목적으로) 선동하다, (정치) 운동을 하다《*for; against*》: ~ *for* 〔*against*〕 reform 개혁 찬성〔반대〕 운동을 하다. ◇ agitation *n.*

ág·i·tàt·ed [-id] *a.* 쑤석거린; 흥분한; 동요한; 세상의 관심을 환기한. 㗊 **~·ly** *ad.*

ágitated depréssion 〚의학〛 초조성 우울, 격정성 우울(증).

◇**àg·i·tá·tion** *n.* Ⓤ,Ⓒ **1** (인심·마음의) 동요, 진동, 흥분: in ~ 흥분 상태에서, 흥분한 나머지 / with ~ 흥분하여. **2** 선동, 운동, 애지테이션《*for; against*》; 열띤 논의(論議), 여론 환기 활동: ~ *for* 〔*against*〕 …에 대한 찬성〔반대〕운동. **3** 들썩임, 동요시킴; 휘저음: create 〔excite〕 ~ 소동을 일으키다. ◇ agitate *v.*

ag·i·ta·tive [ǽdʒitèitiv] *a.* 선동적인.
agi·ta·to [æ̀dʒitá:tou] *a., ad.* 《It.》 〖음악〗 격한〔하여〕, 흥분한〔하여〕, 급속한〔히〕.
◇**ag·i·ta·tor** [ǽdʒitèitər] *n.* 선동자, 정치 운동원, 선전원, 여론 환기자; 교반기(攪拌器).
ag·it·prop [ǽdʒitprɑ̀p/-prɔ̀p] *n., a.* (공산주의를 위한) 선동과 선전(의), 아지프로(의).
AGL 〖항공〗 above ground level(지상 고도; 해면에서의 절대고도가 아님).
Agla·ia [əgléiə, əgláiə/æglάiə] *n.* 〖그리스신화〗 아글라이아《미(美)의 세 여신의 하나로 빛의 여신》.
aglare [əglέər] *a., ad.* 〔형용사로는 서술적〕 번쩍번쩍 빛나는〔빛나서〕.
agleam [əglí:m] *ad., a.* 〔형용사로는 서술적〕 번쩍번쩍(번쩍여서), 빛나서.
ag·let, ai·glet [ǽglit], [éi-] *n.* (구두끈 등의 끝을 감은) 쇠; (군복 등의) 술 장식.
agley [əglí:, əgléi, əglái] *ad.* 《Sc.》 비스듬히, 휘어서; 기대〔계획〕에 반(反)하여.
aglim·mer [əglímər] *a., ad.* 〔형용사로는 서술적〕 번쩍번쩍 빛나는〔빛나서〕.
aglit·ter [əglítər] *ad., a.* 〔형용사로는 서술적〕 번쩍번쩍 빛나(서).
aglow [əglóu] *ad., a.* 〔형용사로는 서술적〕 (이글이글) 타올라; 벌개져서, 후끈 달아서, 흥분하여《*with*》: be ~ *with* …으로 벌겋게 되어 있다, …으로 흥분해 있다.
agly·con, -cone [əgláikɑn/-kɔn], [-koun] *n.* 〖생화학〗 아글리콘《배당체(配糖體)의 가수분해에 의해 얻어지는 당 이외의 성분》.
AGM air-to-ground missile. **A.G.M.** annual general meeting(연차 (주주) 총회).
ag·ma [ǽgmə] *n.* 〖음성〗 (라틴·그리스어에서) 비음(鼻音) 기호 [ŋ]; 비음.
ag·mi·nate [ǽgmənət, -nèit] *a.* 모인, 집결한, 「무리를 이룬.
ag·nail [ǽgnèil] *n.* 손거스러미.
ag·nate [ǽgneit] *a., n.* 아버지 쪽의(친족), 부계(父系)의; 동계(同系)의(akin); 동(종)족의(사람). cf. cognate.
ag·na·than [ǽgnəθən] *n.* 〖어류〗 무악류(無顎類). **—** *a.* 〖동물〗 턱이 없는; 무악강(綱)의.
ag·nat·ic [ægnǽtik] *a.* 남계친(男系親)의.
ag·na·tion [ægnéiʃən] *n.* 남계의 친족 관계; 동족 관계.
Ag·nes [ǽgnis] *n.* **1** 아그네스《여자 이름》. **2** **Saint ~** 성(聖) 아그네스《304년 순교한 로마의 소녀; 순결과 소녀의 수호 성인》. cf. Saint Agnes's Eve.
ag·no·men [ægnóumən/-men] (*pl.* ***-nom·i·na*** [-nάmənə/-nɔ́m-], **~*s***) *n.* 〖고대로마〗 네 번째 덧붙이는 이름《공적 따위를 나타냄: Publius Cornelius Scipio *Africanus*》; (이름에 붙이는) 별명(nickname)《보기: Richard, *the Lion-Hearted* 따위》.
ag·no·sia [ægnóuʒiə] *n.* 〖의학〗 실인(증)(失認(症)), 인지(認知) 불능(증).
ag·no·sic [ægnóusik] *a.* 실인증(失認症)의.
ag·nos·tic [ægnάstik/-nɔ́s-] *a.* 〖철학〗 불가지론(자)의. **—** *n.* 불가지론자. ㊞ **-ti·cism** [-təsìzəm] *n.* Ⓤ 불가지론.
Ag·nus Dei [ǽgnəs-déii:, ά:njus-déi:] 《L.》 (=lamb of God) 하느님의 어린 양《예수의 명칭》; 어린 양의 상(像)《예수의 상징》; 〖가톨릭〗 이 구(句)로 시작되는 기도〔음악〕.
†**ago** [əgóu] *a., ad.* (지금부터) …전에, 거금(距今). cf. before. ¶ a long 〔short〕 time ~ 오래〔조금〕 전에 / three years ~ 3년 전에 / three weeks ~ today 3주 전의 오늘 / until a few years ~ 수년 전까지 / a moment ~ 이제 막, 방금 / a while ~ 조금 전에 / long ~ 훨씬 전에, 옛적에 / long long ~ 옛날 옛적에 / not long ~ 얼마 전에. ★ 명사 또는 부사에 수반되어 부사구를 만듦.

> NOTE ago는 현재를 기점으로 하여 그 이전의 때를 나타내며, 과거형과 함께 쓰임: I met him two days *ago*. 나는 이틀 전에 그를 만났다. before는 과거의 한 때를 기점으로 하여 그보다 전의 때를 나타냄. 또 간접화법의 문장 속에서 과거완료형과 함께 쓰임: I said that I had met him two days *before*. 그를 이틀 전에 만났다고 나는 말했다. before 는 그 밖에 전치사·접속사로서도 쓰임: I had met him two days *before* my departure 〔*before* I departed〕. 나는 출발(하기) 이틀 전에 그를 만났다.

agog [əgάg/əgɔ́g] *ad., a.* 〔형용사로는 서술적〕 (열망·호기심·기대 등으로) 흥분하여〔설레어〕《*with*》; (…에) 열광하여; 몹시 (…)하고 싶어하여《*for*; *to* do》: The audience was ~ *with* expectation. 청중은 기대감으로 설레였다 / The news set the town ~. 그 소식으로 도시는 법석이 되었다.
agog·ic [əgάdʒik, əgóu-/əgɔ́-] *a.* 〖음악〗 완급법(緩急法)의, 아고기크의.
agóg·ics *n. pl.* 〔보통 단수취급〕 〖음악〗 속도법, 아고기크.
à go-go, a go-go, a-go-go [əgóugòu] (*pl.* **~*s***) *n.* 디스코텍(discotheque)《록 따위의 연주에 맞춰 춤추는 작은 나이트 클럽》. **—** *a.* ~의; 열광적인 급템포의; 최신의. **—** *ad.* 《구어》 충분히, 마음껏.
-a·gog(ue) [əgɔ̀:g, əgɑ̀g/əgɔ̀g] *suf.* '이끄는 것', '분배·배출을 촉진하는 것' 의 뜻: dem*agogue*.
ago·ing [əgóuiŋ] *ad., a.* 〔형용사로는 서술적〕 움직여, 진행하여: set (something) ~ (사업 따위를) 일으키다, (기계 따위를) 시동시키다.
ag·on [ǽgoun, -ɑn, ɑ:góun/ǽgoun, ǽgɔn] (*pl.* **~*s***, ***ago·nes*** [əgóuni:z]) *n.* **1** 〖고대그리스〗 (운동·음악·문예 등의) 현상(懸賞) 경기. **2** 〖문예〗 (주요 인물 간의) 갈등.
ag·o·nal [ǽgənl] *a.* 고민의; 임종(의 고통)의.
agon·ic [eigάnik/əgɔ́n-] *a.* 각(角)을 이루지 않는; 무편각선(無偏角線)의.
agónic líne 〖물리〗 (지자기(地磁氣)의) 무방위각선(無方位角線).
ag·o·nist [ǽgənist] *n.* **1** 싸우는 사람, 경기자. **2** 〖해부〗 주동(主動)〔작동〕근(筋)(cf. synergist); 〖약학〗 작용〔작동〕약〔물질〕. OPP *antagonist*.
ag·o·nis·tic, -ti·cal [æ̀gənístik], [-tikəl] *a.* (옛 그리스의) 경기의; 논쟁의, 논쟁을 좋아하는; 지기 싫어하는; 효과를 노린; 무리한《포즈 따위》. ㊞ **-ti·cal·ly** *ad.*
ag·o·nize [ǽgənàiz] *vi.* 《~/+전+명》 번민〔고민〕하다, 괴로워하다; 고투(苦鬪)하다, 필사적으로 애쓰다: He ~*d over* his divorce. 그는 이혼 문제로 고민했다. **—** *vt.* 괴롭히다, 번민〔고민〕하게 하다: an ~*d* look 괴로워하는 표정.
ág·o·nìzed *a.* 고민하는, 고뇌가 따르는; 고민을 품은; 필사적인: an ~ effort 필사적인 노력. ㊞ **-nìz·ed·ly** [-zidli] *ad.*
ág·o·nìz·ing *a.* 괴롭히는, 고민하는. ㊞ **~·ly** *ad.*
***ag·o·ny** [ǽgəni] *n.* **1** Ⓤ 고민, 고통; (종종 A-) 〖성서〗 (Gethsemane 에서의) 예수의 고뇌《누가복음 XXII: 44》; (육체적인) 아픔: in ~ 번민〔고민〕하여. SYN. ⇨ PAIN. **2** 죽음의 고통(death ~, the last ~). **3** 고통〔슬픔〕의 절정; (감정의)

격발(激發): in an ~ of joy 미칠 듯이 기뻐서. **4** (필사적인) 항쟁, 사투. **5** 《마약속어》 (마약의 사용 중지에 따르는) 극도의 괴로움. ***in agonies of pain*** 고통으로 몸부림치며. ***put*** 〔***pile, turn***〕 ***on*** 〔***up***〕 ***the*** ~ 《구어》 우는 소리를 하다: He was *piling on the* ~ about his work situation. 그는 작업 상황에 대해 우는 소리를 늘어놓았다.

ágony àunt 《영구어》 (신문 · 잡지의) 인생 상담 여성 회답자.

ágony còlumn 《영구어》 (신문의) 사사(私事) 광고란(찾는 사람 · 유실물 · 이혼 광고 등의); (신문의) 신상 상담란.

ágony ùncle 《영》 (신문 · 잡지의) 인생 상담 남자 회답자.

ag·o·ra[1] [ǽgərə] (*pl.* ***-rae*** [-rìː], **~s**) *n.* 〚고대그리스〛 시민의 정치 집회; 집회장, 시장, 광장.

ago·ra[2] [ɑːgɔ́ːrə/æ̀gərɑ́ː] (*pl.* ***-rot*** [ɑːgɔ́ːrout / æ̀gərɔ́ːt]) *n.* 아고롯《이스라엘의 화폐 단위; 1/100 shekel》.

ag·o·ra·phobe [ǽgərəfòub] *n.* 광장(廣場) 공포증의 사람.

ag·o·ra·pho·bia [æ̀gərəfóubiə] *n.* [U] 〚심리〛 광장 공포증. [cf.] claustrophobia. [파] **-phó·bic** *a.*, *n.* 광장 공포증의 (사람).

agou·ti, -ty [əgúːti] *n.* 〚동물〛 아구티《라틴 아메리카산 설치류로 토끼 정도의 크기임》.

AGR 《영》 advanced gas-cooled reactor.

agr. agricultural; agriculture.

Agra [ɑ́ːgrə] *n.* 아그라《인도 Delhi의 남남동의 도시; Taj Mahal이 있는 곳》.

agrafe, agraffe [əgrǽf] *n.* (의복의) 훅; 작은 꺾쇠; (피아노선의) 진동 멈추개.

agram·ma·tism [eigrǽmətìzəm, əg-] *n.* 〚정신의학〛 실문법증(失文法症)《실어증의 일종》.

à grands frais [*F.* agʀɑ̃fʀɛ] 《F.》 많은 비용을 들여서; 큰 희생을 치르고.

agran·u·lo·cyte [əgrǽnjəlousàit] *n.* 〚해부〛 무과립 백혈구. [cf.] granulocyte.

agran·u·lo·cýt·ic angína [əgræ̀njəlousítik-] 〚의학〛 과립세포 소실성 앙기나 · 과립구 감소증, 과립 백혈구 감소증.

ag·ra·pha [ǽgrəfə] *n. pl.* 정전(正典)의 4 복음서에 전해지지 않은 예수의 말씀.

agraph·ia [eigrǽfiə, ə-/ə-] *n.* [U] 〚의학〛 실서증(失書症)《대뇌 장애로 글을 쓸 수 없는 병》.

agrar·i·an [əgrέəriən] *a.* 토지의; 농지의, 경작지의; 농업〔농민〕의: ~ laws 토지 균분법 / ~ rising 농민 폭동 / ~ reform 토지 개혁. **—** *n.* 토지 균분〔재분배〕론자. [파] **~·ism** *n.* 토지 균분론〔운동〕, 농지개혁 운동, 농민생활 향상 운동.

agrav·ic [əgrǽvik, ei-] *a.* 무중력의.

agré·a·tion [*F.* agʀeasjɔ̃] (*pl.* **~s** [*F.* —]) *n.* 《F.》 아그레아숑《타국의 외교관을 받아들일 것인지 아닌지를 결정하기 위한 절차》.

†**agree** [əgríː] (*p., pp.* **~d; ~·ing**) *vi.* **1** 《~/+[전]+[명]/+*to* do》 동의하다, 찬성하다, 승낙하다, 응하다《*to*》: I quite ~. 아주 찬성이다/ ~ *to* a proposal 제안에 찬동하다 / ~ *to* do a task 일할 것을 승낙하다.

> [SYN.] **agree** 처음에 서로 틀리던 의견을 조정하여 동의하다. **assent** 남의 의견을 받아들여 자신도 같은 의견이라고 말하다. **consent** 남의 희망이나 요구에 응하다.

2 《~/+[전]+[명]/(+[전])+*wh. to* do》 의견이 맞다, 동감이다《*with; among*》: They ~*d among* themselves. 그들은 서로 의견이 일치했다 / I cannot ~ *with* you *on* the matter. 그 건에 대해선 당신에게 동의할 수 없습니다 / We could not ~ (*as to*) *where to* go. 어디로 가야 할지 의견이 맞지 않았다.

> [SYN.] **agree** '일치'를 뜻하는 가장 일반적인 말. 모순 · 불일치를 제거하고 의견이 맞다. **coincide** 의견 · 시간 따위가 완전히 일치하다: My opinion *coincides* with yours. 나의 의견은 너의 의견과 일치한다. **correspond** 서로 달랐던 것이 유사해지거나 어울려지다: His words *correspond* with his deeds. 그의 언행은 일치한다.

3 《~/+[전]+[명]》 마음이 맞다, 사이가 좋다《*with*》: They cannot ~. 그들 사이는 좋지 않다 / They ~ *with* each other. 그들은 서로 잘 지내고 있다. **4** 《~/+[전]+[명]》 합치하다, 일치〔부합〕하다, 조화하다; (그림 따위가) 비슷하다; (음식 · 일 따위가) 맞다《*with*》: His statements do not ~ *with* the facts. 그의 진술은 사실과 일치하지 않는다 / Milk does not ~ *with* me. 우유는 내게 맞지 않는다. **5** 《+[전]+[명]》 〚문법〛 (인칭 · 성 · 수 · 격 따위가) 일치〔호응〕하다《*with*》: The predicate verb must ~ *with* its subject in person and number. 서술동사는 인칭과 수에 있어서 주어와 일치해야 한다.

— *vt.* **1** 《+*that* [절]》 (…임을) 인정하다, 용인〔승낙〕하다: I ~ *that* he is the ablest of us. 우리들 가운데 그가 가장 유능한 것을 인정한다. **2** 《주로 영》 (조건 · 제안 따위에 대해 논의한 뒤에) 동의〔찬성〕하다; (조정 후) …에 합의하다: I must ~ your plans. 계획에 찬성하지 않을 수 없습니다. **3** (계정 따위를) 일치시키다.

~ ***in*** (opinion; thinking) (의견)이 맞다; (생각)이 일치하다. ~ ***on*** …에 대하여 의견을 같이 하다. ~ ***to differ*** 〔***disagree***〕 서로의 견해차이를 인정하고 다투지 않기로 하다. ~ ***with*** ① …에 동의하다, …와 같은 의견이다; …와 화합하다, …와 사이가 좋다. ② …와 일치하다. ③ (기후 · 음식물 따위가 아무)에게 맞다, …의 성미에 맞다. ★ agree *with*는 사람 또는 일에, agree *to*는 일에만 씀. ***I couldn't*** ~ (***with you***) ***more.*** (이보다 더한 의견 일치란 있을 수 없을 만큼) 대찬성이다.

*__agree·a·ble__ [əgríːəbəl/əgríə-] *a.* **1** 기분 좋은, 유쾌한(pleasing): ~ manners 기분 좋은 태도 / ~ *to* the ear 귀에 듣기 좋은 / make one*self* ~ *to* …와 장단을 맞추다, …에게 상냥하게 하다. [SYN.] ⇨ PLEASANT. **2** 마음에 드는, 뜻에 맞는: If this is ~ *to* you, ... 만일 좋으시다면…. **3** 호감을 주는, 상냥〔싹싹〕한. **4** 《구어》 동조적인, 쾌히 동의(同意)〔승낙〕하는《*to*》: Are you ~ (*to* the proposal)? 동의해 주시겠습니까. **5** 합치하는, 조화되는, 모순〔위화감〕이 없는, (도리에) 맞는《*to*》: music ~ *to* the occasion 그 경우에 어울리는 음악. [opp] *disagreeable*. ~ ***to*** ① …에게 상냥〔싹싹〕한. ② …에 따라서, …대로: *Agreeable to* my promise, I have come. 약속대로 왔습니다. ***do the*** ~ 상냥하게 대하다. **—** *n.* (흔히 *pl.*) 좋은 느낌을 주는 사람〔일, 것〕. [파] **~·ness** *n.* **agrèe·a·bíl·i·ty** *n.* [U] 기분 좋음, 유쾌함, 바람직함.

°**agrée·a·bly** *ad.* 쾌히, 기꺼이; …에 따라서, 일치하여: be ~ surprised 놀랐지만 동시에 기쁘다《뜻밖의 좋은 일 따위에》. ~ ***to*** …에 따라서, …에 응하여.

agréed *a.* **1** 협정한, 약속한; (모두) 동의한: an ~ rate 협정〔할인〕 요금 / meet at the ~ time 약속한 시간에 모이다. **2** 〚서술적〛 의견이 일치한《*on, upon*》: We were ~ *on* that point. 그 점에 대해선 의견이 일치하였다 / The jury are ~ *that* the defendant is not guilty. 피고는 무죄라고 배심원의 의견은 일치하였다. **3** (A-) 〚감탄사적〛 (제의에 대해) 동감한, 승낙한: He's too young to get married. — *Agreed!* 그는 결혼하기엔 너무 어려. — 동감일세.

‡**agree·ment** [əgríːmənt] *n.* **1** Ⓤ 동의, 승낙. **2** Ⓒ 협정, 조약, 협약(서); 계약(서): conclude an ~ 약정하다 / act up to 〔keep to〕 one's ~ 약속을 지키다 / by ~ 합의로, 협정에 따라 / in ~ with …와 일치〔합의〕하여; …에 따라서 / labor ~ 노동 협약 / make 〔enter into〕 an ~ with …와 협정을 맺다 / come to an ~ 합의를 보다; 협정이 성립하다. **3** Ⓤ 합치, 부합. **4** Ⓤ 〚문법〛 일치, 호응.

agré·ment [àːgreimáːŋ; *F.* agRemɑ̃] (*pl.* **~s** [-s; *F.* —]) *n.* 《F.》 **1** 〚외교〛 아그레망. **2** (*pl.*) 쾌적함, 매력. **3** 장식; 〚음악〛 장식음.

agres·tal [əgréstl] *a.* (잡초 따위가 미개간지에서) 야생하는.

agres·tic [əgréstik] *a.* 시골(풍)의; 메부수수한.

ág·ri·bùsiness [ǽgri-] *n.* Ⓤ 농업 관련 산업. ㊕ **~·man** *n.*

agric. agricultural; agriculture; agriculturist.

àg·ri·chémical [ǽgri-] *a.* 농약의. — *n.* (*pl.*) 농약.

***ag·ri·cul·tur·al** [æ̀grikʌ́ltʃərəl] *a.* 농업의, 경작의; 농예(農藝)의; 농학의: the *Agricultural* Age 농경 시대 / ~ chemistry 농예 화학 / ~ implements 농기구 / ~ products 농산물 / an ~ (experimental) station 농사 시험장. ◇ agriculture *n.* ㊕ **~·ly** *ad.* 농업상으로, 농업적으로.

agricúltural chémical 농약.

àg·ri·cúl·tur·al·ist *n.* =AGRICULTURIST.

agricúltural shów 《영》 농산물〔가축〕 품평회(《미》 county fair).

‡**ag·ri·cul·ture** [ǽgrikʌ̀ltʃər] *n.* Ⓤ **1** 농업(넓은 뜻으로는 임업·목축을 포함); 농경; 농예. **2** 농학. ◇ agricultural *a.* ***the Department of Agriculture*** 《미》 농무부(생략: DA).

ag·ri·cul·tur·ist [æ̀grikʌ́ltʃərist] *n.* 농업가, 농업 종사자; 농학자, 농업 전문가.

ag·ri·ge·net·ics [æ̀gridʒənétiks] *n. pl.* 〚단수취급〛 농업 유전학.

ag·ri·mo·ny [ǽgrəmòuni] *n.* 〚식물〛 짚신나물.

ag·ri·mo·tor [ǽgrəmòutər] *n.* 농경용 견인자동차(트랙터).

ag·ri·ol·o·gy [æ̀griɑ́lədʒi/-ɔ́l-] *n.* Ⓤ 원시 종족의 풍습 비교 연구.

ag·ri·pow·er [ǽgripàuər] *n.* 농업(국)의 영향력(국제 정치〔경제〕에 있어서의 농업 선진국의 영향력).

ágri·pròduct *n.* 농산물.

ag·ro- [ǽgrou, -rə] '논밭, 흙, 농사' 의 뜻의 결합사.

àgro·biólogy *n.* 농업 생물학.

ágro·bùsiness *n.* 사업으로서의 농업.

àgro·chémical *a.* 농예 화학의〔에 관한〕. — *n.* 농약.

àgro·climatólogy *n.* 농업 기후학.

àgro·ecológical *a.* 농업과 환경〔생태학〕에 관한.

àgro·económic *a.* 농업 경제의.

àgro·écosystem *n.* 농업 생태계(系).

àgro·fórestry *n.* 병농임업(併農林業), 농림업.

àgro-indústrial *a.* 농공업의, 농공용의; 농업 관련 산업의.

ágro-ìndustry *n.* 농공업(공업용 동력·관계용수 등 공업·농업 양쪽 생산에 관련된 것).

agrol·o·gy [əgrɑ́lədʒi/əgrɔ́l-] *n.* 농업과학, 응용 토양학.

àgro·meteorológical *a.* 농업 기상학의.

ag·ro·nom·ic, -i·cal [æ̀grənɑ́mik/-nɔ́m-], [-ikəl] *a.* 농경법의, 작물학의, 농업 경영의.

àgro·nómics *n. pl.* 〚단수취급〛 **1** =AGRONOMY. **2** 농업 경영학.

agron·o·mist [əgrɑ́nəmist/əgrɔ́n-] *n.* 농경가〔학자〕.

agron·o·my [əgrɑ́nəmi/əgrɔ́n-] *n.* Ⓤ 농업 경제학, 경종학(耕種學); 농학.

àgro·pólitics *n.* 농업 정책, 농정학.

ag·ros·tol·o·gy [æ̀grəstɑ́lədʒi/-tɔ́l-] *n.* 〚식물〛 화본(禾本)〔초본(草本)〕학.

àgro·techníciàn *n.* 농업과학 기술 전문가, 농업 기술자.

àgro·technólogy *n.* (혁신적인) 농업과학 기술.

ágro·tỳpe *n.* 토양형(型); (농작물의) 재배품종.

aground [əgráund] *ad., a.* 〚형용사로는 서술적〛 지상에; 좌초되어. ***run*** 〔***go, strike***〕 **~** (배가) 암초에 얹히다, 좌초하다; 《비유》 (계획이) 좌절되다.

AGS 〚로켓〛 abort guidance system(보조 유도 장치). **Agt., agt.** against; agent; agreement.

aguar·di·en·te [àːgwaːrdiénti] *n.* 《Sp.》 스페인산의 조악한 브랜디; 화주.

ague [éigjuː] *n.* 〚의학〛 학질; 오한, 한기: have an 〔the〕 ~ 학질에 걸려 있다. ***fever and ~*** 말라리아. ㊕ **~d** *a.* 학질에 걸린.

agu·ish [éigju(ː)iʃ] *a.* 학질에 걸리기 쉬운; 학질에 걸린〔을 일으키는〕; 오한이 나는.

***ah**[1] [ɑː] *int.* 아아!(고통·놀라움·연민·한탄·혐오·기쁨 등을 나타냄): *Ah*, but... 그렇지만 말이야… / *Ah* me! 아아 어쩌지 / *Ah*, well,... 뭐 하는 수 없지…. — *n.* '아아' 라고 하는 발성.

ah[2] *pron.* 《미남부》 나 (I).

A.H. *Anno Hegirae* 《L》 (=in the year of the Hegira). **Ah, a.h., a-h** ampere-hour.

aha, ah ha [ɑːhɑ́ː, əhɑ́ː], [ɑːhɑ́ː] *int.* 아하!(기쁨·경멸·놀라움 따위를 나타냄).

AHA American Heart Association; American Historical Association; American Hospital Association; American Hotel Association; 〚생화학〛 alpha-hydroxy acid (알파하이드록시산)(피부 각질을 없애는 작용을 하는 유기산).

Ahab [éihæb] *n.* **1** 〚성서〛 아합(이스라엘의 임금). ㉠ Jezebel. **2** 에이하브(Melville의 소설 *Moby Dick*의 주인공 선장).

ahá expèrience 〚심리〛 아하 체험. ㉠ aha reaction.

ahá reàction 〚심리〛 아하 (그렇구나) 반응(창조적인 사색 중에 떠오르는 번득임).

AHAUS Amateur Hockey Association of the United States.

ah·choo, achoo [ɑːtʃúː] *int., n.* 에취(재채기 소리).

‡**ahead** [əhéd] *ad.* **1** 전방에〔으로〕, 앞에〔으로〕: walk ~ *of* him 그의 앞에 서서 걷다 / There is a crossing ~. 앞에 건널목 있음. **2** 〚시간적〛 앞에: push the time of departure ~ 출발을 앞당기다. **3** 앞서서, 능가하여(*of*); 유리한 지위로〔입장으로〕 (향하여): be ~ *of* …보다 앞에 서 있다; …보다 앞서 있다〔빼어나다, 뛰어나다〕. — *a.* 〚서술적〛 가는 쪽〔앞〕에 있는; 유리한 지위〔입장〕에 있는. ***be ~*** 《미구어》 이기고〔리드하고〕 있다; 이익을 올리고 있다: We *are* five points ~. 5 점 리드하고 있다 / I *was* ~ $10 in the deal. 그 거래에서 10 달러 벌었다. ***dead ~*** 《구어》 (…의) 바로 앞에(*of*), 곧바로 간 곳에. ***get ~*** ① 진보하다, 출세〔성공〕하다: get ~ in business 사업이 잘 되다. ② 돈의 여유가 생기다; (적자를) 면하다, (빚을) 갚다(*of*). ***get ~ of*** (…의) 앞으로 나서다, 앞쪽을 가다; (경쟁 상대 등을) 능가하다(*in*): He refused to let anyone *get ~ of* him in business. 그는 사업에 있어서는 그 누구에게도 뒤지지 않으려 했다. ***go ~*** ① 전진하다, 진보하다, 진전하다. ② (계획 등을) 추진하다, 계속하다(*with*). ***Go ~!*** 《구어》 ① 자 먼저(드시〔가시〕오 따위). ② 좋아, 하시오; 자 가

거라《격려의 말》. ③ 그래서(다음은)《얘기를 재촉할 때》; 《미》〖전화〗말씀하세요. ④〖해사〗전진! **right** ~ 바로 앞에. **wind** ~ 맞바람.

Á-hèad *n.* 《미속어》 암페타민〔LSD〕 상용자.

aheap [əhíːp] *ad.* 쌓이어(in a heap).

ahem [əhém, hm] *int.* 으흠!, 으음!, 에헴!, 에에!《주의의 환기, 의문을 나타내거나 또는 말이 막혔을 때 내는 소리》.

aher·ma·type [eihə́ːrmətàip] *n.* 암초를 이루지 않는 산호.

ahim·sa [əhímsɑː/ɑː-] *n.* Ⓤ〖힌두교·불교〗불살생계(不殺生戒), 비폭력.

ahis·tor·ic, -i·cal [èihistɔ́ːrik, -tɑ́r-/-tɔ́r-], [-kəl] *a.* 역사와 관계없는〔에 무관심한〕.

AHL American Hockey League.

ahold, aholt [əhóuld], [əhóult] *n.* 《방언·구어》잡음(hold). ***get ~ of*** …을 잡다, …와 연락을 취하다; …을 손에 넣다. ***Get ~ of yourself!*** 정신차려, 힘내라.

á-hòle *n.* 《속어》 =ASSHOLE.

-a·hol·ic, -o·hol·ic [əhɔ́ːlik, əhɑ́l-/əhɔ́l-] *suf.* 《속어》 '탐닉자, 중독자, …광(狂)'의 뜻: food*aholic*.

Á-horìzon *n.* 〖지학〗 A 층위(層位)《토양의 맨 위층》.

ahorse [əhɔ́ːrs] *a.* 〔서술적〕 말에 탄. ― *ad.* 말(위)에서.

ahoy [əhɔ́i] *int.* 〖해사〗 어어이!《배 따위를 부를 때》. ***Ship ~!*** 어어이, 이봐 그 배.

AHQ Air Headquarters (공군 사령부, 항공대 본부); Army Headquarters (군 사령부).

Ah·ri·man [ɑ́ːrimən] *n.* 아리만《조로아스터교의 악의 신》.

A.H.S. *Anno Humanae Salutis* 《L.》(=in the year of human salvation). **AHST** Alaska-Hawaii Standard Time.

ahu [ɑ́ːhuː] *n.* 폴리네시아인이 이정표로〔기념비·무덤표·제단으로〕 쓰는 석총〔석대〕.

ahull [əhʌ́l] *ad.* 〖해사〗 돛을 걷고 키의 손잡이〔창나무〕를 바람 불어가는 쪽으로 잡아매어《폭풍우 내습에 대비》.

Ahu·ra Maz·da [ɑ́ːhurəmǽzdə] =ORMAZD.

ai[1] [ɑ́ːi] (*pl.* **~s** [-z]) *n.* 〖동물〗 세발가락나무늘보《라틴아메리카산》.

ai[2] [ai] *int.* 아아《고통·슬픔·연민의 정 등을 나타내는 소리》.

AI Amnesty International; artificial insemination; artificial intelligence. **A.I.A.** American Institute of Architects(미국 건축가 협회).

ai·blins [éiblinz] *ad.* 《Sc.》 아마도, 필경.

A.I.C. American Institute of Chemists.

A.I.Ch.E. American Institute of Chemical Engineers(미국 화학 공학 협회).

aid [eid] *vt.* **1** 《~+목/+목+*to* do/+목+전+명》 원조하다, 돕다, …을 거들다: ~ war victims 전쟁 피해자를 구원하다/She ~*ed* me *to* cook 〔*in* cook*ing*〕. 그녀는 요리하는 것을 도와주었다《She helped me (to) cook.이 보통임》/We ~*ed* him *in* the enterprise. 우리는 그의 사업을 원조했다. SYN. ⇨HELP. **2** 《~+목/+목+*to* do》 조성(助成)하다, 촉진하다: ~ recovery 회복을 촉진하다/~ a country *to* stand on its own feet 나라가 독립하는 것을 조성하다. ― *vi.* 도움이 되다(assist). **~ *and abet*** 〖법률〗 (범행을) 방조하다; 교사하다.

― *n.* **1** Ⓤ 원조, 조력, 도움: ~ and comfort 원조, 조력/give 〔lend, render〕 ~ to …을 돕다/by 〔with〕 the ~ of …의 도움으로, …의 도움을 빌려/call in a person's ~ 아무의 원조를 청하다/come 〔go〕 to a person's ~ 아무를 원조하러 오다〔가다〕. **2** Ⓒ 보조물〔자〕, 원조자; 보조 기구, 《특히》 보청기: a hearing ~ 보청기/an ~ *to* reflection 반성의 자료/an ~ *to* memory 기억을 돕는 것. **3** Ⓤ 〖영국사〗 국왕께 바치는 헌금《세금》. **4** Ⓒ 《미》 =AIDE-DE-CAMP. ***in ~ of*** …의 도움으로, …을 도와. ***What's (all) this in ~ of?*** 《영구어》 도대체 어찌겠다는 거냐.

AID [eid] 《미》 Agency for International Development(국제 개발처); 〖항공〗 airborne intelligence display(기내 정보 표시 장치).

A.I.D. artificial insemination by donor(비배우자간(非配偶者間) 인공수정).

AIDA [áidə] *n.* 〖경제〗 아이다《attention (주목), interest (흥미), desire (욕구), action (구매행동)의 4 단계를 거치는 소비자의 구매심리 작용》.

Aï·da [ɑːíːdə/aiíː-] *n.* 아이다《베르디(Verdi) 작의 오페라(1871); 그 여주인공》.

AIDCA [áidkə] *n.* 아이드카《attention (주목), interest (흥미), desire (욕구), conviction (확신), action (구매 행동)의 5 단계를 거치는 소비자의 구매 심리 작용》.

áid clìmbing 인공등반(artificial climbing).

aide [eid] *n.* **1** =AIDE-DE-CAMP. **2** 측근〔보조〕자, 고문; 조수; 〖군사〗 부관(副官).

aide-de-camp, aid- [éiddəkǽmp, -kɑ́ːŋ/-kɑ́ːŋ] (*pl.* ***aides-, aids-*** [éidz-]) *n.* 《F.》〖군사〗 장관(將官) 전속부관: the ~ to His Majesty 시종(侍從)무관.

áided schóol *n.* 《영》 공비 조성(公費助成) 학교; (특정 단체의) 원조 학교.

aide-mé·moire [éidmemwɑ́ːr] (*pl.* ***aides-*** [éidz-]) *n.* 《F.》 비망록; 〖외교〗 각서.

aide-toi, leciel t'aidera [F. ɛdtwaləsjɛl-tɛdʀa] 《F.》 (=help yourself (and) heaven will help you) 하늘은 스스로 돕는 자를 돕는다.

áid·man [-mæ̀n, -mən] *n.* (야전 부대에 딸린) 육군 위생병.

áid pòst 《영》 =AID STATION.

AIDS[1] [eidz] *n.* 〖의학〗 에이즈, 후천성 면역 결핍증. [◂ *a*cquired *i*mmuno*d*eficiency 〔*i*mmune *d*eficiency〕 *s*yndrome]

AIDS[2] *n.* 《해커》 컴퓨터 바이러스 오염 디스크 증후군(症候群). [◂ *a*n *i*nfected *d*isk *s*yndrome]

ÁIDS-relàted còmplex 〖의학〗 에이즈 관련 증후군《AIDS 바이러스에 의한 증후군; 림프샘 종창, 계속되는 발열 등; 생략 ARC》.

áid stàtion 〖미군사〗 전방의 응급 치료소.

ÁIDS tèrrorist 《속어》 에이즈 감염 사실을 감추고 성교하는 사람.

áid wòrker 국제 구호원《전쟁이나 기근의 희생자의 구호에 종사하는 국제 기구의 직원》.

AIEE American Institute of Electrical Engineers(미국 전기학회). **AIFF** 〖컴퓨터〗 Audio Interchange File Format (오디오 인터체인지 파일 포맷)《애플 컴퓨터사에서 나온 디지털 오디오 파일 포맷의 하나》. **AIFV** 〖군사〗 armored infantry fighting vehicle(장갑 보병 전투차량).

aiglet ⇨AGLET.

ai·gret(te) [éigret, -ˊ] *n.* **1** 〖조류〗 백로, 해오라기(egret). **2** 〖식물〗 관모(冠毛). **3** (투구 위의) 백로 깃털 장식; 꼬꼬마, (모자 등의) 장식 깃털; (보석의) 가지 모양의 장식.

ai·guille [eigwíːl, ˊ-] *n.* 《F.》 바늘같이 뾰족한 돌산, 뾰족한 산봉우리《특히 알프스 산맥의》.

ai·guil·lette [èigwilét] *n.* 《F.》 (군복의) 장식 띠〔끈, 술〕.

AIH, A.I.H. artificial insemination by husband(배우자 간 인공 수정). cf. A.I.D.

ai·ko·na [áikɔːnə] *int.* 《S.Afr.속어》〔강한 부정을 나타내어〕 터무니없다, 당치 않다.

ail [eil] *vt.* 괴롭히다, …에 고통을 주다: What ~*s* you? 어찌된 거냐; 어디가 아프냐. ★ 현재

는 낡은 표현. **—** *vi.* 《대개 be ailing으로》 아픔을 느끼다; (가벼이) 앓다, 찌뿌드드하다: My baby *is ~ing.* 아기가 아프다. **—** *n.* 괴로움, 고민, 병.

ai·lan·thus [eilǽnθəs] *n.* 가죽나무속(屬)의 식물, 《특히》 가죽나무.

Ai·leen [ailíːn, ei-] *n.* 에일린《여자 이름》. [◂ Helen의 아일랜드어꼴]

ail·er·on [éilərɑ̀n/-rɔ̀n] *n.* (비행기의) 보조익.

áil·ing *a.* 병든; 병약한; 건전치 못한: a financially ~ corporation 재정적으로 문제 있는 기업. SYN. ⇨ILL.

°**áil·ment** *n.* 불쾌, 우환, (특히 만성적인) 병; (정치·정세 따위의) 불안정. cf. disease. ★ 주로 slight, little, trifling 등을 수반하여 '가벼운 병'의 뜻.

ai·lu·ro·phile, ae·lu·ro- [ailúərəfàil, ei-] *n.* 고양이를 좋아하는 사람; 애묘가(愛猫家).

ai·lu·ro·phobe [ailúərəfòub, ei-] *n.* 〖의학〗 고양이를 싫어하는 사람.

ai·lu·ro·pho·bia [ailùərəfóubiə, ei-] *n.* 〖의학〗 고양이 혐오〔공포증〕.

‡**aim** [eim] *vt.* 《~+목/+목+전+명》 (총·타격의) 겨냥하다, 겨누어 …을 던지다; (비난·비꼼 따위를) 빗대어 말하다《*at*》: ~ a gun 총을 겨누다 / ~ a stone *at* a person 아무를 향해 돌을 내던지다 / That remark was *~ed at* him. 그 말은 그에게 빗대어 한 것이었다. **—** *vi.* **1** 《~/+전+명》 겨누다《*at*》: ~ *at* a person with a gun 총으로 아무를 겨누다. **2** 《~/+전+명》 목표삼다, 마음먹다《*at; for*》: ~ *at* success 성공을 목표로 삼다 / ~ *for* a new world record 세계 신기록을 목표로 삼다. **3** 《~+*to* do》 《미》 …할 작정이다, …하려고 노력하다: She *~s to* go tomorrow. 그녀는 내일 갈 예정이다. ★ 영국에선 보통 ~ *at* do*ing*을 씀. ***~ high*** 〔***low***〕 대망을 품다〔뜻하는 바가 낮다〕. ***What do you ~ at?*** 어떻게 할 작정이냐.

— *n.* **1** Ⓤ 겨냥, 조준: take ~ (at) (…을) 겨냥하다 / miss one's ~ 겨냥이 빗나가다. **2** Ⓒ 과녁, 표준. **3** Ⓒ 목적, 뜻, 계획: What is your ~ in life? 자네 인생의 목표는 무엇인가 / ~ and end 궁극의 목적 / without ~ 목적 없이, 막연히 / attain 〔achieve〕 one's ~ 목적을 달성하다. SYN. ⇨ PURPOSE.

AIM Air Interceptor Missile (공대공(空對空) 요격 미사일); American Indian Movement (미국 인디언 공민권 운동). **A.I.M.E.** American Institute of Mining Engineers; Association of the Institute of Mechanical Engineers.

áim·er *n.* 겨냥하는 사람〔물건〕, 조준기.

áiming pòint (무기·관측 기구에서) 조준점(照準點).

*****aim·less** [éimlis] *a.* (이렇다 할) 목적〔목표〕 없는; 정처 없는. ㊕ **~·ly** *ad.* **~·ness** *n.*

ain [ein] *n., a.* 《영방언》 =OWN.

aî·né [enéi] *n., a.* 《F.》 형(兄)(의). opp. *cadet.*

ain't [eint] am not, are not, is not, have not, has not 의 간약형. ★ 의문꼴 ain't I?(=am I not?)의 경우 이외는 속어.

Ai·nu, Ai·no [áinuː], [áinou] *a.* 아이누 사람〔말〕의. **—** *n.* 아이누 사람; Ⓤ 아이누 말.

ai·o·li, aï- [aióuli, ei-] *n.* 〖요리〗 아이올리《Provence 지방의 독특한 마늘이 든 마요네즈》.

AIPLA American Intellectual Property Law Association (미국 지적 소유권 협회).

†**air** [ɛər] *n.* Ⓤ **1** 공기, (the ~) 대기; 하늘, 공중: fresh 〔foul〕 ~ 신선한〔오염된〕 공기 / float in the ~ 공중에 뜨다 / fly in 〔through〕 the ~ 공중을 날다 / fly up into the ~ 하늘로 날아오르다 / in the open ~ 야외에서. **2** Ⓒ 산들바람, 실바람, 미풍: a nice ~ 기분 좋은 산들바람. **3** Ⓒ 모양, 외견, 풍채, 태도; (*pl.*) 젠체하는 태도: with a sad ~ 슬픈 듯이 / You have a cheerful ~. 즐거운 모양이구나 / with empty *~s* 젠체하여 / assume 〔put on〕 *~s* =give oneself *~s* 젠체하다, 뽐내다 / with an ~ 자신을 가지고, 거드름 피우며. **4** Ⓒ 〖음악〗 멜로디, 가락, 곡조; 영창(詠唱)(aria); 최고음부: sing an ~ 한 곡 부르다. **5** 《속어》 허풍, 뻥; 쓸데없는 수다. **6** 《속어》 해고, '모가지'. **7** (보통 the ~) 전파 송신 매체; 라디오〔텔레비전〕 방송. **8** (특정한 장소의) 분위기, 지배적인 공기. **9** 항공 교통〔수송〕; 공군; 항공 우표: command 〔mastery〕 of the ~ 제공권.

~s and graces 젠체함, 짐짓 점잔빼. ***beat the ~*** 허공을 치다, 헛수고 하다. (***build***) ***a castle in the ~*** ⇨CASTLE. ***by ~*** 비행기로, 항공편으로; 무전으로. ***clear the ~*** 암울한 기운을 없애다, 공기를〔기분을〕 새롭게 하다. ***dance on ~*** ⇨ DANCE. ***fan the ~*** ⇨FAN. ***get the ~*** 《미속어》 해고되다, 목이 잘리다; (친구·애인에게서) 버림받다. ***give ~ to*** (의견 따위를) 발표하다, 말하다. ***give*** a person ***the ~*** 《미속어》 아무를 해고하다, 내쫓다; (애인 등을) 차버리다. ***go up in the ~*** 《속어》 흥분하다, 치밀어 오르다, 불끈하다; (배우가) 대사를 잊다. ***grab a handful of ~*** 《속어》 (버스·트럭에) 급브레이크를 걸다. ***have an ~ of*** …의 모양을 하고 있다. ***in the ~*** ① 공중에, 떠돌아, (소문이) 퍼지어. ② (계획 따위가) 결정을 못보고; 현실성이〔근거가〕 없는. ③ 적의 공격에 노출되어, 무방비로. ④ (일이) 벌어질 것 같은, (분위기가) 감돌아, 낌새가 있어. ***into thin ~*** 그림자도 없이: disappear 〔vanish〕 *into thin ~* 자취도 없이 사라지다. ***off the ~*** ① 방송되지 않고; 방송이 중단되어. ② (컴퓨터가) 연산 중이 아닌. ③ 일을 벗어나〔잃고〕. ***on ~*** 《미》 의기양양하게, 쾌활하게. ***on the ~*** ① 방송 중인〔되어〕: go *on the ~* 방송하다〔되다〕; 방송에 출연하다. ② 항공편으로. ③ 〖컴퓨터〗 연산(演算) 중인, 작동하고 있는. ***out of thin ~*** 무에서; 허공에서; 표연히; 느닷없이: appear *out of thin ~* 느닷없이 나타나다. ***put*** 〔***send***〕 ***... on the ~*** …을 방송하다. ***take ~*** (일이) 널리 퍼지다, 알려지다; 《미속어》 두서〔종잡을 수〕 없는 이야기를 하다. ***take the ~*** ① 바람을 쐬다; 산책하다. ② 《미》 방송을 시작하다. ③ 〖항공〗 이륙하다; 《미속어》 (급히) 떠나다. ***take to the ~*** ① (공중으로) 오르다, (비행기가) 이륙하다. ② 비행사가 되다. ***tread*** 〔***float, walk***〕 ***on*** 〔***upon***〕 ***~*** 우쭐해 하다, 의기양양해하다, 기뻐 어쩔 줄 몰라 하다. ***up in the ~*** 《구어》 ① 허공에 걸린, 미결정의. ② 흥분하여, 화나서. ③ 매우 행복한, 기뻐 어쩔 줄 몰라.

— *a.* 공기의; 항공(기)의; 공군의; 방송의.

— *vt.* **1** …을 공기〔바람〕에 쐬다, …에 바람을 통하게 하다〔넣다〕: ~ a room 방에 통풍을 하다 / ~ oneself 바람쐬다, 산책하다. **2** (바람·공기에 쐬어서) 말리다; 《영》 (불·열에) 말리다. **3** (인간·동물 등을) 밖에 보내 바람을 쐬게 하다, 집 밖에서 운동을 시키다. **4** (의견을) 발표하다, (불평을) 늘어놓다: ~ one's opinion 자기 의견을 말하다. **5** 떠벌리다, 자랑해 보이다: ~ costly jewels 값비싼 보석을 자랑해 보이다. **6** 방송하다. **7** 《미속어》 (애인 따위를) 차버리다. **—** *vi.* 바람을 쐬다, 산책을 나가다《*out*》; 마르다; (프로그램 등이) 방송되다.

áir alèrt 공중 대기, 경계 비행, 공습경보; (공습에 대비한) 응전 태세.

áir àrm 공군(air force).

air attaché [∠∠] 대사〔공사〕관부 공군 무관.

áir bàg 에어백, 공기 주머니《자동차 충돌 때 순간적으로 부푸는 안전장치》.
áir bàll 고무 풍선(《영》 air balloon); 《미속어》〖농구〗슛한 것이 링이나 백보드에 전혀 스치지도 ⌊않는 볼.
áir ballòon (장난감) 풍선.
áir bàse 공군〔항공〕기지《미공군에서는 미국 영토 밖의 것》.
áir bàttery 〖군사〗 공기 전지《air cell 또는 그것을 몇 개 겹친 것》.
áir bèaring 〖기계〗 공기 베어링《압축 공기로 축을 받치는 베어링》.
áir bèd 《영》 공기 베드.
áir bèll 에어 벨, (유리 제조 때 생기는) 기포.
áir bènds 〖의학〗 항공 색전증(塞栓症).
áir·bìll *n.* =AIRWAYBILL.
áir blàdder 부대(浮袋); 〖어류〗 부레; 〖식물〗 기포(氣泡). ⌈한) 충격파.
áir blàst 공기 블라스트; (공중 핵폭발 등에 의
áir·bòat *n.* 수상기; 초계 비행정; 《미》 에어보트, 프로펠러선(船).
áir·bòrne *a.* **1** 공수(空輸)의: ~ troops 공수부대. **2** 〖서술적〗 이륙하여, (공중에) 떠. **3** 풍매(風媒)의.
áirborne alért 〖군사〗 (항공기의) 공중대기.
áirborne copulátion 《미속어》 개의치 않는 것.
áirborne éarly wàrning and contról 공중 조기 경계 관제《생략: AEW & C》.
áirborne láunch contról cènter 기상(機上) 미사일 발사 센터《생략: ALCC》.
áirborne óptical ádjunct ⇨AOA.
áirborne sóccer 《미》 공중 사커《공 대신 Frisbee를 써서 7명이 한 팀이 되어 겨룸》.
áir-bòund *a.* 공기가 들어찬《파이프 등》.
áir·bràin *n.* 《속어》 바보, 멍청이(airhead). [파] ~**ed** *a.*
áir bràke 공기 제동기, 에어〔공기〕 브레이크.
air·bra·sive [έərbrèisiv, -ziv] *n.* 〖치과〗 분기식(噴氣式) 치아 천공기; 공기 연마기.
áir-brèathe *vi.* (제트기 따위가 연료 산화를 위해) 공기를 빨아들이다.
áir-brèather *n.* 〖항공〗 공기 흡입 미사일《연료의 산화를 위해 공중의 산소를 이용하는 미사일》.
áir brìck 〖건축〗 (구멍 뚫린) 통풍 벽돌.
áir brìdge 공중 가교《공수(空輸)에 의한 두 지점간의 연결》; 공중 다리《두 빌딩을 잇는 터널꼴의 통로》; 에어 브리지《공항에서 승객이 대합실에서 직접 탑승할 수 있는 터널꼴 통로》.
áir bròker 《영》 항공 운송 중개인.
áir·brùsh *n.* 에어브러시《도료·그림물감 등을 뿜는 장치》. ── *vt.* 에어브러시로 뿜다; (사진의 흠 등을) 에어브러시로 지우다《*out*》; (무늬·사진의 세부 등을) 에어브러시로 그리다.
áir bùmp 〖항공〗 (에어 포켓의) 상승 기류.
áir·bùrst *n.* (폭탄의) 공중 폭발.
áir·bùs *n.* 에어버스《중·단거리용 제트 여객 ⌊기》.
áir càp (공항의) 포터, 짐꾼. [cf] redcap.
áir càrgo 공수 화물, 항공 화물.
áir càrrier 항공(운송) 회사〔업자〕, 항공 회사; (화물) 수송기.
áir càsing 〖기계〗 공기 케이싱, (열발산 방지를 위해 기관 등의 둘레에 두르는) 공기벽; (배의 굴뚝 주위에 있는) 통풍구.
áir càstle 공중누각, 공상, 백일몽.
áir càv(alry) 〖미군사〗 공정 부대, 공수 부대.
áir cèll 〖해부〗 폐포(肺胞); (새의) 기낭(氣囊); (달걀의) 기실(氣室); 〖전기〗 공기 전지.
áir chàmber (펌프·구명구의) 공기실; 〖생물〗 기강(氣腔); (알의) 기실(氣室).
áir chèck 라디오 방송의 녹음《주로 FM 음악 프로의》.
áir chìef márshal 《영》 공군 대장.
áir clèaner 에어 클리너, 공기 정화기(淨化器).
áir cléarance (비행기의) 이착륙 허가.
áir còach (근거리·싼 요금의) 보통 여객기.
áir còck 〖기계〗 공기 콕.
áir commànd 《미》 공군 총사령부; 항공군단《air force보다 상위의 부대 단위》.
áir còmmodore 《영》 공군 준장.
áir comprèssor 에어 컴프레서, 공기 압축기.
áir condènser 〖기계〗 공랭(空冷) 콘덴서, 공기 냉각기; 〖전기〗 공기 콘덴서《유도체로 공기를 씀》.
áir-condìtion *vt.* …의 공기 조절을 하다, …의 온도〔습도〕 조절을 하다, …에 냉난방 장치를 설치하다. [파] ~**ed** *a.* 냉난방 장치를 설치한.
áir condìtioner 공기 조절 장치, 냉난방 장치, 에어 컨디셔너, 에어컨.
áir condìtioning 공기 조절 (장치)《실내의 공기정화, 온도·습도의 조절》, 냉난방.
áir contròl 제공(권); 항공 (교통) 관제.
áir contròller 항공 (교통) 관제관; 〖군사〗 항공 통제관.
áir-còol *vt.* …을 공기 냉각하다; (방)에 냉방 장치를 하다. [파] ~**ed** *a.* 공랭식의; 냉방 장치가 ⌊있는.
áir còoling 공기 냉각(법).
Áir Còrps 《미》 (제 2 차 세계 대전 전의) 육군 항공대.
áir còrridor 항공기 전용로《국제협정에 의한》.
áir còver 〖군사〗 공중 엄호 (전투기대).
air·craft [έərkræ̀ft, -krɑ̀ːft/-krɑ̀ːft] (*pl.* ~) *n.* 항공기《비행기·비행선·헬리콥터 등의 총칭》: an ~ station 기상(機上) 무전국 / by ~ 항공기로《무관사》.
áircraft càrrier 항공모함.
áircraft clòth 〔**fàbric**〕 =AIRPLANE CLOTH.
áircraft obsèrver (기상(機上)에서의) 감시·화기 발사병(兵).
áircraft(s)·man [-mən] (*pl.* **-men** [-mən]) *n.* 〖영공군〗 항공 정비병, 공군 이등병.
áircraft tènder 〖해군〗 항공기 지원함(선).
áir·crèw *n.* 〖집합적〗 (항공기) 승무원.
áircrew·man [-mən] (*pl.* **-men** [-mən]) *n.* (장교·조종사 이외의) 항공기 승무원의 일원.
áir-cùre *vt.* 공기를 쐬다, (담배·목재 등을) 공기 처리〔건조〕하다.
áir cùrtain 에어 커튼.
áir cùshion **1** 공기 방석〔베개〕. **2** 〖기계〗 에어쿠션《완충 장치》. **3** (호버크라프트를 부상(浮上)시키는) 분사 공기.
áir-cùshion(ed) *a.* (탈것이) 공기 부상식인.
áir-cushion vèhicle 공기부양정(艇) (ground-effect machine); 호버크라프트《생략: ACV》.
áir cỳlinder 〖기계〗 공기 실린더.
áir dàm 에어 댐《자동차·비행기에 붙여, 공기 저항을 감소시키거나 안전도를 높임》.
áir·dàsh *vi.* 비행기로 급히 가다〔달려가다〕.
áir·dàte *n.* 방송(예정)일.
áir defènse 방공(防空).
áir dèpot 항공기 발착장; 항공 보급소.
áir divìsion 〖미공군〗 항공 사단.
áir dòme 〖건축〗 에어 돔, 공기막 구조.
áir dòor =AIR CURTAIN.
áir dràin 〖건축〗 배기구(溝)《지하실 외벽의》.
áir drìll 공기 송곳〔착공기〕.
áir-drìven *a.* 압축공기를 원동력으로 하는, 공기 구동(驅動)의《공구(工具)》.
air·drome [έərdròum] *n.* 《미》 비행장, 공항.
áir·dròp *n.* 공중 투하. ── (**-pp-**) *vt.* (물자 등을) 공중 투하하다《*to*》. ⌈바싹 마른.
áir-drỳ *vt.* 공기로 건조시키다. ── *a.* (바람에)
áir dùct 공기통; 〖어류〗 기도관(氣道管).

Aire·dale [ɛ́ərdèil] *n*. 검은 얼룩이 있는 대형 테리어종의 개(= ∠ **térrier**); (a-) 《미속어》 괴상한 사내.
áir edìtion (신문·잡지의) 공수판(空輸版).
áir èngine (압축) 공기 기관, 열기 기관.
air·er [ɛ́ərər] *n*. 《영》 (옷의) 건조 장치, 빨래 건조대(臺).
áir exprèss 《미》 공수 소화물, 소화물 공수 (제「도), 항공 속달.
áir·fàre *n*. 항공 운임.
áir fèrry 에어 페리, (수역(水域)을 넘어 사람·화물을 나르는) 공중 수송(의 항공기〔항공망〕).
áir·field *n*. 비행장. SYN. ⇨ AIRPORT.
áir filter 공기 정화 필터〔장치〕, 공기 여과기.
áir flèet 항공기 편대; (일국의) 공군(세)력.
áir·flòw *n*. 기류《운동체 주위의》.
áir·fòil *n*. 〖항공〗 날개, 프로펠러 날개.
áir fòrce 공군《생략: A.F.》: the Royal 〔United States〕 *Air Force* 영국〔미국〕 공군.
Áir Fòrce Acádemy 《미》 공군 사관학교.
Áir Fòrce Óne (미공군의) 대통령 전용기.
áir·fràme *n*. (비행기·로켓 따위의 엔진을 제외한) 기체(機體).
áir·frèight *n*. Ⓤ 항공 화물편; 항공화물 요금; 〘집합적〙 항공화물. ── *vt*. 항공화물로 보내다. ㊥ **∼·er** *n*. 화물 수송기.
「香劑).
áir frèshener 공기 청정 스프레이, 방향제(芳
áir gàp 〖전기〗 공기 갭《방전시 또는 자극간(磁極間)의 간격》.
áir gàs 공기 가스《공기에 가연성 증기를 혼합한 것》; 발생로(發生爐) 가스.
áir gàuge 기압계.
áir·glòw *n*. Ⓤ 대기광《대기권 상공에서 태양 광선의 영향에 의한 작용으로 원자·분자가 발광하「는 현상》.
áir·gràm *n*. =AIR LETTER.
áir·gràph *n*., *vt*. 《영》 항공축사(縮寫) 우편《편지를 축사 필름으로 한 것》(으로 보내다).
áir gròup 항공군(群)(aircraft group)《air wing 과 squadron의 중간 단위 부대》.
áir guitàr 《속어》 (실제의 음악에 맞추어 연주하는 시늉만 하는) 무음기타.
「AQUAPULSE GUN.
áir gùn 공기총; =AIRBRUSH; 공기 해머; =
áir hàll 《영》 에어 홀《옥외(屋外) 수영장·테니스장 등에서 사용하는 폈다 접었다 하는 식의 플라스틱제 돔(dome)》.
áir hàmmer 〖기계〗 공기 해머.
áir-hàrdening *a*. 〖야금〗 (합금강(合金鋼)이) 공랭경화(空冷硬化)된, 공기당금질한, 자경성(自硬性)의.
áir·hèad¹ *n*. 〖군사〗 공두보(空頭堡)《공수부대가 확보한 적지 내의 거점; 전선 공군 기지》.
áir·hèad² *n*. 《미속어》 바보, 멍청이.
áir hòist (압축공기를 이용한) 승강기.
áir hòle 통기공(孔), (선실 등의) 풍창(風窓); (하천·호수에서) 얼지 않는 곳; 〖항공〗 =AIR POCKET; (주물의) 기포(氣泡).
「하다).
áir·hòp *n*., *vi*. 《미속어》 단거리 비행기 여행(을
áir hòrn (자동차의) 에어혼《(1) 기화기의 주(主) 공기 흡입구. (2) 압축 공기식 음향기》.
áir hòse 《미속어》 (맨발로 신는) 신형 운동화.
áir hòstess (여객기의) 스튜어디스(stewardess). ★ 최근에는 flight attendant가 많이 쓰이는 경향이 있음.
áir·hòuse *n*. 에어하우스《압축공기로 플라스틱을 부풀려 만든 기둥이 없는 일시적인 공사용 비닐하우스》.
「흡 곤란).
áir hùnger 〖의학〗 공기 기아〔갈망〕《일종의 호
air·i·ly [ɛ́ərəli] *ad*. 경쾌하게; 쾌활하게; 가볍게; 마음이 들떠서; 떠들면서; 젠체하며.
air·i·ness [ɛ́ərinis] *n*. Ⓤ **1** 바람이 잘 통함; 바람받이. **2** 경묘(輕妙)함, 경쾌함, 쾌활함. **3** 공허〔허무〕함. **4** 젠체함.

air·ing [ɛ́əriŋ] *n*. Ⓤ,Ⓒ **1** 공기에 쐼, 바람에 말림. **2** 야외 운동, 산책; 드라이브: take 〔go for〕 an ∼ 야외 운동을〔산책을, 드라이브를〕 하다. **3** 공표, 발표; (라디오·텔레비전) 방송.
áiring cùpboard 빨래가 마르도록 온수 파이프 주위에 만든 선반·장.
「량.
áir injèction (분사식) 연료 보급.
áir-ìntake *n*. 공기 흡입구; 공기 흡입량, 흡기
air·ish [ɛ́əriʃ] *a*. 《미남부》 젠체하는, 아니꼬운; 건방진; 시원한, 으스스한.
「킷.
áir jàcket 《영》 구명대(救命袋); 〖기계〗 공기 재
áir kìss (키스할 때와 똑같은 입모양을 내는) 키스의 흉내. ㊥ **aír-kìss** *vt*., *vi*.
áir làne 항공로(airway).
áir-làunch *vt*. (비행기 등에서) 공중 발사하다.
áir-launched crúise mìssile 〖미군사〗 공중 발사 순항 미사일.
「한 가지).
áir làyering 〖원예〗 고취법(高取法) 《휘문이의
áir·less *a*. 환기가 나쁜; 공기가 없는. ㊥ **∼-ness** *n*.
áir lètter 항공우편; 항공서한, 항공 봉함엽서.
áir·lìft *n*. 공중 보급로〔선(線)〕; (특히 응급책으로서의) 공수; (긴급) 공수용 항공기; 공수(된 인원〔화물〕); 공기 무자위. ── *vt*. 공수하다《*to*》.
⁑**air·line** [ɛ́ərlàin] *n*. **1** (정기) 항공로; (*pl*.) 〘단수취급〙 항공회사《종종 Air Lines 라고도 씀》. **2** (보통 air line) 《미》 (두 점을 잇는) (공중) 최단거리, 대권(大圈) 코스; 일직선. **3** 공기 파이프〔호스〕.
áir-lìne *a*. 《미》 일직선의(straight); 직행의(direct); 최단(最短)의: the ∼ route 최단 루트.
áirline hòstess 〔**stèwardess**〕 《미》 (정기 여객기의) 스튜어디스.
Áir Lìne of Communicátion 〖군사〗 항공 통상로《민간항공 노선을 이름; 생략: ALOC》.
°**áir·lìner** *n*. (대형) 정기 여객기.
áir·lòad *n*. 항공기의 총적재 중량《승무원·연료를 포함하는》.
áir lòck 〖공학〗 에어 로크, 기갑(氣閘)《잠함(潛函)의 기밀실》; (우주선의) 기밀식(氣密式) 출입구; 감압실; 증기 폐색《펌프나 파이프 조직에 기포가 있어 기능을 막는 일》.
áir·lock módule 〖로켓〗 (우주 정거장 안의) 기밀 구획(氣密區劃)《기압·온도 따위가 조정 가능; 생략: AM》.
áir lòg 항공일지; (항공기의) 비행거리 기록 장치; (유도탄의) 사정(射程) 제어장치, 사정거리 조절기.
air·ma·da [ɛərmɑ́:də, -méi-] *n*. 특명 비행부대.
「않음.
áir màil 《미학생속어》 편지통에 편지가 와 있지
⁑**air·mail** [ɛ́ərmèil] *n*. Ⓤ **1** 항공우편. OPP. *surface mail*. ¶ Via *Airmail* 항공편으로《봉함엽서에》. **2** 〘집합적〙 항공 우편물. ── *vt*. 항공편으로 보내다. ── *a*. 항공편의. ── *ad*. 항공편으로.
áir·man [-mən] (*pl*. **-men** [-mən]) *n*. 비행사〔가〕; 조종사, 항공기 승무원; 공군 요원〔병사〕; 〖미공군〗 항공병. ㊥ **∼·shìp** *n*. Ⓤ 비행가임; 비행술.
áir màp 항공사진(을 사용한 지도).
áir·màrk *vt*. …에 대공 표지를 하다.
áir màrshal 《영》 공군 중장.
áir màss 〖기상〗 기단(氣團).
áir màttress 에어 매트리스《침대나 구명용》.
áir mechànic 항공 기사, 항공 정비사.
Áir Mèdal 《미》 항공 훈장《1942 년 제정》.
áir mìle 항공 마일《1,852 m》: 500 ∼*s*.
Áir Mìles 에어 마일스《항공사가 단골 여객이나 특별 고객에게 특혜를 주는 사은 제도》(=**áir**

mìles, áir-mìles).
áir-mìnded *a.* 항공(사업)에 열심인; 비행기를 좋아[동경]하는; 항공지식이 있는. ㊎ ~·**ness** *n.*
Áir Mìnister 《영》 항공 장관.
Áir Mìnistry (the ~) 《영》 항공부(部)《1922년 설립, 군·민간의 항공을 통할했음; 1964 년 Ministry of Defence (국방부)에 흡수됨》.
áir mìss 에어 미스《항공기의 니어 미스(near miss)에 대한 공식용어》.
áir·mòbile *a.* 【미군사】 (헬리콥터 따위로) 공수되는; 공수부대의. ── *n.* 【군사】 공중 기동.
áir mònitor (라디오·TV의) 감시인[장치]; 대기오염 감시장치.
áir mosàic (항공사진을 이은) 항공지도.
Áir Nátional Guárd 《미》 주(州) 공군, 국가 항공 경비대.
áir obsèrver 【미공군】 (착탄(着彈)의) 공중[기상(機上)] 관측원; 공중[기상] 정찰원.
áir òfficer 《영》 공군 장관(將官); 【미해군】 (항공모함의) 항공 사령(司令).
áir·pàck *n.* 에어팩, 휴대용 산소통[봄베].
áir·pàrk *n.* 작은 공항.
áir pàssage 통풍구[로(路)]; 【식물】 세포 간 공동(空洞); 하늘의 여행; 항공기편[이용].
áir pìpe 통기관.
áir pìracy 항공기 납치(skyjacking), 하이잭.
áir pìrate 항공기 납치범, 하이잭 범인.
áir pìstol 공기 권총.
†**air·plane** [έərplèin] *n.* **1** 《미》 비행기(《영》 aeroplane): an ~ hangar 격납고 / by ~ 비행기로《무관사》/ take an ~ 비행기를 타다. **2** 《속어》 (짧아진 대마초 담배를 끼우기 위한) 클립(clip). ── *vi.* 비행기로 가다.
áirplane càrrier 항공모함(aircraft carrier).
áirplane clòth [**fàbric**] 비행기 익포(翼布); 운동복 따위에 쓰는 일종의 무명.
áirplane spìn 【레슬링】 비행기 던지기.
áir plànt 기생(氣生)식물.
áir·plày *n.* 레코드 음악의 라디오 방송.
áir plòt 【항공】 대기 추측 위치(對氣推測位置), 대기도시(對氣圖示); (항공모함의) 지휘실.
áir pòcket 에어 포켓, (하강) 수직 기류.
áir polìce (종종 A- P-) 【미군사】 공군 헌병대
áir pollùtion 대기[공기] 오염. 《생략: AP》.
†**air·port** [έərpɔ̀ːrt] *n.* 공항: an international ~ 국제공항 / Kimpo *Airport* 김포 공항.

> SYN. **airport** 는 **airdrome** 과 같은 뜻이나, 특히 '설비 좋은 공항'을 뜻함《보통 세관도 있음》. **airfield** 는 '항공기가 이착륙하는 곳'을 뜻함.

áirport còde 공항명 코드《3 글자로, 서울은 SEL》.
áir pòst 《영》 항공우편.
áir pòwer 공군력; 공군.
áir prèssure 기압(atmospheric pressure).
áir·pròof *a.* 공기를 통하게 하지 않는, 기밀(氣密)의(airtight); 내기성(耐氣性)의. ── *vt.* 기밀로 하다; 내기성으로 하다.
áir pùmp 공기[배기] 펌프; (the A- P-) 【천문】 공기펌프자리.
áir quàlity 대기질(大氣質)《오염도를 나타내는 몇 가지 지표에 의해 평가됨》: ~ index 대기질 지표.
áir ràid 공습.
áir-ràid *a.* 공습의: ~ precautions 방공 대책.
áir ràider 공습 대원, 공습하는 비행기.
áir-raid shèlter 방공호.
áir-raid wàrden = AIR WARDEN.
áir rànk 《영》 (group captain 이상의) 공군 장성 계급.
áir recèiver 【기계】 기조(氣槽).
áir resìstance 공기 저항.
áir rìfle (강선식) 공기총.
áir rìght 【법률】 공중권《땅·건물 상공의 소유권·이용권》.
áir ròute 항공로(airway).
áir sàc 공기 주머니; 【생물】 기낭(氣囊).
áir·scàpe *n.* 공감도(空瞰圖), 항공사진.
áir scòop 【항공】 공기 흡입구.
áir scòut 비행 정찰병; 정찰기.
áir·scrèw *n.* 《영》 프로펠러.
áir-sèa réscue 해공(海空) 구조 작업(대).
áir sèrvice 항공 근무; 항공 수송 (사업); 항공업무(부), 공군; (육·해군의) 항공부.
áir shàft 통풍공(孔)(air well).
áir·shèd *n.* 한 지역의 대기(大氣); (지역별로 나눈) 대기 분수계(分水界).
◇**áir·shìp** *n.* 비행선(船): a rigid [nonrigid, flexible] ~ 경식(硬式)[연식] 비행선 / by ~ 비행선으로《무관사》. ── *vt.* 《미》 항공기로 나르다.
áir shòes 공기를 넣은 운동화.
áir shòt 【골프】 헛침《일타(一打)로 간주됨》.
áir shòw 항공[비행] 쇼.
áir shòwer 【물리】 공기 샤워《많은 우주선(線) 입자가 무리지어 지표(地表)에 이르는 현상》.
áir shùttle 《구어》 (통근용) 정기 항공편《흔히 예약 없이 탐》.
áir·shùttle *vi., vt.* (근거리) 정기 항공편으로 여행하다.
áir·sìck *a.* 비행기 멀미가 난. ㊎ ~·**ness** *n.* 항공병(病), 비행기 멀미.
áir·sìde *n.* (공항의) 출국 gate의 저편《여객·항공사 직원 및 공항 직원만 출입이 허용된 구역》.
áir-slàke *vt.* 풍화시키다: ~*d* lime 풍화 석회.

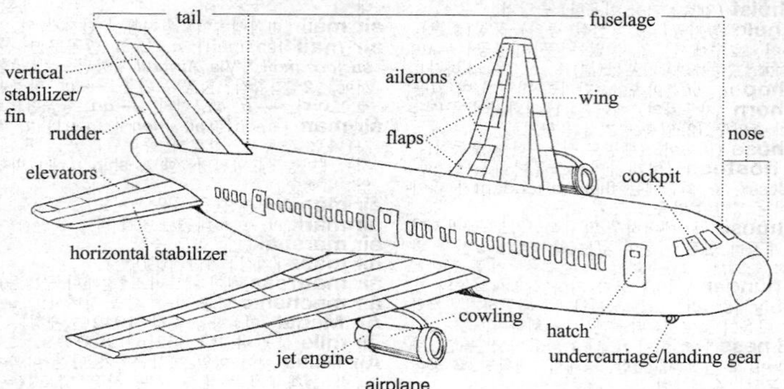

airplane

áir slèeve 〔**sòck**〕 풍향 측정용 기(旗)드림.
áir spàce (실내의) 공적(空積); (벽 안의) 공기층; (식물조직의) 기실(氣室); 영공(領空); 〖군사〗 (편대에서 차지하는) 공역(空域); (공군의) 작전 공역; 사유지상(私有地上)의 공간.
áir·spèed *n.* (비행기의) 대기(對氣) 속도; 풍속. ⓒⓕ ground speed. ⓟ **~·ed** [-id] *a.* 항공편에 의한.
áirspeed ìndicator 〔**mèter**〕 (비행기의) 대기(對氣) 속도계.
áir sprày 분무액(이 든 분무기).
áir-sprày *a.* 분무식(噴霧式)의. ⓟ **~ed** *a.* 압축공기로 분무한.
áir sprìng 공기 스프링, 공기 완충기.
áir stàtion 〖항공〗 (격납고·정비 시설이 있는) 비행장; (잠수용) 압축공기 충전소.
áir stòp 《영》 헬리콥터 발착소, 헬리포트.
áir·strèam *n.* 기류, 《특히》 고층 기류; = AIRFLOW.
áir strìke 공습(air raid).
áir·strìp *n.* 〖항공〗 (임시) 활주로; 소(小)공항.
áir strùcture 공기 구조물《제트 기류 또는 에어쿠션 등이 만드는 일시적 구조물》; (플라스틱제(製) 등의) 돔 구조물(bubble).
áir-superiòrity *n.* 제공권.
áir suppòrt = AIR COVER.
áir sùrvey 항공측량.
áir suspènsion 뉴매틱스프링(pneumatic spring)을 이용한 현가(懸架)장치, 에어서스펜션.
áir sỳstem (공기를 사용하는) 공기 냉각 장치; 공랭식; 압축 공기〔진공 상태〕로 작동하는 설비〔장치〕.
áir tàxi 에어 택시《근거리 여객기》.
áir-tàxi *vi.* 근거리 비행을 하다.
air·tel [ɛ́ərtèl] *n.* 공항 호텔.
áir tèrminal 공항 터미널《항공 여객의 출입구가 되는 건물·사무실 등; 공항에서 떨어진 시내에의 공항 연락 버스〔철도〕 발착소》.
áir thermòmeter 공기 온도계.
áir·tìght *a.* 기밀(氣密)의, 밀폐한, 공기가 통하지 않게 한; 《미》 공격할 틈이 없는, (이론 따위가) 물샐틈〔빈틈〕없는, 완벽한. ⓟ **~·ly** *ad.* **~·ness** *n.*
áir tìme (라디오·텔레비전의) 방송개시 시간; (특히 광고의) 방송시간.
áir-to-áir [-tu-] *a., ad.* 비행기에서 딴 비행기로(의), 공대공(空對空)의: an ~ missile 공대공 미사일《생략: AAM》 / refuel ~ 연료를 공중보급하다.
áir-to-gróund, áir-to-súrface [-tə-] *a.* 공대지(空對地)의: an *air-to-surface* 〔*air-to-ground*〕 missile 공대지 미사일《생략: ASM 〔AGM〕》. ― *ad.* 항공기에서 지상으로.
áir-to-súrface ballístic míssile 공대지〔함〕 탄도 미사일《생략: ASBM, A.S.B.M.》.
áir-to-únderwater [-tu-] *ad., a.* 비행기에서 수중〔잠수함〕으로(의): an ~ missile 공대 수중 미사일《생략: AUM》.
áir tràctor 농업용〔농약 살포용〕 항공기.
áir tràffic 항공 교통; 항공 교통〔수송〕량.
áir tràffic contròl 항공 교통 관제(기관)《생략: A.T.C.》.
áir tràffic contròller 항공 교통 관제관〔원〕.
áir tràin 공중열차(sky train)《글라이더를 연결한 비행기》.
áir trànsport 공중 수송, 공수; 《특히》 군용 수송기.
áir-transpòrtable *a.* 항공 수송이 되는, 공수 가능한. ⓟ **áir-transportabílity** *n.*
áir tràp 〖기계〗 공기 트랩, 방취판(防臭瓣); 〖물리〗 = AIR POCKET.
áir tràvel 비행기 여행(자 수).
áir tùrbine 공기 터빈.
áir twìst 술잔 다리 내부의 나사꼴 세공.
áir umbrèlla 〖군사〗 = AIR COVER.
áir vàlve 공기판(瓣).
áir vèsicle 〖식물〗 (수생(水生) 식물·해초의) 기포(氣胞).
áir vice-márshal 《영》 공군소장.
áir·vìew *n.* 공감도(空瞰圖), 항공사진(airscape).
áir wàrden 《미》 (전시의) 공습 감시원, 방공지도원.
áir·wàsh *vt.* (지붕 따위를) 바람을 보내어 식히다. ― *n.* (지붕을 식히기 위해 보내는) 찬바람.
áir·wàve *n.* (소정 주파수의) 채널(airway); (*pl.*) (텔레비전·라디오의) 방송전파.
***air·way** [ɛ́ərwèi] *n.* **1** 항공로. **2** (A-) (종종 ~s) 〔보통 단수취급〕 항공회사: British *Airways* 영국 항공(회사). **3** (광산의) 통기〔바람〕 구멍. **4** (*pl.*) 방송; (방송의) 채널. **5** 〖해부〗 기도(氣道), 기관(氣管). **6** 〖의학〗 (마취 때에 기관이 막히는 것을 막기 위해 쓰는) 기관내 튜브.
áirway bèacon 항공(로) 등대.
áirway·bìll *n.* 항공화물 운송장.
áir wèll 통풍공(孔).
áir wìng 〖공군〗 항공단(航空團) (= **áircraft wìng**).
áir-wìse [-wàiz] *a.* 항공지식〔경험〕이 풍부한.
áir·wòman (*pl.* **-wòmen**) *n.* 여류 비행가〔사〕.
áir·wòrthy *a.* 내공성(耐空性)이 있는, 비행에 견딜 수 있는《항공기나 그 부속품》. ⓟ **-wòrthiness** *n.* 내공성.
°**airy** [ɛ́əri] (**air·i·er; -i·est**) *a.* **1** 바람이 잘 통하는: an ~ room. **2** 공기와 같은; 공허한, 환상적인: ~ dreams 허황된 꿈 / ~ notions 가공적인 생각. **3** 가벼운; 섬세한; 우아한. **4** (태도 등이) 경쾌한; (기분이) 쾌활한: ~ laughter 명랑한 웃음 / an ~ tread 가벼운 걸음걸이. **5** 《구어》 (짐짓) 점잔빼는, 젠체하는. **6** 하늘 높이 솟은. **7** 공기의; 항공의.
áiry-fáiry *a.* 《구어》 **1** 요정 같은. **2** 《경멸》 근거 없는, 공상적인《생각·계획 등》.
AIS accounting information system(회계 정보 시스템); advanced information service(고도 정보 서비스).
°**aisle** [ail] *n.* **1** 《미》 (좌석의 사이·건물·열차 내 따위의) 통로; 복도: two on the ~ (극장의) 정면 통로쪽의 두 좌석《동행자가 있을 때의 가장 좋은 자리》. **2** (교회당의) 측랑(側廊). ***knock*** 〔***lay, rock, have***〕 (the audience) ***in the ~s*** (연극 따위가 청중을) 도취시키다, 감동시키다, 크게 웃기다. ***roll in the ~s*** 《구어》 (청중이〔을〕) 배꼽을 쥐다〔쥐게 하다〕, 포복절도하다〔시키다〕. ***walk up the ~*** 결혼하다. ⓟ **~d** *a.* aisle 이 있는.
áisle sèat (열차 따위의) 통로 쪽의 자리. ⓒⓕ window seat.
áisle sìtter 《구어》 연극 평론가.
áisle·wày *n.* (상점·창고 안의) 통로.
ait [eit] *n.* 《영》 강〔호수〕 가운데의 작은 섬.
aitch [eitʃ] *n.* H, h 의 글자; h 음. ***drop*** one***'s ~es*** 〔***h's***〕 ⇨ H, h.
áitch·bòne *n.* 소의 볼기 뼈(hipbone), 둔골(臀骨) (= **rúmp bòne**); 소의 볼기살.
AIU American International Underwriters《미국 보험회사》.
Ajan·ta [ədʒʌ́ntə] *n.* 아잔타《인도 중서부의 마을; 석굴과 벽화로 유명함》.
ajar[1] [ədʒɑ́ːr] *ad., a.* 〔형용사로는 서술적〕 (문이) 조금 열리어: leave the door ~ 문을 조금 열어 두다.
ajar[2] *ad., a.* 〔형용사로는 서술적〕 조화되지 않아; 티격이 나서(*with*). ***set*** (nerves) ~ (신경)을 초조하게 하다, 괴롭히다.
Ajax [éidʒæks] *n.* 〖그리스신화〗 아이아스

(Aias)《Troy 전쟁의 영웅》.

AK 〖우주〗 apogee kick; 〖미우편〗 Alaska. **A.K., a.k.** 《미속어》 ass kisser. **a.k.a., aka, AKA** 《미》 also known as (별칭〔별명〕은 …). cf. alias. ★ 본래는 경찰 용어로 인명·지명 따위에 씀.

aka·mai [áːkəmài] *a.* 《Haw.》 영리한; 솜씨있는.

aka·sha [ɑːkáːʃə] *n.* 〖인도철학〗 허공; 빔.

ake·la [əkíːlə] *n.* (club scouts 의) 반장, 대장.

akene [eikíːn, ə-] *n.* = ACHENE.

akha·ra [əkáːrɑː] *n.*《Ind.》 체육관.

akim·bo [əkímbou] *ad., a.* 〔형용사로는 서술적〕 손을 허리에 대고 팔꿈치는 옆으로 벌려. ★ with arms ~ 로서 쓰임.

akin [əkín] *a.* 〔서술적〕 혈족〔동족〕의(*to*); 같은 종류의, 유사한(*to*). ***be ~ to*** …에 가깝다, 유사하다: He *is* closely ~ *to* her. 그는 그녀의 매우 가까운 친척이다.

aki·ne·sia [èikiníːʒə, -kai-/-ziə] *n.* 〖의학〗 무(無)운동《완전 또는 부분적인 마비》.

Ak·kad, Ac·cad [ǽkæd, áːkɑːd/ǽkæd] *n.* 아카드《Nimrod 왕국 4 도시의 하나》.

Ak·ka·di·an, Ac·ca- [əkéidiən, əkáː-/əkéi-] *n.* Ⓤ 아카드어; Ⓒ 아카드 부족〔인〕. **—** *a.* 아카드의; 아카드인〔어〕의.

akra·sia [ɔːkréiziə] *n.* 〖철학〗 (도덕상의) 의지 박약.

akt·o·graph [ǽktəgræ̀f, -grɑ̀ːf] *n.* (실험 동물의) 활동 기록계.

Al [æl] *n.* 앨《남자 이름; Albert, Alfred 등의 별칭》.

al- [əl, æl] *pref.* = AD-《l 앞에 올 때의 꼴》: 「*al*lude.

-al *suf.* **1** [əl] '…의, …와 같은, …성질의' 의 뜻의 형용사를 만듦: equ*al*. **2** [əl] 동사에서 명사를 만듦: tri*al*. **3** [æl, ɔ̀ːl, ɑl, əl/æl, ɔl, əl] 〖화학〗 aldehyde 기 함유의 화학용어를 만듦: chlor*al*.

AL 〖미우편〗 Alabama. **AL., A.L.** Anglo-Latin. **A.L.** 〖야구〗 American League; American Legion. **Al** 〖화학〗 aluminum. **a.l.** autograph letter.

ala [éilə] (*pl.* ***alae*** [éiliː]) *n.* 〖생물〗 날개; 날개처럼 생긴 부분; 겨드랑이(armpit).

à la, a la [áːlɑː, áːlə/áːlɑː] 《F.》 …식의〔으로〕, …풍의〔으로〕; 〖요리〗 …을 곁들인.

ALA, A.L.A. American Library Association (미국 도서관 협회). **Ala.** Alabama.

Al·a·bama [æ̀ləbǽmə] *n.* 앨라배마《미국 남동부의 주; 주도 Montgomery; 생략: Ala., AL; 속칭 the Heart of Dixie, the Cotton State》. ㊞ **-bám·an, -bám·i·an** [-n], [-miən] *a., n.* 앨라배마의 (사람).

al·a·bam·ine [æ̀ləbǽmiːn, -min] *n.* 〖화학〗 앨라배민《기호: Ab; astatine 의 구칭》.

à l'a·ban·don [*F.* alabɑ̃dɔ̃] 《F.》 내동댕이쳐서(carelessly); 닥치는 대로(recklessly); 난잡하게.

al·a·bas·ter [ǽləbæ̀stər, -bɑ̀ːs-] *n.* 설화 석고; 줄마노(瑪瑙): (as) white as ~ 눈처럼 흰. **—** *a.* 설화 석고의〔같은〕.

al·a·bas·trine [æ̀ləbǽstrin] *a.* 설화 석고로 만든〔와 같은〕; 희고 매끄러운.

à la bonne heure [*F.* alabɔnœːʀ] 《F.》 마침 좋을 때에; 때마침; 훌륭한(excellent).

à la carte [ɑ̀ːləkáːrt, æ̀lə-/ɑːlɑː-] 《F.》 메뉴에 따라; 정가표에 따라; 일품 요리의, 좋아하는 요리의. cf. table d'hôte.

alack [əlǽk] *int.* 《고어》 슬프(도)다, 가엾도다.

alack·a·day [əlǽkədèi] *int.* = ALACK.

alac·ri·tous [əlǽkrətəs] *a.* 민활한; 민첩한.

alac·ri·ty [əlǽkrəti] *n.* Ⓤ 민활함, 기민〔민첩〕함, (주저없이) 선선함: We accepted the invitation with ~. 우리는 그 초대에 선선히 응했다.

Alad·din [əlǽdən] *n.* 알라딘《*The Arabian Nights* 에 나오는 청년 이름》.

Aláddin's cáve 막대한 보화가 있는 곳.

Aláddin's lámp 알라딘의 램프《어떠한 소원도 들어 준다는 마법의 램프》.

alae [éiliː] ALA 의 복수.

à la fran·çaise [*F.* alafʀɑ̃sɛːz] 《F.》 (= in the French manner) 프랑스식으로〔의〕.

à la king [ɑ̀ːləkíŋ, æ̀lə-/ɑːlɑː-] 《F.》 〖요리〗 버섯·피망 등을 넣고 소스로 조리한. 「증.

ala·lia [əléiliə] *n.* Ⓤ 〖의학〗 발어(發語) 불능

al·a·me·da [æ̀ləméidə] *n.* 《미》 (특히 가로수가 있는) 산책길.

Al·a·mo [ǽləmòu] *n.* 〖미국사〗 (the ~) 알라모 요새《Texas 주 San Antonio 시에 있는 가톨릭의 전도소; 1836 년 Texas 독립 전쟁 때 멕시코군에 포위되어 수비대가 전멸됨》.

al·a·mo [ǽləmòu, áːl-/ǽl-] (*pl.* ***~s***) *n.* 《미남서부》 〖식물〗 사시나무.

à la mode [ɑ̀ːləmóud, æ̀lə-/ɑːlɑː-] 《F.》 **1** 유행을 따라서; 유행의; …양식의. **2** 〔보통 명사 뒤에 와서〕 〖요리〗 (파이 따위에) 아이스크림을 곁들인: pie ~ 아이스크림을 곁들인 파이. ***beef ~*** 스튜에 곁들여 삶은 쇠고기.

al·a·mode [ǽləmòud] *a., ad.* = À LA MODE. **—** *n.* (스카프 따위로 쓰이는) 윤나는 얇은 비단 (= **∠ sìlk**).

Al·a·mo·gor·do [æ̀ləməgɔ́ːrdou] *n.* 앨라모고도《미국 New Mexico 주 남부의 도시; 1945 년 7 월 세계 최초의 원폭 실험이 시의 서북 80km의 사막에서 행해짐》.

à la mort [*F.* alamɔːʀ] 《F.》 〔형용사적〕 위독 상태의; 음울한(melancholic); 생기 없는; 의기소침한; 〔부사적〕 치명적으로, 지독하게.

Al·an [ǽlən] *n.* 앨런《남자 이름》.

à l'an·glaise [áːlɑːŋgléiz] 《F.》 영국식으로〔의〕.

al·a·nine [ǽləniːn] *n.* 〖화학〗 알라닌.

alan·nah, -na [əlǽnə] *int.* 《Ir.》 암, 그렇구 말구; 귀여운 아기야; 이리온《자식에 대한 호칭 또는 애정 표현》.

Al-A·non [ǽlənɑ̀n/-nɔ̀n] *n.* 《미구어》 알코올 중독자 자주(自主)치료 협회 《생략: A.A.》. [◂ *Al*coholics *Anon*ymous]

al·a·nyl [ǽlənil] *n.* 〖화학〗 알라닐(기)(= **∠ ràdical** 〔**gròup**〕).

á la page [*F.* alapaːʒ] 《F.》 최신의, 유행의.

alar [éilər] *a.* 날개의〔가 있는〕, 날개 모양의; 겨드랑이의; 〖식물〗 엽액(葉腋)의, 액생의.

‡**alarm** [əláːrm] *n.* **1** Ⓒ 경보, 비상 신호 〔소집〕: sound 〔ring〕 the ~ 경적〔경종, 비상벨〕을 울리다. **2** Ⓤ 놀람, (갑작스러운) 공포, 불안: without ~ 침착하여 / in ~ 놀라서; 근심〔걱정〕하여 / be struck with ~ 놀라다. SYN. ⇨ FEAR. **3** Ⓒ 경보기〔장치〕; 경종; 자명종: a fire ~ 화재 경보(기) / a thief ~ 도난 경보(기) / set the ~ for 5 자명종을 5 시에 맞추다. **4** 〖펜싱〗 알람《1보 내딛는 도전 동작》. ***~s and excursions*** 《우스개》 소란. ***give the*** 〔***raise an***〕 ***~*** 경보를 발하다. ***take*** (***the***) ***~*** (경보에) 놀라다, 경계하다: We *took* ~ at the sound. 우리는 그 소리에 놀랐다. **—** *vt.* **1** …에게 경보를 발하다, …에게 위급(함)을 알리다, 경계시키다. **2** 놀래다, 오싹하게 하다, 불안하게 하다《보통 과거분사로 형용사적으로 씀》. SYN. ⇨ AFRAID. **3** 비상소집하다. **~ one*self*** 겁먹다, 걱정하다. ***be ~ed at*** (the news) (소식)에 깜짝 놀라다. ***be ~ed for*** (the safety of) (…의 안부)를 걱정하다.

alárm bèll 경종, 비상벨.

alárm clòck 자명종 시계.
alárm·ed·ly [-idli] *ad*. 놀라서; 당황하여.
alárm gùn 경포(警砲), 경보총(警報銃).
alárm·ing *a*. 놀라운, 걱정〔불안〕스러운; (사태 등이) 급박한. ㊎ **~·ly** *ad*. 놀랄 만큼, 걱정되리만큼.
alárm·ism *n*. Ⓤ 법석떨게 함; 기우.
alárm·ist *a*., *n*. 인심을 소란케 하는 (사람); 군걱정하는 (사람).
alárm reàction 〖생리〗 경고 반응《일반 적응 증후군의 제 1 단계》.
alárm sỳstem (범죄 방지를 위한) 경보 시스템《전자식 기계를 설치하여, 위험을 경비 회사나 경찰에 알리는 비상경보 장치》.
alárm wòrd 군호, 암호말.
alar·um [əlǽrəm, -lɑ́:r-] *n*. 《고어·시어》 = ALARM; 《영》 = ALARM 3. **~*s and excursions*** 《우스개》 떠들썩한 소동.
ala·ry [éiləri, ǽl-] *a*. = ALAR.
◇**alas** [əlǽs, əlɑ́:s] *int*. 아아, 오호, 슬프도다, 불쌍한지고《슬픔·근심 등을 나타냄》: *Alas* the day! 아아, 참으로.
Alas. Alaska.
Alas·ka [əlǽskə] *n*. 알래스카《미국의 한 주(州); 생략: Alas.; 〖우편〗 AK》.
Aláska-Hawáii tìme 알래스카 하와이 표준시.
Aláska Híghway (the ~) 알래스카 공로(公路)《캐나다에서 알래스카로 통함; 통칭 Alcan Highway》.
Alas·kan [əlǽskən] *a*., *n*. 알래스카의; 알래스카 사람.
Aláskan málamute 알래스카산 맬러뮤트 개《알래스카종의 대형 개; 썰매를 끎》.
Aláska Península (the ~) 알래스카 반도.
Aláska (Stándard) Tìme 알래스카 표준시《GMT보다 9시간 늦음》.
Alas·tor [əlǽstər/-tɔ:] *n*. 〖그리스신화〗 알라스토르《복수의 신》.
alate, álat·ed [éileit], [-id] *a*. 날개가 있는; 날개 모양의; 〖건축〗 정자(丁字)집의.
alb [ælb] *n*. 〖가톨릭〗 장백의(長白衣)《흰 삼베로 만든 미사 제복》. ⓒⓕ chasuble.
Alb. Albania(n); Albany; Albert; Alberta.
Alba. Alberta.
al·ba·core [ǽlbəkɔ̀:r] (*pl*. **~s,** 〖집합적〗 ~) *n*. 〖어류〗 날개다랑어.
Al·ba·nia [ælbéiniə, -njə] *n*. 알바니아《수도 Tirana》; 〖역사〗 스코틀랜드. ⓒⓕ Caledonia. ㊎ **-ni·an** [-n] *a*., *n*. 알바니아의; 알바니아 사람(의); Ⓤ 알바니아 말(의).
Al·ba·ny [ɔ́:lbəni] *n*. 올버니《미국 New York 주의 주도》.
al·ba·ta [ælbéitə] *n*. Ⓤ 양은(洋銀).
al·ba·tross [ǽlbətrɔ̀:s, -tràs/-trɔ̀s] *n*. **1** 〖조류〗 신천옹(信天翁). **2** 골칫거리, 걱정거리, 제약. **3** 〖골프〗 앨버트로스《한 홀에서 기준 타수보다 3타 적은 스코어》. ⓒⓕ eagle. ***become an ~ around one's neck*** 골칫거리가 되다.
al·be·do [ælbí:dou] (*pl*. **~s**) *n*. Ⓤ,Ⓒ **1** 〖천문〗 알베도《달·행성이 반사하는 태양 광선의 율》. **2** 〖물리〗 반사율, 알베도.
Al·bee [ɔ́:lbi:] *n*. **Edward ~** 올비《미국의 극작가; 1928-2016》.
al·be·it [ɔ:lbí:it] *conj*. 《문어》 = ALTHOUGH: Indeed, it still burdens the Germans, ~, differently than in the past. 사실, 비록 과거와는 다르지만 그것은 아직도 독일인에게 부담으로 남아 있다《히틀러의 죄악》.
al·ber·go [ɑ:lbɛ́ərgou] (*pl*. ***-ghi*** [-gi]) *n*. 《It.》 하숙집, 여관, 여인숙.
Al·bert [ǽlbərt] *n*. **1** 앨버트《남자 이름; 애칭은 Al, Bert, Bertie, Berty》. **2** (Prince ~) 앨버트 공(公)《Victoria 여왕의 남편(Prince Consort); 1819-61》.
Al·ber·ta [ælbə́:rtə] *n*. 앨버타. **1** 여자 이름. **2** 캐나다 중서부의 주《주도 Edmonton》.
Álbert Háll (the ~) 앨버트 홀〔기념 회관〕《런던에서 음악회 기타 집회에 사용됨; 정식 명칭은 Royal Albert Hall》.
Al·bert·ville [*F*. albɛʀvil] *n*. 알베르빌《프랑스 동부 Savoie 지방의 도시; 제16회 동계 Olympic 개최지(1992)》.
al·bes·cent [ælbésənt] *a*. 희어져 가는; 희끔한. ㊎ **-cence** [-səns] *n*.
Al·bi·gen·ses [ælbidʒénsi:z] *n. pl*. 알비주아파《12-13세기 프랑스 Albi 지방에 일어났던 일종의 반로마 교회파 교단》.
Al·bin [ǽlbən] *n*. 앨빈《남자 이름》.
al·bi·nism [ǽlbənìzəm] *n*. Ⓤ 색소 결핍증; 〖의학〗 (선천성) 백피증(白皮症); 〖생물〗 알비노증. ㊎ **àl·bi·nís·tic** [-nís-] *a*.
al·bi·no [ælbáinou/-bí:-] (*pl*. **~s**) *n*. 백피증의 사람, 〖생물〗 알비노《색소가 현저히 결핍된 동·식물》. ㊎ **al·bín·ic** *a*.
Al·bi·no·ni [ɑ̀:lbinóuni] *n*. **Tomaso ~** 알비노니《이탈리아의 작곡가·바이올린 주자; 1671-1751》.
al·bi·not·ic [ælbənɑ́tik/-nɔ́t-] *a*. 백피증(白皮症)의; 백피증에 걸린.
Al·bi·on [ǽlbiən] *n*. 앨비언《잉글랜드(England)의 옛 이름·아명(雅名)》.
al·bite [ǽlbait] *n*. Ⓤ 〖광물〗 알바이트, 조장석(曹長石), 소다 장석(長石). ㊎ **al·bit·ic** [ælbítik] *a*.
ALBM air-launched ballistic missile(공중 발사 탄도 미사일).
Al·bright [ɔ́:lbrait] *n*. **Madeleine (Korbel) ~** 올브라이트《미국 외교관·국무장관; 1937- 》.
al·bu·gin·e·ous [æ̀lbju:dʒíniəs] *a*. 난백(卵白)과 같은, 난백의; 〖해부〗 공막(鞏膜)과 같은, 공막의.
***al·bum** [ǽlbəm] *n*. **1** 앨범《사진첩·우표첩 따위》; 사인〔서명〕첩; 악보철; 《미》 내객 방명록(visitor's book). **2** 음반〔레코드〕첩. **3** 문학〔명곡·명화〕선집.
al·bu·men [ælbjú:mən] *n*. Ⓤ (알의) 흰자위; 〖식물〗 배유(胚乳), 배젖; 〖생화학〗 = ALBUMIN.
al·bu·me·nize, -mi- [ælbjú:mənàiz] *vt*. 〖사진〗 …에 단백을 바르다; 단백액으로 처리하다. **~*d paper*** 계란지《인화용 광택지》.
al·bu·min [ælbjú:mən] *n*. Ⓤ 〖생화학〗 알부민《생체 세포·체액(體液) 속의 단순 단백질》.
albúmin còlor 알부민 염색《직물 프린트 가공에서 알부민을 매염제(媒染劑)로 사용하는 염색》.
al·bu·mi·noid [ælbjú:mənɔ̀id] *a*. albumin 성질의. ── *n*. Ⓤ 알부미노이드《단백질의 일종》.
al·bu·mi·nose, -nous [ælbjú:mənòus], [-nəs] *a*. 알부민의, 알부민을 함유한; 〖식물〗 배유(胚乳)가 있는.
al·bu·mi·nu·ria [ælbjù:mənjúəriə] *n*. Ⓤ 〖의학〗 단백뇨(尿)(증). ㊎ **-ric** [-rik] *a*.
al·bu·mose [ǽlbjəmòus] *n*. 〖생화학〗 알부모스《소화효소 작용에 의해 단백질이 약간 분해된 것》.
Al·bu·quer·que [ǽlbəkə̀:rki] *n*. **1 Affonso de ~** 알부케르크《포르투갈의 동양에 있어서의 식민지 건설자; 1453-1515》. **2** 앨버커키《미국 New Mexico 주 중부의 관광 휴양지》.
al·bur·nous [ælbə́:rnəs] *a*. 백목질(白木質)의.
al·bur·num [ælbə́:rnəm] *n*. Ⓤ 〖식물〗 백재(白材), 변재(邊材), 백목질(sapwood).
alc. alcohol(ic).
al·cade [ælkéid] *n*. = ALCALDE.
alcahest ⇨ ALKAHEST.
Al·ca·ic [ælkéiik] *a*. 옛 그리스의 시인 Alcaeus [ælsí:əs]의; (때로 a-) 알카이오스 구격(句格)의.

al·cai·de, -cay·de [ælkáidi] *n.* (스페인 등의) 요새 사령관; 감옥의 교도관(jailer); 교도소장(warden).

al·cal·de [ælkǽldi] *n.* 《미》 (스페인 · 포르투갈 등의 사법권을 가진) 시장, 교도소장. 「WAY.

Ál·can Híghway [ǽlkæn-] ⇨ ALASKA HIGH-

Al·ca·traz [ǽlkətræ̀z] *n.* 앨커트래즈《California주 샌프란시스코 만(灣)의 작은 섬; 연방 교도소(1934-63)가 있었음》.

al·ca·zar [ælkəzɑ̀ːr, ælkǽzər/æ̀lkəzɑ́ː] *n.* (스페인의) 성채(城砦), 궁전.

Al·ces·tis [ælséstis] *n.* 【그리스신화】 알케스티스《Thessaly 왕 Admetus 의 처; 남편 대신 죽은 열녀임》.

al·chem·ic, -i·cal [ælkémik], [-ikəl] *a.* 연금술의. ㊕ **-i·cal·ly** *ad.*

al·che·mist [ǽlkəmist] *n.* 연금술사(師).

al·che·mis·tic, -ti·cal [æ̀lkəmístik], [-kəl] *a.* 연금술적인. ㊕ **-ti·cal·ly** *ad.* 「시키다.

al·che·mize [ǽlkəmàiz] *vt.* (연금술로) 변질

al·che·my [ǽlkəmi] *n.* **1** Ⓤ 연금술; 연단술. **2** 《비유》 (평범한 물건을 가치 있는 것으로 변질시키는) 마력, 비법.

al·che·rin·ga, al·che·ra [æ̀ltʃəríŋgə], [ǽltʃərə] *n.* (호주 원주민 신화의) 꿈의 시대(dream time) 《인류의 조상이 창조했다는 행복한 시대》.

al·clad [ǽlklæd] *n.* 알루미늄 합판.

ALCM air-launched cruise missile(공중 발사 순항 미사일). 「네《Hercules 의 모》.

Alc·me·ne [ælkmíːni] *n.* 【그리스신화】 알크메

ALCOA, Alcoa Aluminum Company of America《미국 최대의 알루미늄 관계 기업》.

al·co·hol [ǽlkəhɔ̀ːl, -hɑ̀l/-hɔ̀l] *n.* Ⓤ 알코올, 주정(酒精)(음료), 술; 【화학】 알코올류(類).

al·co·hol·ate [ǽlkəhɔːlèit, -hɑl-, ælkəhɔ́ːlət, -hɑ́l-/ǽlkəhɔ̀leit] *n.* 【화학】 알코올레이트, 알콕시화물.

al·co·hol·ic [æ̀lkəhɔ́ːlik, -hɑ́l-/-hɔ́l-] *a.* **1** 알코올(성)의: ~ (soft) drinks 알코올 (성분이 든 청량) 음료. **2** 알코올 중독의: ~ poisoning 알코올 중독. **3** 알코올에 담근. ― *n.* **1** 호주(豪酒); 알코올 중독자. **2** (*pl.*) 알코올 음료, 주류. ㊕ **-i·cal·ly** *ad.* 「*n.* 알코올 도수[함유량].

al·co·hol·ic·i·ty [æ̀lkəhɔːlísəti, -hɑl-/-hɔl-]

Alcohólics Anónymous = AL-ANON.

ál·co·hol·ìsm *n.* Ⓤ 알코올 중독. ㊕ **-ist** *n.*

ál·co·hol·ìze *vt.* 알코올화하다; 알코올로 처리하다; 알코올에 담그다; 알코올로 취하게 하다.

al·co·hol·om·e·ter [æ̀lkəhɔːlɑ́mətər, -hɑl-/-hɔlɔ́m-] *n.* 주정계(計); 알코올 비중계. ㊕ **-óm·e·try** *n.* 알코올 정량(定量).

al·co·hol·y·sis [æ̀lkəhɔ́ːləsis, -hɑ́l-/-hɔ́l-] *n.* 알코올 분해.

al·com·e·ter [ælkɑ́mətər/-kɔ́m-] *n.* 《미》 음주 탐지기, 취도계(醉度計).

al·co·pop [ǽlkəpɑ̀p/-pɔ̀p] *n.* 《영》 알코올이 함유된 발포성 소프트 드링크.

Alcoran ⇨ ALKORAN.

Al·cott [ɔ́ːlkət, -kɑt/-kət] *n.* **Louisa May** ~ 올컷《*Little Women* (1869)을 쓴 미국의 여류 작가; 1832-88》.

al·cove [ǽlkouv] *n.* **1** 방 안의 후미져 구석진 곳《침대 · 서가용》; 주실에 이어진 골방; 방벽의 오목한 곳, 반침; 다락 마루. **2** 《고어》 (공원 · 정원 따위의) 정자. ㊕ **~d** *a.*

alcove 1

ALCS airborne launch control system(기상(機上) 미사일 발사 관제 시스템).

Ald., ald. alderman. ★ 칭호로 쓰임.

Al·deb·a·ran [ældébərən] *n.* 【천문】 황소자리 중의 1 등성(星).

Alde·burgh [ɔ́ːldbərə] *n.* 올드버러《영국 Suffolk 주의 읍; 매년 여름에 개최되는 음악제로 유명함》.

al·de·hyde [ǽldəhàid] *n.* 【화학】 알데하이드. ㊕ **al·de·hyd·ic** [æ̀ldəháidik/-híd-] *a.*

Al·den [ɔ́ːldən] *n.* 올던《남자 이름》.

al den·te [ældéntei, -ti] 《It.》 씹는 맛이 나도록 요리한《마카로니 따위》. 「물.

al·der [ɔ́ːldər] *n.* 【식물】 오리나무속(屬)의 식

álder·flỳ *n.* 【곤충】 시베리아 잠자리《유충은 낚싯밥》.

al·der·man [ɔ́ːldərmən] (*pl.* **-men** [-mən]) *n.* **1** 《미 · Can · Austral.》 시의회 의원. **2** 《영》 시 참사회원, 부시장. **3** 【영국사】 주(州) 장관, 총독. ㊕ **~·cy** [-si] *n.* ~의 직[지위, 신분]. **~·ry** [-ri] *n.* ~의 직[선출구]. **~·ship** *n.* ~의 직[신분]. **al·der·man·ic** [ɔ̀ːldərmǽnik] *a.*

Al·der·ney [ɔ́ːldərni] *n.* **1** 올더니 섬《영국 해협 Channel Islands 북단의 섬》. **2** 젖소의 일종《영국 원산》. 「없이) = ALDERMAN 1.

álder·pèrson *n.* 《미 · Austral.》 (남녀 구별

Al·der·shot [ɔ́ːldərʃɑ̀t/-ʃɔ̀t] *n.* **1** 올더숏《잉글랜드 Hampshire 주, London 남서쪽의 도시》. **2** (그곳의) 올더숏 육군 훈련 기지.

álder·wòman (*pl.* **-wòmen**) *n.* 《미 · Austral.》 (지자체 의회의) 여성 의원; 여성 시의원(市議員). ⓒⓕ alderman.

Al·dine [ɔ́ːldain, -diːn] *a.* 올더스(Aldus)판(版)의; 호화판의: an ~ edition. ― *n.* 올더스판《16 세기 베니스의 인쇄가 Aldus 가 발행한 호화판》; Ⓤ 올더스판 활자.

Ál·dis lámp [ɔ́ːldis-] 올디스 램프《모스 신호를 보내는 휴대용 램프; 상표명》.

Aldm., aldm. alderman. 「도헥소스.

al·do·hex·ose [æ̀ldouhéksous] *n.* 【화학】 알

al·dol [ǽldɔːl, -dɑl/-dɔl] *n.* 【화학】 알돌《끈끈한 무색 액체로 가황(加黃) 촉진제나 향수 제조용》.

al·dol·ase [ǽldəlèis, -lèiz] *n.* 【생화학】 알돌라제《널리 생물에 존재하며 해당(解糖) 작용을 하는 효소》.

al·do·ste·rone [æ̀ldoustiróun, ∠-∠-∠, ældɑ́stəròun/ældɔ́stəròun] *n.* 【생화학】 알도스테론《부신피질 호르몬》. 「의 살충제》.

Al·drin [ɔ́ːldrin] *n.* 【화학】 올드린《나프탈렌계

ale [eil] *n.* Ⓤ 에일《lager beer 보다 독하나, porter 보다 약한 맥주의 일종》; Ⓒ 《영》 (옛날의) 시골 축제《에일을 마셨음》.

ale·a·tor·ic [èiliətɔ́ːrik, -tɑ́r-/-tɔ́r-] *a.* **1** 【음악】 우연성의, 무작위음을 사용한: ~ music 우연성(의) 음악; 찬스 뮤직. **2** = ALEATORY.

ale·a·to·ry [éiliətɔ̀ːri/-təri] *a.* **1** 요행수를 노리는, 우연에 의한, 도박의. **2** 사행적(射倖的)인: an ~ contract 【법률】 사행(射倖) 계약. **3** 【음악】 = ALEATORIC. ― *n.* 【음악】 우연성의 음악.

ále·bènch *n.* 목로 술집의 벤치.

Al·ec, -eck [ǽlik] *n.* Alexander 의 애칭.

ale·con·ner [éilkɑ̀nər/-kɔ̀n-] *n.* 【역사】 주류(酒類) 검사관.

alee [əlíː] *ad.* 【해사】 바람이 불어가는 쪽에[으로]. ⓞⓟⓟ *aweather.* ⓒⓕ lee. 「맥주초(酢).

al·e·gar [ǽləgər, éil-] *n.* Ⓤ 맥아초(麥芽酢),

ále·hòuse *n.* 《영고어 · 방언》 (ale 등을 파는) 비어 홀, 대폿집, 선술집.

Al·e·man·nic [æ̀ləmǽnik] *n.* Ⓤ 알라만어《고

지(高地) 독일어》. — *a.* 알라만족〔어〕의.
alem·bic [əlémbik] *n.* (옛날의) 증류기; 정화기; 《비유》 변화시키는〔정화하는〕 것: intellect as an ~ for refinement of sensation 감각을 순화하는 정화기로서의 지성.
aleph [á:lef, -lif] *n.* **1** 알레프《헤브라이어 알파벳의 첫째 자》. **2** 〖수학〗 알레프수(數).
áleph-núll, -zéro *n.* 〖수학〗 알레프 제로.
alert** [ələ́:rt] *a.* **1** 방심 않는, 정신을 바짝 차린, 빈틈없는(watchful): an ~ driver 빈틈없는 운전사. **2** (동작이) 기민한, 민첩한, 날쌘: an ~ boy 민첩한 소년. — *n.* **1** 경계(체제); 경보(alarm). **2** 경계 경보 발령 기간. ***on the ~ (방심 않고) 경계하여《*for; to* do》. — *vt.* 《~+목/+목+전+명/목+*to* do》 …에게 경계시키다, …에게 경보를 발하다: ~ a person *to* a danger 아무에게 위험을 경고하다 / ~ a person *to* watch out 아무에게 조심하도록 충고하다. ㊞ **~·ly** *ad.* **~·ness** *n.*
-a·les [éili:z] *suf.* 〖식물〗 목(目)(order)을 나타냄: Viol*ales* 제비꽃목.
ale·thic [əlí:θik] *a.* 〖논리〗 진리론의.
aleu·kia [əlú:kiə] *n.* 〖의학〗 무백증(無白症)《백혈구 감소〔결여〕》.
al·eu·rone [æljəròun, əlúəròun/əlúərən, -ròun] *n.* Ⓤ 〖식물〗 호분(糊粉).
Al·eut [əlú:t, æliù:t] *n.* 알류샨 열도 주민; 알류트 사람〔말〕.
Aleu·tian [əlú:ʃən] *a.* 알류샨의; 알류트 사람〔말〕의. — *n.* **1** = ALEUT. **2** (the ~s) = ALEUTIAN ISLANDS.
Aléutian Íslands (the ~) 알류샨 열도《미국령토》.
ále vàt 에일(양조용)의 커다란 술통.
A lèvel 〖영교육〗 상급(advanced level) (⇨ GENERAL CERTIFICATE OF EDUCATION).
al·e·vin [ǽləvən] *n.* 치어(稚魚); 《특히》 (난황낭(卵黃囊)을 가지고 있는) 새끼 연어.
ále·wife (*pl.* ***-wives***) *n.* 비어 홀〔선술집〕의 여주인; 〖어류〗 청어류(類)《대서양 연안산》.
Al·ex [ǽliks] *n.* 앨릭스《남자 이름; Alexander의 애칭》.
Al·ex·an·der[1] [æligzǽndər, -zá:n-] *n.* 알렉산더《남자 이름; 애칭 Alec(k), Alex》.
Al·ex·an·der[2] *n.* (때로 a-) 알렉산더 칵테일《크렘드카카오가 들어 있음》.
Alexánder technìque (the ~) 알렉산더식 자세 교정 건강법《전신의 균형 운동을 중시함》.
Alexánder the Gréat 알렉산더 대왕(大王) (356-323 B.C.).
Al·ex·an·dra [æligzǽndrə, -zá:n-] *n.* 알렉산드라《여자 이름; 애칭 Sandra, Sondra》.
Al·ex·an·dria [æligzǽndriə, -zá:n-] *n.* 알렉산드리아《Nile 강 어귀의 항구 도시》.
Al·ex·an·dri·an [æligzǽndriən, -zá:n-] *a.* **1** Alexandria의; (그 곳에서 번성한) 헬레니즘 문화의. **2** 알렉산더 대왕의. **3** = ALEXANDRINE. — *n.* 알렉산드리아의 주민.
Al·ex·an·drine [æligzǽndrin, -dri:n, -zá:n-/ -drain] 〖운율〗 *n., a.* 알렉산더 시행(의)《억양격(格) 6 시각(詩脚)으로 구성된 시행》; 그 시.
al·ex·an·drite [æligzǽndrait, -zá:n-] *n.* 〖광물〗 알렉산더 보석《낮에는 진초록, 인공 광선으로는 적자색으로 보임; 6월의 탄생석》.
alex·ia [əléksiə] *n.* Ⓤ 〖의학〗 독서 불능증, 실독증(失讀症).
alex·in, -ine [əléksin], [-si:n] *n.* Ⓤ 알렉신, 살균소(素).
alex·i·phar·mic, -mi·cal [əlèksəfá:rmik], [-kəl] *a.* 독을 없애는, 해독의(antidotal); (병을) 예방하는. — *n.* 해독제; 예방약.
Alf [ælf] *n.* 앨프《남자 이름; Alfred의 애칭》.
ALF 《영》 Animal Liberation Front(동물 해방 전선).

Al·fa [ǽlfə] *n.* **1** 문자 a를 나타내는 통신 용어. **2** 〖군사〗 알파(급), A급《옛 소련의 공격형 원자력 잠수함의 NATO 코드명》.
al·fal·fa [ælfǽlfə] *n.* Ⓤ 《미》 〖식물〗 자주개자리(《영》 lucerne)《목초(牧草)》; 《미방언》 구레나룻; 《미속어》 (잔)돈; 《미속어》 담배; 마리화나.
alfálfa wèevil 〖곤충〗 자주개자리풀바구미《자주개자리풀의 해충; 북미에 많음》.
Al Fa·tah [à:lfɑ:tá:, ælfǽtə] 알파타《PLO의 주류 온건파》.
al fi·ne [ælfí:nei] 《It.》 〖음악〗 끝까지.
al·for·ja [ælfɔ́:rdʒə] *n.* 《미서부》 안장 주머니; (비비(狒狒)의) 볼주머니.
Al·fred [ǽlfred, -frid] *n.* 앨프레드《남자 이름; 애칭은 Alf》.
Álfred the Gréat 앨프레드 대왕《West Saxon 왕국의 임금; 849-899》.
al·fres·co, al fres·co [ælfréskou] *ad., a.* 야외에〔의〕: an ~ café 노천 커피점〔카페〕/ an ~ lunch 들놀이 도시락.
Alf·vén wàve [ɑlvéin-, æl-] 〖물리〗 알벤파(波), 자기(磁氣) 유체파, 유체(流體) 자기파《전도성 유체가 자기장에 있을 경우의 자기 유체파》.
alg- [ælg] '아픔'의 뜻의 결합사.
ALG antilymphocyte 〔antilymphocytic〕 globulin. **Alg.** Algeria(n); Algiers. **alg.** algebra; algebraic(al).
al·ga [ǽlgə] (*pl.* ***-gae*** [-dʒi:], **~s**) *n.* (보통 *pl.*) 〖식물〗 말, 조류(藻類).
al·gal [ǽlgəl] *a.* 조류(藻類)의; 해조(海藻)의〔같은〕.
***al·ge·bra** [ǽldʒəbrə] *n.* Ⓤ 대수학(代數學); Ⓒ 대수 교과서; 대수학 논문.
al·ge·bra·ic, -i·cal [ældʒəbréiik], [-əl] *a.* 대수학의. ㊞ **-i·cal·ly** *ad.*
algebráic equátion 〖수학〗 대수 방정식.
algebráic númber 〖수학〗 대수적 수.
al·ge·bra·ist [ǽldʒəbrèiist] *n.* 대수(代數)학자.
Al·ge·ria [ældʒíəriə] *n.* 알제리《북아프리카의 한 공화국; 수도 Algiers》. ㊞ **Al·gé·ri·an** [-n] *a., n.* 알제리의; 알제리인(의).
-al·gia [ǽldʒiə] *suf.* 명사에 붙여서 '…통(痛)'의 뜻: neur*algia*.
al·gi·cide [ǽldʒəsàid] *n.* 살조제(殺藻劑).
al·gid [ǽldʒid] *a.* 오슬오슬 추운, 으스스한. ㊞ **al·gíd·i·ty** [-dəti] *n.* Ⓤ 으스스함, 오한.
Al·giers [ældʒíərz] *n.* **1** 알제《알제리의 수도》. **2** Algeria의 구칭《Barbary States의 하나》.
al·gin [ǽldʒin] *n.* 〖화학〗 **1** 알긴. **2** = ALGINIC ACID.
al·gín·ic ácid [ældʒínik-] 〖화학〗 알긴산《해조류에 포함되는 고점도(高粘度)의 다당류》.
al·go- [ǽlgou, -gə] '아픔'의 뜻의 결합사: *algo*meter.
al·goid [ǽlgɔid] *a.* 조류(藻類) 비슷한; 해조(海藻)류 모양의.
ALGOL, Al·gol[1] [ǽlgɑl, -gɔ:l/-gɔl] *n.* 〖컴퓨터〗 알골《과학 · 기술 계산용 프로그램 언어》. [◀ *algo*rithmic *l*anguage]
Al·gol[2] *n.* 〖천문〗 알골별《페르세우스자리의 β성으로 식변광성(食〔蝕〕變光星)》.
al·go·lag·nia [ælgəlǽgniə] *n.* Ⓤ 동통(疼痛) 음란《마조히즘과 사디즘》. ㊞ **-lág·nic** *a.* **-nist, -ni·ac** [-niæk], **~·phìle** *n.*
al·gol·o·gist [ælgɑ́lədʒist/-gɔ́l-] *n.* 조류(藻類)학자.
al·gol·o·gy [ælgɑ́lədʒi/-gɔ́l-] *n.* Ⓤ 조류학(藻類學).
al·gom·e·ter [ælgɑ́mətər/-gɔ́m-] *n.* 통각계(痛覺計), 압통계(壓痛計).
Al·gon·ki(·a)n, -qui(·a)n [ælgɑ́ŋki(ə)n/ -gɔ́ŋ-], [-kwi-] *n.* 북아메리카 원주민의 한 부족《Ottawa강 유역에 삶》; Ⓤ 알곤킨말《보통 Algonquin으로 씀》.

al·go·pho·bia [ælgəfóubiə] *n.* 〖의학〗 동통(疼痛) 공포(증).
al·gor [ǽlgɔːr] *n.* 〖의학〗 오한.
al·go·rism [ǽlgərìzəm] *n.* **1** Ⓤ 알고리즘《1, 2, 3, …을 쓰는 아라비아 기수법; 아라비아 숫자 연산법; 산수》. **2** = ALGORITHM. ***a cipher in*** ~ 제로; 데데한 사람. ⓟ **àl·go·rís·mic** [-rízmik] *a.*
al·go·rithm [ǽlgərìðəm] *n.* 알고리듬, 연산(演算)(방식); 〖컴퓨터〗 풀이법, 셈법. ⓟ **àl·go·ríth·mic** *a.*
algoríthmic lánguage 〖컴퓨터〗 산법〔알고리듬〕 언어.
álgor mór·tis [-mɔ́ːrtəs] 사체냉(死體冷)《사후(死後), 신체의 온도가 서서히 내리는 현상》.
al·gous [ǽlgəs] *a.* 해조(海藻)의, 해조가 무성한.
al·gra·phy [ǽlgrəfi] *n.* Ⓤ 〖인쇄〗 (알루미늄판을 쓴) 오프셋 인쇄.
al·gua·zil, -cil [ælgwəzíːl], [-síːl] *n.* (스페인의) 경찰관.
al·gum [ǽlgəm, ɔ́ːl-] *n.* Ⓤ 〖식물〗 백단향류.
Al·ham·bra [ælhǽmbrə] *n.* (the ~) 알람브라 궁전《스페인의 무어 왕(王)들의 옛 성》. ⓟ **Àl·ham·brésque** [-brésk] *a.* ~풍의.
ali·as [éiliəs] *ad.* 《L.》 별명으로, 일명: Smith ~ Simpson 스미스 통칭 심프슨, 심프슨 본명(本名)은 스미스. ★ ***alias dictus*** [-díktəs] 《L.》 (= otherwise called)라고도 함. ―*n.* 변명, 가명, 통칭, 별명: go by the ~ of …라는 별명으로 통하다.
ali·as·ing [éiliəsiŋ] *n.* 〖TV · 라디오〗 위신호(僞信號)《화상의 들쭉날쭉, 흔들림 또는 소리의 고르지 못한 것 등》.
Ali Ba·ba [ɑ́ːlibɑ́ːbɑː, ǽlibǽbə/ǽlibɑ́ːbə] 알리바바《*The Arabian Nights* 중의, 도둑의 보물을 발견한 나무꾼》.
***al·i·bi** [ǽləbài] (*pl.* **~s**) *n.* 〖법률〗 현장 부재 증명, 알리바이; 《구어》 변명(excuse): prove 〔establish, set up〕 an ~ 알리바이를 입증하다. ―*vi.* 《미구어》 변명하다: ~ *for* being late 지각한 이유를 대다. ―*vt.* 《구어》 (아무의) 알리바이를 증언하다.
Álibi Ìke 《미속어》 변명만 늘어놓는 자, 핑계쟁이.
al·i·ble [ǽləbəl] *a.* 《고어》 영양분 있는.
Al·ice [ǽlis] *n.* 앨리스. **1** 여자 이름《애칭 Alicia, Allie, Ally》. **2** Lewis Carroll 작의 동화 *Alice's Adventures in Wonderland*(1865)와 그 자매편 주인공 소녀.
Álice blúe 담청색(light blue).
Álice-in-Wónderland *a.*, *n.* 《구어》 공상적인〔도저히 믿을 수 없는〕 (일〔것〕).
Ali·cia [əlíʃiə, -ʃə] *n.* 앨리시어《여자 이름; Alice의 별칭》.
al·i·cy·clic [æ̀ləsáiklik, -sík-] *a.* 〖화학〗 지방족 고리 화합물의, 지환식(脂環式)의.
al·i·dade, -dad [ǽlədèid], [-dæ̀d] *n.* 앨리데이드, 시준의(視準儀).
***al·ien** [éiljən, -liən] *a.* **1** 외국의, 이국(異國)의(foreign); 외국인의: ~ friends 〖법률〗 (국내에 있는) 우방국의 친구. **2** 성질이 다른, 이질의《*from*》: a style ~ *from* genuine English 참 영어와는 다른 문체. **3** (생각 등이) 맞지 않는, 서로 용납되지 않는《*to*》: quite ~ *to* my thoughts 내 생각과는 전혀 맞지 않는. **4** 지구 밖의, 우주의. ―*n.* 외국인(foreigner); 재류(在留) 외인; 따돌림받는 사람; 우주인, 외계인《SF에서, 지구인에 대하여》. ―*vt.* 〖법률〗 양도하다; 《시어》 따돌리다; 심정적(心情的)으로 멀리하다.
àl·ien·a·bíl·i·ty *n.* Ⓤ 양도 가능; 멀리할 수 있음.
ál·ien·a·ble *a.* 양도〔이양(移讓) · 매각〕할 수 있는.
Álien Ácts 《미》 이민조례; 《영》 외국인 단속 조례《주로 1908 년의》.
al·ien·age [éiljənidʒ, -liə-] *n.* Ⓤ 거류(居留) 외국인임〔의 신분〕; 양도된 일.
°**al·ien·ate** [éiljənèit, -liə-] *vt.* 《~+목/+목+전+명》 **1** 멀리하다, 소원(疏遠)케 하다《*from*》; 이간하다, 불화(不和)케 하다《*from*》; 소외하다, 따돌리다《*from*》: She was ~*d from* her friends. 그녀는 친구들로부터 따돌림을 받았다. **2** 딴 데로 돌리다; 양도〔매각〕하다: ~ funds *from* their intended purpose 자금을 딴 데에 쓰다.
àl·ien·á·tion *n.* Ⓤ 멀리함; 낯설게 하기, 소격(疎隔), 이간, (자기) 소외; 〖법률〗 양도; 〖법률〗 소유물 처분권; (자금의) 전용(轉用), 유용; (근육 따위의) 기능 이상, 〖의학〗 정신병〔착란〕. ~ ***of affection(s)*** 〖법률〗 애정 이전《제 3 자에 의해서 부부 사이가 이간됨》.
al·ien·a·tor [éiljənèitər, -liə-] *n.* 양도인; 소외자.
al·ien·ee [èiljəníː, -liə-] *n.* 〖법률〗 양수인(讓受人). OPP *alienor*.
álien énemy 재류(在留) 적국인.
ál·ien·ìsm *n.* Ⓤ **1** = ALIENAGE. **2** 《고어》 정신병 연구〔치료〕. ⓟ **-ist** *n.* 《고어》 (특히 법정 증언을 전문으로 하는) 정신과 의사.
al·ien·or [éiljənər, ⌐-nɔ́ːr, -liə-] *n.* 〖법률〗 양도인. OPP *alienee*.
á-life *n.* = ARTIFICIAL LIFE.
al·i·form [ǽləfɔ̀ːrm, éil-] *a.* 날개 모양의.
****alight**¹ [əláit] (*p.*, *pp.* **~·ed,** 《드물게》 ***alit*** [əlít]) *vi.* **1** 《+전+명》 (말 · 탈것에서) 내리다, 뛰어 내리다, 하차하다《*from*》: ~ *from* a horse 말에서 내리다. **2** 《~/+전+명》 〖항공〗 착륙〔착수〕하다, (새가 나무 · 지면 등에) 내려앉다《*on*》: A robin ~*ed on* a branch. 울새가 가지에 앉았다. **3** 《+전+명》 《문어》 (우연히) 만나다, 발견하다《*on, upon*》. ~ ***on one's feet*** 뛰어내려 서다; 부상을 면하다. ⓟ **~·ment** *n.*
alight² *ad.*, *a.* 〔형용사로는 서술적〕 불타고(on fire); 점화하여; 비치어《*with*》; 생기 있게 빛나는: Her face was ~ *with* happiness. 그녀의 얼굴은 행복감으로 빛나고 있었다. ***set*** (a thing) ~ (…을) 타오르게 하다; (…에) 불을 켜다.
alíghting gèar 〖항공〗 (비행기의) 착륙 장치(landing gear).
align, aline [əláin] *vt.* **1** 한 줄로 하다, 일렬로 (나란히) 세우다, 정렬시키다, 일직선으로 맞추다. **2** 《+목+전+명》 같은 태도를 취하게 하다, (정치적으로) 제휴시키다《*with*》: *aligned* nations 제휴 국가들/~ oneself *with* …와 제휴〔동조〕하다, …에게 편들다. **3** 〖기계〗 (기계의) 중심점〔방향〕을 맞추다, (정밀기계 등을) 최후 조정하다; 〖컴퓨터〗 줄 맞추다. ―*vi.* **1** 한 줄로 되다, 정렬하다. **2** 제휴〔약속〕하다《*with*》. ⓟ **~·er** *n.*
alígn·ment, alíne- *n.* Ⓤ,Ⓒ **1** 일렬 정렬, 배열; 정돈선; 조절, 정합; 조준: in ~ (with...) (…와) 일직선이 되어, 일직선상에. **2** (사람들 · 그룹 간의) 긴밀한 제휴, 협력, 연대, 단결. **3** 〖토목〗 노선 설정; (노선 따위의) 설계도. **4** 〖고고학〗 열석(列石)《멘히르(menhir)가 나란히 늘어선 것》. **5** 〖공학〗 (철도 · 간선 도로 · 보루 등의) 평면선형; 〖전자〗 줄맞춤, 얼라인먼트《계(系)의 소자(素子)의 조정》.
****alike** [əláik] *a.* 〔서술적〕 서로 같은, 마찬가지의: look ~ 같아 보이다/They are just 〔very much〕 ~ in that respect. 그 점에서는 매우 비슷하다〔아주 같다〕/They are all ~ *to* me. 그것들은 내게 있어 모두 같다/(as) ~ as two peas (in a pod) 《구어》 똑같이 닮은. ―*ad.* 똑같이, 같이: young and old ~ 젊은이나 늙은이나 다 같이. ***go share and share ~ with*** ⇨ SHARE¹. ⓟ **~·ness** *n.*
al·i·ment [ǽləmənt] *n.* Ⓤ,Ⓒ 음식, 자양물; 부조(扶助), 부양(비); 《비유》 지지(支持), (마음의)

양식; 필수품. ── [-mènt] *vt.* 자양물을 주다; 부양하다; 지지〔지원〕하다.

al·i·men·tal [æləméntl] *a.* 음식물의, 영양분 있는; 양분이 많은《비료 따위》. ㊞ **~·ly** *ad.*

al·i·men·ta·ry [æləméntəri] *a.* 음식물의, 영양의, 영양이 되는(nutritious); 부양하는; 양식이 되는, 부조(扶助)가 되는.

aliméntary canál 〔**tráct**〕 〖해부〗 소화관(消化管).

al·i·men·ta·tion [æləmentéiʃən] *n.* Ⓤ 영양(법); 영양 흡수〔섭취〕; (생활의) 지탱, 부양.

al·i·men·ta·tive [æləméntətiv] *a.* 영양이 있는, 영양의, 영양이 되는.

al·i·men·to·ther·a·py [æləméntouθèrəpi] *n.* Ⓤ,Ⓒ 〖의학〗 식이 요법.

al·i·mo·ny [ǽləmòuni / -mə-] *n.* 〖법률〗 별거 수당《보통 남편이 아내에게 주는》; 이혼 수당; 생활비, 부양비. ㊞ **ál·i·mò·nied** *a.*

álimony dróne 《미경멸》 별거 수당으로 살아가기 위해 재혼하지 않으려는 여자.

à l'im·pro·viste [ɑ̀ːlæmprouvíːst; *F.* alɛpʀɔvist] 《F.》 갑자기, 불쑥, 느닷없이.

Á-lìne *a., n.* 위가 꼭 끼고 아래가 헐렁하게 퍼진, A 라인의 (옷〔스커트〕).

aline, aline·ment ⇨ ALIGN, ALIGNMENT.

al·i·ped [ǽləpèd] 〖동물〗 *a.* 익막(翼膜)이 있는, 익수(翼手)의. ── *n.* 익수 동물《박쥐 따위》.

al·i·phat·ic [æləfǽtik] *a.* 〖화학〗 지방족(脂肪族)의, 지방질의. ── *n.* 지방족 화합물.

al·i·quant [ǽləkwənt] *a., n.* 〖수학〗 (약수로서) 나누어 떨어지지 않는 (수)《25 에 대한 8 따위》, 비(非)약수(~ part). opp. *aliquot*.

al·i·quot [ǽləkwət/-kwɔ̀t] *a., n.* 〖수학〗 (약수로서) 나누어 떨어지는 (수), 약수(~ part). opp. *aliquant*. ── *vt.* 등분하다.

áliquot scàling 〖음악〗 알리크보트 스케일링《피아노에서 기본 현 외에 1 옥타브 위의 공명현을 장치하는 것; 음량과 음색을 풍부하게 함》.

Á-lìst *a.* (매스컴에 자주 오르는) A급 저명인사의(cf. B-list).

alit [əlít] 《드물게》 ALIGHT[1] 의 과거 · 과거분사.

alit·er·ate [eilítərət] *a., n.* 독서를 하지 않는 (사람).

ali·un·de [èiliʌ́ndi] *a., ad.* 《L.》 〖법률〗 기록 외의, 외부로부터(의): evidence ~ 서증(書證) 외의 증거, 외부 증거.

alive [əláiv] *a.* 〖서술적〗 **1** 살아 있는, 생존해 있는. opp. *dead*. ¶ I think his father is still ~. 그의 부친은 아직 살아 있다고 생각한다 / catch 〔capture〕 a fox ~ 여우를 사로잡다 / come back ~ 생환(生還)하다. ★ 한정적으로 쓰일 땐 명사 뒤: any man *alive* 이 세상 그 누구나, 인간은 모두. SYN. ⇨ LIVING. **2** 생생한, 활발한, 활동적인(active): be ~ with …로 기운차다, 활기를 보이고 있다, 번잡하다 / Although he's old, he's still very much ~. 비록 늙기는 하였지만 아직도 기운이 팔팔하다. **3** 북적거리는, 충만〔풍부〕한《*with*》: a forest ~ *with* games 사냥감이 많은 숲 / a river ~ *with* boats 배로 북적대는 강. **4** (…에) 민감한, 감지(感知)하는, 지각〔의식〕하는《*to*》: be ~ *to* one's interests 이곳에 밝다. **5** 〖앞의 최상급 형용사 등의 뜻을 강조하여〗 재세(在世)의, 이 세상에 있는: the proudest man ~ 자존심이 아주 강한 사람. **6** 활동 상태의; 소멸하지 않는: keep a fire ~ 불을 끄지 않고 두다. **7** 전류가 통하고 있는. ***~ and kicking*** 《구어》 기운이 넘쳐; 신바람이 나서. ***~ and well*** (현존할 리가 없는 것이) 건재하여; (소문에 반하여) 건강하여. ***as sure as I am ~*** 아주 확실히. ***be ~ to*** (위험 등)에 민감하다, 빈틈없다. ***bring ...*** ~ 소생시키다; 활기 있게 하다; 특질을 발휘케 하다. ***come*** ~ ① 활발해지다, 흥미를〔관심을〕 갖게 되다. ② (그림 따위가) 진짜로 보이다, 실물과 똑같아지다. ③ (기계가) 작동하기 시작하다. ***keep the matter ~*** 아직도 토론을 계속하다. ***know*** a person ***is ~*** 〖보통 부정형〗 (아무를) 알아차리다. ***Look ~!*** 《구어》 꾸물거리지 말고 빨리 해. ***Man*** 〔***Sakes, Heart***〕 ***~!*** 《구어》 뭐라고, 이거 참 놀라운걸. ***more dead than*** ~ 《구어》 피로에 지쳐서. ㊞ **~·ness** *n.*

ali·yah [ɑ̀ːliːɑ́ː] *n.* **1** 유대교 회당에서 토라(Torah) 낭독을 위하여 나감. **2** 유대인의 이스라엘 이주.

aliz·a·rin(e) [əlízərin] *n.* 알리자린《붉은 색소》.

alk., alk alkali; alkaline.

al·ka·hest, -ca- [ǽlkəhèst] *n.* (연금술사가 상상한) 만물 용해액(universal solvent).

al·ka·les·cence, -cen·cy [ælkəlésəns], [-si] *n.* Ⓤ 알칼리화; (약(弱))알칼리성.

al·ka·les·cent [ælkəlésənt] *a., n.* (약)알칼리성의 (물질).

al·ka·li [ǽlkəlài] (*pl.* ~(*e*)*s* [-làiz]) *n.* 〖화학〗 **1** 알칼리. **2** (토양 속의) 알칼리 염류; 《미서부》 알칼리성 토양 지역. **3** 《미속어》 커피; 싸구려 위스키. **4** = ALKALI METAL.

al·kal·ic [ælkǽlik] *a.* 〖지학〗 알칼리(성)의.

al·ka·li·fy [ǽlkələfài, ælkǽlə-] *vt., vi.* 알칼리화하다〔되다〕. ㊞ **-fi·a·ble** *a.*

álkali mètal 〖화학〗 알칼리 금속(=**álkaline métal**).

al·ka·lim·e·try [ælkəlímətri] *n.* Ⓤ 〖화학〗 알칼리 적정(滴定).

al·ka·line [ǽlkəlàin, -lin/-làin] *a.* 알칼리속(屬)의; 알칼리(성)의. opp. *acid*. ── *n.* 알칼리 건전지.

álkaline céll 알칼리 전지.

álkaline éarth 〖화학〗 알칼리 토류(土類); = ALKALINE-EARTH METAL.

álkaline-éarth mètal 〖화학〗 알칼리토 금속.

álkaline phósphatase 〖생화학〗 알칼리(성) 포스파타아제《유기 인산 화합물에서 인산을 제거하는 효소 중 알칼리성에서 잘 작용하는 효소》.

al·ka·lin·i·ty [ælkəlínəti] *n.* Ⓤ 알칼리성〔도〕.

al·ka·lin·ize [ǽlkəlinàiz] *vt.* 〖화학〗 알칼리화하다. ㊞ **àl·ka·lin·i·zá·tion** *n.*

álkali sòil 알칼리(성) 토양.

al·ka·lize [ǽlkəlàiz] *vt.* = ALKALINIZE. ㊞ **àl·ka·li·zá·tion** *n.*

al·ka·loid [ǽlkəlɔ̀id] 〖화학〗 *n.* 알칼로이드《식물에 함유된 염기성 물질》. ── *a.* 알칼로이드의; 알칼리 비슷한. ㊞ **àl·ka·lói·dal** [-dl] *a.* =alkaloid.

al·ka·lo·sis [ælkəlóusis] (*pl.* **-ses** [-siːz]) *n.* Ⓤ 〖의학〗 알칼리 혈증(血症).

al·kane [ǽlkein] *n.* 〖화학〗 알칸《메탄계 탄화수소》.

al·ka·net [ǽlkənèt] *n.* 〖식물〗 알카넷; Ⓤ 알카넷 염료《알카넷 뿌리에서 얻은 붉은 물감》.

Al·ka-Sel·tzer [ǽlkəséltsər] *n.* 알카셀처《미국산 진통 · 제산(制酸) 발포정(發泡錠); 상표명》.

al·kene [ǽlkiːn] *n.* 〖화학〗 알켄《에틸렌계(系) 탄화수소》.

al·ki, al·ky [ǽlki] *n.* Ⓤ 《미속어》 알코올 (중독).

al·ki [ǽlkài, -kìː] 드디어, 마침내, 곧《미국 Washington 주의 표어》.

al·kied [ǽlkid] *a.* 《미속어》 (술에) 취한.

al·kine [ǽlkain] *n.* = ALKYNE.

Al·ko·ran, -co- [ælkɔːrɑ́ːn, -rǽn/-kɔrɑ́ːn] *n.* 《고어》 = KORAN.

alky., alky alkalinity.

al·kyd [ǽlkid] *n.* Ⓤ,Ⓒ 〖화학〗 알키드 수지류(樹脂類)《접착성(粘着性)의 합성수지》(= ∠ **rèsin**).

al·kyl [ǽlkil] *n.* 〖화학〗 알킬(기).

al·kyl·ate [ǽlkəlèit] 〖화학〗 *vt.* 알킬화하다.

—*n.* 알킬레이트(알킬화 반응의 생성물; 차의 배합 연료용). [파] **àl·kyl·á·tion** *n.* 알킬화(化).
álkylating àgent 〖약학〗 알킬화제(化劑)(항암제의 일종).
álkyl gròup 〔**ràdical**〕 〖화학〗 알킬단(團)〔기(基)〕.
al·kyne [ǽlkain] *n.* 〖화학〗 알킨(아세틸렌계 탄화수소).
†**all** ⇨(p. 81) ALL.
all- [æl] 모음 앞에서의 allo-의 딴 형: *all*onym.
al·la bre·ve [ɑ́ːləbrévei] 《It.》 〖음악〗 2분의 2박자로〔의〕.
Al·lah [ǽlə, ɑ́ːlə/ǽlə] *n.* 《Ar.》 알라(이슬람교의 유일신): ~ akbar [ækbɑ́ːr] 알라는 위대하도다.
al·la·man·da [æ̀ləmǽndə] *n.* 〖식물〗 협죽도(夾竹桃).
al·la mar·cia [ɑ̀ːləmɑ́ːrtʃə] 《It.》 〖음악〗 행진곡풍으로〔풍의〕.
àll-América *a.* 미국에서 제일의〔로 뽑힌〕.
áll-Américan *a.* 미국 (대표)의; 아메리카 사람〔제품〕만의; 모범적 미국인의. —*n.* 미국 대표선수(로 구성한 팀).
Al·lan [ǽlən] *n.* 앨런(남자 이름).
al·lan·ite [ǽlənàit] *n.* 갈렴석(褐簾石).
al·lan·to·ic [æ̀ləntóuik] *a.* 요낭(尿囊)의.
al·lan·toid [əlǽntɔid] *a.* = ALLANTOIC; 〖식물〗 소시지꼴의. —*n.* = ALLANTOIS.
al·lan·to·in [əlǽntouin] *n.* 〖생화학〗 알란토인(요산(尿酸)의 산화 생성물; 창상(創傷) 치료 촉진 작용이 있음).
al·lan·to·is [əlǽntouis, -tɔis] (*pl.* ***-to·i·des*** [æ̀ləntóuədìːz]) *n.* 〖해부〗 요낭, 요막(尿膜).
al·lar·gan·do [ɑ̀ːlɑːrgɑ́ːndou] *ad., a.* 《It.》 〖음악〗 알라르간도, 차차 느리게〔느린〕.
áll-aróund *a.* (지식 등이) 넓은, 해박한, 전반〔다방면〕에 걸친; 만능의, 다재(多才)한(《영》 all-round): an ~ athlete 만능 운동선수/~ improvement 전면적 개선/an ~ view 종합적 견지/an ~ cost 총경비. [파] **~·er** *n.* 만능선수〔기술자, 학자〕; 만능의 개〔말〕. **~·ness** *n.*
áll-at-ónceness *n.* 많은 일이 한꺼번에 일어남.
al·lay [əléi] *vt.* (흥분·노염·공포·불안 등을) 가라앉히다(calm); (고통·슬픔 등을) 누그러뜨리다, 경감〔완화〕시키다: Her fears were *~ed* by the news. 그 소식에 그녀의 불안은 누그러졌다.
Áll Blácks (the ~) 올블랙스(New Zealand의 럭비 국가 대표팀; 유니폼이 모두 검은 색).
áll cléar 공습 경보 해제〔방공 연습 종료〕의 사이렌〔신호〕.
áll-còmers *n. pl.* (연령 따위의 제한이 없는) 전(全)참가 희망자.
áll-cóurt gàme 〖테니스〗 올코트 게임(코트 전체를 이용하여 하는 경기).
áll-dáncing *a.* 《영》 =ALL-SINGING.
áll-dáy *a.* 하루 걸리는: an ~ tour of the city 하루 걸리는 시내 구경.
àll-dáyer *n.* (콘서트·영화 따위의) 종일 공연; 하루 종일 계속되는 것(비 따위).
al·lée [æléi] *n.* 《F.》 산책길, 가로수길.
al·le·ga·tion [æ̀ligéiʃən] *n.* [U,C] 주장, 진술; 증거 없는 주장, 단언. ◇ allege *v.*
◇**al·lege** [əlédʒ] *vt.* **1** (~+[목]/+[목]+*as* [보]/+*that* [절]) 단언하다(affirm; assert positively); 증거 없이 주장하다: ~ a fact 사실을 주장하다/~ a matter *as* a fact 어떤 사항을 사실이라고 주장하다/She ~*s that* her handbag has been stolen. 그녀는 핸드백을 도둑맞았다고 주장하고 있다. **2** 진술하다. **3** (변명으로) 내세우다: ~ illness 병 때문이라고 이유를 대다. **4** 《고어》 근거로서 인용하다(*for; against*). [파] **~·a·ble** *a.*
al·léged [-d, -id] *a.* (근거 없이) 주장된, (주장자가) 말하는; 추정〔단정〕된; 진위가 의심스러운: the ~ sharper 사기꾼으로 지칭된 사람/an ~ criminal 추정 범인. [파] **al·lég·ed·ly** [-idli] *ad.* 주장(하는 바)에 의하면; 소문〔전해진 바〕에 의하면.
Al·le·ghé·ny Móuntains, Àl·le·ghé·nies [æ̀ləgéini-], [-niz] *n. pl.* (the ~) 앨러게니 산맥(미국 동부 Appalachian 산계(山系)의 일부).
al·le·giance [əlíːdʒəns] *n.* [U,C] 충순(忠順), 충성, 충절; 충실; (친구·주의 등에 대한) 성실, 신의; (봉건 시대의) 신종(臣從) 의무, 충의(*to*): pledge ~ *to* …에 충성을 맹세하다.
al·le·giant [əlíːdʒənt] *a.* 충성을 다하는. —*n.* 충성의 의무가 있는 사람, 신하.
al·le·gor·ic, -i·cal [æ̀ligɔ́ːrik, -gɑ́r-/-gɔ́r-], [-əl] *a.* 우의(寓意)의, 우화(寓話)적(인), 풍유(諷喩)의, 비유적인. [파] **-i·cal·ly** *ad.*
al·le·go·rism [ǽligɔ̀ːrizəm, -gərìzəm/-gərìzəm] *n.* 풍유(를 씀); (성서의) 비유적 해석.
al·le·go·rist [ǽligɔ̀ːrist/-gər-/-gər-] *n.* 우화작가, 풍유가(諷喩家). [파] **àl·le·go·rís·tic** *a.*
al·le·go·ri·za·tion [æ̀ligɔ̀ːrizéiʃən, -gɑr-/-gəraiz-] *n.* [U] 풍유〔우화〕화.
al·le·go·rize [ǽligəràiz] *vt., vi.* 풍유〔비유〕로 말하다; 우화적으로 해석하다. [파] **ál·le·go·riz·er** *n.* 풍유가, 풍유작가.
al·le·go·ry [ǽləgɔ̀ːri/-gəri] *n.* [U] 우의(寓意), 풍유(諷喩), 비유; [C] 비유담, 우화(예컨대 Bunyan 작의 *The Pilgrim's Progress*); 상징(emblem).
al·le·gret·to [æ̀ligrétou] 〖음악〗 *a., ad.* 《It.》 알레그레토, 조금 빠른〔빠르게〕(allegro와 andante의 중간). —(*pl.* **~s**) *n.* 알레그레토의 악장〔악절〕.
al·le·gro [əléigrou] 〖음악〗 *ad., a.* 《It.》 알레그로, 빠르게; 빠른. —(*pl.* **~s**) *n.* 빠른 악장.
al·lele [əlíːl] *n.* 〖유전〗 대립 유전자〔형질〕. [파] **al·lel·ic** [əlíːlik] *a.*
áll-eléctric *a.* (난방·조명이) 모두 전력에 의한.
alléle frèquency 대립 유전자 빈도. [cf.] gene frequency.
al·lel·ism [əlíːlizəm] *n.* 대립(성).
al·le·lo·morph [əlíːləmɔ̀ːrf, əléla-] *n.* 〖유전〗 =ALLELE.
al·le·lop·a·thy [əliːlɑ́pəθi, æ̀lə-/æ̀lilɔ́p-] *n.* 〖식물〗 타감(他感) 작용(한 식물의 잎이나 뿌리에서 방출되는 화학 물질의 작용으로 다른 식물의 성장을 촉진하거나 억제하는 현상).
al·le·lu·ia(h), -ja [æ̀ləlúːjə] *int., n.* = HALLELUJAH; (*pl.*) 《구어》 절찬의 말.
al·le·mande [ǽləmæ̀nd, -mɑ̀ːnd/ǽləmɑ̀ːnd] *n.* 《F.》 **1** 알망드(프랑스 궁정 댄스); 그 곡. **2** quadrille 춤의 한 선회(旋回). **3** 독일 춤의 일종; 그 곡.
állemande sàuce 〖요리〗 알망드소스(노른자위를 넣은 화이트 소스).
áll-embrácing *a.* 망라한, 포괄적인.
Al·len [ǽlən] *n.* 앨런. **1** 남자 이름. **2** (**Charles Grant** (**Blairfindie**) ~ 캐나다 태생의 영국 소설가·진화론자(1848-99). **3 Ethan** ~ 독립전쟁에서 활약한 미국 군인(1738-89). **4 Frederick Lewis** ~ 미국의 역사가·편집자(1890-1954). **5** (**William**) **Hervey** ~ 미국의 소설·전기작가(1889-1949). **6 Woody** ~ 미국의 작가·배우·영화 제작자(1935-). **7 Steve** ~ 미국의 유머 작가·작곡자(텔레비전이나 영화에서 사회자·배우로 활약; 1921-2000).
Állen chàrge 〖미법률〗 앨런 차지(배심원의 의견

all

any, each 따위와 같은 구문(構文)을 취하며 형용사 · (대)명사 · 부사의 세 가지 용법이 있다. (대)명사와 부사의 구별은 분명하지 않은 경우도 있다.

some 〔any〕, no와 같이 수(數)에나 양(量)에도 쓰이며 따라서 복수로도 단수로도 되는 점이 수(數) 전용의 many, few 와 양(量) 전용의 much, little 과 대비를 이룬다.

all [ɔːl] *a.* **1** 모든, 전부의, 전체의, 온, 전(全): ~ day (long) 온종일 / ~ (the) morning 오전 중 내내 / in ~ directions 사면(팔방)으로 / ~ my friends 모든 나의 친구 / ~ the pupils of this school 이 학교의 전 학생 / *All* the money is spent. 돈을 다 써 버렸다 / *All* Paris is out of doors. 파리의 전 시민이 거리로 (쏟아져) 나와 있다 / What have you been doing ~ this time? 이제껏 무엇을 하고 있었나요.
2 〖성질 · 정도를 나타내는 추상명사를 수식하여〗 있는 대로의, 한껏의, 할 수 있는 한의, 최대의, 최고의: in ~ haste 아주 급히 / with ~ speed 전속력으로 / in ~ sincerity 성심성의(껏) / in ~ truth 틀림없이 / The storm raged in ~ its fury. 폭풍우가 맹위를 떨쳤다.
3 〖this, the 등과 더불어 힘줌말로〗 막대한, 엄청난, 대단한: You have ~ *these* books! 이렇게(도) 많은 책을 갖고 있는가 / Think of ~ *the* trouble you would give him. 그에게 얼마나 누를 끼치게 될지 생각해 보게나 / It makes ~ *the* difference. 그것은 대단한 차이다.
4 〖수사적 강조표현〗 **a** 〖추상명사를 수식하여〗 완전히 … 그 자체인: She's ~ kindness. 그녀는 친절 바로 그것이다(=She's kindness itself.) / He was ~ attention. 그는 잔뜩 주의를 집중하고 있었다(=He was very attentive.). **b** 〖몸의 일부분을 나타내는 명사를 수식하여〗 온몸이 …뿐인; 온몸이 …이 되어: She was ~ ears. 그녀는 온 신경을 귀에 집중시켰다 / She was ~ smiles. 그녀는 만면에 웃음을 띄었다.
5 〖부정적 뜻의 동사나 전치사의 뒤에 와서〗 일체, 아무런, 하등의(any): in spite of ~ opposition 어떤 반대에도 불구하고 / I deny ~ connection with the crime. 나는 그 범죄와는 아무런 관계도 없다.
6 (그저)…뿐(only): ~ words and no thought 말뿐이지 사고(思考)가 없는 / This is ~ the money I have. 내가 가진 돈은 (전부) 이것뿐이다.

> SYN. **all** 개체의 총합을 강조함: *All* men are equal. 모든 사람은 평등하다. **every** 집합체의 개체를 강조함: *Every* man is mortal. 인간은 모두 죽게 되어 있다. **each** 도 집합체의 개체를 가리키나 every 보다도 구체적인 개체를 나타냄: *each* book on this shelf 이 선반의 책은 어느 것이나. **whole** 무엇 하나 부족하지 않은 것을 강조함. 이 뜻으로는 entire 와 같음.
> NOTE (1) 형용사로서의 all 은 언제나 정관사 · 소유격대명사 · 지시형용사에 선행(先行)함.
> (2) 단수 보통명사 또는 고유명사와 함께 써서 the whole of의 뜻이 됨: *all* his life 그의 한 생애; 태어난 이래 죽. He is the best scholar in *all* the school. 그는 전교에서 가장 우수한 학생이다(in the whole school). the best school in *all* Seoul 서울에서 첫째 가는 학교 (in the whole of Seoul).
> (3) all의 부정은 부분부정을 나타냄. 다만, all과 not이 떨어져 있다든지하여 전체부정을 나타내는 수도 있음: *Not all* men are wise. 모든 사람이 현명한 것은 아니다 / *All* the people did*n't* agree. 모두가 찬성한 것은 아니다(부분부정); 모두 찬성하지 않았다(전체부정).

— *pron.* **1** 전부, 전원, 모두: *All* of us 〔We ~〕 have to go. 우리는 전원 가야 한다 / Let's ~ go there together. =Let's go there ~ together. 자 모두 같이 저리로 가자 / *All* of the students were present. 학생들은 전원 출석했었다 / *All* of the money was stolen. 돈은 전부 도둑 맞았다. ★ all 은 복수꼴의 countable noun 을 받을 때는 복수 취급, 물질명사 · 추상명사 등을 받을 때는 단수 취급함.
2 〖단독으로 쓰여〗 모든 사람(~ people), 모든 물건〔일〕(everything, ~ things): from ~ we hear 듣는 바에 의하면 / *All* are agreed. 모두 찬성이다 / *All* is lost. 모두 끝장이다, 만사휴의.

> NOTE (1) 위 뜻의 all 은 사물을 나타낼 때는 단수, 사람을 나타낼 때는 복수로 취급함: *All was* silent. 만물은 고요하였다 / *All were* silent. 모두 침묵하고 있었다. (2) all 의 부정은 부분부정을 나타냄: *All* that glitters is *not* gold. 《격언》 빛나는게 다 금은 아니다.

— *n.* 〖보통 one's ~〗 전 소유물, 전재산〔정력, 관심〕; (종종 A-) 전우주, 삼라만상: give *one's* ~ 전 재산을 쏟다, 모든 것을 바치다 / lost *one's* ~ 모든 것을 잃다.
— *ad.* **1** 전혀, 아주, 전연; 《구어》 완전히, 되게; 《주로 미》 〖의문사 뒤에서〗 대체: ~ alone 혼자서 / ~ too late 아주 너무 늦어서 / He was ~ excited. 그는 완전히 흥분했었다 / What ~ have you been doing? 《구어》 대체 무엇을 하고 있었어. **2** 오직 …뿐, 오로지: He spent his income ~ on pleasure. 그는 수입을 오로지 오락에만 쏟아부었다. **3** 〖the+비교급 앞에서〗 그만큼, 더욱 더, 오히려: You will be ~ *the better* for a rest. 좀 쉬면(그만큼) 기분도 좋아질 거다. **4** 《미구어 · 방언》 …한: ~ the faster 〔fast〕 I can run 빨리 달릴 수 있는 한. **5** 〚경기〛 양쪽 다: love ~ (테니스에서) 양쪽 다 영점 / The score is one ~. 득점은 1 대 1.
above* ~** 특히. ***after* ~** =after*** 〔***when***〕 **~ *is said and done*** 결국. **~ *along*** ⇨ALONG. **~ *at once*** ⇨ONCE. **~ *but*** ① …을 제외한 전부. ② 〖부사적〗 거의, 거반(nearly, almost): He is ~ *but* dead. 그 사람은 죽은 거나 마찬가지다. ***All change!*** 《영》 =All out! **~ *for ...*** 《구어》 …에 대찬성하여. **~ *in*** 《미속어》 지쳐서, 기진맥진하여; 《구어》 무일푼이 되어. **~ *in* ~** ① 전부하여, 총계〔모두〕해서: 25 dollars ~ *in* ~ 합계 25 달러. ② 대체로〔대강〕 말하면, 대체로: *All in* ~ the novel was a success. 소설은 대체로 성공작이었다. ③ 소중〔귀중〕한 것: Life is ~ *in* ~ to me. 나에겐 목숨이 무엇보다도 소중하다. **~ *of ...*** …전부, 모두, 각기, 각자; 《미》 충분히, 넉넉히: He's ~ *of* six feet tall. 그의 키는 족히 6 피트는 된다. **~ *one*** 같음; 결국 같은: It's ~ *one* to me. 그건 나에겐 아무래도 좋다. **~ *out*** ① 전(속)력으로. ② 지쳐서, 기진맥진하여. ③ 아주, 전혀. ***All out!*** 여러분 갈아타 주십시오(《영》 All change!). ***be* ~ *there*** ⇨THERE. **~ *over*** ① 완전히〔아주〕 끝나: The storm is ~ *over*. 폭풍우가 아주 멎었다. ② 도처에, 온몸에; 온 …에: ~ *over* the world =~ the world *over* 온 세계 도처에서. ③ 모든 점에서, 아주: He is his father

~ *over*. 그는 아버지를 빼쏘았다. ④《속어》…에 반하여. ~ ***over*** one***self***《속어》아주 기뻐하여. ~ ***over the shop*** 혼란하여. ~ ***over with*** …이 요절〔결딴〕이 나서, …이 틀어져서, 가망이 없어: It's ~ *over with* him. 그는 이제 글렀다. ~ ***right*** ⇨ ALL RIGHT. ~ ***round***〔***around***〕모든 점에서; 출석자 전원에게. ~ ***sort*(*s*) *of*** ⇨ SORT. ~ ***that***《구어》① 그런 것 전부. ②〔부정문에서〕그렇게까지. ~ ***the ...*** ①…뿐: ~ *the* home〔friend〕I ever had 내가 가진 유일한 가정〔친구〕. ② ⇨ *ad*. 3 ~ ***the same*** ⇨ SAME. ~ ***told*** ⇨ TELL. ~ ***up***《구어》① 만사가 끝나서, 틀어져서, 가망이 없어: It's ~ *up* with him. 그 사람 이젠 볼장 다 보았다. ② 부속품 일체를 포함한. ~ ***very well***〔***fine***〕(***, but ...***)〔반어적〕정말 좋다(마는): That's ~ *very well, but* ... 그건 정말 좋습니다만, 그러나 …. ***and*** ~ ① 그 밖의 모두, 등등, …째로: He ate it, bones *and* ~. 그는 뼈다귀까지 죄다 먹었다. ②〔놀람을 강조하여〕놀랍게도 정말 …이어요: Did he swim across the Channel?—Yes, he did it *and* ~! 그가 영국 해협을 헤엄쳐 건넜나요—놀랍게도 정말 그랬어요. ***and*** ~ ***that*** 그 밖의 여러 가지, …따위(and so forth): He said the time were bad *and* ~ *that*. 그는 시대가 나쁘다느니 어쩌니 했다/He used to take drugs *and* ~ *that*. 그는 늘 마약 따위를 먹곤 했다. ***at*** ~ ①〔부정문〕조금도, 전혀; 아무리 보아도: I don't know him *at* ~. 전혀 그를 모른다/Thank you〔I am sorry〕. *Not at* ~. 감사합니다—천만에/*No* offence *at* ~. 괜찮습니다《상대의 사과를 받고》. ②〔의문문〕도대체: Why bother *at* ~? 도대체 왜 끙끙거리는 거야. ③〔조건절〕일단 …이면, …할 바엔: If you do it *at* ~, do it well. 기왕 할 바에는 잘 해라/There's very little, if *at* ~. 있다고 해도 아주 조금 밖에 없다. ④〔긍정문〕어쨌든, 하여간: The fact that it was there *at* ~ was cause for alarm. 어쨌든 그것이 거기에 있었다는 사실이 놀라움을 주었다. ***for***〔***with***〕~ ***...*** …이 있어도, …이 있는데도(불구하고): *With*〔*For*〕~ his faults, he is loved by all. 그렇게 결점이 있는데도 그는 모든 사람에게 사랑을 받고 있다. ***for*** ~ ***I know***〔***care***〕내가 아는 한으로는. ***for*** ~ ***time*** 영구히. ***in*** ~ 모두 해서, 전부, 총계. ***It was*** ~ one ***could do not to*** do.《구어》…하지 않고 있는 것이 어려웠다, 간신히 …하지 않았다. ***of*** ~ ***...***《구어》(그 많은 중) 하필이면: They chose me, *of* ~ people. 그들은 하필이면 나를 뽑았다. ***once and for*** ~ 한 번만; 이번만: I shall read it *once and for* ~. 이번만 읽어 주지. ***one and*** ~ 누구나〔어느 것이나〕다, 모두, 모조리. ***That's*** ~. 그것으로 끝이야, 그것뿐이야. ***when*** ~ ***comes***〔***goes***〕***to*** ~ 결국. ***when*** ~ ***is said*** (***and done***) 결국(after all): *When* ~ *is said and done,* he is the greatest poet of the age. 결국 그는 당대 제일의 시인이다.

불일치 때 재판관이 배심원에게 하는 지시의 일종》.

Állen scrèw《미》앨런 볼트《대가리에 6각형의 구멍이 있는 볼트》.

Állen wrènch《미》앨런 렌치《Allen screw를 돌리는 L자형 도구》.

al·ler·gen [ǽlərdʒən, -dʒèn] *n.*〖의학〗알레르겐《알레르기를 일으키는 물질》.

al·ler·gen·ic [æ̀lərdʒénik] *a.* 알레르기를 일「으키는.

al·ler·gic [ələ́ːrdʒik] *a.*〖의학〗알레르기 (체질)의, 알레르기에 걸린;《구어》(…이) 질색인, 몹시 싫은《*to*》; 신경 과민의: an ~ reaction to wool 털에 대한 알레르기 반응/~ *to* criticism 비평을 아주 싫어하는.

al·ler·gist [ǽlərdʒist] *n.* 알레르기 전문 의사.

al·ler·gol·o·gy [æ̀lərdʒálədʒi/-dʒɔ́l-] *n.* 알레르기학.

al·ler·gy [ǽlərdʒi] *n.*〖의학〗알레르기, 과민성;《구어》반감, 혐오(antipathy)《*to*》: an ~ *to* pollen 꽃가루 알레르기/have an ~ *to* books 책을 아주 싫어하다.

al·le·thrin [ǽləθrin/æléθ-] *n.*〖화학〗알레트린《점성이 있는 갈색의 액체; 살충제》. [◂ *allyl*+pyr*ethrin*]

al·le·vi·ant [əlíːviənt] *n.* 경감〔완화〕하는 것.

al·le·vi·ate [əlíːvièit] *vt.* 경감하다; 완화하다, 누그러뜨리다, (고통 따위를) 덜다, 편안하게 하다; (문제를) 다소 해결〔해소〕하다. 「(물).

al·lè·vi·á·tion *n.* U,C (고통의) 경감, 완화

al·le·vi·a·tive [əlíːvièitiv, -viə-] *a.* 경감〔완화〕하는, 누그러뜨리는. —*n.* = ALLEVIANT.

al·le·vi·a·to·ry [əlíːviətɔ̀ːri/-təri] *a.* = ALLEVIATIVE.

áll-expénse *a.* (여행 등) 전액 부담〔포함〕의.

*__al·ley__[1] [ǽli] *n.* **1**《미》뒷골목(back-lane);《영》좁은 길, 샛길, 소로(小路); (정원·숲 속 등의) 오솔길(shady walk): ⇨ BLIND ALLEY. SYN. ⇨ ROAD. **2** (볼링 등의) 레인(lane), 볼링장, 유희장. **3** (테니스 코트의) 앨리《더블용 코트의 양쪽 사이드 라인과 서비스 사이드 라인 사이의 좁은 공간으로, 복식 경기 때는 이 부분까지 코트로 사용함》. (***right***〔***just***〕) ***down***〔***up***〕one's ~〔street〕⇨ STREET.

al·ley[2] *n.* (대리석 등의) 유리 구슬. [alabaster의 「간약형]

álley àpple《미속어》말똥; 돌멩이.

álley càt 도둑고양이;《속어》매춘부.

Al·ley Oop [ǽliúːp] 앨리 우프《미국의 V.T. Hamlin 작 만화명(1933) 및 그 주인공; 고대와 현대를 타임머신으로 오가는 원시인》.

al·ley-oop [ǽliúːp] *int.* 영차, 이영차《들어올리거나 일어설 때 소리》. —*n.*〖미식축구·농구〗높은 패스《점프해야 받을 수 있는》. 「좁은 통로.

álley·wày *n.*《미》샛길, 골목길; (건물 사이의)

áll-fáith *a.* 모든 종파(宗派)(용(用))의.

All-fàther *n.* (the ~) 최고신, 하느님 아버지, (다신교의) 주신(主神).

áll-fíred *a., ad.*《구어》겁나는, 겁나게, 지독한, 지독하게, 굉장한, 굉장히.

Áll Fóols' Dày = APRIL FOOLS' DAY.

áll fóurs (짐승의) 네 발; (인간의) 수족;〔단수취급〕카드놀이의 일종. ***on*** ~ 네 발로 기어;《영》동등〔대등〕하여, …와 꼭 들어맞아, …에 일치하여《*with*》. 「사·환영》.

áll háil《고어》어서 오십시오, 안녕, 만세《인

All·hal·lows, All·hal·low·mas [ɔ̀ːlhǽlouz], [-louməs] *n.*《고어》〖가톨릭〗모든 성인의 날(All Saints' Day)《11월 1일》.

Allhállows Éve = HALLOWEEN.

áll-hánds *a.*《구어》(회람·게시 따위가) 전원〔전직원, 전회원〕에 대한.

all·heal [ɔ́ːlhìːl] *n.*〖식물〗(민간약으로서의) 쥐오줌풀, 꿀풀, 겨우살이《따위》;〔일반적〕(외상용) 약초. 「늘」냄새가 나는.

al·li·a·ceous [æ̀liéiʃəs] *a.* 파속(屬)의; 파〔마

°**al·li·ance** [əláiəns] *n.* C,U 동맹; 맹약(盟約);〔집합적〕동맹국〔자〕; 결혼, 결연; 인척 관계; 협력, 제휴, 협조; 관련성, 유사(類似), 친화(親和) 관계;〖식물〗동류(同類): a dual〔triple, quadruple〕~ 2국〔3국, 4국〕동맹/in ~ with … 와 연합〔제휴〕하여/make〔enter into, form〕an ~ with …와 동맹하다; …와 결연하다. ◇ ally[1] *v.* ***the Alliance for Progress*** 발전을 위한 동맹《미국의 라틴 아메리카 원조 계획》.

al·li·cin [ǽləsin] *n.* 〖생화학〗 알리신《마늘에서 추출되는 무색 유상(油狀) 액체의 항균성 물질》.

◦**al·lied** [əláid, ǽlaid] *a.* 동맹한; 연합〔제휴〕한; (A–) 연합국의; 결연(結緣)한; 관련이 있는; 동류의: the *Allied* Forces (제 1·2 차 대전의) 연합군 / ~ industry 관련 산업 / ~ species 동종(同種). ★ 부가어(附加語)인 때 보통 [ǽlaid].

Al·lies [ǽlaiz, əláiz] *n. pl.* (a–) 동맹국〔자〕; (the ~) (제 1·2 차 세계 대전 때의) 연합국.

al·li·ga·tion [æ̀ligéiʃən] *n.* Ⓤ 〖수학〗 혼합법.

◦**al·li·ga·tor** [ǽligèitər] *n.* **1** 악어의 일종《미국산》. cf. crocodile. **2** 《널리》 악어; 악어 가죽; 악어 입처럼 생긴 맞물리는 각종 기계. **3** 《미군대속어》 수륙 양용 전차(戰車). **4** 《미속어》 재즈 팬, 스윙 음악광(狂); 《CB속어》 수다스러운 시민라디오 교신자. **—***a.* 악어 가죽 무늬의; 악어 가죽(제)의; 악어 입처럼 크게 입을 벌린. **—***vi.* 《미》 (칠한 것이) 갈라지다, 기포(氣泡)가 생기다.

álligator bàit 《미남부흑인속어 · 경멸》 (Florida, Louisiana 출신의) 흑인(의 아이).

álligator clìp 〖전기〗 악어입 클립.

álligator pèar = AVOCADO.

álligator tòrtoise 〔**tùrtle**〕 자라; = SNAPPING TURTLE.

áll-impórtant *a.* 극히 중요한; 꼭 필요한; 없「어서는 안 될.

áll-ín *a.* **1** 《주로 영》 모든 것을 포함한; 전면적인: ~ insurance 전(全)재해 보험 / an ~ 5-day tour 비용 전액 부담의 5 일간의 여행. **2** 《미》 결연한, 단호한. **3** 〖레슬링〗 자유형의. **4** (재즈에서) 총출연의, 앙상블의. **5** 《속어》 녹초가 된 (exhausted), 무일푼의. **—***n.* 난투.

áll-inclúsive *a.* 모든 것을 포함한, 포괄적인 (comprehensive).

áll-in-óne *n.* **1** = CORSELET(TE). **2** … 일습, … 전과(全科)《책이름》. **—***a.* 필요 부품을 모두 갖춘, 한 세트로 된.

áll-ín wrèstling 《주로 영》 자유형 레슬링.

al·li·sion [əlíʒən] *n.* 〖법률〗 선박 충돌.

al·lit·er·ate [əlítərèit] *vi., vt.* 〖운율〗 두운(頭韻)을 달다; 두운을 사용하다.

al·lìt·er·á·tion *n.* Ⓤ 두운(頭韻)《What a *t*ale of *t*error now their *t*urbulency *t*ells!의 [t] 음 따위》. cf. rhyme.

al·lit·er·a·tive [əlítərèitiv, -rətiv] *a.* 두운(체)의《시 따위》. ㊕ **~·ly** *ad.* **~·ness** *n.*

al·li·um [ǽliəm] *n.* Ⓤ 파·마늘류.

áll-knówing *a.* 전지(全知)의.

áll-máins *a.* 《영》 (라디오 따위가) 어떤 전압에도 쓸 수 있는.

áll·ness *n.* 전체성, 보편성, 완벽, 완전.

áll-níght *a.* 철야의, 밤새도록 하는: ~ service 철야 영업〔운전〕. ㊕ **~·er** *n.* 밤새껏 계속되는 것《회의·경기 따위》; 철야 영업소.

al·lo- [ǽlou, ǽlə] 'other'의 뜻을 나타내는 결합사: *allo*trope. ★ 모음 앞에서는 all-.

àllo·ántibody *n.* 〖의학〗 동종(이계) 항체(= **ìso·án·ti·body**).

àllo·ántigen *n.* 〖의학〗 동종(이계) 항원(抗原) (=**iso·án·ti·gen**).

al·lo·bar [ǽləbɑ̀ːr] *n.* 〖기상〗 기압 변화역(域); 기압 등변화선(等變化線)(isallobar).

al·lo·ca·ble [ǽləkəbəl] *a.* 할당〔배분, 배치〕할 수 있는.

al·lo·cate [ǽləkèit] *vt.* 할당하다, 배분하다 (assign)《*to*》; 배치하다《*to*》, …의 위치를 정하다, 정치(定置)하다; 〖컴퓨터〗 배정하다. cf. allot. ㊕ **-càt·a·ble** *a.* **-cà·tor** *n.* 배당자, 배치자.

al·lo·ca·tee [æ̀ləkeitíː] *n.* 수배자(手配者).

àllo·cátion *n.* Ⓤ 할당, 배당; 배치; Ⓒ 배당액; 배당제; 〖컴퓨터〗 배정.

allocátion ùnit 〖컴퓨터〗 배정 단위. cf. clus「ter.

àllo·céntric *a.* 타인 중심의.

al·loch·thon [əlákθən, -θɑn/əlɔ́kθən] *n.* 〖지학〗 외래지층(外來地層), 이지성(異地性) 지층《지각 변동으로 다른 곳에서 이동해 온 지층》. cf. autochthon.

al·loch·tho·nous [əlákθənəs/əlɔ́k-] *a.* 다른 장소에서 형성된, 이지성(異地性)의, 타생적(他生的)인: ~ species 타생종(種). [Gr. *khthonkhthōn* earth]

al·lo·cu·tion [æ̀ləkjúːʃən] *n.* 연설, 강연; (추기경 회의·단체 알현 등에서의) 교황 담화, 훈시, 고유(告諭).

al·lo·di·al [əlóudiəl] *a.* 자유 사유지의. opp. 「*feudal*.

al·lo·di·um [əlóudiəm] (*pl.* **-dia** [-diə]) *n.* 〖법률〗 (봉건 시대 등의) 자유 사유지, 완전 사유지.

àllo·érotism *n.* 〖심리〗 대타(對他) 발정. cf. autoerotism.

al·log·a·mous [əlágəməs/-lɔ́g-] *a.* 〖식물〗 타가〔타화〕(他家〔他花〕) 수분(受粉)의.

al·log·a·my [əlágəmi/-lɔ́g-] *n.* Ⓤ 〖식물〗 타가(他家) 수정, 타화 수분(他花受粉). opp. *autogamy*.

al·lo·ge·ne·ic [æ̀lədʒəníːik] *a.* 〖생물〗 유전적으로 다른 동종(同種)간의.

al·lo·gen·ic [æ̀lədʒénik] *a.* **1** 〖지학〗 다른 곳에서 형성된. cf. authigenic. **2** 〖면역〗 = ALLOGENEIC.

al·lo·graft [ǽləgræ̀ft/-grɑ̀ːft] *n.* 〖의학〗 동종 이식(편)(同種移植(片)).

al·lo·graph [ǽləgræ̀f, -grɑ̀ːf] *n.* 대필(代筆), 대서(代書), 대서(代署); 〖언어〗 이서체(異書體).

àllo·immúne *a.* 동종(同種) 면역의.

al·lom·er·ism [əlámərìzəm/əlɔ́m-] *n.* Ⓤ 〖화학〗 알로 이성(異性); 〖광물〗 이질 동형.

al·lom·er·ous [əlámərəs/əlɔ́m-] *a.* 〖화학〗 알로 이성(異性)의; 〖광물〗 이질 동형의.

al·lom·e·try [əlámətri/əlɔ́m-] *n.* 〖생물〗 상대 성장; 상대 성장 측정(학). ㊕ **àl·lo·mét·ric** *a.*

al·lo·mone [ǽləmòun] *n.* 〖생화학〗 알로몬, 타감 작용 물질《생물체에서 분비되어 종류가 다른 생물체에 작용하며 그 행동에 영향을 미치는 화학 물질》. cf. pheromone.

al·lo·morph [ǽləmɔ̀ːrf] *n.* 〖광물〗 이형가상(異形假像); 〖언어〗 이형태(異形態). ㊕ **àl·lo·mór·phic** *a.*

al·lo·mor·phism [æ̀ləmɔ́ːrfizəm] *n.* = 「ALLOTROPY.

al·longe [əlʌ́ndʒ; *F.* alɔ̃ʒ] (*pl.* **-long·es** [-lʌ́ndʒiz; *F.* —]) *n.* 〖법률〗 (수표 따위에 배서하기 위한) 부전, 보전(補箋).

al·lo·nym [ǽlənìm] *n.* 필명《저자의 가명》; 남의 이름으로 출판된 작품. cf. pen name, pseudonym.

al·lo·path, al·lop·a·thist [ǽləpæ̀θ], [əlɑ́pəθist/əlɔ́p-] *n.* 대증(對症) 요법 의사.

al·lo·path·ic [æ̀ləpǽθik] *a.* 〖의학〗 대증 요법의. ㊕ **-i·cal·ly** *ad.*

al·lop·a·thy [əlápəθi/əlɔ́p-] *n.* 〖의학〗 대증 요법. opp. *homeopathy*.

al·lo·pat·ric [æ̀ləpǽtrik] *a.* 〖생물〗 이소(異所) (성)의, 지역마다 다른.

al·lo·phane [ǽləfèin] *n.* 〖광물〗 앨러페인《무정형의 함수 알루미늄 규산염(硅酸塩)》.

állo·phòne *n.* **1** 〖음성〗 이음(異音)《동일한 음소(音素)에 속하는 다른 음; 예를 들면 lark의 [l] 과, cool의 [l]은 음소 [l]에 속하는 이음》. cf. phoneme. **2** 《Can.》 (프랑스계 캐나다인에서 보아) 프랑스어와 영어 외의 언어 사용자; 그 후손. [◂<《Can.·F.》 *allo-*(another), *-phone* (speaker)] ㊕ **àllo·phónic** *a.*

al·lo·phyl·i·an [æləfíliən] *a.*, *n.* Aryan 및 Semitic 어족에 속하지 않는 (사람).
al·lo·plasm [æləplæ̀zəm] *n.* Ⓤ 〖생물〗 이형질《편모 등 특수 작용을 하는 세포 내용물》.
àllo·pólyploid 〖생물〗 *a.* 이질 배수성(異質倍數性)의. ― *n.* 이질배수체(體). ⓒⓕ autopolyploid. ⓟ **~y** *n.*
al·lo·pu·ri·nol [æləpjúərənɔ̀ːl, -nɑ̀l/-nɔ̀l] *n.* 〖약학〗 알로퓨리놀《혈액 중의 요산 배출 촉진약》.
áll-oríginals scène 《미속어》 흑인만의 회합.
áll-or-nóne *a.* 전부가 아니면 전무(全無)의.
áll-or-nóthing *a.* 절대적인, 과단성 있는, 전부가 아니면 아예 포기하는.
al·lo·saur, al·lo·sau·rus [æləsɔ̀ːr], [æləsɔ́ːrəs] *n.* 〖고생물〗 알로사우루스《육식 공룡》.
al·lo·ster·ic [æləstérik] *a.* 〖생화학〗 앨러스테릭한 《효소·단백질》.
al·lo·stery [əlástəri/əlɔ́-] *n.* 〖생화학〗 앨러스테릭성〔효과〕.
***al·lot** [əlát/əlɔ́t] (*-tt-*) *vt.* **1** 《~+목/+목+목/+목+전+명》 할당하다, 분배하다(assign), 주다《*to*》: ~ profits 이익을 분배하다/We ~*ted* each speaker an hour. = We ~*ted* an hour *to* each speaker. 우리는 각 연사에게 한 시간씩 할당하였다. **2** 《+목+전+명》 (용도에) 충당하다, 맞추다《*for; to*》; 지정하다: ~ money *for* a new park 새 공원 몫으로 돈을 충당하다. ― *vi.* 《미방언》 《+전+명》 …할 작정이다《*on, upon*》: I ~ *upon* going. 난 갈 작정이다.
al·loth·o·gen·ic [əlɑ̀θədʒénik] *a.* 〖지학〗 (암석의 성분이) 다른 곳에서 형성된.
al·lót·ment *n.* **1** Ⓤ 분배, 할당; Ⓒ 배당, 몫. **2** 《미》 특별 수당; 지정, 배치. **3** 《영》 분할 대여된 농지. **4** 〖미군사〗 (봉급) 공제분 《가족·보험 회사 등에 대한 직접 지급분》. **5** Ⓤ 운명, 천명(天命), 천수.
àllo·transplánt 〖생물·의학〗 *vt.* 타가(他家)〔이물(異物)〕 이식하다. ― [ˊ-ˋ-] *n.* 타가〔이물〕 이식.
al·lo·trope [ælətròup] *n.* 〖화학〗 동소체(同素體). ⓟ **al·lo·trop·ic, -i·cal** [ælətrápik/-trɔ́p-], [-əl] *a.* 동소체의. **-i·cal·ly** *ad.*
al·lot·ro·py, al·lot·ro·pism [əlátrəpi/əlɔ́t-], [-pìzəm] *n.* Ⓤ 〖화학·광물〗 동소체(同素體), 동질 이형(同質異形).
all' ot·ta·va [ɑ̀ːlətɑ́ːvə] 〖음악〗 = OTTAVA.
al·lot·(t)ee [əlɑtíː/-lɔ-] *n.* 할당을 받는 사람.
al·lo·type [ælətàip] *n.* 〖생물〗 (분류상의) 별모식(別模式) 표본; 〖의학〗 알로타입 《종족내(種族內) 항원》. ⓟ **àl·lo·týp·ic** [-típik] *a.* **-i·cal·ly** *ad.*
áll-óut *a.* 《구어》 전력을 다한; 철저〔완전〕한, 전면적인: go ~ 전속력으로 가다/an ~ effort 최선의 노력. ⓟ **~·er** *n.* 《미구어》 과격론자, 극단론자 (extremist).
áll-óut wár 총력전, 전면 전쟁.
áll·òver *a.* 전면적인; (자수 따위의 장식 무늬가) 전면을 덮는; 사라사 무늬의. ― *n.* Ⓤ 사라사 무늬의 천.
áll-óverish *a.* 《구어》 어쩐지 몸이 불편〔마음이 불안〕한, 온몸이 나른한.
áll-òver pàinting 〖회화〗 화면의 바탕과 형체의 구별을 없이 하는 표현 방법.
****al·low** [əláu] *vt.* **1** 허락하다, 허가하다(permit): Smoking is not ~*ed*. 금연입니다/No swimming ~*ed*. 수영 금지. **2** 《+목+*to* do》 …에게 허락〔허가〕하다: My father won't ~ me *to* ride a motorcycle. 아버지는 내가 오토바이 타는 것을 허락지 않는다. **3** 《+목+*to* do》 (깜빡하여) …하는 대로 두다, (상관 않고) …하게 하다, …하는 대로 놔두다: ~ a door *to* remain open 모르고 문을 열어 둔 채로 두다. **4** 《+목》 《~ oneself》 방임하다; 빠지다: He ~*s* him*self* 10 cigarettes a day. 그는 하루에 담배를 열 대 피운다. **5** 《+목+목》 주다, 지급하다(grant): ~ a person $100 for expenses 경비로 백 달러를 지급하다. **6** 《~+목/+목+*to be* 보/+*that* 절》 인정하다, 승인하다(admit): ~ a claim 요구를 받아들이다/I ~ him *to be* a genius. = I ~ *that* he is a genius. 과연 그는 천재다. **7** 《+목+전+명》 참작하다, 작량(酌量)하다, 고려에 넣다: ~ an hour *for* changing trains 갈아타는 데 한 시간의 여유를 고려해 두다. **8** 《+목+전+명》 (계산에서) 공제하다, 할인하다, 값을 깎다《*for*》: We can ~ 5% *for* cash payment. 현금이면 5퍼센트 할인합니다. **9** 《+*that* 절/+*to* do》 《미방언》 말하다, 생각하다(think); …할 작정이다: I ~ *that* it's quite right. 그것이 옳다고 생각한다/I ~ *to* go fishing tomorrow. 내일 낚시하러 갈 작정이다. ― *vi.* **1** 《+전+명》 여지를 남기다《*of*》; 허락하다《*of*》: ~ *of* no delay 일각의 지체도 허락되지 않다/~ *of* a billiard room included 당구실을 만들 여유가 있다. **2** 《+전+명》 고려하다, 참작하다, 공제하다《*for*》: You must ~ *for* his youth. 그가 젊다는 것을 감안하여야 합니다/Please ~ *for* ten people. 10인분을 준비해 주시오. **3** 《방언》 생각하다, 추측하다. ◇ allowance *n.* **~ing for** …을 참작한다면《삽입구 따위로》: a distance, ~*ing for* detours, of about 10 miles 우회로 따위를 고려에 넣는다면 약 10마일의 거리. **~ing that ...** …이라고 하더라도. ***Allow me to*** do 실례지만 …하겠습니다.
al·lów·a·ble *a.* 허용할〔승인될〕 수 있는; 지장 없는, 정당한. ― *n.* 허가 사항〔량〕. ⓟ **-bly** *ad.*
al·low·ance** [əláuəns] *n.* **1** (정기적으로 지급하는) 수당, 급여, …비; (가족에게 주는) 용돈(《영》 pocket money): a clothing 〔family〕 ~ 피복〔가족〕 수당/a retiring ~ 퇴직 수당/a lodging ~ 숙박료/a yearly ~ 세비(歲費). **2** (보통 *pl.*) 참작; 여유. **3** (허가되는) 한도, 정량: free ~ (짐의) 무료 휴대량/time ~ 시간 제한. **4** 공제; 할인. **5** 《드물게》 Ⓤ 승인(permission). **6** Ⓤ 허가, 허용; 관용(寬容), 찬성. **7** (화폐의 중량·기계의 치수 등의) 허용 오차, 공차(公差). ***at no **~** 마음껏, 아낌없이, 충분히. ***make*** 〔***make no***〕 **~(s)** ***for*** …을 고려에 넣다〔넣지 않다〕, …을 참작하다〔참작하지 않다〕: *make* ~ *for* youth 젊음을 고려해 주다. ◇ allow *v.* ― *vt.* **1** …에게 수당〔용돈〕을 지급하다. **2** (음식·돈 따위를) 일정량〔액〕으로 제한하다〔정하다〕.
al·lówed *a.* 〖물리〗 양성자 수의 변화를 포함한.
al·lów·ed·ly [-idli] *ad.* 허용되어; 누구나 인정하듯이(admittedly); 당연히, 명백히.
al·lox·an [əlɑ́ksən/əlɔ́k-] *n.* 〖화학〗 알록산, 메소옥살릴요소《요산을 산화시켜 얻는 물질; 동물 실험에서 당뇨병을 유발시키는 데 씀》.
°**al·loy** [ælɔi, əlɔ́i] *n.* Ⓤ,Ⓒ **1** 합금: Brass is an ~ of copper and zinc. 황동은 구리와 아연의 합금이다. **2** 순도, (금·은의) 품위. **3** (금·은 따위에 섞는) 비(卑)금속. **4** (식료품 등의) 섞음질하는 것. **5** [əlɔ́i] 《비유》 섞인 물건: pleasure without ~ 순수한 기쁨. **6** (플라스틱의) 혼합물. ― [əlɔ́i] *vt.* **1** 합금하다(mix). **2** (섞음질하여) …의 품질을 떨어뜨리다(debase). **3** 《+목+전+명》 (귀금속에) 비(卑)금속을 섞다: ~ gold *with* silver 금에 은을 섞다. **4** 감소시키다, (기쁨·행복 따위에) 찬물을 끼얹다(impair). ― *vi.* 합금이 되다; 섞이다.
allóyed júnction (반도체 접합의) 합금 접합.
álloy stèel 〖야금〗 합금강, 특수강.
áll-párty *a.* 전정당 (참가)의.
áll-plày-áll *n.*, *a.* 《영》 리그전 방식(의)(《미》

round robin).
áll-pòints búlletin (경찰 무선에 의한) 긴급 배치 (연락); 전국 지명 수배 《생략: APB》.
áll-pówerful *a.* 전능의.
áll-pró *a.* 일류의, 최고의.
áll-púrpose *a.* 다목적(용)의; 만능의: an ~ car 만능차《지프 등》.
áll-purpose flóur 《미》 베이킹파우더가 섞이지 않은 밀가루(《영》 plain flour).
áll-réd, Áll-Réd *a.* 《영》 영국 영토만을 경유하는 《지도에서 영국 영토를 빨갛게 칠하므로》: an ~ line 〔route〕 (영국 본토와 해외 영토를 잇는) 영령 연락 항로.
àll ríght 1 더할 나위 없이; 지장 없이; 확실히, 틀림없이: It's ~ with me. 그것으로 좋습니다 〔괜찮습니다〕/ Thank you 〔I am sorry〕. — That's ~. 고맙습니다〔미안합니다〕— 아니 뭘. **2** 무사히, 건강히: Is he ~? 그 사람 여전합니까. **3** 《미속어》 신뢰할 수〔믿을 수〕 있는: an ~ guy 믿을 수 있는 사람. **4** 좋아, 알았어《승낙》; 〖반어적〗 어디 두고 보자: *All right*! You will be sorry for this. 어디 두고 보자, 나중에 후회할 걸. ***a* (*little*) *bit of* ~** 《구어》 매력 있는 이성〔여성〕; 훌륭한〔아주 좋은〕 것; 《영속어》 성교, 정사(情事). ***All right already.*** 《미속어》 자 이제 그만 해, 그쯤 해둬. ***All right for you!*** 너하고는 이제 끝장이다〔절교다〕 《주로 어린이가 씀》.
all·right·nik [ɔ̀:lráitnik] *n.* 《속어》 중간 지위 〔중류〕에 안주하는 사람.
áll rísks 〖해상보험〗 전위험 담보.
áll-róund *a.* 《영》 = ALL-AROUND.
áll-róunder *n.* 다재다능한 사람; 만능선수(all-arounder); 《속어》 양성애자(兩性愛者).
Áll Sáints' Dày = ALLHALLOWS.
alls-bay [ɔ́:lzbèi] *n.* 《미속어·비어》 **1** 고환(balls). **2** 용기, 배짱. **3** (A-) 〖감탄사적〗 어처구니없다.
áll-sèater *a., n.* 전원 착석 방식의 (경기 시설).
áll·sèed *n.* 씨 많은 식물《명아주 등》.
áll-sínging *a.* 《영》 만능의, 다용도의 《장비 따위》.
áll-sòrts *n. pl.* 《영》 여러 가지를 혼합한 것, 《특히》 여러 가지 캔디를 섞어 넣은 것.
Áll Sóuls' Dày 〖가톨릭〗 위령의 날; 〖성공회〗 제령일(諸靈日)《죽은 독신자(篤信者)의 영혼제; 11월 2일》.
all·spice [ɔ́:lspàis] *n.* **1** 〖식물〗 올스파이스나무《서인도산(産)》; 그 열매. **2** Ⓤ 올스파이스 향신료(pimento).
áll squáre (두 사람이) 대등한 입장에서; 〖스포츠〗 동점의, 타이의.
áll-stàr *a.* 인기 배우 총출연의; 인기 선수 총출전의: an ~ cast 명배우 총출연. — *n.* 선발 팀 〔선수〕.
áll stár bànd = SUPERGROUP.
Áll-Star gáme 올스타 게임《최우수 선수가 참가하는 미국의 프로야구 게임》.
áll-státe *a.* 주 대표〔선발〕의: a pitcher on the ~ team 주 대표 팀의 투수.
Áll's Wéll That Énds Wèll 끝이 좋으면 다 좋다 《Shakespeare의 희극》.
áll-terráin bíke 전지형(全地形) 자전거, = MOUNTAIN BIKE 《생략: ATB》.
áll-terráin véhicle 전지형차(全地形車)《생략: ATV》.
Áll Thìngs Bríght and Béautiful 어린이 찬미가의 하나.
áll-tìme *a.* 전(全)시간(근무)의(full-time); 공전의, 전례 없는: an ~ high 〔low〕 최고〔최저〕 기록 / an ~ team 사상 최고의 팀.
◇**al·lude** [əlú:d] *vi.* 《~+전+명》 **1** 언급하다 《*to*》: ~ *to* the problem. **2** (넌지시) 비추다, 암시하다《*to*》: He often ~*s to* his poverty. 그는 곧잘 자기의 가난을 내비치곤 한다. ◇ allusion *n.*

áll-ùp wéight 〖항공〗 (공중에서의 비행기의) 전비(全備) 중량.
◇**al·lure** [əlúər/əljúə] *vt.* 《~+목 / +목+*to* do / +목+전+명》 꾀다, 부추기다, 유혹하다, 매혹시키다《*from*》: ~ a person *into* 〔*to*〕 아무를 …로 꾀어〔낚아〕 들이다 / This little islands ~*d* me. 이 작은 섬들이 나를 매혹시켰다 / be ~*d to* give up one's post 지위를 내던지도록 유혹당하다 / ~ a person *from* his duty 아무를 꾀어 직무를 게을리하게 하다. SYN. ⇨ LURE. — *n.* Ⓤ 매력, 애교(charm), 성적 매력. ㊕ **~·ment** *n.* Ⓤ 매력; 매혹; Ⓤ,Ⓒ 유혹(물): the ~*ments* of a big city 대도시의 유혹. **-lúr·er** *n.*
◇**al·lur·ing** [əlúəriŋ/əljúər-] *a.* 유혹하는, 매혹적인 (fascinating). ㊕ **~·ly** *ad.* **~·ness** *n.*
◇**al·lu·sion** [əlú:ʒən] *n.* Ⓤ,Ⓒ **1** 암시, 변죽울림, 빗댐; 언급《*to*》. **2** 〖수사학〗 인유(引喩)《*to*》. ◇ allude *v.* ***in ~ to*** 암암리에 …을 가리켜. ***make an ~ to*** …에 대해 간접적으로 언급하다, 에둘러 암시하다.
al·lu·sive [əlú:siv] *a.* 넌지시 비추는; 암시적인《*to*》; 넌지시 빈정대는; 인유(引喩)가 많은《시 따위》: a remark ~ *to* his conduct 그의 행동을 넌지시 언급한 말. ◇ allude *v.* ㊕ **~·ly** *ad.* **~·ness** *n.*
allúsive árms 〖문장(紋章)〗 가명(家名)을 암시하는 문장(紋章)(= **cánting àrms**).
al·lu·via [əlú:viə] ALLUVIUM의 복수.
al·lu·vi·al [əlú:viəl] 〖지학〗 *a.* 충적(沖積)의; 충적기의: the ~ epoch 충적세(世) / ~ gold 사금. — *n.* Ⓤ 충적토(= ∠ **sòil**).
allúvial fàn 〖지학〗 충적 선상지(扇狀地).
al·lu·vi·on [əlú:viən] *n.* **1** 모래톱, 충적지(沖積地); 〖법률〗 늘어난 땅, 신생지(新生地)《충적 등에 의하여 물가에 새로 생긴 토지》. **2** 파도의 들이침; 범람, 홍수.
al·lu·vi·um [əlú:viəm] (*pl.* **~s, -via** [-viə]) *n.* 〖지학〗 충적층(層), 충적토.
áll-wàve *a.* 〖통신〗 올웨이브의: an ~ receiver 전파장 수신기.
áll-wèather *a.* 전천후(全天候)의《비행기·도로 따위》; 내수(耐水)성의: an ~ aircraft 〔fighter〕 (탐색 레이더를 장치한) 전천후 비행기〔전투기〕/ an ~ paint 내수 페인트.
áll-whèel dríve 전륜(全輪) 구동(차)(four-wheel drive).
áll-whíte *a.* 백인만의, 백인 전용의.
al·ly**[1] [əlái] *vt.* 《+목+전+명》 **1** 〖~ oneself 또는 수동태〗 동맹〔결연·연합·제휴〕하게 하다 《*to; with*》: Russia *allied* it*self to* France. 러시아는 프랑스와 동맹을 맺었다 / Great Britain *was allied with* the United States during World War II. 제2차 세계대전중에 영국은 미국과 동맹을 맺고 있었다. **2** 〖보통 수동태〗 결합시키다; 동류에 속하게 하다《*to*》: Coal *is* chemically *allied to* diamond. 석탄은 화학적으로 다이아몬드와 동류이다. — *vi.* 동맹〔결연·연합·제휴〕하다. ***be allied to …와 관련이 있다, …와 인연이 가깝다. — [ǽlai, əlái] *n.* 동맹국〔자〕, 연합국; 친척; 동류; 협력자, 자기 편. cf. alliance. ***the Allies*** ⇨ ALLIES. ㊕ **al·lí·a·ble** *a.*
al·ly[2] [ǽli] *n.* = ALLEY[2].
áll-ỳear *a.* 연중(무휴)의.
al·lyl [ǽlil] *n.* Ⓤ,Ⓒ 〖화학〗 알릴(기)(= ∠ **ràdical** 〔**gròup**〕).
állyl résin 〖화학〗 알릴 수지(樹脂).
áll-you-can-éat *a.* 《미》 (식당에서 일정액을 내고) 먹고 싶은 대로 먹을 수 있는《음식》.
ALM 《미》 asset and liability management (자산 부채 종합 관리).
Al·ma·gest [ǽlmədʒèst] *n.* 알마게스트

《Ptolemy의 천문학서》; (a-) (중세 초기의) 점성학(占星學) 또는 연금술의 책.

al·ma(h) [ǽlmə] *n.* (이집트의) 무희(舞姬).

al·ma ma·ter [ǽlmə-mɑ́:tər, -méitər] 《L.》 (= fostering mother) 모교(母校), 출신교《A-M- 로도 씀》; 모교의 교가.

◇**al·ma·nac** [ɔ́:lmənæ̀k] *n.* 달력, (상세한) 역서(曆書); 연감(yearbook).

Al·ma·nach de Go·tha [ɔ́:lmənæ̀kdəgɑ́θə/-gɔ́θə] 고타 귀족 명감(名鑑)《유럽 왕가의 계도감(系圖鑑)》; 〖집합적〗 유럽의 귀족.

al·man·dine, -dite [ǽlməndì:n, -dàin, -din], [-dàit] *n.* 〖광물〗 귀석류석(貴石榴石).

al·me(h) [ǽlme] *n.* = ALMA(H).

⁑**al·mighty** [ɔ:lmáiti] *a.* **1** (종종 A-) 전능한: *Almighty* God = God *Almighty* 전능하신 하느님. **2** 《미구어》 굉장한; 극단의, 대단한: an ~ mistake 터무니없는 잘못. **—** *n.* (the A-) 전능자, 신(God). **—** *ad.* 《미구어》 대단히, 무척: be ~ glad 무척 기쁘다. [◂all+mighty] ㊎ **al·míght·i·ness** *n.* 전능.

almíghty dóllar (the ~) 《미구어》 만능의 달러〔황금〕; 금전만능.

al·mi·rah [ælmáiərə] *n.* 《Ind.》 옷장; 이동식 「찬장.

◇**al·mond** [ɑ́:mənd, ǽlm-/ɑ́:m-] *n.* 〖식물〗 편도(扁桃), 아몬드《열매·나무》; 〖해부〗 편도선; 엷은 황갈색.

álmond-èyed *a.* 편도(扁桃) 모양의 눈을 가진《몽골족의 특징》.

álmond òil 아몬드유《약용·화장 향료용》.

álmond-shàped [-t] *a.* (한 쪽 또는 양쪽이 뾰족한) 아몬드형(形)의.

almond

al·mon·er [ǽlmənər, ɑ́:m-] *n.* (중세의 왕가·양육원 등의) 시여물(施與物)〔구휼품〕 분배 관리; 《영》 (병원의) 사회사업부원.

al·mon·ry [ǽlmənri, ɑ́:m-] *n.* 시여물 분배소.

†**al·most** [ɔ́:lmoust, ⌐⌐/⌐⌐] *ad.* **1** 거의, 거반, 대체로: *Almost* everyone 〔everybody〕 (laughed). 거의 모든 사람이(웃었다) / He comes here ~ every day. 그는 여기 거의 매일 오다시피 한다 / Recovery was ~ impossible. 회복은 거의 불가능했다 / He is ~ a professional. 그는 거의 전문가에 가깝다 / He ~ fell. 그는 거의 쓰러질 뻔했다 / We have ~ finished our work. 일을 거반 끝냈다. ★ nearly 보다 뜻이 셈. **2** 〖한정용법의 형용사처럼 쓰여〗 거의…라고 할 수 있는: his ~ impudence 거의 뻔뻔스럽다 해도 무방할 그의 태도. **~ *never*** 〔***no, nothing***〕 거의 …않다, 거의 없다: It ~ *never* rains here. 이 곳은 거의 비가 오지 않는다 / *Almost no* one believed her. 거의 아무도 그녀를 믿지 않았다 / There was ~ *nothing* left. 거의 아무것도 남아 있지 않았다.

NOTE (1) almost never 〔no, nothing〕과 같은 뜻으로 흔히 hardly 〔scarcely〕 ever 〔any, anything〕가 쓰이기도 한다: He knows *hardly anything* about it. 그는 그것에 관해서 거의 아무것도 모른다.
(2) **almost**와 **most**는 해석상·작문상 혼동하기 쉬우므로 주의할 것: *Almost all* students like sports. = *Most* students like sports. His books are *mostly* useless. (그의 책은 대부분 쓸모가 없다) ≒His books are *almost* useless. (그의 책은 거의 무익하다) / He *almost* succeeded. (그는 거의 성공할 뻔했다) ≒He *almost* always succeeded. (그는 거의 언제나 성공했다).

alms [ɑ:mz] (*pl.* ~) *n.* 보시(布施); 의연금; 《고어》 자선 (행위): ask for (an) ~ 적선(積善)을 구하다 / live by ~ 구호물로 살아가다.

álms·dèed *n.* 《고어》 자선 (행위).

álms·fòlk *n. pl.* 구호금으로 살아가는 사람들.

álms·gìver *n.* 시주(施主), 자선가.

álms·gìving *n.* Ⓤ (금품을) 베풂, 자선. **—** *a.* 시여하는, 자선심이 있는. 「어」 = POORHOUSE.

álms·hòuse *n.* 《영》 사설(私設) 구빈원; 《미고

álms·man [-mən] (*pl.* **-men** [-mən]) *n.* 《드물게》 구호를 받는 사람; 《고어》 베푸는 사람.

álms·wòman (*pl.* **-wòmen**) *n.* 구호를 받는 여자.

al·mu·can·tar [ælmju:kǽntər/ælməkǽntə] *n.* 〖천문〗 고도평행선, 등고도선(等高度線)(parallel of altitude)《지평선과 평행인 천구(天球)의 작은 원(圓)》: two stars on the same ~ 같은 고도의 두 별.

al·mug [ǽlmʌg, ɔ́:l-] *n.* = ALGUM.

al·ni·co [ǽlnikòu] *n.* Ⓤ 알니코《합금 자석강(磁石鋼)》. [◂*al*uminum+*ni*ckel+*co*balt]

alo·di·al [əlóudiəl] *a.* = ALLODIAL.

alo·di·um [əlóudiəm] *n.* = ALLODIUM.

al·oe [ǽlou] (*pl.* **~s** [-z]) *n.* **1** 〖식물〗 알로에, 노회(蘆薈); (*pl.*) 〖단수취급〗 노회즙《하제(下劑)》. **2** 《미》 〖식물〗 용설란(American ~, the century plant). **3** (*pl.*) 〖단수취급〗 〖식물〗 침향(沈香)(= **agál·loch**).

áloes·wòod *n.* = ALOE 1. 「(하제(下劑)).

al·o·et·ic [æ̀louétik] *a., n.* 알로에를 함유한

áloe véra 알로에 베라, 알로에(= **bítter áloe**).

◇**aloft** [əlɔ́:ft, əlɑ́ft/əlɔ́ft] *ad.* 위에, 높이; 〖해사〗 돛대·활대 등 높은 곳에, 돛대 꼭대기에; 《속어》 천국에: take passengers ~ (비행기가) 승객을 태우고 날아오르다. ***go*** ~ 천국에 가다, 죽다.

alog·i·cal [eilɑ́dʒikəl/-lɔ́dʒ-] *a.* 논리의 영역을 넘은, 몰〔무〕논리의.

alo·ha [əlóuə, ɑ:lóuhɑ:] *n.* Ⓤ,Ⓒ (송영(送迎)의) 인사. **—** *int.* 와 주셔서 반갑습니다; 안녕히 계시오〔가시오〕. ★ 하와이 말로 '사랑'의 뜻.

alo·ha·oe [ɑ:lòuhɑ:ɔ́i, -óui] *int.* 어서 오십시오; 안녕히 가십시오.

alóha shìrt 알로하 셔츠.

Alóha Státe (the ~) 하와이 주의 속칭.

al·o·in [ǽlouin] *n.* Ⓤ 〖약〗 알로인《알로에 잎의 즙을 달인 결정체; 하제(下劑)로 쓰임》.

†**alone** [əlóun] *a.* **1** 〖서술적〗 **a** 다만 홀로〔혼자서〕, 고독한; 혼자 힘으로 나가는〔행동하는, 살아가는〕: They were ~. 그들뿐이었다 / I want to be ~. 혼자 있고 싶다 / He is not ~ in this opinion. 이런 의견을 가진 사람은 그만이 아니다. **b** 필적할 것이 없는: He is ~ among his peers *in* devotion to duty. 일에 대한 정열에 있어서 그를 당할 자는 동료 중에 없다. **2** 〖명사·대명사 뒤에서〗 다만 …뿐, …일 뿐(only): Man shall not live by bread ~. 〖성서〗 사람은 빵만으로 사는 것은 아니다.

SYN. **alone** 단독임을 가리키는 색채 없는 말. 다만, all *alone* '전혀 홀로'로 되면 감정적 색채를 띰. **solitary** alone과 같은 뜻인데, 동료·동무가 없음이 강조됨: a *solitary* pine tree in the meadow 목장에 외로이 서 있는

소나무. **lonely** 고독의 쓸쓸함이 내포됨: feel *lonely* 외로워하다. **lonesome** 동아리·동무를 그리는 마음, 특히 특정 개인에의 동경 따위를 나타냄: The child is *lonesome* for its mother. 어린이는 엄마를 보고 싶어한다.

go it ~ 남으로부터 원조〔보호〕를 받지 않고 혼자서〔자력으로〕 행하다〔살아가다〕. ***leave*** 〔***let***〕***...*** ~ …을 홀로 놔두다; …을 (그냥) 내버려두다: *Leave* me ~. 나 좀 내버려두게; 옆에서 (말)참견하지 말게 / *Let* me ~ for that. = *Let* me ~ to do that. 그 일일랑 내게 맡겨 두게. ***Leave*** 〔***Let***〕 ***well*** ~. 《속담》 긁어 부스럼 만들지 마라. ***let*** 〔***leave***〕 ~ …은 말할 것도 없고, …은 고사하고; 〖부정문 뒤에서〗 황차 (…않다): He was too tired to walk, *let* ~ run. 달리기는 고사하고 걸을 수도 없을 만큼 지쳤다 / It takes up too much time, *let* ~ the expenses. 비용은 말할 것도 없고 시간도 많이 걸린다 / He can't read, *let* ~ write. 그는 쓰기는커녕 읽지도 못한다. ***stand*** ~ ***in*** …에서는 겨룰 자가 없다.
— *ad.* **1** 홀로, 단독으로; 남의 힘을 빌리지 않고: You cannot do it ~. 혼자 힘으론 못 한다. **2** 단지, 전혀. ***not*** ~ ***but*** (***also***) ⇨ NOT.
[파] ~ **·ness** *n.*

†**along** [əlɔ́ːŋ, əlɑ́ŋ/əlɔ́ŋ] *prep.* **1** …을 따라, …을 끼고: walk ~ the street 가로를 따라 걷다. [SYN.] ⇨ ACROSS. **2** …동안에, …하는 도중에: I met him ~ the way to school. 등교 도중에 그를 만났다 / Somewhere ~ the way I lost my hat. 도중 어디에선가 모자를 잃어버렸다.
— *ad.* **1** 따라, (따라) 죽: There is a narrow path running ~ by the cliff. 벼랑 가를 따라 좁은 길이 나 있다. **2** 전방으로, 앞으로: Move ~, please! (서지 말고) 앞으로 나가 주세요 / Hurry ~ or you'll be late. 서둘러 가지 않으면 늦는다. **3** 잇달아: pass news ~ 잇달아 뉴스를 전하다. **4** 《미구어》 〖흔히 far, well 등을 수반하여〗 (시간·일 등이) 진행되어: be *far* ~ 많이 진척되어 있다 / The night was *well* ~. 밤이 꽤 깊었다. **5** 함께, 데리고〔가지고〕, 동반하여: She took her brother ~. 그녀는 동생을 데리고 갔다.

[NOTE] 이 부사는 by, with 따위의 '병렬·공존'을 나타내는 전치사, come, go, move, walk, take, bring 그 밖에 '진행의 동작'을 수반하는 동사의 강조로서, 또는 어조를 고르게 하기 위해 쓰임: cottages *along* by the lake 호숫가에 늘어선 별장들. Come *along*. 자 오너라.

all ~ (그 동안) 죽, 내내, 처음부터: He knew it *all* ~. 그는 그것을 처음부터 알고 있었다. (***all***) ~ ***of*** ① 《방언》 …때문에, …탓으로: It's *all* ~ *of* you! 너 때문이다. ② 《영속어》 …와 함께 (with): I went out ~ *of* Captain Dobey. 도비 경감과 함께 외출하였다. ~ ***about*** 《미구어》 …즈음에. ~ ***back*** 《미구어》 최근에. ~ ***here*** 〔***there***〕 이쪽〔저쪽〕으로. ***be*** ~ 《구어》 (비교적 가까운 곳에) 가다, 오다, (…에) 도착하다: They should *be* ~ soon. 그들은 곧 올 것이다. ***get*** ~ ⇨ GET. ***Get*** ~ ***with you!*** ⇨ GET. ***right*** ~ 《미구어》 ① 쉬지 않고, (끊임없이) 죽. ② 순조로이.

alóng·shíps *a., ad.* 〖해사〗 이물·고물의 선을 따르는〔따라서〕.

alóng·shóre *ad., a.* 연안을 끼고〔낀〕, 해안〔강가〕 가까이에〔의〕.

alóng·síde *ad., prep.* (…와) 나란히, (…의) 곁〔옆〕에〔을〕; (…에) 가로〔옆으로〕 대어; (…의) 뱃전에: lie ~ the pier 선창에 대다. ~ ***of*** …와 나란히; …에 접하여, …의 곁에; …와 함께; 《구어》 …와 견주어.

°**aloof** [əlúːf] *ad.* 멀리 떨어져, 멀리서; 〖해사〗 바람 불어오는 쪽으로: keep 〔hold, stand〕 ~ 멀리 (떨어져) 있다, 초연해 있다《*from*》 / spring ~ 〖해사〗 이물을 바람부는 쪽으로 돌려 나아가다.
— *a.* 〖보통 서술적〗 멀리 떨어진; 무관심한, 초연한, 냉담한. [파] ~**·ly** *ad.* ~**·ness** *n.*

al·o·pe·cia [æ̀ləpíːʃiə] *n.* [U] 탈모증, 독두병(禿頭病). [파] **-pe·cic** [-píːsik] *a.* 「원형 탈모증.

alopécia ar·e·á·ta [-æ̀riéitə, -ɑ́ːtə] 〖의학〗

⁑**aloud** [əláud] *ad.* **1** 소리를 내어《읽다 따위》. [OPP.] *in a whisper.* ¶ read ~ 소리를 내어서 읽다 / think ~ 생각하면서 혼자 중얼거리다. [SYN.] ⇨ LOUD. **2** 큰 소리로《보통 다음 관용구 이외는 《고어》》: cry 〔shout〕 ~ 큰 소리로 외치다. **3** 《영구어》 분명히; 두드러지게: reek 〔stink〕 ~ 냄새가 코를 찌르다.

alow [əlóu] *ad.* 〖해사〗 선저(船底)에〔로〕; 아래쪽에〔으로〕; 덱(deck) 가까이에. [OPP.] *aloft.* ¶ ~ and aloft (갑판의) 위나 아래나, 어디에나(everywhere). [◂ *a-*(= on) + *low*]

alp [ælp] *n.* 높은 산, 고산(高山)([cf.] Alps); (알프스 산 중턱의) 목장지; 《비유》 탁월한 것〔사람〕: intellectual ~*s* 일류 지식인 / ~*s* on ~*s* 연이어 있는 고봉(高峯); 중첩한 난관.

ALP 〖생화학〗 alkaline phosphatase. **ALP, A.L.P.** American 〔Australian〕 Labor Party.

al·paca [ælpǽkə] *n.* [C] 〖동물〗 알파카《남아메리카 페루산(産) 야마의 일종》; [U] 알파카의 털(로 짠 천); [C] 그 천으로 만든 옷.

al·par·ga·ta [æ̀lpɑːrgɑ́ːtə] *n.* 알파가타《바다이 까칠까칠한 마포로 만든 가벼운 신》.

al·pen·glow [ǽlpənglòu] *n.* [U] (높은 산꼭대기의) 아침〔저녁〕놀.

al·pen·horn [ǽlpənhɔ̀ːrn] *n.* 알펜호른(alphorn) 《스위스의 목동 등이 쓰는 2m 이상 되는 긴 나무피리》. 「지팡이.

al·pen·stock [ǽlpənstɑ̀k/-stɔ̀k] *n.* 등산용

al·pha [ǽlfə] *n.* **1** 그리스 알파벳의 첫 글자 《A, α; 로마자의 a에 해당》. **2** 제1위의 것, 제일, 처음; 《영》 (학업 성적의) A: ~ plus (학업 성적이) A⁺. **3** (보통 A-) 〖천문〗 별자리 중 빛이 가장 강한 별. ~ ***and omega*** ① (보통 A- and O-) 처음과 끝《영원의 뜻; 계시록 I: 8》. ② (the ~) 근본적인 이유〔뜻〕, 가장 중요한 부분, 중심이 되는 것, 최대의 특징. **—** *a.* **1** 〖컴퓨터〗 (키보드·화면 표시 따위가) 문자식의. **2** 〖한정적〗 알파벳 순의.

álpha-adrenérgic *a.* 〖생리〗 알파아드레날린의, 알파 수용체(受容體)의.

⁑**al·pha·bet** [ǽlfəbèt, -bit] *n.* **1** 알파벳, 자모, 문자, 글자: a phonetic ~ 음표 문자 / the Roman ~ 로마자. **2** (the ~) 초보, 입문《*of*》. **3** 〖컴퓨터〗 영문자. **—** *vt.* = ALPHABETIZE.

al·pha·bet·ic, -i·cal [æ̀lfəbétik], [-əl] *a.* 알파벳의; 알파벳순의〔을 쓴〕; 〖컴퓨터〗 영문자의: in ~ order 알파벳순으로. [파] **-i·cal·ly** *ad.*

al·pha·bet·ism [ǽlfəbètizəm] *n.* 《우스개》 남녀의 성(性)이 알파벳 순서에 따를 때 뒤에 서게 되는 차별.

al·pha·bet·ize [ǽlfəbətàiz] *vt.* 알파벳순으로 하다; 알파벳으로 표기하다.

álphabet sóup 알파벳 글자 모양의 국수가 든 수프; 《미속어》 (특히 관청의) 약어《FBI 따위》.

álpha-blòcker *n.* 〖약학〗 알파 차단제《알파 수용체의 작용을 저지하는 물질의 총칭》.

Álpha Cen·táu·ri [-sentɔ́ːrai] 〖천문〗 켄타우루스 자리의 알파성(星).

álpha chánnel 〖컴퓨터〗 알파 채널《포토샵에서 이미지를 처리할 때 기본 채널에 추가로 채널을 더 만들어서 이미지 처리에 효과적으로 이용하

는 것》.

álpha decày 〚물리〛 (원자핵의) 알파 붕괴.

àlpha-fetoprótein *n.* 〚생화학〛 알파페토프로테인《양수(羊水) 중의 태아에 의해서만 생성하는 유일한 단백질; 생략: AFP》.

àlpha·geométric *a.* 알파지오메트릭《비디오텍스에 있어서의 영숫자 및 도형의 표현 방법의 하나》.

álpha glóbulin 〚생화학〛 알파글로불린.

álpha-hélix *n.* 〚생화학〛 (단백질 속의 폴리펩티드(polypeptide) 사슬의) 알파 나선. 「안정》.

álpha ìron 〚야금〛 알파철(鐵)《910℃ 이하에서

álpha mále 우두머리 수컷〔남자〕.

al·pha·met·ic [æ̀lfəmétik] *n.* 계산식의 숫자를 문자로 바꿔 놓은 것을 본디 숫자로 되돌리는 퍼즐.

àlpha·numéric, al·pha·mer·ic [æ̀lfəmérik] *a.* 문자와 숫자를 짜맞춘, 영숫자의; 〚컴퓨터〛 수문자의《문자와 숫자를 다 처리할 수 있는, 문자 숫자식(式)의》.

àlpha·numérics *n.* 〖단수취급〗 문자와 숫자(에 의한 표시).

álpha pàrticle 〚물리〛 알파 입자.

álpha·phòtográphic *a.* 알파포토그래픽《비디오텍스에 있어서의 영숫자 및 도형의 표현 방식의 하나》.

álpha ràу 〚물리〛 알파선(線).

álpha recèptor 〚생리〛 알파 수용체.

álpha rhỳthm 〚생리〛 (뇌파의) 알파 리듬.

álpha·scòpe *n.* 알파스코프《컴퓨터 브라운관의 표시 장치》.

álpha stòck 《영》 〚증권〛 알파주(株)《움직임이 가장 활발한 100 내지 200 가지 주식 중 하나》.

álpha tèst 〚심리〛 알파〔A식〕 지능 테스트.

álpha tèsting 〚컴퓨터〛 알파 검사《새 소프트웨어 제품을 개발 회사 자체가 하는 검사》.

álpha wàve 〚생리〛 (뇌파의) 알파파(波).

Al·phe·us [ælfíːəs] *n.* 〚그리스신화〛 알페이오스《강의 신》.

Al·phonse and Gas·ton [ǽlfɑns(z)əngǽstən/-fɔn-] 앨폰스와 개스턴《공연스레 서로 겸손한 두 사람; 미국 F.B. Opper(1857-1937)의 만화에서》.

alp·horn [ǽlphɔ̀ːrn] *n.* = ALPENHORN. 「斑).

al·phos [ǽlfəs] *n.* 〚의학〛 건선(乾癬); 백반(白

al·pho·sis [ælfóusəs] *n.* 〚의학〛 피부 색소 결핍증.

°**al·pine** [ǽlpain, -pin/-pain] *a.* **1** 높은 산의; 극히 높은; 〚생태〛 고산성(高山性)의: an ~ club 산악회 / ~ plants 고산 식물 / the ~ flora 고산 식물상(相). **2** (A-) 알프스 산맥의. **3** (종종 A-) 〚스키〛 알파인의: *Alpine* events 알파인 종목《활강·회전·대회전》. **—** *n.* 고산 식물; 일종의 등산모; (A-) 알프스 인종(인 사람).

Álpine combíned 알파인 복합 경기《스키에서 활강과 회전을 합친 경기 종목》. 「가든.

álpine gárden 암산(岩山) 식물원; 《널리》 록

Álpine róse 〚식물〛 **1** (유럽·아시아산(産)의) 석남(石南). **2** 에델바이스.

álpine-stýle *a., ad.* 〚등산〛 알파인 스타일의〔로〕《특히 히말라야 등의 고산을 완전한 장비를 갖추고 베이스 캠프에서 정상까지 단번에 정복하는 등산 형식》.

al·pin·ism [ǽlpənìzəm] *n.* (종종 A-) 알프스 등산; (일반적으로 높은 산의) 등산.

ál·pin·ist *n.* 등산가; (A-) 알프스 등산가.

al·pra·zo·lam [ælpréizəlæ̀m] *n.* 〚약학〛 알프라졸람《benzodiazepine 계통의 정신 안정제》.

*__Alps__ [ælps] *n. pl.* (the ~) 알프스 산맥.

†**al·ready** [ɔːlrédi] *ad.* **1** 이미, 벌써: I have ~ read the book. 그 책은 벌써 읽었다 / He has ~ gone home. 그는 벌써 집에 돌아갔다.

NOTE 의문문·부정문에서는 Is he back *yet*? (그가 벌써 돌아왔나)라고 함. already 를 쓰면 '이렇게 빨리(thus early)'의 뜻: Is he back *already*? 이렇게 빨리 돌아왔는가(놀랍군).

2 《미구어》 〖초조함을 나타내어〗 지금 곧(right now): Let's start ~. 빨리〔그럼 자〕 출발하자. **3** 〖부정문에서〗 설마 벌써; She isn't up ~, is she? 설마 그녀가 벌써 일어나지는 않았겠지요.

al·right [ɔːlráit] *ad., a.* 《속어》 = ALL RIGHT 《광고·만화에서》.

A.L.S. Automatic Landing System (자동 착륙 장치). **a.l.s.** autograph letter signed (자필 서명의 편지).

Al·sace [ælsǽs, -séis/ælsǽs] *n.* 알사스 《프랑스 북동부의 한 지방으로, 포도주로 유명》.

Álsace-Lorráine *n.* 알사스로렌《프랑스 북동부의 지방으로, 예로부터 독일과 영유권을 다투던 지역》.

Al·sa·tia [ælséiʃə] *n.* **1** 프랑스의 동북부 Alsace 의 옛 이름. **2** 런던의 한 지구《본디 런던 중앙부 Whitefriars 의 속칭; 채무자·범죄자가 도피했던 곳》. **3** 도피 장소, 잠복처; 무법 지대.

Al·sa·tian [ælséiʃən] *a.* Alsace(사람)의; Alsatia 의. **—** *n.* Alsace 사람; Alsatia 의 주민; 독일종 셰퍼드.

ál·sike (**clóver**) [ǽlsaik(-), -sik(-), ɔ́ːl-] 클로버의 일종(구미산(歐美產); 목초》.

Al Si·rat [æ̀lsiráːt] *n.* 〚회교〛 종교의 정도(正道), 코란(Koran)의 올바른 신앙; 천국으로 가는 다리《올바른 자만이 건널 수 있고, 부정한 사람은 밑의 지옥으로 떨어진다 함》.

†**al·so** [ɔ́ːlsou] *ad.* …도 또한, 역시, 똑같이: I ~ went. 나도 갔다 / He saw it ~. 그도 그것을 보았다, 그는 그것도 보았다 / They ~ agreed with me. 그들도 또한 나와 같은 의견이었다 / not only A but ~ B, A뿐만 아니라 B도 역시 《not only 와 but also 의 다음에는 보통 같은 품사의 말이 옴》. SYN. ⇨ TOO. **—** *conj.* 《구어》 그 위에. [◂ all+so]

álso-ràn *n.* 《구어》 (경마에서) 등외로 떨어진 말; 낙선자; 실격 선수; 실패자; 범인(凡人); 하잘것없는 존재.

álso-rúnner *n.* (경기 따위의) 패자(敗者); 지지율이 낮은 후보자. opp *frontrunner*.

alt [ælt] *n., a.* 〚음악〛 알토(의), 중고음(中高音)(의). ***in*** ~ 알토로; 《속어》 의기양양하여, 우쭐하여.

ALT 〚우주〛 approach and landing test(활공 착륙 실험). **ALT, Alt** [ɔːlt] 〚컴퓨터〛 alternate key. **alt.** alternate; altitude; alto.

Al·tai [ǽltai] *n.* **1** = ALTAI MOUNTAINS. **2** 알타이《러시아 공화국의 한 지방》.

Al·ta·ic [æltéiik] *n., a.* 알타이 어족〔사람〕(의); 알타이 산맥의; 알타이 사람(의).

Áltai Móuntains (the ~) 알타이 산맥.

Al·tair [ǽltɛər, -taiər/ǽltɛə] *n.* 〚천문〛 견우성《독수리자리의 주성(主星)》.

Al·ta·mi·ra [æ̀ltəmíərə] *n.* 알타미라《스페인 북부에 있는 동굴; 구석기 시대의 채색한 동물 벽화가 있음》.

*__al·tar__ [ɔ́ːltər] *n.* **1** 제단; 제대(祭臺); (교회의) 성찬대. **2** 계단《건선거(乾船渠)의》. ≒ alter. ***lead*** a woman ***to the*** ~ 여자를 아내로 삼다, (특히 교회에서) 여자와 결혼하다. ㊞ **~·age** [-təridʒ] *n.* 제물; (제단 위에서 행하는 미사의) 사례금.

áltar bòy (미사 따위를 드릴 때의) 사제의 복사(服事).

áltar brèad 성찬용 빵.

áltar clòth 제대포(祭臺布).
áltar of repóse (종종 A- of R-) 〖가톨릭〗 감실(龕室)(repository).
áltar·pìece *n.* 제단의 뒤편·위쪽의 장식《그림·조각·병풍 따위》.
áltar ràil 성체배령대《교회 제단 앞의 난간》.
áltar stòne 제단의 대석; 〖가톨릭〗 (원래 휴대용 제단으로 쓰이던) 성석(聖石).
alt·az·i·muth [æltǽzəməθ] *n.* 〖천문〗 경위의(經緯儀). [◂ *alt*itude+*azimuth*]
*‡***al·ter** [ɔ́:ltər] *vt.* **1** 《~+목/+목+전+명》 (모양·성질 등을) 바꾸다, 변경하다; (집을) 개조하다; (옷을) 고쳐 짓다, (기성복의) 치수를 고치다: ~ one's course 방침을 바꾸다 / ~ a house *into* a store 집을 가게로 개조하다 / That ~*s* the case. 그러면 이야기가 달라진다. SYN. ⇨ CHANGE. **2** 《미구어》 거세(去勢)하다; 난소를 제거하다. — *vi.* 변하다, 바뀌다, 고쳐지다; 일변하다; (사람이) 늙다: ~ for the better 〔worse〕 개선〔개악〕하다, 좋아〔나빠〕지다. ≒altar. ◇ alteration *n.* 파 **àl·ter·a·bíl·i·ty** *n.* **ál·ter·able** *a.* 바꿀〔고칠〕 수 있는.
alter. alteration.
al·ter·ant [ɔ́:ltərənt] *a.*, *n.* = ALTERATIVE.
◇**al·ter·a·tion** [ɔ̀:ltəréiʃən] *n.* C,U **1** 변경, 개변(改變); 개조; (기성복의) 치수 고치기; 〖법률〗 법적 문서의 내용 변경: make an ~ on …을 변경하다. **2** 변화, 변질, 변성(變性). ◇ alter *v.*
al·ter·a·tive [ɔ́:ltərèitiv, -rət-] *a.* 개변(改變)하는; 체질 개선 작용이 있는; 변화를 일으키는; 서서히 회복하는. — *n.* 〖의학〗 변질제(變質劑)《신체 기능을 회복시키는 약》; 체질 개선법.
al·ter·cate [ɔ́:ltərkèit] *vi.* 언쟁〔격론(激論)〕하다. 파 **àl·ter·cá·tion** *n.*
áltered chórd 〖음악〗 변화 화음.
áltered státe of cónsciousness (기도·단식 등으로) 의식 변용(變容) 상태.
al·ter ego [ɔ́:ltərí:gou, -égou, ǽl-/ǽl-] **1** 분신(分身), 또 하나의 자기; 완벽한 대역, 심복. **2** (둘도 없는) 친구. **3** 자기의 다른 면, (객관적으로 본) 또 하나의 자신.
al·ter·i·ty [ɔ:ltérəti, æl-] *n.* 남이라는 것, 남의 것임; 별개임(otherness).
al·ter·nant [ɔ́:ltərnənt, ǽl-/ɔ:ltə́:n-] *a.* 교호(交互)의, 교대의(alternating). — *n.* 〖수학〗 교대함수; 〖언어〗 교체 형식.
*****al·ter·nate**[1] [ɔ́:ltərnət, ǽl-/ɔ:ltə́:n-] *a.* **1** 번갈아 하는, 교호(交互)의, 교체〔교대〕의: ~ hope and despair 일희일우(一喜一憂) / a week of ~ snow and rain 눈과 비가 번갈아 내린 한 주간. **2** 서로 엇갈리는, 하나 걸러의: on ~ days 하루 걸러, 격일로. **3** 〖식물〗 호생(互生)의: ~ leaves 호생엽(互生葉), 어긋나기잎. **4** 〖전기〗 교류의; (회로 등이) 우회한. **5** 《미속어》 부(副)의, 대리의. — *n.* 《미》 (미리 정해 놓은) 대리인, 교체자; 보결, 보충 요원; 대역(代役); 더블 캐스트; 〖컴퓨터〗 교체. 파 ◇**~·ly** *ad.* 번갈아, 교대로; 하나 걸러. **~·ness** *n.*
*****al·ter·nate**[2] [ɔ́:ltərnèit, ǽl-/ɔ́:l-] *vi.* **1** 《~/+전+명》 번갈아 일어나다〔나타나다〕, 교체〔교대〕하다; 엇갈리다《*with; between*》: Joy and grief ~ *in* my breast. = I ~ *between* joy and grief. 내 심중은 희비가 엇갈리고 있다 / Day ~*s with* night. 낮과 밤이 번갈아 온다 / ~ *between* laughter and tears 웃다가 혹은 울다가 하다. **2** 〖전기〗 교류하다. — *vt.* 《~+목/+목+전+명》 교체〔교대〕시키다; 번갈아〔갈마들어〕 사용하다: ~ encouragement and 〔*with*〕 caution 원기를 북돋우거나 주의하거나 하다.
álternate ángles 〖수학〗 엇각.
álternate hóst 〖생태〗 대체 숙주(代替宿主).
álternate kéy 〖컴퓨터〗 교체 키, 알트 키.
álternate róute 〖컴퓨터〗 교체 경로《데이터 통신에서 주경로의 접속이 불가능할 때 쓰는 부경로》.
ál·ter·nàt·ing *a.* 교호의; 〖전기〗 교류의.
álternating cúrrent 〖전기〗 교류《생략: A.C., a.c.》.
álternating gróup 〖수학〗 교대군(群).
álternating líght 〖해사〗 호광(互光)《여러 가지 색을 연속해서 번갈아 비추는 신호등》.
álternating personálity 〖심리〗 교대성 인격《다중 인격의 한 가지 형태》.
álternating séries 〖수학〗 교대 급수(級數).
àl·ter·ná·tion *n.* U,C 교호, 교대, 교체; 하나 거름; 〖수학〗 교대 수열(數列); 〖전기〗 교번, 교류. **~ *of generations*** 〖생물〗 세대 교번.
*****al·ter·na·tive** [ɔ:ltə́:rnətiv, æl-/ɔ:l-] *n.* **1** (보통 the ~) (둘 중, 때로는 셋 이상에서) 하나를 택할 여지: You have the ~ *of* fruit or cake. 과일이든 과자든 좋다《양쪽 다는 안 됨》. **2** 대안, 달리 택할 길, 다른 방도: The ~ *to* riding is walking. 차가 싫으면 걷는 수밖에 없다. **3** (*pl.*) (하나를) 선택해야 할 양자, 양자〔삼자〕 택일: The ~*s* are death and submission. 죽음이냐 항복이냐 둘 중의 하나다. — *a.* **1** 양자〔삼자〕 택일의: the ~ courses of life or death 생사의 두 갈림길. **2** 대체되는, 대신의; 달리 택할: an ~ plan 대안 / ~ energy sources = ~ sources of energy 대체 에너지원 / We have no ~ course. 달리 수단이 없다. **3** 전통적〔관례적〕이 아닌; 새로운: an ~ newspaper 신문에 대한 개념을 바꿔 놓게 될 신문. ◇ alternate *v.* 파 **~·ly** *ad.* 양자택일로; 대신으로. **~·ness** *n.*
altérnative bírthing 또 하나의 출산법《기구나 진정제를 쓰지 않는 분만법》.
altérnative cómedy 올터너티브 코미디《기존의 형식에서 탈피한 블랙 유머, 초현실주의, 공격성 등의 여러 요소를 내용으로 하는 코미디》.
altérnative conjúnction 〖문법〗 선택 접속사《or, either ... or 등》.
altérnative defénse 대체 방위《위협이 아닌 신뢰에 의한 안전 보장; 우선적으로는 핵무기 철폐, 다음 단계로 무기의 철폐》.
altérnative énergy 대체 에너지《태양력·풍력·파력(波力) 등 에너지의 총칭》.
altérnative hypóthesis 〖통계〗 대립 가설《귀무(歸無) 가설(null hypothesis)이 부정된 경우에 용인되는 가설》.
altérnative médicine 대체 의료(alternative therapy)《근대 의학의 통상 의료에 대하여 오스테오파티(osteopathy)·호메오파티(homeopathy)·약초 섭취·운동 등 주변적 의료법》.
altérnative músic 전자 악기의 기계적인 음·잡음을 강조하여 구성하는 록 음악의 총칭.
altérnative quèstion 선택 의문(문)《보기: Is this a pen or a pencil?》.
altérnative schòol 대안(代案) 학교《현행 교육 시스템에 만족하지 않고, 종래와 다른 조직·목적·교육 방법을 가진 학교의 총칭》.
altérnative socíety (the ~) 별(別)사회《현사회와 다른 질서와 가치관을 갖는 이질적 사회》.
altérnative technólogy 대체 기술《대체 에너지를 사용하기 위한 기술; 또, 소규모로 단순한 재료를 쓰는 기술》.
al·ter·na·tor [ɔ́:ltərnèitər, ǽl-/ɔ́:l-] *n.* 〖전기〗 교류 전원, 교류(발전)기.
al·thea [ælθí:ə] *n.* 〖식물〗 접시꽃속(屬)의 식물; 무궁화.
al·tho [ɔ:lðóu] *conj.* 《미》 = ALTHOUGH.
alt·horn [ǽlthɔ̀:rn] *n.* 〖음악〗 알토호른(alto

horn)《고음(高音)의 취주악기용 금관악기》.

†**al·though** [ɔːlðóu] *conj.* 비록 …일지라도, …이긴 하지만, …이라 하더라도, …한들: *Although* he is rich, he is not happy. 그는 부자지만 행복하지는 않다 / He is active ~ he is very old. 그는 늙었으나 정력이 왕성하다.

> NOTE (1) although는 though와 같은 뜻이지만, 격식 갖춘 어구로 주절에 앞서는 절에 흔히 쓰이며, as though, even though, what though…? 따위의 관용구 중의 though 대신으로는 쓸 수 없음.
> (2) 구어적으로 '그렇지만'을 문미에 둘 때에는 although는 쓸 수 없음: It's very good.— It's expensive, *though*. 아주 좋다 — 그렇지만 비싸다.
> (3) although가 이끄는 절과 주절의 주어가 같을 때에는 그 주어와 be 동사를 생략하는 수도 있음: *Although* old, he's quite strong.
> (4) although, though가 이끄는 절이 문두에 올 때, 그 뜻을 강조하거나 관계를 명확하게 하기 위하여 yet를 쓸 수 있음: *Although* I've not known him long, *yet* have I come to admire him. 오래 사귀지는 않았지만 그러나 그에게 나는 감복했다.

Al·thus·ser [áːltuːsər] *n.* **Louis ~** 알튀세르《프랑스의 구조주의적 마르크스주의의 대표적 사상가; 1918–90》.

al·ti·graph [ǽltəgræ̀f, -grɑ̀ːf] *n.* 자동 고도(高度) 표시기.

al·tim·e·ter [æltímətər, ǽltəmìːtər/ǽltimìːtə] *n.* 고도계. ㊞ **al·tim·e·try** [æltímətri] *n.* Ⓤ 〖천문〗 측고법(測高法), 고도 측정법.

al·ti·plane [ǽltəplèin], **al·ti·pla·no** [æ̀ltəplɑ́ːnou] (*pl.* **~s**) *n.* 고원, 높은 대지(臺地).

al·tis·si·mo [æltísəmòu] *a.* 〖음악〗 (음조가) 가장 높은. ── *n.* 〖다음 관용구로〗 ***in ~*** 알티시모로《in alt 보다 훨씬 높은 옥타브》.

◇**al·ti·tude** [ǽltətjùːd/-tjùːd] *n.* Ⓤ,Ⓒ **1** (산·비행기 따위의 지표에서의(해발의)) 높이, 고도, 표고(標高); 수위(水位): an ~ flight (record) 고도 비행(기록) / at an (the) ~ of = at ~s of …의 고도로. **2** (보통 *pl.*) 높은 곳, 고지, 고소: mountain ~s 높은 산마루. **3** 《비유》 높은 지위 (계급). **4** 〖수학〗 수직거리; 높이.

áltitude chàmber 〖항공〗 감압실(減壓室); 고도 실험실; 고공 실험실. 「(sundial).

áltitude dìal (태양의 높이에 의한) 해시계

áltitude sìckness 고공(고산)병.

al·ti·tu·di·nal [æ̀ltətjúːdənəl/-tjúːd-] *a.* 고도(표고(標高))의.

ÁLT (**Ált**) **kèy** [ɔ́ːlt-] 〖컴퓨터〗 알트 키, 교체키(alternate key).

al·to [ǽltou] (*pl.* **~s**) *n., a.* 《It.》 〖음악〗 알토(의), 중고음(中高音)《남성 최고음(부), 여성 저음(부)》; 알토 가수(악기).

al·to- [ǽltou, -tə] '높은·고도'란 뜻의 결합사.

álto clèf 〖음악〗 알토 음자리표《제 3 선의 '다' 음자리표; C clef》.

àlto·cúmulus (*pl.* **-li** [-lài]) *n.* 〖기상〗 고적운, 높쌘구름《기호: Ac》.

álto flúte 〖악기〗 알토 플루트《보통 플루트보다 완전 4도 낮은 음이 있는 대형 플루트》.

al·to·geth·er [ɔ̀ːltəgéðər, ⌐-⌐-] *ad.* **1** 아주, 전혀, 전연(entirely): ~ bad 아주 나쁜 / The troop was ~ destroyed. 부대는 전멸했다. **2** 전부, 합계하여: How much ~? 전부 얼마나. **3** 대체적으로, 전체적으로, 대략: That is *not* ~ false. 전혀 거짓말만은 아니다. ★ not와 함께 쓰면 부분부정이 된다. **4** 일괄하여, 요컨대: *Altogether*, I see nothing to regret. 결국에 있어 유감스러운 점은 아무 것도 없다. ***taken ~*** 전체로 보아, 대략, 요컨대. ── *n.* Ⓤ 전체, 전체적인 효과; (the ~) 《구어》 나체, 벌거숭이. ***in the ~*** 나체로, 알몸뚱이로: swim *in the* ~ 알몸뚱이로 헤엄치다. ★ 같은 뜻의 익살스러운 표현으로 in one's birthday suit 가 있다.

álto hórn = ALTHORN. 「TER.

al·tom·e·ter [æltɑ́mətər/-tɔ́m-] *n.* = ALTIME-

álto-relíevo (*pl.* **~s**) *n.* 두드러진 양각(陽刻), 높은 돋을새김(high relief). opp. *basso-relievo*.

àlto·strátus (*pl.* **-ti** [-tai]) *n.* 〖기상〗 고층운, 높층구름《기호: As》.

al·tri·cial [æltríʃəl] *a., n.* 부화 직후에는 잠시 어미새가 돌봐야 하는 (새).

al·tru·ism [ǽltruːìzəm] *n.* Ⓤ 애타(愛他)(이타)주의. opp. *egoism*.

ál·tru·ist *n.* 애타(이타)주의자. opp. *egoist*.

al·tru·is·tic [æ̀ltruːístik] *a.* 이타주의의, 애타적인. ㊞ **-ti·cal·ly** *ad.*

ALU 〖컴퓨터〗 arithmetic and logic unit(산술(算術) 논리 장치).

al·u·la [ǽljələ] (*pl.* **-lae** [-lìː]) *n.* 새의 작은 날개(깃).

al·um[1] [ǽləm] *n.* Ⓤ 〖화학〗 명반(明礬); 황산알루미늄. 「NA.

alum[2] [əlʌ́m] *n.* 《미속어》 = ALUMNUS; ALUM-

alum. 《미》 aluminum, 《영》 aluminium.

alu·mi·na [əlúːmənə] *n.* Ⓤ 〖화학〗 알루미나, 반토(礬土), 산화알루미늄.

alúmina cemènt 알루미나 시멘트《bauxite를 다량 함유하여 빨리 굳는 시멘트》.

alu·mi·nate [əlúːmənət, -nèit] *n.* 〖화학〗 알루민산염(酸塩); 〖광물〗 알루미나와 화합한 금속산화물. 「= WEBSTERITE.

alu·mi·nite [əlúːmənàit] *n.* 반토석(礬土石);

◇**al·u·min·i·um** [æ̀ljəmíniəm] *n.* Ⓤ 《영·Can.》 = ALUMINUM.

alu·mi·nize [əlúːmənàiz] *vt.* 알루미늄을 입히다, 알루미늄으로 처리하다; (플라스틱 필름·종이 등을) 알루미늄박(箔)에 붙여 밀착시키다.

alu·mi·no·sil·i·cate [əlùːmənousílikət, -nə-] *n.* 알루미노 규산염(珪酸塩).

alu·mi·nous [əlúːmənəs] *a.* 명반(明礬)의(을 함유하는); 반토(礬土)의(를 함유하는); 알루미늄의(을 함유하는).

***alu·mi·num** [əlúːmənəm] *n.* 《미》 〖화학〗 알루미늄《금속원소; 기호 Al; 번호 13》. ── *a.* 알루미늄의; 알루미늄제의(을 함유한). 「미늄.

alúminum ácetate 〖화학〗 초산(酢酸) 알루

alúminum bràss 〖야금〗 알루미늄 황동.

alúminum brònze 알루미늄 청동(= **alúminum gòld**)《알루미늄과 구리의 합금》.

alúminum fòil 알루미늄박(箔), 알루미늄 포일.

alúminum nítrate 〖화학〗 질산알루미늄.

alúminum óxide = ALUMINA.

alúminum súlfate 〖화학〗 황산알루미늄.

alum·na [əlʌ́mnə] (*pl.* **-nae** [-niː]) *n.* 《L.》 《주로 미》 = ALUMNUS의 여성형.

alum·nus [əlʌ́mnəs] (*pl.* **-ni** [-nai]) *n.* 《L.》 학생; 《미》 (특히 대학의) (남자) 졸업생, 동창생, 교우(校友), (학교) 선배: an *alumni* association 동창회.

> NOTE (1) alma mater '기른 어머니 → 모교'에 대하여 alum*nus* '길린 (남자) 아이'.
> (2) 남녀 혼성의 졸업생의 경우는 남자의 복수형 alumni를 씀.

al·um·root [ǽləmrùːt] *n.* 〖식물〗 범의귓과 식물.

al·u·nite [ǽljənàit] *n.* Ⓤ 〖광물〗 명반석(明礬石)(= **álum·stòne**).
al·ure [ǽljuər, ǽljər] *n.* (수도원 따위의) 복도, 낭하(gallery).
al·u·ta·ceous [æ̀ljətéiʃəs] *a.* **1** 〖동물〗 (주름이 있는) 담갈색 피부의. **2** 담갈색의, 피부색의.
al·ve·o·la [ælví:ələ/-víə-] (*pl.* **-lae** [-lì:]) *n.* 〖동물〗 포(胞)《기관 표면의 미세한 공동(空洞)》.
al·ve·o·lar [ælví:ələr/-víə-] *a.* 〖해부〗 치조(齒槽)의; 폐포(肺胞)의; 〖동물〗 포상(胞狀)의; 〖음성〗 치경(齒莖)(음)의: ~ arch 치경/~ consonants 치경음《[t, d, n, s, z] 등》/~ ridge 치조 돌기〔융선(隆線)〕. ― *n.* 〖음성〗 치경음; 〖해부〗 치조; 치조 돌기.
alvéolar póint 〖해부〗 치조점(齒槽點).
al·ve·o·late [ælví:ələt, -lèit/-víə-] *a.* 〖해부〗 소와(小窩)〔폐포, 소포(小胞)〕가 있는; 포상(胞狀)의; 벌집 모양의, 작은 구멍이 많은; 기포가 있는. ㊞ **al·vè·o·lá·tion** *n.* 봉와상〔성〕(蜂窩狀〔性〕).
al·vé·o·lo·plàsty, ál·veo·plàsty [ælví:əlou-/-víə-], [ǽlviou-] *n.* 〖치과〗 치조(齒槽) 형성술.
al·ve·o·lus [ælví:ələs/-víə-] (*pl.* **-li** [-lài]) *n.* (벌집 모양의) 작은 구멍; 〖해부〗 치조(齒槽); 폐포(肺胞); 〖동물〗 포(胞); (*pl.*) 치경(齒莖)《윗앞니 잇몸의 안쪽》.
al·ve·o·pal·a·tal [ælvioupǽlətl] *n.*, *a.* 〖음성〗 치경경구개음(齒莖硬口蓋音)(의).
Al·vin [ǽlvin] **1** 남자 이름. **2** (때로 a-) 《미속어》 잘 속는 사람; 봉. **3** 앨빈《미국의 유인 잠수정》.
al·vine [ǽlvin, -vain] *a.* 아랫배의, 장(腸)의, 창자의.
alw. allowance.
al·way [ɔ́:lwei] *ad.* 《고어·시어》 = ALWAYS.
†**al·ways** [ɔ́:lweiz, -wiz, -wəz] *ad.* **1** 늘, 언제나, 항상; 전부터(항상): She ~ works hard. 그녀는 언제나 열심히 일한다/He is ~ busy. 그는 언제나 바쁘다/*Always* tell the truth. 언제나 진실을 말하시오. **2** 언제까지나, 영구히: He will be remembered ~. 그는 길이 기억에 남을 것이다. **3** 《진행형과 함께》 줄곧, 노상, 끊임없이: She is ~ smiling. 그녀는 항상 생글거린다/He is ~ grumbling. 그는 노상 투덜대고 있다.

> NOTE always 는 '평소의 습관'을 나타내므로 일반적으로 진행형은 피하는 것이 보통이나 위의 예문에서처럼 continually (줄곧〔끊임없이〕 …하다)와 같은 뜻일 때에는 진행형과 함께 쓰인다. 대개 이 경우는 말하는 이의 감정이 내포되는 뜻이 된다.

4 《구어》 언제라도, 언제건: There is ~ the hospital. 만일의 경우엔 병원이란 곳이 있잖아〔병원에만 가면 돼〕.

> NOTE (1) 다음 차이에 주의: always '늘, 항상, 언제고, 언제나'《예외를 예상치 않음》, usually '보통은, 대개는, 여느 때는'《예외를 예상》: He *always* comes in time. 그는 언제나 때맞추어 온다. ≒He *usually* comes in time (, but today he had a trouble on his way). 그는 여느 때 같으면 제 시간에 오는 것이 보통이다(그런데, 오늘은 도중에 사고가 있었던 것이다).
> (2) always ≒all ways: *All ways* have been tried. 모든 방법이 시도되었다.

almost* 〔*nearly*〕 ~** 거의 언제나, 대개: His answer is *almost* 〔*nearly*〕 ~ correct. 그의 답은 대개의 경우 맞는다. ★ usually 에 가까움. **~ *excepting 〖법률〗 단, 다음의 경우를 제외하고는; 단 …은 차한에 부재함. **~ *granting*** 〖법률〗 단, 다만…. **~ *provided*** 〖법률〗 단 …은 차한에 부재함. ***not ~ …*** 반드시 …은 아니다〔…라고는 할 수 없다〕《부분 부정》: The rich are *not* ~ happy. 부자라고 해서 반드시 행복하다고는 할 수 없다.

> NOTE not necessarily 와 서로 바꿔쓸 수 있는 경우가 많으나, 본래 다음의 차가 있음: not necessarily… 반드시〔무조건, 덮어놓고〕 …이라고는 할 수 없다: I *don't* say your idea is *necessarily* wrong. 당신 생각이 덮어놓고 글렀다는 것은 아니다《'조건 여하에 따라서는 타당할지도 모르지만' 따위》. ≒not always… 언제나 …라고는 할 수 없다: I *don't* say your idea is *always* wrong. 당신 생각이 언제나 틀렸다고는 않는다.

al·yo [ǽljou] *n.* 《미속어》 **1** 늘 정해진 일. **2** 평온한 상태; 차분한 사람. **3** 매수, 증회(贈賄), 뇌물(fix).
alys·sum [əlísəm/ǽlis-] *n.* 〖식물〗 알리섬뜰냉이《겨잣과의 1 년생 식물》.
Álz·hei·mer's disèase [á:ltshàimərz-, ǽl-, ɔ́:l-] 알츠하이머병《노인에게 일어나는 치매; 뇌동맥 경화증·신경의 퇴화를 수반함》.
†**am** [æm: 약 əm, m] BE 의 1 인칭·단수·직설법·현재. ★ 발음: I am [aiəm, aiǽm], I'm [aim]; am not [ǽm-nát, əm-nát].
‡**a.m., A.M.** [éiém] 오전《*ante meridiem* 《L.》 (= before noon)의 간약형》: at 4 *a.m.* 오전 4 시에/Business hours, 10 *a.m.*-5 *p.m.* 영업시간은 오전 10시부터 오후 5시까지《읽는 법은 ten a.m. to five p.m.이라고 읽음》. ★ 보통 소문자를 쓰고 반드시 숫자의 뒤에 놓임. ㊀ p.m., P.M.
Am 〖화학〗 americium. **AM, A.M.** 〖전기〗 amplitude modulation. **Am.** America(n). **A.M.** *Artium Magister* 《L.》 (= Master of Arts). ★ M.A. 라고도 함. **A.M.A., AMA** American Management Association (미국 경영자 협회); American Marketing Association (미국 마케팅 협회); American Medical Association; American Motorcyle Association.
ama·dan [á:mədɔ̀:n] *n.* 《Ir.》 바보, 멍청이.
am·a·da·vat [æ̀mədəvǽt] *n.* (인도산(産)) 작은 새의 일종《애완용》.
am·a·dou [ǽmədù:] *n.* Ⓤ 말굽버섯과의 버섯으로 만든 해면상(海綿狀) 물질《부싯깃·지혈 따위에 씀》.
amah [á:mə, ǽmə] *n.* 《Ind.》 유모(wet nurse), 아이 보는 여자; 하녀(maid).
amain [əméin] *ad.* 《고어·시어》 힘을 주어, 힘껏; 전속력으로; 급히; 매우, 심히.
Amal [əmá:l] *n.* 아말《레바논의 이슬람교 시아파의 무장 조직》.
amal·gam [əmǽlgəm] *n.* Ⓤ,Ⓒ **1** 〖화학〗 아말감《수은에 다른 금속을 섞은 것》. **2** 아말감광(鑛). **3** 혼합물; 합성물: an ~ of hope and fear 희망과 불안의 교착(交錯).
amal·ga·mate [əmǽlgəmèit] *vt.*, *vi.* **1** (회사 등을) 합병〔합동〕하다; (이(異)종족·사상 등을) 융합〔혼교, 혼합〕하다: ~ two classes *into* one 두 학급을 합병하다/~ A *with* B, A와 B를 합병하다. **2** 아말감화(化)하다. ㊞ **-ga·ma·ble** [-gəməbəl] *a.*
amàl·ga·má·tion *n.* Ⓤ,Ⓒ **1** (회사·사업의) 합동, 합병. **2** 아말감 제련(법). **3** 〖인류〗 이인종(異人種)의 융합; 《미》 흑인과 백인과의 혼혈.
amal·ga·ma·tive [əmǽlgəmèitiv] *a.* 합동적인, 혼합〔융합〕하기 쉬운.
amal·ga·ma·tor [əmǽlgəmèitər] *n.* 합병

자; 혼홍기(混汞機)(를 조작하는 사람).

aman·dine [ɑ̀ːmændíːn, æ̀mən-/əmǽndain] *a.* 아몬드가 들어 있는; 아몬드를 곁들인.

am·a·ni·ta [æ̀mənáitə, -níːtə] *n.* 독버섯의 일종.

aman·ta·dine [əmǽntədìːn] *n.* 〖약학〗 애먼타딘《항(抗)바이러스 약》.

aman·u·en·sis [əmæ̀njuénsis] (*pl.* **-ses** [-siːz]) *n.* 《L.》 필기자, 사자생(寫字生); 서기; 비서.

am·a·ranth [ǽmərænθ] *n.* 《시어》 (공상상의) 시들지 않는 꽃, 영원한 꽃; 〖식물〗 비름속(屬)의 식물《특히 당비름》; 자줏빛. ㊎ **am·a·ran·thine** [æ̀mərǽnθin, -θain] *a.* 시들지 않는; 불사(不死)의; 당비름의; 자줏빛의.

am·a·relle [æ̀mərél] *n.* 몹시 신 양버찌.

am·a·ret·to [æ̀mərétou, ɑ̀ːm-] (*pl.* **~s**) *n.* 아마레토《아몬드 맛이 나는 이탈리아 리큐어》.

am·a·ryl·lis [æ̀mərílis] *n.* **1** 〖식물〗 아마릴리스 《석산과(科)의 관상식물》. **2** (고전 · 전원시에 나오는) 양치는 소녀, 시골 처녀.

amass [əmǽs] *vt.* (긁어) 모으다; (재산을) 축적하다; 쌓다: ~ a fortune 재산을 모으다. ── *vi.* 〖시어〗 모이다; 집합하다. ㊎ **~·er** *n.* 축적자. **~·ment** *n.* Ⓤ,Ⓒ 축적(蓄積); 축재.

Á-mátch *n.* 에이매치《국가 간 공인 축구 경기》.

‡am·a·teur [ǽmətʃùər, -tʃər, -tər, æ̀mətə́ːr] *n.* 아마추어, 직업적이(프로가) 아닌 사람《*at*; *in*》; 애호가《*of*》, 호사가; 미숙한 사람. OPP. *professional.* ¶ an ~ *of* the cinema 영화 팬 / an ~ *at* music 아마추어 음악가. ── *a.* **1** 아마추어의, 직업적이 아닌: ~ performance (theatricals) 아마추어 연예(연극). **2** = AMATEURISH.

ámateur dramátics 소인극(素人劇).

am·a·teur·ish [æ̀mətʃúəriʃ, -tʃə́ːr-, -tjúər-, -tə́ːr-] *a.* 아마추어 같은(다운); 서투른. ㊎ **~·ly** *ad.* **~·ness** *n.*

am·a·teur·ism [ǽmətʃuərìzəm, -tʃər-, -tjuər-, æ̀mətə́ːrizəm] *n.* Ⓤ 아마추어 솜씨; 도락; 아마추어의 입장(자격).

ámateur nìght 《미속어》 아마추어 연극의 밤; 프로답지 않은 실수(서투름); 어쩌다가 만난 여성과의 섹스.

ámateur sàtellite ⇨ AMSAT.

Ama·ti [ɑːmɑ́ːti, əm-] *n.* 《It.》 아마티. **1** **Nicolo** ~ 이탈리아 Cremona의 바이올린 제작자《Antonio Stradivari의 스승; 1596–1684》. **2** 아마티가(家) 제작의 바이올린.

am·a·tive [ǽmətiv] *a.* 연애의; 호색적인; 다정한. ㊎ **~·ly** *ad.* **~·ness** *n.*

am·a·tol [ǽmətɔ̀ːl, -tɑ̀l/-tɔ̀l] *n.* 아마톨 폭약《질산암모늄과 TNT 화약의 혼합물인 무연폭약》.

am·a·to·ri·al, am·a·to·ry [æ̀mətɔ́ːriəl], [ǽmətɔ̀ːri/-təri] *a.* 연애의; 호색적인; 섹시한, 색욕적인.

am·au·ro·sis [æ̀mɔːróusis] *n.* Ⓤ 〖의학〗 흑내장(黑內障), 청맹과니. ㊎ **àm·au·rót·ic** [-rɑ́tik/-rɔ́t-] *a.*

amaurótic ídiocy 〖의학〗 흑내장(黑內障)(성) 백치《시력 감퇴(실명) · 치매를 특징으로 하는 유전성 질환》.

‡amaze [əméiz] *vt.* 깜짝 놀라게 하다, 아연케 하다, 자지러지게 하다: be ~*d* to find (to hear) (…을) 보고(듣고) 크게 놀라다 / ~ a person *by* (*with*) …로 아무를 놀래다 / be ~*d at* …에 깜짝 놀라다, …에 아연하다. SYN. ⇨ SURPRISE. ── *n.* 《고어》 = AMAZEMENT.

amázed *a.* 깜짝 놀란. ㊎ **amáz·ed·ly** [-zidli] *ad.* 아연하여. **~·ness** [-zidnis] *n.*

***amaze·ment** [əméizmənt] *n.* Ⓤ 깜짝 놀람, 경악; 《고어》 혼란, 망연자실: be struck (filled) with ~ …로 깜짝 놀라다 / in ~ 놀라서, 어처구니 없어서 / to one's ~ 놀랍게도.

***amaz·ing** [əméiziŋ] *a.* 놀랄 정도의, 어처구니없는, 굉장한(astonishing). ㊎ **~·ly** *ad.* 놀라리 만큼, 기막힐 정도로.

Am·a·zon [ǽməzɑ̀n, -zən/-zən] *n.* **1** 〖그리스전설〗 아마존《흑해 근방의 땅 Scythia에 살았다는 용맹한 여인족》; (종종 a–) 여장부; 여걸; (종종 a–) 사나운 계집. **2** (the ~) 아마존 강《남아메리카의》; (a–) (라틴 아메리카산(産)의) 앵무새.

Ámazon ánt 〖곤충〗 불개미의 일종《유럽 · 미국산》.

Am·a·zo·nia [æ̀məzóuniə] *n.* 아마조니아《남아메리카 북부의 Amazon강 유역의 총칭》.

Am·a·zo·ni·an [æ̀məzóuniən] *a.* 아마존 강 유역의; 아마존족(族)과 같은; (a–) (여성이) 남자 못지 않은, 호전적인, 난폭한.

am·a·zon·ite [ǽməzənàit] *n.* 〖광물〗 천하석(天河石), 아마조나이트(= **ám·a·zon·stòne**)《녹색 장석(長石)의 일종; 장식용의 준(準)보석》.

Amb. ambassador.

am·ba·ges [æmbéidʒiːz] *n. pl.* 《고어》 **1** 우회적인 방식; 우회적으로 하는 말. **2** 꼬불꼬불한 길; 우회로.

am·ba·gious [æmbéidʒəs] *a.* 굽이굽이 돈; 에두른; 넌지시 둘러서 하는.

am·bas·sa·dor** [æmbǽsədər] *n.* 대사; 대표, 사절, 특사《*to*》: the American ~ *to* Korea 주한 미국 대사 / an ~ of peace 평화 사절 / be appointed ~ *to* the U.S. 주미 대사로 임명되다 / an ordinary (a resident) ~ 대사, 주재대사. ***an ~ extraordinary and plenipotentiary 특명전권 대사. ***a roving ~*** 순회 대사(ambassador-at-large).

ambássador-at-lárge *n.* 《미》 순회(무임소) 대사, 특사.

am·bas·sa·do·ri·al [æmbæ̀sədɔ́ːriəl] *a.* 대사의; 사절의.

am·bas·sa·dor·ship [æmbǽsədərʃìp] *n.* Ⓤ ambassador의 직(지위, 임기).

am·bas·sa·dress [æmbǽsədris] *n.* 여자 대사(사절); 대사 부인.

Am·bed·kar [ɑːmbédkɑːr] *n.* **Bhimrao Ramji** ~ 암베드카《인도의 정치가 · 법률가; 불가촉 천민 출신으로 그 해방 운동의 지도자; 초대 법무장관(1947–51); 1893–1956》.

am·beer [ǽmbiər] *n.* 《미남부 · 중부》 = TOBACCO JUICE.

am·ber [ǽmbər] *n.* Ⓤ 호박(琥珀); 호박색; 황갈색; (교통신호의) 황색 신호: shoot the ~ 《영속어》 노랑 신호에서 빨강 신호로 바뀌기 전에 쏜살같이 달리다. ── *a.* 호박제(製)의; 호박색의; 황갈색의.

am·ber·gris [ǽmbərgrìːs, -gris] *n.* Ⓤ 용연향(龍涎香)《향수 원료》.

am·ber·i·na [æ̀mbəríːnə] *n.* 호박 유리《19세기 후기의 미국산 공예 유리》.

am·ber·ite [ǽmbəràit] *n.* Ⓤ 앰버라이트《입상 무연화약》.

am·ber·jack [ǽmbərdʒæ̀k] *n.* 〖어류〗 방어 · 잿방어류(類).

am·ber·oid [ǽmbərɔ̀id] *n.* 인조 호박(琥珀).

am·bi- [ǽmbi, -bə] *pref.* '양쪽, 둘레' 따위의 뜻: *ambi*dextrous.

am·bi·ance [ǽmbiəns] (*pl.* **-anc·es**) *n.* **1** 주변의 모양, 분위기. ★ 때로는 '고급스런'의 뜻을 풍김. **2** 주위, 환경, 외계(ambience). **3** 〖미술〗 앙비앙스《주제의 효과를 높이기 위해 여러 부가물을 첨부함》. [◀《F.》 <ambiant 에두르다]

am·bi·dex·ter [æ̀mbidékstər] *a.* 양손잡이의; 손재주가 비상한; 두 마음을 품은, 두길마보기의. **—** *n.* 양손잡이; 두 마음이 있는 사람, 두길마보는 사람. ㊎ **àm·bi·dex·tér·i·ty** [-térəti] *n.* Ⓤ 양손잡이; 비범한 손재주; 표리부동.

am·bi·dex·trous [æ̀mbidékstrəs] *a.* 양손잡이의; 빼어나게 잘 하는; 표리가 있는; 《속어》 = BISEXUAL.

am·bi·ence [ǽmbiəns] *n.* =AMBIANCE.

am·bi·ent [ǽmbiənt] *a.* 주위의, 환경의; 빙 에두른, 에워싼: the ~ air 주위의 공기 / ~ temperature 주위의 온도.

ámbient áir stàndard 대기오염 허용한도.

ámbient músic 환경 음악.

ámbient nóise 환경〔주변〕소음《어느 지역의 소음의 총량》.

am·bi·gu·i·ty [æ̀mbigjú:əti] *n.* Ⓤ 애매〔모호〕함, 불명료함; 다의(多義); Ⓒ 모호한 표현.

*****am·big·u·ous** [æmbígjuəs] *a.* 애매〔모호〕한, 분명치 않은, 알쏭달쏭한, 불명료한, 두〔여러〕 가지 뜻으로 해석되는. ㊎ **~·ly** *ad.* **~·ness** *n.*

àmbi·láteral *a.* 양면의, 양쪽의; 양쪽에 관한.

am·bi·po·lar [æ̀mbipóulər] *a.* 〖물리〗 (동시) 이극성(二極性)의.

am·bi·sex·trous [æ̀mbisékstrəs] *a.* 《미》 (복장 등이) 남녀 공통의(unisex); 남녀 혼합의; 남녀의 구별이 안 되는.

àmbi·séxual *a.* =BISEXUAL.

am·bi·son·ics [æ̀mbisániks/-sɔ́n-] *n.* 앰비소닉스《음파의 방향감을 내는 고충실도 재생》.

am·bi·syl·lab·ic [æ̀mbisilǽbik] *a.* 〖언어〗 양(兩)음절에 걸치는.

am·bit [ǽmbit] *n.* 《문어》 (종종 *pl.*) **1** (행동·권한·영향력 따위의) 범위, 영역(sphere); 경계선. **2** 구내, 구역; 주변 지역.

àmbi·téndency *n.* 〖심리〗 반대 경향 공존(共存); 양립〔양가(兩價)〕 경향.

******am·bi·tion** [æmbíʃən] *n.* **1** Ⓤ,Ⓒ 대망, 야심, 야망《*for*; *to* do 〔*be*〕》; 공명심, 권리욕: high ~*s* 큰 뜻, 대망 / an ~ *for* political power 정권에 대한 야심 / be filled with ~ 야망에 불타고 있다 / fulfill one's ~*s* 대망을 실현하다, 야망을 이루다. **2** Ⓒ 큰 뜻, 향상심, (일의) 의욕; 패기, 정력. **3** Ⓒ 야심의 대상〔목표〕: The crown was his ~. 왕위가 그의 야망의 표적이었다. **4** 《미구어》 악의, 원한. **—** *vt.* 《구어》 열망하다. ㊎ **~·less** *a.*

******am·bi·tious** [æmbíʃəs] *a.* **1** 대망을 품은, 야심있는《*for*》: ~ politicians 야심만만한 정치가 / Boys, be ~! 소년들이여, 야망을 품어라. **2** 야심적인, 대규모의《일 따위》: an ~ film 야심적인 영화. **3** 〔서술적〕 열망하는, (…을 얻으려는) 야심이 있는《*of*; *for*; *to* do》: be ~ *to* succeed 성공하기를 열망하다 / be ~ *of* …을 열망하고 있다. **4** (문체 등이) 거창한, 화려한: an ~ style 화려한 문체. ㊎ **~·ly** *ad.* **~·ness** *n.*

am·biv·a·lence [æmbívələns] *n.* Ⓤ **1** 부동성(浮動性), 유동(성); 동요, 주저; 모호함; 양의성(兩義性). **2** 〖심리〗 (애증 따위의) 반대 감정 병존, (상반되는) 감정의 교차; 양면 가치. ㊎ **am·bív·a·lent** [-lənt] *a.* 양면 가치의; 상반되는 감정을〔태도를, 의미를〕 가진; 유동적인.

am·bi·ver·sion [æ̀mbivə́:rʒən, -ʃən] *n.* 〖심리〗 (내향과 외향의) 양향(兩向) 성격. ㊎ **-sive** [-siv] *a.*

am·bi·vert [ǽmbivə̀:rt] *n.* 〖심리〗 양향성(兩向性) 성격자. ⓒⓕ introvert, extrovert.

am·ble [ǽmbəl] *n.* **1** 측대보(側對步)《말이 같은 쪽 앞뒷발을 동시에 들어 걷는 걸음》. ⓒⓕ canter, pace, trot. **2** 느리게 걷는 걸음(걸이). **—** *vi.* (말이) 측대보로 걷다; (사람이) 천천히 걷다《*along*; *about*》.

am·bler [ǽmblər] *n.* 측대보(側對步)로 걷는 말; 느리게 걷는 사람.

am·bly·o·pia [æ̀mblióupiə] *n.* Ⓤ 〖의학〗 약시(弱視). ㊎ **àm·bly·óp·ic** [-ápik/-ɔ́p-] *a.*

am·bly·o·scope [ǽmbliəskòup] *n.* 약시 교정경(鏡)〔기(器)〕. 「(의) 설교대.

am·bo [ǽmbou] (*pl.* **~s**) *n.* (초기 기독교회

am·broid [ǽmbrɔid] *n.* =AMBEROID.

am·bro·sia [æmbróuʒə/-ziə] *n.* Ⓤ **1** 〖그리스신화·로마신화〗 신의 음식, 신찬(神饌)《먹으면 불로불사(不老不死)한다고 함》. ⓒⓕ nectar. **2** 시적 영감; 영적 음악; 맛있는 음식, 진미; =BEEBREAD. ㊎ **~l, ~n** [-l], [-n] *a.* 신(神)이 드는 음식 같은; 아주 맛있는〔향기로운〕; 신에 알맞은. **-sial·ly** *ad.*

Ambrósian chánt 암브로시오 성가(聖歌)《밀라노 대성당에 전해 내려오는 전례 성가》.

am·bro·type [ǽmbrətàip] *n.* Ⓤ 〖사진〗 유리판사진. 「(聖物) 안치소.

am·bry [ǽmbri] *n.* 저장실; 찬장; 교회의 성물

ambs·ace, ames·ace [éimzèis, ǽmz-] *n.* 따라지땡《주사위 두 개가 모두 1(ace)이 나오는》; 최하점; 무가치한 것; 불운; 최소량.

am·bu·cop·ter [æ̀mbjəkáptər/-kɔ̀p-] *n.* 구급용 헬리콥터. [◂ *ambu*lance+heli*copter*]

am·bu·lac·rum [æ̀mbjəlǽkrəm, -léik-] (*pl.* **-lac·ra** [-lǽkrə, -léikrə]) *n.* 〖동물〗 (극피동물의) 보대(步帶).

******am·bu·lance** [ǽmbjələns] *n.* 구급차; (상병자를 나르는) 병원차, 병원선; 야전병원; 상병자 수송기. **—** *vt.* (환자를) 구급차로 나르다.

ámbulance chàser 《미속어》 교통사고만 쫓아다니는 악덕 변호사; 〔일반적〕 악랄한 변호사.

ámbulance còrps 야전 의무부대.

ámbulance·man [-mən] *n.* 구급대원.

ámbulance·wòman *n.* 여자 구급대원.

am·bu·lant [ǽmbjələnt] *a.* 걸을 수 있는《환자 따위》; 〖의학〗 외래〔통원〕 환자를 위한, 전이(轉移)성〔이동성〕의; 이동하는, 순회하는.

am·bu·late [ǽmbjəlèit] *vi.* 이동하다; 걷다, 걸어다니다. ㊎ **àm·bu·lá·tion** *n.* Ⓤ 보행, 이동; 〖동물〗 족행(足行).

am·bu·la·to·ry [ǽmbjələtɔ̀:ri/-təri] *a.* 이동하는; 보행〔휴대〕(용)의; 걸을 수 있는; 이동성의; 〖법률〗 (유언 따위가) 변경 가능한; 〖의학〗 =AMBULANT. **—** *n.* 회랑(廻廊), 옥내 유보장(遊步場).

am·bu·lette [ǽmbjəlet] *n.* 앰뷸렛《노인·장애자 수송을 위한 밴 형(形)의 서비스카》.

am·bus·cade [æ̀mbəskéid, ⌐-⌐] *n.*, *vt.*, *vi.* =AMBUSH. ㊎ **-cád·er** *n.*

am·bush [ǽmbuʃ] *n.* **1** Ⓤ,Ⓒ 잠복; 매복: an enemy ~ 적의 매복 / fall into an ~ 복병을 만나다 / lie 〔hide〕 in ~ 매복하다. **2** Ⓒ 매복한 장소; 매복 공격. **3** Ⓒ 〔집합적〕 복병: lay 〔make〕 an ~ (for) (…을) 숨어 기다리다. **—** *vi.*, *vt.* 숨어서 기다리다, 매복하다; 매복하여 습격하다; (*pp.*) (병사 등을) 매복해 두다: ~ the enemy 적을 숨어서 기다리다. ㊎ **~·er** *n.* 매복자; 복병. **~·ment** *n.* Ⓤ 매복.

Am·chit·ka [æmtʃítkə] *n.* 암치트카 섬《미국 Alaska주 Aleutian열도 서부의 섬; 1971년 11월 7일 미국의 지하 핵실험이 행해짐》.

AMDG, A.M.D.G. *ad majorem Dei gloriam.* 《L.》 (=to the greater glory of God).

amdt. amendment. **AME** African Methodist Episcopal.

ame·ba [əmí:bə] =AMOEBA.

am·e·bi·a·sis, am·oe- [æ̀məbáiəsis] *n.*

〖의학〗 아메바증(症).
amébic dýsentery 〖병리〗 아메바 적리(赤痢).
âme dam·née [ɑ̀:mdɑ:néi] (*pl.* ***âmes damnées*** [-z]) 《F.》 (남에게) 수족처럼 부려지는 사람, 맹종자, 로봇, 앞잡이, 부하.
AMEDS Army Medical Service (육군 군의부).
ameer, amir [əmíər] *n.* =EMIR.
amei·o·sis [èimaióusis] *n.* 〖생물〗 비감수 분열(非減數分裂) 《감수 분열시에 염색체 수가 반으로 줄지 않는 이상 분열》.
Amel·ia [əmí:ljə] *n.* 어밀리아《여자 이름》.
amel·ia [əméliə] *n.* 〖의학〗 무지증(無肢症)《선천적인 손발의 결여》. 「할 수 있는.
amel·io·ra·ble [əmí:ljərəbəl] *a.* 개량〔개선〕
amel·io·rate [əmí:ljərèit, -liə-] *vt.* 개선〔개량〕하다. **—** *vi.* 좋아지다, 고쳐지다. OPP *deteriorate.*
amèl·io·rá·tion *n.* U,C 개선, 개량; 개정, 수정; 〖언어〗 (어의의) 향상.
amel·io·ra·tive [əmí:ljərèitiv, -rətiv] *a.* 개량의; 개선적인.
amel·io·ra·tor [əmí:ljərèitər, -liə-] *n.* 개량자.
am·e·lo·blast [ǽməloublæ̀st] *n.* 〖해부〗 (치아의) 에나멜 모세포(母細胞); 법랑(琺瑯) 모세포. ㊞ **àm·e·lo·blás·tic** *a.*
Amen [ɑ́:mən] *n.* 아멘《테베의 양두신(羊頭神); 옛 이집트의 태양신(神)》.
°**amen** [èimén, ɑ̀:-] *int.* **1** 아멘《헤브라이말로 '그렇게 되어지이다(So be it!)'의 뜻; 기독교도가 기도 등의 끝에 부름》. **2** 《구어》 좋다, 그렇다 《찬성의 뜻》. **—** *ad.* 진실로, 거짓없이. **—** *n.* 아멘을 부르는 일; U 동의, 찬동: sing the ~ 아멘을 부르다. ***say ~ to ...*** …에 동의〔찬성〕하다.
amè·na·bíl·i·ty *n.* U 유화(宥化), 순종; 복종(할 일).
ame·na·ble [əmí:nəbəl, əmén-/əmí:n-] *a.* (충고 등에) 순종하는, 쾌히 받아들이는《*to*》; (법률 따위에) 복종할 의무가 있는; (비난 따위의) 여지가 있는《*to*》; (…에 의하여) 분석〔음미〕할 수 있는《*to*》: ~ *to* reason 도리에 따르는 / ~ *to* flattery 아첨에 넘어가기 쉬운 / ~ *to* criticism 비난을 면치 못할 / data ~ *to* scientific analysis 과학적인 분석을 할 수 있는 데이터. ㊞ **-bly** *ad.* 유순하게《*to*》; 복종하여.
ámen córner (the ~) 《미》 설교단에 가까운 좌석《열성적인 신자가 앉는》.
***amend** [əménd] *vt.* **1** (의안 등을) 수정하다, 개정하다, 정정하다: an ~*ed* bill 수정안. **2** (행실·잘못 등을) 고치다, 바로잡다: ~ one's conduct 행실을 고치다. SYN. ⇨REFORM. **—** *vi.* 고쳐지다, 바르게 되다; 《문어》 개심하다. ㊞ **~·a·ble** *a.* **~·a·to·ry** [-ətɔ̀:ri/-ətəri] *a.* 개정적〔수정적〕인, 정정의, 수정의.
amende ho·no·ra·ble [əméndɑ́nərəbl/-ɔ́n-] (*pl.* ***amendes honorables*** [əméndz-]) 《F.》 공식적 사죄〔배상〕.
amend·er *n.* 개정〔수정〕자.
°**aménd·ment** *n.* **1** U,C 변경, 개선, 교정(矯正), 개심. **2** (법안 등의) 수정(안), 보정, 개정: an ~ *to* bill 〔law〕 의안〔법률〕의 수정. **3** (the A-s) (미국 헌법의) 수정 조항: the Eighteenth *Amendment* ⇨EIGHTEENTH. **4** 토양 개량제.
amends [əméndz] *n. pl.* 〔단·복수취급〕 배상, 벌충: make ~ (to a person) (for ...) (아무에게) (…을) 보상하다.
ame·ni·ty [əménəti, -mí:n-] *n.* **1** (the ~) (장소·기후의) 기분 좋음, 쾌적함. **2** (사람이) 상냥함, 나긋나긋함. **3** (*pl.*) 쾌적한 설비〔시설〕, 문화적 설비: a hotel with all the *amenities* 온갖 설비가 다 갖춰져 있는 호텔. **4** (*pl.*) (교제상의) 예의: exchange *amenities* 정중한 인사를 나누다.
aménity bèd 《영》 (의료 보험에 의한 병원의) 차액(差額) 침대. cf. pay-bed.
amen·or·rhea, -rhoea [eimènərí:ə, əmèn-/æmènəríə] *n.* U 무월경(無月經); 월경불순. 「의 태양신》.
Amen-Ra [ɑ́:mənrɑ́:] *n.* 아멘라《이집트 신화
a men·sa et tho·ro [ei-ménsə-et-θɔ́:rou] 《L.》 식탁과 잠자리를 따로; (부부가) 별거하여; 〖법률〗 식탁과 잠자리로부터의, 부부 별거의.
am·ent[1] [ǽmənt, éi-] *n.* 〖식물〗 유이(葇荑) 꽃차례〔화서(花序)〕(catkin).
ament[2] [éiment, -mənt] *n.* 〖심리〗 (선천성) 정신박약아.
amen·tia [eiménʃə, əm-] *n.* U (선천성) 백치(白痴), 정신박약. cf. dementia.
amen·tum [əméntəm] (*pl.* ***-ta*** [-tə]) *n.* **1** 투창(投槍)에 달아맨 가죽끈. **2** 〖식물〗 유이 꽃차례(ament[1]).
Amer. America; American.
Amer·a·sian [æ̀məréiʒən, -ʃən] *n.* 미국인과 동양인 사이의 혼혈아.
amerce [əmə́:rs] *vt.* …에게 벌금을 과하다; 벌하다(punish): He was ~*d* the sum of 100 dollars. 100 달러의 벌금이 부과되었다. ㊞ **~·ment** *n.* U 벌금부과; C 벌금. **~·a·ble** *a.* 벌(금)을 과해야 할.
Am·er·Eng·lish [æ̀məríŋgliʃ] *n.* 《영》 미국영어(American English).
†**Amer·i·ca** [əmérikə] *n.* **1** 아메리카(합중국) (the United States), 미국. ★ 미국인은 the (United) States, the U.S.(A.)라고 흔히 부름. **2** 아메리카 대륙《남·북아메리카》; 북아메리카, 남아메리카; (the ~s) 남·북·중앙 아메리카. [◂ *Americus* Vespucius ⇨VESPUCCI]
†**Amer·i·can** [əmérikən] *a.* 아메리카의, 미국의, 아메리카 사람〔원주민〕의: ~ Spanish 라틴 아메리카에서 쓰이는 스페인어. **—** *n.* **1** 아메리카 사람《미국 사람 또는 아메리카 대륙의 주민》; 아메리카 원주민. **2** U 아메리카 영어, 미어(美語).
Amer·i·ca·na [əmèrikǽnə, -kɑ́:nə/-kɑ́:nə] *n. pl.* 미국에 관한 문헌〔자료〕, 미국 사정〔풍물〕, 미국지(誌).
Américan áloe 〖식물〗 =CENTURY PLANT.
Américan Associátion of Retíred Pèrsons 미국 퇴직자 협회《퇴직에 수반하는 권리·수당 등에 대해 계몽하는 단체; 생략: AARP》.
Américan Bár Associàtion 미국 법률가협회《생략: ABA》. 「《미국산》.
Américan Béauty 〖식물〗 붉은장미의 일종
Américan búllfrog 〖동물〗 미국 황소개구리《식용》.
Américan chèese =CHEDDAR (CHEESE).
Américan Cívil Líberties Ùnion 미국 자유 인권 협회《표현의 자유, 인권·종교·사상상의 차별 철폐 등을 목표로 활동하는 민간 단체; 생략: ACLU》. 「전쟁(1861-65).
Américan Cívil Wár (the ~) 〖미국사〗 남북
Américan clòth 《영》 에나멜 광택의 유포(油布)《테이블 커버 따위로 쓰임》.
Américan Cóllege Tèst 《미》 대학 입학 학력고사. cf. Scholastic Aptitude Test.
Américan Depósitary 〔**Depósitory**〕 **Recèipt** 〖증권〗 미국 예탁 증권《생략: ADR》.
Américan díalects 〖언어〗 미국 방언《북부 방언(Northern dialects), 중부 방언(Midland dialects), 남부 방언(Southern dialects)으로 구분됨》.
Américan Dréam 《때로 A- d-》 (the ~) **1** 미국 건국의 이상《민주주의·자유·평등》. **2** 미국

(인)의 꿈《물질적 번영과 성공》.
Américan éagle 〖조류〗 흰머리수리《미국의 국장(國章)》. 「(產)》.
Américan élm 미국 느릅나무《북아메리카산
Américan Énglish 아메리카〔미국〕 영어. cf. British English.
Amèr·i·can·ése *n.* 미국 영어《미국 영어 특유의 말·표현이 많은 영어》.
Américan Expréss 아메리칸 익스프레스 (카드)《미국의 American Express Co. 발행의 크레디트 카드; 생략: Amex》.
Américan Fálls (the ~) (Niagara Falls의) 아메리카 폭포. 「⇨AFL.
Américan Federátion of Lábor (the ~)
Américan fóotball 《영》 미식 축구(《미》에서는 단순히 football이라 함).
Américan Índian 아메리카 인디언(어)《현재는 Native American을 선호하는 경향이 있음》.
Américan ípecac 미국 토근(吐根).
◦**Amér·i·can·ìsm** *n.* **1** U,C 미국 기질〔정신〕; 미국풍〔식〕; U 미국 숭배; 친미주의. **2** C 미국어법; 미국어투: A dictionary of ~*s* 미어 사전.
Amér·i·can·ist *n.* 아메리카〔미국〕의 역사·지리 등의 연구가; 아메리카 인디언의 언어·문화의 연구가; 친미주의자.
Américan ívy 〖식물〗 아메리카담쟁이덩굴.
Amèr·i·can·i·zá·tion *n.* U 미국화(化); 미국 귀화.
Amér·i·can·ìze *vt., vi.* 미국화(化)하다, 미국풍〔식〕으로 하다〔되다〕; 미국어법(語法)을 쓰다; 미국으로 귀화시키다.
Américan lánguage (the ~) 미국 영어.
Américan Léague (the ~) 아메리칸 리그 《미국 프로 야구의 2대 연맹의 하나》. cf. National League.
Américan léather American cloth의 일종.
Américan Légion (the ~) 미국 재향군인회.
Américan léopard 〖동물〗 =JAGUAR.
Américan Nátional Stándards Ínstitute 미국 국가 규격 협회《생략: ANSI》.
Amer·i·can·ol·o·gy [əmèrikənɑ́lədʒi/-ɔ́l-] *n.* 미국학《미국의 정치·(외교) 정책 등의 연구》. 㽕 **-gist** *n.* **Amèr·i·can·o·lóg·i·cal** *a.*
Amer·i·ca·no·pho·bia [əmèrikənəfóubiə, -kæn-] *n.* 미국을 싫어함〔두려워함〕.
Américan órgan 〖악기〗 아메리칸 오르간 (melodeon) 《페달식의 리드 오르간의 일종》.
Américan plàn (the ~) 미국 방식《숙비·식비·봉사료 합산의 호텔 요금 제도》. cf. European plan.
Américan Revísed Vérsion (the ~) 미국 개정역(譯) 성서(American Standard Version) 《1901년판 성서의 개정판; 생략: A.R.V.》.
Américan Revolútion (the ~) 〖미국사〗 미국의 독립 혁명, 독립 전쟁(1775-83)《영국에서는 the War of American Independence라고 함》(Revolutionary War).
Américan Samóa 미국령(領) 사모아《남태평양 Samoa 제도 동반부의 여러 섬; 미국의 신탁 통치령; 수도 Pago Pago (Tutuila 섬)》.
Américan Sélling Prìce (수입품에 과세한 후의) 미국 내 판매 가격《생략: ASP》.
Américan Sígn Lànguage 미식 수화법 (手話法)(Ameslan)《생략: ASL》.
Américan Stáffordshire térrier 억센 근육질의 투견(鬪犬)《영국 원산의 개를 미국에서 투견용으로 만든 종(種)》.
Américan Stándard Códe for Informátion Ínterchange 정보 교환용 미국 표준 코드《생략: ASCII》.
Américan Stándard Vérsion (the ~) 미국 표준역 성서(American Revised Version).
Américan Stóck Exchànge 미국 증권 거래소《뉴욕에 있는 미국 제 2 의 증권 거래소; 생략: A.S.E., Amex》. cf. New York Stock Exchange.
Américan tíger =JAGUAR.
América's Cùp (the ~) 아메리카컵 《1851년 창설된 국제 요트 경기의 우승컵》.
am·e·ri·ci·um [æmərí∫iəm/-siəm, -∫iəm] *n.* U 〖화학〗 아메리슘《인공 방사성 원소; 기호 Am; 번호 95》.
Ame·ri·go Ves·puc·ci [əmérigou-vespjú:t∫i/-pú:-] =VESPUCCI.
Amer·i·ka [əmérikə] 《미속어》 *n.* 파시스트적(的) 미국, 인종 차별 사회인 미국.
Am·er·ind [ǽmərìnd] *n.* 아메리카 원주민《인디언 또는 에스키모인》; U 아메리카 인디언어(語). [◂ *american*+*indian*] 㽕 **Àm·er·ín·di·an** *n., a.* 아메리카 원주민(의). **-ín·dic** *a.*
Am·er·o·Eng·lish [æmərouíŋgli∫] *n.* =AMERICAN ENGLISH.
à mer·veille [*F.* amɛʀvɛj] 훌륭하게, 멋지게.
ames·ace [éimzèis, ǽmz-] *n.* =AMBSACE.
Ames·lan [ǽməslæn] *n.* =AMERICAN SIGN LANGUAGE.
Ámes tèst [éimz-] 〖의학〗 에임스 시험《돌연변이 유발성 측정에 의한 발암성 물질의 검출 시험》. [◂ Bruce *Ames* (1928-) 미국의 생화학자]
am·e·thop·ter·in [æməθɑ́ptərin/-θɔ́p-] *n.* 〖약학〗 아메톱테린《제암제》.
am·e·thyst [ǽməθist] *n.* U 〖광물〗 자수정, 자석영(紫石英); 진보라. 㽕 **am·e·thys·tine** [æməθístin, -tain/-tain] *a.*
am·e·tro·pia [æmətróupiə] *n.* U 〖의학〗 (눈의) 굴절 이상, 부정시(不正視)《난시·원시·근시 등》. 㽕 **àm·e·tróp·ic** [-trɑ́pik/-trɔ́p-] *a.*
AMEX, Am·ex [ǽmeks] *n.* AMERICAN EXPRESS의 약칭.
Amex American Stock Exchange. **A.M.F.** airmail field. 「가능한.
am / fm [éièm éfèm] *a.* AM, FM 양쪽 다 수신
A.M.G.(O.T.) Allied Military Government (of Occupied Territory).
Am·hara [ɑ:mhɑ́:rə/æm-] *n.* 암하라《에티오피아 북서부의 지방〔주〕; 옛 왕국》.
Am·har·ic [æmhǽrik] *n.* U 암하라 말《에티오피아의 공용어》.
ami [æmí:, ɑ:mí:] (*pl.* **~s**) *n.* 《F.》 남자 친구, 애인《남성》; 《미속어》 (유럽에서의) 미국 동포〔시민〕. cf. amie.
AMI 〖의학〗 acute myocardial infarction(급성 심근(心筋) 경색); 〖항공〗 airspeed mach indicator(속도 마하계); 〖우주〗 alpha / Mach indicator(올려본 각·마하계).
àmi·a·bíl·i·ty *n.* U 사랑스러움, 애교; 상냥함, 친절, 온화, 온후.
***ami·a·ble** [éimiəbəl] *a.* 호감을 주는; 붙임성 있는; 상냥한, 온후한, 친절한: make oneself ~ to a person 아무에게 상냥하게 대하다.

> SYN. **amiable** 상냥한, 호감을 주는《amicable 보다도 소극적임》: an *amiable* fellow 호감을 주는 사람. **amicable** 우호적인, 다정한: an *amicable* settlement 화해.

㽕 **~·ness** *n.* **-bly** *ad.* 상냥하게.
am·i·an·thus, -tus [æmiǽnθəs], [-təs] *n.* U 〖광물〗 석면(石綿)의 일종.
am·ic [ǽmik] *a.* 〖화학〗 아미드의; 아민의.
àm·i·ca·bíl·i·ty *n.* U 우호, 화친, 친선; C 친선 행위.

am·i·ca·ble [ǽmikəbəl] *a.* 우호적인, 친화적인, 평화적인, 유쾌한: an ~ attitude 우호적인 태도/~ relations 우호 관계. SYN. ⇨ AMIABLE. ㊎ **~·ness** *n.* **-bly** *ad.*

am·ice [ǽmis] *n.* **1** 개두포(蓋頭布)《가톨릭교의 사제(司祭)가 미사 때 어깨에 걸치는 직사각형의 흰 천》. **2** (교단(敎團) 등의 표지로 되어 있는) 모자, 두건, 완장.

amice

ami·cus cu·ri·ae [əmáikəs-kjúəriì:, -kjuəriài] 〖법률〗《L.》 법정의 고문(=friend of the court).

◇**amid** [əmíd] *prep.* **1** …의 한가운데에〔사이에〕, …에 에워싸여〔섞이어〕: ~ shouts of joy 환호 속에/~ tears 눈물을 흘리면서. **2** 한창 …하는 중에. SYN. ⇨ AMONG.

Ami·da [á:midə] *n.* 〖불교〗 아미타.

am·i·dase [ǽmədèis, -dèiz] *n.* 〖생화학〗 아미다아제《아미드 분해 효소》.

am·ide [ǽmaid, ǽmid/ǽmaid] *n.* 〖화학〗 산「아미드.

am·i·dine [ǽmədì:n, -din] *n.* 〖화학〗 아미딘《물을 가하여 가열시킨 녹말》.

am·i·dol [ǽmidɔ̀:l, -dàl/-dɔ̀l] *n.* 〖사진〗 아미돌《현상제(劑)》.

am·i·done [ǽmədòun] *n.* 〖약학〗 아미돈(methadone).

amid·ship(s) [əmídʃìp(s)] *ad., a.* 〖해사〗 선체 중앙에〔의〕; 《비유》 중앙에; 《속어》 명치에.

amidst [əmídst] *prep.* =AMID. SYN. ⇨ AMONG.

amie [æmí:, ɑ:mí:; *F.* ami] (*pl.* **~s** [-z; *F.* —]) *n.* 《F.》 여자 친구, 애인《여성》. cf. ami.

A.M.I.E.E. Associate Member of the Institution of Electrical Engineers.

Am·i·ens [ǽmiənz] *n.* 아미앵《프랑스 북부 Somme 강에 임한 도시》.

ami·go [əmí:gou, ɑ:-] (*pl.* **~s**) *n.* 《미》 친구; 스페인 말을 하는 친미(親美) 원주민.

amim·ia [eimímiə] *n.* Ⓤ 〖의학〗 (뇌질환에 의한) 무표정증.

A.M.I. Mech. E. Associate Member of the Institution of Mechanical Engineers.

amine [əmí:n, ǽmin] *n.* 〖화학〗 아민.

am·i·no [əmí:nou, ǽmənòu/əmáinou, əmí:-] *a.* 〖화학〗 아미노기(基)를 갖는: ~ compounds 아미노 화합물.

amíno ácid 〖화학〗 아미노산.

amíno-ácid dàting 아미노산 연대 측정《지질학·고고학상의 표본 연대를 2종의 아미노산 비율로 얻음》.

ami·no·ac·id·u·ria [əmì:nouæsidjúəriə, æ̀mə-/əmì:nouæsidjúəriə, əmài-] *n.* 〖생리〗 아미노산요(酸尿)(증)(症).

amìno·benzóic ácid 〖화학〗 아미노벤조산(酸)《산성 염료》.

ami·no·phyl·line [əmì:noufílain, -i:n, æ̀mə-/əmì:nou-, əmài-] *n.* 〖약학〗 아미노필린《근육 이완제·혈관 확장제·이뇨제》.

am·i·nop·ter·in [æ̀mənáptərin/-nɔ́p-] *n.* 〖생화학〗 아미놉테린《백혈병 치료·구서(驅鼠)용》.

ami·no·py·rine [əmì:noupáiri:n, æ̀mə-/əmì:nou-, əmài-] *n.* 〖약학〗 아미노피린《해열·진통제》.

amìno·tránsferase *n.* 〖생화학〗 아미노기 전「이 효소.

amìno·tríazole *n.* 〖화학〗 아미노트리아졸《제「초제》.

amir ⇨ EMIR.

amir·ate [əmíərət, -reit-] *n.* =EMIRATE.

Amis [éimis] *n.* 에이미스. **1 Kingsley ~** 영국의 소설가(1922-95). **2 Martin ~** 영국의 작가, 1의 아들(1949-).

Amish [á:miʃ, ǽm-] *n.* (the ~) 〖복수취급〗 아만파(의 사람들)《17세기에 스위스의 목사 J. Ammann [á:mɑ:n]이 창시한 Menno파의 한 분파; Pennsylvania에 이주하여 검소하게 삶》. ― *a.* 아만파의. cf. Mennonite. ㊎ **~·man** [-mən] *n.*

◇**amiss** [əmís] *a.* 〖서술적〗 **1** (…이) 적합하지 않은, 형편이 나쁜, 잘못한, 고장난《*with*》: What's ~ *with* it? 그것이 뭐 잘못되었느냐/Something is ~ *with* the engine. 엔진이 어딘가 고장이 났다. **2** 〖보통 부정문에서〗 어울리지 않는, 부적당한: A word of advice may *not* be ~ here. 여기서 한마디 충고하는 것이 어울리지 않는 일은 아닐 것이다. ― *ad.* 형편〔수〕 사납게, 잘못하여; 어울리지 않게, 부적당하게: judge a matter ~ 어떤 일을 잘못 판단하다. ***come*** **~** 〖부정문에서〗 달갑지 않다, 신통치 않다; 기대에 어긋나다: *Nothing comes* ~ to a hungry man. 《속담》 시장이 반찬. ***do*** 〔***act, deal***〕 **~** 그르치다, 잘못을 저지르다, 죄를 범하다. ***go*** **~** (일이) 잘되어 가지 않다, 어긋나다. ***take*** a thing **~** 일을 나쁘게 생각〔해석〕하다, 어떤 일에 기분이 상하다; 화내다: Don't *take* it ~. 나쁘게 생각 말게.

Am·i·ta·bha [ʌ̀mitá:bə] *n.* 《Sans.》 아미타불, 무량광불(無量光佛).

am·i·to·sis [æ̀mətóusis, èimai-] (*pl.* **-ses** [-si:z]) *n.* 〖생물〗 (세포의) 무사(無絲) 분열, 직접 핵분열. OPP *mitosis*.

am·i·ty [ǽməti] *n.* Ⓤ 친목, 친선, 우호 (관계), 친교: a treaty of ~ and commerce 수호 통상 조약. ***in ~ with*** …와 우호적으로.

A.M.M. anti-missile missile.

Am·man [əmá:n, æmǽn/əmá:n] *n.* 암만《Jordan 왕국의 수도》.

am·me·ter [ǽmmì:tər] *n.* 전류계, 암페어계. [◂ *ampere*+*meter*]

am·mo [ǽmou] 《구어》 *n.* 탄약; 폭탄 발언의 자료; 돈. [◂ammunition]

Am·mon [ǽmən] *n.* 아몬《옛 이집트의 태양「신》.

am·mo·nal [ǽmənæ̀l] *n.* Ⓤ 암모날《강력 폭약의 일종》.

am·mo·nate [ǽmənèit] *n.* =AMMONIATE.

◇**am·mo·nia** [əmóunjə, -niə] *n.* Ⓤ 〖화학〗 **1** 암모니아《기체》. **2** 암모니아수(水)(~ water〔solution〕).

am·mo·ni·ac [əmóuniæ̀k] *a.* 암모니아의; 암모니아성(性)의, 암모니아를 함유한. ― *n.* Ⓤ 암모니아 고무(gum ~).

am·mo·ni·a·cal [æ̀mənáiəkəl] *a.* =AMMONIAC.

am·mo·ni·ate [əmóunièit] *vt.* 암모니아와 화합시키다, 암모니아로 처리하다. ― *n.* 암모니아 화합물. ㊎ **-at·ed** [-èitid] *a.*

ammónia wàter 〔**solùtion**〕 〖화학〗 =AMMONIA 2.

am·mon·i·fy [əmánəfài, əmóun-/əmɔ́n-, əmóun-] (**-fied**, **~·ing**) *vt.* …을 암모니아와 화합시키다, …에 암모니아를 침투시키다. ― *vi.* 암모니아로 되다, 암모니아 화합물이 되다.

am·mo·nite[1] [ǽmənàit] *n.* 〖고생물〗 암모나이트, 암몬조개, 국석(菊石).

am·mo·nite[2] *n.* 암모니아 비료; 암모나이트《폭약의 일종》.

am·mo·ni·um [əmóuniəm] *n.* Ⓤ 〖화학〗 암「모늄.

ammónium cárbonate 〖화학〗 탄산암모늄.

ammónium chlóride 〖화학〗 염화암모늄.

ammónium hydróxide 〖화학〗 수산화(水酸化)암모늄.
ammónium nítrate 〖화학〗 질산암모늄.
ammónium phósphate 〖화학〗 인산암모늄; 인안(《비료》).
ammónium súlfate 〖화학〗 황산암모늄.
am·mo·no [ǽmənòu] *a.* 암모니아의; 암모니아 유도체의.
◇**am·mu·ni·tion** [æ̀mjəníʃən] *n.* Ⓤ **1** 탄약; 병기, 무기: an ~ belt 탄띠 / an ~ box 〔chest〕 탄약 상자. **2** 자기 주장에 유리한 정보〔조언〕; 《비유》 공격〔방어〕 수단: Give me some ~ for a speech. 연설하기 위한 재료〔정보〕를 주게. **3** 《속어》 뒤지, 휴지. **4** 《폐어》 군수품. ★ 단 한정사로서는 복합어로서 현재도 《영》에서 쓰임: ~-boots 군화 / an ~-face 호전적인 얼굴. — *vt.* …에게 탄약〔군수품〕을 공급하다.
Amn 《미공군》 airman.
am·ne·sia [æmníːʒə/-ziə] *n.* Ⓤ 〖의학〗 건망증, 기억 상실(증). ㊕ **am·ne·sic, -si·ac** [-níːsik, -zik], [æmníːʒiæ̀k, -zi-/-zi-] *a., n.*
am·nes·tic [æmnéstik] *a.* 건망증의.
am·nes·ty [ǽmnəsti] *n.* 은사, 대사(大赦), 특사: grant an ~ to criminals 죄인에게 은사를 내리다. — *vt.* 사면〔대사, 특사〕하다.
Ámnesty Internátional 국제 사면 위원회, 국제 앰네스티《사상범·정치범의 석방 운동을 위한 국제 조직》.
am·nio [ǽmniou] *n.* = AMNIOCENTESIS.
am·ni·o·cen·te·sis [æ̀mniousentíːsis] (*pl.* **-ses** [-siːz]) *n.* 〖의학〗 양수 천자(羊水穿刺)《태아의 성별·염색체 이상을 조사》.
am·ni·og·ra·phy [æ̀mniágrəfi/-ɔ́g-] *n.* 〖의학〗 양수 조영(羊水造影)(법).
am·ni·on [ǽmniən] (*pl.* **~s, -nia** [-niə]) *n.* 〖해부〗 양막(羊膜), 모래집《태아를 싸는》.
am·ni·on·ic [æ̀mniánik/-ɔ́n-] *a.* = AMNIOTIC.
am·ni·o·scope [ǽmniəskòup] *n.* 〖의학〗 양수경(羊水鏡).
am·ni·os·co·py [æ̀mniáskəpi/-ɔ́s-] *n.* 〖의학〗 양수경 검사(법).
am·ni·ote [ǽmniòut] *a., n.* 〖동물〗 양막류(羊膜類)의 (동물)《척추동물 중 발생 과정에서 양막이 생기는 것; 파충류·조류·포유류》.
am·ni·ot·ic [æ̀mniátik/-ɔ́t-] *a.* 〖해부〗 양막의.
amniótic flúid 양수(羊水), 모래집물.
amn't [ænt, ǽmənt] am not 의 간약형.
am·o·bar·bi·tal [æ̀moubáːrbətæ̀l, -tɔ̀ːl] *n.* 〖약학〗 아모바비탈《진정·최면제로 쓰임》.
Amo·co Corp. [ǽməkou-] 미국의 거대 종합 석유 회사.
amoe·ba [əmíːbə] (*pl.* **~s, -bae** [-biː]) *n.* 아메바; 《속어》 아무 쓸모없는 사람. ㊕ **~·like** *a.*
am·oe·be·an [æ̀məbíːən] *a.* (시 따위가) 대화체의, 문답체의.
am·oe·bic [əmíːbik] *a.* 아메바(성)의: ~ dysentery 아메바 이질.
amoe·bo·cyte [əmíːbəsàit] *n.* 〖생물〗 변형〔유주(遊走)〕 세포.
amoe·boid [əmíːbɔid] *a.* 아메바 모양의. ㊕ **~·ìsm** *n.*
amok [əmʌ́k, əmák/əmɔ́k] *n.* (말레이인의) 맹렬한 살상욕을 수반하는 정신 착란. — *ad.* 미친 듯이 날뛰어. ***run*** 〔***go***〕 **~** 죽이려고 날뛰다; 미친 듯이 설치며 행패부리다.
amo·le [əmóulei; *Sp.* amóle] *n.* (*pl.* **~s** [~z; *Sp.* ~s]) 《미남서부》 멕시코산(産) 용설란 종류의 식물의 뿌리〔분비물〕《비누 대용으로 씀》.
Amon [áːmən] = AMEN, AMMON.
†**among** [əmʌ́ŋ] *prep.* **1** …의 사이에(서), …에 둘러〔에워〕싸여: ~ the trees 〔children〕 나무〔아이들〕에 둘러싸여 / ~ the crowd 군중 속에 / He lives ~ the poor. 그는 가난한 사람들 속에서 살고 있다.

> SYN. **among** 보통 셋 이상의 것 사이를 뜻함. **between** 보통 둘 사이를 뜻함. 단, 상호 관계를 나타낼 때에는 셋 이상의 것 사이에서도 between 을 씀: peace *between* three nations, 3국간의 평화.

2 (패거리·동료·동류) 중의 한 사람으로〔하나로〕; …의 가운데에(서): That is ~ the things we shouldn't do. 해서는 안 되는 것의 하나다 / He is numbered ~ her friends. 그는 그녀의 친구 중 하나다.

> SYN. among 도 amid 도 '둘러싸여' 라는 뜻이지만 **among** 은 개체를 중심으로 생각하며, 명사의 복수형 또는 집합명사와 함께 쓰임. **amid** 는 집합체로서 봄. 이는 uncountable 과 함께 쓸 수 있음: *amid* the bustle of a city 도시의 번잡(煩雜) 속에서. **amidst** 의 생략꼴이 amid 임. 셋 중에서 among 이 가장 일반적인 말임.

3 …의 사이〔…간〕에 서로; …의 협력으로, …이 모여(도): You will spoil him ~ you. 당신네가 그 사람을 버려 놓겠다 / Do it ~ you. 자네들끼리 협력해서 해보게 / They don't have fifty dollars ~ them. 모두가 내 놓는다 해도 50 달러가 안 된다. **4** …사이에 각자: Divide these ~ you seven. 자네들 일곱 사람이 이것을 나눠 갖게. **5** …사이〔간〕 전체에 걸쳐: popular ~ the girls 아가씨들에게 인기가 있는. **~ *others*** 〔***other things***〕 ① 많은 가운데, 그 중에서도 특히. ② 사이에 가담하여, 한패〔동아리〕가 되어: *Among others* there was Mr. Kim. 그 중에 김씨도 있었다. **~ *the missing*** 《미》 행방불명이 되어, 없어져서. **~ *themselves*** 〔***ourselves, yourselves***〕 ① 저희들〔우리들, 당신들〕끼리: settle it 〔quarrel〕 ~ *themselves* 자기네끼리 해결〔싸움〕하다. ② 은밀히, 내밀히. **~ *the rest*** ① 그 중에서도, 특히. ② 그 중의 한 사람으로〔하나로〕: Five were rescued, myself ~ *the rest*. 나를 포함해 5명이 구출됐다. ***fall* ~** a person ⇨ FALL. ***from* ~** …의 중에서〔속으로부터〕: The chairman will be chosen *from* ~ the members. 의장은 회원들 중에서 선출된다. ***one* ~ *a thousand*** 천에 한 사람 꼴로 뛰어난 사람.
◇**amongst** [əmʌ́ŋst] *prep.* = AMONG.
amon·til·la·do [əmɑ̀ntəláːdou/əmɔ̀n-] *n.* Ⓤ 《Sp.》 스페인산의 셰리 술.
amor·al [eimɔ́ːrəl, -már-, æm-/eimɔ́r-, əm-, æm-] *a.* **1** 도덕과는 관계없는, 초(超)도덕의. **2** 선악의 판단이 없는, 도덕 관념이 없는. ★ nonmoral 의 뜻; '부도덕의' 는 immoral. ㊕ **~·ly** *ad.* **àmo·rál·i·ty** [-rǽləti] *n.*
amorce [əmɔ́ːrs] *n.* Ⓤ,Ⓒ (특히, 장난감 권총용) 점화약, 기폭제, 뇌관; 도화선.
am·o·ret·to [æ̀mərétou; *It.* amorétto] (*pl.* **-ret·ti** [-rétiː; *It.* -rétti]) *n.* 〖회화〗 동자(童子) 천사; 아모레토(cupid, cherub).
am·o·rist [ǽmərist] *n.* 호색가, 연애에 빠지는 사람; 연애 문학 작가.
Am·o·rite [ǽməràit] *n., a.* 〖성서〗 아모리인(人)(의)《가나안의 고대민; 유대인의 적》.
amo·ro·so[1] [àːməróusou/æ̀m-] *a., ad.* 《It.》 〖음악〗 아모로소, 사랑스러운, 상냥한, 사랑스럽게, 상냥하게.
amo·ro·so[2] (*pl.* **~s**) *n.* 《Sp.》 아모로소《셰리주(酒)의 일종; 단맛이 있어 조리용으로 쓰임》.

am·o·rous [ǽmərəs] *a.* 호색의; 연애하고 있는; 연애의; 요염한; …을 연모하고 있는(*of*): ~ glances 추파/an ~ song 연가/be ~ *of* …을 사모하고 있다. ㊈ **~·ly** *ad.* 호색적으로; 요염하게. **~·ness** *n.*

amor pa·tri·ae [éimɔːr-péitriìː] 《L.》 조국애, 애국심(=love of fatherland).

amor·phism [əmɔ́ːrfizəm] *n.* Ⓤ **1** 무(無)정형; 비결정(非結晶); 무조직. **2** 《폐어》 허무주의.

amor·phous [əmɔ́ːrfəs] *a.* 무정형(無定形)의; 무조직의; 특성이 없는; 〖광물〗 비결정의. ㊈ **~·ly** *ad.* **~·ness** *n.*

amórphous sìlicon 〖전자〗 어모퍼스 실리콘 《비정질(非晶質) 상태의 실리콘》.

amort [əmɔ́ːrt] *a.* 《고어》 죽은 듯한; 원기〔활기〕가 없는, 의기소침한.

àm·or·ti·zá·tion *n.* **1** 〖회계〗 (감채 기금에 의한 공채 · 사채(社債)의) 분할 상환(금). **2** 〖법률〗 (법인 · 특히 교회로의) 부동산 양도.

am·or·tize, 《영》 **-tise** [ǽmərtàiz, əmɔ́ːr-taiz/əmɔ́ːtaiz] *vt.* 〖경제〗 (감채 기금으로) 상환하다; 〖영법률〗 (부동산을) 법인《특히 교회》에 양도하다. ㊈ **~·ment** *n.* =AMORTIZATION.

amor vin·cit om·nia [ɑ́mɔːr-wíŋkət-ɔ́ːmniə] 《L.》 사랑은 모든 것을 정복한다(=love conquers all).

Amos [éiməs/-mɔs] *n.* **1** 〖성서〗 아모스《히브리의 예언자》; 아모스서《구약성서 중의 한 편》. **2** 남자 이름.

am·o·site [ǽməsàit] *n.* 〖광물〗 아모사 석면 《철분이 많은 각섬석(角閃石)》.

amo·tion [əmóuʃən] *n.* 박리(剝離), 분리; 〖법률〗 파면, 박탈.

amo·ti·va·tion·al [èimòutəvéiʃənəl] *a.* 무동기의; 동기가 없는 것이 특징인.

amotivátional sỳndrome 〖정신의학〗 일할 의욕을 잃고 허무적이 되는 증후군.

amount [əmáunt] *vi.* 《~+전+명》 **1** (총계 · 금액이) …이 되다, 총계 (…에) 달하다(*to*): ~ *to* fifty dollars, 50달러가 되다. **2** (…에) 해당〔상당〕하다, 결국 (…이) 되다; (…이나) 매한가지다(*to*): These conditions ~ *to* refusal. 이 조건이라면 거절하는 거나 매한가지다/This does not ~ *to* much. 이것은 대단한 일이 못된다. **3** (어느 상태에) 이르다, 되다(*to*): With his intelligence he should ~ *to* something when he grows up. 그의 총명이라면 커서 응당한 몫을 하는 인물이 될 거다. **—** *n.* Ⓤ **1** (the ~) 총계, 총액: He paid the full ~ of the expenses. 그는 경비의 전액을 지불했다. **2** Ⓒ 양, 액(額): a large 〔small〕 ~ of money 막대한〔적은〕 금액. **3** (the ~) (대부금의) 원리 합계. **4** (the ~) 요지, 귀결, 결과; (일괄해서 본) 가치, 중요성(*of*). ***any ~ of*** 아무리 많은…(라도); 매우 많은. ***in ~*** 양으로 말하면; 총계, 도합; 요컨대. ***to the ~ of*** (ten thousand won) (1만 원)까지; 총계(1 만원)의.

amour [əmúər] *n.* 《F.》 정사(情事), 바람기, 연애 (사건); Ⓤ 밀통; 애인《특히 여성》.

am·ou·rette [æ̀mərét] *n.* 《F.》 잠시〔잠깐〕 동안의 정사; 연애〔바람〕 상대자《여자》.

amour fou [*F.* amuːʀfu] 미친 듯한 사랑.

amour-pro·pre [*F.* amuʀpʀɔpʀ] *n.* 《F.》 자존〔자부〕심(self-esteem).

amove [əmúːv] *vt.* 〖법률〗 파면하다, 박탈하다.

am·ox·i·cil·lin, -ox·y·cil- [əmɑ̀ksəsílin, əm-/əmɔ̀k-] *n.* 〖약학〗 아목시실린《경구 투여되는 합성 페니실린》.

amp[1] [æmp] *n.* **1** 〖전기〗 =AMPERE. **2** 《구어》 =AMPLIFIER.

amp[2] *n.* 《속어》 **1** =AMPUTATION. **2** =AMPUTEE.

amp[3] *n.* 《미속어》 마약이 든 앰풀(ampoule); (~s) 암페타민(amphetamines). ㊈ **~ed** [-t] *a.* 《미속어》 암페타민〔코카인〕으로 몽롱해진.

AMP 〖생화학〗 adenosine monophosphate.

amp, amp. amperage; ampere(s).

am·pe·lop·sis [æ̀mpəlɑ́psis/-lɔ́p-] *n.* 〖식물〗 담쟁이덩굴류의 식물.

am·per·age [ǽmpəridʒ, æmpíər-/ǽmpər-] *n.* 〖전기〗 암페어수, 전류량.

am·pere [ǽmpiər, -⌐/ǽmpɛə] *n.* 〖전기〗 암페어《기호 A; 생략: amp.》. [◂프랑스의 물리학자 A.M. Ampère]

ámpere-hóur *n.* 암페어시(時) 《생략: AH, amp.-hr.》.

ámpere·mèter *n.* 전류계.

ámpere-tùrn *n.* 암페어 횟수《생략: At》.

am·per·o·met·ric [æ̀mpiərəmétrik, æmpìər-/æ̀mpɛər-] *a.* 〖전기〗 전류 측정의.

am·per·sand [ǽmpərsæ̀nd] *n.* &(=and)의 기호 이름(=**shórt ánd**).

am·phet·a·mine [æmfétəmìːn, -min] *n.* Ⓤ,Ⓒ 〖약학〗 암페타민《중추 신경 각성제》.

am·phi- [ǽmfi, -fə] *pref.* '양(兩)…, 두 가지, 원형, 주위'의 뜻. ⓒⓕ ambi-.

am·phi·as·ter [ǽmfiæ̀stər] *n.* 〖생물〗 쌍성상체(雙星狀體)《유사(有絲) 핵분열에서 비염색질의 방추체가 성상체를 가진 상태》.

Am·phib·ia [æmfíbiə] *n. pl.* 〖동물〗 양서류(兩棲類)《개구리 · 도롱뇽 따위》.

am·phib·i·an [æmfíbiən] *a.* 양서류(兩棲類)의; 수륙 양용의: an ~ tank 수륙 양용 탱크. **—** *n.* 양서 동물〔식물〕; 수륙 양용 비행기〔전차〕; 이중인격자.

am·phib·i·ol·o·gy [æmfìbiɑ́lədʒi/-ɔ́l-] *n.* Ⓤ 〖동물〗 양서류(兩棲類)학, 양서류론.

am·phi·bi·ot·ic [æ̀mfibaiɑ́tik/-ɔ́t-] *a.* 〖동물〗 수륙 양서의.

am·phib·i·ous [æmfíbiəs] *a.* 양서류(兩棲類)의; 수륙 양용의; 《비유》 이중인격〔성격〕의; 〖군사〗 육군 · 해군 · 공군 합동의(triphibious): ~ operation 육해(공)군 합동 작전. ㊈ **~·ly** *ad.* **~·ness** *n.*

am·phi·bole [ǽmfəbòul] *n.* Ⓤ 〖광물〗 각섬석(角閃石).

am·phi·bol·ic [æ̀mfəbɑ́lik/-bɔ́l-] *a.* **1** 각섬석의. **2** 문의(文意) 불명한, 모호한, 애매한; 〖의학〗 불안정한.

am·phib·o·lite [æmfíbəlàit] *n.* 〖암석〗 각섬암《주로 각섬석으로 이루어진 변성암》. ㊈ **am·phìb·o·lít·ic** [-lítik] *a.*

am·phi·bol·o·gy [æ̀mfəbɑ́lədʒi/-bɔ́l-] *n.* Ⓤ 말의 애매〔모호〕함; Ⓒ 애매한 어구〔구문〕.

am·phib·o·lous [æmfíbələs] *a.* 모호한, 두 가지 뜻으로 해석되는.

am·phi·brach [ǽmfəbræ̀k] *n.* 〖운율〗 약강약격(弱強弱格)《×⌐×》; 단장단격(短長短格)《◡-◡》. ㊈ **àm·phi·brách·ic** *a.*

am·phi·car [ǽmfəkɑ̀ːr] *n.* 수륙 양용 자동차.

am·phic·ty·on [æmfíktiən] *n.* 〖그리스사〗 인보(隣保) 동맹 회의의 대의원.

am·phic·ty·o·ny [æmfíktiəni] *n.* 〖그리스사〗 인보(隣保) 동맹; 근린(近隣) 동맹.

àmphi·díploid *a., n.* 〖생물〗 복이배체(複二倍體)(의). ㊈ **-díploidy** *n.* 복이배성.

am·phig·a·mous [æmfígəməs] *a.* 〖식물〗 자웅의 구별이 뚜렷한 생식 기관을 갖지 않은.

am·phi·go·ry, am·phi·gou·ri [ǽmfəgɔ̀ːri/-gəri], [-gùəri] *n.* 무의미하고 우스운 글〔시〕.

am·phi·mic·tic [æ̀mfəmíktik] *a.* 〖생물〗 자유 교접에 의하여 생식력이 있는 자손을 만드는. ㊈ **-ti·cal·ly** *ad.*

am·phi·mix·is [æ̀mfəmíksis] (*pl.* ***-mixes***

[-míksi:z]) *n.* 〖생물〗 양성(兩性) 혼합; 교배.

Am·phi·on [æmfáiən, ǽmfi-/æmfái-] *n.* 〖그리스신화〗 암피온《Zeus의 아들로 Niobe의 남편; 하프를 타서 돌을 움직여 Thebes의 성벽을 쌓았음》.

am·phi·ox·us [æ̀mfiáksəs/-ɔ́k-] (*pl.* ***-oxi*** [-áksai/-ɔ́k-], **~*es***) *n.* 〖동물〗 활유어(蛞蝓魚).

am·phi·path·ic, am·phi·path [æ̀mfəpǽθik], [ǽmfəpæ̀θ] *a.* =AMPHIPHILIC.

am·phi·phile [ǽmfəfàil] *n.* 〖화학〗 친(親)양쪽성의 화합물.

am·phi·phil·ic [æ̀mfəfílik] *a.* 〖화학〗 친(親)양쪽성의《수성·유성 용매에 공히 친화력(親和力)이 있는》.

am·phi·ploid [ǽmfəplɔ̀id] *a., n.* 〖생물〗 복배수체(의). ㊔ **ám·phi·plòi·dy** *n.* 복배수성.

am·phi·pod [ǽmfəpàd/-pɔ̀d] *a., n.* 〖동물〗 단각류(端脚類)의 (동물).

am·phip·ro·style [æmfíprəstàil, æ̀mfəpróustail] *a., n.* 〖건축〗 양향배식(兩向拜式), 양면주랑식(柱廊式)의 (건물)《건물 앞뒷면에 기둥들이 줄지어 있고 양측면에는 없는 양식》.

am·phis·bae·na [æ̀mfəsbí:nə] *n.* 〖그리스신화·로마신화〗 쌍두의 뱀《몸통 양끝에 머리가 있음》; 〖동물〗 발 없는 도마뱀《서인도·남아메리카산》.

am·phi·sty·lar [æ̀mfəstáilər] *a.* 〖건축〗 양단〔앞뒤, 양측〕에 기둥이 있는, 2주(柱)〔양주(兩柱)〕식의.

am·phi·the·a·ter, 《영》 **-tre** [ǽmfəθì:ətər, -θìə-/-θìə-] *n.* (옛 로마의) 원형 연기장, 투기장(鬪技場); (현대의) 원형 경기장〔극장〕; (극장의) 계단식 관람석; (반)원형의 분지; 계단식 (수술 견학용) 교실, 계단식 좌석의 대강당. ㊔ **am·phi·the·at·ric, -ri·cal** [æ̀mfəθiǽtrik], [-əl] *a.* 원형 연기장(식)의; 원형 연기장에서 행하여지는.

Am·phi·tri·te [æ̀mfitráiti] *n.* 〖그리스신화〗 암피트리테《바다의 여신》.

Am·phit·ry·on [æmfítriən] *n.* **1** (접대하는) 주인역, 접대역《Molière의 극에서》. **2** 〖그리스신화〗 암피트리온《Thebes 왕 Alcmene의 남편》.

am·pho·gen·ic [æ̀mfədʒénik] *a.* 〖생물〗 양성 산출성의; 거의 동수의 암수 새끼를 낳는. ㊔ **am·phog·e·ny** [æmfádʒəni/-fɔ́dʒ-] *n.*

am·pho·ra [ǽmfərə] (*pl.* **~*s,*** ***-rae*** [-rì:]) *n.* 암포라《고대 그리스·로마의 손잡이가 둘인 항아리》; 암포라 모양의 그릇.

amphora

am·phor·ic [æmfɔ́:rik, -fár-/æmfɔ́r-] *a.* 〖의학〗 공동음(空洞音)의.

am·pho·ter·ic [æ̀mfətérik] *a.* 〖화학〗 양쪽성(性)의; 양향성(兩向性)의.

amp. hr., amp.-hr. 〖전기〗 ampere-hour.

am·pi·cil·lin [æ̀mpəsílin] *n.* Ⓤ 암피실린《페니실린에 가까운 항생 물질》.

am·ple** [ǽmpl] *a.* **1** 광대한, 넓은: ~ living quarters 넓은 숙소. **2** 충분한, 넉넉한, 풍부한, 다량의. opp *scanty.* ¶ ~ opportunity 〔time, courage〕 충분한 기회〔시간, 용기〕/an ~ supply of coal 충분한 석탄 공급/There was ~ room for them in the boat. 배엔 그들이 탈 충분한 자리가 있었다. ***do ~ justice to a meal 음식을 남김없이 먹어 치우다. ㊔ **~·ness** *n.* 광대(廣大), 풍부함.

am·plex·i·caul [æmpléksəkɔ̀:l] *a.* 〖식물〗 (잎이) 포경형(抱莖形)의.

am·plex·us [æmpléksəs] *n.* 〖동물〗 포접(抱接)《개구리처럼 체외 수정을 하는 경우에도 자웅이 생식기를 밀착시켜 배설되는 알에 정자를 사정하는 행위》.

am·pli·ate [ǽmpliət, -lièit] *a.* 확대한, 확장한(enlarged).

am·pli·a·tive [ǽmplièitiv, -pliət-] *a.* 〖논리〗 확충의: ~ proposition 확충 명제.

am·pli·dyne [ǽmplədàin] *n.* 〖전기〗 앰플리다인《작은 전력 변화를 증폭시키는 직류 발전기》.

am·pli·fi·ca·tion [æ̀mpləfikéiʃən] *n.* Ⓤ,Ⓒ 확대; 부연(敷衍); 〖논리〗 확충; 〖전기〗 증폭; 〖광학〗 배율(倍率).

am·pli·fi·ca·to·ry [æmplífikətɔ̀:ri/ǽmplifikèitəri] *a.* 확충적〔부연적〕인.

am·pli·fi·er [ǽmpləfàiər] *n.* 〖전기·컴퓨터〗 증폭기(增幅器), 앰프; 확성기; 덧렌즈, 확대경.

°**am·pli·fy** [ǽmpləfài] *vt.* **1** 확대하다, 확장하다. **2** 《~+목/+목+전+명》 상세히 설명〔부연〕하다: ~ a statement/~ the meaning of a phrase *by* paraphrase 바꿔 말하여 어구의 뜻을 설명하다. **3** 《고어》 과장해서 말하다. **4** 〖전기〗 증폭하다. **—** *vi.* **1** 확대하다. **2** 《+전+명》 부연하다, 상술하다《*on, upon*》: He *amplified on* the accident. 그 사고에 대해 그는 상세히 말했다.

am·pli·tude [ǽmplitjù:d/-tjù:d] *n.* Ⓤ 넓이, 나비, 폭; 풍부, 충분; 〖물리·전기·컴퓨터〗 진폭; 〖군사〗 사정(射程); 〖천문〗 출몰(出沒) 방위각《천체 출몰 때 정동(正東)〔정서〕에서 잰 각거리》: ~ of wave 파도의 진폭.

ámplitude modulátion 〖전자〗 진폭 변조《생략: AM, A.M.》.

am·ply [ǽmpli] *ad.* 널리, 충분히; 상세히.

am·pul(e), am·poule [ǽmpju:l] *n.* 앰풀《1회분들이의 작은 주사액 병》.

am·pul·la [æmpʌ́lə, -púlə/-púlə] (*pl.* ***-lae*** [-li:]) *n.* 〖고대로마〗 (둥글고 목이 잘록한) 병·단지의 일종; 〖교회〗 제주(祭酒)〔성유(聖油)〕 그릇; 〖해부〗 미로(迷路)의 팽대부(膨大部).

am·pul·la·ceous [æ̀mpəléiʃəs] *a.* 단지 모양으로 불룩한, 플라스크 모양의.

am·pul·lar [æmpʌ́lər, -púl-/-púl-] *a.* 단지 「(모양)의.

am·pu·tate [ǽmpjutèit] *vt.* (손이나 발을) 자르다, 절단하다; (문장 내용의 일부 등을) 삭제〔정리〕하다, 잘라내다. **—** *vi.* 절단 수술을 하다.

àm·pu·tá·tion *n.* Ⓤ,Ⓒ 절단(수술); 잘라내기, 정리. 「절단기.

am·pu·ta·tor [ǽmpjutèitər] *n.* 절단 수술자;

am·pu·tee [æ̀mpjutí:] *n.* (손·발의) 절단 수술을 받은 사람.

am·rit, -ri·ta [ǽmrət], [əmrí:tə, æm-] *n.* Ⓤ,Ⓒ 〖힌두신화〗 불로불사(不老不死)의 음료, 감로; 불로불사.

Am·rit·sar [əmrítsər] *n.* 암리차르《인도 Punjab주 북서부의 도시; Sikh 교의 총본산이 있음; 1919년 4월 13일 영군(英軍)에 의한 Amritsar 대학살이 있었음》.

A.M.S. Agricultural Marketing Service; American Meteorological Society; Army Map Service; 《영》 Army Medical Service; Army Medical Staff. **AMSA** advanced manned strategic aircraft(차기(次期) 유인(有人) 전략 항공기). **AMSAM** anti-missile surface-to-air missiles(지대공 미사일 요격 미사일). **AMSAT** [ǽmsæt] amateur satellite(아마추어 무선 통신용 위성). **AMSLAN** American Sign Language. **a. ms. s.** autograph manuscript, signed(서명한 자필 원고).

am·ster [ǽmstər] *n.* 《Austral. 속어》 유객(誘客) (행위).

Am·ster·dam [ǽmstərdæ̀m/ˌ-ˌ-] *n.* 암스테르담《네덜란드의 수도》.

AMT ⦅미⦆ alternative minimum tax(선택적 최저 한계세). **amt.** amount.
am·trac, -track [ǽmtræ̀k] *n.* 〖미군사〗 수륙 양용(견인)차. [◂ *am*phibious *trac*tor]
Am·trak [ǽmtræ̀k] *n.* 앰트랙⦅National Railroad Passenger Corporation(전미국 철도 여객 수송 공사)의 통칭⦆. [◂ *Am*erican *Track*]
amu atomic mass unit.
amuck [əmʌ́k] *n., ad.* =AMOK.
am·u·let [ǽmjələt] *n.* 호부(護符), 부적.
Amund·sen [ɑ́:məndsən] *n.* **Roald ~** 아문센⦅세계 최초로 남극을 답파한 노르웨이 탐험가; 1872-1928⦆.
Amur [ɑ:múər/əm-] *n.* (the ~) 아무르 강 「⦅흑룡강⦆.
⁑**amuse** [əmjú:z] *vt.* **1** ⦅~+목/+목+전+명⦆ 즐겁게 하다, 재미나게 하다; …의 기분을 풀게 하다, 웃기다⦅*with*⦆: He ~*d* the children *with* jokes. 그는 농담으로 아이들을 즐겁게 해줬다. **2** 〖~ oneself〗 (여가를) 즐기다; 지루함을 달래다 ⦅*by; with*⦆: While waiting, he ~*d himself with* 〔(*by*) read*ing*〕 a comic book. 기다리는 동안 그는 만화책으로〔을 읽고〕 지루함을 달랬다. **3** ⦅고어⦆ 속이다. ***be ~d at*** 〔***by, with, to learn***〕 …을 보고〔듣고, 하고, 알고〕 재미있어 하다. ***You ~ me.*** 넌 재미있구나. ㊞ **amús·er** *n.* **amús·a·ble** *a.*
amused *a.* **1** (표정 따위가) 즐기는; 즐거워〔재미있어〕하는; 명랑한; 흥겨운: ~ spectators 흥겨워하는 구경꾼들. **2** 〖서술적〗 (…을) 재미있어〔즐거워〕하는⦅*at; with; by*⦆: The audience was ~ *by* the comedian. 관객들은 그 코미디언을 재미있어했다. **3** 〖서술적〗 (…하고) 재미있게 생각하는⦅*to* do⦆: I was ~ *to* find that he and I were born on the same day. 그와 내가 같은 날에 태어났다는 것을 알고 재미있다고 생각했다. ㊞ ◊**amús·ed·ly** [-zidli] *ad.*
*****amuse·ment** [əmjú:zmənt] *n.* **1** Ⓤ 즐거움, 위안, 재미: I play the piano for ~. 나는 재미로 피아노를 친다 / find much ~ in …을 크게 즐기다. **2** Ⓒ 오락(물), 놀이: There are not many ~*s* in the village. 마을에는 오락이 적다 / my favorite ~*s* 내가 좋아하는 오락. SYN. ⇨ GAME. **3** (*pl.*) 여흥.
amúsement arcàde ⦅영⦆ (슬롯 머신 등이 있는) 게임 센터(⦅미⦆ game arcade).
amúsement cènter 환락(중심)지, 위락 지구〔센터〕; 환락가(街).
amúsement pàrk ⦅미⦆ 유원지.
amúsement tàx 유흥세. 「음치.
amu·sia [eimjú:ziə] *n.* 〖의학〗 실(失)음악(증),
*****amus·ing** [əmjú:ziŋ] *a.* 즐거운, 재미있는; 기분풀이가 되는, 유쾌한: an ~ speaker 말솜씨가 좋은 사람. SYN. ⇨ INTERESTING. ㊞ **~·ly** *ad.* 즐겁게, 재미있게.
amus·ive [əmjú:ziv] *a.* 재미나는, 즐거운.
AMVETS [ǽmvets] *n. pl.* 미국 재향 군인회. [◂ *Am*erican *Vet*eran*s* of World War II, Korea and Vietnam]
Amy [éimi] *n.* 에이미⦅여자 이름⦆.
amyg·da·la [əmígdələ] (*pl.* ***-lae*** [-lì:]) *n.* 〖식물〗 편도류(扁桃類); 복숭아류(類); 〖해부〗 편도선. ㊞ **-late** [-lèit, -lit], **amyg·dal·ic** [æ̀migdǽlik] *a.* 편도류의, 편도류 같은.
amyg·da·lin [əmígdəlin] *n.* Ⓤ 〖화학·의학〗 아미그달린⦅살구 따위의 잎·씨에 있는 백색 결정의 배당체(配糖體)⦆.
amyg·da·loid [əmígdəlɔ̀id] *n.* Ⓤ *a.* 〖광물〗 행인상(杏仁狀) 용암(의). ㊞ **amỳg·da·lói·dal** [-əl] *a.* 행인상 용암의; 아몬드형의.
amygdalóidal núcleus 〖해부〗 편도핵(扁桃核). 「학〗 행인공(杏仁孔).
amyg·dule [əmígdju:l/-dju:l] *n.* 〖암석·지
am·yl [ǽmil] *n.* U,C 〖화학〗 아밀.
am·yl- [ǽməl], **am·y·lo-** [-lou, -lə] '녹말, 전분, 아밀'의 뜻의 결합사.
am·y·la·ceous [æ̀məléiʃəs] *a.* 전분(澱粉)의, 녹말의, 전분질(質)의; 전분 모양의.
ámyl álcohol 아밀 알코올⦅용제(溶劑)⦆.
am·y·lase [ǽməlèis, -z] *n.* U,C 〖생화학〗 아밀라아제⦅녹말을 당화(糖化)하는 효소⦆.
ámyl nítrite 〖화학〗 질산아밀⦅흥분제·최음제⦆.
amyl·o·gen [əmílədʒən, -dʒèn] *n.* 〖화학〗 아밀로겐, 가용성 녹말.
am·y·loid [ǽməlɔ̀id] *a.* 녹말질의, 녹말을 함유한. ── *n.* U,C 아밀로이드, 유사 녹말체.
am·y·lo·pec·tin [æ̀məloupéktin] *n.* 〖생화학〗 아밀로펙틴⦅녹말 성분인 다당류⦆.
am·y·lop·sin [æ̀məlɑ́psin/-lɔ́p-] *n.* Ⓤ 〖생화학〗 아밀롭신⦅췌액(膵液) 중의 아밀라아제⦆.
am·y·lose [ǽməlòus, -z] *n.* 〖생화학〗 아밀로스⦅녹말의 성분인 다당류의 하나⦆.
am·y·lum [ǽmələm] *n.* Ⓤ 〖화학〗 전분, 녹말; ⦅특허⦆ 소맥 전분.
amy·o·tróph·ic láteral sclerósis [èimaiətrɑ́fik-, -tróuf-, eimài-/èimaiətrɔ́-] 〖의학〗 근위축성(筋萎縮性) 측삭(側索) 경화(증).
†**an**[1] ⇨⦅p. 16⦆ A, AN. 「=IF.
an[2], **an'** [æn, ᄋᆞ ən] *conj.* ⦅방언⦆ =AND; ⦅고어⦆
an- [æn, ən] *pref.* **1** '무(無)'의 뜻: *an*archy. **2** =AD- ⦅n앞에 올 때⦆: *an*nounce. **3** =ANA-.
-an [ən, n] *suf.* **1** 인명·지명 따위에 붙어서 '…의, …에 속하는, …에 관계가 있는'의 뜻: Kore*an*, Elizabeth*an*. **2** 인명·지명 이외의 명사에 붙음: histori*an*, theologi*an*.
AN. Antonov⦅옛 소련의 항공기 형식명⦆. **an.** *anno* ⦅L.⦆ (=in the year); anonymous.
a.n. arrival notice.
ana[1] [ǽnə, ɑ́:nə/ɑ́:nə] (*pl.* **~*s***) *n.* **1** (어떤 사람의) 담화집, 어록(語錄). cf. -ana. **2** (*pl.*) 일화.
ana[2] [ǽnə/éi-, ɑ́:-] *ad.* 각각 같은 양으로⦅생략: aa, AA, Ā⦆: wine and honey ~ two ounces 와인과 꿀을 각각 2 온스씩.
an·a- [ǽnə/ənǽ] *pref.* '상(上)…', 후(後)…', 재(再)…' '분리, 산산조각' 등의 뜻⦅모음 앞에서는 an-⦆.
-ana [ǽnə, ɑ́:nə, éinə/ɑ́:nə], **-i·a·na** [iǽnə, iɑ́:nə, iéinə/iɑ́:nə] *suf.* 인명·지명 따위에 붙어서 '…에 관한 자료(집), …어록, …풍물지(誌), …문헌, …서지(書誌)'의 뜻: Kore*ana*.
ANA antinuclear antibody (항핵항체(抗核抗體); **ANA, A.N.A.** American Nurses Association; American Newspaper Association; Australian National Airways.
an·a·bap·tism [æ̀nəbǽptizəm] *n.* Ⓤ 재세례(再洗禮); 재침례론; (A-) 재침례교; 재세례파의 교의(敎義).
àn·a·báp·tist *n., a.* 재침례〔재세례〕론자(의); (A-) 재침례〔재세례〕교도(의).
an·a·bas [ǽnəbæ̀s] *n.* 〖어류〗 아나바스⦅동남아시아·아프리카산의, 나무에 오르는 물고기⦆.
anab·a·sis [ənǽbəsis] (*pl.* ***-ses*** [-sì:z]) *n.* 진군, 침입, 원정; (the A-) 페르시아 침입기⦅그리스의 Xenophon작⦆; 〖의학〗 병세 악화.
an·a·bat·ic [æ̀nəbǽtik] *a.* 〖기상〗 상승(기류)의; 상승기류로 생기는. OPP *katabatic*.
an·a·bi·o·sis [æ̀nəbaióusis] *n.* Ⓤ 소생, 의식 회복. ㊞ **àn·a·bi·ót·ic** [-ɑ́tik/-ɔ́t-] *a.*
an·a·bol·ic [æ̀nəbɑ́lik/-bɔ́l-] *a.* 〖생물〗 동화작용의, 신진대사의. OPP *catabolic*.
anabólic stéroid 〖생화학〗 단백 동화 스테로

이드《근육 증강제》.

anab·o·lism [ənǽbəlìzəm] *n.* Ⓤ 〖생물〗 동화(작용). opp. *catabolism.*

anab·o·lite [ənǽbəlàit] *n.* 〖생물·생리〗 동화작용의 산물. ㊞ **anàb·o·lít·ic** *a.*

an·a·branch [ǽnəbræ̀ntʃ/-brɑ̀:ntʃ] *n.* 본류로 다시 합치는 지류(支流); 모래땅에 흡수되어 없어지는 지류.
「시가 없는.

an·a·can·thous [æ̀nəkǽnθəs] *a.* 〖식물〗 가

an·a·chron·ic, -i·cal [æ̀nəkránik/-krɔ́-], [-ikəl] *a.* =ANACHRONISTIC.

anach·ro·nism [ənǽkrənìzəm] *n.* Ⓤ,Ⓒ 시대착오; 시대에 뒤떨어진 사람〔사물〕; 연대〔날짜〕의 오기(誤記). ㊞ **anàch·ro·nís·tic, -ti·cal** *a.* 시대착오의. **-ti·cal·ly** *ad.*
「NISTIC.

anach·ro·nous [ənǽkrənəs] *a.* =ANACHRO-

an·a·cid·i·ty [æ̀næsídəti] *n.* 〖의학〗 위산 결핍증, 무산증(無酸症).

an·a·clas·tic [æ̀nəklǽstik] *a.* 〖광학〗 굴절(성)의, 굴절에 기인하는: an ~ illusion 빛의 굴절에 의한 착각.

an·a·clit·ic [æ̀nəklítik] *a.* 〖심리〗 의존성의, 의타성의: ~ object choice 의존성 대상 선택/~ depression 의존 우울/~ identification 의존적 동일시.

an·a·co·lu·thon [æ̀nəkəlú:θɑn/-θɔn] (*pl.* **-tha** [-θə]) *n.* 〖수사학〗 파격(破格) 구문(의 문장)《문법적 일관성이 없는 문장: *Who* hath ears to hear, let *him* hear. 에서 who와 him이 격이 다름》. ㊞ **-lú·thic** *a.* **-thi·cal·ly** *ad.*

an·a·con·da [æ̀nəkɑ́ndə/-kɔ́n-] *n.* 아나콘다《독 없는 큰 뱀; 남아메리카산》; 〔일반적〕 큰 뱀.

an·a·cous·tic [æ̀nəkú:stik] *a.* 소리가 통하지 않는〔없는〕: ~ zone 무음향대《고도 약 1,600 km 이상의 음파가 전파되지 않는 영역》.

Anac·re·on [ənǽkriən] *n.* 아나크레온《B.C. 6 세기의 그리스 서정 시인》. ㊞ **Anàc·re·ón·tic** [-ɑ́ntik/-ɔ́n-] *a.* ~풍의; 술과 사랑의; 명랑한. ── *n.* (a-) 아나크레온풍의 시; 술과 사랑의 시.

an·a·cru·sis [æ̀nəkrú:sis] *n.* 〖운율〗 행수 잉여음(行首剩餘音)《시행(詩行) 첫머리에 파격으로 덧붙인 하나 또는 두 개의 약한 음절》.

an·a·cul·ture [ǽnəkʌ̀ltʃər] *n.* 〖세균〗 약독(弱毒)〔변성〕 세균 배양, 애너컬처.

an·a·dem [ǽnədèm] *n.* 《고어·시어》 화관(花冠), (여인 머리의) 꽃장식.

anad·ro·mous [ənǽdrəməs] *a.* 소하성(遡河性)의, (연어 따위가 산란을 위해) 강을 거슬러 올라가는. opp. *catadromous.*

anae·mia [əní:miə] *n.* Ⓤ 〖의학〗 =ANEMIC.
㊞ **-mic** [-mik] *a.* =ANEMIC.

an·aer·obe [ǽnəròub, ænέəroub] *n.* 〖생물〗 혐기성(嫌氣性)〔무기성(無氣性)〕 생물《미생물》. ㊞ **àn·aer·ó·bic** *a.*

an·aer·o·bi·o·sis [æ̀nəroubaióusis, æ̀nεər-] *n.* 〖생물〗 혐기(嫌氣) 생활. ㊞ **an·aer·o·bi·ot·ic** [æ̀nəroubaiɑ́tik, æ̀nεər-/-ɔ́t-] *a.* **àn·aer·o·bi·ót·i·cal·ly** *ad.*

an·aes·the·sia, etc. =ANESTHESIA, etc.

an·a·gen·e·sis [æ̀nədʒénəsis] *n.* 〖생물〗 향상 진화; 조직 재생.

an·a·glyph [ǽnəglìf] *n.* **1** 얕은 부조(浮彫) 장식. opp. *intaglio.* **2** 입체 사진. ㊞ **àn·a·glýph·ic, -glyp·tic** [-glíptik] *a.*

an·a·go·ge, -gy [æ̀nəgóudʒi, ˊ-ˋ-ˋ-/ǽnəgɔ̀dʒi] *n.* Ⓤ (성서 어구 등의) 신비적〔영적〕 해석.

an·a·gog·ic, -i·cal [æ̀nəgɑ́dʒik/-gɔ́dʒ-], [-əl] *a.* (성서 어구 등의) 신비적〔영적〕 해석의; 〖심리〗 (무의식적인) 이상(理想)〔덕성〕 추구의. ㊞ **-i·cal·ly** *ad.*

an·a·gram [ǽnəgræ̀m] *n.* 글자 수수께끼, 철자 바꾸기《예컨대 emit 의 anagram 은 time, item, mite 따위》; (*pl.*) 〔단수취급〕 글자 수수께끼〔철자 바꾸기〕 놀이. ㊞ **àn·a·gram·mát·ic** [-grəmǽtik] *a.* **àn·a·gram·mát·i·cal·ly** *ad.*

an·a·gram·ma·tism [æ̀nəgrǽmətìzəm] *n.* 어구의 철자 바꾸기; 글자 수수께끼 만드는 법. ㊞ **-tist** *n.* 글자 수수께끼 고안〔제작〕자; 글자 수수께끼 놀이를 하는 사람.

àn·a·grám·ma·tize *vt.* (어구의 철자를) 바꾸어 다른 낱말로 만들다.
「기(期)〔성격〕의.

anal [éinəl] *a.* 항문(부근)의; 〖정신의학〗 항문

anal. analogous; analogy; analysis; analytic; analyze; analyzer.

ánal cháracter 〖정신분석〗 항문 성격《세심·외고집의 인격 특성》.
「沸石).

anal·cite [ənǽlsait, ǽnəlsàit] *n.* 방비석(方

an·a·lec·ta [æ̀nəléktə] *n. pl.* =ANALECTS.

an·a·lects [ǽnəlèkts] *n. pl.* 선집(選集), 어록: the *Analects* (of Confucius) 논어.

an·a·lep·tic [æ̀nəléptik] *a.* 몸을 보하는, 체력〔기력, 의식〕 회복의. ── *n.* 강장제, 보약, (중추) 흥분제, 강심제, 각성제(覺醒劑).

ánal eróticism 〔**érotism**〕 〖정신의학〗 항문애(肛門愛), 항문성감(性感). ㊞ **ánal-erótic** *a., n.*

ánal fín 〖어류〗 뒷지느러미.

ánal fístula 치루(痔瘻).

an·al·ge·sia [æ̀nəldʒí:ziə, -siə] *n.* Ⓤ 〖의학〗 무통각(無痛覺)(증), 통각 상실.

an·al·ge·sic [æ̀nəldʒí:zik, -sik] *a.* 무통성(無痛性)의; 진통의. ── *n.* 진통제.

an·al·get·ic [æ̀nəldʒétik] *a., n.* =ANAL-

an·al·gia [ænǽldʒiə] *n.* =ANALGESIA. ⌊GESIC.

ana·lin·gus [æ̀nəlíŋgəs] *n.* 항문핥기. 「ing).

ánal íntercourse 항문 성교, 비역(ass fuck-

anal·i·ty [einǽləti] *n.* 〖정신의학〗 (심리적 특징으로서의) 항문애.

an·a·log [ǽnəlɔ̀:g, -lɑ̀g/-lɔ̀g] *n.* **1** 《미》 = ANALOGUE. **2** 〖컴퓨터〗 연속(형), 아날로그. ── *a.* **1** 상사형(相似型)의. **2** 아날로그의《정보를 연속적으로 변화하는 양으로 나타내는 메커니즘에 관한 이름》: ⇨ ANALOG COMPUTER. **3** 아날로그 표시의. cf. digital. ¶ an ~ watch 아날로그 시계.

ánalog compúter 〖컴퓨터〗 아날로그 컴퓨터. cf. digital computer.

an·a·log·ic, -i·cal [æ̀nəlɑ́dʒik/-lɔ́dʒ-], [-əl] *a.* 비슷한, 닮은, 유사한; 유추(類推)의, 유비(類比)의. ㊞ **-i·cal·ly** *ad.* 유추하여.

ánalog ímage pròcessing 〖전자〗 아날로그 화상(畫像)〔영상〕 처리.

anal·o·gism [ənǽlədʒìzəm] *n.* Ⓤ 유추 추리〔진단〕; 추론. ㊞ **-gist** *n.* 유추론자.

anal·o·gize [ənǽlədʒàiz] *vt., vi.* 유추에 의해 설명하다, 유추하다; 유사하다《*with*》; 유추로써 …을 나타내다; 유사함을 나타내다《*to*》.

anal·o·gous [ənǽləgəs] *a.* 유사한, 비슷한, 닮은, 상사(相似)한《*to; with*》; 〖생물〗 상사 기관의: The wings of an airplane are ~ *to* those of a bird. 비행기 날개는 새의 날개와 유사하다. ㊞ **~·ly** *ad.* **~·ness** *n.*

ánalog-to-dígital convérter 〖전자〗 아날로그·디지털 변환기(=**ánolog-dígital convérter**).

an·a·logue [ǽnəlɔ̀:g, -lɑ̀g/-lɔ́g] *n.* 유사물; 〖언어〗 동류어(同類語); 〖생물〗 상사체〔기관〕; 〖화학〗 유사 화합물; 유사체; 유사 (합성) 식품; 아날로그, 표시 장치《시계침, 수은주 따위》. ── *a.* =ANALOG.

◇anal·o·gy [ənǽlədʒi] *n.* **1** Ⓒ,Ⓤ 유사, 비슷함, 닮음《*between; to; with*》: the ~ *between* the heart and a pump 심장과 펌프의 유사/have 〔bear〕 some ~ *with* 〔*to*〕 …와 약간 유사하다. **2** Ⓤ 〖논리〗 유추, 비론(比論); 〖언어〗 유추; 〖수학〗 유비(類比), 등비(等比); 〖생물〗 상사(相似). cf. homology. ¶ false ~ 틀린 유추/forced ~ 무리한 유추, 견강부회. ***on the* ~ *of* =*by* ~ *with*** …에서 유추하여.

análogy tèst 〖심리〗 유추 검사《지능 인자로서의유추 능력을 측정》. 「(illiterate).

an·al·pha·bet [ænǽlfəbèt, -bit] *n.* 문맹

an·al·pha·bet·ic [ænælfəbétik, ⌐-⌐-⌐] *a.* 무학의, 문맹의; 〖언어〗 비(非)알파벳식의; 초정밀 기호의《표음법(表音法) 등》. **—** *n.* 무식자, 문맹.

ánal-reténtive *a.* (프로이트 정신 분석에서) 항문 성격의; 결벽성의. ㊞ **ánal reténtion, ánal reténtiveness** *n.*

anal·y·sand [ənǽləsæ̀nd, -zæ̀nd] *n.* 정신분석을 받는 사람.

analyse ⇨ ANALYZE.

‡**anal·y·sis** [ənǽləsis] (*pl.* **-ses** [-sìːz]) *n.* Ⓤ,Ⓒ **1** 분석, 분해. opp *synthesis.* ¶ ~ by synthesis 합성에 의한 분석. **2** 〖문법〗 분석; 〖수학〗 해석(학); 〖심리〗 정신 분석; 〖언어·화학〗 분석, 분석표: ⇨ QUALITATIVE 〔QUANTITATIVE〕 ANALYSIS. **3** 〖컴퓨터〗 분석. ***in the last* 〔*final*〕 ~** 결국, 요컨대. 「석.

análysis of váriance 〖통계〗 분산(分散) 분

an·a·lyst [ǽnəlist] *n.* 분석〔분해〕자; 분석 화학자, 사회〔정치〕 정세 분석 해설자; 통계 전문가; 《미》 정신 분석가(psychoanalyst); 〖컴퓨터〗 분석가, 시스템 분석자. ≠annalist.

an·a·lyt·ic, -i·cal [æ̀nəlítik], [-əl] *a.* 분해〔분석〕의, 분석적〔해석적〕인. opp *synthetic.* ㊞ **-i·cal·ly** *ad.* 분해하여, 분석적으로.

analýtical bálance 〖화학〗 화학 분석용 천칭.

analýtical chémistry 분석 화학.

analýtic geómetry 해석 기하학.

an·a·ly·tic·i·ty [æ̀nəlitísəti:] *n.* 〖언어·논리〗 (명제 따위의) 분석성.

analýtic psychólogy 〖심리〗 분석 심리학.

àn·a·lýt·ics *n. pl.* 《단수취급》 분석학, 해석학; 〖문법〗 분석론.

án·a·lỳz·a·ble *a.* 분해〔분석, 해부〕할 수 있는. ㊞ **àn·a·lỳz·a·bíl·i·ty** *n.* 분석 가능성.

***an·a·lyze,** 《영》 **-lyse** [ǽnəlàiz] *vt.* 《~+목/+목+전+명》 **1** 분석하다, 분해하다: ~ the problem 〔situation〕 문제〔정세〕를 분석하다. **2** (분석적으로) 검토하다: He ~*d* it *for* hidden meaning. 그는 그것을 검토하여 숨은 뜻을 조사했다. **3** 〖화학·문법〗 분석하다《*into*》; 〖수학〗 해석하다: Water can be ~*d into* oxygen and hydrogen. 물은 산소와 수소로 분해할 수 있다. **4** (아무를) 정신 분석하다. ◇ analysis *n.* ㊞ ***-lỳz·er** *n.* 분석기, 분석 장치; 분석자; 〖광학〗 검광자〔판〕.

Anam [ənǽm] *n.* =ANNAM.

an·am·ne·sis [æ̀næmníːsis] (*pl.* **-ses** [-siːz]) *n.* 회상, 추억, 기억 능력; 〖의학〗 기왕증(既往症), 병력(病歷).

an·am·nes·tic [æ̀næmnéstik] *a.* 〖생리〗 기왕의, 2 차 면역의: ~ response 기왕 반응.

an·a·mor·phic [æ̀nəmɔ́ːrfik] *a.* 〖광학〗 일그러져 보이는 상(像)의, 왜상(歪像)의.

an·a·mor·pho·sis [æ̀nəmɔ́ːrfəsis] (*pl.* **-ses** [-siːz]) *n.* 〖광학〗 일그러져 보이는 상(像), 왜상(歪像); 〖식물〗 (잎·꽃 따위의) 기형(奇形), 변체(變體); 〖생물〗 점진적 진화.

an·a·nas [ǽnənæ̀s, ənǽnəs/ənáːnəs] *n.* 〖식물〗 =PINEAPPLE.

anan·da [áːnəndə] *n.* 〖힌두교〗 환희; 쾌락, 행복. 「술이 없는.

an·an·drous [ənǽndrəs, æn-] *a.* 〖식물〗 수

An·a·ni·as [æ̀nənáiəs] *n.* 〖성서〗 아나니아《하느님 앞에서 거짓말을 하여 목숨을 잃은 남자; 사도행전 V: 1-10》; 거짓말쟁이.

an·an·kás·tic personálity [æ̀nənkǽstik-, æ̀næŋ-] 강박 성격, 제박(制縛) 성격.

an·an·thous [ənǽnθəs, æn-] *a.* 〖식물〗 꽃이 없는, 무화(無花)의.

an·a·pest, -paest [ǽnəpèst] *n.* 〖운율〗 약약강격(弱弱強格)《××⌐》; 단단장격(短短長格)《◡◡−》. ㊞ **an·a·pes·tic, -paes·tic** [æ̀nəpéstik] *a., n.* 〖운율〗 단단장(短短長)〔약약강〕격의 (시행(詩行)). 「기(後期). cf. prophase.

an·a·phase [ǽnəfèiz] *n.* 〖생물〗 (핵분열의) 후

anaph·o·ra [ənǽfərə] *n.* **1** 〖그리스정교〗 성찬식문(文), 성체 기도. **2** 〖수사학〗 수구(首句) 반복. **3** 〖문법〗 대용어《명사의 반복을 피해서 쓰이는 대명사 등》. **4** 〖음악〗 악절 반복.

an·a·phor·ic [æ̀nəfɔ́ːrik, -fár-/-fɔ́r-] *a.* 〖문법〗 앞에 나온 어구를 가리키는〔에 관한〕, 조응(照應)적인.

an·aph·ro·di·sia [ænæ̀frədíːʒə, -díʒə, -díziə] *n.* 〖의학〗 무성욕증, 무성감증(無性感症), 냉감증(冷感症).

an·aph·ro·dis·i·ac [ænæ̀frədí(ː)ziæ̀k] *a.* 〖의학〗 성욕을 억제시키는. **—** *n.* 성욕 억제제.

an·a·phy·lac·tic [æ̀nəfəlǽktik] *a.* 〖의학〗 과민증〔성〕의, 아나필락시스의: an ~ shock. ㊞ **-ti·cal·ly** *ad.*

an·a·phy·lax·is [æ̀nəfəlǽksis] *n.* Ⓤ 〖의학〗 과민증〔성〕, 아나필락시스《혈청 주사를 맞거나 조개를 먹은 뒤 등에 일어나는 이질 단백질에 대한》.

an·a·pla·sia [æ̀nəpléiʒə, -ziə] *n.* Ⓤ 〖생물〗 (세포의) 퇴생(退生), 퇴화.

an·a·plas·tic [æ̀nəplǽstik] *a.* 〖의학〗 성형(수술)의; 퇴생의《세포》; 미분화(未分化)의《암》.

an·a·plas·ty [ǽnəplæ̀sti] *n.* Ⓤ 성형 외과술 (plastic surgery).

an·arch [ǽnɑːrk] *n.* 《시어》 모반(謀叛)의 주모자; =ANARCHIST.

an·ar·chic, -chi·cal [ænáːrkik], [-əl] *a.* 무정부(주의)의; 무정부 상태의; 무질서한. ㊞ **-chi·cal·ly** *ad.*

an·ar·chism [ǽnərkìzəm] *n.* Ⓤ 무정부주의; 무정부 (상태); (폭력·테러 행위에 의한) 체제 타파 활동.

°**án·ar·chist** *n.* 무정부주의자; 폭력 혁명가.

an·ar·chis·tic [æ̀nərkístik] *a.* 무정부주의(자)의.

an·ar·cho- [ənáːrkou-, -kə] 《주로 영》 '무정부주의'의 뜻의 결합사.

àn·ar·cho-sýndicalism [æ̀nərkou-, ænɑ̀ːr-] *n.* =SYNDICALISM. ㊞ **-ist** *n.*

°**an·ar·chy** [ǽnərki] *n.* Ⓤ 무정부; 무정부 상태,(사회적·정치적인) 무질서; 혼란; 난맥(상); 무정부론.

an·ar·thria [ænáːrθriə] *n.* 〖의학〗 구어(構語) 장애, 실구어증(失構語症)《뇌장애로 인한》.

an·ar·throus [ænáːrθrəs] *a.* 〖그리스문법〗 관사 없는, 무관사의; 〖생물〗 관절 없는, 무절지(無節肢)의. 「부종(浮腫).

an·a·sar·ca [æ̀nəsáːrkə] *n.* Ⓤ 〖의학〗 전신

an·a·stat·ic [æ̀nəstǽtik] *a.* **1** 〖인쇄〗 철판(凸版)의: an ~ printing 철판 인쇄. **2** 〖생물·생리〗 =ANABOLIC.

an·as·tig·mat [ənǽstigmæ̀t, æ̀nəstígmæt] *n.* 〖사진〗 수차 보정(收差補正) 렌즈.

anas·to·mose [ənǽstəmòuz] *vt., vi.* 합류시키다〔하다〕, 접합시키다〔하다〕; 〖외과〗 문합(吻

合)시키다〔하다〕.

anas·to·mo·sis [ənæ̀stəmóusis] (*pl.* **-ses** [-si:z]) *n.* (수로(水路) 따위의) 망상(網狀) 형성, 합류; 〖생물〗 (엽맥(葉脈) 따위의) 망상 교차 연락; 〖외과〗 (관상(管狀)기관의) 문합(吻合)(술).

anas·tro·phe, -phy [ənǽstrəfi] *n.* [U,C] 〖수사학〗 도치법.

anat. anatomical; anatomist; anatomy.

an·a·tase [ǽnətèis, -tèiz] *n.* 〖광물〗 예추석(銳錐石)《자연산 이산화타이타늄의 결정; 백색 안료로 씀》.

anath·e·ma [ənǽθəmə] *n.* **1** 교회의 저주, 아나테마; (가톨릭 교회에서의) 파문(破門). **2** 〔일반적〕 저주; 증오. **3** 저주받은 사람〔물건〕. **4** 아주 싫은 것〔사람〕: Alcohol is (an) ~ to me. 나는 술이 질색이다.

anath·e·mat·ic [ənæ̀θəmǽtik] *a.* 저주할, 혐오할; 증오에 찬.

anath·e·ma·tize [ənǽθəmətàiz] *vt., vi.* 〖교회〗 공식적으로 저주하다, 파문하다; 〔일반적〕 저주하다, 저주하여 추방하다.

An·a·to·lia [æ̀nətóuliə] *n.* 아나톨리아《옛날의 소아시아, 지금은 터키를 말함》; 아나톨리아 사람〔말〕. [파] **-li·an** [-ən] *a., n.*

an·a·tom·ic, -i·cal [æ̀nətámik/-tɔ́m-], [-əl] *a.* 해부의, 해부(학)상의. [파] **-i·cal·ly** *ad.*

anat·o·mist [ənǽtəmist] *n.* 해부학자; 《비유》 (상세히) 분석 조사하는 사람.

anat·o·mize [ənǽtəmàiz] *vt., vi.* 해부하다 (dissect); 상세히 분해〔분석〕하다.

◇**anat·o·my** [ənǽtəmi] *n.* **1** [U] 해부학, 해부술〔론〕: general ~ 해부 통론/human 〔morbid〕 ~ 인체〔병리〕 해부학. **2** [U] 해부. **3** (동식물의) 해부학적 구조〔조직〕; 인체. **4** 해부 모형, 해부용〔된〕 시체. **5** 미라; 깡마른 사람, 《고어》 해골. **6** (면밀한) 분석; 조사. ***pain in the ~*** 《속어》 싫은 일, 고민 거리.

an·a·tox·in [æ̀nətáksin/-tɔ́k-] *n.* 〖면역〗 아나톡신(toxoid).

an·a·trip·sis [æ̀nətrípsis] *n.* 〖의학〗 마찰치료(법). [파] **an·a·trip·tic** [æ̀nətríptik] *a.*

an·bury [ǽnbəri] *n.* (마소의) 연종(軟腫); (식물의) 근경(根莖) 비대증.

ANC Army Nurse Corps (육군 간호사단); African National Congress (of South Africa) (아프리카 민족회의)《남아공의 흑인 해방 조직》.

anc. ancient(ly).

-ance [əns] *suf.* '행동·상태·성질·정도' 따위의 뜻의 명사 어미(-ence): assist*ance*, conduct*ance*, dist*ance*.

****an·ces·tor** [ǽnsestər] (*fem.* **-tress**) *n.* **1** 선조, 조상; 〖법률〗 피상속인. [OPP] *descendant*. ¶ You are descended from noble ~*s*. 너에게는 훌륭한 조상이 있다. **2** 원형(原型), 전신(前身), 선구자. **3** 〖생물〗 원종(原種). ***one's spiritual ~*** (정신적으로 가장 영향을 받은) 스승.

áncestor wòrship 조상 숭배.

◇**an·ces·tral** [ænséstrəl] *a.* 조상(대대로)의: ~ estate 〔possession〕 조상 전래의 재산. [파] **~·ly** *ad.*

an·ces·tress [ǽnsestris] *n.* 여성 조상.

◇**an·ces·try** [ǽnsestri] *n.* **1** 〔집합적〕 조상; 선조. **2** 가계(家系), 문벌. **3** 〖생물〗 계통; 계보. **4** 발단, 기원; 유래.

An·chi·ses [ænkáisi:z] *n.* 〖그리스신화〗 안키세스《아들 Aeneas에 의해, 불길에 싸인 Troy에서 구출됨》.

an·chi·there [ǽŋkəθìər] *n.* 〖고생물〗 마이오세(世)·올리고세(世)의 말의 일종.

an·chor** [ǽŋkər] *n.* **1** 닻: a bower ~ (군함 앞의) 주묘(主錨)/a kedge ~ 작은 닻/a foul ~ 닻줄이 휘감긴 닻/a sheet ~ (위급용) 큰 닻; 최후의 의지/Stand by the ~! 투묘 준비. **2** (마음을) 받쳐 주는 것, 힘이〔의지가〕 되는 것: Hope was his only ~. 희망이 그의 마음을 지탱해 주는 유일한 것이었다. **3** 〖군사〗 (방위선의) 주요 거점. **4** 줄다리기의 맨 끝 사람; (릴레이 따위의) 최종 주자; 〖야구〗 최강 타자. **5** (*pl.*) 《속어》 차의 브레이크. **6** 〖건축〗 닻장식. **7** 〔일반적〕 고정장치; 잠금쇠. **8** 《미》 =ANCHORMAN 3. ***an ~ to windward 위험 방지책: cast *an ~ to windward* 안전책을 강구하다. ***be* 〔*lie, ride*〕 *at ~*** 정박해 있다. ***cast* 〔*drop*〕 *~*** 투묘하다, 정박하다. ***come to* (*an*) *~*** 정박하다, 정착하다, 안주하다. ***drag* (*the*) *~*** 표류하다. ***fish ~*** 닻 가지를 뱃전에 걸다. ***let go the ~*** 닻을 내리다; 〔명령형〕 닻 내려! ***swallow the ~*** 《속어》 선원 생활을 그만두다; 《미속어》 해군에서 제대하다. ***up* (*the*) *~*** ① 닻을 올리다. ② 〔명령형〕 《미속어》 나가 버려! ***weigh ~*** 닻을 올리다, 출항하다; 출발하다, 떠나다.

— *vt.* **1** (배를) 닻을 내려 멈추다, 정박시키다. **2** 《+[목]+[전]+[명]》 (단단히) 고정시키다; 묶어 두다 《*to*》; (생각·주의 등을) 정착〔고정〕시키다《*in; on*》: ~ a tent *to* the ground 텐트를 땅바닥에 고정시키다/~ one's hopes *in* 〔*on*〕 …에 희망을 걸다. **3** 〖경기〗 …의 최후 주자가 되다. **4** 〖방송〗 앵커맨〔종합 사회자〕 노릇을 하다: ~ a news program. — *vi.* **1** 《+[전]+[명]》 닻을 내리다, 정박하다: ~ *along* a pier 부둣가에 정박하다. **2** 《+[전]+[명]》 정착〔고정〕하다《*on; to*》: Her eyes ~*ed on* him. 그녀의 눈길은 그에게서 떠나지 않았다. **3** 앉다, 쉬다, 머물다.

[파] **~·less** *a.*

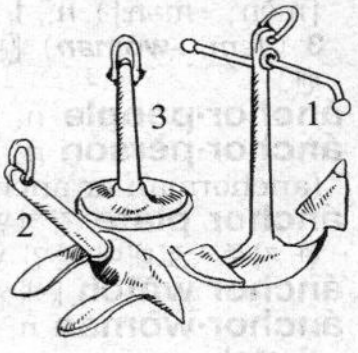

anchors1
1. admiralty anchor
2. Hall's anchor
3. mushroom anchor

An·chor·age [ǽŋkəridʒ] *n.* 앵커리지《미국 알래스카 주 남부의 항구·공항 도시》.

an·chor·age[1] *n.* **1** [U] 닻내림, 투묘, 정박. **2** [C] 투묘지(投錨地), 정박지; [U] 정박세〔료〕(=∠ dùes). **3** (배의) 계류장, 고정용구. **4** 의지가〔힘이〕 되는 것.

an·chor·age[2] *n.* 은자(隱者)의 주거, 은둔 장소.

ánchor bèd 〖해사〗 앵커베드《이물의 닻을 넣어 두는 곳》.

ánchor bèll 정박 중인 배의 안개속 신호종.

ánchor bòlt 〖건축〗 앵커 볼트.

ánchor bùoy 〖해사〗 (닻 위치를 가리키는) 앵커부이〔부표〕.

án·chored *a.* 닻을 내린, 정박〔투묘〕하고 있는; 〖당구〗 (표적구가) 서로 가까이 있는.

ánchor escàpement (시계 톱니바퀴의) 지동기구(止動機構)·장치.

an·cho·ress [ǽŋkəris] *n.* 여자 은자(隱者).

an·cho·ret, an·cho·rite [ǽŋkərit, -rèt], [-ràit] *n.* 은자(隱者), 은둔자《종교적 이유로 세상을 버린》. [파] **an·cho·ret·ic** [æ̀ŋkərítik] *a.* 은자의, 은자와 같은.

an·cho·rette [æ̀ŋkərét] *n.* 《미》 앵커우먼, 여성 뉴스 캐스터.

ánchor-hòld *n.* 닻의 박힘; 닻이 걸리는 곳; 《비유》 근거, 안정.

ánchor ìce 묘빙(錨氷), 저빙(底氷)《하천·호수 바닥에 얼어붙어 있는 얼음》.

ánchor lìght 정박등(碇泊燈).

ánchor·màn [-mæ̀n, -mən] (*pl.* **-mèn**

[mèn, -mən]) n. 1 =ANCHOR 4. 2 중심인물. 3 (fem. **-wòman**) 『미방송』 종합 사회자, 앵커맨. 「녀 공통어》.
ánchor·pèople n. pl. =ANCHORPERSONS 《남
ánchor·pèrson n. (뉴스 프로의) 종합 사회자 (anchorman or anchorwoman)《남녀공통어》.
ánchor plàte 정착판《케이블을 고정시키기 위한 지주·토대에 붙인 나무 혹은 철판》.
ánchor wàtch 『해사』 정박(碇泊) 당직.
ánchor·wòman n. (pl. **-wòmen**) n. 《미》 여성 앵커.
an·cho·vy [ǽntʃouvi, -tʃə-, æntʃóu-] n. 『어류』 안초비《멸치류; 지중해산》; Ⓤ 멸치젓.
ánchovy pàste 안초비 페이스트《안초비를 짓이겨 향신료를 넣어서 갠 것》.
ánchovy sàuce 안초비로 만든 소스. 「트〔빵〕.
ánchovy tòast 안초비 페이스트를 바른 토스
an·chu·sa [æŋkjúːsə, -zə, æ̀n-] n. 『식물』 지치과의 약초.
anchylose ⇨ ANKYLOSE.
anchylosis ⇨ ANKYLOSIS.
an·cienne no·blesse [F. ɑ̃ːsjɛnnɔblɛs] 《F.》 (혁명 이전의) 구(舊)귀족; 옛날의 귀족.
an·cien ré·gime [F. ɑ̃sjɛ̃ʀɛʒim] 《F.》 구(舊)제도, 구체제, 앙시앵레짐《특히 1789년 프랑스 혁명 이전의 정치·사회 조직》; 시대에 뒤진 제도·풍습.
⁑**an·cient**[1] [éinʃənt] a. 1 옛날의, 고대의《중세·근대에 대해》: in ~ times 오랜 옛날에/an ~ civilization 고대 문명. 2 예로부터의, 고래(古來)의: an ~ custom. SYN. ⇨OLD. 3 《고어》 고령의, 나이 많은(old, aged). 4 『법률』 30년〔20년〕 이상 경과한. 5 《고어》 연공을 쌓은, 분별·경험이 많은. 6 《종종 우스개》 구식의. ── n. 1 고대인; (the ~s) 고대 문명인《특히 그리스·로마·히브리의》. 2 고전 작가. 3 노인; 선조. ***the Ancient of Days*** 『성서』 옛적부터 항상 계신 이, 하느님《다니엘서 VII: 9》. ㊞ **~·ness** n.
an·cient[2] n. 《고어》 기(旗)(ensign); 《폐어》 기수.
Áncient Gréek 고대 그리스어(語).
áncient hístory 1 고대사《476년 서로마제국 멸망까지》. 2 《구어》 이미 다 아는 이야기, 케케묵은 이야기.
áncient líghts 『영법률』 채광권(採光權)(소유)《게시 문구; 20년 이상 채광을 방해받지 않은 창문은 이 권리를 인정받음》.
án·cient·ly ad. 옛날에는, 고대에(는).
áncient mónument (국가가 관리하는) 유적(따위). 「고대; 구가(舊家).
an·cient·ry [éinʃəntri] n. 《고어》 고풍(古風);
an·cil·la [ænsílə] (pl. **-lae** [-liː]) n. 부속물; 도움이 되는 것(helper, aid); 《고어》 시녀, 하녀.
an·cil·lary [ǽnsəlèri/ænsíləri] a. 보조의, 부수적〔종속적〕인, 부(副)의(*to*). ── n. 《영》 조력자, 조수, 보조물, 부수물, 자(子)회사.
ancle ⇨ ANKLE.
an·con [ǽŋkɑn/-kɔn] (pl. ***an·co·nes*** [æŋkóuniːz]) n. 『해부』 팔꿈치; 『건축』 첨차(檐遮), 초엽(草葉). ㊞ **an·co·ne·al** [æŋkóuniəl] a.
an·cress [ǽŋkris] n. =ANCHORESS.
-an·cy [ənsi] suf. =-ANCE.
AND [ænd] n. 『컴퓨터』 논리곱, 앤드. cf. OR.
†**and** ⇨《p. 105》 AND.
and. andante.
An·da·lu·sia [æ̀ndəlúːʒə, -ʃiə/-ziə] n. 안달루시아《스페인 남부의 지방; 옛 Moor 문명의 중심지》.
An·da·lu·sian [-n] a., n. 안달루시아의 (사람): an ~ fowl 안달루시안 닭.
an·da·lu·site [æ̀ndlúːsait] n. Ⓤ 『광물』 홍주석(紅柱石)《내화성이 높음》.
an·dan·te [ændǽnti, ɑːndáːntei] a., ad. 《It.》 『음악』 느린〔느리게〕, 안단테의〔로〕. ── n. 안단테의 악장〔악절〕.
an·dan·ti·no [æ̀ndæntíːnou, ɑ̀ːndɑːn-/æ̀ndæn-] a., ad. 《It.》 『음악』 안단티노의; 안단테보다 좀 빠르게. ── n. 안단티노의 악장〔악절〕.
ÁND cìrcuit 〔**gàte**〕 『컴퓨터』 논리곱 회로, AND 회로〔문〕.
An·de·an [ændíːən, ǽndi-] a. 안데스 산맥(주민)의. ── n. 안데스 산중 사람.
An·der·sen [ǽndərsən] n. **Hans Christian** ~ 안데르센《덴마크의 동화 작가; 1805-75》.
An·der·son [ǽndərsən] n. 앤더슨. 1 **Carl David** ~ 미국의 물리학자《양전자 발견; 노벨 물리학상 수상(1936); 1905-91》. 2 **Marian** ~ 미국의 알토 가수(1897-1993). 3 **Philip Warren** ~ 미국의 물리학자《노벨 물리학상 수상(1977); 1923- 》. 4 **Sherwood** ~ 미국의 소설가, 단편작가(1876-1941). 5 (the ~) 앤더슨 강《캐나다 Great Bear 호의 북쪽 호군(湖群)에서 서북으로 흘러들어 Beaufort 해로 빠짐; 길이 580 km》. 「방공호.
Ánderson shèlter 《영》 (아치형 간이) 가정
An·des [ǽndiːz] n. pl. (the ~) 안데스 산맥《남미의》.
an·de·sine [ǽndəziːn] n. 중성 장석(中性長石)《사장석(斜長石)의 하나로 화성암에 포함됨》.
an·de·site [ǽndəzàit] n. 『지학』 안산암(安山岩).
Ándes líghtning 안데스 전광〔방전〕《산악지대의 대기가 전기적인 외부 자극을 받을 때 생기는 코로나 방전》.
and·i·ron [ǽndaiərn] n. (난로의) 철제 장작 받침(firedog).
ÁND operàtion 『컴퓨터』 또셈, 앤드셈.
and/or [ǽndɔ́ːr] conj. 및/또는, 양쪽 다 또는 어느 한 쪽(both or either): Money ~ clothes are welcome. 돈과 옷 또는 그 어느 쪽도 환영함.
An·dor·ra [ændɔ́ːrə, -dárə/-dɔ́ːrə] n. 안도라《프랑스·스페인 국경의 산중에 있는 공화국; 수도 Andorra la Vella [-lɑːvéljɑː]》.
an·dou·ille [ɑːndúːjə, -dúːi; F. ɑ̃duj] n. 『요리』 앙두유《양념맛을 살린 두꺼운 훈제 포크 소시지》.
andr- [ǽndr], **an·dro-** [ǽndrou, -rə] '인간·남성·꽃밥·수꽃술' 이란 뜻의 결합사.
an·dra·dite [ǽndrədàit] n. 『보석』 회철(灰鐵) 석류석. 「성인 교육학〔법〕.
an·dra·go·gy [ǽndrəgòudʒi, -gɑ̀-/-gɔ̀-] n.
An·drew [ǽndruː] n. 1 앤드루《남자 이름》. 2 (Saint ~) 『성서』 안드레《예수의 12사도 중의 한 사람》.
an·dro·cen·tric [æ̀ndrəséntrik] a. 남성 중심의. ㊞ **-trism** n. 남성 중심주의.
An·dro·cles [ǽndrəkliːz] n. 안드로클레스《로마의 전설적인 노예》.
an·droc·ra·cy [ændrákrəsi/-drɔ́k-] n. 남성에 의한 사회〔정치 지배〕.
an·droe·ci·um [ændríːʃiəm] (pl. **-cia** [-ʃiə]) n. 『식물』 수꽃술군(群).
an·dro·gen [ǽndrədʒən] n. 『생화학』 남성호르몬, 안드로겐. ㊞ **àn·dro·gén·ic** [-dʒé-] a.
àndro·génesis n. 『생물』 웅성(雄性)〔웅핵(雄核)〕 발생; 동정 생식(童貞生殖)《단위(單爲) 생식의 하나》. ㊞ **an·drog·e·nous** [ændrádʒənəs/-drɔ́dʒ-] a.
an·drog·en·ize [æ̀ndrádʒənaiz/-drɔ́dʒ-] vt. (여성을) 남성화하다《특히, 남성 호르몬의 주사로》.
an·dro·gyne [ǽndrədʒàin] n. 1 남녀 양성 구유자(具有者), 반음양; 《고어》 여성적인 남자.

and

or와 함께 가장 사용 범위가 넓은 등위접속사(等位接續詞)의 하나이며, 이것으로 연결되는 앞뒤의 요소는 물론 문법상 같은 성질의 것이라야 하지만, (대)명사 · 동사 · 형용사 · 부사 · 전치사 · 구 · 절 따위의 여러 가지가 있으며, 우리말로 옮길 때는 여러 가지 표현을 쓰게 된다. 또한 both... and —의 형식으로서 중요한 상관접속사(相關接續詞)를 형성한다.

and [ənd, nd, ən, n; 강 ænd] *conj.* ★ 보통 약음으로 발음됨. **1** 〖나란히 어 · 구 · 절을 이음〗 …와 —, … 및 —, …이나 —; 그리고, …또(한): John ~ Mary are great friends. 존과 메리는 아주 친하다〔단짝이다〕/ He is a novelist ~ poet. 그는 소설가이자 시인이다 / There are many old Buddhist temples in ~ about 〔around〕 Gyeongju. 경주 및 그 근교에는 많은 고찰(古刹)들이 있다.

> NOTE (1) 순서적으로 2인칭 · 3인칭 그리고 맨 나중에 1인칭이 옴: You *and* I 당신과 나.
> (2) 동등한 어구가 셋 이상 있을 때 보통 각 어구 사이를 콤마로 끊고, 마지막 어구 앞에만 and가 옴(and 바로 앞에는 콤마를 붙이는 경우가 원칙임): In that room there were a chair, a table(,) *and* a bed. 그 방에는 의자 하나, 테이블 한 개 그리고 침대가 하나 있었다.
> (3) 두 개의 어구를 대등하게 이어주는 데는 A *and* B 'A와 B' 처럼 and 만을 쓰지만, 양쪽을 다 강조할 때엔 *both* A *and* B 'A 그리고 또한 B' 가 되며, A에 중점을 둘 때는 A *as well as* B 'B는 물론 A도' 로 표현하고, A를 더 강조할 때에는 *not only* B, *but also* A 'B 뿐만 아니라 A도 또한' 이 됨.

2 a 〖동시성을 나타내어〗 (…와 동시에) 또, …하면서: We walked ~ talked. 우리는 걸으면서 이야기했다 / You can't eat your cake ~ have it. 《속담》 과자는 먹으면 없어진다《동시에 양쪽 다 좋게는 할 수 없다》. **b** 〖앞뒤의 관계를 보여서〗 …하고 (나서), 그리고 나서: He took off his hat ~ bowed. 그는 모자를 벗고 인사를 했다.
3 [보통 ən] 〖하나로 된 것; 단수취급〗 …와 —이 (합하여 일체가 된 것): bread ~ butter [brédn-bʌ́tər] 버터 바른 빵 / a carriage ~ four 사두(四頭) 마차 / a watch ~ chain 줄 달린 시계 / a rod ~ line 줄 달린 낚싯대 / man ~ wife 부부. ★ 관사를 붙일 때는 첫 말에만 붙임.
4 a 〖반복 · 중복〗 …(한) 위에 또 —, …이고 (—이고), 더욱 더; 씩(짝을 지어): again ~ again 몇 번이고, 재삼재사 / for ever ~ ever 영원히 / hours ~ hours 몇 시간이고 / for weeks ~ weeks 몇 주일이고 / I know him through ~ through. 그에 대해 너무나 잘 알고 있다 / They walked two ~ two. 그들은 둘씩 (짝지어) 나란히 걸었다. **b** 〖비교급과 함께 써서〗 점점 더, 더욱 더: more ~ more 점점 (더) / The kite flew up higher ~ higher. 연은 점점 더 높이 올라갔다.
5 〖강조〗 더구나, 그뿐이랴: He, ~ he alone can do the work. 그 사람, 그것도 그만이 그 일을 할 수가 있다 / "He's a lazy fellow." "*And* a liar." '그는 게으름뱅이다', '더구나 거짓말쟁이지'.
6 〖의외 · 비난〗 더욱이, 더구나 …인데〔…한 터에〕, …한데: How could you talk like that, ~ your father present? 아버지도 계신데 어떻게 그와 같이 말할 수 있었는가 / A sailor, ~ afraid of the weather! 뱃사람인데 거친 날씨를 무서워하다니.
7 〖이유 · 결과〗 그래서, 그러자: He is very kind, ~ I like him very much. 그는 대단히 친절해서, 나는 그를 매우 좋아한다 / He spoke, ~ all were silent. 그가 말하자 모두 잠잠해졌다.
8 〖명령법 또는 그 상당어구 뒤에서〗 그렇게 하면, 그러면: Turn to the left, ~ you will see the post office. 왼편으로 도시면 우체국이 나올 것입니다 / One more day, ~ the vacation will be over. 이제 하루만 더 지나면 휴가도 끝이다.
9 a 〖대립적인 내용을 보여〗 …이긴 하나, …인〔한〕데도, …이면서도: He promised to come, ~ didn't. 그는 오겠다고 약속을 했으면서도 오지 않았다 / He is a student ~ not a teacher. 그는 학생이지 선생은 아니다 / He is rich, ~ lives like a beggar. 부자이면서도 거지와 같은 생활을 하고 있다. **b** 〖추가적으로 덧붙여〗 그것도, 게다가: He did it, ~ did it well. 그는 그것을 했다, 그것도 썩 잘.
10 〖부정사의 to 대신〗 《구어》 …하러, …하기 위해: Come (~) see me. 만나러 오시오 / I will try ~ do it better next time. 다음엔 더 잘 하도록 하지요. ★ 주로 come, go, run, try 따위의 원형 · 명령법 뒤에 쓰이며, 《미》에서는 come, go 뒤의 and는 생략하기도 함.
11 〖두 개의 형용사를 연결하여 앞의 형용사를 부사적으로 함; 종종 단순한 강조〗: It is nice ~ cool. 기분 좋을 만큼 시원하다 / He was good ~ tired. 그는 어지간히 피곤했다.
12 〖두 개의 동사를 이어서 뒤의 동사가 현재분사적인 뜻을 나타내어〗 …하면서: He sat ~ looked at the picture for hours. 그는 몇 시간이나 그 그림을 보면서 앉아 있었다.
13 〖도입적〗 그리고 (또), 그뿐 아니라〔게다가〕 또; 그런데; 그래: How are you? — Fine, thank you. *And* (how are) you? 안녕하십니까. — 네, 잘 있습니다. 당신은? / *And* you actually did it? 그래, 자넨 정말 그걸 했는가.
14 〖and를 사이에, 같은 명사를 반복하여〗 여러 (가지): There are books ~ books. 책에도 여러 가지가 있다 / There are men ~ men. 사람이라 해도 천차만별이다.
15 〖수사를 연결하여〗 …과, …에 더하여: Two ~ two make(s) four. 2 더하기 2는 4 / one thousand ~ two = 1,002 / four ~ a half = $4^1/_2$ / one ~ twenty = 21 《= twenty-one: 1의 자리를 앞에, 10의 자리를 뒤로 돌리는 형식은 묵은 어법; 주로 문어에 속하며 21부터 99까지의 수에 쓰임》 / two pounds ~ five pence, 2파운드 5펜스. ★ (1) 100 자리 다음에 and [ənd, ən]가 옴. 그러나 《미》에서는 종종 생략. (2) 100의 자리가 0일 때는 1,000 자리 다음에 and가 옴.
16 〖두 개의 가로(街路) 이름을 연결하여, 그 교차점을 나타내어〗 《미》: at Third Street ~ Fifth Avenue 3번가(街)와 5번로(路)의 교차점에서.
~ *all* ⇨ ALL. **~ *all that*** ⇨ THAT. **&(=and) *Co.*** [kou, kʌ́mpəni] …회사, …상사. **~ *how*** ⇨ HOW. **~ *now*** 그런데. A **~** / ***or*** B ⇨ AND / OR. **~ *others ...*** 등(등). **~ *so*** 〔***therefore***〕 그러므로, 그래서; 따라서. **~ *so forth*** 〔***on***〕 ⇨ SO¹. **~ *that*** ⇨ THAT. **~ *the like*** = ~ so forth. **~ *then*** 그리고(나서), 그리하여. **~ *then some*** ⇨ SOME. **~ *what not*** = ~ so forth. **~ *with reason*** 그것도 무리는 아니다. **~ *yet*** 그럼에도 불구하고, 그런데(도).

2 〖식물〗 자웅동(雌雄同)꽃차례.

an·drog·y·nous [ændrádʒənəs/-drɔ́dʒ-] *a.* 남녀 양성의; 자웅 동체(雌雄同體)의; 〖식물〗 자웅동화(同花) 〔동주(同株)〕의. [파] **an·dróg·y·ny** [-dʒəni] *n.*

An·droid [ǽndrɔid] *n.* 안드로이드《구글(Google)이 개발한 모바일용 운영 체제》.

an·droid *n., a.* 인조인간(의).

ándroid phóne 구글에서 개발한 안드로이드 운영 체제를 탑재한 스마트폰.

an·drol·o·gy [ændrálədʒi/-drɔ́l-] *n.* 남성병학(男性病學).

An·drom·a·che [ændráməkiː/-drɔ́m-] *n.* 〖그리스신화〗 안드로마케《Hector의 정숙한 아내》.

An·drom·e·da [ændrámidə/-drɔ́m-] *n.* 안드로메다. **1** 〖그리스신화〗 에티오피아의 공주《바다의 괴수(怪獸)에게 희생의 제물로 바쳐지려다 Perseus에게 구출되어 그의 아내가 됨》. **2** 〖천문〗 안드로메다 자리. 「운(星雲).

andrómeda gàlaxy (the ~) 안드로메다 성

Andrómeda stràin 안드로메다 균주(菌株) 《생화학적으로 알지 못하여 통제가 어려운 위험한 세균》. 「성 공포증, 남성을 싫어함.

an·dro·pho·bia [ændrəfóubiə, -drou-] *n.* 남

An·dro·pov [ændrápav] *n.* **Yurii Vladimirovich** ~ 안드로포프《옛 소련의 정치가, 최고 회의 간부회 의장; 1914-84》. 「은 여자의 머리임》.

ándro·sphìnx *n.* 머리가 남자인 스핑크스《보통

an·dro·stene·di·one [ændrəstiːndáioun] *n.* 〖생화학〗 안드로스텐디온《고환, 부신피질 등에서 분비되는 남성 호르몬》.

an·dros·te·rone [ændrástəròun/-drɔ́s-] *n.* 〖생화학〗 남성 호르몬의 일종《남성의 오줌 속에 있음》.

-an·drous [ǽndrəs] '…한 남성〔수꽃술〕을 가진'이란 뜻의 결합사: poly*androus*; mon*androus*.

-an·dry [ǽndri] '…한 남성〔수꽃술〕 보유'란 뜻의 결합사: poly*andry*; mon*andry*.

An·dy [ǽndi] *n.* 앤디《Andrew의 애칭》.

-ane [èin] *suf.* **1** 화학 용어의 명사 접미어; 《특히》 메탄·파라핀계의 탄화 수소명에 쓰임: dec*ane*, pent*ane*. **2** -AN의 변형《-an과는 약간 다른 뜻으로 쓰임》: hum*ane*, urb*ane* 《hum*an*, urb*an*과 비교》.

anear [əníər] *ad., prep.* 《고어》 =NEAR.

an·ec·dot·age [ǽnikdòutidʒ] *n.* 《집합적》 일화(집); [U] 《우스개》 (옛이야기를 하고 싶어하는) 늙은 나이《dotage에 붙여 만든 말》.

an·ec·do·tal [ænikdóutəl] *a.* 일화(逸話)의; 일화가 많은; 일화 같은. [파] **~·ly** *ad.* **~·ìsm** *n.*

àn·ec·dó·tal·ist *n.* =ANECDOTIST.

◇**an·ec·dote** [ǽnikdòut] *n.* **1** 일화; 일사(逸事), 기담(奇談): ~*s* about Abe Lincoln 링컨의 일화. [SYN.] ⇨LEGEND. **2** (*pl.* **~s, *an·ec·do·ta*** [ænikdóutə]) 비사(秘史), 비화.

an·ec·dot·ic, -i·cal [ænikdátik/-dɔ́t-], [-əl] *a.* **1** =ANECDOTAL. **2** 일화(逸話)를 말하고 싶어하는. [파] **-i·cal·ly** *ad.*

an·ec·dot·ist [ǽnikdòutist] *n.* 일화를〔기담을〕 말하는〔모으는〕 사람. 「등).

an·e·cho·ic [ænəkóuik] *a.* 울림이 없는《방

an·e·lace [ǽnəlèis] *n.* (13-16세기에 시민이 몸에 지닌) 끝이 가는 양날 단검.

an·e·las·tic [ænilǽstik] *a.* 〖물리〗 비탄성체(非彈性體)의. [파] **àn·e·las·tíc·i·ty** *n.* 비탄성. 「주다.

anele [əníːl] *vt.* 《고어》 (임종시) 종부(終傅)를

ane·mia [əníːmiə] *n.* 〖의학〗 빈혈증; 생기〔활력〕의 결핍. [파] **-mic** *a.* 빈혈(증)의; 무기력한, 활기 없는; 연약한. **-mi·cal·ly** *ad.*

an·e·mo- [ǽnəmou, -mə] '바람, 흡입'이란 뜻의 결합사. 「(風媒) 식물.

an·em·o·chore [ənéməkɔ̀ːr] *n.* 〖식물〗 풍매

anem·o·graph [ənéməgræf, -grɑ̀ːf] *n.* 자기(自記) 풍속계. 「풍력계, 풍속계.

an·e·mom·e·ter [ænəmámətər/-mɔ́m-] *n.*

an·e·mo·met·ric [ænəmoumétrik] *a.* 풍력측정의. 「[U] 풍력 측정(법).

an·e·mom·e·try [ænəmámətri/-mɔ́m-] *n.*

anem·o·ne [ənéməni] *n.* 〖식물〗 아네모네, 바람꽃; 〖동물〗 말미잘(sea ~).

an·e·moph·i·lous [ænəmáfələs/-mɔ́f-] *a.* 〖식물〗 풍매(風媒)의. [cf.] entomophilous. ¶ an ~ flower 풍매화. 「향계.

anem·o·scope [ənéməskòup] *n.* 〖기상〗 풍

an·en·ce·pha·lia [ænənsəféiljə] *n.* 〖의학〗 무뇌증(無腦症)《뇌의 일부나 전부의 선천적 결여》.

anent, 《주로 영방언》 **anenst** [ənént], [ənénst] *prep.* 《고어·Sc.》 …에 관하여; 《영방언》 …와 나란히, …의 곁에.

an·er·gy [ǽnərdʒi] *n.* [U] 〖의학〗 아네르기《특정 항원에 대한 면역성 감소〔결여〕》; 활력 결여, 무력. [파] **an·er·gic** [ænə́ːrdʒik] *a.*

an·er·oid [ǽnərɔ̀id] *a.* 액체를 쓰지 않는. ── *n.* 아네로이드 기압계(~ barometer).

áneroid barómeter 아네로이드 기압계.

an·es·the·sia [ænəsθíːʒə/-ziə] 〖의학〗 *n.* [U] 마취(법); (지각) 마비: local 〔general〕 ~ 국소〔전신〕 마취(법).

an·es·the·si·ol·o·gy [ænəsθìːziálədʒi/-ɔ́l-] *n.* [U] 마취학. [파] **-gist** *n.* 《미》 마취의(醫).

an·es·thet·ic [ænəsθétik] *a.* 마취의; (지각) 마비의; 무감각한, 둔감한. ── *n.* 마취제: put a person under an ~ 아무에게 마취약을 쓰다. [파] **-i·cal·ly** *ad.*

anes·the·tist [ənésθətist] *n.* 《미》 마취사(士); 《영》 마취 전문 의사. 「태.

anès·the·ti·zá·tion *n.* [U] 마취(법); 마취 상

anes·the·tize [ənésθətàiz] *vt.* 마취시키다, (…의 감각을) 마비시키다.

an·es·trous [ænéstrəs] *a.* 〖동물〗 무발정(無發情)의; 발정 휴지기의. 「발정 휴지기.

an·es·trus [ænéstrəs] *n.* 〖동물〗 (포유동물의)

an·eu·ploid [ǽnjuːplɔ̀id] *a.* 〖생물〗 (염색체가) 이수성(異數性)의. ── *n.* 이수체(體).

an·eu·rin [ǽnjərin] *n.* 〖생화학〗 =THIAMINE.

an·eu·rysm, -rism [ǽnjuərìzəm] *n.* 〖의학〗 동맥류(瘤). 「동맥류의.

an·eu·rys·mal, -ris·mal [ænjərízməl] *a.*

◇**anew** [ənjúː/ənjúː] *ad.* 다시; 새로: begin one's life ~ 새 생활로 들어가다.

ANF 〖생화학〗 atrial natriuretic factor.

an·frac·tu·os·i·ty [ænfræktʃuásəti/-ɔ́s-] *n.* 굴곡(상태); (*pl.*) 굴곡된 길〔수로〕.

an·frac·tu·ous, -ose [ænfrǽktʃuəs] *a.* 굴곡이 많은; 구불구불한.

ANG 《미》 Air National Guard(주(州) 공군).

A.N.G. American Newspaper Guild (미국 신문 협회).

an·ga [ʌ́ŋgə] *n.* (요가의) 행법(行法).

an·ga·ry [ǽŋgəri] *n.* 〖국제법〗 (전시에 자국·중립국의 재산에 대한) 전시 징용권.

****an·gel** [éindʒəl] *n.* **1 a** 천사, 수호신(guardian ~); 천사상(像): Fools rush in where ~*s* fear to tread. 《속담》 하룻강아지 범 무서운 줄 모른다 / Talk of ~*s* and you will hear the flutter of their wings. 《속담》 호랑이도 제 말하면 온다 / a FALLEN ~. **b** 천사 같은 사람; 천진한 아이; 《특히》 아름다운 여자; 《구어》 (연극·선거

등의) 자금 후원자: an ~ of a girl 천사 같은 소녀 / Be an ~ and hand me the book. 참 착한 아이지 그 책 이리 다오. **2** 옛 영국의 금화 이름. **3** ⦅구어⦆ 레이더 화면에 나타난 정체불명의 상(像) ⦅흰 반점⦆. **4** (신의) 사자; 선구(자). **5** ⦅미속어⦆ 여성역의 호모. ***an ~ of death*** 죽음의 사자. ***be on the side of the ~s*** 천사 편이 되다; 정통적인 견해를〔사고방식을〕 가지다. ***enough to make the ~s weep*** 절망적인, 무자비한. ***entertain an ~ unawares*** ⇨ ENTERTAIN. **—** *vt.* ⦅미속어⦆ (…에) 원조하다⦅재정적으로⦆.

An·ge·la [ǽndʒələ] *n.* 앤젤라⦅여자 이름; 애칭은 Angelina⦆.

ángel bèd 네 기둥이 없고 닫집이 있는 침대.

ángel dùst ⦅미속어⦆ 합성 헤로인, PCP.

An·ge·le·no [æ̀ndʒəlíːnou] (*pl.* **~s, ~es** [-z]) *n.* ⦅미구어⦆ 로스앤젤레스 주민.

ángel·fàce *n.* ⦅미속어⦆ 미인; 예쁜 사람.

Ángel Fálls 앙헬폭포⦅베네수엘라 남동부에 있는 폭포; 세계에서 제일 높음(979m)⦆.

ángel·fìsh 〖어류〗 *n.* 전자리상어; 에인절피시⦅관상용 열대어의 일종⦆.

ángel (fòod) càke ⦅미⦆ 카스텔라의 일종.

ángel hàir ⦅속어⦆ =PHENCYCLIDINE.

ángel·hòod *n.* 천사의 성격〔지위〕; 천사 같은 「존재.

◇**an·gel·ic, -i·cal** [ændʒélik], [-əl] *a.* 천사의; 천사와 같은. ㊄ **-i·cal·ly** *ad.*

an·gel·i·ca [ændʒélikə] *n.* 멧두릅속의 식물 ⦅요리·약용⦆; Ⓤ 그 줄기의 설탕 절임; Ⓤ (A-) ⦅미⦆ 캘리포니아산의 백포도주.

angélica trèe ⦅미⦆ =HERCULES'-CLUB.

Angélic Dóctor (the ~) 천사 박사⦅St. Thomas AQUINAS의 별명⦆.

An·gel·i·co [ændʒélikòu] *n.* **Fra ~** 안젤리코⦅이탈리아의 화가; 1400-55⦆. 「⦅여자 이름⦆.

An·ge·li·na [æ̀ndʒəlíːnə] *n.* Angela의 애칭

An·ge·li·no [æ̀ndʒəlíːnou] *n.* =ANGELENO.

an·gel·ol·a·try [èindʒəlálətri/-lɔ́l-] *n.* Ⓤ 천사 숭배.

an·gel·ol·o·gy [èindʒəlálədʒi/-lɔ́l-] *n.* Ⓤ 천사론〔학〕; 천사 신앙.

ángel shàrk 전자리상어.

ángel's-trùmpet *n.* 〖식물〗 남미산(産) 흰독말풀속(屬)의 총칭.

ángel('s) vísit ⦅구어⦆ 진객(珍客).

An·ge·lus [ǽndʒələs] *n.* **1** 〖가톨릭〗 삼종(三鐘)기도⦅예수의 수태를 기념하는⦆; 그 시간을 알리는 종(=~ **bèll**)⦅아침·정오·저녁에 울림⦆. **2** (The ~) '만종'⦅Millet 의⦆.

⁑**an·ger** [ǽŋgər] *n.* Ⓤ 노염, 성, 화, 부아: furious with ~ 미칠 듯이 성이 나서 / in (great) ~ (몹시) 화가 나서 / in a fit of ~ 발끈하여 / in a moment of ~ 화가 난 김에 / be red with ~ 화가 나서 얼굴이 새빨개지다. ◇ angry *a.*

> SYN. **anger** 가장 일반적인 말로 개인의 이기적인 노염을 말함. **fury** 광기에 가까운 노염. **rage** 자제심을 잃을 정도의 격노.

— *vt.* 화나게 하다⦅흔히 수동태로 쓰이며, 전치사는 *at, by*⦆: He *was* greatly *~ed at* 〔*by*〕 her behavior. 그는 그녀의 행동에 몹시 화를 냈다. **—** *vi.* 성내다.

An·ge·vin(e) [ǽndʒəvin] *a.* Anjou 의; Anjou 왕가(王家)의. **—** *n.* Anjou 왕가의 사람, Plantagenet 왕가의 사람. ⓒf. Anjou.

an·gi- [ǽndʒi], **an·gi·o-** [ǽndʒiou, -dʒiə] '혈관·림프관·혈관종(腫)·과피(果皮)'의 뜻을 나타내는 결합사.

an·gi·i·tis [æ̀ndʒiáitəs] (*pl.* **-gi·it·i·des** [-dʒiáitədìːz]) *n.* 〖의학〗 맥관염(脈管炎).

an·gi·na [ændʒáinə] 〖의학〗 *n.* 앙기나, 후두염; 협심증⦅정식으로는 ~ pectoris⦆.

an·gi·o·gen·e·sis [æ̀ndʒiːoudʒénəsis] *n.* 〖생물〗 맥관 형성; 〖동물〗 혈관 형성; 〖의학〗 종양 기인성 혈관 형성. ㊄ **àn·gi·o·gén·ic** *a.*

an·gi·o·gram [ǽndʒiəgræ̀m] *n.* 〖의학〗 혈관조영(造影)〔촬영〕도.

an·gi·og·ra·phy [æ̀ndʒiágrəfi/-ɔ́g-] *n.* 〖의학〗 혈관 조영(법)⦅엑스선 특수 조영법의 하나⦆.

an·gi·ol·o·gy [æ̀ndʒiálədʒi/-ɔ́l-] *n.* Ⓤ 〖해부〗 맥관학⦅혈관과 림프관을 취급하는 해부학⦆.

an·gi·o·ma [æ̀ndʒióumə] (*pl.* **~s, ~·ta** [-tə]) *n.* 〖의학〗 혈관종(腫). ㊄ **àn·gi·óm·a·tous** [-təs] *a.*

an·gi·op·a·thy [æ̀ndʒiápəθi/-ɔ́p-] *n.* 〖의학〗 혈관병증, 혈관 장애. 「관 성형술.

an·gi·o·plas·ty [ǽndʒiəplæ̀sti] *n.* 〖의학〗 혈

an·gi·o·sperm [ǽndʒiəspə̀ːrm] *n.* 〖식물〗 속씨 식물. OPP *gymnosperm.*

an·gi·o·ten·sin [æ̀ndʒiouténsin] *n.* 〖생화학〗 앤지오텐신⦅혈액 중에 만들어지는 혈압 상승물질⦆.

Ang·kor Wat [ǽŋkɔːrwáːt/-wɔ́t] 앙코르와트⦅캄보디아 앙코르에 있는 석조 대사원의 유적⦆.

Angl. Anglican. **angl.** Anglice.

An·gle [ǽŋgəl] *n.* 앵글족 사람; (the ~s) 앵글족(族)⦅5세기 영국에 이주한 튜튼족의 한 부족⦆.

⁑**an·gle¹** [ǽŋgəl] *n.* Ⓒ **1** 〖수학〗 각, 각도: an acute ~ 예각 / an exterior 〔external〕 ~ 외각 / an interior 〔internal〕 ~ 내각 / an obtuse ~ 둔각 / a right ~ 직각 / an ~ of 45 degrees, 45° 의 각. **2** 모(퉁이); 귀퉁이. SYN. ⇨ CORNER. **3** 입장, 견지, 관점: from all 〔various〕 ~*s* 모든〔여러〕 견지에서 / a new ~ on the problem 문제에 대한 새로운 관점. **4** (사물의) 양상, 국면, 상황: consider all ~*s* of a dispute 쟁의의 모든 상황을 고려하다. SYN. ⇨ PHASE. **5** ⦅미구어⦆ 불순한 동기, 음모, 책략, 교활한 계획. ***at an ~*** (*to*) (…에 대해) 비스듬히. ***get*** 〔***use***〕 ***a new ~ on*** …에 대하여 새로운 사고방식을 갖다. ***know all the ~s*** ⦅미구어⦆ 쓴맛 단맛을 다 알다. ***play*** (***all***) ***the ~s*** ⦅속어⦆ (목표 달성을 위해) 모든 수단을 쓰다. ***take the ~*** 각도를 재다. **—** *vt.* **1** …을 (어느 각도로) 움직이다〔굽히다〕; …을 비스듬히 하다, 기울이다: ~ a camera 카메라 앵글을 잡다. **2** ⦅구어⦆ (기사 등을) 특정한 관점에서 쓰다, 왜곡하다: ~ an article at liberal readers 기사를 자유주의적 독자의 시점에서 쓰다. **—** *vi.* 굽다, 구부러지며 나아가다.

an·gle² *n.* ⦅고어⦆ 낚시 도구〔바늘〕. **—** *vi.* **1** ⦅~/+전+명⦆ 낚시질하다: ~ *for* trout 송어를 낚다. **2** ⦅+전+명⦆ ⦅비유⦆ (…을 얻으려고) 갖가지 수를 쓰다; 낚다, 꾀어내다⦅*for*⦆: ~ *for* praise 칭찬받으려고 수를 쓰다.

ángle bàr **1** =ANGLE IRON. **2** 〖철도〗 산형(山形) 이음판. 「는 블록.

ángle blòck 〖미식축구〗 상대의 옆쪽에서 부딪

ángle brácket 〖건축〗 모서리용 까치발; 〖인쇄〗 (보통 *pl.*) 꺾쇠 괄호⦅〈 〉⦆.

án·gled *a.* 〔종종 복합어〕 모난, 각도가 있는, 각이 진: right-~ 직각의.

An·gle·doz·er [ǽŋgəldòuzər] *n.* (땅을 깎거나 고르는 대형의) 불도저⦅상표명⦆.

ángle ìron 거멀장, 앵글 철(鐵).

ángle mèter 각도 측정기.

ángle of attáck 〖항공〗 영각(迎角)⦅항공기의 익현(翼弦)과 기류가 이루는 각⦆.

ángle of depréssion 〖수학〗 내려본각.

ángle of deviátion 〖광학〗 편향각, 편각.

ángle of elevátion 〖수학〗 올려본각.

ángle of fríction 〖물리·기계〗 마찰각.

ángle of íncidence 〖물리·광학〗 입사각.

ángle of pítch 〖항공〗 세로로 흔들리는 각도.

ángle of refléction 〖광학〗 반사각.

ángle of refráction 〖물리·광학〗 굴절각.

ángle of repóse 〖물리〗 식각(息角)((평면상의 물체가 미끄러져 떨어지지 않는 최대 정지각)).

ángle of róll 〖항공〗 가로로 흔들리는 각도.

ángle of víew 〖사진〗 사각(寫角).

ángle pàrking (자동차의) 비스듬한 주차((주로 길가에서)).

◇**án·gler** *n.* 낚시꾼; 〖어류〗 아귀(anglerfish).

An·gle·sey, -sea [ǽŋgəlsi] *n.* 앵글시(섬) ((Wales 서부의 섬으로 옛날의 주; 현재는 Gwynedd 주의 일부)). 「글에 의한 촬영).

ángle shòt 〖사진〗 앵글숏((극단적인 카메라 앵

ángle·sìte *n.* 〖광물〗 황산납 광산.

ángle stèel 〖기계〗 산형강(山形鋼), L형강(鋼).

ángle vòlley 〖테니스〗 앵글 발리((높은 위치에서 각도 있게 치는 발리)).

ángle·wìse *ad.* 각을 이루고, 각 모양으로.

ángle·wòrm *n.* (낚싯밥으로 쓰는) 지렁이.

An·glia [ǽŋgliə] *n.* 앵글리아((England 의 라틴 어명)). 「람; Ⓤ 앵글어.

An·gli·an [ǽŋgliən] *a., n.* 앵글족의; 앵글 사

An·glic [ǽŋglik] *n.* 스웨덴의 R. E. Zachrisson(1880–1937)이 제창한 영어의 철자를 개량한 국제 보조어. **—** *a.* =ANGLIAN.

An·gli·can [ǽŋglikən] *a.* 영국 국교의, 성공회의; 잉글랜드의. **—** *n.* Ⓒ 영국 국교도.

Ánglican Chúrch (the ~) 영국 국교회, 성공회(the Church of England).

Ánglican Commúnion (the ~) 영국 국교회파, 영국 성공회.

An·gli·can·ism [ǽŋglikənìzəm] *n.* Ⓤ 영국 국교회주의; 영국풍 숭상.

An·gli·ce [ǽŋgləsi] *ad.* (때로 a-) ((L.)) (=in English) 영어로 (말하면)((생략: angl.)).

An·gli·cism [ǽŋgləsìzəm] *n.* Ⓤ,Ⓒ 타국어에 채택된 영어적 표현; 영국풍〔식〕; 영국 영어풍〔식〕, 영어 특유의 어법; 영국식 편중.

Án·gli·cist *n.* 영국통; 영어〔영문〕학자.

An·gli·cize [ǽŋgləsàiz] *vt., vi.* 영국풍〔식〕으로 하다〔되다〕; (외국어를) 영어화하다.

án·gling *n.* Ⓤ 낚시질, 조어(釣魚).

An·glist [ǽŋglist] *n.* =ANGLICIST.

An·glis·tics [æŋglístiks] *n. pl.* 〖단수취급〗 영어〔영문〕학.

An·glo [ǽŋglou] *n.* ((미남부)) 영국계〔백계(白系)〕 미국인; ((Can.)) 영국계 캐나다인; ((영)) 잉글랜드인((Sc., Ir., 웨일스인과 구별할 때)); 영어 사용자. **—** *a.* ((Can.)) 영어를 하는; ((영)) 잉글랜드인의.

An·glo- [ǽnglou, -glə] '영국(계)의, 영어의, 영국 국교회(파)의' 란 뜻의 결합사.

Ánglo-Áfrican *a., n.* 영국계 아프리카인(의).

Ánglo-Américan *n., a.* 영미(간)의; 영국계 미국인(의).

Ánglo-Ásian *n.* 아시아계 영국인.

Ánglo-Cátholic *a., n.* 영국 국교회 가톨릭파 신도(의); 영국 가톨릭 교회 신도(의).

Ánglo-Cathólicism *n.* 영국 국교 가톨릭파 (의 교의).

Ànglo·céntric *a.* 영국 중심의.

Ánglo-Frénch *a.* 영불(간)의; 앵글로 프랑스어의. **—** *n.* Ⓤ 앵글로 프랑스어((노르만 시대에 영국에서 쓰인 프랑스어)).

Ánglo-Índian *a.* 영국과 인도의; 영국·인도 혼혈의; 인도 거주 영국인의; 인도 영어의. **—** *n.* 인도에 사는 영국인; 영인 혼혈아; =EURASIAN; Ⓤ 인도 영어.

Ánglo-Írish *a.* 잉글랜드와 아일랜드(간)의; 영국인과 아일랜드인의 피를 잇는; 아일랜드 거주 영국인의. **—** *n.* 영국계 아일랜드 사람; 아일랜드 영어.

Ánglo-Írish agréement (the ~) 영국·아일랜드 협정((북아일랜드의 주권과 안전에 관한 영국과 아일랜드 공화국 간의 협정; 1985년 11월 조인)).

An·glo·ma·nia [æ̀ŋgləméiniə, -njə] *n.* Ⓤ (외국인의) 영국 숭상〔심취〕, 영국광(狂). ㊞ **-ni·ac** [-niæ̀k] *n.* 영국 숭상자〔심취자〕.

Ánglo-Nórman *n.* 〖역사〗 노르만계 영국인; Ⓤ 앵글로노르만어(語)((Norman Conquest (1066년) 이후 영국에서 쓰였던 프랑스 북부의 방언)). **—** *a.* 노르만인의 영국 지배 시대(1066–1154)의; (영국 정복 후) 영국에 정주한 노르만인의, 노르만계 영국인의; 앵글로노르만어의.

An·glo·phile, -phil [ǽŋgləfàil, -fìl], [-fìl] *a., n.* 친영(親英)파의 (사람). ㊞ **Àn·glo·phíl·ic** [-fílik] *a.* 「숭배.

An·glo·phil·ia [æ̀ŋgləfíliə] *n.* 영국 편애, 영국

An·glo·phobe [ǽŋgləfòub] *n.* 영국을 싫어하는 사람. ㊞ **Àn·glo·phó·bia** [-biə] *n.* Ⓤ 영국 혐오, 공영병(恐英病).

An·glo·phone [ǽŋgləfòun] *n.* (복수의 공용어 사용국의) 영어 사용자〔민〕. **—** *a.* 영어를 하는, 영어 사용자〔민〕의. ㊞ **Àn·glo·phón·ic** [-fán-/-fɔ́n-] *a.*

Ánglo-Sáxon *n.* **1** 앵글로색슨 사람; (the ~s) 앵글로색슨 민족((5세기에 영국으로 이주한 튜튼족의 한 부족)); 영국계 사람; 영어권 사람; (현대의) 전형적인 영국인. **2** Ⓤ 앵글로색슨어 (Old English); (외래어를 섞지 않은) 순수한〔평이한〕 영어. **—** *a.* 앵글로색슨 사람〔어〕의. ㊞ **~·ìsm** *n.* 영국인 기질; 앵글로색슨계의 언어.

An·go·la [æŋgóulə] *n.* **1** =ANGORA 2. **2** 앙골라((아프리카 남서부의 공화국; 1975년 독립; 수도 Luanda)).

An·go·ra [æŋgɔ́ːrə] *n.* **1** Ankara의 구칭. **2** (a-) 앙고라고양이〔염소, 토끼〕; 앙고라 모직물.

Angóra cát 앙고라고양이((털이 긺)).

Angóra góat 앙고라염소((털이 윤이 나고 길며, mohair 라고 함)).

Angóra rábbit 앙고라토끼.

Angóra wóol 앙고라염소〔토끼〕털.

an·gos·tú·ra (**bárk**) [æ̀ŋgəstjúərə(-)] 앙고스투라 수피((남아메리카산; 해열·강장제)); (A-) 그것으로 만든 강장 음료.

*****an·gri·ly** [ǽŋgrili] *ad.* 성나서, 화내어.

an·gri·ness [ǽŋgrinis] *n.* Ⓤ 노염, 화, 성.

†**an·gry** [ǽŋgri] (***an·gri·er; -i·est***) *a.* **1** 성난, 화를 낸((*about; at; with*)). ★ 보통 일시적인 화를 말함. ¶ an ~ look 〔face〕 화난 얼굴/feel ~ 괘씸히 여기다/be ~ *about* a person's error 아무의 과실에 화를 내다/be ~ *at* a person *for* coming late 아무가 늦게 와서 화나다/He was ~ *with* his son. 그는 아들한테 화를 냈다/He was ~ *to* hear it. 그는 그것을 듣고 화가 났다/I was ~ *that* the door was locked. 문이 잠겨 있어서 화가 났다. **2** (파도·바람 등이) 격심한, 모진; 거친: an ~ sky 찌푸린 하늘. **3** 염증을 일으킨, 욱신거리는, 도지는((상처 등)). **4** (색깔 등이) 강렬한, 타는 듯한. ◇ anger *n.* **—** *n.* (*pl.*) ((구어)) (사회·정치에 항의하는) 성난 사람.

ángry yòung mán 〔**mén**〕 (종종 A- Y- M-) '성난 젊은이' ((1950 년대, 침체한 영국 사회에 반감을 나타낸 젊은 작가(들))); 〖일반적〗 반체제의 젊은이(들). ㉢ beatnik.

Ang.-Sax. Anglo-Saxon.

angst [ɑːŋkst/æŋ-] (*pl.* **äng·ste** [éŋkstə]) *n.* 《G.》 불안한 마음; 고뇌.
ang·strom [ǽŋstrəm] *n.* (또는 A-) 〖물리〗 옹스트롬(= ∠ **ùnit**)《빛의 파장의 측정 단위; 1 밀리미터의 1,000 만분의 1; 기호 Å, A, A.U.》.
an·guine [ǽŋgwin] *a.* 뱀의, 뱀 같은.
***an·guish** [ǽŋgwiʃ] *n.* [U] (심신의) 고통, 괴로움, 고민, 번민: cry out in ~ 괴로워서 울부짖다. [SYN.] ⇒PAIN. **—** *vi., vt.* 심히 괴로워하다〔괴롭히다〕.
án·guished [-t] *a.* 괴로워하는, 고민의; 고민에 찬.
an·guis in her·ba [áːŋgwəs-in-hérbɑː] 《L.》 덤불속의 뱀; 숨은 적, 복병(伏兵).
◇**an·gu·lar** [ǽŋgjələr] *a.* **1** 각을 이룬, 모진, 모난; 모서리진. **2** 모퉁이〔모서리〕에 있는; 각도로 잰: ~ distance 각거리. **3** 뼈가 앙상한, 말라빠진. **4** 까다로운, 고집센, 딱딱한, 모난. ◇angle[1] *n.* [파] **~·ly** *ad.* **~·ness** *n.*
ángular accelerátion 〖물리〗 각가속도(角加速度).
ángular displácement 〖물리〗 각변위(角變位)《축(軸)둘레 물체의 회전 때》; 〖광학〗 (파장의 차이로 인한) 각분산(角分散).
an·gu·lar·i·ty [æ̀ŋgjəlǽrəti] *n.* [U] 모남, 모짐; 뼈만 앙상함; 무뚝뚝함; (*pl.*) 모가 난 형상〔윤곽〕; 뾰족한 모서리.
ángular léaf spòt 〖식물〗 각점병(角點病), 각반병(角斑病).
ángular moméntum 〖물리〗 각(角)운동량《moment of momentum 이라고도 함》.
ángular spéed 〔**velócity**〕 〖물리〗 각속도(角速度)《단위 시간당 방향의 변화량》.
an·gu·late [ǽŋgjələt, -lèit] *a.* 모가 난《잎 따위》. **—** [ǽŋgjəlèit] *vt.* 모를 내다, 각지게 하다. **—** *vi.*각이 지다. [파] **-lat·ed** [-lèitid] *a.* 모가 진, 모서리 모양의. **~·ly** *ad.*
an·gu·la·tion [æ̀ŋgjəléiʃən] *n.* [U] 각을 냄, 각상(角狀); (측량에서) 각도의 정밀 측정.
An·gus [ǽŋgəs] *n.* **1** 앵거스《남자 이름》. **2** =ANGUS ÓG. **3** =ABERDEEN ANGUS.
Ángus Óg [-óug] 〖Ir. 신화〗 앵거스오그《사랑과 미(美)의 신》.
an·har·mon·ic [æ̀nhɑːrmánik/-mɔ́n-] *a.* 〖물리〗 부조화의.
an·he·do·nia [æ̀nhiːdóuniːə] *n.* 〖심리〗 쾌감 상실(증), 쾌감 결여(증). [파] **-don·ic** [-dánik/-dɔ́n-] *a.*
an·he·dral [ænhíːdrəl] *n.* 〖항공〗 상반각(上反角); 하반각(下反角). **—** *a.* 〖항공〗 (날개가) 상반각〔하반각〕을 이루고 있는; 〖광물〗 타형(他形)의.
an·he·la·tion [æ̀nhəléiʃən] *n.* 〖의학〗 호흡 촉박〔단급(短急)〕.
an·hin·ga [ænhíŋgə] *n.* 〖조류〗 가마우지의 일종(snakebird).
An·hui, An·hwei [áːnhwíː], [-hwéi] *n.* 안후이(安徽)《중국 동부의 성(省)》.
anhyd. anhydrous.
an·hy·dre·mia [æ̀nhaidríːmiə] *n.* 〖의학〗 감수혈증(減水血症)《혈액 중의 수분의 이상 감소》.
an·hy·dride, -drid [ænháidraid, -drid], [-drid] *n.* 〖화학〗 무수물(無水物).
an·hy·drite [ænháidrait] *n.* [U] 〖광물〗 경석고(硬石膏), 무수(無水) 석고.
an·hy·drous [ænháidrəs] *a.* 〖화학 · 광물〗 무수(無水)의.
ani [áːni, ɑːníː/áːni] *n.* 〖조류〗 아니《두견의 한 종류; 열대아메리카산》.
ani·con·ic [æ̀naikánik/-kɔ́n-] *a.* 우상(偶像)이 없는, 우상 반대의; 상징적〔암시적〕인.
anigh [ənái] *ad., prep.* 《고어》 …에 가까이 (near).
An·ik [ǽnik] *n.* 아니크《1972 년 발사된 캐나다의 통신 위성》.
an·il [ǽnil] *n.* 낭아초속의 식물《인디고를 얻음》; [U] 〖염색〗 쪽빛.

an·ile [ǽnail, éin-] *a.* 노파의〔같은〕, 노망난.
an·i·line, -lin [ǽnəlin, -làin/-lìːn], [-lin] *n.* [U] 〖화학〗 아닐린《무색 유상(油狀) 액체》. **—** *a.* 아닐린의.
ániline dỳe 아닐린 염료.
ani·lin·gus, -linc·tus [èinəlíŋgəs], [èinilíŋktəs] *n.* 항문 입맞추기에 의한 성감 자극.
anil·i·ty [əníləti, æn-] *n.* [U] **1** 늙어 빠짐. **2** 늙은이 망령.
anim. 〖음악〗 animato.
an·i·ma [ǽnəmə] *n.* 《L.》 **1** [U,C] 생명, 영혼, 정신. **2** (C. G. Jung 의 분석 심리학에서) 아니마. **a** (무의식화된) 내적 개성. [opp.] *persona*. **b** (the ~) (남성의) 여성적 요소. [opp.] *animus*.
an·i·mad·ver·sion [æ̀nəmædvə́ːrʒən, -ʃən/-ʃən] *n.* [U,C] (비평적인) 일언(一言), 비평《*on*》; 비난, 혹평《*on*》.
an·i·mad·vert [æ̀nəmædvə́ːrt] *vi.* 비평하다, 비난하다《*on*》: ~ *on* 〔*upon*〕 a person's conduct 아무의 행위를 비난하다.
†**an·i·mal** [ǽnəməl] *n.* **1** 동물《인간까지 포함시켜》. **2** 짐승, (인간 이외의) 동물, 네발짐승: the lower ~*s* 하등 동물 / wild 〔domesticated〕 ~*s* 야수〔가축〕. **3** 짐승 같은 인간, 사람 같지 않은 놈. **4** (the ~) (사람의) 수성(獸性). **5** 《미속어》 운동 선수. **—** *a.* **1** 동물의, 동물성〔질〕의. [cf.] vegetable. ¶ ~ life (일반적으로) 동물(의 생태) / ~ matter 동물질 / ~ protein 동물성 단백질. **2** 동물적인, 짐승 같은, 육욕적인: ~ needs 육체적 욕구 / ~ appetite 〔desires, passion(s)〕 수욕, 육욕 / ~ courage 만용.
ani·mal bi·pes im·plu·me [áːnimàːl-bípeis-implúːme; *L.* animal-bípeːs-implúːmɛ] 《L.》 날개 없는 두 발 동물《인간》.
ánimal bláck 애니멀 블랙《동물질을 탄화시켜 얻은 흑색 분말; 안료 · 탈색제》.
ánimal chárcoal 수탄(獸炭)《동물질을 탄화시킨》; 《특히》 골탄(骨炭)(bone black).
ánimal compànion 동반자로서의 동물《pet 라는 말은 멸시적이라 하여》.
ánimal contròl 동물 관리국《동물의 행동 통제 · 격리 · 처리 따위에 관한 법집행을 맡은 부서》.
ánimal cràcker 《미》 동물 모양의 비스킷.
an·i·mal·cule [æ̀nəmǽlkjuːl] *n.* 미소〔극미(極微)〕 동물. [파] **-cu·lar** [-kjələr] *a.*
an·i·mal·cu·lism [æ̀nəmǽlkjəlìzəm] *n.* [U] (병원(病原) 등의) 극미 동물설.
Ánimal Fàrm '동물 농장'《공산주의 사회를 풍자한 George Orwell 의 소설(1945)》.
ánimal fòod 동물성 식품, 수육(獸肉).
ánimal hèat 동물의 체내열.
ánimal húsbandry 축산〔가축〕학; 축산.
an·i·mal·ier [æ̀nəməlíər] *n.* 동물 화가〔조각가〕.
an·i·mal·ism [ǽnəməlìzəm] *n.* [U] 동물적 생활; 수성(獸性), 수욕주의; 인간 동물설《인간에게는 영성(靈性)이 없다는 설》.
án·i·mal·ist *n.* 수욕주의자; 동물 화가〔조각가〕; 인간 동물론자.
an·i·mal·is·tic [æ̀nəməlístik] *a.* 동물성〔수성(獸性)〕의; 동물의 성질을 가진; 수욕주의적인; 동물 모양을 한.
an·i·mal·i·ty [æ̀nəmǽləti] *n.* [U] (인간의) 동물성, 수성(獸性); 동물 조직; 동물계, 동물의 생태.
àn·i·mal·i·zá·tion *n.* [U] 동물〔수성(獸性)〕화; (음식물의) 동물질화.
án·i·mal·ìze *vt.* 동물화하다; 수욕에 빠지게 하다; (음식을) 동물질로 바꾸다; 동물 모양으로 표현하다.
ánimal kìngdom (the ~) 동물계. [cf.] vegetable 〔mineral〕 kingdom.

ánimal liberátion 〔**líb**〕 동물 해방 운동《동물을 학대에서 보호하려는 운동》.

Ánimal Liberátion Frònt (the ~) 《영》 동물 해방전선《영국의 동물 애호단체; 생략: ALF》.

án·i·mal·ly *ad.* 육체적으로.

ánimal mágnetism **1** 〖생물〗 동물 자기(磁氣). cf. mesmerism. **2** 육체적〔관능적〕 매력.

ánimal mòdel 동물 모델《의학 · 약물 실험에서 각종 반응이 사람에 가까운 동물》.

ánimal párk 《미》 동물 공원, 자연 동물원.

ánimal pòle 〖동물〗 동물극(動物極)《난세포 중 신경 등 동물성 기관을 형성하는 극》. cf. vegetal pole.

ánimal ríghts 동물 보호; 동물권(權)《학대 · 착취에서 보호받을 권리》.

ánimal shèlter (자선 사업으로서) 동물 애호의 집《주인 없는 개 · 고양이 따위를 맡아 기르는 시설》.

ánimal spírits 혈기, 생기, 활기.

ánimal stàrch 〖생화학〗 동물 녹말(glycogen).

Ánimal, Végetable, and 〔**or**〕 **Mínerals** 《미》 스무고개(Twenty Questions).

an·i·ma mun·di [ǽnəmə-mʌ́ndai] (*pl.* ***an·i·mae-*** [-mìː-, -mài-]) 《L.》 세계 영혼, 우주혼《물질계를 조직하고 지배한다는 힘》.

◇**an·i·mate** [ǽnəmèit] *vt.* **1** 살리다, 생명을 불어넣다. **2** 《~+목/+목+전+명》 생기를 주다, 활기차게 하다, 기운을 북돋우다; 격려하다, 고무하다《*with; to*》: ~ a person *with* a kind word 아무를 친절한 말로 격려하다 / The success ~*d* him *to* more efforts. 성공에 고무되어 그는 더욱 노력했다. **3** 활동시키다, 움직이다. **4** 만화 영화〔동화(動畫)〕로 하다. ◇ animation *n.* — [-mət] *a.* 산, 살아 있는; 활기〔원기〕 있는; 〖문법〗 유생(有生)의: ~ creatures 생물 / the ~ nature 생물〔동물〕계 / ~ nouns 유생 명사. ***things ~ and inanimate*** 생물과 무생물. 파 **~·ly** *ad.* **~·ness** *n.*

◇**án·i·màt·ed** [-id] *a.* **1** 힘찬, 싱싱한; 활기찬, 한창인; (장소가) 번화한; 살아 있는 듯한: an ~ discussion 〔gesture〕 활발한 토론〔몸짓〕. **2** 만화 영화〔동화(動畫)〕의. 「동화(動畫).

ánimated cartóon 〔**dráwing**〕 만화 영화,

ani·ma·teur [æ̀nəmətə́ːr] *n.* 추진자, 주동자(prime mover); (계획 등의) 발기인. 「**~·ly** *ad.*

án·i·màt·ing *a.* 생기를 주는; 고무적인. 파

◇**an·i·ma·tion** [æ̀nəméiʃən] *n.* **1** U 생기, 활발, 활기, 고무: speak with ~ 활발하게 말하다. **2** 〖영화〗 C 동화(動畫), 만화 영화; U 동화〔만화 영화〕 제작; 〖컴퓨터〗 애니메이션. ◇ animate *v.*

an·i·ma·tism [ǽnəmətìzəm] *n.* U 유생관(有生觀)《모든 자연물에도 생명과 의식이 있다는 animism 이전의 원시적인 신앙》.

ani·ma·to [àːnəmáːtou] *a., ad.* 《It.》 〖음악〗 활기 있는〔있게〕, 힘차고 빠른〔빠르게〕.

an·i·ma·tor [ǽnəmèitər] *n.* 생기를 주는 것, 고무자; 활력소〔제〕; 〖영화〗 만화 영화 제작자.

an·i·ma·tron·ic [æ̀nəmətránik/-trɔ́n-] *a.* animatronics 의〔에 의한〕.

àn·i·ma·trón·ics *n.* 동물이나 사람처럼 움직이는 로봇 제어 기법.

an·i·mé [ǽnəmèi, -mi] *n.* 《F.》 아니메《방향성 수지(樹脂); 니스의 원료》.

an·i·mism [ǽnəmìzəm] *n.* U 물활론(物活論)《목석 같은 것에도 영혼이 있다는 신앙》; 정령(精靈) 신앙《영혼 · 천사의 존재를 믿는 신앙》; 활력설《영혼이 생명 · 건강의 원천이라는 설》.

ani·mis opi·bus·que pa·ra·ti [ǽnəməs-òupəbʌ́skwi-pəréitai] 《L.》 물심(物心) 양면으로 모두 준비된; 생명 · 재산을 모두 포기할 각오로《South Carolina 주의 표어의 하나》.

an·i·mist [ǽnəmist] *a., n.* 물활론자(의); 정령(精靈) 숭배자(의). 「숭배적인.

an·i·mis·tic [æ̀nəmístik] *a.* 물활론의; 정령

◇**an·i·mos·i·ty** [æ̀nəmásəti/-mɔ́s-] *n.* U,C 악의, 원한, 유한, 증오, 적의《*against; toward; between*》: have (an) ~ *against* 〔*toward*〕 … 에 원한을 품다.

an·i·mus [ǽnəməs] *n.* U **1** 적의, 원한, 증오. **2** 의사, 의도(意圖); 생명의 원동력, 왕성한 정신. **3** 〖심리〗 (여성의) 남성적 요소. opp. *anima.*

an·i·on [ǽnaiən] *n.* 〖화학〗 음(陰)이온, 아니온. opp. *cation.*

anis [æníːs] *n.* 아니스《아니스의 열매로 맛을 낸 스페인의 독한 술》.

an·is- [ænáis, ǽnais], **an·i·so-** [-sou, -sə] '부등(不等), 부동(不同)'의 뜻의 결합사.

an·ise [ǽnis] *n.* 〖식물〗 아니스(의 열매). 「료).

an·i·seed [ǽnəsìːd] *n.* 아니스의 열매《향미

an·is·ei·ko·nia [æ̀nəsaikóuniə, ænai-] *n.* 〖안과〗 부동상증(不同像症), 부동상시(視)《두 눈의 망막상이 달라지는 병》. 「제).

an·i·sette [æ̀nəzét, -sét] *n.* 아니스 술〔강심

an·i·so·co·ria [ænàisəkɔ́ːriə, ænai-] *n.* 〖안과〗 동공부동(瞳孔不同)(증)《동공의 직경이 좌우가 다른 증세》.

an·i·sog·a·mous, -so·gam·ic [ænaiságəməs/-sɔ́g-], [-səgǽmik] *a.* 〖생물〗 이형접합(異形接合)의, 이형 배우(配偶)의.

an·i·sole [ǽnəsòul] *n.* 〖화학〗 아니솔《무색, 비수용성의 액체; 향수 · 살충제용》.

an·i·so·met·ric [ænàisəmétrik] *a.* 부등(不等)의, 부동(不同)의; (결정이) 비등축(非等軸)의.

an·i·so·me·tro·pia [ænàisəmətróupiə, ænai-] *n.* 〖의학〗 (두 눈의) 굴절 부동(증), 부동시(不同視).

an·i·so·trop·ic [ænaisətrápik/-trɔ́p-] *a.* 〖물리〗 이방성(異方性)의; 〖식물〗 유방성(有方性)의. 「스페인어 꼴).

Ani·ta [əníːtə] *n.* 어니타《여자 이름; Anna의

An·jou [ǽndʒuː] *n.* 앙주《프랑스 서부의 옛 주(州); Plantagenet 왕가의 명칭에 쓰였음》.

An·ka·ra [ǽŋkərə] *n.* 앙카라《터키의 수도》. ★ 구칭은 Angora.

an·ker [ǽŋkər] *n.* 주류(酒類)의 양을 재는 단위《미국에서는 10 갤런》; 1 앵커들이 술통.

ankh [æŋk] *n.* 앙크《이집트 미술에서 볼 수 있는, 위에 고리가 붙은 T자형 십자; 생식 · 장수의 상징》, 생명의 심벌.

*‡**an·kle, an·cle** [ǽŋkəl] *n.* 발목; 복사뼈: twist 〔sprain〕 one's ~ 발목을 삐다. — *vi.* 《미속어》 (어슬렁어슬렁) 걷다.

ánkle bìter 《Austral. 속어》 아이, 아동.

ánkle·bòne *n.* 복사뼈.

ánkle-déep *a.* (깊이가) 발목까지인.

ánkle sóck =ANKLET 1.

an·klet [ǽŋklit] *n.* **1** (보통 *pl.*) 《미》 여성〔어린이〕용 양말의 일종《발목까지 오는》. **2** 발목 장식(이 있는 신); 차꼬.

an·ky·lo·saur [ǽŋkəlousɔ̀ːr] *n.* 〖고생물〗 앙킬로사우루스 공룡《백악기의 초식 공룡으로 온몸이 갑옷 같은 두꺼운 딱지로 덮였음》.

an·ky·lose, an·chy- [ǽŋkəlòus, -lòuz] *vt., vi.* (뼈와 뼈를) 교착시키다; 교착하다; (관절을) 강직(強直)시키다; 강직하다.

ánkylosing spondylítis 〖의학〗 강직성 척추염(=**rhéumatoid spondylítis**).

an·ky·lo·sis, an·chy- [æ̀ŋkəlóusis] *n.* U (뼈와 뼈의) 교착; (관절의) 강직. 「의) 단검.

an·lace [ǽnlis] *n.* (끝이 가는 양날의 중세기

an·la·ge [áːnlaːgə/ǽn-] (*pl.* ***-gen*** [-gən],

~*s*) n. 1 〖생물〗 원기(原基)(rudiment)《기관(器官)이 될 세포》. 2 소질.

Ann, An·na [æn], [ǽnə] n. 앤, 애너《여자 이름; 애칭은 Anni, Nancy 등》. 「(=years).

ann. annuals; annual; annuity; *anni* 《L.》

an·na [ɑ́:nə] n. 1 아나《인도의 옛 화폐 단위; 1 루피(rupee)의 1/16》. 2 1 아나 화폐.

An·na·bel [ǽnəbèl] n. 애너벨《여자 이름》.

an·nal [ǽnl] n. 1 년간의 기록(의 한 항목). cf. annals.

an·nal·ist [ǽnəlist] n. 연대기(年代記)의 편자, 연보(年譜) 작자. ≒analyst.

an·nal·is·tic [æ̀nəlístik] a. 연대기의.

◇**an·nals** [ǽnlz] n. pl. 1 연대기, 연대표. 2 (역사적인) 기록, 사료(史料). 3 〔때로 단수취급〕 (학회 따위의) 연보(年報).

An·nam [ənǽm, æn-/æn-] n. 안남《전 프랑스 보호령, 지금은 베트남의 일부》.

An·na·mese [æ̀nəmí:z, -mí:s] a. 안남(사람·말)의. —(pl. ~) n. 안남 사람; U 안남어. ★ 현재는 Vietnamese.

An·na·mite [ǽnəmàit] a., n. =ANNAMESE.

An·nan [ǽnən] n. **Koffi A.** ~ 아난《가나 출신의 국제연합 사무총장; 1938- 》.

An·nap·o·lis [ənǽpəlis] n. 아나폴리스《미국 Maryland 주의 주도; 해군 사관학교 소재지》.

An·na·pur·na, An·a- [æ̀nəpúərnə, -pə́:r-] n. 1 〖힌두교〗 시바(Siva)의 배우(配偶) 여신(Devi). 2 안나푸르나《히말라야 산맥 북부의 산; 최고봉의 높이는 8,078 m》.

Ann Ar·bor [ænɑ́:rbər] 앤 아버《미국 Michigan 주 남동부의 도시; Michigan 대학 소재지》.

an·nates [ǽneits, ǽnəts] n. pl. 〖가톨릭〗 (성직(聖職)의) 첫 수입세《원래 첫해의 수입을 교황에게 상납한 성직 취임세》.

Anne [æn] n. 앤. 1 여자 이름. 2 영국 여왕(1665–1714)《Stuart가(家) 최후의 왕》.

an·neal [əní:l] vt. (강철·유리 등을) 달구어 서서히 식히다; 벼리다; 다시 달구다; (의지·정신을) 단련〔강화〕하다. ⓟ **~·er** n. **~·ing** n. 가열 냉각, 벼림. 「물(의).

an·ne·lid [ǽnəlid] a., n. 〖동물〗 환형(環形)동

An·nel·i·da [ənélədə] n. pl. 환형동물문(門)《분류명》. ⓟ **an·nél·i·dan** [-dən] a. 환형동물의.

◇**an·nex** [ənéks, ǽneks/ənéks] vt. 1 《~+목/+목+전+명》 부가〔추가〕하다《to》: ~ one's signature *to* a letter of recommendation 추천장에 서명을 첨가하다. 2 《~+목/+목+전+명》 (영토 등을) 합병하다《to》: The United States ~*ed* Texas in 1845. 미합중국은 1845 년에 텍사스를 합병했다 / The firm was ~*ed to* a large corporation. 그 회사는 대회사에 병합되었다. 3 《+목+전+명》 (속성·수반물·결과로서) 추가시키다, 동반케 하다《to》: privileges ~*ed to* the stockholders 주주에 부대되는 특권. 4 얻다, 손에 넣다; 《구어》 훔치다, 착복〔횡령〕하다. ◇ annexation n. — [ǽneks, -iks/ǽneks] (pl. **~·*es*** [-iz]) n. 1 부가물; 부록; (조약 등의) 부속 서류. 2 (건물의) 부속 가옥, 증축 건물, 별관. ⓟ **~·a·ble** a.

an·nex·a·tion [æ̀nekséiʃən] n. 1 U 부가; 합병. 2 C 부가물, 합병된 영토. ⓟ **~·ist** n. 영토합병론자. **~·al** a. 「NEX.

an·nexe [ǽneks, -iks/ǽneks] n. 《영》 =AN-

An·nie [ǽni] n. 애니《여자 이름; Anna, Anne

Án·nie Óak·ley =OAKLEY. 「의 애칭》.

◇**an·ni·hi·late** [ənáiəlèit] vt. 1 절멸〔전멸〕시키다: ~ the enemy's army 〔fleet〕 적군을〔함대를〕 전멸시키다. 2 (법률 등을) 무효로 하다, 폐지하다. 3 (상대를) 꺾다; 제압하다, 완패시키다: ~ the visiting team 원정 팀을 완패시키다. 4 〖물리〗 (입자를) 쌍소멸시키다. 5 《구어》 (야심 따위를) 꺾다, 좌절시키다; 무시〔경시〕하다; 《영구어》 …을 노려보다. — vi. 〖물리〗 (입자가) 쌍소멸하다. ⓟ **-la·ble** a. 전멸〔폐지〕할 수 있는. **an·ní·hi·là·tor** [-tər] n. 파괴자; 〖수학〗 영화군(零化群).

◇**an·ni·hi·lá·tion** n. U 1 전멸, 절멸, 붕괴; 폐지, 무효화. 2 〖신학〗 《특히》 영혼 소멸; 〖물리〗 쌍소멸(pair ~). ⓟ **~·ism** n. 〖신학〗 영혼 소멸설. **~·ist** n.

⁎ **an·ni·ver·sa·ry** [æ̀nəvə́:rsəri] n. (해마다의) 기념일, 기념제; …주년제, 주기(周忌), 기일(忌日)《생략: anniv.》: a person's ~ 아무의 기념일, 《특히》 생일 / one's wedding ~ 결혼 기념일 / celebrate the 60th ~ of one's birth 환갑을 축하하다. — a. 기념일의, 기념제의; 매년의, 해마다의. 「의 구칭.

Anniversary Day 《Austral.》 Australia Day

an·no ae·ta·tis su·ae [ǽnou-itéitis-sú:i:] 《L.》 (나이) …살 때《생략: aet., aetat.》.

an·no Dom·i·ni [ǽnou-dɑ́mənài, -nì:, ɑ:n-/-dɔ́m-] 《L.》 (=in the year of our Lord) (그리스도) 기원, 서기 《생략: A.D.》. cf. B.C. — n. (보통 A– D–) 《구어》 드는 나이, 연령: *Anno Domini* softens a man. 사람은 나이를 먹으면 원만해진다.

an·no mun·di [ǽnou-mʌ́ndai, -di:] 《L.》 (=in the year of the world) 천지 창조 이래, 세계 기원(후) 《생략: a.m., A.M.》.

annot. annotated; annotation; annotator.

an·no·tate [ǽnətèit] vt., vi. (…에) 주를〔주석을〕 달다, 주석하다: ~ (on) a book 책에 주를 달다. ⓟ **án·no·tàt·ed** [-tèitid] a. 주석 달린: an ~ edition 주석판. **án·no·tà·tive** [-tiv] a. 주석 같은, 주석적인. **àn·no·tá·tion** n. U,C 주석, 주해. **án·no·tà·tor, -tàt·er** n. 주석자.

⁑ **an·nounce** [ənáuns] vt. 1 《~+목/+목+전+명/+목+*to be* 보/+*that* 절/+목+*as* 보》 알리다, 고지〔발표〕하다, 공고〔공표〕하다, 전하다; 예고하다: She has ~*d* her marriage *to* her friends. 그녀는 친구들에게 결혼한다고 발표하였다 / He ~*d* my statement *to be* a lie. =He ~*d that* my statement was a lie. 그는 나의 진술을 거짓이라고 전하였다 / He ~*d* himself to me *as* my father. 그는 나의 아버지라고 자칭하였다. SYN. ⇨DECLARE. 2 (큰 소리로) 알리다: ~ dinner 식사 준비가 되었다고 알리다 / ~ Mr. and Mrs. Jones 존스 부처의 내방을 알리다. 3 《~+목/+목+*to be* 보》 …임을 나타내다, 감지케 하다: An occasional shot ~*d* the presence of the enemy. 이따금 들리는 총소리로 적이 있는 것을 알 수 있었다 / Her dress ~*s* her *to be* a nurse. 복장을 보아 그녀가 간호사라는 것을 알 수 있다. 4 〖방송〗 (프로를) 아나운스하다. — vi. 《+전+명》 1 아나운서로 근무하다《*for; on*》: He ~*s for* the private station. 그는 그 민영 방송국의 아나운서로 근무하고 있다. 2 《미구어》 입후보〔지지〕 선언을 하다《*for*》: ~ *for* governor 지사 선거에 입후보할 뜻을 표명하다. ⓟ **~·a·ble** a.

⁑ **an·nounce·ment** [ənáunsmənt] n. U,C 1 알림, 공고, 고시, 발표, 공표, 성명, 예고; 통지서, 발표문, 성명서: a newspaper ~ 신문의 발표 / make an ~ of …을 발표하다. 2 〖방송〗 방송 문구, 《특히》 커머셜, 선전 문구, 광고. 3 (카드놀이의) 가진 패를 보이기.

⁎ **an·nounc·er** [ənáunsər] n. 1 〖방송〗 아나운서, 방송원. 2 고지자, 발표자.

⁑ **an·noy** [ənɔ́i] vt. 1 괴롭히다, 귀찮게〔성가시

게) 굴다, 짜증나게 하다, 속태우다: That ~s me. 저건 골칫거리다 / look ~*ed* 난처한 것같이 보이다. **2** 〖군사〗 (적을) 괴롭히다. ***be*** 〔***get***〕 **~*ed*** 귀찮다, 애먹다; 화가 나다《*with* a person; *at* 〔*about*〕 a thing》: I *am* ~*ed with* him *about* that 〔*for doing* that〕. 그 일에는〔그런 짓을 해서〕 그 녀석이 골칫거리다. **—** *vi.* 불쾌하다, 얄밉다; 손해를 〔타격을〕 입히다.

*__an·noy·ance__ [ənɔ́iəns] *n.* Ⓤ 성가심; 불쾌감; 괴로움, 곤혹; Ⓒ 곤란한 것〔사람〕, 골칫거리: to one's ~ 곤란하게도 / put a person to ~ 아무를 곤란하게〔귀찮게〕하다.

◇**an·nóy·ing** *a.* 성가신, 귀찮은, 지겨운: How ~! 아이 귀찮아 / It is very ~, I know. 참으로 성가시겠지만. ㊕ **~·ly** *ad.*

‡**an·nu·al** [ǽnjuəl] *a.* **1** 일년의, 일년에 걸친: an~ income 〔pension〕 연수(年收)〔연금〕 / ~ expenditure 〔revenue〕 세출〔세입〕. **2** 일년마다의, 예년의; 1년 1회의: an ~ message 《미》 연두교서 / an ~ report 연보. **3** 〖식물〗 일년생의: an ~ plant 일년생 식물. **—** *n.* **1** 연보(年報), 연감(yearbook); 《미》 졸업 앨범《따위》. **2** 일년생 식물. **3** 〖종교〗 주기(周忌).

ánnual accóunts 〖경영〗 연차 회계 보고서.

ánnual géneral méeting 연차 주주 총회.

an·nu·al·ize [ǽnjuəlàiz] *vt.* (통계수치를) 연율(年率)로〔연액(年額)으로〕 계산〔환산〕하다: at an ~*d* rate of 5%, 연율 5%로.

◇**án·nu·al·ly** *ad.* 해마다(yearly), 연년이, 연 1회; 1년분으로서.

ánnual méeting 연차 총회; 연차 주주 총회 (annual general meeting).

ánnual percéntage ráte 〖금융〗 (실질) 연율《채권자가 융자·소비자 신용 약정서에 명시해야 할 연(年) 실효 금리; 생략: APR》.

ánnual repórt 연보(年報); 〖경영〗 연차 영업 보고서; 《미》 〖증권〗 연차 보고서.

ánnual ríng (나무의) 나이테. 「인.

an·nu·i·tant [ənjú:ətənt/ənjú:-] *n.* 연금 수령

an·nu·it coep·tis [ǽnju:it-séptis] 《L.》 하느님이 우리들 하는 일에 미소를 지으시니라《미국의 국새 이면에 새겨진 표어》.

an·nu·i·ty [ənjú:əti/ənjú:-] *n.* Ⓤ,Ⓒ 연금(年金); 연간(年間) 배당금; 연금 수령권; 연금 지급 의무; 연금 지급에 관한 계약〔협약〕: ~ certain 확정 연금 / a life 〔terminable〕 ~ 종신〔유기〕 연금 / an ~ bond 연금 증서.

an·nul [ənʌ́l] (***-ll-***) *vt.* (의결·계약 등을) 무효로 하다, 취소하다; (법령 등을) 폐지〔파기〕하다; (기억 등을) 지워버리다; (열차 등의) 운행을 취소하다: ~ a marriage 결혼을 무효로 하다.

an·nu·lar [ǽnjələr] *a.* 고리 모양의, 환상(環狀)〔윤상(輪狀)〕의. ㊕ **~·ly** *ad.* 고리 모양으로, 환상으로 (되어).

ánnular eclípse 〖천문〗 금환식(金環蝕).

an·nu·late, -lat·ed [ǽnjələt, -lèit], [-lèitid] *a.* 고리(모양)의; 고리가 있는; 여러 고리가 모여서 된; 고리 무늬가〔환문(環紋)이〕 있는. ㊕ **àn·nu·lá·tion** *n.* **1** Ⓤ 환상(環狀) 형성; 〖동물〗 체환(體環) 형성. **2** 환상(부), 환상 구조.

an·nu·let [ǽnjəlit] *n.* 작은 고리; 〖건축〗 (특히 도리스식 원주의) 고리 모양의 테두리 또는 띠.

an·núl·ment *n.* Ⓤ **1** 취소, 실효(失效), 폐지, 폐기. **2** 〖정신의학〗 (불쾌한 관념 따위의) 소멸. **3** (결혼) 무효 선언.

an·nu·loid [ǽnjəlɔ̀id] *a.* 환상(環狀)의.

an·nu·lose [ǽnjəlòus] *a.* 고리〔마디〕가 있는; 고리로 된: ~ animals 체절〔환형〕동물.

an·nu·lus [ǽnjələs] (*pl.* ***-li*** [-lài], **~*·es***) *n.* 고리, 둥근 테; 〖수학〗 환형; 〖천문〗 금환; 〖동물〗 체환(體環); 〖식물〗 환대(環帶).

an·num [ǽnəm] *n.* 《L.》 Ⓤ 연(年), 해(year) 《생략: an.》: per ~ 1년마다, 한 해에 (얼마).

an·nun·ci·ate [ənʌ́nsièit] *vt.* 고시(告示)〔통고〕하다.

an·nùn·ci·á·tion *n.* Ⓤ,Ⓒ 포고, 통고, 예고; (the A–) 성수태 고지; (the A–) 〖가톨릭〗 성모 영보 대축일, 〖성공회〗 성수태 고지일《3월 25일》.

an·nun·ci·a·tor [ənʌ́nsièitər] *n.* 알리는 사람〔장치〕; 통고자; 신호 표시기《신호가 어느 방〔층〕에서 왔는지를 가리킴》.

an·nus hor·rib·i·lis [ǽnəs-hɔ:ríbələs] 《L.》 '무서운 해'《왕실 스캔들, 윈저 성 화재가 있었던 1992년을 가리켜 Elizabeth II가 한 말》.

annus mi·ra·bi·lis [-mərǽbəlis] (*pl.* ***an·ni mi·ra·bi·les*** [ǽnai-mərǽbəli:z]) 《L.》 (때로 A– M–) 경이(驚異)의 해, 사건이 많았던 해《특히 영국에서 대화재·페스트의 유행 등 큰 사건이 많았던 1666년》. 「합사.

an·o-[1] [ǽnou, éin-, -nə] '항문(의)'의 뜻의 결

an·o-[2] [ǽnou, -nə] *pref.* '위, 위쪽'의 뜻: *ano*opsia 상(향성) 사시.

ano·ci·as·so·ci·a·tion [ənòusiəsòusiéiʃən] *n.* 〖의학〗 유해자극 제거 마약.

an·ode [ǽnoud] *n.* 〖전기〗 (전자관·전해조의) 양극(陽極), 애노드(OPP *cathode*); (1차 전지·축전지의) 음극. ㊕ **an·od·al, an·od·ic** [ænóudl], [ænɑ́dik/-nɔ́d-] *a.*

ánode rày 〖전기〗 양극선(陽極線).

an·o·dize [ǽnədàiz] *vt.* 〖야금〗 (금속을) 양극 산화〔처리〕하다.

an·o·dyne [ǽnədàin] *a.* 진통의; (감정을) 누그러지게 하는. **—** *n.* 진통제; 누그러지게 하는 〔위로가 되는〕 것.

an·o·e·sis [æ̀nouí:sis] (*pl.* ***-ses*** [-si:z]) *n.* 〖심리〗 비지적(非知的) 의식, 감각적〔감정적〕 정신 상태. 「=ANESTRUS.

an·oes·trus [ænéstrəs, æní:s-/æní:s-] *n.*

áno·génital *a.* 항문과 성기(부분)의.

anoia [ənɔ́iə] *n.* 정신박약, 《특히》 백치.

anoint [ənɔ́int] *vt.* **1** 《+목+전+명》 (상처 따위에) 기름을〔연고를〕 바르다《*with*》: ~ the burn *with* ointment 덴 상처에 연고를 바르다. **2** (사람의) 머리에 기름을 붓다《종교적 의식》, 성별(聖別)하다; 성직에 임명하다; 선정하다, 임명하다. ***the*** (***Lord's***) ***Anointed*** ① 기름 부어진 자, 구세주, 예수. ② 옛 유대의 임금; 신권에 의한 임금. ㊕ **~·er** *n.* 기름을 붓는〔바르는〕 사람.

anóint·ment *n.* 기름을 바름; (연고 등의) 도포, 문질러 바름《*with*》; 〖교회〗 도유식(塗油式), 기름 부음.

an·o·lyte [ǽnəlàit] *n.* 〖화학·전기〗 양극액(陽極液), 애노드(anode)액.

anom·a·lism [ənɑ́məlizəm/ənɔ́m-] *n.* **1** Ⓤ 이상성, 변칙성, 예외. **2** =ANOMALY.

anom·a·lis·tic, -ti·cal [ənɑ̀məlístik/ənɔ̀m-], [-əl] *a.* 이상의, 변칙의, 예외의; 〖천문〗 근점(近點)의, 근일점의, 근지점(近地點)의: an ~ month 〔year〕 〖천문〗 근점월(近點月)〔년〕.

anomalístic périod 〖우주〗 (인공위성의) 근점(近點)주기《근점을 통과하는 주기》.

anom·a·lous [ənɑ́mələs/ənɔ́m-] *a.* **1** 변칙의, 파격의, 이례의; 이상한. **2** 〖문법〗 변칙의, 변칙적인: ⇨ ANOMALOUS VERB / ⇨ ANOMALOUS FINITE. ㊕ **~·ly** *ad.* **~·ness** *n.*

anómalous fínite 〖문법〗 불규칙 정형 동사(定形動詞)《be, have 및 조동사의 정형》.

anómalous vérb 〖문법〗 불규칙 동사《be, have, do, may, shall, can 따위 12어(語)》.

anómalous wáter 〖화학〗 중합수(重合水), 폴리워터(polywater).
anom·a·ly [ənáməli/ənɔ́m-] n. Ⓒ,Ⓤ 변칙, 이례, 이상; 변칙적〔예외적〕인 것〔일〕; 〖생물〗 이형(異形); 〖물리〗 편차(偏差); 〖천문〗 근점 이각(近點離角): A wingless bird is an ~. 날개 없는 새는 이례적이다.
anom. fin. anomalous finite.
ano·mia [ənóumiə] n. Ⓤ 〖의학〗 건망(성) 실어증(健忘(性)失語症); =ANOMIE.
an·o·mie, -my [ǽnəmì:] n. Ⓤ,Ⓒ 〖사회〗 아노미 현상. ⓟ **anom·ic** [ənámik/ənɔ́m-] a.
◇**anon** [ənán/ənɔ́n] ad. 《고어》 이내(곧); 머지않아; 조만간에; 즉시. ★ sometimes, now와 대응하여 쓰임. ***ever and*** ~ 때때로, 가끔.
anon. anonymous(ly).
an·o·nym [ǽnənìm] n. 가명, 변명; 익명자, 무명씨; 이름을 붙일 수 없는 개념; 작자 불명의 저작.
an·o·nym·i·ty [æ̀nənímәti] n. Ⓤ 익명(사용); 무명; 필자〔작자〕 불명; Ⓒ 이름 없는 것; 정체불명의 인물: hide behind ~ =retain one's ~ 익명으로 하다.
anon·y·mize [ənánəmàiz/ənɔ́n-] vt. 익명으로 하다; (검사 결과 따위에서) 개인 식별 요소를 없애다; 개인 식별을 못하게 하다.
◇**anon·y·mous** [ənánəməs/ənɔ́nə-] a. **1** 익명의; 변명〔가명〕의. OPP *onymous*. ¶ an ~ letter 익명의 편지〔투서〕/ The donor remained ~. 그 기증자는 이름을 밝히지 않았다. **2** 성명 미상의, 작자〔발송인, 산지 따위〕 불명의. **3** 무명의, 세상에 알려져 있지 않은. **4** 특징〔개성〕이 없는. ⓟ **~·ly** ad. 익명으로. **~·ness** n.
anónymous FTP 〖컴퓨터〗 익명 FTP《등록된 사용자(user)가 아니라도 이용할 수 있는 FTP》.
anoph·e·les [ənáfəlì:z/ənɔ́f-] (pl. ~) n. 학질〔말라리아〕 모기. ⓟ **-line** [-làin, -lən] a., n.
an·o·pia [ænóupiə] n. 〖안과〗 (안구의 구조상의 결함에 따른) 시각 결여(증).
an·o·rak [ǽnəræ̀k] n. **1** 아노락《후드 달린 방한용 코트》; 파카. **2** 《영우스개 · 경멸》 얼간이 같은〔시시한〕 놈, 별난 일에 골몰하는 녀석.
an·o·rec·tic, -ret·ic [æ̀nəréktik], [-rétik] a.식욕이 없는, 식욕을 감퇴시키는. ── n. 식욕 감퇴제.
an·o·rex·ia [æ̀nəréksiə] n. Ⓤ 〖의학〗 **1** 식욕 부진. **2** =ANOREXIA NERVOSA.
anoréxia nervósa [-nə:rvóusə] 〖의학〗 (사춘기(여성)의) 신경성 무식욕증〔식욕 감퇴증〕.
an·o·rex·i·ant [æ̀nəréksiənt] n. 〖의학〗 식욕 상실〔억제〕제(劑).
an·o·rex·ic [æ̀nəréksik] 〖의학〗 a. 식욕부진의; 식욕을 감퇴시키는. ── n. 신경성 무식욕증 환자.
an·or·gas·mia [æ̀nɔ:rgǽzmiə] n. 성 흥분 부전(不全)증.
an·or·gas·tic [æ̀nɔ:rgǽstik] a. 오르가슴에 도달하지 못하는; (성)불감증의.
an·or·thite [ænɔ́:rθait] n. 회장석(灰長石)《사장석(斜長石)의 일종》. ⓟ **-thit·ic** [æ̀nɔ:rθítik] a.
an·or·tho·site [ænɔ́:rθəsàit] n. 〖암석〗 사장암(斜長岩).
an·os·mia [ænázmiə, ænás-/ænɔ́z-, ænɔ́s-] n. Ⓤ 〖의학〗 후각 상실, 무후각(증).
†**another** ⇨(p. 114) ANOTHER.
A.N. Óther 《영》 선수 미정《출장 선수 명단 작성 때 해당란에 기입》; 익명씨《another를 인명처럼 표기한 것》.
anóther-guèss a. 《고어》 종류가〔양식이〕 다른.
ANOVA [ǽnouvə] analysis of variance.
an·ov·u·lant [ænávjələnt, ænóu-/ænɔ́v-] n.배란 억제제. ── a. 배란 억제(제)의.
an·ov·u·la·tion [æ̀navjəléiʃən, ænɑ̀v-/æ̀n-ɔv-] n. 〖의학〗 배란(排卵) 정지, 무배란.
an·ov·u·la·to·ry [ænávjələtɔ̀:ri, ænóu-/ænɔ́vjələtəri] a. 배란이 수반되지 않는, 무배란(성)의; 배란을 억제하는.
an·ox·e·mia [æ̀naksí:miə/æ̀nɔk-] n. Ⓤ 〖의학〗 (고지 등에서의 혈액 속의) 산소 결핍(증), 무산소혈(증). ⓟ **-mic** a.
an·ox·ia [ænáksiə/ænɔ́k-] n. Ⓤ 〖의학〗 무산소증(無酸素症). ⓟ **an·óx·ic** [-ik] a.
ANPA American Newspaper Publishers Association (미국 신문 발행인 협회). **anr.** another. **ANS** American Nuclear Society (미국 원자력 학회); 《미》 Army News Service (육군 보도부). **ans.** answer(ed). **A.N.S.** 《영》 Army Nursing Service (육군 간호 부대).
an·sate [ǽnseit] a. 손잡이가 있는〔달린〕.
An·schluss [á:nʃlus] n. 《G.》 합병《특히 1938년의 나치스 독일의 오스트리아 합병》.
ANSCII 〖컴퓨터〗 American National Standard Code for Information Interchange (미국 규격 협회 정보 교환용 표준 부호; 본래는 ASCII).
an·ser·ine [ǽnsəràin, -rin] a. 거위의〔같은〕; 어리석은(stupid). ── n. Ⓤ 〖화학〗 안세린《거위 근육 속에 있는 물질; 수산화 바륨》.
an·ser·ous [ǽnsərəs] a. =ANSERINE.
ANSI American National Standards Institute(미국 표준국).
ánsi·fòrm a. 고리처럼 둥근 모양의, 루프 모양의.
ANSI. SYS 〖컴퓨터〗 DOS에서 ANSI 규격의 화면 제어 부호를 따라서 화면 표시를 하도록 시스템을 구성하는 장치 돌리개〔디바이스 드라이버〕.
†**an·swer** [ǽnsər, á:n-/á:n-] n. **1** (질문 · 편지 · 요구 등에 대한) 대답, 회답, (응)답《to》. cf. reply, response. ¶ give 〔make〕 an ~ *to* a question 질문에 대답하다 / get 〔receive〕 an ~ 회답을 받다. **2** (문제의) 해답; (곤란한 사태에 대한) 해결(책), 대책: Figure out the ~ *to* this problem. 이 문제에 답하시오. **3** 대응, 호응, 응수, 보복《to》: The ~ was a volley of fire. 그 응답은 일제 사격이었다. **4** 답변, 변명, 해명: I have a complete ~ *to* the charge. 그 비난에 대해서는 충분히 해명할 수 있다. ***an ~ to a maiden's prayer*** 《속어》 남편으로 삼기에 이상적인 남자. ***in ~ to*** …에 답하여, …에 응하여: *in ~ to* your query 귀하의 질의에 답하여. ***know*** 〔***have***〕 ***all the ~s*** 《구어》 약삭빠르다; 만사에 정통하다.
── vt. **1** 《~+목 / +*that* 절 / +목+목 / +목+전+명》 (사람 · 질문에) 답하다: ~ a person 〔question〕 / She ~*ed that* she was ill. 그녀는 아프다고 대답하였다 / He didn't ~ a word *to* me. =He didn't ~ me a word. 그는 나에게 한 마디도 응답하지 않았다.

> SYN. **answer** 질문 · 명령 · 부름 · 요구 등에 (대)답하다: *answer* a letter 답장을 쓰다 / *answer* the phone 전화를 받다. **rejoin** 비판 · 반대 따위에 응답하다. **reply** 질문 · 요구 등에 대하여 숙고한 후에 알맞은 회답을 하다. answer 보다 정식 대답. **respond** 상대방에게 호응하여 즉각 응답하다. 흔히 이미 마련된 회답을 반사적으로 행함. **retort** 비난 따위에 감정적으로 즉각 응수하다. 주로 반대 의견을 개진할 때 쓰임.

2 a (노크 · 벨 · 전화 등에) 응하여 나오다: ~ the bell 〔door〕 (찾아온 손님을) 맞이하러 나오다. **b** (요구 따위에) 응하다, (소원 따위를) 들어〔이루어〕 주다; (의무 · 채무 따위를) 이행하다;

(목적 따위를) 이루다, 충족시키다: ~ the call 소집에 응하다 / ~ the purpose 목적을 이루다, 충족하다. **3** (손실 따위를) 보상하다. **4** …에 부합〔일치〕하다: ~ the description of the murderer 살인범의 인상서(人相書)와 일치하다. **5** 《~+목/+목+전+명》 (비난 · 공격 등에) 응수하다; …으로 갚다: I ~*ed* his blow *with* mine. 그의 주먹에 나도 되받아 주었다. **6** (문제 · 수수께끼 따위를) 풀다: ~ a riddle 〔problem〕 수수께끼〔문제〕를 풀다. **—** *vi.* **1** 《~/+전+명》 (대)답하다, 회답하다《*to*》: ~ with a nod (동의하여) 고개를 끄덕이다 / ~ *to* a question 질문에 답하다. **2** 응하다, 응답하다: I knocked on 〔at〕 the door, but nobody ~*ed*. 문을 노크했으나 아무런 응답도 없었다. **3** 《+전+명》 책임지다, 보증하다, 보상하다《*to* a person *for* something》: I cannot ~ *for* his honesty. 그가 정직한지 어떤지 보증할 수 없다. **4** 《+전+명》 일치〔부합〕되다, 맞다《*to*》: His features ~ *to* the description. 그의 용모는 그 인상서와 일치한다. **5** 《~/+전+명》 소용되다, 쓸모 있다, 적합하다《*for*》: It ~*s* very well. 그것으로 충분하다 / ~ *for* the purpose 목적에 부합하다. **6** 잘 되어 나가다, 성공하다, 효과가 있다: His method has not ~*ed*. 그의 방식은 성공하지 못했다. **~ *back*** 《구어》 말대꾸〔말대답〕하다. **~ *for*** ① …대신 대답하다. ② …의 책임을 지다, 보증하다; …에 대한 벌을 받다. **~ *a person's prayer*** (신이) 아무의 기원을 들어주다. **~ *to the name of*** …라고 불리다, …라는 이름이다. **~ *up*** 즉석에서〔분명히〕 대답하다《*to*》.

án·swer·a·ble *a.* **1** 〖서술적〗 책임 있는《*for* something; *to* a person》: He is ~ (*to* me) *for* his conduct. 그는 (나에 대해) 자기 행위의 책임을 져야 한다. **2** (대)답할 수 있는. **3** 일치〔상응〕한《*to*》. 🄟 **-bly** *ad.* **~·ness** *n.*

ánswer·bàck 〖컴퓨터〗 *n.* 응답. **—** *a.* 응답의, 응답하는: a computer with ~ capability 응답 능력이 있는 컴퓨터.

án·swer·er *n.* 회답자, 해답자; 답변인, 응답자.

ánswering machìne (부재시의) 전화 자동 응답 장치.

another

형용사적인 용법과, (대)명사적인 용법이 있으며, 뜻은 크게 나누어 경우에 따라 '다른' (a different)과 '또 하나의' (an additional)라는 두 가지를 지닌다. 원래 an (one)+other 의 결합에서 생긴 것으로 단수가 원칙이지만, 형용사적인 경우, 추가의 의미에서는 예외도 있다. the other(s)도 우리말로 옮기면 비슷한 말이 되는데, 이 양자의 구별이 극히 중요하다.

an·oth·er [ənʌ́ðər] *a.* **1** 다른 하나의, 또 하나〔한 사람〕의(one more): Will you have ~ cup of coffee? 커피 한 잔 더 드시겠습니까《두 잔째만이 아니고, 석 잔째, 넉 잔째에도 쓸 수 있음》/ That boy will be ~ Edison some day. 저 소년은 언젠가 제 2 의 에디슨이 될 것이다.
2 다른, 딴, 별개의(different): That is ~ question. 그것은 별개의 문제다 / One man's meat is ~ man's poison. 《속담》 갑의 약은 을의 독 / *Another* man *than* I might be satisfied. 나 이외의 사람이라면 만족할지도 모른다《★ than 을 쓰는 것이 원칙이나 from 을 쓰는 사람도 있음》.
3 〖수사와 함께〗 다시〔또〕 …(개)의, 또 다른 …의: in ~ two months 다시 2 개월(이라는 기간이) 지나면 / I earned ~ hundred 〔three hundred〕 dollars. 다시 또 100〔300〕 달러(라는 금액)를 벌었다. ★ 위에서처럼 '수사+복수형 명사' 는 이를 한 덩어리로 생각하여 그 앞에 옴. **~ *day*** (언젠가) 다음 날, 후일: Come ~ *day*. 또 다음 날〔번에〕 와 주십시오. **~ *place*** 딴 곳; 《영》 타원(他院)《하원에서는 '상원' 을, 상원에서는 '하원' 을 가리킴》. **~ *time*** 언젠가 딴 때에. ***feel* one*self* ~ *man*** 생소한 기분이 들다. ***in* ~ *moment*** 다음 순간, 갑자기, 홀연.
— *pron.* **1** 또 다른 한 개(의 것), 또 다른 한 사람: distinguish one from ~ 어떤 것을 다른 것과 구별하다 / I ate a hamburger and ordered ~. 나는 햄버거를 한 개 먹고 하나 더 주문했다 / Try 〔Have〕 ~ 하나 더 〔한 잔 더〕 드십시오.
2 다른 물건, 별개의 것, 다른〔딴〕 사람: for one reason or ~ 어쩐 일인지 / To say is one thing, to do is quite ~. 말하는 것과 행동하는 것은 전혀 별개다 / I don't like this tie; show me ~. 이 넥타이는 마음에 안 듭니다, 다른 것을 보여 주세요 / These documents are not mine. They are *another's*(=somebody else's). 이 서류들은 내 것이 아니다. 딴 사람 것이다.
3 그와 같은 것, 그와 같은 사람: If I am a mad man, you are ~. 내가 미치광이라면 너도 미치광이야 / "Liar!" — "You're ~!" '거짓말쟁이 같으니' — (뭐라고,) 너야말로 거짓말쟁이다'. ***Ask* ~!** 《구어》 당치 않은 소리 마라. ***Ask me* ~!** 《구어》 알 게 뭐야. ***just*** 〔***like***〕 **~** 흔히 있는, 특별히 다를 바도 없는. ***one after* ~** 차례차례, 잇따라, 연속하여: Visitors arrived *one after* ~. 손님들이 속속 도착했다. ★ one after the other 는 '두 개의 것 · 두 사람이 차례차례로' 의 뜻. ***one and* ~** 여러 종류의 사람(들). ***one* ~** ⇨ ONE. ***one behind* ~** 세로로 줄지어. ***such* ~** 《고어 · 시어》 그와 같은 것〔사람〕. ***taking*** 〔***taken***〕 ***one with* ~** 이것 저것 생각해 보면, 전체적으로 보아. ***Tell me* ~ (*one*)!** 《구어》 말도 안 돼, 거짓말 마.

NOTE (1) **another**와 **other**: 원래 another는 an+other에서 온 것으로 the, this, that, my, your 따위가 앞에 오지 않음. 이런 것을 붙이려면 other를 씀: the *other* door 또 하나의 문. my *other* son 나의 또 하나의 아들《'나머지의 하나' 의 뜻》. 비교: *another* son of mine 나의 다른 하나의 아들《아직 화제에 올라 있지 않은》.
(2) **another**와 **the other**(**s**): another는 암암리에 '그 밖에도 몇 개〔사람〕 있다' 라고 예상했을 때의 '또 하나' 이며, the other(s)는 '그 밖에 이것〔사람〕밖에는 없다' 라고 예상했을 때의 '나머지의 하나 (또는 몇몇)' 을 가리킴. 예를 들면 둘 이상의 것 중 하나를 취하고, 그 다음에 '또 다른 하나〔한 개〕' 라는 뜻으로 another를 씀. 세 개〔세 사람〕의 경우에는 one, another라고 하며 둘을 취하면 그 나머지는 the other가 되고, 넷 이상일 때에는 one, another 라고 하며 그 중 둘을 취하면 나머지를 일괄하여 the others《복수》, one, another, a third 식으로 셋을 취하면 그 나머지는 the other《단수》가 됨. 또 처음부터 둘만의 경우에는 당연히 one, the other로 대조시킴: There were three men. *One* was a doctor, *another* was a teacher, and *the third* 〔*the other*〕 was a lawyer. 세 사람이 있었는데 하나는 의사, 하나는 교사, 나머지 한 사람은 변호사였다.

ánswering sèrvice 《미》 (부재시의) 전화 응답〔응대〕 대행업.

ánswer·phòne *n.* = ANSWERING MACHINE.

ánswer prìnt 〖사진〗 첫번째〔초벌〕 프린트《점검용》.

ant [ænt] *n.* 개미. [cf] termite. ***have ~s in one's pants* 《미속어》 (…하고 싶어) 좀이 쑤시다; (불안해서) 안절부절 못하다; 흥분해 있다: Are there ~*s in your pants*? 왜 그렇게 안절부절 못하니.

an't [ænt, ɑːnt, eint/ɑːnt] 《영구어》 are not, am not 의 간약형; 《방언》 is not, has 〔have〕 not 의 간약형. [cf] ain't.

ant- [ænt] *pref.* = ANTI- 《모음이나 h앞에 올 때》: *ant*acid.

-ant [ənt] *suf.* **1** 동사에 붙여 형용사를 만듦: defi*ant*, pleas*ant*. **2** 동사에 붙여 '행위자'를 나타내는 명사를 만듦: occup*ant*.

Ant. antarctica; Anthony; Antigua; Antrim.

ant. antenna; antiquary; antonym; antarctic.

an·ta [ǽntə] (*pl.* **~s, -tae** [-tiː, -tai]) *n.* 「〖건축〗 벽 끝의 기둥.

ANTA [ǽntə] American National Theater and Academy(미국 연극 아카데미).

An·ta·buse [ǽntəbjùːs, -z] *n.* 앤터뷰스《알코올중독 치료제; 상표명》.

ant·ac·id [æntǽsid] *a.* 산을 중화하는, 제산(성)(制酸(性))의. **—** *n.* 제산제(劑).

An·tae·an [æntíːən] *a.* Antaeus 의〔같은〕; 초인적인 힘을 가진; 매우 거대한.

An·tae·us [æntíːəs] *n.* 〖그리스신화〗 안타이오스《Poseidon 과 Gaea 사이에 태어난 거인》.

°**an·tag·o·nism** [æntǽgənizəm] *n.* [U] 적대(관계), 대립(*against; to; between*); 반대, 반항; 반감, 적의(hostility); [U,C] 반대론: the ~ *between* Capital and Labor 노사간의 반목 / be in 〔come into〕 ~ with …와 반목하고 있다〔하기에 이르다〕 / in ~ to …에 반대〔대항〕하여.

°**an·tag·o·nist** [æntǽgənist] *n.* **1** 적수, 적대자, 경쟁자. [SYN] ⇨ OPPONENT. **2** 〖해부〗 길항근(拮抗筋); 〖약학〗 길항약. [opp] *agonist*.

an·tag·o·nis·tic, -ti·cal [æntæ̀gənístik], [-əl] *a.* 적대의, 반대하는; 상반〔모순, 대립〕되는, 서로 용납될 수 없는: be *antagonistic to* religion 종교와 서로 용납되지 않다. [파] **-ti·cal·ly** *ad.* 반목〔적대〕하여.

an·tag·o·nize [æntǽgənàiz] *vt.* **1** …을 적으로 돌리다, …의 반감을 사다: His manner ~*s* the people. 그의 태도는 사람들의 반감을 산다. **2** (사람)에게 적대하다, 대립〔대항〕하다, 반목하다; 《미》 (사물)에 반대하다: ~ a measure 시책에 반대하다. **3** …에 반대로 작용하다, …을 중화하다. **—** *vi.* 적대 행동을 취하다; 적을 만들다. [파] **-niz·a·ble** *a.*

ant·al·ka·li [æntǽlkəlài] (*pl.* **~(e)s**) *n.* 알「칼리 중화제.

ant·al·ka·line [æntǽlkəlàin, -lin/-làin] *n.*, *a.* 알칼리 중화제(의).

An·ta·nan·a·ri·vo [æ̀ntənæ̀nəríːvou] *n.* 안타나나리보《마다가스카르의 수도; 별칭: Tananarive》.

ant·a·pex [æntéipeks] (*pl.* **~·es, -ap·i·ces** [-ǽpəsìːz, -éip-]) *n.* 〖천문〗 태양의 배점(背點); (태양의) 반향점(反向點).

ant·aph·ro·dis·i·ac [æntæ̀frədí(ː)ziæ̀k] *a.* 성욕을 억제하는. **—** *n.* 제음제(制淫劑).

An·ta·ra [ɑːntáːrɑː] *n.* 안타라 통신《인도네시아의 국영 통신》.

***ant·arc·tic** [æntáːrktik/-áːktik] *a.* (종종 A-) 남극(지방)의. [opp] *arctic*. ¶ an ~ expedition 남극 탐험(대). **—** *n.* (the A-) 남극(지방), 남극권《남극 대륙 및 남극해》.

Ant·arc·ti·ca [æntáːrktikə/-áːkti-] *n.* 남극대륙(the Antarctic Continent).

Antárctic Archipélago (the ~) 남극 열도 《Palmer Archipelago의 별칭》.

Antárctic Círcle (the ~) 남극권.

Antárctic Circumpólar Cúrrent (the ~) 주남극(周南極) 해류《남극 대륙 주변을 서쪽에서 동쪽으로 흐르는 해류》.

Antárctic Cóntinent (the ~) 남극 대륙.

Antárctic Convérgence 남극 수속선(收束線).

Antárctic Ócean (the ~) 남극해, 남빙양.

Antárctic Península (the ~) 남극 반도.

Antárctic Póle (the ~) 남극(the South Pole).

Antárctic Tréaty (the ~) 남극 조약《남위 60° 이남의 대륙과 공해의 비군사화, 과학적 조사 연구의 자유를 협정》. 「과 남극권 사이》.

Antárctic Zòne (the ~) 남극대(帶)《남극점

An·tar·es [æntέəriːz] *n.* 〖천문〗 안타레스《전갈자리의 알파성; 직경이 태양의 약 230 배》.

ant·asth·mat·ic [æ̀ntæzmǽtik, -æs-/-æs-] *a.* 〖의학〗 천식 치료〔방지〕의. **—** *n.* 항(抗)천식제〔약〕.

ánt bèar 〖동물〗 큰개미핥기《남아메리카산》.

ánt·bìrd *n.* 개미를 잡아먹는 새《남아메리카산》.

ánt còw 〖곤충〗 진디.

an·te [ǽnti] *n.* 〖카드놀이〗 포커에서 패를 돌리기 전에 태우는 돈; 《구어》 할당금, 분담금: raise (up) the ~ 《구어》 태우는 돈〔출자금, 분담금 등〕의 액수를 올리다. **—** (*p.*, *pp.* **~d, ~ed**) *vt.* (위의 태우는 돈을) 걸다, 태우다(*up*); 《미구어》 (분담금 등을) 내다, 불입하다(*up*). **—** *vi.* 돈을 걸다〔태우다〕(*up*); 《미구어》 지불을 끝내다(*up*).

an·te- [ǽnti] *pref.* '…의 전의, …보다 앞의 (before)'의 뜻. [opp] *post-*. ≒anti-.

ánt·èater *n.* 〖동물〗 개미핥기.

an·te·bel·lum [æ̀ntibéləm] *a.* 《L.》 전전(戰前)의; 《미》 남북 전쟁 전(前)의. [opp] *postbellum*. ***status quo*** ~ 전전의 상태. 「膊)의.

an·te·bra·chi·al [æ̀ntəbréikiəl] *a.* 전박(前

an·te·cede [æ̀ntəsíːd] *vt.* (시간적·공간적·순위적으로) …에 선행〔우선〕하다.

an·te·ced·ence, -en·cy [æ̀ntəsíːdəns], [-si] *n.* [U] (시간·공간·순위적인) 선행, 우선; 〖천문〗 (행성의) 역행. ◇ antecede *v.*

°**an·te·ced·ent** [æ̀ntəsíːdənt] *a.* **1** 앞서는, 선행(先行)의, 우선하는; (…보다) 이전의(*to*): an event ~ *to* the war 전쟁에 앞서 일어난 사건. **2** 〖논리〗 추정적인, 가정의. **—** *n.* **1** 선례; 앞서는〔이전의〕 일〔상황〕. **2** (*pl.*) 경력, 신원, 내력: a man of shady ~*s* 전력이 의심스런 사람. **3** (*pl.*) 조상. **4** 〖문법〗 (관계사의) 선행사. **5** 〖논리〗 (명제의) 전건(前件); 전제. [opp] *consequent*. **6** 〖수학〗 전항. [파] **~·ly** *ad.* 이전에, 앞서; 추정적으로.

an·te·ces·sor [æ̀ntəsésər] *n.* 《드물게》 전임자; 전소유주. 「방, 대기실.

ánte·chàmber *n.* (큰 방으로 통하는) 작은

ánte·chàpel *n.* 예배당 전실(前室).

ánte·chòir *n.* 교회의 성가대석 앞의 공간.

ante-Chris·tum [ǽntikrístəm] *a.* ⇨A.C.

an·te·date [ǽntidèit, ∸-∸] *vt.* **1** (시기적으로) …에 앞서다, …보다 먼저 일어나다. **2** (수표·증서 등)의 날짜를 실제보다 이르게 하다; (사건)의 발생일을 실제보다 이전으로 추정하다. **3** 《고어》 …을 내다보다(anticipate), 예상하다. **4** …의 실행〔발생〕을 재촉하다〔앞당기다〕. **—** [∸-∸] *n.* 전일부(前日附)(= **príor dàte**).

an·te·di·lu·vi·an [æ̀ntidilúːviən] *a.* (Noah 의) 대홍수 이전의; 《구어》 태고 때의; 낡은, 고풍

의. ── *n.* 대홍수 이전의 사람〔동식물〕; 파파 노인; 아주 낡은 것; 시대에 뒤진 사람.

an·te·fix [ǽntəfìks] *n.* 〖건축〗 (처마 끝의) 장식 기와, 막새.

an·te·flex·ion [æ̀ntəflékʃən] *n.* Ⓤ 〖의학〗 (특히 자궁의) 전굴(前屈)(증).

ánt ègg 개미알《사실은 개미의 번데기; 말려서 물고기·새 등의 먹이로 함》. 「인〔흐름인〕.

ánte·gràde *a.* 순행성(順行性)의, 통상의, 진행

ánte·hàll *n.* (대합실이나 큰 홀의 입구 역할을 하는) 대기실.

an·te·lope [ǽntəlòup] (*pl.* ~(**s**)) *n.* 〖동물〗 영양(羚羊); 《미》 뿔 갈라진 영양(pronghorn); Ⓤ 영양 가죽.

an·te·me·rid·i·an [æ̀ntimərídiən] *a.* 오전의.

an·te me·rid·i·em [ǽnti-mərídiəm] 《L.》 (=before noon) 오전(에)《생략: a.m. 또는 A.M.》. OPP *post meridiem.*

an·te·met·ic [æ̀ntimétik] *a.* 메스꺼움을〔구토를〕 억제하는.

an·te-mor·tem [æ̀ntimɔ́ːrtəm] *a.* 《L.》 죽기(직)전의. OPP *post-mortem.*

an·te·mun·dane [ǽntimʌndèin, ⌐-⌐-] *a.* 천지 창조 이전의.

ànte·nátal *a.* 출생 전의; 태아의; 임신 중의: ~ training 태교. ── *n.* 《구어》 임신 중의 검진.

*__an·ten·na__ [ænténə] *n.* **1** (*pl.* ~**s**) 《미》 안테나, 공중선(《영》 aerial). **2** (*pl.* **-nae** [-niː]) 〖동물〗 촉각, 더듬이.

anténna arrày 안테나열(列), 지향성 안테나 (beam antenna).

anténna chlòrophyl(l) 〖식물〗 안테나 클로로필《광합성 작용에 있어서 광(光)에너지를 응집하여 그것을 여기(勵起) 에너지로 바꾸는 일군(一群)의 엽록소 분자》.

anténna cìrcuit 안테나 회로.

an·ten·nal [ænténl] *a.* 〖동물〗 촉각의.

an·ten·na·ry [ænténəri] *a.* 〖동물〗 촉각(모양)의; 촉각이 있는.

anténna shòp 안테나 숍《상품·고객·지역의 정보 수집을 위한 메이커 직영의 점포》.

an·ten·nate [ǽntənət, -nèit] *a.* 촉각을 가진.

an·ten·nule [ænténjuːl] *n.* 〖동물〗 소촉각《달

ànte·núptial *a.* 결혼 전의. ⌊팽이 등의》.

ànte·órbital *a.* 〖해부〗 안와(眼窩) 앞의; 눈 앞의. 「만 전의.

an·te·par·tum [æ̀ntipáːrtəm] *a.* 〖의학〗 분

an·te·pen·di·um [æ̀ntipéndiəm] *n.* (제단의) 앞장식(frontal); 앞에 드리운 휘장.

an·te·pe·nult [æ̀ntipíːnʌlt, -pinʌ́lt/-pinʌ́lt] *n.* 〖음성·시학〗 끝에서 세 번째 음절《보기: an-te-pe-nult의 -te-》.

an·te·pe·nul·ti·mate [æ̀ntipinʌ́ltəmət] *a.* antepenult의; 끝에서 세 번째의. ── *n.* 끝에서 세 번째의 것; =ANTEPENULT.

ánte·pòrch *n.* 바깥쪽 베란다.

ànte·posítion *n.* Ⓤ 〖문법〗 정상 어순의 역《보기: fiddlers three》.

ànte-póst *a.* 《영》 경쟁자〔말〕의 번호가 게시되기 전에 내기를 하는. 「*dial.*

ànte·prándial *a.* 식사 전의. OPP *postpran-*

◇**an·te·ri·or** [æntíəriər] *a.* **1** (공간적으로) 전방〔전면〕의, 앞의《*to*》. OPP *posterior.* ¶ the ~ part 앞부분. **2** (시간적·논리적·순위적으로) 전〔앞〕의, 앞선《*to*》: an ~ age 전 시대. [◀ *ante* 의 비교급] ⓕ ~**ly** *ad.* 앞에, 전에, 먼저.

an·te·ri·or·i·ty [æntìːriɔ́ːrəti, -ár-/-ɔ́r-] *n.* Ⓤ (시간·공간적으로) 앞섬, 앞선 시간〔위치〕.

an·te·ro- [ǽntərou, -rə] '앞의, 앞과, 앞에서부터' 란 뜻의 결합사.

àntero·láteral *a.* 앞 바깥쪽의.

ánte·ròom *n.* 곁방, (주실(主室)로 통하는) 작은방; 대기〔대합〕실.

àntero·postérior *a.* 전후 방향의, 복배(腹背)

ánte·tỳpe *n.* 원형(原型). ⌊의.

ànte·vérsion *n.* 〖의학〗 (기관(器官), 특히 자궁의) 전경(前傾).

an·te·vert [æ̀ntivə́ːrt] *vt.* (자궁 등의 기관을) 전경(前傾)시키다.

ánt flỳ 날개미, 우의(羽蟻)《낚싯밥》.

ánt hèap =ANTHILL.

ant·he·li·on [ænthíːliən, ænθíː-] (*pl.* ~**s**, **-lia** [-liə]) *n.* 〖천문〗 반대 환일(幻日)《해 반대쪽 구름 등에 나타나는 광반(光斑)》.

an·thel·min·tic, -thic [æ̀nthelmíntik, æ̀nθel-], [-θik] *a.* 기생충을 구제(驅除)하는, 구충의. ── *n.* 구충제.

◇**an·them** [ǽnθəm] *n.* 성가, 찬송가; 〔일반적〕 축가, 송가: a national ~ 국가. ── *vt.* 성가로 찬양하다; 축가로 축하하다.

an·the·mi·on [ænθíːmiən] (*pl.* **-mia** [-miə]) *n.* 〖장식〗 인동 무늬.

an·ther [ǽnθər] *n.* 〖식물〗 약(葯), 꽃밥. cf. stamen. ⓕ ~**al** *a.* 약(葯)의, 꽃밥의. 「len).

ánther dùst 〖식물〗 화분(花粉), 꽃가루(pol-

an·ther·id·i·um [æ̀nθərídiəm] (*pl.* **-id·ia** [-rídiə]) *n.* 〖식물〗 조정기(造精器), 장정기(藏精器)《고사리 등의》. ⓕ **-id·i·al** [-rídiəl] *a.*

an·the·sis [ænθíːsis] (*pl.* **-ses** [-siːz]) *n.* Ⓤ 〖식물〗 개화(기), 《특히》 수술의 성숙.

ánt·hìll *n.* 개밋둑, 개미탑; 많은 사람이 끊임없이 분주하게 움직이는 거리〔건물〕, 인가의 밀집지.

an·tho·car·pous [æ̀nθəkáːrpəs] *a.* 〖식물〗 가과(假果)의: ~ fruits 부과(副果).

an·tho·log·i·cal [æ̀nθəládʒikəl/-lɔ́dʒ-] *a.* 시집의, 명시 선집의.

an·thol·o·gist [ænθálədʒist/-θɔ́l-] *n.* 명시선〔명가·명문집〕의 편자.

an·thol·o·gize [ænθálədʒàiz/-θɔ́l-] *vt., vi.* 명시 선집에 수록하다〔을 편찬하다〕.

an·thol·o·gy [ænθálədʒi/-θɔ́l-] *n.* 명시 선집, 명문집; (한 작가의) 선집; 명곡〔명화〕집.

An·tho·ny [ǽntəni] *n.* **1** 앤터니《남자 이름; 애칭 Tony》. **2** (St. ~) 성(聖)안토니우스 《이집트인으로 수도사의 창시자; 251?-356?》. **3** [ǽnθəni] **Susan B.** ~ 앤터니《미국의 여성 참정권 운동자; 1820-1906》.

Ánthony Dóllar 앤터니 달러화(貨)《1979년에 발행된 1 달러짜리 동전》.

an·thoph·a·gous [ænθáfəgəs/-θɔ́f-] *a.* 꽃을 먹는. ⓕ **an·thóph·a·gy** [ænθáfədʒi/-θɔ́f-] *n.*

an·thoph·i·lous [ænθáfələs/-θɔ́f-] *a.* (벌레가) 꽃을 좋아하는, 꽃에서 사는.

an·tho·phore [ǽnθəfɔ̀ːr] *n.* 〖식물〗 화피간주(花被間柱)《꽃받침과 꽃잎 사이의 자루》.

an·tho·taxy [ǽnθətæ̀ksi] *n.* 〖식물〗 꽃차례, 화서(花序).

An·tho·zoa [æ̀nθəzóuə] *n. pl.* 〖동물〗 화충류(花蟲類)《강장동물의 하나; 산호·말미잘 따위》. ⓕ **-zo·an** [-n] *a., n.* 화충류의 (동물).

an·thra·cene [ǽnθrəsìːn] *n.* 〖화학〗 안트라센《알리자린(alizarine) 염료 등의 원료》.

an·thra·cite [ǽnθrəsàit] *n.* Ⓤ 무연탄(=⌐ **còal**). ⓕ **àn·thra·cít·ic** [-sítik] *a.* 무연탄의〔같은〕. **án·thra·cit·ous** [-sàitəs] *a.* 무연탄을 함유한. 「저병(炭疽病).

an·thrac·nose [ænθrǽknous] *n.* 〖식물〗 탄

an·thra·coid [ǽnθrəkɔ̀id] *a.* **1** 비탈저(脾脫疽)〔종기〕 같은. **2** 숯〔석탄, 탄소〕 같은.

an·thra·níl·ic ácid [æ̀nθrənílik-] 〖화학〗 안

트라닐산《아조 염료 합성 원료 · 의약품 · 향료용》.

an·thra·qui·none [æ̀nθrəkwənóun, -kwí(ː)noun] *n.* 【화학】 안트라퀴논《황색 결정》: ~ dye 안트라퀴논 염료.

an·thrax [ǽnθræks] (*pl.* **-thra·ces** [-θrəsiːz]) *n.* 【의학】 **1** 탄저(炭疽)(균). **2** 옹, 악성 부스럼.

anthrop. anthropological; anthropology.

an·thro·par·e·a [æ̀nθrəpέəriə] *n.* 인간 거주지《특히 시가지》.

an·thro·pho·bia [æ̀nθrəfóubiə] *n.* 【정신의학】 대인(對人) 공포증.

an·throp·ic [ænθrápik/-θrɔ́p-] *a.* 인간〔인류〕의; 【지학】 인류 유적이 들어 있는.

anthrópic príncіple 【천문】 지성체(知性體) 중시설(重視說).

an·thro·po- [ǽnθrəpou, -pə] '사람 · 인류(학)'이란 뜻의 결합사.

ànthropo·céntric *a.* 인간 중심의. ⊞ **-céntrically** *ad.* **-céntricism, -céntrism** *n.* 인간 중심주의. 「권(圈).

ànthropo·cósmos *n.* 인간 우주, 인간 활동

ànthropo·génesis *n.* Ⓤ 인류 발생(론)《사람의 기원과 발생》.

an·thro·po·gen·ic [æ̀nθrəpədʒénik] *a.* anthropogenesis의; 【생태】 인위 개변(人爲改變)의.

ànthropo·geógraphy *n.* 인문 지리학.

an·thro·pog·ra·phy [æ̀nθrəpágrəfi/-pɔ́g-] *n.* Ⓤ 기술(記述)적 인류학, 인류지(誌).

an·thro·poid [ǽnθrəpɔ̀id] *a.* (동물이) 인간 비슷한; 유인원류(類人猿類)의; 《구어》 (사람이) 원숭이를 닮은. **—** *n.* 유인원(=∠ **ápe**); 유인원 같은 사람. ⊞ **àn·thro·pói·dal** [-dl] *a.* 유인원의〔같은〕.

anthropol. anthropology.

an·thro·po·log·ic, -i·cal [æ̀nθrəpəládʒik/-lɔ́dʒ-], [-əl] *a.* 인류학(상)의. ⊞ **-i·cal·ly** *ad.*

anthropológical linguístics 《단수취급》 인류언어학. 「*n.* 인류학자.

an·thro·pol·o·gist [æ̀nθrəpálədʒist/-pɔ́l-]

◇**an·thro·pol·o·gy** [æ̀nθrəpálədʒi/-pɔ́l-] *n.* Ⓤ 인류학; 【신학 · 철학】 인간학.

an·thro·pom·e·try [æ̀nθrəpámətri/-pɔ́m-] *n.* Ⓤ 인체 측정학〔계측법〕. ⊞ **an·thro·po·met·ric, -ri·cal** [æ̀nθrəpəmétrik], [-əl] *a.*

ànthropo·mórphic *a.* 의인화〔인격화〕된, 사람의 모습을 닮은〔닮게 한〕.

ànthropo·mórphism *n.* Ⓤ 의인(擬人)화, 인격화; 신인 동형 동성론(神人同形同性論), 의인관(觀), 의인주의. ⊞ **-phist** *n.* 신인 동형 동성론자. **-phize** [-faiz] *vt.*, *vi.* (신 · 동물 등을) 인격화〔의인화〕하다. **-phous** [-fəs] *a.* =ANTHROPOMORPHIC.

an·thro·pon·o·my [æ̀nθrəpánəmi/-pɔ́n-] *n.* 인류 발달 법칙학, 인간 법칙학.

an·throp·o·nym [ænθrápənìm/-θrɔ́p-] *n.* 인명(人名); 성(姓). ⊞ **an·thròp·o·ným·ic** *a.*

an·thro·pop·a·thism [æ̀nθrəpápəθìzəm/-pɔ́p-] *n.* 【철학】 인간 이외의 존재가 인간과 같은 감정〔정열〕을 갖고 있다는 학설, 신인(神人) 동감 동정설.

an·thro·pop·a·thy [æ̀nθrəpápəθi/-pɔ́p-] *n.* =ANTHROPOPATHISM.

an·thro·poph·a·gi [æ̀nθrəpáfədʒài, -gài/-pɔ́fəgài] (*sing.* **-gus** [-gəs]) *n. pl.* 식인종(cannibals). ⊞ **-gous** [-gəs] *a.* 식인(종)의, 사람 고기를 먹는. **-gy** [-dʒi] *n.* Ⓤ 식인 풍습.

an·thro·poph·a·gite [æ̀nθrəpáfədʒàit/-pɔ́fəgàit] *n.* 인육(人肉)을 먹는 사람.

an·thro·pos·o·phy [æ̀nθrəpásəfi/-pɔ́s-] *n.* 【철학】 인지학(人知學)《일정한 자기 훈련에 의하여 정신 세계가 직관적으로 관조될 수 있다고 함》.

an·thro·pot·o·my [æ̀nθrəpátəmi/-pɔ́t-] *n.* Ⓤ 인체의 해부학적 구조.

an·thro·po·zo·ol·o·gy [æ̀nθrəpəzouálədʒi/-ɔ́l-] *n.* 인류〔인간〕 동물학《인간을 동물계의 한 종으로 보고 연구하는 학문》.

an·ti [ǽntai, -ti/-ti] (*pl.* **~s**) 《구어》 *n.* 반대(론)자. **—** *a.* 반대(의견)의. **—** *prep.* …에 반대하여(against).

an·ti- [ǽnti, -tai/-ti] *pref.* '반대, 적대, 대항, 배척' 따위의 뜻. OPP. *pro-*[1] 2. ≒ante-. ★ 고유명사〔형용사〕 및 i (때로는 다른 모음)의 앞에서는 hyphen을 사용함: ~-British, ~-imperialistic.

ànti·abórtion *a.* 임신 중절을 반대하는. ⊞ **~·ism** *n.* **~·ist** *n.*

ànti·áging, -ágeing *a.* 노화 방지의: an ~ drug 노화 방지약.

ànti·áir *a.* 《구어》 =ANTIAIRCRAFT.

ànti·áircraft *a.* 대공(對空)의, 방공(용)의: ~ fire 대공 포화〔사격〕/ an ~ gun 고사포. **—** (*pl.* ~) *n.* 대공 화기; Ⓤ 대공 포화.

antiáir wàrfare 【군사】 대공 전투.

ànti·álcoholism *n.* 과음 반대, 절주; 금주.

ànti·áliasing 【컴퓨터】 안티 엘리어싱《일반 모니터에 표시되는 화면은 점으로 구성되는데 이 점들의 크기가 크거나 점 사이의 간격이 멀면 가장자리가 들쭉날쭉해지는 현상을 줄이기 위해 사용되는 방법》.

ànti·allérgic 【면역】 *a.* 항(抗)알레르기(성)의. **—** *n.* 항알레르기성 물질.

ànti-Américan *a.* 반미(反美)의. **—** *n.* 미국(의 방침〔정책〕)에 반대하는 사람, 반미 사상가.

ànti·ándrogen *n.* 【생화학】 항(抗)남성 호르몬 물질, 항안드로겐.

ànti·ánginal *a.* 【약학】 항(抗)협심증의.

ànti·ántibody *n.* 【면역】 항항체(抗抗體).

ànti·anxíety *a.* 【약학】 불안 방지〔제거〕의 효력이 있는, 항(抗)불안성의: ~ drugs 항불안제〔약〕.

ànti·arrhýthmic *a.* 【약학】 항(抗)부정맥(성)

ànti·árt *n.* Ⓤ, *a.* 반(反)예술(의). 「의.

ànti·arthrític *a.* 【약학】 관절염을 경감하는, 항(抗) 관절염(성)의. **—** *n.* 항관절염약.

ànti·authoritárian *a.* 반(反)권위주의의. ⊞ **~·ism** *n.*

ànti·authórity *a.* 반(反)권위의.

ànti·bacchíus *n.* 【운율】 역(逆)바커스격(格)《장장단격(長長短格)(--⏑) 또는 강강약격(強強弱格)(∠∠×)》.

ànti·bactérial *a.* 항균(성)의.

ànti·ballístic *a.* 대(對)탄도탄의.

antiballístic míssile 탄도탄 요격 미사일《생략: ABM》.

Antiballístic Míssile Trèaty ABM조약《탄도탄 요격 미사일(ABM)의 전개지역, 발사대, 요격기의 수를 제한하는 조약; 1972년에 조인》.

ànti·bílious *a.* 담즙병(膽汁病) 예방〔치료〕의.

ànti·biósis *n.* Ⓤ 【생화학】 항생(抗生) 작용.

ànti·biótic *a.* 항생(작용)의; 항생 물질의: ~ substance 항생 물질. **—** *n.* 항생 물질. ⊞ **-i·cal·ly** *ad.* **àn·ti·bi·ót·ics** *n. pl.* 《단수취급》 항생 물질학.

antibiótic-resístance *a.* (균 따위가) 항생 물질 내성을 갖는. 「의. ⊞ **~·ism** *n.*

ànti·bláck *a.* 흑인에게 적대적인; 반(反)흑인

an·ti·blas·tic [æ̀ntiblǽstik, -tai-/æ̀nti-] *a.* 세균 발육 억제성의; 항(抗)세균 발육성의.

an·ti·body [ǽntibàdi/-bɔ̀di] *n.* 【생물】 (혈청 중의) 항체(抗體), 항독소.

ántibody-médiated immúnity 항체 매개(성) 면역, 체액성 면역.

ànti·búgging *a.* 도청장치 탐지용의, 도청 방지용의: install ~ equipment 도청장치 탐지기를 설치하다.

ànti·búsiness *a.* 대기업에 반대하는.

ànti·búsing *a.* 《미》 버스 통학을 반대하는《백인·흑인의 공학을 촉진하려는 busing에 반대하는》. 「반대 운동.

antibúsing mòvement 《미》 강제 버스 통학

an·tic [ǽntik] *a.* 기묘한, 기괴한, 색다른; 《고어》 익살맞은, 우스운: an ~ hay 기묘한 시골춤. **—** *n.* (보통 *pl.*) 익살맞은 행동, 기괴한 짓; 《고어》 어릿광대: play ~s 익살을 부리다, 희롱거리다. **—** (*p., pp.* ***an·ticked; an·tick·ing***) *vi.* 익살 떨다. [파] **~·ly** *ad.* **-ti·cal·ly** *ad.*

ànti·cáncer *a.* 〖약학〗 항암(성)의, 암에 잘 듣는: ~ drugs 항암〔제암〕제. 「癌性)의.

ànti·carcinogénic *a.* 〖약학〗 항발암성(抗發

ànti·cátalyst *n.* 〖화학〗 **1** 역촉매《반응 속도를 느리게 하는 촉매》. **2** 촉매독《촉매의 작용을 방해하는 물질》.

ànti·cáthode *n.* 〖전기〗 (X선관의) 대음극(對陰極); (진공 방전관의) 양극. 「반대자.

ànti-Cátholic *a., n.* 반(反)가톨릭의; 가톨릭

ànti·cávity *a.* 충치 예방의.

an·ti·chlor [ǽntiklɔ̀ːr] *n.* 〖화학〗 탈염소제.

ánti·chòice *n.* 임신 중절 반대파. **—** *a.* 임신 중절 반대(파)의: ~ candidate 임신 중절 반대 후보.

An·ti·christ [ǽntikràist] *n.* (*or* a-) 그리스도 반대자, 그리스도의 적; 거짓 그리스도.

an·ti·chris·tian [æ̀ntikrístʃən] *a.* 예수〔기독교〕 반대의; Antichrist 의. **—** *n.* 기독교 반대자. [파] **~·ìsm** *n.* [U] 반기독교(주의), 기독교 반대.

an·tic·i·fla·tion [æntìsəfléiʃən] *n.* 〖경제〗 앤티시플레이션《새로운 인플레 압력의 발생을 예상한 물가·임금·소비 지출의 상승》.

an·tic·i·pant [æntísəpənt] *a.* 예기하는; 앞서 행동하는, 앞선《*of*》; 기대하는《*of*》. **—** *n.* = ANTICIPATOR.

***an·tic·i·pate** [æntísəpèit] *vt.* **1** 《~+[목]/+*-ing*/+*that*[절]/+[목]+[전]+[명]》 예기하다([SYN.] ⇨ EXPECT), 예상하다, 예감하다, 내다보다; 낙으로 삼고〔걱정하며〕 기다리다, 기대하다: ~ a victory 승리를 예기〔예상〕하다/~ trouble 말썽이 생기지 않을까 걱정하다/He ~*d getting* a letter from his uncle in England. 그는 영국에 있는 숙부에게서 오는 편지를 기다리고 있었다/I ~ *that* she will come. 그녀가 오리라고 생각한다/We ~ great pleasure *from* our visit to America. 우리들은 미국 여행을 큰 즐거움으로 기대하고 있다. **2** 미리 고려하다, …을 미리 수배〔처리〕하다, …을 앞지르다(forestall); (일에) 선수를 쓰다; …을 미리 막다: ~ the worst 최악의 사태를 고려하다/~ one's enemy move 적의 기선을 제압하다. **3** (행복·파멸 등을) 앞당기다, 재촉하다: ~ one's ruin 파멸을 재촉하다. **4** (수입을) 예기하고 미리 쓰다; 기한 전에 지급하다: She ~*d* her legacy. 그녀는 유산을 예기하고 미리 돈을 썼다. **5** 《+[목]+[전]+[명]》 …에 앞서다, 선행하다: The Vikings may have ~*d* Columbus *in* discover*ing* America. 아메리카의 발견은 콜럼버스보다 바이킹들이 먼저 했을지도 모른다. **—** *vi.* 예측〔예언〕하다, 예감하다; 앞지르다, 선취(先取)하다. ◇ anticipation *n.* [파] **-pàt·a·ble** *a.*

°**an·tic·i·pa·tion** [æntìsəpéiʃən] *n.* [U,C] **1** 예기, 예감, 예상, 내다봄, 기대: with eager ~ for spring 봄을 몹시 기대하고《기다리다》. **2** 선제 행동, 선수; 예방. **3** 수입을 내다보고 미리 씀. **4** 〖법률〗 사전 행위, (재산·수익·신탁금의) 기한 전 처분. **5** 〖의학〗 전구(前驅) 증상; 〖약학〗 선행음, 앞선음. ◇ anticipate *v.* ***in*** **~** 미리, 사전에: Thanking you *in* ~. 〔부탁 편지 등의 맺는 말〕 우선 인사에 대신합니다. ***in*** **~ *of*** …을 기대하여, …을 예기하고: *in* ~ *of* your consent 승낙하실 것으로 믿고.

an·tic·i·pa·tive [æntísəpèitiv] *a.* 예기한, 앞일을 내다본; 선수 친, 선제적인; 기대에 찬; 선제〔기대〕하는 경향이 있는. [파] **~·ly** *ad.*

an·tic·i·pa·tor [æntísəpèitər] *n.* 예상하고 있는 사람; 선수를 치는 사람.

an·tic·i·pa·to·ry [æntísəpətɔ̀ːri, -pèitəri] *a.* 기대하는; 기대를 나타내는; 기대에 기인하는; 예측한, 예기한; 시기 상조의; 〖문법〗 선행(先行)의: ~ importation 시세의 등귀를 예상한 수입/an ~ subject 가주어《It is bad for him to smoke.의 it 따위》. [파] **an·tìc·i·pa·tó·ri·ly** *ad.*

ànti·clástic *a.* 〖수학·물리〗 면(面)이 방향을 달리하여 반대로 굽은, 주곡률(主曲率)이 반대부호인.

ànti·clérical *a., n.* 교권을 반대하는 (사람); 성직자의 개입〔간섭〕에 반대하는 (사람). [파] **~·ìsm** *n.* [U]. **~·ist** *n.*

ànti·climáctic *a.* **1** 점강법(漸降法)의; 점강적인. **2** 어처구니없는 결말의, 용두사미의. [파] **-ti·cal·ly** *ad.*

ànti·clímax *n.* 〖수사학〗 **1** [U] 점강법(漸降法) (bathos)《장중〔엄숙〕한 말을 한 직후에 가벼운〔우스운〕 말을 계속하기》. [OPP.] *climax*. **2** 어처구니없는 격조 저하, 큰 기대 뒤의 실망, 용두사미.

an·ti·cli·nal [æ̀ntikláinl] *a.* 서로 반대 방향으로 경사진; 〖지학〗 배사(背斜)의. [OPP.] *synclinal*. **—** *n.* = ANTICLINE. [파] **~·ly** *ad.*

an·ti·cline [ǽntiklàin] *n.* 〖지학〗 배사(층).

ànti·clóckwise *a., ad.* = COUNTERCLOCKWISE.

ànti·coágulant 〖약학·생화학〗 *a.* 항응혈성〔응고성〕의. **—** *n.* 항응혈〔응고〕약〔물질〕.

ànti·coágulate *vt.* 〖의학〗 …의 혈액 응고를 저지하다.

ànti·códon *n.* 〖유전〗 안티코돈《전령 RNA의 유전 암호를 식별하는 전이(轉移) RNA의 세 개 한 조의 염기》. 「치; 역동시, 반동시.

ànti·coíncidence *n.* 〖물리〗 반대일치, 반일

anticoíncidence cìrcuit 〖컴퓨터〗 배타적 회로《두 입력 중 한 입력은 참이고 다른 입력은 거짓일 때에만 출력이 참이 되는 논리 회로》.

ànti·collision líght 〖항공〗 (항공기의) 충돌 방지등《생략; ACL》.

ànti·cómmunist *a.* 반공(反共)의, 반공주의의: an ~ policy 반공 정책. **—** *n.* 반공주의자.

ànti·commútative *a.* 〖수학〗 비가환(非可換)의. 「止)적인.

ànti·compétitive *a.* (기업간의) 경쟁 억지(抑

ànti·Confúcian *a.* (중국의) 반(反)공자의. [파] **~·ìsm** *n.*

ànti·convúlsant 〖약학〗 *a.* (간질 등의) 경련을 방지〔억제〕하는. **—** *n.* 항(抗)경련약, 진경제(鎭痙劑). 「는; 단체에 반대하는.

ànti·córporate *a.* 법인〔회사〕(조직)을 반대하

ànti·corrósive *a.* 방식(防蝕)의, 내식(耐蝕)의.

ànti·crìme *a.* 방범(防犯)의. 「**—** *n.* 방식제.

ànti·cróp *a.* (화학 무기 등이) 농산물을 손상하는, 곡류 고사(枯死)용의. 「〔발생〕.

ànti·cyclogénesis *n.* 〖기상〗 고기압의 발달

ànti·cyclólysis *n.* 〖기상〗 고기압의 소멸〔쇠퇴〕.

ànti·cýclone *n.* 역선풍(逆旋風); 고기압(권(圈)). [파] **ànti·cyclónic** *a.* 고기압성(性)의.

ànti·democrátic *a.* 반민주주의의.
ànti·depréssant 〖약학〗 *a.* 항울(抗鬱)의; 불안을 제거하는. — *n.* 항울약.
ánti·desertificátion *n.* 사막화 방지.
ànti·diabétic *a., n.* 〖약학〗 항(抗)당뇨병성의; (항)당뇨병약.
ànti·diarrhéal *a.* 〖약학〗 설사를 멎게 하는, 지사(止瀉)의. — *n.* 지사제〔약〕.
ànti·diphtherític 〖약학〗 *a.* 항(抗)디프테리아성(性)의, 디프테리아 예방의. — *n.* 항디프테리아제(劑), 디프테리아(예방) 주사(약).
ànti·discriminátion *n.* Ⓤ 인종 차별 반대.
ànti·diurétic 〖약학〗 *a., n.* 항이뇨(抗利尿)(성)의; 항이뇨약.
antidiurétic hórmone 〖생화학〗 항이뇨(抗利尿) 호르몬《생략: ADH》.
an·ti·dot·al [æ̀ntidóutl] *a.* 해독제의; 해독성의, 해독의 (효험이 있는). ⊞ **~·ly** *ad.*
°**an·ti·dote** [ǽntidòut] *n.* 해독제; (해악 따위의) 교정〔방어, 대항〕 수단, 대책《*for; against; to*》.
ànti·dráft *a.* 《미》 징병 반대의. ⊞ **~·er** *n.* 징병 반대자.
ànti·drúg *a.* 마약 사용에 반대하는, 반(反)마약의, 마약 방지의.
ànti·dúmping *a.* (외국 제품의) 덤핑〔투매〕 방지의〔를 위한〕: ~ tariffs 덤핑 방지 관세.
ànti·eléctron *n.* 〖물리〗 =POSITRON.
ànti·emétic 〖약학〗 *a.* 구토 억제〔진정〕 작용의, 항(抗)구토 작용의. — *n.* 제토제(制吐劑), 진토약.
an·ti·en·er·gis·tic [æ̀ntiènərdʒístik] *a.* 〖물리〗 반〔항〕에너지의, 가해진 에너지에 반(反)하는.
ànti·énzyme *n.* 〖생화학〗 항(抗)효소(항체). ⊞ **-enzymátic, -enzýmic** *a.*
ànti·estáblishment *a.* 반(反)체제의.
ànti·establishmentárian *a.* 반체제의. — *n.* 반체제주의자.
ànti-Européan *a., n.* 반(反)유럽의; 서유럽 통합에 반대하는 (사람).
ànti·fáshion *n.* 〖복식〗 앤티패션《종래의 패션관(觀)에서는 부정하는 요소를 채용한 패션》.
ànti·fébrile *a.* 해열의, 해열 효과가 있는. — *n.* 해열제.
ànti·féderal *a.* 연방주의 반대의. ⊞ **~·ism** *n.* Ⓤ 반(反)연방주의. **~·ist** *n.* 반(反)연방주의자.
ànti·fémale *a.* 여성을 적대시하는, 여성에게 적대적인.
ànti·féminist *a.* 반(反)여권 확장주의의, 남성 상위의. — *n.* 반여권 확장주의자, 남성 상위주의자. ⊞ **-nìsm** *n.*
ànti·ferromágnet *n.* 〖물리〗 반강자성체(反強磁性體). ⊞ **-ferromagnétic** *a.* **-ferromágnet·ìsm** *n.*
ànti·fertílity *a.* 불임〔피임(용)〕의: ~ agents 피임약.
ànti·fluoridátion·ist *n.* 플루오린 첨가 반대주의자《충치 예방을 위해 수돗물에 플루오린을 첨가하는 것을 반대하는 사람》.
ànti·fóreignism *n.* Ⓤ 배외(排外) 사상.
ànti·fórm *a.* 반(反)정형의, 전위적인.
ànti·fóuling *a., n.* 오염 방지용의 (도료): ~ paint 오염 방지 도료《배 밑에 발라 동식물의 부착을 방지함》.
ánti·frèeze *n.* 부동액(不凍液); 《미속어》 헤로인《마약》.
ànti·fríction *a.* 감마(減摩)〔윤활〕용의. — *n.* 감마(減摩); 감마 장치《볼베어링 따위》; 감마제, 윤활제.
ànti·fúngal 〖약학 · 생화학〗 *a.* 항진균성(抗眞菌性)의, 항균(성)의, 살균용의. — *n.* 항진균약〔물질, 인자〕.
ànti-G *a.* (우주복 등의) 내중력(耐重力)의: an ~ suit 〖항공〗 내중력복, 내(耐)가속도복(G suit).
ánti·gàs *a.* 독가스 방지용의: an ~ mask 방독 마스크.
ànti·gáy *a.* 동성애(자)에 반대하는, 반(反)게이의.
an·ti·gen [ǽntidʒən] *n.* 〖의학〗 항원(抗原).
an·ti·gen·ic [æ̀ntidʒénik] *a.* 〖의학〗 항원(성)의. ⊞ **-i·cal·ly** *ad.*
an·ti·god·lin [æ̀ntigádlin/-gɔ́d-] *a.* 《미남서부》 한쪽으로 기운, 경사진; 대각선 모양의, 비스듬한.
An·tig·o·ne [æntígəniː/-ni] *n.* 〖그리스신화〗 안티고네《Oedipus 와 그의 모친 Jocasta 사이의 딸》.
ànti·góvernment *a.* 반정부의, 반정부 세력의.
ànti·grávity *n.* Ⓤ 반중력(反重力). — *a.* 반중력의.
an·ti·grop·e·los [æ̀ntigrápələs, -lɑ̀s/-grɔ́p-, -lɔ̀s] *n. sing., pl.* 방수(防水) 각반.
An·ti·gua [æntíːgə] *n.* 앤티가 섬《서인도 제도 동부 Leeward 제도 중부의 한 섬》. ⊞ **~n** *a., n.*
Antígua and Bar·bú·da [-əndbɑːrbúːdə] 앤티가 바부다《카리브해 동부의 나라; 수도는 세인트존스(St. John's)》.
an·ti·gun [æ̀ntigʌ́n] *a.* 총기 단속의.
ànti·hegémony *n.* 반패권: ~ clause 반패권 조항.
ànti·hélix *n.* 〖해부〗 대이륜(對耳輪).
ànti·hemophílic fàctor 〖생화학〗 항(抗)혈우병 인자, 제 8 인자(factor VIII).
ánti·hèro (*pl.* **~es**) *n.* 주인공답지 않은〔자질이 없는〕 주인공; 반영웅(反英雄). ⊞ **ànti·heróic** *a.* 영웅적〔주인공〕 자질이 없는.
ánti·hèroine *n.* 주인공답지 않은〔자질이 없는〕 여자 주인공.
ànti·híjacking *a.* 하이잭 방지의, (항공기의) 공중 납치 방지의.
ànti·hístamine *n.* 항(抗)히스타민제《알레르기 · 감기약》. ⊞ **-histamínic** [-hìstəmínik] *a., n.* 항히스타민제(의).
ànti·húman *a.* 인간에게 반항하는; 〖생화학 · 의학〗 항인(抗人)의: ~ serum 항인 혈청.
ànti·hypertènsive 〖의학 · 약학〗 *a.* 항(抗)고혈압(성)의, 강압성의, 고혈압에 듣는. — *n.* Ⓤ,Ⓒ 항고혈압약, 강압약《이뇨제 등》.
ànti-ícer *n.* 〖항공〗 방빙(防氷)〔얼음막이〕 장치.
ànti·ìmmuno·glóbulin *a., n.* 〖생화학〗 항(抗)면역 글로불린성(性)의 (물질).
ànti-impérialism *n.* Ⓤ 반(反)제국주의. ⊞ **-ist** *a., n.* 반제국주의의; 반제국주의자.
ànti-inféctive 〖약학〗 *a.* 항(抗)감염(성)의. — *n.* 항감염약.
ànti-inflámmatory 〖약학〗 *a., n.* 항(抗)염증(성)의; 항염증약, 소염제.
ànti-inflátion *n., a.* 인플레이션 방지(의). ⊞ **~·ary** *a.*
ànti-intelléctualism *n.* 반(反)지성주의, 지식인 불신. ⊞ **-intelléctual** *a., n.*
ànti·knóck *n.* 앤티노크제(劑), 내폭제(耐爆劑)《내연 기관의 노킹 방지》. — *a.* 앤티노크성〔내폭성〕의.
ànti·lábor *a.* 노동조합에 반대하는, 노동자의 이익에 어긋나는.
ànti·lépton *n.* 〖물리〗 반(反)렙톤, 반(反)경입자.
ànti·leukémic *a.* 〖약학〗 항(抗)백혈병(성)의, 백혈구의 증가를 억제하는.
ànti·lífe *a.* 반(反)생명의, 산아제한 찬성의; 반(反)건전 생활의.
ànti·lítter *a.* 쓰레기 투기(投棄) 금지의; 공공장소의 폐기물 오염 방지〔규제〕를 위한.
An·til·les [æntíliːz] *n. pl.* (the ~) 앤틸리스 제도《서인도 제도의 일부》. ⊞ **An·til·le·an** [æntíliən, æ̀ntəlíː-] *a.*

ánti·lòck *a.* 앤티로크(식)의《급브레이크 때에 도 바퀴의 회전이 멈추지 않는》.

ántilock bráking sỳstem 앤티로크 브레이크 장치《생략: ABS》.

ánti·lòg *n.* = ANTILOGARITHM.

ànti·lógarithm *n.* 〖수학〗 진수(眞數), 역로그.

an·til·o·gism [æntílədʒìzəm] *n.* 〖논리〗 반(反)논리주의. 「순(矛盾).

an·til·o·gy [æntílədʒi] *n.* U,C 전후〔자기〕 모

ànti·lóoting *n.*, *a.* 약탈 방지(의).

ànti·lýmphocyte glóbulin, ànti·lymphocýtic glóbulin 〖생화학〗 항림프구(球) 글로불린《생략: ALG》.

antilýmphocyte 〔**antilymphocýtic**〕 **sérum** 〖의학〗 (조직 이식 때 쓰는) 항림프구 혈청《생략: ALS》.

an·ti·ma·cas·sar [æ̀ntiməkǽsər] *n.* 의자 등받이〔팔걸이〕 덮개《19세기 영국에서 macassar 향유를 바른 머리로 인한 더러움 방지를 위해 쓰인 데서》.

ànti·magnétic *a.* (시계 등) 항(抗)〔내(耐)〕자성의, 자기(磁氣) 불감의, 자화(磁化) 방지의.

ànti·malárial 〖약학〗 *a.* 말라리아 예방의; 말라리아에 잘 듣는. ― *n.* 항(抗)말라리아 약, 말라리아 예방약.

an·ti·man·ic [æ̀ntimǽnik, æ̀ntai-/æ̀nti-] *a.* 항조성(抗躁性)의, 조병(躁病)의 여러 증세를 완화하는. ― *n.* 〖약학〗 항조약(抗躁藥).

anti·mask, -masque [ǽntimæ̀sk, -mɑ̀:sk/-mɑ̀:sk] *n.* (가면극의) 막간의 익살 촌극.

ánti·màtter *n.* 〖물리〗 반물질(反物質)《반입자(反粒子)로 이루어지는 가상물질》.

ànti·metábolite *n.* 〖생화학·약학〗 대사 길항〔저지〕 물질.

an·ti·mi·cro·bi·al [æ̀ntimaikróubiəl, æ̀ntai/æ̀nti-] 〖생화학·약학〗 *a.* 항균성의. ― *n.* 항균약〔물질〕. 「*a.*, *n.*

ànti·mílitarism *n.* U 반(反)군국주의. ㊔ **-rist**

ànti·míssile 〖군사〗 *a.* 미사일 방어용〔요격용〕의. ― *n.* 대(對)탄도 미사일 무기, 《특히》 대미사일용 미사일.

antimíssile míssile 대(對)미사일용 미사일, 미사일 요격 미사일《생략: AMM》.

ànti·mitótic *a.*, *n.* 〖생화학〗 세포 분열 저지성(性)의 (물질), 항(抗)분열성의 (약).

ànti·monárchical *a.* 군주제〔왕정〕 반대의. ㊔ **-mónarchist** *n.*

an·ti·mo·ni·al [æ̀ntəmóuniəl] *a.* 안티몬(질)의, 안티몬을 함유한. ― *n.* 안티몬(을 함유한) 화합물〔합금, 약제 등〕.

an·ti·mo·nic [æ̀ntəmóunik] *a.* 〖화학〗 안티몬(질)의: an ~ acid 안티몬산.

ànti·monópoly *a.* 독점에 반대하는: 독점 금지의: the ~ law 독점 금지법.

ànti·monsóon *n.* 반대 계절풍. cf. monsoon.

an·ti·mo·ny [ǽntəmòuni/-mə-] *n.* 〖화학〗 안티몬《금속 원소; 기호 Sb; 번호 51》. 「(性)의.

ànti·mutagénic *a.* 〖생물〗 항(抗)돌연변이성

ànti·nátalism *n.* 인구 증가 억제주의. ㊔ **-ist** *n.*, *a.* 인구 억제론자; 인구 억제론의.

ànti·nátional *a.* 반(反)국가적인; 반국가주의

ànti-Négro *a.* 반흑인의. 「의.

an·ti·ne·o·plas·tic [æ̀ntinì:ouplǽstik, æ̀ntai-/æ̀nti-] 〖약학〗 *a.* 항(抗)종양성의, 내(耐)종양의. ― *n.* 항종양약. 「(약).

ànti·neurálgic *a.*, *n.* 〖약학〗 항(抗)신경통성의

ànti·neurític 〖의학〗 *a.* 항(抗)신경염성의, 신경염 치료〔예방〕의. ― *n.* 신경염 치료약. 「(微子).

ànti·neutríno (*pl.* **~s**) *n.* 〖물리〗 반중성 미자

ànti·néutron *n.* 〖물리〗 반중성자.

ànti·nóise *a.* 소음 방지의.

an·ti·no·mi·an [æ̀ntinóumiən] *a.* 도덕률 폐기론의. ― *n.* 도덕률 폐기론자. ㊔ **~·ism** *n.*

an·ti·nom·ic [æ̀ntinɑ́mik/-nɔ́m-] *a.* 모순된.

an·tin·o·my [æntínəmi] *n.* 모순; 〖철학〗 이율배반. 「㊔ **~·ist** *n.*

ánti·nòvel *n.* 앙티로망(anti-roman), 반소설.

ànti·núclear *a.* **1** 핵무기 반대의, 반핵의. **2** 핵에너지 사용〔원자력 발전〕에 반대하는.

ànti·núcleon *n.* 〖물리〗 반핵자(反核子).

ànti·núke *a.* = ANTINUCLEAR. ― *n.* 반핵운동 지

ànti·obscénity *a.* 외설물 단속을 위한. 「지자.

ànti·óxidant *n.* 산화 방지제; (고무) 노화 방지제. ― *a.* 산화를 억제하는. 「행인.

ànti·párallel *a.* 〖수학·물리〗 (두 벡터가) 역평

ànti·parasític 〖약학〗 *a.* 기생충 구제용의. ― *n.* 구충제. 「성자 따위》.

ánti·pàrticle *n.* 〖물리〗 반입자《반양성자·반중

an·ti·pas·to [æ̀ntipɑ́:stou, -pǽs-] (*pl.* **~s, -ti** [-ti]) *n.* 《It.》 전채(前菜), 오르되브르.

an·ti·pa·thet·ic [æ̀ntipəθétik, æntì-] *a.* 나면서부터 싫은, 공연히 싫은, 비위에 맞지 않는 《*to*》; 본질적〔성격적, 기질적〕으로 상반되는.

an·ti·path·ic [æ̀ntipǽθik] *a.* 서로 용납하지 않는, 반대의《*to*》; 〖의학〗 반대의 징후가 있는.

°**an·tip·a·thy** [æntípəθi] *n.* U 반감, 혐오, 비위에 안 맞음; C 공연히〔몹시〕 싫은 것. opp. *sympathy*. ¶ have an ~ to 〔against〕 …에 반감을 갖다, …이 지독히 싫다, …은 질색이다.

ànti·patriótic *a.* 반애국적인.

an·ti·pe·dal [æ̀ntipí:dl] *a.* (연체동물에 있어서) 발과 반대편에 있는.

ànti·periódic 〖약학〗 *a.* (말라리아에 대한 키니네와 같은) 주기적 발작 예방의, 항(抗)주기성의. ― *n.* 주기병(周期病)약.

ànti·personnél *a.* 〖군사〗 인마(人馬) 살상을 목표로 하는《공격·폭탄 따위》, 대인(對人)(용)의.

an·ti·per·spi·rant [æ̀ntipə́:rspərənt] *n.* 발한(發汗) 억제제. ― *a.* 발한 억제의.

ànti·phlogístic 〖의학〗 *a.* 염증을 다스리는. ― *n.* 소염제.

An·ti·phlo·gis·tine [æ̀ntiflədʒísti(:)n, æ̀ntai-/æ̀nti-] *n.* 소염고(膏)《상표명》.

an·ti·phon [ǽntəfɑ̀n/-fən, -fɔ̀n] *n.* C **1** (번갈아 부르는) 합창 시가(詩歌). **2** 교창(交唱)(성가), 교창 시편; 《비유》 응답, 반응.

an·tiph·o·nal [æntífənl] *a.* 번갈아 노래하는. ― *n.* 교창(交唱) 성가집. ㊔ **~·ly** *ad.*

an·tiph·o·nary [æntífənèri/-nəri] *n.* 교창(交唱) 성가집.

an·tiph·o·ny [æntífəni] *n.* 교창(交唱); 교창 시편; 《일반적》 응답적인 연극법; 안티폰《고대 그리스의 음악 이론에서 8도의 음정》.

an·tiph·ra·sis [æntífrəsis] (*pl.* **-ses** [-sì:z]) *n.* 〖수사학〗 반용(反用)《어구를 반대의 뜻으로 씀: a *giant* of three feet, 3피트의 거인》.

ànti·plástic *a.* 〖의학〗 조직 형성 억제성의.

an·tip·o·dal [æntípədl] *a.* 대척지(對蹠地)의; 대척적인, 정반대의《*to*》. 「*to*》.

an·ti·pode [ǽntipòud] *n.* 정반대(의 것)《*of;*

an·tip·o·de·an [æntìpədí:ən] *a.*, *n.* 대척지(對蹠地)의 (주민); (때로 A-) 《영》 오스트레일리아의 (주민).

°**an·tip·o·des** [æntípədì:z] *n. pl.* **1** 대척지(對蹠地)《지구상 정반대 쪽에 있는 두 지점, 또는 단수 취급하여 한 쪽》; 대척지의 주민. **2** 〔때로 단수 취급〕 정반대의 사물《*of; to*》. **3** (때로 the A-) 〔단·복수취급〕 《영》 오스트레일리아와 뉴질랜드.

ànti-poétic *a.* 전통적 시학(詩學)에 반대하는, 반(反) 시학적인.

ánti·pòle *n.* 대극(對極), 반대의 극(極); 정반대《*of; to*》.

ànti·pólitics *n. pl.* 〖단수취급〗 반정치《전통적인 정치 습관·자세에 대한 반발 또는 거부》.

ànti·pollútant *a.* =ANTIPOLLUTION.

ànti·pollútion *n., a.* 공해 반대〔방지〕(의), 오염 방지〔경감, 제거〕를 위한 (물질). ㊕ **~·ist** *n.* 오염〔공해〕 방지론자.

an·ti·pope [ǽntipòup] *n.* 〖역사〗 참칭(僭稱) 로마 교황, 대립 교황.

ànti·pornógraphy *n., a.* 포르노 반대(의).

ànti·póverty *n.* Ⓤ, *a.* 빈곤 퇴치(의); 《미》 빈곤 퇴치 계획.

ànti·proliferátion *a.* 핵 확산 방지〔반대〕의.

ànti·prolíferative 〖약학〗 *a.* 항(抗)증식성의; (악성 세포의) 증식〔확산〕을 막는. ── *n.* 항증식 └성 물질.

ànti·prostitútion *a.* 매춘 금지의.

ànti·próton *n.* 〖물리〗 반양성자(反陽性子).

ànti·prurític 〖의학·약학〗 *a.* 가려움을 없애는. ── *n.* 진양(鎭痒)제〔약〕.

ànti·psychíatry *n.* 반(反)정신의학.

ànti·psychótic *a., n.* 〖약학〗 항(抗)정신병성(性)의, 정신병에 효과가 있는; 항정신병약, 정신 └병 치료약.

ànti·pyrétic *a., n.* =ANTIFEBRILE.

an·ti·pyr·in(e) [æ̀ntipáiəri:n, -rən] *n.* 안티피린《해열·진통제》.

antiq. antiquarian; antiquary; antiquities.

an·ti·quar·i·an [æ̀ntikwέəriən] *a.* 골동품 연구〔수집〕(가)의; 골동품 애호〔취미〕의; 희귀 고서(古書)의 (매매를 하는). ── *n.* **1** =ANTIQUARY. **2** 큰 도화지. ㊕ **~·ism** *n.* Ⓤ 골동품에 관한 관심〔연구〕, 골동품 수집 취미. **~·ize** [-àiz] *vi.* 《구어》 골동품 수집에 골몰하다.

ànti·quárk *n.* 〖물리〗 앤티쿼크.

an·ti·quary [ǽntikwèri/-kwəri] *n.* 골동품〔고미술품〕 연구가〔수집가〕; 골동품〔고미술품〕상.

an·ti·quate [ǽntikwèit] *vt.* (신제품 등이 나와) …을 구식이 되게 하다, 낡게 하다. ㊕ ° **án·ti·quàt·ed** [-id] *a.* 낡아 빠진, 안 쓰이는, 노후한; 오래된, 뿌리 깊은; 구식의, 시대에 뒤진; 노구(老軀)의. **àn·ti·quá·tion** *n.*

***an·tique** [æntí:k] *a.* **1** 골동〔고미술〕(품)의. **2** 고래(古來)의; 구식(취미)의, 시대에 뒤진. **3** 고대의; 고대풍의; 고대 양식의. **4** 고미술품〔골동품〕을 취급하는: an ~ shop 골동품점. ── *n.* **1** 골동품, 《미》 (백 년 이상 된) 고(古)가구〔고기(古器)〕, 고미술품, 옛 장식품〕. **2** 구세대의 인물; 고대〔옛〕 유물. **3** (the ~) 고대풍; 고대 (미술) 양식. ── *vt.* 고풍으로 나타내다, 예스럽게 하다. ── *vi.* 골동품〔고미술품〕을 찾아다니다〔수집하다〕. ◇ antiquity *n.* ㊕ **~·ly** *ad.* **~·ness** *n.*

an·ti·quer [æntí:kər] *n.* 고미술 애호〔수집〕가, 고물연구〔수집〕가.

***an·tiq·ui·ty** [æntíkwəti] *n.* **1** Ⓤ 오래 됨, 고색(古色), 고아(古雅), 낡음: a temple of great ~ 아주 오래된 절. **2** Ⓤ 고대: from immemorial ~ 태고 때부터 / in remote ~ 오랜 옛날에. **3** 〖집합적〗 고대인, 옛날 사람들. **4** (*pl.*) 고대〔옛〕생활〔문화〕의 소산, 고대의 풍습·제도; (흔히 *pl.*) 고기(古器), 고대〔옛〕 유물〔유적〕. ◇ antique *v.*

ànti·rábic *a.* 광견병 예방〔치료〕의.

ànti·rachític *a.* 항(抗)구루병성(性)의. ── *n.* 구루병(rickets) 치료약〔예방약〕.

ànti·rácism *n.* 인종 차별 반대주의, 인종 차별 사회악론. ㊕ **-ist** *a., n.* 「대하는.

ànti·rádical *a.* 반(反)급진주의의, 과격파에 반

ànti·recéssionary *a.* 불경기 대책의.

ànti·refléction còating 〖광학〗 반사 방지막.

ànti·rejéction *a.* (장기 이식시의) 거부 반응 방지의.

ànti·remónstrant *n.* 항의에 반대하는 사람; 〖역사〗 (A-) 반(反)아르미니우스파의 사람.

ànti·rheumátic 〖약학〗 *a.* 항(抗)류머티즘성(性)의. ── *n.* 항류머티즘약.

ànti·ríot *a.* 폭동 진압〔방지〕의.

anti·róll bàr **1** =ROLL BAR. **2** (자동차의) 롤링〔옆질〕 방지 바.

anti-roman [*F.* ɑ̃tiʀɔmɑ̃] *n.* 반(反)소설, 앙티로망(antinovel).

an·tir·rhi·num [æ̀ntiráinəm] *n.* 〖식물〗 금어초속(屬)의 각종 초본(草本). 「방수제(防銹劑).

ànti·rúst *a.* 녹을 방지하는; 녹슬지 않는. ── *n.*

ànti-sabbatárian *a.* 안식일 엄수 반대의. ── *n.* 안식일 엄수 반대(론)자. 「〔음주〕 반대의.

ànti·salóon *a.* 《미》 술집 반대의; 주류 판매

ànti·sátellite 〖군사〗 *a.* 군사 위성을 공격하는 《생략: ASAT》: ~ weapons 위성 공격 병기. ── *n.* 군사 위성 공격(용) 위성.

ànti·scíence *a.* 반(反)과학의. ── *n.* Ⓤ 반과학(주의), 과학 배격〔무용론〕. ㊕ **-scientífic** *a.*

ànti·scorbútic *a.* 괴혈병(scurvy) 치료의: ~ acid 항(抗)괴혈병산(酸), 아스코르빈산(酸)(vitamin C). ── *n.* 항(抗)괴혈병약〔식품〕.

ànti·scríptural *a.* 성서(의 교의)에 반대하는.

ànti·séismic *a.* 내진(耐震)의; 지진에 견디는.

ànti·sélf *n.* (보통 자기가 의식하고 있는 자신과는 반대인) 반(反)자기.

ànti-Sémite *a., n.* 반유대주의의; 반유대주의자. ㊕ **ànti-Semític** *a.* 반(反)유대인의, 유대인 배척의. **ànti-Sémitism** *n.* 반유대주의, 유대인 배척론〔운동〕.

ànti-sénse mèdicine 〖의학〗 안티센스 의학《유전자의 오식(誤植)을 몰아내어 세포의 암화(癌化)를 억제하려는 실험 과학》.

an·ti·sep·sis [æ̀ntəsépsis] (*pl.* **-ses** [-si:z]) *n.* Ⓤ 방부(防腐)(법), 소독(법); Ⓒ 방부제.

an·ti·sep·tic [æ̀ntəséptik] *a.* 방부(防腐)(성)의; 방부제를 사용한; 무균의, 살균된; 지나치게〔매우〕 청결한; 비정하고 냉담한, 인간미가 없는. ── *n.* 방부제; 살균〔소독〕제. ㊕ **-ti·cal·ly** *ad.* 방부제로.

an·ti·sep·ti·cize [æ̀ntəséptəsàiz] *vt.* 방부 처리하다. 「역 혈청.

ánti·sèrum (*pl.* **~s, -ra**) *n.* Ⓤ,Ⓒ 항혈청, 면

ànti·séx, -séxual *a.* 성행동이나 성의 표현에 반대하는, 섹스를 적대시하는.

ànti·séxist *a.* 성차별(sexism)에 반대하는.

ànti·skíd *a.* 미끄럼 방지의.

ànti·skýjacking *a.* 비행기 납치 방지의.

ànti·slávery *n.* Ⓤ, *a.* 노예 제도 반대(의).

ànti·smóg *a.* 스모그 방지의.

ànti·smóking *a.* 흡연 억지의, 흡연에 반대하는, 금연을 지향하는.

ànti·smút *a.* 포르노 금지를 목적으로 하는.

ànti·sócial *a.* 사회를 어지럽히는, 반사회적인; 반사회주의의; 사교를〔사람을〕 싫어하는; 〖정신의학〗 반사회적인; 법규를 항상 어기는. ㊕ **~·ist** *n.* 반사회주의자; 비사교가. **~·ly** *ad.*

ànti·sólar *a.* (천구에서) 태양의 정면에 있는.

ànti·spasmódic 〖의학〗 *a.* 경련을 멈추게 하는. ── *n.* 진경제(鎭痙劑).

ànti·speculátion *a.* 투기 규제를 위한.

an·ti·stat [ǽntistæ̀t] *n.* 〖화학〗 정전기 방지제.

ànti·státic *a.* 공전(空電) 제거〔방지〕의; 정전기〔대전〕 방지의. ── *n.* 정전기 방지제.

an·tis·tro·phe [æntístrəfi:] *n.* 응답 가장(歌章)《옛 그리스 극에서 불리던》; 〖음악〗 대조 악절, 응답 악절; 〖수사학〗 (상대방 말의) 역용(逆用); 역반복. Ⓒⓕ chiasmus. ㊕ **an·ti·stroph·ic**

[æ̀ntistrǽfik/-strɔ́f-] *a.* 「滑)….
ànti·súbmarine *a.* 대(對)잠수함의, 대잠(對
anti·subvérsion làw 파괴 활동 방지법.
ànti·subvérsive *a.* 파괴 활동 방지의.
ànti·súicide *a.* 자살 방지의: ~ measures 자살 방지책.
ánti·sùn *n.* =ANTHELION. 「의.
ànti·symmétric *a.* 〖수학〗 반(反)대칭의, 교대
ánti·tàil *n.* 〖천문〗 안티테일《혜성의 꼬리 중 태양 쪽으로 뾰처럼 내민 부분》.
ànti·tánk *a.* 〖군사〗 대전차(對戰車)용의: an ~ gun 대전차포.
ànti·táx *a.* 징세〔중세(重稅)〕에 반대하는.
ànti·technólogy *n.* 반(反)기술《인간성을 무시한 기술 개발에 대한 반대》. ⊕ **-gist** *n.*
ànti·térrorist *a.* 테러에 대항하는, 대(對)테러리즘용의. 「지용 벨.
ànti·théft *a.* 도난 방지의: an ~ bell 도난 방
an·ti·the·ism [æ̀ntiθíːizəm] *n.* Ⓤ 반(反)유신론, 무신론. ⊕ **-ist** *n.* 반(反)유신론자.
an·tith·e·sis [æntíθəsis] (*pl.* **-ses** [-sìːz]) *n.* 정반대, 대조(contrast); 정반대의〔대조를 이루는〕 것; Ⓤ 〖수사학〗 대조법, Ⓒ 대구(對句); 〖논리·철학〗 (Hegel의 변증법에서) 반(反), 반정립(反定立), 안티테제. ⓒⓕ synthesis, thesis.
an·ti·thet·ic, -i·cal [æ̀ntiθétik], [-əl] *a.* 정반대의; (아주) 대조적인; 대구(對句)를 이루는. ⊕ **-i·cal·ly** *ad.*
ànti·tóxic *a.* 항(抗)독성의; 항독소의〔를 함유한〕. 「독약.
ànti·tóxin *n.* 항독소; 면역소; 항독소 혈청, 항
ánti·tràde *a.* 무역풍의 반대 방향으로 부는, 반대 무역풍의. **—** *n.* (*pl.*) 반대 무역풍.
ànti-Trinitárian *a.* 삼위일체론 반대의. **—** *n.* 삼위일체론 반대자. ⊕ **~·ism** *n.* Ⓤ
ànti·trúst *a.* 〖경제〗 트러스트 반대의, 트러스트를 규제하는. ⊕ **~·er** 《미구어》 *n.* 반(反)트러스트론자; 반트러스트법 집행자. 「독점 금지법.
antitrúst àct 〔**làw**〕 《미》 반(反)트러스트법,
ànti·tubérculous, -tubércular *a.* 결핵용의, 결핵에 효능이 있는, 항(抗)결핵성의.
ànti·túmor *a.* 〖약학·의학〗 항(抗)종양성의, 제암(성)의.
ànti·tússive 〖약학〗 *a.* 진해(鎭咳)(성)의. **—** *n.* 진해제(劑), 기침약.
ánti·tỳpe *n.* 대형(對型)《원형에 의해 예시되는 것》; 반대의 형. ⊕ **anti·týpical, -ic** [-típikəl], [-ik] *a.* **-ically** *ad.*
ànti·úlcer *a.* 〖약학〗 항(抗)궤양(성)의.
ànti·únion *a.* 《미》 반노동 조합(주의)의.
ánti·ùniverse *n.* 〖물리〗 반우주(反宇宙).
ànti·utópia *n.* 반〔역〕유토피아, 암흑향(dystopia); 반유토피아를 그린 작품.
ànti·utópian *a.* 반유토피아의〔같은〕. **—** *n.* 반유토피아의 도래를 믿는〔예언하는〕 사람.
ànti·vénin, -vénene *n.* 〖면역〗 **1** 항사독소(抗蛇毒素) 《뱀의 독을 동물체내에 반복해 주사하여 얻어짐》. **2** 사독(蛇毒) 혈청.
ànti·vénom *n.* 해독제.
ànti·víral *a.* 항(抗)바이러스(성)의. **—** *n.* 항바이러스 물질〔약〕.
ànti·vírus *n.* 〖세균〗 항(抗)바이러스; 〖컴퓨터〗 안티바이러스《하드디스크의 파괴를 막는 프로그램》. 「물.
ànti·vítamin *n.* 항(抗)비타민(물), 비타민 파괴
ànti·vivisèction *n.* 생체 해부 반대, 동물 실험 반대. ⊕ **~·ism** *n.* **~·ist** *a., n.*
ànti·wár *a.* 반전(反戰)의: an ~ pact 부전(不戰) 조약/an ~ movement 반전 운동.

ànti·whíte *a.* 반백인(反白人)의, 백인에게 적대적인. 「界).
ánti·wòrld *n.* (종종 *pl.*) 〖물리〗 반세계(反世
ant·ler [ǽntlər] *n.* (사슴의) 가지진 뿔; (가지진 뿔의) 가지. ⊕ **~ed** *a.* 가지진 뿔이 있는, 가지진 뿔 모양의.

antlers

ánt·lìke *a.* 개미의〔와 같은〕; 몹시 분주한, 부지런한.
ánt lìon 〖곤충〗 명주잠자리; 개미귀신《명주잠자리 애벌레》.
An·toi·nette [æ̀ntwənét, -tə-/-twɑː-] *n.* **1** 앤트워네트《여자 이름》. **2 Marie ~** 마리앙투아네트《루이 16세의 왕비; 프랑스 혁명 때 처형됨; 1755–93》.
An·to·nia [æntóuniə, -njə] *n.* 안토니아《여자 이름》.
an·to·no·ma·sia [æ̀ntənəméiʒə/-ziə] *n.* 〖수사학〗 환칭(換稱), 바꿔 부르기《a wise man을 *a Solomon*이라고 부르는 따위》.
An·to·ny [ǽntəni] *n.* **1** 앤터니《남자 이름》. **2 Mark ~** 안토니우스《로마의 장군·정치가; 83?–30 B.C.》.
°**an·to·nym** [ǽntənim] *n.* 반의어(反義語), 반대말《생략: ant.》. ⓞⓟⓟ *synonym.* ⊕ **àn·to·ným·ic** *a.* **an·ton·y·mous** [æntɑ́nəməs/-tɔ́n-] *a.*
an·tre [ǽntər] *n.* 《고어·시어》 동굴.
an·trec·to·my [æntréktəmi] *n.* 〖의학〗 (위의) 유문동(幽門洞) 절제(切除).
An·trim [ǽntrim] *n.* 앤트림《북아일랜드 동부의 옛 주(州); 1973년에 몇 주로 나뉨》.
an·trum [ǽntrəm] (*pl.* **-tra** [-trə], **~s**) *n.* 〖해부〗 (뼈의) 공동(空洞), 강(腔), 《특히》 상악동(上顎洞).
ant·sy [ǽntsi] (**-si·er; -si·est**) *a.* 《미속어》 안절부절못하는, 좀이 쑤시는: get ~ 불안해지다, 안절부절못하다.
ANTU [ǽntuː] *n.* 안투《회색의 쥐약의 일종; 상표명》. [◂ *a*lpha-*n*aph*th*yl*t*hio*u*rea]
Ant·werp [ǽntwəːrp] *n.* 앤트워프《벨기에 북부의 주, 또 그 주도·해항》.
anu·cle·ate [einjúːkliət/-njúː-] *a.* 〖생물〗 (세포 따위가) 핵이 없는. 「구어》 =A ONE.
A number 1 〔**one**〕 [éi-nʌ́mbər-wʌ̀n] 《미
An·u·ra, An·ou·ra [ənjúːrə/-júː-], [ənúːrə] *n. pl.* 〖동물〗 무미류(無尾類)《개구리 따위》.
an·u·ran [ənjúːrən/-júː-] 〖동물〗 *a.* 무미류(無尾類)의. **—** *n.* 무미류.
an·u·re·sis [æ̀njəríːsis] (*pl.* **-ses** [-siːz]) *n.* 〖의학〗 **1** 요폐(尿閉). **2** =ANURIA.
an·u·ret·ic [æ̀njərétik] *a.* 무뇨(無尿)(증)의.
an·u·ria [ənjúːriə/-júː-] *n.* 〖의학〗 무뇨(無尿)(증).
an·u·rous [ənjúːrəs/-júː-] *a.* 〖동물〗 (개구리 등이) 꼬리 없는, 무미(류)의.
anus [éinəs] (*pl.* **~·es, ani** [éinai]) *n.* 〖해부〗 항문(肛門).
An·vers [*F.* ɑ̃vɛːʀ] *n.* 앙베르《Antwerp의 프랑스명》.
°**an·vil** [ǽnvil] *n.* **1** 모루. **2** 〖해부〗 침골(砧骨). ***on*** 〔***upon***〕 ***the ~*** (계획 등이) 심의〔준비〕 중(의).
anx·i·e·ty [æŋzáiəti] *n.* **1** Ⓤ 걱정, 근심, 시름, 불안(misgiving) 《*about*》; Ⓒ 걱정거리: her ~ *about* her child's health 자식의 건강을 염려하는 그녀의

anvil1

마음/He was all ~. 그는 몹시 걱정하고 있었다/The boy caused 〔gave〕 his mother ~. 그 소년은 어머니의 걱정거리였다.

> SYN. **anxiety** 불행·재난 등에 대한 불안·걱정을 강조함. **care** '걱정'을 나타내는 가장 보편적인 말. **worry** anxiety에 비해 크고 헛된 걱정·마음의 동요를 나타냄.

2 Ⓤ 염원, 열망(eagerness)《*for; about; to* do》: one's ~ *for* wealth 부유해지고 싶은 열망/He has a great ~ *to* succeed. 그는 성공하기를 염원하고 있다. ◇ anxious *a.*

anxíety neuròsis 〔**reàction, stàte**〕 〖심리〗 불안신경증〔반응, 상태〕.

anx·io·lyt·ic [æ̀ŋziəlítik] 〖약학〗 *a.* 불안을 완화하는. — *n.* 불안 완화제.

****anx·ious** [ǽŋkʃəs] *a.* **1** 〖한정 용법〗 걱정스러운, 불안한, 염려되는(uneasy); 〖주로 서술적〗 걱정하여, 염려하여《*about; at; for*》: an ~ feeling 불안한 느낌/an ~ look 걱정스러운 표정/I am ~ *about* 〔*for*〕 his health. 그의 건강이 염려된다/I'm ~ *that* he may 〔might〕 fail. 그가 실패할까봐 걱정이다/She was dreadfully ~ *lest* he should be late. 그녀는 그가 늦지나 않을까 몹시 걱정하고 있었다. **2** 열망하는, 매우 …하고 싶어하는《*for; to* do》: He is ~ *for* fame. 그는 명성을 얻고 싶어한다/He is ~ *to* know the result. 그는 결과를 몹시 알고 싶어한다/We are ~ for him *to* return home safe. 그가 무사히 돌아오기를 진심으로 바라고 있다/We are ~ *that* you will succeed. 우리는 당신이 성공하시기를 간절히 바랍니다. **3** 마음 죄게 하는, 조마조마하게 하는: an ~ business 신경이 많이 쓰이는 사업/We had an ~ time of it. 우리는 몹시 걱정했었네. ◇ anxiety *n.* ㊐ °**~·ly** *ad.* 걱정하여, 마음을 졸이며; 갈망하여: She ~*ly* awaited his arrival. 그녀는 그의 도착을 학수고대했다. **~·ness** *n.*

ánxious bènch 〔**sèat**〕 **1** 《미》 (전도 설교회 따위에서) 특히 신앙심을 높이고자 하는 이가 앉는 설교단에 가까운 자리. **2** 고민〔걱정〕하고 있는 상태: be on the ~ 크게 걱정하고 있다.

†any ⇨ 《p. 124》 ANY.

†an·y·body [énibɑ̀di, -bʌ̀di/-bɔ̀di] *pron.* **1** 〖의문문·조건절에서〗 누군가, 누가, 누구〔아무〕라도: Is ~ absent today? 오늘 누가 결석했느냐/If ~ calls, tell him 〔them〕 I have gone out. 누구라도 찾아오면 그〔그들〕에게 나는 나갔다고 일러주게. ★ anybody는 단수형이지만 구어에서는 위의 용례의 them처럼 복수 대명사로 받을 때도 있음.

2 〖부정문에서〗 누구도, 아무도: I have*n't* seen ~. 나는 아무도 못 만났다/Do*n't* disturb ~. 아무에게도 폐를 끼치지 않도록 해라.

> NOTE 부정 구문에서 anybody를 쓸 경우 부정어를 선행시킨다. 따라서 There was *nobody* there. 를 There wasn't ~ there. 라고 바꾸어 쓸 수는 있지만, 부정 구문에서 주어로 앞세워 *Anybody* did *not* come. 이라고는 할 수 없으므로 *Nobody* came. 이라고 한다.

3 〖긍정문에서〗 누구든지, 아무라도: *Anybody* can do that. 그런 일은 아무라도 할 수 있다/Anybody may use the library. 누구나 도서관을 이용해도 된다. ★ anybody는 anyone과 뜻이 거의 같으나 전자는 주로 구어. ***~'s game*** 〔***race***〕 《구어》 승부를 예측할 수 없는 경기〔경주〕.

— *n.* **1** 〖부정·의문·조건절에서〗 어엿한〔버젓한〕 인물, 이름 있는 사람: Is he ~? 그는 좀 알려진 인물인가/If you want to be ~, ... 유명인사가 되고 싶거든…/Everybody was there who is ~. 다소 이름 있는 사람은 다 와 있었다. **2** 〖긍정문에서〗 (종종 just ~) 범인(凡人), 변변찮은 사람: unknown *anybodies* 이름도 없는 〔변변찮은〕 사람들/He has been just ~. 그는 그렇고 그런 사람이었다.

****an·y·how** [énihàu] *ad.* **1** 〖부정문에서〗 아무리 해도: I could *not* get in ~. 아무리 해도 들어갈 수가 없었다. **2** 〖긍정문에서〗 어떤 식〔방법〕으로든, 어떻게든지: *Anyhow* you may do it. 어떻게 하든 괜찮다. **3** 〖접속사적으로〗 여하튼, 좌우간, 어쨌든: *Anyhow*, let's begin. 여하튼 시작하자. **4** 적당히 얼버무려, 아무렇게나: She did her work (all) ~. 그녀는 일을 적당히 해놓았다. cf. somehow. ***all ~*** 《미구어》 ① ⇨ *ad.* 4. ② 무질서하게, 난잡하게. ③ 무슨 일이 있어도. ***feel ~*** 《구어》 어쩐지 기분이 좋지 않다.

àny kéy 〖컴퓨터〗 아무키(나 누르시오)《응용 프로그램을 실행할 때 사용자에게 메세지를 전송한 후에 다음 작업으로 넘어가기 위해서 많이 씀》.

àny·móre *ad.* 《미》 〖부정문·의문문에서〗 이제는, 최근에는; 금후에는: She does*n't* work here ~. 그녀는 더 이상 여기서 일하지 않는다. ★ 긍정문에서 쓰는 것은 《미방언》.

†an·y·one [éniwʌ̀n, -wən] *pron.* **1** 〖부정문에서〗 누구도, 아무도: I do*n't* think ~ was at home. 아무도 집에 없었다고 생각된다. **2** 〖의문문·조건절에서〗 누군가: Has ~ heard of it? 그것에 대하여 누군가 들었느냐/Tennis, ~? 누가 테니스치지 않겠니. **3** 〖긍정문에서〗 누구〔아무〕라도, 누구든지: You *may* invite ~ you like. 네가 좋아하는 사람을 누구든지 초대해도 좋다. cf. anybody. ★ anyone은 any one으로도 씀. 후자인 경우는 one의 뜻과 발음이 다 강조됨: *Any one* [éni-wʌ́n] of you can do it. 너희들 중 누구라도 할 수 있다. I would like *any one* of them. 그들 중 누구라도 좋으니 한 사람 필요하다.

ány·plàce *ad.* 《미구어》 =ANYWHERE: I can't find it ~. 아무데에서도 그것을 찾을 수 없다.

ány·ròad *ad.* 《영속어》 =ANYWAY; ANYHOW.

†an·y·thing [éniθìŋ] *pron.* **1** 〖의문문·조건절에서〗 무언가: Is there ~ you'd like to talk about? 무언가 하고 싶은 얘기가 있습니까/If you hear ~ about it, please let me know. 그것에 관해서 무언가 듣게 되면, 나에게 알려다오. **2** 〖부정문에서〗 아무 것도, 어떤 것도: I could *not* see ~. 아무 것도 볼 수 없었다. ★ 부정문에서 anything을 주어로 사용할 수는 없다. **3** 〖긍정문에서〗 무엇이든〔나〕, 어느〔어떤〕 것이든: He can do ~. 그는 무엇이든 할 수 있다/You may take ~ you like. 어떤 것이든 마음에 드는 것을 가져가도 좋다. ★ 형용사는 뒤에 옴: Is there ~ *interesting* in the newspaper? 신문에 뭐 재미 있는 것 났니.

~ but ① …외에는 무엇이든: I will give you ~ *but* this watch. 이 시계 말고는 무엇이든 주겠다. ② …말고는 아무것도 (…않다): He never does ~ *but* heap up money. 그는 돈을 모으는 것 이외에는 아무것도 하지 않는다. ③ 조금도 …아닌: He is ~ *but* a hero. 그는 도저히 영웅이랄 수가 없다. ***Anything doing?*** ① 무어 재미있는 거 있나. ② 무언가 도울 일이 있는가. ***Anything goes.*** 《종종 경멸》 무엇이든〔무엇을 해도〕 괜찮다. ***~ like*** ① 조금은, 좀: Is she ~ *like* pretty? 그녀는 좀 예쁜 편인가. ② 〖부정문에서〗 조금도 (…않다), …따위는 도저히: You can*not* expect ~ *like* perfection. 완벽 따위는 도저히 기대할 수 없다. ***~ of*** ① 〖의문문에서〗 조금은: Do you see ~ *of* him? 그를 더러는 만

나니/Is he ~ *of* a gentleman? 그는 얼마쯤〔좀〕 신사다운 데가 있는가. ② 〖부정문에서〗 조금도: I have *not* seen ~ *of* Smith lately. 나는 최근에 스미스를 전혀 만나지 못했다. **(as) ... as ~** 《구어》 몹시, 아주: She is *as* proud *as* ~. 그녀는 몹시 우쭐해 있다. **for ~** 〖부정문에서〗 무엇을 준대도; 결코, 절대로: I would*n't* do that *for* ~. 어떤 일이 있어도 그런 것은 절대로 하지 않겠다. **for ~ I care** 나는 아무래도 상관없지만. ★《미》에서는 for all I care가 훨씬 많이 쓰임. **for ~ I know** 잘은 모르지만. ★《미》에서는 for all I know를 많이 씀. **if ~** 어느 편이냐 하면, 오히려, 그렇기는커녕. **like ~** 몹시, 맹렬히, 세차게: It rains *like* ~. 비가 억수같이 퍼붓는다/

any

some, many, few, much, little 과 함께 부정수량(不定數量)을 나타내는 중요한 형용사 겸 대명사로서, 수(數)와 양(量)의 양쪽에 쓰이는 점, 또 셀 수 있는 명사에 있어서도 단수·복수 양쪽에 쓰이는 등 some, all, no 와의 공통점이 많다. 특히, 뜻에서도 some 과 밀접한 상대를 이루고 있어, 긍정 평서문(肯定平敍文)에서 some 이 쓰이는 곳에, 의문문·부정 평서문·조건절에서 보통 some 대신으로 쓰인다. 또한 any 는 관사 a, an 과 어원(語源)이 같다.

any 에 관한 것은 anybody, anyone, anything, anywhere 에도 해당되는 면이 많다. 또, 대명사의 경우, any of children 과 같은 구문이 허용되지 않는 점에 관해서는 many 에서 상세히 설명하였다.

any [éni, 약 əni] *a.* **1** 〖의문문·조건절에서〗 무언가의, 누군가의; 얼마간의: Do you want ~ book? 무언가 책이 필요하시오/Do you have ~ money? 돈을 좀 갖고 있나/Are there ~ shops 〔stores〕 there? 그 곳에는 (몇 집인가) 점포가 있습니까/If ~ one calls, tell him to wait. 만일 누가 찾아오거든 기다리라고 해 주게/If you have ~ pencils, will you lend me one? 혹시 연필 있으면 하나 빌려 주시겠습니까.

NOTE (1) 일반적으로 any 뒤의 명사가 복수이면 수량(얼마쯤, 약간)의 뜻《보통은 강세 없음 [eni, əni]》이고, 단수이면 지시(무언가, 누군가)의 뜻《보통은 강세 있음 [éni]》임: *any* books 몇 권인가의 책/*any* book 무언가의 책. (2) 의문문·조건절에서도 any 대신 some 이 쓰일 때가 있음(⇨ some *a.* 1 b, c).

2 〖부정의 평서문에서〗 어떤〔어느〕 …도, 아무(…)도; 조금〔하나〕도 (…없다〔않다〕): I do*n't* have ~ books. 나는 책이 하나도 없다/We could*n't* travel ~ distance before nightfall. 얼마 안 가서 해가 저물었다.

NOTE (1) 이 경우 not... any 를 no 로 바꾸어 I have *no* book(s). 와 같이 할 수 있음. 다만, have 이외의 동사나 There is 〔are, etc.〕... 이외의 구문에 no 를 쓴 I *want no* book(s). 와 같은 표현은 일반적으로 딱딱하게 들리며, not ... any 가 보다 구어적임.
(2) 앞서의 경우와는 달리, 관계대명사 따위의 수식어가 붙지 않을 때의 any... 가 주어로 되어 있는 경우, 그 부정은 No...로 함: *No* animal can live without water. 어떤 동물도 물 없이는 살 수 없다.
(3) not이 없어도 부정문에 준하는 경우에는 any 를 씀: *without* ~ trouble 간단히(=with no trouble)/They *refused* to eat ~ cake. 그들은 케이크를 먹으려 하지 않았다.

3 〖긍정의 평서문에서〗 어떤〔어느〕 …(라)도, 무엇이든, 누구든《강세 있음》; 얼마든지: *Any* child can do it. 어떤 아이라도 그런 것쯤은 할 수 있다/You may borrow ~ book(s) you like. 네 마음에 드는 책을 빌려가도 좋다/He has ~ amount of money. 그는 돈이라면 얼마든지 있다/He is taller than ~ *other* boy in his class. 그는 반의 어느 아이보다도 키가 크다《★ any other 를 비교급과 함께 써서 최상급의 뜻을 나타냄》.

— *pron.* 〖단·복수취급〗〖형용사의 경우와 같이 구분되며, 종종 any of의 구문으로, 또는 이미 나온 명사를 생략할 때 씀〗 **1** 〖의문문·조건절에서〗 어느것인가, 무언가, 누군가; 얼마쯤, 다소: Does ~ *of* you know? 너희들 중 누가 알고 있느냐/Do you want ~ (of these books)? (이책 중) 어느 것을 원하느냐/If ~ of your friends are 〔is〕 coming, let me know. 만약 네 친구 중 누가 오거든 알려다오《★ 사람이든 물건이든 둘 일 경우에는 any 는 either 로 됨》/I'd like some butter. Do you have ~? 버터가 좀 필요한데 있습니까/If I had ~ of his courage, I would try it. 내가 그이만한 용기가 조금이라도 있으면 그것을 해보겠는데.

2 〖부정의 평서문에서〗 아무〔어느〕 것도, 아무도; 조금도: I do*n't* want ~ (of these). (이 중) 어느 것도 필요 없다/I can*not* find ~ *of* them. 그들 중 누구도〔아무도〕 찾을 수 없다. ★ not any 를 none으로 하여, I can find *none of* them. 으로도 할 수 있지만, 일반적으로 딱딱한 표현임.

3 〖긍정〗 어느 것이라도, 무엇이든, 누구라도〔든지〕; 얼마든지: Take ~ you please. 무엇이든 마음에 드는 것을 가져요/*Any of* you can do it. 당신들 중 누구라도 그것을 할 수 있다/Choose ~ *of* these books. 이 책 중 어느 것이든 골라라.

— *ad.* **1** 〖비교급 또는 different, too 앞에서〗 〖의문〗 얼마쯤, 조금은; 〖조건〗 조금이라도; 〖부정〗 조금도 (…않다〔없다〕): Are you ~ *better?* (몸이) 좀 괜찮습니까/If you are ~ *better*, you had better take a walk. 조금 이라도 차도가 있으면 산책을 하는 것이 좋다/He did not get ~ *better*. 그의 병세는 조금도 나아지지 않았다/The language he used wasn't ~ *too* strong. 그가 사용한 말은 조금도 과격하지 않았다.

2 《미》 〖동사를 수식하여〗 조금은, 좀, 조금도: Did you sleep ~ last night? 간밤에 (잠을) 좀 주무셨습니까/That won't help us ~. 그것은 우리에게 조금도 도움이 안 된다.

~ and every (book) (책은) 모두, 모조리, 모든 (책은). ***~ but...*** …이외에는 모두: *Any but* he would have refused. 그 사람이 아니라면 누구나 거절했을 것이다. ***~ old*** 《구어》 =any《old 는 뜻 없는 말》. ***~ (old) how*** 《속어》 되는 대로, 적당히, 아무렇게나: Write neatly, not just ~ *(old) how*. 깨끗이 써라, 아무렇게나 하지 말고. ***~ one*** ① =ANYONE. ② 어느 것이든, 어느 것이나. ***~ which way*** =EVERY which way. ***hardly*** 〔***scarcely***〕 ***~*** 거의 〔좀처럼〕 …않다〔없다〕. ***if ~*** ① 만일 있다면: Correct errors, *if* ~. 틀린 데가 있으면 고쳐라. ② 비록 있다손 치더라도: There is little water, *if* ~. 물이 있다손 치더라도 조금밖에 없다. ★ *if* there is 〔are〕 *any*의 생략형임. ***not having*** 〔***taking***〕 ***~*** ⇨ HAVE.

He worked *like* ~. 그는 맹렬히 일했다. ***... or ~*** 〖보통, 부정문 · 조건절 · 의문문에서〗《구어》 … (그 밖에) 뭔가, … 하거나 하면: If you touch me *or* ~, I'll scream. 나에게 손을 대거나 하면 소리지를 테야. ★ '…(하지 않았)겠지' 처럼 망설이면서 다짐하는 데 쓰이기도 함: You didn't hit him, *or* ~? 그를 때리지 않았겠지.
— *n.* 임의(任意)의 것: I've no job, no money, no ~. 나에게는 직업도, 돈도, 아무 것도 없다.
— *ad.* 조금이라도, 다소라도, 적어도: Is she ~ like her mother? 그녀는 엄마와 좀 닮았니.

an·y·thing·ar·i·an [ènɪθɪŋέəriən] *n.* 일정한 신념을〔신조를, 신앙을〕 갖지 않은 사람.

ànything·góes *a.* 하는 대로 놔두는, 무엇을 하든 상관없는.

ány·tìme *ad.* 언제든지; 언제나(변함없이).

***an·y·way** [éniwèi] *ad.* **1** 어쨌든, 하여튼; 어떻게 해서든, 어차피: *Anyway*, it's not fair. 어쨌든 옳지 않다. **2** 적당히, 아무렇게나: Don't do it just ~. 아무렇게나 하면 못써. cf. anyhow.

an·y·ways [éniwèiz] *ad.* 《구어 · 방언》 =ANYWAY.

****an·y·where** [énihwὲər] *ad.* **1** 〖부정문에서〗 어디에〔라〕도: Do*n't* go ~. 아무 데도 가지 마라. **2** 〖의문문 · 조건절에서〗 어디엔가: Did you go ~ yesterday? 어저께 어딘가 갔었니 / Tell him so if you meet him ~. 어디서 그를 만나거든 그렇게 전해줘. **3** 〖긍정문에서〗 어디(에)나: You will be welcomed ~ you go. 가는 곳마다 환영받을 것이다 / Put it ~. (짐을) 아무 데나 놓아라. **4** 조금이라도, 어느 정도라도; 《미구어》 대략, 대체로. ***~ between ...*** **(*and*)** 《구어》 (…와) …의 사이라면 어디든지. ***~ from ... to —*** 《미구어》 대략 …에서 — 까지의 범위에서: ~ *from* 10 *to* 20 dollars 대략 10 달러 내지 20 달러. ***~ near*** 《구어》 〖주로 부정문〗 거의(nearly), 조금(이라)도: He is*n't* ~ *near* as smart as his brother (is). 그는 조금도 형만큼 영리하지 않다. ***get*** 〔***go***〕 ***~*** 《구어》 〖주로 부정문〗 《*vi.*+부》 ① 잘되다, 성공하다: You'll *never get* 〔*go*〕 ~ with that attitude. 그런 태도로는 결코 성공 못할 것이다. — 《*vt.*+부》 ② …을 잘 되어가게 하다, 소용되다: This plan wo*n't get* us ~. 이 계획으로는 아무 것도 안될 것이다. — *n.* 임의의 장소.

an·y·wheres [énihwὲərz] *ad.* 《구어 · 방언》 = ANYWHERE.

an·y·wise [éniwàiz] *ad.* 어떻게(해서)든; 조금이라도; 아무리 해도, 어떻게 해도, 결코.

ANZAC, An·zac [ǽnzæk] *n.* (the ~s) 앤잭 군단《제 1 차 대전 당시 오스트레일리아 · 뉴질랜드군의 연합 군단》; 그 대원; 오스트레일리아〔뉴질랜드〕 군인〔사람〕. — *a.* 앤잭 군단의. [◂ *A*ustralian and *N*ew *Z*ealand *A*rmy *C*orps]

ÁNZAC Dày 앤잭 데이《ANZAC을 기념하는 오스트레일리아 · 뉴질랜드의 공휴일; 4월 25일》.

ANZUK [ǽnzʌk] *n.* 앤적《오스트레일리아 · 뉴질랜드 · 영국의 3 국 연합국》. [◂ *A*ustralia *N*ew *Z*ealand and *U*nited *K*ingdom]

An·zus [ǽnzəs] *n.* 앤저스《태평양 안전 보장 조약 기구》. [◂ *A*ustralia, *N*ew *Z*ealand and the *U.S.*]

AO, A / O, a / o account of; and others. **A.O.** Accountant officer; Army Order. **AOA** Airborne Optical Adjunct《날아오는 SDI의 항공기 탑재 광학 시스템》. **A.O.B., a.o.b.** any other business. **A.O.C.(-in-C.)** Air Officer Commanding(-in- Chief). **AOD** argon-oxygen decarburization. **A.O.D.** Army Ordinance Department.

ao dai [áːoudài, ǽ-] 아오자이《베트남 여성의 민족복》.

A.O.F. Ancient Order of Foresters. **A.O.H.** Ancient Order of Hibernians.

A-OK, A-O·kay [èioukéi] *a.*, *ad.* 《구어》 완벽한〔하게〕, 더할 나위 없는: an ~ rocket launching 완벽한 로켓 발사.

AOL, A.O.L. absent over leave(휴가 기간 초과 결근). **AONB, A.O.N.B.** 《영》 Area of Outstanding Natural Beauty(국가에서 보호하는 경승지).

A1, A-1, A one [éiwʌ́n] *a.* **1** 제 1 등급의 《Lloyd 선급 협회의 선박 검사 등급 부호》. **2** 《구어》 일류의(first-class), 최상의, 우수한, 훌륭한: The meals there are *A one*. 그곳 식사는 일류이다 / *A* (*No.*) *1* tea 최상급의 차 / an *A1* musician 일류 음악가. ★ 《미》에서는 A number 1 이라고도 함.

AOR adult-oriented rock(성인을 위한 록).

ao·rist [éiərist] *n.*, *a.* 〖그리스문법〗 부정(不定) 과거(의). 파 **ào·rís·tic** *a.* 부정 과거의; 부정〔불확정〕의.

aor·ta [eiɔ́ːrtə] (*pl.* **~s, -tae** [-tiː]) *n.* 〖해부〗 대동맥. 파 **aór·tic, aór·tal** *a.*

aor·ti·tis [èiɔːrtáitis] *n.* 〖의학〗 대동맥염.

aor·tog·ra·phy [èiɔːrtágrəfi/-tɔ́g-] *n.* 〖의학〗 대동맥 조영법(造影法)《X선 검사법》.

aos [éiòués] *vt.* 《해커속어》 (어떤 수에) 1 을 더하다; (수량 등을) 불리다.

aou·dad [áːudæ̀d] *n.* 야생 양《북아프리카산》.

août [F. u] *n.* 《F.》 8 월 (August).

ap-[1] [æp, əp] *pref.* =AD-. ★ p 의 앞에 올 때의 변형.

ap-[2] [æp] *pref.* =APO-. ★ 모음이나 h의 앞에 올 때의 변형.

AP Advanced Placement; 《미》 Associated Press(연합 통신사). **A.P., AP** above proof; 〖군사〗 airplane; Air Police; American plan; antipersonnel; arithmetic progression; armor-piercing(철갑탄); author's proof. **Ap.** Apostle; April. **APA** American Press Association. **A.P.A., APA** American Philological Association; American Philosophical Association; American Psychological Association.

apace [əpéis] *ad.* **1** (…와) 보조를 맞춰; (…에) 뒤지지 않게《*of; with*》: keep ~ *of* the times 시대에 뒤지지 않게 하다. **2** 급히, 속히, 빨리: Ill news runs ~. 《속담》 나쁜 소문은 빨리 퍼진다.

Apache [əpǽtʃi] (*pl.* ***Apach·es,*** ~) *n.* 아파치족《북아메리카 원주민의 한 종족》; Ⓤ 아파치말.

apache [əpáːʃ, əpǽʃ] *n.* **1** 《F.》 (주로 파리의) 깡패, 조직 폭력배; 《미속어》 살인 청부업자. **2** 〖군사〗 아파치《미육군의 대지 공격 헬리콥터 AH-64A 의 애칭》.

apáche dànce 일종의 난폭한 춤.

Apáche Státe (the ~) Arizona 주의 속칭.

ap·a·nage [ǽpənidʒ] *n.* =APPANAGE.

apa·re·jo [æ̀pəːréihou, àːpə-] (*pl.* **~s**) *n.* 《Sp.》 멕시코식의 가죽제(製) 길마.

****apart** [əpáːrt] *ad.* **1** 떨어져서, 떨어지게 하여, 갈라져서《*from*》; 따로따로, 뿔뿔이; 서로 시간을〔거리를〕 두고: walk ~ 떨어져서 걷다 / live ~ *from* one's family 가족과 별거하다 / They were born two years ~. 그들은 2 년 간격으로 태어났다. **2** 별개로, 개별적으로; 일단 제쳐놓고; 따로 보류하여: viewed ~ 개별적으로〔별개의 것으로〕 보면 / a few misprints ~ 다소의 오식은 차치하고 / prejudices ~ 편견은 별도로 치더라도. ***~ from*** ① ⇨ 1. ② …은 별문제로 하고, …은 제외하고(aside from). ***come ~*** ⇨ COME. ***know*** 〔***tell***〕 ***~*** 식별하다: *tell* the twins ~ 쌍둥이를 분별하다. ***put*** 〔***set***〕 ***~ for*** …을 위해 따로 떼어

두다. ***stand*** ~ (사람·물건이 …에서) 떨어져(서) 있다《*from*》; (사람이) 고립〔초연〕해 있다《*from*》. ***take*** ~ ① 분해하다 ⇨ TAKE. ② 비난하다: *take* a person ~ for his conservatism 아무를 보수적이라 비난하다.
— *a.* 다른; 의견이 갈라진; 〚명사 뒤에 붙여〛 독특한, 특이한: a class ~ 독특한 종류. ***be worlds*** ~ ⇨ WORLD.

apart·heid [əpάːrtheìt, -hàit] *n.* Ⓤ (남아프리카 공화국의) 인종 격리 정책; 격리, 배타.

apart·ment [əpάːrtmənt] *n.* **1** 《미》 아파트 (《영》 flat) 《공동 주택 내의 한 가구분의 구획》; 《미》 =APARTMENT HOUSE. **2** 《영》 (건물 안의 개개의) 방. **3** (*pl.*) 《영》 셋방. ㊕ **apàrt·mén·tal** [-méntl] *a.*

apártment còmplex 《미》 아파트 단지.

apártment hotél 《미》 아파트식 호텔《영구·장기 체류 손님도 받음》. cf. service flat.

apártment hòuse 〔**bùilding**〕 《미》 공동주택, 아파트(《영》 block of flats). ★ tenement house 보다 고급.

apart·ment·ize [əpάːrtməntàiz] *vt.* **1** (어떤 장소에) 아파트를 짓다: ~ the downtown area 번화가에 아파트를 짓다. **2** (건물을) 아파트로 개조하다: The old mansion has recently been ~*d.* 그 오래된 저택은 최근 아파트로 개조되었다.

apart·o·tel [əpάːrtoutèl] *n.* 《영》 아파토텔《개인 소유의 단기 체류 손님용 스위트룸이 있는 아파트》.

ap·as·tron [əpǽstrən, -trɑn/-trɔn] (*pl.* ***-tra*** [-trə]) *n.* 〚천문〛 원성점(遠星點)《연성(連星)(binary stars)이 서로 그 궤도가 가장 멀어지는 점》. opp *periastron.*

ap·a·tet·ic [æ̀pətétik] *a.* 〚동물〛 보호색을〔보호 형태를〕 가진.

ap·a·thet·ic, -i·cal [æ̀pəθétik], [-əl] *a.* 냉담한; 무관심한. ㊕ **-i·cal·ly** *ad.*

ap·a·thy [ǽpəθi] *n.* Ⓤ,Ⓒ 냉담; 무관심, 무감동, 무감각: have an ~ to …에 냉담하다.

ap·a·tite [ǽpətàit] *n.* Ⓤ 인회석(燐灰石).

APB all-points bulletin (전국 지명 수배).

APC all-purpose cure 《우스개》 (만병통치약); Aspirin, Phenacetin, and Caffeine (해열 진통제); 〚군사〛 armored personnel carrier. **AP-DJ** AP-Dow Jones & Co. Inc. (AP 다우존스 통신)《Wall Street Journal을 발행하는 미국 경제 통신사》.

ape[1] [eip] *n.* **1** 원숭이《주로 꼬리 없는〔짧은〕 원숭이》. **2** 흉내쟁이. **3** 유인원. **4** 《미속어》 흑인, 부랑자, 고릴라 같은 놈. ◇ apish *a.* ***God's*** ~ 천생의 바보. ***lead*** **~*s*** (***in hell***) (여자가) 평생 독신으로 지내다. ***play the*** ~ 남의 흉내를 내다; 못된 장난을 치다. ***say an*** **~*'s paternoster*** (두려워 또는 추워서) 이가 덜덜 떨리다. **—** *a.* 《속어》 미친, 열중한. ***go*** ~ 《미속어》 발광하다; 열광하다; …에 열중하다《*over; for*》. ***go*** ~ ***shit*** =go ~. **—** *vt.* …의 흉내를 내다. ~ ***it*** 남의 흉내를 내다. ㊕ **∠-like** *a.* 원숭이 같은.

ape[2] *n.* 《미속어》 절정, 정점(apex).

apeak [əpíːk] *ad., a.* 〖형용사로서는 서술적〗 〚해사〛 (노 따위를) 수직으로 세워.

APEC [éipek] *n.* 에이펙《아시아 태평양 경제 협력 (각료회의)》. [◂ *A*sia-*P*acific *E*conomic *C*ooperation (Conference)]

ápe hàngers 《미속어》 (자전거 따위의) 위로 휘게 만든 핸들.

apei·ron [əpáirɑn, əpéi-/-rɔn] *n.* 무제한, 불확정.

ápe-màn [-mæ̀n] (*pl.* ***-mèn*** [-mèn]) *n.* 원인(猿人).

Ap·en·nine [ǽpənàin] *a.* 아펜니노 산맥의. **—** *n.* (the ~s) 아펜니노 산맥《이탈리아 반도를 종주(縱走)함》.

apep·sia, -sy [əpépʃiə], [-si] *n.* Ⓤ 소화 불량.

aper·çu [æ̀pərsúː] *n.* 《F.》 (책·논문 등의) 대요(大要), 개략; 직감, 《특히》 통찰.

ape·ri·ent [əpíəriənt] *a.* 용변을 순조롭게 하는. **—** *n.* 하제(下劑), 완하제.

ape·ri·od·ic [eipiəriάdik/-ɔ́d-] *a.* 비주기적인, 불규칙한; 〚암호〛 비반복성의; 〚물리〛 비주기적인, 비진동의. ㊕ **-i·cal·ly** *ad.*

apé·ri·tif [ɑːpèrətíːf, əpèr-] *n.* 《F.》 아페리티프《식욕 증진을 위해 식전에 마시는 술》.

aper·i·tive [əpérətiv] *a.* **1** =APERIENT. **2** 식욕 증진의. **—** *n.* **1** =APERIENT. **2** =APÉRITIF.

ap·er·ture [ǽpərtʃər] *n.* 빠끔히 벌어진 데, 구멍, 틈; (렌즈의) 구경(口徑): an ~ card 〚컴퓨터〛 개구(開口) 카드《천공 카드와 마이크로필름이 연결된 카드》/ ~ stop 구경 조리개.

áperture càrd 〚컴퓨터〛 애퍼처카드《천공카드의 일부를 오려내어 거기에 마이크로필름을 접착한 것》.

áperture-priórity ÁÈ 〚사진〛 조리개 우선 AE (자동 노출)《조리개를 어느 수치에 맞춰 놓으면 카메라가 자동적으로 노출 촬영함》. ★ AE는 automatic exposure.

áperture sỳnthesis 〚천문〛 (전파망원경의) 구경(口徑) 합성《복수의 소구경 안테나의 수신 신호를 합성하여 대구경 안테나를 사용한 것과 똑같은 분해능을 얻는 기술》.

ap·ery [éipəri] *n.* 모방, 흉내; 쓸데없는 장난; 원숭이 집. 「APE[1].

ápe shìt 《비어》 열중하여, …에 미쳐. ***go*** ~ ⇨

apet·al·ous [eipétələs] *a.* 〚식물〛 꽃잎이 없는.

APEX, Apex [éipeks] *n.* 에이펙스《수 주간의 외국 여행에 대한 항공 운임의 사전 구입 할인제》. [◂ *A*dvance *p*urchase *ex*cursion]

apex [éipeks] (*pl.* **~·*es, api·ces*** [éipəsìːz, ǽ-]) *n.* 정상(頂上), 꼭대기, 정점; (혀 따위의) 끝; 최고조(潮), 절정, 극치; 《미》 (광맥의) 노출부; 〚천문〛 향점(向點): the solar ~ 태양 향점.

aph. aphetic.

aphaer·e·sis [əférəsis] (*pl.* ***-ses*** [-sìːz]) *n.* 〚언어〛 (어)두음절 탈락《보기: 'tis, 'neath》.

aph·ae·ret·ic [æ̀fərétik] *a.* 두음절 탈락의.

apha·sia [əféiʒə/-ziə] *n.* Ⓤ 〚의학〛 실어증(失語症). ㊕ **apha·si·ac, -sic** [əféiziæ̀k], [-zik] *a., n.* 실어증의 (환자).

apha·si·ol·o·gy [əfèiziάlədʒi/-ɔ́l-] *n.* 실어증학(失語症學). ㊕ **-gist** *n.*

aphe·li·on [əfíːliən, æphíːl-] (*pl.* ***-lia*** [-liə]) *n.* 〚천문〛 원일점(遠日點). opp *perihelion.*

aphe·li·o·trop·ic [əfìːliətrάpik/-trɔ́p-] *a.* 〚식물〛 배광성(背光性)의, 배일성(背日性)의. opp *heliotropic.* ㊕ **aphe·li·ot·ro·pism** [əfìːliάtrəpìzəm/-ɔ́t-] *n.* Ⓤ 배광성.

aphe·mia [əfíːmiə] *n.* 〚의학〛 운동성 실어증(失語症)《실어증의 일종》.

aph·e·sis [ǽfəsis] *n.* Ⓤ 〚언어〛 어두(語頭)모음 소실《보기: squire < esquire》.

aphet·ic [əfétik] *a.* 어두모음 소실의.

aph·i·cide [ǽfəsàid] *n.* (진디의) 살충제.

aphid [éifid, ǽf-] *n.* =APHIS. 「〚곤충〛 진디.

aphis [éifis, ǽf-] (*pl.* ***aphi·des*** [-dìːz]) *n.*

áphis lìon 〚곤충〛 풀잠자리·무당벌레 등의 애벌레《진디의 천적으로 농업의 중요한 익충》.

aph·o·late [ǽfəlèit] *n.* 〚화학〛 애펄레이트《파리 등의 화학 불임제》.

apho·nia, aph·o·ny [eifóuniə], [ǽfəni] *n.* Ⓤ 〚의학〛 실성(失聲)(증), 무성(無聲)(증).

aphon·ic [eifάnik/-fɔ́n-] *a.* **1** 무음의. **2** 〚음

성』 무성화한, 무성의. **3** 『의학』 실성증의. ── *n.* 『의학』 실성증 환자.
aph·o·rism [ǽfərìzəm] *n.* 금언(金言), 격언; 경구(警句). SYN. ⇨ SAYING. 「〔격언〕 작자.
áph·o·rist *n.* 경구를 말〔좋아〕하는 사람; 금언
aph·o·ris·tic, -ti·cal [æ̀fərístik], [-əl] *a.* 격언(조)의, 격언체의, 경구적인, 경구가 풍부한. ㊞ **-ti·cal·ly** *ad.*
aph·o·rize [ǽfəràiz] *vi.* 경구〔격언체〕를 쓰다.
apho·tic [eifóutik/əfɔ́t-] *a.* 빛이 없는, 무광의; (바다의) 무광층의; 빛 없이 자라는: an ~ plant.
aph·ox·ide [æfɑ́ksaid/-fɔ́k-] *n.* =TEPA.
aph·ro·dis·i·ac [æ̀frədí(:)ziæ̀k/-díz-] *a.* 성욕을 촉진하는, 최음의. ── *n.* 최음제, 미약(媚藥).
Aph·ro·di·te [æ̀frədáiti] *n.* 『그리스신화』 아프로디테《사랑과 미(美)의 여신; 로마 신화의 Venus 에 해당》.
aph·tha [ǽfθə] (*pl.* **-thae** [-θiː]) *n.* 『의학』 아감창(牙疳瘡), 아구창. ㊞ **aph·thous** [ǽfθəs] *a.*
aphyl·lous [eifíləs] *a.* 『식물』 잎이 없는, 무엽성의.
API 『항공』 air position indicator (공중 위치 지시기); American Petroleum Institute (미국 석유 협회); 『컴퓨터』 Application Program Interface (응용프로그램 인터페이스).
Apia [ɑːpíːɑː, ⌐-⌐/æpíə, ǽpiə] *n.* 아피아《서사모아의 수도》.
api·an [éipiən] *a.* 꿀벌의.
api·ar·i·an [èipiέəriən] *a.* 꿀벌의; 양봉의.
api·a·rist [éipiərist] *n.* 양봉가.
api·ary [éipièri/-əri] *n.* 양봉장(場).
ap·i·cal [éipikəl, ǽp-] *a.* **1** 정상(頂上)〔정점〕의. **2** 『음성』 혀끝의. ── *n.* 『음성』 설첨음(舌尖音). ㊞ **~·ly** *ad.*
ápical dóminance 『식물』 꼭지눈〔끝눈〕 우성(優性). 「직.
ápical méristem (뿌리 · 싹의) 말단 분열 조
api·ces [éipəsìːz, ǽpə-] APEX 의 복수.
apic·u·late [əpíkjələt, -lèit] *a.* 『식물』 (잎끝이) 짧고 뾰족한.
api·cul·tur·al [èipəkʌ́ltʃərəl] *a.* 양봉의.
api·cul·ture [éipikʌ̀ltʃər] *n.* Ⓤ 양봉. ㊞ **àpi·cúl·tur·ist** [-tʃərist] *n.* 양봉가〔업자〕.
◦**apiece** [əpíːs] *ad.* 하나〔한 사람〕에 대하여, 각자에게, 각각: He gave us five dollars ~. 그는 우리들 각자에게 5 달러씩 주었다.
à pied [*F.* apje] 《F.》 걸어서, 도보로. 「봉학.
api·ol·o·gy [èipiɑ́lədʒi/-ɔ́l-] *n.* 꿀벌 연구, 양
ap·ish [éipiʃ] *a.* 원숭이(ape)와 같은; 남의 흉내 내는; 어리석은; 되게 뽐내는; 장난 잘 치는. ◇ ape¹ *n.* ㊞ **~·ly** *ad.* **~·ness** *n.*
apiv·o·rous [eipívərəs] *a.* 『동물』 (새 따위가) 꿀벌을 잡아먹는.
APL 『컴퓨터』 A Programming Language (회화형 프로그램 언어의 일종). **Apl.** April.
APLA American Patent Law Association (미국 특허법 협회)《지금은 AIPLA》.
apla·cen·tal [èipləséntl, æp-] *a.* 『동물』 (유대류나 단공류 동물처럼) 태반이 없는.
ap·la·nat [ǽplənæ̀t] *n.* 『광학』 구면수차(球面收差)를 제거한 렌즈. ㊞ **àp·la·nát·ic** *a.* 구면수차(와 코마(coma))가 없는.
apla·net·ic [èiplənétik] *a.* 『생물』 부동성(不動性)의, 비유영성(非遊泳性)의; 운동성이 없는.
apla·sia [əpléiʒə/-ziə, -ʒə] *n.* 『의학』 (장기 · 조직의) 형성〔발육〕 부전(증), 무형성(증).
aplástic anémia 『의학』 무형성(無形成) 빈혈, 재생 불능 빈혈, 재생 불량성 빈혈.
aplen·ty [əplénti] *ad.* 많이; 풍부하게. ── *a.* 《서술적으로 또는 명사 뒤에 와서》 많이 있는, 많은: There was food and drink ~. 음식물이 잔뜩 있었다. ── *n.* 풍부.
ap·lite [ǽplait] *n.* Ⓤ 반(半)화강암.
aplomb [əplɑ́m, əplʌ́m/əplɔ́m] *n.* 《F.》 연직(鉛直); 침착, 태연자약; (마음의) 평정.
ap·nea, ap·noea [ǽpniə, æpníːə/æpníə] *n.* Ⓤ 『의학』 일시 호흡 정지〔곤란증〕; 질식(asphyxia).
ap·neus·tic [æpnjúːstik/-njúːs-] *a.* 『곤충』 (수생곤충의 애벌레 등이) 기문(氣門)이 없는; 무기문형의; 『의학』 지속성 흡식(吸息)의, 지속성 흡식에 걸린.
ap·o- [ǽpou, ǽpə] *pref.* '저쪽으로, …로부터, 떨어져서' 따위의 뜻.
APO, A.P.O. 《미》 Army Post Office (군사 우체국); Asian Productivity Organization (아시아 생산성 기구).
ap·o·ap·sis [æ̀pouǽpsis] (*pl.* **-si·des** [-sidìːz]) *n.* 『천문』 궤도 최원점(最遠點).
Apoc. Apocalypse; Apocrypha 1.
apoc·a·lypse [əpɑ́kəlìps/əpɔ́k-] *n.* 천계(天啓), 계시, 묵시; (the A-) 요한 계시록(the Revelation); 《속어》 세상의 종말; (넓은 범위에 미치는) 전면적인 파괴〔참사〕: the ~ of nuclear war 핵 전쟁의 전면적 파괴 / *Apocalypse Now* 『영화』 '지옥의 묵시록' 《F. Coppola 감독》.
apoc·a·lyp·tic, -ti·cal [əpɑ̀kəlíptik/əpɔ̀k-], [-əl] *a.* 천계의, 계시〔묵시〕(록)의; 대참사의 도래를〔발생을〕 예언하는; 이 세상의 종말을 방불케 하는, 종말론적인. ㊞ **-ti·cal·ly** *ad.* 계시적으로.
apòc·a·lýp·ti·cìsm, -lýp·tìsm *n.* 계시록적 세계의 도래에 대한 기대; 『신학』 (요한 계시록에 의거한) 지복(至福) 천년설.
apòc·a·lýp·ti·cist, -ti·cian [-təʃən] *n.* 계시록적 세계의 도래를 예언하는 사람, 종말이 임박했다고 주장하는 사람.
apoc·a·lyp·tist [əpɑ́kəliptist/əpɔ́k-] *n.* 묵시록의 작자.
ap·o·car·pous [æ̀pəkɑ́ːrpəs] *a.* 『식물』 이생심피(離生心皮)의.
ap·o·ca·tas·ta·sis [æ̀pəkətǽstəsis] *n.* 회복, 복구; 만유귀신설(萬有歸神說); 보편 구제설.
ápo·cènter *n.* 『천문』 원점《주성(主星)의 주위를 타원 운동하고 있는 천체의 궤도에서 주성으로부터 가장 먼 점》. cf. pericenter.
ap·o·chro·mat [ǽpəkroumæ̀t] *n.* 『광학』 색수차(色收差) 및 구면(球面) 수차를 없앤 고급 렌즈. ㊞ **àp·o·chro·mát·ic** *a.* 색수차 및 구면 수차를 없앤.
apoc·o·pate [əpɑ́kəpèit/əpɔ́k-] *vt.* 『언어』 어미음 소실(語尾音消失)에 의하여 간단히 하다. ㊞ **apòc·o·pá·tion** *n.* Ⓤ (어미음 소실에 의한) 말의 단축.
apoc·o·pe [əpɑ́kəpi/əpɔ́k-] *n.* 『언어』 어미음(語尾音) 소실《보기: my <mine; bom*b* 따위》. cf. aphaeresis, syncope.
Apocr. Apocrypha.
ap·o·crine [ǽpəkrin] *a.* 『생리』 아포크린《땀샘 분비의 일종》의: ~ gland 아포크린샘.
Apoc·ry·pha [əpɑ́krəfə/əpɔ́k-] *n.* **1** (the ~) 《단 · 복수취급》 (성서, 특히 구약의) 경외서(經外書), 위경(僞經)《현재의 보통 성서에서 생략되어 있는 것》. **2** (a-) 출처가 의심스러운 문서. ㊞ **-phal** [-fəl] *a.* 경외서의; (a-) 출처가 의심스러운.
ap·od [ǽpɑd/ǽpɔd] 『동물』 *n.* 무족(無足) 동물; 배지느러미가 없는 물고기. ── *a.* 발이 없는; 배지느러미가 없는. ㊞ **ap·o·dal** [ǽpədl] *a.* = APOD.

ap·o·dic·tic, -deic·tic [æpoudíktik], [-dáiktik] *a.* 〖논리〗 필연적인; 명백한.

apod·o·sis [əpádəsis/əpɔ́d-] (*pl.* ***-ses*** [-sìːz]) *n.* 〖문법〗 (조건문의) 귀결절(節)《If I could, *I would*.의 이탤릭체 부분》. OPP *protasis*.

àpo·énzyme *n.* 〖생화학〗 아포(芽胞) 효소《복합 효소의 단백질 부분》.

apog·a·mous [əpágəməs/əpɔ́g-] *a.* 〖식물〗 무배(無配) 생식의.

apog·a·my [əpágəmi/əpɔ́g-] *n.* U 〖식물〗 무배(無配) 생식.

ap·o·ge·an [æpədʒíːən] *a.* 원(遠)지점의.

ap·o·gee [ǽpədʒìː] *n.* 최고점, 정점; 〖천문〗 원지점(遠地點). OPP *perigee*.

ápogee èngine 〖로켓〗 애포지 킥에 쓰이는 엔진.

ápogee kíck 〖우주〗 애포지 킥《타원 궤도의 원지점에서 로켓을 분사하여 더 큰 에너지의 궤도에 위성을 올리는 일; 생략: AK》.

àpo·geótropism *n.* 〖식물〗 배지성(背地性). OPP *geotropism*.

ap·o·graph [ǽpəgræ̀f, -gràːf] (*pl.* ***ap·og·ra·pha*** [əpágrəfə/əpɔ́g-]) *n.* 사본, 등본.

apo·lar [eipóulər] *a.* 무극(無極)의.

ap·o·laus·tic [æpəlɔ́ːstik] *a.* 향락적인.

àpo·lipoprótein *n.* 〖생화학〗 아포리포 단백질《지방성분과 결합하여 리포단백질을 형성하는 단백질 성분》.

apo·lit·i·cal [èipəlítikəl] *a.* 정치에 관심 없는; 정치적 의의가 없는. ㊀ **~·ly** [-kəli] *ad.*

Apol·li·nar·is [əpàlinέəris/əpɔ̀-] *n.* 광천(鑛泉) 음료의 일종《독일산》.

Apol·lo [əpálou/əpɔ́l-] (*pl.* ***~s***) *n.* **1** 〖그리스 신화·로마신화〗 아폴로《태양신; 음악·시·건강·예언 등을 주관함》; 《시어》 태양. **2** (젊은) 굉장한 미남자. **3** 《미》 아폴로 우주선; 아폴로 계획 (= ~ **Pròject**).

Apóllo àsteroid *n.* 〖천문〗 아폴로형(型) 소행성《그 궤도가 지구 궤도와 교차하는 소행성 그룹》.

Ap·ol·lo·ni·an [æpəlóuniən] *a.* 아폴로의〔같은〕; (흔히 a-) 당당한, 고전미를 갖춘, 균형 잡힌.

Apol·lyon [əpáljən/əpɔ́l-] *n.* 〖성서〗 악마, 무저갱(無底坑)의 사자(使者)《요한계시록 IX: 11》.

°**apol·o·get·ic** [əpàlədʒétik/əpɔ̀l-] *a.* 변명의, 해명의; 사과〔사죄〕의; 변명하는 듯한, 미안해하는: an ~ letter 사죄의 편지 / with an ~ smile 미안한 듯한〔듯이〕 웃음을 띠우고. ◇ apology *n.* **—** *n.* (문서에 의한) 정식 해명〔변명, 변호, 옹호〕《*for*》; = APOLOGETICS. ㊀ **-i·cal** [-əl] *a.* **-i·cal·ly** *ad.* 사죄〔변명〕하여, 변명으로.

apòl·o·gét·ics *n. pl.* 《흔히 단수취급》 조직적인 옹호론〔변호론〕; 〖신학〗 (기독교의) 변증론, 호교학(護敎學).

ap·o·lo·gia [æpəlóudʒiə] (*pl.* ***~s, -gi·ae*** [-dʒiìː]) *n.* 변명, 해명(서); U 변호〔변명〕론.

apol·o·gist [əpálədʒist/əpɔ́l-] *n.* 변호〔옹호, 변명〕자; (기독교의) 변증자(辨證者), 호교론자(護敎論者).

‡apol·o·gize [əpálədʒàiz/əpɔ́l-] *vi.* **1** 《~/+전+명》 사죄하다, 사과하다: If I have offended you, I ~. 내가 당신을 언짢게 했다면 사과하겠습니다 / ~ *to* a person *for* a fault 아무에게 잘못을 빌다. **2** 변명〔해명〕하다. **3** 옹호〔변호〕하다. ㊀ **-gìz·er** *n.*

ap·o·logue [ǽpəlɔ̀ːg, -lɑ̀g/-lɔ̀g] *n.* 우화, 교훈담.

‡apol·o·gy [əpálədʒi/əpɔ́l-] *n.* **1** 사죄, 사과《*for*》: accept an ~ 사과를 받아들이다 / a letter of ~ = a written ~ 사과편지 / All my *apologies*. 《구어》 이거 정말 미안하게 됐다 / With *apologies for* troubling you. (폐를 끼쳐) 죄송하지만 잘 부탁드립니다. **2** 변명, 해명, 변호. **3** 《구어》 명색뿐인 것, 임시 변통물: a mere ~ *for* an actress 명색만의 여배우. ◇ apologetic *a.* ***in ~ for*** …에 대한 사과로; …을 변명〔해명〕하여. ***make* 〔*offer*〕 *an ~ for*** …을 사과하다.

ap·o·lune [ǽpəlùːn] *n.* 원월점(遠月點)《달을 도는 우주선 등이 달에서 가장 먼 점》.

ap·o·mict [ǽpəmìkt] *n.* 〖생물〗 아포믹트《무배우자(無配偶者) 생식(apomixis)에 의하여 생긴 생물 개체》.

ap·o·mix·is [æpəmíksis] (*pl.* ***-mix·es*** [-míksiːz]) *n.* U,C 〖생물〗 아포믹시스, 배우자(配偶者)의 결합에 의하지 않는 생식.

àpo·neurósis (*pl.* ***-roses***) *n.* 〖해부〗 건막(腱膜). ㊀ **-neurótic** *a.*

apoph·a·sis [əpáfəsis] (*pl.* ***-ses*** [-sìːz]) *n.* 〖수사학〗 아포화시스《일종의 반어법, 곧 어느 사실에 대해 언급 않겠다면서 실제는 은근히 내비치는 어법; 보기: We will not remind you of his many crime.》. ㊀ **apo·phat·ic** [æpəfǽtik] *a.*

ap·o·phthegm [ǽpəθèm] *n.* = APOTHEGM.

apoph·yl·lite [əpáfəlàit, æpəfílait/əpɔ́filàit, æpəfílait] *n.* 어안석(魚眼石).

apoph·y·sis [əpáfəsis/əpɔ́-] (*pl.* ***-ses*** [-sìːz]) *n.* 〖식물〗 융기; 〖화학〗 돌기《특히, 척추골의》. ㊀ **apo·phys·i·al** [æpəfíziəl] *a.*

ap·o·plec·tic [æpəpléktik] *a.* **1** 중풍의, 졸중성(卒中性)의: an ~ fit 〔stroke〕 졸중의 발작. **2** (화가 나서) 몹시 흥분한《*with*》: be ~ *with* rage 몹시 화를 내고 있다. **—** *n.* 중풍 환자, 졸중성의 사람. ㊀ **-ti·cal** *a.* **-ti·cal·ly** *ad.*

ap·o·plexy [ǽpəplèksi] *n.* U 〖의학〗 졸중; 일혈(溢血): cerebral ~ 뇌일혈 / heat ~ 열졸중, 열사병: be seized with ~ = have a fit of ~ = have a stroke of ~ 졸중을 일으키다, 졸중풍에 걸리다.

àpo·prótein *n.* 〖생화학〗 아포 단백질《복합단백질 중에서 단백질 부분》.

ap·o·pto·sis [æpəptóusis] *n.* 〖생리〗 (세포의) 고사(枯死), 세포 소멸.

aport [əpɔ́ːrt] *ad.* 〖해사〗 좌현(左舷)으로. ***Hard ~!*** 좌로 완전히 꺾어라.

ap·o·se·mat·ic [æpəsəmǽtik] *a.* 〖동물〗 (몸빛이) 경계색의.

ap·o·si·o·pe·sis [æpəsàiəpíːsis] (*pl.* ***-ses*** [-siːz]) *n.* 〖수사학〗 돈절(頓絶)(법)《문장을 도중에 갑자기 끊음; 보기: If we should fail —》.

ap·o·spory [ǽpəspɔ̀ːri, əpáspəri/ǽpəspɔ̀ːri, əpɔ́spəri] *n.* 〖식물〗 (균류의) 무포자(無胞子) 생식.

apos·ta·sy [əpástəsi/əpɔ́s-] *n.* U,C 배교(背敎); 탈당, 변절.

apos·tate [əpásteit, -tət/əpɔ́s-] *a.* 신앙을 버린; 탈당〔변절〕한. **—** *n.* 배교자; 탈당〔변절, 배반〕자. 「= APOSTATE.

ap·o·stat·ic, -i·cal [æpəstǽtik], [-əl] *a.*

apos·ta·tize [əpástətàiz/əpɔ́s-] *vi.* 신앙을 버리다; 탈당하다, 변절하다《*from; to*》.

a pos·te·ri·o·ri [éi-pastìəriɔ́ːrai/-pɔs] 《L.》 《형용사적·부사적으로》 귀납적인〔으로〕; 후천적인〔으로〕. OPP *a priori*.

apos·til(le) [əpástil/əpɔ́s-] *n.* 방주(旁註).

°**apos·tle** [əpásl/əpɔ́sl] *n.* **1** (A-) 사도《예수의 12 제자의 한 사람》. **2** (어느 지방의) 최초의 기독교 전도자, 개조(開祖). **3** (주의·정책 따위의) 주창자, 선구자, 개척자: an ~ *of* world peace 세계 평화의 창도자. ***the Apostle of Ireland*** 아일랜드의 전도자(St. Patrick). ***the Apostle of the English*** 잉글랜드의 전도자(St. Augustine).

Apóstle pìtcher 사도상(像)이 새겨진 주전자.

Apóstles' Créed (the ~) 사도신경(信經).

apóstle·shìp *n.* U 사도의 신분〔지위〕.

Apóstle spòon 자루 끝에 사도상이 있는 은수저.

apos·to·late [əpɑ́stələt, -lèit/əpɔ́s-] *n.* Ⓤ 사도〔주창자〕의 지위; 로마 교황의 직.
ap·os·tol·ic, -i·cal [æ̀pəstɑ́lik/-tɔ́l-], [-əl] *a.* 사도(시대)의; (종종 A-) 로마 교황의.
apostólic délegate (바티칸과 정식 외교 관계가 없는 나라에 보내는) 교황 사절.
Apostólic Fáthers 사도 교부(敎父).
apostólic sée 사도가 창설한 관구; (A- S-) 〖가톨릭〗 사도좌(座).
apostólic succéssion 사도 계승《교회의 권위는 사도로부터 사교에 의하여 계승된다는 설》.
*__apos·tro·phe__ [əpɑ́strəfi/əpɔ́s-] *n.* **1** 아포스트로피.

NOTE (1) 생략부호: *can't, ne'er,* '66 (sixty-six 라고 읽음). (2) 소유격 부호: *boy's, boys', Jesus'.* (3) 복수 부호: 문자나 숫자의 경우, two *M.P.'s,* two *l's,* three *7's.*

2 〖수사학〗 돈호법(頓呼法)《시행(詩行)·연설 따위 도중에 그곳에 없는 사람, 의인화한 것, 관념 등을 부르기》. ㊀ **-phize** [-fàiz] *vt., vi.* (연설 따위를) 돈호법으로 하다.
apóth·e·car·ies' mèasure [əpɑ́θəkèriz-/əpɔ́θəkə-] 약용식 액량법(藥用式液量法).
apóthecaries' wèight 약용식 중량, 약제용 형량법(衡量法).
apoth·e·cary [əpɑ́θəkèri/əpɔ́θəkəri-] (*pl.* **-caries**) *n.* 《고어》 약제사, 약종상; 약방, 약국.
apóthecary jàr 아가리가 넓은 약제용 그릇.
ap·o·thegm [ǽpəθèm] *n.* 격언, 경구. ㊀ **ap·o·theg·mat·ic, -i·cal** [æ̀pəθegmǽtik], [-əl] *a.* 격언의, 격언적인. 「리.
ap·o·them [ǽpəθèm] *n.* 〖수학〗 변심(邊心) 거
apoth·e·o·sis [əpɑ̀θióusis/əpɔ̀θ-] (*pl.* **-ses** [-si:z]) *n.* 신으로 받듦, 신격화; 신성시, 미화, 숭배; 신격화된 사람〔것〕, 이상적인 인물, 극치, 권화. ㊀ **apoth·e·o·size** [əpɑ́θiəsàiz/əpɔ́θ-] *vt.* 신으로 받들다, 신격화하다; 숭배하다.
ap·o·tro·pa·ic [æ̀pətrəpéiik] *a.* 마귀를 쫓는 (힘이 있는).
app. apparatus; apparent(ly); appendix; applied; appointed; apprentice; approved.
Ap·pa·la·chi·an [æ̀pəléitʃiən, -lǽtʃi-/-léitʃiən] *a.* 애팔래치아 산맥(지방)의. **—** *n.* **1** 애팔래치아 지방 사람. **2** (the ~s) 애팔래치아 산맥(=the ~ **Mountains**).
°**ap·pall,** 《영》 **-pal** [əpɔ́:l] (**-ll-**) *vt.* 오싹 소름 끼치게 하다, 섬뜩하게 하다《*at*》: We were ~*ed at* the sight. 우리는 그 광경을 보고 섬뜩했다.
°**ap·páll·ing** *a.* 섬뜩하게 하는, 질색인; 《구어》 지독한, 형편없는. ㊀ **~·ly** *ad.*
Ap·pa·loo·sa [æ̀pəlú:sə] *n.* 애팔루사종(種) 《북아메리카 서부산의 승용마》.
ap·pa·nage [ǽpənidʒ] *n.* **1** 왕자의 녹(祿), 왕자령(領). **2** (지위 등에 따르는) 임시〔부〕수입, 소득. **3** 속령; 부속물, 속성.
ap·pa·rat [æ̀pərǽt, ɑ̀:pərɑ́:t] *n.* 《Russ.》 (정부·정당의) 기관, 《특히》 지하 조직.
ap·pa·ra·tchik [ɑ̀:pərɑ́:tʃik] (*pl.* **~s, -tchiki** [-tʃiki:]) *n.* 기관원, 공산당 비밀 정보원〔스파이〕.
*__ap·pa·ra·tus__ [æ̀pərǽtəs, -réit-/-réit-] (*pl.* **~, ~·es**) *n.* **1** (한 벌의) 장치, 기기(器機), 기구: a chemical ~ 화학 기기/a heating ~ 난방〔가열〕 장치/experimental ~ 실험 기구. **2** (몸의) 기관(器官); (정치 조직의) 기구, 기관: respiratory ~ 호흡 기관/espionage ~ 스파이 조직.
apparátus crit·i·cus [æ̀pərǽtəs-krítikəs] 《L.》 본문〔문서〕 비평의 연구 자료《주석 따위》.
°**ap·par·el** [əpǽrəl] *n.* Ⓤ 의복, 의상; 《특히》 기성복; 장식; 《고어》 의장(艤裝)《돛·닻 따위》: ready-to-wear ~ 기성복. **—** (**-l-,** 《영》 **-ll-**) *vt.* 입히다(dress), 치장하다; 의장하다: a gorgeously ~*ed* person 화사하게 차려입은 사람.
__ap·par·ent__ [əpǽrənt, əpέər-] *a.* **1 (눈에) 또렷한, 보이는: ~ *to* the naked eye 육안으로 보이는. **2** 명백한, 곧 알 수 있는: The solution to the problem was ~ *to* all. 문제 해결 방법은 누가 봐도 명백했다. SYN. ⇨ EVIDENT. **3** 외견(만)의, 겉치레의: His reluctance was only ~. 그가 싫어한 것은 겉치레였을뿐이었다/It is more ~ than real. 그것은 겉보기만 그렇지 실제는 그렇지도 않다. 「평선.
appárent horízon (the ~) 〖천문〗 시(視)지
__ap·par·ent·ly__ [əpǽrəntli, əpέər-] *ad.* **1 명백히, 일견하여: *Apparently* he never got my message after all. 결국 내 전갈이 그에게 전달되지 않은 것은 분명하다. **2** 외관상으로는, 언뜻 보기에. ★ 다음 경우에는 1, 2 어느 쪽에나 해당함: *Apparently* he likes it. 그것을 좋아하는 것 같다.
appárent mágnitude 〖천문〗 시(視)등급.
appárent móvement 〖심리〗 가현(假現) 운동《정지 상태에 있는 물체가 운동하고 있는 것처럼 지각되는 현상》. 「시.
appárent (sólar) tíme 시(視)〔진(眞)〕태양
appárent wínd [-wìnd] 〖해사〗 겉보기 바람; 〖항공〗 상대풍(相對風)《움직이는 물체에서 보는 풍속·풍향》. cf. true wind.
°**ap·pa·ri·tion** [æ̀pəríʃən] *n.* 유령, 귀신; 허깨비, 환영(幻影); 불가사의한 현상, 뜻하지 않은 일; (유령 따위의) 출현. ㊀ **~·al** [-ʃənəl] *a.* 유령의〔같은〕, 환영의.
ap·par·i·tor [əpǽrətər] *n.* (옛 로마의 재판관에 딸린) 집행리; 포고자; 정리(廷吏), 전령관.
ap·pas·sio·na·to [əpɑ̀:siənɑ́:tou, əpæ̀ʃə-/əpæ̀sjə-] *ad., a.* 〖음악〗 열정적으로〔인〕.
app. crit. *apparatus criticus.* **appd.** approved.
__ap·peal__ [əpí:l] *vi.* **1 《+전+명》 (법률·양심·무력 등에) 호소하다: ~ *to* the public 〔the law〕 여론〔법〕에 호소하다/~ *for* aid 〔protection〕 *to* a person 아무에게 도와〔보호해〕달라고 호소하다. **2** 《+전+명+*to* do》 (…에게 도움·조력 등을) 간청〔간원〕하다: He ~*ed to* us *to* support his candidacy. 그는 우리에게 자신의 입후보를 지지해달라고 간청했다. **3** 〖스포츠〗 (심판에게) 어필〔항의〕하다《*to*》. **4** 《+전+명》 〖법률〗 상소하다, 상고하다, 항소하다《*to; against*》: ~ *to* a higher court 상소하다/~ *against* a decision 항소하다. **—** *vt.* (사건을) 상고하다, 항소하다. **~ *to the country*** ⇨ COUNTRY.
— *n.* Ⓤ,Ⓒ **1** (여론 따위에) 호소, 호소하여 동의를 구함: make an ~ *to* reason 〔arms〕 이성〔무력〕에 호소하다. **2** 간청, 간원: an ~ *for* help 원조를 간청함. **3** 매력, 사람의 마음을 움직이는 힘: sex ~ 성적 매력/The fashion will lose its ~. 그 유행은 사라질 것이다. **4** 상소, 항소, 상고; 상소 청구〔권, 사건〕: lodge 〔enter〕 an ~ 상소하다. **5** 〖스포츠〗 (심판에) 항의. ***be of*** 〔***have***〕 ***little ~ to*** a person 아무에게 대한 호소력이 약하다; 아무를 끄는 힘이 약하다. ***make an ~ for*** …을 구하다.
㊀ **~·a·ble** *a.* 항소〔상고, 상소〕할 수 있는. **~·er** *n.* 간청하는 사람; 고소인, 고발인.
Appéal Còurt (the ~) 《영》 항소법원(= **Cóurt of Appéal**).
°**ap·péal·ing** *a.* 호소하는 듯한, 애원적인: 매력적인, 흥미를 끄는: an ~ smile 매력적인 미소. ㊀ **~·ly** *ad.* 호소〔애원〕하듯이.

appéal plày 〖야구〗 어필 플레이《주자가 베이스를 밟지 않고 주루했을 때, 수비측이 볼로 베이스 터치한 후 심판에게 어필하여 아웃시키는 일》.

‡**ap·pear** [əpíər] *vi.* **1** 나타나다, 보이게 되다, 출현하다: Paper *~ed* in China around A.D. 100. 종이는 서기 100년경에 중국에 나타났다. **2** 《+(*to be*) 보/+*that* 절》 …로 보이다, …같다, …로 생각되다: He *~s* (*to be*) rich. =It *~s* (to me) *that* he is rich. 그는 부유한 것 같다/There *~s to have been* an accident. 무언가 사고가 난 것 같다. SYN. ⇨SEEM. **3** 《+*as* 보/+전+명》 출두하다; 출연하다: ~ *as* Hamlet 햄릿역으로 등장하다/~ *before* the judge 재판을 받다, 출정하다/~ *in* court 법정에 출두하다, 출정하다. **4** 《~/+전+명》 **a** (제품·작품 따위가) 세상에 나오다: Has his new book *~ed* yet? 그의 새 저서가 이제 출간되었습니까. **b** 《+전+명》 (신문 따위에) 실리다: His picture *~s in* the paper. 그의 사진이 신문에 실렸다. **5** 《~/+*that* 절》 명백하게 되다, 뚜렷〔명료〕해지다: for reasons that do not ~ 뚜렷하지 않은 이유로/It *~s* (to me) *that* you are all mistaken. 너희들 모두가 잘못한 게 틀림없다. ~ ***on the stage*** 무대에 서다.

‡**ap·pear·ance** [əpíərəns] *n.* **1** 출현; 출두; 출연; 출장(出場); 발표, 출판. **2** 기색, 징조; 현상: an ~ of truth 정말 같은 일/There is no ~ of snow. 눈이 내릴 것 같지는 않다. **3** (종종 *pl.*) 외관, 겉보기; 체면; 모습, 생김새, 풍채(風采)(personal ~): *Appearances* can be deceptive. 《속담》 겉만 봐서는 모른다/be only an ~ 겉모양뿐이다/make a good 〔fine〕 ~ 풍채가 〔겉모양이〕 좋다. **4** (*pl.*) (외면적인) 형세, 정세, 상황: *Appearances* are against him. 형세는 그에게 불리하다. **5** 《고어》 허깨비, 유령. **6** 〖철학〗 현상. ***at first*** ~ 언뜻 보기에는. ***enter an*** ~ 나타나다, 출두하다. ***for*** *~'(s)* ***sake*** =***for the sake of*** ~ 체면상. ***in*** (***outward***) ~ 보기에는, 외관상은. ***keep up*** 〔***save***〕 *~s* 체면을 차리다, 겉치레하다. ***make an*** ~ 얼굴을 내밀다, 출두하다. ***make*** one's ~ 출현하다: He *made his* ~ as a historian. 그는 역사가로서 사회에 진출했다. ***put in an*** ~ (극히 짧은 시간 동안) 얼굴을 내밀다《파티 등에》. ***put on*** 〔***give***〕 ***the*** ~ ***of*** (***innocence***) (결백)한 체하다; 꾸며 보이다. ***to*** 〔***from***〕 ***all*** *~(s)* 아무리 보아도, 어느 모로 보나.

appéarance mòney (얼굴값으로 주는) 육상 선수 등의 경기 출장료.

ap·péar·ing [əpíəriŋ] *a.* 《미》 …듯한 (looking): a youthful-~ man 젊어 보이는 사람.

ap·péas·a·ble *a.* 진정시킬〔완화할〕 수 있는.

°**ap·pease** [əpíːz] *vt.* **1** 《~+목/+목+전+명》 (사람을) 달래다; (노염·슬픔·싸움 따위를) 진정〔완화〕시키다, 가라앉히다: ~ a person's anger/~ a person *with* a present 선물로 아무를 달래다. **2** (갈증을) 풀다, (식욕·호기심 따위를) 채우다: ~ one's hunger 〔curiosity〕 허기를〔호기심을〕 채우다. **3** …과 유화(宥和)하다, (집단·상대국의 요구 따위에) 양보하다. 파 **~·ment** *n.* U 진정, 완화, 달램; (욕구의) 충족; 유화 (정책), 양보: an *~ment* policy 유화 정책. **ap·péas·er** *n.*

ap·pel [əpél, æpél] *n.* 〖펜싱〗 아펠《공격 등의 의사 표시로 발을 구르거나, 상대방의 검을 툭 치는 일》.

ap·pel·lant [əpélənt] *n.* 항소인, 상소인; 청원자. **—** *a.* 상소의; 항소(수리(受理))의.

ap·pel·late [əpélət] *a.* 항소의, 상소의, 상소를 심리하는 권한이 있는.

appéllate cóurt 상소〔항소, 상고〕 법원.

ap·pel·la·tion [æpəléiʃən] *n.* 명칭, 호칭.

ap·pel·la·tion (**d'ori·gine**) **con·trô·lée** [*F.* apelasjɔ̃ (dɔʀiʒin) kɔ̃tʀole] 《F.》 원산지 통제호칭《프랑스 주세법(酒稅法)에 의해 일정한 조건을 갖춘 국내 최고급 와인에게 사용이 허가되는 원산지 호칭; 생략: A.O.C.》(=contolled name (of origin)).

ap·pel·la·tive [əpélətiv] *a.* 명칭〔호칭〕의; 《드물게》 〖문법〗 총칭적인, 보통 명사의. **—** *n.* 명칭, 호칭, 칭호; 《드물게》 〖문법〗 보통〔총칭〕 명사《고유 명사에 대해》. 파 **~·ly** *ad.*

ap·pel·lee [æpəlíː/æpe-] *n.* 피상소〔항소〕인.

ap·pel·lor [əpélɔːr, ǽpəlɔ̀ːr/əpélə] *n.* 〖영법률〗 =APPELLANT.

ap·pend [əpénd] *vt.* 《~+목/+목+전+명》 (실 따위로) 걸다, 달아매다; (표찰 등을) 붙이다; 덧붙이다, (서류 등을) 첨부하다; 추가〔부가〕하다, 동봉하다; 부록으로 넣다《*to*》; 〖컴퓨터〗 추가하다: ~ one's signature 서명하다/~ a label *to* a trunk 트렁크에 꼬리표를 붙이다.

ap·pend·age [əpéndidʒ] *n.* 부가〔부속〕물; 수행원; 부하; 식객; 〖생물〗 부속 기관(器官); 부속지(肢); 《속어》 음경.

ap·pend·ant, -ent [əpéndənt] *a.* 부수하는; 부속의, 부대적인; 〖법률〗 부대 권리로 종속하는 《*to*》. **—** *n.* 〖법률〗 부대 권리; =APPENDAGE.

ap·pen·dec·to·my [æpəndéktəmi] *n.* U,C 〖의학〗 충양돌기 절제(수술), 맹장 수술.

ap·pen·di·ceal [æpəndíʃəl, əpèndisíːəl] *a.* 〖해부〗 충수(vermiform appendix)의.

ap·pen·di·ces [əpéndəsiːz] APPENDIX의 복수.

ap·pen·di·ci·tis [əpèndəsáitis] *n.* U 〖의학〗 충수염, 맹장염.

ap·pen·di·cle [əpéndikl] *n.* 작은 부속물.

ap·pen·dic·u·lar [æpəndíkjələr] *a.* appendage의, 《특히》 부속지(肢)의; 〖해부〗 충수〔충양돌기〕의.

°**ap·pen·dix** [əpéndiks] (*pl.* **~·es, -di·ces** [-dəsiːz]) *n.* **1** 부속물, 부가물; 부록, 추가, 부가. **2** 〖해부〗 충수(蟲垂)(vermiform ~). **3** 〖항공〗 (기구(氣球)의) 가스 조절용 튜브.

ap·per·ceive [æpərsíːv] *vt.* 〖심리〗 (새 지각 대상을) 과거 경험의 도움으로 이해하다, 통각(統覺)하다; 〖교육〗 유화(類化)하다.

ap·per·cep·tion [æpərsépʃən] *n.* U 〖심리〗 통각(작용·상태); 〖교육〗 유화(類化).

ap·per·cep·tive [æpərséptiv] *a.* 통각의〔에 의한〕; 통각 능력이 있는.

ap·per·tain [æpərtéin] *vi.* 속하다《*to*》; 관련되다(relate)《*to*》: a house and everything *~ing to* it 집과 그에 딸린 모든 것.

ap·pe·stat [ǽpəstæ̀t] *n.* 섭식 중추《식욕을 조절하는 중추 부분》.

ap·pe·tence, -ten·cy [ǽpətəns], [-i] *n.* U,C 욕망; 성욕; 본능, 자연적 성향(性向)《*for; after; of*》; 〖철학〗 의욕; 〖화학〗 친화력.

ap·pe·tent [ǽpətənt] *a.* 본능적으로 바라고 있는, 열망하는《*of; after*》; 〖철학〗 의욕의.

*__ap·pe·tite__ [ǽpətàit] *n.* C,U **1** 식욕: lose 〔spoil〕 one's ~ 식욕을 잃다/sharpen 〔get up〕 one's ~ 식욕을 돋우다/A good ~ is a good sauce. 《속담》 시장이 반찬이다. **2** 〖일반적〗 욕구, (육체적·물적인) 욕망; (정신적인) 희구, 갈망《*for*》: an ~ *for* power 권세욕/one's sexual 〔carnal〕 ~ 성욕/have a great ~ *for* knowledge 지식욕이 왕성하다. **3** 기호(嗜好), 좋아함. ***be to*** 〔***after***〕 ***one's*** ~ 입에 맞다. ***have a good*** 〔***poor***〕 ~ 식욕이 좋다〔없다〕. ***have an*** ~ ***for*** (music) (음악)을 좋아하다. ***take the edge off*** one's ~ (뭘 조금 먹어) 허기를 면하다, 요기

하다. ***whet** a person's* ~ 아무의 흥미를 돋우다; 아무에게 (…을) 더욱더 바라게 하다《*for*》. ***with a good*** ~ 맛있게. [파] **ap·pe·ti·tive** [ǽpətàitiv] *a.* 식욕의, 식욕이 왕성한; 육욕적인.
áppetite sùppressant 식욕 억제제(劑)《diet 하는 사람들이 쓰는》.
áppetitive behávior 〖문화인류학〗 욕구 행동《특정한 욕구를 충족시키려고 하는 행동》.
ap·pe·tiz·er [ǽpətàizər] *n.* 식욕〔입맛〕 돋우는 음식; 식전 음료〔술〕; 전채(前菜); 식욕 촉진약.
ap·pe·tiz·ing [ǽpətàiziŋ] *a.* **1** 식욕〔입맛〕을 돋우는, 맛있(어 보이)는: an ~ dish 먹음직스런 요리. **2** 탐나(게 하)는, 매력적인. [파] **~·ly** *ad.* 먹음직스럽게.
Áp·pi·an Wáy [ǽpiən-] (the ~) 아피아 가도《로마와 Brundisium 사이의 고대 로마의 도로; 560km》.
ap·pie [ǽpi] *n.* 《속어》〖의학〗 충수염 환자.
appl. applied.
⁑**ap·plaud** [əplɔ́ːd] *vi.* 박수갈채하다, 성원하다; 기리다. **—***vt.* **1** …에게 박수갈채하다, …을 성원하다: We ~*ed* the actor. 우리는 그 배우에게 박수갈채를 보냈다. **2** 《~+[목]/+[목]+[전]+[명]》 칭찬하다, 찬양하다: ~ a person's courage 아무의 용기를 칭찬하다 / I ~ you *for* your decision. 용케 결심하셨군요. ◇ applause *n.* ***~ to the echo*** ⇨ECHO. [파] **~·a·ble** *a.* **~·a·bly** *ad.* **~·er** *n.*
⁑**ap·plause** [əplɔ́ːz] *n.* [U] 박수갈채; 칭찬: a storm 〔thunder〕 of ~ 우레와 같은 박수갈채 / seek popular ~ 인기를 얻으려고 하다 / general ~ 만장의 박수; 세상의 칭찬 / win ~ 갈채를 받다. ◇ applaud *v.*
ap·plau·sive [əplɔ́ːsiv, -ziv] *a.* 박수갈채의; 칭찬의, 칭찬을 나타내는. [파] **~·ly** *ad.*
†**ap·ple** [ǽpəl] *n.* **1** 사과; 사과나무; 사과 모양의 과실(이 열리는 나무〔야채〕); (형태·색이) 사과를 닮은 것; 《야구속어》 공; 〖볼링〗 실패한 투구(投球): The ~*s* on the other side of the wall are the sweetest. 《속담》 담 저쪽 사과가 제일 달다《남의 밥에 든 콩이 굵어 보인다》. **2** 《미속어》 대도시, 번화가; 지구; (the A-) New York 시. **3** 《미구어》 사람(fellow); 《미속어》 백인처럼 생각하는〔거동하는〕 인디언; 《CB속어》 (함부로 음량을 높이는) CB무선가. **4** (A-) 애플사(社)《⇨APPLE COMPUTER INC.》 및 그 제품《상표명》. ***a* 〔*the*〕 *bad* 〔*rotten*〕 ~** 악영향을 미치는 것〔사람〕, 암적인 존재. ***an ~ of love*** 《속어》 토마토(love apple). ***~s* (*and pears*)** 《런던 운율속어》 계단, 층계. ***polish ~s* 〔*the* ~〕** 《미속어》 아첨하다. [cf.] apple-polish. ***the ~ of contention* 〔*discord*〕** 분쟁의 씨《Troy 전쟁의 원인이 된 황금의 사과에서》. ***the ~ of one's* 〔*the*〕 *eye*** 눈동자; 장중 보옥, 매우 소중한 것〔사람〕. ***the ~ of Sodom* = *the Dead Sea ~*** 소돔의 사과《따면 이내 재로 변한다고 함》; 유명무실.
ápple bèe 《주로 New Eng.》 말린 사과를 만들려고 모인 사람들.
ápple blòssom 사과꽃《Arkansas 와 Michigan 주의 주화(州花)》.
ápple brándy = APPLEJACK.
ápple bùtter (향료가 든) 사과 잼; 《미방언》 능변, 수다스러움.
ápple·càrt *n.* 사과 행상인의 손수레. ***upset the* 〔a person's〕 ~** 《구어》 계획〔사업〕을 뒤엎다〔망쳐 놓다〕.
ápple-chèeked [-t] *a.* 볼이 빨간.
ápple chèese (사과주 만들 때 짜고 남은) 사과 찌꺼기의 덩어리.
ápple cíder 사과즙.
Ápple Compúter Inc. 애플사《미국의 대표적인 퍼스널 컴퓨터 회사명》.
ápple dúmpling 사과를 넣은 경단.
ápple gréen 밝은 황록색.
ápple hèad 장난감 개의 둥근 머리.
ápple·jàck *n.* [U] 《미》 사과 브랜디(= ∠ **brándy**).
Ápple Incórporated 애플사《미국의 대표적인 다국적 IT 기업》.
ápplejack càp 애플잭 모자《빛깔이 화려하고 방울 같은 술이 달린 빵떡모자; 흑인·푸에르토리코인들이 씀》.
ápple knòcker 《미속어》 시골뜨기, 신출내기.
ápple píe 사과〔애플〕 파이《가장 미국적인 음식》: as American as ~ 가장 미국적인.
ápple-pìe *a.* (도덕관 따위가) 미국의 독특한, 순미국적인; 완전한, 정연한.
ápple-pìe-and-mótherhood *a.* 《미속어》 (모성애의 상징인 apple pie처럼) 나무랄 데 없는 장점을 가진.
ápple-píe bèd 《영》 발을 뻗지 못하도록 일부러 시트를 접어 놓은 잠자리《기숙생의 장난》.
ápple-pie órder 《구어》 질서정연한 상태: in ~ 질서정연히, 가지런히.
ápple-pòlish *vi., vt.* 《구어》 (…의) 비위를 맞추다, 아첨하다. ★ 주로 *vt.* [파] **~·er** *n.* 《구어》 아첨꾼. **~·ing** *n., a.*
ápple pòmace 즙을 짠 사과 찌꺼기.
ápple·sàuce *n.* [U] **1** 사과 소스《사과를 저며서 부드럽게 찐 것》. **2** 《미속어》 객쩍은〔시시한〕 소리, 엉터리; 입에 발린 치사.
ápplesauce ènema 기분을 상하게 하지 않는 비평.
Ap·ple·seed [ǽpəlsiːd] *n.* **Johnny ~** 애플시드《미국의 개척자, 광대한 과수원의 주인; 사과씨를 돌아다니면서 나누어 주었다 함; 본명 John Chapman; 1774–1845》.
ap·plet [ǽplət] *n.* 〖컴퓨터〗 애플릿《작은 규모의 애플리케이션(프로그램)으로 HTML(Hyper Text Markup Language)문서에 포함하여 응용할 수 있는 자바(Java) 프로그램》.
Ápple Tàlk 〖컴퓨터〗 애플토크《애플사가 개발한 근거리 통신망(LAN)으로 매킨토시 컴퓨터에는 기본적으로 이 애플토크가 있어서 다른 컴퓨터와 랜을 형성할 수 있다》.
Áp·ple·ton làyer [ǽpəltən-] 〖통신〗 애플턴층(層)(F layer).
ápple·wìfe (*pl.* **-wives**) *n.* 사과 파는 여자.
◇**ap·pli·ance** [əpláiəns] *n.* **1** [U,C] 적용(물), 응용(물). **2** [C] 기구, 장치, 설비, (특히 가정·사무실용의) 전기〔가스〕 기구; 소방차: household (electrical) ~*s* 가전 제품 / office ~*s* 사무용품 / medical ~*s* 의료 기구. [SYN.] ⇨TOOL. **3** [U] 수단. ◇ apply *v.*
àp·pli·ca·bíl·i·ty *n.* [U] 적응성, 응용(가능)성, 적부(適否); 적절함.
*****ap·pli·ca·ble** [ǽplikəbəl, əplíkə-] *a.* 적용〔응용〕할 수 있는, 들어맞는, 적절한《*to*》: Is the rule ~ *to* this case? 그 규칙이 이 경우에 적용될까. [파] **-bly** *ad.* 적절히.
*****ap·pli·cant** [ǽplikənt] *n.* 응모자, 지원자, 출원자, 후보자, 신청자《*for*》: an ~ *for* a position 구직자 / an ~ *for* admission to a school 입학 지원자. ◇ apply *v.*
⁑**ap·pli·ca·tion** [æ̀pləkéiʃən] *n.* **1** [U] 적용, 응용; 응용법; 적용성, 실용성: practical ~ 응용 / a rule of general ~ 일반적으로 적용되는 규칙, 통칙. **2** [U,C] 신청, 지원(서), 출원(出願); 원서, 신청서《*for*》: an ~ form 〔blank〕 신청용지 / on ~ 신청하는 대로, 신청시 / make an ~ *to* the authorities *for* a visa 당국에 비자 신청을 하다. **3** [U] 열심, 근면: a man of close ~ 아주 열심인 사람 / show little ~ *to* one's study 공부를 열심히 하지 않다. **4** [U] (약·화장품·페인트 등

의) 도포, (붕대·습포 등의) 사용; Ⓒ 환부에 대는〔붙이는〕 것《지혈대·파스 등》, 바르는 약: external 〔internal〕 ~ (약의) 외용(外用)〔내용(內用)〕/The ~ soothed the pain. 그 약을 바르니까 아픔이 가셨다. **5** 〚컴퓨터〛 응용《컴퓨터에 의한 실무 처리 등, 또는 그 프로그램》. ***have ~ to*** …에 적용되다, …와 관계가 있다: It *has* no ~ *to* this case. 그것은 이 경우에는 적용되지 않는다. ***send in a written ~*** 원서를 제출하다.

applicátion pàckage 〚컴퓨터〛 응용 꾸러미《특정한 응용 분야의 프로그램을 모은 소프트웨어의 집합체》.

applicátion prògram 〚컴퓨터〛 응용 프로그램.

applicátion prògram ínterface 〚컴퓨터〛 응용 프로그램 인터페이스《생략: API》.

applicátion-specífic *a.* 특수 용도의: ~ integrated circuits 특수 용도의 집적 회로.

applicátions sátellite 실용 위성.

applicátion(s) sòftware 〚컴퓨터〛 응용 소프트웨어《소프트웨어를 그 용도에 따라 두 개로 대별했을 때의 application이 속하는 카테고리(category)》.

applicátion·wàre *n.* 〚컴퓨터〛 애플리케이션웨어《컴퓨터의 이용 분야》.

ap·pli·ca·tive [ǽpləkèitiv, əplíkə-] *a.* 실용적인, 응용적인; 응용된. ㊞ **~·ly** *ad.*

ap·pli·ca·tor [ǽpləkèitər] *n.* (약·화장품·도료 등을) 바르는 기구〔사람〕, 도포구(塗布具), (약 바르는 데 쓰는) 작은 주걱.

ap·pli·ca·to·ry [ǽpləkətɔ̀ːri, əplíkə-/ǽplikèitəri] *a.* 적용〔응용〕할 수 있는, 실용적인.

°ap·plied [əpláid] *a.* (실지로) 적용된, 응용된. OPP *pure, theoretical*. ¶ ~ chemistry 〔science〕 응용 화학〔과학〕/ ~ genetics 응용 유전학.

applíed linguístics 응용 언어학.

applíed músic 실용 음악(과목), 음악 실습〔실기〕.

ap·pli·qué [æplikéi/æplíːkei, əp-] *n.* 《F.》 아플리케, 꿰매붙인 장식, 박아 넣은 장식. **—** *a.* ~를〔로〕 한. **—** *vt.* …에 ~를 하다.

‡ap·ply [əplái] *vt.* 《~+목/+목+전+명》 **1** 적용하다, 응용하다, 이용하다; (규칙을) 적용〔발효〕시키다《*to*》: ~ a theory *to* a problem 문제에 이론을 적용하다. **2** (자금 등을) 사용하다, 쓰다, (기계 등을) 작동시키다《*to*》: ~ one's savings *to* the purchase of a house 저금을 집을 구입하는 데 쓰다. **3** (힘·열 등을) 가하다《*to*》: ~ pressure 〔heat〕 *to* the plate 판금에 압력〔열〕을 가하다. **4** (표면에) 대다, 붙이다; (약 따위를) 바르다《*to*》: ~ a plaster *to* a wound 상처에 고약을 바르다/~ a match *to* kindling 불쏘시개에 성냥불을 붙이다. **5** (목적에) 충당하다《*to*》: ~ a portion of one's salary *to* savings 월급의 일부를 떼어 저축하다. **6** (정신·정력 등을) 쏟다; 〚~ oneself〛 전념하다, 열중하다《*to*》: ~ one's mind *to* one's studies 연구에 전념하다/~ one*self to* learning French 프랑스어 공부에 전념하다. **7** (별명·애칭 등을) 붙이다. **—** *vi.* **1** 《+전+명》 꼭 들어맞다, 적합하다, 적용되다《*to*》: The way does not ~ *to* the case. 그 방법은 이 경우에는 들어맞지 않는다. **2** 《+전+명》 신청하다, 지원하다, 출원하다《*to* a person; *for* a post》: ~ *for* a job 직장에 응모하다. **3** 《+전+명》 문의하다, 조회하다, 의뢰하다: ~ *to* a person *for* particulars 아무에게 상세한 것을 문의하다. **4** (도료 등이) 묻다: This paint doesn't ~ easily. 이 페인트는 잘 칠해지지 않는다. ◇ application, appliance *n.* ㊞ **ap·plí·a·ble** *a.* **ap·plí·er** *n.*

appmt. appointment.

ap·pog·gia·tu·ra [əpɑ̀dʒətúrə, -tjúə-] *n.* 《It.》 〚음악〛 아포자투라, 전타음(前打音), 앞 꾸밈음.

‡ap·point [əpɔ́int] *vt.* **1** 《~+목/+목+(*as*) 보/+목+(*to be*) 보/+목+전+명/+목+*to* do》 지명하다, 임명하다; 명하다, 지시하다: ~ a new secretary 새 비서를 임명하다/~ a person (*as* 〔*to be*〕) manager 아무를 지배인으로 임명하다/~ a person (*as* 〔*to* the office of〕) governor 아무를 지사로 지명〔임명〕하다/~ a person *to* a post 아무를 어떤 지위에 앉히다/He *~ed* me *to* do the duty. 그는 그 임무를 다하도록 내게 명령했다. **2** 《~+목/+목+전+명/+목+*as* 보》 (일시·장소 따위를) 정하다, 지정하다(fix), 약속하다: He *~ed* the place *for* the meeting. 그는 회합 장소를 지정했다/April 5 was *~ed as* the day for the meeting. 회합 일자는 4월 5일로 정해졌다. **3** 《고어》 《~+목/+*that* 절》 (신·하늘이) 정하다: laws *~ed* by God 신이 정한 법/God *~s that* this shall be done. 신은 이것이 이루어지도록 정하신다. **4** 〚보통 수동형〛 (집·방 등에 필요한) 비품을〔설비를〕 갖추다. **5** 〚법률〛 (재산이나 권리의) 귀속을 정하다. **—** *vi.* 지명〔임명〕권을 행사하다, 지명〔임명〕하다. ㊞ **~·a·ble** *a.*

°ap·póint·ed [-id] *a.* 지정된, 정해진; 약속한; 지명된; 설비된: at the ~ time 약속한 시각에/one's ~ task 자기에게 할당된 작업/a well-~ library 설비가 잘 된 도서관.

ap·point·ee [əpɔ̀intíː, æpɔin-] *n.* 피임명자, 피지명인; 〚법률〛 (재산권의) 피지정인.

ap·póint·er *n.* 임명자.

ap·poin·tive [əpɔ́intiv] *a.* 임명〔지명〕에 의한 《elective에 대해》; 임명〔지명〕하는: ~ power 임명권.

‡ap·point·ment [əpɔ́intmənt] *n.* **1** 임명, 지명, 임용; 임명〔지명〕된 사람; 지위, 관직: the ~ *of* a teacher 교사의 임명/an ~ *as* manager 매니저로서의 지위/receive a good ~ 좋은 직에 앉다. **2** (회합·방문의) 약속, 예약; 지정, 선정: an ~ *for* an interview/keep 〔break〕 one's ~ 약속을 지키다〔어기다〕/make 〔fix〕 an ~ 약속을〔일시를〕 정하다. **3** (*pl.*) (건물 따위의) 설비, 비품: the interior *~s* of a car 차의 내장(內裝). **4** 〚법률〛 (재산 귀속의) 지정(권). ***by ~*** (일시·장소를) 지정〔약속〕하여, 결정에 따라: meet a person *by* ~ (미리) 약속하고 만나다. ***take up an ~*** 취임하다.

appóintment bòok 《미》 다이어리《날짜별로 메모할 수 있게 되어 있는 책》.

ap·poin·tor [əpɔ́intər] *n.* 임명자; 〚법률〛 (재산 귀속의) 지정권자, 지정인.

Ap·po·mat·tox [æ̀pəmǽtəks] *n.* **1** 애퍼매톡스(= **Appomátox Cóurt Hòuse**)《미국 Virginia 주 중부의 마을; 1865년 여기에서 남군이 북군에게 항복하여 남북 전쟁이 끝남》. **2** (the ~) 애퍼매톡스 강《미국 Virginia 주 중동부에서 동류하여 James 강으로 흐름; 길이 220km》.

ap·port [əpɔ́ːrt] *n.* 〚심령〛 환영, 환자(幻姿).

ap·por·tion [əpɔ́ːrʃən] *vt.* 《+목+전+명/+목+목》 할당하다, 나누다; 배분〔배당〕하다《*to; between; among*》: ~ one's time *to* several jobs 여러 가지 일에 시간을 할당하다/The property was *~ed* equally *among* the heirs. 재산은 상속인에게 똑같이 배분되었다/I'll ~ each of you a different task. 여러분에게 각각 다른 일을 할당하겠다. ㊞ **~·er** *n.* 배당〔배분〕자. **~·ment** *n.* U,C 분배, 배당; 할당; 분담.

ap·pose [əpóuz] *vt.* (두 가지 것을) 병치(竝置)하다, 병렬하다; (한 가지 것을) (딴 것 옆에) 두다, 붙이다《*to*》.

ap·po·site [ǽpəzit] *a.* 적당한, 적절한《*to; for*》: ~ *to* the case 실정에 맞는, 시의(時宜) 적절한. ◇ apposition *n.* ㊞ **~·ly** *ad.* 적절히. **~·ness** *n.*

ap·po·si·tion [æ̀pəzíʃən] *n.* Ⓤ **1** 병치(竝置), 병렬. **2** 부가, 부착, 첨부. **3** 〖문법〗 동격(同格)(관계): a noun *in* ~ 동격 명사. ***in ~ to*** 〔***with***〕 …와 동격으로. ◇ apposite *a.* ㊞ **~·al** *a.* **~·al·ly** *ad.*

ap·pos·i·tive [əpázitiv/əpɔ́z-] 〖문법〗 *a.* 동격의. **—** *n.* 동격어〔구, 절〕. ㊞ **~·ly** *ad.*

ap·práis·a·ble *a.* 평가〔어림짐작〕할 수 있는; 상당한. ㊞ **-bly** *ad.*

ap·prais·al [əpréizəl] *n.* Ⓤ,Ⓒ 평가, 감정, 사정, 견적; 사정〔견적〕 가격, 사정액.

ap·praise [əpréiz] *vt.* **1** (사람 · 능력 등을) 평가하다; (상황 등을) 인식하다: ~ a person's ability 아무의 능력을 평가하다 / He ~*d* the situation and took swift action. 그는 상황을 파악하고 재빠르게 행동하였다. **2** 《~+목 / +목+전+명》 (자산 · 물품 등을) 감정하다, 사정(査定)하다, 값을 매기다: ~ property *for* taxation 과세를 위해 재산을 사정하다. ㊞ **~·ment** *n.* Ⓤ,Ⓒ 평가액; 견적, 감정. **ap·práis·er** *n.* 평가인; (세관 · 세무서의) 사정〔감정〕관. **ap·práis·ing** *a.* 평가하는 (듯한).

°**ap·pre·ci·a·ble** [əpríːʃiəbəl/-ʃə-] *a.* 평가할 수 있는; 감지(感知)할 수 있을 정도의, 분명한, 상당한 정도의: an ~ change 뚜렷한 변화 / There is no ~ difference. 별반 차이는 없다. ㊞ **-bly** *ad.* 평가할 수 있게; 감지할 수 있을 정도로, 분명히, 상당히.

ap·pre·ci·ate [əpríːʃièit] *vt.* **1** 평가하다, 감정〔판단〕하다. **2** …의 진가를 인정하다; …의 좋음〔좋고 나쁨〕을 살펴 알다. **3** (문학 · 예술 따위를) 감상하다, 음미하다. **4** 《~+목 / +*that* 〔*wh-*〕 절》 감지하다, 헤아리다; 식별〔인식〕하다; (…라는 것을) 알고 있다: ~ the dangers of a situation 사태가 위험함을 알아채다 / ~ *that* space travel is not an impossible dream 우주 여행이 불가능한 꿈이 아님을 알다. SYN. ⇨ UNDERSTAND. **5** (호의를) 고맙게 여기다, 절실히 느끼다: I ~ your kindness. 친절에 감사합니다. **6** …의 가격을〔시세를〕 올리다. OPP. *depreciate.* **—** *vi.* 가격이〔시세가〕 오르다: Real estate has rapidly ~*d*. 부동산(不動產)의 시세가 급등했다. ◇ appreciation *n.*

ap·pre·ci·a·tion [əprìːʃiéiʃən] *n.* Ⓤ **1** (올바른) 평가, 판단, 이해; 진가의 인정. **2** 감상, 음미; 비평. **3** 감지, 인식; 식별. **4** 감사, 존중: a letter of ~ 감사장 / with ~ 감사하여. **5** (가격의) 등귀《*in*》; (수량의) 증가. OPP. *depreciation.* ◇ appreciate *v.* ***in ~ of*** …을 인정하여, …의 공적에 의해; …에 감사하여.

ap·pre·cia·tive [əpríːʃiətiv, -ʃièi-] *a.* 감상할 줄 아는, 눈이 높은《*of*》; 감사하고 있는《*of*》: an ~ listener 감상력이 있는 청취자 / an ~ audience 눈〔안목〕이 높은 청중 / She was ~ *of* my efforts. 그녀는 나의 노고에 감사했다. ㊞ **~·ly** *ad.* **~·ness** *n.*

ap·pre·ci·a·tor [əpríːʃièitər] *n.* 진가를 아는 사람; 감식자; 감상자; 감사하는 사람.

ap·pre·ci·a·to·ry [əpríːʃiətɔ̀ːri/-ʃiətəri] *a.* = APPRECIATIVE.

ap·pre·hend [æ̀prihénd] *vt.* **1** 《~+목 / +*that* 절》 염려〔우려〕하다: ~ a global oil crisis 전세계적인 석유 위기를 우려하다 / It is ~*ed that* he may be dismissed. 그가 해고되지 않을까 염려스럽다. **2** (붙)잡다, 체포하다. **3** …의 뜻을 파악하다, 이해하다, 감지하다. **—** *vi.* 이해하다; 우려하다. ◇ apprehension *n.*, apprehensive *a.*

àp·pre·hèn·si·bíl·i·ty *n.* Ⓤ 이해됨, 이해 가능.

ap·pre·hen·si·ble [æ̀prihénsəbəl] *a.* 이해〔감지〕할 수 있는. ㊞ **-bly** *ad.*

°**ap·pre·hen·sion** [æ̀prihénʃən] *n.* Ⓤ **1** (종종 *pl.*) 염려, 우려, 불안, 걱정《*of; for; about*》: have some ~ *of* failure 실패하지 않을까 걱정하다 / under the ~ that... …을 염려하여. **2** 체포: the ~ *of* a thief 도둑의 체포. **3** 이해(력): be quick 〔dull〕 of ~ 이해가 빠르다〔둔하다〕. **4** 판단, 의견, 견해: in my ~ 내 견해로는. ◇ apprehend *v.* ***be above one's ~*** 이해할 수 없다.

°**ap·pre·hen·sive** [æ̀prihénsiv] *a.* **1** 염려〔우려〕하는, 걱정〔근심〕하는《*of; for*》: be ~ *of* danger 위험을 걱정하다 / be ~ *for* one's sister's safety 누이의 안부를 염려하다 / I am ~ *that* I may fail. 실패하지 않을까 염려스럽다. **2** 이해가 빠른, 빨리 깨치는; 감지(感知)하는《*of*》. ◇ apprehend *v.* ㊞ **~·ly** *ad.* **~·ness** *n.*

°**ap·pren·tice** [əpréntis] *n.* (옛날의) 도제(徒弟), 계시; 견습(공); 초심자; 〖미해군〗 실습생; (경험 1년 미만의) 미숙한 기수(騎手). **—** *vt.* **1** 《+목+전+명》 도제로 보내다: He was ~*d to* a printer. 그는 인쇄공의 도제로 보내졌다. **2** 〖~ oneself〗 …의 도제가 되다. ㊞ °**~·ship** *n.* Ⓤ 도제 제도, 도제의 신분, 계시살이; 도제〔수습〕 기간: serve one's ~*ship* 계시살이를 하다.

ap·pressed [əprést] *a.* 바싹〔납작하게〕 밀어 붙여진; 착 들러붙은.

ap·pres·so·ri·um [æ̀presɔ́ːriəm] (*pl.* ***-ria*** [-riə]) *n.* 〖생물〗 부착기.

ap·prise, ap·prize[1] [əpráiz] *vt.* …에 알리다, …에 통고〔통지〕하다: ~ a person *of* a thing 아무에게 무엇을 알리다.

ap·prize[2] *vt.* = APPRAISE.

ap·pro [ǽprou] *n.* 《영》 〖다음의 관용구로〗 ***on ~*** 《영구어》 = on APPROVAL.

ap·proach [əpróutʃ] *vt.* **1** …에 가까이 가다, …에 접근하다: ~ completion 완성에 가깝다 / a man ~*ing* middle age 중년에 가까운 남자. **2** 《+목+전+명》 《고어》 접근시키다: ~ a chair *to* the fire 의자를 불 곁에 다가붙이다. **3** 《~+목 / +목+전+명》 (아무에게) 이야기를 꺼내다, (아무와) 교섭을 시작하다; (아무에게) 환심을 사려고 아첨하다; (여자에게) 지근거리다, 구애하다: He ~*ed* the official with bribes. 그는 뇌물을 써서 공무원에게 빌붙었다 / They ~*ed* the manager *for* the money. 그들은 돈에 관해 매니저와 교섭했다. **4** (문제 등을) 다루다; (일에) 착수하다: ~ a problem. **5** …에 가깝다, …와 비슷하다. **—** *vi.* **1** 다가가다, 접근하다: A storm is ~*ing*. 폭풍이 접근하고 있다. **2** 《+전+명》 거의〔대략〕 같다: This answer ~*es to* denial. 이 회답은 거부나 다름없다.

— *n.* **1** Ⓤ 가까워짐, 접근《*of; to*》; 가까이함: the ~ *of* winter 겨울철이 다가옴. **2** Ⓒ (접근하는) 길, 입구《*to*》; (학문 · 연구 · 기능 따위의) 실마리, 입문, 연구법; (문제 따위의) 다루는 방법, 접근법, 해결 방법: the ~ *to* an airport 공항에의 진입로 / a new ~ *to* English 영어의 새 학습법. **3** (종종 *pl.*) (아무에의) 접근; (여자에게) 지근거림; (교제의) 신청: a man easy of ~ 가까이하기 쉬운 사람. **4** (*pl.*) 〖군사〗 적진 접근 작전; 〖항공〗 활주로로의 진입 · 강하(코스). **5** 〖골프〗 어프로치(샷)《Putting green에 공을 올리기 위한 샷》; 〖스키〗 점핑하기 위하여 지쳐 나가기; 〖볼링〗 투구를 위한 스텝수(數); 투구의 조주로(助走路). **6** 닮은 것, 가까운 것, 근사: a fair ~ *to* truth 꽤 진실에 가까운 것. ***make one's ~es***

(**to**) (…에게) 환심을 사려고 하다.
[파] ~·**er** *n.*
ap·pròach·a·bíl·i·ty *n.* [U] 접근할 수 있는 상태[성질]; 접근하기 쉬움. 「쉬운. [파] ~·**ness** *n.*
ap·próach·a·ble *a.* 가까이하기 쉬운, 사귀기
appróach àid 〖항공〗 (공항의) 진입용 보조 설비.
appróach-appróach cònflict 〖심리〗 접근-접근 갈등《동시에 두 방향으로 끌리는 경우》.
appróach-avóidance cònflict 〖심리〗 접근-회피 갈등《양면 가치의 경우》.
appróach bèacon 〖항공〗 (착륙시의) 진입무선표지《활주로 중심선의 방위를 표시하기 위해 발신하는 날카로운 지향성의 전파》.
ap·próach·ing *a.* (공간·시간적으로) 가까워지고 있는; 접근하고 있는. ── *ad.* 거의(almost), 대략(nearly). 「야간 착륙 유도등》.
appróach lìght 〖항공〗 진입등(燈)《비행장의
appróach pàth 〖항공〗 (착륙) 진입로. 「입로.
appróach ròad (고속 도로 따위로 통하는) 진
appróach shòt **1** 〖테니스〗 어프로치 샷《네트 플레이로 나갈 때 상대방 코트로 치는 스트로크》. **2** 〖골프〗 =APPROACH *n.* 5.
ap·pro·bate [ǽprəbèit] *vt.* 《미·드물게》 인가[면허]하다; 시인하다; 찬동하다.
àp·pro·bá·tion *n.* [U] 허가, 인가, 재가; 시인; 찬동; 추천: meet with a person's ~ 아무의 동의를 얻다. ◇ approbate *v.* ***on*** ~ 〖상업〗 =on APPROVAL. 「가의, 찬성의.
ap·pro·ba·tive [ǽprəbèitiv] *a.* 시인하는, 인
ap·pro·ba·to·ry [əpróubətɔ̀:ri/æprəbéitəri] *a.* 인가[시인]의; 찬성의; 추천의.
ap·pro·pri·a·ble [əpróupriəbəl] *a.* 전유(專有)[사용(私用)]할 수 있는; 유용(流用)[충당]할 수 있는.
⁑**ap·pro·pri·ate** [əpróuprièit] *vt.* **1** 《+[목]+[전]+[명]》 (어떤 목적에) 충당하다: ~ the extra income *to* the payment of the debt 부수입을 빚 갚는 데 충당하다. **2** 《+[목]+[전]+[명]》 (정부가 어떤 금액을) 예산에 계상(計上)하다; (의회가) …의 지출을 승인하다: The legislature ~*d* the funds *for* the university. 주의회는 그 대학을 위해 기금 지출을 승인하였다. **3** 《~+[목]/+[목]+[전]+[명]》 사유[전유]하다; 횡령[착복]하다; 훔치다: Don't ~ others' ideas. 남의 아이디어를 도용하지 마라 / He ~*d* the trust funds *for* himself. 그는 신탁 기금을 횡령하였다. ── [əpróupriət] *a.* **1** (…에) 적합한, 적절[적당]한 《*for; to*》: an ~ example 적절한 예 / a speech ~ *for* [*to*] the occasion 그 자리에 어울리는 연설. [SYN.] ⇨ FIT, PROPER. **2** 특유의, 고유한《*to*》. ◇ appropriation. *n.* [파] ~·**ly** *ad.* 적당히, 상당하게. ~·**ness** *n.*
apprópriate technólogy 적합(適合) 기술《도입국 특유의 조건에 알맞은 기술》.
ap·pro·pri·a·tion [əpròupriéiʃən] *n.* **1** [U] 전유(專有), 사물화; 착복. **2** [U,C] 충당, 할당; 충당금[물]. **3** [C] (의회가 승인한) 지출금, 예산 (금액), …비(費)《*for*》: an ~ bill (의회에 제출하는) 세출 예산안 / the US Senate *Appropriations* Committee 미상원 세출 위원회.
ap·pro·pri·a·tive [əpróuprièitiv, -priət-] *a.* 전유[사유]의; 충당의; 특별 사용의; 도용(盜用)의.
ap·pro·pri·a·tor [əpróuprièitər] *n.* 전용자, 사용자; 유용자, 충당[충용]자; 도용자.
ap·próv·a·ble *a.* 시인[찬성, 인가]할 수 있는.
⁑**ap·prov·al** [əprú:vəl] *n.* [U] **1** 승인, 찬성, 시인: with the full ~ *of* …의 전면적인 찬동을 얻어. **2** 인가, 재가, 허가, 면허: conditional [unconditional] ~ 조건부 [무조건] 허가. ***meet with*** a person's ~ 아무의 찬성을 얻다. ***on*** ~ 〖상업〗 써 보고 좋으면 산다는 조건으로, 시판(試販) 조건으로(on approbation): send merchandise *on* ~ 시판용 상품을 발송하다.
⁑**ap·prove** [əprú:v] *vt.* **1** (좋다고) 시인하다, 찬성하다. **2** 승인하다, 허가[인가]하다: Congress promptly ~*d* the bill. 의회는 즉각 예산안을 승인했다. **3** 《~+[목]/+[목]+[보]/+[목]+[전]+[명]》 입증하다, 증명하다; 〖~ oneself〗 (…임을) 보이다[나타내다]: The result ~*d* his righteousness. 결과는 그가 옳음을 입증했다 / ~ one*self* a good student 훌륭한 학생임을 입증하다 / The idea ~*d* it*self* *to* me. 그 생각이 좋다는 것을 나는 알았다. ── *vi.* 《+[전]+[명]》 찬성[시인, 지지]하다《*of*》: Do you ~? 찬성하십니까 / ~ *of* a proposal 제안에 찬성하다.
ap·próved *a.* 시인[인가]된; 입증된, 정평 있는, 시험필(畢)의; 공인된.
appróved schóol 《영》 (이전의) 내무부 인가 학교《불량 미성년자를 수용 교육함; 지금은 community home 이라 함》.
ap·próv·er *n.* 승인[찬성]자, 시인자.
ap·próv·ing *a.* 찬성의, 만족한: an ~ vote 찬성 투표. [파] ~·**ly** *ad.*
approx. approximate(ly). 「근접한, 인접한.
ap·prox·i·mal [əprɑ́ksəməl/-rɔ́k-] *a.* 〖해부〗
ap·prox·i·mant [əprɑ́ksəmənt/-rɔ́k-] *n.* 〖언어〗 접근음《마찰적 소음이 일지 않는 음; 반모음 및 r, l, j, w》.
***ap·prox·i·mate** [əprɑ́ksəmèit/-rɔ́k-] *vi.* 《+[전]+[명]》 (위치·성질·수량 등이) …에 가까워지다, 접근하다, 가깝다《*to*》: ~ *to* the truth [falsehood] 진실[허위]에 가깝다. ── *vt.* **1** (수량 따위가) …에 가까워지다[가깝다]; …와 비슷하다: The number ~*s* three thousand. 그 수는 3,000에 가깝다 / The gas ~*s* air. 가스는 공기와 비슷하다. **2** 《~+[목]/+[목]+[전]+[명]》 …을 접근시키다, 가깝게 하다《*to*》: ~ two surfaces 두 면을 접근시키다 / ~ something *to* perfection 어떤 것을 완벽에 가깝게 하다. **3** …을 어림[견적]하다《*at*》. **4** 〖의학〗 (절개(切開)한 조직의 끝을) 접합하다. ── [əprɑ́ksəmət/-ɔ́k-] *a.* 근사한, 대체[대략]의: ~ cost 대략의 비용 / ~ value 개산 가격; 〖수학〗 근삿값 / an ~ estimate 어림셈 / ~ numbers 어림수. [파] *~·**ly** [-mətli] *ad.* 대략, 대강, 얼추.
ap·prox·i·ma·tion [əprɑ̀ksəméiʃən/-rɔ̀k-] *n.* **1** [U] 접근, 근사(近似); [C] 비슷한 것[일]: a mere ~ 다만 비슷하기만 한 것 / an ~ *to* the truth 진상에 가까운 일. **2** 개산(概算)(액); 〖수학〗 어림셈.
ap·prox·i·ma·tive [əprɑ́ksəmèitiv, -mət-/-rɔ́k-] *a.* 대략의, 어림셈의. [파] ~·**ly** *ad.*
apps. appendixes.
ápp stòre 앱스토어《스마트폰에 탑재할 수 있는 온라인상의 모바일 콘텐츠 장터》.
appt. appoint(ed); appointment. **apptd.** appointed. 「따위의) 충돌, 접촉.
ap·pulse [əpʌ́ls] *n.* 〖천문〗 근접, 합(合); (배
ap·pur·te·nance [əpə́:rtənəns] *n.* (보통 *pl.*) 부속물, 종속물; 〖법률〗 종물(從物); (*pl.*) 장비, 장치.
ap·pur·te·nant [əpə́:rtənənt] *a.* 부속의, 종속된《*to*》. ── *n.* 부속물[품](appurtenance).
Apr. April. **APR** annual percentage rate(대부(貸付) 등의) 연율(年率). 「장애.
aprax·ia [əprǽksiə, ei-] *n.* 〖의학〗 운동 신경
après [*F.* aprɛ] *prep.* 《*F.*》 …의 뒤에[의] (after). ── *ad.* 뒤에, 나중에. 「(afternoon).
après-mi·di [*F.* aprɛmidi] *n.* 《*F.*》 오후
après-ski [à:preiskí, æp-] *a., ad.* 《*F.*》 스

키를 타고 난 다음의〔에〕; 애프터스키의〔에 걸맞게〕. — *n.* (스키 산장 따위에서 하는) 스키 후의 사교 모임.

apri·cot [ǽprəkɑ̀t, éip-/éiprikɔ̀t] *n.* 살구(나무); 살구빛. — *a.* 살구빛의, 황적색의.

†**April** [éiprəl] *n.* 4 월《생략: Ap.; Apr.》.

Ápril fóol 에이프릴 풀《만우절에 감쪽같이 속아 넘어가는 사람》; 그 장난.

Ápril Fóols' Dày 만우절(All Fools' Day) 《4 월 1 일》.

Ápril shòwer (초봄의) 소낙비. 「다 웃었다 함.

Ápril wèather 비가 오다 개다 하는 날씨; 울었

a pri·o·ri [èi-praiɔ́:rai, ɑ̀:-priɔ́:ri] 《L.》 연역적(演繹的)으로; 선천적으로, 선험적으로; 연역적〔선천적, 선험적〕인. OPP. *a posteriori.* ¶ an ~ reasoning 연역적 추리.

apri·o·rism [èipraiɔ́:rizəm, ɑ̀:pri-/eipràiə-rìzəm] *n.* U,C 선천설; 연역적〔선험적〕 추론.

apri·or·i·ty [èipraiɔ́:rəti, -ɑ́r-/-ɔ́r-] *n.* U 선험성(先驗性), 선천성, 연역성.

⁑**apron** [éiprən] *n.* **1** 에이프런, 앞치마, 행주치마; 마차에서 쓰는 가죽 무릎덮개; (영국국교 주교의) 무릎덮개 천. **2** 〖기계〗 에이프런《선반(lathe)의 앞으로 처진 부분》; 〖항공〗 격납고 앞의 포장된 광장; 부두의 화물 하역용의 작업 광장; 〖연극〗 (불쑥 나온) 앞무대(~ stage); 〖토목〗 호안(護岸); 〖골프〗 에이프런《그린(green)을 둘러싼 지역》; 《미속어》 술집의 바텐더. — *vt.* …에 에이프런을 두르다. ㊕ **~ed** *a.* 에이프런을 두른. **~·lìke** *a.*

ápron pìece 〖건축〗 계단보 받침《계단의 가운데 도리와 옆도리를 받치는 수평 보받침》.

ápron stàge 앞 무대《오케스트라 앞의 내민 부분》; (엘리자베스 시대의) 튀어나온 무대《3 방향에서 볼 수 있음》.

ápron strìng 앞치마 끈. ***be tied to*** one's ***mother's*** 〔***wife's***〕 **~s** 어머니〔아내〕가 하라는 대로 하다.

ap·ro·pos [æ̀prəpóu] *ad.* 《F.》 적당〔적절〕히, 때마침; …한 김에. **~ *of*** …에 대하여, …에 관하여; 말이 났으니 말이지, 이야기 끝에 생각이 났는데: ~ *of* nothing 난데없이, 까닭도 없이. — *a.* 적당한, 적절한: The remark was very ~. 그 말은 아주 적절하였다.

à pro·pos de rien [*F.* apʀɔpodəʀjɛ̃] 까닭없이, 느닷없이; 아무것도 아닌.

apros·ex·ia [èiprɑséksiə/-prɔs-] *n.* 〖정신의학〗 주의 산만〔감퇴〕증; 주의 집중 불능(증).

aprowl [əprául] *a.* 〔보통 서술적〕 살금살금 걷는; (사냥감 따위를 찾아) 헤매는; (훔치려고) 배회하는.

APS American Press 〔Philatelic, Philosophical, Physical〕 Society; 〖우주〗 auxiliary propulsion system(보조 추진 시스템).

apse [æps] *n.* 〖건축〗 교회당 동쪽 끝에 쑥 내민 반원〔다각〕형 부분; 〖천문〗 =APSIS.

ápse lìne 〖천문〗 (천체 궤도의) 장축선(長軸線).

ap·si·dal [ǽpsədl] *a.* apse 〔apsis〕의.

ap·sis [ǽpsis] (*pl.* ***ap·si·des*** [-sədì:z, æp-sáidi:z]) *n.* 〖천문〗 원〔근〕일점; 〖건축〗 =APSE.

Áp stár [éipí:-] 〖천문〗 AP성(星)《특수한 스펙트럼을 갖는 A형의 별》.

⁑**apt** [æpt] *a.* **1** …하기 쉬운, …하는 경향이 있는 《*to* do》: He is ~ *to* forget. 그는 잘 잊어버린다 / buttons ~ *to* come off 떨어지기 쉬운 단추.

> SYN. **apt** 미래뿐만 아니라 현재 및 과거의 습관적 경향을 나타냄. **liable** 가능성보다 우연성을 나타냄. 경고·주의·불안을 나타낼 때 쓰이는 일이 많음: Children who play in the street are *liable* to be injured or killed by automobiles. 길에서 노는 어린이는 자동차 때문에 다치거나 죽기 쉽다. 가능성이 강하면 likely를 쓸 수 있음. **likely** 가능성을 강조함: It is *likely* to rain. 비가 올 것 같다.

2 차라리 …하고 싶은 기분인: I am ~ *to* think that... …라고 생각하고 싶은 기분이 든다. **3** 《미구어》 …할 것 같은: It's ~ *to* snow. 눈이 올 것 같다. **4** 적절한, 적당한《*for*》: a quotation ~ *for* the occasion 그 경우에 적절한 인용구. **5** 적성〔재능〕이 있는《*at*》; 영리한, 이해가 빠른: He is ~ *at* English. 그는 영어에 재능이 있다 / He is very ~ *to* learn. 그는 빨리 깨닫는다. ㊕ **∠·ly** *ad.* 적절히, 교묘히. **∠·ness** *n.* 적합성, 적절함; 성향, 경향; 소질, 재능.

APT advanced passenger train(초특급 열차); 〖컴퓨터〗 automatically programmed tool(수치 제어 문제용 언어); automatic picture transmissions((기상·인공위성에서) 자동 사진 송신).

apt. (*pl.* ***apts.***) apartment; aptitude.

ap·tera [ǽptərə] *n. pl.* (A-) 〖곤충〗 무시류(無翅類). ㊕ **áp·ter·al** [-tərəl] *a.* 날개 없는, 무시의; 〖건축〗 측면 기둥이 없는. **áp·ter·ous** [-tərəs] *a.* 날개 없는, 무익(無翼)의. 「무익조(無翼鳥).

ap·ter·yx [ǽptəriks] *n.* 〖조류〗 키위(kiwi),

°**ap·ti·tude** [ǽptətjù:d/-tjù:d] *n.* U,C **1** 경향, 습성《*to*》; (…하는) 버릇, 기질, 성질《*for* do*ing*; *to* do》: an ~ *to* vice 악에 물들기 쉬운 경향. **2** 소질, 재능, 수완; (학습 등에서의) 총명함, 영리함《*for*; *in*》: He has an ~ *for* mathematics. 그는 수학에 재능이 있다 / a student of great ~ 아주 영리한 학생. **3** 적성, 적합(성), 어울림(fitness)《*for*》: scholastic 〔vocational〕 ~ 진학〔직업〕 적성. SYN. ⇨ TALENT. ㊕ **àp·ti·tú·di·nal** [-dənəl] *a.* 적성의.

áptitude tèst 〖교육〗 적성 검사.

apts. apartments. **APU** Asian Parliamentary Union(아시아 의회연맹); 〖항공〗 auxiliary power unit(보조 동력원).

apur·pose [əpə́:rpəs] *ad.* 《구어》 일부러, 고의로(on purpose).

ap·y·rase [ǽpərèis, -z] *n.* 〖생화학〗 아피라아제《ATP를 가수분해하여 인산(燐酸)을 유리시키는 효소》. 「열(성)의.

apy·ret·ic [èipairétik] *a.* 〖의학〗 열이 없는, 무

A.Q. achievement quotient(성취 지수). cf. I.Q. **aq.** aqua 《L.》(=water).

aq. dest. 《L.》 〖의학〗 증류수(distilled water).

AQL acceptable quality level(합격 품질 수준).

aq·ua [ǽkwə, ɑ́:k-/ǽk-] *n.* 《L.》 물, 액체, 용액; U 옥색. — *a.* 옥색의.

aq·ua- [ǽkwə, ɑ́:k-/ǽk-] =AQUI-.

áqua am·mó·ni·ae [-əmóunii:] 《L.》 암모니아수. 「수상〔수중〕 쇼.

aq·ua·cade [ǽkwəkèid, ɑ́:k-/ǽk-] *n.* 《미》

aq·ua·cul·ture [ǽkwəkʌ̀ltʃər, ɑ́:k-/ǽk-] *n.* U **1** =AQUICULTURE. **2** 양어, 양식(養殖).

áqua·fàrm *n.* 양식〔양어〕장. 「써서 만든) 에칭.

áqua fórtis 1 〖화학〗 =NITRIC ACID. **2** (초산을

àqua·kinétics *n. pl.* 〔단수취급〕 부유(浮游) 훈련법(술)《유아를 물에 넣어 조기에 수영을 익히게 함》.

aq·ua·lung [ǽkwəlʌ̀ŋ, ɑ́:k-/ǽk-] *n.* 애퀄렁, (잠수용의) 수중 호흡기; (Aqua-Lung) 애퀄렁 《상표명》. ㊕ **~·er** *n.* 애퀄렁 사용 잠수자.

aq·ua·ma·ni·le [æ̀kwəmənáili, ɑ̀:kwə-məní:lei/æ̀k-] (*pl.* ***-ni·les*** [-náili:z, -ní:leis], ***-nil·ia*** [-ní:liə]) *n.* (동물의 모양을 한 중세의) 주둥이가 넓은 물병; 〖기독교〗 수반《미사 때 사제가 손을 씻는》.

aq·ua·ma·rine [æ̀kwəmərí:n, ɑ̀:k-/æ̀k-] *n.* 〖광물〗 남옥(藍玉)《녹주석(綠柱石)의 일종》; Ⓤ 청록색.

aq·ua·naut [ǽkwənɔ̀:t, -nɑ̀t, ɑ́:k-/ǽkwə-nɔ̀:t] *n.* **1** 애퀄렁 잠수자; 잠수 기술자. **2** =SKIN DIVER.

aq·ua·nau·tics [æ̀kwənɔ́:tiks, ɑ̀:k-/æ̀k-] *n. pl.* 〔단수취급〕 (스쿠버 다이빙에 의한) 수중 탐사.

aq·ua·pho·bia [æ̀kwəfóubiə] *n.* 물공포(증). Ⓒⓕ hydrophobia.

àqua·pláne *n.* (모터보트로 끄는) 수상 스키. **—** *vi.* 수상 스키를 타고 놀다; (자동차 따위가) 노면의 수막(水膜)으로 미끄러지다.

Áq·ua·pulse gùn [ǽkwəpʌ̀ls-, ɑ́:k-/ǽk-] (해저 탐사용) 압축 공기총《상표명》.

áqua pú·ra [-pjúərə] 《L.》 증류수.

áqua ré·gia [-rí:dʒiə] 《L.》 왕수(王水)《진한 질산과 진한 염산의 혼합액》.

aq·ua·relle [æ̀kwərél, ɑ̀:k-/æ̀k-] *n.* Ⓒ 수채화, Ⓤ 수채화법. ㊞ **-rél·list** *n.* 수채화가.

Aquar·i·an [əkwέəriən] *a.* 물병자리(Aquarius)(태생)의. **—** *n.* 물병자리 태생의 사람《1월 20일-2월 18일 사이의 출생자》. 「어류 사육가.

aquar·ist [əkwέərist/ǽkwər-] *n.* 수족관원,

°**aquar·i·um** [əkwέəriəm] (*pl.* **~s, -ia** [-iə]) *n.* 수족관; 양어지(池); (물고기·수초용) 유리 수조, 유리 탱크, (큰) 어항(魚缸).

Aquar·i·us [əkwέəriəs] *n.* 〖천문〗 물병자리 (the Water Bearer); 보병궁(寶甁宮).

aq·ua·ro·bics [æ̀kwəróubiks] *n.* 애쿼로빅스 《수영과 에어로빅스 댄스를 엮어 맞춘 건강법》.

aq·ua·scu·tum [ǽkwəskjù:təm] *n.* 애쿼스큐텀《영국의 코트 메이커, 그 제품; 상표명》.

áqua·spàceman [-mæ̀n, -mən] (*pl.* **-men** [-mèn, -mən]) *n.* 수중 생활자〔작업원〕.

aquat·ic [əkwǽtik, -wɑ́t-/-wǽt-, -wɔ́t-] *a.* 수생(水生)의; 물의, 물속의, 물 위의: an ~ bird 〔plant〕 물새〔수생 식물〕/ ~ products 수산물 / ~ sports 수상 경기. **—** *n.* 수생 동물; 수초(水草); (*pl.*) 수상 경기, 수중 연기. ㊞ **-i·cal·ly** *ad.*

aq·ua·tint [ǽkwətìnt, ɑ́:k-/ǽk-] *n.* Ⓤ 동판 부식법의 일종; Ⓒ 그 판화.

áqua·tòne *n.* 〖인쇄〗 애쿼톤《망(網)사진을 응용한 사진평판법의 한 가지, 또는 그 인쇄물》.

aq·ua·vit [ɑ́:kwəvì:t, ǽk-/ǽkwəvit] *n.* 애쿼비트《캐러웨이(caraway) 열매로 맛을 낸 스칸디나비아산의 투명한 브랜디》.

áqua ví·tae [-váiti:] 《L.》 Ⓤ 화주(火酒)《위스키 따위의 알코올 도수가 높은 술》.

aq·ue·duct [ǽkwədʌ̀kt] *n.* 도수관(導水管), 수도; 수도교(水道橋); 〖생리〗 도관(導管), 맥관.

aque·ous [éikwiəs, ǽk-] *a.* 물의, 물 같은; 〖지학〗 (암석이) 수성(水成)의; 〖해부〗 수양액(水樣液)의.

áqueous ammónia =AMMONIA WATER.

áqueous húmor 〖해부〗 (안구(眼球)의) 수양액(水樣液).

áqueous róck 수성암(水成岩).

aq·ui- [ǽkwə, ɑ́:k-/ǽk-] '물'의 뜻의 결합사.

aq·ui·cul·ture [ǽkwəkʌ̀ltʃər, ɑ́:k-/ǽk-] *n.* 수산(水産) 양식; =HYDROPONICS. ㊞ **àq·ui·cúl·tur·al** *a.* **àq·ui·cúl·tur·ist** *n.*

aq·ui·fer [ǽkwəfər, ɑ́:k-/ǽk-] *n.* 〖지학〗 대수층(帶水層)《지하수를 함유한 다공질 삼투성 지층》.

áquifer sprìng (대수층에서 분출하는) 대수층 온천〔샘〕.

Aq·ui·la [əkwílə, ǽkwələ] *n.* 〖천문〗 독수리자리.

aq·ui·line [ǽkwəlàin] *a.* 수리의〔같은〕; (수리부리처럼) 굽은, 갈고리 모양의: an ~ nose 매부리코.

Aqui·nas [əkwáinəs/-næs] *n.* Saint Thomas ~ 아퀴나스《이탈리아의 철학자·가톨릭 신학자; 1225-74》.

aquiv·er [əkwívər] *a.* 〔서술적〕 (벌벌) 떨면서《with》.

aquose [əkwóus, éikwous] *a.* 물이 풍부한; 물의, 물 같은.

aquos·i·ty [əkwɑ́səti/əkwɔ́s-] *n.* Ⓤ 물기 있음, 젖어 있음.

ar- [ǽr, ər] *pref.* =AD- 《r 앞에서의 변형》.

-ar [ər] *suf.* **1** '…의, …성질의'이란 뜻: regul*ar*. ★ 원래 어미 -al 과 같은 것이지만, 어간에 l이 있으면 -al ⇨ -ar로 변함. **2** '…에 관계하는 사람〔것〕'의 뜻: schol*ar*. **3** '…하는 사람'의 뜻: li*ar*.

AR 〖미우편〗 Arkansas. **Ar** 〖화학〗 argon. **Ar.** Arabic; Aramaic; argentum 《L.》 (=silver).

ar. arrival; arrive(s). **A.R.** all risks; annual return (연차보고); Army Regulation; Autonomous Region (자치주); armed robbery (무장 강도). **a.r.** *anno regni* 《L.》 (=in the year of the reign).

Ara [éirə] *n.* 〖천문〗 제단(祭壇)자리(the Altar).

A.R.A. Associate of the Royal Academy.

*__Ar·ab__ [ǽrəb] *n.* (the ~s) 아랍 민족; 아라비아〔아랍〕 사람; 아라비아종의 말; (보통 a-) 부랑아 (street ~); 《미속어》 행상(行商). **—** *a.* 아라비아〔아랍〕(사람)의. ***fold* one's *tent like* ~s** 몰래 가버리다.

Arab. Arabia; Arabian; Arabic.

Ar·a·bel, Ar·a·bel·la [ǽrəbèl], [æ̀rəbélə] *n.* 애러벨《여자 이름; 애칭은 Bel, Bella》.

ar·a·besque [æ̀rəbésk] *a.* 아라비아풍〔식〕의; 당초(唐草) 무늬의; 기이한. **—** *n.* 당초 무늬; 〖발레〗 아라베스크《한쪽 발을 뒤로 곧게 뻗고, 한쪽 팔을 앞으로, 다른 팔은 뒤로 뻗치는 자세》; 〖음악〗 아라베스크《아라비아풍의 화려한 악곡; 특히 피아노곡》.

Ara·bia [əréibiə] *n.* 아라비아.

°**Ara·bi·an** [əréibiən] *a.* 아라비아(사람)의: an ~ horse 아라비아말. **—** *n.* 아라비아 사람; 아라비아종의 말.

Arábian cámel 아라비아 낙타《혹이 하나》.

Arábian Désert (the ~) 아라비아 사막.

Arábian lìght 〖경제〗 아라비안 라이트(marker crude)《중동 원유의 수출 가격을 정할 때에 쓰이는, 대표적인 사우디아라비아산(產) 표준 원유》.

Arábian Níghts' Entertáinments (The ~) 아라비안나이트, 천일 야화(=*The Arabian Nights* or *The Thousand and One Nights*).

Arábian Séa (the ~) 아라비아 해(海).

°**Ar·a·bic** [ǽrəbik] *a.* 아라비아의; 아라비아 사람의; 아라비아어〔글자, 문화, 숫자〕의; 아라비아풍(風)의: ~ architecture 아라비아식 건축. **—** *n.* Ⓤ 아라비아어.

arab·i·cize [ərǽbəsàiz] *vt.* (종종 A-) (언어를) 아라비아어화하다. ㊞ **aràb·i·ci·zá·tion** *n.*

Árabic númerals 〔**fígures**〕 아라비아 숫자 《1, 2, 3 따위》. Ⓒⓕ Roman numerals.

arab·i·nose [ərǽbənòus, ǽrəb-] *n.* 〖화학〗 아라비노스《세균 등의 배양기(基)로서 사용되는 오탄당》.

Ar·ab·ism [ǽrəbìzəm] *n.* Ⓤ,Ⓒ 아라비아풍, 아라비아어의 특징; 아라비아 (문화, 관습) 연구 〔애호〕; 아랍 민족주의.

Ár·ab·ist *n.* **1** 아라비아(어) 학자, 아라비아통. **2** 친아랍파; 아랍 지지자.

ar·ab·ize [ǽrəbàiz] *vt.* (종종 A-) 아랍화하다.

ar·a·ble [ǽrəbəl] *a.* 경작에 알맞은, 개간할 수 있는. **—** *n.* Ⓤ 경지(耕地)(=~ **lànd**). ㊞ **àr·a·bíl·i·ty** *n.*

Árab Léague (the ~) 아랍연맹《아랍 각국의

정부 간 연대 기구; 1945년 결성).
Árab Repúblic of Égypt (the ~) 이집트 아랍 공화국(Egypt의 공식명; 수도 Cairo).
Ar·a·by [ǽrəbi] *n.*, *a.* 《고어·시어》 =ARABIA(N). 「(Araceae)의.
ara·ceous [æréiʃəs] *a.* 『식물』 토란과(科)
ar·a·chi·dón·ic ácid [æ̀rəkidánik-/-dɔ́n-] 『생화학』 아리키돈산(酸)(동물의 내장 지방질 중에 있는 고도 불포화 필수 지방산). 「oil).
ár·a·chis òil [ǽrəkis-] 땅콩 기름(peanut
Arach·ne [ərǽkni] *n.* 『그리스신화』 아라크네 (Athena와의 베짜기 시합에 져 거미가 됨).
arach·nid [ərǽknid] *n.* 『동물』 거미류의 절지동물(거미·전갈 따위). ㊊ **-ni·dan** [-ən] *a.*
arach·ni·tis [æ̀ræknáitis] *n.* Ⓤ 『의학』 거미줄막염(膜炎).
arach·noid [ərǽknɔid] *a.* 거미줄(집) 모양의; 거미줄막(膜)의. **—** *n.* 『해부』 거미줄막.
arach·no·pho·bia [ərǽknəfóubiə] *n.* 거미공포증.
A.R.A.D. Associate of the Royal Academy of Dancing.
Ar·a·fat [ǽrəfæ̀t] *n.* **Yasser** ~ 아라파트(팔레스타인 해방 기구(PLO)의 의장(1969-2004); 1929-2004).
Ar·a·gon *n.* **1** [*F.* aʀagɔ̃] **Louis** ~ 아라공(프랑스의 작가·시인; 1897-1982). **2** [ǽrəgɑn, -gən] 아라곤(스페인 동북부의 지방; 옛 왕국).
Ar·a·go·nese [æ̀rəgəníːz, -s] *a.* 아라곤(사람, 어)의. **—** *n.* 아라곤 사람; (스페인어의) 아
ar·ak [ǽrək] *n.* =ARRACK. ⌊라곤 방언.
Ar·al·dite [ǽrəldàit] *n.* 애럴다이트(에폭시 수지의 일종으로 강력 접착제·절연체용; 상표명).
Ár·al Séa [ǽrəl-] (the ~) 아랄 해(러시아 남서부의 내륙 염호(塩湖)).
Aram [éiræm, ɛ́ərəm/ɛ́əræm] *n.* 고대 시리아의 헤브라이명. 「of Music.
A.R.A.M. Associate of the Royal Academy
Ar·a·mae·an [æ̀rəmíːən] *a.* 아람(사람, 어)의. **—** *n.* **1** 아람 사람. **2** Ⓤ 아람어.
Ar·a·ma·ic [æ̀rəméiik] *n.* Ⓤ 아람어(옛 시리아·팔레스타인 등의 셈계(系) 언어). **—** *a.* 아람(어)의.
ar·a·mid [ǽrəmid] *n.* 아라미드(내열성이 아주 높은 합성 방향족 폴리아미드; 섬유 제품에 사용됨).
Ar·an [ǽrən] *a.* **1** 애런 섬(제도)의. **2** 애런 짜기의(애런 섬 특유의 염색하지 않은 굵은 양모로 짠 것을 이름): an ~ sweater 애런 스웨터.
Ar·a·ne·i·da [æ̀rəníːədə] *n. pl.* 거미류.
ar·a·ne·i·dan [æ̀rəníːədən] *a.* (종종 A-) 거미류의. **—** *n.* 거미류의 동물.
Áran Íslands (the ~) 애런 제도(아일랜드 서안 앞바다의 세 개의 섬).
Arap·a·ho(e) [ərǽpəhòu] (*pl.* **~, ~s**) *n.* 아라파호족(북아메리카 인디언의 한 부족); Ⓤ 아라파호어(語).
Ar·a·rat [ǽrəræ̀t] *n.* **Mount** ~ 아라라트 산(터키 동부, 이란과 러시아의 국경 부근에 있는 화산; 노아의 방주가 닿은 곳이라 함; 창세기 VIII: 4).
ara·ti·o·nal [eirǽʃənl] *a.* 합리성과 관계없는; 합리성을 떠난.
ar·au·car·ia [æ̀rɔːkɛ́əriə] *n.* 남양 삼목(杉木).
Ar·a·wak [ǽrəwɑ̀ːk, -wæ̀k] (*pl.* **~, ~s**) *n.* 아라와크족(남아메리카 인디오); Ⓤ 아라와크어(語).
Ar·a·wak·an [ˌ--ˈ-ən] *a.* 아라와크어족의. **—** (*pl.* **~, ~s**) *n.* 아라와크족(남아메리카 동북부의 인디오 제족으로 이루어짐); 아라와크어족.
arb [ɑːrb] *n.* 《구어》 (특히 미국 증권 거래소의) 재정(裁定) 거래자(arbitrager).
ar·ba·lest, -list [ɑ́ːrbəlist] *n.* (중세의 쇠로 만든) 큰 활. ㊊ **-lest·er** *n.* 그 사수.
ar·bi·ter [ɑ́ːrbətər] (*fem.* **-tress** [-tris]) *n.* 중재인, 조정자; 『야구』 심판(자); 《비유》 일반의 동정을 좌우하는 것(사람), 결정적인 요소.
ar·bi·ter ele·gan·ti·a·rum [ɑ́ːrbətər-èləgæ̀nʃiɛ́ərəm] 《L.》 취미의 권위자.
ar·bi·tra·ble [ɑ́ːrbətrəbəl] *a.* 중재할 수 있는.
ar·bi·trage [ɑ́ːrbətrɑ̀ːʒ] *n.* Ⓤ **1** 《고어》 중재. **2** [ɑ́ːrbitrɑ̀ːʒ/ˌ--ˈ-] 『상업』 재정(裁定)(중개) 거래.
ar·bi·trag·er, -tra·geur [ɑ́ːrbətrɑ̀ːʒər], [ˌ-trɑːʒə́ːr] *n.* 『상업』 차익(差益)(중개) 거래자.
ar·bi·tral [ɑ́ːrbətrəl] *a.* 중재의: an ~ tribunal 중재 재판소. 「재결(권), 판결(권).
ar·bit·ra·ment [ɑːrbítrəmənt] *n.* Ⓤ,Ⓒ 중재;
°**ar·bi·trary** [ɑ́ːrbətrèri/-trəri] *a.* **1** 임의의, 멋대로의, 자의적(恣意的)인; 방자한: an ~ constant 『수학』 임의 상수/in ~ order 순서 부동(不同)으로. **2** 전횡적인, 독단적인: ~ rule 전제정치/an ~ decision 전단(專斷). **—** *n.* 《영》 『인쇄』 특수 활자. ㊊ **-trar·i·ly** *ad.* 자유재량으로, 독단적으로; 임의로, 제멋대로. **-trar·i·ness** *n.*
ar·bi·trate [ɑ́ːrbətrèit] *vt.*, *vi.* 중재(조정)하다; 재정(裁定)하다; 중재 재판에 부치다: ~ between two parties in a dispute 분쟁의 양 당사자 사이를 중재하다. ㊊ **-trà·tive** *a.*
àr·bi·trá·tion *n.* Ⓤ,Ⓒ 중재; 조정; 재정(裁定), 중재 재판: an ~ treaty 중재 조약/a court of ~ 중재 재판소/refer (submit) a dispute *to* ~ 쟁의를 중재에 부치다/go to ~ (기업·근로자가) 중재를 의뢰하다; (쟁의가) 중재에 부쳐지다. ㊊ **~·al** *a.*
arbitrátion of exchánge 환재정(換裁定)(3 개국 이상의 통화·외국환 상호간의 교환 가치의 결정). 「(裁決)자, 심판자.
ar·bi·tra·tor [ɑ́ːrbətrèitər] *n.* 중재인, 재결
ar·bi·tress [ɑ́ːrbətris] *n.* 여자 중재인.
ar·bor[1] [ɑ́ːrbər] (*pl.* **-bo·res** [-bəriːz]) *n.* 수
ar·bor[2] *n.* 『기계』 아버, 축(軸). ⌊목(樹木).
ar·bor[3], 《영》 **-bour** *n.* (나뭇가지·덩굴 등을 얹은) 정자; 나무 그늘(의 휴게소, 산책길).
arbor. arboriculture.
ar·bo·ra·ceous [ɑ̀ːrbəréiʃəs] *a.* 나무(수목) 모양의; 수목이 우거진(wooded).
Árbor Dày 《미》 식목일(4월 하순부터 5월 상순에 걸쳐 미국 각 주에서 행함).
ar·bo·re·al [ɑːrbɔ́ːriəl] *a.* 수목의, 나무 모양의; 나무에 사는.
ar·bored [ɑ́ːrbərd] *a.* 정자가 있는; (주위에) 수목이 있는. 「수목(모양)의.
ar·bo·re·ous [ɑːrbɔ́ːriəs] *a.* 수목이 무성한;
ar·bo·res·cence [ɑ̀ːrbərésəns] *n.* Ⓤ 수목질; 수목상(樹木狀).
ar·bo·res·cent [ɑ̀ːrbərésənt] *a.* 수목 같은, 수목성의, 수지상(樹枝狀)의.
ar·bo·re·tum [ɑ̀ːrbəríːtəm] (*pl.* **~s, -ta** [-tə]) *n.* 수목(식물)원.
ar·bor·i·cul·tur·al [ɑ̀ːrbərikʌ́ltʃərəl] *a.* 수목 재배의; 육수(育樹)의.
ar·bor·i·cul·ture [ɑ́ːrbərikʌ̀ltʃər] *n.* Ⓤ 수목 재배(법). ㊊ **àr·bor·i·cúl·tur·ist** *n.* 수목 재배가.
ar·bor·i·form [ɑ́ːrbərəfɔ̀ːrm] *a.* 수지상(樹枝
ar·bo·rist [ɑ́ːrbərist] *n.* 수목 재배가. ⌊狀)의.
àr·bor·i·zá·tion *n.* Ⓤ 『광물·화학·해부』 수지상(樹枝狀) (배열).
ar·bo·rize [ɑ́ːrbəràiz] *vi.* 수지상(樹枝狀) 분기(分岐)를 나타내다. 「된).
ar·bor·ous [ɑ́ːrbərəs] *a.* 수목의(으로 구성
árbor ví·tae [-váiti] 수목(樹木) 모양의 구조;

〚해부〛 소뇌 활수(小腦活樹).

ar·bor·vi·tae [àːrbərváiti] *n.* **1** 〚식물〛 측백나무의 일종. **2** 〚해부〛 =ARBOR VITAE.

*__arbour__ ⇨ ARBOR³.

ar·bo·vi·rus [àːrbəváiərəs] *n.* 절지동물 매개 바이러스《뇌염 등을 일으킴》.

ar·buckle [áːrbʌ̀kəl] *n.* 《미서부》 커피; 《미속어》 풋내기, 바보.

ar·bu·tus [ɑːrbjúːtəs] *n.* 〚식물〛 철쭉과의 일종《북아메리카산》.

*__arc__ [ɑːrk] *n.* 호(弧), 호형(弧形); 궁형(弓形); 〚전기〛 아크, 전호(電弧): a diurnal 〔nocturnal〕 ~ 〚천문〛 일주(日週)〔야주(夜週)〕호《지구 자전에 의해 천체가 천구상에 그리는 호》. ― *a.* 호의, 아크의. ― *vi.* 〚전기〛 전호를〔호광(弧光)을〕 이루다.

ARC, A.R.C. American Red Cross.

ar·ca [áːrkə] (*pl.* ***ar·cae*** [áːrsiː]) *n.* (중세 스페인·이탈리아의) 귀중품 상자.

ar·cade [ɑːrkéid] *n.* **1** 아케이드, 유개(有蓋) 가로〔상점가〕; 게임센터(《미》 game 〔《영》 amusement〕 ~). **2** 〚건축〛 아치, 줄지은 홍예랑(虹霓廊). ― *vt.* …에 아케이드를 설치하다; …을 유개 도로로〔회랑으로〕 하다. ㊕ **ar·cád·ed** [-id] *a.* 아케이드를 이룬; 홍예랑이 있는.

arcade 2

arcáde gàme 오락실 같은 데서 하는 게임《비디오 게임 따위》.

Ar·ca·des am·bo [áːrkədès-áːmbou] 《L.》 직업이〔취미가〕 똑같은 두 사람.

Ar·ca·dia [ɑːrkéidiə] *n.* 아르카디아《옛 그리스 산속의 이상향(理想鄕)》; 천진·소박한 생활이 영위되는 이상향.

Ar·ca·di·an [ɑːrkéidiən] *a.* 아르카디아의; 전원풍의; 목가적인; 순박한. ― *n.* 아르카디아 사람; (종종 a-) 전원 취미의〔순박한〕 사람. ㊕ **~·ism** *n.* Ⓤ 전원 취미, 목가적 정취.

ar·ca·di·an *n.* 게임 센터(game arcade)의 단골 손님.

ar·cad·ing [ɑːrkéidiŋ] *n.* 〚건축〛 (일련의) 아치 〔아케이드〕 장식.

Ar·ca·dy [áːrkədi] *n.* 《시어》 =ARCADIA.

ar·cane [ɑːrkéin] *a.* 비밀의; 불가해한.

ar·ca·num [ɑːrkéinəm] (*pl.* ***-na*** [-nə]) *n.* (보통 *pl.*) 비밀, 신비(mystery); (만능의) 비약(秘藥).

árc-bàck *n.* 〚전자〛 역호(逆弧).

Arc de Tri·omphe [*F.* aʀkdətʀiɔ́ːf] (파리의) 개선문.

árc fùrnace 〚야금〛 아크로(爐).

__arch__¹ [ɑːrtʃ] *n.* **1 〚건축〛 아치, 홍예; 아치 길; 아치 문: a memorial 〔triumphal〕 ~ 기념〔개선〕 문 / a rose 〔garden〕 ~ 장미〔뜰에 설치한〕 아치. **2** 호(弧), 궁형(弓形); 궁형으로 된 것; 궁형지문(指紋)(cf loop¹, whorl): the dental ~ 〚생물〛 치열궁(齒列弓) / the great ~ *of* the sky 드넓은 하늘. **3** (발바닥의) 장심(掌心) (the ~ of the foot). ― *vt.* 활 모양으로 하다; 활 모양으로 굽히다: The cat *~ed* its back. 고양이가 등을 활처럼 구부렸다. ― *vi.* 《~/+전+명》 활 모양으로 되다; (…에) 아치를 이루다《*over*》: Leafy branches *~ed over* the road. 잎이 무성한 나뭇가지들이 도로 위에 아치를 이루었다.

arch² *a.* 주된, 주요한; 교활한; 교활해 뵈는; 짓궂은; 《미속어》 어울리지 않는: one's ~ rival 첫째 라이벌. ㊕ **∠·ness** *n.* 교활함, 장난기.

arch- [ɑːrtʃ] *pref.* '첫째의, 수위(首位)의, 대(大)…' 란 뜻: *arch*bishop.

-arch [ɑːrk] *suf.* '지배자, 왕, 군주' 라는 뜻: patri*arch*, mon*arch*.

Arch. archbishop. **arch.** archaic; archaism; archery; archipelago; architect(ure); archives.

Ar·chae·an, Ar·chai·an [ɑːrkíːən], [-kéi-] *n.*, *a.* =ARCHEAN.

ar·chae·bac·te·ria [àːrkibæktíəriə] *n. pl.* 〚생물〛 시원(始原) 세균《동식물에서도 미생물에서도 구별되는 일군의 미생물》.

ar·ch(a)e·o- [áːrkiou, -kiə, ɑːrkíːou, -kíːə] '고대의, 원시적인' 이란 뜻의 결합사.

àrch(a)eo·astrónomy *n.* 고(古)천문학, 천문 고고학.

àrch(a)eo·bótany *n.* 식물 고고학. ㊕ **-bótanist** *n.*

archaeol. archaeological; archaeology.

ar·ch(a)e·o·lith·ic [àːrkiəlíθik] *a.* 구석기 시대의. OPP *neolithic.*

ar·ch(a)e·o·log·i·cal [àːrkiəládʒikəl/-lɔ́dʒ-] *a.* 고고학의. ㊕ **~·ly** *ad.*

ar·ch(a)e·ol·o·gist [àːrkiálədʒist/-ɔ́l-] *n.* 고고학자.

ar·ch(a)e·ol·o·gize [àːrkiálədʒàiz/-ɔ́l-] *vi.* 고고학을 공부하다; 고고학자처럼 행동하다.

ar·ch(a)e·ol·o·gy [àːrkiálədʒi/-ɔ́l-] *n.* Ⓤ 고고학.

àrch(a)eo·mágnetism dàting 고고(考古) 지자기(地磁氣) 연대 측정법.

ar·ch(a)e·om·e·try [àːrkiámətri/-ɔ́m-] *n.* 고고(표본) 연대 측정(법).

ar·chae·op·ter·yx [àːrkiáptəriks/-ɔ́p-] *n.* 〚고생물〛 시조새(의 화석(化石)).

ar·chae·or·nis [àːrkiɔ́ːrnis] *n.* 시조(始祖)새.

àrch(a)eo·zoólogy *n.* 동물 고고학.

ar·cha·ic [ɑːrkéiik] *a.* 고풍의, 고체의, 낡은: an ~ word 고어(古語). ㊕ **-i·cal·ly** *ad.*

archáic Hómo 원시인.

archáic smíle 고졸(古拙)한 미소《초기 그리스 조각상(像)의 미소 띤 듯한 표정》.

ar·cha·ism [áːrkiìzəm, -kei-] *n.* Ⓒ 고어, 옛말; Ⓤ 고문체(古文體); 의고체(擬古體); 고풍, 옛투; 고어의 사용.

ár·cha·ist *n.* 고풍(古風)스러운 글을 쓰는 사람; 의고(擬古)주의자. ㊕ **àr·cha·ís·tic** *a.* 고풍의, 고체(古體)의; 의고적인.

ar·cha·ize [áːrkiàiz, -kei-] *vt., vi.* 고풍으로 하다; 고문체(古文體)를 쓰다; 고풍을 모방하다.

arch·an·gel [áːrkèindʒəl] *n.* 대천사(大天使)《seraph 부터 세어서 제 8 위의 천사》. ㊕ **arch·an·gel·ic, -i·cal** [àːrkeindʒélik], [-ikəl] *a.* 대천사의, 천사장(天使長)의.

°**arch·bish·op** [àːrtʃbíʃəp] *n.* (신교의) 대감독; (가톨릭교·그리스 정교의) 대주교. ***the Archbishop of Canterbery*** 캔터베리 대주교《영국 국교회의 최고 성직자》. ㊕ **àrch·bísh·op·ric** [-rik] *n.* Ⓤ,Ⓒ ~의 직〔관구, 관할권〕.

árch brìdge 아치교(橋).

arch·con·serv·a·tive [àːrtʃkənsə́ːrvətiv] *a., n.* 초보수주의의 (사람).

archd. archdeacon; archduke.

àrch·déacon *n.* bishop 버금가는 성직자, (신교의) 부(副)감독; (가톨릭의) 부주교; (불교의) 부승정. ㊕ **~·ry** *n.* Ⓤ,Ⓒ ~의 직〔관구, 주거, 집무 장소〕. **~·ship** *n.* Ⓤ ~의 직.

arch·di·o·cese [àːrtʃdáiəsìːs, -sis] *n.* archbishop 의 관구.

arch·du·cal [áːrtʃdjúːkəl/-djúː-] *a.* 대공(大公)(령(領))의.

árch·dúchess *n.* 대공비(大公妃); (옛 오스트리아의) 공주.

árch·dúchy *n.* Ⓤ 대공(大公)의 지위; Ⓒ 대공국《archduke의 영지》.
árch·dúke *n.* 대공; (옛 오스트리아의) 왕자. ㊕ **árch·dúke·dom** [-dəm] *n.* =ARCHDUCHY.
Ar·che·an [ɑːrkíːən] *n., a.* 【지학】 시생대(始生代)(의), 태고(의).
arched [-t] *a.* 아치형의, 활〔반달〕 모양의; 홍예가 있는: an ~ bridge 아치교(橋).
árched squáll 【기상】 아치형 스콜《적도 지방의 심한 뇌우를 동반하는 돌풍》.
ar·che·go·ni·al [àːrkigóuniəl] *a.* 【식물】 장란기(藏卵器)의.
ar·che·go·ni·ate [àːrkigóuniət] 【식물】 *a.* 장란기(藏卵器)가 있는. — *n.* 장란기 식물《이끼류, 양치류》.
ar·che·go·ni·um [àːrkigóuniəm] (*pl.* ***-nia*** [-niə]) *n.* (이끼류·양치류의) 장란기(藏卵器).
arch·en·e·my [àːrtʃénəmi] *n.* 대적(大敵); (the ~ (of mankind)) 인류의 대적, 사탄.
arch·énteron [ɑːrk-] *n.* 【생물】 원장(原腸). ㊕ **-entéric** *a.*
archeo- ⇨ ARCH(A)EO-.
ar·che·ol·o·gy, etc. ⇨ ARCH(A)EOLOGY, etc.
Ar·che·o·zo·ic [àːrkiəzóuik] *a.* 【지학】 시생대(始生代)의, 태고대(代)의. — *n.* (the ~) 시생대, 태고대.
◇**arch·er** [áːrtʃər] (*fem.* ***~·ess*** [-ris]) *n.* **1** (활의) 사수, 궁수, 궁사, 궁술가. **2** (the A-) 【천문】 궁수자리, 인마궁(人馬宮)(Sagittarius).
árcher·fish *n.* 사수어(射水魚)《인도·남양산》.
arch·ery [áːrtʃəri] *n.* Ⓤ 궁술, 궁도; 궁술용구; 〖집합적〗 궁술가, 사수대(射手隊). 「인.
ar·che·typ·al [áːrkitàipəl] *a.* 원형의; 전형적
ar·che·type [áːrkitàip] *n.* 원형(原型); 【심리】 원형(元型)《인간의 정신 내부에 존재하는 조상이 경험한 것의 흔적》; 전형(典型).
ar·che·typ·i·cal [àːrkitípikəl] *a.* =ARCHETYPAL. ㊕ **~·ly** *ad.*
arch·fiend [àːrtʃfíːnd] *n.* 악마의 우두머리; (the ~) 마왕, 사탄.
arch·fool [àːrtʃfúːl] *n.* 큰 바보.
árch hèad 【기계】 아치헤드《펌프용 쇠사슬을 매달기 위한 기구》.
ar·chi- [áːrki] *pref.* **1** arch-의 변형. **2** 【생물】 '원(原)…'의 뜻: *archi*plasm.
Ar·chi·bald [áːrtʃəbɔ̀ːld, -bəld] *n.* **1** 아치볼드《남자 이름; 애칭 Archie, Archy》. **2** (a-) 《영속어》 고사포.
ar·chi·carp [áːrkikàːrp] *n.* 【식물】 낭자균류의 자성(雌性) 생식기관.
ar·chi·di·ac·o·nal [àːrkidaiǽkənəl] *a.* archdeacon의.
ar·chi·di·ac·o·nate [àːrkidaiǽkənət, -nèit] *n.* Ⓤ,Ⓒ archdeacon의 직〔관구〕.
Ar·chie [áːrtʃi] *n.* **1** 아치《남자 이름; Archibald의 애칭》. **2** (a-) 《영속어》 고사포; 《영속어》 개미.
Àrchie Bún·ker [-bʌ́ŋkər] 《미·Can.》 완고하고 독선적인 노동자《텔레비전 희극 프로그램의 인물에서》. ㊕ **~·ism** [-rìzəm] 《미》 얼빠지고 교양 없는 표현(Bunkerism).
ar·chi·e·pis·co·pa·cy, -pate [àːrkiipískəpəsi], [-pət, -pèit] *n.* Ⓤ,Ⓒ archbishop의 교구제; archbishop의 직〔임기〕. 「의.
ar·chi·e·pis·co·pal [-kəpəl] *a.* archbishop
ar·chil [áːrtʃil, -kil] *n.* 보랏빛 물감의 일종; 그것을 내는 이끼류. 「법사.
ar·chi·mage [áːrkəmèidʒ] *n.* 대마술사, 대마
ar·chi·man·drite [àːrkəmǽndrait] *n.* 【그리스정교】 수도원장.
Ar·chi·me·de·an [àːrkəmíːdiən, -mədíːən] *a.* 아르키메데스(의 원리 응용)의.
Archimédean 〔**Archimédes'**〕 **scréw** 【기계】 아르키메데스식 (나선) 양수기: an ~ pump 아르키메데스식 나사 펌프.
Ar·chi·me·des [àːrkəmíːdiːz] *n.* 아르키메데스《고대 그리스의 수학자·물리학자·발명가 (287?-212 B.C.)》. 「리.
Archimédes' príncipLe 아르키메데스의 원
árch·ing *n.* **1** Ⓤ 궁형으로 함. **2** 궁형(부), 아치(작용). — *a.* 아치를 이루는. 「島)의.
ar·chi·pe·lag·ic [àːrkəpəlǽdʒik] *a.* 군도(群
◇**ar·chi·pel·a·go** [àːrkəpéləgòu] (*pl.* **~*(e)s***) *n.* 군도(群島); 섬 많은 바다, 다도해; (the A-) 에게 해(海).
ar·chi·pho·neme [áːrkəfòuniːm, ⌐-⌐-] *n.* 【언어】 원음소(原音素).
ar·chi·plasm [áːrkəplæ̀zəm] *n.* Ⓤ 【생물】 미분화(未分化)의 원형질; =ARCHOPLASM.
archit. architecture.
⁑**ar·chi·tect** [áːrkətèkt] *n.* **1** 건축가〔사〕, 건축기사; 설계자: a naval ~ 조선 기사. **2** 고안자; 창조자. ***the*** (***Great***) ***Architect*** 조물주, 신. ***the ~ of one's own fortunes*** 자기 운명의 개척자.
ar·chi·tec·ton·ic [àːrkətektánik/-ktɔ́n-] *a.* 건축술의; 구성적인; 【철학】 지식 체계의. — *n.* =ARCHITECTONICS. ㊕ **-i·cal·ly** *ad.*
àr·chi·tec·tón·ics *n. pl.* 〖단수취급〗 건축학; 【철학】 지식 체계론.
ar·chi·tec·tur·al [àːrkətéktʃərəl] *a.* 건축학〔술〕의, 건축상의: an ~ engineer 건축 기사. ㊕ **~·ly** *ad.* 「방해하는 구조.
architéctural bárrier 신체 장애자의 이용을
architéctural brónze 건축용 놋쇠.
⁑**ar·chi·tec·ture** [áːrkətèktʃər] *n.* Ⓤ **1** 건축술〔학〕: civil ~ 보통 건축《주택·공공건축 등》/ domestic ~ 주택 건축 / military ~ 축성법 / naval 〔marine〕 ~ 조선(造船)술. **2** 건축 양식: Romanesque (~) 로마네스크 건축 양식. **3** 건조물. **4** 구조, 구성, 설계, 체계: the ~ *of* a novel 소설의 구성. **5** 【컴퓨터】 얼개.
ar·chi·trave [áːrkətrèiv] *n.* 【건축】 평방(平枋) 《고전 건축의 entablature의 최저부》; 처마도리, (문·창·사진의) 틀.
ar·chi·val [ɑːrkáivəl] *a.* 기록의; 기록 보관소의.
ar·chive [áːrkaiv] *n.* **1** (~s) 기록〔공문서〕 보관소. **2** (흔히 ~s) 문서, 기록. **3** (광범위한) 기록, 수집 자료; (데이터 등의) 집적. **4** 〖형용사적〗 고문서의〔에 관한〕.
árchived fíle 【컴퓨터】 저장 파일.
ar·chiv·ing [áːrkaiviŋ] *n.* 【컴퓨터】 파일 보관.
ar·chi·vist [áːrkəvist] *n.* 기록 보관인.
ar·chi·volt [áːrkəvòult] *n.* 【건축】 장식 홍예창틀, 장식 창틀, 궁형 돌출부.
arch·lute [áːrtʃlùːt] *n.* 【악기】 아치류트, 테오르보《보통 류트보다 긴 저음현을 맨 바로크 시대의 류트의 하나》. 「장난으로.
árch·ly *ad.* 교활하게; 교활한 것같이; 짓궂게,
ar·chol·o·gy [ɑːrkálədʒi] *n.* 기원 연구.
ar·chon [áːrkɑn, -kən] *n.* 집정관《옛 아테네의 아홉 통치자의 하나》; 〖일반적〗 통치자, 지배자. ㊕ **~·ship** *n.* Ⓤ ~의 직.
ar·cho·plasm [áːrkəplæ̀zəm] *n.* Ⓤ 시원질(始原質)《세포 분열에 있어 중심체를 둘러싼 원형질》.
ar·cho·saur [áːrkəsɔ̀ːr] *n.* 【고생물】 조룡류(祖龍類)의 공룡.
arch·priest [àːrtʃpríːst] *n.* 주목사(主牧師); 【가톨릭】 수석 사제.
arch·ri·val [áːrtʃráivəl] *n.* 최대의 라이벌.
archt. architect.

àrch·tráitor *n.* 대(大)반역자.
árch·wày *n.* 아치 밑의 통로〔입구〕, 아치 길.
arch·wise [ɑ́ːrtʃwàiz] *ad.* 아치형으로, 궁형으로.
Ar·chy [ɑ́ːrtʃi] *n.* 아치《남자 이름; Archibald 「의 애칭》.
-ar·chy [ɑːrki] *suf.* '지배, 정치, 정체'란 뜻: mon*archy*, dy*archy*.
ar·ci·form [ɑ́ːrsəfɔ̀ːrm] *a.* 아치형의, 활 모양의.
arc·jet [ɑ́ːrkdʒèt] *n.* 아크제트 엔진(=∠ **èngine**)《추진 연료 가스를 전기 아크로 가열하는 로켓 엔진》.
árc làmp 아크 등.
árc lìght 1 =ARC LAMP. **2** 아크 등의 빛.
A.R.C.M. Associate of the Royal College of Music.
ar·co [ɑ́ːrkou] *ad.* 〖음악〗 활로《현악기의 pizzicato 후에 다시 활로 연주하라는 지시》.
ARCO [ɑ́ːrkou] =ATLANTIC RICHFIELD CO.
A.R.C.O. Associate of the Royal College of Organists.
arc·o·graph [ɑ́ːrkəgræ̀f, -grɑ̀ːf] *n.* 〖수학〗 원호규(圓弧規)《원호 그리는 기구》.
ar·col·o·gy [ɑːrkɑ́lədʒi/-kɔ́l-] *n.* 완전 환경 계획 도시. [◂ *arc*hitectural ec*ology*]
A.R.C.S. Associate of the Royal College of Science.
*__arc·tic__ [ɑ́ːrktik] *a.* **1** (종종 A-) 북극의, 북극 지방의. OPP *antarctic*. ¶ an ~ expedition 북극 탐험(대). **2** 《구어》 극한(極寒)의; 극한용의: an ~ temperature 극한. **3** 북극성 기후의; (바람이) 북극〔극지〕에서 부는. **4** 쌀쌀한, 냉담한.
— *n.* **1** (the A-) 북극 지방〔권〕. **2** [ɑ́ːrktik] (*pl.*) 《미》 방한 방수용 덧신.
árctic chár(r) 〖어류〗 북극 곤들매기《북극권·북반구 한랭호(寒冷湖)에 사는 곤들매기의 일종》.
Árctic Círcle (the ~) 북극권.
árctic fóx 〖동물〗 북극여우, 흰 여우(=**whíte fóx**).
Árctic Ócean (the ~) 북극해, 북빙양.
Árctic Póle (the ~) 북극(점)(North Pole).
Árctic Séa (the ~) =ARCTIC OCEAN.
árctic séal (종종 A-) 모조 바다표범 모피《토끼털로 가공한》.
Árctic Zòne (the ~) 북극대(帶).
Arc·to·gaea [ɑ̀ːrktədʒíːə] *n.* 북계(北界)《북극권 한계선에서 북극까지의 구역》.
arc·to·phile [ɑ́ːrktəfàil] *n.* 봉제곰(teddy bear) 애호가〔수집가〕.
Arc·tu·rus [ɑːrktjúərəs/-tjúər-] *n.* 〖천문〗 대각성(大角星)《목자자리(Boötes)에서 가장 큰 별》.
ar·cu·ate, -at·ed [ɑ́ːrkjuət, -èit], [-kjuèitid] *a.* 아치형의, 활 모양의.
àr·cu·á·tion *n.* 활 모양으로 굽음; 〖건축〗 아치 구조〔사용〕; (일련의) 아치.
ar·cus [ɑ́ːrkəs] *n.* 〖기상〗 아치 구름.
árcus se·ní·lis [-sináilis] 〖의학〗 노인환(老人環)《각막 주변이 활 모양으로 흐려짐》.
árc wèlding 아크 용접.
-ard [ərd] *suf.* '…쟁이'란 뜻의 명사를 만듦: cow*ard*, drunk*ard*.
ARD 〖의학〗 acute respiratory disease(급성 호흡기 질환). **ARDC** 〖미〗 Air Research and Development Command(항공 기술 본부).
Ar·den [ɑ́ːrdn] *n.* **1 the Forest of ~** 아든 숲《영국 잉글랜드 중동부의 옛 삼림 지대》. **2** Shakespeare의 작품 *As You Like It*의 무대.
ar·den·cy [ɑ́ːrdnsi] *n.* Ⓤ 열심, 열렬.
Ar·dennes [ɑːrdén] *n.* 아르덴《프랑스 북동부, 벨기에 남동부에 걸친 삼림·구릉지; 제1·2차 대전의 격전지》.
*__ar·dent__ [ɑ́ːrdnt] *a.* 열렬한; 불타는 (듯한); 격렬한: ~ passion 열정 / an ~ admirer 열렬한 찬미자. ⊞ **~·ly** *ad.* **~·ness** *n.*
árdent spírits 독한 술, 화주.
°**ar·dor,** 《영》 **-dour** [ɑ́ːrdər] *n.* Ⓤ 열정, 열의, 열성; 충정; 작열(灼熱). SYN. ⇒PASSION. ¶ with ~ 열심히 / patriotic 〔revolutionary〕 ~ 애국적 〔혁명적〕 열정.
ARDS 〖의학〗 adult respiratory distress syndrome(성인 호흡 곤란〔장애〕 증후군).
°**ar·du·ous** [ɑ́ːrdʒuəs/-dju-] *a.* 힘든, 곤란한; 분투적인, 끈기 있는, 끈질긴; (산길 따위가) 오르기 힘든, 험한: an ~ task 힘든 일 / an ~ worker 꾸준히 노력하는 사람. ⊞ **~·ly** *ad.* 애써, 분투하여. **~·ness** *n.*
†**are**[1] [ɑːr, 약 ər] **1** BE의 직설법 현재 2인칭 단수. **2** BE의 직설법 현재 복수.
are[2] [ɛər, ɑːr] *n.* 《F.》 아르《100 제곱미터, 약 30.25평; 생략: a.》.
__ar·ea__ [ɛ́əriə] *n.* **1 지역, 지방, 지구: residential ~*s* 주택 지역 / a commercial ~ 상업 지구. **2** 구역, 범위, 영역, 분야: the whole ~ *of* science 과학의 모든 분야. **3** U,C 면적: the ~ *of* a triangle 삼각형의 면적 / a floor ~ 건평. **4** 지면, 평지. **5** 빈터, 안마당; 건물의 부지. **6** 《영》 지하실〔부엌〕 출입구《채광·통행을 위한 지하층 주위의 빈터》(《미》 areaway). **7** (특수한 기능을 갖춘) 뇌피질부(腦皮質部); 〖컴퓨터〗 (기억) 영역. ◇ areal *a.*
área bòmbing 지역 폭격《특정 시설이 아닌 지역 전체를 목표로 함》. cf. precision bombing.
área còde 《미》 지역 번호(《영》 dialling code)《미국·캐나다에서는 3자리 숫자》.
área commànd 《미》 (경찰의) 주둔처.
área contròl cènter 항공로 관제 기관.
área fill 〖컴퓨터〗 구역 채우기《컴퓨터 그래픽에서 사각형이나 원처럼 닫힌 도형을 특정한 색상이나 무늬로 채우는 것》.
ar·e·al [ɛ́əriəl] *a.* 지역의; 면적의; 지면의. ⊞ 「**~·ly** *ad.*
áreal dènsity 〖컴퓨터〗 면(面)밀도《자기(磁氣) 디스크 등의 기록 밀도》.
áreal linguístics 지역(地域) 언어학.
área navigátion 〖항공〗 지상의 무선 표지로부터 신호를 받아 컴퓨터로 위치를 계산하는 항법 시스템《생략: RNAV》.
área rùg 방바닥 일부에 까는 융단.
área stùdy 지역 연구《특정 지역의 종합적 연구》.
área-survey sátellite 〖군사〗 광역 탐사〔정찰〕 위성.
área·wày *n.* =AREA 6; 건물 사이의 통로.
ar·e·ca [əríːkə, ǽrikə] *n.* 〖식물〗 빈랑(檳榔)나무(=∠ **pàlm**); 그 열매(betel nut).
are·na [əríːnə] *n.* (고대 로마의) 투기장; 〖일반적〗 경기장; 투쟁·활동 장소, 활약 무대, …계(界): enter the ~ *of* politics 정계에 들어가다 / the poetical ~ 시단(詩壇).
ar·e·na·ceous [æ̀rənéiʃəs] *a.* 모래의, 모래 많은, 모래질의; 모래땅에 나는; 무미건조한.
aréna stáge (원형 극장의) 중앙 무대.
aréna théater 원형 극장.
Ar·endt [ɛ́ərənt, ɑ́ːr-] *n.* **Hannah ~** 아렌트《독일 태생의 미국 정치 철학자; 1906-75》.
ar·e·nic·o·lous [æ̀rəníkələs] *a.* 모래땅에서 사는〔성장하는〕.
ar·e·nite [ǽrənàit] *n.* 사질암(砂質岩).
ar·e·nose [ǽrənòus] *a.* 모래의, 모래 같은; 모래투성이의; 모래 섞인.
†**aren't** [ɑːrnt] are not의 간약형.
ar·e·o·cen·tric [ɛ̀əriouséntrik] *a.* 화성(火星) 중심의.
ar·e·og·ra·phy [ɛ̀əriɑ́grəfi] *n.* Ⓤ 화성 지리학〔지지(地誌)〕.
are·o·la [əríːələ/əríə-] (*pl.* **-lae** [-lìː], **~s**)

n. 〖식물·동물〗 그물눈틈《잎맥·시맥(翅脈)간의》; 〖해부〗 유두륜(乳頭輪), 젖꼭지판; (피진의) 홍륜(紅輪).
are·o·lar, -late [əríːələr/əríə-], [-lət, -lèit] a. 그물눈 모양의; 젖꼭지판의.
ar·e·o·la·tion [ɛ̀əriəléiʃən] n. U,C 〖생리〗 결합 조직, (결합 조직 사이의) 소극(小隙) 형성.
ar·e·ol·o·gy [ɛ̀əriálədʒi/-ɔ́l-] n. 〖천문〗 화성(火星) 연구, 화성학. ㊞ **-lóg·ic, -lóg·i·cal** a. **-lóg·i·cal·ly** ad. **àr·e·ól·o·gist** n.
ar·e·om·e·ter [ɛ̀əriámətər, æ̀ər-] n. 액체 비중계(hydrometer).
Ar·e·op·a·gite [æ̀riápədʒàit, -gàit/-ɔ́p-] n. 〖역사〗 Areopagus 의 재판관.
Ar·e·op·a·gus [æ̀riápəgəs/-ɔ́p-] n. 아레오파구스《아테네의 언덕》; 고대 아테네의 최고 재판소; 〖일반적〗 최고 법원. 「신화의 Mars 에 해당》.
Ar·es [ɛ́əriːz] n. 〖그리스신화〗 전쟁의 신《로마
arête [əréit, ær-] n. 《F.》 험준한 산등성이.
Ar·e·thu·sa [æ̀rəθúːzə] n. 〖그리스신화〗 아레투사《숲의 요정》.
arf [ɑːrf] *int.* 멍멍《개 짖는 소리》.
ARF ASEAN Regional Forum(아세안 지역 포럼; 1993 년 7 월 싱가포르에서 개최된 제 26 회 ASEAN 외무장관 회의가 결정한 새로운 지역 안전 보장 협의 기구).
arg [ɑːrg] n. 〖컴퓨터〗 = ARGUMENT.
Arg. Argentina; Argentine. **arg.** argentum 《L.》 (= silver).
argal ⇨ ARGOL[1]. 「새》.
ar·ga·la [áːrgələ] n. 〖조류〗 아갈라《인도산 황
ar·ga·li [áːrgəli] (*pl.* ~) n. 큰뿔양《아시아산 야생양》. 「강식 버너.
Ár·gand bùrner [áːrgænd-, -gɑːnd-] 아르
Árgand dìagram 〖수학〗 아르강 도표. 「등》.
Árgand làmp 아르강 등《원통형 등심의 석유
ar·gent [áːrdʒənt] n. U 《고어·시어》 은; 은빛; 〖문장(紋章)〗 은백(銀白). ― a. 《시어》 은의, 은 같은; 〖문장(紋章)〗 은백의. 「함유한.
ar·gen·tal [ɑːrdʒéntl] a. 은의, 은 같은, 은을
ar·gen·tan [áːrdʒəntæ̀n] n. 양은(nickel silver)의 일종《니켈·구리·아연의 합금》.
ar·gen·te·ous [ɑːrdʒéntiəs] a. 은의〔같은〕, 은백의.
ar·gen·tic [ɑːrdʒéntik] a. 〖화학〗 (보통 2가(價)의) 은을 함유한, 은의. 「함유한〔생산하는〕.
ar·gen·tif·er·ous [àːrdʒəntífərəs] a. 은을
Ar·gen·ti·na [àːrdʒəntíːnə] n. 아르헨티나《남아메리카의 공화국; 수도 Buenos Aires》.
Ar·gen·tine [áːrdʒəntìːn, -tàin] a. 아르헨티나(사람)의. ― n. 아르헨티나 사람; (the ~) = ARGENTINA.
ar·gen·tine a. 은의, 은과 같은, 은빛의: ~ glass 은빛 유리 / ~ plate 양은. ― n. 은; 은빛 금속; 은색소; 〖광물〗 은백 방해석(銀白方解石); 〖어류〗 샛멸. 「= ARGENTINE.
Ar·gen·tin·e·an [àːrdʒəntíniən] n., a.
Árgentine ánt 아르헨티나 개미《작은 갈색 개미로 가정 및 과일의 해충》. 「石).
ar·gen·tite [áːrdʒəntàit] n. U 휘은석(輝銀
ar·gen·tous [ɑːrdʒéntəs] a. 〖화학〗 (보통 1가(價)의) 은을 함유한, 은의. 「(銀).
ar·gen·tum [ɑːrdʒéntəm] n. U 〖화학〗 은
Ar·gie [áːrdʒi] n. 아르헨티나 사람(Argentine).
ar·gil [áːrdʒil] n. U 도토(陶土), 백점토.
ar·gil·la·ceous [àːrdʒəléiʃəs] a. 점토질의; 점토를 함유한.
ar·gil·lif·er·ous [àːrdʒəlífərəs] a. 점토질(粘土質)의, 점토를 산출하는. 「(粘板岩).
ar·gil·lite [áːrdʒəlàit] n. 규질 점토암, 점판암

ar·gi·nae·mia [àːrdʒəníːmiə] n. 〖의학〗 아르기닌 혈증(血症)《선천성 아르기나아제 결핍증》.
ar·gi·nase [áːrdʒənèis, -z] n. U 〖생화학〗 아르기나아제《아르기닌을 요소(尿素)로 분해하는 효소》.
ar·gi·nine [áːrdʒənìːn, -nàin] n. U 〖생화학〗 아르기닌《아미노산의 일종》.
Ar·give [áːrdʒaiv, -gaiv] a. 아르고스(Argos)의; 그리스의. ― n. 아르고스〔그리스〕 사람.
ar·gle-bar·gle [áːrgəlbáːrgəl] n. 《Sc.》 입씨름, 토론. ― vi. 토론〔언쟁〕하다.
Ar·go [áːrgou] n. (the ~) 〖그리스신화〗 아르고선(船)《Jason이 금양모(the Golden Fleece)를 찾으러 타고 떠난 배》; 〖천문〗 아르고자리.
ar·gol[1], **ar·gal** [áːrgəl/-gɔl], [-gəl] n. 〖광물〗 조주석(粗酒石). 「연료》.
ar·gol[2] n. 《몽골》 아르골《말린 양똥·쇠똥 따위;
ar·gon [áːrgɑn/-gɔn] n. U 〖화학〗 아르곤《희(稀)가스 원소; 기호 Ar; 번호 18》.
Ar·go·naut [áːrgənɔ̀ːt] n. **1** 〖그리스신화〗 Argo 선의 일행. cf. Argo. **2** (때로 a-) 1849 년경 금광을 발굴하기 위해 캘리포니아에 모인 사람, 모험가. **3** (a-) 〖동물〗 작은 낙지의 일종. ㊞ **Àr·go·náu·tic** a. 〖그리스신화〗 Argo 선(船) 원정〔일행〕의: the *Argonautic* expedition, Argo선 원정.
Ar·gos [áːrgɑs, -gəs/-gɔs] n. 아르고스《그리스 남부의 고대 도시》.
ar·go·sy [áːrgəsi] n. 큰 배, (특히 Venice의) 큰 상선; 대상선단; 《비유》 보고(寶庫); 《시어》 배.
ar·got [áːrgou, -gət] n. 《F.》 U 암호말, 은어, 곁말, (도둑 등의) 변말.
ár·gu·a·ble a. 논할 수 있는, 논의의 여지가 있는; 논증할 수 있는. ㊞ **-bly** ad. (충분히) 논증할 수 있는 일이지만, 아마 틀림없이.
ar·gue [áːrgjuː] vi. 《~/+전+명》 **1** 논하다, 논의하다; 논쟁하다《*about; on, upon; over; with*》: Don't ~! 말다툼하지 마라 / ~ *about* 〔*over*〕 a matter *with* a person 어떤 문제에 대하여 아무와 논하다. **2** (…에) 찬성〔반대〕론을 주장하다《*for; in favor of; against*》: He ~*d in favor of* 〔*against*〕 capital punishment. 그는 사형 찬성론〔반대론〕을 주장했다. ― *vt.* **1** 논하다, 의론하다. SYN. ⇨ DISCUSS. **2** 《+*that*절》 주장하다: Columbus ~*d that* he could reach India by going west. 콜럼버스는 서쪽으로 항로를 취하면 인도에 도달한다고 주장했다. **3** 《+목+전+명/+목+부》 설복시키다, 설득하다: I ~*d* him *out of* his opinion. 나는 그를 설득시켜 그의 의견을 철회시켰다 / He tried to ~ *away* her misunderstanding. 여러 가지 말로 그녀의 오해를 없애려고 했다. **4** 《~+목/+목+(*to be*) 보/+*that*절/+목+전+명》 입증하다, 보이다: His manners ~ good upbringing. 그의 예의범절은 훌륭한 가정교육을 받았음을 입증한다 / It ~*s* him (*to be*) a villain. 그것으로 그가 나쁜 사람임을 보여준다 / His behavior ~*s that* he is selfish. 그의 행동으로 보아 그가 이기적임을 알게 된다. ◇ argument n. **~ *against*** ① ⇨ vi. 2. ② (일이) …반대의 결론을 보이다. **~ a person *down*** 아무를 설복시키다. **~ *in a circle*** 순환 논법을 쓰다; (개미 쳇바퀴 돌 듯) 논의가 공전되다. **~ a person *into* 〔*out of*〕 do*ing*** 아무를 설득해 …시키다〔…을 단념시키다〕: I ~*d* him *out of* smok*ing*. 그를 설득하여 담배를 끊게 했다. **~ *it away* 〔*off*〕** 논파하다, 말로 녹이다. ㊞ **ár·gu·er** n. 논자, 논쟁자.
ar·gu·fy [áːrgjəfài] vi., vt. 《구어·방언·우스개》 귀찮게 따지다〔논쟁하다〕.
ar·gu·ment [áːrgjəmənt] n. **1** U,C 논의, 논

쟁, 의논; 주장((about; over; with)); 논거, 논점; 찬성[반대]론((against; for; in favor of)): have an ~ about the plan 계획에 관하여 논의하다/get into an ~ with a person over the matter 그 사항에 대하여 아무와 논의를 개시하다/an ~ for [against] uniform 제복 찬성[반대]론. **2** (주제의) 요지, (서적 따위의) 개략; (각본·소설 따위의) 줄거리. **3** 〖수학〗(복소수의) 편각(偏角)(amplitude); (변함수(變函數)의) 독립변수(independent variable); 〖수학·컴퓨터〗 인수(引數). ***start* [*put forward*] *an* ~** 의논을 시작하다[끄집어내다]. 「쟁상의.

ar·gu·men·tal [à:rgjəméntl] *a.* 논의상의, 논

ar·gu·men·ta·tion [à:rgjəmentéiʃən] *n.* U,C 입론(立論), 논법, 변론; 논쟁, 토의; 전제(premises)와 결론(conclusion).

ar·gu·men·ta·tive, -men·tive [à:rgjəméntətiv], [-méntiv] *a.* 논쟁적인; 논쟁을[시비를] 좋아하는, 까다로운; 〖법률〗 (소송 사실에 대해) 결론적인. ㊕ **~·ly** *ad.* 논쟁적으로. **~·ness** *n.*

árgument from desígn (the ~) 〖철학〗 목적론적 증명(teleological argument)((세계 질서의 합목적성에서 그 설계자인 신의 존재를 추론하는 것)).

árgument from sílence 침묵[무언] 논법((어느 주장을 부정하는 증거가 없거나 또는 제시되지 않을 것을 논거로 삼아 그 주장을 정당하다고 보는 논법)).

ar·gu·mén·tum ad bá·cu·lum [à:rgjəméntəm-æd-bá:kulum] ((L.)) 위력[폭력]에 의존하는 논증(論證).

arguméntum ad hóm·i·nem [-æd-hámənem] ((L.)) 대인 논증.

Ar·gus [á:rgəs] *n.* 〖그리스신화〗 아르고스((100개의 눈을 가진 거인)); 엄중한 감시인; (a-) 〖조류〗 청란(青鸞)((공작 비슷한 새; 인도 주변산(產))).

Árgus-èyed *a.* 감시가 엄중한, 경계하는, 눈이 날카로운.

ar·gute [ɑ:rgjú:t] *a.* (소리가) 날카로운; 예민한, 빈틈없는(shrewd). ㊕ **~·ly** *ad.*

ar·gy-bar·gy [à:rgibá:rgi] *n., vi.* ((구어)) 잡담[언쟁](을 하다).

Ar·gyle [á:rgail] *n., a.* (때로 a-) 마름모 색무늬(가 있는); (흔히 *pl.*) 아가일 무늬의 양말.

ar·gyr·ia [ɑ:rdʒíriə] *n.* U 〖의학〗 은(銀) 중독.

ar·gy·rol [á:rdʒərɔ̀:l, -ràl/-rɔ̀l] *n.* 〖약학〗 함은액(含銀液)((방부용)); (A-) 그 상표명.

ar·hat [á:rhət] *n.* (종종 A-) 〖불교〗 아라한(阿羅漢). ㊕ **~·ship** *n.*

aria [á:riə, ɛ́əriə/á:riə] 〖음악〗 *n.* ((It.)) 영창(詠唱), 아리아; 가곡, 선율.

Ar·i·ad·ne [æriǽdni] *n.* 〖그리스신화〗 Theseus에게 미궁 탈출의 실을 준 Minos 왕의 딸.

Ar·i·an[1] [ɛ́əriən] *a.* 아리우스(Arius)의; 아리우스파의. **—** *n.* 아리우스파(의 사람).

Ar·i·an[2] *a., n.* =ARYAN.

-ar·i·an [ɛ́əriən] *suf.* 〘명사·형용사어미〙 **1** '…파의(사람), …주의의 (사람)': humani*tarian*, totali*tarian*. **2** '…세[대]의 (사람)': octogen*arian*.

Ar·i·an·ism [ɛ́əriənìzəm] *n.* U 아리우스파의 학설((그리스도의 신성(神性)을 부인)).

A.R.I.B.A. Associate of the Royal Institute of British Architects(영국 왕립 건축가 협회 준회원).

ari·bo·fla·vin·o·sis [eiràibəflèivənóusis] *n.* 〖의학〗 비타민 B_2 결핍(증), 리보플라빈(riboflavin) 결핍(증). 「Chemistry.

A.R.I.C. Associate of the Royal Institute of

ar·id [ǽrid] *a.* 건조한, (토지가) 바싹 마른, 불모(不毛)의; 무미건조한((문장 등)); 〖생태〗 건지성(乾地性)의. ㊕ **~·ly** *ad.* **arid·i·ty** [ərídəti], **~·ness** *n.*

arid·i·sol [ərídəsɔ̀:l, -sàl/-sɔ̀l] *n.* 건조지(乾燥地) 토양((유기물이 적고 염분이 많음)).

arídity ìndex 건조 지수(指數)[계수(係數)].

Ar·i·el [ɛ́əriəl] *n.* **1** 아리엘((중세 전설의 공기(空氣)의 요정; Shakespeare 작 *The Tempest*에도 나옴)). **2** 〖천문〗 천왕성의 제 1 위성. **3** 〖성서〗 = JERUSALEM((이사야 XXIX)). **4** 에리얼. **a** 여자 이름(=**Árielle**). **b** 남자 이름. 「산)).

ar·i·el *n.* 영양(羚羊)의 일종((서아시아·아프리카

Ar·ies [ɛ́əri:z, -rii:z] *n.* **1** 〖천문〗 양(羊)자리 (the Ram). **2** 〖점성〗 백양궁, 양자리; 백양궁 태생의 사람. 「영창(小詠唱).

ar·i·et·ta [æriétə] *n.* ((It.)) 〖음악〗 아리에타, 소

aright [əráit] *ad.* 바르게, 정확히. ★ rightly가 보다 일반적. ¶ if I remember ~ 내 기억이 틀림

ar·il [ǽrəl] *n.* 〖식물〗 가종피(假種皮). ⌊없다면.

ar·il·late [ǽrəlèit, -lət] *a.* 가종피가 있는.

ar·i·ose [ǽri:òus, ⌐-⌐] *a.* 선포적인, 노래 같은.

ari·o·so [ɑ:rióusou, ær-/-zou] 〖음악〗 *a., ad.* ((It.)) 영서창(詠敍唱)의[으로]. **—** *n.* 영서창.

****arise** [əráiz] (***arose*** [əróuz]; ***aris·en*** [ərízən]) *vi.* **1** ((~/+전+명)) (문제·사건·곤란·기회 등이) 일어나다, 나타나다; 발생하다, 생기다((*from*; *out of*)); ((고어)) (목소리·소리 따위가) 들려오다; (바람이) 일다: A dreadful storm *arose*. 무서운 폭풍이 일었다/Accidents ~ *from* carelessness. 사고는 부주의에서 일어난다. **2** (태양·연기 따위가) 솟아오르다; (건물·산 따위가) 서 있다, 솟아 있다. **3** 일어서다; 결의하고 행동을 개시하다; ((고어·시어)) (잠자리 따위에서) 일어나다((*from*)). SYN. ⇨ RISE. **4** ((시어)) 소생하다.

aris·en [ərízən] ARISE의 과거분사.

aris·ings [əráiziŋz] *n. pl.* 부산물, 잉여 산물.

aris·ta [ərístə] (*pl.* ***-tae*** [-ti:]) *n.* 〖식물〗 꺼끄러기, 수염(awn); 〖곤충〗 촉각의 털.

aris·tate [ərísteit] *a.* 〖식물〗 꺼끄러기가 있는; 〖곤충〗 가시꼴 돌기가 있는. 「TOCRAT.

aris·to [ərístou] (*pl.* **~s**) *n.* ((영구어)) =ARIS-

aris·to- [ərístou, -tə/ər-, ær-] '최적(最適)의, 최상위의, 귀족(제)의'란 뜻의 결합사.

***ar·is·toc·ra·cy** [ærəstákrəsi/-tɔ́k-] *n.* **1** U,C 귀족 정치(의 나라). **2** (the ~) 귀족; 귀족 사회. **3** 〘집합적〙 (각 분야의) 일류의 사람들((*of*)): an ~ *of* wealth 손꼽히는 부호들. **4** 귀족풍, 귀족적인 성질[정신]; 거드럭거림.

***aris·to·crat** [ərístəkræt, ǽrəs-] *n.* **1** 귀족; 귀족적인 사람; 귀족 정치론자. **2** (어떤 것 중의) 최고의 것((*of*)).

***aris·to·crat·ic** [ərìstəkrǽtik, æ̀rəs-] *a.* 귀족 정치의; 귀족의; 귀족적인; 당당한; 배타적인. ㊕ **-i·cal·ly** *ad.* 귀족적으로. **àr·is·tóc·rat·ism** *n.* U 귀족주의; 귀족 기질.

Ar·is·toph·a·nes [æ̀ristáfəni:z/-tɔ́f-] *n.* 아리스토파네스((아테네의 시인·희극 작가(448-380 B.C.))). ㊕ **Aris·to·phan·ic** [ərìstəfǽnik] *a.* ~(풍)의.

Ar·is·to·te·lian, -lean [æ̀ristətí:ljən, -liən] *a.* 아리스토텔레스(학파)의. **—** *n.* 아리스토텔레스학파의 사람. ㊕ **~·ism** *n.* U 아리스토텔레스 철학[학설].

Ar·is·tot·le [ǽrəstàtl/-tɔ̀tl] *n.* 아리스토텔레스((그리스의 철학자(384-322 B.C.))).

aris·to·type [ərístətàip] *n.* U,C 〖사진〗 **1** 아리스토 인화법. **2** 1 의 방법으로 한 인화.

arith. arithmetic; arithmetical.

ar·ith·man·cy, arith·mo·man·cy [ǽriθmænsi/əríθmən-], [əríθməmænsi, æriθ-] *n.* 숫자점(占)《특히 이름자의 수로 점을 침》.

⁑arith·me·tic[1] [əríθmətik] *n.* Ⓤ **1** 산수, 산술: decimal ~ 십진법 / mental ~ 암산. **2** 계산, 셈. **3** Ⓒ 산수책.

⁑ar·ith·met·ic[2], **-i·cal** [æriθmétik], [-əl] *a.* 산수(상)의. ㊞ **-i·cal·ly** *ad.*

arithmétical propórtion 『수학』 등차비례「(等差比例).

arithmétic (**and lógic**) **ùnit** 『컴퓨터』 산술 논리 장치《생략: ALU》.

arith·me·ti·cian [əriθmətíʃən, æriθ-] *n.* 산술가.

arithmétic méan (등차수열의) 등차 중항(等差中項); 산술 평균.

arithmétic operàtion 『컴퓨터』 산술 연산.

arithmétic progréssion 등차수열. ⓒⓕ geometric progression.

arithmétic séries 등차〔산술〕급수.

arith·me·tize [əríθmətàiz] *vt.* 산술화(算術化)하다. ― *vi.* 산술을 사용하다.

ar·ith·mom·e·ter [æriθmɑ́mətər/-mɔ́m-] *n.* 계수기.

-ar·i·um [ɛ́əriəm] *suf.* '…에 관(關)한 것〔곳〕' 의 뜻: herb*arium*.

Ari·us [əráiəs, ɛ́əriəs] *n.* 아리우스《그리스도의 신성(神性)을 부인한 신학자; 256?-336》.

Ariz. Arizona.

Ar·i·zo·na [æ̀rəzóunə] *n.* 애리조나《미국 남서부의 주; 주도 Phoenix; 생략: Ariz., 『우편』 AZ; 속칭 the Grand Canyon State》. ㊞ **-nan, -ni·an** [-nən], [-niən] *a.*, *n.* Arizona 주의 (사람).

ark [ɑːrk] *n.* **1** 『성서』 (노아의) 방주(方舟) (Noah's ~). **2** 피난처. **3** 《미》 평저선(平底船); 《구어》 크고 모양 없는 배〔차, 《미》 집〕. **4** 『성서』 언약의 궤(the Ark of the Covenant 〔Testimony〕)《모세의 십계명을 새긴 두 개의 석판(石板)을 넣어 둔 상자》; 《고어·방언》 상자, 궤. (***come***) ***out of the*** ~ 《구어》 아주 오래되다〔낡다〕. ***touch*** 〔***lay hands on***〕 ***the*** ~ 신성한 것을 모독하다.

Ark. Arkansas.

Ar·kan·san, -si·an [ɑːrkǽnzən], [-ziən] *a.*, *n.* Arkansas 주의 (사람).

Ar·kan·sas [ɑ́ːrkənsɔ̀ː] *n.* **1** 아칸소《미국 중남부의 주; 주도 Little Rock; 생략: Ark., 『우편』 AR; 속칭 The Land of Opportunity》. **2** [ɑːrkǽnzəs] (the ~) (Colorado 주에서 남류하는) Mississippi 강의 지류. ***an*** ~ ***toothpick*** 일종의 사냥칼.

Ar·kan·saw·yer [ɑ́ːrkənsɔ̀ːjər] *n.* 《구어·방언》 Arkansas 주 사람《별명》.

Ar·khan·gelsk [ɑːrkǽngelsk] *n.* 아르한겔스크《러시아 공화국 서부의 주 및 그 주도》. [◂ Russ. <Archangel]

Ar·kie [ɑ́ːrki] *n.* 《미》 이동(移動) 농업 노동자, 《특히》 Arkansas 주 출신의 유랑 농부. ⓒⓕ Okie.

Ark·wright [ɑ́ːrkràit] *n.* Sir **Richard** ~ 아크라이트《영국의 방적 기계 발명자; 1732-92》.

ARL 《미》 Association of Research Libraries (조사〔연구〕 도서관 협회); Australian Rugby League.

ár láser [ɑ́ːr-] 『광학』 아르곤 레이저《저압 아르곤 기체의 아크 방전을 증폭매체로 하는 연속발진 레이저》.

Ar·ling·ton [ɑ́ːrliŋtən] *n.* 알링턴《미국의 Virginia 주 북동부에 있는 군·시의 이름》. ~ ***National Cemetery*** 알링턴 국립 묘지.

ARM[1] [ɑːrm] *n.* 『군사』 대(對)레이더 미사일. [◂ *a*nti-*r*adiation *m*issile]

ARM[2] *n.* 《미》 변동금리 저당 융자. [◂ *a*djustable-*r*ate *m*ortgage]

†arm[1] [ɑːrm] *n.* **1** 팔, 상지(上肢); (포유동물의)

앞발, 전지(前肢): the upper ~ 상박(上膊) / one's better ~ 오른팔, 주로 잘 쓰는 팔 / with a book under one's ~ 책을 겨드랑이에 끼고. **2** 팔 모양의 물건〔부분〕; 안경의 귀걸이 테; (옷의) 소매; (의자의) 팔걸이; (나무의) 큰 가지; 후미, 내포(~ of the sea); 지류(支流); (산의) 지맥(支脈): the ~ of a balance 저울대 / an ~ of a river 분류(分流) / ~s of an anchor 닻가지. **3** Ⓤ (정부·법률 따위의) 힘, 권력: the strong ~ of the law 법의 강력한 힘. **4** (활동을 수행하기 위한) 유력한 일익(一翼), 중요한 부분. **5** 《미속어》 음경.

a child 〔***a baby, an infant***〕 ***in*** ~***s*** (팔에 안겨) 아직 못 걷는 어린아이. ~ ***in*** ~ =~***-in-***~ 서로 팔을 끼고《*with*》. ***as long as*** one***'s*** ~ 대단히 오랫동안; 《구어》 몹시 긴. ***at*** ~***'s length*** ⇨ LENGTH. ***cost*** a person ***an*** ~ ***and a leg*** 《구어》 (물건·일이) 큰 돈이 들다. ***fold*** one***'s*** ~***s*** 팔짱을 끼다. ***give*** 〔***offer***〕 one***'s*** ~ ① 팔을 (끼도록) 내밀다《동행의 여성에게》. ② 제휴를 제의하다 《*to*》. ***have*** 〔***carry, hold***〕 (a child) ***in*** one***'s*** ~***s*** (아이를) 안다. ***keep*** a person ***at*** ~***'s length*** 아무를 가까이 못 오게 하다, 멀리하다. ***make a long*** ~ (물건을 집으려고) 팔을 쑥 내밀다〔뻗다〕. ***on the*** ~ 《미속어》 신용 대부로, 외상으로(on credit), 공짜로. ***put the*** ~ ***on*** 《미속어》 ①…에게 (금품을) 조르다, 강요하다《*for*》, 꾸다. ② (사람을) 붙잡다〔체포하다〕: The cop is going to *put the* ~ *on* him. 경관은 그를 체포하려고 한다. ***throw*** one***'s*** ~***s around*** a person***'s neck*** 아무의 목을 부둥켜안다. ***twist*** a person***'s*** ~ ① 아무의 팔을 비틀다. ② 아무에게 압력을 가하다, 강요하다. ***with folded*** ~***s*** 팔짱을 끼고〔낀 채〕; 방관하고. ***within*** ~***'s reach*** 손이 닿는 범위 내에. ***with open*** ~***s*** 두 팔〔손〕을 벌려; 충심으로 환영하여.

***arm**[2] *n.* **1** (보통 *pl.*) 무기, 병기: deeds of ~s 무훈(武勳) / by (force) of ~s 무력으로 / in ~s 무장하여 / small ~ (총 등의) 소화기.

> SYN. **arms** 칼·총검 등 전쟁에 쓸 목적으로 만들어진 것. **weapon** 전쟁용 무기에 한하지 않고 공격·방어에 쓸 수 있는 도구는 모두 포함됨: He used a golf club as his *weapon*. 그는 골프채를 무기로 삼았다.

2 (*pl.*) 군사(軍事), 전쟁, 전투; 무력(the force of ~s): ~s control 〔reduction〕 군비 제한〔축소〕 / suspension of ~s 휴전 / a man of 〔at〕 ~s 병사; 전사(戰士). **3** 병종(兵種), 병과: the infantry ~ 보병과 / the air ~ of the army 육군의 항공 병과. **4** (*pl.*) (방패·기(旗) 따위의) 문장(coat of ~s), 표지.

appeal 〔***go***〕 ***to*** ~***s*** 무력에 의지하다. ~***s, and the man*** 무기와〔전쟁과〕 인간 《Vergil 의 말》; 무용담. ***a stand of*** ~***s*** (병사 1 인분의) 무기 한 조(組). ***bear*** ~***s*** 무기를 휴대〔소유〕하다, 무장하다; 병역에 복무하다《*for* one's country》; 싸우다《*against*》. ***call … to*** ~***s*** …에 무장을 명하다; (군대를) 동원하다. ***carry*** ~***s*** 무기를 휴대하다; 병역에 복무하다. ***change*** ~***s*** 총을 바꿔 메다. ***give up*** one***'s*** ~***s*** 항복하여 무기를 내주다. ***lay down*** one***'s*** ~***s*** 무기를 버리다; 항복하다. ***lie*** 〔***rest***〕 ***upon*** 〔***on***〕 one***'s*** ~***s*** 무장한 채로 자다〔쉬다〕, 방심하지 않다. ***Order*** ~***s!*** 세워총. ***Pile*** ~***s!*** 걸어총. ***Port*** ~***s!*** 앞에총. ***Present*** ~***s!*** 받들어총. ***Shoulder*** 〔***Carry, Slope***〕 ~***s!*** 어깨총. ***stand to*** one***'s*** ~***s*** 전투 대형을 만들다, 전투 준비를 하다. ***take*** (***up***) ~***s*** 무기를 들다; 무장궐기하다; 개전(開戰)하다《*against*》; 군인이 되다.

throw down** one's* **~s** ⇨ THROW. ***To ~s! 전투 준비. ***turn** one's* ***~s against*** …을 공격하다. ***under ~s*** 무장을 갖추고, 전쟁〔전투〕준비를 마치고. ***up in ~s*** ① (…에 대하여 화내어) 싸울 채비를 하고, 분기하여《*against*》. ② 《구어》 (…에 대해) 노하여, 분개하여《*about; against; over*》: They were *up in ~s over* high taxes. 그들은 높은 세금에 분개하여 들고일어섰다.

— *vt.* **1 a** 《~+[목]/+[목]+[전]+[명]》 무장시키다, …에게 무기를 주다; (배를) 장갑하다: ~ peasants (*with* guns) 농민을 무장시키다. **b** 〖~ oneself〗 무장하다: ~ one*self with* a pistol 권총으로 무장하다. **2** (방호구(防護具) 따위로) 견고히 하다, 방비하다. **3** 《+[목]+[전]+[명]》 (병기 따위에 …을) 장비하다; (특별한 목적·용도 따위)에 대비하다; …을 갖추다, 준비하고 있다 《*with*》: ~ a person *with* full powers 아무에게 전권을 맡기다 / ~ a missile *with* a nuclear warhead 미사일에 핵탄두를 장착하다. **4** 〖전기〗 (필요할 때에 끊어지게 퓨즈를) 활성화하다. **—** *vi.* 무장하다; 싸울 준비를 하다. ***~ed to the teeth*** ⇨ TOOTH. ***be ~ed at all points*** 충분히 무장하다; 빈틈없이 대비하다.

ar·ma·da [ɑːrmáːdə, -méi-] *n.* 《Sp.》 함대; 군용 비행대; (버스·트럭·어선 등의) 대집단. ***the Armada*** = ***the Invincible*** 〔***Spanish***〕 ***Armada*** 무적 함대《1588년 영국 침략을 꾀했다가 격멸된 스페인 함대》.

Armáda chèst 17, 18세기 철제(鐵製) 또는 쇠를 입힌 견고한 상자《금고 또는 보물 상자》.

ar·ma·dil·lo [àːrmədílou] (*pl.* **~s**) *n.* 〖동물〗 아르마딜로《빈치목(貧齒目) 동물; 라틴 아메리카산(産)》.

Ar·ma·ged·don [àːrməgédn] *n.* 〖성서〗 아마겟돈《세계 종말의 날의 선과 악의 결전장; 요한계시록 XVI: 16》; 〔일반적〕 최후의 대결전, 국제적인 대결전(장).

Ar·magh [ɑːrmáː] *n.* 북아일랜드 남부의 주(州); 그 주도(州都).

ar·mal·co·lite [ɑːrmǽlkəlàit] *n.* 〖광물〗 아말콜라이트《아폴로 11호의 3명의 우주 비행사가 달에서 가져온 광물》.

°**ar·ma·ment** [áːrməmənt] *n.* **1** [U] 〔집합적〕 (군대·군함·비행기 따위를 포함한) 장비, 무기, 병기; [C] (군함·군용기에 장착한) 포: planes with the newest ~ 최신 장비를 갖춘 비행기 / a main 〔secondary〕 ~ 주포(主砲)〔부포(副砲)〕 / nuclear 〔atomic〕 ~ 핵무장. **2** [C] (종종 *pl.*) (한 나라의) 군사력, 군비: the limitation 〔reduction〕 of ~s 군비 제한〔축소〕 / an ~ race 군비 경쟁.

ar·ma·men·tar·i·um [àːrməməntéəriəm, -men-] (*pl.* **-ia** [-iə], **~s**) *n.* **1** 〖의학〗 의료 필수품 일습《기구·약품·서적 등을 포함한》. **2** (특정 분야에 필요한) 설비〔자료〕.

ar·mar·i·um [ɑːrméəriəm] (*pl.* **-ia** [-iə], **~s**) *n.* (교회의 의식용품·성기구(聖器具) 등을 보관하는) 장.

ar·ma·ture [áːrmətʃər/-tʃə, -tjùə] *n.* **1** (군함 등의) 장갑판(裝甲板). **2** 〖동물·식물〗 보호기관《가시·껍질 등》; 〖건축〗 보강재(材). **3** 〖조각〗 (제작 중인 점토·석고 등을 지지하는) 틀, 뼈대. **4** 〖전기〗 전기자(電機子)《발전기·전동기 등의 회전자(回轉子)》; (자석의) 접극자(接極子), 접편(接片). **5** 《고어》 갑옷 투구, 갑주(甲冑), 무구(武具).

ármature reàction 〖전기〗 전기자(電機子) 「반작용(反作用).

árm·bànd *n.* 완장; 상장(喪章).

árm càndy 《속어》 (사교 행사에 데리고 다니는) 매력적인 사람([cf.] eye candy).

*__arm·chair__ [áːrmtʃɛ̀ər] *n.* 안락의자. **—** *a.* 이론뿐인, 탁상공론의; 실천이 따르지 않는; 남의 경험에 의한: an ~ critic (경험이 없는) 관념적인 비평가 / an ~ pilot 경험도 없이 항공기 조종에 대해 아는 체하는 사람 / an ~ detective 〔《구어》 sleuth〕 가만히 앉아서 추리로 사건을 해결하는 탐정.

armed *a.* **1** 무장한: an ~ ship 무장선 / ~ peace 무장하(下)의 평화. **2** 〖생물〗 (가시·엄니 따위의) 보호 기관을 갖춘.

-armed [áːrmd] *suf.* '팔이 …한'의 뜻: long-~.

ármed fórces (육·해·공의) 군, 군대; 전군.

ármed neutrálity 무장 중립.

ármed róbbery 무장 강도(죄)《형의 가중 사유가 됨》.

ármed sérvices = ARMED FORCES.

Ar·me·nia [ɑːrmíːniə, -njə] *n.* 아르메니아《독립 국가 연합 구성 공화국의 하나》. [파] **-ni·an** *a.*, *n.* 아르메니아(사람)의; 아르메니아 사람; [U] 아르메니아 말.

ar·met [áːrmət, -met] *n.* (15세기경의) 투구의 일종.

árm fàke 〖미식축구〗 암페이크《패서가 공을 쥔 채 패스하는 시늉을 하는 동작》.

°**arm·ful** [áːrmfùl] *n.* 한 아름(의 분량)《*of*》: an ~ *of* wood 한 아름의 장작.

árm·guàrd *n.* (갑옷의) 팔(특히 손목에서 팔꿈치까지의) 가리개; 〖권투〗 팔에 의한 방어.

árm·hòle *n.* **1** (옷의) 진동 둘레; 진동. **2** = ARMPIT.

ar·mi·ger [áːrmidʒər] *n.* 문장(紋章) 패용을 허용받은 사람《knight와 yeoman의 중간 계급》.

ar·mig·er·ous [ɑːrmídʒərəs] *a.* 문장을 패용할 자격이 있는.

ar·mil·lary [áːrmәlèri, ɑrmíləri/ɑːmíləri] *a.* 고리 모양의; 아밀러리 천구(天球)의.

ármillary sphére 혼천의(渾天儀), 아밀러리 천구의(天球儀)《옛날의 천구의》.

árm·ing *n.* [U] 무장함; [C] 무장, 장비; (자석의) 접극자(接極子); 《폐어》 문장(紋章); [U] 〖로켓〗 (탑재 기기의) 활성화.

árming chèst 무기 수납궤(櫃).

Ar·min·i·an [ɑːrmíniən] *a.* Arminius(파)의. **—** *n.* 아르미니우스파의 사람. [파] **~·ism** *n.* [U] 아르미니우스파(의 교의).

Ar·min·i·us [ɑːrmíniəs] *n.* **Jacobus** ~ 아르미니우스《네덜란드의 신학자; Calvin의 예정설을 부정; 1560-1609》.

ar·mip·o·tent [ɑːrmípətənt] *a.* 《드물게》 전쟁에 강한, 무력이 뛰어난.

°**ar·mi·stice** [áːrməstis] *n.* 휴전; (일시적인) 정전(停戰)(truce): a separate ~ 단독 휴전 / make an ~ 휴전하다.

Ármistice Dày (1918년, 제1차 세계 대전의) 휴전 기념일《11월 11일》. ★ 미국에서는 1954년 VETERANS' DAY로, 영국에서는 1946년 REMEMBRANCE SUNDAY로 개칭했음.

árm·less *a.* **1** 팔이 없는; (의자의) 팔걸이가 없는. **2** 무방비의, 무기 없는.

arm·let [áːrmlit] *n.* **1** 팔찌, 팔장식, 완장. **2** 좁은 후미, 강의 지류, 작은 만.

árm·lìke *a.* 팔 같은.

árm·lòad *n.* 《미》 한 아름의 분량.

árm·lòck *n.* 〖레슬링〗 암로크《팔조르기》.

ar·moire [ɑːrmwáːr] *n.* 《F.》 대형 옷장〔벽장〕, (붙박이가 아닌) 찬장.

*__ar·mor,__ 《영》 **-mour** [áːrmər] *n.* [U] **1** 〔집합적〕 갑옷과 투구, 갑주(甲冑): a suit of ~ 갑옷 한 벌. **2** (군함 등의) 장갑(강판). **3** (전깃줄의) 외장(外裝); (동식물의) 방호 기관《물고기의 비늘·가시 등》; 방호복, 잠수복. **4** 문장(紋章)(coat ~). **5** 〖군사〗 기갑 부대. ***be clad in ~*** 갑옷을

입고〔무장하고〕 있다. ―― *vt.* 갑주를 입히다; 장갑하다; (유리 공예에서 유리를) 강화하다.

ármor·bèarer *n.* 기사의 시종《갑옷을 들고 다님》.

ármor-clàd *a.* 갑옷을 입은, 무장한; 장갑한: an ~ ship 장갑함.

◇**ár·mored** *a.* **1** 갑옷을 입은, 장갑(裝甲)한; (콘크리트에) 철근을 넣은: an ~ battery 〔train, vehicle〕 장갑 포대〔열차, 차량〕. **2** 장갑차를 가진: an ~ division 기갑 사단.

ármored cáble 〖전기〗 외장(外裝) 케이블.

ármored cár 《미》 장갑 자동차《현금 수송 등의》; 장갑차.

ármored ców 〔héifer〕 《미속어》 깡통 우유, 분유.

ármored fórces 기갑 부대.

ármored personnél càrrier 무장 병력 수송차《생략: APC》.

ármored scále 《미》 〖곤충〗 개각충(介殼蟲)의 일종.

ár·mor·er [-rər] *n.* **1** 무구(武具) 장색; 병기공(兵器工); (군대의) 병기계(係). **2** 《미》 병기 공장, 병기고.

ar·mo·ri·al [ɑːrmɔ́ːriəl] *a.* 문장(紋章)의. ―― *n.* 문장서(紋章書); 가문(家紋).

ar·mor·ize [ɑ́ːrməràiz] *vt.* 무장시키다: ~ a car *with* bulletproof glass 방탄유리로 자동차를 무장시키다.

ármor plàte (군함·전차 따위의) 장갑판.

ármor-plàted [-id] *a.* 장갑의〔으로 무장한〕.

ar·mory, 《영》 **-moury** [ɑ́ːrməri] *n.* **1** 병기고; 병기 제작소, 조병창. **2** 《미》 주군(州軍)·예비병 따위의 부대 본부〔훈련소〕. **3** 《고어》 무구(武具), 병기류. **4** 《고어》 문장(紋章)(학).

◇**ar·mour** 《영》 = ARMOR.

árm·pìt *n.* **1** 겨드랑이. **2** 《미속어》 불유쾌한〔더러운, 싫은〕 장소, 누추한 곳; 도시의 가장 열악한 곳.

árm·rèst *n.* (의자의) 팔걸이.

ARMS 〖해양공학〗 atmospheric roving manipulator system(대기압 이동 머니퓰레이터 시스템; 작업 심도는 915m).

árms contròl 군비 관리〔제한〕, 군축.

árm's léngth 팔을 뻗으면 닿는 곳〔거리, 길이〕. ***at*** **~** 팔을 뻗으면 닿는 곳〔거리〕에; 어느 정도 거리를 두고, 서먹서먹하게: He's the kind of person you pity but want to keep *at* ~. 그는 가엾지만 가까이하고 싶지 않은 사람이다.

árms ràce 군비 확대 경쟁: a nuclear ~ 핵무기의 군비 확대 경쟁.

Arm·strong [ɑ́ːrmstrɔ̀ːŋ] *n.* **Neil A.** ~ 암스트롱《미국의 우주 비행사, 사상 최초의 달 상륙자; 1930-2012》.

Ármstrong mówer 《미속어》 풀깎는 낫.

árm-twìsting *n., a.* 《구어》 강요(하는); 강제(적인).

árm·wàve *n.* 〖브레이크댄싱〗 암웨이브《두 사람이 짝이 되어 팔에서 팔로 파도를 전하는 춤》.

árm-wàver *n.* 《구어》 광신적인 사람, 독선적인 사람; 열렬한 애국자, 정의를 내세우는 사람.

árm-wrèstle *vt., vi.* (아무와) 팔씨름을 하다. ㊕ **~r** *n.*

árm wrèstling 팔씨름(Indian wrestling).

⁑**ar·my** [ɑ́ːrmi] *n.* **1** 군대; (종종 the A-) (해·공군에 대해) 육군; 군(軍): the national ~ 국민군 / a standing 〔reserve〕 ~ 상비군〔예비군〕 / ~ life 군대 생활 / an ~ officer 육군 장교 / an ~ commander 군사령관 / be in the ~ 육군〔군대〕에 있다, 군인이다 / join 〔go into, enter〕 the ~ 육군에 입대하다 / leave the ~ 제대〔퇴역〕하다 / serve in the ~ 병역에 복무하다. **2** (종종 A-) 단체, 조직체: the Salvation *Army* 구세군 / the Blue Ribbon *Army* 《영》 청색 리본단《금주 단체 이름》. **3** 대군(大群), 떼, 무리《*of*》: an ~ *of* ants 개미의 큰 떼 / an ~ *of* workmen 한 무리의 노동자. ***an ~ of occupation*** 진주〔점령〕군.

ármy àct 육군 형법.

ármy ànt 〖곤충〗 병정(兵丁)개미《떼를 지어 이동함》.

ármy bràt 《미속어》 육군사관·부사관 등의 자녀《특히 기지(基地)라든가 군인들만의 환경 안에서 자란》.

ármy còrps 〘집합적〙 군단.

ármy lòok 군대식 복장.

ármy-návy stòre **1** 육·해군 불하품 전문점. **2** 《영》 일반 잡화〔백화〕점.

Ármy Sérvice Còrps (the ~) 《영》 육군 병참단.

ármy·wòrm *n.* 〖곤충〗 거염벌레《떼를 지어 작물을 해침》.

ar·ni·ca [ɑ́ːrnikə] *n.* 아르니카《국화과의 식물》; 〖약학〗 아르니카 팅크《외용 진통제》.

Ar·no [ɑ́ːrnou] *n.* (the ~) 아르노 강《이탈리아 북서부의 강》.

Ar·nold [ɑ́ːrnəld] *n.* 아널드. **1** 남자 이름. **2** **Benedict** ~ 독립 전쟁 때 영군에 내통한 미국 장군(1741-1801)《'반역자'의 대명사로 쓰임》. **3** Sir **Edwin** ~ 영국의 시인·저널리스트(1832-1904). **4** **Henry Harley** ~ 미국의 장군; 미공군 사령관(1886-1950). **5** **Malcolm** (**Henry**) ~ 영국의 작곡가(1921-2006). **6** **Matthew** ~ 영국의 시인·문예 평론가(1822-88). **7** **Thomas** ~ 영국의 성직자·교육자·역사가; 6의 부친(1795-1842). **8** **Samuel** ~ 영국의 작곡가(1740-1802).

Á-ròad *n.* 《영》 주요 간선 도로.

aro·ha [ɑ́ːrɑhə/-rɔ-] *n.* 《N. Zeal.》 애정, 사랑; 동정.

ar·oid [ǽrɔid, έər-] *n., a.* 〖식물〗 토란(과(科))(의).

aroint [ərɔ́int] *int.* 〘다음 용법뿐임〙 ***Aroint thee* 〔*ye*〕*!*** 《고어》 물러가라.

aro·ma [əróumə] *n.* 방향(芳香), 향기; (예술품의) 기품, 풍취.

aro·ma·ther·a·py [əròuməθérəpi] *n.* Ⓤ 방향요법《식물의 방향이나 정유(精油)를 이용한 스트레스 해소법으로 주로 얼굴에 사용되는 피부 미용법》.

ar·o·mat·ic, -i·cal [ærəmǽtik], [-ikəl] *a.* 향기 높은, 향기로운; 〖화학〗 방향족(芳香族)의. ―― *n.* 향료; 향기 높은 식물; 〖화학〗 방향족 화합물(=∠ **compound**). ㊕ **-i·cal·ly** *ad.*

ar·o·ma·tic·i·ty [ærəmətísəti, əròu-/əròu-] *n.* 향기가 있는 것〔좋은 것〕; 방향성.

aromátic vínegar 방향성(芳香性) 초제(醋劑).

aro·ma·ti·za·tion [əròumətizéiʃən/-taiz-] *n.* 〖화학〗 방향족화(化).

aro·ma·tize [əróumətàiz] *vt.* 향기롭게 하다; 〖화학〗 방향족화(化)하다. ㊕ **-tìz·er** *n.*

aro·ma·to·ther·a·py [əròumətəθérəpi] *n.* = AROMATHERAPY.

-a·roon·ey, -e·roo·ney [ərúːni(ː)] *suf.* 《속어》 '…한 녀석'의 뜻《명사에 붙여 친근함·익살스러움을 나타냄》: car*arooney* 차(車).

arose [əróuz] ARISE의 과거.

†**around** [əráund] *ad.* **1** 주위에〔를〕, 주변〔근처·일대〕에, 사방에〔으로〕; 빙《둘러싸다 따위》: look ~ 주변을 둘러보다 / the scenery ~ 주변의 경치 / a tree 4 feet ~ 둘레가 4 피트인 나무. **2** 《미구어》 (홱) 돌아서: She turned ~. 홱 돌아섰다. **3** 《구어》 여기저기에〔로〕, 이곳저곳에〔으로〕: travel ~ from place to place 이곳저곳을 두루 여행하다. **4** 《미구어》 근처에, 부근〔주변〕에(서): Wait ~ awhile. 그 근처에서 잠시 기다려라 / stay ~ 멀리 가지 않고 있다. ★ 영국에서는 around를 '위치'에 쓰고, '운동'에는 round를 씀; 미국에서는 around를 '운동'에도 쓰므로

around는 round와 같은 용법: all the year round 〔《미》 around〕, 1년 내내. **5** 《구어》 존재하여, 활동하여, 현역으로: She is one of the best singers ~. 그녀는 현존하는 최고 가수 중의 한 사람이다. ***all*** ~ 사방에, 도처에; 일동에게 《악수하다 따위》. ***be ~ and about*** 《미》 …에 전념하다. ***come*** ~ (특정한 곳에) 나타나다, (아무를 만나러) 찾아오다. ***crowd*** ~ (어중이떠중이들이) 주변에 몰려들다, 운집하다. ***fool*** ~ ⇨FOOL. ***get*** ~ ⇨GET. ***have been*** ~ 《구어》 여러 가지 경험을 쌓고 있다, 세상 일을 환히 알고 있다. ★ 위의 성구에서 찾을 수 없는 것은 round 또는 해당 동사를 참조할 것.

— *prep.* **1** …의 주변〔주위·둘레〕에, …을 둘러〔에워〕싸고: ~ the garden 〔house〕 뜰〔집〕 주위에 / sit ~ a table 탁자를 둘러싸고 앉다 / with his friends ~ him 친구들에게 둘러싸여. SYN. ⇨ABOUT, ROUND. **2** 《미구어》 …의 주위를 돌아서, …을 일주하여, 우회(迂回)하여: ~ the corner 《미》 모퉁이를 돌아선 곳에 / The earth goes ~ the sun. 지구는 태양의 주위를 돈다. **3** 《미구어》 …을 여기저기〔이곳저곳〕에: travel ~ the world 세계를 두루 여행하며 돌아다니다 / show ~ the town 시내를 안내하며 돌아다니다. **4** …에 종사하여: He's been ~ the school for thirty years. 학교에 30년이나 근무하고 있다. **5** 《구어》 …주변에〔을〕, …의 근처를: ~ here 이 근처〔부근〕에 / stay ~ the house 집 근처를 떠나지 않다. **6** 《미구어》 약…, …쯤〔정도〕(《*about*》): ~ 5 o'clock 다섯 시쯤 / ~ ten dollars 약 10달러 / ~ four hundred years ago 약 400년 전에. ***~ the clock*** ⇨CLOCK.

aróund-the-clòck *a.* 만 하루〔24시간〕 계속해서의, 주야 겸행의, 무휴의: an ~ air raid, 24시간 계속 공습 / (in) ~ operation 무휴(無休) 조업(중).

aróund-the-wòrld *a.* 세계 일주의.

arous·al [əráuzəl] *n.* 각성; 환기; 격려.

***arouse** [əráuz] *vt.* **1** 《+목+전+명》 (자는 사람을) 깨우다: ~ a person *from* sleep 아무를 깨우다. **2** 《~+목/+목+전+명》 (아무를) 자극하다, 분기시키다: ~ anger 성나게 하다 / ~ a person *into* action 아무를 재촉해 활동시키다. **3** (흥미·논쟁 등을) 환기시키다, 야기하다: ~ suspicion 의심을 품게 하다. **—** *vi.* 눈을 뜨다; 각성하다. ㊕ **aróus·er** *n.* 격려자, 도발자, 자극 〔주는 사람.

arow [əróu] *ad.* 일렬로; 잇따라.

ARP anti-radiation projectile(대(對)레이더탄). **A.R.P.** air-raid precautions(공습경보).

ARPANET [á:rpənèt] *n.* 〚통신·컴퓨터〛 미국 방부가 개발한 전 미국 규모의 컴퓨터 네트워크. [◂ Advanced Research Project Agency + network] 〔연주하다.

ar·peg·gi·ate [ɑ:rpédʒièit] *vt.* 아르페지오로

ar·peg·gio [ɑ:rpédʒiòu, -dʒou/-dʒiòu] (*pl.* **~s**) *n.* 《It.》 〚음악〛 아르페지오《화음을 이루는 음을 연속해서 급속히 연주하는 법》; 그 화음, 펼침 화음.

ar·peg·gio·ne [ɑ:rpèdʒióuni] *n.* 〚악기〛 아르페지오네《첼로같이 활로 타는 6현 악기》.

ar·que·bus [á:rkwəbəs] *n.* 화승총(火繩銃) (harquebus). 〔로 무장한 병사.

ar·que·bus·ier [à:rkwəbəsíər] *n.* 화승총으

arr. arranged (by); arrival; arrive(d); arrives. **A.R.R.** *anno regni regis* 〔*reginae*〕 《L.》 (=in the year of the king's 〔queen's〕 reign).

ar·rack [ǽrək] *n.* Ⓤ 아라크 술《야자 열매·당밀 따위의 즙으로 만드는, 중근동 지방의 독한 술》. 〔위〕.

ar·rah [ǽrə] *int.* 《영·Ir.》 아, 저런《놀람 따

ar·raign [əréin] *vt.* **1** 〚법률〛 (피고를 법정에 소환하여) 죄상의 진위 여부를 묻다(《*for; on*》): He was ~*ed on* charges of aiding and abetting terrorists. 그는 테러리스트들에 대한 지원·교사죄를 심문받았다. ★ 종종 수동태로 받음. **2** 《문어》 (…을) 책망〔비난〕하다, 규탄하다(《*for*》). ㊕ **~·ment** *n.* Ⓤ,Ⓒ

Ar·ran [ǽrən] *n.* 애런섬《스코틀랜드 남서부의 섬》.

‡**ar·range** [əréindʒ] *vt.* **1** 배열하다, 정리하다, 정돈하다: ~ books on a shelf 책장의 책을 정리하다. **2** 가지런히 하다; (머리를) 매만지다: ~ flowers 꽃꽂이하다 / ~ one's hair 머리를 빗다. **3** 《~+목/+목+전+명/+*that*절》 …을 정하다; 준비하다, 주선하다: ~ a marriage 혼담을 정하다 / ~ the table *for* supper 저녁 식탁을 차리다 / It is ~*d that* we shall meet here. 우리는 여기서 만나기로 했다. **4** 조정(調停)하다; 조정(調整)하다. **5** 《+목+전+명》 개작(改作)하다, (희곡 따위로) 각색하다; 〚음악〛 편곡하다: ~ a novel *for* the stage 소설을 (상연용으로) 각색하다 / ~ a piece of music *for* the piano 어떤 곡을 피아노용으로 편곡하다. **—** *vi.* **1** 《+전+명/+*to* do/+전+명+*to* do》 결정을 하다, …하도록 짜 놓다, 마련하다, 준비하다: ~ *with* the grocer *for* regular deliveries 식료품점에서 정기적인 배달을 해주도록 하다 / Let's ~ *to* meet here again tomorrow. 내일 또 여기서 만나기로 정하자 / We have ~*d for* the bus *to* pick us up here. 버스가 여기서 우리들을 태워 가기로 되어 있다. **2** 《+전+명/+전+명+*to* do》 (…의 일로) 타합하다, (…하기로) 협의하다(《*with; for; about*》): I must ~ *with* him *about* the party. 그와 파티에 관해서 타합해야 한다 / I've ~*d with* her *to* meet at five. 다섯시에 그녀와 만나기로 했다. ***at the hour ~d*** 예정된 시각에. ㊕ **ar·ráng·er** *n.* ~하는 사람; 편곡자.

arránged márriage (부모가 주선한) 중매 결혼.

‡**ar·range·ment** [əréindʒmənt] *n.* Ⓤ,Ⓒ **1** 배열, 배치; (색의) 배합, 꾸밈(《*of*》): flower ~ 꽃꽂이 / the ~ *of* the furniture 가구의 배치. **2** 정리, 정돈. **3** (보통 *pl.*) 채비, 준비, 주선(《*for*》): make ~*s for* one's trip to Paris 파리 여행 준비를 하다. **4** 조절; 조정(調停), 협정, 합의. **5** 장치, 설비; 제도(制度). **6** (방송용의) 각색, 개작; Ⓤ 편곡; Ⓒ 편곡한 곡(《*for*》); 〚수학〛 순열(順列): an ~ *for* the piano 피아노용으로 편곡한 곡. ***arrive at*** 〔***come to***〕 ***an ~*** 협상〔협정〕이 성립되다. ***make ~s for*** (a party) (파티) 준비를 하다. ***make ~s with*** a person 아무와 사전 협의를 하다.

ar·rant [ǽrənt] *a.* 악명 높은; 딱지붙은, 터무니없는, 철저한: an ~ thief 소문난 도둑 / an ~ fool 형편없는 바보. ㊕ **~·ly** *ad.*

ar·ras[1] [ǽrəs] *n.* Ⓤ 애러스 직물《아름다운 그림 무늬를 짜 넣은 직물》; Ⓒ 애러스 직물의 벽걸이 천; 커튼.

ar·ras[2] [á:rɑ:s] *n. pl.* 〔보통 단수취급〕 〚법률〛 (결혼 때) 남편이 아내에게 하는 증여.

°**ar·ray** [əréi] *vt.* 《~+목/+목+전+명》 **1** 〔~ oneself〕 치장하다, 성장(盛裝)시키다, 차려 입히다(《*in*》): They all ~*ed* them*selves in* ceremonial robes. 그들은 모두 예복으로 차려 입었다. **2** 배열하다, (군대 등을) 정렬〔배치〕시키다; (증거 등을) 열거하다: ~ people *in* a line 사람들을 한 줄로 정렬시키다. **3** 〚법률〛 (배심원 전원을) 소집하다, 열석(列席)시키다. ***~ oneself against*** …에 모조리 반대하다. **—** *n.* **1** Ⓤ 정렬, 배진(配陣), 군세(의 정비): soldiers in battle ~ 전투

대형을 이룬 병사들. 2 Ⓒ 배열된 것; 세트: an ~ of flags 쭉 줄지은 기(旗)의 행렬. 3 의장(衣裝), 치장: bridal ~ 신부 차림/in fine ~ 곱게 단장하고. 4 〖법률〗 (배심원의) 소집; Ⓒ (소집된) 배심원 전원. 5 〖컴퓨터〗 배열《일정한 프로그램으로 배열된 데이터군》; 〖통신〗 어레이안테나《다수의 소자 안테나를 적당히 배열한 것》; 〖전기〗 안테나 구성의 최소 요소. ㊕ ~·al [-əl] n. Ⓤ 정렬, 배열; 성장(盛裝); Ⓒ 정렬〔배열〕한 것.

arráy procéssing 〖컴퓨터〗 배열 처리《여러 개의 연산 장치를 병렬로 접속시켜 배열이나 행렬 연산을 고속으로 실행하는 것》.

arráy procéssor 〖컴퓨터〗 배열 처리기.

ar·rear [əríər] n. (보통 *pl.*) 늦음, 더딤, 지체; (보통 *pl.*) (지불 등의) 밀림《*of*》, 지불 잔금, 연체금; (*pl.*) 〖미출판〗 예약 구독 기간 후 갱신절차 없이 계속 보내지고 있는 잡지 부수: ~*s of* wages임금의 체불/~*s of* rent 집세의 밀림. ***fall into ~s*** 지체하다. ***in ~ of*** …보다 뒤늦어 (OPP. *in advance of*). ***in ~(s)*** 지체〔체불〕되어, (빚이) 미불로. ***in ~(s) with*** (payment 〔work〕) (지불〔일〕)이 지체되어. ***work off ~s*** 일하여 지체된 것을 만회하다.

ar·rear·age [əríəridʒ] n. U,C 1 연체, 지체. 2 (종종 *pl.*) 연체금, 미불금.

ar·rec·tis au·ri·bus [L. ɑːréktiːs-áuribùs] 《L.》 귀를 기울여서; 주의 깊게.

*__ar·rest__ [ərést] vt. 1 《~+목/+목+전+명》 〖법률〗 체포〔구속〕하다《*for; as*》: ~ a thief 도둑을 체포하다/~ a person *for* murder 아무를 살인 혐의로 체포하다/an ~*ed* vessel 억류선(박). 2 막다, 저지하다; (병의 진행을) 억제하다: ~ progress 진보를 막다/~ judgment 판결을 저지하다/~ cancer 암의 확산을 억제하다. 3 (시선·주의 등을) 끌다: ~ her attention 〔eyes〕 그녀의 주의를 끌다〔눈에 띄다〕. ── n. U,C 1 〖법률〗 체포; 구류; 억류: make an ~ of …을 체포하다/Several ~*s* had already been made. 이미 여러 명 체포되었다. 2 정지, 저지: ~ of development 발육 정지. ***an ~ warrant*** 구속 영장. ***under ~*** 체포되어, 구금 중인: be *under* house ~. 자택연금 중이다. ***put*** 〔***place***〕 a person ***under ~*** 아무를 구금하다. ㊕ ~-a·ble a. **ar·rés·tant** [-tənt] n. 활동〔진행 등의〕 저지물; 〖동물〗정착 물질, (특히 해충의) 이동 저지제. **ar·res·ta·tion** [æ̀restéiʃən] n. (발달·진전의) 억지, 정지. **ar·rest·ee** [ərestíː] n. 피체포자. **ar·rést·er, -rés·tor** [-ər] n. 1 ~하는 사람. 2 피뢰기(lightning ~er).

arréster gèar 〔**wìre**〕 《영》 =ARRESTING GEAR.

arréster hòok 〖항공〗 속도 제어 장치《항공모함의 비행기 착함용 훅》.

ar·rést·ing a. 사람 눈을 끄는; 흥미있는: an ~ sight 인상적인 광경.

arrésting gèar 《미》 (항공모함 갑판에 있는) 착함(着艦) 제동 장치.

ar·res·tive [əréstiv] a. 저지〔억지〕하는; 주의를 끌기 쉬운.

ar·rést·ment n. Ⓤ 체포, 구속, 억류; 저지.

arrést of júdgment 〖법률〗 판결 정지〔중지, 유예〕《배심의 평결 후에 기소장의 하자를 이유로 판결을 중지하는 것》.

ar·rhyth·mia [əríðmiə, eiríð-/əríð-] n. Ⓤ 〖의학〗 부정맥(不整脈).

ar·rhyth·mic, -mi·cal [əríðmik], [-kəl] a. 율동적〔주기적, 규칙적〕이 아닌. ㊕ **-mi·cal·ly** ad.

ar·ride [əráid] vt. 《고어》 기쁘게 하다, 만족시키다.

ar·ri·ère-ban [æ̀riɛ̀ərbǽn] n. 《F.》 〖역사〗 (봉건 시대의 프랑스 왕이 낸) 신하 소집령; 〖집합적〗 소집된 신하.

ar·rière-garde [æ̀riɛ̀ərgáːrd] n. 《F.》 (전위에 대하여) 후위(derrière-garde).

ar·rière-pen·sée [æ̀riɛ̀ərpɑːnséi] n. 《F.》 저의, 속셈; 꺼림한 생각.

ar·ris [ǽris] n. 〖건축〗 모서리, 외각(外角), 귀퉁이.

ar·ris·ways, -wise [ǽriswèiz], [-wàiz] ad. 비스듬히; 모서리를〔각을〕 이루어.

⁑**ar·riv·al** [əráivəl] n. 1 Ⓤ 도착; 도달: on my ~ *at* the airport 내가 공항에 도착하는 대로/cash on ~ 〖상업〗 착하불(着荷拂)/~ *at* a conclusion 결론에의 도달. 2 출현, 등장. 3 Ⓒ 도착자〔물〕, (새)입하(入荷): new ~*s* 새로 도착한 사람〔물건, 책〕. 4 Ⓒ 《구어》 출생, 신생아: The new ~ was a son 〔girl〕. 이번에 난 아이는 사내〔계집애〕였다. 5 〘형용사적 용법〙 도착의; 도착자〔품〕의: ~ contract 〔sales〕 〖상업〗 선물(先物) 약정〔매매〕/an ~ list 도착 승객 명부/an ~ station 도착역, 종점/an ~ platform 도착 플랫폼/port of ~ 입국지(入國地) (입국 관리 사무소가 있는) 공항〔항구〕. ◇ arrive v.

†**ar·rive** [əráiv] vi. 1 《~/+전+명》 도착하다, 닿다《*at; in*》: I've just ~*d*. 이제 막 도착했다/~ *at* the station 〔*in* Seoul〕 정거장〔서울〕에 도착하다/The police ~*d on* the spot. 경찰이 현장에 도착했다. ★ 어떤 지점일 때는 at, 어느 지역일 때는 in 을 쓰는 것이 보통임. 2 《+전+명》 (어떤 연령·결론·확신 따위에) 도달하다《*at*》: ~ *at* manhood 〔the age of forty〕 성년〔40 세〕에 달하다/be quick to ~ *at* a decision 결단이 빠르다. 3 (시기가) 도래하다, 오다: The opportunity 〔The time for action〕 has ~*d*. 기회〔행동할 때〕가 왔다. 4 《구어》 (신생아가) 태어나다. 5 《~/+*as*보》 《구어》 성공하다, (…로서) 명성을 얻다: He ~*d as* a writer. 그는 작가로서 성공했다. 6 《고어》 (사건 등이) 일어나다 《*to* a person》. ◇ arrival n. ~ ***at a bargain*** 상담(商談)을 성공시키다.

ar·ri·vé [æ̀rivéi] n. 《F.》 갑자기 성공한 사람, 벼락출세한 사람.

ar·ri·ve·der·ci [ɑ̀ːrivedéərtʃi] *int.* 《It.》 안녕, 그럼 또(till we meet again).

ar·ri·vism(e) [æ̀rəvíːzəm] n. 악착 같은 야심 〔출세주의〕.

ar·ri·viste [æ̀rivíːst] n. 《F.》 (목적을 위해 수단을 가리지 않는) 야심가; 벼락출세자〔부자〕.

°**ar·ro·gance, -cy** [ǽrəgəns], [-i] n. Ⓤ 오만, 거만, 건방짐.

*__ar·ro·gant__ [ǽrəgənt] a. 거드럭거리는, 거만〔오만〕한, 건방진(haughty): assume an ~ attitude 오만한 태도를 취하다. SYN. ⇨ PROUD. ㊕ ~·**ly** *ad.*

ar·ro·gate [ǽrəgèit] vt. 1 《~+목/+목+전+명》 (남의 권리를) 침해하다, 속여 자기 것으로 하다, 사취(詐取)하다; 가로채다; (칭호 등을) 사칭하다: ~ a person's rights 아무의 권리를 침해하다/~ power *to* 〔*for*〕 oneself 권력을 남용하다/He ~*d* the chairmanship *to* himself. 그는 자기가 의장이라고 사칭했다. ★ 전치사의 목적어로 oneself를 씀. 2 정당한 이유 없이 (아무에게 …을) 돌리다, 억지로 …의 탓으로 하다《*to*》.

àr·ro·gá·tion n. 사칭; 가로챔; 참람(僭濫), 월권(越權)(행위), 횡포.

ar·ron·disse·ment [ərǽndismənt, æ̀rəndíːs-/æ̀rəndíːs-] n. 《F.》 (프랑스의) 군(郡); (파리 따위 대도시의) 구(區).

⁑**ar·row** [ǽrou] n. 1 화살. 2 화살 모양의 것, 화살표(→). cf. broad arrow. 3 (*pl.*) 〘단수취급〙 《영구어》 다츠(darts). 4 (the A-) 〖천문〗 화살자리(Sagitta). ── vt. …의 삽입할 곳을 화살표로 표시하다.

árrow·hèad n. 1 화살촉. 2 〖식물〗 쇠귀나물속(屬). ㊕ ~·**ed** [-id] a. 화살촉이 붙은, 화살촉

모양의; (문자가) 설형(楔形)의: ~*ed* characters 설형 문자.

árrow kèy (컴퓨터의) 화살표 키. 「방향).

árrow of tíme 〖물리〗 시간의 화살《시간 경과

árrow·ròot *n.* 〖식물〗 칡의 일종; Ⓤ (그 뿌리에서 얻는) 칡가루, 갈분.

árrow·wòod *n.* 〖식물〗 가막살나무속(屬)의 일종《아메리카 원주민이 화살대로 만들어 썼음》.

árrow·wòrm *n.* 화살벌레(chaetognath) 《모악(毛顎)동물문의 작은 동물의 총칭》.

ar·rowy [ǽroui] *a.* 화살 같은; 곧은.

ar·royo [ərɔ́iou] (*pl.* **~s**) *n.* 《미남서부》 물이 마른 수로, 협곡(峽谷); 시내.

ARS 〖컴퓨터〗 Advanced Record System (기록 통신 시스템); audio response system; 《미》 Agricultural Research Service(농업 연구 「국).

ars [ɑːrz] *n.* 《L.》 예술, 학예.

arse [ɑːrs] *n.* 《비어》 =ASS². **~ *over tit*** 《영비어》거꾸로.

árse bàndit 《영속어》 남성 동성애자. 「춘부.

árse·bènder *n.* 《영속어》 행실 나쁜 여자, 매

árse·hòle *n.* 《영》 항문(《미》 asshole).

ar·sen- [ɑ́ːrsən, ɑːrsén], **ar·se·no-** [-nou, -nə] '비소(砒素)를 함유한'의 뜻의 결합사. ★ 모음 앞에서는 통상 arsen-이 쓰임.

ar·se·nal [ɑ́ːrsənəl] *n.* 병기고; 조병창, 병기〔군수〕 공장; 군수품의 비축〔수집〕; 〖일반적〗 비축, 수집; 창고. 「산염(砒酸塩).

ar·se·nate [ɑ́ːrsənèit, -nət] *n.* Ⓤ 〖화학〗 비

ar·se·nic¹ [ɑ́ːrsənik] *n.* Ⓤ 〖화학〗 비소(砒素) 《양쪽성 금속 원소; 기호 As; 번호 33》.

ar·sen·ic², -i·cal [ɑːrsénik], [-əl] *a.* 비소의, 함비(含砒)의: *arsenic* acid 비산(砒酸). ── *n.* 비소제《살충제》.

ársenic trióxide 〖화학〗 삼산화비소(三酸化砒素)《흰색의 독성이 강한 가루; 유리·불꽃·안료 제조용; 살충제, 쥐약, 제초제용》. 「物).

ar·se·nide [ɑ́ːrsənàid] *n.* 〖화학〗 비화물(砒化

ar·se·ni·ous [ɑːrsíːniəs] *a.* 비소〔함비(含砒)〕의; 아비(亞砒)의: ~ acid 아비산.

ar·se·nism [ɑ́ːrsənìzəm] *n.* (만성) 비소 중독.

ar·se·nite [ɑ́ːrsənàit] *n.* Ⓤ 〖화학〗 아비산염.

ar·se·niu·ret·ted [ɑːrsíːnjərètid, -sén-] *a.* 〖화학〗 비소(砒素)와 화합한.

àrseno·pýrite *n.* Ⓤ 황비(黃砒)철석.

ar·se·nous [ɑ́ːrsənəs] *a.* 〖화학〗 =ARSENIOUS.

ars est ce·la·re ar·tem [ɑ́ːrz-ést-səléiri-ɑ́ːrtem] 《L.》 기교를 보이지 않는 것이 예술의 비법(Art is in concealing art.).

ars gra·tia ar·tis [ɑ̀ːrz-gréiʃiə-ɑ́ːrtis] 《L.》 예술을 위한 예술(art for art's sake).

A.R.S.H. Associate of the Royal Society for the Promotion of Health(왕립 건강 증진 협회 준회원).

ar·sine [ɑːrsíːn, ⌐-, ɑ́ːrsin] *n.* 〖화학〗 아르신 《비화(砒化)수소; 무색 맹독의 기체》.

ar·sis [ɑ́ːrsis] (*pl.* **-ses** [-siːz]) *n.* **1** 〖운율〗 강음부; (고전시(古典詩)의) 약음부. **2** 〖음악〗 상박(上拍). opp *thesis*.

A.R.S.L. Associate of the Royal Society of Literature(왕립 문학 협회 준회원).

ars lon·ga, vi·ta bre·vis [ɑ́ːrz-lɔ́ŋgə-víːtɑ-bríːvis] 《L.》 예술은 길고 인생은 짧다(Art is long, life is short.).

ar·son [ɑ́ːrsn] *n.* Ⓤ 〖법률〗 방화(죄). ⓟ **~·ist** *n.* 방화범; 방화광(放火狂).

ars·phen·a·mine [ɑːrsfénəmìːn] *n.* 〖약학〗 살바르산(Salvarsan). 「술).

ars po·e·ti·ca [ɑ̀ːrz-pouétikə] 《L.》 작시법

ARSR air route surveillance radar(항공로 감시 레이더). **A.R.(S.)V.** American Revised (Standard) Version (of the Bible).

ar·sy-var·sy, -ver·sy [ɑ́ːrsivɑ́ːrsi], [-vɚ́ːrsi] *a.*, *ad.* 《영속어》 뒤집힌, 뒤집혀, 거꾸로(의)(topsy-turvy).

Art [ɑːrt] *n.* 아트《남자 이름; Arthur의 애칭》.

†**art¹** [ɑːrt] *n.* **1** Ⓤ **a** 예술; 〖집합적으로〗 예술작품: a work of ~ 미술품, 예술품 / ~ and letters 문예. **b** (종종 *pl.*) 미술; 〖집합적으로〗 미술작품: a school of ~ 미술의 유파 / a museum of modern ~ 근대 미술관. **2** Ⓒ (특수한) 기술, 기예, 술(術): the healing ~ 의술 / the industrial ~*s* 공예 / the ~ of advertising 광고술 / the ~ of life 처세술 / the manly ~ 권투. **3** Ⓤ 숙련; 기교, 솜씨; 인공, 부자연함: a smile without ~ 꾸밈 없는 미소 / by ~ 인공으로. **4** Ⓒ,Ⓤ (보통 *pl.*) 술책; 간책: the innumerable ~*s* and wiles of politics 헤아릴 수 없는 정치적 권모술수. **5** (잡지·신문의) 삽화; 《미속어》 수배 사진. **6** (보통 *pl.*) 인문과학; (대학의) 문과계, 교양 과목(liberal ~s): ~*s* and sciences 문과계와 이과계(의 과목) / the Faculty of *Arts* (대학의) 교양 학부. ***a Bachelor of Arts*** 문학사《생략: B.A.》. ***a Master of Arts*** 문학 석사《생략: M.A.》. **~ *and part*** 《Sc.》 ① 〖법률〗 공범, 종범. ② 관여, 관계: be 〔have〕 ~ *and part* in a plot 음모에 깊이 관여하다. **~ *for ~'s sake*** 예술을 위한 예술《예술 지상주의》. ***have* (*got*) *... down to a fine* ~** …을 완전히 마스터하다, …을 거의 완벽하게 하다: She *has* the helpless maiden act *down to a fine* ~. 그녀는 의지할 곳 없는 아가씨의 역을 썩 잘한다.
── *a.* 예술적인; 미술의: an ~ form 예술형식 / an ~ critic 미술 비평가 / an ~ history 미술사.
── *vt.* 예술적으로 하다, (소설·영화 따위에) 예술적 기교를 가하다《*up*》.

art² 《고어·시어》 BE의 제 2 인칭·단수·직설법·현재형《thou를 주어로 함》.

art. article(s); artificial; artillery; artist.

ARTC air route traffic control(항공로 교통관제). **ARTCC** air route traffic control center(항공로 교통 관제 센터).

art de·co [*F.* aːʀdeko] *n.* (때로 A- D-) 《F.》 아르데코《1920–30 년대의 장식적인 디자인으로, 1960 년대에 부활》. 「미술 책임자.

árt dirèctor 〖영화〗 미술 감독; 〖인쇄·출판〗

ar·te·fact [ɑ́ːrtəfæ̀kt] *n.* =ARTIFACT.

ar·tel [ɑːrtél] *n.* (옛 소련의) 협동조합.

Ar·te·mis [ɑ́ːrtəmis] *n.* 〖그리스신화〗 아르테미스《달·사냥·숲·야수의 여신; 로마 신화의 Diana에 해당》.

ar·te·mis·ia [ɑːrtəmíziə] *n.* 향쑥속의 식물.

ar·te·ri·al [ɑːrtíəriəl] *a.* 동맥의; (도로 등의) 동맥 같은. opp *venous*. ¶ ~ blood 동맥혈 / ~ drainage 맥로(脈路)계 배수 / an ~ road 간선도로. ⓟ **~·ly** *ad.*

ar·te·ri·al·ize [ɑːrtíəriəlàiz] *vt.* 〖생리〗 (정맥혈을 폐의 산소로) 동맥혈화하다. ⓟ **ar·tè·ri·al·i·zá·tion** *n.*

ar·te·ri·o- [ɑːrtíəriou, -riə], **ar·te·ri-** [ɑːrtíəri] '동맥'을 뜻하는 결합사.

ar·te·ri·o·gram [ɑːrtíəriəgræ̀m] *n.* 동맥 촬영도(撮影圖).

ar·te·ri·og·ra·phy [ɑːrtìəriɑ́grəfi/-ɔ́g-] *n.* 〖의학〗 동맥 엑스선 촬영법.

ar·te·ri·ole [ɑːrtíəriòul] *n.* 〖해부〗 소(小)동맥.

artèrio·sclerósis *n.* Ⓤ 〖의학〗 동맥 경화(증). ⓟ **-ró·tic** *a.*, *n.*

ar·te·ri·ot·o·my [ɑːrtìəriɑ́təmi/-ɔ́t-] *n.* Ⓤ,Ⓒ 〖의학〗 동맥 절개(술), 동맥 해부.

artèrio·vénous *a.* 〚의학〛 동맥과 정맥의〔을 잇는〕, 동·정맥의.
ar·te·ri·tis [ɑ̀ːrtəráitis] *n.* Ⓤ 〚의학〛 동맥염.
◇**ar·tery** [ɑ́ːrtəri] *n.* **1** 〚해부〛 동맥. OPP *vein.* ¶ the main ~ 대동맥 / the brachial 〔carotid, pulmonary〕 ~ 상박〔경(頸), 폐〕 동맥. **2** (교통 등의) 간선: a main ~ 주요 간선.
ar·té·sian wéll [ɑːrtíːʒən-/-ziən-, -ʒən-] (수맥까지) 파내려간 우물《지하수의 압력으로 물을 뿜음》, 분수(噴水) 우물.
árt film 예술 영화.
árt fòrm (전통적인) 예술 형식《sonnet · 교향곡 · 회화 · 조각 등》.
◇**art·ful** [ɑ́ːrtfəl] *a.* **1** 교묘한, 기교를 부린. **2** 기교를 부리는, 교활한. **3** 인위적인. ㊞ **~·ly** *ad.* **~·ness** *n.* 「하는 사람.
ártful dòdger 어려운 상황이나 질문을 잘 회피
árt gàllery 미술관, 화랑. 「세기 초의》.
árt glàss 공예 유리(제품)《19 세기 말부터 20
árt-histórical *a.* 예술사의, 미술사의.
árt hístory 예술사, 미술사. ㊞ **árt histórian** 미
árt hòuse = ART THEATER. ∟술사가.
ar·thral·gia [ɑːrθrǽldʒə] *n.* Ⓤ 〚의학〛 관절통. ㊞ **-gic** [-dʒik] *a.*
ar·thrit·ic [ɑːrθrítik] *a.* 관절염의〔에 걸린〕; 노화 현상의. ── *n.* 관절염 환자.
ar·thri·tis [ɑːrθráitis] *n.* Ⓤ 〚의학〛 관절염.
ar·thro- [ɑ́ːrθrou, -θrə], **ar·thr-** [ɑ́ːrθr] '관절'의 뜻의 결합사.
ar·throd·e·sis [ɑːrθrádəsis/-θrɔ́d-] (*pl.* **-ses** [-sìːz]) *n.* 관절 고정 의술. 「절 촬영(법).
ar·throg·ra·phy [ɑːrθrágrəfi/-θrɔ́g-] *n.* 관
ar·thro·gry·po·sis [ɑ̀ːrθrəgrəpóusis] *n.* 〚의학〛 관절 구축(拘縮)(증). 「〚의학〛 관절병.
ar·throp·a·thy [ɑːrθrápəθi/-θrɔ́p-] *n.* Ⓤ
árthro·plàsty *n.* 〚의학〛 관절 형성(술).
ar·thro·pod [ɑ́ːrθrəpɑ̀d/-pɔ̀d] *n., a.* 〚동물〛 절지동물(의).
Ar·throp·o·da [ɑːrθrápədə/-θrɔ́p-] *n. pl.* 〚동물〛 절지동물문(門). 「경(鏡).
ar·thro·scope [ɑ́ːrθrəskòup] *n.* 〚의학〛 관절
ar·thro·scóp·ic súrgery [ɑ̀ːrθrəskápik-/-skɔ́p-] = VIDEO-GAME SURGERY.
ar·thros·co·py [ɑːrθráskəpi/-θrɔ́s-] *n.* 〚의학〛 관절경 검사(법).
ar·thro·sis [ɑːrθróusis] (*pl.* **-ses** [-siːz]) *n.* 〚해부〛 관절. 「자, 분절포자.
árthro·spòre *n.* 〚세균 · 식물〛 분열자, 분열포
ar·throt·o·my [ɑːrθrátəmi/-θrɔ́t-] *n.* 〚의학〛 관절 절개수술. 「해치는 경향이 있는.
àrthro·trópic *a.* 〚의학〛 관절친화성의, 관절을
Ar·thur [ɑ́ːrθər] *n.* **1** 아서《남자 이름》. **2 King ~** 아서왕《6 세기경 전설적인 영국왕》.
Ar·thu·ri·an [ɑːrθúəriən/-θjúər-] *a.* 아서왕의〔에 관한〕: the ~legend 아서왕 전설.
ar·tic [ɑ́ːrtik] *n.* 《영구어》 트레일러식 트럭.
ar·ti·choke [ɑ́ːrtətʃòuk] *n.* 〚식물〛 아티초크《국화과(科)》. ***Jerusalem* ~** 〚식물〛 뚱딴지.

artichoke

⁑**ar·ti·cle** [ɑ́ːrtikəl] *n.* **1** (동종 물품의) 한 품목, 한 개: ~*s* of clothing 의류 몇 점(點) / an ~ of furniture 가구 한 점. **2** 물품, 물건: ~*s* of food 식료품 / toilet ~s 화장품 / domestic ~*s* 가정용품. **3** (신문 · 잡지의) 기사, 논설: an ~ on Korea 한국에 관한 논문 / an editorial 〔《영》 a leading〕 ~ (신문의) 사설 / ⇨ CITY ARTICLE. **4** (규칙 · 계약 따위의) 조항, 조목; 규약, (회사의) 정관(the ~*s* of association): *Article* 1, 제 1 조 / the ~ of partnership 조합 규약 / discuss ~ by ~ 조목조목 심의하다. **5** (*pl.*) 계약: ~*s* of apprenticeship 연기(年期)(도제(徒弟)) 계약. **6** 〚문법〛 관사: the definite ~ 정관사 / the indefinite ~ 부정관사. **7** 《구어》 사람, 놈: a smart ~ 빈틈없는 녀석. ***in the* ~ *of*** …의 항목하에; …에 관해. ***in the* ~ *of death*** 《고어》 죽는 순간에, 임종에. ***the* ~*s of association*** 〔***incorporation***〕 (회사의) 정관. ***the Articles of Confederation*** 〚미국사〛 연맹 규약《1781 년 북부 13 주가 제정한 헌법》. ***the* ~*s of faith*** 신앙 개조(箇條), 신조. ***the* ~*s of war*** 군율. ── *vt.* **1** 조목별로 쓰다. **2** (죄상을 나열하여) 고발하다. **3** 《+목+전+명》 도제〔계약으〕로 고용하다《*to; with*》: ~ a boy *to* a mason 소년을 석공의 도제로 보내다. ── *vi.* (죄상을 열거하여) 고발하다 《*against*》.
ár·ti·cled *a* **1** 연기(年期) 계약의: an ~*d* apprentice (연기 계약) 도제. **2** 《영》 (법률 사무소에서) 수습생으로 임명된.
árticle nùmbering 〚영상업〛 상품 번호제〔화〕.
árticles of agréement 〚해사〛 선원 고용 계약서.
ar·tic·u·lar [ɑːrtíkjələr] *a.* 관절의〔이 있는〕.
◇**ar·tic·u·late** [ɑːrtíkjələt] *a.* **1** (말이) 분명히 발음된, 발음이 분명한; 분절(分節)적인; 말을 할 수 있는. **2** (사람이)(생각 · 감정을) 잘〔명확히〕 표현할 수 있는〔하는〕, 분명히 말할 수 있는〔말하는〕. **3** (생각 등이) 명확히 표현된, (논리) 정연한. **4** (딴 것〔부분〕과) 뚜렷이 구별〔구분〕된; (내용 · 체계 등이 딴 것과) 유기적으로 관련된; 유기적으로 구성된. **5** 〚생물〛 관절이 있는. ── *n.* 관절〔체절〕동물. ── [ɑːrtíkjəlèit] *vt., vi.* **1** (한 음절 한 음절을〔한 마디 한 마디를〕) 똑똑히 발음하다; 분명히 말하다: *Articulate* your words. 말을 똑똑히 하여라. **2** (짐승 따위가) 사람처럼 말하다: That bird can ~. 그 새는 말할 줄 안다. **3** 〚음성〛 (음을) 형성하다. **4** 〔보통 수동태〕 관절로 잇다〔이어지다〕《*with*》. ㊞ **~·ly** *ad.* **~·ness** *n.*
artículated lórry 《영》 트레일러식 트럭.
ar·tic·u·la·tion [ɑːrtìkjəléiʃən] *n.* **1** Ⓤ 〚음성〛 유절(有節) 발음, (개개의) 조음(調音); 뚜렷한 발음; 자음(子音); 〚통신〛 (수신하여 재생한 음의) 명료도. **2** Ⓒ 〚식물〛 절(節), 마디; 〚해부〛 관절; 접합, 연결. ◇ articulate *v.*
ar·tic·u·la·tor [ɑːrtíkjəlèitər] *n.* **1** 발음이 똑똑한 사람. **2** 〚음성〛 조음(調音) 기관《혀 · 입술 · 성대 등》. **3** 〚치과〛 (의치용) 교합기(咬合器).
ar·tic·u·la·to·ry [ɑːrtíkjələtɔ̀ːri/-təri] *a.* 유성음의; 관절(접합)의. 「억법.
artículatory lóop 〚심리〛 반복 암송식 단기 기
artículatory phonétics 조음(調音) 음성학.
Ar·tie [ɑ́ːrti] *n.* 아티《Arthur의 애칭》. cf. Art.
ar·ti·fact [ɑ́ːrtəfæ̀kt] *n.* (천연물에 대해) 인공물, 가공품; 〚고고학〛 유사 이전의 고기물(古器物), 문화 유물; 〚생물〛 (세포 · 조직의) 인공물(人工物).
◇**ar·ti·fice** [ɑ́ːrtəfis] *n.* Ⓤ 고안(考案), 교묘한 솜씨; Ⓒ 책략, 술책: by ~ 책략을 써서.
ar·tif·i·cer [ɑːrtífəsər] *n.* 기술공, 숙련공, 장색; 〚군사〛 기술병; 고안하는 사람, 발명가. ***the Great Artificer*** 조물주.
⁑**ar·ti·fi·cial** [ɑ̀ːrtəfíʃəl] *a.* **1** 인공의, 인위적인 (OPP *natural*): ~ rain 〔organs〕 인공 강우〔장

기(臟器)〕/ an ~ booster heart 인공 보조 심장. **2** 인조의, 모조의: ~ ice 인조 얼음 / ~ daylight 〔sunlight〕 태양등 / an ~ eye 〔limb, tooth〕 의안〔의지(義肢), 의치〕/ ~ flowers 조화 / ~ leather 인조 피혁 / ~ pearls 모조 진주 / ~ manure 〔fertilizer〕 인조〔화학〕 비료. **3** 부자연스런; 일부러 꾸민: an ~ smile 억지 웃음 / an ~ manner 지어보이는〔꾸민〕 태도 / ~ tears 거짓 눈물. **4** 〖생물〗 (분류가) 인위적인. ◇ artifice *n.* **—** *n.* 인공물, 모조물, 《특히》 조화; (*pl.*) 《영》 화학 비료. ㊕ **~·ly** *ad.* 인위적〔인공적〕으로; 부자연스럽게. **~·ness** *n.*

artifícial áids 〖등산〗 인공 등반 보조기구.

artifícial blóod 〖의학〗 인공 혈액《혈액 대용의 화학적 혼합액》.

artifícial classificátion 〖생물〗 인위적 분류.

artifícial clímbing 〖등산〗 = AID CLIMBING.

artifícial disintegrátion 〖화학〗 인공 파괴《알파입자, 중성자 등 고(高)에너지 입자의 충격에 의한 물질의 에너지 복사》.

artifícial fárming 인공 농업《무기물에서 영양 식품을 만들어 내는》.

artifícial féel 〖항공〗 인공 조타(操舵) 감각 장치.

artifícial géne 〖생화학〗 화학적으로 합성한 인공 유전자.

artifícial grávity 〖로켓〗 인공 중력.

artifícial horízon 〖항공〗 인공 수평의(儀) (gyro horizon).

artifícial inseminátion 인공 수정(受精)《생략: AI》. cf. A.I.D., A.I.H.

artifícial intélligence 인공 지능《추리 · 학습 등 인간 비슷한 동작을 계산기가 행하는 능력》.

artifícial intélligence compùter 인공 지능 컴퓨터《인간의 뇌에 가까운 역할을 하므로 '제 5 세대 컴퓨터' 라고도 함》.

ar·ti·fi·ci·al·i·ty [àːrtəfìʃiǽləti] *n.* Ⓤ 인위적〔인공적〕임; 부자연; 인공물.

àr·ti·fí·cial·ize *vt.* 인공적〔인위적〕으로 하다.

artifícial kídney 〖의학〗 인공 신장.

artifícial lánguage 인공 언어(OPP. *natural language*); 〖컴퓨터〗 = MACHINE LANGUAGE; 암호(code).

artifícial lífe 〖컴퓨터〗 인공 생명《생명체의 성장 · 진화를 컴퓨터로 모의 실험하는 것》.

artifícial pérson 〖법률〗 법인(juristic person).

artifícial radioactívity 〖물리〗 인공 방사능 (induced radioactivity).

artifícial reálity = VIRTUAL REALITY.

artifícial respirátion 〖의학〗 인공호흡.

artifícial sátellite 인공위성.

artifícial seléction 〖생물〗 인위 도태.

artifícial síght 인공 시력《맹인이 시각 피질(皮質)에 전기 자극을 받아 얻는 지각 능력》.

artifícial skín 〖의학〗 인공 피부《소 따위의 단백 섬유로 탄수화물을 보강한 것》.

artifícial túrf 인공 잔디.

artifícial vísion 〖전자〗 인공 시각(視覺)《차(次)세대 로봇의 눈으로 개발되고 있는 광전자 공학 시스템》.

artifícial vóice 〖컴퓨터〗 = SYNTHETIC SPEECH.

artifícial-vóice technòlogy 〖컴퓨터〗 음성 합성 기술.

ar·til·ler·ist [ɑːrtílərist] *n.* 포수, 포병, 포술 연습생.

◇**ar·til·lery** [ɑːrtíləri] *n.* **1** Ⓤ 〔집합적〕 포, 대포 (OPP. *small arms*); Ⓒ (the ~) 포병과, 포병(대); 포술(학): an ~ duel 포병전 / ~ fire 포화 / the heavy 〔field〕 ~ 중〔야전〕포병. **2** 《미속어 · 우스개》 소(小)화기; 흉기; 《미속어》 마약 주사용구.

artíllery-fired atómic projèctiles 〖군사〗 핵포탄, 포(砲) 발사 핵무기《생략: AFAP》.

artíllery·man [-mən] *n.* 포병, 포수.

art·i·ly [áːrtili] *ad.* 예술가연(然)하고.

art·i·ness [áːrtinis] *n.* 예술가연(然)함.

Ar·tio·dac·ty·la [àːrtioudǽktələ] *n. pl.* 〖동물〗 우제류(偶蹄類)《소 · 양 · 염소 · 사슴 따위》. ㊕ **àr·ti·o·dác·ty·lous** [-ləs] *a.*

◇**ar·ti·san** [áːrtəzən/àːtizǽn, ⌐⌐⌐] *n.* 장색(匠色), 솜씨 좋은 직공, 기술공, 숙련공. ㊕ **~·al** *a.* **~·shìp** *n.*

‡**art·ist** [áːrtist] *n.* **1** 〔일반적〕 예술가, 미술가; 《특히》 화가, 조각가. **2** 배우, 가수, 예능인. **3** 예술〔미술 · 예능〕에 재능이 있는 사람. **4** 책략가. **5** 명인(名人), 명장(名匠).

ar·tiste [ɑːrtíːst] *n.* 《F.》 예능인《배우 · 가수 · 이발사 · 요리인 등의 자칭》; 《우스개》 명인, 달인.

*****ar·tis·tic, -ti·cal** [ɑːrtístik], [-əl] *a.* **1** 예술의, 미술의; 미술가〔예술가〕의. **2** 예술적인, 멋이 있는, 풍류〔아취〕 있는. ㊕ **-ti·cal·ly** *ad.*

art·ist·ry [áːrtistri] *n.* Ⓤ 예술적 수완〔기교〕; 예술적〔미술적〕 효과; 예술성; 예술품; (직업으로서의) 예술; 예도(藝道).

ártist's próof 판화가 자신이 직접 교정함으로써 얻을 수 있는 가장 양호한 상태의 교정쇄(刷).

◇**árt·less** *a.* 꾸밈 없는, 천진한, 소박한, 자연 그대로의; 볼품없는, 서투른(clumsy). ㊕ **~·ly** *ad.* **~·ness** *n.*

árt·mobìle *n.* 《미》 (트레일러로 이동 · 전시하는) 이동〔순회〕 미술관, 이동 화랑.

árt mùsic 예술 음악《민속 음악 · 팝 뮤직에 대하여》.

árt nèedlework 미술 자수(刺繡).

Art Nou·veau [*F.* aːʀnuvo] (때로 a- n-) 《F.》 〖미술〗 아르누보《19 세기말부터 20 세기초에 걸친 프랑스 · 벨기에의 미술 공예 양식》.

ar·to·type [áːrtətàip] *n.* Ⓤ,Ⓒ 〖인쇄〗 아토타이프《젤라틴 사진판의 일종》, 콜로타이프(collotype).

árt pàper 아트지.

árt róck 아트록《클래식 수법의 록 음악》.

ARTS automated radar terminal system.

árts and cráfts 미술 공예, 공예.

árt sìlk 인조견(絹), 레이온.

árt sòng 〖음악〗 예술 가곡, 연작(連作) 리트(lied).

art·sy [áːrtsi] *a.* = ARTY; ARTSY-CRAFTSY.

art·sy-craft·sy [áːrtsikrǽftsi] *a.* **1** 기능적이기보다 장식적인. **2** 예술가인 척하는.

art·sy-fart·sy [áːrtsifáːrtsi], **art·sy-smart·sy** [áːrtsismáːrtsi] *a.* 《구어》 몹시 예술품 티를 낸; 예술가인 체하는 것이 역겨운.

árt thèater 예술 극장《예술적인 영화 · 전위(前衛) 영화 등을 상연하는》.

árt títle 〖영화〗 의장 자막(意匠字幕), 장식 자막.

árt·wàre *n.* 미술 도자기〔유리그릇〕.

árt·wòrk *n.* **1** 수공예품(의 제작); (회화 · 조각 등의) 예술적 제작 활동. **2** 〖인쇄〗 (본문에 대하여) 삽화, 도판(圖版).

arty [áːrti] *a.* 《구어》 (가구 등이) 사이비 예술의, 예술가연하는.

Arty. Artillery.

árty-cráfty *a.* = ARTSY-CRAFTSY.

ARU audio response unit(음성 응답 장치).

ar·um [ɛ́ərəm] *n.* 〖식물〗 아룸속(屬)의 식물《천남성과(科)》.

árum lìly 〖식물〗 칼라(calla)《천남성과의 다년생 초본》.

arun·di·na·ceous [ərʌ̀ndənéiʃəs] *a.* 〖식물〗 갈대의〔같은〕.

Aru·sha [ərúːʃə] *n.* 아루샤《탄자니아 북부의 도시》.

A.R.V. American Revised Version.

ARVN, Arvn (*pl.* **~s**) [áːrvin] *n.* (베트남 전쟁 당시의) 남베트남 공화국군. [◀ Army of the Republic of Viet Nam]

ar·vo [áːrvou] (*pl.* **~s**) *n.* 《Austral. 속어》 =

AFTERNOON.
-a·ry [ˊ-èri, ˊəri/ˊ(-)əri] *suf.* **1** '…의 장소, …하는 사람'의 뜻의 명사를 만듦: api*ary*, secret*ary*. **2** '…에 속한, …에 관계가 있는'의 뜻의 형용사를 만듦: element*ary*.
Ar·y·an [ɛ́əriən] *a.* **1** 인도이란어의. **2** 《고어》 아리안 족[민족]의. **3** (나치스 독일에서) 아리아인(종)의《비유대계 백인의》. — *n.* **1** Ⓤ 인도이란어. **2** Ⓤ《고어》 아리아어. ★현재는 Indo-European [Germanic] (인도유럽어[게르만어])라고 함. **3** Ⓒ (나치스 독일에서) 아리아인《비유대계 백인》.
ar·yl [ǽril] *n.* 〖화학〗 아릴기(基).
ar·y·te·noid, -tae- [æ̀rətíːnɔ̀id, ərítənɔ̀id/æ̀ritíːnɔid] *a.* 〖해부〗 피열(披裂)의. — *n.* 피열 연골, 피열근(筋).
ar·y·te·noi·dec·to·my [æ̀ritìːnɔidéktəmi, ərìtənɔ̀i-/æ̀ritìːnɔid-] *n.* 〖의학〗 피열(披裂)연골 절제(수술).
†**as**[1] ⇨《p. 152》 AS[1].
as[2] [æs] (*pl.* **as·ses** [ǽsiz]) *n.* 〖고대로마〗 무게의 단위《12 온스, 약 327 그램》; 청동화(靑銅貨)《원래의 무게가 12 온스》.
as- [æs, əs] *pref.* =《s앞에서》 AD-의 이형(異形): *as*similation.
AS 〖우편〗 American Samoa; antisubmarine. **As** 〖화학〗 arsenic; Asia; Asiatic. **a.s.** 〖상업〗 at sight. **A.S., A/S** 〖상업〗 account sales(위탁판매 매상 계정); after-sales service; after sight(일람 후). **A.S., A.-S.** Anglo-Saxon.
Asa [éisə] *n.* 아사. **1** 남자 이름. **2** 유대왕 (913?-873? B.C.)《열왕기상 XV: 8-24》.
ASA 〖약학〗 acetylsalicylic acid(아세틸살리실산)《상표명: 아스피린》; Acoustical Society of America(미국 음향음성학회); Amateur Softball Association(아마추어 소프트볼 협회); American Standards Association(미국 규격 협회; 현재는 USASI); 〖컴퓨터〗 asynchronous adapter(비동기(非同期) 맞춤틀). **A.S.A.** 《영》 Amateur Swimming Association; American Statistical Association. **A.S.A.A.** Associate of the Society of Accountants and Auditors. **ASA / BS** 〖사진〗 American Standards Association / British Standard.
as·a·fet·i·da, -foet- [æ̀səfétədə] *n.* 〖식물〗 아위(阿魏)《미나릿과 약용 식물》; Ⓤ 〖화학〗 그 줄기에서 채취한 악취나는 즙액《진경(鎭痙)·구충제》.
ASAP, asap [èièsèipíː, éisæp] *ad.* 즉시, 신속히, 즉석에서. [◂*as* soon *as* *p*ossible]
ASAT [éisæ̀t] *n.* 에이샛형 추격 위성, 위성 공격 위성. [◂*A*nti-*Sat*ellite interceptor]
asb. asbestos.
as·bes·tine [æsbéstin, æz-] *a.* 석면의[같은], 불연성(不燃性)의.
as·bes·toid [æsbéstɔid, æz-] *a.* 석면 모양의, 석면 같은.
as·bes·tos, -tus [æsbéstəs, æz-] *n.* Ⓤ 〖광물〗 아스베스토스, 석면; 〖연극〗 방화(防火) 커튼: ~ cloth 석면포(布).
asbéstos cemènt 석면 시멘트.
as·bes·to·sis [æ̀sbestóusis, æ̀z-] *n.* Ⓤ 〖의학〗 아스베스토스증; 석면 침착증(石綿沈着症)《허파 따위에 석면이 침착되는 직업병》. ㊕ **às·bes·tót·ic** [-tát-/-tɔ́t-] *a.*
ASBM air-to-surface ballistic missile. **ASC** 〖항공〗 advice of schedule change(정기편의 시각 변경 통지); altered state of consciousness. **A.S.C.** Air Service Command; Army Service Corps; American Society of Cinematographers; American Standards Committee. **ASCAP** American Society of Composers, Authors and Publishers(미국 작곡가·작사가·출판인 협회).
ascared [əskɛ́ərd] *a.* 《미중부·남부방언》 무서워하는, 겁에 질린.
as·ca·rid, -ca·ris [ǽskərid], [-ris] (*pl.* **-rids, -car·i·des** [æskǽrədìːz]) *n.* 〖동물〗 회충, 거위.
A.S.C.E. American Society of Civil Engineers(미국 토목 학회).
*__as·cend__ [əsénd] *vi.* **1** 《~/+부/+전+명》 올라가다, 기어오르다; (공중 따위로) 오르다: The balloon ~*ed high up in* the sky. 기구는 하늘 높이 올라갔다. **2** 《~/+전+명》 (길 따위가) 오르막이 되다: The path ~*s from* here. 길은 여기서부터 오르막이 된다. **3** 《+전+명》 (지위 등이) 높아지다; 올라가다; 승진하다: ~ *to* power 권력의 자리에 오르다. **4** (물가 등이) 올라가다; (소리가) 높아지다. **5** 《+전+명》 거슬러 올라가다: ~ *to* the 18th century, 18 세기로 거슬러 올라가다. — *vt.* **1** (오르막길·사다리 따위를) 올라가다, 오르다: ~ a lookout tower 전망대에 오르다 / ~ the stairs [a hill] 계단[언덕]을 올라가다. **2** (강·시대 따위를) 거슬러 올라가다. **3** (…의 지위에) 오르다: ~ the throne 왕위에 오르다. OPP *descend*. ◇ ascent, ascension *n.* ㊕ **~·a·ble, ~·i·ble** *a.*
as·cend·ance [əséndəns] *n.* =ASCENDANCY.
as·cend·an·cy, -en·cy [əséndənsi] *n.* Ⓤ 우월, 우세; 주도[지배]권: have [gain] an ~ over …보다 우세하다[해지다], …을 제압[지배]하다.
as·cend·ant, -ent [əséndənt] *a.* 올라가고 있는; 떠오르는(rising); 우세한; 〖점성〗 동쪽 지평선상의; 〖천문〗 중천으로 떠오르는《별》. — *n.* Ⓤ **1** 우위, 우세《*over*》. **2** 선조, 조상: ⇨ LINEAL ~. **3** 〖점성〗 (황도 12 궁의 위치로 나타내는 탄생 시의) 성위(星位), (성위로 차지한) 운세(horoscope): the lord of the ~ 〖점성〗 주성(主星); 우월한 지위에 있는 사람. ***in the*** **~** 극히 융성하여, 욱일승천의 기세로. One***'s star is in the*** **~.** 세력이[인기가] 상승 중이다.
as·cénd·er *n.* **1** 올라가는[올라가게 하는] 사람[사물]. **2** =ASCENDING letter.
as·cen·deur [*F.* asɑ̃dœːʀ] *n.* 〖등산〗 등고기(登高器)《고정된 rope에 달아서 위로 올라가는 데 쓰이는 금속 기구》.
as·cénd·ing *a.* 오르는, 상승의; 향상적인: ~ inflorescence 〖식물〗 상향(上向) 꽃차례 / an ~ letter 〖인쇄〗 일반 소문자보다 위로 높게 나오는 활자《b, d, f, h 등》 / ~ powers 〖수학〗 오름차, 승멱(昇冪) / an ~ scale 〖음악〗 상승 음계.
ascénding cólon 〖해부〗 상행 결장(上行結腸).
ascénding órder 〖컴퓨터〗 오름차순《값이 작은 쪽에서 큰 쪽으로의 순서》.
ascénding rhýthm =RISING RHYTHM.
ascénding sórt 〖컴퓨터〗 오름차순 정렬[차례짓기].
as·cen·sion [əsénʃən] *n.* Ⓤ 오름, 상승; 즉위; (the A-) 예수의 승천(昇天); (A-) =ASCENSION DAY; 〖천문〗 (천체가) 지평선상에 오름: ⇨ RIGHT ASCENSION. ◇ ascend *v.* ㊕ **~·al** *a.* **~·ist** *n.*
Ascénsion Dày 예수 승천일《부활절(Easter) 후 40 일째의 목요일》.
As·cen·sion·tide [əsénʃəntàid] *n.* 승천일부터 성령 강림절(Whitsunday)까지의 10일간.
as·cen·sive [əsénsiv] *a.* 상승하는, 상승의 (ascending); 진보적인; 〖문법〗 강의(強意)의. ◇ ascend *v.*
__as·cent__ [əsént] *n.* **1 상승; 등반. OPP *de-*

as[1]

부사 '똑같이'; 접속사 '…와 같이', '…할 때', '…이므로', '…이지만'; 관계대명사 '(…와) 같은, (…하는) 바의'; 전치사 '…로서' 등과 같이 그 용도가 광범위한, 기능어 중의 기능어이다. 전치사·접속사는 어느 것이나 연결하는 말이지만, 부사의 as도 실은 음으로 양으로 접속사 as와 공존하고 있으므로, 이런 뜻에서 모두가 '연결어'라고 할 수 있다. 다른 말, 특히 기능어와의 연어(連語)도 많다. 또한 as는 also와 어원적으로 관련이 있어, 현대어의 모양으로 말하면 둘 다 all+so에서 유래한다. 뜻에 관련이 있는 것도 당연한 일이다.

as [æz, əz] *ad.* 〖보통 *as* ... as—의 꼴로, 형용사·부사 앞에 씀〗 (…와) 같은 정도로, 마찬가지로: Tom is *as* tall as I (am). 톰은 나와 같은 정도의 키다 / I love you *as* much as she (does). 그녀만큼이나 나도 널 사랑한다 / I love you *as* much as (I love) her. 나는 그녀만큼이나 너도 사랑한다 / This country is twice 〔one sixth〕 *as* large as that. 이 나라는 그 나라의 두 배〔6분의 1〕의 크기다《배수나 분수는 as ... as 바로 앞에 옴》/ Please come home *as* quickly as possible 〔as you can, as you are capable of, as you are able (to)〕. 될 수 있는 대로 빨리 귀가하시오

> NOTE (1) as ... as _ 에서 앞의 as는 부사, 뒤의 as는 접속사임.
> (2) as ... as는 긍정문에, 부정문에서는 not so ... as로 되는 것이 원칙이나, 구어에서는 not as ... as 라고 하는 일도 있음: He is *not so* 〔*as*〕 tall *as* you. 그는 너만큼 키가 크지 않다.
> (3) as ... as는 여러 형태로 생략되기도 함: It is (*as*) white *as* snow (is white). 그것은 눈처럼 희다. He can run *as* fast (*as* you). 그도 너(와 같을)만큼 빨리 달릴 수 있다. She is *as* wise *as* (she is) fair. 그녀는 재색(才色)을 겸비하고 있다《동일인의 두 가지 성질의 비교》.

— *conj.* **1 a** 〖양태〗 (—이 …한〔하는〕) 것과 같이, …대로, (…와) 마찬가지로: Do *as* I tell you. 내 말대로 해라 / He went *as* promised. 그는 약속한 대로 갔다《*as* 다음에 it was 〔had been〕이 생략되어 있음》/ You may dance *as* you please. 좋을 대로 춤추어도 좋다 / He was a Catholic, *as* were most of his friends. 친구 대부분이 그랬듯이 그는 가톨릭 교도였다《문어에서는 도치 구문을 쓰기도 함》/ *As* food nourishes our body, *so* books nourish our mind. 음식이 몸의 영양이 되는 것처럼 책은 마음의 영양이 된다《so를 쓰면 as만 쓸 경우보다 문어적임》. ★ 구어에서는 흔히 as 대신에 like가 쓰임: He was *like*(=as) he always was. 그는 여느 때와 다를 바가 없었다. **b** 〖대조〗 …하〔이〕지만 (한편) …와 달리(while): Men usually like wrestling *as* women do not. 여성은 레슬링을 좋아하지 않지만 남성은 보통 좋아한다.
2 〖비교〗 **a** 〖as 〔so〕 ... *as* _ 의 꼴로, 같은 정도의 비교를 나타내어〗 …와 같이, …와 같은 정도로, …만큼: She can walk *as* quickly *as* I can. 그녀는 나만큼 빨리 걸을 수 있다 / I am not *so* young *as* you. 나는 자네만큼 젊지가 않다.
★ as의 앞뒤에 같은 말을 되풀이하여 '몹시', '무척', '아주'의 뜻을 나타낼 때가 있음: He was as *deaf as deaf*. 그는 귀가 아주 절벽이었다 / She lay as *still as still*. 그녀는 꼼짝도 않고 누워 있었다. **b** 〖so 〔as〕 ... *as* _ 의 꼴로, 명사 뒤에 두어〗 …만큼의: A man so clever *as* he is not likely to make such a blunder. 그이처럼 영리한 남자가 그런 실수를 하지는 않는다. **c** 〖(as) ... *as* _ 의 꼴로, 관용적 비유로서〗 …처럼 매우: (as) cool *as* a cucumber 매우 냉정한 / (as) good *as* gold 아주 행실이 좋은 / (as) dead *as* a doornail 아주 숨이 끊어져 / He was (as) busy *as* a bee. 그는 벌처럼 분주했다.
3 a 〖때〗 …할〔하고 있을〕 때, …하면서, …하자, …하는 동안: He came up *as* she was speaking. 그녀가 이야기하고 있을 때 그가 왔다 / *As* I entered the room, they applauded. 내가 방안에 들어서자 그들은 박수를 쳤다 / She sings *as* she goes along. 그녀는 걸으면서 노래를 부른다. **b** 〖추이〗 …함에 따라, …에 비례〔평행〕하여: *As* it grew darker, it became colder. 어두워짐에 따라 더욱 추워졌다 / Two is to three *as* four is to six. =*As* two is to three, four is to six. 2:3=4:6.

> NOTE (1) as와 when 및 while의 비교: as는 두 일이 밀접한 관계에 있을 때 쓰며, when은 한 때의 동작 또는 상태를 보이며, while은 기간을 가리킬 때 씀. 다만, *as* a boy =*when* a boy=*when* I was a boy '어렸을 때'에 있어서의 as와 when은 거의 같은 뜻임.
> (2) as는 두 가지 일이 동시에 발생했음을 보이는 것이므로 아래에서와 같이 두 가지 일이 독립성을 가질 때에는 when을 as로 바꿀 수가 없음: I'll call you *when* I've finished the work. 일을 끝내면 전화(를) 드리겠습니다.
> (3) 동시성을 강조하기 위해서는, just as ..., as soon as ...를 씀.

4 a 〖흔히 문두에 와서 원인·이유〗 …하여서, …이므로, …때문에: *As* I am ill, I will not go. 병이 나서 안 가겠다 / We didn't go, *as* it rained hard. 비가 몹시 쏟아져서 우리는 가지 않았다. SYN. ⇨ BECAUSE. **b** 〖형용사〔부사〕+as ... 형태로〗 …이〔하〕므로: Careless *as* she was, she could never pass an examination. 그녀는 주의력이 부족해서 시험에는 도저히 합격할 수가 없었다.
5 〖양보〗 **a** 〖형용사〔부사·명사〕+as...의 꼴로〗 (비록) …이〔하〕지만, …이긴 하나(though): Rich *as* she is, she is not happy. 그녀는 부자이긴 하지만 행복하지는 않다 / Hero *as* he was, he turned pale. 그는 비록 영웅이었지만 새파랗게 질렸다《명사 앞의 관사는 생략함》. **b** 〖원형동사+as+주어+may 〔might, will, would〕의 꼴로〗 (아무리) …하여도: Laugh *as* they *would*, he maintained the story was true. 그들은 웃었으나, 그는 그 이야기가 정말이라고 우겼다.
6 〖바로 앞 명사를 한정하여〗 (…하는) 바와 같은, (…했을) 때의《절 이외에 과거분사·형용사·전치사도 수반함》: This is freedom *as* we generally understand it. 이것이 우리가 일반적으로 이해하고 있는 의미에서의 자유이다 / the English language *as* (it is) spoken in America 미국에서 쓰이고 있는 영어 / the church *as* separate from the state 국가로부터 분리된 것으로서의 교회.
7 〖부정(否定)의 know, say, see의 목적어로서〗 《구어》 …하다는 것(that): I do*n't know as* I can come. 올 수 있을지 모르겠다.
8 …도 똑같이(and so): He studies hard, *as* does his sister. 그는 열심히 공부를 하는데 그의

누이도 또한 같다 / She was delighted, *as* were we all 〔*as* we all were〕. 그녀는 기뻐하였고 우리들 모두도 그러했다.

— *rel. pron.* **1** 〖제한 용법〗《선행사에 붙은 as, such, the same과 상관하여》 …와 같은, …하는 바의: *As* many children *as* came were given some cake. 온 어린이들은 모두 (늘) 과자를 받았다 / *Such* men *as* heard him praised him. 그의 이야기를 들은 사람들은 그를 칭찬했다 / He is just *such* a teacher *as* we all admire. 그는 바로 우리 모두가 존경하는 그런 선생님이다 / I have *the same* trouble *as* you had. 내게도 너와 같은 문제가 있다 / This is *the same* watch *as* I lost. 이것은 내가 잃은 시계와 같은 (종류의) 시계다《비교: This is *the same* watch *that* I lost. 이것은 내가 잃어버린 (바로 그) 시계이다》. **2** 〖계속 용법〗〖앞의 문장(의 일부) 또는 뒤에 오는 주절을 선행사로 하여서〗 그것은 …이지만, 그 사실은 …이긴 하지만: He was a foreigner, *as* I knew from his accent. 그는 외국인이었다, (그것은) 그의 말투로써 안 일이지만 / *As* may be expected, it is very expensive. 대개 짐작이 가듯이, 그것은 퍽 비싼 물건이다 / She was late, *as* is often the case with her. 그녀는 늦었다, 흔히 그러하기는 하지만.

— *prep.* **1** …로서: a position *as* a teacher of English 영어 교사(로서)의 지위 / It can be used *as* a knife. 그건 나이프 대용으로 쓸 수가 있다 / I attended the meeting in my capacity *as* adviser. 나는 고문(으로서)의 자격으로 회의에 참석했다《as 다음에 오는 명사가 관직·역할·자격·성질 따위의 추상적 개념을 나타낼 때에는 관사를 붙이지 않음; 개인 또는 개개의 물건을 나타낼 때에는 a 〔an〕을 붙임》. **2** 〖목적격 보어를 이끌어서〗 …이라고, …으로《뒤에 명사뿐 아니라 형용사나 분사가 올 때도 있음》: consider 〔regard〕 his remark *as* an insult 〔*as* insulting〕 그의 말을 모욕〔모욕적〕으로 여기다 / I regard him *as* a fool. 그를 바보로 여기고 있다 / They look up to him *as* their leader. 그들은 그를 지도자로 우러르고 있다. **3** …처럼: *as* dead leaves before the wind 바람에 날리는 낙엽처럼 / The audience rose *as* one. 관중은 일제히 일어섰다. SYN. ⇨ LIKE². **4** 예를 들면, …와 같은, …같이: a capital city *as* Paris (or London) 파리 (또는 런던) 같은 수도(首都) / Some animals, *as* tigers, eat meat. 동물 중에는 호랑이같이 육식을 하는 것이 있다. ★ 보기를 열거할 때에는 such as가 보통임. ***as above*** 위와〔상기와〕 같이. ***as against*** …에 대해서, …와〔에〕 비교하여: his argument *as against* yours 너의 의론에 대한 그의 반론. ***… as any*** 누구에게도 〔어떤 것에도〕 못지 않게: He can run *as* fast *as any* other boy. 그는 어느 소년(에게도) 못지 않게 빨리 달릴 수 있다. ***as … as ever*** 변함없이, 여전히: He is *as* poor *as ever*. 그는 여전히 가난하다. ***as … as possible*** 〔one ***can***〕 될 수 있는 대로, 가급적(可及的): Get up *as* early *as possible*. 될 수 있는 대로 일찍 일어나라. ***as before*** 〔***below***〕 앞서〔아래〕와 같이. ***as far as*** ⇨ FAR. ***as for*** 〖보통 문장 앞에 써서〗 …은 어떠냐 하면, …로 말한다면, …에 관해서는(as to): *As for* me, I would rather not go. 나는 어떠냐 하면, 차라리 가고 싶지 않다 / *As for* the journey, we will decide that later. 여행에 관해서는 다음에 결정하기로 하지. ***as from*** …(날)로부터: *as from* April 1, 4월 1일부터. ***as good as*** ⇨ GOOD. ***as good as*** one***'s word*** 약속을 어기지 않는: She was *as good as her word*. 그녀는 약속을 이행하였다. ***as if*** 《★ as if 절에서는 가정법을 쓰나 구어에서는 직설법도 씀》 ① 마치 …처럼〔같이〕: He looked at her *as if* he had never seen her before. 그는 이제껏 그 여자를 본 일이 없는 듯한 표정으로 (그녀를) 보았다. ② 〖as if to do로〗 마치 …하는 것처럼 〔…하듯이〕: He smiled *as if to* welcome her. 그는 그녀를 환영한다는 듯이 빙긋 웃었다. ③ 〖It seems 〔looks〕 as if...로〗 …처럼〔같이〕(보이다, 생각되다): *It seemed as if* the fight would never end. 싸움은 끝이 없는 것처럼 보였다. ④ 〖It isn't as if... 또는 As if...로〗 …은 아니겠고: *It isn't as if* he were poor. 그가 가난하지는 않겠는데 / *As if* you didn't know! (설마) 네가 모르지는 않을텐데! ***as is*** 《미구어》 (상품 등이) 그 상태대로, 현상대로, (중고품 따위가) 수리되지 않은 상태로: The car was sold *as is*. 그 차는 수리를 하지 않고 팔렸다. ***as it is*** 《★ 과거형은 as it was》 ① 〖보통 가정적 표현의 뒤에 오며, 문장 첫머리에서〗 (그러나) 실상〔실정〕은 (그렇지 않으므로), 실제로는: I would pay you if I could. But *as it is* I cannot. 치를 수 있다면 돈을 치르겠는데, 실정이 치를 수가 없다. ② 〖문장 중간·문장 끝에서〗 현재 상태로, 지금 상태로도 (이미): The situation is bad enough *as it is*. 사태는 현상태로도 꽤 나쁘다. ***as it were*** 〖문장 중간·문장 끝에 와서〗 말하자면(so to speak): She is a grown-up baby, *as it were*. 그녀는, 말하자면 어른(이 된) 아기다. ***as likely as not*** ⇨ LIKELY. ***as*** 〔***so***〕 ***long as*** ⇨ LONG¹. ***as many as*** …와 같은 수의. ***as much*** (***as***) ⇨ MUCH. ***as much as to say*** ⇨ SAY. ***as of*** ① (며칟날) 현재로〔에〕: *as of* May 1, 2000, 2000년 5월 1일 현재 / *as of* today 오늘 현재. ② =as from. ***as regards*** … 에 관하여〔대하여〕. ***as ..., so*** ___ ⇨ *conj.* 1. ***as such*** ⇨ SUCH. ***as though*** =as if. ***as to*** ① 〖문장 앞에 써서〗 =as for. ② 〖문장 안에 써서〗 …에 관해서: Nobody could decide (*as to*) what to do. 무엇을 해야 할지 아무도 정할 수 없었다. ③ …에 따라: classify *as to* size 크기에 따라 분류하다. ***as usual*** ⇨ USUAL. ***as well*** ⇨ WELL². ***as well as*** ⇨ WELL². ***as yet*** 지금까지로 봐선, 이제까지, 아직: She has not returned *as yet*. 그녀는 아직 돌아오지 않았다. ***As you were!*** 《구령》 바로. ***so*** (***…***) ***as to*** do ⇨ SO.

scent. ¶ the ~ *of* smoke 연기의 솟아오름 / make an ~ of (a mountain) (산)에 오르다. **2** 향상; 승진: the ~ *to* governorship 주지사로의 출세. **3** 비탈, 오르막: a rapid 〔gentle〕 ~ 급〔완만한〕 경사. **4** 거슬러 오름. ◇ ascend *v.*

***as·cer·tain** [æ̀sərtéin] *vt.* 《~+목/+목+*to be* 보/+*wh.* 절/+*that* 절》 확인하다; 규명하다, 알아보다: ~ the report *to be* true 그 보고가 사실임을 확인하다 / ~ *what* really happened 일의 진상을 알아보다 / ~ *whether* (*that*) the report is true 그 보고의 사실 여부를〔그 보고가 사실임을〕 확인하다. SYN. ⇨ FIND.

㊕ **~·a·ble** *a.* 확인〔조사〕할 수 있는. **~·ment** *n.* Ⓤ 확인, 탐지.

as·ce·sis [əsíːsis] (*pl.* ***-ses*** [-siːz]) *n.* Ⓤ 자력의 고행, 엄한 자제, 극기, 금욕.

as·cet·ic [əsétik] *n.* 금욕주의자; 고행자, 수도자. **—** *a.* 금욕주의의; 고행의, 수도의. ㊕ **-i·cal** [-kəl] *a.* =ascetic. **-i·cal·ly** *ad.*

ascétic(**al**) **theólogy** 〖가톨릭〗 수덕(修德) 「신학.

as·cet·i·cism [əsétəsìzəm] *n.* Ⓤ 금욕주의; 고행〔수도〕 생활.

as·ci [ǽskai, ǽskiː] ASCUS의 복수. 「類)(의).

as·cid·i·an [əsídiən] *n.*, *a.* 〖동물〗 해초류(海鞘

ascídian tádpole (멍게류(類)의) 올챙이 모양의 유생(幼生).

as·cid·i·um [əsídiəm] (*pl.* **-ia** [-iə]) *n.* 〖식물〗 병 모양의 기관, 낭상(囊狀) 기관.

ASCII [ǽski:] American Standard Code for Information Interchange (미국 정보 교환 표준 부호).

ÁSCII chàracter 〖컴퓨터〗 아스키 문자《컴퓨터에서 사용되는 표준적인 1 바이트 문자 세트의 문자》.

ÁSCII Códe 〖컴퓨터〗 아스키 코드.

ÁSCII file 〖컴퓨터〗 아스키 파일《표시 가능한 아스키 문자로 구성된 파일》.

As·cle·pi·us [æsklí:piəs] *n.* 〖그리스신화〗 아스클레피오스《의술(醫術)의 신; Apollo 의 아들》.

ASCM anti-ship cruise missile(대함(對艦) 순항 미사일).

as·co·carp [ǽskəkɑ̀ːrp] *n.* 〖식물〗 자낭과(子囊果). ㊞ **às·co·cár·pous** *a.*

as·co·go·ni·um [æ̀skəgóuniəm] (*pl.* **-nia** [-niə]) *n.* 〖세균〗 (자낭균(子囊菌)의) 장란기(藏卵器).

ASCOM 《미》 Army Service Command.

as·co·my·cete [æ̀skəmaisí:t] *n.* 〖식물〗 자낭균(子囊菌).

as·cor·bate [əskɔ́ːrbeit] *n.* 〖화학〗 아스코르브산염.

as·cór·bic ácid [əskɔ́ːrbik-] 〖생화학〗 아스코르브산(酸)《비타민 C 의 별칭》.

as·co·spore [ǽskəspɔ̀ːr] *n.* 〖식물〗 자낭포자. ㊞ **às·co·spór·ic** [-spɔ́:rik, -spɑ́r-/-spɔ́r-], **as·co·spo·rous** [æskɑ́spərəs, æ̀skəspɔ́:-/ æskɔ́spərəs, æ̀skəspɔ́:-] *a.*

As·cot [ǽskət, -kɑt/-kət] *n.* **1** 영국 Berkshire에 있는 유명한 경마장; 애스콧 경마《6월 셋째 주에 행해짐》. **2** (a-) 《미》 스카프 모양의 넥타이(=**áscot tíe**).

ascot tie

as·crib·a·ble [əskráibəbəl] *a.* …에 돌릴 수 있는, …탓인, …에 기인하는《*to*》: His failure is ~ *to* incompetence. 그의 실패는 무능 탓이다.

°**as·cribe** [əskráib] *vt.* 《+목+전+명》 (원인·동기 등을) …에 돌리다, …에 기인〔근거〕하는 것으로 하다《*to*》; (결과 등을) …의 탓으로 삼다《*to*》: ~ one's success *to* good luck 성공의 원인을 행운에 돌리다 / These poems are ~*d to* Eliot. 이 시들은 엘리엇의 작품으로 여겨지고 있다. ◇ ascription *n.*

as·críbed *a.* (출생시에) 할당된, 부여된, 주어진.

ascríbed státus 〖사회〗 생득적(生得的) 지위, 귀속적 지위.

as·crip·tion [əskrípʃən] *n.* Ⓤ (…으로) 돌리기《*to*》; Ⓒ 설교 끝의 송영(頌詠)《신의 찬미》. ㊞ **-tive** *a.*

as·cus [ǽskəs] (*pl.* **-ci** [ǽskai, ǽski:]) *n.* 〖식물〗 (자낭균류의) 자낭(子囊).

ASDE Airport Surface Detection Equipment(공항면 탐지 장치).

A.S.D.I.C., as·dic [ǽzdik] *n.* 《영》 잠수함 탐지기(《미》 sonar). [◂ *A*nti-*S*ubmarine *D*etection *I*nvestigation *C*ommittee]

-ase [eis, eiz/èiz, èis] *suf.* 〖생화학〗 '효소'의 뜻: lact*ase*.

ASE American Stock Exchange (미국 주식 거래소)《New York Stock Exchange에 이어 미국 두번째의 주식 거래소; New York시 소재; AMEX, Amex 라고도 함》; 〖항공〗 automatic stabilization equipment (자동 안전 장치).

asea [əsí:] *a. ad.* 바다에서; 바다로〔를 향해〕.

ASEAN, A.S.E.A.N. Association of Southeast Asian Nations (동남 아시아 국가 연합).

asea·son·al [eisí:zənəl] *a.* 비계절적인, 계절에 관계없는《품종》, 비계절성의.

aseis·mat·ic [èisaizmǽtik, -sais-] *a.* 내진(耐震)의: ~ structure 〖건축〗 내진 구조.

aseis·mic [eisáizmik, -sáis-] *a.* 지진이 없는; 비(非)지진성의.

ase·i·ty [əsí:əti, ei-] *n.* 〖철학〗 자존성(自存性)《자기 존재의 근거 또는 원리를 자신 속에 갖는 존재의 성격》.

ASEM Asia-Europe Meeting(아시아 유럽 수뇌회의)《ASEAN 을 중심으로 한 아시아 나라들과 유럽 연합(EU)과의 수뇌 회의》.

ase·mia [əsí:miə] *n.* 〖심리〗 상징〔전달〕 불능(증), 실상증(失像症)(언어·몸짓의 사용〔이해〕 불능). ㊞ **asem·ic** [əsémik] *a.*

asep·sis [əsépsis, ei-] *n.* Ⓤ 〖의학〗 무균 (상태); 방부법(防腐法); (외과의) 무균적 처치.

a·sep·tate [eisépteit] *a.* 〖식물·세균〗 격막(隔膜)이 없는.

asep·tic [əséptik, ei-] *a.* 무균의; 방부 처리를 한; 활기 없는, 객관적인. **—** *n.* 방부제. ㊞ **-ti·cal·ly** *ad.*

asex·u·al [eisékʃuəl] *a.* 〖생물〗 무성(無性)의; 무성생식의. ㊞ **~·ly** *ad.* **asèx·u·ál·i·ty** *n.* Ⓤ

aséxual generátion 〖생물〗 무성(無性) 세대.

aséxual reprodúction 〖생물〗 무성 생식.

asg. assigned; assignment. **A.S.G.** Association of Student Governments.

As·gard [ɑ́:sgɑ:rd, ǽs-/ǽs-] *n.* (북유럽 신화의) 아스가르드《여러 신들의 천상의 거처》.

asgd. assigned. **asgmt.** assignment.

****ash**[1] [æʃ] *n.* Ⓤ **1** (보통 *pl.*) 재, 화산재; (화재에 의한) 폐허: cigarette ~(*es*) 담뱃재 / be burnt 〔reduced〕 to ~(*es*) 불타서 재가 되다. **2** 〖화학〗 회(灰): soda ~ 소다회. **3** (*pl.*) 유골; 《시어》 주검, 유해: His ~*es* are in Westminster Abbey. 그는 웨스트민스터 성당에 묻혀 있다 / Peace to his 〔her〕 ~*es*! 그〔그녀〕의 영령이여 평안하소서. **4** (*pl.*) 창백; 은회색: as pale as ~*es* 새파랗게 질리어. ***~es to ~es, dust to dust*** 재는 재로, 먼지는 먼지로(돌아가다)《영국의 장례식에 쓰이는 말》. **~ *in the mouth*** 달갑지 않은〔참기 어려운〕 일. ***bring back the ~es*** 〖크리켓〗 설욕하다. ***haul* one's *~es*** 《속어》 떠나다. ***haul* a person's *~es*** 《속어》 …을 떠나게 하다; …을 호되게 때려주다. ***lay in ~es*** 재로 만들다, 불태워 없애다. ***rake over the ~es*** ⇨ RAKE[1]. ***rise* (*like a phoenix*) *from the ~s*** (불사조처럼) 부활하다, 폐허에서 부흥하다. ***turn to dust and ~es*** (희망 따위가) 사라지다.

ash[2] *n.* 〖식물〗 양물푸레나무; Ⓤ 그 재목.

ASH [æʃ] 《영》 Action on Smoking and Health(금연 건강 증진 협회).

ashake [əʃéik] *a.* 〔서술적〕 흔들리는, 떨리는.

****ashamed** [əʃéimd] *a.* 〔서술적〕 **1** 부끄러이 여기는, 수줍어하는《*of*》: be 〔feel〕 ~ *of* one's folly 자신의 어리석은 짓을 부끄럽게 여기다 / You should be ~ *of* yourself. 너 좀 부끄러운 줄 알아야 한다 / I am ~ *that* I said such a thing. 그런 말을 해서 부끄럽다. **2** 딱하게〔유감스럽게〕 여기는《*of; for*》: I feel ~*ed for* you. 너한테는 질렸다. **3** (…하는) 것이 부끄러운〔창피스러운〕; 부끄러워 …할 마음이 나지 않는《*to* do; *of doing*》: I am ~ *to* see you. 부끄러워서 만나고 싶지 않다. ㊞ **ashám·ed·ly** [-idli] *ad.* **∠·ness** *n.*

Ashan·ti [əʃǽnti, əʃɑ́ːn-/əʃǽn-] *n.* **1** 아샨티 《가나 남서부에 있는 한 주》. **2** (*pl.* ~(*s*)) 아샨티족. **3** Ⓤ 아샨티어(語).
ásh bín 《영》 쓰레기통, 재받이통.
ásh blònd(e) 은색이 도는 다갈색(의 머리를 한 사람).
ásh-blònd(e) *a.* 엷은 금발의.
ásh·càke *n.* 뜨거운 잿속에서 구운 옥수수빵.
ásh·càn *n.* 《미》 (금속제의) 재 담는 통, 쓰레기통(《영》 dustbin); 《구어》 폭뢰(爆雷)(depth charge).
Áshcan Schòol, Ásh Càn Schòol 〖미술〗 애시캔파《20 세기초 도시 생활을 주로 다룬 미국의 화가 집단》.
ásh càt 《철도속어》 기관차의 화부(火夫) (engine stoker).
ásh còlor =ASH GRAY.
ash·en[1] [ǽʃən] *a.* 재의, 잿빛의, 창백한.
ash·en[2] *a.* 양물푸레나무(재목)의.
Ash·er [ǽʃər] *n.* **1** 애셔《남자 이름》. **2** 〖성서〗 아셀《(1) 야곱의 아들. (2) 아셀족; 창세기 XXX: 12-13》.
ash·et [ǽʃət] *n.* 《Sc.》 (보통 타원형의) 큰 접시.
ásh fàll 〖지학〗 강회(降灰)《화산재가 내림》; 화산재의 퇴적물(堆積物).
ásh fire 잿불, 묻은 불.
ásh fùrnace 유리 제조용 가마.
ásh gráy 회백색.
Á-shirt *n.* 러닝셔츠《상표명》.
ashiv·er [əʃívər] *a.* (몸을) 떨고 있는.
Ash·ke·na·zi [æ̀ʃkənɑ́ːzi] (*pl.* **-zim** [-zim]) *n.* 독일·폴란드·러시아계의 유대인. ㊞ **-náz·ic** *a.*
ásh·kèy 양물푸레나무의 시과(翅果).
ash·lar, -ler [ǽʃlər] *n.* (건축용의) 네모나게 다듬은 돌, 모나게 깎은 돌; 그 돌을 쌓기. ㊞ **~·ing** [-riŋ] *n.* 지붕 밑 다락방의 칸막이 기둥; 각석(角石)《표장용(表裝用)》; Ⓤ 각석으로 쌓기.
ásh·màn [-mæ̀n] (*pl.* **-mèn** [-mèn]) *n.* 《미》 쓰레기 청소부(《영》 dustman). ★ garbage collector가 일반적임.
*__ashore__ [əʃɔ́ːr] *ad.* 해변에(으로), 물가에(로); 육상에서(의)(OPP. *aboard*): life ~ 육상 생활 (OPP. *life afloat*) / swim ~ 해안에 헤엄쳐 닿다 / be driven ~ =run ~ (바람이나 파도로) 좌초되다 / be washed ~ 해안에 밀려 올려지다. ***come*** 〔***go***〕 ~ 상륙하다, 뭍에 오르다. ***put*** ~ … 을 상륙시키다. ***take*** ~ 뭍에 부리다, 양륙(揚陸)하다.
ásh·pàn *n.* (난로 안의) 재받이.
ásh·pìt *n.* (난로 안의) 재 떨어지는 구멍.
ash·ram [ǽʃrəm] *n.* (힌두교의) 은둔자의 암자; 《미》 (히피의) 부락.
Ash·to·reth [ǽʃtərèθ] *n.* 〖성서〗 아스다롯.
◇**ásh·tray** *n.* 재떨이.
Ashur [ǽʃuər] *n.* 아슈르. **1** Assyria의 최고신. **2** Assyria의 최초의 수도.
Ásh Wédnesday 재의 수요일, 봉재수일《사순절(Lent)의 첫날; 옛날 이 날에 참회자 머리 위에 재를 뿌린 습관에서》.
ashy [ǽʃi] (**ash·i·er; -i·est**) *a.* 재의; 재투성이의; 재와 같은; 잿빛의, 창백한.
ASI 〖항공〗 airspeed indicator(항공기의 대기(對氣) 속도계).
†**Asia** [éiʒə, -ʃə] *n.* 아시아.
Asi·ad [éiʒiæ̀d, éiʃi-] *n.* =ASIAN GAMES.
Ásia·dòllar *n.* 아시아 달러.
Ásia Mínor 소아시아《흑해와 지중해 사이의 지역》.
*__Asian, Asi·at·ic__ [éiʒən, -ʃən], [èiʒiǽtik, -ʃi-] *a.* 아시아의, 아시아 사람(풍)의. —*n.* 아시아 사람. ★ 인종을 말할 경우 Asiatic은 경멸의 뜻이 있다고 여겨져 Asian 쪽을 쓰는 경향이 있음.
Ásian-Américan *n., a.* 아시아계 미국인(의).
Ásian Devélopment Bánk 아시아 개발 은행《생략: ADB》.
Ásian élephant 〖동물〗 아시아 코끼리, 인도코끼리(Indian elephant).
Ásian Gámes (the ~) 아시아 경기 대회《올림픽 대회 중간 해에 아시아에서 4 년마다 개최함》.
Asi·an·ic [èiʒiǽnik, -ʃi-] *a.* 비(非)인도유럽어족(語族)의.
Ásian influénza 〔**flú**〕, **Asiátic flú** 〔**influénza**〕 〖의학〗 아시아 독감.
Asi·at·ic [èiʒiǽtik, -ʃi-] *a., n.* 《때로 경멸》 =ASIAN.
Asiátic 〔**Ásian**〕 **chólera** 아시아(진성) 콜레라.
ASIC application-specific integrated circuit (응용 주문형 집적 회로).
Á-sìde *n.* (레코드의) A면. cf. B-side.
__aside__ [əsáid] *ad.* **1 곁에(으로); 떨어져서: stand 〔step〕 ~ 비켜서다, 길을 비키다. **2** 《명사의 뒤에 와서》 …은 따로 하여, …은 제쳐놓고: joking 〔jesting〕 ~ 농담은 집어치우고 / unusual circumstances ~ 특별한 상황은 차치하고. **3** 〖연극〗 방백(傍白)으로: speak ~. **4** 고려하지 않고, 잊어버리고. ~ ***from*** 《미》 ① …은 차치하고; …을 제외하고: I like all sports, ~ *from* baseball. 야구를 제외하고 모든 스포츠를 좋아한다. ② …뿐만 아니라, …에 덧붙여. ③ …은 그렇다치고, …을 떠나서: *Aside from* the question of expense, the project is impracticable. 비용문제를 떠나서, 그 계획은 실행 불가능하다. ~ ***of*** ① 《방언》 …의 곁에, …와 나란히; …의 가까이에. ② …에 견주어 보면, 비(比)하면: He is a giant ~ *of* me. 나에 비하면 그는 거인이다. ***be ~ from the question*** 문제가 안 되다, 관계없다. ***lay*** ~ ① 곁에 놓다; 저축해 두다. ② 제쳐놓다, 내버리다. ***put*** ~ ① 제쳐놓다, 따로 떼어 두다. ② 그만두다: *put* one's cares ~ 걱정하는 것을 그만두다. ***set*** ~ ① =put aside. ② (판결을) 파기하다. ***speak*** ~ 혼잣말하다, 내밀히 이야기하다; 〖연극〗 방백을 하다. ***take*** 〔***draw***〕 a person ~ (은밀한 이야기를 하려고) 아무를 옆으로 데리고 가다. ***turn*** ~ 옆으로 빗나가다. —*n.* **1** 귀엣말. **2** 〖연극〗 방백. **3** 여담; 탈선: He spoke in an ~ of his family. 그는 여담으로 자기 가족 얘기를 했다.
As·i·mov [ǽzəmɔ̀ːf, -mɑ̀f/-mɔ̀f] *n.* 아시모프 《러시아 태생의 미국의 생화학자·과학 추리 소설가; 1920-92》.
as·i·nine [ǽsənàin] *a.* 나귀(ass)의(같은); 우둔한(stupid); 고집이 센, 완고한. ㊞ **~·ly** *ad.* **as·i·nin·i·ty** [æ̀sənínəti] *n.* Ⓤ
-a·sis [əsis] *suf.* 병명(病名)을 가리키는 그리스어 명사 어미: elephanti*asis*.
ASIS Australian Secret Intelligence Service.
†**ask** [æsk, ɑːsk/ɑːsk] *vt.* **1** 《~+목/+목+목/+목+전+명/+목+*wh*. 절/+목+*wh*. *to* do》 묻다, 물어보다; …냐고 묻다: She ~*ed* my age. 그녀는 내 나이를 물었다 / I ~*ed* him a question. 그에게 질문하였다 / I ~*ed* the reason *of* him. 그에게 그 이유를 물어보았다 / *Ask* (him) *who* did it. 누가 했는지 (그에게) 물어봐 / *Ask* (him) *where to* go. 어디로 가야 할지 (그에게) 물어봐.

> SYN. **ask** '묻다'의 뜻의 가장 일반적인 말. **inquire** ask 보다 격식 차린 말. 정보·안내를 요구할 때에도 흔히 쓰임: *inquire* about trains to London 런던행 열차에 대해서 묻다. **demand** 고압적으로 성급하게 묻다. **query** 진위(眞僞)를 의심하며 묻다. **question, interrogate** 몇 가지 질문을 잇따라 하다. interrogate는 보다 조직적으로 심문하다.

2 《~+목/+목+전+명》 (길·시간 따위를) 묻

다, 물어보다: ~ the way *of* a policeman 순경에게 길을 묻다 / The price was not ~*ed*. 아무도 값을 묻지 않았다. **3** 《~+목/+목+전+명》 …에게 질문(을) 하다(inquire), 묻다: ~ many questions 많은 질문을 하다 / I ~*ed* him *about* his family. 그의 가족에 관해서 물어보았다. **4** 《~+목/+목+전+명》 대가(代價)로〔대상(代償)으로〕 청구하다, 요구하다《*for*》; 필요로 하다: ~ a high price 비싼 값을 청구하다 / They ~*ed* me 20,000 won *for* this watch. 그들은 이 시계에 대하여 20,000 원을 청구했다 / This trial ~*s* courage. 이 시련(試練)에는 용기가 필요하다. **5** 《~+목/+목+목/+목+전+명/+*to* do/+목+*to* do/+*that* 절》 …에게 바라다, 요구하다, …에게 부탁〔요청〕하다《*for*》: ~ a person a favor = ~ a favor *of* a person 아무에게 청탁을 하다 / ~ the audience *for* attention 청중에게 근청(謹聽)할 것을 요청하다 / ~ him *for* help 그에게 조력을 구하다〔청하다〕 / I ~*ed to* be admitted. 입회〔입학〕 허가를 요청하였다 / I ~*ed* him *to* come. 나는 그에게 와 주십사고 청했다 / I ~*ed that* he (should) come at once. 그에게 곧 와 달라고 부탁했다 / *Ask* him. 그에게 부탁하시오. ★ *Ask* him.의 경우 문맥 여하에 따라 *for*...로도 *to* do 로도 될 수 있음. 또 3의 용법으로 '그에게 물어보시오' 의 뜻일 때도 있음. **6** 《+목+전+명/+목+부》 초대하다《*to*; *for*》; …을 불러들이다《*in*》; (…하자고) 권하다: ~ a person *to* one's party 아무를 파티에 초대하다 / Shall I ~ him *in*? 그를 들어오라고 할까요 / ~ a person *over* (*for* dinner) 아무를 자택에 초청하다《식사 따위에》 / ~ a person *up* 아무로 하여금 2층에 올라오도록 하다; 도시로 초청하다.
— *vi.* 《~/+전+명》 **1** 묻다, 질문하다《*about*》: ~ *about* a person's whereabouts 아무의 거처를 묻다. **2** 요구〔청구〕하다, 요청하다; 면회〔면담〕를 청하다《*for*》: ~ *for* attention 주의를 요구하다 / How much is he ~*ing for?* 얼마 내라고〔얼마라고〕 합니까 / I ~*ed for* the manager. 지배인에게 면담을 요청했다.

~ a favor of ⇨ *vt.* 5. ***~ after*** a person('s health) 아무의 안부〔건강 상태〕를 묻다, 아무를 문안하다. ***~ again*** 〔***back***〕 ① 되묻다. ② (답례로서) 되초대하다. ***~ an account*** 〔***a reckoning***〕 ***of*** …의 명세〔설명〕을 요구하다. ***~ around*** 여기저기 물어보다, 주변 사람에게 묻다《*for*》: If you don't know, you had better ~ *around*. 모르거든, 여러 사람에게 물어보는 것이 좋다. ***~ for*** ① …을 청구하다, …을 달라고 부탁하다: ~ *for* a lady's hand 결혼을 신청하다. ② …은 없느냐고 묻다: Did anybody ~ *for* me? 누구 날 찾아온 사람은 없었나. ③ …을 필요로 하다. ④ …의 소식 따위를 묻다(ask after). ***~ for it*** 〔***trouble***〕 《구어》 사서〔자청하여〕 고생하다: You have ~*ed for it!* 자업자득(自業自得)이다. ***~ me another*** 《구어》 난 모르겠네. ***~ out*** ① 초대하다, (…으로) 부르다: I've been ~*ed out for* the party. 나는 그 파티에 초대받았다. ② 물러나다, 사직하다: The president ~*ed out*. 사장은 사직했다. ***~ up to*** 값을 …까지 부르다. ***be ~ed out*** (***to dinner***) 외식(外食)에 초대되다. ***Don't ~ me.*** 《구어》 모르겠어. ***I ~ you.*** 《미》 (지긋지긋해서) 이건 뭐냐, 기가 막히는군, 설마, 어떨까. ***if I may ~*** 이렇게 물으면 실례가 될지 모르겠습니다만: How old are you, *if I may* ~? 실례지만 몇 살입니까. ***If you ~ me, ...*** 내가 보는〔생각하는〕 바로는 ….

askance, askant [əskǽns], [əskǽnt] *ad.* 옆으로, 비스듬히; 곁눈질로, 흘기어; 의심하여: look ~ at …을 곁눈질로〔흘겨〕 보다《의심 또는 비난하여》.

as·ka·ri [ǽskəri/əskɑ́:ri] (*pl.* **~(s)**) *n.* U,C (옛 식민지 정부 소속의) 아프리카 원주민병〔경관〕.

ásk·er *n.* 묻는 사람; 구걸하는 사람.

askew [əskjú:] *ad.*, *a.* 〖형용사로는 서술적〗 비스듬하게; 비뚤어져, 일그러져: look ~ at … 을 흘겨보다, 곁눈질하다.

ásk·ing *n.* U 구함, 청구. ***for the ~*** 청구하는 대로, 거저, 무상으로(for nothing): You may have it 〔It's yours, It's there〕 *for the* ~. 달라고만 하면 (거저) 준다.

ásking prìce 《구어》 부르는 값; 제시 가격.

ASL American Shuffleboard League(미국 셔플보드 연맹); American Sign Language(미식 수화(手話) 언어); American Soccer League (미국 축구 연맹). **A.S.L.A.** American Society of Landscape Architects(미국 조원사(造園師) 협회).

aslant [əslǽnt, əslɑ́:nt/əslɑ́:nt] *ad.*, *a.* 〖형용사로는 서술적〗 비스듬하게, 기울어져. — *prep.* …을 비스듬히, …을 가로질러.

⁑**asleep** [əslí:p] *ad.*, *a.* 〖형용사로는 서술적〗 **1** 잠들어(opp. *awake*): He is ~. 그는 자고 있다. **2** 영면하여, 죽어서(dead). **3** (마음이) 흐리멍덩하여, 멍하여. **4** (수족이) 마비되어, (몸이) 말을 안 들어(numb): My leg is ~. (한쪽) 다리가 저리다. ***be*** 〔***lie***〕 ***fast*** 〔***sound***〕 ~ 깊이 잠들어 있다. ***fall ~*** 잠들다; 영면하다, 죽다. ***lay ~*** 잠재우다; 《비유》 불문에 부치다: The question was *laid* ~. 그 문제는 불문에 부쳐졌다.

ASLEF, A.S.L.E.F., Aslef [ǽslef] 《영》 Associated Society of Locomotive Engineers and Firemen. **A.S.L.I.B., Aslib** [ǽzlib] Association of Special Libraries and Information Bureaux(전문 도서관 정보 협회).

À / Ŝ lèvel A / S급 시험《상급 A level과 일반 중등교육(GCSE)의 중간급인 GCE 시험; 1989년 이후 시행》. [◂ *A*dvanced *S*upplementary *level*]

aslope [əslóup] *ad.*, *a.* 〖형용사로는 서술적〗 비탈이 져서, 경사져.

ASM air-to-surface missile.

as-maintáined [əz-] *a.* 《미》 미 상무부 표준(도량형)국 제정의 단위를 따른.

A.S.M.E. American Society of Mechanical Engineers. **ASMS** Advanced Strategic Missile System.

aso·cial [eisóuʃəl] *a.* 비사교적인; 반사회적인; 《구어》 이기적(利己的)인.

asp[1] [æsp] *n.* 독사《남유럽 · 아프리카 · 아라비아산》; 이집트산 코브라.

asp[2] *n.* = ASPEN.

ASP American Selling Price(미국내 판매 가격); Anglo-Saxon Protestant(앵글로색슨계 신교도); aerospace plane(항공 우주기〔비행체〕).

ASPAC [ǽspæk] Asian and Pacific Council (아시아 태평양 협의회).

as·pa·rag·i·nase [əspǽrədʒənèis, -nèiz] *n.* 〖생화학〗 아스파라기나아제《아스파라긴을 분해하는 효소》.

as·par·a·gine [əspǽrədʒì:n, -dʒin] *n.* 〖생화학〗 아스파라긴《식물에 많은 아미노산의 일종》.

◇**as·par·a·gus** [əspǽrəgəs] *n.* U 〖식물〗 아스파라거스.

aspáragus bèd 《속어》 (강철 · 목재 · 콘크리트 등을 땅에 묻은) 대전차 장애물.

aspar·kle [əspɑ́:rkl] *a.* 〖서술적〗 불꽃을 내는; 반짝반짝 빛나는; 번쩍이는.

as·par·tame [æspɑ́:rtèim] *n.* U 아스파르테임《1981년 FDA에서 허가한 저칼로리 인공 감미료》.

as·pár·tic ácid [əspáːrtik-] 〖생화학〗 아스파르트산(酸)《아미노산의 일종》.
as·par·to·ki·nase [əspáːrtoukàineis, -neiz] *n.* 〖생화학〗 아스파르토키나아제.
As·pa·sia [æspéiʒiə] *n.* 아스파시아《Pericles의 첩; 470?-410 B.C.》.
A.S.P.C.A. American Society for the Prevention of Cruelty to Animals(미국 동물 애호 협회).
⁑**as·pect** [æspekt] *n.* **1** Ⓒ,Ⓤ 양상, 모습, 외관, (사람의) 용모, 표정: wear an ~ *of* gloom 우울한 얼굴을 하고 있다. **2** 국면, 정세(phase): the ~ *of* affairs 국면/assume 〔take on〕 a new ~ 새 국면에 접어들다. SYN. ⇨PHASE. **3** 견지, 견해; (문제를 보는) 각도: consider a question in all its ~*s* 문제를 모든 각도에서 고찰하다. **4** (집의) 방향, 전망: have a north ~ 북향이다/have a good ~ 전망이 좋다. **5** 〖천문〗 성위(星位); 〖점성〗 별의 상(相); 〖항공〗 애스펙트《진로면에 대한 날개의 투영면》. **6** Ⓤ 〖문법〗 (동사의) 상(相), 애스펙트《러시아어 등의 동사의 뜻의 계속·완료·기동(起動)·종지·반복 등의 구별을 나타내는 문법 형식》. ***in*** 〔***under***〕 ***an*** ~ 어떤 면에서.
áspect ràtio 〖TV·항공〗 (화면·날개의) 종횡비(縱橫比).
as·pec·tu·al [æspéktʃuəl] *a.* 〖문법〗 aspect의.
as·pen [æspən] *n.* 사시나무포플러(quaking ~). ── *a.* 포플러의 (잎 모양을 한): tremble like an ~ leaf (사시나무 떨듯) 와들와들 떨다.
as·per·ate [æspərət] *a.* 까칠까칠한(rough). ── [æspərèit] *vt.* 까칠까칠하게 하다, 거칠게 하다.
as·perge [əspə́ːrdʒ] *vt.* …에 성수(聖水)를 뿌리다.
Ás·per·ger's sỳndrome [áːspərgərz-] 아스페르거 증후군(症候群)《집단에 적응하지 못하는 정신 발달 장애》.
as·per·ges [əspə́ːrdʒiːz, æs-] *n.* (때로 A-) 〖가톨릭〗 (대미사 전에 행하는) 성수(聖水) 살포식(의 성가).
as·per·gil·lo·sis [æspərdʒəlóusis] (*pl.* **-ses** [-siːz]) *n.* 아스페르길루스증《가금(家禽)이나 사람에 걸리는 전염병》.
as·per·gil·lum [æspərdʒíləm] (*pl.* **-la** [-lə]) *n.* 〖가톨릭〗 (성수 살포식에 쓰는) 성수기(器), 성수 솔.
as·per·i·ty [æspérəti] *n.* Ⓤ,Ⓒ **1** (기질·말투 등의) 신랄함; 퉁명스러움; 귀거슬림: answer with ~ 퉁명스럽게 대답하다. **2** (날씨의) 매서움; (처지의) 난감함. **3** (표면의) 꺼칠꺼칠함: the asperities of the ground.
as·per·mous [espə́ːrməs] *a.* **1** 〖식물〗 씨가 없는. **2** 〖의학〗 정액이 없는.
as·perse [əspə́ːrs] *vt.* 헐뜯다, 중상하다《*with*》; 〖가톨릭〗 성수를 뿌리다.
as·per·sion [əspə́ːrʃən, -ʒən/-ʃən] *n.* Ⓤ,Ⓒ 비방, 중상; Ⓤ 〖가톨릭〗 성수(聖水) 예절. ***cast*** ~***s on*** …을 중상하다.
as·per·so·ri·um [æspərsɔ́ːriəm] (*pl.* ~**s**, **-ria** [-riə]) *n.* 〖가톨릭〗 성수반(聖水盤).
as·per·ous [æspərəs] *a.* 울퉁불퉁한; 까칠까칠한.
***as·phalt** [æsfɔːlt/-fælt] *n.* Ⓤ 아스팔트; 포장용 아스팔트: an ~ pavement 아스팔트 포장 도로. ── *vt.* 아스팔트로 포장하다. ㊎ **as·phal·tic** [æsfɔ́ːltik/-fǽl-] *a.*
ásphalt clòud 아스팔트 구름《적의 미사일의 내열(耐熱) 차폐물을 파괴하기 위하여 요격 미사일이 분사하는 아스팔트 입자군》.
as·phal·tite [æsfɔ́ltait/-fǽl-] *n.* 아스팔트광(鑛)《천연 아스팔트》.
ásphalt jùngle 아스팔트 정글, (약육강식의) 대도시(의 특정 지역), 폭력·범죄의 거리〔빈민가〕《W. R. Burnett의 소설명(1949)에서》.
ásphalt pàper 아스팔트지(紙)《roofing에 씀》.
ásphalt róck 〖지학〗 역청암(瀝青岩).
as·phal·tum [æsfɔ́ːltəm/-fǽl-] *n.* =ASPHALT.
as·pher·ics [èisfériks] *n. pl.* 비구면(非球面) 렌즈(aspheric lenses). ㊎ **-ic, -i·cal** *a.*
as·pho·del [æsfədèl] *n.* 〖식물〗 아스포델《백합과의 식물》; 〖그리스신화〗 시들지 않는다는 낙원의 꽃; 《시어》 수선화.
as·phyx·ia, as·phyxy [æsfíksiə], [-fíksi] *n.* Ⓤ 〖의학〗 질식(suffocation), 가사(假死), 기절. ㊎ **-i·al** [-siəl] *a.* 질식의, 가사의, 기절한. **-i·ant** [-ənt] *a.*, *n.* 질식시키는 (것), 질식제.
as·phyx·i·ate [æsfíksièit] *vt.* 질식시키다(suffocate): *asphyxiating* gas 질식 가스. ── *vi.* 질식〔가사〕 상태로 되다. ㊎ **as·phỳx·i·á·tion** [-ʃən] *n.* Ⓤ 질식, 가사 (상태), 기절.
as·phyx·i·a·tor [æsfíksièitər] *n.* 탄산가스 소화기(消火器); (실험용) 동물 질식 상자〔장치〕.
asphyxy ⇨ASPHYXIA.
as·pic[1] [æspik] *n.* 《고어》 =ASP[1].
as·pic[2] *n.* 아스픽. **1** 고기·생선을 끓인 국물에 젤라틴을 넣어 만든 젤리. **2** 식혀서 샐러드로서 내놓는 토마토 주스의 젤리.
as·pi·dis·tra [æspədístrə] *n.* 〖식물〗 엽란(葉蘭).
as·pir·ant [əspáiərənt, ǽspər-] *n.* (명예·높은 지위 따위를) 열망하는 사람; 지망자, 후보자《*to; after; for*》. ── *a.* 큰 뜻을 품은, 대망을 지닌.
as·pi·rate [æspərèit] *vt.* 기음(氣音)을 내어 발음하다; 〖의학〗 (가스 등을) 흡출기(吸出器)로 빨아내다: ~ a consonant 자음 다음에 기식음을 내다/~ a vowel 모음 앞에 h를 더하여 발음하다. ── [æspərət] *n.* 〖음성〗 기음, h음; 기음 글자, h자; 대기음(帶氣音)《[k^h, g^h] 따위의 음》; 〖의학〗 흡출한 것. ── [æspərət] *a.* 기(식)음의, h 음의. ㊎ **ás·pi·ràt·ed** [-rèitid] *a.*
◇**as·pi·ra·tion** [æspəréiʃən] *n.* Ⓤ,Ⓒ **1** 열망; 포부, 향상심, 큰 뜻, 대망《*for; after*》: intellectual ~*s* 지식욕/his ~*s for* 〔*after*〕 fame 그의 명예욕. **2** 동경〔염원, 소망〕(의 대상): He had an ~ *to* be a lawyer. 그는 변호사가 되기를 소망했다. **3** 호흡, 흡기(吸氣). **4** 〖의학〗 (흡출기로) 빨아냄(suction). **5** 〖음성〗 기(식)음; 대기음(帶氣音). ◇ 1, 2 는 aspire *v.* 3-5 에서는 aspirate *v.*
as·pi·ra·tor [æspərèitər] *n.* 〖화학〗 흡기기(吸氣器), 흡입기; 〖의학〗 흡출기.
as·pir·a·to·ry [əspáiərətɔ̀ːri/-təri] *a.* 흡기〔호흡〕의〔에 적당한〕.
as·pire** [əspáiər] *vi.* **1** 《+전+명/+*to* do》 열망하다, 포부를 갖다, 대망을 품다, 갈망하다: ~ *to* 〔*after*〕 fame 명성 얻기를 열망하다/~ *to* attain to power 권력을 잡으려고 열망하다/~ *to* be a leader of men 사람들의 지도자가 될 뜻을 품다. **2** 《고어·시어》 높이 치솟다(rise). ~ ***to the hand of (여자)와의 결혼을 바라다. ◇ aspiration *n.* ㊎ **-pír·er** [-rər] *n.* 열망자.
***as·pi·rin** [æspərin] (*pl.* ~(**s**)) *n.* Ⓤ 〖약학〗 아스피린; Ⓒ 아스피린정(錠).
as·pir·ing [əspáiəriŋ] *a.* 향학심에 불타는, 포부가〔야심이〕 있는; 상승하는(rising), 높이 치솟은(towering). ㊎ ~**·ly** *ad.*
asprawl [əsprɔ́ːl] *ad.*, *a.* 〘형용사로는 서술적〙 (팔 다리를 뻗고) 누워서.
asquint [əskwínt] *ad.*, *a.* 〘형용사로는 서술적〙 곁눈으로, 눈을 흘겨, 흘깃; 비스듬히(obliquely): look ~ 곁눈질하다.
ASR airport surveillance radar(대공 감시 레

이더); 〖미해군〗 air-sea rescue(해공(海空) 공동 구조 작업); 〖컴퓨터〗 automatic send-receive (set) (자동 송수신 (장치)).

ASROC, as·roc [ǽsrɑk/-rɔk] *n.* 〖군사〗 대잠 (對潛) 로켓. [◂ *a*nti-*s*ubmarine *roc*ket]

ass¹ [æs] *n.* Ⓒ **1** 당나귀(donkey). **2** 바보; 고집쟁이. ***an ~ in a lion's skin*** 사자의 탈을 쓴 당나귀((겉으로만 호기를 부리는 겁쟁이)). ***make an ~ of*** …을 우롱하다. ***make an ~ of oneself*** 어리석은 짓을 하다, 웃음거리가 되다. ***play the ~*** 바보짓을 하다.

ass², arse [æs], [ɑːrs] *n.* ((비어)) 〔((영)) arse, ((미)) ass, arse〕 **1** 엉덩이; 항문. **2** 여자의 성기; (성교의 대상으로서의) 여성(a piece 〔bit〕 of ~). **3** 얼간이, 바보 같은 놈; ((Austral.)) 뻔뻔스러움. **4** (물건의) 후부, 밑 부분(=**∠ énd**). ***a kick in the ~*** ((속어)) ① 참담한 패배, 실망. ② 타격. ③ 강한 자극〔격려〕. **~ *backward*** ((미속어)) 엉망으로. **~ *on backward*** 취하여, **~ *over tincups*** 〔***teakettle, teacups, tit, appetite***〕 거꾸로, 어쩔 수 없이. ***bag*** 〔***barrel, cut, drag, haul***〕 **~** (…로부터) 갑자기 떠나다, 급히 나가다((*out of*)). ***break*** **one's ~** ((미속어)) 필사적으로 버티다, 맹렬히 일하다. ***burn*** **a person's ~** (아무를) 골내게 하다, 버럭 화내게 하다. ***bust ~*** ① =bag ~. ② 주먹으로 치고 받다. ***cover*** **one's ~** 〔***tail***〕 변명으로 발뺌하다, 알리바이 공작을 하다. ***drag ~*** ① 어물어물하다. ② 급히 가버리다. ***drag ~ around*** ((미속어)) 슬픈〔침울한〕 얼굴로 어슬렁대다. ***get off*** **one's ~** 〔***butt, duff***〕 우물쭈물하지 않다. ***get*** **one's *head out of*** **one's ~** (잠에 취하지 않고) 똑똑히 하다. ***have a wild hair up*** **one's ~** ① 정력적으로 일하다. ② 이상한 생각에 사로잡히다. ***have*** **a person's ~** 호되게 꾸짖다; 앙갚음하다. ***have*** 〔***get***〕 **one's *~ in a crack*** 궁지에 빠지다. ***have*** 〔***get, put***〕 **one's *~ in a sling*** 곤란하게〔귀찮게〕 되다, 침울해 있다; (특히) 상사의 노여움을 사다. ***have*** **one's *head up*** **one's ~** 어리석은 짓을 하고 있다, 틀리기만 하고 있다. ***It will be*** 〔***It's***〕 **a person's ~** 그렇게 되면 (아무는) 끝장이다. ***kick ~*** ① 난폭하게 행동하다; 벌을 주다; 혼내 주다. ② 강한 자극을 주다; 활기가 있다. ***my ~*** 〔강한 거부〕 설마, 우라질, 아니야; 엿먹어라, 맘대로 해. ***not know*** **one's *~ from a hole in the ground*** 〔**one's *elbow***〕 아무 것도 모른다; 얼간이야. ***off*** **one's ~** 몹시. ***on*** **(one's) ~** ① 앉아서; 엉덩방아를 찧고. ② 벌렁 자빠져; 뻗어버려; 술취하여. ***on*** **a person's ~** (아무를) 괴롭혀; 앞차에 꼭 붙여 대고. ***peddle*** **one's ~** 매춘하다. **one's *~ is dragging*** 녹초가 되어 있다. **one's *~ is getting light*** ((미군대)) 엄벌을 받고 있다. **a person's *~ is on the line*** (아무가) 위태로운〔위험한〕 상황에 있다. **one's ~** 〔***buns, tail***〕 ***off*** 〔부사적〕 마구, 필사적으로, 맹렬히. ***save*** **one's ~** 몸을 지키다; ((미속어)) 남의 목숨〔난국〕을 구하다; 아무의 면목을 유지하다. ***screw the ~ off*** (a girl) (여자에게) 한 방 쏴주다. ***shift*** **one's ~** 움직이기〔일하기〕 시작하다. ***sit on*** **one's ~** (행동해야 할 때에) 수수방관하다. ***stuff*** 〔***shove, stick***〕 ***it*** 〔...〕 ***up*** **one's** 〔((특히)) ***your***〕 **~** 〔보통 명령형〕 …따위 엿먹어라〔알게 뭐람, 맘대로 하라지〕 ((강한 거절 · 반감을 표시; 단순히 up your ~ 또는 stuff 〔shove, etc.〕 it 라고도 함)). ***to*** **one's ~** 완전히, 철저히. ***up the ~*** 모조리, 죄다.

ass. assistant; association.

as·sa·fet·i·da, -foet- [æ̀səfétidə] *n.* =ASAFETIDA.

as·sa·gai [ǽsəgài] *n.* =ASSEGAI.

as·sai [əsái/æs-] *ad.* ((It.)) 〖음악〗 대단히, 극히(very). ***allegro ~*** 아주 빠르게.

as·sail [əséil] *vt.* **1** ((~+목/+목+전+명)) (사람 · 진지 등을 무력으로) 습격하다, (맹렬히) 공격하다; (비난 · 질문 · 요망 따위로) 추궁하다; 공박하다, 몰아세우다, 비난하다((*with*)): ~ a castle 성을 공격하다/~ a person *with* questions 질문으로 공박하다. SYN. ⇨ ATTACK. **2** (일 · 연구 등에) 과감히 착수하다, (난국 등에) 맞서다: ~ the difficulty 곤란에 과감히 맞서다. **3** ((~+목/+목+전+명)) (의혹 · 공포 등이 사람 · 마음을) 괴롭히다: Fears ~*ed* her. 두려움이 그녀를 엄습했다/He was ~*ed with* 〔*by*〕 doubts. 그는 의혹에 시달렸다. ㊞ **~·a·ble** *a.* 공격할 수 있는; 약점이 있는.

as·sail·ant [əséilənt] *n.* 공격자; 가해자; 적.

As·sam [æsǽm, ∠-] *n.* 아삼((인도 북동부의 주; 주도 Shillong)).

As·sam·ese [æ̀səmíːz, -s] *a.* 아삼인〔어〕의. ── *n.* (*pl.* ~) *n.* 아삼인〔어〕.

as·sart [əsɑ́ːrt] 〖영법률〗 *vt.* (수목을) 캐내다, 파내다; (숲을) 개척하다. ── *n.* 삼림 개척; 숲속의 개척지.

as·sas·sin [əsǽsən] *n.* **1** 암살자, 자객. **2** (남의 인격 · 평판을) 헐뜯는 사람. **3** (A-) 〖역사〗 (이슬람교도의) 암살단((11-13 세기의 십자군 시대에 기독교도를 암살 · 폭행한)).

as·sas·si·nate [əsǽsənèit] *vt.* **1** 암살하다. SYN. ⇨ KILL. **2** (명예 등을) 손상시키다. ㊞ **as·sàs·si·ná·tion** *n.* Ⓤ,Ⓒ 암살. **as·sàs·si·ná·tor** [-tər] *n.* 암살자.

assássin bùg 침노린재((반시류(半翅類) 침노린잿과(科) 곤충의 총칭)).

as·sault [əsɔ́ːlt] *n.* **1** 강습, 습격; 맹렬한 비난, 공격((*on*)). **2** 〖법률〗 폭행, 폭력 (행위); (여성에 대한) 폭행, 강간. **3** 〖군사〗 백병전, 돌격; 강행 상륙: gain 〔take〕 a city by ~ 강습하여 도시를 점령하다/make a violent ~ *on* a fortress 요새를 맹공격하다. ***an ~ at*** 〔***of***〕 ***arms*** 검술시합, 총검술 연습. **~ *and battery*** 〖법률〗 폭행, 폭력행위. ── *vt.* **1** (사람 · 진지를) 습격〔강습〕하다. **2** (사람을) 폭행하다; (여성을) 폭행〔강간〕하다. ㊞ **~·a·ble** *a.* 공격〔습격〕할 수 있는. **~·er** *n.*

assáult bòat 〔**cràft**〕 〖군사〗 공격 주정(舟艇)((도하(渡河) · 상륙용)).

assáult còurse (병사 훈련용의) 돌격 훈련장 (obstacle course).

as·sault·ive [əsɔ́ːltiv] *a.* 공격적인. ㊞ **~·ly** *ad.* **~·ness** *n.*

assáult jàcket (특히 경찰관이 입는) 방탄복.

assáult rìfle 〖군사〗 돌격용 총((탄창이 큰 군사용(반)자동 라이플)).

as·say [ǽsei, -∠/əséi, æs-] *n.* 시금(試金), 분석 (평가); 시금물(物); 분석물; 시금 결과, 분석표; ((고어)) 시도; 시음, 시식: An ~ was made of the coin. 금속 화폐는 품질 검사를 위해 분석되었다. ── [æséi, ∠-/əséi, æs-] *vt.* 시금〔분석〕하다, 평가하다; 시도〔시험〕하다; ((고어)) (어려운 일을) 꾀하다((*to* do)); 평가하다(evaluate): ~ a person's ability 아무의 능력을 시험하다. ── *vi.* ((+보)) ((미)) (금속의 특정 순분(純分)을) 함유하다: This ore ~*s* high in gold. 이 광석은 금 함유율이 높다. ㊞ **~·a·ble** *a.*

ássay bàr (정부가 만든) 표준 순금〔은〕 막대.

ássay cùp 포도주 시음용의 작은 컵.

as·sáy·er *n.* 분석자, 시금자.

ássay òffice (귀금속 등의) 순도 검정소, 광석 분석소((특히 광석 채굴권 등록 · 금 매매 등을 규제함)).

ássay tón 분석톤((29.167 그램)).

àss·báckwards *ad.* ((미속어 · 비어)) 거꾸로, 앞뒤가 뒤바뀌어; 엉터리로, 터무니없이.

áss bàndit ((미속어)) 남성 동성애자.

áss·bìte *n.* 《미속어》 냉엄한〔심한〕 질책; 호통.

áss-chéwing *a.* 몹시 화가 난.

as·se·gai [ǽsəgài] *n., vt.* (남아프리카 원주민이 쓰는) 가는 투창(으로 찌르다).

°**as·sem·blage** [əsémblidʒ] *n.* **1** 회중(會衆); 집단; 집합, 집회, 회합; (물건의) 집합, 수집; (동물의) 무리; (부동산업에서) 인접 물건의 몰아사기. **2** [—; *F.* asɑ̃bla:ʒ] [C,U] 어셈블리지《물건의 단편(斷片)이나 폐품을 모은 예술과 그 작품》. **3** [U] (기계의 부품) 조립. ◇ assemble *v.*

as·sem·blag·ist [əsémblədʒist, æ̀sɑːmblɑ́ːʒ-ist] *n.* 어셈블리지스트《assemblage의 기법으로 작품을 만드는 예술가》.

‡**as·sem·ble** [əsémbəl] *vt.* **1** 모으다, 집합시키다, 소집하다. [SYN.] ⇨ GATHER. **2** (물건을) 모아 정리하다. **3** 《~+[목] / +[목]+[전]+[명]》 (기계를) 조립하다, (부품을) 조립하여 (…으로) 만들다 《*into*》: ~ a motorcar / ~ parts *into* a machine 부품으로 기계를 조립하다. **4** 〖컴퓨터〗 짜맞추다, 어셈블. — *vi.* 모이다, 회합하다.

as·sém·bler *n.* **1** 조립공. **2** 〖컴퓨터〗 짜맞추개, 어셈블러《기호 언어로 쓰여진 프로그램을 기계어 프로그램으로 변환시킴》.

assémbler lànguage 〖컴퓨터〗 어셈블러 언어《프로그램 언어의 일종》.

‡**as·sem·bly** [əsémbli] *n.* **1** [C] (사교·종교 등 특별한 목적의) 집회, 회합; [U] (초등 학교 등의) 조회《등》; [U] 집합(하기), 모임; 〔집합적〕 집회자, 회합자: an unlawful ~ 불법 집회 / the provincial 〔city, municipal〕 ~ 도〔시(市)〕의회 / freedom of ~ 집회의 자유. [SYN.] ⇨ MEETING. **2** [C] 의회; (the A–) 《미》 (주의회의) 하원: a legislative ~ 입법 의회; (영국의 식민지 의회의) 하원 / the National *Assembly* (한국 등의) 국회 / General *Assembly* 유엔 총회. **3** [U] (기계 부품의) 조립; [C] 조립품, 조립 부속품. **4** [C] 〖군사〗 집합 신호《나팔·북 따위》; 집결. **5** 〖컴퓨터〗 어셈블리《어셈블러 기계어로 적힌 프로그램으로의 변환(變換)》. ***come off the ~ line*** (제품이) 일관 작업에서 완성되다. ***get off the ~ line*** … 의 제작을 완성하다.

assémbly dìstrict 《미》 주(州)의회의 하원 의원 선출구.

assémbly hàll 회의장, 회관; (항공기 등의) 「조립 공장.

assémbly lànguage 〖컴퓨터〗 어셈블리어(語)《컴퓨터의 프로그래밍 언어의 한가지》.

assémbly lìne 일관 작업(의 열(列)), 조립 라인《대량 생산을 위한 작업 공정》.

assémbly·man [-mən] (*pl.* **-men** [-mən]) *n.* 의원; (A–) 《미》 주의회(州議會) 하원 의원; (기계의) 조립공.

assémbly·pèrson *n.* (종종 A–) 의원(議員), (미국의 일부 주(州)의) 하원 의원《성(性)차별을 피한 말》.

assémbly plànt 조립 공장.

assémbly prògram 〖컴퓨터〗 짜맞춤〔어셈블리〕 프로그램.

assémbly ròom 집회실, 회의실; (학교) 강당; (보통 *pl.*) 조립 공장.

assémbly ròutine 〖컴퓨터〗 짜맞춤 경로, 어셈블리 경로, 어셈블리 루틴.

assémbly·wòman (*pl.* **-wòmen**) *n.* 여성 의원; (A–) (미국 일부 주(州)의) 여성 하원의원.

áss ènd (사물의) 뒷부분, 후미.

°**as·sent** [əsént] *vi.* 《~/+[전]+[명]》 동의하다, 찬성하다(agree)《*to*》; (요구 따위에) 따르다《*to*》; 인정〔양보〕하다: ~ *to* the proposal 제안에 찬성하다. [SYN.] ⇨ AGREE. — *n.* [U] 동의, 찬성, 인정, 승인《*to*》: give one's ~ (*to* a plan) (계획에) 동의하다 / nod (one's head in) ~ 머리를 끄덕여 찬성을 표시하다. ***~ and consent*** 《영》 (의회의) 협찬(協贊). ***by common ~*** 전원 이의 없이. ***with one ~*** 만장일치로. [파] **~·ing·ly** *ad.* **as·sén·tive** *a.*

as·sen·ta·tion [æ̀sentéiʃən] *n.* 동의, 《특히》 영합, 부화뇌동.

as·sen·tient [əsénʃiənt] *a.* 동의〔찬성〕의. — *n.* 동의자, 찬성자.

as·sen·tor, as·sent·er [əséntər] *n.* 찬성〔승인〕자; 《영》 (하원 의원) 입후보자의 지지자《후원자 이외의》.

***as·sert** [əsə́ːrt] *vt.* **1** 《~+[목] / +[목]+*to be* [보] / +*that* [절]》 단언하다, 역설하다; 강력히 주장하다: ~ one's innocence 자신의 결백을 주장하다 / I ~ *that* he is 〔~ him *to be*〕 innocent. 그는 무죄라고 나는 단언한다. **2** (권리 따위를) 주장〔옹호〕하다; 〔~ oneself〕 제 주장을 세우다; (천성이) 드러나다: You should ~ your*self* more. 더욱더 네 주장을 내세워야 한다 / His natural cheerfulness again ~*ed* it*self*. 그의 쾌활한 천성이 다시 나타났다 / Justice will ~ it*self*. 사필귀정(事必歸正). **3** 시위하다: ~ one's manhood 이제 어린아이가 아님을 남에게 시위하다. ◇ assertion *n.*

> [SYN.] **assert** 증거 없이 신념을 갖고 주장함. **affirm** 증거나 그 밖의 근거에 의거하여 진실을 주장함.

[파] **~·er, as·sér·tor** [-ər] *n.* 주장자, 단언자. **~·i·ble** *a.*

as·sért·ed·ly *ad.* 주장(하는 바)에 의하면; 소문〔전해진 바〕에 의하면(allegedly).

°**as·ser·tion** [əsə́ːrʃən] *n.* [U] 단언, 주장; [C] (자기 개인의) 언설(言說): an unwarranted ~ 근거 없는 부당한 주장 / make an ~ 주장하다. ◇ assert *v.* [파] **~·al** *a.*

as·ser·tive [əsə́ːrtiv] *a.* 단언적인, 단정적인; 독단적인, 우기는 (듯한): an ~ sentence 〖문법〗 평서문(平敍文)(declarative sentence). [파] **~·ly** *ad.* 단호하게. **~·ness** *n.*

assértiveness 〔**assértion**〕 **tràining** 주장 훈련《소극적인 사람에게 자신감을 증진시키는 훈련》.

as·ser·to·ric [æ̀səːrtɔ́rik] *a.* 단언〔단정〕하는 〔적인〕; 〖논리〗 필연적(必然的)인, 확정적인.

as·ses [ǽsiz] AS², ASS의 복수.

ásses' brídge 당나귀의 다리《Euclid 기하학의 '이등변 삼각형의 두 밑각(角)은 서로 같다'의 명제; 증명할 때 쓰는 보조선이 다리 모양과 비슷한 데서》.

as·sess [əsés] *vt.* **1** 《~+[목] / +[목]+[전]+[명]》 (재산·수입 따위를) 평가하다, 사정하다《*at*》; (세금·벌금 따위를) 사정하다《*at*》: ~*ed* amount 사정액 / ~ a house *at* 80,000,000 won 집을 8천만원으로 평가하다. **2** 《+[목]+[전]+[명]》 《드물게》 (세금·기부금 따위를) 부과하다; 할당하다《*on, upon*》: ~ 50,000 won *on* land 토지에 5만원을 과세하다. **3** (사람·사물 따위의 성질을〔가치를〕) 평가〔판단〕하다: ~ one's efforts 자신의 노력을 평가하다 / He ~*ed* the situation correctly. 그는 상황을 정확히 판단했다. [파] **~·a·ble** *a.* 사정〔평가〕할 수 있는; 부과할 수 있는; 과세해야 할.

asséssed válue 사정액(査定額), 과세액.

as·séss·ment *n.* [U] **1** (과세를 위한) 사정, 평가; 부과; [C] 세액, 평가액, 사정액; 《미》 회비; 〖상업〗 불입 추징; 〖증권〗 추가 증거금. **2** [U,C] (사람·사물 따위의) 평가, 판단《*of*》: make an ~ *of* the new recruits 신인을 평가하다 / a standard *of* ~ 과세 표준, 과표 / an ~ *of* environmental impact 환경 영향 평가.

asséssment cènter (죄를 범한 청소년의 성격·능력을 감정하기 위한) 수용 시설.

as·ses·sor [əsésər] *n.* 재산 평가인, 과세 평가인, 사정관; 배석 판사; 보좌역. [파] **~·shìp** *n.* [U] ~의 임무〔직〕. **as·ses·so·ri·al** [æsəsɔ́ːriəl] *a.*

◇**as·set** [ǽset] *n.* **1** 자산의 한 항목; (*pl.*) (회사·개인의) 자산, 재산; (*pl.*) (대차 대조표의) 자산 항목. **2** (*pl.*) 〖법률〗 (부채 상환에 충당되는) 유산; 파산자의 자산. **3** 가치를 지닌 것; 유용한 자질; 이점, 미점, 자랑(거리)《*to; for*》: Sociability is a great ~ *to* a salesman. 사교성이란 외판원에게는 큰 자산이다. **4** 정보 제공자, (정보 활동에 이용할 수 있는) 인재·기관. ***~s and liabilities*** 자산 및 부채. ***personal* 〔*real*〕 *~s*** 동산〔부동산〕.

ásset-bàcked [-t] *a.* (예금에 투자되지 않고) 자산에 투자된.

ásset-bàcked secúrity 〖증권〗 자산 담보 증권《생략: ABS》.

ásset strìpping 〖상업〗 자산 박탈《자산은 많으나, 경영이 부실한 회사를 사들여 그 자산을 처분하여 이익을 얻는 일》.

as·sev·er·ate [əsévərèit] *vt.* …을 언명하다, 단언하다; (…라고) 단호히 주장하다《*that*》. [파] **as·sèv·er·á·tion** *n.* **-a·tive** *a.*

áss·fàce *n.* 《미속어》 얼간이, 괴짜.

áss-fùck *vt., n.* 《속어》 (…와) 비역(을 하다).

áss hàmmer 《미학생속어》 오토바이.

áss·hèad *n.* 바보. [파] **~·ed** *a.* **~·ed·ness** *n.*

áss·hòle *n.* 《비어》 똥구멍(anus); 가장 싫은 장소; 지겹게 싫은 녀석, 상머저리; =ASSHOLE BUDDY. ***from ~ to breakfast time*** 《비어》 늘, 항상, 줄곧.

ásshole bùddy 《비어》 친구, 짝패.

as·sib·i·late [əsíbəlèit] *vt.* …을 치찰음화(齒擦音化)하다《[sj], [tj]를 [ʃ], [tʃ]로 발음하는 따위》. [파] **as·sìb·i·lá·tion** *n.* 치찰음화.

as·si·du·i·ty [æsidjúːəti/-djúː-] *n.* [U] 근면《*in*》; (종종 *pl.*) (따뜻한) 배려, 마음씀: with ~ 근면하게, 열심히.

as·sid·u·ous [əsídʒuəs] *a.* 근면한《*in*》; 주도면밀한: be ~ *in* (studies) (학문을) 열심히 하다. [파] **~·ly** *ad.* **~·ness** *n.*

as·si·fy [ǽsəfài] *vt.* 우롱하다. [cf.] ass[1].

*__as·sign__ [əsáin] *vt.* **1** 《+[목]+[전]+[명]/+[목]+[목]》 할당하다, 배당하다(allot)《*to*》: ~ work *to* each man 각자에게 일을 할당하다/He ~*ed* us the best room of the hotel. 그는 우리에게 그 호텔의 제일 좋은 방을 배당해 주었다. **2** 《+[목]+[전]+[명]》 (임무·일 따위를) 부여하다, 주다: ~ a duty *to* a person 아무에게 임무를 부여하다. **3** 《+[목]+[전]+[명]/+[목]+*to* do》 (아무를) 선임(選任)하다(appoint), 선정하다《*for; to*》; 지명하다, 임명하다; (물건을) 충당하다, 사용하다: The president himself ~*ed* me *to* this job. 사장 자신이 나를 이 일에 임명하였다/He ~*ed* me *to* watch the house. 그는 나에게 그 집을 지키도록 명했다. **4** 《+[목]+[전]+[명]》 (때·장소 따위)를 지정하다, (설)정하다《*for; to*》: ~ a day *for* a festival 축제일로 지정하다/~ a limit *to* something 어떤 일에 한계를 정하다. **5** 《+[목]+[전]+[명]》 …의 것으로 하다, …의 위치를 정하다: ~ an event *to* a period 사건을 어느 시대의 것으로 단정하다/~ a day *for* a test 시험 날짜를 정하다. **6** 《+[목]+[전]+[명]》 (…에) 돌리다, (…의) 탓으로 하다(ascribe)《*to*》: ~ an event *to* a cause 사건을 어떤 원인의 탓으로 돌리다. **7** 《+[목]+[전]+[명]》 (이유·원인 따위)를 들다, 지적하다: ~ a reason *for* the action 그 행위에 대하여 이유를 붙이다/~ a cause *to* an event 사건의 원인을 들다. **8** 《+[목]+*as* [보]》 (이유·원인 따위로서) 들다: ~ jealousy *as* the motive 질투를 원인으로 들다. **9** 《+[목]+[목]/+[목]+[전]+[명]》 〖법률〗 (재산·권리 등을) 양도하다《*to*》: I'll ~ you my house. =I'll ~ my house *to* you. 당신에게 내 집을 양도하겠소. **10** 〖군사〗 (부대·인원을) 배속하다. **—** *vi.* 〖법률〗 재산을 양도〔위탁〕하다. ◇ assignation *n.*

— *n.* (보통 *pl.*) 〖법률〗 양수인(讓受人), 수탁인(assignee).

[파] **~·a·ble** *a.*

as·sig·na·tion [æsignéiʃən] *n.* [C] 할당; (회합 장소·시간의) 지정; [C] (특히 남녀 간의 밀회의) 약속《*with*》; [U] 〖법률〗 양도; 원인을 …에 돌림(ascription)《*to*》.

assígned cóunsel 〖법률〗 국선 변호인.

assígned rísk 〖보험〗 할당 불량 물건; 할당 위험 분담《통상적인 경우 업자가 인수를 거부할 수 있지만 주법(州法)에 따라 공동 인수 조직으로부터 업자가 인수를 할당받은 물건》.

assígned rísk plàns 〖보험〗 위험 할당 방식.

as·sign·ee [əsàiníː, æsəníː/æsiníː, æsai-] *n.* 〖법률〗 양수인; 수탁자; 《영고어》 채권자 지명 파산 관재인(管財人).

as·sígn·er *n.* 지정인, 할당인.

*__as·sign·ment__ [əsáinmənt] *n.* [U,C] **1** 할당, 할당된 몫. **2** 지정, 지시; (이유 따위의) 열거, (잘못 따위의) 지적; 〖컴퓨터〗 지정. **3** 〖법률〗 양도 (증서). **4** 지령, 임명. **5** 담당, 임무. **6** 《미》 (자습) 문제, 연구 과제; 숙제(homework): give an ~ 숙제를 내다.

assígnment stàtement 〖컴퓨터〗 대입문《프로그래밍 언어에서 변수의 값이나 식의 값을 대입하는 식》.

as·sign·or [əsáinər] *n.* 양도인, 위탁자.

as·sìm·i·la·bíl·i·ty *n.* [U] 동화성(同化性), 융합성.

as·sim·i·la·ble [əsímələbəl] *a.* 동화〔융합〕할 수 있는.

*__as·sim·i·late__ [əsímələ̀it] *vt.* **1** (지식·문화 등을) (제것으로) 받아들이다, 흡수하다. **2** 《~+[목]/+[목]+[전]+[명]》 (문화적으로) 동화〔일치, 순응〕시키다《*to; into; with*》: ~ the new immigrants 새 이민을 동화시키다/~ oneself *to* the changing world 변화하는 세상에 적응하다. **3** 〖생리〗 (음식물을) 소화흡수하다. **4** 〖음성〗 동화시키다. [opp.] *dissimilate*. **—** *vi.* **1** 흡수〔동화〕되다. **2** 《+[전]+[명]》 (…에) 융합하다; 순응〔동화〕하다《*to; into; with*》: The new arrivals ~*d* quickly *into* the local community. 새로 온 자들은 곧 그 지역 사람들에게 융화되었다. **3** 〖생리〗 (음식물이) 소화흡수되다. **4** 〖음성〗 동화하다.

— [-lit, -lèit] *n.* 동화되는 물건, 피(被)동화물.

[파] ◇**as·sìm·i·lá·tion** *n.* [U,C] 동화(작용); 같게 함; 흡수, 소화. **as·sím·i·la·tive, -la·to·ry** [-lèitiv], [-lətɔ̀ːri/-təri] *a.* 동화의, 동화력이 있는. **as·sím·i·là·tor** [-tər] *n.* 동화자, 동화물.

as·sìm·i·lá·tion·ìsm *n.* (인종적·문화적으로 다른 소수 집단에 대한) 동화 정책. [파] **-ist** *a., n.*

__as·sist__ [əsíst] *vt.* 《~+[목]/+[목]+[전]+[명]/+[목]+*to* do》 원조하다, 돕다, 거들다, 조력하다, …의 조수 노릇을 하다: ~ a person materially 아무에게 물질적인 원조를 하다/~ a person *in* his work 아무의 일을 돕다/~ a sick person *to* a bed 환자가 침대에 눕도록 도와주다/He ~*ed* me *to* tide over the financial difficulties. 그는 내가 재정상의 위기를 벗어나도록 도와주었다. [SYN.] ⇨HELP. **— *vi.* 《+[전]+[명]》 **1** 출석하다: ~ *at* a ceremony 식에 참석하다. **2** 거들다, 돕다《*in*》: ~ *in* effecting a peaceful settlement of a conflict 분쟁의 평화적 해결에 조

력하다. ── n. 《미》 원조, 조력; 보조 장치; 『야구』 보살(補殺); 『축구·농구』 어시스트《슛하기에 알맞은 공을 동료에게 패스하여 득점시키는 플레이》.

Assist., Asst. assistant.

***as·sist·ance** [əsístəns] n. **1** Ⓤ 원조, 도움, 조력: economic and technological ~ 경제 및 기술 원조/with a person's ~ 아무의 도움을 빌려/come 〔go〕 to a person's ~ 아무를 도우러 오다〔가다〕/give 〔lend, render〕 ~ to a person 아무를 원조하다/If I can be of ~ to you, I shall be indeed happy. 당신에게 도움이 된다면, 참으로 다행이겠습니다. **2** 《고어》 참석자. ◇ assist v.

****as·sist·ant** [əsístənt] n. **1** 조수, 보좌역, 보조자, 보조물. **2** 《미》 (학생) 조수《대학원 학생이 임명되며 유급임》. **3** 점원(=**shóp** ~). ── a. 보조의, 부···, 조···, ···보(補): an ~ clerk 서기보/an ~ engineer 기원(技員)/an ~ manager 부지배인/an ~ secretary 서기관보; 《미》 차관보. ㊞ ~·**ship** n.

assístant lécturer 《영》 조(助)강사.

assístant proféssor 《미》 조교수.

assísted líving 노인이나 병자 등을 위해 특수 설계한 집에서의 생활.

assísted súicide 다른 사람(특히 의사)의 도움을 받아 하는 자살.

as·síst·er n. 원조자.

as·sis·tor [əsístər] n. 『법률』 방조자(幫助者).

as·size [əsáiz] n. **1** 《미》 입법부, 의회; (의회가 정하는) 법령, 조령; (보통 the ~s) 《영》 순회재판 (개정기〔지〕(開廷期〔地〕))《1971년까지 England와 Wales 각 주에서 열림; 지금은 Crown Court》. **2** 도량형 및 상품 가격의 규정; (빵·맥주의) 법정 가격. ***the Great*** 〔***Last***〕 ***Assize*** 최후의 심판(the Last Judgment).

áss-kìcker n. 《속어·비어》 **1** 활동적인 사람; (특히) 부하를 울리는 장교; 약자를 괴롭히는 자. **2** 잘 나아가는 일〔것〕; 녹초가 되게 하는 경험.

áss-kìcking 《미속어·비어》 n. 힘껏 갈겨 주는 것; 응징. ── a. 매우 순조로운; 박력〔효과〕 있는.

áss-kìsser n. 《비어》 알랑쇠, 굽실거리는 사람. ㊞ **áss-kìssing** n., a.

áss-lìck·er n. 《비어》 =ASS-KISSER. ㊞ **áss-lìck·ing** n., a.

áss màn 《비어》 섹스를 밝히는〔섹스 이야기만 하는〕 놈.

Assn., assn. association. **Assoc., assoc.** associate(d); association.

as·so·ci·a·ble [əsóuʃiəbəl, -siə-] a. 연상될 수 있는, 관련될 수 있는《with》; (국가나 주가) 경제 공동체에 가맹하고 있는; 『의학』 교감성의. ── n. 경제 공동체 가맹국〔주〕. ㊞ **as·sò·ci·a·bíl·i·ty** n. Ⓤ 연상되기 쉬운 성질, 연상될 수 있음.

****as·so·ci·ate** [əsóuʃièit, -si-] vt. 《+목+전+명》 **1 a** 연합시키다; 참가시키다, 동료로 가입시키다(join, unite)《with》: We ~*d* him *with* us in the attempt. 우리는 그 계획에 그를 참가시켰다. **b** 《~ oneself》 동료가 되다, 교제하다: Don't ~ your*self with* them. 그들과 어울리지 마라. **2** 연상하다, 관련시키다《with》: It was impossible to ~ failure *with* you. 네가 실패하리라고는 상상도 못 했다. **3** 결합하다《with》. **4** 《~ oneself》 (제안·의견 등에) 찬성〔찬동〕하다; 지지하다: I will not ~ my*self with* such a proposal. 그런 제안에 찬성할 수 없소. ── vi. 《+전+명》 **1** 어울리다, 사귀다《with》: I don't care to ~ *with* them. 그들과 어울리고 싶지 않다. **2** 제휴하다, 연합하다《with》; 협력〔협동〕하다《in》: ~ *with* large enterprises 큰 기업체들과 제휴하다/~ *in* a common cause 공통의 목적을 위해 협력하다. ── [-ʃiət, -èit] n. **1** 동료, 한패, 친구; 공동 경영자; 조합원; 준회원; (악당)패; (종종 A-) 《미》 단기 대학 졸업생, 그 증서. SYN. ⇨ COMPANION. **2** 연상되는 것; 연상물. **3** 밀접한 연관이 있는 것, 부수물, 따르는 것.

── [-ʃiət, -èit] a. **1** 연합된; 동료의, 한패의: an ~ partner. **2** 연상되는, 관련 있는. **3** 준···: an ~ editor 《미》 부주필/an ~ judge 배석 판사/an ~ member 준회원. **4** 『심리』 연상의; 『의학』 교감(交感)의.

as·só·ci·àt·ed [-id] a. 연합〔관련〕된; 조합의; 연상의: an ~ bank 조합은행.

assóciated cómpany (어떤 회사의) 관련 회사, 계열 회사.

assóciate degrèe 《미》 준학사《전문대 졸업자에게 수여함》.

assóciated gás 부수 가스《원유 위에 접해 존재하는 천연가스》.

Assóciated Préss (The ~) (미국의) 연합 통신사《생략: AP, A.P.》.

assóciated státe 연합주(州).

assóciated státehood 영국의 연합주로서의 지위, 준국가 《외교·국방은 제외하고 국내 문제에 관해서만 자치권이 있는》.

assóciate proféssor 《미》 부교수《professor의 아래》. ㊞ ~·**ship** n.

***as·so·ci·a·tion** [əsòusiéiʃən, -ʃi-] n. **1** Ⓤ 연합, 관련, 결합, 합동, 제휴《with》: in ~ *with* ···와 공동으로, 제휴하여. **2** Ⓤ 교제, 친밀(한 관계); 혼외 정사《with》. **3** Ⓒ 협회, 조합, ···회: form an ~ to promote social welfare 사회 복지를 촉진시키기 위하여 협회를 세우다. **4** (종종 *pl.*) 연상(聯想), 연상시키는 것; 『심리』 관념 연합(the ~ of ideas). **5** 『경기』 축구, 사커(~ football). **6** 『생태』 군집. ◇ associate v. ㊞ ~·**al** a. ~·**al·ism** n. 『철학』 연상설(聯想說).

associátion àrea 『해부』 (대뇌피질의) 연합 구역, 연합야(野).

associátion còpy 〔**bòok**〕 《미》 수택본(手澤本).

associátion fiber 『해부』 연합 신경 섬유.

associátion fóotball 《영》 아식 축구.

as·sò·ci·á·tion·ìsm n. Ⓤ 『심리』 관념 연합론, 연상 심리학.

as·sò·ci·á·tion·ist n. 관념 연합론자; 회원, 단원.

as·so·ci·a·tive [əsóuʃièitiv, -si-, -ʃətiv] a. 연합〔조합〕하는, 관념(연합)의.

assóciative córtex 『해부』 (대뇌의) 연합피질《고도의 정신 작용을 관장함》.

assóciative léarning 『심리』 연합학습《자극에 대한 행동에 의한 반응을 통해 변화가 생기는 사람 이외의 동물의 학습 과정의 총칭》.

assóciative mémory 〔**stórage**〕 『컴퓨터』 연상 기억 장치《지금까지 번지로 표시했던 메모리의 위치를 내용으로 나타내는 것》.

assóciative néuron 『해부』 결합 뉴런《뉴런 사이에서 신경 자극을 전달하는 뉴런》.

as·so·ci·a·tor [əsóuʃièitər, -si-] n. 동료, 조합원, 회원.

as·soil [əsɔ́il] 《고어》 vt. 면하다, 사면하다; 속죄하다, 보상하다. ㊞ ~·**ment** n.

as·so·nance [ǽsənəns] n. Ⓤ 음의 유사; 유음(類音); 『운율』 유운(類韻); 모음 압운(母音押韻) 《강세가 있는 두 단어의 모음은 동음이나, 뒤이은 자음은 같지 않음: man, sat; penitent, reticent》; 부분적 일치〔부합〕. ㊞ **-nant** a. 유운의; 모운의.

as·so·nate [ǽsənèit] vi. 소리〔모음〕이 일치하다, 모음으로 운(韻)을 밟다.

as·sort [əsɔ́ːrt] vt. 분류하다, 유별(類別)로 정리하다(classify); (각종 물품을) 갖추다, 구색 맞

추다. — *vi.* 《+부/+전+명》 구색을 갖추다, 조화되다《*with*》; 서로 교제하다《*with*》: It ~*s well* 〔*ill*〕 *with* my character. 나의 성격과 잘 맞는다〔잘 맞지 않는다〕. ㊞ **-sór·ta·tive** [-tə-], **~·ive** *a.*

assórtative máting 〖생물〗 동계(同系) 교배.

◇**as·sórt·ed** [-id] *a.* **1** 분류한, 여러 종류로 된, 다채로운, 잡다한; 한데 섞어 담은. **2** 조화를 이룬: a well ~ pair 잘 어울리는 부부.

as·sórt·ment *n.* Ⓤ 유별, 분류; 각종 구색; Ⓒ 구색 갖춘 물건: Our store has a great ~ *of* candies. 우리 가게는 여러 가지 캔디를 갖추어 놓고 있습니다.

áss pèddler 《속어》 매춘부; 남창(男娼).

áss-sùcker *n.* 《비어》 =ASS-KISSER.

Asst., asst. assistant. **asstd.** assented; assorted.

as·suage [əswéidʒ] *vt.* (슬픔 · 분노 · 욕망 따위를) 누그러뜨리다, 진정〔완화〕시키다; (식욕 등을) 만족시키다. ㊞ **~·ment** *n.* Ⓤ 완화, 진정; Ⓒ 완화물.

As·su·an [æswáːn/æsuǽn] *n.* =ASWAN.

as·sua·sive [əswéisiv] *a.* 누그러뜨리는, 가라앉히는, 완화적인.

as·sum·a·ble [əsúːməbəl/əsjúːm-] *a.* 가정〔상상〕할 수 있는. ◇ assume *v.* ㊞ **-bly** *ad.* 아마, 십중팔구.

***as·sume** [əsúːm/əsjúːm] *vt.* **1** 《(+전+명)+*that*절/+목+(*to be*) 보》 당연한 것으로 여기다, 당연하다고 생각하다: I ~ *from* your remarks *that* you're not going to help us. 당신의 이야기로 판단하여 보건대 우리를 도와주지 않겠군요/I ~*d* him *to be* forgiving. 저는 그가 용서해 주리라고 생각했습니다. **2** (태도를) 취하다; (임무 · 책임 따위를) 떠맡다: ~ a friendly attitude 우호적인 태도를 취하다/~ office 취임하다/~ the responsibility 책임을 지다. **3** (성질 · 양상을) 띠다, 나타내다: ~ a look of anger 노여운 표정을 짓다/Things have ~*d* a new aspect. 사태는 새로운 국면을 나타냈다. **4** 《~+목/+*to* do》 짐짓 가장하다, …인 체하다, 꾸미다: ~ an air of innocence 결백한 체하다/~ interest 흥미가 있는 체하다/~ *to* be deaf 귀가 먹은 체하다.

> SYN. **assume** 악의가 없는 동기에서 …인 체하다. **pretend** 자기 사정 때문에 사실을 속이고 …인 체하다. 비난의 뜻이 있음. **feign** pretend보다 문어적. '모방'의 뜻이 포함되어 있음. **affect** 젠 체하는 마음에서 …인 체하다, …처럼 보이도록 힘쓰다. '노력'의 뜻이 포함되어 있음.

5 《~+목/+목+전+명》 자기 것으로 하다《*to*》; 횡령하다(usurp); (남의 이름을) 사칭하다: ~ a person's name 타인의 이름을 사칭하다/~ a right *to* oneself 권리를 독점하다. **6** 《+*that* 절/+목+*to be* 보》 추정하다, 추측〔가정〕하다: I ~ *that* you know. 물론 아실 줄 믿습니다/He is ~*d to be* wealthy. 그는 부자로 여겨지고 있다/Let's ~ what he says *to be* true. 그가 말하는 건 진실이라고 가정(假定)하자. SYN. ⇨PRESUME. ◇ assumption *n.* ***assuming that*...** …라고 가정하여, …라고 한다면: *Assuming that* it is true, what should we do now? 그게 정말이라면 이제부터 어떻게 하는 게 좋을까. — *vi.* 주제넘게 굴다, 뽐내다.

as·súmed *a.* **1** 가장한, 꾸민: an ~ name 가명, 변명(變名)/an ~ voice 꾸민 목소리/~ ignorance 모르는 체함. **2** 임시의, 가정의: an ~ cause 상정상(想定上)의 원인. **3** 떠맡은, 인수한: an ~ bond 인수 채권. ㊞ **as·súm·ed·ly** [-idli] *ad.* 아마, 필시.

as·súm·ing *a.* 건방진, 외람된, 참람(僭濫)한, 주제넘은. ㊞ **~·ly** *ad.*

as·sump·sit [əsʌ́mpsit] *n.* 〖법률〗 계약 이행 요구의 소송; (불이행시) 기소 가능한 계약.

***as·sump·tion** [əsʌ́mpʃən] *n.* Ⓤ,Ⓒ **1** 인수, 수락, 취임: the ~ *of* office 취임. **2** 가정, 억측; 가설: a mere ~ 단순한 억측/on the ~ that... …라는 가정 아래/treat an ~ as a fact 가정을 사실로 다루다. SYN. ⇨THEORY. **3** 건방짐, 외람됨, 주제넘음. **4** (종종 the A-) 성모(聖母) 몽소승천(蒙召昇天); (A-) 성모 몽소승천 축일《8월 15일》. **5** 횡령; 탈취, 장악《*of*》: ~ *of* power 권력 장악. **6** 〖논리〗 (삼단논법의) 소전제(小前提). ◇ assume *v.* ㊞ **-tive** *a.* 가정의, 가설의; 건방진, 주제넘은; 짐짓 꾸민. **-tive·ly** *ad.*

as·sur·a·ble [əʃúərəbəl] *a.* 보증할 수 있는.

****as·sur·ance** [əʃúərəns] *n.* Ⓤ **1** Ⓒ 보증, 보장, (*pl.*) 보증의 말: give an ~ 보증하다/receive ~*s of* support 원조의 확약을 얻다/We have no ~ *that* he will come. 그가 온다는 보장은 아무것도 없다. SYN. ⇨PROMISE. **2** 확신《*of*》: with ~ 확신을 가지고/We have full ~ *of* the results. 그 결과에 대해서는 정말 확신이 있다/act in the ~ *of* success 성공할 확신을 가지고 행동하다. **3** 자신(self-confidence): an easy ~ *of* manner 자신 있는 느긋한 태도. **4** 뻔뻔스러움, 철면피(impudence): have the ~ *to* do 뻔뻔스럽게도 …하다. **5** 《영》 (생명) 보험(life ~). ◇ assure *v.* ***make ~ doubly*** 〔***double***〕 ***sure*** 주의에 주의를 거듭하다.

as·sure** [əʃúər] *vt.* **1** 《+목+*that*절/+목+전+명》 …에게 보증하다, …에게 보장하다《*that; of*》; (확신시켜) 안심시키다(convince): She ~*s* me *that* she has enough to live on. 그녀는 생활에는 걱정 없다고 (분명히) 말하고 있다/I (can) ~ you *of* her honesty. 그녀의 정직을 보증한다. **2** 《+목+전+명/+목+*that*절》 납득시키다, 확신시키다; 〖~ oneself〗 납득하다, 확신하다, 확인하다: I was unable to ~ her *of* my love 〔*that* I loved her〕. 그녀에게 나의 사랑을 납득시킬 수 없었다/I ~*d* my*self that* he was safe. 그가 안전하다는 것을 확신했다. **3** 확실하게 하다, 확보하다: This ~*d* the success of our work. 이로써 우리 일은 성공이 확실해졌다. **4** …을 보험에 들다(《미》 insure). ***I **(*can*)** ***~ you.*** 틀림없다, 확실하다: It is very dangerous. *I can ~ you.* 정말 아주 위험해.

◇**as·súred** *a.* **1** 보증된, 확실한(certain): an ~ position 보장된 지위/an ~ income 확실한 수입/rest ~ 아주 느긋한 마음으로 있다. **2** 확신이 있는, 자신 있는 (confident): an ~ manner 자신 있는 태도. **3** 뻔뻔스러운(presumptuous). — (*pl.* **~, ~s**) *n.* (the ~) (보험의) 피보험자; 보험금 수취인. ㊞ **~·ness** *n.*

◇**as·sur·ed·ly** [əʃúːəridli] *ad.* **1** 확실히, 의심없이(surely). **2** 자신을 가지고, 자신만만하게; 대담하게.

as·sur·er, -or [əʃúərər] *n.* 보증인; 보험(업)자.

as·sur·gent [əsə́ːrdʒənt] *a.* 오르는; 〖식물〗 사상성(斜上性)의.

as·sur·ing [əʃúəriŋ] *a.* 보증하는; 확인하는; 확신을〔용기를, 자신을〕 주는. ㊞ **~·ly** *ad.*

áss-wìpe, -wìper *n.* 《비어》 화장지.

assy. assembly. **Assyr.** Assyrian.

As·syr·ia [əsíriə] *n.* 아시리아《아시아 서부의 옛 국가》. ㊞ **-i·an** *a., n.* ~의; ~ 사람〔말〕(의).

As·syr·i·ol·o·gy [əsiriálədʒi/-ɔ́l-] *n.* Ⓤ 아시리아학(學)〔연구〕. ㊞ **-gist** *n.*

-ast [æst, əst] *suf.* '…에 관계가 있는〔종사하는〕 사람' 의 뜻: ecdysi*ast*.

AST Atlantic Standard Time. **ASTA** American Society of Travel Agents.

asta·ble [eistéibəl] *a.* 안정되지 않은; 〖전기〗 무정위(無定位)의.

Astaire [əstέər] *n.* **Fred ~** 애스테어《미국의 무용가·배우; 1899-1987》.

Á stàr 〖천문〗 A형성(型星)《Altair, Sirius, Vega 따위의 창백한 빛의 항성(恒星)》.

astar·board [əstáːrbərd] *ad.* 〖해사〗 우현으로.

As·tar·te [æstáːrti] *n.* 아스타르테《페니키아의 풍요와 생식의 여신》.

asta·sia [əstéiʒiə, -ziə] *n.* 〖의학〗 무정위(無定位)〔실위(失位)〕(증); 기립 보행 불능(증)《정신 혼란으로》.

astat·ic [eistǽtik] *a.* 불안정한; 〖물리〗 무정위(無定位)의: an ~ galvanometer 무정위 검류계(檢流計) / an ~ governor 무정위 조속기(調速器) / an ~ needle 무정위 침. ㊞ **-i·cism** [-isìzəm] *n.* Ⓤ 〖물리〗 무정위.

as·ta·tine [ǽstətìːn, -tin] *n.* 〖화학〗 아스타틴《방사성 원소; 기호 At; 번호 85》.

as·ter [ǽstər] *n.* **1** 〖식물〗 애스터. **a** 까실쑥부쟁이속(屬)의 식물《탱알·쑥부쟁이 따위》. **b** 과꽃 (China ~). **2** 〖생물〗 (세포의) 성상체(星狀體).

-as·ter[1] [æstər, ǽs-] *suf.* '소(小)…, 엉터리…, 덜된…' 따위 경멸의 뜻: poet*aster* 엉터리 시인.

-as·ter[2] '별(모양)의' 란 뜻의 결합사: di*aster*.

as·ter·a·ceous [æstəréiʃəs] *a.* 〖식물〗 국화과(科)의.

aster·e·og·no·sis [əstèriɑgnóusis, eis-, əstìər-/-ɔg-] *n.* 〖병리〗 입체 감각 소실, 입체 실인증(失認症).

as·te·ria [æstíəriə] *n.* 성채석(星彩石)《보석》.

as·te·ri·at·ed [æstíərièitid] *a.* 방사상(放射狀)의, 별 모양의; 〖결정〗 성채(星彩)를 내는.

as·ter·isk [ǽstərìsk] *n.* 별표(*); 별 모양의 것; 〖컴퓨터〗 애스터리스크《운영 체제에서 모든 문자를 대표하는 와일드 카드 문자를 나타내는 기호; *》. **—** *vt.* 별표를 달다〔붙이다〕.

as·ter·ism [ǽstərìzəm] *n.* 〖천문〗 성군(星群); 별 자리; 세 별표(⁂ 또는 ⁑).

astern [əstə́ːrn] *ad., a.* 〔형용사로는 서술적〕 〖해사〗 고물에, 고물(쪽으)로; 뒤에, 뒤로: a ship next ~ 뒤따르는 배 / ~ of …보다 뒤쪽에(서) (OPP. *ahead of*) / back ~ 배를 후진시키다. ***drop*** 〔***fall***〕 **~** 딴 배에 뒤처지다〔앞질리다〕. ***Go ~!*** 후진《구령》(OPP. *Go ahead!*).

aster·nal [eistə́ːrnl/æs-] *a.* 〖해부·동물〗 흉골(胸骨)에 닿지〔연결되지〕 않는; 흉골이 없는.

as·ter·oid [ǽstərɔ̀id] *n.* 〖천문〗 소행성(minor planet, planetoid)《화성과 목성의 궤도 사이에 산재하는》; 〖동물〗 불가사리류. **—** *a.* 별 모양의; 불가사리의〔같은〕. ㊞ **as·ter·oi·dal** [æ̀stərɔ́idl] *a.* 소행성의; 불가사리의.

ásteroid bélt 〖천문〗 소행성대《대부분의 소행성이 존재해 있는 화성과 목성 궤도 사이의 영역》.

áster yéllows 〖식물〗 애스터 위황병(萎黃病).

as·then- [æsθén, æsθíːn], **as·then·o-** [æsθénou, -nə, əs-] '약한, 무력한, 쇠약한' 의 뜻의 결합사: *astheno*pia.

as·the·nia [æsθíːniə] *n.* Ⓤ 〖의학〗 무력증, 쇠약, 허약. ㊞ **as·then·ic** [æsθénik] *a., n.* 무력증의 (사람).

as·the·no·pia [æ̀sθənóupiə] *n.* 안정(眼睛)〔눈의〕 피로《종종 두통, 현기증 때문에》.

as·then·o·sphere [æsθénəsfìər] *n.* (the ~) 〖지학〗 연약권(軟弱圈).

asth·ma [ǽzmə, ǽs-/ǽs-] *n.* Ⓤ 〖의학〗 천식.

asth·mat·ic [æzmǽtik, æs-/æs-] *a.* 천식의. **—** *n.* 천식 환자. ㊞ **-i·cal·ly** *ad.*

As·ti [ǽsti] *n.* 이탈리아산 발포성 백포도주.

as·tig·mat·ic, -i·cal [æ̀stigmǽtik], [-əl] *a.* 난시(안)의; 난시용의. **—** *n.* 난시의 사람. ㊞ **-i·cal·ly** *ad.* 난시같이.

as·tig·ma·tism [əstígmətìzəm, æs-] *n.* Ⓤ 난시안(亂視眼), 난시; 〖광학〗 (렌즈 따위의) 비점수차(非點收差)(OPP. *stigmatism*).

astig·ma·tos·co·py [əstìgmətɑ́skəpi, æs-/-tɔ́s-] *n.* 〖안과〗 (난시 측정기에 의한) 난시 측정(법).

astir [əstə́ːr] *ad., a.* 〔형용사로는 서술적〕 움직이어, 자리에서 일어나; 법석대어, 떠들썩하여; 열중하여, 흥분하여《*with*》: be early ~ 일찍 일어나다. ***be ~ with*** …로 소란을 피우다, 떠들썩하다.

ASTM, A.S.T.M. American Society for Testing and Materials(미국 재료 시험 협회).

astom·a·tous [eistɑ́mətəs/-tɔ́m-] *a.* 〖동물〗 입이 없는; 〖식물〗 기공(氣孔)이 없는.

as·ton·ied [əstɑ́nid/-tɔ́n-] *a.* 《고어》 깜짝 놀란.

⁑**as·ton·ish** [əstɑ́niʃ/-tɔ́n-] *vt.* 《~+목/+목+전+명》 놀라게 하다, 깜짝 놀라게 하다: His sudden appearance ~*ed* us. 그가 갑자기 나타나 우리를 놀라게 했다 / He ~*ed* us *with* his bizarre ideas. 그는 기묘한 발상을 해서 우리를 깜짝 놀라게 했다. SYN. ⇨ SURPRISE. ㊞ **~·er** *n.*

*__as·ton·ished__ [əstɑ́niʃt/-tɔ́n-] *a.* (깜짝) 놀란 《*at; to* do; *that...*》: with an ~ look 깜짝 놀란 얼굴로 / He was ~ *at* 〔*by; to* hear〕 the news. 그 소식을 듣고 그는 놀랐다 / We are all ~ (*that*) she has failed. 우리는 모두 그녀의 실패에 놀라 버렸다.

◇**as·tón·ish·ing** *a.* (깜짝) 놀랄 만한, 놀라운: a man of ~ memory 놀라운 기억력의 소유자 / It was really ~ to me. 그것은 나에게 정말 놀랄 만한 일이었다. ㊞ **~·ly** *ad.* 놀랄 만큼; 몹시, 매우. **~·ness** *n.*

⁑**as·ton·ish·ment** [əstɑ́niʃmənt/-tɔ́n-] *n.* **1** Ⓤ 놀람, 경악: to my ~ 놀랍게도 / He looked at her in 〔with〕 ~. 그는 놀라서 그녀를 쳐다보았다. **2** Ⓒ 놀랄 만한 일〔것〕.

◇**as·tound** [əstáund] *vt.* 놀라게 하다, 아연실색게 하다: I was ~*ed at* the sight. 그 광경에 깜짝 놀랐다. SYN. ⇨ SURPRISE. **—** *a.* 《고어》 깜짝 놀란. ㊞ **~·ing** *a.* 깜짝 놀라게 할 (만한), 아주 대단한. **~·ing·ly** *ad.*

ASTP Army Specialized Training Program.

astr. astronomer; astronomical; astronomy.

as·tra·chan [ǽstrəkən, -kæ̀n/æ̀strəkǽn] *n.* **1** =ASTRAKHAN. **2** (A-) 러시아 원산인 사과의 일종《홍색 또는 황색으로 맛이 심》.

astrad·dle [əstrǽdl] *ad., a.* 〔형용사로는 서술적〕 걸터앉아, 걸터타고.

As·traea [æstríːə] *n.* 〖그리스신화〗 아스트라이아《Zeus와 Themis의 딸; 정의의 여신》.

Astráea Foundàtion 아스트라이아 재단《미국 여권 신장을 후원하는 단체》.

as·tra·gal [ǽstrəgəl] *n.* 〖건축〗 염주 쇠시리; (관(管)의) 두둑한 부분; 포구(砲口)의 볼록한 테; 〖해부〗 =ASTRAGALUS.

as·trag·a·lus [əstrǽgələs] (*pl.* **-li** [-lài]) *n.* 〖해부·동물〗 복사뼈, 거골(距骨); (A-) 〖식물〗 자운영속(屬).

As·tra·khan [ǽstrəkæ̀n/⌐-⌐] *n.* **1** 아스트라한《러시아 Volga강 하구의 도시》. **2** (a-) Ⓤ 아스트라한《Astrakhan 지방산의 작은 양모피》. **3** (a-) 아스트라한 모조 직물(=~ clòth).

as·tral [ǽstrəl] *a.* 별의(starry); 별이 많은; 별 세계의. ㊕ **～·ly** *ad.*
ástral bódy 성기체(星氣體), 영체(靈體)《육체와는 별개의 것으로 믿어진》; 별; 천체.
ástral hátch (항공기의) 천측창(天測窓), 천체 관측창(astrodome).
ástral lámp (바로 밑에 그림자가 비치지 않는) 무영등(無影燈)《수술실 등에서 씀》.
ástral projéction (영혼의) 체외 유리(體外遊離).
ástral spírit 성혼(星魂)《옛날 천체에서 산다고 생각되었던》.
As·tran·gia [əstréindʒiə] *n.* 천해성(淺海性)의 산호류(類).
as·tra·pho·bia, as·tra·po·pho·bia [æ̀strəfóubiə], [-pəfóubiə] *n.* 〚심리〛 공뢰증(恐雷症), 전광 공포증.
as·tra·tion [əstréiʃən] *n.* 〚천문〛 신성(新星) 탄생. [◂ *astr*+form*ation*]
astray [əstréi] *ad., a.* 〔형용사로는 서술적〕 길을 잃어; 정도에서 벗어나; 타락하여: go 〔get〕 ～ 길을 잃다; 잘못하다; 타락하다 / lead a person ～ 아무를 미혹〔타락〕시키다.
as·trict [əstríkt] 《고어·드물게》 *vt.* 묶다; 속박〔제한〕하다; 〚의학〛 변비를 일으키게 하다(constipate); 도덕적〔법적〕으로 구속하다; 수렴시키다. ㊕ **as·tríc·tion** *n.* Ⓤ
as·tric·tive [əstríktiv] *a., n.* =ASTRINGENT.
astride [əstráid] *ad., a.* 〔형용사로는 서술적〕 (…에) 걸터앉아; 두 다리를 쩍 벌리고: ride ～ (말에) 걸터타다. ***stand* ～** 양 다리를 벌리고 서다. **—** *prep.* 걸터앉아, 말에 올라타고; (내·도로 등)의 양쪽에; (넓은 지역, 긴 시간 따위에) 걸쳐; …와 성교하여: sit ～ a horse 말에 올라타다 / Budapest lies ～ the river. 부다페스트는 강 양쪽으로 자리잡고 있다.
as·tringe [əstríndʒ] *vt.* 《드물게》 오므리다, 수축시키다, 수렴(收斂)시키다; 《드물게》 변비를 일으키게 하다.
as·trin·gen·cy [əstríndʒənsi] *n.* Ⓤ 수렴성; 떫음; 엄격; 간소.
as·trin·gent [əstríndʒənt] *a.* **1** 〚의학〛 수렴성의, 수축시키는: (an) ～ lotion 아스트린젠트 로션《수렴성 화장수》. **2** (표현 등이) 통렬한, 신랄한; (성격·태도 등이) 엄(격)한: his ～ wit 톡 쏘는 해학. **3** (맛이) 떫은. **—** *n.* Ⓤ,Ⓒ 〚의학〛 수렴제; 수렴성 화장수. ㊕ **～·ly** *ad.*
as·trin·ger [ǽstrindʒər] *n.* 〚매사냥〛 매부리.
as·tri·on·ics [æ̀striániks/-ɔ́n-] *n. pl.* 〔단수취급〕 우주 비행을 위한 전자공학. [◂ *astr*+*i*+electr*onics*]
as·tro [ǽstrou] *a.* =ASTRONAUTICAL. **—** *n.* (*pl.* **～s**) =ASTRONAUT.
as·tro- [ǽstrou, -trə] '별·천체·점성술 따위' 뜻의 결합사: *astro*physics, *astro*logy.
àstro·arch(a)eólogy *n.* 천문 고고학.
àstro·ballístics *n. pl.* 〔단수취급〕 〚우주〛 우주 탄도학.
àstro·biólogy *n.* Ⓤ 우주〔지구 외〕 생물학(exobiology).
as·tro·bleme [ǽstrəbli:m] *n.* (지표(地表)의) 운석공(孔)《운석이 떨어져 움푹 팬 자리》.
àstro·bótany *n.* 우주〔천체〕 식물학.
àstro·chémistry *n.* 우주〔천체〕 화학. ㊕ **-chémist** *n.*
àstro·chronólogist *n.* 별·은하계의 탄생과 진화를 연구하는 사람.
ástro·còmpass *n.* 〚해사〛 성측(星測) 나침반, 천측 컴퍼스.
as·tro·cyte [ǽstrəsàit] *n.* 〚해부〛 (신경교(膠) 등의) 성상(星狀) 세포.
as·tro·cy·to·ma [æ̀strəsaitóumə] (*pl.* **～s, -ma·ta** [-mətə]) *n.* 〚의학〛 성상(교)세포종(星狀(膠)細胞腫), 성세포종(星細胞腫).
ástro·dòme *n.* **1** 〚항공〛 (항공기의) 천체 관측창(astral hatch). **2** (the A-) 투명한 둥근 지붕의 경기장《미국 Houston에 있는 것이 유명함》.
àstro·dynámics *n. pl.* 〔단수취급〕 우주역학, 천체역학. ㊕ **-dynámic** *a.* **-dynámicist** *n.*
as·tro·gate [ǽstrəgèit] *vi., vt.* 우주 비행하다〔시키다〕. [◂ *astro-*+navi*gate*] ㊕ **às·tro·gá·tion** *n.* Ⓤ 우주 비행.
àstro·geólogy *n.* Ⓤ 천체〔우주〕 지질학.
as·trog·o·ny [æstrágəni/-trɔ́g-] *n.* 천체 진화론.
as·tro·graph [ǽstrəgræ̀f, -grɑ̀:f] *n.* 천체 항법도(航法圖).
as·tro·hatch [ǽstrəhæ̀tʃ] *n.* =ASTRODOME 1.
as·troid [ǽstrɔid] *n.* 〚기하〛 성망형(星芒形).
astrol. astrologer; astrological; astrology.
as·tro·labe [ǽstrəlèib] *n.* 옛날의 천체 관측의(儀), (간이) 천측구(天測具).
as·trol·a·try [æstrálətri/-trɔ́l-] *n.* 별자리 숭배, 천체 숭배.
as·trol·o·ger [əstrálədʒər/-trɔ́l-] *n.* 점성가(astrologist); 점성술사.
as·tro·log·ic, -i·cal [æ̀strəládʒik/-lɔ́dʒ-], [-əl] *a.* 점성의; 점성학의. ㊕ **-i·cal·ly** *ad.*
***as·trol·o·gy** [əstrálədʒi/-trɔ́l-] *n.* Ⓤ 점성학〔술〕. ⓒⓕ astronomy.
àstro·meteorólogy *n.* Ⓤ 천체 기상학.
as·tro·mét·ric bínary [æ̀stroumétrik-] 〚천문〛 측위 쌍성(測位雙星)《어떤 별의 운동·위치 측정에 의하여 발견되는 쌍성(binary star)》.
as·trom·e·try [əstrámətri/-rɔ́m-] *n.* Ⓤ 천체 측정학.
astron. astronomer; astronomical; astronomy.
as·tro·naut [ǽstrənɔ̀:t] *n.* 우주비행사.
as·tro·nau·tic, -ti·cal [æ̀strənɔ́:tik], [-kəl] *a.* 우주 비행〔항행〕의, 우주 비행사의. ㊕ **-ti·cal·ly** *ad.*
astronáutical engineéring 우주공학.
as·tro·nau·tics [æ̀strənɔ́:tiks] *n. pl.* 〔단수취급〕 항주학(航宙學), 우주비행학.
àstro·navigátion *n.* Ⓤ 천문 항법; 〚항공〛 우주 비행. ㊕ **-návigator** *n.*
°**as·tron·o·mer** [əstránəmər/-trɔ́n-] *n.* 천문학자.
°**as·tro·nom·ic, -i·cal** [æ̀strənámik/-nɔ́m-], [-kəl] *a.* **1** 천문학(상)의. **2** (숫자·거리 등이) 천문학적인, 엄청나게 큰, 방대한: ～ figures 〔distance〕 천문학적 숫자〔대단히 먼 거리〕. ㊕ **-i·cal·ly** *ad.* 천문학상(으로); 방대하게.
astronómical clóck 천문 시계.
astronómical dáy 천문일(天文日)《정오부터 다음날 정오까지》.
astronómical látitude 천문(학적) 위도.
astronómical sátellite 〚로켓〛 천문〔천체〕 관측 위성《미국의 아인슈타인 위성 따위》.
astronómical télescope 천체 망원경.
astronómical tíme 천문시(天文時)《하루가 정오에서 시작하여 다음날 정오에 끝나는》.
astronómical twílight 〚천문〛 천문 박명(薄明).
astronómical únit 천문 단위《태양과 지구와의 평균 거리; 생략: A.U.》.
astronómical yéar 태양년(solar year).
***as·tron·o·my** [əstránəmi/-trɔ́n-] *n.* Ⓤ 천문학; 천문학 논문〔서적〕. ◇ astronomic, -ical *a.*
àstro·phótograph *n.* 천체 사진.
àstro·photógraphy *n.* Ⓤ 천체 사진술. ㊕ **-photográphic** *a.*
àstro·photómeter *n.* 천체 광도계〔측정기〕.
àstro·photómetry *n.* 〚천문〛 우주 광도 측정학.
àstro·phýsical *a.* 천체 물리학의.

àstro·phýsicist *n.* 천체 물리학자.
àstro·phýsics *n. pl.* 〔단수취급〕 천체 물리학.
ástro·sphère *n.* 〖생물〗 중심구(球), (세포의 중심체를 뺀) 성상체(星狀體).
As·tro·turf [ǽstrətə̀:rf] *n.* 아스트로터프《인공 잔디; 상표명》.
astrut [əstrʌ́t] *ad.*, *a.* 점잔빼는 (걸음걸이로); 의기양양하게.
Á stùdent 우등생.
as·tute [əstjú:t/-tjú:t] *a.* 기민한, 빈틈없는; 교활한. [파] **~·ly** *ad.* **~·ness** *n.*
As·ty·a·nax [æstáiənæ̀ks] *n.* 〖그리스신화〗 아스티아낙스《Troy의 Hector와 Andromache의 아들》.
asty·lar [eistáilər] *a.* 〖건축〗 무주식(無柱式)의.
Á-sùb *n.* 《구어》 원자력 잠수함. [◂ *atomic submarine*]
Asun·ción [əsù:nsióun/æsùnsiɔ́n, -óun] *n.* 아순시온《Paraguay의 수도》.
asun·der [əsʌ́ndər] *ad.*, *a.* 〔형용사로는 서술적〕 산산이 흩어져, 조각조각으로; 두 동강이로; 《문어》 (서로) 떨어져서, 따로따로(apart); (성격·성질 따위가) 달라: break ~ 둘로 쪼개(지)다 / come ~ 산산이 흩어지다 / fall ~ 무너지다 / tear ~ 갈기갈기 찢다. ***put*** **~** 떼어놓다, 흐트러뜨리다.
Á supplỳ 〖전자〗 A 전원(電源)《전자관(電子管)의 필라멘트 또는 히터를 가열하는 전원》. [cf.] B supply.
A.S.V. American Standard Version (of the Bible). **A.S.W.** antisubmarine warfare (대(對)잠수함전).
As·wan [æswɑ́:n, ɑ:s-/æswǽn] *n.* 아스완《이집트 남동부의 도시》; 그 부근의 댐.
Aswán Hígh Dám (the ~) 아스완 하이 댐《이집트 아스완 댐의 상류 7km 지점에 1970년 완공한 다목적 댐으로 연간 100억 kWh의 전력을 공급》.
aswarm [əswɔ́:rm] *ad.*, *a.* 〔형용사로는 서술적〕 (장소·건물 등이 …으로) 충만하여, 득실거려, 떼지어 모여, 혼잡하여.
aswirl [əswə́:rl] *a.* 소용돌이쳐서(swirling).
aswoon [əswú:n] *ad.*, *a.* 〔형용사로는 서술적〕 졸도〔기절〕하여.
asyl·lab·ic [èisilǽbik] *a.* 음절로서 기능하지 않은, 음절의 주음(主音)으로 되지 않은.
°**asy·lum** [əsáiləm] *n.* **1** (보호) 시설〔수용소〕《맹인·노인·고아를 위한》: an orphan ~ 고아원 / an ~ *for* the aged 양로원 / a lunatic 〔an insane〕 ~ 정신 병원《오늘날에는 mental home 〔hospital, institution〕이 일반적임》. **2** 〖역사〗 도피처《죄인·채무자 등이 이용한 관헌의 손이 미치지 못하는 성당 따위》. **3** 〔일반적〕 은신처, 피난처. **4** 〖국제법〗 정치범에게 주어지는 일시적 피난처《주로 외국 대사관》. **5** [U] 피난, 망명, 보호: give ~ to …을 보호하다 / seek 〔ask for〕 political ~ 정치적 보호를〔망명을〕 요청하다.
asýlum sèeker (정치적) 망명자.
asym·met·ric, -ri·cal [èisəmétrik, æ̀s-], [-əl] *a.* 불균형〔부조화〕의; 비대칭의. [파] **-ri·cal·ly** *ad.*
asymmétric(al) bárs =UNEVEN (PARALLEL) BARS.
asymmétric tíme 〖음악〗 비대칭 박자.
asym·me·try [eisímətri, æs-] *n.* [U] 불균형, 부조화; 〖수학·화학〗 비대칭(非對稱).
asymp·to·mat·ic [eisìmptəmǽtik, æ-] *a.* 조짐이〔징후가〕 없는; 〖의학〗 자각증상이 없는.
as·ymp·tote [ǽsimptòut] *n.* 〖수학〗 점근선(漸近線). [파] **às·ymp·tót·ic, -i·cal** [-tátik/-tɔ́t-], [-əl] *a.*
asymptótic fréedom 〖물리〗 점근적(漸近的) 자유성(性).
asyn·ap·sis [èisinǽpsis] (*pl.* **-ses** [-si:z]) *n.* 〖유전〗 (환원 분열(還元分裂)의 합사기(合絲期)에서 염색체 간의) 비대합(非對合), 무(無)대합.
asyn·chro·nism, asyn·chro·ny [eisíŋkrənìzəm, æs-], [eisíŋkrəni, æs-] *n.* 비(非)동시성.
asyn·chro·nous [eisíŋkrənəs, æs-] *a.* **1** 때가 맞지 않는; 비동시성의. [opp.] *synchronous*. **2** 〖전기·컴퓨터〗 비동기(非同期)의: an ~ generator 비(非)동기 발전기 / ~ communication 비동기 통신 / ~ transmission 비동기 전송. [파] **~·ly** *ad.*
asyn·det·ic [æ̀sindétik] *a.* 앞뒤의 맥락이 없는; 상호 참조가 없는; 〖수사학〗 접속사를 생략한.
asyn·de·ton [əsíndətàn, -tən/æsíndítən] (*pl.* **~s, -de·ta** [-tə]) *n.* 〖수사학〗 연사(連辭)〔접속사〕 생략《보기: I came, I saw, I conquered.》.
asy·ner·gia, asyn·er·gy [èisinə́:rdʒiə], [eisínərdʒi] *n.* 〖의학〗 협동〔공동〕운동불능(증).
asyn·tac·tic [èisintǽktik] *a.* 통어법(統語法)에 의하지 않은; 비문법적인.
asys·to·le [əsístəli] *n.* 〖의학〗 무수축, 부전(不全)수축. [파] **asys·tól·ic** *a.*
†**at** ⇨《p. 166》 AT.
at- [æt, ət] *pref.* =AD-《t 앞에서의 변형》: *attend, attract*.
AT, A.T. Atlantic Time; Air Transport (-ation); ampere turn; antitank. **At** 〖화학〗 astatine. **at.** atmosphere; atomic; attorney. **A.T.A.** Air Transport Association of America.
At·a·brine [ǽtəbrin, -bri:n] *n.* 아타브린《말라리아 예방약; quinacrine의 상표명》.
Ata·cá·ma Désert [æ̀təkǽmə-, ɑ̀:təkɑ́:mə-; *Sp.* atakáma-] (the ~) 아타카마 사막《페루에서 칠레 연안에 걸친 해안 사막》.
At·a·lan·ta [æ̀təlǽntə] *n.* 〖그리스신화〗 아탈란타《걸음이 빠른 미녀(美女)》.
AT&T American Telephone and Telegraph Company(미국 전신 전화 회사).
at·a·rac·tic, at·a·rax·ic [æ̀tərǽktik], [æ̀tərǽksik] *n.* 〖약학〗 신경 안정제. **—** *a.* 신경 안정 작용을 하는; 신경 안정약인〔의〕.
at·a·rax·ia, at·a·raxy [æ̀tərǽksiə], [ǽtəræ̀ksi] *n.* [U] 무감동, 냉정, 평정.
A.T.A.S. 《영항공》 Air Transport Auxiliary Service(공수 보조 부대).
atav·ic [ətǽvik] *a.* 먼 조상의, 선조의.
at·a·vism [ǽtəvìzəm] *n.* [U] 〖생물〗 격세유전; [C] 그 실례. 「을 가진 개체.
át·a·vist *n.* 〖생물〗 격세(隔世)유전에 의한 형질
at·a·vis·tic [æ̀təvístik] *a.* 격세(隔世)유전의〔적인〕. [파] **-ti·cal·ly** *ad.*
atax·ia, ataxy [ətǽksiə], [ətǽksi] *n.* [U] 혼란, 무질서; 〖의학〗 (특히 사지의) 기능장애; 운동실조(증): locomotor *ataxia* 보행 장애. [파] **atáx·ic** *a.*
ATB all-terrain bike.
at bát (*pl.* **~s**) 《미》 〖야구〗 타수《생략: a.b.》.
ATC Air Traffic Control; 《영》 Air Training Corps; 《미》 Air Transport Command(항공 수송 사령부); 〖철도〗 automatic train control(자동 열차 제어 장치); American Television & Communications Corp.《미국 CATV 기업》; automatic tool changer(자동 공구 교환 장치).
ATCC air traffic control center(항공 관제 센터).
at·cha, atch·oo [ətʃɑ́:], [ətʃú:] *int.* 에취《재채기 소리》.
ÁT commánd 〖컴퓨터〗 AT 커맨드《미국의 Hayes사(社)에 의해 업계 표준으로 된 모뎀용 명령어》.
Ate [éiti/ɑ́:ti] *n.* **1** 〖그리스신화〗 아테《인간을

at

장소·때·착안점·방식 따위 여러 가지 의미에서 우리말의 '…에 (있어서), …에서'와 일치하는 사용도가 높은 전치사인데, 좀 색다른 면으로서 look *at* '…을 보다'와 같이 방향·목표를 나타내는 용법도 있다. 이 두 가지 용법은 다 같이 다른 말과 결합하여 관용구를 만들기 쉬우며, 특히 후자는 자동사와 결합하여 많은 중요한 타동사 상당어구를 만드는데, 그것들은 be looked *at* 와 같이 수동태도 가능하다. 따로 관용구란이 있으나, 실제로는 어의(語義) 해설란의 용례 태반이 관용구라고 할 수 있다.

at [æt, 약 ət] *prep*. ★ 보통 [ət]라고 약음으로 발음되나, What are you looking *at?* 처럼 끝에 올 때는 강음이 됨.

1 a 〘위치·지점〙 …에, …에서: *at* a point 한 점(點)에 / *at* the center 중심에(서), 한복판에(서) / *at* the top 꼭대기에, 맨 위에서 / *at* my side 내 곁에 / *at* the foot of the hill 산 기슭에 / *at* the end of the street 거리의 막바지[끝]에 / *at* a 〔the〕 distance of 10 miles, 10 마일 격하여[떨어져] / *at* the seaside 해변에서 / *at* the office 사무실[회사]에서 / put up *at* an inn 여관에 투숙하다 / sit *at* the window 창(가)에 앉다 / stand *at* the door 문(의 곁)에 서다 / Open your book *at* 〔《미》 *to*〕 page 20. 책의 20 페이지를 펴라 / I bought it *at* the baker's (shop). 빵집에서 그것을 샀다 / He is a student *at* Yale. 그는 예일 대학의 학생이다《of Yale로 하는 예는 드묾》 / He lives *at* 24 Westway. 그는 웨스트웨이 24 번지에 살고 있다《번지에는 at, 동네·거리 이름에는 in, on 을 씀》.

> NOTE at 은 나라 이름엔 쓰지 않음. 도시 이름에는 at 또는 in 을 쓸 수가 있으며 흔히 큰 도시에는 in 을 써서 *in* London 같이 하고 비교적 작은 도시에는 at 를 사용하여 *at* Oxford 와 같이 함. 그러나 대소를 가리지 않고 도시를 지리적인 점(點)으로 생각할 때는 at를, 그 구역의 '안에'로 생각할 때엔 in을 쓸 수 있음: This plane will stop one hour *at* Chicago. 이 비행기는 시카고에서 한 시간 머뭅니다 / My parents live *in* Chicago. 부모는 시카고(의 시내)에 살고 있습니다.

b 〘출입의 점·바라보이는 곳을 나타내어〙 …에서, …으로(부터): come in *at* the front door 〔*at* the window〕 정문〔창〕으로 들어오다《through의 뜻》 / look out *at* the window 창문에서 밖을 내다보다《단지 '창으로'의 뜻이면 at 대신 out of 를 씀》 / Let's begin *at* Chapter Three. 제3장(章)부터 시작합시다. **c** 〘출석·참석 따위를 나타내어〙 …에 (나가 있어 따위): *at* a meeting 회의에 출석하여 / *at* the theater 극장에(가 있어) / *at* a wedding 결혼식에서 / He was *at* university from 1985 to 1989. 그는 1985 년부터 1989 년까지 대학생이었다《미국에서는 in college》. **d** 〘도착지·도달점을 나타내어〙 …에: arrive *at* one's destination 목적지에 도착하다.

2 〘시점·시기·연령〙 …에, …때에: *at* five (o'clock) 5 시에 / *at* daybreak 〔sunset〕 새벽〔해질〕녘에 / *at* midnight 〔noon〕 한밤중〔정오〕에 / *at* present 지금은 / *at* a time when… 이제 막 …할 때에 / *at* all times 언제나, 늘 / *at* odd moments 틈이 있을 때에 / *at* one time 한때(는)(≒*at* a time '한꺼번에') / *at* parting 헤어질 때 / *at* (the age of) nine 아홉 살 때에 / *at* the weekend 《영》 주말에 / *at* the beginning 〔middle, end〕 of the month 월초〔중순, 월말〕에 / *at* the same time 동시에 / *at* that time 당시(에)는 / *at* this moment 현재, 바로 그 때 / *at* this time of (the) year 〔day, night〕 이 계절〔이 시각, 밤의 이 시각〕에 / (*at*) what time …? 몇 시에《*at*은 흔히 생략》 / *at* the latest (아무리) 늦어도 / School begins *at* nine and ends *at* four. 수업은 9 시에〔부터〕 시작하여 4 시에 끝난다《begin from nine 은 잘못. 단, School is from nine to four. 수업은 9 시부터 4 시까지다는 가능함》.

> NOTE at 은 시간〔때〕의 '일점', on은 '날', in은 '기간'을 나타냄: *at* half past eight, *at* this time of (the) year, *at* Christmas; *on* Monday, *on* the 10th of May; *in* the 18th century, *in* the morning, *in* the evening《다만, *at* night》. 또, morning, evening, night 의 경우에도 날짜 등의 한정어가 첨가될 때는 on 을 씀: *on* the evening of April 5th, 4 월 5 일 저녁에, *on* Christmas Day 〔morning〕 크리스마스날〔아침〕에.

3 〘동작·상태·상황〙 **a** 〘동작을 나타내어〙 …에, …(으)로: *at* a blow 일격(一擊)에 / *at* a stretch 〔stroke〕 단숨에 / *at* a bound 한 걸음에, 일거에 / *at* a mouthful 한입에 / (drink) *at* a draft 단숨에(마시다) / *at* a time 한번에(≒*at* one time 한때는). **b** 〘상태·궁지·입장을 나타내어〙 …하여: *at* a loss 어찌할 바를 몰라, 당혹〔당황〕하여 / a stag *at* bay 궁지에 몰린 수사슴 / *at* a disadvantage 불리한 입장에 / *at* (one's) ease (마음) 편히 / ill *at* ease 불안하여 / *at* large (범인 등이) 안 잡히어 / *at* stake 위험에 직면하여. **c** 〘자유·임의·근거를 나타내어〙 …로, …으로: *at* will 마음대로 / *at* one's convenience 형편 닿는 대로, 편리한 대로 / *at* one's disposal 뜻〔마음〕대로 / *at* the discretion of …의 재량으로〔자유로, 생각대로〕 / *at* the mercy of …의 마음대로〔의지·처분에 내맡겨져〕 / *at* one's request 요구에 따라. **d** 〘평화·불화를 나타내어〙 …하여, …중(인): be *at* peace 평화롭(게 지내)다 / be *at* war 전쟁 중이다 / *at* odds (with) (…와) 불화하여. **e** 〘정지·휴지(休止)를 나타내어〙 …하여: *at* rest 휴식하여 / *at* anchor 정박하여 / *at* a standstill 딱 멈추어; 정돈 상태에. **f** 〘at one's+형용사 최상급으로, 극한을 나타내어〙 …하여: The storm was *at* its worst. 폭풍우는 더없이 격렬했다.

4 〘종사〙 **a** 〘종사 중임을 나타내어〙 …에 종사하여, …을 하고 있는; …중에《관용구는 흔히 관사가 안 붙음》: *at* breakfast 아침 식사 중 / The children are *at* play. 어린이들이 놀고 있다 / be *at* work 일〔공부〕하고 있다 / be *at* prayer 기도(를 드리는) 중이다 / What is he *at* now? 그는 지금 무엇을 하고 있나 / They are hard *at* it. 그들은 열심히 하고 있다 / She was *at* her sewing machine. 그녀는 재봉일을 하고 있었다. **b** 〘종사의 대상을 나타내어〙 …에(달라붙어), …을: work *at* math(s) 수학을 공부하다 / knock *at* the door 문을 노크하다.

5 〘기능·성질을 나타내어〙 …에〔을〕, …점에서: good 〔poor〕 *at* swimming 〔mathematics〕 수영〔수학〕을 잘〔못〕하여 / They are quick 〔slow〕 *at* learning. 그들은 배우는 게 빠르다〔더디다〕 / He is genius *at* music. 그는 음악에 천재다. 《구어》 그는 음악을 참 잘 한다 / He is an expert

at chess. 그는 장기의 명수다.
6 〔방향 · 목적 · 목표를 나타내어〕 …을 (노리어), …을 향하여, …을 목표로: aim *at* a mark 과녁을 겨누다 / catch *at* a straw 한 오라기의 지푸라기라도 잡으려고 손을 뻗치다 / fire *at* …을 노리어〔겨누어〕 발포하다 / look *at* the moon 달을 보다 / gaze *at* …을 뚫어지게 보다 / glance *at* …을 흘끗 보다 / guess *at* …을 알아맞혀 보다, 추측해 보다 / What is he aiming *at*? 그는 무엇을 노리고 있는 건가, 무엇이 목적인가 / point *at* 〔to〕 the house 그 집을 가리키다 / rush *at* …으로〔에〕 돌진하다 / sneer *at* …을 냉소하다 〔비웃다〕 / stare *at* …을 응시하다 / throw a stone *at* a cat 고양이에게 돌을 던지다《비교: throw a piece of meat *to* a cat 고양이에게 고기를 던져 주다》.
7 〔감정의 원인 · 사물의 본원〕 …에 (접하여), …을 보고〔듣고, 알고, 생각하고〕, …으로, …에서〔로부터〕: frown *at* …을 보고 얼굴을 찡그리다 / blush *at* a mistake 잘못을 저질러 얼굴을 붉히다 / wonder *at* the sight 그것을 보고 놀라다 / do something *at* a person's suggestion 아무의 제안으로 무엇을 하다 / laugh *at* …을 보고 〔듣고〕 웃다; …을 조소하다 / feel uneasy *at* the thought of …을 생각하고 불안해지다 / rejoice 〔mourn〕 *at* …을 기뻐하다〔슬퍼하다〕 / be angry *at* …에 화를 내다 / be surprised 〔astonished〕 *at* the result 결과에 놀라다 / be glad 〔pleased, delighted〕 *at* the news of …의 소식을 듣고 기뻐하다 / be terrified *at* the sight of …을 보고 공포에 질리다 / be annoyed *at* a person's stupidity 아무의 바보스러움에 속이 상하다.
8 〔비율 · 정도〕 **a** 〔값 · 비용 · 속도 · 정도를 나타내어〕 …(의 비율)로, …하게: *at* full speed 전속력으로 / *at* a low price 싼 값으로 / *at* (an angle of) 90°, 90 도로 / *at* one's own expense 자비(自費)로 / *at* (a speed of) 80 miles per 〔an〕 hour 시속 80 마일로 / set *at* nought 무시하다 / estimate the crowd *at* 300, 군중을 3 백 명으로 어림〔추산〕하다 / reckon one's expenses *at* so much a week 비용 지출을 1주 얼마로 셈하다 / sell these things *at* ten cents each 이것을 한 개 10 센트로 팔다. ★ sell for는 sell for the sum of 의 뜻으로 '금액'을 나타내며, sell at은 sell at the price of 의 뜻으로 '가격'을 나타냄. **b** 〔대가 · 희생 · 조건 · 대상을 나타내어〕 …로써, …하고〔하여〕: *at* any price 어떤 희생을 치르더라도 / *at* the price of liberty 자유를 희생하고 / *at* a heavy cost 큰 손실을〔손해를〕 보고 / *at* great cost 큰 돈을 들여, 큰 희생을 치르고 / *at* the cost of *one's* health 자신의 건강을 희생으로 하여 / *at* any cost = *at* all costs 어떤 대가를 치르더라도 / *at* one's (own) risk 자기의 책임으로. **c** 〔방식 · 양태로〕 …(한 방식)으로: *at* a run 뛰어서, 구보로 / *at* 〔《영》 *by*〕 whole sale 도매로.
9 〔무관사의 관용어구〕: *at* home (마음) 편히, 마음 푹 놓고; …에 정통〔환〕하여《*in; with*》《'자택에서, 국내에서'의 뜻 외에》 / *at* church (교회에서) 예배(禮拜) 중 / *at* school (학교에서) 공부 중 / *at* sea 항해 중에 / *at* table 식사 중에.
at about …쯤〔경〕: *at about* four o'clock 〔the same time〕 4 시쯤〔같은 무렵〕에 / *at about* the same speed 대체로 같은 속력으로. ***at all*** ⇨ ALL.
be at … ① (귀찮게 남편 등)에게 졸라대다: She *is at* her husband again to buy her a new dress. 새 드레스를 사 달라고 남편을 성가시게 졸라대고 있다. ② …에게 대들다: *At* him! 그놈에게 대들어라. ③ …을 공격하다, …을 노리다: The cat *is at* the fish again. 그 고양이는 또다시 생선을 노리고 있다. ④ (남의 것 따위)를 만지작거리다: He's *been at* my tools. 그는 내 연장을 만지작거리고 있다. ***be at it*** 싸움을〔장난 등을〕 하고 있다; 《속어》 (사물에) 전념〔열중〕하다; 술에 빠지다. ***Where are we at?*** 《미구어》 여기는 어딘가 《정식으로는 Where are we?》.

멸망으로 인도하는 미망(迷妄) · 야심 따위를 상징하는 여신; 후에 복수의 여신》. **2** (a-) 사람을 파멸로 이끄는 충동〔야망, 우행(愚行)〕.

†**ate** [eit/et, eit] EAT의 과거.

-ate[1] [ˊ-èit, éit] *suf.* '…시키다, …(이 되게) 하다, …을 부여하다' 따위의 뜻: loc*ate*, concentr*ate*, evapor*ate*.

-ate[2] [ət, èit] *suf.* **1** ate를 어미로 하는 동사의 과거분사에 상당하는 형용사를 만듦: anim*ate* (anim*ated*), situ*ate* (situ*ated*). **2** '…의 특징을 갖는, (특징으로 하여) …을 갖는, …의'의 뜻: passion*ate*, collegi*ate*.

-ate[3] [ət, èit] *suf.* **1** '직위, 지위'의 뜻: consul*ate*. **2** '어떤 행위의 산물'의 뜻: leg*ate*, mand*ate*. **3** 〖화학〗 '…산염(酸塩)'의 뜻: sulf*ate*.

> NOTE (1) 동사일 때는 [-eit], 명사 · 형용사일 때에는 보통 [-it] 로 발음; 단, 강세가 어미에 있는 경우《보기: sedate》나, 쓰이는 일이 드문 말, 또는 학술어《보기: chordate》 따위에서는 [-eit]. (2) 이 어미로 끝나는 동사는 대부분 어미의 두 음절 앞에 으뜸 강세가 있음.

ATE automatic test equipment(자동 검사기).

Á Tèam 〖군사〗 (특수 훈련을 받은) 특공대.

At·e·brin [ǽtəbrin] *n.* 아테브린《quinacrine의 영국 상표명》. cf. Atabrine.

A. Tech. Associate in Technology.

at·e·lec·ta·sis [æ̀təléktəsis] *n.* 〖의학〗 폐부전 확장(肺不全擴張); 무기폐(無氣肺)《출산시의 폐의 불완전한 확장》.

at·el·ier [ǽtəljèi] *n.* 《F.》 (화가 · 조각가 · 기공(技工) 따위의) 일터, 작업실, 화실(畫室)(studio), 아틀리에.

ate·li·o·sis [əti:lióusis, ətèl-] *n.* 〖병리〗 발육부전(不全); 난쟁이.

a tem·po [ɑ:témpou] *ad., a.* 《It.》 〖음악〗 본래의 속도로〔의〕(tempo primo).

atem·po·ral [eitémpərəl] *a.* 시간에 영향받지 않는, 무(無)시간의(timeless).

Aten, Aton [ɑ́:tn] *n.* 〖고대이집트〗 아톤《유일신으로 숭앙된 태양신》.

a ter·go [ɑ:-tέərgou] 《L.》 뒤로; 뒤로부터, 「뒤에서.

Ate·ri·an [ətíəriən] *n., a.* (북아프리카 구석기 시대의) 아테리아 문화(기)(의).

Á-tèst *n.* 원폭 실험.

ATF Advanced Tactical Fighter; 《미》 (Bureau of) Alcohol, Tobacco and Firearms. **ATGM** antitank guided missile(대전차 유도 미사일).

ath·a·na·sia, athan·a·sy [æ̀θənéiʒə, -ʃə/-ʃə], [əθǽnəsi] *n.* Ⓤ 불사(不死), 불멸.

Ath·a·na·sian [æ̀θənéiʒən, -ʃən/-ʃən] *a., n.* Athanasius 의; 아타나시우스파 사람.

Athanásian Créed (the ~) 아타나시오 신경(信經).

Ath·a·na·sius [æ̀θənéiʃəs] *n.* **Saint ~** 성(聖)아타나시우스《Alexandria의 대주교로 Arianism 교의 반대자; 295?-373》.

Athar·va-Ve·da [ətɑ́:rvəvéidə, -ví:də] *n.* 〖힌두교〗 (the ~) 아타르바베다《양재 증복(攘災增福)의 주사(呪辭)를 모아 수록한 베다의 하나》. cf. Veda.

athe·ism [éiθiìzəm] *n.* Ⓤ 무신론; 무신앙 생활.

◇**athe·ist** [éiθiist] *n.* 무신론자; 무신앙자. ⓟ **àthe·ís·tic, -ti·cal** [-tik], [-əl] *a.* 무신론(자)의. **àthe·ís·ti·cal·ly** *ad.*

ath·e·ling [ǽθəliŋ, ǽð-/ǽθ-] *n.* 〖영국사〗 왕자; 귀족; 《특히》 왕세자.

Ath·el·stan [ǽθəlstæ̀n] *n.* 남자 이름.

athe·mat·ic [èiθi:mǽtik, -θi-/æθi-] *a.* 〖언어〗 어간 형성 모음이 없는; 〖음악〗 주제가 없는.

Athe·na [əθí:nə] *n.* =ATHENE.

Ath·e·n(a)e·um [æ̀θəní:əm] (*pl.* **~s, -naea** [-ní:ə]) *n.* 아테네 신전《옛 그리스의 학자·시인이 모여 시문(詩文)을 평론한 곳》; (a-) 문예〔학술〕협회; 도서관〔실〕, 문고.

Athe·ne [əθí:ni] *n.* **1** 여자 이름. **2** 〖그리스신화〗 아테네《지혜·예술·전술(戰術)의 여신(女神)》. ⓒⓕ Minerva.

Athe·ni·an [əθí:niən] *a.*, *n.* 아테네의, 아테네 사람.

Ath·ens [ǽθinz] *n.* 아테네《그리스의 수도》.

athe·o·ret·i·cal [eiθi:ərétikəl, æ-] *a.* 비(非)논리적인.

ather·man·cy [əθə́:*r*mənsi] *n.* Ⓤ 〖물리〗 불투열(不透熱)(성).

ather·ma·nous [æθə́:*r*mənəs] *a.* 〖물리〗 불투열(성)의. ⓞⓟⓟ *diathermanous*.

ather·mic [eiθə́:*r*mik, æθ-] *a.* 열전도가 안 되는; 비열전도성(性)의.

ath·er·o·gen·ic [æ̀θəroudʒénik] *a.* 〖의학〗 (동맥) 아테롬 발생(성)의《식사》.

ath·er·o·ma [æ̀θəróumə] *n.* 〖의학〗 (피부에 생기는) 분류(粉瘤), 아테롬. ⓟ **~·tous** *a.*

ath·er·o·scle·ro·sis [æ̀θərouskləróusis] *n.* Ⓤ 〖의학〗 동맥경화증.

athirst [əθə́:*r*st] *a.* 〔서술적〕 《문어》 갈망하여(eager)《*for*》; 《고어·시어》 목이 타서(thirsty): ~ for information 기별을 애타게 기다려.

*__ath·lete__ [ǽθli:t] *n.* **1** 〔일반적〕 운동가, 경기자; 《영》 육상 경기자. **2** 강건한〔정력적인, 활발한〕 사람. ◇ athletic *a.*

áthlete's fóot 〖의학〗 무좀.

áthlete's héart (과도한 운동에 따른) 스포츠심장, 심장 비대.

⁑**ath·let·ic** [æθlétik] *a.* **1** 운동의, 체육의, 체육적, 경기의: an ~ meet(ing) 운동회, 경기회 / ~ equipment 경기용 기재(器材) / an ~ event 경기 종목 / ~ sports 운동 경기. **2** 운동가의〔와 같은〕, 운동을 잘하는; 운동가용의. **3** 강건한, 체력이 있는. ◇ athlete *n.* ⓟ **-i·cal·ly** *ad.* 운동〔체육〕상, 경기적으로; 운동가와 같이. **-i·cism** [-isìzəm] *n.* Ⓤ,Ⓒ (전문으로서의) 운동 경기; 운동(경기)열.

*__ath·let·ics__ [æθlétiks] *n. pl.* **1** 운동경기; 《영》 육상 경기《track과 field 종목만》. **2** 〔보통 단수 취급〕 체육 실기; 체육 이론.

athlétic suppòrter 운동용 서포터(jockstrap).

ath·o·dyd [ǽθədìd/æθóudàid] *n.* 〖항공〗 도관(導管) 제트 (ramjet)《제트 엔진의 일종》.

at-home [əthóum] *n.* (가정적인) 초대회(招待會). ⓒⓕ at HOME. ¶ an ~ day 집에서 손님을 접대하는 날, 접객일(接客日). **—** *a.* 가정용의.

A3 [éiθrí:] *n.*, *a.* A3판《420×297mm》(의).

athrill [əθríl] *a.* 흥분한〔해서〕《*with*》.

ath·ro·cyte [ǽθrəsait] *n.* 〖생물〗 집수(集受)세포.

athwart [əθwɔ́:*r*t] *ad.* (비스듬히) 가로질러(서); (…에) 거슬러서, (…뜻에) 반(反)하여: Everything goes ~ (*with* me). 만사가 뜻대로 되지 않는다. **—** *prep.* …을 가로질러서, 〖해사〗 (선체와) 직각으 로, (…의) 진로를 가로질러, (목적 따위)에 어긋나서: go ~ a person's purpose 아무의 뜻대로 안 되다.

athwárt·shìp [-ʃìp] *a.* 〖해사〗 선측(船側)에서 선측으로 선체를 가로질러서.

athwárt·shìps [-ʃìps] *ad.* 〖해사〗 배의 앞을 가로질러서.

athy·mic [eiθáimik] *a.* 〖의학〗 무흉선증(無胸腺症)의: ~ babies.

-at·ic [ǽtik] *suf.* '…의(같은)' 의 뜻: Asiatic, dramatic.

atich·oo, atish·oo [ətítʃu:], [ətíʃu:] (*pl.* **~s**) 《영》 *int.* 에취(ahchoo). **—** *n.* 재채기(achoo, ahchoo, 《영》 **kerchóo**).

atilt [ətílt] *ad.*, *a.* 〔형용사로서는 서술적〕 창을 겨누고, 찌를 자세로; 기울어, 기울여서(tilted). ***run*** 〔***ride***〕 **~ *at*** 〔***against, with***〕 (마상시합에서) …을 향해 창을 세게 내찌르다; (논쟁에서 상대를) 심하게 공격하다, …에게 덤벼들다.

atin·gle [ətíŋgəl] *a.* 〔서술적〕 얼얼하여; 몹시 쑤시어; 흥분한.

-a·tion [éiʃən] *suf.* 동작·상태·결과를 나타내는 명사를 만듦: occup*ation*, civiliz*ation*.

atip·toe [ətíptòu] *ad.*, *a.* 〔형용사로서는 서술적〕 **1** 발끝으로, 발돋움하여. **2** 이제나 저제나 하고 기다려: be waiting ~ *for* the mail 이제나 저제나 하고 편지를 기다리다. **3** 주의하여; 몰래: walk quietly on ~ 발끝으로 조용히 걷다.

ATIS automatic terminal information service.

-a·tive [èitiv, ət-] *suf.* 동사에 붙여 관계·경향·성질 따위를 나타내는 형용사를 만듦: author*itative*, talk*ative*. ★ 발음은 대개 강음절 직후에서는 [-ətiv], 기타는 [-èitiv/-ətiv].

At·kins [ǽtkinz] *n.* ⇨ TOMMY ATKINS.

A.T.L. Atlantic Transport Line. **Atl.** Atlantic.

At·lan·ta [ætlǽntə, ət-] *n.* 애틀랜타《미국 Georgia주의 북서부에 있는 주도; 25회 하계 Olympics의 개최지》.

At·lan·te·an [æ̀tlæntí:ən] *a.* 아틀라스(Atlas)와 같은; 비길 데 없이 힘센; Atlantis 섬의.

at·lan·tes [ætlǽnti:z, ət-] *n. pl.* 〖건축〗 남상주 (男像柱). ⓒⓕ caryatid.

⁑**At·lan·tic** [ætlǽntik, ət-] *n.* (the ~) 대서양. **—** *a.* **1** 대서양의〔에 면한〕; 대서양안의: the ~ islands 대서양 제도 / the ~ states 《미》 대서양 안의 제주(諸州), 동부 제주 / an ~ flight 대서양 횡단 비행. **2** (아프리카 북서부의) 아틀라스 산맥의. **3** 거인 아틀라스(Atlas)의.

At·lan·ti·ca [ætlǽntikə, ət-] *n.* 대서양 세계.

Atlántic Chárter (the ~) 대서양 헌장《1941년 8월 14일, 북대서양상(上)에서 Roosevelt와 Churchill이 성명한 공동 선언》.

Atlántic Cíty 애틀랜틱 시티《미국 New Jersey 주 남동부의 해수욕장으로 유명한 도시》.

At·lan·ti·cism [ætlǽntəsizəm, ət-] *n.* Ⓤ 범(汎)대서양주의《서유럽과 북아메리카의 협조》. ⓟ **-cist** *n.*

Atlántic Ócean (the ~) 대서양.

Atlántic Páct (the ~) =NORTH ATLANTIC TREATY 〔PACT〕.

Atlántic Próvinces 《Can.》 대서양 제주(諸州).

Atlántic Rím (the ~) 환(環)대서양.

Atlántic (**stándard**) **tìme** 대서양 표준 시간 《생략: A(S)T》.

At·lan·tis [ætlǽntis, ət-] *n.* 바닷속에 잠겨 버렸다는 대서양상의 전설의 섬.

àt-lárge *a.*, *ad.* 《미》 전주(全州) 대표의 (의원(議員)에 의해서).

*__at·las__ [ǽtləs] *n.* **1** 지도책; 도해서, 도감; 대판 (大判) 양지의

Atlas

일종. cf. map. **2** 〖해부〗 환추(環椎), 제 1 경추(頸椎); (*pl.* ***at·lan·tes*** [ætlǽnti:z]) 〖건축〗 남상주(男像柱). **3** (A-) 〖그리스신화〗 아틀라스《신들을 배반한 벌로 하늘을 짊어지게 된 신》; (A-) 무거운 짐〔책임〕을 진 사람, 대들보. **4** (A-) 아틀라스《미국의 대륙간 탄도탄; 우주선 발사에도 씀》. **5** (A-) 월면 북부의 크레이터.

Átlas-Cén·taur clàss [-séntɔ:r-] 〖우주〗 아틀라스센토급(級) 페이로드(pay-load)《1 단계에는 아틀라스, 2 단계에는 센토를 사용한 미국의 로켓》. cf. payload.

átlas gríd 항공 사진의 격자선(線).

Átlas Móuntains (the ~) 아틀라스 산맥《아프리카 북서부의 산맥》.

at·latl [á:tlà:tl] *n.* (고대 멕시코의) 창〔화살〕 발사기.

ATM anti-tank missile(대전차 미사일); asynchronous transfer mode(비동기 전송 방식); automated-teller machine. **atm.** atmosphere(s); atmospheric.

at·man [á:tmən] *n.* 《Sans.》 호흡; 생명의 근원; 영혼; (A-) 대아(大我), 우주아(宇宙我).

at márk 〖컴퓨터〗 앳 마크《메일을 수신하는 사람의 주소로 사용자명과 컴퓨터명을 구분하기 위해 사용하고 여기에서 컴퓨터명은 조직을 나타내는 도메인명임; @》.

at·mo- [ǽtmou, -mə] *pref.* '증기 · 공기'의 뜻.

at·mol·o·gy [ætmálədʒi/-mɔ́l-] *n.* 증발학.

at·mol·y·sis [ætmáləsis/-mɔ́l-] (*pl.* **-ses** [-si:z]) *n.* 기체 분석; 확산 분기법(分氣法).

at·mom·e·ter [ætmámətər/-mɔ́m-] *n.* 증발계(蒸發計)《습면(濕面)의》.

at·mom·e·try [ætmámətri/-mɔ́m-] *n.* 증발률(率) 측정법〔학〕.

⁑**at·mos·phere** [ǽtməsfìər] *n.* **1** (the ~) 대기; 천체를 둘러싼 가스체. **2** Ⓒ (어떤 장소의) 공기: a refreshing mountain ~ 상쾌한 산 공기. **3** Ⓒ 분위기, 무드, 주위의 상황: a tense ~ 긴장된 분위기. **4** Ⓤ,Ⓒ (예술품의) 풍격, 운치; (장소 · 풍경 따위의) 풍취, 정취: a novel rich in ~ 분위기가 잘 나타난 소설. **5** Ⓒ 〖물리〗 기압《압력의 단위; 1 기압은 1,013 헥토파스칼; 생략: atm.》: absolute ~ 절대 기압. ㊁ **~d** *a.*

átmosphere-méasurement ínstrument (달 표면의) 대기 측정기.

°**at·mos·pher·ic, -i·cal** [ætməsférik], [-əl] *a.* **1** 대기(중)의, 공기의; 대기에 의한, 기압의: an *atmospheric* depression 저기압 / an *atmospheric* discharge 공중 방전(放電) / *atmospheric* nuclear test 대기권 핵실험. **2** 분위기의, 정조(情調)의: *atmospheric* music 무드 음악. ㊁ **-i·cal·ly** *ad.*

atmosphéric bràking 〖우주〗 대기 제동《우주선의 연착륙 전에 대기 저항을 이용해 감속함》.

atmosphéric distúrbance 〖전기〗 (공전(空電)에 의한) 공중 장애; 〖기상〗 대기 요란.

atmosphéric electrícity 〖물리〗 대기 전기.

atmosphéric préssure 기압, 대기 압력.

àt·mos·phér·ics *n. pl.* **1** 〔복수취급〕 〖전기〗 공전(空電); 공전 장애(에 의한 잡음). **2** 〔단수취급〕 공전학. **3** 〔복수취급〕 (회담 · 교섭 등의) 분위기.

atmosphéric tíde 〖물리〗 대기 조석(潮汐).

atmosphéric wíndow 〖천문〗 대기의 창《우주로부터의 전자파(電磁波)가 지구의 대기를 투과(透過)하는 파장 영역(領域)》.

at·mo·sphe·ri·um [ætməsfíəriəm] (*pl.* **~s,** ***-ria*** [-riə]) *n.* 기상 변화 투영 장치(를 갖춘 건물).

at. no. atomic number. **A.T.O.** Air Transportation Office; Automatic Train Operation.

Á to D́ 〖컴퓨터〗 analog-to-digital.

Á to J́ 《N. Zeal.》 Appendices to Journal(국회 의사록 보유(補遺)).

at·oll [ǽtɔ:l, ətɔ́:l, ətál/ǽtɔl, ətɔ́l] *n.* 환상(環狀) 산호섬, 환초(環礁).

⁑**at·om** [ǽtəm] *n.* **1** 〖물리 · 화학〗 원자: kaonic ~, K 중간자 원자. **2** 미분자, 티끌, 미진(微塵); 극소량. ***break*** 〔***smash***〕 ***to ~s*** 산산이 가루로 부수다. ***not an ~ of*** …이 털끝만큼도 없는.

at·om·ar·i·um [ætəméəriəm, -mǽər-] *n.* 전시용 소형 원자로, 원자로〔원자력〕 전시관.

átom 〔**atómic**〕 **bómb** 원자폭탄(A-bomb).

átom-bómb *vt., vi.* 원자폭탄으로 공격〔투하〕하다.

⁑**atom·ic, -i·cal** [ətámik/ətɔ́m-], [-kəl] *a.* **1** 원자의. **2** 원자력에 의한〔을 이용한〕; 원자탄의〔을 이용하는〕: an *atomic* explosion 핵폭발. **3** 극소의, 극미의. ㊁ **-i·cal·ly** *ad.*

atómic áge (the ~) 원자력 시대.

atómic bómber 원자탄 탑재 폭격기.

atómic cálendar 탄소 14 법(法)에 의한 연대 측정 장치.

atómic clóck 원자시계.

atómic clóud (원자폭탄에 의한) 원자운(雲), 「버섯구름.

atómic cócktail 《구어》 (암치료 · 진단용의) 방사성 물질 함유 내복약.

atómic demolítion munítions 폭파용 핵자재《생략: ADM》.

atómic disintegrátion 원자핵 붕괴.

atómic énergy 원자 에너지, 원자력.

Atómic Énergy Authòrity (the ~) 《영》 원자력 공사(公社)《1954 년 설립; 생략: A.E.A.》.

Atómic Énergy Commìssion 《미》 (전의) 원자력 위원회《1975 년 ERDA와 NRC로 개편 조직; 생략: AEC》.

atómic fúrnace 원자로(reactor).

atómic héat 원자열.

atómic hýdrogen 〖화학〗 원자 상태 수소.

atómic hypóthesis 〖철학〗 원자론.

at·o·mic·i·ty [ætəmísəti] *n.* Ⓤ 〖화학〗 (분자 중의) 원자수, 원자가(價)(valence).

atómic máss 〖화학〗 원자 질량.

atómic máss ùnit 원자 질량 단위《생략: 「AMU》.

atómic númber 원자 번호《생략: at. no.》.

atómic párticle 〖물리〗 소립자(素粒子).

atómic philósophy = ATOMISM.

atómic píle 〔**reáctor**〕 원자로(reactor).

atómic pówer 원자력.

atóm·ics *n. pl.* 〔단수취급〕 원자학《원자력을 다루는 물리학의 한 부문》.

atómic spéctrum 원자 스펙트럼.

atómic strúcture 원자 구조.

atómic théory 〖철학〗 원자론(atomic hypothesis); 〖물리〗 원자 이론.

atómic tíme (원자시계에 의한) 원자시간.

atómic válence 〔**válue**〕 원자가(價).

atómic vólume 원자 부피《생략: at. vol.》.

atómic wárfare 핵전쟁.

atómic wéapon 핵무기(nuclear weapon).

atómic wéight 원자량《생략: at. wt.》.

át·om·ìsm *n.* Ⓤ 원자론〔설〕; 〖철학〗 원자론. ㊁ **-ist** *n.* **àt·om·ís·tic** *a.*

at·om·is·tics [ætəmístiks] *n. pl.* 〔단수취급〕 원자 과학《특히 원자력의 개발 · 이용을 다룸》. cf. atomics.

at·om·ize, 《영》 **-ise** [ǽtəmàiz] *vt.* …을 원자로 하다〔만들다〕; 세분화하다; 원폭으로 들부수다; (물약을) 분무(噴霧)하다. ㊁ **àt·om·i·zá·tion** *n.* Ⓤ 원자화; 분무 작용; 원자 폭탄〔무기〕에 의

한 파괴. **át·om·ìz·er** *n.* (약제·향수의) 분무기.

átom smàsher 《구어》 〖물리〗 원자핵 파괴 장치; 가속기(accelerator).

at·o·my[1] [ǽtəmi] *n.* **1** 미소한 것; 《고어》 미립자, 원자. **2** 난쟁이(pygmy), 주유(侏儒).

at·o·my[2] *n.* 말라깽이; 《고어》 해골(skeleton).

aton·a·ble [ətóunəbəl] *a.* 갚을 수 있는.

aton·al [eitóunl, æ-] *a.* 〖음악〗 무조(無調)의. opp *tonal.* ⊞ **~·ly** *ad.*

aton·al·ism [ətóunəlìzəm, æ-] *n.* Ⓤ 〖음악〗 (작곡상의) 무조(無調)주의〔형식 사용〕.

at·o·nal·i·ty [èitounǽləti, æ̀t-] *n.* Ⓤ 〖음악〗 무조성(無調性)《일정한 조성(調性)에 입각하지 않은 작곡 양식》; 무조주의〔형식〕.

°**atone** [ətóun] *vi.* **1** (죄 따위를) 속(贖)하다, 속죄〔보상〕하다《*for*》. **2** (실책 등의) 벌충을 하다《*for*》. **3** 《폐어》 화해〔협조〕하다. ― *vt.* 보상하다; 《폐어》 화합〔화해〕시키다.

°**atóne·ment** *n.* Ⓤ 보상, 죄(罪)값; (the A-) 〖종교〗 (예수의) 속죄; 《폐어》 화해, 조정: make ~ for one's misdeeds 비행의 보상을 하다.

aton·ic [ətánik, ei-/-tɔ́n-] *a.* 〖문법〗 악센트 없는; 《폐어》 〖음성〗 무성(無聲)의; 〖의학〗 활력 없는, 이완된, 아토니의. ― *n.* 〖문법〗 악센트 없는 말〔음절〕. 「아토니.

at·o·ny [ǽtəni] *n.* Ⓤ 〖의학〗 이완(弛緩), 무력,

atop [ətáp/ətɔ́p] 《문어》 *ad.* 정상에《*of*》: ~ *of* a hill 언덕 위에. ― *a.* 〔보통 명사 뒤에 와서〕 정상에 있는: a hill with a castle ~ 정상에 성이 있는 언덕. ― *prep.* …의 정상에: ~ the flagpole 깃대 꼭대기에.

ato·py [ǽtəpi] *n.* 〖의학〗 아토피성 체질《선천성 과민성》. ⊞ **atop·ic** [eitápik, -tóu-] *a.*

-a·tor [èitər] *suf.* '…하는 사람〔물건〕' 의 뜻: radi*ator*, avi*ator*.

-a·to·ri·um [ətɔ́ːriəm] *suf.* '…하는 장소, …하는 시설' 의 뜻: drink*atorium*.

-a·to·ry [ˊətɔ̀ːri/ˊətəri, -èitəri] *suf.* **1** '…의 경향이 있는, …적' 의 뜻의 형용사를 만듦: compens*atory*. **2** '…하는 장소' 의 뜻의 명사를 만듦: labor*atory*.

atox·ic [eitáksik/-tɔ́k-] *a.* 독이 없는.

A-to-Z [éitəzíː] *a.* 모든; (광고 등의) A부터 Z까지의 두문자로 시작하는 단어들을 쓴.

ATP 〖생화학〗 adenosine triphosphate(아데노신 3인산); 《영》 automatic train protection (자동 열차 정지 시스템). **ATR** advanced thermal (converter) reactor(신형 열전환 원자로); audio tape recording.

at·ra·bil·iar [æ̀trəbíljər] *a.* = ATRABILIOUS.

at·ra·bil·i·ous [æ̀trəbíljəs, -liəs] *a.* **1** 우울증의; 침울한; 찌무룩한. **2** 성마른, 신경질적인. ⊞ **~·ness** *n.*

atrau·mat·ic [èitrəmǽtik, -trɔː-] *a.* 〖의학〗 비외상성(非外傷性)의. 「제》.

at·ra·zine [ǽtrəziːn] *n.* 〖농업〗 아트라진《제초

atrem·ble [ətrémbəl] *ad., a.* 〔형용사로서는 서술적〕 《시어》 벌벌 떨며.

atre·sia [ətríːʒə] *n.* 〖의학〗 (관(管)·공(孔)·강(腔) 따위의) 폐쇄(증).

Atre·us [éitriəs, -trjùːs] *n.* 〖그리스신화〗 아트레우스《Mycenae의 왕, Agamemnon과 Menelaus의 부친》.

átri·al na·tri·u·rét·ic fàctor [éitriəlnèitrəjuərétik-] 〖생화학〗 심방성(心房性) 나트륨 이뇨(利尿)인자《혈액량의 이상적 증가에 대응해서 심방에서 분비되는 펩티드 호르몬의 총칭; 생략: ANF》.

atrich·ia [eitríkiə, ətrík-/æt-] *n.* 〖의학〗 (선천적) 무모(無毛)(증).

atri·o·ven·tric·u·lar [èitriouventríkjələr] *a.* 〖해부〗 (심장의) 방실(房室)간의〔에 위치하는〕: an ~ valve 〔canal〕 방실판(瓣)〔관(管)〕.

atrip [ətríp] *a.* 〖서술적〗 〖해사〗 (닻이) 막 해저에서 떠올라. 「children.

àt-rísk *a.* 위험에 처한; 학대받는《어린이》: ~

atri·um [éitriəm] (*pl.* ***atria*** [-triə], **~s**) *n.* 〖건축〗 안마당; (고대 로마 건축의) 안뜰(이 딸린 홀); 〖해부〗 심이(心耳); 고실(鼓室)《귀의》; 심방(心房); 〖동물〗 강(腔). ⊞ **átri·al** *a.* 「청색.

at·ro·ce·ru·le·ous [æ̀trousərúːliəs] *n.* 짙은 암

°**atro·cious** [ətróuʃəs] *a.* 흉악한, 잔학한; 《구어》 아주 지독한 〔무서운, 지겨운〕: an ~ crime 잔학한 범죄 / an ~ meal 형편없는 식사. ⊞ **~·ly** *ad.* **~·ness** *n.*

°**atroc·i·ty** [ətrásəti/ətrɔ́s-] *n.* Ⓤ 흉악, 잔인; (보통 *pl.*) Ⓒ 잔학 행위, 흉행(兇行); 《구어》 아주 지독한 것〔일〕, 대실책.

à trois [F. atʀwɑ] 《F.》 셋이서 (하는), 3자 사이에서(의): a discussion ~ 3자간 토의, 정담(鼎談). 「症)(atrophy).

atro·phia [ətróufiə] *n.* Ⓤ 〖의학〗 위축증(萎縮

atroph·ic [ətráfik/-trɔ́f-] *a.* 위축(증)의.

at·ro·phied [ǽtrəfid] *a.* 소모한, 위축된, 쇠퇴한, 시들은.

at·ro·phy [ǽtrəfi] *n.* Ⓤ **1** 〖의학〗 위축. opp *hypertrophy.* **2** 〖생물〗 (영양 장애에 의한) 발육 불능, (기능의) 감퇴, 쇠퇴; (도덕심 따위의) 퇴폐. ― *vt., vi.* 위축시키다〔하다〕.

at·ro·pine, -pin [ǽtrəpìːn, -pin] *n.* 〖약학〗 아트로핀《벨라도나 등에 함유된 유독 물질; 경련 완화제》.

àtropin·izátion *n.* 〖의학〗 아트로핀 투여.

at·ro·pism [ǽtrəpìzəm] *n.* Ⓤ 아트로핀 중독.

At·ro·pos [ǽtrəpɑ̀s/-pɔ̀s] *n.* 〖그리스신화〗 아트로포스《운명의 세 여신(Fates)의 하나》.

ATS, A.T.S. administrative terminal system (IBM의 문서 처리 시스템); air traffic services(항공 교통 업무); American Temperance Society(미국 금주 협회); American Tract Society; American Transport Service; applications technology satellite(응용 기술 위성); automatic train stop(자동 열차 정지 장치); automatic transfer services(자동 대체 서비스); Auxiliary Territorial Service (영국 여자 국방군). 「기호》.

at sígn 〖상업〗 단가 기호; 〖컴퓨터〗 앳 마크《@

att. attached; attention; attorney.

at·ta·boy [ǽtəbɔ̀i] *int.* 《미구어》 좋아, 됐어, 잘한다. cf. attagal. [◂That's the boy.]

***at·tach** [ətǽtʃ] *vt.* **1** 《+목+전+명》 붙이다, 달다; 바르다《*to*》. opp *detach.* ¶ ~ a label *to* a parcel 소포에 꼬리표를 붙이다. **2** 《+목+전+명》 〔종종 ~ oneself · 수동태〕 부속〔소속, 참가〕시키다; 〖군사〗 (부대·군사 등을) 일시적으로 타부대에 배속하다: a high school ~*ed to* the university 대학 부속 고등학교 / ~ a person *to* a company 〔regiment〕 아무를 중대〔연대〕에 배속하다 / He first ~*ed* him*self to* the Liberals. 그는 처음에 자유당원이었다. **3** 《+목+전+명》 〔~ oneself〕 (…에) 들러붙다, 부착(附着)하다: Shellfish usually ~ them*selves to* rocks. 조개는 보통 바위에 붙는다. **4** 《+목+전+명》 부여하다, (…에 중요성 따위를) 두다: ~ significance *to* a gesture 몸짓에 어떤 뜻을 부여하다. **5** 《+목+전+명》 애착심을 갖게 하다, 사모하게 하다: try to ~ a boy *to* oneself by giving him sweets 과자를 주어서 아이를 따르게 하다 / The child is deeply ~*ed to* its foster parents. 그 아이는 양부모를 매우 따른다. **6** 《+목

+전+명》 …을 첨부하다, 가하다, (도장을) 찍다《to》: The signers ~ed their names to the petition. 그들은 청원서에 서명했다. 7 〖법률〗 압류하다; 〖법률〗 구속하다(arrest). — vi. 《+전+명》 부착하다, 붙어〔따라〕다니다《to》; 소속하다《to》: No blame ~es to me in the affair. 그 건(件)으로는 나는 하등 비난받을 일이 없다. ~ **importance to** …에 중점을 두다. 파 ~·a·ble a.

at·ta·ché [ætæʃéi, ætə-/ətǽʃei] n. 《F.》 (대사·공사의) 수행원; 공사〔대사〕관원, 외교관보: a commercial ~ 상무관(商務官) / a military 〔naval〕 ~ 공〔대〕사관부 육군〔해군〕 무관.

attaché case [ətǽʃeikèis] 소형 서류 가방의 일종; =BRIEFCASE.

at·táched [-t] a. 1 매어져 있는, 첨부〔부속〕한; 〖패류〗 고착된; 〖건축〗 =ENGAGED: an ~ high school 부속 고등학교. 2 흠모하고〔마음을 기울이고〕 있는《to》; 결혼한, 정한 상대가 있는.

°**at·tách·ment** n. Ⓤ 1 부착, 접착, 흡착《to》; Ⓒ 붙임, 붙이는 기구; 부착물, 부속품; 연결 장치: a camera with a flash ~ 플래쉬가 장착된 카메라. 2 (때로 an ~) 애정, 사모, 애착, 집착《for; to》; 〖심리〗 어태치먼트《애정의 연계》: develop an ~ for a woman 여자를 사랑하게 되다. 3 〖법률〗 구속; 압류; Ⓒ 그 영장.

***at·tack** [ətǽk] vt. 1 (적·사람의 신체·주의·언동 따위를) 공격하다, 습격하다; 비난하다.

> SYN. **attack** 구체적으로는 사람·물건, 추상적으로는 인격·명성 등을 종종 적의나 악의를 갖고 공격하다: *attack* an enemy 적을 공격하다. *attack* policy 정책을 비난하다. **assail** 강타 등을 반복하여 공격하다. 추상적으로도 쓰임: *assail* with reproaches 비난을 하며 공격하다. **assault** assail과 대조적으로 갑자기 폭력을 써서 덤비다. **storm** 폭풍우처럼 맹렬히 assault 하다.

2 〔종종 수동태〕 (병이 사람을) 침범하다; (비·바람 등이 물건을) 침식〔부식〕하다: He *was ~ed* by fever. 그는 열병에 걸렸다 / Acid ~s metal. 산은 금속을 부식한다. 3 (일 등에 정력적으로) 착수하다; (식사 따위를 왕성하게) 하기 시작하다: ~ housecleaning 활기 있게 집 청소를 시작하다. 4 (여자에게) 덮치다, 강간하다. — vi. 공격하다. — n. 1 공격, 습격; 비난《against; on》: *Attack* is the best (form of) defense. 공격은 최선의 방어다 / make 〔deliver〕 an ~ *on* the government 정부를 공격하다. 2 발병, 발작; (화학적) 파괴 작용의 개시: have an ~ *of* flu 유행성 감기에 걸리다. 3 (일·경기·식사 따위의) 개시, 착수. 4 〖음악〗 어택《어떤 선율을〔악구를〕 일제히 시작함》. **advance to the ~** 진격하다. **be** 〔**come**〕 **under ~** 공격을 받고 있다〔당하다〕. 파 ~·a·ble a. ~·er n.

attáck dòg 《미》 공격견(犬)《명령으로 사람을 공격하도록 훈련된 개》.

attáck·man [-mən] n. 〖경기〗 공격 위치의 선수.

attáck tráiner 공격 겸 연습기.

at·ta·gal, -girl [ǽtəgæ̀l], [-gə̀ːrl] int. 《미구어》 잘한다, 됐어, 멋있다. cf. attaboy. [◂That's the girl.]

***at·tain** [ətéin] vt. 1 (장소·위치·나이 등에) 이르다, 도달하다. 2 (목적·소원을) 달성〔성취〕하다, …에 달하다; (명성·부귀 따위를) 획득하다, 손에 넣다: He ~*ed* full success. 그는 충분한 성공을 거두었다. — vi. 《+전+명》 (노력이나 자연적인 경과로) (도)달하다, 이르다《to; unto》: ~ *to* years of discretion 분별 있는 나이에 달하다. ~ **to man's estate** 성년에 달하다. ~ **to perfection** 완벽한 경지에 이르다. 파 ~·a·ble a. ~·a·ble·ness n. **at·tàin·a·bíl·i·ty** n. Ⓤ 달성〔획득〕의 가능성. ~·er n.

at·tain·der [ətéindər] n. Ⓤ 《폐어》 〖법률〗 (반역 죄·중죄 선고에 의한) 사권(私權) 상실, 권리 박탈.

°**at·táin·ment** n. 1 Ⓤ 도달, 달성. 2 Ⓒ (노력해 얻은) 기능, 재간, 예능; (보통 pl.) 학식, 재능, 조예(skill): a man of varied ~s 다재다능한 사람.

at·taint [ətéint] vt. 〖법률〗 …의 사권(私權) 박탈을 선고하다; 《고어》 (명예 따위를) 더럽히다. — n. 사권 박탈(attainder)을 당한 사람; Ⓤ 《고어》 불명예, 오명, 치욕.

at·tain·ture [ətéintʃər] n. 1 =ATTAINDER. 2 《폐어》 오명, 불명예.

at·tar [ǽtər] n. Ⓤ 장미유(油)(= ~ **of róses**); 〔일반적〕 꽃에서 채취한 향수〔기름〕.

at·tem·per [ətémpər] 《영에서는 고어》 vt. (혼합물 따위로) 누그러뜨리다, 완화시키다《to》; (온도 따위를) 조절하다; (쇠 따위를) 불리다. 파 ~·ment n.

at·tem·per·a·tor [ətémpərèitər] n. 과열 저감기(低減器)《증기·액체가 일정 온도 이상 올라가지 않게 하는 장치》.

***at·tempt** [ətémpt] vt. 1 《~+목/+to do/+-ing》 시도하다, 꾀하다: ~ a difficult task 어려운 일을 시도하다 / ~ *to* solve a problem 문제를 풀려고 꾀하다 / He ~*ed* climb*ing* an unconquered peak. 미정복의 산봉우리 등반을 꾀했다. SYN. ⇨ TRY. 2 (인명 등을) 노리다, 뺏고자 하다; (요새 등을) 습격하다; 도전하다: ~ one's own life 자살을 꾀하다 / ~ a fort 요새를 뺏으려고 하다 / The unbelieving Jews ~*ed* the life of Jesus. 신앙이 없는 유대인들은 예수의 목숨을 노렸다. — n. 1 시도, 기도《to do; at a thing》: make an ~ *at* a joke 농담을 하려고 하다. 2 《고어》 습격, 공격《on》. 3 〖법률〗 미수: an ~ *at* murder 살인 미수. **make an ~ on** (a person's life, a fortress) (목숨, 요새를) 빼앗고자 기도하다. 파 ~·a·ble a. ~·ed [-id] a. 시도한, 미수의: ~*ed* burglary 〔murder, suicide〕 강도〔살인, 자살〕 미수. ~·er n.

†at·tend [əténd] vt. 1 출석〔참석〕하다: ~ a lecture 청강하다 / ~ school 등교하다 / ~ a meeting 모임에 참석하다. 2 (결과로서) …을 수반하다《종종 수동태로, 전치사는 *with, by*》: a cold ~*ed with* 〔*by*〕 fever 열이 나는 감기 / Success ~*ed* her hard work. 열심히 하였으므로 그녀는 성공하였다. 3 …와 동행〔동반〕하다, 수행하다, …을 섬기다. SYN. ⇨ ACCOMPANY. 4 …을 시중들다, 왕진하다, (병자를) 간호하다; (고객을) 응대하다: The nurse will ~ the patient. 간호사가 환자를 돌볼 것이다. 5 …에 주의하다, 소중하게 간직하다: ~ one's health 건강에 유의하다. — vi. 《+전+명》 1 출석하다, 참석하다《at》: ~ *at* a ceremony 식에 참석하다 / He does not ~ regularly *at* the court. 그는 매번 법정에 출석하는 것은 아니다. 2 시중들다, 섬기다《on, upon》: ~ *on* the prince 왕자의 시중을 들다. 3 보살피다, 돌보다, 간호하다《on, upon; to》: The nurses ~*ed on* the sick day and night. 간호사들은 주야로 환자를 간호했다. 4 주의하다, 경청하다《to》: ~ *to* a speaker (◇ attention n.). 5 정성을 들이다《to》: ~ *to* one's work. 6 《문어》 (결과로서) 수반하다《on, upon》: Tidal waves ~ *upon* earthquakes. 해일은 지진의 결과로 일어난다. ◇ attendance n. **be well** 〔**badly**〕 **~ed** 출석자〔참석자〕가 많다〔적다〕.

at·tend·ance** [əténdəns] n. Ⓤ 1 출석(상황), 출근(상황), 참석《at》; Ⓒ 출석 횟수: make ten ~*s* 열 번 출석하다. **2** [U,C] 〖집합적〗 출석자(수), 참석자(수)《*at*》: There will be a large 〔small〕 ~ *at* the meeting. 그 회의에는 참석자가 많을〔적을〕 것이다. **3** 시중, 간호; 돌봄《*on, upon*》: The nurse is in ~ *on* 〔*upon*〕 him. 간호사가 그를 돌봐주고 있다. **4** 서비스(료): ~ included (호텔 등에서) 서비스료 포함 / give good ~ 서비스를 잘해 주다. ***dance ~ on …의 비위를 맞추다.

atténdance allòwance 《영》 간호 수당《신체 장애자 간호에 국가가 지급하는 특별 수당》.

atténdance àrea 《미》 (공립 학교의) 학구.

atténdance bòok 출근〔출석〕부.

atténdance cèntre 《영》 청소년 보호 관찰 센터.

atténdance òfficer 장기 결석 학생 조사관.

atténdance tèacher 《미》 학업 태만자 지도 교사.

atténdance ùnit 통학구.

***at·tend·ant** [əténdənt] *a.* **1** 따라붙는, 수행의: an ~ nurse 전속 간호사. **2** 수반하는, 부수의, 부대의《*on, upon*》: the pain ~ *on* divorce 이혼에 따르는 고통 / ~ circumstances 부대 상황. **3** 출석한, 참석한. **—** *n.* **1** 시중드는 사람; 수행원, 종자(從者): a medical ~ 단골 의사. **2** 참석자, 출석자. **3** 점원, 접객원, 안내원. **4** 수반물.

at·tend·ee [ətèndíː] *n.* 출석자.

at·ténd·er *n.* 감시원, 간호사; 출석자.

at·ténd·ing *a.* (어떤 환자의) 주치의인; 대학병원 의사인.

at·tent [ətént] *a.* 《고어》 조심성 있는, 열심인 (intent).

at·ten·tat [ætaːntáː; *F.* atɑ̃ta] (*pl.* **~s** [-z; *F.* —]) *n.* 가해(加害), 위해(危害); (특히 요인에 대한) 습격, 테러 행위.

****at·ten·tion** [ətén∫ən] *n.* **1** [U] 주의, 유의; 주의력: direct 〔turn〕 one's ~ to …에 주의를 기울이다, …을 연구하다 / devote one's ~ to …에 열중〔전념〕하다 / listen with ~ 경청하다. **2** [U] 배려, 고려; 손질; 돌봄: My car needs ~. 내 차는 손을 봐야겠다 / Children always want some ~. 아이들은 언제나 좀 돌봐줄 필요가 있다. **3** [U,C] 친절〔정중〕(한 행위)(kindness); (*pl.*) (여성에 대한) 배려, 정성을 기울임. **4** (A-) 〖상업〗 …앞《사무용 서한에서 특정 개인〔부서〕명 앞에 쓰는 말; 생략: Att(n)., ATT(N).》. **5** 〖군사〗 차려 자세. **6** 〖컴퓨터〗 어텐션《외부로부터의 처리 요구》. ◇ attend *v.* ***arrest*** 〔***attract, draw***〕 **~** 주의를 끌다《*to*》. ***Attention*** [ətèn∫ʌ́n]! 《구령》 차려《생략: 'Shun [∫ʌ́n]!》. ***Attention, please.*** 여러분께 알려 드리겠습니다. ***call*** a person***'s ~ to*** …에 아무의 주의를 환기시키다. ***catch ~*** 주의를 끌다. ***come to*** 〔***stand at***〕 ~ 〖군사〗 차려 자세를 취하다. ***give*** 〔***pay***〕 ***~ to*** …에 주의하다. ***pay*** one***'s ~s to*** (a lady) (여성)에게 구애하다. [파] **~·al** *a.*

atténtion dèficit disòrder (어린이의) 주의력 결핍 장애《생략: ADD》.

atténtion-gètter *n.* 주목을 끄는 것.

atténtion-gètting *a.* 사람의 주의를 끄는.

atténtion lìne 〖상업〗 어텐션 라인《업무 편지에서 수신인을〔부과(部課)를〕 적는 행》.

atténtion spàn 〖심리〗 주의 지속 시간; 주의 범위《개인의 주의 집중 지속 시간》.

***at·ten·tive** [əténtiv] *a.* **1** 주의 깊은, 세심한《*to*》: be ~ *to* one's interests 애바르다. **2** 경청하는《*to*》: an ~ audience. **3** 정중한, 친절한; 은근한, 마음쓰는, 상냥한《*to*》. [파] **~·ly** *ad.* **~·ness** *n.*

at·ten·u·ant [əténjuənt] *a.* 묽게〔희박하게〕 하는. **—** *n.* 〖의학〗 (혈액의) 희석제(劑).

at·ten·u·ate [əténjuèit] *vt.* 묽게 하다; 가늘게 하다, 엷게 하다; 약하게 하다, 덜다; (바이러스의 독성을) 감약〔감독(減毒)〕하다; 〖전기〗 감쇠시키다. **—** *vi.* 묽어〔엷어〕지다; 가늘어지다; 줄다, 약해지다. **—** [əténjuit, -èit] *a.* 희박한; 가는, 엷은; 약한; 〖식물〗 점점 뾰족해지는, 끝이 뺀. [파] **-u·a·ble** [-əbəl] *a.* **at·tèn·u·á·tion** *n.* [U] 엷게〔묽게〕 함, 희박화(化); 가늘게 함; 감소; (전류·전압 등의) 감쇠; 저하. **at·tén·u·à·tor** [-èitər] *n.* 〖전기〗 감쇠기.

***at·test** [ətést] *vt.* **1** …을 증명하다, 입증하다; …을 증언하다: I ~ the truth of her statement. 그녀의 진술이 사실임을 증명합니다. **2** (일이) …의 증거가 되다, 진실성을 보이다; (서명·유언서 등을) 인증하다: His success ~*s* his diligence. 그의 성공이 그의 부지런함을 말해준다. **3** 〖법률〗 (선서 등에 의해) 사실임을 증명하다; (법정에서) 선서시키다. **—** *vi.* 《+[전]+[명]》 **1** 증명〔증언〕하다《*to*》: He ~*ed to* the genuineness of the signature. 그는 서명이 진짜임을 증언했다. **2** 증거가 되다《*to*》; 입증하다《*to*》: This ~*s to* his honesty. 이 일로 그가 정직함을 알 수 있다. [파] **~·er, at·tés·tor** [-ər] *n.* 〖법률〗 (증서 작성 등의) 입회 증인. **at·tést·ant** *n.* 입증자, 증인.

at·tes·ta·tion [ætestéi∫ən] *n.* [U,C] 증명, 증거, 증언; 증명서; 인증 선서; 인증. ◇ attest *v.*

at·tést·ed [-id] *a.* 《영》 증명〔입증〕된; (소·우유가) 무병〔무균〕이 보증된.

attésted fórm 〖언어〗 실증 형식; 현재 사용되는 형식.

Att. Gen. Attorney General.

At·tic [ǽtik] *a.* (옛 그리스의) 아티카〔아테네〕의; 아테네식의, 고전풍의, 우아한. **—** *n.* 아티카〔아테네〕 사람; [U] 아티카 방언.

◦**at·tic** *n.* [C] **1** 더그매《지붕과 천장 사이의 공간》; 고미다락(방). **2** 〖건축〗 애틱《돌림띠 위의 장식벽 또는 낮은 이층》.

attic 1

At·ti·ca [ǽtikə] *n.* 아티카《고대 그리스의 한 지방; 그 중심은 아테네》.

Áttic fáith 굳은 신의. [opp] *Punic faith.*

At·ti·cism [ǽtəsìzəm] *n.* [U,C] 아테네 문학의 특질; 아테네 어법; 점잖은 말씨; (기지가 풍부한) 간결·우아한 표현; 아테네 찬미.

At·ti·cize [ǽtəsàiz] *vt., vi.* 아테네식으로 하다〔되다〕.

Áttic órder (the ~) 〖건축〗 아티카식《네모진 기둥을 씀》.

Áttic sált 〔**wít**〕 (the ~) 기지(機智), 점잖은 익살.

At·ti·la [ǽtələ] *n.* 아틸라《훈족(族)의 왕; 406?-453》.

◦**at·tire** [ətáiər] *n.* [U] 옷차림새; 복장, 의복; 성장(盛裝): a girl *in* male ~ 남장(男裝)한 소녀 / *in* holiday ~ 나들이옷으로. [cf.] garb, garment. **—** *vt.* 《~+[목] / +[목]+[전]+[명] / [목]+*as* [보]》 〔보통 수동태 또는 ~ oneself〕 성장시키다《*in*》; 차려 입히다《*in*》: neatly ~*d* 단정한 복장을 한 / She ~*d* her*self in* black silk. 그녀는 검정 실크옷을 입고 있었다 / She *was* ~*d as* a man. 그녀는 남장을 하고 있었다. [파] **~·ment** *n.*

****at·ti·tude** [ǽtitjùːd/-tjùːd] *n.* **1** (사람·물건 등에 대한) 태도, 마음 가짐《*to, toward*》: ~ of mind 마음 가짐 / take 〔assume〕 a strong 〔cool, weak〕 ~ *toward* 〔*to, on*〕 …에게 강경한〔냉정한, 약한〕 태도를 취하다. **2** 자세(posture), 몸가짐, 거동; 〖항공〗 (로켓·항공기 등의) 비행 자세. **3** (사물에 대한) 의견, 심정《*to, toward*》: What is your ~ *to* the problem? 그 문제를 너는 어떻게 생각하니. **4** 《속어》 (남에게) 겁주는

태도, 싸움을 거는 태도, 뻗대는 태도. **5** 〖발레〗 애티튜드《한 발을 뒤로 든 자세》. cf. arabesque. ***strike an*** ~ 《옛투》 짐짓 점잔을 빼다.

attitude arrèst 《미경찰속어》 태도가 마음에 들지 않는다는 이유로 체포함.

áttitude contròl 〖로켓〗 자세 제어. ~ ***system*** (우주선의) 자세 제어 장치.

áttitude stùdy (시장 조사에서) 태도 조사.

at·ti·tu·di·nal [æ̀titjúːdənəl/-tjúː-] *a.* (개인적인) 태도〔의견〕의〔에 관한〕.

at·ti·tu·di·nar·i·an [æ̀titjùːdənέəriən] *n.* 젠체 하는〔포즈를 취하는〕 사람. ㊕ **~·ism** *n.*

at·ti·tu·di·nize [æ̀titjúːdənàiz/-tjúː-] *vi.* 젠체하다, 짐짓 점잔빼다. ㊕ **-nìz·er** *n.*

Att·lee [ǽtli] *n.* **Clement (Richard)** ~ 애틀리《영국의 정치가, 수상(1945-51)을 지냄; 1883-1967》.

Attn., attn. 〖상업〗 (for the) attention (of).

at·to- [ǽtou, ǽtə] 〖단위〗 '아토(10^{-18})'의 뜻의 결합사《기호 a》.

at·torn [ətə́ːrn] *vi.* 〖법률〗 새 지주(地主)를 승인하다. — *vt.* (새 지주에게) 양도하다. ㊕ **~·ment** *n.* Ⓤ

at·tor·ney [ətə́ːrni] *n.* 〖법률〗 대리인; 《미》 변호사, 검사(public ~); 《경멸》 대변인. ***a circuit*** ~ 《미》 지방 검사(檢事). ***a letter*** 〔***warrant***〕 ***of*** ~ (소송) 위임장. ***by*** ~ (위임장에 의한) 대리인으로서. ***power(s) of*** ~ 위임권〔장〕.

attórney-at-láw [-ət-] (*pl.* ***-neys-***) *n.* 《미》 변호사; 《영》 (옛 common law의) 사무 변호사 《현재는 solicitor 라고 함》.

attórney géneral (*pl.* ***attórneys géneral, attórney génerals***)《생략: A.G., Att. Gen.》 (A- G-) 《미》 (연방 정부의) 법무 장관; 《미》 (각 주의) 검찰 총장; (A- G-) 《영》 법무 장관.

attórney-in-fáct (*pl.* ***-neys-***) *n.* (위임장에 의한) 대리인.

at·tor·ney·ship [ətə́ːrniʃip] *n.* Ⓤ 대리인〔변호사〕의 직〔신분〕; 대리(권), 대변. 「호 as》.

átto·sècond *n.* 아토 초(=10^{-18} second; 기

at·tract [ətrǽkt] *vt.* **1** (주의·흥미 등을) 끌다, (사물을) 끌어당기다《*to*》. OPP. *distract.* ¶ ~ a person's attention 〔notice〕 아무의 주의를 끌다 / A magnet ~*s* iron. 자석은 쇠를 끈다. **2** …의 마음을 끌다, 매혹하다: He was ~*ed* by her charm. 그는 그녀의 매력에 끌렸다. **3** 《+목+전+명》 (사람을) 끌어들이다: What ~*ed* you *to* this field of study? 무엇에 이끌려 이 분야의 연구를 하게 되었습니까? ◇ attraction *n.* ㊕ **~·a·ble** *a.* **~·ant** *n.* Ⓒ (특히 곤충을 유인하는) 유인 물질《특히 sex ~라고 불리는 화학 물질》. **-trác·tor**, **~·er** *n.*

at·tract·an·cy, -ance [ətrǽktənsi], [-əns] *n.* 끌어당기는 힘, 유인력.

at·trac·tion [ətrǽkʃən] *n.* Ⓤ **1** (사람을) 끄는 힘, 매력, 유혹《*for*》: She possesses personal ~. 그녀는 인간적 매력을 지니고 있다 / Reading lost its ~ *for* him. 독서도 그에게는 매력이 없어졌다. **2** Ⓒ 사람을 끄는 물건, 인기거리: the chief ~ of the day 당일 제일의 인기거리. **3** 끌어당김, 흡인; 견인(牽引); 〖문법〗 견인《가까운 낱말의 영향으로 수·격 등에 변화를 일으키는 일》. **4** 〖물리〗 인력: ~ of gravity 중력 / chemical ~ 친화력 / counter ~ 반대 인력 / magnetic ~ 자력(磁力). ◇ attract *v.*

attráction sphère 〖생물〗 (중심립(粒) 주위의) 유인구(誘引球).

at·trac·tive [ətrǽktiv] *a.* **1** 사람의 마음을 끄는; 매력적인, 애교 있는: an ~ woman 〔story, sight〕 매력적인 여성〔이야기, 광경〕. **2** (의견·조건 등이) 관심을 끄는; 《비유》 재미있는: an ~ price 사고 싶을 정도로 싼 값. **3** 인력이 있는: ~ force 인력. ㊕ **~·ly** *ad.* **~·ness** *n.*

attráctive(-type) máglev 흡인식 자기 부상(磁氣浮上)(=**magnétic levitátion**).

attráctive núisance 〖법률〗 유혹적 방해물 《분별없는 어린이들을 끌어들이는 수영장, 울타리 없는 수영장 따위》.

at·tra·hent [ǽtrəhənt/ətréiənt, ǽtrəhənt] *a.* 잡아당기는, 견인하는, 흡인성의.

attrib. attribute; attributive(ly).

at·trib·ut·a·ble [ətríbjutəbəl] *a.* (…에) 돌릴 수 있는〔기인하는〕《원인 등》, …탓〔소치〕인《*to*》.

at·trib·ute [ətríbjuːt] *vt.* 《+목+전+명》 **1** (…에) 돌리다, (…의) 탓으로 하다, (…의) 행위로〔소치로, 업적으로〕 하다《*to*》: ~ one's success *to* a friend's encouragement 성공한 것을 친구의 격려 덕분으로 생각하다 / ~ a disaster *to* a person's imprudence 참사 원인을 아무의 경솔 탓으로 돌리다. **2** (성질 따위)가 있다고 생각하다《*to*》: We ~ prudence *to* Tom. 톰에게는 분별이 있다고 생각한다. **3** …의 출처〔기원 따위〕를 (…의) 것으로 추정〔감정〕하다《*to*》: ~ the play *to* Shakespeare 그 희곡을 셰익스피어의 작품으로 추정하다. ◇ attribution *n.* — [ǽtribjùːt] *n.* **1** 속성, 특질, 특성: Mercy is an ~ of God. 자비는 하느님의 속성이다. **2** (어떤 인물〔직분〕 등의) 부수물, 붙어다니는 것, 상징 《Jupiter의 독수리, 국왕의 왕관 등》: A crown is the ~ of a king. 왕관은 왕의 상징이다. **3** 〖문법〗 한정사(限定詞)《속성·성질을 나타내는 어구; 형용사 따위》; 〖논리〗 속성. ㊕ **-ut·er, -u·tor** *n.*

at·tri·bu·tion [æ̀trəbjúːʃən] *n.* Ⓤ (원인 따위를 …에) 돌림, 귀속(歸屬)《*to*》; 속성; (부속의) 권능, 직권《*to*》. ㊕ **~·al** [-ʃənəl] *a.* 「因)이론.

attribútion thèory 〖심리〗 귀속이론, 귀인(歸

at·trib·u·tive [ətríbjətiv] *a.* 속성의; 속성을 나타내는; 〖문법〗 한정적인, 관형적(冠形的)인 《the *old* dog의 *old* 따위》. cf. predicative. — *n.* 〖문법〗 한정 어구. ㊕ **~·ly** *ad.*

at·trit [ətrít] *vt.* 《미군대속어》 소모시키다.

at·trite, at·trit·ed [ətráit], [-id] *a.* 마멸된.

at·tri·tion [ətríʃən] *n.* Ⓤ 마찰; 마멸, 마손; 소모, 손모(損耗); 약화; 감소; 〖신학〗 불충분한 회오(悔悟). cf. contrition. ***a war of*** ~ 소모〔지구〕전. — *v.* 〔다음 관용구로〕 ~ ***out*** 《미》 (퇴직·전근 등으로 지위·인원)의 수를 줄이다.

at·tune [ətjúːn/ətjúːn] *vt.* **1** 〖음악〗 가락을 맞추다《*to*》, 조율하다. **2** (마음·말 따위를) 맞추다, 조화〔순응〕시키다《*to*》: a style ~*d to* modern taste 현대인의 기호에 맞춘 양식. **3** 〖통신〗 파장(波長)을 맞추다, 동조시키다. ㊕ **~·ment** *n.* Ⓤ

Atty. Attorney. **Atty. Gen.** Attorney General. **ATV** Associated Television; all-terrain vehicle(전지형 만능차). **at. vol.** atomic volume.

atwit·ter [ətwítər] *a., ad.* (기쁨 등으로) 들뜬, 흥분한〔하여〕.

at. wt. atomic weight.

atyp·ic, -i·cal [eitípik], [-əl] *a.* 틀에 박히지 않은, 부정형(不定形)의, 격식을 벗어난; 불규칙한. ㊕ **-i·cal·ly** *ad.* **atỳp·i·cál·i·ty** *n.*

au [ou] *prep.* 《F.》 …에〔까지, 에 따라서〕.

Au 〖화학〗 aurum 《L.》 (=gold). **Au., A.U., a.u.** angstrom unit. **AU, A.U.** astronomical unit.

au·bade [oubǽd, -bɑ́ːd/-bɑ́ːd] *n.* 《F.》 아침의 (악)곡, 새벽의 사랑 노래, 오바드; 새의 지저귐. cf. serenade.

au·berge [oubέərʒ] *n.* 《F.》 여인숙, 주막.

㊥ ***au·ber·giste*** [-ʒist] *n.* 여인숙 주인.

au·ber·gine [óubərʒìːn] *n.* 《F.》 〖식물〗 가지(의 열매); Ⓤ 가지색, 암자색.

au bout de son la·tin [*F.* obudəsɔ̃latɛ̃] 라틴어 지식이 바닥나서; 막다른 길에서; 술수가 다하여.

Au·brey [ɔ́ːbri] *n.* 오브리 《남자 이름》.

Áubrey hòle 오브리 구멍《Stonehenge의 바깥 둘레를 이루는 56개의 구멍》.

au·brie·tia [ɔːbríːʃiə] *n.* 평지과의 관상 식물.

au·burn [ɔ́ːbərn] *a.* 적갈색의, 황갈색의, 다갈색의. **—** *n.* (머리털 따위의) 적갈색, 황갈색, 다갈색.

Au·bus·son [óubəsən, -sɔ̀ːŋ] *n.* 《F.》 오뷔송 융단; 화려한 수제품.

A.U.C. *ab urbe condita* 《L.》 (=from the founding of the city (of Rome) 로마시(市) 건설의 해〔기원전 753년〕부터 기산하여); *anno urbis conditae* 《L.》 (=in the year from the founding of the city (of Rome) 로마 기원〔기원전 753년〕을 원년으로 하여); Australian Universities Commission.

Auck·land [ɔ́ːklənd] *n.* 오클랜드《New Zealand의 North Island 북부의 항구 도시; 전의 수도(1840-65)》.

au con·traire [òukɑntrέər/-kɔn-] 《F.》 이에 반(反)해, 그렇기는커녕; 반대쪽에.

au cou·rant [òukuːrάːŋ] 《F.》 현대적인; 정세에 밝은; (사정 따위에) 정통하고 있는, 잘 알고 있는《*with; of*》.

°**auc·tion** [ɔ́ːkʃən] *n.* 경매, 공매: a public ~ 공매(公賣). ***put up at*** 〔《영》 ***to***〕 ~ 경매에 부치다. ***sell*** a thing ***at*** 〔《영》 ***by***〕 ~ 경매로 무엇을 팔다. ***hold an ~ of*** …의 경매를 하다: They're *holding an ~ of* jewellery on Thursday. 목요일에 보석 경매를 한다. **—** *vt.* 《+목+부》 경매에 부치다, 경매하다《*off*》: ~ *off* one's library 장서를 경매에 내놓다.

áuction blòck 경매대: go on the ~ 경매에 부쳐지다.

áuction brìdge 카드놀이의 일종.

auc·tion·eer [ɔ̀ːkʃəníər] *n.* 경매인(競賣人): come under the ~'s hammer 경매되다. **—** *vt.* 경매하다(auction).

áuction hòuse (미술·골동품 등의) 경매 회사.

áuction resèrve 《영》 최저 경매 가격.

auc·to·ri·al [ɔːktɔ́ːriəl] *a.* 작가〔저자〕의.

au·cu·ba [ɔ́ːkjəbə] *n.* 〖식물〗 식나무.

AUD Australian dollar. **aud.** audit; auditor.

°**au·da·cious** [ɔːdéiʃəs] *a.* 대담한; 넉살좋은, 철면피의; 무례한, 안하무인의. ㊥ **~·ly** *ad.* **~·ness** *n.*

°**au·dac·i·ty** [ɔːdǽsəti] *n.* **1** Ⓤ 대담무쌍; 뻔뻔스러움, 안하무인; 무례: He had the ~ *to* question my honesty. 그는 무례하게 나의 정직성을 의심했다. **2** (보통 *pl.*) 대담한 행위〔발언〕.

Au·den [ɔːdn] *n.* **W**(**ystan**) **H**(**ugh**) ~ 오든《미국에 귀화한 영국 시인; 1907-73》.

au·di·al [ɔ́ːdiəl] *a.* 청각의〔에 관한〕(aural).

°**au·di·ble** [ɔ́ːdəbəl] *a.* 들리는, 청취할 수 있는, 가청(可聽)의. ㊥ **~·ness** *n.* **àu·di·bíl·i·ty** *n.* Ⓤ 청취할〔들을〕 수 있음; 가청도(可聽度).

au·di·bly [ɔ́ːdəbəli] *ad.* 들을 수 있도록, 들릴 만큼.

‡**au·di·ence** [ɔ́ːdiəns] *n.* **1** 〔집합적〕 청중; 관중, 관객, (라디오·텔레비전의) 청취〔시청〕자; (잡지 따위의) 독자(층): a large ~ 다수의 청중/The ~ was excited. 청중은 흥분했다/The ~ applauded loudly at the end of the concert. 연주회가 끝나자 청중들은 우레와 같은 박수를 보냈다. **2** 〔집합적〕 (주의·예술 양식 등의) 추종자, 애호자. **3** Ⓤ (호소·의견 등을) 들음, 청취, 경청: in the ~ of a person =in a person's ~ 아무가 듣고 있는 곳에서. **4** Ⓤ,Ⓒ (국왕·교황 등의) 공식 회견, 알현: be received 〔admitted〕 in ~ 배알을 허락받다. ***give ~ to*** …을 청취〔접견〕하다. ***have an ~ with*** (the Pope) (교황)을 배알하다. ***in general*** 〔***open***〕 ~ 공개석에서, 공공연하게.

áudience chàmber 〔**ròom**〕 알현실.

áudience flòw 《속어》 방송 프로 구성을 부분적으로 결정하는 고정 청취자들.

áudience-pròof *a.* (연극이) 반드시 성공할, 히트칠 것이 확실한; 대히트를 보증하는.

áudience ràting (텔레비전·라디오의) 시청률, 청취율.

áudience shàre (라디오·텔레비전의) 시청률.

au·di·ent [ɔ́ːdiənt] *a.* 청취〔경청〕의. **—** *n.* 듣는 사람.

au·dile [ɔ́ːdil, -dail] *n.* 〖심리〗 청각형(型)의 사람. ⓒⓕ motile, visualizer.

aud·ing [ɔ́ːdiŋ] *n.* 청해(聽解)《말을 듣고 인식하고 이해하는 작용》.

au·dio [ɔ́ːdiòu] *a.* 〖통신〗 가청 주파(可聽周波)의; 〖TV·영화〗 음성 송신〔수신·재생〕(회로)의. **—** (*pl.* ***-di·os***) *n.* 〖TV〗 (음의) 수신, 송신, 재생, 수신〔재생〕회로; 음성 부문; 〖컴퓨터〗 들림(띠), 가청(음역), 오디오.

au·di·o- [ɔ́ːdiou, -diə] '청(聽), 소리'의 뜻의 결합사.

au·di·o·an·i·ma·tron·ics [ɔ̀ːdiouæ̀nəmətrάniks/-trɔ́n-] *n. pl.* 〔단수취급〕 컴퓨터 시스템에 의한 애니메이션 제작. [◂ *audio+animation+electronics*]

áudio bòok 카세트 북(cassette book)《소설이나 시 따위를 낭독, 효과음을 넣어 카세트 테이프에 녹음한 것》.

àudio·cassétte *n.* 녹음 카세트, 카세트 녹음.

áudio cònference 〔**cònferencing**〕 전화회의(conference call).

au·di·o·don·tics [ɔ̀ːdioudάntiks/-dɔ́n-] *n. pl.* 〔단수취급〕 청각과 치아(齒牙)와의 관계에 대한 연구, 청치(聽齒) 과학.

áudio frèquency 〖통신〗 가청 주파수, 저주파.

au·di·o·gen·ic [ɔ̀ːdiədʒénik] *a.* 소리에 기인하는, 청각성의.

au·di·o·gram [ɔ́ːdiəgræ̀m] *n.* 오디오그램, 청력도(聽力圖).

àudio-língual *a.* (언어 학습에서) 듣는 법과 말하는 법을 포함하는.

au·di·ol·o·gy [ɔ̀ːdiάlədʒi/-ɔ́l-] *n.* 청각 과학, 청력〔청각〕학; 언어 병리학. ㊥ **-gist** *n.* **àu·di·o·lóg·i·cal** *a.*

au·di·om·e·ter [ɔ̀ːdiάmətər/-ɔ́m-] *n.* 청력계(聽力計), 오디오미터; 청력 측정기.

au·di·om·e·try [ɔ̀ːdiάmətri/-ɔ́m-] *n.* Ⓤ 청력 측정. ㊥ **-trist** *n.* **àu·di·o·mét·ric** *a.*

au·di·on [ɔ́ːdiən, -ὰn/-ɔ̀n] *n.* 삼극(三極) 진공관《본디 상표명》.

au·di·o·phile, -phil·i·ac [ɔ́ːdiəfàil], [ɔ̀ːdiəfíliæ̀k] *n.* 고급 라디오〔전축〕 애호가, 하이파이 팬.

au·di·o·phil·ia [ɔ̀ːdiəfíliə] *n.* 하이파이〔오디오〕 애호.

áudio pollùtion 소음 공해.

áudio respónse sỳstem 음성 응답 시스템《음성 명령으로 기계를 작동하거나 컴퓨터가 자동 응답하는; 생략: ARS》.

áudio respónse ùnit 〖컴퓨터〗 음성 응답 장치. **1** 키보드 등에서의 조회에 음성으로 응답하는 장치. **2** 미리 수록한 사서에서 적절한 용어를 골라 음성으로 답하는 장치《생략: ARU》.

àudio·spéctrogram *n.* 오디오스펙트로그램 《audiospectrograh에 의한 기록도》.

àudio·spéctrograph *n.* 오디오스펙트로그래프《음성 패턴을 기록하는 장치》.

àudio·táctile *a.* 청각 및 촉각의.
áudio·tàpe *n.* 녹음 테이프. ⓒf video tape.
áudio telecònference 음성 통신 회의(서로 떨어진 곳에서 음성 회선을 연결하여 하는 회의).
áudio·tỳpist *n.* 녹음 테이프에서 직접 타자를 치는 타이피스트.
Áudio Vídeo Interlèaving 〖컴퓨터〗 에이브이아이(미국 마이크로소프트사의 윈도에서 동화상을 보기 위한 파일 포맷; 생략: AVI).
àudio·vísual *a.* 시청각의: ~ education 시청각 교육. ― *n.* 시청각 교재(=~ **áids**)(영화·라디오·텔레비전·테이프·사진·모형 따위). ㊔ **~·ly** *ad.*
au·di·phone [ɔ́:difòun] *n.* 보청기.
au·dit [ɔ́:dit] *n.* **1** 회계 감사; ((미)) 감사 보고서; (감사인의) 결산 보고서. **2** (특정 목적의) 정사, 감사; (건물·설비 등의) 검사. **3** ((고어)) 심리, 재판; ((폐어)) 청취, 청문. ― *vt., vi.* 회계 감사하다; (건물·설비 등을) 검사하다; ((미)) (대학 강의를) 청강하다. ㊔ **~·a·ble** *a.*
áudit ále ((영대학)) 독한 맥주(본디, 회계 감사일에 마셨음).
áu·dit·ing *n.* Ⓤ 회계 감사; ((미)) 청강.
áuditing aróund the compúter 〖회계〗 컴퓨터 주변 감사법(입력 데이터와 출력 데이터의 대조가 맞으면 신뢰하는).
au·di·tion [ɔ:díʃən] *n.* **1** Ⓤ 청각; 청력; Ⓒ 시청(試聽); ((미대학)) 청강. **2** (가수·배우 등의) 음성 테스트, 오디션. ― *vt., vi.* 연기〔춤, 노래〕 테스트를 하다〔받다〕(*for*).
au·di·tion·ee [ɔ:dìʃəní:] *n.* 오디션 참가자〔수험자〕.
au·di·tive [ɔ́:dətiv] *a.* 귀의; 청각의.
au·di·tor [ɔ́:dətər] (*fem.* **-tress** [-tris]) *n.* **1** 듣는 사람, 방청자. **2** 회계 감사관; 감사. **3** ((미대학)) 청강생. ㊔ **àu·di·tó·ri·al** [-tɔ́:riəl] *a.* 회계 감사(관)의.
°**au·di·to·ri·um** [ɔ̀:dətɔ́:riəm] (*pl.* **~s, -ria** [-riə]) *n.* **1** 청중〔관객〕석, 방청석. **2** 강당, 큰 강의실; 회관, 공회당.
au·di·to·ry [ɔ́:dətɔ̀:ri/-təri] *a.* 귀〔청각〕의, 청각 기관의: an ~ tube 이관(耳管), 유스타키오관. ― *n.* ((고어)) 청중(석). ㊔ **àu·di·tó·ri·ly** [-rili] *ad.*
áuditory aphásia 〖의학〗 청각성 실어(증).
áuditory canál 〔**meátus**〕 〖해부〗 이도(耳道)(외이에서 고막까지의 좁은 통로).
áuditory nèrve 〖해부〗 청신경.
áuditory phonétics 청각 음성학.
áuditory túbe 〖해부〗 이관(耳管)(Eustachian tube).
áuditory vésicle 〖발생〗 이포(耳胞)(척추동물의 내이(內耳)의 원기(原基)).
au·di·tress [ɔ́:dətris] *n.* auditor의 여성형.
áudit tràil 〖회계〗 감사 추적; 〖컴퓨터〗 감사 추적(일정 기간 안의 시스템 이용 상황을 모두 나타내는 기록).
Au·drey [ɔ́:dri] *n.* 오드리(여자 이름).
au fait [oufέi] ((F.)) 〔서술적〕 정통한(*on; with*); 유능한, 숙련된(*in; at*). ***put*** 〔***make***〕 a person **~ *of*** 아무에게 …을 가르치다.
Auf·klä·rung [áufklὲ:ruŋ] *n.* ((G.)) 계몽; (특히 18세기 독일의) 계몽 사조〔운동〕.
Auf·la·ge [*G.* áufla:gə] *n.* ((G.)) 판(版)(edition) ((생략: Aufl.))
au fond [oufɔ́:ŋ] ((F.)) 실제로; 근본적으로.
auf Wie·der·seh·en [âufví:dərzèiən] ((G.)) 안녕, 또 만나(작별 인사).
Aug. August. **aug.** augmentative; augmented.
Au·ge·an [ɔ:dʒí:ən] *a.* 〖그리스신화〗 Augeas의; (Augeas 왕의 외양간같이) 불결하기 짝이 없는; (일이) 어렵고 불쾌한.
Augéan stábles (the ~) 〖그리스신화〗 Augeas 왕의 외양간(30년간 청소 안 한 것을 Hercules가 강물을 끌어들여 하루에 다 치움): cleanse the ~ 적폐(積弊)를 일소하다.
Au·ge·as [ɔ́:dʒiəs, ɔ:dʒí:əs/ɔ:dʒí:æs] *n.* 〖그리스신화〗 아우게이아스(그리스의 Elis 왕).
au·gend [ɔ́:dʒend, -´] *n.* 〖수학〗 피(被)가산수. ⓞpp *addend.*
au·ger [ɔ́:gər] *n.* **1** 오거, 타래〔나사〕송곳; 굴착용 송곳. **2** (고기 가는 기계·제설차의) 나선 모양의 부분.

auger 1

Au·gér effèct [ouʒéi-] 〖물리〗 (원자의) 오제 효과.
Augér elèctron 〖물리〗 오제 전자(오제 효과로 방출되는 전자).
Augér shòwer 〖천문〗 오제 샤워(매우 강한 우주선 샤워).
augh [ɔ:] *int.* 어이쿠, 앗(경악·공포를 표현).
aught[1]**, ought** [ɔ:t] ((고시어)) *pron.* 어떤 일〔것〕, 무언가, 뭣이나(anything). ***for ~ I care*** ((고어)) 아무래도 상관없다: You may go *for ~ I care.* 네가 어디로 가든 내 알 바 아니다. ***for ~ I know*** 내가 알고 있는 한에서는, 잘은 모르지만, 아마. ― *ad.* 무엇이든, 조금이라도, 어쨌든. ***if ~ there be*** 가령 있다 해도.
aught[2] *n.* ((미)) 영(零), 제로(nought).
au·gite [ɔ́:dʒait] *n.* 〖광물〗 (보통) 휘석, 사휘석(斜輝石). ㊔ **au·git·ic** [ɔ:dʒítik] *a.*
°**aug·ment** [ɔ:gmént] *vt.* **1** 늘리다, 증대시키다, 증가시키다. ⓞpp *diminish.* ⓈYN. ⇨INCREASE. **2** 〖문법〗 접두 모음자를 붙이다; 〖음악〗 증음(增音)하다; 〖군사〗 보강하다. ― *vi.* 늘다, 증대하다. ― [ɔ́:gment] *n.* 증대; 〖문법〗 (그리스어·산스크리트어의) 접두 모음자. ㊔ **~·a·ble** *a.* **~·ed** [-id] *a.*
aug·men·ta·tion [ɔ̀:gmentéiʃən] *n.* Ⓤ 증가, 증대; 첨가물; Ⓒ 증가물; 〖음악〗 증음(增音), (주제) 확대.
aug·men·ta·tive [ɔ:gméntətiv] *a.* 증가〔증대〕하는; 〖언어〗 뜻을 확대하는. ― *n.* 〖언어〗 확대사(辭)(보기: balloon =large ball).
augménted mátrix 〖수학〗 확대행렬.
augménted transítion nètwork 〖언어〗 증폭 추이〔이행〕 회로망(언어 해석(解析)을 위한 형식적 모델의 하나; 생략: ATN).
aug·mén·tor, -mént·er *n.* 증대시키는 사람〔것〕; 오그멘터((1) 사람 대신에 어려운〔위험한〕 일을 하는 로봇. (2) 로켓 등의 추진력을 증대시키기 위한 보조 장치: 애프터버너 등).
au grand sé·rieux [*F.* ogʀɑ̃seʀjø] ((F.)) 아주 진지하게, 진심으로.
au gra·tin [ougrá:tn, -grǽtn, ɔ:-; *F.* ogʀatɛ̃] ((F.)) *a.* 그라탱식의(치즈·빵가루를 발라 구운). ― (*pl.* **~s** [―]) *n.* 그라탱 접시.
Áugs·burg Conféssion [ɔ́:gzbə:rg-] = AUGUSTAN CONFESSION.
au·gur [ɔ́:gər] *n.* 〖고대로마〗 복점관(卜占官); 〔일반적〕 점쟁이; 예언자. ― *vt., vi.* 점치다; 예언하다; 전조가 되다, 예고하다. ≒auger. **~ *well*** 〔***ill***〕 길조〔흉조〕를 보이다, 징조가 좋다〔나쁘다〕 (*for*): This ~*s well for* your success. 이건 너의 성공에 좋은 조짐이다. ㊔ **~·ship** [-ʃip] *n.*
au·gu·ral [ɔ́:gjərəl] *a.* 점(占)의; 전조의.
au·gu·ry [ɔ́:gjəri] *n.* Ⓤ 점복(占卜), 점; Ⓒ 전조, 조짐; 점치는 의식.
†**Au·gust** [ɔ́:gəst] *n.* 8월(생략: Aug.). [◂ Augustus Caesar]

°**au·gust** [ɔːgʌ́st] *a.* 당당한; 존엄한; 황공한: your ~ father 춘부장. [파] **~·ly** *ad.* **~·ness** *n.*
Au·gus·ta [ɔːgʌ́stə] *n.* 오거스타. **1** 여자 이름. **2** 미국 Georgia주 Savannah 강에 임한 도시《매년 4월에 골프의 마스터스토너먼트가 열림》. **3** 미국 Maine 주의 주도.
Au·gus·tan [ɔːgʌ́stən] *a.* 로마 황제 Augustus 의; Augustus 시대의; 문예 전성기의; 고전주의의; 〖영국사〗 Anne 여왕 시대의; 우아한, 고상한. **—** *n.* (Augustus 황제〔Anne 여왕〕 시대와 같은) 문예 전성기의 문학자.
Augústan Áge (the ~) 문예 전성기《라틴 문학에서는 기원전 27 년부터 기원 14 년까지, 영문학에서는 18 세기의 전반》.
Augústan Conféssion (the ~) 1530 년 Luther 와 Melanchthon 이 발표한 신조(信條)《아우쿠스부르크의 신앙 고백문》.
au·guste [augúːst, áugust] *n.* 꼬깃꼬깃한 옷을 입은 서투른 서커스의 어릿광대.
Au·gus·tine [ɔ́ːgəstìːn, əgʌ́stin/ɔːgʌ́stin] *n.* **St.** ~ 성(聖)아우구스티누스. **1** 기독교 초기의 교부(354–430). **2** 영국에 포교한 베네딕트 수도사《Canterbury 의 초대 대주교; ?–604》.
Au·gus·tin·i·an [ɔ̀ːgəstíniən] *n.* St. Augustine 의 설을 신봉하는 사람; 아우구스티누스 교단의 수도사. **—** *a.* 아우구스티누스(교단)의. [파] **~·ism, Au·gús·tin·ism** *n.* 아우구스티누스주의.
Au·gus·tus [ɔːgʌ́stəs] *n.* **1** 오거스터스《남자 이름》. **2** 아우구스투스《로마 초대 황제 Gaius Octavianus의 칭호; 63 B.C.–A.D. 14》.
au jus [oudʒúːs] 《F.》 (고기를) 요리할 때 나온 그 육즙(肉汁)에 넣어 제공하는.
auk [ɔːk] *n.* 〖조류〗 바다쇠오리.
auk·let [ɔ́ːklit] *n.* 〖조류〗 작은 바다쇠오리.
au·lac·o·gen [ɔːlǽkədʒən] *n.* 〖지학〗 올라코겐《대지(臺地)의 기반 암층을 횡단하는 대규모의 지구상(地溝狀)의 단열대(斷裂帶)》.
au lait [ouléi] 《F.》 우유가 든.
auld [ɔːld] *a.* 《Sc.》 =OLD.
auld lang syne [ɔ́ːldlæŋzáin, -sáin] **1** 흘러간 날, 즐거웠던 옛날(old long since, the good old days): Let's drink to ~. 그리운 지난 날을 생각하며 건배합시다. **2** (A- L- S-) Robert Burns의 시.
au·lic [ɔ́ːlik] *a.* 궁정(宮廷)의.
Áulic Cóuncil 〖역사〗 (신성 로마 제국의) 황제 친재(親裁)의 최고 재판소.
Aum [oum] *n.* 〖힌두교〗 =OM.
AUM air-to-underwater missile.
au mieux [*F.* omjø] 《F.》 잘만 된다면, 최선의 경우에(는).
au·mil·dar [ɔ̀ːmildɑ́ːr, ⌐–⌐] *n.* 《Ind.》 대리인, 지배인; 거간꾼; 《특히》 세금 수금원.
a.u.n. *absque ulla nota* 《L.》 (=free from marking).
au na·tu·rel [òunætʃərél] 《F.》 자연〔날것〕 그대로의; 벌거숭이의; 간단히 요리한.
Aung San Suu Kyi [áuŋsɑ́ːnsúːkjí] 아웅 산 수 치《미얀마 아웅 산 장군의 장녀로 반(反)체제 민주화 운동의 지도자, 1991 년 노벨 평화상 수상; 1945– 》.
†**aunt** [ænt, ɑːnt/ɑːnt] *n.* **1** 아주머니《이모, 백모, 숙모, 고모》, 아줌마. [opp.] *uncle.* **2** 아주머니《나이 지긋한 부인에 대한 애칭》. ***My (sainted* 〔*giddy*〕*) ~!*** 《속어》 어머(나), 저런. [파] **⌐·hood** *n.* **⌐·lìke** *a.* **⌐·ly** *ad.* 「애자; 호모.
aunt·eat·er [ǽntìːtər] *n.* 《미속어》 남성 동성
Áunt Édna 《영》 에드나 아줌마《평범한 서민의 대표로서의 관객·시청자》.
Áunt Fánny 〔my ~의 형식으로〕 믿을 수 없군, 그럴 수가《불신의 감탄사적으로 씀》.
Áunt Fló 《드물게》 플로 아줌마《월경을 뜻함》.
aunt·ie, aunty [ǽnti, ɑ́ːn-/ɑ́ːn-] *n.* 《구어》 아줌마《aunt의 애칭》; (A-) 《영구어》 영국 방송협회 (BBC); 《미속어》 미사일 요격 미사일; 《속어》 젊은 남자를 찾는 중년 호모.
áuntie màn 《카리브구어》 여성적인 남자, 호모.
Áunt Jáne 〔**Jémima**〕 《미속어》 백인에게 아첨하는 흑인 여자.
Áunt Máry 마리화나(marijuana).
Áunt Nélly 《영속어》 배(belly).
Áunt Nóral 《미속어》 헤로인.
Áunt Sálly 《영》 목제 여상(女像)의 입에 파이프를 물리고 막대를 던져서 떨어뜨리는 놀이; 또, 그 목우(木偶); 부당한 공격〔조소〕의 대상(이 되는 사람·의론 등).
Áunt Tóm 《미·경멸》 백인에게 비굴하게 구는 흑인 여자; 여성 해방 운동에 냉담한 여자.
AUP 〖컴퓨터〗 Acceptable Use Policy 《인터넷 상에서의 행동의 종류 및 기준을 기술하는 규칙, 특히 상업 목적의 이용을 금하는 표어》.
au pair [òupɛ́ər] 《F.》 *n.* 오페어걸(=**au páir gírl**)《거저 숙식 제공을 받는 대신 가사를 돕는 외국 여자; 그 나라 말 배우기를 목적으로 함》. **—** *a., ad., vi.* (침식 제공을 받는 대신 가사를 돕는 등의) 교환 조건의〔에 의한; 으로 (일하다)〕.
au poi·vre [*F.* opwaːvʀ] 《F.》 〖요리〗 (굵게 빻은) 후추를 곁들인.
aur- [ɔːr], **au·ri-** [ɔ́ːrə] *pref.* '귀(耳)', '금(金)'이란 뜻의 결합사.
au·ra [ɔ́ːrə] (*pl.* **~s, *au·rae*** [-riː]) *n.* **1** (물체에서 발산하는) 기운, 영광(靈光); (방향(芳香) 따위의) 감각적 자극. **2** (주위를 감싸고 있는 독특한) 분위기, 느낌. **3** 〖전기〗 첨단 방전(放電)에 의해 일어나는 기류. **4** 〖의학〗 (간질·히스테리 등의) 전조(前兆). **5** 오러《최면술사의 손끝에서 흘러나온다는 영기(靈氣)》. **6** (A-) 미풍(風)의 상징으로 그리스 예술에서 하늘을 날며 춤추는 여자.
au·ral[1] [ɔ́ːrəl] *a.* 귀의; 청각의. ≒oral. ¶ an ~ aid 보청기. [파] **~·ly** *ad.*
au·ral[2] *a.* 영기(靈氣)의.
áu·ral·ìze *vt.* 마음으로 듣다, 청각화 (化)하다.
áural-óral *a.* (외국어 교수법이) 듣기와 말하기에 의한: the ~ approach (외국어의) 듣기와 말하기에 의한 교수법.
au·ra·min(e) [ɔ́ːrəmìːn, -min] *n.* [U] 〖화학〗 아우라민《황색 물감》.
au·rea me·di·o·cri·tas [ɔ́ːriə-míːdiɑ́kritæ̀s, -təs, mèdi-/-diɔ́k-] 《L.》 황금의 중용(中庸)(golden mean).
au·re·ate [ɔ́ːriət, -èit] *a.* **1** 금빛의, 번쩍이는. **2** 미사여구를 늘어놓은, 화려한.
áureate lánguage 화려체《시적인 어법의 화려한 문체의 하나》.
au·re·lia [ɔːríːliə, -ljə] *n.* **1** 《고어》 (특히 나비의) 번데기; 〖동물〗 무럼해파리속. **2** (A-) 오렐리아《여자 이름》. [파] **-li·an** [-n] *a., n.* ~의; 나비·나방 연구가, 곤충 채집가.
Au·re·li·us [ɔːríːliəs, -ljəs] *n.* **1** 오릴리어스《남자 이름》. **2** 아우렐리우스《로마 황제로서 철학자(Marcus ~ Antoninus; 121–180)》.
au·re·o·la [ɔːríːələ] *n.* =AUREOLE.
au·re·ole [ɔ́ːriòul] *n.* **1** (성자·순교자가 받게 될) 천상의 보관(寶冠); (성상(聖像)의) 원광(圓光), 광륜(光輪). [cf.] halo, nimbus. **2** 〖기상〗 (해·달의) 무리. **3** 〖지학〗 접촉 변성대(變成帶). [파] **~d** *a.*
Au·re·o·my·cin [ɔ̀ːrioumáisn/-sin] *n.* 오레오마이신《항생 물질의 하나; 상표명》. 「게다가.
au reste [*F.* oʀɛst] 《F.》 그 밖에는; 그 위에,
au·re·us [ɔ́ːriəs] (*pl.* **-rei** [-riài]) *n.* 《L.》 고

대 로마의 금화.

au re·voir [òurəvwáːr] 《F.》 안녕, 또 봐요 《헤어질 때의 인사》.

au·ric [ɔ́ːrik] *a.* 금의; 〖화학〗 제이금(第二金)의.

au·ri·cle [ɔ́ːrikəl] *n.* 〖해부〗 외이(外耳), 귓바퀴; (심장의) 심이(心耳); 〖식물·동물〗 이상부(耳狀部); 〖동물〗 (해파리 따위의) 이상판(耳狀瓣). ㊖ **~d** *a.* ~이 있는.

au·ric·u·la [ɔːríkjələ] (*pl.* ***-lae*** [-lìː], **~*s***) *n.* 〖식물〗 (노란 꽃이 피는) 앵초(櫻草)의 일종; =AURICLE.

au·ric·u·lar [ɔːríkjələr] *a.* 귀(모양)의; 청각의; 귓속말〔비밀얘기〕의; 〖해부〗 심이(心耳)의: an ~ confession (가톨릭에서 신부에게 몰래 털어놓는) 비밀 참회. **—** *n.* (*pl.*) 〖조류〗 (귀를 덮는) 털. ㊖ **~·ly** *ad.* 귀로; 속삭이어.

au·ric·u·late, -lat·ed [ɔːríkjələt, -lèit], [-lèitid] *a.* 귀가 있는; 귀 모양의; auricle 이 있는.

au·rif·er·ous [ɔːrífərəs] *a.* 금을 산출하는; 금을 함유하는.

au·ri·form [ɔ́ːrəfɔ̀ːrm] *a.* 귀 모양의.

au·ri·fy [ɔ́ːrəfài] *vt.* 금으로 바꾸다; 금빛으로 물들이다.

Au·ri·ga [ɔːráigə] *n.* 〖천문〗 마차부자리(Charioteer).

Au·ri·gna·cian [ɔ̀ːrinjéiʃən] *a., n.* (피레네 산맥 중의 Aurignac 동굴의 구석기 유적으로 대표되는) 오리냐 문화(기)(의).

au·ri·scope [ɔ́ːrəskòup] *n.* 검이경(檢耳鏡) (otoscope).

au·rist [ɔ́ːrist] *n.* 이과의(耳科醫)(otologist), 귀 전문 의사.

au·rochs [ɔ́ːrɑks/-rɔks] (*pl.* ~) *n.* 들소의 일종《유럽산》.

Au·ro·ra [ɔːrɔ́ːrə, ər-] *n.* **1** 〖로마신화〗 아우로라《새벽의 여신》. **2** 오로라《여자 이름》. **3** (a-) (*pl.* **~*s, -rae*** [-riː]) 《시어》 서광, 여명(기); 극광: ~ polaris 극광.

auróra aus·trá·lis [-ɔːstréilis/-ɔs-] 남극광 (the southern lights).

auróra bo·re·ál·is [-bɔ̀ːriǽlis, -éil-/-éil-] 북극광(the northern lights).

auróra hìss 오로라 히스《오로라 발생시 생기는 잡음》.

au·ro·ral [ɔːrɔ́ːrəl, ər-] *a.* 새벽의; 서광의; 장밋빛의; 극광의〔과 같은〕; 빛나는, 휘황한.

au·ro·re·an [ɔːrɔ́ːriən, ər-] *a.* 《문어》 먼동이 트는; 새벽의.

au·rous [ɔ́ːrəs] *a.* 금의; 금을 함유한; 〖화학〗 제일금(第一金)의.

au·rum [ɔ́ːrəm] *n.* 《L.》 〖화학〗 금《금속 원소; 기호 Au; 번호 79》: ~ foliatum 금박.

AUS, A.U.S. Army of the United States (미국 육군); Australia《자동차 국적 표시》. **Aus.** Australia(n); Austria(n).

Ausch·witz [áuʃvits] *n.* 아우슈비츠《폴란드 남서부의 도시; 나치의 유대인 수용소로 유명함》.

aus·cul·tate [ɔ́ːskəltèit] *vt., vi.* 〖의학〗 청진하다. ㊖ **àus·cul·tá·tion** *n.* 청진(법). **áus·cul·tà·tor** [-tər] *n.* 청진기〔자〕. **aus·cul·ta·to·ry** [ɔːskʌ́ltətɔ̀ːri/-təri] *a.* 청진의.

aus·ge·spielt [áusgəspìːlt; *G.* áusgəʃpiːlt] *a.* 《G.》 몹시 지친, 녹초가 된; 고장난.

Aus·gleich [*G.* áusglaiç] (*pl.* ***-glei·che*** [-çə]) *n.* 《G.》 협약; 1867년 오스트리아와 헝가리 사이의 협정.

aus·land·er [áuslændər, ɔ́ːs-] *n.* 타국인, 외국인; 부외자(部外者). [《G.》 *Ausländer*]

aus·pi·cate [ɔ́ːspəkèit] *vt.* 《고어》 길조를 점쳐 보고〔좋은 날을 받아〕 시작하다. **—** *vi.* 《폐어》 점치다, 예언하다.

◇**aus·pice** [ɔ́ːspis] *n.* **1** 전조, 《특히》 길조: under favorable ~*s* 조짐이 좋아. **2** (*pl.*) 후원, 찬조, 보호. ***under the ~s of*** the company = ***under*** the company's **~*s*** 회사의 찬조로〔후원으로〕.

aus·pi·cial [ɔːspíʃəl] *a.* 점(占)의, 좋은 징조의; 재수가 있는.

◇**aus·pi·cious** [ɔːspíʃəs] *a.* 길조의, 경사스러운, 상서로운; 행운의. ㊖ **~·ly** *ad.* **~·ness** *n.*

Aus·sie [ɔ́ːsi/ɔ́zi, ɔ́si] *n.* 《구어》 오스트레일리아 (사람); 오스트레일리아산 테리어(=**Austrálian térrier**).

Aust. Australia(n); Austria(n).

Aus·ten [ɔ́ːstən/ɔ́(ː)stin] *n.* 오스틴. **1** 남자 이름. **2 Jane ~** 영국의 여류 소설가(1775-1817).

Aus·ter [ɔ́ːstər] *n.* 《시어》 남풍; 《고어》 남국; 〖로마신화〗 남(서)풍의 신.

◇**aus·tere** [ɔːstíər/ɔ(ː)s-] (***aus·ter·er; -est***) *a.* **1** 엄(격)한, 준엄한, 가혹한. SYN. ⇨SEVERE. **2** 꾸미지 않은, 간소한, 내핍의, 금욕적인: live an ~ life 검소한 생활을 하다 / ~ fare 금욕적인 식사. **3** 신, 떫은, 씁쓸한. ◇ austerity *n.* ㊖ **~·ly** *ad.* 엄(격)히, 호되게; 간소하게. **~·ness** *n.*

◇**aus·ter·i·ty** [ɔːstérəti] *n.* **1** Ⓤ 엄격, 준엄; 간소. **2** Ⓒ 고행; (보통 *pl.*) 내핍〔금욕적인〕 생활. **3** (특히 전시의) 긴축 (기조): an ~ budget 긴축 예산 / ~ measures 긴축 정책 / the ~ program 〖경제〗 긴축 경제 계획. ◇ austere *a.*

Aus·ter·litz [ɔ́ːstərlits] *n.* 아우스터리츠《슬로바키아와의 접경에 있는 체코의 도시; 1805년 Napoleon 이 러시아·오스트리아 연합군을 격파한 곳》.

Aus·tin [ɔ́ːstən] *n.* 오스틴. **1** 남자 이름. **2 Alfred ~** 영국의 시인·계관시인(1835-1913). **3 John ~** 영국의 법철학자(1790-1859). **4 John Langshaw ~** 영국의 철학자(1911-60). **5 Mary** (**Hunter**) **~** 미국의 작가(1868-1934). **6 Sarah ~** 영국의 작가《3의 아내; 1793-1867》. **7 Stephen Fuller ~** 미국의 Texas 개척자(1793-1836). **8** Texas주의 주도. **9** 영국 Austin Motor Co. 소형 자동차.

aus·tral [ɔ́ːstrəl] *a.* 남쪽의, 남국의; (A-) = AUSTRALIAN; AUSTRALASIAN.

Austral. Australasia(n); Australia(n).

Aus·tra·la·sia [ɔ̀ːstrəléiʒə, -ʃə] *n.* 오스트랄라시아, 남양주(南洋洲)《오스트레일리아·뉴질랜드 및 그 부근의 여러 섬의 총칭》. ㊖ **~n** *a., n.* 오스트랄라시아의; 오스트랄라시아 사람(의).

⁑Aus·tra·lia [ɔːstréiljə] *n.* 오스트레일리아, 호주《정식명 the Commonwealth of ~》.

Austrália àntigen 〖의학〗 HB 항원, 오스트레일리아 항원《간염 관련 항원》.

Austrália Dày 오스트레일리아의 건국 기념일《1월 26일 후의 첫 월요일》.

***Aus·tra·lian** [ɔːstréiljən] *a., n.* 오스트레일리아의; 오스트레일리아 사람(의): ~ English.

Austrálian Álps (the ~) Australia 남동부의 산맥.

Austrálian bállot 오스트레일리아식 투표용지《전(全)후보자명을 인쇄, 지지하는 후보자 이름에 기표》.

Austrálian béar 〖동물〗 =KOALA.

Austrálian Cápital Térritory (the ~) 오스트레일리아의 New South Wales 주 동부에 있는 연방 직속 지역《생략: A.C.T.》.

Austrálian cáttle dòg 오스트레일리아산(産) 목축견(牧畜犬).

Austrálian dóubles 〔**formàtion**〕 〖테니스〗 복식 경기의 포메이션의 하나《파트너가 서버와 같은 쪽에 일직선으로 섬》.

Aus·trá·lian·ism *n.* **1** 오스트레일리아 영어. **2** 친호(親濠)주의; 오스트레일리아를 좋아함. **3** 오

스트레일리아 사람의 국민성〔국민정신〕.
Austrálian Rúles fóotball 오스트레일리아 식 축구《18명이 하는 럭비 비슷한 경기》(=**Austrálian Nátional Rúles**).
Austrálian salúte 《Austral.구어》 (파리를 쫓을 때의) 손짓, 몸짓. 「양치기개.
Austrálian shépherd 오스트레일리아산(産)
Aus·tra·loid [ɔ́:strəlɔ̀id] *a., n.* 오스트랄로이드(의)《오스트레일리아 원주민 및 그들과 인종적 특징이 같은 오스트레일리아 주변 여러 민족》.
aus·tra·lo·pith·e·cine [ɔ:strèiloupíθəsì:n/ɔ̀strə-] *a., n.* 오스트랄로피테쿠스계(系)의 (화석인)《가장 오래된 화석 인류》.
Aus·tra·lo·pi·the·cus [ɔ:strèiloupíθikəs/ɔ̀strə-] *n.* 아우〔오〕스트랄로피테쿠스《아프리카 남부에서 발견된 두발 보행 원인(猿人)의 속명; 인류의 옛 조상으로 여기며 홍적세 초기(100–400만 년 전)에 생존》.
Australopíthecus afar·én·sis [-əfɑ:rén-sis] 아우〔오〕스트랄로피테쿠스 아파렌시스《에티오피아에서 화석이 발견된 초기의 원인(猿人); 350~400만년 전 생존으로 추정》.
Australopíthecus rám·i·dus [-rǽmidəs] 아우〔오〕스트랄로피테쿠스 라미두스《약 440만 년 전의 최고의 인류로 여겨지는 원인(猿人)》.
Aus·tral·orp [ɔ́:strəlɔ̀:*r*p] *n.* 오스트랄로프종(種)(의 닭).
*__Aus·tria__ [ɔ́:striə] *n.* 오스트리아《수도 Vienna》.
Áustria-Húngary *n.* 오스트리아 헝가리《유럽 중부에 있었던 연합 왕국(1867–1918)》.
*__Aus·tri·an__ [ɔ́:striən] *a.* 오스트리아(사람)의. — *n.* 오스트리아 사람.
Aus·tro- [ɔ́:strou, -trə/ɔ́s-, ɔ́:s-] 'Austria(n), Australian'의 뜻의 결합사.
Àustro·asiátic *n., a.* 〖언어〗 오스트로아시아 어족(語族)(의).
Aus·tro·ne·sia [ɔ̀:strouní:ʒə, -ʃə] *n.* 오스트로네시아《태평양 중남부의 여러 섬》.
Aus·tro·ne·sian [ɔ̀:strouní:ʒən, -ʃən] *a.* 오스트로네시아(사람, 어족)의. — *n.* 오스트로네시아 어족(Malayo-Polynesian).
aut- ⇨ AUTO-.
au·ta·coid [ɔ́:təkɔ̀id] *n.* 〖생리〗 (호르몬 등의) 체내 분비물.
au·tarch [ɔ́:tɑ:*r*k] *n.* 독재자, 전제 군주.
au·tar·chic, -chi·cal [ɔ:tɑ́:*r*kik], [-əl] *a.* 독재의, 전제(정치)의.
au·tar·chy [ɔ́:tɑ:*r*ki] *n.* **1** [U] 독재권, 전제 정치; [C] 독재〔전제〕국. **2** =AUTARKY.
au·tar·kic, -ki·cal [ɔ:tɑ́:*r*kik], [-əl] *a.* (경제적) 자급자족의, 경제 자립 정책의.
au·tar·kist [ɔ́:tɑ:*r*kist] *n.* 경제 자립주의자.
au·tar·ky [ɔ́:tɑ:*r*ki] *n.* [U] (국가의) 경제적 자급자족; [U] 경제 자립 정책; [C] 경제 자립 국가.
aut Cae·sar, aut ni·hil [ɔ:t-sí:zə*r*, ɔ:t-náihil] 《L.》 임금이 못 될 바에는 필부가 되라.
aut·e·col·o·gy [ɔ̀:təkɑ́lədʒi/-kɔ́l-] *n.* 개체〔종(種)〕 생태학.
au·teur [outə́:*r*] (*pl.* **~s**) *n.* 《F.》 작자, 저작자; (독창적·개성적인) 영화 감독. [파] **~·ism** *n.* =AUTEUR THEORY.
autéur thèory 〖영화〗 개성파〔감독 중심〕주의《감독이 영화의 본질적인 작자라는 생각》.
auth. authentic; author; authorized.
°**au·then·tic, -ti·cal** [ɔ:θéntik], [-əl] *a.* **1** 믿을 만한, 확실한, 근거가 있는. **2** 진정한, 진짜의: an *authentic* information 확실한 보도. **3** 〖법률〗 인증된: an *authentic* deed 인증된 문서. **4** 〖음악〗 정격(正格)의. [파] **-ti·cal·ly** *ad.* 확실히; 진정하게.
au·then·ti·cate [ɔ:θéntəkèit] *vt.* 믿을 만함〔진짜임〕을 입증하다; 법적으로 인증하다. [파] **au·thèn·ti·cá·tion** *n.* [U] 입증, 인증. **au·thén·ti·cà·tor** [-tə*r*] *n.* 입증자, 보증자; 인증자.
au·then·tic·i·ty [ɔ̀:θentísəti] *n.* [U] 확실성, 신빙성; 출처가 분명함, 진정(眞正)함〔임〕.
au·thi·gen·ic [ɔ̀:θidʒénik] *a.* 〖지학〗 (암석이) 자생의《암석의 구성 성분이 그 암석 안에 포함된 성분으로 형성된》. [cf] allothogenic.
‡**au·thor** [ɔ́:θə*r*] *n.* **1** 저자, 작가, 지은이, 저술가《여성도 포함》. **2** (저자의) 저작(물), 작품: find a passage in an ~ 어느 문구를 어느 작가 작품 속에서 찾아내다. **3** 창조자, 창시자; (A-) 조물주(God): the ~ *of* mischief 장난질의 장본인 / the Author *of* all 〔our〕 being 조물주, 하느님. — *vt.* **1** 저작〔저술〕하다(write). **2** 창시하다.
áuthor càtalog (도서관의) 저자 목록.
au·thor·ess [ɔ́:θəris] *n.* 여류 작가. ★ 여류 작가라도 author 라고 하는 것이 보통임.
au·tho·ri·al [ɔ:θɔ́:riəl] *a.* 저(작)자의.
au·thor·ing [ɔ́:θəriŋ] *n.* 〖컴퓨터〗 저작《전자 출판을 위해 멀티 미디어와 문서, 쪽 배정을 제작하거나 편집하는 처리》.
au·thor·i·tar·i·an [əθɔ̀:rətέəriən, əθɑ̀r-/ɔ:θɔ̀r-] *a.* 권위〔독재〕주의의. — *n.* 권위〔독재〕주의자. [파] **~·ìsm** *n.* [U] 권위주의.
°**au·thor·i·ta·tive** [əθɔ́:rətèitiv, əθɑ́r-/ɔ:-θɔ́r-] *a.* **1** 권위 있는, 정식의; 신뢰할 만한. **2** (어조·태도 등이) 위압적인, 독단적인, 엄연한; 명령적인: an ~ tone 명령적인 어조. **3** 당국의, 관헌의. [파] **~·ly** *ad.* 권위 있게; 엄연히. **~·ness** *n.*
‡**au·thor·i·ty** [əθɔ́:rəti, əθɑ́r-/əθɔ́r-] *n.* **1** [U] 권위, 권력, 위신: the ~ *of* a parent 어버이의 권위 / a 〔the〕 person in ~ 권력자 / with ~ 권위를 가지고, 엄연히 / have no ~ *over* 〔*with*〕 …에 대하여 권위가 없다. [SYN.] ⇨ POWER. **2** [U] 권한, 권능, 직권; (권력자에 의한) 허가, 인가《*to* do; *for*》: exceed one's ~ 월권 행위를 하다 / by the ~ *of* …의 권한으로 / give a person (an) ~ *for* 〔*to* do〕 아무에게 …의〔할〕 권한을 주다 / have the ~ *to* grant permission 허가권을 갖다. **3** (보통 *pl.*) 당국, 관헌; 공공 사업 기관; (정보 등의) 소식통: the *authorities* concerned =the proper *authorities* 관계 당국〔관청〕 / the civil 〔military〕 *authorities* 행정〔군〕 당국(자) / on good ~ 확실한 소식통으로부터(의). **4** [C] 근거, 전거, 전거가 되는 문서《*of*》; 출전(出典)《*on*》: on the ~ *of* …을 근거로 하여. **5** [C] 권위자, 대가《*on*》: an ~ *on* law 법률의 대가 / quote authorities 대가의 설을 인용하다. **6** 〖법률〗 판(결)례, 선례. **7** 증명서, 허가〔인가〕서; 〖법률〗 수권서: ~ *to* pay(은행 발행) 신용장 / ~ *to* purchase 어음 매매 수권서. ***on* one's *own* ~** ① 독단으로, 자기 마음대로: I have done it *on my own* ~. 제 독단으로 그것을 했습니다. ② 자칭: He is a great scholar *on his own* ~. 그는 자칭 대학자이다. ***those in* ~** 당국자. ***under the* ~ *of*** …의 지배〔권력〕 아래.
authórity figure 권위〔위신〕 있는 사람.
àu·thor·i·zá·tion *n.* **1** [U] 권한 부여, 위임; 공인, 관허; (법적인) 강제력〔권〕. **2** [C] 수권서(授權書), 허가서.
°**au·thor·ize** [ɔ́:θəràiz] *vt.* **1** 《+[목]+*to* do》 …에게 권한을 주다, 위임하다(empower): The Minister ~*d* him *to* do it. 장관은 그에게 그것을 할 권한을 주었다. **2** 인가〔허가〕하다. **3** 정당하다고 인정하다: It is ~*d* by usage. 그건 관례로 인정되어 있다. ◇ authority *n.* [파] **-iz·er** *n.*
áu·thor·ized *a.* 공인된, 검정필인; 권한을 부여받은: an ~ textbook 검(인)정 교과서 / an ~

translation 원작자의 인가를 얻은 번역.
áuthorized cápital 《미》 수권(授權) 자본.
Authorized Vérsion (the ~) 흠정역(欽定譯) 성서《1611 년 영국왕 James 1 세의 재가(裁可)에 의하여 편집된 영역 성서; 생략: A.V.》.
áu·thor·less *a.* 저자 불명의.
au·thor·ling [ɔ́ːθərliŋ] *n.* (서투른) 글쓰는 이.
áuthor's ágent 〔**represéntative**〕 = LITERARY AGENT.
áuthor's alterátion 【출판】 저자 교정《오식 외에 저자가 하는 정정 또는 변경; 생략: A.A.》.
áuthor's edítion 자비 출판(본).
au·thor·ship [ɔ́ːθərʃip] *n.* Ⓤ **1** 저작자임; 저술업; 원작자. **2** (소문 따위의) 출처, 근원. ***of unknown*** ~ 작자 불명의.
au·tism [ɔ́ːtizəm] *n.* Ⓤ 【심리】 자폐성(自閉性), 자폐증. ㊕ **au·tis·tic** [ɔːtístik] *a., n.* 자폐성의; 자폐증 아동.
°**au·to** [ɔ́ːtou] (*pl.* **~s**) 《구어》 *n.* 자동차; 【컴퓨터】 자동. ── *vi.* 자동차로 가다.
au·to- [ɔ́ːtou, -tə], **aut-** [ɔ́ːt] '자신의, 자기…; 자동차' 의 뜻의 결합사: *auto*cracy, *auto*park.
àuto·aggréssive *n.* = AUTOIMMUNE.
áuto·alàrm *n.* (배 따위의) 자동 경보기〔장치〕.
àuto·análysis *n.* 【심리】 자기 분석; 자동 분석.
àuto·ánalyzer *n.* 【화학】 (성분) 자동 분석기.
àuto-ánswer *n.* 【통신】 자동 응답.
àuto·ántibody *n.* 【의학】 자기 항체(抗體).
Au·to·bahn [ɔ́təbàːn; *G.* áutobaːn] (*pl.* ***-bah·nen*** [-bàːnən; *G.* baːnən], **~s**) *n.* 《G.》 자동차 전용 고속도로《독일의 간선 도로》.
áuto·bàll *n.* 오토볼《자동차에 의한 축구 경기; 브라질에서 시작함》.
àuto·biográphic, -ical *a.* 자서전(체)의, 자전(自傳)(식)의. ㊕ **-ically** *ad.* 자서전적으로.
***au·to·bi·og·ra·phy** [ɔ̀ːtəbaiágrəfi/-ɔ́g-] *n.* Ⓒ 자서전; Ⓤ 자전(自傳) 문학; 자서전 저술. ㊕ **-pher** *n.* 자서전 작가.
áuto brà = CAR BRA.
áuto·bùs *n.* 《미》 버스.
Au·to·CAD [ɔ́ːtəkæd] *n.* 【컴퓨터】 자동(전산) 설계, 또 그 소프트웨어《상표명》.
áuto·càde *n.* 《미》 자동차의 행렬(motorcade). [◂ *auto*+caval*cade*]
áuto càll 【통신】 자동 호출.
áuto·càmp *n.* 자동차 여행자용 캠프장.
áuto·càr *n.* 《고어》 자동차.
àuto·catálysis *n.* 【화학】 자가 촉매 작용. ㊕ **-catalýtic** *a.*
àuto·cathársis *n.* Ⓤ 【정신의학】 자기 정화(법)《자기의 경험을 글로 쓰게 함으로써 마음의 불안을 고침》.
au·to·ceph·a·lous [ɔ̀ːtəséfələs] *a.* 【그리스 정교】 자주적인, 독립 자치의《교회 따위》.
áuto·chànger *n.* 자동식 음반 교환기.
au·to·chrome [ɔ́ːtəkròum] *n.* 【사진】 초기의 컬러용 건판.
au·toch·thon [ɔːtákθən/-tɔ́k-] (*pl.* **~s,** ***-thones*** [-nìːz]) *n.* 원주민, 토착민, 토인; 토종 동식물. ㊕ **au·tóch·tho·nal** = AUTOCHTHONOUS. **au·tóch·tho·nism, au·tóch·tho·ny** [-tákθənìzəm/-tɔ́k-], [-θəni] *n.* Ⓤ 토착; 토지 원산, 원산지.
au·toch·tho·nous, au·toch·thon·ic [ɔː-tákθənəs/-tɔ́k-], [ɔ̀ːtɑkθánik/-tɔkθɔ́n-] *a.* 토지 고유의, 토착의, 자생적인. ㊕ **-nous·ly** *ad.*
au·to·ci·dal [ɔ̀ːtousàidl] *a.* 생식 기능을 저하시켜 해충을 줄이는, 자멸(自滅)을 유도하는.
au·to·cide [ɔ́ːtousàid] *n.* (자기 차를 충돌시켜 하는) 자동차 자살.
au·to·clave [ɔ́ːtəklèiv] *n.* 압력솥〔냄비〕, 고압솥《소독 · 요리용》.

áuto·còde *n.* 【컴퓨터】 기본 언어.
àuto·cóllimator *n.* 【광학】 오토콜리메이터 《망원경과 시준기의 기능을 조합한 기구》.
áuto-compónent *n.* 자동차 부품.
àuto·correlátion *n.* 【통계】 자기 상관.
áuto còurt = MOTEL.
au·toc·ra·cy [ɔːtákrəsi/-tɔ́k-] *n.* Ⓤ 독재〔전제〕 정치; 독재권; Ⓒ 독재국.
au·to·crat [ɔ́ːtəkræ̀t] *n.* 전제 군주; 독재자.
au·to·crat·ic, -i·cal [ɔ̀ːtəkrǽtik], [-əl] *a.* 독재자의; 독재적인; 독재〔전제〕 정치의〔와 같은〕. OPP *constitutional.* ㊕ **-i·cal·ly** *ad.*
àuto·críticism *n.* 자기 평가〔판정, 비평〕.
au·to·cross [ɔ́ːtoukrɔ̀ːs, -kràs/-krɔ́s] *n.* (길 없는 들판 횡단) 자동차 장애물 경주(gymkhana).
Au·to·cue [ɔ́ːtəkjùː] *n.* 《영》 텔레비전용 프롬프터 기계(TelePrompTer)《상표명》.
áuto-cỳcle *n.* 오토바이.
au·to-da-fé [ɔ̀ːtoudəféi] (*pl.* ***au·tos-*** [ɔ̀ːtouz-]) *n.* 《Port.》 종교 재판소의 판결 선고식, 그 처형《특히 화형》; (일반적으로) 이교도(異敎徒)의 화형(火刑).
Áuto Dèsk 【컴퓨터】 오토 데스크《컴퓨터 보조 설계(CAD)용 프로그램 패키지를 주로 만드는 미국 소프트웨어 업체, 대중적인 다목적 설계 프로그램 Auto CAD 가 유명함》.
àuto-destrúctive *a.* 자기 파괴적인; 자동 붕괴되는《특히 완성된 형태를 유지하지 않고 붕괴 또는 소멸되도록 고안된 예술에 대해서 이름》.
áuto·dìal *n.* (전화의) 자동 다이얼.
áuto·dìaler *n.* 자동 다이얼 전화.
áuto·dìaling *n.* 자동 다이얼 통화.
au·to·di·dact [ɔ̀ːtoudáidækt, ˌ--ˈ-/ɔ̀ːtoudidækt] *n.* 독습자, 독학자. ㊕ **-di·dac·tic** [-daidǽktik/-di-] *a.* 독학의.
àuto·digéstion *n.* = AUTOLYSIS.
AUTODIN [ɔ́ːtoudìn] 【군사】 automatic digital network(자동 디지털 통신망).
au·to·drome [ɔ́ːtədròum] *n.* 자동차 경주 트랙.
áuto·dỳne *n., a.* 【통신】 오토다인 수신 방식〔장치〕(의).
au·toe·cious, -te- [ɔːtíːʃəs] *a.* 【생물】 동종기생(同種寄生)의. cf. heteroecious. ㊕ **~·ly** *ad.* **-cism** [ɔːtíːsizəm] *n.*
àuto·erótic *a.* 자기 발정적인. ㊕ **-ically** *ad.*
àuto·érotism, -eróticism *n.* Ⓤ 【심리】 (자위 따위에 의한) 자기 색정(의 만족).
àuto·euthanásia *n.* 안락 자살.
AUTOEXEC.BAT 【컴퓨터】 오토 배치 파일 《IBM PC 에서 컴퓨터를 시동시킬 때 운영 체제에 의해 자동적으로 실행되는 배치 파일》.
àuto-expósure *n.* (카메라 따위의) 자동 노출 장치「(의).
áuto·fòcus *n., a.* (카메라의) 자동 초점 방식
au·tog·a·mous [ɔːtágəməs/-tɔ́g-] *a.* 【식물】 자화 수정(自花受精)의.
au·tog·a·my [ɔːtágəmi/-tɔ́g-] *n.* Ⓤ 【식물】 자화 수분(受粉); 【동물】 자가 생식.
àuto·génesis *n.* 【생물】 자연〔우연〕 발생(abiogenesis).
àuto·genétic *a.* = AUTOGENOUS.
au·to·gén·ic tráining [ɔ̀ːtoudʒénik-] 자율 훈련법.
au·tog·e·nous [ɔːtádʒənəs/-tɔ́dʒ-] *a.* 자생(自生)의, (싹 · 뿌리가) 내생(內生)의; 【생리】 내인적(內因的)인; 【곤충】 (모기가) 무흡혈(無吸血) 생식의. ㊕ **~·ly** *ad.*

au·tog·e·ny [ɔːtádʒini/-tɔ́dʒ-] *n.* Ⓤ 〖생물〗 자생(自生), 자기 발생(=**sélf-generátion**).
au·to·ges·tion [ɔ̀ːtədʒéstʃən] *n.* (노동자 대표에 의한 공장 따위의) 자주 관리.
au·to·gi·ro, -gy·ro [ɔ̀ːtədʒáiərou] (*pl.* ~**s**) *n.* 〖항공〗 오토자이로. ⓒⓕ helicopter.
au·to·graft [ɔ́ːtəgræ̀ft, -grɑ̀ːft] *n.* 자가 이식 (조직). **—***vt.* (조직 · 기관(器官)을) 자가 이식하다.
au·to·graph [ɔ́ːtəgræ̀f, -grɑ̀ːf] *n.* 자필, 친필, 육필; 자서(自署), 서명, 자필 원고; 육필 석판 인쇄. ★ 작가 · 예능인이 자기 저서나 사진에 하는 서명은 autograph, 편지 · 서류에 하는 서명은 signature. **—***vt.* 자필로 쓰다; 자서〔서명〕하다; 석판으로 복사〔복제〕하다.
áutograph àlbum 〔**bòok**〕 사인첩(帖), 사인북.
au·to·graph·ic, -i·cal [ɔ̀ːtəgræ̀fik], [-əl] *a.* **1** 자필의; 자서의. **2** (계기(計器)가) 자동 기록식의, 자기(自記)의(self-recording). **3** 육필 인쇄에 의한. ㊕ **-i·cal·ly** *ad.*
áutograph nóte 자필 주석(註釋).
au·tog·ra·phy [ɔːtágrəfi/-tɔ́g-] *n.* 자서(自書); 자필; 필적; 〖집합적〗 자필 문서; Ⓤ 〖인쇄〗 육필 석판 인쇄(술).
àuto·gravúre *n.* Ⓤ,Ⓒ 사진판 조각법의 일종. ⓒⓕ photogravure.
autogyro ⇨ AUTOGIRO.
àuto·hypnósis *n.* 자기 최면. ㊕ **-hypnótic** *a.*
au·toi·cous [ɔːtɔ́ikəs] *a.* 〖식물〗 자웅 독립 동주(獨立同株)의.
àuto·ignítion *n.* (내연 기관의) 자기 발화〔점화, 착화〕; 자연 발화.
autoignítion pòint 〖화학〗 자체〔자연〕 발화점.
àuto·immúne *a.* 〖의학〗 자가 면역의. ㊕ **-immúnity, -immunizátion** *n.*
àuto·inféction *n.* Ⓤ 〖의학〗 자가 전염, 자기 감염.
àuto·injéctor *n.* (신경 가스 등에 대해 쓰는) 자기 (피하) 주사기.
àuto·inoculátion *n.* Ⓤ 〖의학〗 자가 접종; 병독 자가 이전.
àuto·intoxicátion *n.* Ⓤ 〖의학〗 자가 중독.
àuto·ionizátion *n.* 〖물리〗 =AUGER EFFECT.
au·to·ist [ɔ́ːtouist] *n.* 《미》 자동차〔자가〕 운전자(motorist).
àuto·kinésis (*pl.* **-ses** [-siːz]) *n.* 자동 운동, 자발 행동. ㊕ **-kinétic** *a.*
autokinétic phenómenon 〖심리〗 자동 운동 현상《암흑 속에서 광점(光點)을 응시하면 그 광점이 움직이는 것처럼 보이는 일》.
áuto·lànd *n.* 〖항공〗 계기 착륙.
áuto lift 오토 리프트《자동차를 들어 올리는 유압(油壓) 장치》.
àuto·lóading *a.* (화기가) 자동 장전의(semiautomatic).
au·tol·o·gous [ɔːtáləgəs/-tɔ́l-] *a.* 자기 이식한, 자기 조직의.
au·tol·y·sate [ɔːtáləsèit/-tɔ́l-] *n.* 〖생화학〗 자기 분해 물질.
au·to·ly·sin [ɔ̀ːtəláisin, ɔːtálə-/ɔ̀ːtəláisin, ɔːtɔ́li-] *n.* Ⓤ,Ⓒ 〖생화학〗 (동식물 조직을 파괴하는) 자기 분해제〔용해소〕.
au·tol·y·sis [ɔːtáləsis/-tɔ́l-] *n.* Ⓤ 〖생화학〗 (효소 작용에 의한) 자기 분해〔소화〕. ㊕ **au·to·lyt·ic** [ɔ̀ːtəlítik] *a.*
au·to·lyze [ɔ́ːtəlàiz] *vt., vi.* 〖생화학〗 자기 분해〔소화〕시키다〔하다〕.
àuto·magically *ad.* 《해커속어》 (왠지) 자동적으로《구조나 과정을 일일이 설명하고 싶지 않을〔할 수 없을〕 때 씀》.
áuto·màker *n.* 자동차 제조업자〔회사〕.
áuto·màn [-mæ̀n] *n.* =AUTOMAKER.
àuto·manipulátion *n.* 수음, 자위(masturbation). ㊕ **-manipulative** *a.*
au·to·mat [ɔ́ːtəmæ̀t] *n.* 자동판매기; 자동판매식 음식점, 자급 식당.
au·tom·a·ta [ɔːtámətə/-tɔ́m-] AUTOMATON의 복수.
au·to·mate [ɔ́ːtəmèit] *vt.* 오토메이션〔자동〕화하다. **—***vi.* 자동 장치를 갖추다, 자동화되다. ㊕ **-màt·a·ble** *a.* **-màt·ed** [-id] *a.* 자동화한: an ~*d* factory 오토메이션〔자동 조작〕 공장.
áutomated DNA seqùencer 〖생화학〗 DNA 자동 해석 장치.
áutomated DNA sỳnthesis 〖생화학〗 DNA 자동 합성.
áutomated téller machìne 현금 자동 입출기《생략: ATM》.
áutomated tìcket 자동 발행 항공권《컴퓨터의 예약 장치와 연동하는》.
⁑**au·to·mat·ic** [ɔ̀ːtəmǽtik] *a.* **1** (기계 · 장치 등이) 자동의, 자동적인, 자동 (제어) 기구를 갖춘; (무기가) 자동의; =SEMIAUTOMATIC: an ~ telephone 자동 전화 / an ~ door 자동문. **2** 〖생물〗 (근육 운동 등이) 자동성의, 자율성의, 무의식적인. **3** (행동 등이) 무의식의, 습관적인, 반사적인, 기계적인; (페널티 등이) 필연적인. **4** (감정 등이) 자연히 끓어오르는. **5** 〖미술〗 AUTOMATISM의. **—***n.* 자동 기계, 자동 장치; 《구어》 자동 변속 장치(가 달린 자동차); 자동 화기, 자동 피스톨(~ pistol). ㊕ **-i·cal** [-ikəl] *a.* =AUTOMATIC. ◇**-i·cal·ly** *ad.*
automátic cálling ùnit 〖통신〗 자동 호출 장치.
automátic contróller 자동 제어 장치.
automátic dáta pròcessing (컴퓨터 등에 의한) 자동 정보 처리《생략: ADP》.
automátic dìaling còde 〖통신〗 자동다이얼〔호출〕 코드《장거리 전화용 단축 다이얼 코드》.
automátic diréction fínder (특히 항공기의) 자동 방향 탐지기《생략: ADF》.
automátic drìve (기어 변속이 필요 없는) 자동 변속 장치.
automátic expósure 자동 노출.
automátic fréquency contròl 〖전자〗 《라디오 · TV의》 자동 주파수 제어.
automátic gáin contròl 〖전자〗 자동 이득 제어《생략: AGC》.
au·to·ma·tic·i·ty [ɔ̀ːtəmətísəti] *n.* Ⓤ 자동적임, 자동성.
automátic méssage-swítching cènter 〖통신〗 자동 메시지 교환 센터《자동 중계 교환국》.
automátic pílot 〖항공〗 자동 조종 장치.
automátic pístol 자동 피스톨(automatic).
automátic prémium lòan 〖보험〗 보험료 자동 이체 대부.
automátic redìaling (전화기의) 자동 재(再)다이얼 기능.
automátic repéat 〖컴퓨터〗 자동 반복 키.
automátic rífle 자동 소총.
automátic sélling 자동 판매; 셀프서비스.
automátic shútoff 자동 정지 장치.
automátic sprínkler **1** 자동 소화기. **2** 자동 살수(撒水) 장치.
automátic téller (**machìne**) =AUTOMATED TELLER MACHINE.
automátic trácking 〖전자〗 (레이더 따위에 의한) 자동 추적 (장치).
automátic tráin contròl 열차 자동 제어 (장치)《생략: ATC》.
automátic transmíssion =AUTOMATIC DRIVE.
automátic týpesetting =COMPUTER TYPESETTING.
automátic wríting 〖심리〗 자동 서자(書字)《자기가 글을 쓰고 있음을 의식하지 않는 일》.
◇**au·to·ma·tion** [ɔ̀ːtəméiʃən] *n.* Ⓤ 오토메이

션, (기계 · 조직의) 자동화, 자동 조작〔제어〕; (근육 노동을 줄이기 위한) 기계 사용; 〖컴퓨터〗 자동화. [◂ *automatic* operat*ion*]

au·tom·a·tism [ɔːtámətìzəm/-tɔ́m-] *n.* Ⓤ 자동성, 자동 작용, 자동〔기계〕적 활동; 〖심리〗 자동 현상; 〖생리〗 (심장 따위의) 자동 운동; 〖미술〗 (무의식에 의한) 자동 기술법《주로 다다이즘이나 초현실주의 회화나 콜라주에 보이는 수법》. ㊕ **-tist** *n.*

au·tòm·a·ti·zá·tion *n.* Ⓤ 자동화; 기계적으로 함.

au·tom·a·tize [ɔːtámətàiz/-tɔ́m-] *vt.* 자동화하다; 오토메이션화하다(automate).

au·to·mat·o·graph [ɔ̀ːtəmǽtəgræ̀f, -grɑ̀ːf] *n.* 자동 기록 장치.

au·tom·a·ton [ɔːtámətàn, -tən/-tɔ́mətən] (*pl.* **~s, -ta** [-tə]) *n.* 기계적으로 행동하는 사람〔동물〕; 자동 기계〔장치〕; 자동 인형; 〖컴퓨터〗 자동 기계.

au·tom·a·tous [ɔːtámətəs/-tɔ́m-] *a.* =AUTOMATIC.

au·tome [ɔ́ːtoum] *n.* 《미》 이동(移動) 주택. [◂ *auto*+*home*]

àuto·méchanism *n.* (특히 예정된 프로그램에 따라 작동하는) 자동 (기계) 장치.

au·to·me·ter [ɔ́ːtoumìːtər] *n.* 자동차 속도계.

‡**au·to·mo·bile** [ɔ̀ːtəməbíːl, ⌐-⌐-⌐, ɔ̀ːtəmóubiːl] *n.* Ⓒ **1** 《미》 자동차(《영》 motorcar). ★ 일반적으로는 car가 흔히 쓰임. **2** 《미속어》 일이 빠른 사람, 기민한 사람. ── *a.* =AUTOMOTIVE: ~ (liability) insurance 자동차 손해 보험. ── *vi.* 자동차를 타다; 자동차로 가다. ㊕ **-bíl·i·ty** *n.* 자동차에 의한 이동성.

Áutomobile Assocìation (the ~) 《영》 자동차 협회《생략: AA》.

au·to·mo·bi·lia [ɔ̀ːtəməbíːliə, -mou-] *n. pl.* 수집 가치가 있는 자동차 관련 부품. [◂ *automobile*+memora*bilia*]

au·to·mo·bil·ism [ɔ̀ːtəməbíːlizəm, -móubilìzəm] *n.* 《미》 Ⓤ 자동차 운전〔사용, 여행〕. ㊕ **àu·to·mo·bíl·ist** *n.* 《미》 자동차 상용〔사용〕자.

au·to·mor·phism [ɔ̀ːtəmɔ́ːrfizəm] *n.* 〖수학〗 자기 동형(同型); (결정형(結晶形)에서) 이질동상(異質同像).

au·to·mo·tive [ɔ̀ːtəmóutiv, ⌐-⌐-] *a.* 자동차의; 자동의; 동력 자급의; 자동 추진의.

au·to·net·ics [ɔ̀ːtənétiks] *n. pl.* 《단수취급》 〖전자〗 자동 제어학. [◂ *auto*+cyber*netics*]

au·to·nom·ic [ɔ̀ːtənámik/-nɔ́m-] *a.* **1** 자치의; 자동적인. **2** 〖생리〗 자율의《신경》, 자율 신경계의. **3** 〖식물〗 자발적인; 내인(內因)에 의한: ~ movement 〖식물〗 자발 운동, 내인 운동. ㊕ **-i·cal·ly** *ad.*

autonómic nérvous sỳstem 〖해부 · 생리〗 자율 신경계.

àu·to·nóm·ics *n. pl.* 《단수취급》 〖전자〗 자동 제어 시스템학.

au·ton·o·mist [ɔːtánəmist/-tɔ́n-] *n.* 자치제 주장자, 자치론자, 자치주의자.

au·ton·o·mous [ɔːtánəməs/-tɔ́n-] *a.* 자치권이 있는, 자치의; 자율의; 독립한; 〖생리 · 식물〗 = AUTONOMIC. ¶ an ~ variable 독립 변수. ㊕ **~·ly** *ad.*

autónomous phóneme 〖언어〗 자율적 음소(音素).

autónomous sýntax 〖언어〗 자율적 통어론(統語論).

au·ton·o·my [ɔːtánəmi/-tɔ́n-] *n.* Ⓤ **1** 자치(권); 자주성, 자율성. **2** Ⓒ 자치 단체. **3** 〖철학〗 자율《칸트 윤리학의》. OPP *heteronomy*.

au·to·nym [ɔ́ːtənìm] *n.* **1** 본명, 실명. OPP *pseudonym*. **2** 본명으로 낸 저서.

áuto·pèn *n.* 자동 서명 장치.

au·toph·a·gous [ɔːtáfəgəs/-tɔ́f-] *a.* 자식(自食) 작용〔성〕의, 자기 소모의.

au·toph·a·gy [ɔːtáfədʒi/-tɔ́f-] *n.* 〖생리〗 자식(自食) 작용《동일 세포 내에서 효소가 다른 성분을 소화하는 일》. ㊕ **-gic** *a.*

àuto·phóbia *n.* 고독 공포증.

áuto·phòne *n.* 자동 전화.

áuto·pìlot *n.* 〖항공〗 자동 조종 장치(automatic pilot).

au·to·pis·ta [àutoupíːstɑː] *n.* 스페인의 고속도로.

au·to·plas·ty [ɔ́ːtəplæ̀sti] *n.* Ⓤ 〖의학〗 자기 조직 이식술《피부 이식 따위》. ㊕ **àu·to·plás·tic** *a.* **-ti·cal·ly** *ad.*

áuto·pòlo *n.* 자동차 폴로.

àuto·pólyploid 〖생물〗 *a.* 동질 배수성(同質倍數性)의, 동원 다배성(同源多倍性)의. ── *n.* 동질 배수체(體). cf. allopolyploid.

àuto·potámic *a.* 〖생물〗 (생물이) 흐르는 담수 속에서만 성장〔생육〕하는, 유수성(流水性)의. cf. eupotamic.

au·top·sy [ɔ́ːtɑpsi, -təp-/-tɔp-, -təp-] *n.* 검시(檢屍), 검시(檢視), 시체 해부, 부검(剖檢); 실지 검증. ── (**-sied, ~·ing**) *vt.* 검시하다; 사후에 비판적으로 분석하다. ㊕ **au·tóp·tic, -ti·cal** *a.*

àuto·psychósis *n.* 〖의학〗 자의식(自意識) 장애성 정신병.

au·to·put [ɔ́ːtoupùt] *n.* (유고슬라비아의) 고속도로.

àuto·rádiograph, -gram *n.* 방사선 사진(radioautograph). ㊕ **-radiógraphy** *n.* Ⓤ 방사선 사진술. **-radiográphic** *a.*

àuto·refléction *n.* 자동 반사법《광학 기계를 특정 방향에 수직으로 유지하는 방법》.

àuto·regulátion *n.* (장기(臟器) · 생물 · 생태계 등의) 자기 조절.

áuto-repèat *n.* 〖컴퓨터〗 오토리피트.

áuto-réstart *n.* 〖컴퓨터〗 자동 재시동《오류 발생이나 정전으로 중단된 시스템의》.

àuto·revérse *n.* 〖전자〗 녹음〔재생〕 중에 끝이 되면 테이프가 자동으로 역전하여 녹음〔재생〕을 계속하는 기능.

àuto·rotátion *n.* 〖항공〗 (동력에 의하지 않고) 자전하는 것, 자동 회전, 오토로테이션.

au·to·route [ɔ́ːtourùːt] *n.* 프랑스의 고속도로.

áuto·sàve *n.* 〖컴퓨터〗 자동 저장(기능)《작업 결과를 보호할 목적으로, 미리 설정한 시간 간격으로 데이터 파일을 자동적으로 저장하는 기능》.

au·to·sco·py [ɔːtáskəpi/-tɔ́s-] *n.* (죽기 직전에) 몸 밖에서 자신을 보는 것; 〖심리〗 자기상환시(自己像幻視).

au·tos-da-fé [ɔ̀ːtouzdəféi-] AUTO-DA-FÉ의 복수.

áuto·sèxing *a.* 태어날〔부화할〕 때 암수 별로 각기 특징을 나타내는.

áuto·shàpe *vi.* 〖심리〗 (자극에 대하여 조건 없이) 자기 반응을 형성하다.

au·to·some [ɔ́ːtəsòum] *n.* 〖유전〗 상(常)염색체《성염색체 이외의 염색체》. ㊕ **àu·to·sóm·al** *a.*

áuto·spòre *n.* 〖생물〗 (균류 · 녹조류 등의) 자생 포자, 오토 포자.

àuto·stabílity *n.* Ⓤ 〖기계〗 자율 안정; 자동 안정 장치에 의한 평형.

àuto·stéreogram *n.* 〖컴퓨터〗 컴퓨터가 도트와 선으로 그려 내는 입체적으로 보이는 화상.

au·to·stra·da [ɔ̀ːtoustrɑ́ːdə] (*pl.* **~s, -de** [-dei]) *n.* 《It.》 이탈리아의 고속도로.

àuto·suggéstion *n.* Ⓤ 〖심리〗 자기 암시, 자기 감응. ㊕ **àuto·suggést** *vt.* 자기 암시를 걸다.

àuto·télic *a.* 그 자체에 목적이 있는, 자기목적인. ㊕ **-tél·ism** *n.* Ⓤ 자기 목적주의.

àuto·tétraploid *a.* 〖생물〗 동질 사배성(四倍性)을 나타내는. ── *n.* 동질 사배체. ㊕ **-tétra-**

plòidy *n.* 동질 사배성.
áuto·tìmer *n.* (전자 레인지 등의) 자동 타이머.
au·tot·o·mize [ɔːtátəmàiz/-tɔ́t-] *vi.*, *vt.* 〖동물〗 (도마뱀 등이 몸 일부를) 자절(自切)하다.
au·tot·o·my [ɔːtátəmi/-tɔ́t-] *n.* 〖동물〗 (도마뱀 등의) 제자르기, 자절(自切). ㊞ **àu·to·tóm·ic, au·tót·o·mous** [-ik], [-məs] *a.*
àuto·tóxic *a.* 〖의학〗 자가 중독의.
àuto·tóxin *n.* 〖의학〗 자가 독소(毒素). 「중독.
au·to·tox·is [ɔ̀ːtətáksis/-tɔ́ks-] *n.* Ⓤ 자가
áuto·tràin *n.* **1** 일정 구간을 운행하며 승객과 자동차를 동시에 수송하는 열차. **2** (A- T-) 미국의 철도 회사(《상표명》). 「기.
àuto·transfórmer *n.* 〖전기〗 단권(單捲) 변압
àuto·transfúsion *n.* 자기〔자가〕 수혈.
àuto·tránsplant *n.*, *vt.* (=AUTOGRAFT. ㊞ ~ation *n.*
au·to·tron·ic [ɔ̀ːtoutránik/-trɔ́n-] *a.* (엘리베이터가) 자동 전자 장치인.
au·to·troph [ɔ́ːtətràf/-trɔ̀f] *n.* 〖생물〗 독립〔자가, 무기〕 영양 생물. ㊞ **àu·to·tróph·ic** *a.* 자가〔자급〕 영양의. **au·tót·ro·phy** *n.* 「lorry).
áuto·trùck *n.* 《미》 화물 자동차 (《영》 motor
áuto·tỳpe *n.* 오토타이프(《일종의 단색 사진판》); 오토타이프 사진; 복사, 모사(模寫). ── *vt.* 오토타이프로 복사하다. ㊞ **-tỳpy** *n.* **àuto·týpic** *a.*
àuto·typógraphy *n.* Ⓤ 오토타이프판술(術).
au·to-wind·er [ɔ́ːtouwàindər] *n.* (카메라의) 필름을 자동으로 감는 장치.
áuto·wòrker *n.* 자동차 제조 노동자.
au·tox·i·da·tion [ɔːtàksidéiʃən/-tɔ̀k-] *n.* Ⓤ 〖화학〗 자연 산화(酸化)(《공기의 접촉에 의한》). ㊞ **-dá·tive** *a.*
au·tre·fois ac·quit [*F.* otrəfwaaki] 《F.》 〖법률〗 이전 범죄에 대한 무죄 판결(《동일한 범죄 사실로서, 이미 무죄 판결로 받은 일》).
au·tres temps, au·tres mœurs [*F.* otrtɑ̃ otrmœːr] 《F.》 시대가 다르면 풍습도 다르다.
†**au·tumn** [ɔ́ːtəm] *n.* **1** Ⓤ 가을, 추계(《영국에서는 8·9·10월, 미국에서는 9·10·11월》): ~ flowers 〔rains〕 가을 꽃〔비〕/the ~ social 추계 사교 파티/the ~ term 가을 학기. ★ 미국에서는 주로 fall을 씀. **2** (the ~) 성숙기; 조락기(凋落期), 초로기(初老期): the ~ *of* life 초로(初老), 만년. **3** 가을의 수확.
au·tum·nal [ɔːtʌ́mnəl] *a.* 가을의; 가을에 피는; 가을에 여무는; 인생의 한창때를 지난, 중년의, 초로의. ㊞ **~·ly** *ad.*
autúmnal équinox (the ~) 추분, 추분점 (=**autúmnal póint**).
áutumn crócus 〖식물〗 백합과 사프란속의 구근 식물 여러 종의 총칭.
áutumn státement 《영》 추계(秋季) 보고서 (《당해 연도 예산에 대해 재무 장관이 12월 의회에 제출하는 보고서》).
áutumn 〔autúmnal〕 tínts 추색, 단풍.
au·tun·ite [ɔ́ːtənàit] *n.* 〖광물〗 인회(燐灰) 우라늄 광석.
AUVs autonomous underwater vehicles(독자적 심해 탐사정).
aux [ou; *F.* o] *prep.* 《F.》 …에(까지), …에 따라서(《복수 명사와 함께 씀》). cf. *au.*
aux. auxiliary.
aux armes [*F.* ozarm] 《F.》 무기를 들어라, 전투 준비.
aux·e·sis [ɔːgzíːsis, ɔːksíː-] *n.* 〖생물〗 비대(肥大)(《생체의 세포·조직·기관 등의 체적이 증가하는 것》). ㊞ **aux·et·ic** [ɔːgzétik, ɔːksét-] *a.*, *n.* **-i·cal·ly** *ad.*

auxil. auxiliary.
°**aux·il·ia·ry** [ɔːgzíljəri] *a.* 보조의, 부(副)의; 예비의; (범선이) 보조 기관이 달린; (함정이) 보급·정비 따위의 비전투용의: an ~ engine 보조 기관/~ coins 보조 화폐. ── *n.* **1** 조력자; 보조물; 지원 단체. **2** (*pl.*) (외국으로부터의) 지원군, 외인 부대. **3** 《미》 보조함(艦), 특무함. **4** 〖문법〗 조동사(~ verb).
auxíliary lànguage (국제적) 보조 언어.
auxíliary mémory 〖컴퓨터〗 =AUXILIARY STORAGE.
auxíliary pówer ùnit 〖항공〗 (항공기에 탑재하는) 보조 동력 장치(《생략: APU》). 「날개.
auxíliary rótor (헬리콥터의) 꼬리 부분 회전
auxíliary stàge 〖우주〗 보조 로켓.
auxíliary stòrage 〖컴퓨터〗 보조 기억 장치. cf. main storage.
auxíliary tòne 〔nòte〕 〖음악〗 보조음.
auxíliary vérb 〖문법〗 조동사.
aux·in [ɔ́ːksin] *n.* 〖식물·화학〗 옥신(《식물 성장 물질의 총칭》). ㊞ **aux·ín·ic** *a.* **-i·cal·ly** *ad.*
aux·o- [ɔ́ːksou, -sə] '생장, 증대'의 뜻의 결합사: *auxo*troph.
aux·o·car·dia [ɔ̀ːksəkáːrdiə] *n.* 〖생리〗 심장 확장기(擴張期); 심장 이완기(弛緩期); 〖병리〗 심장 확장〔비대〕. 「분열 세포.
aux·o·cyte [ɔ́ːksəsàit] *n.* 〖생물〗 증대 모세포,
àuxo·tónic *a.* 〖해부〗 (근육의 수축이) 증(增) 부하성의: ~ contraction 증부하성 수축.
aux·o·troph [ɔ́ːksətràf, -tròuf/-trɔ̀f] *n.* 〖생물〗 (기본 유기 영양에 대해) 보조적 영양. ㊞ **àux·o·tróph·ic** *a.*
AV audiovisual. **Av.** Avenue. **A.V.** Authorized Version (of the Bible). cf. R.V. **av.** avenue; average; avoirdupois. **a.v., a/v** 《L.》 ad valorem.
°**avail** [əvéil] *vi.* 《흔히 부정》 《~/+副/+전+명》 소용에 닿다, 쓸모가 있다; 가치가 있다, 이(利)가 있다: Such arguments will *not* ~. 그런 논쟁은 소용없다/This medicine ~*s little* against pain. 이 약은 통증에 대해서는 거의 효력이 없다/*No* advice ~*s with* him. 그에게는 어떤 충고도 소용없다. ── *vt.* 《흔히 부정》 《+목+副》 …의 소용에 닿다, …에 효력이 있다, …을 이롭게 하다: Courage will ~ you *little* in such a case. 이런 경우 네 배짱도 별로 소용에 닿지 않는다. ~ *oneself of* =《미구어》 ~ *of* … 을 이용하다, …을 틈타다〔편승하다〕: This is an occasion to be ~*ed of*. 이것은 이용할〔붙잡을〕 좋은 기회다. ── *n.* Ⓤ 이익, 효용, 효력(《현재는 *of*, *to* 따위가 수반되는 관용구로만 쓰임》). ***be of*** ~ 소용이 되다, 쓸모가 있다. ***be of no* 〔*little*〕** ~ 전혀〔거의〕 쓸모가 없다; 무익하다. ***of what*** ~ ***to*** do …해서 무슨 소용에 닿겠는가. ***to no*** ~ =***without*** ~ 무익하게, 보람도 없이.
avàil·a·bíl·i·ty *n.* Ⓤ **1** 이용도, 유효성. **2** 《미》 (후보자의) 당선 가능성. **3** Ⓒ 소용에 닿는 사람, 이용할 수 있는 것.
⁑**avail·a·ble** [əvéiləbəl] *a.* **1** 이용할 수 있는, 쓸모 있는; 〖법률〗 유효한(《*for; to*》): a train ~ *for* second-class passengers 이등 승객용 열차/tickets ~ on the day of issue 발행 당일만 유효한 표. ★ available 1은 useful과 같은 뜻이 아님. 물건이 useful해도 가까이에 없어 실제로 이용하지 못하면 available이라고 할 수 없음. **2** 손에 넣을 수 있는, 입수〔이용〕 가능한; (아파트가) 입주할 수 있는: The information is ~ *to* the public. 그 정보는 일반인에게 입수 가능하다. **3** (아무가 일 따위에) 전심할 수 있는; 손이 비어 있는(《*for; to*》): He is not ~ *for* the job. 그는 (달리 일이 있어) 이 일에는 쓸 수 없다/I

made myself ~ *to* him for legal consultation. 틈을 내어 그에게 법률 상담을 해주었다. **4** 《미》 (원고 따위가) 채용 가치가 있는. **5** 《미》 당선될 가망이 있는; 《영》 입후보가 가능한. ***employ all ~ means*** 모든 수단을 다 쓰다. ㊕ **-bly** *ad.* **~·ness** *n.*

aváilable ássets 〖회계〗 이용 가능 자산.

aváilable chlórine 〖화학〗 유효 염소량《표백분 따위의》.

aváilable énergy 〖물리〗 유효 에너지.

aváilable líghts 〖미술·사진〗 (대상·피사체가 받는) 자연광(自然光).

°**av·a·lanche** [ǽvəlæ̀ntʃ, -lɑ̀:nʃ/-lɑ́:ntʃ] *n.* **1** 눈사태. **2** (질문·편지 등의) 쇄도《*of*》: an ~ *of* questions 질문 공세/an ~ *of* congratulatory telegrams 축전(祝電)의 쇄도. **—** *vi.* (눈사태처럼) 밀어닥치다, 쇄도하다. **—** *vt.* …에 사태나듯이 밀어닥치다.

ávalanche wìnd [-wìnd] 눈사태 바람.

av·a·lan·chine [æ̀vəlǽntʃi:n, -lɑ́:n-/-lɑ́:n-] *a.* 눈사태 같은; 거대한; 맹렬한.

avale·ment [əvǽlmənt] *n.* 《F.》 〖스키〗 스피드를 내고 있을 때 스키가 항상 설면에 접촉하도록 무릎을 굽혔다 폈다 하는 일.

Av·a·lon, Av·al·lon [ǽvəlɑ̀n/-lɔ̀n] *n.* 애발론《Arthur 왕이나 여러 영웅들이 사후에 갔다는 전설적인 극락도》.

aval·u·a·tive [eivǽljuèitiv] *a.* 평가할 준비가 되어 있지 않은.

avant [əvɑ́:nt, əvǽnt, ǽvɑ:nt, ɑ́:vɑ:nt/ǽvɑ:ŋ; *F.* avɑ̃] *a.* 전위적인, 진보한, 유행의 첨단을 가는.

avant-cou·ri·er [ɑːvɑ̀:ntkúriə*r*/æ̀vɑ:ŋ-] *n.* 《F.》 선구(先驅)(자); (*pl.*) 전위, 선봉.

avant-garde [əvɑ̀:nt*g*ɑ́:*r*d, əvæ̀n*t*-, æ̀vɑ:n*t*-, ɑ̀:vɑ:n*t*-/æ̀vɑ:ŋ-] *n.* 《F.》 (예술상의) 전위파, 아방가르드; 선구자. **—** *a.* ~의: ~ pictures 전위 영화. ㊕ **-gárd·ism** *n.* **-ist** *n.*

avant-pro·pos [*F.* avɑ̃pʀɔpo] *n.* 《F.》 서문, 머리말(preface).

°**av·a·rice** [ǽvəris] *n.* Ⓤ 탐욕, 허욕(虛慾).

av·a·ri·cious [æ̀vəríʃəs] *a.* 탐욕스러운, 욕심 사나운. ㊕ **~·ly** *ad.* **~·ness** *n.*

avas·cu·lar [əvǽskjələ*r*] *a.* 〖해부〗 무혈관(성)의: an ~ 무혈관 부위/~ necrosis 허혈(虛血)괴사. ㊕ **avas·cu·lar·i·ty** [əvæ̀skjəlǽrəti] *n.* 무혈관성〔상태〕.

avast [əvǽst, əvɑ́:st/əvɑ́:st] *int.* 〖해사〗 그만「둬!, 기다려!

av·a·tar [ǽvətɑ̀:*r*, ˌ-ˈ] *n.* 〖Ind.신화〗 화신, 권화(權化); 구체화.

avaunt [əvɔ́:nt, əvɑ́:nt/əvɔ́:nt] *int.* 《고어·우스개》 가라!, 물러가라!

AVC, A.V.C. American Veterans' Committee(미국 재향 군인회); automatic volume control(자동 음량 조절 장치). **avdp.** avoirdupois (weight).

ave [ɑ́:vei, éivi/ɑ́:vi] *int.* 잘 오셨습니다!; 안녕(히)!, 자 그럼! **—** *n.* 환영 인사; 작별 인사; (A-) =AVE MARIA.

Ave., ave. Avenue.

avec plai·sir [*F.* avɛkplɛziʀ] 《F.》 기꺼이, 쾌히(with pleasure).

Ave Ma·ria [ɑ́:veimarí:ə/ɑ́:vimaríə] 〖가톨릭〗 성모송(聖母誦), 아베 마리아(Hail Mary) 《성모 마리아에게 올리는 기도(의 시간); 생략: A.M.; 누가복음 I: 28 및 42 에서》.

Áve Máry =AVE MARIA.

Avé·na tèst [əví:nə-] 〖식물〗 연맥(燕麥) 시험법《귀리(*Avena sativa*)에 의한 식물 생장소(素)의 함유량 테스트》.

°**avenge** [əvéndʒ] *vt.* 《~+목/+목+전+명》

1 (사건에 대해) 원수를 갚다, 복수하다, 앙갚음하다《*on*》: ~ a death of one's father 아버지의 원수를 갚다/~ an insult *on* a person 아무에게 모욕당한 앙갚음을 하다. **2** 〚보통 수동태 또는 ~ oneself〛 복수하다, 앙갚음하다: He ~*d* him*self* 〔*was ~d*〕 *on* them. 그는 그들에게 복수했다. **—** *vi.* 복수하다. ◇ vengeance *n.*

> SYN. **avenge** 가해진 부당한 행위에 대하여 정당한 앙갚음을 함. **revenge** avenge 의 뜻 외에 원한·악의 따위로 보복함.

avéng·er *n.* 복수자, 보복자. ***an ~ of blood*** 피해자의 복수를 대신할 권리가 있는 가장 근친인 사람.

avéng·ing *a.* 앙갚음하는, 보복의.

av·ens [ǽvinz] (*pl.* **~, ~es**) *n.* 〖식물〗 뱀무(속(屬)) 식물의 총칭.

aven·tu·rine, -rin, avan- [əvéntʃəri:n, -rin], [-rin], [əvɑ́:n-] *n.* 구릿가루 따위를 뿌려 꾸민 유리; 사금석(砂金石). **—** *a.* ~과 같은, 반짝거리는.

⁑**av·e·nue** [ǽvən*j*ù:/-njù:] *n.* **1** 가로수길. SYN. ⇨ ROAD. **2** 《영》 (특히 대저택의 대문에서 현관까지의) 가로수길. **3** 《미》 (번화한) 큰거리, 한길, 도로.

> NOTE 미국의 대도시에서는 avenue와 street를 세로와 가로의 도로에 구분해서 쓰고 있음. 가령 뉴욕에서는 avenue는 남북, street는 동서로 뻗은 도로를 일컬음.

4 (목적에의) 수단, 방법《*to; of*》: an ~ *to* 〔*of*〕 success 성공에의 길. ***explore every ~*** =***leave no ~ unexplored*** 모든 수단을 강구하다.

aver [əvə́:*r*] (**-rr-**) *vt.* **1** 확언하다, 단언〔주장〕하다. **2** 《+*that* 절》 〖법률〗 증언하다: She ~*red that* he had done it. 그녀는 그가 그것을 했다고 증언했다.

⁑**av·er·age** [ǽvəridʒ] *n.* **1** 평균, 평균치: an arithmetical ~ 산술 평균. **2** (일반적인) 수준, 표준, 보통. **3** 〖상업〗 해손(海損), 해손 부담액: ⇨ GENERAL 〔PARTICULAR〕 AVERAGE. ***above*** 〔***below***〕 ***the ~*** 보통〔평균〕 이상〔이하〕: talents *above the ~* 비범한 재능. ***batting ~*** 〖야구〗 타율; 《미구어》 성공률, 성적. ***on*** 〔***upon, at***〕 ***an ~*** =***on*** (***the***) ***~*** ① 평균하여. ② 대체로. ***strike*** 〔***take***〕 ***an ~*** 평균을 잡다, 평균하다. ***the law of ~s*** 평균화의 법칙《늘 이기고〔지고〕 있는 것은 아니다》. ***up to the ~*** 평균에 달하여.

— *a.* 평균의; 보통의: ~ prices 평균 가격/an ~ cost 평균 원가/an ~ crop 평균작/the ~ man 보통 사람. ★ '보통 사람들'은 ~ people 이라 하지 않고 ordinary people 이라고 함.

— *vt.* **1** 평균〔균분〕하다: ~ a loss 결손을 균분하다. **2** 평균하여 …하다〔이 되다〕: He ~*s* eight hours' work a day. 그는 하루 평균 8시간씩 일한다/He ~*s* two stories a month. 그는 한 달에 평균 두 작품씩 쓴다. **—** *vi* 《+보》 평균하면 …이다: My salary ~*s* $1,500 a month. 나의 급료는 평균하면 1개월에 1,500 달러다. **~ *down*** 〔***up***〕 (상품·증권 등의 거래에서, 나누어서 사거나〔팔거나〕 하여) 평균 가격을 낮추다〔올리다〕. **~ *out to*** 〔***at***〕 《구어》 평균 …에 달하다. ㊕ **~·ly** *ad.* **~·ness** *n.*

áverage áccess tìme 〖컴퓨터〗 평균 접근 시간.

áverage adjústment 〖보험〗 (공동 해손(海損) 분담을 위한) 정산(精算).

áverage cláuse 〖보험〗 (손해 보험의) 비례(전보) 조항; 분손 담보 약관.

áverage lífe 〖물리〗 (방사성 물질의) 평균 수명.

áv·er·ag·er *n.* 해손(海損) 청산인.

áverage révenue 평균 수입.
avér·ment *n.* U,C 단언, 주장; 【법률】 사실의 주장, 항변의 증언.
Aver·nus [əvə́ːrnəs] *n.* 아베르누스호(이탈리아의 나폴리 부근에 있는 작은 호수; 옛적에는 지옥으로의 입구라고 알려져 있었음); 【로마신화】 지옥. ⓟ **-nal** [-nəl] *a.* Avernus 호의; 지옥의.
Aver·ro·ism [æ̀vəróuizəm, əvéróuizəm] *n.* 【철학】 아베로에즈주의〔파〕(아리스토텔레스 철학의 범신론적 해석). ⓟ **-ist** *n.*
◇**averse** [əvə́ːrs] *a.* 〖서술적〗 **1** 싫어하여; 반대하고(*to; to* do; *to* do*ing*): I am not ~ *to* a good dinner. 성찬이라면 싫지도 않다/I am ~ *to* go*ing* 〔*to* go〕 there. 그리로 가는 것은 싫다. ★ 격식 차리는 문체에서는 드물게 from을 씀. **2** 【식물】 (잎이) 원줄기에서 반대쪽을 향한. ⓟ **~·ness** *n.*
◇**aver·sion** [əvə́ːrʒən, -ʃən/-ʃən] *n.* U (또는 an ~) 혐오, 반감 (*to; from; for; to* do*ing*); C 아주 싫은 사람〔물건〕: He has *an* ~ *to* (see*ing*) cockfights. 그는 투계(鬪鷄)를 (보는 것을) 싫어한다. one*'s pet* 〔*chief*〕 ~ 아주 싫은 물건〔것〕.
avérsion thèrapy 혐오 요법.
aver·sive [əvə́ːrsiv, -ziv/-siv] *a.* 혐오의 정을 나타내는; 기피하는(유해한 자극). ⓟ **~·ly** *ad.* **~·ness** *n.* 「오 요법.
avérsive condítioning 【심리·정신의학】 혐
◇**avert** [əvə́ːrt] *vt.* **1** (+목+전+명) (눈·얼굴 따위를) 돌리다, 비키다(*from*): She ~*ed* her eyes *from* his stare. 그녀는 그의 응시하는 눈을 피했다. **2** (타격·위험을) 피하다, 막다: ~ danger 위험을 피하다. ⓟ **~·a·ble, ~·i·ble** *a.* 피할 수 있는.
Avery [éivəri] *n.* 에이버리(남자 이름).
Aves [éiviːz] *n. pl.* 【동물】 조류(鳥類).
Aves·ta [əvéstə] *n.* =ZEND-AVESTA.
Aves·tan, Aves·tic [əvéstən], [əvéstik] *n.* 아베스타 말. **—*a.*** 아베스타 경전(經典)〔말〕의.
AVF all-volunteer force(전원(全員) 지원병 군(軍)). **avg.** average.
av·gas [ǽvgæ̀s] *n.* (미) U 항공기용 가솔린.
avi·an [éiviən] *a.* 조류의.
avi·a·rist [éiviərist/-vjər-, -viər-] *n.* 애조가(愛鳥家); aviary를 돌보는 사람.
avi·ary [éivièri/-vjəri, -viəri] *n.* (큰) 새장, (대규모의) 조류 사육장.
avi·ate [éivièit, ǽv-/éi-] *vi.* 비행하다, (특히) 항공기를 조종하다. ◇ aviation *n.*
◇**avi·a·tion** [èiviéiʃən, æ̀v-/èi-] *n.* U **1** 비행, 항공; 비행술, 항공학: civil ~ 민간 항공. **2** 〖집합적〗 항공기; (특히) 군용기. **3** 항공기 산업. ◇ aviate *v.*
aviátion bàdge 항공 기장(記章).
aviátion cadèt 【미공군】 사관 후보생.
aviátion gàsoline 항공 가솔린.
aviátion médicine 항공 의학.
aviátion spìrit (미) =AVIATION GASOLINE.
avi·a·tor [éivièitər, ǽv-/éi-] *n.* (옛투) 비행사, 비행기 조종사, 비행가(★ 현재는 pilot이 일반적); (*pl.*) =AVIATOR GLASSES.
áviator glàsses (가벼운 금속제 프레임의) 플라스틱제 착색 렌즈의 안경.
áviator's éar 고공 비행성 중이염.
avi·a·tress [éivièitris, ǽv-/éi-] *n.* (드물게) =AVIATRIX.
avi·a·trix [èiviéitriks, æ̀v-/éivièit-] (*pl.* **~·es, -trices** [-trəsìːz]) *n.* 여류 비행사. ★ 보통 aviator 또는 woman 〔lady〕 aviator라고 함.
avi·cul·ture [éivəkʌ̀ltʃər] *n.* U 조류 사육. ⓟ **àvi·cúl·tur·ist** *n.* 조류 사육가.
av·id [ǽvid] *a.* 탐욕한, 몹시 탐〔욕심〕나는(*of; for*); 열심인: ~ *for* 〔*of*〕 fame 명예욕이 강한. ⓟ **~·ly** *ad.* 게걸스럽게. **~·ness** *n.*
avid·i·ty [əvídəti] *n.* U 탐욕; 갈망, (강렬한) 욕망. ***eat with* ~** 게걸스레 먹다.
avi·fau·na [èivəfɔ́ːnə, æ̀v-/èi-] *n.* 【동물】 (한 지방〔나라〕의) 조류. cf. fauna. ⓟ **-nal** *a.* **-nal·ly** *ad.* **-fau·nís·tic** *a.* 「한, 새 모양의.
avi·form [éivəfɔ̀ːrm, ǽv-/éi-] *a.* 새 모양을
av·i·ga·tion [æ̀vəgéiʃən] *n.* U 항공(술), 항법.
Avi·gnon [F. aviɲɔ̃] *n.* 아비뇽(남프랑스 론(Rhone) 강변의 도시). 「~ 항공편으로.
avion [æviɔ́ːŋ; F. avjɔ̃] *n.* (F.) 비행기: *par*
avi·on·ics [èiviániks/-ɔ́n-] *n. pl.* 〖단수취급〗 항공 전자 공학. [◂ *avi*ation+electr*onics*]
avi·o·pho·bia [èiviəfóubiə, æ̀v-/èiv-] *n.* 【정신의학】 항공〔비행(飛行)〕 공포(증).
avir·u·lent [eivírjələnt/æví-] *a.* (바이러스 등의) 무발병성의, 무독성(無毒性)의.
avi·so [əváizou] (*pl.* **~s**) *n.* (Sp.) 통보, 급송 공문서; 통보함(艦).
avi·ta·min·o·sis [eivàitəmənóusis/ævìtəm-, ævitæ̀m-] *n.* U 【의학】 비타민 결핍증.
AVM Automatic Vehicle Monitoring(차량 위치 등 자동 표시 시스템)(차량의 위치를 무선으로 파악하여 긴급시의 대응 등을 컴퓨터에 의해 제어함). **A.V.M.** (영) air vice-marshal. **avn.** aviation.
Á-V nóde 【의학】 방실 결절(房室結節)(심실과 심방 사이에서 심박 조정을 하는 세포의 집합체; A-V는 atrioventricular의 약칭).
av·o·ca·do [æ̀vəkáːdou, àːvə-/æ̀və-] (*pl.* **~s, ~es**) *n.* 아보카도(alligator pear, =∠ **pèar**) (열대 아메리카산(產) 녹나뭇과(科)의 과실); 그 나무.
av·o·ca·tion [æ̀voukéiʃən] *n.* **1** 부업, 내직(內職); (고어) 여기(餘技), 취미, 도락. **2** 본직(本職), 직업. ★ 2의 뜻으로 현재는 흔히 vocation을 씀. ⓟ **~·al** *a.* **~·al·ly** *ad.*
avoc·a·to·ry [əvákətɔ̀ːri/əvɔ́kətəri] *a.* 되부르는, 소환하는: an ~ letter 소환장. 「새.
av·o·cet [ǽvəsèt] *n.* 【조류】 뒷부리장다리물떼
Avo·ga·dro [æ̀vəgáːdrou, àːv-] *n.* **Count Amedeo ~** 아보가드로(이탈리아의 화학자·물리학자; 1776–1856).
Avogádro cónstant, Avogádro's númber 【물리·화학】 아보가드로수(數).
Avogádro's láw 〔**hypóthesis**〕 【물리·화학】 아보가드로의 법칙.
__avoid__ [əvɔ́id] *vt.* **1** (~+목/+-ing) 피하다, 회피하다: ~ danger 위험을 피하다/~ mak*ing* any promise 아무 약속도 하지 않도록 하다/I could not ~ his hear*ing* it. 아무리 해도 그것이 그의 귀에 들어가지 않게 할 수는 없었다. **2** 【법률】 무효로 하다, 취소하다. ⓟ **~·a·ble** *a.* **~·a·bly** *ad.* **~·er** *n.*
avoid·ance [əvɔ́idəns] *n.* U 회피, 기피, 도피; (성직 따위의) 결원, 공석; 【법률】 무효(화), 취소. ⓟ **avóid·ant** [-ənt] *a.* 【심리】 회피성의.
avoir. avoirdupois.
av·oir·du·pois [æ̀vərdəpɔ́iz] *n.* **1** 16온스를 1파운드로 하는 질량 단위(=∠ **wèight**)(귀금속·보석·약품 이외의 물품에 씀; 생략: avdp., avoir.). **2** (구어) 무게, 체중: What's your ~? 체중은 얼마나 되나요. 「음대로.
à vo·lon·té [F. avɔlɔ̃te] (F.) 좋을 대로, 마
Avon[1] [éivən, ǽvən] *n.* **1** (the ~) 에이번 강(영국 중부의 강; Shakespeare의 탄생지 Stratford의 옆을 흐름). **2** 에이번 주(잉글랜드 남서부

의 주; 1974 년 신설》.

Avon² [éivɑn] *n.* 미국의 화장품 회사《Avon Products Inc.》: an ~ lady 에이번의 여성 방문 판매원.

av·o·set [ǽvousèt] *n.* =AVOCET.

à vo·tre san·té [*F.* avɔtʀsɑ̃te] 《F.》 (건배할 때) 건강을 위하여(to your health).

avouch [əváutʃ] 《문어》 *vt.* **1** …을 단언〔확언〕하다. **2** …을 보증하다. **3** 〖~ oneself〗 …을 (…이라고) 인정하다, 자백하다《*as; to be*》. **—** *vi.* (…을) 보증하다《*for*》: I can ~ *for* the quality. 품질은 보증할 수 있습니다. ㊞ **~·er** *n.* **~·ment** *n.*

◇**avow** [əváu] *vt.* 《~+목/+*that* 절/+목+(*to be*) 보》 공언하다; 인정하다; 자백하다; 〖법률〗 인낙(認諾)하다: He ~*s that* he loves drink. 그는 술을 좋아함을 인정했다 / He ~*ed* himself (*to be*) a coward. 그는 자신이 겁쟁이라고 인정했다. ㊞ **~·a·ble** *a.* 「인낙(認諾).

avow·al [əváuəl] *n.* 공언, 언명; 공인; 〖법률〗

avówed *a.* 스스로 인정한, 공언한; 공공연한, 공인된. ㊞ **~·ly** [əváudli] *ad.* 공공연하게, 명백히.

AVR automatic voltage regulator(자동 전압 조정기); automatic volume recognition(자동 볼륨 인지).

Av·ro [ǽvrou] *n.* 영국 공군의 군용기.

Ávro Láncaster 영국 공군의 중폭격기.

AVS American Vacuum Society; availability status messages.

a vues·tra sa·lud [*Sp.* abwéstrasalúð] 《Sp.》 (건배할 때 선창으로) 건강을 위하여(to your health).

avulse [əvʌ́ls] *vt.* 무리하게 떼어 놓다; 〖의학〗 (조직을) 벗겨 내다.

avul·sion [əvʌ́lʃən] *n.* Ⓤ 무리하게 떼어 놓음〔벗겨 냄〕; Ⓒ 잡아뗀 부분; 〖법률〗 분열《홍수 따위로 인한 소유지의 전위(轉位)》; 분열지; 〖의학〗 (수술·사고 따위에 의한 조직의) 박리(剝離), 적출(摘出).

avun·cu·lar [əvʌ́ŋkjələr] *a.* 백부〔숙부〕의, 삼촌의; 백부〔숙부〕같이 상냥한〔친절한〕.

avun·cu·late [əvʌ́ŋkjələt, -lèit] *n.* 백부〔숙부〕권《특히 외삼촌이 생질에 대해 특정한 권리·의무를 갖는 제도》.

AVVI 〖우주〗 altitude vertical velocity indicator (우주 왕복선의 고도·연직(鉛直) 속도계).

aw [ɔː] *int.* 《미·Sc.》 오!, 제기랄!, 에이!, 흥!《항의·혐오 따위를 나타냄》.

aW 〖전기〗 abwatt. **A.W., a.w.** actual weight; aircraft warning; all water; articles of water; articles of war; atomic weight; atomic weapon. **A/W** actual weight(실량(實量)); all water. **a/w** 〖인쇄〗 artwork.

AWA American Wrestling Association(미국 레슬링 협회)《프로 레슬링 단체명》.

awa [əwɔ́ː, əwɑ́ː] *ad.* 《Sc.》 =AWAY.

AWACS, Awacs [éiwæks] *n.* 《미》 **1** 공중 경계 관제 시스템. **2** 공중 경계 관제기(管制機). [◂ *A*irborne *W*arning *a*nd *C*ontrol *S*ystem]

***await** [əwéit] *vt.* **1** (사람이) …을 기다리다, 대기하다(wait for), 예기하다(expect): I ~ your reply. 자네의 회답을 기다리네. **2** (사물이) …을 기다리고 있다, 준비되어 있다(be prepared for): A hearty welcome ~*s* you. 충심으로 당신을 환영할 것입니다. **—** *vi.* (기대하고) 기다리다, 대망하다. ㊞ **~·er** *n.*

****awake** [əwéik] (***awoke*** [əwóuk], 《드물게》 **~*d*** [əwéikt]; **~*d,*** 《드물게》 ***awoke, awok·en*** [əwóukən]) *vt.* **1** 《~+목/+목+전+명》 (잠에서) 깨우다, 눈뜨게 하다: A shrill cry *awoke* me *from* 〔*out of*〕 my sleep. 날카로운 고함 소리에 잠이 깼다. SYN. ⇨ WAKE. **2** 《+목+전+명》 각성시키다; 의식시키다, 자각시키다《*to*》: ~ people *from* ignorance 사람들을 계몽하다 / His sermon *awoke* me *to* a sense of sin. 그의 설교로 나는 죄의식에 눈을 떴다. **3** 《+목+전+명》 (기억·의구·호기심 따위를) 불러일으키다《*in*》: His voice *awoke* memories of childhood *in* me. 그의 목소리를 들으니 어릴 때의 기억이 생각났다. **—** *vi.* **1** 《~/+전+명/+*to* do》 (잠에서) 깨다: I *awoke* with a start. 나는 깜짝 놀라 눈을 떴다 / ~ *from* 〔*out of*〕 sleep 잠에서 깨다 / He *awoke to* find himself famous. 그는 하룻밤 사이에 유명해져 있었다. **2** 《~/+전+명》 각성〔자각〕하다, 깨어나다; 분기하다: His flagging interest *awoke*. 그의 식어 가던 흥미가 다시 되살아났다 / ~ *from* an illusion 환상에서 깨어나다. **3** 《+전+명》 깨닫다《*to*》: ~ *to* the danger 위험을 깨닫다.
— *a.* 〖서술적〗 **1** 깨어서; 자지 않고: I was wide ~ all night. 한 밤을 뜬눈으로 지새웠다 / keep ~ 자지 않고 있다 / lie ~ 깬 채 누워 있다. **2** (…을) 알아채고, (…을) 자각하고《*to*》: He was ~ *to* the dangers. 그는 위험을 알고 있었다. **3** 방심하지 않는, 정신차리고《*to*》: be ~ *to* one's interest 자기 이익에 빈틈이 없다. **~ *or asleep*** 자나 깨나.

***awak·en** [əwéikən] *vt.* **1** 《~+목/+목+전+명》 (잠에서) 깨우다, 일으키다: be ~*ed from* sleep 잠에서 깨다. **2** 《+목+전+명》 자각시키다, 일깨우다: It has ~*ed* him *to* a sense of his position. 그것은 그에게 그 지위의 중대함을 깨닫게 했다. **3** (기억·의구·호기심 따위를) 불러일으키다. **—** *vi.* **1** 깨다, 일어나다. **2** 깨닫다, 자각하다. ★ 주로 비유적인 뜻으로 흔히 타동사로 쓰임. ㊞ **~·a·ble** *a.* **~·er** *n.*

◇**awák·en·ing** *n.* Ⓤ,Ⓒ 눈뜸, 깸, 각성; 자각, 인식; (종교에 대한 관심의) 부활. ***have*** 〔***get***〕 ***a rude ~*** 갑자기 불쾌한 사실을 알게 되다, 심한 환멸을 느끼다. **—** *a.* 잠을 깨우는; 각성의.

****award** [əwɔ́ːrd] *vt.* **1** 《+목+목/+목+전+명》 (심사·판정하여) 수여하다, (상을) 주다; 지급하다: ~ a prize *to* a person 〔~ him a prize〕 아무에게 상을 주다 / He was ~*ed* a Nobel prize. 그는 노벨상을 받았다. **2** (중재·재판 따위에서) 재정(裁定)하다. **—** *n.* **1** 상(賞), 수상(授賞); 상품, 상금; 장학금《따위》. **2** 심사, 판정, 재정; 판정서, 재정서; (손해 배상 등의) 재정액. 「급자(受給者).

award·ee [əwɔːrdíː, -ˊ-] *n.* 수상자; 수

awárd wàge 《Austral.》 법정 최저임금.

awárd-wìnning *a.* 상을 받은, 수상한.

****aware** [əwέər] *a.* **1** 〖서술적〗 깨닫고, 의식하고, 알고《*of; that*》: as far as I am ~ 알고 있는 한 / be 〔become〕 ~ *of* the danger 위험을 깨닫다 / I was ~ *that* something was wrong. 어딘가 잘못되어 있음을 알아차리고 있었다. SYN. ⇨ KNOW. **2** (…에 대한) 의식〔인식〕이 있는: a politically ~ student 정치 의식이 강한 학생. **3** 《구어》 사정〔소식〕에 정통한; 빈틈없는: an ~ person 빈틈없는 사람. ㊞ **~·ness** *n.* 의식, 자각; 알아채고 있음, 앎; 주의, 경계.

awash [əwɑ́ʃ, əwɔ́ːʃ/əwɔ́ʃ] *ad., a.* 〖형용사로는 서술적〗 〖해사〗 (암초·침몰선 등이) 수면을 스칠 정도로〔의〕; 물을 뒤집어 쓰고; 파도에 시달려; (장소·사람 등이) …로 꽉찬, 넘치는《*with; in*》; 《미속어》 술 취한; 《구어·비유》 파묻힌《*with*》: a person ~ *with* diamonds 다이아몬드를 뒤집어쓸 만큼 많이 가진 사람.

†**away** [əwéi] *ad.* **1** 〖위치·이동〗 떨어져서, 멀

리, 저쪽으로〔에〕, 딴 데로, 옆으로〔에〕《*from*》: miles ~ 몇 마일이나 떨어져서 / far (and) ~ 멀리 저쪽에 / go ~ 떠나다, 어딘가로 가버리다 / go ~ *from* …을〔에서〕 떠나다; …에서 멀리 떨어지다 / run ~ 도망하다 / stand ~ 옆에 서 있다 / keep ~ (*from*) (…에) 가까이 〔접근〕하지 않다. **2** 부재하여, 집에 없어《*from*》: ~ *from* school 결석하여 / My father is ~ on a trip. 아버지는 여행을 가셔 안 계십니다 / He is ~ *from* his office. 그는 사무실에 없다. **3** 〖제거·소실〗 사라져, 없어져: fade ~ 사라지다, 퇴색하다 / cut ~ 잘라내다 / wash ~ a stain 얼룩을 빨아서 없애다. **4** 〖연속〗 잇따라, 끊임없이: work ~ 부지런히 일하다〔공부하다〕 / talk ~ 계속 지껄여 대다 / puff ~ 담배를 빠끔빠끔 빨다. **5** 《미구어》 〖강조적〗 훨씬(way): ~ behind 훨씬 뒤에. **6** 〖보통 명령형〗 즉시, 곧: Speak ~. 빨리 말해라 / Ask ~. 계속 물어보세요. **7** 〖야구〗 아웃이 되어: with one man ~ 원아웃으로. **8** 《미비어》 (교도소에) 복역 중으로: be put ~ for robbery 절도죄로 복역 중이다. ***Away!*** 저리 가(Go ~!). ***~ back*** 《미구어》 훨씬 전; 훨씬 저쪽에〔멀리〕. ***Away with him!*** 그를 쫓아 버려라. ***Away with it!*** 치워버려, 그쳐. ***Away with you!*** 거기 비켜, 꺼져. ***be ~*** ① ⇨2. ② (물건이 서랍·상자 따위에) 간수되어 있다. ***cannot ~ with*** 《고어》…을 참을 수 없다. ***do ~ with*** ⇨DO[1]. ***far*** 〔***out***〕 ***and ~ the best*** 가장 뛰어나게, 가장 두드러지게. ***from ~*** 《미》 멀리서부터. ***get ~ from it all*** 《구어》 일상생활〔일〕의 번잡에서 떠나다. ***here ~*** 이 근처에. ***right*** 〔***straight***〕 ***~*** 《미》 즉시, 곧. ***well ~*** 어지간히 진행되어, 순조롭게; 앞질러서; 《구어》 거나하게 취하여, 거나한 기분으로. ***Where ~?*** ⇨ WHERE.

— *a.* 〖스포츠〗 상대방의 본거지에서의: an ~ win 원정 경기에서의 승리.

— *n.* 원정 경기(에서의 승리).

away day 소풍, 여행; 《속어》 LSD 1회분.

awáy màtch (프로 야구 등의) 원정 경기.

awe** [ɔː] *n.* Ⓤ 경외(敬畏), 두려움: a feeling of ~ 경외하는 마음 / be struck with ~ 경외심으로 압도되다 / keep a person in ~ 아무를 항상 두려운 마음이 들게 하다. ***stand 〔***be***〕 ***in ~ of*** …을 두려워〔경외〕하다. **—** *vt.* **1** …에게 두려운 마음을 일게 하다. **2** 《+목+전+명》 위압하여 …시키다: He ~*d* them *into* obedience. 그의 위세에 눌려서 그들은 복종했다 / They were ~*d into* silence. 그들은 두려움에 짓눌려 말도 못했다.

Á-wèapon *n.* 원자 무기.

awea·ry [əwíəri] *a.* 《시어》 =WEARY.

aweath·er [əwéðər] *ad.* 〖해사〗 바람 불어오는 쪽에〔으로〕. OPP *alee*.

awed [ɔːd] *a.* 경외심을 나타낸〔가지고 있는〕.

aweigh [əwéi] *a.* 〖서술적〗 〖해사〗 (닻이) 막 해저에서 떨어진: with anchor ~닻을 치켜들어.

áwe-inspìring *a.* 경외케 하는, 장엄한.

áwe·less *a.* 위엄이 없는; 무서움을 모르는, 대담무쌍한.

awe·some [ɔ́ːsəm] *a.* 두려운, 무서운; 위엄 있는, 경외하고 있는, 경외케 하는; 《미속어》 인상적인; 멋진, 근사한. ㊞ **~·ly** *ad.* **~·ness** *n.*

áwe-strìcken, -strùck *a.* 두려워진; 위엄에 눌린.

****aw·ful** [ɔ́ːfəl] *a.* **1** 두려운, 무시무시한: an ~ earthquake 무서운 지진. **2** 《문어》 공포를 느끼게 하는, 경외심을 일으키게 하는; 장엄한: the ~ majesty of alpine peaks 높은 산봉우리들의 장엄한 위용. **3** [ɔ́ːfl] 《구어》 대단한, 불유쾌한, 보기 흉한, 굉장한, 터무니없는: an ~ fool 지독한 바보 / ~ manners 불유쾌한 태도. **4** 《구어》 큰. **—** *ad.* 《구어》 몹시, 굉장히: I'm ~ glad. 아주 기쁘다.

***aw·ful·ly** [ɔ́ːfəli] *ad.* **1** 무섭게, 두렵게. **2** [ɔ́ːfli] 《구어》 아주, 무척, 몹시: It's ~ hard. 그건 아주 어렵다 / I'm ~ sorry. 참으로 죄송합니다 / It's ~ nice of you. 정말 감사합니다. **3** 장엄하게. **4** 《고어》 두려워서, 경외하여.

áw·ful·ness *n.* Ⓤ **1** 두려운 것, 장엄함. **2** 지독함, 굉장함; 모짊, 불쾌.

AWG American Wire Gauge.

awheel [əhwíːl/əwíːl] *ad.*, *a.* 〖형용사로는 서술적〗 차〔자전거〕를 타고.

awhile [əhwáil/əwáil] *ad.* 《문어》 잠깐, 잠시. ★ for 〔after〕 a while 같은 부사구에서는 a while로 씀. ¶ stay ~ 잠시 머무르다.

awhirl [əhwə́ːrl/əwə́ːl] *ad.*, *a.* 〖형용사로는 서술적〗 소용돌이쳐서, 빙빙 돌아서.

****awk·ward** [ɔ́ːkwərd] *a.* **1** (사람·동작 등이) 설부른, 서투른《*at; with*》; 어줍은, 무무한; 눈치 없는; 몰골스러운《*in*》; 침착하지 못한: ~ *with* one's hands 솜씨가 서투른 / He is ~ *at* ping-pong. 그는 탁구가 서투르다 / ~ *in* one's movements 동작이 어줍은. **2** 거북한, 어색한: an ~ silence 어색한 침묵. **3** (정세·시간 따위의) 계제가 좋지 않은, 곤란한, (입장·문제 따위가) 어려운: an ~ question 골치 아픈 문제 / at an ~ moment 계제가 좋지 않은 때에 / be in an ~ situation 곤란한 처지에 있다. **4** (사건·인물 따위가) 다루기 곤란한, 귀찮은; (물건이) 쓰기 나쁜, 불편한: an ~ tool 다루기 힘든 연장. ***feel ~*** 거북스레 여기다: *feel* ~ in company 〔with a person〕 사람〔아무〕 앞에서 쑥스러워하다. ㊞ **~·ly** *ad.* **~·ness** *n.*

áwkward àge (the ~) 사춘기, 초기 청년기.

áwkward squàd 신병반(新兵班); 《영속어》 비협조적인 사람들.

awl [ɔːl] *n.* (구둣방 따위의) 송곳.

A.W.L., a.w.l. absent 〔absence〕 with leave (승낙 결근).

aw·less [ɔ́ːlis] *a.* =AWELESS.

awn [ɔːn] *n.* (보리 따위의) 꺼끄러기. ㊞ **~ed** *a.* 꺼끄러기가 있는. **∠·less** *a.*

awn·ing [ɔ́ːniŋ] *n.* (비나 해를 가리기 위해 창에 댄) 차일; (갑판 위의) 천막: an ~ stanchion 〖해사〗 천막 기둥. ㊞ **~ed** *a.*

áwning dèck 〖해사〗 천막으로 덮은 갑판.

áwning wìndow 돌출창, 차양식 창.

awoke [əwóuk] AWAKE의 과거·과거분사.

AWOL, awol [èidʌ̀bljuòuél, éiwɔːl, -wɑl/ éiwɔl] *a.*, *n.* 〖군사〗 무단 이탈〔외출〕한 (병사); 〖일반적〗 무단결석〔외출〕한 (자). ***go ~*** 무단결근〔외출〕하다, 탈영하다. [◂ *a*bsent 〔*a*bsence〕 *w*ithout *l*eave]

A.W.R.E., AWRE Atomic Weapons Research Establishment (원자력 무기 연구소).

awry [ərái] *ad.*, *a.* 〖형용사로는 서술적〗 굽어서, 휘어서, 일그러져, 뒤틀려; 잘못되어, 틀려서: look ~ 곁눈질로 보다, 눈을 모로 뜨고 보다. ***go*** 〔***run, tread***〕 ***~*** 실패하다. ***tread the shoes ~*** 타락하다; 불의(不義)를 저지르다.

AWS 《영》 automatic warning system ((열차 운전사에 대한) 자동 경보 시스템).

áw shúcks 《속어》 이런 제기랄, 낭팬데. ★ 시골 사람을 본뜬 표현.

aw-shucks [ɔ́ːʃʌ́ks] *a.* 《속어》 (시골놈처럼) 쩔쩔매는, 수줍어하는, 부끄러워하듯 한.

***ax,** 《영》 **axe** [æks] (*pl.* **ax·es** [ǽksiz]) *n.* **1** 도끼. ≒axis. ★ 자루가 짧은 손도끼(short ax)는 hatchet, 미국 인디언들이 쓰던 전쟁용 도끼는 tomahawk라 함. **2** (the ~) 참수; (경비·인원

의) 삭감; 해고. **3** 《미속어》 재즈 악기《기타·색소폰 따위》. ***get the ~*** 해고당하다; 퇴교당하다; (연인 등에게) 차이다《*from*》; (예산 따위가) 삭감되다; (계획 등이) 중지〔축소〕되다. ***give the ~*** 《구어》 거절하다, 거들떠보지 않다; 《미속어》 추방하다, 해고하다. ***hang up one's ~*** 쓸데없는 계획을 중지하다. ***have an ~ to grind*** 《미구어》 속배포가 있다, 마음속에 딴 속셈〔마음〕이 있다. ***lay the ~ to the root of*** …을 근절시키다. ***put the ~ in the helve*** 어려운 문제를 풀다, 수수께끼를 풀다. — *vt.* **1** 도끼로 베다〔깎다〕. **2** (인원·예산 따위를) 해고하다; 삭감하다.

ax. axiom.

ax·el [ǽksəl] *n.* (피겨 스케이트의) 액슬 파울젠 점프(Axel Paulsen jump).

áxe·man [-mən] *n.* =AXMAN.

axen·ic [eizénik, -zíːn-] *a.* 〚생물〛 무균의, 순(純)배양의, 무기생물(無寄生物)의.

ax·es[1] [ǽksiz] AX(E)의 복수.

ax·es[2] [ǽksiːz] AXIS의 복수.

áx-grìnder *n.* 《속어》 음모가; 속배포가 있는 사람. ㊕ **áx-grìnding** *n.*

ax·i·al [ǽksiəl] *a.* 굴대(모양)의, 축(軸)의; 축성(軸性)의; 축을 이루는; 축의 둘레의; 축 방향의; 〚화학〛 축결합(軸結合)의: an ~ angle 축각(軸角) / ~ symmetry 〚수학〛 축대칭(軸對稱). ㊕ **~·ly** *ad.* 축의 방향으로. **àx·i·ál·i·ty** *n.* Ⓤ

áxial flów (제트 엔진의) 축류(軸流).

áxial ròot 〚식물〛 곧은 뿌리.

áxial skéleton 〚해부〛 중축(中軸) 골격.

ax·il [ǽksil] *n.* 잎겨드랑이.

ax·ile [ǽksail] *a.* 〚식물〛 축의, 축을 이룬.

ax·il·la [æksílə] (*pl.* **-lae** [-liː]) *n.* 〚해부〛 겨드랑이, 액와(腋窩); 〚식물〛 잎겨드랑이.

ax·il·lar [ǽksələr] *n.* 겨드랑이 아래의 부분〔혈관, 신경, 깃털 따위〕. — *a.* =AXILLARY.

ax·il·lary [ǽksəlèri/æksíləri] *a.* 〚해부〛 겨드랑이의; 〚식물〛 잎겨드랑이의, 액생(腋生)의. — *n.* (새의) 겨드랑이 깃.

ax·i·nite [ǽksənàit] *n.* 〚광물〛 부석(斧石).

ax·i·ol·o·gy [æksiálədʒi/-ɔ́l-] *n.* 〚철학〛 가치론. ㊕ **àx·i·o·lóg·i·cal** *a.* **-i·cal·ly** *ad.* **-gist** *n.*

ax·i·om [ǽksiəm] *n.* 자명한 이치, 원리, 원칙, 통칙; 격언, 금언; 〚논리·수학〛 공리(公理).

ax·i·o·mat·ic, -i·cal [æksiəmǽtik], [-əl] *a.* 공리의, 통칙의; 자명한; 격언조의, 경구가 많은. ㊕ **-i·cal·ly** *ad.* 자명하게; 공리(公理)로서.

áxiom of chóice 〚수학〛 선택공리.

ax·i·on [ǽksiàn/-ɔ̀n] *n.* 〚물리〛 액시온《하전(荷電) 0, 스핀 0으로 질량이 핵자(核子)의 1000분의 1보다 작은 가설(假說)상의 입자》.

°**ax·is**[1] [ǽksis] (*pl.* **ax·es** [-siːz]) *n.* **1** 굴대, 축(軸), 축선(軸線); 〚천문〛 지축(地軸); 〚수학〛 (좌표의) 축: the ~ of the earth 지축(地軸) / the major 〔minor〕 ~ (타원의) 장축〔단축〕. **2** 〚식물〛 경축(莖軸), 잎줄기; 〚해부〛 제2경추(頸椎), 제2척추골. **3** 〚정치〛 추축(樞軸)《국가 간의 관계》; (the A-) 추축국《제2차 세계 대전 당시의 독일·이탈리아·일본의 3국》. — *a.* (A-) 독일·이탈리아·일본 추축의. ㊕ **~ed** [-t] *a.*

ax·is[2] *n.* 〚동물〛 액시스 사슴(=∠ **dèer**)《전체에 흰 반점이 있는 인도·동부 아시아산》.

áxis of revolútion 〚수학〛 회전축(軸).

ax·i·sym·met·ric, -ri·cal [æksisimétrik], [-əl] *a.* 선대칭(線對稱)의, 축에 대하여 대칭을 이루는. ㊕ **àx·i·sým·me·try** *n.*

áx kìck (무술에서 상대의 머리를 겨눈) 뒤꿈치 차기.

***ax·le** [ǽksəl] *n.* (차륜의) 굴대, 축, 차축.

áxle bòx 〚기계〛 굴대 통.

áxle pìn (짐수레 따위의) 차축 볼트.

áxle·trèe *n.* 차축, 굴대.

áx·man [-mən] (*pl.* **-men** [-mən]) *n.* 도끼를 쓰는 사람, 나무꾼.

Ax·min·ster [ǽksmìnstər] *n.* 양탄자의 일종(=∠ **cárpet**)《영국의 생산지 이름에서》.

axo·lem·ma [æksəlémə] *n.* 〚해부〛 축삭초(軸索鞘)《신경 섬유의 축삭을 둘러싼 막》.

ax·o·lotl [ǽksəlɑ̀tl/-lɔ̀tl] *n.* 〚동물〛 아홀로틀《멕시코산 도롱뇽의 일종》.

ax·on, -one [ǽksɑn/-sɔn], [ǽksoun] *n.* 〚해부〛 (신경 세포의) 축삭 돌기(軸索突起). ㊕ **ax·o·nal, ax·on·ic** [ǽksənəl, -sɑ̀n-/-sən-, -sɔ̀n-], [æksɑ́nik/-sɔ́-] *a.*

ax·o·no·met·ric [æksənoumétrik] *a.* 〚제도〛 부등각 투영(도법)의.

ax·o·plasm [ǽksəplæ̀zəm] *n.* 〚해부·동물〛 축삭(軸索) 원형질. ㊕ **àx·o·plás·mic** *a.*

ay[1], **aye**[1] [ai] *int.* **1** 찬성!《표결을 할 때의 대답》. **2** 예!: *Ay*(*e*), ~, sir! 〚해사〛 예예《상관에 대한 대답》. — (*pl.* **ayes**) *n.* 찬성, 긍정; 찬성(투표)자. ***the ayes and noes*** 찬반 쌍방의 투표자. ***The ayes*, *have it***. 찬성자 다수 《의회 용어》.

ay[2] [ei] *int.* 아아!, 아!《놀라움·후회 등을 나타냄》. ***Ay me!*** 아 슬프다, 그거 안됐군.

ay[3], **aye**[2] [ei] 《고어·방언》 *ad.* 언제나; 영구히. ***for*** (***ever and***) ***ay***(***e***) 영구히, 언제까지나.

ay·ah [ɑ́ːjə/áiə] *n.* 《Ind.》 하녀, 유모.

aya·tol·lah, -tul- [ɑ̀ːjətóulə], [-túːl-] *n.* 아야톨라《이란 회교 시아파 지도자의 칭호》.

AYC American Youth Congress(미국 청년 회의). **AYD** American Youth for Democracy.

aye-aye[1] [áiài] *n.* 〚동물〛 (Madagascar 원산의) 다람쥐원숭이.

aye-aye[2] *ad.* 《영》 아무렴 그렇고 말고.

AYH American Youth Hostels.

Ayles·bu·ry [éilzbəri] *n.* 에일즈버리《영국 Buckinghamshire의 주도》.

Ayl·mer [éilmər] *n.* 에일머《남자 이름》.

Ay·ma·ra [àimərɑ́ː] (*pl.* **~, ~s**) *n.* 아이마라족(族)《볼리비아와 페루의 인디오》.

Ayr [ɛər] *n.* **1** 에어《스코틀랜드 남서부의 항구 도시; 구 Ayrshire의 주도》. **2** =AYRSHIRE.

Ayr. Ayrshire.

Ayr·shire [ɛ́ərʃiər, -ʃər] *n.* 에어셔《스코틀랜드 남서부의 구주(舊州); 1975년 이후는 Strathclyde 주의 일부》; 그곳에서 나는 젖소.

Ayur·ve·da [ɑ́ːjərvèidə, -vìː-] *n.* 아유르베다《고대 힌두교도의 의술 및 생명 연장술》. ㊕ **Àyur·vé·dic** *a.*

Ayurvédic médicine 아유르베다 의술《음식이나 생활 방식을 일러 주는 인도의 전통 의술》.

az-[1] [éiz, ǽz] =AZO-.

az-[2], **az·a-** [éizə, ǽzə/ǽzə] '탄소 대신에 질소를 함유하는' 의 뜻의 결합사.

AZ 〚미우편〛 Arizona. **az.** azimuth; azure.

azal·ea [əzéiljə] *n.* 〚식물〛 진달래.

azan [ɑːzɑ́ːn] *n.* (회교국의 성원(聖院)에서 하루에 5회 울리는) 기도의 종소리.

Aza·nia [əzéiniə, -njə] *n.* 아자니아《민족주의자의 용어로 남아프리카 공화국의 호칭》. ㊕ **Azá·ni·an** [-ən] *a.* 아자니아의, 남아프리카의.

az·a·role [ǽzəròul] *n.* 〚식물〛 아자롤《지중해 지방 원산의 산사나무속의 나무; 그 식용 과실》.

az·a·ser·ine [æ̀zəsəríːn] *n.* 〚약학〛 아자세린《종양의 증식 작용 억제 항생 물질》.

az·a·thi·o·prine [æ̀zəθáiəprìːn] *n.* 〚약학〛 아자싸이오프린《세포독·면역 억제약》.

Aza·zel [əzéizəl, ǽzəzèl] *n.* 〚성서〛 아사셀《속죄 의식으로 황야에 버려진 염소를 받은 고대 히브리의 악령; 레위기 XVI: 1-28》.

azed·a·rach [əzédəræ̀k] *n.* 〖식물〗 멀구슬나무(의 근피(根皮)).

aze·o·trope [əzí:ətròup, éiz-/əzí:ə-] *n.* 〖화학〗 공비(共沸) 혼합물, 함께 끓는 물질.

Az·er·bai·jan [à:zərbaidʒá:n, æ̀zərbaidʒǽn/æ̀zəbaidʒá:n] *n.* 아제르바이잔《독립국가연합 가맹국의 하나; 카스피 해 연안에 있음》.

Azer·bai·ja·ni [à:zərbaidʒá:ni, æ̀zərbaidʒǽni/æ̀zəbaidʒá:ni] *n.* 아제르바이잔인〔주민〕.

Aze·ri, Aza·ri [əzéəri], [əzéəri, əzǽəri] (*pl.* **~s**) *n.* 아제리인《아제르바이잔, 아르메니아, 이란 북부에 사는 터키계 민족》; 아제리어.

az·ide [ǽzaid, ǽzid, éizaid, -zid] *n.* 〖화학〗 아지드화물(化物). [파] **az·i·do** [ǽzədou] *a.*

azi·do·thy·mi·dine [əzàidouθáimidì:n, əzì:-, æ̀zi-] *n.* =AZT. [◂ **azido**+**thymidine**]

Azil·ian [əzí:ljən, -liən] *a.* 아질기(期)《서유럽 중(中)석기 시대》의.

az·i·muth [ǽzəməθ] *n.* 〖천문〗 방위; 방위각; 애지머스《테이프리코더에서 쓰이는 오디오헤드 · 비디오헤드의 갭의 방향》; 〖우주〗 발사 방위《생략: azm》. ***a magnetic*** **~** 자기(磁氣) 방위.

az·i·muth·al [æ̀zəmʌ́θəl] *a.* 방위각(角)의. [파] **~·ly** *ad.* 방위각에 의하여, 방위각으로.

azimúthal (**equidístant**) **projéction** 〖지도〗 등방위 거리 투영(等方位距離投影).

ázimuth cìrcle 방위권(圈); (나침반 위의) 방위환(環).

ázimuth còmpass 방위〔선박용〕 나침반, 방위 컴퍼스.

azo [ǽzou, éiz-] *a.* 〖화학〗 (화합물이) 아조기(基)를 함유한.

az·o- [ǽzou, ǽzə, éiz] '질소' 의 뜻의 결합사.

àzo·bénzene, -zol *n.* [U] 〖화학〗 아조벤젠.

ázo dỳe 〖화학〗 아조 물감.

azo·ic [əzóuik, ei-] *a.* (*or* A-) 〖지학〗 무생물 시대의; 《드물게》 생물이 없는.

áz·on bòmb [ǽzan-/ǽzɔn-] 방향 가변 폭탄.

azon·ic [eizánik/-zɔ́n-] *a.* 한〔특정〕 지대에 한정되지 않는, 지역적이 아닌.

azoo·sper·mia [eizòuəspə́:rmiə] *n.* 〖의학〗 무정자(증), 정자 결여(증).

Azores [əzɔ́:rz, éizɔ:rz/əzɔ́:z] *n. pl.* (the ~) 아조레스 제도《대서양 중부; 포르투갈령》. [파] **Azór·e·an, -i·an** *a.*, *n.*

az·ote [ǽzout, əzóut/əzóut] *n.* 《고어》 질소(nitrogen).

az·o·te·mia, -tae- [æ̀zətí:miə, èizə-/æ̀zə-] *n.* 〖의학〗 (고)(高)질소혈(窒素血)(증).

az·oth [ǽzaθ/-ɔθ] *n.* (연금술에서 모든 금속의 원소로 여겼던) 수은; 만능약.

azot·ic [əzátik/əzɔ́t-] *a.* 질소의〔를 함유하는〕.

az·o·tize [ǽzətàiz, éi-] *vt.* 질소와 화합시키다.

azo·tu·ria [æ̀zətjúəriə, èiz-/-tjúə-] *n.* **1** 〖의학〗 질소요증. **2** 마비성 혈색소뇨증(血色素尿症)《말의 가로무늬근의 이완성 마비》.

Azov [ǽzɔ:f, éi-/á:zɔf] *n.* **the Sèa of ~** 아조프 해《흑해 북부에 있으면서 Kerch 해협에 의하여 흑해와 연결되어 있는 내만》.

Az·ra·el [ǽzriəl, -reiəl] *n.* 〖유대교 · 회교〗 아즈라엘《죽음의 천사; 영혼을 육체와 분리함》.

AZT 〖약학〗 azidothymidine《AIDS 치료약; 상표명》.

Az·tec [ǽztek] *n.* 아즈텍족《멕시코의 원주민》; [U] 아즈텍 말. **—** *a.* 아즈텍 사람〔말〕의.

Az·tec·an [ǽztekən] *a.* =AZTEC.

Áztec twó-stèp =MEXICALI REVENGE.

azul [əzúl] *n.* 《미속어》 순경, 경찰.

°**az·ure** [ǽʒər] *a.* 하늘색의, 담청의; 푸른 하늘의, (구름 한점 없이) 맑은; (문양이) 감색(紺色)의. **—** *n.* 하늘색, 담청색, 남빛, 푸른빛 안료; 《시어 · 문어》 푸른 하늘, 창공.

ázure stòne 청금석(青金石)《속칭 유리》.

az·ur·ite [ǽʒəràit] *n.* 〖광물〗 남동광(藍銅鑛).

azy·go- [eizáigou, ə-, -gə] '쌍을 이루지 않은' 의 뜻의 결합사.

azy·gog·ra·phy [èizaigágrəfi, əzai-/-gɔ́g-] *n.* 〖의학〗 기정맥(奇靜脈) 조영술.

az·y·gous, azy·gos [ǽzəgəs, eizái-/ǽzi-] *a.* 〖동물 · 식물〗 (기관(器官) 따위가) 짝〔쌍〕을 이루지 않은.

az·yme, az·ym [ǽzaim], [ǽzim] *n.* [U] 무교병(無酵餠)《유대교도가 Passover에, 또는 서방 교회의 성찬식에 씀; 출애굽기 XII: 8》. [파] **az·ym·ous** [ǽziməs] *a.* 누룩을 넣지 않은.

B

B, b [biː] (*pl.* **B's, *Bs*, b's, *bs*** [-z]) **1** 비《영어 알파벳의 둘째 글자》. **2** B자 모양의 것; B가 나타내는 소리. **3** 〖음악〗 나음(音)《고정 도(do) 창법의 '시'》; 나조(調). **4** 〖수학〗 둘째 기지수(旣知數). **5** 가정(假定)의 둘째〔제 2〕, 을(乙). **6** (B) 2 류〔둘째〕의 것; 《미》 (학업 성적의) 우(優), B(급). **7** (혈액형의) B형. **8** 〖컴퓨터〗 (16진수의) B《10진법의 11》. **9** B 사이즈《구두의 폭이나 브래지어의 컵 사이즈; C보다 작고 A보다 큼》. **10** (도로의) B급, 비간선 도로. ***B and B letter*** 《영구어》 (최근의) 대접에 대한 감사 편지 (bread and butter letter). ***B for Benjamin*** Benjamin의 B《국제 전화 통화 용어》. ***do not know B from a battledore*** 〔***a bull's foot***〕 낫 놓고 기역자도 모르다, 일자무식이다.

B 〖체스〗 bishop; 〖연필〗 black; 〖화학〗 boron. **B.** Bachelor; Bible; British; brother; brotherhood. **B., b.** 〖음악〗 bass; basso; bay; book; born. **b** 〖물리〗 bar; 〖물리〗 bel; breadth. **b.** base; baseman; battery; blended; blend of; bomber; bowled. **B-** bomber 《미군 폭격기: B-29, B-52, B-1 따위》. **B**/balboa. **B/-**〖상업〗 bag; bale. **Ba** 〖화학〗 barium. **BA** British Airways; Bank of America. **B.A.** Bachelor of Arts(=A.B.); British Academy; British America. **B.A., b.a.** 《속어》 bare-assed.

baa [bæ, bɑː/bɑː] *n.* 매《양의 울음 소리》. **—** (***baaed, baa'd***) *vi.* 매 하고 울다.

BAA Bachelor of Applied Arts. **B.A.A.E.** Bachelor of Aeronautical and Astronautical Engineering.

Ba·al [béiəl] (*pl.* ***Ba·al·im*** [béiəlim]) *n.* 바알 신(神)《고대 셈족의 신》; 태양신《페니키아 사람의》; (때로 b-) 사신(邪神), 우상. ㊞ **~·ism** *n.* 바알신〔우상〕 숭배. **~·ist, ~·ite** *n.* 바알신 숭배자; 우상 숭배자.

baa-lamb [bǽlæ̀m, bɑ́ː-] *n.* 《소아어》 매매 《sheep, lamb을 이름》.

baas [bɑ́ːs] *n.* 《S.Afr.》 주인(master); 《호칭》

baas·skap [bɑ́ːskɑːp] *n.* 《S.Afr.》 백인에 의한 유색 인종 지배, 백인(우월)주의.

Ba·ath [bɑ́ːɑːθ] *n.* 바스당《아랍의 민족주의 정당》. ㊞ **Bá·ath·ist** *n.*

Bab [bæb] *n.* 배브《여자 이름; Barbara의 애칭》.

ba·ba[1] (***au rhum***) [bɑ́ːbə(ourʌ́m)] (*pl.* ***ba-bas*** (***au rhúm***)) *n.* 럼주가 든 시럽으로 맛을 낸 스펀지케이크.

ba·ba[2] [bɑ́ːbɑː] *n.* (종종 B-) 힌두교 도사(導師)의 칭호; 〖일반적〗 (영적(靈的)) 지도자; 《Turk.》 …님《특히 귀족에 대한 경칭》.

Bab·bitt [bǽbit] *n.* (*or* b-) 《미구어》 독선적이고 속물 취미의 중산층 실업가《미국인 작가 Sinclair Lewis의 동명 소설의 주인공에서》.

bab·bitt *n.* Ⓤ (종종 B-) 배빗 메탈(=**Bábbitt mètal**); 배빗 합금의 축받이. **—** *vt.* (축받이 따위에) 배빗 메탈을 붙이다〔바르다〕. **—** *a.* 배빗 메탈의.

Bab·bitt·ry, -bit- [bǽbitri] *n.* Ⓤ (*or* b-) 속물적인 실업가 기질, 속물 취미.

°**bab·ble** [bǽbəl] *vi.* **1** (어린이 따위가) 떠듬거리며 말하다; 쓸데없는 말을 하다《*about*》. **2** 《~/+副》 (냇물 따위가) 졸졸 소리내(며 흐르)다 《*away; on*》; (새가) 계속 지저귀다. **—** *vt.* **1** 지껄이다. **2** 《+目/+目+副》 (비밀 따위를) 지껄여 누설하다《*out*》: ~ (*out*) a secret 비밀을 누설하다. **—** *n.* Ⓤ 서툴러 떠듬거리는 말; 허튼소리; 지껄임, 재잘댐; (시냇물의) 졸졸 흐르는 소리; (전화 따위의) 혼선음; (새의) 지저귐; (군중의) 왁자(지껄)함. ㊞ **~·ment** *n.* Ⓤ

báb·bler *n.* 수다쟁이; 떠듬거리는 어린애; 지저귀는 새; 〖조류〗 꼬리치레.

báb·bling *a.* 나불나불 수다를 떠는; 졸졸 흐르는. **—** *n.* Ⓤ,Ⓒ 수다; 재잘거림; 졸졸 흐르는 소리.

bábbling bròok 《미속어》 수다쟁이 (여자).

Báb·cock tèst [bǽbkɑ̀k-/-kɔ̀k-] 배브콕 측정법《우유·크림 속의 버터성 지방의 함유량 측정법》.

°**babe** [beib] *n.* **1** 《영시어》 갓난아이, 유아 (baby): ~*s* and sucklings 유아나 젖먹이; 철부지들. **2** 어린애 같은 사람, 물정에 어두운 사람. **3** 《미속어》 (귀여운) 계집아이; 《종종 호칭》 아가씨. **4** (B-) 《미속어》 크고 뚱뚱한 사내; 《특히》 거구의 야구 선수《Babe Ruth》. ***a ~ in arms*** 미숙자, 풋내기. ***a ~ in Christ*** 새로 기독교에 개종한 사람. ***a ~ in the wood*(*s*)** 잘 속는 사람, '봉'.

Ba·bel [béibəl, bǽb-/béib-] *n.* **1** = BABYLON. **2** 〖성서〗 바벨탑《Babylon에서 하늘까지 치닿게 쌓으려다 실패한 탑; 창세기 XI: 4-9》. **3** Ⓒ (b-) 고층 건물, 마천루; 가공(架空)의 계획. **4** Ⓤ,Ⓒ (b-) 왁자지껄한 말소리; 소란(한 땅), 떠들썩한〔혼란한〕 장소. ㊞ **~·ize** *vt.* (이질적인 문화·언어의 혼효(混淆)로 언어·습관 따위를) 혼란에 빠뜨리다. **Bà·bel·i·zá·tion** *n.*

bábe màgnet 《우스개》 사람을〔여자를〕 끄는 물건; 매혹적인 남자: This car is a definite ~. 이 차는 여자를 꾀는 데는 그만이다.

ba·be·sia [bebíːʒiə, -ziə] *n.* 〖동물〗 바베시아 《*Babesia*속의 각종 포자충(胞子蟲); 양·소·개 따위의 적혈구에 기생》

ba·be·si·a·sis, -si·o·sis [bæ̀bisáiəsis], [bəbìːzióusis] (*pl.* ***-ses*** [-siːz]) *n.* 〖수의〗 바베시아 병, 피로플라스마(Piroplasma) 병.

Ba·bette, Bar- [bæbét], [bɑːr-] *n.* 여자 이름. ㊈ Babs.

bábies' brèath = BABY'S BREATH.

Ba·bín·ski('s) réflex 〔**sígn**〕 [bəbínski(z)-] 〖의학〗 바빈스키 반사〔징후〕《발바닥을 자극하면 엄지발가락이 젖혀지는 반사; 뇌·척추의 손상을 나타내나 유아 등의 경우에는 생리적 현상; 프랑스의 신경학자 J.F.F. Babinski(1857-1932)의 이름에서》.

bab·i·ru(s)·sa, -rous·sa [bæ̀bərúːsə, bɑ̀ː-] *n.* 〖동물〗 바비루사《동인도 제도산(産)의 멧돼지》.

ba·boo [bɑ́ːbuː] (*pl.* **~s**) *n.* = BABU.

ba·boon [bæbúːn/bə-] *n.* 〖동물〗 비비(狒狒); 《속어》 추악한 인간. ㊞ **~·ery** [-əri] *n.* Ⓤ,Ⓒ 비비와 같은 행위〔태도〕. **~·ish** [-iʃ] *a.* 비비와 같은, 비비와 같은 용모〔성질, 행위〕의.

ba·bouche, -boosh [bəbúːʃ] *n.* 뒤축 없는 실내화, 슬리퍼《터키 등지에서 신음》.

Babs [bæbz] *n.* Barbara 및 Babette의 애칭.
ba·bu [báːbuː] *n.* (인도에서) Mr., Sir, Esq.에 해당하는 칭호; 인도 신사; (영어를 쓸 줄 아는) 인도인 서기; 영국물이 든 인도인.
bábu Énglish (인도인 서기가 책에서 배운 듯한) 딱딱한 영어.
ba·bul, -bool [bəbúːl, báːbuːl] *n.* 인도·아라비아의 고무나무; Ⓤ 고무나무 수지〔껍질〕.
ba·bush·ka [bəbúʃkə] *n.* 《Russ.》 바부시카《여성들이 머리에 쓰는 스카프》; [báːbuː-] 할머니.

babushka

†**ba·by** [béibi] *n.* **1** 갓난아이, 젖먹이.

> NOTE (1) baby 또는 child는 성별을 따지지 않을 때는 종종 it로 받음《단, 가족일 때는 보통 he, she를 씀》.
> (2) baby의 나이는 2살 전후까지는 달수로 sixteen months old 따위로 말함.

2 어린애 같은 사람, 미덥지 못한 사람: a regular ~ 아주 어린애 같은 사람. **3** (the ~) 막내, 최연소자; 갓 태어난 동물의 새끼. **4** 《속어》 자랑스런 발명품. **5** 《속어》 아가씨, 아내, 애인, 귀여운 임. **6** (one's 〔the〕 ~) 관심사, 귀찮은 일, 책임: give a person the ~ *to* hold 아무에게 책임을 지우다. **7** 《미속어》 녀석, 난폭자. ***hold* 〔*carry*〕 *the* ~** 귀찮은 것〔부담〕을 떠맡다. ***It's your* ~.** 그것은 네 일이다. ***like a* ~*'s bottom*** ① 《구어》 (수염을 깎은 자리 등이) 매끈한. ② 《속어》 표정이 없는. ***pass the* ~** 《속어》 책임을 넘겨 씌우다 《*to*》. ***talk* ~** 아기에게 하는 말투로 말하다. ***throw the* ~ *out with the bath* (*water*)** 《구어》 중요한 것을 필요 없는 것과 함께 버리다. ***wet the* ~*'s head*** 《구어》 축배로 탄생을 축하하다.
—*a.* **1** 갓난아이의〔를 위한〕: a ~ bottle 젖병. **2** 어린애 같은, 앳된, 아주 젊은: a ~ wife 앳된 아내. **3** 소형의: a ~ camera. **4** 유치한.
—(*p., pp.* ***ba·bied; ba·by·ing***) *vt.* **1** 어린애 취급을 하다; 어하다, 응석받다. **2** (도구 따위를) 주의해서 쓰다, 소중히 쓰다; (공을) 배트나 라켓으로 가볍게 치다.
báby àct 〚법률〛 미성년법《책임 면제 법규》; 유치한 행위; 《구어》 미성년〔어린이〕임을 구실로 하는 변명〔항변〕. ***plead the* ~** 《미》 경험 없음을 구실삼다.
báby-báttering *n.* 유아 학대.
báby-béef *n.* 베이비 비프《식용으로 비육시킨 생후 12~20개월된 어린 암소, 거세한 숫소 고기》.
Báby Béll 베이비 벨《AT & T(미국 전화 전신회사)의 자회사; AT & T가 전에 소유하였던 지역 전화 회사》.
báby blúe 《미》 엷은 푸른빛. ㊎ **báby-blúe** *a.*
báby blùes (the ~) 《구어》 출산 후 우울상태 (postnatal depression); 푸른 눈.
báby bònd (액면가액 100, 50, 25 달러의) 소액 채권.
báby bònus 《Can. 속어》 자녀 수당《family allowance》.
báby bòok 육아 수첩〔일기〕; 《구어》 육아 가이드북.
báby bòom 베이비 붐《제 2 차 세계대전 후 미국에서 출생률이 급격히 상승한 현상》.
báby bòomer 베이비 붐 세대.
Báby-bòuncer *n.* baby jumper의 상표명.
báby brèak 출산휴가.
báby bùggy =BABY CARRIAGE.
báby bùst 출생률의 급저하. ㊎ **báby bùster** 《미》 저출생률 시기에 출생한 사람《baby boom 후, 1960년대 중반 이후에 태어난 사람》.
báby càrriage 《미》 (네 바퀴 달린) 유모차 (《영》 pram).
Báby Dóe Rùle 《미》 〚법률〛 선천성 장애 유아 보호법안. cf. John Doe.
báby fàce 앳된 얼굴(의 사람).
báby-fàced [-t] *a.* 앳된 얼굴의.
báby fàrm 《경멸》 (유료) 탁아소.
báby fàrmer 탁아소 경영자.
báby fàrming 탁아소 경영.
báby fàt 젖살.
báby fòod 이유식(離乳食), 베이비 푸드.
báby gránd (**piáno**) 〚음악〛 소형 그랜드 피아노.
ba·by·hood [béibihùd] *n.* Ⓤ 유년 시대, 유아기; 유치(幼稚); 〘집합적〙 젖먹이, 아기.
ba·by·ish [béibiiʃ] *a.* 갓난애〔어린애〕 같은; 유치한, 어리석은. ㊎ **~·ly** *ad.* **~·ness** *n.*
báby·ìsm *n.* 유치, 무분별, 갓난아이〔어린아이〕 같은 행동〔말〕.
báby jùmper 《영》 베이비점퍼《위에서 드리운 스프링에 단 대좌(臺座), 아기 수족 운동용구》.
báby kìcker 〚TV·영화〛 소형의 주(主)조명기.
báby kìsser 《미속어》 (선거 운동 따위에서) 대중의 인기에 영합하는 정치가, 공직 희망자.
báby lègs 〚TV·영화〛 소형 삼각대.
báby·like *a.* 아기와 같은.
Bab·y·lon [bǽbələn, -lɑ̀n/-lən] *n.* **1** 바빌론 《고대 Babylonia의 수도》. **2** 화려한 악의 도시. **3** 《속어》 《특히》 경찰; (백인 우위의) 서구 사회.
Bab·y·lo·nia [bæ̀bəlóuniə, -njə] *n.* 바빌로니아《아시아 남서부에 있던 고대 제국》.
Bab·y·lo·ni·an [bæ̀bəlóuniən, -njən] *a.* 바빌론의; 바빌로니아 제국〔사람〕의; 퇴폐적인, 악덕한; 바빌로니아어의. — *n.* 바빌로니아 사람; Ⓤ 바빌로니아어.
Babylónian captívity 〚성서〛 (기원전 6 세기의 유대인의) 바빌론 유수(幽囚).
Báby M 대리모(surrogate mother)가 출산아의 인도를 거부하는 경우의 어린애(=**Báby M.**).
báby mìlk 《영》 =FORMULA 6.
báby-mìnder *n.* 《영》 =BABY-SITTER.
báby·nàp *vt.* (갓난애를) 유괴하다. cf. kidnap.
báby òil 베이비 오일.
báby pínk 베이비핑크, 밝은 핑크색《어린이용 옷감색으로 잘 쓰임》.
báby's brèath 〚식물〛 대나물.
báby shòwer párty 《미》 베이비 파티《친구들이 임신부에게 출산할 아이를 위해 선물을 주는 파티》.
báby-sìt (*p., pp.* ***-sat; -sit·ting***) *vi., vt.* (집을 지키며) 아이를 보다(특히 부모 부재중에) 《*for; with*》; 〘일반적〙 (아이를) 보살피다〔돌봐 주다〕.
****baby-sitter** [béibisìtər] *n.* 베이비 시터《집을 지키며 아이를 돌보아 주는 사람》; 《미속어》 (항공모함을 호위하는) 구축함.
báby snàtcher 《구어》 **1** 유아 유괴범. **2** 현저히 연하인 사람과 결혼하는 사람.
báby splìt 《속어》 (볼링에서) 2번과 7번 또는 3번과 10번의 핀이 남은 것.
báby spót 《속어》 소형 휴대용 스포트라이트.
Báby State (the ~) Arizona 주의 별칭.
báby·strètch *n.* 베이비스트레치《팔·다리 끝까지 감쌀 수 있도록 풍성하게 만든 갓난아이 옷으로신축성 있는 옷감으로 만듦》.
báby·swìpes *n. pl.* 〚브레이크댄싱〛 베이비스와이프스《양손으로 바닥을 짚고 두 다리를 모아 좌우로 뜀》.
báby tàlk 아기말; 유아의 떠듬거리는 말.
báby tòoth 젖니(milk tooth).
Báby-wálker *n.* 갓난아이의 보행 연습기《상표명》.

báby-wàtch *vi., vt.* 《영》 =BABY-SIT.
báby·wèar *n.* 갓난아이 의류품, 유아복.
BAC blood alcohol concentration (혈중 알코올 농도); British Aircraft Corporation (영국 항공기 제조 회사).
bac·a·lao [bæ̀kəláu, bá:-] *n.* 〖어류〗 대구(codfish), 《일반적》 해산(海産) 식용어.
B.Acc. Bachelor of Accountancy.
bac·ca·lau·ré·at [*F.* bakalɔRea] *n.* 《F.》 바칼로레아《프랑스의 중등교육 수료 학위; 대학입학 자격시험》.
bac·ca·lau·re·ate [bæ̀kəlɔ́:riit, -lá:r-/-lɔ́:r-] *n.* 학사학위(bachelor's degree); 《미》 (대학 졸업생에 대한) 기념 설교(=∠ **sèrmon**).
bac·ca·ra(t) [bá:kərɑ̀:, bǽ-, ⌐–⌐] *n.* Ⓤ 《F.》 바카라《카드를 쓰는 도박의 일종》. ｢의〔을 맺는〕.
bac·cate [bǽkeit] *a.* 〖식물〗 장과(漿果) 모양
bac·cha·nal [bǽkənl] *a.* 주신(酒神) 바커스의; 주신제(祭)의; 취해 떠드는. ― [bɑ̀:kənɑ́l, bæ̀kənǽl, bǽkənl] *n.* 바커스 예찬자; 취해 떠드는 사람; 왁자지껄한 술잔치, 야단법석(orgy); (the ~(s) 〔B-s〕) =BACCHANALIA; 바커스를 예찬하는 춤〔노래〕.
bac·cha·nale [bǽkənl, -nǽl] *n.* 〖음악〗 바카날《떠들썩한 연회의 술의 노래 또는 분방한 쾌락을 표현한 발레》.
Bac·cha·na·lia [bæ̀kənéiliə, -ljə] *n.* (*pl.* ~, ~*s*) 바커스제(祭), 주신제(酒神祭); (b-) 큰 술잔치; 야단법석(orgy). ㊕ **bàc·cha·ná·li·an** *a., n.* 바커스〔주신〕제의; 바커스 예찬자(의); 취해 떠드는 (사람).
bac·chant [bǽkənt, bəkǽnt, -ká:nt/bǽkənt] (*pl.* ~*s*, ***-chan·tes*** [bəkǽnti:z, -ká:n-]) *n.* 바커스의 사제(司祭)〔여사제〕; 바커스 예찬자; 술 마시고 떠드는 사람. ― *a.* =BACCHANTIC. ㊕ **bac·chan·te** [bəkǽnti, -ká:nti] *n.* 바커스의 여사제〔무당〕; 여자 술꾼.
bac·chan·tic [bəkǽntik] *a.* 바커스 신도의; 술 주정꾼의; 술 마시고 떠드는.
Bac·chic [bǽkik] *a.* 바커스신의, 바커스를 숭배하는; (종종 b-) =BACCHANALIAN.
Bac·chus [bǽkəs] *n.* 〖그리스신화〗 바커스《술의 신》. ⓒⓕ Dionysus. ***a son of*** ~ 술꾼.
bac·ci- [bǽksə-] 〖식물〗 '액과(液果)·장과(漿果)' 란 뜻의 결합사.
bac·cif·er·ous [bæksífərəs] *a.* 〖식물〗 장과(漿果)가 열리는. ⓒⓕ floriferous.
bac·ci·form [bǽksəfɔ̀:rm] *a.* 〖식물〗 장과(漿果)와 같은, 장과 모양의.
bac·cy [bǽki] *n.* Ⓤ 《구어》 담배.
Bach [bɑ:k, *G.* bax] *n.* **Johann Sebastian** ~ 바흐《독일의 작곡가; 1685-1750》.
bach [bætʃ] *n.* 《구어》 독신자(bachelor); 《N. Zeal.》 (해변 등의) 작은 집, 소(小)별장. ***keep*** ~ 독신으로 지내다. ― *vi.* 독신 생활을 하다. ~ ***it*** (아내의 부재중) 독신 생활을 하다.
bach·e·lor** [bǽtʃələr] *n.* **1** 미혼〔독신〕 남자. ⓒⓕ spinster. ¶a ~'s wife (독신남성의) 이상의 처. **2** 학사. ⓒⓕ master¹. **3** 〖역사〗 =BACHELOR-AT-ARMS, KNIGHT BACHELOR. **4** 번식기에 상대할 암컷을 차지하지 못한 수컷《특히 젊은 물개》. ***Bachelor of Arts 문학사《생략: B.A., A.B.》. ***Bachelor of Science*** 이학사《생략: B.Sc.》
báchelor apàrtment 〔**flàt**〕 독신자 아파트.
báchelor-at-árms [-rət-] (*pl.* ***báchelors-***) *n.* 〖영국사〗 다른 기사(騎士)를 섬기는 젊은 기사.
bach·e·lor·dom [bǽtʃələrdəm] *n.* Ⓤ (남자) 독신(의 신분); 《집합적》 독신자.
bach·e·lor·ette [bæ̀tʃələrét] *n.* (자활(自活)하고 있는) 독신 여성. ｢여성.
báchelor gìrl 〔**wòman**〕 《구어》 독신의 직업
bach·e·lor·hood [bǽtʃələrhùd] *n.* Ⓤ (남자의) 독신 (생활), 독신 시절.
bách·e·lor·ism [-rìzəm] *n.* Ⓤ 독신(의 신분)(bachelordom); (남자의) 독신주의.
báchelor mòther 《미속어》 **1** 미혼모. **2** 남편과 헤어져 아기를 양육하는 어머니.
báchelor pàd 《미》 독신자 아파트.
báchelor pàrty (결혼 직전의) 남자들만의 면(免)총각 파티. ⓒⓕ stag party.
báchelor('s) bùtton **1** 〖식물〗 단추 모양의 꽃이 피는 화초, 《특히》 수레국화류; 천일홍(globe amaranth). **2** 《영》 꿰매지 않고 다는 단추; 일종의 비스킷.
báchelor's (degrèe) 학사학위.
bach·e·lor·ship [bǽtʃələrʃìp] *n.* Ⓤ (남자의) 독신; 학사의 자격.
bac·il·lary, ba·cil·lar [bǽsəlèri, bəsíləri/bəsíləri], [bəsílər, bǽsə-] *a.* 간상(桿狀)의; 바실루스의; 간균(桿菌)에 의한.
bácillary dỳsentery 〖병리〗 =SHIGELLOSIS.
bac·il·le·mia [bæ̀səlí:miə] *n.* 〖의학〗 균혈(菌血)(증)《순환 혈액에 바실루스가 침입하여 생기는 질환》.
ba·cil·li [bəsílai] bacillus의 복수.
ba·cil·li·form [bəsíləfɔ̀:rm] *a.* 간상(桿狀)의.
°**ba·cil·lus** [bəsíləs] (*pl.* ***-li*** [-lai]) *n.* **1** 바실루스, 간상균(桿狀菌). ⓒⓕ coccus. **2** (흔히 *pl.*) 세균, 박테리아, 《특히》 병원균(病原菌). ◇ bacillary *a.*
bac·i·tra·cin [bæ̀sətréisən] *n.* 〖약학〗 바시트라신《폴리펩티드 화학물의 일종》.
†**back**¹ [bæk] *n.* **1** 등, 잔등; (옷을 걸쳐 입는 것으로서의) 몸뚱이: have no clothes to one's ~ 입을 것이 아무 것도 없다. **2** 등뼈(backbone), 짐〔책임〕을 지는 힘: have a strong ~ 무거운 짐을 질 수가 있다. **3** 배면(背面); (칼 따위의) 등; (손의) 등; (의자의) 등받이; (책의) 등; (물결의) 면(面); (난간 따위의) 윗면; (배의) 용골; (산의) 등성이: the ~ *of* a hill 산등성이. **4** 뒤, 뒷면, 이면, 뒤쪽(ⓞⓟⓟ *front*); (보이지 않는) 저쪽; 《비유》 (일의) 진상(眞相): the ~ *of* a house 집 뒤편. **5** 안, 안쪽; (탈것의) 뒷좌석; 《비유》 속, (머리나 마음속의) 한구석: the ~ *of* a cupboard 찬장 속. **6** 뒤뜰(backyard). **7** 〖연극〗 무대의 배경; (혀의) 뿌리. **8** 〖축구·하키〗 후위. ⓞⓟⓟ *forward*. ★ back은 '뒤쪽' '안쪽' 따위 외에 종종 굽은 물체의 불룩한 쪽을 가리키는 일이 있음; 난간의 위쪽, 바퀴의 바깥쪽 따위.
at the ~ ***of*** =***at*** one***'s*** ~ …의 뒤에, 배후에(숨어서); 후원하여: He has the head of the department *at his* ~. 부장이 그의 뒤를 봐주고 있다. ~ ***and belly*** 등과 배; 의식(衣食); 앞뒤에서. ~ ***to*** ~ (…와) 등을 맞대어〔고〕《*with*》; 계속하여; 서로 도움을 주고 받으며(ⓒⓕ back-to-back). ~ ***to front*** 앞뒤를 반대로; 거꾸로: He put his sweater on ~ *to front*. 그는 스웨터를 뒤가 앞에 오도록 입었다. ***behind*** a person***'s*** ~ 아무가 등을 돌리고 있을 때; 아무에게 비밀로, 몰래; 아무가 없는 데서. ***break*** a person***'s*** ~ 아무에게 무거운 짐을 지우다, 아무를 실패〔파산〕시키다. ***break*** one***'s*** ~ 등뼈를 부러뜨리다; 《구어》 열심히 일하다, 애쓰다, 노력하다《*at*》; (배가) 난파하다; 《속어》 파산하다. ***break the*** ~ ***of*** ① …에게 무거운 짐을 지우다; 죽이다. ② 《구어》 …의 어려운 부분을 끝내다, 고비를〔난관을〕 넘기다. ***Excuse my*** ~. 등을〔엉덩이를〕 돌려서 미안합니다. ***get off*** a person***'s*** ~ 〔***neck***〕 《구어》 (아무를) 상관 않고 두다, 상관하지 않다: *Get off my* ~. 이제 그만 (작작 좀) 해둬라, 시끄럽다.

get 〔***put, set***〕 one***'s*** 〔a person***'s***〕 ~ ***up*** 성내다〔아무를 성나게 하다〕. ***get*** 〔***have***〕 one***'s*** (***some*** 〔***a bit***〕 ***of***) ***own*** ~ 《구어》 원수를 갚다, (…에게) 보복〔앙갚음〕하다《*on*》. ***get the*** ~ ***of*** …의 뒤로 돌다. ***get to the*** ~ ***of*** …의 원인을 규명하다. ***give*** a person ***a*** ~ =***make a*** ~ ***for*** a person 발판이 되어 주다; (말타기놀이 따위에서) 말이 되다. ***give*** a person ***the*** ~=***give*** ~ ***to*** a person 아무에게 등을 돌리다, 아무를 배반하다. ***have a broad*** ~ 관대하다. ***have*** 〔***carry***〕 ... ***on*** one***'s*** ~ (짐 따위를) 짊어지고 있다〔가다〕. ***have*** one***'s*** ~ ***to*** 〔***against***〕 ***the wall*** 진퇴유곡에 빠지다. ***in*** ~ ***of*** 《미구어》 …의 뒤에(서)(at the ~ of). ***know like the*** ~ ***of*** one***'s hand*** (장소 따위를) 모두 알고 있다, 구석구석까지 알고 있다. ***Mind your*** ~(***s***)***!*** 지나가게 해줘, 비켜줘. ***on*** a person***'s*** ~ 아무의 등에 업혀; (불평하여) 아무를 괴롭혀; 《구어》 (상사 따위) …의 귀찮은 존재인: get *on* a person's ~ 아무를 괴롭히다. ***on*** one***'s*** ~ 반듯이 누워; 병으로 누워; (병 따위로) 어찌할 수 없어: fall *on* one's ~ 뒤로 자빠지다 / lie 〔be〕 *on* one's ~ (병으로) 몸져 눕다. ***on*** 〔***upon***〕 ***the*** ~ ***of*** ① …의 뒤에, …의 배후에서, …에 잇따라서. ② …의 위에, …에 더하여: *On the* ~ *of* that her husband died. 설상가상으로 남편마저 죽었다. ③ …의 양어깨에《임무 · 책임 따위가》. ***put*** one***'s*** ~ ***into*** 〔***to***〕 …에 열을 올리다〔전념하다〕. ***see the*** ~ ***of*** …을 쫓아버리다: I am glad to *see the* ~ *of* Tom. 톰이 가버려 시원하다. ***show the*** ~ ***to*** …에 등을 보이다; …에서 도망치다. ***slap on the*** ~ ⇨SLAP. ***to the*** ~ 골수(骨髓)까지. ***turn*** one***'s*** ~ ***to*** …에 등을 돌리다. ***turn the*** 〔one***'s***〕 ~ ***on*** 〔***upon***〕 …을 버리다, …에 등을 돌리다, 못 본 체하다; …에서 도망치다: *turn* one's ~ *on* the world 세상을 등지다, 은둔하다. ***with*** one***'s*** ~ ***to*** 〔***against***〕 ***the wall*** 궁지에 몰리어.

—*a*. **1** 뒤의, 배후의; 안의; 속의. OPP *front*. cf rear¹. ¶a ~ yard 《미》 뒤뜰 / a ~ alley 뒷골목.

> SYN. **back** 뒤의, 배부(背部)의《front에 대한》, 이면의: a *back* door 뒷문 / the *back* seat of a car 차의 뒷좌석. **hind** 뒤쪽〔후방〕의 뜻《fore에 대한》, 종종 짝을 이루는 것에 쓰임: *hind* legs 뒷다리. **rear** 건물 · 탈것 등에 쓰이며, 군대 용어로도 쓰임: the *rear* end of a car 차의 후미.

2 먼, 떨어진; 《미》 매우 궁벽한, 오지(奧地)의; 늦은, 뒤떨어진: a ~ settler 변두리에 사는 사람; 벽지(僻地)에 사는 사람 / a ~ slum 빈민가 / a ~ teeth 어금니 / a ~ settlement 변두리; 변경의 식민지 / a ~ district 《미》 시골, 벽지. **3** 반대 방향의, 뒤로 물러나는: a ~ flow 역류. **4** 시대〔시기〕에 뒤진; 이전의, 기왕의; 제달에 늦은, 달수 넘은; (지불이) 밀린, 미납의: ~ files (철해 둔) 묵은 자료 / a ~ salary 체불(滯拂) 임금 / a ~ rent 밀린 집세〔차지료(借地料)〕.

—*ad*. **1** 뒤로, 배후에〔로〕: look ~ 뒤를 보다; 회상하다 / step ~ 물러나다. **2** 안쪽에〔으로〕, 물러나(서); 떨어져(서): a house standing ~ from the road 길에서 들어가 있는 집. **3** 거슬러 올라가, 옛날: two years ~ 2년 전에 / for some time ~ 얼마 전부터 / (way) ~ in 1890, 1890년으로(훨씬) 거슬러올라가. **4** 본디 위치〔상태〕로, (되)돌아와서: come 〔be〕 ~ 돌아오다《*from*》 / send ~ 돌려 보내다 / *Back!* =Go ~! 돌아가라, 물러가라 / be back on one's feet 또 다시 기운을 차리다 / go ~ to (본래의 장소 · 상태로) 되돌아 가다 / call ~ 다시 불러들이다(⇨7). SYN. ⇨RETURN. **5** 답례로, 보답하여: hit ~ 되치다. **6** (뒤에) 감추어, 숨기어: keep ~ the truth 진실을 밝히지 않다. **7** 《주로 미》 다시: call ~ 다시 전화를 걸다(⇨4). **8** 지체되어: ~ in payment 지불이 늦어져. ~ ***and forth*** 〔***forward***〕 왔다갔다, 앞뒤로; 《미속어》 이리저리(로). ~ ***of*** 《미구어》 ① …의 뒤에(behind), …의 배후에; …을 후원하여. ② …보다 전에(before). ***go*** ~ ***on*** (친구 따위)를 배신하다; (약속 따위)를 어기다. ***hold*** ~ (눈물 따위를) 참다; 넘겨주지 않다. ***keep*** ~ ⇨KEEP. ***look*** ~ ***on*** …을 회고〔반성〕하다. ***make*** one***'s way*** ~ 돌아오〔가〕다. ***to ... and*** ~ …까지의 왕복(往復): *to* the moon *and* ~ 달에의 왕복 / What is the fare *to* Busan *and* ~? 부산까지 왕복 요금은 얼마입니까.

—*vt*. **1** 《~+목/+목+부/+목+전+명》 뒤로 물러나게 하다, 후퇴시키다, 역행(逆行)시키다《*up; into*》: ~ a car (*up*) 차를 후진시키다 / ~ oars 배를 뒤로 젓다 / ~ a car *into* the garage 차를 후진시켜 차고에 넣다. **2** …의 뒤에 위치하다〔서다〕; …의 배경이 되다: a beach ~*ed* by hills 언덕을 등진 해안. **3** 《~+목/+목+전+명》 …에 뒤를 대다, (책 · 벽 등을) 보강하다, 배접하다《*with*》: ~ a curtain *with* stiff material 커튼을 빳빳한 천으로 배접하다. **4** 《~+목/+목+부》 후원하다, 지지하다《*up*》: ~ a candidate 후보자를 지지하다 / They ~*ed* him *up* financially. 그들은 그를 경제적으로 원조했다. **5** (주장 따위를) 강화〔뒷받침〕하다《*up*》: ~ *up* a theory with facts 이론을 사실로써 뒷받침하다. **6** 《속어》 짊어지다, 업다. **7** 《구어》 져서 나르다; …의 등에 타다. **8** (경마에 돈을) 걸다. **9** 《미》 …의 뒷면에 이름을 쓰다, (수표)에 배서(背書)하다. **10** …에 반주〔코러스〕를 넣다. **—*vi*.** **1** 《~/+부/전+명》 후퇴하다, 뒷걸음치다, 뒤로 물러서다: The horse ~*ed*. 말이 뒷걸음쳤다 / He ~*ed away from* the gun. 그는 포에서 뒤로 물러섰다. **2** 〖해사〗 (북반구(北半球)에서 바람이) 좌선회로 도서다. OPP *veer*. **3** 등을 보이다; 등을 맞대게 되다. **4** 계획〔예정〕의 실행을 그만두다; 앞서 한 말을 철회하다.

~ ***and fill*** 〖해사〗 (바람이 조류와 반대일 때) 돛을 교묘히 다루며 전진하다; 《미구어》 생각〔마음〕이 흔들리다; 망설이다. ~ ***away*** (두렵거나 싫어서) 물러서다, 후퇴하다; 철회하다《*from*》. ~ ***down*** ① 뒤로 물러나다《*from*》; 취소하다, 약속 따위를 철회하다《*on*》; 양보하다《*on*》; (주장 · 토론 · 잘못)을 인정하다, 물러서다. ② 《CB속어》 운전 속도를 늦추다. ~ ***in*** …을 뜻밖에 손에 넣다. ~ ***into ...*** (차를) 후진시켜 …에 부딪치다. ~ ***off*** 물러서다; 취소하다, 철회하다《*on*》; (…에서) 손을 떼다, 양보하다; 《미속어》 (바 등에서) 쫓겨나다; (차)를 너무 후진시켜 붙이다; 《미속어》 〖흔히 명령형〗 (비난 등을) 완화시키다, 손을 늦추다; 《미속어》 속도를 늦추다. ~ ***out*** 《*vi*.+부》 ① 후퇴하다; 뒷걸음질치다《*of*》; 《구어》(계약 · 약속을) 깨다, 취소하다; (…에서) 손을 떼다《*of; from*》. **—**《*vt*.+부》 ② …을 후퇴시키다; 후진시켜 내보내다 《*of*》. ~ ***the wrong horse*** ⇨HORSE. ~ ***up*** 《*vt*.+부》 ① (…을) 후원하다. ② (…을) 후퇴시키다. ③ 《미》(교통이) 정체를 초래하다: Traffic is ~*ed up* for three miles. 교통은 3마일이나 정체하고 있다. ④ (하수 따위가) 역류하다. ⑤ (장애물 · 댐 따위가 물의 흐름을) 막다. **—**《*vi*.+부》 ⑥ 후퇴하다. ⑦ (물이) 역류하다. ⑧ 《미》 (교통이) 정체하다. ~ ***water*** (배를) 역진시키다; 퇴각하다; 주장을 철회하다. 「용).

back² *n*. 운두가 낮은 큰 통《양조 · 염색 · 증류

báck·àche *n*. U,C 등의 아픔, 요통(腰痛).

báck·àching *a*. (일이) 고된.

báck álley 빈민가, (풍기) 문란한 지역; 선정적인 느슨한 재즈. 「구린, 몰래 하는; 부정한.
báck-álley *a.* 지저분한, 더러운, 음습한; 뒤가
báck-and-fórth [-ənd-] *a.* 앞뒤로 움직이는, 왔다갔다하는; 서로간의: ~ movement 앞뒤로 움직이는 운동 / ~ traffic of information 정보의 교환. **—** *n.* 결론 없는 논쟁.
báck ànswer 말대꾸: give a ~. 「등띠.
báck·bànd *n.* (말 안장과 수레를 연결하는)
báck·bèat *n.* 백비트《록음악 특유의 강한 비트》. 「《평의원석》.
báck bénch (the ~) 《영》 (하원의) 뒷자리
báck·béncher *n.* 《영》 평의원, 초선의원. cf. frontbencher.
báck·bènd *n.* 후굴만곡〔굴곡〕《선 자세에서 손이 바닥에 닿도록 몸을 뒤쪽으로 구부리는 동작〔곡예〕》.
báck·bìte (*-bit; -bit·ten, -bit; -bit·ing*) *vt., vi.* 뒤에서 험담하다, 중상하다. ㊕ **-bìter** *n.* **-bìting** *n.* Ⓤ
báck·blòcks *n. pl.* 《Austral.》 (특히 강이나 해안에서 멀리 떨어진) 외진 곳, 미개의 오지.
báck·bòard *n.* (짐차의) 뒤판(板); (액자의) 뒤판; (농구의) 백보드; 〖의학〗 (어린이의) 척추 교정판. **—** *vt.* 〖의학〗 …에 척추 교정판을 대다.
báck bònd 〖법률〗 (채무자가 보증인에게 내는 손실 보상용) 금전 채무 증서.
báck·bòne** [bǽkbòun] *n.* **1** (the ~) 등뼈, 척추(spine). **2** 등뼈 비슷한 것; 분수령, 척량(脊梁) 산맥; (책의) 등. **3** 중심적인 지주, 중견, 주력, 중축(中軸), 중추: the ~ *of* a nation 국가의 동량. **4** Ⓤ 기골, 용기(firmness), 인내: have ~ 기골이 있다. ***to the ~ 《수식하는 명사·형용사 뒤에 놓여서》 철저히〔한〕, 어느 점으로 보나, 순수한: a New Yorker *to the* ~ 토박이 뉴욕 사람. ㊕ **~d** *a.* 등뼈가 있는(vertebrate); 기골이 있는.
báckbone nètwork 〖통신〗 간선 네트워크《중간 계층의 네트워크를 이어주는 기간망》.
báck·brèaker *n.* 몹시 힘드는 일, 중노동; 열심히 일하는 사람.
báck·brèaking *a.* 대단히 힘드는《일 따위》.
báck·bùrn *vt., vi.* 《Austral., N. Zeal.》 (연소 방지를 위해) 산림지를 맞불로 (사전에) 태워버리다. **—** *n.* 맞불로 인위적으로 태워버린 토지.
báck bùrner 레인지의 안쪽의 버너; 《미속어》 《흔히 on the ~로》 뒤로 미루어져, 다음 차례로, 당분간 유보되어.
báck calculàtion (음주 운전 적발에서) 검사 때의 알코올 수치에서 실제 운전 때의 수치를 역산(逆算)해 내는 것. ㊕ **báck-càlculate** *vt.*
báck-càp *vt.* 얕보다, 업신여기다; 비난하다.
báck·càst *n.* (낚싯줄을) 뒤로 휘두름《던지는 예비 동작》. 「루트, 비밀 채널.
báck chànnel 《미》 (외교 교섭 등의) 비공식
báck·chàt *n.* Ⓤ 《구어》 응수; (건방진) 말대꾸(back talk); 재치있는 말(을 주고받음).
báck-chèck *vi.* 〖아이스하키〗 백체크하다《자기편의 골문을 등뒤로 하고 서서히 후진하면서 상대의 공격을 저지하다》. **—** *vt.* (계산 따위)의 사후 점검을 하다. **—** *n.* 사후 점검, 검산(檢算). ㊕ **~·er** *n.*
báck·clòth *n.* 《주로 영》 배경막(backdrop); =BACKGROUND. 「빗질하다.
báck·còmb *vt.* (부풀리기 위해) 머리를 거꾸로
báck·còpy *n.* (신문·잡지의) 지난 호.
báck·còuntry *n.* Ⓤ,Ⓒ 《미》 오지(奧地), 두메; 미개간지.
báck·còurt *n.* (테니스·농구 등의) 백코트.
báck cràwl 배영(背泳)(backstroke).
báck·cròss 〖유전〗 *vt., vi.* 역(逆)교배하다《잡종 제 1 대를 그 선대와 교배하다》. **—** *n., a.* 역교배(의); 역교배에 의한 잡종.
báck·dàte *vt.* (서류 따위에서) 실제보다 날짜를 거슬러 올라가게 하다《흔히 *to*》; 소급하여 적용하다. 「는 다이빙》.
báck dìve 〖수영〗 백 다이브《뒤로 돌아서서 하
báck dóor 뒷문, 뒷구멍; 은밀〔부정〕한 수단. ***get in by*** 〔***through***〕 ***the*** ~ 뒷구멍으로 취직〔입사〕하다. 「아닌.
báck·dòor *a.* 뒷문의; 내밀한, 부정한, 정규가
báckdoor mán 《미속어》 기혼 여성의 샛서방.
báck·dòwn *n.* 후퇴, 항복; (약속·주장의) 철회. 「폭발기류.
báck·dràft *n.* 역(逆)기류, (화재 현장에서의)
báck·dròp *n.* 〖연극〗 배경막(《영》 backcloth); 〖일반적〗 배경. **—** *vt.* 배경막을 치다.
backed [-t] *a.* 등〔안〕을 댄; 후원〔지지〕받는; 〖상업〗 배서가 있는.
bácked-ùp *a.* **1** 차가 밀린, 교통이 정체된. **2** 《속어》 (마약에) 취한, 멍한.
báck electromótive fórce 〖전기〗 =COUNTER ELECTROMOTIVE FORCE.
báck ènd 후부, 후미; 《영구어》 만추(晩秋); (핵연료 사이클의) 종말 재처리; 〖컴퓨터〗 백엔드《컴퓨터 시스템의 데이터 처리 부분》.
báck·er *n.* **1** 후원자; 배서인(背書人); (경마에서) 돈을 거는 사람. **2** 지지물; (타자기의) 대지(臺紙).
bácker-úp *n.* 지지자, 후원자; 시중드는 사람, 조수; 〖미식축구〗 =LINEBACKER.
báck·fàll *n.* 전도(轉倒); 〖레슬링〗 백폴《매트에 등이 닿게 하는 승부수》.
báck-fénce *a.* (대화 등이) 담 너머로의, 이웃끼리의, 격의 없는, 잡담적〔험담적〕인.
báck·field *n.* 〖집합적〗 〖미식축구〗 후위; 공격측 라인에서 1 야드 떨어진 후방지역.
báck·fill *vt.* 〖토목〗 (판 구멍을) 도로 메우다. **—** *n.* 도로 메우는 작업; 그 재료.
báck·fire *n.* **1** 《미》 맞불《연소 방지를 위한》. **2** (내연 기관의) 역화(逆火). **3** (총포의) 역발(逆發). **4** (B-) 옛 소련의 초음속 폭격기(Tu-26)에 대한 서방측의 호칭. **—** *vi.* 맞불 놓다; 역화를 일으키다; 역발하다; (계획 등이) 예상을 뒤엎다, 불리한 결과가 되다; 실패하다.
báck·fìt *vt.*(새로운 장비를 설치하거나 새로운 기사를 다루어) 최신의 것으로 하다, 새롭게 하다(update). **—** *n.* 최신의 것.
báck-flàsh *vi.* (가연성 가스의 불꽃이) 역류하다. **—** *n.* 〖영화〗 =FLASHBACK.
báck·flìp *n., vi.* 뒤공중제비(를 하다).
báck·flòat *n.* 〖브레이크댄싱〗 =MOONWALK.
báck·flòw *n.* (유체의) 역류.
báck fòcus 〖사진〗 후부 초점, 백 포커스《무한대로 초점을 맞췄을 때의 렌즈의 뒷면부터 초점면까지의 거리》.
báck-formàtion *n.* 〖언어〗 Ⓤ 역성(逆成)《기존어를 파생어로 잘못 알고 원말로 여겨지는 신어를 만듦; 보기: *beg*<beggar, *edit*<editor》; Ⓒ 역성어.
báck fòrty (농장·목장 등의 변두리에 있는) 미경지(未耕地), 황무지.
back·gam·mon [bǽkgæ̀mən, ⌐⌐] *n.* Ⓤ 서양 주사위놀이. **—** *vt.* ~에서 이기다《특히 3:0으로》.
báck-gate paróle 《속어》 옥중 사망.
***back·ground** [bǽkgràund] *n.* **1** 배경. opp. *foreground.* ¶ in the ~ 원경에. **2** 〖연극〗 무대의 배경. **3** (직물 따위의) 바탕(색). **4** 눈에 띄지 않는 곳, 이면(裏面): keep (oneself) 〔stay, be〕 in the ~ 표면에 나타나지 않고 있다, 막후

에 도사리고 있다. **5** (사건 따위의) 배경, 원인(遠因), 배후 상황《*of*》. **6** (아무의) 경력, 경험, 전력(前歷); 기초〔예비〕 지식: a man with a college 〔good family〕 ~ 대학 출신의〔가문이 좋은〕 남자. **7** (연극·영화·방송 따위의) 배경(背景) 음악, 음악 효과(~ music). **8** 〖물리〗 자연 방사선(=~ **radiàtion**). **9** 〖통신〗 무선 수신 때 들리는 잡음. **10** 〖컴퓨터〗 뒷면, 배경《몇 개의 프로그램이 동시 진행시 우선도가 낮은 프로그램은 우선도가 높은 프로그램이 조작되지 않을 때만 조작되는 상태》. ***drop in the*** ~ 세인에게 잊혀지다. ***on*** ~ 공표하지 않고, (정보 제공자 등의 이름을) 감추고.

— *a.* 배경의; 표면에 나타나지 않는: ~ information 예비 지식, 참고 자료 / ~ materials 참고 자료〔문헌〕. — *vt.* …에게 예비 지식〔배경 설명〕을 알려〔해〕주다; 《미구어》 (이야기·극 등)의 고증을 하다.

báck·gròunder *n.* 《미》 **1** (신문 기자에 대한 정부의) 배경 설명(회). **2** (신문 등의) 배경설명 기사.

báckground héating 백그라운드 히팅《적당한 온도보다 약간 낮게 온도를 유지하는 난방》.

báckground mùsic 배경 음악; (공공 장소의) 무드 음악.

báckground nòise 암(暗)소음.

báckground pròcessing 〖컴퓨터〗 배경 처리《우선순위가 높은 프로그램이 시스템을 사용하지 않을 때 우선순위가 낮은 프로그램이 자동적으로 실행되는 것》. 「영사(映寫).

báckground projèction 〖TV·영화〗 배경

báckground radiàtion **1** 〖우주〗 배경방사《우주의 여러 방향에서 방출되어 오는 마이크로파(波)의 방사; 절대온도가 2.74K의 흑체방사로, 빅뱅(big bang)이론을 지지하는 유력한 증거로 되어 있음》. **2** 〖물리〗 배후방사(선).

báckground tàsk 〔**jòb**〕 〖컴퓨터〗 뒷면 작업《백그라운드 처리에 적합한 작업》.

báck·hànd *a.* 〖구기〗 백핸드의, 역타(逆打)의〔로 친〕; 왼쪽으로 기운. — *n.* **1** 〖구기〗 백핸드, 역타(backstroke). OPP *forehand*. **2** 왼쪽으로 기운 필적《여성에 많음》. — *ad.* 백핸드로. — *vt.* …을 손등으로 치다; 백핸드로 치다〔잡다〕; 《속어》 비방하다.

báck·hànded [-id] *a.* 손등으로의; 거꾸로의; (필적이) 왼쪽으로 기운; 서투른; 간접의, 빗대어 말하는; 성실치 못한; 뜻밖의. — *ad.* 백핸드로. ㊥ **~·ly** *ad.* **~·ness** *n.*

báck·hànder *n.* 역타; 간접 공격; 추가의 한 잔《두 순배째의》; 《구어》 행하, 팁, 뇌물.

báck·hàul *n.* (수송기·화물선 등의) 귀로(歸路), 역송(逆送); 귀로 화물.

báck-hèel *vt., vi.* 뒤꿈치로 뒤쪽으로 차다.

báck·hòe *n.* 〖기계〗 《미》 백호《끝에 버킷을 단 arm을 트랙터에 설치한 굴착기》. 「옥외 변소.

báck·hòuse *n.* 《미》 (안채 뒤의) 딴채, 《특히》

báck·ing *n.* Ⓤ 역행, 후퇴; 지지, 후원(support); 《집합적》 후원자; 배서(보증); 〖공학〗 뒤붙임; (제본의) 등붙이기; 〖건축〗 속널, 안벽; 〖음악〗 (포퓰러 음악의) 반주: financial ~ *for* …에의 재정적 지원 / win the ~ *of* public sentiment 여론의 지지를 얻다. — *a.* 역행의: a ~ signal 후퇴

bácking-òut *n.* 《미구어》 철회, 취소. ⌊신호.

bácking stòrage 〔**stòre**〕 〖컴퓨터〗 보조 기

bácking tràck 〖음악〗 녹음된 반주. ⌊억 장치.

báck íssue (잡지 등의) 지난 호.

báck jùdge 〖미식축구〗 후심《수비측 깊숙이 위치하여 계시(計時)도 담당하는 심판원》. 「地).

báck·lànds *n. pl.* 오지, 벽지, 후배지(後背

báck·làsh *n.* 〖기계〗 뒤틈, 백래시《톱니바퀴 사이의 틈, 그로 인한 헐거움》; 반동, 반발, 반격; (낚싯줄의) 엉클어짐: white ~ 흑인의 공민권 운동 따위에 대한 백인의 반격 / a political ~ 정치 반동. — *vi.* 역회전하다; 반발하다. ㊥ **~·er** *n.*

báck·less *a.* 등〔등쪽 부분〕이 없는.

báck·lìght *n.* 역광(선), 역(逆)라이트, 백라이트. — *vt.* 역광으로 비추다〔조명하다〕. ㊥ **~·ing** *n.* 역광 조명(법). 「붙이기.

báck·lìning *n.* U.C 〖건축〗 뒤판벽; 〖제본〗 뒤

báck·lìst *n.* (출판사의) 재고 목록, 기간(既刊) 도서 목록, (신간에 대한) 기간서《전체》. — *vt.* 재고 목록에 넣다. 「window).

back·lite [bǽklàit] *n.* (자동차의) 뒤창(rear

báck·lòad *n.* 돌아오는 편(便)에 실는 화물, 귀로(歸路) 화물. — *vi.* 돌아오는 편에 운반하다.

báck-lòad *vt.* (임금·비용 인상분 따위를) 후불로 하다.

báck-lòaded [-id] *a.* (임금지급 방식에서) 계약기간의 최종 연도에 가중적 소득증액 보상을 하는《노동계약 따위》.

báck·lòg *n.* **1** 《미》 (화력을 좋게 하기 위해 난로 깊숙이 넣어 두는) 큰 장작. **2** 주문 잔액, 체화(滯貨); 잔무(殘務); 축적, 예비《*of*》: a ~ *of* business orders 수주(受注) 잔고. — (*-gg-*) *vt.* 예비로 남겨두다; 후일 처리분으로 주문을 받다. — *vi.* (주문·상품 등이) (미처리인 채) 쌓이다.

báck·lòt *n.* 〖영화〗 백로트《촬영소가 그 근처에 소유하고 있는 야외 촬영 용지》.

báck·màrker *n.* 《영》 (경주·경마 등에서) 불리한 조건의 경기자.

báck màtter (책) 권말의 부속물(end matter)《후기·색인·판권 등》. cf. front matter.

báck·mòst *a.* 가장 뒤의.

báck mutàtion 〖생물〗 복귀 돌연변이. OPP *forward mutation*. ㊥ **báck-mùtate** *vi.*

báck níne 〖골프〗 18 홀 코스의 후반 9 홀.

báck númber 묵은 호(號)의 잡지; 《구어》 시대에 뒤진 사람〔방법, 물건〕; (명성·인기를 잃은) 과거의 사람.

báck of beyónd (the ~) 《영》 몹시 외진〔궁벽한〕 곳, 벽지.

báck óffice (외부 사람의 눈에 띄지 않는, 회사의) 배후 부문; 비밀사무실; (증권회사 등의) 비영업〔사무〕 부문, 백 오피스.

báck-óffice *a.* (회사 등의 조직) 내부의 비밀의, 이면의.

báck-of-the-bóok *a.* 《미》 (출판·방송 제목이) 일반의 흥미를 끄는.

báck-of-the〔**an**〕**-énvelope** *a.* 간단하게 계산한, 대충 생각해 낸, 어림잡아 정리한, 쉽게 산출할 수 있는.

báck òrder 〖상업〗 (재고가 없어서) 처리 못한 〔뒤로 미룬〕 주문, 이월 주문. ㊥ **báck-òrder** *vt.*

báck·òut *n.* 역행; 《미구어》 철회, 탈퇴; 〖로켓〗 (발사 중지에 따르는) 카운트다운.

báck·pàck *n.* 책가방; 백팩; 등짐, 배낭; (우주 비행사 등이 짊어지는) 생명 유지 장치(PLSS). — *vi.* 등짐을 지고 여행하다〔운반하다, 걷다〕. ㊥ **~·er** *n.* **~·ing** *n.*

báck páge 짝수 페이지《책을 펼쳤을 때의 왼쪽》.

báck-páge *a.* (신문) 뒤페이지의; (뉴스) 보도 가치가 적은. OPP *front-page*.

báck párlor 뒷방; 뒷거리, 빈민굴(slum).

báck pássage 《영》 직장(直腸)(rectum).

báck-pàt *vt., vi., n.* (…의) 등을 가볍게 두드리다〔두드림〕; (…에) 찬의(贊意)를 표시하다; 또 그 몸짓이나 말.

báck-pàtting *n.* (등을 가볍게 두드리며 표시하는) 동의, 합의, 격려.

báck pày 체불 임금, (임금 인상에 의한) 소급분 급여.
báck-pèdal *vi.* (속력을 줄이기 위해 자전거의) 페달을 뒤로 밟다; (의견·약속 등을) 철회하다, 도로 물리다《*on; from*》; (권투에서) 재빨리 물러서다.
báck·plàne *n.* 〖컴퓨터〗 백플레인《개인용 컴퓨터에서 주변장치나 확장용 회로기판 등을 꽂아서 사용하기 위한 소켓 또는 슬롯의 집합》.
báck·plàte *n.* (갑옷의) 등받이; 〖건축·기계〗 (부재(部材)의) 뒤판.
báck·projèct *vt.* 배경 영사(映寫)하다. **—** *n.* 배경 영사상(像).
báck projèction =BACKGROUND PROJECTION.
báck·reáct *vi.* 역반응하다. ⓜ **báck reáction**
báck·rèst *n.* (의자 따위의) 등널.
báck róad 《미》 (포장하지 않은) 시골길.
báck ròom 안쪽 방; 비밀 공작실; (전시의) 비밀 연구소. ⓜ **báck·ròom** *a.*
bàckroom bóy 《영구어》 (군의) 비밀 공작대원; 비밀 연구 종사자; 측근, 참모(brain truster).
báck·rùb *n.* 등 마사지; 근육 진통 연고.
báck rùn 〖화학〗 역류《수성(水性) 가스 따위의 제조 공정 중에 가스 따위의 재료를 역류시키는 것〔기간〕; 또는 그 방법》. 「공용》.
báck·sàw *n.* 등에 보조재를 덧댄 톱《정교한 세
báck·scàtter *n.* Ⓤ 〖물리〗 (방사선 따위의) 후방 산란(散亂). **—** *vt.* (방사선 등을) 후방 산란시키다.
báck scràtcher 서로의 이익을 위해 한 패가 된 사람; 등긁이(scratchback); 《구어》 아첨꾼.
báck scràtching 《구어》 서로 이익을〔편의를〕 꾀함; 아첨; 추종.
báck·séat *n.* 뒷자리; 눈에 띄지 않는 위치, 말석. ***take a*** **~** 남의 밑에 서다; 남이 하라는 대로 하다, 나서지 않다《*to*》.
bàckseat dríver 《구어》 자동차의 객석에서 운전 지시를 하는 사람; 밑의 지위에 있으면서 지배하는 사람; 덥적대는 사람, 오지랖 넓은 사람.
báck·sèt *n.* 역행; 역류; 좌절; (교통) 정체.
bácksheesh, -shish ⇨ BAKSHEESH.
báck·shìft *n.* 《영》 〖광산〗 (이교대 근무제의) 둘째〔오후〕교대조(組). 「궁둥이, 둔부.
báck·sìde *n.* **1** 후부; 배면; 뒤뜰. **2** (종종 *pl.*)
báck·sìght *n.* 〖측량〗 후시(後視); (총) 가늠자.
báck slàng 거꾸로 하는 은어《보기: slop '경찰' [◂police]》.
báck·slàp *n.* 《미구어》 (친숙한 표시로) 등을 툭툭 치기; 몹시 친숙한 태도. **—** *vt., vi.* ~하다. ⓜ **-slàpper** *n.* 친숙하게 구는 사람. **-slàp·ping** *a., n.*
báck·slàsh *n.* 〖컴퓨터〗 백슬래시《루트 폴더를 나타내거나 계층구조의 폴더에서 폴더들을 구분하기 위해 사용되는 특수 기호》.
báck·slìde (***-slid; -slid, -slid·den***) *vi.* (본디 상태로) 되돌아가다, 다시 잘못〔죄〕에 빠져들다, 다시 타락하다《*into*》. **—** *n.* 퇴보, 타락. ⓜ **-slìd·er** *n.* 배교자(背敎者), 타락자. **-slìding** *n.*
báck·spàce *vi.* (타자기에서) 한 자(字)분만큼 뒤로 물리다. **—** *n.* 백스페이스〔역행〕 키; 〖컴퓨터〗 후진 키(=**báck·spàc·er, ∠kèy**).
báck·spìn *n.* 백스핀《(1) 당구·골프 등에서 공의 역회전. (2) 〖브레이크댄싱〗 두 팔다리를 오므려 껴안고 등을 축으로 빙빙 돎》.
báck·splàsh(·er) *n.* (가스레인지·조리대 따위 뒷면 벽에 설치하는) 더러움 방지판(板)(splashback).
báck·stàb *vt.* 중상〔험담〕하다. ⓜ **~·ber** *n.*
báck·stáge *ad.* 〖연극〗 무대 뒤(분장실)에서; 무대의 뒤쪽으로; 몰래. **—** *a.* 무대 뒤의, 무대 뒤에서 일어난; 연예인의 사생활의〔에 관한〕; 비밀의: ~ negotiations 내밀한 교섭, 암거래.
báck stáirs (건물의) 뒤쪽 층계; 음모, 비밀의〔음험한〕 수단.
báck·stáir(s) *a.* 간접적〔우회적〕인; 비밀의, 부정한; 음험한; 중상적인: ~ gossip 중상적인 험담.
báck·stày *n.* (보통 *pl.*) 〖선박〗 (돛대의) 뒷버팀줄; 〖기계〗 뒷받침; 〖일반적〗 지지, 버팀.
báck·stìtch *n.* 백스티치, 박음질. **—** *vt., vi.* 박음질하다.
báck·stòp *n.* 〖야구·테니스〗 백네트; 《야구구어》 포수; 〖크리켓〗 =LONG STOP; 《구어》 안전 장치(safeguard); 보강재(補強材); 《구어》 보좌. **—** *vi.* 포수 노릇을 하다. **—** *vt.* …을 위해 진력하다, …를 지지〔보좌〕하다, 감싸다.
báck·stràp *n.* (책의) 배면〔등〕(backbone); (고삐와 함께 말에 잡아 매어 쓰는, 말 등의 중앙부를 지나는) 가죽끈; (구두 뒷쪽의) 손잡이 가죽끈.
báck stréet 뒷거리, 뒷골목. ⓒⓕ side street.
báck·strétch *n.* 〖경기〗 결승점이 있는 코스와 반대쪽 코스. ⓒⓕ homestretch.
báck·stròke *n.* 되받아치기; 〖테니스〗 백핸드 스트로크; 〖수영〗 배영; 〖기계〗 퇴충(退衝)(recoil). **—** *vi.* 배영으로 헤엄치다. ⓜ **-stròker** *n.*
báck·swèpt *a.* 뒤쪽으로 기울어진; 〖항공〗 (날개가) 후퇴각이 있는.
báck swìmmer 〖곤충〗 송장헤엄치개.
báck·swìng *n.* 〖구기〗 백스윙. 「목검.
báck·swòrd *n.* 한쪽만 날이 있는 검; 〖펜싱〗
báck·swòrdman [-mən] (*pl.* ***-men*** [-mən]) *n.* 한쪽 날의 검을 쓰는 검객. 「backchat).
báck tàlk Ⓤ 《미》 건방진〔무례한〕 말대꾸(《영》
báck-tàlk *vi.* 말대답하다.
báck tàx 체불 세금.
báck tèeth 〖다음 관용구로만〗 One's **~** ***are floating.*** 《속어》 당장 오줌이 나올 것 같다, 오줌을 지릴 것만 같다.
báck tèst 상품값을 올린 후 일부를 원값으로 팔아보아 값을 올린 영향을 가늠하는 판매 테스트.
báck tìme 《미속어》 가출옥 때의 남은 형기.
báck-to-báck *a.* 등을 맞댄; 《미구어》 연속적인. **—** *n.* (*pl.*) 등을 맞대고 선 연립 주택.
báck-to-básics *a.* 《미》 기본〔초심〕으로 돌아가는; (읽기·쓰기·산수 등) 전통 과목을 중시하는《교수법》.
báck-to-náture *a.* 자연으로 돌아가는; 자연회귀(回歸)의《생활 양식의 단순화를 이름》.
báck-to-schóol *a.* 신학기의.
báck·tràck *vi.* **1** (같은 길을 따라) 되돌아가다. **2** (사업·지위 등에서) 손을 떼다, 몸을 빼다; (태도 등을) 철회하다《*from; on*》: ~ ***on*** the statements 진술을 철회하다. **—** *vt.* …의 뒤를 쫓다〔더듬다〕: ~ the criminal 범인을 추적하다.
báck·ùp *n.* 뒷받침; 후원, 지원; 체화(滯貨); 저장; 막힘, 넘침; (차량 따위의) 정체; 예비(품〔인원〕); 대체품〔요원〕; (정책 따위의) 철회, 후퇴《*on*》; 〖볼링〗 (공의) 빗나감《오른쪽으로의》; 〖컴퓨터〗 예비, 보관, 백업. **—** *a.* **1** 지원의, 반주의; 예비의; 대체〔보충〕의; 보충 요원의: a ~ candidate 예비 후보. **2** 〖컴퓨터〗 보완의 : a ~ file 예비 파일, 백업 파일 / a ~ system 보완 시스템.
báckup lìght 《미》 (차의) 후진등, 백라이트 (reversing light).
báck vówel 〖음성〗 후설(後舌) 모음.
⁑**back·ward** [bǽkwərd] *ad.* **1** 뒤에〔로〕; 후방에〔으로〕; 뒤를 향해. ⓞⓟⓟ *forward*(*s*). **2** 역행하여, 퇴보〔악화〕하여, 타락하여: flow ~ 역류(逆流)하다 / go ~ 되돌아가다, 퇴보〔타락〕하다.

3 거꾸로, 끝에서부터, 뒤로부터: You have it just ~(*s*). 그건 정반대이다《본말 전도 따위》. 4 (이전으로) 거슬러 올라가서: five years ~ 5년 전에. ~(*s*) ***and forward***(*s*) 앞뒤로, 왔다갔다; 여기저기(에); 《구어》 완전히, 죄다; 횡설수설하여. ***bend*** 〔***lean, fall***〕 ***over*** ~ 먼저와는 딴판으로 …하다《*to* do》; 필사적으로 …하려고 애쓰다《*to* do》. ***know*** something ~(*s*) …을 완전히 이해하고 있다.

— *a.* 1 뒤로의; 뒤를 향한; 거꾸로의, 퇴보적인 (retrogressive): a ~ blessing 저주. 2 진보가 늦은, 뒤진: a ~ country 후진국《a developing country가 바람직함》/a ~ child 지진아/He's ~ *in* math(《영》 maths). 그는 수학에서 뒤지고 있다. 3 수줍은, 스스러워하는, 주저하는: ~ *in* coming forward 《구어》 수줍은/He's ~ *in* giving people his views. 그는 남에게 자기 의견을 말하기를 싫어한다. 4 철 지난: a ~ spring 늦은 봄. — *n.* 후방, 뒤, 후부; 과거, 옛날. [파] **~·ly** *ad.* 마지못해; 늦어져. **~·ness** *n.*

báck·ward·a·tion [bǽkwərdéiʃən] *n.* 【증권】 수도(受渡) 유예(금·날변), 역일변(逆日邊).

báckward-compátible *a.* 【컴퓨터】 (소프트웨어가 같은 형(型)일 경우) 전의 것과 호환할 수 있는. [파] **-compatibílity** *n.*

báckward-lòoking, -gàzing *a.* 회고적인; 퇴영(退嬰)적인.

báckward páss 【미식축구】 백워드패스《패서가 옆이나 그 뒤쪽 방향으로 던진 패스》.

báck·wards [-wərdz] *ad.* =BACKWARD.

báck·wàsh *n.* [U] (물에) 밀렸다 돌아가는 파도; 【해사】 (배의 스크루·노 따위로) 밀리는 물, 역류; (배 지난 뒤의) 물결, 뒷물결; 【항공】 후류; (사건의) 여파, 반향, 후유증; 시끌, 미개지. — *vt.* …에 영향을 주다.

báck·wàter *n.* [U] 역수(逆水), 둑에 부딪쳐 되밀리는 물, 배수(背水); (문화 등의) 침체 상태〔지역〕; 벽지: live in a ~ 침체한 환경에서 살다/a ~ man 〔town〕 시골 사람〔동네〕. — *a.* 침체한. — *vi.* 앞서 한 말을 철회하다; 【해사】 (배를) 후진시키다.

báck·wìnd *n.* 【해사】 역풍(逆風).

°**báck·wóods** *n. pl.* 《단수취급》 《미》 변경의 삼림(森林) 지대; 변경의 미개척지; 궁벽한 땅. — *a.* 미개(척)지의; 소박한, 단순한; 몰취미한.

báck·wóodsman [-mən] (*pl.* ***-men*** [-mən]) *n.* 미개(척)지에 사는 사람, 변경의 주민; 《미구어》 메부수수한 사람; 《영경멸》 (시골에 살면서) 의회에 잘 나가지 않는 상원 의원.

báck·wràp *n.* 백랩《등〔뒤〕에서 겹치거나 잠그게 된 양복〔스커트, 드레스〕》.

báck·yárd *n.* 《미》 1 뒤뜰. [opp] *front yard*. 2 《비유》 근처, (자기의) 세력 범위. ***in*** a person***'s*** (***own***) ~ 바로 근처에, 몸 가까이.

Ba·con [béikən] *n.* **Francis** ~ 베이컨《영국의 수필가·정치가·철학자; 1561–1626》.

*‡***ba·con** [béikən] *n.* [U] 1 베이컨《돼지 옆구리나 등의 살을 소금에 절이거나 훈제한 것》. 2 《속어》 약탈품; 이익, 수입. ~ ***and eggs*** 베이컨에 달걀 반숙을 얹은 요리. ***bring home the*** ~ ⇨ BRING. ***save*** one***'s*** 〔a person***'s***〕 ~ 《구어》 중대한 손해〔위해〕를 모면하다; …에게 목적을 달성하게 하다.

Ba·co·ni·an [beikóuniən] *a.* Bacon의; 베이컨의 학설〔학파〕의; 귀납적인: the ~ method 귀납법. — *n.* 베이컨 철학의 신봉자; 베이컨설을 믿는 사람.

Bacónian théory (the ~) 베이컨설《Shakespeare의 작품은 Bacon이 썼다는 설(說)》.

ba·cony [béikəni] *a.* 《영》 지방질의, 뚱뚱한: ~ liver 【의학】 비대성 간장 경화.

bact. bacteria; bacterial; bacteriology; bacterium.

bac·te·re·mia [bæ̀ktəríːmiə] *n.* [U] 【의학】 균혈증(菌血症)《혈액에 세균이 존재하는 상태》.

bac·te·ri- [bæktíəri-], **bac·te·ri·o-** [-riou, -riə] '세균, 박테리아' 란 뜻의 결합사.

*****bac·te·ria** [bæktíəriə] (*sing.* ***-ri·um*** [-riəm]) *n. pl.* 박테리아, 세균; 세균류(類).

bactéria bèd 미생물〔산화〕 여과지〔여상(濾床)〕《미생물에 의한 하수의 정화를 목적으로, 최종 처리단계에서 오수(汚水)를 공기에 노출시키기 위한 모래·자갈의 여과층》.

bac·te·ri·al [bæktíəriəl] *a.* 박테리아〔세균〕의, 세균성의. [파] **~·ly** *ad.*

bactérial endocardítis 【의학】 세균성 심장내막염.

bactérial pláque 【세균】 =DENTAL PLAQUE.

bac·te·ri·cide [bæktíərəsàid] *n.* 살균약〔제〕. [파] **bac·tè·ri·cíd·al** [-dl] *a.* 살균의. **-al·ly** *ad.*

bac·ter·id [bǽktərid] *n.* 【의학】 세균성 피진(皮疹)《매독진 따위》.

bac·ter·in [bǽktərin] *n.* 【의학】 세균 백신 「(면역용).

bactèrio·chlórophyll 【생화학】 세균성 엽록소《광합성 세균에 함유된 청색 색소》.

bac·te·ri·o·cin [bæktíəriəsin] *n.* 【세균】 박테리오신《세균에 의해 생성되며, 유사한 계통의 세균에 유해한 단백질; 항생물질》.

bac·te·ri·o·log·ic, -i·cal [bæktìəriəlɑ́dʒik/-lɔ́dʒ-], [-ikəl] *a.* 세균학(상)의; 세균 사용의. [파] **-i·cal·ly** *ad.*

bacteriológical wárfare 세균전(戰).

bac·te·ri·ol·o·gy [bæktìəriɑ́lədʒi/-ɔ́l-] *n.* [U] 세균학; 세균의 생태. [파] **-gist** *n.*

bac·te·ri·ol·y·sis [bæktìəriɑ́ləsis/-ɔ́l-] *n.* 세균 분해 (처리); 용균(溶菌)〔살균〕 (작용). [파] **-ri·o·lyt·ic** [-riəlítik] *a.* 용균성의.

bac·te·ri·o·phage [bæktíəriəfèidʒ] *n.* 【세균】 세균 분해 바이러스, (장내(腸內) 등의) 용균소(溶菌素). [파] **-phag·ic** [-tìəriəfǽdʒik] *a.* **-ri·oph·a·gous** [-tìəriɑ́fəgəs/-ɔ́f-] *a.* **-ri·oph·a·gy** [-tìəriɑ́fədʒi/-ɔ́f-] *n.* 「세균 공포증.

bac·te·ri·o·pho·bia [bæktìəriəfóubiə] *n.*

bactèrio·rhodópsin *n.* 【생화학】 박테리오로돕신《호염성 세균의 막에 존재하는 단백질 복합체》.

bac·te·ri·os·co·py [bæktìəriɑ́skəpi/-ɔ́s-] *n.* [U] (현미경에 의한) 세균 검사(법). [파] **-pist** *n.*

bactèrio·stásis (*pl.* ***-ses*** [-siːz]) *n.* [U] 【세균】 세균 발육 저지. [파] **-státic** *a.* **-státically** *ad.*

bac·te·ri·o·stat [bæktíəriəstæ̀t] *n.* 【세균】 세균 발육 저지제(沮止劑).

bactèrio·thérapy *n.* 【의학】 세균 요법.

bactèrio·tóxic *a.* 세균에 대해서 독성인; 세균성 독소의〔에 의한〕. 「수형.

bac·te·ri·um [bæktíəriəm] *n.* BACTERIA의 단

bac·te·rize [bǽktəràiz] *vt.* …에 세균을 작용시키다. [파] **bàc·te·ri·zá·tion** *n.*

bac·te·roid [bǽktərɔ̀id] *n.* 【세균】 가(假)세균, 박테로이드, 변형균(變形菌). — *a.* 세균 모양의, 세균상(狀)의.

bac·te·roi·dal [bæ̀ktərɔ́idl] *a.* =BACTEROID.

Bác·tri·an cámel [bǽktriən-] 【동물】 쌍봉낙타. [cf] dromedary.

bac·u·line [bǽkjəlin, -làin] *a.* 회초리〔채찍〕(rod)의, 태형(笞刑)의.

†**bad**[1] [bæd] (***worse*** [wəːrs]; ***worst*** [wəːrst]) *a.* 1 나쁜, 악질의, 못된. [opp] *good*. ¶ ~ habits 나쁜 버릇/~ coin 악화(惡貨).

[SYN] **bad** '나쁜'의 뜻의 가장 일반적인 말: *bad* manners 무례, 무람없음. a *bad* smell 고약한 냄새. **evil** 사회적·도덕적으로 나쁜, 해로운: an *evil* conduct 악행. **wicked** 근성

이 나쁜, 사악한: a *wicked* man 악당. **malicious** 악의〔적의〕를 품은: a *malicious* gossip (아무를 중상하기 위한) 악의 있는 뒷공론.

2 (병 따위가) 악성의, 치료하기 힘든: a ~ cold 악성 감기 / a ~ fire 끄기 힘든 불. **3** (건강 따위에) 유해한《*for*》. OPP *good*. ¶ be ~ *for* the health. **4** 상한, 썩은: a ~ tooth 충치. **5** 잘 되지 않은, 불량한, 불충분한: a ~ crop 흉작 / ~ lighting 불량 조명. **6** 서투른, 잘 하지 못하는: He is ~ *at* English. 그 사람은 영어가 서투르다. **7** 틀린, 부당한: ~ spelling 틀린 철자 / a ~ guess 잘못 짚음 / a ~ shot 빗나간 총알. **8** 바람직하지〔탐탁지〕 않은, 형편이 나쁜; 불쾌한. OPP *good*. ¶ ~ luck 불운 / a ~ smell 불쾌한 냄새. **9**《영구어》 병에 걸린, 기분이 나쁜; 마음이 언짢은, 미안한, 유감스러운: have a ~ stomach 위가 나쁘다 / be (taken) ~ 병에 걸리다. **10**《미구어》 적의(敵意)가 있는; 위험한. **11** (…을) 앓고 있는: He is ~ *with* gout. 그는 통풍을 앓고 있다. **12** (***bád·der; bád·dest***)《미속어》 굉장한, 훌륭한: a ~ man on drums 드럼의 명수. ***feel ~*** 기분이 나쁘다〔언짢다〕; 유감스럽게〔안됐다고〕 생각하다《*about* a thing〔do*ing*〕; *that*》. ***get*** 〔***have***〕 ***a ~ name*** 평판이 나빠지다〔나쁘다〕. ***go ~*** (음식 따위가) 나빠지다, 상하다, 쉬다. ***in a ~ way*** (건강이) 좋지 않아; 불경기로. ***not*** (***so*** 〔***half, too***〕) ***~*** 미상불〔그렇게〕 나쁘지 않은, 꽤 좋은; 그다지 어렵지 않은. ***That's*** 〔***It's***〕 ***too ~.*** 그것 참 안됐군; 이거 곤란하게 됐는데.
— *n.* U **1** 나쁜 상태; 악성(惡性); 불운: take the ~ *with* the good 행운도 불운도 다 겪다; 좋은 일과 궂은 일을 다 겪다. **2** (the ~) 악인들. ***go from ~ to worse*** (점점 더, 갈수록 더) 악화되다: His business is *going from ~ to worse*. 그의 사업은 갈수록 기울어지고 있다. ***go to the ~***《구어》 파멸〔타락〕하다, 못쓰게 되다. ***in ~***《구어》 곤란하게 되어;《구어》 비위를 건드려, 미움받고《*with*》. ($80) ***to the ~*** (80달러) 빚이 되어〔부족하여〕.
— *ad.*《미구어》 =BADLY.

bad² [bæd] BID의 과거;《폐어》 BIDE의 과거.

bád áctor《속어》 감당할 수 없는 난폭자〔동물〕; 악인; 상습범;《미속어》 유해한 것.

bád ápple《속어》 =BAD EGG.

bád·àss *a., n.*《미속어》 곧잘 분란을 일으키는 (사람).;〖반어적〗 (행동·태도가) 뛰어난〔최고의〕 (사람)

bád bárgain《영속어》 보잘것없는 사나이, 쓸모없는 군인.

bád blóod 악감정, 증오, (오랜) 반목, 불화, 적의(敵意); 원한: make ~ between two persons 두 사람 사이를 이간질하다.

bád bóy (도덕·예술상의) 시대의 반역아.

bád bréath 입내, 구취(口臭)(halitosis).

bád cónduct dìscharge《미》〖군사〗 불명예 제대〔면직〕. cf. dishonorable discharge.

bád débt 돈을 떼임, 대손(貸損)(금); 불량대출.

bad·die, bad·dy [bǽdi] *n.*《구어》 (영화 등의) 악역, 악인;《미속어》 범죄자, 부랑자;《미구어》 못된 아이.

bad·dish [bǽdiʃ] *a.* 좀 나쁜〔언짢은〕, 별로 좋지 않은.

bade [bæd/bæd, beid] BID의 과거.

bád égg《구어》 인간 쓰레기, 악인, 불량배; 헛된 시도.

Ba·den-Pow·ell [béidnpóuəl, bǽdnpáuəl/béidnpóuəl, -páuəl] *n.* **1st Baron ~** 베이든파월《영국의 장군; 보이 스카우트와 걸 가이드를 창설; 1857-1941》.

bád fáith **1** 불성실, 부정직, 배신. **2** (사르트르 철학에서) 자기 기만. 파 **bád-fáith** *a.*

bád féeling =BAD BLOOD.

bád fórm《영》 버릇 없음, 조심성이 없음.

*__badge__ [bædʒ] *n.* 휘장(徽章), 배지, 기장; 상징(symbol), 표지(標識); 품질·상태를 나타낸 것: a ~ of rank (군인의 계급장) / a good conduct ~ 선행장(章) / Chains are a ~ of slavery. 사슬은 노예의 상징. — *vt.* …에 휘장〔기장〕을 달다, 표지를 하다.

BADGE《미》 Base Air Defense Ground Environment(기지 방공 지상 경계 조직).

bádge bàndit《미속어》 (흰 오토바이를 탄) (교통) 경찰관.

badg·er¹ [bǽdʒər] (*pl.* **~s,**〖집합적〗 ~) *n.* **1** 오소리: U 그 털가죽. **2**《영속어》 (오소리털로 만든) 화필. **3**《Austral.》 유대(有袋) 동물. — *vt.*《~+목/+목+전+명/+명+*to* do》(질문 등으로) 괴롭히다《*with*》; (물건을) 갖고 싶다고 조르다《*for*》; 졸라서 (…)하게 하다《*into* do*ing*》; (…해 달라고) 끈질기게 말하다《*to* do》: ~ him *for* 〔*to* buy〕 a new car 그에게 새 차를 사달라고 조르다 / I had to ~ him *into* com*ing* with us. 그를 동행시키기 위해 끈질기게 말해야 했었다. 파 **~·ly** *a.* **~·ing·ly** *ad.*

bádg·er² *n.*《방언》 (특히 식료품) 행상인.

bádger gàme《속어》 여자를 안겨 주고 왁댓값을 갈취하는 짓; 등침, 사기.

Bádger Státe (the ~) 미국 Wisconsin 주의 속칭.

bád gúy《속어》 악당, 불한당, 무뢰한, 무법자(badman).

bád háir dày《구어》 불유쾌한 날, 재수없는 날.

bád hát《속어》 불량배, 깡패(bad egg).

bád-húmored *a.* 심기가 나쁜; 화를 잘 내는.

bad·i·nage [bæ̀dənáːʒ, bǽdənidʒ/bǽdináːʒ] *n.*《F.》 U 농담, 놀림, 야유(banter).

Bád Lànds《미》 South Dakota 주 남서부와 Nebraska 주 북서부의 황무지.

bád·lànds *n. pl.*《미》 불모지;《속어》 암흑가.

bád lánguage 욕, 악담.

bád lót《속어》 =BAD EGG.

__bad·ly__ [bǽdli] (worse** [wəːrs]; **worst** [wəːrst]) *ad.* **1** 나쁘게(wrongly), 호되게: speak ~ of a person 아무를 나쁘게 말하다 / We were ~ beaten in the game. 경기에서 완패했다. **2** 서투르게(poorly), 졸렬하게. **3** 대단히, 몹시(greatly)(★ want, need 따위와 함께): ~ wounded 심한 부상을 당하여 / I ~ want it 〔want it ~〕. 그것을 몹시 갖고 싶다 / We need your help ~. 자네 도움이 꼭 필요하다. ***be ~ off*** 생계가 궁핍하다(OPP *be well off*); (남의 도움 따위가) 없어 곤란하다《*for*》. ***feel ~*** ① 건강이 좋지 않다, 편찮다: I *feel* ~. 몸이 불편하다; 미안하게 생각한다. ② 유감으로 여기다: I *feel* ~ about her leaving so soon. 그녀가 그렇게 빨리 가다니 유감스럽다. — *a.*《구어》〖보통 feel ~로〗《+전+명》 (…을) 슬퍼하는, 후회하는《*about*》; 기분이 나쁜; 건강치 못한, 병인: I *felt* ~ *about* the spiteful remark. 악담을 서운하게 생각했다.

bád·màn [-mæ̀n] (*pl.* **-mèn** [-mèn]) *n.*《구어》 무뢰한, 무법자; (영화 등의) 악역.

bád márk sỳstem〖경기〗 벌점법.

bad·min·ton [bǽdmintən] *n.* U〖경기〗 배드민턴;《영》 포도주에 소다수를 탄 청량 음료.

bád móuth《미속어》 욕, 중상, 비방, 혹평.

bád-mòuth *vt., vi.*《미속어》 끈질기게 혹평하다, 욕하다, 헐뜯다. 파 **~·er** *n.*

◇**bád·ness** *n.* U 나쁨; 불량; 열악; 유해; 불길, 흉.

bád néws **1** 흉보;《구어》 곤란한 문제, 난처한 일. **2**《미속어》 귀찮은 사람; (나이트클럽 등의) 청구서.

bád nìgger《흑인속어》 백인 압력에 굴하지 않는 흑인.

bád páper 《속어》 부도수표; 위조지폐. 「해제.
bád páy 〖출판〗 요금 체납으로 인한 예약구독의
bád pénny 악화(惡貨); 《구어》 불쾌하나 피하기 어려운 인물〔것〕: turn up like a ~ 끊임없이 나타나다〔생각나다〕, 떠나지 않다.
bád ráp 《속어》 =BUM RAP.
bád sèctor 〖컴퓨터〗 불량 섹터《디스크에 외부에서 가한 충격으로 디스크의 한 부분이 파손되었거나 기타 여러가지 이유로 인해 데이터를 기록할 수 없게 된 부분》. 「악의; 불운.
bád shít 《비어》 위험한 인물〔일 · 위치 · 상황〕;
bád shót 과녁을 빗나간 탄환〔화살〕, 빗나간 추측, 실패로 끝난 시도(試圖); 서투른 사격수.
bád-tèmpered *a.* 씨무룩한; 뚱한, 심술궂은.
bád tíme 곤경; 《군대속어》 영창 구금기간; (~s) 불경기. cf. hard time.
bád tríp 《속어》 (환각제에 의한) 무서운 환각 체험; 《구어》 불쾌한 경험.
BAE Bachelor of Aeronautical Engineering; 《미》 Bachelor of Agricultural Engineering.
BA(Ed) Bachelor of Arts in Education.
Bae·de·ker [béidikər] *n.* Ⓤ 베데커 여행 안내서《독일의 출판업자 Karl Baedeker 가 시작함》; 〖일반적〗 여행 안내서.
B.A.E.E. Bachelor of Arts in Elementary Education(초등 교육학사). **BAeE** Bachelor of Aeronautical Engineering.
baff [bæf] *vi.* 〖골프〗 골프채로 공의 밑을 쳐서 높이 날리다. **—** *n.* ~하여 날리기.
báffing spòon 〖골프〗 =BAFFY.
°**baf·fle** [bǽfəl] *vt.* **1** 《~+목/+목+전+명》 좌절시키다, 실패로 끝나게 하다, …의 의표를 찌르다: ~ a person's plan 아무의 계획을 좌절시키다 / They were ~*d in* their search. 그들의 수색은 실패했다. **2** 곤란케 하다, 당황케 하다. **3** …을 차단하다. **—** *vi.* 《~/+전+명》 헛수고하다, 헛물켜다, 허위적거리다, 고투하다: The ship was seen *baffling with* a gale from the NW. 그 배가 강한 북서풍에 시달리고 있는 것이 보였다. **—** *n.* 방해(물); 좌절, 당황(perplexity); 배플(=~ **bòard** 〔**plàte**〕)(기류 · 수류 · 전자선 따위의 정류〔조절〕 장치). 「GOOK.
baf·fle·gab [bǽfəlgæ̀b] *n.* 《구어》 =GOBBLEDY-
báf·fle·ment *n.* Ⓤ 좌절시킴, 방해; 당혹.
baf·fling [bǽfəliŋ] *a.* 좌절의; 저해하는(hindering); 당황케 하는; 이해할 수 없는, 까닭 모를: a ~ problem 난문제. ㊞ **~·ly** *ad.*
baffy [bǽfi] *n.* 〖골프〗 공을 높이 쳐 올리는 목제 클럽《골프 용어로는 spoon, No. 4 wood》.
baft, baf·ta [bæft, bɑːft], [bǽftə, bɑ́ːftə] *n.* 거칠게 짠 싸구려 (면)직물.
BAFTA [bǽftə] *n.* 영국 영화 · 텔레비전 예술협회. [◂ *B*ritish *A*cademy of *F*ilm and *T*elevision *A*rts]
‡**bag**[1] [bæg] *n.* **1** 자루, 부대; 한 자루분(량)(bagful). **2** (손)가방, 백, 핸드백.

bag 2
A. tote bag B. carryall C. duffel bag D. utility bag E. satchel F. knapsack G. portmanteau

SYN. **bag** 가장 일반적인 말로, 종이나 가죽 등으로 만든 봉투 · 가방: a paper *bag* 종이 봉투 / a traveling *bag* 여행 가방. **sack** 보통 허술한 재료로 된, 저장 · 수송 등의 물자를 넣어 두는 네모진 자루: a flour *sack* 밀가루 부대. **pouch** 들고 다닐 수 있는 작은 가방: a tobacco *pouch* 담배쌈지.

3 지갑; (*pl.*) 《속어》 부(富). **4** 사냥 부대; (하루) 사냥물(의 분량); 사냥감, 낚을 것; (법정) 포획량: make a good 〔poor〕 ~ 사냥을 많이〔적게〕 하다. **5** 자루 모양의 것〔부분〕; 암소의 젖통이(udder); 《미속어》 콘돔; 《속어》 음낭; 눈 밑에 처진 살. **6** 《속어》 헐렁한 바지; (*pl.*) 《영구어》 바지, 슬랙스. **7** 《야구속어》 베이스, 누(壘). **8** 《속어》 여자; 추녀; 방탕한 계집; 갈보; 잔소리 심한 노파. **9** (*pl.*) 《미속어》 고환(testicles). **10** 《영속어》 위, 밥통. **11** 《속어》 재즈의 스타일. **12** (*pl.*) 《구어》 다량, 다수《*of*》. **13** 《속어》 매우 좋아하는 것, 취미, 전문. **14** 사태, 문제. **15** 《미속어》 한 자루분〔봉지분〕의 마약. ***a ~ of bones*** 《구어》 마른 사람〔동물〕, 해골. ***a ~ of nerves*** 신경과민인 사람. ***a ~ of wind*** 허풍선이; 뚱보. ***~ and baggage*** ① 소지품 전부. ② 〖부사적〗 가재를 정리하여《이사하는 따위》; 몽땅; 완전히(completely). ***~ of waters*** 양막(羊膜). ***bear the ~*** ① 돈주머니를 쥐고 있다, 돈을 마음대로 쓸 수 있다. ② 《해커속어》 (프로그램 · 기계 등이) 못쓰게 되다, 작동치 않다. ***empty the ~*** 남김없이 말하다. ***get*** 〔***give*** a person〕 ***the ~*** 해고되다〔시키다〕. ***give*** 〔***leave***〕 a person ***the ~ to hold*** 아무를 궁지에 버려두다. ***hold the ~*** 《미구어》 혼자 책임을 떠맡게 되다, 궁지에 버려지다; 아무 소득도 없게 되다: be left *holding the ~* 혼자 책임지게 되다; 빈손으로 있다. ***in the ~*** 《구어》 확실한, 손에 넣은; 《속어》 취하여; 《미속어》 짬짜미의. ***in the bottom of the ~*** 마지막 수단으로서. ***let the cat out of the ~*** 깜박 실수하여 비밀을 누설하다. ***pack one's ~s*** 《구어》 (불쾌한 일로) 짐을 꾸리다, 출발 준비하다, 그만두다. ***pull something out of the ~*** 뒤늦게나마 방도를 발견하다. ***set one's ~ for*** 《미》 …에 야심을 품다. ***the*** 〔***a***〕 〔***whole***〕 ***~ of tricks*** 《구어》 (유효한) 온갖 수단〔술책〕; 온갖 것.
— (*-gg-*) *vt.* **1** 불룩하게 하다. **2** 자루에 넣다. **3** (사냥감을) 잡다; 죽이다; 《미속어》 체포하다; 《구어》 (의석 · 좌석 따위를) 차지하다. **4** 《구어》 훔치다(steal). **5** 《미속어》 해고하다. **6** 요구하다: *Bags* I this seat! (이 자리는) 내거야《따위》/ *Bags* I! (권리를 주장하여) 내 것이야. **—** *vi.* 《~/+부》 (자루처럼) 불룩해지다(swell); 빈 자루처럼 축 처지다; 항로(航路)에서 벗어나다: ~ (*out*) at the knees (바지가) 무릎이 나오다. ***Bag it!*** 《미속어》 그만 해, 집어치워, 시끄러워. ***~ school*** 학교를 빼먹다. ***Bag your face!*** 《미속어》 꼴도 보기 싫다, 꺼져, 뒈져라.
bag[2] (*-gg-*) *vt.* (풀 등을) 낫으로 베어 묶다.
ba·gasse [bəgǽs] *n.* Ⓤ 사탕수수〔사탕무〕의 설탕 짜낸 찌끼《연료 · 단열재(材) · 펄프 원료 · 사료 등으로 쓰임》; 그 섬유로 만든 종이.
bag·a·telle [bæ̀gətél] *n.* 하찮은 일〔물건〕; Ⓤ 일종의 당구놀이; 〖음악〗 (피아노용) 소곡(小曲).
bág·bìter *n.* 《미속어》 **1** 다루기 어려운 것, 작동하지 않는 것《컴퓨터 프로그램 등》. **2** 〖일반적〗 폐를 끼치는 사람.
bág·bìting *a.* 《미속어》 (기계 따위가) 쓸모없는, 도움이 안 되는, 잘 작동하지 않는.
Bagdad ⇨ BAGHDAD.
ba·gel [béigəl] *n.* 도넛형의 딱딱한 롤빵.
bág filter 백 필터《집진기》, 자루 여과기.
bag·ful [bǽgfùl] (*pl.* **~s, bágs·fùl**) *n.* 한 자

루(의 분량), 다량.

bag·gage [bǽgidʒ] *n.* **1** [U] 《미》 〔집합적〕 수화물(《영》 육상에서 luggage, 배·비행기에서는 baggage); 《영》 (트렁크 등의) 가방, 군용 행낭; (탐험대 등의) 휴대 장비. ★개수를 셀 때는 a piece of ~따위로 함. **2** 《구어》 인습, 케케묵은 생각. **3** 《구어》 말괄량이, 건방진 여자; 《미속어》 애인, 아내: You little ~! 이 말괄량이야. **4** 갈보; 논다니. **5** (잔소리 심한) 노파. **6** 《미속어》 신념, 이론. 「luggage van).

bággage càr 《미》 (철도의) 수화물차(《영》

bággage carousél =CAROUSEL 2.

bággage chèck 《미》 수화물 물표.

bággage clàim (공항의) 수화물 수취소.

bággage hàndler (공항의) 수화물 담당원.

bággage·man [-mæ̀n, -mən] (*pl.* ***-men*** [-mèn, -mən]) *n.* 《미》 (열차의) 수화물계원; (호텔 따위의) 서비스계원.

bággage·màster *n.* 《미》 (철도·버스 회사 등의) 수화물계장.

bággage ràck 《미》 (열차 등의) 그물 선반.

bággage reclàim (공항의) 수화물 찾는 곳 (baggage claim).

bággage ròom 《미》 (정거장의) 수화물 임시 보관소(《영》 left luggage).

bággage-smàsher *n.* 《미속어》 (정거장의) 화물 운반원; =BAGGAGEMAN. 「레의(drunk).

bagged *a.* 《속어》 술에 몹시 취한, 곤드레만드

bág·ger *n.* **1** (식품·시멘트 등을) 자루에 담는 직공〔기계〕. **2** 《야구속어》 …루수(壘手); …루타(壘打): a two-~, 2루타.

bag·gie [bǽgi] *n.* **1** 작은 자루. **2** (B-) 배기 《폴리에틸렌으로 만든 투명한 작은 자루; 상표명》.

bág·ging *n.* [U] 자루에 넣기; 자루감 《삼베 등》.

bag·gy [bǽgi] (***-gi·er; -gi·est***) *a.* **1** 자루 같은; 헐렁한; 축 처진; 늘어진: ~ trousers 헐렁한 바지 / ~-eyed 눈 밑이 늘어진. **2** 《영》 baggy 문화나 음악에 속하는. **—** *n.* 《영》 **1** 포퓰러 음악의 한 형태 《기타의 팝 선율과 댄스 리듬을 혼합한》. **2** 그런 음악으로 연관된 문화 《헐렁한 옷 착용이 특징》. [파] **bág·gi·ly** *ad.* **bág·gi·ness** *n.*

Bagh·dad, Bag·dad [bǽgdæd, bəgdǽd/bæ̀gdǽd] *n.* 바그다드 《Iraq의 수도》. 「의).

bág hólder 화물 운반용 대차(臺車) 《공항 등

bág jòb 간첩 활동; 《미속어》 증거를 잡기 위한 비합법 (가택) 수색.

bág làdy 《미》 =SHOPPING-BAG LADY; 《속어》 여자 마약 밀매인; 여자 넝마주이.

bág·man [-mən] (*pl.* ***-men*** [-mən]) *n.* 《영》 출장 판매원, 외무원; 《미》 (우체국의) 우편낭 담당원; 거지; 《미속어》 뇌물을 건네주거나 몸값을 받는 사람, 공갈협박자의 앞잡이; 마약 밀매꾼(pusher); 《Austral.》 부랑자(tramp); 《Can. 속어》 정치자금 조달 담당자.

bagn·io [bǽnjou, bá:n-/bá:n-] (*pl.* ~***s***) *n.* (동양풍의) 목욕탕(bathhouse), 증기탕; (터키의) 감옥; 갈봇집.

bág·pìpe *n.* (종종 *pl.*) 백파이프 《스코틀랜드 고지 사람이 부는 가죽부대 피리》. **—** *vi.* 백파이프를 불다. [파] **-pìp·er** *n.*

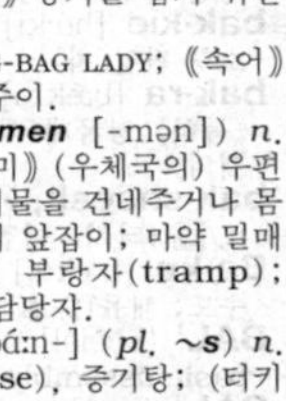

bagpipes

bág-plày *n.* 《미속어》 비위맞추기; 아첨.

bág-pùncher *n.* 《속어》 복서, 권투선수.

B. Ag(r). Bachelor of Agriculture.

ba gua, pa kua [bá:gwá:] 팔괘(八卦); 팔괘권(拳) 《중국 권법의 하나》.

ba·guet(te) [bægét] *n.* 가름한 네모꼴로 깎은 보석.

bág·wìg *n.* 주머니 가발 《18 세기에 유행; 드린 머리를 싸는 주머니가 달린 것》.

bág·wòman (*pl.* ***-wòmen***) *n.* 《미속어》 =SHOPPING-BAG LADY; 여자 마약 밀매인.

bág·wòrm *n.* 〖곤충〗 도롱이벌레.

bah [ba:, bæ:/ba:] *int.* 흥 《경멸·혐오의 감정을 나타냄》.

ba·ha·dur [bəhɔ́:duər, -há:-/bəhá:də] *n.* 《Ind.》 (종종 B-) 각하; 《속어》 나으리.

Ba·ha'i, -hai [bəhá:i, -hái] *n., a.* 바하이교(도)(의). [cf] Bahaism.

Ba·ha·ism [bəhá:izəm, -hái-] *n.* [U] 바하이교 《1863 년에 페르시아에서 일어난 종교; 인류의 융화·세계 평화 등을 창도함》. [파] **-ist, -ite** *a., n.*

Ba·há·ma Íslands [bəhá:mə-, -héi-/-há:-] (the ~) 바하마 군도 《미국 Florida 반도 동남쪽의》.

Ba·ha·mas [bəhá:məz, -héi-/-há:-] *n. pl.* (the ~) 바하마 《Bahama Islands로 이루어진 공화국; 수도 Nassau》. [파] **Ba·há·mi·an, -há·man** *a., n.*

Ba·há·sa Indonésia [bəhá:sə-] 인도네시아의 공용어. 「용어.

Bahása Maláy 〔**Maláysia**〕 말레이시아 공

Bah·rain, -rein [ba:réin -ráin, bə-/ba:réin] *n.* 바레인 《페르시아 만의 바레인 섬을 중심으로 한 독립국; 수도 Manama》. [파] **-raini, -reini** *n., a.* 바레인(인)(의).

baht [ba:t] (*pl.* ~(***s***)) *n.* 밧 《태국의 화폐 단위》.

bai [bai] *n.* 황사(黃砂) 《중국 오지의 사막에서 부는 모래바람》.

bai·gnoire [beinwá:r, ⌐⌐] *n.* 《F.》 (극장 아래층의) 칸 막은 특별석.

Bai·kal [baiká:l] *n.* (Lake ~) 바이칼 호 《시베리아의 담수호》.

bail¹ [beil] *n.* 〖법률〗 **1** [U] 보석(保釋); 보석금: accept 〔allow, take〕 ~ 보석을 허가하다 / grant a person ~ 아무에게 보석을 허가하다 / refuse ~ 보석을 인정치 않다 / admit a person to ~ 아무에게 보석을 인정하다 / (out) on ~ 보석(출소) 중인 / set ~ (판사가) 보석금액을 결정하다 / give 〔offer, put in〕 ~ 보석금을 내다. **2** [C] 보석 보증인: be ~ 보석 보증인이 되다 《*for*》. **3** [C,U] 보석되는 사람〔신분〕. [cf] surety. ¶ be held in ~ 보석금 미납으로 구치되다. ***go*** 〔***put up, stand***〕 **~ *for*** …의 보석 보증인이 되다; …을 틀림없다고 보증하다. ***jump*** 〔***skip***〕 ~ 보석 중에 행방을 감추다, 실종되다. ***on*** ~ 보석금을 내고. ***save*** 〔***forfeit***〕 **one's** ~ (보석 중인 피고가) 출정(出廷)하다〔하지 않다〕. ***take*** 〔***give***〕 ***leg*** ~ 《우스개》 탈주하다. **—** *vt.* **1** 《+[목]+[부]/+[목]+[전]+[명]》 (법정이) 보석하다; (보증인이) 보석을 받게 하다 《*out*》; (재정적 지원 등으로 곤경에서) 구해내다 《*out of*》: His lawyer ~*ed* him *out*. 변호사는 그가 보석을 받게 했다 / ~ a person *out of* (financial) trouble 아무를 (재정적) 곤경에서 구하다. **2** (화물을) 위탁하다. **3** 《미속어》 …과 헤어지다; (수업을) 빼먹다. **~ *out*** 《구어》 (자금 지원으로) 구제하다; 《미속어》 (계획 따위를) 중지하다; 《미》 (일을) 농땡이부리다.

bail² *n.* (냄비·주전자 따위의 반원형의) 손잡이, 들손; (포장 마차의 반원형의) 포장틀; (타자기 따위의) 종이 누르는 장치; 《Austral.》 (우유를 짤 때) 소 머리를 누르는 틀. **—** *vt.* (주전자 따위에) 손잡이를 달다; 《Austral.》 (소의 머리를) 틀로 누르다 《*up*》.

bail³ *n.* 파래박 《뱃바닥에 괸 물을 퍼내는》. **—**

vt. ⦅+목+전+명/+목+부⦆ (배에서 물을) 퍼내다; (배의) 바닥에 괸 물을 퍼내다: ~ water *out of* a boat 보트에서 물을 퍼내다/~ water *out*= ~ *out* a boat 보트에 괸 물을 퍼내다. ── *vi.* (보트 안의) 괸 물을 퍼내다⦅*out*⦆. **~ *out*** ⦅*vi.*+부⦆ ① ⇨ *vi.* ② 낙하산으로 탈출하다. ③ 〖야구〗 (타자가) 투구를 피하다; ⦅속어⦆ (책임 회피 등으로) 손을 떼다; (궁지에서) 도망치다; (위험 상태일 때) 서프보드에서 떠나다. ④ (잠수자가) 급부상하다. ── ⦅*vt.*+부⦆ ⑤ ⇨ *vt.* ⑥ (특히 경제적 위기에서) 구하다, 일으켜 세우다. ⑦ (유정(油井) 굴착 장치를) 청소하다.

bail⁴ *n.* 〖크리켓〗 삼주문(三柱門) 위의 가로장; 〖역사〗 성벽(城壁), 성곽, 성의 바깥뜰; ⦅영⦆ (마구간의) 칸막이 가로대. 「따위).

báil·a·ble *a.* 〖법률〗 보석할 수 있는⦅범죄, 범인

báil bàndit 보석 중에 죄를 범한 자.

báil bònd 〖법률〗 보석 보증서.

bail·ee [beilíː] *n.* 〖법률〗 수탁자(受託者). OPP *bailor.* 「박.

báil·er *n.* 뱃바닥에 괸 물을 퍼내는 사람; 파래

bai·ley [béili] *n.* 성벽; 성안의 뜰. 「BAILIFF.

bail·ie [béili] *n.* ⦅Sc.⦆ =ALDERMAN; ⦅방언⦆ =

bail·iff [béilif] *n.* **1** 집행관⦅sheriff의 부하⦆. **2** (지주의) 토지 관리인. **3** ⦅미⦆ 법정 경위(⦅영⦆ usher). **4** 〖영국사〗 고을 원, 수령; 지방 행정관. ㊞ **~·shìp** *n.*

bail·i·wick [béiləwìk] *n.* Ⓤ bailie 또는 bailiff의 직〔관할 구역〕; ⦅우스개⦆ (전문) 분야, 영역; 주변.

báil·ment *n.* 〖법률〗 위탁; 보석. 「OPP *bailee.*

bail·or [béilər, beilɔ́ːr] *n.* 〖법률〗 기탁자.

báil·òut *n.* **1** (낙하산에 의한) 긴급 탈출. **2** (특히 재정적인) 긴급 원조, 구제 금융. **3** 딴 방법, 대안. ── *a.* 긴급〔응급〕 대책의.

báils·man [-mən] (*pl.* ***-men*** [-mən]) *n.* 보석 보증인.

Bái·ly's béads [béiliz-] 〖천문〗 베일리의 목걸이⦅개기식 때 달의 가장자리에 나타나는 구슬 모양의 태양광⦆.

bain-ma·rie [béinmərìː, *F.* bɛ̃maʀi] (*pl.* ***bains-*** [—]) *n.* 이중냄비.

bairn [bɛərn] *n.* ⦅Sc.⦆ 유아(幼兒), 어린이.

bait** [beit] *n.* **1** 미끼, 먹이: an artificial ~ 제물낚시/a live ~ 산 미끼/put a ~ 미끼를 달다. **2** 유혹(물)(lure). **3** ⦅고어⦆ (여행 중의) 휴식. **4** ⦅방언⦆ 가벼운 식사. ***rise to the **~** 상대의 수에 넘어가다. ***swallow the*** **~** 먹이〔꾐〕에 걸려들다. ── *vt.* **1** ⦅~+목/+목+전+명⦆ …에 미끼를 달다⦅*with*⦆: ~ a hook *with* a worm 낚시바늘에 지렁이를 달다. **2** 미끼로 꾀다; 유혹하다⦅*with*⦆. **3** ⦅고어⦆ (말에) 휴식 중 꼴을 먹이다. **4** ⦅~+목/+목+전+명⦆ (묶어〔가두어〕 놓은 동물을) 개를 부추기어 괴롭히다⦅*with*⦆: Men used to ~ bulls and bears (*with* dogs) for sport. 예전에는 개를 부추겨서 소나 곰을 괴롭히면서 즐기곤 했다. **5** 괴롭히다, 지분거리다. ── *vi.* ⦅영⦆ (여행 중 식사·휴식을 위해) 도중에서 쉬다; (동물이) 먹이를 먹다. ㊞ **∠·er** *n.*

báit and swítch ⦅미⦆ 후림상술⦅광고 상품으로 꾀어서 비싼 물건을 팔려는 상술⦆. ㊞ **báit-and-swítch** [-ən-] *a.*

báit càsting (낚시에서) 베이트 캐스팅, 미끼 던지기⦅회전식 릴이 달린 낚싯대에 비교적 무거운 제물낚시를 달아서 던지는 행위〔기술, 낚시질〕⦆.

bai·za [báizaː] (*pl.* **~, ~s**) *n.* 바이자⦅오만의 화폐 단위; 1/1000 rial omani⦆.

baize [beiz] *n.* Ⓤ 베이즈⦅당구대·탁자·커튼 따위에 쓰는 초록색 설핀 나사(羅紗)⦆. ── *vt.* …에 베이즈 천을 깔다〔대다〕.

‡bake [beik] *vt.* **1** (빵 따위를 직접 불에 대지 않고) 굽다. SYN. ⇨BURN. **2** (벽돌 따위를) 구워 굳히다, 구워 말리다. **3** (햇볕이 피부 따위를) 태우다; (햇볕이 지면을) 바싹 말리다; (과실을) 익게 하다: The sun ~*d* the land. 햇볕이 땅을 바싹 마르게 했다. ── *vi.* (빵 등이) 구워지다; (지면 따위가) 타서 단단해지다; (햇볕에) 타다; ⦅구어⦆ 더워지다: ~ in the sun 양지에서 살을 태우다. ── *n.* **1** 구움, (빵)굽기. **2** ⦅미⦆ 회식⦅음식을 즉석에서 구워 내놓는⦆. **3** ⦅Sc.⦆ 비스킷, 크래커. **4** 구워낸 제품.

báked Aláska 스펀지케이크에 아이스크림을 얹고 머랭으로 싸서 오븐에 살짝 구운 과자.

báked béans 찐 콩과 베이컨 등을 구운 요리.

báked potáto (껍질째 오븐에 구운) 통감자구이.

báke·hòuse *n.* =BAKERY.

Ba·ke·lite [béikəlàit] *n.* 베이클라이트⦅일종의 합성 수지; 상표명⦆.

báke-òff *n.* 빵굽기 콘테스트.

‡bak·er [béikər] *n.* **1** 빵 가게; 빵 굽는 사람, 빵류 제조 판매업자. cf. bakery. ¶ ~*'s* yeast 제빵용 이스트. **2** ⦅미⦆ 휴대용 제빵 기구. **3** 제물낚시의 일종. ***spell*** **~** 어려운 일을 해치우다.

báker-knèed, -lègged *a.* 무릎이 안쪽으로 굽은, 안짱다리의.

Bá·ker-Núnn càmera [béikərnʌ́n-] 인공위성 추적용 카메라.

báker's dózen 빵집의 1다스, 13개. 「과점.

***bak·ery** [béikəri] *n.* 빵집; 제빵소; ⦅미⦆ 제

báke·shòp *n.* ⦅미⦆ =BAKERY. 「냄비.

báke·wàre *n.* (음식을 굽는) 내열 도기〔유리〕

BAK file [bǽk-] 〖컴퓨터〗 백 파일⦅운영 체제나 응용 프로그램에서 사용하던 파일을 수정할 때 자동으로 작성되는 백업 파일⦆.

°bák·ing *n.* Ⓤ 빵 따위를 굽기; 고온(高溫)으로 건조함; 한 번 굽기; Ⓒ 한 가마(분). ── *a.*, *ad.* 빵을 굽는; ⦅구어⦆ 태워 버릴 듯한〔듯이〕: ~ heat 작열/~ hot 탈 듯이 뜨거운.

báking pòwder 베이킹 파우더.

báking shèet =COOKIE SHEET.

báking sòda 중탄산나트륨.

Bák·ke decìsion [bǽki-] ⦅미⦆ 바키판례⦅대학이 소수 민족 학생을 입학시키기 위해 우수 학생을 거부하는 것은 불법이라는 대법원 판례⦆.

bak·kie [báːki] *n.* ⦅S.Afr.⦆ (농민 등이 쓰는) 소형 픽업〔차〕.

bak·ra [bǽkrə] (*pl.* **~(*s*)**) *n.* (카리브) 백인, ⦅특히⦆ 영국계 백인. ── *a.* 백계의, ⦅특히⦆ 영국계의.

bak·sheesh, -shish, back- [bǽkʃiːʃ, -∠] *n.* Ⓤ (터키·이집트 등에서의) 행하, 팁.

Ba·ku [bɑːkúː] *n.* 바쿠⦅Azerbaijan 공화국의 수도; 채유(採油)의 대중심지⦆.

BAL¹ [bìːèiél] *n.* 〖컴퓨터〗 기본 어셈블리어. [◂ *b*asic *a*ssembly *l*anguage]

BAL² [bæl] *n.* 〖약학〗 발⦅해독제의 일종⦆. [◂ *B*ritish *a*nti-*l*ewisite]

BAL³ blood alcohol level(혈중 알코올 농도).

bal. balance; balancing.

Ba·laam [béiləm] *n.* **1** 〖성서〗 발람⦅히브리의 예언자; 민수기 XXII: 23⦆; 믿을 수 없는 예언자〔자기편〕. **2** (b-) (신문·잡지의) 여백 메우는 기사: a ~ box 〔basket〕 여백 기사 투서함. ㊞ **~·ite** [-àit] *n.* **Bà·laam·ít·i·cal** [-ítikəl] *a.*

Bal·a·kla·va, -cla- [bæləklɑ́ːvə] *n.* (흑해에 면한) 크림 전쟁의 옛 싸움터; (b-) 발라클라바 모자(=∠ **hèlmet** 〔**hòod**〕)⦅눈만 내놓고 귀까지 덮는⦆.

bal·a·lai·ka [bælәláikə] *n.* 발랄라이카⦅러시아의 guitar 비슷한 삼각형의 현악기⦆.

bal·ance [bǽləns] *n.* **1** 천칭, 저울: a spring ~ 용수철 저울 / weigh things in a ~ 저울에 달다. **2** Ⓤ 평균, 균형, 평형; 대조(對照): nutritional ~ 영양의 균형. **3** (의장 따위의) 조화; 침착; (마음·몸의) 안정, (마음의) 평정: ~ of the mind 마음의 안정. **4** 균형을 잡는 것; 균형점; 〖체조〗 평균 운동. **5** 〖상업〗 수지, 국제수지; 차액, 차감 잔액; 거스름돈; (the ~) 《구어》 나머지(remainder): Keep the ~. 거스름돈은 가져라. **6** (the B–) 〖천문〗 천칭자리(Libra). **7** (시계의) 평형 바퀴. **8** (의견·여론 등의) 우위, 우세(優勢): The ~ of advantage is with us. 승산은 우리쪽이다. ~ ***of nature*** (생태적) 자연의 평형. ~ ***of terror*** 공포의 균형《핵무기의 상호 보유가 전쟁을 억제하고 있는 상태; (어떤 집단이) 폭력적 수단으로 지배력을 행사해서 안정 상태를 유지하는 것》. ~ ***of trade*** 〖경제〗 무역 수지: a favorable 〔an unfavorable〕 ~ *of trade* 수출〔수입〕 초과. ***hold in the*** ~ 미결로 남겨두다. ***hold the*** ~ (***of power***) 결정권을 쥐다. ***in*** ~ 균형이 잡혀, 조화를 이루어. ***in the*** ~ 결정을 못 내린 상태에서. ***keep*** 〔***lose***〕 ***one's*** ~ 몸의 균형을 유지하다〔잃다〕; 평정을 유지하다〔잃다〕. ***off*** 〔***out of***〕 ~ 균형〔평정〕을 잃고, 불안정하여. ***on*** (***the***) ~ 모든 것을 고려하여 (보면), 결국은. ***strike a*** ~ (***between***) (양자간의) 대차〔수지〕 관계를 결산하다; (양자간의) 균형이 잡힌〔공평한〕 해결〔조정〕책을 찾아내다. ***the*** ~ ***due*** 부족액: *the* ~ *due* from 〔to〕 …에게 대출〔…로부터 차입〕. ***the*** ~ ***in hand*** 시재 잔액. ***the*** ~ ***of accounts*** 계정 잔액. ***the*** ~ ***of clearing*** 교환 차액. ***the*** ~ ***of exchange*** 환 차액. ***the*** ~ ***of power*** (열강간(間)의) 세력 균형. ***tip the*** ~ 사태를〔국면을〕 바꾸다, 결과에 결정적인 영향을 주다.

— *vt.* **1** 《~+목/+목+전+명》 …의 균형을 잡다〔맞추다〕; 《~ oneself》 (쓰러지지 않게) 몸의 균형을 잡다: a *balancing* plane 〖항공〗 안정익(翼) / ~ a pole (곡예사가) 막대를 세우다 / ~ a book *on* one's head 균형을 잡고 책을 머리에 얹다. **2** 《~+목/+목+전+명》 비교〔대조〕하다, …의 이해득실을 견주어 보다: ~ probabilities 여러 가능성을 가늠해보다 / ~ one thing *with* 〔*by, against*〕 another 어떤 것을 딴것과 견주어 보다. **3** (딴것과) 에끼다, 상쇄하다; (잔액을) 없애다《지급하여》. **4** 〖회계〗 (대차·수지 따위를) 차감하다: ~ an account 셈을 결산보다 / ~ the book(s) 장부를 마감하다. **5** 〖댄스〗 (상대)에게 다가섰다 떨어졌다 하다. **6** 저울로 달다. — *vi.* **1** 균형이 잡히다, 평균을 이루다《*with*》; (계산·장부끝이) 맞다. **2** 〖회계〗 (대차 계정이) 일치하다. **3** 《+전+명》 주저하다《*between*》: ~ *in* one's choice 선택에 망설이다. **4** 〖댄스〗 (상대의 스텝에 따라) 다가섰다 떨어졌다 하다. ~ ***out*** 필적하다《*to*》. ㊞ **~·a·ble** *a.*

bálance bèam 저울대; (체조의) 평균대.

bál·anced [-t] *a.* 균형이 잡힌; (판단·프로그램 따위가) 한쪽으로 편중되지 않은; (정신면에서) 안정된: a ~ budget 균형 예산. 「영양식.

bálanced díet 〔**rátion**〕 균형〔조정〕식, 완전

bálanced fúnd 균형 투자 신탁《일반 주식 외에 채권·우선주 등에도 투자하는 개방식 투자 신탁 회사의 일종》.

bálanced lìne 〖미식축구〗 센터의 좌우에 3인씩 배치한 공격측의 라인.

bálanced tícket 《미》 밸런스 공인(公認) 명부《종교 단체·소수 민족 등 주요 유권자 그룹의 지지 획득을 노리고 선정한 정당 공인 후보자 명부》.

bálance dúe (지불해야 할) 부족액.

bálance of páyments 국제 수지.

bálance pòint (the ~) 균형점.

bál·anc·er *n.* 균형을 잡는 사람〔것〕; 다는 사람; 청산인; 평형기; 곡예사.

bálance shèet 〖상업〗 대차 대조표.

bálance whèel (시계의) 평형 바퀴, 플라이휠; 안정시키는 세력.

bálancing àct (위험한) 줄타기. ***do a*** ~ 어느 쪽에도 가담하지 않다. 「(龜頭炎).

bal·a·ni·tis [bæ̀lənáitis] *n.* 〖의학〗 귀두염

bal·as [bǽləs, béil-] *n.* 〖광물〗 홍첨정석(紅尖晶石), 홍스피넬.

ba·la·ta [bəlɑ́:tə, bǽlətə] *n.* 발라타《서인도제도산 열대 나무》; Ⓤ (그 수액의 응고체인) 발라타 고무《전선의 피복·골프공·껌 등을 만듦》.

ba·la·tik, -tic [bɑːlɑ́:tik] *n.* 발라틱《필리핀에서 쓰는 야생조수 포획용 올무》.

Bal·boa [bælbóuə] *n.* **1 Vasco de** ~ 발보아《태평양을 발견한 스페인의 탐험가; 1475?-1519》. **2** (b–) 파나마의 통화 단위《기호: B/, B》.

bal·brig·gan [bælbrígən] *n.* Ⓤ 무명 메리야스의 일종《양말·속옷용》; (*pl.*) 무명 메리야스 양말〔파자마〕.

bal·co·nied [bǽlkənid] *a.* 발코니가 달린, 노대가 있는: a ~ facade.

bal·co·ny [bǽlkəni] *n.* **1** 발코니, 노대(露臺). **2** (극장의) 2층 좌석; (고물의) 전망대.

balcony 1

bald [bɔːld] *a.* **1** (머리가) 벗어진, 털이 없는, 대머리의; 머리에 흰 얼룩이 있는《새·말 따위》: a ~ man 대머리 / get 〔go〕 ~ 머리가 벗겨지다. **2** (털·나무가 없어) 민둥민둥〔민숭민숭〕한; 꺼끄러기가 없는: a ~ mountain 민둥산. **3** 있는 그대로의, 드러낸: a ~ lie 빤한 거짓말. **4** 꾸밈없는(unadorned); 단조로운: a ~ prose style 아취 없는 문체. ***as*** ~ ***as an egg*** 〔***a coot, a bandicoot, a billiard ball, a cue ball***〕 머리가 훌렁 벗어진. — *vi.* (머리가) 벗어지다. ㊞ **∠·ness** *n.*

bal·da·chin, -quin [bǽldəkin, bɔ́:l-] *n.* 금란(金襴)《비단의 일종》; 닫집(canopy).

báld cóot 〖조류〗 큰물닭; 대머리《사람》.

báld cýpress 〖식물〗 낙엽송의 하나.

báld éagle 〖동물〗 흰머리독수리《북아메리카산(產); 1782년 이래 미국의 국장(國章)》.

bal·der·dash [bɔ́:ldərdæ̀ʃ] *n.* Ⓤ 같잖은〔허튼〕 소리(nonsense); 《영방언》 외설한 말〔글〕.

báld-fàced [-t] *a.* 얼굴에 흰 점이 있는《말 따위》; 노골적인, 뻔뻔스러운: a ~ lie 뻔뻔스러운 거짓말. 「일종.

báld·hèad *n.* 대머리(의 사람); 집 비둘기의

báld·hèaded [-id] *a.* 대머리의; 불모(不毛)의. — *ad.* 무모하게; 맹렬히: go ~ 《구어》 위험도 돌보지 않고 덤벼들다, 앞뒤 생각 없이 돌진하다《*at; for; into*》.

bal·di·coot [bɔ́:ldikù:t] *n.* =BALD COOT.

bald·ie [bɔ́:ldi] *n.* =BALDY.

báld·ing *a.* 머리가 벗겨지기 시작한.

bald·ish [bɔ́:ldiʃ] *a.* 약간 벗어진.

báld·ly *ad.* 드러내놓고, 노골적으로(plainly): put it ~ 노골적으로 쓰다〔말하다〕.

báld·mòney *n.* 인동속(屬)의 식물.

báld·pàte *n.* 대머리《사람》; 〖조류〗 아메리카홍머리오리(widgeon). ㊞ **-pàted** [-id] *a.* 대머리의.

bal·dric, -drick [bɔ́:ldrik] *n.* 어깨 띠《어깨

에서 허리에 어긋매껴 둘러메어 칼·나팔 따위를 다는》.

báld whéat 〖식물〗 쌀보리, 나맥(裸麥).

baldy [bɔ́:ldi] (*pl.* ***bald·ies***) *n.* 《속어》 대머리; 접지면이 마모된 타이어.

bale[1] [beil] *n.* **1** (운반용) 곤포(梱包), 꾸러미: a ~ *of* cotton 면화 한 꾸러미. **2** 《미마약속어》 다량의 마리화나. **3** 바다거북의 무리. **—** *vt.* 짐짝으로 꾸리다.

bale[2] *n., vt., vi.* =BAIL[3].

bale[3] 《시어·고어》 *n.* 재앙, 해, 불행; 고통; 한탄.

bal·e·bat·ish [bǽləbǽtiʃ] *a.* 존경할 만한, 훌륭한, 신의를 지키는, 고결한.

ba·leen [bəlí:n] *n.* 고래 수염(whalebone).

bále·fire *n.* (야영의) 큰 화톳불, 모닥불; 횃불; 《고어》 화장(火葬)불.

bale·ful [béilfəl] *a.* 재앙의, 해로운(evil, harmful); 《고어》 슬픔에 젖은, 가엾은, 비참한. ㊎ **~·ly** *ad.* **~·ness** *n.*

bal·er [béilər] *n.* 짐짝을 꾸리는 사람〔기계〕.

Bal·four [bǽlfuər, -fər] *n.* **Arthur James** ~ 밸푸어《영국의 정치가; 수상 역임; 1848-1930》.

Ba·li [bá:li, bǽli] *n.* 발리《인도네시아의 섬》.

Ba·li·nese [bà:ləní:z, -s, bæ̀l-] (*pl.* ~) *a., n.* 발리 섬의; 발리섬 주민(의); Ⓤ 발리어(의).

°**balk, baulk** [bɔ:k] *n.* **1** 장애, 훼방, 방해(물); 좌절(挫折), 실패: make a ~ 실패하다. **2** 이랑; 갈다 남겨둔 이랑. **3** 〖건축〗 각재(角材); 들보감. **4** 〖경기〗 보크《도약자가 도움닫기하여 balkline 을 밟고 나서 중지하는 일》; 〖야구〗 (투수의) 보크. ***in*** ~ 〖당구〗 공이 보크라인 안에; 《구어》 저지되어. **—** *vt.* **1** 《~+목/+목+전+명》 방해〔저해〕하다; 실망시키다: ~ a person *of* his hopes 아무를 실망시키다. **2** (의무·화제를) 피하다, (기회를) 놓치다. **—** *vi.* **1** 멈춰서다; (말이) 갑자기 서서 나아가지 않다, 뒷걸음치다. **2** 《~/+전+명》 난처한 기색을 보이다《*at*》: ~ *at* mak*ing* a speech 연설하기를 망설이다. **3** 〖야구〗 보크하다. ◇ balky *a.* ㊎ **∠·er** *n.*

Bal·kan [bɔ́:lkən] *a.* 발칸 반도〔산맥, 제국(諸國)〕(사람)의. **—** *n.* (the ~s) 발칸 제국(the ~ States).

Bál·kan·ìze *vt.* (종종 b-) …을 할거케 하다, 분열시켜 서로 싸우게 하다. ㊎ **Bàl·kan·i·zá·tion** *n.* (종종 b-) 소국 분할(주의〔정책〕).

Bálkan Móuntains (the ~) 발칸 산맥.

Bálkan Península (the ~) 발칸 반도.

Bálkan Státes (the ~) 발칸 제국(諸國).

bálk·lìne *n.* 〖경기〗 보크라인《도약(跳躍)에서 보크 판정을 위하여 그은 줄》; 〖당구〗 3구(球)로 하는 당구에 있어서 당구대 위에 그은 정(井)자꼴의 선.

balky [bɔ́:ki] *a.* (말 등이) 갑자기 전진을 중지하려는 경향이 있는, (사람 등이) 말을 듣지 않는; 〖야구〗 보크할 것 같은. ㊎ **bálk·i·ness** *n.*

†**ball**[1] [bɔ:l] *n.* **1** 공, 구(球), 볼; 공 같은 것: a ~ of string 실꾸리 / ~ and socket (관절의) 구와(球窩) / the ~ of the eye 눈알.

> SYN. **ball** 둥근 것에 쓰이는 일반적인 말: a rubber *ball* 고무공. **globe, sphere** 좀 격식 차린 말. 거의 완전한 구에 가까운 것에 쓰임: in the form of a *globe* 공 모양으로. the diameter of a *sphere* 구의 직경. **orb** 눈알이나 천체에 쓰임: the *orb* of the full moon 보름달의 구체.

2 탄알, 포탄. cf. bullet, shell. ¶ powder and ~ 탄약 / ~ firing 실탄 사격. **3** 천체, 《특히》 지구: the earthly 〔terrestrial〕 ~ 지구. **4** Ⓤ 구기(球技), 《특히》 야구. **5** 〖크리켓·야구〗 (1 회의) 투구; 〖야구〗 볼. cf. strike. ¶ a foul ~ 파울 / a fast 〔slow〕 ~ 속구〔느린 공〕. **6** 《속어》 경기할 차례: The ~ is with you. 네 차례다 / have a ~ 차례〔기회〕가 돌아오다. **7** (*pl.*) 《비어》 **a** 불알. **b** 배짱, 용기. **c** 〔감탄사적〕 바보 같은〔허튼〕 짓(nonsense). **d** 헛된 기도(企圖). **8** 〖수의〗 큰 알약. **9** 《속어》 녀석, 놈(fellow). ***a*** ~ ***of fire*** 불덩어리; =BALL OF FIRE. ~ ***and chain*** =***chain and*** ~ 《미》 (옛날에) 쇳덩이가 달린 차꼬《죄수용》; 〔일반적〕 거치적거림, 구속, 속박; 《속어》 아내. ~ ***of fortune*** 운명에 시달린 사람. ***break*** one***'s*** ~***s*** 《미비어》 몹시 노력〔고생〕하다. ***carry the*** ~ 《미구어》 책임을 지다; 선수를 치다, 주도권을 잡다. ***catch*** 〔***take***〕 ***the*** ~ ***before the bound*** 선수를 치다, 기선을 제하다. ***have the*** ~ ***at*** one***'s feet*** 〔***before*** one〕 성공의 기회를 눈앞에 두다. ***keep*** one***'s eye on the*** ~ 경계하다, 방심을 않다. ***keep the*** ~ ***rolling*** =***keep the*** ~ ***up*** (이야기·파티를) 잘 진행시켜 흥을 깨지 않다. ***make a*** ~***s of*** 《비어》 …을 엉망으로 망쳐놓다(make a mess of). ***on the*** ~ 《구어》 빈틈없이, 방심 않고; 잘 알고 있는, 유능하여, 기민하게; 《미속어》 (투수가) 투구를 잘 하는: Get *on the* ~. 방심하지 마라. ***play*** ~ 구기를 하다; 〖야구〗 경기 개시, 플레이 볼; 활동을 시작하다; 《구어》 협력하다《*with*》. ***run with the*** ~ 《미구어》 사업을 이어받아 추진하다. ***start*** 〔***get, set***〕 ***the*** ~ ***rolling*** 일을 시작하다〔궤도에 올리다〕, (이야기를) 꺼내기 시작하다. ***take up the*** ~ (좌담 등에서) 남의 이야기를 이어서 계속하다. ***That's the way the*** ~ ***bounces.*** 《미구어》 인생〔세상〕이란 그런 거야. ***The*** ~ ***is in your court*** 〔***with you***〕. 《비유》 (담화 등에서) 다음 차례는 너다. ***the three*** 〔***golden***〕 ~***s*** 세 개의 금빛 공《전당포 간판》.

— *vt., vi.* 공을〔둥글게〕 만들다; 공이〔둥글게〕 되다; 《미비어》 성교하다; 《미속어》 (*vi.*) (코카인 등) 흥분제를 성기에 넣다. ~ ***the jack*** 《속어》 급히가다〔하다〕; 한 가지 일에 모든 것을 걸다, 흥하든 망하든 하다. ~ ***up*** 《미구어》 뒤범벅을 만들다〔이 되다〕; 혼란하다; 혼란케 하다(《영》 balls up): be all ~*ed up* 혼란 상태에 빠져 있다.

ball[2] *n.* 무도회; 《속어》 (매우) 즐거운 한때: give a ~ 무도회를 열다 / a fancy 〔masked〕 ~ 가장 무도회. ***have*** (one***self***) ***a*** ~ 《구어》 멋진 시간을 가지다; 기회를 얻다. ***lead a*** ~ 무도의 리드를 잡다. ***open the*** ~ 춤의 첫 판을 추다; 《비유》 행동을 개시하다. **—** *vi.* 《미속어》 (매우) 즐겁게 지내다, 떠들며 놀다. **—** *vt.* 〔다음 관용구로 쓰임〕 ~ ***it up*** 즐겁게 하다, 유쾌히 지내다.

°**bal·lad** [bǽləd] *n.* 민요, 속요(俗謠); 이야기; 발라드《민간 전설·민화 따위의 설화시, 또 이에 가락을 붙인 가요》; 느린 템포의 감상적〔서정적〕인 유행가. **—** *vi.* ~를 짓다. ㊎ **bal·lad·ic** [bəlǽdik] *a.*

bal·lade [bəlá:d, bæl-] *n.* 《F.》 **1** 〖운율〗 발라드《7〔8〕 행씩의 3 절과 4 행의 envoy로 되어, 각 절 및 envoy의 끝 행이 같은 형의 시형》. **2** 〖음악〗 발라드, 담시곡(譚詩曲). 「어」 대중 가수.

bal·lad·eer [bæ̀lədíər] *n.* 민요 가수; 《미구

bal·lad·ist [bǽlədist] *n.* 발라드 작가〔가수〕.

bállad mèter 〖운율〗 민요조《약강격(弱強格) 4 음보(步)와 3 음보가 번갈아 압운(押韻)되는 4 행이 한 절이 됨》.

bállad·mònger *n.* 가두 시인, 민요 작가; 발라드 소리쟁이; 엉터리 시인.

bállad òpera 〖음악〗 발라드 오페라《18 세기 전반에 영국에서 일어난 오페라 형식을 빌린 서민적인 음악극》.

bal·lad·ry [bǽlədri] *n.* Ⓤ 〔집합적〕 민요, 발라드(ballads); 발라드 작시법.

báll-and-cláw fòot (하부가) 공을 움켜쥔 새의 갈고리발톱 모양을 한 가구의 다리.
báll-and-sócket jòint =BALL JOINT; 〖해부〗 (무릎 등의) 구상(球狀) 관절(enarthrosis).
◇**bal·last** [bǽləst] *n.* Ⓤ 〖해사〗 밸러스트, (배의) 바닥짐; (기구·비행선의 부력(浮力) 조정용) 모래〔물〕 주머니; (철도·도로 등에 까는) 자갈; (마음 등의) 안정감(感); (경험 등의) 견실미(味); 〖전기〗 안정기〔저항〕: have 〔lack〕 ~ 마음이 안정돼 있다〔있지 않다〕. ***in*** ~ 〖해사〗 바닥짐만으로, 실은 짐 없이. — *vt.* (배에) 바닥짐을 싣다; (기구에) 밸러스트를 달다; 자갈을 깔다; 안정시키다.
bállast tànk 〖해사〗 밸러스트 탱크《바닥짐으로서 물을 저장하는 탱크》. 「철」알.
báll béaring 〖기계〗 볼베어링, 베어링의 (강
báll-béaring *a.* 볼베어링의.
báll-béaring hòstess 《속어》 (항공기의) 남자 승무원, 스튜어드.
báll bòy 〖테니스·야구〗 볼보이《공 줍는 소년》. ★ 여성은 ball girl.
báll bùster 〔**brèaker**〕 〖건축〗 =SKULL CRACKER; 《미비어》 (고환이 찌그러질 만큼) 괴로운 일(을 시키는 놈).
báll-càrrier *n.* 〖미식축구〗 공을 갖고 상대 진으로 돌진하는 선수.
báll cártridge 실탄. opp *blank cartridge*.
báll clày 〖요업〗 볼 클레이《미세한 암색의 카올리나이트질(kaolinite質) 점토》.
báll clùb 야구·축구·농구 따위의 팀〔구단〕, 그 팀의 관계자.
báll còck 부구(浮球)콕(ball valve)《물 탱크·수세식 변기 등의 물의 유출을 자동 조절함》.
báll contròl 〖구기〗 볼 컨트롤《축구나 농구 등에서, 공을 오래 갖고 있는 작전; 드리블 등 공을 다루는 능력》.
bálled-ùp *a.* 《속어》 아주 혼란된, 몹시 당황한.
bal·le·ri·na [bæ̀ləríːnə] *n.* 《It.》 발레리나, (주연) 무희《발레의》.
***bal·let** [bǽlei, -ˊ/-ˊ] *n.* Ⓤ 발레, 무용극; (the ~) 발레단〔음악, 악보〕: the Bolshoi Theater *Ballet* 볼쇼이 발레단.
bal·let·ic [bælétik, bə-] *a.* 발레의〔와 같은〕. ⓟ **-i·cal·ly** [-ikəli] *ad.* 발레적으로.
bállet màster 〔**mìstress**〕 발레 마스터〔미스트리스〕《발레단의 훈련과 연출, 때로는 안무까지 담당하는 지도자》.
bal·let·o·mane, -let·o·ma·nia [bælétəmèin, bə-/bǽlit-], [bælètəméiniə, bə-/bæ̀lit-] *n.* 발레광(狂).
bállet slìpper 〔**shòe**〕 발레화; 발레화 비슷한 여성용 구두.
bállet suìte 〖음악〗 발레 조곡(組曲)〔모음곡〕.
báll·flòwer *n.* 〖건축〗 둥근 꽃무늬 장식.
báll gàme 구기《특히 야구나 소프트볼》; 《미속어》 흥미〔활동〕의 중심; 《미구어》 경쟁, 활동; 《미속어》 상황, 사태: a whole new ~ 전적으로 새로운 사태〔정세〕/ not even in the ~ 멍한 상태인, 얼이 빠져 있는.
báll gìrl 〖테니스·야구〗 볼걸. cf. ball boy.
báll·gòwn *n.* 야회복.
báll hàndler 공을 다루고 있는 선수; (농구·축구 따위에서) 공 처리에 능한 선수. ⓟ **báll hàndling**
báll hàwk (구기에서) 공을 잘 빼앗는 선수; 〖야구〗 플라이를 잘 잡는 외야수. 「lege의 하나.
Bal·liol [béiljəl, -liəl] *n.* Oxford 대학의 col-
bal·lis·ta [bəlístə] (*pl.* ***-tae*** [-tiː]) *n.* 《L.》 투석기(投石器), 노포(弩砲)《돌을 쏘는 옛 무기》.
bal·lis·tic [bəlístik] *a.* 탄도(학)의; 비행 물체의; 〖전기〗 충격의; 《구어》 울컥〔발칵〕 화를 낸, 뻣성을 낸: go ~ 울컥하다. ⓟ **-ti·cal·ly** *ad.*
ballísitc cámera (야간 미사일 추적용) 탄도 카메라. 「(檢流計).
ballístic galvanómeter 〖전기〗 충격 검류계
bal·lis·ti·cian [bæ̀listíʃən] *n.* 탄도학자; 총기 사용 여부를 조사하는 경찰관.
ballístic míssile 탄도탄. cf. guided missile. ¶ an intercontinental ~ 대륙간 탄도탄《생략: ICBM》.
ballístic péndulum 〖물리〗 탄도 진자(振子).
bal·lís·tics *n. pl.* 〖단수취급〗 탄도학.
ballístic trajéctory 탄도(궤도)《중력장(重力場)에서 물체가 관성으로 운동하는 경로》.
bal·lis·to·car·di·o·gram [bəlìstoukáːrdiəgræ̀m] *n.* 〖의학〗 심전도(心電圖).
bal·lis·to·car·di·o·graph [bəlìstoukáːrdiəgræ̀f, -gràːf] *n.* 〖의학〗 심전계(心電計). ⓟ **-càr·di·o·gráph·ic** [-grǽfik] *a.* **-càr·di·óg·ra·phy** [-ágrəfi/-ɔ́g-] *n.*
báll jòint 〖기계〗 볼 조인트.
báll lìghtning 〖기상〗 구상(球狀) 번개《공 모양의 번개로 드문 기상 현상》.
báll mìll 볼 밀《강철구(球)나 작은 돌을 넣은 원통(圓筒)을 수평 회전시켜 원료를 분쇄하는 장치》.
bal·lock-na·ked [báləknèikid/bɔ́l-] *a.* (종종 stark ~) 《비어》 실오라기 하나 안 걸친, 완전 나체의.
bál·locks *n. pl.* 《비어》 **1** 〖복수취급〗 불알. **2** (*or* a ~) 〖단수취급〗 농담, 실없는 소리(nonsense). — *vt.* 혼란시키다《*up*》.
báll of fíre 《구어》 정력가, 민완가; 한 잔의 브랜디; 급행 열차.
báll of wáx 《흔히 the whole ~로》 《구어》 전부, 모든 것, 남김없이 몽땅.
bal·lon d'es·sai [*F.* balɔ̃desɛ] (*pl.* ***bal·lons d'es·sai*** [—]) 《F.》 관측 기구; 시험 기구; 탐색《여론·외국의 의향 등을 살피려는 성명 따위》.
bal·lo(n)·net [bæ̀lənét, -néi] *n.* 〖항공〗 (기구·비행선의) 보조 기낭(氣囊)《부력 조종용》.
⁑**bal·loon** [bəlúːn] *n.* **1** 기구; 풍선; (형세를 보기 위한) 시험 기구: a captive 〔free〕 ~ 계류〔자유〕 기구 / a dirigible ~ 비행선 / an observation ~ 관측용 기구. **2** 말풍선《만화 속 인물의 대화를 풍선꼴로 나타낸 윤곽(輪廓)》. **3** 둥근 대형의 브랜디글라스(snifter) (= ~ **glàss**); BALLOON SAIL; BALLOON TIRE; 〖화학〗 풍선 꼴 플라스크; 〖건축〗 구슬 장식. **4** 《미속어》 (헤로인 용기로서의) 풍선; 《영구어》 공을 공중 높이 올리는 킥〔타격〕. ***like a lead*** ~ 전연 효과 없이. ***the*** ~ ***goes up*** 《구어》 큰일〔야단〕나다; 소동이 일다.
— *vi.* **1** 《~/+副》 (풍선처럼) 부풀다《*out; up*》; 급속히 증대하다: Her skirt ~*ed* (*out*) in the wind. 그녀의 스커트가 바람에 부풀었다. **2** 기구를 타다〔로 오르다〕: go ~*ing* 기구비행을 하러 가다. **3** 《속어》 (극 따위의) 대사를 잊다; 《미속어》 발기하다. — *vt.* 부풀게 하다; 《영구어》 (공을) 공중 높이 차〔쳐〕올리다. — *a.* 기구꼴〔풍선꼴〕의; 기구의〔에 의한〕; 부푼; 〖상업〗 최종지불이 그 이전보다 훨씬 많아지는. ⓟ ~·**like** *a.*
ballóon ángioplasty 〖의학〗 벌룬 혈관 성형술《혈관의 폐색 부분을 가는 관에 붙여 넣은 풍선을 부풀려서 재소통시키는 방법》.
ballóon astrónomy 기구(氣球) 천문학.
ballóon barràge 〖군사〗 기구 조색(氣球阻塞), 방공 기구망(網).
ballóon cátheter 〖의학〗 풍선 카테터〔도관〕《선단에 풍선이 달려 있어, 체내 삽입 후 공기를 넣어 팽창시키거나 공기를 뺄 수 있어서 혈관내의 혈압측정이나 관동맥 협착부를 직접 확장하는 데

쓰임》.

bal·lóon·er, bal·lóon·ist *n.* 기구 조종사.

ballóon finàncing 〔**lòan**〕 벌룬 융자《융자의 일부를 월부로 갚고, 상당히 많은 금액을 마지막 회에 일괄 변제함으로써, 융자 기간을 단축하고 이자 부담을 줄임》.

ballóon·fish (*pl.* ~(*·es*)) *n.* 〖어류〗 복(어).

ballóon·flòwer *n.* 〖식물〗 도라지.

ballóon-hèad *n.* 《미속어》 멍텅구리, 바보. ㊞ **~·ed** [-id] *a.*

ballóon hèlp 〖컴퓨터〗 풍선 도움말《프로그램의 기능을 설명하는 핵심적인 도움말로서 특히 초보자에게 유용하다》.

bal·lóon·ing *n.* Ⓤ 기구 조종(술); 〖항공〗 (항공기 착륙 때의) 기체의 부상(浮上)《접지(接地) 속도가 너무 크거나 할 때 생김》; 〖의학〗 (치료를 위한 체강(體腔)의) 풍선꼴 확대; 〖동물〗 (거미가 자기 실을 잡고 바람을 타는) 공중 이동.

ballóon ìnterest 〖금융〗 상승세의 금리.

ballóon lòan 〔**finàncing**〕 〖금융〗 빌린 돈을 나누어 갚다가 만기 때 남은 돈을 한꺼번에 갚는 방식.

ballóon mòrtgage 〖금융〗 주택 융자 등에서의 balloon loan 방식의 융자.

ballóon pàyment 〖금융〗 차입 잔고의 일괄 지불. cf. balloon loan.

ballóon pùmp 〖의학〗 인공 심폐와 대동맥 사이에 넣는 풍선식 정맥(整脈) 장치.

ballóon ròom 《미속어》 마리화나를 피우는 곳.

ballóon sàil 〖해사〗 연풍(軟風)에 의해서도 잘 부푸는 대형 경범선 돛.

ballóon sàtellite 《미》 기구 위성.

ballóon tìre (자동차 따위의) 저압(低壓) 타이어.

ballóon vìne 〖식물〗 풍선덩굴《열대 아메리카 원산》.

***bal·lot** [bǽlət] *n.* Ⓒ (무기명) 투표 용지《원래는 작은 공》; Ⓤ 비밀〔무기명〕 투표; 투표 총수; Ⓒ,Ⓤ 《일반적》 투표; 제비뽑기; Ⓤ (the ~) 투표〔선거〕권; 입후보자 명단: by secret ~ 비밀〔무기명〕 투표로 / cast 〔take, have〕 a ~ 투표를 하다〔로 정(定)하다〕(vote) / elect 〔vote〕 by ~ 투표로 뽑다〔결정하다〕. ── *vi.* 《~ / +전+명》 (무기명으로) 투표하다《*for; against*》, 투표로 뽑다〔결정하다〕, 제비를 뽑다《*for*》: ~ *against* 〔*for*〕 a candidate 후보자에 반대〔찬성〕 투표하다 / ~ *for* turns 심지뽑기로 순번을 정하다. ── *vt.* 《+목+전+명》 **1** 투표하다; 투표로 정하다, 추첨하다《*for*》: He was ~*ed for* chairman. 그는 투표로 의장에 선출되었다. **2** …에게 표결을 요구하다《*on; about*》: Union members were ~*ed on* the proposal. 조합원들에게는 제안에 대한 표결이 요구되었다. ㊞ **~·age** [-idʒ, -tàːʒ] *n.* 결선 투표. **~·er** *n.*

bállot bòx 투표함(函); 무기명〔비밀〕 투표. ***stuff the*** ~ (부정 투표로) 득표수(數)를 불리다.

bál·lot·ing *n.* Ⓒ,Ⓤ 투표; 추첨.

bal·lo·ti·ni [bæ̀lətíːni] *n. pl.* 미소(微小) 유리 비즈(beads)《연마제 · 도료 등에 섞는 반사재용(反射材用)》.

bállot-stùffing *a.* (부정 투표로) 득표수를 불리는.

bal·lotte·ment [bəlɑ́tmənt/-lɔ́t-] *n.* 〖의학〗 부구감(浮球感)《임신 중의 자궁이나 신장을 촉진(觸診)할 때의》.

báll pàrk 《미》 (야)구장; 《비유》 활동〔연구〕 분야; 《미속어》 대개의 범위, 근사치. ***in*** 〔***within***〕 ***the*** ~ 《속어》 (질 · 양 · 정도가) 허용 범위인, 대체로 타당한: *in the* ~ of $100 약 100 달러의.

báll-pàrk *a.* 《미속어》 (견적 · 추정이) 대강의: a ~ figure 대강의 어림.

báll pèn = BALLPOINT (PEN).

báll·plàyer *n.* 야구〔구기〕를 하는 사람; 프로야구 선수.

****báll·point** (**pén**) [bɔ́ːlpɔ̀int(-)] 볼펜.

báll-próof *a.* 방탄의: a ~ jacket 방탄 조끼.

báll·ròom *n.* 무도장〔실〕, 댄스홀.

bállroom dàncing 사교춤〔댄스〕.

bálls-ùp *n.* 《영비어》 = BALLUP.

ballsy [bɔ́ːlzi] *a.* 《미비어》 배짱이 있는, 강심장의, 위세 좋은, 용감한. ㊞ **bálls·i·ness** *n.*

báll·ùp *n.* 《속어》 뒤범벅, 혼란; 실수.

bal·lute [bəlúːt] *n.* 기구형(氣球形) 낙하산《우주선 귀환용》. [◂ *balloon*+parach*ute*]

báll vàlve 〖기계〗 볼밸브(ball cock).

bal·ly [bǽli] *a., ad.* 《영속어》 지겨운, 지겹게, 빌어먹을, 대단한; 되게; 도대체: Whose ~ fault is that? 도대체 어느 놈의 잘못이냐. ── *vi.* 《미속어》 손님을 끌어들이다. [◂ bloody]

bal·ly·hack [bǽlihæ̀k] *n.* Ⓤ 《미속어》 파멸, 지옥(hell): Go to ~! 지옥에나 떨어져라.

bal·ly·hoo [bǽlihùː] *n.* Ⓤ 《구어》 큰 소동; 요란한〔과대〕 선전, 떠벌림; 떠들어 댐. ── [⌐⌐⌐, ⌐⌐⌐] *vt., vi.* 요란스레 선전하다.

bally·rag [bǽliræ̀g] (*-gg-*) *vt.* = BULLYRAG.

bálly shòw 《속어》 (서커스 등의) 여흥(餘興).

bálly stànd 《미속어》 (가설 흥행장 앞의) 손님을 끌거나 약간의 연예를 보이는 대(臺).

◇**balm** [bɑːm] *n.* **1** Ⓤ 《일반적》 향유; 방향(芳香)(fragrance). **2** Ⓤ,Ⓒ 진통제, 위안(물). **3** Ⓒ 〖식물〗 멜리사, 서양 박하. ── *vt.* (통증 따위를) 진정시키다. ◇ balmy *a.*

bal·ma·caan [bæ̀lməkǽn, -kɑ́ːn/-kɑ́ːn] *n.* 거친 모직천으로 만든 래글런 소매의 짧은 망토.

bálm crícket 〖곤충〗 매미(cicada).

balm·i·ly [bɑ́ːmili] *ad.* 향기롭게, 상쾌하게.

balm·i·ness [bɑ́ːminis] *n.* Ⓤ 향기가 그윽함.

bálm of Gíl·e·ad [-gíliæ̀d] 〖식물〗 발삼나무의 일종; 그 방향성(芳香性) 수지(樹脂); 상처를 아물게 하는 것; 위안.

Bal·mor·al [bælmɔ́ːrəl, -mɑ́r-/-mɔ́r-] *n.* Ⓒ 줄무늬 나사제의 페티코트; (b-) 일종의 편상화; (b-) 납작하고 챙 없는 스코틀랜드 모자.

balmy [bɑ́ːmi] (***balm·i·er; -i·est***) *a.* 향기로운, 방향이 있는; 온은한, 부드러운; 위안이 되는(soothing), 상처를 아물게 하는, 기분 좋은; 진통의; 《속어》 얼빠진, 얼간이의.

bal·ne·al, bal·ne·ary [bǽlniəl], [-nièri/-əri] *a.* 욕탕의; 탕치(湯治)의.

bal·ne·ol·o·gy [bæ̀lniɑ́lədʒi/-ɔ́l-] *n.* 〖의학〗 Ⓤ 온천학; 온천 요법. ㊞ **-gist** *n.* 온천학 전문의.

bal·ne·o·ther·a·py [bæ̀lnioθérəpi] *n.* Ⓤ,Ⓒ 광천〔온천〕 요법.

ba·lo·ney [bəlóuni] *n.* Ⓤ 《미속어》 잠꼬대, 허튼 수작(boloney); 《미구어》 = BOLOGNA 2.

bal·sa [bɔ́ːlsə, bɑ́ːl-/bɔ́(ː)l-] *n.* Ⓒ (열대 아메리카산(產)) 관목의 일종《벽오동과의 나무로 가볍고 단단하여 구명용구 · 모형 비행기 등에 이용됨》; Ⓤ 그 재목; Ⓒ 그 뗏목〔부표(浮標)〕.

bal·sam [bɔ́ːlsəm] *n.* Ⓤ 발삼, 방향성 수지(樹脂); Ⓒ 발삼을 분비하는 나무; Ⓤ 향유, 향고(香膏); Ⓒ 위안물, 진통제; Ⓒ 봉숭아(garden ~).

bálsam ápple 〖식물〗 여주《박과(科)》.

bálsam fír 〖식물〗 발삼전나무《북아메리카산(產); 펄프 · 크리스마스 트리재(材)》; 그 재목.

bal·sam·ic [bɔːlsǽmik] *a., n.* 방향성의; 발삼 같은; 진통의; 진통제. ㊞ **-i·cal·ly** *ad.*

balsámic vínegar 검고 들큼한 이탈리아 식초. [◂ 《It.》 *aceto balsamico*]

bal·sam·if·er·ous [bɔ̀ːlsəmífərəs] *a.* 방향성 수지를〔발삼을〕 분비하는.

bálsam péar 〖식물〗 = BALSAM APPLE.

bálsam póplar 〖식물〗 미국 포플러.

Balt [bɔːlt] *n.* 발트 사람《발트 제국(諸國)의》.

Bal·tic [bɔ́ːltik] *a.* 발트해의; 발트해 연안 제국의. — *n.* [U] 발트어(語); (the ~) 발트해.

Báltic Séa (the ~) 발트해(海).

Báltic Státes (the ~) 발트 제국《Estonia, Latvia, Lithuania와 때로 Finland를 포함하는 여러 나라》.

Bal·ti·more [bɔ́ːltəmɔ̀ːr] *n.* 미국 Maryland 주(州)의 항구 도시; (b-) 〖조류〗 찌르레기. [파] **-mor·e·an** [ˌ-mɔ́ːriən] *a., n.*

Báltimore chóp 〖야구〗 홈베이스 근처에서 높이 튀어 타자가 1루에 살아 나갈 수 있는 내야 안타가 되는 타구. 「리카산(產)》.

Báltimore óriole 〖조류〗 미국꾀꼬리《북아메

Báltimore Orióles 볼티모어 오리올스《미국 Maryland주 Baltimore를 본거지로 하는 American League 동부 지구 소속의 구단》.

Ba·luch [bəlúːtʃ] (*pl.* **~·es,** 〖특히 집합적〗 ~) *n.* = BALUCHI.

Ba·lu·chi [bəlúːtʃi] *n.* (*pl.* **~s,** 〖특히 집합적〗 ~) 발루치족(의 사람)《Baluchistan 지방의 유목민으로 주로 수니파 이슬람교도》; 발루치어《인도유럽 어족의 이란어파에 속함》.

bal·un [bǽlən] *n.* 〖전기〗 평형 불평형 변성기(平衡不平衡變成器). [◂ *bal*ance + *un*balance].

bal·us·ter [bǽləstər] *n.* 〖건축〗 난간 동자; (*pl.*) 난간(banister).

bal·us·trade [bǽləstrèid, ˌ-ˌ] *n.* 난간. [파] **-trad·ed** [-id] *a.* 난간이 달린.

balustrade

Bal·zac [bɔ́ːlzæk, bǽl-/bǽl-] *n.* **Honoré de** ~ 발자크《프랑스의 소설가; 1799-1850》.

bam[1] [bæm] (**-mm-**) 《속어·고어》 *vt.* 속이다, 감쪽같이 속여넘기다. — *n.* 속이기.

bam[2] (**-mm-**) *n., vt.* (퉁 하는) 둔한 소리(를 내다).

bam[3] *n.* 《미속어》 진정제와 흥분제《특히 barbiturate와 amphetamine의 혼합 각성제》.

BAM Bachelor of Applied Mathematics; Bachelor of Arts in Music.

Ba·ma·ko [bǽməkòu; *F.* bamako] *n.* 바마코《Mali 공화국의 수도》.

Bám·bi effect [bǽmbi-] 동성애에서 이성애로의 눈뜸《Salten 작 '아기사슴 *Bambi*' 에서》.

bam·bi·no [bæmbíːnou, baːm-] (*pl.* **~s, -ni** [-niː]) *n.* 《It.》 어린애; 어린 예수의 상(像)〔그림〕.

°**bam·boo** [bæmbúː] (*pl.* **~s**) *n.* [C] 대(나무); [U] 죽재(竹材). — *a.* 대(나무)의; 대로 만든: ~ work 죽세공(竹細工).

bámboo cúrtain (the ~, 종종 the B- C-) 죽의 장막《전에 중공의 대외 정책을 풍자한 말》. [cf.] iron curtain.

bambóo shòots 〔**spròuts**〕 〖식물〗 죽순.

bambóo wàres 웨지우드 도기(陶器)《J. Wedgwood가 구운 대나무 빛의》.

bam·boo·zle [bæmbúːzəl] 《구어》 *vt.* 《+[목]+[전]+[명]》 속이다, 감쪽같이 속여넘기다; 미혹(迷惑)시키다: ~ a person *into* do*ing* 아무를 속여서 …하게 하다 / ~ a person *out of* a thing 아무를 속여 물건을 빼앗다. — *vi.* 속이다. [파] **~·ment** *n.* [U] **~r** [-ər] *n.*

*__ban__[1] [bæn] *n.* **1** 금지, 금지령, 금제《*on*》; (여론의) 무언의 압박, 반대《*on*》: There's a ~ *on* smoking here. 여기서는 금연 / lift 〔remove〕 the ~ (*on*) (…을) 해금(解禁)하다 / nuclear test ~ (treaty) 핵(核)실험 금지(조약) / place 〔put〕 under a ~ 금지하다. **2** 사회적 추방 선고; 〖종교〗 파문(excommunication); 추방. **3** 저주. **4** 공고, 포고. **5** (*pl.*) = BANNS. **6** (봉건 시대의) 가신(家臣)의 소집; 소집된 가신들. — (**-nn-**) *vt.* **1** 《~+[목]/+[목]+[전]+[명]》 금(지)하다: ~ a person *from* driving a car 아무에게 운전을 금하다. **2** 《고어》 파문하다. **3** 《고어》 저주하다. — *vi.* 저주하다.

ban[2] [bæn, baːn] *n.* 〖역사〗 (헝가리·크로아티아·슬라보니아의) 태수, 도독.

ba·nal [bənǽl, -náːl, béinl/bənáːl] *a.* 평범〔진부〕한(commonplace). [파] **~·ly** *ad.* **ba·nal·i·ty** [bənǽləti, bei-/bə-] *n.* [U] 평범; [C] 진부한 말〔생각〕.

ba·nal·ize [bənǽlaiz, -náːlaiz, béinəlàiz/bənáːl-] *vt.* 평범화하다, 진부한 것으로 만들다.

__ba·nana__ [bənǽnə/-náːnə] *n.* **1 바나나《나무·열매》; [U] 바나나색(grayish yellow): a hand of ~*s* 바나나 한 송이. **2** 《미속어·경멸》 백인에 붙어먹는 황색인; 《비어》 페니스; 성교. **3** 《미속어》 1 달러; 코미디언; 성적 매력이 있는 가무잡잡한 흑인녀.

banána bèlt 《미·Can. 속어》 온대 지역.

banána hèad 《미속어》 바보, 멍텅구리.

banána òil 〖화학〗 바나나 기름; 《미속어》 아첨, 실없는 소리. ***Banana oil !*** 《속어》 시시하군.

banána plùg 〖전기〗 바나나 플러그《끝이 스프링으로 된 바나나 모양의 단극(單極) 플러그》.

banána repùblic 《경멸》 바나나 공화국《과일 수출·외자(外資)로 경제를 유지하는 라틴 아메리카의 소국》.

ba·nan·as [bənǽnəz/-náː-] 《미속어》 *a.* 미친, 몰두한, 흥분한: drive a person ~ 아무를 몰두시키다, 열광시키다 / go ~ 미치다, 열광하다, 잔뜩 골이 나다. — *int.* 쓸데없는 소리 마라.

banána séat (자전거의) 바나나 모양의 안장.

banána skìn 바나나 껍질; 《구어》 실패의 원인, 함정: slip on a ~ 실태(失態)를 부리다.

banána splìt 바나나 스플릿《얇게 썬 바나나·아이스크림·크림·소스·견과로 된 단 식품》.

ba·nau·sic [bənɔ́ːsik, -zik] *a.* 실용적인; 《경멸》 단조로운, 기계적인; 《경멸》 독창성 없는; 장인(匠人) 기질의, 세련되지 않은.

Ban·bury [bǽnbèri, -bəri, bǽm-/bǽnbəri] *n.* 밴버리. **1** 영국 Oxfordshire 주 북부의 도시. **2** (타이어용) 고무와 색소의 혼합기(機).

Bánbury càke 〔**bún**〕 밴베리 케이크《건포도·오렌지 껍질·꿀 등으로 만든 파이》.

banc[1], **ban·co** [bæŋk], [bǽŋkou] *n.* 판사석. ***in*** ~ 재판관 전원이 배석하여, 개정 중에.

banc[2] *n.* 《미》 은행. ★ 은행 이름 앞에 씀.

bánc·assùrance, bánk- *n.* 《영》 은행에 의한 보험 상품의 판매, 은행 보험. [파] **bánc·assùrer** *n.*

__band__ [bænd] *n.* **1 일대(一隊), 그룹, 떼, 한 무리의 사람들(party): a ~ of robbers 〔thieves〕 도적단(團). [SYN.] ⇨ COMPANY. **2** 악대, 악단, 밴드: a marine ~ 해군 군악대(隊). **3** 동물〔가축〕의 떼. **4** 끈, 밴드, 띠; 쇠테; (새 다리의) 표지 밴드; 〖건축〗 띠 장식; 〖기계〗 벨트(belt), 피대; 〖제본〗 등 꿰매는 실: a rubber ~ 고무 밴드, 고무줄. **5** (보통 *pl.*) (예복의) 폭이 넓은 흰 넥타이. **6** 줄(무늬)(stripe). **7** 〖통신〗 (일정한 범위의) 주파수대(帶), 대역(帶域); (레코드)의 홈; 〖컴퓨

터》 대역《자기 드럼의 채널》. **8** 《고어》 차꼬, 수갑; 《고어》 유대, 의리, 굴레. ***then the ~ played*** 《구어》 그리고 나서 큰일〔골치 아픈 일〕이 일어났다. ***to beat the ~*** 《구어》 활발히; 많이, 풍부히; 몹시, 출중하게: She cried *to beat the ~*. 그녀는 몹시 울었다. ***when the ~ begins to play*** 《속어》 일이 크게 벌어지면.

— *vt.* 《~+目/+目+副/+目+前+名》 끈으로〔띠로〕 동이다; 줄무늬를 넣다; (새다리에) 표지 밴드를 달다; 단결(團結)시키다《*together*》: *~ed* workers 단결한 노동자/They are *~ed together* closely. 그들은 밀접히 단결돼 있다/They *~ed* themselves *into* the association. 그들은 단결해서 그 협회를 만들었다. — *vi.* 《+副/+前+名》 단결하다, 동맹하다《*together*》: ~ *together against* a common enemy 공동의 적에 대해 단결하다.

***band·age** [bǽndidʒ] *n.* **1** 붕대; 눈가리는 헝겊; 안대(眼帶): triangular ~ 삼각건(巾)/apply a ~ (to ...) (…에) 붕대를 감다/have one's hand in *~s* 손에 붕대를 감다. **2** 쇠 테, 쇠 띠. **3** 동여매는 강철 띠. — *vt.* 《~+目/+目+副》 (…에) 붕대(繃帶)를 감다《*up*》: ~ a sprained ankle 접질린 발목에 붕대를 감다/His head was *~d* with a linen cloth. 그의 머리는 린네르로 감겼다.

Bánd-Aìd 《미》 *n.* 밴드에이드《반창고와 가제를 합친 것; 상표명》; (band-aid) (문제·사건의) 일시적 해결, 응급책. — *a.* (band-aid) 응급의, 임시 방편의.

ban·dan·(n)a [bændǽnə] *n.* 홀치기 염색한 대형 손수건〔스카프〕(pullicat(e)).

ban·dar [bʌ́ndər] *n.* 〖동물〗 《Ind.》 원숭이.

B. and 〔&〕 B., b. & b. bed and breakfast (조반이 딸린 1박(泊)); bread and butter.

bánd·bòx *n.* (모자 따위를 넣는) 판지 상자; 그런 꼴의 건조물. ***look as if*** one ***came*** 〔***had come***〕 ***out of a ~*** 말쑥한 몸차림을 하고 있다.

B and D, B/D bondage and discipline 《가학·피학성 변태성욕 행위》.

band·da [bǽndə] *n.* 〖음악〗 밴더《관악기를 주로 한 강렬한 박자의 멕시코 댄스 음악》.

B and E breaking and entering.

ban·deau [bændóu, ´-] (*pl.* **~x** [-z]) *n.* 《F.》 반도《여자 머리에 감는 가는 리본; 폭이 좁은 브래지어》.

bánd·ed [-id] *a.* 단결된; 〖지학·동물·식물〗 「줄무늬 모양의.

ban·de·ril·la [bændəríːə, -ríːljə] *n.* 《Sp.》 〖투우〗 (소의 목·어깨를 찌르는 장식 달린) 창.

ban·de·ril·le·ro [bændəriːljέərou] *n.* 《Sp.》 〖투우〗 banderilla를 쓰는 투우사.

ban·de·rol, -role [bǽndəròul] *n.* (창·돛대 등에 다는) 작은〔좁다란〕 기, 기드림; 조기(弔旗) (bannerol); 명(銘)을 써 넣은 리본; 명정(銘旌).

bandh, bundh [bʌnd] *n.* 《Ind.》 업무의 전면 중지, 동맹 파업.

ban·di·coot [bǽndikùːt] *n.* 큰 쥐《인도·스리랑카산(產)》; 주머니쥐《오스트레일리아산(產)》.

bánd·ing *n.* **1** (소매·옷단 따위에 꿰매는) 띠 모양의 천〔끈, 테이프〕. **2** 단결, 연합. **3** 《영》 〖교육〗 능력별 그룹 분류.

°**ban·dit** [bǽndit] (*pl.* **~s, ban·dit·ti** [bændíti]) *n.* (무장한) 산적, 노상 강도, 도둑; 악당, 악한(outlaw); 《미속어》 장애; (종종 폭력을 부리는) 억지 동성애자, 《미공군속어》 적기(敵機), 《일반적》 적; 《구어》 미해결의 문제: a set 〔gang〕 of *~s* 산적떼/mounted *~s* 마적. ㊕ **~·ry** [-ri] *n.* Ⓤ 산적 행위, 강도; 《집합적》 도적떼.

bánd·lèader *n.* 악단의 지휘자〔통솔자〕.

bánd·màster *n.* 밴드마스터, 악장(樂長).

ban·dog [bǽndɔ̀ːg, -dɑ̀g/-dɔ̀g] *n.* 《드물게》 (사슬로 맨) 맹견, 탐정견《mastiff나 bloodhound 따위》.

ban·do·leer, -lier [bæ̀ndəlíər] *n.* 〖군사〗 (어깨에 걸쳐 띠는) 탄띠.

ban·do·line [bǽndəliːn, -lin] *n.* Ⓤ 밴덜린 《포마드의 일종》.

ban·do·ni·on, -ne·on [bændóuniɑ̀n/-ɔ̀n] *n.* 〖음악〗 반도네온《라틴 음악용 소형 아코디언》.

bánd-pass filter 〖전자〗 대역 여파기(帶域濾波器)〔필터〕《일정 범위의 주파수의 전류만을 여 「과함》.

bánd ràzor 카트리지식 안전 면도기.

B. & S. brandy-and-soda.

bánd sàw 〖기계〗 띠톱(belt saw).

B and S (bàll) 비언에스 (무도회) 《오스트레일리아의 벽지에서 열리는 미혼 남녀의 파티; 보통 주말에 하루 종일 열림》. [◂ *Bachelor and Spinster Ball*]

bánd shèll (뒤쪽에 반원형 반향 장치를 한)(야외) 음악당.

bánds·man [-mən] (*pl.* **-men** [-mən]) *n.* 악사, 악단〔악대〕원, 밴드맨.

bánd·stànd *n.* (지붕 있는) 야외 음악당, (음악홀·레스토랑 등의) 연주대(臺).

bánd thèory 〖물리〗 띠 이론《고체 중의 전자운동에 관한 양자(量子) 역학적 이론》.

Ban·dung [báːndu(ː)ŋ, bǽn-/bǽn-] *n.* 반둥《인도네시아의 도시》.

B. & W., b and w black and white.

bánd·wàgon *n.* 《미》 (서커스 따위 행렬의 선두의) 악대차; 우세한 세력; 사람의 눈을 끄는 것; 유행, 시류. ***climb*** 〔***get, jump, hop, leap***〕 ***on*** 〔***aboard***〕 ***the ~*** 《구어》 승산이 있을 것 같은 후보자를〔주의를, 운동을〕 지지하다, 시류에 영합하다, 편승하다. ***on the ~*** 《구어》 (선거 따위에서) 인기가 있어서, 우세해서.

bánd whèel 〖기계〗 피대로 돌아가는 바퀴, 띠톱을 돌리는 바퀴.

bánd·wìdth *n.* 〖전자·컴퓨터〗 띠너비, 대역너비《데이터 통신 기기의 전송 용량; 보통 bits 〔bytes〕 per seconds로 나타냄》.

ban·dy [bǽndi] *vt.* **1** 《~+目/+目+前+名》 (공 따위를) 마주 던지다, 서로 치다; (말다툼·치렛말·주먹질 따위를) 서로 주고받다《*with*》: ~ blows 〔words〕 *with* a person 아무와 치고받기를〔말다툼을〕 하다. **2** 《+目+副》 (소문 따위를) 퍼뜨리고 다니다, 토론하다《*about*》. ***~ compliments with*** …와 인사를 나누다. ***have*** one's ***name bandied about*** 이름이 입에 올려지다.

— *n.* Ⓤ (옛날의) 하키; Ⓒ 하키용의 타봉; Ⓤ 옛 테니스 경기법. — (**-di·er; -di·est**) *a.* =BANDY-LEGGED.

bándy-lègged [-id] *a.* 발장다리의(bowlegged). ⓒⓕ knock-kneed.

bane [bein] *n.* Ⓤ 독(毒), 해악; 재해; 파멸(의 원인); 죽음(death): Gambling was the ~ of his existence. 도박이 그의 파멸의 원인이 되었다.

báne·bèrry *n.* 〖식물〗 미나리아재빗과(科)의 유 「독 식물; 그 열매.

bane·ful [béinfəl] *a.* 파괴적〔치명적〕인, 《고어》 해로운, 유독한: a ~ influence 악영향. ㊕ **~·ly** *ad.* **~·ness** *n.*

bang**[1] [bæŋ] *n.* **1** 강타하는 소리《딱, 탕, 쾅, 쿵》: the ~ of a gun 쾅하는 대포 소리. **2** 강타, 타격: get 〔give a person〕 a ~ on the head 머리를 쾅 얻어맞다〔때리다〕. **3** 원기, 기력. **4** 《미속어》 스릴, 흥분; 즐거움. **5** 《구어》 급격한 동작. **6** 《속어》 마약 주사. **7** 《비어》 성교. ***go over 〔《영》 ***off***〕 ***with a ~*** 《미구어》 멋진 결과가 되다; 대단한 성황을 이루다. ***in a ~*** 돌연, 느닷없

이. ***with a*** ~ 《구어》 ① 쾅〔펑, 탕〕하고. ② 갑자기; 정력적으로, 기세 좋게: start things off *with a* ~ 일을 기세 좋게 시작하다. ③ 매우 잘, 멋지게, 훌륭히; 전속력으로.
— *ad.* **1** 철썩하고; 쿵〔쾅, 펑, 탕〕하고: *Bang!* Went the gun. 탕하고 총소리가 울렸다. **2** 난데없이; 바로, 정면으로, 마침: stand ~ in the center 바로 한가운데에 서다. ~ ***off*** 《영구어》 즉시, 곧. ~ ***on*** 《영구어》 = ~ ***up*** 《미구어》 딱 들어맞는〔게〕, 굉장한〔히〕. ~ ***to rights*** 현행범으로 잡혀, 증거가 드러나서; 틀림없이. ***come ~ up against*** …에 세게 부딪치다. ***fall ~ in the middle*** 한가운데 쿵하고 떨어지다. ***go*** ~ 펑하고 터지다; 탕하고 닫히다.
— *vi.* **1** 《~/+보》 (문 따위가) 탕하고 닫히다, 큰 소리를 내다: The door ~*ed* shut. 문이 탕하고 닫혔다. **2** 《+전+명/+부》 쾅〔쿵〕 소리나다《*away; about*》; 쾅〔쿵〕 부딪치다《*against; into*》: The children were ~*ing about* noisily. 어린이들이 쿵쾅거리며 소란스럽게 뛰어다니고 있었다/She ~*ed into* a chair. 그녀는 쾅하고 의자에 부딪쳤다. **3** 《구어》 …와 우연히 만나다. **4** 《속어》 마약을 주사하다; 《비어》 성교하다.
— *vt.* **1** 《~+목/+목+부/+목+전+명》 …을 세게 치다〔두드리다〕, 세게 부딪뜨리다; …을 쾅 닫다, 거칠게 다루다: ~ a drum 북을 등 치다/Don't ~ the musical instrument *about.* 악기를 거칠게 다루지 마시오/He ~*ed* his fist *on* the table in anger. 그는 화가 나서 주먹으로 책상을 세게 두드렸다. **2** 《+목+부》 …을 쳐서 소리를 내다《*out*》; (총포 따위를) 탕〔땅〕 쏘다《*off*》: The clock ~*ed out* nine. 시계가 아홉 시를 쳤다/He ~*ed off* a gun at the lion. 그는 사자를 향하여 총을 탕 쏘았다. **3** 《+목+전+명》 (지식 따위를) 주입하다《*into*》: ~ grammar *into* a boy's head 아이에게 문법을 무리하게 가르치다. **4** 《속어》 …보다 뛰어나다, 능가하다. **5** 《비어》 …와 성교하다. **6** 《속어》 …에게 마약을 놓다. ~ ***away*** ① 열심히 하다: ~ *away* on one's homework 숙제를 열심히 하다. ② 탕탕탕하고 연거푸 쏘다《*at*》: ~ *away at* a flock of wild ducks 들오리 떼를 향해 탕탕 마구 쏘아대다. ~ ***down*** 쿵〔탕〕하고 내려놓다. ~ ***into*** … ① ⇨ *vi.* 2. ② …와 (우연히) 마주치다. ~ ***off*** 탕 치다〔울리다〕. ~ ***out*** 《구어》 곡을 시끄럽게 연주하다; 《구어》 (타이프로 기사 따위를) 쳐내다; (원고 등을) 급히 작성하다. ~ ***up*** …의 모양을 못쓰게〔엉망으로〕 만들다.

bang[2] *n.* (보통 *pl.*) 단발머리의 앞머리. — *vt.* 앞머리를 가지런히 깎다; (말 따위의) 꼬리를 바싹 자르다: wear one's hair ~*ed.*

bang[3] ⇨ BHANG.

bán·ga·lore torpédo [bǽŋgəlɔ̀ːr-] 폭약통《TNT를 채운 철관》.

báng-báng *n.* 《구어》 요란스러운 총격전〔싸움〕; 《미속어》 서부극(영화); 《속어》 피스톨, 권총; 뱅뱅《유도 미사일 제어 시스템의 일종》.

báng·er *n.* **1** BANG[1] 하는 사람; 《영구어》 폭죽; 《영구어》 소음이 나는 고물차; 소시지. **2** 《미속어》 (자동차 엔진의) 실린더, 기통. **3** 격렬한 키스. **4** 《미속어》 곤봉, 굵은 단장.

Bang·kok [bǽŋkɑk, ⌐⌐/bæŋkɔ́k, ⌐⌐] *n.* 방콕《태국의 수도》; (b-) Ⓤ 태국산 보릿대의 일종; 그 모자.

Ban·gla·desh [bɑ̀ːŋglədéʃ, bæŋ-] *n.* 방글라데시《1971년에 독립한 공화국; 수도 Dacca》. ㊔ **-déshi** (*pl.* ~, ***-désh·is***) *n., a.* 방글라데시(인)(의).

ban·gle [bǽŋgəl] *n.* **1** 팔찌; 발목 장식. **2** (팔찌 · 목걸이 등에 달린) 작고 둥근 장식. ㊔ **~d** *a.* ~을 찬.

báng pàth 〖컴퓨터〗 뱅 패스《UNIX상의 UUCP에서의 전자 메일 주소를 나타내는 문자 예》.

Báng's disèase [bǽŋz-] 〖수의〗 뱅 병(病)《소의 전염병으로 종종 유산의 원인이 됨》.

báng·tàil *n.* 꼬리 자른 말(꼬리); 《미속어》 경주마(race horse); 꼬리가 짧은 야생마.

báng-ùp *a.* 《구어》 극상의, 상등의, 아주 멋진, 일류의(=**báng-ón**).

báng zòne 〖항공〗 제트기의 충격음 피해 지역(boom carpet).

ban·ian [bǽnjən] *n.* = BANYAN.

***ban·ish** [bǽniʃ] *vt.* 《~+목/+목+전+명》 **1** 추방하다, 유형에 처하다; 내쫓다: ~ a person *from* the country 아무를 국외로 추방하다/The king ~*ed* his own son. 왕은 제 아들을 추방했다. ★ 같은 뜻으로 '사람'을 간접 목적어로 하는 구문도 있음: *banish* a person the country. **2** 《+목+전+명》 (…의 죄로) 추방하다《*for*》: ~ a person *for* political crimes 국사범으로서 아무를 추방하다. **3** (아무를) 멀리하다; (근심 따위를) 떨어버리다《*from; out of*》: ~ anxiety 〔fear〕 걱정을〔두려움을〕 떨어버리다/~ something *from* one's memory 어떤 일을 잊다. ㊔ **~·er** *n.* 쫓아내는 사람. °**~·ment** *n.* Ⓤ 추방, 배척; 유형: go into ~*ment* 추방당하다.

ban·is·ter [bǽnəstər] *n.* (계단의) 난간 동자(baluster); (종종 *pl.*) 난간.

ban·jax [bǽndʒæks] 《속어》 *vt.* (…을) 치다, 때리다; 때려눕히다, 해내다, …에 이기다.

°**ban·jo** [bǽndʒou] (*pl.* ~(*e*)*s*) *n.* 〖악기〗 밴조《5현의 현악기》. ㊔ **~·ist** *n.* 밴조 연주자.

banjo

Ban·jul [bɑ́ːndʒuːl] *n.* 반줄《Gambia의 수도; 구칭 Bathurst》.

ban·ju·le·le, -jo-, ban·jo-u·ku·le·le [bæ̀ndʒuléili], [-dʒə-], [bæ̀ndʒoujùːkəléili] *n.* 〖악기〗 밴줄렐레《banjo와 ukulele의 중간 악기》.

‡**bank**[1] [bæŋk] *n.* **1** 둑, 제방; (강 · 늪 따위의) 가, 기슭: the ~*s* of a river/the right 〔left〕 ~ (강 하류를 향해) 우안〔좌안〕. **2** (둑 모양의) 퇴적, 덮쳐 쌓임; 구름의 층. **3** 모래톱, 사주(砂洲); 대륙붕(어장). **4** (인공적으로 만든) 비탈, 구배(勾配), 경사. **5** 〖항공〗 뱅크《비행기가 선회할 때 좌우로 경사하는 일》: the angle of ~ 뱅크각《비행중 선회시의 좌우 경사각》. **6** 당구대의 쿠션. **7** 〖광산〗 갱구. ***from ~ to ~*** (갱부가) 갱에 들어가서 나오기까지. — *vt.* **1** 《~+목/+목+부》 …에 둑을 쌓다, 둑으로 에워싸다《*up; with*》: ~ *up* a house 집을 둑으로 에워싸다. **2** 《+목+부》 (흐름을) 막다《*up*》《둑을 쌓아서》: ~ *up* a stream. **3** 《+목+부》 불을 (죽지 않게) 묻다: ~ *up* a fire. **4** 《~+목/+목+부》 둑 모양으로 쌓다: ~ the snow *up.* **5** (도로 · 선로의 커브를) 경사지게 하다; 〖항공〗 뱅크〔경사 선회〕 시키다. **6** 당구공을 쿠션에 맞히다. — *vi.* **1** 《+부》 (구름 · 눈이) 쌓이다《*up*》: The snow ~*ed up.* 눈이 쌓였다. **2** 〖항공〗 뱅크하다, 옆으로 기울다; (차가) 기울다; 차체를 기울이다.

‡**bank**[2] *n.* **1** 은행: a national ~ 국립 은행/a savings ~ 저축 은행/a ~ of deposit 〔issue〕 예금〔발권〕 은행. **2** (the B-) 잉글랜드 은행. **3** (the ~) 노름판의 판돈; (노름의) 물주(banker). **4** 저금통; 저장소: an eye ~ 안구 은행/a blood ~ 혈액 은행. ***break the ~*** (도박에서) 물주를 파산시키다; …을 무일푼으로 만들다. ***go to***

the ~ 《영속어》 직업 소개소로 가다. *in the* ~ 《영》 빚을 지고(in debt), 적자로.
— *vi.* 1 《+전+명》 은행과 거래하다《*with; at*》: Whom 〔Who〕 do you ~ *with?* 어느 은행과 거래하고 있나. 2 은행을 경영하다; (노름판의) 물주가 되다. 3 《+전+명 (+*to* do)》 《구어》 믿다; 기대하다; 의지하다《*on, upon*》: You can ~ *on* me when you need help. 도움이 필요할 때는 나를 믿게〔의지하게〕/ She was ~*ing on* the company *to* pay her expenses. 회사에서 경비를 지불할 것으로 그녀는 믿고 있었다. — *vt.* 은행에 예치하다.

bank³ *n.* (갤리선의) 노젓는 사람의 자리; 한 줄로 늘어선 노; 열, 층; 〖악기〗 건반의 한 줄; 작업대; (신문의) 부(副)제목(subhead). — *vt.* 줄지어 늘어놓다.

bánk·a·ble *a.* 1 은행에 담보할 수 있는; 할인할 수 있는. 2 《구어》 돈이 되는; (영화·연극 등이) 성공이 확실한.

bánk accèptance 은행 보증 어음.

bánk accòunt 1 은행 예금 계좌. 2 은행 계정, 은행 예금 잔액. ★《영》 banking account라고

bankassurance ⇨ BANCASSURANCE. ⌊도 함.

bánk bàlance 은행(예금) 잔액.

bánk bìll 은행 어음; 《미》 은행권, 지폐.

bánk·bòok *n.* 은행 통장, 예금 통장(passbook).

bánk càrd 은행 발행의 크레디트 카드.

bánk chàrge (고객에 대한) 은행 수수료.

bánk chèck 은행 수표.

bánk clèaring 어음 교환.

bánk clèrk 《영》 은행 출납 담당원(《미》 teller).

bánk crèdit 은행 당좌 대월, 은행 신용(장).

bánk depòsit 은행 예금: ~ insurance 은행 예금 보험.

bánk dìscount (은행의) 어음 할인.

bánk dràft 은행 환어음《생략: B/D》.

***bank·er¹** [bǽŋkər] *n.* 1 은행가, 은행업자; 은행의 간부직원, 〔일반적〕 은행원; (one's ~s) 거래 은행: Let me be your ~. 돈을 융통해 드리겠습니다. 2 (도박의) 물주. 3 Ⓤ '은행놀이' 《카드놀이의 일종》.

bank·er² *n.* 《영》 둑 쌓는 인부; 대구잡이배〔어부〕; 큰 둑을 뛰어넘을 수 있는 말; 《Austral.》 수면이 둑 높이와 비슷한 하천. 「업대.

bank·er³ *n.* (조각가·벽돌공·석공 등의) 작

bánker's accèptance = BANK ACCEPTANCE.

bánker's bìll 은행 (환)어음.

bánker's chèck = TRAVELER'S CHECK.

bánkers' hòurs 짧은 근무 시간《오후 2시에 은행 영업이 끝나는 이유에서》.

bánker's òrder = STANDING ORDER.

bánk exàminer (주(州)정부·연방 정부의) 은행 감독관.

Bánk for Internátional Séttlements (the ~) 국제 결제 은행《1930년 설립; 생략: BIS》.

bánk hòliday 《미》 (일요일 이외의) 은행 휴일; 《영》 일반 공휴일(《미》 legal holiday)《연 7회의 법정 휴일》.

***bánk·ing¹** *n.* Ⓤ 은행업(무). — *a.* 은행(업)의: (a) ~ capital 은행 영업 자금 / ~ facilities 금융 기관 / a ~ house 금융회사 / ~ center 금융 중심지 / ~ power 대출 능력.

bánk·ing² *n.* Ⓤ 둑 쌓기; 〖항공〗 횡(橫)경사; (뉴펀들랜드의) 근해 어업.

bánking accòunt 《영》 = BANK ACCOUNT.

bánking prìnciple 〔**dòctrine**〕 〖경제〗 은행 주의. ⓒⓕ currency principle 〔doctrine〕.

bánk lìne 〖금융〗 은행 여신 한도액.

bánk lòan 은행 대부, 뱅크 론.

bánk mànager 은행 (지방) 지점장.

bánk mòney 은행 화폐; 예금 통화《계산 화폐로서의 신용 화폐로, 주로 수표, 환어음처럼 통화와 동일시되는 것》.

bánk nìght 《미구어》 (영화관에서 하는) 복금부(福金附) 야간 흥행.

bánk nòte 은행권, 지폐. ★《미》에서는 bill.

bánk-nòte *a.* 은행(업)의.

bánk pàper 〔집합적〕 은행 어음.

bánk ràte 은행의 할인율《특히 중앙 은행의》, 은행 일변(日邊).

bánk·ròll *n.* 《미》 지폐 다발; 자금(원), 수중의 돈. — *vt.* 《미구어》 (사업 등에) 자금을 제공하다. ㊞ ~·er *n.* 자금주.

***bank·rupt** [bǽŋkrʌpt, -rəpt] *n.* 파산자; 지급 불능자《생략: bkpt.》; 성격적 파탄〔불구〕자: a moral ~. — *a.* 1 파산한, 거덜난; 지급 능력이 없는; 《구어》 빚 투성이인: ~ law 파산법 / go 〔become〕 ~ 파산하다. 2 (…을) 잃은, (…이) 없는《*of; in*》: morally ~ 도덕적으로 파탄하여 / be ~ *in* reputation 신망이 실추하다. ◇bankruptcy *n.* — *vt.* 파산시키다, 지급불능케 하다.

bánkrupt certìficate 〖법률〗 파산 관재인 선임증.

***bank·rupt·cy** [bǽŋkrʌptsi, -rəpsi] *n.* Ⓤ,Ⓒ 파산, 도산; 파탄; (명성 등의) 실추: go into ~ 도산하다 / a trustee in ~ 〖법률〗 파산 관재인.

bank·sia [bǽŋksiə] *n.* 〖식물〗 뱅크시아《오스트레일리아산 관목》.

bánksia ròse 발처럼 늘어지는 장미.

Bank·side [bǽŋksàid] *n.* (the ~) Thames 강 남안의 옛 극장 지구.

bánks·man [-mən] (*pl.* **-men** [-mən]) *n.* (탄광의) 갱외 감독.

bánk stàtement 은행 보고《은행이 그 자산 상황을 정기적으로 공표하는 보고서》; (은행이 예금자에게 보내는) 은행 계좌 통지서.

ban·ner** [bǽnər] *n.* 1 기(旗), 국기, 군기. ⓈⓎⓃ. ⇨FLAG. 2 기치, 표지; 주장, 슬로건: the ~ of revolt 반기 / carry the ~ 선두에 서다. 3 〖신문〗 전단(으로 짠 큰) 표제(~ head, ~ headline). ***carry the ~ for …을 표방〔지지〕하다. ***join*** 〔***follow***〕 ***the ~ of*** …의 휘하에 참가하다, …의 대의를 신봉〔지지〕하다. ***under the ~ of*** …의 기치 밑에. ***unfurl*** one's ~ 입장을 분명히 하다. — *a.* 1 일류의, 뛰어난, 최상급의: a ~ crop 풍작 / a ~ year 번영의 해. 2 〖신문〗 전단짜리 표제의. — *vt.* …에 기를 달다; 〖신문〗 …에 전단짜리 큰 표제를 붙이다, 대대적으로 보도하다.

bán·nered *a.* 기를 갖춘〔단〕.

ban·ner·et¹ [bǽnərit, -rèt] *n.* (종종 B-) 〖역사〗 기령 기사(旗領騎士)(knight ~)《휘하를 거느리고 출전할 수 있는》. 「(旗).

ban·ner·et², -ette [bæ̀nərét] *n.* 작은 기

bánner héad(line) 〖신문〗 (특히 제1면의) 전단짜리 표제.

bánner·lìne *n.*, *vt.* 〖신문〗 = BANNER.

bánner·man [-mən] *n.* 기수.

ban·ne·rol [bǽnəròul] *n.* = BANDEROL.

ban·nis·ter [bǽnəstər] *n.* = BANISTER.

ban·nock [bǽnək] *n.* 《Sc.》 일종의 빵.

banns, bans [bænz] *n. pl.* 〖교회〗 결혼 예고《식 거행 전에 계속 세 번 일요일마다 예고해 그 결혼에 대한 이의 여부를 물음》: ask 〔call, publish, put up〕 the ~ 결혼을 예고하다 / forbid the ~ 결혼에 이의를 제기하다 / have one's ~ called 〔asked〕 결혼 예고를 해달라고 하다.

banque d'af·faire [*F.* bɑ̃ːkdafɛːʀ] 《F.》 (프랑스의) 상업 은행.

*__ban·quet__ [bǽŋkwit] *n.* 연회《특히 정식의》, 향연; 축연(祝宴): give 〔hold〕 a ~ 연회를 베풀다. SYN. ⇨ FEAST. — *vt., vi.* 연회를 베풀어 대접하다; 연회의 대접을 받다. ㊥ **~·er** *n.* 향연의 손님.
bánquet làmp (키가 큰) 연회용 석유 램프.
bánquet ròom (레스토랑 · 호텔의) 연회장.
ban·quette [bæŋkét] *n.* (참호 따위의 속에 있는) 사격용 발판; (역마차의) 마부석 뒤의 자리; 《미남부》 (차도보다 높게 된) 인도(sidewalk); 벽에 붙여 놓은 긴 의자.
Ban·quo [bǽŋkwou] *n.* Shakespeare 작 *Macbeth* 중의 인물《Macbeth에게 살해되어 유령으로 변해 그를 괴롭힘》.
bans ⇨ BANNS.
ban·shee, -shie [bǽnʃiː, –́] *n.* **1** 《Ir. · Sc.》 요정(妖精)《가족 중 죽을 사람이 있을 때 울어서 이를 예고한다 함》: a ~ wail. **2** 《영구어》 공습 경보.
bant [bænt] *vi.* (살 빼기 위해) 밴팅 요법을 쓰다. cf. Banting.
ban·tam [bǽntəm] *n.* (종종 B–) 밴텀닭, 당(唐)닭; 암팡지고 싸움을 좋아하는 사람; 지프(jeep). — *a.* 몸집이 작은; 공격적인; 건방진; 〖권투〗 밴텀급의; (진공관 등이) 소형의.
bántam·wèight *n.* 밴텀급 선수.
◇**ban·ter** [bǽntər] *n.* (가벼운) 조롱, 놀림; 《미》 도전. — *vt., vi.* 조롱하다, 놀리다; 까불다; 희롱거리다; 《미중남부》 도전하다. ㊥ **~·er** [-rər] *n.* 조롱하는〔놀리는〕 사람. **~·ing·ly** [-riŋli] *ad.*
bán-the-bòmb *a.* 핵무장 폐지를 주장하는.
Ban·ting [bǽntiŋ], **Bán·ting·ìsm** *n.* Ⓤ (종종 b–) 밴팅 요법《식사 제한에 의한 체중 줄이기; London의 가구 제조자 W. Banting에서 유래》.
bant·ling [bǽntliŋ] *n.* 《경멸》 꼬마, 풋내기.
Ban·tu [bǽntuː, bάːn-] (*pl.* **~, ~s**) *n., a.* 반투 사람(의)《아프리카의 중 · 남부에 사는 흑인 종의 총칭》; 반투어(語)(의).
Bántu Hómeland = BANTUSTAN.
Ban·tu·stan [bǽntustæ̀n] *n.* = HOMELAND 2.
ban·yan [bǽnjən] *n.* 〖식물〗 벵골보리수(= ∠ **trèe**); 《Ind.》 (채식주의) 상인; (인도의) 헐렁한 셔츠〔상의〕.
ba·o·bab [béioubæ̀b, bάː-, báubæb] *n.* 〖식물〗 바오바브(= ∠ **trèe**)《아프리카산(産)의 큰 나무》.

baobab

BAOR 〖군사〗 British Army of the Rhine (영국 육군 라인 군단).
bap [bæp] *n.* 《Sc.》 작은 (롤)빵.
Bap., Bapt. Baptist. **bapt.** baptized.
*__bap·tism__ [bǽptizəm] *n.* Ⓤ 세례, 침례, 영세(領洗); 명명(식): clinic 〔clinical〕 ~ 병상 세례/~ by immersion 〔affusion〕 침수〔관수(灌水)〕 세례/administer ~ to …에게 세례를 베풀다. ***the ~ of blood*** 피의 세례; 순교. ***the ~ of*** 〔***by***〕 ***fire*** 포화의 세례; 첫 출전; 괴로운 시련.
bap·tis·mal [bæptízməl] *a.* 세례(洗禮)의. ㊥ **~·ly** *ad.*
baptísmal nàme 세례명(Christian name).
◇**Bap·tist** [bǽptist] *n.* 침례교도; (the ~) 〖성서〗 세례 요한《마태복음 III》; (b–) 세례 시행자; 세자(洗者): the ~ Church 침례교회/~ Day 요한 세자 대축일《6 월 24 일》.
bap·tis·tery, -try [bǽptistəri], [-tri] *n.* 세례 주는 곳, 세례당(堂); 세례용 물통.
bap·tis·tic, -ti·cal [bæptístik], [-kəl] *a.* 세례의; 침례교회(파)의.
*__bap·tize__ [bæptáiz, ∠–] *vt.* **1** 《~+목/+목+전+명》 …에게 세례를 베풀다: She was ~*d into* the church. 그녀는 세례를 받고 교인이 되었다. **2** 《+목+보》 (…라고) 세례명을 붙이다; (일반적으로) 명명하다: He was ~*d* Jacob. 그는 야곱이라는 세례명을 받았다. **3** (정신적으로) 깨끗이 하다. **4** …에게 별명을 붙이다. — *vi.* 세례를 주다. ㊥ **-tíz·er** *n.*
‡**bar**[1] [baːr] *n.* **1** 막대기; 방망이; 쇠지레. **2** 방망이 모양의 물건; 조강(條鋼); 봉강(棒鋼); (전기난방기의) 전열선: a ~ of soap 비누 한 개/a chocolate ~ 판(板)초콜릿/a ~ of gold 막대금, 금괴(金塊). **3** 빗장, 가로장; 창살. **4** 장애, 장벽; (교통을 막는) 차단봉: a ~ *to* happiness 〔one's success〕 행복〔성공〕을 가로막는 장애.

> SYN. **bar** 출입을 방해하는 간단한 구조의 장애물. **barrier** 진행 · 공격을 가로막는 장애물. **barricade** 시가전 등에서 노상에 축조하는 장애물.

5 (항구 · 강 어귀의) 모래톱. **6** 줄, 줄무늬, (색깔 등의) 띠: a ~ of light 한 줄기의 광선. **7** (술집 따위의) 카운터; 술집, 바: a snack ~ 스낵바/a quick lunch ~ 경식당. **8** (법정 안의) 난간; 피고석; 《영》 (의회 안의) 일반인 출입 금지 난간. **9** 법정, 심판: the ~ of conscience 양심의 가책/the ~ of public opinion 여론의 제재/a prisoner at the ~ 형사 피고인/a case at ~ 법정에서 심리중인 소송/a trial at ~ 전(全)판사 배석 심리. **10** (the ~, 종종 the B–) 〔집합적〕 법조계, 변호사단; (the ~) 변호사업. cf. bench. ¶a ~ association 법조 협회/be called within the ~ 《영》 왕실 변호사로 임명되다/practice at the ~ 변호사업을 하다/read 〔study〕 for the ~ (법정) 변호사 공부를 하다. **11** 〖음악〗 (악보의) 세로줄; 마딧줄. **12** 글자 위 따위에 긋는 가로줄《보기: ā》; 일반 기호의 세로 줄. **13** 활자의 가로줄《A, H, t 따위의 가로줄》. **14** (문장(紋章)의) 가로줄 무늬; 〖훈장〗 (공을 세울 때마다 한 줄씩 느는) 선장(線章). **15** 〖물리〗 바《압력의 단위》. **16** 《해커속어》 바《프로그램 따위에 쓰이는 관용 기호의 하나》. ***be a ~ to*** …에 장애가 되다. ***be admitted*** 〔《영》 ***called***〕 ***to the ~*** 변호사 자격을 얻다. ***be at the Bar*** 변호사를 하고 있다. ***behind bolt and ~*** 엄중히 구금(拘禁)되어. ***behind*** (***the***) ***~s*** 옥에 갇혀, 옥중에서. ***cross the ~*** 죽다. ***go to the ~*** 법정 변호사(barrister)가 되다. ***in ~ of*** 〖법률〗 …을 방지〔예방〕하기 위하여. ***let down the ~s*** 장애를 제거하다. ***put*** a person ***behind ~s*** 《구어》 아무를 투옥〔수감〕하다. ***won't*** 〔***wouldn't***〕 ***have a ~ of*** 《Austral. 구어》 …에는 참을 수가 없다, …은 아주 질색이다.
— (*-rr-*) *vt.* **1** 《~+목/+목+전+명》 …에 빗장을 질러 잠그다; (창 따위에) 가로대를〔창살을〕 대다: ~ a door 문을 잠그다/~ a prisoner *in* his cell 죄수를 독방에 가두다. **2** 《~+목/+목+전+명/+-*ing*》 방해하다; (길을) 막다(block); 금하다; 반대하다, 싫어하다: The way is ~*red*. 길이 막혀 있다/~ a person *from* action 아무의 행동을 금하다/She ~*s* smok*ing* in the bedroom. 《구어》 그녀는 침실에서는 담배를 못 피우게 한다. **3** 《~+목/+목+전+명》 …에 줄을〔줄무늬를〕 치다: The sky was ~*red with* black cloud. 하늘에는 검은 구름이 길게 뻗쳐 있었다. **4** 《+목+전+명》 추방하다《*from*》: He

was ~*red from* membership of the society. 그는 그 협회 회원에서 제외되었다. ~ ***in*** 가두다. ~ ***out*** 쫓아내다.
— *prep.* 《구어》 …을 제외하고(barring), …외에: ~ a few names 몇 사람 제외하고. ***all over*** ~ ***the shouting*** 사실상 끝나. ~ ***none*** 예외없이, 전부, 단연.

bar² *n.* 《미》 모기장(mosquito net).

bar- [bɑ́ːr], **bar·o-** [bǽrou, -rə] '기압, 중량'의 뜻의 결합사.

BAR Browning automatic rifle. **B. Ar.** Bachelor of Architecture. **bar.** barometer; barometric; barrel; barrister.

Ba·rab·bas [bərǽbəs] *n.* 〖성서〗 바라바《예수 처형 때 대신 방면된 도둑》.

bár-and-gríll [-rən-] *n.* 《미》 식당 겸용 바.

barb¹ [bɑːrb] *n.* **1** (살촉 · 낚시 따위의) 미늘; (철조망 따위의) 가시. **2** (새 날개의) 깃가지; (메기 따위의) 수염; (목 · 가슴을 가리는) 흰 리넨 천. **3** 《비유》 가시 돋친 말, 예리한 비판. — *vt.* 가시를 달다.

barb¹1

barb² *n.* 바버리 말《Barbary 산(産)》.

barb³ *n.* 《미구어》 바르비투르염산(塩酸)《정신 안정제, 최면제》.

Bar·ba·di·an [bɑːrbéidiən] *n.* 바베이도스(섬)의 주민. — *a.* 바베이도스(섬)의; 바베이도스 섬 사람의.

Bar·ba·dos [bɑːrbéidouz, -s, -dəs] *n.* 바베이도스《서인도 제도 카리브 해 동쪽의 섬으로 영연방내의 독립국; 수도 Bridgetown》.

Bar·ba·ra [bɑ́ːrbərə] *n.* 바바라《여자 이름; 애칭 Babs, Bab, Babbie 등》.

°**bar·bar·i·an** [bɑːrbέəriən] *n.* **1** 야만인, 미개인; 속물(俗物), 교양 없는 사람(cf. Philistine), 난폭자.

> SYN. **barbarian** 미개인 또는 언행이 거친 사람을 말함. **savage** barbarian보다 더 미개한 사람, 또는 성질이 난폭한 사람.

2 〖역사〗 이방인《그리스 · 로마 사람이 이르는》; 이 교도《그리스도교도가 보아》. — *a.* 야만인의, 미개인의; 교양 없는, 야만의; 이방의. ⊕ **~·ism** *n.* Ⓤ 미개〔야만〕 상태.

°**bar·bar·ic** [bɑːrbǽrik] *a.* 미개한, 야만인 같은; 무무한; 지나치게 야한, (문체 · 표현 따위가) 세련되지 못한; 잔인한: a ~ punishment 잔인한 벌. ⊕ **-i·cal·ly** *ad.*

bar·ba·rism [bɑ́ːrbərìzəm] *n.* Ⓤ 야만, 미개, 무지; 조야(粗野); 포학, 만행; Ⓒ 무무한 행동〔말투〕, 비어, 파격적인 구문: relapse into a state of ~ 미개한 상태로 돌아가다.

bar·bar·i·ty [bɑːrbǽrəti] *n.* Ⓤ,Ⓒ 야만, 만행; 잔인(한 행위); 난잡; 야비.

bàr·ba·ri·zá·tion *n.* Ⓤ 야만화(化); 파격.

bar·ba·rize [bɑ́ːrbəràiz] *vt., vi.* 야만화하다; 불순〔조잡〕하게 하다〔되다〕.

Bar·ba·ros·sa [bɑ̀ːrbərɑ́sə/-rɔ́-] *n.* **1** ⇨ FREDERICK 2. **2** 바르바로사(작전)《독일의 소련 침공 작전(1941)의 암호명》.

***bar·ba·rous** [bɑ́ːrbərəs] *a.* **1** 야만스러운(savage), 미개한; 잔인한; 무무한, 상스러운; 조잡한; 귀에 거슬리는. ★barbarous는 barbarian, barbaric보다 savage에 가까움. **2** 이국어(異國語)의《그리스어 · 라틴어 외의》; 이국의; 파격적인. ⊕ **~·ly** *ad.* **~·ness** *n.*

Bar·ba·ry [bɑ́ːrbəri] *n.* (이집트 이외의) 북아프리카 이슬람교 지역(~ States). 「원숭이.

Bárbary ápe 〖동물〗 북아프리카산의 꼬리 없는

Bárbary shéep 〖동물〗 = AOUDAD.

Bárbary Státes (the ~) 바버리 제국(諸國)《16-19 세기 터키의 지배 아래 바버리 지방에서 반독립 상태에 있던 Morocco, Algeria, Tunis, Tripoli》.

bar·bate [bɑ́ːrbeit] *a.* 〖동물〗 수염이 있는; 〖식물〗 까끄라기가 있는.

°**bar·be·cue** [bɑ́ːrbikjùː] *n.* (통구이용) 불고기 틀; (돼지 · 소 따위의) 통구이, 바비큐; 《미》 바비큐 요리점《레스토랑 간판에는 'Bar-B-Q'라고도 씀》; 통구이가 나오는 야외 파티; 《미》 (커피 열매의) 건조대; 《비어》 섹시한 여자; 《속어》 전기 의자; 《미속어》 허물없이 만나는 모임《친목회 등》. — *vt.* 통구이로 하다; 직접 불에 굽다(broil); (고기를) 바비큐 소스로 간하다.

bárbecue sàuce 바비큐 소스《식초 · 야채 · 조미료 · 향신료로 만든 매콤한 소스》.

barbed *a.* 미늘이〔가시가〕 있는; 신랄한: ~ words〔wit〕 가시 있는 말〔날카로운 재치〕.

bárbed wíre 가시 철사.

bárbed-wíre *a.* 가시 철사의: ~ entanglements 철조망.

bar·bel [bɑ́ːrbəl] *n.* (물고기의) 수염; 〖어류〗 돌잉어류.

bár·bèll *n.* 바벨《역도에 쓰는》.

bar·bel·late [bɑ́ːrbəlèit, bɑːrbélət/-lèit] *a.* 〖동물 · 식물〗 짧은 강모(剛毛)가 있는; 〖어류〗 촉수(觸鬚)가 있는.

***bar·ber** [bɑ́ːrbər] *n.* 이발사(師)(《영》 hairdresser); 《미속어》 수다스러운 야구 선수, 빈볼을 던지는 투수: at a ~'s (shop) 이발소에서/the ~('s) pole (적 · 백색의) 이발소 간판(기둥). — *vt.* …의 머리를〔수염을〕 깎다. — *vi.* 이발업을 하다. 「좌석.

bárber chàir 이발소용 의자; 《미속어》 우주선의

bárber cóllege 《미》 이용(理容)학교.

bar·ber·ry [bɑ́ːrbèri, -bəri] *n.* 〖식물〗 매자나무속(屬)의 식물《매발톱나무 따위》; 그 열매.

bárber's blóck 가발대(臺); 가발걸이.

bárber·shòp *n.* 《미》 이발소(《영》 barber's shop). — *a.* 남성 4부 합창의: a ~ quartet 《미》 남성 4부 합창.

bárber's ítch 〖의학〗 모창(毛瘡), 이발소 습진.

bárber-súrgeon *n.* 외과 · 치과의를 겸한 옛날 이발사; 돌팔이 의사.

bar·bet [bɑ́ːrbit] *n.* 〖조류〗 오색조《부리 밑에 강모가 있는 열대산의 아름다운 작은 새》.

bar·bette [bɑːrbét] *n.* 《F.》 〖축성(築城)〗 (진지의) 포좌(砲座); 〖해군〗 (군함의) 포탑.

bar·bi·can [bɑ́ːrbikən] *n.* 〖축성(築城)〗 망대, 성문탑. 「인물.

Bár·bie Dóll [bɑ́ːrbi-] 바비 인형《금발 · 푸른 눈의 플라스틱 인형; 상표명》; 《미속어》 전형적인 미국인, 《특히》 = WASP²; (비개성적인) 평범한

bár bìlliards 긴 큐를 쓰는 포켓볼.

bar·bi·tal [bɑ́ːrbətɔ̀ːl, -tæ̀l/-tæ̀l] *n.* 〖약학〗 바르비탈《진정 · 수면제; 상표명: Veronal》. 「TAL.

bar·bi·tone [bɑ́ːrbətòun] *n.* 《영》 = BARBI-

bar·bi·tu·rate [bɑːrbítʃərət, -rèit] *n.* 〖화학〗 바르비투르산염〔에스테르〕; 〖약학〗 바르비투르 약제《진정 · 수면제》.

bar·bi·tu·ric [bɑ̀ːrbətjúərik/-tjúər-] *a.* 〖화학〗 바르비투르산의: ~ acid 바르비투르산.

Bár·bi·zon Schòol [bɑ́ːrbəzɑ̀n-/-zɔ̀n-] (the ~) 바르비종파(派)《19 세기 중엽의 농촌 생활과 자연 광선을 주제로 한 프랑스 회화의 유파; Millet, Corot 등》.

bar·bo·la [bɑːrbóulə] *n.* 날염(捺染) 그림, 날염 그림 세공(= ∠ wòrk).

bar·bo·tine [bɑ́:rbətiːn] n. 〖요업〗 점토 현탁액(懸濁液)(slip).
Bar-B-Q, bar-b-q, bar-b-que [bɑ́:rbikjùː] n. 《구어》 =BARBECUE.
bar·bule [bɑ́:rbju:l] n. 작은 가시〔미늘〕; (새의) 작은 깃가지.
bárb·wìre n. 가시 철사(barbed wire). — vt. 가시 철조망으로 울타리를 두르다.
bár càr 〖철도〗 바를 설비한 객차.
bar·ca·rol(l)e [bɑ́:rkəròul] n. (곤돌라의) 뱃노래; 뱃노래풍의 곡.
Bar·ce·lo·na [bɑ̀:rsəlóunə] n. 바르셀로나《스페인 북동부의 항구 도시; 제 25 회 올림픽 개최지(1992)》; 개암나무의 열매(= ∼ **nút**). ㊞ **Bàr·ce·lo·nése** [-louníːz, -lóuniːz, -s] a., n.
B. Arch. Bachelor of Architecture.
bar·chan(e), -k(h)an [bɑːrkɑ́ːn] n. 〖지학〗 바르한《초승달꼴 사구(砂丘)》.
bár chàrt 막대 그래프(bar graph).
bár còde 바코드, 막대 부호《광학 판독용의 줄무늬 기호; 상품 식별 등에 쓰임》. ⓒⓕ Universal Product Code.
bár-còde vt., vi. (물건에) 바코드〔막대 부호〕를 붙이다.
bár códe recognìtion 〖컴퓨터〗 바코드〔막대 부호〕 인식《바코드로 된 문자나 숫자를 광학적 수단에 의해 자동적으로 식별하기》.
bard[1] [bɑːrd] n. 옛 Celt족의 음영(吟詠)〔방랑〕 시인; (서정)시인. ***the Bard*** (***of Avon***) 셰익스피어의 속칭.
bard[2], **barde** [bɑːrd] n., vt. 마갑(馬甲)(을 입히다); 〖요리〗 (지방분을 보충하기 위해) 고기를 싸는 얇은 베이컨 조각.
bard·ol·a·try [bɑːrdɑ́lətri/-dɔ́l-] n. Ⓤ 셰익스피어(the Bard of Avon) 숭배.
Bar·do·li·no [bɑ̀ːrdəlíːnou] n. 바르돌리노《순한 양질의 이탈리아산 포도주》.
⁑**bare**[1] [bɛər] a. **1 a** 벌거벗은, 알몸의, 가리지 않은, 드러낸: a ∼ sword 칼집에서 빼든 칼/have one's head ∼ 모자를 쓰지 않다/with ∼ feet 〔hands〕 맨발로〔맨손으로〕.

> SYN. **bare** 가장 일반적인 말로 몸에 걸친 것〔필요한 것, 부가적인 것〕을 제거한 상태를 말함. **naked** 몸의 보호나 장식 등을 위하여 필요한 것이 없는 상태를 말함. **nude** 아무 것도 몸에 걸치고 있지 않은 상태를 말함. 특히 예술 작품에 대해 쓰임.

b (일·이야기가) 사실 그대로의, 적나라한: the ∼ facts 분명한 사실. **2** 휑뎅그렁한, 세간이 없는《방 등》, 꾸밈 없는, 살풍경한: a ∼ hill 민둥산/a ∼ room 가구 없는 방/a ∼ wall 액자 등이 없는 벽(壁). **3** 닳아 무지러진, 써서 낡은. **4** 부족한, 겨우 …한; 그저〔겨우〕 …뿐인, 가까스로의: a ∼ hundred pounds 가까스로〔겨우〕 100 파운드/a ∼ living 겨우 살아가는 생활/the ∼ necessities of life 겨우 목숨을 이어가기에 필요한 물품/(by) a ∼ majority 가까스로의 과반수(로)/escape with one's ∼ life 겨우 목숨만 건지고 달아나다/I shudder at the ∼ thought (of it). (그 일은) 생각만 해도 몸서리친다. ***go*** ∼ 《미구어》 (의사·기업이) 배상 책임 보험 없이 영업하다. ***in*** one's ∼ ***skin*** 홀랑 벗고. ***lay*** ∼ 털어놓다, 폭로하다; 해명하다. ***pick a bone*** ∼ 뼈를 쪼아 살을 깨끗이 발라내다.
— vt. 《∼+목/+목+전+명》 **1** 벌거벗기다; 드러내다; 떼어내다《*of*》: ∼ one's head 모자를 벗다/∼ a person *of* his clothes 아무의 옷을 벗기다/∼ a tree *of* its leaves 〔fruits〕 나무에서 잎을〔열매를〕 따내다. **2** (비밀·마음 등을) 털어놓다, 폭로하다: ∼ a secret 비밀을 폭로하다/∼ one's heart 〔soul〕 *to* a friend 친구에게 속을 털어놓다.
㊞ ∠·**ness** n. 알몸; 드러냄, 꾸밈없음, 텅빔.
bare[2] 《고어》 BEAR[1]의 과거.
báre·àss(ed) [-(t)] a. 《속어》 벌거벗은, 알몸의; 뻔뻔한.
báre·bàck a., ad. **1** 안장 없는 말의; (말에) 안장 없이: ride ∼ 안장 없는 말에 타다. **2** 《비어》남자가 피임용구를 쓰지 않은〔않고〕.
báre·bàcked [-t] a., ad. =BAREBACK 1.
báre·bòat a. 선체 용선(傭船)의: a ∼ charter 선체 용선《승무원 없이 배만 빌리는 일》. — n. 선체(船體) 용선 계약 선박.
báre·bòne n. 몹시 마른 사람, 뼈만 앙상한 사람.
báre·bòned a. (사람이) 야윈; (병·굶주림으로) 말라빠진, 쇠약한.
báre bónes (더 줄일 수 없는) 최소, 가장 기본적인 요소〔요점〕: Reduce this report to its ∼. 이 보고서를 요점만으로 간추려라.
báre-bònes a. 최소한의, 가장 기본적인: a ∼ survival 간신히 목숨만 이어가는 생존.
báre·fàced [-t] a. **1** 맨얼굴의, 얼굴을 드러낸; 수염이 없는. **2** 뻔뻔스러운, 철면피한: ∼ impudence 철면피, 뻔뻔스러움/a ∼ lie 뻔뻔스런 거짓말. **3** 노골적인. ㊞ **-fàcedly** [-sidli, -stli] ad. ∼·**ness** n.
báre·físted [-id] a., ad. (치고받기 따위에서) 맨주먹의〔으로〕.
°**báre·fòot** a., ad. 맨발의〔로〕, (말이) 편자를 박지 않은; (기둥 따위) 장부촉이음이 아닌: walk ∼ 맨발로 걷다.
bárefoot dóctor 의료(醫療)보조원《농업에 종사하면서 의료활동을 하는》. [《Chin.》 赤脚醫生의 역어]
báre·fòoted [-id] a. 맨발의.
ba·rege [bəréʒ] n. Ⓤ 명주실과 무명실 또는 털실로 짠 얇은 천《베일·의복 등에 쓰임》.
báre·hánded [-id] a., ad. 맨손의〔으로〕; 무기〔도구〕 없는〔없이〕; 혼자 힘의〔으로〕.
báre·hèad(ed) [-(id)] a., ad. 모자를 쓰지 않은〔않고〕; 맨머리의〔로〕.
báre·knúckle(d) a., ad. 〖권투〗 글러브를 끼지 않은; 마구잡이의〔로〕; 맹렬한〔히〕; 가열한〔히〕; 사정 없는〔없이〕.
báre·lég·ged [-légid] a., ad. 발을〔정강이를〕 드러낸〔내놓고〕; 양말을 안 신은〔신고〕.
⁑**bare·ly** [bɛ́ərli] ad. **1** 간신히, 가까스로, 겨우, 거의 …않다. ⓒⓕ scarcely, hardly. ¶ She is ∼ sixteen. 그녀는 겨우 16 세다/He ∼ escaped death. 그는 간신히 죽음을 모면했다. **2** 드러내놓고; 숨김 없이, 사실대로, 꾸밈 없이. ∼ ***enough*** 간신히 …할 만큼의: have ∼ *enough* time for the train 열차에 간신히 탈 만한 시간밖에 없다.
bare·sark [bɛ́ərsɑːrk] n. =BERSERKER. — ad. 갑옷〔방호복, 잠수복〕을 입지 않고.
bár exàm 변호사 시험.
barf [bɑːrf] vi., vt. **1** 《미속어》 토하다, 게우다(vomit). **2** 《해커속어》 불평을 하다. **3** 《해커속어》 (컴퓨터가 틀린 입력에 대해서) 경고 메시지를 표시하다; 작동하지 않다. — n. 구토.
bárf bàg 《미속어》 (비행기 안 따위에서 쓰는) 오물 처리 주머니; 《미속어》 역겨운〔싫은〕 사람.
Bárf Cìty 《미속어》 역겨운 것〔일〕.
bár·flỳ n. 《구어》 술집의 단골; 《미속어》 술고래, 《특히》 공술을 얻어 마시려고 술집을 기웃거리는 알코올 중독자.
bár fòod 간단한 식사《술집(pub) 등에서 가볍게 먹을 수 있는 간단한 식사》.
bárf·òut n. 《속어》 불쾌한 사람〔일〕.
⁑**bar·gain** [bɑ́ːrgən] n. **1** 매매, 거래. **2** 매매 계약, 거래 조건: conclude 〔settle, strike〕 a ∼ 계약을 맺다/A ∼'s a ∼. 약속은 약속《꼭 지켜

야 한다》. 3 (싸게) 산 물건, 매득; 떨이: a bad 〔good〕 ~ 비싸게〔싸게〕 산 물건/a dead ~ 아주 싸게 산 물건/~*s in* furniture 가구의 염가 판매/buy at a (good) ~ 싸게 사다/pick up ~s 헐값의 물건을 우연히 손에 넣다. 4 〖형용사적으로〗 싸구려의, 매득의: a ~ sale 〔price〕 특매〔특가〕/a ~ day 할인(割引) 판매일. ***beat a ~*** 값을 깎다. ***drive a*** (***hard***) ***~*** (…와) (…에 대해) 유리한 조건으로 거래〔매매, 상담〕하다《*with; over*》. ***get*** a thing ***a ~*** 물건을 헐값으로 손에 넣다. ***into*** 〔***in***〕 ***the ~*** 게다가, 그 위에. ***make the best of a bad ~*** 역경을 참고 견디다, 악조건하에서 최선을 다하다. ***no ~*** 《미속어》 (혼기에 달하고도) 별로 매력이 없는 사람, 호감이 안 가는 사람〔물건〕. ***sell a ~*** 우롱하다. ***That's*** 〔***It's***〕 ***a ~!*** 이것으로 성립됐다. ***throw into the ~*** 덤으로 첨가하다.

— *vi.* 《~/+전+명》 1 (매매의) 약속을 하다, 계약하다: We *~ed with* him *for* the use of the property. 우리는 그와 그 땅의 사용에 대해 계약했다. 2 흥정을 하다; 매매 교섭을 하다: They *~ed with* the manufacturer *over* the wholesale price of the product. 그들은 제조 회사와 제품의 도매가격을 흥정했다. — *vt.* 1 《+*that* 절》 (…이란) 조건을 붙이다, (…하도록) 교섭하다: He *~ed that* he should not pay for the car till the next month. 그는 자동차 값을 다음달까지 지불하지 않아도 괜찮도록 교섭했다. 2 《+*that* 절》 기대하다, 보증하다: I ~ *that* he will be there on time. 그는 제시간에 꼭 그 곳에 올 것임을 보증한다. 3 《+목+전+명》 〔일반적〕 바꾸다《*for*》: ~ a horse *for* another 다른 말과 바꾸다. ***~ away*** 헐값으로 팔아 버리다. ***~ for*** 받아들일 용의가 있다; 〔보통 부정어나 more than을 수반하여〕 …을 기대(期待)하다, …을 믿다: That's *more than* I *~ed for*. 생각도 해보지 않던 일이었다. ***~ on*** 《구어》 …을 기대하다, …에 의지하다.

bárgain and sále 〖법률〗 토지 매매 계약 및 대금 지급.

bárgain básement (백화점의) 특매장《주로 지하》.

bárgain-bàsement *a.* 특매품 매장의; (품질이) 떨어지는, 조악한; 싸구려의.

bárgain cóunter 특가품 매장; 《비유》 (물건이나 의견의) 자유로운 교환 장소.

bárgain-còunter *a.* =BARGAIN-BASEMENT.

bar·gain·ee [bὰːrgəníː] *n.* 사는 쪽〔사람〕. opp *bargainor*.

bár·gain·er *n.* =BARGAINOR.

bárgain hùnter 싼 것만 찾아다니는 사람.

bár·gain·ing *n.* U 거래, 교섭; 계약.

bárgaining àgent (노동조합의) 교섭대표.

bárgaining chìp 교섭을 유리하게 이끌기 위한 재료〔최후 수단〕.

bárgaining còunter =BARGAINING CHIP.

bárgaining posìtion (토론 등의) 사태, 형편, 형세.

bárgaining pòwer 교섭 능력.

bárgaining rìghts (노동조합의) (단체) 교섭권.

bárgaining ùnit (단체 교섭의) 노조 대표.

bar·gain·or [báːrgənər] *n.* 파는 쪽〔사람〕. opp *bargainee*.

barge [baːrdʒ] *n.* 1 거룻배, 바지《바닥이 평평한 짐배》. 2 유람선; 의식용 장식배. 3 함재정(艦載艇), 대형 함재 보트《사령관용》. 4 집배《살림하는》. 5 (Oxford 대학의) 정고(艇庫). 6 《구어》 낡은 배. — *vt.* 거룻배로 나르다; 《구어》 …을 헤치고 나아가다. — *vi.* 1 느릿느릿 움직이다. 2 《구어》 난폭하게 부딪치다〔돌진하다〕《*into*》. 3 《+전+명》 《구어》 난입〔틈입(闖入)〕하다, …에 끼어들다, 말참견하다《*in; into*》: He *~ed into* our conversation. 그는 우리 이야기에 억지로 끼어들었다. ***~ against*** …와 부딪치다, 충돌하다; 불시(不時)에 만나다. ***~ in on*** …에 쓸데없이 말참견하다. ***~ one's way*** 밀고〔헤치고〕 나가다.

barge 2

bárge·bòard *n.* 〖건축〗 박공널.

bárge còurse 박공(膊栱)처마.

bar·gee [baːrdʒíː] *n.* 《영》 =BARGEMAN: a lucky 〔regular〕 ~ 운 좋은 놈〔덜렁이〕/swear like a ~ 입정 사납게 욕을 퍼붓다.

bárge·man [-mən] (*pl.* ***-men*** [-mən]) *n.* 거룻배·유람선의 사공.

bárge pòle (거룻배의) 삿대; 《미비어》 매우 큰 페니스〔음경〕. ***would not touch*** a person ***with a ~*** 《구어》 아무와 상관하지 않으려 하다, 어떻게든 피하려 하다.

bárge stòne 〖건축〗 벽돌·돌담의 윗면에 박공 모양으로 해 얹은 돌.

bar·ghest, bar·guest [báːrgest] *n.* 《영방언》 (큰 개 모습으로 나타나서 궂은 일을 예고한다는) 귀신.

bár gìrl (바의) 호스티스; 바의 단골 여자 손님, 《특히》 바에 출입하는 창녀.

bár gràph 막대 그래프(bar chart).

bár·hòp (*-pp-*) *vi.* 여러 술집을 돌아다니며 술을 마시다. — *n.* 《미구어》 술집에서 밖의 손님에게 음식물을 나르는 웨이트리스.

bar·i·a·tri·cian [bæriətríʃən] *n.* 비만 치료 전문가, 비만학자.

bar·i·at·rics [bæriǽtriks] *n. pl.* 〔단수취급〕 〖의학〗 비만학(學), 체중 조절 의학.

bar·ic[1] [bǽrik] *a.* 〖화학〗 바륨의, 바륨을 함유한.

bar·ic[2] *a.* 〖물리〗 기압의; 기압계의.

ba·ril·la [bəríːə, -ríːljə, -rílə/-rílə] *n.* 수송나물 《해초》; 소다회(灰).

bár ìron 철봉.

bar·ish [béəriʃ] *a.* 내실(內實)이 빈약한; 가구·장식 등이 거의 없는; 머리숱이 적은; 초목이 듬성듬성한.

barit. 〖음악〗 baritone.

bar·ite [béərait, bǽr-] *n.* 〖광물〗 중정석(重晶石).

bar·i·tone [bǽrətòun] *n.* 〖음악〗 바리톤 《tenor와 bass의 중간음》; 바리톤 가수; 관악기의 하나. — *a.* 바리톤의.

bar·i·um [béəriəm, bǽr-] *n.* U 〖화학〗 바륨 《금속 원소; 기호 Ba; 번호 56》.

bárium méal 바륨 용액《X선 촬영용》.

bárium peróxide 〔**dióxide**〕 〖화학〗 과산화바륨《산화(酸化)·표백제》.

bárium súlfate 〖화학〗 황산 바륨.

bárium títanate 〖화학〗 티탄산 바륨《강유전성(強誘電性) 세라믹 제조에 씀》.

****bark**[1] [baːrk] *vi.* 1 《~/+전+명》 (개·여우 따위가) 짖다; 짖는 듯한 소리를 내다《*at*》: A dog *~ed at* the beggar. 개가 거지에게 짖어댔다. 2 《구어》 고함치다. 3 《구어》 기침을 하다(cough). 4 (총·대포 따위가) 꽝 울리다. 5 《미구어》 (흥행장 등에서) 큰 소리로 손님을 부르다. — *vt.* 《~+목/+목+전+명/+목+부》 짖는 투로 말하다; (명령 등을) 외쳐대어 말하다《*out*》; …을 혹평〔매도〕하다; 큰 소리로 (상품을) 선전하다: He *~ed* orders *into* the telephone for food. 전화통에 대고 악을 써 먹을 것을 주문했다/He *~ed out* his orders. 그는 고함을 쳐서 명령했다. ***~ at*** 〔***against***〕 ***the moon*** 공연스레 떠들다, 헛수고를 하다. ***~ away*** 짖어 쫓아버리다. ***~ out***

갑자기 외치다. ~ ***up the wrong tree*** 《미》 허방 짚다, 잘못 짚다. ― *n.* **1** 짖는 소리. **2** 《구어》 기침 소리. **3** 포성, 총성. ***His ~ is worse than his bite.*** 본심은 주둥이 놀리는 것만큼 고약하지 않다.

bark**[2] *n.* Ⓤ 나무껍질; 기나피(幾那皮); 《속어》 피부. ***a man with the ~ on 《미》 메부수수한 사람. ***stick to*** 〔***in***〕 ***the ~*** 《미구어》 깊이 관계하지 않다. ***talk the ~ off a tree*** 《미구어》 욕을 퍼붓다. ***tighter than the ~ on a tree*** 《미구어》 지독히 인색한. ― *vt.* **1** … 의 나무껍질을 벗기다. **2** 나무 껍질로 덮다〔싸다〕. **3** (…의 피부를) 까다, 벗기다. **4** (나무즙으로) 무두질하다.

bark[3], **barque** [bɑːrk] *n.* 바크《세대박이 돛배》; (보통 bark) 《시어》 배(ship).

bárk bèetle 〖곤충〗 느릅나무좀과의 곤충.

bárk clòth 수피포(樹皮布)《나무껍질 안쪽을 물에 담갔다 두들겨 만든 베》; 또는 그와 비슷한 천 《실내 장식품이나 침대 커버로 씀》.

bár·kèep(er) *n.* 《미》 술집주인; 바텐더(bartender).

bark·en·tine, bark·an- [bɑ́ːrkəntìːn] *n.* 〖선박〗 바켄틴《세대박이 돛배》.

bárk·er[1] *n.* **1** 짖는 동물; 고함치는 사람; (가게·흥행물 따위의) 여리꾼. **2** 《속어》 권총, 대포; 《미속어》 농담; 《야구속어》 1루 코치.

bárk·er[2] *n.* (나무)껍질 벗기는 사람〔동물, 기계〕; 가죽 벗기는 기구.

bárk·ing *a.* **1** (잘) 짖는: *Barking* dogs seldom bite. 《속담》 짖는 개는 물지 않는다. **2** 《영구어》 완전히 미친(=∠ **mád**). ― *n.* Ⓤ 짖는 소리; 심한 기침; 《구어》 큰 소리.

bárking íron 《속어》 =BARK SPUD.

bárk spùd 나무껍질 벗기는 끌 모양의 공구.

bárk trèe 〖식물〗 기나수(幾那樹)(cinchona).

barky [bɑ́ːrki] (***bark·i·er; -i·est***) *a.* 나무껍질로 된, 나무껍질로 덮인, 나무껍질 비슷한.

***bar·ley** [bɑ́ːrli] *n.* Ⓤ 보리, 대맥. ⓒⓕ oat, wheat, rye.

bárley bèef 보리 등 영양가가 높은 사료로 비육시킨 육우(肉牛).

bárley·bràke, -brèak *n.* 술래잡기의 일종(놀이).

bárley-brèe, -broo [-brìː], [-brùː] (*pl.* ***-broos***) *n.* 위스키; 독한 에일(ale), 맥아(麥芽) 양조주(malt liquor).

bárley bròth 《Sc.》 독한 맥주; 위스키.

bárley·còrn *n.* 보리알; 《구어》 맥아 발효주; 3분의 1 인치《옛날 길이의 단위》. ⓒⓕ John Barleycorn.

bárley mòw 보리 낟가리.

bárley sùgar 보리 물엿〔조청〕.

bárley wàgon 《CB 속어》 맥주 실은 트럭.

bárley wàter 보리차〔미음〕《환자용》.

bárley wìne 발리와인《도수 높은 맥주》.

bár lìft (스키장의) 바형(型) 리프트. ⓒⓕ J-bar lift, T-bar lift.

bár lìne 〖음악〗 마딧줄.

bar·low [bɑ́ːrlou] *n.* 《미》 큰 주머니칼.

barm [bɑːrm] *n.* Ⓤ (맥주 등의) 효모, 거품.

bár màgnet 막대 자석.

bár·màid *n.* 술집 여자, 바 여급.

bár·man [-mən] (*pl.* ***-men*** [-mən]) *n.* =BARTENDER.

Bar·me·cid·al [bɑ̀ːrməsáidl] *a.* 허울뿐인, 이름만의; 가공의.

Bar·me·cide [bɑ́ːrməsàid] *n.* 빈 말로 은혜를 베푸는 사람, 겉치레만의 대접을 하는 사람. ― *a.* 가공의, 공허한, 실망시키는.

bar mi(t)z·vah [bɑːrmítsvə] (종종 B– M–) 《Heb.》 바르 미츠바《유대교의 남자 성인식, 13세》; 그 식에 나오는 소년. ⓒⓕ bath mit(z)vah. ― *vt.* (13세 소년에게) 바르 미츠바 의식을 베풀다.

barmy [bɑ́ːrmi] (***barm·i·er; -i·est***) *a.* 효모 투성이의; 거품이 인, 발효 중의; 《영속어》 미친 사

람 같은, 머리가 돈: go ~ 머리가 돌다. ㊐ **-i·ly** *ad.* **-i·ness** *n.*

****barn** [bɑːrn] *n.* (농가의) 헛간, 광《곡물·건초를 두는 곳, 미국은 축사 겸용》; 《미》 전차 차고 (car ~); 휑뎅그렁한 건물; 〖물리〗 반《원자의 충돌 과정의 단면적 단위: $=10^{-24}cm^2$; 기호 b》. ***between you and I and the ~*** 《미구어》 비밀 이야기인데, 내막적으로. ***can't hit the side of a ~*** (***door***) 《미속어》 큰 과녁도 맞히지 못하다, 사격이 서투르다. ― *vt.* (곡물을) 곳간에 저장하다.

Bar·na·bas [bɑ́ːrnəbəs] *n.* 바나바《남자 이름》; 〖성서〗 바나바.

Bar·na·by [bɑ́ːrnəbi] *n.* 바너비《남자 이름》.

Bárnaby brìght 〔**dày**〕 성바나바 축일《율리우스력의 6월 11일, 낮이 가장 긴 날》.

bar·na·cle[1] [bɑ́ːrnəkəl] *n.* 〖패류〗 조개삿갓, 굴등; 붙들고 늘어지는 사람, 집착(執着)하는 사람; (낡은 관습 등과 같은) 진보 발전을 방해하는 것; 〖조류〗 흑기러기의 일종(=∠ **góose**) 《북유럽산》. ㊐ **~d** *a.* 굴등이 붙은.

bar·na·cle[2] *n.* (*pl.*) (날뛰는 말을 제지시키는) 코집게; 《영구어》 안경.

Bar·nard [bɑ́ːrnərd] *n.* 바너드《남자 이름(Bernard)》.

bárn·bùrner 《미속어》 *n.* **1** 《구어》 재미있는 이벤트. **2** 굉장한 것; 치열한 경기. **3** 과격파.

bárn dànce 《미》 농가의 댄스 파티《광에서 하는》; (polka 비슷한) 시골 춤, 그 곡.

bárn dòor **1** 헛간〔광〕 문《짐마차가 드나들 만큼 넓음》; 《우스개》 빗맞을 염려 없는 큰 과녁. **2** 영화·텔레비전 따위의 조명용 광원에 부속된 차광판. (***as***) ***big as a ~*** 대단히 큰《표적 등이》. ***cannot hit a ~*** 사격이 매우 서투르다.

bárn-door fówl 가금(家禽), 《특히》 닭.

Bar·ney [bɑ́ːrni] *n.* 바니《남자 이름; Barnabas, Barnard의 애칭》.

bar·ney [bɑ́ːrni] *n.* 《구어》 권투의 짬짜미 경기; 《속어》 사기, 야바위; 《구어》 실수, 실책; 《미구어》 법석, 싸움; 《구어》 떠들썩한 논쟁; 〖광산·임업〗 소형 기관차. ― *vi.* 《구어》 떠들썩하게 논쟁하다.

bárn òwl (헛간에 사는) 올빼미의 일종.

bárn ràising 헛간의 상량식.

bárn sàle =GARAGE SALE.

Barns·ley [bɑ́ːrnzli] *n.* 반즐리《잉글랜드 북부 South Yorkshire의 공업 도시》.

bárn·stòrm 《미구어》 *vi.* 지방 순회 공연을 하다; 지방을 유세하다. ㊐ **~·er** *n.* 《미구어》 지방 순회〔떠돌이〕 배우; 엉터리 배우; 지방 유세자.

bárn swàllow 제비.

bárn·yàrd *n.* 헛간의 앞마당; 농가의 안뜰(farmyard). ― *a.* 지저분한, 천박한: ~ witticism 촌스러운 익살 / a ~ fowl 닭.

bárnyard gólf 《미구어》 편자 던지기 놀이.

baro- ⇨ BAR-.

bar·o·cli·nic·i·ty [bæ̀rəklinísəti] *n.* 〖기상〗 경압(傾壓)(성).

bar·o·co·co [bæ̀rəkóukou] *a.* 바로크와 로코코를 절충한, 더없이 정교한〔장식적인〕.

bar·o·cy·clo·nom·e·ter [bæ̀rousàiklounámitər/-nɔ́m-] *n.* 〖기상〗 열대 저기압계, 구풍계(颶風計).

bar·o·dy·nam·ics [bæ̀roudainǽmiks] *n. pl.* 《보통 단수취급》 중량 역학.

bar·o·gram [bǽrəgræ̀m] *n.* 〖기상〗 자기(自記) 기압계의 기록(선).

bar·o·graph [bǽrəgræ̀f, -grɑ̀ːf] *n.* 자기 기압계〔고도계〕.

ba·rol·o·gy [bərɑ́lədʒi/-rɔ́l-] *n.* Ⓤ 중량학.

***ba·rom·e·ter** [bərɑ́mətər/-rɔ́m-] *n.* 기압계; 고도계; 표준, (여론 등의) 지표(指標), 척도, 바로미터: a ~ stock 표준주(株).

bar·o·met·ric [bæ̀rəmétrik] *a.* 기압(계)의, 기압상의: ~ maximum 〔minimum〕 고〔저〕기압. ㊎ **-ri·cal** [-əl] *a.* =barometric. **-ri·cal·ly** *ad.* 기압계로, 기압상.

barométric grádient 〖기상〗 기압 경도(傾度).

barométric préssure 〖기상〗 기압. 「측정법.

ba·rom·e·try [bərάmətri/-rɔ́m-] *n.* Ⓤ 기압

°**bar·on** [bǽrən] *n.* **1** 남작(男爵)《최하위의 귀족》. ★ 성(姓)과 함께 쓸 때 영국인에게는 Lord A, 외국인에게는 Baron A. **2** 〖영국사〗 (영지를 받은) 귀족. **3** 〖흔히 복합어〗 대실업가, …왕: a mine 〔press〕 ~ 광산〔신문〕왕. **4** (소·양 따위의) 등심: a ~ of beef 소의 등심. ~ ***and feme*** 〖법률〗 부부. ㊎ **~·age** [-idʒ] *n.* 〖집합적〗 남작들, 남작 계급; 남작의 지위〔신분〕; 남작 명부.

°**bar·on·ess** [bǽrənis] *n.* 남작 부인; 여남작. ★ 성과 함께 쓸 때 영국인에게는 Lady A, 외국인에게는 Baroness A.

bar·on·et [bǽrənit, -nèt] *n.* 준(準)남작《baron의 아래, knight의 윗계급; 영국 세습 위계의 최하위로 귀족은 아님》.

> NOTE 쓸 때에는 Sir George Smith, *Bart.*로 함. 또 부를 때에는 Sir George라고 앞에 Sir를 붙임. 또 그 부인은 *Dame* Mary Smith라고 쓰며, 부를 때에는 Lady Smith라고 함.

— *vt.* 준남작의 지위를 수여하다. ㊎ **~·age** [-idʒ] *n.* 〖집합적〗 준남작들, 준남작 계급; 준남작의 지위〔신분〕; 준남작 명부. **~·cy** [-si] *n.* 준남작의 지위〔신분〕.

ba·rong [bɑːrɔ́ːŋ, -rάŋ, bə-/bælɔ́ŋ] *n.* (필리핀의 Moro 족이 사용하는) 폭이 넓은 칼.

ba·ro·ni·al [bəróuniəl] *a.* 남작 영지(領地)의; 남작으로서 어울리는; 당당한.

bar·o·ny [bǽrəni] *n.* 남작령(領); 남작의 지위〔신분〕; 〖수식어와 함께〗 …왕국; 《Sc.》 대장원(大莊園); 《Ir.》 군(郡)《county 의 소구분》.

ba·roque [bəróuk, -rάk/-rɔ́k] *a.* 《F.》 **1** 기이한, 기괴한. **2** 장식이 과다한; (취미가) 저속한; (문체가) 지나치게 수식적인. **3** 〖건축〗 바로크식의《곡선 장식이 많은》; 〖음악〗 바로크(스타일)의. **4** (진주가) 변형한. — *n.* Ⓤ (the ~) 〖건축〗 바로크식; 바로크 작품; 장식이 과다한 양식, 별스러운 취미〔작품〕; 변형된 진주. ㊎ **~·ly** *ad.*

bàro·recéptor *n.* 〖해부〗 압수용체(壓受容體)《혈관벽에 있어 혈압변화에 반응하는 신경의 말단부》.

bar·o·scope [bǽrəskòup] *n.* 기압계.

bar·o·ti·tis [bæ̀routáitis] *n.* 〖의학〗 기압성 중이염, 항공 중이염.

bàro·tólerance *n.* 〖공학〗 압력 내성(壓力耐性).

bàro·tráuma (*pl.* ***-mata***) *n.* 〖의학〗 기압〔압력〕 상해, 기압성 외상(外傷), 《특히》 항공 중이염.

ba·rouche [bərúːʃ] *n.* 4 인승 대형 쌍두 4 륜 포장 마차.

bár pìn (가늘고 긴) 장식핀《브로치의 일종》.

barque ⇨ BARK[3].

bar·quen·tine [bάːrkəntiːn] *n.* =BARKENTINE.

Barr. Barrister.

*__bar·rack__[1] [bǽrək] *n.* (보통 *pl.*) 〖단·복수취급〗 막사, 병영; 크고 엉성한 건물, 바라크(식 건물); 《미방언》 건초 헛간: break ~*s* 탈영하다. — *vt.* 막사에 수용하다. — *vi.* 막사 생활을 하다.

bar·rack[2] 《Austral.·영》 *vt.* (선수·팀·연사 등을) 야유하다; 성원하다. — *vi.* 야유하다《*at*》; 성원하다《*for*》. ㊎ **~·er** *n.*

bárrack-ròom làwyer = BARRACKS LAWYER.

bárracks bàg 〖군사〗 잡낭(雜囊).

bárracks làwyer 《보통 우스개》 (군법·규칙 따위에) 까다로운 병사, 이것저것 참견하는 사람.

bárrack squàre 병영(兵營) 근처의 연병장.

bar·ra·coon [bæ̀rəkúːn] *n.* 노예〔죄수〕 수용소.

bar·ra·cu·da [bæ̀rəkúːdə] (*pl.* ~, ~*s*) *n.* 〖어류〗 창꼬치류(類).

bar·rage [bərάːʒ/bǽrɑːʒ] *n.* **1** 〖군사〗 탄막(彈幕), 일제 엄호사격; (질문 따위의) 연발; 〖야구〗 연속 안타: a ~ of questions 질문 공세 / lift the ~ 탄막(포격)의 사정 거리를 늘리다. **2** [bάːridʒ] 〖토목〗 댐 공사(工事). — *vt.* (…에 대해) 탄막 포화를 퍼붓다, 격렬하게 공격하다《*with*》. — *vi.* 탄막 포격을 하다.

barráge ballòon 〖군사〗 조색(阻塞)〔방공(防空)〕 기구(氣球).

bar·ran·ca [bərǽŋkə] (*pl.* ~*s*) *n.* 《미》 협곡.

bar·ra·tor, -ter [bǽrətər] *n.* 〖법률〗 교사범, 소송 교사자; 부정 선장〔선원〕; 관직〔성직〕 매매자; 수회(收賄) 판사.

bar·ra·trous, -re- [bǽrətrəs] *a.* 소송 교사의; 부정한; 태만한. ㊎ **~·ly** *ad.*

bar·ra·try, -re- [bǽrətri] *n.* Ⓤ 〖법률〗 (판사의) 수회죄; 〖법률〗 소송 교사(教唆); 〖해상법〗 (선장·선원의) 부정 행위《선주·화주에게 손해를 끼치는》; 관직〔성직〕 매매.

Bárr bòdy [bάːr-] 〖유전〗 바 소체(小體)(sex chromatin)《고등 포유동물의 암컷에 있는 성(性)결정 염색체; Murray L. *Barr*(1908-95) 캐나다의 해부학자의 이름을 따서》.

bar·ré [bɑːréi] *n.* 〖음악〗 바레《기타의 현을 집게손가락으로 누르는 일; 그 주법(奏法)》. — *ad.* 바레로. — *vt., vi.* 바레로 연주하다.

barred [bɑːrd] *a.* 가로대가 있는; 빗장을 건; 줄무늬가 있는; 모래톱이 있는; 금지〔제외〕된.

⁑**bar·rel** [bǽrəl] *n.* **1** (중배 부른) 통; 한 통의 분량, 1 배럴《액량·건량의 단위: 영국에서는 36, 18 또는 9 갤런; 미국에서는 31.5 갤런; 〖석유〗 42 미 갤런, 35 영 갤런》: a ~ *of* beer 맥주 한 통. **2** 총열, 포신; (윈치 따위의) 원통; (시계의) 태엽통; (북 따위의) 통; (마소의) 몸통; 깃촉; (귀의) 고실(鼓室), 중이(中耳)(~ of the ear). **3** 《미》 선거 자금. **4** 《영속어》 맥주 배가 나온 사나이. **5** (종종 *pl.*) 《구어》 다량《*of*》: ~*s of* money 엄청난 돈 / have a ~ *of* fun 매우 즐거운 시간을 가지다. ***in the*** ~ 《미속어》 해고되어〔될 것 같아〕, 빈털터리의. ***on the*** ~ 현금(現金)으로. ***over a*** ~ 《구어》 궁지에 몰려(서), 꼼짝 못하고: Taxes have got me *over a* ~. 세금 때문에 꼼짝달싹 못 한다. ***scrape*** (***the bottom of***) ***the*** ~ 《구어》 부득이 최후의 방편에 의지하다, 남은 것을 사용하다〔그러모으다〕.

— (***-l-***, 《영》 ***-ll-***) *vt.* **1** 통에 가득 채워넣다. **2** (노면을) 봉긋하게 하다; 《미속어》 (차를) 쾌속으로 몰다; (화물을) 속히 나르다. — *vi.* 《+㉝+㉔》 《미속어》 무서운 속도로 달리다; 구르다: The truck ~*ed down* 〔*along*〕 the highway. 트럭이 고속 도로를 질주해 갔다.

bar·rel·age [bǽrəlidʒ] *n.* 통의 용량.

bárrel bùlk 5 세제곱 피트의 용적(≒1/8 ton).

bárrel chàir 《미》 (등받이가) 통 모양의 안락의자.

bárrel-chèsted [-id] *a.* 가슴이 두툼한, 튼튼한 가슴의.

bár·reled, 《영》 **-relled** *a.* 통에 든; 몸통 있는; 통 모양의; 총열이 …인: a double-〔single-〕~ gun 쌍열박이〔단신〕 총(銃) / a well-~ horse 동체가 잘 발달된 말.

bár·rel·fùl [-fùl] (*pl.* ~*s*, ***bár·rels-***) *n.* 한 통(의 양); 다수, 대량. 「으로〔의〕.

bárrel·hèad *n.* 통 뚜껑〔바닥〕. ***on the*** ~ 현금

bárrel·hòuse *n.* 《미속어》 하급 술집, 대폿집,

통술집: ~ jazz 소란한 재즈.
bárrel òrgan = HAND ORGAN.
bárrel ràce 〔**ràcing**〕 (로데오의) 통 경주《말을 타고 통 사이를 지그재그로 달림; 보통 여자 경기》. 「전(橫轉).
bárrel ròll 『항공』 (비행기의) 통돌이; 연속 횡
bárrel vàult 『건축』 원통형의 둥근 천장.
⁑**bar·ren** [bǽrən] *a.* **1** (땅이) 불모의, 메마른; (식물이) 열매를 못 맺는: a ~ flower 수술〔자방〕이 없는 꽃/a ~ stamen 화분이 생기지 않는 수술. **2** 애를 못 낳는, 임신을 못 하는: a ~ woman 아이 못 낳는 여자, 석녀. **3** 효과 없는; 보람 없는, 무익한: a ~ discussion 결론 없는〔헛된〕 토론. **4** 과작(寡作)의, 무능한《작가 따위》; 내용이 빈약한《작품 따위》. **5** …을 결한, …이 없는《*of*》: be ~ *of* ideas 사상이 빈약하다, 착상이 시시하다. **—** *n.* (종종 *pl.*) (북미의) 메마른 땅, 불모지. ㊞ **~·ly** *ad.* **~·ness** *n.*
Bárren Gróunds 〔**Lánds**〕 (the ~) 캐나다 북부의 툰드라 지방. 「草).
bárren·wòrt *n.* 『식물』 삼지구엽초(三枝九葉
bar·ret [bǽrit] *n.* (양태 없는) 작은 모자의 일종, 《특히》 가톨릭 신부 모자의 일종.
bar·rette [bərét] *n.* (여성용의) 머리핀.
bar·ret·ter [bǽretər, bərét-] *n.* 『전기』 검전기(檢電器)의 일종.
bar·ri·a·da [bɑ̀riɑ́:də, bæ̀r-] *n.* 《Sp.》 (도시의) 지구(地區), (특히 지방 출신자가 사는) 슬럼가(街).
*__bar·ri·cade__ [bǽrəkèid, ⌐-⌐] *n.* **1** 방책(防柵), 바리케이드; 통행 차단물; 장애물. SYN. ⇨ BAR[1]. **2** (*pl.*) 전장(戰場), 논쟁의 장(場). **—** *vt.* 《+목+전+명》 바리케이드를 쌓다〔치다〕; (가로)막다: The radicals ~*d* the road *with* desks and chairs. 과격파는 책상과 의자로 길에 바리케이드를 쳤다.
Bar·rie [bǽri] *n.* Sir **James M**(**atthew**) ~ 배리《스코틀랜드의 작가(1860-1937); 주저(主著) *Peter Pan*》.
*__bar·ri·er__ [bǽriər] *n.* **1** 울타리, 방벽; 요새; 관문. **2** 장벽, 장애(물), 방해《*to*》: the language ~ 언어의 장벽/⇨ TARIFF BARRIER/a ~ *to* promotion 승진의 장애 거리/put a ~ between …의 사이를 갈라놓다. SYN. ⇨ BAR[1]. **3** (*pl.*) (경기장 따위의) 울짱, 울타리. **4** 난바다의 모래톱. **5** 『지학』 보빙(堡氷). **—** *vt.* 울타리로 둘러싸다《*off; in*》. **—** *a.* 불투과성(不透過性)의《gas-*barrier*(차기성(遮氣性)의), moisture-*barrier* (방습성의)처럼 쓰임》. 「긴 모래톱.
bárrier bèach 〔**bàr**〕 (해안선을 따라 생기는)
bárrier contracèptive 장애식 피임 수단《콘돔·페서리·정자를 죽이는 약 따위에 의한》.
bárrier crèam 보호 크림, 스킨 크림.
bárrier-frée *a.* 장애가〔장벽이〕 없는.
bárrier mèthod 『의학』 장애〔장벽〕식 피임법.
bárrier rèef 보초(堡礁)《해안의》.
bar·ring [bɑ́:riŋ] *prep.* …이 없다면, …을 제외하고는: ~ unforeseen events 뜻밖의 사고만 없다면. **—** *ad.* 《영속어》 틀림없이.
bárring-óut *n.* Ⓤ (학생들이 선생을) 교실에 들이지 않음《장난이나 저항으로》.
bar·rio [bɑ́:riòu, bǽr-] (*pl.* **-ri·òs**) *n.* **1** (스페인어권에서) 도시의 한 구획. **2** (미국 도시의) 스페인어를 일상어로 하는 사람들이 사는 지역.
°**bar·ris·ter** [bǽrəstər] *n.* **1** 《영》 법정(法廷)변호사《barrister-at-law 의 약칭》. cf. solicitor. **2** 《미구어》 『일반적』 변호사, 법률가.
bár·ròom *n.* (호텔 등의) 바.
Bar·row [bǽrou] *n.* **Point** ~ 배로 곶(串)《알래스카의 최북단》.
bar·row[1] [bǽrou] *n.* (바퀴가 하나나 둘인) 손수레; 들것식의 화물 운반대.
bar·row[2] *n.* **1** 무덤, 분묘, 고분. **2** 짐승의 굴(burrow). **3** 《영》 언덕《지명에서》.
bar·row[3] *n.* 불깐 수퇘지.
bárrow bòy 《영》 외치면서 파는 행상인. 「물).
bár·row·fùl [-fùl] *n.* 손수레 한 대분(의 화
bárrow·man [-mən, -mæ̀n] *n.* 《영》 = COSTERMONGER.
bár sínister = BEND SINISTER.
bár·spòon *n.* (칵테일용의) 자루가 긴 스푼.
bár·stòol *n.* (술집의) 높고 둥근 의자.
Bart. Baronet.
bár tàck 『복식』 되박음질《바느질이 끝날 때나 호주머니 아귀에 하는 보강 바느질》. 「인, 바텐더.
bar·tend·er [bɑ́:rtèndər] *n.* 《미》 술집 지배
°**bar·ter** [bɑ́:rtər] *vi.* 《~/+전+명》 물물 교환하다, 교역하다《*with*》: We ~*ed with* the islanders. 우리들은 그 섬 주민들과 물물교환을 했다. **—** *vt.* **1** 《+목+전+명》 (…을) 교환하다, 교역하다《*for*》: ~ furs *for* powder 모피를 화약과 교환하다. SYN. ⇨ EXCHANGE. **2** 《+목+부》 헐하게 팔아 버리다; (이익을 탐(貪)하여 명예·지위 따위를) 팔다《*away*》: He ~*ed away* his position 〔freedom〕. 욕심에 눈이 어두워 그는 지위〔자유〕를 팔았다. ~ A ***for*** 〔***against***〕 B. A 와 B를 교환하다. **—** *n.* Ⓤ 바터, 물물 교환, 교역(품): the ~ system 바터제, 구상(求償) 무역제/exchange and ~ 물물 교환. ㊞ **~·er** *n.* 물물 교환자.
Bar·thol·di [bɑ:rθɑ́ldi, -tɑ́l-/-θɔ́l-, -tɔ́l-] *n.* **Frédéric Auguste** ~ 바르톨디《프랑스 조각가; 뉴욕의 자유의 여신상을 조각함; 1834-1904》.
bar·tho·lin·i·tis [bɑ:rtòulənáitis] *n.* 『의학』 바르토린선염(腺炎).
Bar·thó·lin's glànd [bɑ:rtóulinz-, bɑ́:rtəlinz-] 『해부』 바르토린선(腺)《질(膣) 기부 좌우에 있는 점액 분비선; 덴마크의 해부학자(1655-1737) 이름에서》.
Bar·thol·o·mew [bɑ:rθɑ́ləmjù:/-θɔ́l-] *n.* 『성서』 바돌로매《예수의 12 제자 중의 하나》: St. ~'s Day 성 바돌로매 축일《8월 24일》. ***the Massacre of St. ~***, 1572년 8월 24일의 신교도 학살.
bar·ti·zan [bɑ́:rtəzən, bɑ̀:rtəzǽn] *n.* 『건축』 (내어민) 작은 탑, 망대.

bartizan

Bart·lett [bɑ́:rtlit] *n.* 크고 즙이 많은 서양배의 일종(= ⌐ **péar**).
Bar·tók [bɑ́:rtɑk, -tɔ:k/-tɔk] *n.* **Béla** ~ 버르토크《헝가리의 작곡가·피아니스트; 1881-1945》.
bar·ton [bɑ́:rtn] *n.* 《고어·방언》 농가 뜰, 헛간.
Bar·uch [bέərək/bɑ́:ruk] *n.* **1** 『성서』 바루크《예언자 Jeremiah 의 제자》; 바루크서(書)《구약성서 외전(外典)의 한 책》. **2** [bərú:k] 바루크《남자 이름》.
bar·y- [bǽri] '중(重)(heavy)'의 뜻의 결합사.
báry·cènter, 《영》 **-tre** *n.* 중심(重心), 무게중심. 「道).
bary·céntric òrbit 『천문』 중심 궤도(重心軌
bar·y·on [bǽriɑ̀n/-ɔ̀n] *n.* 『물리』 바리온, 중(重)입자《핵자(核子)와 hyperon 의 총칭》.
bar·y·sphere [bǽrisfìər] *n.* 『지학』 중권(重圈)《암석권에 에워싸인 지구의 내부》.
ba·ry·ta [bəráitə] *n.* Ⓤ 『화학』 바리타, 중토(重土)《산화바륨》; 수산화바륨.

barýta pàper 〖사진〗 바리타지(紙)《황산 바륨을 바른, 인화지의 원지》.

bar·yte, ba·ry·tes [bέərait], [bəráiti:z] *n.* [U] 〖광물〗 중정석(重晶石).

ba·ryt·ic [bərítik] *a.* 〖화학〗 중토(질)의, 수산화 바륨(질)의. 「TONE.

bar·y·tone[1] [bǽrətòun] *n.*, *a.* 〖음악〗 =BARI-

bar·y·tone[2] *a.*, *n.* 〖그리스문법〗 최종 음절에 악센트 부호를 생략한 (말).

BAS Bachelor of Applied Science; Bachelor of Arts and Sciences.

ba·sal [béisəl, -zəl/-səl] *a.* 기초의, 근본의: a ~ reader 기초〔초급〕 독본 / ~ characteristics 기본 특징. ◇ base[1] *n.* [파] **~·ly** *ad.*

básal anesthésia 〖의학〗 기초 마취.

básal bòdy 〖생물〗 기저소체(基底小體)《섬모나 편모의 세포질 안에 있는 과립》.

básal cèll 〖해부·동물〗 (척추 동물의) 기초〔기저〕 세포; 〖식물〗 (속씨 식물의) 기저 세포.

básal cèll carcinóma 기저(基底) 세포암종 《흔히 일광 과다 조사(照射)로 생기는 피부암》.

básal gánglion 〖해부〗 뇌저(腦底)〔기저(基底)〕 신경절, 기저핵(核)《각 대뇌 반구(半球)의 회백질에 있는 4 개의 신경절》.

básal gránule =BASAL BODY.

básal metabólic ráte 〖생리〗 기초 대사율〔량〕《생략: BMR》. [cf.] basal metabolism.

básal metábolism 〖생리〗 기초〔유지(維持)〕 대사《안정시의 물질 대사; 생략: BM》.

básal rídge 〖치과〗 기저 결절 치대(基底結節齒帶)《전치부 설면(前置部舌面) 기부의 U자형 팽륭(膨隆)》. ★ cingulum이라고도 함.

ba·salt [bəsɔ́:lt, bǽsɔ:lt, béi-/bǽsɔ:lt] *n.* [U] 현무암; 일종의 흑색 자기(磁器).

ba·sal·tic [bəsɔ́:ltik] *a.* 현무암(질)의, 현무암을 함유하는. 「양의.

ba·sal·ti·form [bəsɔ́:ltəfɔ̀:rm] *a.* 현무암 모

bas·a·nite [bǽsənàit, bǽz-] *n.* [U] 〖광물〗 (주로 장사석·감람석·휘석으로 된) 현무암.

bas bleu [F. bɑblø] 《F.》 재원(才媛), 여류 문학가, 인텔리 여성(bluestocking).

B.A.Sc. Bachelor of Agricultural Science; Bachelor of Applied Science.

bas·cule [bǽskju:l] *n.* 〖토목〗 도개(跳開) 구조: a ~ bridge 도개교(橋).

⁑**base**[1] [beis] *n.* **1** 기초, 기부(基部), 저부(底部); 토대; (기둥·비석 따위의) 대좌(臺座), 주추; 주요소(主要素); 기슭: the ~ of a lamp 램프받침 / the ~ of a building 건물의 토대. **2** 근거; 근본 원리. **3** 〖식물·동물〗 기부. **4** 〖화학〗 염기(塩基); 양성자(陽性子)를 받아들이는 분자; 〖염색〗 색이 날지 않게 하는 약; 전색제(展色劑). **5** 〖의학〗 주약(主藥). **6** 〖수학〗 기수(基數); 기선; 밑변, 밑면; (로그의) 밑; 〖컴퓨터〗 기준. **7** 〖경기〗 출발점; (하키 따위의) 골; 〖야구〗 누(壘), 베이스: third ~, 3 루 / a three-~ hit, 3 루타(打) / The ~*s* are loaded. 만루(滿壘)다 / ⇨ BASE ON BALLS. **8** 〖문법〗 어간(stem). **9** 〖군사〗 기지: a naval 〔an air〕 ~ 해군〔공군〕 기지 / a ~ of operations 작전 기지. **10** 〖측량〗 기선(基線). **11** 〖문장(紋章)〗 방패 무늬의 하부. **12** (페인트·화장 등의) 초벌칠. ***be off*** ~ 《미구어》 (아무가) 몹시 잘못하고 있다; (허를 찔리어) 마음의 평정을 잃고 있다; 머리가 돌아 있다; (생각 따위가) 틀려 있다. ***change*** one***'s*** ~ 《미속어》 도망하다. ***get to first*** ~ ⇨ FIRST BASE. ***off*** one***'s*** ~ ① 〖야구〗 베이스를 떠나; 허를 찔려. ② 완전히 틀려; 《미속어》 정신이 돌아; 《미속어》 건방진, 뻔뻔스러운, 주제넘게 나서는. ***on*** ~ 출루하여. ***touch*** ~ ***with*** …와 연락을 취하다, …와 접촉하다. **—** *a.* 기본〔기초〕의; 기지(基地)의; 〖야구〗 누(壘)의: a ~ camp (등산의) 베이스 캠프 / ~ colors 원색 / a ~ umpire 누심(壘審). **—** *vt.* 《+[목]+[전]+[명]》 **1** …의 기초〔근거〕를 형성하다, …에 근거하다《*on, upon*》: His view of life is ~*d on* his long experience. 그의 인생관은 오랜 경험에 의거해 있다 / ~ taxation *on* 〔*upon*〕 income 수입을 기초로 과세하다. **2** …의 기지를 두다, 주둔시키다《*in; at*》. **—** *vi.* 《+[전]+[명]》 **1** …에 의거하다《*on*》. **2** 기지를 두다《*at; on*》. ~ one***self on*** …에 기대다〔의지하다〕.

> [SYN.] **base** 물건을 받치는 토대: the *base* of a statue 동상의 대좌. **basis** 비유적으로 쓰일 때가 많음: the *basis* of a report 보고의 근거. **foundation** 튼튼하고 확실한 기초, 땅밑 토대: the *foundation* of a skyscraper 고층 빌딩의 기초. **ground** 하부의 탄탄한 기초나 근거를 나타냄: The rumor has no *ground*.

°**base**[2] *a.* **1** 천한, 비열〔야비〕한, 치사한; (말이) 상스러운: a ~ action 비열한 행위. **2** (금속이) 열등한, 하등의; (주화가) 조악한, 가짜의: ⇨ BASE METAL / BASE COIN. **3** 《폐어》 저음의(bass[1]). **4** 《고어》 지위가 낮은, 태생이 천한; 서출(庶出)의. **5** (언어가) 순정(純正)치 않은, 속된. [opp.] *classical.* ¶ ~ Latin 순정치 않은 라틴어. **—** *n.* 《폐어》 〖음악〗 = BASS[1]. [파] **∠·ly** *ad.* **∠·ness** *n.*

báse àddress 〖컴퓨터〗 기준 번지《이것에 상대 번지를 가하면 절대 번지를 얻을 수 있음》.

báse àngle 〖수학〗 (삼각형의) 밑각.

†**base·ball** [béisbɔ̀:l] *n.* **1** [U] 야구: a ~ game 〔park, player〕 야구 경기〔장, 선수〕 / a ~ cap 〔glove〕 야구용 모자〔글러브〕. **2** [C] 야구공. [파] **~·er,** **~·ist** *n.* 《미》 야구 선수〔경기자〕. **~·ism** *n.* 《미》 야구 용어. 「젊은 여성팬.

báseball Ánnie 《미속어》 야구 선수를 둘러싼

Báseball Háll of Fáme 야구 전당《New York주 Cooperstown에 1939 년 세워짐》.

báse·bànd *n.* 〖통신〗 베이스 밴드, 기저대(基底帶)《전기통신에 있어서 정보를 전송할 경우 기본 신호인 주파수대(帶); 일반적인 경우 반송파 신호는 변조됨》. **—** *a.* 베이스밴드 방식의《변조되지 않은 단일의 주파수대를 사용하여 정보를 전송하는 통신 시스템》.

básebànd sýstem 〖컴퓨터〗 기저대(基底帶) 〔베이스밴드〕 방식《원(原)디지털 신호를 변조시키지 않고 데이터를 전송하는 방식》.

básebànd transmíssion 〖컴퓨터〗 기저대(基底帶) 전송. ★ baseband system이라고도 함.

báse·bòard *n.* 《미》 〖건축〗 벽 아랫도리의 굽도리널; 〖일반적〗 토대가〔바탕이〕 되는 널〔판〕.

báse·bórn *a.* 태생이 천한, 서출의; (천성이) 상스러운, 야비한.

báse·bùrner *n.* 《미》 (위에서 연료를 자동적으로 보급하는) 자동식 난로. 「수뇌 회의.

báse càmp (등산 따위의) 베이스 캠프; 예비

báse·còat *n.* 밑〔애벌〕칠, 밑바탕.

báse cóin 가짜돈; 악화(惡貨).

báse compónent 〖변형문법〗 기저부문《심층구조를 생성하는 부문》.

báse còurse 〖건축〗 (돌·벽돌의) 기초쌓기.

báse-còurt *n.* (성이나 대저택의) 바깥뜰; 농가의 뒤뜰; 《영》 하급 법원.

(-)based [beist] *a.* (…에) 보급·작전의 기지를 가진: cruiser-~ 「병(病).

Bá·se·dow's disèase [bá:zədòuz-] 바제도

báse drèssing (밭 따위를 갈기 전에 지면에 뿌리는) 시비(施肥).

báse exchànge **1** (토양의) 염기 교환. **2** (미

해군 · 공군의) 기지 매점《생략: BX》. 「폰트.
báse fònt 〚컴퓨터〛 기본자형〔글자꼴〕, 베이스
báse·hèad *n.* 《미속어》 크랙(crack) 상용자.
báse·hèarted [-id] *a.* 마음이 비열한, 품성이
báse hít 〚야구〛 안타, 단타(單打). 〔천한.
báse hòspital 〚군사〛 후방 기지 병원. cf. field hospital.
BÁSE〔báse〕 jùmping (빌딩이나 곶 등) 고정 지점에서의 낙하산 점프.
Ba·sel [bá:zəl] *n.* 바젤《스위스 북서부의 도시》.
báse·less *a.* 기초〔근거〕 없는, 이유 없는 (groundless): ~ fears 기우(杞憂). ⊞ **~·ly** *ad.* **~·ness** *n.*
báse lèvel 〚지학〛 기준면.
báse·lìne *n.* 기(준)선; 〚야구〛 베이스 라인, 누선; 〚테니스〛 코트의 한계선; 〚미술〛 투시선, 원근선; 〚전기〛 진공관 표면에 생기는 종선〔횡선〕; 〚컴퓨터〛 기저선(基底線).
báse lòad 〚전기 · 기계 · 철도〛 (일정 시간 내의) 베이스 부하(負荷), 기초 하중(荷重); 《영》 (기업 존속을 위한 수주(受注) 등의) 기초량.
báse·man [-mən] (*pl.* **-men** [-mən]) *n.* 〚야구〛 내야수, 누수(壘手): the first ~.
báse màp 백(白)지도.
báse mèmory 〚컴퓨터〛 베이스 메모리(=**conventional mèmory**).
⁑**base·ment** [béismənt] *n.* **1** (건물의) 지하층, 지하실. ★미국 백화점에서는 주로 싸구려를 팔고 있음: ~ garage 지하 주차장 / the 2nd 〔3rd〕 ~ 지하 2〔3〕층. **2** (구조물의) 최하부, 기초; 〚지학〛 BASEMENT COMPLEX; 《New Eng.》 =TOILET.
básement còmplex 〚지학〛 (퇴적암층(層) 하의) 기반(基盤). 「膜), 경계막.
básement mèmbrane 〚해부〛 기저막(基底
báse métal 비(卑)금속(opp. *noble metal*); (합금의) 주(主)금속; (도금의) 바탕 금속, 지금(地金); (금속 가공의) 모재(母材).
ba·sen·ji [bəséndʒi] (*pl.* **~s**) *n.* (때로 B-) 중앙 아프리카 원산의 작은 개.
báse on bálls 〚야구〛 4 구 (출루)(walk, pass) 《생략: BB》.
báse páir 〚유전〛 (이중 사슬 DNA, RNA 중의) 염기쌍《아데닌과 티민(RNA에서는 우라실) 또는 구아닌과 시토신》.
báse-pairing rùles 〚유전〛 염기쌍(塩基雙) 법칙《이중나선 구조의 DNA, RNA에 있어서 서로 쌍을 이루는 염기의 조합이 정해져 있는 일》.
báse pàth 〚야구〛 (누 사이의) 주로《27.4m》.
báse páy 기본급(basic wage).
báse pèriod (물가 · 임금 등의 변동을 비교할 때 설정하는) 기준 기간.
báse·plàte *n.* 〚기계〛 바닥판, 기초판; 〚치과〛 의치의 틀을 만드는 플라스틱, 의치의 턱에 닿는 부분; (도금의) 바탕쇠.
báse príce (비용을 가산하기 전의) 기초단가; 기준가. 「局).
báse (rádio) stàtion 〚통신〛 기지국(基地
báse ráte 기본 요금; (임금 구성상의) 기본 급료.
báse ràte fállacy 〚통계〛 기준 유론(謬論)《확률을 구할 때, 기준을 무시하고 다른 정보에 의존함》.
báse rùnner 〚야구〛 주자.
báse rùnning 〚야구〛 주루(走壘).
ba·ses[1] [béisi:z] BASIS의 복수.
bas·es[2] [béisiz] BASE[1]의 복수.
báse stàtion 기지국《시민 밴드 무선(CB radio)이나 자동차 전화 따위의 접속에 쓰이는 전파의 송수신 장치》.
báse stícker 《속어》 〚야구〛 누(壘)에서 거의 리드를 하지 않는 주자.

báse sùrge 베이스서지《수중 핵폭발시에 수면에 발생하는 강한 충격파를 수반한 환상(環狀)의 구름》.
bash [bæʃ] *vt.* 《구어》 후려갈기다, 쳐부수다; 〚야구〛 (볼을) 치다, 강타하다. **—** *vi.* 충돌하다; 《영속어》 매춘하다. ~ ***on*** 〔***ahead***〕 《영속어》 …을 완고히 계속하다《*with*》. ~ ***up*** 《영속어》 때려눕히다. **—** *n.* 《구어》 후려갈기기, 강타; 《구어》 아주 즐거운 파티; 《영속어》 시도. ***have*** 〔***take***〕 ***a*** **~** (***at***) 《속어》 …을 해보다(attempt). ***on the*** **~** 《구어》 들떠서, (마시고) 떠들며.
ba·shaw [bəʃɔ́:] *n.* =PASHA; 거만한〔뻐기는〕 사람; 오만한 관리.
°**bash·ful** [bǽʃfəl] *a.* 수줍어하는, 부끄러워하는, 숫기 없는. SYN. ⇨ SHY. ⊞ **~·ly** *ad.* **~·ness** *n.*
bashi-ba·zouk [bæ̀ʃibəzú:k] *n.* (19 세기 터키의) 기마 용병대《약탈 · 잔인으로 유명》.
básh·ing *n.* U,C 《구어》 때림, 강타; 심한 패배〔비난〕: take a ~ 완전히 패배하다; 혹평을 받다.
-bash·ing [bæ̀ʃiŋ] '공격, 학대' 라는 뜻의 결합사: bureaucrat-~, union-~.
ba·si- [béisi] *pref.* '기초, 염기(塩基)' 의 뜻.
⁑**ba·sic** [béisik] *a.* **1** 기초적인, 기본적인, 근본(根本)의: a ~ argument 논거 / ~ principles 근본 원리. **2** 〚화학〛 염기〔알칼리〕성(性)의: ~ colors 염기성 색소 / the ~ group 염기성류. **3** 〚광물〛 염기성의. **—** *n.* (보통 *pl.*) 기본, 기초, 원리; (*pl.*) 기본적인 것, 필수품; (B-) =BASIC ENGLISH; 《미속어》 =BASIC TRAINING; 〚미군사〛 초년병; =BASIC SLAG.
BASIC, Basic [béisik] *n.* 〚컴퓨터〛 베이식《간이 프로그래밍 언어》. cf. COBOL, FORTRAN. [◂ *B*eginner's *A*ll-purpose *S*ymbolic *I*nstruction *C*ode] 「로; 원래.
ba·si·cal·ly [béisikəli] *ad.* 기본적〔근본적〕으
Básic Assémbly Lànguage 〚컴퓨터〛 기본 어셈블리어《생략: BAL》.
básic cróp〔commódity〕 (경제적 · 정치적으로 중요한) 기본 작물, 기본 농산물.
básic dìrect áccess mèthod 〚컴퓨터〛 기본 직접 접근 방식.
básic dréss 기본형 드레스《액세서리 따위의 변화로 다양하게 입을 수 있는 옷》.
básic dýe 염기성 염료.
Básic Énglish 베이식 영어《영어를 간이화하여 국제 보조어로 하려는 것; 어휘수 850; 영국인 C.K. Ogden 등이 고안》.
básic (ìndexed) sequéntial áccess mèthod 〚컴퓨터〛 기본 (색인) 순차적 접근 방식.
básic índustry 기간 산업.
ba·sic·i·ty [beisísəti] *n.* U 〚화학〛 염기도(塩基度), 염기성도.
básic óxygen pròcess 염기성 산소 제강법(製鋼法)《고속 제강법의 하나》.
básic páy =BASIC WAGE.
básic prócess 〚야금〛 염기성법, 염기성 제강법.
básic ráte =BASE RATE.
básic reséarch 기초 연구.
básic sálary =BASIC WAGE.
básic scíence 기초 과학.
básic slág 〚화학〛 염기성 슬래그《철 생산의 부산물로 석회분이 많은 것; 비료나 시멘트의 혼합 재료》.
básic tráining 〚미군사〛 (신병의) 초보〔기초〕 훈련.
básic wáge 기본급(base pay); 생활 임금.
ba·sid·i·o·my·cete [bəsìdioumáisi:t, -maisí:t] *n.* 〚식물〛 담자균류(擔子菌類).

ba·sid·i·o·spore [bəsídiouspɔ̀ːr] *n.* 『식물』 담자포자(擔子胞子).
ba·sid·i·um [bəsídiəm] (*pl.* **-sid·ia** [-diə]) *n.* 『세균』 담자기(擔子器). ⓟ **ba·síd·i·al** *a.*
ba·si·fi·ca·tion [bèisəfikéiʃən] *n.* Ⓤ 『화학』 염기화(塩基化).
ba·si·fy [béisəfài] *vt.* 염기화(塩基化)하다.
Bas·il [bǽzəl, bǽs-, béiz-, béis-] *n.* 남자 이름.
bas·il[1] [bǽzəl, bǽs-, béiz-, béis-] *n.* 향미료·해열제로 쓰는 박하 비슷한 향기 높은 식물.
bas·il[2] *n.* (무두질한) 양가죽. ⓒⓕ roan.
bas·i·lar, -lary [bǽsələr], [-lèri/-ləri] *a.* 기초의, 근본의; 《특히》 두개저(頭蓋底)의.
básilar mémbrane 『해부』 기저막(基底膜)《내이 달팽이관의 코르티(Corti) 기관을 받치고 있는 섬유성 막》.
ba·si·lect [béizəlèkt, bǽzə-] *n.* (한 사회에서) 가장 격이 낮은 방언, 하층 사투리. ⓒⓕ acrolect.
ba·sil·ic, -i·cal [bəsílik, -zíl-], [-kəl] *a.* basilica의; 왕(자)의, 왕다운(royal); 『해부』 척측피(尺側皮)의《팔 안쪽에 있는》.
ba·sil·i·ca [bəsílikə, -zíl-] *n.* (옛 로마의) 바실리카《법정·교회 따위로 쓴 장방형의 회당》; 바실리카 양식의 교회당. ⓟ **-can** [-kən] *a.*
ba·sil·i·con [bəsílikən, -zíl-] *n.* 연고의 일종《송진에서 채취한 로진으로 만든 연고》.
basílic véin 『해부』 척측피 정맥, 귀요(貴要)「정맥.
bas·i·lisk [bǽsəlisk, bǽz-] *n.* 바실리스크《전설상의 괴사(怪蛇); 한번 노려보거나 입김을 쐬면 사람이 죽었다 함》; 『동물』 도마뱀의 일종《열대 아메리카산》; (뱀무늬가 있는) 옛날 대포. — *a.* 바실리스크 같은.
básilisk glánce 바실리스크 같은 눈초리《노려보면 재난을 당함》; 깜짝할 사이에 불행을 가져오는 사람〔것〕.
⁑**ba·sin** [béisn] *n.* **1 a** 물동이, 수반; 대야; 세면기〔대〕; 저울판. **b** 한 동이〔대야〕 가득한 분량: a ~ *of* water 물 한 동이. **2** 웅덩이, 풀; 내포(內浦), 내만(內灣); 독(dock), 갑문(閘門) 달린 선거(船渠): a collecting ~ 집수지(集水池) / a setting ~ 침전지(沈澱池) / a yacht ~ 요트 정박소. **3** 분지; 유역(river ~); 해분(海盆)(ocean ~); 『지학』 분지 구조; 퇴적 구조(에 있는 석탄·암염 등의 매장물). **4** 『해부』 골반, 골반강(腔). ⓟ **~ed** *a.* **~·ful** [-fùl] *n.* 동이〔수반·대야〕에 가득한 분량. **~·lìke** *a.* 동이〔대야·수반〕 같은.
bas·i·net [bǽsənit, -nèt] *n.* (중세의) 철모.
básing mòde 『군사』 배비(配備) 방식《어떤 병기 시스템을 어떻게 설치, 전개하는가 하는 방법》.
básing pòint 『상업』 기지점《출하·운송 등의 기점이 되는 생산〔출하〕 센터》.
ba·sip·e·tal [beisípətl] *a.* 『식물·균류』 구기적(求基的)인, 향기적(向基的)인. ⓒⓕ acropetal.
*__ba·sis__ [béisis] (*pl.* **-ses** [-siːz]) *n.* **1** 기초, 기저, 토대. ⓈⓎⓃ ⇨BASE. **2** 기본 원리, 원칙, 기준; 기초; 이유, 근거; 체제: the ~ of 〔for〕 argument 논거 / on a part-time ~ 비상근(非常勤)으로 / on a five-day week ~ 주 5일제로 / on a commercial ~ 상업 베이스로 / on a first-come first-served ~ 선착순으로 / on an equal ~ 대등하게 / on an individual ~ 개인〔개별〕적으로. **3** (조제 등의) 주성분. **4** 『군사』 근거지. **5** 『수학』 기저(基底). ◇ basic *a.* ***on a national ~*** 전국적으로 (보면); 전국적 규모로. ***on the ~ of*** …을 기초로 하여.
básis pòint 『증권』 (이율을 표시할 때의) 1/100 퍼센트, 모(毛): 15 ~*s*, 1 리(厘) 5 모(毛).
°**bask** [bæsk, bɑːsk/bɑːsk] *vi.* 《+전+명》 **1** 몸을 녹이다, 햇볕을 쬐다《*in*》: ~ *in* the sun. **2** (은혜 따위를) 입다, 행복한 처지에 있다《*in*》: He ~*ed in* royal favor. 그는 임금의 총애를 받았다.
†**bas·ket** [bǽskit, bɑ́ːs-/bɑ́ːs-] *n.* **1** 바구니, 광주리: a shopping ~ 시장 바구니 / a tea ~ 캠프용 손바구니. **2** 한 바구니(의 분량); 바구니에 담은 물건: a ~ *of* eggs. **3** 바구니 모양의 것; (기구 따위의) 조롱(吊籠); (농구의) 골의 그물; 득점: shoot a ~ 《구어》 득점을 하다. **4** 《속어》 (팽팽한 바지에서 불거진) 남성기(男性器). ***~ of clips*** 유쾌한 일. ***be left in the ~*** 팔다 남다, 희망자〔초청자〕가 없다. ***have*** 〔***put***〕 ***all*** one's ***eggs in one ~*** ⇨EGG[1](관용구). ***the pick of the ~*** 정선(精選)한 물건. — *vt.* 바구니에 넣다. ⓟ **~·lìke** *a.*
⁑**bas·ket·ball** [bǽskitbɔ̀ːl, bɑ́ːs-] *n.* Ⓤ 『구기』 농구; Ⓒ 농구공.
básket càse **1** 사지를 절단한 환자; 《일반적》 완전 무능력자. **2** 《미속어》 몹시 불안 초조해 하는 사람, 노이로제에 걸린 사람.
básket-cáse *a.* 무능력한, 힘을 잃은.
básket cèll 『의학』 바구니 세포.
básket chàir 버들가지로 엮어 만든 의자.
básket clàuse 바스켓 조항《계약·협정·성명 등의 포괄적인 조항》.
básket clòth 바스켓직(織)(basket weave)의 옷감. 「구 선수.
bas·ke·teer [bæ̀skətíər, bɑ̀ːs-/bɑ́ːs-] *n.* 농
*__bas·ket·ful__ [bǽskitfùl, bɑ́ːs-/bɑ́ːs-] *n.* 한 바구니(분), 바구니 가득; 상당한 양《*of*》.
básket hìlt 바구니 모양의 날밑이 달린 칼자루.
Básket Màker 『고고학』 바스켓 메이커 문화《북아메리카 콜로라도 고원에서 융성했던 인디언 문화》; 바스켓 메이커기(期)의 사람.
básket mèeting 《미》 (각자 저녁 식사를 지참하는) 종교적 집회.
básket òsier 『식물』 고리버들.
bas·ket·ry [bǽskitri, bɑ́ːs-/bɑ́ːs-] *n.* Ⓤ 《집합적》 바구니; 바구니 세공품〔기술〕. 「하나》.
básket stìtch 『자수』 바스켓 스티치《십자수의
básket wèave 바구니 겯는 식의 직조법.
básket wèaving 바구니 세공《때때로 아무 기능도 요하지 않은 단순작업을 빗대는 말로 사용되기도 함》.
básket wìllow 가지가 바구니 세공, 가구 제작에 사용되는 각종 버드나무.
básket·wòrk *n.* Ⓤ 바구니 세공(품).
básket·wòrm *n.* 『곤충』 도롱이벌레.
básk·ing shàrk 『어류』 돌묵상어.
bas mi(t)zvah = BATH MITZVAH.
bas·net [bǽsnit, -net] *n.* = BASINET.
ba·son [béisn] *n.* 《옛투》 = BASIN.
ba·so·phil, -phile [béisəfil], [-fàil, -fìl] *n.* 『생물』 호염기성(好塩基性) 세포〔백혈구〕. — *a.* = BASOPHILIC.
ba·so·phil·ia [bèisəfíliə, -fíːljə] *n.* **1** 『의학』 호염기구(好塩基球) 세포 증가(증), 호염기성 적혈구(증). **2** 호염기성《염기성 색소에 잘 염색되는 일》. 「기성의.
ba·so·phil·ic [bèisəfílik] *a.* 『생물』 호(好)염
Basque [bæsk/bæsk, bɑːsk] *n.* 바스크 사람《스페인 및 프랑스의 피레네 산맥 서부 지방에 삶》; Ⓤ 바스크 말; (b–) Ⓒ 몸에 꼭끼는 bodice·짧은 웃옷. — *a.* 바스크 사람〔말〕의.
Básque Próvinces (the ~) **1** 바스크 지방《Biscay만에 임한 에스파냐 북부 지방》. **2** 《넓은 뜻으로》 에스파냐 북부 및 프랑스 남서부의 바스크인 거주지.
bas-re·lief [bɑ̀ːrilíːf, bæ̀s-, ∠-∠] (*pl.* **~s**) *n.*

U,C 얕은 부조(浮彫).
Bass [bæs] *n.* U 바스 맥주《Bass's beer의 간약형; 영국 맥주 회사명》; C 그 맥주 한 병.
◇**bass**¹ [beis] *n.* U,C 〖음악〗 베이스, 낮은음; (가곡의) 낮은음부(=∠ líne); 낮은음역; C 낮은음 가수〔악기〕; 《구어》 =BASS GUITAR, CONTRABASS. ***throw some*** ~ 《미속어》 여자에게 이야기를 걸다. ― *a.* 〖음악〗 낮은음(부)의.
bass² [bæs] (*pl.* ∠·***es,*** 〖집합적〗 ~) *n.* 〖어류〗 배스《농어의 일종》.
bass³ [bæs] *n.* =BASSWOOD; BAST.
báss bròom [bǽs-] 종려(棕櫚)비.
báss clèf [béis-] 〖음악〗 낮은음자리표. cf. clef.
bass²
báss drúm [béis-] 〖음악〗 큰북.
básse coutúre [*F.* baskuty:ʀ] 《F.》 (여성의) 삼류〔저급한〕 패션.
bas·set¹ [bǽsit] *n.* =BASSET HOUND.
bas·set² *n.* 〖지학·광산〗 노두(露頭)(outcrop). ― *vi.* (광맥·지층 등이) 노출되다.
bas·set³ *n.* 〖카드〗 바셋《도박 게임의 일종으로 18세기에 유행했음》.
básset hòrn 〖악기〗 바셋호른《저음 클라리넷의 일종》.
básset hòund 바셋 하운드《다리가 짧은 사냥개》.
báss guitár [béis-] 〖음악〗 베이스 기타.
báss hórn [béis-] 〖악기〗 =TUBA.
bas·si·net [bæ̀sənét, ∠-∠] *n.* 포장 달린 요람〔유모차〕; =BASINET.
bass·ist [béisist] *n.* 저음〔베이스〕 가수; 저음 악기의 주자《특히 콘트라베이스의》.
bas·so [bǽsou, bá:s-] (*pl.* ~***s,*** ***-si*** [-si:]) *n.* 《It.》 〖음악〗 베이스 가수; 낮은음부《생략: b.》.
bas·soon [bæsú:n, bə-/bə-] *n.* 〖악기〗 바순, 파곳《낮은음 목관악기》; (풍금의) 낮은음 음전(音栓). 파 ~**·ist** *n.* 바순 취주자.
básso os·ti·ná·to [-àstiná:tou/-ɔ̀s-] (*pl.* ~***s***) 《It.》 〖음악〗 바소오스티나토.
básso pro·fún·do [-proufʌ́ndou, -fún-] (*pl.* ***bássi pro·fún·di*** [-di], ~***s***) 《It.》 남성(男聲)의 장중한 최저음 (가수).
básso-relíevo (*pl.* ~***s***) *n.* 《It.》 =BAS-RELIEF.
báss respónse [béis-] (스피커 또는 음향 증폭기의) 저음역(低音域) 리스폰스, 저음 응답.
báss stàff [béis-] 〖음악〗 낮은음자리(보)표.
báss víol [béis-] **1** =VIOLA DA GAMBA. **2** =CONTRABASS.
bass·wood [bǽswùd] *n.* 〖식물〗 참피나무속의 식물; U 참피나무 (목재).
bast [bæst] *n.* U 〖식물〗 (참피나무 따위의) 인피(靭皮); 내피(內皮), 인피 섬유.
bas·tard [bǽstərd/bá:s-, bǽs-] *n.* **1** 서자, 사생아; 가짜; (동식물의) 잡종. **2 a** 《미속어·경멸》 (개)자식, 새끼: Some ~ slashed the tires on my car. 어떤 개자식이 내 차의 타이어를 찢었어. **b** 놈, 녀석《호칭할 때 친근함을 나타내기도 함》: Tom, you old ~! 이봐 톰. **3** 《미속어》 싫은〔지겨운〕 것, 힘든 것: This cough's a real ~. 이 기침은 정말 골치야. **4** (보통 B-) 《S.Afr.》 (백인과 비(非)백인의) 튀기, 혼혈아. ― *a.* 서출의, 사생아의; 잡종의; 가짜의, 모조〔위조〕의; 보통이 아닌, 비정상적인: a ~ apple 변종 사과. ◇bastardize *v.* 파 ~**·ly** *a.*
bástard file 거친 줄《연장》. =BASTARD.
bàs·tard·i·zá·tion *n.* U 서자라는 인정; 타락; 《Austral.》 신입생〔신병〕 신고식, 약자 괴롭히기〔곯려주기〕.
bás·tard·ìze *vt.* 비적자(非嫡子)〔서출〕로 인정하다; 타락시키다; 질을 떨어뜨리다, 나쁘게 하다. ― *vi.* 타락하다; 나빠지다.
bástard méasles =RUBELLA.
bástard títle =HALF TITLE.
bástard wìng 〖조류〗 작은 날개(alula, winglet).
bas·tar·dy [bǽstərdi] *n.* U 서출(庶出); 《미》 서자를 둠《남자가》.
baste¹ [beist] *vt.* …을 시침질하다.
baste² *vt.* 버터를 바르다《고기를 구우면서》, 양념을 치다. ― *vi.* (요리에) 기름이 배어들다.
baste³ *vt.* (방망이 따위로) 치다, 때리다; 야단치다.
bas·tide [bæstí:d] *n.* **1** (중세의) 성채 도시《특히 남프랑스에서 상업적·전략적 목적으로 설계·건축된 것》. **2** (남프랑스) 시골의 작은 저택.
bas·tille, -tile [bæstí:l] *n.* 성채; 감옥; (the B-) 바스티유 감옥《프랑스 혁명 때 파괴된》. ― *vt.* 투옥〔감금〕하다.
Bastílle Dày (the ~) 프랑스 혁명 기념일《7월14일》.
bas·ti·na·do, -nade [bæ̀stənéidou, -ná:dou], [-néid, -ná:d] (*pl.* ***-does, -nades***) *n.* 매질; 장형(杖刑); 매, 곤장. ― *vt.* 매로 치다; 매질하다; 장형에 처하다.
bast·ing¹ [béistiŋ] *n.* 시침질; (*pl.*) 시침질한 바늘땀.
bast·ing² *n.* (고기를 구우면서) 양념 국물을 치는 것; 그 양념.
bas·tion [bǽstʃən, -tiən/-tiən] *n.* 〖축성(築城)〗 능보(稜堡); 요새; 《화학》 (사상·자유 등의) 방어 거점. 파 ~**ed** *a.* 능보를 갖춘.
bast·naes·ite [bǽstnəsàit] *n.* 바스트네사이트《희토류 원소를 채취하는 황색 내지 적갈색의 광석》.
ba·su·co, -ko [bəsú:kou] *n.* 바수코《코카인을 정제한 찌꺼기; 습관성이 강한 마약》.
†**bat**¹ [bæt] *n.* **1 a** (야구·크리켓 따위의) 배트, 타봉; 막대기, 곤봉; 《구어》 (기수의) 채찍; 〖항공〗 (비행기 착륙을 유도하는) 배트; 《Austral.》 two-up에서 코인을 던져 올리는 작은 판: a ~ breaker 강타자. **b** 《구어》 강타; 타구, 칠 차례; 타자(batsman): step to the ~ 타석에 들어서다/a good ~ 호타자. **2** (진흙) 덩어리, (기와의) 깨진 조각; 〖요업〗 구울 때 형성된 점토를 얹는 석고의 원판; (보통 *pl.*) 탄 솜, 이불솜. **3** 《미속어》 술잔치; 야단법석. **4** 《영속어》 속력. ***at*** ~ 〖야구〗 타석에 들어가: the side *at* ~ 공격측. ***carry*** (***out***) one's ~ 〖크리켓〗 (1번 타자·팀이) 1회가 끝날 때까지 아웃이 안 되고 남다; 《구어》 끝까지 버티다, 결국 성공하다. ***cross*** ~***s with*** …와 경기하다. ***go*** (***at***) ***full*** ~ 전속력으로 나아가다. ***go off at a rare*** 〔***terrific***〕 ~ 빠른〔무서운〕 속력으로 달려가다. ***go on a*** ~ 《속어》 법석을 떨다. ***go to*** ~ 《미속어》 구치(拘置) 판결을 받다. ***go to*** ~ ***for*** 《구어》 …을 지지〔변호〕하다. ***off*** one's ***own*** ~ 《구어》 자기의 노력으로; 제힘으로; 자발적으로. (***right*** 〔***hot***〕) ***off*** 〔***from***〕 ***the*** ~ 《구어》 즉시. ***take out*** one's ~ 〖크리켓〗 (2번 이후 타자가) 1회가 끝날 때까지 아웃이 안 되고 살아남다.
― (***-tt-***) *vt.* 《+목+부》 …을 (배트 따위로) 치다; 쳐서 주자를 보내다; …의 타율로 치다; 상세하게 논의〔검토〕하다: ~ a runner home (공을) 쳐서 주자를 생환케 하다. ― *vi.* 치다; 타석에 서다; 연타하다; 《영속어》 돌진하다(rush). ~ ***around*** 《미구어》 《*vi.*+부》 ① (마음 내키는 대로) 이리저리 걸어다니다, 어슬렁거리다. ― 《*vt.*+부》 ② (계획 따위를) 자유롭게 이야기하다, 이것저것 생각하다. ~ ***back and forth*** (문제를) 여러 모로 논의하다, 자세히 검토하다, 생각을 더듬다. ~ ***in*** 〖야구〗 ① (쳐서) 타점을 올리다: ~ *in* two runs, 2 타점을 올리다. ② (쳐서 주자

를) 생환케 하다. ~ **out** (이야기 · 기사 따위를) 급히 만들다; 날조하다.

◦**bat²** *n.* 〖동물〗 박쥐; 박쥐 폭탄《목표물에 자동 유도되는 유익(有翼) 폭탄》; 《미속어》 창녀; 《경멸》 무쪽 같은 여자. (**as**) ***blind as a*** ~ 장님이나 다름없는. ***be*** 〔***go***〕 ~***s*** 《속어》 머리가 돌다. ***have*** ~***s in the*** 〔one's〕 ***belfry*** 《구어》 머리가 돌다, 실성하다. ***like a*** ~ ***out of hell*** 맹속력으로.

bat³ (**-tt-**) *vt.* 《미구어 · 영방언》 (눈을) 깜작〔깜박〕거리다. ***do not*** ~ ***an eyelid*** 〔***eye, eyelash***〕 《구어》 눈하나 깜박이지 않다, 꿈쩍도 안 하다, 놀라지 않다; 한잠도 안 자다.

bat⁴ [bɑːt, bæt] *n.* (the ~) [U] 《Ind.》 구어, 속어; 《영속어》 외국어의 구어 · 속어. ***sling*** 〔***spin***〕 ***the*** ~ 외국어로 지껄이다.

BAT, B.A.T. Bachelor of Arts in Teaching.

bat., batt. battalion; battery. 「옛이름》.

Ba·ta·via [bətéiviə] *n.* 바타비아《자카르타의

Ba·ta·vi·an [bətéiviən] *n., a.* **1** 바타비아(인)(의). **2** 네덜란드(인)(의).

Batávian Repúblic (the ~) 〖역사〗 바타비아 공화국《프랑스 혁명의 여파로 네덜란드에 세워졌던 나라(1795-1808)》.

bát-blínd *a.* 청맹과니의, 아둔한.

bát·bòy *n.* 야구팀의 잡일을 보는 소년.

batch [bætʃ] *n.* **1** 한 벌; 한 묶음; 한 떼, 일단(一團); 〖컴퓨터〗 일괄, 배치: a ~ *of* books 한 묶음의 책. a ~ *of* women 여성의 한 떼, 《경멸》 여자들. **2** (빵 · 도기 따위의) 한 가마, 한 번 구워낸 것. ***lay a*** ~ 《미속어》 (레이스 등에서 가속시에) 노면에 타이어의 슬립 자국을 남기다. **—** *vt.* 1 회분으로 처리하다.

bátch file 〖컴퓨터〗 일괄 파일, 묶음(기록)철《일괄 처리 내용을 기술한 텍스트 파일; DOS는 BAT의 확장자를 갖는 파일을 일괄 파일로 해석함》.

bátch-pròcess *vt.* 〖컴퓨터〗 묶음 처리하다.

bátch pròcessing 〖컴퓨터〗 (자료의) 일괄 처리. 「대하여》.

bátch prodùction 간헐적 생산《연속 생산에

bátch sỳstem 〖컴퓨터〗 일괄 시스템.

batchy [bǽtʃi] (***batch·i·er; -i·est***) *a.* 《속어》 정신이 이상한, 머리가 돈(batty).

bate¹ [beit] *vt.* **1** (동작 · 감정 등을) 누그러뜨리다, 누르다, 참다. **2** (요구 · 흥미 등을) 약화하다, 덜다. **—** *vi.* 덜어지다; (쇠)약해지다. ***with*** ~***d breath*** 숨을 죽이고.

bate² *vi.* (매가 성나) 날개를 치다. **—** *n.* 노여움, 화: in a ~ 화내어.

bate³ *n.* [U] (무두질용의) 알칼리액. **—** *vt., vi.* (모피를) 알칼리액에 담가 부드럽게 하다.

bát éar 박쥐처럼 크고 곧은 (개의) 귀.

ba·teau, bat·teau [bætóu] (*pl.* ~***x*** [-z]) *n.* 《Can.》 바닥이 평평한 작은 배. 「neck).

batéau nèck(**line**) 〖복식〗 바토넥(boat

Bátes Motèl [béits-] (the ~) 베이츠 모텔《영화 *Psycho*에 나오는 모텔 이름; 흔히 이상한 호텔에 비유》. 「Firearms.

BATF 《미》 Bureau of Alcohol, Tobacco and

bát·fish (*pl.* ~***·es,*** ~) *n.* 〖어류〗 새 날개 모양의 돌기가 있는 물고기.

bát·fòwl *vi.* (밤중에) 등불로 눈이 부시게 하여 새를 잡다. [파] ~***·er*** *n.*

Bath [bæθ, bɑːθ/bɑːθ] *n.* **1** 《영》 바스 훈위(勳位)(the Order of the ~). **2** 영국 Avon 주의 온천지. ***Go to*** ~***!*** 빌어먹어라; 나가.

†**bath** [bæθ, bɑːθ/bɑːθ] (*pl.* ~***s*** [bæðz, bɑ́ːðz, -θs/bɑ́ːðz]) *n.* **1** 목욕, 입욕(入浴): a cold 〔hot〕 ~ 냉수욕〔온수욕〕/a solid ~ 고체욕(浴)《모래찜질 따위》/a succession ~ 냉온 교대 목욕/take 〔《영》 have〕 a ~ 목욕하다/give a person a ~ 아무를 목욕시키다. **2** 흠뻑 젖음: in a ~ of sweat 땀에 흠뻑〔흠씬〕 젖어. **3** 목욕통(桶); 욕실(bathroom); (종종 *pl.*) 공중 목욕탕; (*pl.*) 욕장, 탕치장(湯治場), 온천장(場): seawater ~*s* 옥내 해수 풀/a room and ~ 욕실 딸린 방/a private ~ 전용 욕실/a public ~ 공중 목욕탕/take the ~*s* 탕치(湯治)하다. **4** 목욕물; 용액(조(槽)); 전해조(電解槽): a hypo ~ 〖사진〗 현상 정착액(조). **5** (모래 · 물 · 기름 등의) 매개물에 의한 가열〔냉각〕 장치. ***a*** ~ ***of blood*** 피투성이; 대살육. ***take a*** ~ ① 《미》 목욕하다(⇨1). ② 《미구어》 파산하다; 큰 손해를 보다. **—** *vt.* 《영》 (아이나 환자 등을) 목욕시키다. **—** *vi.* 《영》 목욕하다; 《미속어》 크게 손해보다.

Báth brìck 배스 숫돌《금속 닦는 데 씀》.

Báth bùn 과일 · 향료가 든 단 빵.

Báth 〔**báth**〕 **chàir** 환자용의 바퀴 달린 의자.

⁑**bathe** [beið] *vt.* **1** 《~+[목]/+[목]+[전]+[명]》 목욕시키다; (물 · 목욕물 따위에) 잠그다, 담그다; 적시다; 씻다: ~ one's feet *in* water 발을 물에 담그다. **2** (파도 따위가 기슭을) 씻다: the seas that ~ England 영국 해안을 씻는 바다. **3** 《~+[목]/+[목]+[전]+[명]》 (빛 · 온기 따위를) 가득 채우다; (온몸을) 감싸다《*in*》: The valley was ~*d in* sunlight. 계곡에는 햇빛이 내리쬐고 있었다. **4** 《+[목]+[전]+[명]》 (스펀지로 환부 따위를) 씻다: ~ one's eyes *with* warm water 온수로 눈을 씻다. **—** *vi.* **1** 《~/+[전]+[명]》 입욕〔목욕〕하다; 헤엄치다; 일광욕하다. **2** (물 따위로) 덮이다; 둘러싸이다. ~ one***'s hands in blood*** 손을 피로 물들이다, 살인하다. **—** *n.* 《영》 미역감기, (해)수욕: go for a ~ 미역감으러〔해수욕하러〕 가다/have 〔take〕 a ~ 해수욕하다, 미역감다. [파] **báth**(**e**)**·a·ble** *a.* 목욕할 수 있는.

bath·er [béiðər] *n.* 입욕자; 탕치객(湯治客); 《영》 수영자.

ba·thet·ic [bəθétik] *a.* 평범한, 진부한; 〖수사학〗 점강적(漸降的)(bathos)인.

báth·hòuse *n.* 목욕장〔탕〕; 《미》 (해수욕장 따위의) 탈의장.

Bath·i·nette [bæ̀θənét, bɑ̀ːθ-/bɑ̀ːθ-] *n.* 유아용 접기식 욕조《상표명》.

bath·ing [béiðiŋ] *n.* 미역감기, 수영; 목욕, 탕에 들어감. **—** *a.* 수욕용〔수영용〕의: a ~ hut 〔box〕 《영》 해수욕장의 탈의장.

báthing bèauty 수영복 미인《미인 대회의》.

báthing bòx 《주로 영》 (수영자 · 입욕자들의) 옷을 갈아 입는 막사.

báthing càp 수영모. 「SUIT.

báthing còstume 〔**drèss**〕 《영》 = BATHING

báthing hòuse = BATHHOUSE.

báthing-machìne *n.* (예전의) 이동 탈의차(脫衣車).

báthing sùit (특히 여성용) 수영복.

báthing trùnks 《영》 수영 팬츠.

bath·less [bǽθlis, bɑ́ːθ-/bɑ̀ːθ-] *a.* 목욕하지 않은; 욕실이 없는.

báth màt 욕실용 매트.

bath mit(**z**)**·vah, bas-** [bɑ́ːtmítsvə, bɑ́ːs-/bɑ́ːs-], [bɑ́ːs-] (종종 B- M-) 《Heb.》 바스 미츠바《12-13 세의 소녀에게 행해지는 유대교의 여자 성인식》. [cf] bar mi(t)zvah.

báth òil 배스 오일《목욕물에 치는 향수》.

bath·o·lith [bǽθəliθ] *n.* 〖지학〗 저반(底盤)(pluton)《지하 심부(深部)에서 형성된 대규모 화성암괴》. [파] **bàth·o·líth·ic** *a.*

Báth Óliver 단맛이 없는 비스킷.

ba·thom·e·ter [bəθɑ́mətər/-θɔ́m-] *n.* 〖해사〗 측심기.

bát·hòrse *n.* 짐말, 복마(卜馬).

ba·thos [béiθɑs, -θɔːs/-θɔs] *n.* [U] 〖수사학〗

점강법《장중한 어조에서 갑자기 익살조로 바꿈》; (문체의) 평범함, 진부함; 거짓〔값싼〕 감상.
báth·ròbe *n.* 《미》 실내복《목욕 전후에 입는》.
*‡***bath·room** [bǽθrù(:)m, bɑ́:θ-] *n.* 욕실; 화장실, 《완곡어》 변소: go to the ~ 화장실에 가다.
báthroom tìssue 〔**ròll**〕 =TOILET PAPER.
báth sàlts 목욕용 방향제.
Bath·she·ba [bæθʃí:bə, bǽθʃəbə] *n.* 〖성서〗 밧세바《전 남편 우리아(Uriah)가 죽은 뒤 다윗의 아내가 되어 솔로몬을 낳음》.
báth shèet 특대의 목욕 수건.
báth spònge 목욕용 해면.
Báth stòne 배스석《건축용 석회석의 일종》.
báth tòwel 목욕용 수건.
báth·tùb *n.* (서양식) 욕조; 《미속어》 (오토바이의) 사이드카.
báthtub gín 《미속어》 (특히 금주법 시대의) 밀조한 진.
báth·wàter *n.* 욕조의 물. ***throw out the baby with the*** ~ ⇨ BABY.
bath·y- [bǽθi, -θə] '깊이'를 뜻하는 결합사.
bath·y·al [bǽθiəl] *a.* 〖해양〗 반(半)심해의《수심 약 200-4,000m 심해의》.
ba·thyb·ic [bəθíbik] *a.* 심해성의.
ba·thym·e·ter [bəθímitər] *n.* =BATHOMETER.
bath·y·met·ric [bæ̀θəmétrik] *a.* 심해 측심(測深)의; 측심학의; 등심선(等深線)의. [파] **-ri·cal** *a.* **-ri·cal·ly** *ad.*
ba·thym·e·try [bəθímətri] *n.* [U] 수심 측량(술); 수심 측량에 의한 자료.
bàthy·pelágic *a.* 〖해양〗 반(半)심해(수역)의; 반심해《수심 약 1,800m 부근》에 서식하는.
bath·y·scaphe, -scaph [bǽθəskèif, -skæ̀f], [-skæ̀f] *n.* 《F.》 바티스카프《심해 생물 조사용 잠수정》.
bath·y·sphere [bǽθəsfìər] *n.* (심해 생물 조사용의) 구형(球形) 잠수 장치.
bàthy·thérmograph *n.* 심해 자기(深海自記) 온도계.
ba·tik [bətí:k, bǽtik] *n.* [U] 납결(臘纈)《밀(랍)을 이용한 염색법》; 그 피륙.
bat·ing [béitiŋ] *prep.* 《고어》 …을 제외하고, …외에(except).
ba·tiste [bətí:st, bæ-] *n.* [U] 얇은 평직의 삼베 무명 등.
bát·man [-mən] (*pl.* ***-men*** [-mən]) *n.* **1** 〖영군사〗 육군 장교의 당번. **2** (B-) 배트맨《만화의 주인공인 초인(超人)》.
ba·ton [bətɑ́n, bæ-/-tɔ́n] *n.* **1** (관직을 나타내는) 지팡이, 사령장(司令杖): under the ~ of …의 지휘 아래/wield a good ~ 지휘를 훌륭히 하다. **2** 경찰봉: ~ charge 경찰의 단속〔수색〕. **3** 〖군사·악기〗 지휘봉. **4** 〖경기〗 (릴레이의) 배턴: ~ passing 배턴 터치. **5** 배턴총용의 고무 탄알(~ round). **6** 〖문장(紋章)〗 (서자 표시의) 배턴문(紋). **—** *vt.* 경찰봉으로 …을 때리다.
báton-chàrge *vt., vi.* 《영》 경찰봉으로 공격하다.
batón gùn 배턴총《폭도 진압용의 고무 탄알총》.
batón ròund (baton gun용의) 고무총탄.
batón sínister 〖문장(紋章)〗 =BEND SINISTER.
batón twìrler 배턴 걸(twirler).
Ba·tra·chia [bətréikiə] *n.* 〖동물〗 (꼬리 없는) 양서류(Amphibia)《개구리·두꺼비 따위》. [파] **ba·trá·chi·an** *n., a.* 양서류(의).
bats [bæts] *a.* 《속어》 정신이상의, 미친(crazy).
báts·man [-mən] (*pl.* ***-men*** [-mən]) *n.* (야구 따위의) 타자; 〖항공〗 착함(着艦) 유도원.
batt [bæt] *n.* (보통 *pl.*) 탄 솜《침구용》.
batt. battalion; battery.
bat·ta [bǽtə] *n.* 《Ind.》 특별 수당, 출장 수당.
◇**bat·tal·ion** [bətǽljən] *n.* 〖군사〗 대대; 〖일반적〗 대부대, 집단; (종종 *pl.*) 대군 《*of*》: ~s *of* tourists 많은 관광객.

batteau ⇨ BATEAU.
bat·tel [bǽtl] *n.* 《영》 (Oxford 대학의) 교내 매점 계산서, 음식·숙박 등의 비용. **—** *vi.* (Oxford 대학에서) 교내 매점을 이용하다.
batte·ment [bǽtmənt; *F.* batmɑ̃] *n.* 《F.》 〖발레〗 바트망《다리 동작의 하나》.
bat·ten[1] [bǽtn] *n.* 〖건축〗 마루청 널; 작은 널빤지, (작은) 오리목; 〖해사〗 누름대, 활대. **—** *vt.* …에 마루청을 깔다; 누름대로 보강하다. **—** *vi.* (마루청을 깔아) 안전 대책을 세우다《*down*》. ~ ***down*** (the hatches) 〖해사〗 누름대로 (승강구)를 막다《폭풍우 때 등에》; 만전의 경계를 하다.
bat·ten[2] *n.* (견직기의) 바디; (곡선용) 휨자.
bat·ten[3] *vi.* **1** 살찌다. **2** 《+[전]+[명]》 배불리 먹다《*on*》. **3** (남의 돈으로) 호화로운 생활을 하다. **—** *vt.* 살찌게 하다, (토지 등을) 기름지게 하다.
*‡***bat·ter**[1] [bǽtər] *n.* (야구·크리켓의) 타자: the ~'s box 타석. ***Batter up !*** 플레이.
bat·ter[2] *n.* [U] (우유·달걀·밀가루 등의) 반죽.
bat·ter[3] 〖건축〗 *n.* [U] 완만한 기울기《벽면 따위의》. **—** *vi.* (벽 등이) 완만하게 기울어지다. **—** *vt.* …을 완만히 기울어지게 하다.
◇**bat·ter**[4] *vt.* **1** 《~+[목]/+[목]+[전]+[명]》 연타〔난타〕하다: ~ a person *about* the head 아무의 머리를 난타하다. **2** 《+[목]+[부]》 쳐〔때려〕부수다 《*down*》: He ~*ed* the door *down.* 그는 문을 때려부수었다. **3** (모자·문 따위를) 쳐서 쭈그러뜨리다《*in*》. **4** 난폭하게 다루어 상하게 하다; 〖인쇄〗 (활자를) 닳게 하다. **5** 《+[목]+[부]》 (성벽 따위를) 맹렬히 포격하다: They ~*ed down* the castle with cannon. 그들은 대포로 그 성을 포격했다. **6** 학대〔혹평〕하다. **7** 《미속어》 구걸하다. **—** *vi.* 《+[전]+[명]》 세게 두드리다《*at*》: ~ *at* the door 문을 세게 노크하다. **—** *n.* [U] 〖인쇄〗 (활자의) 마손, 뭉크러짐; [C] 뭉크러진 활자. **—** *a.* 찌그러진, 오래 써서 낡은; (생활에) 지친.
bát·tered *a.* **1** 난타당해 변형된, 혹사당해 상처가 난, (생활고 따위로) 야윈〔까칠해진〕; 《속어》 술에 몹시 취한. **2** 가루를 묻혀 기름에 튀긴.
báttered chíld 〔**báby**〕 **sỳndrome** 〖의학〗 피(被)학대아 증후군《어른에 의한 유아 학대 상해》.
báttered wífe 남편에게 상습적으로 구타당하는 아내. [cf] domestic violence.
báttered wóman 구타당하는 여성.
báttering ràm 공성(攻城) 망치《성벽 파괴용의 옛 무기》.
báttering tràin 공성 포열(攻城砲列).
bátter's bòx 〖야구〗 타(자)석.
bat·tery** [bǽtəri] *n.* **1** 〖군사〗 포열(砲列); 포병 중대; 포대; (군함의) 비포(備砲): a masked ~ 차폐 포대/a main ~ 주포(主砲). **2** 〖법률〗 구타, 폭행. ★ 흔히 assault and *battery*로 사용. **3** 한 벌〔조〕의 기구〔장치〕; 〖전기〗 전지《cell을 몇 개 연결한 방식의》; 〖야구〗 배터리《투수와 포수》; 아파트식 닭장: a dry ~ 건전지/a storage 〔secondary〕 ~ 축전지/a cooking ~ 요리 기구 일습. **4** 〖심리〗 (지능·적성·개성 등의) 종합 테스트: a ~ of tests 〔questions〕 일련의 시험〔질문〕. ***change one***'s*** ~ 공격 방향을 바꾸다, 수단을 바꾸다. ***in*** ~ (대포의) 발사 준비가 되어. ***the Battery*** New York시 Manhattan 섬에 있는 공원(=**Báttery Párk**). ***turn*** a person***'s*** ~ ***against*** him***self*** (상대의) 논법을 이용하여 역습하다.
báttery pàck 배터리 팩《휴대용 컴퓨터·비디오카메라 따위에 쓰는 전지의 하나》.
bat·tik [bətí:k, bǽtik] *n.* =BATIK.
bat·ting [bǽtiŋ] *n.* [U] **1** 타격; 〖야구〗 배팅: a

~ cage 배팅 케이지《타격 연습용 망》. **2** (침구의) 탄 솜. 「률, 성적.
bátting àverage 〖야구〗 타율; 《미구어》 성공
bátting èye 〖야구〗 선구안.
bátting òrder 〖야구·크리켓〗 타순(打順).
⁑**bat·tle** [bǽtl] *n.* **1** 전투, 싸움; 전쟁: a ~ for existence 〔liberty〕 생존을〔자유를〕 위한 투쟁/the field of ~ 전쟁터/a general's 〔soldier's〕 ~ 전략전〔병력전〕/a pitched ~ 정정당당한 싸움/a sham ~ 《미》 모의전(模擬戰), 연습/a close 〔decisive〕 ~ 접전〔결전〕/the order of ~ 전투 서열/a trial by ~ 〖역사〗 결투에 의한 판가름/accept 〔join〕 ~ 응전〔교전〕하다/fight a ~ 싸움을 시작하다, 교전하다/engage in ~ 교전하다《*with*》/give 〔offer〕 ~ 도전하다/give 〔lose〕 the ~ 지다/have 〔gain, win〕 the ~ 이기다/fall 〔be killed〕 in ~ 전사하다. SYN. ⇨ FIGHT. **2** 투쟁; 경쟁: the ~ of life 생존경쟁/a ~ of words 논전, 설전. **3** (the ~) 승리, 성공: The ~ is not always to the strong. 승리란 반드시 강자의 것은 아니다. ***fight one's ~s over again*** 옛 무공담〔경력담 등〕을 되풀이 이야기하다. ***be half the ~*** 《구어》 성공으로〔승리로〕 이어지다: Youth *is half the* ~. 젊음이란 것이 성공의 반을 차지한다.
— *vi.* 《+전+명》 **1** 싸우다《*against; with*》: ~ *against* the invaders *for* independence 독립을 위해 침략자와 싸우다. **2** 《+전+명》 투쟁〔고투〕하다《*for*》: ~ *for* freedom 자유를 위해 싸우다. **3** 《Austral.구어》 뜨내기일로 그럭저럭 생활하다, 싼 급료로 열심히 일하다. — *vt.* …와 싸우다: ~ the invaders 침입자와 싸우다. ~ ***it out*** 《구어》 결전을 벌이다, 끝까지 싸우다. ~ ***one's way*** 싸우며 전진하다, 노력하여 나아가다《*to; through*》.
báttle arrày 〖군사〗 전투 대형, 진용.
báttle-àx(e) *n.* 전부(戰斧); 《구어》 앙알거리는 여자《특히 아내》.
báttle crùiser 순양 전함. 「로건.
báttle crỳ 함성; (주장·투쟁 따위의) 표어, 슬
bát·tled *a.* 성가퀴를 마련한; 총안(銃眼)이 있는. cf. battlement.
bat·tle·dore [bǽtldɔ̀ːr] *n.* 깃털 제기 채; 빨랫방망이. ***play ~ and shuttlecock*** 깃털 제기차기를 하다. — *vt., vi.* 서로 던지다.
báttle drèss 《영》 전투복.
báttle fatìgue = COMBAT FATIGUE.
◇**báttle·field** *n.* 전장; 《비유》 투쟁 장소; 전쟁터.
báttlefield núclear wéapon 〖군사〗 전장(戰場) 핵무기. cf. tactical nuclear weapon.
báttle·frònt *n.* 전선; 제일선.
báttle·gròund *n.* 전쟁터; 논쟁의 원인. 「됨》.
báttle gròup 〖미군사〗 전투단《5 개 중대로
báttle jàcket 전투복 상의(上衣)(와 비슷한
báttle lìne 전선. 「재킷).
báttle mànagement 〖군사〗 전투 관리.
bát·tle·ment *n.* (보통 *pl.*) 〖축성(築城)〗 총안(銃眼)이 있는 성가퀴. cf. parapet.

battlement

Báttle of Brítain (the ~) 1940 년 영국을 침공한 독일 공군을 무력화시킨 공중전.
báttle pìece 전쟁을 다룬 작품《그림·시·음악 따위》. 「전투기.
báttle·plàne *n.* 《미》
bat·tler [bǽtlər] 《Austral.》 *n.* 악전 고투하는 사람; 저생활 수준의 근로자; 《고어》 유랑인(swagman); 《구어》 매춘부.
báttle róyal 대혼전; 대논전(大論戰); (투계(鬪鷄)의) 큰 싸움.
báttle-scàrred *a.* 전상(戰傷)을 입은; 역전(歷戰)을 말해 주는; 닳고 헌.
◇**báttle·shìp** *n.* 전함(cf. warship); 《속어》 대(大)기관차. 「아하는.
bat·tle·some [bǽtlsəm] *a.* 싸움〔논쟁〕을 좋
báttle stàr 〖미군사〗 종군 동성 기장(銅星記章); 종군 은성(銀星) 기장.
báttle·stàr *n.* SF의 우주 전함《미국 TV극 *Battlestar Galactica*에서》.
báttle stàtion 〖군사〗 전투 기지; 전투 배치〔부서〕; 〖공군〗 즉시 대기.
báttle wàgon 《군대속어》 전함(battleship); 중(重)폭격기; 중(重)전차. 「가 된.
báttle·wòrthy *a.* 전투할 수 있는, 전투 준비
bat·tu [bætjúː] *a.* 〖발레〗 배튜의《공중으로 도약하면서 양다리를 맞부딪치는 동작》.
bat·tue [bætjúː] *n.* 〖사냥〗 몰이, 몰이사냥; 몰이꾼; 〖일반적〗 대량 학살.
bat·ty [bǽti] (*-ti·er; -ti·est*) *a.* 박쥐의〔같은〕; 《구어》 머리가 돈(crazy); 어리석은(silly).
bát·wing sléeve 〖복식〗 진동은 넓고 소맷부리는 가늘게 좁혀진 소매. 「하는 여군 병사.
bát·wòman (*pl.* ***-wòmen***) *n.* 〖군사〗 잡역을
bau·ble [bɔ́ːbəl] *n.* 싸구려; 시시한 것(trinket); 장난감; 〖역사〗 어릿광대의 지팡이.
baud [bɔːd] (*pl.* ***~, ~s***) *n.* 〖컴퓨터·통신〗 보드《정보 전달 속도의 단위》.
bau·de·kin [bɔ́ːdikin] *n.* = BALDACHIN.
Bau·de·laire [boudəlɛ́ər] *n.* **Charles Pierre** ~ 보들레르《프랑스의 시인; 1821-67》.
Bau·dót còde [bɔːdóu-] 〖컴퓨터·통신〗 보도 코드《5 또는 6 bit로 된 같은 길이의 코드로 한 문자를 나타냄》.
Bau·haus [báuhaus] *n.* 《G.》 바우하우스《Walter Gropius가 1919 년 독일 Weimar에 창립한 건축·조형 학교》.
baulk ⇨ BALK.
Bau·mé [bouméi] *a.* 〖물리〗 보메 비중계의〔로 잰〕《생략: Be, Bé》. 「금》.
Baumé scale [-⌐-] 〖물리〗 보메 비중계 (눈
baux·ite [bɔ́ːksait, bóuzait/bɔ́ːksait] *n.* U 〖광물〗 보크사이트《알루미늄 원광》.
Bav. Bavaria; Bavarian.
ba·var·dage [bæ̀vərdáːʒ, ⌐-⌐] *n.* 수다, 잡담.
Ba·var·ia [bəvɛ́əriə] *n.* 바바리아, 바이에른《독일 남부의 주》.
Ba·var·i·an [bəvɛ́əriən] *a., n.* 바바리아의; 바바리아 사람〔방언〕(의).
bav·in [bǽvin] *n.* 《영》 섶나뭇단.
baw·bee [bɔːbíː, ⌐-/-⌐] *n.* 《Sc.》 반 페니(halfpenny); 《구어》 하찮은 것. 「석.
baw·cock [bɔ́ːkɑ̀k/-kɔ̀k] *n.* 《고어》 좋은 녀
bawd [bɔːd] *n.* 갈봇집 여주인〔포주〕; 《드물게》 창녀; 음담. 파 **⌐·ry** *n.* U,C 외설(猥褻); 음란한 행위〔말〕; 《고어》 매음.
bawdy [bɔ́ːdi] (***bawd·i·er; -i·est***) *a.* 추잡한, 음란〔음탕〕한: a ~ talk 음담. — *n.* U,C 음담. 파 **báwd·i·ly** *ad.* **-i·ness** *n.*
báwdy hòuse 《옛투》 갈봇집(brothel).
bawl [bɔːl] *vt.* **1** 《~+목/+목+부》 고함치다, 외치다; 소리쳐(서) 팔다; 《구어》 호통치다《*out*》: She ~*ed* him *out* for his mistake. 그녀는 그가 잘못했다고 호통을 쳤다. **2** 《+목+보》 〔~ oneself〕 고함을 쳐서(…의 상태가) 되다: ~ one*self* hoarse 고함을 쳐서 목이 쉬다. — *vi.* 《~/+부/+전+명》 소리치다: You needn't ~, I can hear quite well. 그렇게 소리지르지 않아

도 돼네, 잘 들리니까 / ~ *for* help 소리쳐서 도움을 청하다. **~ *at*** a person 아무를 호통치다. **~ *out*** 외치다, 소리치다; 《구어》 훌닦아 세우다. **—** *n.* 외치는〔고함치는〕 소리; 울음. ㊂ **~·er** *n.*

bay[1] [bei] *n.* **1** 만(灣), 내포《gulf 와 cove 의 중간으로 어귀가 비교적 넓은 것》. **2** 산으로 삼면이 둘러싸인 평지. **3** 《미》 산림으로 둘러싸인 초원.

bay[2] *n.* **1** 【건축】 기둥과 기둥 사이; 교각의 사이. **2** 내받이창《밖으로 내민 창》. **3** (헛간의) 건초〔곡물〕 두는 칸; (주유소 따위의) 주차 구획; (역의) 측선(側線) 발착 플랫폼: a horse ~ 마구간. **4** 【해사】 중갑판 앞 부분의 한 구획《병실용》; 【항공】 (비행기 동체의) 격실, 칸: an engine ~ (비행기 동체의) 기관실 / a bomb ~ 폭탄 (투하)실 / a sick ~ (군함의) 병실.

bay[3] *n.* Ⓤ **1** 궁지; (짐승이 사냥개에게) 몰린 상태. **2** 짖는 소리《특히 짐승을 쫓아가는 사냥개의》; 굵고 길게 짖는 소리. ***be* 〔*stand*〕 *at* ~** 궁지에 빠져 있다. ***bring* 〔*drive*〕 *to* ~** 궁지에 몰아넣다. ***hold* 〔*have*〕 *at* ~** 바짝 몰아넣어 안 놓치다. ***keep* 〔*hold*〕 ... *at* ~** …을 접근시키지 않다; 저지〔견제〕하다: new strategies that could *hold* the disease *at* ~ and maybe even defeat it 질병을 막아내고 퇴치까지도 할 수 있는 새 전략들. ***turn* 〔*come*〕 *to* ~** 궁지에 몰려 반항하다.
— *vi.* 《~/+전+명》 짖다, 짖어대다《*at*》. **—** *vt.* …을 보고 짖다; 짖으며 …을 가리키다; 몰아넣다: ~ a defiance 큰 소리로 반항하다. **~ (*at*) *the moon*** 달을 보고 짖다; 무익한 짓을 기도하다: Dogs sometimes ~ *at the moon*. 개는 때로 달을 보고 짖어댄다.

bay[4] *n.* 【식물】 월계수; 월계관; (*pl.*) 영관(榮冠), 영예.

bay[5] *a.* 적갈색의. **—** *n.* 구렁말; Ⓤ 적갈색.

ba·ya·dere [báiədìər] *n.* 《F.》 Ⓤ 가로줄 무늬가 있는 산뜻한 색채의 천; (힌두교의) 무희(舞姬).

Bay·ard[1] [béiərd] *n.* (중세 기사 이야기 속의) 마력을 지닌 말; 《우스개》 (일반적인) 말; (b-) 《고어》 구렁말.

Ba·yard[2] [*F.* bajaʀ] *n.* 베야르《중세 기사의 귀감으로 일컬어진 프랑스의 영웅》; 영웅적인 신사.

báy·bèrry *n.* 월계수의 열매; 【식물】 소귀나무의 일종; 그 열매《초의 원료》; 【식물】 야생 정향나무《bay rum 의 원료》.

Báy Cíty 《CB 속어》 샌프란시스코.

Bay·ern [*G.* báiɐn] *n.* Bavaria의 독일명.

Bayes·i·an [béiziən, -ʒən] *a.* 【통계】 베이스(의 정리)의《영국 수학자 T. Bayes의 이름에서》.

Báyes' théorem [béiz-, béiziz-] 【통계】 베이스의 정리(定理)《어떤 사상(事象)이 생겼을 때, 그 사상이 생긴 조건 확률을 알 수 있으면 실제로 그 사건이 생긴 때의 원인의 확률을 계산할 수 있다는 정리》.

báy láurel = BAY TREE.

báy lèaf 월계수의 말린 잎《향미료로 씀》.

báy lìne 【철도】 대피선, 측선.

báy lỳnx 【동물】 살쾡이의 일종.

Báy of Pígs (the ~) 피그스 만《쿠바의 남서안 카리브해의 만; 1961년 반(反)카스트로파가 상륙했다가 실패한 곳》.

báy òil 야생 정향나무의 잎에서 나는 기름《bay rum의 원료》.

bay·o·net [béiənit, -nèt, bèiənét/béiənit] *n.* 대검; 총검; (the ~) 무력; (*pl.*) 보병, 군세(軍勢): by the ~ 무력으로 / 2,000 ~*s* 보병 2천 / a ~ charge 총검 돌격 / ~ drill 〔fencing〕 총검술(術) / at the point of the ~ 총검을 들이대고; 무력으로. ***Fix* 〔*Unfix*〕 ~*s* !** 꽂아〔빼어〕 칼!《구령》. **—** *vt.* **1** 총검으로 찌르다〔죽이다〕, 총검을 들이대다. **2** 《+목+전+명》 무력으로 강제하다: ~ people *into* submission 사람들을 무력으로 굴복시키다. **—** *vi.* 총검을 사용하다.

bay·ou [báiuː, -ou/-juː] (*pl.* **~s**) *n.* 《미남부》 (늪 모양의) 호수의 물목, 강어귀.

báyou blúe 《미속어》 값싼 술, 밀주.

Báyou Státe (the ~) Mississippi 주의 속칭.

báy rúm 베이럼《면도 후에 바르는 로션》.

báy sàlt 천일염.

báy sèal 모조 바다표범 가죽《토끼·사향쥐 등의 모피》.

bay·smelt [béismèlt] (*pl.* **~s, ~**) *n.* = TOPSMELT.

Báy Státe (the ~) 미국 Massachusetts 주(州)의 별칭.

báy trèe 【식물】 월계수.

báy wíndow 퇴창, 내민 창; 《속어》 올챙이배.

báy·wòod *n.* (열대 아메리카산(產)의) 마호가니의 일종《가구용 양재(良材)》.

baz [bæz] *n.* 《해커속어》 배즈《관용기호의 하나》: Suppose we have three variables, foo, bar and ~. '푸'와 '바'와 '배즈'의 세 변수가 있다고 치자. **—** *int.* 아너 이거, 아뿔싸: *Baz!* The return key on my keyboard is stuck! 쳇, 엔터키가 움직이지 않네.

ba·zaar, ba·zar [bəzáːr] *n.* (중동의) 시장, 저잣거리, 마켓; 잡화전, 특매장; 바자, 자선시(慈善市): a Christmas ~ 크리스마스 특매장 / a charity ~ 자선시 / hold a ~ in aid of …을 후원하여 바자를 열다.

ba·zaa·ri [bəzáːriː] *n.* 이란인 상인〔상점 주인〕.

ba·zoo [bəzúː] (*pl.* **~s**) *n.* 《미속어》 (지껄이기 위한) 입; 코; 허풍; 야유. ***shoot off* one's ~** 《속어》 막힘없이 지껄이다.

ba·zoo·ka [bəzúːkə] *n.* 【군사】 바주카(포).

bazóoka·man [-mən] (*pl.* **-men** [-mən]) *n.* 바주카(포)병.

ba·zoom [bəzúːm] *n.* 《미속어》 젖통이.

ba·zoon·gies [bəzúːndʒiz] *n. pl.* 《미속어》 크고 예쁜 유방.

BB [bíːbì] *n.* BB탄(彈)《(1) 직경 0.18인치의 산탄. (2) 0.175인치의 공기총 알》. ㊟ BB gun.

BB double-black (연필의 2B). **B.B.** Blue Book; bail bond; Bureau of the Budget(예산국). **B.B.A.** Bachelor of Business Administration.

B́-bàll *n.* 《속어》 농구(공).

B́ bàttery B 전지《진공관에 양극(陽極) 전압을 전하는 전지》.

BBB treble-black(연필의 3B). **BBC, B.B.C.** British Broadcasting Corporation (영국 방송협회).

BBĆ Énglish BBC영어《영국 BBC 아나운서들이 사용하는 표준 영어》.

BBĆ Wórld Sèrvice (the ~) BBC 월드 서비스《영국 BBC 방송의 대(對) 해외방송 부문》.

BBE Bachelor of Business Education.

BB́ gùn BB총《구경 0.18인치의 공기총》.

bbl. (*pl.* **bbls.**) barrel.

B́-bòp *n.* = BEBOP.

B́-bòy *n.* 힙합〔랩〕 뮤직의 연주가〔팬〕인 젊은이; 《미속어》 멋지게 차려입은 사람.

BBQ barbecue. **BBS** 【컴퓨터】 bulletin board system(게시판 체계). **B.C.** Bachelor of Chemistry 〔Commerce〕; British Columbia; battery commander; birth control; before Christ. ★ '기원 (후)'는 A.D.; B.C.나 A.D.는 보통 숫자 뒤에서 small capital로 씀. **B/C** bill for collection. **B.C.A.** Bureau of Current Affairs. **Bcc** 【컴퓨터】 blind carbon 〔courtesy〕 copy 〔copies〕《전자 메일에서, 본래의 수신인에게 카피 발송을 알리지 않고 본래의 수신인

이외에도 송부되는 카피》; 〖군사〗 conduct discharge. **BCD** 〖컴퓨터〗 binary-coded decimal(이진화 십진수). **B.C.E.** Bachelor of Chemical Engineering; Bachelor of Civil Engineering; before the Common Era.

B́ cèll 〖생물〗 B세포, 골수성 림프 세포《항체를 산출하는 림프구》.

BCF British Cycling Federation; 〖화학〗 bromochlorodifluoromethane (브로모클로로다이플루오로메탄)《이전에 소화제(消火劑)로 씀》.

bcf billion cubic feet.

B́ C̀ Ǵ vaccíne 〖의학〗 비시지 백신. [◂ *B*acillus *C*almette-*G*uérin vaccine]

BCh Bachelor of Chemistry. **BChE** Bachelor of Chemical Engineering. **B.C.L.** Bachelor of Civil Law. **bcn.** beacon. **B. Com.** Bachelor of Commerce.

B́ còmplex = VITAMIN B COMPLEX.

BCR bioclean room. **BCS** 〖컴퓨터〗 business communication system. **B.C.S.** Bachelor of Chemical Science; Bachelor of Commercial Science; British Computer Society.

B́C̀ sóil BC토양《B층과 C층은 명료하나, A층은 불명료한 토양》.

bd. (*pl.* ***bds.***) band; board; bond; bound; bundle. **B/D** bank draft; bills discounted; brought down. **B.D.** Bachelor of Divinity; bills discounted. **BDA, B.D.A.** Bachelor of Domestic Arts. **BDAM** basic direct access method. **Bde.** Brigade.

bdel·li·um [déliəm, -ljəm] *n.* **1** 〖성서〗 베델리엄《수지(樹脂)·보석 또는 진주일 것이라고 함; 창세기 II: 12》. **2** 브델륨《방향(芳香) 수지》.

bd. ft. board foot [feet]. **bdg.** binding(제본). **bdl.** (*pl.* ***bdls.***) bundle. **BDR** Bearer Depository Receipt (무기명 예탁 증서). **Bdr.** Bombardier. **B.D.S.** Bachelor of Dental Surgery. **bds.** boards; bundles. **B.D.S.T.** British Double Summer Time.

†**be** ⇨《p. 225》 BE.

be- [bi, bə] *pref.* **1** 동사에 붙여 '널리, 전부에; 전혀, 완전히; 심하게, 과도하게' 따위의 뜻: *be*sprinkle; *be*dazzle; *be*laud. **2** '떼어내다'의 뜻의 동사를 만듦: *be*head, *be*reave. **3** 자동사에 붙여 타동사를 만듦: *be*moan; *be*smile. **4** 형용사·명사에 붙여 '…으로 만들다' 따위의 뜻의 타동사를 만듦: *be*cripple; *be*fool. **5** 명사에 붙여 '…으로 덮다, …으로 꾸미다, …을 비치하다'의 뜻을 지니는 타동사를 만듦: *be*grime(d); *be*jewel(ed).

Be 〖화학〗 beryllium. **Bé** 〖화학〗 Baumé. **B/E, b.e.** bill of exchange; bill of entry. **B.E.** Bachelor of Education; Bachelor of Engineering; Bank of England; bill of exchange; Board of Education. **B.E.A.** British European Airways; British East Africa.

Bea, Bee [biː] *n.* Beatrice의 애칭.

⁑**beach** [biːtʃ] *n.* **1** 해변, 물가, 바닷가, 해안, 호숫가, 강변: We're vacationing at the ~. 바닷가에서 휴가를 즐기고 있다.

> SYN. **beach** 파도가 밀려오는 곳, 물가. 비교적 좁은 곳을 일컫는 데 쓰임: a private beach for the hotel 호텔 전용 해변[강변]. **seashore, seaside** 바닷가와 해변 이외에도 해안 일대를 포함함: pass holidays at the *seaside* 바다에서 휴가를 보내다. **coast** 대양의 연안 일대. 넓은 지역을 말함: fly along the Pacific *coast*.

2 Ⓤ《고어》〖집합적〗 (바닷가의) 모래, 조약돌. ***on the*** ~ 물가[해변]에서; 뭍에 올라; 〖일반적〗 (선원 등이) 실직하여; 영락하여; (해군이) 육상 근무가 되어.

— *vt.* (배를) 바닷가에 올려놓다[끌어올리다].
— *vi.* (배가) 바닷가에 얹히다.

béach bàg 비치백《해수욕 용품을 넣는 대형의 백》.

béach bàll 비치볼《⑴ 해변·풀용의 비닐 공. ⑵ 우주 비행사를 구조선에 이송하기 위한 1인용의 구체(球體)》.

béach·bòy *n.* 비치보이《클럽이나 호텔에 고용된 해변의 감시인·지도원》; 해변을 어슬렁거리는 젊은이.

Béach Bòys (the ~) 비치보이스《1961년 결성된 미국의 5인조 록 그룹》.

béach brèak 해변에서 부서지는 파도.

béach bùggy 사지(砂地)용 자동차.

béach bùm《구어》 해변에서 놀며 지내는 사람.

béach bùnny《미속어》 비치버니(surf bunny)《서핑하는 남자와 교제하는 여자, 해안에서 비키니 차림을 과시하고 있는 여자》.

béach chàir《미》 플라스틱 접의자.

béach·còmber *n.* **1** (해변에 밀어닥치는) 큰 물결. **2** 해안에서 표류물을 주워 생활하는 사람; 백인 부랑자《특히 태평양 제도의》, 부두 건달, 졸때기.

béach flèa 〖동물〗 갯벼룩(sand hopper).

béach·frònt *n.* 해안지, 바다에 면한 땅. — *a.* 해변에 있는[인접한].

béach·gòer *n.* 해변에 자주 놀러가는 사람.

béach gràss 〖식물〗 해변 등의 모래땅에 많은 볏과(科)의 잡초.

béach·hèad *n.* **1** 〖군사〗 해안 교두보, 상륙 거점. ⓒⓕ bridgehead. **2** 발판.

beach·ie [bíːtʃi] *n.*《Austral.구어》 바닷가 어부; 젊은 해변 부랑자.

Beach-la-Mar [biːtʃləmáːr] *n.* 〖언어〗 남서 태평양 제도에서 쓰이는 변칙 영어.

béach·màster *n.* 〖군사〗 상륙[양륙] 지휘관.

béach·scàpe *n.* 해변 풍경.

béach·sìde *a.* 해변의[에 있는], 해안가의.

béach umbrèlla《미》 비치파라솔.

béach vòlleyball 비치발리볼(공).

béach wàgon《미》 station wagon 의 구칭.

béach·wèar *n.* 해변복.

beachy [bíːtʃi] *a.* 모래[자갈]로 덮인.

°**bea·con** [bíːkən] *n.* **1** 횃불, 봉화; 봉화대[탑]; 등대; 신호소. **2** 수로(水路)[항공, 교통] 표지; 무선 표지(radio ~). **3** 지침(指針), 경고. **4** (B-)《영》 …산, …봉(峰). — *vt.* (표지로) …을 인도하다; …에 표지를 달다[세우다]; 경고하다; (횃불 따위로) 비추다. — *vi.* (표지와 같이) 빛나다, 도움이[지침이, 경계가] 되다.

béacon lìght 표지등.

bead** [biːd] *n.* **1** 구슬, 염주알; (*pl.*) 염주, 로사리오(rosary); (*pl.*) 목걸이. **2** (이슬·땀 따위의) 방울《*of*》; (맥주 따위의) 거품: ~*s of* sweat [perspiration] 구슬 같은 땀 / ~*s of* dew 이슬방울. **3** (총의) 가늠쇠; 〖건축〗 구슬선; 〖화학〗 용구(熔球)《붕사구와 염산구》. **4** (the ~s)《미속어》 운명(destiny), 숙명(fate). ***draw [***get***] ***a*** ~ ***on*** [***upon***]《구어》 …을 겨누다[겨냥하다]. ***have a*** ~ ***on*** ...《속어》 …의 표적이 정확하게 보이다, …을 정확히 장악하고 있다, 납득하고 있다. ***pray without*** one's ~***s*** 계산 착오를 하다, 기대가 어긋나다. ***say*** [***tell, count, bid***] one's ~***s***《문어》(염주를 돌리며) 기도를 올리다.

— *vt.* 염주 모양으로 꿰어 잇다; 구슬로 장식하다.
— *vi.* 구슬 모양으로 되다; 거품이 일다.

béad cúrtain 주렴(珠簾).

be

(1) 변칙(變則)동사(anomalous verb)의 하나로 어형(語形)변화에 특징이 있음. (2) 의문문을 만드는 데 주어와 도치되며 조동사 do를 쓰지 않음: He is busy. → *Is* he busy? (3) 부정문으로 할 때에도 do를 안 씀: That is nice. → That *is not* 〔*isn't*〕 nice. 다만, 명령형에서는 흔히 do를 쓰며, do를 쓰지 않는 것은 옛 형태: *Don't be* a fool. 바보 같은 짓을 하지 마라. *Be* not afraid. 《고어》 두려워하지 말지어다. (4) 강조할 때 do를 사용하지 않고 be 동사를 세게 발음함: She *is* [-íz-] kind, indeed. 그녀는 정말 친절하다. 다만, 긍정(肯定) 명령형을 강조할 때에는 do를 씀: *Do be* gentle to them. 제발 그들에게 부드럽게 대해 주게나.

직 설 법

시제	인칭	단 수 형	복수형	
현재	1	I **am**	we	**are**
	2	you **are** (《고어》 thou **art**)	you	
	3	he / she / it **is**	they	
과거	1	I **was**	we	**were**
	2	you **were** (《고어》 thou **wast**〔**wert**〕)	you	
	3	he / she / it **was**	they	

가 정 법

〖현재〗 **be** 《인칭·수에 관계 없이: I *be*, he *be*, they *be*, etc.》

〖과거〗 **were** 《인칭·수에 관계 없이: I *were*, it *were*, etc.; 다만, 《고어》 thou **wert**》

부정사 (to) **be** 명령형 **be**

am [æm, 약 əm, m], **is** [iz, 약 z, s], **are** [ɑːr, 약 ər]; **was** [wʌz, wɑz/wɔz; 약 wəz], **were** [wəːr, 약 wər]; 《고어》 **art** [ɑːrt]; **wast** [wɑst/wɔst; 약 wəst], **'wert'** [wəːrt, 약 wərt]; not과의 간약형 **isn't** [íznt], **aren't** [ɑːrnt, ɑ́ːrənt/ɑ́ːnt]; **was·n't** [wʌ́znt, wɑ́z-/wɔ́z-], **were·n't** [wəːrnt, wə́ːrənt]; 대명사와의 간약형 **it's** [its], **I'm** [aim], **we're** [wiər], etc.

be [biː, 약 bi] (*pp.* **been** [bin, 강 bín/bin, 강 bíːn]) *vi.* **1** 《+보/+부/+*-ing*/+*to* do/+전+명/+*that* 절/+*wh.* 절/+*wh. to* do》 …이다: Iron *is* hard. 쇠는 단단하다/Twice two *is* four. 둘의 (두) 곱은 넷이다(2×2=4)/We *are* the same age. 우리는 동갑이다《the same 앞에 of 를 보충할 수 있으나 지금은 일반적으로 of를 안 씀》/ *How are* you?—I *am* fine 〔very well〕, thank you. 어떠십니까—덕분에 별 탈 없습니다/Seeing *is* believing. 백문이 불여일견 《-ing형은 동명사》/To live *is to* fight. 인생은 투쟁이다/ Paper *is of* great use. 종이는 대단히 유용하다/ This book *is for* you. 이 책은 당신을 위한 것이다/The truth *was that* I didn't know. 사실은 나는 몰랐다/What matters *is how* they live. 문제는 그들이 어떻게 사느냐다/ The question *is* not *what to* do but *how to* do it. 문제는 무엇을 해야 하는가가 아니라 어떻게 하여야 하는가이다.
2 《~/+전+명/+부》 〖장소·때를 나타내는 부사(구)와 결합하여〗 (…에) 있다; (…에) 가〔와〕 있다, (…에) 나타나다; 돌아오다, 끝나다; (언제·어느날)이다: The vase *is on* the table. 꽃병은 테이블 위에 있다/*Where is* Rome?—It *is in* Italy. 로마는 어디 있는가—이탈리아에 있다/ How long *have* you *been* here? 여기 오신 지 얼마나 되나요/I *was with* the Browns then. 나는 당시 브라운가(家)에 있었다/I'll *be* there 〔back〕 at 7. 일곱 시에 가겠습니다〔돌아오겠습니다〕《도착 예정의 선언; I'll go라고는 안 함》/ Will you wait here? I'll only *be* in a minute. 기다려 주시오. 곧 돌아올 테니까요〔끝납니다〕/ When's your birthday?—It's *on* the 19th of June. 생일은 언제죠—6월 19일입니다.
3 〖존재를 나타내어〗 **a** (사람·물건·일이) 있다 (exist); (…이) 일어나다(take place): Troy *is* no more. 트로이는 지금은 없다/I think, therefore I *am*. 나는 생각한다, 고로 존재한다/To *be* or not to *be*, that is the question. 죽느냐 사느냐, 그것이 문제로다/ *When* will the wedding *be*? 결혼식은 언제 있습니까/How can such things *be*? 이런 일이 어찌 있을〔일어날〕 수 있을까. **b** 〖there is 〔are〕의 형태로〗 있다, 존재하다: *There are* three apples on the table. 테이블 위에 사과가 세 개 있다/*Is there* a book on the desk?—Yes, *there is*. 책상 위에 책이 있습니까—네, 있습니다/*There is* nothing new under the sun. 이 세상엔 새로운 것이란 없다.
4 〖be의 특수 용법〗 **a** 〖조건절·양보절 등을 나타낸 가정법현재에서〗 《문어》: If it *be* 〔《구어》 *is*〕 fine ... 만일 날씨가 좋으면 …《지금은 보통 직설법을 씀》/*Be* it ever so humble, there's no place like home. 아무리 초라하다 해도 내집만 한 곳은 없다(=However humble it may be, ...). **b** 《미문어》 〖요구·명령·제안 등을 나타내는 동사 또는 이에 준하는 형용사에 잇따르는 that-절 중에서〗 (《영》에서는 흔히 should be》: I propose 〔suggest〕 *that* he *be* nominated. 그가 지명되기를 제안한다/Was it necessary that my uncle *be* informed? 숙부에게 알리는 일이 필요했던가.
— *aux. v.* **1** 〖be+현재분사로 진행형을 만들어〗 **a** …하고 있다, …하고 있는 중이다: The ship *is sinking*. 배가 가라앉고 있다/I have *been waiting* for an hour. 한 시간 동안이나 기다리고 있다/I *was* just *reading* a book. (그때) 한창 책을 읽고 있던 중이었다. **b** 〖흔히 미래를 나타내는 부사어구를 수반하여〗 …할 작정이다, …하기로 돼 있다; 〖왕래·발착을 나타내는 동사와 함께〗 …할 예정이다: We'*re getting* out of here in a moment. 이제 곧 이곳을 빠져 나가는 거다/She *is leaving* for Denver tomorrow. 그녀는 내일 덴버로 떠난다/He *is coming* to see us this evening. 그는 오늘 저녁 우리를 만나러 오기로 되어 있다. **c** 〖always, constantly, all day 따위와 함께 써서, 종종 비난의 뜻을 내포〗 끊임없이 …하고 있다: He *is always smoking*. 그는 늘 (줄)담배를 피운단 말야.
2 〖be+타동사의 과거분사 꼴로, 수동태를 만들어〗 …되다, …받고 있다, …되어 있다: We *were praised*. 우리들은 칭찬받았다/He *is trusted* by everyone. 그는 누구에게나 신뢰를 받고 있다/The doors *are painted* green. 문은 녹색으로 칠해져 있다《상태》/The letter has *been*

posted. 편지는 (이미) 투함되었다 / Houses *are being built.* 집들이 건축되고 있는 중이다.
3 〖be+자동사의 과거분사 꼴로 완료형을 만들어〗 …했다, …해(져) 있다: Winter *is gone.* 겨울은 지나갔다 / The sun *is set.* 해가 졌다 / How he *is grown!* 그애 놀랍게 자랐군 / He *is come.* 그는 와 있다 / *Gone are* the days ... …의 시대는 〔시절은〕 지났다. ★ 운동·상태를 나타내는 자동사(arrive, come, fall, go, grow, set) 등에 쓰임. 'have+과거분사'에 비해, 동작의 결과인 상태를 강조함.
4 〖be+to (do)의 형식으로〗 **a** 〖예정〗 …하기로 되어 있다, …할 예정이다: We *are to* meet at 6. 우리는 여섯시에 만나기로 되어 있다 / They *were to* have been married. 그들은 결혼하기로 되어 있었는데(못했다)《완료부정사를 쓰면 실현되지 않은 예정을 나타냄》. **b** 〖의무·명령〗 …할 의무가 있다; …하여야 한다: When *am* I *to* start? 언제 출발해야 합니까 / You *are* not *to* speak in this room. 이 방에서 이야기를 해서는 안 된다 《부정문에서는 금지를 나타냄》. **c** 〖가능〗《흔히 부정문에서》 …할 수 있다《to be done을 수반함》: Not a soul *was to* be seen on the street. 거리엔 사람 하나 볼 수 없었다 / My hat *was* nowhere *to* be found. 내 모자는 아무데도 보이지 않았다. **d** 〖운명〗《흔히 과거시제로》 …할 운명이다: He *was* never *to* see his home again. 그는 고향에 다시는 못 돌아갈 운명이었다 / But that *was* not *to* be. 그러나 그렇게는 안 될 운명이었다. **e** 〖필요〗《조건절에서》 …하는 것이 필요하다면; 해야만 한다면: If I *am to* blame, ... 만일 내가 나쁘다면〔비난을 받아야 한다면〕 / If you *are to* succeed in your new job, you must work hard now. 이번 새로운 일에 성공해야만 한다면 지금 열심히 일해야 하네(=If you need to succeed ...). **f** 〖목적〗 …하기 위한 것이다: The letter *was to* announce their engagement. 편지는 그들의 약혼을 알리기 위한 것이었다.
5 〖if... were to (do)〗 …한다고 하면《실현성이 없는 가정을 나타내어》: If I *were to* 〔*Were* I *to*〕 live again, I would like to be a musician. 다시 한번 인생을 산다면 음악가가 되고 싶다.
6 〖be+being+보어의 형식으로〗《구어》 **a** 지금 〔현재〕 …하다, …하고 있다: I *am being* happy. 나는 지금 행복하다 / He *is being* a poet. 그 사람은 지금 시인 같은 기분에 젖어 있다 / Be serious! —I *am being* serious. 진지하게 굴게나 — (지금) 진지하게 행동하고 있네. **b** …처럼 행동하다〔굴다〕: She *is being* as nice as she can. 그녀는 최선을 다해 상냥하게 굴고 있다 (=She is having as nicely as she can.). ★ 동사 be는 일반적으로 진행형에는 쓰이지 않지만, 이처럼 일시적 상태를 나타날 때에는 별도임.
Be it so! =***So be it!*** ⇨ SO[1]. ***be it that ...*** …이라고 해도. ***Be off with you.*** 빨리 물러가〔꺼져〕. ***be that as it may*** =***be the matter what it may*** 그건 어떻든〔어쨌든〕, 하여간. ***Be yourself.*** (자기답게) 자연스럽게 굴어라, 정신 차려라; 분수를 차려라, 나이 값을 해라. ***Don't be long.*** 시간을 끌지 마라; 너무 기다리게 하지 마. ***far be it from me to ...*** ⇨ FAR. ***have been*** 왔다, 찾아왔다: *Has* any guest *been* yet? 손님이 벌써 오셨나. ***have been and***+과거분사 〖항의·놀람 따위를 나타내는 어투〗 …해 버렸다, …하다니: He *has been and taken* it away. 질렀어, 그가 그걸 가져가 버렸다네. ***have been there*** 《속어》 (남자에 대해) 경험이 있다, 그 일에 환하다; (여자에 대해) 남자를 알고 있다. ***have been to*** … 에 가 본 일이 있다; …에〔를〕 갔다 오는 길이다. ***if so be*** 과연 그렇다면. ***Let it be.*** 그대로 (두어) 두시오. ***Let me be.*** 내버려 두시오; 관계하지 마시오. ***that is*** 〔***that was, that is to be***〕 현재의〔본래의, 장래의〕: Mrs. Brown, Miss Gray *that was* 브라운 부인, 즉 원래의 그레이양 / the world *that is to be* 미래의 세계.

béad·ed [-id] *a.* **1** 구슬이 달려 있는, 구슬 모양으로 된: a ~ handbag 구슬(핸드)백. **2** 거품이 인. **3** 땀방울이 맺힌.
béad·hòuse *n.* 양로원; 양육원.
béad·ing *n.* Ⓤ 구슬 세공〔장식〕; 레이스 모양의 가장자리 장식; 〖건축〗 구슬선 (장식); (맥주의) 거품.
bea·dle [bíːdl] *n.* 《영》 **1** 교구〔법정〕의 하급 관리. **2** (행진 때) 대학 총장 직권의 표지를 받드는 속관. ㊎ **~·dom** [-dəm] *n.* Ⓤ 하급 관리 근성. **~·ship** *n.* …의 직분〔권위〕.
béad·ròll *n.* 〖가톨릭〗 과거장(過去帳); 〖일반적〗 명부, 목록; 로사리오, 묵주(默珠).
béads·man, bede(s)·man [-mən] (*pl.* ***-men*** [-mən]; *fem.* ***-wòman***) *n.* **1** 돈을 받고 사람의 명복을 비는 사람. **2** 《영》 양육원〔양로원〕 수용자; 《Sc.》 공인 거지(licensed beggar).
béad·wòrk *n.* Ⓤ 구슬 세공〔장식〕; 〖건축〗 구슬선.
beady [bíːdi] *a.* 구슬 같은〔달린〕; 거품 이는: ~ eyes 작고 반짝이는 동그란 눈.
béady-èyed *a.* 작고 반짝이는 눈을 가진〔한, 의〕《특히 악의(惡意), 탐욕, 호기심, 시의심(猜疑心) 등에 찬 눈초리를 나타낼 때 씀》; 의심스러운 눈초리의.
bea·gle [bíːgəl] *n.* 비글《토끼 사냥용의 귀가 처지고 발이 짧은 사냥개》; 스파이, 탐정; 《영》 집달관; 《미속어》 소시지. **—** *vi.* 비글의 뒤를 좇아 사냥을 하다; 정해진 코스를 달리다; 《미속어》 정세를 살피다. ㊎ **-gling** [-gliŋ] *n.* Ⓤ 비글을 써서 하는 토끼 사냥.

***beak** [biːk] *n.* **1** (육식조(鳥)의) 부리. ⓒⓕ bill[2]. **2** 부리 모양의 것; (주전자 등의) 귀때; (거북 등의) 주둥이; 《속어》 코, 《특히》 매부리코; 〖화학〗 (레토르트의) 도관(導管); 〖건축〗 누조(漏槽); 〖선박〗 이물. **3** 《영속어》 치안 판사; 《미속어》 재판관; 《영학생속어》 교사, 교장. ㊎ **~ed** [-t] *a.* 부리가 있는; 부리 모양의.

beak 1

beak·er [bíːkər] *n.* (굽달린) 큰 컵; 그 한 컵의 분량; 비커《화학 실험용》.
beaky [bíːki] *a.* 부리가 있는; 부리 모양의.
bé-àll *n.* 가장 중요한 것, 궁극의 목적, 핵심; 《우스개》 개선의 여지가 없는 사람〔물건〕.
BEAM [biːm] *n.* 빔《뇌파의 파형(波型)을, 실제 뇌의 활동성을 나타내는 컬러 지도로 바꾸는 장치》. [◂ *b*rain *e*lectrical *a*ctivity *m*apping]
beam** [biːm] *n.* **1** (대)들보, 도리. **2** 〖선박〗 (갑판을 버티는) 가로 들보; 선복(船腹); (최대) 선폭(船幅); 《속어》 허리〔엉덩이〕폭(幅) 〖보통 다음 관용구에서〗: be broad in the ~ 엉덩이가 크다. **3** 저울대; 저울; (베틀의) 말코; 도투마리; (기관의) 레버; 쟁깃술; (사슴뿔의) 줄기. **4** 광선, 광속(光束); (전자총에서 가늘게 발사되는 것 같은) 전자류(流); 《비유》 (표정의) 빛남, 밝음, 미소: a ~ of hope 희망의 빛. **5** 〖통신〗 방향 지시 전파, 지향성(指向性) 전파, 빔(radio ~); (확성기·마이크로폰의) 유효 가청(有效可聽) 범위; 방송. **6** =BEAM COMPASSES. ***abaft

〔*before*〕 *the* ~ 〚해사〛 (배의) 바로 옆뒤〔앞〕에. *fly the* ~ 〚항공〛 지시 전파에 따라 비행하다. *full of* ~ 《속어》 원기 왕성하여, 생기가 넘쳐; 《속어》 바보 같은 소리를 해. *get* 〔*go*〕 *on the* ~ 《속어》 방송되다; 《속어》 마이크의 가장 똑똑하게 소리가 들어가는 쪽에 서다. *kick* 〔*strike*〕 *the* ~ 압도되다, 지다, 맞설 수 없다. *off the* ~ 〚항공〛 지시 전파에서 벗어나; 《구어》 방향이 틀려, 잘못하여, 정신이 돌아, 이해 못 하고. *on the* ~ 〚항공〛 지시 전파에 올바로 인도되어, 《구어》 올바른 방향으로, 궤도에 올라, 바로 이해하고. *ride the* ~ ① =fly the ~. ② 《미속어》 (천장을 쳐다보거나 하여) 짐짓 시치미 떼다. *the* ~ *in* one*'s* (*own*) *eye* 〚성서〛 제 눈속에 있는 들보 《스스로 깨닫지 못하는 큰 결점; 마태복음 VII: 3》. *tip the* ~ *at* 무게가 …이 되다.
— *vi.* **1** 빛나다; 빛을 발하다. **2** 《~/+[전]+[명]》 기쁨으로 빛나다, 밝게 미소짓다 《*on, upon; at*》: He ~*ed with* joy. 희색이 만면했다 / He ~*ed on* his friends. 그는 친구들을 보고 밝게 미소지었다. — *vt.* **1** (빛을) 발하다, 비추다. **2** 《~+[목]/+[목]+[전]+[명]》 〚통신〛 (전파를) …로 돌리다 (direct) 《*at; to*》; (프로그램을) 방송하다; (방향 지시 전파로) 발신하다; 레이더로 탐지하다: ~ programs *at* Korea 한국을 향해 방송하다. ~ *upon* a person 아무에게 방긋 미소짓다. ~ *with health* 건강이 넘치다.

béam antènna 〚통신〛 빔안테나, 지향성 안테나.
béam còmpasses 빔컴퍼스 《큰 원을 그리기 위한》.
beamed *a.* 빛나는; 대들보 있는; 〚라디오〛 방송되는〔된〕.
béam-ènds *n. pl.* 〚선박〛 배의 가로 들보 끝. *on her* ~ 옆으로 기울어. *on* one*'s* 〔*the*〕 ~ 위험에 빠져, 속수무책으로; 《구어》 무일푼이 되어.
beam·er¹ [bíːmər] *n.* (방적에서) 날실 감개.
beam·er² *n.* 《미속어》 IBM 컴퓨터의 사용자〔정통자〕.
beam·er³ *n.* 《미속어》 BMW 자동차.
béam hòle 〚물리〛 (원자로의) 빔공(孔) 《실험용의 중성자 빔 따위를 추출하기 위하여 차폐물에 설치한 구멍》.
béam hòuse (제혁 공장의) 빔 하우스 《무두질의 준비 공정 작업장》.
béam·ing *a.* 빛나는; 밝은, 웃음을 띤, 기쁨에 넘친. [파] ~**·ly** *ad.*
beam·ish [bíːmiʃ] *a.* =BEAMING.
béam·less *a.* 빛을 발하지 않는; 대들보 없는.
béam-pówer tùbe 〚전자〛 빔 출력〔전력〕관.
béam rìder 〚군사〛 전파유도 미사일, 빔라이더.
béam-rìding *n.* 〚항공〛 미사일 따위의 전파유도.
béam séa 〚해사〛 옆으로부딪는 파도.
béam sỳstem 〚통신〛 빔식(式) 《일정 방향에 특히 센 전파를 방사하는 공중선 방식》.
béam wèapon 〚군사〛 빔 무기 《레이저 광선·입자선(粒子線)을 이용한 파괴 무기》.
béam·wìdth *n.* 〚통신〛 (안테나가 방사하는 전파 등의) 빔의 폭(幅).
béam wínd 〚해사·항공〛 옆바람.
beamy [bíːmi] (*beam·i·er; -i·est*) *a.* 빛나는; 대들보 같은, 굵은; (배가) 폭 넓은; 〚동물〛 (수사슴 같은) 뿔을 가진.
***bean** [biːn] *n.* **1** 콩 《강낭콩·잠두류》: jack ~ 작두콩. ★ 완두류는 pea. **2** (콩 비슷한) 열매, 그 나무: coffee ~*s* 커피콩. **3** 콩꼬투리. **4** 《미속어》 음식, 먹을 것. **5** (*pl.*) 《구어》 보잘것없는 것; 《미구어》 〖주로 부정문〗 조금, 소량: He does*n't* know ~*s* about geography. 그는 지리에 대하여는 조금도 모른다. **6** 《미속어》 머리: Use the old ~. 머리를 써라. **7** 《영속어》 〖주로 부정문〗 돈; 약간의 돈: be *not* worth a ~ 한푼의 가치도 없다 / I have*n't* a ~. 한푼도 없다. **8** (*pl.*) 《속어》 엄벌, 때림. *a hill* 〔*row*〕 *of* ~*s* 《본디 미》 별로 가치 없는 것. *Every* ~ *has its black.* 사람에겐 누구나 결점이 있다. *full of* ~*s* ① 어리석어; 틀려. ② 《구어》 원기가 넘쳐; 《미구어》 떼를 써; 《미구어》 터무니〔엉터리〕없는 말을 하여. *get* ~*s* 《속어》 꾸중 듣다, 야단맞다; 얻어맞다. *give* a person ~*s* 《속어》 …을 꾸짖다, 야단치다; 벌주다. *have too much* ~*s* 원기가 넘쳐흐르다. *know* ~*s* 《미》 지혜가 있다, 무엇이나 알고 있다. *know how many* ~*s make five* 약다; 빈틈없다. *know* one*'s* ~*s* 《미속어》 자기 전문에 정통하다. *old* ~ 《영속어》 야 이 사람아 《친하게 부를 때》. *spill the* ~*s* 《구어》 비밀을 누설하다; 계획을 뒤집어엎다.
— *vt.* 《구어》 (머리를) 치다; 〚야구〛 (투수가) 공을 던져 (타자)의 머리를 맞히다.

béan·bàg *n.* 공기, 오자미 《놀이구(具)》.
béan bàll 〚야구〛 빈볼 《고의로 타자의 머리를 겨눈 공》.
béan càke 콩깻묵.
béan còunter 《구어》 **1** (관청·기업의) 재무통, 회계통. **2** 통계학자; 회계사.
béan còunting *a.* 《속어》 (관료적으로) 통계·계산에 관여하는, 숫자를 따지는.
béan cùrd 〔**chèese**〕 두부.
bean·ery [bíːnəri] *n.* 《미구어》 싸구려 음식점 《콩 요리가 잘 나오는》; 《미속어》 구치소, 교도소.
béan·fèast *n.* 《영》 (연(年) 1 회의) 고용주가 고용인에게 베푸는 턱; 《속어》 (마을의) 술잔치, 연회.
béan-fèd *a.* 《구어》 원기 왕성한.
béan-hèad *n.* 《속어》 바보, 천치.
bean·ie [bíːni] *n.* 베레(모) 《챙이 없고 둥글고 작은 모자; 어린이나 대학 신입생이 씀》.
beano [bíːnou] (*pl.* ~*s*) *n.* =BEANFEAST.
béan·pòle *n.* 콩 섶; 《구어》 키다리.
béan pòt (찜용의) 두꺼운 냄비.
béan·shòoter *n.* =PEASHOOTER.
béan spròut 〔**shòot**〕 (보통 *pl.*) 콩나물.
béan·stàlk *n.* 콩줄기, 콩대.
béan thrèads 녹말가루로 가늘게 뺀 국수 《냄비요리나 초무침 등에 씀》.
Béan Tòwn 미국 Boston 시의 별칭.
béan trèe 꼬투리에 열매가 맺는 식물.
beany¹ [bíːni] (*bean·i·er; -i·est*) *a.* 《속어》 기운찬; 기분이 좋은.
beany² *n.* =BEANIE.
****bear¹** [bɛər] (**bore** [bɔːr], 《고어》 **bare** [bɛər]; **borne, born** [bɔːrn]) *vt.* **1** 《~+[목]/+[목]+[전]+[명]/+[목]+[부]》 나르다, 가져〔데려〕가다 《*to*》: ~ a heavy load 무거운 짐을 나르다〔짊어지다〕 / He was *borne to* prison. 그는 수감되었다 / The torrent ~*s along* silt and gravel. 격류에 토사가 휩쓸려 운반된다. ★ 이 뜻으로는 carry 가 일반적. [SYN.] ⇨ CARRY.
2 《+[목]+[보]》 …자세를 취하다: ~ one's head high 머리를 높이 쳐들다; 긍지를 가지고 있다, 의기양양하다.
3 〖~ oneself〗 처신〔행동〕하다: ~ one*self* well 〔with dignity〕 훌륭히〔당당히〕 행동하다.
4 (표정·모습·자취 따위를) 몸에 지니다: ~ an evil look 인상이 험악하다 / His hands ~ the marks of toil. 그의 손을 보면 고생했다는 것을 알 수 있다.
5 (무기·문장(紋章) 등을) 지니다, 갖고 있다.
6 《~+[목]/+[목]+[목]/+[목]+[전]+[명]》 (악의·애정 따위를) (마음에) 품다, 지니다 《*against; for; toward*》: ~ a person love 아무에게 애정을 갖다 / ~ a grudge *against* …에게 원한을 품다 / ~ a person's advice *in* mind 아무의 충고를 명심하다.

7 (이름 · 칭호 등을) 지니다; (광석이 …을) 함유하다: The document *bore* his signature. 그 문서에는 그의 서명이 있다/This ore ~*s* gold. 이 광석은 금을 함유하고 있다.
8 (소문 · 소식을) 가져오다, 전하다, 퍼뜨리다, (증언을) 해주다; 대다, 제공하다《*to*》: ~ news 〔tales〕 뉴스를〔소문을〕 퍼뜨리다.
9 《~+목/+목+부》 (무게를) 지탱하다, 버티다 《*up*》: pillars that ~ a ceiling 천장을 떠받치고 있는 기둥/The board is too thin to ~ (*up*) the weight. 판자는 너무 얇아 무게를 지탱하지 못한다.
10 (의무 · 책임을) 지다, 떠맡다; (비용을) 부담하다; (손실 따위에) 견디다, (손실을) 입다; (비난 · 벌을) 받다; 경험하다.
11 《~+목/+-*ing*》 (검사 · 비교 따위에) 견디다: The charge will not ~ examination. 그 비난은 조사(를)해 보면 근거 없음을 알 수 있을 것이다/The expression does not ~ translation. 이 표현은 번역할 도리가 없다/It doesn't ~ think*ing* about. 그런 일은 도저히 생각할 수 없다.
12 《~+목/+-*ing*》 …해도 좋다, …할 수 있다, …하기에 알맞다, …할 만하다: The accident ~*s* two explanations. 그 사고는 두 가지로 설명할 수 있다/The cloth will ~ wash*ing*. 이 천은 세탁이 잘 된다, 이 천은 빨 수 있다/The story does not ~ repeat*ing*. 그 이야기는 되풀이할 만한 것이 못 된다.
13 《~+목/+*to* do/+목+*to* do/+-*ing*/+목+-*ing*》 (고통 따위를) 참다, 배기다. ★can, could 등을 수반하여 특히 부정문이나 의문문에 쓰이는 일이 많음. ¶I *can* ~ the secret *no* longer. 이 이상 더 비밀을 지킬 수는 없다/I *cannot* ~ him. 그 녀석에겐 분통이 터져서 더는 못 참겠다/I *can hardly* ~ *to* see her suffering so. 그렇게 괴로워하고 있는 그녀를 차마 볼 수가 없다.

> SYN. **bear**는 일반적인 말로 무거운, 또는 어려운 일을 참는 힘을 강조함. **endure**는 bear보다는 위엄이 있는 말로 오랫동안 견디는 뜻. **stand**는 불유쾌한 일을 견디는(put up with) 뜻. 《미》에서는 stand for의 형태가 되는 일이 있음. **tolerate**는 바람직하지 못한 일을 참는다는 뜻.

14 《~+목/+목+목》 (아이를) 낳다: a son *borne by* his first wife 전처의 아들/She has *borne* him three children. 그녀는 그의 애를 셋 낳았다.

> NOTE '태어나다' 란 뜻의 be born에서는 과거분사 born을 쓰나, 완료형일 때나 수동형 다음에 by가 올 때는 borne을 씀: He was *born* in America. 그는 미국에서 태어났다. He was *borne by* an American woman. 그는 미국인 어머니에게서 태어났다.

15 (열매) 맺다; (꽃이) 피다: This tree ~*s* fine apples. 이 나무엔 좋은 사과가 열린다/My scheme *bore* fruit. 내 계획은 성과를 보았다.
16 《비유》 (이자 따위를) 낳다, 생기게 하다: ~ 4% interest. 4푼 이자가 생기다.
17 《+목+전+명》 (관계 · 비율 따위를) 갖다 《*to*》: ~ no relation *to* …와 아무런 관계도 없다/~ a resemblance *to* …와 닮다.
18 (권력 따위를) 쥐고 있다, 휘두르다: ~ rule 〔sway〕 지배권을 잡다, 통치하다.
19 《+목+부》 (남의 의견 따위를) 지지하다, (진술 따위를) 확인하다, 증명〔입증〕하다《*out*》: You will ~ me *out*. 내 말을 지지하겠지/The facts ~ me *out*. 사실이 내 말을 뒷받침한다.
20 《+목+부》 밀다, 몰아〔밀어〕내다, 쫓(아 내)다 《*back*(*ward*)》: The police *bore* the crowd *back*. 경찰은 군중을 밀어내었다.
— *vi*. 1 지탱하다, 버티다: The ice will ~. 이 얼음판은 밟아도 괜찮을 테지.
2 《+전+명》 견디다, 참다《*with*》: I can't ~ *with* him. 그에겐 분통이 터진다.
3 《+전+명》 (…위에) 덮치다, 걸리다, 기대다, 내리누르다《*on, upon; against*》: The whole building ~*s on* three columns. 건물 전체가 기둥 세 개에 떠받쳐져 있다/~ *on* a lever 지렛대를 누르다.
4 《+전+명》 (…을) 누르다, 압박하다《*on, upon*》: The famine *bore* heavily *on* the farmers. 기근은 농민들을 몹시 괴롭혔다.
5 《+전+명》 영향을 주다, 작용을 미치다, 관계하다, 목표하다《*on, upon*》: a question that ~*s on* the welfare of the country 국가의 복지에 관계되는 문제.
6 《+전+명/+부》 방향을 잡다, 향하다, 나아가다, 구부러지다《*to*》: ~ *to* the right 오른쪽으로 나아가다/When you come to the city hall, ~ *left*. 시청까지 오면 왼쪽으로 도십시오. ★《구어》에서는 turn이 더 일반적임.
7 《+부》 (어떤 방향에) 위치하다: The island ~*s* northward. 섬은 북쪽에 위치한다.
8 〔well 따위의 양태 부사와 함께〕 아이를 낳다; 열매를 맺다: The tree ~*s well*. 이 나무는 열매를 잘 맺는다.

~ and forbear 꾹 참다. ***~ a part*** 협력하다 《*in*》. ***~ away*** ① 가져가다, (상(賞) 따위를) 타다, 쟁취하다. ② 〖해사〗 (바람 불어 가는 쪽으로) 침로를 바꾸다; 출항하다. ***~ back*** 물러나다; (군중 등을) 밀쳐내다; 제어하다. ~ a person ***company*** 아무와 동행하다; 아무의 상대를 하다. ***~ down*** 《*vt*.+부》 ① (적 따위를) 압도하다; (반대 따위를) 꺾어 누르다. — 《*vi*.+부》 ② 크게 분발하다. ③ (배가) 서로 다가가다. ④ (해산 때) 용쓰다: ~ *down* all resistance 모든 저항을 꺾어버리다. ***~ down on*** 〔***upon***〕 …에 엄습하다, …에 밀어닥치다; …을 내리누르다; …의 기세를 꺾다; 〖해사〗 (딴 배 · 육지)에 접근하다; …을 하려고 크게 노력하다; 역설하다. ***~ hard*** 〔***heavy, heavily, severely***〕 ***on*** 〔***upon***〕 …에게 무거운〔벅찬〕 짐이다; …을 압박하다. ***~ in hand*** 억제하다(control); 주장하다, 약속하다. ***~ in with*** …의 방향으로 항해하다. ***~ off*** 《*vt*.+부》 ① =bear away ①. — 《*vi*.+부》 ② 〖해사〗 (육지 · 딴 배에서) 멀어지다; 출발하다. ***~ on*** 〔***upon***〕 ⇨ *vi*. 4; …쪽을 향하다; …에 관계가〔영향이〕 있다. ***~ up*** 《*vt*.+부》 ① (무게 · 물건을) 지탱하다(⇨ *vt*. 9). — 《*vi*.+부》 ② 참고 계속 노력하다, 낙심하지 않다: He *bore up* against 〔under〕 adversity. 그는 역경 속에서도 낙심하지 않고 계속 노력했다. ***~ up for*** 〔***to***〕 〖해사〗 …을 향하여 나아가다. ***~ watching*** 볼〔주목할〕 가치가 있다; 경계(警戒)를 요하다. ***~ with*** …을 참다, …에 견디다. ***~ witness*** 〔***testimony***〕 ***to*** 〔***against***〕 …의 증언〔반대 증언〕을 하다. ***be borne in upon*** a person 아무에게 확신을 주다: It *is borne in upon* (me) that … (나는) …라고 알고 〔확신하고〕 있다. ***bring to ~*** ① (힘 따위를) 미치다, 발휘하다《*on, upon*》: He *brought* courage *to* ~ *upon* a difficult situation. 용기로써 난국에 대처했다. ② 돌리다《*upon*》: *bring* a gun *to* ~ *upon* the mark 총을 표적에 돌리다.

bear² [bɛər] *n*. 1 곰: a black ~ 흑곰. ★새끼는 cub, whelp. 2 (the B-) 〖천문〗 큰〔작은〕

곰자리(Ursa Major 〔Minor〕). **3** 난폭한 사람; 음침한 사내; 《미속어》 못생긴 여자, 호박; (어떤 일을) 잘 하는〔견디는〕 사람, 열성가《*for*》: a ~ *at* mathematics / a ~ *for* punishment 학대를 잘 견디는 사람, 악조건에도 굴하지 않는 사람. **4** 『증권』 파는 쪽, 시세 하락을 내다보는 사람. cf. bull[1]. **5** 구멍 뚫는 기계. **6** (the B-) 《구어》 러시아. **7** 봉제 곰인형(teddy ~). **8** 《학생속어》 어려운 일〔과목〕. **9** 《속어》 마약이 든 캡슐. **10** 《CB속어》 순경; 경찰관. ◇ bearish *a.*
a ~ in the air 〔***sky***〕 《CB속어》 경찰 헬리콥터. ***a ~ on skates*** 《CB속어》 순찰차. ***be a ~ for*** (일 따위)에 잘 버텨내다, …에 내구력이 있다. ***~s crawling*** 《CB속어》 (고속도로) 양쪽에 경찰이 있다. ***~s wall to wall*** 《CB속어》 경찰이 쫙 깔려 있다. ***cross as a ~*** = ***like a ~ with a sore head*** 몹시 찌무룩하다〔심사가 나쁘다〕. ***play the ~ with*** 《속어》 …을 망치다. ***sell the skin before*** one ***has killed the ~*** 너구리 굴 보고 피물 돈 내 쓴다. **—** *a.* 『증권』 (시세가) 내림세의. **—** *vt., vi.* 시세를 떨어뜨리다, 팔아치우다: ~ the market 대량 매도로 값을 떨어뜨리다.

bear·a·ble [bέərəbəl] *a.* 견딜 수 있는; 감내(堪耐)할 수 있는. ㊞ **-bly** *ad.* **bèar·a·bíl·i·ty** *n.*

béar·bàiting *n.* Ⓤ 곰 놀리기《매어 놓은 곰에게 개를 부추겨 집적거리게 하던 영국의 옛 놀이》. ㊞ **-bàiter** *n.*

béar·bèrry *n.* 『식물』 월귤나무의 일종.

béar càge 〔**càve, dèn**〕 《CB속어》 경찰서.

béar·càt *n.* 『동물』 작은 판다(lesser panda); 사향고양이의 일종《동남아산(産)》; 《미구어》 억센 사람〔짐승〕; 대형 중량급 기계.

béar clàw 빵 같은 것에 달콤한 아몬드를 박은 아침 식사용의 패이스트리(Pastry)《곰의 발톱같이 일정치 않은 반달 모양임》.

‡**beard** [biərd] *n.* **1** (턱)수염: wear a ~ 수염을 기르다〔기르고 있다〕. cf. mustache, whisker. **2** (염소 따위의) 수염; 굴·조개의 아가미; (섭조개의) 족사(足絲); 새의 부리 밑동의 깃털. **3** (낚시·화살 따위의) 미늘; (보리 따위의) 꺼끄러기(awns). **4** 활자의 면과 어깨 사이. **5** 《미속어》 (히피·인텔리 등) 수염을 기른 사람; 《속어》 지식인, 냉정한〔전위적인〕 사람. **6** 《비어》 (여자의) 거웃. **7** 《미속어》 (노름에서 정체를 숨기려고 본인 대리로) 돈을 지르는 사람. ***in spite of*** a person***'s ~*** 아무의 뜻에 거슬러. ***laugh in*** one***'s ~*** 비웃다. ***speak in*** one***'s ~*** 중얼거리다. ***take*** a person ***by the ~*** 기습공격을 가하다, 대담하게 공격하다. ***to*** a person***'s ~*** 아무의 면전을 꺼리지 않고, 맞대 놓고. **—** *vt.* **1** …의 수염을 꺼두르다〔잡아뽑다〕. **2** …에게 공공연히 반항하다(defy). **3** (화살·낚시 바늘 따위에) 미늘을 붙이다. **4** (주물의 이음매·널의 모서리 따위를) 깎아내다. ~ ***the lion*** 〔***a man***〕 ***in his den*** (논쟁에서) 벅찬상대에게 담대히 맞서다, 호랑이 굴에 들어가다.

béard·ed [-id] *a.* (턱)수염이 난; 까끄라기가 있는; (화살·낚시 바늘 등에) 미늘이 있는. ㊞ ~·ness *n.*

beard·ie [bíərdi] *n.* 《구어》 털보.

béard·less *a.* (턱)수염이 없는; 까끄라기가 없는; 풋내기의. ㊞ **~·ness** *n.*

◇**bear·er** [bέərər] *n.* **1** 나르는 사람; 짐꾼, 인부; 상여꾼, (관 옆에) 따라가는 사람; (인도의) 교군꾼, 하인. **2** (어음·수표·편지 따위의) 지참인; (소식 등을) 갖고 온 사람, 사자(使者): payable to the ~ 지참인불의 / a ~ check 지참인불 수표 / reply by the ~ 지참인에게 답신을 주어 보내다. **3** 열매 맺는〔꽃피는〕 식물: a good ~ 열매 잘 맺는 나무. **4** (지위·관직의) 재임자; 지니는 사람: a standard ~ 기수(旗手). **—** *a.* 지참인불의: ~ stocks 무기명 공채〔채권〕《지참인불》.

béarer bònd 『증권』 무기명채《소유자의 명의 표시가 없음》. cf. registered bond.

béarer còmpany 『군사』 위생간호 부대.

béar gàrden 곰 괴롭히는 것을 구경하던 곳; 《구어》 시끄러운 곳; 싸움판: (as) noisy as ~.

béar gràss 『식물』 실유카《용설란과 다년초》.

béar hùg (난폭하고) 강한 포옹; 『레슬링』 베어허그.

*__bear·ing__ [bέəriŋ] *n.* **1** Ⓤ,Ⓒ 태도(manner), 거동, 행동거지: one's kindly ~ 친절한 태도 / noble ~ 당당한 거동〔태도〕. **2** Ⓤ,Ⓒ 관계, 관련(relation)《*on, upon*》; 취지, 의향, 뜻: have no〔some〕 ~ on …에 관계가 없다〔약간 관계가 있다〕. **3** (종종 *pl.*) 방위(方位) (각); (상대적인) 위치: bring a person to his ~*s* 아무에게 제 분수를 알게 하다; 반성하게 하다 / consider 〔take〕 (a thing) in all (its) ~*s* 모든 면에서 고찰하다. **4** Ⓤ 인내(력). **5** 『기계』 베어링; 『건축』 지점(支點), 지주 (支柱). **6** (보통 *pl.*) (방패의) 문장. **7** Ⓤ 해산, 출산 (능력); 결실 (능력); 생산〔결실〕기; Ⓤ,Ⓒ 수확: be in ~ 열매를 맺고 있다. ***beyond*** 〔***past***〕 ***all ~*** 도저히 참을 수 없는. ***get*** 〔***find***〕 one***'s ~s*** 자기 입장을〔처지를〕 알다. ***lose*** 〔***be out of***〕 one***'s ~s*** 방향을〔방위를〕 잃다; 어찌할 바를 모르다. ***take*** one***'s*** 〔***the***〕 ***~s*** 자기 위치를 확인하다; 주위 형세를 살피다.

béaring rèin 『승마』 멈춤 고삐(checkrein).

bear·ish [bέəriʃ] *a.* 곰 같은, 난폭한, 거친(rough); 『증권』 약세의(cf. bullish); 《일반적》 비관적인. ㊞ **~·ly** *ad.* **~·ness** *n.*

béar lèader (여행중인) 귀족〔부호〕 자제의 가정 교사.

béar màrket 『증권』 하락 시세, 약세. opp. *bull market.*

béar repòrt 《CB속어》 경찰의 동향.

béar·skìn *n.* 곰 가죽〔모피〕; Ⓒ 곰 가죽 제품〔옷〕; 검은 털가죽 모자《특히 영국 근위병의》; Ⓤ (외투용) 거친 나사 천.

Béar Stàte (the ~) 미국 Arkansas 주(州)의 속칭.

béar tràp 《CB속어》 (경찰의) 속도 위반 단속(용 레이더 장치).

‡**beast** [bi:st] *n.* **1** (인간에 대한) 짐승; 금수; (the B-) 그리스도의 적; 《속어》 매춘부; 추녀, 호박. **2** 동물, 《특히》 네발짐승. ★이 뜻으로는 animal이 보통; 단, the king of *beasts* 백수(百獸)의 왕. ¶ a wild ~ 야수. **3** (*pl.* **~s,** ~) 마소, 가축; 《영》 《집합적》 육우(肉牛): a herd of forty ~(*s*) 40 마리의 가축 떼. **4** 짐승 같은 놈, 비인간; (the ~) (인간의) 야수성: Don't be a ~. 심술부리지 마라《무엇을 부탁할 때 쓰는 말》/ make a ~ *of* oneself 야수처럼 되다, 지독한 짓을 하다. **5** 《속어》 고집쟁이. opp. *angel.* **6** 《학생속어》 엄한 선생, 잔소리꾼. **7** 《미속어》 고속을 내는 비행기〔승용차〕; 유도 미사일. ◇ beastly *a.* ***a ~ of burden*** 〔***draft***〕 짐 나르는 짐승《마소·낙타 등》. ***a ~ of prey*** 맹수《사자·범 따위》. ***a ~ of the chase*** 사냥 짐승. ***a*** (***perfect***) ***~ of a day*** 날씨가 (몹시) 나쁜 날.

béast èpic 동물 우화시(寓話詩).

beast·ie [bí:sti] *n.* **1** 《Sc.·구어》 (귀여운) 짐승. **2** 《미속어》 뒤진 사람; 멍텅구리; 꼴도 보기 싫은 녀석; 역겨운 일.

beast·ings, beest- [bí:stiŋz] *n. pl.* 《단수취급》 (특히 암소의) 초유(初乳).

◇**béast·ly** (***beast·li·er; -li·est***) *a.* **1** 짐승 같은; 잔인한; 더러운, 불결한: ~ pleasures 수욕(獸慾). **2** 《구어》 불쾌한, 지겨운: ~ weather 고약한 날씨 / ~ hours 엉뚱한 시간《꼭두 새벽 따

위》/ a ~ headache 심한 두통. ◇ beast *n.* ── *ad.* 《구어》 몹시, 아주: ~ drunk 고주망태가 되어 / ~ wet 흠뻑 젖어. ㊞ **-li·ness** *n.* Ⓤ

***beat** [biːt] (~; ~·**en** [bíːtn], 《고어》 ~) *vt.* **1** 《~+목/+목+전+명》 (계속해서) 치다, 두드리다; (벌로) 때리다, (두들겨)패다, 매질하다; 탈곡하다: ~ a drum 북을 두드리다 / ~ a person *on* the head 아무의 머리를 치다 / ~one's breast 〔chest〕 가슴을 치다《변명·장담을 위해》.

> SYN. **beat** 계속하여 세게 치다: A strong wind *beat* the window. 강풍이 창을 덜거덕덜거덕 쳤다. **strike** …에게 타격을 가하다, …에 부딪치다. 치는 행위만을 생각함: The light *struck* the window. 빛이 창문을 비췄다《그로 인해 창에 변화는 없음》. **hit** 노린 것을 치다, 맞히다. **knock** 퍽 치다. 친 상대에게 준 효과 (소리가 난다든가 넘어지는 따위)를 생각함: Don't *knock* the vase off the table. 테이블의 꽃병을 (팔꿈치 따위로) 쓰러뜨리지 않도록 해라.

2 《~+목/+목+전+명》 부딪치다: rain ~*ing* the trees 나무를 때리는 빗발 / ~ one's head *against* the wall 벽에 머리를 부딪치다. **3** (새가) 날개치다. **4** (북 따위를) 쳐서 울리다〔신호하다〕: ~ a charge 돌격의 북을 치다. **5** 《~+목/+목+부/+목+전+명》 (달걀 등을) 휘저어 섞다, 거품 일게 하다《*up*》; 섞어서(…으로) 만들다《*to*》: ~ drugs 약을 섞다 / ~ (*up*) three eggs 세 개의 달걀을 휘저어 섞다 / ~ flour and eggs *to* a paste 밀가루와 달걀을 섞어 반죽을 만들다. **6** 《+목+전+명/+목+보/+목+부》 때려 부수다《*against*》; (금속 따위를) 두드려서 펴다, 두드려 만들다《*into; out*》: ~ rocks *to* pieces 바위를 부수어 산산조각 내다 / ~ gold *into* leaf 금을 두드려 금박으로 만들다 / ~ gold flat 금을 두드려 납작하게 하다 / ~ *out* gold 금을 두드려 펴다. **7** 《~+목/+목+전+명》 (길을) 밟아 고르다〔굳히다〕《*into*》; 진로를 열다: ~ a path 길을 내다; 진로를 개척하다 / ~ one's way *through* a crowd 군중 속을 뚫고 나아가다. **8 a** 《~+목/+목+전+명》 (음악 따위에 맞춰 손 등을) 두드리다《*to*》: ~one's hands *to* a song 노래에 맞춰서 손장단을 치다. **b** 장단을 맞추다: ~ time 장단을 맞추다. **c** 《~+목/+목+부》 (시간을) 째깍째깍 가게 하다《*away*》: The clock ~ the minutes *away*. 시간은 째깍째깍 흘러갔다. **9** 《+목+전+명》 때려 박다; 《비유》 …을 주입시키다《*into*》: ~ a stake *into* the ground 말뚝을 지면에 때려 박다 / ~ a fact *into* a person's head 사실을 아무의 머리에 주입시키다. **10** 《~+목/+목+전+명/+목+*to* do》 〚사냥〛 (숲 따위를) 뒤지며 찾아 (돌아)다니다《*for*》: ~ the woods *for* 〔in search of〕 the lost child 잃어버린 아이를 찾아 숲속을 뒤지다 / He ~ the town *to* raise money. 돈마련을 위해 시내를 돌아다니다. **11** 《~+목/+목+전+명》 …에 이기다《*at; in*》; …보다 낫다: Our team ~ theirs by a huge score. 우리 팀은 대량 득점으로 그들을 눌렀다 / You can't ~ me *at* chess. 체스에서 너는 나를 이길 수 없다. **12** 《구어》 당혹시키다, 손들게 하다, …을 난처하게〔쩔쩔매게〕 하다: He ~*s* me. 그에겐 손들었다 / That ~*s* everything I have heard. 금시 초문의 괴상한 일이다. **13** 《~+목/+목+전+명》 《미구어》 속이다, 사취하다《*out of*》: He ~ the child *out of* a dollar. 그는 아이를 속여 1달러를 빼앗았다. **14** 《~+ 목/+목+전+명》 …보다 앞서 있다, …을 앞지르다《*from*》: He ~ his brother home *from* school. 그는 형보다 먼저 학교에서 돌아왔다. **15** 《미속어》 (죄 따위를) 면하다; 공짜로 타다〔입장하다〕. **16** (기간·비용 따위를) 줄이다, 단축하다; 조리차하다.

── *vi.* **1** 《+전+명》 계속해서 치다《*at; on*》: ~ *at* the door 문을 두드리다. **2** (심장·맥박 따위가) 뛰다(throb). **3** 《+전+명/+부》 (비·바람·물결 등이) 치다; (해가) 내리쬐다《*against; on*》: The rain ~ *against* the windows. 비가 창문을 내리쳤다. **4** 《~/+부》 (북 따위가) 둥둥 울리다: The drums were ~*ing loudly*. 북이 크게 울리고 있었다 / Chimes ~ *out* merrily. 차임이 낭랑하게 울렸다. **5** 《구어》 이기다(win). **6** 《+부》 (달걀 따위가) 섞이다: The yolks and whites ~ *well*. 달걀 노른자위와 흰자위는 잘 섞인다. **7** (날개를) 퍼덕이다(flap). **8** 《+부/+전+명》 〚해사〛 바람을 거슬러 나아가다《*about*》: The ship ~ *about* (*along* the coast). 바람을 거슬러 배는 지그재그로 (연안을 따라) 나아갔다. **9** 《미속어》 달아나다, 내빼다.

~ ***about*** ① 찾아 헤매다《*for*》. ② ⇨ *vi.* 8. ~ ***about*** 〔《미》 ***around***〕 ***the bush*** 덤불 언저리를 두드려 짐승을 몰아내다; 넌지시 떠보다, 에두르다, 변죽 울리다; 요점을 말하지 않다. ~ ***all*** 《구어》 무엇보다 재미있다, 최고이다. ~ (***all***) ***hollow*** 《구어》 결정적으로 패배시키다; 《구어》 …보다(도) 훨씬 우수하다. ~ ***a path*** 〔***track***〕 ⇨ *vt.* 7. ~ ***around*** 《미속어》 (일없이) 어슬렁거리다〔돌아다니다〕. ~ ***away*** 계속해 치다; 두드려 털다; 〚광산〛 파헤치다《특히 굳은 땅을》. ~ ***back*** 격퇴하다. ~ a person ***black and blue*** 아무를 때려 멍투성이로 만들다. ~ ***down*** 《*vt.*+부》 ① 타도하다, 쓰러뜨리다. ② 낙담〔실망〕시키다. ③ 값을 깎다. ──《*vi.*+부》 ④ (햇빛이) 내리쬐다; (비 따위가) 쏟아지다. ~ ***in*** 쳐부수다, 쳐박다; (사람을) 쳐서 상처를 입히다. ~ ***it*** 《구어》 (급히) 떠나다, 나가다; 달아나다, 내빼다; 〔명령문〕《속어》 꺼져라: *Beat it* out of here. 썩 꺼져라. ~ ***off*** 격퇴하다; (경쟁 상대를) 떼어내다; 〚해사〛 바람 불어가는 쪽으로 엇비스듬히 나아가다; 《속어》 용두질〔자위〕하다. ~ ***out*** ⇨ *vt.* 6; (불을) 두들겨 끄다; (뜻·진상을) 밝히다; (음악·신호를) 쳐서 울리다; (아무를) 기진케 하다; 《미》 (상대를) 이기다, 격파하다; …를 능가하다; 〚야구〛 (평범한 땅볼을) 내야 안타로 만들다; 타이프를 치다; 《구어》 (보도·이야기를) 급히 쓰다〔만들어내다〕. ~ a person ***out of*** 아무로 하여금 …을 단념케 하다; 아무에게서 …을 속여 빼앗다. ~ one***'s brains*** (***out***) 머리를 짜내(게 하)다; 열심히 일하다. ~ one***'s gums*** 쉴 사이 없이 지껄여대다, 쓸데없이 떠들다. ~ one***'s head against a brick*** 〔***stone***〕 ***wall*** 불가능한 일을 시도하다. ~ one***'s way*** 《미속어》 무임승차하다, 표 없이 입장하다; 곤란을 헤치고 나아가다. ~ ***the band*** 〔***the devil***〕 《속어》 빼어나다, 모든 면에서 우월하다, 놀랍다. ~ ***the bounds*** 《영》 교구(敎區)의 경계를 조사하다; (화제·논의 등에서) 범위를 한정하다. ~ ***the devil around the bush*** 《구어》 에둘러 말하다〔찾다〕. ~ ***the*** 〔***a***〕 ***drum*** ⇨ DRUM[1]. ~ ***the rap*** 《미속어》 견책〔벌〕을 면하다. ~ ***the wind*** 〔***air***〕 허탕치다, 헛수고를 하다. ~ ***time to*** …에 박자를 맞추다. ~ a person ***to a jelly*** 〔***mummy***〕 아무를 떡이 되도록 패다. ~ a dog ***to death*** 개를 때려 죽이다. ~ a person ***to it*** 아무의 기선을 제하다, 앞지르다. ~ ***up*** 《*vt.*+부》 ① 기습하다; 놀라게 하다. ② (북을 두드려) 소집하다. ③ ⇨ *vt.* 5. ④ (경관 등이 담당 구역을) 돌다. ⑤ 《속어》 마구 때리다, 괴롭히다, 꾸짖다. ──《*vi.*+부》 ⑥ 〚해사〛 바람부는 쪽으로 엇거슬러 나아가다. ⑦ 《속어》 (아무를) 마구 때리다《*on*》. ~ ***up and down*** 여기저기 뛰

어디나다. ***Can you* ~ *that* 〔*it*〕*?* 〔*!*〕** 《속어》 (어때) 듣고〔보고〕 놀랐지; 그런 일 본〔들은〕 적이 있나. **(*It*) ~*s me*.** 《구어》 전혀 모르겠다, 금시초문이다. ***to* ~ *the band* 〔(*the*) *hell, the cars, the devil, the Dutch*〕** 《미구어》 세차게, 맹렬히, 몹시; 《미구어》 대량으로.

— *n.* **1** 계속해서 치기; (the ~) (북·종 따위의) 치는 소리; (시계) 소리; (심장의) 고동. **2** (경찰관 등의) 순찰 (구역); 《미속어》 행정 구획《군 따위》; (사냥꾼·신문 기자 등의) 세력권, 활동 범위: on one's 〔the〕 ~ 담당 지역 순시중. **3** (손·발 따위로 맞추는) 박자, 장단; (지휘봉의) 한 번 흔들기. **4** 〖물리〗 맥놀이, 비트. **5** (운각(韻脚)의) 강음(stress). **6** 《미》 (특종 기사로 다른 신문을) 앞지르기(scoop), 특종. **7** (the ~) 《미방언》 (…을) 이기는〔능가하는〕 것 《*of*》: the ~ *of*... 《미속어》 …보다 나은 것, …을 능가하는 것. **8** 《미속어》 뛰어난 사람〔것〕. **9** 《속어》 식객(食客); 부랑자. **10** = BEATNIK. **11** 〖해사〗 배가 바람을 엇거슬러 나아가기. ***be in* 〔*out of, off*〕 *one's* ~** 《구어》 전문 영역〔영역 밖〕이다. ***in* 〔*out of*〕 ~** 시계추가 규칙적〔불규칙적〕으로 움직여서. ***off* 〔*on*〕 (*the*) ~** 박자〔템포〕가 맞지 않아〔맞아〕; 상태가 좋지 않아〔좋아〕. ***pound a* ~** 《미속어》 (경찰이) 도보순찰을 하다.

— *a.* 《구어》 **1** 〘서술적〙 기진 맥진하여: I'm dead ~. 난 지쳤다. **2** 《구어》 비트족의. **3** 〘서술적〙 놀라서.

béat bòard 〖스포츠〗 도약판(板).

béat bòx 1 리듬박스《록음악이나 랩음악 반주에 사용되는 드럼이나 퍼커션의 음(音)을 내는 전자 장치》. **2** 《속어》 (랩 뮤직에서) 박자〔장단〕를 맞추는 사람.

béat-dòwn *n.* 《미속어》 재빠른 보디 체크; (갱단에서) 탈퇴를 하겠다는 멤버에 대해 가해지는 제재《몽둥이 찜질 따위》.

beat·en [bíːtn] BEAT의 과거분사. — *a.* **1** 두들겨 맞은. **2** (승패 따위에서) 진. **3** 두드려 편, 두드려서 만들어낸: ~ gold 금박. **4** 밟아 다져진. **5** 기진 맥진한, 지친; (옷 따위가) 해어진. **6** 뒤섞인, 거품이 인. ~ ***down to the ankles*** 《미속어》 기진맥진한, 지쳐버린. ***off the* ~ *track* 〔*path, road*〕** 사람이 별로 가지 않는〔알지 못하는〕 (곳에 있는); 상궤를 벗어난, 관습을 깨고; 신기한. ***the* ~ *track* 〔*path*〕** 밟아 다져진 길; 상도(常道), 관례: keep to *the* ~ *track* 보통 하는 대로 하다.

béaten-ùp *a.* 몹시 낡은, 해어진; 《속어》 지쳐 빠진(beat-up).

béat·er *n.* **1** 치는 사람; 몰이꾼. **2** 두드리는 기구; (달걀의) 거품 내는 기구; (믹서의) 회전 날. **3** (드럼의) 북채; 가두 선전원. 「cf. beatnik.

béat generátion (the ~) 비트족(의 세대).

béat gròup 비트 음악을 연주하는 (청년) 그룹.

be·a·tif·ic, -i·cal [bìːətífik], [-əl] *a.* **1** 《문어》 축복을 내리는. **2** 행복에 넘친, 기쁜: a ~ smile 기쁜 미소. ㊞ **-i·cal·ly** *ad.*

be·at·i·fi·ca·tion [bi(ː)æ̀təfikéiʃən] *n.* Ⓤ 축복; 〖가톨릭〗 시복(諡福)(식).

beatífic vísion 〖신학〗 지복(至福)의 직관.

be·at·i·fy [bi(ː)ǽtəfài] *vt.* 축복하다; 〖가톨릭〗 …에게 시복(諡福)하다《교황이 죽은 이가 복자(the Blessed)의 반열에 올랐다고 선언함》.

béat·ing *n.* **1** Ⓤ 때림; 매질; 타도: get 〔give〕 a good ~ 호되게 얻어맞다〔때리다〕. **2** 패배: take 〔get〕 a terrible ~ 참패를 맛보다. **3** Ⓤ (심장의) 고동. **4** Ⓤ 날개치기; 〖해사〗 바람을 엇거슬러 나아가기. **5** Ⓤ 〖수영〗 물장구질; 《미속어》 (특히, 얼굴) 마사지; (금속을) 두들겨 펴기. **6** 《미속어》 (투자에서의) 큰 손해: He took 〔got〕 a ~ in the stock market. 그는 증권에서 큰 손해를 봤다. ***take a* ~** 《미속어》 ① ⇨6. ② (거래에서) 속다, 꼭뒤질리다. ***take some* 〔*a lot of*〕 ~** 이기기 어렵다. 「cf. free reed.

béating rèed 〖음악〗 비팅 리드, 타황(打簧).

be·at·i·tude [bi(ː)ǽtitjùːd/-tjùːd] *n.* Ⓤ 지복(至福); 더없는 행복(supreme happiness); 〖동방교회〗 대주교의 칭호; (종종 the B–s) 〖성서〗 팔복(八福)(의 가르침)《예수의 산상 수훈의 일부; 마태복음 V: 3–11》.

Bea·tles [bíːtlz] *n. pl.* (the ~) 비틀스《영국의 4인조 록 그룹; 1962–70》.

beat·nik [bíːtnik] *n.* 비트족(beat generation)의 사람. [◂ *beat*+*-nik*]

Bea·ton [bíːtn] *n.* **Sir Cecil (Walter Hardy)** ~ 비턴《영국의 사진·무대장치가; 1904–80》.

béat·òut *n.* 〖야구〗 내야 안타.

béat pàd 《미속어》 마리화나 담배를 파는 곳.

Be·a·trice [bíːətris/bíə-] *n.* 베아트리체《서사시 '신곡(神曲)'에 묘사된 단테가 사랑하여 이상화한 여성》. 「~ car 고물차.

béat-ùp *a.* 《미구어》 오래 되어 낡은; 지친: a

beau [bou] (*pl.* ~*s*, ~*x* [-z]) *n.* 멋쟁이〔상냥한〕 남자, 미남; 여자의 상대〔호위〕를 하는 남자; 구혼자, 애인. — *vt.* (여자) 비위를 맞추다, (여성의) 시중을 들다.

Béau Brúm·mell [-brʌ́məl] 멋쟁이(dandy).

beau·coup [boukúː] *ad.* 《F.》 매우, 대단히, 크게.

Béau·fort scále [bóufərt-] 〖기상〗 보퍼트 풍력계급《영국의 Sir Francis Beaufort가 고안한 풍력 계급; 0에서 12까지의 13계급》.

beau geste [bouʒést] (*pl.* ***beaux gestes*** [—], ~***s*** [—]) 《F.》 아름다운 행위, 아량; 겉치레뿐인 친절(magnanimity).

béau idéal 《F.》 이상미(理想美), 미의 극치, 이상의 전형, 최고의 이상.

beau·jee·ful, -gee- [bjúːdʒifəl] *a.* 《미속어》 추한, 흉한, 악취미의.

Beau·jo·lais [bòuʒəléi] *n.* 프랑스산 적포도주.

beau monde [bóumánd/-mɔ́nd] 《F.》 사교계, 상류 사회.

Beaune [boun] *n.* 적포도주의 일종《프랑스산》.

beaut [bjuːt] *n., a.* 《미속어》 〘종종 반어적〙 미인, 아름다운 (것); 멋진 (사람, 물건). — *int.* 좋아 좋아!, 됐어!

beau·te·ous [bjúːtiəs] *a.* 《시어》 현실이라고 믿을 수 없을 정도로 아름다운, 황홀할 정도로 아름다운. ㊞ ~**·ly** *ad.* ~**·ness** *n.* 「영자.

beau·ti·cian [bjuːtíʃən] *n.* 미용사; 미장원 경

beau·ti·fi·ca·tion [bjùːtəfikéiʃən] *n.* Ⓤ 미화(美化); 장식.

beau·ti·fi·er [bjúːtəfàiər] *n.* 아름답게〔미화〕하는 사람〔것〕; 화장품.

†**beau·ti·ful** [bjúːtəfəl] *a.* **1** 아름다운, 고운, 예쁜. **2** 산뜻한; 훌륭한, 뛰어난: a ~ roast of beef 먹음직한 불고기. **3** 더할나위 없는, 훌륭한: a ~ character 훌륭한 품성.

> SYN. **beautiful** 가장 일반적인 말로, 사람 이외의 것에도 쓰며 형태·모습·빛깔 등의 아름다움을 나타냄. 멋진, 정신적, 이상적인 미도 뜻함: *beautiful* scenery 멋진 경치. a *beautiful* poem 아름다운 시. ★ 남성 형용사로서는 쓰지 않음. **lovely** 사랑의 대상이 되는, 사랑스러운. **handsome** 당당한, 풍채 좋은《흔히 남성에 대해서 쓰나 남성에게만 한정된 것은 아님》: a *handsome* lady 당당하고 기품 있는 부인. **pretty** 어린이·젊은 여성 등 작은 것이 귀여운. **good-looking** 이목구비가 반듯한《남

성 · 여성 다같이 씀): a *good-looking* young man 잘생긴 청년. **fair** (여성이) 용모와 자색이 뛰어난, 살이 희고 금발의.

— *n.* (the ~) 미, 아름다움(beauty); 〖집합적〗 아름다운 것, 미녀들. — *int.* 《구어》 좋아!, 됐어!《적극적인 만족감을 나타낼 때》: *Beautiful!* Hold it right there! (사진 찍을 때에) 좋아, 그대로 (가만히). [파] ~·**ly** *ad.* 아름답게; 훌륭히; 《구어》 매우, 굉장히. ~·**ness** *n.*

béautiful létters 《미》 〖단수취급〗 순(純)문학 (belles-lettres).

béautiful péople (종종 B- P-) 국제 사교계 인사들《미와 우아한 유행을 창조하는 상류인 · 예술가》; 제트족(jet set); 현대적 감각이 있는 사람들《생략: B.P., BP》.

beau·ti·fy [bjúːtəfài] *vt., vi.* 아름답게 하다, 아름다워지다. ◇ beauty *n.*

beau·til·i·ty [bjuːtíləti] *n.* 미(美)와 실용성의 「겸전(兼全).

beau·ty [bjúːti] *n.* **1** [U] 아름다움, 미; 미모: manly 〔womanly, girlish〕 ~ 남성〔여성, 처녀〕미 / *Beauty* is but skin-deep. 《속담》 미모는 거죽만의 것《겉보다는 마음씨》. **2** [C] 아름다운 것, 훌륭한 것; 미인; 〖반어적〗 대단한 것: The yacht was a ~. 요트는 매우 좋은 것이었다 / Well, you are a ~. 자넨 대단한 친구군〔괴짜군〕. **3** 〖집합적〗 가인(佳人)들: All the ~ of the town was there. 마을의 온 미인들이 모여 있었다. **4** (종종 *pl.*) 미점, 좋은 점; (문학서의) 절묘한 대목; 가경(佳境): the *beauties* of nature 자연의 미관 / That's the ~ of it. 거기가 좋은 점이다. ◇beautify *v.* — *a.* 《속어》 최고의, 최상의. — *int.* 《Austral.속어》 (승인 · 동의를 나타내어) 좋아; 됐어.

béauty càre (피부 손질 따위의) 미용.

béauty cóntest 〔**shòw**〕 미인 선발 대회.

béauty cùlture 미용술(cosmetology).

béauty màrk (얼굴에 만들어 붙인) 애교점.

béauty òperator 미용사(cosmetologist).

béauty paràde 〖상업〗 (특정 업체에 대한) 맹목적인 애고(愛顧).

béauty pàrlor 〔**salòn,** 《미》 **shòp**〕 미장원.

béauty pàrt 가장 유익한〔바람직한〕 측면, 가장 좋은 부분.

béauty quàrk 〖물리〗 =BOTTOM QUARK.

béauty quèen 미인 대회의 여왕.

béauty shòt 〖광고〗 클로즈업《텔레비전 광고에서, 상품의 매력이 강조되도록 접사(接寫)하는》.

béauty slèep 《우스개》 (미용과 건강을 위한다는) 초저녁잠.

béauty spòt **1** 애교점, 만들어 붙인 점(patch). **2** 사마귀, 점(mole); 경승지.

béauty trèatment 미용술; 미안술.

beaux [bouz] BEAU의 복수.

beaux-arts [bouzáːr; *F.* bozaːʀ] *n. pl.* 《F.》 미술(fine arts).

beaux-es·prits [*F.* bozɛspʀi] BEL-ESPRIT의 「복수.

beaux yeux [*F.* bojø] 《F.》 명모(明眸); 〖종종 비꼬아서〗 미모. ***for the ~ of*** …을 기쁘게 하려고; …을 만족시켜 주고 싶어서.

bea·ver[1] [bíːvər] (*pl.* **~s, ~**) *n.* **1** [C] 비버, 해리(海狸); [U] 비버 모피; [C] 비버 모피로 만든 모자, 실크해트; 두꺼운 나사의 일종. **2** 《속어》 턱수염(을 기른 남자). **3** 《구어》 (일 · 공부에) 끈질긴 사람; 일벌레([cf.] eager beaver). **4** 《미비어》 여자의 성기; 《미속어》 여자. ***work like a ~*** 《구어》 부지런히 일하다. — *vi.* 《구어》 부지런히 일하다《*away* (*at*)》.

bea·ver[2] *n.* (투구의) 턱가리개.

Béaver·bòard *n.* (또는 b-) 천장 · 칸막이용 건축 재료《목재 섬유로 만든 가벼운 판자; 상표명》.

béaver bòok 《미속어》 포르노 책〔잡지〕.

béaver shòoter 《미속어》 여성 성기를 보는 것에 지나친 취미를 가진 남자.

béaver shòt 《미속어》 두 다리를 벌린 여성 성기의 사진.

Béaver Státe (the ~) 미국 Oregon 주의 별칭.

bea·ver·teen [biːvərtíːn] *n.* [U] 비버 모피(毛皮) 비슷한 면(綿)비로드.

B.E.B. British Education Broadcast.

be·bop [bíːbàp/-bɔ̀p] *n.* 비밥《재즈의 일종》. [파] ~·**per** *n.* 비밥 연주자〔가수〕.

be·bug·ging [bibʌ́giŋ] *n.* 〖컴퓨터〗 프로그래머의 debugging 능력을 보기 위해 프로그램 속에 일부러 틀린 것을 넣기.

be·calm [bikáːm] *vt.* **1** 〖해사〗 바람이 자서 (돛배를) 멈추게 하다. ★ 보통 과거분사로 쓰임. ¶ The ship lay *~ed* a week. 바람이 없어 배는 1주일이나 멈춰 있었다. **2** 잠잠하게 하다(calm).

be·came [bikéim] BECOME의 과거.

†be·cause ⇨ 《p. 233》 BECAUSE.

bec·ca·fi·co [bèkəfíːkou] (*pl.* ~(**e**)**s**) *n.* 〖조류〗 작은 철새의 일종《이탈리아에서 식용함》.

bé·cha·mel [béiʃəmèl; *F.* beʃamɛl] *n.* [U] 베샤멜(=∠ **sàuce**)《진한 흰 소스의 일종》.

be·chance [bitʃǽns, -tʃáːns] *vt., vi.* 《고어》 (…에게 우연히) 일어나다, 생기다(befall, happen). — *ad.* 우연히, 어쩌다.

be·charm [bitʃáːrm] *vt.* 매혹하다(charm).

bêche-de-mer [bèiʃdəméər; *F.* bɛʃdəmɛːʀ] *n.* 《F.》 **1** (중국 요리의) 해삼(trepang). **2** (흔히 Bêche-de-Mer) 〖언어〗 뉴기니와 그 주변 도서(島嶼)에서 공통어로 쓰이는 혼성 영어.

beck[1] [bek] *n.* 고갯짓(nod); 손짓(으로 부름); 《주로 Sc.》 절(bow). ***be at* a person's ~ (*and call*)** 아무가 하라는〔시키는〕 대로 하다. ***have at* one's ~** 마음대로 부리다. — *vt., vi.* 《고어》 =BECKON.

beck[2] *n.* 《N.Eng.》 시내(brook), 계류(溪流).

beck·et [békit] *n.* 〖해사〗 작은 밧줄 고리, 밧줄 매듭.

Beck·ett [békit] *n.* **Samuel ~** 베켓《프랑스에서 산 아일랜드 소설가 · 극작가; Nobel 문학상 수상(1969); 1906–89》.

beck·on [békən] *vt.* **1** 《~+[목]/+[목]+*to* do/+[목]+[부]》 손짓〔고갯짓, 몸짓〕으로 부르다; (머리 · 손 따위로) …에게 신호하다《*to*》: He *~ed* (*to*) me *to* come in. 내게 들어오라고 손짓〔신호〕했다 / He *~ed* us *in*. 그는 우리를 불러들였다. **2** 유인〔유혹〕하다. — *vi.* 《+[전]+[명]》 손짓하여 부르다; 신호하다《*to*》: I ran to the side and *~ed to* John. 나는 옆으로 달려가서 존에게 신호했다. — *n.* (고갯짓 · 손짓 · 몸짓으로 하는) 신호.

Becky [béki] *n.* 베키《여자 이름; Rebecca의 「애칭》.

be·clasp [biklǽsp, -kláːsp/-kláːsp] *vt.* (…의 둘레를) 고정시키다; 꽉 죄다.

be·cloud [bikláud] *vt.* 흐리게 하다; 어둡게 하다; (뜻을) 모호하게 하다; (의론 따위를) 혼란시키다.

†be·come [bikʌ́m] (***be·came*** [bikéim]; ***become***) *vi.* **1** 《+[보]/+*done*》 …이〔으로〕 되다: He has ~ a scientist. 그는 과학자가 되었다 / She then *became puzzled*. 그러자 그녀는 뭐가 뭔지 모르게 되었다. ★ 보어가 구(句)일 때는 become을 피하고 대신 come을 씀: *come* of age 성년에 달하다. *come* out of order 고장이 나다. **2** 오다; 생기다.

[SYN.] **become**은 이미 어떤 상태에서 다른 상태가 된 것에 대하여 씀. **be**는 미래의 일에 대

해 씀: I want to *be* a merchant. 상인이 되고 싶다. **get**은 '점차 …로 되다'라는 과정을 생각하고 있어, become이 문어적인 데 대하여 구어적이며 대화체로 많이 쓰임. **grow**도 역시 과정에 중점을 두고 있으나 get 보다도 약간 문어적임. **make** '발달하여 …되다'의 뜻으로 소질을 지닌 사람 · 물건이 될 때에 쓰임. 보어에 good, nice, splendid 등의 형용사를 수반하는 일이 많음: He will *make* a great scholar. 그는 위대한 학자가 될 것이다.

— *vt.* **1** …에 어울리다, …에 맞다: The new shirt ~*s* you. 새 셔츠는 네게 어울린다. **2** 〖종종 부정문으로〗 …답다: a conduct that ~*s* a gentleman 신사다운 행동 / It does*n't* ~ you to complain. 불평을 하다니 자네답지 않다.
~ ***of*** 〖의문사 what을 주어로 하여서〗 …이 (어떻게) 되다: *What* has ~ *of* (=happen to) him? 그는 어찌 되었을까; 《구어》 어디 갔을까 / I'm not sure *what* will ~ *of* him. 그런데 그는 어떻게 될는지.

be·cóm·ing *a.* 어울리는, 걸맞은, 적절한, 적당한(suitable). **—** *n.* 적당, 상응(相應); 〖철학〗 생성(生成), 전성(轉成), 전화(轉化). ㊞ ~·**ly** *ad.* ~·**ness** *n.*

bec·que·rel [bèkərél; *F.* bɛkʀɛl] *n.* 〖물리〗 베크렐《방사능의 SI 단위; 기호 Bq》.

Becquerél effèct 〖물리〗 베크렐 효과《전해액에 담근 동질(同質)의 두 전극의 조도(照度) 차에 의하여 기전력이 생기는 현상; 프랑스의 물리학자 A.H. Becquerel의 이름에서》.

Becquerél ràys 〖물리〗 베크렐선《라듐 · 우라늄 등에서 나오는 방사선》.

†**bed** [bed] *n.* **1** 침대, 침상; (가축의) 잠자리, 깔짚(litter): He is too fond of his ~. 그는 게으름뱅이다 / a ~ of sickness 병상. **2** [C,U] 취침, 숙박; 동침, 결혼, 부부 관계; 《구어》 성교(性交); 휴식 (장소): get a ~ at an inn〔a hotel〕 여관〔호텔〕에 투숙하다. **3** 모판, 화단; (굴 따위의) 양식장. **4** 병원의 환자 수용 인원. **5** 토대; 포상(砲床), 총상(銃床); (철도의) 노반(路盤), 도상(道床); 지층, 층(stratum); (벽돌 · 타일 따위의) 밑면. **6** 하천 바닥, 하상(河床); 호수 바닥. **7** 조선대(造船臺). **8** 《비유》 무덤(grave): one's narrow ~ 무덤 / a ~ of honor 전몰용사의 무덤. **9** (볼링의) 바닥면(面); (당구의) 대.
a ~ of down 〔***roses, flowers***〕 안락한 환경. ***a ~ of thorns*** 〔***nails***〕 괴로운 처지; 바늘 방석. ***be brought to ~*** (***of a child***) 아이를 낳다. ***be confined to*** one***'s ~*** 병상에 누워 있다. ***~ and board*** 숙박과 식사; 결혼 생활. ***be in ~*** 자고 있다. ***die in*** one***'s ~*** 《구어》 제명대로 살다가 죽다. ***early to ~ and early to rise*** 일찍 자고 일찍 일어나기. ***get out of ~*** 잠자리에서 일어나다. ***get up on the right*** 〔***wrong***〕 ***side of the ~*** (그 날의) 기분이 좋다〔나쁘다〕. ***go to ~*** ① 잠자리에 들다, 자다. ② (기사가) 인쇄에 넘겨지다. ③ (이성과) 동침하다《*with*》. ***have*** one***'s ~*** 출산 자리에 들다. ***jump from ~ to ~*** 《구어》 계속 여자를 갈다; 바람피우다. ***leave*** one***'s ~*** (병이

because

if, though, as 따위와 더불어 중요한 종속접속사의 하나인데, 이것들과는 달리 because가 이끄는 부사절은 주절(主節)에 앞서는 경우보다 주절 뒤에 오는 경우가 매우 많다. 그 때문에 종속접속사인데 위치의 점에서는 등위(等位)접속사 for와 동일하게 되어 일견 같은 구문을 취할 때가 많다. 원칙적으로 because는 이유 · 원인 '…이므로, …까닭에'를, for는 판단의 근거 '…한 점을 보니, …한 점을 생각하면'의 뜻을 나타내는 것으로 구별되는데, 구어적 문체에서는 for 대신 흔히 because가 쓰인다. 또 because와 for가 의미상으로는 거의 같을 때라도, I like him because he is honest. 는 It is *because he is honest* that I like him. 의 구문으로 바꿀 수 있지만 I like him, for he is honest. 는 그와 같은 구문 변화가 불가능하다.

be·cause [bikɔ́ːz, -kʌ́z/-kɔ́z, -kəz] *conj.* 〖부사절을 이끌어〗 **1** (왜냐하면) …이므로〔하므로〕, …한 이유로, …때문에: He was absent ~ he was sick. 그는 병이 나서 결석했다 / *Because* I trust him, I have appointed him. 그를 믿기 때문에 임명했다 / Why aren't you going? — *Because* I am busy. 왜 안 가지 — 바쁘기 때문입니다. ★why에 대한 대답은 언제나 because …. 단, 상대의 물음이 틀렸을 때에는 but으로 시작함: *But* I' am. 아뇨, 갑니다.
2 〖주절 뒤에서〗 …로 판단하면, …로 보아〔보니〕: The man was drunk, ~ he staggered. 그 사람은 취했었어요, 비틀거리고 있었으니까.
3 〖부정어에 수반되어〗 …라고 해서(— 은 아니다)《이 뜻의 경우 앞에 comma는 붙지 않음》: Do*n't* despise a man (only) ~ he is poorly dressed. 옷차림이 초라하다고 해서 (그것만으로) 사람을 경멸해서는 안된다 / Just ~ a man is rich, you ca*n't* say (that) he is happy. 사람이 부자라고 해서 그것만으로 행복하다고는 할 수 없다. ★because 절은 just, only, simply, chiefly 따위 정도를 나타내는 부사로 한정될 때가 많음.
4 〖명사절을 이끌어〗 …하다는 것《that을 쓰는 것이 일반적임》: The reason (why) I can't go is ~ I'm busy. 내가 갈 수 없는 이유는 바쁘기 때문이다.
all the more ~ …하기〔이기〕 때문에 더 한층〔오히려 더〕. ***none the less ~*** …임에도 불구하고 (역시), …한데도 (그래도): I like him *none the less* ~ he is too good-natured. 그는 지나치게 착하기만 한데도 도리어 호감이 간다.

SYN. **because** 이유를 논리적으로 말함. why의 질문에 대한 대답이 됨: Why were you sleeping? — *Because* I was tired. 왜 자고 있었나 — 피곤했기 때문입니다. **for** 추가적인 설명이나 판단의 근거를 나타냄: It is morning, *for* the birds are singing. 새들이 지저귀는 것을 보니 아침이다《판단의 근거》. **as, since** 이유를 정면으로 설명한다기 보다, 부수적으로 말함. 어조상, 담화적(談話的)인 분위기를 내기 위해서 곁들이는 수도 있음: *As* 〔*Since*〕 I was tired, I was sleeping. 피곤해서 잠 좀 자고 있었다. **inasmuch as** 양보적, 다소 변명적 기분이 있음: *Inasmuch as* I was tired, it seemed best to sleep. (싫은 일을 했어야 했는데) 피로했기에 자는 것이 제일이라고 생각됐다.

— *ad.* 〖다음 관용구로〗 ***~ of*** …한〔의〕 이유로, …때문에(owing to): We changed our plans ~ *of* her late arrival. 그녀가 지각했기 때문에 계획을 바꿨다《... because she arrived late가 구어적임》.

나아서) 자리를 털고 일어나다. ***lie in*** [***on***] ***the*** ~ ***one has made*** 자기가 한 일에 책임을 지다 (⇨ make a [the, one's] ~). ***make a*** [***the, one's***] ~ 잠자리를 깔다[개다]: As you *make your* ~, so you must lie in [upon] it. =One must *lie in* [*on*] *the* ~ one *has made*. 《속담》 자기가 뿌린 씨는 자기가 거둬야 한다. ***make up a*** ~ 새 잠자리를 마련하다, 임시 잠자리를 준비하다. ***put to*** ~ (아이를) 재우다; 인쇄기에 걸다, 인쇄에 걸기 전에 마무리하다. ***take to*** one's ~ 몸져눕다. ***wet the*** [***one's***] ~ (아이가) 자면서 오줌을 싸다.

— (***-dd-***) *vt.* **1** 재우다. **2** 《+[목]+[부]》 재워 주다 《*down*》. **3** 《~+[목]/+[목]+[부]/+[목]+[전]+[명]》 (외양간에) 깔짚을 깔아 주다《*down*》: He ~*ded down* his horse *with* straw. 말에게 짚을 깔아 주었다. **4 a** 《~+[목]/+[목]+[부]》 화단[묘판]에 심다《*out*》: ~*out* geraniums 양아욱을 화단에 심다. **b** 《+[목]+[전]+[명]》 …을 심다《*in*》: These tulips should be ~*ded in* rich soil. 이 튤립은 기름진 땅에 심어야 한다. **5** 《~+[목]/+[목]+[전]+[명]》 (돌·벽돌 따위를) 반반하게 놓다, 쌓아 올리다《*in*》: ~ bricks *in* mortar 벽돌을 모르타르로 쌓아 올리다. **6** 《+[목]+[전]+[명]》 〖~ oneself〗 (…에) 박히다, 묻히다《*in*》: The ballet ~*ded* it*self in* the wall. 총알이 벽에 박혔다. **7** 성교하다. — *vi.* **1** 《~/+[부]》 자다(~ down): be accustomed to ~ *early* 일찍 자는 버릇에 익숙해지다. **2** 《+[부]/+[전]+[명]》 《구어》 동침하다, (남녀가) 동거하다《*down; with*》. **3** (…위에) 자리잡다[놓이다], 앉다《*on*》: ~ well [ill] 자리가 편하다[불편하다]. **4** 묻히다, 박히다 《*in*》; 〖지학〗 지층을 형성하다.

B.Ed. Bachelor of Education.

be·dab·ble [bidǽbəl] *vt.* (물 따위를) 튀겨서 더럽히다《*with*》: His clothes were ~*d with* paint. 그는 페인트가 튀어 옷을 버렸다.

be·dad [bidǽd] *int.* 《Ir.》 =BEGAD.

béd and bòard 숙식(宿食); 〖법률〗 부부가 침식을 같이 하는 일[의무], 부부 동거(의 의무): divorce from ~ 〖미법률〗 (혼인관계는 유지하는) 부부 별거/She separated from ~. 그녀는 남편과 별거했다《혼인관계는 유지》.

béd-and-bréakfast [-ən-] *n.* 《영》 아침밥을 제공하는 민박《b. and b.》.

be·dash [bidǽʃ] *vt.* …에 온통 뿌리다[치다] 《*with*》; (비가) 세차게 때리다; 산산이 부수다.

be·daub [bidɔ́:b] *vt.* 처덕처덕 바르다, 마구 칠하다, 매대기치다; 더럽히다《*with*》; 지나치게 꾸미다; 처바르다《*with*》.

be·daze [bidéiz] *vt.* 현혹시키다.

be·daz·zle [bidǽzəl] *vt.* 현혹시키다; 눈이 어두워지게 하다. [파] **~·ment** *n.* [U]

béd bàth =BLANKET BATH.

béd bòard 베드 보드《베드스프링과 매트리스 사이의 딱딱한 얇은 판자》.

béd·bùg *n.* 〖곤충〗 빈대; 《미속어》 (풀먼(Pullman) 열차의) 포터; 짐꾼.

bédbug háuler 《미·CB속어》 이삿짐 운반차 (moving van).

béd·chàmber *n.* 《미·영고어》 침실.

béd chèck 〖미군사〗 취침 점호.

***bed·clothes** [bédklòuðz, bédklòuðz] *n. pl.* 침구《침대용 시트·담요 따위》.

béd·còver *n.* 침대 커버(bedspread).

béd-cùrtain *n.* 침대 둘레에 드리운 커튼.

bed·da·ble [bédəbəl] *a.* 같이 자고 싶어지는, 성적 매력이 있는; 《속어》 (아무 남자와도) 쉽게 동침하는.

bed·ded [bédid] *a.* 〖지학〗 층상(層狀)의(stratified).

bed·der [bédər] *n.* 자리[깔짚] 까는 사람; 화단용의 화초; (Cambridge 대학의) 침실 담당 사환(bedmaker).

***bed·ding** [bédiŋ] *n.* [U] 침구《담요·시트 따위》; (가축의) 깔짚; (꽃·나무의) 밀식(密植); 〖건축〗 토대, 기반; 〖지학〗 층리(層理), 성층(成層) (stratification). — *a.* 화단용의: ~ plants.

bédding plàne 층리면(面)《퇴적암 내부의》.

bédding plànt 화단용 화초(bedder).

bed·dy-bye [bédibài] *n.* (어린이 등에 익살로) 침대; 잘 시간; 자장(sleep): Come, ~! 아가, 이젠 잘 시간이지.

be·deck [bidék] *vt.* (화려하게) 꾸미다, 장식하다: ~*ed* with flowers 꽃으로 꾸며져.

bed·e·guar, -gar [bédigɑ̀:r] *n.* (오배자벌레 따위에 의해 생기는) 장미의 벌레혹.

be·del(l) [bí:dəl/bidél] *n.* (명예) 총장의 권표(權標)를 받들어 드는 속관(屬官)(beadle)《Oxford 및 Cambridge 대학의》.

bede(s)man ⇨ BEADSMAN.

be·dev·il [bidévəl] (***-l-***, 《영》 ***-ll-***) *vt.* **1** (의혹·동요·걱정 등으로) …을 몹시 괴롭히다. **2** …을 귀신 들리게[씌게] 하다. **3** 혼란시키다, 엉망으로 만들다. **4** …에게 붙어 떨어지지 않다, 늘 곤란케 하다. **5** 개악하다. [파] **~·ment** *n.* [U] 귀신들림, 광란; 고민.

be·dew [bidjú:/-djú:] *vt.* 이슬[눈물]로 적시다.

béd·fàst *a.* (병으로) 자리 보전을 하고 있는 (bedridden).

béd·fèllow *n.* 잠자리를 함께 하는 사람; 아내; (특히, 일시적인) 동료(associate), 친구: an awkward ~ 까다로운 사람.

Bed·ford [bédfərd] *n.* 베드퍼드. **1** 남자 이름. **2** Bedfordshire의 주도.

Bédford córd 코르덴 비슷한 톡톡한 천.

Bed·ford·shire [bédfərdʃìər, -ʃər] *n.* 잉글랜드 중부의 주《생략: Beds.》. ***go to*** ~ 《소아어》 코하다, 자다.

béd·fràme *n.* 침대틀《bedrail, headboard 및 footboard로 이루어짐》.

béd·gòwn *n.* (여성의) 잠옷.

béd-hòp *vi.* 《구어》 계속 애인을 바꾸다.

béd·hòuse *n.* 《미속어》 사창굴.

be·dight [bidáit] (~, **~·ed**) *vt.* 《고어·시어》 꾸미다, 장식[치장]하다.

be·dim [bidím] (***-mm-***) *vt.* (눈·마음을) 흐리게 하다, 몽롱하게 하다.

be·di·zen [bidáizn, -dízn] *vt.* 《고어·문어》 야하게[현란하게] 꾸미다《*with*》. [파] **~·ment** *n.*

béd jàcket 여성용 잠옷《나이트 가운 위에 입는 짧고 느슨한 재킷》.

béd jòint 가로[수평] 줄눈《돌·벽돌을 쌓을 때 그 밑에 수평으로 까는 모르타르》.

béd·kèy *n.* 침대용 스패너.

bed·lam [bédləm] *n.* 소란한 장소; 대혼란, 수라장; 《고어》 정신 병원(madhouse); (B–) 런던의 St. Mary of Bethlehem 정신 병원. — *a.* 미친, 광기의, 소란한. [파] **-lam·ite** [-ləmàit] *n.* 《고어》 미치광이, 광인.

béd·làmp *n.* (머리맡의) 베드램프.

béd lìnen 시트와 베갯잇.

Béd·ling·ton (**térrier**) [bédliŋtən(-)] 베들링턴 테리어《영국산의 털이 거친 테리어》.

Béd·loe's Ísland [bédlouz-] 베들로 섬《자유의 여신상이 있으며 1965년에 Liberty Island로 고침》.

béd·màker *n.* **1** 《영》 침실 담당 사환《Oxford, Cambridge 대학의》. **2** 침대 제작자.

béd·màking *n.* 침상 정돈; 침대 제작.

béd·màte *n.* 동침자, 아내, 남편; 정부(情婦),

정부(情夫). 「시리받이.
béd mòld(ing) 〖건축〗 (장식용 띠 모양의) 쇠
béd of náils 《영》 몹시 곤란한 입장, 매우 편치 않은 상황, 바늘 방석.
Bed·(o)u·in [béduin, bédwin/-duin] (*pl.* ~, ~s) *n.* 베두인 사람《사막 지대에서 유목 생활을 하는 아랍인》; 유목민, 방랑자. **—** *a.* 베두인 사람의; 유목민의.
béd·pàd *n.* 베드패드《매트리스와 시트 사이에 까는》.
「爐」, 탕파.
béd·pàn *n.* (환자용) 변기; (침대용) 각로(脚
béd·plàte *n.* (기계 설치용) 대(臺), 받침대.
béd·pòst *n.* (네 귀의) 침대 기둥, 침대 다리; (*pl.*) 《속어》 〖볼링〗 7·10핀이 남는 스플릿(split). ***between you and me and the*** ~ 우리만의 이야기인데, 내밀히. ***in the twinkling of a*** ~ 삽시간에, 즉석에서.
béd·quìlt *n.* 침대용 이불. 「히다.
be·drab·ble [bidrǽbəl] *vt.* 비〔흙탕물〕로 더럽
be·drag·gle [bidrǽgəl] *vt.* (옷자락 따위를) 질질 끌어 적시다〔흙투성이로 하다〕, 더럽히다. ㊕ ~d *a.* (구정물 따위로) 더럽힌.
béd·ràil *n.* 침대의 가로널.
be·drench [bidréntʃ] *vt.* 흠뻑 적시다.
béd rèst (결핵 환자 등이) 누워 요양하기.
béd·rìd(den) *a.* 몸져 누워 있는, 누워서만 지내는《환자·노쇠자 따위》; 《비유》 노후한, 낡은.
béd·ròck *n.* Ⓤ,Ⓒ 〖지학〗 기반(基盤)(암), 암상(岩床); 기초(foundation); 최하부; 최하 가격; 기본 원리. ***be at*** ~ (재고 따위가) 바닥이 나다. ***get*** 〔***come***〕 ***down to the*** ~ 《구어》 진상을 규명하다; 《미속어》 빈털터리가 되다. **—** *a.* 밑바탕의; 최저의; 공고한: the ~ price 《미》 바닥 시세.
béd·ròll *n.* 침낭(寢囊).
***bed·room** [bédrù:m, bédrùm] *n.* 침실. **—** *a.* 성적(性的)인; 침실(용)의; 통근자가 거주하는: ~ slippers (보통) 슬리퍼 / a ~ town 〔community〕 (대도시 주변의) 베드타운.
bédroom súburb 〔**commúnity**〕 《미》 교외 주택지(dormitory suburb).
bédroom èyes 색정에 찬 눈길.
Beds. [bedz] Bedfordshire.
béd shèet 시트.
***bed·side** [bédsàid] *n.* 침대 곁, 베갯머리, 머리맡《특히 환자의》: be at 〔sit by〕 a person's ~ 아무의 머리맡에서 시중들다. **—** *a.* 베갯머리의, 침대 곁의, 임상(臨床)의.
bédside mánner **1** (의사의) 환자 다루기: have a good ~ (의사가) 환자를 잘 다루다; 《비유》 (남을) 거스르지 않다. **2** 붙임성 있는 태도.
béd-sìt *vi.* 《영》 bed-sitter에서 살다. **—** *n.* 《영》 = BED-SITTER.
béd-sìtter *n.* 《영》 = BED-SITTING ROOM.
béd-sítting ròom 《영》 침실겸 거실.
béd·sòck *n.* 침대용 긴 양말.
bed·so·nia [bedsóuniə] (*pl.* ~s, **-ni·ae** [-niài]) *n.* 베드소니아《관절염·트라코마 따위의 병원체》.
béd·sòre *n.* 〖의학〗 욕창(褥瘡).
béd·spàce *n.* (호텔·병원 따위의) 침대수.
béd·sprèad *n.* 침대 커버.
béd·sprìng *n.* (침대의) 스프링. **—** *a.* 침대 스프링 모양의《안테나》.
◇béd·stèad *n.* 침대틀〔프레임〕.
béd·stràw *n.* Ⓤ 갈퀴덩굴속(屬)의 식물; 깔짚, 욧속의 짚. 「이블.
béd tàble 침대 곁에 두는 작은 탁자, 나이트 테
béd tèa 잠에서 갓깬 손님에게 내는 아침차.
béd·tìck *n.* 요껍데기, 베갯잇; 《영해군속어·경멸》 미국 국기.
◇béd·tìme *n.* Ⓤ 취침 시간, 잘 시각: ~ stories 옛날 이야기, 동화; 재미는 있으나 미덥지 못한 이야기〔설명〕.

béd·ward(s) [-wərd(z)] *ad.* 침상 쪽으로; 잘 시간 가까이(towards bedtime).
béd·wètting *n.* Ⓤ 잠자다 오줌싸기, 야뇨증.
béd·wòrthy *a.* = BEDDABLE.
†bee [bi:] *n.* **1** 꿀벌; 〖일반적〗 벌; 일꾼: work like a ~ (벌처럼) 열심히 일하다 / swarm like ~s 밀집하다. **2** 시인, 미문가(美文家). **3** 《미》 (일·오락·경쟁을 위한) 회합, 모임. **4** 《미속어》 성냥갑(匣) 하나 분량의 마약《판매 단위》. ***a busy*** ~ 《구어》 되게 바쁜 사람. ***a queen*** 〔***working***〕 ~ 여왕〔일〕벌. (***as***) ***busy as a*** ~ 몹시 바쁜. ~***s*** (***and money***) 〖운율〗 《속어》 돈(money). ***have a*** ~ ***in*** one's ***bonnet*** 〔***head***〕 (***about*** something) 《구어》 ① 어떤〔한 가지〕 생각에 골똘하다, 뭔가를 골똘히 생각하다. ② 머리가 좀 이상해지다〔돌다〕. ***put the*** ~ ***on*** 《미속어》 돈〔기부금〕을 조르다, 돈을 꾸다, …을 귀찮게 부탁하다.
BEE, B.E.E. Bachelor of Electrical Engineering.
Beeb [bi:b] *n.* (the ~) 《영구어》 B.B.C. 방송.
bee·bee [bí:bì:] *n.* 공기총(銃), BB총(= ∠ gùn). 「《유럽산(産)》.
bée bèetle 〖곤충〗 벌집에 꾀는 작은 딱정벌레
bée bìrd 〖조류〗 딱새류《꿀벌을 포식함》.
bée·brèad *n.* 꿀벌이 새끼벌에게 주는 먹이《꽃가루와 꿀로 만든 것》.
◇beech [bi:tʃ] *n.* Ⓒ 너도밤나무; Ⓤ 그 목재. ㊕ ~en [-ən] *a.*
béech màrten 〖동물〗 흰담비(stone marten).
béech màst 너도밤나무 열매《특히 땅에 흐트러진》.
béech·nùt *n.* 너도밤나무 열매《식용》.
béech·wòod *n.* 너도밤나무 목재.
bée-èater *n.* = BEE BIRD.
beef** [bi:f] *n.* **1** Ⓤ 쇠고기; 고기: horse ~ 말고기. **2** (*pl.* ***beeves [bi:vz]) 육우(肉牛). **3** Ⓤ 《구어》 근육; 체력; 《구어》 살집, 몸무게: ~ to the heels 너무 살쪄서 / You need to put on more ~. 넌 살이 좀 쪄야겠다. **4** (*pl.* ~***s***) 《속어》 불평, 불만: a ~ session 불평 모임 / I have a ~ about that. 그것에 대해선 불만이 있다. ***put*** ~ ***into ...*** 《속어》 …에 힘을 쏟다: *put* too much ~ *into* a stroke 타구(打球)에 너무 힘을 들이다 / *Put* some ~ *into* it! 열심히 일해라.

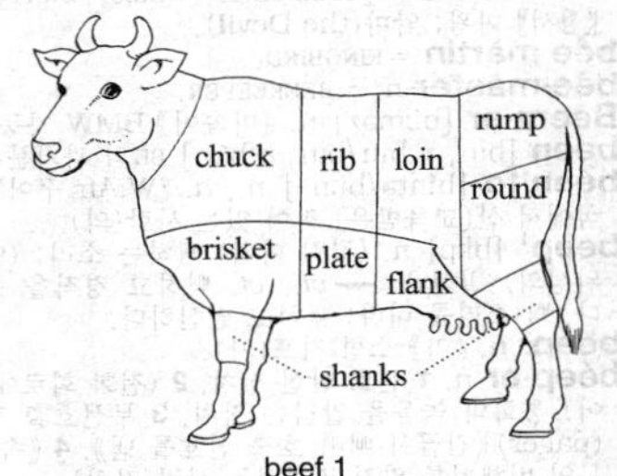

beef 1

— *vt.* (소를) 살찌우다; (소를) 도살하다. **—** *vi.* **1** 《~/+전+명》 《속어》 불평하다《*about*》; 흠잡다: ~ *about* extra night work 밤의 잔업을 불평하다. **2** 《미속어》 실패하다. ~ ***up*** 《구어》 강화〔보강〕하다; …에 큰 돈을 들이다; (소를) 도살하다; (군인이) 학살하다.
beef·a·lo [bí:fəlòu] (*pl.* ~(e)s) *n.* 비펄로《들소와 축우의 교배 품종; 육우》.

béef Bour·gui·gnón [-bùərginjɔ́:n; *F.* burgiɲɔ̃] = BOEUF BOURGUIGNON.
béef·bùrger *n.* 쇠고기 햄버거.
béef·càke *n.* 《미속어》 **1** (남성의) 육체미 사진 (cf. cheesecake). **2** (a piece of ~) 늠름한 사내, 육체미의 남자. **3** 근육이 늠름한 체격.
béef·cak·e·ry [-kèikəri] *n.* 《미속어》 beefcake 사진술.
béef càttle 《집합적》 육우. cf. dairy cattle.
béef·èater *n.* **1** 쇠고기를 먹는 사람; 몸이 다부진 근육질의 사람. **2** 영국왕의 근위병; 런던탑의 수위. **3** 《미속어》 영국인.
béef èxtract (쇠)고기 정(精).
beef·ish[1] [bí:fiʃ] *a.* (사람이) 늠름한; (영국인이) 쇠고기를 먹는.
bee·fish[2] [bí:fiʃ] *n.* 저민 쇠고기와 다진 어육을 섞은 것《햄버거용》.
bée flỳ 〖곤충〗 등에의 일종《꿀벌 비슷한》.
béef-squàd *n.* 《미속어》 (고용된) 폭력단.
béef·stèak *n.* 두껍게 저민 쇠고깃점, 〖요리〗 비프스테이크.
béefsteak tomáto 비프스테이크 토마토《과육이 많고 열매가 큰 토마토의 총칭》.
béef téa 진한 (쇠)고기 수프《환자용》.
béef trùst 《미속어》 거인들만의 합창단〔야구팀 · 축구팀〕.
béef-wìtted [-id] *a.* 어리석은, 둔한. ㊕ **~·ly** *ad.* **~·ness** *n.* 「색의 목재.
béef·wòod *n.* Ⓤ 오스트레일리아산(產) 붉은
beefy [bí:fi] (**beef·i·er; -i·est**) *a.* 건장〔뚱뚱〕한, 옹골찬; 굼뜬(stolid); 《영학생속어》 (성적이) 그저 그만한. ㊕ **béef·i·ness** *n.*
bée gùm 《미중남부》 고무나무《꿀벌이 집을 지음》; 꿀벌의 집.
bée·hìve *n.* (꿀벌의) 벌집, 벌통; 사람이 붐비는 장소(crowded place).
Béehive Státe (the ~) Utah 주의 별칭.
bée·hòuse *n.* 양봉장(場)(apiary).
bée·kèeper *n.* 양봉가(家)(apiarist).
bée·kèeping *n.* 양봉(養蜂).
bée·lìne *n.* 직선; 최단 코스〔거리〕. ***in a* ~** 일직선으로. ***take* 〔*make*〕 *a* ~ *for*** 《구어》 …로 똑바로 가다. **—** *vi.* 《미구어》 똑바로 나아가다(~ it).
bée-lìner *n.* 〖야구〗 좀 낮은 직구.
Be·el·ze·bub [bi:élzəbʌ̀b, bí:lzə-/biél-] *n.* 〖성서〗 마왕; 악마(the Devil).
bée màrtin = KINGBIRD.
bée·màster *n.* = BEEKEEPER.
Beem·er [bí:mər] *n.* 《미속어》 BMW 자동차.
been [bin, 강 bín/bin, 강 bí:n] BE의 과거분사.
béen·to [bíntə/bí:n-] *n.*, *a.* 《W.Afr.구어》 영국에서 산〔교육받은〕 적이 있는 사람(의).
beep[1] [bi:p] *n.* (경적 따위) 삑하는 소리; (인공위성의) 발신음. **—** *vi.*, *vt.* 삑하고 경적을 울리다, 삑 소리를 내다; 삑하고 발신하다.
beep[2] *n.* 《미》 소형 지프(차).
béep·er *n.* **1** 신호 발신 장치. **2** (전화 회로에 넣어) 통화의 녹음을 알리는 장치. **3** 무선호출 장치(pager)《긴급시 삐삐 호출 신호를 냄》. **4** 《속어》 무인 비행기를 원격 조종하는 사람〔장치〕.
béeper bòx 무선 호출 장치《긴급한 호출이 있을 때 삑하고 신호음을 냄》. 「하는》.
bée plànt 양봉(養蜂) 식물《꿀벌에게 꿀을 공급
****beer** [biər] *n.* **1** Ⓤ 맥주《종류를 말할 때는 Ⓒ 취급》: double ~ 독한 맥주/black ~ 흑맥주/draft ~=~ on draft〔draught〕 생(生)맥주/⇨ SMALL BEER. **2** Ⓤ (알코올분이 적은) 음료: root ~ 루트 비어《식물 뿌리로 만든 청량음료》/ginger ~ 진저 비어. **3** Ⓒ 맥주 한 잔(a drink of ~): order a ~. ***in* ~** 맥주에 취하여; 거나하여. ***Life is not all* ~ *and skittles.*** ⇨ SKITTLE. ***on the* ~** 《속어》 늘 맥주〔술〕에 젖어; 《속어》 마시고 떠들어.
beer·age [bíəridʒ] *n.* 《속어》 (the ~) (귀족이 된) 양조업자〔업계〕; 《경멸》 영국 귀족 (계급).
béer bèlly 《미속어》 북통 같은 배; 배불뚝이.
béer bùst 〔**bùrst**〕 《미속어》 맥주 파티.
béer cèllar (지하의) 맥주 저장실; (지하의) 비어홀.
béer ѐngine = BEER PUMP.
béer gàrden 비어 가든《옥외에서 맥주 · 청량음료 등을 파는 가게》.
béer gùt 《구어》 = BEER BELLY.
béer hàll 비어 홀, 맥줏집.
béer·hòuse *n.* 《영》 비어 홀.
beer·i·ly [bíərəli] *ad.* 맥주에 취하여.
béer jòint 《속어》 선술집(tavern). 「용돈, 술값.
béer mòney 《영구어》 행하, 술값; (남편들의)
béer·pùll *n.* = BEER PUMP; 그 손잡이.
béer pùmp (지하실의 술통에서) 맥주를 자아 올리는 펌프.
Beer·she·ba [biərʃí:bə, bíərʃə-] *n.* Israel의 남부 도시. ***from Dan to* ~** ⇨ DAN.
béer·shòp *n.* 〖영법률〗 (가게 안에서는 마시지 못하는) 맥주 판매점.
béer-ùp *n.* 《Austral. 속어》 주연, 술잔치. **—** *vt.* 《미속어》 맥주를 퍼마시다.
beery [bíəri] (**beer·i·er; -i·est**) *a.* 맥주의, 맥주로 얼큰한, 맥주 냄새가 나는; 맥주로 맛을 낸. ㊕ **béer·i·ness** *n.*
bée's knées **1** (the ~) 〖단수취급〗 《구어》 뛰어나게 좋은 것〔일〕; 가장 탁월한 사람. **2** 비즈니즈《레몬주스 · 진 · 벌꿀로 만든 칵테일의 하나》.
beestings ⇨ BEASTINGS.
bées·wàx *n.* Ⓤ 밀(랍); 《소아어 · 속어》 = BUSINESS: None of your ~. 네 알 바 아니다. **—** *vt.* …에 밀(랍)을 바르다〔먹이다〕, 밀랍으로 닦다.
bées·wìng *n.* (묵은 포도주 위의) 얇은 더껑이.
°beet [bi:t] *n.* 〖식물〗 비트《근대 · 사탕무 따위》; 《미》 = BEETROOT: the red ~ = BEETRADISH/the white 〔sugar〕 ~ 사탕무. ***go to* ~ *red*** (얼굴이) 홍당무가 되다. ㊕ **~·lìke** *a.*

beet

Bee·tho·ven [béitouvən] *n.* **Ludwig van ~** 베토벤《독일의 작곡가; 1770-1827》.
***bee·tle**[1] [bí:tl] *n.* **1** 투구벌레(류), 딱정벌레. **2** 근시(近視) 《사람》. **3** (B-) 《속어》 = VOLKSWAGEN. **4** 《미속어》 첨단을 걷는 여성; 《미속어》 경주마(馬). **(*as*) *blind as a* ~** 지독히 근시안의; 《비유》 투미한. **—** *vi.* 《~/+副》 《구어》 (눈알 따위가) 바쁘게 움직이다; 《영속어》 급히 가다, 허둥지둥 달리다《*off; along*》: I'll ~ *off* home. 서둘러 귀가할 겁니다.
bee·tle[2] *n.* 메, 큰 망치, 달구; 막자, 공이. **—** *vt.* (메 · 공이 따위로) 치다.
bee·tle[3] *vi.* (눈썹 · 벼랑 따위가) 튀어나오다(overhang). **—** *a.* 불쑥 나온; 털이 짙은《눈썹 따위》; 찡그린 얼굴의: ~ brows 굵은 눈썹; 찌푸린 눈살〔얼굴〕.
béetle·bràin *n.* = BEETLEHEAD.
béetle-bròwed *a.* 눈썹이 굵은, 짙은 눈썹의; 상을 찌푸린, 뚱한(sullen).
béetle-crùsher *n.* 큰 장화; 큰 발(의 사람); 《영》 경관.
béetle·hèad *n.* 얼간이. ㊕ **~·ed** [-id] *a.*

bee·tling [bí:tliŋ] *a.* 《아어》 툭〔불쑥〕 나온 (beetle)《벼랑·눈썹·고층 빌딩 따위》.
béet·ràdish *n.* 홍당무《샐러드용》.
béet·ròot *n.* 《영》 비트 뿌리《샐러드용》. (**as**) ***red as a*** ~ (부끄러워) 얼굴이 홍당무가 되어.
béet sùgar 사탕무로 만든 설탕, 첨채당(甛菜糖).
beeves [bi:vz] BEEF 2의 복수.
bee·wy [bí:wai] *n.* 《미속어》 돈, 《특히》 잔돈.
bée·yàrd *n.* =APIARY.
bee·zer [bí:zər] *n.* 《속어》 코; 사람, 놈.
B.E.F. British Expeditionary Force(s). **bef.** before.
◇**be·fall** [bifɔ́:l] (***be·fell*** [bifél]; ***be·fall·en*** [bifɔ́:lən]) *vi.* **1** 《~/+전+명/+*that*절》 (…의 신상에) 일어나다, 생기다, 닥치다《*to*》, (…할) 운명이 되다: A misfortune *befell to* his sister. 그의 누이에게 불행한 일이 닥쳤다/It so *befell that* he could not go with them. 그는 그들과 함께 갈 수(가) 없게 되었다. **2** 《고어》 (…에게) 속하다, (…의) 소유물이 되다《*to*》. **—** *vt.* (…의 신상)에 일어나다, 미치다, 닥치다(happen to): Be careful that no harm may ~ you. 해를 입지 않도록 조심해라.
be·fit [bifít] (***-tt-***) *vt.* …에 적합하다, …에 걸맞다; …에 어울리다: It ill ~*s* 〔It does not ~〕 a person to do. …하는 것은 아무에게 걸맞지 않다. ◇ fit *a.* ***as ~ted*** (his family background) (그의 가문에) 걸맞게.
be·fít·ting *a.* 어울리는, 상응하는, 알맞은(proper)《*to*》. ㊞ **~·ly** *ad.*
be·flag [biflǽg] *vt.* 많은 기(旗)로 장식하다.
be·flow·er [bifláuər] *vt.* 꽃으로 장식하다, …에 꽃을 뿌리다.
be·fog [bifág, -fɔ́:g/-fɔ́g] (***-gg-***) *vt.* 안개로 덮다〔가리다〕; (문제·진상을) 흐리게 하다(obscure); 어리둥절하게 하다, 얼떨떨하게 하다 (bewilder).
be·fool [bifú:l] *vt.* 놀리다, 조롱〔우롱〕하다, 바보 취급하다; 속이다.
†**before** ⇨《p. 238》 BEFORE.
◇**befóre·hànd** *ad.*, *a.* 〖형용사로는 서술적〗 **1** 미리, 사전에, 전부터: Let me know ~. 미리 알려주시오/have nothing ~ (돈 따위를) 미리 준비해 두지 않다. **2** (그때보다) 전에(는). **3** 지레짐작으로. ***be ~ with*** …에 미리 대비하다; …의 기선을 제압하다, 앞지르다. ***be ~ with the world*** 《고어》 현금을 소지하다, 옹색하지 않다. ㊞ **~·edness** *n.*
befóre-tàx *a.* 세금을 공제하기 전의(cf. after-tax): a ~ income 세금을 빼지 않은 수입.
befóre·tìme *ad.* 《고어》 옛날(에는)(formerly).
be·foul [bifául] *vt.* (이름·명예 따위를) 더럽히다; 헐뜯다, 깎아 내리다, 중상하다. ㊞ **~·er** *n.* **~·ness** *n.*
be·friend [bifrénd] *vt.* …의 친구가 되다, …와 사귀다; …에(게) 편들다, 돕다, …을 돌봐주다. ◇ friend *n.*
be·fud·dle [bifʌ́dl] *vt.* **1** 억병으로 취하게 하다《*with*》. **2** 어리둥절하게〔당황하게〕 하다《*with*》. ㊞ **~·ment** *n.*
be·furred [bifɔ́:rd] *a.* 털가죽 장식을 단.
‡**beg** [beg] (***-gg-***) *vt.* **1** 《~+목/+목+전+명》 (먹고 입을 것·돈·허가·은혜 따위를) 빌다, 구하다《*from; of*》: ~ forgiveness 용서를 빌다/He ~*ged* money *from* people passing by. 그는 지나가는 사람들에게 돈을 달라고 빌었다/I ~ a favor *of* you. 부탁이 있습니다. **2** 《+목+전+명/+목+*to* do/+*to* do/+*that*절》 …에게 간절히 바라다: I ~ you *to* sit down. 앉으시기 바랍니다/I ~ you *to* be very attentive. 부디 주의해서 들어주시기 바랍니다/I ~ *that* you will tell the truth. 부디 사실을 말씀해 주십시오.

> SYN. **beg** 무엇을 부탁할 때의 공손한 말씨. '빌다': I *beg* your pardon. 실례합니다. **entreat** 호소하듯 설득하면서 부탁하다. **implore** 탄원하듯이 간절히 부탁하다. **request** 정중한 명령에 많이 사용: You are *requested* to report. 출두하시오. **solicit** 무엇을 부탁할 때의 정중하고 딱딱한 표현: We *solicit* your aid. 귀하의 원조를 간절히 바라나이다.

3 (문제·요점을) 회피하다, …에 답하지 않다. **—** *vi.* **1** 《~/+전+명》 청하다, 빌다; 구걸〔비럭질〕하다《*for*》: ~ from door to door 가가호호 구걸하고 다니다/~ *for* food 음식을 구걸〔청〕하다. **2** 《+전+명+*to* do》 (…에게) 부탁하다, 간청하다《*of*》: I ~ *of* you not *to* say it again. 제발 두 번 다시(는) 그 말을 하지 말아 주시오.

> NOTE I *begged* (*of*) Mary to stay on for another week. 메리에게 1주일만 더 있어 달라고 부탁(을) 했다. I *begged for* Mary to stay on for another week. 메리를 1주일만 더 묵게 해 달라고 (딴 사람에게) 부탁했다.

3 (개가) 뒷발로 서다: *Beg!* (개를 보고) 뒷발로 섯. **~** (***for***) ***one's bread*** 빌어먹다. **~ *off*** 《*vi.*+부》 ① (…을) 핑계를 대어 거절하다《*from*》: He ~*ged off from* going. 그는 핑계를 대어 가기를 거절했다. **—**《*vt.*+부》 ② (간청해서 의무 등을) 면제받게 하다《*from*》: I'll ~ you *off from* going. 자네는 가지 않도록 부탁해두지. ***~ the question*** 〔***point***〕 〖논리〗 문제점을 증명하지 않은 채 진(眞)이라 가정하고 논하다; 논점을 교묘하게 회피하다. ***Beg*** 〔***I ~***〕 ***your pardon.*** 미안합니다. ★ 올림조로 말할 경우에는 '다시 한 번 말씀해 주십시오'의 뜻. ***go ~ging*** ① 구걸하고 다니다. ② 살〔맡을〕 사람이 없다: These jobs don't *go ~ging*. 이런 일들은 맡을 사람이 많다.
be·gad [bigǽd] *int.* 《구어》 당치도 않은 소리, 천만에, 아뿔싸, 넨장(bedad). [◂ by God]
be·gan [bigǽn] BEGIN의 과거.
be·gat [bigǽt] 《고어》 BEGET의 과거.
be·gats [bigǽts] *n. pl.* 《미속어》 가계도(家系圖)《특히, 구약성서의》; 자식, 자손.
◇**be·get** [bigét] (***be·got***, 《고어》 ***be·gat; be·gotten, be·got; be·get·ting***) *vt.* **1** 〖주로 아버지를 주어로 하여〗 (아이를) 보다, 낳다. ★어머니에는 bear[1]를 씀. **2** 생기게 하다, 일으키다; (결과로서) 초래하다: Money ~*s* money. 돈이 돈을 번다/Fear is often *begotten* of guilt. 공포심은 종종 죄를 범한 데서 생긴다. ㊞ **~·ter** *n.* 낳게 하는 사람, 아비.
beg·gar** [bégər] *n.* **1** 거지; 가난뱅이; (자선 사업 따위의) 기부 모집자: a good ~ 잘 얻어내는 사람/a ~ *for* work 《구어》 일벌레/*Beggars* must not be choosers 〔《미》 choosy〕. 《속담》 빌어먹는 놈이 이밥 조밥 가리랴. **2** 《구어·우스개》 〖반어적〗 녀석; 악한; 꼬마, 아이, 애송이(fellow): Poor ~! 가엾어라/a saucy ~ 건방진 놈/You little ~! 이놈 봐라. **3** 빈털터리. ***die a ~ 객사하다. **—** *vt.* 〖종종 ~ oneself〗 **1** 거지로〔가난하게〕 만들다: ~ one*self* by betting 노름으로 알거지가 되다. **2** (표현·비교를) 무력〔빈약〕하게 하다: It ~*s* (=is beyond) (all) description. 필설로 다할 수 없다. ◇ beggarly *a.* ***I'll be ~ed if ...*** 《속어》 만약 …이면 거지가 돼도 좋다; 맹세코 …아니다〔않다〕. ㊞ **~·dom** [-dəm] *n.* 거지 패거리〔사회, 생활, 상태〕. **~·hòod** *n.*
bég·gar·ly *a.* 거지 같은, 가난한; 얼마 안 되는; 빈약한, 비천한; (지적(知的)으로) 모자라는: a

few ~ pounds 겨우 2, 3 파운드. — *ad.* 《고어》 치사하게, 비열하게(meanly). [파] **-li·ness** *n.*

béggar-my-néighbor, -your- *n.* 카드놀이의 일종《상대의 패를 다 따야 이김》. — *a.* 자기 중심적인, 보호주의적인《정책》: ~ policy 근린 궁핍화 정책.

béggar's chìcken 〚요리〛 통닭 진흙구이《닭 내장을 빼내고 여러가지 약재를 넣어 연잎으로 싼 후 진흙 속에서 구워낸 중국 요리의 하나》.

béggar('s)-lìce *n. pl.* 옷에 달라붙는 식물의 열매; 〖단·복수취급〗 그 식물《쇠무릎지기·뱀도랏 따위》.

béggar('s)-tìcks *n.* 〖단·복수취급〗 〚식물〛 **1** 국화과 가막사리속(屬)의 식물, 그 열매《가시가 있어 옷에 달라붙음》. **2** =BEGGAR('S)-LICE.

beg·gary [bégəri] *n.* [U,C] 거지 신세, 찰가난, 극빈; 〖집합적〗 거지; 거지 소굴: reduce to ~ 가난하게 만들다.

beg·ging [bégiŋ] *n.* [U] 거지 생활. — *a.* 구걸의, 기부금을 부탁하는: a ~ letter 구걸 편지, 기부금을 부탁하는 편지. [파] **~·ly** *ad.* 「호소, 동냥.

bégging bòwl 탁발승의 보시기; 원조〔구원〕의

before

부사·전치사·접속사의 세 가지로 쓰이는 주요 기능어(機能語)의 하나: We had never met *before* 〔*before* that day, *before* we were about to graduate〕. 이전(以前)에〔그날까지, 졸업하기 직전까지〕 우리는 만나본 일이 없었다.

be·fore [bifɔ́ːr] *ad.* **1** 〖위치·방향〗 앞에, 전방에; 앞(장)서《ahead를 씀이 보통임》: There were trees ~ and behind. 앞에도 뒤에도 나무가 있었다 / look ~ and after 앞뒤를 보다〔생각하다〕 / go ~ 앞(장)서서 가다.

2 〖때〗 (지금보다, 그 때보다) 이전에, 그때까지; 좀 더 일찍, 앞서: I met 〔have met〕 him ~. 그 사람은 이전에 만나본 일이 있다 / Such a thing never happened ~. 전에는 그런 일이 없었다 / I had not met him ~. 나는 그때까지 그를 만난 일이 없었다《그때가 초면이었다》 / I had met him five years ~. 나는 그를 그때부터 5년 전에 만난 일이 있다 / You should have told me so ~. 좀 더 일찍 나에게 그리 일러주었더라면 좋았을 것을.

> [NOTE] (1) before가 단독으로 쓰일 때에는 '지금보다 이전에(before now)'나 '그때보다 전에(before then)'의 뜻이 되며, 전자일 때는 과거나 현재완료에, 후자일 때는 과거완료에 씀. (2) the day before, five years before처럼 때를 나타내는 어구를 수반했을 때, before는 '그때보다 …전에'란 뜻으로, 보통 과거완료에 씀. (3) ago가 현재로부터 '전에'란 뜻임에 비해 before는 과거 어느 때부터 '전에'란 뜻임. 또, since는 ago, before 양쪽의 뜻이 있지만, 아주 오랜 과거에는 쓸 수 없음: His brother left home two years *ago* 〔since〕.

3 (정해진 시각보다) 일찍, 전에(earlier): Begin at five, not ~. 5시 정각에 시작해라 / You should have come home ~. 넌 일찍 왔어야 했어.

as* ~** 종전대로, 여느 때와 같이. ***long* ~** 훨씬 이전에. (the***) ***day*** 〔***night***〕 **~** 전날〔전날밤〕.

— *prep.* **1** 〖위치〗 **a** 〖일반적인 뜻의〗 …의 앞에, …의 면전〔안전〕에([opp] *behind*): ~ the door 문 앞에 / stand ~ the King 왕 앞에 나오다 / ~ God 하느님께 맹세코, 반드시 / ~ my very eyes 바로 내 눈앞에서; 공공연히 / He stood trembling ~ his master. 그는 주인 앞에(서) 떨며 서 있었다.

> [NOTE] before는 in front of 보다 문어적임. 뒤에 사물이 올 때엔 in front of가 자주 쓰임: *in front of* the house. 또 숙어적인 표현에서는 before가 쓰임: *before* court 법정에서.

b 〖비유적으로〗 …(앞)에: recoil ~ a shock 충격에 주춤하다 / A good idea flashed ~ my mind. 좋은 생각이 퍼뜩 머릿속에 스쳤다. **c** 〖심의·고려 등을 위해〗 …(앞)에: the problem ~ us 우리 앞에 놓인 문제 / problems ~ the meeting 회의에 제기된 문제 / The question is ~ the committee. 그 문제는 위원회에서 심의되고 있다. **d** …의 전도〔앞길〕에, …을 기다리고: His whole life is ~ him. 그의 생애는 이제부터다 / The summer holidays were ~ the children. 여름 방학이 어린이들을 기다리고 있었다. **e** …힘〔기운, 기세〕에 눌리어: bow ~ authority 권력(앞)에 굴복하다 / trees bending ~ the storm 폭풍에 나무들이 쓰러지다.

2 〖때〗 **a** …보다 전에〔먼저〕([opp] *after*): ~ dark 어두워지기 전에 / (on) the day ~ yesterday 그저께《부사구로 쓰일 때 《미》에서는 종종 the까지도 생략》 / (in) the April ~ last 재작년 4월에 (《영》에서는 종종 in을 붙임) / I haven't been here ~ now. 이제껏 여기 와 본 일이 없다 / Consult your partner ~ deciding. **b** 《미》 (…분) 전에(to): five (minutes) ~ three 세 시 5분 전(five to three)《미국에서는 of 도 씀》.

3 〖순위·우선·선택〗 …보다 앞에〔먼저〕, …에 앞서, …에 우선하여, …보다 오히려; …하느니 차라리: be ~ others in class 반에서 수석이다 / put freedom ~ fame 명성보다 자유를 중히 여기다 / The duke is ~ the earl. 공작은 백작보다 위이다 / I would die ~ yielding. 굴복하느니 차라리 죽을테다.

~ *all* (***things***) = **~ *everything*** 우선 〔다른〕 무엇보다(도). **~ *long*** 오래지 않아(서), 곧(soon).

— *conj.* **1** (아직) …하기 전에, …하기에 앞서: I got up ~ the sun rose. 나는 해뜨기 전에 일어났다 / I had not gone a mile ~ I felt tired. (불과) 1 마일도 못 가서 나는 피곤해졌다 / It will not be long ~ we meet again. 오래지 않아 우리는 다시 만날거야《before가 이끄는 절의 동사는, 의미상의 때가 미래라도 형식은 현재를 씀》.

2 〖would·will과 함께〗 … 하느니 차라리(⇨ *prep.* 3): I will die ~ I give in. 굴복하느니 차라리 죽겠다, 죽어도 항복은 안 한다 / I would die ~ I steal. 도둑질하느니 차라리 죽겠다.

3 〖형용사절을 이끌어〗 …하기 전의: The year ~ they were married he often sent her flowers. 결혼하기 전해에 그는 그녀에게 자주 꽃을 보냈다.

~ *I forget, …* 잊기 전에 말하겠는데 …: *Before I forget*, they expect you this evening. 잊기 전에 말하겠는데 저쪽에선 오늘밤 네가 오기를 바라고 있다. **~ one *has finished*** 조만간 (sooner or later)《언제나 현재완료형으로 쓰이며, 종종 비난·견책 따위의 뜻을 나타냄》. **~ one *knows*** (***where*** one ***is***) 《구어》 알지 못하는 사이에, 어느 틈〔새〕엔가. **~ *you can say Jimini Cricket*** 눈 깜짝할 사이에, 순식간에.

†**be·gin** [bigín] (**be·gan** [-gǽn]; **be·gun** [-gʌ́n]; **be·gin·ning**) *vi.* **1** 《~/+전+명》 시작되다, 시작하다, 착수(着手)하다《*at; by; on; with*》: The club *began* two years ago. 클럽은 2년 전에 설립되었다 / School ~*s* at eight thirty. 수업은 8시 30분에 시작한다 / Let's ~ *at* page 10. 10 페이지부터 시작하자 / He began *with* a joke 〔*by* scolding us〕. 그는 우선 농담부터 하고 〔우리를 야단치고 나서〕 시작했다《-ing일 때는 by》/ He *began on* a new job. 그는 새 일에 착수했다. **2** 일어나다, 나타나다, 생기다: When did life on the earth ~? 지구상의 생물은 언제 발생하였는가.
— *vt.* **1** 《~+목/+목+전+명/+*to* do /+-*ing*》 시작하다, 착수하다; 창시〔창안〕하다: He *began* his lecture *with* 〔*by* tell*ing*〕 a humorous anecdote. 그는 우스운 일화로 강의를 시작했다 《-ing일 때는 by》/ It has *begun to* rain. 비가 내리기 시작했다 / He *began* strumm*ing* his guitar. 그는 서툴게 기타를 치기 시작했다. ★ begin to do는 동작의 개시에, begin doing은 시작된 동작의 계속에 중점을 둔 표현이나 실제는 큰 차이가 없음. 다만, begin이 진행형일 때는 to do를 흔히 씀.

> SYN. **begin** 보통 쓰이는 말. **commence** 의식·소송 따위에 쓰이는 좀 딱딱한 말. **start** 마침내〔이제〕 …을 시작하다, 갑자기 시작하다: She *started* crying 〔to cry〕. 그녀는 갑자기 울기 시작했다. **initiate** (…에서) 첫발을 내딛다; …에 착수하다: *initiate* a reform 개혁에 착수하다.

2 일으키다, 창설〔개설〕하다: ~ a dynasty 왕조를 세우다. **3** 《+*to* do》《구어》〖부정어와 함께〗 전혀 (할 것 같지) 않다: I can'*t* ~ *to* tell you how much I appreciate this. 나는 이번 일을 얼마나 고맙게 여기고 있는지 당신에게 표현할 말이 없습니다.
to ~ with 〖독립부사구〗 우선 첫째로: He was poor, *to* ~ *with*. 첫째로 그는 가난했다.

⁑**be·gin·ner** [bigínər] *n.* 초심자, 초학자; 창시〔개시〕자《*of*》.

begínner's lúck (내기에서) 초심자에게 따르는 행운.

†**be·gin·ning** [bigíniŋ] *n.* **1** 처음, 최초; 시작(start), 발단; 기원(origin): the ~ *of* an affair 사건의 발단 / at the (very) ~ 최초에, 맨 처음에 / begin at the ~ 첫걸음〔처음〕부터 시작하다 / from ~ to end 처음부터 끝까지 / in the ~ 처음에, 태초에 / from the ~ 처음부터 / since the ~*s* of things 태초 이래로. SYN. ⇨ ORIGIN. **2** (보통 *pl.*) 초기(단계), 어린 시절: the ~*s of* science 과학의 초기 / rise from humble 〔modest〕 ~*s* 비천한 신분으로부터 입신하다. ***the ~ of the end*** 최후의 결과를 예시(豫示)하는 최초의 징조.

begínning rhýme 《시어》 행두운(行頭韻)《각 행(各行)의 첫머리가 압운함》(=**héad rhýme**).

be·gird [bigə́ːrd] (*p.*, *pp.* **be·girt** [-gə́ːrt], **be·gird·ed**) *vt.* 《문어》 띠로 두르다〔감다〕; 에두르다, 둘러〔에워〕싸다《*by; with*》. ★ 보통 begirt with 꼴로 명사를 수식함: a castle *begirt with* a moat 해자(垓字)를 두른 성.

be·gone [bigɔ́ːn, -gán/-gɔ́n] *vi.* 떠나다, 물러가다. ★ 보통 명령법·부정사(不定詞) 등으로 씀: *Begone!* 가, (썩) 꺼져 / Tell him to ~ immediately. 그에게 곧 떠나라고 하세요.

be·go·nia [bigóunjə, -niə] *n.* 〖식물〗 추해당, 베고니아.

be·gor·ra, -rah [bigɔ́ːrə, -gárə/bigɔ́rə] *int.* 《Ir.》 허 참, 어렵쇼, 어머나.

be·got [bigát/-gɔ́t] BEGET의 과거·과거분사.

be·got·ten [bigátn/-gɔ́tn] BEGET의 과거분사.

be·grime [bigráim] *vt.* (연기·때·검댕으로) 더럽히다《*with*》; 《비유》 부패시키다. ★ 보통 과거분사꼴로: a *begrimed* street 지저분한 거리.

be·grudge [bigrʌ́dʒ] *vt.* **1** 《~+목/+목+목》 …을 시새우다, 시기하다: ~ a person his good fortune 아무의 행운을 질시(嫉視)하다. **2** 《~+목/+목+목/+-*ing*/+*to* do》 …에게 (무엇을) 주기를 꺼리다, …을 내놓기 아까워하다; (…하기를) 싫어하다: He did not ~ his money for buying books. 그는 책을 사는 데 돈을 아끼지 않았다 / She is so stingy that she ~*s* her dog a bone. 그녀는 기르는 개에게 뼈다귀 하나 주는 것을 아까워할 정도로 노랑이다 / We don't ~ your go*ing* to Italy. 너의 이탈리아행을 반대하지 않는다 / They ~*d to* help me. 그들은 나를 돕길 꺼려했다 / No one ~*d* help*ing* him. 그를 도와주기를 싫어하는 사람은 아무도 없었다. ★ grudge 보다 뜻이 강함.

be·grúdg·ing·ly *ad.* 마지못해, 아까운 듯이.

be·guile [bigáil] *vt.* **1** 《~+목/+목+전+명》 …을 현혹시키다, 미혹시키다; …을 속이다, 기만하다; …을 속여서 …하게 하다《*into*》: ~ a person *by* flattery 감언으로 아무를 속이다 / He ~*d* me *into* consenting. 그는 나를 속여서 승낙케 했다. **2** 《+목+전+명》 …을 속여 빼앗다 《*of; out of*》: ~ John *of* 〔*out of*〕 his money 존을 속여 돈을 빼앗다. **3** 《~+목/+목+전+명》 (어린이 따위를) 기쁘게 하다, 위로하다《*with; by*》; (지루함 따위를) 잊게 하다, (시간을) 즐겁게 보내다《*with; by*》: She ~*d* her child *with* tales. 그녀는 이야기로 어린이를 기쁘게 했다 / They ~*d* their long journey *with* talk. 그들은 이야기로 긴 여행의 지루함을 달랬다. — *vi.* 갖은 수단으로 속이다. 파 **~·ment** *n.* 기만; 기분 전환. **be·guíl·er** *n.* 속이는 사람〔물건〕; (마음을) 전환시키는 사람〔물건〕. **be·guíl·ing** *a.* 속이는; 기분을 전환시키는, 재미있는.

Beg·uine [bégiːn, béigiːn, bəgíːn] *n.* 베긴회 수녀《12 세기 벨기에에서 창설》.

be·guine [bəgíːn] *n.* (the ~) 비긴《서인도 제도 Martinique섬 원주민의 bolero 조(調)의 춤》; 그 리듬(의 곡).

be·gum [bíːgəm, béi-] *n.* 《Ind.》 회교도의 왕비〔공주, 귀부인〕.

be·gun [bigʌ́n] BEGIN의 과거분사.

be·half [bihǽf, -háːf/-háːf] *n.* 〖다음 관용구로만〗 측, 편; 이익. ***in ~ of*** = ***in*** a person***'s ~*** …(의 이익)을 위하여: plead *in* ~ *of* a cause 어떤 주의를 옹호하여 변론하다 / He spoke *in* her ~. 그는 그녀를 위해 변호했다.

> SYN. **in behalf of** '편이나 이익을 나타내기 위하여', **in honor of** '…에 축의를 나타내기 위하여'의 뜻.

in this 〔***that***〕 ~ 《고어》 이것〔그것〕에 대하여, 이〔그〕 일에 관하여. ***on ~ of*** a person = ***on*** a person***'s ~*** ① (아무)의 대신으로, …을 대표하여: The captain accepted the cup *on* ~ *of* the team. 주장이 팀을 대표하여 우승배를 받았다. ② …에 관하여, …을 위하여: Don't be uneasy *on* my ~. 내 걱정은 말아 주시오 / He did much *on* ~ *of* the prisoners. 그는 죄수들을 위하여 크게 이바지했다.

⁑**be·have** [bihéiv] *vi.* **1** 《~/+전+명》 행동하다; 《특히》 예절 바르게 행동하다《*to; toward*》: children who won't ~ 버릇없는 아이들 / How did he ~ *to* 〔*toward*〕 you? 그는

너에게 어떤 태도였나 / She ~*d* well *toward* me. 그녀는 나에게 잘 해 주었다. **2** (기계 따위가 순조롭거나 순조롭지 못하게) 움직이다; (약·물건 등이) 작용하다, 반응〔성질〕을 나타내다: The airplane ~*d* well. 비행기 상태는 양호했다 / This plastic ~*s* strangely *under* extreme heat or cold. 이 플라스틱은 극열이나 극한에서는 기묘한 반응을 나타낸다. **—** *vt.* 〖~ oneself〗 행동하다: ~ one*self* like a man 사내답게 행동하다 / *Behave* your*self!* 점잖게〔얌전히〕 굴어라.

be·háved *a.* 〖복합어를 이루어〗 행동거지가 …한: well-〔ill-〕~ 행실이 좋은〔나쁜〕.

⁑**be·hav·ior,** 《영》 **-iour** [bihéivjər] *n.* Ⓤ **1** 행동, 행실; 동작, 태도; 품행. SYN. ⇨ACT. **2** (기계·자동차 등의) 움직이는 품, 움직임, 운전; (물체·물질이 나타내는) 성질, 작용, 반응. **3** 〖심리〗 (심리학의 연구 대상으로서의) 행동, 습성. ◇ behave *v.* ***be of good ~*** 〖법률〗 (복역자가) 선행을 하다. ***be on*** one***'s good*** 〔***best***〕 ***~*** 근신하고 있다, 얌전하게 있다《감시 중에》. ***during good ~*** 좋지 않은 행위가 없는 한은. ***put*** a person ***on his best ~*** 아무에게 근신을 명하다, 행동을 조심케 하다. ㊕ **~·ism** [-rìzəm] *n.* Ⓤ 〖심리〗 행동주의. **~·ist** *n., a.* 행동주의자〔적인〕. **be·hàv·ior·ís·tic** *a.* 행동주의적인.

be·hav·ior·al [bihéivjərəl] *a.* 행동의, 행동에 관한. ㊕ **~·ìsm** *n.* (behavioral science에 기초한) 인간 행동 연구(의 방법); 행동과학주의.

behávioral contágion 행동의 전염《집단 안에서 한 개인이 흐느껴 울면 그 행동이 집단 모두에게 번져나가는 현상》.

behávioral scíence 행동 과학《인간 행동의 관찰에 바탕을 둔 심리학·사회학》.

behávior mòd =BEHAVIOR THERAPY 〔MODIFICATION〕.

behávior pàttern 〖사회〗 행동 양식.

behávior thèrapy 〔**modificàtion**〕 〖정신의학〗 행동 요법〔변이〕.

Béh·çet's sỳndrome 〔**disèase**〕 [béiʃets-] 〖의학〗 베체트 증후군〔병(病)〕《눈·입의 점막, 음부에 병이 생김》.

°**be·head** [bihéd] *vt.* 목을 베다, 참수하다.

be·held [bihéld] BEHOLD의 과거·과거분사.

be·he·moth [bihíːməθ, bíːəməθ/bihíːmɔθ] *n.* **1** (종종 B-) (성서에 나오는 하마(hippopotamus)와 같은) 거수(巨獸)《욥기 XL: 15-24》. **2** 《미구어》 거인, 거대한 짐승; 강력한 것《기계 등》.

be·hen·ic [bəhénik, -híːn-] *a.* 〖화학〗 베헨산(behenic acid)의; 도코산의(docosanoic).

behénic ácid 〖화학〗 베헨산《식물에 있는 결정성 포화 지방산》. ★docosanoic acid라고도 함.

be·hest [bihést] *n.* 《문어》 〖흔히 단수로〗 명령(command); 간절한 부탁.

†**be·hind** [biháind] *ad.* **1** 〖장소〗 뒤에. OPP. *before.* ¶ follow ~ 뒤를 따르다 / fall 〔drop〕 ~ 남에게 뒤지다 / look ~ 뒤를 보다; 회고하다 / remain 〔stay〕 ~ 뒤에 남다, 출발하지 않다. **2** 배후〔이면〕에, 그늘에서; 숨어서: There is nothing ~. 배후 관계는 없다 / There is something ~. 뒤에 무엇인가가 있다. **3** 늦어서. OPP. *before.* ¶ This train 〔watch〕 is one hour ~. 이 열차〔시계〕는 한 시간 늦다. **4** 뒤에 처져서, 남아서: He has left two daughters ~. 그는 두 딸을 두고 죽었다 / I have left my umbrella ~. 나는 우산을 두고 왔다 / She is a long way ~. 그녀는 훨씬 처져 있다. **5** (지급이) 밀려서, 미납으로: fall ~ in one's rent 지대〔집세〕가 밀리다. ***be ~ in*** 〔***with***〕 (payments) (지급)이 밀리다. ***from ~*** (***…***), (…의) 뒤에서: Someone called me *from* ~. 뒤에서 누군가 나를 불렀다 / *from* ~ the trees 나무 숲 그늘에서.

— *prep.* **1** 〖장소〗 …의 뒤에, 그늘에, 저쪽에(beyond). OPP. *before.* ¶ ~ the house 집 뒤에 / ~ the mountain 산 그늘에〔저쪽에〕. SYN. ⇨AFTER. **2** …의 배후에, 이면에(OPP. *before*); …을 후원〔지지〕하여: He is ~ the movement. 그 운동의 배후엔 그가 있다 / He has many friends ~ him. 그는 많은 친구들의 후원을 받고 있다. **3** 뒤에 남기고, 사후에: He stayed ~ us for two days. 그는 우리보다 이틀이나 더 머물렀다 / He left his only daughter ~ him. 그는 외동딸을 남기고 죽었다. **4** 〖시간〗 늦어서. OPP. *before.* ¶ ~ time 시간에 늦어, 지각하여 / ~ the times 시대에 뒤져. **5** …보다 못하여(inferior to): I am ~ him in English. 나는 영어에서 그에게 뒤진다. ***be ~*** a person ① 아무를 지지하다, 원조하다. ② 아무에게 뒤지다, …만 못하다. ③ 아무의 지나간〔과거의〕 일이다: His years of temper *were* ~ him. 그가 혈기에 넘쳐 괄괄했던 때는 벌써 가 버렸다. ~ ***a person's back*** 아무가 없는 곳에서, 뒤에서: Don't speak ill of others ~ their *backs*. 뒤에서 남의 욕을 하지 마라. ***~ the scenes*** 〔***play***〕 ⇨SCENE. ***go ~*** a person***'s words*** 아무의 말의 이면〔참뜻〕을 캐다. ***put*** a thing ~ one 무엇을 물리치다, 받아들이지 않다: I *put* the thought ~ me. 나는 그 생각을 버렸다.

— *n.* 뒤, (윗옷의) 등; 《구어·완곡어》 엉덩이: fall *on* one's ~ 엉덩방아를 찧다.

behínd·hànd *ad., a.* 〖형용사로는 서술적〗 **1** (시기·시각·시대에) 뒤지어, 늦게 (되어): be ~ in one's idea 생각이 뒤떨어지다〔낡다〕. **2** (학업 따위가) 늦어《*in*》; 등한히 하여; (일 따위가) 밀리어《*with; in*》; (경영 등이) 적자인《*in; with*》: ~ *with* payments 지급이 밀리어 / be ~ *in* one's circumstances 살림이 어렵다.

behínd-the-scénes *a.* 공개되지 않은, 비밀리〔흑막〕의: a ~ conference 비밀 회담 / a ~ negotiation 막후 협상.

°**be·hold** [bihóuld] (*p., pp.* ***be·held*** [-héld]) *vt.* 보다(look at). **—** *vi.* 〖명령형〗 보라. SYN. ⇨SEE. ***Lo and ~!*** ⇨LO.

be·hold·en [bihóuldən] *a.* 《문어》 〖서술적〗 은혜를 입은, 신세를 진《*to*》: I am greatly ~ *to* you *for* your kindness. 신세를 대단히 많이 졌습니다.

be·hóld·er *n.* 보는 사람, 구경꾼(onlooker).

be·hoof [bihúːf] *n.* 《문어》 〖다음 관용구로만〗 이익(advantage). ***in*** 〔***for, to, on***〕 a person***'s ~*** =***in*** 〔***for, to, on***〕 (***the***) ***~ of*** a person 아무를 위해서.

be·hoove, 《영》 **-hove** [bihúːv], [-hóuv] *vt.* 《고어》 〖비인칭구문을 취함〗 **1** (…하는 것이) 의무이다, …할 필요가 있다: *It* ~*s* every one *to* do his duty. 직분을 다하는 것은 모든 사람의 의무이다. **2** …할 가치가 있다, 이익이 있다. **—** *vi.* 《우스개》 필요〔당연〕하다; …에 걸맞다.

Beh·ring [béiriŋ; *G.* béːriŋ] *n.* **Emil** (**Adolf**) **von ~** 베링《독일의 세균학자; 노벨 생리의학상 수상(1901); 1854-1917》.

beige [beiʒ] *n.* Ⓤ 원모로 짠 나사〔모직물〕; 베이지색《밝은 다갈색》; 《미속어》 살갗이 가무스름한 흑인. **—** *a.* **1** 베이지색의. **2** 《미속어》 재미없는, 따분한: a ~ party.

Beijing ⇨PEKING.

be-in [bíːin] *n.* 《속어》 (공원 등에서의) 히피족의 모임; 우연히 모이는 일.

⁑**be·ing** [bíːiŋ] BE의 현재분사·동명사.

— *a.* 현재 있는, 지금의. ***for the time ~*** 당분간, 우선은. **—** *n.* Ⓤ **1** 존재; 생존; 생명: absolute ~ 〖철학〗 절대존재 / actual ~ 실재. **2** [C] 존재자; 생물(living things); 인간: human ~*s* 인간, 인류. **3** (the B-) 신: the Supreme *Being* 신. **4** 본질, 본성; 성질. ***call* 〔*bring*〕 *... into* ~** …을 생기게 하다, 낳다. ***come into* ~** 생기다, (태어)나다. ***in* ~** 현존의, 생존해 있는: the record *in* ~ 현존 기록. **—** *conj.* 《구어 · 방언》 …이므로(since, because). ★ 종종 as, that을 수반함.

béing-for-itsélf [-fərit-] *n.* 〖철학〗 (헤겔의) 향자존성(向自存性).

Bei·rut [beirúːt, ´-] *n.* 베이루트《Lebanon의 「수도》.

Be·ja [béidʒə] (*pl.* ~, ~*s*) *n.* 베자족(族)《나일강과 홍해 사이에 사는 유목민》; [U] 베자 언어.

be·jab·bers, -ja·bers [bidʒǽbərz], [-dʒéibərz] *int.* 저런, 어머나, 맙소사《놀람 · 공포 · 분노 따위》. **—** *n.* 《속어》 〔다음 관용구로〕 ***beat* 〔*hit, kick, knock*〕 *the* ~ *out of*** …을 후려갈기다. ***scare the* ~ *out of*** 깜짝 놀라게 하다.

be·jan [bíːdʒən] *n.* (스코틀랜드 대학의) 1학년생.

be·jau·na [bidʒɔ́ːnə] *n.* BEJAN의 여성형.

be·jeaned [bidʒíːnd] *a.* 청바지를 입은.

be·je·sus [bidʒíːzəs] *int.* =BEJABBERS.

be·jew·el [bidʒúːəl] (*-l-*, 《영》 *-ll-*) *vt.* 보석으로 장식하다, 보석을 박아 넣다: the sky ~*ed with* stars 별들이 보석처럼 박힌 하늘.

bé·ké [béikei] *n.* 백인 이민자《보통 상류 계급; 프랑스계 크리올(créole)말》.

bel [bel] *n.* 〖물리〗 벨《전압 · 전류나 소리의 강도 단위; =10 decibels; 실제로는 decibel이 쓰임; 기호 b》.

be·la·bor, 《영》 **-bour** [biléibər] *vt.* **1** 장황하게 검토하다〔말하다〕. **2** 세게 치다, 때리다; 호되게 꾸짖다; 《고어》 …에 애쓰다.

Be·la·rus [bélærus] *n.* 벨라루스《러시아 연방 서쪽의 CIS 구성 공화국; 수도 Minsk》.

Be·las·co [bəlǽskou] *n.* **David** ~ 벨라스코《미국의 극작가 · 배우 · 연출가; 1853-1931》.

be·lat·ed [biléitid] *a.* **1** 늦은, 뒤늦은: ~ efforts 때늦은 노력 / a ~ birthday present 뒤늦은 생일 선물. **2** (사람이) 늦게 온, 지각의. **3** 시대에 뒤진: a ~ view of world politics 세계 정치에 관한 뒤떨어진 견해. **4** 《고어》 (나그네 등이) 길이 저문: a ~ traveler. [파] **~·ly** *ad.* 뒤늦게. **~·ness** *n.*

Be·lau [bəláu] *n.* **Republic of ~** 벨라우 공화국《전의 Palau 제도; 1994년 독립 달성》.

be·laud [bilɔ́ːd] *vt.* 격찬〔절찬〕하다.

be·lay [biléi] (*p.*, *pp.* ***be·layed***) *vt.* 〖해사 · 등산〗 (밧줄걸이에) 밧줄을 감아 매다; (명령 등을) 취소하다. **—** *vi.* 밧줄을 안정시키다; 〔명령형〕 《구어》 그만둬라: *Belay* there! 《구어》 이제 그만. **—** *n.* 〖등산〗 빌레이, 자일의 확보; 자일을 안정시키는 곳《돌출한 바위 따위》.

beláying pìn 〖해사〗 빌레잉 핀, 밧줄 턱, 밧줄걸이.

bel can·to [bèlkǽntou, -kɑ́ːn-] 《It.》 〖음악〗 벨칸토 창법.

belch [beltʃ] *vt.* 트림을 하다; (폭언 따위를) 터뜨리다《*out; forth*》; (연기 따위를) 뿜어 내다. **—** *vi.* 트림하다; 분출하다; (험담 따위를) 내뱉다; (명령 등을) 내뱉듯이 말하다《*forth*》; (단속적으로) 내뿜다; 《미속어》 불평하다. **—** *n.* 트림(소리); 폭발(음); 분출; 《미속어》 불평, 불만. [파] **´-·er**[1] *n.* 트림하는 사람.

bel·cher[2] [béltʃər] *n.* 청백으로 얼룩덜룩 물들인 네커치프(neckerchief).

bel·dam(e) [béldəm] *n.* 노파, 버커리; 못된 노파, 마귀 할멈; 《폐어》 할머니, 조모.

be·lea·guer [bilíːgər] *vt.* **1** 에워싸다; 포위 공격하다. **2** 귀찮게 붙어다니다, 괴롭히다: He was ~*ed* with annoyance. 그는 속을 태우고 있었다. [파] **~·er** [-gərər] *n.* 포위 공격자. **~·ment** *n.*

bel·em·nite [béləmnàit] *n.* 〖고생물〗 벨렘나이트, 전석(箭石)《오징어류의 화석》.

bel-es·prit [*F.* bɛlɛspʀi] (*pl.* ***beaux-es·prits*** [*F.* bozɛspʀi]) *n.* 《F.》 재사(才士).

Bel·fast [bélfæst, belfɑ́ːst, ´-/bélfɑːst] *n.* 벨파스트《북아일랜드의 수도(首都); 항구 도시》.

bel·fry [bélfri] *n.* **1** 종각, 종루(bell tower); (종루 안의) 종이 걸려 있는 곳. **2** 《속어》 머리, 마음; 《속어》 두뇌, 재능. ***have* 〔*be with*〕 *bats in* one's 〔*the*〕 ~** ⇨BAT[2]. [파] **-fried** *a.* 종각이 있는.

Belg. Belgian; Belgic; Belgium.

bel·ga [bélgə] *n.* 벨가《벨기에의 화폐 단위; 약 5벨기에 프랑에 상당, 2차 대전 후 폐지》.

Bel·gae [béldʒiː] *n. pl.* 벨가이족《북프랑스와 벨기에에 살던 옛 Gaul 사람의 한 종족》.

°**Bel·gian** [béldʒən] *a.* 벨기에의; 벨기에 사람의. **—** *n.* 벨기에 사람.

Bélgian éndive 치커리(chicory)의 어린잎 「《샐러드용》.

Bélgian háre 큰 적갈색의 집토끼.

Bélgian Ma·li·nóis [-mælənwɑ́ː] 벨기에 원산의 목양견 · 경찰견.

Bélgian Ter·vú·ren [-tɛərvjúərən] 벨기에 원산의 목양견(牧羊犬).

Bel·gic [béldʒik] *a.* Belgae 사람의; 벨기에의.

Bel·gium [béldʒəm] *n.* 벨기에(the Kingdom of ~)《수도 Brussels》.

Bel·go- [béldʒou, bélgou] '벨기에'란 뜻의 결합사: the *Belgo*-Franco frontier 벨기에 · 프랑스 국경.

Bel·grade [bélgreid, -grɑːd, -græd/belgréid] *n.* 베오그라드《유고의 수도》.

Bel·gra·via [belgréiviə] *n.* **1** 벨그레이비아《런던의 Hyde Park 남쪽의 상류 주택 구역》. **2** 《영》 신흥 상류사회. [파] **-vi·an** [-n] *a.* Belgravia의; 상류 사회의.

Be·li·al [bíːliəl, -ljəl] *n.* 〖성서〗 악마; 사악; 타락한 천사 중의 한 사람《Milton작 *Paradise Lost*의》. ***a man* 〔*son*〕 *of* ~** 타락한 사람.

°**be·lie** [bilái] (*p.*, *pp.* ***~d; be·ly·ing***) *vt.* 거짓〔잘못〕 전하다, 잘못〔틀리게〕 나타내다, 속이다; 거짓임〔그릇됨〕을 나타내다; (약속 · 기대를) 어기다; 실망시키다; 《고어》 …에 대하여 거짓말하다, 중상하다: The report ~*s* him. 그의 됨됨이는 소문과는 다르다 / His acts ~ his words. 그는 언행(言行)이 다르다. [파] **be·lí·er** *n.*

‡**be·lief** [bilíːf] *n.* **1** [U] (*or* a ~) 확신; 신념, 소신《*in*》: They cherish a ~ *in* ghosts. 그들은 유령의 존재를 믿고 있다 / That passes all ~. 그것은 도저히 믿어지지 않는 일이다.

> [SYN.] **belief** 의심없이 받아들이는 것: *belief* in ghosts 유령이 있다고 믿음. **faith** 객관적인 근거는 없으나 전적〔맹목적〕인 신뢰: have *faith* in God 신을 믿다. **trust** 상대방의 능력 · 성실성 등에 대한 직관적인 신용. **confidence** 자기의 경험 · 근거에 의거한 신념: No man has ever placed *confidence* in him since that event. 그 사건 이래 아무도 그를 믿지 않게 되었다.

2 [U] 신뢰, 신용《*in*》: I have no great ~ *in* doctors. 나는 의사를 그다지 믿지 않는다. **3** [U,C] 신앙《*in*》: the Christian ~ 그리스도교(敎)의 신앙. **4** (the B-) 사도 신경(the Apostles' Creed). ***beyond* ~** 믿을 수 없는, 놀라운: A trip to the moon was *beyond* ~ at that time. 그 당시에 달 여행이란 믿을 수 없는 일이었다. ***in the* ~ *that*...** …라고 믿고, …라고 생각하고. ***light of* ~** 경솔하게 믿기 쉬운. ***to the***

best of my ~ 내가 확신하는 바로는.

be·líev·a·ble *a.* 믿을[신용할] 수 있는. [파] **be·lìev·a·bíl·i·ty** *n.*

be·lieve [bilíːv, bə-] *vt.* **1 《~+[목]/+*that* [절]》 믿다, (말·이야기 등을) 신용하다, …의 말을 믿다: I ~ you. 자네를[자네 말을] 믿네, 그렇고 말고/I ~ the story [what he says]. 나는 그 얘기를[그가 한 말을] 믿는다/Columbus ~*d that* the earth is round. 콜럼버스는 지구가 둥글다고 믿었다/I can't ~ it! 믿을 수 없다, 꿈 같다. **2** 《+*that* [절]/+[목]+(*to be*) [보]》 …라고 생각하다, 여기다: I ~ (*that*) he is honest. =I ~ him (*to be*) honest. 나는 그가 정직하다고 생각한다/She has, I ~, no children. 그녀에겐 확실히 어린 애가 없다. ── *vi.* 《~/+[전]+[명]》 **1** 존재(存在)를 믿다《*in*》: ~ *in* God 신의 존재를 믿다, 신을 믿다. **2** 인격[능력]을 믿다《*in*》: I ~ *in* him. 그는 훌륭[유능]한 사람이라고 생각한다, 그의 인격[역량]을 믿는다. **3** 좋은 점을[효과를] 믿다, 가치를 인정하다《*in*》: ~ *in* early rising 일찍 일어나는 것은 좋다고 생각하다/~ *in* his method 그가 하는 방식은 좋다고 생각하다/I don't ~ *in* aspirin. 아스피린은 듣지 않는 것 같다. **4** 신용하다, 믿다《*in*》: I don't ~ *in* his promises. 그 사람의 약속은 믿을 수 없다. **5** 생각하다(think): I ~ not. 그렇지 않다고 생각합니다/I ~ so. 그렇다고 생각합니다/How can you ~ so badly of them? 너는 어찌하여 그들을 그토록 나쁜 놈으로 생각하느냐. ★ *believe* him은 '그의 말은 정말'이라고 믿는 일, *believe in* him은 '그의 인품[능력]이 뛰어나다'고 믿는 것. ◇ belief *n.*

~ *it or not* 《구어》 믿거나 말거나, 거짓이라고 생각하겠지만. **~ *me*** 정말이야; 실은, 정말은. **~ *one's ears* [*eyes*]** 들은[본] 것을 그대로 정말이라고 믿다. ***make* ~** …로 보이게[믿게] 하다, …인 체하다: She *made* ~ not to hear me. 그녀는 못들은 체했다. ***You('d) better* ~ *it.*** 《미속어》 (찬의를 나타내어) 그래, 정말이야.

[파] °**be·líev·er** *n.* 믿는 사람, 신자《*in*》.

be·liev·ing [bilíːviŋ] *a.* 신앙심 있는. ── *n.* 믿음: Seeing is ~. 《속담》 백문이 불여 일견. [파] **~·ly** *ad.*

be·like [biláik] *ad.* 《고어·방언》 [종종 반어적] 아마, 추측컨대(probably).

Be·lin·da [bəlíndə] *n.* 벨린다《여자 이름: 애칭은 Linda》.

Be·lí·sha béacon [bilíːʃə-] 《영》 횡단보도 표지등《황색 명멸광이 달린 입표(立標)》.

be·lit·tle [bilítl] *vt.* 작게 하다, 축소하다; 작게 보이다; 얕잡다, 하찮게 보다: Don't ~ yourself. 자신을 비하하지 마라. [파] **~·ment** *n.*

Be·lize [bəlíːz] *n.* 벨리즈. **1** 중앙 아메리카의 카리브해에 면한 독립국《옛 이름 British Honduras; 수도 Belmopan》. **2** 1의 옛 수도·항구 도시. [파] **Be·lí·ze·an** [-ziən] *a.*, *n.*

Bell [bel] *n.* **Alexander Graham ~** 벨《전화기를 발명한 미국의 과학자; 1847-1922》.

†**bell**[1] [bel] *n.* **1** 종; 방울, 초인종, 벨; (보통 *pl.*) 《해사》 시종(時鐘)《배 안에서 반 시간마다 침》: the passing ~ 임종의 종/a chime [peal] of ~*s* (교회의) 차임 소리/an electric ~ 벨/marriage ~*s* 교회의 결혼식 종. **2** 종 모양의 것; 종상 화관(鐘狀花冠); (해파리의) 갓; (나팔·확성기·굴뚝 따위의) 벌어진 입. **3** (*pl.*) 나팔바지, 판탈롱. ***answer the* ~** 손님을 맞이하다《초인종 소리를 듣고》. **(*as*) *clear as a* ~** 매우 맑은; 《구어》 매우 명료하여. **(*as*) *sound as a* ~** (아무가) 매우 건강하여, (물건이) 나무랄 데 없는 상태로. ***bear* [*carry away*] *the* ~** 선두에 서다; 지도자가 되다; 상품을 타다, 승리를 얻다. **~*s and whistles*** 《미속어》 (필요하지는 않으나) 있으면 편리한 것, 덤. ***be saved by the* ~** 《권투》 공소리로 살아나다; 《구어》 다른 사정으로 간신히 살아나다. ***curse with* ~, *book, and candle*** 《가톨릭》 종·책·촛불로 파문하다. ***ring a* ~** 《구어》 공감을 불러일으키다; 생각나게 하다, 마음에 떠오르다. ***ring* [*hit*] *the* ~** 《구어》 잘 되다, 히트치다《*with*》. ***ring the* ~*s backward*** (화재 등으로) 경보를 내다. ***There is the* ~.** 벨이 울린다《손님이다》; 《권투》 공이 울렸다. ***with* ~*s on*** ① 《구어》 [보통 미래형] 기꺼이; 열심히, 선드러지게, 차려 입고: I'll be there *with* ~*s on.* 기꺼이 참석하겠소. ② 《미속어》 [비난·비평에 곁들여] 바로, 확실히: He's a jughead *with* ~*s on.* 그 녀석은 정말 얼간이야.

── *vt.* **1** …에 방울[종]을 달다. **2** 《~+[목]/+[목]+[부]》 종 모양으로 벌리다《*out*》. ── *vi.* **1** (전차 따위가) 종을 울리다; 종 같은 소리를 내다. **2** 《~/+[부]》 종 모양으로 되다; (식물이) 개화하다《*out*》. **~ *the cat*** 자진하여 어려운 일을 맡다《이솝 우화에서》.

bell[2] *n.* (교미기의) 수사슴의 울음소리. ── *vi.*, *vt.* (교미기의 수사슴이) 울다.

Bel·la [bélə] *n.* 벨라《여자 이름; Isabel(la)의 애칭》.

bel·la·don·na [bèlədɑ́nə/-dɔ́nə] *n.* 《식물》 벨라도나《가짓과의 유독 식물》; 《약학》 벨라도나제제(製劑)《진통제 따위》.

belladónna líly = AMARYLLIS 1.

bel·la fi·gu·ra [béləfigúːrɑː] 《It.》 좋은 인상, 훌륭한 모습[풍채].

Bel·la·trix [bəléitriks] *n.* 《천문》 벨라트릭스《오리온자리의 γ성》.

béll·bìnd(er), -bìne *n.* 《식물》 메.

béll·bìrd *n.* 울음소리가 종소리 비슷한 남아메리카산 새.

béll-bòttom *a.* 바지 가랑이가 넓은; 판탈롱의. [파] **~·ed** *a.*

béll-bòttoms *n. pl.* (선원(船員)의) 나팔바지; 판탈롱.

béll·bòy *n.* (호텔·클럽의) 사환.

béll bùoy 《해사》 타종 부표(打鐘浮標).

béll càptain 《미》 (호텔의) 급사장.

béll còt [còte] 작은 종탑.

béll cùrve = BELL-SHAPED CURVE.

Belle [bel] *n.* 벨《여자 이름; Isabella의 애칭》.

belle [bel] *n.* **1** 미인, 미녀. **2** (the ~) (어떤 자리에서의) 가장 아름다운 여성[소녀]《*of*》: the ~ *of* society 사교계의 여왕.

belle am·ie [*F.* bɛlami] 《F.》 미모의 (여자) 친구.

belle époque [*F.* bɛlepɔk] 《F.》 (때로 B- É-) 좋은 시대《프랑스에 있어서 1880-1905를 가리킴》.

belle laide [belléid; *F.* bɛllɛd] (*pl.* ***belles laides*** [─]) 《F.》 잘 생기지는 못했으나 매력 있는 여자(jolie laide).

belles-let·tres [bèllétrə; *F.* bɛllɛtʀ] *n. pl.* [단수취급] 《F.》 미문학(美文學), 순(純)문학.

bel·let·rist [bèllétrist] *n.* 순문학자. [파] **bel·let·ris·tic** [bèllətrístik] *a.* 순문학(자)의.

Belle·ville [bélvil] *n.* 벨빌. **1** 프랑스 파리의 19·20구에 걸친 지구《전에는 아름다운 경관으로 널리 알려졌으나 오늘날에는 이민자들이 많이 사는 곳으로 유명》. **2** 캐나다 Ontario 주 남동부 Ontario 호 북안의 도시. **3** Illinois 주 남서부의 시. **4** New Jersey 주 북동부 Newark의 북쪽에 있는 읍.

béll·flòwer *n.* 《식물》 초롱꽃과(科)의 각종 식물: Chinese ~ 도라지.

béll fòunder [fòundry] 종 만드는 사람[곳].

béll fòunding 종 주조술.

béll glàss = BELL JAR.

béll·hànger *n.* 종 매다는 사람.
béll·hòp *n.* 《미》 =BELLBOY.
bel·li·cose [bélikòus] *a.* 호전적인(warlike); 싸움을 잘하는. [파] **~·ly** *ad.* **~·ness** *n.*
bel·li·cos·i·ty [bèlikásəti/-kɔ́s-] *n.* [U] 호전성, 전투적 기질; 싸움을 즐김.
bel·lied [bélid] *a.* **1** 〖복합어를 이루어〗…의 배를 한〔지닌〕: empty-*bellied* children 배곯은 아이들. **2** 배가 큰, 비만한: a woman ~ like a hog 돼지같이 살찐 여자.
bel·lig·er·ence [bəlídʒərəns] *n.* [U] 호전성, 투쟁성; 교전(상태), 전쟁(행위). [파] **-en·cy** [-rənsi] *n.* [U] 교전 상태.
◇**bel·lig·er·ent** [bəlídʒərənt] *a.* 교전 중인; 교전국의; 호전적인: ~ powers 교전국. **—** *n.* 교전국; 전투원. [파] **~·ly** *ad.*
béll jàr 종 모양의 유리, 유리 종《골동품 등의 보호, 진공 상태 유지 등을 위한》.
béll làp (트랙 경기의) 마지막 한 바퀴.
béll·man [-mən] (*pl.* **-men** [-mən]) *n.* **1** 종 치는 사람. **2** 어떤 일을 동네에 알리는 사람(town crier); 야경꾼. **3** 잠수부의 조수. **4** 《미》 =BELLBOY.
béll mètal 종청동(鐘青銅)《구리와 주석의 합금(合金)》.
béll-mòuthed [-màuðd, -màuθt] *a.* 나팔꽃〔종〕 모양으로 벌어진.
Bel·lo·na [bəlóunə] *n.* **1** 〖로마신화〗 벨로나《전쟁의 여신》. **2** 키가 큰 미인.
bel·low [bélou] *vi.* **1** (소가) 큰 소리로 울다; 짖다. **2** 《~/+[전]+[명]》 노호하다, 큰소리치다《*at*》: He ~*ed at* his servant. 그는 하인에게 호통쳤다. **3** (대포 소리 따위가) 크게 울리다; (바람이) 윙윙대다. **—** *vt.* 《~+[목]/+[목]+[부]》 …을 큰소리로 말하다, 고함치다, 으르렁거리다; (아픔 따위로) 신음하다《*out*》: ~ abuse 욕을 퍼붓다/The director ~*ed* his orders over the loudspeaker. 지휘자는 확성기로 고함치듯 명령을 내렸다/~ *out* 〔*forth*〕 blasphemies 〔a song〕 욕설을 퍼붓다 〔고함지르듯 노래하다〕. **—** *n.* (황소의) 우는 소리; 울부짖는〔신음〕 소리; 울리는 소리. [파] **~·er** *n.* 고함〔호통〕 치는 사람.
bel·lows [bélouz, -ləz/-louz] (*pl.* ~) *n.* **1** 풀무: blow the ~ 불을 지피다; (화 따위를) 부채질하다. ★ 보통 골풀무는 (the) *bellows*, 휴대용은 a pair of *bellows*. **2** (풍금 · 아코디언의) 송풍기, 바람통; (사진기의) 주름상자; 《구어》 허파. ***have ~ to mend*** 숨이 차서 헐떡이다.

bellows 1

béllows fish 〖어류〗 **1** 대주둥치. **2** 아귀.
béll pèpper 〖식물〗 =SWEET PEPPER.
béll·pùll *n.* 종〔벨〕을 당기는 줄.
béll pùsh (벨의) 누름단추.
béll rìnger 종치는〔벨을 울리는〕 사람〔장치〕, 종지기; 《미속어》 호별 방문 판매원, 외판원; 《미속어》 지방 정치가; 《미속어》 생각나게 하는 것, 힌트; 선거 운동원.
béll rìnging 종을 침, 종치는 방법; 종 악기 연주법.
béll-shàped [-t] *a.* 종 모양의.
béll-shaped cúrve 〖통계〗 (정규 분포의) 종형(鐘形) 곡선(bell curve).
béll tòwer 종루, 종탑. [cf] campanile.
bel·lum om·ni·um con·tra om·nes [bélum-ɔ́:mnium-kɔ̀:ntrɑ:-ɔ́:mnèis] 《L.》 만인의 만인에 대한 투쟁.
béll·wèther *n.* 길잡이 양《목에 방울을 달고 딴 양들을 이끄는》; 선도자; (반란 · 음모 따위의) 주모자: ~ industry 경기 주도(형) 산업.
béll-wìre *n.* 문의 벨을 당기는 줄.
béll·wòrt *n.* 초롱꽃과(科)의 식물; 《미》 (종 모양의 꽃이 피는) 북아메리카산(產) 백합과(科) 식물.
*__bel·ly__ [béli] *n.* **1** 배, 복부(abdomen): a pot ~ 올챙이 배/have a ~ 《구어》 배가 나와 있다/lie on one's ~ 배를 깔고 엎드려 있다. **2** 위(胃): an empty ~ 공복. **3** 식욕, 대식; 탐욕: The ~ has no ears. 《속담》 금강산도 식후경, 수염이 대 자라도 먹어야 양반. **4** 자궁. **5** (병 따위의) 중배: the ~ *of* a ship 선복(船腹). ***go*** 〔***turn***〕 ***~ up*** 〔***belly-up***〕 《속어》 ① (물고기가) 죽다. ② 실패하다; 도산하다. ***have fire in one's ~*** 영감을 받고 있다. **—** *vt.*, *vi.* 부풀(리)다, 불룩해지다; 포복하다; 배를 내밀고 걷다. **~ *in*** 동체 착륙하다. **~ *up*** 《미속어》 찌부러지다; 결딴나다. **~ *up to …*** 《미속어》 …에 곧장 나아가다, 서슴없이 다가서다.
bélly·àche *n.* 복통; 《속어》 푸념, 불평. **—** *vi.* 《속어》 (빈번히) 불평을 하다《*about*》.
bélly·bànd *n.* (말의) 뱃대끈(girth).
bélly bùtton 《구어》 배꼽(navel).
bélly dànce 벨리 댄스, 배꼽춤.
bélly dàncer 벨리 댄서.
bélly fiddle 《미속어》 기타(guitar).
bélly flòp 배로 수면을 치면서 다이빙하기〔하다〕; 동체 착륙(하다).
bel·ly·ful [bélifùl] *n.* 한 배 가득, 충분《*of*》; 지긋지긋할 정도의 양(量): a ~ of advice 충분한 충고(忠告). ***get a ~*** 《구어》 얻어맞다. ***have had a ~ of*** 《구어》 (충고 · 불평 따위를) 진저리나도록 듣다〔경험하다〕.
bélly-gòd *n.* 《고어》 대식가; 미식가.
bélly gùn 《미속어》 권총.
bélly·hòld *n.* 비행기의 객실 밑 화물실.
bél·ly·ing *a.* 부푼, 배가 나온.
bélly-lànd *vi.*, *vt.* 〖항공〗 동체 착륙하다〔시키다〕.
bélly lànding 《구어》 동체 착륙.
bélly làugh 《구어》 포복 절도, 홍소(哄笑); 웃음거리.
bélly-ròbber *n.* 《미속어》 (군대의) 취사(炊事) 담당.
bélly tànk 〖항공〗 동체에 붙은 보조 연료 탱크《긴급시엔 떼어버릴 수 있음》.
bélly ùp 《CB속어》 뒤집힌 자동차.
bèlly-úp *a.* ⇨ go 〔turn〕 BELLY up.
bélly-wàsh *n.* 《미속어》 (맥주 · 커피 따위의) 음료.
bélly wòrm 회충.
bélly wòrship 식충이; 대식(大食).
Bel·mo·pan [bèlmoupǽn] *n.* 벨모판《벨리즈(Belize)의 수도》.
‡**be·long** [bilɔ́:ŋ, -lɑ́ŋ/-lɔ́ŋ-] *vi.* **1** 《+[전]+[명]》 (…에) 속하다, (…의) 것이다, (…의) 소유이다《*to*》: That ~*s to* me. 그것은 내것이다. **2** 《+[전]+[명]》 (일원으로서) 소속하다《*to*》: He ~*s to*(=is a member of) our club. 《미》 그는 우리 클럽의 회원이다/He ~*s to* 〔《미》 *in*〕 Ohio. 그는 오하이오주 사람이다. **3** 《+[전]+[명]》 (분류상 …에) 속하다, 부류(部類)에 들다《*among; to; in; under; with*》; …속에 있어야 마땅하다: Man ~*s to* the mammalian class of animals. 인간은 동물의 포유 강에 속한다/*Under* what category do they ~ ? 그것들은 어느 부류에 속하는가/He's a philosopher who ~*s with* the Kantians. 그는 칸트 학파에 속하는 철학자이다/a man who ~*s among* the great 족히 대인물들 속에 끼어 마땅한 인물. **4** 《+[전]+[명]》 (본래) …에 있어야〔속해야〕 하다《*on; in;*

to》: The cups ~ *on* the shelf. 컵은 본디 선반 위에 놓여야 한다 / He doesn't ~ *in* this job. 그는 본래 이 일에 맞지 않는다 / Now, go back *to* where you ~. 자, 네 집으로 가거라《길 잃은 고양이 따위에게》. **5** 《+[전]+[명]》 (…에) 관계하고 있다, (…와) 조화되고 있다《*with*》: Cheese ~*s* *with* salad. 치즈는 샐러드에 맞는다. **6** 《구어》 사교성이 있다: She doesn't ~. 그녀는 남과 어울리지 않는다. **7** 《미방언》 (당연히) …하여〔해〕야 한다(ought)《*to* do》. **8** 《+[부]》 (두 개〔사람〕 이상이) 동류(同類)이다; (생각·성품 따위가) 일치하다《*together*》. ~ ***here*** 여기〔이 항목〕에 속하다; 이 곳 사람이다: You don't ~ *here*. 여기는 네가 올 곳이 아니다.

◇**be·long·ing** [bilɔ́:ŋiŋ, -láŋ-/-lɔ́ŋ-] *n.* **1** (*pl.*) 소유물(possessions), 재산(property): household ~ 가재. **2** 소지품, 부속물: personal ~ 개인 소지품. **3** 성질, 재능. **4** (*pl.*) 가족, 친척. **5** [U] 귀속(의식), 친밀(감); 친밀한 관계: a sense of ~ 귀속 의식, 친화감(親和感), 소속감. [파] **~·ness** *n.* 〖심리〗 소속(성(性)).

Be·lo·rus·sia [bèlərʌ́ʃə] *n.* = BYELORUSSIA. [파] **-sian** [-ʃən] *n.*, *a.*

◇**be·lov·ed** [bilʌ́vid, -lʌ́vd] *a.* 사랑하는, 귀여운, 가장 사랑하는; 애용하는, 소중한: my ~ son 사랑하는 아들. **—** *n.* **1** (보통 one's ~) 가장 사랑하는 사람, 애인: my ~ 여보, 당신, 임자 《남편·아내·애인 등의 호칭》. **2** (신자 상호간의) 친애하는 여러분《호칭》. **—** [bilʌ́vd] *vt.* 고어 belove [bilʌ́v]의 과거분사: He *is* ~ *by* 〔*of*〕 all. 그는 모든 사람에게 귀여움을 받고 있다.

†**be·low** [bilóu] *prep.* ([OPP] *above*) **1** …의 아래에〔에서, 로〕: on and ~ the table 테이블의 위와 아래에 / ~ one's eyes 눈 아래에.

> [SYN] **below** …보다 낮은〔이하의〕 곳에: *below* the horizon 지평선 아래로 져서. *below* twenty, 20 이하로. **under** …의 바로 밑에: The cat is playing *under* the chair. 고양이가 의자 밑에서 놀고 있다. **beneath** under와 거의 같지만 위로부터 덮어 씌워진 어감을 가짐: the pool *beneath* the falls 폭포 바로 밑의 용소(龍沼).

2 …의 하류에〔에서, 로〕: There is a waterfall ~ the bridge. 이 다리 하류에 폭포가 있다. **3** …이하의; …보다 낮게: ~ the average 평균 이하에〔로〕/ a man ~ 〔under〕 forty, 40세 미만의 남자 / ~ the freezing point 빙점하 / It was sold ~ cost. 그건 원가 이하로 팔렸다. **4** …보다 하위에〔인〕, …보다 못하여: She is ~ me in the class. 그녀는 학급의 석차가 나보다 밑이다 / A major is ~ a colonel. 소령은 대령의 아래다. **5** …할 만한 가치가〔도〕 없는: ~ contempt 경멸할 가치조차 없는 / ~ one's notice 주의할 만한 가치가 없는; 무시할 수 있는 / It is ~ him *to* do it. 그는 자부심이 강해 그런 일은 할 수 없다; 그런 일을 하다니 그답지도 않다. **6** …의 남쪽에.

— *ad.* **1** 아래에〔로, 에서〕, 밑에(서). [OPP] *above*. ¶ from ~ 아래쪽에서 / look ~ 밑을 보다. **2** (공중에 대해) 지상에, 하계에〔로, 에서〕; (지상에 대해) 지하에, 무덤 속에, 지옥에〔으로, 에서〕. **3** (위층에 대해) 아래층에〔으로, 에서〕; (상갑판에 대해) 밑의 선실에〔로, 에서〕([OPP] *on deck*); 〖연극〗 무대 앞쪽에〔으로〕. **4** 하위에〔의〕, 밑〔하급〕의: the court ~ 하급 법원. **5** 하류에; (페이지) 밑에, (책·논문 등의) 후단에: See ~. 하기 참조. **6** 영하(~ zero): The temperature is 20 ~. 영하 20도. ***Below there !*** 여보세요, 밑에 있는 분들《무엇을 떨어뜨릴 때 따위의 주의》. ***down*** ~ 훨씬 아래쪽에; 지하〔무덤, 지옥〕에; 물 속에; 구렁텅이에; 〖해사〗 선창(船艙)에(서). ***go*** ~ (***decks***) 〖해사〗 (당직을 마치고) 선실로 내려가다, 비번(非番)이 되다. ***here*** ~ (천국에 대해) 이승에서. ***the place*** ~ 지옥.

belów·dècks *ad.* 선실로, 배안에.

belów-gròund *a.* 지하의〔에 있는〕; 《보통 서술적》 이제 이 세상에 없는, 매장된.

belów·stáirs *ad.*, *a.* 지하층에〔의〕.

belów-the-lìne *n.* 〖경제〗 (영국 예산 제도에서) 특별 회계.

Bel·shaz·zar [belʃǽzər] *n.* 〖성서〗 벨사살《성서에서 Nebuchadnezzar의 아들로 바빌로니아의 왕; 다니엘서 V》.

⁑**belt** [belt] *n.* **1** 띠, 벨트, 가죽 띠, 혁대; (백작·기사의) 예장대(禮裝帶): a championship ~ 〖권투〗 챔피언 벨트 / a sword ~ 검대(劍帶). **2** 지대, 지방; 환상〔순환〕 지대《도로 따위》; 에워싸는 것, 고리《*of*》: a green ~ 녹(綠)지대 / the Corn *Belt* (미국의) 옥수수 지대 / the marine ~ 영해(領海). **3** 줄; 줄무늬. **4** 〖기계〗 벨트, 피대; 〖항공〗 안전 벨트; 〖천문〗 테, 고리《토성·목성 따위의》; 〖군사〗 (군함의 흘수선 밑의) 장갑대(帶); 〖군사〗 (자동 소총 따위의) 탄띠; 쌓은 돌〔담〕의 가로선. **5** 해협(strait), 수로. **6** 《구어》 강한 일격, 펀치; 《미속어》 도수가 높은 술 (한 잔), 음주, 과음; 《미속어》 기분 좋은 흥분, 가슴 설레는 쾌감; 《미속어》 마리화나. **7** 《야구속어》 히트. **8** 《영속어》 자동차의 질주: go for a ~ 드라이브하러 가다. ***get under the*** ~ 《속어》 손에 넣다; 몰래 입수하다. ***hit*** 〔***strike***〕 ***below the*** ~ 〖권투〗 허리띠 아래를 치다《반칙》; 《구어》 비겁한 짓을 하다. ***hold the*** ~ ***for*** 〖권투〗 …의 선수권을 보유하다. ***pull*** one***'s*** ~ ***in*** 《구어》 어려울 때에 대비하다. ***tighten*** 〔***pull in***〕 one***'s*** ~ 허리띠를 조르다, 배고픔을 참다; 내핍 생활을 하다; 《구어》 어려울 때를 대비하다. ***under*** one***'s*** ~ 《구어》 ① 뱃속에 넣고, 먹고, 마시고: with a good meal *under* one's ~ 잔뜩 먹고서. ② 손 안에, 재산으로서 소지하고. ③ 《구어》 이미 경험하고.

— *vt.* **1** 《+[목]+[부]》 …에 띠를 〔띠로〕 조이다《*up*》; 〖기계〗 …에 피대를 감다. **2** 《+[목]+[부]》 띠로 잡아매다, 허리에 띠다《*on*》: The knight ~*ed* his sword *on*. 기사는 허리에 칼을 차고 있었다. **3** 《~+[목]/+[목]+[전]+[명]》 에두르다《*with*》: a garden ~*ed with* trees 나무로 둘러싸인 정원. **4** (혁대로) 치다; 《속어》 일격을 가하다, (주먹으로) 때리다; 《미야구속어》 히트를 치다: ~ a homer 홈런을 치다. **5** 《+[목]+[부]》 《구어》 힘차게 노래〔연주〕하다《*out*》. **6** 《~+[목]/+[목]+[부]》 《미속어》 (술을) 들이마시다; 게걸스레 마시다《*down*》: ~ *down* a shot of bourbon 버번 한 잔을 쭉 들이켜다. **7** …에 폭넓은 줄무늬를 넣다; 《미》 나무 껍질을 고리 모양으로 벗기다. **—** *vi.* **1** 《+[부]》 《구어》 질주하다《*along; off*》; 활발하게 움직이다: ~*along* the road 도로를 질주하다. **2** 《+[부]》 《보통 명령형》 《영속어》 이야기를 멈추다, 조용히 하다《*up*》. ***Belt it.*** 가버려라. ~ ***out*** 《미속어》 때려 눕히다; 녹아웃시키다.

bélt and bráces 벨트와 멜빵; 2중의 안전 대책: wear a ~ 주의에 주의를 거듭하다; 흠칫흠칫하다.

Bel·tane [béltein, -tin] *n.* 벨테인 축제《고대 켈트인이 May Day에 행하던 축제》.

bélt bàg 웨이스트 백《허리에 끈이나 벨트로 묶어 차는 작은 가방》.

bélt convéyor 벨트 컨베이어.

bélt còurse 기둥·벽 상부의 띠 모양의 장식(조각)(stringcourse).

bélt drìve 〖기계〗 (동력의) 벨트 구동(驅動)〔드라이브〕.

bélt·ed [-id] *a.* 띠〔벨트〕를 두른; 예장대를 두른; (군함이) 장갑대를 두른; (동물 따위가) 넓은 줄이〔줄무늬가〕 있는: a ~ cruiser 장갑 순양함.
bélted-bias tíre 바이어스 타이어《둘레에 코드나 금속 벨트로 보강한 타이어》.
bélt·er *n.* 《속어》 뛰어난 것〔사람〕.
bélt hìghway 《미》 =BELTWAY 1.
bélt·ing *n.* **1** [U] 〔집합적〕 띠, 띠종류. **2** [U] 띠의 재료; 〖기계〗 벨트 (장치). **3** 《구어》 (혁대 따위로) 때리기: give a person a good ~ 아무를 몹시 때리다. **4** 《미속어》 한 잔함. **—** *a.* 《속어》 훌륭한, 멋있는.
bélt·less *a.* 벨트가 없는.
bélt lìne 《미》 (도시 주변의 전동차·버스의) 순환선.
bélt·lìne *n.* 허리통.
bélt·man [-mən, -mæ̀n] *n.* (기계의) 벨트 검사원〔수리공〕; 《Austral.》 (수영장의) 감시원, (허리에 밧줄을 달고 물에 뛰어드는) 인명구조대원.
bélt-òut *n.* (권투의) 녹아웃.
bélt sàw 띠톱(band saw).
bélt·tìghten *vi.* 긴축 정책을 펴다.
bélt tìghtening 긴축 (정책), 내핍 (생활).
bélt·wày *n.* **1** (도시 근교의) 순환 도로(belt highway). **2** (the (Capital) B–) Washington D.C. 및 Maryland 주, Virginia 주의 일부를 에워싸는 약 100 km의 일주 환상 도로《수도의 중심적인 기능은 모두 이 안에 있음》.
be·lu·ga [bəlúːgə] *n.* 〖어류〗 용상어; 〖동물〗 흰돌고래(white whale)《북극해산》.
bel·ve·dere [bélvidìər, ⌐–⌐] *n.* 〖건축〗 **1** (고층 건물의) 전망대; (정원 등의) 전망용 정자. **2** (B–) 바티칸 궁전의 회화관(繪畫館).
B.E.M. British Empire Medal《1941년 제정》; Bachelor of Engineering of Mines; bug-eyed monster《SF의 그림에 나오는, 눈이 큰 우주인》.
be·ma [bíːmə] (*pl.* **~s, ~·ta** [-mətə]) *n.* (교회당의) 강단; (옛 그리스의) 연단(演壇).
be·maul [bimɔ́ːl] *vt.* 혼을 내다; 세게 치다.
Bem·berg [bémbəːrg] *n.* [U] 벰베르크《인조견; 상표명》.
be·mean [bimíːn] *vt.* 저하시키다; 〔~ oneself〕 인격·품성 따위를 떨어뜨리다.
be·med·aled [bimédld] *a.* 훈장〔메달〕을 단.
be·me·gride [béməgràid, bíːm-] *n.* 〖약학〗 베메그리드《바르비투르산염 중독자용 흥분제》.
be·mire [bimáiər] *vt.* 흙투성이로 만들다; 흙탕에 빠뜨리다.
be·moan [bimóun] *vt., vi.* 슬퍼〔한탄〕하다, 애도하다; 불쌍히 여기다.
be·mock [bimák/-mɔ́k] *vt.* 비웃다; 얕보고 속이다.
be·muse [bimjúːz] *vt.* 멍하게 하다; 곤혹게 하다; 생각에 잠기게 하다; 〔보통 수동태〕 …의 마음을 사로잡다.
be·músed *a.* 생각에 잠긴; 멍한, 어리벙벙한; 곤혹스러운, 망연한. [파] **be·mús·ed·ly** [-zidli] *ad.*
ben[1] [ben] 《Sc.》 *n.* (시골집의) 안방, 거실. **—** *ad., prep., a.* (집의) 내부〔안방〕에〔의〕.
ben[2] *n.* 《Sc.·Ir.》 봉우리, 산꼭대기, 산정. ★ 주로 *Ben* Nevis 처럼 산이름과 같이 씀.
ben[3] *n.* 〖식물〗 고추냉이; 그 열매《아라비아·인도산》. [cf.] ben oil.
Ben·a·dryl [bénədril] *n.* 〖약학〗 베나드릴《두드러기 등 알레르기성 질환용; 상표명》.
Be·na·res, Ba·na·ras [bənáːrəs, -riːz] *n.* 베나레스《인도 동부에 있는 힌두교의 옛 성도(聖都); **Va·ra·na·si** [vəráːnəsiː]의 통칭》.
Bénce-Jónes prótein [bénsdʒóunz-] 〖생화학〗 벤스존스 단백질《골수병 환자의 오줌에서 검출되는 글로불린; 영국의 의사·화학자 Henry Bence-Jones (1814–73)의 이름에서》.
***bench** [bentʃ] *n.* **1** 벤치, 긴 의자; 〖야구〗 벤치, 선수석(a players' ~); [U] 〔집합적〕 보결 선수; (보트의) 노 젓는 자리(thwart): a ~ polisher 《야구속어》 보결 선수. **2** (영국 의회의) 의석: ministerial ~*es* 정무 위원〔장관〕석 / ⇨ BACK BENCH, FRONT BENCH, KING'S BENCH. **3** (the ~; 종종 the B–) 판사석; (열석한) 판사 일동; 〔집합적〕 [U] 재판관: ~ and bar 재판관과 변호사. **4** (목수 등의) 작업대, 세공대; 동물 품평회, (동물 품평회의) 진열대. [cf.] bench show. **5** 〖광산〗 (노천굴 등의) 계단; 단구(段丘)(terrace); (온실의) 모판 상자. ***be* 〔*sit*〕 *on the* ~** 판사석에 앉아 있다, 심리중이다. ***be raised* 〔*elevated*〕 *to the* ~** 판사로 승진하다; 《영》 주교로 승진하다. ***warm the* ~** ⇨ WARM.
— *vt.* **1** …에 벤치를 비치하다. **2** 벤치에 앉히다; …에 위원〔판사 따위〕의 자리를 주다. **3** (선수를) 출전 멤버에서 빼다. **4** (품평회 따위에서 개 따위를) 진열대에 올려놓다. **5** (탄층·둑을) 계단 모양으로 파다. **6** (식물을) 온실내의 모판 상자에 심다. **7** …을 그만두게 하다, 중지시키다.
bénch chèck =BENCH TEST.
bénch dòg (품평회에) 출품된 개.
bénch·er *n.* **1** 벤치에 걸터앉는 사람; (보트의) 노 젓는 사람. **2** 《영》 법학원(Inns of Court)의 평의원; 국회의원. **3** 《영》 밤낮 술집에 틀어박힌 사람.
bénch hòle 변소.
bénch jòckey 《미속어》 벤치에서 상대팀을 야유하는 선수; 곁에서 과격한 말을 하는 사람.
bénch·lànd *n.* 단구(段丘)(bench).
bénch làthe 〖기계〗 탁상 선반(旋盤).
bénch-máde *a.* (가공품이) 특별 맞춤의, 수제의.
bénch·man [-mən] (*pl.* **-men** [-mən]) *n.* 작업대에서 일하는 사람, 《특히》 라디오·텔레비전의 수리 기술자.
bénch màrk **1** 〖측량〗 수준 기표(基標), 수준점《생략: B.M.》. **2** =BENCHMARK.
bénch·màrk *n.* **1** 〖컴퓨터〗 견주기《여러 가지 컴퓨터의 성능을 비교·평가하기 위해 쓰이는 표준 문제》. **2** 〔일반적〕 기준, 척도. **3** 표준 가격. **—** *vt.* 〖컴퓨터〗 견주기 문제로 테스트하다.
bénch·màrking *n.* 《미》 벤치마킹《자기 회사의 생산성 향상을 위하여 경쟁 상대의 제품이나 경영 방식을 연구하는 일》.
bénch màrk posìtion 기준 직무《개인기업의 임금 수준 결정에 있어서 비교의 기준으로 삼는 관청의 직종》.
bénchmark shèet 〖컴퓨터〗 견주기 용지.
bénch prèss 벤치 프레스《벤치에 드러누워 바벨을 밀어올리는 운동; 벤치 프레스 경기》.
bénch-prèss *vt., vi.* (바벨을) 벤치 프레스하다.
bénch rùn =BENCH TEST.
bénch scìentist (연구실·실험실의) 과학 연구원; 연구 과학자.
bénch sèat (자동차의) 벤치 시트《좌우로 갈라져 있지 않은 긴 좌석》.
bénch shòw 《미》 개〔고양이〕의 품평회.
bénch tèst (엔진 따위 기계의) 제조 공장 내부 검사. [파] **bénch-tèst** *vt.*
bénch wàrmer 〖스포츠〗 후보 선수.
bénch wàrrant 〖법률〗 법원〔판사〕의 구속 영장.
bénch·wòrk *n.* (기계 작업에 대하여) 앉아서 하는 일, 마무리 손질.
bend**[1] [bend] (*p., pp.* **bent** [bent], 《고어》 ***bénd·ed) *vt.* **1** 《~+[목]/+[목]+[부]/+[목]+[전]+[명]》 구부리다; (머리를) 숙이다; (무릎을) 굽히다(stoop); (활을) 당기다; (용수철을) 감다; (사진·봉투 따위를) 접다《*up; down; into*》: ~ one's head 인사하다 / ~ a bow 활을 당기다 / ~ a wire *up* 〔*down*〕 철사를 구부려 올리다〔내

리다〕/ ~ a piece of wire *into* a ring 철사를 구부려 고리로 만들다. **2** 《~+[목]/+[목]+[전]+[명]》 (뜻을) 굽히다, 굴복시키다《*to*》; (법·규칙 따위를 편리하도록) 굽히다, 악용하다; 《속어》 (경기에서) 일부러 지다: ~ one's will 자기 뜻을 굽히다 / ~ a person *to* one's will 아무를 자기 뜻에 따르게 하다. **3** 《+[목]+[전]+[명]》 (눈·걸음을) 딴 데로 돌리다《*to; toward*(*s*)》; (마음·노력·정력 따위를) 기울이다, 쏟다《*on; to; toward*》: Every eye was *bent on* him. 모든 시선이 그에게(로) 쏠렸다 / She *bent* her mind *to* her new work. 그녀는 새로운 일에 마음을 쏟았다. **4** 《+[목]+[전]+[명]》 【해사】 (돛·밧줄 등을) 동여매다: ~ the sail *to* a yard (활대에) 돛을 동여매다. ― *vi.* **1** 구부러지다; 휘다: The branch *bent*. 가지가 휘었다. **2** 《+[부]/+[전]+[명]》 몸을 구부리다, 웅크리다: ~ *down* 웅크리다 / ~ *over* work 몸을 굽히고 일하다 / Better ~ than break. 《속담》 꺾이는 것보다 구부리는 것이 낫다, 지는 것이 이기는 것. **3** 《+[전]+[명]》 무릎을 꿇다; 굴복하다, 따르다《*to; before*》: ~ *to* fate 운명에 굴하다 / ~ *before* a person 아무에게 굴복하다. **4** 《+[전]+[명]》 힘을 쏟다, 기울이다《*to*》: We *bent to* our work. 우리는 일에 정력을 쏟았다〔열중하였다〕. **5** 《+[전]+[명]》 향하다《*to*》: The road ~*s to* the left. 길은 왼쪽으로 구부러져 있다. ***be bent with age*** 나이를 먹어 허리가 굽어져 있다. ***be caught ~ing*** 《구어》 허를 찔리다. **~ *forward*** 앞으로 굽히다; 앞으로 몸을 내밀다. **~ *over*** 되접어 꺾다, 접어 구부리다. **~ 〔*lean*〕 *over backward*(*s*)** ⇨ BACKWARD. **~ *one's brows*** 이맛살을 찌푸리다. **~ *one's elbow*** ⇨ ELBOW. **~ *oneself to*** …에 정력을〔정신을〕 쏟다, …에 열중하다. **~ *the neck*** 굴복하다. **~ *to* a person's *wishes*** 아무의 소원을 마지못해 들어주다. ***Don't ~.*** 접지 말 것《봉투 따위의 겉봉에 쓰는 말》.
― *n.* **1** 굽음, 굽은 곳, 굴곡〔만곡〕(부): a sharp ~ *in* the road 도로의 급커브. **2** 몸을 굽힘; 《미속어》 (극장에서 박수에 대한 답례로) 몸을 굽히는 인사, 절. **3** (마음의) 경향(傾向). **4** 【해사】 밧줄(을) 맨 매듭; (*pl.*) 배의 대판(帶板). **5** (the ~s) 《구어》 =CAISSON DISEASE; AEROEMBOLISM. ***above one's ~*** 《미》 힘이 못 미치는. ***Get a ~ on you!*** 《속어》 꾸물거리지 마라. ***go on the ~*** 《속어》 술 마시고〔신이 나서〕 떠들다. ***round* 〔*around*〕 *the ~*** 《영구어》 머리가 돌아, 미쳐; 술에 취한; 《미속어》 약에 취해: send a person *round the ~* 아무로 하여금 (정신이) 돌게 하다.
[파] **∠·a·ble** *a.* 굽힐 수 있는.

bend² *n.* **1** 【문장(紋章)】 우경선(右傾線)《방패의 왼쪽 위에서 오른쪽 아래로 비스듬히 내리그은 띠줄》 (= ∠ **déxter**). [opp] *bend sinister*. **2** 짐승의 등가죽을 등줄기에서 반으로 자른 한 쪽. **~ *leather*** 2의 가죽을 무두질한 것《구두창 등에 씀》.

ben·day [béndéi] *a.* 【인쇄】 벤데이법의. ― *vt.* 벤데이법으로 제판(製版)하다.

Bén Dáy 〔Béndáy, béndáy〕 pròcess 【인쇄】 (사진 제판에서) 벤데이법《점이나 선 등으로 음영·농담을 나타내는 제판법》.

bénd·ed [-id] 《고어》 BEND¹의 과거·과거 분사. ― *a.* 〔다음 관용구로만 쓰임〕 ***with ~ bow*** 활을 당겨. ***on ~ knee*(*s*)** 《문어》 무릎을 꿇고, 애원하듯이: *On ~ knee*, he asked her to marry him. 무릎을 꿇고, 그는 그녀에게 결혼해 달라고 요청했다.

bénd·er *n.* **1** 굽히는 사람〔기구〕, 펜치(pinchers); 구부러진 물건. **2** 《영속어》 6펜스 은화. **3** 《구어》 주흥(酒興), (법석대는) 술잔치, 홍청거림: go on a ~ 술 마시며 떠들다. **4** 【야구】 커브. **5** 《미속어》 다리(leg). **6** 《미속어》 도난차. ***on one's ~s*** 《속어》 매우 지쳐서.

bénding mòment 【물리】 휨 모멘트.

bénd sínister 【문장(紋章)】 좌경선(左傾線)《방패의 오른쪽 위에서 왼쪽 아래로 비스듬히 내리그은 띠줄; 서출(庶出)의 표시로도 쓰임》. [opp] *bend²*.

bend·wise, -ways [béndwàiz], [-wèiz] *a.* 【문장(紋章)】 BEND²모양으로 표시한; 그 모양의.

bendy [béndi] *a.* 마음대로 구부릴 수 있는, 유연한; (길 등이) 꼬불꼬불한.

ben·e- [bénə] *pref.* '선(善), 양(良)' 따위의 뜻. [opp] *mal-*, *male-*.

⁑**be·neath** [biníːθ, -níːð/-níːθ] *ad.* (바로) 아래〔밑〕에, 아래쪽에; 지하에: the heaven above and the earth ~ 위의 하늘과 밑의 땅 / the town ~ 아랫동네. ― *prep.* **1** (위치·장소가) …의 아래〔밑〕에(서); (무게·지배·압박 등의) 밑〔하〕에, …을 받아서: ~ a window 창 밑에 / ~ one's feet 발 밑에(서) / bend ~ a burden 무거운 짐을 지고 몸을 못 가누다 / ~ the Roman rule 로마 지배 아래에서. [SYN.] ⇨ BELOW. **2** …의 아래쪽〔기슭〕에. **3** (신분·직위·가치 등이) …보다 낮게, …보다 이하로: marry ~ one 자기보다 지체가 못한 사람과 결혼하다 / be ~ the average 평균보다 떨어지다. **4** …할 가치가 없는, …의 품위에 어울리지 않는: ~ notice 아주 하찮은 / He's ~ contempt. 그는 경멸할 가치조차 없다 / It is ~ him *to* complain. 푸념을 하는 것은 그답지 않다.

Ben·e·dic·i·te [bènədísəti/-dái-] *n.* **1** 【기독교】 Benedicite로 시작되는 찬송가; 또 그 악곡. **2** (b-) 축복의 기도, (식전의) 감사의 기도. ― *int.* 《폐어》 그대에게 행복이 있으라(Bless you!); 저런, 당치도 않은(Bless me!) 《놀람·항의를 나타냄》.

Ben·e·dick [bénədik] *n.* Shakespeare 작의 *Much Ado About Nothing* (헛소동) 중의 인물 《오랜 독신주의를 버리고 결혼한 남자》; (b-) = BENEDICT.

Ben·e·dict [bénədikt] *n.* 베네딕트. **1** 남자 이름. **2 Saint ~** 베네딕트회를 창설한 이탈리아의 수도사(480?-543?).

ben·e·dict [bénədikt] *n.* 신혼 남자《특히 오랜 독신 생활을 버린》; 기혼 남자.

Ben·e·dic·tine [bènədíktin, -tain] *a.* 성베네딕트의; 베네딕트회의. ― *n.* 베네딕트회 수사〔수녀〕; (b-) [-tiːn] [U] 단맛 도는 술의 일종《프랑스산》. **~ *rule*** 베네딕트회의 규칙《침묵과 근로를 중시함》.

ben·e·dic·tion [bènədíkʃən] *n.* **1** (예배 따위의 끝) 기도, (식전·식후의) 감사 기도. **2** 축복. [opp] *malediction*. **3** (B-) 【가톨릭】 성체 강복식. [파] **~·al** [-ʃənəl] *a.* 축복을 받은. 「(願望)의.

ben·e·dic·tive [bènədíktiv] *a.* 【문법】 원망

ben·e·dic·to·ry [bènədíktəri] *a.* 축복의.

Bénedict's solùtion 〔reàgent〕 베네딕트 (용)액〔시약〕《오줌 속의 당 검출에 씀; 미국의 생화학자 Stanley R. Benedict(1884-1936)의 이름에서》.

Ben·e·dic·tus [bènədíktəs] *n.* **1** *Benedictus qui venit* 《L.》 (=Blessed is he who ...)로 시작되는 찬송가. **2** 그 악곡.

ben·e·fac·tion [bénəfæ̀kʃən, ⌒⌒⌒] *n.* 은혜를 베품; [U,C] 은혜, 선행; 희사(喜捨).

ben·e·fac·tive [bènəfǽktiv] *n.* 【언어】 수익자격(受益者格)《격(格)문법 이론에서, 'It's for you'의 'for you' 부분》.

°**ben·e·fac·tor** [bénəfæ̀ktər, ⌒⌒⌒] (*fem.* **-tress** [-tris]) *n.* 은혜를〔자선을〕 베푸는 사람, 은인; (학교 등의) 후원자; 기증〔기부〕자: a ~ *of*

mankind 인류의 은인. 「푸는.
be·nef·ic [bənéfik] *a.* 선행을 하는, 은혜를 베
ben·e·fice [bénəfis] 〖기독교〗 *n.* **1** 성직록(聖職祿), 〖영국교회〗 vicar 또는 rector의 수입; 교회의 수입. **2** 성직록을 받는 성직. **—** *vt.* …에게 성직록을 주다. ㊞ **~d** [-t] *a.* 성직록을 받는.
be·nef·i·cence [bənéfəsəns] *n.* **1** Ⓤ 선행, 은혜; 자선; 덕행. **2** Ⓒ 자선 행위; 시혜물(施惠物)(gift). ◇ beneficent *a.*
°**be·nef·i·cent** [bənéfəsənt] *a.* 자선심이 많은, 기특한; 인정 많은(OPP *maleficent*); 유익한. ◇ beneficence *n.* ㊞ **~·ly** *ad.*
°**ben·e·fi·cial** [bènəfíʃəl] *a.* **1** 유익한, 이익을 가져오는《*to*》: a ~ insect 익충. **2** 〖법률〗 이익을 받는, 수익을 얻는. ***be ~ to*** (health) (건강)에 유익하다. ***have a ~ effect on*** …에 유리한 결과를 가져오다. ㊞ **~·ly** *ad.* **~·ness** *n.*
ben·e·fi·ci·ary [bènəfíʃièri, -fíʃəri] *n.* 수익자; (연금·보험금 등의) 수령인; 《미》 장학생; 〖법률〗 신탁의 수익자; 〖가톨릭〗 성직록(聖職祿)을 받는 사제; (봉건 시대의) 봉신(封臣). **—** *a.* 녹봉을 받는, 신하로서 섬기는, 성직록〔봉토〕(보유)의.
ben·e·fi·ci·ate [bènəfíʃièit] *vt.* (원료를) 선별하다, (특히, 광석을) 선광하다. ㊞ **bèn·e·fi·ci·á·tion** *n.* 선광 (처리).
ben·e·fit [bénəfit] *n.* **1** 이익; 〖상업〗 이득: (a) public ~ 공익(公益). SYN. ⇨ PROFIT. **2** 은혜; 은전(恩典). **3** 자선 공연〔흥행, 경기 대회〕: a ~ concert 자선 콘서트. **4** 《영》(종종 *pl.*) (보험·사회 보장 제도의) 급부금, 연금, 원호(援護): sickness ~ 의료 급부금. **5** 《속어》 수지맞는 일. **6** 《영》 면세(《미》 relief). **7** 교회의 (결혼) 승인. **~ *of clergy*** ① 교회의 의식〔승인〕, 《특히》 결혼에 관한 승인과 의식: without ~ *of clergy* 《우스개》 정식으로 결혼하지 않고. ② 〖영국사〗 성직 재판권《성직자가 교회에서 재판을 받을 권리》. **~ *of inventory*** 〖Sc. 법률〗 상속 재산 목록 작성의 특권. ***be of ~ to*** …에 유익하다. ***confer a ~ on*** 《영》 …에게 은혜를 베풀다. ***for*** a person***'s ~*** = ***for the ~ of*** a person 아무를 위하여; 〘반어적〙 …를 골리기 위하여, …에게 빗대어. ***without ~ of*** …의 도움도 없이: *without ~ of* search warrants 수색 영장도 없이.
— *vt.* …의 이(利)가 되다; …에게 이롭다. **—** *vi.* 《+전+명》 이익을 얻다《*by; from*》: You will ~ *by* a holiday. 휴가 혜택을 받을 것이다. ◇ beneficial *a.* ㊞ **~·er** *n.* 수익자.
bénefit of the dóubt (the ~) 〖법률〗 증거가 불충분할 때 피고에게 유리하게 해석하는 것; 불확실한 경우 상대에게 유리하도록 해주는 것: give a person the ~ 아무의 의심스러운 점을 선의로 해석해 주다; 의심스러운 점에 대해서는 벌하지 않다.
bénefit socìety 〔**assocìàtion, clùb**〕 《미》 공제 조합(《영》 friendly society).
Ben·e·lux [bénəlʌ̀ks] *n.* 베네룩스《*Be*lgium, *Ne*therlands, *Lux*emburg 세 나라의 총칭; 또 이 나라들이 1948년에 맺은 관세 동맹; 1960년에 경제 동맹이 되었음》.
°**be·nev·o·lence** [bənévələns] *n.* Ⓤ 자비심, 박애; Ⓒ 선행, 자선; 〖영국사〗 덕세(德稅)《국왕이 헌금의 명목으로 거둔 세금》.
°**be·nev·o·lent** [bənévələnt] *a.* **1** 자비심 많은, 호의적인, 친절한, 인정 많은. OPP *malevolent*. ¶ ~ neutrality 호의적 중립/a ~ ruler 인정 많은 지배자. **2** 자선의: the ~ art 인술(仁術)/a ~ fund 〔institution〕 자선〔공제〕 기금〔단체〕/a ~ society 공제회. ㊞ **~·ly** *ad.* **~·ness** *n.*
Beng. Bengal; Bengali. **B. Eng.** Bachelor of Engineering.
Ben·gal [beŋgɔ́ːl, -gáːl, beŋ-/beŋgɔ́ːl, ben-] *n.* 벵골《본래 인도 북동부의 주(州), 현재는 인도령과 Bangladesh령(領)으로 나뉨》; 벵골 무명〔명주〕.
Ben·ga·lese [bèŋgəlíːz, -líːs, bèŋ-] *a.* 벵골(인, 어)의. **—** (*pl.* ~) *n.* 벵골인.
Ben·ga·li, -ga·lee [beŋgɔ́ːli, -gáː-, beŋ-/-gɔ́ː-] *a.* 벵골(인, 어)의. **—** *n.* 벵골인; Ⓤ 벵골어.
ben·ga·line [béŋgəlìːn, ˌ-ˊ] *n.* Ⓤ 비단의 일종《견사·레이온과 양모 또는 무명과의 교직》.
Béngal líght 〔**fíre**〕 벵골 불꽃《청백색의 지속성 불꽃으로 해난 신호·무대 조명용》; 〘일반적〙 아름다운 채색 불꽃.
Béngal mónkey 〔**macáque**〕 〖동물〗 레서스원숭이(rhesus monkey).
Béngal strípes 견사와 무명실로 짠 줄무늬 직물(gingham). 「랑이.
Béngal tíger 인도 남부에 사는 털이 짧은 호
B. Engr. Bachelor of Engineering.
Ben-Hur [bénhə́ːr] *n.* 벤허《Lew Wallace의 역사 소설; 그 주인공; 그 미국 영화》.
be·night·ed [bináitid] *a.* 밤이 된, 길이 저문《나그네 등》; 《비유》 어리석은, (문화·시대에) 뒤진; 미개한. ㊞ **~·ly** *ad.* **~·ness** *n.*
be·nign [bináin] *a.* **1** (마음·성질이) 친절한, 자애로운; (행위·표정 등이) 상냥한, 따뜻한, 친절한. **2** (전조·운명 등이) 길운의, 재수 좋은. **3** (기후·풍토가) 건강에 좋은, 온화한, 쾌적한. **4** 〖병리〗 양성(良性)의. OPP *malignant*. ¶ a ~ tumor 양성 종양. ㊞ **~·ly** *ad.*
be·nig·nan·cy [binígnənsi] *n.* Ⓤ 자애 깊음; 인자; (기후 따위의) 온화; 〖의학〗 양성(良性); 유익.
be·nig·nant [binígnənt] *a.* **1** 자비로운, 친절한, 다정한. OPP *malign*. SYN. ⇨ KIND. **2** 온화한; 유익한; 이로운. **3** 〖의학〗 양성(良性)의. OPP *malignant*. ㊞ **~·ly** *ad.*
be·nig·ni·ty [binígnəti] *n.* Ⓤ 인자, 친절한 행위, 은혜, 자비; 온화, 유화(柔和); 온난.
benígn neglέct 호의적〔선의의〕 무시《정치·경제·외교 따위의 부적절함을 모른 체 방관하는 일》. cf. malign neglect.
Be·nin [beníː(ː)n, bénin] *n.* 베닝《아프리카의 공화국; 구칭 Dahomey; 수도 Porto Novo》. ㊞ **Be·ni·nese** [bəníːniːz, -s, bènəníːz] *a., n.*
Bén·i·off zòne [béniɔ̀ːf-, -àf-/-ɔ̀f-] 〖지학〗 진원면(震源面), 베니오프 대(帶).
ben·i·son [bénəzən, -sən] *n.* 《고어》 축복, 축도.
Ben·ja·min [béndʒəmin] *n.* **1** 벤저민《남자 이름》. **2** 〖성서〗 베냐민《이스라엘 12지파의 하나》. **3** 〖성서〗 베냐민《Jacob의 막내아들》; 막내, 귀염둥이. **4 Arthur ~** 벤저민《오스트레일리아의 작곡가; 1893–1960》. **5 Asher ~** 벤저민《미국의 건축가·저술가; 1773–1845》. **6** [*G.* bénjamiːn] **Walter ~** 베냐민《독일의 비평가·수필가; 1892–1940》. **7** (b-) = BENZOIN. **8** 《미속어》 외투. **~'s mess** 〔**portion**〕 큰 몫. 「칭》.
Ben·jy, -jie [béndʒi] *n.* 벤지《Benjamin의 애
Ben·late [bénlèit] *n.* 벤레이트《살균용 농약; BENOMYL의 상표명》.
ben·ne, ben·ni, bene [béni] *n.* 《Malay.》 〖식물〗 깨(sesame).
bénne òil 참기름.
ben·net [bénit] *n.* 〖식물〗 = HERB BENNET; 《영》 데이지; = BENT² 1.
Ben·nett [bénit] *n.* 베넷. **1** 남자 이름(= **Bénnet**). **2 Enoch Arnold ~** 영국의 소설가(1867–1931).

Ben Ne·vis [benníːvis, -névis/-név-] 스코틀랜드 중서부에 있는 영국 최고의 산《1343m》.

bennie ⇨ BENNY.

Ben·ny, Ben·nie [béni] *n.* **1** 베니《Benjamin의 애칭》. **2** (b-) 《속어》 남자용 외투; 《미속어》 =DERBY HAT. **3** (b-) 《미속어》 전당포.

ben·ny, ben·nie *n.* 중추 신경 자극제, 《특히》 =BENZEDRINE; BENNY에 취함〔취해 있음〕.

bén òil BEN[3]에서 채취한 기름《향수·화장품·요리·윤활유 등에 씀》.

ben·o·myl [bénəmil] *n.* 베노밀《살균제》.

⁑**bent**[1] [bent] BEND의 과거·과거분사.
— *a.* **1** 굽은, 구부러진, 뒤틀린: a man ~ *with* age 늙어 허리가 굽은 사람. **2** 열중한, 결심한 《*on*》: ~ *on* mischief 장난만 하여 / be ~ *on* do*ing* …을 결심하고 있다, …에 열중하고 있다. **3** 《영속어》 정직하지 않은; 도둑맞은; 도벽(盜癖)이 있는: ~ goods 훔친 물건. **4** 《미속어》 (마약·술에) 취한; 도착의, 호모의; 《영》 머리가 돈〔이상한〕; 격노한; 고장이 난; 《미》 파산한 것과 다를 바 없는. ~ ***out of shape*** 《속어》 (마약·알코올로) 비틀거리는; 성내고 있는.
— *n.* **1** 경향, 성벽: the ~ *of* the mind 성벽(性癖): follow one's ~ 마음 내키는 대로 하다, 성미에 따르다. **2** 좋아함, 소질(素質): have a natural ~ *for* music 음악의 소질을 타고나다 / a young man with a literary ~ 문학 청년 / have a ~ for study 학문을 좋아하다. **3** 긴장, 인내력, 내구력. **4** 〖건축〗 교각. **5** 굴곡〔만곡〕(부). ***to*** 〔***at***〕 ***the top of*** one's ~ 힘껏, 마음껏; 충분히 만족할 때까지.

bent[2] *n.* Ⓤ,Ⓒ **1** 겨이삭속(屬) 또는 그와 비슷한 볏과(科) 잡초《특히, 잔디용》(=∠ **gràss**). **2** 그 줄기. **3** 《고어·Sc.》 황무지, 초원, 목초지(heath).

bént éight 《미속어》 8 기통(차).

Ben·tham [bénθəm, -təm] *n.* **Jeremy** ~ 벤담《영국의 철학자·법률가; 1748-1832》. ㊈ **~·ism** *n.* Ⓤ (벤담이 주창한) 공리(功利)주의. **~·ite** [-àit] *n.* 공리주의자.

bént-hàndled *a.* 구부릴 수 있는 손잡이의《테니스 라켓·해머·골프채·냄비 등의 손잡이를 10-19 도 구부릴 수 있는》.

ben·thic [bénθik], **ben·thon·ic** [benθánik/-θɔ́n-], **ben·thal** [bénθəl] *a.* 〖생물〗 물 밑에 사는: ~ animals 저생(底生) 동물.

ben·thos [bénθɑs/-θɔs] *n.* **1** 수저(水底), 《특히》 심해저. **2** 수저 생물, 벤토스, 저생 생물(=**benthon** [bénθɑn/-θɔn]).

ben·tho·scope [bénθəskòup] *n.* 해저 조사용 강철구(球).

bént-leg slíde 〖야구〗 벤트레그 슬라이딩《한쪽 다리를 구부리고 베이스에 미끄러져 들어가는》.

Bént·ley còmpound [béntli-] 〖약학〗 벤틀리 화합물《야생 동물용 강력 마취제》.

ben·ton·ite [béntənàit] *n.* Ⓤ 〖광물〗 벤토나이트《화산재의 풍화로 된 점토의 일종; 흡수제·충전재(充塡材)》. ㊈ **bèn·ton·ít·ic** [-nítik] *a.*

ben tro·va·to [bèntrouvá:tou] 《It.》 잘 생각해낸, 그럴 듯한《이야기 따위》.

bént·wòod *n.* 굽은 나무《가구용》. **—** *a.* 굽은 나무로 만든《의자 따위》.

be·numb [binʌ́m] *vt.* 감각을 잃게 하다, 마비시키다, 저리게 하다《*by; with*》; 실신케 하다; 멍하게 하다. ㊈ **~·ing·ly** *ad.*

Benz [benz; *G.* bɛ́nts] *n.* 벤츠. **1 Karl (Friedrich)** ~ (1844-1929) 《독일의 자동차 기사·제조업자; Daimler와 함께 Daimler-Benz사 설립(1926)》. **2** Daimler-Benz사; 이 회사 제작의 차; 《종종 b-》 《미구어》 이 회사 제작의 Mercedes-Benz 자동차.

ben·zal [bénzæl] 〖화학〗 *a.* 벤잘기(基)의〔를 함유한〕. **—** *n.* 벤잘기(~ group).

benz·al·de·hyde [benzǽldəhàid] *n.* 〖화학〗 벤즈알데히드《향료·물감용》.

benz·an·thra·cene [benzǽnθrəsìːn] *n.* 〖화학〗 벤즈안트라센《발암성 방향족 탄화 수소; 유기물의 불완전 연소로 생김》.

Ben·ze·drine [bénzədrìːn, -drin] *n.* 〖약학〗 벤제드린《amphetamine 상표명; 각성제》.

ben·zene [bénziːn, -∠] *n.* Ⓤ 〖화학〗 벤젠《콜타르에서 채취함, 용제(溶劑); 물감의 원료》: ~ hexachloride 벤젠 헥사클로라이드《살충제; 생략: BHC》/ a ~ ring〔nucleus〕 벤젠고리〔핵〕. ㊈ **ben·ze·noid** [bénzənɔ̀id] *a.*

ben·zi·dine [bénzədìːn, -din] *n.* 〖화학〗 벤지딘《물감의 원료·시료(試料)용》.

ben·zim·id·az·ole [bènzimidǽzoul, bènzəmídəzòul] *n.* 〖화학〗 벤지미다졸《염기의 하나; 바이러스·기생충·진균(眞菌)의 증식을 억제함》; 벤지미다졸 유도체.

ben·zine, -zin [bénziːn, -∠], [bénzin] *n.* Ⓤ 〖화학〗 벤진《석유에서 채취하는 무색의 액체》. ★ benzene과 구별하여 benzoline이라고도 함.

ben·zo- [bénzou, -zə], **benz-** [benz] 〖화학〗 '벤젠(환)의' 의 뜻의 결합사: *benzoic*.

bènzo·[*a*]·pýrene [-èi-, -ǽlfə-] *n.* 〖화학〗 벤조[*a*] 피렌《벤조피렌의 이성체; 콜타르 중에 있으며, 황색 결정으로 얻어지는 발암 물질》. ★ benzo(*a*)pyrene, benzo-*a*-pyrene 라고도 씀.

ben·zo·ate [bénzouèit, -ət] *n.* 〖화학〗 안식향산염(安息香酸塩), 벤조에이트.

ben·zo·caine [bénzoukèin] *n.* 〖약학〗 벤조카인《결정성 분말로, 국부 마취제》.

ben·zo·di·az·e·pine [bènzoudaiǽzəpìːn, -éizə-] *n.* 〖화학·약학〗 벤조다이제핀《Valium 따위 정신 안정제용 화학 물질》.

bènzo·fúran *n.* 〖화학〗 벤조푸란(coumarone).

ben·zo·ic [benzóuik] *a.* 안식향의.

benzóic ácid 〖화학〗 안식향산, 벤조산(酸).

ben·zo·in [bénzouin, -∠-] *n.* 안식향, 벤조인 수지; 〖식물〗 =SPICEBUSH; 〖화학〗 벤조인《의약품·향수용》.

ben·zol, -zole [bénzɔːl, -zɑl/-zɔl], [-zoul, -zɑl] *n.* Ⓤ **1** =BENZENE. **2** 벤졸, 불순 벤젠.

ben·zo·line [bénzəlìːn] *n.* =BENZINE.

ben·zo·phe·none [bènzoufinóun, -fíːnoun] *n.* 〖화학〗 벤조페논《방향 무색의 결정》; 벤조펜의 유도체.

bènzo·pýrene *n.* Ⓤ 벤조피렌《콜타르에 함유된 발암성 물질》.

bènzo·quinóne *n.* 〖화학〗 벤조퀴논(quinone).

ben·zo·yl [bénzouil] *n.* 〖화학〗 벤조일(=∠ **gròup** 〔**ràdical**〕)《1가의 산기(酸基)》.

bénzoyl peróxide 〖화학〗 과산화 벤조일.

benz·py·rene [benzpáiəriːn, ∸-∠] *n.* 〖화학〗 =BENZOPYRENE.

ben·zyl [bénzil, -ziːl] *n.* Ⓤ 〖화학〗 벤질(=∠ **gròup** 〔**ràdical**〕). ㊈ **ben·zyl·ic** [benzílik] *a.*

bénzyl álcohol 〖화학〗 벤질알코올.

Be·o·wulf [béiəwùlf] *n.* 8 세기초의 고대 영어 서사시; 그 주인공.

be·paint [bipéint] *vt.* 《고어》 …에 칠하다, 색칠하다.

be·plas·ter [biplǽstər, -plɑ́ːs-/-plɑ́ːs-] *vt.* 회반죽을 바르다, …에 두껍게〔온통〕 바르다.

be·pow·der [bipáudər] *vt.* 가루를 뿌리다; 분을 짙게 바르다.

◇**be·queath** [bikwíːð, -kwíːθ] *vt.* **1** 《+목+전+명/+목+목》 〖법률〗 (동산을) 유증(遺贈)하다《*to*》: She ~*ed* no small sum of money *to* him. =She ~*ed* him no small sum of money. 그녀는 그에게 적지 않은 돈을 유산으로

남겼다. 2 《+목+전+명》 (이름 · 작품 따위를) 남기다, (후세에) 전하다《to》: One age ~s its civilization *to* the next. 한 시대의 문명은 다음 시대로 계승된다. ㊞ ~·al [-əl], ~·ment n. =BEQUEST.

be·quest [bikwést] n. Ⓤ 유증; 유산; Ⓒ 유물; 유품.

be·rate [biréit] vt. 호되게 꾸짖다.

Ber·ber [bə́ːrbər] n. 베르베르 사람《북아프리카 원주민의 한 종족》; Ⓤ 베르베르 말. ― a. 베르베르 사람〔말, 문화〕의.

ber·ber·ine [bə́ːrbəriːn] n. 〖약학〗 베르베린 《황색의 침상(針狀) 결정; 건위제 · 강장제》.

ber·ber·ry, -bery [bə́ːrbəri] n. =BARBERRY.

ber·ceuse [F. bɛRsøːz] (pl. ~s [―]) n. 《F.》 〖음악〗 자장가.

◇**be·reave** [biríːv] (p., pp. ~d [-d], ***be·reft***) vt. 《~+목/+목+전+명》 1 (생명 · 희망 등을) 빼앗다《of》: be utterly *bereft* 완전히 살 희망을 잃다 / She was *bereft of* hearing. 그녀는 청력(聽力)을 상실했다. 2 〖p., pp.는 보통 ~*d*〗 (육친 등을) 앗아가다《of》; (뒤에 헛되게) 남기다《of》: The accident ~*d* her *of* her husband. 그 사고로 그녀는 남편을 잃었다. ㊞ ~·ment n. Ⓤ,Ⓒ 사별(死別): I sympathize with you in your ~*ment*. 삼가 조의를 표합니다. be·réav·er n.

be·réaved BEREAVE의 과거 · 과거분사. ― a. (가족 · 근친과) 사별한; 뒤에 남겨진; (the ~) 〖명사적; 단 · 복수취급〗 (가족〔근친〕과) 사별한 사람(들), 유족.

*__be·reft__ [biréft] BEREAVE의 과거 · 과거분사. ― a. 빼앗긴, 잃은《of》: He is ~ *of* all happiness. 그는 모든 행복을 빼앗기고 있다.

Ber·e·ni·ce [bèrənáisi] n. 고대 이집트의 왕비《그 머리는 별자리가 됨》: the ~'s Hair 〖천문〗 머리털자리(Coma ~s).

be·ret [bəréi, bérei/bérei] n. 《F.》 베레모(帽); 〖영군사〗 베레식 군모.

Be·ret·ta [bərétə] n. 베레타. 1 이탈리아의 권총 · 기관 단총 제작 회사인 Armi Beretta SpA의 준말《상표명》. 2 이탈리아의 단총(短銃) 제작 회사 Pietro Beretta의 준말《상표명》.

berg[1] [bəːrg] n. 빙산(iceberg).

berg[2] n. 《S.Afr.》 〖종종 복합어로〗 산(山).

ber·ga·mot [bə́ːrgəmɑ̀t, -mət/-mɔ̀t] n. 〖식물〗 베르가모트(=∽ òrange); 〖식물〗 배의 일종; Ⓤ 베르가모트 향유; 박하의 일종.

berg·schrund [bɛ́ərkʃrùnt] n. 《G.》 빙하의 갈라진 틈.

Berg·son [bə́ːrgsən, bɛ́ərg-] n. **Henri ~** 베르그송《프랑스의 철학자; 1859-1941》. ㊞ **Berg·so·ni·an** [bəːrgsóuniən, bɛərg-] a., n. 베르그송 철학의 (신봉자). **Bérg·son·ism** [-sənìzəm] n. 베르그송 철학.

bérg wìnd [-wìnd] 산바람《남아프리카의 내륙 고원에서 연안 쪽으로 부는 건조한 더운 바람》.

be·rhyme, -rime [biráim] vt. 《고어》 시로 짓다〔찬양하다〕, 운문으로 하다; 시로 풍자하다.

be·rib·boned [biríbənd] a. 리본으로 꾸민; 훈장을 단. 「(병).

ber·i·beri [bèribéri] n. Ⓤ 〖의학〗 각기(脚氣)

Ber·ing [bíəriŋ, bɛ́ər-/bér-] n. **Vitus ~** 베링 《덴마크의 항해가; 1681-1741》.

Béring Séa (the ~) 베링 해.

Béring (stándard) tìme 베링 표준시《G.M.T. 보다 11시간 늦음; 생략: B(S)T》.

Béring Stráit (the ~) 베링 해협.

berk [bəːrk] n. 《속어》 얼간이, 지겨운 놈.

Berke·le·ian, -ley·an [bə́ːrkliən, bəːrklíːən/bɑːklíː-] a. 버클리 철학의. ― n. 버클리 철학론자. ㊞ ~·ìsm n. 버클리 철학.

Berke·ley [bə́ːrkli] n. 버클리. 1 **George ~** 아일랜드의 주교 · 철학자(1685-1753). 2 [bə́ːrkli] 미국 캘리포니아 주의 도시.

ber·ke·li·um [bərkíːliəm, bə́ːrkliəm] n. Ⓤ 〖화학〗 버클륨《방사성 원소; 기호 Bk; 번호 97》.

Berk·shire [bə́ːrkʃiər, -ʃər] n. 잉글랜드 남부의 주《생략: Berks. [bɑːks]》; 버크셔, 흰점이 박힌 검은 돼지.

ber·ley [bə́ːrli] n. 《Austral.》 허튼 소리, 난센스; 낚시의 밑밥(ground bait).

◇**Ber·lin** [bəːrlín] n. 1 베를린《독일의 수도》. 2 Ⓒ (b-) a 2인승 4륜 마차의 일종. b 유리로 칸막이를 한 리무진 승용차(=**ber·line** [bərlíːn, bə́ːrlin]). 3 Ⓤ (종종 b-) 편물용 가는 털실(~ wool): a ~ warehouse 〔shop〕 털실 가게.

Ber·li·ner [bə́ːrlənər] n. 베를린 시민.

Bérlin Wáll (the ~) (동 · 서독 간의) 베를린 장벽《1989년에 붕괴됨》; 《비유》 (파벌 사이 등의) 의사 소통의 장벽. 「털실.

Bérlin wóol (최상급의 자수 · 편물용) 가느다란

Ber·li·oz [bɛ́ərliòuz; F. bɛRljoːz] n. (**Louis) Hector ~** 베를리오즈《프랑스의 작곡가; 1803-69》.

berm(e) [bəːrm] n. 〖축성(築城)〗 벼랑길; 〖토목〗 둑의 물매턱; 《미》 갓길.

Ber·mu·da [bərmjúːdə] n. 1 버뮤다《대서양상 영령(英領) 군도 중 최대의 섬》; (the ~s) 버뮤다 제도. 2 (pl.) =BERMUDA SHORTS; BERMUDA GRASS; 《미속어》 양파. ㊞ **Ber·mú·di·an** [-diən], **-mú·dan** a., n.

Bermúda bàg 버뮤다 백《달걀꼴의 핸드백》.

Bermúda cóllar 버뮤다 칼라《여성복 · 블라우스의 끝이 뾰족한 깃》.

Bermúda gràss 잔디 · 목초용 풀의 일종.

Bermúda ónion 양파의 일종.

Bermúda shórts (무릎 위까지 오는) 짧은 바지(walking shorts).

Bermúda Tríangle (the ~) 버뮤다 삼각 해역(the Devil's Triangle). 「자 이름》.

Ber·na·dette [bə̀ːrnədét] n. 베르나데트《여

Ber·nard [bə́ːrnərd, bəːrnɑ́ːrd] n. 1 버나드 《남자 이름》. 2 **St. ~** 성(聖)베르나르《10-12세기에 살았던 프랑스의 세 성인》.

Ber·nard·ine [bə́ːrnərdin, -dìːn] a., n. Cistercian파의 (수도사).

Bern(e) [bəːrn, bɛərn; F. bɛRn] n. 베른《스위스의 수도》.

Ber·nese [bə́ːrniːz, -s, ∸] a., n. 베른의〔사람〕.

Ber·nice [bəːrníːs, bə́ːrnis/bə́ːnis] n. 1 버니스《여자 이름》. 2 《속어》 =COCAINE.

Ber·nie [bə́ːrni] n. 1 버니《남자 이름; Bernard의 애칭》. 2 《속어》 =COCAINE.

Ber·nóul·li effèct [bərnúːli-] 〖물리〗 베르누이 효과. 「리(定理).

Bernóulli's théorem 〖통계〗 베르누이의 정

Bernóulli trìal 〖통계〗 베르누이 시행(試行)《가능과 불가능뿐인 두 시행을 무한히 시행하여 하나의 시행으로 생각하는 일》.

Bern·stein [bə́ːrnstain, -stiːn] n. 1 **Leonard ~** 번스타인《미국의 지휘자 · 작곡가 · 피아니스트; 1918-90》. 2 [bɛ́ərnstain, bə́rn-] **Eduard ~** 베른슈타인《독일의 사회주의자; 1889년에 수정주의를 주장; 1850-1932》.

ber·ried [bérid] a. 장과(漿果)를 맺는〔가 열린〕; (새우 따위가) 알이 밴.

⁑**ber·ry** [béri] n. 1 핵(核) 없는 식용 소과실《주로 딸기류》; 〖식물〗 장과(漿果) 《포도 · 토마토 · 바

나나 등》. **2** 말린 씨《커피·콩 따위》; (곡식의) 낟알; 들장미의 열매(hip). **3** (물고기·새우의) 알의 낱알: a lobster in ~ 알을 밴 새우. **4**《미속어》달러; 《영속어》파운드. **— vi.** 장과를 맺다; 장과를 따다: go ~*ing* (야생의) 딸기 따러 가다. ㊕ **~·less** *a.* **~·like** *a.* berry와 비슷한; 구상(球狀)의.

ber·sa·glie·re [bὲərsəljέəri/-sɑ:l-] (*pl.* ***-ri*** [-ri]) *n.* (종종 B-) 《It.》 저격병〔대〕.

ber·serk [bəːrsə́ːrk, -zə́ːrk] *n.* =BERSERKER. **—** *a., ad.* 광포한, 맹렬한; 광포하게. ***go*** 〔***run***〕 **~** 광포해지다, 난폭해지다. ***send*** a person **~** 아무를 난폭해지게 하다.

ber·sérk·er *n.* **1** (북유럽 전설의) 광포한 전사(戰士). **2** 폭한(暴漢).

◇**berth** [bəːrθ] *n.* **1** 침대《기선·기차·여객기 따위의》, 층(層)침대. **2** 정박〔조선(操船)〕 여지〔거리, 간격〕; (배의) 투묘지(投錨地), 정박 위치; 주차 위치: a foul ~ (충돌할 우려가 있는) 나쁜 위치/take up a ~ 정박하다. **3** 숙소, 거처; 〖해사〗 고급 선원실. **4** 적당한 장소; 《구어》 직장, 지위: have a (good) ~ with …에 (좋은) 일자리〔지위〕가 있다. ***give a wide ~ to*** =***keep a wide ~ of*** 《구어》 …에서 멀리 떨어져서 정박하다; …을 경원하다〔피하다〕. ***on the ~*** 정박 중인〔에〕. **— vt.** 정박시키다; …에게 침대를 마련해 주다; 취직시키다. **— vi.** 정박하다; 숙박하다.

Ber·tha [bə́ːrθə] *n.* **1** 버사《여자 이름; 애칭 Bert, Bertie, Berty》. **2** =BIG BERTHA.

ber·tha [bə́ːrθə] *n.* (여성복의) 넓은 깃《흰 레이스로 어깨까지 드리워짐》.

berth·age [bə́ːrθidʒ] *n.* Ⓤ,Ⓒ (배의) 숙박시설〔준비〕; 정박세(稅); 계선(繫船). 「현장(舷墻).

bérth·ing *n.* 정박; 계선(繫船)위치; 침대 설비;

Bert·ie [bə́ːrti] *n.* 버티. **1** Bertha의 애칭. **2** Albert, Hubert 등의 애칭.

Ber·til·lon [bə́ːrtəlὰn/-lɔ̀n; *F.* bɛrtijɔ̃] *n.* **Alphonse ~** 베르티용《프랑스의 인류(人類)학자·범죄(犯罪)학자; 1853-1914》.

Bértillon sỳstem 베르티용식의 인체 측정법《범인 식별법》.

Ber·tram [bə́ːrtrəm] *n.* 버트럼《남자 이름》.

Ber·trand [bə́ːrtrənd] *n.* 버트런드《남자 이름》.

Ber·wick(·shire) [bérik(ʃiər), -(ʃər)] *n.* 영국 Borders 주의 일부《스코틀랜드 남동부의 옛 주; 생략: Berw.》.

ber·yl [bérəl] *n.* Ⓤ **1** 〖광물〗 녹주석(綠柱石)《에메랄드 따위》; 담청색, 벽록(碧綠)색. **2** (B-) 베릴《여자 이름》. ㊕ **~·ine** [-in, -ὰin] *a.* 녹주석의; 담청색의.

be·ryl·li·o·sis [bərìlióusis/be-] *n.* 〖의학〗 베릴륨증(症)〔중독〕《베릴륨염의 분진 따위를 코로 들이마셔 생기는 만성 폐렴; 폐의 육아종(肉芽腫) 형성이 특징임》.

be·ryl·li·um [bəríliəm/be-] *n.* Ⓤ 〖화학〗 베릴륨《금속 원소; 기호 Be; 번호 4》.

be·screen [biskríːn] *vt.* 덮어서 숨기다.

◇**be·seech** [bisíːtʃ] (*p., pp.* ***be·sought*** [-sɔ́ːt], **~*ed***) *vt.* **1** 《~+목/+목+전+명/+목+*to* do/+목+*that*절》 간절히 원하다, 탄원하다《*for*》: ~ a person *for* permission 아무에게 허가를 간청〔간원〕하다/I ~ you *to* forgive him. 제발 그를 용서해 주시오/She *besought* the King *that* the captive's life might be saved. 그녀는 포로의 목숨을 살려 주도록 왕에게 탄원했다. **2** 《~+목/+목+전+명》 청하다; 구하다《*of*》: I ~ your favor. 제발 부탁합니다/I ~ this favor *of* you. 제발 이것을 부탁한다. **— vi.** 탄원하다.
㊕ **~·er** *n.* **~·ing** *a.* **~·ing·ly** *ad.* 탄원〔애원〕하듯이.

be·seem [bisíːm] *vt.* 《고어》〘주로 it를 주어로 하여〙 …에게 어울리다〔걸맞다〕: *It* ill ~*s* 〔*It* does not ~〕 you to complain. 불평을 하는 것은 너답지 않다. **— vi.** =SEEM; 정당하다; 걸맞다. ㊕ **~·ing** *a.* 어울리는. **~·ing·ly** *ad.*

◇**be·set** [bisét] (*p., pp.* **~; ~·*ting***) *vt.* 《~+목/+목+전+명》 **1** 포위하다, 에워싸다; (도로 따위를) 막다, 봉쇄하다《*by*》: be ~ *by* enemies/the forest that ~*s* the village 그 마을을 에워싼 숲. **2** 《비유》 (위험·유혹 등이) …에 따라다니다, 괴롭히다《*with; by*》: a man ~ *with* 〔*by*〕 entreaties 탄원 공세에 시달리는 사람. **3** 꾸미다, 박아넣다《*with*》: Her necklace was ~ *with* gems. 그녀 목걸이에는 보석이 박혀 있었다. ㊕ **~·ment** *n.* 포위; 성가시게 붙어다님〔다니는 것〕; 빠지기 쉬운 죄악, 약점. **~·ting** *a.* 에워싸는; 끊임없이 괴롭히는: a ~*ting* temptation 〔sin〕 빠지기 쉬운 유혹〔죄〕.

be·shawled [biʃɔ́ːld] *a.* 숄을 두른.

be·shrew [biʃrúː] *vt.* 《고어》 저주하다: *Beshrew* me 〔him, it〕! 《고어·우스개》 에이 빌어먹을, 염병할, 제기랄.

†**be·side** [bisáid] *prep.* **1** …의 곁〔옆〕에, …와 나란히: He sat ~ me. 내 곁에 앉았다. **2** …와 비교하여: *Beside* him other people are mere amateurs. 그에 비하면 다른 사람들은 풋내기에 지나지 않는다. **3** …을 벗어나(apart from). **4** …외에(besides); …에 더하여(in addition to). **~ one*self*** 제 정신을 잃고, 흥분하여《*with* joy, rage, etc.》: ~ one*self with* joy 미칠 듯이 기뻐서. **~ *the mark*** 〔***point***〕 ⇨ MARK[1]. **— *ad.*** 《고어》 곁〔옆〕에; =BESIDES.

*̤***be·sides** [bisáidz] *ad.* **1** 그 밖에, 따로: I bought him books and many pictures ~. 그에게 책과 그 밖에 많은 그림을 사 주었다. **2** 게다가: It is too late; ~, you are tired. 시간도 늦었고 게다가 자넨 지쳤네/and ~ 게다가 또. **— *prep.*** **1** …외에(도), …에다가 또: *Besides* a mother he has a sister to support. 어머니 외에도 부양할 누이가 있다. **2** 〘부정·의문문에서〙 …외에(는), …을 제외하고(는)(except): We know *no* one ~ him. 그 외에는 아무도 모른다.

◇**be·siege** [bisíːdʒ] *vt.* **1** 《~+목/+목+전+명》 …을 포위 공격하다; …을 에워싸다; …에 몰려들다〔쇄도하다〕: For years, the Greeks ~*d* the city of Troy. 다년간 그리스군은 Troy 시를 포위하였다/He was ~*d by* fear. 그는 공포에 휩싸였다. **2** 《+목+전+명》 (요구·질문 따위로) 공세를 퍼붓다, 괴롭히다《*with*》: be ~*d with* questions 질문 공세를 받다. ㊕ **~·ment** *n.* Ⓤ 포위(공격). **be·síeg·er** *n.* 포위자; (*pl.*) 포위군.

be·slav·er [bislǽvər] *vt.* 《영》 군침투성이로 만들다; …에게 지나치게 알랑거리다: be ~*ed with* compliments 지나치도록 마구 칭찬받다.

be·slob·ber [bislάbər/-slɔ́b-] *vt.* =BESLAVER; …에게 마구 입맞추다, 키스를 퍼붓다.

be·smear [bismíər] *vt.* 뒤바르다《*with*》; 더럽히다: faces ~*ed with* mud 진흙이 더덕더덕 묻은 얼굴.

be·smirch [bismə́ːrtʃ] *vt.* 더럽히다; 변색시키다; (명예·인격 따위를) 손상하다. ㊕ **~·er** *n.* **~·ment** *n.*

be·som [bíːzəm] *n.* **1** 마당비. **2** 〖식물〗 금작화. **3** 《Sc.》 단정치 못한〔굴러먹은〕 계집. **— *vt.*** …을 마당비로 쓸다.

be·sot [bisάt/-sɔ́t] (**-*tt*-**) *vt.* 정신 못 차리게 하다, 멍하게 하다(infatuate); 정신 없이 취하게 하다(intoxicate). ㊕ **~·ted** [-id] *a.* 바보같이

된, 정신을 못 가누게 된; 취해 버린《*with*》, 치매 상태의. ~·**ted·ly** *ad.* ~·**ted·ness** *n.*

be·sought [bisɔ́:t] BESEECH의 과거·과거분사.

be·spake [bispéik] 《고어》 BESPEAK의 과거.

be·span·gle [bispǽŋgəl] *vt.* (번쩍번쩍하는 것을〔으로〕) …에 흩뿌리다〔덮다, 장식하다〕: be ~*d with* stars 별이 총총하다.

be·spat·ter [bispǽtər] *vt.* (흙탕물 따위를) 튀기다; 튀기어 더럽히다《*with*》; (욕 따위를) 퍼붓다(abuse); …에게 간살을 부리다.

be·speak [bispí:k] (**-spoke** [-spóuk], 《고어》 **-spake** [-spéik]; **-spo·ken** [-spóukən], **-spoke**) *vt.* **1** …을 예약하다; 주문하다: Every seat is already *bespoken.* 모든 좌석이 이미 예약되었다. **2** …을 미리 의뢰하다: ~ a calm hearing 청중에게 미리 정숙을 요청하다. **3** …을 나타내다, 보이다, …이라는 증거이다; …의 징조이다: This ~s a kindly heart. 이것으로 친절한 것을 알 수 있다. **4** 《고어·시어》 …에게 말을 걸다.

be·spéctacled *a.* 안경을 낀.

be·spoke [bispóuk] BESPEAK의 과거·과거분사. **—** *a.* **1** 《영》 〖상업〗 주문한, 맞춘(custom-made)(OPP. *ready-made*); 주문 전문의《구둣방》: a ~ bootmaker 맞춤 구둣방. **2** 《방언》 약속〔약혼〕한(engaged).

be·spo·ken [bispóukən] BESPEAK의 과거분사.

be·spread [bispréd] (*p., pp.* ~) *vt.* 온통 덮다《*with*》; 전면에 퍼지게 하다《*over*》.

be·sprent [bisprént] *a.* 《시어·고어》 흩뿌려진《*with*》.

be·sprin·kle [bispríŋkəl] *vt.* 흩뿌리다, 살포하다(sprinkle)《*with*》.

Bess [bes] *n.* 베스《여자 이름; Elizabeth의 애칭》.

Bes·se·mer [bésəmər] *n.* **Henry** ~ 베서머《영국의 기술자·발명가; 1813–98》.

Béssemer convèrter 〖야금〗 베서머 전로(轉爐).

Béssemer pròcess 〖야금〗 베서머 제강법(製鋼法).

Béssemer stéel 베서머강(鋼).

Bes·sie, Bes·sy [bési] *n.* 베시《여자 이름; Elizabeth의 애칭》.

†**best** [best] *a.* 〖good의 최상급〗 **1** 가장 좋은, 최선의, 최상의, 최고의. OPP. *worst.* ¶ one's ~ days 전성시대 / the ~ man *for* the job 그 일의 최적임자 / the ~ way to make coffee 커피를 끓이는 최상의 방법 / the ~ families (그 고장의) 명문, 명가(名家) / one's ~ girl 연인 / the ~ heart 가장 아름다운 마음.

> NOTE best는 3자 이상의 비교에 쓰는 것이 원칙이나, 구어에서는 흔히 양자에 관해서도 씀. 또, 보통 the best이나 서술 용법에서는 흔히 the를 생략함: The view is ~ in autumn. 그 경치는 가을에 가장 좋다.

2 최대의; 대부분의: the ~ part of a day 하루의 태반, 거의 하루 종일. **3** 지독한, 철저한: the ~ liar 지독한 거짓말쟁이. ***put** one's **~ foot*** 〔***leg***〕 ***foremost*** 〔***forward***〕 ⇨ FOOT.

— *n.* U **1** (the ~, one's ~) 최선, 최상, 전력; 최선의 상태: the next 〔second〕 ~ 차선 / be in the ~ *of* one's health 더할 나위 없이 건강하다. **2** (the ~) 최선의 것〔부분〕: get the ~ 최선의 것을 손에 넣다 / the ~ *of* the joke 그 농담의 가장 재미있는 부분 / We are the ~ *of* friends. 우리는 더없이 친한 친구다 / One must make the ~ *of* things. 《격언》 무릇 사람이란 만족할 줄 알아야 한다. **3** (the ~) 일류급 사람(들): He is one of the ~ *in* the trade. 동업자 중에서도 그는 일류이다. **4** (흔히 one's ~) 제일 좋은 옷: in one's (Sunday) ~ 나들이옷을 입고. **5** 《미구어》 (편지 따위에서) 호의(好意)(~ wishes): Please give my ~ *to* him. 부디 안부 전해 주시오.

(***all***) ***for the ~*** 최선의 결과가 되도록; 가장 좋은 것으로 여기고, 되도록 좋게 생각하여: *All* is *for the* ~. 《속담》 만사가 다 신의 뜻이다《체념의 말》. ***All the ~!*** 《구어》 그대에게 행복을《작별·건배·편지 끝맺음 등의 말》. ***at*** (***the***) ***~*** 최선의 상태로(서는); 아무리 잘 보아주어도, 기껏해야, 고작: *At* ~ we cannot arrive before noon. 아무래도 정오 전에는 도착할 수 없다 / *At* ~ it is a poor piece of work. 기껏해 봤자 뻔한 작품이다. ★ 구어에서는 보통 the를 쓰지 않음. ***at the ~ of times*** 가장 좋은 (상황인) 때에도. ***at the very ~*** =at (the) ~《센 뜻》. ***do*** 〔***try***〕 ***one's ~*** 전력을 다하다: *do* one's poor ~ 미력이나마 최선을 다하다. ***get*** 〔***have***〕 ***the ~ of*** a person 《구어》 아무를 이기다; 꾀뒤지르다, 속이다. ***get*** 〔***have***〕 ***the ~ of it*** 〔***the bargain***〕 《구어》 (토론 따위에서) 이기다; (거래 따위를) 잘 해내다. ***give*** a person 〔a thing〕 ***~*** 상대방의 승리를 인정하다; 무엇을 단념하다. ***give it ~*** 《구어》 단념하다. ***Hope for the ~!*** 또 좋은 일이 있겠지, 비관하지 마라. ***look*** one***'s ~*** 제일 돋보이다, 가장 아름답게 보이다. ***make the ~ of*** …을 될 수 있는 대로〔최대한〕 이용하다; (싫은 일을) 단념하고 하다, (불쾌한 조건을) 어떻게든 참다: *make the ~ of* a bad job 〔bargain〕 ⇨ JOB, BARGAIN. ***make the ~ of*** one***'s way*** (되도록) 길을 서두르다. ***the ~ and brightest*** 엘리트 계급, 정예, 뛰어난 사람들. ***The ~ of British*** (***luck***)***!*** 《영속어》 〖반어적〗 행운을 빈다. ***to the ~ of*** …하는 한, …이 미치는 한: *to the ~ of* one's power 〔knowledge〕 힘이 미치는〔알고 있는〕 한 / *to the ~ of* one's belief 믿는 한. ***with the ~*** (***of them***) 누구에게도 못지 않게: I can do it *with the ~*. 나도 누구 못지않게 할 수 있다.

— *ad.* 〖well의 최상급〗 **1** 가장 좋게; 가장: I like football ~ *of* all sports. 스포츠 중에서 축구를 제일 좋아한다. **2** 《구어》 더없이, 몹시: the ~ abused book 가장 평판이 나쁜 책. ***as ~*** (***as***) one ***can*** 〔***may***〕 될 수 있는 대로 잘, 힘이 닿는 데까지: I comforted her *as* ~ *as* I *could.* 나는 그녀를 내 힘껏 위로했다. ***~ of all*** 우선 무엇보다도, 첫째로. ***had ~*** do …하는 것이 제일 좋다, 꼭 …해야 한다: You *had* ~ go with him. 그와 함께 가면 제일 좋다. ★ 종종, 구어에서는 I 〔You, etc.〕 (*'d*) ~ do ...로 생략함.

— *vt.* 《구어》 …에게 이기다, …을 앞지르다.

bést-báll fòursome 〖골프〗 4명이 2명씩 한 조가 되어 각 조의 두 사람 중에서 나은 편의 점수를 그 조의 득점으로 정하는 방식.

bést-báll màtch 〖골프〗 한 사람이 2명 이상으로 구성된 조에 대하여 이들 중의 최고 점수와 겨루는 시합. cf. four-ball (match).

bést-before dáte (포장 식품 따위의) 최고 보증 기한 날짜. cf. use-by date.

bést bóy (영화 등의) 조명감독의 제 1 조수.

bést búy 가장 싸게 잘 산 물건.

bést-càse *a.* 최고 조건〔상태〕의.

be·stead [bistéd] (~·***ed;*** ~·***ed,*** ~) 《고어》 *vt., vi.* …에 도움이 되다, 소용에 닿다; 원조하다. **—** *a.* …한 처지에 있는: be ill 〔hard, sore〕 ~ 괴로운 처지에 있다.

bést-éfforts *a.* 〖증권〗 최선의 노력을 한다는 조건의《발행 인수; 팔다 남은 주식은 인수하지 않음》.

bést-éfforts sèlling 〖증권〗 최선 노력 매출 발행《신규 발행 증권 인수 방법의 하나; 인수업자가 최선의 판매 노력을 해도 팔리지 않고 남은

증권에 관해서는 인수 보증을 하지 않는 것을 조건으로 함).

bes·tial [béstʃəl, bíːs-/béstiəl] *a.* 짐승의[과 같은]; 수성(獸性)의; 흉포한, 야만스러운, 잔인한; 상스러운. ㊞ **~·ly** *ad.*

bes·ti·al·i·ty [bèstʃiǽləti, bìːs-/bèsti-] *n.* Ⓤ 수성(獸性); 수욕(獸慾); 〖법률〗 수간(獸姦); Ⓒ 잔인한 행위.

bés·tial·ize *vt.* 짐승같이 되게 하다(brutalize).

bes·ti·ary [béstʃièri, bíːs-/béstiəri] *n.* (중세의) 동물 우화집.

be·stir [bistə́ːr] (**-rr-**) *vt.* 〖다음 용법뿐임〗 ~ one**self** 분발하다; 노력하다.

***best-known** [béstnóun] *a.* 가장 유명한.

bést mán 최적임자; 신랑 들러리(bridesman). ⓒⓕ groomsman, maid [matron] of honor, bridesmaid.

bést-of-fíve *a.* (야구 등에서) 5 판 3 승 승부의.

bést-of-séven *a.* (야구 등에서) 7 판 4 승 승부의.

be·stow [bistóu] *vt.* **1** 《+목+전+명》 주다, 수여[부여]하다, 증여하다《*on, upon*》: ~ a title *on* [*upon*] a person 아무에게 칭호를 주다. SYN. ⇨GIVE. **2** 《~+목/+목+전+명》 이용하다, 쓰다, 들이다《*on, upon*》: ~ all one's energy *on* a task 일에 온 정력을 쏟다 / ~ one's money wisely 돈을 현명하게 쓰다. **3** 《미고어》 묵게[숙박하게] 하다. **4** 《고어》 두다, 챙겨두다. **5** 《폐어》 시집보내다. ㊞ **~·al** [-əl] *n.* Ⓤ,Ⓒ 증여, 수여; 조처; 저장. **~·er** *n.* 수여[증여]자. **~·ment** *n.*

bést píece 《미속어》 (특히 관계가 깊은) 걸프렌드; 마누라(wife).

be·strad·dle [bistrǽdl] *vt.* =BESTRIDE.

be·strew [bistrúː] (**~ed; ~ed, ~n** [-strúːn]) *vt.* 《+목+전+명》 …을 흩뿌리다; …을 뒤덮다《*with*》, …에 산재하다: ~ the path *with* flowers 길에 꽃을 흩뿌리다《환영의 뜻으로》.

be·stride [bistráid] (**-strode** [-stróud], **-strid** [-stríd]; **-strid·den** [-strídn], **-strid**) *vt.* 가랑이를 벌리고 걸터타다[서다]; (가랑이를 벌리고) 뛰어넘다; (무지개가) …에 서다, 교량 등이 놓이다; 지배하다, 좌지우지하다.

bést·séller *n.* 베스트셀러《책·음반 등》; 그 저자[작가](=**bést séller**). ㊞ **~·dom** [-dəm] *n.* 베스트셀러 작가들; 베스트셀러의 지위; 《집합적》 베스트셀러.

bést-sélling *a.* 베스트셀러의: a ~ novel [author] 베스트셀러 소설[작가].

be·stud [bistʌ́d] (**-dd-**) *vt.* …에 온통 징을 박다; 흩뜨리다, 산재(散在)시키다: a bay ~*ded with* yachts 요트가 점재(點在)하는 만(灣).

bet** [bet] *n.* **1** 내기: an even ~ 비등한 내기. **2** 건 돈[물건]: a heavy [paltry] ~ 큰[적은] 내기. **3** 내기의 대상《사람·물건·시합 등》: a good [poor] ~ 유망한[가망성 없는] 것[사람, 후보자] / It's a ~, then? 그럼 내기를 할까《둘 중에서 누가 옳은가를》. **4** 취해야 할 방책; 잘 해낼 수 있을 듯한 사람, 잘 될 것 같은 방법: Your best ~ is to apologize. 사과하는 것이 상책이다. **5** 《구어》 생각, 의견: My ~ is (*that*).... 내 생각으로는 …이다, 반드시 …이다. ***accept [***take up***] ***a*** ~ 내기에 응하다. ***hedge*** one's ***~s*** 《구어》 손해 보지 않도록 양쪽에 걸다; 《비유》 (태도를 정하지 않고) 양다리를 걸치다. ***make*** [***lay, take***] ***a*** ~ (아무와) 내기를 하다《*with*》, (무엇을) 걸다《*on*》. ***win*** [***lose***] ***a*** ~ 내기에 이기다[지다].

— (*p., pp.* **~, ~·ted** [bétid]; **~·ting**) *vt.* **1** 《~+목/+목+전+명/+목+목(+*that*절)》 (돈 따위를) 걸다《*on*》: What will you ~? 자넨 무얼 걸겠나 / He ~ 30 dollars *on* the racehorse. 그는 그 경주 말에 30달러 걸었다 / I'll ~ you $10 ((*that*) he'll win). (그가 이길거야,) 10 달러 걸지. **2** 《+목+전+명/(+목)+*that*절》 내기하다《*on, upon*》: ~ a person *on* a thing 무엇에 대하여 아무와 내기하다 / I'll ~ (you) *that* this is genuine. 이건 진짜야, 내기해도 좋다. **3** 《(+목)+(*that*)절》 (돈을) 걸고 (…임을) 주장하다, 단언[보증]하다: I'll ~ (you) *that* he will come. 그가 올 것을 장담한다 / I('ll) ~ you (*that*) you're wrong about that. 내가 장담하지만 자네가 틀렸네. — *vi.* 《~/+전+명》 내기를 걸다, 내기하다《*on; against*》: I'll ~ *on* that horse. 나는 저 말에 걸거야 / I ~ *against* the challenger. 나는 도전자가 지는 쪽에 걸었다 / I'll ~ *against* your winning. 자네가 이긴다면 돈을 내지. **~ *against the field*** 아무도 걸지 않는 말에 걸다. **~ one*'s boots*** [***bottom dollar, life, shirt***] 《구어》 절대 확신[보증]하다《*on; that*》. **~ *each way*** [***both ways***] 경마에서 단승(單勝)과 복승(複勝)의 양쪽에 걸다. ***I ~ you*** [***a dollar***]... 《미구어》 확실히 …이다. ***You ~?*** 틀림없느냐(Are you sure?). ***You ~*** (***you***)***!*** 《구어》 정말야, 틀림없어, 물론; 맞아; 무슨 일이람: *You* ~ we had a good time! 정말 재미있었어.

BET Black Entertainment Television(미국의 흑인용 방송 전문 유선 텔레비전 네트워크).

bet., betw. between.

be·ta [béitə, bíː-/bíː-] *n.* **1** 그리스어 알파벳의 둘째 글자《*B, β*》. **2** 제 2 위(의 것); (시험 평점의) 제 2 등급. **3** (B–) 〖천문〗 베타성. **4** 〖화학〗 베타《화합물 치환기(置換基)의 하나》. ⓒⓕ alpha. **5** 〖물리〗 = BETA PARTICLE, BETA RAYS. **6** 〖증권〗 베타값[계수]《개별증권[포트폴리오]의 변동과 시장 전체(그 대표적 지수)의 변동의 상관 관계를 나타내는 추상적 척도》. **~ *plus*** [***minus***] 《영》 (시험 성적 등의) 2 등의 위[아래].

béta-adrenérgic *a.* 〖생리〗 베타아드레날린에 의한, 베타 수용체(beta-receptor)의.

béta blòcker 〖약학〗 베타 수용체(受容體) 차단약(=**béta-blòcker**)《주로 협심증·고혈압·부정맥 방지 따위에 쓰임》. ㊞ **béta-blòcking** *a.*

béta bràss 〖야금〗 베타 황동(黃銅).

béta-càrotene *n.* 〖생화학〗 베타카로틴.

béta cèll =B CELL.

Béta-clòth *n.* 베타클로스《커튼·양탄자나 우주복 등에 쓰이는 유리 섬유의 직물》.

béta decày 〖물리〗 (원자핵의) 베타 붕괴.

béta emìtter 〖물리〗 베타 방사체(放射體).

bèta-endórphin *n.* 〖생화학〗 베타엔도르핀《모르핀보다 강력한 진통성을 갖는 하수체(下垂體) 엔도르핀》.

Béta fìber 베타 파이버《유리 섬유; 상표명》.

béta glóbulin 〖생화학〗 베타글로불린《혈장 중의 글로불린으로, 전기 이동에서 이동도가 중위인 것》.

be·ta·ine [bíːtəìːn, bitéiiːn] *n.* 〖화학〗 베타인《보리싹 등에 있는 결정성 알칼로이드》.

be·take [bitéik] (**-took** [-túk]; **-tak·en** [-téikən]) *vt.* 《고어》 〖다음 관용구로〗 ~ one**self to** ① …로 향하다, 가다. ② (어떤 행동·수단)에 의지[호소]하다. ③ …을 해보다, …에 온 정력을 쏟다[기울이다]: *Betake* your*self to* your work. 일에 전력을 다해라. **~ oneself *to flight*** [***one's heels***] 냅다 줄행랑치다.

béta-lác·tam·ase [-lǽktəmèis, -z] *n.* 〖생화학〗 베타락타마아제《페니실리나아제(penicillinase)와 세팔로스포리나아제(cephalosporinase)의 총칭》.

béta lìne 〖증권〗 =BETA 6.

béta-lipotrópin *n.* 〖생화학〗 베타리포트로핀

《beta-endorphin을 포함한 하수체 전엽(下垂體前葉)의 리포트로핀》.
bèta-náphthol *n.* 【화학】 베타나프톨《결정성(結晶性) 방부제·색소의 원료》.
béta-oxidátion *n.* 【생화학】 베타 산화《동물 조직 내에서의 지방산 산화의 주(主)형식》.
béta pàrticle 【물리】 베타 입자. 「자의 흐름》.
béta ràу (보통 *pl.*) 【물리】 베타선(線)《베타 입
béta-recèptor *n.* 【생리】 베타 수용체.
béta rhỳthm 〔**wàve**〕 【생리】 베타 리듬〔파〕《매초 10 이상의 뇌파의 맥동》.
béta tèst **1** 【심리】 베타 테스트〔검사〕《제 1 차 대전 때 미 육군에서 문맹 병사들에게 실시한, 문자 대신에 그림이나 부호를 이용한 검사법》. **2** 【컴퓨터】 베타 테스트〔검사〕《하드웨어나 소프트웨어 생산품을 시판하기에 앞서 선택된 특정 사용자들과 함께 행하는 사전 검사》.
béta-thalassémia *n.* 【의학】 베타탈라세미아《헤모글로빈의 β사슬의 합성 감소에 기인하는 지중해 빈혈》.
be·ta·tron [béitətrɑ̀n/bíːtətrɔ̀n] *n.* 【물리】 베타트론《자기 유도 전자 가속 장치》.
béta vèrsion 【컴퓨터】 베타 버전《하드웨어나 소프트웨어의 개발 제품을 테스트하기 위해 특정 사용자들에게 배포하는 제품》.
béta wàve 【생리】 (뇌파의) 베타파(波)《신경계(系) 활동기에 전형적으로 나타남》.
bet·cha [bétʃə] *n.* 〘발음철자〙 bet you.
bête blanche [F. bɛtblɑ̃ːʃ] 《F.》 조금 지겨운 것, 초조의 원인; 약간의 초조〔우울〕. 「그 잎.
be·tel [bíːtəl] *n.* 【식물】 구장(蒟醬)《후춧과》;
Be·tel·geuse [bíːtldʒùːz/bìːtldʒə́ːz] *n.* 【천문】 베텔게우스《오리온자리의 알파성》.
bétel nùt 빈랑나무 열매. 「과》.
bétel pàlm 【식물】 빈랑나무《말레이 원산; 야자
bête noire [bèitnwɑ́ːr] (*pl.* ***bêtes noires*** [-z]) 《F.》 몹시 싫은 것〔사람〕. 「둘째 글자.
beth [beiθ, -s, -t] *n.* 헤브라이어(語) 알파벳의
Beth·a·ny [béθəni] *n.* 베다니《Jerusalem의 마을로, 나사로와 그의 자매가 살던 곳》.
beth·el [béθəl] *n.* 베델 성지(聖地)《창세기 XXVIII: 19》; (종종 B-) 《미》 (선원을 위한) 수상(水上)〔해안〕 교회; 《영》 비국교도의 예배당; (B-) 베셀《남자〔여자〕 이름》.
be·think [biθíŋk] (*p., pp.* ***-thought*** [-θɔ́ːt]) *vt.* **1** 〘~ oneself〙 《~+목/+목+전+명/+목+*wh.* 절/+목+*that*절》 …을 숙고하다, 생각해 내다《*of; how; that*》; 생각이 들다: I *bethought* my*self* of a promise. 나는 약속이 있음을 생각해 냈다 / I *bethought* my*self how* foolish I had been. =I *bethought* my*self that* I had been foolish. 나 자신이 얼마나 어리석었던가를 생각해 냈다. **2** 《+*to* do》 (…하기로) 결심하다: He *bethought to* regain it. 그는 그것을 되찾기로 결심했다.
Beth·le·hem [béθlihèm, -liəm] *n.* 베들레헴《Palestine의 옛 도시; 예수의 탄생지》.
be·tide [bitáid] *vt.* …의 신상에 일어나다, …에 생기다(happen to): Woe ~ him! 그에게 재앙 있으라; (그런 짓 하면) 그냥 두지 않을 테다. ── *vi.* 일어나다《*to*》; 몸에 닥치다: whatever (may) ~ 무슨 일이 일어나든.
be·times [bitáimz] *ad.* 《문어·우스개》 이르게; 늦지 않게; 때맞춰, 때마침(occasionally); 《고어》 곧(soon): be up ~ 아침 일찍 일어나다.
bê·tise [betíːz] (*pl.* **~s** [─]) *n.* 《F.》 Ⓤ 우매함; Ⓒ 어리석은 짓〔말〕; 하찮은〔사소한〕 일.
be·to·ken [bitóukən] *vt.* …의 조짐이〔전조가〕 되다(portend); 보이다(show); 나타내다.
bé·ton [bétən] *n.* Ⓤ 《폐어》 《F.》 베통《콘크리트의 일종》.
bet·o·ny [bétəni] *n.* 【식물】 꿀풀과(科) 석잠풀류(類)의 각종 식물; 《특히》 두루미냉이류(類).
be·took [bitúk] BETAKE의 과거.
***be·tray** [bitréi] *vt.* **1** 《~+목/+목+전+명》 배반〔배신〕하다; (조국·친구 등을) 팔다《*in; into*》; (남편·아내·여자 등을) 속이다: Judas ~*ed* his Master, Christ. 유다는 스승 그리스도를 배반하였다 / ~ one's country *to* the enemy 적에게 조국을 팔다 / I was ~*ed into* folly. 속아서 바보짓을 했다. **2** (신뢰·기대·희망 따위를) 저버리다, 어기다: ~ a person's trust 아무의 신뢰를 저버리다《*in*》. **3** 《+목 (+전+명)》 (비밀을) 누설하다, 밀고하다《*to*》: ~ a secret *to* a person 아무에게 비밀을 누설하다. SYN. ⇨ REVEAL. **4** (감정·무지·약점·특징 따위를) 무심코 드러내다: ~ one's ignorance 무지를 드러내다 / Confusion ~*ed* his guilt. 허둥댔기 때문에 그의 죄가 발각되었다. **5 a** 《+*that*절/+*wh.* 절/+목+(*to be*) 보》 …임을 나타내다; …이 …임을 알다: His face ~*ed that* he was happy. 그의 얼굴에 행복한 기색이 나타났다 / His face ~*ed how* nervous he was. 그의 얼굴은 그가 얼마나 초조한가를 보여주고 있었다 / His dress ~*ed* him (*to be*) a foreigner. 그의 복장으로 외국인임을 알았다. **b** 〘~ oneself〙 무심코 제 본성〔본심, 비밀〕을 드러내다. ── *vi.* (아무가) 부실〔부정〕한 것으로 알려지다. ㊞ **~·al** [-əl] *n.* Ⓤ,Ⓒ 배반(행위); 폭로; 밀고, 내통. **~·er** *n.* 매국노(traitor); 배반자, 배신자; 밀고자; 유혹자.
be·troth [bitróuð, -trɔ́ːθ/-tróuð, -tróuθ] *vt.* 《~+목/+목+전+명》 약혼시키다(engage)《*to*》: They were ~*ed.* 그들은 약혼했다 / ~ oneself *to* …와 약혼하다 / He ~*ed* his daughter *to* Mr. Kim. 그는 딸을 김군과 약혼시켰다. ㊞ **~·al** [-əl] *n.* 약혼(식)(=**be·tróth·ment**).
be·trothed [bitróuðd, -trɔ́ːθt/-tróuðd, -tróuθt] *a.* 약혼한 (engaged), 약혼자의: the ~ (pair) 약혼 중인 남녀. ── *n.* (one's ~) 약혼자; (the ~) 〘복수취급〙 약혼자들《두 사람》.
Bet·sy, -sey [bétsi] *n.* **1** 베치《여자 이름; Elizabeth의 애칭》. **2** 《미속어》 총; 《미속어》 태양.
†**bet·ter**[1] [bétər] *a.* **1** 〘good의 비교급〙 …보다 좋은, …보다 나은《양자 중에서》: one's ~ feelings 양심 / men's ~ suits 고급 신사복 / It would be ~ to go at once. 곧 가는 것이 좋겠다. **2** 〘well의 비교급〙 차도가 있는, 기분이 보다 좋은: He is getting ~. 그는 (병세가) 좋아지고 있다. **3** 〘good의 비교급〙 보다 많은 〔큰〕: the ~ part of the week 일주일의 대부분. **4** 〘막연히〙 보다 나은: the ~ land 저승, 저세상. OPP. *worse*. ***be ~ than*** one***'s word*** ⇨ WORD. ***be no ~ than*** one ***should be*** 《고어·경멸》 부도덕하다, 도덕 관념이 없다; 《미속어》 (여성이) 무절조하다. ***be the ~ for*** …때문에 오히려 더 좋다: I'*m* none *the* ~ *for* it. 그것으로 이득을 볼 것은 조금도 없다. ***~ than a slap*** 〔***poke, dig***〕 ***in the eye*** = ***~ than the belly with a wet fish*** 〔***lettuce***〕 《속어》 없는 것〔마이너스〕보다는 훨씬 나은. ***feel ~*** 전보다 기분이 낫다(be ~); 몸의 상태가 좋다; 마음이 놓이다; 안심하다. ***Feel ~ soon!*** 빨리 나으십시오《환자에게 하는 말》. ***little ~ than*** …나 매한가지. ***no ~ than*** ① …나 매한가지, …에 지나지 않다: He is *no* ~ *than* a beggar. 거지나 다름없다. ② …와 마찬가지로 좋지 않다: He is *no* ~ *than* his brother. 형제가 다같이 신통치 않다. ***not ~ than*** …보다 낫지 않다, 기껏해봤자 …에 불과하다: He is*n't* ~ *than* a beggar. 그는 거지보다 못한 인간이다.

— *ad.* 〖well의 비교급〗 **1** 보다 좋게〔낫게〕; 보다 잘: write ~ 보다 잘 쓰다. **2** 더욱, 한층, 보다 많이: I like this ~. 이쪽을 더 좋아한다/The sooner you do it, the ~. 빨리하면 할수록 좋다. **3** 보다 이상: ~ than a mile to town 읍내까지 1 마일 남짓. (***all***) ***the ~ for*** …때문에 그만큼 더〔많이〕: I like her (*all*) *the ~ for it.* 그렇기 때문에 한층 더 그녀를 좋아한다. ***be ~ off*** 전보다 살림살이가〔형편이〕 낫다, 전보다 잘 지내다. **~ *off*** 보다 나은 상태에서, 살림살이가 나은. ***go*** a person ***one ~*** = ***go one ~ than*** a person 《구어》 아무보다 좀더 잘하다, 능가하다: Can't you *go one ~*? 좀더 잘할 수 없느냐. ***had*** 〔**'d**〕 **~** do …하는 편이 좋다: You *had ~* go 〔not go〕. 가는〔안 가는〕 편이 좋다/*Hadn't I ~* go? 가는 편이 낫지 않은가. ★ 구어에선 이 had 또는 You had를 생략하는 일이 있음: (You) *better* mind your own business. 네 일이나 걱정하는 게 좋다, 남의 일에 참견 마라. ***know ~*** (***than that*** 〔***to*** do〕) 한층 분별이 있다, …하는 것이 좋지 않음〔어리석음〕을 알고 있다: I *know ~*. 그런 어리석은 짓은 안 해; 그 따위 수에는 안 넘어가. ***know no ~*** 그 정도의 지혜〔머리〕밖에 없다. ***think ~ of*** a thing ⇨ THINK.

— *n.* [U] **1** 보다 나은 것〔사람〕: a change for the ~ (병·사태 등의) 호전, 개선; 영전. **2** (one's ~) 자기보다 나은 사람: one's (elders and) ~*s* 손윗사람들, 선배들. ***for ~ for worse*** = ***for ~ or worse*** 좋든 싫든 간에; 공과는 어떻든 간에; 어떤 운명이 되더라도 (오래도록) 《결혼식 선서 때의 말》: *For ~ or worse*, Einstein fathered the atomic age. 좋든 싫든 간에 아인슈타인은 원자시대의 문을 열었다. ***for the ~*** 나은 쪽으로: a change for the ~ 호전. ***get*** 〔***have***〕 ***the ~ of*** …에게 이기다, …을 극복하다.

— *vt.* **1** 개량〔개선〕하다; …을 능가하다: ~ working conditions 노동 조건을 더욱 개선하다. **2** 〖~ oneself〗 더 나은 지위를 얻다〔봉급을 받다〕, 출세하다, 유복해지다; 독학하다, 수양을 쌓다. [SYN.] ⇨ REFORM. **—** *vi.* 나아지다; 향상하다.

bet·ter², -tor [bétər] *n.* 내기하는 사람.

Bétter Búsiness Bùreau 《미·Can.》 상업 개선 협회《상도덕의 유지·개선을 위한 실업가·생산자의 단체; 생략: BBB》.

bétter hálf (one's ~) 《구어·우스개》 배우자; 《특히》 아내; 《드물게》 남편; 《미속어》 애인《prep-pie 용어》.

Bétter Hòmes and Gárdens 주택과 정원 개량을 다루는 미국 잡지의 이름.

bét·ter·ment *n.* [U,C] 개량, 개선(improvement), 개정; (지위의) 향상, 출세; (*pl.*) 〖법률〗 (부동산의) 개수(改修); (개수에 의한 부동산의) 값 오름; 개량비.

bétter-óff *a.* 부유한, 유복한: the ~ people.

bét·ting *n.* 내기(에 거는 돈): a ~ book 도박금 장부/a ~ shop 《영》 (정부 공인의) 사영(私營) 마권 매장(賣場).

Bet·ty, -tie [béti] *n.* 베티《여자 이름; Elizabeth의 애칭》.

Bétty Cróck·er [-krákər/-krók-] 음식 솜씨가 아주 좋은 여자《미국 식품이나 요리책에 그려진 여자의 이름에서》.

†**be·tween** [bitwíːn] *prep.* **1** 〖공간·시간·수량·위치〗 …의 사이에〔의, 를, 에서〕: ~ Paris and Berlin 파리와 베를린간(間)/~ Monday and Friday 월요일에서 금요일 사이에, 주중에/~ the two extremes 양극단의 중간에/~ one and two in the morning 오전 1시와 2시 사이/~ the acts = ~ each act 막간마다/(a distance) ~ two and three miles from here 여기서 2내지 3마일(의 거리). **2** 〖성질·종류〗 …의 중간인, 어중간한: something ~ a chair and a sofa 의자인지 소파인지 분간키 어려운 것/a color ~ blue and green 청색과 녹색의 중간색. **3** 〖관계·공유·협력〗 …의 사이에〔에서, 의〕: a bond ~ friends 우정의 유대/We had only one pair of shoes ~ us. 우리 둘에게 신이 한 켤레밖에 없었다/divide earnings ~ the two 벌이를 둘이 나누다. [SYN.] ⇨ AMONG.

> [NOTE] 양자 사이에 쓰이나, 3자 이상에서도 쓰임: a treaty ~ three powers, 3국 간의 조약/*Between* them they own most of this company. 그들이 이 회사의 태반의 자산을 공유하고 있다.

4 〖공동·협력〗 …의 사이에서 서로 힘을 모아, 공동으로: We completed the job ~ the two of us. 우리 둘이 협력해서 일을 마쳤다. **5** 〖차별·분리·선택〗 …의 사이에(서); …중 하나를: the difference ~ the two 둘 사이의 차이/choose ~ A and B, A와 B중 어느 하나를 고르다. **6** 〖원인〗 …(이)다—(이)다 해서: *Between* astonishment and delight, she could not speak even a word. 놀랍기도 하고 기쁘기도 하여 그녀는 한마디도 못했다. ***~ ourselves*** = ***~ you and me*** = ***~ you, me, and the gatepost*** 〔***bedpost***〕 《구어》 우리끼리만의 이야기이지만, 이것은 비밀인데. ***come*** 〔***stand***〕 ***~*** ⇨ COME, STAND. ***in ~ times*** (일과 일의) 사이에.

— *ad.* (양자) 사이〔간〕에; 사이를 두고: be 〔stand〕 ~ (…의) 중간에 서다, 중재〔방해〕하다; 갈라놓다. (***few and***) ***far ~*** 극히 드물게. ***in ~*** (…의) 사이에, (…에) 에워싸여; 짬짬이, 틈틈이. [파] **~·ness** *n.* 중간에 있음; 〖수학〗 (순서의) 사이.

betwéen·bràin *n.* 〖해부〗 간뇌(間腦).

betwéen dècks 〖선박〗 갑판과 갑판 사이의 공간, 중창(中艙).

betwéen·màid *n.* 《영》 (부엌일과 허드렛일을 「겸한) 하녀.

betwéen·tìmes, betwéen·whìles *ad.* 그 사이에, 짬짬이.

°**be·twixt** [bitwíkst] *prep., ad.* 《고어·시어·방언》 = BETWEEN. **~ *and between*** 이도저도 아닌; 중간으로.

beurre noir [bə́ːrnwáːr] *n.* 《F.》 〖요리〗 뵈르 누아르(black butter) 《버터를 프라이팬에서 흑갈색으로 졸여 초·레몬 등으로 향기를 낸 소스》.

BEV Black English vernacular. **BeV, Bev, bev** [bev] 〖물리〗 billion electron volts.

bev·a·tron [bévətràn/-trɔ̀n] *n.* 〖물리〗 베바트론《Berkeley의 California 대학에서 만든 양성자(陽性子) 싱크로트론(synchrotron)》.

bev·el [bévəl] *n.* 사각(斜角), 빗각; 경사(면); 각도 측정기(~ square); 〖인쇄〗 (활자의 글자 표면에서 어깨까지) 사면; (*pl.*) 《미속어》 (2개 한 벌의) 속임수 주사위. **—** *a.* 비스듬한, 빗각의. **—** (***-l-,*** 《영》 ***-ll-***) *vt., vi.* 빗각을 이루다, 기울다, 경사지다; 엇베다, 비스듬하게 하다〔되다〕.

bével gèar 〔**whèel**〕 〖기계〗 베벨기어《우산 모양의 톱니바퀴》.

bével jòint 〖건축〗 빗이음《경사지게 자르거나 켜서 맞댄 이음》.

bével protràctor 만능 각도 측정기《회전자가 「달린 분도기》.

bével squàre 각도 측정기.

bevel square

*****bev·er·age** [bévəridʒ] *n.* (보통 물 이외의) 마실 것, 음료: alcoholic 〔cooling〕 ~*s* 알코올〔청량〕 음료.

Bév·er·ly Hílls [bévərli-] 비벌리힐스《Los Angeles 교외 Hollywood에 인접한 도시로, 영화인 등의 저택이 많음》.

bev·vy [bévi] *n.* 《리버풀방언》 음료, 《특히》 술; 술을 즐기는 하룻밤.

bevy [bévi] *n.* 떼, 무리《소녀·사슴 따위의》 《*of*》; 《구어》 (여러 가지 물건이) 모인 것《*of*》: a ~ *of* ladies 한 무리의 부인들 / a ~ *of* larks 한 떼의 종달새.

be·wail [biwéil] *vt., vi.* 몹시 슬퍼하다, 통곡하다《*over; for*》. ㊎ **~·ment** *n.*

***be·ware** [biwέər] *vi., vt.* 《~/+명/+*wh.* 절/+전+명/+*that* 절》 〖어미변화 없이 명령형·부정사뿐임〗 조심〔주의〕하다, 경계하다: *Beware what* you say. 말조심하시오 / *Beware of* the dog. 개조심 / *Beware* such inconsistency. 그러한 모순은 피하도록 해라 / *Beware* lest you should fail.= *Beware that* you do not fail. 실패하지 않도록 해라.

be·whisk·ered [bi*h*wískərd] *a.* **1** 구레나룻(whiskers)을 기른. **2** (익살 등이) 케케묵은, 진부한.

be·wigged [biwígd] *a.* 가발을 쓴.

****be·wil·der** [biwíldər] *vt.* 어리둥절케〔당황케〕 하다(confuse); 《고어》 현혹시키다. SYN. ⇨ PERPLEX. ㊎ **~ed** *a.* 《미속어》 술 취한. **~ed·ly** *ad.*

be·wíl·der·ing [-riŋ] *a.* 어리둥절케〔당황케〕 하는. ㊎ **~·ly** *ad.* 당황케 할 만큼.

be·wíl·der·ment *n.* U,C 당황, 어리둥절함.

***be·witch** [biwítʃ] *vt.* 마법을 걸다, 호리다, 매혹하다, 황홀케 하다. **—** *vi.* 매혹하다. ㊎ **~·er** *n.* **~·ery** [-əri] *n.* U,C 마력; 매혹; 주박(呪縛). **~·ing** *a.* 매혹시키는, 황홀케 하는. **~·ing·ly** *ad.* **~·ment** *n.* U,C 마력; 매혹, 매력; 매혹당한 상태, 황홀경; 주문(呪文).

be·wítched [-t] *a.* 마법에 걸린; 매혹당한; (황홀해서) 넋을 잃은; 《속어》 술에 취한.

be·wray [biréi] *vt.* 《고어》 (무심코) 누설하다, 폭로하다(reveal).

bey [bei] (*pl.* **~s**) *n.* (오스만 제국의) 지방 장관; (터키·이집트의) 고관에 대한 경칭; (옛날) Tunis 〔Tunisia〕의 현지인 통치자.

bey·lic [béilik] *n.* BEY의 관할 구역.

†**be·yond** [bijánd/-jɔ́nd] *prep.* **1** 〖장소〗 …의 저쪽에, …을 넘어서〔건너서〕: ~ the river 강 건너에 / ~ the hill 언덕을 넘어서 / ~ seas 해외에. SYN. ⇨ OVER. **2** 〖시각·시기〗 …을 지나서: ~ the appointed time = ~ the usual hour 정시를 지나서 / stay ~ a person's welcome 오래 머물러 남에게 미움을 사다. **3** 〖정도·범위·한계〗 …을 넘어서, …이 미치지 않는 곳에: It's ~ me. 나로선 알 수 없다〔할 수 없다〕 / ~ one's power 힘이 미치지 않는 / ~ number 무수한, 이루 헤아릴 수 없는 / ~ (one's) belief 도저히 믿을 수 없는 / ~ expectation 의외로 / ~ endurance 참을 수 없는. **4** …보다 이상으로, …에 넘치는: live ~ one's income 수입 이상의 생활을 하다. **5** 〖주로 부정·의문문에서〗 …외에, 그 밖에(더): *Beyond* this I know *nothing* about it. 그것에 관해선 이 이상은 모른다. **~ *all praise*** 이루 다 칭찬할 수 없을 만큼. **~ *all things*** 무엇보다도 먼저. **~ *the grave*** 〔***tomb***〕 저승에서. ***go* ~ one*self*** 도를 지나치다, 자제력을 잃다; 평소 이상의 힘을 내다. ***It's*** (***gone***) **~ *a joke.*** 《구어》 그것은 농담이 아니다, 진담이다.

— *ad.* **1** (멀리) 저쪽에, 이상으로: a hill ~ 저쪽 언덕 / the life ~ 저 세상. **2** 그 밖에(besides): There's nothing left ~. 그 밖엔 아무것도 남지 않았다. **3** 더 늦게. ***go* ~** ⇨ GO.

— *n.* (the ~) 저쪽(의 것); 저승, 내세(the great ~). ***the back of* ~** 세계의 끝.

beyónd ríght 〖항공〗 이원권(以遠權)《민간 항공 협정을 맺은 상대국 도시에서 더 먼 제 3 국의 도시로 운항하는 권리》.

Bey·routh [béiru:t, -́-] *n.* = BEIRUT.

bez·ant, bes-, bez·zant [bézənt, bizǽnt] *n.* 옛 Byzantium의 금화; (중세 유럽의) 각종 금화〔은화〕의 이름; 〖문장(紋章)〗 금빛의 작은 원; 〖건축〗 원반형 장식.

bez·el [bézəl] *n.* (날붙이의) 날의 빗면; 보석의 사면(斜面); (시계의) 유리 끼우는 홈; (반지의) 보석 끼우는 홈, 거미발.

be·zique [bəzí:k] *n.* U 카드놀이의 일종《64장의 패로 둘 또는 넷이서 함》.

be·zoar [bí:zɔ:r] *n.* 위석(胃石)《양·소 따위 체내의 결석(結石); 예전에 해독제로 썼음》.

BF, B.F. Bachelor of Forestry; board foot. **B/F, BF, b/f, b.f.** 〖부기〗 brought forward (앞에서의 이월). **bf, b.f.** 《구어》 bloody fool; 〖인쇄〗 bold-faced (type). **B.F.A.** Bachelor of Fine Arts. **B.F.B.S.** British and Foreign Bible Society (영국 성서 협회). **B.F.C.** 《미》 Bureau of Foreign Commerce. **BFI** British Film Institute.

B-52 [bí:fíftitú:] *n.* **1** B-52《미전략공군(SAC)의 중폭격기; Boeing사(社) 제품; 애칭: Stratofortress》. **2** 《미속어》 벌집(beehive) 스타일《머리 모양》.

B́ film 〖영화〗 비 필름《프로그램 편성상의, 특별 작품의 보조적 (단편) 영화》.

B́ flát 1 〖음악〗 내림 나음《기호 B♭》. **2** 《영우스개》 빈대.

BFO 〖전자〗 beat-frequency oscillator(비트 주파수 발진기). **B.F.O.** British Foreign Office. **BFP** 〖의학〗 biological false positive(생물학적 위양성(僞陽性)). **BFPO** British Forces' Post Office. **BFT** 〖의학〗 biofeedback training. **BG** 〖방송〗 background. **bg.** bag(s); beige; being. **B.G., B.Gen.** Brigadier General. **BGA** Better Government Association. **BGC** bank giro credit. **bGH** 〖생화학·농업〗 bovine growth hormone.

B́-gìrl *n.* 《미속어》 바 여급, 행실이 나쁜 여자, 반(半)직업적 매춘부.

B.G.(M.) background (music)(배경〔반주〕 음악). **Bh** 〖화학〗 bohrium. **B.H.** 〖야금〗 Brinell hardness. **B/H, BH** bill of health. **BHA** butylated hydroxyanisole. **B'ham.** Birmingham.

bhang, bang [bæŋ] *n.* U 〖식물〗 (인도) 삼, 대마(大麻); 그 잎·꽃을 말려 만든 마약.

bháng gánjah [bǽŋ-] 《속어》 마리화나.

bhan·gra, Bhan- [bǽŋgrə] *n.* 방그라《영국의 인도인 사이에서 생겨난 팝 뮤직; Punjab 지방의 민속 음악을 토대로 함》.

Bha·rat [bʌ́rʌt] *n.* 바라트《India의 힌디어(Hindi어) 명칭》.

B.H.C. benzene hexachloride《강력 살충제》. **bhd.** bulkhead. **B.H.E.** Bureau of Higher Education.

bhees·ty, -tie [bí:sti] *n.* (인도의) 식수(食水) 운반자.

B.H.L. Bachelor of Hebrew Letters 〔Literature〕. **B.H.N., Bhn** 〖야금〗 Brinell hardness number.

bhong [bɔ:ŋ, baŋ/bɔŋ] *n.* 《속어》 마리화나 흡연용 파이프.

Bho·pal [boupá:l] *n.* 보팔《인도 Madhya Pradesh주의 주도; 1984년 살충제 제조공장의 유독가스 누출 사고로 인명 피해가 컸음》.

B́-horìzon *n.* 〖지학〗 B층《토양의 층위(層位)의 하나; A층의 아래》.

b'hoy [bhɔi] *n.* 《속어》 난폭자, 무뢰한, 무법자.

B.H.P., b.h.p. brake horsepower. **BHS**

British Home Stores. **BHT** 〖화학·약학〗 butylated hydroxytoluene.
Bhu·tan [buːtáːn] *n.* 부탄《인도 북동의 히말라야 산록에 있는 왕국; 수도는 팀푸(Thimphu)》. ㊥ **Bhù·tan·ése** [-təníːz, -s] *a.*, *n.*
bi [bai] *n.*, *a.* 《속어》 =BISEXUAL.
bi-[1] [bai] '둘, 양, 쌍, 중(重), 복(複), 겹' 따위의 뜻의 결합사: *bi*plane, *bi*cycle.
bi-[2] [bai] (모음의 앞에 올 경우의) BIO-의 이형(異形).
Bi 〖화학〗 bismuth. **B.I.** British India. **BIA, B.I.A.** Bachelor of Industrial Arts; Braille Institute of America; 《미》 Bureau of Indian Affairs(인디언국(局)). **BIAC** Business and Industry Advisory Committee.
bi·a·ce·tyl [bàiəsíːtl, -sétl, baiǽsitl] *n.* 〖화학〗 바이아세틸(diacetyl)《식초·커피 등의 풍미나 향기를 높이는 데 씀》.
Bi·a·fra [biáːfrə] *n.* 비아프라《나이지리아 동부의 주; 1967-70년에 일시 독립을 선언했었음》. ㊥ **Bi·á·fran** *a.*, *n.*
bi·a·ly [biáːli] (*pl.* **~s**) *n.* 비알리《납작하고 중앙이 우묵한 롤빵; 잘게 썬 양파를 얹음》.
bi·an·gu·lar [baiǽŋgjələr] *a.* 2각의.
bi·an·nu·al [baiǽnjuəl] *a.* 연 2회의, 반년마다의(half-yearly). ㊥ **~·ly** *ad.*
*__bi·as__ [báiəs] *n.* **1** (직물의 발에 대한) 사선(斜線), 엇갈림, 바이어스《옷감 재단·재봉선의》: cut cloth on the ~ 천을 비스듬히 재단하다. **2** 선입관《*toward; to*》, 편견《*for; against*》; 심리적 경향; 성벽(性癖): without ~ and without favor 공평무사하게 / have a ~ *toward* socialism 사회주의의 경향이 있다. **3** 〖구기〗 (볼링 등의) 공의 치우침〔편심〕; (공)의 비뚤어진 진로. **4** 〖통신〗 편의(偏倚), 바이어스. **5** 〖통계〗 치우침. ***on the*** **~** 비스듬히; 일그러져; 바이어스로(⇨1). opp *on the straight.* **—** *a.*, *ad.* 비스듬한〔히〕; 엇갈리게, 〖통신〗 편의의. SYN. ⇨UNJUST. **—** (**-s-**, 《영》 **-ss-**) *vt.* 《~+목/+목+전+명》 편견을 갖게 하다, 한쪽으로 치우치게〔기울게〕 하다; (전극에) 바이어스를 걸다: be ~*ed against* 〔in favor of〕 a person 아무에게 편견〔호감〕을 가지고 있다. ㊥ **~ed,** 《영》 **~sed** [-t] *a.* 치우친; 편견을 가진: a ~*ed* view 편견. **~(s)ed·ly** *ad.* **~·ness** *n.*
bías-belted tíre =BELTED-BIAS TIRE.
bías bìnding 〖양재〗 바이어스 테이프(bias tape).
bías-plỳ tíre 바이어스 (플라이) 타이어, 코드타이어(=**bías tìre**)《접지면의 중심선에 비스듬한 섬유층으로 강화》.
bías tàpe 바이어스 테이프《가는 천 테이프》.
bi·ath·lete [baiǽθliːt] *n.* biathlon 선수.
bi·ath·lon [baiǽθlɑn/-lɔn] *n.* Ⓤ 〖경기〗 바이애슬론《스키에 사격을 겸한 복합 경기》.
bi·ax·al, -ax·i·al [baiǽksəl], [-siəl] *a.* 〖물리〗 축이 둘 있는《결정(結晶)》. ㊥ **~·ly** *ad.*
bib [bib] *n.* 턱받이; (에이프런 따위의) 가슴 부분; =BIBCOCK; (펜싱 마스크에 달린) 목구멍받이; 〖어류〗 작은 대구: **~ *and brace*** 바지에 가슴받이와 멜빵이 달린 작업복. ***in*** **one*'s best* ~ *and tucker*** 《구어》 나들이옷을 입고. **—** (**-bb-**) *vi.*, *vt.* 《고어》 술에 젖어 있다; 홀짝거리며 계속 술을 마시다. ㊥ **bibbed** *a.* 가슴받이가 달린.
Bib., bib. Bible; Biblical.
bi·ba·sic [baibéisik] *a.* 〖화학〗 이(二)염기성의(dibasic).
bib·ber [bíbər] *n.* 술고래, 모주꾼. ㊥ **~y** *n.* 과음; 대주(大酒).
bíb·còck *n.* (아래로 굽은) 수도 꼭지(=**bíbb còck**).
bi·be·lot [bíblou; *F.* biblo] (*pl.* **~s** [-z]) *n.* 《F.》 (작은) 장식품, 골동품.
bì·bivalent *a.* 〖화학〗 쌍이가(雙二價)의.
Bibl., bibl. Biblical; bibliographical.
‡**Bi·ble** [báibəl] *n.* **1** (the ~) 성서(聖書), 성경《the Old Testament와 the New Testament》. cf. Scripture. **2** (b-) 권위 있는 서적. **3** 〔일반적〕 성전(聖典), 경전(經典). **4** (b-) 소형의 갑판 닦는 돌. **5** (b-) 〖동물〗 =OMASUM. ***kiss the*** **~** ⇨ KISS. ***live*** **one*'s*** **~** 성서의 가르침을 실행하다. ***swallow*** 〔***eat***〕 ***the*** **~** 《미속어》 거짓말하다. ***the King James'*** **~** =the AUTHORIZED VERSION.
Bíble-bàsher, -bànger *n.* 《속어》 =BIBLE-THUMPER.
Bíble Bèlt (the ~) 미국 남부의 신앙이 두터운 지역《fundamentalism을 중심으로 하는》.
Bíble clàss 성서 연구회.
Bíble clèrk 성서 낭독 학생《Oxford 대학의》.
Bíble òath (성경의 이름으로 하는) 엄숙한 맹세.
Bíble pàper =INDIA PAPER.
Bíble-pòunder, -pùncher *n.* 《속어》 =BIBLETHUMPER.
Bíble-pòunding, -pùnching *a.* 《속어》 열광적으로 복음을 전하는.
Bíble rèader 《영》 고용되어 집집마다 성서를 읽고 다니는 사람.
Bíble schòol 성서(연구) 학교.
Bíble Socìety (the ~) 성서 공회.
Bíble-thùmp *vi.* 《속어》 복음을 열성적으로 전도하다; 전도에 열을 올리다.
Bíble-thùmper *n.* 《속어》 융통성 없는 성서 신봉자.
Bíble-thùmping *a.* 《속어》 =BIBLE-POUNDING.
°**bib·li·cal** [bíblikəl] *a.* (또는 B-) 성경의; 성경에서 인용한; 성경에 관한: a ~ quotation 성서 인용(문). ㊥ **~·ly** *ad.*
Bíblical Látin 성서용 라틴 말.
Bib·li·cism [bíbləsizəm] *n.* (종종 b-) 성서(엄수)주의.
Bib·li·cist [bíbləsist] *n.* (종종 b-) 성서 (엄수)주의자; (b-) 성서학자.
bib·li·o- [bíbliou, -liə] '책, 성서'란 뜻의 결합사.
bíblio·film *n.* 도서 복사용 필름.
bibliog. bibliographer; bibliographic(al); bibliography.
bib·li·o·graph [bíbliəgrǽf, -gràːf] *vt.* (책 따위)에 서지(書誌)를 달다〔만들다〕.
bib·li·og·ra·pher [bìbliágrəfər/-ɔ́g-] *n.* 서적 해제자(解題者), 서지학자; 목록 편찬자.
bib·li·o·graph·ic, -i·cal [bìbliəgrǽfik], [-əl] *a.* 서지(書誌)의, 도서 목록의. ㊥ **-i·cal·ly** *ad.*
bib·li·og·ra·phy [bìbliágrəfi/-ɔ́g-] *n.* Ⓤ 서지학(書誌學); Ⓒ 서적 해제(解題); (어떤 제목·저자에 관한) 저서 목록, 출판 목록; 참고서〔문헌〕 목록, 인용 문헌.
bib·li·o·klept [bíbliəklèpt] *n.* 책 도둑.
bib·li·ol·a·ter [bìbliálətər/-ɔ́l-] *n.* 서적 숭배자; 성경 광신자.
bib·li·ol·a·trous [bìbliálətrəs/-ɔ́l-] *a.* 서적 숭배의; 성경 광신의.
bib·li·ol·a·try [bìbliálətri/-ɔ́l-] *n.* Ⓤ 서적 숭배; 성경 광신.
bib·li·ol·o·gy [bìbliálədʒi/-ɔ́l-] *n.* Ⓤ,Ⓒ 도서학; 서지학(bibliography), 서적 해제(解題); (B-) 성서(문)학.
bib·li·o·man·cy [bíblioumæ̀nsi] *n.* Ⓤ 성경점(占)《성경을 펼쳐 처음 나온 문구로 점침》.
bìblio·mánia *n.* 장서벽, Ⓒ 서적광. ㊥ **-ni·ac** [-niæ̀k] *n.*, *a.* 장서벽(의), 서적광(의). **bìb·li·o·ma·ní·a·cal** [-mənáiəkəl] *a.* =bibliomaniac.
bib·li·op·e·gy [bìbliápədʒi/-ɔ́p-] *n.* 제본술.

bib·li·o·phile, -phil [bíbliəfàil], [-fil] *n.* 애서가, 서적 수집가, 장서(도락)가.
bib·li·oph·i·lism, -oph·i·ly [bìbliáfəlìzəm/-ɔ́f-], [-fəli] *n.* [U] 서적 애호, 장서벽〔취미〕. [파] **-list** *n.* 애서가, 서적 수집가(bibliophile). **bìb·li·òph·i·lís·tic** *a.*
bib·li·o·pole [bíbliəpòul] *n.* 서점 주인, 서적상(商)《특히 진귀한 책〔고서(古書)〕의》. [파] **-pol·ic** [bìbliəpálik/-pɔ́l-] *a.*
bib·li·op·o·ly [bìbliápəli/-ɔ́p-] *n.* 서적 판매, 《특히》 진본(珍本) 판매. [파] **-list** *n.*
bib·li·o·the·ca [bìbliəθíːkə] (*pl.* **~s, -cae** [-siː, -kiː]) *n.* 장서, 서재; (서점의) 서적 목록. [파] **-thé·cal** *a.*
bìblio·thérapy *n.* [U] 독서 요법《신경증에 대한 심리 요법》.
bib·li·ot·ics [bìbliátiks/-ɔ́t-] *n. pl.* 《단·복수취급》 필적 감정학. [파] **-ót·ic** *a.* **bib·li·o·tist** [bíbliətist] *n.*
Bib·list [bíblist, báiblist] *n.* **1** =BIBLICIST. **2** [báiblist] 성경 신앙자《성경만을 신앙의 유일한 근거로 삼는 사람》.
bib·u·lous [bíbjələs] *a.* 술꾼의, 술 좋아하는; 음주의; 흡수성의. [파] **~·ly** *ad.* **~·ness** *n.*
bi·cam·er·al [baikǽmərəl] *a.* 〚의회〛 상하 양원제의, 이원제의. [파] **~·ism** *n.* 양원제, 이원제. **~·ist** *n.* 이원제론자.
bi·carb [baikáːrb] *n.* [U] 《구어》 중조(重曹), 중탄산나트륨.
bi·car·bo·nate [baikáːrbənət, -nèit] *n.* 〚화학〛 중탄산염; [U] 중조(重曹). **~ *of soda*** 중탄산나트륨.
bice [bais] *n.* 남청색(의 안료)(=∠ **blùe**); 황록색(의 안료)(=∠ **grèen**).
bi·cen·ten·ary, -ten·ni·al [bàisenténəri, baiséntənèri/bàisentíːnəri], [bàisenténiəl] *a.* 2 백년(째)의; 2 백년(기념)제(祭)의. **—** *n.* 2 백년(기념)제(祭); 2 백년기(忌); 2 백년(째). [파] **-tén·ni·al·ly** *ad.*
bi·cen·tric [baiséntrik] *a.* 〚생물〛 (분류 단위가) 이기원성(二起源性)의; (동식물이) 두 분포 중심의. [파] **bì·cen·tríc·i·ty** [-trísəti] *n.*
bi·ceph·a·lous [baiséfələs] *a.* 쌍두(雙頭)의.
bi·ceps [báiseps] (*pl.* **~, ~·es** [-iz]) *n.* 〚해부〛 이두근(二頭筋); 《구어》 근력(筋力).
bíceps brá·chii [-bréikiài, -kiìː] 〚해부〛 상완 이두근(上腕二頭筋).
bíceps fé·mo·ris [-fémərəs] 〚해부〛 대퇴이두근(大腿二頭筋).
bi·chlo·ride [baiklɔ́ːraid, -rid/-raid] *n.* [U] 〚화학〛 이(二)염화물(dichloride): **~ of** mercury 염화 제 2 수은, 승홍(昇汞).
bi·chro·mate [baikróumeit] *n.* [U] 〚화학〛 중(重)크롬산염; [U] 중크롬산 칼륨.
bi·chrome [báikròum] *a.* 이색(二色)의.
bi·cip·i·tal [baisípətəl] *a.* 머리가 둘 있는; 〚해부〛 이두근(二頭筋)의.
bick·er [bíkər] *vi.* 말다툼하다(quarrel); (개천 따위가) 졸졸 흐르다(babble); (비가) 후두둑 내리다; (불빛 따위가) 가물〔깜박〕거리다; 흔들리다. **—** *n.* 말다툼, 언쟁; 졸졸거림; 후두둑거림; 가물거림. [파] **~·er** [-rər] *n.* 언쟁자. ⌈cuit).
bicky, bik·ky [bíki] *n.* 《구어》 비스킷(bis-
bi·coast·al [baikóustəl] *a.* 동·서 양해안의.
bi·col·lat·er·al [bàikəlǽtərəl] *a.* 〚생물〛 복병립(複並立)의: a ~ vascular bundle 복병립 관다발.
bi·col·or(ed), 《영》 **-our(ed)** [báikʌlər(d)] *a.* 이색(二色)의.
bi·com·mu·nal [bàikəmjúːnl, baikámjunl/baikɔ́mjunl] *a.* (인종적·종교적으로) 두 집단으로 구성된.
bì·compónent fíber 이상(異相) 구조 섬유《물리적 성질이 다른 두 성분으로 하나의 섬유를 이루고 있는 것; 간단한 가공으로 권축(捲縮)(crimp)이 생김》.
bi·con·cave [baikánkeiv, ∸-∠/-kɔ́n-] *a.* 양쪽이 오목한(concavo-concave). [파] **bi·con·cav·i·ty** [bàikənkǽvəti, -kɑn-/-kɔn-] *n.*
bi·con·di·tion·al [bàikəndíʃənəl] *a., n.* 〚논리〛 상호 조건(적인).
bi·con·vex [baikánveks, ∸-∠/-kɔ́n-] *a.* (렌즈 따위가) 양쪽이 볼록한(convexo-convex): a ~ lens. [파] **bì·con·véx·i·ty** *n.*
bi·corn [báikɔːrn] *a.* 〚동물·식물〛 뿔(모양)이 둘 있는; 초승달 모양의.
bi·cor·po·ral [baikɔ́ːrpərəl] *a.* 양체(兩體)의, 두 몸체를 지닌. [파] **bì·cor·pó·re·al** [-pɔ́ːriəl] *a.*
bi·cron [báikrɑn, bík-/báikrɔn] *n.* 〚물리〛 비크론《1m 의 10 억분의 1》. [cf.] micron.
bi·cru·ral [baikrúərəl] *a.* 두 다리의.
bi·cul·tur·al [baikʌ́ltʃərəl] *a.* 두 문화(병존)의. [파] **~·ism** *n.* (한 지역〔나라〕에) 이질적인 두 문화 병존.
bi·cus·pid [baikʌ́spid] *n.* 〚해부〛 쌍두치(雙頭齒), 소구치(小臼齒). **—** *a.* (치아·심장 따위가) 뾰족한 끝이 둘 있는. [파] **-pi·date** [-èit] *a.* =bicuspid.
bicúspid vàlve 〚해부〛 (심장의) 승모판(僧帽瓣), 이첨판(二尖瓣)(mitral valve).
†**bi·cy·cle** [báisikəl, -si-, -sài-/-si-] *n.* 자전거: go *by* ~ =go *on* a ~ 자전거로 가다《*to*》; 《미속어》 (권투에서) 상대방의 연타를 피하다. ***ride* (*on*) *a* ~** 자전거를 타다. **—** *vi.* 자전거를 타다. ★ 동사로는 cycle 이 보통. **—** *vt.* 자전거로 여행하다. [파] **-cler** *n.* =BICYCLIST.

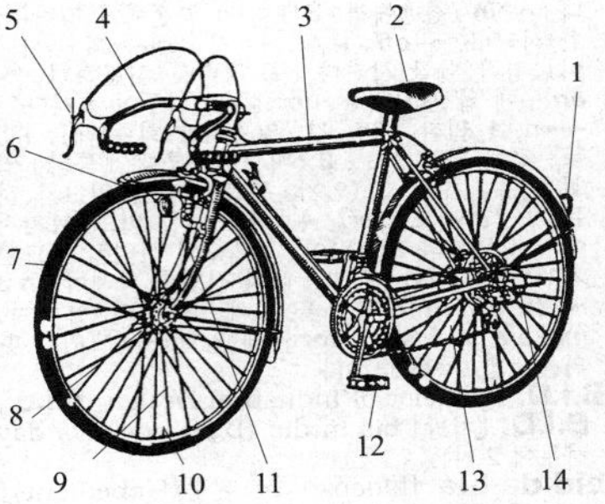

bicycle

1. rear brake 2. seat 3. frame 4. handlebar 5. brake lever 6. headlight 7. rim 8. hub 9. spoke 10. valve 11. fork 12. pedal 13. chain 14. kickstand

bícycle clìp (자전거 체인에 엉키지 않게) 바지 자락을 고정시키는 클립〔안전 밴드〕.
bícycle kìck 바이시클 킥《(1) 〚축구〛 공중에서 자전거를 젓듯 발을 움직여 공을 차는 오버헤드 킥. (2) 누운 자세로 허공에서 자전거를 젓듯 두 다리를 움직이는 체조》.
bícycle ràce 〔**ràcing**〕 자전거 경주.
bi·cy·clic, bi·cy·cli·cal [baisáiklik, -sík-], [-əl] *a.* 두 원으로 된; 〚식물〛 두 윤생체(輪生體)

를 이루는; 〖화학〗(화합물이) 두 고리식의.

bi·cy·clist [báisiklist, -sìk-, -sàik-/-sik-] *n.* 자전거를 타는 사람; 경륜(競輪) 선수.

bid [bid] (***bade*** [bæd/beid], ***bid; bid·den*** [bídn], ***bid; bíd·ding***) *vt.* **1** 《~+목/+목+*do*》 《고어·시어》 …에게 명하다. ★보통 능동태에서는 원형 부정사, 수동태에서는 to 달린 부정사. ¶ Do as I ~ you. 시키는 대로 해라 / She ~ me enter. 그녀는 나더러 들어오라고 했다 / I was *bidden to* enter. 나는 들어가라는 명을 받았다. SYN. ⇨ ORDER. **2** 《+목+목/+목+전+명》(인사 따위를) 말하다《*to*》: ~ a person farewell 〔welcome〕 = ~ farewell 〔welcome〕 *to* a person 아무에게 작별〔환영〕 인사를 하다. **3** 《~+목/+목+전+명/+목+목 (+전+명)》 (값을) 매기다《*for*》; 입찰하다; (도급 등)의 조건을 제시하다: ~ a fair price 정당한 값을 매기다 / ~ ten pounds, 10 파운드로 값을 매기다 / He ~ fifty dollars *for* the table. 그는 그 테이블에 50달러를 불렀다 / I'll ~ you $100 (*for* this picture). (이 그림 값으로) 100달러 내시오. ★이 뜻에는 과거·과거분사도 bid. **4** 《고어》 발표하다, 공고하다. **5** 《고어》 초대하다: a *bidden* guest 초대된 손님. **6** 〖카드놀이〗 비드를 선언하다: ~ hearts 하트를 잡겠다고 선언하다. ★이 뜻으로 과거·과거분사도 bid. **7** 《미구어》 스카우트하다, 스카우트로 입회시키다, (남에게) 입회를 권하다. **—** *vi.* **1** 《~/+전+명》 값을 매기다, 입찰하다《*for; on*》: ~ *for* 〔*on*〕 (the construction of) the school 학교 건축 공사에 입찰하다. **2** 명령하다. **3** 《+전+명》(지지·권력 따위를 얻으려고) 노력하다, 온갖 수단을 쓰다《*for*》: He was *bidding for* popular support. 그는 민중의 지지를 얻으려고 노력하고 있었다. **~ *against*** a person 아무와 맞서서 높은 값을 부르다. **~ *fair to*** do 가망이 있다, …할 것 같다: The weather ~*s fair to* improve. 날씨는 점차 좋아질 듯하다. **~ *in*** (경매에서 소유주가) 자신에게 경락〔낙찰〕시키다. **~ *off*** ① (경매에서 소유주 외의 사람이) 경락〔낙찰〕시키다. ② 경매로 처분하다. **~ *on*** …에 입찰하다. **~ *up*** (값을) 다투어 올리다. **—** *n.* **1** 입찰, 매긴 값, 입찰의 기회〔차례〕; 〖법률〗 경매 가격 신고. **2** 《미구어》 초대, 《특히》 입회 권유, 제안. **3** (인기·동정 따위를 얻고자 하는) 노력, 시도《*for*》. **4** 〖카드놀이〗 비드《브리지에서 으뜸패와 자기편이 딸 패수의 선언》; 비드할 차례: It's your ~. 자, 네가 선언할 차례야. ***in a ~ to*** do …할 목적을 위해, …하기 위하여. ***make a*** 〔one's〕 **~ *for*** …에 입찰하다; (인기 따위를) 얻고자 노력하다.

B.I.D. Bachelor of Industrial Design. **b.i.d., B.I.D.** 〖처방〗 bis in die 《L.》 (=twice a day 하루에 2번).

bid·da·ble [bídəbəl] *a.* 유순한(obedient); 〖카드놀이〗 겨룰 수 있는《수 따위》.

bid·den [bídn] BID의 과거분사.

bíd·der *n.* 값을 부르는 사람, 입찰〔경매〕자; 입후보자; 명령자; 《미구어》 초대자: the highest 〔best〕 ~ 최고 입찰자; 자기를 가장 높이 평가해 주는 사람.

bíd·ding *n.* Ⓤ **1** 입찰, 값매김. **2** 명령: at a person's ~ 아무의 명령에 따라서 / at the ~ *of* …의 뜻〔분부〕대로. ***do*** **a person's ~** 아무의 분부〔명령〕대로 하다.

bídding pràyer 《영》 설교 전의 기도.

bid·dy *n.* 《영에서는 방언》 병아리; 암탉; 《구어·흔히 경멸》 말 많은 노파; 여자; (종종 B-) 《미구어》 하녀, 청소부(婦); 《속어》 여선생.

bide [baid] (***bíd·ed, bode*** [boud]; ***bíd·ed,*** 《고어》 ***bid*** [bid]) 《고어》 *vi., vt.* 살다, 머무르다; 기다리다; 참다, 견디다. **~ one's *time*** 때를 기다리다.

bi·den·tate [baidénteit] *a.* 이〔치상(齒狀) 돌기〕가 둘 있는《식물 따위》.

bi·det [bidéi, bidét/bíːdei] *n.* 《F.》 비데《여성용 국부 세척기(器)》; 작은 승용마(馬).

bi·di·a·lec·tal [bàidaiəléktəl] *a., n.* 〖언어〗 두 방언을 쓰는 (사람). ㊎ **~·ism, bi·dí·a·lect·ìsm** *n.* 두 방언 사용; (비표준어 사용자에 대한) 표준어 교육.

bi·di·rec·tion·al [bàidirékʃənəl, -dai-] *a.* (안테나 등이) 양(兩)지향성의; (반도체 소자 등이) 두 방향성의.

bi·don·ville [*F.* bidɔ̃vil] *n.* (프랑스 등지의) 변두리의 판자촌 지구.

bíd prìce 입찰 가격; 〖증권〗 사는 쪽이 제시하는 최고 한도 가격, 매수 호가.

bíd rìgging 담합(談合) 입찰.

B.I.E. Bachelor of Industrial Engineering.

Bie·der·mei·er [*G.* bidərmaiər] *a.* 《G.》 비더마이어 양식의《19세기의 간소한 가구 양식》; 《경멸》 인습적인, 판에 박힌, 범속한.

bi·en·na·le [biennáːlei] *n.* 《It.》 격년 행사, 비엔날레; (the B-) 비엔날레《짝수 해의 5-10월에 로마에서 열리는 현대 회화·조각 전람회》.

bi·en·ni·al [baiéniəl] *a.* **1** 2년에 한 번의; 2년마다의. cf. biannual. **2** 2년간 계속되는. **3** 〖식물〗 2년생의. **—** *n.* 〖식물〗 2년생 식물; 2년마다 일어나는 일; 2년마다의 시험〔모임, 행사〕. ㊎ **~·ly** *ad.* 2년마다.

bi·en·ni·um [baiéniəm] (*pl.* **~s, -nia** [-niə]) *n.* 《L.》 2년간.

bien·sé·ance [*F.* bjɛ̃seɑ̃ːs] *n.* 《F.》 예의범절(禮儀凡節).

bien·ve·nue [*F.* bjɛ̃vny] *n., a.* 《F.》 환영(받는). 「존경받는.

bien vu [*F.* bjɛ̃vy] 《F.》 높이 평가받는; 크게

bier [biər] *n.* 관가(棺架), 상여(喪輿); 영구차; 시체; 《고어》 운반대(臺), 들것.

bier·kel·ler [bíərkèlər] *n.* 《G.》 《영》 독일식으로 장식한 비어홀(beer celler).

biest·ings [bíːstiŋz] (*pl.* ~) *n.* =BEESTINGS.

B.I.F. British Industries Fair(영국 공업 박람회; 1915-50년대의).

bi·face [báifèis] *n.* 〖고고학〗 주먹 도끼, 악부(握斧)(hand ax).

bi·fa·cial [baiféiʃəl] *a.* 두 면이 있는; 〖식물〗 (표리가 다른) 양면이 있는《잎 따위》; 〖고고학〗 돌칼의 양면을 깎아낸.

bi·far·i·ous [baifɛ́əriəs] *a.* 이중의, 2열의; 〖식물〗 2 종렬(縱列)의. ㊎ **~·ly** *ad.*

biff [bif] *n., vt.* 《속어》 강타(하다).

bif·fin [bífin] *n.* 《영》 검붉은 요리용 사과 《Norfolk산》.

bi·fid [báifid] *a.* 두 갈래진(forked); 〖식물〗 둘로 갈라진. ㊎ **~·ly** *ad.* **bi·fid·i·ty** [baifídəti] *n.* 이열(二裂), 이차(二叉).

bi·fi·lar [baifáilər] *a.* **1** 두 줄〔선〕의; 두 줄〔선〕으로 설치된: ~ suspension 두 줄 현수(懸垂). **2** 〖전기〗 두 줄 감기의《저항기 따위》. ㊎ **~·ly** *ad.*

bi·flag·el·late [baiflǽdʒəlèit, -lət] *a.* 〖생물〗 쌍편모(雙鞭毛)의.

bi·flex [báifleks] *a.* 두 군데가 굽은, 만곡이 두 곳인.

bi·flo·rate [baiflɔ́ːreit, -rət] *a.* 두 꽃을 가진.

bi·fo·cal [baifóukəl] *a.* 이중 초점의; 원시·근시 양용의《안경 따위》. **—** *n.* 이중 초점 렌즈; (*pl.*) 원근(遠近) 양용 안경.

bi·fold [báifòuld] *a.* 둘로 접게 된, 이중의.

bi·fo·li·ate [baifóuliət, -èit] *a.* 〖식물〗 쌍엽의.
bi·fo·li·o·late [baifóuliəlèit, -lət] *a.* 〖식물〗 (겹잎이) 두 소엽(小葉)인.
bi·forked [báifɔ̀ːrkt] *a.* = BIFURCATE.
bi·form, -formed [báifɔ̀ːrm], [-fɔ̀ːrmd] *a.* (인어 등과 같이) 두 모양을 아울러 가진.
Bif·rost [bívrɑst/-rɔst] *n.* (북유럽 신화의) 하늘과 땅에 걸친 무지개 다리.
bi·func·tion·al [baifʌ́ŋkʃənəl] *a.* 두 가지 기능〔작용〕의, 두 기능〔작용〕을 지닌.
bi·fur·cate [báifərkèit, baifə́ːrkeit/báifəkèit] *vt.*, *vi.* 두 갈래로 가르다〔갈리다〕. ── [-kət] *a.* 두 갈래진(= **bífurcàted**). ⓟ **~·ly** *ad.* **bì·fur·cá·tion** *n.* 분기(分岐)(함); 〖해부〗 분기점; (분기한 한 쪽의) 분지(分枝).
†**big** [big] (**-gg-**) *a.* **1** 큰; 커진, 성장한; (소리가) 큰, 쾅쾅 울리는; (수량이) 큰: a ~ voice 큰 소리.

> SYN. **big, large, great** 구별 없이 쓰이는 일이 많음: a *large* 〔*big, great*〕 building 큰 건물. 그러나 정확히는 다음과 같이 구별될 수 있음. **big** 부피·덩어리·무게·정도: a *big* cat 큰 고양이. a *big* fire 큰 불. **large** 넓이·분량: a *large* room 넓은 방. a *large* amount 대량. **great** 당당한 모양, 훌륭한 모양: a *great* oak 거대한 참나무. ★ big은 쉬운 구어조로 쓰임에 반하여, large, great는 약간 형식을 갖춘 말임: a *big* mistake 엉뚱한 잘못; a *great* mistake 대실수; a *big* village 큰 마을; a *great* city 대도시.

2 〖서술적〗 임신한, 아이 밴: She is ~ *with* child. 그 여자는 아이를 뱄다 / the day ~ *with* the fate of Rome 로마의 운명이 걸린 날. **3** 〖서술적〗 가득찬; 《비유》 찬: eyes ~ *with* tears 눈물이 담뿍 괸 눈 / a year ~ *with* events 다사한 한 해. **4** (사건·문제가) 중대한. **5** 중요한, (잘) 난, 훌륭한; 《미구어》 유명한, 인기 있는. **6** (태도가) 난 체하는, 뽐내는, 거드럭대는: ~ looks 오만한 얼굴 / ~ words 큰소리 / feel ~ 자만심을 갖다. **7** (마음이) 넓은, 관대한: That's ~ *of* you. 〖종종 반어적〗 이것 참 너그럽게 봐주셔서 감사합니다. **8** 《미속어》 〖서술적〗 …에 열광하는, …을 아주 좋아하는(*on*). **9** 연상의; 《미학생속어》 …형, …누나《부를 때 이름 앞에 붙여, 경의·친절을 나타냄》: one's ~ brother 〔sister〕 형〔누나〕 / ~ John 존형. **10** 〖행위자를 나타내는 명사를 수식하여〗 정력적인, 대단한: a ~ eater 대식가. ***as ~ as life*** ⇨ LIFE. ***get*** 〔***grow***〕 ***too ~ for*** one***'s boots*** 〔***breeches***〕 (몸체가) 커져서 구두〔바지〕가 안 맞게 되다; 《구어》 자만하다, 뽐내다. ***in a ~ way*** ⇨ WAY[1].
── *ad.* 《구어》 잘난 듯이, 뽐내어; 다량으로, 크게; 《미구어》 잘, 성공하여; 《방언》 매우: think ~ 야망을 품다, 큰 일을 생각하다 / make (it) ~ 《미구어》 큰 성공을 거두다 / talk ~ 《구어》 허풍떨다. ***come*** 〔***go***〕 ***over*** ~ = ***come*** 〔***go***〕 ***down*** ~ 《미구어》 잘 되어 가다, 크게 성공하다.
── *n.* 《구어》 중요 인물; 대기업; (Mr. B-) 《구어》 거물, 두목, (막후) 실력자; (the ~s) 《야구속어》 메이저리그.
ⓟ **∠·ly** *ad.* 대규모로; 《고어》 잘난 체하며, 오만하게. **∠·ness** *n.*
big·a·mist [bígəmist] *n.* 중혼자(重婚者).
big·a·mous [bígəməs] *a.* 중혼의; 중혼(죄를 범)한. ⓟ **~·ly** *ad.*
big·a·my [bígəmi] *n.* Ⓤ 중혼(죄), 이중 결혼. ⓒⓕ digamy.
Bíg Ápple (the ~) 《미속어》 New York시의 애칭; (종종 b- a-) 대도시, 번화가; (the b- a-) 가장 중요한 부분, 주요 관심사.

Big·ar·reau [bígəròu, ˌ-ˊ] *n.* 〖원예〗 비가로종(種)〔경육종(硬肉種)〕 체리; 그 나무.
bíg·àss *a.* 《미비어》 엄청나게 큰; 과장된; 젠체하는, 거드름 피우는; 극단의.
bíg banána 《속어》 = BIG BUG.
bíg bánd 빅밴드《특히 1930-50년대의 대편성의 재즈〔댄스 음악〕 밴드》.
bíg báng (the ~, 종종 the B- B-) 〖천문〗 (우주 생성 때의) 대폭발. 「발 기원설.
bíg báng thèory (the ~) (우주 생성의) 폭
bíg béast (주로 신문에서) 거물; 첨단 기계〔설비〕.
bíg béat (the ~) 록 음악. 「〔탑〕.
Bíg Bén 영국 국회 의사당 탑 위의 큰 시계(종
Bíg Bértha (제 1 차 대전 때 독일군의) 거포(巨砲); 고성능 대포; 《미속어》 뚱뚱한 여성.
Bíg Bírd 빅 버드《(1) 〖군사〗 미국이 사용하는 광역(廣域) 정찰 위성의 통칭; 정식명은 Project 467. (2) 미국 TV 프로의 Sesame Street에 나오는 크고 노란 새》.
bíg blóke 《미속어》 코카인.
Bíg Blúe 《미속어》 빅 블루《IBM사의 애칭; 제품·상표 색깔에서 나온 말》.
Bíg Bóard (the ~, 때로 the b- b-) 《미구어》 뉴욕 증권 거래소 (상장의 주가(株價) 표시판).
bìg-bóx stòre 《미》 (보통 시 외곽 쇼핑 지역의) 대형 매점.
bíg bóy 《구어》 (특히 실업계의) 거물; 대기업; 《미속어》 고액권, (햄버거 등의) 큰 것; 《미속어》 자지, 음경.
bíg bróther **1** 형. **2** (때로 B- B-) (비행 소년·문제아의) 남자 지도원. **3** (보통 B- B-) (전체주의 정권의) 독재자; 독재 국가〔조직〕; 독재력을 가진 사람《경찰·선생·어버이 등》. **4** (보통 B- B-) (경찰 국가의) 관료, 행정부. **5** 《CB속어》 경찰, 순찰차. **6** 《미항공속어》 (지상 관제관이 쓰는) 추적 레이더. ⓟ **Bíg Bróth·er·ism** (사람·국가의) 독재 통제주의.
bíg brówneyes 《미속어》 젖(통이).
bíg búck (보통 *pl.*) 《구어》 많은 돈, 큰돈.
bíg búg 《속어》 중요 인물, 보스, 거물(bigwig).
bíg búsiness 《경멸》 재벌; 대기업.
Bíg Ć (the ~) 《구어》 암; 《미속어》 코카인.
bíg cát 고양잇과의 큰 동물《사자·호랑이 따위》.
bíg-cháracter pòster 대자보(大字報), 벽신문(wall newspaper).
bíg chéese 《속어》 = BIG BUG 〔SHOT〕.
bíg chíef **1** (B- C-) (회사·조직의) 장(長), 창립자. **2** 《미속어》 = LSD.
bíg crúnch (*or* B- C-) 〖천문〗 우주 대수축 《big bang이 한계에 달한 뒤에 일어나는 우주의 초(超)고밀도 수축》.
bíg D 《미속어》 = LSD《환각제》; = DALLAS.
bíg dáddy (the ~) 《속어》 가장 중요한〔큰〕 것 〔사람·동물〕; 《미》 (자기) 아버지; (B- D-) 《CB속어》 연방 통신 위원회(FCC).
bíg dáy 중요한 날, 거대한 행사가 있는 날; 결혼식 날; 《미》 (교도소의) 면회일
bíg déal **1** 《미속어》 〖반어적〗 대단한 것〔인물〕, 중대 사건: What's the ~? 뭣 때문에 이 소동이야 / make a ~ out of …을 과장하여 생각하다 〔떠들어대다〕. **2** 《속어》 〖비꼼·조소를 나타내어, 감탄사적으로〗 참 대단하군, 그뿐인가, 별거 아니군: "I make 500 dollars a week." ― "*Big deal!* I make twice that much." '나는 한 주에 500달러 번다네' ― '별 거 아니군. 나는 그 갑절은 번다네.'
Bíg Dípper **1** (the ~) 《미》 〖천문〗 북두칠성. **2** (b- d-) 《영구어》 = ROLLER COASTER.
bíg dóg 지키는 개, 호위자; 《미속어》 거물, 유

력자; (B- D-) 《CB 속어》 그레이하운드 버스 (Greyhound bus). 「관리직·경영자》.
bíg dòme 《속어》 중요 인물, 요인(要人)《특히
bíg dóolie 중요 인물, 요인(big shot), (운동경기의) 승리자, 챔피언.
bíg É 《속어》 **1** 해고; 거절(the elbow): give it the ~ 그것을 거절하다. **2** 미국 항공모함 USS Enterprise.
Bíg Éasy (the ~) New Orleans 의 속칭.
bi·gem·i·nal [baidʒémənəl] *a.* 〖의학〗 쌍생의, 이란성의; 이중의, 짝을 이루는. 「(二段脈).
bi·gem·i·ny [baidʒéməni] *n.* 〖의학〗 이단맥
bíg enchiláda 《미속어》 중요 인물, 거물, 두목.
bíg ènd 〖기계〗 대단(大端)《커넥팅 로드의》.
bi·gen·er [báidʒiːnər, -dʒən-] *n.* 〖생물〗 이속간(二屬間) 잡종.
bi·ge·ner·ic [bàidʒənérik] *a.* 〖식물〗 이속(二屬)의 (특징을 가진), 이속을 포함하는. 「운.
bíg fàt 《미속어》 두드러진; 노골적인, 뻔뻔스러
bíg físh 〔**fróg**〕 《미속어》 거물, 우두머리, 두목 (big shot).
Bíg Fíve (the ~) 5 대국《제 1 차 대전 후의 미국·영국·프랑스·이탈리아·일본, 또는 제 2 차 대전 후의 미국·영국·옛 소련·중국·프랑스》.
Bíg·fòot *n.* (때로 b-) Sasquatch 의 별칭.
bigg [big] *n.* Ⓤ 《Sc.》 보리의 일종.
bíg gáme 큰 경기; 큰 사냥감《사자·코끼리 따위》; (위험이 따르는) 큰 목표.
big·ge·ty, -gi- [bígəti] *a.* 《미구어》 우쭐대는, 무례한, 오만한, 뽐내는.
big·gie, -gy [bígi] *n.* 《미구어》 중요한 것; 높은 양반, 거물. ***no*** ~ 《미속어》 대수로운 일 아냐, 걱정할 것 없어. 「련한」 남자.
bìg gírl's blòuse 《영속어》 연약한〔무능한, 가
big·gish [bígiʃ] *a.* **1** 약간 큰, 큰 편인. **2** 중요〔위대〕한 듯한.
bíg gòvernment 큰 정부《보통 중앙 집권화된 정부나, 거액의 재정 지출과 과중한 세금을 비판할 때 쓰는 말》.
bíg gún 큰 대포; 《속어》 유력〔실력〕자, 중요 인물, 고급 장교; 중요한 사물. ***bring out*** 〔***up***〕 ***the*** 〔***one's***〕 ~***s*** (논쟁·게임 등에서) 결정적인 수〔으뜸패〕를 내놓다.
bíg H [-éitʃ] (the ~) 《미속어》 **1** 헤로인(=**Bíg Hárry**). **2** 교도소《보통 California 주 San Quentine 교도소를 가리킴》.
bíg háir 《미학생속어》 곤두세워 부풀린 머리.
bíg hát 《CB 속어》 주(州)경찰관.
bíg·hèad *n.* 《미》 우두머리; 자부심; 〖수의〗 (양의) 두부(頭部) 확장증; 《미속어》 숙취(宿醉); 《구어》 자만(하는 사람). ⊞ **-héad·ed** [-id] *a.* 《구어》 젠체하는, 우쭐한.
bíg·héarted [-id] *a.* 마음이 넓은, 관대한. ⊞ ~**·ly** *ad.* ~**·ness** *n.* 「사〕.
bíg hítter (주로 신문에서) 크게 히트한 상품〔회
bíg·hòrn *n.* **1** (*pl.* ~, ~***s***) 〖동물〗 로키 산맥의 야생양(羊)(=**⌐ shèep**). **2** (the B-) 빅혼 강(=**Bíg Hòrn**)《Wyoming 주 북쪽에서 Yellowstone 강으로 흘러듦》.
Bíghorn Móuntains (the ~) 빅혼 산계(山系)(=the **Bíg Hòrn Móuntains**; the **Bíg Hòrns**)《Rocky 산맥 중, Wyoming 주(州) 북쪽에 있는》.
bíg hòuse **1** 《영》 (종종 B- H-) (마을 제일의) 호가(豪家); 《미》 예전 중남부의 대저택. **2** (the ~) 《속어》 교도소; 《미중남부》 응접실, 거실.
bight [bait] *n.* 해안선〔강가〕의 완만한 굴곡; 후미, 만(灣); 밧줄의 중간〔고리로 한〕 부분. ── *vt.* (밧줄을) 고리로 만들다; 밧줄(고리)로 조이다.
bíg idéa 《구어》 어림도 없는 생각〔계획〕; 목적, 의도.
bíg Jóhn 《미속어》 경찰관(policeman); 경찰.
Bíg Ka·hóo·na [-kəhúːnə] 〖서핑〗 서퍼에게 가장 이상적인 형태의 거대한 파도.
bíg lábor 《미》 (때때로 B- L-) 〔집합적·무관사〕 대규모 노동 조합.
bíg léague =MAJOR LEAGUE; 톱클래스(의 것). ⊞ **bíg léaguer** (기업 등의) 최상위층 인사.
bíg-léague *a.* 《미구어》 (직업 분야에서) 최상위의; 최대의, 가장 중요한. 「위 선전.
bíg líe (the ~) 새빨간 거짓말; (정책 등의) 허
Bíg Lóok (종종 b- l-) 빅룩《주름을 많이 넣어 크게 보이게 하는 패션》.
Bíg Mác 《미구어》 빅맥. **1** 햄버거 레스토랑 체인점으로 유명한 McDonald's Corp.의 애칭. **2** McDonald 햄버거 체인점에서 파는 햄버거《상표명》. **3** 자치체 원조 공사(公社)(MAC). **4** 〖미군사〗 록히드 C 5A 수송기.
bíg mán **1** 《미속어》 중요 인물, 명사: ~ on campus 학교내의 인기인〔히어로〕《생략: B.M.O.C.》. **2** 《속어》 (마약의) 도매 상인, 중
bíg móment 《미속어》 애인, 연인. ⌊계 상인.
bíg móney 《구어》 큰돈, 거금.
bíg·mòuth *n.* 《속어》 수다스러운 사람.
bíg-mòuthed [-ðd, -θt] *a.* 입이 큰; 큰 목소리의; 자랑하는, 장담하는; 재잘재잘 〔일방적으로〕 지껄여대는.
bíg náme 《구어》 명사(名士), 중요 인물; 일류 배우〔출연자〕, 권위자.
bíg-nàme *a.* 《구어》 유명〔저명〕한; 일류의: a ~ ambassador 거물 대사.
bíg níckel 《미속어》 (내기에 건 돈) 5 천 달러.
bíg nóise 《구어》 명사, 거물, 유력자.
big·no·nia [bignóuniə] *n.* 〖식물〗 빅노니아속(屬)의 식물《능소화나무류》.
big·num [bígnʌ́m] *n.* 《미속어》 자릿수가 많고 비교적 정밀한 숫자; 매우 큰 숫자.
bíg òne 《미속어》 (내기에 건 돈으로서) 1,000 달러, 천 달러 지폐; 대변.
big·ot [bígət] *n.* 고집통이, 괴팍한 사람.
bíg·ot·ed [-id] *a.* 완미(頑迷)한, 편협한, 고집불통의. ⊞ ~**·ly** *ad.*
big·ot·ry [bígətri] *n.* Ⓤ 완미한 신앙; 편협.
bíg pícture (the ~) (어떤 문제에 관한) 총괄적 전망, 조감(鳥瞰); 《구어》 (복수 상영되는 영화 중) 주요 영화.
bíg pòt 《구어》 큰〔중요〕 인물.
bíg rág 《미속어》 서커스의 큰 천막. 「결한 트럭》.
bíg ríg 더블 트레일러 트럭《트레일러를 2 대 연
bíg scíence 거대 과학《우주 개발·해양 개발 등 거대한 투자를 요하는 과학》.
bíg scréen 《구어》 영화(관). 「cat).
bíg shòt 《구어·경멸》 거물, 중요 인물(fat
bíg síster 언니, 누나; (때로 B- S-) (고아·불량 소녀 등을 선도하는) 언니 구실을 하는 여자.
Bíg Smóke (the ~) 《영속어》 런던의 속칭; 《미속어》 =PITTSBURGH; (the b- s-) 《Austral.》 대도시, 멜버른, 시드니.
bíg stíck (정치 또는 경제적인) 압력; 무력·힘의 과시; 《속어》 (소방용의) 긴 사닥다리: wield 〔carry〕 a ~ (over ...) (…에게) 심하게 힘〔권력〕을 휘두르다.
bíg stíff 《속어》 형편없는 놈.
bíg stínk 《미구어》 큰 스캔들, 대소동, 큰 반대.
bíg tálk 《속어》 호언 장담, 허풍.
Bíg Tén (the ~) 빅텐《미국 중서부의 대학 경기 연맹》. ⓒⓕ Rose Bowl.
bíg tén't 《미》 온갖 신념·신앙·의견·배경을 가진 여러 사람들을 포용하는 그룹 또는 정당.
bíg-tént *a.* 《미》 온갖 종류를 다 받아들이는.

Bíg Thrée (the ~) **1** 3대국《미국·옛 소련·중국》. **2** 미국 3대 자동차 메이커《General Motors, Ford, Chrysler》.
bíg-tícket *a.* 《미구어》 비싼 (가격표가 붙은).
bíg tíme (the ~) 《구어》 최고 수준, 일류; 《미구어》 하루 2회 흥행만으로 수지 맞는 연예; 유쾌한 시간; 메이저리그의 경기.
bíg-tìme *a.* 《속어》 일류의, 최고의. ㊕ **-tìm·er** *n.* (the ~) 일류 배우〔인물〕; 대사업가, 거물급 인사; 메이저리그 선수; 《미속어》 직업 도박사.
bíg-tìme óperator 《미속어》 책략을 써서 큰 일을 하려는 사람, 거물; (면학(勉學) 이외의 방면에서) 뛰어난 놈; 바람둥이.
bíg tóe 엄지발가락(great toe).
bíg tòp 《구어》 (서커스의) 큰 천막; (the ~) 서커스.
bíg trèe = SEQUOIA.
bi·gua·nide [baigwɑ́ːnaid, -nəd] *n.* 〖약학〗 비구아나이드《당뇨병 치료용》.
bíg whéel = FERRIS WHEEL; 《속어》 = BIGWIG; 《미속어》 (대학·학교의) 인기있는 사람.
bíg wíenie 《미속어》 = TOP DOG; 음경(陰莖).
bíg·wìg *n.* 《경멸》 높은 양반, 거물, 중요 인물.
bíg X̌ (the ~) 《미속어》 월경: I was on the ~. 멘스 중이었다.
bíg Ž's 《미구어》 수면, 잠.
bi·hour·ly [baiáuərli] *a.* 두 시간마다의〔일어나는〕.
bi·jec·tion [baidʒékʃən] *n.* 〖수학〗 (사상(寫像)의) 전단사(全單射). ㊕ **bi·jéc·tive** *a.*
bi·jou [bíːʒuː, -⌐/⌐-] (*pl.* **~s, ~x** [-z]) *n.* 《F.》 보석(jewel); 작고 아름다운 장식. **—** *a.* 작고 우미한, 주옥 같은.
bi·jou·te·rie [biːʒúːtəri] *n.* 《F.》 보석류, 주옥; 작은 장식품.
bi·ju·gate, bi·ju·gous [báidʒugèit, baidʒúːgeit, -gət], [-gəs] *a.* 〖식물〗 (깃꼴겹잎이) 두 쌍의 소엽(小葉)이 있는.
⁑**bike**[1] [baik] 《구어》 *n.*, *vi.* 자전거(로 가다); 오토바이〔모터사이클〕(을 타다).
bike[2] *n.* 《Sc.》 (야생의) 벌집; (사람의) 무리.
bik·er [báikər] *n.* **1** 《구어》 = BICYCLIST. **2** 《미구어》 (폭주족 등의) 오토바이〔모터바이크〕 타는 사람.
bíke·wày *n.* (공원 등의) 자전거 (전용) 도로.
bik·ie [báiki] *n.* 《Austral.속어》 오토바이〔모터바이크〕 타는 사람〔폭주족〕.
Bi·ki·ni [bikíːni] *n.* **1** 비키니《마셜 군도에 있는 환초(環礁); 미국의 원수폭 실험장(1946-58)》. **2** (b-) 투피스의 여자 수영복, 비키니. ㊕ **bi·kí·nied** *a.* 비키니를 입은.
bikíni lìne 비키니 라인《비키니의 아래쪽 부위의 피부; 그 부위의 털을 제거하는 여성도 있음》.
Bikíni Státe (the ~) 《미속어》 Florida 주.
bi·la·bi·al [bailéibiəl] *a.* 〖음성〗 두 입술의; 〖식물〗 = BILABIATE. **—** *n.* 양순음《[p, b, m] 따위》.
bi·la·bi·ate [bailéibiət, -bièit] *a.* 〖식물〗 두 입술 모양의.
bi·lat·er·al [bailǽtərəl] *a.* 양측의, 쌍방의, 두 면이 있는; 좌우 동형의; 〖생물〗 좌우 대칭의; 〖법률·상업〗 쌍무적인; 〖사회〗 (부모) 쌍계(雙系)의. cf. unilateral. ¶ a ~ contract 〔agreement〕 쌍무 계약〔협정〕. **—** *n.* 이자(二者) 회담〔회의〕. ㊕ **~·ly** *ad.* **~·ness** *n.*
bi·lát·er·al·ìsm *n.* 〖생물〗 좌우대칭; 쌍무(계약)제〔주의〕.
biláteral sýmmetry 〖생물〗 좌우대칭. cf. radial symmetry.
bi·lay·er [báilèiər] *n.* 〖생화학〗 이중막《특히 세포막에 있어서 두 분자층(分子層)》.
bil·ber·ry [bílbèri, -bəri/-bəri] *n.* 〖식물〗 월귤나무속(屬)의 일종; 그 열매.
bil·bo[1], **-boa** [bílbou] (*pl.* **-bo(e)s, -boas**) *n.* 《고어》 검(劍)《특히 스페인의 명검》.
bil·bo[2] (*pl.* **~es**) *n.* (흔히 *pl.*) 쇠차꼬《주로 배에서 사용》.
Bil·dungs·ro·man [bíldʊŋzroumɑ̀ːn] (*pl.* **-mane** [-nə], **~s**) *n.* 《G.》 교양 소설《주인공의 인간 형성을 그린》.
bile [bail] *n.* Ⓤ 담즙, 쓸개즙; 기분이 언짢음, 짜증: rouse 〔stir〕 a person's ~ 아무를 성나게 하다.
bíle àcid 〖생리〗 담즙산. cf. bile salt.
bíle dùct 〖해부〗 담관(膽管).
bíle sàlt 〖생리〗 담즙염.
bíle·stòne *n.* Ⓤ,Ⓒ 담석(膽石)(gallstone).
bi-lével *a.*, *n.* 2층 구조의 (건물〔차량〕); 반(半)지하〔미니〕 2층의 (집).
bilge [bildʒ] *n.* **1** 〖해사〗 배 밑 만곡부; Ⓤ 뱃바닥에 괸 더러운 물. **2** Ⓒ (통의) 중배. **3** Ⓤ 《구어》 데데한 이야기〔생각〕, 허튼소리(nonsense); 웃음거리. **—** *vt.*, *vi.* (배 밑에) 구멍을 뚫다; 구멍이 나다; 불룩하게 하다〔되다〕; 《미속어》 낙제〔퇴학〕시키다. ~ ***out*** 《미속어》 = FLUNK out.
bílge kèel 〔**pìece**〕 〖선박〗 만곡부 용골《배의 롤링을 막기 위한 용골 모양의 돌출재(材)》. ★ rolling chock이라고도 함.
bílge pùmp 뱃바닥에 괸 물을 퍼내는 펌프.
bílge wàter **1** 배 밑에 괸 더러운 물; 《영속어》 싱거운 맥주. **2** 《구어》 실없는 소리.
bilgy [bíldʒi] *a.* 해감내 나는, 퀴퀴한.
bil·har·zia [bilhɑ́ːrziə] *n.* 〖동물〗 주혈흡충(住血吸蟲); 〖의학〗 주혈흡충병.
bil·har·zi·a·sis [bìlhɑːrzáiəsis] *n.* Ⓤ 〖의학〗 주혈흡충병.
bil·i·ary [bílièri, bíljəri/-ljəri, -liəri] *a.* 담즙(bile)〔담관, 담낭〕의; 《고어》 = BILIOUS.
bíliary cálculus 〖해부〗 담석.
bi·lin·e·ar [bailíniər] *a.* 〖수학〗 쌍일차(雙一次)의.
bilínear fórm 〖수학〗 쌍일차(雙一次) 형식.
bilínear transformátion 〖수학〗 = MÖBIUS TRANSFORMATION.
bi·lin·gual [bailíŋgwəl] *a.* 두 나라 말을 하는; 2개 국어를 병용하는. **—** *n.* 2개 국어를 쓰는 사람; 2개 국어로 기록한 것. ㊕ **~·ism** *n.* Ⓤ 2개 국어 병용. **~·ly** *ad.* **bì·lin·guál·i·ty** [-liŋgwǽləti] *n.*
bilíngual educátion 2개 언어 병용 교육《영어가 국어인 나라의 학교에서, 영어가 서투른 소수 민족 출신의 학생에게 그 모국어로 교육하는 제도》.
bi·lin·guist [bailíŋgwist] *n.* 두 나라 말을 잘하는 사람.
bil·ious [bíljəs] *a.* **1** 담즙(질)의; 담즙 이상(異常)의〔에 의한〕. **2** 성마른, 까다로운; 매우 불쾌한. ㊕ **~·ly** *ad.* **~·ness** *n.*
bil·i·ru·bin [bílərùːbin, ⌐-⌐] *n.* 〖생화학〗 빌리루빈《담즙의 적황색 색소》.
bi·lit·er·al [bailítərəl] *a.*, *n.* 두 글자의 (언어요소).
-bil·i·ty [bíləti] *suf.* -able, -ible, -uble로 끝나는 형용사에서 명사를 만듦: a*bility*, possi*bility*, solu*bility*.
bil·i·ver·din [bìləvə́ːrdin] *n.* 〖생화학〗 담록소(膽綠素).
bilk [bilk] *vt.* 《~+목/+목+전+명》 (갚을 돈·셈할 것을) 떼어먹다, 먹고〔돈을 안 내고〕 달아나다; (추적자 등)에서 벗어나다, 따돌리다; (남을) 속이다, 등치다: ~ a person (*out*) *of* money 남의 돈을 등쳐먹다. **—** *n.* 떼어먹기; 사기; 사기꾼. ㊕ **⌐·er** *n.* 사기꾼.
Bill [bil] *n.* 빌《William의 애칭》.
⁑**bill**[1] [bil] *n.* **1** 계산서, 청구서; 목록, 표, 명세서; 메뉴, 식단표. **2** 전단, 벽보, 포스터, 광고 (쪽지); (연극·흥행물 따위의) 프로(그램): post (up) a ~ 벽보를 붙이다 / Post 〔Stick〕 no ~s. 벽보를 붙이지 마시오, 벽보는 금지함《게시》. **3** 어음; 환어음(~ of exchange); 〖상업〗 증서, 증

권: a ~ discounted 할인 어음/a ~ for acceptance 인수 청구 어음/a ~ for collection 대금 추심 어음. **4** ⦅미⦆ 지폐; ⦅미속어⦆ 100달러 (지폐): a ten-dollar ~, 10달러 지폐/three ~s, 300달러. **5** (의회의) 법안, 의안: lay a ~ before the Congress 〔Diet, Parliament〕 법안을 의회에 제출하다. **6** 〚법률〛 기소장, 조서(調書). **7** (세관의) 신고서.

a ~ of clearance (세관에 내는) 출항 신고. ***a ~ of credit*** 신용장; 지급 증권. ***a ~ of debt*** 약속 어음. ***a ~ of dishonor*** 부도 어음. ***a ~ of entry*** 입항(入港) 신고; 통관 신고서. ***a ~ of exchange*** 환어음 ⦅생략: b.e.⦆. ***a ~ of fare*** 식단, 메뉴; ⦅비유⦆ 예정표, 프로그램. ***a ~ of goods*** 주문〔출하〕품; ⦅미구어⦆ 가짜 (상품): sell a person *a ~ of goods* 아무에게 가짜 상품을 팔다, 아무를 속이다. ***a ~ of health*** 〚해사〛 (선원·승객의) 건강 증명서 ⦅생략: B/H⦆. ***a ~ of lading*** 선하(船荷) 증권 ⦅생략: B/L, b.l.⦆; ⦅미⦆ (철도 따위의) 화물표, 화물 상환증(⦅영⦆ consignment note): *a* clean 〔foul〕 *~ of lading* 무고장(無故障)〔고장〕 선하 증권. ***a ~ of parcels*** 매도품 목록, 송장(送狀). ***a ~ of particulars*** (소송상의) 청구 명세서 ⦅소답(訴答)의 보충이 됨⦆. ***a ~ of quantities*** 〚건축〛 수량 명세서. ***a ~ of sale*** 매도증, 저당권 매도증 ⦅생략: b.s.⦆. ***a ~ of sight*** 〚세관〛 임시 양륙 신고서. ***a ~ of work*** 〚우주〛 작업 프로그램 ⦅특정 비행체의 정비 점검에 필요한 작업을 상세히 기록한 스케줄⦆. ***a ~ on demand*** 요구불(拂)어음. ***a ~ payable 〔receivable〕*** 지급〔받을〕어음. ***a ~ payable to bearer 〔order〕*** 지참인〔지정인〕 지불 어음. ***a clean ~ (of health)*** ⇨ CLEAN. ***a set of ~s*** = ***a ~ in sets*** 복수 어음. ***draw a ~ on*** a person 아무 앞으로 어음을 떼다〔발행하다〕. ***fill 〔fit〕 the ~*** 요구를 충족시키다; ⦅영⦆ 인기를 독차지하다. ***find a true ~*** ⇨ TRUE BILL. ***foot the ~*** 셈을 치르다〔부담하다〕; ⦅비유⦆ 책임을 떠맡다. ***take up a ~*** 어음을 인수〔지급〕하다. ***the Bill of Rights*** ① ⦅미⦆ 권리선언〔장전〕; ⦅영⦆ 권리 장전. ② (때로는 b- of r-) (외국의) 권리선언; (집단의) 권리 규정. ***top 〔head〕 the ~*** ⦅구어⦆ 프로〔포스터〕 최초〔상단〕에 이름이 나다, 주연을 하다.

— *vt.* **1** 계산서에 기입하다; 표로〔목록으로〕 하다: ~ goods 상품 목록을 만들다. **2** ⦅~+목/+목+전+명⦆ …에 계산서〔청구서〕를 보내다; …앞으로 외상을 달아두다 ⦅*for*⦆: The store will ~ me *for* it. 가게에서 그것에 대한 청구서가 올 것이다; 가게는 그 외상값을 내 앞으로 달아둘 게다. **3** …에 전단을 붙이다. **4** ⦅+목+*as*보/+목+*to* do⦆ 전단으로 광고〔발표〕하다; 프로에 써 넣다, 프로로 짜다: He was *~ed as* Hamlet. 그가 햄릿역을 한다고 광고에 나와 있었다/He was *~ed to* appear *as* Macbeth. 그가 맥베스로 나온다고 프로에 나 있었다.

‡bill² [bil] *n.* **1** 부리 ⦅가늘고 납작한⦆. cf. beak. **2** 부리 모양의 것; 가위의 한쪽 날; 좁다란 곶. **3** ⦅미구어⦆ (사람의) 코; (모자의) 챙; ⦅미속어⦆ = SCISSORBILL. ***dip the ~ 〔beak〕*** ⦅속어⦆ (술을) 마시다, 한잔하다. — *vi.* **1** (비둘기 한쌍이) 부리를 서로 비벼대다. **2** 서로 애무하다. ***~ and coo*** (남녀가) 서로 애무하며 사랑을 속삭이다.

bill³ *n.* 미늘창 ⦅중세(中世)의 무기⦆; 밀낫(billhook); 〚해사〛 닻가지의 끝, 닻혀. — *vt.* 베다; 쳐서 잘라내다.

bill⁴ *n.* (특히 bittern의) 울음소리.

bil·la·bong [bíləbɔ̀ːŋ, -bàŋ/-bɔ̀ŋ] *n.* ⦅Austral.⦆ **1** 강의 석호(潟湖)〔분류(分流)〕. **2** (웅덩이가 된) 역수(逆水).

bíll·bòard *n.* 광고〔게시〕판; 〚방송〛 배역·스태프·스폰서의 소개.

bíll bròker ⦅영⦆ 어음〔증권〕 중개인.

bíll·bùg *n.* 〚곤충〛 바구미.

bíll dìscounter (환)어음 할인업자.

billd(s). billiards.

-billed *a.* ⦅보통 복합어로⦆ (…한) 부리를 가진: a long-~ bird.

bíll·er *n.* 청구서를 작성하는 사람〔기계〕.

bil·let¹ [bílit] *n.* **1** 〚군사〛 (민가에의) 숙사 할당 명령서; 군인 막사, 숙사; ⦅고어⦆ 짧은 편지: Every bullet has its ~. ⦅속담⦆ 총알에 맞고 안맞고는 팔자 소관. **2** 지위, 일자리: a good ~ ⦅구어⦆ 좋은 일자리. — *vt.* ⦅~+목/+목+전+명⦆ 〚군사〛 …의 숙사를 할당하다, 숙박시키다 ⦅*on; in; at*⦆: ~ soldiers *on* a village 마을을 군인 숙사로 지정하다. — *vi.* 숙박하다.

bil·let² *n.* **1** (굵은) 막대기, 장작; 〚임업〛 짤막한 재목; 〚야금〛 (작은) 강편(鋼片); 압연(壓延)·압출용의 비금속 주물. **2** 〚건축〛 (노르만 건축에서) 원통형 또는 다각주(多角柱) 장식; (마구(馬具)의) 가죽끈(의 고리).

bil·let-doux [bíleidúː, -li-] (*pl.* ***bil·lets-doux*** [-z]) *n.* ⦅F.⦆ ⦅옛투·우스개⦆ 연애편지.

bíll·fòld *n.* 둘로 접는 돈지갑.

bíll·hèad *n.* 계산〔청구〕서 윗머리에 인쇄된 상호·소재지 따위; 그 용지.

bíll·hòok *n.* 밀낫, 전지용(剪枝用) 낫.

bil·liard [bíljərd] *a.* 당구(용)의. — *n.* ⦅미⦆ 〚당구〛 = CAROM.

bíl·liard·ist *n.* 당구가.

bílliard màrker 당구 계수원. 「장).

bílliard ròom 〔pàrlor, salòon〕 당구실

°bil·liards [bíljərdz] *n. pl.* ⦅종종 단수취급⦆ 당구: play (at) ~ 당구를 치다.

bílliard tàble 당구대.

bil·li-bi [bíːlibìː] *n.* 빌리비 수프 ⦅조개 수프에 백포도주·크림을 섞은 것⦆. 「상(坐像)).

Bil·li·ken [bílikən] *n.* 빌리켄 ⦅복신(福神)의 좌

bíll·ing *n.* 청구서 작성〔발송, 제시〕; 게시, 광고; (배우 따위의) 프로상의 서열; (*pl.*) (광고주에 청구하는) 광고 소요 경비; 광고량, 업무〔작업〕량.

bílling machìne 자동 경리 계산기.

Bil·lings·gate [bíliŋzgèit] *n.* 런던의 어시장(魚市場); (b-) Ⓤ 난폭한 말, 못된 욕.

Bíl·lings mèthod [bíliŋz-] 빌링스법 ⦅자연 피임법의 하나; 자궁 경관 점액의 관찰에 의해 배란일을 판정하는 방법; 오스트레일리아의 의사 John and Evelyn Billings의 이름에서⦆.

‡bil·lion [bíljən] *n.* **1** (*pl.* ***~s,*** 수사 뒤에서 ***~***) ⦅미⦆ 10억 ⦅million의 천 배⦆; ⦅영·독·프⦆ 조(兆) ⦅million의 백만 배; ⦅영⦆에서도 1951년 이후는 보통 10억의 뜻으로 씀; 생략: bn.⦆. **2** (*pl.*) 무수 ⦅*of*⦆: ~*s of* stars 무수한 별. — *a.* 10억의; 1조의; 무수한.

bil·lion·aire [bìljənέər, ⌐-⌐/-⌐⌐] *n.* 억만 장자.

bil·lionth [bíljənθ] *a.* 10억〔1조〕 번째의; 10억〔1조〕분의 1의. — *n.* 10억〔1조〕 번째; 10억〔1조〕분의 1.

bil·lon [bílən] *n.* 은〔금〕과 구리·주석 따위의 합금 ⦅화폐 주조용⦆; 그 화폐.

°bil·low [bílou] *n.* 큰 물결, 놀; ⦅시어⦆ 파도; (the ~(s)) ⦅시어⦆ 바다; 굽이치는〔소용돌이치는, 밀어닥치는〕 것 ⦅*of*⦆: ~*s of* smoke 소용돌이치는 연기. — *vi.* 놀치다, 큰 파도가 일다, 크게 굽이치다; 부풀다 ⦅*out*⦆. — *vt.* 소용돌이 치게 하다. ⊞ **~y** [-i] *a.* 놀치는, 물결이 높은, 소용돌이치는; 부풀어 오른. **bíl·low·i·ness** *n.*

bíllow clòud 〚기상〛 파도 구름.

bíll·pòster, bíll·stìcker *n.* 전단 붙이는 사람.

bil·ly¹ [bíli] *n.* 곤봉; ⦅미⦆ 경찰봉(棒)(= ⌐

clùb); ＝BILLY GOAT.
bil·ly² *n.* 야외용 주전자《양철로 만든》.
bílly·bòy *n.* 《영구어》 바닥이 평평한 짐배, 거룻 〔《하천·연안용》.
bílly·càn *n.* ＝BILLY².
bílly·còck *n.* 《영드물게》 중산모(中山帽); 중절모자. cf. bowler², derby.
bílly gòat 《구어》 숫염소. cf. nanny.
bil·ly-o(h) [-ôu] *n.* 〖다음 관용구로〗 *like* ~ 《영구어》 맹렬히(fiercely), 마구. 「片)의.
bi·lo·bate [bailóubeit] *a.* 〖식물〗 이열편(二裂
bi·lo·ca·tion [bàiloukéiʃən] *n.* 동시에 두 지점에 존재하는〔할 수 있는〕 것, 동시 두 곳 존재.
bil·tong [bíltɔ̀ːŋ, -tàŋ/-tɔ̀ŋ] *n.* 《S.Afr.》 포육(脯肉).
bim [bim] *n.* 《미속어》 여자; 허튼 계집, 매춘부; 억센 사내; 하잘것없는 놈.
B.I.M. British Institute of Management(영국경영 연구소). 「을 가진〕 동물.
bi·mane [báimein] *n.* 이수류(二手類)의〔두 손
bim·a·nous, bim·a·nal [bímənəs, baiméi-], [-nəl] *a.* 〖동물〗 손이 둘 있는, 양손을 쓰는.
bi·man·u·al [baimǽnjuəl] *a.* 양손을 쓰는. ㊕ ~**·ly** *ad.*
bim·bo [bímbou] (*pl.* ~*s,* ~*es*) *n.* **1** 《속어·경멸》 머저리, 바보; 녀석; 《특히》 무뢰한. **2** 《미속어》 섹시하나 골이 빈 여자, 허튼 계집. **3** 《영속어》 (여자) 엉덩이. ── *vt.* 《속어》 명사와의 정사(情事)를 공표하다. [◂ <《It.》 *bambino* (baby)].
bi·men·sal [baiménsəl] *a.* 격월의(bimonth-
bi·mes·ter [baiméstər] *n.* 2 개월간. 〔ly).
bi·mes·tri·al [baiméstriəl] *a.* 2 개월의; 두 달에 한 번의; 2 개월 계속의.
bi·met·al [baimétl] *a.* ＝BIMETALLIC. ── *n.* 바이메탈; 두 가지 금속으로 된 물질.
bi·me·tal·lic [bàimətǽlik] *a.* 두 금속의; 〖경제〗 (금은) 복본위제의.
bi·met·al·lism [baimétəlìzəm] *n.* (금은) 복본위제. ㊕ **-list** *n.* 복본위제론자.
bi·mil·le·nary, bi·mil·len·ni·al [baimíləněri/-nəri], [bàimiléniəl] *n., a.* 2 천년(간)(의); 2 천년 기념일〔제〕(의). 「집갈보.
bim·my [bími] *n.* 《속어》 매춘부, 《특히》 술
bi·mod·al [baimóudl] *a.* 두가지 양식〔방법〕을 갖는〔제공하는〕, 두 방식의; 〖통계〗 최빈수(最頻數)를 둘 가지는. ㊕ **bì·mo·dál·i·ty** *n.*
bi·mo·lec·u·lar [bàiməlékjələr] *a.* 〖화학〗 2 분자의〔로 된〕. ㊕ ~**·ly** *ad.*
◇**bi·month·ly** [baimʌ́nθli] *a., ad.* 한 달 걸러의〔서〕, 격월의〔로〕; 《드물게》 월 2 회(의). ── *n.* 격월〔월 2 회〕 발행의 간행물.
bi·mor·phe·mic [bàimɔːrfíːmik] *a.* 2 개의 형태소에 관한〔로 된〕. 「발식인.
bi·mo·tored [baimóutərd] *a.* (비행기가) 쌍
◇**bin** [bin] *n.* **1** 궤; 저장통《곡식·석탄 따위의》. **2** 《영》 쓰레기통(dustbin); 빵을 넣는 큰 통(breadbin); (hop 채집용) 즈크 부대. **3** (울을 친) 저장소; (지하실의) 포도주 저장소. **4** (the ~) 《속어》 정신병원. **5** 《속어》 작은 주거(住居); 바지주머니. ── (**-nn-**) *vt.* 통에 넣어 저장하다.
bin- [bain] *pref.* ＝BI-《모음 앞에서》.
bi·nal [báinəl] *a.* 2 배〔중〕의; 〖음성〗 2 개의 고음부를 가진.
bi·nar·ism [báinərìzəm] *n.* 〖언어〗 2 항 대립론《음운이나 의의(意義) 사이에 보이는 여러 관계가 어떤 요소의 존재 여부의 2 분적인 척도로 기술할 수 있는 입장》.
bi·na·ry [báinəri, -ne-/-nə-] *a.* **1** 둘〔쌍, 복〕의; 이원(二元)의; 이지(二肢)의, 2 항식의. **2** 〖화학〗 두 성분으로〔원소로〕 된; 〖수학〗 이원의, 2 진법의; 〖컴퓨터〗 2 진(법)의, 2 진수의; 〖음악〗 2 악절의〔로 된〕, 2 박자의: ⇨ BINARY MEASURE / a ~ compound 〖화학〗 2 성분 화합물 / the ~ theory 〖화학〗 2 성분설. ── *n.* 〖천문〗 쌍성(雙星)(~ star); 2 원체, 쌍체; 2 진수; ＝BINARY 〔WEAPON.
bínary céll 〖컴퓨터〗 2 진 소자(素子).
bínary chòp 〖컴퓨터〗 2 분할법《전(全)데이터를 하나하나 체크하는 대신, 목적하는 데이터가 중간점 위나 아래에 있는지를 판정하면서 목적하는 데이터를 검색함》.
bínary códe 〖컴퓨터〗 2 진 코드〔부호〕.
bínary-coded décimal [-id-] 〖컴퓨터〗 2 진화 10 진수《10 진수의 각 자리를 각기 4 비트의 2 진수로 나타낸 것; 생략: BCD》: ~ character, 2 진화 10 진 문자 코드 / ~ notation, 2 진화 10 진법.
bínary dígit 〖컴퓨터〗 2 진 숫자《0 과 1 의 두 가지》. cf. bit³.
bínary físsion 〖생물〗 이분열《무성생식의 하나; 한 개체가 거의 같은 두 개체로 분열하는 일》.
bínary méasure 〖음악〗 2 박자. 「진법.
bínary notátion 〔**scále**〕 (the ~) 〖수학〗 2
bínary númber 〖컴퓨터〗 2 진수.
bínary operátion 〖수학〗 이항연산(二項演算)《두 요소에 대한 연산; 덧셈·곱셈 등》.
bínary séarch 〖컴퓨터〗 2 진 검색(dichotomizing search)《1 군의 항목을 두 부분으로 나누어 한 쪽을 골라내는 절차를 반복하여 목적하는 항목을 찾아내는 검색 방식》.
bínary stár 〖천문〗 연성(連星), 쌍성(雙星)《공통의 중심(重心) 주위를 공전하는 두 별》. cf. double star.
bínary sýnchronous communicátions 〖통신〗 2 진 데이터 동기(同期) 통신《2 진 부호화 데이터를 동기 전송하기 위해 소정의 제어 문자 및 제어 문자 시퀀스를 사용하는 전송 방식; 생략: BSC, BISYNC》.
bínary sýnchronous transmìssion 〖통신〗 2 진 데이터 동기 전송. cf. binary synchronous communications.
bínary sỳstem 〖천문〗 쌍성계(雙星系); 〖물리·화학〗 이성분계(二成分系), 이원계(二元系); (the ~) ＝BINARY NOTATION; 〖컴퓨터〗 이진 체계.
bínary wéapon 바이너리 병기(binary nerve gas)《내장된 두 종의 화학 물질을 발사시에 화학반응을 시켜 맹독을 발생시키는 화학 병기》.
bi·nate [báineit] *a.* 〖식물〗 한쌍〔대생, 쌍생〕의 《잎》. ㊕ ~**·ly** *ad.*
bi·na·tion·al [bainǽʃənəl] *a.* 두 나라 (국민)의〔에 관계된, (으)로 이루어진〕.
bin·au·ral [binɔ́ːrəl, bin-] *a.* 귀가 둘 있는; 두 귀용의〔에 쓰는〕《청진기 따위》; 입체(立體) 음향의(stereophonic). 「송.
binaural bróadcasting 입체〔스테레오〕 방
＊**bind** [baind] (***bound*** [baund]; ***bound,*** 《고어》 ***bound·en*** [báundən]) *vt.* **1** 《~+목/+목+전+명/+목+부》 묶다, 동이다《*up; together; with*》; 포박하다《*to; on*》: ~ the prisoner *with* a rope 죄수를 밧줄로 묶다 / ~ the boy *to* the stake 소년을 기둥에 동여매다 / ~ a person's legs *together* 양발을 묶다. SYN. ⇨ TIE. **2** 《~+목/+목+전+명/+목+*to do*》 《비유》 얽매다, 묶이게 하다, 구속〔속박〕하다 《약속·의무 따위로》: be *bound* by a contract 계약에 묶이다 / ~ oneself *in* marriage 결혼하여 구속받다 / ~ a person *to* secrecy 비밀 지킬 것을 맹세시키다 / ~ a person *to* pay a debt 빚값을 의무를 지우다 / I *bound* myself *to* deliver the goods by the end of this week. 금주말까지 물품을 꼭 보내겠다고 약속했다. **3** 《~+목/+

[목]+[부]) 한데 동여매다, 묶다: ~ (*up*) one's hair (*with* a ribbon) (리본으로) 머리를 묶다. **4** 《비유》 맺게 하다, 단결시키다《*together*》: They are *bound together* by a close friendship. 그들은 깊은 우정으로 맺어져 있다. **5** 《~+[목]/+[목]+[부]/+[목]+[전]+[명]》 감다, 감싸다; 붕대로 감다: ~ *up* a wound 상처에 붕대를 감다/~ a cloth *about* the head 머리에 천을 감다. **6** (동맹·계약 등을) 맺다, 체결〔타결〕하다. **7** 《~+[목]/+[목]+[전]+[명]/+[목]+[부]》 (시멘트 따위로) 굳히다; (얼음·눈 따위가) 꼼짝 못 하게 하다, 발을 묶다; (약·음식이 창자를) 변비가 되게 하다; 〖요리〗 (재료를) 차지게 하다: Frost ~*s* sand. 서리가 모래를 굳힌다/~ stones (*together*) *with* cement 시멘트로 돌들을 굳히다. **8** 《~+[목]/+[목]+[전]+[명]/+[목]+[부]》 (원고·책 등을) 제본〔장정〕하다: a book *bound in* cloth 〔leather〕 클로스 〔가죽〕 장정의 책/~ *up* two volumes *into* one 두 책을 하나로 합본하다. **9** 《~+[목]/+[목]+[전]+[명]》 (의복·카펫 따위에) 가선을 두르다, 가장자리를 달다: ~ the edge of cloth 천의 가장자리를 감치다/~ a skirt *with* leather 스커트에 가죽으로 선을 두르다. **10** 《+[목]+[전]+[명]/+[목]+(*as*) [보]》 (계약을 맺고) 연기(年期) 계시로 보내다《*out*》: He *bound* his son *to* a blacksmith. 그는 아들을 대장간의 계시로 보냈다/His son was *bound* (*as* an) apprentice *to* a blacksmith. =His son was *bound out to* a blacksmith. 그의 아들은 대장간에 계시로 보내졌다. **11** 《영속어》 진력나게 하다: ~ a person rigid 몹시 진력나게 하다. **—***vi.* **1** (시멘트·눈 등이) 굳어지다. **2** (약속·계약 등이) 구속력이 있다. **3** (의복 등이) 꼭 끼다: This jacket ~*s* through the shoulders. 이 상의는 어깨가 죈다.

be bound to …에 매이다; …을 따르다. ***be bound to*** do 확실히 …하다, 반드시 …해야 하다; 《미구어》 …하려고 마음먹다. ***be bound up in*** ① …에 열중하다. ② =be bound up with. ***be bound up with*** …와 밀접한〔이해〕 관계가 있다. ~ a person ***hand and foot*** 아무의 손발을 묶다. ~ ***off*** (편물)의 코를 마무르다. ~ a person ***over to ...*** 〔*to* do〕 아무에게 서약시키다: ~ a person *over to* good behavior 〔*to* keep the peace〕 행동을 삼갈〔공안을 유지할〕 것을 아무에게 서약시키다. ***I dare*** 〔***will***〕 ***be bound.*** 《구어》 보증한다, 단언한다.

—*n.* **1** 묶는〔동여매는〕 것《끈·밧줄 따위》, 묶임새; (식물의) 덩굴. **2** 〖음악〗 결합선《slur 및 tie》. **3** 〖지학〗 (탄층간의) 경화 점토. **4** 〖펜싱〗 바인드《상대의 검을 목표에서 빗나가게 하기 위한 찌름》; 〖체스〗 (상대의 수를) 봉쇄하는 수. **5** 《속어》 성가신 존재, 곤란한〔지루한〕 것〔사람, 일〕; 《미》 구속 상태, 곤경. ***in a*** ~ 《미구어》 난처하게 되어, 곤경에 처해.

bínd·er *n.* **1** 묶는 사람; 제본하는 사람. **2** 묶는〔동이는, 매는〕 것, 《특히》 실, 끈; 붕대; (서류 따위를) 철하는 표지, 바인더; 산후 복대. **3** 〖농업〗 베어서 단으로 묶는 기계, 바인더. **4** 〖건축〗 작은 들보; 〖화학〗 접합〔고착〕제(劑); 〖목공〗 접합재(材); 〖석공〗 이음돌〔벽돌〕; 〖요리〗 차지게 하는 것《밀가루·콘스타치 등》; 《미속어》 (차의) 브레이크. **5** 계약금(영수증); 가계약서. [파] **~y** [-əri] *n.* 제본소.

bind·in [báindin] *n.* 〖생화학〗 바인딘《정자의 난황막 결합에 관여한다고 여겨지는 단백질》.

bínd-in càrd (잡지 속에) 끼워져 있는 엽서.

◇**bínd·ing** *a.* **1** 묶는, 동이는; 잇는. **2** 속박〔구속〕하는; 구속력 있는, 의무를 지우는; 《속어》 변비를 일으키는. **—***n.* 묶음; 구속; 제본, 장정(裝幀), 표지; 묶는 것; 선 두르는 재료《리본 따위》; 접합재, 결합제; 〖스키〗 바인딩, 죄는 기구. [파] **~·ly** *ad.* 속박하여. **~·ness** *n.*

bínding ènergy 〖물리〗 결합 에너지《핵분열에 필요한》.

bínding pòst (배터리의) 결박 단자.

bin·dle [bíndl] *n.* 《미속어》 (부랑자의) 의류·취사 도구의 꾸러미; 마약(등)의 한 꾸러미.

bíndle stìff 《구어》 계절 노무자, 떠돌이 노동자; 방랑자, 거지.

bínd·wèed *n.* 메꽃속(屬)의 식물.

bine [bain] *n.* 덩굴《특히 hop 의》; 〖식물〗 =WOODBINE; BINDWEED.

Bi·nét(-Sí·mon) tèst 〔**scàle**〕 [binéi(sáimən)-] 〖심리〗 비네시몽식 지능 검사(법).

Bíng (**chérry**) [bíŋ(-)] *n.* **1** 빙 체리《붉고 검은 색을 띤 달콤한 버찌의 한 품종》. **2** 빙 체리의 과실.

binge [bindʒ] *n.* 《구어》 법석대는 술잔치, 법석; 혼란: on a ~ 마시고 떠들어.

bínge-púrge sỳndrome (the ~) 식욕 이상 항진증, 대식증(bulimia).

bin·gle[1] [bíŋgəl] *n.*, *vi.* 〖야구〗 안타(를 치다); 싱글 히트; 《미속어》 다량의 (숨긴) 마약.

bin·gle[2] *n.*, *vt.* (bob 와 shingle 의 중간인) 치켜 깎은 단발(斷髮)(로 하다).

bin·go [bíŋgou] (*pl.* **~s**) *n.* 빙고《수를 기입한 카드의 빈 칸을 메우는 복권식 놀이》; 《속어》 브랜디; (B-! 《*int.*》) 《구어》 이겼다, 해냈다, 놀랍구나.

bíngo bòy 《미속어》 술 취한 사람.

bíngo càrd =READER'S SERVICE CARD.

bín-líner *n.* (쓰레기통 안에 씌우는) 비닐〔종이〕봉지.

bin·na·cle [bínəkəl] *n.* 〖해사〗 나침의 받침대.

bin·o·cle [bínəkəl] *n.* 쌍안경.

bin·ocs [bənάks/-ɔ́ks] *n. pl.* 《구어》 쌍안경 (binoculars).

bin·oc·u·lar [bənάkjələr, bai-/-nɔ́k-] *a.* 두 눈(용)의: a ~ telescope 쌍안 망원경. **—***n.* 〔보통 *pl.*, 단·복수취급〕 쌍안경; 쌍안 망원경〔현미경〕: a pair of ~*s*. [파] **bin·òc·u·lár·i·ty** [-lǽrəti] *n.* **~·ly** *ad.*

binócular vísion 〖안과〗 쌍안시(雙眼視).

bi·no·mi·al [bainóumiəl] *a.* 〖수학〗 이항(식)의; 〖생물〗 이명식(二名式)의: a ~ equation 2항 방정식. **—***n.* 〖수학〗 이항식; 〖생물〗 이명식의 이름. [파] **~·ly** *ad.*

binómial coeffícient 〖수학〗 이항 계수.

binómial distribútion 〖통계〗 이항 분포.

binómial expèriment 〖통계〗 이항(二項) 측정. [cf.] Bernoulli trial.

binómial nómenclature 〔**sýstem**〕 〖생물〗 이명법《속명(屬名)·종명(種名)의 두 가지 이름으로 나타내는 방식》.

binómial séries 〖수학〗 이항(二項) 급수.

binómial théorem 〖수학〗 이항(二項) 정리.

bi·nom·i·nal [bainάmənəl/-nɔ́m-] *a.* 〖생물〗 이명식의(binomial).

bi·nu·cle·ar, -cle·ate, -cle·at·ed [bainjú:kliər/-njú:-], [-ət, -èit], [-id] *a.* (세포가) 핵이 둘 있는, 이핵(二核)의.

binúclear fàmily 2중〔복합〕 핵가족《이혼한 부부가 각기 재혼하여 그대로 한 채의 집이나 이웃에 사는》.

bio [báiou] (*pl.* ***bí·os***) *n.* 《구어》 전기(傳記)(biography), (특히 연감·선전 기사 등에서의) 인물 소개, 약력.

bi·o- [báiou, báiə] '생명'이란 뜻의 결합사: *bio*logy.

bìo·accumulátion *n.* =BIOLOGICAL ACCUMULATION.

bìo·acóustics *n. pl.* 〔단수취급〕 생체 음향학《생체가 발하는 음향과 생체와의 관계를 다룸》.

[파] **-tic, -ti·cal** *a.*

bìo·activity *n.* (약품 등의) 대(對)생물 작용〔활성〕. [파] **bìo·áctive** *a.* 생물〔생체〕에 영향〔작용〕하는.

bio·aer·a·tion [bàiouɛəréiʃən] *n.* 공기 혼화(混和)에 의한 하수〔오수〕 산화 처리.

bio·aero·nau·tics [bàiouɛərənɔ́:tiks] *n. pl.* 《단수취급》 천연 · 생물 자원의 발견 · 개발 · 보호를 위한 항공술.

bi·o·as·say [bàiouəséi, -ǽsei] *n.* 〖생물〗 생물학적 정량(定量), 생물(학적) 검정(법). **—** *vt.* …에 생물 검정을 하다.

bìo·astronáutics *n. pl.* 《단수취급》 우주 생리학〔생물학〕.

bìo·astrónomy *n.* 우주 생물학.

bìo·autógraphy *n.* 〖생화학〗 바이오오토그래피《크로마토그래피 조작과 생물검정을 맞추어서 하는 검정》. 「효능.

bìo·availabílity *n.* (약물의) 생물학적 이용

bìo·behávioral *a.* 생물 행동적인.

biobehávioral scíence 생물 행동 과학《행동의 생물학적 측면을 다루는 과학 분야》.

bío·blàst *n.* 〖생물〗 부정형(不定形) 원형질의 작은 집단.

bi·o·ce·nol·o·gy, -coe- [bàiousinάlədʒi/-nɔ́l-] *n.* [U] 생물〔군집〕 생태학.

bi·o·ce·no·sis, -coe- [bàiousinóusis], **-ce·nose** [-si:nóus] (*pl.* ***-no·ses*** [-nóusi:z]) *n.* 〖생태〗 생물군집〔공동체〕. [파] **-ce·nót·ic, -coe-** [-sinάtik/-nɔ́t-] *a.*

bio·cen·tric [bàiouséntrik] *a.* 생명 중심의.

bìo·céntrism *n.* 생물 중심주의《인류는 생물 사회의 일원으로, 다른 생물과 대등하다는 생각》.

bìo·cerámic *n.* 생체 기능성 세라믹, 바이오세라믹《생체 대체용의 의료 재료》.

bi·o·chem·ic [bàioukémik] *a.* = BIOCHEMICAL.

bìo·chémical *a.* 생화학의, 생화학적인. **—** *n.* 생화학 제품〔약품〕. [파] **-ically** *ad.*

biochémical óxygen demànd 생화학적 산소 요구량(biological oxygen demand)《물의 오염도를 나타내는 수치; 생략: BOD》.

bìo·chémist *n.* 생화학자. 「(組成)〔특징〕.

bìo·chémistry *n.* [U] 생화학; 생화학적 조성

bío·chìp *n.* 바이오칩《(1) 생체에 심어 넣는 실리콘 집적회로 소자. (2) 생물화학 소자》.

bi·o·cide [báiəsàid] *n.* 생명 파괴제, 살생물제《생물에 유해한 화학물질》; 생명의 파괴. [파] **bi·o·cíd·al** [-dl] *a.* 생명 파괴성〔살균성〕의.

bío·clàst *n.* 생물 쇄설물(碎屑物)《퇴적암 중의 조개껍질 · 뼈 따위의 파편》. [파] **-ic** *a.*

bío·clèan *a.* 무균(無菌)(상태)의: a ~ room

bìo·climátic *a.* 생물 기후학적인〔의〕. ⌊무균실.

bìo·climatólogy *n.* [U] 생물 기후학.

bìo·compátible *a.* 생물학적 적합(성)의《거부반응 등을 일으키지 않는》. [파] **-pàtibílity** *n.*

bìo·compúter *n.* 〖컴퓨터 · 생물〗 바이오 컴퓨터《인간의 뇌 · 신경에 가까운 성능을 지닌 새 개념의 컴퓨터》.

bìo·concentrátion *n.* 생물 농축《생물이 원소나 화합물을, 생활 환경 속의 농도보다 고농도로 체내에 축적하고 있는 일》.

bìo·contról *n.* = BIOLOGICAL CONTROL.

bìo·convérsion *n.* (생물 이용에 의한 폐기물 등의) 생물(학적) 변환.

bi·o·crat [báiəkræ̀t] *n.* 생물 과학자〔전문가 · 기사〕. 「구의.

bìo·crítical *a.* (작가 등의) 생활(과 작품) 연

bìo·cybernétics *n. pl.* 《단수취급》 바이오사이버네틱스《생물학에 사이버네틱스를 응용하는 연구》.

bío·dàta *n.* 전기적(傳記的) 자료, 경력(서).

bìo·degrádable *a.* 미생물에 의해 무해한 물질로 분해할 수 있는, 생물 분해성의: ~ detergents 생물 분해성 세제. [파] **-degradabílity** *n.* 생물 분해성.

bìo·degráde *vi.* (미생물에 의해) 생물 분해하다《세제 등을》. [파] **-degradátion** *n.*

bìo·deteriorátion *n.* 생물 열화(劣化)〔분해〕《균류 등의 생물에 의해 목재 등의 재료가 열화 또는 변질되는 것》.

bìo·díesel *n.* 디젤에 식물유를 섞은 대체유.

bìo·divérsity *n.* 생물의 다양성《생물의 종을 유지하여 줄이지 않음》. [파] **-divérse** *a.* 생물이 다양한. **-divérsified** *a.* 생물을 다양화한.

bío·dràma *n.* 〖TV〗 전기(傳記) 드라마.

bìo·dynámic, -ical *a.* 생활 기능학의〔적인〕. [파] **-nám·ics** *n. pl.* 《단수취급》 생활 기능학.

bìo·ecólogy *n.* [U] 생물 생태학. [파] **-ecólogist** *n.* **-ecológical** *a.*

bìo·eléctric, -trical *a.* 생물 조직의 전기 에너지의〔에 관한〕, 생체〔생물〕 전기의. [파] **-elec·trícity** *n.* 「전기.

bìo·electro·génesis *n.* 생체 전기 발생, 생물

bìo·elèctro·magnétics *n. pl.* 《단수취급》 생체 전자기학.

bioelectrónic éar 생체 전자 귀《심한 청각 장애자를 위한 신형 보청기》.

bìo·electrónics *n. pl.* 《단수취급》 생체 전자공학, 생체 전자론.

bìo·energétics *n. pl.* 《단수취급》 생물 에너지학〔론〕; 〖의학〗 생체 에너지 요법. 「얻는》.

bìo·énergy *n.* 생물 에너지《생물체 연료에서

bìo·enginéer *n.* 생체 공학 전문가〔기술자〕. **—** *vt.* 생체 공학에 의해 만들다.

bìo·enginéering *n.* [U] 생의학 공학(biomedical engineering); 생체 공학.

bìo·environméntal *a.* 생물 환경에 관한《생물의 환경과 그 속의 유해 인자에 대한》.

bìo·equívalence *n.* 〖약학〗 생물학적 등가성(等價性)《같은 조건에서 같은 양의 약제를 투여할 때, 흡수 · 배설 등에 차이가 없는 일》.

bìo·éthics *n. pl.* 《단수취급》 〖생물〗 생명 윤리(학)《생물학 · 의학의 발달에 따른 윤리 문제를 다룸》.

bìo·féedback *n.* [U] 〖의학〗 생체 자기(自己) 제어, 바이오피드백《뇌파계에 의지하여 알파파(α 波)를 조절, 안정된 정신 상태를 얻는 방법》.

biofféedback tràining 바이오피드백 훈련《생략: BFT》.

bìo·flávonoid *n.* 〖생화학〗 바이오플라보노이드《모세혈관의 투과성을 조절하는》.

bìo·fóuling *n.* 생물 부착《물속의 파이프 등 기계 부위의 표면에 박테리아 · 굴 따위가 부착하는 일》.

bío·fùel *n.* 생물체 연료《석탄 · 석유 등 전에 생물체였던 물질로 된 연료》.

biog. biographer; biographical; biography.

bío·gàs *n.* 생물 가스《미생물의 작용으로 유기 폐기물에서 생기는 메탄과 이산화탄소의 혼합 기체》. [파] **bìo·gàsificátion** *n.*

bío·génesis *n.* 속생설(續生說), 생물 발생설(發生說)《생물은 생물에서 생긴다는》. [cf.] abiogenesis. [파] **-genétic, -ical** *a.* **-ically** *ad.*

biogenétic láw 〖생물〗 생물 발생 원칙, 반복설《개체 발생은 계통 발생을 단축한 형태로 반복한다는 E.H. Haeckel의 설》.

bìo·genétics *n. pl.* 《단수취급》 = GENETIC ENGINEERING.

bi·o·gen·ic [bàioudʒénik] *a.* 생물 기원의.

bi·og·e·nous [baiάdʒənəs/-ɔ́dʒə-] *a.* 생물

에 기원〔기생〕하는; 생명을 만드는, 생명 창조의.

bi·o·ge·o·ce·nol·o·gy, -coe- [bàioudʒì:ousinálədʒi/-nɔ́l-] *n.* 생태계 연구.

bi·o·ge·o·ce·nose, -coe- [bàioudʒì:ousinóuz, -s] *n.* = BIOGEOCENOSIS.

bi·o·ge·o·ce·no·sis, -coe- [bàioudʒì:ousinóusis] (*pl.* **-ses** [-si:z]) *n.* 생태계(ecosystem). ㉺ **-ce·nót·ic, -coe-** [-nátik/-nɔ́t-] *a.*

bìo·geochémistry *n.* 생물 지구 화학. ㉺ **-chémical** *a.* **-chémist** *n.*

bìo·geógraphy *n.* [U] 생물 지리학. ㉺ **bìo-geográphic, -ical** *a.*

bío·gràph *n.* 전기(傳記), 약전(略傳); (B-) 바이오그래프《초기의 영화 촬영기〔영사기〕; 상표명》. ── *vt.* …의 전기를〔약전을〕 쓰다.

bi·og·ra·phee [baiɑ̀grəfí:, bi-/-ɔ̀g-] *n.* 전기(傳記)의 주인공.

◇**bi·og·ra·pher** [baiágrəfər, bi-/-ɔ́g-] *n.* 전기(傳記) 작가.

bi·o·graph·ic, -i·cal [bàiəgrǽfik], [-əl] *a.* 전기의, 전기적인: a *biographical* sketch 약전 / a *biographical* dictionary 인명 사전. ㉺ **-i·cal·ly** *ad.* 전기풍으로; 전기상.

***bi·og·ra·phy** [baiágrəfi, bi-/-ɔ́g-] *n.* [C] 전기(傳記), 일대기, …전; [U] 전기 문학. [Gr. *bios* life + *graphein* to write]

bío·hàzard *n.* 생물학적 위험《사람과 그 환경에 대하여 위험이 되는 생물학적 물질·상황》. ㉺ ∼**·ous** *a.*

bìo·instrumentátion *n.* 생물 측정기《우주비행사 등의 생리에 관한 데이터를 기록·전달하는 기기》; 생물 측정기의 개발과 사용.

biol. biologic(al); biologist; biology.

◇**bi·o·log·ic, -i·cal** [bàiəládʒik/-lɔ́dʒ-], [-əl] *a.* 생물학(상)의; 응용 생물학의. ── *n.* 〖약학〗 생물학적 약제《혈청·백신 등》. ㉺ **-i·cal·ly** *ad.*

biológical accumulátion 생물(학적) 축적(bioaccumulation)《유독 물질의 생물체 세포 내축적》.

biológical chémistry 생물화학.

biológical chíld (양자에 대한) 친아이.

biológical clóck (생물의) 생체 시계.

biológical commùnity 〖생태〗 (생물) 군집《한 지역간의 생물이 서로 작용하며, 그 환경 조건에 규정된 생활을 하는 집합체》.

biológical contàinment 〖생물〗 생물적 봉쇄《유전자 변조 결합 실험에서 보통 환경에서는 생존하지 못하는 숙주(宿主)를 쓰는 격리 방법》.

biológical contról 〖생태〗 생물학적 방제(防除)《유해 생물의 밀도를 천적의 도입 등 비화학적 수단으로 억제하는 일》.

biológical convérsion 〖생물〗 생물적 변환《생물(주로 미생물)을 써서 어떤 화합물을 다른 화합물로 변화시키는 일》.

biológical enginéering 생물 공학(bionics).

biológical hálf-life 생물학적 반감기.

biológical magnificátion = BIOMAGNIFICATION.

biológical matérials ànalyzer 생체 물질 분석 장치.

biológical oceanógraphy 해양 생물학.

biológical óxygen demànd 〖생태〗 생물학적 산소 요구량(biochemical oxygen demand)《생략: BOD》.

biológical productívity 생물 생산력《일정 시간내에 생물이 합성하는 유기물량》.

biológical respónse mòdifier 면역 응답 물질《생략: BRM》.

biológical shíeld 생체 차폐, 생물학적 차폐《인체를 방사선으로부터 보호하기 위해 원자로 주위에 설치된 벽》.

biológical wárfare 생물학전, 세균전.

bi·ol·o·gism [baiálədʒìzəm] *n.* (사회 상태의 분석에 있어서) 생물학주의. ㉺ **bi·òl·o·gís·tic** *a.*

bi·ol·o·gist [baiálədʒist/-ɔ́l-] *n.* 생물학자.

***bi·ol·o·gy** [baiálədʒi/-ɔ́l-] *n.* [U] **1** 생물학; 생태학(ecology); [C] 생물학 책. **2** (the ∼) (어느 지역·환경의) 동식물(상); 생태.

bìo·luminéscence *n.* [U] 생물 발광(發光). ㉺ **-cent** *a.*

bi·ol·y·sis [baiáləsis/-ɔ́l-] *n.* [U] (생물체의) 미생물에 의한 분해.

bìo·magnificátion *n.* (생태계의 먹이연쇄에 의한) 생물학적 (독물) 농축.

bío·màss *n.* 〖생태〗 생물 자원《어느 지역내에 현존하는 생물의 총량》; 바이오매스《열자원으로서의 식물체 및 동물 폐기물》.

bìo·matérial *n.* 〖의학·치과〗 생체 조직에 닿는 부위의 보철에 쓰이는 물질, 생체 적합 물질〔재료〕.

bìo·mathemátics *n. pl.* 《단수취급》 생물 수학《생물 현상에 대한 수학 응용》. ㉺ **-mathe-matícian** *n.*

bi·ome [báioum] *n.* 〖생태〗 생물군계(群系)(biotic formation).

bìo·mechánics *n. pl.* 《단수취급》 생체〔생물〕 역학. ㉺ **-ical** [-kəl] *a.* **-icist** *n.* 생체 역학자.

bìo·médical *a.* 생물 의학의.

biomédical enginéering 생의학 공학(bioengineering).

bìo·médicine *n.* [U] 생물 의학《생물 화학과 기능의 관계를 다루는 임상 의학》.

bìo·meteorólogy *n.* 생물기상학《생물과 기온·습도 등 대기 상황과의 관계를 연구하는》.

bi·o·met·ric, -ri·cal [bàiəmétrik], [-əl] *a.* 생물 측정(학)의; 수명 측정(법)의. ㉺ **-ri·cal·ly** *ad.*

bi·o·me·tri·cian [bàioumitríʃən] *n.* 생체 측정 전문가.

bì·o·mét·rics *n. pl.* 《단수취급》 생물 측정학〔통계학〕; 수명 측정(법).

bi·om·e·try [baiámətri/-ɔ́m-] *n.* = BIOMETRICS.

bìo·mimétic *a.* 〖생화학〗 생체 모방의《생화학적 과정을 모방한 합성법의》.

bìo·molécular *a.* (생물체 중의) 생체(고)분자의.

bìo·mólecule *n.* 유생분자(有生分子)《바이러스처럼 생명 있는》.

bi·o·morph [báioumɔ̀:rf] *n.* 바이오모프《생물을 나타낸 장식 형태》. ㉺ **bi·o·mór·phic** *a.* **-phism** *n.* (미술에서의) 생체 표현〔묘사〕.

bi·on·ic [baiánik/-ɔ́n-] *a.* **1** 생체〔생물〕 공학적인; (SF에서) 신체 기능을 기계적으로 강화한. **2** 《구어》 초인적인 힘을 지닌, 정력적이고 억센; 수준 이상의, 우량한.

bi·ón·ics *n. pl.* 《단수취급》 생체〔생물〕 공학. [◂ *biology* + *electronics*] ㉺ **-i·cist** *n.*

bi·o·nom·ics [bàiənámiks/-nɔ́m-] *n. pl.* 《단수취급》 생태학. ㉺ **-nóm·ic, -i·cal** *a.* **-i·cal·ly** *ad.*

bi·on·o·my [baiánəmi/-ɔ́n-] *n.* [U] 생명학; 생리학; 생태학.

bi·ont [báiɑnt/-ɔnt] *n.* 〖생물〗 생리적 개체.

bìo·orgánic *a.* 생물 유기 화학의.

bìo·pharmacéutics *n. pl.* 《단수취급》 생물 약제학. ㉺ **-ceutical** *a.*

bi·o·phil·ia [bàiəfíliə] *n.* 생물 보존능, 생명애. ㉺ **-phíl·ic** *a.*

bìo·philósophy *n.* 생물 철학《생물학 연구를 통한 철학》. ㉺ **-lósopher** *n.*

bìo·phýsics *n. pl.* 《단수취급》 생물 물리학. ㉺ **-phýsical** *a.* **-phýsicist** *n.*

bío·pìc *n.* 《구어》 전기(傳記) 영화.

bìo·píracy *n.* 해적식 생물 탐사《개발 도상국의 동식물을 불법적으로 탐사하는 bioprospecting》.

bi·o·plasm [báiouplæ̀zəm] *n.* 〚생물〛 원생질(原生質). [파] **-plast** [-plæ̀st] *n.* 〚생물〛 원생체, 원생질 세포.
bi·o·poi·e·sis [bàioupɔiíːsis] *n.* 〚생물〛 (무생물로부터의) 생명발생, 생물진화.
bìo·pólymer *n.* 〚생화학〛 생물 고분자 물질《단백질·다당류 등》.
bìo·prócess *n.* 응용 생물학적 제법(製法), 바이오프로세스. ── *vt.* 응용 생물학적 제법으로 처리하다〔만들다〕.
bìo·próspecting *n.* 생물 탐사《의약품 따위의 유용 성분을 얻기 위해 동식물을 탐사하는 일》.
bi·op·sy [báiɑpsi/-ɔp-] *n.* 〚의학〛 생검(生檢)(법)《생체 조직의 현미경 검사》. ── *vt.* …에 생검을 실시하다.
bìo·psychíatry *n.* 생체 정신의학.
bìo·rátional *n.* (종종 *pl.*) 〚약학〛 생물학적 합리 살충제《식물에는 영향이 없이 해충만을 살해하는》. ── *a.* 생물학적으로 합리성 있는.
bìo·reáctor *n.* 생물 반응기《생물 공학의 응용 장치로 고정화(固定化) 산소나 미생물을 이용하여 물질의 분해·합성·화학 변환 등을 행함》.
bío·règion *n.* 〚생태〛 자연의 생태적 군집을 구성하는 지역〔장소〕. [파] **bìo·régional** *a.*
bìo·régionalism *n.* 바이오리저널리즘《인간의 활동은 정치적 국경보다는 생태학적·지리학적 경계에 의하여 구속되어야 한다는 생각》. [파] **bìo·régionalist** *n.*
bìo·remediátion *n.* 미생물 이용처리《폐기물에 포함된 유해 물질을 제거하기 위해 미생물을 이용하는 기술》.
bìo·reséarch *n.* 생물 과학 연구. 「동학.
bìo·rheólogy *n.* 생체 유동학; 〚의학〛 생물 유
bío·rhỳthm *n.* 바이오리듬《생체가 가지는 주기성》. [파] **bìo·rhýthmic** *a.* **-rhythmícity** *n.*
BIOS [báiɑ̀s/-ɔ̀s] 〚컴퓨터〛 basic input/output system (기본 입출력 시스템)《키보드·디스크 장치·표시화면 등의 입출력 장치를 제어하는 루틴의 집합으로 보통 ROM 위에 놓임》; biosatellite; British Intelligence Objectives Subcommittee.
bìo·sáfety *n.* 생물학적 연구에 있어서의 안정성.
bìo·sátellite *n.* 생물 위성《사람·동식물을 탑재하는; 생략: BIOS》.
bío·scìence *n.* [U] 생물 과학; 우주(宇宙) 생물학. [파] **bìo·scièntífic** *a.* **bìo·scíentist** *n.*
bi·o·scope [báiəskòup] *n.* (초기의) 영사기.
bi·os·co·py [baiɑ́skəpi/-ɔ́s-] *n.* 〚의학〛 생사(生死) 감정.
bìo·sénsor *n.* 생체 감응 장치《우주비행사 등의 생리학적 데이터를 계측·전달하는 장치》.
bío·shìeld *n.* 생물체 차폐(遮蔽)장치《발사 전의 살균 작업 후, 우주선을 생물체로부터 차폐·격리하는 장치》. 「의 뜻의 결합사.
-bi·o·sis [baióusis, bi-] '(특정한) 사는 방식'
bìo·sócial *a.* 생물사회적인, 생물과 사회의 상호작용의. [파] **~·ly** *ad.*
bìo·sólids *n. pl.* 바이오 고형물(固形物)《하수오물을 재활용 처리한 유기물; 특히 비료》.
bìo·sónar *n.* 〚생물〛 바이오소나《동물에게 있는 음파 탐지 장치》.
bìo·speleólogy *n.* 동굴 생물학.
bi·o·sphere [báiəsfìər] *n.* 〚우주〛 생물권(圈). 「力學).
bìo·státics *n. pl.* 〔단수취급〕 생물 정역학(靜
bìo·statístics *n. pl.* 〔단수취급〕 생물 통계학.
bìo·stratígraphy *n.* 생물 층서학(層序學)《암석중의 화석을 근거로 지층의 상대적 연대를 정하는》. [파] **bìo·stratigráphic** *a.*
bìo·sýnthesis *n.* [U] 〚생화학〛 생합성. [파] **-synthétic** *a.* **-ically** *ad.*

bìo·systemátics, -sys·tem·a·ty [-sistémәti] *n.* 〚생물〛 생물 계통학, 종(種)분류학. [파] **-sýstematist** *n.* **-systemátic** *a.*
B.I.O.T. British Indian Ocean Territory.
bi·o·ta [baióutə] *n.* 〚생태〛 생물(종류)상(相).
bío·tech *n., a.* 생물공학(의). [◂ *biotech*nology]
bìo·téchnical *a.* =BIOTECHNOLOGICAL.
bìo·technólogy *n.* [U] 생물 공학. [파] **-technológical** *a.* **-nólogist** *n.*
bìo·telémetry *n.* [U] 〚우주〛 생물 원격 측정법 (=**èc·o·te·lém·e·try**). [파] **-telemétric** *a.*
bìo·thérapy *n.* 〚의학〛 생물 (학적) 요법《생물체에서 얻을 수 있는 혈청·백신·페니실린 등에 의한 요법》.
bi·ot·ic, -i·cal [baiɑ́tik/-ɔ́tik], [-əl] *a.* 생명에 관한; 생물의.
-bi·ot·ic [baiɑ́tik/-ɔ́t-] '(특정한) 방법으로 사는'의 뜻의 결합사.
biótic formátion 〚생태〛 생물군계(群系).
biótic poténtial 〚생물〛 생물 번식〔번영〕 능력.
bi·o·tin [báiətin] *n.* 바이오틴《비타민 B 복합체 중의 하나; 비타민 H》.
bi·o·tite [báiətàit] *n.* 〚광물〛 흑(黑)운모. [파] **bi·o·tít·ic** [-tít-] *a.*
bi·o·tope [báiətòup] *n.* 〚생물〛 소(小)생활권.
bìo·tóxic *a.* 생물독의, 생체 독소(毒素)의.
bìo·toxicólogy *n.* 생물 독물학(毒物學).
bìo·transformátion *n.* 〚생리〛 (어떤 화합물로부터 다른 화합물로의) 생체내 변화.
bi·o·tron [báiətrɑ̀n/-trɔ̀n] *n.* 바이오트론《환경 조건을 조절하고 생물을 기르는 장치》.
bi·o·type [báiətàip] *n.* 〚생물〛 생물형《동일 유전자형을 지닌 개체군; 그 유전자형》.
bi·o·vu·lar [baiɑ́vjələr, -óuv-/-óuv-] *a.* 〚생물〛 이란생(二卵生)의; 이란생 쌍생아에 특유한. [cf] monovular.
bìo·wárfare *n.* 〚군사〛 생물 전쟁, 세균전.
bìo·wéapon *n.* 생물(학) 병기.
bi·pa·ren·tal [bàipəréntl] *a.* 양친의〔에 관한, 에게서 얻은〕. [파] **~·ly** *ad.*
bip·a·rous [bípərəs] *a.* 〚동물〛 쌍둥이를 낳는; 〚식물〛 쌍가지의; 두 축(軸)이 있는.
bi·par·ti·san, -zan [baipɑ́ːrtəzən] *a.* 두 정당(연립)의; 《미》 (민주·공화) 양당 제휴의, 초당파(超黨派)의《외교 정책 따위》: ~ diplomacy 초당파 외교. [파] **~·ìsm** *n.* **~·shìp** *n.*
bi·par·tite [baipɑ́ːrtait] *a.* 2부(部)로 된《조약서 등》; 〚식물〛 두 갈래로 째진《잎 등》; 양자가 분담하는, 협동의: a ~ pact 상호 협정. [파] **~·ly** *ad.* 「〚식물〛 2 열(裂).
bi·par·ti·tion [bàipaːrtíʃən] *n.* 2 통 작성;
bi·par·ty [báipɑ̀ːrti] *a.* 두 당(파) 연합의.
bi·ped [báiped] *a.* 두 발의, 두 발 동물의. ── *n.* 두 발 동물.
bi·pe·dal [báipèdl, -pi-/báipèdl] *a.* =BIPED.
bi·péd·al·ìsm *n.* 두 발 보행(=**bì·pe·dal·í·ty**).
bi·pet·al·ous [baipétələs] *a.* 〚식물〛 꽃잎이 둘 있는.
bi·pha·sic [baiféizik] *a.* 이상(二相)의; 두 상(相)을 갖는; 〚식물〛 배우체 세대와 포자체 세대를 갖는.
bi·phen·yl [baifénl, -fíːnl] *n.* 〚화학〛 바이페닐 (=**di·phén·yl**).
bi·pin·nate [baipíneit] *a.* 〚식물〛 (잎이) 이회우상(二回羽狀)의, 재(再)우상의. [파] **~·ly** *ad.*
bi·plane [báiplèin] *n.* 복엽 비행기.
B.I.P.O. British Institute of Public Opinion.
bi·pod [báipɑ̀d/-pɔ̀d] *n.* 두 다리 받침대.
bi·po·lar [baipóulər] *a.* 두 극이 있는, 양극의.

㊞ **bi·po·lar·i·ty** [bàipoulǽrəti] *n.* 2극성. **bi·pò·lar·i·zá·tion** *n.* 양극화.

bipólar disórder 〖정신의학〗 (조울(躁鬱)의) 「쌍극성 장애.

bi·pro·pel·lant [bàiprəpélənt] *n.* 〖항공〗 2원 추진제(二元推進劑).

bi·pyr·a·mid [baipírəmìd] *n.* 〖결정〗 양추(兩錐)《밑면을 공유하는 두 개의 뿔체를 갖는 결정》. ㊞ **bi·py·ram·i·dal** [bàipirǽmidl] *a.*

bi·quad·rat·ic [bàikwɑdrǽtik/-kwɔd-] 〖수학〗 *a.* 4 차의. ── *n.* 4 차 방정식.

bi·quar·ter·ly [bàikwɔ́ːrtərli] *a.* 4 반기〔3 개월〕에 2 번의.

bi·qui·na·ry [bàikwáinəri(ː)/-kwi-] *a.* 이오진법(二五進法)의《2 진법과 5 진법의 병용》.

bi·ra·cial [bairéiʃəl] *a.* 두 인종의〔으로 된〕. ㊞ ∼**·ism** *n.*

bi·ra·di·al [bairéidiəl] *a.* 〖생물〗 이방사(二放「射)대칭의.

bi·ra·mous, -mose [bairéiməs], [-mous] *a.* 양지(兩枝)의. ⓒⓕ uniramous.

°**birch** [bəːrtʃ] *n.* **1** Ⓒ 〖식물〗 자작나무(류의 총칭); Ⓤ 자작나무재(材): ⇨ WHITE 〔PAPER〕 BIRCH. **2** Ⓒ 자작나무 회초리(= ∠ **ròd**)《학생을 벌하기 위한》. ── *a.* 자작나무의; 자작나무 재목으로 된. ── *vt.* (자작나무 가지의) 회초리로 때리다. ㊞ ∠**·en** [-ən] *a.* 자작나무의, 그 가지로 만든 회초리의.

Birch·er, -ist, -ite [bə́ːrtʃər], [-tʃist], [-tʃait] *n.* John Birch Society《미국의 극우 단체》의 회원〔동조자〕. ㊞ **Bírch·ism** *n.*

†**bird** [bəːrd] *n.* **1** 새: the ∼ of wonder 불사조(phoenix) / the ∼ of freedom 자유의 새《미국 국장(國章)의 독수리》. **2** 엽조(獵鳥); (사격의) 클레이(clay pigeon); (배드민턴의) 셔틀콕. **3** 《구어》 사람, 놈, 《특히》 괴짜: ⇨ EARLY 〔OLD, RARE〕 BIRD / a queer ∼ 별난 놈, 괴짜 / a jail ∼ 죄수. **4** 〖burd와의 혼동에서〗 《영속어》 (귀여운) 여자, 아가씨, 여자 친구, 연인; 《미비어》 계집: a bonny ∼ 예쁜 아가씨. **5** 《미속어》 〖종종 반어적〗 매우 현명한 사람. **6** 《미속어》 열광자; …팬, …광: a ∼ about music 음악광. **7** (the ∼) 《속어》 (극장 등에서의) 야유, 조롱하는 소리, 해고: give a person the ∼ 아무를 야유하다; 아무를 해고하다; 《미》 아무에게 (손등을 보이며) 가운뎃손가락을 세우다《★ 상대를 경멸하는 표시》/ get the (big) ∼ 야유당하다; 해고당하다. **8** 〖항공〗 《속어》 비행체〔기〕; 헬리콥터; 로켓, 유도탄, 인공위성; 우주선《따위》. **9** 《영속어》 옥살이, 형기; 투옥 판결: do ∼ 형을 살다.

a* ∼ *in the hand 수중에 든 새, 확실히 들어온 이득: *A* ∼ *in the hand* is worth two in the bush. 《속담》 수중의 한 마리 새가 숲속의 두 마리보다 낫다. ***a* ∼ *of ill omen*** 불길한 새; 불운한 사람; 언제나 불길한 말만 하는 사람. ***a* ∼ *of paradise*** 〖조류〗 풍조과의 새《뉴기니와 주변산(産)》; 〖식물〗 극락조화; (the B- of P-) 〖천문〗 극락조자리(=Ápus). ***a* ∼ *of passage*** 철새; 《구어》 떠돌이, 뜨내기. ***a* ∼ *of peace*** 비둘기(dove). ***a* ∼ *of prey*** 맹금(猛禽)《독수리·매 따위》. ***a* ∼ *of*** one***'s own brain*** 자기 자신의 생각. ***A little* ∼ *has told me.*** =***I heard a little* ∼ *sing so.*** 어떤 사람에게서 들었다. ∼***s of a feather*** 같은 깃털의 새; 《종종 경멸》 비슷한 또래, 동류: *Birds of a feather* flock together. 《속담》 유유상종(類類相從). ***eat like a* ∼** 적게 먹다. ***for the* ∼*s*** 《속어》 시시한, 자잘한, 하잘것없는: I think history is *for the* ∼*s*. 내게 있어서 역사란 그저 그런 것이다. ***in* ∼** 《영속어》 투옥되어. ***kill two* ∼*s with one stone*** 일석이조, 일거양득. ***like a* ∼** 유쾌하게《일하다》, 명랑하게《노래하다》; 《구어》 (기계·차가) 쾌조로. ***make a*** (***dead***) ∼ ***of ...*** 《Austral.》 …을 확보하다. ***my* ∼** 귀여운 아이. ***The* ∼ *has*** 〔***is***〕 ***flown.*** 상대를〔봉을, 죄수를〕 놓쳤다. ***the* ∼ *in*** one***'s bosom*** 양심, 속마음. ***the* ∼ *of Jove*** 독수리(eagle). ***the* ∼ *of Juno*** 공작(peacock). ***the* ∼ *of Minerva*** 〔***night***〕 올빼미(owl). ***the* ∼ *of Washington*** =BALD EAGLE. ***the* ∼*s and*** (***the***) ***bees*** 《구어》 아이들의 성교육《새와 꿀벌을 예로 드는 데서》. ── *vi.* 새를 잡다〔쏘다〕; 들새를 관찰하다.

bírd·bànding *n.* Ⓤ 조류 표지법의 한 가지《이동 상황 조사를 위해 다리에 고리를 달아 놓아 줌》.

bírd·bàth (*pl.* ***-baths*** [-bæ̀ðz/-bɑ̀ːðz]) *n.* 새 목욕용 물 쟁반.

bírd·bràin *n.* 《미속어》 바보, 맹추. ㊞ **bírd-bràined** *a.* 「은 여인숙 방.

bírd·càge *n.* 새장, 조롱; 《미속어》 유치장, 작

bírd càll 새 울음소리; 새소리 흉내; 우레.

bírd cìrcuit 《속어》 gay bar 편력.

bírd-clàw *a.* 새 발톱처럼 깡마른.

bírd dòg 《미》 새 사냥개; (탤런트·선수 등의) 스카우트; 정보를 모으는 사람; 프로의 솜씨를 알려고 매달리는 풋내기 도박꾼; 남의 데이트 상대를 가로채는 사람.

bírd-dòg 《미구어》 (***-gg-***) *vi.* BIRD DOG로서 일하다. ── *vt.* …을 엄중히 감시하다, …을 집요하게 추구하다, …의 뒤를 밟아 탐정하다, 샅샅이 수색하다; 면밀히 조사하다.

bírd-dògging *n.* 《미구어》 지긋이 망을 봄; 데이트 상대를 가로챔.

bírd·er *n.* 들새 사육자〔관찰자〕.

bírd-èyed *a.* 새눈 같은; (말이) 잘 놀라는.

bírd fàncier 애조가(愛鳥家); 새장수.

bírd·fàrm *n.* 《미군대속어》 항공모함.

bírd-fòot (*pl.* ∼*s*) *n.* 〖식물〗 =BIRD'S-FOOT.

bírd·hòuse *n.* 새장; 새집.

bird·ie [bə́ːrdi] *n.* **1** 《소아어》 새, 작은 새《애칭》. **2** 〖골프〗 기준 타수(par)보다 하나 적은 타수로 구 멍에 넣음. ⓒⓕ eagle. **3** 《구어》 배드민턴의 셔틀콕. ***hear the* ∼*s sing*** 《속어》 (녹아웃당하여) 의식이 없다, 뻗어 있다. ***Watch the* ∼ *!*** 자 새를 보세요, 이쪽을 보세요《사진 찍는 신호 말》. ── *vt.* 〖골프〗 (홀을) 버디로 끝내다.

bírd·ing *n.* 새잡기〔쏘기〕.

bírd·lìke *a.* **1** (모습·목소리 따위가) 새 같은. **2** (동작이) 민첩한, 경쾌한. **3** (몸매가) 날씬한.

bírd·lìme *n.*, *vt.* Ⓤ 끈끈이(로 새를 잡다); 올무; 《영속어》 형기(刑期).

bírd·man [-mæ̀n, -mən] (*pl.* ***-men*** [-mèn, -mən]) *n.* **1** 조류 연구가; 박제사; 새 잡는 사람. **2** 《구어》 비행가.

bírd sànctuary 조류 보호구(保護區).

bírd·sèed *n.* 새 모이; 《속어》 우수리.

Bírds Éye 버즈아이《미국 General Foods사의 냉동 식품; 상표명》.

bírd's-èye *a.* **1** 위에서 내려다본, 조감(鳥瞰)적인; 개관적인. **2** 새눈무늬의. ── *n.* (직물의) 새눈무늬; 〖식물〗 설앵초, 복수초; 살담배의 일종; 작은 마름모무늬의 직물; 《미속어》 마약이 든 작은 꾸러미.

bírd's-eye vìew **1** 조감도(鳥瞰圖); 전경. ⓞⓟⓟ *worm's-eye view*. **2** 개관.

bírd's-fòot *n.* 〖식물〗 콩과의 목초; 〖동물〗 바다「술.

bírd shòt 새 잡는 산탄.

bírd's nèst 새둥지; (요리용의) 제비 둥지; 야생 당근; =CROW'S-NEST; 《속어》 엉킨 낚싯줄.

bírd's-nèst *vi.* 새둥지를 뒤지다. ㊞ ∼**·ing** *n.*

bírd's nèst sòup (중국 요리의) 제비집 수프.

bírd strìke 항공기와 새(떼)의 충돌.

Bírds·ville Tràck [bə́ːrdzvil-] 버즈빌 트랙

《오스트레일리아의 가장 건조하고 위험한 지역을 통과하는 횡단 도로; 오스트레일리아의 오지 여행의 위험을 상징하기도 함》.
bírd tàble (정원 등에 설치한) 새 먹이통《특히 겨울철의》.
bírd wàlk 들새 관찰회; 탐조(探鳥).
bírd-wàtch *vi.* 들새 관찰을 하다. ㊞ **~·ing** *n.*
bírd wàtcher 들새 관찰자, 탐조자(探鳥者); 《미속어》 로켓〔위성〕 관측자; 《속어》 여자를 바라보며 즐기는 사내. 「비행가.
bírd·wòman (*pl.* ***-wòmen***) *n.* 《구어》 여류
birdy [bə́ːrdi] (***bird·i·er; -i·est***) *a.* 새 같은; 새〔엽조〕가 많은; (사냥개가) 새를 잘 찾는; 《미속어》 이상한, 묘한. 「**gent** *a.*
bì·refríngence *n.* 〖광학〗 복굴절. ㊞ **bì·refrín-**
bi·reme [báiriːm] *n.* 2 단식 노로 젓는 배.
bi·ret·ta [bərétə] *n.* 모관(毛冠)(=**ber·rét·ta, bir·rét·ta**)《가톨릭 성직자의 사각모》.

biretta

birk[1] [bəːrk] *n.* 《Sc.》 =BIRCH. ㊞ **∠·en** *a.* =BIRCHEN.
birk[2] *n.* =BERK.
birl[1] [bəːrl] *vt.* (물에 뜬 통나무를) 밟아서 회전시키다; (동전을) 뱅글뱅글 돌리다(spin). **—** *vi.* 물 위에서 통나무를 굴려 빨리 돌게 하다; 《영》 빨리 움직이다〔돌다〕; 《구어》 돈을 마음대로 쓰다; 도박하다. **—** *n.* 《Austral. 구어》 시도; 내기. ㊞ **∠·er** *n.* **∠·ing** *n.* Ⓤ (물 위에서의) 통나무 굴리기 경주.
birl[2], **birle** [bəːrl] 《Sc.》 *vt.* (술을) 따르다, …에게 술을 강권하다. **—** *vi.* 함께 술을 마시다.
Bir·ming·ham [bə́ːrmiŋəm] *n.* **1** 버밍엄《영국 West Midlands주의 공업 도시; 생략: Birm.》. **2** [bə́ːrmiŋhæ̀m] 버밍햄《미국 Alabama주의 도시》.
birr[1] [bəːr] 《주로 Sc.》 *n.* 힘, 세력; 《특히》 바람의 힘, 공격의 기세; 강타, 공격; 윙하는 회전음. **—** *vi.* 윙하고 소리를 내다〔내며 움직이다〕.
birr[2] [bəːr, biər] (*pl.* **~, ~s**) *n.* 비르《에티오피아의 화폐 단위, =100 cents》.
‡**birth** [bəːrθ] *n.* Ⓤ **1** Ⓤ,Ⓒ 탄생, 출생; 《비유》 신생(新生), 갱생(更生); 출산: the date of one's ~ 생년월일/a new ~ 〖신학〗 신생. **2** Ⓒ 《고어》 태어난 것. **3** 태생, 혈통, 집안, 가문: a man of ~ 〔no ~〕 가문이 좋은〔좋지 않은〕 사람/a man of noble 〔humble, mean〕 ~ 명문의〔태생이 미천한〕 사람/A woman of no ~ may marry into the purple. 《속담》 여자란 미천해도 덩을 탈 수 있다/*Birth* is much, but breeding is more. 《속담》 가문보다는 가정 교육. **4** (사물의) 기원. ***by* ~** 태생은; 타고난: a pianist ***by*** ~ 타고난 피아니스트. ***give* ~ *to*** …을 낳다; …을 생겨나게 하다; …의 원인이 되다. ***in* ~** 태생은, 출생 때는. ***of high* 〔*low*〕 ~** 집안이 좋은〔비천한〕. **—** *vt.* **1** 일으키다, 시작하다(originate). **2** 《방언》 낳다. **—** *vi.* 《방언》 출산하다.
bírth canàl 산도(産道).
bírth certìficate 출생 증명서〔기록〕.
bírth contròl 산아 제한, 가족 계획. 「pill).
bírth-control pìll 경구(經口) 피임약(the
bírth·dàte *n.* 생년월일.
†**birth·day** [bə́ːrθdèi] *n.* (탄)생일, 생신(生辰); 창립(기념)일: a ~ present 〔gift〕 생일 선물.
bírthday bòok (가족·친구들의) 생일 기입장.
bírthday hónours 《영》 국왕 탄신일에 내리는 영작(榮爵)·서위(敍位)·서훈.
bírthday sùit **1** 《영》 국왕〔여왕〕 탄신일의 예복. **2** 《우스개》 알몸: in one's ~ 전라로.
bírth dèfect 선천적 기형《언청이 등》.
bírthing chàir 분만(分娩) 의자.
bírthing pòol 출산 풀《그 안에서 출산하기 위한 대형 욕조》.
bírth·màrk *n.* 점; 모반(母斑); 특징. **—** *vt.* 〖보통 수동태〗 …에 반점을 찍다.
bírth mòther (양어머니에 대해) 생모. 「위한》.
bírth·nìght *n.* 탄생의 밤(의 축하)《특히 군주를
bírth·pàng *n.* (보통 *pl.*) (출산의) 진통; 《비어》 (변혁 따위를 위한) 고통.
bírth pàrent 생부, 생모. 「pill).
bírth pìll (여성용) 경구 피임약(birth-control
***birth·place** [bə́ːrθplèis] *n.* 출생지, 발생지,
bírth·ràte *n.* 출산율. ⌊고향.
bírth·rìght *n.* 생득권(生得權); 장자 상속권. ***sell* one's ~ *for a mess of pottage* 〔*a pottage of lentils*〕** 한 그릇 죽을 위해 장자의 권리를 팔다 《창세기 XXV: 29-34》.
bírth·stòne *n.* 탄생석(石)《태어난 달을 상징하는 보석》. 「이 해서.
bis [bis] *ad.* 《L.》 두 번, 2 회(回); 〖음악〗 되풀
bis- [bís] =BI-《특히 c 또는 s 앞에 쓰임》: *bis*sextile.
BIS Bank for International Settlements(국제 결제 은행). **B.I.S.** British Information Service (영국 정보부). **bis.** bissextile. **BISAM** basic indexed sequential access method.
Bi·sa·yan [bəsáiən] (*pl.* **~, ~s**) *n.*, *a.* 비사야족《필리핀의 원주민》(의); 비사야어(의).
Bis·cay [bískei, -ki] *n.* ***the Bay of* ~** 비스케이 만.
‡**bis·cuit** [bískit] (*pl.* **~s, ~**) *n.* **1** 《영》 비스킷(《미》 cracker, cookie). **2** 《미》 (말랑말랑한) 소형 빵. **3** 담갈색. **4** 잿물을 안 입힌 도기, 질그릇(bisque[2]). **5** (소리의 홈이 프레스되기 전의) 레코드판 원료 덩이(preform); 《속어》 레코드. **6** 《미속어》 코인, 잔돈. **7** 《미속어》 욕심 많은 비정한 여자. **8** 《속어》 메타돈(methadone). **9** 《미속어》 총. ***take the* ~** 《영속어》 ⇨ take the CAKE. ㊞ **~·lìke** *a.*
bíscuit wàre 잿물을 안 입힌 도기; 토기.
B-ISDN 〖통신〗 broadband ISDN(광역 종합 정보통신망).
bise [biːz] *n.* 찬 북동풍《특히 남프랑스·스위스·이탈리아에 부는》.
bi·sect [baisékt, ∠-] *vt.*, *vi.* 양분하다; 갈라지다; 〖수학〗 이등분하다. ㊞ **bi·séc·tion** [-sékʃən] *n.* **bi·séc·tion·al** *a.* **bi·séc·tion·al·ly** *ad.*
bi·sec·tor [baiséktər, ∠--/-∠-] *n.* 양분하는 것; 〖수학〗 (선분·각 등의) 2 등분선.
bi·sec·trix [baiséktriks] (*pl.* ***-tri·ces*** [∠-trái-siːz]) *n.* 〖결정〗 (광축각(光軸角)의) 2등분선, 광축각 등분선; =BISECTOR.
bi·se·ri·al [baisíəriəl] *a.* 〖통계〗 이계열(二系列)의; 〖생물〗 이배열(二配列)의, 이연(二連)의.
bi·sex·u·al [baisékʃuəl] *a.* (자웅(雌雄)) 양성(兩性)의; 양성을 갖춘; 양성애(愛)의. **—** *n.* 양성 동물, 자웅 동체〔동주(同株)〕; 양성애자. ㊞ **bi·sex·u·ál·i·ty, ~·ism** *n.* **~·ly** *ad.*
bish [biʃ] *n.* 《속어》 잘못, 실수: make a ~.
Bish·kek [biʃkék] *n.* 비슈케크《키르기스스탄의 수도; 구명은 Pishpek, Frunze》.
***bish·op** [bíʃəp] *n.* **1** (가톨릭의) 주교; (신교의) 감독; (그리스 정교의) 주교. **2** 〖체스〗 비숍《주교 모자 모양의 장기말》. **3** 음료의 일종《포도주에 레몬·설탕을 넣은 것》. **4** 〖조류〗 금란조. ㊞ **~·ric** [-rik] *n.* 〖종교〗 bishop의 직〔관구〕.
bíshop sléeve 비숍슬리브《아래쪽이 넓고 손

목에서 주름지어 묶은 소매》. 「크기.
bíshop's lèngth (캔버스의) 58×94인치
Bíshop's ríng 1 〖기상〗 비숍 고리《화산 폭발 · 원폭 실험 등으로 공중의 미세한 먼지에 의해 태양 주위에 생기는 암적색의 둥근 테》. **2** (b-r-) 주교의 반지《오른손 중지에 끼워 교구와의 결혼을 뜻함》.
bisk [bi(:)sk] ⇨ BISQUE³.
Bis·marck [bízmɑ:rk] *n.* **Otto von ~** 비스마르크《독일 제국의 정치가; 1815-98》.
Bis·marck·i·an [bizmɑ́:rkiən] *a.* 비스마르크의; 비스마르크처럼 강경한. ㊊ **~·ism** *n.*
bis·mil·lah [bismílə] *int.* 알라신(神)의 이름으로《이슬람교도의 맹세의 말》.
bis·muth [bízməθ] *n.* Ⓤ 〖화학〗 비스무트, 창연《금속 원소; 기호 Bi; 번호 83》. ㊊ **~·al** *a.*
bis·mu·thic [bizmjú:θik, -mʌ́θ-] *a.* 〖화학〗 비스무트〔창연〕의.
bi·son [báisən, -zən/-sən] (*pl.* **~**) *n.* 들소《아메리카종은 American bison 또는 American buffalo, 유럽종은 wisent 라는 이칭을 가짐》.
bís·phe·nol Á [bísfi:noul-] 〖화학〗 비스페놀 A《에폭시 수지 · 폴리카보네이트 수지 따위의 제조에 쓰이는 합성 유기 화합물》.
bisque¹ [bisk] *n.* 테니스 · 골프 등에서 약자에게 주는 한 점〔타〕의 핸디캡.
bisque² *n.* 설구이한 도기; 비스크 구이《인형용의 설구이한 백자》; 분홍빛을 띤 황갈색. **—** *a.* 분홍빛이 도는 황갈색의.
bisque³, bisk *n.* **1** 새우〔게 · 새고기 · 야채 따위〕의 크림 수프. **2** 으깬 호두가〔마카롱이〕 든 아이스크림.
Bis·sau [bisáu] *n.* 비사우(=**Bis·são**)《기니비사우 공화국의 수도》.
bis·sex·tile [baisékstil, -tail, bi-/bisékstail] *n.* 윤년(leap year). **—** *a.* 윤년의: the ~ day 윤일(閏日)《2월 29일》. 「29일, 윤일.
bis·sex·tus [baisékstəs, bi-/bi-] *n.* 2월
bì·sta·bíl·i·ty *n.* 〖전자〗(회로의) 쌍안정(雙安定).
bi·sta·ble [baistéibəl] *a.* 쌍안정(雙安定)의《점멸처럼 스위치로 두 가지 상태가 되는 장치 · 회로에서》.
bi·state [báistèit] *a.* 두 나라〔주〕(간)의.
bi·stát·ic rádar [baistǽtik-] 바이스태틱 레이더《송 · 수신기가 각기 다른 위치에 놓인》.
bis·ter, 《영》 **-tre** [bístər] *n.* Ⓤ 비스터, 고동색 채료; 고동색.
bis·tort [bístɔ:rt] *n.* 〖식물〗 범꼬리.
bis·tou·ry [bístəri] *n.* 외과용 메스.
bis·tro, -trot [bístrou] *n.* 《F.》 작은 술집〔나이트클럽〕; 그 주인: a ~ crawler 여러 술집을 돌아다니며 마시는 사람. ㊊ **bis·tró·ic** *a.*
bi·sul·fate, -phate [baisʌ́lfeit] *n.* 〖화학〗 중(重)황산염《황산염의 수소염을 이름》.
bi·sul·fide, -phide [baisʌ́lfaid, -fid/-faid] *n.* 〖화학〗 이황화물(二黃化物).
bi·sul·fite, -phite [baisʌ́lfait] *n.* 〖화학〗 아황산수소염(亞黃酸水素塩).
bí-swìng *a., n.* 〖복식〗 (팔을 움직이기 쉽게) 등판 양쪽 가에 주름을 잡은 (재킷 따위).
BISYNC [báisìŋk/∸∸] 〖통신〗 binary synchronous communications.
bit¹** [bit] *n.* **1** 작은 조각, 작은 부분: break into ~*s* 산산이 깨지다. **2** 소량, 조금; 《구어》 잠시, 잠깐 (동안): Wait a ~. 잠깐 기다려. **3** (음식의) 한 입: a dainty ~. **4** 잔돈, 소액 화폐; 《미구어》 12센트 반: a long 〔short〕 ~ 《미방언》 15 〔10〕센트/two ~*s*, 25센트. **5** 뜨내기역, 단역. **6** 소경(小景); (풍경화의) 소품. **7** 《미속어》 징역형, 형기. **8** 《미》 짧은 공연물; 판에 박은 짓〔계획, 행사 (등)〕. **9** 《속어》 젊은 여자. ***a **~** 〔부사적으로〕 약간, 조금. ***a* ~ *much*** 너무한, 지나친. ***a* ~ *of a*** ① 어느 편이냐 하면, 좀(rather a): He is *a* ~ *of a* coward. 그는 좀 겁쟁이다. ② 작은: *a* ~ *of a* girl 소녀. ***a* ~ *of blood*** 순종(純種)(의 말), 서러브레드(thoroughbred). ***a good* ~** 꽤 오랫동안; 훨씬《연상(年上) 따위》. ***a little* ~** 약간《때로는 뜻없이 덧붙이는 말》. ***a*** (***little***) **~ *of all right*** ⇨ ALL RIGHT. ***a nice* ~ *of*** (money) 꽤 많은 (돈). ***a*** 〔***a person's***〕 (***nice***) **~ *of goods*** 〔***shirt, stuff, fluff, crumpet, tail, mutton***〕 《속어》 (예쁜) 여자, (성적) 매력이 있는 여자; 《속어》 섹스. **~ *by* ~** =***by* ~*s*** 조금씩; 점차. **~*s and pieces*** 〔***bobs***〕 부스러기, 나머지(odds and ends); (회화 등의) 단편, 부분부분; 《속어》 소유물. **~*s of*** …하찮은, 작은《가구 · 아이 등》. ***do*** **one's ~** 《구어》 본분을 다하다; 분에 맞는 봉사〔기부〕를 하다. ***every* ~** ⇨ EVERY. ***not a* ~** (***of it***) 조금도 …하지 않다〔아니다〕, 별말씀을(not at all): He is *not a* ~ better. (병이) 조금도 차도가 없다/Oh no, *not a* ~ (*of it*)! 뭘요 별말씀을. ***quite a* ~** (***of***) 《구어》 꽤, 상당한. ***take a* ~ *of doing*** 어지간히 힘이 들다. ***to* ~*s*** 가루가 되게, 조각조각으로; 잘게; 《구어》 몹시《흥분하다》.
bit² *n.* **1** (말의) 재갈; 구속(물)(restraint). **2** (대패 · 도끼 따위의) 날; (송곳 따위의) 끝; (집게 따위의) 물리는 부분; (열쇠의) 끝; (파이프 · 궐련의) 빠는 곳. **3** 손으로 돌리는 드릴용의 송곳. **4** 〖기계〗 비트《착암기 따위의 끝 날》. ***champ*** 〔***chafe***〕 ***at a*** 〔***the***〕 **~** 《구어》 출발〔전진, 개시〕하고 싶어 안달하다. ★ 본디 말(馬)에 대하여 썼음. ***draw* ~** 고삐를 당겨 말을 세우다; 속력을 늦추다; 삼가다. ***on the* ~** 말을 급히 몰아. ***take*** 〔***get, have***〕 ***the* ~ *between*** 〔***in***〕 ***the*** 〔one's〕 ***teeth*** 〔***mouth***〕 ① (말이) 이빨로 재갈을 물고 반항하다, 날뛰어 어쩔 수 없다. ② 멋대로 행동하다, 우기다; 결연히 일에 닥뜨리다. **—** (**-tt-**) *vt.* 재갈을 물리다; 《비유》 억제〔구속〕하다.
bit³ *n.* **1** 〖컴퓨터〗 비트《(1) 정보량의 최소 단위. (2) 2진법에서의 0 또는 1》. **2** 《해커속어》 머릿속의 비망록. **3** (*pl.*) 정보; 지식.
bit⁴ BITE의 과거 · 과거분사.
bi·tar·trate [baitɑ́:rtreit] *n.* 〖화학〗 주석산 수소염, 중주석산염. 「프로그래머.
bít bánger (컴퓨터 프로그램 작성의) 중심적
bitch [bitʃ] *n.* 암컷《개 · 이리 · 여우 따위의》; 《속어》 심술궂은 여자; 음란한 여자; 불평; 불쾌한 것; (카드의) 퀸; 멋진 일〔것〕; 개새끼(son of a ~). **—** *vi.* 《구어》 불평하다《*about*》; 심술궂다. **—** *vt.* 《속어》 망쳐놓다, 깨어부수다《*up*》; …에게 심술궂게 행하다; …에 대해 불평하다. **~ *up*** 《미속어》 …을 망쳐놓다. ㊊ **∠·er** *n.* 《속어》 불평꾼.
bitch·en [bítʃən] *a.* 《미속어》 (사람 · 물건이) 아주 좋은, 최고의, 멋진. **~-*twitchen*** 《미속어》 (사람 · 물건이) 최고로 멋진. 「진〕행위.
bitch·ery [bítʃəri] *n.* 《속어》 심술궂은〔건방
bítch gòddess 세속적〔일시적〕인 성공.
bítch·ing *a.* 《속어》 멋진, 아주 좋은.
bitchy [bítʃi] (***bitch·i·er; -i·est***) *a.* 《구어》 굴러먹은 여자 같은; 음란한; 심보 고약한, 짓궂은; 《속어》 성적 매력이 있는. ㊊ **bítch·i·ly** *ad.* **-i·ness** *n.*
bít decày 《해커속어》 비트 붕괴 현상《이용되지 않는 프로그램 기능이 기능하지 않게 됨을 원자적 붕괴 현상에 비유한 것》.
bít dènsity 〖컴퓨터〗 비트 밀도.
bite** [bait] (bit*** [bit]; ***bít·ten*** [bítn], ***bit; bít·ing***) *vt.* **1** 《~+목/+목+부/+목+전+명》 물다, 물어 뜯다; 물어 끊다《*off; away; out*》:

The tiger *bit off* a piece of meat. 호랑이가 고기를 한 조각 물어 뜯었다 / The dog *bit* me *in* the left leg. 개가 내 왼쪽다리를 물었다 / The dog *bit* the hare *to* death. 개는 토끼를 물어 죽였다 / Once *bitten*, twice shy. 《속담》 자라 보고 놀란 가슴 소댕 보고 놀란다. **2** (모기·벼룩 등이) 쏘다, 물다; (게가) 물다: I've been dreadfully *bitten* by a flea. **3** (추위가) 스미다; (후추 따위가) 콕[톡] 쏘다, 자극하다. **4** (서리 등이) 상하게 하다; (산(酸) 따위가) 부식하다: The frost *has bitten* the blossom. 서리로 꽃이 결딴났다. **5** (톱니바퀴·줄 따위가) 맞물다, 걸리다; (닻 따위가) 바닥에 박히다; (죔쇠·버클 등이) 물고 죄다; (칼이) 베어 들어가다. **6** 《구어》〖수동태〗 속이다: *Were* you *bitten*? 속았나. **7** 《구어》 괴롭히다, 약올리다: What's *biting* [*bitten*] you? 《구어》 무얼 고민하나. **8** 《미속어》 …에게 돈을 조르다[빌리다]. **9** 《미속어》 남의 아이디어를 도용하다, (남을) 모방하다. **— *vi*.** **1** 《~/+전+명》 물다, 대들어 물다《*at*》: Barking dogs seldom ~. 《속담》 짖는 개는 물지 않는다 / My dog never ~*s*, even *at* a stranger. 우리 개는 절대로 물지 않아, 낯선 사람이라도. **2** 자극하다: This mustard does not ~ much. 이 겨자는 별로 맵지 않다. **3** 《~/+전+명》 부식하다《*in; into*》; 뜨끔거리다, 자극하다; (풍자가) 먹히다, 감정을 상하게 하다: Acids ~ *into* metals. 산은 금속을 부식한다. **4** (톱니바퀴가) 맞물리다, 걸리다; (칼붙이·톱·송곳 등이) 들다: The wood is so hard that the bit doesn't ~. 이 나무는 너무 단단해서 대팻날이 먹질 않는다. **5** (물고기가) 미끼를 물다: The fish aren't *biting* today. 오늘은 (고기가) 물지 않는다. **6** 《+전+명》 (유혹 따위에) 걸려들다《*at*》: ~ *at* a proposal 제의에 걸려들다. **7** (수수께끼·질문 따위에서) 모름을 자인하다: I'll ~, who is it? 모르겠는데, 대체 누구야. **8** 《미속어》 남의 아이디어를 도용하다. ***be* (*much*) *bitten over* [*with*]** …에 열중하다[반하다, 심취하다]. **~ *back*** (입술을 깨물고) 할 말을 참다. **~ *off*** 물어 끊다[뜯다]; (방송 프로를) 잘라내다. **~ *off more than* one *can chew*** 《구어》 힘겨운[큰] 일을 하려고 하다[에 손대다]. **~ *on*** …을 덥석 물다; 《구어》 …에 대해 잘 생각해보다. **~ (*on*) *the bullet*** ⇨ BULLET. **~ a person*'s head off*** 《구어》 (별것아닌 일에) 시비조로 대답하다, 심하게 해대다. **~ *the dust*** ⇨ DUST. **~ *the hand that feeds* one** 은혜를 원수로 갚다. ***Bite the ice!*** 《미속어》 꺼져 버려, 없어져. **~ *the tongue*** 침묵하다.

— *n*. **1** 묾. **2** 한번 깨묾, 한 입; 《구어》 먹을 것: Let's have a ~. 밥을 먹자. **3** 물린[쏘인] 상처; 자상; 동상; (산의) 부식 (작용). **4** (상처 따위의) 모진 아픔; (찬 바람의) 스며드는 차가움; (음식의) 얼얼한 맛; (풍자 등의) 신랄한 맛, 통렬미: put ~ *into* speech. **5** (기계의) 맞물림, 걸림. **6** (낚시질에서 물고기의) 입질, 미끼를 묾. **7** 《미구어》 (총액에서 1회의) 차감액(cut); 《미속어》 출비(出費), 비용, 분담금. ***make* [*take*] *two* ~*s of* [*at*] *a cherry*** ⇨ CHERRY. ***put the* ~ *on*...** 《미속어》 …에게서 (돈 따위를) 꾸려고[앗아내려고] 하다, 억지로 요구하다《*for*》: He *put the* ~ *on* me *for* a hundred dollars. 그는 내게 백달러를 꾸려고 했다.

bíte-by-bíte *a*. 조금씩 갉아내는, 서서히 죄어가는.

bíte pláte 〖치과〗 치열 교정기.

bit·er [báitər] *n*. 무는 사람[것]; 물어뜯는 짐승《특히 개》; 미끼를 잘 무는 물고기; 《고어》 사기꾼: That dog is a ~. 저 개는 무는 버릇이 있다 / The ~ (is) bit [bitten]. 속이려다 도리어 속다, 혹 떼려다 혹 붙이다.

bíte-sìze, bíte-sìzed *a*. 한입에 먹을[넣을] 수 있는; 다루기 쉬운: ~ problems 손쉬운 문제.

bíte·wìng *n*. 〖치과〗 교익(咬翼)《치과용 X선 필름에 상하의 치관(齒冠)을 동시에 찍기 위해 붙인 날개 모양의 받침》.

bít·grínding *n*. 《컴퓨터속어》 데이터의 컴퓨터처리.

Bi·thyn·ia [biθíniə] *n*. 비티니아《소아시아 북서부에 있었던 고대 왕국》. ㊎ **-i·an** *a*., *n*.

°**bit·ing** [báitiŋ] *a*. **1** 쏘는 듯한, 몸에 스미는; 얼얼한; 날카로운; 신랄한; 부식성의, 자극성의: have a ~ tongue 심하게 비꼬다. **2** 〖부사적〗 살을 에는 듯이: ~ cold 살을 에는 듯 추운. ㊎ **~·ly** *ad*. 통렬하게, 날카롭게. **~·ness** *n*.

bít·màp 〖컴퓨터〗 *n*. 비트맵《화면 표시[디스플레이]의 1점이[도트(dot)가] 정보의 최소 단위인 1비트에 대응시키는 것》; 또는 그 화상 표현 방식.

bít-màpped [-t] *a*. 〖컴퓨터〗 비트맵 방식의《컴퓨터 그래픽스에서 메모리의 1비트를 화면의 1점[도트(dot)]에 대응시키는 방식》.

BITNET 〖컴퓨터〗 Because It's Time Network 《미국 대학간에서 널리 쓰이고 있는 광역 네트워크의 하나》.

bi·ton·al [baitóunl] *a*. 〖음악〗 복조성(複調性)의, 양조성(兩調性)의.

bít pàrt 단역(端役).

bít plàyer 단역(端役).

bít ràte 〖컴퓨터〗 비트 전송 속도.

bít strèam 〖컴퓨터〗 비트 스트림《바이트 단위 따위로 보내지 않고 비트 단위로 보내는 데이터》.

bitt [bit] 〖선박〗 *n*. (닻줄을 매는) 계주(繫柱). **— *vt*.** (닻줄을) 계선주에 감아 매다.

bit·ten [bítn] BITE의 과거분사.

‡**bit·ter** [bítər] *a*. **1** 쓴(opp. *sweet*), (맥주가) 씁쓰레한(opp. *mild*). **2** 모진, 살을 에는 (듯한): a ~ winter. **3** 호된, 가차[용서] 없는, 신랄한, 냉혹한: ~ criticism 혹평 / a ~ remark 독설 / Why are you so ~ *against* her? 왜 그녀에게 그처럼 심하게 대하느냐. **4** 견디기 어려운, 괴로운, 쓰라린: a ~ sorrow 사무치는 슬픔 / a ~ experience 쓴 경험. **5** 원한을 품은, 몹시 분한: ~ words 원한의 말 / He was ~ *about* his bad luck. 그는 자기 불운에 부아가 났다. ***a* ~ *pill* (*to swallow*)** ⇨ BITTER PILL. ***to the* ~ *end*** ⇨ BITTER END. **— *ad*.** 쓰게; 몹시, 호되게(bitterly). **— *n*.** **1** (the ~) 쓴 맛; 《영》 비터(= ∠ **bèer**) 《홉이 잘 삭은 쓴 맥주》; (*pl*.) 비터즈《칵테일에 섞는 쓴 술》: gin and ~*s* 비터즈를 친 진. **2** (종종 *pl*.) 괴로움: the sweets and ~*s of* life ⇨ SWEET. **— *vt*.** 쓰게 하다.

bítter ápple 〖식물〗 콜로신스(colocynth).

bítter cúp 쓴 잔, 고배(苦杯)《quassia 나무로 만든 잔; 음료에 쓴 맛을 냄》; 쓰디쓴 경험.

bítter énd **1** 막바지, 막다름, 파국(破局). **2** [스] 〖선박〗 (배 안쪽의) 닻줄 끝 부분. ***to* [*till, until*] *the* ~** 끝까지 (견디어), 죽을 때까지《싸우다 등》.

bítter-énder *n*. 끝까지 굴하지 않는 사람, 끝내 버티는 사람.

bit·ter·ish [bítəriʃ] *a*. 씁쓸한 (맛을 띤).

*__bit·ter·ly__ [bítərli] *ad*. 쓰게; 몹시, 통렬히, 가차없이; 씁쓸히.

bit·tern [bítərn] *n*. 〖화학〗 간수; 〖조류〗 알락해오라기.

bít·ter·ness *n*. 쓴맛, 씀; 신랄함, 빈정댐; 슬픔, 괴로움.

bítter píll 쓴 알약. ***a* ~ (*to swallow*)** 하지 않으면 안 될 싫은 것(일).

bítter pít 〖식물〗 고두병(苦痘病)《과일에 갈색 반점이 생김》.

bítter prìnciple 〖화학〗 고미질(苦味質)《식물체 내의 쓴 성분》.

bítter·ròot *n*. 〖식물〗 쇠비름과의 화초.

bítter rót 〖식물〗 탄저병(炭疽病).

bítter·swèet *a*. 달콤씁쓸한, (초콜릿이) 단맛

을 뺀; 괴로움도 있고 즐거움도 있는; 짙은 붉은 색이 도는: ~ chocolate 달콤씁쓸한 초콜릿/a ~ memory 괴롭고도 즐거운 추억. — [ㅗㅗ] n. Ⓤ 들큼씁쓸함; 고통을 수반하는 기쁨; Ⓒ 〖식물〗 노박덩굴, 배풍등류.

bit·ty [bíti] *a.* **1** 《종종 경멸》 소부분으로 된, 단편적인; (액체 등) 앙금이 있는. **2** 《소아어·구어·방언》 조그만.

bi·tu·men [baitjúːmən, bi-, bítʃu-/bítju-] *n.* Ⓤ 역청(瀝青), 아스팔트; 암갈색.

bi·tu·mi·nize [baitjúːmənàiz, bi-/bitjúː-] *vt.* 역청화(瀝青化)하다, 역청으로 처리하다; 아스팔트로 씌우다.

bi·tu·mi·nous [baitjúːmənəs, bi-/bitjúː-] *a.* 역청질(瀝青質)〔아스팔트질〕의.

bitúminous cóal 역청탄(瀝青炭), 유연탄.

bit·wise [bítwàiz] *a., ad.* 〖컴퓨터〗 비트에 관한〔관하여〕, 비트마다(의).

bi·unique [bàijuːníːk] *a.* 〖언어〗 2방향 유일성의《음소 표시와 음성 표시가 1대 1의 대응 관계에 있는》.

bi·va·lence, -len·cy [baivéiləns, bívə-], [-lənsi] *n.* **1** 〖화학〗 이가(二價). **2** 〖생물〗 상동 염색체가 접착하여 쌍을 이룸〔이룬 상태〕.

bi·va·lent [baivéilənt, bívə-] *a.* **1** 〖화학〗 이가(二價)의. **2** (염색체가) 이가인.

bi·valve [báivæ̀lv] *a.* 양판(兩瓣)〔쌍각〕의. — *n.* 쌍각류의 조개. ㊞ ~**d** *a.*

bi·val·vu·lar [baivǽlvjələr] *a.* = BIVALVE.

bi·var·i·ate [baivέəriət, -rièit] *a.* 〖통계〗 변수〔변량(變量)〕의, 두 개의 변수를〔변량을〕 갖는.

biv·ou·ac [bívuæ̀k, -vwæk] *n.* 야영(지). — (**-acked; -ack·ing**) *vi.* 야영하다.

biv·vy [bívi] *n.* 《속어》 작은 천막〔피난처〕.

bi·week·ly [baiwíːkli] *a., ad.* **1** 2주(週)에 한 번(의), 격주의〔로〕(fortnightly). ★ 간행물에서는 흔히 이 뜻. **2** 1주에 두 번의〔으로〕(semiweekly). ★ 수송 스케줄 따위에서는 흔히 이 뜻. — *n.* 격주〔주 2회〕 간행물.

bi·year·ly [baijíərli] *a., ad.* 1년에 두 번(의) (biannual(ly)); 2년에 한 번(의)(biennial(ly)).

biz [biz] *n.* **1** 《구어》 직업, 업무(business); 〖일반적〗 (어느 특정한) 활동 분야, 업계. **2** 《속어》 = SHOW BUSINESS. **3** 《미속어》 마약용 주사기; 마약 꾸러미. **4** (the ~) 《영속어》 좋은 〔인정되는〕 것〔사람〕. ***Good ~ !*** 《영》 잘했다, 좋아.

bi·zarre [bizáːr] 《F.》 *a.* 기괴한(grotesque), 좀 별난, 별스러운; (색·스타일 등이) 색다른; 기상천외의《결말 따위》. — *n.* 불규칙한 줄무늬 모양의 꽃. ㊞ ~**·ly** *ad.* ~**·ness** *n.*

bi·zar·re·rie [bizɑ̀ːrəríː] *n.* 《F.》 Ⓤ 기괴(한 것), 기행, 변덕.

Bi·zet [bizéi/ㅗㅗ] *n.* **Georges** ~ 비제《프랑스의 작곡가; 1838–75》.

bi·zon·al [baizóunl] *a.* 2국 공동 통치 지구의; (B-) (제2차 세계대전 후 서독의) 미·영 2국 점령 지구의.

bi·zone [báizòun] *n.* (정치·경제적으로 한 단위를 이루는) 2지구; 《특히》 2국 공동 통치 지구.

bi(z)·zazz [bizǽz] *n.* 《미속어》 = PIZZAZZ.

BJ, B.J. Bachelor of Journalism. **BK** 〖야구〗 balk(s). **Bk** 〖화학〗 berkelium. **bk.** bank; bark; block; book; break; brook. **bkg.** banking; bookkeeping; breakage. **bklr.** black letter. **bkpt.** bankrupt. **bks.** banks; barracks; books. **BkSp** 〖컴퓨터〗 backspace. ★ 기술할 때만 씀. **bkt.** basket(s); bracket.

BL [bìːél] *n.* **1** 영국 최대의 자동차 메이커《전신은 민족 자본계인 2대 메이커가 합병한 British Leyland Motor Corporation; 생략: B.L.M.C.》. **2** 동사제(同社製) 자동차의 총칭.

B.L. Bachelor of Laws; Bachelor of Letters 〔Literature〕; British Legion. **bl.** bale; barrel; black. **B/L, b.l.** bill of lading.

blab [blæb] (**-bb-**) *vt., vi.* 잘 지껄여대다; (지절거려) 비밀을 누설하다《*off; out*》. — *n.* Ⓤ,Ⓒ 허튼 이야기; 수다(떠는 사람). ㊞ ˊ~**·ber** *n.* 수다쟁이. ˊ~**·by** *a.*

blab·ber·mouth [blǽbərmàuθ] *n.* 지껄이는 사람, 밀고자.

†**black** [blæk] *a.* **1** 검은; 암흑의, 거무스름한 《하늘·물 따위》; 때묻은《손·헝겊 따위》: (*as*) ~ *as* coal 〔ebony, ink, soot, a crow〕 새까만. **2** 밀크를〔크림을〕 치지 않은, 블랙의《커피》. **3** 살이 검은; 흑인의; 검은 털의《말》: the ~ races 흑인종/the ~ blood 흑인의 혈통/the ~ vote 흑인표. **4** 검은 옷을 입은. **5** 사악한, 속 검은, 엉큼〔검침〕한: a ~ heart 음험(한 사람). **6** 어두운, 암담한, 음울한, 불길한: ~ mood 절망감. **7** 찌무룩한; 성난; 험악한: ~ *in* the face (격노로) 안색이 변하여, 얼굴이 새파랗게 질리어/~ looks 험악한 얼굴. **8** (농담이나 문학 작품이) 병적인, 불유쾌한, 그로테스크한: ⇨ BLACK HUMOR. **9** 《미구어》 순수한, 철저한: a ~ Republican 철저한 공화당원. **10** 암거래의; 《영》 비조합원에 의해 다루어지는. **11** 《영》 (노동 조합에 의한) 보이콧 대상의《일·상품 따위》. **12** 〖회계〗 흑자의. ~ ***and blue*** 멍이 들도록: beat a person ~ *and blue* 아무를 몹시 때리다. ~ ***or white*** 백이냐 흑이냐, 중간은 용납 안 되는. ***go*** ~ (실신해서) 캄캄해지다. ***look*** ~ 뚱해 있다, 노려보다《*at; on*》; (사태가) 험악하다. ***not so*** ~ ***as*** a person ***is painted*** ⇨ PAINT.

— *n.* **1** Ⓤ 흑(黑), 검은색; Ⓒ 검은 잉크〔그림물감〕, 흑색 물감; 먹. **2** Ⓤ,Ⓒ 검은 옷; 상복(喪服): be (dressed) in ~ 상복을 입고 있다. **3** Ⓒ 흑인(Negro). **4** Ⓤ,Ⓒ (말의) 검은 털; 가라말. **5** Ⓤ,Ⓒ 검은 얼룩, 검댕; 오점: have some ~ on one's hand 손이 검게 더러워져 있다/He put up a ~ in Tokyo. 그는 도쿄에서 망신을 당했다〔체면을 잃었다〕. **6** Ⓤ 암흑, 어둠. **7** 〖식물〗 깜부기균(菌)《보리·순무 따위의》. **8** 검은 말《서양장기 따위의》; (과녁 따위의) 흑점. **9** (the ~) 사업의 흑자: be 〔run〕 in the ~ 흑자이다. **10** (the ~)《영》 (노동 조합에 의한) 보이콧. ***prove that*** ~ ***is white*** = ***talk*** ~ ***into white*** ⇨ SWEAR ~ is white. ***put on a*** ~ 《영속어》 (큰) 실수를 하다.

— *vt.* **1** 검게 하다; 더럽히다: ~ a person's eye 아무의 눈을 (멍이 들도록) 때리다. **2** (구두약으로 신을) 닦다, (스토브 등을) 닦아 광을 내다. **3** 《영》 (노동조합이 상품·업무 등)을 보이콧하다. — *vi.* 검어지다, 어두워지다; (비행중에) 눈이 아찔해지다; 《영》 보이콧하다. ~ ***out*** 《*vi.* + 閉》 ① 의식을 잃다, 기억을 상실하다. ② 〖연극〗 무대를〔장면을〕 어둡게 하다. ③ (방송·송전이) 정지하다, 정전하다. ④ 〖군사〗 (공습에 대비) 소등하다, 등화관제하다. —《*vt.* + 閉》 ⑤ …을 캄캄하게 하다; 〖군사〗 (지역·창문을) 등화관제하다; 〖연극〗 (무대를) 어둡게 하다. ⑥ (방송을) 중지하다, 정지하다(《영》 jam); 《미》 (지역을) TV의 수신구역에서 제외하다. ⑦ (기사의 일부를 검열로) 말소하다, 지우다, 보도관제를 하다.

bláck advánce 《미》 (유세장을 따라다니며 하는) 선거 유세 방해.

bláck África 블랙 아프리카《아프리카 대륙에서 흑인이 지배하고 있는 부분》.

black·a·moor [blǽkəmùər] *n.* 《우스개·고어》 흑인《특히 아프리카의》; 살갗이 검은 사람.

bláck-and-blúe [-ənd-] *a.* 얻어맞아 시퍼렇

게 멍든.
bláck and tán 1 (B– and T–) 아일랜드의 민중 반란(1919–21) 진압을 위해 파견된 영국군의 일원《카키색과 흑색 제복을 착용》. **2** (종종 B– and T–) 〖미국사〗 (남부의) 백·흑인 비례대표제를 주창한 공화당원. **3** 《영》 ale을 탄 흑맥주; 《미속어》 흑백 혼혈인; =MANCHESTER TERRIER.
bláck-and-tán *a.* (테리어 개가) 흑색과 갈색 얼룩인; (나이트클럽 따위가) 흑인과 백인이 다 같이 드나드는; (종종 B– and T–) 《미》 백인과 흑인의 비례 대표제를 주창하는(opp. *lily-white*). **—** *n.* 백인·흑인이 다 잘 다니는 나이트클럽.
bláck and whíte 1 펜화(畫), 묵화. **2** (백지에 검은 잉크의) 인쇄, 필사(筆寫): put down in ~ 인쇄〔문서〕로 하여 두다. **3** 흑백《사진·영화·TV 의》: a picture in ~. cf. in COLOR. **4** 《미속어》 경찰차《순찰차가 흑백으로 칠해진 고장에서》.
bláck-and-whíte *a.* 펜 그림의; 단색(單色)의 《지도 따위》; 흑백 얼룩의; 흑백의《영화·사진·텔레비전 따위》.
bláck árt (the ~) 마술; (미국의) 흑인 예술.
black-a-vised [blǽkəvàist, -zd] *a.* 얼굴이 거무튀튀한.
bláck-bag jób 《미구어》 (연방 수사관 등의) 정보 입수를 위한 불법 침입.
bláck·bàll *n.* 반대 투표. **—** *vt.* …에게 반대 투표하다(vote against); (사회에서) 배척하다. ㊔ **~·er** *n.* 반대 투표자.
bláck báss 농어 비슷한 담수어《미국산(産)》.
bláck béar 1 아메리카(검은)곰《북아메리카산》. **2** 반달가슴곰《아시아산》.
bláck bèer 흑맥주《미국·아시아산(産)의》.
bláck·bèetle *n.* 〖곤충〗 바퀴.
bláck bèlt 1 (비옥한) 흑토 지대. **2** (the ~; 종종 B– B–) 《미》 흑인이 태반을 차지하는 남부 여러 주; (Alabama, Mississippi 두 주의) 옥토 지대; 흑인가〔거주 지역〕. **3** (체육 유단자의) 검은 띠(의 사람). **4** (어느 분야의) 숙련자, 전문가, 명인.
bláck·bèrry *n.* 〖식물〗 검은 딸기(나무). **—** *vi.* 검은 딸기를 따다. ㊔ **~·ing** *n.*
bláck bíle 우울.
°**bláck·bìrd** *n.* **1** 《영》 지빠귀; 《미》 찌르레기. **2** 노예선에 붙잡힌 Kanaka 원주민; 흑인. **3** (B–) 《미》 초음속 전략 정찰기 SR-71 A의 별명. **—** *vi.* (흔히 ~ing) (노예로 삼기 위해) 흑인〔카나카인〕을 납치하다. **—** *vt.* 유괴하여 노예로 팔다. ㊔ **~·er** *n.* 흑인 노예 유괴자〔선〕. **~·ing** *n.* Ⓤ 흑인 노예의 유괴〔매매〕.

blackbird 1

†**bláck·board** [blǽkbɔ̀ːrd] *n.* 칠판. ★ 녹색칠판도 이렇게 부름.
bláckboard jùngle 폭력 교실.
bláck·bòdy *n.* 〖물리〗 흑체(黑體)《모든 파장의 방사(放射)를 완전히 흡수하는 가상 물체》.
bláckbody radiátion 〖물리〗 흑체 반사.
bláck bòok 블랙리스트; 《구어》 여자 친구의 주소록; (B– B–) 〖광고〗 연감식의 광고 편람《일러스트레이터·사진가·사식(寫植) 제판 기술자 따위를 수록》. ***be in*** a person***'s ~s*** 아무에게 주목〔미움〕받고 있다.
bláck bóx 《구어》 블랙박스《(1) 비행 기록 장치(flight recorder). (2) 핵실험 탐지용 자동 지진계. (3) 속을 알 수 없는 밀폐된 전자 장치》.
bláck bréad (호밀제의) 흑빵.

bláck bútter =BEURRE NOIR.
bláck cámp 《미속어》 (죄수의 태반이 흑인인) 흑인 교도소.
bláck cáp 《영》 검은 우단 모자《전에 사형 선고 때 판사가 쓰던》.
bláck·càp *n.* **1** (머리가 검은) 명금(鳴禽)《유럽산(産)》; 《미》 박새류. **2** 《미》 검은 열매를 맺는 나무딸기류(=~ ràspberry).
bláck cápitalism 《미》 흑인 자본주의《정부의 지원으로 흑인 자신이 갖는 기업의 자본 소유 및 경영》.
bláck-cápped [-t] *a.* (새의) 머리가 검은, 「검은 머리의.
bláck cáttle 《고어》 검은 소《스코틀랜드·웨일스산(産) 육우》.
bláck·còat *n.* 《보통 경멸》 목사(牧師); 《영》 월급쟁이; 《미속어》 장의사(葬儀社) 사람. ㊔ **~·ed** [-id] *a.* 사무직 근로자의.
bláck·còck *n.* 멧닭의 수컷. cf. grey hen, heath cock.
bláck códe (종종 B– C–) 〖미국사〗 (남북전쟁 직후 남부의) 흑인 단속법.
bláck cóffee 크림·우유·설탕을 넣지 않은 커피(café noir).
bláck cómedy 블랙 코미디《질병·죽음과 같은 인생의 불유쾌한 면을 익살스럽게 다룬 연극·영화 따위》.
bláck cónsciousness 《S.Afr.》 (자주를 위한) 흑인으로서의 (정치적) 자각, 흑인 의식.
bláck cópper 조동(粗銅). 「업 지대.
Bláck Cóuntry (the ~) (영국 중부의) 대공
bláck cúrrant 〖식물〗 검은까치밥나무《유럽산(産); 과실은 잼 재료》.
bláck·dàmp *n.* (탄갱 안의) 질식 가스.
Bláck Déath (the ~) 흑사병, 페스트《14세기 아시아·유럽을 휩쓴》.
bláck díamond 흑다이아몬드; (*pl.*) 석탄.
bláck dóg (the ~) 《구어》 우울증: be under the ~ 침울해 있다.
bláck dráught 〔**dráft**〕 하제(下劑)의 일종.
bláck dwárf 〖천문〗 흑색 왜성(矮星)《빛을 전혀 내지 않는 왜성》. cf. white dwarf.
bláck éarth 비옥한 흑토(chernozem).
bláck ecónomy 블랙 이코노미《세제 기타 정부 규칙을 어기고 운영하는 경제 활동 부분》.
black·en [blǽkən] *vt.* **1** 검게 하다, 어둡게 하다. **2** (평판·명예를) 손상시키다; 헐뜯다. **—** *vi.* 검게 되다; 어두워지다. ㊔ **~·er** *n.*
Bláck Énglish (미국의) 흑인 영어.
black·en·ing [blǽkəniŋ] *n.* =BLACKING.
Bláck Entertáinment Télevision =BET.
bláck éye 검은 눈; (얻어맞아) 멍든 눈; (보통 a ~) 《구어》 패배; 불명예, 수치; 중상: give a ~ to ... 《미》 …의 신용〔평판〕을 떨어뜨리다.
bláck-èyed *a.* 눈이 까만; 눈 언저리에 멍이 든.
bláck-eyed Súsan 〖식물〗 노랑데이지의 일종《꽃 가운데가 검음》.
bláck·fàce *n.* **1** 흑인으로 분장한 배우(의 메이크업). **2** 〖인쇄〗 굵은〔볼드체〕 활자. **3** (낯이 검은) 양의 일종. ㊔ **-fàced** [-t] *a.* 얼굴이 까만; 음침한 얼굴을 한; 굵은 활자의.
bláck·fèllow *n.* 오스트레일리아 원주민.
bláck-figure *a.* (고대 그리스의) 흑화(黑畫)식의《항아리》.
bláck·fish *n.* 〖동물〗 둥근 머리의 돌고래; 〖어류〗 검정색의 물고기《농어 따위》.
bláck flág (the ~) 해적기《검은 바탕에 두개골과 교차한 두 개의 뼈가 희게 그려진 기》; 검은 기《사형 종료 신호》; 〖일반적〗 검은 기.

bláck-flág *vt.* (자동차 경주에서) (운전자)에게 pit로 가도록 검은 기로 신호하다.
bláck flỳ 진디등엣과(科)의 곤충.
Bláck·fòot (*pl.* **-fèet,** 〖집합적〗 **-fòot**) *n.* 북아메리카 인디언의 한 종족; Ⓤ 그 언어.
Bláck Fórest (the ~) 슈바르츠발트(G. Schwarzwald)《독일 남서부의 산림 지대》.
Bláck Fríar (검은 옷을 입은) 도미니크회(會)의 수사(修士).
Bláck Fríday 불길한 금요일《예수가 처형된 요일》.
bláck fróst (the ~) 모진 추위 때 내리는 서리《수증기가 적고 기온이 매우 낮은 때의 서리이기 때문에, 식물의 잎·싹을 검어지게 함》. cf. white frost.
bláck gáme 〔**gróuse**〕 멧닭.
bláck gáng 《미속어》 기관실의 선원.
bláck ghétto 흑인 빈민가.
bláck góld 《구어》 석유; 고무.
black·guard [blǽgɑːrd, -gərd, blǽkgɑ̀ːrd/blǽgɑːd, -gəd] *n., a.* 불량(한), 깡패〔악한〕(의). — *vt.* …에게 욕〔악담〕을 퍼붓다. — *vi.* 깡패짓〔망나니짓〕을 하다. ㉫ **~·ism** *n.* 불량배의 언행, 《특히》 천한 말씨. **~·ly** *a., ad.* 불량배의, 천박한; 천박하게.
Bláck Hánd 흑수단(黑手團)《스페인의 무정부주의 결사, 1883년에 붕괴; 19세기말 미국의 범죄자 단체》; (b- h-) 악당의 무리, 비밀 폭력단; 공갈, 음모.
Bláck·hànder *n.* 흑수단원.
Bláck Hàwk **1** 블랙 호크《아메리카 인디언 Sauk족의 추장; 1767-1838》. **2** 〖미군사〗 헬리콥터 기종명.
bláck·hèad *n.* **1** 머리가 검은 각종 새《물오리 따위》. **2** 여드름. **3** 흑두병(黑頭病)《칠면조·닭 따위의 전염병》.
bláck·hèart *n.* 검은 버찌; 〖식물〗 내부 섬유가 검게 되는 병.
bláck-héarted [-id] *a.* 뱃속이 검은, 음흉한.
Bláck Hílls (the ~) 블랙힐스《South Dakota 주 남서부와 Wyoming주 북동부의 산악군; 최고봉 Harney Peak(2,208m)》.
bláck hóle **1** 〖천문〗 블랙홀《초중력에 의해 빛·전파도 빨려든다는 우주의 가상적 구멍》. **2** 아무 것도 없는 무(無)의 공간; 무엇이나 삼켜버리는 괴물적 존재〔상황〕. **3** (the B- H-) 더럽고 비좁은 곳; 가두는 곳, 《특히》 군교도소. ***like the Black Hole of Calcutta*** (방이) 무덥고 숨막히는《1756년 6월 인도 캘커타의 토굴에 갇힌 영국병사 146명 중 123명이 하룻밤에 죽은 데서》.
bláck húmor 블랙 유머《빈정거리는 병적인 유머》.
bláck íce (지면의) 살얼음.
bláck informátion (은행 따위에서 신용 평가가 마이너스〔요주의〕인 개인에 관하여 갖고 있는) 신용 불량자 정보.
bláck·ing *n.* Ⓤ 검게 함〔닦음〕; 흑색 도료; 검정 구두약.
bláck ínk 검정 잉크; 《미》 흑자, 대변(貸邊). opp. *red ink.*
black·ish [blǽkiʃ] *a.* 거무스름한.
bláck ívory **1** 〔집합적〕 아프리카 흑인 노예. **2** 상아를 태운 숯《안료》.
bláck jáck 〖우주〗 블랙잭《우주에서 손으로 금속판을 성형키 위한 특수 공구》.
bláck·jàck *n.* 큰 잔《옛날엔 검은 가죽제, 지금은 금속제》; 해적기(black flag); 《미》 가죽 곤봉; 〖광물〗 흑색 섬아연석(閃亞鉛石); 〖식물〗 껍질이 검은 떡갈나무(= **∽ òak**)《미국산》; 〖카드놀이〗 = TWENTY-ONE; (B-) 블랙잭《옛 소련의 대형 초음속 폭격기의 NATO 코드명》. — *vt.* 곤봉으로 때리다; 협박하여 …하게 하다《*into* do*ing*》.
bláck kníght 블랙나이트《매수당하는 회사의 신통치 않은 주식의 공개 매입을 강행하려는 개인·기업》. cf. white knight.
bláck knót 〖식물〗 검은 옹두리 병.
bláck lábor (정부 묵인의) 불법〔부정〕 노동.
bláck·lánd *n.* 흑토, (*pl.*) 흑토(黑土) 지대.
bláck léad 흑연.
bláck·léad *vt.* 흑연(黑鉛)을 바르다〔으로 닦다〕.
bláck·lèg *n.* 야바위꾼, 사기꾼; 《영》 파업 탈퇴자; 〖수의〗 기종저(氣腫疽); 〖식물〗 흑반병(黑斑病). — *vt.* 《영》 **1** (파업 따위를) 반대하다. **2** (아무를) 배반하다. — *vi.* 〔it을 수반하여〕 파업을 반대하고 취업하다.
bláck léopard 흑표범.
bláck létter 〖인쇄〗 흑체〔블랙〕 활자.
bláck-létter *a.* **1** 흑체〔블랙〕 활자(체)의: a ~ book 고대의 인쇄문(文). **2** 불길한, 불행한.
Bláck Liberátion Army 흑인 해방군《미국 흑인 과격파의 비합법적 조직》.
bláck líe 악의있는 거짓말. opp. *white lie.*
bláck líght 불가시 광선《자외선·적외선》.
bláck·lìght tràp 자외선으로 벌레를 유인해 잡는 장치.
bláck·lìst *n., vt.* 블랙리스트〔요시찰인 명부〕(에 올리다).
bláck lúng (탄진(炭塵)에 의한) 흑폐증(黑肺症)(= **∽ disèase**).
bláck·ly *ad.* 검게, 어둡게; 음침하게; 사악하게.
bláck mágic (나쁜 목적으로 하는) 흑주술(黑呪術). opp. *white magic.*
°**bláck·màil** *n.* Ⓤ **1** 등치기, 공갈, 갈취(한 돈): levy ~ on a person 아무를 등치다. **2** 《고어》 공납《약탈을 면하고자 산적에게 바쳤던》. — *vt.* 을러〔등쳐〕 빼앗다; 올려서 …하게 하다《*into*》. ㉫ **~·er** *n.*
bláckmail pìcketing (소수파 조합원에 의한) 시위적 피케팅.
bláck mán 흑인; (the B- M-) 악마, 마왕.
Bláck María **1** 《구어》 죄수 호송차. **2** 《미속어》 영구차. **3** 《군대속어》 검은 연기를 내는 큰 포탄.
bláck márk 검은 표, 벌점.
bláck márket 암시장.
bláck-márket *vt., vi.* 암거래하다.
bláck marketéer 〔**márketer**〕 암상인.
bláck-marketéer *vi.* 암거래하다.
bláck máss **1** 위령 미사《사제가 검은 제의를 입는, 죽은 이를 위한 미사》. **2** (B- M-) 악마의 〔검은〕 미사《악마 숭배자들이 미사를 조롱하여 하는》.
bláck méasles 〖때로 단수취급〗 출혈성 홍역.
blàck métal 〖음악〗 악마를 찬양하며 악을 찬양하는 가사를 부르는 헤비메탈의 일종.
Bláck Mónday **1** 《학생속어》 쉰 후의 첫 등교일《월요일》. **2** (B- M-) 암흑의 월요일《1987년 10월 19일에 발생한 뉴욕 증시의 대공황》.
bláck móney 《미속어》 검은 돈《도박 등으로 얻은 신고하지 않는 소득》, 부정〔음성〕 소득.
Bláck Mónk (검은 옷을 입은) 베네딕트회의 수사.
Bláck Móuntains (the ~) 블랙 마운틴스《미국 Appalachian 산계(山系)의 일부》.
bláck múng bèan 콩나물용 검은 콩.
Bláck Múslim 《미》 블랙 무슬림《Nation of Islam의 일원》.
bláck nátionalism (종종 B- N-) (미국의) 흑인 민족주의. ㉫ **bláck nátionalist**
bláck·ness *n.* 검음, 흑색, 암흑; 음험.
bláck óak 〖식물〗 큰떡갈나무《북아메리카산》.
bláck óil 《속어》 = HASH OIL.
bláck-on-bláck *a.* 《미속어》 흑인에 대한 흑인의《범행 따위》.
bláck óperator 《속어》 비밀 첩보원(secret agent).
bláck·òut *n.* **1** 등화 관제《전시 중의》; 정전(停電); (무대의) 암전. **2** (비행 중의) 의식〔시각〕의

일시적인 상실, 〖일반적〗 일시적 시각〔의식, 기억〕 상실. **3** 말살, 삭제; (법률 등의) 일시적 기능 정지; (뉴스 따위의) 발표 금지; (보도 기관의 파업에 의한) 보도 두절; 전리층의 교란으로 전신이 두절됨; 블랙아웃《우주선의 대기권 돌입 때 지상과의 통신이 잠시 중단되는 일》. 「격파》.
Bláck Pánther 흑표범당원《미국의 흑인 과
Bláck Páper 《영》 흑서(黑書)《백서에 대하여 현행 제도·정책을 비판한 문서》. cf. green paper.
bláck pépper 후춧가루《껍질째 빻은》.
bláck plágue 페스트, 흑사병.
bláck·plàte *n.* (묽은 산수(酸水)로 씻기 전의) 강철판; (래커나 에나멜을 칠한) 강철판.
Bláck Pópe 검은 교황《예수회 총회장의 속칭; 한때 총회장이 갖고 있던 권력과 그 회의 검은 복
bláck pówder 흑색 화약. 〔식에서》.
Bláck Pówer 《미》 흑인 지위 향상 운동.
Bláck Prínce (the ~) 영국 Edward 3세의 장남; 통칭 'the Black Prince' (1330-76).
bláck pùdding 《영》 = BLOOD SAUSAGE.
bláck ráce 흑인종. cf. Negroid.
bláck rádio 위장 모략 라디오 방송《적의 후방 교란을 겨냥한 방송》.
Bláck Ród 《영》 흑장관(黑杖官)《내대신부(內大臣府)·상원에 속하는 궁내관》.
bláck rót 〖식물〗 흑균병(黑菌病), 부패병.
bláck rúst (과일·야채의) 검은 녹병.
Bláck Sásh (the ~) 《S.Afr.》 유색인종 분리 정책에 반대하는 여성 단체.
Bláck Séa (the ~) 흑해.
Bláck séction 《영》 (노동당 안의) 블랙 섹션《흑인층의 이익을 대표하는 비공식 조직》.
Bláck Septémber 검은 9월단《팔레스타인 해방 기구의 테러 조직》. ⓜ **Bláck Septémbrist**
bláck shéep 검은 양; 악당, (한 집안에서의) 말썽꾸러기, 두통거리.
Bláck Shírt 검은 셔츠 당원《이탈리아의 파시스트》; 우익 단체원. 「승무원.
bláck·shòe *n.* 《미속어》 항공 모함의 선상
◇**bláck·smìth** *n.* 대장장이; 편자공.
bláck·snàke *n.* 먹구렁이; 《미》 쇠가죽의 긴 채찍; 석탄 싣는 화물 열차.
bláck spót 위험〔사고 다발(多發)〕 지점.
bláck sprúce 가문비나무의 일종《북아메리카산(産)》.
bláck squáll 〖기상〗 검은 스콜《검은 비구름을 수반하는》. cf. white squall.
bláck·stràp *n.* **1** (당밀(糖蜜)과 럼주를 섞은) 음료. **2** 《속어》 (지중해 지방 원산의) 저질의 붉은 포도주.
bláckstrap molásses 《미》 폐당밀(廢糖密)《설탕 결정을 추출하고 남은 당액(糖液); 알코올 원료·가축 사료용》.
Bláck Stréam (the ~) = JAPAN CURRENT.
bláck stúdies (미국) 흑인 문화 연구 (강좌).
bláck stúff 《미속어》 아편(opium).
bláck stúmp (the ~) 《Austral.》 문명 사회의 끝에 있다는 상상의 표지(標識): beyond the ~ 먼 오지로.
bláck swán 드문〔귀한〕 물건〔일〕; 〖조류〗 (오스트레일리아산(産)) 흑고니.
bláck tàr 《미속어》 (정제한) 검은 헤로인(tar)《멕시코로부터 반입됨》(=**bláck-tar hèroin**).
bláck téa 홍차. ~ ***fungus*** 홍차버섯《카프카스 지방에 전하는 건강차》.
bláck théater 흑인극《흑인의 감독·제작으로 만든 흑인 사회 주제극》.
bláck·thòrn *n.* 〖식물〗 자두나무의 일종《유럽산(産)》; 산사나무의 일종《미국산》; 자두나무 지팡이: ~ winter 블랙손이 피는 겨울.
bláck tíe 검은 나비넥타이; 약식 남자용 야회복; 신사, 명사.
bláck-tíe *a.* 정장을 한, 정식의: a ~ dinner 정찬/a ~ meeting 반공식적인 모임.
bláck·tòp *n.*, *a.* 아스팔트 포장(의). ― *vt.* (도로를) 아스팔트로 포장하다.
bláck tràcker 《Austral.》 (범인·미아 수색에 경찰이 쓰는) 원주민 수색자.
bláck trée fúngus 목이버섯(=**trée èars**)《최근 미국에서 심장 발작 억제 작용이 인정됨》.
bláck vélvet **1** stout 맥주와 샴페인의 칵테일. **2** 《Austral. 속어》 (섹스 상대로서의) 원주민 여인들.
bláck vómit 검은 피가 섞여 나오는 구토《황열병 말기 증세의》.
bláck vúlture **1** 검은 독수리. **2** 검은 콘도르.
bláck wálnut 검은호두나무《북아메리카산(産)》; 그 열매〔재목〕.
bláck·water féver 흑수열《말라리아의 일종; 검은 오줌을 눔》.
bláck whále 흑고래《돌고래의 일종》.
bláck wídow 흑거미《미국산(産) 독거미》.
bláck wòrk 음성적인 일《보통 부업으로 거래 기록이나 납세 신고를 하지 않고 하는》; = BLACK-WORK.
bláck·wòrk *n.* 검정실 자수《흰색 또는 연한 색의 바탕에 하는》. 「검은 새〔동물〕.
blacky [blǽki] *n.* 《영》 흑인, 니그로; 《구어》
blad·der [blǽdər] *n.* **1** (the ~) 〖해부〗 방광: empty the ~ 방뇨(放尿)하다. **2** (the ~) (물고기의) 부레, 부낭. **3** 〖식물〗 (해초 등의) 기포; 물집; 공기주머니. **4** 허풍(선이); 《미속어》 신문; 《속어》 뚱뚱보. ⓜ **~·lìke** *a.* 「물.
bládder·wòrt *n.* 〖식물〗 통발속(屬)의 식충 식
blad·dery [blǽdəri] *a.* 방광 모양의, 기포가 있는; 부푼.
blade** [bleid] *n.* **1** (볏과 식물의) 잎; (잎꼭지에 대하여) 잎몸: a ~ *of* grass 풀 한 잎. **2** (칼붙이의) 날, 도신(刀身); (the ~) 《문어》 칼 (sword); 검객 (swordsman). **3** 노 깃; (스크루·프로펠러·선풍기의) 날개; (혀·뼈의) 평평한 부분; 어깨뼈, 견갑골(scapula); (신호기의) 완목(腕木); (스케이트화의) 블레이드; 〖고고학〗 돌칼, 블레이드《박편 석기의 하나》; (*pl.*) 《Austral.》 양털 깎는 손가위; (불도저의) 배토판(排土板), 토공판(土工板); 〖음성〗 혀끝. **4** 《드물게》 기세 있는〔명랑한〕 사내; 《미속어》 (약은 체하는) 젊은이. ***in the ~ (이삭이 안 난) 잎사귀 때에: eat one's corn *in the* ~ 앞으로의 수입을 믿고 돈을 쓰다. ― *vt.*, *vi.* 배토판이 있는 불도저로 땅을 고르다.
bláde·bòne *n.* 〖해부〗 견갑골.
blad·ed [bléidid] *a.* 《종종 복합어를 이루어》 잎이 있는; 날이 있는: a two-~ knife 양날이 있는 나이프.
bláde·lètte, -let [-lit] *n.* 〖고고학〗 (돌)손칼, 블레이들릿《박편 석기의 하나》. 「= BIL-BERRY.
blae·ber·ry [bléibèri, -bəri/-bəri] *n.* 《Sc.》
blague [blɑːg] *n.* 《F.》 Ⓤ 허풍, 엉터리, 거짓말.
blah [blɑː] *n.* Ⓤ 《속어》 어리석은 짓, 허튼소리 (=**bláh·bláh**); (the ~s) 시큰둥함, 권태. ― *int.* 시시해! ― *a.* 시덥잖은, 재미도 없는; 《미속어》 시큰둥한, 만사 귀찮은《기분》. ― *vi.* 허튼〔실없는〕 소리를 하다.
bláh-bláh-bláh 《구어》 *ad.* …따위, 등등(and so on). ― *n.* 실없는〔시시한〕 소리.
blain [blein] *n.* 〖의학〗 농포(膿疱), 물집, 수포; 〖수의〗 설저(舌疽).
Bláir Hòuse [blέər-] 미국 대통령의 영빈관.
Blake [bleik] *n.* **William** ~ 블레이크《영국의

시인 · 화가; 1757-1827》.

blam·a·ble [bléiməbəl] *a.* 나무라야 할, 비난할 만한. ㊞ **-bly** *ad.* **~·ness** *n.*

blame [bleim] *vt.* 《+목/+목+전+명》 **1** (아무를) 나무라다, 비난하다《*for*》: I don't ~ you *for* being angry. 당신이 화냈다고 해서 당신을 비난하는 것은 아니오 / She ~*d* herself *for* having been a dull company. 그녀는 재미있게 상대해 주지 못한 것을 후회했다. **2** …의 책임〔원인〕으로 돌리다《*for*》: They ~*d* me *for* the accident. 그들은 그 사고에 대한 책임을 내게 돌렸다.

> SYN. **blame** 잘못 따위를 …의 탓으로 돌리다. **censure** 상대를 직접 질책하다, 또는 몹시 비난하다. **condemn** 숙고·심의한 후에 비난하다, 불리한 결정을 내리다.

3 …의 죄를 (…에게) 씌우다, 과실〔허물〕을 더미 씌우다: They ~*d* the accident *on* me. 그들은 사고의 책임을 나에게 씌웠다. **4** 《미속어》 저주하다, 지옥에 떨어뜨리다《damn의 대용》: *Blame* this hat! 우라질 모자 같으니라구 / *Blame* it! 염병할, 빌어먹을 / *Blame* me, if I do that. 그런 일은 절대 안 해. ***be to ~*** 책임을 져야 마땅하다《*for*》: I *am to* ~ *for* it. 그건 내 잘못이다 / No one *is to* ~. 아무에게도 죄는 없다. ***have only oneself to ~*** =***have nobody to ~ but oneself*** 잘못은 오로지 자기에게만 있다; 자기 이외엔 아무도 탓할 사람이 없다. ***I don't ~ you.*** 당신이 그렇게 (말)할 만도 합니다.

—*n.* Ⓤ **1** 비난, 나무람: incur ~ *for* …때문에 비난을 초래하다. **2** 책임, 죄, 허물《*for*》: The ~ lies with him. 죄는 그에게 있다 / bear the ~ *for* …의 책임을 지다 / lay 〔put, place, cast〕 the ~ *on* 〔*upon*〕 a person *for* …한 책임을〔죄를〕 아무에게 씌우다.

blamed 《미속어》 *a.* 천벌받을, 빌어먹을 《damned의 대용》. —*ad.* 몹시; 지겹게.

blame·ful [bléimfəl] *a.* 비난받을, 책임을 추궁당할. ㊞ **~·ly** *ad.* **~·ness** *n.*

bláme·less *a.* 비난할 점이 없는, 결백한. ㊞ **~·ly** *ad.* **~·ness** *n.*

bláme·wòrthy *a.* 질책당할 만한, 비난받을 만한(culpable). ㊞ **-wòrthiness** *n.*

blanc fixe [blá:ŋkfí:ks, blǽŋkfíks] 침강 황산 바륨(permanent white)《안료·도료에 씀》.

blanch [blæntʃ, bla:ntʃ/bla:nʃ] *vt.* **1** 희게 하다, 바래다, 표백하다(bleach); (공포·질병으로) 창백하게 하다; (채소 등을) 연화(軟化)(재배)하다; 〖야금〗 산으로 닦아 광내다. **2** (껍질을 벗기기 쉽게 과일을) 더운 물에 담그다, (야채·고기 등을) 데치다. —*vi.* 희어지다; 새파래지다《*with; to* do; *at*》: She ~*ed at* 〔*to* hear〕 the bad news. 그녀는 그 나쁜 소식을 듣고 새파래졌다. ~ a thing ***over*** (실책 따위를) 교묘히 속이다〔둘러대다〕. ㊞ **∠·er** *n.*

blanc·mange [bləmá:ndʒ, -má:nʒ/-mɔ́nʒ, -mɔ́ndʒ] *n.* Ⓒ,Ⓤ 블랑망제《우유를 갈분·우무로 굳힌 과자》: ~ powder 분유와 가루 젤라틴을 섞은 것 / shake like a ~ (공포로) 덜덜 떨다.

blan·co [blǽŋkou] *n.* 블랭코《벨트 등에 칠하는 백색 도료》. —*vt.* …에 블랭코를 칠하다.

bland [blænd] *a.* **1** (기후가) 온화한(mild). **2** (말·태도가) 온후한, 부드러운; 침착한, 덤덤한. **3** (약·담배 따위가) 맛이 좋은, 순한, 입에 맞는. **4** 재미없는, 지루한. ㊞ **∠·ly** *ad.* **∠·ness** *n.*

blan·dish [blǽndiʃ] *vt., vi.* 부추기다, 잘 설득〔감화〕하다, 구워삶다. ㊞ **~·er** *n.* **~·ment** *n.* (보통 *pl.*) 추김, 감언, 유혹.

blank [blæŋk] *a.* **1** 공백의, 백지의, 기입하지 않은: a ~ sheet of paper 백지 / a ~ page (책의) 공백 페이지 / The cassette tape is ~. 그 카세트 테이프에는 아무 녹음도 되어 있지 않다. SYN. ⇨ VACANT. **2** 〖상업〗 백지식의, 무기명의. **3** (공간 등이) 빈, 텅 빈, 휑한: a ~ space 공터; 여백. **4** 내용이 없는, 무미 단조로운. **5** (창도 장식도 없이) 편편한《벽 등》; 채 가공하지 않은《화폐·열쇠 따위》. **6** 멍청한, 마음 속이 텅 빈, 생기〔표정〕 없는: a ~ stare 멍청한 눈 / go ~ (마음 따위가) 공허해지다. **7** 아주, 순전한: a ~ impossibility 전혀 불가능함. **8** 〖카드놀이〗 (좋은) 패가 없는: be ~ in spades 스페이드가 한 장도 없다. **9** 《속어》 〔damn 대신 완곡한 모욕어로〕 지긋지긋한: *Blank* him! 엿먹어라 / a ~ idiot 큰 바보. **10** 〔명시(明示)를 피해〕 모(某)…, ○○: the ~ regiment ○○연대. ***go ~*** (잠시) 멍해지다.

—*n.* **1** 공백, 여백; 〖컴퓨터〗 공백: a ~ *in* one's memory 기억이 상실돼 있는 부분. **2** 백지; 공지; 《미》 (공란에 써 넣는) 기입 용지(《영》 form); 《영》 의안 중 사체(斜體)로 씌어진 미결의 부분. **3** 공허(emptiness); 단조로움. **4** (제비뽑기의) 꽝; 〖군사〗 공포탄; 미가공의 화폐〔열쇠〕 따위. **5** (과녁 중심의) 흰 점; 목표, 목적. **6** 생략을 나타내는 대시: Mr. __ of __ place 모처의 모씨《Mr. Blank of Blank place로 읽음》. ***draw*** (***a***) ~ ① (제비에서) 꽝을 뽑다. ② 실패하다《*in*》; 생각나지 않다; 취해 있다; 몰이를 해도 사냥감이 없다. ***fill in*** 〔***out***〕 ***a ~*** 빈 곳에 써넣다; 기입 용지에 써넣다. ***fire ~s*** 《미속어》 임신시키지 않고 성교하다. ***in ~*** (수표 따위를) 백지식으로; 공백인 채로.

—*vt.* **1** 《~+목(+부)》 희게 하다; 보이지 않게 하다《*off; out*》. **2** 《+목+부》 지우다, 말소하다《*out*》. **3** 《미》 영패시키다; 완봉하다(shut out). —*vi.* 《+부》 점차 흐릿해지다《*out*》; (기억·인상 등) 희미해져 가다《*out*》; 의식을 잃다, 멍청하다《*out*》.

㊞ **∠·ness** *n.* 공백, 단조.

blánk·bòok *n.* 백지장(帳), 기입하지 않은 장부.

blánk cártridge 〔**fíring**〕 공포탄〔사격〕.

blánk chéck 백지 수표; 《속어》 무제한의 권한, 자유 행동권: give a person a ~ to do 아무에게 자유로이 …해도 좋다고 인정하다.

blánk endórsement 〖상업〗 백지〔무기명〕 배서.

blan·ket [blǽŋkit] *n.* **1** 담요. **2** 전면을 덮는 것, 피복(被覆): a ~ *of* snow 사방을 온통 덮은 눈. **3** 〖인쇄〗 (오프셋 인쇄기의) 블랭킷; 〖물리〗 블랭킷《원자로의 노심 또는 그 주위를 둘러싼, 핵연료 냉각용 물질의 층》. **4** 《미속어》 팬케이크, 핫케이크, 담뱃종이. ***a wet ~*** ⇨ WET BLANKET. ***spit the ~*** 《미구어》 (부부가) 이혼하다, 별거하다. ***be born on the wrong side of the ~*** 《드물게》 사생아로 태어나다. ***throw a cold*** 〔***wet***〕 ***~ over*** 〔***on***〕 …의 흥을 깨다〔열을 식히다〕, …에 찬물을 끼얹다.

—*a.* 《미》 **1** 총괄적〔포괄적〕인: a ~ bill 〔clause〕 총괄적 의안〔조항〕 / a ~ ballot 연기명 투표 용지 / a ~ visa (기항지에서 세관이 발행하는) 포괄 사증. **2** 전파 방해의.

—*vt.* **1** (담요로 덮듯이) 온통 덮다. **2** 《고어》 (벌로서) 담요로 헹가래치다. **3** (불을) 담요로 덮어 끄다; (추문 따위를) 덮어 감추다. **4** 《미》 (전파를) 방해하다, 끄다《*out*》. **5** (법률·비율 따위가) …의 전반에 적용되다; (철도 운임 따위가) …의 전구간에 적용되다. **6** 〖해사〗 (돛배가) 다른 배를 가려 바람을 막다.

blánket bàth 《영》 환자를 눕힌 채로 닦아주기 (=**béd bàth**). cf. sponge bath.

blánket bóg 빈영양(貧榮養)의 이탄(泥炭) 습

지《한랭지의 평탄한 지역에 널리 분포하는》.
blánket chèst 이불장.
blánket drìll 《미속어》 수면, 잠.
blánket fínish 〖경주·경마〗 전(全) 경기자〔경주마〕의 근소한 차의 골인.
blánket hèad (신문의) 전단 표제(標題).
blán·ket·ing *n.* Ⓤ **1** 담요감; (담요에 싸서 하는) 헹가래. **2** 전파 방해.
blánket ròll (식기·사물(私物) 등을 싸서) 둘둘 만 휴대 담요〔침구〕.
blánket shèet (19세기 중엽의) 대형 신문지.
blánket stìtch 블랭킷 스티치《단춧구멍 스티치보다 땀이 넓음》.
blan·kety(-blank) [blǽŋkiti(blǽŋk)] 《미속어》 *a.*, *ad.* 괘씸한; 당치도 않게《damned, bloody 같은 저주하는 어구의 대용어》: Who the ~ are you? 대관절 너는 누구냐. **—** *n.* 망할 자식(wretch).
blánk·ly *ad.* 망연히, 멍청히; 딱 잘라, 단호히.
blánk máp 백지도.
blánk shéll 공포탄.
blánk tést 〖화학〗 공(空)시험, 대조(對照) 시험.
blánk vérse 무운시(無韻詩)《약강오보격(弱強五步格)의》.
blánk wáll 막다름, 장애: run into a ~ 막다른 벽에 부딪치다.
blanky [blǽŋki] *a.* 《영구어》 공백(空白)이 많은; 《속어》 =DAMN(ED).
blan·quette [blɑːŋkét] *n.* 화이트소스에 조린 송아지 고기 따위.
blare [blɛər] *vi.* (나팔이) 울려 퍼지다; 《영방언》 (소가) 울다. **—** *vt.* (나팔·경적을) 울리다; 외치다, 고래고래 소리지르다《*out*》; 요란하게 취급하다《*out; forth*》. **—** *n.* Ⓤ (나팔의) 울림; 귀에 거슬리는 큰 소리; 번쩍거리는 색채; 요염함; 팡파르.
blar·ney [blɑ́ːrni] *n.* Ⓤ 알랑대는 말, 아첨; 허튼소리, 난센스. **—** *vt.*, *vi.* 아첨(하는 말을) 하다; 말솜씨 좋게 꾀다, 감언으로 설득하다.
Blárney stòne (the ~) 아일랜드의 Blarney 성에 있는 돌《여기에 입맞추면 아첨을 잘하게 된다 함》. ***have kissed the*** ~ 아첨떠는 재주가 있다.
bla·sé [blɑːzéi, ˊ-] *a.* 《F.》 환락에 물린; (진기하지도 않아) 무관심〔무감동〕한; 세정에 밝은.
blas·pheme [blæsfíːm] *vt.*, *vi.* (신·신성한 것에 대하여) 불경스러운 말을 하다, 모독하다《*against*》. ㊞ **-phém·er** *n.* 모독자, 벌받을 소리를 하는 사람.
blas·phe·mous [blǽsfəməs] *a.* 불경한, 모독적인; 말씨 사나운. ㊞ **~·ly** *ad.* **~·ness** *n.*
blas·phe·my [blǽsfəmi] *n.* Ⓤ 신에 대한 불경, 모독; Ⓒ 벌받을 소리〔행위〕; 독설.
blast** [blæst, blɑːst/blɑːst] *n.* **1** 한바탕의 바람, 돌풍, 폭풍, 분사한 공기〔증기 등〕: a ~ *of* wind 일진의 돌풍. SYN. ⇨WIND. **2** (풀무·풍금 따위의) 송풍(送風). **3** (나팔·피리의) 한 번 부는 소리, 취주: a ~ *on* a trumpet 나팔 소리/ blow a ~ *on* the siren 기적을 울리다. **4** 폭발, 폭파; (1 회분의) 폭약. **5** 일진의 바람이 몰고 오는 것《진눈깨비 따위》; (바람에 의한 식물의) 고사병, 독기. **6** (감정의) 폭발, 심한 비난; 급격한 재액, 타격. **7** 《미속어》 (떠들썩한 음주) 파티. **8** 《속어》 즐거운 한때, 즐거움; 《미속어》 대만족, 스릴. **9** 〖야구〗 맹타, 《특히》 홈런. **10** 《속어》 대실패; 〔감탄사적〕 제기랄: *Blast* and damnation! 이런 젠장할. ***at a 〔***one***〕 ~ 단숨에. ***at*** 〔***in***〕 ***full*** ~ 한창 송풍 중에; 전력〔전속력〕을 다하여; (라디오 등) 음량을 (한껏) 올리고. ***in*** 〔***out of***〕 ~ (열풍로가) 작동〔정지〕하여. ***put*** 〔***lay***〕 ***the*** ~ ***on*** a person 《미속어》 아무를 몹시 나무라다〔비난하다〕; (주먹으로) 때리다.
— *vt.* **1** 폭파하다, (터널 따위를) 남포를 놓아 만들다. **2** (명예·희망 등을) 결딴내다, 손상시키다: The news ~*ed* our hopes. 그 소식은 우리의 희망을 꺾어버렸다. **3** 《+목+부/+목+전+명》 《속어》 사살하다; 쏘아 떨어뜨리다《*away; down; off*》: They ~*ed* him *away*. 그들은 그를 사살했다/They ~*ed* him *off* his horse. 그를 쏘아 말에서 떨어뜨렸다. **4** (로켓 등을) 분사하여 발진시키다. **5** 이울게 하다, (식물을) 마르게 하다. **6** 몹시 비난하다, 질책하다; …에 맹공을 가하다; (상대 팀을) 대패시키다. **7** 〖야구〗 장타〔강타〕를 치다. **8** (나팔 따위를) 불다. **9** 《영속어》 저주하다: *Blast* it 〔him, etc〕! 젠장, 뒈져라.
— *vi.* 이울다; 큰 소리를 지르다; 남포를 놓다; 마르다; (명예·희망 등이) 결딴나다; (총으로) 쏘다; 폭발되다; 《미속어》 마약 주사를 맞다, 마리화나를 피우다. ~ (***the***) ***hell out of*** a person 아무를 마구 때려 실신시키다. ~ ***off*** 《*vi.*+부》 ① (로켓·미사일이) 발사되다; (로켓을 타고) 우주 비행에 나서다. ② 《속어》 나가다. **—** 《*vt.*+부》 ③ (로켓·미사일)을 발사하다. ④ (폭풍 등이) …을 흩날리다. ⑤ (사람을) 쏘아 떨어뜨리다.
blást·ed [-id] *a.* **1** 시든, 해를 입은(ruined); 무너진《희망》: ~ heath (서리로) 말라버린 히스 벌판. **2** 지긋지긋한: This ~ pen did never work properly. 이 빌어먹을 놈의 펜은 제대로 써진 적이 없다. **3** 《구어》 무일푼의. **—** *ad.* 괘씸하게, 몹시.
blas·te·ma [blæstíːmə] (*pl.* **~s, ~*ta*** [-tə]) *n.* 〖생물〗 아체(芽體); =ANLAGE. ㊞ **~l, blas·te·mat·ic** [blæ̀stəmǽtic], **blas·te·mic** [-tíːmik, -tém-] *a.*
blást·er *n.* 발파공(發破工); 〖골프〗 블라스터《벙커용의 타면이 넓은 채》; (SF 소설에서) 우주총; 《미속어》 총, 총잡이.
blást-frèeze *vt.* (냉각 공기를 순환시켜) 급속냉동하다.
blást fùrnace 용광로.
blást·ing *n.* Ⓤ 폭파; (서리 따위가 초목을) 말림〔시들게 하기〕; 《속어》 호된 꾸지람.
blásting pàrty 《미속어》 크게 법석대는 파티.
blásting pòwder 발파용 폭약, 흑색 화약.
blas·to- [blǽstou, -tə] '눈, 씨눈, 배(胚)'란 뜻의 결합사. ★ 모음 앞에서는 **blast-**.
blas·to·coel(e) [blǽstəsìːl] *n.* 〖생물〗 분할강(分割腔), 포배강(胞胚腔). ㊞ **blàs·to·cóel·ic** *a.*
blas·to·cyst [blǽstəsist] *n.* 〖생물〗 배반포(胚盤胞)《수정란이 일정한 세포 분열을 끝내고 속이 빈 단계의 배》.
blas·to·derm [blǽstədəːrm] *n.* 〖생물〗 배엽(胚葉). ㊞ **blàs·to·der·mát·ic, -dér·mic** *a.*
blásto·dìsc, -dìsk *n.* 〖생물〗 배반(胚盤).
blást-òff *n.* (로켓·미사일의) 발사; 《미속어》 사정(射精).
blas·to·mere [blǽstəmìər] *n.* 〖생물〗 할구(割球). ㊞ **blàs·to·mér·ic** *a.*
blàsto·mycósis *n.* 〖의학〗 분아진균증(分芽眞菌症), 효모(酵母)균증. ㊞ **-mycótic** *a.*
blas·to·pore [blǽstəpɔ̀ːr] *n.* 〖생물〗 원구(原口).
blas·to·spore [blǽstəspɔ̀ːr] *n.* 〖세균〗 아생(芽生) 홀씨《발아에 의해 생기는 휴면(休眠) 홀씨》.
blást pàrty 《미속어》 마리화나 파티.
blást pìpe 송풍관; 배기관.
blas·tu·la [blǽstʃələ] (*pl.* **~s, -lae** [-lìː]) *n.* 〖생물〗 포배(胞胚). ㊞ **~r** [-lər] *a.* **blàs·tu·lá·tion** *n.* 포배 형성.
blást wàve 폭풍.
blat [blæt] (**-*tt*-**) *vi.* (송아지·양이) 울다; 《구어》 지절거리다. **—** *vt.* 크게〔경망하게〕 지껄이다.

bla·tant [bléitənt] *a.* 소란스러운; 몹시 주제넘게 구는; (복장 따위가) 야한, 난한; 심히 눈에 띄는, 빤한《거짓말 따위》, 뻔뻔스러운. ㊕ **blá·tan·cy** *n.* [U] 소란함; 야함; 노골적임; 뻔뻔스러움. **~·ly** *ad.*

blate [bleit] *a.* 《Sc.》 겁많은; 수줍음을 잘 타는; 우둔한, 둔감한.

blath·er [blǽðər] *vt., vi.* 지절거리다. **—** *n.* [U] 쓸데없는〔허튼〕 말; 소란. ㊕ **~·er** *n.* [C]

bláther·skite [-skàit] *n.* [U] 수다(를 떪); [C] 떠버리, 수다쟁이.

blat·ter [blǽtər] *n.* 재잘거림〔거리는 소리〕; 후드득후드득, 달그락달그락. **—** *vi.* (비가) 후드득후드득 떨어지다〔때리다〕; 수다스럽게 지껄이다, 재잘거리다. **—** *vt.* 수다스럽게 털어놓다〔말하다〕.

blax·ploi·ta·tion, blacks- [blæksplɔitéiʃən] *n.* 《미》 (흑인이 주연하는 영화나 극에서 볼 수 있는) 대(對)흑인 선전; 흑인 고객 유치책. [◂ *black+exploitation*]

*__blaze__[1] [bleiz] *n.* [U,C] **1** (확 타오르는) 불길; 화재. **2** 번쩍거림, 광휘: a ~ *of* jewels 보석의 번쩍임/the 〔a〕 ~ *of* fame 빛나는 명성. **3** [C] 확 타오름; (감정 따위의) 격발; (명성의) 발양(發揚): attract a ~ *of* publicity 폭발적인 인기를 끌다/in a ~ *of* passion 격정에 이끌리어. **4** (*pl.*) 《속어》 지옥: Go to ~*s!* 지옥에나 떨어져라, 뒈져 버려라. **5** (*pl.*) 〖의문의 강조〗 도대체: What the ~*s* do you mean? 대관절 무슨 일이냐. ***in a ~*** 활활 타올라, 불같이 노하여. ***like ~s*** 《속어》 맹렬히, 바지런히《일을 하다》.
— *vi.* **1** 타오르다, 불꽃을 일으키다. [SYN.] ⇨ FLAME. **2** 《+[부]/[전]+[명]》 빛나다, 번쩍거리다; 밝게 빛나다《*with*》; 햇발이 내려쬐다《*down*》: The sun ~*d down on* us. 해가 머리 위를 내려쬐였다. **3** 《+[전]+[명]》 격노하다, 격앙하다《*with*》: He was *blazing with* anger. 그는 불끈 화를 내고 있었다. **—** *vt.* 불태우다; 빛내다; (감정을) 노골적으로 나타내다. **~ *away*** 〔***off***〕 …에 탕탕 쏘아대다《*at*》; 맹렬히〔흥분하여〕 지껄여대다; 부지런히 일하다《*at*》. **~ *out*** 확 타오르다, 격분하다; 화풀이하다; (흥분이) 가라앉다. **~ *up*** 확 타오르다; 흥분하다.

blaze[2] *n.* 나무의 껍질을 벗긴 안표(眼標)《도표(道標)·경계표로서 또는 벌채 표시로서》; (말·소의 낯에 있는) 흰 점 또는 줄. **—** *vt.* 껍질을 벗기어 안표를 만들다; (길 따위를) 개척하다; 선두에 나서다. **~ *a*** 〔***the***〕 ***trail*** 〔***way, path***〕 길잡이 표적을 새기다; (새 분야를) 개척하다《*in*》.

blaze[3] *vt.* (말을) 퍼뜨리다, 공표하다《*abroad; about*》.

blaz·er[1] [bléizər] *n.* 전파자, 선전자.

blaz·er[2] *n.* 블레이저 코트《화려한 스포츠용 상의》; (밑에 불이 담긴) 보온 냄비; 《미》 실수; 새빨간 거짓말; 《구어》 몹시 더운 날.

blaz·ing [bléiziŋ] *a.* 불타는 (듯한); 빤한《거짓말》, 대단한; 〖사냥〗 (짐승의 유취(遺臭)가) 강렬한; 《영구어》 격노한: the ~ sun 몹시 더운 날씨, 염천/a ~ scent (사냥감의) 강한 냄새.

blázing stár 〖식물〗 국화과의 식물《북아메리카산(產)》; 흥미〔주목〕의 대상, 뭇사람의 눈길을 모으는 인물.

bla·zon [bléizn] *n.* 문장(紋章); (문장 있는) 방패; 문장 해설〔도해(圖解)〕; 과시; 표창. **—** *vt.* **1** 문장을 그리다〔해설하다〕. **2** (색을 써서 문장을) 그리다; (문장으로) 치장하다. **3** 공표하다, 떠벌려 퍼뜨리다《*abroad; forth; out*》. ㊕ **~·er** *n.* **~·ing** *n.* **~·ment** *n.*

bla·zon·ry [bléiznri] *n.* [U] 문장(紋章) 해설〔묘화법(描畫法)〕; 문장; 화사한 겉치레; 미관.

Bldg. E. Building Engineer. **bldg(s).** building(s). **bldr.** builder.

◇**bleach** [bliːtʃ] *vt., vi.* 희게 하다, 표백하다; 희어지다, 표백되다. **—** *n.* 표백; 표백도(度); 표백제. ㊕ **~ed** [-t] *a.* 표백한.

bléach·er *n.* 표백업자, 표백하는 사람; 표백용 용기; 표백제; (보통 *pl.*) 《미》 외야석《야구장》. ㊕ **~·ite** [-tʃəràit] *n.* 《미》 외야석의 구경꾼. **~y** [-tʃəri] *n.* 표백 공장.

bléach·ing *n.* [U] 표백(법). **—** *a.* 표백하는〔성의〕: ~ powder 표백분.

*__bleak__[1] [bliːk] *a.* **1** 황폐한, 쓸쓸한. **2** 바람받이의; 차가운, 살을 에는 듯한. **3** 냉혹한, 모진; 엄연한. **4** 풀죽은, 구슬픈(sad); 암담한: a ~ future 암담한 장래. ㊕ **∠·ly** *ad.* **∠·ness** *n.*

bleak[2] *n.* 잉엇과(科)에 속하는 물고기의 일종.

bléak·ish *a.* 어딘지 모르게 으스스한.

blear [bliər] *a.* (눈이) 흐린, 침침한; 희미한. **—** *vt.* (거울을) 흐리게 하다, (눈을) 침침하게 하다; (윤곽을) 희미하게 하다.

bléar-èyed, bléary- *a.* 흐린 눈의; 아둔한, 근시적인: a ~ attitude about life 당일치기의 생활 태도.

bleary [blíəri] *a.* 눈이 흐린; 어렴풋한.

◇**bleat** [bliːt] *vi.* **1** (양·염소·송아지가) 매애 울다; 재잘재잘 지껄이다. **2** 우는 소리를 하다, 푸념하다《*about*》. **—** *vt.* (우는 소리를) 말하다; (실없는) 말을 하다《*out*》. **—** *n.* (염소·송아지의) 울음소리; 우는 소리. ㊕ **∠·er** *n.* 매애 우는 양〔염소, 송아지〕; 양처럼 소리내는 사람〔물건〕; 우는 소리 하는 사람.

bleb [bleb] *n.* 〖의학〗 물집; 기포(氣泡). ㊕ **bléb·by** *a.*

bleed [bliːd] (*p., pp.* ***bled*** [bled]) *vi.* **1** 《~/+[전]+[명]》 출혈하다; (…에서) 피가 흐르다《*at; from*》: ~ *to* death 출혈하여 죽다/His nose is ~*ing.* = He is ~*ing at* the nose. 그는 코피를 흘리고 있다. **2** 《~/+[전]+[명]》 (나라·주의를 위해) 피를 흘리다, 죽다《*for*》: He *bled for* freedom. 그는 자유를 위해 피를 흘렸다. **3** 《~/+[전]+[명]》 마음 아파하다《*for; at*》: My heart *bled at* the sight. 그 광경을 보니 가슴 아팠다/My heart ~*s for* you. 너를 동정한다《★ 《구어》 반어적으로 동정따위 안 한다》. **4** 《구어》 《+[전]+[명]》 큰돈을 뜯기다《*for*》. **5** (염색한 색이) 날다, 빠져나오다. **6** (식물이) 진을 흘리다. **7** (가스·물이) 새어나오다; (이음매가) 느즈러지다. **8** 〖인쇄〗 화선(畫線)물림인쇄하다. **—** *vt.* **1** (사람·짐승)에게서 피를 빼다. **2** 《+[목]+[전]+[명]》 《구어》 (아무에게서) 짜내다《*for*》: ~ a person *for* money 아무에게서 돈을 우려내다. **3** (나무가 진을) 내다; …의 진을 채취하다. **4** 《+[목]+[전]+[명]》 …에서 (액체·공기 따위를) 빼다《*of*》: ~ a pipe *of* water 관에서 물을 빼다. **5** 〖인쇄〗 (삽화 등을) 화선물림인쇄하다. **~ *a person white*** 〔***dry***〕 ⇨ WHITE. ***make* a person*'s heart* ~** 동정을 불러일으키다. **—** *n.* 〖인쇄〗 화선물림재단 삽화〔페이지〕. [◂ blood]

bléed àir 〖항공〗 추출(抽出) 공기《가스터빈 엔진의 압축기 또는 연료기에서 추출한 고온 고압공 기로 보조 장치(auxiliary equipment) 구동(驅動)이나 방빙(防氷) 등에 쓰임》.

bléed·er *n.* **1** 피 빼는 사람; 출혈성의 사람, 혈우병 환자(hemophiliac). **2** 《속어·경멸》 등치기꾼, (역겨운) 인물, 놈: a ~ of a 〔an〕… 《영·경멸》 몹시 지겨운…. **3** 〖전자〗 블리더 저항기(= ∠ **resistor**); 〖기계〗 블리더(밸브) (= ∠ **vàlve**). **4** 《야구속어》 (땅볼 등이 외야로 빠지는) 행운의 안타.

bléeder's disèase 혈우병(hemophilia).

bléed·ing *n.* [U] 출혈, 유혈(流血); 《CB속어》 근접 채널로의 교신에 의한 장애. **—** *a.* 출혈하

는, 피투성이의; 《영비어》 끔찍한. — *ad.* 《영비어》 몹시, 정말로.

bléeding héart 『식물』 금낭화; 《경멸》 (사회 문제 따위에서) 동정을 과장해 보이는 사람; =DO-GOODER.

bleep [bli:p] *n.* 삐이하는 신호음; 《방송속어》 (온당치 못한 어구를 삭제하기 위한) 전자음; 《구어》 무선 호출기. — *vi.* 무선 호출기가 (삐삐) 울리다; 무선 호출기로 부르다《*for*》; 《방송속어》 ~로 삭제하다. — *vt.* 무선 호출기로 (의사를) 부르다; =BLIP. ㊕ **∠·er** *n.* 무선 호출기

°**blem·ish** [blémiʃ] *n.* Ⓤ 흠, 오점, 결점: His record is without (a) ~. 그의 경력에는 (한점의) 오점도 없다. — *vt.* …에 흠을 내다; (명예 따위를) 더럽히다. ㊕ **~·er** *n.*

blench[1] [blentʃ] 《고어》 *vi.* 질리다, 기가 꺾이다, 움츠리다, 회피하다(avoid). ㊕ **∠·er** *n.* **∠·ing·ly** *ad.*

blench[2] *vi., vt.* 희게〔새파랗게〕 되다〔하다〕.

blend** [blend] (*p., pp.* **∠·ed,** 《시어》 ***blent [blent]) *vt.* 《~+목/+목+전+명》 (뒤)섞다; (다른 술·담배·커피 등을) 혼합하다: ~ milk and cream (together) 밀크와 크림을 섞다/*Blend* mayonnaise *with* other ingredients. 마요네즈를 다른 재료와 섞어라. SYN. ⇨ MIX. — *vi.* **1** 《~/+전+명》 섞이다, 혼합되다; 뒤섞이다, (색 따위가) 한데 어우러지다〔융합하다〕《*with; into*》: The colors of the rainbow ~ *into* one another. 무지개의 색은 서로 어우러진다. **2** 《~/+전+명》 잘 되다, 조화되다: The new curtains do not ~ *with* the white wall. 새 커튼이 흰 벽과 조화되지 않는다. ***blend in*** 《*vi.*+부》 ① 조화하다, 섞이다《*with*》: He ~*s in* well *with* the new group. 그는 새 그룹에 잘 융합하고 있다. — 《*vt.*+부》 ② 섞다; 조화시키다《*with*》. — *n.* Ⓒ 혼합(물); 혼색; 『언어』 혼성어. ㊕ **∠·ed** [-id] *a.* (차·술 등이) 혼합된; (직물이) 혼방인: ~*ed* tea/~*ed* fabric 혼방 직물.

blende [blend] *n.* 『광물』 섬(閃)아연석.

blénded crédit 블렌드크레디트《둘 이상의 자금원을 기반으로 하여 공여(供與)되는 신용 대출》.

blénded fámily =STEP-FAMILY.

blénded whískey 블렌드 위스키.

blénd·er *n.* blend 하는 사람〔기계〕; 《미》 (요리용) 믹서(《영》 liquidizer); 『기계』 배합기.

blénd·er·ized [-ràizd] *a.* (여러 가지가 잡다하게 섞여) 개성이 없는《신문 따위》.

blénd·ing *n.* Ⓤ,Ⓒ 혼합(물); 『언어』 혼성어《보기: smog [◂ *sm*oke+f*og*]》.

blénding inhéritance 『유전』 융합 유전.

Blen·heim [blénəm] *n.* **1** 『동물』 스패니얼 개의 일종(=∠ **spàniel**). **2** 『식물』 황금색 사과의 일종(=∠ **Òrange**).

blen·ny [bléni] *n.* 『어류』 베도라치.

blent [blent] 《시어》 BLEND의 과거·과거분사.

ble·o·my·cin [blì:əmáisin] *n.* 『약학』 블레오마이신《토양균에서 채취한 항생 물질로 피부암·설암·폐암 치료용》.

bleph·a·ri·tis [blèfəráitis] *n.* Ⓤ 『의학』 안검염(眼瞼炎), 다래끼.

bleph·a·ro·plast [bléfərəplæ̀st] *n.* 『생물』 생모체(生毛體)《섬모·편모 기부의 소체(小體)》.

bleph·a·ro·plas·ty [bléfərəplæ̀sti] *n.* 『의학』 안검(眼瞼) 형성(술)(=**éye·lift**).

bleph·a·ro·spasm [bléfərəspæ̀zəm] *n.* 『의학』 안검(眼瞼) 경련.

Blé·riot [blériòu; *F.* bleʀjo] *n.* **Louis ~** 블레리오《프랑스의 비행가; 1909년 영국 해협을 처음 횡단; 1872–1936》.

bles·bok, -buck [blésbɑ̀k/-bɔ̀k], [-bʌ̀k] *n.* 블레스복《남아프리카산(產) 영양(羚羊)》.

bless** [bles] (*p., pp.* **~*ed [-t], ***blest*** [blest]) *vt.* **1 a** 〖종종 수동태〗 《~+목/+목+전+명》 …에게 은총을 내리다; …에게 베풀다《*with*》: God ~*ed* them *with* children. 신은 그들에게 자식들을 베풀어 주셨다/I *am* ~*ed in* my children. 나는 자식복이 있다. **b** 〖~ oneself〗 (성호를 긋고) 신의 은총을 기원하다, 자신을 축복하다; 잘 되었구나 하고 생각하다. **2** 《+목+전+명》 (악(惡)에서) …을 지키다《*from*》: *Bless* me *from* all evils! 모든 악으로부터 지켜 주소서. **3** …를 위해 신의 은총을〔가호를〕 빌다, 축복하다: *Bless* this house. 이 가정을 축복하소서. **4** (신을) 찬미하다; (신 등)에게 행복을 감사하다: *Bless* the Lord, O my soul. 『성서』 내 영혼아 여호와를 송축 하라《시편 CIII: 1》/I ~*ed* my stars that... …을 운명에 감사했다. **5** (종교적 의식에 의해) 신성화하다, 정하게 하다: ~ bread at the altar 빵을 제단에 바쳐 정결케 하다. **6** 《+목+전+명》 (아무)에게 감사하다《*for*》: I ~ him *for* his kindness. 그의 친절을 진심으로 감사하고 있다. **7** 《구어》 〖감탄의 표현으로〗: (God) ~ you! 신의 가호가 있기를; 조심조심《상대가 재채기했을 때》; 감사합니다; 아이 고마워라; 저런, 가엾어라《따위》. **8** 〖반어적; if절의 강한 부정·단정〗 …을 저주하다: I'm ~*ed if* I know. 그런 거 알게 뭐야.

°**bless·ed** [blésid] *a.* **1** 은총 입은, 행복한, 행운의, 축복받은: ~ ignorance 모르는 게 약/*Blessed* are the poor in spirit. 『성서』 심령이 가난한 자는 복이 있나니라《마태복음 V: 3》. **2** 즐거운, 고마운: ~ news 기쁜 소식. **3** 신성한, 성화(聖化)된: my father of ~ memory 돌아가신 아버님/the ~ (ones) 천국의 뭇 성인〔성도〕. **4** 〖반어적〗 저주할, 벼력 입을: We labeled every ~ book. 우리는 짜증나도록 모든 책에 라벨을 붙였다. **5** 〖강조적〗 마지막까지의, 최후의: the whole ~ day 온 하루〔종일〕/every ~ cent 한 푼 남기지 않고. ㊕ **~·ly** *ad.* 다행히; 행복하게; 즐겁게. **~·ness** *n.* 행운, 행복: single ~*ness* 《우스개》 독신(으로 마음 편한 신세).

bléssed evént 《우스개》 아이의 출생; 신생아.

Bléssed Sácrament (the ~) 성찬의 빵《성체》; 성찬식.

Bléssed Trínity (the ~) 『종교』 삼위일체.

Bléssed Vírgin (the ~) 성모 마리아.

bless·ing** [blésiŋ] *n.* **1** 축복(의 말); 식전〔식후〕의 기도: ask 〔say〕 a ~ 식전〔식후〕의 기도를 하다. **2** 신의 은총〔가호〕; 행복. **3** 고마운 것, 즐거운 것. **4** 찬성, 승인: give one's ~ *to* …을 승인〔허가〕하다. **5** 〖반어적〗 저주(하기). ***a ~ in disguise 불행해 보이나 실은 행복한 것. ***count one's ~s*** (불행한 때에) 좋은 일들을 회상하다.

blest [blest] BLESS의 과거·과거분사. — *a.* 《주로 시어》 =BLESSED.

blet [blet] *n.* 농익은 과일의 부패.

bleth·er [bléðər] *vt., vi., n.* =BLATHER.

blew [blu:] BLOW[1-3]의 과거.

°**blight** [blait] *n.* **1** Ⓤ (식물의) 마름병, 동고병(胴枯病), 줄기마름병; 그 병인(病因)《세균·바이러스·대기오염 등》; 《영》 (특히 과수를 해치는) 진디(aphis). **2** (사기·희망 등을) 꺾는 것〔사람〕; 해치는〔파괴하는〕 것; (앞길의) 어두운 그림자: cast 〔put〕 a ~ on 〔upon〕 …에 어두운 그림자를 드리우다. **3** (도시의) 황폐 (지역). — *vt.* 마르게 하다, (초목 따위를) 이울게 하다(wither up); 손상시키다, 황폐시키다; (희망 따위를) 꺾다. — *vi.* 마르다; 꺾이다.

blíght·er *n.* 《영구어》 지긋지긋한〔성가신〕 놈;

바보; 악당, 놈(fellow).

Blighty [bláiti] *n.* (*or* b–) 《영군대속어》 영본국(英本國); (1차 대전에서) 귀국시킬 만한 부상 《a ~ one 〔two, etc.〕으로 등급이 있음》; 귀국 휴가: Take me back to dear old ~.

bli·m(e)y [bláimi] *int.* 《영속어》〖다음 관용구로〗 (*cor*) ~ 아뿔싸!, 빌어먹을!, 제기랄! [◂ (God) blind me!]

blimp [blimp] *n.* (연안 경비용의) 소형 비행선; 〖일반적〗 기구; 《속어》 뚱뚱보; 촬영기의 방음(防音) 커버; (B–) 《구어》 =COLONEL BLIMP. ㊞ **~·ish** *a.*

blind [blaind] *a.* **1** 눈먼; (the ~) 〖명사적; 복수취급〗 소경들: a ~ person 장님/go 〔become〕 ~ 장님이 되다/a school for the ~ 맹인 학교/the ~ leading the ~ 〖성서〗 장님을 인도하는 장님; 위험천만《마태복음 XV: 14》. **2** 장님(용)의. **3** 맹목적인, 분별없는, 마구잡이의; 《속어》 취한: ~ obedience 맹종/~ reasoning 이치에 맞지 않는 이론, 억지 강변/a ~ purchase 충동구매/Love is ~. 《속담》 사랑은 맹목적인 것/be ~ *to* the world 곤드레만드레로 취해 있다. **4** (결점·미점·이해 따위를) 보는 눈이 없는; 몰이해한《*to*》: ~ *to* all arguments 아무리 설명해도 알아듣지 못하는. **5** 무감각한; 무의식의: a ~ stupor 망연자실. **6** 시계(視界)가 없는, 어림짐작의, 계기(計器) 비행의: ~ flying 맹목〔계기〕 비행. **7** (도로·교차점 따위가) 앞에 잘 보이지 않는, 숨은: a ~ corner 앞에서 오는 차를 가려 보이지 않게 하는 길모퉁이/a ~ nail 은혈못/a ~ ditch 암거(暗渠). **8** 막다른; 출입구〔창구〕가 없는; 잎이 우거져 사냥하기〔길찾기〕가 어려운: a ~ wall 창문이 없는 벽. **9** 알아보기 힘든 《글자》; 신원 불명의, 신원을 밝히지 않은: a ~ letter 배달 불능〔수취인 불명〕 우편물. **10** 〖식물〗 (싹·구근 등이) 꽃·열매를 맺지 않는. **11** 〖요리〗 (파이 껍질이) 소 없이 구워진; 〖제본〗 민누름의. ***as ~ as a bat*** 〔***mole, beetle***〕 장님이나 마찬가지인. ***go ~ on*** 어림짐작으로 하다. ***in one's ~ haste*** 무턱대고 서두른 나머지. ***not a ~*** (***bit of***) 《구어》 조금도 … 않다: *not* take *a* ~ *bit of* notice 조금도 개의치 않다. ***turn a*** 〔***one's***〕 ***~ eye to*** …을 보고도 못 본 체하다.

— *vt.* **1** 눈멀게 하다. **2** 일시적으로 눈을 못 보게 만들다: The bright lights ~*ed* me for a moment. 밝은 빛 때문에 잠시 눈이 부셨다. **3** (빛 등을) 덮어 가리다, 어둡게 하다: Darkness ~*s* the sky. 어둠이 하늘을 뒤덮다. **4** 《~+목/+목+전+명》 …의 판단력을 잃게 하다, …을 맹목적으로 하다; 〖~ oneself〗 (…을) 보고도 못 본 체하다《*to*》: Love ~*s* us *to* all imperfections. 제 눈에 안경. **5** …의 광채를 잃게 하다, 무색하게 하다: Her beauty ~*ed* all the rest. 그녀의 아름다움 앞에 딴 사람들은 모두 빛을 잃었다. **6** (새 포장도로의) 틈새기에 자갈을 채우다, 틈을 메우다. — *vi.* 《영속어》 (자동차로) 마구 달리다; 욕을 퍼붓다; 《미속어》 완벽히 하다〔알고 있다〕.

— *ad.* 앞뒤 생각 없이, 맹목적으로. ***fly ~*** 《구어》 까닭도 모르고 일을 하다. ***go it ~*** =***go ~ on*** ⇨ GO. ***swear ~*** 엄숙히 서약하다.

— *n.* **1** 덮어 가리는 물건; 블라인드, 덧문; 발; 《미》 (말의) 곁눈가리개: pull down 〔lower〕 the ~(*s*) 블라인드를 내리다/draw up 〔raise〕 the ~(*s*) 블라인드를 올리다. **2** Ⓒ 후림새, 대역(代役); 《미》 (사냥꾼의) 잠복소; 은신처. **3** 눈을 속이기 위해 쓰이는 것; 속임(수), 책략, 구실; 《속어》 미끼. **4** 〖카드놀이〗 포커에서 손을 보기 전에 태우기; =BLIND DATE. **5** 《미속어》 벌금; 수신인 (주소) 불명의 우편물; 《영속어》 주연(酒宴): go on a ~ 마시며 법석대다. ㊞ **~·age** [-idʒ] *n.* 〖군사〗 참호 안의 방탄벽.

blínd álley 막다른 골목; 《비유》 가망 없는 국면〔직업, 연구 등〕.

blínd bággage (**càr**) 《미》〖철도〗 수하물〔우편물〕차《앞으로 빠지는 통로가〔문이〕 없음》; 《속어》 수화물차 연결부《종종 부랑자의 잠복처가 됨》.

blínd cárbon (**cópy**) =BLIND COPY.

blínd cóal 무연탄.

blínd cópy 블라인드 카피《편지 따위로 제삼자에게 그 사본이 송부되었다고 명시되지 않은 문서의 카피; 생략: b.c., b.c.c.》.

blínd dáte 서로 모르는 남녀 간의 만남〔데이트〕.

blínd dòor 통풍(通風) 장치가 된 문.

blínd·er *n.* **1** 현혹하는 사람〔것〕. **2** (*pl.*) 《미》 (말의) 곁눈가리개(blinkers). **3** 시야가 좁은 사람; (*pl.*) 판단〔이해〕의 장애. **4** 《영속어》 왁자한 파티; 《영속어》 아주 힘든〔멋진〕 것, 절묘한 파인플레이. ***play a ~*** 《영》 멋진 재주를 보이다〔연기를 하다〕.

blinders 2

blínd·fish *n.* 〖어류〗 맹어(盲魚).

blínd·fòld *vt.* …에 눈가리개를 하다, 보이지 않게 하다; …의 눈을 속이다. — *n.* Ⓒ 눈가리개. — *a.*, *ad.* 눈가리개를 한〔하고〕, 눈이 가리워진〔져서〕; 저돌적인〔으로〕.

blínd gód (the ~) 사랑의 신《Eros, Cupid를 이름》.

blínd gút 맹장(cecum); 한쪽 끝이 폐색(閉塞)된 장관(腸管).

blínd·ing *a.* 눈을 어지럽히는, 현혹시키는; 사려분별을 잃게 하는. — *n.* Ⓤ 눈멀게 함〔하는 행위〕; 새 포장도로의 틈을 메우는 자갈, 이를 메우는 작업; 〖토목〗 침상(沈床). ㊞ **~·ly** *ad.*

blínd·ly *ad.* 맹목적으로, 무턱대고; 막다른 골목이 되어.

blínd·man [-mən] (*pl.* ***-men*** [-mən]) *n.* **1** 까막잡기하는 사람. **2** 《영》 (우체국의) 수신인 주소 성명 판독원.

blíndman's búff 〔**blúff**〕 까막잡기.

blínd·ness *n.* Ⓤ 맹목; 무분별(recklessness); 문맹, 무지(ignorance).

blínd píg 《미속어》 비밀 술집, 무허가 술집.

blínd pòol 위임(委任) 기업 동맹.

blínd-rèader *n.* 《영》 =BLINDMAN 2.

blínd róad 잡초가 우거진 길, 수풀로 덮인 길; 막다른 골목.

blínd shéll 불발탄; 〖패류〗 굽은관고둥.

blínd síde (애꾸눈이의) 안 보이는 쪽; 보지〔주의하지〕 않는 쪽; 약점, 허(虛); 무방비한 곳; (the ~) 〖럭비〗 블라인드사이드; 《CB속어》 자동차 우측. ***on the ~*** 약한 곳을, 예기치 않은 곳을.

blínd·sìde *vt.* (상대)의 무방비한 곳〔약점〕을 치다〔찌르다〕; 《비유》 기습을 하다.

blínd·sìght *n.* 맹시(盲視)《광원(光源)이나 기타 시각적 자극을 정확히 감지하는 맹인의 능력》.

blínd spòt (눈의) 맹점; 얼른 깨닫지 못하는 약점; 〖통신〗 수신 감도가 나쁜 지역; (경기장·강당 등의) 보이지〔들리지〕 않는 곳.

blínd stàmp 〖제본〗 (표지의) 민누름《금박을 쓰지 않고 형태만을 박기》.

blínd-stàmp *vt.* (표지)에 민누름하다.

blínd stítch 공그르기.

blínd·stìtch *vt.*, *vi.* 공그르다.

blínd·stòr(e)y *n.* 〖건축〗 맹계(盲階)《외벽에 창이 없는 교회당의 복도》.

blínd tèst 블라인드 테스트《피(被)시험자가 내용을 모르고 하는 화학상의 검사》; 예비지식이나 선입감 없이 하는 테스트.
blínd tíger 《미속어》 = BLIND PIG; 싸구려 위스키.
blínd-tòol *vt.* = BLIND-STAMP.
blínd trúst (공직자의 주식·부동산 등의) 백지 위임《직권 남용의 비판을 막기 위함》.
blínd·wòrm *n.* 【동물】 발 없는 도마뱀의 일종《유럽산(產)》. cf. slowworm.
bling·er [blíŋgər] *n.* 《미속어》 극단적인 것〔사례〕.
blink** [bliŋk] *vi.* **1** 《~/+전+명》 깜작이다(wink), 눈을 깜박거리다; 눈을 가늘게 뜨고〔깜박이며〕 보다《*at*》. **2** (등불·별 등이) 깜박이다, 명멸하다. **3** 《+전+명》 못 본 체하다, 무시하다, 보아 넘기다《*at*》: ~ *at* responsibility 책임 있는 일을 모른 체하다. **4** 《+전+명》 놀라서 보다, 깜짝 놀라다《*at*》; 《폐어》 흘끗 보다: She ~*ed at* his sharp rebuke. 그의 신랄한 비난에 깜짝 놀랐다. **—** *vt.* **1 a** (눈을) 깜작이다. **b** 《+목+부》 (눈물·졸음 따위를) 눈을 깜박여 떨쳐버리다《*away; back*》. **2** (빛을) 명멸시키다; 빛을 명멸시켜 (신호)를 보내다. **3** 보고 못 본 체하다, 무시〔묵인〕하다: ~ the fact 《영구어》 사실을 외면하다. **—** *n.* 깜박임; 한 순간; 번득임, 섬광; 《영·Sc.》 흘끗 봄; 【기상】 = ICEBLINK, SNOWBLINK. ***on the **~** 《구어》 파손〔못쓰게〕되어, 컨디션이 나빠서; 《속어》 병으로, 죽어.
blink·ard [blíŋkərd] *n.* 《고어》 눈깜작이; 아둔패기.
blínk·er *n.* 깜작이는 사람; 힐끔 보는 사람; 추파를 던지는 여자; (건널목 따위의) 점멸 신호(등); 《속어》 눈; (*pl.*) 《속어》 먼지가리개 안경; (*pl.*) (말의) 곁눈가리개; 《속어》 = BLACK EYE; (*pl.*) 판단〔이해〕의 장애, 눈가리개. ***be*** 〔***run***〕 ***in*** **~*s*** 《비유》 주변 형세를 모르고 있다〔달리다〕. **—** *vt.* (말)에 눈가리개를 하다.
blínk·ered *a.* 시야가 좁은, 협량(狹量)한: one's ~ view 아무의 속좁은 견해.
blínk·ing *a.* 반짝이는; 명멸하는; 《영속어》 지독한, 심한. **—** *ad.* 《구어》 매우, 몹시, 되게. 파 **~·ly** *ad.*
blin·tze, blintz [blíntsə], [blints] *n.* 블린츠《얇은 팬케이크로 치즈·잼을 넣은 유대 요리》.
blip [blip] *n.* **1** (레이더의 스크린에 나타나는) 휘점(輝點). **2** (물가 등의) 일시적인 급상승〔급강하〕; 일시적인 일탈〔이상〕. **3** 소량, 소수, 소액, 약간. **4** 엑스엑스엑스, 점점점, ×××《비속어·외설어 등의 삭제를 나타내는 완곡어로 씀》. **5** 【영화】 블립《사운드 트랙의 동조(同調) 부호》. **6** (영화·라이트·송전 등의) 단시간의 중단. **—** (***-pp-***) *vi.* **1** 삑 소리를 내다. **2** (경제 지표가) 일시적으로 변동하다. **3** 《미속어》 (비행기가) (레이더에서 다른 비행 구역으로) 침입하다. **4** 《속어》 (비행기·자동차 등의) 엔진을 껐다 켰다 하다. **—** *vt.* **1** (TV·방송 등에서) (방송용으로 적합지 못한 말을 삑 소리나 음성의 중단으로) 끄다. **2** 가볍게 두드리다. **~ *... off*** 《속어》 …을 (쏘아) 죽이다. **—** *a.* 《미속어》 (최근 유행의) 사정에 밝은, (잘) 알고 있는, 멋진, 현대적인.
bliss** [blis] *n.* Ⓤ (더없는) 행복, 천국의 기쁨; 희열: domestic ~ 가정의 행복. **—** *v.* 〔다음 관용구로〕 **~ *out 《미속어》 더없는 행복을 맛보다, 황홀해지다〔케 하다〕.
blíssed-óut [blíst-] *a.* 무척 행복한, 지복(至福)의, 황홀한; (술·마약에) 취한.
◇**bliss·ful** [blísfəl] *a.* 더없이 행복한, 기쁨에 찬; 깨끗이 잊은. 파 **~·ly** *ad.* **~·ness** *n.*
blíssful ígnorance (현실의 부조리 등을 못 느끼는) 행복한 무지.
blíss·òut *n.* 《미속어》 지복(至福)〔광희, 황홀〕한 상태.
B-lìst *a.* (매스컴에 자주 오르는) B급 저명 인사의(cf. A-list).
◇**blis·ter** [blístər] *n.* **1** 물집, 수포, 불에 데어 부푼 것. **2** (페인트칠·금속·플라스틱 표면의) 부풀음, 기포; (식물면의) 발진(發疹); 【의학】 발포고(發泡膏); (비행기의) 반구형 기총 총좌; = RADOME; 【사진】 (필름·인화지 막면의) 물집. **3** 《구어》 싫은 녀석; 《미속어》 여자, 매춘부, 여자 거지. **—** *vt.* 물집이 생기게 하다, 불에 데어 부풀게 하다; 《속어》 괴롭히다, 싫증나게 하다; (꼬집거나 비평 등으로 사람)에게 상처를 주다. **—** *vi.* 물집이 생기다, 불에 데어 부풀다.
blíster bèetle 〔**flỳ**〕 홂가뢰《가룃과의 곤충》.
blíster còpper 【야금】 조동(粗銅).
blíster gàs 수포성 가스《인체에 물집을 생기게 하는》.
blís·ter·ing [-riŋ] *a.* 물집이 생기게 하는; 통렬한, 호된《비평 등》. **—** *n.* 위의 것; (페인트칠 따위의) 부풀음. 파 **~·ly** *ad.*
blíster pàck 블리스터 포장(= **blíster pàckage**)《상품이 보이도록 그 형상대로 뜬 투명 플라스틱으로 씌운 포장》.
blíster rùst 소나무에 옹두리 나는 병, 털녹병.
blis·tery [blístəri] *a.* 물집 있는〔투성이의〕.
◇**blithe** [blaið, blaiθ/blaið] *a.* 즐거운, 유쾌한; 쾌활한; 경솔한, 부주의한. 파 **⸗·ly** *ad.*
blith·er [blíðər] *vi.* 허튼소리를 하다. 파 **~·ing** [-riŋ] *a.* 허튼소리 하는; 《구어》 철저한; 경멸할 만한.
blithe·some [bláiðsəm, bláiθ-/bláið-] *a.* = BLITHE. 파 **~·ly** *ad.* **~·ness** *n.*
B. Lit(t). Bachelor of Literature 〔Letters〕.
blitz [blits] 《구어》 *n.* = BLITZKRIEG; (the B–) (1940–41년의) 런던 대공습; 대대적인 캠페인; 《미군대속어》 중요 회의; 【미식축구】 패서를 막기 위해 돌진함. **—** *vt.* …를 전격적으로 공격하다, 맹공하다; 《미》 【카드놀이】 (gin rummy에서) (상대를) 무득점으로 해 놓다; 【미식축구】 (라인배커가 패서를 향해) 돌진하다; 《미속어》 (막사 등을) 깨끗이 하다. **—** *vi.* 【미식축구】 돌진하다. **—** *a.* 전격적인: ~ tactics 전격 작전 / a ~ sale (손님을 쇄도케 하는) 염가 판매. 파 **⸗·er** *n.*
blitzed [-t] *a.* 《미속어》 술 취한.
blítz·flu *n.* Ⓤ 전격성 유행 감기.
blitz·krieg [blítskri:g] *n.* 《G.》 전격(작)전, 기습 (전법). **—** *vt.* 전격적인 공격을 가하다, 급습하다.
bliv·it [blívət] *n.* **1** 불필요한 것; 마구 뒤섞인 것. **2** 곤란한 일.
◇**bliz·zard** [blízərd] *n.* **1** 【기상】 강한 눈보라《풍설·혹한을 동반하는 폭풍》; 장기간의 대풍설. **2** 《비유》 (사물의) 쇄도; 돌발. **3** 《고어》 구타; 일제 사격. **—** *vi.* 눈보라치다. 파 **~y** *a.*
blízzard hèad 《미속어》 (텔레비전 방송에서 조명도를 낮추어야 할 만큼) 눈부신 금발 여배우.
blk. black; block; bulk. **B.LL.** Bachelor of Laws. **BLM, B.L.M.** Bureau of Land Management (《미》 토지 관리국).
bloat [blout] *vt.* (청어 따위를) 훈제(燻製)로 하다; 부풀게 하다(swell); 우쭐하게 하다. **—** *vi.* 부풀다(swell)《*out*》; 자부하다《*out*》. **—** *n.* **1** 【수의】 (가축의) 위(胃)확대증. **2** 《미구어》 (인원·출비의) 쓸데없는 팽창. **3** 《미속어》 주정뱅이; 자긍심이 강한〔오만한〕 사람; 비겁한 놈. **—** *a.* 부푼. 파 **⸗·ed** [-id] *a.* 훈제의; 부푼; 거만한, 뽐내는: a ~*ed* profiteer 욕심으로 가득 찬 악덕 상인. **⸗·er** *n.* 훈제한 청어〔고등어〕.
blob [blɑb/blɔb] *n.* (잉크 등의) 얼룩; (걸쭉한 액체의) 한 방울; 물방울; (펜 등의) 작은 방울; 《영속어》 【크리켓】 영점; (물고기의) 물을 튀기는 첨벙 소리; 형태가 뚜렷하지 않은〔희미한〕 것; 《속어》 하잘것없는 자: score a ~ 영패하다. **—** (***-bb-***) *vt.*, *vi.* …에 얼룩을 묻히다(blot); 한 방울 튀기다〔들다〕; 《미속어》 실수하다. [파] **blobbed** *a.* 얼룩이 있는〔묻은〕.

blob·ber-lipped [blɑ́bərlìpt/blɔ́b-] *a.* 《영》 입술이 두툼하게 튀어나온《사람 등》.

bloc [blɑk/blɔk] *n.* 《F.》 **1** 블록, …권(圈)《정치상·경제상의》: the dollar ~ 달러 블록 / the sterling ~ 파운드 지역 / the Communist ~ 공산권. **2** 《미》 (특정 목적을 위한 여·야당의) 연합 의원단: the farm ~ 농업 문제 추진 의원단. ~ ***economy*** 블록 경제.

⁑block [blɑk/blɔk] *n.* **1** (나무·돌·금속 따위의) 큰 덩이, 큰 토막; 건축용 석재; 〖건축〗 블록재(材)(building ~); (*pl.*) (장난감의) 집짓기 나무 (building ~s): concrete ~*s* 콘크리트 블록. **2** 받침, 받침나무; 도마; 모탕; 경매대; 승마대; 단두대; 선대(船臺); (구두닦이의) 발받침. **3** 〖인쇄〗 판목(版木); 〖제본〗 철판면(凸板面), 놋쇠판(版). **4** 모자골; 형(型), 식(式). **5** 도르래, 겹도르래. **6** (표·증권 따위의) 한 조〔벌, 묶음〕; (한 장씩 떼어 쓰게 된) 종이철: a ~ of tickets 한 권의 티켓. **7** 《영》 (한 채의) 대(大)건축물《아파트·상점을 포함》; 《미》 (시가의 도로로 둘러싸인) 한 구획, 가(街); 그 한 쪽의 길이〔가로〕: He lives two ~*s* away 〔on my ~〕. 그는 두 구획 저 쪽에〔나와 같은 구획에〕 산다. **8** 장애(물), 훼방; (교통 따위의) 두절, 폐색; 《영》 (의안에 대한) 반대 성명; 〖경기〗 방해; 〖크리켓〗 블록《타자가 배트를 쉬고 있는〔공을 멈추는〕 위치》: a ~ of traffic 교통 금지 / His stubbornness is a ~ to all my efforts. 그의 고집 때문에 나는 하는 일마다 방해를 받는다. **9** 《속어》 (사람의) 머리; 바보, 멍청이(blockhead). **10** 〖정치〗 =BLOC. **11** 〖컴퓨터〗 블록, 구역《플로차트상의 기호; 한 단위로 취급되는 연속된 언어 집단; 일정한 기능을 갖춘 기억 장치의 구성 부분》. **12** 〖의학〗 블록《신경 따위의 장애》, 《특히》 심장블록(heart ~); 〖정신의학〗 두절. **13** 〖철도〗 폐색 (구간).

a chip off the old ~ ⇨ CHIP¹. ***as like as two*** ~***s*** 아주 닮은, 쏙 뺀. ***cut*** ~***s with a razor*** 아까운 짓을 하다, 유능한 사람을 보잘것없는 일로 썩히다. ***go*** 〔***be sent, come***〕 ***to the*** ~ 단두대에서 목이 잘리다; 경매에 부쳐지다. ***in*** (***the***) ~ 일괄하여, 총괄적으로. ***knock*** a person***'s*** ~ ***off*** 《구어》 때려눕히다. ***lose*** 〔***do***〕 one***'s*** ~ 《Austral. 속어》 흥분하다, 화내다. ***on the*** ~ 경매에〔팔려고〕 내 놓은; 단두대 위에서. ***put the*** ~***s on*** … 을 저지하다.

— *a.* 뭉뚱그린; 덩어리의; 가구(街區)의, 구획으로 나눈; (상용문에서) 각 행의 앞을 가지런히 한 《그 양식을 '~style' 이라 함》.

— *vt.* **1** 《~+[목]/+[목]+[전]+[명]/+[목]+[부]》 (통로·관 따위를) 막다, (교통 따위를) 방해하다, 폐색(閉塞)〔봉쇄〕하다《*up*》; (빛·조명 등을) 차단하다《*off; out; up*》: ~ *out* the sun's rays 햇빛을 막다 / They ~*ed* (*up*) the road *with* a barricade. 그들이 바리케이드로 길을 막았다 / My nose is all ~*ed up*. 코가 꽉 막혔다. **2** (진행·행동을) 방해하다, …의 장애가 되다; 〖경기〗 (상대 플레이를) 방해하다; 〖크리켓〗 (공을) 삼주문 바로 앞에서 배트로 쳐 막다; 〖미식축구〗 (공을 가지고 뛰는 자를) 가로막다. **3** 《흔히 과거분사꼴로》 〖경제〗 동결하다, 봉쇄하다: ~*ed* currency 〔funds〕 동결 통화〔자금〕. **4** 〖의학〗 (신경을) 마비시키다. **5** 《영》 (반대 성명을 내어 의안 통과를) 방해하다. **6** 〖철도〗 블록시스템으로 (열차를) 달리게 하다. **7** (모자를) 모양뜨다(shape); (표지에) 형태를 박다(emboss); (행)의 끝을 가지런히 하다. **8** 〖연극〗 연출하다. **9** 〖컴퓨터〗 (인접 데이터를) 블록하다. — *vi.* (각종 경기에서) 상대측 경기자를 방해하다; 신경 쇠약에 걸리다. ~ ***in*** 막다, 폐색하다, 가두다; 약도를 그리다, 설계〔계획〕하다. ~ ***off*** (도로 따위를) 막다, 차단하다. ~ ***out*** 윤곽을 그리다, 대충의 계획을 세우다; 지우다, 보이지 않게 하다. ~ ***up*** 《*vt.*+[부]》 ① ⇨ *vt.* 1. ② 작업대 위에 올려놓다. — 《*vi.*+[부]》 ③ (관(管) 따위가) 완전히 막히다.

°block·ade [blɑkéid/blɔk-] *n.* (항구 따위의) 봉쇄(선), 폐색; 봉쇄대(隊); 폐색물; (교통의) 두절, 방해: break a ~ 봉쇄를 돌파하다 / lift 〔raise〕 a ~ 봉쇄를 풀다 / run the ~ 몰래 봉쇄선을 뚫고 출입하다. — *vt.* 봉쇄하다; 방해하다: ~ a port 항구를 봉쇄하다. [파] **block·ád·er** *n.* 봉쇄자〔물〕; 봉쇄〔폐색〕선.

blockáde-rùnner *n.* 봉쇄 돌파선〔자〕; 밀항선; 밀항자.

block·age [blɑ́kidʒ/blɔ́k-] *n.* 봉쇄, 방해; 방해물, (파이프 따위에) 막혀 있는 것.

blóck and táckle 도르래, 겹도르래; 《미속어》 자기의 행동을 규제하는 사람《처·상사 따위》.

blóck associàtion 《미》 가구(街區) 주민 협의회.

blóck·bòard *n.* 합판, 베니어판.

blóck bòok 목판 인쇄본, 목판본.

blóck·bùst *vt.* (백인의 토지 따위를) blockbusting 하다.

blóck·bùster *n.* 《구어》 **1** 대형 고성능 폭탄. **2** 압도적〔위협적〕인 것, 유력자, 큰 영향력을 가진 것〔사람〕, 쇼크를 주는 것. **3** 막대한 돈을 들인 영화〔소설〕; (신문 따위의) 대광고; 초(超)대작《영화 따위》. **4** 《미속어》 대히트; 대성공; 초(超) 베스트셀러. **5** 《미》 blockbusting을 하는 악덕 부동산업자. **6** 《속어》 =NEMBUTAL. **7** 〖스포츠〗 (큰 파괴력을 지닌) 1타(打), 슈트.

blóck·bùsting *n.* [U] 《미》 블록버스팅《이웃에 흑인 등이 이사 온다는 소문을 퍼뜨려, 백인 거주자에게 집이나 땅을 싸게 팔게 함》.

blóck càpital (보통 *pl.*) 블록체의 대문자: in ~*s* 블록체의 대문자로.

blóck chàin 블록 사슬《자전거 체인 따위》.

blóck clùb 《미》 구역 반상회, 지역 야경대.

blóck dìagram *n.* **1** 〖지학〗 지각(地殼)을 직육면체 블록으로 잘라낸 모형도. **2** 블록도《전기 기기·컴퓨터 따위의》.

blocked [-t] *a.* **1** 막힌, 폐색된, 봉쇄된. **2** 《속어》 마약에 취한.

blóck·er *n.* **1** 방해하는 사람〔것〕. **2** 〖미식축구〗 블로커《몸을 부딪쳐 상대방을 방해하는 선수》. **3** 〖생화학〗 차단제〔인자〕《β차단제(beta-blocker) 따위》. **4** 《영속어》 중산 모자(bowler hat).

blóck·frònt *n.* (책상·장롱 따위의) 중앙이 좌우 양끝보다 쑥 들어간 정면; 가구(街區)〔블록〕의 정면.

blóck grànt 《미》 (연방 정부에서 주에 지급하는) 정액 교부금〔조성금〕.

°blóck·hèad *n.* 멍텅구리, 얼간이.

blóck hèater 축열(蓄熱) 히터〔난방기〕(storage heater).

blóck·hòuse *n.* **1** 특화점(特火點), 토치카. **2** 목조의 작은 요새. **3** 각재(角材)로 지은 집. **4** 로켓 발사 관제소.

blócking bàck 〖미식축구〗 블로킹 백《주로 블로커로 쓰이는 공격측의 백》.

blócking fàctor 〖컴퓨터〗 블록화(化) 인수(因數)《단일 블록에 수용 가능한 소정 사이즈 레코드의 최대수》.

block·ish [blɑ́kiʃ/blɔ́k-] *a.* 목석 같은, 우둔한. [파] ~**·ly** *ad.* ~**·ness** *n.*

blóck lèngth 〖컴퓨터〗 블록 길이《블록 크기의 척도》.

blóck lètter 〖인쇄〗 목판 글자; 블록 글자체《굵기가 같음》; =BLOCK CAPITAL.

blóck lìne 활차용 로프〔케이블〕.

blóck mòuntain 〖지학〗 지괴(地塊) 산지.
blóck mòve 〖컴퓨터〗 블록 이동《파일의 일부 내용을 다른 데로 옮기는 것》.
blóck pàrty 가구(街區) 주민의 파티《한 가구의 교통을 차단하여 그 도로상에서 개최하는 축제》.
blóck plàne 목귀대패《나무 모서리를 깎는 작은 대패》.
blóck prìnt 목판화.
blóck prìnting 목판 인쇄.
blóck prògramming 〖라디오·TV〗 동종의 프로그램을 같은 시간대로 합치는 일.
blóck relèase 고도의 연구에 종사시키기 위해 직원의 업무를 일부 면제시켜 주는 제도《영국·유럽 등지의》.
blóck sèction 〔**sỳstem**〕 〖철도〗 폐색 구간〔방식〕《한 구간에 한 열차씩만 지나가게 하는》.
blóck·shìp *n.* 폐색선(閉塞船)《항로를 사용 불능케 하도록 침몰시킴》.
blóck sìgnal 〖철도〗 폐색 신호.
blóck tìme (자유 시간 근무제에서) 전원 근무 시간대《점심 전후 4-5 시간》.
blóck tràde 〖증권〗 블록〔대량〕 거래《대량의 증권의 매매 거래 주문에 관해서, 매매 쌍방의 개별적 절충으로 이루어지는 증권업자를 통한 거래》.
blóck tỳpe 〖인쇄〗 블록체(block letter).
blóck vòte 블록 투표《투표자의 표가 대표자의 인원수에 비례한 효력을 갖는 투표 방법》.
blocky [blɑ́ki/blɔ́ki] *a.* 뭉툭한; 농담(濃淡)이 고르지 않은.
blog [blɑːg/blɔg] *n.* 자유롭게 글을 올릴 수 있는 개인 웹사이트《Web과 Log의 합성어》
bloke [blouk] *n.* 《속어》 놈, 녀석(fellow): an old ~ 늙은이.
***blond** [blɑnd/blɔnd] *a.* **1** 금발의, (머리털이) 아마빛의; (피부가) 희고 혈색 좋은. **2** 금발·흰 살결·푸른 눈의. **—** *n.* **1** (살결이 흰) 금발의 사람《여자는 blonde》. **2** 비단 레이스. [파] **~·ness** *n.*
***blonde** [blɑnd/blɔnd] *n.* (살결이 흰) 금발의 여성: a blue-eyed ~ 푸른 눈의 금발 여인. [cf.] brunette. **—** *a.* (여성이) 금발의.
blónd(e) láce 블론드 레이스《손으로 짠 비단 레이스》.
blon·die [blɑ́ndi/blɔ́n-] *n.* 금발〔블론드〕의 여자; (B-) 블론디《Chic Young의 만화 여주인공; 남편은 Dagwood》.
blond·ish [blɑ́ndiʃ/blɔ́n-] *a.* 블론드 빛깔을 띤.
****blood** [blʌd] *n.* [U] **1** 피, 혈액; 생피, 〖일반적〗 생명; (하등 동물의) 체액: loss of ~ 출혈 / spill ~ 피를 흘리다 / Please Give *Blood.* 헌혈을 부탁합니다《게시》/ give one's ~ for one's country 나라에 목숨을 바치다. **2** 붉은 수액(樹液), (붉은) 과즙; 《미속어》 케첩. **3** 유혈(bloodshed); 살인(murder); 희생: a man of ~ 살인자, 냉혈한. **4** 선정 소설, 폭력 소설(blood-and-thunder story). **5** 핏줄; 혈통, 가문, 집안, 명문; (the ~) 왕족: *Blood* will tell. 피는 숨길 수 없는 것 / by ~ 혈통은〔에 관해서는〕/ of noble ~ 고귀한 집안에 태어난 / a prince 〔princess〕 of the ~ 왕자〔공주〕/ *Blood* is thicker than water. 《속담》 피는 물보다 진하다. **6** 혈연, 살붙이, 푸네기: a man of mixed-~ 혼혈아(兒) / be near in ~ 가까운 혈족이다. **7** (말의) 순종. **8** 기질(temperament); 혈기, 활력; 정열, 격정(passion); 《폐어》 육욕: be in 〔out of〕 ~ 기운이 있다〔없다〕/ My ~ is up. 몹시 화가 난다. **9** [C] 《영드물게》 혈기 왕성한 사람; 멋쟁이(dandy); 《미속어》 학교 행사 등에 활발한 학생, 학내의 인기자, 젊은이들: fresh ~ = NEW BLOOD.
~ and iron 군사력: the ~ *and iron* policy (Bismarck의) 철혈 정책. ***draw ~*** 상처 입히다, 고통을 주다. ***flesh and ~*** ⇨ FLESH. ***freeze*** 〔***curdle, chill***〕 a person***'s*** 〔***the***〕 ***~*** ⇨ FREEZE. ***get*** 〔***extract***〕 ***~ from*** 〔***out of***〕 ***a stone*** 〔***stones***〕 냉혹한 사람의 동정을 얻다; 불가능한〔무리한〕 일을 하다; 억지로 쥐어짜다. ***get*** 〔***have***〕 a person***'s ~ up*** 아무를 성나게 하다: Injustice of any sort *gets my ~ up.* 나는 어떠한 부정이든지 보고는 참지를 못한다. ***have*** a person***'s ~ on*** one***'s hands*** 〔***head***〕 아무의 죽음〔불행〕에 책임이 있다. ***let ~*** (수술로) 피를 뽑다, 방혈하다. ***make*** a person***'s ~ boil*** 〔***run cold***〕 아무를 격앙시키다〔오싹하게 하다〕. ***out for*** a person***'s ~*** (아무를) 해치울 작정으로. ***run*** 〔***be***〕 ***in*** one***'s ~*** 혈통을 이어받다: The aptitude for language *ran in her ~.* 그녀의 어학적 재능은 혈통을 이어받은 것이었다. ***stir the*** 〔a person***'s***〕 ***~*** 아무를 흥분〔발분〕시키다. ***taste ~*** (야수 등이) 피맛을 알다; 처음으로 경험하다, 첫 성공에 맛들이다. ***to the last drop of*** one***'s ~*** 목숨이 다하기까지.
— *vt.* **1** (사냥개에게) 피를 맛보이다, (군인을) 유혈 행위에 익숙게 하다. **2** 〖종종 수동태〗 …에게 새로운 경험을 시키다. **3** 〖의학〗 (환자한테서) 피를 뽑다; 방혈하다.
blóod-and-gúts [-ənd-] *a.* 《구어》 끔찍한, 끔찍할 정도의《적의 따위》, 지독한; 매우 자극적인《이야기》.
blóod and thúnder 유혈과 폭력.
blóod-and-thúnder *a.* 폭력과 유혈 사태의《극·소설·영화 등》: a ~ story.
blóod bànk 혈액은행; (은행) 보존 혈액.
blóod·bàth, blóod bàth (*pl.* **~s**) *n.* **1** 대학살, 피의 숙청. **2** 《구어》 대불황〔대하락〕 기간. **3** (종업원 등의) 대량 해고〔추방〕.
blóod bòosting = BLOOD DOPING.
blóod bòx 《CB속어》 구급차(ambulance).
blóod-bráin bàrrier 〖생리〗 혈액뇌〔뇌혈액〕 관문(關門).
blóod bróther 친형제; (혈맹의) 의형제; 《미속어》 (흑인 입장에서 본) 동포, 흑인.
blóod cèll 〔**còrpuscle**〕 혈구: a red 〔white〕 ~ 적〔백〕혈구.
blóod còunt 혈구수(數) 측정; 혈구수.
blóod·cùrdler *n.* 전율할〔끔찍한〕 이야기〔기사, 책《따위》〕.
blóod·cùrdling *a.* 소름이 끼치는, 등골이 오싹하는. [파] **~·ly** *ad.*
blóod dònor 〖의학〗 (수혈용 혈액의) 헌혈자, 급혈자.
blóod dòping 혈액 도핑《운동선수의 기능을 높이기 위한 수혈》.
blóod dràwing 《미》 헌혈 운동.
blóod·ed [-id] *a.* **1** 〖복합어로〗 …의 피를〔기질을〕 지닌: warm-~ animals 온혈 동물. **2** (가축 따위가) 순종의, 혈통이 좋은: a ~ horse 순혈종의 말. **3** (군대가) 전투를 경험한; 〖일반적〗 새로운 경험을 쌓은.
blóod féud (두 집안 또는 종족끼리의 반복되는) 피의 복수.
blóod gròup 혈족; 혈액형(blood type).
blóod·guìlt, -guìltiness *n.* [U] 살인죄; 유혈의 죄.
blóod·guìlty *a.* 사람을 죽인 (죄를 범한).
blóod hèat (사람의) 피의 온도《평균 37℃》.
blóod hòrse 순종 말.
blóod·hòund *n.* 블러드하운드《후각이 예민한 영국산의 경찰견》; 《구어》 집요한 추적자, 탐정, 형사.
blóod knòt (낚싯줄의) 원통형 매듭《낚싯줄 매는 법의 하나》.
°**blóod·less** *a.* 핏기〔생기〕 없는, 창백한, 빈혈의; 피를 흘리지 않는; 냉혹한. [파] **~·ly** *ad.* **~·ness** *n.*

Blóodless Revolútion (the ~) 〖영국사〗 무혈〔명예〕혁명(English Revolution).

blóod·lètting *n.* Ⓤ 〖의학〗 방혈; 사혈(瀉血); (전쟁·복싱 등에서의) 유혈; 인원〔자원〕의 소모.

blóod·lìne *n.* (주로 가축의) 혈통; 혈족.

blóod·lùst *n.* Ⓤ,Ⓒ 살해욕(欲); 피에 굶주림.

blóod·mobìle *n.* 헌혈차.

blóod mòney 사형에 해당하는 큰 죄인을 고발한 사람에게 주는 보상금; (청부 살인자에게 주는) 살인 사례금; 피살자의 근친에게 주는 위자료; 《공군속어》 적기 격추 상금; 《미속어》 피땀 흘려 번 돈.

blóod òrange 과육이 붉은 각종 오렌지.

blóod pàcking = BLOOD DOPING.

blóod plàsma 혈장(血漿).

blóod plàtelet 〖해부〗 혈소판(血小板)(thrombocyte).

blóod pòisoning 패혈증(敗血症).

blóod póor *a.* 몹시 가난한, 가난에 시달린, 초라한(poverty-stricken).

blóod prèssure 혈압: high 〔low〕 ~ 고〔저〕혈압.

blóod pròduct 혈액 추출물《치료용》.

blóod púdding = BLOOD SAUSAGE.

blóod pùrge 피의 숙청.

blóod-ràgs *n. pl.* 《속어》 월경, 멘스.

blóod ràin 공중에 부유하는 먼지 따위로 붉게 물든 비.

blóod rèd 핏빛; 짙은 빨간색.

blóod-réd *a.* 피에 물든, 피처럼 붉은.

blóod relátion 〔**rélative**〕 혈족, 육친.

blóod revénge 혈족에 의한 복수.

blóod·ròot *n.* (뿌리가 붉은) 양귀비과의 식물.

blóod róyal (the ~) 〖집합적〗 왕족.

blóod sàusage 《미》 블러드 소시지(blood pudding)《돼지고기와 그 피를 섞어 만든 검은색이 도는 소시지》.

blóod sèrum 혈청(血清).

°**blóod·shèd, -shèdding** *n.* 유혈(의 참사), 살해; 학살: vengeance for ~ 복수.

blóod·shòt *a.* (눈이) 충혈된, 핏발이 선; 혈안이 된.

blóod spòrts 피를 보는 스포츠《투우·권투 등》.

blóod·stàin *n.* 핏자국; 혈흔(血痕).

blóod·stàined *a.* 핏자국이 있는, 피투성이의; 살인죄〔범〕의; 학살의.

blóod·stòck *n.* 〖집합적〗 순종의 말.

blóod·stòne *n.* 〖광물〗 혈석(血石), 혈옥수(血玉髓)《3 월의 탄생석》.

blóod strèam (인체의) 혈류(량); 《비유》 활력; 필수적인 것; 《비유》 주류(主流), 대동맥.

blóod sùbstitute 〖의학〗 대용 혈액〔혈장〕.

blóod·sùcker *n.* 흡혈 동물《거머리 따위》; 흡혈귀, 탐욕이 많은 사람; 고혈을 빠는 사람. ㊞ **-sùcking** *a., n.*

blóod sùgar 혈당(血糖)《혈액 중의 포도당·그 농도》.

blóod tèst 혈액 검사.

blóod-tést *vt.* 혈액 검사를 하다.

blóod·thìrsty *a.* 피에 굶주린, 잔인〔흉악〕한; (영화 따위가) 살상 장면이 많은; (구경꾼 등이) 유혈 장면을 좋아하는. ㊞ **-thirstily** *ad.* **-thìrstiness** *n.*

blóod transfùsion 수혈(법).

blóod tỳpe 혈액형(blood group).

blóod tỳping (개인의) 혈액형 (결정), 혈액형 분류(법).

blóod vèngeance 유혈에 대한 유혈의 복수. ⓒⓕ blood feud.

blóod vèssel 혈관. ***burst a*** ~ (격분하여) 혈관을 파열시키다; 《구어》 격분하다.

blóod·wàrm *a.* 미지근하게 더운.

blóod·wòrm *n.* (낚싯밥용) 붉은 지렁이; 붉은 장구벌레.

bloody** [blʌ́di] *a.* **1** 피나는, 피를 흘리는(bleeding), 유혈의, 피투성이의: a ~ nose 피가 나는 코/a ~ battle 피비린내 나는 싸움. **2** 피의, 피 같은, 피에 관한; 피빛(깔)의. **3** 살벌한, 잔인한: a ~ tyrant 잔인한 폭군/~ work 학살. **4** 《영속어》 〖강조〗 어처구니없는, 지독한(damned) 《종종 b—y, b—dy라고 씀》: a ~ fool 큰 바보. ***get a ~ nose 자존심이 상처받다. ***not a ~ one*** 〖강조적〗 단 하나도 …없는. **—** *ad.* 《영속어》 굉장히, 무척, 지독하게: All is ~ fine. 다들 무척 원기 왕성하다. ***Not ~ likely!*** 《영속어》 〖종종 분노를 나타내어〗 말도 안 되는 소리야!, 그걸 누가 해! **—** (***blood·ied***) *vt.* 피로 더럽히다〔물들이다〕, 피투성이가 되게 하다. ㊞ **blóod·i·ly** *ad.* 피투성이가 되어, 무참히. **-i·ness** *n.* 피투성이; 잔학.

blóody fíngers (*pl.* ~) 《속어》 디기탈리스(digitalis, foxglove).

blóody flúx 《고어》 적리(赤痢)(dysentery).

Blóody María 《미》 블러디 마리아《테킬라(tequila)와 토마토 주스로 만든 음료》.

Blóody Máry 1 보드카와 토마토 주스를 섞은 음료. **2** 영국 Mary I의 별칭《신교도를 다수 처형함》.

blóody-mínded [-id] *a.* 살벌한, 잔인한; 《영속어》 심술궂은, 무뚝뚝한, (마음이) 비뚤어진, 꾀까다로운. ㊞ **~·ness** *n.*

blóody múrder 《미속어》 **1** 완패, 괴멸(壞滅). **2** 살인적인〔매우 고통스러운〕 일. ***cry*** 〔***scream, yell***〕 ~ 노여움〔공포〕의 소리를 지르다.

blóody shírt 피 묻은 셔츠《복수의 상징》; 적의(敵意)를 부추기는 것: wave the ~ 〖미정치〗 당파적 적개심을 부추기다.

bloo·ey, -ie [blúːi] *a.* 《속어》 고장난(out of order): go ~ 고장나다.

bloom**[1] [bluːm] *n.* Ⓤ **1** 꽃《특히 관상 식물의》. ★ 집합적으로도 씀. ⓈⓎⓃ. ⇨ FLOWER. **2** 꽃의 만발, 활짝 핌; 개화기; (the ~) 한창때, 최성기: in full ~ 만발하여/out of ~ 꽃철을〔한창때가〕 지나서/the ~ *of* manhood 남자의 한창때/come into ~ 꽃피다. **3** (볼의) 도화색, 홍조, 건강미; 신선미, 청순함. **4** 〖식물〗 (과실·잎 따위에) 생기는 뿌연 가루, 과분(果粉). **5** 〖광물〗 화(華). **6** (포도주의) 향기, 부케(bouquet). ***take the ~ off 《구어》 (…의) 신선미를〔아름다움을〕 없애다. **—** *vi., vt.* **1** 꽃이 피(게 하)다, 개화하다. **2** 번영하다, 한창때이다. **3** 〖흔히 진행형〗 (여성이) 건강미가 넘치다《*with*》; 성숙하여 …로 되다《*into*》: She's ~*ing with* health. 그녀는 건강미가 넘친다/~ *into* a movie star 화려하게 스타가 되다. ㊞ **~·less** *a.*

bloom[2] *n.* 괴철(塊鐵); 봉철(棒鐵), 봉강(棒鋼). **—** *vt.* 괴철로 불리다.

bloomed *a.* 〖사진·광학〗 (렌즈가) 코팅한(coated).

blóom·er[1] *n.* **1** 블루머《짧은 스커트 밑에 발목에 잔주름을 잡은 바지를 붙인 여성복》. **2** (*pl.*) 블루머스《(1) 여자용 반바지; 아랫단에 고무줄을 넣은 운동용. (2) 반바지식 여자용 속옷》. **3** 《미》 골프 바지.

bloomer[1] 1

blóom·er[2] *n.* 《영구어》 대실패, 실수(blunder).

blóom·er[3] *n.* 〖흔히 수식어를 수반하여〗 **1** 꽃이 피는 식물: an early ~. **2** (능력적·육체적으로) 성숙한 사람.

bloom·ery, -a·ry [blúːm-əri] *n.* 〖야금〗 괴철로(塊鐵爐); 괴철 공장.

Bloom·field [blúːmfiːld] *n.* **Leonard ~** 블룸필드《미국의 언어학자; 1887-1949》.

blóom·ing *a.* 활짝 핀(in bloom); 한창인; 청춘의, 젊디젊은; 번영하는《도시 따위》; 《영구어》

지독한; 〖반어적〗 어처구니없는, 굉장한《bloody 의 대용어》: a ~ fool 큰 바보. — *ad.* 《영속어》 지독히, 터무니없이. [파] **~·ly** *ad.*

Bloom·ing·dale's [blúːmiŋdeilz] *n.* 미국 뉴욕에 본점을 둔 백화점명《Bloomies의 애칭으로 유명》.

blóoming mìll 분괴(分塊) 압연기〔공장〕.

Blóoms·bury gròup [blúːmzbəri-] (the ~) 블룸즈버리 그룹《20세기 초두, Virginia Woolf, Bertrand Russell, John Maynard Keynes 등을 중심으로 블룸즈버리에 모인 문학가·지식인의 집단》.

bloomy [blúːmi] *a.* 꽃이 핀〔만개한〕(blooming); (과실에) 뿌연 가루가 생긴; 젊음의 미와 힘이 넘치는.

bloop [bluːp] *n.* 《미》 (찍찍하는) 불쾌한 잡음; 잡음 방지용 마스크《필름 이은 곳에 댐》. — *vi.* 찍찍 소리나다. — *vt.* **1** 찍찍 소리를 없애다. **2** 《야구속어》 텍사스 히트를 날리다. **3** 《미속어》 치다, 때리다.

blóop·er *n.* 《미》 (근처 라디오에) 잡음을 나게 하는 라디오; 《미구어》 (사람 앞에서의) 큰 실수; 《야구속어》 역회전의 높은 공; 텍사스 히트; 《미속어》 구타, 일격: make 〔pull〕 a ~ 큰 실수를 저지르다.

blóop pìtch 〖야구〗 초슬로 커브.

blort [blɔːrt] *n.* 《속어》 코카인. [◂ *blow*+*snort*]

⁑blos·som [blásəm/blɔ́s-] *n.* **1** 꽃《특히 과수의》. [SYN.] ⇨ FLOWER. ★ 집합적으로 한 나무의 모든 꽃을 뜻하기도 함. **2** 개화, 만발; 개화기; (the ~) (발육·발달의) 초기; 전성기: the ~ *of* youth 청춘의 개화기 / come into ~ 꽃이 피기 시작하다. ***in*** **~** 꽃이 피어. ***in full*** **~** 만발하여. **(*my*) *little*** **~** 귀여운 애, 애인. — *vi.* **1** 《~/+[부]》 (나무가) 꽃을 피우다; 피다《*out; forth*》: The peach trees ~ (*out*) in April. 복숭아나무는 4월에 꽃이 핀다. **2** 《~/+[부]/+[전]+[명]/+*as* [보]》 번영하다, (한창) 번성하게 되다; 발달하여 …이 되다, (이윽고) …으로 되다《*out; into*》: He ~*ed* (*out*) *into* 〔~*ed out as*〕 a statesman. 그는 마침내 훌륭한 정치가가 되었다. **3** 《~/+[부]》 쾌활해지다, 활기 띠다《*forth; out*》. **4** (낙하산이) 펼쳐지다. [파] **~·less** *a.* **~y** [-i] *a.* 꽃이 한창인, 꽃으로 뒤덮인.

blot**[1] [blat/blɔt] *n.* **1** (잉크 등의) 얼룩, 더러움. **2** (인격·명성 등의) 흠, 오점; 오명《*on*》: a ~ *on* one's record 〔character〕 경력〔인격〕의 오점. — (**-tt-**) *vt.* **1** 더럽히다, …을 얼룩지게 하다; (명성 따위에) 오점을 남기다. **2** 갈겨쓰다. **3** (압지 따위로) 빨아들이다. **4** 《+[목]+[부]》 (경치·소리 등을) 가리다, 지우다《*out*》: The clouds ~*ted out* the mountaintop. 구름이 산정(山頂)을 가렸다. **5** (글자 따위를) 뭉개어 지우다; 안 보이게 하다, 덮어 숨기다《*out*》. **6** 처바르다, 뒤바르다. — *vi.* **1** (잉크·종이 따위가) 번지다; (천이) 더럼을 잘 타다. **2** (압지가) 잘 빨아들이다. **3** (펜이) 잉크를 흘리다. **~ *out ① ⇨ *vt.* 4. ② (글자·기억 따위를) 지우다, 없애다. ③ (적·도시 등을) 섬멸하다; 《미속어》 죽이다: ~ *out* the enemies 적을 섬멸하다. [파] **∠·less** *a.* **blót·ty** *a.*

blot[2] 〖체스〗 (잡히기 쉬운) 말; 《고어》 (논쟁 따위에서의) 약점, 결함.

blotch [blatʃ/blɔtʃ] *n.* 부스럼; (피부의) 검버섯; (잉크 따위의) 얼룩, 반점. — *vt.* (얼룩으로) 더럽히다. [파] **~ed** [-t] *a.* 얼룩진, 얼룩이 묻은.

blotchy [blátʃi/blɔ́tʃi] *a.* 얼룩〔부스럼〕투성이의. [파] **blótch·i·ly** *ad.* **blótch·i·ness** *n.*

blót·ter *n.* **1** 압지. **2** (거래·매상 등의) 기록 장부; (경찰의) 사건 기록부. **3** 《속어》 종이 조각에 흡수시킨 1회분의 LSD.

blot·tesque [blátesk/blɔ́-] *a.* 〖회화〗 휘갈겨 그린; 조잡스레 만들어진《예술 작품 따위》.

blótting pàper 압지.

blot·to [blátou/blɔ́t-] *a.* 《속어》 곤드레가 된, 「억병으로 취한.

***blouse** [blaus, blauz/blauz] *n.* **1** 블라우스(《미》 shirtwaist). **2** 작업복, 덧옷(smock). **3** 《미》 군복의 상의《coat 대신으로 입음》.

blous·on [bláusan, blúːzan/blúːzɔn, bláu-] *n.* 〖복식〗 블루종《허리를 벨트나 고무줄로 죄게 된 등이 느슨한 여성용 재킷》. — *a.* 블루종의.

blo·vi·ate [blóuvièit] *vi.* (허풍떨며) 한 바탕 떠들어대다〔지껄이다〕.

⁑blow[1] [blou] (***blew*** [bluː]; ***blown*** [bloun]) *vi.* **1 a** 《~/+[부]》 (바람이) 불다; 〔it를 주어로 하여〕 바람이 불다: A cold wind *blew in*. 찬 바람이 들어왔다 / *It* is ~*ing* hard. 바람이 세게 불고 있다. **b** 《~/+[부]/+[보]》 바람에 날리다: The papers ~ *away* in 〔on〕 the wind. 서류가 바람에 흩날린다 / The door *blew* open. 문이 바람에 꽝 열렸다. **2 a** 《~/+[전]+[명]》 숨을 내쉬다, 입김을 내뿜다; (송풍기로) 바람을 보내다; 《비어》 구강 성교를 하다《*on*》: ~ *through* a pipe 관을 불다 / ~ *on* a trumpet 트럼펫을 불다. **b** (숨을) 헉헉 쉬다, 헐떡이다: ~ short (말이 숨을) 헐떡이다. **c** 휘파람을 불다; (선풍기 등이) 바람을 내다. **3** 《~/+[전]+[명]》 《구어》 자랑하다; 허풍떨다: He *blew about* his family. 그는 가족 자랑을 하였다. **4** 《~/+[전]+[명]》 (피리·나팔 따위가) 울리다: The train *blew for* the crossing. 기차는 건널목에서 경적을 울렸다. **5** 《~/+[부]》 폭발하다《*up*》; 〖전기〗 (퓨즈·진공관·필라멘트 등이) 끊어지다《*out*》; (타이어가) 펑크 나다《*out*》; 《속어》 격노하다: The fuse has *blown* (*out*). 퓨즈가 끊어졌다. **6** (고래가) 물을 내뿜다; 《미속어》 담배를〔마약을〕 피우다: There she ~*s*! (선상에서) 고래다. **7** 《속어》 (갑자기〔몰래〕) 가버리다, 뺑소니치다: *Blow!* 나가, 나가줘요. **8** 《속어》 헛돈을 쓰다; 실수하다, 허사가 되다. **9** 《Austral. 속어》 〖경마〗 (말이) 거는 율이 오르다. — *vt.* **1 a** 《~+[목]/+[목]+[전]+[명]/+[목]+[보]/+[목]+[부]/+[목]+[목]》 …을 불다, 불어대다, 불어 보내다: Don't ~ your breath *on* my face. 내 얼굴에 입김을 내뿜지 마라 / She let the breeze ~ her hair dry. 그녀는 머리를 미풍으로 말렸다 / The wind *blew* my hat *off*. 바람에 모자가 날아갔다 / ~ one's friend a kiss (손 시늉으로) 친구에게 키스를 보내다. **b** 〔동족목적어를 취하여〕 불다: It is ~*ing* a gale. 폭풍이 사납게 불고 있다. **c** 《~+[목]/+[목]+[부]》 …에 숨〔바람〕을 불어넣다; (불을) 불어 피우다《*up*》; (풀무로) 바람을 일으키다; (비눗방울·유리 기구 따위를) 불어서 만들다; (타이어 따위를) 부풀리다; (사진을) 확대하다《*up*》. **2 a** (나팔 따위를) 불다, 취주하다; 《속어》 (피아노 등을) 치다: ~ a whistle (심판이) 호각을 불다. **b** …의 속을 불어서 빼다: ~ one's nose 코를 풀다 / ~ an egg 달걀 속을 불어 빼다. **3** 〔보통 수동태〕 (말 따위를) 헐떡이게 하다: The horse *is* badly *blown*. 말이 몹시 헐떡이고 있다. **4 a** 《~+[목]/+[목]+[부]》 폭파하다《*up*》, 폭발로 날려버리다《*off*》; (타이어를) 펑크내다; (퓨즈를) 끊어지게 하다《*out*》. **b** …에 총알 등을 쏘아 박다; 쏘아 구멍을 내다: ~ a hole in the wall 벽에 구멍을 뚫다. **5** 《~+[목]/+[목]+[전]+[명]》 《속어》 (돈을) 낭비하다; …에게 한턱 내다《*to*》: I *blew* $100 last night. 어젯밤에 (놀면서) 100달러를 썼다 / ~ a person *to* lunch 아무에게 점심을 한턱 내다. **6** (파리 따위가) …에 쉬를 슬다. **7** 《+[목]+[부]》 말을 퍼뜨리다, 소문내다; 《미속어》 (비밀을) 누설

하다, 배신하다, 밀고하다: They have *blown* all sorts of silly rumors *about*. 그들은 온갖 터무니없는 소문을 퍼뜨리고 다녔다. **8** 추어올리다, 자만심을 품게 하다. **9** (*pp.*는 ***blowed***) 《속어》 저주하다(damn): I'm ~*ed* if I know. 알게 뭐야. **10** 《미속어》 실수〔실패〕하다, 망치다, (좋은 기회 등을) 놓치다; 《미구어》 (연극에서 대사 따위를) 잊다. **11** 《속어》 …에서 (갑자기〔몰래〕) 떠나가다, 뺑소니치다: ~ town 읍을 도망쳐 나가다. **12** 《미속어》 마약을 피우다; 《비어》 (남성에게) 구강 성교하다: ~ a stick 〔hay, jive, pot, tea, etc.〕 마리화나를 피우다.

~ ***about*** (잎이) 바람에 흩날리다〔흩어지다〕. ~ ***away*** (불어) 날려버리다, 날리다, 흩뜨리다; 사살하다; 압도하다(stun): ~ a person *away* 《미속어》 아무를 압도하다, 감동시키다. ~ ***down*** 불어 쓰러뜨리다〔떨구다〕; (보일러의 증기를) 배출하다. ~ ***high,*** ~ ***low*** 바람이 불든 안 불든; 어떤 일이 일어나든. ~ ***hot and cold*** (추어올렸다 헐뜯다 하며) 태도를 늘 바꾸다, 변덕스럽다 《*about*》. ~ ***in*** ① (바람이) 들어오다: ~ *in* at the window 창으로 바람이 들어오다. ② 《구어》 (사람이) 느닷없이〔불쑥〕 나타나다. ③ 《미속어》 낭비하다, (돈을) 다 써버리다; (음식을) 다 먹어치우다. ④ (용광로에) 송풍하다. ⑤ (유정이) 석유·가스를 분출하기 시작하다. ⑥ (난로에) 불을 붙이다. ~ ***into*** 《구어》 …에 불쑥 나타나다: He *blew into* town. 그가 느닷없이 마을에 나타났다. ***Blow it !*** 제기랄. ~ ***it*** 《미속어》 실수하다; (헤로인 주사침을) 잘못 찔러 새게 하다. ~ ***it out*** 《비어》 뭐라고 지껄이는 거야, 엿먹어라. ~ ***off*** 《*vt.*+副》 ① (모자 따위를) 바람에 날리다; (먼지 따위를) 불어 날려버리다〔깨끗이 하다〕. ② (증기·물 따위를) 분출시키다. ③ 《구어》 노여움을 폭발시키다. ── 《*vi.*+副》 ④ 《구어》 허풍 떨다; 《영속어》 방귀뀌다. ~ ***off steam*** ⇨STEAM. ~ ***on*** 〔***upon***〕 …을 패배시키다; 평판을 나쁘게 하다, 시시하게 만들다; …의 험담을 하다; 고자질하다; 《영구어》 (경기에서 심판이 선수에게) 페널티를 선언하다. ~ ***out*** 《*vt.*+副》 ① (불 따위를) 불어 끄다; (용광로)의 송풍을 멈추다. ② 부풀리다. ③ 《미속어》 죽이다. ④ 〖~ itself out〗 (폭풍이) 자다: The wind has *blown itself out*. 바람이 (불다가 겨우) 잤다. ── 《*vi.*+副》 ⑤ (등불이) 꺼지다, (전기기구가) 멈추다; (타이어가) 펑크나다; (퓨즈가) 끊어지다. ⑥ (논쟁 등이) 진정되다. ⑦ 숨을 헐떡이다. ⑧ (커튼 따위가 바람으로) 부풀다. ⑨ (가스·유정 따위가) 분출하다, 갑자기 뿜어내다. ⑩ 《미속어》 낭비하다. ~ ***over*** 《*vt.*+副》 ① 불어 쓰러뜨리다. ── 《*vi.*+副》 ② (폭풍 따위가) 지나가다, 멎다, 잠잠해지다; (위기·불행·낭설 따위가) 무사히 지나가다〔넘어가다〕. ③ 잊혀지다. ~ one***'s cool*** ⇨COOL *n.* ~ one***'s cover*** (숨은 집·정체 등을) 드러내다. ~ one***'s own trumpet*** 〔***horn***〕 ⇨ TRUMPET. ~ one***'s top*** 〔***cap, cork, lid, lump, noggin, roof, stack, topper, wig,*** etc.〕 《속어》 불같이 노하다; 《구어》 미치다; 《미속어》 자살하다; 《미속어》 멋대로 지껄이다. ~ ***the fire*** 《고어》 선동하다. ~ ***the whistle on ...*** ⇨ WHISTLE. ~ ***through*** 《구어》 서둘러〔급히〕 떠나다. ~ ***up*** 《*vt.*+副》 ① ⇨*vt.* 1 c. ② ⇨*vt.*4 a. ③ (소문 등을) 과장해 말하다. ── 《*vi.*+副》 ④ 폭발〔파열〕하다, 돌발하다; (폭풍이) 더욱 세게 불다, 심해지다: The wind *blew up*. 바람이 갑자기 몰려왔다. ⑤ 공기가 꽉 들어가다; 부풀어오르다. ⑥ 나타나다, 눈에 띄다. ⑦ 《구어》 뱃성을 내다《*at; over*》. ~ (***wide***) ***open*** 《구어》 (비밀 등을) 공개하다, 밝히다, 드러내놓다; (신인 등이 경기·승부)의 행방을 알 수 없게 만들다. ***I'm*** 〔***I'll be***〕 ~***ed if ....*** …이면 내 목을 걸겠다.

── *n.* **1** 한 번 불기, 붊; (a ~) 일진(一陣)의 광풍〔바람〕; 강풍, 폭풍. **2** 취주; (용광로로 보내는) 바람. **3** 코를 풀기, 《미속어》 손수건; (고래의) 물뿜기. **4** 산란(產卵), 파리의 쉬. **5** 《구어》 자만, 허풍. **6** 《구어》 휴식, 바람 쐬기, 옥외 산책: get a ~ 바람을 쐬다/go for a ~ 바람 쐬러〔산책을〕 나가다. **7** 《미속어》 총기(銃器). **8** 《미속어》 (헤로인·코카인을) 마심; 코카인. **9** 〖컴퓨터〗 (PROM이나 EPROM에 프로그램의) 기입.

blow²** *n.* **1** 강타(hit), 구타; 급습: strike a ~ 일격을 가하다/deal a ~ between the eyes 미간에 일격을 가하다/The first ~ is half the battle. 《속담》 선수(先手)의 일격은 전투의 절반 《선수 필승》. **2** (정신적) 타격, 불행, 재난(calamity): What a ~ ! 어쩌면 이런 재난을. ***at a 〔***one***〕 ~ 일격에, 일거에. ~ ***below the belt*** 비열한 행위. ~ ***upon*** ~ 연타(하여). ***come*** 〔***fall***〕 ***to*** ~***s*** 서로 치기 시작하다; 싸우기 시작하다. ***deal*** 〔***give, strike***〕 ***a*** ~ ***against*** 〔***for***〕 …에 반항〔가세(加勢)〕하다. ***get a*** ~ ***in*** 《구어》 (멋지게) 일격을 가하다; (토론 따위에서) 아픈 데를 찌르다. ***without*** (***striking***) ***a*** ~ 힘 들이지 않고, 쉬이.

blow³ (***blew*** [bluː]; ***blown*** [bloun]) *vi.*, *vt.* 《고어·시어》 꽃이 피다; 피게 하다. ── *n.* 개화(開花): in full ~ 만발하여.

blów·bàck *n.* (축사(縮寫)한 것의) 확대 복사; (정보원이 외국에 퍼뜨려) 본국으로 역수입된 가짜 정보.

blów·bàll *n.* (민들레의) 관모구(冠毛球).

blów·bỳ *a.* 블로바이식의《배기 가스를 태워 오염을 더는 방식》.

blów-by-blów *a.* 묘사가 자세한, 세세한《권투 실황 방송에서 생긴 말》.

blów·dòwn *n.* **1** (바람으로 넘어진) 나무; (바람으로 나무가) 넘어짐〔지는 것〕. **2** (원자로 냉각 파이프의) 갑작스런 파열.

blów-drỳ *vt.* (머리를) 드라이어로 매만지다. ── *a.* 드라이어로 머리를 매만진. ── *n.* 드라이어로 머리를 매만지기.

blów drỳer 헤어 드라이어.

blów·er *n.* **1** 부는 사람〔물건〕: a glass ~ 유리를 불어 만드는 직공. **2** 송풍기〔장치〕; 헤어드라이어; 《미속어》 (자동 엔진) 과급기(過給機). **3** 〖어류〗 복어류(puffer); 《구어》 고래. **4** 〖탄광〗 갈라진 틈에서 메탄가스의 분출. **5** 《속어》 허풍선이. **6** 《영구어》 전화; 《구어》 전성관(傳聲管).

blów·fish *n.* (복어처럼) 몸을 부풀리는 물고기.

blów·flỳ *n.* 금파리(meat fly).

blów·gùn *n.* 불어서 내쏘는 화살(통), 취관(吹管), 바람총; 분무기.

blów·hàrd *n.* 《미구어》 허풍선이; 떠버리.

blów·hòle *n.* (고래의) 분수 구멍; (고래·바다표범 따위가 숨을 쉬러 오는) 얼음 구멍, (지하실 등의) 통풍 구멍; (주물의) 기포, 공기집.

blów-in *n.* 《Austral.구어》 환영받지 못할 신참자, 타관 사람.

blów-in càrd (잡지의) 삽입 엽서.

blów·ing *n.* Ⓤ (가스·증기 따위가) 분출하는 소리; 〖야금〗 (공기나 증기에 의한) 교란음; 가압분출 제법, 취입 성형(成形); 《미속어》 재즈 연주.

blów jòb 《비어》 =FELLATIO, CUNNILINGUS; 《미속어》 제트기.

blów·làmp *n.* =BLOWTORCH.

blów·mobìle *n.* (프로펠러 달린) 눈썰매〔설상차(雪上車)〕.

blow mòlding (플라스틱 등의) 중공 성형(中空成形).

***blown¹** [bloun] BLOW¹,³의 과거분사. ── *a.* **1** 부푼; 불어〔부풀려〕 만든: ~ glass. **2** 숨이 찬, 기진한. **3** (파리의) 쉬투성이인. **4** 펑크 난, 끊어진; 결딴난.

blown[2] *a.* (꽃이) 만발한, 핀.

blówn-in-the-bóttle 〔**gláss**〕 *a.* 진짜의 (genuine).

blówn-úp *a.* 폭파된; (사진이) 확대된; 과장된: a ~ bridge 폭파된 교량/a ~ estimate of his achievements 그의 업적에 대한 과대평가.

blów·òff *n.* (증기 따위의) 분출 (장치); 《구어》 (감정의) 분출, 격발; 《속어》 허풍선이(boaster); 《미속어》 정점(climax), 종말; 인기물.

blów·òut *n.* 파열, 폭발; 〖전기〗 (퓨즈의) 끊어짐; (타이어의) 펑크(난 곳); (유정(油井) 등의) 분출(에 의한 고갈); 〖의학〗 동맥류(瘤) (aneurysm); 〖지학〗 풍식(風蝕)에 의한 요지(凹地); 《구어》 성찬, 큰 잔치(banquet), 성대한 파티; 《미속어》 훔치기의 실패; 《미속어》 군중.

blów·pìpe *n.* 불 부는 대롱; (유리 세공용의) 취관(吹管); =BLOWGUN; 〖의학〗 (강내(腔內) 청정용의) 취관(吹管).

blowsy [bláuzi] *a.* 《경멸》 **1** (여자가) 붉은 얼굴의; 칠칠치 못한 모습을 한; 어질러진, 누추한 《방 따위》. **2** 세밀하지 못한 《계획 따위》, 날림인, 조잡한. ㊎ **blóws·i·ly** *ad.*

blów·tòrch *n.* (용접용) 버너, 토치 램프; 《미속어》 제트 엔진, 제트(전투)기.

blów·tùbe *n.* =BLOWPIPE; BLOWGUN.

blów·ùp *n.* 파열, 폭발(explosion); 《구어》 발끈 화냄, 야단침; 〖사진〗 확대; 〖영화〗 클로즈업; 《미》 파산.

blów-wàve *n.* 블로웨이브《머리를 드라이어로 말리면서 다듬는 방법〔헤어스타일〕》. ── *vt.* (머리를) 블로웨이브법으로 다듬다.

blowy [blóui] *a.* 바람이 센(windy); 바람에 날리기 쉬운.

blowzed, blowzy [blauzd], [bláuzi] *a.* =「BLOWSY.

BLS 《미》 Bureau of Labor Statistics (노동 통계국). **bls.** bales; barrels. **B.L.S.** Bachelor of Library Science. **BLT** bacon, lettuce and tomato sandwich.

blt [blit] *vi.* 《미속어·해커》 한 묶음으로 다루는 정보의 집합(block)을 컴퓨터의 기억 장치 내부에서 이동시키다. [◂ *B*lock *T*ransfer]

blub [blʌb] (*-bb-*) *vi.* 《구어》 엉엉 울다.

blub·ber [blʌ́bər] *n.* Ⓤ **1** 고래의 지방(층); (사람의) 여분의 지방. **2** 엉엉 울기, 느껴 울기. ── *vt., vi.* 엉엉〔느껴〕 울다; (얼굴·눈을) 울어서 붓게 하다; 울며 말하다《*out*》. ── *a.* (입술이) 두툼한, 불거진. ㊎ **~y** [-ri] *a.* 지방질이 많은, 뚱뚱한; (눈이) 울어 부은, (얼굴이) 울어 일그러「진.

blúbber·bèlly *n.* 《구어》 뚱뚱보.

blu·cher [blúːkər, blúːtʃər] *n.* 혀와 앞닫이가 한 가죽으로 된 단화; 반(半)장화의 일종.

bludge [blʌdʒ] *n.* 《Austral.구어》 간단한〔쉬운〕 일; (일자리가 없어 쉬는) 시기: have a ~ 하는 일 없이 빈둥거리다. ── *vt.* (일을) 꾀부리다; (물건을 달라고) 조르다. ── *vi.* 책임〔일〕을 회피하다; 남에게 의지하다; (복지 기구 등에) 의지하여 살아가다. ~ ***on*** …을 속이다. ㊎ **blúdg·er** *n.* 식객; 게으름뱅이; (친근한 호칭으로서) 자네.

bludg·eon [blʌ́dʒən] *n.* 곤봉; 공격의 수단. ── *vt.* 《~+목/+목+전+명/+목+보》 곤봉으로 때리다; 지분대다; 위협하다; (남을) 강제로 …하게 하다《*into*》: ~ a person *to* death 아무를 때려 죽이다/The boss finally *~ed* him *into* tak*ing* responsibility. 상사는 결국 그에게 강제로 책임을 지게 했다/~ a person senseless 아무를 때려 실신시키다.

‡**blue** [bluː] *a.* **1** 푸른, 하늘빛의, 남빛의: the ~ sky 푸른 하늘. **2** (추위·공포 따위로) 새파래진, 창백한. **3** (사람·기분이) 우울한; (형세 따위가) 비관적인: a ~ mood (day) 우울한〔어두운〕 기분(의 날)/Things look ~. 형세가 나쁘다/I feel 〔I am〕 ~. 우울하다. **4** 푸른 옷을 입은. **5** (여자가) 청탑파(青鞜派)의, 인텔리의. **6** 《영》 보수당(Tory)의; (B-) 《미》 (남북 전쟁 때) 북군의. **7** (도덕적으로) 엄격한. **8** 추잡한, 외설적인: ~ stories. **9** (바람 따위가) 찬. **10** (곡이) 블루스조의. ***~ in the face*** 지쳐서; 몹시 노하여. ***like ~ murder*** 《구어》 전속력으로, 한눈도 팔지 않고. ***till all is ~*** 철저하게, 끝까지: drink *till all is ~* 취해 곤드라지도록 마시다. ***till*** one ***is ~ in the face*** 얼굴이 창백해지도록; 어디까지나, 끝까지: I've told you so *till I am ~ in the face.* 귀에 못이 박히도록 말해 두지 않았느냐. ***Turn ~!*** 《미속어》 엿 먹어라.

── *n.* **1** 파랑, 청(색), 남빛. **2** 파란〔남빛〕 (그림)물감; 푸른 것《천·옷 따위》; 《미》 (남북 전쟁 때) 북군의 군복〔병사〕; Yale 대학의 교색(校色): the ~ and the gray (미국 남북 전쟁의) 북군과 남군. **3** (the ~) 《문어》 창공, 푸른 바다. **4** 《영》 보수당원(a Tory); 《영》 대학 대항 경기의 출전 선수(의 청장(青章)): win one's ~ 《영》 대학의 대표 선수로 뽑히다; (the Blues) 영국의 근위 기병대. **5** 여자 학자. **6** (*pl.*) ⇨BLUES. **7** 《Austral.구어》 (교통사고·규칙 위반 등의) 호출, 소환(장)(summons). ***into the ~*** 아득히 멀리. ***out of the ~*** 뜻밖에, 불시에, 청천벽력과 같이. cf. bolt[1]. ***the men in ~*** 순경; 수병; 미합중국 연방군.

── (*p., pp.* ***blued; blu(e)·ing***) *vt.* **1** 푸른빛〔청색〕으로 하다〔물들이다〕. **2** 《속어》 (돈을) 낭비하다. ── *vi.* 파래지다.

blúe alért 청색 경보《제 2 단계의 경계 경보; yellow alert의 다음 단계》.

blúe and whíte 《구어》 경찰(차). cf. black and white.

blúe ángel 《속어》 =BLUE HEAVEN.

blúe bàby (심장 기형에 의한) 청색아(兒).

blúe bág 법정 변호사가 서류·법복 등을 넣는 푸른 자루.

blúe bálls 《비어》 성병에 걸린 고환, 임질(환「자).

Blúe·bèard *n.* **1** 푸른 수염의 사나이《6명의 아내를 차례로 죽인 잔혹한 남자》. **2** 잔인하고 변태적인 남자〔남편〕.

blúe·bèat *n.* 〖음악〗 =SKA.

blúe·bèll *n.* 〖식물〗 푸른 종 모양의 꽃이 피는 풀《초롱꽃 따위》. 「총칭》; 그 열매.

blúe·bèrry *n.* 〖식물〗 월귤나무《월귤나무속의

blúe·bìll *n.* 〖조류〗 검은머리흰죽지(scaup duck) 《물오리의 일종》.

blúe·bìrd *n.* 〖조류〗 블루버드, 《특히》 지빠귓과의 일종《미국산》; 《흑인속어》 순경; 《속어》 아미탈소다《바르비탈계 약제의 하나》.

Blúe Bírd (the ~) **1** 파랑새《행복의 상징》. **2** 〔스〕 블루버드《캠프파이어 모임의 최연소 단원; 6-8세》.

blúe-bláck *n., a.* 진한 남빛(의).

blúe blázes 《완곡어》 지옥. ★ 감탄사·강조어로서도 쓰임. 「족 계급.

blúe blòod 귀족(의 혈통), 명문; (the ~) 귀

blúe-blóoded [-id] *a.* 귀족의, 명문의.

blúe·bònnet *n.* 〖식물〗 수레국화; 청색 모자; 스코틀랜드인〔병정〕.

blúe bòok **1** 《영》 (종종 B- B-) 청서《영국 의회나 정부 발행의 보고서》; 《미》 (푸른 표지의) 정부 간행물. **2** 《미구어》 신사록; 《미》 (대학에서 쓰는 청색 표지의) 시험 답안철(綴). **3** (B- B-) 《미》 자동차 도로 안내서. 「(=~fly).

blúe·bòttle *n.* **1** 〖식물〗 수레국화. **2** 금파리

blúe bóx 《미속어》 장거리 통화를 무료화(無料化)하는 위법의 소형 전자 장치; 《Can.》 (재활용품 수집용) 푸른 상자.

blúe bóy 1 《속어》 경찰관. **2** (The B- B-) 푸른 옷의 소년《T. Gainsborough의 초상화》.
blúe chéer 《미속어》 =LSD.
blúe chèese 블루 치즈《우유제(製)의 푸른 곰팡이 치즈》.
blúe chíp 1 〖카드놀이〗 (포커의) 블루칩《높은 점수용》. **2** 〖증권〗 우량주(株); 우량 사업〔기업〕, 흑자 기업.
blúe-chíp *a.* 우수한, 일류의; 확실하고 우량한 《증권》. cf. gilt-edged.
blúe-chìpper *n.* 《미속어》 일류의〔우수한〕 인재〔조직〕; 일류품, 일급품.
blúe·còat *n.* 청색 제복을 입은 사람《미국에서는 순경·사병·선원 등; 영국에서는 육·해군》. 파 **~·ed** [-id] *a.* 남색 제복을 입은.
blúecoat bóy 〔gírl〕 《영》 자선 학교(=**blúecoat schóol**)의 학생《특히 London의 Christ's Hospital교의 학생》.
blúe-cóllar *a.* (작업복을 입는 직업의) 임금 노동자 계급의〔에 속하는〕, 육체 노동자의; 작업복의, 블루칼라의. cf. white-collar.
blúe-collar wórker 육체 노동자, 공원; 숙련 노동자.
Blúe Cróss 《미》 블루 크로스《주로, 고용인과 그 가족의 건강 보험 조합》.
blúe dángers 《미·범죄자 은어》 (파란색을 칠한) 순찰차; (청색 제복의) 경관.
blúe dárter 《야구속어》 강렬한 직구.
blúe dévil 《미속어》 =BLUE HEAVEN.
blúe dévils 1 우울(증). **2** 〖의학〗 =DELIRIUM TREMENS.
blúe énsign 〖영해군〗 예비함기(旗).
blúe-èyed *a.* **1** 푸른 눈의; 마음에 드는: a ~ boy 《영》 마음에 드는 사람. **2** 《흑인속어》 백인의, 백색 인종의: a ~ devil 《경멸》 백인. **3** 《Can. 속어》 영국계의. **4** 《미속어》 순진한, 세상 물정을 모르는.
blúe-eyed bóy 《영》 =FAIR-HAIRED BOY.
blúe-eyed sóul 《미구어》 백인이 연주하는 전형적인 흑인 음악.
blúe·fìsh *n.* 〖어류〗 전갱이류《푸른 빛깔의 물고기류》.
blúe flàg 붓꽃《북아메리카산》; (~s) 《미속어》 =LSD.
blúe flíck 《속어》 =BLUEMOVIE.
blúe-flù *n.* 경찰관〔소방관〕의 태업《준법 투쟁의 일종》.
blúe fúnk 《영구어》 심한 공포증; 《미속어》 실망, 실연, 고독, 우울: in a ~ 몹시 겁에 질려.
blúe·gill *n.* 〖어류〗 송어의 일종《미국 미시시피강 유역산 식용어》.
blúe·gràss *n.* **1** 〖식물〗 새포아풀속(屬)의 풀 《목초용》. **2** 〖음악〗 블루그래스《미국 남부의 컨트리 뮤직의 하나》.
Blúegrass Règion 〔Còuntry〕 (the ~) 미국 Kentucky주의 중부 지방.
Blúegrass Stàte (the ~) Kentucky주의 속칭.
blúe-gréen *n.* U 청록색.
blúe-green álga 〖식물〗 남조(藍藻) 식물.
Blúe Guíde 블루 가이드《1918년 창간된 영국의 여행 안내서》.
blúe gróund 〖광물〗 =KIMBERLITE.
blúe gùm 유칼리나무(eucalyptus)의 일종.
blúe héaven 《속어》 아미탈(Amytal)(blue angel 〔devil〕); =LSD.
blúe hélmet (유엔의) 국제 휴전 감시 부대원.
Blúe Hòuse (the ~) (한국의) 청와대.
blue·ing [blúːiŋ] *n.* =BLUING.
blue·ish [blúːiʃ] *a.* 푸릇한.
blúe·jàcket *n.* 수병(水兵).
blúe jày 〖조류〗 어치의 일종《북아메리카산》.
blúe jèans 1 청바지《jean 또는 denim제(製)》. cf. overalls. **2** 《미속어》 주(州)경찰; 고속도로 순찰차.
blúe jòhn 청형석(青螢石)《Derbyshire산(產)》.
blúe làw 《미》 청교도적 금법(禁法)《주일의 유흥·오락을 금했던 18세기의 엄격한 법》.
blúe líght(s) (신호용) 푸른 꽃불.
blúe lìne 〖아이스하키〗 블루 라인《골라인과 나란히 링크를 3등분한 청색 선》. ★ zone line이라고도 함.
blúe mán 《속어》 정복 경찰관.
blúe métal 도로용으로 깬 bluestone.
blúe móld (빵·치즈에 생기는) 푸른곰팡이; 〖식물〗 푸른곰팡이병(病).
blúe Mónday 사순절(Lent) 전의 월요일; 《구어》 (또 일이 시작되는) 우울한 월요일.
blúe móon 《구어》 매우 오랜 기간; 《미속어》 창가(娼家); 홍등가. ***once in a ~*** 매우 드물게, 좀처럼 …않는.
Blúe Móuntains (the ~) 블루 산맥《미국 Oregon주와 Washington주에 걸쳐 있는 산맥》.
blúe-móvie *n.* 포르노〔도색〕 영화(=**blúe fílm**).
blúe múrder 《구어》 =BLOODY MURDER.
blúe·ness *n.* U 푸르름, 푸름.
Blúe Níle (the ~) 청나일《나일 강의 지류》.
blúe·nòse *n.* **1** 청교도적인〔도덕적으로 엄격한〕 사람. **2** (B-) 캐나다 Nova Scotia주(州)의 주민〔범선〕; 그곳에서 나는 감자.
blúe nòte 〖음악〗 블루 노트《블루스에 특징적으로 잘 사용되는 반음 내린 제3〔7〕음》.
blúe péncil (원고를 정정·삭제하는) (푸른) 연필; (출판물 내용의) 삭제, 수정; 검열.
blúe-pèncil *vt.* (편집자가) 파란 연필로 수정〔삭제〕하다, 원고를 손질하다; (검열관이 원고를) 검열하다(censor); 《속어》 금지하다.
Blúe Péter (the ~) 〖해사〗 출범기(出帆旗)《푸른 바탕의 중앙에 흰 사각형이 있는》.
blúe píll 수은 환약《하제(下劑)》; 《미속어》 탄환, 총알.
blúe plàte 각종 요리를 함께 담기 위해 칸막이를 한 접시; 고기와 야채로 된 요리의 주요 코스.
blúe·pòint *n.* (생식(生食)용) 작은 굴.
blúe póinter 〖어류〗 흰빰상어《대형의 사나운 식인 상어》; 《Austral.》 청상아리.
blúe·prìnt *n., vt.* **1** 청사진(을 뜨다). **2** 설계도(를 작성하다); 면밀한 계획(을 세우다). **3** 〖인쇄〗 (오프셋 등의) 교정쇄《네가필름에서 청사진 형식으로 박음》.
blúe·prìnting *n.* 청사진(법).
blúe rácer 〖동물〗 진한 남빛의 독 없는 뱀《미국 중부산》.
blúe ríbbon (Garter 훈장의) 청색 리본; 최우수〔최고 영예〕상; (금주 회원의) 청색 리본 기장; 〖해사〗 블루 리본상《대서양을 최고 속도로 횡단한 배에 수여함》; 영예의 표시.
blúe-ríbbon *a.* 최상의; 정선된, 제1급의, 탁월한: a ~ commission 학식·경험이 풍부한 사람들로 구성된 위원회.
blúe-ríbbon júry 〔pánel〕 《미》 (중대 형사 사건의) 특별 배심원(special jury).
Blúe Rídge Móuntains (the ~) 블루리지 산맥《미국 남동부, 애팔래치아 산맥의 일부》.
blúe-rínse(d) [-(t)] *a.* 《미》 (정갈한 차림으로 사회 활동을 하는) 연로한 여성들의.
blúe róck 〖조류〗 양비둘기.
blúe rúin 《미속어》 파멸; 《구어》 질이 나쁜 진(gin[1]).
blues [bluːz] *n. pl.* **1** (the ~) 〔단·복수취급〕 《구어》 울적한 기분, 우울: be in the ~ 기분이 울적하다. **2** 〔단·복수취급〕 블루스《노래·곡》: sing a ~ 블루스를 노래하다 / sing the ~ 우울하다; 기운이 없다. **3** 미국 해군〔공군, 육군〕 제복. **4** (the B-) 영국의 근위 기병 제3연대《the Royal Horse Guards의 별칭》. **—** *a.* 블루스의: a ~ singer 블루스 가수.
blúe scréen 블루 스크린《합성 사진 제작 기술의 하나》.
Blúe Shíeld 《미》 블루 실드《영리를 목적으로 하지 않는 의료 보험 조합의 호칭》. cf. Blue

Cross.
blúe·shìft *n.* 〖천문〗 청색 이동《천체가 관측자에 가까이 있을 때에는, 스펙트럼선의 파장이 긴 쪽으로 이동해 보이는 일》(=**blúe shìft**).
blúe-ský 《구어》 *a.* (거의) 무가치한《증권》; 비현실적인, 공상적인, 이상에 치우친; 근거가 박약한.
blúe-ský làw 《미》 부정 증권 거래 금지법.
blúes·man [-mən] *n.* 블루스 연주자〔가수〕.
blúe spót 청반(靑斑)(mongolian spot).
blúes-róck *n.* 블루스록《블루스조의 록 음악》.
blúe·stòcking *n.* 여류 문학자; 학자연하는〔문학을 좋아하는〕 여자. cf. high brow.
blúe·stòne *n.* Ⓤ **1** 황산구리. **2** (건축용의) 청회색 사암(砂岩).
blúe stréak 1 《구어》 (속도와 생생함에 있어) 광선과 같은 것; 빠르면서도 끝없이 이어지는 말: talk a ~ 쉴새 없이〔빠른 말로〕 지껄이다. **2** (B-S-) (영국의) 단단식(單段式) 로켓.
blúe sùit (흔히 *pl.*) 《속어》 경관.
bluesy [blúːzi] *a.* 블루스적인〔가락의〕.
blu·et [blúːit] *n.* 〖식물〗 파란 꽃이 피는 식물《수레국화 따위》.
blúe tít 〖조류〗 푸른박새《아시아·유럽에 넓게 분포》.
blúe vélvet 《속어》 블루 벨벳《진통제와 항(抗)히스타민제를 섞은 주사약》.
blúe vítriol 〖화학〗 황산구리, 담반(膽礬). cf. copper vitriol.
blúe wáter 난바다, 공해, 대양(open sea): ~ school 《영》 (전략의) 해군 만능파, 대해군주의파.
blúe whàle 흰긴수염고래.
bluey [blúːi] *n.* 《Austral.구어》 **1** (방랑자·갱부 등의) 휴대품 보따리, 여행용 옷가방. **2** 붉은 머리털의 사람. **3** 모포; 소환장; 목축견(cattle dog). ★ 모두 푸른 색과 연관되어 생긴 뜻임. — *a.* 푸르스름한.
°**bluff**[1] [blʌf] *a.* **1** 절벽의, 깎아지른 듯한; (앞부분이) 폭이 넓고 경사진. **2** 무뚝뚝한, 예모 없는, 솔직한. — *n.* 절벽, 단애; (the B-) 높은 주택지. 파 ∠·**ly** *ad.* ∠·**ness** *n.*
bluff[2] *vt.* **1** …에 허세부리다, 으르다, (허세부려) 얻다. **2** 《+목+전+명》 (허세부려 …에게) …하게 하다《*into*》: He could ~ nobody *into* believing that he was rich. 허풍을 쳐도 아무도 그가 부자라고는 생각하지 않았다. **3** 〖포커〗 (패가 센 것처럼 꾸며 상대를) 속이다. — *vi.* 허세를 부려 아무를 속이다, 엄포 놓다, 남을 으르다. ~ ***it out*** 《구어》 그럴 듯하게 속여서 궁지를 벗어나다. ~ one***'s way*** 속여서〔위협해서〕 …하다: ~ one's *way into* a job 그럴 듯하게 속여 일자리를 얻다 / ~ one's *way out of* trouble 잘 속여서 재난에서 빠져나가다. — *n.* Ⓤ,Ⓒ 올러메기, 허세, 으름장; 허세 부리는 사람: make a ~ 허세를 부려 위협하다. ***call*** a person***'s*** ~ 〖포커〗 손을 펴 공개시키다; 아무의 허세에 도전하다. 파 ∠·**er** *n.*
bluffy [blʌ́fi] *a.* 절벽 같은, 험한, 벼랑이 있는.
blu·ing [blúːiŋ] *n.* 푸른 색이 도는 표백용 세제(洗劑); (강철 표면의) 청소법(靑燒法).
blu·ish, blue- [blúːiʃ] *a.* 푸른빛을 띤.
*__blun·der__ [blʌ́ndər] *n.* 큰 실수, 대(大)실책. SYN. ⇨ ERROR. ***commit a*** ~ 큰 실수를 하다. — *vi.* **1** 《~/+전+명》 (큰) 실수를〔실책을〕 (범)하다《*in doing*》: She has ~*ed* again. 그녀는 또 실수를 하였다 / The child often ~*ed in* read*ing*. 그 아이는 종종 잘못 읽었다. **2** 《~/+부/+전+명》 머뭇거리다; (방향을 몰라) 어정거리다, 어물어물 하며〔곱드러지며〕 나가다《*about; along; on*》: ~ *along* 터벅터벅 가다 / ~ *about* 〔*around*〕 in the dark 어둠 속에서 어정버정하다. **3** 《+전+명》 (…을) 우연히 발견하다《*on, upon*》; (…에) 실수로 들어가다《*into; in*》: ~ *into* a wrong room 실수로 엉뚱한 방에 들어가다 / The detective ~*ed on* the solution to the mystery. 형사는 우연히 사건 해결의 열쇠를 잡았다. — *vt.* 《+목+부》 **1** (비밀 등을) 무심코 입 밖에 내다《*out*》: ~ *out* a secret 얼결에 비밀을 누설하다. **2** 서툰 짓을 하다, 실수하다; 잘못하여 …을 잃다《*away*》: ~ *away* one's fortune 잘못하여 재산을 잃다.
blun·der·buss [blʌ́ndərbʌ̀s] *n.* 나팔총《총부리가 넓은 18세기경의 총》; 얼뜨기, 얼간이.
blún·der·er [-rər] *n.* 실수하는 자; 얼간이.
blún·der·ing [-riŋ] *a.* 실수하는; 어줍은; 어색한. 파 ~·**ly** *ad.*
blunge [blʌndʒ] *vt.* (도토(陶土) 따위를) 물과 섞어 반죽하다. 파 **blúng·er** *n.* 반죽용 바리때, 반죽하는 사람.
*__blunt__ [blʌnt] *a.* **1** 무딘, 날 없는. OPP. *sharp.* **2** 둔감한, 어리석은. **3** 무뚝뚝한, 퉁명스러운, 예모 없는; 솔직한: a ~ refusal (to do…) 쌀쌀맞은 거절. — *n.* 짧고 굵은 것《짧은 엽궐련·굵은 바늘 등》; 《속어》 현금. — *vt.* **1** 무디게 하다, 날이 안 들게 하다. **2** 둔감하게 하다. 파 ∠·**ly** *ad.* ∠·**ness** *n.*
blúnt ínstrument 둔기(鈍器); 졸수(拙手).
°**blur** [bləːr] *n.* **1** 더러움, 얼룩. **2** (도덕적인) 결점, 오점, 오명. **3** (시력·인쇄 따위의) 흐림, 불선명. — (-*rr*-) *vi.* **1** (눈·시력·시야·경치가) 희미해지다, 부예지다. **2** 더러워지다; 흐려지다. —(-*rr*-) *vt.* **1** (눈·시력·시계 등을) 희미하게〔흐리게〕 하다: ~*red* eyes 침침한 눈. **2** 또렷하지 않게 하다: The printing is somewhat ~*red*. 인쇄물이 좀 흐릿하다. **3** …에 얼룩을 묻히다, 더럽히다《*with*》: The page has been ~*red with* ink in two places. 그 페이지는 두 군데 잉크 얼룩이 져 있다. ~ ***out*** 지워버리다; 흐리게 하다. 파 ∠·**ring·ly** *ad.*
blurb [bləːrb] 《구어》 *n.* (책 커버 따위의) 선전 문구, 추천문; 추천 광고; 과대 선전. — *vt.* (…라고) 과대 선전하다. — *vi.* 추천 광고를 내다.
blur·ry [bléːri] *a.* 더러워진; 흐릿한, 또렷하지 않은(blurred). 파 **-ri·ly** *ad.* **-ri·ness** *n.*
blurt [bləːrt] *vt.* 불쑥 말하다, 무심결에 입 밖에 내다, 누설하다《종종 *out*》. — *n.* 불쑥 말을 꺼냄.
*__blush__ [blʌʃ] *vi.* **1** 《~/+보/+부/+전+명》 얼굴을 붉히다, (얼굴이 …으로) 빨개지다《*at; for; with*》: ~ scarlet 몹시 얼굴을 붉히다 / ~ *up* to the roots of one's hair (부끄러워) 귀밑까지 빨개지다 / He ~*ed for* 〔*with*〕 shame. 그는 부끄러운 나머지 얼굴을 붉혔다. **2** 《+전+명/+*to* do》 부끄러워하다〔지다〕《*at; for*》: I ~*ed at* my ignorance. 자신의 무지를 부끄럽게 생각했다 / I ~ *to* own that.... 부끄럽습니다만 실은…. — *vt.* …을 붉게 하다; 얼굴을 붉혀 …를 알리다: She ~*ed* (the) truth. 그녀는 얼굴을 붉혔으므로 사실이 알려져 버렸다. — *n.* **1** 얼굴을 붉힘; 홍조: put a person to the ~ 아무를 부끄럽게 하다. **2** 언뜻 봄, 일견(一見). ***at*** 〔***on***〕 (***the***) ***first*** ~ 언뜻 보아. ***spare*** a person***'s*** ~***es*** 《구어》 아무에게 수치심을 주지 않도록 하다: *Spare my* ~*es*. 너무 추어올리지 마라. 파 ∠·**er** *n.* 볼연지.
blush·ful [blʌ́ʃfəl] *a.* 얼굴을 붉히는, 부끄러워하는; 불그레한. 파 ~·**ly** *ad.* ~·**ness** *n.*
blúsh·ing *a.* 얼굴이 붉어진, 수줍어하는; 조심성 있는. — *n.* 얼굴을 붉힘, 부끄러워함.
blúsh·ing·ly *ad.* 얼굴을 붉히고, 부끄러운 듯이.
blúsh·less *a.* 염치를 모르는, 철면피한.
blúsh wìne 블러시 와인《화이트 와인과 유사한 엷은 핑크색 와인; rosé 보다 쌉쌀하고 색이 연합》.

°**blus·ter** [blʌ́stər] *vi.* **1** (바람·물결이) 거세게 몰아치다; (사람이) 미친 듯이 날뛰다. **2** 《~/+전+명》 고함〔호통〕치다《*at*》; 뽐내다, 허세 부리다: He *~ed at* her. 그녀에게 호통을 쳤다. ― *vt.* 《+목+부/+목+전+명》 고함〔야단〕치다《*out; forth*》; 고함쳐 …하게 하다《*into*》: ~ *out* a threat 고함치며 으름장을 놓다/I *~ed* him *into* silence. 일갈하여 그를 침묵케 했다/~ oneself *into* anger 발끈 화를 내다. ― *n.* Ⓒ (바람이) 사납게 휘몰아침, (파도의) 거센 움직임; Ⓤ 고함, 호통; 시끄러움; 허세. ㊕ **~·er** [-rər] *n.* 고함지르는〔뽐내는〕 사람.

blús·ter·ing [-riŋ] *a.* 사납게 불어 대는; 시끄러운; 고함치는, 호통치는, 뽐내는. ㊕ **~·ly** *ad.*

blus·ter·ous, -tery [blʌ́stərəs], [-təri] *a.* =BLUSTERING.

blvd. boulevard.

B́ lỳmpocyte 〖생물〗 B CELL.

B.M. Bachelor of Medicine; ballistic missile; 《완곡어》 bowel movement; British Museum; 〖측량〗 bench mark; Brigade Major. **B/M, BM** bill of material. **B.M.A.** British Medical Association(영국 의학 협회). **BMD** ballistic missile defense (탄도 미사일 방위). **B.M.E.** Bachelor of Mechanical Engineering; Bachelor of Mining Engineering. **BMEP** brake mean effective pressure.

B́ mèson 〖물리〗 B중간자(B particle).

BMEWS [biːmjúːz] 《미》 Ballistic Missile Early Warning System(탄도탄 조기 경보망). ⓒf DEW[1].

BMI [bìːèmái] *n.* 체질량 지수《비만도를 나타냄; 체중(kg)을 신장(m)의 제곱으로 나눈 수》. [◂ *b*ody *m*ass *i*ndex]

B.M.J. British Medical Journal. **B.M.O.C.** big man on campus (인기 있는 유력한 학생).

B́ móvie B급 영화《적은 예산으로 만든 오락 영화》.

BMP 〖컴퓨터〗 basic multilingual plane (기본 다언어면(多言語面)); 〖컴퓨터〗 파일이 비트맵(bitmap) 방식의 화상 데이터임을 나타내는 파일 이름 확장자. **BMR, B.M.R.** basal metabolic rate(기초 대사율). **BMT** Brooklyn-Manhattan Transit《뉴욕의 지하철 노선》. **B.M.T.** Bachelor of Medical Technology. **B. Mus.** Bachelor of Music. **B.M.V.** Blessed Mary the Virgin.

BMW [bìːèmdʌ́bljuː] *n.* 베엠베《독일 BMW 사제의 자동차〔모터사이클〕》. [《G.》 *Bayerische* Motoren Werke =Bavarian Motor Works]

BMX [bíːèméks] *n.* 자전거 모터크로스(bicycle motocross)(용 자전거).

Bn. Baron. **bn.** beacon; been; billion; battalion. **b.n.** bank note. **B.N.A.** *Basle Nomina Anatomica* 《L.》 (=Basle anatomical nomenclature; 바젤 해부학회 명명법).

B'nai B'rith [bənéibríθ] 유대인 문화 교육 촉진 협회《유대인 남성의 우애 단체; 생략: B.B.》.

B.N.D.D. Bureau of Narcotics and Dangerous Drugs. **BNOC** British National Oil Corporation (영국 국영 석유 개발 회사).

bo[1]**, boh** [bou] *int.* 왁《사람을 놀래키기 위한 발성》. [imit.]

bo[2] (*pl.* **~s**) *n.* 《미속어》 여보게, 친구, 형님, 아우《호칭》.

bo[3]**, 'bo** (*pl.* **~es**) *n.* 《미속어》 부랑자(hobo).

B.O. Board of Ordnance; body odor. **b.o.** 〖상업〗 back order(미처리〔추가〕 주문); bad order; box office; branch office; 〖해군〗 broker's order(선박 중개인 지시서); 〖증권〗 buyer's option (매수측의 선택). **b/o** 〖부기〗 brought over (이월(移越)).

boa [bóuə] *n.* **1** 보아(구렁이), 왕뱀(=~ **constríctor**); 긴 모피〔깃털〕의 여성용 목도리. **2** (흔히 the ~) (공동 변동 환시세제(snake)보다 변동폭이 큰) 확대 공동 변동 환시세제, 보아.

Bo·a·ner·ges [bòuənə́ːrdʒiːz] *n. pl.* **1** 〖성서〗 보아너게《천둥의 아들이라는 뜻; 마가복음 III: 17》. **2** 〔단수취급〕 열렬한 설교사.

°**boar** [bɔːr] *n.* **1** (불까지 않은) 수퇘지; Ⓤ 그 고기. ⓒf hog. **2** 멧돼지(wild ~); 그 고기: *~'s* head 멧돼지 대가리《경사 때의 요리》. **3** 모르모트(guinea pig)의 수컷.

†**board** [bɔːrd] *n.* **1 a** 널, 판자《엄밀하게 말하면 너비 4.5인치 이상, 두께 2.5인치 이하》. ⓒf plank. **b** 선반 널; (다리미 따위의) 받침; 게시판; 《미》 칠판, 흑판; (체스 따위의) 판; 배전반, (전신·전화의) 교환기; 〖컴퓨터〗 기판, 보드. **c** 다이빙판(diving ~); (*pl.*) 하키링의 판자울, 보드; (농구의) 백보드; (파도타기의) 서프보드; (스케이트보드의) 보드(deck). **d** (the ~s) 무대(stage). **2 a** 판지(板紙), 두꺼운 마분지; 책의 두꺼운 표지. **b** (*pl.*) 《미속어》 카드놀이의 카드; (극장의) 입장권. **c** 〖카드놀이〗 보드《(1) stud poker에서 각자 앞에 까놓은 모든 패. (2) 브리지에서 까놓은 것 대신에 내놓은 패》. **3** 식탁; Ⓤ 식사, 식사대: ~ and lodging 식사를 제공하는 하숙/full ~ 세 끼를 제공하는 하숙/⇨ ROOM AND BOARD. **4** 회의용 탁자; 회의, 평의원(회), 중역(회), 위원(회); (증권 거래소의) 입회장(boardroom): *~of* directors 이사〔중역, 임원〕회/*~of* health 보건국/~ *of* trade 《미》 상공 회의소/Board *of* Inland Revenue 《미》 내국세 수입국/~ *of* commissioners 《미》 군(郡) 행정 위원회/~ *of* Police Commissioners 《미》 경찰 위원회. **5** (정부의) 부(部), 원(院), 청(廳), 국(局), 성(省); 《미》 (종종 B–) 증권 거래소: Big *Board* 뉴욕 증권 거래소. **6 a** 뱃전; 배 안; (기차 따위의) 찻간. **b** 〖해사〗 바람 불어오는 쪽으로 향한 침로. **7** =STORYBOARD; BILLBOARD. ***above*** **~** 공명정대하게: OPEN and *above* ~. ***across the*** **~** ① 〖경마〗 우승(win)·2착(place)·3착(show)의 전부에 걸쳐: bet *across the* ~. ② 전면적으로〔인〕: apply a rule *across the* ~ 규칙을 모든 경우에 적용하다. **~ *and* 〔*by, on*〕 ~** (두 배가) 뱃전을 맞대고. **~ *of directors*** 이사〔중역, 임원〕회. **~ *of education*** 교육 위원회. **~ *of elections*** 《미》 선거 관리 위원회. **~ *of estimate*** 예산 위원회《뉴욕 시 등의》. ***come on*** **~** 귀선〔귀함〕하다. ***fall*** **〔*run*〕 *on*** **~ *of*** …와 충돌하다; …을 공격하다. ***go*** **〔*pass*〕 *by the*** **~** (돛대 따위가) 부러져 배 밖〔바닷속〕으로 떨어지다; (풍습 따위가) 무시되다, 버림받다; (계획 등이) 실패하다. ***on*** **~** ① 배 위〔안〕에, 차 안에; 《야구속어》 누상에: go 〔get〕 *on* ~ 승선〔승차〕하다/have *on* ~ 실려 있다/take *on* ~ 싣다, 태우다/help... *on* ~ …을 도와서 승선시키다. ② 〖전치사적〗 (배·비행기·기차·버스 등)의 속으로〔에〕; (스텝·일)의 동료〔일원으〕로(서): *On* ~ the ship were several planes. 그 선상에는 몇 대의 비행기가 탑재되어 있었다. ③ 《야구속어》 출루(出壘)하여. ***on even*** **~ *with*** …와 뱃전을 맞대고; …와 같은 조건으로. ***on the*** **~*s*** ① 채택되어; 토의〔설계〕되어. ② 배우가 되어; 상연되어〔중이어서〕. ***sweep the*** **~** (태운 돈 따위를) 몽땅 쓸다, 전승(全勝)하다. ***take on*** **~** ① (책임 등을) 지다, 맡다. ② (문제·사상 따위를) 생각하다; 이해하다.

― *vt.* **1** 《~+목/+목+부》 …에 널을 대다, 널

로 두르다《up; over》: a ～*ed* ceiling 널을 친 천장/～ *up* a door 문에 판자를 대다/～ *over* the floor 마루에 판자를 깔다. **2** 《～+목/+목+전+명》 (아무의) 밥시중을 들다, 하숙시키다; (말을) 맡아 기르다: ～ a person cheaply 아무를 싸게 하숙시키다/How much will you ～ me *for?* 얼마로 식사를 제공해 주시겠습니까. **3** (탈것에) 올라타다. **4** (공격 또는 승선을 위해) …의 뱃전에 갖다 대다; (상선에) 난입하다. **5** 〖아이스하키〗 (선수를) 보드로 내던지다; 면접관 앞으로 (후보자를) 데려오다. **—** *vi.* **1** 《～/+전+명》 하숙하다, 기숙하다; (…에서) 식사를 하다: ～ *at* a hotel 호텔에서 식사하다/～ *with* a certain family 어느 가정에 하숙〔기숙〕하다. **2** 〖해사〗 바람을 엇거슬러 나아가다. **3** 〖아이스하키〗 보디 체크할 때 보드에 상대를 내던지다. ～ ***out*** 《*vi.*+부》 ① 외식하다. **—**《*vt.*+부》 ② (아무를) 외식시키다; (어린이를) 기숙시키다.

bóard cértified 《미》 (의사 따위의 자격 시험에 합격하여) 위원회가 공인한.

bóard chàirman 회장.

bóard chèck 〖아이스하키〗 보드 체크《링크의 보드에 상대를 부딪치게 하는 몸통 부딪치기》.

°**bóard·er** *n.* **1** 기숙〔하숙〕인. **2** 기숙생. cf. day boy. **3** 적선(敵船) 돌입 대원; 《미》 맡긴 말.

bóarder bàby 《미》 부모의 양육 능력 〔자격〕 부족으로 무기한 병원에 두는 유아·아동.

bóard exàms 〔**examinàtions**〕 **1** (의사 따위의) 자격 시험. **2** (대학) 입학 시험.

bóard fòot 《미》 목재의 계량 단위《1제곱피트에 두께 1인치; 생략: bd. ft》.

bóard gàme 보드 게임《체스처럼 판 위에서 말을 움직여 노는 게임》.

°**bóard·ing** *n.* U **1** 널판장 (대기), 판자울; 〖집합적〗 널. **2** 식사 제공, 하숙(생활·업). **3** 선내 임검. **4** 승선〔차〕, 탑승.

bóarding càrd (여객기) 탑승권; 승선 카드.

bóarding·hòuse *n.* (식사 제공하는) 하숙집; 기숙사: develop a ～ reach (식탁에서) 먼 곳에 있는 음식을 스스로 취하는 기술을 하숙 생활에서 익히다. SYN. ⇨ LODGING HOUSE.

bóarding kènnel 사육견(犬) 임시 보관소.

bóarding lìst (여객기의) 탑승객 명부.

bóarding òfficer 선내 임검 사관〔세관원〕; 방문 사관《입항한 군함을 의례적으로 방문하는 사관》.

bóarding-òut *n.* 《영》 외식(하기); 가난한 아이들을 남의 집에 맡기기: the ～ system 수양자(收養子)〔양육 위탁〕 제도.

bóarding pàss (여객기의) 탑승권, 보딩 패스.

bóarding ràmp (항공기의) 승강대, 램프(ramp).

bóarding schòol 기숙사제 학교. cf. day school.

bóarding shìp 임검선《중립국 등의 선박에 금제품의 유무를 조사하는》.

bóard·lìke *a.* 널 모양의; 경직된.

bóard·man [-mən] *n.* **1** 판(板)〔반(盤)〕을 사용하여 일하는 사람《샌드위치맨, 조명용 배전반 담당원 등》. **2** 증권 거래소 직원. **3** 위원, 평의원(評議員). ㊞ **bóard(s)·man·shìp** *n.*

bóard méasure board foot 단위의 목재 용적법.

bóard·ròom *n.* **1** 중역(회의)실. **2** 《미》 증권 거래소의 입회장.

bóard rúle 보드 자《널의 용적 측정용 자》.

bóard·sàiling *n.* 보드세일링《surfing과 sailing을 합친 수상 스포츠》.

bóard schòol 영국의 공립학교의 구칭《현재의 council school에 해당》.

bóard wáges **1** (보수의 일부로 입주 고용인에게 지급되는) 식사와 방. **2** (통근 고용인에게 제공되는) 식사·숙박 수당; 숙식비 정도의 적은 봉급.

bóard·wàlk *n.* 《미》 (해변의) 널을 깐 보도〔산책로〕; (공사장의) 발판, 가설된 통로.

boardy [bɔ́ːrdi] *a.* 《구어》 딱딱한, 단단한 (stiff).

bóar·hòund *n.* 멧돼지 사냥용 대형 엽견《그레이트 데인 따위》.

boar·ish [bɔ́ːriʃ] *a.* 수퇘지〔멧돼지〕 같은; 잔인한(cruel); 육욕적인(sensual).

‡boast[1] [boust] *vi.* 《～/+전+명》 자랑하다, 떠벌리다《*of; about*》: He ～*s of* being rich. 부자라고 자랑하고 있다. **—** *vt.* **1** 《+*that*절/+목+(*to be*)보》 …을 자랑하다, 큰소리치다: He ～*s that* he can swim well. 그는 수영을 잘 한다고 큰소리 친다/John ～*ed* himself (*to be*) an artist. 존은 예술가라고 자랑했다. **2** (자랑거리를) 가지다, (…을) 자랑으로 삼다: The village ～*s* a fine castle. 그 마을엔 (자랑거리가 되는) 훌륭한 성이 있다. ～ ***it*** 자랑하다. **—** *n.* 자랑(거리); 허풍. ***make a ～ of*** …을 자랑하다, …을 떠벌리다. ㊞ **～·er** *n.* 자랑하는 사람, 허풍선이.

boast[2] *vt.* 〖석공·조각〗 (돌 따위를 정·끌로) 거칠게 대강 다듬다.

°**boast·ful** [bóustfəl] *a.* **1** 자랑하는, 허풍 떠는, 자화자찬의《*of*》: in ～ term 자랑하는 말투로/He is ～ *of* his house. 그는 집을 자랑한다. **2** 과장된《말 따위》. ㊞ **～·ly** *ad.* **～·ness** *n.*

bóast·ing *n.* U 자랑, 오만(傲慢). **—** *a.* 자랑하는. ㊞ **～·ly** *ad.* 자랑스럽게.

†boat [bout] *n.* C **1** 보트, 작은 배, 단정(短艇), 어선, 범선, 모터보트; (비교적 소형의) 배, 선박, 기선; 〖흔히 복합어로〗 선(船), 정(艇): take a ～ *for*… …행 배를 타다/by ～ 배로, 물길로《무관사》/⇨ FERRYBOAT. ★ boat는 보통 지붕이 없는 소형의 배. **2** 《미구어》 자동차, 배 모양의 탈것: a flying ～ 비행정. **3** 배 모양의 그릇.

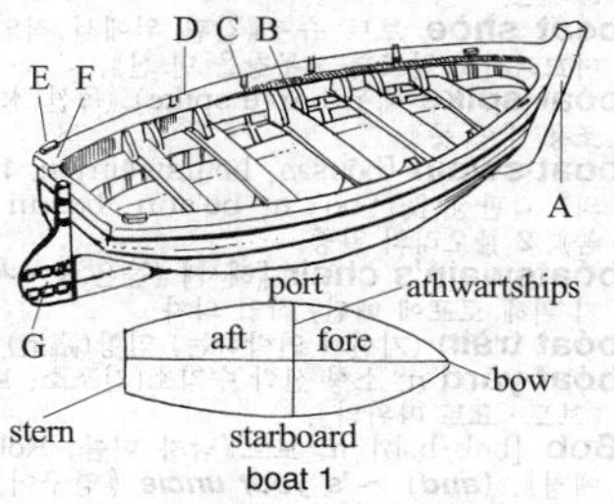

boat 1

A. stem B. thwart C. oarlock D. gunwale E. cleat F. rudderpost G. rudder

be* (*all*) *in the same ～ = ***row*** 〔***sail***〕 ***in one*** 〔***the same***〕 ～ (***with***) 《구어》 똑같은 어려움에 처해 있다, 운명〔위험〕을 같이하다. ***burn*** one'***s ～s*** (***behind***) 배수진을 치다. ***miss the ～*** 〔***bus***〕 《구어》 배〔버스〕를 놓치다; 호기를 놓치다. ***push the ～ out*** 《영구어》 떠들썩한 파티를 열다; 돈을 (활수하게) 쓰다. ***rock the ～*** 배를 흔들다; 문제〔풍파〕를 일으키다. ***take to the ～*** (난파선에서) 구명 보트로 옮겨 타다; 《비유》 갑자기 일을 포기하다.

— *vi.* 《～/+전+명》 배를 젓다〔타다〕, 배로 가다; 뱃놀이하다: go ～*ing on* the Thames 템스강으로 뱃놀이를 가다/～ *down* 〔*up*〕 a river 강을 보트로 내려〔거슬러 올라〕가다. **—** *vt.* 배에 태우다; 배로 나르다; 뱃속에 두다〔놓다〕; 배로 건너다: ～ a river 보트로 강을 건너다. ～ ***it*** 배로 가

다; 범주(帆走)하다; 노를 젓다. ***Boat the oars !*** 《구령》 노 거둬. 「갈 수 있는.
bóat·a·ble *a.* (강이) 항행 가능한; 보트로 건너
boat·age [bóutidʒ] *n.* Ⓤ 거룻배 삯; 보트의 운반 능력〔적재량〕.
bóat·bìll *n.* 〖조류〗 저어새《열대 아메리카산》.
bóat·buílder *n.* 보트 건조인, 선장(船匠).
bóat dèck 단정(短艇) 갑판《구명 보트 설치》.
bóat drìll 구명 보트 훈련.
boat·el [boutél] *n.* **1** 부두에 정박하고 있어 호텔로 사용되는 배. **2** 보트 여행자들을 위해 부두나 해안에 위치한 호텔《선착장을 구비하고 있음》. [◂ *boat*+hotel]
bóat·er *n.* 보트 타는 사람; 맥고 모자.
boat·ful [bóutfùl] *n.* 한 배분의 양(量): a ~ of cargo.
bóat hòok 갈고리 장대.
bóat·hòuse *n.* 정고(艇庫), 보트 창고《사교장으로도 쓰임》.
bóat·ing *n.* Ⓤ 뱃놀이; 보트 젓기; 작은 배에 의한 운송업: go ~ 뱃놀이 가다 / a ~ party 뱃놀이의 일행.
bóat·lìft *n.* (선박에 의한) 사람〔물자〕의 긴급 수송. **—** *vt.* 선박〔보트〕로 수송하다.
bóat·lòad *n.* 배의 적재량, 한 배분의 짐: a ~ of corn.
◇**bóat·man** [-mən] (*pl.* ***-men*** [-mən]) *n.* 보트 젓는 사람; 사공; 보트 세놓는 사람. ⓜ **~·shìp** *n.* Ⓤ 조정술(漕艇術); 사공 기질.
bóat nèck〔**nèckline**〕 〖복식〗 보트 넥〔네크라인〕《옷의 목둘레가 뱃바닥 모양처럼 파인》.
bóat pèople 보트 피플, (작은 배로 고국을 탈출하는) 표류 난민《특히 1970년대 후반의 베트남 난민》.
bóat ràce 보트 레이스, 경조(競漕); (the B-R-) 《영》 Oxford와 Cambridge 대학 대항 보트 레이스.
bóat shòe 보트 슈즈《갑판 위에서 작업할 때 미끄러지지 않도록 고무창을 댄 신》.
bóat spìke 배못(barge spike) 《목선(木船) 건조용 대형 못》.
boat·swain [bóusən, bóutswèin] *n.* **1** (상선의) 갑판장(長)《bo's'n, bo'sun, bosun으로도 씀》. **2** 물오리의 일종.
bóatswain's chàir 〖해사〗 (높은 곳에서 일하기 위해 로프에 매단) 작업 의자.
bóat tràin (기선과 연락하는) 임항(臨港) 열차.
bóat·yàrd *n.* 소형 선박 수리소〔건조소, 보관소〕《보트·요트 따위의》.
Bob [bab/bɔb] *n.* 보브《남자 이름; Robert의 애칭》. (***and***) **~*'s your uncle*** 《영구어》 만사 오케이.
bob[1] [bab/bɔb] (***-bb-***) *vi.* **1** (상하 좌우로) 홱홱〔깐닥깐닥, 까불까불〕 움직이다, (머리·몸을) 갑작스럽게 움직이다, 부동(浮動)하다. **2** 《+전+명》 (머리를 꾸뻑 숙여) 인사하다, (여성이 무릎을 구부려) 인사하다《*at; to*》: ~ *at*〔*to*〕 a person 아무에게 절을 하다. **—** *vt.* **1** 《~+목/+목+부》 홱 움직이다〔당기다〕, (…을) 갑자기 아래위로 움직이다《*up; down*》: The horse ~*bed* its head *up* and *down*. 말은 홱홱 머리를 상하로 움직였다. **2** (홱 움직여) …을 보이다: ~ a greeting 머리를 꾸뻑하여 인사하다. ***~ and weave*** =***weave and ~*** ① 〖권투〗 머리나 몸을 계속 상하좌우로 움직이다, 위빙과 더킹을 되풀이하다. ② 출랑출랑거리다. ***~ for cherries***〔***apples***〕 매달리거나 물에 뜨운 버찌〔사과〕를 입으로 물려 하다《유희》. ***~ up*** (***again***) ***like a cork*** 힘차게 (다시) 일어나다, 세력을 만회하다. **—** *n.* 갑자기 움직임〔잡아당김〕; 꾸뻑하는 인사.

bob[2] *n.* **1 a** (여자·아이들의) 단발(bobbed hair); 고수머리(curl); 머리를 묶음; (말·개 따위의) 자른 꼬리. **b** 《구어·영방언》 송이, 다발, 묶음, 《Sc.》 작은 꽃다발. **2** (진자(振子)·측연·연꼬리 등의) 추; 귀걸이의 구슬. **3** 뭉친 갯지네《낚싯밥》; 《미》 낚시찌(float). **4** 시절(詩節) 끝의 후렴. **5** =BOBSLED, BOB SKATE, SKIBOB. **—** (***-bb-***) *vt.* (머리를) 짧게 자르다, 단발로 하다. **—** *vi.* 뭉친 갯지네로 고기를 낚다.
bob[3] *n.* 경타(輕打). **—** (***-bb-***) *vt.* 가볍게 치다.
bob[4] (*pl.* ~) *n.* 《영속어》 실링(shilling); 《영구어》 순경; 《미속어》 1달러, 돈(money).
bobbed [babd/bɔbd] *a.* 꼬리를 자른; 단발의〔을 한〕: ~ hair 단발(bob).
bob·ber[1] [bábər/bɔ́bər] *n.* 홱〔깐닥〕 움직이는 사람〔물건〕; 낚시찌.
bob·ber[2] *n.* 봅슬레이(bobsleigh) 팀의 일원.
bob·bery [bábəri/bɔ́b-] *n.* 그러모은 사냥개 (=**∠ pàck**); 《구어》 야단법석. **—** *a.* (사냥개를) 그러모아 시끄러운; 《구어》 떠들썩한, 성가신, 흥분하기 쉬운.
bob·bin [bábin/bɔ́b-] *n.* 얼레, 보빈; 〖전기〗 전깃줄 감개; 가는 끈; (문고리) 손잡이.
bob·bi·net [bàbənét/bɔ̀bənét] *n.* 기계로 짠 레이스의 일종. 「칙 수신(受信).
bob·bing [bábiŋ/bɔ́b-] *n.* Ⓤ 레이더의 불규
bóbbin làce 바늘 대신 보빈을 사용하여 짜는 수직(手織) 레이스. 「은, 들뜬, 쾌활한.
bob·bish [bábiʃ/bɔ́b-] *a.* 《속어》 기분이 좋
bob·ble [bábəl/bɔ́bəl] *vi., vt.* 《미구어》 실수하다; (공을) 놓치다; 《영》 홱〔깐닥깐닥〕 움직이다. **—** *n.* 《미구어》 실수, 실책; (깐닥깐닥) 상하로 움직이기; 〖야구〗 (공을) 헛잡음, 범블(bumble¹); (장식용) 작은 털실 방울.
Bob·by [bábi/bɔ́bi] *n.* 바비《남자 이름; Robert의 애칭》.
bob·by *n.* 《영구어》 순경.
bóbby càlf 생후 즉시 도살되는 송아지.
bóbby-dàzzler *n.* 《영방언》 화려한〔굉장한〕 것; 매력적인 아가씨.
bóbby pìn 《미》 머리핀의 일종. 「양말.
bóbby·sòcks, -sòx *n. pl.* 《미》 소녀용 짧은
bóbby·sòxer, -sòcker *n.* 《보통 경멸》 사춘기의 소녀, (유행에 열을 올리는) 십대 소녀.
bób·càt *n.* 살쾡이류《북아메리카산》.
bob·let [báblit/bɔ́b-] *n.* 2인용 봅슬레이.
bob·o·link [bábəliŋk/bɔ́b-] *n.* 〖조류〗 쌀새류《북아메리카산》.
Bob's-a-dy·ing [bábzədáiiŋ/bɔ́b-] *n.* 《N. Zeal.구어》 =BOBSY-DIE.
bób skàte 날이 둘 달린 스케이트.
bób·slèd, -slèigh *n.* 봅슬레이《앞뒤에 두 쌍의 활주부(runner)와 조타 장치를 갖춘 2-4인승의 경기용 썰매로, 시속이 130km 이상이나 됨》; (옛날의) 두 대의 썰매를 이은 연결 썰매. **—** *vi.* ~를 타다.
bób·slèdding *n.* Ⓤ 봅슬레이 경기.
bób·stày *n.* 〖선박〗 제1사장(斜檣) 지삭(支索).
bob·sy-die [bábzidài/bɔ́b-] *n.* 《N.Zeal.구어》 대소동〔혼란〕: kick up ~ =play ~ 대소동〔혼란〕을 일으키다.
bób·tàil *n.* **1** 자른 꼬리; 꼬리 잘린 동물《개·말 따위》; 《미속어》 트레일러가 없는 트럭. **2** 《군대속어》 면직; (the ~) 사회의 쓰레기. **—** *a.* 꼬리 자른; (짧게) 잘라 버린; 불충분한, 불완전한. **—** *vt.* …의 꼬리를 짧게 자르다. ⓜ **~ed** *a.* 꼬리를 자른, 자른 꼬리의.
bób vèal 송아지 고기.
bób·wèight *n.* 〖공학〗 평형〔균형〕추(=**bálance wèight**).
bób·whìte *n.* 메추라기의 일종《북아메리카산(産)》.
bo·cage [bouká:ʒ] *n.* (프랑스 북부 등지의)

들과 숲 따위가 혼재하는 전원 풍경; (직물·도기 등의) 숲의 장식적인 디자인.

Boc·cac·cio [boukáːtʃiòu/bɔk-] *n.* **Giovanni** ~ 보카치오《이탈리아의 작가; 1313-75》.

boc·cie [bátʃi/bɔ́-] *n.* 보치(=**boc·ci, boc·ce, boc·cia**)《문 밖에서 행하는 공 맞치기 게임》.

Boche [baʃ, bɔːʃ/bɔʃ] *n.* (*or* b-)《속어》 독일인, 독일 병사《원래는 프랑스 군대에서의 경멸어》.

bock [bak/bɔk] *n.* Ⓤ 독한 흑맥주(=∼ **béer**)《주로 독일산》; Ⓒ (a ~) 흑맥주 한 잔.

bo·cor [boukɔ́ːr] *n.*《Haiti》부두(voodoo)의 마술사, 주의(呪醫).

BOD biochemical 〔biological〕 oxygen demand (생화학적〔생물학적〕 산소 요구량).

bod [bad/bɔd] *n.*《미속어》 몸(body);《미구어·미학생속어》 사람, 놈, 녀석.

bo·da·cious [boudéiʃəs] *a.*《미남부·중부》 틀림없는; 주목할 만한; 귀가 솔깃하는; 훌륭한, 멋진;《속어》 대담무쌍한. ㊞ **~·ly** *ad.*

bode[1] [boud] *vt., vi.* (…의) 전조가 되다, 징조이다; 예감하다;《고어》 예고〔예언〕하다: The crow's cry ~*s* rain. 까마귀가 우는 것은 비가 올 징조이다. **~ *ill* 〔*well*〕** 흉조〔길조〕다, 조짐이 나쁘다〔좋다〕: That ~*s well* 〔*ill*〕 *for* his future. 그것은 그의 장래에 관한 좋은〔나쁜〕 조짐이다.

bode[2] BIDE의 과거.

bode·ful [bóudfəl] *a.* 전조가 되는; 불길한.

bo·de·ga [boudéigə, -díː-/-díː-] *n.*《Sp.》 포도주 파는 술집, 술 곳간; 식료품 잡화점.

bóde·ment *n.* 전조, 징후, 흉조; 예감, 예언.

bodge [badʒ/bɔ-] *n., vt.*《구어》 실수(를 저지르다)(botch).

bodg·er, bodg·ie [bádʒər/bɔ́-], [bádʒi/bɔ́-] *a.*《Austral. 구어》 하등(下等)의, 무가치한; (이름이) 거짓의. **—** *n.* 하찮은 사람; 가명을 쓰고 있는 사람; 가명, 별명.

Bo·dhi·satt·va, Bod·dhi- [bòudisʌ́tvə, -sǽt-] *n.*《Sans.》 보살.

◇**bod·ice** [bádis/bɔ́d-] *n.* 여성복의 몸통 부분《꽉 끼는》; 보디스;《고어》 코르셋; 동옷.

bódice rìpper (중세를 무대로 성적(性的) 내용이 많은) 역사 낭만 소설.

(-)bod·ied [bádid/bɔ́d-] *a.* **1** 구체화한. **2**〖복합어〗 몸이 …한: a stout-~ man 몸이 단단한 사람.

bod·i·less [bádilis/bɔ́d-] *a.* 동체가〔몸통이〕 없는; 무형의.

*__bod·i·ly__ [bádli/bɔ́d-] *a.* **1** 신체의, 육체상의, 육체적인: ~ pain 신체적 고통. SYN. ⇨ PHYSICAL. **2** 유형의, 구체(具體)의. **—** *ad.* **1** 육체 그대로, 유형〔구체〕적으로. **2** 통째로, 송두리째, 몽땅: carry a house ~ 집을 통째로 운반하다 / She was carried ~. 번쩍 안기어 갔다. **3** 일체가 되어, 일제히, 모두; 자기 자신이: The audience rose ~. 청중은 일제히 일어섰다.

bod·ing [bóudiŋ] *a.* 전조〔징조〕가 되는, 불길한, 전조의. **—** *n.* 전조, 예감; 흉조(omen).

bod·kin [bádkin/bɔ́d-] *n.* 뜨개바늘; 돗바늘; 긴 머리핀; 송곳바늘;〖인쇄〗 (활자를 집는) 핀셋;《고어》 두 사람 사이에 낀 사람. ***sit* 〔*ride, travel*〕 ~** 두 사람 사이에 끼어 앉다〔타고 가다〕.

†**body** [bádi/bɔ́di] *n.* Ⓒ **1** 몸, 신체, 육체; 시체, 주검, 시신; (법인 등의) 신병. OPP *soul, spirit.* ¶ be wounded in the ~ 몸에 상처를 입다 / bury the ~. **2**《구어》 사람,《특히》 여성, 섹시한 젊은 여성: a good sort of ~ 호인, 좋은 사람. **3**〖동물〗 동체; 나무줄기(trunk). **4** (사물의) 주요부; 본체; (군대 등의) 주력, 본대(本隊); (편지·연설·법문 따위의) 본문, 주문(主文); (악기의) 공명부(共鳴部): the ~ *of* a church 교회의 본당. **5** (자동차의) 차체; 선체; (비행기의) 동체; (옷의) 몸통 부분, 동옷. **6**〖집합적〗 통일체, 조직체;〖법률〗 법인: the student ~ 전학생. **7** 집단, 일단, 떼, 무리: a diplomatic ~ 외교단 / a learned ~ 학회 / the ~ politic 정치체, 국가 / a large ~ of water 널따란 수역(水域)《바다·호수 따위》. **8** (the ~) (단체 따위의) 대부분(*of*): the ~ of the population 인구의 대부분. **9**〖수학〗 입체;〖물리〗 물체; (액체·고체 따위로 말할

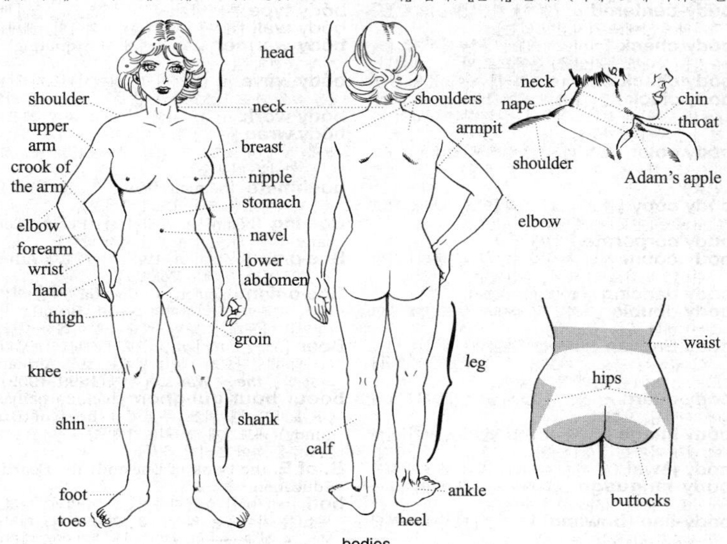

bodies

때의) …체(體): a solid ~ 고체/a heavenly ~ 천체. **10** Ⓤ (작품 따위의) 실질; (음색 따위의) 야무지고 힘참; (기름의) 점성(粘性) 밀도, 농도, (술 따위의) 진한 맛: wine of good ~ 독한 술/a play with little ~ 내용이 없는 희곡. **11** (도기의) 밑바탕. ~ ***and soul*** 〔부사적〕 몸과 마음을 다하여, 전적으로, 완전히; 《미속어》 연인, 애인: own a person ~ *and soul* 아무를 완전히 지배 아래 두다/give oneself ~ *and soul* to the work 일에 전심전력을 다하다. ***heir of*** one's ~ 직계 상속인. ***here*** 〔***there***〕 ***in*** ~, ***but not in spirit*** 비록 몸은 여기 있으나, 마음은 다른 곳에 있다. ***in a*** 〔***one***〕 ~ 일단이 되어: resign *in a* ~ 총사직하다. ***in*** ~ 스스로, 친히, 몸소. ***keep*** ~ ***and soul together*** 겨우 살아가다. ***over*** one's ***dead*** ~ ⇨ DEAD. ***the*** ~ ***of Christ*** 성찬용 빵.
— *vt.* **1** …에 형체를 부여하다《*for*》. **2** 구체화하다, 체현하다; 모양을 따다; 〖철학·심리〗 표상(表象)하다《*forth; out*》. ~ ***forth*** (…을) 마음에 그리다; (…을) 구체적으로 나타내다; (…을) 상징〔표상〕하다.

bódy àrmor (경찰·군대의) 방탄복.
bódy àrt 보디 아트《인체 자체를 미술의 재료로 삼는 예술의 한 양식》.
bódy àrtist 보디 아티스트.
bódy bàg 시체 운반용 부대《고무류(類) 제품》.
bódy blòw 〖권투〗 보디 강타; 통격(痛擊), 큰 타격; 대단한 실망.
bódy bòard 보디 보드《배에 대고 파도 타기를 하는 판》. ⓟ ~·**er** *n.* ~·**ing** *n.*
bódy-bùild *n.* (특징 있는) 체격, 체질.
bódy-bùilder *n.* 보디빌딩을 하는 사람; 영양 있는 음식; 차체 제작공.
bódy bùilding 보디빌딩, 몸 만들기, 육체미 조 「형.
bódy bùnker = BODY SHIELD.
bódy bùrden (체내에 흡수된 방사능 등의) 유해 물질〔축적물〕.
bódy càvity 〖동물〗 체강(體腔).
bódy-cèntered *a.* 〖결정〗 체심(體心)의《단순 격자의 중앙에도 격자점이 있는》.
bódy chèck 〖아이스하키〗 몸통 부딪치기; 〖레슬링〗 (상대방 움직임을) 온몸으로 막기. 「치다.
bódy·chèck *vt.* 〖아이스하키〗 …에 몸을 부딪
bódy clòck 〖생리〗 체내 시계《biological clock (생물 시계)의 하나; 일상의 몸 컨디션을 규칙 바르게 유지하는 기능》.
bódy còlor (보석 따위의) 실체색(實體色); (그림물감, 페인트 따위의) 농후(濃厚) 색소, 체질 안료.
bódy còpy 〖광고〗 보디 카피《인쇄 매체용 광고에서 주문(主文)에 해당되는 부분》.
bódy córporate 〖법률〗 법인.
bódy còunt 적의 전사자 수, (사건 등의) 사망자수; (일반적으로) 총원, 총인원수.
bódy dàncing = TOUCH DANCING.
bódy dòuble (영화·TV 등에서 누드신에 출연하는) 대역.
bódy Ènglish 《미구어》 〖스포츠〗 차거나 던진 공이 원하는 곳으로 가도록 그 방향으로 몸을 비트는 경기자〔관중〕의 동작; 몸짓, 제스처.
bódy·guàrd *n.* 경호원, 호위병; 〔집합적〕 호위대, 수행원, 보디가드.
bódy ìmage 〖심리〗 신체상(身體像), 자기 신체에 대해 가지는 심상(心像). 「장식.
bódy jèwel (옷 위가 아니라) 직접 몸에 걸치는
bódy lànguage 보디랭귀지, 신체 언어《몸짓·표정 따위 의사소통의 수단》.
bódy-lìne (bòwling) 〖크리켓〗 타자에게 부딪칠 정도로 접근시키는 속구.
bódy mechànics 신체 역학《신체 기능의 조정·내구력·균형 따위를 향상시키는 조직적 운동》.
bódy mìke 보디 마이크《옷깃 따위에 다는 소형
bódy òdor 체취, 암내《생략: B.O.》. 「마이크》.
bódy pàck 《미속어》 보디팩《신체 내부에 마약을 숨겨 밀수하는 방법》. 「료》.
bódy pàint 보디 페인트《몸에 칠하는 화장 도
bódy pìercing 보디피어싱《혀나 귓불에 고리를 달기 위해 구멍을 뚫는 일》.
bódy plàn 〖조선〗 정면 선도(正面線圖)《정면에서 본 대선체(大船體) 각부의 횡단면》.
bódy pólitic (the ~) 정치 단체, 통치체; (특히, 한 나라의) 국민; 국가(State); 《고어》 법인.
bódy-pòpping *n.* 보디포핑《로봇 같은 행동을 특징으로 하는 디스코 댄스》. ⓟ **-pòpper** *n.*
bódy rùb 《미속어》 마사지 팔러(massage parlor)에서 하는 (전신) 마사지.
bódy scànner 〖의학〗 보디 스캐너《단층(斷層) 엑스선 투시 장치》.
bódy-sèarch *vt.* (경찰관 등이) 몸을 수색하다, 신체검사를 하다.
bódy sèrvant 종자(從者), 몸종; 호위. 「디젤.
bódy·shèll *n.* (자동차의) 차체 외각(外殼), 보
bódy·shìeld *n.* (경찰관 등이 사용하는) 호신용구; 방탄·호신용 방패.
bódy shìrt 셔츠·팬티가 붙은 여성용 내의; 몸에 착 붙는 셔츠〔블라우스〕.
bódy shòp 《미》 (자동차의) 차체 공장《수리·제작의》; 《미속어》 매춘굴, 유곽; 매춘 중개업소.
bódy slàm 〖레슬링〗 보디슬램《상대의 등이 매트에 떨어지도록 들어 메치기》.
bódy snàtcher 송장 도둑《무덤에서 파내어 해부용으로 파는》; 《군대속어》 (들것을 메는) 위생병; 《속어》 장의사; 《미속어》 유괴범.
bódy stòcking 보디 스타킹《스타킹식 속옷》.
bódy·sùit *n.* 몸에 착 붙는 셔츠와 팬티가 붙은 여성용 속옷. 「~·**er** *n.*
bódy-sùrf *vi.* 서프보드 없이 파도를 타다. ⓟ
bódy tèmperature 체온.
bódy tràck 조차용(操車用) 선로.
bódy tỳpe 본문 활자. 「壁).
bódy wàll 〖해부〗 (체강(體腔) 외측의) 체벽(體
bódy wàrmer 보통 누벼서 만든(quilting) 방한용 조끼의 일종.
bódy·wàve *n.* (브레이크댄싱에서) 보디웨이브《몸 속을 파도가 흐르는 듯한 춤》. 「리」 작업.
bódy·wòrk *n.* Ⓤ 차체 (구조); 차체 제조〔수
bódy wràp 〖미용〗 보디 랩《미용 효과가 있는 성분을 몸에 바르고, 그 위를 온습포(溫濕布) 찜질하듯 감싸는 미용술》.
boehm·ite [béimait bóum-/bə́ːm-] *n.* 〖광물〗 뵈마이트《보크사이트의 주성분》.
Boe·ing [bóuiŋ] *n.* 보잉사(社)(Boeing Company)《미국의 민간 항공기 제작 회사》.
Boe·o·tia [bióuʃə] *n.* 보이오티아《고대 Athens 의 북서 지방, 현재는 Voiotia》.
Boe·o·tian [bióuʃən] *a.* Boeotia (사람)의; 우둔한, 따분한, 느리광이의. — *n.* Boeotia 사람〔방언〕; 아둔패기; 문학·예술에 몰이해한 사람.
Boer [bɔːr, buər] *n., a.* 보어 사람(의)《남아프리카의 네덜란드계 백인; 현재는 보통 Afrikaner 라고 함》. ***the*** ~ ***War*** 보어 전쟁(1899-1902).
boeuf bour·gui·gnon [bə́ːfbûərgiːnjɔ̃ːŋ] 《F.》 〖요리〗 뵈프 부르기뇽(beef of Burgundy)《네모지게 썬 쇠고기에 양파·버섯·붉은 포도주를 섞어 조리한 음식》.
B. of E. the Bank of England; the Board of Education.
boff [bɑf/bɔf] *n.* 《미속어》 **1** (주먹의) 일격. **2** 폭소(를 자아내는 익살). **3** (연극 등의) 대성공, 히트. **4** 성교. — *vt.* 《미속어》 주먹으로 때리다;

폭소하다; 《비어》 성교하다. ***be ~ed out*** 《미속어》 돈을 날리다, 무일푼이 되다. 「원, 과학자.
bof·fin [báfin/bɔ́f-] *n.* 《영구어》 (군사)연구
bof·fo [báfou/bɔ́f-] *a.* 《미속어》 **1** 아주 인기 있는, 크게 성공〔히트〕한; 호의적인《비평》. **2** 새된 소리의《웃음》. **—** (*pl.* ***~s, ~es***) *n.* 《미속어》 **1** =BOFF. **2** 1달러; 1년(의 형기).
boff·o·la [bafóulə/bɔ-] *n.* 《미속어》=BOFF.
Bó·fors (gùn) [bóufɔːrz(-), -fɔːrs(-)/ -fəz-] 〖군사〗 보포르 고사포《2연발식 자동 고사포》.
B. of T. the Board of Trade.
bog [bag, bɔːg/bɔg] *n.* **1** 소택지(沼澤地), 습지; 수렁. **2** (흔히 *pl.*) 《영속어》 옥외 변소. **—** (***-gg-***) *vi., vt.* 〔*vt.*로는 보통 수동태〕 소택지에 가라앉(히)다; 수렁에 빠지다〔빠뜨리다〕《*down*》; 《비유》 꼼짝 못하게 하다〔되다〕, (교섭 등을〔이〕) 난항(케)하다: *be* 〔*get*〕 *~ged down* in details 사소한 일로 꼼짝못하게 되다. **~ *butter*** 〖광물〗 (아일랜드의 토탄지에서 나는) 기름 모양의 탄화수소. **~ *in*** 《Austral. 구어》 기세 좋게 일을 착수하다; 먹기 시작하다. **~ *up*** 《영속어》 혼란시키다.
bo·gart [bóugaːrt] *vt.* 《속어》 (여럿이 돌려가며 피우는 마리화나 담배를) 독점하다.
bo·gey [bóugi] *n.* **1** =BOGY 1. **2** 〖골프〗 보기 《(각 구멍의) 기준 타수(par)보다 하나 많은 타수》; 《영》 (범용한 골퍼용의) 기준 타수(par); (경기회 따위의) 기준 횟수. **3** 《Austral.속어》 헤엄치기; 《군대속어》 국적 불명의 비행기, 적기; 《미속어》 마리화나 담배. **—** *vt.* (홀을) 보기로 하다: Arnold Palmer *~ed* the 18th hole. 아놀드 파머는 18번 홀을 보기로 끝냈다.
bo·gey·man [búgi(ː)mæ̀n, bóugi-/bóugi-] (*pl.* ***-men*** [-mèn]) *n.* 도깨비《못된 어린이를 잡아간다는》; 악귀, 무서운 것〔사람〕; 고민거리.
bog·gle [bágəl/bɔ́gəl] *vi.* **1** 놀라서 펄쩍 뛰다, 멈칫〔움찔〕하다, 뒷걸음치다; 망설이다, 난색을 표시하다《*at; about*》: He *~ed at* accepting the offer. 그는 그 제의의 수락을 놓고 망설였다. **2** 속이다; 시치미 떼다, 말을 얼버무리다《*at*》; 실수하다. **—** *vt.* (…을) 깜짝 놀라게 하다, 어리둥절하게 하다. **—** *n.* 놀라서 펄쩍 물러섬; 멈칫함, 망설임; 실수, 실패. 「지의.
bog·gy [bági, bɔ́ːgi/bɔ́gi] *a.* 늪이 많은, 소택
bo·gie [bóugi] *n.* **1** =BOGY 1. **2** 〖영철도〗 전향대차(轉向臺車), 보기차(車)(=∠ **càr**)《차축이 자유롭게 움직이는 차량》; 〖기계〗 (탱크의) 무한 궤도 내륜(內輪). **3** 낮고 견고한 짐수레〔트럭〕; (6륜 트럭의) 구동 후륜(後輪). **4** 《군대속어》 국적 불명의 비행기, 적기.
bóg ìron (óre) =LIMONITE.
bo·gle [bóugəl, bágəl/bɔ́gəl] *n.* 유령, 도깨비; 허수아비.
bóg mòss 물이끼.
bog·om·e·ter [bagámitər/bɔgɔ́-] *n.* 《해커속어 · 우스개》 허구(虛構) 소립자 검색기.
bog·on [bágan/bɔ́gɔn] *n.* 《미속어》 **1** 아는 체하는 사람; 쓸데없는 소리를 하는 사람. **2** (물리적 원리로서의) 허구를 띤 소립자.
Bo·go·tá [bòugətáː] *n.* Colombia의 수도.
bóg-stàndard *a.* 《미속어》 온전한 규격대로의, 극히 보통의. 「농민〔사람〕.
bóg·tròtter *n.* 소택지의 주민; 《경멸》 아일랜드
bogue [boug] *a.* 《미속어》 약이 떨어진, 약을 원하는; 금단 증상으로 괴로워하는; = BOGUS.
bo·gus [bóugəs] *a.* **1** 위조〔가짜〕의: a ~ company 유령 회사/~ money 가짜 돈. **2** 《미속어》 (10대 사이에서) 모르는, 뒤지고 있는; 매력 없는; 믿을 수 없는. **—** *n.* 위조 우표; 《속어》 (신문 · 잡지 등의) 메움 기사. 「식용으로 씀》.
bóg·wòod *n.* 이탄지(泥炭地)의 매목(埋木)《장
bo·gy [bóugi] *n.* **1** 악귀, 악령; 무서운 사람〔것〕 (bogey, bogie); =BOGEYMAN; 사람에게 붙좇아 다니는 것; (까닭 없는) 불안; 《속어》 탐정, 경관. **2** 《군대속어》 국적 불명기(機)〔비행 물체〕, 적기. **3** 《속어》 마른 코딱지.
Boh. Bohemia; Bohemian.
boh [bou] *int.* =BO[1].
Bo Hai, Po Hai [bòːhái], [pòu-] *n.* 발해(渤海)(만)《산둥 반도와 랴오둥 반도로 둘러싸인 만; 별칭 Gulf of Zhili〔Chihli〕》.
bo·hea [bouhíː] *n.* (종종 B–) 무이차(武夷茶)《저질의 중국산 홍차》; 〖일반적〗 홍차.
Bo·he·mia [bouhíːmiə] *n.* **1** 보헤미아《체코의 서부 지방; 원래는 왕국; 중심지 Prague》. **2** (종종 b–) (예술가 등의) 자유 분방한 세계〔사교계, 생활〕; 자유 분방하게 사는 사람들의 거주 구역〔사회〕.
°**Bo·he·mi·an** [bouhíːmiən] *a.* **1** 보헤미아(인)의; 체코말의. **2** (종종 b–) 방랑의; 자유 분방한, 인습에 얽매이지 않은. **—** *n.* **1** 보헤미아 사람; Ⓤ 체코말. **2** (종종 b–) 자유 분방한 사람《특히 예술가》, 방랑인, 집시(Gipsy). 파 **~·ism** *n.* Ⓤ 자유분방한 생활〔기질, 주의〕.
Bohémian glàss 보헤미안 유리《조각을 세공한 광채가 풍부한 유리; 화학 용기용의 경질(硬質) 유리》.
Böhm [bəːm] *n.* 뵘. **1 Dominikus ~** 독일의 건축가(1880–1955). **2 Karl ~** 오스트리아의 지휘자(1894–1981). **3 Theobald ~** 독일의 플루트 연주자 · 발명가《오늘날 플루트의 기본 모델의 완성자; 1794–1881》.
Bohr [bɔːr] *n.* **Niels H.D. ~** 보어《덴마크의 물리학자, Nobel상 수상(1922); 1885–1962》.
Bóhr effèct 〖생리〗 보어 효과《혈액 산소 해리 곡선상에 나타나는 이산화탄소의 영향》.
boh·ri·um [bɔ́ːriəm] *n.* 〖화학〗 보륨《인공 방사성 원소; 기호 Bh; 번호 107》.
Bóhr mágneton 〖물리〗 보어 자자(磁子)《자기(磁氣) 모멘트를 나타내는 단위》.
Bóhr thèory 보어 이론《보어의 원자 구조론》.
bo·hunk [bóuhʌ̀ŋk] *n.* 《미속어》 동부〔중부〕 유럽에서 온 미숙한 이민 노동자; 얼간이, 덜렁이, 깡패(rogue).
boil[1] [bɔil] *vi.* **1** 《~/+보》 끓다, 비등하다; (…하도록) 끓다: The water is *~ing*. 물이 끓고 있다. **2** 《~/+전+명》 (피가) 끓어오르다; (사람이) 격분하다, 핏대올리다: ~ *with* rage 격분하다. **3** (바다 따위가) 파도치다, 물결이 일다; (물이) 솟아오르다, 분출하다: The sea *~ed* in the storm. 바다는 폭풍우로 거칠었다. **4** 삶아〔데쳐〕지다, 익다. **5** (군중 따위가) 돌진하다(rush): The students *~ed* out of the doorway. 학생들이 문으로 우르르 일시에 몰려 나왔다. **—** *vt.* **1** 끓이다, 비등시키다. **2** 《~+목/+목+보/+목+목/+목+전+명》 삶다, 데치다: ~ an egg soft 달걀을 반숙으로 하다/She *~ed* me an egg for breakfast. = She *~ed* an egg *for* me for breakfast. 그녀는 아침 식사로 내게 계란을 삶아주었다. **3** (설탕 · 소금 등을) 졸여서 만들다. **~ *away*** 《*vi.* +부》 ① (물이) 끓어 증발하다 ② (그릇이 빌 때까지) 계속 끓이다 ③ (흥분 등이) 식다〔가라앉다〕. **—** 《*vt.* +부》 ④ (액체를) 증발시키다. **~ *down*** 《*vi.* +부》 ① 졸다. ② 《구어》 요약되다《*to*》: It *~s down to* this. 요약하면 다음과 같이 된다. **—** 《*vt.* +부》 ③ (…을) 졸이다. ④ 《구어》 요약하다《*to*》: ~ *down* a report *to* a page or two 보고서를 1, 2페이지로 요약하다. **~ *forth*** 입에서 게거품을 뿜으며 마구 떠들어대다. **~ *off*** 삶아서 제거하다. **~ *over*** 끓어 넘치다; 노여움을 터뜨리다; (다툼 따위가) 확대하다;

(사태가) 폭발하여 …에 이르다《*in, into*》. ~ ***the billy*** 《Austral.》 차를 끓이다. ~ ***up*** 《*vi.*+㊂》 ① 끓다; 끓여서 소독하다 ②《구어》 (분쟁 등이) 일어나다〔일어나려 하고 있다〕. ―《*vt.*+㊂》 ③ 《수프 등을》 데우다. ***keep the pot ~ing*** ⇨ POT.

―*n.* 끓임, 삶음; 비등(점): give it a ~ 그것을 끓이다〔삶다〕/ be on 〔off〕 the ~ 끓고 〔끓지 않고〕 있다 / bring water to the 〔a〕 ~ 물을 끓게 하다 / come to the 〔a〕 ~ 끓기 시작하다. ***go off the ~*** 끓지 않게 되다; 홍분이〔열기가〕 가시다.

boil² *n.* 〖의학〗 부스럼, 종기, 절양(癤瘍) (furuncle).

bóil·a·ble *a.* (물건이) 끓여도 소재에 악영향을 「주지 않는.

boiled *a.* 끓인, 삶은, 데친; 《속어》 술 취한: a ~ egg 삶은 달걀.

bóiled dínner 《미》 고기와 야채의 잡탕 찜.

bóiled dréssing 노란자위를 넣고 뜨겁게 데운, 진한 수프〔샐러드 드레싱〕.

bóiled óil 보일유《건성유(乾性油)를 가열하여 건성을 높인 것; 도료의 원료유》.

bóiled shírt (앞가슴이 빳빳한) 예장용 와이셔츠; 《미속어》 딱딱한 사람〔태도〕.

bóiled swéets 《영》 딱딱한 캔디, 눈깔사탕.

***boil·er** [bɔ́ilər] *n.* 보일러, 기관; 끓이는 그릇 《주전자·냄비·솥 따위》; 끓여〔삶아〕 먹기에 알맞은 음식《야채·약병아리 따위》.

bóiler·màker *n.* 보일러 제조인; 《미속어》 (성적 매력이 있는) 남성적인 사람; Ⓤ《미》 맥주를 chaser로 마시는 위스키, 맥주를 탄 위스키.

bóiler plàte 보일러강(鋼)판《압연 강판》; 〖저널리즘〗 (특히 주간 신문이 쓰는 연판으로 된) 공통〔배급〕 기사, 진부한 낡은 문장; (계약서 등의) 틀에 박힌 문구; 《구어》 (워드 프로세서 통신문 등의) 반복 사용 어구; 〖등산〗 미끄러운 암벽; 언 눈의 층.

bóiler ròom **1** 보일러실. **2** 《미속어》 (전화만 있는) 엉터리 증권 브로커들의 영업소(=**bóiler shòp**).

bóiler scàle (보일러 속에 낀) 버캐, 더껑이, 「관석(罐石).

bóiler sùit 《영》 (상하가 붙은) 작업복(overall, coverall).

°**bóil·ing** *a.* **1** 끓는, 비등하는; 뒤끓는 듯한: ~ water 열탕. **2** (바다가 뒤끓 듯이) 거칠고 사나운: the ~ waves 거칠고 사나운 파도. **3** 찌는 듯이 더운: a ~ sun 불덩이같이 뜨거운 태양, 염천(炎天) / ~ sand 열사(熱砂). **4** (정열 따위가) 격렬한. ―*ad.* 찌듯이, 맹렬히, 지독하게: ~ hot 지독히 더운. ―*n.* Ⓤ 끓음; 비등. ***the whole ~*** 《속어》 전부, 전체.

bóiling òff 〖염색〗 명주를 삶아 누이기.

bóiling pòint **1** 〖물리〗 끓는점《100℃; 212°F; 생략: b.p.》. OPP *freezing point*. **2** (the ~) 격노(하는 때); 흥분의 극(極): have a low ~ 쉽사리 화를 잘 내다.

bóiling wàter reáctor 비등수(沸騰水) 원자로《노(爐) 안에서 냉각수를 끓여 그 증기로 직접 터빈을 회전시킴; 생략: BWR》.

bóil-òff *n.* 〖우주〗 (로켓의 카운트다운 중의) 연료의 증발.

bóil·òver *n.* 《Austral.》 (경마 따위에서) 예상 「밖의 결과.

bóil-ùp *n.* 《Austral.》 차 끓이기.

°**bois·ter·ous** [bɔ́istərəs] *a.* **1** (비·바람·물결 따위가) 몹시 사나운, 거친. **2** 시끄러운, 떠들썩한, 활기찬: a ~ party 북적이는 즐거운 파티. **3** (사람·행위 따위가) 거친, 난폭한. ㊞ **~·ly** *ad.* **~·ness** *n.*

boîte [bwɑ́:t] (*pl.* **~s** [-s]) *n.* 《F.》 소규모의 나이트클럽〔카바레〕.

bok choy [bɑ́ktʃɔ́i/bɔ́k-] 〖식물〗 박초이(白菜) 《배추 비슷한 중국 채소》.

boke [bouk] *n.* 《속어》 코(nose).

bo·ko [bóukou] (*pl.* **~s**) *n.* 《영속어》 코, (사람의) 머리.

Bol. Bolivia(n).

bo·la(s) [bóulə(s)] (*pl.* **-las(·es)**) *n.* 《Sp.》 쇠뭉치〔돌멩이〕가 달린 올가미《짐승의 발에 던져 휘감기게 해서 잡음》.

bóla tìe ⇨ BOLO TIE.

****bold** [bould] *a.* **1** 대담한(daring), 담찬, 담력이 있는: a ~ explorer 〔act〕 대담한 탐험가〔행위〕/ It's ~ *of* you *to* do so.=You are ~ *to* do so. 그런 일을 하다니 자네도 대담하군. **2** 불손(不遜)한, 뻔뻔스러운, 철면피한: a ~ hussy 낯이 두꺼운 닳고 닳은 여자. **3** 용기가 필요한, 과감한: a ~ adventure. **4** (상상력·묘사 따위가) 힘찬, 분방한: a ~ description 힘찬 묘사 / ~ imagination 분방한 상상력. **5** (윤곽이) 뚜렷한, 두드러진(striking); (선·글씨가) 굵은: in ~ strokes 굵은 글씨로 / the ~ outline of a mountain 뚜렷한 산의 윤곽. **6** (벼랑 따위가) 깎아지른, 가파른(steep): a ~ cliff 단애(斷崖). **7** 〖인쇄〗 =BOLD-FACED 2. ***as ~ as brass*** 철면피한. ***be*** 〔***make***〕 (***so***) ~ (***as***) ***to*** do 감히 …하다: I *make* ~ *to* give you my opinion. 실례지만 제 의견을 말씀드리겠습니다. ***make ~*** 〔***free***〕 ***with*** (남의 물건을) 멋대로 마구 쓰다; (남에게) 무례한 태도를 취하다. ***put a ~ face on*** ⇨ FACE.

bóld·fàce *n.*, *a.* 〖인쇄·컴퓨터〗 볼드체(의).

bóld-fàced [-t] *a.* **1** 철면피한, 뻔뻔스러운. **2** 〖인쇄〗 볼드체의.

***bold·ly** [bóuldli] *ad.* **1** 대담하게; 뻔뻔스럽게. **2** 뚜렷하게; 굵게.

***bold·ness** [bóuldnis] *n.* Ⓤ 대담, 배짱, 무모; 철면피; 호방함; 분방 자재(奔放自在); 두드러짐: with ~ 대담하게 / He had the ~ *to* ask for more money. 그는 뻔뻔스럽게도 돈을 더 달라고 했다.

bole¹ [boul] *n.* 나무줄기(trunk).

bole² *n.* 교회 점토(膠灰粘土).

bo·lec·tion [boulékʃən] *n.* 〖건축〗 돋음쇠시리.

bo·le·ro [bəléərou] (*pl.* **~s**) *n.* **1** 볼레로《스페인 무용의 일종》; 그 곡. **2** (여성용) 짧은 웃옷의 일종.

bo·lide [bóulaid, -lid] *n.* 〖천문〗 (폭발) 화구(火球), 폭발 유성《크고 밝은 유성(流星)》.

bol·i·var [bɑ́ləvər, bəlí:vɑ:r/bɔ́livɑ̀:] *n.* 베네수엘라의 화폐 단위《기호 B; =100 centimos》.

Bo·liv·ia [bəlíviə, bou-/bə-] *n.* **1** 볼리비아 《남아메리카 중부의 공화국; 수도 La Paz 및 Sucre》. **2** (b-) 부드러운 모직천의 일종. ㊞ **-i·an** *a.*, *n.* 볼리비아의 (사람).

bo·liv·i·a·no [bəlìviɑ́:nou, bou-] *n.* Bolivia의 화폐 단위《기호 B; =100 centavos》.

boll [boul] *n.* (목화·아마 등의) 둥근 꼬투리.

bol·lard [bɑ́lərd/bɔ́l-] *n.* (선창에 있는) 계선주(繫船柱); 《영》 도로 중앙에 있는 안전지대(traffic island)의 보호주(柱).

bol·lix, bol·lox [bɑ́liks/bɔ́l-], [-ləks] *vt.* 《구어》 엉망으로 하다, 잡치다; 실수하다; 혼란시키다《*up*》. ―*n.* 실수, 혼란. ―*int.* (곤혹·불신을 나타내어) 젠장, 흥.

bol·lock [bɑ́lək/bɔ́l-] *n.*, *vt.* =BALLOCKS.

bóll wéevil 〖곤충〗 목화다래바구미; 《미속어》 비조합원, 비협조자; 《미정치속어》 보수적인 공화당의 정책을 지지하는 보수적인 민주당원.

bóll·wòrm *n.* 〖곤충〗 솜벌레.

Bol·ly·wood [bɑ́liwùd/bɔ́l-] *n.* 볼리우드《인도 영화 산업》. [◂ *Bombay*+*Hollywood*]

bo·lo [bóulou] (*pl.* **~s**) *n.* (필리핀이나 미국 육군이 사용하는) 대형 나이프; 끈 넥타이(bolo tie).

Bo·lo·gna [bəlóunjə] *n.* **1** 이탈리아 북부의 도시. **2** (b–) 《미》 볼로냐 소시지(= ~ **sáusage**) 《대형 훈제 소시지》.
bo·lo·graph [bóuləgræ̀f/-grɑ̀:f] *n.* 〖물리〗 볼로미터에 의한 기록.
bo·lom·e·ter [bouláмətər, bə-/-lɔ́m-] *n.* 〖물리〗 볼로미터《전자(電磁) 방사 에너지 측정용의 저항 온도계》.
bo·lo·ney [bəlóuni] *n.* = BALONEY.
bólo 〔**bóla**〕 **tìe** 《미》 볼로 타이, 끈 넥타이《금속 고리로 조이도록 되어 있는》.
Bol·she·vik [bóulʃəvìk, bál-/bɔ́l-] (*pl.* **~s,** *-viki* [-vìki:]) *n.* 볼셰비키《옛 러시아 사회 민주 노동당의 다수파》의 일원; 옛 소련의 공산당원; (때로 b–) 《경멸》 극단적 과격론자. [cf] Menshevik. **—** *a.* 볼셰비키의; (때로 b–) 과격파의.
◇**Bol·she·vism** [bóulʃəvìzəm, bál-/bɔ́l-] *n.* [U] 볼셰비키의 정책〔사상〕; 옛 소련 공산주의; (때로 b–) 과격론.
Ból·she·vist *n.*, *a.* 볼셰비키의 일원(의); (때로 b–) 과격론〔사상〕(의).
Bol·she·vis·tic [bòulʃəvístik, bɑ̀l-/bɔ̀l-] *a.* 볼셰비스트의; (때로 b–) 과격파〔사상〕의.
Bol·she·vize [bóulʃəvàiz, bál-/bɔ́l-] *vt.* (*or* b–) 볼셰비키화하다, 공산주의화하다, 적화하다.
Bol·shie, -shy [bóulʃi:, bál-/bɔ́l-] *a.* 《구어》 과격파의, 체제에 반항하는; 《경멸》 급진적인, 좌익의, 반항적인. **—** *n.* 과격(급진)주의자, 《경멸》 옛 소련인.
Ból·shoi Bállet [bóulʃɔi-, bál-/bɔ́l-] 볼쇼이 발레단《모스크바의 국립 발레단》.
bol·ster [bóulstər] *n.* (베개 밑에 까는 긴) 덧베개; 덧대는 것, 채우는 것; 떠받침; 〖기계〗 받침대, (차량의) 가로대, 장여. **—** *vt.*, *vi.* …에 덧베개를 받치다《*up*》; (사람을) 기운나게 하다, 기운을 북돋우다; (약한 것을) 받치다, (약한 조직·주의 등을) 지지〔후원〕하다, 보강하다, 강화하다《*up*》; (학생 등이) 베개로 서로 때리다: ~ *up* a person 아무를 기운〔용기〕나게 북돋아 주다.
*__bolt__[1] [boult] *n.* **1** 빗장, 자물쇠청, 걸쇠; (총의) 노리쇠. **2** 볼트, 나사〔죔〕못. [cf] nut. **3** (쇠뇌의) 굵은 화살; (제재 전의) 원목, 짧은 통나무. **4** 전광, 번개; (물 따위의) 분출; 도주, 뺑소니; 결석, (회합에서) 빠져나오기: a ~ *of* lightning 번개. **5** (도배지 따위의) 한 필〔묶음, 통〕. **6** 《미》 탈퇴, 탈당; 《미》 자기 당의 정책〔공천 후보〕 거부; 예상치 못한 뜻밖의 일, 해프닝. ***do a ~*** = ***make a ~ for it*** 《구어》 내빼다. (***like***) ***a ~ from*** 〔***out of***〕 ***the blue*** 〔***sky***〕 청천벽력(과 같이). ***shoot* one's** (***last***) **~** (최후의) 큰 화살을 쏘다; 최선을 다하다, 전력을 다하다: My ~ is *shot.* = I have *shot* my ~. (화살은 이미 시위를 떠났다) 이제 와서 손을 뗄 수는 없다; 난 최선을 다했다 / A fool's ~ *is* soon *shot.* 《속담》 어리석은 자는 곧 최후 수단을 쓴다《곧 제 밑천을 드러낸다》.
— *vi.* **1** 《~/+[부]/+[전]+[명]》 내닫다, 뛰다; 달아나다, 도망하다: They ~*ed out* with all their money. 그들은 있는 돈을 전부 갖고 도망쳤다 / The rabbit ~*ed into* its burrow. 토끼는 휙 굴 속으로 도망쳤다. **2** 《미》 탈당〔탈퇴, 탈회〕하다; 자당에의 지지를 거부하다. **3** (음식을) 급히 먹다, (씹지도 않고) 삼키다. **4** (문이) 걸쇠로 잠기다; 볼트로 죄어지다. **5** (식물이) 너무 자라다. **—** *vt.* **1** 《+[목]+[부]》 (문을) 빗장을 걸어잠그다《*up*》; …을 볼트로 죄다《*on*》; (사람을) 가두다《*in*》; 내쫓다《*out*》; ~ the door (*up*) 문을 걸쇠로 잠그다 / ~ *on* a tire 타이어를 볼트로 고정하다. **2** 《고어》 (살 따위를) 쏘다; (토끼·여우 따위를) 굴에서 쫓아내다. **3** 《+[목]+[부]》 불쑥〔무심코〕 말하다《*out*》. **4** 《미》 (정당을) 탈퇴하다; (자당에의 지지·참가를) 거부하다. **5** 《+[목]+[부]》 (음식물을) 급하게 먹다, (잘 씹지도 않고) 마구 삼키다《*down*》. ~ ***up*** 마감하다.
— *ad.* **1** 똑바로, 직립하여. **2** 《고어》 난데없이. ~ ***upright*** 똑바로, 곧추서서: stand ~ *upright* 말뚝처럼 꼿꼿하게 서다.
bolt[2] *vt.* 체질하여 가르다; 세밀히 조사하다, 음미하다.
bólt-àction *a.* 수동식 노리쇠가 있는《총》.
bólt bòat (거친 바다에 견딜 수 있는) 외양(外洋) 보트.
bólt·er[1] *n.* 내닫는 사람; 탈주자; 《미》 탈당〔탈회〕자, 당론 위반자; 《고어》 탈옥수. **—** *vi.* 《해군속어》 (해상에서 비행기가) 착함(着艦)에 실패하다.
bólt·er[2] *n.* 체(sieve), 체질하는 사람〔기구〕.
bólt·hèad *n.* 볼트 머리.
bólt hòle 피난 장소, 도피소.
bólt·ing *n.* 볼트를 박고 조이기; (씹지 않고) 음식을 마구 삼키기; 도망; 〖식물〗 꽃대가 웃자람.
bólt-òn *a.* 〖기계〗 (자동차의 부품 따위가) 볼트로 죄는〔조이게 되어 있는〕.
bólt·ròpe *n.* 〖해사〗 돛의 가에 친 밧줄; 《일반적》 최상급 밧줄.
bo·lus [bóuləs] *n.* 둥근 덩어리; 큰 알약《동물용》; 《속어》 싫은 것《고언(苦言) 따위》.
BOM [bam/bɔm] *n.* 《속어》 PR 기사《PR이라고 알리지 않고 내는 선전 기사》. [◂ *B*usiness *O*ffice *M*ust(영업상 불가결한 것)]
bo·ma [bóːmə] *n.* 《중앙·동아프리카》 방벽; (경찰·군대의) 초소; 치안 판사 사무소.
Boma [bóumə] *n.* 보마《콩고의 콩고강 연변에 있는 하항 도시》.
__bomb__ [bam/bɔm] *n.* **1 폭탄; 수류탄; (the ~) (최고 병기로서의) 원자〔수소〕 폭탄, 핵무기: an atomic 〔a hydrogen〕 ~ 원자〔수소〕 폭탄 / a time ~ 시한 폭탄 / the threat of the ~ 핵무기의 위협. **2** 〖지학〗 화산탄(火山彈). **3** 《미구어》 큰 실수, 대실패. **4** 방사성 물질을 나르는 납 용기. **5** (살충제·페인트 따위의) 분무식 용기, 스프레이, 봄베. **6** 《영》 대성공, 대히트. **7** 폭탄적인 것; 돌발 사건; 《미속어》 폭탄 성명〔발언〕: drop a ~ on …에 폭탄을 던지다; 충격을 주다, 크게 동요시키다. **8** 《구어》 한 재산〔밑천〕; 큰돈: make a ~ 한밑천 잡다. **9** 《속어》 (고물) 자동차. ***go down a ~*** 《구어》 대성공하다, 큰 인기를 얻다. ***go like a ~*** 《구어》 ① 대성공하다, 크게 히트치다. ② (자동차가) 잘 달리다, 초스피드를 내다. ***put a ~ under*** a person 《구어》 아무에게 빨리 하도록 재촉하다.
— *vt.* **1** 《~+[목]/+[목]+[부]》 …에 폭탄을 투하하다, 폭격〔폭파〕하다: a ~*ed out* building 폭탄으로 대파된 건물. **2** 〖경기〗 (아무를) 완패시키다.
— *vi.* **1** 폭탄을 투하하다. **2** 《+[부]》 《속어》 실패하다, 큰 실책을 범하다《*out*》; (쇼 따위에서) 전연 인기가 없다《*out*》. ~ ***up*** 《*vt.*+[부]》 ① (비행기에) 폭탄을 싣다. **—** 《*vi.*+[부]》 ② (비행기가) 폭탄을 탑재하다.
◇**bom·bard** [bambá:rd, bəm-/bɔm-] *vt.* **1** 포격〔폭격〕하다. **2** 《~+[목]/+[목]+[전]+[명]》 《비유》 공격하다, 몰아세우다, (질문·탄원 등을) 퍼붓다《*with*》: ~ a person *with* questions 아무에게 질문 공세를 퍼붓다. **3** 〖물리〗 (입자 따위로) 충격을 주다. **—** [´-] *n.* (옛날의) 사석포(射石砲). [파] **~·er** *n.* 폭탄 따위를 던지는〔투하하는〕 사람; 폭격기.
bom·bar·dier [bɑ̀mbərdíər/bɔ̀m-] *n.* (폭격기) 폭격수; 《영》 포병 부사관.
◇**bom·bárd·ment** *n.* [C,U] 포격, 폭격; 〖물리〗 충격.
bom·bar·don [bámbərdən, bambá:r-/bɔ́mbədən, bɔmbá:dn] *n.* 〖악기〗 (tuba와 비슷한) 저음 금관 악기의 일종; (풍금의) 저음 음전

(音栓).

bom·ba·sine [bɑ̀mbəzíːn, -síːn, ⌐-⌐/bɔ́mbəziːn] *n.* = BOMBAZINE.

bom·bast [bámbæst/bɔ́m-] *n.* Ⓤ 과장된 말, 호언장담. **—** *a.* 《고어》 과대한, 과장된.

bom·bas·tic [bɑmbǽstik/bɔm-] *a.* 과대한, 과장된. ⊕ **-ti·cal·ly** [-tikəli] *ad.*

Bom·bay [bɑmbéi/bɔm-] *n.* 봄베이《인도 서부의 옛 주; 뭄바이(Mumbai)의 옛 이름》.

Bómbay dúck 〖어류〗 물천구속(屬)의 작은 바닷물고기(bummalo)《인도 근해산》.

bom·ba·zine [bɑ̀mbəzíːn, ⌐-⌐/bɔ́mbəziːn] *n.* Ⓤ 비단·무명·털 따위로 짠 능직(綾織)《주로 여자의 상복지(喪服地)》.

bómb bày (폭격기의) 폭탄 투하실.

bómb dispósal 불발 폭탄 처리〔제거〕; 불발탄 기폭(起爆): a ~ squad 불발탄 처리반.

bombe [bɑm(b)/bɔm(b)] (*pl.* **~s**) *n.* 《F.》 멜론 모양의 용기에 수종의 아이스크림을 층으로 넣은 얼음과자. 「글린《가구 따위》.

bom·bé [bɑmbéi/bɔm-] *a.* 《F.》 볼록하게 둥

bombed [bɑmd/bɔmd] *a.* 공습을 받은; 《속어》 (술·마약에) 취한: a ~ area 피폭(被爆) 지역.

bómbed-òut *a.* 공습으로 타 버린: ~ people 공습으로 집을 잃은 이재민.

°bomb·er [bámər/bɔ́m-] *n.* 폭격기〔수〕; 폭파범; 《미속어》 마리화나 담배; 《해군속어》 폴라리스 잠수함(Polaris submarine).

bómber jàcket 보머 재킷《제2차 대전 때 미 공군 승무원이 입었던 허리와 소매끝을 조이게 만든 가죽 재킷》.

bómb-hàppy *a.* 《구어》 폭격에 의한 충격으로 머리가 돈; 폭탄〔전투〕 노이로제의.

bom·bi·nate, -late [bámbənèit/bɔ́m-], [-lèit] *vi.* 《문어》 (벌·파리 따위가) 윙윙거리다. ⊕ **bòm·bi·ná·tion, -bi·lá-** *n.*

bomb·let [bámlit/bɔ́m-] *n.* 소형 폭탄.

bómb·lòad *n.* (비행기 한 대의) 폭탄 적재량.

bómb·pròof *a.* 방탄(防彈)의: a ~ shelter 방공호. **—** *n.* (지하 따위의) 방탄 구축(물). **—** *vt.* 방탄으로 하다. 「장치.

bómb ràck (비행기의) 폭탄 현가(懸架)〔부착〕

bómb rùn 〖군사〗 (목표 확인으로부터 폭격까지의) 폭격 항정(航程)〔행정(行程)〕.

bómb scàre 폭탄 테러 예고(로 인한 공포).

bómb·shèll *n.* 폭탄, 포탄; (사람을) 놀라게 하는 일〔사람〕, 폭발적 인기(의 사람), 돌발 사건; 매우 매력적인 미인; 《미속어》 염문으로 유명한 여자〔쇼걸〕: The news of his resignation was a ~. 그의 은퇴 소식은 그야말로 날벼락이었다 / a literary ~ 문단의 총아 / a regular ~ 대소동 / drop a ~ 폭탄 선언을 하다; 야비한 기습을 가하다 / like a ~ 돌발적으로; 기막히게 (잘 되어). ***explode a ~*** 깜짝 놀라게 하다.

bómb shèlter 방공호.

bómb·sìght *n.* 폭격 조준기.

bómb·sìte *n.* 피폭(被爆) 구역, 공습 피해 지역.

bómb squàd 〖미식축구〗 폭격 부대《위험이 따르는 플레이에 동원되는 예비 팀》.

bómb thròwer 폭격수; 폭탄 투하〔발사〕 장치.

bom·by·cid [bámbəsid/bɔ́m-] *n.* 〖곤충〗 누에나방의 일종.

bon [bɔ(ː)n; *F.* bɔ̃] *a.* 《F.》 good 의 뜻.

bo·na fide [bóunə-fáid, -fàidi] 《L.》 진실한, 성의 있는; 진실을〔성의를〕 가지고, 선의로〔의〕 (in good faith): a ~ offer (허위 표시가 아닌) 진정한 제의. 「의, 선의.

bo·na fi·des [bóunə-fáidiːz] 《L.》 진실, 성

bon ami [*F.* bɔnami] 《F.》 좋은 벗(good friend); 애인《남성》.

bo·nan·za [bənǽnzə] *n.* (금·은의) 부광대(富鑛帶); 노다지; 대성공, 뜻밖의 행운; (농장의) 대풍년; 보고(寶庫): a ~ year 대풍년 / strike a ~ 대성공을 거두다. ***in ~*** 행운으로, 대성공을 거두어.

Bo·na·parte [bóunəpɑ̀ːrt] *n.* **Napoleon ~** 보나파르트《프랑스 황제; 1769–1821》. ⊕ **-pàrt·ism** *n.* 나폴레옹(1세(世))의 정책. **-pàrt·ist** *n.* 나폴레옹 지지자.

bon ap·pé·tit [*F.* bɔnapeti] 《F.》 많이 드십시오((I wish you) a good appetite).

bo·na va·can·tia [bóunə-vəkǽntiə] 《L.》 〖법률〗 무주물(無主物)《명백한 소유자가 없는 동산》. 「자》.

bon·bon [bánbàn/bɔ́nbɔ̀n] *n.* 《F.》 봉봉《과

bon·bon·nière [bɑ̀nbəníər/bɔ̀nbɔnjɛ́ər] *n.* 《F.》 봉봉 그릇.

bonce [bɑns/bɔns] *n.* 《영속어》 머리(head); 큰 공깃돌, 그것으로 하는 공기놀이.

bond** [bɑnd/bɔnd] *n.* **1** 묶는〔매는〕 것; 끈, 띠, 새끼. **2** 유대, 맺음, 인연; 결속, 결합력: the ~ of affection 애정의 유대 / the ~ *between* nations 국가간의 유대. **3** (보통 *pl.*) 속박하는 것, 차꼬; 속박, 의리: in ~*s* 속박〔감금〕되어 / break one's ~*s* 속박을 끊어 버리다; 자유의 몸이 되다. **4** 계약, 약정, 맹약; 동맹, 연맹. **5** (채무) 증서, 계약서; 공채 증서, 차용 증서; 채권《보통 장기적인 것》, 사채(社債): ~ issue 사채 발행 / call a ~ 공채 상환 통고를 하다 / a private ~ 차용 증서 / a public 〔government〕 ~ 공채(公債)〔국채〕 / His word is as good as his ~. 그의 약속은 보증 수표다. **6** 증권 용지. **7** Ⓤ 보증; Ⓒ 《고어》 보증인(人). **8** Ⓤ 보세 창고 유치(留置): take goods out of ~ (관세를 물고) 상품을 보세 창고에서 내다. **9** 〖보험〗 지급 보증 계약; 〖법률〗 Ⓤ,Ⓒ 보증금, 보석금. **10** 〖화학〗 결합. **11** 접착〔접합〕제, 본드. **12** 〖건축〗 (벽돌 따위의) 맞추어〔포개어〕 쌓기, 조적(組積) 구조〔공법〕; 부착물, 접착물. ***be under ~ 담보에 들어 있다; 보석중(中)이다. ***give ~ to*** do 《미속어》 …한다는 보증을 하다. ***in ~*** 보세 창고에 유치되어.

— *vt.* **1** 담보〔저당〕잡히다; (차입금을) 채권으로 대체하다: be heavily ~*ed* (물건이) 다액의 담보에 들어 있다. **2** …의 보증금을 적립하(게 하)다, …의 보증인이 되다. **3** (수입품을) 보세 창고에 맡기다. **4** 《~+목/+목+부/+목+전+명》 접착시키다《*to*》; 접합하다《*together*》; 〖건축〗 잇다, (돌·벽돌 따위를) 쌓아 올리다: ~ brick *to* stone 벽돌을 돌에 접착시키다. **—** *vi.* **1** 《+부/+전+명》 이어지다, 접착〔부착, 고착〕하다《*together*》: These plastics will not ~ *together.* 이 플라스틱은 서로 접합하지 않을 것이다. **2** 〖심리·동물행동학〗 (친자·부부·암수 등의) 유대를 형성하다. **—** *a.* 《고어》 노예의; 사로잡힌《지금은 복합어로서 쓰임》.

Bond *n.* **James ~** 제임스 본드《영국 첩보 소설과 영화의 주인공》.

°bond·age [bándidʒ/bɔ́nd-] *n.* Ⓤ 농노〔노예〕의 신분, 천역(賤役); (정욕 따위의) 노예가 되어 있음《*to*》; 속박; 감금, 굴종: go into ~ 몸을 팔다 / He is in ~ *to* passion. 그는 정욕의 노예가 되어 있다.

bónd·ed[1] [-id] *a.* **1** 공채〔채권〕에 의해 보증된; 담보가 붙은. **2** 보세 창고에 유치된, 보세품의: ~ area 보세 구역. 「~ jersey.

bónd·ed[2] *a.* 특수 접착제로 붙인《섬유 따위》:

bónded débt 사채 발행 차입금, 장기 부채.

bónded góods 보세 화물.

bónded wárehouse 〔**stóre**〕 보세 창고.

bónded whískey 《미》 병에 넣은 보세 위스키

《최저 4년간 정부 관리 아래 놓아 두었다가 병에 넣은 알코올 함량 50%의 생(生)위스키》.
bónd·er *n.* 보세 화물 소유주; =BONDSTONE.
bónd·hòlder *n.* 사채권 소지자, 공채 증서 소지자.
bónd·ing *n.* 〖건축·석공〗 조적(組積)식 쌓기; 접합, 본드 접착; 〖전기〗 결합, 접속; 〖인류〗 (공동생활로 인한) 긴밀한 유대.
bónd·màid *n.* (미혼의) 여자 노예〔농노〕.
bónd·man [-mən] (*pl.* ***-men*** [-mən]) *n.* 노예, 농노; 무임금 노동자.
bónd pàper 증권 용지; 질이 좋은 용지, 본드지(紙).
bónd ràtings 채권의 등급 매김《기업 등의 채권 발행자에 대하여 원리금의 지급 능력 등을 평가하는 제도》.
bónd ròom 〖증권〗 (거래소의) 채권 매매 입회장.
bónd sèrvant 노예, 종.
bónd sèrvice 노예의 신분, 종살이.
bónd·slàve *n.* =BONDMAN.
bónds·man [-mən] (*pl.* ***-men*** [-mən]) *n.* 노예, 농노; 〖법률〗 보증인, 보석인.
bónd·stòne *n.* 〖건축〗 받침돌, 이음돌.
Bónd Strèet 런던의 고급 상가, 본드가(街).
bónd·wàshing *n.* 탈세를 목적으로 한 위법 증권 조작.
bónd·wòman (*pl.* ***-wòmen***) *n.* 여자 노예.
bone [boun] *n.* Ⓒ **1** 뼈; 뼈 모양의 것《상아·고래의 수염 따위》: Hard words break no ~*s.* 《격언》 아무리 심해도 욕만으로는 다치지 않는다. **2** (*pl.*) 해골, 시체, 유골; 골격; 신체: lay one's ~*s* 매장되다, 죽다 / (one's) old ~*s* 늙은 몸 / keep one's ~*s* green 젊음을 유지하다. **3** Ⓤ 골질; 살이 붙은 뼈. **4** (보통 *pl.*) (이야기 따위의) 골자, (문학 작품의) 뼈대; 본질, 핵심; (기본적인) 틀; (마음의) 깊은 속, 바탕: the main ~ 골자. **5** 골〔상아〕 제품; (*pl.*) 《구어》 주사위; (*pl.*) 〖음악〗 캐스터네츠; (*pl.*) 코르셋 따위의 뼈대, 우산 살; 《미속어》 1달러, (*pl.*) 돈. **6** 《미속어》 공부만 하는 학생; (*pl.*) 《미속어》 말라깽이, 《영구어》 (외과) 의사. ***a ~ of contention*** 분쟁; 불화의 씨〔초점〕. (***as***) ***dry as a ~*** ⇨ DRY. ***bred in the ~*** 타고난《성질 따위》; 뿌리 깊은. ***close to*** 〔***near***〕 ***the ~*** 매우 인색한; 곤궁한, 빈곤하여; (이야기 따위가) 외설스러운, 아슬아슬한. ***feel in*** one***'s ~s*** 확신하다; 직각〔직감〕하다. ***have a ~ in*** one***'s leg*** 〔***throat***〕 발〔목구멍〕에 가시가 박혔다《갈〔말할〕 수 없을 때의 변명》. ***have a ~ to pick with*** a person 아무에게 불만(不滿)〔할 말〕이 있다. ***make no ~s of*** 〔***about, to*** do〕 …에 구애되지〔…을 꺼리지〕 않다, …쯤은 아무렇지도 않게 여기다, … 을 태연히 하다; …을 솔직히 인정하다, 숨기거나 하지 않다. ***make old ~s*** 오래 살다. ***No ~s broken!*** 괜찮다, 대단찮아. ***spare ~s*** 수고를 아끼다. ***throw a ~ to ...*** (으르대는 파업자들)에게 얼마 안 되는 임금 인상안을 내걸며 달래려고 하다. ***to the ~*** 뼛속까지; 철두철미: chilled 〔frozen〕 *to the* ~ 추위가 뼛속까지 스며 / tax *to the* ~ 중세를 과하다 / cut (down) *to the* ~ (비용 등을) 최소한도로 줄이다. ***without more ~*** 그 이상 구애받지 않고. ***work*** one***'s fingers to the ~*** ⇨ FINGER.
— *vt.* **1** 뼈를 발라내다. **2** (우산·코르셋 따위에) 고래수염으로〔뼈로〕 살을 넣다. **3** …에 골분 비료를 주다. **4** 《속어》 훔치다. — *vi.* 《+부/+전+명》 《구어》 맹렬히 공부하다: ~ *up on* a subject 어느 과목을 맹렬히 공부하다.
— *ad.* 《구어》 철저하게, 몹시: I am ~ tired 〔hungry〕. 나는 몹시 피곤하다〔배가 고프다〕.
bóne àsh 〔**èarth**〕 골회(骨灰).
bóne·blàck *n.* Ⓤ 골탄(骨炭)《표백제·안료》.
bóne-chílling *a.* 뼈를〔살을〕 에는 듯한: a ~ wind 살을 에는 듯한 찬 바람.
bóne chína 골회 자기(骨灰磁器), 본차이나.
boned *a.* **1** 뼈를 제거한: a ~ Turkey 뼈를 빼낸 칠면조. **2** 뼈가 …한. ★ 종종 하이픈을 붙여 복합 형용사를 만듦: a strong-~ umbrella 살이 튼튼한 우산 / big-~ 뼈대가 굵은. **3** (고래뼈를 넣어) 떠받친《코르셋 따위》. **4** 골분(骨粉)을 시비(施肥)한.
bóne-drý *a.* **1** (목이) 바싹 마른; (샘이) 물이 마른. **2** 뉘앙스가 없는. **3** 《미구어》 절대 금주의; (파티 등이) 술이 없는.
bóne dùst 골분(bone meal)《비료·사료》.
bóne-èater *n.* 《미속어》 개.
bóne·fàctory *n.* 《미속어》 병원, 묘지.
bóne·hèad *n.* 《구어》 바보, 얼간이; =BONER. 파 **~·ed** [-id] *a.* 얼간이의, 얼빠진.
bóne·ídle, bóne·lázy *a.* 매우 게으른.
bóne·less *a.* 뼈 없는; 무기력한; 알맹이 빠진, 엉성한, 힘〔박력〕 없는《문장 따위》.
bóne màrrow 골수: to the ~ 골수까지.
bóne-marrow trànsplant 〖의학〗 골수 이식.
bóne mèal (비료·사료용) 골분.
bóne òil 골유(骨油).
bóne-òn *n.* 《비어》 발기(한 페니스)(hard-on): have a ~ 발기하다. — *a.* 성욕이 왕성한, 열이 오른.
bóne òrchard 《속어》 묘지.
bon·er [bóunər] *n.* 《속어》 **1** 대실책, 어처구니없는 실수; 공부만 파는 학생: pull a ~ 실수를 저지르다. **2** (옷에) 고래뼈를 넣는 직공.
bóne·sèt *n.* 〖식물〗 등골나무의 일종《골절 치료용》.
bóne·sètter *n.* (무자격) 접골의(接骨醫).
bóne·sètting *n.* Ⓤ 접골술.
bóne·shàker *n.* 《구어·우스개》 구식 털털이 자전거《앞바퀴가 크고 고무 타이어가 없는》; 털털이 마차〔자동차〕.
bóne spàvin 〖수의〗 골비대 비절내종(骨肥大飛節內腫).
bóne strùcture (뼈의 겉으로 드러나 보이는) 얼굴 생김새: a woman in her early thirties with fine ~ 잘 생긴 30대 초반의 여인.
bóne·tíred, -wèary *a.* 아주 지친.
bóne·yàrd *n.* 폐차〔폐선〕장; 《구어》 묘지 (cemetery).
bon·fire [bɑ́nfàiər/bɔ́n-] *n.* (축하·신호의) 큰 화톳불; (한데에서의) 모닥불. ***make a ~ of*** …을 태워 버리다; …을 제거하다.
Bónfire Nìght 《영》 본파이어 나이트《Guy Fawkes의 인형을 태움》. cf. Guy Fawkes Day.
bong[1] [baŋ, bɔːŋ/bɔn] *n.* 뎅하는 소리. — *vi.* (종 등을) 뎅하고 울리다. — *a.* 《미속어》 멋진, 훌륭한.
bong[2] *n.* 마리화나용 물파이프.
bon·go[1] [bɑ́ŋgou/bɔ́ŋ-] (*pl.* **~s;** 〔집합적〕 ~) *n.* 영양(羚羊)의 일종《아프리카산》.
bon·go[2] (*pl.* ~(***e***)***s***) *n.* (쿠바 음악의) 작은 북.
bon·goed [bɑ́ŋgoud, bɔ́ːŋ-/bɔ́ŋ-] *a.* 《미속어》 술취한.
Bon·hoef·fer [*G.* bɔ́ːnhœfɐ] *n.* **Dietrich** ~ 본회퍼《독일의 루터파 신학자; 반(反)나치스 운동으로 잡혀 죽음; 1906–45》.
bon·ho(m)·mie [bɑ̀nəmíː, ⌐-⌐/bɔ́nɔmìː] *n.* 《F.》 Ⓤ 온후, 쾌활.
bon·ho·mous [bɑ́nəməs/bɔ́n-] *a.* 온후한, 쾌활한. 파 **~·ly** *ad.*
bon·i·face [bɑ́nəfèis/bɔ́n-] *n.* (*or* B-) (특히 명랑하고 친절한) 여인숙〔식당, 나이트클럽〕 주인.
bon·ing [bóuniŋ] *n.* Ⓤ 뼈 바르기; 골분 비료를 주기〔뿌리기〕.
Bó·nin Íslands [bóunin-] (북태평양에 위치한) 오가사와라(小笠原) 제도《1968년 일본에 반

환됨》.

bon·ism [bánizəm/bɔ́n-] *n.* Ⓤ (현세를 최선(最善)은 아니나 선(善)으로 보는) 낙관설, 선세설(善世說). ㊞ **-ist** *n., a.*

bo·ni·to [bəníːtou] (*pl.* ~(*e*)*s*) *n.* 〖어류〗 줄삼치; 가다랭이: a dried ~ 가다랭이포.

bon·jour [*F.* bɔ̃ʒuːʀ] *int.* 《F.》 안녕하십니까(good day).

bonk [baŋk/bɔŋk] *vt., vi.* 탕〔펑, 퍽〕하고 치다〔두드리다, 때리다, 소리 내다〕. ― *n.* 그런 소리, 일격; 《미구어》 성행위.

bónk·bùster *n.* 봉크버스터《등장 인물 간의 성적 접촉이 빈번히 묘사된 대중 소설》.

bon·kers [báŋkərz/bɔ́ŋ-] *a.* 《속어》 머리가 이상한, 정신이 돈(mad).

bon mot [bánmóu/bɔ́n-] 《F.》 가구(佳句), 명언, 명문구.

Bonn [ban/bɔn] *n.* 본《독일 통일 전 서독의 수도》.

bonne [*F.* bɔn] *n.* 《F.》 하녀; 아이 보는 여자.

bonne amie [*F.* bɔnami] 《F.》 좋은 여자 친구(good girl friend); 애인《여성》.

bonne bouche [*F.* bɔnbuʃ] 《F.》 (식사 후에 먹는) 진미(珍味)의 한입 거리, 입가심(tidbit).

bonne chance [*F.* bɔnʃɑ̃ːs] 《F.》 안녕, 건강하십시오, 행운이 있기를《헤어질 때의 인사》(good chance).

bonne foi [*F.* bɔnfwa] 《F.》 성실, 선의, 성의(誠意)(good faith).

bonne grâce [*F.* bɔngʀɑːs] (*pl.* ***bonnes grâces*** [―]) 선의(善意), 열의, 성의.

bonnes fortunes [*F.* bɔnfɔʀtyn] 《F.》 여성에게서 받은 호의〔선물〕《자랑거리》. ***homme à*** [ɔ́mɑː] ~ =LADY-KILLER.

*__bon·net__ [bánit/bɔ́n-] *n.* **1** 보닛《턱밑에서 끈이나 리본을 매는 여자·어린이용의 모자》. **2** 스코틀랜드 모자《남자용의 챙 없는》. **3** (아메리카인디언의) 깃털 머리 장식. **4** 보닛 모양의 덮개《굴뚝의 갓, 기계의 커버 따위》; 《영》 (자동차의) 엔진 덮개(《미》 hood). **5** 《속어》 (도박·경매 등에서) 한통속, 공모자. ***have a bee in*** one's ~ ⇨BEE. ― *vt.* **1** …에 모자〔덮개〕를 씌우다. **2** 모자를 눌러 씌우다. **3** (불 따위를) 덮어서 끄다.

bonnet 1

bonnet rouge [*F.* bɔnɛʀuːʒ] 《F.》 (1793년 프랑스 혁명파가 쓴) 붉은 모자; 혁명당원.

Bon·nie [báni/bɔ́ni] *n.* 바니《여자 이름》.

bon·ny, bon·nie [báni/bɔ́ni] (***-ni·er; -ni·est***) *a., ad.* 《Sc.》 (젊은 처녀 등이) 아름다운, 귀여운, 고운; 건강해 보이는; 《구어》 쾌활한〔하게〕, 기분 좋게. ― *n.* 《고어》 예쁜 처녀〔여자〕. ㊞ **-ni·ly** *ad.* **-ni·ness** *n.*

bo·no·bo [bənóubou] (*pl.* ***-bos***) =PYGMY CHIMPANZEE.

bon·soir [*F.* bɔ̃swaːʀ] *int.* 《F.》 안녕하십니까(good evening)《작별시에도 씀》.

bon ton [bántáːn/bɔ́n-] 《F.》 (보통 the ~) 기품 있음, 뱀뱀이가 좋음; 상류 사회.

*__bo·nus__ [bóunəs] *n.* **1** 상여금, 보너스; 특별 수당; 장려금; 보상 물자. **2** 《영》 특별〔이익〕 배당금; 할증금. **3** 리베이트(rebate); (물건 살 때의) 덤, 경품. **4** 《영》 뇌물. ― *vt.* …에 조성금을〔보너스를〕 내다.

bónus dívidend 특별 배당.

bónus gòods 보상 물자.

bónus íssue 무상 신주(無償新株).

bónus plàyer 〖야구〗 보너스를 받는 약속으로 계약한 선수《신인의 경우는 계약금이 이에 해당》.

bónus stòck 보너스주(株), 특별 배당주, 무상(無償) 교부주《회사의 협력자에게 주는》.

bónus sỳstem 〔**plàn**〕 (초과 노동에 대한) 보상금 제도.

bon vi·vant [*F.* bɔ̃vivɑ̃] 《F.》 미식가(美食家), 식도락가(食道樂家); 사치한 사람; 유쾌한 사람(=**bón vivéur**).

bon vo·yage [bánvɔiáːʒ/bɔ́n-] 《F.》 여행길 무사하기를, 안녕(good journey).

◇**bony** [bóuni] (***bon·i·er; -i·est***) *a.* 뼈의, 뼈뿐인, 골질(骨質)의, 뼈와 같은; 뼈만 앙상한; 여윈(=**bón·ey**). ㊞ **bón·i·ness** *n.*

bonze [banz/bɔnz] *n.* (불교의) 중, 승려.

bon·zer [bánzər/bɔ́n-] *a., n.* 《Austral.구어·미구어》 우수한〔훌륭한〕 (것); 매우 큰 (것).

boo[1] [buː] (*pl.* ~***s***) *n., int.* 피이!《비난·경멸할 때의》; 으악!《남을 놀라게〔위협〕할 때의 소리》; 우우!《연사·운동 선수 따위를 야유할 때》. ***can*** 〔***will***〕 ***not say*** ~ ***to a goose*** 《구어》 몹시 겁이 많아 할 말도 못하다. ― *vi., vt.* 피이하다; 야유하다, 놀라게 하다; 피이〔우우〕하여 퇴장시키다(*off*).

boo[2] *a.* 《미속어》 근사한, 훌륭한.

boo[3] *n.* Ⓤ 《미속어》 마리화나.

boob [buːb] *n.* 《속어》 얼간이, 얼뜨기, 호인; 《미속어》 촌뜨기; 《미속어》 교양 없는 경영자; 《구어》 실수, 실패; 《속어》 젖통(breast). ― *vi.* 《구어》 (큰) 실수를 저지르다.

BÓOB attáck 〖미군사〗 핵 미사일에 의한 기습. [◂ *b*olt *o*ut *o*f the *b*lue (청천벽력)]

bóob jòb 《속어》 유방 확대 수술.

boob·oi·sie [bùːbwaːzíː] *n.* 《속어》 얼간이 패거리; 무교양〔무교육〕 계급.

boo-boo [búːbùː] (*pl.* ~***s***) *n.* 《미속어》 실수, 실책; 《소아어》 타박상, 가벼운 부상.

bóob tùbe (the ~) 《미속어》 텔레비전.

boo·by [búːbi] *n.* 바보, 얼간이; (경기의) 꼴찌; 〖조류〗 가마우지의 일종; 〖조류〗 =RUDDY DUCK; (*pl.*) 《속어》 젖통(boobs).

bóoby hàtch 《미속어》 정신 병원; 《미속어》 교도소; 《영속어》 =WORKHOUSE.

boo·by·ish [búːbiiʃ] *a.* 어리석은, 바보의.

bóoby prìze 꼴찌상《꼴찌한 사람에게 주는》.

bóoby tràp 〖군사〗 부비 트랩, 위장 폭탄《은폐된 폭발물 장치》; 반쯤 열린 문 위에 물건을 얹었다가 문을 열고 들어오는 사람 머리 위에 떨어지게 하는 장난; 《미속어》 음모, 모략, 함정.

bóoby-tràp (***-pp-***) *vt.* booby trap에 걸리게 하다.

boo·dle [búːdl] 《속어》 *n.* **1** 《경멸》 패거리, 동아리, 무리. **2** 뇌물, (사람을 매수할 때 쓰는) 매수금; 대금(大金); 노획품; 카드놀이의 일종; 《고어》 가짜 돈. ***the whole kit and*** ~ ⇨ KIT. ― (~***d; boo·dling***) *vi., vt.* (아무로부터) 돈을 편취하다〔뇌물을 받다〕; (아무에게) 증회하다. ㊞ **-dler** *n.* 수회자(收賄者).

boo·ga·loo [bùːgəlúː] *n.* (the ~) 부걸루《2박자로 발을 끌 듯이 어깨·허리를 놀리는 춤》.

booger [búːgər] *n.* 《속어》 코딱지.

boog·ie [bú(ː)gi] *n.* =BOOGIE-WOOGIE; 《미속어》 디스코 음악. ― *vi.* 《미속어》 (디스코 음악에 맞추어) 몸을 흔들다.

bóogie bòard 《미속어》 스케이트 보드(skateboard); 《미속어》 서프보드(surfboard).

bóog·ie-wóog·ie [-wú(ː)gi] *n.* 〖음악〗 부기우기《템포가 빠른 재즈 피아노곡; 그 춤》.

boo·hoo [bùːhúː] (*pl.* ~***s***) *n.* 엉엉 욺〔우는 소리〕. ― *vi.* 엉엉 울다.

boo·jie [búːdʒi] *n.* 《속어》 〘집합적〙 중류 계급의 흑인; 〘일반적〙 중류 계급의 사람. ― *a.* 중류

계급의, 중산층적인.

†**book** [buk] *n.* **1** 책, 책자, 서적; 저술, 저작: a ~ of reference 참고서《사전·연감 따위》/ a ~ of hour (한때에) 인기 있는〔(한때의) 인기를 노리는〕 책. **2** (the B-) 성서(the Bible): people of the *Book* 유대인 / swear on the *Book* 성서를 두고 맹세하다. **3** 권, 편(篇): It consists of twelve ~*s*. 12 편으로 되어 있다. ★ book은 내용을, volume은 외형을 나타냄. **4** (연극의) 대본; (오페라의) 가사(libretto). cf. score. **5** 치부책, 장부; (전화번호 따위의) 기입장; (수표·차표·성냥 따위의 떼어 쓰는) 묶음철(綴); (*pl.*) 회계 장부; 명부: a guest ~ 숙박부 / a ~ of account 회계 장부 / a ~ of matches (떼어 쓰는) 종이 성냥 / a ~ of tickets (철한) 회수권. **6** (경마 따위의) 건 돈을 기입하는 대장, 도박 대장. **7** 〖카드놀이〗 6장 갖추기. **8** (담뱃잎 따위의) 한 묶음. **9** (the ~)기준, 규칙; 《비유》 지식〔규범〕의 원천; (*pl.*) 학과, 과목: according to the ~ 규칙에 따르면. **10** 전화번호부: His name is not in the ~. **11** 해명; 《미속어》 종신형, 엄벌, 가차 없는 비난.

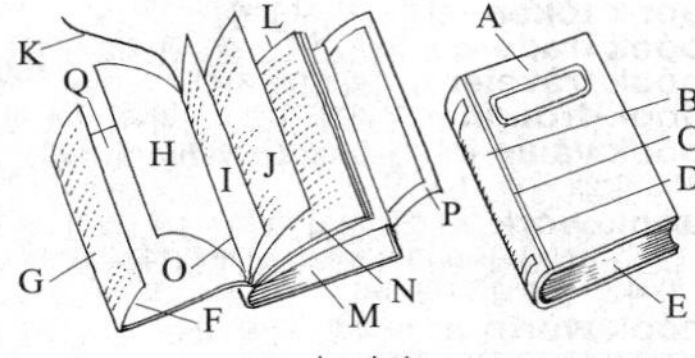

book 1

A. cover B. spine or back C. joint D. groove E. footband or headband F. jacket G. flap H. flyleaf I. half-title page J. title page K. bookmark(er) L. head M. tail or edge N. page number O. gutter P. gatefold or foldout Q. endpaper

according to the ~ = by the ~. ***at** one's* **~*s*** 공부하는 중. ***bring*** 〔***call***〕 a person ***to*** ~ 아무에게 해명을 요구하다; 책하다《*for*》; 아무를 벌하다《*for; over; about*》. ***by the*** ~ 전거에 의하여, 정확하게; 일정한 형식으로, 정식으로: speak *by the* ~ 전거를 들어 (정확히) 말하다. ***close the*** **~*s*** ① 회계 장부를 마감하다, 결산하다. ② (모집을) 마감하다《*on*》. ***come to*** ~ 죄〔과실〕에 대한 보상을 하게 되다. ***cook the*** **~*s*** 《구어》 장부를 분식하다〔속이다〕. ***hit the*** 〔*one's*〕 **~*s*** ⇨ HIT. ***in** a person's* ~ 아무의 의견〔판단〕으로는. ***in** a person's **good*** 〔***bad, black***〕 **~*s*** 아무의 마음에 들어〔들지 않아, 미움을 받아〕. ***in the*** ~(***s***) 명부에 올라; 《구어》 기록되어, 존재하여. ***keep*** **~*s*** 치부하다. ***keep** a person's **name on the*** **~*s*** 아무를 대학〔클럽〕의 일원으로서 인정하고 있다. ***like a*** ~ 충분히, 모두, 정확하게; 주의 깊게: know *like a* ~ 잘 알고 있다 / speak 〔talk〕 *like a* ~ 자세히〔깍듯이, 딱딱하게〕 말하다 / read a person *like a* ~ 《구어》 아무의 성격을 완전히 간파하다, 아무의 언동에 넘어가지 않다. ***make*** ~ (노름판에서) 물주가 되다; 돈을 걸다《*on*》; 《미구어》 (…을) 보증하다《*on*》. ***not in the*** ~ 금지되어. ***off the*** **~*s*** (회원명부에서) 제명되어: take 〔strike〕 a person's name *off the* ~*s* 아무를 제명〔퇴학〕시키다. ***one for the*** ~ 특기할 만한 사건〔물건〕. ***on the*** **~*s*** 명부에 올라, 회원이 되어. ***open the*** **~*s for*** …의 신청을 접수하다. ***suit** a person's* ~ 아무의 목적에 적합하다. ***take a leaf out of** a person's* ~ ⇨ LEAF. ***throw the*** ~ (***of rules***) ***at*** …을 종신형에 처하다; 엄벌에 처하다. ***without*** ~ 전거(典據) 없이; 암기하여(off the ~*s*).

— *vt.* **1** (문서·명부에 이름 따위를) 기입〔기장〕하다. **2** (예약자의) 이름을 기입하다. **3** (신청자에게) 표를〔예매권을〕 발행하다. **4** 《~+목/+목+목/+목+전+명》 (방·좌석 따위를) 예약하다《*to; for*》; (…행 차표를) 사다《*for*》; (화물을) 탁송하다: He ~*ed* a ticket *for* Paris. 그는 파리행 차표를 샀다 / ~ freight *to* New York 짐을 뉴욕까지 탁송하다 / ~ oneself (through) *to* New York via Los Angeles 로스앤젤레스 경유 뉴욕까지 (비행기의) 예약을 하다 / ~ a person a room at a hotel = ~a room *for* a person at a hotel 아무에게 호텔방을 예약해주다. **5** 《+목+*to* do》 (아무)에게 약속시키다: I want to ~ you not *to* tell anyone. 아무에게도 말 않겠다고 약속해 주게 / I'm ~*ed to* fly on Friday. 금요일에 비행기로 가게 되어 있다. **6** 《+목+전+명》《미》 (사람·회사를) 계약에 의해 고용하다, 출연 계약을 하다《*for*》: She is ~*ed for* every night of the week. **7** 《+목+전+명》 (…의 혐의로) 경찰 기록에 올리다, 입건하다《*for*》: He was ~*ed for* armed robbery. 그는 무장강도로 경찰 기록에 올라 있었다. **8** (노름에서) …의 물주가 되다. — *vi.* **1** 이름을 등록하다. **2** 좌석 등을 예약하다. **3** 《+부/+전+명》 표를 사다: Can I ~ *through to* Paris? 파리까지의 전구간 표를 살 수 있습니까. ***be*** **~*ed*** (***for it***) 붙들려 달아날 수 없다. ***be*** **~*ed up*** 예매가 매진되다; 선약이 있다《*for*》; (예약 때문에) 바쁘다: I'*m* ~*ed up for* that evening. 나는 그날 밤 선약이 있다. ~ ***in*** 《*vt.*+부》 ① (호텔에 아무를 위해) 예약하다《*at*》. — 《*vi.*+부》 ② (호텔에) 예약하다《*at*》. ③ (호텔 등에서) 체크인〔기장〕하다《*at*》. ④ 《영》 (출근하여 출근부에) 기명하다. ~ ***out*** 호텔을 나오다, (아무가) 호텔을 나오는 절차를 밟다; (책·물건을) 서명(署名)하고 차용하다. ~ ***up*** (열차·비행기의 좌석이나 호텔 방을) 예약하다.

— *a.* **1** 책의〔에 관한〕. **2** 책에서 얻은, 탁상의: a ~ knowledge of fishing 책에서 얻은 낚시 지식. **3** 장부상의.

bóok·a·ble *a.* 《주로 영》 (좌석 따위가) 예약할 수 있는.

bóok accòunt 장부상의 대차 계정.

bóok àgent 서적 판매 외교원.

book·a·holic [bùkəhɔ́:lik, -hál-] *n.* 독서광(狂); 장서광(藏書狂).

bóok·bìnder *n.* **1** 제본업자〔직공〕, 제본소. **2** (서류의) 바인더.

bóok·bìndery *n.* **1** Ⓤ 제본(술). **2** 제본소.

bóok·bìnding *n.* Ⓤ 제본, 제본술〔업〕.

bóok bùrning 분서, 금서; 사상 탄압.

book café [스] = BOOKSTORE CAFÉ

***book·case** [búkkèis] *n.* 책장, 책꽂이.

bóok clùb 독서 클럽; 서적 반포회, 서적 공동구독회(購讀會).

bóok crèdit 장부상의 외상 매출금.

bóok dèaler 서적상.

bóok dèbt 장부상의 부채.

bóoked [-t] *a.* 기장된; 계약한; 예정된; 《영》 (표가) 팔린, 예약필의; 《속어》 붙들린, 도망칠 수 없는.

bóok·ènd *n.* (보통 *pl.*) 북엔드.

Bóoker Prìze 부커상《영국의 권위 있는 소설상》.

bóok fàir 도서전(展).

bóok-flàt *n.* 〖연극〗 (배경용) 접이식 무대 장치.

bóok·hòlder *n.* 독서대(臺), 서안(書案).

bóok·hùnter *n.* (살) 책을 찾아다니는 사람.

book·ie [búki] *n.* 《구어》 마권(馬券)업자(book-

maker).
bóok·ing *n.* U,C 장부 기입; (좌석 따위의) 예약; 출연〔강연〕의 계약; 표의 발매(發賣).
bóoking àgent (호텔·승차권 등의) 예약계, (극장 등의) 좌석 예약계; 출연 계약(진행)계.
bóoking clèrk 《영》 출찰계; 표 파는 사람; (호텔의) 객실 예약계.
bóoking hàll (역 등의) 개찰구가 있는 홀.
bóoking òffice 《영》 (역의) 출찰소, 매표소 (《미》 ticket office).
book·ish [búkiʃ] *a.* 서적상(上)의; 책을 좋아하는; 독서의, 문학적인; 학구적인; 딱딱한; 학자연하는. 파 **~·ly** *ad.* **~·ness** *n.*
bóok jàcket 책 커버(dust jacket)《제목·선전문·그림 등을 인쇄한》.
bóok·kèeper *n.* 부기〔장부〕 계원.
bóok·kèeping *n.* U 부기: ~ by single 〔double〕 entry 단식〔복식〕 부기.
bóok·lànd *n.* 〖영국사〗 칙허(勅許) 자유 보유지 《지세(地貫)만 물면 됨》.
bóok-lèarned *a.* **1** [-d] 책으로만 배운, 탁상(卓上) 학문의, 실정에 어두운. **2** [-id] 학문에 정통한, (문학 등에) 조예가 깊은.
bóok lèarning **1** 책상물림의〔책으로만 배운〕 학문. **2** 학교 교육.
°**bóok·let** [-lit] *n.* 소책자, 팸플릿.
bóok·lòre *n.* = BOOK LEARNING.
bóok lòuse 책좀《고본·표본 따위의 해충》.
bóok·lòver *n.* 책을〔독서를〕 좋아하는 사람, 애서가.
bóok·màker *n.* **1** (이익 본위의) 저작자; 서적 제조업자. **2** 마권(馬券)업자.
bóok·màking *n.* U **1** (이익 본위의) 저작; 서적 제조. **2** 마권 영업.
bóok·man [-mən] (*pl.* ***-men*** [-mən]) *n.* 문인, 학자; 책을 좋아하는 사람; 《구어》 책 장수, 서적 외판원, 출판업자; 제본소; 편집자.
bóok·màrk(er) *n.* 갈피표, (장)서표; 〖컴퓨터〗 북마크《인터넷을 탐색하다가 마음에 드는 사이트나 자주 사용할 사이트를 만났을 때 그 사이트를 웹 브라우저에 등록해 두는 기능》.
bóok màtches 종이 성냥.
bóok·mobìle *n.* 이동〔순회〕 도서관 (자동차).
bóok mùslin 제본용 모슬린; (예전의 여성용) 엷은 흰 모슬린.
bóok nòtice 신간 소개〔안내, 비평〕.
bóok òath 성서를 걸고 하는 맹세〔저주〕.
bóok of accóunt 회계 장부.
Bóok of Chánges (the ~) 역경(易經).
Bóok of Cómmon Práyer (the ~) 영국 국교회〔성공회〕 기도서《생략: BCP》.
bóok of hóurs (*or* B- of H-) 〖가톨릭〗 성무일도서(聖務日禱書).
Bóok of Mórmon (the ~) 모르몬경(經)《모르몬교의 경전》. 「經).
Bóok of Ódes 〔**Sóngs**〕 (the ~) 시경(詩
bóok of wórds (연극 등의) 대본; 《속어》 지령서, 지시서. 「(이 있는 페이지).
bóok pàge (신문·잡지 등의) 서적란, 서평란
bóok pàrty (서점에서 하는) 저자 서명회(署名會)《저자가 자신의 책에 직접 서명해 줌》.
bóok·pèople *n.* 출판인, 출판업자.
bóok·plàte *n.* 장서표(ex libris).
bóok pòst 《영》 서적 우편 (판매).
bóok·ràck *n.* 서안(書案); 책꽂이, 서가.
bóok ràte 《미》 서적 우편〔소포〕 요금.
bóok·rèst *n.* 독서대(臺), 서안(書案)(bookstand). 「서평지(誌).
bóok revìew (신간) 서평(書評); 서평란(欄);
bóok revìewer (신간 서적의) 서평가.
bóok revìewing 서평. 「서점.
bóok·sèller *n.* 책 장수, 서적상: a ~'s (store)
bóok·sèlling *n.* U 서적 판매(업).
bóok·shèlf (*pl.* ***-shelves***) *n.* 서가; 《비유》 (개인의) 장서.
bóok·shòp *n.* 《영》 = BOOKSTORE.
bóok·slìde *n.* 《영》 이동식 서가.
bóok socìety 《영》 독서회(book club).
bóok·stàck *n.* (도서관의) 서가.
bóok·stàll *n.* (보통 노점의) 헌책방, (역 등의) 신문·잡지 매점(newsstand).
bóok·stànd *n.* 책장; 독서대(臺), 서안(書案); = BOOKSTALL.
***book·store** [búkstɔ̀ːr] *n.* 《미》 책방, 서점 (《영》 bookshop).
bookstore café [스] (주로 신간 서점 안에서) 커피·샌드위치 등을 파는 곳(book café).
book·sy [búksi] *a.* 《구어》 학자연하는, 체하는; 거북스레 딱딱한.
bóok·tèller *n.* (녹음용으로 책을 읽는) 낭독자.
bóok tèst 〖심리〗 특이 초능력 소유자가 읽지도 않았던 책 내용을 정확히 외는 실험.
bóok tòken 《영》 서적 구입권.
bóok tràde 출판업《출판·인쇄·판매를 포함》.
bóok tràveler 서적의 판매 사원.
bóok-tròugh *n.* V자형(字型) 서적 전시 선반.
bóok vàlue 〖부기〗 (market value에 대해) 장부 가격《생략: b.v.》.
bóok·wòrk *n.* U 서적〔교과서〕에 의한 연구 《실습·실험에 대해》; 서적 인쇄《신문·잡지·낱장짜리 인쇄와 구별하여》.
bóok·wòrm *n.* 반대좀《책에 붙는 벌레》; 《종종 경멸》 독서광, '책벌레'.
Bóol·e·an álgebra [búːliən-] 〖수학·컴퓨터〗 불 대수(代數). 「연산.
Bóolean operátion 〖컴퓨터〗 불 연산, 논리
***boom**[1] [buːm] *n.* **1** (대포·북·천둥·종 따위의) 울리는 소리; 우루루〔쾅, 쿵〕 하는 소리. **2** (벌 따위의) 윙윙〔붕붕〕거리는 소리; (해오라기류의) 울음소리. **3** 벼락 경기, 붐; (도시 따위의) 급속한 발전; (가격의) 폭등. opp. *slump.* ¶ a war ~ 군수경기(軍需景氣). **4** 요란한 선전.
— *a.* 붐에 의한; 붐을 탄: ~ prices (붐으로) 급등한 가격. **—** *vi.* **1** 《~/+부》 (대포·천둥 따위가) 울리다, 우루루〔쾅, 쿵〕 하다; 소리 높이〔울리는 것처럼〕 말하다〔소리지르다〕《*out*》: His voice *~ed out* above the rest. 그의 목소리는 다른 사람의 목소리보다 더 크게 울렸다. **2** (벌 따위가) 윙윙거리다; (해오라기 따위가) 울다. **3** 갑자기 경기가 좋아지다〔발전하다〕; 폭등하다: Business will ~.
— *vt.* **1** 《~+목/+목+부》 울리는〔우렁찬〕 소리로 알리다《*out*》, 낭랑하게 외다《*out*》: The clock *~ed out* six. / He *~ed out* the poem. 그는 소리높이 시를 낭송했다. **2** 《~+목/+목+전+명》 붐을 일으키다, 활기를 띠다; …의 인기를 올리다, 맹렬히 선전하다; (후보자를 …으로) 추대하다《*for*》: That record *~ed* the singer's popularity. 그 레코드로 가수의 인기가 올랐다 / His friends were *~ing* him *for* senator. 친구들은 그를 상원 의원 후보로 추대하고 있었다.
boom[2] *n.* **1** 〖선박〗 돛의 아래 활대. **2** 〖임업〗 흘러내리는 재목을 유도하기 위해 강에 쳐 놓은 밧줄; (항구 따위에서 목재의 유실을 방지하는) 방재(防材)(구역). **3** 마이크로폰〔텔레비전 카메라〕 따위의 조작용 가동암(可動 arm). **4** 〖공학〗 기중기의 암《물건을 수평·수직으로 이동시킴》. ***lower*** 〔***drop***〕 ***the ~*** 《구어》 …을 호되게 비난하다, 벌하다, 단속하다《*on*》; 《미속어》 한 대 먹이다; 《미속어》 남의 성공을 방해하다. **—** *vt.* **1** 방재를

〔밧줄을〕 치다. **2** 《+목+부》 아래 활대에 돛을 달다: ~ *out* a sail 돛을 달다. **3** 기중기로 끌어 올리다〔운반하다〕. **—** *vi.* 전속력으로 항행하다 《*along*》; 기세 좋게 움직이다.

bóom-and-búst [-ən-] *n.* 《구어》 벼락 경기와 불경기가 갈마듦, 어지러운 상황(商況).

bóom bàby (보통 *pl.*) 베이비붐 시기에 태어난 아기.

bóom bòx 대형 휴대용 카세트.

bóom càrpet 초음속기의 충격파로 인한 굉음(轟音)의 피해 지역(=**bóom pàth**).

bóom còrridor 초음속 비행대(帶)〔로(路)〕.

bóom·er *n.* **1** 《미속어》 경기를 부채질하는 사람; 《미속어》 신흥지 따위에 몰려드는 사람; 뜨내기 노동자; 부랑자; 플레이 보이. **2** 《Austral.》 큰 캥거루의 수컷.

boom·er·ang [búːmərӕŋ] *n.* 부메랑; 《비유》 자업자득이 됨, 긁어 부스럼. **—** *vi.* (부메랑처럼) 되돌아오다 《*on*》; 《비유》 자업자득이 되다.

Bóomer Stàte (the ~) Oklahoma 주의 속칭.

boom·fla·tion [bùːmfléiʃən] *n.* 붐플레이션 《고수준의 소비 지출에 따른 물가 상승으로 야기된 인플레이션》.

bóom·ing *a.* 벼락 경기의, 급등하는; 대인기의; 쾅 하는《포성 따위》: a ~ voice / ~ prices 폭등하는 물가.

boom·let [búːmlit] *n.* 《미》 소(小)경기, 소형 붐.

boom·ster [búːmstər] *n.* 《미》 경기를 부채질하는 사람(boomer).

bóom·tòwn *n.* (호경기로 갑자기 발전한) 신흥 도시.

boomy [buːmi] *a.* 경제적 붐의; 활황(活況)의; (재생음이) 저음(低音)을 살린.

boon[1] [buːn] *n.* **1** 은혜, 혜택, 이익: be 〔prove〕 a great ~ to …에게 큰 은혜가 되다. **2** 《고어》 부탁: ask a ~ of a person 아무에게 부탁하다.

boon[2] *a.* **1** 재미있는, 유쾌한, 친밀한: a ~ companion. **2** 《고어·시어》 친절한, 다정한; 온화한, 풍요한《풍토 따위》.

boon·dag·ger [búːndӕgər] *n.* 《미속어》 완력이 센 여자(tough woman); 《특히》 남자역의 여자 동성애자.

boon·docks [búːndɑ̀ks/-dɔ̀ks] *n. pl.* (the ~) 《미속어》 숲, 산림, 정글; 산간 벽지.

boon·dog·gle [búːndɑ̀gəl/-dɔ̀gəl] 《미구어》 *n.* **1** (가죽·나뭇가지 따위로 만드는) 간단한 세공품. **2** 가죽으로 싼 장식 끈《보이스카우트가 목 둘레에 걺》. **3** 쓸데없는〔무익한〕 일. **—** *vi.* 쓸데없는 일을 하다; 공공 사업으로 경기를 자극하다.

Boone [buːn] *n.* **Daniel** ~ 분 《Kentucky, Missouri 지방을 탐험한 개척자; 1734–1820》.

bóon·fèllow *n.* 명랑한 〔마음이 통하는〕 친구.

boong [buːŋ] *n.* 《Austral. 속어·경멸》 오스트레일리아〔뉴기니〕의 원주민, 흑인, 유색인.

boon·ies [búːniz] *n. pl.* (the ~) 《속어》 오지, 벽지(boondocks).

boor [buər] *n.* **1** (특히 네덜란드·독일의) 소작농. **2** 시골뜨기, 촌놈(rustic). **3** (B-) =BOER.

boor·ish [búəriʃ] *a.* 시골 사람의; 야비한, 촌스러운; 메부수수한. 파 **~·ly** *ad.* **~·ness** *n.*

boos·i·asm [búːziӕzəm] *n. pl.* 《미속어》 유방, 젖통이. [◂ bosom+enthusiasm]

boost [buːst] *vt.* **1** 《~+목/+목+부》 (뒤·밑에서) 밀어 올리다 《*up*》: He ~*ed* her (*up*) over the fence. 그는 그녀를 떠받쳐 담장을 넘어가게 했다. **2** 《~+목/+목+전+명》 격려하다, 밀어주다, 후원하다; 경기를 부양시키다; 선전하다: ~ a person *into* a good job 아무를 후원하여 좋은 자리에 앉히다. **3** (값·삯을) 끌어올리다; (생산량을) 증대〔증가〕시키다: ~ prices 물가를 끌어올리다. **4** (사기·기력을) 높이다. **5** (전압을) 올리다, 승압하다. **6** 《미속어》 (…을) 들치기하다. **—** *vi.* 《미속어》 들치기하다. **—** *n.* **1** 밀어올림; 로켓 추진. **2** (인기 등을) 밀어 줌, 후원, 지지; 격려; 경기의 부추김, 경기의 활성화. **3** (값·임금의) 인상, 등귀; (생산량의) 증가: a tax ~ 증세(增稅) / a ~ in salary 승급. **4** 《미속어》 들치기. ***give … a ~*** ① …을 밀어 올리다. ② …에 활력을 불어넣다.

bóost·er *n.* **1** 원조자, 후원자; 《미구어》 열광적 지지자. **2** 《미속어》 들치기; 값 올리기 위해 사는 사람. **3** 〖전기〗 승압기; 〖라디오·TV〗 증폭기(amplifier). **4** 부스터《로켓 따위의 보조 추진 장치》. **5** 〖의학〗 (약의) 효능 촉진제. **6** (약협(藥莢)·다이너마이트의) 보조 장약(裝藥), 도폭약(導爆藥). **~ *engine cutoff*** 〖로켓〗 발사 로켓 엔진의 연소를 그치게 하기《생략: BEC》.

bóoster càble 〖자동차〗 부스터 케이블《양 끝에 클램프(clamp)가 달린 전기 코드》.

boost·er·ism [búːstərìzəm] *n.* 열렬한 지지, 격찬; 《미》 도시·관광지의 선전 광고.

bóoster ròcket 다단식(多段式) 추진 로켓의 발사용 로켓(launch vehicle).

bóoster sèat (어린이를 적당한 높이로 앉히기 위해 의자 위에 올려놓는) 보조 의자.

bóoster shòt 〔**injèction**〕 (약효 지속을 위해 맞는) 두 번째 예방 주사.

bóoster stàtion 〖방송〗 부스터국(局), 증폭국.

bóost-glide véhicle 〖항공〗 부스터 활공(滑空) 비행체《로켓으로 발사한 후 로켓의 연료가 떨어진 후에는 자력으로 활공하는 글라이더》.

‡**boot**[1] [buːt] *n.* **1** (*pl.*) 《미》 장화, 부츠, 《영》 목이 긴 구두(cf. shoe): combat ~*s* 군화 / a pair of ~*s* / high ~*s* 《영》 장화 / laced ~*s* 편상화 (編上靴), 목달이구두 / pull on 〔off〕 one's ~*s* 장화를 잡아당기면서 신다〔벗다〕. **2** 《영》 (마차·자동차의) 짐 넣는 곳〔트렁크〕(《미》 trunk). **3** (마부석의) 보호용 덮개; 컨버터블형(convertible型) 차의 덮개 수납부(커버); (자동차 타이어 안쪽의 보강용) 덧댐. **4** 〖역사〗 발 죄는 형구; 주차 위반차의 차꼬. **5** 《구어》 흥분, 스릴, 유쾌: I really got a ~ out of ridiculous stories. 그의 엉뚱한 이야기는 아주 스릴이 있었다. **6** 《미구어》 (해군·해병대의) 신병. **7** (구둣발로) 차기(kick). **8** (the ~) 《속어》 해고: get the ~ 해고당하다 / give a person the ~ 아무를 해고하다. **9** 〖야구〗 (내야에서의) 실책, 펌블. **10** 《미흑인속어》 흑인; 《영속어》 꼴 사나운 놈; (*pl.*) 《영》 =BOOTS. **11** 〖컴퓨터〗 부트《컴퓨터에 리셋을 발생시켜 새롭게 컴퓨터를 가동시키는 작업》. ***bet*** one***'s ~s*** ⇨ BET. ***~s and all*** 《Austral.구어》 온힘을 다하여, 열심히. **~(*s*) *and saddle*(*s*)** 〖군사〗 승마 준비 나팔. ***die with*** one***'s ~s on*** = ***die in*** one***'s ~s*** 변사〔급사〕하다. ***get*** 〔***put***〕 ***the ~ on the wrong leg*** (의미 따위를) 잘못 알다, 오해하다. ***get too big for*** one***'s ~s*** ⇨ BIG. ***hang up*** one***'s ~s*** 《구어》 은퇴하다. ***lick*** a person***'s ~s*** 《구어》 …에게 아첨하다. ***like old ~s*** 《속어》 맹렬히. ***Over shoes, over ~s.*** 《속담》 내친 걸음에 끝까지. ***put the ~ in*** 세게 차버리다; 단호한 태도를 취하다; 《속어》 맹렬히 공격하다, 혹독하게 다루다. ***The ~ is on the other*** 〔***wrong***〕 ***leg.*** '번지수가 다르다'; 책임은 상대방에게 있다; 사태는 역전했다. ***the order of the ~*** 《영속어·우스개》 해고. ***wipe*** one***'s ~s on*** …을 구둣발로 밟아 버리다, …을 모욕하다.

— *vt., vi.* **1** …에게 구두를 신기다; 부츠를 신다. **2** 《+목+부》 《구어》 신발로 차다; 차내다 《*about; out*》: ~a person *out* 아무를 밖으로 차내다. **3** 《+목+부/+목+전+명》 〖보통 수동태〗 《속어》 내쫓다, 해고하다 《*out*》; 《미속어》 비난하다; 《미속어》 (사람·물건을) 소개하다, 알리다: He was

~*ed out of* the firm. 그는 회사에서 쫓겨났다. **4** 〖야구〗 (땅볼을) 펌블하다; 《속어》 실수로 (기회를) 놓치다. **5** 〖컴퓨터〗 기동하다《(운영 체제를) 컴퓨터에 판독시키다; 그 조작으로 가동할 수 있는 상태로 하다》《*up*》. ~ ***it*** 걷다, 행진하다; 실패하다. ~ ***one*** 〖야구〗 실책을 범하다.

boot² 《고어·시어》 *n.* 이익, 이득; 구조; 《방언》 (교환하기 위한) 덤. ***to*** ~ 그 위에, 덤으로. **—** *vt., vi.* 〔보통 it를 주어로〕 쓸모 있다, 이롭다: *It* ~*s* (me) not 〔nothing〕. (내게는) 아무 쓸모 없다. ***What*** ~***s it to*** (cry)! (울어서) 무슨 소용 있나.

bóot·blàck *n.* 《드물게》 구두닦이(shoeblack).

bóot càmp 《구어》 (미국 해군의) 신병 훈련소.

bóot dìsk 〖컴퓨터〗 시동(始動) 디스크《시동시에 필요한 시스템 파일을 내장한 디스크》.

bóot·ed [-id] *a.* 구두를 신은; 《속어》 해고당한. ~ ***and spurred*** 탈 수 있게 준비된《말 따위가》; 《종종 우스개》 여행〔싸움〕 준비가 된.

boot·ee, -tie [búːtiː, ⌐⌐] *n.* (보통 *pl.*) 가벼운 여성용 편상화; 소아용 털실 신.

bóot·er *n.* 《구어》 축구 선수.

Bo·ö·tes [bouóutiːz] *n.* 〖천문〗 목자자리(the Herdsman)《주성(主星)은 Arcturus》.

bóot-fàced [-t] *a.* (표정이) 엄한, 무뚝뚝한, 무표정한.

Booth [buːθ/buːð] *n.* **William** ~ 부스《구세군을 창설한 영국의 목사; 1829-1912》.

booth** [buːθ/buːð] (*pl.* ~s*** [buːðz]) *n.* **1** 노점, 매점. **2** 칸 막은 좌석〔방〕; (어학 연습실의) 부스; 투표용지 기입소(polling ~). **3** 공중전화 박스; 영사실; (레코드의) 시청실. **4** 임시로 지은 오두막; 초사(哨舍), 초소; 파수막.

bóot·jàck *n.* (V자 꼴의) 장화 벗는 기구.

bóot·làce *n.* 《영》 구두끈.

bóot·lèg *n.* **1** 장화의 몸통. **2** 불법 제조〔판매〕하는 것, 해적판〔음반〕, 밀매〔밀조, 밀수입〕 술. **3** 〖미식축구〗 =BOOTLEG PLAY. **—** (***-gg-***) *vt., vi.* (술 따위를) 밀매〔밀조, 밀수입〕하다. **—** *a.* 밀매〔밀조, 밀수입〕된; 불법의, 금제(禁制)의; 비밀의. ㊞ ~**·ger** *n.* (특히, 미국의 금주법 시대의) 주류 밀매〔밀조, 밀수〕자. ~**·ging** *n.*

bóotleg cìgarette 《미》 밀수 담배; 납세 증서를 위조하여 파는 담배.

bóotleg plày 〖미식축구〗 부트레그 플레이《쿼터백이 자기 팀 선수에게 공을 넘기는 체하면서 허리 뒤에 감추고 달리는 트릭 플레이》.

bóotleg tùrn 〖자동차〗 사이드 브레이크로 뒷바퀴를 고정시키고 하는 급선회.

bóot·less *a.* 무익(無益)한, 헛된. [◂ boot²] ㊞ ~**·ly** *ad.* ~**·ness** *n.*

bóot·lìck *vt., vi.* 《구어》 (…에) 알랑거리다, 아첨하다. **—** *n.* 아첨꾼. ㊞ ~**·er** *n.* ~**·ing** *n.* 《미속어》 아첨.

bóot·màker *n.* 구두 짓는 사람, 구두장이.

bóot mòney 부트 머니《스포츠 용품 제작 회사가 자사 제품을 선수에게 사용케 하고 그 대가로 지불하는 사례금》.

bóot pòlish 구두약; 구두닦기(shoeshine).

boots [buːts] *n. pl.* 〔단수취급〕 《영》 (여관 따위의) 구두닦이《허드렛일도 함》; 《미속어》 구두닦이.

bóot sàle =CAR-BOOT SALE.

bóot·stràp *n.* **1** 편상화의 손잡이 가죽. **2** 《비유》 혼자 힘. **3** 〖컴퓨터〗 띄우기《예비 명령에 의하여 프로그램을 로딩(loading)하는》. ***pull*** one***self up by*** one***'s*** (***own***) ~***s*** 〔***bootlaces***〕 자력으로 일을 처리하다. **—** *a.* 독력(獨力)〔자력〕의; 자발〔자급〕의; 〖컴퓨터〗 띄우기식의. **—** (***-pp-***) *vt.* 〔~ oneself〕 혼자 힘으로 나아가다; 〖컴퓨터〗 =BOOT¹. ㊞ **bóot·stràpper** *n.* 독립 독행(獨行)의 야심가, 자력으로 성공한 사람.

bóotstrap lòader 〖컴퓨터〗 부트스트랩 로더.

bóot-tàg *n.* 《영》 (구두의) 손잡이 가죽.

bóot tòpping 〖해사〗 수선부(水線部)《화물을 만재했을 때의 흘수선과 화물을 내릴 때의 흘수선 사이의 부분》; 수선부 도료.

bóot tràining 《미》 〖해군·해병대〗 신병 훈련 (기간).

bóot trèe **1** =BOOTJACK. **2** (보통 *pl.*) (나무로 만든) 구둣골.

°**boo·ty** [búːti] *n.* 노획물, 전리품; 약탈품; (사업 등의) 이득; 《우스개》 굉장한 선물·상품 (등). ***play*** ~ 한통속이 되어 상대방을 속이다.

booze [buːz] *vi.* 《구어》 술을 많이 마시다, 과음하다《*up*》. **—** *vt.* 〔~ it up으로〕 독한 술을 벌떡벌떡 마시다, 많은 술을 마시다. **—** *n.* 술, 독한 술; 주연, 폭음. ***hit the*** ~ 《미속어》 술을 마시다. ***on the*** ~ 몹시 취하여. ★ boose로도 씀.

bóoze·fighter *n.* 《미속어》 =BOOZEHOUND.

bóoze·hòund *n.* 《미속어》 대주가(大酒家), 모주(母酒).

bóoz·er *n.* 《구어》 술꾼; 《영구어》 술집 (pub).

booz·er·oo [bùːzərúː] *n.* 《N. Zeal. 속어》 술 마시고 떠듦; 싸구려 술집.

bóoze-ùp *n.* 《영속어》 주연(酒宴).

boozy [búːzi] (***booz·i·er; -i·est***) *a.* 《구어》 몹시〔늘〕 취한, 술꾼의, 많은 술을 마시는. ㊞ **bóoz·i·ly** *ad.*

bop¹ [bap/bɔp] *n.* 《미속어》 =BEBOP. **—** (***-pp-***) *vi.* 《구어》 비밥(bebop)에 맞추어 춤추다; 《미학생속어》 데이트 상대를 연달아 바꾸다.

bop² (***-pp-***) *vt., vi.* 《속어》 주먹으로〔막대기로〕 때리다; 《미》 다투다. **—** *n.* 《속어》 주먹으로〔막대기로〕 때리는 타격; 〔감탄사적〕 딱《강타》; 《미》 (폭주족 따위의) 난투.

bo-peep [boupíːp] *n.* Ⓤ 《영》 '아웅, 깍꾹' 놀이(《미》 peekaboo)《숨어 있다가 나타나 아이를 놀래 주는 장난》. ***play*** ~ 아웅〔깍꾹〕놀이를 하다; (정치가 등이) 정체를 잡히지 않다.

bop·per [bápər/bɔ́p-] *n.* 비밥(bebop) 연주자; 비밥 팬(bopster); =TEENYBOPPER; 《속어》 (최근의) 사정에 밝은 사람.

bop·ster [bápstər/bɔ́p-] *n.* 《속어》 비밥광 (bebop 狂).

BOQ 〖미군사〗 Bachelor Officers' Quarters(독신 장교 숙소). **bor.** 〖화학〗 boron; borough.

bo·ra [bɔ́ːrə] *n.* 〖기상〗 아드리아 해 연안에서 계절적으로 부는 찬 북동풍.

bo·rac·ic [bərǽsik] *a.* 〖화학〗 =BORIC.

bo·ra·cite [bɔ́ːrəsàit] *n.* 〖광물〗 방붕석(方硼石).

bor·age [bɔ́ːridʒ, bár-/bɔ́r-, bʌ́r-] *n.* 〖식물〗 지치의 일종《잎은 향미용(香味用)》.

bo·rane [bɔ́ːrein] *n.* 〖화학〗 보란《수산화 붕소(硼素)의 총칭》; 보란의 유도체.

bo·rate [bɔ́ːreit, -rət] *n., vt.* 〖화학〗 붕산염(塩)(으로 처리하다).

bo·rax [bɔ́ːræks, -rəks/-ræks] *n.* **1** Ⓤ 〖화학〗 붕사. **2** 《미속어》 싸구려, 겉만 번드레한 싸구려 가구; 《미속어》 거짓말, 허튼소리; 속임수.

Bo·ra·zon [bɔ́ːrəzàn/-zɔ̀n] *n.* 보라존《경도(硬度)가 높은 질화붕소(窒化硼素)의 연마제; 상표명》.

bor·bo·ryg·mus [bɔ̀ːrbərígməs] *n.* (*pl.* ***-mi*** [-mai]) 〖의학〗 (장 안에서 일어나는) 복명(腹鳴), 배탈이 나서 배가 꾸르륵거림.

Bor·deaux [bɔːrdóu] *n.* 보르도《프랑스 남서부의 항구; 포도주 산지의 중심》; Ⓤ 그 지방산의 포도주.

Bordéaux mìxture 〖원예〗 보르도액(液)《살균용》.

bor·del, -del·lo [bɔ́ːrdl], [bɔːrdélou] *n.* 매춘굴.

***bor·der** [bɔ́ːrdər] *n.* **1** 테두리, 가장자리; (검

은 테 따위의) 테(두리).

SYN. **border**는 표면상의 경계선 그 자체를 가리킬 때도 있고, 그에 연한 일대의 지역을 가리킬 때도 있음. **bound**는 beyond the *bounds* of...의 관용구가 나타내듯이 안쪽에서 본 경계선을 이름. **boundary**는 the *boundary* between two countries 처럼 지질학상에서의 경계선을 이름. **frontier**는 a *frontier* incident 〔fortress〕 '국경 분쟁〔국경의 요새〕' 처럼 정치·군사에 관해 쓰이는 말로 타국과의 국경 지역을 말함.

2 경계, 국경 (지방); 《미》 변경, 변두리: a ~ army 국경 수비대. **3** (the B–) 잉글랜드와 스코틀랜드의 경계 지방; (the ~) 미국과 캐나다·멕시코와의 국경: south of the ~ 《미》 국경의 남쪽《멕시코》. **4** (여성복·가구·융단 등의) 선(縇) 장식, 테를 두른 것; (테두리한) 화단, (화단의) 테두리; (인쇄물의) 난외 장식. ***on the ~ of ...*** ···의 가〔경계〕에; 이제 막 ···하려고 하여.
— *vi.* 《+전+명》 **1** 접경하다, 접하다《*on, upon*》: countries *~ing on* the Pacific 태평양 연안국들. **2** 거의 ···이라고 말할 수 있다, 근사하다《*on, upon*》: The situation *~s on* tragedy. 상황은 비참할 지경이다. — *vt.* **1** ···에 접경하다, ···에 접하다. **2** 《+목+전+명》 ···에 테를 두르다《*with*》: ~ a dress *with* lace 드레스에 레이스테를 두르다. ㊞ **~ed** *a.* 테를 두른, 테가 있는. **~·er** [-rər] *n.* **1** 국경〔변경〕의 주민《특히 잉글랜드와 스코틀랜드 접경의》. **2** 테를 두르는 사람. **~·ing** *n.* Ⓤ 경계를 설정하기; 테두름.

bor·de·reau [bɔ̀ːrdəróu] (*pl. -reaux* [-róuz]) *n.* 《F.》 상세한 각서〔메모〕; 〖보험〗 재보험 보고서.

bórder·lànd *n.* (the ~) 국경〔경계〕지; 분기점; 분쟁지; (the ~) 《비유》 어중간한 상태: the ~ of dreams 비몽사몽간.

bórder lìne 국경선; 경계선.

bórder·lìne *a.* **1** 국경선상의; 경계의: a ~ town. **2** 결정하기 어려운: a ~ case 이도저도 아닌 사건〔경우〕; 〖정신의학〗 경계례(例)《신경증과 정신병의 경계 상태》. **3** 외설스러운, 음란한: a ~ joke 외설스러운 농담.

bórderline personálity 〖정신의학〗 경계역(境界域) 인격《기분·행동 따위의 여러 면에서 불안정함이 특징임》.

bórder prìnt 〖직물〗 보더 프린트《천의 가장자리에 평행되게 프린트한 무늬〔감〕》.

Bórder Stàtes (the ~) **1** 〖미국사〗 남북 전쟁 전 자유주에 접하고 있으면서도 노예 제도를 채택한 몇몇 주《Delaware, Kentucky, Maryland, Missouri, Virginia》. cf. Free States. **2** 《미》 Canada에 접해 있는 주.

bórder tàx (특히 유럽 경제 공동체 가맹국간의) 국경세《수입품에 부과하는 세》.

*__bore__[1] [bɔːr] *vt.* 《~+목/+목+전+명》 **1** (구멍을) 뚫다; ···에 구멍을 내다: ~a hole *in* 〔*into, through*〕 a board 판자에 구멍을 뚫다 / ~ a plank 〔wall〕 판자〔벽〕에 구멍을 내다. **2** (우물·터널 따위를) 뚫다, 파다: ~ a tunnel *through* a mountain 산에 터널을 뚫다. **3** 〖~ one's way로〗 밀치고〔뚫고〕 나아가다: ~ one's way *through* a crowd 군중을 헤치고 나아가다. — *vi.* **1** 《~/+전+명》 구멍을 뚫다《*into; through*》; 시굴하다《*for*》: ~ *for* oil 석유를 시추하다. **2** 구멍이 뚫리다: This board *~s* easily. 이 널은 쉽게 구멍이 뚫린다. **3** 《+부/+전+명》 밀치고〔꾸준히〕 나아가다: *~in* 밀치고 들어가다 / A scholar must ~ *into* his subject. 학자는 자기 주제를 파고들어야 한다. — *n.* **1** (송곳 따위로 뚫은) 구멍; 시굴공. **2** (파이프·튜브 등의) 구멍; 총구멍. **3** (구멍의) 내경(內徑), 구경(口徑). **4** 《Austral.》 (건조 지대 가축용) 음용(飮用) 못; 깊이 판 우물.

*__bore__[2] *vt.* 《+목+전+명》 지루하게〔따분하게, 싫증나게〕 하다, 곤란하게 하다《*with*》: He *~s* me *with* his endless tales. 그의 끝없이 긴 얘기에 진절머리가 난다 / be *~d* to death 아주 싫증이 나다, 지루해지다. — *n.* 따분한 사람, 싫증나게 하는 사람〔것, 일〕: What a ~ ! 참 따분하군〔한 사람이군〕.

bore[3] *n.* 고조(高潮), 해일《강 어귀 따위에 밀려오는》.

bore[4] BEAR[1]의 과거.

bo·re·al [bɔ́ːriəl] *a.* **1** 북쪽의; 북풍의. **2** (흔히 B–) 〖생태〗 한대(寒帶)의, 북방의《동식물》.

Bo·re·as [bɔ́ːriəs] *n.* 〖그리스신화〗 북풍의 신; 《시어》 북풍, 삭풍.

bored [bɔːrd] *a.* 지루한, 싫증나는.

bore·dom [bɔ́ːrdəm] *n.* Ⓤ 권태; Ⓒ 지루한 것.

bóre·hòle *n.* 〖채광〗 (석유·수맥(水脈) 탐사용) 시추공(試錐孔).

bor·er [bɔ́ːrər] *n.* 구멍을 뚫는 사람〔기구〕, 송곳; 〖곤충〗 나무좀; 〖패류〗 좀조개.

bore·scope [bɔ́ːrskòup] *n.* 〖광학〗 보어스코프《거울이나 프리즘을 써서 원통 내부를 검사하는 장치》.

bore·some [bɔ́ːrsəm] *a.* 지루한, 싫증나는.

Bor·ges [bɔ́ːrheis] *n.* **Jorge Luis ~** 보르헤스《아르헨티나의 시인·소설가; 1899–1986》.

bo·ric [bɔ́ːrik] *a.* 〖화학〗 붕소의; 붕소를 함유한 : ~ ointment 붕산 연고.

bóric àcid 〖화학〗 붕산.

bo·ride [bɔ́ːraid] *n.* 〖화학〗 붕소화물.

bor·ing[1] [bɔ́ːriŋ] *n.* 구멍을 뚫음; 〖채광〗 보링; 보링 작업; (*pl.*) 송곳밥.

bor·ing[2] *a.* 지루한, 따분한: a ~ job 〔film〕 지루하게 하는 일〔영화〕 / The lecture was deadly ~. 그 강의는 몹시 지루했다.

bóring machìne 보링 머신, 천공기(穿孔機); 「보링 기계.

bóring tòol 〖기계〗 구멍을 뚫는 바이트.

bork [bɔːrk] *vt.* (종종 B–) (사상이나 사생활 등이 문제가 된 공직 임명자·후보자 등을 특히 매스컴을 통해) 공격하다, 비판대에 올리다.

*__born__ [bɔːrn] BEAR[1] '낳다'의 과거분사. ★ by를 수반하지 않는 수동에만 쓰임. cf. borne[1]. ***be ~*** 태어나다: He *was* ~ a poet. 그는 시인으로 태어났다. ***be ~ again*** 다시 태어나다, 갱생하다. ***be ~ of*** (rich parents) (부자인 어버이)로부터 태어나다. ***be ~ to*** (sorrows) (불우)하게 태어나다. ***be ~ with a silver spoon in*** one***'s mouth*** ⇨ SPOON.

— *a.* **1** 타고난, 선천적인: a ~ poet 타고난 시인. **2** 〖복합어〗 ···으로 태어난, ···태생의: the first-~ 장자 / a Chicago-~ artist 시카고 태생의 예술가 / a poverty-~ crime 가난에 의한 범죄. (a Parisian) ***~ and bred*** (파리) 토박이, 순수한 (파리인). ***~ yesterday*** 경험이 없는, 아무것도 모르는. ***in all*** one***'s ~ days*** 《구어》 태어나서 지금까지, 일생 동안(에).

bórn-agàin *a.* 《미》 (기독교도가 강한 종교적 경험에 의해) 거듭난, 신앙을 새롭게 한; (신념·관심 따위를) 되살린.

*__borne__[1] [bɔːrn] BEAR[1]의 과거분사. ★ '낳다'의 뜻으로는 완료형 및 by를 수반하는 수동일 때만 쓰임. cf. born.

borne[2] *n.* 원형(圓形) 소파.

bor·né [bɔːrnéi] *a.* 《F.》 (마음·시야가) 좁은, 「편협한.

Bor·neo [bɔ́ːrniòu] *n.* 보르네오 (섬). ㊞ **-ne·an** [-niən] *a., n.* 보르네오의; 보르네오 사람〔어〕.

bor·ne·ol [bɔ́ːrniɔ̀ːl, bɔ́ːrniɑ̀l/-ɔ̀l] *n.* 〖화학〗

용뇌(龍腦), 보르네올.

born·ite [bɔ́ːrnait] *n.* 〖광물〗 Ⓤ 반동석(斑銅石).

bo·ro·hy·dride [bɔ̀ːrəháidraid, -drid] *n.* 〖화학〗 붕화(硼化) 수소.

bo·ron [bɔ́ːran/-rɔn] *n.* Ⓤ 〖화학〗 붕소(硼素)《비금속 원소; 기호 B; 번호 5》.

bóron cárbide 〖화학〗 탄화붕소.

bo·ro·sil·i·cate [bɔ̀ːrəsílikət, -kèit] *n.* 〖화학〗 붕규산염.

borosílicate glàss 〖화학〗 붕규산 유리《내열 유리 기구용》.

°**bor·ough** [bə́ːrou, bʌ́rou/bʌ́rə] *n.* **1** 《미》 자치 읍면《어떤 주의》; (New York 시의) 독립구; (Alaska의) 군《다른 주의 county에 상당》. **2** 《영》 자치〔특권〕 도시《Royal Charter(칙허장)에 따라 특권을 가진》; 하원 의원 선거구로서의 도시: buy 〔own〕 a ~ 선거구를 매수〔소유〕하다. **3** 〖역사〗 성시(城市), 도시. **4** (the B-) Southwark 구《런던의 자치구》.

Bórough Cóuncil 《영》 (borough의 호칭을 가진 지방의) 의회《의장은 mayor》.

bórough-Énglish *n.* Ⓤ 〖영법률〗 (1925년까지의) 말자(末子) 상속제.

*__bor·row__ [bárou, bɔ́ːr-/bɔ́r-] *vt.* 《~+목/+목+전+명》 **1** 빌리다, 차용(借用)하다; (돈을) 꾸다《*from; of*》. cf. lend, loan, rent¹. ¶ May I ~ it? 그것을 좀 빌려 주시겠어요/He ~*ed* a large sum *from* the bank. 그는 은행에서 큰돈을 빌렸다. ★ 돈·책 따위 이동 가능한 것을 일시적으로 빌리는 것은 borrow, 전화·변소 따위 이동 불가능한 것을 빌리는 것은 use, 집·방·자동차 따위를 빌릴 때는 rent를 씀. **2** 《~+목/+목+전+명》 (풍습 따위를) 모방하다, 무단 차용하다, (신문·사상 등을) 표절하다; 받아들이다《*from*》; 다른 나라 말을 차용하다《*from*》: Rome ~*ed* many ideas *from* Greece. 로마는 그리스로부터 많은 사상을 섭취했다/words ~*ed into* English *from* French 프랑스어에서 차용한 영어. **3** 〖수학〗 (뺄셈에서) 윗자리로부터 빌려 오다. ── *vi.* 《~/+전+명》 **1** (…으로부터) 빌리다, 돈을 빌리다, 차용하다《*from*》: He neither lends nor ~*s*. 그는 남에게 빌려 주지도 않고 빌리지도 않는다/~ *from* a bank 은행에서 돈을 빌리다. **2** 〖골프〗 바람을〔경사를〕 고려하여 치다. ***a ~ed light*** 반사광, 《특히》 창문으로부터 비치는 빛. **~ *trouble*** 부질없이 걱정하다, 기우하다. ***live on ~ed time*** (노인·병자 등이) 기적적으로 살아남다. ㊕ **~·er** *n.* 차용인. **~·ing** *n.* 빌림, 차용; 빌린 것; 〖언어〗 차용(어).

bórrowed líght 반사광; 창에서 들어온 광선.

bórrowed tíme (목숨을 건진 후의) 유예된 시간, (환자 따위가 간신히 연명하여 사는 따위의) 여분의 시간, 덤으로 사는 시간.

bórrowing pòwer 〖상업〗 (회사의) 차용 능력.

bórrow pit 〖토목〗 토사〔자갈〕 채취장.

bors(c)h(t), bors(c)h [bɔːrʃt], [bɔ́ːrʃ] *n.* 《Russ.》 보르시《빨간 순무가 들어간 러시아식 수프》.

bórscht cìrcuit 〔**bèlt**〕 (the ~) (종종 B-C-) 《미구어》 유대인의 고급 주택지·피서지가 있는 지대《New York주 동부 Catskill 산악지에 있음》.

bor·stal [bɔ́ːrstl] *n.* (종종 B-) 《영》 소년원, 감화원.

Bórstal sỳstem 보스틀식 비행(非行) 소년 재교육 제도《영국 Kent주의 교도소 Borstal prison에서》.

bort(z) [bɔːrt(s)] *n.* 저질의 다이아몬드; 다이아 몬드 부스러기《연마·절삭용》.

bor·zoi [bɔ́ːrzɔi] *n.* 보르조이《러시아 사냥개》.

bos·cage, bos·kage [báskidʒ/bɔ́s-] *n.* 《문어》 수풀, 숲.

Bosch [baʃ/bɔʃ] *n.* 보슈. **1 Carl** 〔**Karl**〕 ~ 독일의 화학자《Haber의 암모니아 합성법을 공업화; 노벨화학상 수상(1931); 1874-1940》. **2 Hieronymus** ~ 네덜란드의 환상적 화가(1450?-1516). **3 Juan** ~ 도미니카의 작가, 정치 지도자《대통령 역임(1963); 1909-2001》.

bosh [baʃ/bɔʃ] *n.* 《구어》 Ⓤ 허튼〔시시한〕 소리, 터무니없는 말; 모자라는 생각. ── *int.* 《구어》 허튼소리 마라! ── *vt.* 《영학생속어》 놀려대다, 조롱하다; 바보 취급하다.

bosk [bask/bɔsk] *n.* 《문어》 (관목의) 작은 숲.

bos·ket, bos·quet [báskit/bɔ́s-] *n.* 수풀, 총림(叢林).

bosky [báski/bɔ́ski] *a.* 《문어》 숲이 우거진; 나무 그늘이 있는〔많은〕(shady); 숲의.

bo's'n [bóusən] *n.* 〖해사〗 =BOATSWAIN.

Bos·nia [bázniə/bɔ́z-] *n.* 보스니아《발칸 반도 서부의 옛 왕국》. ㊕ **-ni·an** [-n] *a., n.* 보스니아의 (사람); Ⓤ 보스니아 어(語).

Bósnia and Her·ze·go·ví·na [-hɛ̀ərtsəgouvíːnə] 보스니아 헤르체고비나《유고슬라비아 연방 구성국이었으나 1992년 3월에 독립함: 수도 Sarajevo》.

Bos·ni·ac, -ak [bázniæk] *a., n.* =BOSNIAN.

*__bos·om__ [bú(ː)zəm/búz-] *n.* **1** 《문어》 가슴, 흉부. SYN. ⇨BREAST. **2** (의복의) 흉부, 품; 《미》 와이셔츠의 가슴. **3** 《완곡어》 여성의 유방. **4** 가슴속(의 생각), 내심; 친애의 정, 애정: speak one's ~ 가슴속을 털어놓다/keep something in one's ~ 어떤 것〔일〕을 가슴에 간직해 두다. **5** 속, 내부, 중앙; 깊은 산에 둘러싸인 곳; (바다·호수 따위의) 한복판: on the ~ *of* the ocean 대해의 한복판에/in the ~ *of* one's family 집안 식구끼리만의 오붓한. **6** 《고어》 포옹. ***a friend of one's*** ~ 친구. ***in the*** ~ ***of one's family*** 한 가족이 단란하여; 한 집안의 사랑을 독차지하여. ***take*** a person ***to one's*** ~ 아무를 애정을 갖고 맞이하다; 아무와 결혼하다; 아무와 친하게 지내다. ── *vt.* 가슴〔마음〕에 품다〔간직하다〕; 가슴에 껴안다. ── *a.* **1** 가슴〔흉부〕의. **2** 친한, 사랑하는, 소중한: a ~ friend 〔pal〕 친구. ㊕ **~ed** *a.* 마음속에 간직한, 소중한; …한 가슴을 지닌: the green-~*ed* earth 녹지대(綠地帶)로 뒤덮인 대지. ★ 주로 결합사로 쓰임. **~y** [-i] *a.* 도도록이 솟아오른《언덕》; (여자가) 가슴이 풍만한《블룩한》.

bósom frìend 《속어》 마음의 친구; 술; 《속어》 이《곤충》.

bos·on [bóusan/-sɔn] *n.* 〖물리〗 보손《스핀이 정수(整數)인 소립자·복합 입자》.

Bos·po·rus, -pho·rus [báspərəs/bɔ́s-], [-fərəs] *n.* (the ~) 보스포루스 해협; (b-) 해협.

BOSS [bɔːs, bas/bɔs] *n.* 《S.Afr.》 Bureau of State Security(국가 비밀 정보국).

*__boss__¹ [bɔːs, bas/bɔs] 《구어》 *n.* **1** 두목, 보스, 우두머리, 상관, 주임, 직공장, 감독자. **2** 주인, 고용주, 경영주. **3** 《미·경멸》 (정당의) 영수, 거물. **4** 왕초; 뽐내기 좋아하는 사람; 《미》 최고의 사람〔것〕. ── *vt.* 《~+목/+목+부》 …의 두목이〔보스가〕 되다; 지배〔감독〕하다; 쥐고 흔들다, 부려먹다《*around; about*》: His wife ~*es* him *around*. 그는 아내에게 꼼짝 못한다. ── *vi.* 두목이〔보스가〕 되다. ~ ***it*** 《구어》 마음대로 처리하다, 좌지우지하다. ~ ***the show*** 《구어》 좌지우지하다, 도맡아 하다. ── *a.* **1** 두목의, 보스의, 주임의. **2** 주요한, 지배하는. **3** 일류의, 뛰어난.

boss² *n.* **1** 사마귀, 돌기물(突起物), 돌기; (방패

한가운데의) 점. **2** 〖건축〗 (평평한 표면에 붙인) 돋을새김(장식). **3** 〖기계〗 보스《(1) 샤프트〔축〕의 보강부. (2) 프로펠러의 허브〔중심부〕》. **4** 〖건축〗 (둥근 천장 따위의 늑재(肋材) 교차부의) 장식용 조각〔쇠시리〕. ── *vt.* (…을) 장식하다.

boss[3] *n., vi., vt.* 《영속어》 잘못(하다), 잘못 짐작(하다), 오산하다.

boss[4] *n.* 《구어》 송아지, 암소.

boss[5] *a.* 《Sc.》 속이 빈, 텅 빈.

bos·sa no·va [básənóuvə, bɔ́:sə-/bɔ́sə-] 《Port.》 보사노바 음악〔춤〕.

boss·dom [bɔ́:sdəm, bás-/bɔ́s-] *n.* 정계의 보스임; 정계 보스의 영향 범위; 보스 정치.

bossed [-t] *a.* 돋을새김(장식)이 붙은; 돌기물이 붙은. 「편파적인.

bóss-èyed *a.* 《영구어》 애꾸눈의; 사팔뜨기의;

bóss·hèad *n.* 《미속어》 (일에 관해서) 장(長), 우두머리(boss). 「정당 지배.

bóss·ism *n.* Ⓤ 《미》 보스 제도〔정치〕, 영수의

bóss-shòt *n.* 서투른 겨냥〔계획〕.

bossy[1] [bɔ́:si, bási/bɔ́si] *a.* =BOSSED.

bossy[2] *a.* 두목 행세하는, 으스대는.

bos·sy[3] *n.* 《구어》 송아지; 암소. 「는) 사람.

bóssy·bòots *n.* 《영구어》 매우 뽐내는〔으스대

*__Bos·ton__ [bɔ́:stən, bás-/bɔ́s-] *n.* 보스턴 《Massachusetts주의 주도》; (b–) 왈츠의 일종.

Bóston árm 〖의학〗 보스턴 의수(義手)《보스턴에서 개발된, 신경 펄스를 감지하여 작동하는》.

Bóston bàg 보스턴백.

Bóston brówn brèad 찐빵의 일종.

Bóston búll 〔**térrier**〕 보스턴 테리어《영국 종 bulldog과 terrier의 교배종(交配種)》.

Bóston créam píe 보스턴 크림 파이《케이크에 크림이나 커스터드를 채워 넣은 것》.

Bos·to·ni·an [bɔ:stóuniən, bas-/bɔs-] *a., n.* 보스턴의; 보스턴 시민.

Bóston Mássacre (the ~) 〖미국사〗 보스턴 학살 사건《1770년 3월 5일에 있었던 보스턴시 주둔 영국군과 시민의 충돌 사건》.

Bóston Téa Pàrty (the ~) 〖미국사〗 보스턴 차(茶)사건《1773년에 일어난》.

bo·sun, bo'·sun [bóusən] *n.* =BOATSWAIN.

Bos·well [bázwel, -wəl/bɔ́z-] *n.* **James** ~ 보즈웰《영국의 법률가·작가; 1740–95》; Ⓒ 충실한 전기(傳記) 작가. ㊞ **~·i·an** *a.* 보즈웰식의.

bot[1], **bott** [bat/bɔt] *n.* 말파리의 유충; (*pl.*) 말 피부병의 일종.

bot[2] 《Austral. 구어》 *vt., vi.* 등치다, 조르다, 강청(強請)하다《*on*》. ── *n.* 등치는〔조르는〕 사람. ***on the ~ for*** …을 조르려고.

BOT BALANCE of trade; 〖컴퓨터〗 beginning of tape(자기(磁氣) 테이프의 시작). **B.O.T.** 《영》 Board of Trade; 《미속어》 balance of time 《가출옥자가 위반하면 다시 과해지는 형기》.

bot. botanical; botanist; botany; bottle; bottom; bought. **botan.** botanical.

°**bo·tan·ic, -i·cal** [bətǽnik], [-əl] *a.* 식물(학)의; 식물성의; 야생(종)의. ── *n.* 식물성 약품. ㊞ **-i·cal·ly** *ad.* 식물학상, 식물학적으로.

botánical gárden(**s**) 식물원.

bot·a·nist [bátənist/bɔ́t-] *n.* 식물학자.

bot·a·nize [bátənàiz/bɔ́t-] *vi.* 식물 채집을 〔실지 연구를〕 하다. ── *vt.* (한 지역의) 식물을 조사하다, 식물학적 목적으로 답사하다.

Bot·a·ny [bátəni/bɔ́t-] *n.* Ⓤ 오스트레일리아산 고급 양모(=∠ **wòol**).

°**bót·a·ny** *n.* **1** Ⓤ 식물학; (한 지방의) 식물 (전체); 식물 생태; Ⓒ 식물학 서적. **2** =BOTANY. ***geographical*** ~ 식물 지리학.

Bótany Báy 오스트레일리아 남동부 Sydney 부근의 만《원래 죄수 유형용의 식민지였음》.

bo·tar·go [bətá:rgou] *n.* Ⓤ 숭어·방어의 알을 초와 소금에 절여 만든 식품.

botch[1] [batʃ/bɔtʃ] *vt.* 어설프게 깁다〔수선하다〕《*up*》; (실수하여) 망쳐 버리다《*up*》; 서투르게 말하다. ── *n.* 서투르게 기운 부분; 서투른 손질; 서투른 일, 실패작; 《미》 (하치의) 오팔석(石): ***make a ~ of*** …을 실패하다. ㊞ **∠·er** *n.* 서투른 직공. **∠·ery** *n.* 보기 흉한 기움새; 서투른 수선. **∠y** *a.* 누덕누덕 기운; 보기 흉한; 솜씨 서투른.

botch[2] *n.* 《방언》 부스럼, 종기.

bótch·wòrk *n.* 서투른〔겉날린〕 일.

bo·tel [boutél] *n.* =BOATEL.

bót·flỳ *n.* 〖곤충〗 말파리.

†**both** ⇨ 《p. 308》 BOTH.

*__both·er__ [báðər/bɔ́ð-] *vt.* **1** 《~+목/+목+전+명/+목+*to* do》 …을 괴롭히다, …을 귀찮게 하다, 성가시게 하다〔조르다〕: ~ one's parents 부모를 성가시게 하다/~ a person *with* questions 아무에게 귀찮게 질문하여 괴롭히다/Don't ~ yourself *about* it. 그 일로 괴로워하지 마라/He ~*s* me *to* lend him money. 그는 내게 돈을 꾸어 달라고 조른다. **2** …에게 폐를 끼치다: I'm sorry to ~ you, but …. 폐를 끼치게 되어 죄송합니다만 …. **3** 《구어》 제기랄《가벼운 짜증의 뜻으로》: *Bother* the flies! 우라질 놈의 파리 같으니. ── *vi.* **1** 《~/+전+명》 심히 걱정하다, 근심〔고민〕하다, 걱정하다《*about; with*》: Don't ~ *about* the expenses. 비용 걱정은 마라. **2** 《+*to* do/+-*ing*》 일부러 …하다, …하도록 애쓰다: Don't ~ *to* fix 〔fix*ing*〕 a lunch for me. 나 때문에 일부러 도시락을 만들 것은 없습니다. ***cannot be ~ed to*** do =***not ~ to*** do 《구어》 …할 기분이 내키지 않는다, … 하고 싶지 않다: I *can't be ~ed to* ring him up. 그에게 전화할 기분이 나지 않는다.

── *n.* **1** Ⓤ 성가심, 귀찮음; Ⓒ (a ~) 귀찮은 일: I find the work a great ~. 이 일은 참 귀찮다. **2** 소동, 말다툼, 말썽: What is all this ~ about? 대체 이 무슨 소동이냐. **3** 노력, 수고, 폐: take more ~ than it's worth 필요 이상 수고하다. **4** 걱정, 번민: get into a ~ *about* small matters 사소한 일에 고민하다. **5** 골칫덩어리; 귀찮은 사람: What a ~ he is!

── *int.* 《영》 싫다, 귀찮다.

both·er·a·tion [bàðəréiʃən/bɔ̀ð-] *n.* 성가심, 속상함; 귀찮은 것. ── *int.* 귀찮다; 속상하다.

both·er·some [báðərsəm/bɔ́ð-] *a.* 귀찮은, 주체스러운, 성가신.

bóth hánds 《미속어》 양손(ten), 10달러.

bothy, both·ie [báθi, bɔ́:θi/bɔ́θi] *n.* 《Sc.》 오두막집; (노동자용) 오두막 합숙소.

Bot·ox [boutáks/-tɔ́ks] *n.* 보톡스《원래 안면 경련(눈꺼풀 떨림) 치료제였으나 2002년 주름 개선제로 사용; 미국 앨러간사제 상표명》.

bó trèe [bóu-] 〖식물〗 (인도의) 보리수.

bot·ry·oid, bot·ry·oi·dal [bátriɔ̀id/bɔ́t-], [bàtriɔ́idl/bɔ̀t-] *a.* 포도송이 모양의.

bo·try·tis [boutráitis] *n.* 〖세균〗 보트리티스, 경화(硬化) 병균《사상균류 회색곰팡이속(*Botrytis*)의 균류; 어떤 것은 식물의 병의 원인이 됨》.

Bot·swa·na [batswá:nə/bɔt-] *n.* 보츠와나 《아프리카 남부의 독립국; 수도 Gaborone》. ㊞ **Bot·swá·nian, -swá·nan** *n., a.*

bott [bat/bɔt] *n.* =BOT.

botte [*F.* bɔt] *n.* 〖펜싱〗 찌르기.

bot·tine [bətí:n, ba-/bɔ-] *n.* 보틴《주로 여성, 어린이가 방한과 멋으로 신는 가벼운 편상화》.

†**bot·tle**[1] [bátl/bɔ́tl] *n.* **1** 병, 술병: an ink ~ 잉크병/a ~ *of* wine 포도주 한 병/a wine ~

포도주(공)병. **2** 병에 든 것, 한 병 (가득한 양), (병·술병의) 한 개: buy by the ~ 한 병에 얼마로 사다. **3** 젖병; (젖병의) 우유: bring up 〔raise〕 a child on the ~ 우유로 아이를 키우다. **4** (the ~) 술: be fond of the ~술을 좋아하다 / be on the ~ 술독에 빠져 있다 / over a 〔the〕 ~ 술을 마시며 / take to the ~ 술에 빠지다, 술을 즐기다. ***crack* 〔*break*〕 *a* ~** 병을 따다, 축배를 들다. ***fight a* ~** 《미속어》 병째로 술을 마시다. ***hit the* ~** 《구어》 술을 많이 마시다; 《속어》 취하다. ***like* one's ~** 술을 좋아하다.

— *vt.* **1** (…를) 병에 넣다; 《영》 (과실·야채 등을) 병에 담아 간수하다; (가스를) 봄베에 채우다. **2** 《속어》 (범인 등을) 붙잡다. ***Bottle it!*** 《미》 조용히, 그만. **~ *off*** 통에서 퍼내어 병에 담다. **~ *up*** ① 병에 밀봉하다. ② (노여움 따위를) 억누르다: ~ *up* one's anger 분노를 억누르다. ③ (적 따위를) 봉쇄하다.

bot·tle² *n.* 《영방언》 (건초·짚 따위의) 단. ***look for a needle in a* ~ *of hay*** ⇨ NEEDLE.

bóttle bàby 우유로 키운 아이; 《미속어》 모주꾼, 알코올 중독자.

bóttle bànk (회수하여 재활용하기 위한) 빈병 수집 장소.

bóttle blònd(e) 《미속어》 머리를 염색하여 금발이 된 사람.

bóttle·brùsh *n.* 병 닦는 솔; 〖식물〗 (오스트레일리아 원산의) 병 닦는 솔 모양의 붉은 꽃이 피는 나무.

bóttle càp (속에 코르크가 달린) 병마개.

bóttle clùb 자기 술을 사서 맡겨 두었다가 폐점 시간이 지나서 가는 회원제 클럽.

bót·tled *a.* **1** 병에 넣은〔든〕. **2** 《속어》 몹시 취한.

bóttled gás 휴대용 봄베(bomb)에 든 가스; 액화 석유 가스, LPG.

bóttle-fèd *a.* 우유로 자란, 인공 영양의. [cf.] breast-fed.

bóttle-fèed *vt., vi.* (아기를) 우유로 키우다.

bot·tle·ful [-fùl] *n.* 한 병(의 양).

bóttle glàss (암녹색의 막치) 병유리.

bóttle gòurd 호리병박.

bóttle gréen 암녹색(deep green).

bóttle·hòlder *n.* 병을 받치는 장치〔대〕; 〖권투〗 선수를 돌보아 주는 사람, 세컨드; 후원자.

bóttle ìmp 병 속에 갇혀 있다는 작은 귀신; =CARTESIAN DEVIL.

bóttle·màn [-mæ̀n] (*pl.* ***-mèn*** [-mèn]) *n.* 《미속어》 술꾼, 주정꾼.

bóttle·nèck *n.* **1** 병의 목. **2** 좁은 입구〔통로〕. **3** 애로, 장애, 일의 장애가 되는 일; 교통 체증이 생기는 지점. **4** 〖음악〗 보틀넥 주법《손가락에 금속 튜브를 끼고 현을 뜯음》. **—** *vt., vi.* 방해하다; 장애가 되다, 좁아지다. **—** *a.* (병목처럼) 좁은, 잘룩한.

bóttleneck inflàtion 〖경제〗 보틀넥 인플레이션《일부 산업의 생산 요소 부족이 원인이 되어 생기는 물가 상승》.

bóttle nòse 《속어》 (술독이 오른) 딸기코. [파] **bóttle-nòsed** *a.*

bóttle·nòse *n.* =BOTTLE-NOSE(D) DOLPHIN.

bóttle-nose(d) dólphin 〖동물〗 돌고래의 일종《수족관 따위에서 곡예를 하는》.

bóttle-ò(h) (*pl.* **~*s***) *n.* 《Austral. 속어》 빈병 회수업자.

bóttle òpener 병따개.

bóttle pàrty 술을 가지고 모이는 파티.

bot·tler [bɑ́tlər/bɔ́t-] *n.* 병에 채워 넣는 사람〔장치〕; 탄산음료 제조업자; 《Austral. 속어》 멋있

both

'양쪽의 (것)'이라는 형용사·대명사로서, 또한 상관접속사(相關接續詞) both … and —의 제 1 요소로서의 '양쪽 모두'라는 부사로서 중요한데, 이 세 경우 모두 이 말이 '복수적'인 것, 즉 '2개의 요소를 양립시키는' 뜻을 내포하고 있는 점이 주목된다. 이 특징은 여러 가지 모양으로 나타난다. 즉: (1) 비슷한 뜻이라도 on *each* 〔*either*〕 *side* '어느 쪽에나', 〖단수〗에 대하여 on *both sides* '양쪽에' 〖복수〗. (2) not … *either* '어느 쪽도 …아니다'는 각각을 부정하는 전면부정임에 대하여, not … *both* '양쪽 모두 …은 아니다'는 복수를 부정하여 부분부정이 된다.

both [bouθ] *a.* **1** 〖긍정문에서〗 양쪽의, 쌍방〔양방〕의, 둘 다의: ~ parents 양친 / ~ ways 왕복 다 / ~ these toys 이 장난감 두 개 다 / ~ Jack's sisters 잭의 (두) 누이 모두 / not ~ 한쪽만 / on ~ sides of the street 거리의 양쪽에 / *Both* (the) girls smiled. 소녀는 둘 다 미소지었다 / *Both* performances were canceled. 양쪽 공연이 다 취소되었다. ★ (1) both는 정관사·소유형용사·지시형용사에 앞섬. (2) both 뒤의 the는 보통 생략됨. (3) both these 〔Jack's〕 … 의 경우에도 평이한 말로 both *of* these 〔Jack's〕 … 로 함이 보통임.

2 〖not과 함께 부분부정을 나타내어〗 양쪽 다는 …(아니다); 양쪽이 다 …(은 아니다): I do*n't* want ~ tickets. 표 두 장은 필요 없다《한 장만으로 족하다》(≒I do*n't* want *either* ticket. =I want *neither* ticket. 표 두 장이 다 필요 없다). ***have it* ~ *ways*** 두 가지 논법을 쓰다, 양다리 걸치다《논쟁 따위에서》.

— *pron.* **1** 〖긍정문에서〗 〖복수취급〗 양쪽, 양자, 쌍방, 둘 다〔모두〕: *Both* are good. 양쪽 다 좋다 / I know them ~ 〔~ of them〕. 나는 양쪽 다 알고 있다《both는 them과 동격》 / English and French are ~ widely used. 영어와 프랑스어는 다 널리 쓰이고 있다 / *Both* of us have a desk. 우리 둘은 공동의 책상을 갖고 있다. ★ (1) The ~ of us … 은 《미》의 비표준적인 용법임. (2) 대명사가 동격으로 쓰이어 We ~ have … 로도 할 수 있고 We have ~ a desk. 라고도 할 수 있음. 제각기 각자의 책상을 갖고 있을 때에는 Each of us has a desk. 로 하는 것이 명확함.

2 〖not과 함께 부분부정을 나타내어〗 양쪽 다는 …(아니다); 양쪽이 다 …(은 아니다): I do *not* know ~ of them. 그들 두 사람 다를 알고 있지는 않다《한 쪽만을 알고 있다》 / *Both* of them are *not* coming. 둘이 다 오는 것은 아니다《혼자만이 온다》(≒ *Neither* of them is coming. 둘이 다 안 온다).

— *ad.* 〖and와 함께 상관접속사를 이루어〗 …도 —도, 둘 다, …뿐 아니라 —도: *Both* Jane *and* Mary play the piano. 제인도 메리도 피아노를 칩니다 / He likes ~ Mary *and* Betty. 그는 메리도 베티도 좋아한다(=《미》 … Mary and Batty ~.) / I can ~ cook *and* sew. 요리도 바느질도 할 수 있다 / This bag is ~ good *and* cheap. 이 가방은 물건이 좋고도 싸다 / She is well known ~ in Korea *and* in China. 그녀는 한국에서뿐 아니라 중국에도 잘 알려져 있다. 《both와 and 뒤의 어구는 문법상 기능이 같은 것이 바람직하나 ~ in Korea and China라고도 함》.

는〔근사한〕 사람〔것〕.
bóttle shòp 〔**stòre**〕 《Austral.》 주류(酒類) 판매점, 술집《병이나 캔에 든 주류를 팔되 상점 내에서의 음주는 불가》.
bóttle-wàsher *n.* 병 씻는 사람〔기구〕; 《구어》 잡일꾼; 병 씻는 기계.
bot·tling [bátliŋ/bɔ́t-] *n.* Ⓤ 병에 채워 넣기; 병에 든 음료, 《특히》 포도주.
bot·tom [bátəm/bɔ́t-] *n.* **1** 밑바닥; (우물 따위의) 바닥; 강〔바다〕 바닥; 골짜기의 밑바닥; (광산)의 맨 밑바닥 층: a false ~ 속을 높게 한 바닥《내용물이 덜 들게 한》/ send a ship to the ~ 배를 가라앉히다. **2** 기초, 토대; 근본; 진상, 원인; 실질; 마음 속: from the ~ *of* one's heart. 마음 속으로부터. **3** 밑바닥 부분, 하부; (나무의) 밑동; (언덕·산의) 기슭; (페이지의) 아래쪽; (식탁 등의) 말석; (학급의) 꼴찌. OPP. *top*[1]. ¶ He is at the ~ *of* the class. 그는 학급에서 꼴찌다. **4** (뜰·후미 따위의) 안쪽; (가로의) 막다른 곳. **5** (인두·다리미 따위의) 바닥. **6** (보통 *pl.*) 〖지학〗 강 주변의 낮은 땅. **7** 〖해사〗 배 밑, 함선의 바닥, 선복(船腹); 선박, 《특히》 화물선: foreign ~*s* 외국선. **8** 《구어》 궁둥이; (*pl.*) (파자마의) 바지; (양복 바지 따위의) 궁둥이 부분; (의자의) 앉을 자리; (*pl.*) 《미속어》 구두. **9** 뚝심, 참을성, 끈기. **10** (보통 *pl.*) 찌꺼기, 앙금. **11** 〖야구〗 한 회(回)의 말(末)(OPP. *top*[1]); 7번-9번까지의 세 사람《타순(打順)에서》: the ~ *of* the 9th inning, 9회 말. **12** 〖증권〗 (가장 낮은) 바닥 시세. **13** (*pl.*) 《미흑인속어》 (도심부·인구 밀집 지역의) 가장 빈곤한 지구, 슬럼가에서 가장 심한 구역.
at* (*the*) ~** 마음 속은, 실제는; 본질적으로는. ***at the ~ of ① …의 기슭〔각부(脚部), 아래쪽〕에: *at the* ~ *of* the stairs 계단 밑에(서). ② …의 원인으로. ***Bottoms up!*** 《구어》 건배, 쭉 들이켜요. **~ *up*** 〔***upward***〕 거꾸로(upside down). ***from the ~ up*** (다시) 처음부터; 완전히. ***get to the ~ of*** …의 진상을 규명하다. ***knock the ~ out of*** (의논·계획 따위)를 송두리째 뒤엎다. ***reach the ~*** 〖상업〗 최저 가격이 되다. ***stand on*** one***'s own ~*** 독립〔자영〕하다. ***start at the ~ of the ladder*** ⇨LADDER. ***The ~ drops*** 〔***falls***〕 ***out*** (***of*** ...) (사물의) 기반이 무너지다; (시세·가격이) 바닥을 이루다. ***to the ~*** 밑바닥까지; 철저하게. ***touch*** 〔***hit***〕 **~** 좌초하다; 《구어》 (값·운명 따위가) 밑바닥에 닿다, 최악의 사태에 빠지다; 최심부에 미치다.
— *vt.* **1** …에 바닥을 대다; (의자에) 앉을 자리를 대다. **2** …의 밑바닥에 닿게 하다. **3** (깊이를) 재다; 진상을 규명하다. **4** 《+목+전+명》 기인케 하다《*on*》: ~ one's argument *on* facts 사실에 논거를 두다. **5** (잠수함을) 해저에 대다. **—** *vi.* **1** 《+전+명》 기인하다, 기초를 두다《*on, upon*》. **2** (배 따위가) 바닥에 닿다; 밑바닥에 이르다. **3** (물가 따위가) 최저 가격이 되다. **~ *out*** 바닥에 이르다; (증권 따위가) 바닥 시세가 되다.
— *a.* **1** 밑바닥의. **2** 최하단의, 아래의: the ~ floor 최하층《1층·지계》. **3** 근본적인; 최후의: the ~ cause 근본 원인. **4** 최저의: ~ prices 최저 가격. ***come out ~*** 꼴찌로 급제하다.
bóttom dóllar 마지막 남은 돈, 아주 적은 돈.
bóttom dráwer 《영》 (혼숫감 등을 넣어 두는) 옷장의 맨 아래서랍(《미》 hope chest); 혼수품.
bóttom-fèeder *n.* **1** 저생어(底生魚)(bottom fish). **2** 최저 지위에 있는 사람; 남을 희생시켜〔남의 불행을 이용하여〕 돈벌이를 하려는 사람.
bóttom-fèeding *n.* 가장 낮은 계층에서 활동하기, 최하층의 일을 해서 돈을 벌기.
bóttom fish 저생어(底生魚)(groundfish, demersal fish).
bóttom gèar 《영》 최저속(最低速) 기어(《미》 low gear).
bót·tom·ing *n.* 애벌 염색; 구두바닥 마무리 작업; (도로 포장의) 노반용재《모래·자갈 따위》.
bóttom lànd 《미》 (강가의) 낮은 지대.
bót·tom·less *a.* **1** 밑바닥 없는. **2** 의자의 seat 가 없는. **3** 헤아릴 수 없는, 깊이를 알 수 없는: a ~ mystery 완전한 수수께끼. **4** (topless에 대하여) 전라(全裸)의, 누드의.
bóttomless pít 지옥; 맥빠지게 하는 것, 귀찮은 것; 대식가.
bóttom lìne (the ~) **1** 결산표의 마지막 행; 수지 결산; 순이익〔손실〕. **2** 최종 결과, 결론; 사실의 핵심(점); 최종선; 결정적인 계기. **3** (여성의) 히프 선. **4** 낚싯줄의 끝 부분. ***the ~ is that ...*** 요컨대, 실은.
bóttom-lìne *a.* **1** 손익 계정만을 문제로 삼은; 실리적인, 현실주의의; 최종적〔결론적〕인. **2** 빠듯한. **3** 《우스개》 (여성의) 히프 선의. 「기본적인.
bóttom·mòst *a.* 제일 아래의, 최저의; 가장
bóttom-of-the-lìne *a.* 《구어》 (동종의 제품 중) 가장 값싼. OPP. *top-of-the-line.*
bot·to·mo·ni·um [bɑ̀təmóuniəm/bɔ̀t-] *n.* 〖원자물리〗 보텀쿼크와 그 반입자로 이루어진 가설 입자. [◂*bottom* quark+-*onium*(cf. charmonium)]
bóttom quàrk 〖물리〗 보텀쿼크, 바닥쿼크《쿼크의 일종으로 γ입자의 구성 요소》. 「쪽 살.
bóttom róund (쇠고기의) 허벅다리의 바깥
bot·tom·ry [bátəmri/bɔ́t-] *n.* 〖해사법률〗 선박 저당 계약《배를 저당하여 항해 비용을 얻는》. **—** *vt.* (선박의) 저당 계약을 맺다.
bóttom tìme 〖스쿠버다이빙〗 (다이버가 잠수를 시작해서 올라오기 시작하기까지의) 잠수 시간. 「하는 것》.
bóttom tùrn 〖서핑〗 보텀 턴《파도의 골에서 턴
bóttom-úp *a.* **1** 서민〔비전문가, 조직의 최하위〕의〔에 관한, 에서 일어난〕, 밑에서부터 (위로)의《운동 따위》. **2** (논리 전개 등) 기초적인 원리에서 출발하여 전체를 구성하는 방식의. cf. top-down.
bottom-úp manàgement 〖경영〗 보텀업 경영《(top-down적(的)인 미국식 경영에 대하여) 정보나 아이디어가 하의상달식으로 된 관리 체제》.
bóttom-ùp prócessing 〖컴퓨터〗 상향식 처리《개개의 정보를 순차적으로 처리해 가는 처리 방식; 처리가 끝난 부분은 결과가 확정됨》.
bóttom-úp prògramming 〖컴퓨터〗 상향식 프로그래밍(기법)《하위 모듈에서 시작하여 점차 상위 모듈을 개발해 가는 프로그래밍 기법》. OPP. *top-down programming.*
bóttom wòman 《속어》 (자기가 거느리고 있는 매춘부 중) 그 뚜쟁이가 가장 마음에 들어 하는 여자, 의지할 수 있는 여자.
bot·u·lin [bátʃəlin/bɔ́t-] *n.* 〖의학〗 보툴리누스 독소《식중독을 일으킴》.
bot·u·li·num, -nus [bɑ̀tʃəláinəm/bɔ̀t-], [-nəs] *n.* Ⓤ 보툴리누스균.
bot·u·lism [bátʃəlìzəm/bɔ́t-] *n.* Ⓤ 〖의학〗 보툴리누스 중독《썩은 소시지 등에서 생김》.
bou·bou [búːbuː] *n.* 부부《아프리카의 길고 소매 없는 옷》.
bou·chée [buːʃéi] *n.* 《F.》 〖요리〗 부셰《쇠고기·생선이 든 작은 파이》.
bou·din [buːdǽŋ] (*pl.* **~s** [-z]; *F.* ~) *n.* 《F.》 〖프랑스요리〗 **1** 부댕, 블러드 소시지(blood sausage)《닭·돼지·소의 피가 들어 있음》(= ***boudin noir***). **2** 흰 부댕, 화이트 소시지(white

sausage)《닭 · 돼지 · 소의 피가 들어 있지 않음》(=*boudin blanc*). 「여성의 내실.
bou·doir [búːdwɑːr, -dwɔːr] *n.* 《F.》(상류)
bouf·fant [buːfɑ́ːnt] *a.* 《F.》(옷소매 · 스커트 · 머리 따위가) 불룩한. **—** *n.* 불룩한 머리 모
bouffe [buːf] *n.* 《F.》 희가극(opera ～). 「양.
bou·gain·vil·l(a)ea [bùːgənvíliə, -ljə, bòu-] *n.* 『식물』 부겐빌리아 《꽃이 빨간 열대 식물》.
Bou·gain·ville *n.* **1** [*F.* bugɛvil] **Louis Antoine de ～** 프랑스의 항해가(1729-1811). **2** [búːgənvìl, bóu-] 부건빌 섬《서태평양 Solomon제도 최대의 섬》. [◂ 1768년 이 섬을 발견한 1의 이름에서] 「㊁ **～ed** *a.*
*__bough__ [bau] *n.* 큰 가지. cf. branch, twig[1].
bóugh·pòt *n.* 큰 꽃병; 《영》 꽃 다발.
bought [bɔːt] BUY의 과거 · 과거분사.
bought·en [bɔ́ːtn] *a.* 《방언》 가게에서 산, 가게에서 만든 물건의. cf. homemade.
boughy [báui] *a.* 가지가 많은.
bou·gie [búːdʒiː, buːʒíː/búːʒiː] *n.* 양초; 『의학』 소식자(消息子); 좌약(坐藥).
bouil·la·baisse [bùːljəbéis/búːjəbès] *n.* 《F.》 부야베스《마르세유 명물인 생선 스튜》.
bouil·li [buːjíː] *n.* 《F.》 삶은〔찐〕 고기.
bouil·lon [búljan/búːjɔn] *n.* 《F.》 부용《맑은 고기 수프》; (세균 배양용) 고기 국물.
bóuillon cùbe 고형(固形) 부용《녹여 씀》.
Boul., boul. boulevard. 「빵집.
bou·lan·ge·rie [*F.* bulɑ̃ʒʀi] *n.* 《F.》 제빵소;
boul·der [bóuldər] *n.* 둥근 돌, 옥석; 『지학』 표석(漂石). 「의 협곡》.
Bóulder Cányon 볼더 계곡《미국 Nevada주
bóul·der·ing [-riŋ] *n.* **1** 옥석을 깐 보도. **2** 『등산』 (훈련 또는 스포츠로서의) 큰 바위 오르기.
Bou·le [búːliː, buːléi] *n.* (근대 그리스의) 의회, 하원; (흔히 b-) (옛 그리스의) 입법 회의.
boul·e·vard [bú(ː)ləvɑ̀ːrd/búːlvɑ̀ːd] *n.* 《F.》 불바르, 넓은 가로수 길〔산책 길〕; 《미》 큰길, 대로《생략: blvd.》; 중앙 분리대(median strip).
bou·le·var·dier [bù(ː)ləvɑːrdíər/buːlvɑ́ːdièi] *n.* (파리의) 불바르를 어슬렁거리는 사람; 플레이보이.
boulle(·work), buhl(·work) [búːl(wə̀ːrk)] *n.* 상감(象嵌) 세공(의 가구).
boult [boult] *vt.* =BOLT[2].
boul·ter, bul- [bóultər], [bʌ́l-] *n.* 주낙.
*__bounce__ [bauns] *vi.* **1** 《～/+부/+전+명》 (공 따위가) 바운드하다, 되튀다《*back*》; 튀다《*off*》; (사람이) 펄쩍 뛰다《*up*》, 뛰어다니다《*about*》: The ball ～*d back from* the wall. 공이 벽에 맞고 되튀어왔다/A car is *bouncing along* the rough road. 차가 울퉁불퉁한 길을 상하로 흔들리며 달리고 있다. **2** 《+전+명》 급히 가다〔오다〕, 뛰어들다《*in*》, 뛰어나오다《*out*》: ～ *out of* 〔*into*〕 the room 방에서 뛰어나오다〔방으로 뛰어들어가다〕. **3** 《구어》 (어음 따위가) 부도가 나 되돌아오다. **4** 《속어》 허풍을 치다. **—** *vt.* **1** 《～+목/+목+부/+목+전+명》 (공 따위를) 되튀게 하다, 바운드시키다: ～ a ball 공을 튀기다, 공치기하다/～ a boy *up* and *down* 소년을 들어올렸다 내렸다 하다/～ a ball *off* a wall 공을 벽에 던져 되튀어오게 하다. **2** (문 따위를) 탕 닫다. **3** 《구어》 혼닦다: I was well ～*d* for my carelessness. 나는 부주의로 인하여 실컷 혼닦였다. **4** 《+목+전+명》 을러대어〔부추기어〕 …하게 하다《*into*》; 위협하여 빼앗다; (속내를) 떠보다《*off*》: ～ a person *into* do*ing* 아무를 부추기어〔을러대어〕 …하게 하다/～ a person *out of* something 아무에게서 물건을 을러메어 빼앗다/Let me ～ a few ideas *off* you. 자네 생각좀 들려주게. **5** 《+목+전+명》 《속어》 (아무를) 내쫓다, 해고하다; 내던지다: ～ trouble makers *out of* the hall 말썽꾸러기들을 홀에서 쫓아내다. **6** (어음 · 수표 등을) 부도 처리하다〔지불 거절하다〕: The bank ～*d* his check. 은행은 그의 수표를 부도 처리했다. **～ *back*** ① (패배 · 타격 따위에서) 곧 회복하다《*from*》; 역습하다. ② 되튀다, 바운드하다. **～ *down*** (the stairs) (계단에서) 굴러 떨어지다.
— *n.* **1** U,C 되튐, 튐, 바운드(bound); 튀어오름, 뛰어오름. **2** U 탄력: This ball has lost its ～. 이 공은 탄력이 없어졌다. **3** U 《구어》 원기, 활력, 활기; 《영》 허풍, 허세. **4** 《미속어》 (the ～) 추방, 해고: get〔give〕 the ～ 해고당하다〔시키다〕 **5** C 강타. ***on the* ～** 튀어, 바운드하여; 허풍을 떨어, 허세를 부려.
— *ad.* 갑자기, 불쑥, 뛰듯이. 「좋아하는.
bóunce·a·ble *a.* 《영》 몹시 으스대는, 싸움을
bóunce·bàck *n.* 반향(echo, reflection).
bounc·er [báunsər] *n.* **1** 거대한 사람〔물건〕. **2** 도약자, 튀어오르는 물건. **3** 《구어》 대허풍선이; (바 · 나이트클럽 등의) 경비원; 《영속어》 건방진 놈. **4** 《속어》 부도 수표.
bounc·ing [báunsiŋ] *a.* **1** 잘 튀는. **2** (아기 등이) 기운 좋은, 튼튼한: a ～ baby 활기찬 아기. **3** 거대한, 거액의. **4** 허풍떠는.
bóuncing bómb 『군사』 반도(反跳)폭탄, 되튐폭탄《지면 · 수면에 낙하하여 되튄 후 잠시 구르다가 폭발함》.
bouncy [báunsi] *a.* 활기 있는, 기운 좋은, 쾌활한; 탄력 있는: a ～ ball 잘 튀는 공. ㊁ **bóunc·i·ly** *ad.*
__bound__[1] [baund] *n.* **1 (보통 *pl.*) (안쪽에서 본) 경계(선): the farthest ～*s* of ocean 대양의 저 멀리 끝. SYN. ⇨ BORDER. **2** (*pl.*) 경계 부근의 영토, 경역(境域). **3** (*pl.*) 영역내, 관내, 영내. **4** (보통 *pl.*) 범위; 한계: pass the ～*s* of common sense 상식의 선을 넘다/be beyond 〔outside〕 the ～*s* of possibility 가능성의 범위를 넘어 있다/keep one's hopes within ～*s* 될성싶지 않은 희망은 품지 않는다/break ～ 도가 지나치다. ***It is within* ～*s to say that …*** …라고 해도 과언은 아니다; …은 있음직한 일이다; …인지도 모른다. ***know no* ～*s*** 끝이〔한도가〕 없다. ***out of all* ～*s*** 터무니없는〔없이〕, 과도한〔히〕. ***out of* ～*s*** 출입금지의〔로〕《*to; for*》; (규칙 등의) 제한을 넘어서, 『스포츠』 규정 경기 구역 밖에서. **—** *vt.* **1** …의 경계가 되다; 〖수동태〗 (…와) 경계를 접하다《*on; in; by*》; …의 경계〔영역, 범위〕를 정하다: The United States *is* ～*ed on* 〔*in*〕 the north *by* Canada. 미국은 북쪽으로 캐나다와 접하고 있다. **2** 제한하다, 한정하다; (욕망 등을) 억제하다. **—** *vi.* 《+전+명》 인접하다, 접경하다《*on*》: Canada ～*s on* the United States. 캐나다는 미국과 접경하고 있다.
*__bound__[2] [baund] *vi.* **1** 《～/+부/+전+명》 (사슴 · 망아지 따위가) 뛰어가다; (가슴이) 뛰다; (물결이) 너울거리다; 약진〔약동〕하다: ～ *away* 뛰어가버리다/He ～*ed into* fame. 그는 일약 유명해졌다. **2** 《～/+부/+전+명》 튀다, 바운드하다, 통기다, (공이) 되튀다, 뛰어오르다: The ball ～*ed back from* 〔*against*〕 the wall. 공이 벽을 맞고 튀었다. SYN. ⇨ JUMP. **—** *vt.* 튀어오르게 하다. **～ *upon*** …에 덤벼들다. **—** *n.* 반동, 튐, 도약; 《시어》 약동. ***at a* (*single*) ～** =***with one* ～** 단번에 뛰어, 단숨에, 일약. ***by leaps and* ～*s*** ⇨ LEAP. ***on the* ～** (공이) 튀어서.
*__bound__[3] [baund] BIND의 과거 · 과거분사. **—** *a.* **1** 묶인; 『화학』 결합된: ～ hand and foot 손발이 묶여. **2** 속박〔구속〕된《*by*》: ～ *by* one's

word 약속에 얽매여 있는 / 〖복합어로〗 duty-~ 의무에 얽매인. **3** …하지 않을 수 없는, …할 의무가〔책임이〕 있는; 꼭〔필연적으로〕 …하게 되어 있는: a plan ~ *to* succeed 틀림없이 성공할 계획. **4** 《구어》 반드시 …할 결심인: He is ~ *to* go. 기어코 갈 작정이다. **5** 연한(年限) 고용살이를 하는 《*to*》. **6** 제본한, 장정한: a book ~ *in* cloth 클로스로 장정한 책. **7** 갇힌, 막힌 : snow~ / wind~. **8** 변비(便秘)의. ***be ~ up in*** 〔***with***〕 … 에 열중하다, 깊이 관여하다: He *was* ~ *up in* his work. 그는 일에 몰두하고 있었다. ***~ up with*** …와 이해를 같이하여; …와 밀접한 관계로. ***I'll be ~.*** = ***I'm ~.*** 《구어》 꼭이다, 틀림없다.

ᵒ**bound**[4] *a.* …행의; (아무가) …로 가는 길인 《*for; to*》: Where are you ~? 어디에 가십니까 / The ship is ~ *for* New York. 그 배는 뉴욕행이다 / 〖복합어로〗 homeward-~ 귀항(歸航) 중인 / outward-~ 외국행의 / college-~ 대학 진학 지망의.

bound[5] *vt.* 《미중남부》 (내기에서) 걸다: I'll ~ you he'll come. 그는 꼭 온다.

⁑**bound·a·ry** [báundəri] *n.* **1** 경계(선)《*between*》; 경계표: a ~ line 경계선 / The river forms the ~ *between* the U.S. and Mexico. 그 강은 미국과 멕시코의 국경으로 되어 있다. **2** (보통 *pl.*) 한계, 범위, 영역: the ~ *of* science 과학의 한계.

bóundary condìtion 〖수학〗 경계 조건《미분 방정식 풀이가 경계상에서 만족시켜야 할 조건》.

bóundary làyer 〖물리〗 경계〔한계〕층《유체 내의 물체 표면 가까이에 생기는 액체의 얇은 층》.

bóundary vàlue pròblem 〖수학〗 경곗값 문제《경계 조건 하에서 미분 방정식을 푸는 문제》.

bóund chárge = POLARIZATION CHARGE.

bóund·ed [-id] *a.* **1** 경계가 있는, 한계가〔제한이〕 있는. **2** 〖수학〗 (집합·함수·수열 등이) 유계(有界)인; 함수의 변동이 무한대가 아닌. [파] **~·ly** *ad.* **~·ness** *n.*

bound·en [báundən] 《고어》 BIND 의 과거분사. **—** *a.* 아무래도 해야 하는, 의무적인, 필수(必修)의; 은혜를 입어: one's ~ duty 본분.

bóund·er *n.* 《영구어·드물게》 (도덕적으로) 비열한 사람, 버릇없는 놈, 졸부; 〖야구〗 (바운드가 큰) 땅볼.

bóund fórm 〖문법〗 구속(拘束) 형식《worked 의 *-ed*, work*er*의 *-er* 따위》.

*__bound·less__ [báundlis] *a.* 무한한, 끝없는 《넓이·양 등이》. [파] **~·ly** *ad.* **~·ness** *n.*

boun·te·ous [báuntiəs] 《문어》 *a.* 물건을 아까워하지 않는, 활수한; 관대한, 인정 많은; 윤택한, 풍부한. [파] **~·ly** *ad.* **~·ness** *n.*

boun·tied [báuntid] *a.* 장려금을 받은.

boun·ti·ful [báuntifəl] *a.* = BOUNTEOUS. [파] **~·ly** *ad.* **~·ness** *n.*

ᵒ**boun·ty** [báunti] *n.* **1** [U] 활수함, 관대함; 박애: the ~ *of* Nature 자연의 자비로움 / live on the ~ *of* …의 보조로〔도움으로〕 생활하다 / share in the ~ *of* …의 은혜를 입다. **2** [C] 하사품(下賜品); 축하금; 상여금. **3** [C] 보상금, 상금; (정부의) 장려〔보조, 조성〕금: grant a ~ 조성금을 교부하다 / a ~ *on* exports 수출 보조금. ***King's*** 〔***Queen's***〕 ~ 《영》 세 쌍둥이를 낳은 어머니에게 내리는 하사금. ***Queen Anne's Bounty*** 앤 여왕 하사 기금《가난한 교회에 보조하는》.

bóunty hùnter 현상금을 탈 목적으로 범인을 〔맹수를〕 쫓는 사람.

bou·quet [boukéi, bu:-/bu(:)kéi] *n.* 《F.》 **1** 부케, 꽃다발; 대규모의 불꽃. **2** (술 따위의) 향기, 방향; (연기·문예 작품 등의) 품격, 기품. **3** 달콤한 말, 찬사; 알랑거리는 말.

bouquét gar·ní [-gɑ:rní:] (*pl.* ***bouquets garnis*** [-z gɑ:rní:]) 《F.》 〖요리〗 (수프 등에 향기를 더하기 위해 넣는) 파슬리 따위의 작은 다발.

bouque·tière [bùkətjέər, -tiέər] *a.* 《F.》 〖요리〗 야채를 곁들인.

bou·qui·niste [*F.* bukinist] (*pl.* **~s** [—]) *n.* 《F.》 고서적상(商), 헌책방.

Bour·bon [búərbən, bɔ́:r-/búə-] *n.* **1** (the ~s) 부르봉 왕가(의 사람). **2** (종종 b-) 《미》 (특히 남부 출신 민주당 내의) 완고한 보수주의자. **3** (b-) [U] 버번 위스키(= ∠ **whìsky**) 《주원료는 옥수수》. [파] **~·ìsm** *n.* [U] 부르봉 왕가 옹호; 《미》 극단적인 보수주의. **~·ist** *n.*

bour·don [búərdn, bɔ́:r-] *n.* 《F.》 〖음악〗 (파이프 오르간의) 저음부 음전; (bagpipe 따위의) 저음; (편종(編鐘)의) 최저음의 종.

bourg [buərg] *n.* 《F.》 읍(town), 성시(城市); (프랑스의) 장이 서는 읍〔시〕.

ᵒ**bour·geois**[1] [buərʒwɑ́:, ∠-] (*pl.* ~) *n.* 《F.》 중산 계급의 시민《주로 상인 계급》, 유산자, 부르주아; 《경멸》 범속한 물질주의적 인간. **—** *a.* 중산〔유산〕 계급의; 부르주아 근성의; 자본주의의.

bour·geois[2] [bərdʒɔ́is] *n.* 〖인쇄〗 버조이스 활자《9포인트》.

bour·geoise [búərʒwɑ́:z, --∠] *n., a.* BOURGEOIS[1]의 여성형.

bour·geoi·sie [bùərʒwɑ:zí:] (*pl.* ~) *n.* 《F.》 [U] (the ~) 중산〔시민〕 계급, 상공 계급; 부르주아 〔유산〕 계급. [opp] *proletariat(e)*.

bour·geoi·si·fy [buərʒwɑ́:zəfài] *vt., vi.* 부르주아화(化)하다. [파] **bour·gèoi·si·fi·cá·tion** *n.*

bourgeon ⇨ BURGEON.

bourn(e)[1] [bɔ:rn] *n.* 《영남부》 개울.

bourn(e)[2] [bɔ:rn, buərn/buən] *n.* 《고어》 목적(지), 도달점; 《고어》 한계; 《폐어》 영역.

bourse [buərs] *n.* 《F.》 (유럽의 여러 도시, 특히 파리의) 증권 거래소; (코인·우표 따위의) 매출.

bou·stro·phe·don [bù:strəfí:dn, bàu-] *n., a., ad.* 좌우 교호(交互)서법《초기 그리스어에서, 첫 행은 왼쪽으로부터, 둘째 행은 오른쪽으로부터 쓰는 식》(의〔으로〕).

ᵒ**bout** [baut] *n.* 한 판 승부, (권투 따위의) 경기; 한 차례 (계속); 한 차례의 일; 한 번 감기; 한 차례의 쟁기질; 한 차례의 낫질; (병 따위의) 한 기간; 일시적인 기간; 발작: have a ~ with …와 승부를 겨루다 / a drinking ~ 술잔치 / a ~ of work 한차례의 일 / a long ~ of illness 오랜 병.

bou·tade [bu:tɑ́:d] *n.* (감정의) 폭발, 분출; 돌발적 행동(outburst, sally).

bou·tique [bu:tí:k] *n.* 《F.》 부티크《특히 값비싼 유행 여성복·액세서리 등을 파는 작은 양품점이나 백화점의 매장》.

bou·ti·quier [bù:ti:kjéi] *n.* 《F.》 부티크의 주인.

bou·ton [butɔ́:n] *n.* 〖해부〗 신경 섬유 말단.

bou·ton·nière, -niere [bù:təníər/bù:tɔnjέər] *n.* 《F.》 단춧구멍에 꽂는 꽃.

bouts-ri·més [bù:ri:méiz] *n. pl.* 《F.》 〖운율〗 화운(和韻)《운을 밟는 행 끝의 말이 미리 차례로 정해져 있는 것》.

bou·zou·ki [buzú:ki] *n.* 부주키《만돌린 비슷한 그리스의 현악기》.

bo·va·rism [bóuvərìzəm] *n.* 제 자랑, 자기의 과대평가.

bo·vid [bóuvid] *a., n.* 솟과(科)의 (동물).

bo·vine [bóuvain] 〖동물〗 *a.* 소속(屬)의; 소의〔같은〕; 둔감한. **—** *n.* 소속의 동물; 느리광이. [파] **bo·vin·i·ty** [bouvínəti] *n.*

bóvine éxtract 《미속어》 우유.

bóvine grówth hòrmone **1** 소의 성장 호르몬《성장과 비유(泌乳)를 제어함》. **2** 소의 성장 호

르몬제《젖소에 주사함; 생략: bGH》.

bóvine spóngiform encephalópathy 〖수의〗 (소의) 해면상 뇌질환(mad-cow disease)《뇌조직이 스펀지처럼 되는 소의 신경성 질환》, 광우병(狂牛病)《생략: BSE》.

Bov·ril [bávrəl/bɔ́v-] *n.* (수프 따위에 쓰는) (쇠)고기 엑스트랙트《상표명》; 《영우스개》 =BROTHEL.

bov·ri·lize [bávrəlàiz/bɔ́v-] *vt.* 《영》 …을 압축〔요약〕하다.

bov·ver [bávər/bɔ́v-] *n.* 《영속어》 (불량 소년 그룹에 의한) 소란, 싸움, 난투.

bóvver bòots 《영속어》 바닥에는 징을 박고 앞끝에는 쇠를 댄 싸움용 구두.

bóvver bòy 《영속어》 (특이한 복장을 한) 불량 소년, 깡패.

⁑**bow**[1] [bou] *n.* **1** 활; 활의 사수. **2** (악기의) 활; 활로 한 번 켜기. **3** 활 모양의 것〔곡선〕, 만곡; 무지개; 나비 넥타이(~ tie); (안장의) 앞가지; =BOW WINDOW; (스프링식) 제도용 컴퍼스의 일종(~ compass(es)); 《미》 안경테〔다리〕; (가위의) 손가락을 넣는 손잡이 부분. ***draw a ~ at a venture*** 아무렇게나 멋대로 추측하여 말하다. ***draw*** 〔***bend***〕 ***the*** 〔***a***〕 ***long ~*** 허풍치다, 과장하다. ***have two strings*** 〔***another string***〕 ***to one's ~*** ⇨ STRING. ***string a ~*** 활에 시위를 메우다. **—** *vt., vi.* **1** 활 모양으로 휘(어지)다. **2** (악기를) 활로 켜다.

*__bow__[2] [bau] *n.* 절, 경례; 몸을 굽힘: make a ~ to …에게 절〔경례〕하다 / make one's ~ (배우 따위가) 소개 인사를 하다《*to*》; 퇴장〔은퇴〕하다. ***take a ~*** (갈채·소개 따위에 대하여) 답례〔인사〕하다; 표창을 공손히 받다.

— *vi.* **1** 《~/+전+명/+부》 (인사·예배 따위를 위해) 머리를 숙이다, 허리를 굽히다, 절하다; (남자가) 모자를 벗고 인사하다《*to*》: He ~*ed to* me. 그는 나에게 절을 했다 / ~ (*down*) to the ground 머리를 조아리며 절하다. **2** 《+전+명/+부》 굴복하다《(*down*) *before; to*》: ~ *to* 〔*before*〕 the inevitable (운명 등) 피할 수 없는 것에 굴복하다/I ~ *to* your superior knowledge of the classics. 당신의 풍부한 고전 지식에는 손 들었소. **—** *vt.* **1** 《~+목/+목+전+명》 (허리·무릎을) 구부리다; (머리를) 숙이다《*to; before*》: ~ one's head *in* prayer 머리를 숙이고 기도하다 / ~ the knee *to* 〔*before*〕 ⇨ KNEE. **2** (감사의 뜻 따위를) 절하여 나타내다: He ~*ed* his thanks. 그는 머리를 숙여 사의를 표하였다. **3** 《+목+부/+목+전+명》 **a** 인사를 하고 안내하다: He ~*ed* her *in* 〔*out*〕. 그는 인사를 하고 그녀를 맞아들였다〔배웅했다〕 / He ~*ed* her *into* 〔*out of*〕 the room. 그는 인사를 하고 그녀를 방으로 안내했다〔밖으로 배웅했다〕. **b** 〖~ oneself〗 인사를 하고 들어가다〔나가다〕: I ~*ed* my*self out* (*of* the room). 나는 인사를 하고 (방에서) 나왔다. **4** 《+목+부/+목+전+명》 〖종종 수동태로〗 굽게 하다; …의 기를 꺾다: He's ~*ed with* age. 그는 노령으로 허리가 굽어 있다 / She *was* ~*ed* (*down*) *with* 〔*by*〕 care. 그녀는 근심 걱정으로 풀이 죽어 있었다. ***~ and scrape*** 절하면서 오른발을 뒤로 빼다; 역겹도록 정중을 떨다, 알랑거리다. ***~ out*** 《*vt.*+부》 ① =*vt.* 3. **—**《*vi.*+부》 ② (절하고) 물러나다; 사퇴하다, 사직하다; 손을 빼다, (중도에서) 내리다〔그만두다〕. ***~ out of*** …을 사퇴〔사임〕하다.

*__bow__[3] [bau] *n.* **1** (종종 *pl.*) 이물, 뱃머리. OPP *stern*[2]; 기수(機首). **2** =BOW OAR. ***a shot across the*** 〔a person's〕 ***~s*** 《구어·비유》 경고(警告). (***be***) ***~s under*** 이물에 파도를 뒤집어 쓰고; 뜻대로 나아가지 않는; 당황하여. ***down by the ~*** 〖해사〗 (배가) 이물을 아래로 하고 (가라앉으려고). ***on the ~*** 이물쪽에《정면에서 좌우 45° 이내에》.

bów·àrm [bóu-] *n.* =BOW HAND.

bów·bàck(ed) [bóu-] *a.* 곱사등의, 난쟁이의.

Bów bélls [bóu-] 런던의 St. Mary-le-Bow 성당의 종; 그 소리가 들리는 범위; 런던 토박이. ***born within the sound of ~*** 런던 구시가지(the City)에서 태어난; 런던 토박이의.

bów chàser [báu-] 함수포(艦首砲).

bów cómpass(es) [bóu-] (제도용) 스프링 컴퍼스.

bowd·ler·ism [bóudlərìzəm, báud-] *n.* (저작물의) 무단 삭제 (정정).

bowd·ler·ize [bóudləràiz, báud-] *vt.* (저작물의) 야비〔불온〕한 문구를 삭제하다; 무단 삭제 정정하다. ㊞ **bòwd·ler·i·zá·tion** *n.*

bów drìll [bóu-] 활비비《송곳의 한 가지》.

bowed[1] [baud] *a.* 굽은, 머리를 숙인.

bowed[2] [boud] *a.* 활을 가진; 활 모양을 한.

⁑**bow·el** [báuəl] *n.* **1** 창자의 일부, (보통 *pl.*) 창자; 내장 《구어》 결장(結腸): bind 〔loosen, move〕 the ~*s* 설사를 멈추게〔변을 보게〕 하다 / have one's ~*s* open 〔free〕 변을 배설하다 / one's ~*s* move 변이 나오다. **2** (*pl.*) (지구 따위의) 내부: the ~*s of* the earth 땅 밑. **3** (*pl.*) 변통(便通). **4** (*pl.*) 《고어》 인정, 동정심. ***have no ~s*** 무자비하다. **—** *vt.* …의 창자를 빼내다. ㊞ **~·less** *a.*

bówel mòvement 변통(便通), 배변(排便).

°**bow·er**[1] [báuər] *n.* **1** 나무 그늘진 휴식 장소, 나무 그늘; 정자; 《시어》 아취 있는 시골. **2** 거처, 암자. **3** 《고어》 침실; 《문어·시어》 부인의 사실(私室)(boudoir). **—** *vt.* 가지로 덮다. ㊞ **~ed** *a.* 나무 그늘의; 정자가 있는.

bow·er[2] *n.* 이물의 닻(=**∠ ànchor**); 이물의 닻줄(=**∠ càble**).

bow·er[3] *n.* 〖카드놀이〗 (euchre 따위에서) 으뜸패: the best ~ 조커 / the left ~ 으뜸패와 같은 빛의 다른 잭 / the right ~ 으뜸패의 잭.

bow·er[4] [bóuər] *n.* (현악기) 연주자.

bow·er[5] [báuər] *n.* 머리를 숙이는 〔허리를 구부리는〕 사람, 인사하는 사람; 굴복자.

bówer·bìrd [báuər-] *n.* 〖조류〗 명금류의 일종《오스트레일리아산》.

bow·ery[1] [báuəri] *n.* **1** (식민지 시대의) 네덜란드인의 농장. **2 a** (the B–) 바우어리가(街)《New York시의 큰 거리의 하나; 싸구려 술집·여관 따위가 있는 지구》. **b** 술집이 많고 부랑자가 우글거리는 구역.

bow·ery[2] *a.* 정자가 있는; 나무 그늘이 있는, 나뭇잎이 우거진.

bow·fin [bóufìn] *n.* 북아메리카산 고대(古代) 민물고기의 일종.

bów·frònt [bóu-] *a.* 〖가구〗 (수평 방향으로) 달아 낸《찬장 등》; 〖건축〗 활 모양으로 달아 낸《창문 등》; 또, 그런 창문이 있는.

bów hànd [bóu-] **1** 줌손《왼손》. OPP *sword hand*. **2** 악기의 활 잡는 손《오른손》. (***wide***) ***on the ~*** 과녁을 벗어나, 실수하여.

bów·hèad [bóu-] *n.* 북극고래(=**Gréenland whále**).

bów·hùnt [bóu-] *vt., vi.* 활로 사냥하다.

bów·ie (**knìfe**) [bóui(-), búːi(-)/bóui(-)] 《미》 일종의 사냥칼《칼집 달린 단도》.

Bówie Státe (the ~) 미국 Arkansas 주의 속칭.

bow·ing[1] [bóuiŋ] *n.* 〖음악〗 (현악기의) 활 놀리는 법.

bow·ing[2] [báuiŋ] *a.* 인사를〔절을〕 하는. ***have a ~ acquaintance with*** …와 얼굴이나 아는 사이다.

bów·knòt [bóu-] *n.* (넥타이 따위의) 나비 매듭.

*__bowl__[1] [boul] *n.* **1** 사발, 탕기(湯器), 보시기, 공기, 볼; 큰 (술)잔: a sugar ~ 설탕 단지. **2** (보시기·공기 따위의) 한 그릇 (분량); 《미속어》 수

프 한 그릇: a ~ *of* rice 밥 한 그릇. **3** (파이프의) 대통; (저울의) 접시; (숟가락의) 우묵한 곳; 수세식 변기; 우묵한 땅. **4** 《비유》 주연. **5** 《미》 (보시기처럼 우묵한) 야외 원형 극장〔경기장〕; 스타디움. **6** 〖인쇄〗 글자의 둥근 부분《a, d, b 따위의》. ***over the ~*** 술을 마시면서, 연회석에서. **—** *vt.* (극장 따위의 바닥을 무대를 향하여) 경사지게 하다.

bowl[2] *n.* **1** (구기용의) 나무공; (구기의) 투구(投球). **2** (*pl.*) 〔단수취급〕 = LAWN BOWLING; NINEPINS, TENPINS. **3** 〖기계〗 롤러, 회전자. **—** *vt.* (공·원반 등을) 굴리다; (바퀴 따위로) 매끄럽게 움직이게 하다; 〖볼링〗 (점수 등을) 얻다; 〖크리켓〗 (공을) 던지다. **—** *vi.* 공굴리기를 하다; 볼링을 하다; 〖크리켓〗 투구하다; 데굴데굴 움직이다; (차 바퀴 등이) 술술〔미끄러지듯〕 나아가다 《*along*》. **~ *down*** 공으로 (wicket을) 쳐 넘어뜨리다; 《속어》 해치우다. **~ *out*** 〖크리켓〗 (타자를) 아웃시키다; = ~ down. **~ *over*** 〖볼링〗 넘어뜨리다; 〔일반적〕 때려눕히다; 《구어》 당황하게 하다; 몹시 놀라게 하다.

bowl·der [bóuldər] *n.* = BOULDER.

bów·lèg [bóu-] *n.* (보통 *pl.*) 〖의학〗 내반슬(內反膝), O형 다리. ㊞ **~·ged** [-lègid] *a.*

bowl·er[1] [bóulər] *n.* 〖볼링〗 볼링하는 사람〔선수〕; 〖크리켓〗 투수.

bówl·er[2] **(hát)** *n.* 《영》 중산모(《미》 derby (hat)).

bówler-hátted [-id] *a.* 《영》 중산모를 쓴; 《영속어》 제대한.

bówl·ful [-fùl] *n.* 공기〔보시기〕 한 그릇(의 분량).

bówl gàme 선발 축구 경기《공식전에서 좋은 성적을 얻은 팀을 초청하여 시즌 종료 후에 개최하는 특별 경기》.

bowler[2]

bow·line [bóulin, -làin/-lin] *n.* **1** 〖해사〗 가로돛의 양끝을 팽팽하게 당기는 밧줄. **2** 〖해사〗 일종의 옭매듭(= **∠ knòt**).

◇**bowl·ing** [bóuliŋ] *n.* 볼링(cf. ninepins, tenpins, lawn ~); 〖크리켓〗 투구.

bówling àlley 〖볼링〗 레인(lane); (*pl.*) 볼링장《bowling green 또는 레인이 있는 건물》.

bówling bàll 볼링 공.

bówling crèase 〖크리켓〗 투수선(投手線).

bówling grèen lawn bowling 장(場).

bówl·lìke *a.* 사발〔공기〕 모양의.

bow·man[1] [bóumən] (*pl.* ***-men*** [-mən]) *n.* 활잡이, 궁술가(archer).

bow·man[2] [báumən] (*pl.* ***-men*** [-mən]) *n.* 이물〔뱃머리〕의 노를 젓는 사람.

Bów·man's cápsule [bóumənz-] 〖해부〗 보먼 주머니, 사구체낭(絲球體囊)《영국 의사 Sir William Bowman(1816-92)의 이름에서》.

bów òar [báu-] 뱃머리의 노(젓는 사람).

bów pèn [bóu-] 가막부리〔오구〕 달린 컴퍼스.

bów sàw [bóu-] 활톱.

bow·ser [báuzər] *n.* 《영》 (항공기 따위의) 급유차; 《Austral.》 (주유소의) 급유 펌프.

bów shòck [báu-] 〖우주·천문〗 태양풍(太陽風)과 행성 자장(行星磁場)의 상호 작용에 의한 행성간 공간에 일어나는 충격파.

bów·shòt [bóu-] *n.* 화살이 미치는 거리, 활쏘기에 알맞은 거리《약 300m》.

bow·sprit [báusprit, bóu-/bóu-] *n.* 〖해사〗 제1사장(斜檣)《이물에서 앞으로 튀어나온 돛대 모양의 둥근 나무》.

Bów Strèet [bóu-] 보가(街)《런던의 중앙 즉결 재판소(police court)가 있음》; 또는 그 재판소.

bów·strìng [bóu-] *n.* 활시위; (현악기 따위의) 줄; 가볍고 튼튼한 밧줄. **—** *vt.* (활시위로) 교살하다.

bów thrùster 〖해사〗 (원격 조작의) 선수(船首)〔이물〕 프로펠러.

bów tíe [bóu-] 보타이, 나비넥타이.

bów wàve [báu-] 〖해사〗 선수파(船首波); 〖물리〗 = SHOCK WAVE; 〖우주·천문〗 = BOW SHOCK.

bów wíndow [bóu-] 〖건축〗 활 모양으로 내민 창; 《구어》 올챙이배《임신부에게도 씀》.

bów·wíndowed [bóu-] *a.* 〖건축〗 내민 창이 있는; 《구어》 올챙이배의.

◇**bow·wow** [báuwàu, ∠∠] *n.* **1** 개 짖는 소리; [∠∠] 《소아어》 멍멍《개》; 와글와글 떠듦. **2** 《미속어》 소시지; 총; (*pl.*) 다리(leg). ***go to the ~s*** 《속어》 영락(零落)하다. ***the*** (***big***) ***~ style*** 독단적인〔과장된〕 투. **—** [∠∠] *int.* 멍멍《개 짖는 소리》; 여여, 야야, 우우《야유하는 소리》. **—** *a.* 《속어》 위압적〔고압적〕인; 《미속어》 멋있는; 근사한; 굉장한. **—** *vi.* 짖다. [imit.]

bow·yer [bóujər] *n.* **1** 활 만드는 사람; 활 장수. **2** 《고어·시어》 사수(射手), 궁술가.

†**box**[1] [baks/bɔks] *n.* **1** 상자.

> SYN. **box** '상자'의 일반적인 말. **case** pencil *case*, jewel *case*처럼 다소 미술적으로 만들었으며, 물건을 넣거나 또는 book*case* 처럼 일종의 틀 모양의 것. **chest** 목수의 도구 상자처럼 대형의 튼튼한 상자.

2 《구어》 금고; 관(棺); (the ~) 돈궤. **3** 상자 가득(한 양). **4** 《영》 (상자들이의) 선물: a Christmas ~ 크리스마스 선물. **5** (극장 등의) 박스, 칸막은 관람석, 특등석; (법정의) 배심석, 증인석; 운전대, 마부석; (마차의) 본체; (화차·외양간 따위의) 한 칸; 〖야구〗 타자〔투수·포수·코치〕석; 활자판의 한 칸. **6** 대기소, 경비 초소; 신호소; 파출소; 사냥막; 전화 박스; 고해실(告解室). **7** 두껍닫이; (기계 등의) 상자 모양의 부분, 상자 모양의 기기, 베어링 통; 수납 상자: a gear ~ 기어통/a fire alarm ~ 화재 경보 장치. **8** (종이에 그린) 사각(형); 테, 둘레《신문·잡지 등에서 선을 두른 부분》. **9** 《미속어》 기타, 피아노《따위》. **10** 《속어》 퍼스널 컴퓨터; 레코드 플레이어; 《미》 큰 포터블 라디오, 라디오카세트. **11** = BOX CAMERA; 《미속어》 사진; 《영구어》 = ICEBOX; (the ~) 《구어》 텔레비전: on the ~ 텔레비전에 나와(있는), 텔레비전으로 (보는). **12** 〖농업〗 (수액(樹液)을 받기 위하여 줄기에 낸) 구멍. **13** 《미》 사서함(post-office ~); = LETTER BOX. **14** 《미속어》 불통인 자(square), 머저리; 입; 《비어》 여성 성기, 《호모속어》 남성 성기. **15** 《Austral.》 《종종 비유》 양 무리가 뒤섞여버림, 혼란. ***a ~ and needle*** 나침반. ***a little ~ of a place*** 작고 보잘것 없는 곳. ***in a*** (***bad*** 〔***hot, tight***〕) ***~*** 《구어》 어찌할 바를 몰라, 진퇴양난이 되어. ***in the same ~*** 같은 입장〔상태〕에 있어. ***in the wrong ~*** 장소를 잘못 알아; 난처한 일을 저질러.

— *vt.* **1** 《~+목/+목+부/+목+전+명》 상자에 (채워) 넣다《*up*》; (좁은 곳에) 가두다《*in; up*》: Shall I ~ it for you? 그것을 상자에 넣어 드릴까요/He ~*ed up* the apples. 그는 사과를 상자에 채워넣었다/I don't like being ~*ed up in* an office. 사무실에 갇혀 있기는 싫다. **2** …에 통〔함〕을 달다; 상자 모양으로 하다. **3** (관측을 위해 폭풍우권의) 주위를 비행하다. **4** 《미》 (진을 받기 위해 나무에) 홈집을 내다. **~ *about*** 자주 방향을 바꾸어 항행하다. **~ *in*** = ~ up ①; (경주 상대의 주자(走者)·말의) 진로를 가로막다. **~ *off*** 칸 막다; 〖해사〗 뱃머리를 돌리다. ~

the compass 나침반의 32 방위를 차례로 읽어가다; (의논 따위가) 다시 원점으로 돌아오다. ~ *up* ① ⇨*vt.* 1. ② 《영》 (서류를) 법정에 제출하다. ③ 〖명령형〗 조용히 해.

◇**box**² *n.* 손바닥〔주먹〕으로 침; 따귀 때림. ***give*** a person ***a ~ on the ear(s)*** 아무의 뺨을 때리다. ── *vt.* 주먹〔손〕으로 때리다; …와 권투하다. ~ ***clever*** 《속어》 현명하게 행동하다, 머리를 쓰다.

box³ *n.* 〖식물〗 회양목; Ⓤ 회양목재.

Bóx and Cóx *vi., n.* 동시에 같은 장소〔직장〕에 있는 일이 없다, 그런 두 사람. ── *ad., a.* 번갈아(드는); 엇갈려서, 엇갈리는《Morton의 단막 희극(1847) 중의 인물에서》.

bóx and wrénch 구멍을 뚫는 스패너.

bóx barràge 〖군사〗 대공(對空) 십자 포화.

bóx bèam 〖건축〗 상자형 대들보, 상자형 단면 들보(box girder).

bóx bèd 상자 모양의 침대; (상자 모양이 되는) 「접는 침대.

bóx·bòard *n.* 종이 상자를 만드는 판지(板紙).

bóx·bòy *n.* (슈퍼마켓 따위에서) 산 물건을 서비스로 운반해 주는 사람.

bóx càlf 박스 카프《제화용의 송아지 가죽》.

bóx cámera 상자 모양의 구식 사진기《주름 상자가 없음》.

bóx cànyon 《미서부》 양쪽이 절벽인 깊은 협곡.

bóx·càr *n.* 《미》 유개 화차(《영》 box waggon).

bóx clòth 엷은 갈색의 두터운 나사(羅紗)《box coat감》.

bóx còat (마부용) 두터운 나사(羅紗) 외투; (여성용) 박스 코트.

bóx dràin 상자 모양의 하수〔배수〕구(溝).

bóxed [-t] *a.* 《미속어》 취한; 교도소에 수감된.

bóx èlder 〖식물〗 네군도(Acer negundo)단풍《북아메리카산》.

bóx ènd wrénch =RING SPANNER.

***box·er** [báksər/bɔ́ks-] *n.* 복서, 권투 선수; 복서《개의 한 품종》; 《영속어》 실크 해트(top hat); (*pl.*) =BOXER SHORTS; (B-) 의화단원(義和團員), (the B-s) 의화단, 권비(拳匪): the *Boxer* Rebellion 의화단 사건《중국 청대(清代): 1900년》.

bóxer shòrts 고무 밴드를 단 느슨한 남성용 「반바지.

bóx·fish *n.* 거북복(trunkfish).

bóx fràme 상자 테; 〖건축〗 (내력(耐力)) 벽식 「(壁式) 구조.

box·ful [báksfùl/bɔ́ks-] *n.* 상자 가득(한 양).

bóx gìrder =BOX BEAM.

bóx·hàul *vt.* 〖해사〗 바람 받는 방향을 바꾸기 위해 침로를 작게 회전하다.

bóx·hòlder *n.* (극장·경마장 따위의) 칸막이 관람석의 관람객; 사서함의 소유자.

***box·ing**¹ [báksiŋ/bɔ́ks-] *n.* Ⓤ 권투, 복싱: a ~ match 권투 시합.

box·ing² *n.* Ⓤ 상자에 담는 작업; 상자 재료; Ⓒ 상자 모양의 바깥 테; 창문틀, 두껍닫이.

Bóxing Dày 《영》 크리스마스 선물의 날《성탄절 다음날, 일요일이면 그 다음 날; 법정 휴일; 이 날 고용인·집배원 등에게 Christmas box를 주는 풍습이 있음》.

bóxing glòve 권투 장갑, 글러브.

bóxing rìng (복싱)링.

bóxing wèights 권투 선수의 체중 등급.

> NOTE 프로의 중량(重量)제한은 다음과 같음; 단위는 파운드: heavyweight 무제한; light heavyweight 175; middleweight 160; junior middleweight 154; welterweight 147; junior welterweight 140; lightweight 135; junior lightweight 130; featherweight 126; bantamweight 118; flyweight 112.

bóx ìron 상자 모양의 다리미.

bóx jùnction 《영》 (노란 선을 그은) 정차 금지의 교차점.

bóx·kèeper *n.* (극장의) 박스〔좌석〕 담당자.

bóx kìte 상자 모양의 연《주로 기상 관측용》.

bóx lùnch (주문받아 만드는) 상자 모양 도시락.

bóx·man [-mən] (*pl.* ***-men*** [-mən]) *n.* 《미속어》 (전문적) 금고털이; (blackjack에서) 프로의 딜러; 도박장의 직원.

bóx nùmber 〖우편〗 사서함 번호.

bóx òffice (극장 따위의) 매표소; (극장 따위의) 표 매상금, (흥행의) 수익; 《구어》 〖연극〗 인기 프로, 달러 박스; (극장 등의) 대만원, 대인기, 대만원의 흥행, 큰 히트: This show will be good ~. 이 쇼는 크게 히트할 것이다. ★ 종종 BO로 생략함: a *BO* film 〔star〕 히트한 영화〔인기 배우〕.

bóx-òffice *a.* **1** 매표장의; 흥행 성적의: ~ receipts 표 매상고. **2** (상연물·예능인 등이) 인기 있는, 크게 히트한; a ~ success 〔hit〕 대성공, 크게 한몫 봄.

bóx plèat 〔**plàit**〕 (스커트 따위의) 상자꼴 겹주름.

bóx·ròom *n.* (상자·트렁크 등을 넣어 두는) 작 「은 방.

bóx scòre (야구 등에서) 박스 스코어《출장 선수명·포지션·성적 등의 데이터를 괘선으로 두른 기록》; 적요(摘要).

bóx séat (마차의) 마부석; (극장·경기장의) 박스석《특별 관람석》.

bóx sét 〖연극〗 3면의 벽과 천장으로 이루어진 「방의 세트.

bóx sócial (모금을 위한) box lunch 경매회(競賣會).

bóx spànner 《영》 =BOX WRENCH.

bóx sprìng 박스 스프링《하나씩 원통 모양의 천 주머니에 넣은 침대용 스프링》.

bóx stàll (외양간·마구간의) 칸막이.

bóx-ùp *n.* 《Austral.》 여러 양(羊)떼의 뒤섞임; 「혼란.

bóx wàggon 《영》 =BOXCAR.

bóx·wòod *n.* Ⓒ 회양목; Ⓤ 회양 목재.

bóx wrènch 박스 스패너.

boxy [báksi/bɔ́ksi] (***box·i·er; -i·est***) *a.* 상자 「비슷한, 모난.

†**boy** [bɔi] *n.* **1** 소년, 남자 아이《17, 18세까지》; 젊은이, 청년. ⓒⓕ lad, youth. ¶ a ~s' school 남자 학교. **2** 〔종종 형용사적〕 (단순하고 기운찬) 소년 같은 사람; 미숙한 사람: a ~ lover 〔husband〕 젊은 연인〔남편〕. **3** (종종 one's ~) (나이에 관계 없이) 아들, 자식; (the ~s) 한 집안의 아들들: He has two ~s and one girl. **4** (남성의) 학생: a college ~ 대학생. **5** 《구어》 남자, 녀석(fellow): a nice old ~ 유쾌한〔좋은〕 녀석 / quite a ~ 훌륭한 사내. **6** (보통 *pl.*) 《속어》 …들, 한패, 동아리: the big business ~s 대기업가들 / the ~s in the back room 막후의 인물들. **7** (the ~s) 《구어》 술〔놀이〕 친구; 《속어》 불량배들; (the ~s) 《구어》 추종〔지지〕자들. **8** 애인《남자》. **9** 《때로 경멸》 사환, 사동, 보이; 《경멸》 흑인 남자: a messenger ~ 사동. **10** (the ~) 《옛속어》 샴페인. **11** (*pl.*) (특히 전투 부대의) 병사들: the ~s *at* the front 출정 병사. **12** 《미구어》 (어느 지방 출신의) 남자. ***~'s play*** 애들 장난(같이 쉬운 일). ***one of the ~s*** 《구어》 여럿이 떠들썩하게 지내는 것을 좋아하는 남자. ***That's the*** 〔***my***〕 ***~!*** 잘했다, 좋아, 훌륭해. ***the ~ next door*** 상식이 있고 잘 생겨 여러 사람에게 호감을 사는 젊은 남자. ***the ~s uptown*** 《미속어》 두목들. ***yellow ~s*** 《속어》 금화(金貨). ── ***int.*** 《구어》 여, 이런, 참, 물론《유쾌·놀람·경멸 등을 나타내는 소리; 종종 Oh, ~! 라고도 함》.

bóy-and-gírl [-ənd-] *a.* 소년 소녀의, 어린.

bo·yar(d) [boujáːr(d), bɔ́iər(d)] *n.* 〖역사〗 (옛러시아의) 귀족; (옛 루마니아의) 특권 계급

의 사람. 「그룹).
bóy bànd 소년 악단《노래와 춤을 주로 하는 팝
boy·chik, -chick [bɔ́itʃik] *n.* 《미속어》 소년, 아이, 젊은 남자. [Yid.=little boy]
°**boy·cott** [bɔ́ikat/-kɔt] *vt.* 보이콧하다, 불매(不買) 동맹을 하다, 배척하다; (회의 등의) 참가를 거부하다. **—** *n.* Ⓤ,Ⓒ 보이콧, 불매 동맹, 배화(排貨); 배척《아일랜드의 Captain Boycott의 이름에서》.
boy·friend [bɔ́ifrènd] *n.* (여성의) 애인, 연인, 남자 친구; 보이프렌드. ⓒⓕ girlfriend.
boy·hood [bɔ́ihùd] *n.* Ⓤ 소년기, 소년 시대〔시절〕; 소년들, 소년 사회.
°**boy·ish** [bɔ́iiʃ] *a.* **1** 아이 같은; 유치한, 미숙한. **2** 소년다운; 순진한, 천진 난만한; (계집아이가) 사내아이 같은. ㊕ **~·ly** *ad.* **~·ness** *n.*
Boyle [bɔil] *n.* **Robert ~** 보일《'보일의 법칙'을 발견한 영국의 물리·화학자; 1627-91》.
Bóyle's láw 〖물리〗 보일의 법칙《일정 온도에서는 기체의 압력과 체적은 반비례하는》.
bóy-mèets-gírl *a.* 틀에 박힌 듯한 로맨스의 〔이야기의〕. 「이, 청년(lad).
boyo [bɔ́iou] (*pl.* ***boy·os***) *n.* 《영구어》 사내아
bóy ràcer 《구어》 (차를 꾸미거나 개조하여 난폭하게 몰고 다니는) 폭주 청소년.
Bóy's Báseball 〖야구〗 소년 야구 리그《13-14 세의》. ⓒⓕ Little League.
bóy scòut 보이 스카우트 단원, 소년단원, (the B- S-s) 보이 스카우트, 소년단《1908년 영국의 Baden-Powell이 창설》.

> NOTE 미국은 Cub Scouts (8-10세), Boy Scouts (11-13세), Explorers (14세 이상)로, 영국은 Cub Scouts (8-11세), (Boy) Scouts (11-16세), Venture Scouts (16-20세)로 각각 3부로 나뉨.

boy·sen·ber·ry [bɔ́izənbèri, -sən-/-bəri] *n.* 〖식물〗 나무딸기 일종《반포복성(半匍匐性)》.
boys in the backroom (the ~) (정치계 따위에서) 막후의 결정 집단, 참모, 측근.
bóy·tòy 《미속어》 연장자의 연인이 되는 젊은 남자(toyboy).
bóy wònder 천재아, 신동.
bo·zo [bóuzou] (*pl.* **~s**) *n.* 《미속어》 녀석, 놈(fellow, guy), (특히 몸집이 크기〔세기〕만 한) 촌스러운〔멋없는〕 사나이.
BP British Petroleum (영국 석유 회사). **B.P.** Bachelor of Pharmacy 〔Philosophy〕. **B.P., BP** beautiful people; 〖고고학〗 before the present (:6000 *B.P.* 6000년 전); Black Panther; blood pressure; blueprint; British Pharmacopoeia; British Public. **bp** 〖생화학〗 base pair(s); 〖증권〗 basis point(s); bishop; boiling point. **Bp.** Bishop. **bp.** baptized; birthplace; bishop. **b.p., B/P** bill of parcels; bills payable. **b.p.** below proof; boiling point. **b/p** blueprint.
B́ pàrticle 〖물리〗 =B MESON.
BPC British Pharmaceutical Codex. **BPD, bpd** barrels per day. **B.Pd., B.Pe.** Bachelor of Pedagogy. **B.P.E.** Bachelor of Physical Education. **B.Ph., B. Phil.** Bachelor of Philosopy. **B.Pharm** Bachelor of Pharmacy. **bpi** 〖컴퓨터〗 bits per inch(비트/인치)《테이프 등의 정보 기억 밀도 단위》.
B́-pìcture *n.*=B-MOVIE.
bpl. birthplace. **B.P.O.E.** Benevolent and Protective Order of Elks.
B́ pòwer supplỳ =B SUPPLY.
BPR business process re-engineering. **bps** 〖컴퓨터〗 bits per second(비트/초)《회선 등의 정보 전달량〔속도〕의 단위》. **b.pt.** boiling point. **B.P.W.** Board of Public Works; Business and Professional Women's Clubs.
Bq 〖물리〗 becquerel(s). **b́(-)quàrk** 〖물리〗 =BOTTOM QUARK. **B.R., BR** bedroom; bills receivable; British Rail. **Br** 〖화학〗 bromine. **Br.** Breton; Britain; British; 〖종교〗 Brother. **br.** branch; brand; brass; brig; bronze; brother; brown. **b.r.** bank rate; 〖원자력〗 breeder reactor. **b.r., B/R** bills receivable.
bra [brɑː] *n.* =BRASSIERE. 「기에 국가(國歌).
Bra·ban·çonne [*F.* brabɑ̃sɔn] *n.* (la ~) 벨
brab·ble [brǽbəl] 《고어》 *n.* 싸움, 말다툼. **—** *vi.* (하찮은 일로) 말다툼하다《*with*》. 「동가.
brá bùrner 《속어·경멸》 전투적 여성 해방 운
brace [breis] *n.* **1** 버팀대, 지주(支柱), 〖건축〗 귀 잡이. **2** 꺾쇠, 거멀못; (brace and bit의) 굽은 자루; 〖해사〗 아딧줄. **3** 중괄호({ }). **4** 〖의학〗 받침나무, 부목(副木); (종종 *pl.*) 〖치과〗 치열 교정기. **5** 《영》 마차의 차체를 스프링에 매다는 가죽띠; (*pl.*) 《영》 바지 멜빵(《미》 suspenders). **6** 〘단·복수 동형〙 (특히 사냥물의) 한 쌍. **7** 〖악기〗 브레이스《큰북의 가죽을 죄는 끈》; 2개 이상의 오선을 잇는 괄호. **8** 흥분제. **9** 《영구어·미군대속어》 차려 자세. ***take a ~*** 《미구어》 (운동선수 등이) 분발하다.
— *vt.* **1** 버티다, 떠받치다; 보강하다. **2** 《~+목/+목+부》 죄다; (활에 시위를) 팽팽히 매다; (다리 따위를) 힘껏 디디고 버티다; (신경 따위를) 긴장시키다: ~ one's feet to keep from falling 넘어지지 않도록 다리에 힘을 주고 버티다/A whiskey will ~ you *up*. 위스키 한 잔 마시면 정신이 들걸세. **3** 《+목+*to* do/+목+전+명》 〘~ oneself〙 마음을 다잡다, 분기하다; (곤란〔불쾌〕한 일에) 대비하다《*for; against*》: He ~*d* him*self to* tell her. 그녀에게 말하기로 마음을 단단히 먹었다./~ one*self against* an enemy attack 적의 공격에 대비하다. **4** 《미속어》 …에게 돈을 부탁하다. **5** 〖해사〗 (돛의) 방향을 바꾸다《*about; around*》. **~ *up*** 분발하다〔시키다〕; 《미》 술로 기운을 돋우다.
°**brace·let** [bréislit] *n.* **1** 팔찌. **2** (*pl.*) 《구어》 수갑; (갑옷의) 팔찌. **3** 가구의 다리 장식. ㊕ **~·ed** [-id] *a.* 팔찌를 낀.
brácelet wàtch (특히 여성용) 손목시계.
brac·er[1] [bréisər] *n.* 지탱하는 것〔사람〕, 죄는 사람〔것〕; 밧줄; 띠; 《구어》 흥분제, 자극성 음료《술 등》; 기운을 돋우는 것.
brac·er[2] *n.* (활쏘기·격검(擊劍)할 때 끼는) 팔찌; 갑옷의 팔 보호구.
bra·ce·ro [brəsέərou] (*pl.* **~s**) *n.* (미국으로 일하러 오는) 멕시코 계절 농장 노동자.
bráce ròot 지주근(支柱根)(prop root).
brach, brach·et [brætʃ], [brǽtʃit] *n.* 《고어》 암 사냥개.
bra·chi- [bréiki, brǽki] =BRACHIO-. 「양의.
bra·chi·al [bréikiəl, brǽk-] *a.* 팔의; 팔 모
bra·chi·ate [bréikiət, -èit, brǽkièit] *a.* 〖식물〗 십자대생(十字對生)의; 〖동물〗 팔이 있는. **—** [-èit] *vi.* (수상성(樹上性) 원숭이가) 팔로 매달리며 건너다니다. 「뜻의 결합사.
bra·chi·o- [bréikiou, -kiə, brǽk-] '팔'의
bràchio·cephálic ártery 〔**véin**〕 〖해부〗 완두(腕頭) 동맥〔정맥〕; 무명(無名) 동맥〔정맥〕.
bra·chi·o·pod [bréikiəpàd, brǽk-/-pɔ̀d] *n.* 〖동물〗 완족류(腕足類)의 동물《꽈리조개 따위》.
bra·chi·o·saur [bréikiəsɔ̀ːr, brǽk-] *n.* =BRACHIOSAURUS.
bra·chi·o·sau·rus [brèikiəsɔ́ːrəs, bræ̀k-]

n. 〖고생물〗 브라키오사우루스《북아메리카 · 동아프리카의 쥐라기(紀)의 용각류(龍脚類)의 공룡》.

bra·chis·to·chrone [brəkístəkròun] *n.* 〖물리〗 최속(最速)〔최단〕 강하선.

bra·chi·um [bréikiəm, brǽk-] (*pl.* ***bra·chia*** [-kiə]) *n.* 〖해부〗 상박(上膊); 〖동물〗 앞다리.

brach·y·ce·phal·ic, -ceph·a·lous [brӕ̀kisəfǽlik], [-séfələs] *a.* 〖해부〗 단두(短頭)의. OPP *dolichocephalic.*

brach·y·ceph·a·ly [brӕ̀kiséfəli] *n.* 〖해부〗 단두(短頭); 〖의학〗 단두증(症).

bra·chyc·er·ous [brəkísərəs] *a.* 〖곤충〗 짧은 더듬이를 가진, 단각(短角)의.

bra·chyl·o·gy [brəkílədʒi] *n.* U,C 〖문법〗 요어(要語) 생략, 간약법, 어구 생략.

bra·chyp·ter·ous [brəkíptərəs] *a.* 〖곤충〗 단시형(短翅型)의; 〖조류〗 짧은 날개의.

brac·ing [bréisiŋ] *a.* 죄는, 긴장시키는; 기운을 돋우는; 상쾌한. ― *n.* 〖건축〗 가새, 브레이싱, 지주(brace); 자극, 기운 돋움; U 긴장(력).

brack·en [brǽkən] *n.* U,C 〖식물〗 고사리(류의 숲).

*⁎***brack·et** [brǽkit] *n.* **1** 까치발, 선반받이. **2** 돌출한 선반; 까치발 붙은 전등〔가스등〕, 브래킷 조명 기구. **3** (*pl.*) 모난 괄호《주로 [ ], 〔 〕, 드물게 ( ), 〈 〉, { }》. cf. parenthesis. **4** 하나로 일괄한 것, 동류, 부류. **5** (수입으로 구분되는) 납세자의 계층: the high 〔low〕 income ~*s* 고액〔저액〕 소득층. **6** 《영속어》 코: punch up the ~ 콧등에 한 대 먹이다. **7** 〖군사〗 협차(夾叉) 거리; 협차 사격 한 발분(分). ― *vt.* **1** …에 선반받이를〔까치발을〕 대다. **2** 괄호로 묶다《*off*》. **3** 《~+목/+목+전+명》 하나로 모아 다루다, 일괄하다: Tom was ~*ed with* Jack for the first prize. 1등 입상자로서 톰과 잭이 함께 거명되었다. **4** 〖군사〗 협차(夾叉) 사격하다. **5** 《+목+부》 고려의 대상 밖에 두다《*off*》; (범위 등의) 한계를 정하다: We will ~ discussion *off* for a moment. 잠시 토의를 보류하자.

bracket 1

brácket clòck 소형 탁상시계.

brácket crèep 인플레이션으로 납세자 과세 등급이 점차 올라가는 현상.

bráck·et·ed [-id] *a.* 〖인쇄〗 (세리프가) 문자의 수직선과 접하는 부분이 곡선인.

brácket fòot (가구의) 브래킷식(式) 발.

brácket fùngus 〖세균〗 나무줄기에 선반 모양으로 자라는 육질 · 목질의 담자(擔子)균류.

brácket·ing *n.* 〖건축〗 《집합적》 까치발, 브래킷.

brack·ish [brǽkiʃ] *a.* **1** 소금기 있는, 기수성(汽水性)의: ~ water 기수, 담해수(淡海水). **2** 맛없는, 불쾌한. ㊞ **~·ness** *n.*

bract [brækt] *n.* 〖식물〗 포(苞), 포엽(苞葉). ㊞ **bràc·te·al** [-tiəl] *a.* 포(苞)의, 포엽의〔같은〕. **bràc·te·ate** [-tiət, -èit] *a.* 포엽이 있는. **bràc·te·ole** [-tiòul] *n.* 〖식물〗 소(小)포엽.

bract·let [brǽktlit] *n.* 〖식물〗 소포엽(小苞葉).

bráct scàle 〖식물〗 포린(苞鱗).

brad [bræd] *n.* 곡정(曲釘)《대가리가 갈고리처럼 굽은 못》. ― *vt.* 곡정을 박다.

brad·awl [brǽdɔ̀:l] *n.* 작은 송곳.

Brad·bury [brǽdbèri/-bəri] *n.* 《영구어》 1파운드 지폐, 10실링 지폐《둘 다 옛 지폐》.

Brad·shaw [brǽdʃɔ:] *n.* 《영》 브래드쇼 철도 안내서《영국 전역의 철도 시간표》.

brad·y- [brǽdi] '늦은, 둔한, 짧은'의 의미의 결합사: *brady*cardia.

Brá·dy Bùnch [bréidi-] (the ~) 《미》 단란한 가족, 행복한 사람들《1970 년대의 TV 프로그램 이름에서》.

brad·y·car·dia [brӕ̀dikɑ́:rdiə] *n.* 〖의학〗 심동 지완(心動遲緩), 서맥(徐脈). 「聽).

brad·y·e·coia [brӕ̀diikɔ́iə] *n.* 〖의학〗 난청(難

brad·y·ki·net·ic [brӕ̀dikinétik, -kai-] *a.* 동작〔운동〕이 완만한.

brad·y·ki·nin [brӕ̀dikínin, -káin-] *n.* 〖약학〗 브래디키닌《혈관 확장약으로 쓰임》.

brad·y·pep·sia [brӕ̀dipépsiə] *n.* 소화 불량.

brády·sèism *n.* 〖지학〗 완만 지동(地動).

brae [brei] *n.* 《Sc.》 (둑의) 사면(斜面); (강가의) 산허리; 언덕; (*pl.*) 구릉(丘陵) 지대.

brag** [bræg] (-gg-***) *vi.* 《~/+전+명》 자랑하다, 자만하다, 허풍떨다《*of; about*》: He ~*s of* his rich father. 그는 부자인 그의 아버지를 자랑하고 있다. ― *vt.* …을 자랑하다. ***be nothing to ~ about*** 자랑할 것이 못 되다, 그다지 좋지 않다. ― *n.* **1** U 자랑, 허풍; 자랑거리: make ~ *of* …을 자랑하다. **2** C 허풍선이, 자랑꾼. **3** U (포커 비슷한) 카드놀이의 일종. ― *a.* 자랑할 만한, 훌륭한, 일류의. ㊞ **∠·ger** *n.* 자랑꾼. **∠·gy** *a.*

brag·ga·do·cio [brӕ̀gədóuʃiòu] (*pl.* **~s**) *n.* U,C 자랑(꾼), 대허풍(선이); 거만.

brag·gart [brǽgərt] *n.* 허풍선이, 자랑꾼. ― *a.* 허풍을 떠는, 자만하는, 자랑하는. ㊞ **~·ism** *n.* 대단한 자랑, 큰소리.

brág-ràgs *n. pl.* 《미속어》 훈장.

Bra(h)m, Bra(h)·ma [brɑ:m], [brɑ́:mə] *n.* **1** 〖힌두교〗 범(梵)《세계의 최고 원리》, 창조신. cf. Vishnu, Siva. **2** (또는 b-) 〖조류〗 브라흐마《몸집이 크고 발에 깃털이 난 닭; 인도 원산》.

Brah·man [brɑ́:mən] (*pl.* **~s**) *n.* **1** 브라만, 바라문(婆羅門)《인도 사성(四姓)의 제1계급인 승려 계급》. cf. caste. **2** 범(梵)(Brahm). **3** 〖동물〗 제부(zebu)〔인도소〕의 일종《인도 원산의 소》; 인도소를 품질 개량한 미국 남부산(產)의 소.

Brah·ma·nee, -ni [brɑ́:məni:], [-ni] *n.* 브라만 계급의 여자. 「브라만(교)의.

Brah·man·ic, -i·cal [brɑ:mǽnik], [-əl] *a.*

Brah·man·ism [brɑ́:mənìzəm] *n.* U 브라만교, 바라문교. ㊞ **-ist** *n.* 브라만교도.

Bra·ma·pu·tra [brɑ̀:məpú:trə] *n.* 〖조류〗 브라마《닭의 한 품종으로 몸집이 크고 발에 깃털이 있음; 인도 원산》.

Bra(h)·min [brɑ́:min] *n.* =BRAHMAN 1; 《미구어》《때로 경멸》 지식 계급의 사람, 교양이 높은 사람《특히 New England의 명문 출신》. ㊞ **Brah·mín·ic, -i·cal** *a.* 브라만(교)의.

Brah·min·ism [brɑ́:mənìzəm] *n.* =BRAHMANISM; 인텔리풍(風).

Brahms [brɑ:mz] *n.* **Johannes ~** 브람스《독일의 작곡가; 1833-97》.

*⁎***braid** [breid] *n.* C,U 노끈, 끈 끈; 몰; 《속어》 해군의 고급 장교; 〖전기〗 편조(編組); 땋은 머리, 변발: a straw ~ 밀짚으로 꼰 납작한 끈/gold 〔silver〕 ~ 금〔은〕몰. ― *vt.* (머리를) 땋다〔땋아 늘어뜨리다〕, 짜다; 꼰 끈으로 꾸미다〔테두르다〕.

bráid·ed [-id] *a.* 짠, 꼰; (머리를) 땋은, 땋아 내린: ~ wire 〖전기〗 편조선(編組線).

bráided rúg 세 가닥으로 꼰 끈을 타원형〔원형, 사각형〕으로 만 융단.

bráid·er *n.* 끈을 꼬는 사람; 노끈 꼬는 기계.

bráid·ing *n.* U 〔집합적〕 짠 끈, 꼰 끈; 몰 자수.

brail [breil] *n.* 〖해사〗 돛의 밧줄; 건착망(巾着網) 따위에서 물고기를 잡아 올리는 사내끼. ― *vt.* 돛을 죄다; 가죽 끈으로 묶다.

Braille [breil, *F.* brɑːj] *n.* **1 Louis** ～ 브라유 《프랑스의 교육자; 맹인용 점자법을 고안함; 1809-52》. **2** (보통 b-) 브라유식 점자(법) 《6 자식 점자법》; (일반적인) 점자. **—** *vi.* (보통 b-) 브라유 점자를 쓰다〔번역하다, 인쇄하다〕.

Bráille cèll (종종 b-) 브라유 셀《맹인의 대뇌 피질에 전기자극을 줌으로써, 일일이 만져보지 않고도 점자를 읽을 수 있게 한 실험에서 지각의 단위를 이루는 광시(光視)의 다발》.

Bráille·writer *n.* (종종 b-) (브라유식) 점자기.

Braill·ist [bréilist] *n.* (종종 b-) 브라유 점자(點字)를 쓰는 것을 업으로 하는 사람, 브라유 점자를 익숙하게 쓰는 사람, 브라유 점자 번역가.

‡brain [brein] *n.* **1** 뇌; 뇌수(腦髓); (*pl.*) 골. **2** (보통 *pl.*) 두뇌, 지력: It takes quite a ～ *to* (do) …하기 위해선 머리를 많이 써야 한다 / have (good) 〔have no〕 ～*s* 머리가 좋다〔나쁘다〕/ use one's ～*s* 머리를 쓰다, 잘 생각하다. **3** 《구어》 학자, 사상가; 지식인; (보통 *pl.*) 《구어》 지적 지도자, 브레인, 《미》 보스; 《구어》 머리가 좋은 녀석. **4** (미사일 따위의) 전자 두뇌, (컴퓨터 등의) 중추부. **5** 《미속어》 탐정, 형사. ***beat*** 〔***cudgel, drag, rack***〕 one***'s*** ～(***s***) (***out***) 머리를 짜다. ***blow*** one***'s*** ～***s out*** ＝***blow out*** one***'s*** ～***s*** 《구어》 (총으로) 머리를 쏘아 자살하다; 《미속어》 열심히 일하다. ***have*** 〔***get***〕 (something) ***on the*** 〔one***'s***〕 ～ (어떤 일)이 언제나 머리에서 떠나지 않다; …에 열중하다. ***make*** one***'s*** ～***s reel*** (믿을 수 없는 이야기·사실 등이) 아무를 깜짝 놀라게 하다. ***pick*** 〔***suck***〕 a person***'s*** ～(***s***) 《구어》 아무의 지혜를 빌리다. ***turn*** a person***'s*** ～ 아무의 머리를 돌게 하다; 아무를 당혹〔아연〕하게 하다; 아무를 우쭐하게 하다. **—** *vt.* …의 골통을 때려 부수다; 《속어》 …의 머리를 때리다.

bráin bòx 《구어》 컴퓨터.

bráin-bòx *n.* 《미속어》 머리; (예인선의) 조종석.

bráin·càse *n.* ＝BRAINPAN.

bráin cèll 〖해부〗 뇌(신경)세포.

bráin·chìld *n.* 《구어》 고안해낸 것, 창작물, (독자적인) 아이디어; 창의적인 사람.

bráin dàmage 〖의학〗 뇌 손상.

bráin-dàmaged *a.* 《미속어》 결정적인 결함을 가진, 전혀 쓸모 없는. 「징후를 보이는.

bráin dèad 〖의학〗 뇌사(腦死) 상태의, 뇌사의

bráin dèath 〖의학〗 뇌사(cerebral death).

bráin dráin 《구어》 두뇌 유출, 인재 국외 이주.

bráin-dráin *vi., vt.* 《구어》 (외국·경쟁 회사에) 두뇌 유출하다〔시키다〕.

bráin dràiner 《구어》 유출 두뇌《학자》.

-brained [breind] '…한 머리를 가진'의 뜻의 결합사: mad-～.

brain·ery [bréinəri] *n.* 《미속어》 대학.

bráin-fàde *n.* 《속어》 (머리가 멍해질 정도의) 지루함, 권태로움; 졸릴 정도의 지루한 시간.

bráin fàg (뇌)신경 쇠약, 정신 피로.

bráin fèver 뇌(막)염(encephalitis).

bráin gàin 두뇌 유입. cf. brain drain.

bráin hòrmone 〖생화학〗 (곤충의 뇌에서 분비되는) 뇌 호르몬. 「좋은〔지적인〕 사람.

brai·ni·ac [bréiniæk] *n.* 《미구어》 아주 머리

bráin·less *a.* 머리가 나쁜, 우둔한. ㊞ ～**·ly** *ad.* ～**·ness** *n.*

bráin lìfe (brain death에 대하여 생명이 시작되는) 뇌생(腦生).

bráin·óne 《속어》 최저한의 두뇌, 가장 초보적인 사고력〔이해력〕: not have ～ 아주 돌대가리다, 완전한 바보다.

bráin·pàn *n.* 두개(頭蓋); 《미》 머리.

bráin-pìcking *n.* 《구어》 남의 머리에서 정보를 훔침, 두뇌 착취. ㊞ **bráin-pìcker** *n.*

bráin·pòwer *n.* Ⓤ 지력(知力); 두뇌집단, 지식인들; 참모단.

bráin-sàuce *n.* Ⓤ 《우스개》 지성.

bráin scàn 〖의학〗 뇌신티그램(scintigram)《방사성 동위원소를 써서 뇌의 혈류량·뇌종양 따위를 조사하는 방법》.

bráin scànner 〖의학〗 뇌주사 장치《뇌종양 따위를 진단하는 CAT scanner》.

bráin·sìck *a.* 미친, 정신에 이상이 있는. ㊞ ～**·ly** *ad.* ～**·ness** *n.*

bráin stèm 뇌간(腦幹).

bráin·stòrm *n.* 갑자기 일어나는 정신 착란; 《구어》 갑자기 떠오른 묘안, 인스피레이션, 영감; 엉뚱한 생각. **—** *vi.* 브레인스토밍하다. ㊞ ～**·er** *n.*

bráin·stòrming *n.* 브레인스토밍《회의에서 모두가 아이디어를 제출하여 그 중에서 최선책을 결정하는 방법》.

bráins trùst 《영》 〖방송〗 (청취자의 질문에 대한) 전문 해답자단(團); ＝BRAIN TRUST.

bráin tàblet 《미속어》 담배.

bráin·tèaser, -twìster *n.* 어려운 문제; 퍼즐.

bráin tìckler 《미속어》 알약으로 된 마약.

bráin trùst 《미》 브레인 트러스트, 두뇌 위원회, (정부의) 전문 고문단.

bráin trùster 두뇌 위원회의 일원.

bráin tùmor 뇌종양.

bráin·wàsh *n., vt.* 세뇌(하다), …을 강제로 사상 전향시키다. ㊞ ～**·ing** *n.* Ⓤ 세뇌, (강제적인) 사상 전향.

bráin wàve 《구어》 영감, 묘안; 〖의학〗 뇌파.

bráin·wòrk *n.* Ⓤ 머리 쓰는 일, 정신 노동. ㊞ ～**·er** *n.* 정신 노동자.

brainy [bréini] (***brain·i·er; -i·est***) *a.* 《구어》 머리가 좋은. ㊞ **bráin·i·ness** *n.* 「다〔나오다〕.

braird [brɛərd] 《영》 *n.* 새싹. **—** *vi.* 새싹이 트

braise [breiz] *vt.* (고기나 야채를) 기름으로 살짝 튀긴 후 약한 불에 끓이다.

‡brake[1] [breik] *n.* **1** 브레이크, 제동기, 바퀴 멈추개: take off the ～ 브레이크를 늦추다. **2** 제동, 억제: put a ～ *on* reform 개혁에 제동을 걸다. **3** 펌프의 긴 자루; 바수는 그릇〔절구〕, 유발(乳鉢). **4** 《영》 대형의 4 륜 유람 마차; 승용차 겸용 트럭. **5** 《경멸》 고문대(臺). ***apply*** 〔***put on***〕 ***the*** ～***s*** 《때로는 비유》 브레이크를 걸다. ***ride the*** ～ 《미구어》 늘 브레이크 페달에 발을 얹어 놓고 있다. ***slam*** 〔***jam***〕 ***the*** ～***s on*** 《구어》 강하게 급(急)브레이크를 밟다. **—** *vt., vi.* **1** (…에) 브레이크를 걸다: ～ a car. **2** 브레이크가 걸려 서다: ～ to a stop. **3** …에 브레이크를 장치하다.

brake[2], **bráke fèrn** *n.* 〖식물〗 **1** 고사리. **2** 봉

brake[3] *n.* 숲, 덤불; 푸나무서리. 「의 꼬리.

brake[4] *n.* **1** 대형 써레, 쇄토기(碎土機); 버들의 껍질 벗기는 기구. **2** 타마기(打麻器). **3** 판금(板金)을 구부려 가공하는 기계. **—** *vt.* (아마(亞麻)·삼 따위를) 두들겨 섬유를 뽑다.

brake[5] *vt., vi.* 《고어》 BREAK의 과거형.

brake·age [bréikidʒ] *n.* Ⓤ 제동 작용〔능력〕;

bráke bànd 〖기계〗 브레이크 띠. 「제동 장치.

bráke blòck 〖기계〗 브레이크 블록, 제동자(制動子). 「動板).

bráke dìsc 〖기계〗 브레이크 디스크, 제동판(制

bráke drùm 〖기계〗 브레이크 드럼.

bráke flùid (유압 브레이크의) 브레이크액(液).

bráke hórsepower (flywheel 따위의) 브레이크 마력, 제동 마력《생략: b.h.p.; bhp》.

bráke·lìght *n.* (자동차 후미의) 브레이크 등

bráke lìning 브레이크 라이닝. 「(stoplight).

bráke·man, 《영》 **brákes-** [-mən] (*pl.* ***-men*** [-mən]) *n.* 제동수(制動手); 《미》 (대륙 횡단 철도의) 보조 차장.

bráke pàd 〖기계〗 브레이크 패드.
bráke pàrachute 브레이크 파라슈트《감속용》.
bráke pèdal 〖기계〗 브레이크 페달.
bráke shòe 〖기계〗 브레이크 슈《제동자(制動子)》.
bráke vàn 《영》 (열차의) 제동 장치가 있는 차, 완급차(緩急車).
bráke whèel 브레이크 차륜, 제동륜(輪).
bra·kie [bréiki] *n.* 《구어》 =BRAKEMAN.
bráking dìstance 제동 거리.
bráking skìd (자동차 따위가) 브레이크를 갑작스레 세게 밟았을 때 일어나는 미끄러지는 일.
braky [bréiki] (***brak·i·er; -i·est***) *a.* 수풀이 다옥한, 푸나무가 우거진.
bra·less [brɑ́:lis] *a.* 브래지어를 하지 않은, 노브라(주의)의.
Br. Am. British America.
bram·ble [brǽmbəl] *n.* 〖식물〗 가시나무, 들장미; 나무딸기; 《영》 검은딸기; 가시 있는 관목(灌木). — *vi.* 《영》 검은딸기를 따다.
bram·bling [brǽmbliŋ] *n.* 〖조류〗 되새《화려한 색채의 철새; 우는 새》.
bram·bly [brǽmbli] *a.* 가시가 많은, 가시덤불의.
Brám·ley('s sèedling) [brǽmli(z-)] 〖원예〗 브램리《요리용의 큰 사과》.
bran [bræn] *n.* [U] 밀기울, 겨, 왕겨.
†**branch** [bræntʃ, brɑ:ntʃ/brɑ:ntʃ] *n.* **1** 가지, 분지(分枝); 가지 모양의 것《사슴뿔 따위》.

> [SYN] **branch**는 가장 넓은 뜻의 '가지'. **bough**와 **limb**[1]은 '큰 가지'. **twig**[1]는 '작은 가지'. **sprig**는 '가는 가지, 어린 가지'. **spray**[2]는 끝이 가늘게 갈라져 꽃·잎·열매 따위가 달린 아름다운 '지엽(枝葉)'. **shoot**는 '어린 가지'.

2 파생물, 분파; 지맥(支脈); 지류(支流); 지선(支線); 분가(分家); 분관(分館); 지부, 지국, 지점(~ office), 출장소: an overseas ~ 해외 지점/a ~ manager 지점장. **3** 분과(分科), 분과(分課), 부문: a ~ of knowledge 학문의 한 분야. **4** 시내, 세류(細流). **5** 〖언어〗 (언어 분류상의) 어족(語族); 어파(語派). **6** 〖컴퓨터〗 (프로그램의) 브랜치, 분기(分岐); 〖전기〗 지로(支路). ***root and ~*** 철저하게, 근본적으로.
— *vi.* **1** 《~/+[부]/+[전]+[명]》 가지를 내다〔뻗다〕 《*forth; out*》: Their cherry has *~ed out over* our garden. 그들의 벚나무 가지가 우리 정원 너머로 뻗어왔다. **2** 《~/+[부]/+[전]+[명]》 (길·철도·강 등이) 갈라지다《*away; off; out*》; 갈라져서 …이 되다《*into*》: The road to Incheon *~es off from* there. 인천으로 가는 길은 거기에서 갈라져서 큰 길에서 좁고 작은 길로 접어든다. **3** 《+[전]+[명]》 (…에서) 파생하다《*from*》: Apes *~ed from* man's family tree. 유인원은 영장목의 계통수에서 파생하였다. **4** (사업 등을) 확장하다. **5** 〖컴퓨터〗 분기 명령을 실행하다. — *vt.* **1** (가지로) 갈라지게 하다. **2** 수를 놓아 꾸미다, 자수로 장식하다. ***~ off*** ⇨ *vi.* 2; (열차·차 등이) 지선으로〔곁길로〕 들다; (생각 등이) 산만해지다. ***~ out*** ⇨ *vi.* 1; 《구어》 (얘기 따위가) 지엽에 흐르다; (장사·사업 따위의) 규모를 확장〔확대〕하다《*into*》.
[파] **~ed** [-t] *a.* 가지가 있는; 가지가 갈라진.
bran·chi- [brǽŋki] =BRANCHIO-.
bran·chia [brǽŋkiə] (*pl.* ***-chi·ae*** [-kiː]) *n.* (물고기의) 아가미.
bran·chi·al [brǽŋkiəl] *a.* 아가미의〔같은〕, 아가미에 관한.
bran·chi·ate [brǽŋkiit, -kièit] *a.* 아가미가 있는.
bránch·ing *n.*, *a.* 가지(를 낸); 분기(한).
bránching fràction 〖물리〗 비분기(比分岐)《특정 분기에 따른 핵을 가진 원자수의 총원자수에 대한 비》.
bránch instrùction 〖컴퓨터〗 분기(分岐)명령《프로그램 중에서 조건에 따라 다음에 실행할 부분을 선택하는 명령》.
bran·chi·o- [brǽŋkiou, -kiə] '아가미'란 뜻의 결합사.
branch·let [brǽntʃlit, brɑ́:ntʃ-] *n.* 작은 가지, 끝가지.
bránch lìne 지선.
bránch òffice 지점. [cf.] home office.
bránch pòint 분기점(分岐點)《(1) 〖전기〗 전기 회로망에서 셋 이상으로 회로가 분기되는 점. (2) 〖수학〗 복소(複素) 함수에 있어서 아무리 작은 근방(近傍)을 취해도 2가 함수가 되는 점》.
bránch predìction 〖컴퓨터〗 분기(分岐)예측《마이크로 프로세서가 프로그램의 조건분기의 결과를 예상하여 그 후의 연산준비를 해두는 것》.
bránch wàter 《영》 (냇물에서) 끌어들인 물; 《미》 탄산수가 아닌 술에 타는 맹물: bourbon and ~ 물 탄 버번.
branchy [brǽntʃi, brɑ́:ntʃi/brɑ́:ntʃi] (***branch·i·er; -i·est***) *a.* 가지가 많은〔우거진〕.
brand** [brænd] *n.* **1** 상표, 상품의 이름, 브랜드; 품질. **2** (소유주·품종 따위를 표시하는) 소인(燒印)(용 인두); 낙인《옛날 죄인에게 찍은》; 오명(disgrace): the ~ *of* Cain 카인의 낙인《살인죄》. **3** 불이 붙은 나무, 타다 남은 나무《동강 따위》. **4** 《시어》 횃불; 검(劍). **5** 〖식물〗 녹병균(綠病菌). ***a ~ from the burning 〔***fire***〕 〖성서〗 위난(危難)에서 구원받은 사람; 개종자. — *vt.* **1** …에 소인을 찍다; …에 상표를 붙이다. **2** 《+[목]+*as* [보]》 …에 (…이란) 낙인을 찍다, 오명을 씌우다: They *~ed* him *as* a thief. 그들은 그를 도둑으로 낙인 찍었다. **3** 《+[목]+[전]+[명]》 (기억 따위에) 강한 인상〔감명〕을 주다《*on; in*》: The scene has *~ed* an unforgettable impression *on* 〔*in*〕 my mind. 그 광경은 내 마음속에 잊을 수 없는 인상을 심어놓았다.
bran·dade [*F.* brɑ̃dad] *n.* 《F.》 〖요리〗 브랑다드《건대구에 올리브 기름·향료 따위를 넣어 크림처럼 만든 것》.
bránd·ed [-id] *a.* (소유주를 나타내기 위한) 소인이 찍힌《소 따위》; 상표〔브랜드〕를 붙인, 브랜드가 붙은《상품 따위》.
bránd·er *n.* 소인 찍는 사람〔기구〕.
bran·died [brǽndid] *a.* 브랜디에 담근, 브랜디로 향기를 낸.
bránd-ìmage **1** 브랜드〔상품〕 이미지《소비자·고객 등이 특정한 브랜드에 대해 품고 있는 이미지》. **2** 《비유》 (어떤 사람〔사물〕에 대해 품고 있는) 일반적인 이미지.
bránding ìron 낙인 찍는 쇠도장.
bránd ìron (난로 안의) 장작 받침쇠.
◇**bran·dish** [brǽndiʃ] *vt.* (검·곤봉·채찍 등을) 휘두르다, 머리 위로 쳐들다; 야단스레 나타내 보이다. — *n.* (검 따위의) 내두름.
bránd léader 톱 브랜드, 브랜드 리더《동일 종류의 상품 중 가장 잘 팔리는 또는 소비자가 가장 좋다고 생각하는 브랜드》.
brand·ling [brǽndliŋ] *n.* 줄지렁이류(類)《낚시 미끼용》; 연어 새끼(parr).
bránd lóyalty (소비자의) 특정 브랜드 선호.
bránd nàme 상표명(trade name); 유명 상품.
bránd-nàme *a.* (유명) 상표 붙은: a ~ item 메이커 제품.
◇**bránd-néw** *a.* 아주 새로운, 신품의, 갓 만들어진〔들여온〕.
bran·dreth, -drith [brǽndriθ] *n.* 나무틀; (건초 따위를 걸쳐 놓는) 삼각가; 우물 둘레의 울짱; 삼발이.
Bránd X 상표 X《어떤 상품을 돋보이게 하기 위한 익명의 경합품(競合品)》.
bran·dy** [brǽndi] *n.* [U] 브랜디. ***~ and water 물을 탄 브랜디 (한 잔). — *vt.* …에 브랜디를 타

다〔를 담그다, 로 맛을 내다〕.
brándy-and-sóda [-ənd-] *n.* 소다수를 탄 브랜디《생략: B. & S.》.
brándy·bàll *n.* 《영》 브랜디가 든 캔디.
brándy bùtter 《영》 = HARD SAUCE.
brándy páwnee 《Ind.》 = BRANDY and water.
brándy snàp 브랜디가 든 생강 과자.
branks [bræŋks] *n. pl.* (철제의) 재갈《옛날 영국에서 말많은 여자에게 씌웠음》.
brán-néw *a.* = BRAND-NEW.
bran·nig·an [brǽnigən] *n.* 《미속어》 야단 법석, 술마시며 떠들어대기(spree); 시시한 말다툼.
bran·ny [brǽni] *a.* 밀기울의, 겨 같은.
brán pìe 경품 통《밀기울을 넣은 통 속에 경품을 넣고 찾게 함》.
brant [brænt] (*pl.* **~s,** 〖집합적〗 **~**) *n.* 《미》 〖조류〗 흑기러기(= **∠ gòose**)《북아메리카·북유럽 원산》.
brán tùb 《영》 = BRAN PIE.
bras [brɑːz] BRA의 복수.
brash[1] [bræʃ] *a.* **1** 성마른, 경솔한; 무모한, 맹렬한; 뻔뻔스러운, 건방진. **2** (목재가) 부러지기 쉬운, 무른. **3** 귀에 거슬리는.
brash[2] *n.* **1** 가슴이 쓰림; 신물, 탄산증(呑酸症). **2** 《Sc.》 소나기; 종기. **3** (바위 따위의) 부서진 조각; 유빙(流氷) 조각; (쳐낸 나뭇)가지 부스러기.
bra·si·er [bréiʒər/-zjə] *n.* = BRAZIER.
Bra·sil·ia [brɑːzíːljə] *n.* 브라질리아《브라질의 수도》.
*__brass__ [bræs, brɑːs/brɑːs] *n.* Ⓤ **1** 놋쇠, 황동; 놋제품; (the ~) 〖음악〗 금관 악기; (종종 *pl.*) 〖집합적〗 금관 악기부. **2** 《영속어》 돈; 모조품, 가짜 보석. **3** 《구어》 철면피, 뻔뻔스러움: have the ~ *to* do 뻔뻔스럽게도 …하다. **4** ((the) ~) 《구어》 고급 장교〔경찰관〕(~ hat); 고관, 높은 사람. **5** 〖기계〗 축받이, 베어링. **6** (초상·문장을 조각한) 놋쇠 패(牌). **7** 놋쇠빛, 담황색. **8** 《속어》 매춘부. **—** *a.* 놋쇠로 만든; 금관 악기의; 놋쇠빛의. (**as**) ***bold as ~*** 아주 철면피한. ***not ... a ~ farthing*** 《구어》 전혀〔조금도〕 …않다: do*n't* care *a ~ farthing* 조금도 상관 없다. **—** *vt., vi.* 〖야금〗 놋쇠를 입히다; 《속어》 (돈을) 지급하다《*up*》. ***be ~ed off*** 《속어》 싫증이 나다, 진절머리가 나다《*with*》.
brass·age [brǽsidʒ, brάːs-/brάːs-] *n.* Ⓤ 화폐 주조료.
bras·sard, -sart [brǽsɑːrd, brəsάːrd/brǽsɑːd], [brǽsɑːrt] *n.* 완장; (갑옷의) 팔찌.
bráss bánd 취주악단(吹奏樂團).
bráss·bóund *a.* (옷장 등을) 놋쇠로 보강한; 완고한, 융통성이 없는; 철면피한; 《구어》 굳어진, 딱딱한.
bráss-cóllar *a.* 《미구어》 (어떤 정당에 대하여) 충실한, 전적으로 지지하는: a ~ Democrat (미국 남부의) 보수적인 민주당원.
brassed [bræst, brάːst] *a.* (보통 ~ off) 《속어》 몹시 싫증난, 진절머리가 난《*with*》, 부아가 난《*at*》.
bras·se·rie [bræ̀səríː] *n.* 《F.》 맥주 따위의 알코올류도 내놓는 레스토랑.
bráss hát 《속어》 고급 장교《금테 모자에서》; 〖일반적〗 고급 관리, 높은 양반.
brass·ie [brǽsi, brάːsi/brάːsi] *n.* 〖골프〗 밑바닥에 놋쇠 씌운 골프채《우드(wood)의 2번》.
bras·siere, -sière [brəzíər/brǽsiə, -ziə] *n.* 《F.》 브래지어(bra).
bras·sin [brǽsin] *n.* 〖생화학〗 브라신《식물 호르몬의 일종; 식물 세포의 분열·신장·확대를 촉진》.
bráss ìnstrument 〖음악〗 금관 악기.
bráss knúckles 《미》 〔단·복수취급〕 (격투할 때) 손가락 마디에 끼우는 쇳조각.
bráss-mónkey *a.* 《속어》 지독히 추운: It was ~ weather. 지독한 추위였다. **—** *n.* 놋쇠로 만든 원숭이《다음 표현으로 쓰임》. ***cold enough to freeze the balls off a ~*** 《속어》 (불알이 얼어붙을 만큼) 지독히 추운.
bráss néck 철면피.
bráss rágs 《영》 (선원의) 놋쇠 닦는 천. ***part ~*** 《속어》 사이가 틀어지다, 티격나다《*with*》.
bráss ríng 《미속어》 큰 돈벌이〔대성공〕의 기회.
bráss rùbbing 놋쇠 기념패(등)의 탑본(搨本).
bráss tácks 놋쇠 못; 《구어》 (사물의) 핵심, 진실. ***get*** 〔***come***〕 ***down to ~*** 《구어》 현실 문제를 다루다, 사실〔요점〕을 말하다, 문제의 핵심을 찌르다.
bráss·wàre *n.* Ⓤ 놋쇠〔유기(鍮器)〕 제품, 놋그릇.
bráss-wínd *a.* 금관 악기의.
bráss wìnds 브라스밴드, 금관 악기류.
brassy[1] [brǽsi, brάːsi/brάːsi] (***brass·i·er; -i·est***) *a.* 놋쇠(빛)의; 놋쇠 같은; 겉만 번드레한; 귀에 거슬리는, 쇳소리의; 《구어》 뻔뻔스러운, 철면피한. ㊎ **bráss·i·ly** *ad.* **-i·ness** *n.*
brassy[2] *n.* = BRASSIE.
brat [bræt] *n.* 《경멸》 선머슴, 개구쟁이. ㊎ **∠-tish** *a.* **∠·ty** *a.*
Bra·ti·sla·va [bræ̀təslάːvə, brὰː-] *n.* 브라티슬라바《슬로바키아 공화국의 수도》.
brát·pàck *n.* 《속어》 젊어서 이름을 떨친 작가·예능인들; 버릇없고 말썽만 일으키는 젊은 패거리들.
brat·tice [brǽtis] *n.* 〖광산〗 (갱도 안에 판자나 천으로 만든) 통풍로(路). **—** *vt.* …에 칸막이를 만들다《*up*》.
brat·tish·ing [brǽtiʃiŋ] *n.* 〖건축〗 투각(透刻); 〖광산〗 = BRATTICE.
brat·tle [brǽtl] 《주로 Sc.》 *n., vi.* 덜컹덜컹〔때굴때굴·탕탕〕 소리(가 나다).
brat·wurst [brǽtwəːrst, -wùərst, brάːt-/brάːt-] *n.* 브라트부르스트《돼지고기(와 송아지고기)의 소시지》.
Braudel [*F.* brodɛl] *n.* **Fernand ~** 브로델《프랑스의 역사학자; 아날파(派)의 역사학을 계승·발전, 지리·기후를 비롯하여 모든 인간 활동을 넓은 시각으로 관찰하는 역사학을 추진함; 1902–85》.
braun·ite [bráunait] *n.* 브라운광(鑛), 갈(褐)망간광(鑛).
Bráun tùbe [bráun-] 《드물게》 브라운관 (cathoderay tube)《쓰임》.
bra·va [brάːvɑː, -∠] *int., n.* = BRAVO[1] 《여자에 쓰임》.
bra·va·do [brəvάːdou] (*pl.* **~(e)s**) *n.* Ⓤ,Ⓒ 허장성세, 허세; 분별이 없음. **—** *vi.* 허세 부리다.
‡**brave** [breiv] *a.* 용감한; 《문어》 훌륭한, 화려한; 멋진: It was ~ *of* her *to* disagree with him. = She was ~ *to* disagree with him. 그와 의견을 달리하다니 그녀는 정말 용감했다 / O ~ new world…! 오오 놀라운 신세계 《Shakespeare 작 *The Tempest*에서》. ◇ bravery *n.* **—** *n.* 용사; 《특히》 아메리카 인디언의 전사; 《고어》 난폭자; 《고어》 = BRAVADO. **—** *vt.* (위험 따위를) 무릅쓰다, 대수로이 여기지 않다; 무시하다; …에 용감하게 맞서다: ~ misfortune. **—** *vi.* 《고어》 자랑하다, 뻐기다. ***~ it out*** 태연히〔용감하게〕 밀고 나가다. ㊎ **bráv·er** *n.* **∠·ness** *n.* Ⓤ 용감(성); 훌륭함.
*__brave·ly__ [bréivli] *ad.* 용감〔훌륭〕하게.
bráve nèw wórld 멋진 새 세상《특히 과학 기술의 발달에 따라 좋은 삶을 기대하지만 흔히 그러지 못함을 가리킴; 영국 작가 Aldous Huxley의 소설 *Brave New World*에서 비롯된 말》.
*__brav·ery__ [bréivəri] *n.* Ⓤ **1** 용기, 용감(성), 용맹; 용감한 행위. ⓒⓕ courage. **2** 《문어》 훌륭함, 화려; 치장: She is decked out *in* all her ~.

그녀는 아름답게 치장하고 있다.

bra·vo[1] [brɑ́ːvou, -ˊ] *int.* 잘 한다, 좋아, 브라보. ── (*pl.* **~s** [-z], **-vi** [-viː]) *n.* **1** 브라보 소리. **2** (B–) b자를 나타내는 통신 용어. ── *vt.* …에게 갈채를 보내다, 잘 한다고 외치다〔응원하다〕.

bra·vo[2] [brɑ́ːvou] (*pl.* **~(e)s** [-z], **-vi** [-viː]) *n.* 자사, 자객, 폭한(暴漢).

bra·vu·ra [brəvjúərə] *n.* 《It.》 위세; 웅장 화려; 〖음악〗 화려한 연주, 연주 기교를 요하는 곡. ── *a.* 〖음악〗 용감한, 화려한.

braw [brɔː, brɑː] 《Sc.》 *a.* 옷차림이 훌륭한, 모양 내어 입은; 훌륭한, 고운. ── *ad.* 아주, 대단히. [파] **ˊ·ly** *ad.*

◇**brawl** [brɔːl] *vi.* 말다툼하다; 큰소리로 야단치다; 크게 떠들어대다; (냇물 따위가) 콸콸거리다. ── *n.* 말다툼; 《구어》 대소동; 《미속어》 떠들썩한 (댄스) 파티; (냇물 따위의) 콸콸 소리. [파] **ˊ·er** *n.* **ˊ·ing** *a.* 떠들썩한. **ˊ·ing·ly** *ad.*

brawn [brɔːn] *n.* [U] (억센) 근육; 완력; 삶아서 소금에 절인 돼지고기; =HEADCHEESE: brain before ~ 힘보다 머리 / ~ as well as brain 머리도 완력〔체력〕도.

bráwn dràin 노동 유출; 운동선수의 해외 유출.

brawny [brɔ́ːni] (**brawn·i·er; -i·est**) *a.* 근골(筋骨)이 늠름한, 억센, 튼튼한; 센. [파] **bráwn·i·ness** *n.*

Bráx·ton Hícks contràctions [brǽkstənhíks-] 〖의학〗 브랙스턴 힉스 수축《임신기 중 자궁의 간헐적인 수축; 영국의 부인과 의사 John Braxton Hicks(1823-97)의 이름에서》.

braxy [brǽksi] *n.* 〖수의〗 (양의) 비탈저(脾脫疽).

◇**bray**[1] [brei] *n.* 당나귀의 울음소리; 시끄러운 나팔 소리, 소음; 떠들썩한 소리〔이야기〕; (경멸·비웃음의) 큰 웃음소리. ── *vi., vt.* **1** (당나귀가) 울다, 소리 높이 울다; (나팔 소리가) 시끄럽게 울리다. **2** (경멸하여) 큰 소리로 웃다, 떠들다. ~ *out* 고함치듯 말하다.

bray[2] *vt.* 갈아 바수다, (절구 따위로) 빻다; (인쇄 잉크를) 얇게 펴다.

bráy·er *n.* 당나귀 같은 소리를 내는 것, 당나귀; 〖인쇄〗 수동쇄(手動刷) 롤러.

Braz. Brazil, Brazilian.

braze[1] [breiz] *vt.* 놋쇠로 만들다; 놋쇠로 씌우다〔꾸미다〕; (놋쇠처럼) 단단하게 하다; 놋쇠빛으로 하다. [파] **bráz·er** *n.*

braze[2] *vt.* (금속을) 고온에서 땜질하다. ── *n.* 땜질, 납땜.

◇**bra·zen** [bréizən] *a.* **1** 놋쇠로 만든. ★ 이 뜻으로 지금은 brass가 보통임. **2** 놋쇠빛의; (놋쇠처럼) 단단한; 귀에 거슬리는, 시끄러운. **3** 철면피한, 뻔뻔스러운. ── *vt.* (비난 따위)에 결연(決然)하게〔뻔뻔스럽게〕 대처하다. ~ ***it*** 〔***the affair, the business, the matter,*** etc.〕 ***out*** 〔***through***〕 태연한 얼굴로〔철면피하게〕 대처하다, 뻔뻔스럽게 밀고 나가다. ~ one***'s way out*** 배짱으로 곤란을 타개해 나가다. [파] **~·ly** *ad.* 뻔뻔스럽게, 철면피하게. **ˊ·ness** *n.*

brázen-fàced [-t] *a.* 뻔뻔스러운, 철면피한. [파] **-facedly** [-fèisidli, -fèist-] *ad.* 뻔뻔스럽게(도).

bra·zier [bréiʒər/-zjə] *n.* 화로; 놋갓장이. ◇ braze *v.*

bra·ziery [bréiʒəri/-zjəri] *n.* 놋쇠 세공(장).

*__Bra·zil__ [brəzíl] *n.* **1** 브라질《정식 명칭은 the Federative Republic of ~; 수도 Brasilia》. **2** (b–) **a** =BRAZILWOOD. **b** brazilwood에서 채취되는 적색 염료(=**brazíl réd**); =BRAZIL NUT. [파] *~·**ian** [-jən] *a., n.* 브라질(사람)의, 브라질 사람.

Brazíl nùt 〖식물〗 브라질 호두《식용》.

brazíl·wòod *n.* 〖식물〗 다목류《빨간 물감을 채취하는 나무》.

Br. Col. British Columbia. **B.R.C.S.** British Red Cross Society(영국 적십자사). **BRE** Bachelor of Religious Education; business reply envelope(상용(商用) 회신 봉투).

*__breach__ [briːtʃ] *n.* **1** 깨뜨림, 파괴; (성벽 따위의) 터진 곳, 파열구. **2** (약속·법률·도덕 등을) 어김, 위반, 불이행, 침해: a ~ *of* close 〖영법률〗 불법 토지 침입 / a ~ *of* confidence 비밀 누설 / a ~ *of* duty 배임, 직무태만 / a ~ *of* etiquette 예의가 아님, 비례 / a ~ *of* privacy 프라이버시의 침해 / sue a person for ~ *of* promise 약혼 불이행으로 아무를 고소하다 / be in ~ *of* …에 위반되다. **3** 절교, 불화; 중단. **4** 〖해사〗 부서지는 파도; (고래가) 물위로 뛰어오름: a clear ~ 갑판을 휩쓰는 파도 / a clean ~ 갑판 위의 물건을 부수고 휩쓸어 가는 파도. **5** 후미. ***a ~ of contract*** 〖법률〗 계약 위반〔불이행〕. ***a ~ of faith*** 배신. ***a ~ of the peace*** 〖법률〗 치안방해. ***a ~ of trust*** 《구어》 배임; 〖법률〗 신탁의무 위반. ***fill the ~*** 대리를〔대역을〕 하다. ***stand in*** 〔***throw*** one***self into***〕 ***the ~*** 난국에 대처하다, 공격에 맞서다. ***step into the ~*** 《영》 위급을 모면케 해주다, 대리를 맡다, 대역을 하다. ── *vt.* 터지게 하다; 깨뜨리고 지나가다; (법률·약속)을 어기다. ── *vi.* (고래가) 물위로 솟아오르다.

†**bread** [bred] *n.* [U] **1** 빵. **2** 생계, 식량: beg one's ~ 빌어먹다 / daily ~ 그날그날의 양식, 생계 / the ~ *of* life 〖성서〗 생명의 양식 / in good 〔bad〕 ~ 행복〔불행〕하게 살아 / earn 〔make, gain〕 one's ~ 생활비를 벌다. **3** 《속어》 돈, 현금 (dough); 《미속어》 고용주, 보스. ~ ***and butter*** 버터 바른 빵; 생계. [cf] bread-and-butter. ~ ***and cheese*** 간단한 식사; 생계. ~ ***and circuses*** (대중의 주의를 딴 데 돌리기 위하여 정부가 제공하는) 음식과 오락; 《비유》 잠재적인 불만을 딴 데로 돌리기 위한 고식적인 수단. ~ ***and milk*** 끓인 우유에 빵을 뜯어 넣은 것. ~ ***and salt*** 빵과 소금《환대의 상징》. ~ ***and scrape*** 살짝 버터를 바른 빵. ~ ***and water*** 변변치 않은 식사. ~ ***and wine*** 성체(聖體). ~ ***buttered on both sides*** 안락한 처지. ***break ~ with*** …와 식사를 함께 하다; …의 음식 대접을 받다. ***butter both sides of*** one***'s ~*** 《구어》 양쪽에서 동시에 이익을 얻다. ***cast*** 〔***throw***〕 one***'s ~ upon the waters*** 보상을 바라지 않고 남을 위해서 힘쓰다, 음덕을 베풀다. ***eat the ~ of affliction*** 〔***idleness***〕 비참한 생활을 하다〔놀며 지내다〕. ***know*** (***on***) ***which side*** one***'s ~ is buttered*** 자기의 이해 관계를 잘 알고 있다, 빈틈없다. ***out of ~*** 《속어》 실업하여. ***quarrel with*** one***'s ~ and butter*** (홧김에) 자기의 직업을 버리다. ***take*** (***the***) ***~ out of a*** person***'s mouth*** 아무의 생계수단을 빼앗다. ***want*** one***'s ~ buttered on both sides*** 《속어》 터무니없는 요구를 하다. ── *vt.* 〖요리〗 빵부스러기를 묻히다; …에게 빵을 주다.

bread-and-butter [brédnbʌ́tər] *a.* **1** 생계를〔생활을〕 위한; 돈만을 위한. **2** 돈이 되는; (운동선수·팔 것 따위가) 믿을 수 있는, 기반이 되는, 실제〔실리〕적인. **3** 생활 기반에 관계되는, 기본적인. **4** 《구어》 한창 먹을〔자랄〕 나이의, 미성년의, 순진한, 귀여운: a ~ miss 여학생; 순진한 아가씨. **5** 《구어》 통속적인, 평범한, 보통의. **6** 환대를 감사하는: a ~ letter (대접에 대한) 답례장. [cf] roofer.

bréad·bàsket *n.* **1** 빵 바구니《식탁용》; 《미》 곡창 지대. **2** 《속어》 밥통, 위(胃); 《속어》 소형 폭탄·소이탄을 내장한 대형 폭탄.

bréad·bìn *n.* 《영》 뚜껑 달린 큰 빵 상자.

bréad·bòard *n.* **1** 빵을 반죽하는 대(臺); 빵을 써는 도마. **2** 전기〔전자〕회로의 실험용 조립반(組立盤); 브레드보드 위에 조립한 실험 회로(= ∠ **mòdel**). **—** *vt., vi.* (회로 따위를) 브레드보드 위에 조립하다, 실험용 조립 견본을 만들다.
bréad-crùmb *n.* **1** 빵의 말랑말랑한 부분. cf. crust. **2** (보통 *pl.*) 빵부스러기, 빵가루. **—** *vt.* …에 빵가루를 묻히다.
bréad·frùit *n.* 〖식물〗 빵나무(의 열매)《폴리네시아 원산》.
bréad knìfe (톱날식의) 빵칼.
bréad·less *a.* 빵〔먹을 것〕이 없는. ⊕ **∼·ness** *n.*
bréad lìne 식료품의 무료 배급을 받는 실업자·빈민들의 줄. ***on the*** **∼** (정부의) 구제를 받아서, 최저 생활 수준으로 지내어.
bréad mòld 〖식물〗 검은곰팡이《빵에 생김》.
bréad·nùt *n.* 〖식물〗 뽕나뭇과의 식물《이 열매로 빵을 만듦; 서인도산》.
bréad sàuce 빵가루를 넣은 진한 소스.
bréad·stìck *n.* 가는 막대 모양의 딱딱한 빵.
bréad·stùff *n.* (종종 *pl.*) 빵의 원료《밀가루 따위》; 빵(종류).
‡breadth [bredθ, bret*θ*] *n.* Ⓤ **1** 나비, 폭: eight feet in ∼ 폭 8 피트. **2** (피륙 따위의) 일정한 폭. **3** 넓어짐, 넓이. **4** (마음·견해의) 넓음, 관용(寬容), 활달함: ∼ *of* mind 마음의 여유. **5** (그림의) 전체 효과, 웅대함; 〖음악〗 음의 풍부〔윤택〕함; 〖논리〗 외연(外延). ***by a hair's*** **∼** 아슬아슬하게. ***to a hair's*** **∼** 한 치도 안 틀리게. [<broad] ⊕ **∠·less** *a.*
bréadth·wàys, -wìse [-wèiz], [-wàiz] *ad., a.* 가로로〔의〕.
bréad·wìnner *n.* 한 가정의 벌이하는 사람, 생계를 위한 수단〔기술, 도구〕; 생업(生業).
†break [breik] (***broke*** [brouk], 《고어》 ***brake*** [breik]; ***bro·ken*** [bróukən], 《고어》 ***broke***) *vt.* **1** 《∼+목/+목+부/+목+전+명》 깨뜨리다, 쪼개다, 부수다; (가지 등을) 꺾다; (새끼 등을) 자르다: ∼ a window 유리창을 깨다/∼ a glass *in*〔*into*〕 pieces 글라스를 산산조각내다/∼ a branch *off*〔*from* the tree〕 가지를〔나무에서 가지를〕 꺾다.

> SYN. **break** '깨뜨리다, 쪼개다, 찢다, 부러뜨리다' 처럼 파손하는 것. **crush** (무게 있는 물건으로) 눌러 뭉개다: *crush* a beetle 딱정벌레를 으깨다. **shatter, smash** 분쇄하다. shatter는 힘찬 타격과 조각조각이 날아 흩어짐을, smash는 소리를 강조.

2 …의 뼈를 부러뜨리다; (살갗을) 벗어지게 하다, 까지게 하다: ∼ the neck 목뼈를 부러뜨리다/∼ the knee 무릎을 깨다〔다치다〕/∼ the skin 피부를 다치다.
3 흩뜨리다, 분해하다; (텐트를) 걷다, 접다; 〖언어〗 (모음을) 분열시키다. cf. breaking: ∼ ranks 열(列)을 흩뜨리다.
4 (한 벌로 된 것·갖추어진 것을) 나누다, 쪼개다; (큰돈을) 잔돈으로 바꾸다, 헐다: ∼ a set 한 벌을 나누다, 낱으로 팔다/∼ a ten-dollar bill, 10 달러 지폐를 헐다.
5 《∼+목/+목+보》 (문 따위를) 부수다, 부수고 열다(∼ open); 부수고 들어가다〔나오다〕: ∼ a dwelling 집에 침입하다/∼ jail 탈옥하다/He *broke* the door open. 그는 문을 부수어 열었다.
6 (기계 등을) 부수다, 고장내다.
7 (약속·법규 따위를) 어기다, 범하다, 위반하다; (유언을) 고소에 의해 무효로 하다: ∼ a promise 〔one's word〕.
8 (단조로움·침묵·평화 등을) 깨뜨리다, 어지르다: ∼ silence.
9 (여행 따위를) 중단하다, 끊기게 하다; (전기 회로를) 단절하다, (전류를) 끊다: ∼ an electric current 전류를 끊다/The railroad communication is *broken*. 열차가 불통이다.
10 《∼+목/+목+부/+목+전+명》 (적을) 무찌르다《*down*》; (기를) 꺾다, 압도하다, 약화시키다; 〖테니스〗 (상대방의 서비스 게임에) 이기다, 브레이크하다: ∼ a person's heart 비탄에 잠기게 하다/∼ *down* the opponent's morale 상대방의 사기를 꺾다/∼ him *with* the threat of blackmail 협박하여 그를 복종케 하다.
11 (고기 따위가 수면 위로) 뛰어오르다; (돛·기 따위를) 올리다.
12 《∼+목/+목+부/+목+전+명》 (말 따위를) 길들이다; (센물을) 연화(軟化)시키다: ∼ a child *in* 어린이를 훈육하다/∼ a horse *to* the rein 〔the bridle〕 말을 길들이다.
13 《∼+목/+목+부/+목+전+명》 (나쁜 버릇 따위를) 버리다, 떼다, 끊다《*off*》, 끊게 하다《*off*》: ∼ (*off*) the habit of smoking 흡연하는 버릇을 버리다/He *broke* his dog *of* the habit. 그는 개의 버릇을 고쳤다/He *broke* himself *of* his drinking habit. 그는 술먹는 습관을 버렸다.
14 (암호 따위를) 해독하다, 풀다; (사건 따위를) 해결하다; (알리바이 따위를) 깨뜨리다.
15 (길을) 내다; (땅을) 갈다, 개척하다; (삼 따위를) 가르다, 빗다: ∼ a path 길을 내다.
16 《∼+목/+목+전+명》 (비밀 따위를) 털어놓다, 누설하다; (이야기 따위를) 공표〔공개〕하다: ∼ a joke 농담을 하다/∼ the news *to* a person 아무에게 소식을 전하다.
17 파산시키다《과거분사는 broke》; 해직하다; 삭탈 관직하다, 강등시키다: ∼ a minister 장관을 해임하다/∼ a bank 은행을 파산시키다.
18 (경기 따위의 기록을) 깨다, 갱신하다: ∼ a record.
19 (투구(投球)를) 커브시키다; 〖권투〗 (서로 껴안고 있는 선수에게) 브레이크를 명하다.
20 (계획·활동·운동 따위를) 시작〔착수〕하다: ∼ a campaign 캠페인을 시작하다.
21 (기사를) 다른 페이지에 계속하다.
— *vi.* **1** 《∼/+부/+전+명/+보》 깨어지다, 산산 조각나다, (줄 따위가) 끊어지다; (시계 따위가) 고장나서 못쓰게 되다; 뚝 부러지다; (거품이) 없어지다; (파도가 …에 부딪쳐) 부서지다《*on; over; against*》; (솔기가) 뜯어지다: Crackers ∼ easily. 크래커는 부서지기 쉽다/The TV has *broken*. TV가 고장났다/The handle has *broken off*. 손잡이가 떨어졌다/The surf *broke on* 〔*over, against*〕 the rocks. 밀려오는 파도는 바위에 부딪쳐 산산이 부서졌다/The box fell (to the floor) *broke* open. 상자는 (바닥에) 떨어져 확 열렸다/The seam *broke* open at the shoulder. 어깨의 솔기가 뜯어졌다.
2 《+전+명》 (갑자기) 멈추다, 중지〔중단〕하다; 휴식하다; (전류가) 끊어지다: His voice *broke with* emotion. 그는 감동해서 목소리가 안나왔다.
3 《∼/+전+명/+부》 (기후 따위가) 갑자기 변하다; (소리·색깔 등이) 돌변하다; (물집·종기 따위가) 터지다《*in; into; from; forth; out*》: A boy's voice ∼*s* at the age of puberty. 소년은 사춘기에 변성한다/∼ *into* a gallop (말이 느린 걸음에서) 구보로 달리다.
4 《∼/+전+명》 교제〔관계〕를 끊다, 헤어지다, …와 관계가 끊어지다《*with*》; 뿔뿔이 흩어지다, 해산하다; 퇴각하다: ∼ *with* an old friend 오랜 친구와 절교하다/∼ *with* old habits 오랜 습관을 버리다/The enemy *broke* and fled. 적은 패하여 도망쳤다.
5 a 《∼/+전+명》 헤치고 나아가다《*in; through*》;

《미》 돌진하다《for; to》; 침입하다《in》; (속박 따위를) 깨고 나오다, 탈출하다《from; out of》: ~ *into* a house 집으로 밀고 들어가다 / ~ *through* the enemy 적진을 돌파하다 / He *broke out of* jail. 그는 탈옥했다. **b** 《+보/+전+명》〖~ free〔loose〕로〗 도망가다, 탈출하다: An artist must ~ *free from* the constraints of the past. 예술가는 과거의 속박에서 벗어나지 않으면 안 된다.
6 《~/+부》 돌발하다, 갑자기 시작되다, 나타〔일어〕나다: A storm ~*s* (*out*).
7 (날이) 새다: The day ~*s*. 날이 샌다.
8 싹이 나다, 움이 트다, (꽃망울이) 봉오리지다: The bough ~*s*. 가지에 움이 튼다.
9 (물고기가) 물 위에 떠오르다.
10 (압력·무게로) 무너지다, (구름·안개 따위가) 사라지다《away》; (서리가) 녹다.
11 (건강·체력·시력이) 약해지다, 쇠하다; 기력을 잃다, 꺾이다; 못쓰게 되다, 고장나다: One's heart ~*s*. 기가 꺾이다; 비탄에 잠기다.
12 (주식·주가가) 폭락하다.
13 어지러워지다; 파산〔파탄〕하다; (신용·명예·지위 등이) 떨어지다: The bank *broke*. 은행이 파산했다.
14 〖구기〗 커브하다.
15 (뉴스 등이) 공표되다, 알려지다.
16 〖권투〗 (클린치에서) 떨어지다, 브레이크하다.
17 《미구어》 (사건 등이) 생기다, 일어나다, (어떤 상태로) 되다.
~ ***away*** 《vt.+부》 ① 부숴버리다; (습관 따위를) 갑자기 그만두다; 꺾다. ━《vi.+부》 ② 도망하다, 떠나다, 풀리다, (주제·패거리 등에서) 벗어나다, 이탈하다, 정치적으로 독립하다《from》. ③ 무너져 떨어지다; (구름 따위가) 흩어지다, 개다. ④ 배반하다; 〖경기〗 상대방 골에 돌진하다〔을 급습하다〕; 〖경마〗 스타트 신호 전에 내닫다. ~ ***back*** (크리켓 등에서 공이) 꺾이어 들어가다; (상대방의 수비를 혼란시키기 위하여) 급히 반대 방향으로 달리다. ~ ***cover*** 숲에서 뛰쳐 나오다. ~ ***down*** 《vt.+부》 ① 부숴버리다; 압도하다; (장애·적의 따위를) 극복하다. ② 분석하다; 분류하다: The expenditure is *broken down* as follows. 지출 명세는 다음과 같다. ━《vi.+부》 ③ (기계 따위가) 망그러지다, 고장나다, 찌그러지다. ④ (연락 따위가) 끊어지다; 정전(停電)하다. ⑤ (질서·저항 따위가) 무너지다, (계획 따위가) 실패하다; 건강을 해치다; 자백하다; 정신 없이 울다; (화학적으로) 분해되다, (자세하게) 분석〔분류〕되다《into》. ~ ***forth*** 일시에 쏟아져 나오다; 지껄이기 시작하다; (폭풍우 따위가) 갑자기 일어나다. ~ ***in*** 《vi.+부》 ① 뛰어들다, 난입하다; 말참견하다, 방해하다《on, upon》: Don't ~ *in on* the conversation. 얘기하는 데 참견 마라. ━《vt.+부》 ② (말 따위를) 길들이다; 단련시키다, (몸에) 익히게 하다; (어린아이 등을) 훈육하다《to》. ③ (처녀지를) 개간하다. ④ 《미속어》 교도소에 들어가다. ~ ***into*** ① 망그러져〔깨져서〕 …이 되다. ② …에 뛰어들다, 침입〔난입〕하다. ③ (이야기 따위)를 훼방놓다. ④ 갑자기 …하여 대다〔하기 시작하다〕: ~ *into* a run 갑자기 내닫다 / ~ *into* ear-to-ear grin 활짝 웃다 / ~ *into* tears 갑자기 울어대다. ⑤ (시간 등을) 먹어 들어가다. ⑥ (큰돈을) 헐다, 헐어 쓰다. ⑦ 《구어》 (새 직업·지위·분야)에 용케 들어가다. ~ ***luck*** 《미속어》 (매춘부가) 그날(밤) 최초의 손님을 맞다. ~ ***off*** 《vt.+부》 ① 꺾어〔찢어〕내다; 끊다, 그만두다; 약속을 취소하다. ━《vi.+부》 ② 꺾여 떨어지다. ③ (결혼 등을 파기하고) (…와) 헤어지다, 절교하다《with》. ④ (일을 그치고) 휴식하다. ~ ***out*** 《vi.+부》 ① 돌발하다; (전쟁·화재 따위가) 일어나다. ② 탈출하다, 탈주〔탈옥〕하다. ③ 갑자기 …하다《in; into》: ~ *out in* smiles 갑자기 웃기 시작하다. ④ (땀·여드름 따위가) 나다; (여드름 따위가) 범벅이 되다《in; with》: Sweat *broke out* on his forehead. 그의 이마에 땀이 났다 / His face *broke out in* a rash. 그의 얼굴에 뾰루지가 났다. ━《vt.+부》 ⑤ (높이 깃발을) 펼치다. ⑥ (준비해 두었던 것을) 내놓다, 풀다, 열다. ~ ***over*** (파도가) 부딪쳐 …위를 넘다; 《비유》 (갈채 따위가) …에게 쏟아지다; 《미속어》 예외를 만들다〔인정하다〕. ~ ***the back of*** ⇨BACK. ~ ***the bank*** 《미속어》 (도박에서) 땡잡다. ~ ***the ice*** ⇨ICE. ~ ***through*** 《vi.+전》 ① …을 헤치고 나아가다; (구멍 따위를) 뚫다; (햇빛이) …의 사이에서 새다〔나타나다〕; 〖군사〗 …을 돌파하다. ② (법 따위를) 어기다, 범하다. ③ 스스럼없게 해주다. ━《vi.+부》 ④ 돌파하다; 사이에서 나타나다. ⑤ 돌파구를 열다. ~ ***up*** 《vt.+부》 ① 분쇄하다; 해체하다; 해산하다; 파 일구다; 쇠약하게 하다. ② 낭패〔혼란〕케 하다; 티격나게 하다, (부부 등을) 헤어지게 하다. ③ 《구어》 매우 재미있게 하다〔웃기다〕. ④ 분배하다《among》. ━《vi.+부》 ⑤ 무너지다; 해산하다; (일기·상태가) 바뀌다; (학교가) 방학이 되다. ⑥ 티격나다, (부부 등이) 헤어지다. ⑦ 쇠약해지다; 《구어》 포복 절도하다.
━ *n*. **1** 갈라진 틈, 깨진 곳; 파괴. **2** Ⓤ 새벽(~ of day). **3** 중단, 중지, 끊김; 잠시의 휴식 (시간): make a ~ *with* …와 관계를 끊다 / without ~ 간단없이. **4** 단락, 구분; (*pl*.) 생략의 점선 《'…'》. **5** 분기점: a ~ in one's life 인생의 분기점. **6** (심신의) 쇠약; 변성(變聲); 〖음악〗 (소리 넓이의) 전환점. **7** 〖전기〗 차단(기); 〖컴퓨터〗 (일시) 정지. **8** 《구어》 실책, 실패; 실언: make a bad ~ 큰 실수를 저지르다. **9** 《구어》 행운; 좋은 기회: a lucky ~ 행운 / a bad ~ 불운 / Give him a ~. 한 번만 봐 주어라. **10** 조마(調馬)용의 마차《마부석만 있고 차체는 없음》; 대형 4륜(輪) 마차. **11** 〖권투〗 브레이크; 〖볼링〗 스트라이크나 스페어를 못 하는 일; 〖경마〗 스타트. **12** 갑작스런 변화; 시세의 폭락. **13** 〖당구〗 초구(初球), 연속 득점; 〖구기〗 커브, 곡구; 〖테니스〗 브레이크《상대방의 서비스 게임에 이김》. **14** 내닫기; 돌파; 《특히》 탈옥. **15** =BREAK DANCING. ***an even*** ~ 《구어》 (승부 등의) 비김, 동점, 호각; 공평한 기회. ~ ***and entry*** 〖법률〗 =BREAKING and entering. ***Give me a ~!*** 《미구어》 ① 그만해둬, 그만해, 이제 그만. ② (한 번 더) 기회를 다오, 해보게 해다오. ***make a ~ for it*** 《구어》 탈출〔탈옥〕을 기도하다. ㊞ ∠·less *a*.

bréak·a·ble *a*. 망가뜨릴〔부술, 깨뜨릴〕 수 있는, 깨지기 쉬운, 무른. ━ *n*. (*pl*.) 깨지기〔부서지기〕 쉬운 것, 깨진 것.

break·age [bréikidʒ] *n*. Ⓤ 파손, 손상, 파괴; Ⓒ 깨진 곳; (*pl*.) 파손물; 〖상업〗 파손량, 파손 예상액, 파손 배상액.

bréak·awày *n*. 분리, 절단; 탈출, 도주; (무리에서의) 이탈, 결별; 전향(轉向); 〖경주〗 스타트 신호 전에 내달리기; 〖권투〗 접근전에서 홱 떨어짐; 〖럭비〗 공을 갖고 골로 돌진함. ━ *a*. 이탈〔전향〕한; 밀면 쉽게 망그러지는, (위험 방지를 위해) 잘 구부러지는, 쉽게 망그러지게 만든.

bréak·bone fèver 〖의학〗 뎅기열(dengue).

bréak dànce, bréak·dànce =BREAK DANCING.

brèak-dánce *vi*. 브레이크댄스를 추다.

bréak dàncing 브레이크댄싱《뉴욕 변두리에서 소년들이 시작한 춤; 머리를 거꾸로 하여 빙빙 도는 곡예적인 동작》(=**bréak·dàncing**).

***break·down** [bréikdàun] *n*. **1** (기계의) 고장, 파손. **2** (건강상의) 쇠약: a nervous ~ 신경쇠약. **3** 몰락, 붕괴, 와해. **4** 《미》 떠들썩한 흑인

춤의 일종. **5** 분석; 분류, (항목별) 명세, 내역. **6** 〖전기〗 방전.
bréakdown gáng 응급 작업대(隊).
bréakdown tést 내구〔내력, 파괴〕 시험.
bréakdown vàn 〔**trùck**〕 구조(작업)차, 레커차.
bréakdown vòltage 〖전기〗 (절연) 파괴 전압; 〖반도체〗 항복(降伏) 전압.
°**bréak·er**[1] *n.* **1** (해안·암초 따위의) 부서지는 파도, 파란(波瀾): *Breakers* ahead! 〖해사〗 암초다. **2** 깨는 사람〔물건〕, 파괴자; 〖기계〗 파쇄기(機); 절단기; 〖전기〗 차단기. **3** 조마사(調馬師), 조련사(調練師). **4** 《CB속어》 (어떤 채널을 써서) 교신하려는 사람; 〔감탄사적〕 교신 바람.
bréak·er[2] *n.* 〖해사〗 (음료수용의) 물통.
bréak-éven *a.* 수입액이 지출액과 맞먹는; 이익도 손해도 없는. **—** *n.* = BREAK-EVEN POINT.
bréak-éven chàrt 〖회계〗 손익 분기(점) 도표.
bréak-éven pòint 채산점, 손익분기점.
bréak-fàll *n.* (유도 따위의) 낙법(落法).
†**break·fast** [brékfəst] *n.* Ⓤ,Ⓒ 조반: have (one's) ~ 조반을 들다. **—** *vi.* 《~/+전+명》 조반을 먹다《*on*》: ~ *on* bacon and eggs 베이컨과 달걀로 조반을 들다. **—** *vt.* …에게 조반을 내다. [◂ break+fast]
bréakfast cèreal 〔**fòod**〕 조반용으로 가공한 곡류식품《cornflakes, oatmeal 따위》.
bréakfast nòok (부엌 한쪽 귀퉁이 따위의) 간이 식사 코너.
bréakfast ròom 거실(morning room).
bréakfast tèlevision 〔**TV̀**〕 (출근 전에 볼 수 있는) 아침 식사 때의 텔레비전 방송(프로).
bréak·frònt *a., n.* 가운데 부분이 불쑥 나온 (책장·찬장).
bréak-ìn *n.* 가택 침입, 밤도둑; (사용해서) 길들이기, 시운전, 시연(試演). **—** *a.* 길들이는, 시운전의.
bréak·ing *n.* 파괴; 〖전기〗 단선, 절단; 끊김; (말 따위의) 조련(調練); 〖언어〗 = FRACTURE. ***a ~ cart*** 조련용의 마차. ***~ and entering*** 〔***entry***〕 〖법률〗 주거 침입(죄).
bréaking bàll 〖구기〗 변화구, 곡구(曲球).
bréaking nèws 긴급 뉴스, 속보.
bréaking plòw 개간용의 쟁기.
bréaking pòint 극단, 극한 (상황); (인내 등의) 한계점; 파괴점《팽창·압력에 대한 저항 따위의 한계점》.
bréaking strèngth 〖기계·물리〗 파괴 강도(強度), 파괴세기, 한계세기. 「마지막 행.
bréak lìne 〖인쇄〗 (패러그래프의) 다 차지 않은
bréak·nèck *a.* **1** (목이 부러질 정도로) 위험하기 짝이 없는: at ~ speed 무서운 속력으로. **2** 몹시 가파른: ~ stairs.
bréak·òff *n.* 갑자기 멈춤〔그만둠〕; 결렬.
bréak·òut *n.* 〖군사〗 포위 돌파; 탈주; 부스럼.
bréak·òver *n.* (신문·잡지 등에서) 기사가 다른 페이지까지 계속되는 부분.
bréak·pòint *n.* (어느 과정에서의) 중지점, 휴지점; 〖컴퓨터〗 (일시) 정지점.
*__break·through__ [bréikθrùː] *n.* 〖군사〗 적진 돌파(작전), 돌파구; (과학·기술 등의) 획기적 약진〔진전, 발견〕, (계획·외교 등의) 성공, 타결.
bréakthrough blèeding 〖의학〗 (피임약 복용의 부작용 따위로 인한) 비생리기 자궁 출혈.
bréak·ùp *n.* **1** 붕괴, 와해; 분리, 분산, 해체; 해산; (학기말의) 종업; 별거, 파탄, 불화, 이별. **2** 쇠약; 《구어》 비탄에 빠짐.
bréakup válue (기업의) 청산 가치; 1주당(一株當) 장부가액.
bréak·wàter *n.* 방파제.
bréak·wìnd *n.* 《Austral.》 방풍림.

bream[1] [briːm] (*pl.* **~s,** 〔집합적〕 ~) *n.* 〖어류〗 잉엇과의 식용어; 도미류. 「하다.
bream[2] *vt.* (배 밑바닥을) 태워 문질러서 청소
‡**breast** [brest] *n.* **1** 가슴; 옷가슴. **2** 가슴 속, 마음 속, 심정: a troubled ~ 괴로운 심정. **3** 젖통이, 유방: give the ~ to a child 아기에게 젖을 물리다/past the ~ 젖을 떼고/suck the ~ 젖을 빨다.

> SYN. **breast** 흉부(chest)의 전면부이나 특히 여성의 유방을 뜻함. **bosom** breast에 대한 예스럽고 기품 있는 문어. 보통 speak one's *bosom*처럼 비유적인 뜻으로 쓰임. **chest** 늑골이나 흉골로 둘려 있는 흉부.

4 (산·언덕 따위의) 허리; (기물 따위의) 옆면; 벽의 불룩한 부분《굴뚝 부분 따위》. ***a child at the ~*** 젖먹이. ***beat the ~*** 《문어》 가슴을 치며 슬퍼하다. ***make a clean ~ of*** ⇨ CLEAN. ***take the ~*** (젖먹이가) 젖을 빨다.
— *vt.* **1** 《~+목/+목+전+명》 …에 대담하게 맞서다; (곤란·위험·폭풍 등을) 무릅쓰고〔헤치고〕 나아가다: The boat *~ed* the waves. 배가 파도를 헤치며 나아갔다/~ oneself *to* danger 위험에 정면으로 맞서다. **2** 〖경주〗 (결승점의 테이프에) 가슴을 대다; 가슴에 받다. **3** (산 따위를) 오르다. **4** …와 나란히 서다. **5** 젖을 주다. **—** *vi.* 헤치며 나아가다〔다가가다〕; (말을 걸려고) 가까이 가다. ***~ it out*** 끝까지 저항하다. ㊕ **~·less** *a.*
bréast·bànd *n.* (말의) 가슴걸이.
bréast-bèating *n.* (고충·의혹 등을) 가슴을 치면서 호소함, 강력히 항의함. **—** *a.* 큰 소리로 호소하는.
bréast·bòne *n.* 흉골(胸骨)(sternum).
bréast càncer 유방암(乳房癌).
bréast-déep *a., ad.* 가슴까지 (차는).
(-)**bréast·ed** [-id] *a.* 가슴이 있는; 가슴 부분을 댄: a single-〔double-〕~ coat 싱글〔더블〕의 상의.
bréast-fèd *a.* 모유로 키운. cf. bottle-fed.
bréast-fèed *vt.* 젖을 먹이다, 모유로 키우다: She was *~ing* her baby daughter when they came. 그들이 왔을 때 그녀는 어린 딸에게 젖을 물리고 있었다.
bréast hàrness (목걸이 없이) 가슴걸이(breastband)로 매어 놓은 마구(馬具).
bréast-hígh *a., ad.* 가슴 높이의〔로〕.
bréast ímplant 〖의학〗 (재건 수술이나 확대 수술에 의한) 인공 유방.
bréast·ing *n.* 구두 뒷닫이 가죽.
bréast·pìn *n.* 가슴이나 옷깃에 다는 장식핀, 브로치(brooch).
bréast·plàte *n.* (갑옷·마구 따위의) 가슴받이; (거북 따위의) 가슴패기.
bréast pùmp 젖 빨아 내는 기구, 착유기.
bréast·ràil *n.* (후갑판 등의) 난간.
bréast·stròke *n.* 개구리 헤엄, 평영(平泳).
bréast wàll 〖토목〗 흉벽. 「방아.
bréast whèel 회전축이 수면과 같은 높이의 물
bréast·wòrk *n.* 〖군사〗 (급조한) 흉장(胸牆), 흉벽; (배의) 앞뒤 양갑판의 난간; (*pl.*) 《미속어》 (여성의) 유방; 《속어》 유방의 애무.
*__breath__ [breθ] *n.* **1** Ⓤ 숨, 호흡; Ⓒ 한 호흡, 한 숨: take 〔draw〕 a deep 〔long〕 ~ 크게 한숨돌리다; 심호흡하다: get one's ~ (back) (again) (가쁜) 호흡이 제상태로 돌아오다/lose one's ~ 숨을 헐떡이다/out 〔short〕 of ~ 숨이 차서, 숨을 헐떡이며. **2** Ⓒ 한 번 붊; 미풍; 살랑거림; (은근한) 향기; 조그만 징조〔암시〕; 속삭임: There is not a ~ of air. 바람 한 점 없다. SYN. ⇨

WIND. **3** Ⓤ 〖음성〗 숨, 무성음(無聲音)《voice(유성음)에 대하여》. **4** Ⓤ 생기(生氣), 활기; 생명: as long as I have ~ =while there's ~ in me 목숨이 붙어 있는 한, 죽을 때까지. **5** Ⓤ,Ⓒ (일)순간; 휴식 시간: at 〔in〕 a ~ 단숨에 / take a short ~ 한숨돌리다, 잠시 쉬다. ◇ breathe *v.* ***above*** one***'s*** ~ 소리를 내어. ***a*** ~ ***of fresh air*** 살랑거리는 상쾌한 바람; 기운을 북돋아〔기분을 상쾌하게 해〕 주는 사람〔것〕. ***below*** 〔***under***〕 one***'s*** ~ 작은 목소리로. ***catch*** one***'s*** ~ (놀라움 따위로) 숨을 죽이다, 움찔하다; 숨을 내쉬다, 한 차례 쉬다. ***draw*** ~ 숨을 쉬다; 살아 있다: *draw* one's first ~ 태어나다 / *draw* one's last ~ 죽다. ***fetch*** one***'s*** ~ 숨을 되쉬다. ***first draw*** ~ 《문어》 태어나다. ***hold*** 〔***keep***〕 one***'s*** ~ (놀라움·감동으로) 숨을 죽이다, 움찔하다, 마음을 죄다, 마른침을 삼키다. ***in a*** 〔***one***〕 ~ 입을 모아; 단숨에, 한번에; 우선 첫째로. ***in the next*** ~ 그에 이어, 다음 순간. ***in the same*** ~ 한편으로, 그 입으로《말하다 따위》; (두 개의 정반대 진술을 언급하여) 동시에. ***knock the*** ~ ***out of*** a person 아무를 깜짝 놀라게 하다; (마구 때려) 호흡을 곤란하게 하다. ***not a*** ~ ***of*** …가 전혀 없는: *not a* ~ *of* suspicion 하등의 의심도 없는. ***save*** one***'s*** ~ 잠자코 있다. ***spend*** 〔***waste***〕 one***'s*** ~ 허튼소리 하다. ***stop*** a person***'s*** ~ 《구어》 아무의 숨통을 끊다, 아무를 죽이다. ***take*** a person***'s*** ~ (***away***) =***take away*** a person***'s*** ~ (아름다움·놀라움으로) 아무를 움찔 놀라게 하다. ***the*** ~ ***of life*** =***the*** ~ ***of*** one***'s nostrils*** 꼭 필요〔귀중〕한 것; 즐기는〔열중하는〕 것. ***to the last*** ~ 죽을 때까지. ***with bated*** ~ 숨을 죽이고, 염려하여. ***with one*** ~ =in a 〔one〕 ~. ***with the*** 〔one***'s***〕 ***last*** ~ 임종시에; 최후까지, 죽을 때.

breath·a·ble [bríːðəbəl] *a.* 호흡하기에 알맞은; 공기나 습기를 통하는, 통기성 있는《천 따위》.

breath·a·lyze, 《영》 **-lyse** [bréθəlàiz] *vt., vi.* 《영》 주기(酒氣)〔음주 여부〕를 검사하다.

breath·a·lyz·er, 《영》 **-lys·er** [bréθəlàizər] *n.* 주기〔음주〕 검사기《B- 상표명》.

breathe [briːð] *vi.* **1 《~/+[부]》 호흡하다, 숨을 쉬다; 살아 있다: ~ *out* 숨을 내쉬다. **2** 휴식하다: Let me ~. 숨 좀 돌리게 해 달라, 이제 그만 해 둬라. **3** (바람이) 살랑살랑 불다; (향기가) 풍기다; 암시하다《*of*》. **—** *vt.* **1** 《~+[목]/+[목]+[부]》 호흡하다; 빨아들이다《*in*》; 토해 내다《*out*》: ~ (*in*) the smell of the flowers 꽃향기를 맡다. **2** 《+[목]+[전]+[명]》 (생기·생명·영혼 따위를) 불어넣다《*into*》: Their commander ~*d* new life *into* his men. 대장은 병사들에게 새 활기를 불어넣었다. **3** 《+[목]+[부]》 (향기 따위를) 발산하다《*out; forth*》: The flowers were *breathing out* fragrance. 꽃은 향내를 풍기고 있었다. **4** (태도 따위가 기분 따위를) 나타내다, 표현하다, 풍기다. **5** 속삭이다, 작은 소리로 말하다; (불평 따위를) 말하다, 토로하다. **6** (말 따위)에 한숨 돌리게 하다, 쉬게 하다. **7** 헐떡이게 하다; 운동시키다. ◇ breath *n.* ~ ***again*** 〔***easily, freely***〕 안도의 한숨을 내쉬다, 위기를 벗어나다. ~ ***down*** a person***'s neck*** ⇨ NECK. ~ ***hard*** 괴로운 숨을 쉬다. ~ ***in*** 《*vi.*+[부]》 ① 숨을 들이쉬다. —《*vt.*+[부]》 ② 빨아들이다. ③ 열심히 듣다: ~ *in* every word 한마디 빠뜨리지 않고 열심히 듣다. ~ ***on*** 〔***upon***〕 …에 입김을 내뿜다, 흐리게 하다; 더럽히다; 비난하다; 《속어》 (은행 따위를) 습격하다. ~ one***'s last*** (***breath***) 마지막 숨을 거두다, 죽다. ***do not*** ~ ***a word*** 〔***syllable***〕 한 마디도 말하지 않다《비밀 따위를 지킴》.

breathed [breθt, briːðd] *a.* **1** 〖음성〗 무성음의. **2** 숨이 …한: sweet-~ 향기를 내는《꽃 따위》.

breath·er [bríːðər] *n.* **1** (숨차게 하는) 심한 운동. **2** 《구어》 잠시의 휴식: have 〔take〕 a ~ 한숨 돌리다, 잠깐 쉬다. **3** 숨쉬는 것, 생물. **4** 통기공, 연기 빼는 구멍. **5** (잠수부·잠수함 등의) 공기 보급 장치. **6** 《미》 헐떡이는 권투 선수.

bréath gròup 〖음성〗 기식군(氣息群)《단숨에 발음하는 음군(音群)》, 기식의 단락.

bréath·hold dìving (바다표범·돌고래 따위의) 호흡 정지 잠수.

breath·ing [bríːðiŋ] *n.* Ⓤ **1** 호흡, 숨결: deep ~ 심호흡. **2** 한 번 숨쉼〔숨쉴 시간〕, 순간; 미풍. **3** 소원, 열망; 영감(靈感); 고취. **4** 〖음성〗 기음(氣音); 기음 기호《그리스 문자의 모음 위에 붙는 (ʽ), (ʼ)》. **5** 잠시 쉼, 휴식. **—** *a.* **1** 호흡하는〔의〕. **2** 살아 있는 (듯한). [파] ~**·ly** *ad.*

bréathing capàcity 폐활량.

bréathing spàce 〔**ròom, spèll, tìme**〕 숨 돌릴 여유; 휴식〔숙고〕할 기회〔시간〕; (움직이거나 일하는) 여유.

*__breath·less__ [bréθlis] *a.* **1** 숨찬, 헐떡이는. **2** 숨을 거둔, 《시어》 죽은. **3** 바람 한 점 없는. **4** 숨도 쉴 수 없을 정도의, 숨막히는, 마음 죄는: at a ~ speed 숨막힐 듯한 속도로 / with ~ anxiety 조마조마하여 / with ~ interest 숨을 죽이고. [파] ◇~**·ly** *ad.* 숨을 헐떡이며〔죽이고〕; 숨도 쉴 수 없을 정도로. ~**·ness** *n.*

bréath mìnt 입내(口臭)를 없애는 민트 캔디.

bréath·tàking *a.* 움찔〔깜짝〕 놀랄 만한, 아슬아슬한. [파] ~**·ly** *ad.*

bréath tèst 《영》 (음주 운전의) 주기(酒氣) 검사.

breathy [bréθi] (***breath·i·er; -i·est***) *a.* 기식음(氣息音)이 섞인; 성량이 부족한; 〖음성〗 기식의, 기식음〔질〕의. [파] **bréath·i·ly** *ad.* **-i·ness** *n.*

B. Rec., b. rec. bills receivable.

brec·cia [brétʃiə, bréʃiə] *n.* 〖지학〗 각력암(角礫岩).

brec·ci·ate [brétʃièit, bréʃ-] *vt.* 각력화(角礫化)하다, 각력암(角礫岩)을 형성하다; (바위를 모나게) 부수다. [파] **brèc·ci·á·tion** *n.*

bred [bred] BREED의 과거·과거분사. **—** *a.* 〖부사와 결합하여〗 …하게 자란: well-~ 뱀뱀이 있게〔예절 바르게〕 자란.

bred·i·nin [brédənin] *n.* 〖의학〗 브레디닌《자낭균으로 만든 면역 억제제; 장기 이식에 유효》.

bréd-in-the-bóne *a.* 타고난, 나면서부터의, 없애기 힘든.

breech [briːtʃ] *n.* 포미(砲尾), 총개머리; 궁둥이. **—** *vt.* …에 포미〔총개머리〕를 달다; [britʃ] (사내애에게) 짧은 바지를 입히다.

bréech bìrth 아이를 거꾸로 낳음(breech delivery).

bréech·blòck *n.* (총의) 노리쇠뭉치, (대포의) 마개쇠.

bréech·clòth, -clòut *n.* (인디언 등의) 허리에 두르는 천.

bréech delìvery =BREECH BIRTH.

breeched *a.* **1** [briːtʃt] 총이〔포가〕 달린. **2** [britʃt] 짧은 바지를 입은.

*__breech·es__ [brítʃiz] *n. pl.* 승마용 바지; 《구어》 (반)바지: a pair of ~ 짧은 바지 한 벌. ***get*** 〔***grow***〕 ***too big for*** one***'s*** ~ ⇨ BIG. ***wear the*** ~ ⇨ WEAR.

Bréeches Bíble (the ~) 브리치스 성경《1560년판의 영역 성서의 속칭; 창세기에 아담과 이브가 무화과나무 잎으로 앞을 가린 것을 breeches라 한 데서 연유함》.

bréeches bùoy (바지 모양의 즈크제) 구명 부대(浮袋).

breech·ing [brí(ː)tʃiŋ/brítʃ-] *n.* **1** (말의) 엉덩이 띠. **2** (옛 대포의) 포삭(砲索)《발사할 때 포의 후퇴를 방지하는 밧줄》; 포미(砲尾)〔총미〕부. **3** (보일러와 굴뚝을 연결하는) 연관(煙管).

bréech·less *a.* **1** 포미〔총개머리〕가 없는. **2** 바지를 입지 않은.

bréech·lòader *n.* 후장(後裝)총〔포〕. [cf] muzzleloader.

bréech·lòading *a.* 후장식의.

bréech presentàtion 〖의학〗 둔위태향(臀位胎向)《분만시에 태아의 둔부〔다리〕가 먼저 나오는 태위》.

breed [bri:d] (*p., pp.* ***bred*** [bred]) *vt.* **1** (새끼를) 낳다. **2** 《~+[목]/+[목]+[부]/+[목]+(*to be*) [보]/+[목]+[전]+[명]/+[목]+*to* do》 기르다; 양육하다; 가르치다: be *bred* (*up*) in luxury 사치스럽게 자라다/He was *bred* (*to be*) a gentleman. 그는 자라서 신사가 되었다/be *bred to* the law 법률가로 양육되다/Britain still ~*s* men *to* fight for her. 영국은 아직도 국민들에게 조국을 위해 싸우도록 가르치고 있다. [SYN.] ⇨ GROW. **3** (품종을) 개량하다, 만들어내다; 번식시키다, (동물을) 기르다: ~ cattle 가축을 사육하다. **4** …의 생산지(生産地)가 되다, …이 나다: A northern country ~*s* stout men. 북국은 건전한 사람을 낳는다. **5** …을 생기게 하다, 발생시키다. —*vi.* **1** 새끼를 낳다〔배다〕; 번식하다, 자라다. **2** 기르다, 양육하다, 가르치다. **3** 《+[전]+[명]》 씨를 받다 《*from*》: ~ *from* a mare of good stock 좋은 혈통의 암말에서 씨를 받다. ***bred out*** 퇴화된. ~ ***in and in*** 같은 종자에서 번식하다〔시키다〕, 근친끼리만 결혼하다. ~ ***out and out*** 이종(異種) 번식하다〔시키다〕. ***what is bred in the bone*** 타고난 성질: *What is bred in the bone* will not (go) out of the flesh. 《속담》 천성은 골수에 배어 있다《감출 수 없다》. —*n.* **1** 종류; 유형; 품종; 종족; 혈통: a different ~ of man 다른 유형의 인간/dogs of mixed ~ 잡종개. **2** 〖형용사와 결합하여〗 …종 (種): a half-~ 혼혈아.

bréed·er *n.* **1** 종축(種畜), 번식하는 동물〔식물〕. **2** 양육〔사육〕자; 품종 개량가, 육종가; 발기인, 장본인. **3** (불만 따위의) 씨, 원인. **4** = BREEDER REACTOR 〔PILE〕.

bréeder reàctor 〔**pìle**〕 증식형 원자로.

bréed·ing *n.* **1** 번식, 양식(養殖); 부화; 양육, 사육. **2** 자람; 교양, 예의 범절: a man of fine ~ 교양 있는 사람. **3** 품종 개량, 육종. **4** 〖물리〗 (원자핵의) 증식.

bréeding gròund 〔**plàce**〕 사육장, 번식지; (사상 따위를 키우는) 적당한 장소〔환경〕, 온상.

bréeding pònd 양어지(池).

bréeding sèason 번식기, 번식 계절.

breen [bri:n] *n., a.* 갈색을 띤 녹색(의). [◂ brownish+green]

breeze[1] [bri:z] *n.* **1** 산들바람, 미풍; 연풍(軟風); 〖기상〗 초속 1.6-13.8m의 바람. [OPP] *gust, gale.* ¶ a land ~ 육(陸)연풍/a light ~ 남실바람/a gentle ~ 산들바람/a moderate ~ 건들바람/a fresh ~ 흔들바람/a strong ~ 된바람. [SYN.] ⇨ WIND. **2** 《속어》 싸움, 분란: kick up a ~ 소동을 일으키다. **3** 《구어》 소문. **4** 《속어》 쉬운 일: like a ~ 쉽게. ***fan the*** ~ 《미속어》 =shoot 〔bat〕 the ~. ***get*** 〔***have, put***〕 ***the*** ~ ***up*** 《구어》 ⇨ WIND[1]. ***in a*** ~ 손쉽게: win a game *in a* ~ 게임에서 낙승하다. ***shoot*** 〔***bat***〕 ***the*** ~ 《미속어》 기염을 토하다, 허튼소리 하다. —*vi.* **1** 《+[부]》 〖It을 주어로 하여〗 산들바람이 불다: ~ *up* (바람이) 불기 시작하다, 세게 불다/It was *breezing* offshore. 산들바람이 앞바다 쪽으로 불고 있었다. **2** 《+[부]/+[전]+[명]》 《구어》 씩씩하게〔경쾌하게〕 걷다《*off*》. **3** 《+[부]/+[전]+[명]》 《구어》 (아무 일도 없었던 것처럼) 쓱 지나가다〔나서다, 나아가다〕; (일을) 척척 해내다《*through*》: He ~*d on by* without a glance at her. 그는 그녀를 거들떠보지도 않은 채 곁을 지나쳐 버렸다/~ *through* a task 일을 손쉽게 해내다. —*vt.* (말을 전 속력을 내지 않고) 편히 달리게 하다. ~ ***in*** ① 쉽게 손에 넣다, 쟁취하다. ② 재빠르게〔힘차게〕 들어오다. ③ 낙승하다. ~ ***off*** ① 《미속어》 침묵하다. ② ⇨ *vi.* 2.

breeze[2] *n.* [U] 타다 남은 재; 탄(炭)재, 분탄(粉炭).

breeze[3] *n.* 〖곤충〗 등에(=∠ **flỳ**).

bréeze blòck =CINDER BLOCK.

bréeze·less *a.* 바람 없는.

bréeze·wày *n.* (건물 사이를 잇는) 지붕 달린 통로.

breezy [brí:zi] (***breez·i·er; -i·est***) *a.* **1** 산들바람이 부는, (장소·옷이) 통풍이 잘 되는, 시원한. **2** 기운찬; 쾌활한; 《미》 한가로운: have a ~ manner 태평스럽다. **3** 《구어》 가벼운 (내용의) 《회화》. [파] **bréez·i·ly** *ad.* 산들바람이 불어; 힘차게. **-i·ness** *n.*

breg·ma [brégmə] (*pl.* ***-ma·ta*** [-tə]) *n.* 〖인류〗 대천문(大泉門), 브레그마《두개 계측점(頭蓋計測點)의 하나》.

breg·oil [brégɔil] *n.* 브레고일《제지(製紙) 폐기물; 유출된 석유의 흡수 회수용으로 쓰임》.

brek·ker [brékər] *n.* 《영속어》 조반.

brek·ky [bréki] *n.* 《Austral.속어》 조반.

brems·strah·lung [brémʃtrɑ̀:ləŋ] *n.* 《G.》 〖물리〗 제동 복사(制動輻射).

Brén càrrier [brén-] 〖군사〗 브렌식 경기관총을 탑재한 정찰용 장갑 자동차.

Brén (gùn) 경기관총의 일종《제2차 세계 대전 중에 영국군이 사용》.

brént (gòose) [brént(-)] =BRANT.

br'er [brə:r] *n.* =BROTHER《미국 남부 흑인의 방언》.

Bret. Breton.

breth·ren [bréðərin] *n. pl.* (종교상의) 형제, 동일 교회〔교단〕원; 동일 조합원, 동업자; 동포. ★ 혈족상의 형제에는 쓰지 않음.

Bret·on[1] [brétn] *a.* 브르타뉴(Brittany)《프랑스의 한 지방》(사람·어)의. —*n.* 브르타뉴 사람; [U] 브르타뉴어(語).

Bre·ton[2] [brətɔ́:ŋ] *n.* **André** ~ 브르통《프랑스의 시인·작가; 초현실주의의 창시자; 1896-1966》.

Brét·ton Wóods Cònference [brétn-] (the ~) 브레턴우즈 회의《1944년 미국 New Hampshire주의 Bretton Woods에서 개최된 국제 회의; IMF와 IBRD를 설립》.

brev. brevet(ted); brevier.

breve [bri:v, brev/bri:v] *n.* 〖인쇄〗 단음(短音) 기호《단모음 위에 붙이는 발음 부호(˘)》; 〖음악〗 2온음표《|ㅇ|, |=|》; 〖역사〗 칙령; 〖법률〗 영장(令狀)(writ).

bre·vet [brəvét, brévit/brévit] 〖군사〗 *n., a.* 명예 진급 (사령)(의)《봉급은 오르지 않음》. —(***-t(t)-***) *vt.* 명예 진급시키다. [파] **~·cy** [-si] *n.* 명예 (진급) 계급.

brev·i- [brévi, -və] '짧은'이란 뜻의 결합사.

bre·vi·ary [brí:vièri, brév-] *n.* (종종 B-) 〖가톨릭〗 성무일도서.

bre·vier [brəvíər] *n.* 〖인쇄〗 브레비어 활자《8포인트》.

bre·vi·pen·nate [brèvəpéneit] *a.* 〖조류〗 날개가 짧은.

brev·i·ty [brévəti] *n.* [U] 간결, 간약; (시간의) 짧음. [cf] brief. ¶ for ~ (요)약하여, 간결하게 하기 위해/*Brevity* is the soul of wit. 재치〔위트〕는 간결함을 으뜸으로 친다《Shakespeare 작(作) *Hamlet* 중의 Polonius의 말》.

brew [bru:] *vt.* **1** 《~+[목]/+[목]+[전]+[명]》 (맥주 등을) 양조하다: Beer is ~*ed from* malt. 맥주는 맥아로 양조된다. **2** 《~+[목]/+[목]+[부]》 (혼합 음료를) 만들다, 조합(調合)하다; (차를) 끓이다

《*up*》: ~ (*up*) a pot of tea 포트 가득히 차를 끓이다. **3** 《~+목/+목+부》 (음모 따위를) 꾸미다, (파란을) 일으키다《*up*》: ~ mischief 나쁜 일을 꾸미다. **—** *vi.* **1** 양조하다; 차가 우러나다《*up*》. **2** (음모 따위가) 꾸며지다; (소동·폭풍우 따위가) 일어나려고 하다: Another typhoon is ~*ing*. 새로운 태풍이 일어나려고 한다 / You must drink as you have ~*ed*. 자업 자득이다. **—** *n.* U,C **1** 달인 차(커피 등). **2** 양조(량). **3** (주류(酒類)의) 품질. **4** 양조법; 《미속어》 맥주. 파 **∠·age** [-idʒ] *n.* **1** 양조주, 《특히》 맥주; 양조(법). **2** 음모. **∠·er** *n.* 양조자; 음모가. ◇**∠·ery** [-əri] *n.* 양조장. 「양조 효모.

bréwer's yéast [brúːərz-] 양조용 이스트,

bréw·hòuse *n.* (맥주) 양조장.

bréw·ing *n.* U **1** 양조(업); 양조량. **2** 〖해사〗 폭풍우의 전조(前兆).

brew·is [brúːis, -brúːz/brúːis] 《방언》 *n.* 고깃국물, 수프; 고깃국물〔뜨거운 우유〕에 담근 빵.

bréw·pùb *n.* 자가제(自家製) 맥주를 내놓는 술집(=**bréw pùb**). 「어》 맥주.

brew·ski(e), -sky [brúːski] *n.* 《미학생속

brew·ster [brúːstər] *n.* 《고어》 =BREWER.

bréwster sèssions 《영》 주류 판매 면허 인

bréw-up *n.* 《영구어》 차(끓이기). 「가 회의.

Brezh·nev [bréʒnef] *n.* **Leonid ~** 브레즈네프《옛 소련 공산당 서기장; 1906-82》.

briar, etc. ⇨ BRIER[1, 2], etc.

Bri·ar·e·us [braiέəriəs] *n.* 〖그리스신화〗 브리아레오스《손이 백 개, 머리가 50개 있는 거인》.

***bribe** [braib] *n.* C 뇌물: give〔offer〕 a ~ 뇌물을 주다 / take〔accept〕 a ~ 수회하다. ◇ bribable *a.* **—** *vt.* **1** 《~+목/+목+전+명/+목+*to* do》 매수하다, 뇌물로 꾀다; …에게 뇌물을 쓰다: ~ a person *with* money 아무를 돈으로 매수하다 / ~ a person *into* silence 뇌물을 주어 아무의 입을 막다 / He was ~*d to* vote against the candidate. 그는 그 후보자에 반대 투표하도록 매수당했다. **2** 《+목+전+명》〖~ oneself 또는 ~ one's way〗 뇌물을 써서 (지위 따위를) 얻다: He ~*d* him*self* 〔his *way*〕 *into* office. 그는 뇌물을 써서 공직에 들어갔다. **—** *vi.* 뇌물을 쓰다, 증회하다. 파 **bríb(e)·a·ble** *a.* 뇌물이 듣는, 매수할 수 있는. **brìb(e)·a·bíl·i·ty** *n.*

brib·ee [braibíː] *n.* 수회자(收賄者).

bríbe·gìver *n.* 증회자(briber).

brib·er [bráibər] *n.* 증회자(贈賄者).

brib·ery [bráibəri] *n.* U 뇌물(을 주는〔받는〕 행위), 증회, 수회: commit ~ 증회〔수회〕하다 / a ~ case 수회 사건.

bríbe·tàker *n.* 수회자(bribee).

bric-a-brac, bric-à-brac [bríkəbræ̀k] *n.* 《F.》〖집합적〗 골동품, 고물; 장식품.

brick** [brik] *n.* **1** C 벽돌 (한 개); U〖집합적〗 벽돌. **2** 벽돌 모양의 덩어리; 《미속어》 1kg 의 마리화나 꾸러미: an ice-cream ~ 아이스크림 덩어리. **3** U (장난감의) 집짓기. **4** (the ~s) 〖단수취급〗 《미속어》 포도(鋪道), 보도, 가로. **5** 《미속어》 교도소의 바깥 (세상). **6** 《구어》 믿고 의지하는 남자, 쾌남아, 유쾌한 놈; 멋있는 것: a regular ~ 좋은 녀석. **7** 혹평, 모욕: throw ~*s* at …을 혹평하다. **8** 〖형용사적〗 벽돌로 만든, 벽돌과 같은. ***as dry as a **~** 바싹 마른. ***drop a*** **~** 《구어》 실수를 하다, 주책없는 것을 하다, 실언하다. ***have a*** **~** ***in*** **one's *hat*** 《속어》 취해 있다. ***hit the*** **~*s*** 《미속어》 ① 맨발로 돌아다니다. ② 공직을 물러나다. ③ 교도소에서 석방되다. ④ 파업하다. ⑤ (묵을 데가 없어) 밤거리를 돌아다니다. ⑥ 거리에서 구걸하다. ***like a*** **~** =***like a load*** 〔***a ton, a hundred, a pile***〕 ***of*** **~*s*** 《구어》 위세 좋게, 활발하게, 맹렬하게. ***make*** **~*s without straw*** 필요한 재료〔자료〕도 없이 만들려고 하다, 헛수고하다. ***press the*** **~*s*** 《미속어》 (경찰이) 담당 구역을 순찰하다. ***shit*** **~*s*** 〔***a*** **~**〕 《비어》 몹시 조바심〔걱정〕하다. **—** *vt.* 《~+목/+목+부》 벽돌을 깔다《*over*》; 벽돌로 에두르다《*in*》; 벽돌로 막다《*up*》; 벽돌 건축으로 하다: ~ *over* a garden path 정원의 작은 길에 벽돌을 깔다 / ~ *up* a window 창문을 벽돌로 막다.

bríck-and-mórtar [-ən-] *a.* 〖상업〗 (인터넷을 사용하지 않는) 전통적인 《기업》. cf. click-and-mortar.

bríck·bàt *n.* 벽돌 조각〔부스러기〕; 《비유》 비난, 혹평, 모욕: throw a ~ at …을 비난하다.

bríck chéese 《미》 벽돌 모양의 치즈.

bríck dùst 벽돌 부스러기〔가루〕.

bríck·field *n.* 《영》 벽돌 공장.

bríck·fielder *n.* 〖기상〗 (오스트레일리아에서 부는) 건조하고 무더운 북풍.

brick·ie [bríki] *n.* 《영》 =BRICKLAYER.

bríck·kìln [-kìln] *n.* 벽돌 (굽는) 가마.

bríck·làyer *n.* 벽돌공〔장이〕.

bríck·làying *n.* 벽돌쌓기〔공사〕.

brick·le [bríkəl] *a.* 《방언》 무른, 부서지기 쉬운(brittle).

bríck·màker *n.* 벽돌 제조인.

bríck·màking *n.* 벽돌 제조.

bríck·màson *n.* =BRICKLAYER.

bríck réd 붉은 벽돌빛.

bríck-réd *a.* 붉은 벽돌빛의.

brícks and mórtar 《미학생속어》 노트와 책; 《영속어》 가옥.

bríck téa 전차(磚茶).

bríck wáll 벽돌 담; 큰 장벽, 넘기 어려운 벽.

bríck·wòrk *n.* 벽돌로 지은 것〔건물〕; 벽돌 쌓기〔공사〕.

bricky [bríki] (***brick·i·er; -i·est***) *a.* 벽돌로 지은; 벽돌빛의. **—** *n.* 《구어》 벽돌공.

bríck·yàrd *n.* 벽돌 공장.

bri·co·lage [brì(ː)kouláːʒ] *n.* 《F.》 〖미술〗 브리콜라주《손에 닿는 아무 것이나 이용하여 만드는 일〔만든 것〕》.

bri·cole [brikóul, bríkəl] *n.* 투석기(投石器)의 일종; 〖당구〗 원 쿠션 맞히기《친 공이 겨눈 공에 맞고 쿠션을 거쳐 다른 공에 맞는 일》; 간접 공격, 기습. 「하는 사람.

bri·co·leur [brikɔlə́ːr] *n.* 《F.》 bricolage를

◇**brid·al** [bráidl] *a.* 새색시의, 신부의; 혼례의: a ~ veil 신부의 베일. **—** *n.* 혼례, 결혼식. 파 **~·ly** *ad.* 「등》.

brídal pàrty 신부측 일행《신부의 부모·들러리

brídal régistry 《미》 결혼 축하용 선물 목록표《결혼을 앞둔 사람이 필요한 물품 리스트를 백화점 등에 미리 맡겨 놓으면, 친지들이 그것을 보고 중복되지 않도록 선물을 구입함》.

brídal shòwer 《미》 신부 파티《결혼할 신부에게 선물을 주는 파티》. 「방.

brídal sùite (특히 신혼 부부를 위한) 고급 호텔

brídal wrèath 〖식물〗 조팝나무.

****bride** [braid] *n.* 신부, 새색시. cf. bridegroom.

bríde·càke *n.* =WEDDING CAKE.

****bride·groom** [bráidgrù(ː)m] *n.* 신랑.

bríde prìce 신부 값《매매혼에서 남자가 신부 집에 주는 돈·귀중품·식량 따위》.

bríde's bàsket 은도금한 대좌가 있고 손잡이가 달린 색유리로 만든 장식 화분.

◇**brídes·màid** *n.* 신부 들러리.

brídes·man [-mən] (*pl.* ***-men*** [-mən]) *n.* 신랑 들러리(best man).

bríde-to-bé (*pl.* ***brides-***) *n.* 신붓감. 「교도소.

bríde·well *n.* 《고어》 소년〔감화〕원, 유치장,

****bridge**[1] [bridʒ] *n.* **1** 다리, 교량; 육교; 철도 신

호교. **2** 〖선박〗 함교(艦橋), 선교, 브리지. **3** 《비유》 연결, 연락, 다리(놓기). **4** 다리 모양의 것; 콧마루; (현악기의) 기러기발; 〖치과〗 가공 의치(架工義齒), 브리지, (의치의) 틀; 〖당구〗 큐대(臺), 레스트(rest); 〖레슬링〗 브리지; (안경의) 원산(遠山). **5** 〖전기〗 브리지, 전교(電橋); 교락(橋絡), 브리지《과다한 땜납으로 인한 단자간 등의 쇼트》. **6** 〖음악〗 경과부, =BRIDGE PASSAGE; 〖방송〗 (장면 전환 때에) 사이를 메우기 위해 내보내는 것《음악 따위》. **7** 〖컴퓨터〗 브리지《복수의 네트워크를 접속할 때에 이용하는 가장 기본적인 장치》. ***a ~ of boats*** 배다리. ***a ~ of gold*** =***a golden ~*** 안전한 퇴각로; 난국 타개책. ***Bridge of Sighs*** 탄식의 다리《(1) Venice에서 감옥으로 끌려가는 죄인이 건너던 다리. (2) New York의 Tombs 형무소로 통하는 다리》. ***burn*** one's ***~s*** (***behind*** one) 배수의 진을 치다. **—** *vt.* **1** (…에) 다리를 놓다; 다리를 놓아 길을 만들다: ~ a river 강에 다리를 놓다. **2** 《비유》 …의 중개역을 하다, (간격 따위를) 메우다. **3** 〖전기〗 교락〔브리지〕하다《*over*》.

bridge[2] *n.* Ⓤ 브리지《카드놀이의 일종》. 「있는.

bridge·a·ble *a.* 가교할 수 있는, 연락할 수

brìdge-a-phóbia *n.* 다리 공포증.

brídge·bòard *n.* 〖건축〗 층교기(層橋機)《나무 층계의 디딤판을 받치는 톱니꼴의 양쪽 널》.

brídge·buìlder *n.* (대립 관계의 해소를 도모하는) 조정자, 중재인.

brídge-buìlding *n.* 관계 개선.

brídge cìrcuit 〖전기〗 =BRIDGE[1] 5.

brídge fìnancing 브리지 융자《보다 유리한 조건의 장기 차입이 가능할 때까지 또는 중·장기의 자금 조달이 필요한 기간내에 불가능할 때 잠정적으로 행해지는 자금 조달〔단기 융자〕》.

brídge·hèad *n.* 다리의 끝 부분; 전진 기지; 〖군사〗 교두보: secure a ~ 교두보를 확보하다.

brídge hòuse 〖선박〗 선교루(船橋樓).

brídge làmp 카드놀이 테이블용의 램프.

brídge lòan 브리지론《갱신 가능 단기 차관》.

brídge mùsic 〖방송〗 간주 음악《프로의 남은 시간을 메우거나 장면을 연결시키는》.

brídge pàssage 〖음악〗 두 개의 주제를 잇는

brídge ròll 소형 롤빵. 「간주 악절.

Bridg·et [brídʒət] *n.* 브리짓《여자 이름》.

brídge tòwer 교탑(橋塔).

brídge tràin 〖군사〗 가교(架橋) 종대.

brídge-tùnnel *n.* (하구(河口) 지역 따위의) 다리와 터널이 이어지는 도로.

brídge·wàrd [-wɔ̀ːrd] *n.* 다리지기.

brídge-wàre *n.* 〖컴퓨터〗 브리지웨어《두 시스템(신구(新舊) 컴퓨터 따위) 사이에서 교량 역할을 하는 하드웨어나 소프트웨어》. 「의치(술).

brídge·wòrk *n.* Ⓤ 교량 공사; 〖치과〗 가공

bridg·ing [brídʒiŋ] *n.* 가교(架橋); 연결함; (건조물의) 버팀기둥.

brídging lòan (집을 바꾼다든지 할 때) 임시적인 융자〔대부금·차입금〕.

◇**bri·dle** [bráidl] *n.* **1** 굴레《재갈·고삐 따위의 총칭》; 고삐: give a horse the ~ =lay the ~ on a horse's neck 말의 고삐를 늦추어 주다; 말을 자유롭게 활동하게 하다. **2** 구속, 속박, 제어; 구속〔제어〕하는 것. **3** 〖해사〗 계류삭(繫留索); 〖기계〗 브라이들, 덧쇠《기계의 두 부분을 연결하거나 움직이지 못하게 하기 위한 링·플랜지 따위》; 〖해부〗 소대(小帶)(frenulum). ***bite on the ~*** (다루기 힘든 말처럼) 안달복달하다. ***draw ~*** 고삐를 당겨 말을 멈추다; 《비유》 자제하다. ***go well up to*** one's ***~*** (말이) 명령대로 잘 나가다. ***set a ~ on*** …을 억제하다. **—** *vt.* …에 굴레를 씌우다; 고삐를 달다; (감정 따위를) 억제하다. **—** *vi.* 《~/+ 전+명/+부》 머리를 곧추세우며 새치름해하다《*up*》; (…을 듣고〔보고〕) 화내다, 역정내다《*at*》: ~ *at* a person's advice 아무의 충고에 콧방귀 뀌다 / She ~*d up*. 그녀는 고개를 치올리며 새치름해졌다. 「다리.

brídle brìdge 말은 가도 수레는 못 가는 좁은

brídle hànd 고삐 잡는 손, 왼손.

brídle pàth 〔**ròad, tràil, wày**〕 승마길《수레는 못 다님》.

brídle rèin (말)고삐.

brídle·wìse [-wàiz] *a.* 《미》 굴레에 길든, 고삐에 잘 따르는《말》.

bri·doon [braidúːn, bri-/bri-] *n.* (군마(軍馬)용의) 작은 재갈.

Brie [briː] *n.* 희고 말랑말랑한 프랑스원산 치즈 (=**~ chéese**).

brief** [briːf] *a.* **1** 짧은, 단시간의; 덧없는: a ~ stay in the country 시골에서의 짧은 체류. SYN. ⇨ SHORT. **2** (연설·서한(書翰) 따위가) 간결한, 간단한; (사람이) 말수가 적은; 쌀쌀맞은, 무뚝뚝한: a ~ report on weather conditions 날씨에 관한 간단한 보고 / a ~ welcome 쌀쌀맞은 환영. ◇ brevity *n.* ***to be ~ 간단히 말하면. **—** *n.* **1** 적요, 대의; 〖법률〗 소송 사건 적요서; 《영》 소송 사건: take a ~ (변호사가) 소송사건을 떠맡다 / have plenty of ~s (변호사가) 사건 의뢰를 많이 받다. **2** (권한·임무 따위를 규정하는) 지시(사항); 《비유》 임무, 권한; (출격 때 내

covered bridge

truss bridge

suspension bridge

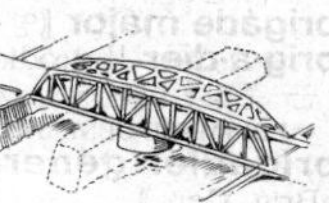
swing bridge

drawbridge

pontoon bridge,
floating bridge

cantilever bridge

trestle bridge

bridges

리는) 간결한 지시〔지령〕. **3** 〖가톨릭〗 (교황의) 훈령. **4** (*pl.*) 브리프《짧은 팬츠》. ***hold a ~ for*** …을 변호〔지지〕하다. ***in ~*** 말하자면, 요컨대. ***make ~ of*** …을 재빨리 처리하다. **—** *vt.* **1** …의 적요(摘要)를 적다, 요약하다. **2** 《영》 (변호사)에게 소송 사건 적요서에 의한 설명을 하다; …에게 변호를 의뢰하다. **3** 《+[목]+[전]+[명]》 …에게 사정을 잘 알리다, 요점을 추려 말하다《*on*》; …에게 간단히 지시하다: ~ a person *on* something 어떤 일을 아무에게 이야기하다. [파] **~·ness** *n.* 간단, 간결; (시간의) 짧음, 덧없음.

bríef bàg **1** =BRIEFCASE. **2** 《영》 변호사용 서류 가방. 「[SYN.] ⇨ TRUNK.

bríef·càse *n.* (주로 가죽으로 만든) 서류 가방.

bríefcase compúter (서류 가방에 들어가는) 소형 컴퓨터. ★ notebook 〔pocket〕 computer라고도 함.

brief·ie [bríːfi] *n.* 《미속어》 단편 영화.

bríef·ing *n.* 요약 보고(서), 상황설명; (행동 개시 전의) 최종 협의; 《미》 (출격 전에 탑승원에게 내리는) 간단한 지시.

bríef·less *a.* 소송 의뢰자가 없는.

***brief·ly** [bríːfli] *ad.* 짧게, 간단히; 일시적으로, 잠시: to put it ~ 간단히 말하면.

bríef of títle 〖미법률〗 부동산 등기 용지, 권원(權原)요약서, 권리 경과 설명서.

bri·er¹, -ar¹ [bráiər] *n.* 찔레〔가시〕(의 덤불〔잔가지〕); 《미속어》 줄, 쇠톱: ~*s* and brambles 우거진 가시덤불〔나무〕.

bri·er², -ar² *n.* 〖식물〗 브라이어《석남과(科) 에리카속의 식물; 남유럽산》; (보통 briar) 그 뿌리로 만든 파이프: Will you have a ~ or a weed? 파이프로 하겠나 시가로 하겠나.

bríer-hòpper *n.* 《미속어》 농민. 「이프).

bríer·ròot, -ar- *n.* brier²의 뿌리(로 만든 파

bríer ròse =DOG ROSE.

bríer·wòod, -ar- *n.* =BRIERROOT. 「곤란한.

bri·ery, -ar- [bráiəri] *a.* 가시덤불의; 《비유》

brig¹ [brig] *n.* **1** (가로돛의) 쌍돛대 범선의 일종. **2** 〖미군사〗 영창《특히 군함내의》; 《미속어》〖일반적〗 교도소: a ~ rat 《미속어》 죄수.

brig² *n., vt.* 《Sc.》 =BRIDGE¹.

Brig. Brigade; Brigadier.

°**bri·gade** [brigéid] *n.* 〖군사〗 여단(旅團); (군대식 편성의) 대(隊), 조(組): a fire ~ 소방대/a mixed ~ 혼성 여단/Boys' *Brigade* 《영》 기독교 소년단. **—** *vt.* 여단으로 편성하다; 조편성하다; 분류하다.

brigáde májor 〖영육군〗 여단 부관.

brig·a·dier [brìgədíər] *n.* 〖영군사〗 여단장, 육군 준장《여단장의 계급》; 〖미군사〗 《구어》 =BRIGADIER GENERAL.

brígadier géneral 〖미군사〗 준장《생략: Brig. Gen.》. 「아카시아나무.

brig·a·low [brígəlòu] *n.* 《Austral.》 〖식물〗

brig·and [brígənd] *n.* 산적, 도적. [파] **~·age** [-idʒ] *n.* [U] 강탈; 산적 행위.

brig·an·dine [brígəndìːn, -dàin] *n.* (중세의) 사슬 갑옷의 일종.

brig·and·ish [brígəndiʃ] *a.* 산적 같은.

brig·an·tine [brígəntìːn, -tàin] *n.* 쌍돛대 범선의 일종《앞돛대는 가로돛이고 뒷돛대는 세로돛》.

bri·ga·tis·ti [brìːgaːtíːsti] *n. pl.* 《It.》 (이탈리아의) 붉은 여단의 단원.

Brig. Gen. brigadier general.

†**bright** [brait] *a.* **1** (반짝반짝) 빛나는, 광채나는; 화창한; 맑은: a ~ day 쾌청한 날씨. **2** 빛이 충만한, 밝은; (액체가) 투명한; (색깔이) 선명한; (소리가) 맑은; 명백한《증거 따위》: a ~ red. **3** 빛나는; 멋진, 근사한: ~ prospects 밝은 전망/a ~ idea 명안. **4** 머리가 좋은, 영리한; 민첩한, 기지가 있는: (as) ~ as a button 《구어》 아주 활발〔영리〕한. [SYN.] ⇨ CLEVER. **5** 원기 있는, 명랑한. **6** 〖해사〗 경계를 소홀히 하지 않는: keep a ~ lookout 방심치 않고 감시하다. ***look on the ~ side of things*** 일을 낙관하다.

— *ad.* =BRIGHTLY: The sun shines ~. ***~ and early*** 아침 일찍.

— *n.* **1** 《고어·시어》 빛남, 광명, 광휘. **2** 《미속어》 낮, 주간; 《미속어》 별로 검지 않은 흑인, 흑백 혼혈아. **3** (*pl.*) 헤드라이트, 전조등(의 상향 위치). **4** 〖회화〗 밝은 색을 칠하는 가는 평필(平筆).

***bright·en** [bráitn] *vt.* **1** 반짝이게 하다, 빛내다. **2** 밝게 하다: Young faces ~ a home. 젊은 이들이 있으면 집안이 밝아진다. **3** 《~+[목]/+[목]+[부]》 상쾌〔쾌활〕하게 하다; 유망하게 하다; 원기 있게 하다, 행복하게 하다《*up*》: Flowers ~ a room. 꽃이 방을 밝게 한다/His presence ~*ed up* the party. 그의 참석으로 파티가 즐거워졌다. **—** *vi.* **1** 반짝이다, 빛나다; 밝아지다: a garden ~*ing* with flowers 꽃으로 환한 뜰. **2** 개다. **3** 《~/+[부]》 쾌활〔유쾌〕해지다, 명랑한 기분이 되다《*up*》: His face ~*ed* (*up*) at the news. 그 소식에 그의 표정은 밝아졌다. **4** 행복해지다. [파] **~·er** *n.* (형광) 증백제(增白劑).

bríght-èyed *a.* 눈이〔눈매가〕 시원한〔또렷한〕.

bright·ish [bráitiʃ] *a.* 조금 밝은.

bríght líghts (the ~) 《구어》 도시의 환락가(의 화려함). 「펙트럼.

bríght-line spéctrum 〖물리〗 휘선(輝線) 스

***bright·ly** [bráitli] *ad.* 반짝거려; 밝게; 분명히; 훌륭하게; 화사하게; 약게; 즐거운 듯이.

***bright·ness** [bráitnis] *n.* 빛남, 밝음; 휘도(輝度), 광도; 선명, 산뜻함; 총명, 영특; (표정 등의) 밝음.

Bríght's disèase 〖의학〗 브라이트병《신장염의 일종》. [cf.] nephritis.

bríght spárk 《미구어》 명랑하고 유쾌한 사람, 멋진 사람; 영리한 사람, 재주꾼.

bríght·wòrk *n.* (기계나 배의) 닦아서 반짝거리는 쇠붙이〔부분〕; 다듬어서 니스만 칠한 목공 부분《난간 따위》. 「치.

brill [bril] (*pl.* **~s,** 〖집합적〗 **~**) *n.* 〖어류〗 넙

***bril·liance, -cy** [bríljəns], [-i] *n.* [U] 광휘, 광택; 훌륭함; 명민, 재기발랄; 〖물리·미술〗 (색의) 밝기, 휘도(輝度). [cf.] hue¹, saturation.

‡**bril·liant** [bríljənt] *a.* **1** 찬란하게 빛나는, 번쩍번쩍 빛나는: ~ jewels. **2** 훌륭한, 화려한: a ~ achievement 훌륭한 업적. **3** 두뇌가 날카로운, 재기 있는. **—** *n.* **1** 브릴리언트형으로 다듬은 다이아몬드〔보석〕. **2** 브릴리언트 활자《3.5포인트》. [cf.] diamond.

brílliant cùt 브릴리언트컷《보석을 가장 빛나게 깎는 방법; 보통 58면》; 그 보석.

brílliant-cùt *a.* 브릴리언트컷의《보석》.

bril·lian·tine [bríljəntìːn] *n.* 포마드의 일종; 《미》 양모와 면사의 교직의 일종《알파카와 비슷하며 광택이 아름다움》.

°**bríl·liant·ly** *ad.* 번쩍번쩍, 찬연히; 훌륭히; 재기가 넘쳐. 「열병》.

Bríll's disèase [brílz-] 브릴병《급성 전염성

brim** [brim] *n.* **1** (컵 등의) 가장자리, 언저리: fill a glass to the ~ 컵에 찰랑찰랑하게 따르다. [SYN.] ⇨ EDGE. **2** (시내·못 등의) 물가. **3** 죽 둘린 챙, (모자의) 양태. **—** (-mm-***) *vi.* 《~/+[부]/+[전]+[명]》 가장자리까지 차다, 넘칠 정도로 차다《*over; with*》: Her eyes ~*med* (*over*) *with* tears. 그녀의 눈은 눈물로 그득했다/He was ~*ming* (*over*) *with* health and spirits. 그는

원기가 넘쳐 흐르고 있었다. ── *vt.* 《+목+전+명》 …에 넘치도록 채우다, 넘치도록 붓다《*with*》: ~ a glass *with* wine.

brim·ful(l) [brímfúl] *a.* 넘칠 정도의《*of; with*》: ~ *of* ideas 재기가 넘치는. ㊞ **-fúl·ly** *ad.* **-fúl(l)-ness** *n.*

brím·less *a.* 가장자리 없는; 테 없는.

(-)brimmed *a.* (…한) 테두리의; 넘칠 듯한: a broad-~ hat 테 넓은 모자.

brim·mer [brímər] *n.* 찰랑찰랑 넘치게 따른 잔(그릇 따위); 가득 찬 잔.

brim·ming [brímiŋ] *a.* 넘칠 듯한, 넘치게 따른: a ~ stream. ㊞ **~·ly** *ad.*

brím·stòne *n.* Ⓤ 황(黃)《sulfur의 옛 이름》; 〖곤충〗 흰나빗과의 나비(= ∠ **bùtterfly**), 《특히》 멧노랑나비; 표독스러운 계집; 지옥의 불: ⇨ FIRE AND BRIMSTONE.

brím·stòny *a.* 황(黃)(빛깔)의; 황 냄새 나는; 지옥〔악마〕 같은.

brin·dle [bríndl] *n.* 얼룩, 얼룩빛; 얼룩빼기의 동물《특히 개》. ── *a.* =brindled. ㊞ **~d** *a.* 얼룩빛의, 얼룩빼기의.

brine [brain] *n.* 소금물; (the ~) 《시어》 바닷물, 바다; 《시어》 눈물: the foaming ~ 파도 치는 바다. ── *vt.* 소금물에 절이다〔담그다〕.

Bri·néll hárdness [brinél-] 〖야금〗 브리넬 경도(硬度)《생략: B.H.》.

Brinéll hárdness nùmber 〖야금〗 브리넬 경도 지수(Brinell number).

Brinéll machìne 〖야금〗 브리넬 경도 측정기.

Brinéll nùmber 〖야금〗 브리넬 (경도)수.

Brinéll tést 〖야금〗 브리넬 (경도) 시험.

bríne pàn 소금 가마.

†**bring** [briŋ] (*p., pp.* ***brought*** [brɔːt]) *vt.* **1** 《+목+목/+목+전+명/+목+부》 (물건을) 가져 오다, (사람을) 데려오다: *Bring* me the book. =*Bring* the book *to* me. 그 책을 가져다 주시오/*Bring* your children *to* the picnic (with you). 아이를 소풍에 데려오시오/*Bring* him *here* with you. 그를 여기에 데려오너라.

> SYN. **bring** '가져오다, 데려오다'의 뜻. **fetch** '가서 갖고 오다, 가서 데리고 오다'의 뜻. **take** '갖고 가다, 데리고 가다'의 뜻.

2 《~+목/+목+전+명》 오게 하다: What ~s you here today? 무슨 일로 오늘 여기 왔느냐/An hour's walk *brought* us *to* our destination. 한 시간 걸었더니 목적지에 도착했다. **3** 《~+목/+목+전+명》 (상태·현상 따위를) 초래하다, 일으키다《*to; into; under*》: The south wind always ~*s* rain. 남풍(南風)이 불면 언제나 비가 온다/The smoke *brought* tears *to* my eyes. 연기 때문에 눈물이 났다. **4** 《~+목/+목+전+명》 생각나게 하다: The letter *brought* her memory of youth. 그 편지는 젊었을 때 그녀를 기억나게 했다/Your story ~*s to* mind an old friend of mine. 자네 이야기로 나의 어느 옛 친구의 생각이 났다. **5** 《+목+전+명》 …하도록 하다, 이끌다: ~ a person *to* reason 아무에게 도리를 깨닫게 하다. **6** 《+목+*to* do》〔흔히 부정문·의문문〕 …할 마음이 생기게 하다: I can't ~ myself *to* do it. 아무리 해도 그것을 할 마음이 나지 않는다/What *brought* you *to* buy the book? 어찌하여 그 책을 살 마음이 생겼는가. **7** 《~+목/+목+전+명》 (이유·증거 등을) 제시하다; 〖법률〗 (소송을) 제기하다, 일으키다《*against; for*》: ~ an action 〔a charge〕 *against* a person 아무를 상대로 소송을 제기하다. **8** 《~+목/+목+목》 (이익·수입 따위를) 가져오다, 올리다; (얼마로) 팔리다: This article ~*s* a good price. 이 물건은 상당한 값으로 팔린다/This work *brought* me 10 dollars. 이 일에서 나는 10 달러를 벌었다.

~ ***about*** 일으키다, 가져오다; 〖해사〗 (배를) 반대 방향으로 돌리다: Nuclear weapons may ~ *about* the annihilation of man. 핵무기는 인류의 멸망을 가져올지도 모른다. ~ ***along*** 가지고〔데리고〕 오다《*to*》; (기후가 작물 따위를) 생장시키다; (학생·선수·학업 등을) 향상시키다. ~ a person ***around*** ① 아무를 데리고 오다. ② 의식〔건강〕을 회복시키다. ③ 아무를 납득시키다, 설득하다: ~ him *around* to agreeing with the plan 그를 설득하여 계획에 찬성케 하다. ④ 〖해사〗 = ~ about. ~ ***away*** (인상 따위를) 갖고 돌아오다. ~ ***back*** 되돌리다; 갖고 돌아오다; 되부르다; 상기시키다: His story *brought back* our happy days. 그의 이야기를 들으니 즐거웠던 날들이 생각났다. ~ ***down*** (짐을) 내리다; (물가를) 하락시키다; (자부심 따위를) 꺾다; (나는 새를) 쏘아 떨어뜨리다, (적기를) 격추하다; (정부·통치자를) 넘어뜨리다; (아무를) 죽이다, 상처입히다; 파멸시키다; (기록·이야기 등을 …까지) 계속하다; (재앙을) 초래하다, (벌을) 받게 하다《*on*》. ~ ***down the house*** ⇨ HOUSE. ~ ***forth*** ① 낳다; 산출하다; (싹을) 내다; (열매를) 맺다: The news *brought forth* a cheer. 그 소식에 환호가 쏟아져 나왔다. ② (증거 등을) 참고로 내놓다; 폭로하다; 발표하다. ~ ***forward*** 공표하다; 제출하다; 앞당기다; 〖부기〗 이월하다: The meeting has been *brought forward* to the 7th. 모임은 7일로 앞당겨졌다. ~ ***home*** (기수가 말을) 이기게 하다. ~ ***home the bacon*** 〔《미속어》 ***the groceries***〕 《구어》 생활비를 벌다; 《구어》 성공〔입상〕하다, 이기다, 기대한 만큼 성과를 올리다. ~ ***in*** ① 가지고 들어오다, 데려오다; (원조자를) 끌어들이다; (예로서) 제기하다; (풍습 따위를) 소개〔수입〕하다: ~ *in* a new style of dress. ② (배심원이 평결을) 답신(答申)하다; (법안을) 제출하다. ③ 〖야구〗 생환시키다. ④ 수입이 생기다: Her extra job doesn't ~ *in* much, but she enjoys it. 그녀의 아르바이트는 별로 수입이 많지 않으나 기꺼이 하고 있다. ~ ***... into the world*** (아이를) 낳다, (조산사로서 아이를) 받다; …을 생기게 하다, 만들어 내다. ~ ***off*** ① 날라〔가져〕 가다. ② 훌륭하게 해내다: ~ *off* a speech with ease 쉽게 연설을 해치우다. ③ …할 생각을 그만두게 하다. ④ (병아리 따위를) 까다. ⑤ (난파선에서) 구출하다. ~ ***on*** 가져오다; (논쟁·전쟁을) 일으키다; (병이) 나게 하다; (재앙을) 초래하다; (학업 등을) 향상시키다; (화제 등을) 꺼내다: Poverty can ~ *on* 〔*about*〕 a war. 빈곤은 전쟁의 원인이 될 수 있다. ~ ***out*** (…에서) 꺼내다《*of*》; (색·성질 등을) 나타내다; (뜻을) 분명히 하다; 발표하다; (능력 따위를) 발휘하다; (배우·가수를) 세상에 내놓다; 출판하다; (딸을) 사교계에 내보내다; 상연하다; (노동자에게) 파업을 시키다; (날씨 따위가 꽃을) 피게 하다; 회항(回航)하다. ~ ***over*** 개종시키다; 데려오다; 제편으로 끌어들이다; 넘겨주다; 〖해사〗 (돛을) 돌리다. ~ ***round*** = ~ around; (화제를 딴 데로) 돌리게 하다《*to*》. ~ ***through*** (환자를) 살리다; (곤란·시험 따위를) 극복하게 하다. ~ ***to*** 《*vt.*+부》 ① (아무를) 제정신 들게 하다: She *brought* him *to* (with smelling salts). (각성제를 맡게 해서) 그가 제정신이 들게 했다. ② 〖해사〗 (배를) 멎게 하다: He *brought* the ship *to*. 그는 배를 멎게 했다. ──《*vi.*+부》 ③ 〖해사〗 (배가) 멎다. ~ ***to bear*** ⇨ BEAR[1]. ~ ***together*** 모으다, 소집하다; (특히, 남녀를) 맺어주다, 결합시키다; 화해시키다: ~

strangers *together* 낯선 사람들을 서로 알게 하다. ~ ***under*** 진압하다, 굴복시키다; (권력·지배)하에 넣다. ~ ***up*** ① 기르다, 가르치다: He is well *brought up*. 그는 본데 있게 자랐다. ② (논거·화제 등을) 내놓다: ~ the matter *up* for discussion. ③ (차를) 딱 멈추다, (차가) 멎다; 〖해사〗 닻을 내리다. ④ 토하다, 토해 내다. ⑤ (의원에게) 발언을 허락하다. ⑥ 직면〔대결〕시키다《*against*》. ⑦ (계산을) 이월하다. ⑧ (재판에) 출두시키다, 기소하다; (부대·물자를 전선으로) 보내주다. ⑨ 요구 수준에 도달시키다.

bríng-and-búy sàle [-ənd-] 《영》 지참 매매 자선 바자《각자 가지고 온 물건을 서로 사고 팔아서 그 매상금을 자선 따위에 씀》.

bríng·dòwn *n.* 《미속어》 신랄한 비꼼; (남을 우울하게 하는) 음울한 사람, 맥이 풀리게 하는 것. **—** *a.* 불만족한, 무능한, 우울한.

bríngìng-úp *n.* Ⓤ 양육; 훈육(upbringing).

brin·ish [bráiniʃ] *a.* 짠. ◇ brine *n.*

brink** [briŋk] *n.* **1** (벼랑 따위의) 가장자리; (산 따위의) 정상. **2** 물가. **3** (…하기) 직전, (아슬아슬한) 고비. ⓒⓕ edge, verge. ***on 〔***at***〕 ***the*** ~ ***of*** (멸망·죽음 등)에 임하여, …의 직전에: *on* 〔*at*〕 *the brink of* starvation 아사 직전에.

brink·man·ship, brinks- [bríŋkmənʃip], [bríŋks-] *n.* (아슬아슬한 상태까지 밀고 나가는) 극한 정책.

briny [bráini] (***brin·i·er; -i·est***) *a.* 소금물의, 바닷물의; 짠; 《시어》 눈물의. **—** *n.* (the ~) 《구어》 바다, 대양.

brio [bríːou] *n.* 《It.》 생기; 〖음악〗 활발.

bri·oche [bríːouʃ, -ɑʃ/briːɔ́ʃ, -óuʃ] *n.* 《F.》 브리오슈《버터·달걀이 든 롤빵》.

bri·o·lette [brìːəlét] *n.* 《F.》 브리올레트《표면 전체가 작은 삼각형으로 세공된 눈물방울 모양의 다이아몬드》.

bri·o·ny [bráiəni] *n.* = BRYONY.

bri·quet(te) [brikét] *n.* 연탄(煉炭). **—** (***-tt-***) *vt.* (분탄 등을) 연탄으로 만들다.

bri·sance [brizɑ́ːns] *n.* 《F.》 (폭약의) 폭파력. ㊞ **-sant** [-t] *a.* 폭파력이 센.

bri·sé [briːzéi; *F.* bʀize] (*pl.* ***~s*** [-z]; *F.* ~) *n.* 〖발레〗 브리제《한쪽 발로 뛰어올라 양다리를 부딪치고, 양쪽 발로 내려오는 스텝》.

brise-bise [bríːzbìːz] *n.* 반(半)커튼《창문의 하반부를 가리는》.

***brisk** [brisk] *a.* **1** 팔팔한, 활발한, 기운찬. **2** (장사 따위가) 활기 있는, 활황의. **3** (날씨 따위가) 쾌적한, 상쾌한. **4** (맛 따위가) 톡 쏘는, 풍미 있는; (음료가) 거품이 자꾸 이는. **—** *vt., vi.* 활발해지다〔하게 하다〕, 활기 띠다〔띠우다〕《*up*》.

bris·ket [brískit] *n.* (소의) 양지머리(고기), (짐승의) 가슴(고기); 《구어》 명치.

brísk·ly *ad.* 활발히, 팔팔하게, 세차게; 상쾌히, 기분 좋게.

bris·ling, -tling [bríslıŋ] *n.* 〖어류〗 청어속(屬)의 작은 물고기《북유럽산》.

◇**bris·tle** [brísəl] *n.* 빳빳한 털, 강모(剛毛). ***set up*** one'***s ~s*** (짐승이) 골이 나 털을 곤두세우다; 사람이 격노하다. **—** *vi.* **1** (짐승이) 털을 곤두세우다《*up*》; (머리칼 따위가) 곤두서다《*up*》. **2** 벌컥 화내다, 초조해 하다. **3** (장소에 건물 따위가) 꽉 차다, 임립(林立)하다, 밀생〔충만〕하다; (사업·책·연설 따위가 난관·오식·인용구 등으로) 가득하다《*with*》: Our path ~*s with* difficulties. 우리의 갈 길은 험난하다. **—** *vt.* **1** 곤두세우다; (용기 등을) 불러일으키다《*up*》. **2** …에 빳빳한 털을 심(어 놓)다. ㊞ **~d** *a.* 강모(剛毛)가 있는〔많은〕; 털이 곤두선.

brístle·tàil *n.* 〖곤충〗 반대좀《총칭》.

brís·tly [brísəli] (***bris·tli·er; -tli·est***) *a.* **1** 빳빳한 털의〔이 많은〕. **2** 털이 곤두선. **3** 불끈거리는.

Bris·tol [brístl] *n.* **1** 브리스틀《영국 서남부의 항구 도시》. **2** 브리스틀《영국 Bristol 자동차 회사제의 승용차》. **3** (b-s) 《영속어》 유방, 젖통이.

Brístol bòard (명함·카드·도화지용의) 질이 좋은 판지(板紙).

Brístol Chánnel (the ~) 브리스틀 해협.

Brístol Créam 〔**Mílk**〕 썩 좋은 셰리주(酒) 《상표명》.

Brístol fàshion 〖해사〗 정연한, 가지런한.

brit [brit] *n.* 새끼〔작은〕 청어; 바닷속의 작은 생물《고래의 밥이 되는》.

Brit [brit] *n.* 《구어》 영국인. **—** *a.* = BRITISH.

Brit. Britain; Britannia; British; Briton.

Brit·ain [brítn] *n.* **1** = GREAT BRITAIN. **2** = BRITISH EMPIRE.

Bri·tan·nia [britǽniə, -njə/-njə] *n.* **1** 브리타니아《Britain의 고대 로마 시대의 명칭》. **2** = GREAT BRITAIN. **3** = BRITISH EMPIRE. **4** 《문어》 Great Britain 또는 British Empire를 상징하는 여인상(像). **5** = BRITANNIA METAL.

Británnia mètal 〖야금〗 브리타니아(메탈)《주석·구리·안티몬의 합금》.

Británnia sìlver 〖야금〗 브리타니아 실버《순도 약 96%의 은》.

Bri·tan·nic [britǽnik] *a.* (대)브리튼의, 영국의. ***His*** 〔***Her***〕 ~ ***Majesty*** 대브리튼〔영국〕 국왕〔여왕〕 폐하《생략: H.B.M.》.

Bri·tan·ni·ca [britǽnikə] *a.* 영국의《책 이름 따위에 쓰임》. **—** *n.* 영국에 관한 문헌.

britch·es [brítʃiz] *n. pl.* 《구어》 (반)바지. ⓒⓕ breeches.

Brit·i·cism [brítəsìzəm] *n.* Ⓤ,Ⓒ 영국 특유의 어구〔어법〕《gasoline을 petrol, elevator를 lift로 부르는 따위》. ⓒⓕ Americanism.

†**Brit·ish** [brítiʃ] *a.* **1** 영국의, 영국 국민의. **2** 영연방의. **3** 고대 브리튼 사람의. **—** *n.* **1** (the ~) 〔집합적〕 영국인. **2** (영국) 영어. **3** 고대 브리튼어; 고대 브리튼어에서 발달한 여러 언어《웨일스어·콘월어·브리튼어》. ***The best of*** ~***!*** 《구어》 잘해 보게(Good luck!)《흔히 가망 없을 때에》.

Brítish Acádemy (the ~) 대영 학사원.

Brítish Áirways 영국 항공.

Brítish América 영령 북아메리카《캐나다 및 그 부근의 영국의 옛 영토》; 캐나다.

Brítish Antárctic Térritory (the ~) 영령 남극 지역《남대서양의 영령 식민지》.

Brítish Associátion (the ~) 대영 학술 협회.

Brítish Bróadcasting Corporátion (the ~) 영국 방송 협회《생략: B.B.C.》.

Brítish Colúmbia 캐나다 남서부의 주.

Brítish Cómmonwealth (of Nátions) (the ~) 영연방《현재는 그저 the Commonwealth (of Nations)라고 함》.

Brítish Cóuncil (the ~) 영국 문화 협회.

Brítish dóllar 영국 달러《전에 영국이 연방내에 통용시킬 목적으로 발행한 각종 은화》.

Brítish Èast África 영령 동아프리카《Kenya, Uganda, Tanzania 등 영령이었던 지역의 구칭》.

Brítish Émpire (the ~) 대영 제국《the Commonwealth (of Nations)(영연방)의 옛이름》.

Brítish Énglish 영국 영어.

Brít·ish·er *n.* 《미》 영국 사람.

Brítish Expedítionary Fórce (the~) 영국 해외 파견군.

Brítish Guiána 영령 기아나《Guyana의 구칭》.

Brítish Hondúras 영령 온두라스《현재 Belize》.

Brítish Índia 영령 인도《영령이었던 인도의 17주; 1947년 인도·파키스탄으로 독립》.

Brítish Ísles (the ~) 영국 제도(諸島)《Great Britain, Ireland, the Isle of Man 기타의 작은 섬을 포함》.
Brít·ish·ìsm *n.* =BRITICISM.
Brítish Ísraelite 영국인은 이스라엘의 잃어버린 10지파(lost tribes of Israel)의 자손이라고 믿는 종교단체의 사람.
Brítish Légion (the ~) 영국 재향 군인회.
Brítish Líbrary (the ~) 영국 (국립) 도서관.
Brítish Muséum (the ~) 대영 박물관.
Brítish Nòrth América 영령 북아메리카.
Brítish Ópen (the ~) 〖골프〗 영국 오픈《세계 4대 토너먼트의 하나》.
Brítish Petróleum 브리티시 페트롤륨(사) (The ~ Co., plc)《영국의 국제 석유자본; 생략: BP》.
Brítish Ráil 영국 국유철도《생략: BR》.
Brítish Súmmer Tìme 영국 서머 타임《GMT보다 1시간 빠름; 3월말-10월말; 생략: BST》.
Brítish Telecommunicátions 브리티시 텔레컴《영국 최대의 전신 전화 회사; 약칭: British Telecom; 생략: BT》.
Brítish thérmal ùnit 영국 열량 단위《1파운드의 물을 화씨 1도 올리는 데 필요한 열량; 생략: B.T.U., Btu.》.
Brítish wárm 《영》 짧은 군용 외투.
Brítish Wèst Índies (the ~) 영령 서인도 제도.
Brit. Mus. British Museum.
Brit·on** [brítn] *n.* 브리튼 사람《옛날 브리튼섬에 살았던 켈트계의 민족》; 《문어》 대브리튼 사람, 영국인. ***North ~ 스코틀랜드 인(人).
brits·ka, britz·(s)ka [brítskə] *n.* (러시아의) 4륜 포장마차.
Britt. *Brit(t)an(n)iarum* 《L.》 (=of the Britains).
◇**brit·tle** [brítl] *a.* **1** 부서지기〔깨지기〕 쉬운, 무른; 무상한, 덧없는. **2** 과민한, 상처입기 쉬운; (태도가) 완고한, 차가운. **3** (소리가) 날카로운. —*n.* (땅콩 따위가 든) 바삭바삭한 당과(糖果). ㊕ **~·ly, brít·tly** *ad.* **~·ness** *n.*
bríttle-bòne diséase =OSTEOPOROSIS.
Bríx scále [bríks-] 브릭스 비중계《녹은 설탕의 비중을 잼》.
brl. barrel. **bro.** [brou] (*pl.* ***bros.***) brother.
broach [broutʃ] *n.* **1** 고기 굽는 꼬치, 꼬챙이. **2** 송곳; 큰 끌. **3** (탑 위의) 첨탑, 작은 탑. —*vt., vi.* **1** 꼬챙이에 꿰다; 건목 치다. **2** 구멍을 내다, (통에) 구멍을 뚫다. **3** 말을 꺼내다, (화제 따위를) 끄집어내다; (새 학설 등을) 제창하다. **4** 〖해사〗 뱃전을 바람쪽에 돌리다《*to*》. **5** (고기 등이) 떠오르다.
bróach·er *n.* =REAMER; 발의자, 제창자.
bróach spìre 〖건축〗 팔각 첨탑.
****broad** [brɔːd] *a.* **1** 폭이 넓은; 광대한: a ~ street 넓은 가로/a ~ expanse of water 광활한 수면.

> SYN. **broad, wide** 거의 구별 없이 쓰이고 있으나, wide에는 '사이를 두다'라는 관념이 있음. 또 wide는 긴 물건의 '폭'이 넓은 경우에 쓰임: a *wide* tape 폭 넓은 테이프. at *wide* intervals 넓은 간격을 두고. **large** (공간적으로) 큰: a *large* room 넓은 방. **vast** 광대한. 너비 이외에도 쓰임: *vast* plains 광대한 평야. *vast* sums of money 막대한 금액. **open** 확 트인: an *open* field 넓디넓은 들판.

2 (경험·식견 따위가) 넓은, 광범위하게 걸친; (마음이) 관대한: a ~ mind 관대한 마음. **3** 대강의, 대체로의; 주요한: in a ~ sense 넓은 뜻으로, 광의로/~ outlines 개요. OPP. *narrow*. ◇breadth *n.* **4** 거칠 것이 없는; 가득 찬. **5** 드러낸, 명료한: ~ distinction 뚜렷한 구별/a ~ fact 명백한 사실. **6** 조심성 없는, 내놓은, (말이) 노골적인, 까놓은; 야비한, 천박한; 순 사투리의: a ~ hint 노골적인 암시/~ mirth 왁자그르르한 환락/a ~ smile 파안 대소/a ~ jest 천한 농담/~ Scotch 순 스코틀랜드 사투리. **7** 〖음성〗 개구음(開口音)의: ~ a 《half, laugh 따위의 [ɑː]음》. ***as ~ as it is*** 〔***it's***〕 ***long*** 폭과 길이가 같은; 결국 마찬가지인. ***in ~ daylight*** 백주에, 대낮에. —*ad.* =BROADLY: ~ awake 완전히 잠이 깨어/speak ~ 순 사투리로 말하다. —*n.* **1** 폭. **2** 넓은 부분; 손바닥; (영국 Norfolk 지방에서 강으로부터 생긴) 늪, 호수. **3** 《미속어》 여자, 역겨운 여자, 매춘부.
B-ròad *n.* 《영》 2급 도로.
bróad árrow 굵은 화살표인(印)《영국 정부의 소유물에 찍음》.
bróad·àx(e) *n.* 전부(戰斧), 큰 도끼.
bróad·bànd *a.* 〖통신〗 광대역(廣帶域)의.
bróad·bànding *n.* 〖경영〗 (생산성 향상을 위한 각 노동자의) 작업 분담 영역의 확대.
bróadband ÌSDN, B-ÌSDN 〖통신〗 광대역 종합 정보통신망《텔레비전, 하이비전 등의 동화상(動畫像)을 송수신할 수 있을 정도로 광대역·고속의 종합 통신망》 [◂ *broadband* Integrated Service Digital Network]
bróad bèan 〖식물〗 잠두.
bróad·bìll *n.* 부리가 넓은 새《검은머리흰죽지·넓적부리 따위》; 〖어류〗 황새치.
bróad-blòwn *a.* (꽃이) 만발한.
bróad·brìm *n.* 양태가 넓은 모자; (B-) 《미구어》 퀘이커교도.
bróad-brìmmed *a.* (모자의) 차양이 넓은.
bróad·bròw *n.* 《구어》 취미가 다양한 사람.
bróad-brùsh *a.* 대략적인, 대강의.
****broad·cast** [brɔ́ːdkæ̀st, -kɑ̀ːst/-kɑ̀ːst] (*p., pp.* ***-cast***) *vt., vi.* **1** 방송〔방영〕하다. ★ 이 경우 과거·과거분사에서는 ***-cast·ed*** [-id]도 있음. **2** (씨 따위를) 흩뿌리다; (소문 등을) 퍼뜨리다. **3** (비밀 등을) 무심코 누설하다《적 등에게》. —*n.* Ⓤ,Ⓒ **1** 방송, 방영; 방송〔방영〕 프로: a ~ of a baseball game 야구 중계 방송. **2** (씨를) 뿌리기. —*a.* 방송의; 널리 퍼진; 흩어 뿌린, 살포한. —*ad.* 광범위하게; 흩뿌리어. ㊕ **~·er** *n.* **1** 방송자; 방송장치·시설. **2** 흩뿌리는 것, (씨) 살포기. **~·ing** *n., a.* Ⓤ 방송(의), 방영(의): a ~*ing* station 방송국.
bróadcast jóurnalism 방송 저널리즘.
bróadcast sàtellite 방송 위성.
Bróad Chúrch (the ~) (영국국교의) 광(廣)교회파.
bróad·clòth *n.* Ⓤ 폭이 넓고 질이 좋은 나사의 일종; 《미》 =POPLIN. cf. narrow cloth.
***broad·en** [brɔ́ːdn] *vi., vt.* 넓어지다; 넓히다, 확장하다.
bróad-fáced [-t] *a.* 얼굴이 넓적한.
bróad gàuge 〖철도〗 광궤(廣軌).
bróad-gàuge, -gàuged *a.* 광궤의; 관대한, 마음이 넓은; 광범한.
bróad glàss 창유리.
bróad hátchet 날이 넓은 손도끼.
broad·ish [brɔ́ːdiʃ] *a.* 좀 넓은.
bróad jùmp (the ~) 《미》 멀리뛰기(《영》 long jump): running 〔standing〕 ~ 도움닫기〔제자리〕 멀리뛰기.
bróad·lèaf *n.* (엽궐련용의) 잎이 넓은 담배.
bróad-léaved, -léafed [-t] *a.* 잎이 넓은, 활엽의.
bróad-líne *a.* 광범위한 상품을 갖춘.
bróad·lòom *a.* 폭 넓게 짠《융단 따위》.
broad·ly** [brɔ́ːdli] *ad.* 넓게, 널리; 명백히; 버릇없게, 천하게; 대체로; 노골적으로; 순 사투리로. ~ ***speaking 대체로 말하면.
◇**bróad-mínded** [-id] *a.* 마음이 넓은, 도량이

큰, 편견 없는. ㊥ ~·ly *ad.* ~·ness *n.*

bróad móney 넓은 뜻의 통화《경화·지폐 등의 현금통화, 요구불 예금, 정기 예금, CD 등을 포함한 광의의 통화》.

Broad·moor [brɔ́ːdmuər] *n.* 브로드무어 수용소《영국 Berkshire에 있는 정신 장애 범죄자를 수용하여 치료하는 시설》.

bróad·ness *n.* **1** 폭의 넓이《이 경우는 breadth가 보통》; 광대함. **2** 관대함, 마음이 넓음. **3** 노골적임; (사투리 따위의) 그대로 드러냄; 천함.

bróad pénnant 〔**péndant**〕 〖해군〗 대장기, 사령관기; (상선대 선임 선장·요트 협회 회장 따위의) 연미기(燕尾旗).

bróad·scàle *a.* 광범위한.

bróad séal (the ~) 영국 국새; 〖일반적〗 국새.

bróad·shèet *n.* 한 면만 인쇄한 대판지(大版紙)《광고·포스터 따위》; 보통 크기의 신문《타블로이드 따위와 구별하여 씀》.

bróad·sìde *n.* **1** (집 따위의) 넓은 면. **2** 뱃전; 〖집합적〗 우현 또는 좌현의 대포; 그 일제 사격. **3** (특히 신문에서의) 맹렬한 공격; 《비유》 퍼붓는 욕설. **4** 〖형용사적〗 일제히 행하는. **5** = BROADSHEET.
— *ad.* 뱃전을 돌려대고, 옆으로 하여; 분별 없이, 마구(indiscriminately); 일제히. ~ ***on*** 〔***to***〕 …에 뱃전을 돌리고, …을 가로질러.

bróad sìlk (복지·안감용의) 폭이 넓은 비단.

bróad-spéctrum *a.* 〖약학〗 광역 (항균) 스펙트럼의: ~ antibiotic 광역(스펙트럼) 항생 물질.

bróad·swòrd *n.* 날〔몸〕이 넓은 칼. cf. backsword.

bróad·tàil n.(아시아산의) 꼬리 굵은 양; 그 새끼 양의 모피.

Broad·way [brɔ́ːdwèi] *n.* 뉴욕시를 남북으로 달리는 큰 거리《부근에 극장이 많음》.

bróad·wìfe *n.* 〖미국사〗 (남편이 다른 주인에게 소유되어 있는) 여자 노예.

bróad·wìse, -wàys [-wàiz], [-wèiz] *ad.* 옆〔측면〕으로.

Brob·ding·nag [brɑ́bdiŋnæ̀g/brɔ́b-] *n.* (Swift작 걸리버 여행기의) 거인국(巨人國).

Brob·ding·nag·i·an [brɑ̀bdiŋnǽgiən/brɔ̀b-] *a.* 거인국의; 거대한(gigantic). — *n.* 거인국의 주민; 거인.

bro·cade [broukéid] *n.* Ⓤ 문직(紋織), 수단(繡緞), 브로케이드《아름다운 무늬를 넣어 짠 직물. 특히, 부직(浮織)》. — *vt.* 무늬를 넣어 짜다. ㊥ **-cad·ed** [-id] *a.*

broc·a·tel(le) [brɑ̀kətél/brɔ̀k-] *n.* 브로카텔, 솟을무늬로 짠 brocade.

broc·(c)o·li [brɑ́kəli/brɔ́k-] *n.* 〖야채〗 **1** 크고 튼튼한 콜리플라워. **2** 브로콜리, 모란채의 일종.

broch [brɑx] *n.* 〖고고학〗 원탑(圓塔)《Scotland 지방에 남아 있는, 1-2세기의 석조 원탑》.

bro·ché [brouʃéi] *a.* 《F.》 무늬 비단으로 짠. — *n.* 무늬 비단.

bro·chette [brouʃét] *n.* 《F.》 (요리용) 구이 꼬치.

bro·chure [brouʃúər, -ʃɔ́ːr/bróuʃə] *n.* 《F.》 가(假)제본 책, 소책자, 팸플릿.

brock [brɑk/brɔk] *n.* 오소리(badger)《유럽산》; 지저분한 사람.

brock·age [brɑ́kidʒ/brɔ́k-] *n.* 불완전 주조화(貨).

Bróck·en spécter 〔**bów**〕 [brɑ́kən-/brɔ́k-] 브로켄의 요괴《산꼭대기 따위에 있는 자기의 모습이 아래 구름에 크게 비치는 현상; 독일 Brocken 산에서 처음 보였음》.

brock·et [brɑ́kit/brɔ́kit] *n.* 두 살 난 수사슴; 작은 사슴의 일종《열대 아메리카산》.

bro·die [bróudi] *n.* 《미속어》 **1** 대실패, 큰 실수. **2** 《특히》 투신 자살.

Broed·er·bond [brúːdərbɔ̀ːnt, -bɑ̀nt/-bɔ̀(ː)nt] *n.* 〖S.Afr.〗 브루더본트《아프리카 민족주의자의 정치적 비밀결사》; (종종 b-) (부도덕한 목적의) 비밀 조직.

bro·gan [bróugən] *n.* 질기고 투박한 작업용 가죽제 단화.

brogue[1] [broug] *n.* 생가죽신, 투박한 신; (구멍을 뚫어 장식한) 일상용 단화; 골프용 신〔구두〕; (낚시용) 방수화.

brogue[2] *n.* 방언, 사투리; 《특히》 아일랜드 사투리.

broi·der, -dery [brɔ́idər], [-dəri] *n.* 《시어·고어》 = EMBROIDER, EMBROIDERY.

°**broil**[1] [brɔil] *vt.* (고기 따위를) 불에 굽다, 쬐다; (해 따위가) 쨍쨍 내리쬐다. — *vi.* 구워지다; 타는 듯이 덥다; 《비유》 흥분하다, 발끈하다. — *n.* 굽기, 쬐기; 불고기, 구운 고기; 염열(炎熱), 혹서(酷暑); 《비유》 흥분 상태.

broil[2] 《문어》 *n.* 싸움, 말다툼, 소동. — *vi.* 싸움하다, 말다툼하다.

bróil·er[1] *n.* 고기 굽는 사람〔기구〕; (대량 사육에 의한) 구이용 영계(= ~ **chìcken**); 《구어》 찌는 듯이 더운 날.

bróil·er[2] *n.* 싸움꾼.

bróiler hòuse 구이용 영계(broiler) 사육장, 양계장.

bróil·ing *a.* 찌는 듯한, 혹서의; 구워지는: a ~ sun 타는 듯한 태양 / ~ hot 찌는 듯이 더운.

bro·kage [bróukidʒ] *n.* 《고어》 = BROKERAGE.

broke [brouk] BREAK의 과거·《고어》 과거분사.
— *a.* **1** 《구어》 파산한, 무일푼의(penniless). **2** 《방언》 파 뒤집은: new ~ ground 새 개간지. ***dead*** 〔***flat, stone, stony***〕 ~ 피천 한 닢 없는. ***go*** ~ 빈털터리가 되다. ***go for*** ~ 《미속어》 기를 쓰고 버티다, 죽을 힘을 다하다. ~ ***to the wide*** 〔***world***〕 《영구어》 무일푼의. — *n.* 조악품(粗惡品)《종이·털 따위의》.

⁑**bro·ken** [bróukən] BREAK의 과거분사.
— *a.* **1** 부서진, 망그러진, 깨어진, 꺾인. **2** 띄엄띄엄 이어지는, 단속적인; 울퉁불퉁한: a ~ sleep 선잠 / in ~ words 말을 띄엄띄엄 / a ~ country 길이 나쁜 시골, 벽촌. **3** 낙담한; 비탄에 잠긴; 쇠약한. **4** 파산한; 《미구어》 강등된, 지위가 낮아진. **5** (말 따위가) 길든. **6** (맹세·약속이) 파기된: a ~ promise 지켜지지 않은 약속. **7** 엉망인, 변칙적인: ~ English 엉터리 영어. **8** 끝수의, 우수리의, 조각난; 〖음성〗 이중 모음으로 발음되는: ~ money 잔돈 / a ~ number 끝수, 분수. ㊥ ~·**ly** *ad.* 띄엄띄엄; 변칙적으로. ~·**ness** *n.*

bróken árm 《미속어》 먹다 남은〔만〕 것.

bróken báckfield 〖미식축구〗 T포메이션에서 쿼터백 뒤에 3인의 백이 가로 한 줄로 서 있지 않은 상태.

bróken-bát sìngle 〖야구〗 배트가 부러지면서 친 안타.

bróken chórd 〖음악〗 분산 화음.

bróken cólor (물감의 점들로 화면을 만드는) 점묘파(點描派)의 화법.

bróken-dówn *a.* (기계·가구·말 따위가) 쓸모 없게 된, 부서진; (사람이) 건강을 해친; 붕괴된, 파괴된.

bróken fíeld = OPEN FIELD.

bróken héart 실의, 절망; 실연.

bróken-héarted [-id] *a.* 기죽은; 비탄에 잠긴; 상심한; 실연한. ㊥ ~·**ly** *ad.*

bróken hóme 결손 가정《사망·이혼 등으로 한쪽 부모가〔양친이〕 없는 가정》.

bróken líne 파선(破線); 절선(折線); (도로의) 점선《차선(車線)간의 경계선》.

bróken lót 〖증권〗 단주(端株)(odd lot).

bróken récord 《구어》 같은 말을 자꾸 하는 사람.

bróken réed 믿을 수 없는 사람〔것〕.

bróken wáter 거센 물결, 놀치는 파도.

bróken wínd 〖수의〗 (말의) 폐기종(heaves).

bróken-wínded [-id] *a.* 헐떡이는; 〖수의〗 (말 따위가) 천식〔폐기종〕에 걸린.

***bro·ker** [bróukər] *n.* **1** 중개인, 브로커; 증권

중개인: bill 〔exchange〕 ~. **2** (결혼) 중매인; 《미》 (정계의) 흑막, 실력자(power ~). **3** 《영》 고물상; 전당포(pawnbroker); 《영》 (압류물의) 매각인, 감정인(鑑定人). ㊕ **~·age** [-ridʒ] *n.* Ⓤ 거간; 중개(업), 구전. **~ed** *a.* 막후의 조종을 받은.

bróker-déaler *n.* 브로커딜러《주식의 중매(仲買)와 자기 매매를 함께 하는 업자》.

brok·ing [bróukiŋ] *n.* Ⓤ 중개(업), 거간(업). ── *a.* 중개하는, 거간의.

brol·ly [bráli/brɔ́li] *n.* 《영구어》 박쥐 우산 《umbrella의 사투리》; 《영공군속어》 낙하산.

brom- [broum], **bro·mo-** [bróumou] '브롬, 취소(臭素)'의 뜻의 결합사.

bro·mal [bróumæl] *n.* 〚약학〛 브로말《진통제·최면제》.

bro·mate [bróumeit] *vt.* 브롬과 화합시키다. ── *n.* 〚화학〛 브롬산염.

bro·me·lain, -lin [bróumələn, -lèin], [-lən, broumí:-] *n.* 〚생화학〛 브로멜린《파인애플의 과실 속에 함유된 단백질 분해 효소》.

bro·mic [bróumik] *a.* 〚화학〛 브롬〔취소〕의; 브롬을 함유한: ~ acid 브롬산.

bro·mide, bro·mid [bróumaid], [-məd] *n.* Ⓤ 〚화학〛 브롬화물; Ⓒ 《구어·비어》 평범한 〔지질한〕 사람, 틀에 박힌 문구: ~ of potassium =potassium ~ 브롬화칼륨.

brómide pàper 〚사진〛 브로마이드(인화)지.

bro·mid·ic [broumídik] *a.* bromide의; 《구어》 평범〔진부〕한, 낡아빠진, 하찮은.

bro·min·ate [bróumənèit] *vt.* 〚화학〛 브롬으로 〔취소로〕 처리하다, 브롬과 화합시키다(bromate). ㊕ **brò·mi·ná·tion** *n.* 브롬화(化).

bro·mine [bróumi(:)n] *n.* 〚화학〛 브로민, 브롬, 취소(臭素)《비금속 원소; 기호 Br; 번호 35》.

bro·mism, bro·mi·nism [bróumizəm], [bróumənìzəm] *n.* Ⓤ 〚의학〛 (만성) 브롬 중독.

bro·mize [bróumaiz] *vt.* 〚화학〛 브롬으로〔브롬화물로〕 처리하다, 브롬화(化)하다. ㊕ **bro·mi·za·tion** [bròuməzéiʃən/-mai-] *n.* **bró·miz·er** *n.*

bro·mo [bróumou] (*pl.* **~s**) *n.* 〚약학〛 브로모《두통약》.

bromo- ⇨ BROM-.

bro·mo·crip·tine, -cryp- [bròuməkríptiːn] *n.* 〚약학〛 브로모크립틴《프로락틴 분비 과잉 억제제》.

bròmo·thýmol blúe 〚화학〛 =BROMTHYMOL BLUE.

bròmo·úracil *n.* 〚생화학〛 브로모우라실《변이원성(原性)을 갖는 피리미딘(phyrimidine) 유사체》.

Brómp·ton còcktail 〔**mìxture**〕 [brámptn-/brɔ́m-] 〚약학〛 브롬프턴 합제(合劑)《암환자에게 쓰는 진통용 혼합제》.

brom·thýmol blúe 〚화학〛 브롬티몰 블루《산성에서 황색, 알칼리성에서 청색을 띠는 지시약》.

bro·my·rite [bróuməràit] *n.* 취은석(臭銀石).

bronc [braŋk/brɔŋk] *n.* 《구어》 =BRONCO.

bronch- [braŋk/brɔŋk], **bron·cho-** [bráŋkou, -kə/brɔ́ŋ-] '기관지'의 뜻의 결합사.

bron·chi [bráŋki, -kai/brɔ́ŋkai] BRONCHUS의 복수.

bron·chia [bráŋkiə/brɔ́ŋ-] *n. pl.* 〚해부〛 기관지《특히 폐장내에서 가늘게 갈라진 부분》.

bron·chi·al [bráŋkiəl/brɔ́ŋ-] *a.* 〚해부〛 기관지의. ㊕ **~·ly** *ad.*

brónchial ásthma 〚의학〛 기관지 천식.

brónchial catárrh 〚의학〛 기관지염(炎).

brónchial trée 〚의학〛 기관지수(支樹)《기관지가 폐 내부에서 분기(分岐)를 거듭하여 생긴 수상(樹狀) 구조》.

brónchial tùbe 〚해부〛 기관지.

bron·chi·ec·ta·sis [bràŋkiéktəsis/brɔ̀ŋ-] *n.* 〚의학〛 기관지 확장(증). ㊕ **-ec·tat·ic** [-ektǽtik] *a.*

bron·chi·ole [bráŋkiòul/brɔ́ŋ-] *n.* 〚해부〛 세(細)기관지.

bron·chio·li·tis [bràŋkiouláitis/brɔ̀ŋ-] *n.* 〚의학〛 세(細)기관지염.

bron·chit·ic [braŋkítik/brɔŋ-] *a.*, *n.* 기관지염의 (환자).

bron·chi·tis [braŋkáitis/brɔŋ-] *n.* Ⓤ 〚의학〛 기관지염.

bron·chi·um [bráŋkiəm/brɔ́ŋ-] (*pl.* **-chia** [-kiə]) *n.* 〚해부〛 기관지《bronchus의 분지(分枝)》.

broncho ⇨ BRONCO.

broncho- ⇨ BRONCH-.

bron·cho·cele [bráŋkəsiːl/brɔ́ŋ-] *n.* 〚의학〛 기관지 비대(증); 갑상선종(腫)(goiter).

bròncho·constríction *n.* 〚의학〛 기관지 수축.

bron·cho·di·la·tor [bràŋkədiléitər/brɔ̀ŋ-] *n.* 〚약학〛 기관지 확장제.

bròncho·génic *a.* 기관지의〔에 관한, 에 일어나는〕.

bron·cho·pneu·mo·nia [bràŋkounjuːmóunjə, -niə/brɔ̀ŋ-] *n.* Ⓤ 〚의학〛 기관지 폐렴.

bron·cho·scope [bráŋkəskòup/brɔ́ŋ-] *n.* 〚의학〛 기관지경(鏡).

bróncho·spàsm *n.* 기관지 경련.

bron·chot·o·my [braŋkátəmi/brɔŋkɔ́t-] *n.* 〚의학〛 기관지 절개(술).

bron·chus [bráŋkəs/brɔ́ŋ-] (*pl.* **-chi** [-kai]) *n.* 〚해부〛 기관지.

bron·co, -cho [bráŋkou/brɔ́ŋ-] (*pl.* **~s**) *n.* 《미》 **1** 야생말《북아메리카 서부산》. **2** (the Broncos) 미국의 미식 축구 팀 the Denver Broncos.

bronco·buster [-bʌ̀stər] *n.* 《미구어》 야생마를 길들이는 카우보이(buckaroo).

bronk [braŋk/brɔŋk] *n.* =BRONC.

Bron·të [bránti/brɔ́n-] *n.* 브론테《영국의 세 자매 소설가: **Charlotte** ~ (1816-55); **Emily** ~ (1818-48); **Anne** ~ (1820-49)》.

bron·to·sau·rus [brántəsɔ̀ːrəs/brɔ́n-] *n.* 〚고생물〛 브론토사우루스; 뇌룡(雷龍)《dinosaur의 일종》.

Bronx [braŋks/brɔŋks] *n.* 브롱크스. **1** (the ~) 뉴욕 시 북부의 한 구. **2** 칵테일의 일종(=**∠ còcktail**).

Brónx chéer 《미속어》 혀를 입술 사이로 떨어 소리내는 짓《경멸을 표시함》; 비웃음《hiss 등》.

***bronze** [branz/brɔnz] *n.* **1** Ⓤ 청동, 브론즈; Ⓒ 청동 제품. **2** Ⓤ 청동색(의 그림물감). ── *a.* **1** 청동제(製)의: a ~ statue 동상. **2** 청동색의. ── *vt.*, *vi.* **1** 청동색으로 만들다〔되다〕. **2** (햇볕에 태우거나 하여) 갈색으로 만들다〔되다〕. ⓒⓕ tan. **3** 철면피가 되(게 하)다. ㊕ **~d** *a.* 청동을 입힌; 볕에 그을린《얼굴》.

Brónze Àge (the ~) **1** 〚고고학〛 청동기 시대. ⓒⓕ Stone 〔Iron〕 Age. **2** (b- a-) 〚그리스신화〛 청동 시대《silver age에 계속된 전쟁의 시대》.

brónze médal 동메달《3 등상》.

bronz·er [bránzər/brɔ́n-] *n.* 피부를 태운 것처럼 보이게 하는 화장품《주로 남성용》.

brónze·smìth *n.* 청동 장색(匠色).

Brónze Stàr Médal 〚미군사〛 청동 성장(星章)《공중전 이외의 용감한 행위를 한 자에게 수여함》.

bronz·ing [bránziŋ/brɔ́n-] *n.* (나뭇잎 따위의) 갈색화(化), 퇴색, 변색; 〚염색〛 채짐; 청동장식.

bronzy [bránzi/brɔ́nzi] (**bronzi·er; -i·est**) *a.* 청동(색)의〔같은〕.

°**brooch** [broutʃ, bruːtʃ/broutʃ] *n.* 브로치.

°**brood** [bruːd] *n.* **1** 한 배 병아리; (동물의) 한 배 새끼; 《종종 경멸·우스개》 한 가족, 아이들. **2** (사람·동물·물건 등의) 무리, 종족, 종류. ── *a.*

1 씨 받기 위한, 증식용의. 2 알을 품는, 알을 까기 위한. — *vi.* 1 알을 품다, 보금자리에 들다. 2 《+전+명》 곰곰이 생각하다, 마음을 앓다《*over; on*》: Don't ~ *over* such trifles. 그런 하찮은 일에 신경 쓰지 마라. 3 《+전+명》 (구름·안개 따위가) 덮여 끼다, 조용히 덮다《*over; on*》: Clouds ~*ed over* the mountain. 구름이 산에 낮게 끼어 있었다. — *vt.* 1 (알을) 품다. 2 곰곰 생각하다. ㊕ ∠·**er** *n.* ~하는 사람; 병아리 보육 상자. ∠·**ing·ly** *ad.* 곰곰 생각하며, 생각에 잠겨.

bróod bùd 〖식물〗 살눈, 육아(肉芽); 가루눈, 분아(粉芽); 무성아(無性芽)(gemma).

bróod hèn 알 품은 닭, 씨암탉.

bróod·màre *n.* 번식용 암말.

bróod pòuch 〖동물〗(개구리·물고기의) 알주머니; 육아낭(marsupium).

broody [brúːdi] (*brood·i·er; -i·est*) *a.* 1 알을 품고 싶어하는, 다산(多産)의; 《구어》 (여자가) 아이를 낳고 싶어하는; 번식에 알맞은. 2 생각에 잠기는, 뚱한. ㊕ **bróod·i·ly** *ad.* **-i·ness** *n.* 취소성(就巢性).

***brook**[1] [bruk] *n.* 시내. ㊀ rivulet, stream.

brook[2] *vt.* 〔보통 부정형〕 1 참다, 견디다: I cannot ~ his insults. 그의 모욕을 참을 수 없다. 2 (일이) 허용하다: It ~*s* no delay. 촌각을 지체할 수 없다. ㊕ ∠·**a·ble** *a.*

Bróok·ha·ven Nátional Láboratory [brúkheivən-] (the ~) 브룩헤이븐 국립 연구소《미국 원자핵 물리학 연구소》. 「(板) 티탄석.

brook·ite [brúkait] *n.* 〖광물〗 브루카이트, 판

brook·let [brúklit] *n.* 실개천, 작은 시내.

bróok·lìme *n.* 〖식물〗 개불알풀속의 일종.

Brook·lyn [brúklin] *n.* 브루클린《롱아일랜드에 있는 뉴욕시의 한 구·공업 지구》. ***sell*** a person ***the ~ Bridge*** 아무를 속여 거래하다. ㊕ ~·**ite** *n.* 「산).

bróok tròut 〖어류〗 민물송어《북아메리카 동부

broom** [bru(ː)m] *n.* 1 비, 자루 브러시《자루와 털이 긴》. 2 〖식물〗 금작화. 3 《미속어》 말라깽이. ***get 〔***have***〕 ***a ~ in*** 〔***up***〕 one***'s tail*** 〔***ass***〕 《미비어》 일에 열심이다〔열심임을 보이다〕, 열심히 일하다. — *vt.* 비로 쓸다, 쓸어내다; (콘크리트 표면 등을) 브러시로 매끈하게 마무리하다.

bróom·bàll *n.* 빗자루와 배구〔축구〕공을 쓰는 일종의 아이스하키.

bróom·còrn *n.* 〖식물〗 수수. 「물.

bróom·ràpe *n.* 〖식물〗 초종용(草蓯蓉)속의 식

bróom·stìck *n.* 1 빗자루. 2 《미속어》 (자기의) 아내; 말라깽이. ***marry over*** 〔***jump***〕 ***the ~*** (남녀가) 내연 관계를 맺다, 손쉽게 결혼하다.

broomy [brúːmi] (*broom·i·er; -i·est*) *a.* 금작화가 무성한; 비와 비슷한.

Bros., bros. [brʌ́ðərz] brothers. ★ 형제가 경영하는 조합·상사를 나타냄: Smith *Bros.* & Co. 스미스 형제 상회.

brose [brouz] *n.* 오트밀에 뜨거운 물을〔우유를〕 붓고 소금과 버터로 맛을 들인 식료품. ㊕ **brósy** *a.*

°**broth** [brɔːθ, brɑθ/brɔθ] (*pl.* ~**s** [-s]) *n.* Ⓤ,Ⓒ (살코기·물고기의) 묽은 수프; 고깃국. ***a ~ of a boy*** 《Ir.》 쾌남아. ㊕ ∠**y** *a.*

broth·el [brɑ́θəl, brɑ́ð-, brɔ́ːθəl, -ðəl/brɔ́θ-] *n.* 갈봇집; 《Austral.》 지저분한 곳.

bróthel crèepers 《영속어》 두꺼운 크레이프 고무창의 신사화. 「(suede shoes).

bróthel stòmpers 《미속어》 스웨이드화(靴)

†**broth·er** [brʌ́ðər] (*pl.* ~**s,** 4에서는 종종 ***breth·ren*** [bréðərin]) *n.* 1 남자 형제, 형〔오빠〕 또는 (남)동생: a whole 〔full〕 ~ 양친이 같은 형제/a half ~ 씨〔배〕 다른 형제. 2 친구, 한패, 동료: a ~ officer 동료 장교. 3 같은 시민, 동포. 4 (종교상의) 형제, 동신자, 같은 교회〔교단〕원; 〖가톨릭〗 평수사(平修士); 동일 조합원; 동업자, 같은 클럽 회원. 5 경(卿)《군주·재판관끼리의 호칭》. ***a ~ of the brush*** 화공; 칠장이. ***a ~ of the quill*** 저술가. ***Am I my ~'s keeper?*** 내가 알게 뭐냐《창세기 IV: 9》. — *vt.* 호형 호제하다; …와 형제로서 교제하다; 조합 (따위)에 넣다〔가입시키다〕. — *int.* 《속어》 (놀람·혐오·실망을 나타내어) 어럽쇼, 이 녀석. 「모의 형제.

bróther-gérman (*pl.* ***bróthers-***) *n.* 같은 부

°**broth·er·hood** [brʌ́ðərhùd] *n.* Ⓤ 1 형제 관계; 형제애: international ~ 국제 친선. 2 단체, 협회, 조합; 동료; 〖집합적〗 동업자: the legal ~ 법조단. 3 《미구어》 철도 노동 조합, 노조.

°**bróth·er-in-làw** (*pl.* ***bróthers-***) *n.* 의형(제); 처남, 매부, 시숙, 아내 또는 남편의 자매의 남편 《따위》.

Bróther Jónathan 《영》 ⇨ JONATHAN.

bróth·er·less *a.* 형제 없는.

broth·er·li·ness [brʌ́ðərlinis] *n.* 형제다움; 형제애; 우애, 우정. 「운, 친숙한.

°**bróth·er·ly** *a.* 형제의; 형제다운; 우정이 두터

bróther úterine 이부(異父)형제.

brough·am [brúːəm, brúːm] *n.* 유개마차〔자동차〕의 일종《마부석·운전자석이 차체의 바깥쪽에 있는 것》.

brougham

brought [brɔːt] BRING의 과거·과거분사.

brou·ha·ha [brúːhɑːhɑ̀ː, ∸-∸] *n.* 세간(世間)의 흥분, (무질서한) 소동; (하찮은 것에 대한) 격론.

brout·er [brúːtər] *n.* 〖컴퓨터〗 브루터《데이터의 송부처에 따라 router 또는 bridge로서 작용하는 장치》.

***brow** [brau] *n.* 1 이마. 2 (보통 *pl.*) 눈썹(eyebrows): draw one's ~*s* together 상을 찡그리다/knit 〔bend〕 one's ~*s* 눈살을 찌푸리다. 3 얼굴 (표정). 4 《구어》 지성〔지능〕의 정도. 5 벼랑의 가〔돌출부〕; 산〔언덕〕마루: on the ~ *of* a hill 산마루에. 6 〖해사〗 =GANGPLANK.

brów àgue 편두통(偏頭痛)(migraine).

brów àntler 사슴 뿔의 최초의 가지.

brów·bèat (~; ~·*en*) *vt.* (얼굴·말 따위로) 을러대다, 위협하다: ~ a person *into* agreeing 아무를 을러대어 승낙케 하다.

-browed [bráud] '눈썹이 …한'의 뜻의 결합사.

Brown [braun] *n.* 브라운《남자 이름》.

†**brown** [braun] *a.* 1 다갈색의, (엷은) 갈색의; (살갗이) 볕에 그을린. 2 《속어》 불쾌한, 진절머리가 난. ***do ...*** ~ 〖요리〗 엷은 갈색으로 굽다; 《영속어》 감쪽같이 속이다(cheat). ***do it up ~*** 철저히 하다, 완벽하게 하다, 더할 나위없이 하다. — *n.* 1 Ⓤ,Ⓒ 다갈색; Ⓒ 갈색의 그림물감〔염료〕. 2 Ⓒ 갈색의 것《옷·나비 따위》; =BROWN BEAR; BROWN TROUT; 《미학생속어》 butterscotch 소스; 《영속어》 동전; 《속어》 =AMPHETAMINE. 3 (the ~) 〖사냥〗 (갈색을 띤) 나는 새의 떼. ***do a***

~《속어》 비역하다. ***fire into the*** ~ 나는 새 떼에 마구잡이로 발포하다; 겨냥 않고 마구 쏘다.
— *vt., vi.* 갈색으로 하다[되다]; (빵 따위를) 갈색으로 굽다; 거무스름하게 하다[되다]. ~ ***off*** 《속어》 불쾌하게 하다, 진절머리나게 하다 (*with*); 《미속어》 실수를 하다, 망치다. ~ ***out*** 《미》 경계 등화관제를 하다; 《미》 (전력 절약을 위해) 전등을 어둡게 하다. ㊞ **~·ness** *n.*

brówn ále 《영》 단맛이 도는 흑맥주.

brówn álga 〖식물〗 갈조류(의 해조).

brówn-bàg (***-gg-***) 《미》 *vt., vi.* 〖종종 ~ it〗 (회사 등에) 누런 봉투에 도시락을[주류를] 넣어 갖고 가다; (술 등을) 누런 봉투에 넣어 음식점에 갖고 들어가다. — *a.* ~하는. ㊞ **brówn-bàgger** *n.* 《미》 도시락을 지참하는 사람; (특히 월급쟁이로서) 기혼 남자. **brówn-bàgging** *n.*

brówn béar 불곰《북아메리카·유럽산》.

brówn bélt (유도 따위에서) 갈색띠《black belt 보다 아래, white belt 보다 위》.

brówn bétty 파이의 일종.

Brówn Bòok 《영》 브라운 북《영국의 에너지국이 발행하는 연차 보고서》.

brówn bréad 흑빵; 《미》 당밀 든 찐빵.

brówn cóal 갈탄(lignite).

brówn cóat 〖건축〗 (마감 칠 전의) 중간 칠.

Brówn decísion 《미》 브라운 판결《공립학교에서의 인종 차별 위헌 판결》.

brówn dwárf 〖천문〗 갈색 왜성(矮星)《핵반응을 일으켜 열과 빛을 내기에는 너무 작고 어두운 천체》.

brówn èarth 갈색 삼림토《온난 습윤(濕潤) 지역의 활엽수림 밑에서 생성된 비옥한 토양》.

brówn fát 〖생리〗 갈색 지방(체)《사람이나 (동면) 동물의 체온 유지 조직》.

brówn·field(s) *a.* 상공업 지역의《특히 맨땅으로 재개발을 앞둔 상태인 경우》.

brówn gòods (갈색을 기조로 한) 가정용 집기《텔레비전·주전자 따위》.

brówn háckle 브라운 해클《몸체 부분이 공작 깃털로 된 갈색의 제물낚시》.

brówn-hátter *n.* 《비어》 호모녀석. 「역하다.

brówn-hóle *vi., vt.* 《비어》 항문 성교하다, 비

Brówn·i·an móvement [**mótion**] [bráuniən-] (the ~) 〖물리〗 브라운 운동《액체 속에 있는 미립자의 급속한 진동》.

brown·ie [bráuni] *n.* **1** 〖Sc.전설〗 밤에 몰래 농가의 일을 도와 준다는 작은 요정(妖精). **2** 《미》 아몬드가[땅콩이] 든 판(板)초콜릿; 《미속어》 마리 화나가 든 초콜릿 케이크. **3** (B-) = BROWNIE GUIDE; 《미속어》 알랑쇠. **4** (B-) 브라우니형 사진기《상표명》.

Brównie Guìde 《영》 Girl Guide의 유년 단원《7.5-11세》; 《미》 Girl Scout의 유년단원 《대개 7-9세》.

Brównie pòint Brownie Guide가 포상(褒賞)으로서 받는 점수; (때때로 b- p-) 《미구어》 윗사람에게 환심을 사서 얻은 신용[총애].

Brown·ing [bráuniŋ] *n.* **1** 브라우닝《(1) **Robert** ~ 영국의 시인(1812-89). (2) **John Moses** ~ 미국의 무기 발명가(1885-1926)》. **2** 브라우닝 총[권총].

brówn·ing *n.* Ⓤ 갈색 칠하기[염색].

brown·ish [bráuniʃ] *a.* 갈색을 띤(browny).

Brown·ism [bráunizəm] *n.* 브라운주의《영국의 청교도 Robert Browne이 주창한 교설(教說)》.

brówn jób 《영속어》 군인, 병사.

brówn lúng (**disèase**) = BYSSINOSIS.

brówn·nòse 《속어》 *vt., vi.* (…의) 환심을 사다, 알랑거리다, 아첨하다. — *n.* 아첨.

brówn·òut *n.* 《미》 **1** 경계[준비] 등화 관제《전력 절약·공습 대비의》. ㉢ blackout. **2** 절전, (절전을 위한) 전압 저감(低減), 점등 제한, 전압 저하.

brówn páper 갈색 포장지, 하도롱지.

brówn pówder 갈색 화약《총포용》.

Brówn Pówer 브라운 파워《멕시코계 미국인의 정치 운동》. 「중부 원산」.

brówn rát 〖동물〗 시궁쥐(water rat)《아시아

brówn ríce 현미.

brówn sàuce 〖요리〗 브라운 소스《과일과 향신료가 든 암갈색의 소스; 고기에 쳐서 먹음》.

Brówn·shìrt *n.* (*or* b-) 나치스 당원. ㉢ Blackshirt.

brówn sóil 갈색토《온대 건조지의 토양》.

brówn-stàte *a.* (리넨 따위가) 물들지 않은.

brówn·stòne *n.* Ⓤ 적갈색의 사암(砂岩)《고급 건축용》; Ⓒ 그것을 사용한 건축물. — *a.* (사암을 건축재로 쓴 건물에 사는) 부유 계급의.

brówn stúdy 생각에 잠김, 공상(reverie).

brówn súgar 홍당(紅糖); 《미속어》 동남 아시아산의 입상(粒狀) 저질 헤로인.

Brówn Swíss 스위스산 젖소.

brówn-tail móth 〖곤충〗 흰날개독나방 (= **brówntàil**)《피부에 가려움증을 일으키며, 유충은 나무의 해충》.

brówn thrásher [**thrúsh**] 〖조류〗 명금(鳴禽)의 일종《북아메리카 동부산》.

brówn thúmb 《미》 식물 재배에 재능이 없음

brówn tróut = BROOK TROUT. 「없는 사람」.

Brówn v. Bòard of Educátion 흑인 학교 분립은 불법이라는 연방 대법원의 판례.

brówn wàre (보통의) 도기(陶器).

browny [bráuni] *a.* = BROWNISH.

brows·a·bil·i·ty [bràuzəbíləti] *n.* 〖컴퓨터〗 일람(一覽) 가능성《정보 검색 시스템으로 그 내용의 개략을 한 번에 알 수 있는 것》.

°**browse** [brauz] *n.* 어린 잎, 새싹, 어린 가지 《가축의 먹이》; (책 따위를) 여기저기 골라 읽음; (상품 따위를) 이것저것 구경하고 다님. ***be at*** ~ 새 잎을 먹고 있다. — *vt.* **1** 《+목+부》 (가축이) 어린 잎을 먹다: ~ leaves *away* [*off*] 나뭇잎을 먹다. **2** (소 따위를) 놓아 먹이다. **3** (책을) 여기저기 읽다; (살 생각도 없으면서 상품을) 이것저것 구경하다. **4** 〖컴퓨터〗 파일 등의 내용을 살짝 엿보다, 훑어보다. — *vi.* **1** (소·사슴 따위가) 어린 잎을 먹다(graze) 《*on*》. **2** 막연히 읽다. ㊞ **brows·er** *n.* 어린 잎[새싹]을 먹는 소[동물]; 책을 여기저기 읽는 사람; 상품을 구경하며 다니는 사람; (필요한 레코드를 쉽게 찾을 수 있게 만든) 개방식 레코드 케이스. 「냄」.

brrr... [brrr...] *int.* 부르르《추움·공포를 나타

BRS, B.R.S. British Road Services. **Br. Som.** British Somaliland. **brt. for.** brought forward《생략: B/F》.

Bruce [bruːs] *n.* 브루스《남자 이름》.

bru·cel·la [bruːsélə] (*pl.* ***-cel·lae*** [-séliː], **~s**) *n.* 〖세균〗 브루셀라균《*Brucella* 속의 균의 총칭》.

bru·cel·lo·sis [brùːsəlóusis] *n.* 〖의학·수의〗 브루셀라병《열병의 일종》.

bruc·ine [brúːsi(ː)n] *n.* 〖약학·화학〗 브루신 《일종의 유독 알칼로이드》.

Brücke [brúkə] *n.* 《G.》 브뤼케《독일의 표현주의 화가 단체; 1905-13》.

Bruck·ner [brúknər, brʌ́k-] *n.* **Anton** ~ 브루크너《오스트리아의 작곡가; 1824-96》.

Bru·in [brúːin] *n.* (동화 따위에 나오는) 곰, 곰 아저씨.

***bruise** [bruːz] *n.* **1** 타박상, 좌상(挫傷); 상처 자국. **2** (과실·식물 따위의) 흠; (마음의) 상처. — *vt.* **1** …에게 타박상을 입히다, …에게 멍이

들게 하다. **2** (감정을) 상하게 하다, (마음을) 아프게 하다, 해치다. **3** (약제·음식물 등을) 찧다, 빻다; (금속·목재 등을) 찌부러뜨리다. **4** 《사냥 속어》 마구 타고 돌아다니다《*along*》. **—** *vi.* **1** 멍이 들다. **2** (감정을) 상하다: His feelings ~ easily. ㊕ **brúis·er** *n.* 프로 권투 선수, 싸움 좋아하는 사람, 난폭한 자; 분쇄기; 난폭한 기수(騎手).

bruised *a.* 멍든, 상처입은; 《속어》 술취한.

bruis·ing [brúːziŋ] *a.* 치열한.

bruit [bruːt] *n.* **1** 《고어》 풍설; 소동. **2** 〖의학〗 (청진기로 들을 수 있는) 이상음(異常音). **—** *vt.* 《영고어·미》 〖보통 수동태〗 말을 퍼뜨리다《*about; abroad*》. 「MAGEM.

brum [brʌm] *n., a.* (때로 B–) 《구어》 = BRUM-

bru·mal [brúːməl] *a.* 《고어》 겨울의〔같은〕, 황량한; 안개 짙은. 「야생마.

brum·by [brʌ́mbi] *n.* 《Austral.》 사나운 말,

brume [bruːm] *n.* 《시어》 안개, 이내(fog).

brum·ma·gem [brʌ́mədʒəm] *n., a.* 《구어》 **1** (B–) 잉글랜드 Birmingham(의). **2** 《구어》 값싸고 야한 (물건〔보석〕), 가짜(의).

Brum·mie, -my [brʌ́mi] 《영구어》 *n.* 버밍엄 사람; 버밍엄 사투리〔방언〕. **—** *a.* 버밍엄(으로부터)의.

bru·mous [brúːməs] *a.* 안개가 짙은.

brunch [brʌntʃ] *n.* 《구어》 조반 겸 점심, 이른 점심. [◀ *br*eakfast+l*unch*]

brúnch còat 집에서 입는 여성용 옷의 일종.

Bru·nei [bruːnái, -néi/brúːnai] *n.* 브루나이 《보르네오 섬 북부의 독립국; 1983년 독립》.

◇**bru·net(te)** [bruːnét] *n., a.* 브루넷(의)《살갗·머리·눈이 거무스름함》. ⓒⓕ blond(e). ★ brunet은 남성형, brunette은 여성형.

bru·ni·zem [brúːnəzèm] *n.* 비옥한 흑토(黑土).

Bru·no [brúːnou] *n.* 브루노. **1** 남자 이름. **2** **Giordano ~** 이탈리아의 철학자《반교회적인 범신론 주창으로 화형을 당함; 1548?-1600》. **3** **Saint ~** 독일의 성직자《카르투시오 수도회(Carthusian order) 창시자; 축일은 10월 6일; 1030-1101》. **4** 《미속어》 브라운 대학(Brown University)《미국 동부 Ivy League의 하나》.

Bruns·wick [brʌ́nzwik] *n.* 브라운슈바이크 《독일 중부의 주》.

Brúnswick bláck 검정 니스의 일종. 「왕가.

Brúnswick líne (the ~) 영국의 Hanover

Brúnswick stéw 브런즈윅 스튜《사냥해서 얻은 고기와 닭고기 따위의 두 가지 고기에 야채를 섞어 만든 스튜》.

◇**brunt** [brʌnt] *n.* 공격의 예봉〔주력〕: bear the ~ of …을 정면에서 맞다.

⁑**brush**[1] [brʌʃ] *n.* **1** 솔, 귀얄. **2** 솔질: give a ~ 솔질을 한번 하다. **3** 붓, 화필; (the ~) 화법, 화풍(畫風), 화류(畫流): a picture from the same ~ 같은 화가가 그린 그림. **4** 〖전기〗 브러시 (방전); 〖컴퓨터〗 브러시《컴퓨터 그래픽에서 붓 모양의 아이콘》. **5** 긁힌 상처; 작은 싸움, 작은 충돌: have a ~ with …와 작은 충돌을 빚다. **6** 솔 모양의 것; 여우 꼬리《여우 사냥의 기념》; 모자의 깃장식; (흔히 *pl.*) 끝이 솔 모양인 북채. **7** 《미속어》 매정한 거절. **8** 《미속어》 수염; 《속어》 (여자의) 거웃, 음모. **9** 《Austral. 속어》 계집아이; (the ~) 〖집합적〗 여성, 여자들. ***at a ~*** 단번에. ***at the first ~*** 최초의 작은 충돌에서; 최초에〔부터〕. **—** *a.* 솔 같은; 《미속어》 수염을 기른; 시골의.

— *vt.* **1** 《~+목/+목+보》 …에 솔질을 하다; 털다; …을 닦다: ~ one's hair 머리에 솔질을 하다 / ~ one's teeth clean 이를 깨끗이 닦다. **2** 《+목+부》 (솔·손으로) 털어버리다, 털어내다 《*away; off*》: ~ the dirt *off* 먼지를 털어버리다. **3** 《+목+전+명》 (페인트 등을) (벽 등에) 칠하다: ~ the paint *onto* the surface 〔~ the surface *with* the paint〕 표면에 페인트를 칠하다. **4** …을 스치고 지나다, 스치다: His lips ~*ed* her ear. 그의 입술이 그녀의 귀를 가볍게 스쳤다. **5** 《속어》 (여자와) 성교하다. **6** 《미북부》 잡초를 쳐서 길을 내다. **—** *vi.* **1** 이를 닦다; 머리를 빗다. **2** (먼지 따위가) (솔질로) 떨어지다《*off*》. **3** 《+전+명》 (…을) 스치다《*across; against; over*》: He ~*ed against* me in the passage. 그는 복도에서 나에게 부딪칠듯 스쳐갔다. **4** (문제 등에) 가볍게 언급하다《*over*》. **5** 《+부/+전+명》 스치고 지나가다; 질주하다: The car ~*ed past* 〔*by*〕 (him). 차가 (그의) 곁을 스치듯이 지나갔다. **6** 《미속어》 싸우다, 해치우다. **~ *against*** (…을) 스치고 지나가다; (곤란 등을) 만나다. **~ (...) *aside*** 〔***away***〕 ⇨ *vt.* 2; …을 무시하다, 가볍게 응대하다. **~ *back*** 〖야구〗 …에게 brushback을 던지다. **~ *down*** (손·솔로) 먼지를 털다; 《구어》 (아이 따위를) 꾸짖다. **~ *off*** 《*vt.*+부》 ① (솔로 먼지 따위를) 털어내다. ② 《구어》 (문제 등을) 간단히 해치우다; (아무를) 무시하다; 거절하다; 퇴짜놓다; 내쫓다, 해고하다. **—** 《*vi.*+부》 ③ (먼지 따위가) 떨어지다. **~ *over*** 가볍게 칠하다. **~ *up*** 《*vt.*+부》 ① (머리를) 브러시질하여 치켜 세우다; 옷매무시를 고치다: Let me ~ myself *up* and I'll meet you in the lobby. 잠시 옷매무시를 고치고 나서 로비에서 뵙죠. ② 공부를 다시하다, (…의) 기술〔지식〕을 더욱 연마하다: ~ *up* one's English 영어를 새롭게 시작하다. **—** 《*vi.*+부》 ③ 가볍게 접촉하다; (문제·곤란 따위를) 뜻밖에 만나다《*against*》. ④ 공부를 다시 시작하다《*on*》: ~ *up* a bit *on* one's English (잊혀 가는) 영어를 다시 공부하다.

brush[2] *n.* 숲, 잡목〔관목〕림(林); Ⓤ 《미》 = BRUSHWOOD; (the ~) 《미구어》 미개척지.

brùsh·a·bíl·i·ty *n.* (그림물감·페인트의) 칠하기 좋은 상태.

brúsh·bàck *n.* 〖야구〗 타자를 위협하는 빈볼(beanball) 비슷한 속구.

brúsh bòrder 〖해부〗 브러시보더《유상피(類上皮) 세포의 원형질막의 미소(微小) 융모》.

brúsh bùrn 찰과상(傷).

brúsh cùt (머리의) 5푼 덧빗대기.

brúsh dìscharge 〖전기〗 브러시 방전.

brushed [brʌ́ʃt] *a.* 보풀내기 처리〔가공〕한《모직물 따위》; 〖야금〗 브러시 연마(研磨)의.

brúsh fire 산불, 숲 따위의 소규모의 불《forest fire에 대해》.

brúsh·fire *a.* (전투가) 소규모의, 국지적인. **—** *n.* 소규모 전투.

brúsh hòok 풀숲을 베는 낫(bush hook).

brúsh·ing *a.* 획 지나가는; 민첩한, 빠른: ~ gallop 질주. **—** *n.* Ⓤ 솔질; 솔로 칠함; (*pl.*) 쓸어모은 것.

brúsh·lànd *n.* 관목림 지역.

brúsh·less *a.* 솔을 쓸 필요가 없는.

brúsh-òff *n.* (종종 the ~) 《구어》 거절, 자빡댐; 해고: give 〔get〕 the ~ 퇴짜놓다 〔맞다〕, 거절하다〔당하다〕.

brúsh-pèncil *n.* 화필.

brúsh·stròke *n.* 솔질, (화필의) 붓놀림.

brúsh·ùp *n.* **1** (전에 배웠거나 잊혀진 것을) 다시 하기, 복습: He gave his Spanish a ~ before his trip to Mexico. 그는 멕시코 여행에 앞서 스페인어를 복습했다. **2** 닦음; (여행·운동 후 따위의) 몸차림.

brúsh whèel 〖기계〗 솔 바퀴《청소·연마용》.

brúsh·wòod *n.* Ⓤ 베어 낸 작은 나뭇가지; Ⓒ (관목의) 숲, 총림.

brúsh·wòrk *n.* Ⓤ 브러시로 하는 작업《페인트칠 따위》; 필법, 화풍, 화법.

brushy[1] [brʌ́ʃi] (***brush·i·er; -i·est***) *a.* 솔 같

은; 털 많은. 「가 무성한.
brushy² (***brush·i·er; -i·est***) *a.* 떨기나무〔잔디〕
brusque, brusk [brʌsk/bru(ː)sk] *a.* 무뚝뚝한, 퉁명스러운. ㊞ **∠·ly** *ad.* **∠·ness** *n.*
brus·que·rie [brʌ́skəri/brúskəri] *n.* 무뚝뚝함, 매정함.
Brus·sels [brʌ́səlz] *n.* 브뤼셀《벨기에의 수도》.
Brússels cárpet 모직 융단의 일종.
Brússels láce 털로 짠 레이스의 일종.
Brússels spróuts 평지과의 다년생 초본《양배추의 일종》. 「은(very dry).
brut [bruːt] *a.* (포도주, 특히 샴페인이) 달지 않
***bru·tal** [brúːtl] *a.* **1** 잔인한(SYN. ⇨ CRUEL), 사나운; 억지인; 모진, 가차없는. **2** 육욕적인; 《고어》 짐승의〔같은〕. **3** 《미속어》 굉장히 좋은, 대단한. ◇ brute *n.* ㊞ **~·ism** [-təlìzəm] *n.* Ⓤ 야수성, 잔인무도한 마음; 잔학.
◇**bru·tal·i·ty** [bruːtǽləti] *n.* Ⓤ 잔인, 무자비; Ⓒ 야만적 행위.
bru·tal·ize [brúːtəlàiz] *vt., vi.* **1** 짐승처럼 하다〔되다〕; 잔인하게 하다〔되다〕. **2** …에게 잔인한 처사를 하다〔폭행을 가하다〕. ㊞ **brù·tal·i·zá·tion** [-lizéiʃən] *n.* 야만〔야수〕화.
brú·tal·ly *ad.* 야만스레, 난폭하게.
brute** [bruːt] *n.* **1** 짐승, 금수; (the ~s) 짐승류《인간에 대해》. **2** 인비인(人非人); 《구어》 싫은 놈. **3** (the ~) (인간 속의) 수욕(獸慾), 야수성. cf. beast. **—a.* **1** 금수와 같은, 잔인한; 야만적인 (savage). **2** 이성이 없는, 맹목적인: ~ courage 만용 / ~ force 폭력. **3** 수욕적인, 육욕의. **4** 무정한, 무감각한: ~ matter 무생물. ◇ brutal, brutish *a.* ㊞ **∠·hòod** *n.*
brùte-fórcing *n.* 〖컴퓨터〗 억지 기법 사용.
bru·ti·fy [brúːtəfài] *vt., vi.* 《영》 =BRUTALIZE.
brut·ish [brúːtiʃ] *a.* 잔인한; 야만적인. ㊞ **~·ly** *ad.* **~·ness** *n.* 야만.
bru·tum ful·men [brúːtəm-fúlmən] 《L.》 허세, 호언장담, 빤한 위협.
Bru·tus [brúːtəs] *n.* **Marcus Junius ~** 브루투스《로마의 정치가(85?-42 B.C.); 카이사르 암살자의 한 사람》.
brux [brʌks] *vi.* 이를 갈다.
brúx·ism *n.* 〖의학〗 이를 갊.
Bryn·hild [brínhild] *n.* 〖북유럽신화〗 브린힐트《Sigurd가 마법의 잠에서 깨어나게 한 Valkyrie로, 뒤에 Sigurd를 살해케 함》.
bry·ol·o·gy [braiɑ́lədʒi/-ɔ́l-] *n.* 선태(蘚苔)학.
bry·o·ny [bráiəni] *n.* 〖식물〗 브리오니아《박과의 만초》; (종종 *pl.*) 브리오니아의 말린 뿌리《하제(下劑)》.
bry·o·phyte [bráiəfàit] *n.* 선태류(蘚苔類)의 식물. ㊞ **brỳ·o·phý·tic** *a.* 「벌레류의 (동물).
bry·o·zo·an [bràiəzóuən] *a., n.* 〖동물〗 이끼
Bryth·on [bríθən, -θɑn/-θən] *n.* 브리턴인《고대에 브리튼 섬 남부에 살던 켈트인의 한 파》. ㊞ **~·ic** *n., a.* 브리턴어(의); 브리턴인의.
B.S. 《미》 Bachelor of Science; Bachelor of Surgery; British Standard. **B.S., b.s.** 《비어》 bullshit(거짓말, 간살). **b.s., B/S** balance sheet; bill of sale. **B.S.A.** Bachelor of Scientific Agriculture; Boy Scouts of America; British South Africa. **B.S.A.A.** Bachelor of Science in Applied Arts. **B.S.A.A.C.** British South American Airways Corporation. **BSAM** basic sequential access method. **BSC** 〖통신〗 binary synchronous communications.
B. Sc. 《영》 Bachelor of Science. 「school).
B́-schòol *n.* 《구어》 경영 대학원(business
B́ scòpe 〖전자〗 B스코프《방위각과 거리를 동시에 나타내는 음극선 스코프》.
BSE bovine spongiform encephalopathy.
B.S.Ec., B.S.Econ. Bachelor of Science in Economics. **B.S.E(d).** Bachelor of Science in Education.
B́-sètting *n.* 〖사진〗 셔터 제어 장치가 풀릴 때까지 셔터가 열린 채로 있도록 하는 세트 방식.
BSFF 〖경제〗 buffer stock financing facility(완충 재고(在庫) 융자제도). **B.S.F.S.** Bachelor of Science in Foreign Service. **b.s.g.d.g.** *breveté sans garantie du gouvernement* 《F.》 (=patented without government guarantee).
B́ shàres 《영》 〖증권〗 투표권부(附) 보통주.
BSI, B.S.I. British Standards Institution.
B́-sìde *n.* (레코드의) B면, 뒷면(flip side); 또 그 면의 곡. cf. A-side.
B.S. in C.E. Bachelor of Science in Chemical Engineering; Bachelor of Science in Civil Engineering. **B.S. in Ch.E.** Bachelor of Science in Chemical Engineering. **B.S. in Ed.** Bachelor of Science in Education. **B.S. in L.S.** Bachelor of Science in Library Science; Bachelor of Science in Library Service. **bskt.** basket.
BSkyB [bíːskaibíː] *n.* B 스카이 B《1990년에 설립한 영국의 위성 TV 방송 회사; Sky라고도 함》. [◂ *B*ritish *Sky B*roadcasting]
B.S.L. Bachelor of Sacred Literature; Bachelor of Science in Law; Bachelor of Science in Linguistics. **Bs/L** bills of lading. **BSO** blue stellar object (청색 항성꼴 천체). **BSP** bank settlement plan. **BST** 〖생화학〗 bovine somatotropin; ⇨ BOVINE GROWTH HORMONE; British Summer Time.
B́ stàr 〖천문〗 B형 별《질량이 크고 비교적 고온인 청백색의 별; 오리온자리의 리겔(Rigel) 따위》.
B́-strèp *n.* B스트렙, 연쇄상 구균 B. 「전원》.
B́ supplỳ B전원《진공관의 플레이트 회로용
BT British Telecom(munications). **Bt.** Baronet. **bt.** bolt; bought. **B.T.** Bachelor of Theology; 《미속어》 bacon and tomato sandwich(=**B and T**)(베이컨 토마토 샌드위치). **BTA** 〖광고〗 best time available(취득 가능 최적 시간대).
BTEC [bíːtek] *n.* 《영》 (Business and Technology Education Council에서 주는) 특수 직업 자격.
B́-tèst *n.* (Breathalyzer에 의한) 주기(酒氣) 검사, 음주 검사.
B. Th. Bachelor of Theology.
btoom [btúːm] *int.* 쾅《폭음 따위》. 「시.
B́ Tówn 《CB속어》 Alabama주 Birmingham
Btry, btry battery. **Btu, B.T.U., B.Th.U., B.t.u.** British thermal unit(s). **BTW** 〖컴퓨터〗 by the way《전자 게시판, 인터넷 등에서 빈번히 사용됨》. **B2B** business to business (기업간 전자 상거래). **B2C** business to consumer (기업대 소비자간 전자 상거래). **bty.** battery. **bu.** bureau; bushel(s).
bub [bʌb] *n.* **1** 《미구어》 아가, 젊은이《소년·젊은이 호칭》. **2** (*pl.*) 《속어》 젖통이, 유방.
bu·bal(e), bu·ba·lis [bjúːbəl], [-lis] *n.* 큰 영양의 일종《북아프리카산》. 「현》.
bub·a·leh [búbələ] *n.* 자네, 친구《친애의 표
bu·ba·line [bjúːbəlàin, -lin] *a.* bubal(e)과 같은.
bub·bies [bʌ́biːz] *n. pl.* =BUBBY 2.
****bub·ble** [bʌ́bəl] *n.* **1** 거품; 기포(氣泡)《유리 따위 속의》. ★ foam이나 froth가 거품의 집합체인데 대하여, bubble은 그 낱낱의 거품을 말함. **2** 거품 같은 계획〔야심〕; 사기. **3** 거품이 읾; 끓어오름; 거품 이는〔끓어오르는〕 소리. **4** 작고 둥근 돔.

blow (soap) ~s 비눗방울을 불다《유희》; 공상에 잠기다. ~ ***and squeak*** 《영》 야채와 감자가 든 고기 프라이; 종잡을 수 없는 허풍. ***burst a person's*** ~ 아무의 희망을 깨다, 아무를 실망시키다. ***prick the* 〔*a*〕** ~ 비눗방울을 찔러 터뜨리다; 기만을 폭로하다; 환멸을 주다.
— *vi.* **1** 거품 일다; 끓다. **2** 《~/+副》 부글부글 소리를 내다《*out; up*》; (샘 따위가) 솟다; (실개천이) 거품을 내며 흐르다: Clear water ~*d up* from among the rocks. 바위 사이에서 맑은 물이 부글부글 솟고 있었다. **3** 《+전+명》 (아이디어 따위가) 넘치다; (기쁨·노여움 따위로) 들끓다, 흥분하다, (신명이 나서) 떠들다: ~ *with* laughter 웃고 떠들다. — *vt.* **1** 거품 일게 하다. **2** 《고어》 …을 속이다. ~ ***over*** (액체가) 거품이 일어 넘치다; (흥분·행복감 등으로) 벅차오르다, 기분이 퍽 좋아지다《*with*》.

búbble bàth 향료를 넣은 목욕용 발포제(發泡劑)(를 넣은 목욕탕).

búbble bràin 《속어》 바보, 멍청이, 골빈 머리(bubblehead). 「람 막이.

búbble cànopy 〖항공〗 (조종석의) 유선형 바

búbble càr 돔(dome) 모양의 투명 덮개가 있는 자동차(=**búbbletop càr**).

búbble chàmber 〖물리〗 거품 상자.

búbble-chàser *n.* 《미군대속어》 폭격기.

búbble cúshioning matèrial (손상 방지용) 기포 완충재(氣泡緩衝材)《손상되기 쉬운 물건의 수송에 씀》.

búbble dànce 풍선춤《쇼 따위에서 여성이 풍선을 알몸에 달고 춤》.

búbble domàin =MAGNETIC BUBBLE.

búbble gùm 풍선껌; 《미》 어린이 취향의 록음악. 「취향의.

búbble·gùm *a.* 《미》 (록음악 따위가) 어린이

búbble gùm machíne 《미속어》 경찰차 지붕의 점멸 적등(赤燈).

búbble·gùmmer *n.* 《미》 **1** (10대 전반의) 어린이. **2** 어린이 취향의 록 연주자; 《CB속어》 젊은 시민 밴드 교신자.

búbble-gum músic =BUBBLE GUM.

búbble-gùmmy *a.* =BUBBLEGUM.

búbble·hèad 《미속어》 *n.* 바보, 멍청이. ㊞ **~-ed** [-id] *a.*

búbble-jet prìnter 〖컴퓨터〗 버블젯 프린터《잉크젯 프린터의 일종으로 열을 이용하여 잉크를 분출시킴; 캐논의 상표명》. 「기억 장치.

búbble mèmory 〖컴퓨터〗 자기(磁氣) 버블

búbble pàck (물건이 보이도록) 투명 재료를 쓴 포장. 「수도꼭지.

bub·bler [bʌ́blər] *n.* (물 마시는 곳의) 분수식

búbble·tòp *n.* (자동차에 붙이는) 방탄용 플라스틱 덮개; =BUBBLE CAR. 「우산.

búbble umbrèlla 돔(dome) 모양의 투명

búbble wràp (깨지기 쉬운 것의 포장 따위에 쓰는) 발포(發泡) 비닐 랩, 버블 랩.

bub·bly [bʌ́bli] (***bub·bli·er; -bli·est***) *a.* 거품 이는, 거품투성이의; 기운찬. — *n.* 《구어》 샴페인

búbbly-jòck *n.* 《Sc.》 칠면조의 수컷. 「술.

bub·by [bʌ́bi] *n.* **1** =BUB 1. **2** (*pl.*) 《속어》 젖(통이), 유방.

Bu·ber [búːbər] *n.* **Martin** ~ 부버《오스트리아 태생의 철학자·신학자; 1878-1965》.

bu·bo [bjúːbou/bjúː-] (*pl.* **~es**) *n.* 〖의학〗 (특히 샅·겨드랑이 밑의) 림프선종(腫). ㊞ **bu·bon·ic** [bjuːbánik/bjuːbɔ́n-] *a.* 림프선종의.

bubónic plágue 〖의학〗 선(腺)페스트.

bu·bon·o·cele [bjuːbánəsìːl/bjuːbɔ́n-] *n.* 〖의학〗 서혜(鼠蹊) 헤르니아.

bu·bu [búːbuː] *n.* =BOU-BOU.

buc·cal [bʌ́kəl] 〖해부〗 *a.* 볼의; 입의, 구강(口腔)의: the ~ cavity 구강.

buc·ca·neer, -nier [bʌ̀kəníər] *n.* 해적《특히 17-18세기 아메리카 대륙의 스페인령 연안을 휩쓴》; 악덕 정치가. — *vi.* 해적질하다. ㊞ **~-ing** [-riŋ] *a., n.* 해적의; Ⓤ 해적질, 약탈. **~·ish** [-níəriʃ] *a.* 해적의. 「(頰筋).

buc·ci·na·tor [bʌ́ksənèitər] *n.* 〖해부〗 협근

bu·cen·taur [bjuːséntɔːr] *n.* 〖그리스신화〗 반우반인(半牛半人)의 괴물.

Bu·ceph·a·lus [bjuːséfələs] *n.* 알렉산더 대왕이 타던 말; (b-) 《고어》 승용마.

Bu·chan·an [bjuːkǽnən, bə-] *n.* **James** ~ 뷰캐넌《미국의 제 15 대 대통령; 1791-1868》.

Bu·cha·rest [bjúːkərèst, ⌐-⌐] *n.* 부쿠레슈티《Rumania의 수도》.

Buch·man·ism [búkmənìzəm, bʌ́k-] *n.* Ⓤ 미국의 종교가 Frank Buchman(1878-1961)이 일으킨 종교운동《영국에서는 Oxford Group (Movement), 미국에서는 Moral Rearmament Movement라고 함》.

Buck [bʌk] *n.* **Pearl** ~ 펄 벅《미국의 여류작가; 1892-1973》.

buck[1] [bʌk] *n.* **1** 수사슴(stag); (양·토끼 따위의) 수컷(OPP doe). **2** 멋내는 사나이, 멋쟁이. **3** 《구어》 혈기 넘치는 젊은이; 《경멸》 흑인 또는 아메리카 인디언의 남자. **4** 사슴가죽 제품. — *a.* **1** 수컷의; 《속어》 사내의: a ~ nigger 흑인 남자. **2** 《미군대속어》 최하급의: a ~ private. 2등〔초년·신〕병.

buck[2] *vi.* **1** (말이 갑자기 등을 굽히고) 뛰어오르다. **2** 《+전+명》 《미구어》 완강하게 저항하다, 강력히 반대하다《*at; against*》: ~ *against* fate 운명에 거스르다. **3** 《미구어》 (차가 덜커덕하고) 갑자기 움직이다. **4** 《영》 자랑하다, 뽐내다, 허풍을 떨다《*about*》. **5** 《미》 도박을 하다《*at; against*》. — *vt.* **1** 《+목+부》 (말이 탄 사람·짐을) 날뛰어 떨어뜨리다《*off*》: ~ *off* a person. **2** 《미구어》 완강하게 반항하다〔반대하다〕. **3** 《미구어》 (머리·뿔로) 받다; 걷어차다, 돌격하다《*against*》. **4** 기운을 북돋다. **5** 〖축구〗 공을 가지고 적진에 돌입하다. ~ ***up*** 《구어》 기운을 내다, 격려하다; 힘을 내다; 〖명령형〗 빨리, 꾸물대지 마라. — *n.* (말이 등을 굽히고) 뛰어오름. ***give it a*** ~ =***have a*** ~ ***at it*** (시험삼아) 해보다.

buck[3] *n.* (포커에서) 카드를 돌릴 차례가 된 사람 앞에 놓는 표지; 《구어》 책임. ***pass the*** ~ ***to*** 《구어》 …에 책임을 전가하다. ***The*** ~ ***stops here.*** 《속어》 일의 모든 책임은 내가 진다. — *a.* 《미속어》 용감한, 대담한.

buck[4] *n.* 《미속어》 달러. cf. bit[1]. ¶ one ~ and four 〔six〕 bits 1달러 50〔75〕센트 / in the ~*s* 《미속어》 돈이 있는.

buck[5] *n.* 《영》 뱀장어 잡는 데 쓰는 통발. 「(臺).

buck[6] *n.* 《영》 톱질 모탕; (체조용의) 도약대

buck[7] *n.* (짐수레의) 차체(車體).

buck[8] *n.* 이야기; 제자랑. — *vi., vt.* 지껄이다, 잡담하다; 빼기다; 제자랑하다《*about*》.

buck[9] *ad.* 《미중남부》 아주, 전혀: ~ naked 빨가벗고, 알몸뚱이로.

buck. buckram.

búck-and-wíng [-ənd-] *n.* 《미》 (흑인의) 복잡하고 빠른 탭댄스.

buck·a·roo, buck·er·oo [bʌ́kərùː, ⌐-⌐] (*pl.* **~s**) *n.* 《미서부》 =COWBOY; BRONCOBUSTER.

búck bàsket 세탁물 광주리.

búck bèan 〖식물〗 조름나물.

búck·bòard *n.* 《미》 4륜 짐마차《좌석이 탄력판(板) 위에 있는》; 운반부.

búck·càrt *n.* 2륜 짐마차.

bucked [bʌkt] *a.* 《영구어》 **1** 지친. **2** 행복한, 즐거운(happy), 의기양양한(elated).

buck·een [bʌkíːn] *n.* 《Ir.》 자존심만 강하고 교양이 없는 가난한 청년 귀족, 부자나 귀족의 흉내를 내는 가난한 청년.

búck·er *n.* 버릇이 나쁜 말, 갑자기 뛰어오르는 말; 《미속어》 상사에게 아첨하는 인간; 《미속어》 카우보이.

****buck·et** [bʌ́kit] *n.* **1** 버킷, 양동이, 두레박: a fire ~ 소화용 버킷. **2** (컨베이어·준설기의) 버킷; (펌프의) 피스톤; (물방아의) 물받이. **3** (가죽으로 만든) 채찍받이, 기병 총받이. **4** 버킷〔양동이〕 가득(bucketful); 《구어》 대량, 다량. **5** 《속어》 궁둥이(buttocks); 《미속어》 자동차, 《특히》 대형차; 중고차, 고물차; 《미속어》 변소. **6** 《미속어》 미운〔싫은〕 여자; 싫은 놈. **7** 〖컴퓨터〗 버킷 《직접 액세스(access) 기억 장치에 있어서의 기억 단위》. ***a drop in the*** ~ 창해일속(滄海一粟). ***give*** a person ***the*** ~ 《속어》 아무를 해고하다. ***kick the*** ~ 《속어》 죽다; 뻗다. ***make the*** ~ 《미속어》 곤란한 입장이 되다.
— *vt.* **1** 《~+목/+목+부》 버킷으로 긷다〔나르다, 붓다〕 《*up; out*》. **2** 《영구어》 (말을) 난폭하게 몰다; (배를) 빠른 속도로 젓다. **3** 《속어》 (거래·발주를) 부정하게 행하다; 《미속어》 …을 속이다(cheat). — *vi.* 《영구어》 **1** 《~/+부》 〖종종 it를 주어로〗 (비가) 억수로 쏟아지다 《*down*》. **2** 말을 난폭하게 몰다; (차 등이) 난폭하게 달리다. **3** 《미속어》 허가 없이 중개하다. ~ ***about*** 《영》 (격랑 속의 배가) 몹시 흔들리다.
㊕ ~·er, ~·eer [bʌ̀kətíər] *n.* 엉터리 거간꾼.

búcket brigàde (불끄기 위해) 줄지은 버킷 릴레이의 열. 「베이어.

búcket convèyor 〔**càrrier**〕 〖기계〗 버킷 컨

búcket èlevator 〖기계〗 버킷 엘리베이터 《운반 부분이 버킷인 승강기》.

buck·et·ful [bʌ́kitfùl] (*pl.* **~s, búck·ets·ful**) *n.* 버킷〔양동이〕 가득(한 양): rain 〔come down〕 (in) *bucketsful* (비가) 억수로 쏟아지다. 「청이.

búcket-hèad *n.* 《미속어·경멸》 독일 병정; 멍

búcket mòuth 《CB 속어》 수다쟁이(gossiper); 음담패설하는 자.

búcket of bólts **1** 《미속어》 트랙터 트레일러 《운전대와 짐칸이 분리된 화물 자동차》. **2** 《속어》 털털이차. 「접의자.

búcket sèat (자동차·비행기 따위의 1인용)

búcket shòp **1** 무허가 중개소, 엉터리 거래점. **2** 도박장.

búcket tràding 〖증권〗 불성실 거래; 공(空)거래, 부정 거래; 장외 거래.

búck·èye *n.* **1** 〖식물〗 칠엽수류(七葉樹類) 《미국산》. **2** (B–) 《미구어》 미국 Ohio 주 사람.

Búckeye Státe (the ~) 미국 Ohio주의 속칭.

búck fèver 《미구어》 초보 사냥꾼이 처음으로 사냥감을 대하고 느끼는 흥분. 「將).

búck géneral 《미속어》 (미육군의) 준장(准

búck·hòrn *n.* 사슴의 뿔.

búck·hòund *n.* (사슴 사냥용) 작은 사냥개.

Búck Hóuse 《영속어》 = BUCKINGHAM PALACE.

Búck·ing·ham Pálace [bʌ́kiŋəm-] 버킹엄 궁전 《런던의 영국 왕실의 궁전》.

Búck·ing·ham·shìre [-ʃiər, -ʃər] *n.* 버킹엄셔 《잉글랜드 남부의 주; 생략: Bucks.》.

buck·ish [bʌ́kiʃ] *a.* 멋부리는, 맵시를 내는. ㊕ **~·ly** *ad.* **~·ness** *n.*

búck·jùmp *vi.* 《주로 Austral.》 (말이) 뛰어오르다; 날뛰는 말처럼 뛰어오르다. ㊕ **~·er** *n.* 《주로 Austral.》 갑자기 뛰어올라 탄 사람을 떨어뜨리는 말.

búck knèe 〖수의〗 (말 따위의) 안쪽으로 굽은 무릎; 외반슬(外反膝)(calf knee).

°buck·le [bʌ́kəl] *n.* **1** 죔쇠, 혁대 장식, 버클. **2** 굽음, 휨, 비틀림. — *vt.* **1** 《~+목/+목+부》 (죔쇠로) 죄다, (죔쇠를) 채우다 《*on; in; up*》: ~ (*up*) one's belt 벨트를 채우다. **2** (열·압력을 가하여) …을 구부리다, 휘게 하다; 뒤틀다. — *vi.* **1** (열·압력으로) 굽어지다, 뒤틀리다 《*up*》. **2** 격투하다, 드잡이하다. **3** 굴종〔양보〕하다, 응하다 《*under; to*》. ~ ***down to*** (the job) (일)에 진지하게 달라붙다, 정성을 쏟다. ~ ***on*** (무기·갑옷 등을) 죔쇠로 몸에 채우다: ~ *on* a sword 칼을 차다. ~ one***self to*** …에 전력을 기울이다. ㊕ **~d** *a.* 죔쇠 달린. **~·less** *a.*

buck·ler [bʌ́klər] *n.* 조그마한 원형의 방패; 방호물(防護物)(protector); 방호; 〖해사〗 닻줄 구멍의 뚜껑. — *vt.* …의 방패가 되다; 방호하다 (defend).

Búck·ley's chánce 〔**hópe**〕 [bʌ́kliz-] 《Austral.구어》 희망이 없음, 절망, 헛된 바람.

buck·min·ster·ful·ler·ene [bʌ́kminstərfùləriːn] *n.* 〖화학〗 ⇨ FULLERENE.

búck náked 《구어》 벌거벗은.

búck nìgger 《속어》 덩치 큰 흑인 남자.

bucko [bʌ́kou] (*pl.* ***buck·oes***) *n.* 약자를 학대하는 자; 《영속어》 뻐기는 놈〔선원〕; 《Ir.》 젊은이 (lad).

búck pàsser 《미구어》 사사건건 책임을 전가하는 사람. 「嫁)(를 하는).

búck-pàssing *n., a.* 《미구어》 책임 전가(轉

búck prívate 《미속어》 이병, 신병(新兵).

buck·ra [bʌ́krə] *n.* 《주로 미남부》 백인; 주인 《흑인 용어》.

buck·ram [bʌ́krəm] *n.* Ⓤ 버크럼 《아교·고무 따위로 굳힌 발이 성긴 삼베; 양복의 심·제본 따위에 씀》; 딱딱함; 겉보기만의 셈〔강함〕; 형식주의: (as) stiff as ~ (분위기가) 매우 딱딱한. ***men in*** ~ = ~ ***men*** 가공의 인물 《Shakespeare의 *Henry IV*》. — *a.* 버크럼의; 딱딱한; 형식적인. — *vt.* 버크럼으로 굳히다; 《고어》 센〔잘난〕 체해 보이다.

Bucks. Buckinghamshire.

búck·sàw *n.* 틀톱.

bucksaw

Búck's Fízz (*or* b– f–) 샴페인과 오렌지 주스의 혼합 음료.

buck·shee [bʌ́kʃiː] 《영군대속어》 *n.* 특별 수당; 뜻밖의 행운. — *a., ad.* 무료의〔로〕; 특별한〔히〕.

búck·shòt *n.* Ⓤ 녹탄(鹿彈) 《꿩·물오리 따위 사냥용 대형 산탄》.

búck·skìn *n.* Ⓤ 녹비 《양가죽 따위를 누렇게 무두질한 것을 말할 때도 있음》; (*pl.*) 녹비 바지; Ⓒ 녹비(색)의 옷을 입은 사람; (B–) 독립 전쟁 당시의 미국 병사 《녹비의 옷을 입었기 때문에 붙인 별명》; 《미》 녹비색의 말. — *a.* ~의; 잿빛을 띤 황색을 한.

búck slìp 〖군사〗 (물자 발송 때 그 수령인 및 용도를 지시하는) 간이 문서〔메모〕.

búck's pàrty 《미구어》 = BACHELOR PARTY.

búck·tàil *n.* 〖낚시〗 사슴 꼬리털로 만든 가짜 미끼.

búck·thòrn *n.* 〖식물〗 털갈매나무.

búck·tóoth (*pl.* ***-teeth*** [-tìːθ]) *n.* 뻐드렁니. ㊕ **~ed** [-t] *a.* 뻐드렁니의.

búck·wàgon *n.* = BUCKBOARD.

búck·whèat *n.* Ⓤ 〖식물〗 메밀(의 씨), 메밀가루; 《속어》 초심자, 풋내기. 「은 머리.

buckwheat bràid 《미》 (리본을 맨) 짧게 땋

búckwheat càke 메밀 가루 케이크.
búck·whèater *n.* 《미속어》 초심자, 풋내기.
buck·y·ball [bʌ́kibɔ̀:l] *n.* 【화학】 버키볼 《fullerene을 구성하는 공 모양의 분자》. 「비트.
búcky bíts [bʌ́ki-] 《미속어》 (컴퓨터) 제어
bu·col·ic, -i·cal [bju:kálik/-kɔ́l-], [-kəl] *a.* 양치기의, 목가적인(pastoral); 전원 생활의, 시골티나는. **—** *n.* (보통 *pl.*) 목가, 전원시(인); 《고어·우스개》 시골뜨기, 농부. ⊞ **-i·cal·ly** *ad.*
bud[1] [bʌd] *n.* **1** 싹, 눈; 봉오리; 발아(기): put forth 〔send out, shoot out〕 the ~ 싹이 나다. **2** 【동물·해부】 아체(芽體), 아상(芽狀) 돌기. **3** 발달이 덜 된 물건; 소녀, 아이; 《미》 막 사교계에 나온 아가씨. ***in the ~*** 봉오리〔싹틀〕 때에; 초기에. ***nip*** 〔***check, crush***〕 ***... in the ~*** …을 봉오리 때에 따다; 미연에 방지하다. **—** (**-dd-**) *vi., vt.* **1** 봉오리를 갖(게 하)다; 발아하다〔시키다〕《*out*》. **2** 발육하기〔자라기〕 시작하다; 젊다, 장래가 있다. **3** 【원예】 아접(芽接)하다. **~ *off from*** (모체에서) 싹터서 분리하다, …에서 분리하여 새 조직을 만들다. ⊞ **búd·der** *n.* **∠·like** *a.*
bud[2] *n.* 《미구어》 =BUDDY. ⓒⓕ sis.
Bu·da·pest [bú:dəpèst, bù:dəpést] *n.* 부다페스트(Hungary의 수도). 「접(芽椄)한.
bud·ded [bʌ́did] *a.* 싹튼, 움튼, 봉오리진; 아
Bud·dha [bú(:)də/búdə] *n.* **1** (the ~) 불타, 부처《석 가모니의 존칭; 다른 득도자(得道者)에게도 씀》. **2** 불상(佛像).
Búd·dha·hòod [-hùd] *n.* 불교의 깨달음의 경지, 보리(菩提). 「道), 불법(佛法).
Bud·dhism [bú:dizəm] *n.* Ⓤ 불교, 불도(佛
Bud·dhist [bú:dist] *n.* 불교도. **—** *a.* 불타의; 불교(도)의: a ~ temple 〔monastery〕 절, 불당.
Bud·dhis·tic, -ti·cal [bu:dístik], [-kəl] *a.* 불타의; 불교(도)의. ⊞ **-ti·cal·ly** *ad.*
bud·ding [bʌ́diŋ] *a.* **1** 싹이 트기 시작한; 발육기의: a ~ beauty 꽃봉오리《한창 젊은 미소녀》. **2** 소장(少壯)의, 신진의: a ~ author 신진 작가. **—** *n.* Ⓤ 발아; 싹틈; 아접(芽椄).
bud·dle [bʌ́dl, búdl] *n., vt.* 【채광】 세광조(洗鑛槽)(에서 씻다).
bud·dle·ia [bʌdlí:ə, bʌ́dliə/bʌ́dliə] *n.* 【식물】 취어초속(屬)의 식물《흰 꽃이 핌》.
bud·dy [bʌ́di] 《구어》 *n.* 형제, 동료, 친구; 여보게, 자네《호칭》; 자원 봉사자로 AIDS 환자를 간호하는 사람. **—** *vi.* 친해지다, 친구가 되다 《*up*》; 《미학생속어》 (남자끼리) 함께 지내다《*up*》; AIDS 환자 간호의 자원 봉사자로 활동하다.
búddy-búddy *a.* 《구어》 매우 친한, 사이가 좋은; 매우 정다운. **—** *n.* 친구, 전우(戰友); 집요하게 친구가 되고 싶어하는 사람; 《미속어》 적; 싫은 녀석. **—** *vi.* 아주 친한 사이다; 다정한 듯이 굴다; 아첨하다.
búddy film 〔**mòvie, pìcture**〕 두 남자 친구 간의 우정과 모험을 다룬 영화.
búddy sèat 《미속어》 (오토바이의) 사이드카; 권력이 있는 지위.
búddy stòre 《미군대속어》 급유선(船)〔기(機), 기지〕, (배·비행기 급유용의) 군용 탱커.
búddy sỳstem **1** (사고 방지를 위한) 2인 1조(組) 방식《수영·캠프에서》. **2** 【군사】 같은 기종(機種)간에 공중 급유를 하는 일.
budge[1] [bʌdʒ] *vi., vt.* 〔보통 부정형〕 **1** 몸을 움직이다; 조금 움직이다: It *won't* ~ an inch. 한 치도 움직이지 않는다, 꼼짝도 하지 않는다. **2** 의견〔생각〕을 바꾸다, …에게 생각을 바꾸게 하다, 양보시키다.
budge[2] *n.* Ⓤ 어린 양의 털가죽; 가죽 부대.
budge[3] *n.* 《미속어》 술, 위스키.

budg·er·i·gar, budg·er·ee·gah [bʌ́dʒərigɑ̀:r] *n.* 【조류】 잉꼬《오스트레일리아산》.
budg·et [bʌ́dʒit] *n.* **1** 예산; 예산안: make a ~ 예산을 편성하다 / open the ~ 의회에 예산안을 제출하다. **2** 〔일반적〕 경비, 운영비; 가계(家計), 생활비. **3** 주머니의 속알맹이, 돈지갑; (편지·서류 따위의) 한 묶음: a ~ of news 한 묶음의 보도. ★ 이러한 뜻에서 신문 이름에 쓰이는 일이 있음: the Literary *Budget*. **—** *a.* 《완곡어》 값이 싼, 싸게 잘 산: ~ prices 특가(特價) / the ~ floor 특매장. ***balance the ~*** 수지 균형을 맞추다. ***on a ~*** (한정된) 예산으로, 예산을 절약하여, 지출을 억제하여. **—** *vi.* 《+전+명》 예산에 계상하다〔짜다〕: ~ *for* the coming year 내년도 예산을 세우다. **—** *vt.* (…의) 예산〔자금 계획〕을 세우다《*for*》; (시간 따위)의 예정을 세우다 《*for*》.
búdget accòunt (백화점의) 할부 방식; (은행 등의) 자동 지급 계좌.
budg·et·ary [bʌ́dʒitèri/-təri] *a.* 예산(안)의.
búdgetary còntrol (기업 경영에서의) 예산 통제〔관리〕.
búdget crùnch 《미구어》 예산의 핍박(逼迫)(= **búdget squeèze**).
bud·ge·teer, budg·et·er [bʌ̀dʒitíər], [bʌ́dʒitər] *n.* 예산을 짜는 사람, 예산 위원.
Búdget Mèssage (the ~) (미국 대통령이 의회에 보내는) 예산 교서.
búdget plàn 월부제(月賦制), 분할불 판매법 (instal(l)ment plan).
búdget resolùtion 예산 결의안.
búdget stòre 《미》 백화점의 특매장.
bud·gie [bʌ́dʒi] *n.* 《구어》 =BUDGERIGAR.
bud·let [bʌ́dlit] *n.* 봉오리, 유아(幼芽).
búd mutàtion 눈 돌연변이, 아조(芽條) 변이.
buds [bʌdz] *n. pl.* 《속어》 (여성의) 작은 유방.
búd scàle 【식물】 아린(芽鱗)(scale). 「우다.
búd-sèsh [-sèʃ] *vi.* 《미속어》 마리화나를 피
búd·wòod *n.* 【원예】 눈접에 적당한 눈이 있는 어린 가지.
búd·wòrm *n.* 새순을 갉아먹는 모충(毛蟲).
bue·nas no·ches [bwéinəsnóutʃəs] 《Sp.》 안녕히 주무십시오(=good night).
bue·nas tar·des [bwéinəstɑ́:rdes] 《Sp.》 안녕하십니까(=good afternoon).
Bue·nos Ai·res [bwéinəsáiriz, bóunəs-/bwéinəsáiriz] 부에노스아이레스《아르헨티나의 수도》.
bue·nos di·as [bwéinɔ:sdí:ɑ:s/-nɔs-] 《Sp.》 안녕히 주무셨습니까, 안녕하십니까(=good morning 〔day〕).
Búer·ger's disèase [bə́:rgərz-] 【의학】 버거병, 폐색성 혈전 혈관염《손·발 혈관의 염증성의 폐색성 질환》. 「자, 좋은 남자.
buf [bʌf] *n.* 《미속어》 늠름한 사내, 믿음직한 남
buff[1] [bʌf] *n.* **1** Ⓤ (물소 등의) 담황색의 연한 가죽; Ⓒ 그 가죽으로 만든 군복; Ⓤ 담황색. **2** (the ~) 《구어》 (사람의) 맨살; 버프《렌즈를 닦는 부드러운 천》; 높은 양반; 《미구어》 …팬, …광(狂): a Hi-Fi ~ 하이파이광 / (all) in ~ 벌거벗고, 알몸으로 / strip to the ~ 발가벗기다. **—** *vt.* 연한 가죽으로 닦다; (가죽을) 연하게 하다; 담황색으로 물들이다. ⊞ **∠·a·ble** *a.*
buff[2] *vi., vt.* (…의) 충격을 완화하다, 약화시키다; 완충기 구실을 하다. **—** *n.* 《주로 영방언·고어》 타격, 찰싹 때림, 손바닥으로 치기. **—** *a.* 《고어》 의연한.
buf·fa·lo [bʌ́fəlòu] (*pl.* **~(*e*)*s***, 〔집합적〕 ~) *n.* 물소(water ~); 《미》 아메리카들소(bison); 《군대속어》 수륙 양용(水陸兩用) 탱크; 《미속어》 사내, 놈, 남편. **—** *vt.* 《미속어》 (힘을 과시하거

나 우쭐대며) 위협하다; 곤란케 하다; 얼렁뚱땅하다, 어리둥절케 하다. 「의 똥《연료용》.
búffalo chìps 《구어》 바짝 마른 버펄로 따위
búffalo·fish *n.* 〚어류〛 (북아메리카산의) 잉어 비슷한 민물고기. 「목초의 일종.
búffalo gràss 〚식물〛 미국 중부·서부에 많은
Búffalo Ìndian (미국 평원 지방의) 인디언.
búffalo ròbe 《미》 아메리카들소의 모피로 된 무릎 덮개.
búffalo wìng 버펄로 윙《닭의 날개(살)을 기름에 튀겨 소스를 얹은 요리》.
búff còat 가죽 코트.
búff·er[1] *n.* 완충기〔장치〕(《미》 bumper); (영향·충격·위험 따위를 부드럽게 하는) 완충물, 쿠션; (비상시의) 준비금; (남을 위해) 방패 역할을 하는 사람; 완충국; 〚화학〛 완충제〔액〕; 〚컴퓨터〛 버퍼, 완충역(域). **—** *vt.* (충격·관계 등을) 부드럽게 하다; (충격 따위로부터) 보호하다, 지키다; 〚화학〛 완충제로 처리하다.
búff·er[2] *n.* 닦는〔윤내는, 가는〕 사람; (면도칼 따위를) 가는 가죽띠, 닦아서 윤내는 기구, 버프반(盤).
búff·er[3] *n.* 《영속어》 쓸모없는 녀석, 놈; 〚해사〛 부갑판장: an old ~늙다리. 「메모리.
búffer mèmory 〚컴퓨터〛 버퍼 기억장치, 버퍼
búffer règister 〚컴퓨터〛 버퍼 레지스터《주기억 장치에 넣기 전에 1차적으로 데이터를 모아 전송하는 컴퓨터의 한 부분》.
búffer solùtion 〚화학〛 완충액(緩衝液).
búffer stàte 완충국. 「충 재고(在庫).
búffer stòck 〚경제〛 (공급 변동에 대비한) 완
búffer zòne 완충 지대; =BUFFER STATE.
◇**buf·fet**[1] [bʌ́fit] *n.* **1** (손바닥·주먹으로 하는) 타격(blow), 때려 눕히기. **2** (풍파 따위의) 격돌; (운명 따위의) 희롱. **3** 속도 초과로 인한 비행기의 진동. **—** *vt.* **1** (손으로) 치다, 때려 눕히다. **2** 《~+목(+부)》 (풍파·운명이) …을 농락〔희롱〕하다《*about*》: The boat was *~ed* (*about*) by the waves. 보트는 거친 파도에 시달렸다. **3** 《~+목/+목+전+명》 (운명 따위와) 싸우다: ~ misfortune's billows 불행의 큰 물결과 싸우다/ He *~ed* his way *to* riches and fame. 그는 악전 고투하여 부와 명성을 얻었다. **—** *vi.* **1** (주먹·손으로) 싸우다, 권투하다, (…와) 고투(苦鬪)하다《*with*》. **2** 싸우면서 나아가다, 허위적거리며 나아가다《*along*》. **3** (비행기가) 설계 속도를 초과하여 진동하다. 파 **~·er** *n.*
◇**buf·fet**[2] [bəféi, buféi/búfei] *n.* **1** 찬장. **2** (식당·다방의) 카운터. **3** [búfei] buffet가 있는 간이 식당, (역·열차·극장 안의) 식당, 뷔페. **4** 칵테일파티식〔입식(立食)식〕 요리. **—** [búfei] *a.* (손님이 직접 차려 먹는) 뷔페식의: ~ lunch 뷔페식 점심.
buffét càr (간이) 식당차.
buf·fet·ing [bʌ́fitiŋ] *n.* 난타(亂打); 〚항공〛 버피 팅《난기류에 의한 기체의 이상 진동 현상》; 대기권을 탈출할 때 발사 로켓에 일어나는 심한 진동.
búffing whèel =BUFF WHEEL. 「가죽.
búff lèather 튼튼하고 부드럽게 무두질한 쇠
buf·fle·head [bʌ́fəlhèd] *n.* 〚조류〛 오리의 일종(butterball)《북아메리카산》.
buf·fo [búːfou] (*pl.* ***-fi*** [-fiː], **~s**) *n.* 《It.》 (이탈리아 가극의) 익살 광대, 익살 가수. **—** *a.* 익살스러운, 희극적인.
Buf·fon [*F.* byfɔ̃] *n.* **Georges Louis Leclere** ~ 뷔퐁《프랑스의 박물학자; 1707-88》.
buf·foon [bəfúːn] *n.* 어릿광대, 익살꾼(clown). ***play the*** ~ 익살부리다. **—** *vi.* 익살부리다. 파 **~·ery** [-əri] *n.* 익살, 해학. **~·ish** *a.* 익살맞은, 우스꽝스러운.
búff whèel 연마륜(研磨輪)《천이나 가죽을 감아 원통 모양으로 만든 것; 금속 연마에 씀》.

buffy [bʌ́fi] (***buff·i·er; -i·est***) *a.* 무두질한 가죽 같은; 황갈색의; 《미속어》 술 취한.
búffy còat 〚생화학〛 연막(軟膜)《혈액 응고가 늦어질 때의 상층막》.
bu·fo·ten·ine [bjùːfəténiːn, -nin] *n.* 〚화학〛 뷰포테닌《두꺼비에서 나는 유독 환각제》.
‡**bug** [bʌg] *n.* **1** 반시류(半翅類)의 곤충《방귀벌레 따위》; 〔일반적〕 곤충, 벌레; 《주로 영》 빈대(bedbug). **2** 《구어》 병원균; 《구어》 병, 《특히》 전염병; 《미속어》 (기계 따위의) 고장, 결함. **3** 《미속어》 방범벨; 《구어》 도청기, 도청 마이크. **4** 열광(자), 열중: a movie ~ 영화광. **5** 《미속어》 저명 인사: a big ~ 《속어》 명사, 거물《비꼬아서》. **6** 《고어》 유령. **7** 《미속어》 소형 자동차, 폴크스바겐, 월면차(月面車). **8** 《컴퓨터속어》 오류《프로그램 작성시의 뜻하지 않은 잘못》. **9** 《미속어》 (특히 교도소의) 정신과의(醫), 카운슬러. **10** 《학생속어》 여자애. **11** (카드의) 조커, (포커에서) 자유패. ***have a ~ up*** one's ***ass*** 《속어》 망상에 사로잡히다. ***put a ~ in*** a person's ***ear*** 《구어》 아무에게 살짝 알려 주다.
— (***-gg-***) *vt.* **1** 《미속어》 (식물)에서 해충을 잡다; 《속어》 …을 귀찮게 따라다니다; 괴롭히다. **2** 《구어》 …에 방범벨을〔도청 마이크를〕 설치하다, 도청하다; 《미속어》 …의 정신 감정을 하다, 정신 이상으로 단정하다. **—** *vi.* (놀라 눈이) 튀어나오다. ~ ***off*** 《미속어》 귀찮게 하지 않고 떠나다. ~ ***out*** 《미속어》 ① 도망치다. ② (…에서) 급히 손 떼다. ***Don't ~ me.*** 나에게 상관 말아 주게.
bug·a·boo [bʌ́gəbùː] (*pl.* **~s**) *n.* 몹시 두렵게 하는 것; (까닭 없는) 걱정거리.
búg·bèar *n.* (나쁜 아이를 잡아먹는다는) 귀신; 걱정거리, 까닭 없이 무서운 것.
búg bòy 《미속어》 수습 기수(騎手).
búg dòctor 《미속어》 교도소의 정신과의(醫).
búg-èyed *a.* 《속어》 (놀라서) 눈이 휘둥그레
búg-frèe *a.* 결점 없는, 흠없는. ⌊진.
bug·ger[1] [bʌ́gər, búg-/bʌ́g-] *n.* 《비어》 비역〔수간(獸姦)〕하는 사람, 비역〔남색〕쟁이; 《속어》 자식, 놈; 《영속어》 귀찮은 일; (a ~) 〔보통 부정적〕 《영속어》 조금: I do*n't* give a ~. 조금도 상관없다. **—** *vt.* 《비어》 **1** …와 비역하다. **2** 《영》 몹시 지치게 하다. **—** *vi.* 《비어》 비역하다. ~ ***about*** 〔***around***〕 《영비어》 ① 폐를 끼치다, 괴롭히다; 바보 취급하다. ② 바보짓을 하다. ***Bugger it !*** 제기랄. ~ ***off*** 《영속어》 떠나다. ~ ***up*** 《비어》 엉망으로〔못 쓰게〕 만들다.
bug·ger[2] *n.* 《미속어》 도청 전문가.
búgger àll 《영속어》 아무것도 없음, 전무(nothing).
búg·gered *a.* 《영비어》 몹시 지친. ⌊ing).
búgger nòse 《미속어》 코딱지 같은 놈; 코딱지가 붙은 코.
bug·gery [bʌ́gəri] *n.* Ⓤ 《비어》 비역, 계간, 수간. ***Go to ~.*** 《영비어》 꺼져버려. ***like ~*** 《영속어》 필사적으로; 몹시. 「한 승진.
Búg·gins's túrn [bʌ́ginziz-] 연공 서열에 의
bug·gy[1] [bʌ́gi] (***bug·gi·er; -gi·est***) *a.* **1** 벌레투성이의. **2** 《속어》 미친, 열중하는《*about*》.
bug·gy[2] *n.* 《영》 (말 한 필이 끄는 가벼운) 2륜 마차; 《미》 (한〔두〕 필의 말이 끄는) 4륜 마차; 《구어》 자동차, (특히 미국에선) 고물차; 《미》 유모차(baby ~); 《미속어》 열차《특히 화물차》의 승무원실; 사막을 달리는 바퀴가 큰 차. 「안테나.
búggy whìp 《미속어》 가늘고 긴 자동차용
búg·hòuse *n.* 《미속어》 정신 병원; 《영속어》 초라한 극장. **—** *a.* 《미속어》 미치광이의; 바보 같은: a ~ fable 터무니없는 말〔일〕.
Búghouse Squáre 《미》 행인을 모아놓고 선동 연설·설교 등을 하는 곳.

búg·hùnter *n.* 《구어》 곤충 채집가; 《구어》 곤충학자.
búg·hùnting *n.* Ⓤ 곤충 채집.
búg-jùice *n.* 《미속어》 **1** 싸구려 술. **2** 가솔린. **3** 담뱃대의 진(津).
bu·gle[1] [bjú:gəl] *n.* **1** (군대용) 나팔. **2** 《고어》 각 적(角笛)(~ horn). **3** 피스톤. **4** 코. ***like a ~ call*** 갑자기. **—** *vi., vt.* 나팔을 불(어 모으)다.
°**bu·gle**[2] *n.* 유리의 관옥(管玉)《여성복 등의 장식용》.
bu·gle[3] *n.* 〖식물〗 자난초의 일종.
búgle càll 집합 나팔 (소리).
bú·gled *a.* 관옥(管玉) 장식이 달린.
búgle hòrn 사냥꾼의 뿔피리, 뿔나팔(bugle).
bu·gler [bjú:glər] *n.* 나팔수(手).
bu·glet [bjú:glit] *n.* 작은 나팔.
búgle·wèed *n.* 〖식물〗 쉽싸리 무리의 식물《약용》; = BUGLE[3].
bu·gloss [bjú:glàs, -glɔ̀:s/-glɔ̀s] *n.* 〖식물〗 약초의 일종《지칫과》.
bug·ol·o·gy [bʌgálədʒi/-ɔ́l-] *n.* 《미속어》 곤충 연구(entomology), 생물학(biology).
búg·òut *n.* 《군대속어》 적전(敵前) 도망; 《속어》 (일에) 게으름 피우는 사람.
búg ràke 《영속어》 빗(comb).
bugs [bʌgz] *a.* 《미속어》 〖서술적〗 미쳐, 정신이 돌아(crazy). **—** *n.* 《미학생속어》 생물학.
búg tèst 《미속어》 심리 테스트, 정신 감정.
buhl [bu:l] *n.* Ⓤ 불 세공《별갑(鱉甲) 또는 금은 따위의 상감(象嵌) 세공》.
búhl·wòrk *n.* = BUHL.
buhr·stone [bə́:rstòun] *n.* Ⓤ 〖암석〗 규석(硅石)《맷돌용》.
bu·i·bui [búibúi] *n.* 부이부이《아프리카 동부 연안 지방에서, 이슬람 교도 여성들이 숄로 쓰는 검은 천》.
BUIC Back-Up Intercept Control (예비 요격 관제 시스템).
†**build** [bild] (*p., pp.* ***built*** [bilt], 《시어·고어》 ***~·ed***) *vt.* **1** 《~+목/+목+전+명/+목+목》 세우다, 건축〔건조, 건설〕하다, (도로·철도 따위를) 부설하다: She has *built* a house. 그 여자는 집을 지었다 / The house is *built of* wood. 그 집은 목조 건물이다 / He has *built* himself a new house. = He has built a new house *for* himself. 그는 집을 신축했다.

> SYN. **build** '건립하다'라는 뜻의 가장 일반적인 말. **construct** '다각도로 머리를 짜내어 건조하다'의 뜻으로 *construct* a bridge 〔machine〕처럼 다리나 기계 등에 쓰임. **put up**은 build에 해당하는 구어적인 말로서 *put up* a shed 〔tent〕와 같이 말함.

2 《~+목/+목+전+명》 (기계 따위를) 조립하다(construct); (둥지를) 짓다; (불을) 일으키다: ~ a nest *out of* twigs 잔 가지로 둥지를 짓다. **3** 《+목+전+명》 짜맞추다; 만들어 넣다〔붙이다〕《*into*》: ~ stones *into* a wall 돌을 쌓아서 담을 만들다 / Bookshelves are *built into* the wall. 서가는 벽에 붙박이로 만들어져 있다 / We've *built* safety features *into* this investment plan. 이 투자 계획에는 안전대책 조항이 들어 있다. **4** 수립하다, 확립하다; (사업·재산·명성 등을) 쌓아 올리다: ~ a fortune 재산을 모으다. **5** 《+목+전+명》 (의논·주장을) 내세우다; (기대 따위를) 걸다《*on*》: Don't ~ your future *on* dreams. 꿈에다 장래 계획을 의탁해서는 안 된다. **6** 〖수동태〗 (성질·체격이) 되어 있다: He *was* slimly *built*. 그는 홀쭉했다 / I *am* not *built* that way. 나는 그렇게 생겨먹질 못했다; 나에겐 맞지 않는다. **7** 《+목+전+명》 (성격을) 도야〔훈련〕하다, 가르치다: ~ boys *into* men 애들을 가르쳐 어른이 되게 하다. **8** (게임에서) 글자로 (낱말)을 만들다. **9** 《미속어》 봉으로 만들다; 과장하다, 예언하다, 날조하다. **—** *vi.* **1** 건축〔건조〕하다; 건축〔건설〕사업에 종사하다. **2** 〖be ~ing의 형태〗 건축 중이다(be being built): The house *is* ~*ing*. 집은 지금 건축 중이다. **3** 《+전+명》 기대하다, 의지하다《*on, upon*》; (…을) 원금〔밑천〕으로 하다《*on*》: ~ *upon* a promise 〔a person〕 약속을 믿다〔아무를 의지하다〕. ~ ***in*** (용재(用材)를) 짜 맞추어 넣다; 붙박이로 짜 넣다; 건물로 에워싸다. ~ ***into*** (벽에 장식장 따위를) 붙박다; (계약 따위에 조건 등을) 끼워넣다. ~ ***(...) on*** ① (희망·의논 따위를) …에 의거하게 하다; (성과 따위를) 기초로 일을 추진하다; …을 의지하다: ~ one's hopes *on* …에 희망을 걸다. ② …을 (…에) 증축하다《*to*》. ~ ***out*** 증축하다. ~ ***over*** (토지를) 건물로 가득 채우다. ~ ***round*** 건물로 둘러싸다. ~ ***up*** 《*vt.*+부》 ① (건강 따위를) 증진하다; (몸을) 단련하다. ② (부·명성·사업 따위를) 쌓아 올리다; (사기 따위를) 높이다; (병력을) 증강하다. ③ (땅을) 건물로 에워싸다〔들어차게 하다〕《★ 보통 수동태》: The place *is* now *built up*. 그 장소는 이미 집들이 꽉 들어차 있다. ④ (신제품·신인 등을) 선전하다, 칭찬하다; (아무를) 칭찬〔선전〕해서 (…으로) 하다《*into*》; (아무를) 칭찬해서 …하게 하다《*to do*》. **—** 《*vi.*+부》 ⑤ 늘다, 축적하다. ⑥ (구름이) 나타나다. ⑦ (교통이) 체증을 일으키다. ⑧ (압력·긴장 따위가) 더해 가다. ⑨ (날씨가) 변해서 …할 것만 같다《*for*》: It's ~*ing up for* a storm. 당장이라도 폭풍이 불어올 것만 같다.
— *n.* Ⓤ **1** 만듦새, 구조; 건축 양식: the ~ of a car 자동차의 구조. **2** 체격, 골격: a man of slender 〔stout〕 ~ 호리호리한〔튼튼한〕 체격의 사람.
búild·a·ble *a.* 건축에 적당한, 건축〔건설〕 가능한《토지 따위》.
búild-dòwn *n.* 〖군사〗 빌드다운 방식《신형 무기〔핵탄두〕 배치와 동시에 그 수량을 상회하는 수의 구형 무기〔핵탄두〕를 폐기하는 방식》.
°**búild·er** *n.* 건축(업)자, 건설자, 청부업자; 증진시키는 사람〔물건〕: a master ~ 도편수 / a health ~ 건강 증진물〔법〕.
búilders' mèrchant 건축〔건설〕 자재업자.
búilder-ùpper *n.* 《속어》 체력을〔사기를〕 향상〔앙양〕시키는 사람〔것〕.
†**build·ing** [bíldiŋ] *n.* **1** Ⓤ 건축(술), 건조, 건설: a ~ area 건평 / a ~ berth 〔slip〕 조선대(臺) / ~ land 건축용지 / a ~ site 부지. **2** 건축물, 빌딩, 가옥, 건조물; 《미》 상관(商館). **3** (*pl.*) 부속 건물.

> SYN. **building**은 '건물'을 뜻하는 가장 일반적인 말. **structure**는 단순한 '건물'뿐 아니라 다리·탑·요새 등과 같이 미적이기보다는 크기·설계·건축 재료 등에 중점을 둔 넓은 뜻의 건조물을 뜻함.

búilding and lóan associàtion = SAVINGS AND LOAN ASSOCIATION.
búilding blòck 건축용 블록; (장난감) 집짓기 나무; 기초적 요소, 성분《*of*》.
búilding còde 〖건축·토목〗 건축 (기준) 법규.
búilding còntractor 건축〔건설〕업자, 건설〔건축〕 청부업자.
búilding cýcle 〖경제〗 = KUZNETS CYCLE.
búilding lèase 건축 부지의 임대차 (기한).
búilding lìne 〔sìte〕 건축 제한선〔건설 용지〕.
búilding pèrmit 신축〔개축〕 허가.
búilding sìckness 비위생 오피스빌딩 질환(증후군)(sick building syndrome).
búilding socìety 《영》 주택 (금융) 조합(《미》 savings and loan association).
búilding tràdes 건축업《목수·벽돌공·연관공

(鉛管工) 등의 직업》.

buíld-ùp, buíld·ùp *n.* **1** 조립, 조성; 증대; 형성. **2** (용의주도한) 준비《*for*》. **3** 병력 증강〔집중〕, 강화: military ~ 군사 증강. **4** (신문 따위에서의) 선전, 매명적(賣名的) 선전: give a person a ~ 선전으로 아무의 평판을 높이다. **5** (극의 내용을 최고조로 돋우는) 줄거리. **6** 격려. **7** 《미구어》 날조. **8** (교통의) 체증.

built [bilt] BUILD의 과거·과거분사. **—** *a.* **1** 조립식의. **2** 〔보통 복합어를 이루어〕 …한 체격의; …로 만들어진: a well-~ man 체격이 훌륭한 사람.

buílt envíronment (the ~) 건조(建造) 환경《자연환경에 대하여 모든 건조물을 가리킴》.

buílt-ín *a.* **1** 박아 넣은, 붙박이로 맞추어 넣은; 짜 넣은《카메라의 거리계 따위》: a ~ bookcase 붙박이 책장 / a ~ stabilizer 〖경제〗 자동 안정 장치. **2** (편견 따위가) 뿌리 깊은, 마음 속에 새겨진. **—** *n.* 붙박이의 비품〔가구〕.

buílt-in fúnction 〖컴퓨터〗 내장 함수《프로그래밍 언어의 라이브러리에 기본적으로 내장되어 있어 그대로 사용할 수 있는 함수》.

buílt-in sóftware 〖컴퓨터〗 내장 소프트웨어《늘 기억 장치 회로석〔ROM 칩〕에 들어 있는 프로그램》.

buílt-úp *a.* 조립한; 건물이 빽빽하게 들어선, 건물로 가로막힌; 계획적으로 만든; 가죽을 겹쳐서 만든《구두 뒤축》: a ~ city 계획적으로 건설된 도시.

Bu·jum·bu·ra [bú:dʒəmbúərə] *n.* 부줌부라《부룬디(Burundi)의 수도》.

bul. bulletin.

***bulb** [bʌlb] *n.* **1** 구근(球根), 구경(球莖). **2** (온도계 등의) 구(球); 전구(electric ~); 진공관. **3** (*pl.*) 편도선; 〖의학〗 안구. **4** 뱃바닥 앞 끝의 구형으로 불룩한 것. **5** (사진기의) 벌브 노출. **—** *vi.* 구근이 생기다; 구상을 이루다; 부풀다.

bul·ba·ceous [bʌlbéiʃəs] *a.* =BULBOUS.

bulb·ar [bʌ́lbər, -bɑ:r] *a.* 구근의; 연수(延髓)의.

bulbed *a.*=BULBOUS.

bul·bif·er·ous [bʌlbífərəs] *a.* 구근(球根)이 생기는.

bulb·i·form [bʌ́lbəfɔ̀:rm] *a.* 구(근)상(球(根)狀)의.

bul·bil [bʌ́lbil] *n.* 〖식물〗 (참나리 등의) 작은 비늘줄기, 주아(珠芽).

bulb·let [bʌ́lblit] *n.* 〖식물〗 구아(球芽).

bul·bo·u·ré·thral glànd [bʌ̀lboujuərí:θrəl-] =COWPER'S GLAND.

bulb·ous [bʌ́lbəs] *a.* 구근(상)의; 구근에서 성장하는: a ~ nose 주먹코. [파] ~·**ly** *ad.*

bul·bul [búlbul] *n.* 일종의 명금(鳴禽)《nightingale의 일종으로 페르시아 명칭》; 가수; 시인.

Bulg. Bulgaria(n).

Bul·gar [bʌ́lgɑ:r, búl-/bʌ́lgɑ:] *n.*, *a.* =BULGARIAN.

Bul·gar·ia [bʌlgέəriə, bul-] *n.* 불가리아. [파] **-i·an** [-ən] *n.*, *a.* 불가리아 사람(의); [U] 불가리아어(의).

°**bulge** [bʌldʒ] *n.* **1** [U] 부푼 것, 부풂; (물통 따위의) 중배; 〖선박〗 벌지《흘수선(吃水線) 밑의 선복(船腹)의 불룩함; 어뢰 방어용》. **2** (수량의) 일시적 증가, 부풀어오름, 팽창; 《속어》 [U] 우세, 강세, 유리: get 〔have〕 the ~ on 《속어》 …보다 우세 하다, 능가하다; …을 패배시키다.

— *vi.* **1** 《~/+[부]/+[전]+[명]》 부풀다, 불룩해지다: His muscles ~*d out*. 그의 근육은 불룩 솟아 있었다 / The sack ~*s with* oranges. 자루는 오렌지로 불룩하다. **2** (눈이) 튀어나오다: *bulging* eyes 퉁방울눈. **3** 갑자기 나타나다; 급히 부딪치다《*in; into*》. **—** *vt.* **1** 《~+[목]/+[목]+[전]+[명]》 부풀리다《*with*》: He ~*d* his cheeks.

그는 볼을 불룩하게 했다 / He ~*d* his pockets *with* apples. 호주머니가 사과로 불룩해 있었다. **2** (배 밑바닥을) 파손하다.

búlg·er *n.* 〖골프〗 타면이 볼록하게 된 타봉(打棒).

bulgy [bʌ́ldʒi] (***bulg·i·er; -i·est***) *a.* 부푼, 불룩한. [파] **búlg·i·ness** *n.*

bu·lim·a·rex·ia [bju:lìmərέksiə] *n.* 〖의학〗 병적 기아와 식욕 부진을 교대로 되풀이하는 정신 장애; 다식(多食) 거부증《비만을 죄악시하여 다식하면 손가락을 입에 넣어 토하거나 설사약을 먹기도 함》.

bu·lim·ia, bu·li·my [bju:límiə], [bjú:ləmi] *n.* [U] 〖의학〗 병적 기아(감), 게걸병, 식욕 이상 증진, 다식증(多食症); (독서 따위에 대한 비상한) 열의.

bulímia ner·vó·sa [-nərvóusə] 〖의학〗 신경성식욕 항진(증), 신경성 과식(증).

bu·lim·ic [bju:límik] *a.* 다식증(多食症)의. **—** *n.* 다식증 환자.

bulk** [bʌlk] *n.* [U] **1** 크기, 부피, 용적: It is of vast ~. 그것은 아주 크다. **2** (the ~) 대부분, 주요한 부분《*of*》: The ~ *of* the debt was paid. 빚은 거의 다 갚았다. **3** (포장하지 않은) 낱짐, 상품. **4** 적하(積荷)(cargo). **5** (마분지 따위의) 두께; 〖제본〗 (책의) 부피《표지를 제외한 알맹이의 부피》. **6** 《드물게》 (생물의) 몸. ***break ~ 짐을 부리다; 상품을 쪼개어 팔다. ***by*** ~ (저울을 쓰지 않고) 적하한 채로, 눈대중으로. ***in*** ~ ① (포장하지 않고) 풀린 채로; 적하한 그대로: load *in* ~ (곡물 따위를) 포장하지 않고 싣다. ② 대량으로: sell *in* ~ 모개로 팔다《뱃짐 따위를》; 대량으로 팔다. **—** *a.* 전부의, 대량의; 포장하지 않은 화물의〔을 다루는〕.

— *vi.* **1** 《~/+[부]》 부피가 부풀다, 커지다《*up*》. **2** 《+[보]》 〔보통 ~ large로〕 크게 보이다, (중요성이 있다고) 여겨지다: The trade imbalance ~*s large* in our minds. 무역 불균형이 큰 문제라고 여겨진다. **3** (종이 따위가) …의 두께이다. **—** *vt.* **1** 크게 하다, 부풀게 하다. **2** (배에 실은 짐의) 용적을 확인하다. **3** (물고기 따위를) 쌓아 올리다. ~ ***up*** (수량·금액 따위가) 붇다; (규모·중요성 따위가) 커지다, 크게 하다.

búlk bùy clùb 《영》 (상품의 저렴 구입을 위한) 공동 구입의 모임.

búlk bùying (생산품의) 전량 매점(買占); 대량 구입.

búlk càrrier 벌크선(船)《곡물·석탄 따위의 화물을 포장하지 않고 그대로 운송하는 화물선》.

búlk chèmical 소재형(素材型) 화학 제품. [cf.] fine chemical.

búlk díscount (광고량에 의한) 요금 할인.

búlk·hèad *n.* 〖선박〗 격벽(隔壁), 칸막이; 방수〔방화〕벽; (갱내 따위의) 받침벽; 〖건축〗 위로 열게 된 문《옥상 출구·지하실 입구 등의》; 〖로켓〗 격벽.

búlk máil 약속 우편《대량 인쇄물 등에 적용》.

búlk mòdulus 〖물리〗 체적 탄성률.

búlk prodúction 《미》 대량 생산.

búlk stràin 〖기계·물리〗 체적 변형.

bulky** [bʌ́lki] (bulk·i·er; -i·est***) *a.* **1** 부피가 커진, 턱없이 큰. **2** (커서) 다루기 거북한. [파] **búlk·i·ly** *ad.* **búlk·i·ness** *n.* 부피가 늚, 부피의 크기.

Bull [bul] *n.* **John** ~ 존 불《영국을 상징하는 상상의 인물; 실크 해트를 쓰고 영국 국기가 찍힌 조끼를 입은 땅딸막한 남자》.

***bull**[1] [bul] *n.* **1** (거세하지 않은) 황소. [cf.] ox. **2** (코끼리·고래 같은 큰 짐승의) 수컷. **3** 〖증권〗 사는 쪽, 시세가 오르리라고 내다보는 사람. [cf.] bear[2]. **4** 《미속어》 경관, 교도관; 《비어》 =BULLDYKE. **5** 《미속어》 허풍; 어리석은 일, 난센스; 잘못; 위협. **6**

(과녁의) 중심점(~'s-eye). **7** =BULLDOG. **8** (the B–) 〖천문〗 황소자리; (B–)=JOHN BULL. ***a ~ in a china shop*** 옆 사람에게 방해됨을 생각하지 않는 난폭자. ***like a ~ at a*** (***five-barred***) ***gate*** 맹렬하게《공격하다, 돌진하다》. ***score a ~*** = hit the BULL'S-EYE. ***shoot*** 〔***sling, throw***〕 ***the ~*** 《미속어》 기염을 토하다, 허튼소리를 하다. ***take the ~ by the horns*** 감연히 난국에 맞서다; 이니셔티브를 잡다. ***the ~ of the woods*** 《미속어》 중요 인물, 난 체하는 녀석.

— *a*. **1** 수컷의; 황소와 같은; 큰: a ~ whale 수코래/a ~ head 〔neck〕 굵은 머리〔목〕. **2** 〖증권〗 사는 쪽의, 시세 상승을 예상하는: a ~ market 강세(強勢) 시장.

— *vt*. **1** 〖증권〗 (값을 올리려고) 마구〔투기적으로〕 사들이다. **2** 《~+목/+목+전+명》 **a** (법안·요구 사항 등을) 강행하다, 관철하다《*through*》: ~ a bill *through* a committee 의안을 위원회에서 억지로 통과시키다. **b** 〖~ one's way로〗 밀고 나아가다: ~ *one's way through* a crowd 군중 속을 밀고 나아가다. **3** 《속어》 (남자가) …와 성교하다. — *vi*. **1** 〖증권〗 (시세가) 오르다. **2** 《속어》 (암소가) 발정하다. **3** 돌진하다; 억지를 부리다. 「관례.

bull² *n*. (로마 교황의) 교서; (옛 로마 황제나 독일 황제의) 칙서; 《영군대속어》 번거롭고 무용한

bull³ *n*. (언어상의) 우스운 모순, 모순된 언행 (Irish ~)《'이 편지를 받지 못할 경우에는 알려 주십시오'라고 하는 따위》.

bull. bulletin.

bul·la [búlə, bʌ́lə] (*pl*. ***-lae*** [-liː]) *n*. **1** 〖의학〗 물집. **2** 공문서용 인장, 로마 교황인(印).

bul·lace [búlis] *n*. 서양자두나무의 일종.

bul·late [búleit, -lət, bʌ́l-] *a*. 〖해부·동물·식물〗 수포(水疱) 모양의 돌기가 있는.

búll·bàiting *n*. Ⓤ 개를 부추겨 소를 물어 죽이는 영국의 옛 구경거리.

búll bàr (사고에 대비해 자동차 앞에 부착한) 금속제 격자.

búll·bàt *n*. 〖조류〗 쏙독새.

búll bìtch 불도그 암컷; 《비어》 남자 같은 여자.

búll blòck 불 블록《철선을 다이스를 통해 뽑아내면서 철선드럼에 감기게 하는 기계》.

búll·bòat *n*. 《미》 쇠가죽배, 가죽배.

búll·càlf *n*. 《영》 수송아지; 얼간이.

búll·dàgger *n*. 《미속어》 =BULLDYKE.

◇**búll·dòg** *n*. **1** 불도그. **2** 완강한 사람, 죽을둥살둥 노력하는 사람. **3** 《영속어》 (대학의) 학생감(學生監) 보좌역. **4** 《속어》 총열이 짧은 대형 권총. **5** =BULLDOG CLIP. **6** 《미속어》 조간(朝刊), =BULLDOG EDITION. — *a*. 불도그 같은, 용감하고 끈기 있는. — *vt*. **1** 불도그처럼 (맹렬히) 공격하다. **2** 《미》 (사슴·송아지를) 뿔을 붙들고 넘어뜨리다. **3** 《미속어》 과장 선전하다.

búlldog ànt 《Austral.》 〖곤충〗 불도그개미《몸길이 2.5cm의 위험한 개미》.

búlldog bònd 〖경제〗 불도그채(債)《영국 런던 금융시장에서 발행되는 파운드 표시의 외채》.

búlldog clìp 강력한 종이 집게. 「조판(早朝版).

búlldog edìtion 《미》 (신문의 지방 발송용) 조

bull·doze [búldòuz] *vt*. **1** 《+목+전+명》 《구어》 위협하다; 우격다짐으로 시키다〔못하게 하다〕《*into*》: ~ a person *into* buying something 아무를 위협하여 물건을 사게 하다. **2** 《구어》 괴롭히다, 못살게 굴다. **3** (땅을) 불도저로 고르다. — *vi*. 불도저를 운전하다; 《구어》 위협하다. ㊀ **-dòz·er** *n*. **1** 불도저. **2** 《구어》 협박자; 《미속어》 대형 권총; 《미속어》 억지 기도(企圖).

búll·dùst *n*. 《Austral.》 가는 모래 먼지; 《속어》 난센스, 허튼소리.

búll·dỳke *n*. 《미비어》 남성역의 여성 동성애자.

búll·er *n*. (Oxford, Cambridge 대학의) 학생감 보좌(《영속어》 bulldog).

⁑**bul·let** [búlit] *n*. **1** 탄알, 권총탄, 소총〔기관총〕탄. **2** 《영속어》 해고, 모가지: get 〔give〕 the ~ 해고당하다〔해고하다〕. **3** 《미》 〖인쇄〗 주의를 끌기 위해 찍는) 큰 점; 작은 공, 소구(小球); 낚싯봉(plumb); (*pl*.) 《미속어》 콩, 완두콩. **4** 〖카드놀이〗 에이스; 〖테니스〗 불렛《강한 속구로 정확히 되받아친 공》; 《스케이트보드속어》 탄알 활강 (자세). **5** 〖미정치〗 전부 동일 정당에 던진 연기(連記) 투표. ⓒⓕ ball¹, shell. ***bite*** (***on***) ***the ~*** 이를 악물고 견디다. — *vi*. 재빨리 움직이다.

búllet bàit 《미속어》 총알받이《젊은 병사 등》.

búllet bònd 〖금융〗 만기 일괄 상환형 채권.

búllet·hèad *n*. 둥근 머리(의 사람); 《구어》 얼간망둥이, 완고한 사람. ㊀ **~·ed** [-id] *a*. 작고 둥근 머리의.

*__bul·le·tin__ [búlətən] *n*. **1** 게시, 고시. **2** 공보; (저명인의) 병상(病狀) 발표; 전황 발표; (방송의) 뉴스 속보. **3** (학회 등의) 보고(서), 회보; 작은 신문〔잡지〕. — *vt*. 게시〔고시〕하다.

búlletin bòard **1** 《미》 게시판(《영》 notice board). **2** 〖컴퓨터〗 =ELECTRONIC BULLETIN BOARD.

búllet lòan 〖금융〗 만기 전액 일괄 상환형 융자.

búllet pòint (강조용의 원·네모 따위) 큰 점.

búllet·pròof *a*. 방탄의: a ~ vest 〔jacket〕. — *vt*. 방탄으로 하다.

búllet·rìddled *a*. 총탄으로 구멍투성이가 된.

búllet·stòpper *n*. 《속어》 해병대원.

búllet tràin 탄환 열차, (일본의) 초특급.

búll fíddle 《미구어》 =CONTRABASS.

búll·fight *n*. (스페인의) 투우. ㊀ **~·er** *n*. 투우사; 《미속어》 텅텅 빈 화차. **~·ing** *n*. Ⓤ 투우.

búll·fìnch *n*. 〖조류〗 피리새; 높은 산울타리.

búll·fròg *n*. 황소개구리, (몸집이 큰 북아메리카산) 식용개구리.

búll gùn (총신이 무거운) 표적 사격용 총.

búll hàuler 《CB속어》 **1** 수다. **2** 가축 운반 트럭(운전수).

búll·hèad *n*. 〖어류〗 머리가 큰 물고기《둑중개·메기류》; 《비유》 완고한〔고집센〕 사람; 《미속어》 차장.

búll·héaded [-id] *a*. 머리가 큰; 완고한, 고집센. ㊀ **~·ly** *ad*. **~·ness** *n*.

búll·hòrn *n*. 휴대용 확성기, 핸드 마이크. — *vt*. 《미》 스피커로 연설하다〔말하다〕; 《비유》 큰 소리로 말하다, 대대적으로 선전하다.

bul·lion [búljən] *n*. 금은의 지금(地金), 금은괴(塊)〔압연봉〕; 순금, 순은; 금은실의 술〔몰〕. ㊀ **~·ìsm** *n*. Ⓤ 중금(重金)〔경화(硬貨)〕주의. **~·ist** *n*. 중금〔경화〕주의자.

búllion frìnge 금〔은〕몰.

Búllion Stàte (the ~) Missouri 주의 속칭.

bull·ish [búliʃ] *a*. 수소와 같은; 완고한; 〖증권〗 오르는 시세의, 상승하는, 오를 것 같은《시세 등》; 희망적인, 낙관적인. ㊀ **~·ly** *ad*. **~·ness** *n*.

búll márket 〖증권〗 상승 시세, 강세 시장.

búll mástiff 불마스티프《bulldog와 mastiff의 교배종으로 경비견》.

búll-nècked [-t] *a*. 굵고 짧은 목의, 자라목의.

búll·nòse *n*. 주먹코; 〖수의〗 (돼지의) 괴사성(壞死性) 비염(鼻炎); 〖건축〗 (벽돌·타일·벽 모서리의) 둥근 면.

◇**bul·lock** [búlək] *n*. (네 살 이하의) 수소; 불깐〔거세한〕 소《식용》. — *vi*. 《Austral. 구어》 황소같이〔정력적으로〕 일하다. — *vt*. 〖~ one's way로〗 맹렬한 기세로 나아가다. 「마차.

búllock-càrt *n*. 거세한 수소로 끌게 하는 짐

búllock pùncher 《Austral.》 =BULL PUNCHER.

bul·locky [búləki] *a.* 불깐소〔막대소〕 같은. ― *n.* 《Austral.》 소몰이, 카우보이.

bul·lous [bʌ́ləs] *a.* 〖의학〗 수포성(水疱性)의.

búll pèn 1 소를 위해 에두른 곳. 2 《미구어》 유치장, 구치소. 3 《미속어》 (벌목장·목장 따위의) 노무자 합숙소; (사무소 등의) 예비실; 남학생 기숙사; 《미속어》 여자 친구 집〔기숙사〕의 응접실〔방〕. 4 〖야구〗 불펜 《구원 투수가 워밍업하는 장소》; 구원 투수.

búllpen áce 〖야구〗 워밍업하고 있는 믿을 만 「한 구원 투수.

búll pòint 《영구어》 득점, 이점, 우세.

búll pùncher 《Austral.》 카우보이, 소몰이.

búll·pùp *n.* 새끼 불도그.

búll ràck 《CB속어》 가축 운반 트럭.

búll·rìng *n.* 투우장. 「용 악기.

búll-ròarer *n.* (오스트레일리아 원주민의) 예식

bull·rush [búlrʌ̀ʃ] *n.* = BULRUSH.

búll sèssion 《구어》 자유 토론(회); 잡담.

búll's-èye *n.* 1 (과녁의) 흑점; 정곡; 정곡을 쏜 화살〔탄알〕. 2 채광을 위한 둥근 창; 반구〔볼록〕 렌즈(가 붙은 휴대용 남포). 3 눈깔사탕. 4 정곡을 찌르는 발언. 5 태풍의 눈; 태풍의 전조가 되는 비운(飛雲). ***hit* 〔*make, score*〕 *the* 〔*a*〕 ~** ① 표적의 중심을 맞히다. ② 급소를〔정곡을〕 찌르다. ③ 《미구어》 대성공을 거두다.

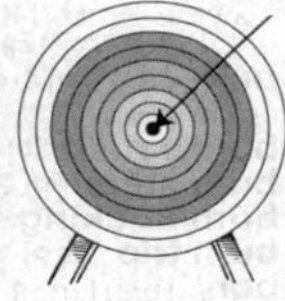

bull's-eye 1

búll's-eye wíndow 〖건축〗 (채광용의) 둥근 창《그렇게 크지 않음》.

búll·shìt *n.* 《비어》 허풍, 거짓말; 《영군대속어》 (교련·청소·총기닦기 등을) 고지식하게 열심히 함; 《속어》 싫은 것, 불필요한 것. ― *a.* 《속어》 멍청한, 무지의, 허튼, 어리석은. ― *vt., vi.* 큰소리치다, 《비어》 허풍떨다, 거짓말하다.

búllshit ártist 《속어》 소문난 허풍선이, 엉터리 예술가.

búll·shìtter *n.* 《미속어》 허풍쟁이, 거짓말쟁이.

búll·térrier *n.* 불테리어《불도그와 테리어의 잡종개》.

búll tòngue (목화 재배용의) 보습(으로 갈다).

búll tròut 《영》 송어류.

búll·whàck *n., vi., vt.* 《미》 소몰이 채찍(으로 치다). ㊞ **~·er** *n.* 《미》 소몰이꾼.

búll·whìp *n., vt.* 긴 생가죽 채찍(으로 때리다).

búll·wòrk *n.* 《구어》 힘든 육체노동, 강한 체력이 요구되는 일, 단조롭고 힘이 드는 일.

*__bul·ly__[1] [búli] *n.* 1 약한 자를 못살게 구는 사람, 마구 으스대는 사람; 골목대장. 2 《고어》 고용된 장사(壯士), 경호원. 3 매춘부를 등쳐먹는 사내. ***play the* ~** 마구 뽐내다, 약한 사람을 들볶다. ― *a.* 《구어》 훌륭한, 훌륭한; 명랑한. ― *int.* 《구어》 멋지다, 잘했다: Bully for you 〔us〕! 잘한다. ― *vt.* (약한 자를) 들볶다, 위협하다: ~ a person into 〔out of〕 doing 아무를 들볶아서 … 시키다〔…을 그만두게 하다〕. ― *vi.* 마구 뽐내다, 거만하게 굴다. ~ (a thing) ***out of*** a person 위협하여 아무에게서 (물건을) 빼앗다.

bul·ly[2] *n.* 통조림〔절임〕 쇠고기(= ~ **beef**).

bul·ly[3] *n.* 1 (풋볼의) 스크럼. 2 〖하키〗 불리, 경기 개시. ― *vi.* 경기를 개시하다《*off*》.

búlly·bòy *n.* 호위꾼, 경호원, 《특히》 정치 깡패.

búlly-óff *n.* = BULLY[3] 2.

búlly pùlpit 《미》 〖정치〗 (개인의 생각을 선전하기 위한) 공직(公職)의 권위, (지위를 이용한) 자기선전 기회. 「꾸짖다, 학대하다.

búlly·ràg (*-gg-*) *vt.* 《구어》 위협하다, 들볶다,

bul·rush [búlrʌ̀ʃ] *n.* 〖식물〗 큰고랭이, 애기부들 《속칭 cat's-tail》; 〖성서〗 파피루스(papyrus).

°**bul·wark** [búlwərk] *n.* 1 (종종 *pl.*) 성채, 보루, 흙 보루; 방파제. 2 방벽; 방어물〔자〕. 3 (보통 *pl.*) 〖선박〗 현장(舷墻). ― *vt.* 성채로 견고히 하다; 방어〔방비〕하다.

bum[1] [bʌm] *n.* 《구어》 1 부랑자, 룸펜; 게으름뱅이, 발록구니; 《미속어》 싸구려 매춘부. 2 술부대; 마시며 떠들기, 음주. 3 (본업을 소홀히 하고) 스포츠〔놀이〕에 마음쓰는 사람, …광: a ski 〔jazz〕 ~. 4 쓸모없는 놈〔선수, 말 등〕; (돈 많은 팬에게) 기생하는 선수. 5 기대를 저버리는 사나이, 보람없는 자; 하잘것없는 것; 《우스개》 녀석(guy). 6 《미》 빈 우편 부대. ***on the* ~** 부랑생활을 하여; 파손되어, 못쓰게 되어. ― *a.* 《구어》 가치 없는, 빈약한; 잘못된, 부당한, 가짜인 (⇨ BUM STEER); 건달의; (상해 따위로) 기능 부전인; (음식이) 상한, 너무 익은. ― (**-mm-**) *vi.* 《구어》 부랑하다; 놀고 지내다; 술에 빠지다. ― *vt.* 1 《+목+전+명》 《구어》 거저 얻다, 울러 빼앗다, 조르다: ~ money *from* a person 아무에게서 꾼 돈을 떼먹다. 2 《미속어》 (컴퓨터 프로그램에서 불필요한 코드를) 제거함으로써 실행 능률을 향상시키다; 〖일반적〗 …을 보다 효율 높게 하다. **~ *along*** (차를 타고) 일정한 속도로 가다. **~*med out*** 《미속어》 실망한, 낙담한. 「IFF.

bum[2] *n.* 《영속어》 궁둥이, 똥구멍; = BUMBAIL-

búm bàg 《영》 = FANNY PACK. 「집달관.

bum·bail·iff [bʌ̀mbéilif] *n.* 《경멸》 〖영국사〗

bum·ber·shoot [bʌ́mbərʃùːt] *n.* 《미속어》 박쥐우산(umbrella).

bum·ble[1] [bʌ́mbəl] *vi.* 큰 실수를 하다, 실책을 하다; 떠듬거리며 말하다; 비틀비틀 걷다. ― *vt.* 실수하다. ― *n.* 실책.

bum·ble[2] *vi.* (벌 따위가) 윙윙거리다.

búmble·bèe *n.* 〖곤충〗 뒝벌.

bum·ble·dom [bʌ́mbəldəm] *n.* Ⓤ (또는 B–) 거드름, 벼슬아치 근성《Dickens의 소설 *Oliver Twist* 중의 벼슬아치 Bumble에서》.

búmble·pùppy *n.* Ⓤ 〖카드놀이〗 변칙 휘스트(whist) 놀이; 놀이 테니스《고무공을 기둥에 매달고 라켓으로 서로 치는 놀이》.

bum·bling [bʌ́mbliŋ] *a.* 젠체하는; 실수만 하는; 무능한. ― *n.* 실수, 실책.

bum·bo [bʌ́mbou] *n.* 럼주(酒)가 든 punch.

búm·bòat *n.* 행상선(行商船)《정박중인 배에 식료·잡화를 팔고 다니는》.

búm·bòy 《속어》 호모의 상대, 남색자, 수간자(獸姦者)(sodomite).

búm chéck 《미속어》 위조 수표.

bumf, bumph [bʌmf] *n.* 《영속어》 화장지; 《영구어·경멸》 공문서, 휴지.

búm fòdder 《속어》 도색(桃色)잡지〔소설〕; 《구어》 화장지, 토일릿 페이퍼. 「얼간이, 바보.

búm·hòle *n.* 《속어》 항문, 똥구멍; 싫은 녀석;

Bu·mi·pu·tra [bùːmipúːtrə] *n.* (종종 b–)(말레이시아에서, 중국인과 구별하여) 본토인, 말레이인. ㊞ **bù·mi·pù·tra·i·zá·tion** *n.* 말레이화 「(정책).

bum·kin [bʌ́mkin] *n.* = BUMPKIN.

bum·ma·lo [bʌ́məlòu] (*pl.* ~(**s**)) *n.* 〖어류〗 = BOMBAY DUCK.

bum·mer[1] [bʌ́mər] *n.* 《미속어》 건달, 부랑자; (채석장·광산 등의) 컨베이어 담당원; 《미》 (남북 전쟁시의) CAMP FOLLOWER; 《미속어》 싫음, 진력남, 곤란함, 낙심함.

bum·mer[2] *n.* 《미속어》 (마약에 의한) 불쾌한 경험; 기대에 어긋나는 경험; 실망(시키는 것).

bum·my [bʌ́mi] *a.* 《속어》 (몸의 상태가) 좋지 않은; (음식이) 얹힌 것 같은, 과식한.

búm-òut *n.* 《속어》 (교도소·군대 등에서) 쉬운 일을 시키는 것.

bump** [bʌmp] *vt.* **1** 《+목+전+명》 (머리 따위를) 부딪치다《*against; on*》: ~ one's head *against* the wall 벽에 머리를 쿵하고 부딪치다. **2** …에 부딪다, …와 충돌하다: ~ a train 열차에 충돌하다. **3** 《+목+전+명》 부딪쳐서 …을 쿵하고 떨어뜨리다《*off*》: The cat *~ed* the vase *off* the shelf. 고양이가 꽃병을 선반에서 쨍그랑 떨어뜨렸다. **4** 자리에서 밀어내다; 《미구어》 직〔지위〕에서 쫓아내다(oust), 해고하다; 《미속어》 …을 이기다, 죽이다; (투표로써) 부결하다. **5** (값·임금 따위를) 올리다《*up*》; 승진시키다. **6** 《+목+전+명》 《미구어》 (지위 따위를 이용하여 승무원을 항공편 등에서) 밀어내다, 빼다: He was *~ed from* his flight to Tokyo. 그는 도쿄행 항공편에서 밀려났다〔빠졌다〕. **7** 〖TV〗 (비디오 테이프에 수록된 영상·음성을) 사이즈가 다른 비디오 테이프에 갈아 옮기다. **8** 《미속어》 임신시키다. **—** *vi.* **1** 《~/+전+명》 충돌하다; 〖보트레이스〗 추돌하다; 부딪다; 마주치다《*against; into*》: ~ *against* each other 서로 부딪치다/In my hurry I *~ed into* someone. 서두르는 바람에 어떤 사람과 부딪쳤다. **2** 《+전+명》 (차가) 덜거덕거리며 지나가다《*along*》: The old car *~ed along* the rough road. 낡은 차가 울퉁불퉁한 길을 덜거덕거리며 지나갔다. **3** 《미속어》 (춤에서 도발적으로) 허리를 앞으로 내밀다; (록의) 범프를 추다. ~ ***into a person ① ⇨*vi.* 1. ② 《구어》 아무와 우연히 딱 마주치다. ~ ***off*** 부딪쳐 떨구다; 《미속어》 죽이다, 골로 보내다, 처치하다. ~ ***up*** 《구어》 급증(急增)시키다, (물가 따위를) 올리다, (점수 따위를) 늘리다; 〔과거분사〕 《구어》 승진시키다.

— *n.* **1** 충돌; (부딪칠 때의) 탕〔딱〕 하는 소리: with a ~ 탕 하고. **2** 〖보트레이스〗 추돌(追突) (하고서의 승리). **3** 때려 생긴 혹. **4** 융기; 〖(골상)〗 두개(頭蓋)의 융기: a ~ on a road 노상의 융기. **5** 재능, 재치: the ~ of wit 기지. **6** (차의) 동요. **7** 〖항공〗 돌풍《기류 격변으로 인한 불규칙한 바람》, (돌풍에 의한) 비행기의 동요. **8** 《미》 격을 낮춤, 강등; 《미구어》 해직, 해임; 《미속어》 살인. **9** 《구어》 승진; 승급: get a ~ to …으로 승진하다/ask for a 10-dollar ~. 10 달러의 승급을 요망하다. **10** 《미속어》 (스트립쇼 따위에서) 하복부를 내미는 동작; (the ~) 범프《몸을 서로 부딪는 록의 댄스》.

— *ad.* 탕 하고, 쿵 하고: come ~ on the floor 쿵 하고 마루에 떨어지다.

búmp and gó 〖미식축구〗 수비하는 후위가 스타트하려는 패스리시버에게 부딪쳐 상대를 혼란시키는 적극적인 플레이.

bump·er [bʌ́mpər] *n.* **1** 범퍼(《영》 buffer) 《자동차 앞뒤의 완충 장치》; 《미》 (기관차의) 완충기, 《미속어》 연결기. **2** (축배 때의) 가득찬 잔. **3** 《구어》 풍작; 대어(大漁); (흥행의) 대성공; 《미구어》 뛰어나게 큰 것; (*pl.*) 《미속어》 (여성의) 가슴. **4** 삼판 승부에서 먼저 얻은 양승 《whist²의》. **5** 〔부정어와 함께〕 《Austral.속어》 조금도(…않다): You're *not* worth a ~. 너는 아무짝에도 소용 없다. **—** *a.* 매우 큰, 풍작의: a ~ crop 〔year〕 풍작〔풍년〕. **—** *vt., vi.* (술 따위를) 찰랑찰랑하게 따르다; (건배 때 가득 찬 술을) 다 마시다; 건배하다.

búmper càr 범퍼 카《유원지 등에서, 서로 맞부딪치기하는 작은 전기 자동차》.

búmper guàrd 《미》 범퍼가드(《영》 overrider)《딴 차의 범퍼와 얽히는 것을 막기 위해 범퍼 양쪽에 붙인 수직 부품》.

búmper stìcker 자동차 범퍼에 붙인 선전·광고 스티커.

búmper strìp 《미》 =BUMPER STICKER.

búmper-to-búmper *a., ad.* 자동차가 종렬로 줄지은〔줄달아〕.

bumph ⇨BUMF.

búmp·ing *n.* 항공 회사가 좌석수 이상을 예약받고 항공권을 가진 승객의 탑승을 거절하는 일.

búmping pòst (철도 궤도 종점에 설치한) 차량 궤도 탈출 방지 장치.

búmping ràce 《영》 〖보트 레이스〗 추돌(追突) 레이스《앞서 가는 보트에 부딪치거나 앞지르면 이김》.

bump·kin [bʌ́mpkin] *n.* 무람없는 사람, 시골뜨기.

búmp·òff *n.* 《미속어》 살인.

búmp sùpper 《영》 bumping race의 우승 만찬회.

bump·tious [bʌ́mpʃəs] *a.* 공연히 자만하는〔뽐내는〕, 거만한, 오만불손한. ㊞ **~·ly** *ad.* **~·ness** *n.*

bumpy [bʌ́mpi] (***bump·i·er; -i·est***) *a.* **1** (길 따위가) 울퉁불퉁한; (수레가) 덜컹덜컹하는. **2** 〖항공〗 상승 기류가 있는; 부침(浮沈)이 심한; 돌풍이 많은, 난기류가 있는. **3** (음악·시 등이) 박자가 불규칙한. ㊞ **búmp·i·ly** *ad.* **-i·ness** *n.*

búm ráp 《미속어》 불공평한 형〔벌〕, 누명. ㊞ **búm-ráp** *vt.*

búm's rúsh 《미구어》 강제 추방(하는 수단).

búm stéer 《미구어》 잘못된 지시〔지도〕.

búm·sùcking *n.* 《영비어》 아부, 알랑거림, 아첨.

búm tríp 《속어》 =BAD TRIP.

bun[1] [bʌn] *n.* **1** 롤빵《건포도를 넣은 달고 둥근 빵》, 둥그런 빵《hamburger 등에 씀》. **2** (빵 모양으로) 묶은 머리. **3** 《미속어》 술통, 취기. **4** (*pl.*) 《속어》 엉덩이(buttocks); 《영속어》 여자의 성기. ***do* one's ~** 뺏성〔짜증〕을 내다. ***have a ~ in the oven*** 《구어·우스개》 임신하고 있다《남성이 쓰는 표현》. ***take the ~*** 《영속어》 1등이 되다, 이기다. ㊀ take the CAKE.

bun[2] *n.* 《영》 토끼, 다람쥐《의인화된 명칭》. ㊀ bunny.

BUN blood urea nitrogen(혈중 요소 질소).

Bu·na [bjúːnə] *n.* 〖화학〗 합성 고무의 일종 《상표명》.

Bun·bury [bʌ́nbəri] *n.* 외출·책임회피를 위한 얼토당토 않은 구실《O. Wilde의 *The Importance of Being Earnest*의 작중 인물에서》.

bunce [bʌns] *n.* 《영속어》 횡재.

****bunch** [bʌntʃ] *n.* **1** 다발, 송이. ㊀ cluster. ¶a ~ *of* grapes 한 송이의 포도/a ~ *of* flowers 한 다발의 꽃. ⓈⓎⓃ ⇨BUNDLE. **2** 《구어》 동아리, 한무리; 《미》 떼: a ~ *of* cattle 〔boys〕 소〔아이〕의 떼. **3** 혹, 융기: a ~ on the face 얼굴의 혹/a ~ *of* fives 《구어》 주먹, 손. ***the best of the ~*** 무리 중의 백미(白眉), 가장 뛰어난 것, 군계일학. **—** *vt., vi.* **1** 다발로 만들다〔되다〕; (한 떼로) 모으다, 모이다《*up*》. **2** 주름을 잡다, 주름이 지다. **3** 혹이 되다. ㊞ **∠·er** *n.* **1** ~하는 것. **2** 〖전자〗 집군기(集群器)〔전극〕, 입력용 공진기. **3** 엽궐련 마는 기계〔사람〕.

BUNCH Burroughs, Univac, NCR, Control Data, and Honeywell《컴퓨터 메이커군(群)》.

búnch·bèrry *n.* 〖식물〗 풀산딸나무.

búncher rèsonator 〖전자〗 =BUNCHER 2.

búnch·flòwer *n.* 《미》 백합과(科) 식물의 일종.

búnch·gràss *n.* 볏과의 풀《미국산(産)》.

búnch·ing *a.* 매우 붐비는, 줄지어 늘어선 《차》.

búnch lìght (조명의) 속광(束光).

bunchy [bʌ́ntʃi] (***bunch·i·er; -i·est***) *a.* 송이 모양의〔이 된〕, 다발로 된. ㊞ **búnch·i·ness** *n.* 다발 모양, 융기.

bun·co [bʌ́ŋkou] (*pl.* **~s**) 《미구어》 *n.* 사기; 속임수 내기, 야바위. **—** *vt.* 야바위치다.

búnco àrtist 《미속어》 사기꾼, 야바위꾼.

buncombe ⇨BUNKUM.

búnco stèerer 《미구어》 야바위꾼.
Bund [bund, bʌnd] (*pl.* **~s, *Bün·de*** [*G.* byndə]) *n.* 《G.》 동맹, 연맹.
bund [bʌnd] *n.* 《Ind.》 (동양의 항구의) 축제(築堤), 해안길, 부두, 제방(堤防).
bun·der [bʌ́ndər] *n.* 《Ind.》 항구, 부두.
búnder bòat 연안(沿岸)·항만 내에서 사용하는 선박.
Bun·des·bank [*G.* bùndəsbaŋk] *n.* 《G.》 독일 연방 은행《독일의 중앙 은행》.
Bun·des·rat(h) [búndəsrɑ̀:t] *n.* 《G.》 (독일 연방 의회의) 상원; (스위스의) 연방 의회, 연방 정부. 「하원.
Bun·des·tag [búndəstɑ̀:g] *n.* 《G.》 (독일의)
Bun·des·wehr [búndəsvɛ̀ər] 《G.》 *n.* (독일의) 연방 국방군.
bun·dle [bʌ́ndl] *n.* **1** 묶음, 묶은 것: a ~ *of* letters 편지의 한 묶음.

> SYN. **bundle** 은 많은 것을 운반·저장하기 위하여 비교적 느슨하게 묶은 것. **bunch** 는 a *bunch* of flowers 처럼 같은 종류의 것을 가지런히 묶은 것.

2 꾸러미(로 만든 것). **3** 《구어》 무리, 일단(group). **4** 『식물』 관다발. **5** 《속어》 큰돈. **6** 《미속어》 마약〔마리화나〕의 1봉지 5달러짜리 25개. **7** 《미속어》 (아리잠직하고 귀여운) 섹시한 여자. **8** 『컴퓨터』 묶음, 번들《(하드웨어와 소프트웨어를) 일괄하여 팖》. ***a ~ of joy*** 《우스개》 어린애. ***do*** 〔***go***〕 ***a ~ on ...*** 《구어》 …을 매우 좋아하다, …에 열광하다. ***drop*** one's ~ 《Austral. 속어》 당황하다; 희망을 잃다, 굴복하다.
— *vt.* **1** 《~+목/+목+부》 …을 다발짓다, 꾸리다, 묶다, 싸다《*up*》: ~ *up* clothes 옷을 꾸리다. **2** 《+목+부/+목+전+명》 따뜻하게 (옷에) 감싸다《*up*》: ~ oneself *up in* a blanket 담요로 몸을 감싸다. **3** 《+목+전+명》 뒤죽박죽〔마구〕 던져 넣다《*into*》: She ~*d* everything *into* the drawers. 그녀는 모든 것을 장롱 속에 처넣었다. **4** 《+목+부/+목+전+명》 (사람을) 거칠게 내어몰다, (…에서) 몰아내다《*off; out; to*》: They ~*d* the children *off to* bed. 그들은 어린 애들을 잠자리로 좇아 버렸다 / She ~*d* her boys *out of* the room. 그녀는 아이들을 방에서 내쫓았다. **5** 『컴퓨터』 (하드웨어와 소프트웨어를) 세트로 팔다. — *vi.* **1** 《+전+명/+부》 급히 물러가다〔떠나다〕, 급히 나가다《*off; out; away; out of; into*》: She ~*d out of* the kitchen. 그녀는 부엌에서 급히 나갔다. **2** = BUNDLING 1. ~ ***into*** a person 아무와 부딪치다. ~ ***up*** …을 한 묶음으로 만들다; 《구어》 …을 결말짓다. ㊞ **bún·dler** *n.*
búndle bùggy 쇼핑 카트.
bun·dling [bʌ́ndliŋ] *n.* **1** 약혼 중인 남녀가 옷을 입은 채 한 잠자리에서 자는 웨일스나 뉴잉글랜드의 옛 풍속. **2** 일괄〔시스템〕 판매《컴퓨터의 본체뿐 아니라, 디스플레이 장치, 프린터, 기본 소프트웨어 등을 세트로 하여, 합계 금액을 표시 판매하는 방법》. 「협정.
bun·do·bust [bʌ́ndəbʌ̀st] *n.* 《Ind.》 결정,
búnd·wàll *n.* 원유(原油) (정제물) 저장 탱크의 방벽《유출방지를 위해 콘크리트나 흙으로 축조함》.
bún fight 〔**strùggle, wòrry**〕 《영속어·우스개》 = TEA PARTY.
bung[1] [bʌŋ] *n.* (통 따위의) 마개; = BUNGHOLE; 《속어》 거짓말. — *vt.* 마개를 하다; 《속어》 막다; 《속어》 상처내다, 때려눕히다《*up*》; 《속어》 (돌 따위를) 던지다. — *vi.* (배수구·파이프 따위가) 막히다《*up*》; (눈이) 감기다《*up*》. ~ ***off*** = BUNK³ off. ~ ***up*** (입을) 막다; 《속어》 때리다, 뭇매질하다, 상처를 입히다, 대파시키다.
bung[2] *n.* 《영구어》 행하, 팁; 뇌물. — *vt.* (아무에게) 팁〔뇌물〕을 주다.
bung[3] *a.* 《Austral. 속어》 죽어 있는, 파산한, 고장나 있는. ***go*** ~ 죽다, 파산하다, 실패하다.
bun·ga·loid [bʌ́ŋgəlɔ̀id] *a.* 방갈로식의.
bun·ga·low [bʌ́ŋgəlòu] *n.* 방갈로《보통 별장식의 단층집》; 《Ind.》 베란다로 둘러싸인 작은 목조 단층집.
bun·gee [bʌ́ndʒi, bʌ́ŋgi] *n.* **1** 『항공』 번지《항공기의 조종 계통에 쓰이는 용수철의 일종; 함재기(艦載機)를 묶어 두는 데 사용하는 완충 고무끈》. **2** = BUNGEE CORD.
búngee còrd 번지 코드《짐을 짐대에 고정시키는 일 등에 쓰이는 고무 로프; 흔히 양 끝에 갈고리가 있음》.
búngee-jùmp *vi.* 번지 점프를 하다.
búngee jùmping, búngee-cord jùmping 번지 점핑《다리 같은 높은 곳에서 발목 등에 신축성 있는 로프를 매고 뛰어내리어 스릴을 즐기는 놀이》. ㊞ **búngee jùmper, búngee-cord jùmper** 번지 점핑하는 사람.
búng·er *n.* 《Austral. 속어》 불꽃.
búng-hò *int.* 건배; 안녕히《이별의 인사》.
búng·hòle *n.* 통의 주둥이.
bun·gle [bʌ́ŋgəl] *vt., vi.* 서투른 방식으로 하다, 모양새 없이 만들다; 실패하다, 실수하다. — *n.* 서투른 솜씨; 실패, 실수(한 일); 솜씨가 서투른 사람. ㊞ **-gler** *n.* 서투른 직공, 손재주 없는 사람. **~·some** *a.* 서투른, 솜씨 없는. **-gling** *a., n.* 서투른 (세공). **-gling·ly** *ad.*
bun·gy [bʌ́ndʒi, bʌ́ŋi] 《영속어》 *n.* 치즈; 지우개, 탄성 고무.
bun·ion [bʌ́njən] *n.* 『의학』 엄지발가락 안쪽의 염증《활액낭(滑液囊)의 염증》.
bunk[1] [bʌŋk] *n.* **1** 잠자리, (배·기차 따위의) 침대; 《구어》 침상; = BUNK BED; 《널리》 숙박소. **2** (소의) 여물통; 《미》 (트럭 등에 건너지른) 가로대, 가로대가 달린 목재 운반차. — *vi.* 잠자리〔침대〕에서 자다; 《구어》 등걸잠을 자다. — *vt.* bunk에 싣다; …에게 잠자리를 제공하다. ~ ***up*** 《영속어》 …와 성관계를 가지다《*with*》.
bunk[2] *n.* 《속어》 허풍, 남의 눈을 속임. — *vt.* 허풍을 떨다, 속이다. [◂ *bunkum*]
bunk[3] 《구어》 *vi.* 도망가다. — *vt.* (수업을) 빼먹다. ~ ***it*** = ~ ***off*** 도망가다. — *n.* 도망. ***do a*** ~ 도망가다, 꺼지다, 사라지다.
búnk bèd 2단 침대《아이들 방 따위의》.
bún·ker *n.* (배의) 연료 창고, 석탄궤 〔상자〕; 『골프』 벙커《모래땅의 장애 구역》; 『군사』 벙커, 지하 엄폐호. — *vt.* 『골프』 벙커에 쳐서 넣다; 《비유》 궁지에 몰아넣다. — *vi.* 배에 연료를 싣다. ㊞ **~·ing** *n.* (배·자동차의) 연료 보급〔적재〕, 벙커링. 「분위기.
búnker átmosphere (정치적으로) 고립된
Búnker Híll 미국 Boston 근교의 언덕《독립 전쟁 때의 싸움터》.
Búnker·ìsm *n.* = ARCHIE BUNKERISM.
búnker mentálity 엄폐호적(掩蔽壕的) 정신구조《비판을 순수히 받아들이지 않고 완강히 자기(집단) 보전에 열올리는 심리》; (정치적으로) 코너에 몰려 고립당한 심경.
búnker òil 벙커유(油).
búnk fatìgue 〔**hàbit**〕 《미속어》 수면.
búnk flỳing 《미공군속어》 비행에 관한 이야기, 비행담.
búnk·hòuse *n.* 《미》 (계절〔목장〕 노동자 등의) 작은 합숙소.
búnk·màte, 《구어》 **bunk·ie** [bʌ́ŋki] *n.* 시렁침대를 같이 쓰는 사람, 이웃 침대의 사람.
bun·ko [bʌ́ŋkou] (*pl.* **~s**) *n., vt.* = BUNCO.

bun·kum, -combe [bʌ́ŋkəm] *n.* Ⓤ (선거민에 대해서) 인기를 끌기 위한 연설; 부질없는 이야기[짓]; 분별없는 일.

búnk-ùp *n.* 《영구어》 (올라갈 때에) 받쳐 주기, 「뒤밀어 주기.

bunn [bʌn] *n.* =BUN[1].

bun·nia [bʌ́njə] *n.* 《Ind.》 (채식주의의) 상인.

bun·ny [bʌ́ni] *n.* **1** 《소아어》〔애칭〕 토끼(=∠ **ràbbit**), 다람쥐. **2** 《속어》 활발하고 매력적인 여자; 《미속어》 교제를 목적으로 스포츠를 하는[좋아하는] 여자. **3** 버니 걸(=∠ **gìrl**)《미국 Playboy Club의 호스티스; 토끼를 본뜬 복장에서》. **4** 《비어》 (레즈비언을 위한) 매춘부; 《미속어》 (호모를 위한) 남창(男娼).

búnny fùck 《미비어》 조급하게 성교하다; 우물쭈물하다. 「한 야채.

búnny-grùb *n.* 《영속어》 (샐러드용의) 신선

búnny hùg 20세기초에 유행한 사교춤의 일종.

Bún·sen búrner [bʌ́nsən-] 분젠 버너.

bunt[1] [bʌnt] *n.* (머리·뿔 따위로) 받기, 밀기; 〖야구〗 번트, 연타(軟打). **— *vt., vi.*** (머리·뿔 따위로) 받다, 밀다; 〖야구〗 번트하다. ㊞ **∼·er**

bunt[2] *n.* (밀의) 깜부깃병(기균). 「*n.*

bunt[3] *n.* (돛·어망의) 중앙부, 부푸는 부분.

bun·tal [bʌ́ntəl] *n.* 탈리폿(talipot) 야자 잎에서 채취하는 섬유《모자를 만듦》.

bun·ting[1] [bʌ́ntiŋ] *n.* 〖조류〗 멧새류(類).

bun·ting[2] *n.* 기포(旗布); (*pl.*) (가로·건물 따위의) 장식 천, (홍백의) 장막; 〔집합적〕 기 종류; 갓난아기용의 포근한 옷, 포대기.

bunt·line [bʌ́ntlin, -làin] *n.* 〖해사〗 가로돛자락을 치켜올리는 밧줄.

Bun·yan [bʌ́njən] *n.* 버니언. **1 John ∼** 영국의 작가《*Pilgrim's Progress*의 저자; 1628–88》. **2 Paul ∼** 미국 옛날 이야기에 나오는 인물《거구에 힘이 센 벌목꾼》.

Bun·yan·esque [bʌ̀njənésk] *a.* **1** Paul Bunyan 전설의[비슷한]; 터무니없이 큰, 거대한. **2** John Bunyan(우의 소설)풍의.

buon gior·no [bwóundʒɔ́:rnou] 《It.》 안녕하십니까(good day, good morning).

◇**bu·oy** [bú:i, bɔi/bɔi] *n.* 부이, 부표(浮標), 찌; 구명 부이(life ∼). **— *vt.*** **1** 뜨게 하다《*up*》. **2** 《∼+목/+목+부》 〖해사〗 …을 부표로 표시하다, 부표를 달다《*out; off*》: ∼ an anchor 닻의 위치를 부표로 표시하다 / ∼ *off* a channel 수로를 부표로 표시하다. **3** 《∼+목/+목+부》 (희망·용기 따위를) 지속게[잃지 않게] 하다, 지탱하다, 기운을 북돋우다《*up*》《★ 종종 수동태로 쓰이며, 전치사는 *with; by*》: The cheerful music ∼*ed* her *up*. 명랑한 음악이 그녀의 기운을 북돋았다 / He *was* ∼*ed up with* [*by*] new hope. 새 희망이 그에게 용기를 북돋아 주었다. **— *vi.*** 뜨다, 떠오르다《*up*》. ㊞ **∼·age** [bú:iidʒ, bɔ́i-/bɔ́iidʒ] *n.* Ⓤ 부표 설치 (표지); 〔집합적〕 부표; 계선(繫船) 부표 사용료.

buoy·an·cy, -ance [bɔ́iənsi, bú:jən-/bɔ́iən-], [-əns] *n.* Ⓤ **1** 부력; 뜨는 성질. **2** (타격 등으로부터) 회복하는 힘, 쾌활; 낙천적 기질. **3** 〖상업〗 (시세의) 오를 낌새, 호황 낌새.

búoyancy àid (수상 스포츠를 할 때 입는 소매 없는) 구명 조끼.

búoyancy bàgs 〖항공〗 부낭.

búoyancy còmpensator 〖스쿠버다이빙〗 부력 조정구《부풀려서 수중의 부력을 조종하는 동의(胴衣); 생략: BC》(=**búoyance contról devìce**).

◇**buoy·ant** [bɔ́iənt, bú:jənt/bɔ́iənt] *a.* **1** (액체 등이) 부양성 있는, (물건이) 부력이 있는, 뜨기 쉬운. **2** (액체처럼) 양력(揚力) 있는. **3** (정신이) 탄력성이 풍부한; 기운찬, 명랑[경쾌]한. **4** 기운을[활기를] 돋우는. **5** (주가가) 등귀 경향이 있는; (국가 세입 등이) 증가 경향이 있는. ㊞ **∼·ly** *ad.*

búoyant fórce 〖물리〗 부력(=**búoyance fórce**).

B.U.P. British United Press.

bur[1] [bə:r] *n.* **1** (밤·도꼬마리 따위 열매의) 가시; 우엉의 열매; 가시 돋친 열매를 맺는 식물. **2** 달라붙는 것, 귀찮은 사람. **3** 〖의학〗 (외과용·치과용의) 작은 드릴(drill). **—** (*-rr-*) *vt.* …에서 가시를 없애다.

bur[2] *n., v.* =BURR[1, 2].

Bur. Burma. **bur.** bureau.

bu·ran [burá:n] *n.* 〖기상〗 부란《시베리아 초원 등의 폭풍》. 「urb).

burb [bə:rb] (*pl.* **∼s**) *n.* 《미속어》 교외(sub-

Bur·ber·ry [bə́:rbəri, -bèri/-bəri] *n.* Ⓤ 바바리 방수 무명; 바바리 코트[방수복]《상표명》.

bur·ble [bə́:rbəl] *vi.* **1** 거품이 일다; 부글부글[콸콸] 소리나다. **2** 《+전+명》 (흥분하여) 정신없이 지껄여대다《*on; away*》; 킬킬 웃다: ∼ *with* rage 화를 잔뜩 내다 / ∼ *with* mirth 킬킬 웃다. **— *vt.*** (…을) 재잘재잘 지껄이다. **— *n.*** 부글부글하는 소리[흐름], 투덜[킬킬]댐; 〖항공〗 버블, 박리(剝離).

búrble pòint 〖항공〗 버블점(點), 실속각(失速角).

bur·bot [bə́:rbət] (*pl.* **∼s,** 〔집합적〕 **∼**) *n.* 〖어류〗 모캐《담수어》.

burbs [bə:rbz] *n. pl.* 《미속어》 도시의 교외, 주택 지역, 베드 타운. [◂ su*burbs*]

***bur·den**[1] [bə́:rdn] *n.* Ⓒ,Ⓤ **1** 무거운 짐, 짐.

> SYN. **burden** 사람이나 동물에 의해 운반되는 무거운 짐. **cargo** 배로 운반되는 짐을 뜻하는 일반적인 말. **freight** 《영》에서는 뱃짐에만 쓰이나, 《미》에서는 육상이나 공중으로 수송되는 짐에도 씀. **load** 운반구로 운반되는 무거운 짐, burden과 함께 비유적으로 '부담·수고'의 뜻으로도 쓰임.

2 (정신적인) 짐, 부담; 걱정, 괴로움, 고생: a ∼ of responsibility 책임의 무거운 짐 / be a ∼ to [on] …의 부담[짐]이 되다 / the ∼ of proof 〖법률〗 입증 책임. **3** (배의) 적재량, 적하량. **4** 〖회계〗 간접비. ***bear* ∼** 부담을 견디다, 고생을 참다: *bear* the ∼ of …의 무거운 짐[부담]을 지다, …을 떠맡다. ***beast of* ∼** ⇨ BEAST.

— *vt.* 《∼+목/+목+전+명》 **1** …에게 짐을 지우다《*with*》: ∼ a horse *with* firewood 말에 장작을 잔뜩 지우다. **2** …에게 부담시키다; 괴롭히다《*with*》《★ 종종 수동태로 쓰임》: He *is* ∼*ed with* debts. 그는 빚을 지고 있다.

bur·den[2] *n.* **1** (노래나 시의) 반복; (춤에) 장단 맞추는 노래; 〖음악〗 베이스(bass)의 반주; (백파이프 따위의) 붕붕 내는 소리: like the ∼ of a song 몇 번이고 되풀이하여. **2** (연설 따위의) 요지(要旨), 취지: the ∼ of his remarks 그의 의견의 요지.

bur·den·some [bə́:rdnsəm] *a.* 무거운 짐이 되는; 번거로운, 곤란한. ㊞ **∼·ly** *ad.* **∼·ness** *n.*

bur·dock [bə́:rdɑ̀k/-dɔ̀k] *n.* 〖식물〗 우엉.

bu·reau** [bjúərou] (*pl.* **∼s** [-z], **∼x** [-z]) *n.* **1** 사무소: a ∼ of information 《미》 안내소, 접수처. **2** (관청의) 국; 사무[편집]국. **3** 《미》 옷장《보통 거울 달린》. **4** 《영》 서랍 달린 사무용 책상. ***the Bureau of Land Management 《미》 토지관리국《내무부 내의 국; 생략: BLM》.

bu·reau·cra·cy [bjuərɑ́krəsi/-rɔ́k-] *n.* Ⓤ 관료 정치[제도, 주의]; 관료식의 번잡한 절차; 번문욕례(繁文縟禮); 〔집합적〕 관료.

bu·reau·crat [bjúərəkræ̀t] *n.* 관료적인 사람; 관료; 관료[독선]주의자.

bu·reau·cra·tese [bjùərəkrætí:z, -tí:s] *n.*

(추상적 · 전문적 표현의) 관청 용어.

bu·reau·crat·ic [bjùərəkrǽtik] *a.* 관료 정치의; 관료식의〔적인〕; 번문욕례(繁文縟禮)의. ㊞ **-i·cal·ly** [-ikəli] *ad.*

bu·reau·crat·ism [bjúərəkrǽtizəm] *n.* Ⓤ 관료주의, 관료 기질.

bú·reau·cràt·ist *n.* 관료주의자.

bu·reau·cra·tize [bjuərάkrətàiz/-rɔ́k-] *vt.* 관료 체제로〔조직으로〕 하다, 관료 정치화하다, 관료화하다. ㊞ **bu·rèau·crà·ti·zá·tion** *n.*

bureau de change [*F.* byro də ʃɑ̃:ʒ] (*pl.* ***bureaux de change*** [*F.* —]) 외국환 교환소.

Búreau of Índian Affáirs (the ~) 《미》 인디언국(局)《내무부의 한 국; 생략: BIA》.

bu·reaux [bjúərouz] BUREAU의 복수.

bu·rette, -ret [bjərét] *n.* 〖화학〗 뷰렛《정밀한 눈금이 있는 분석용 유리관》.

burg [bəːrg] *n.* 《미구어》 읍(town), 시(city); 《영》 =BOROUGH; 《고어》 성시(城市).

-burg [bə̀ːrg], **-burgh** [bə̀ːrə, bərə, bə̀ːrg/bərə, bə̀ːg] *suf.* '도시, 읍 · 면' 등의 뜻《때때로 지명에 쓰임》: Johannes*burg*, Pitts*burgh*.

bur·gage [bə́ːrgidʒ] *n.* 〖영고법률〗 자치읍 토지 보유 양태(樣態)《borough의 시민권을 가진 사람이 화폐 지대(地代)를 치르고 영주로부터 허가받은 권리》.

bur·gee [bə́ːrdʒiː] *n.* 연미기(燕尾旗), (배의) 「삼각기(三角旗).

bur·geon, bour- [bə́ːrdʒən] *n.* 싹, 어린 가지(shoot). — *vi.* **1** 싹을 내다, 싹이 트다《*forth; out*》. **2** (급격히) 성장〔발전〕하다《*into*》. ㊞ **~·ing** *a.* 싹트기 시작한; 신흥의, 자라나는: the *~ing* problem of children without fathers 아버지 없는 아이들에게 발생하기 시작한 문제.

burg·er [bə́ːrgər] *n.* 《구어》 =HAMBURGER; 《속어》 찰과상(擦過傷).

-bur·ger [bə̀ːrgər] '…을 쓴 햄버거식의 빵, …제(製)의 햄버거'란 뜻의 결합사: cheese*burger* 치즈버거.

búrger bàr 버거바《햄버거를 카운터 방식으로 「판매하는 가게》.

bur·ger·dom [bə́ːrgərdəm] *n.* 햄버거 업계.

Búrger Kíng 버거 킹《미국의 Burger King사 계열의 햄버거와 샌드위치의 연쇄점; 그 브랜드; 상표명》.

bur·gess [bə́ːrdʒis] *n.* (자치시의) 공민, 시민; 〖미국사〗 미국 독립 전의 Virginia주 또는 Maryland주 하원 의원; 〖역사〗 자치시 또는 대학 선출의 대의원.

burgh [bəːrg/bʌ́rə] *n.* 《Sc.》 자치 도시(borough). ㊞ **~·er** [bə́ːrgər] *n.* (자치 도시의) 공 「민, 시민.

-burgh ⇨ -BURG.

*__bur·glar__ [bə́ːrglər] *n.* (주거 침입) 강도, 빈집털이, 밤도둑; 《미속어》 사기꾼.

búrglar alàrm 도난 경보기.

bur·glar·i·ous [bəːrglέəriəs] *a.* 주거 침입(죄)의, 강도〔밤도둑〕(죄)의. ㊞ **~·ly** *ad.*

bur·glar·ize [bə́ːrgləràiz] *vt., vi.* 《미구어》 불법 침입하여 강도질하다.

búrglar·pròof *a.* 도난 예방〔방지〕의.

bur·gla·ry [bə́ːrgləri] *n.* 〖법률〗 (범죄를 목적으로 하는) 주거 침입(죄), 밤도둑죄, 강도질: commit ~.

bur·gle [bə́ːrgəl] *vt., vi.* 《미구어》 강도질하다.

bur·go·mas·ter [bə́ːrgəmæ̀stər, -mɑ̀ːs-/-mɑ̀ːs-] *n.* (네덜란드 · 독일 등지의) 시장(市長); 〖조류〗 갈매기의 일종.

bur·go·net [bə́ːrgənèt, -nət/bə́ːgənèt] *n.* (16세기경의) 무쇠탈이 달린 가벼운 투구.

bur·goo [bə́ːrguː, -∸] (*pl.* **~s**) *n.* 《해사속어》 오트밀(porridge); 《미방언》 고기와 야채의 진한 수프; 이 수프가 나오는 피크닉.

Bur·gun·di·an [bəːrgʌ́ndiən] *a.* Burgundy

(주민)의. — *n.* Burgundy의 주민.

Bur·gun·dy [bə́ːrgəndi] *n.* 부르고뉴《프랑스의 동남부 지방; 본래 왕국》; (종종 b-) Ⓤ 그 곳에서 나는 포도주《보통 적포도주》.

bur·(h)el [bʌ́rəl] *n.* 히말라야산 들양.

*__bur·i·al__ [bériəl] *n.* 매장, 매장식: the ~ at sea 수장(水葬). [◂bury]

búrial càse 《미》 관(棺)(casket).

búrial gròund 〔**plàce**〕 매장지, 묘지.

búrial mòund (특히 북아메리카 인디언) 무덤.

búrial sèrvice 매장식(式).

búrial socìety 장례비 보험조합.

Bur·iat [buərjάːt, bùəriάːt] *n.* =BURYAT.

Bú·ri·dan's áss [bjúərədənz-] **1** 뷔리당의 당나귀《같은 거리에 같은 양, 같은 질의 건초를 두면 당나귀는 어느 쪽을 먼저 먹을까 망설이다가 굶어 죽고 만다는 궤변적 논리: 14세기에 크게 논의됨》. **2** 우유부단한 사람, 미적지근한 사람.

búried làyer 〖전자〗 매몰층《반도체 소자 내부에 매몰된 불순물층》.

bur·i·er [bériər] *n.* 매장자; 매장 도구.

bu·rin [bjúərin, bə́ːr-/bjúər-] *n.* 동판용 조각칼, (대리석 조각용) 정; 조각의 작풍〔양식〕.

bur·ka [búərkə/bə́ː-] *n.* 부르카《이슬람 여교도가 입는 일종의 장옷》.

burke [bəːrk] *vt.* (상처가 남지 않도록) 목졸라 죽이다; 남 모르게 제거하다, (소문 따위를) 깔아뭉개다; (의안 따위를) 묵살하다.

Bur·ki·na Fa·so [bəːrkíːnəfɑ́ːsou] 부르키나 파소《아프리카 서부의 공화국; 구칭 Upper Volta, 1984년 개칭; 수도 Ouagadougou》.

Búr·kitt('s) lym·phó·ma 〔**túmor**〕 [bə́ːrkit(s)limfóumə-] 〖의학〗 버킷림프종(腫)《아프리카 어린이에게 많은 악성 림프종》.

burl[1] [bəːrl] *n.* (피륙의) 올의 마디; 나무의 마디, 옹두리. — *vt.* 마디를 없애어 마무르다. ㊞ **~ed** *a.* 마디 있는, 혹이 있는.

burl[2], **birl** [bəːrl] *n.* 《Austral. 구어》 시도, 해보기: give it a ~ 《Austral. 구어》 해보다.

burl. burlesque.

bur·la·de·ro [bə̀ːrlədéərou, bùər-] (*pl.* **~s**) *n.* 부를라데로《투우사가 피할 수 있도록 벽과 평행으로 만든 방패 모양의 보호물》.

bur·lap [bə́ːrlæp] *n.* Ⓤ 올이 굵은 삼베《포장 · 부대용》; (the ~) 《미속어》 잠자리.

bur·lesque [bəːrlésk] *n.* 광시(狂詩), 광문(狂文), 희작(戲作); 익살 연극, 해학극; 《미》 저속한 소극(笑劇), 스트립쇼. — *a.* 익살부리는, 해학의. — *vt., vi.* 해학화하다, 우습게 하다; 흉내 내다, 익살부리다. ㊞ **-lésqu·er** *n.* 어릿광대.

bur·let·ta [bəːrlétə] *n.* 소(小)희가극.

bur·ley [bə́ːrli] *n.* (*or* B-) Ⓤ 《미》 Kentucky 주 · Ohio주 남부 지방에서 나는 담배.

Búr·ling·ton Hóuse [bə́ːrliŋtən-] 벌링턴 하우스《London에 있는 건물》.

bur·ly [bə́ːrli] (***bur·li·er; -li·est***) *a.* 굵고 튼튼한, 크고 센; 솔직한; 무뚝뚝한. ㊞ **-li·ly** *ad.* **-li·ness** *n.*

Bur·ma [bə́ːrmə] *n.* 버마《미얀마의 구칭; 수도 Yangon, Rangoon은 별칭》. ㊞ **~n** (*pl.* **~s**) *n., a.* =BURMESE.

Bur·mese [bəːrmíːz, -míːs] (*pl.* ~) *n.* 버마 사람; Ⓤ 버마 말. — *a.* 버마의; 버마 사람〔말〕의.

†**burn**[1] [bəːrn] (*p., pp.* ***burned, burnt***) *vi.* **1** 《~/+副/+補》 (불 · 연료가) 타다; (물건이) (불) 타다, 눋다; 타 죽다: The meat is *~ing.* 고기가 탄다 / ~ *well* 〔*badly*〕 잘 타다〔타지 않다〕 / ~ blue 〔red〕 푸른〔붉은〕 빛을 내면서 타다. **2**

《~/+보/+전+명》 (등불이) 빛을 내다; (창·눈 따위가) 빛나다: The river *~ed* crimson in the setting sun. 강은 석양을 받아 진홍으로 빛났다/His eyes *~ed with* rage. 그의 눈은 분노로 이글거렸다. **3** (난로 따위가) 타다, 달아오르다; 『화학』 연소〔산화〕하다, 『물리』 (핵연료가) 분열〔융합〕하다; 《속어》 담배를 피우다. **4** 《~/+전+명》 타는 듯이 느끼다, 화끈해지다; (혀·입·목이) 얼얼하다《*with* pepper》; (귀·얼굴이) 달아 오르다: ~ *with* shame 〔fever〕 부끄러워〔열이 나〕 얼굴이 달아오르다. **5** 《~/+전+명/+*to* do》 흥분하다; 열중하다; 불끈하다, 성나다; 열망하다: ~ *with* anger 분격하다/be *~ing to* go 가고 싶어 못 견디다. **6** 《+부》 (피부가) 볕에 타다〔그을다〕, (가구나 물들인 천이) 볕에 바래다: She has a skin that *~s easily* in the sun. 그녀의 피부는 볕에 타기 쉽다. **7** (술래가) 숨은 사람〔숨긴 물건〕에 가까이 가다, (퀴즈 따위에서) 정답에 가까워지다. **8** 《미속어》 급히 가다《*up*》; 《속어》 차를 쏜살같이 몰다. **9** 벌받다; 《속어》 전기 의자에 앉다. **10** (로켓 엔진이) 분사하다. **11** 《+전+명》 (기사·일 등이) (마음에) 강한 인상을 주다《*in, into*》: His face has *~ed into* my memory. 그의 얼굴이 내 기억속에 새겨졌다. **12** 《비어》 성병이 옮다. **13** 《미속어》 신뢰감을 잃다, 실망하다.

— *vt.* **1** (연료 따위를) 불태우다, 때다, (가스·초 등에) 점화하다, 불을 켜다. **2** 《+목+보/+목+전+명》 〔일반적〕 (물건을) 태우다, 불사르다; 눋게 하다, 눌리다: ~ a piece of toast black 토스트를 새까맣게 태우다/The building was *burnt to* ashes. 그 건물은 타서 재가 되었다〔전소되었다〕.

> SYN. **burn** '태우다'의 뜻의 일반적인 말. **bake** 직접 불에 대지 않고, 밀폐된 장소 안이나 뜨거운 표면으로 굽는 것. **roast** 특히 고기를 직접 불 위나 oven 속에 넣어 굽는 것. **broil** 《미》 불이나 석쇠 위에 놓고 굽는 것. **grill** 《영》 = broil.

3 《속어》 요리하다, (음식을) 데우다. **4** 《+목+전+명》 (구멍을) 달구어 뚫다; (낙인·명(銘)을) 찍다《*into; in*》; 구워서 굳히다, (숯·기와 따위를) 굽다, 구워 만들다《*in; into*》: ~ clay *into* bricks. **5** 『컴퓨터』 (PROM, EPROM에) 프로그램을 써 넣다. **6** 〔보통 수동태〕 감명시키다《*in; into*》: The sight *was ~ed into* my mind. 그 광경은 내 마음에 새겨졌다. **7** 《+목+보/+목+전+명》 (색을) 바래게 하다; (태양이 땅을) 바싹 태우다, (초목을) 시들게 하다: He was *~ed* black in the sun. 그는 햇볕에 검게 탔다/be *burnt to* a crisp 바싹 태우다. **8** 《+목+전+명》 화형에 처하다; 《미》 전기 의자로 처형하다; 《미속어》 죽이다, 사살하다《*to*》: Joan of Arc was *~ed to* death. 잔 다르크는 화형에 처해졌다. **9** 얼얼하게 하다, 쓰라리게 하다. **10** (상처·아픈 부분 등을) 지지다《*away; off; out*》; (산·부식제로) 부식〔산화〕시키다. **11** (정력 따위를) 다 써버리다. **12** 《미》 발끈하게 하다, 화나게 하다; 《미속어》 들볶다, 구박해 내쫓다. **13** 《미속어》 빌리다, 얻다, 청하다; …을 속이다, 사취하다, 〔수동태〕 감언이설로 꾀다; (마약 거래에서 양이나 질을) 속이다; (마약 상습자를) 경찰에 밀고하다〔넘기다〕: get *~ed* 고스란히 속아넘어가다. **14** 『물리』 (우라늄·토륨 등의) 원자 에너지를 사용하다; 『화학』 연소〔산화〕시키다. **15** (로켓 엔진을) 분사시키다. **16** 《미속어》 (경기에서) 쳐부수다; (깡패가 적대 그룹의 사람과) 대결하다, 습격하다.

~ *away* 《*vt.*+부》 ① 다 태워버리다. — 《*vi.*+부》 ② 계속해 타다: The fire was still *~ing away*. 불은 아직도 타고 있었다. **~ *daylight*** 《고어》 대낮에 불을 켜다; 헛된 일을 하다. **~ *down*** 《*vi.*+부》 ① 다 타버리다. ② 불기운이 약해지다. ③ 불이 약해져서 …되다《*to*》: The fire has *~ed down to* ashes. 불은 다 타서 재가 되었다. — 《*vt.*+부》 ④ 다 태워버리다: The soldiers *~ed down* the village. 군인들은 그 마을을 깡그리 태워버렸다. **~ *in*** 『사진』 (인화지의 일부를) 진하게 인화하다; 《비유》 마음에 새기다. **~ *into*** …을 부식(腐蝕)하다. **~ *low*** 힘없이 타다; (화력이) 약해지다. **~ *off*** 《*vt.*+부》 ① 불살라 버리다〔없애다〕; (개간하기 위해) 태워버리다. ② (햇빛이 안개 따위를) 소산시키다. — 《*vi.*+부》 ③ 다 타 없어지다. ④ (안개 따위가) 걷히다. **~ *one* (*over*)** 『야구』 속구를 던지다. **~ *out*** 《*vt.*+부》 ① 다 태워버리다. ② 불로 내쫓다: They were *~ed out* (of house and home). 그들은 불이 나서 집을 잃었다. ③ 〔~ oneself〕 다 타버리다; 정력을 다 쏟아버리다, 소모하다: The fire *~ed itself out*. 불은 탈 만큼 다 타버렸다. — 《*vi.*+부》 ④ 다 타다: The light bulb has *~ed out*. 전구가 끊어졌다. ⑤ (엔진 따위가) 타버리다, 타서 고장이 나다. ⑥ (로켓이) 추진 연료를 다 태워버리다. ⑦ (열의·정력 등이) 바닥이 나다, 기진맥진하다. **~ one's *boats*** = **~ one's *bridges* (*behind* one)** 퇴로를 끊다, 배수진을 치다. **~ one's *fingers*** 손가락을 데다, 공연히 참견〔당황〕하여 호되게 혼나다《*over*》. **~ one's *money*** 돈을 다 써버리다. **~ *the breeze*** 《미속어》 전속력으로 달리다. **~ *the candle at both ends*** 돈〔정력〕을 심하게 낭비하다. **~ *the water*** 횃불을 켜들고 작살로 연어를 찌르다. **~ *up*** 《*vi.*+부》 ① (불이) 확 타오르다. ② 다 타버리다. ③ 《속어》 (차 따위로) 쏜살같이 가다. ④ 《미구어》 노하다. — 《*vt.*+부》 ⑤ 다 태워버리다: Let's ~ *up* the dead leaves. 낙엽을 태워버립시다. ⑥ (연료 따위를) 다 쓰다, 소비하다. ⑦ 《속어》 (도로를) 쏜살같이 달리다. ⑧ 《미구어》 (아무를) 몹시 노하게 하다. ***have*** (money) ***to* ~** 주체할 수 없을 만큼 (돈)이 있다.

— *n.* **1** 태워 그슬림; 화상; 볕에 탐: get 〔have〕 a ~ 화상을 입다〔입고 있다〕. **2** (벽돌·도자기 따위의) 구움. **3** (숲의) 불탄 자리〔지대〕; 소실(燒失) 지대; 화전(火田). **4** (로켓 엔진의) 분사(噴射); 《속어》 끽연(喫煙), 담배; 《속어》 자동차 레이스. **5** 《속어》 사기(詐欺).

burn² *n.* 《Sc.》 시내, 개울(brook, rivulet).

búrn·a·ble *a.*, *n.* 가연성(의).

búrn bàg 소각 폐기할 기밀 문서를 넣는 자루.

búrn-bàg *vt.* 《미》 (문서를) burn bag에 넣다.

búrned-óut *a.* 탄; 지친; (전구 따위가) 타서 끊어진; 《비유》 (열의 따위가) 식은; 타버린; 《속어》 약효가 떨어진.

búrn·er *n.* (램프 따위의) 불붙이는 곳; (제트 엔진의) 연소실; (숯 따위를) 굽는 사람; 버너, 연소기: a brick ~ 벽돌공/an oil ~ 석유 난로. ***on the back*** 〔***front***〕 **~** ⇨ BACK 〔FRONT〕 BURNER.

bur·net [bəːrnét, bə́ːrnit/bə́ːnit] *n.* 『식물』 오이풀의 일종(식용).

búrn-ìn *n.* 『전자』 통전(通電) 테스트《트랜지스터·콘덴서 등의 성능 테스트》.

***burn·ing** [bə́ːrniŋ] *a.* **1** 불타는(듯한), 열렬한; 뜨거운; 강렬한: ~ water 뜨거운 물/~ hot 타는 듯이 더운《부사적 용법》. **2** (격)심한, 지독한: a ~ scent 『사냥』 짐승이 남긴 짙은 냄새/a ~ disgrace 지독한 치욕. **3** 가장 중요한〔심각한〕: a ~ question 가장 중요한 문제. — *n.* 탐, 연소; (도기의) 소성(燒成), 구워 만듦. 파 **~·ly** *ad.*

búrning ghàt (힌두교도의) 강가의 화장장(場).

búrning glàss 화경(火鏡), 볼록 렌즈.
búrning móuntain 화산(volcano).
búrning òil 연료유(fuel oil).
búrning òut 《미속어》 (중년의 약물 중독자가) 자발적으로 약물을 끊음.
búrning pòint 〖물리〗 (the ~) 발화점, 연소점 (fire point).
bur·nish [bə́:rniʃ] *vt., vi.* 닦다, 갈다; 빛나게 하다; 빛나다, 번쩍이다; 광내다〔나다〕: ~ well 광이 잘 나다. ── *n.* 광, 광택. [파] **~·er** *n.* 닦는〔가는〕 사람; 연마기.
búrn-òff *n.* 불살라 버림; 초목을 태워 토지를 「개간함.
bur·noose, -nous [bərnú:s, bə́:rnu:s/bə:nú:s] *n.* (아라비아 사람 등의) 두건 달린 외투.
búrn·òut *n.* 타서 죄다 없어짐; 〖로켓〗 연료 소진(燒盡); 〖전기·기계〗 소손(燒損); 전소 화재; (심신의) 소모, (스트레스에 의한) 정신·신경의 쇠약; (마약에 의한) 폐인; 《미속어》 (drag race 에서) 고속 운전〔주행〕.
búrnout velócity 〖로켓〗 연소 종료 속도.
Burns [bə:rnz] *n.* **Robert** ~ 번스《스코틀랜드의 시인; 1759-96》.
burn·sides [bə́:rnsàidz] *n. pl.* 《미》 짙은 구레나룻 《턱수염만 깎고 콧수염과 이어짐》.

burnsides

burnt [bə:rnt] BURN[1]의 과거·과거분사.
── *a.* 탄; 그을린; 덴: ~ smell 〔taste〕 탄내〔탄 맛〕/ A ~ child dreads the fire. 《속담》 불에 덴 아이는 불을 두려워한다《한 번 혼나면 신중해진다》. ★미국에서는 보통 burnt는 형용사: a partially *burnt* house 반소된 집.
búrnt álmond 아몬드 당과(糖菓)《설탕을 발라 「구운 것》.
búrnt álum 소명반(燒明礬).
búrnt líme 생석회(quicklime).
búrnt ócher 철단(鐵丹)《붉은 안료》.
búrnt óffering 〔**sácrifice**〕 번제(燔祭)《신에게 구워 바치는 제물》.
búrnt-óut *a.* =BURNED-OUT.
búrnt pláster 소석고(燒石膏).
búrnt siénna 적갈색 (채료).
búrnt úmber 고동색 (채료).
búrn-ùp *n.* 〖항공〗 (공기의 저항에 의해) 로켓이 다 타버림; 〖물리〗 (핵연료의) 연소도(燃燒度), 연소율; 《속어》 차〔오토바이〕를 질주시킴, 폭주.
burny [bə́:rni] *a.* 《구어》 불타(고 있)는.
búr òak 북아메리카 중부·동부산(産)의 가시나무〔오크〕(재).
Bü·ro·land·schaft [*G.* byró:lantʃaft] *n.* 《G.》 사무실을 위한 실내 디자인《식물 따위를 칸막이로 하여 공간 사용에 유연성을 주는 실내 설계》.
burp [bə:rp] *n., vt., vi.* 《구어》 트림(이 나다); (갓난아이에게 젖을 먹인 후) 트림을 시키다; 〖감탄사적〗 꺽.
búrp gùn 《미》 자동 권총, 소형 경기관총.
burr[1] [bə:r] *n.* **1** 깔쭉깔쭉하게 깎은 자리, 깔쭉깔쭉함. **2** (치과 의사 등의) 리머. **3** 규석의 일종《돌절구를 만드는》; 규석 절구; 숫돌. **4** =BUR[1]. **5** (해·달의) 무리, 광륜(光輪). ── *vt.* …에 깔쭉깔쭉한 자리를 내다; …에서 깔쭉깔쭉한 것을 제거하다.
burr[2] *n.* 드릉드릉, 윙윙《기계 소리》; r의 후음(喉音); 거친 사투리의 발음. ── *vt., vi.* 후음으로 발음하다; 불명확하게〔사투리로〕 발음하다; 드릉드릉〔윙윙〕하다.
búrr cùt 《미속어》 =CREW CUT.

búrr·hèad *n.* 《미속어》 흑인.
bur·ri·to [bəri:tou] (*pl.* **~s**) *n.* 부리토《육류·치즈를 tortilla로 싸서 구운 멕시코 요리》.
bur·ro [bə́:rou, búər-, bʌ́r-/búr-] (*pl.* **~s**) *n.* 당나귀, (특히 짐을 나르는) 작은 당나귀.
bur·role [bəróul] 《미속어》 *n.* 귀(ear); 엿듣는 사람; 통보자(通報者); 구걸《행위》. ***on the ~*** 〔***bur·ró·la*** [bəróulə]〕 《미속어》 범죄자〔수배자〕로서 여기저기 배회하고, 유랑자 생활을 하고.
Búr·roughs Còrp. [bə́:rouz-, bʌ́r-] 버로스《세계 제2위인 미국의 데이터 처리, 사무기기 메이커》.
bur·row [bə́:rou, bʌ́r-/bʌ́r-] *n.* 굴《여우·토끼 따위의》; 숨는 장소, 피난(은신)처. ── *vi.* **1** 《+[전]+[명]》 굴을 파다, 진로를 트다《*in; into; under*》: ~ *into* bed 잠자리에 기어들다. **2** 굴에서 살다, 숨다. **3** 《+[전]+[명]》 몰두하다; 파고들다, 조사하다《*in; into*》: ~ *into* a mystery 신비를 파고들다. ── *vt.* 《+[목]+[전]+[명]》 **1** 〖~ one's way〗 굴을 파다; 굴을 파며 나아가다: A mole ~*s its way through* the ground. 두더지는 땅속에 굴을 파며 나아간다. **2** 갖다대고 부비다 《*into*》: ~ one's head *into* a person's shoulder 아무의 어깨에 머리를 부비다. [파] **~·er** *n.* 굴을 파는 짐승.
burr·stone, bur·stone [bə́:rstòun] *n.* = BUHRSTONE.
bur·ry [bə́:ri] (***-ri·er; -ri·est***) *a.* 가시 돋친 껍질이 있는; 마디가 많은; (말투 따위가) 불명료한.
bur·sa [bə́:rsə] (*pl.* **~s, -sae** [-si:]) *n.* 〖해부〗 낭(囊), 점액낭(粘液囊).
bur·sar [bə́:rsər, -sɑ:r/bə́:sə] *n.* (대학의) 회계원, 출납원; (대학의) 장학생. [파] **~·shìp** *n.* ~의 지위〔역할〕; 대학의 장학금.
bur·sar·i·al [bə:rsέəriəl] *a.* 회계(과)의, 재무담당의; 급비(給費)의.
bur·sa·ry [bə́:rsəri] *n.* (대학의) 회계과 (사무실); (대학의) 장학금(scholarship); 장려금.
burse [bə:rs] *n.* (스코틀랜드 대학에서) 장학기금, 장학금(bursary); 〖가톨릭〗 성체포낭(聖體布囊); 귀중품 주머니.
bur·sec·to·my [bə:rséktəmi] *n.* 〖의학〗 활액낭(滑液囊) 절제(술).
bur·si·form [bə́:rsəfɔ̀:rm] *a.* 〖해부·동물〗 주머니 모양을 한, 대상(袋狀)의. 「囊炎).
bur·si·tis [bərsáitis] *n.* 〖의학〗 점액낭염(粘液
burst [bə:rst] (*p., pp.* **burst**) *vi.* **1** 《~/+[전]+[명]》 파열하다, 폭발하다: The bomb ~. 폭탄이 터졌다/The box ~ *into* fragments. 상자는 산산조각이 났다. **2** 《+[전]+[명]》 터지다; (물 따위가) 뿜어 나오다; (싹이) 트다, (꽃봉오리가) 벌어지다; (거품·종기·밤이) 터지다; (단추가) 떨어져 나가다; (구름이) 갈라지다: The trees ~ *into* bloom. 나무는 꽃이 활짝 피었다. **3** 《+*to* do/+[전]+[명]》 〖보통 진행형으로〗 (가슴이) 터질 것 같다; …하고 싶어 참을 수 없다: be ~*ing to* tell the story 그 이야기를 하고 싶어 못 견디다. **4** 《~/+[전]+[명]》 〖진행형으로〗 (터질 것같이) 충만하다《*with*》: He is ~*ing with* health 〔happiness〕. 그는 건강〔행복〕으로 충만해 있다. **5** 《+[전]+[명]/+[부]》 갑자기 보이게〔들리게〕 되다, 갑자기 나타나다, 갑자기 (들어)오다〔나가다, 일어나다〕: ~ *on* 〔*upon*〕 one's ears 〔view〕 갑자기 들리다〔보이다〕/The blazing sun ~ *through* (the clouds). 갑자기 이글거리는 태양이 (구름에서) 나왔다. **6** 《+[전]+[명]》 갑자기 …한 상태가 되다, 갑자기 …하다: ~ *into* tears 〔laughter〕 와락 울음을〔폭소를〕 터뜨리다. **7** 《속어》 (회사·사업이) 망하다. [cf.] bust[2]. ── *vt.* **1** 《~+[목]/+

목+보》 파열시키다, 터뜨리다; …을 부수다, 터뜨려 무너뜨리다: ~ one's bonds 속박을 끊어버리다 / ~ the door open 문을 확 열다. **2** …을 찢다, 밀쳐 터뜨리다, (충만하여) 미어지게〔뚫어지게〕 하다: ~ one's clothes (살이 쪄서) 옷이 터지게 하다. **3** 〖~ oneself〗 무리해서 건강을 해치다. **4** 〚컴퓨터〛 (연속된 용지를) 잘라 한 장씩으로 하다. **~ *at the seams*** (가득 차서) 터질 것 같아지다; 대만원이다. **~ *away*** 파열(破裂)하다; 급히 떠나다. **~ *forth*** 갑자기 나타나다; 튀어나가다; 돌발하다; (눈물·피가) 와락 흘러나오다; (꽃 따위가) 활짝 피다; 장황하게 …하다: ~ *forth* 〔*out*〕 *into* explanations 장황하게 설명하다. **~ *in*** 느닷없이 (문을 열고) 들어오다: She ~ *in* to tell me the news. 그녀는 느닷없이 들어와서 나에게 그 소식을 전했다. **~ *in on*** 〔***upon***〕 ① (아무의 말·일을) 가로막다, 말참견하다: ~ *in on* a conversation 대화에 느닷없이 참견하다. ② (아무가 있는 곳에) 뛰어들다, 난입하다: ~ *in on* 〔*upon*〕 a person 아무가 있는 곳에 우르르 밀려가다. **~ *out*** ① (전쟁·질병·소동 따위가) 돌발하다. ② 《+*doing*》 갑자기 …하기 시작하다: ~ *out* crying 〔laughing〕 갑자기 울기 〔웃기〕 시작하다. ③ 갑자기 큰소리로 …하다《*into*》: ~ *out into* threats 큰 소리로 을러메기 시작하다. **~ one*'s sides with laughing*** 포복절도하다. **~ *up*** 파열시키다〔하다〕; 《속어》 (사업이) 파산하다 《★ 이 뜻으로는 bust up으로 쓰는 것이 일반적》. **~ *upon*** …에 갑자기 나타나다; …을 엄습하다; (소리가) …의 귀에 쨍 울리다; …을 갑자기 알게 되다: A splendid view ~ *upon* us. 눈앞에 멋들어진 광경이 펼쳐졌다. **~ *with*** …으로 터질 듯하다; 터질 듯이 꽉 차 있다: ~ *with* envy 질투에 차 있다 / The room is ~*ing with* people. 방은 초(超)만원이다.

— *n.* **1** 파열, 폭발(explosion); 파열〔폭발〕구, 갈라진 틈. **2** 돌발, (감정의) 격발: a ~ *of* applause 갑자기 터지는 갈채 / a ~ *of* feeling 돌연한 격정. **3** 분발; (말의) 한바탕 달리기: with a ~ of speed 냅다 스피드를 내어. **4** (자동화기의) 연사(連射), 집중 사격, 연속 발사탄 수. **5** 〚컴퓨터〛 버스트, 절단. ***at a*** 〔***one***〕 **~** 단숨에; 한바탕 분발하여. ***be*** 〔***go***〕 ***on the*** **~** 《구어》 술 마시고 떠들다.

㊞ **∠·er** *n.* 파열〔폭발〕시키는 사람〔것〕; 작약; 〚천문〛 = X-RAY BURSTER.

búrsting chàrge 〔**pòwder**〕 작약.

búrsting pòint 수용력〔감정 따위〕의 한계점, 「한도.

búrsting strèngth (종이·섬유·금속 파이프 따위의) 파열 강도; 파열하는 데 필요한 압력.

bur·stone [bə́ːrstòun] *n.* = BUHRSTONE.

búrst-pròof *a.* (자물쇠 따위가) 강한 충격에 견디는.

búrst-ùp *n.* 《속어》 실패, 끝장; 파손.

bur·then [bə́ːrðən] *n.*, *vt.* 《고어》 = BURDEN[1].

bur·ton[1] [bə́ːrtn] *n.* 〚해사〛 고패 장치《돛 올리는 경우 따위에 씀》.

bur·ton[2] *n.* 〖다음 관용구로〗 ***go for a* ~** 〔***Burton***〕 《영구어》 깨지다, 쓸모없게 되다, 꺼지다, 죽다.

Bu·run·di [burúndi] *n.* 부룬디《중앙 아프리카의 공화국; 수도: Bujumbura》. ㊞ **~·an** *a.*, *n.*

bur·weed [bə́ːrwìːd] *n.* 가시 있는 열매를 맺는 풀 종류《우엉 따위》.

bury [béri] (*p.*, *pp.* ***bur·ied;* ~·*ing***) 《철자와 발음 차이에 주의》 *vt.* **1** 《~+목/+목+보/+목+전+명》 묻다; (흙 따위로) 덮다: be *buried* alive 생매장되다, 세상에서 잊혀지다 / be *buried* deep *in* snow 〔*under* the ground〕 눈 속〔땅속〕 깊이 묻히다. **2** …의 장례식을 하다, 매장하다: She has *buried* her husband. 그녀는 남편을 여의었다. **3** 《+목+전+명》 …을 가라앉히다; 찌르다, 찔러 넣다: ~ one's hands *in* one's pockets. **4** 《+목+전+명》 〖~ oneself 또는 수동태〗 생각에 잠기다; 몰두하다《*in*》: *be buried in* grief 슬픔에 잠기다 / I *buried* my*self in* my studies. 나는 연구에 몰두했다. **5** 《비유》 묻어버리다; (애써) 잊어버리다: ~ an injury 받은 모욕을 잊어버리다. **6** 〖수동태〗 눈에 안 띄다, 숨다. **7** 《~+목/+목+전+명》 …을 덮어서 감추다〔가리다〕, 숨기다: ~ treasure / ~ one's face *in* one's hands 두 손으로 얼굴을 가리다. **8** 《미속어》 배반하다, 배신하다. **~ *... at sea*** …을 수장(水葬)하다. **~ one*'s head in the sand*** ⇨ SAND. **~ *the hatchet*** 〔***tomahawk***〕 화해하다.

Bur·yat [buərjáːt, bùəriáːt] (*pl.* **~s, ~**) *n.* 부랴트족《시베리아 동부의 몽골족》; Ⓤ 부랴트어. **—** *a.* 부랴트족〔어〕의.

Buryát Autónoanous Repúblic (the ~) 부랴트 자치 공화국《러시아 연방 중부의 자치 공화국; 수도 Ulan Ude》.

búry·ing *n.* 묻음, 매장.

búrying bèetle 송장벌레(gravedigger).

búrying gròund 〔**plàce**〕 묘지, 매장지.

†**bus** [bʌs] (*pl.* ***bus·*(*s*)*es*** [bʌ́siz]) *n.* **1** 버스, 승합 자동차; (버스형의) 대형 자동차. **2** 단거리 왕복의 여객기. **3** 《구어》 탈것. **4** 〚우주〛 소형 우주선이나 분리식 탐사기를 탑재한 모기(母機); 미사일의 복수 탄두부; 우주 버스《우주선의 주체에서 떨어져 나가 우주에서 자재 운반 따위를 함》. **5** 《미》 (식당 등에서) 식기를 나르는 왜건; 《미》 = BUSBOY. **6** 〚컴퓨터〛 버스《여러 장치 사이를 연결, 신호를 전송(傳送)하기 위한 공통로(共通路)》 (= ∠ **bár**). ***miss the*** **~** 버스를 놓치다; 《속어》 기회를 잃다. **—** (*p.*, *pp.* ***bus*(*s*)*ed*** [-t]; ***bús*(*s*)*ing***) *vi.* 버스에 타다〔로 가다〕; busboy 〔busgirl〕로서 일하다. **—** *vt.* 버스로 나르다〔통학시키다〕; 《미속어》 (식당 따위에서 식기를) 치우다. **~ *it*** 《구어》 버스로 가다.

bus. bushel(s); business.

bús·bòy *n.* 《미》 (식당) 웨이터의 조수《요리나르기·접시닦기 등 잡일을 거듦》.

bus·by [bʌ́zbi] *n.* 모피제(毛皮製)의 춤이 높은 모자《영국 기병·포병·공병의 정모》.

busby

bús·càr 《미속어》 *n.* 의외의 기쁨, 예상외로 좋은 것; 친우.

bús condùctor 버스 차장; 〚전자〛 모선(母線)(bus).

bús gìrl 《미》 웨이터의 여자 조수.

Bush [buʃ] *n.* 부시. **1 George** (**Herbert Walker**) **~** 미국의 제41대 대통령(1924-2018). **2 George W. ~** 미국의 제43대 대통령《1 의 아들; 1946- 》.

bush[1] [buʃ] *n.* **1** 관목(shrub). **2** 수풀, 덤불: A bird in the hand is worth two in the ~. 《속담》 잡은 새 한 마리는 숲속의 새 두 마리(의 가치가 있다). **3** (보통 the ~) (오스트레일리아·아프리카의) 미개간지, 총림지, 오지(奧地). **4** 담쟁이의 가지《옛날 술집의 간판》; 술집: Good wine needs no ~. 《속담》 술만 좋으면 간판은 필요 없다. **5** 더부룩한 털; 《미속어》 턱수염; 《미속어》 마리화나. **6** (the ~es) 《구어》 지방, 시골. **7** 《미구어》 낙제생 명부, 불량 학생 리스트. **8** 《미속어》 《특히》 매력적인 아가씨. **9** 《야구속어》 = BUSH LEAGUE. ***beat about*** 〔***around***〕 ***the* ~** ⇨ BEAT. ***go* ~** 《Austral.》 (도시를 떠나) 오지에 들어가다; 〖일반적〗 모습을 감추다, 없어지다; 난폭해지다. ***take to the* ~** 산적

이 되다; 삼림지로 도망가다. — *a.* 오지의, 시골의, 시골티 나는; 조잡한, 졸속주의의《목수 등》. — *vt.* **1** 덤불로 둘러싸다. **2**《미구어》녹초가 되게 하다. — *vi.* 무성하게 나다.
bush[2] *n.*【기계】=BUSHING. — *vt.* ~를 달다; 금속을 입히다.
bush. bushel(s); bushing(s).
búsh bèan《미》강낭콩.
búsh-bèating *n.*《미속어》철저한 수사〔탐색〕.
búsh bìtch *n.*《속어》못생긴 여자, 추한 여자.
búsh còat =BUSH JACKET.
búsh·cràft *n.*《주로 Austral.》미개지에서 살아가는 방법〔생활의 지혜〕.
bushed [buʃt] *a.* 덤불로 덮인;《구어》지쳐 버린.
bush·el**[1] [búʃəl] *n.* 부셸《약 36 리터, 약 2 말》; 1부셸들이의 그릇, 부셸 말; 대량. ***hide one***'s light*** 〔***candle***〕 ***under a*** ~【성서】등불을 켜서 그 것을 말 밑에 두다《마태복음 V: 15》; 자기의 선행〔재능〕을 감추다, 겸손하게 처신하다. ***measure*** someone***'s corn by*** one***'s own*** ~ 자기를 표준으로 하여 남을 헤아리다.
bush·el[2] (*-l-,*《영》*-ll-*) *vt., vi.* 옷을 고치다, (옷을) 수선하다. ㊕ **~·er,**《영》**~·ler** [-ər] *n.* 의복 수선하는 사람.
bu·shel·ful [búʃəlfùl] *n.* 1부셸의 양; 다량, 다수, 많음.
búsh·er《미속어》*n.* bush league의 선수; 초심자; 시골뜨기.
búsh·fighter *n.* 유격병.
búsh·fighting *n.* 게릴라전.
búsh·fire *n.* (끄기 힘든) 잡목림 지대의 산불.
búsh frùit 관목의 열매.
búsh·hàmmer *n.* 부시해머《돌 표면을 다듬는》.
búsh hàrrow 써레의 일종.
búsh hàt 부시햇《챙이 넓은 오스트레일리아군의 제모》.
búsh·hòg *vi.*《미남부·중부》그 땅의 나무나 숲을 없애버리다.
búsh hòok《미》(덤불을 베는) 칼·낫의 일종.
búsh·ing *n.* **1**【기계】축투(軸套), 베어링통, 끼움쇠테《구멍 안쪽에 끼워서 마멸을 방지하는》. **2**【전기】투관(套管).
búsh jàcket 부시 재킷《벨트가 달린 긴 셔츠풍의 재킷》.
búsh·lànd *n.* (grassland, woodland에 대하여) 관목림; 미개간지(bush).
búsh làwyer《Austral. 구어》(법적으로 아무 자격도 없는) 풋내기 변호사; 법률을 잘 아는 체하는〔의론을 좋아하는〕사람.
búsh lèague《미구어》**1** =MINOR LEAGUE. **2** 동네 야구 리그전.
búsh·lèague *a.*《미구어》2류의, 아마추어의, 세련되지 않은, 촌스러운, 센스 없는.
búsh lèaguer《미속어》minor league의 선수;《일반적》2류 선수〔연기자, 인물〕.
búsh lòt《Can.》삼림지.
búsh·man [-mən] (*pl.* ***-men*** [-mən]) *n.*《Austral.》총림(叢林) 지대의 주민〔여행자〕; (B-) (남아프리카의) 부시먼족〔말〕.
búsh·màster *n.* (라틴 아메리카의) 독사.
búsh paròle《미속어》탈옥(자).
búsh pìg (아프리카 남부의) 야생 돼지.
búsh pìlot (캐나다 북부 등지의) 총림 지대 정기 항로 비행사.
búsh·rànger *n.* 삼림〔총림〕주민, (오스트레일리아의) 산적《본디 탈옥수》.
búsh shìrt 부시 셔츠《bush jacket과 비슷함》.
búsh sìckness【수의】《Austral.·N. Zeal.》부시병(病), 미개간지병《토양 중의 코발트 부족으로 인한 동물의 질병》.
búsh tèlegraph (북·봉화 따위로 하는) 정글의 통신 수단;《주로 Austral.》소문〔정보〕(등의 빠른 전달) 정보망.
bush·veld [búʃvèlt, -fèlt] *n.* 총림 지대; 남아프리카의 저지대.
bush·wa(h) [búʃwɑː, -wɔː] *n.*《속어》말린 쇠똥; 시시한 일, 난센스;〘감탄사적〙시시해.
búsh·whàck *vt., vi.*《미》덤불을 베어 헤치다〔헤치고 나아가다〕; (게릴라병이) 기습하다; (손을 좌우로 흔들어) 제스처를 써 가면서 연설하다. ㊕ **~·er** *n.* 삼림지대의 여행에 익숙한 사람; 게릴라병《특히 남북전쟁 당시 남군의》; 낫의 일종. **~·ing** *n.* 삼림지대 여행; 게릴라전.
°**bushy** [búʃi] (***bush·i·er; -i·est***) *a.* 관목과 같은〔이 무성한〕; 털이 많은. — *n.*《Austral.》총림 지대〔오지〕의 주민;《Austral. 속어》시골뜨기, 무지렁이. ㊕ **búsh·i·ly** *ad.* **-i·ness** *n.*
búshy-tàiled *a.* (짐승이) 털이 복슬복슬한 꼬리를 가진.
***bus·i·ly** [bízəli] *ad.* **1** 분주하게, 틈이 없이, 눈코 뜰 새 없이. **2** 열심히, 부지런히.
†**busi·ness** [bíznis] *n.* Ⓤ **1** 실업; 상업, 장사, 거래, 매매: a man of ~ 실무가; 실업가. **2** 직업; 직무: a doctor's ~ 의업(醫業)/That's not in my line of ~. 그것은 내 분야가 아니다/Everybody's ~ is nobody's ~.《속담》공동책임은 무책임. SYN. ⇨ WORK. **3** 사무, 집무(執務), 영업: a place 〔house〕 of ~ 영업소, 사무소. **4** Ⓒ 사업, 점포, 상사: open 〔close〕 a ~ 개업〔폐점〕하다. **5** 용건, 일, 볼일, 관심사;〘반어적〙(관계〔간섭〕할) 권리: know one's own ~ 쓸데없는 간섭을 않다/It's none of your ~. 네가 알 바 아니다. **6** Ⓒ 사건, 일: She was exasperated by the whole ~. 그녀는 그 일 전반에 대하여 화내고 있었다. **7** 의사(議事)(일정): proceed to 〔take up〕 ~ 의사 일정에 들다. **8**【연극】몸짓, 연기. ***at*** ~ 집무중, 출근하여. ***be*** (***back***) ***in*** ~《구어》재개하다, 다시 형편이 좋아지다. ~ ***as usual*** 언제나처럼;〘게시〙평상시대로 영업합니다; (위기에 대한) 무관심. ***Business is*** ~***.*** 장사는 장사다, 계산은 계산이다; 일이 제일. ***come*** 〔***get down***〕 ***to*** ~ 일을 시작하다; (이야기의) 본론으로 들어가다. ***do*** a person***'s*** ~ 아무를 해치우다, 죽이다: That *did his* ~. 그것 때문에 그는 파멸하였다. ***do*** one***'s*** ~《완곡어》배변(排便)하다. ***do the*** ~《구어》필요한〔원하는〕일을 하다; 일을 해치우다; 적절히 행(行)하다. ***get the*** ~《미속어》혼나다, 살해되다. ***give ... the*** ~《속어》…에 최대한의 노력을 기울이다;《미속어》(아무를) 혼내주다, (아무를 몹시) 꾸짖다, 비난하다, 배반하다, 속이다, 죽이다. ***Go about your*** ~ ***!*** (남의 일에 참견 말고) 저리 꺼져. ***have no*** ~ ***to*** do …할 자격이〔권리가〕없다. ***like nobody's*** ~《구어》맹렬히, 몹시, 대단히; 술술, 훌륭히. ***make a great*** ~ ***of it*** 매우 귀찮아하다, 처치 곤란해하다. ***make it*** one***'s*** ~ ***to*** do …할 것을 떠맡다; 자진하여 …하다, 반드시 …하다. ***mean*** ~《구어》진정이다: I hope you *mean* ~. 농담은 아니지요. ***mind*** one***'s own*** ~ 남의 일에 상관 않다. ***on*** ~ 상용으로, 볼일이 있어: No admittance except *on* ~. 무용자 출입금지. ***send*** 〔***see***〕 a person ***about*** his ~ 아무를 쫓아 버리다〔해고하다〕. ***out of*** ~ 파산〔폐업〕하여, 은퇴하여. ***talk*** ~ 사업〔장사〕에 대한 이야기를 하다, 용건에 대해 말하다. ***That's not*** ~. 그것은 가외의 일이다.
búsiness administràtion 경영관리학, 기업관리론, 경영학.
búsiness àgent《영》대리점〔인〕;《미》(노동조합) 집행 위원.
búsiness àircraft 업무용 항공기.
Búsiness and Índustry Advísory Commìttee 경제 산업 자문 위원회《OECD 산하의 민간 기구; 생략: BIAC》.
búsiness càrd 업무용 명함.

búsiness clàss 비즈니스 클래스《여객기의 좌석 등급에서 first class와 economy class 사이의 중간 등급》.

búsiness còllege 《미》 (속기·타자·부기 따위를 가르치는) 실무〔실업〕 학교.

búsiness communicátion sỳstem 【컴퓨터】 상업용 통신 시스템.

búsiness cỳcle 《미》 경기 순환(《영》 trade cycle).

búsiness dìstrict (도시 계획 따위의) 상업지역.

búsiness èditor (신문·잡지의) 경제부장.

búsiness educàtion 직업〔실무〕 교육.

búsiness ènd 《구어》 (회사 따위의) 영업면; (the ~) 사용 부위《비의 끝, 구둣바닥의 창가죽, 칼의 날 따위》: the ~ of a tin tack 징의 끝.

búsiness Ènglish 상업 영어.

Búsiness Expánsion Schème 《영》 사업 확대 계획《소규모 신규사업에 드는 비용에 대한 세금의 특혜 제도》.

búsiness gàme 【컴퓨터】 비즈니스 게임《몇 가지 경영 모델을 놓고 의사 결정 훈련을 시키는 게임》.

búsiness hòurs 영업〔집무〕 시간.

búsiness lètter 상용〔업무용〕 편지; 업무용〔사무용〕 통신문.

◇**búsiness·lìke** *a.* 사무적〔능률적·실제적〕인, 민첩한; 본마음의, 의도적인.

búsiness lùnch 상담(商談)을 겸한 식사.

búsiness machìne 사무 기기《계산기 등》.

búsiness magazìne **1** 비즈니스지, 경제지. **2** = TRADE MAGAZINE.

****busi·ness·man** [bíznismæ̀n] (*pl.* **-men** [-mèn]) *n.* 실업가, 경영자, 상인; 사무가, 실무가: a good ~.

búsinessman's hóliday = BUSMAN'S HOLIDAY.

búsinessman's rísk (주식 등) 꽤 높은 위험률을 수반하는 투자.

búsiness òffice (회사·사업소 따위의) 사무소.

búsiness pàrk *n.* 오피스파크《보통 도시 교외에 있는 사무소 빌딩군(群); 공원, 주차장, 오락시설, 음식점 등이 병설되어 있음》(office park); 공업단지(industrial park).

búsiness·pèople *n.* 사업가.

búsiness·pèrson *n.* 《미》 실업가《남성·여성 같이 씀》.

búsiness replỳ càrd 〔**ènvelope**〕 (주소·성명이 인쇄되어 있는 요금 수취인 지불의) 상업용 반신 엽서〔봉투〕.

búsiness replỳ màil (성명이 인쇄된 요금 수취인 지불의) 상업용 반신 우편《business reply card 〔envelope〕를 씀》.

búsiness schòol 《미》 경영대학원; = BUSINESS COLLEGE.

búsiness sìze ènvelope 상업용 봉투(= **búsiness ènvelope**)《$9\,{}^1/_2 \times 4\,{}^1/_8$ 인치 크기》.

búsiness·spèak *n.* 상업 관계의 전문 용어, 상용어.

búsiness stùdies 경영 따위의 실무 훈련, 실무연수.

búsiness sùit 《미》 신사복(《영》 lounge suit).

búsiness·wòman (*pl.* **-wòmen**) *n.* 여류 실업가, 여성 사무가, 여성 상인.

bus·ing, bus·sing [bʌ́siŋ] *n.* 버스 수송; 《미》 (백인·흑인 학생을 융합하기 위한) 강제 버스 통학《아동을 거주 구역 밖의 학교로 보냄》.

busk [bʌsk] *n.* 코르셋의 가슴 부분을 버티는 살대《고래수염이나 강철제》.

búsk·er *n.* 《영》 뜨내기 악사〔배우〕.

bus·kin [bʌ́skin] *n.* (*pl.*) 반장화; (*pl.*) (옛 그리스·로마의 비극 배우의) 편상(編上) 반장화; (the ~) 비극. ***put on the ~s*** 비극을 쓰다〔연출하다〕. ㊞ **~ed** *a.* (편상) 반장화를 신은; 비극의; (어조 따위가) 품위 있는, 고상한.

bús làne 버스 전용 차로.

bús lìne 버스 노선; 버스 회사.

bús·lòad *n.* 버스에 가득 탄 승객; 버스 최대 수용량〔능력〕.

bús·man [-mən] (*pl.* **-men** [-mən]) *n.* 버스 운전사.

búsman's hóliday 《구어》 평상 근무일처럼 보내는 휴가〔휴일〕, 이름뿐인 휴가.

bús pàss 버스패스《어린이·노인 등을 위한 버스 무료 승차권》.

bús rìde 버스에 타는 것〔일〕; 《속어》 5〔10〕센트 짜리동전 팁(을 받고 고맙습니다).

buss[1] [bʌs] *n., vt., vi.* 《고어·방언》 키스(하다).

buss[2] *n.* 쌍돛대 어선; 짐배.

búss·bàr *n.* 【전기】 모선(母線).

bús sèrvice (특정 지역의) 버스 운행.

bus·ses [bʌ́siz] 《미》 BUS의 복수(buses).

bús shèlter 《영》 지붕 있는 버스 대기소, 버스 정류장의 비 긋는 곳.

bussing ⇨ BUSING.

bús stàtion 버스 터미널, 버스 발착장.

bús stòp 버스 정류장.

bus·sy [bʌ́si] *n.* 《속어》 버스 운전사.

◇**bust**[1] [bʌst] *n.* **1** 흉상, 반신상. **2** 상반신; (여성의) 앞가슴, 버스트(의 치수), 흉위.

bust[2] (*p., pp.* **~·ed, ~**) *vt.* **1** 《구어》 파열시키다; 파산〔파멸〕시키다. **2** (물건을) 부수다, 못쓰게 만들다; (다리 등을) 부러뜨리다: ~ one's leg. **3** 《미구어》 때리다, (야생마 등을) 길들이다. **4** (트러스트를) 작은 회사로 나누다. **5** 《~+目/+目+前+名》 (장교·부사관 등을) 강등시키다: be *~ed to* private 병졸로 강등되다. **6** 《~+目/+目+前+名》 체포하다; (범행 장소를) 급습하다; 가택을 수색하다: I thought he was immune from getting *~ed*. 그는 체포를 당할 염려가 없다고 나는 생각했다. **—** *vi.* 《~/+副》 **1** 파열하다; 부서지다: Her watch soon *~ed*. 그녀의 시계는 금방 부서져 버렸다. **2** 파산하다: The company *~ed up*. 그 회사는 망했다. **~ *a gut*** = **~** one***'s ass*** ⇨ GUT. **~ *out*** 《*vi.*+副》 《미》 ① 빨리 꽃이 피다〔잎이 나다〕. ② 《속어》 탈주〔탈옥〕하다. ③ = BURST out ③. ④ 낙제〔퇴학〕하다. **—** 《*vt.*+副》 ⑤ (사관·학생을) 강등〔퇴학〕시키다. **~ *up*** 《*vi.*+副》 《속어》 ① 상처입다: He got *~ed up* in the accident. 그는 사고로 상처를 입었다. ② (부부·친구 등이) 헤어지다. ③ 파열〔파산〕하다. **—** 《*vt.*+副》 ④ (물건을) 부수다, 못쓰게 만들다.

— *n.* **1** 파열; (타이어의) 펑크. **2** 실패, 파산, 불황: boom and ~ 번영과 불황. **3** 《미속어》 낙제〔제적〕 통지, 강등 명령; 《속어》 체포; 《속어》 (경찰의) 습격; 《미속어》 후려침. **4** 마시며 흥청망청 떠듦: have a ~ = go on the ~ 술마시며 법석떨다. **5** 《구어》 쓸모 없는 사람〔물건〕, 패배자.

— *a.* 《영구어》 **1** 깨진, 망그러진. **2** 파산〔파멸〕한: go ~ (회사 따위가) 파산하다. [◂burst] ㊞ **∠·a·ble** *a.* 망가지기 쉬운, 부서질 것 같은. **∠·ed** [-id] *a.* 《구어》 파산〔파멸〕된; 강등된.

bus·tard [bʌ́stərd] *n.* 【조류】 능에.

búst·er *n.* 파괴하는 사람〔물건〕; = TRUSTBUSTER; 《구어》 거대한 것, 굉장한 것; = BLOCKBUSTER; 거한(巨漢); 튼튼한 아이; 《속어》 (술 먹은 뒤의) 법석; 《미》 = BRONCOBUSTER; (B-) 《구어》 이봐, 얘야《다소의 경멸 또는 친근감을 나타냄》; 강풍. ***come a* ~** = come a CROPPER.

búst·hèad *n.* 《미속어》 싸구려 술; 주정뱅이.

bus·tier [buːstjéi] *n.* 《F.》 【복식】 뷔스티에《(1) 웨이스트까지의 어깨끈 없는 브래지어. (2) (1)의 모양 비슷한 윗도리》.

***bus·tle**[1] [bʌ́səl] *vi.* **1** 《~/+副》 크게 소동피우다; 떠들며 다니다; 부산떨다《*about; around*》:

~ *about* cooking breakfast 아침을 짓느라고 부산하다. **2** 《+[전]+[명]》 (거리 따위가) 붐비다, 북적거리다《*with*》: The street was *bustling with* Christmas shoppers. 거리는 크리스마스 쇼핑객들로 몹시 붐볐다. **—** *vt.* 《+[목]+[부]》 부산떨게 하다, 재촉하다《*off*》: He ~*d* the maid *off* on an errand. 그는 하녀를 재촉하여 심부름 보냈다. **~ *up*** 떠들어대다, 서두르다, 부지런히 일하다. **—** *n.* 큰 소동, 혼잡: be in a ~ 분잡하다, 크게 떠들고 있다. [파] **~r** *n.*
bus·tle² *n.* 버슬, 허리받이《스커트의 뒤를 부풀게 하기 위해 허리에 대는》.

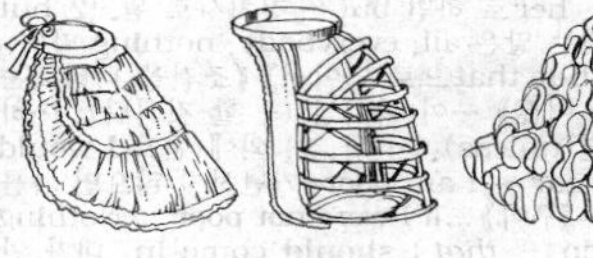
bustle²

búst·lìne *n.* 버스트라인. **1** 여성의 가슴〔흉부〕 윤곽, 가슴의 곡선. **2** 〖복식〗 옷의 가슴 부위.
bus·tling [bʌ́sliŋ] *a.* 바쁜 듯한; 분잡한. **—** *n.* 바쁨, 부산함. [파] **~·ly** *ad.*
bús·tòp *n.* 버스의 2층석.
bús topòlogy 〖컴퓨터〗 버스 토폴로지〔위상〕《네트워크를 구성하는 장치(node)의 접속 방식의 한 가지. 양끝이 종단된 한 가닥의 간선에 각 장치를 접속하는 방식》.
búst-òut 《미속어》 *n.* 사기 도박에서 빈털터리가 됨; 《속어》 파산, (회사를 빼앗아, 많은 상품을 외상 매입 후 곧 팔아버리고 파산 선고를 하는) 신용 사기에 의한 도산. **—** *vi., vt.* 사기 도박으로 빈털터리가 되다〔되게 하다〕.
búst-ùp *n.* **1** 《구어》 파열, 폭발; 파산. **2** 《미속어》 싸움. **3** 《미속어》 파탄, 이별, 이혼; 난잡한 파티(spree).
busty [bʌ́sti] *a.* (여자가) 가슴이 풍만한.
bu·sul·fan [bju:sʌ́lfən] *n.* 〖약학〗 부설판《골수성(骨髓性) 백혈병 치료에 씀》.
bús·wày *n.* 버스 전용 도로〔차로〕.
†**busy** [bízi] (***bus·i·er*** [bíziər]; ***-i·est*** [bíziist]) *a.* **1** (사람·생활이) 바쁜, 분주(奔走)한, 틈이 없는《*at; over; with*》: I was ~ *with* 〔*over*〕 my accounts. 나는 돈을 셈하느라 바빴다 / keep oneself ~ 바쁘게 돌아다니다. **2** (사람·두뇌가) 부지런히 일하는, 활동적인. **3** 참견하기 잘하는《*in*》: She's always ~ *in* other people's affairs. 그녀는 언제나 남의 일에 참견하느라 바쁘다. **4** 사람들의 왕래가 잦은, 교통이 빈번한, 번화한. **5** 《미》 (전화선이) 통화 중인; (방 따위를) 사용 중인: Line is ~. 통화 중입니다(《영》 (The) number's engaged.). **6** 번화한; (무늬가) 복잡한, 차분하지 않은. ***be* ~ *doing*** …하기에 바쁘다. ***get* ~** 《미》 일에 착수하다.
— (*p., pp.* ***bus·ied;* ~·*ing***) *vt.* **1** 《+[목]+[전]+[명]》 〘~ oneself〙 바쁘게 하다〔일하다〕《*with; about; at*》: She *busied* her*self with* household chores in the morning. 그녀는 자질구레한 집안일로 오전중은 바삐 보냈다. **2** 《+[목]+(*in*) *-ing*》 〘~ oneself〙 (…하느라고) 바쁘다, 부지런히 (…하고) 있다: I *busied* my*self* (*in*) tidying my apartment. 나는 아파트를 말끔히 치우느라 바빴다.
— *n.* 《속어》 형사, 탐정.
búsy bée 대단한 일꾼.
búsy·bòdy *n.* 참견하기 좋아하는 사람, 중뿔난 「사람.
búsy-bùsy *n.* 바쁨, 번잡함.

búsy·ness *n.* [U] 다망(多忙), 분주함; 참견하기 좋아함; 번거로움. ≠business.
búsy sìgnal 〖전화〗 '통화중'의 신호.
búsy·wòrk *n.* (학교에서) 시간을 보내기 위해 시키는 학습 활동.
†**but**¹ ⇨《p. 356》 BUT¹.
but² [bʌt] *n., ad.* 《Sc.》 (방이 둘 있는 집의) 바깥방(에); 부엌(에). **~ *and ben*** [bʌ́təndbén] ① 바깥방과 안방; 집. ② 바깥방과 안방에; 왔다 갔다; 양 끝에: be ~ *and ben* with …와 친밀하게 지내다〔살다〕.
bu·ta·caine [bjú:təkèin] *n.* 〖약학〗 부타카인《황산염으로서 눈과 귀의 국소 마취제로 쓰임》.
bu·ta·di·ene [bjù:tədáii:n, -daií:n] *n.* [U] 〖화학〗 부타디엔《합성 고무 제조에 쓰이는 무색의 탄화수소 가스》.
bu·tane [bjú:tein, -ˊ] *n.* [U] 〖화학〗 부탄《가연성 가스상(狀)의 탄화수소; 연료용》.
bu·ta·nó·ic ácid [bjù:tənóuik-] 〖화학〗 = BUTYRIC ACID. 「=BUTYL ALCOHOL.
bu·ta·nol [bjú:tənɔ̀:l, -nàl/-nɔ̀l] *n.* 〖화학〗
Bu·ta·zol·i·din [bjù:təzálidin/-zɔ́l-] *n.* 부타졸리딘(phenylbutazone의 상표명). 「기.
bút-bòy *n.* 《속어》 반대만 하는 녀석, 심술꾸러
butch [butʃ] *n.* 《미속어》 (여성 동성 연애에서) 남성역([OPP] *femme*); 《속어》 난폭한 사내, 만만치 않은 사내〔여자〕; (열차·경기장 내의) 판매원; 실패, 실수; 《미》 (남자의) 상고 머리, (여자의) 단발(=~ **hàircut**). **—** *a.* 난폭한《남자》; 《속어》 (여성 동성애의) 사내역의; 《속어》 (여성이) 사내다운. **—** *vt.* 《미속어》 엉망으로 만들다, 못쓰게 만들다, 망쳐놓다.
butch·er** [bútʃər] *n.* **1** 푸주한, 고깃간〔정육점〕 주인. **2** 도살업자; 《비유》 학살자; 함부로 사람을 죽이는 장교〔재판관〕; 《속어》 서투른 외과 의사. **3** 《미》 (열차·관람석에서의) 판매원. **4** 권투 선수. ***the* ~, *the baker, the candlestick maker 가지각색의 상인들. **—** *vt.* **1** (가축 따위를 식용으로) 도살하다. **2** 학살하다(massacre); 사형에 처하다, (병사를) 사지(死地)로 보내다. **3** 《비유》 (일 등을) 망쳐 놓다. **4** 혹평하다. [파] **~·er** *n.*
bútcher·bìrd *n.* 《구어》 〖조류〗 때까치 (shrike) 《속칭》. 「《테이블 따위》.
bútcher-blòck *a.* 쪽매붙임의, 나무쪽 세공의
bútcher knìfe (고깃간의) 고기 써는 큰 칼.
bútch·er·ly *a.* 도살자 같은; 《비유》 잔인한.
bútch·er's *n.* 고깃간, 푸줏간, 정육점; 《운율속어》 = BUTCHER'S HOOK.
bútcher's bíll 푸주의 계산서; 《비유》 전사자〔조난 사망자〕 명부.
bútcher's-bròom *n.* 〖식물〗 참나릿과의 일종.
bútcher's hòok 《운율속어》 일별(一瞥), 한번 봄: have 〔take〕 a ~.
bútcher shòp 고깃간; 《미속어》 병원.
bútcher('s) mèat 식(용)육《닭고기·베이컨 따위는 제외》.
bútcher wàgon 《미속어》 구급차.
butch·ery [bútʃəri] *n.* 도살장; 푸주; 도살(업); 학살, 살생.
Bute [bju:t] *n.* (종종 B-) = BUTAZOLIDIN.
bu·tene [bjú:ti:n] *n.* 〖화학〗 = BUTYLENE.
bu·teo [bjú:tiòu] (*pl.* **~s**) *n.* 〖조류〗 말똥가리.
◇**but·ler** [bʌ́tlər] *n.* 집사, 피용자(被傭者) 우두머리《식기류(類)·술창고를 관리》; 〖영국사〗 궁내성 주류 관리자. **—** *vi.* ~ 노릇을 하다.
bútler's pàntry (부엌과 식당 사이의) 식기실.
Buts·kell [bʌ́tskəl] *a.* 대립 정당이 서로 같은 정책을 지지하는, 오월동주(吳越同舟)의.
Buts·kel·lism [bʌ́tskəlìzəm] *n.* 〖영정치〗 대

but¹

and와 상대되고, or와는 또 다른 뜻으로 상대를 이루는 중요한 등위(等位)접속사로서 '…이지만, 그러나, …이 아니라'의 뜻을 나타내며, 그 밖에 종속(從屬)접속사 및 전치사로서도 여러 가지 용법이 있는 중요 기능어이다. but과 비슷한 기능을 지닌 몇 개의 말 가운데, 특히 구문상 주의해야 할 것으로 though가 있다. 후자는 보통 용법에서는 종속접속사이기 때문에 접속되는 방식이 거꾸로 된다. 즉 A, B가 절일 때 A but B는 'A 하지만 B 한다'가 되고, A though B는 'B 하지만 A 한다'가 된다.

but [bʌt, 약 bət] *conj.* **A** ≪등위접속사≫ **1 a** 〖앞의 문장·어구와 반대 또는 대조의 뜻을 갖는 대등 관계의 문장·어구를 이끎〗 그러나, 하지만, 그렇지만: a young ~ wise man (나이는) 어리지만 현명한 사람/He is poor ~ cheerful. 그는 가난하지만 명랑하다. **b** 《(it is) true, of course, indeed, may 따위를 지닌 절의 뒤에 와서 양보를 나타내어》 (하긴) …하지만: True, he is young, ~ he is well read. 확실히 그는 젊지만 대단히 박학하다/You *may* not believe it, ~ that's true. 그것을 믿지 않을는지 모르겠으나 사실이다.

> SYN. **but** 두 가지 진술을 대등하게 놓고 분명하게 대조·반대를 나타냄. **however** but보다 뜻이 약하고 에둘러하는 형식차린 말. **still** 제1의 진술을 인정하면서 제2의 진술이 그 영향을 받지 않음을 나타냄. **yet** 전술한 것에 대하여 양보할 점은 있으나 전면적으로는 인정할 수 없음을 나타냄.

2 〖앞에 부정어가 있을 때〗 **a** …하지는 않지만 (그러나): He is *not* young, ~ he is very strong. 그는 젊지는 않지만 몹시 튼튼하다/This is *not* much, ~ I hope you will like it. 변변치 못한 것입니다만 마음에 드시면 다행이겠습니다. **b** …이 아니고〔아니라〕《이 때에는 '그러나'로 하지 말 것》: She did*n't* come to help ~ to hinder us. 그 여자는 우리를 도우러 왔다기보다는 훼방놓으러 온거나 같다/He is *not* my friend ~ my brother's. 그는 내 친구가 아니라 형〔동생〕의 친구다/*Not that* I hate reading, ~ *that* I have no time. 독서가 싫다는 것이 아니라 시간이 없다는 것이다/He is well-known *not* only in Korea, ~ all over the world. 그는 한국내에서만 아니라 세계적으로 유명하다.

3 〖감탄사·감동 표현 등의 뒤에 와서〗 《반대·항의·의외 등의 뜻을 나타내지만 거의 무의미하게 쓰임》: Whew! *But* I am tired. 아이구 지쳤다/Oh, ~ it's awful! 어이구 무서워라/My, ~ you're nice. 우아 참 멋져요/Good heavens, ~ she's beautiful! 야아 그 여자 참 예쁜데/Excuse me, ~ your coat is dusty. 실례지만 선생 상의에 먼지가 묻었소/Sorry, ~ you must have the wrong number. (전화에서) 안 됐습니다만 번호를 잘못 거신 것 같군요.

4 〖문두에서〗 **a** 〖이의·불만 따위를 나타내어〗 하지만: I'll tip you 10 pence. — *But* that's not enough. 팁으로 10펜스를 주지 — 하지만 그걸론 충분치가 않습니다. **b** 〖놀라움·의외의 기분을 나타내어〗 아니, 그거야: He has succeeded! — *But* that's great! 그 사람이 성공했다네 — 그것 참 굉장하군.

5 《구어》 〖이유〗 …하므로, …해서, …하여서(because): I'm sorry I was late, ~ there's been a lot of work to do. 늦어서 미안합니다, 할 일이 많이 있었거든요.

B ≪종속접속사≫ 〖부사적 종속절을 이끌어〗 **1** …을 제외하고는〔빼놓고는〕, …외에는: Nobody came ~ I (came). 나를 빼놓고는 아무도 안 왔다/Nobody ~ she knew it. 그녀 이외엔 아무도 그것을 아는 자가 없었다. ★ (1) 용례중의 I, she를 각각 me, her로 하면 but은 전치사로 됨. (2) but에 선행되는 말은 all, everybody, nothing 따위.

2 〖종종 but that으로 되어서〗 《조건을 나타내는 부사절을 이끎》 …이 아니면 (— 할 것이다), …하지 않으면(unless), …(한 것) 외에(는): I would buy the car ~ I am poor. 가난하지 않으면 차를 살 텐데(=《구어》 ...if I were not poor.)/Nothing would do ~ *that* I should come in. 내가 안에 들어가지 않으면 도저히 수습이 안 되겠네.

3 〖주절이 부정문일 때〗 **a** …않고는(— 안 하다)(*without* doing), …하기만 하면 반드시(— 하다): It *never* rains ~ it pours. 비가 오기만 하면 반드시 억수같이 퍼붓는다; 《속담》 재난은 반드시 한꺼번에 덮친다/I *never* pass there ~ I think of you. 나는 그 곳을 지나갈 때면 늘 자네를 생각하네(=without thinking of you)/*Scarcely* a day passed ~ I met her. 그녀를 만나지 않는 날은 거의 하루도 없었다《Hardly a day passed *without* my meeting her.가 보다 일반적》. **b** 〖정도·성질을 나타내는 so, such와 같은 말을 수반하여〗 …않을〔못 할〕 만큼 (that ... not): *No* man is *so* old ~ (that) he may learn. 배울 수 없을 정도로 나이 든 사람은 없다, 아무리 나이가 많더라도 배울 수 있다(=so old that he may not learn., 《구어》 No man is too old to learn.)/He is *not such* a fool ~ he knows it. 그것을 모를 정도로 바보는 아니다(=that he *does not* know it).

4 〖명사절을 이끌어서〗 **a** 〖주절에 doubt, deny, hinder, impossible, question, wonder 등 부정적인 뜻이 부정되어 있을 때〗 《but은 명사절을 이끌며 but that, 때로는 but what의 형태를 취하는데 뜻은 that과 같음》 …하다는〔이라는〕 것(that): I do *not deny* ~ (that) he is diligent. 그가 부지런하다는 것은 부정하지 않는다/*Nothing* will *hinder* ~ (that) I will accomplish my purpose. 어떠한 것도 내가 목적을 달성하는 것을 방해할 순 없을 것이다. **b** 〖흔히 believe, expect, fear, know, say, think, be sure 따위의 부정문·의문문 뒤에 쓰이어〗 《but 대신에 but that, but what을 쓸 때도 있는데 오늘날에는 that이 보통》 …이 아닌〔아니란〕 (것을), …않(는)다는(것을)(that ... not): *Never fear* ~ I will go. 꼭 갈 테니 걱정 마라/I do*n't know* 〔*I am not sure*〕 ~ it is all true. 아마 그것은 사실일 것이다/Who *knows* ~ *that* everything will come out all right? 만사가 잘 될지도 모른다《문어적·수사적 표현》.

— *ad.* **1** 단지, 다만, 그저 …일 뿐(only); …에 지나지 않는: He is ~ a child. 그는 그저 어린애에 불과하다/I spoke ~ in jest. 그저 농담으로 말했을 뿐이다/Life is ~ an empty dream. 인생은 허무한 꿈에 불과하다.

2 그저 …만이라도, 적어도: If I had ~ known! 그저 알기만이라도 했으면/If I could ~ see him! 그저 그 사람을 만나보기라도 했으면.

3 《미구어》 〖부사를 강조해서〗 아주, 절대로, 단연(absolutely); 그것도: Go there ~ now! 그 곳으로 가거라, 그것도 바로 지금/Oh, ~ of course. 아 물론이지요.

— *prep.* **1** 〘보통 no one, nobody, none, nothing, anything, all, every one, who 따위 의문의 뒤에 와서〙 …외엔〔외의〕, …을 제외하고〔제외한〕(except): There was *no one* left ~ me. 남은 것은 나뿐이었다 / I never wanted to be *anything* ~ a writer. 오직 작가가 되고 싶었다 / He is *nothing* ~ a student. 그는 학생에 지나지 않는다《nothing but = only》/ *Nothing* remains ~ to die. 죽음 외에는 길이 없다.
2 〔the first 〔next, last〕 ~ one 〔two, three〕의 형태로〕《영》 첫째〔다음, 마지막〕에서 두〔세, 네〕 번째의: the last house ~ one 〔two〕 끝에서 두〔세〕 번째의 집. SYN. ⇨ EXCEPT.
— *rel. pron.* 〘부정문 속의 말을 선행사로 하여〙《that 〔who〕... not의 뜻을 나타내며 접속사의 경우와 마찬가지로 but that, but what이 사용될 때도 있음》 …하지 않는 (바의): There is no rule ~ has some exceptions. 예외 없는 규칙은 없다(= *that* does *not* have) / There are few men ~ would risk all for such a prize. 그러한 목적을 위해서라면 모든 것을 내걸지 않을 사람이란 없다(= *who* would *not* risk).
all* ~** ① …을 빼놓고는 전부. ② 거의(almost, very nearly): He is *all* ~ dead. 그는 (거의) 죽은 것이나 다름없다. ***anything* ~** ⇨ ANYTHING. **~ *for ① 〘가정법〙 …가 아니라면〔없으면〕(if it were not for), …가 없었더라면〔아니었더라면〕(if it had not been for): I couldn't do it ~ *for* her help. 그녀 도움이 없으면 그건 못 할 게다. ② 〘직설법〙 …을 별도로 하면: The words 'dog' and 'fog' are spelled alike ~ *for* one letter. dog와 fog란 말은 한 자를 제외하면 스펠링이 같다. **~ *good*** 《미구어》 비참히, 아주, 완전히: We were defeated, ~ *good*. 완패였다. **~ *then*** ⇨ THEN. ***cannot* ~ do** = cannot HELP but do. ***not* ~ *that* 〔*what*〕...** … 않는다〔아니라〕는 것은 아니다〔아니지만〕: I can't come, *not* ~ *that* I'd like to. 찾아뵙기가 싫다는 건 아닙니다만, 찾아뵐 수가 없습니다《지금은 I can't come, not that I wouldn't like to.가 일반적임》. ***ten to one* ~...** 틀림없이, 확실히: *Ten to one* ~ it was you. 확실히 그건 자네였네.
— *n.* 예외, 반대, 이의(異議): No ~*s* about it. 두말 말고 해 주게 / IFs and ~*s*.
— *vt.* '그러나' 라고 말하다. ***But me no ~s.* = *Not so many ~s, please.*** '그러나, 그러나' 라고만 말하지 말게《But는 임시 동사, ~s는 임시 명사의 용법》.

립 정당이 같은 정책을 내세운 상황.

°**butt**[1] [bʌt] *n.* **1** (무기·도구 따위의) 굵은 쪽의 끝; (총의) 개머리; 나무의 밑동, 그루터기; 잎자루의 아랫 부분. **2** 《미》 피다 남은 담배, 담배 꽁초(cigar 〔cigarette〕 ~). **3** (구둣바닥의) 두꺼운 가죽. **4** (*pl.*) 《구어》 궁둥이(buttocks). **5** 《속어》 = CIGARETTE. **6** 《미속어》 짧은 기간; (병역·징역의) 마지막 해. ***bust* one's ~** 《속어》 힘껏〔최대한으로〕 노력하다. **—** *vt.* (통나무)의 끝을 (네모지게) 자르다; (담배를) 비벼 끄다.

butt[2] *n.* **1** (보통 *pl.*) (활터의) 무겁; (*pl.*) 표적, 과녁; (*pl.*) 사적장(射的場), 사격장. **2** 목적, 목표; (조소·비평 등의) 대상, 희롱가마리: make a person the ~ *of* contempt 아무를 모멸의 대상으로 삼다. **3** 돌쩌귀의 일종. **—** *vi., vt.* 끝을 접하다, 인접하다《*on; to*》; …의 끝에 접하다; (두 끝을) 접합하다; 기대다《*on; against*》.

butt[3] *vt.* **1** 《~+목/+목+전+명》 (머리·뿔 따위로) 받다〔밀치다〕: ~ a person *in* the stomach 아무의 배를 들이받다. **2** 부딪치다. **—** *vi.* **1** 《+전+명》 (…에 머리를) 부딪치다, (정면에서) 충돌하다《*against; into*》: In the dark I ~*ed into* a man 〔*against* the fence〕. 어둠 속에서 머리를 사람〔담〕에 부딪쳤다. **2** 돌출하다《*on; against*》. **~ *in*** 《구어》 말참견하다; 간섭〔방해〕하다. **~ *into*** 《구어》 말참견하다. **~ *out*** 《속어》 말참견을 그만두다. **—** *n.* 머리로 받음; 〘펜싱〙 찌르기. **—** *ad.* 머리로 받아; 대단한 기세로.

butt[4] *n.* 큰 술통; 한 통《용적 단위; 영국에선 108-140, 미국에선 126갤런》. cf. hogshead.

butte [bjuːt] *n.* 《미서부·Can.》 뷰트《평원의 고립된 언덕〔산〕》.

butte

bútt ènd 굵은 쪽의 끝; 개머리판; (나무의) 그루터기; 남은 부분〔조각〕; 말뚝 머리.

bútt-ènd *vi.* 〘아이스하키〙 스틱의 손잡이 끝으로 상대를 찌르다.

†**but·ter**[1] [bʌ́tər] *n.* Ⓤ **1** 버터; 버터 비슷한 것: ⇨ APPLE BUTTER. **2** 버터 모양의 것: ~ *of* zinc 〔tin〕 염화아연〔주석〕. **3** 《구어》 아첨. ***lay on the* ~ = *spread the* ~ *thick*** 알랑거리다. (***look as if***) **~ *would not melt in* one's *mouth*** 《구어》 시치미를 떼고 있다, 태연하다. **—** *vt.* **1** …에 버터를 바르다〔로 맛을 내다〕. **2** 《구어》 …에게 아첨하다《*up*》: *Butter* him *up* a bit. 그에게 조금 아첨해 보렴. **3** …위에 온통 칠하다《*with*》. **~ *both sides of bread*** 쓸데 없는 낭비를 하다. ***know which side* one's *bread is* ~*ed on*** ⇨ BREAD.

but·ter[2] *n.* 머리〔뿔〕로 받는 짐승; 미는 사람.

bútter-and-éggs [-ənd-] *n.* 〘단·복수 동형〙〘식물〙 해란초의 무리.

bútter·bàll *n.* **1** 〘조류〙 = BUFFLEHEAD. **2** 《구어》 통통하게 살찐 사람〔처녀〕.

bútter bèan 〘식물〙 라이머콩(limabean); 강낭콩 (kidney bean).

bútter bòat 작은 배 모양의 소스 그릇. cf. sauceboat.

bútter bòy 《영속어》 신참〔풋내기〕 택시 기사.

bútter·bùr *n.* 〘식물〙 머위.

bútter chìp 각자 앞의 버터 접시.

bútter còoler (탁상용) 버터 냉장 용기.

bútter·crèam *n.* 버터크림.

°**bútter·cùp** *n.* 〘식물〙 미나리아재비; 《미속어》 악의 없는 귀여운 아가씨; 《속어》 여자역의 호모.

bútter dìsh (식탁용) 버터 접시.

búttered *a.* 버터를 바른, 버터가 딸린. 「분》.

bútter·fàt *n.* 유지방(乳脂肪)《버터의 주요 성

bútter·fìngered *a.* 〘크리켓〙 공을 잘 떨어뜨리는; 물건을 잘 떨어뜨리는; 서투른, 솜씨 없는, 부주의한.

bútter·fìngers *n. pl.* 〘단수취급〙 공〔물건〕을 잘 떨어뜨리는 사람; 서투른 사람.

bútter·fìsh *n.* 미끈거리는 물고기《미꾸라지 따위》.

but·ter·fly** [bʌ́tərflài] *n.* **1** 〘곤충〙 나비. **2** 멋쟁이; 바람둥이; 변덕쟁이, 《특히》 바람기 있는 여자; 바보. **3** (보통 *pl.*) 《구어》 안달, 초조. **4** = BUTTERFLY STROKE. ***break a* ~ *on a* 〔*the*〕 *wheel ⇨ WHEEL *n.* ***butterflies dance in* one's *stomach* = *have butterflies in the stomach*** 《구어》 (걱정으로) 속이 조마조마하다, (가슴이) 두근두근하다. **—** *vi., vt.* 팔랑팔랑 날아다니다; 나비꼴로 펴다〔벌어지다〕. 「ball).

bútterfly bàll 《야구속어》 너클볼(knuckle-

bútterfly bòmb 〘군사〙 버터플라이 폭탄《나비

같은 두개의 날개가 회전하면서 천천히 낙하하는 소형의 대인(對人) 살상무기). 「운 의자.
bútterfly chàir 쇠파이프의 프레임에 천을 씌
bútterfly dìagram 〖천문〗 버터플라이 다이어그램, 나비꼴 도형(11년 주기의 태양 흑점의 위도분포의 변화를 도시한 것).
bútterfly fìsh 열대어의 일종.
bútterfly kìss 《속어》 윙크를 보낸 다음, 눈썹으로 상대의 얼굴을 문지르는 것. 「마음.
bútterfly mìnd 정신집중이 안되는 상태, 들뜬
bútterfly nèt 포충망(捕蟲網).
bútterfly nùt 〔**screw**〕 (손으로 죄는) 나비꼴 나사, 집게 나사.
bútterfly stróke 〖수영〗 접영(蝶泳), 버터플라이(butterfly).
bútterfly tàble 접는 옆판이 달린 테이블.
bútterfly vàlve 〖기계〗 나비꼴 밸브.
bútterfly wèed 인주솜풀속(屬)의 식물.
bútterfly wíndow (자동차의) 삼각창.
bútter·hèad *n.* 《미흑인속어》 (흑인의) 체면깎기, 망신; 《미속어》 얼간이.
but·ter·ine [bʌ́təriːn, -rin] *n.* [U] 인조 버터.
bút·ter·ing [-riŋ] *n.* (벽돌 쌓기 전에) 벽돌 수직면에 모르타르를 칠하기; 《구어》 (한 마디) 아
but·ter·is [bʌ́təris] *n.* 말굽 깎는 기구. 「첨.
bútter knìfe 버터나이프(버터 접시에서 버터를 덜어 내는); =BUTTER SPREADER.
bútter·mìlk *n.* 버터밀크(버터 채취 후의 우유; 우유를 발효시켜 만든 식품).
bútter mùslin 《영》 =CHEESECLOTH.
bútter·nùt *n.* 〖식물〗 호두(나무)의 일종; 버터너트(Guyana산의 나무); 엷은 갈색; (*pl.*) 홈스펀의 갈색 바지; 〖미국사〗 (남북 전쟁 때의) 남군 병사(입었던 옷에서).
bútternut squásh 버터너트 호박: **1** 표주박 모양의 겨울 호박의 일종(표면은 황색, 과육은 오렌지색·맛이 담). **2** 버터너트.
bútter pàt **1** 한 사람분의 버터 조각(구형 또는 그밖의 여러 장식적인 모양으로 굳힌 식탁용의 버터); **2** =BUTTER CHIP.
bútter prìnt 버터 프린트(버터에 무늬를 찍기 위한 나무판; 버터에 찍은 무늬).
bútter sàuce 버터 소스(버터를 녹여, 레몬·달걀 노른자·밀가루 따위를 섞은 소스).
bútter·scòtch *n.* 버터를 넣은 캔디, 버터볼; 그 맛을 낸 시럽; 갈색.
bútter sprèader 버터 바르는 나이프.
bútter trèe 버터나무(씨에서 버터 같은 기름이
bútter·wòrt *n.* 〖식물〗 벌레잡이제비꽃. 「남).
but·tery[1] [bʌ́təri] *a.* 버터와 같은, 버터를 바른; 《구어》 알랑거리는.
but·tery[2] *n.* 식료품〔술〕 저장실; 《영대학》 학생에게 맥주·빵·과일 등을 파는 방. 「창구.
búttery hátch buttery²에서 음식을 내보내는
bútt·fuck bùddy 《비어》 =ASSHOLE BUDDY.
bútt-fùcking *n.* 《속어》 항문 성교.
bútt hìnge 경첩.
butt·in·sky, -ski [bʌtínski] *n.* 《미속어》 오지랖 넓은 사람; 주제넘은 사람.
bútt jòint 〖건축〗 맞대이음(겹치지 않고 단지 두 기둥머리를 맞대어 잇는 접합법).
bútt·lègging *n.* 《미》 (탈세의) 담배 밀매. [파] **-lègger** *n.*
but·tock [bʌ́tək] *n.* 궁둥이의 한쪽 살; (*pl.*) 궁둥이; (보통 *pl.*) 〖선박〗 고물; 〖레슬링〗 허리치기. **—** *vt.* 허리치기〔업어치기〕로 던지다.
‡but·ton [bʌ́tn] *n.* **1** 단추; 《미》 커프스 버튼. **2** 단추 모양의 물건; (벨 따위의) 누름 단추; 배지(badge), 《미속어》 경찰관의 배지; 〖펜싱〗 칼 끝에 대는 가죽; (시계의) 용두. **3** (*pl.*) 〔단수취급〕 《영》 (호텔·배 따위의) 사환(page). **4** 봉오리, 싹; (갓이 아직 피지 않은) 어린 버섯; 《미속어》 =(환각제로서 씹는) MESCAL BUTTON; 《비어》 CLITORIS; 《미방언》 아기, 소년, 젊은이. **5** 《미》 알아맞히기 놀이. **6** 《권투속어》 턱 끝. **7** 〔흔히 부정형〕 하찮것 없는 것, 아주 조금: not worth a ~ 한 푼의 가치도 없는/not care a ~ 조금도 개의치 않는. **8** 〖보트〗 (노의) 미끄럼막이(노받이와 닿는 곳에 감은 가죽); 〖야금〗 (융해(融解) 후에 도가니 바닥에 남는) 금속 알갱이. **9** 《미방송속어》 광고방송 종료 때 사용하는 효과음〔음악〕. **10** 〖컴퓨터〗 버튼(마우스나 태블릿 등의 입력장치에서 작업을 실행하기 위해 누르는 스위치). ***a boy in ~s*** (금단추 제복의) 사환. ***have a soul above ~s*** 현재의 일〔직업〕이 자기 재능에 안 어울린다고 생각하다. ***hold*** 〔***take***〕 a person ***by the ~*** 아무를 붙들어 두고 놓아주지 않다〔길게 얘기하다〕. ***on the ~*** 정확히, 딱 맞게, 정각에; 《미권투속어》 턱에 명중하여; 《미구어》 민완(敏腕)한, 적극적인. ***press*** 〔***push***〕 a person***'s ~s*** 《미속어》 아무의 반감을 사다, 아무를 화나게 하다. ***press*** 〔***push, touch***〕 ***the ~*** (버저 등의) 단추를 누르다; 단추를 눌러 기계장치를 시동하다; 《비유》 사건의 실마리를 만들다.
— *vt.* **1** 《~+[목]/+[목]+[부]》 …의 단추를 끼우다, 단추로 잠그다: ~ *up* one's coat (to the chin) 옷단추를 (턱까지 꼭) 채우다. **2** …에 단추를 달다. **3** 칼 끝에 가죽을 씌우다; 가죽을 씌운 칼 끝으로 찌르다. **—** *vi.* 《~/+[전]+[명]》 단추로 채워지다(*up*): Her new blouse ~*s* at the back. 그녀의 새 블라우스는 단추가 등에 있다/This jacket ~*s* (*up*) easily. 이 재킷의 단추는 채우기 쉽다. **~ *down*** 《미속어》 (사실 따위를) 확인하다, 명백하게 하다; 《미속어》 (건물 따위의) 자물쇠를 꼭 잠그다, 정돈하다; 《미속어》 (일을) 틀림없이 마무리하다. **~** (***up***) one***'s lip*** 〔***mouth***〕 ⇨LIP. **~ *up*** 단추로 꼭 채우다, 단추를 채우다; 《속어》 (입을) 꼭 다물다, (비밀을) 지키다; (지갑을) 꼭 잠그다; 《구어》 (일 따위를) 마무리하다; 《구어》 (협정·거래 등을) 정하다; (도시 등을) 경계하여 굳게 지키다; (명령·임무 등을) 잘 수행하다; 《미속어》 (건물 따위의) 자물쇠를 꼭 잠그다, (물건을) 안전하게 치우다: *Button* it *up*. 입 닥쳐.
[파] **~ed** *a.* 단추를 채운; 잠자코 있는. **~·like** *a.*
bútton·bàll *n.* =BUTTON WOOD.
bútton dày 《Austral.》 버튼 데이(가두 모금의 날; 기부자에게 단추를 달아 줌). [cf] flag day.
bútton-dòwn *a.* (깃이) 단추로 채우는, (셔츠가) 버튼다운(깃)의; 《미》 틀에 박힌, 독창성 없는, 보수적인(=**búttoned-dòwn**); 수수한 복장을 한.
búttoned-úp *a.* 말이 없는, 조용한; 내향성의; (일이) 잘 된.
***but·ton·hole** [bʌ́tnhòul] *n.* **1** 단춧구멍. **2** 단춧구멍에 꽂는 장식 꽃. **—** *vt.* **1** …을 사뜨다; …에 단춧구멍을 내다. **2** (아무를) 붙들고 긴 이야기를 하다. [파] **-hòl·er** *n.* 사람을 붙들고 길게 이야기하는 사람.
búttonhole stìtch (단춧구멍의) 사뜨기.
bútton·hòok *n.* 단추걸이(구두 따위의 단추고
bút·ton·less *a.* 단추가 없는〔떨어진〕. 「리).
bútton màn 《속어》 (폭력단 등의) 하급 단원, 졸개; 졸병.
bútton-òn *a.* 단추 채우는〔달린〕.
bútton-thròugh *a.* (여성복 따위가) 위에서 아래까지 단추가 달린.
bútton tòw *a.* (폴 하단에 둥근 좌석을 부착한) 일인용 스키리프트. 「그 재목.
bútton trèe 〔**wòod**〕 플라타너스(plane tree);

but·tony [bʌ́təni] *a.* 단추 같은; 단추가 많이 달린.
bútt plàte (총의) 개머리판.
but·tress [bʌ́tris] *n.* **1** 〚건축〛 부축벽(扶築壁), 버팀벽, 부벽(扶壁): a flying ~ 부연(附椽) 벽받이, 벽 날개. **2** 버팀, 지지자〔물〕《*of*》: the ~ *of* popular opinion 여론의 지지. **—** *vt.* 버팀벽으로 버티다《*up*》; 지지하다, 보강하다《*up*》.

buttress 1
a. buttress
b. flying buttress

bútts and bóunds 〚법률〛 (토지의) 경계선.
bútt shàft (살촉이 없는) 사적용(射的用) 화살.
bútt·stòck *n.* (총)개머리.
bútt wèld 맞댄 용접〔단접(鍛接)〕.
bútt-wèld *vt.* 맞댄 용접〔단접〕을 하다.
but·ty[1] [bʌ́ti] *n.* 《N.Eng.》 샌드위치.
but·ty[2] *n.* (노동자의) 작업 반장, 십장, 감독; 《영구어》 동료(mate); 채탄 청부인(= ∠·**màn**).
bu·tut [butúːt] (*pl.* **~, ~s**) *n.* 부투트《감비아의 통화 단위; 1/100 dalasi》.
bu·tyl [bjúːtəl] *n.* U 〚화학〛 부틸기(基); (B–) 부틸 합성 고무《상표명》.
bútyl ácetate 〚화학〛 부틸아세테이트.
bútyl álcohol 〚화학〛 부틸알코올.
bútylated hydròxy·ánisole 〚화학·약학〛 부틸히드록시아니솔《유지의 산화 방지제; 생략: BHA》.
bútylated hydròxy·tóluene 〚화학·약학〛 부틸히드록시톨루엔《유지의 산화 방지제; 생략: BHT》.
bu·tyl·ene [bjúːtəliːn] *n.* 〚화학〛 부틸렌.
bútyl rùbber 부틸 고무《가스 불투과성 고무》.
bu·ty·ra·ceous [bjùːtəréiʃəs] *a.* 버터성의, 버터 비슷한, 버터를 함유한.
bu·tyr·al·de·hyde [bjùːtərǽldəhàid] *n.* 〚화학〛 부틸알데히드《수지 제조용》.
bu·ty·rate [bjúːtərèit] *n.* 〚화학〛 부티르산염.
bu·tyr·ic [bjuːtírik] *a.* 버터의〔에서 빼낸〕; 〚화학〛 부티르산의.
butýric ácid 〚화학〛 부티르산.
bu·ty·ro·phe·none [bjuːtìroufənóun] *n.* 〚약학〛 부티로페논《특히 정신 분열증 치료용의 신경 이완제(haloperidol) 따위》.
bux·om [bʌ́ksəm] (**~·er; ~·est**) *a.* (여자가) 포동포동한, 토실토실한, 균형이 잡혀 가슴이 풍만한; 쾌활하고 건강한; 《고어》 유연한. 파 **~·ly** *ad.* **~·ness** *n.* 풍만, 쾌활.
†**buy** [bai] (*p., pp.* ***bought*** [bɔːt]) *vt.* **1** 《~+목/+목+전+명/+목+목/+목+보》 사다, 구입하다. opp *sell.* ¶ You can ~ it nowhere else. 그건 다른 데서는 안 팝니다/I *bought* it *for* cash. 그것을 현금으로 샀다/*Buy* me the book. 그 책을 사 주시오/~ a thing cheap 물건을 싸게 사다. **2** 《~+목/+목+전+명》 (대가·희생을 치르고) 손에 넣다, 획득하다《*with*》; 《미속어》 해내다: The victory was dearly *bought.* 이 승리를 위해 비싼 희생이 치러졌다/~ favor *with* flattery 아첨으로 총애를 얻다. **3** (사람·투표 등을) 매수하다(bribe). **4** 《구어》 (아무의 의견 따위를) 채택하다, 받아들이다, …에 찬성하다: That's a good idea. I'll ~ it. 그거 참 좋은 생각이군요. 채택하겠습니다. **5** 〚신학〛 속죄하다.
— *vi.* 물건을 사다; 사는 쪽이 되다. ***Buy American.*** 《미》 국산품 우선 구매〔애용〕《표어》. ***~ a pig in a poke*** ⇨ PIG. ***~ a*** (***wolf***) ***ticket*** 《미흑인속어》 해볼 테면 해보라고 맞서다. ***~ back*** 되사다. ***~ in*** (주식을) 사다, 사들이다; (경매에서 살 사람이 없거나 부르는 값이 너무 싸서) 자기가 되사다; 《구어》 = ~ into. ***~ into*** (주를 사서) …의 주주가 되다; (돈을 내고 회사 따위)의 임원이 되다. ***~ it*** 《구어》 (수수께끼 등이 풀리지 않아) 집어치우다, 손을 떼다; 《영속어》 불행〔재난〕을 당하다, 피살당하다, (비행사가) 격추당하다: I'll ~ *it.* 모르겠다, 포기했다. ***~ off*** …을 매수하다, (협박자 등을) 돈을 주어 내쫓다; (의무 따위를) 돈을 주고 모면하다. ***~ out*** (남의 권리 등을) 돈으로 사다, …을 매점하다; 면제금을 내고 (군대 따위에서) 해방시키다《*of*》. ***~ over*** …을 매수하다. ***~ up*** …을 매점하다; (회사 따위를) 접수하다.
— *n.* **1** 물건사기(purchase); 〚증권〛 사는 쪽. **2** 《구어》 싸게 산 물건, 잘 산 물건: a good ~ 《구어》 싸게 산 물건, 뜻밖에 손에 넣은 진귀한 물건《*on*》. 파 **∠·a·ble** *a.* 살 수 있는.
búy Américan pòlicy 《미》 바이 아메리칸 정책, 미국 상품 구입 정책.
búy·bàck *a.* 되사기의; 《특히》 석유 환매(還買)의. **—** *n.* 되사기; 주식의 환매.
*__buy·er__ [báiər] *n.* 사는 사람, 사는 쪽, 소비자; 바이어, (회사의) 구매원. opp *seller.*
búyer's crèdit 바이어즈 크레디트《수출국 금융기관이 상대국 수입업자에게 신용 공여(供與)나 자금대부를 직접 하는 일》.
búyers' inflàtion = DEMAND-PULL INFLATION.
búyers' màrket (수요보다 공급이 많은) 구매자 시장. opp *sellers' market.*
búyer's òption 〚증권〛 매수 선택권.
búyers' strìke (소비자) 불매(不買) 동맹.
búy-ìn *n.* (거래에서) 벌충 매입.
búying cènter 〚경제〛 구매 센터.
búying pòwer 구매력(purchasing power).
búy-òff *n.* 《미》 (제품·용역에 관한) 전(全)권리의 매점(買占); 전속 계약한 사람《탤런트 따위》.
búy òrder 〚증권〛 매수(買受)주문《주가 상승을 예상한》. opp *sell order.*
búy-òut *n.* 매점(買占).
búy-out (**músic**) **líbrary** 바이 아웃 라이브러리《영화·텔레비전·드라마 등에 사용하는 음악의 레코드를 수집한 음악 라이브러리》.
búy·ùp *n.* 《속어》 매수(買收), 매점(買占).
*__buzz__[1] [bʌz] *vi.* **1** (벌·기계 따위가) 윙윙거리다. **2** 《+전+명》 와글거리다, 소란떨다《*with*》: The place ~*ed with* excitement. 그 장소는 흥분으로 와글거렸다. **3** 바쁘게 돌아다니다《*about; around*》. **4** 소곤소곤 말하다; (소문이) 떠돌다. **5** 《구어》 가다; 떠나다《*off; along*》. **6** 《+전+명/+전+명+*to* do》 (아무를) 버저로 부르다《*for*》; (…하도록) 버저로 알리다: ~ *for* one's secretary *to* come soon 비서를 곧 오도록 버저로 알리다. **7** 《미속어》 차로 돌다; (컴퓨터의 프로그램이) 계속 연산을 행하다. **—** *vt.* **1** 와자지껄 소문내다. **2** (날개나 버저를) 울리다; 《구어》 휙 던지다. **3** …에게 버저로 신호하다; 《미구어》 …에게 전화를 걸다. **4** 〚항공〛 …위를 낮게 날다, 경고로 (비행기)에 접근하여 날다: ~ a field 들 위를 저공 비행하다. **5** 《영》 (술병을) 비우다; 《미속어》 취하게 하다, …에게서 빼앗다. **6** 《미속어》 구걸을 하다; 《미속어》 좀도둑질을 하다. ***~ in*** (벌레가) 윙윙거리며 날아들다; (정보가) 전신으로 들어오다. ***~ off*** 《구어》 전화를 끊다; 《구어》 떠나버리다.
— *n.* **1** (윙윙) 울리는 소리; 소란스러운 소리; (기계의) 잡음《레코드의 바늘 소리 등》. **2** 〚전기〛 버즈, 버저의 신호, 버저에 의한 호출; 〚항공〛 저공 비행에 의한 경고신호. **3** 소문; 쓸데 없는 말. **4** 《구어》 전화를 겲: Give me a ~. 전화해 다

오. **5** 《미속어》 취한 쾌감; 흥분; 볼에 살짝하는 키스. **6** 《미》 둥근 톱(~ saw); 《미속어》 순찰차; 《영》 = BUZZWIG. **7** 《속어》 마리화나 흡인할 때 처음에 나타나는 머리가 휭하는 효능. ***have a ~ on*** 《속어》 취해 있다. [imit.]

buzz[2]**, buz** *int.* 케케묵은 낡은 이야기다.

buz·zard [bʌ́zərd] *n.* **1** 〚조류〛 말똥가리; 《미》 독수리의 일종. **2** 《미속어》 멍청이; 《미방언》 윙윙거리는 벌레《풍뎅이 따위》. **3** 《미속어》 식탁에 오른 닭, 칠면조 (고기); 《미군대속어》 장교가〔사관이〕 붙이고 있는 독수리 기장.

búzzard mèat 《속어》 사체(死體); 《속어》 운명이 다한 사람〔것〕; 폐물; 《군대속어》 닭〔칠면조〕 고기.

búzz bòmb 〚군사〛 폭명탄(爆鳴彈)《유도 폭탄의 일종; 2차 대전 중 독일군이 사용》. 「작품〕.

búzz bòok 《속어》 베스트셀러, 화제의 책〔소설,

búzz-búzz *n.* (경기장 따위의) 와와, 와글와글.

búzz cùt 전기 바리캉으로 짧게 깎은 머리형.

búzz·er *n.* 윙윙거리는 벌레; 기적, 사이렌; 〚전기〛 버저; 《영속어》 전화; 《속어》 신호병; 《미속어》 경찰 배지.

búzz·ing *a.* 윙윙〔와글〕거리는. ㊞ **~·ly** *ad.*

búzz·ism *n.* 소문을 흘림.

búzz sàw 《미》 둥근 톱(circular saw).

búzz sèssion 〚수학〛 버즈 학습〔세션〕《소(小) 그룹의 비공식 논의》.

búzz·wìg *n.* 《영》 숱이 많은 큰 가발(을 쓴 사람), 《특히》 신분이 높은 사람, 거물(bigwig).

búzz·wòrd *n.* 현학적인 전문 용어, 전문적 유행어. 「(장부 가격).

b.v. *bene vale* 《L.》 (=farewell); book value

B́ vìtamin 〚생화학〛 B 비타민《비타민 B 복합체에 속하는 각종 비타민》.

B.V.M. *Beata Virgo Maria* 《L.》 (=Blessed Virgin Mary). **BVR** 〚군사〛 Beyond Visual Range (유시계외(有視界外)). **bvt.** brevet; brevetted. **BW, B.W.** bacteriological warfare; biological warfare. **BW, B/W** 〚사진·TV〛 black and white.

bwa·na [bwɑ́ːnə] *n.* 《동아프리카》 주인님, 나리(master, boss).

B.W.G. Birmingham wire gauge (버밍엄 선경(線徑) 게이지). **B.W.I.** British West Indies. **BWR, B.W.R.** boiling water reactor. **B.W.T.A.** British Women's Temperance Association. **Bx.** base exchange.

B́X́ càble 〚전기〛 BX케이블《유연한 금속관에 넣은 몇 가닥의 전선으로 이루어진 케이블》.

bx(s). box(es).

†**by**[1] ⇨《p. 361》 BY[1].

by[2] ⇨BYE[1, 2].

by- [bái] *pref.* **1** 곁〔옆〕의, 곁〔옆〕을 지나는: a *by*-dweller 근처에 사는 사람 / a *by*-passer 지나가는 사람, 통행인. **2** 곁의, 곁으로의: a *by*-door 협문 / a *by*-glance 곁눈 / a *by*-step 옆으로의 한 걸음. **3** 한쪽으로 치우친, 떨어진: a *by*-walk 후미진 길. **4** 부대적인, 이차적인: a *by*-product 부산물 / *by*-work 부업.

b.y. 《미》 billion years. 「(future).

bý-and-bý [-ənd-] *n.* (the ~) 미래, 장래

bý-bìdder *n.* (경매의) 바람잡이《값을 올리기 위해 고용된》. 「부르기.

bý-bìdding *n.* 경매인과 짜고 경매품 값을 올려

bý-blòw *n.* 옆으로 치기; 언걸, 후림불; 서자; 사생아. ★ bye-blow로도 씀.

bý-càtch *n.* 어망에 걸린 불필요한 물고기 (따

bý-cóuntry *a.* 국별의. ⌊위), 부수 어획물.

bye[1]**, by** [bai] *int.* 《구어》 안녕(good-bye). ***Bye now!*** 《미구어》 그럼, 안녕.

bye[2]**, by** *a.* 종속적〔부차적〕인, 우연한; 본도를 벗어난, 지엽적인; 내밀의; 간접적인; 《Sc.》 끝난, 지나가버린: a *by*(*e*) effect 부대 효과, 간접 영향. **—*n.*** 종속적인 것〔일〕, 지엽; 《영》 〚골프〛 match play에서 패자가 남긴 홀; (토너먼트에서) 짝지을 상대가 없는 사람, 남은 사람〔팀〕; 〚크리켓〛 공이 타자와 수비자 사이를 지나간 경우의 득점: draw a ~ 짝지을 상대가 없어 남다; 부전승이 되다. ***by the ~*** 말이 나왔으니 말이지, 그건 그렇다 치고, 그런데.

‡bye-bye[1]**, by-by** [báibài] *n.* 이별, 바이바이. **—*ad.*** 밖에〔으로〕. ***go ~*** 《구어·소아어》 밖에 나가다. **—*int.*** 《구어》 안녕, 바이바이(Good-bye!).

bye-bye[2]**, by-by** *n.*, *ad.* 《소아어》 코(하러)((to) sleep). ***go to ~*(*s*)** =***go ~*** 코하다.

bý-effèct *n.* 부차적 효과, 생각지 않은 효과.

bý-elèction, býe- *n.* 중간 선거; 《영》 (국회 등의) 보궐 선거.

Bye·lo·rus·sia [bjèlourʌ́ʃə] *n.* 백(白)러시아; 벨라루스 공화국《독립 국가 연합의 한 공화국; 수도는 Minsk》. ㊞ **~n** *n.*, *a.* 백러시아(의); 백러시아 사람(의); Ⓤ 백러시아말(의).

býe·lòw *ad.*, *int.* (자장가에서) 조용히, 자거라.

bý-ènd *n.* 제 2〔부차적〕 목적; 사심(私心); 단편(斷片). 「(異形).

bý-fòrm *n.* (단어 등의) 부차적인 형식, 이형

bý·gòne *a.* 과거의, 지나간. **—*n.*** 과거(사): Let ~*s* be ~*s*. 《속담》 과거는 잊어버려라.

bý-jòb *n.* 부업.

bý-làne *n.* 샛길, 골목길.

bý·làw, býe·làw *n.* (지방 자치 단체·회사 등의) 규칙, 조례; 내규, 준칙, 세칙; (법인의) 정관.

by·li·na [bəlíːnə] (*pl.* ***-ny*** [-ni], **~*s***) *n.* 러시아의 서사시〔민요〕.

bý-lìne *n.* **1** 《미》 신문〔잡지〕 기사의 표제 밑에 필자명을 넣는 행. **2** 부업, 내직. **3** (철도의) 병행선. **4** 〚축구〛 골라인(goal line). **—*vt.*** 서명 기사를 쓰다. ㊞ **bý-lìner** *n.* 서명 기사(의 집필자).

by·low [báilou] *n.* 《미속어》 큰 주머니칼.

bý-nàme *n.* **1** (이름에 대하여) 성(姓). **2** 별명.

B.Y.O.B., BYOB, b.y.o.b. bring your own booze 〔bottle〕(주류 각자 지참). **byp.** bypass.

‡by·pass [báipæ̀s, -pɑ̀ːs/-pɑ̀ːs] *n.* (가스·수도의) 측관(側管), 보조관; (자동차용) 우회로, 보조 도로; 보조 수로(水路); 〚전기〛 측로(側路); 〚통신〛 바이패스《기존 전화회사 회선 이외의 매체를 통해 음성·데이터 등을 전송함》; 〚의학〛 바이패스 형성 수술(=∠ **operátion**); 〚의학〛 측부로(側副路)《환부를 피하고 혈액·소화액을 통하게 하는 자연 또는 인공의 대체관》. **—*vt.*** (장애 등을) 우회하다; 회피하다; 무시하다, (계략 따위의) 선수를 쓰다, 앞지르다; …에 측관〔보조관〕을 대다; 〚미통신〛 (장거리 전화·데이터 통신에서) 지방국의 회선 사용을 피하다; 〚의학〛 …대신 바이패스를 쓰다.

býpass condènser 〔**capàcitor**〕 〚전기〛 바이패스 콘덴서, 측로 축전기. 「(engine)).

býpass ènginе 〚항공〛 터보팬 엔진(turbofan

býpass technòlogy 〚통신〛 바이패스 기술《전화회사의 전화선망을 쓰지 않는 통신 기술·방

bý·pàst *a.* 지나가버린, 이전의, 과거의. ⌊법》.

bý·pàth (*pl.* **~*s***) *n.* 샛길, 옆길; 사도(私道).

bý·plày *n.* 부수적인 연기〔연극〕; (본 줄거리에서 벗어난) 부차적인 사건.

bý-plòt *n.* (소설·희곡 등의) 곁줄거리.

bý-pròduct *n.* 부산물; 부작용.

byr billion years.

Byrd [bəːrd] *n.* **Richard Evelyn ~** 버드《미국의 해군 장교·극지 탐험가; 1888-1957》.

by[1]

'곁에'의 뜻으로는, 다른 많은 전치사와 같이, 전치사와 부사를 겸한 이른바 전치사적 부사(prepositional adverb)이지만, 전치사로서는 여러 가지 뜻 가운데, 수동태의 행위자를 가리키는 용법을 포함하는 '…에 의하여'가 있다. 이런 점에서 다음 글 중 3개의 by 전치사구를 비교해 보면 흥미가 있겠다: He was killed *by* mistake *by* the roadside *by* a policeman. '그는 길가에서 실수로 경관에게 피살되었다.' 앞의 by는 '원인'을, 가운데의 것은 '…의 곁에'를, 뒤의 것은 '직접적인 행위자'를 각각 나타내고 있다.

by [bai] *ad.* **1** 〖위치〗 곁에, 가까이에: stand *by* 곁에 서다, 방관하다 / close 〔hard, near〕 *by* 바로 곁〔옆〕에 / Nobody was *by* when the fire broke out. 불이 났을 때엔 아무도 곁에 없었다 / He happened to be *by*. 그는 공교롭게 옆에 있었다.
2 a 〖흔히 동작의 동사와 함께〗 (곁을) 지나서, (때가) 흘러가서: pass *by* 곁〔옆〕을 지나가다, 통과하다 / in days 〔years〕 gone *by* 옛적엔 / The car sped *by*. 차가 (옆을) 스치듯 질주했다 / Time goes *by*. 시간은 흐른다 / Let me *by!* 실례합니다《사람을 제치고 지나갈 때》. **b** 〖흔히 come, drop, stop 따위를 수반하여〗《미구어》 남의 집에〔으로〕: call 〔come, go, stop〕 *by* (지나는 길에) 들르다.
3 〖흔히 lay, put, set과 함께〗 (대비를 위해) 곁〔옆〕으로, 따로 (떼어): keep… *by* …을 곁에〔신변에〕 두다 / put 〔set, lay〕… *by* …을 따로 떼어. ***be by with*** …을 끝내다, …을 마치다. ***by and again*** 《미》 때때로(often). ***by and by*** 얼마 안 있어, 곧(soon), 잠시 후(後), 이윽고(before long): *By and by* you will understand. 자네는 곧 알게 될 것일세. ***by and large*** 전반적으로 (보아), 대체로(on the whole); 〚해사〛 (돛배가) 바람을 받았다 안 받았다 하며.
— *prep.* **1** 〖장소·위치〗 …의 (바로) 옆에, …곁에〔의〕, …에 가까이《near보다 더 접근》; 〖흔히 have, keep과 함께〗 수중〔신변〕에 (갖고): a house *by* the seaside 해변가의 집 / sit *by* the fire 난로 곁에 앉다 / I haven't got it *by* me. 그건 지금 수중에 없다.

> NOTE at은 by보다 더 가까운 접근을 나타냄. 또 by, beside는 접근이 우연임에 대해서, at은 목적 있는 접근을 나타냄: The maid-servant is *at* the well. 하녀가 우물가에 있다.

2 〖통과·경로〗 **a** …의 옆을, …을 지나(…쪽으로)《past가 보통임》: go *by* me 〔the school〕 내〔학교〕 옆을 지나가다 / The car sped *by* the house. 차는 집 옆을 지나쳐 달렸다. **b** (길)을 지나, …을 따라서〔끼고서〕: drive *by* the highway 간선 도로를 드라이브하다 / pass *by* the river 강변을 지나다. **c** …을 거쳐: travel *by* (way of) Siberia 시베리아를 거쳐 여행하다.
3 〖때〗 **a** 〖기간〗 …동안에, …사이(during)《by 뒤의 명사에는 관사 없음》: work *by* night and sleep *by* day 밤에 일하고 낮에 잔다. **b** 〖시한〗 (어느 때)까지는(not later than): Finish this work *by* the end of the week. 주말까지는 이 일을 마쳐라 / We had all arrived *by* the time he came. 그가 오기 전에 우리는 모두 도착했다.

> SYN. **by** 완료의 시한을 나타냄. **till**은 I shall be here *till* three. '3시까지 여기에 있겠다'와 같이 계속의 종지점을 나타냄.

4 〖행위·수단·방법·원인·매개〗 **a** 〖수송·전달의 수단을 나타내어〗 …에 의해서, …로: *by* post 〔telegram, air mail, special delivery〕 우편〔전보, 항공편, 속달〕(으)로 / go *by* train 〔ship, bus〕 열차〔배, 버스〕로 가다 / (travel) *by* water 〔air(plane), rail〕 수로〔공로, 철도〕로 (여행하다).

> NOTE (1) by 뒤에서 교통·통신기관 등을 나타내는 명사는 관사가 없지만, 특정의 시간을 나타내거나 명사가 형용사로 수식되거나 할 때에는 관사가 붙음: *by an* early train 새벽 열차로 / *by the* 6:30 train, 6시 30분발 열차로. (2) in, on이 교통수단을 나타낼 경우, '안에', '타고'란 어감이 있고 뒤의 명사는 관사나 소유격을 취하거나 복수형: *in* my car 내 차로 / *on* a bicycle 자전거로, 자전거를 타고 / come *on* the plane that arrives at 4:00 p.m. 하오 4시 도착 비행기로 오다.

b 〖수단·매개를 나타내어〗 …으로, …에 의하여: leave *by* will 유언으로 남기다 / a machine driven *by* electricity 전기로 움직이는 기계 / sell *by* auction 경매로 팔다 / learn 〔get〕 *by* heart 외(우)다. **c** 〖*doing*을 목적어로〗 …함에 의해서, …함으로써: She passed the examination *by* work*ing* hard. 그녀는 열심히 공부해서 시험에 합격했다. **d** 〖원인·이유를 나타내어〗 …때문에, …으로(인해): die *by* poison 독(毒)으로 죽다 / *by* reason of one's illness 병(病) 때문에 / *by* mistake 잘못해서.
5 〖동작주를 보이어〗 …에 의해서, …에 의한《수동형을 만드는 데 쓰임》: a novel (written) *by* Hemingway 헤밍웨이의〔가 쓴〕 소설 / be made *by* John Smith 존 스미스에 의해 만들어지다.

> SYN. (1) **by** 수동형 동사 뒤에 쓰이어 유생(有生)·무생(無生)의 행위의 주체를 나타냄. **with** 수단으로서 쓰이는 도구를 나타냄. The window was broken *by* a stone.에서는 stone이 동작주이며 A stone broke the window.에 대응하지만, The window was broken *with* a stone.에서 동작주는 사람이며 Somebody broke the window *with* a stone.에 대응됨. (2) 그러나 수동태 구문이라도 행위자가 생물일 때에는 by를 쓰지만, 무생물일 때에는 with를 쓰는 일이 있음: be attacked *by* the enemy; be attacked *with* some disease.

6 〖준거〗 **a** 〖척도·표준의 근거〗 …에 의해, …에 따라서: 3:30 *by* my watch 내 시계로는 3시 30분 / judge a person *by* appearances 〔his appearance〕 사람을 외양으로 판단하다 / A man is known *by* the company he keeps. (사람의) 인품은 그 친구를 보면 알 수(가) 있다. **b** 〖*by* the …의 형태로 단위를 나타내어〗 …을 단위로, …로, …에 얼마로 정하고: work *by* the day 일급제로 일하다 / hire horses *by* the hour 시간당 얼마로 말을 세내다 / sell *by* the yard 〔gallon〕 한 야드〔갤런〕에 얼마로 팔다 / They are paid *by* the week〔result(s)〕. 주급제로〔성과급으로〕 급료를 받는다.
7 〖연속〗 …씩, (조금)씩: *by* degrees 조금씩, 서서히 / one *by* one 하나〔한 사람〕씩 / two *by* two 두 사람씩 / page *by* page 한 페이지씩 / step *by*

step 한 걸음 한 걸음 / drop *by* drop 한 방울씩 / piece *by* piece 한 개씩 / little *by* little 조금씩.

8 a 〖정도·비율·차이〗 …만큼, …정도만큼, …의 차로, …하게: miss the train *by* five minutes, 5분 차이로 열차를 놓치다 / reduce *by* half 절반으로 줄이다 / win *by* a boat's length. 1 정신(艇身)의 차로 이기다 / She is taller than he (is) *by* four centimeters. 그녀는 그보다 4센티만큼 키가 크다. **b** 〖곱하기와 나누기·치수를 나타내어〗 …로: multiply 8 *by* 2, 8에 2를 곱하다 / multiply 〔divide〕 15 *by* 3, 15를 3으로 곱하다 〔나누다〕 / a room 10ft. *by* 18ft. = a 10-*by*-18foot room 너비 10피트 안 길이 18피트의 방.

9 〖동작을 받는 몸·옷의 부분〗 (사람·무엇의) …을《catch, hold, lead 따위의 동사와 함께 쓰며, 목적어로 '사람·물건'을 쓰고 by 이하에서는 그 동작을 받는 부분을 나타냄. by 뒤의 명사에는 정관사를 붙임》: He caught me *by* the arm. 그는 나의 팔을 잡았다 / seize the hammer *by* the handle 해머의 자루를 쥐다 / He led the old man *by* the hand. 그는 그 노인의 손을 잡고 인도했다.

10 〖관계 따위를 나타내어〗 …에 관하여는〔관해서 말하면〕, …점에서는, …은《by 뒤의 명사는 관사가 붙지 아니함》: an Englishman *by* birth 태생은 영국 사람 / I am a lawyer *by* profession. 나의 직업은 변호사다 / He is kind *by* nature. 천성이 친절하다 / They are cousins *by* blood. 그들은 친 사촌이다 / I know him *by* name. (교제는 없지만) 그의 이름은 알고 있다 / It's OK *by* me. 《미구어》 나는 됐다〔괜찮다〕.

11 〖보통 do, act, deal과 함께〗 …에 대하여, …을 위하여: do one's duty *by* one's parents 부모에게 본분〔책임〕을 다하다 / Do your duty *by* a friend. 친구에게 본분을 다하여라 / He did well *by* his children. 그는 (제) 아이들에게 잘 해 주었다 / Do (to others) as you would be done *by*. 남이 그렇게 해 주기를 바라는 것처럼 남에게 하여라.

12 〖방위〗 (약간) …쪽인: North *by* East 약간 동쪽인 북, 북미동(北微東).

13 a (부모로서의 남자〔여자〕)에게서 태어난: He had a child *by* his first wife. 그는 첫째 부인한테서 난 자식이 하나 있었다. **b** (말 따위가 혈통상) …을 아비로 가진: Justice *by* Rob Roy 로브 로이를 아비로 가진 저스티스.

14 〖맹세·기원〗 …에 맹세코, (신)의 이름을 걸고: I swear *by* (almighty) God that …. …하다는 것을 하늘에〔하느님께〕 맹세합니다 / *by* Heaven 〔God〕 맹세코, 기필코.

15 …별: density *by* regions 지역별 인구 밀도.

… by … 〔***little by little, one by one,*** etc.〕 ⇨ 7. (***all***) ***by oneself*** ⇨ ONESELF. ***by the way*** ⇨ WAY[1].

byre [báiər] *n.* 외양간(cowshed).

bý-ròad *n.* 샛길, 옆길.

By·ron [báiərən] *n.* 바이런. **1** 남자 이름. **2** **Lord George Gordon ~** 영국의 낭만파 시인 (1788-1824). ㊥ **~·ism** *n.*

By·ron·ic [baiərɑ́nik/-rɔ́n-] *a.* 바이런(식)의; 비장하면서도 낭만적인. 「구경꾼.

bý-sìtter *n.* **1** 가까이 앉아 있는 사람. **2** 방관자,

bý-spèech *n.* 방백(傍白), 혼잣말.

bys·si·no·sis [bìsənóusis] (*pl.* ***-ses*** [-siːz]) *n.* Ⓤ 〖의학〗 면(綿)섬유 흡입성 폐렴.

bys·sus [bísəs] (*pl.* ***~·es, bys·si*** [bísai]) *n.* 고대의 삼베《미라 따위를 싼》; 〖패류〗 (홍합 따위의) 족사(足絲).

***by·stand·er** [báistæ̀ndər] *n.* **1** 방관자(looker-on), 국외자. **2** 구경꾼.

býstander effèct 〖심리〗 방관자 효과《곁에 다른 사람이 있을 때 작업 등이 촉진되는 현상》.

bý·strèet *n.* 뒷골목, 뒷거리.

bý-tàlk *n.* 여담; 잡담, 한담.

byte [bait] *n.* 〖컴퓨터〗 바이트《정보 단위로서 8비트로 됨》: a ~ storage 바이트 기억기(機).

bý-the-wày *a.* 별 생각 없는, 무심결의, 우연한: in a ~ fashion 별 생각 없이, 무심히.

bý-tìme *n.* Ⓤ 여가.

by·town·ite [baitáunait] *n.* 아회장석(亞灰長石)《사장석(斜長石)의 일종》.

bý·wàlk *n.* 사도(私道), 소로(小路), 옆길, 샛길.

bý·wày *n.* **1** 옆길, 빠지는 길, 샛길. ⓒⓕ bypass, highway. **2** (the ~s) (학문·연구 따위의) 별로 알려지지 않은 측면〔분야〕《*of*》.

bý·wòrd *n.* 속담, 격언; 웃음거리; 말버릇, 독특한 말씨; (나쁜) 본보기《*for; of*》; 《드물게》 별명.

bý-wòrk *n.* Ⓤ 부업, 내직.

bý-your-léave *n.* 허락을 빎; without so much as a ~ '실례합니다만' 이라고도 하지 않고.

Byz. Byzantine.

By·zan·tine [bízəntìːn, -tàin, báizen-, bizǽntin] *a.* **1** 비잔티움(Byzantium)의; 동로마 제국의; 비잔틴식의《건축·미술 따위》. **2** 《때로 b-》 미로같이 복잡한; 권모술수의. **—** *n.* 비잔틴 사람; 비잔틴파의 건축가·화가.

Býzantine árchitecture 비잔틴식 건축《5-6세기경의, 중앙에 큰 돔이 있는 양식》.

Býzantine Chúrch (the ~) 동방 교회, 그리스 교회(Orthodox Church).

Býzantine Émpire (the ~) 동로마 제국.

Býzantine schóol (the ~) 〖미술〗 비잔틴파.

By·zan·tin·esque [bizæ̀ntənésk] *a.* (건축·예술의) 비잔틴식의.

By·zan·tin·ism [bizǽntənìzəm] *n.* Ⓤ 비잔틴식; 〖종교〗 국가 지상권(至上權)주의. 「학자.

By·zán·tin·ist *n.* 비잔틴 문화 연구자, 비잔틴

By·zan·ti·um [bizǽnʃiəm, -tiəm] *n.* 비잔티움《Constantinople의 옛 이름; 지금의 Istanbul》.

BZ [bìːzíː] *n.* 〖미육군〗 착란성(錯亂性) 독가스의 일종의 기호.

bz, bz., Bz. 〖화학〗 benzene. 일종의 기호.

BZZ 부부, 삐삐《장난감 피리나 버저의 소리》; 붕《꿀벌의 날갯짓 소리》.

C

C, c [siː] (*pl.* **C's, Cs, c's, cs** [-z]) **1** 시《영어 알파벳의 셋째 글자》. **2** 〖음악〗 다 음(音)《고정도 창법의 '도'》; 다조(調). **3** 〖수학〗 제 3 기지수. **4** 제 3 의 가정 인물〔것〕, 병(丙). **5** C 자 모양의 것. **6** (로마 숫자(數字)의) 100(centum): CXV = 115. **7** 《미》 (학업 성적의) C, 양(良). **8** (품질의) C 급. **9** C 사이즈《구두의 폭이나 브래지어 컵 사이즈; D 보다 작고 B 보다 큼》. **10** 《미속어》 100 달러 지폐(C-note). **11** 〖컴퓨터〗 (16 진수의) C 《10 진법의 12》. **12** 《비어》 = CUNT.

C calorie; 〖화학〗 carbon; circa; 〖문법〗 complement; 〖수학〗 constant; 〖전기〗 coulomb. **C.** Cape; Catholic; Celsius; Celtic; Centigrade; Chancellor; College; Congress; Conservative; Corps; Court. **C., c.** calm; candle; carat; carbon; carton; case; 〖야구〗 catcher; 〖크리켓〗 caught; cent(s); 〖축구〗 center; centigrade; centime; centimeter; century; chairman; chapter; chief; child; church; circa; circiter; city; cloudy; cognate (with); copper; copy; copyright; corps; cubic; current. ⓒ copyright(ed). ^{14}**C** 〖화학〗 carbon 14. **c** cocaine.

c 〖물리〗 (진공 상태하의) 광속도《초속 약 299,793 km》.

C- 〖미군사〗 cargo transport: *C*-5.

Ca [kɑː] *n.* 《병원속어》 암(cancer).

CA 〖미우편〗 California. **Ca** 〖화학〗 calcium. **CA, C.A.** 〖심리〗 chronological age (집엣나이). **C.A.** Central America; Confederate Army; Court of Appeal. **C.A., c.a.** chartered accountant; chief accountant; commercial agent; consular agent; coast artillery; controller of accounts. **ca.** cathode; centiare(s); circa. **C / A** 〖상업〗 capital account; cash account; credit account (대변 계정); current account. **CAA** 《미》 Civil Aeronautics Administration(민간 항공 관리국).

Caaba ⇨ KAABA.

***cab**[1] [kæb] *n.* 택시(taxicab); 승합 마차(hansom); (기관차의) 기관사실; (트럭·기중기 등의) 운전대; 《미》 (엘리베이터의) 칸; (공항의) 관제탑: take a 〔go by〕 ~ 택시로 가다. — (*-bb-*) *vi.* 택시로 가다(~ it). [◂ *cab*riolet]

cab[2], **kab** [kæb] *n.* 〖성서〗 갑《헤브라이의 건량(乾量) 단위; 열왕기하 VI: 25》. [Heb. = vessel]

CAB 《미》 Civil Aeronautics Board. (민간 항공 위원회).

ca·bal [kəbǽl] *n.* **1** 음모, 권모술수; 비밀결사; 도당. **2** (the C–) 〖영국사〗 외무 위원회《Charles 2세가 창설한 것; 근세 내각의 전신》. — (*-ll-*) *vi.* 작당하다; 음모를 꾸미다(plot)《*against*》.

cab·a·la, cab·ba·la, kab·(b)a- [kǽbələ, kəbɑ́ː-/kəbɑ́-] *n.* Ⓤ 유대교〔중세 기독교〕의 신비 철학; Ⓒ 〖일반적〗 비법; 비교(秘敎). ㊉ **cab·a·lism, cab·ba-** [kǽbəlìzəm] *n.* Ⓤ **cáb(b)a·list** *n.* **càb·(b)a·lís·tic, -ti·cal** [-lístik], [-əl] *a.*

ca·bal·le·ro [kæbəljέərou] (*pl.* **~s**) *n.* 《Sp.》 **1** (스페인의) 신사, 기사(knight). **2** (미국 남서부의) 승마자; 기수(騎手); (여성의) 동반자, 숭배자.

ca·ba·llo [kəbáiou] *n.* 《미속어》 = HEROIN.

ca·bana [kəbǽnjə/-bɑ́ːnə] *n.* 《Sp.》 오두막(cabin); (바닷가의) 탈의장; 방갈로식의 집.

°**cab·a·ret** [kæ̀bəréi, ⌐-⌐/⌐-⌐] *n.* 《F.》 카바레; 카바레의 쇼. — *vi.* 카바레에 출입하다.

cab·bage**[1] [kǽbidʒ] *n.* **1** Ⓤ,Ⓒ 양배추, 캐비지: one head of ~ 양배추 한 통. **2** Ⓤ 《미속어》 지폐(buck). **3** 《영구어》 무관심파, 무기력한 사람. **4** 《미흑인속어》 여성 성기. ***my ~ (호칭) 여보, 당신(darling). — *vi.* (양배추 모양으로) 결구(結球)하다.

cab·bage[2] 《영》 *n.* Ⓤ 훔친 물건, (재단사가) 떼어먹은 천. — *vt.*, *vi.* (…을) 훔치다, 후무리다; 《속어》 표절하다; 커닝하다.

cábbage bùtterfly 배추흰나비(류).

cábbage·hèad *n.* 양배추의 결구(結球); 《경멸》 크고 둥근 머리; 《속어》 바보(dolt), 얼간이.

cábbage lèaves 《미속어》 지폐(greenback).

cábbage nèt 양배추 데치는 망(網).

cábbage pàlm 〖식물〗 야자나무의 일종《새싹은 식용》.

cábbage ròse 장미의 일종.

cábbages and kíngs (토론·회의 등에서의) 다양한 화제.

cábbage·tòwn *n.* 《Can.》 슬럼가(slum).

cábbage trèe 잎과 꽃순을 먹을 수 있는 각종 야자나무.

cábbage·wòrm *n.* 배추벌레, 배추흰나비의 유충.

cab·bagy [kǽbidʒi] *a.* 양배추 같은.

cabbala, cabbalism, etc. ⇨ CABALA, CABALISM, etc.

cab·by, -bie [kǽbi] *n.* 《구어》 = CABDRIVER.

cáb·drìver *n.* 택시 운전사; (cab 의) 마부.

ca·ber [kéibər] *n.* 《Sc.》 (힘겨루기용으로 던지는) 통나무《tossing the ~ 통나무 던지기》.

cab·ette [kæbét] *n.* 여성 택시 운전사.

cab·in** [kǽbin] *n.* **1** 오두막(hut); 《영》 (철도의) 신호소(signal ~). SYN. ⇨ HUT. **2** (1·2 등 선객용의) 선실, 객실; 함장실; 사관실: a ~ deluxe 특등 선실. **3** 〖항공〗 (비행기의) 객실, 조종실; (우주선의) 선실; 《미》 (트레일러의) 거실, (케이블카의) 객실: a sealed ~ 기밀실. ***travel ~ (배의) 특별 2 등으로 여행하다. — *vi.*, *vt.* 오두막에 살다; (좁은 데에) 가두다(confine).

cabin 1

cábin attèndant **1** = FLIGHT ATTENDANT. **2** 여객선의 스튜어디스.

cábin bòy 선실 보이《1·2 등 선객 및 고급 선원의 시중을 듦》.

cábin clàss (여객선의) 특별 2 등《first class (1 등)와 tourist class(2 등)의 중간》.

cábin-clàss *a.*, *ad.* 특별 2 등의〔으로〕.

cábin còurt (도로변의) 모텔(motel).
cábin crèw (비행기의) 객실 승무원.
cábin crùiser (거실이 있는) 행락용 모터 보트〔요트〕. 「갑한, 옹색한.
cáb·ined *a.* 선실이 있는; (좁은 데에) 간힌; 갑
***cab·i·net** [kǽbənit] *n.* **1** 상자, 용기. **2** (일용품을 넣는) 장, 캐비닛; 진열용 선반; 진열용 유리장: a record ~ 레코드판의 정리 선반. **3** (전축·TV 등의) 케이스. **4** 회의실, 《특히》 각의실; 《고어》 (개인용의) 작은 방(closet); (박물관의) 소진열실. **5** (보통 the C-) 내각(cf. shadow cabinet); 《미》 (대통령의) 고문단: form a ~ 조각(組閣)하다. **6** 〖사진〗 카비네판(判). **—** *a.* **1** (종종 C-) 《영》 내각의: a ~ meeting〔council〕 각의(閣議)/a *Cabinet* minister〔member〕 각료. **2** 사실용(私室用)의(private); 진열장용의; 소형의; 가구(제작)용의; 가구장이가〔소목이〕 만든; 가구장이〔소목〕용의. **3** 카비네판의: a ~ photograph 카비네판 사진. **4** 비밀의, 흑막(黑幕)의. [◂ cabin+-et]
cábinet edìtion 〖제본〗 카비네판《도서관판(library edition)과 보급판(popular edition)과의 중간의 장정(裝幀), 4·6 판》.
cab·i·net·eer [kæ̀bənitíər] *n.* (때로는 C-) 내각의 일원, 각료(閣僚).
cábinet·màker *n.* 가구상, 소목장이; 《영》 (조각(組閣) 중인) 수상. 「각(組閣).
cábinet·màking *n.* Ⓤ 가구 제조업; 《영》 조
cábinet mìnister 〖영정치〗 각료.
cábinet piáno 작은 업라이트 피아노.
cábinet projèction 캐비닛 투영(법)(投影)(法). 《사투영(斜投影)의 특별한 경우》.
cábinet pùdding 카스텔라·달걀·우유로 만
cábinet reshúffle 개각(改閣). 「든 푸딩.
cáb·i·net·ry [kǽbənitri] *n.* =CABINETMAKING.
cábinet wìne 독일산 고급 포도주.
cábinet·wòrk *n.* Ⓤ 고급 가구류; 고급 가구 제작. ㊞ **~·er** *n.*
cábin fèver 폐소성 발열《벽지나 좁은 공간에서 생활할 때 생기는 극도의 정서 불안 상태》.
cábin gìrl (호텔·모텔의) 메이드, 여자 종업원.
cábin pàssenger 1·2 등의 선객.
ca·ble** [kéibəl] *n.* **1 a** (철사·삼 따위의) 케이블, 굵은 밧줄, 강삭(鋼索); 닻줄. **b** 케이블《피복(被覆) 전선·해저 전선》. **2** 해저 전신; 해외 전보, 외전: send a ~ 외전을 치다. **3** 〖건축〗 (기둥의) 밧줄꼴 장식. **4** 〖해사〗 =CABLE('S) LENGTH; 〖편물〗 CABLE-STITCH; 《미》 CABLE TELEVISION. ***by **~** (해저) 전신으로.
— *vt.* **1** 《+目+目/+目+전+명/+目+*to* do/(+目)+*that* 절》 (통신을) 전신으로 보내다: I ~*d* her the good news. =I ~*d* the good news *to* her. 그녀에게 길보(吉報)를 타전했다/~ a person *to* wait 아무에게 기다리라고 전보를 치다/She ~*d* me *that* she would come back soon. 그녀는 곧 돌아온다고 내게 타전해 왔다. **2** 케이블을 달다〔로 묶다〕. **3** …에 밧줄 장식을 달다. **—** *vi.* **1** 해저 전신으로 통신하다. **2** 밧줄무늬로 뜨다. **~ *up*** (집에다) 유선 TV의 선을 끌어들이다〔접속시키다〕.
cáble addrèss 해외 전보 수신인 약호.
cáble càr 케이블카.
cáble·càst (*p., pp.* ***-cast, -cast·ed***) *vt., vi.* 유선 텔레비전으로 방송하다. **—** *n.* 유선 텔레비전 방송. ㊞ **~·er** *n.* 유선 텔레비전 방송 회사.
cáble·gràm *n.* 해저 전신; 해외 전보(cable), 외전(外電).
cáble hòme 유선 텔레비전(cable television) 수신 계약을 맺고 있는 가정.
cáble·làid *a.* 〖해사〗 아홉 겹 드린〔가닥으로 꼰〕《밧줄》: a ~ rope.
cáble lèngth 〖해사〗 한 케이블 렝스《해상 거리를 나타내는 단위; 통상 100 fathoms 또는 120 fathoms; 〖미해군〗 219.6m, 〖영해군〗 185.4m》.
Cáble Nèws Nétwork (미국의) CNN 방송《유선 텔레비전의 뉴스 전문 방송국》. 「사진.
cáble·phòto *n.* (특히 신문사·경찰의) 전송
cáble ràilway〔ràilroad〕 케이블〔강삭〕 철도.
cáble-réady *a.* (TV 등이) (CATV용의) 케이블 접속 단자를 갖추고 있는. ㊞ **-réadiness** *n.*
cáble relèase 케이블 릴리스《손을 대지 않고 셔터를 작동시키는 끈》.
ca·blese [kèibəlíːz] *n.* Ⓤ 〖신문〗 전보문체(文體). 「설)선(船).
cáble shìp 해저 전선 부설선(船), 케이블(부
cáble('s) lèngth 〖해사〗 연(連)《보통 100 혹은 120 fathoms; 〖미해운〗 219.6m, 〖영해운〗 185.4m》. cf. fathom.
cáble-stìtch *n.* 밧줄무늬(뜨개질).
ca·blet [kéiblit] *n.* (둘레 10인치 이하의) 아홉 겹 드린 밧줄.
cáble télevision 유선 텔레비전.
cáble tràmway (공중 케이블의) 삭도《주로 화물을 운반함》.
cáble trànsfer 《미》 전신환.
cáble TV **1** =CABLE TELEVISION. **2** 미국의 케이블 TV회사《Cablevision Systems Corp.; 생략: C-TV》.
cáble·vìsion *n.* =CABLE TELEVISION.
cáble·wày [-wèi] *n.* 공중 삭도〔케이블〕.
cáb·man [-mən] (*pl.* ***-men*** [-mən]) *n.* =CABDRIVER.
cab·o·chon [kǽbəʃɑ̀n/-ʃɔ̀n] (*pl.* **~s** [-z]) *n.* 《F.》 〖보석〗 카보숑《컷하지 않고 두부(頭部)를 둥글게 간 보석》; 카보숑 컷. ***en*** **~** 카보숑 컷으로(한): a ruby cut *en* ~ 카보숑 컷으로 한 루비.
ca·bo·clo [kəbɔ́ːkluː, -klou/-kluː] *n.* (*pl.* **~s**) (백인 사회에 동화한 브라질의) 인디오; (백인과의) 혼혈 인디오.
ca·boo·dle [kəbúːdl] *n.* 《구어》 무리, 패(거리). ***the whole*** **~** 전부, 모조리.
ca·boose [kəbúːs] *n.* **1** 《미》 (화물 열차 등의 맨끝의) 승무원차. **2** 《미구어》 =CALABOOSE. **3** 《영》 (상선(商船) 갑판 위의) 요리실(galley).
Cab·ot [kǽbət] *n.* **John ~** 캐벗《이탈리아의 탐험가; 북아메리카 대륙을 발견함; 1450-98》.
cab·o·tage [kǽbətidʒ, kæ̀bətɑ́ːʒ] *n.* 《F.》 Ⓤ 연안 항행(권); 연안 무역; 국내 운항을 자국선〔기〕에 한정하는 운항권 제한. 「배우.
ca·bo·tin [kɑ̀ːbətǽŋ] *n.* 《F.》 지방 순회극단의
cáb·rànk *n.* =CABSTAND; (손님을 기다리는) cab의 줄; 이륙 차례를 기다리는 비행기의 열.
ca·bret·ta [kəbrétə] *n.* (장갑·구두용의) 양가죽.
cab·ri·ole [kǽbriòul] *n.* (가구의) 굽은 다리《Anne여왕 시대 가구의 특색》; 〖발레〗 한쪽 발로 다른 발을 차는 도약. cf. entrechat.
cab·ri·o·let [kæ̀briəléi] *n.* 《F.》 한 마리가 끄는 2륜 포장마차; (쿠페(coupé)형의) 접포장이 붙은 자동차.
cáb·stànd *n.* 택시의 주〔승〕차장.
cáb·stòp *n.* 무인 택시 정류장《궤도 택시(cab-track)의 역》.
cáb tòut 택시의 수배와 화물을 싣고 내리는 일을 업으로 하는 사람.
cáb·tràck *n.* 무인(無人) 택시, 궤도 택시《고가 궤도를 정시 운행하는 미래의 도시 교통 기관》.
ca·ca, ka·ka [kɑ́ːkɑ̀ː] *n., vi* 《소아속어》 응가(하다); 《속어》 (질 나쁜) 헤로인〔마리화나〕.

ca'can·ny [kɑːkǽni, kɔː-] *vi.* 《Sc.》 조심해서〔천천히〕 가다《ca'=call》; 《영》 태업(怠業)하다. ―*n.* 《영》 U,C (노동자의) 태업; 《Sc.》 중용, 신중함: a ~ policy 중도(中道) 정책.

ca·cao [kəkɑ́ːou, -kéi-] (*pl.* **~s**) *n.* 카카오 (= ∠ **bèan**)《열대 아메리카산의 카카오나무의 열매》; 카카오나무.

cacáo bùtter 카카오 기름《화장품 · 비누 · 양초 · 초콜릿 등의 원료》.

ca·cha·ca, -ça [kəʃɑ́ːsə] *n.* 《Port.》 카샤사《브라질산의 럼주》.

cach·a·lot [kǽʃəlɑ̀t, -lòu/-lɔ̀t] *n.* 〖동물〗 향유고래(sperm whale).

cache [kæʃ] *n.* **1** 숨겨 두는 장소, (특히 식량 · 탄약 등을 숨겨 두기 위한) 땅굴. **2** 저장물, 은닉물. **3** 〖컴퓨터〗 캐시. ***make* (*a*) ~ *of*** …을 은닉하다. ―*vt., vi.* (은닉처에) 저장하다; 숨기다(hide).

cáche mèmory 〖컴퓨터〗 캐시 기억 장치.

cache·pot [kǽʃpɑ̀t, -pòu/-pɔ̀t] *n.* (화분을 담는) 장식분(盆).

cache-sexe [kǽʃsèks] *n.* 《F.》 음부가리개《누드댄서나 스트리퍼의 음부를 가리는 천 또는 띠》.

ca·chet [kæʃéi, ∠-] *n.* 《F.》 **1** 공식 인가의 표시; (공문서 등의) 봉인(seal). **2** (감정의 자료가 되는) 특징; 우수성; 높은 성망. **3** 표어〔의장〕 따위를 쓴 우편물〔기념〕 스탬프. **4** 〖약학〗 교갑(膠匣), 캡슐(capsule).

ca·chex·ia, ca·chexy [kəkéksiə], [kəkéksi] *n.* 〖의학〗 악액질(惡液質)《암 · 결핵 · 매독 따위 만성병에 의한 고도의 불건강 상태》; (정신 등의) 불건전 상태; 도덕의 타락. ㊞ **ca·chec·tic** [-tik], **-chex·ic** [-sik] *a.*

cach·in·nate [kǽkənèit] *vi.* 너털웃음을 웃다, 거리낌 없이〔무례하게〕 웃다. ㊞ **càch·in·ná·tion** *n.* U,C 너털웃음.

ca·chou [kəʃúː, kǽʃuː/kǽʃu, -∠] *n.* 《F.》 **1** 구중 향정(口中香錠). **2** =CATECHU. 「(곡).

ca·chu·cha [kətʃúːtʃə] *n.* 《Sp.》 스페인 춤

ca·cique [kəsíːk] *n.* 《Sp.》 **1** 추장《서인도 제도 · 멕시코 등의》; (정계의) 보스《스페인 · 남아메리카 등의》; 대지주《필리핀의》. **2** 찌꼬리《열대 아메리카산》. ㊞ **ca·cíqu·ism** *n.*

cack [kæk] *n.* 뒤축 없는 부드러운 가죽의 낮은 구두《유아용》. 「어색한.

càck-hánded [-id] *a.* 《영구어》 왼손잡이의;

cack·le [kǽkəl] *n.* U (종종 the ~) 꼬꼬댁 · 꽥꽥 하고 우는 소리; 수다; 깔깔대는 웃음: break into a ~ of laughter 갑자기 깔깔 웃어대다. ***Cut the* ~.** 《구어》 입 닥쳐. ―*vt., vi.* 꼬꼬댁 · 꽥꽥 울다《암탉 등이》; 깔깔대다〔웃다〕; 재잘거리다《*out*》. ㊞ **-ler** *n.* 수다쟁이. 「인.

cáckle bròad 《속어》 수다쟁이 여자; 상류 여

cáckle fàctory 《미속어》 정신 병원.

CACM Central American Common Market (중앙 아메리카 공동 시장).

cac·o- [kǽkou, -kə] '악(惡), 추(醜)'의 뜻의 결합사: *caco*graphy.

cac·o·de·mon, -dae- [kæ̀kədíːmən] *n.* 악령, 악귀(devil); 악인. ㊞ **cac·o·d(a)e·mon·ic** [-dimɑ́nik/-mɔ́n-] *a.*

cac·o·doxy [kǽkədɑ̀ksi/-dɔ̀k-] *n.* (종교상의) 잘못된 교의(教義)〔학설〕.

cac·o·dyl [kǽkədìl] *n.* 〖화학〗 카코딜. ―*a.* 카코딜기(基)를 함유하는. ㊞ **càc·o·dýl·ic** *a.*

cacodýlic ácid 〖화학〗 카코딜산(酸)《제초제; 염료 · 향수 제조용》.

cac·o·epy [kǽkouèpi, -kəkóuəpi] *n.* U 발음 부정(不正). OPP *orthoepy*.

cac·o·ë·thes, -e- [kæ̀kouíːθiːz] *n.* U 못된 버릇, 악습(惡習)(bad habit); 누르기 어려운 욕망; …광(狂), …벽(癖)(mania).

cac·o·gen·e·sis [kæ̀kədʒénəsis] *n.* 종족 퇴화; 〖의학〗 발생〔발육〕 이상.

ca·cog·ra·pher [kəkɑ́grəfər/kækɔ́g-] *n.* **1** 악필인 사람. **2** 철자를 틀리는 사람.

ca·cog·ra·phy [kəkɑ́grəfi/kækɔ́g-] *n.* U **1** 오철(誤綴). OPP *orthography*. **2** 악필. OPP *calligraphy*. ㊞ **càc·o·gráph·i·cal, -gráph·ic** *a.*

ca·col·o·gy [kækɑ́lədʒi/-kɔ́l-] *n.* U 말의 오용; 틀린 발음.

cac·o·phon·ic [kæ̀kəfɑ́nik/-fɔ́n-] *a.* 〖음악〗 불협화음의; 불쾌한 음조의; 소음의.

ca·coph·o·nous [kəkɑ́fənəs/kækɔ́f-] *a.* 귀에 거슬리는, 음조가 나쁜. ㊞ **~·ly** *ad.*

ca·coph·o·ny [kəkɑ́fəni/kækɔ́f-] *n.* U **1** 〖음악〗 불협화음(discord). OPP *harmony*. **2** 불쾌한 음조; 소음. OPP *euphony*. 「의.

cac·ta·ceous [kæktéiʃəs] *a.* 〖식물〗 선인장과

◇**cac·tus** [kǽktəs] (*pl.* **~·es, -ti** [-tai]) *n.* 〖식물〗 선인장. ㊞ **cac·tal** [kǽktl] *a.* 선인장의.

cáctus jùice 《미속어》 =TEQUILA. 「정상.

ca·cu·men [kəkjúːmən] *n.* 정점(頂點), 절정;

ca·cu·mi·nal [kəkjúːmənl/kæ-] *a.* 〖의학〗 후굴(後屈)한; 〖음성〗 반전음의. ―*n.* 〖음성〗 반전음.

cad [kæd] *n.* 상스러운 사내, 천격(賤格)스러운 사람, 악당; 《영학생속어》 (대학가의) 일반인.

CAD [kæd, síːéidíː] computer-aided design (컴퓨터 보조 설계).

ca·das·tral [kədǽstrəl] *a.* cadastre 의: a ~ survey 〔map〕 지적 측량〔지적도〕. ㊞ **~·ly** *ad.*

ca·das·tre, -ter [kədǽstər] *n.* 토지 대장.

ca·dav·er [kədǽvər] *n.* 송장, (특히 해부용) 시체(corpse). ㊞ **~·ic** *a.*

ca·dav·er·ine [kədǽvəriːn] *n.* 〖생화학〗 카다베린《단백질이 썩을 때 생기는 유독 화합물》.

ca·dav·er·ous [kədǽvərəs] *a.* 시체와 같은; 창백한(pale); 여윈, 수척한. ㊞ **~·ly** *ad.* **~·ness** *n.*

CADCAM, CAD/CAM [kǽdkæ̀m] *n.* 컴퓨터 이용 설계〔생산〕. [◂ *c*omputer-*a*ided *d*esign/*c*omputer-*a*ided *m*anufacturing]

CADD 〖컴퓨터〗 computer-aided design and drafting; computer-aided drug design.

cad·dice [kǽdis] *n.* =CADDIS[1,2].

Cad·die, -dy [kǽdi] *n.* 《구어》 =CADILLAC.

cad·die, -dy *n.* 〖골프〗 캐디; 심부름꾼. ―(*p., pp.* **-died; cad·dy·ing**) *vi.* 캐디의 일을 보다.

cáddie bàg (골프의) 클럽백.

cáddie càrt 캐디카트《골프채 나르는 2 륜차》.

cad·dis[1] [kǽdis] *n.* U 털실〔모직물〕의 일종.

cad·dis[2] *n.* =CADDISWORM.

cáddis·flỳ *n.* 〖곤충〗 날도래.

cad·dish [kǽdiʃ] *a.* 비신사적인, 예절 없는, 천한: ~ behavior 비열한 행동. ㊞ **~·ly** *ad.*

cáddis·wòrm *n.* 〖곤충〗 물여우《날도래의 유충; 낚싯밥》. 「(작은) 깡통.

cad·dy[1] [kǽdi] *n.* 차통(茶筒)(tea ~); 《영》

cad·dy[2] ⇨ CADDIE.

cáddy spòon 《영》 (차통(茶筒)에서 차를 떠내는) 작은 스푼.

cade [keid] *a.* 사람이 기른.

-cade [kèid, kéid] '행렬, 구경거리'의 뜻의 결합사: aqua*cade*, motor*cade*.

◇**ca·dence** [kéidns] *n.* U,C **1** 운율(韻律)(rhythm). **2** (율동적인) 박자; 목소리의 내림조; 억양; 《시어》 (바람의) 소리. **3** 〖음악〗 악장 · 악곡의 종지(법); 〖군사〗 (행진의) 보조. ―*vt.* …을 율동적으로 하다. ―*vi.* 율동적으로 움직이다〔흐르다〕. ㊞ **~d** [-t] *a.* 운율적인.

ca·den·cy [kéidnsi] *n.* **1** =CADENCE. **2** 분가의 가계(家系).
ca·dent [kéidnt] *a.* **1** =CADENCED. **2** 《고어》 떨어지는, 내려가는(falling). 「종지형(終止形).
ca·den·tial [keidénʃəl] *a.* 〚음악〛 마침꼴의,
ca·den·za [kədénzə] *n.* 《It.》〚음악〛 카덴차《협주곡 · 아리아 따위에서 독주자〔독창자〕의 기교를 나타내기 위한 장식(부)》.
°**ca·det** [kədét] *n.* **1** 《미》 사관학교 생도; (보통 Gentleman C-) 사관〔간부〕 후보생. cf. midshipman. ¶ an air force ~ 공군 사관 후보생. **2** 차남 이하의 아들, 《특히》 막내아들; 동생, 《특히》 막냇동생. **3** 연소한 단원, 수습생. **4** 《미속어》 뚜쟁이(pander, pimp).
cadét còrps 《영》 학도 군사 훈련단.
ca·det·cy [kədétsi] *n.* =CADETSHIP.
cadét fàmily 분가(分家). 「〔신분〕.
ca·det·ship [kədétʃip] *n.* Ⓤ cadet의 지위
Ca·dette [kədét] *n.* 12 세에서 14 세까지의 걸스카우트(=∠ **scòut**).
cadge [kædʒ] 《구어》 *vt.* (남의 후의 등을 기화로) …을 얻어내다, 조르다; (물건을) 등쳐 먹다; (구걸하여) 얻다. **—** *vi.* (음식 등을) 조르다; 구걸하다. **—** *n.* 구걸. ㊀ **cádg·er** *n.*
cadgy [kǽdʒi] *a.* 《Sc.》 명랑한(cheerful); 바람난(wanton). 「하급 법관.
ca·di [kɑ́:di, kéi-] (*pl.* **~s**) *n.* (이슬람교국의)
Cad·il·lac [kǽdilæ̀k] *n.* 캐딜락《미국제 고급 승용차의 상표명》; (때로 c-) Ⓤ 《미속어》 (1 온스의) 헤로인, 코카인.
CADMAT [kǽdmæ̀t] *n.* 컴퓨터를 원용(援用)한 설계 · 제작 · 검사 시스템. [◂ *c*omputer-*a*ided *d*esign, *m*anufacture, *a*nd *t*est]
Cad·me·an [kædmí:ən] *a.* 〚그리스신화〛 Cadmus의〔와 같은〕.
Cadméan víctory 패자 측만큼 큰 희생을 치르고 얻은 승리. cf. Pyrrhic victory.
cad·mi·um [kǽdmiəm] *n.* Ⓤ 〚화학〛 카드뮴《금속 원소; 기호 Cd; 번호 48》. ㊀ **cád·mic** *a.*
cádmium cèll 카드뮴 전지.
cádmium órange 카드뮴 오렌지, 주황색(안료 및 그림물감).
cádmium súlfide 황화카드뮴《황색의 결정으로 안료 · 트랜지스터 · 태양 전지 등에 이용》.
cádmium yéllow 카드뮴 옐로, 선황색.
Cad·mus [kǽdməs/kɑ́:də-] *n.* 〚그리스신화〛 카드모스《용을 퇴치해 Thebes 를 건설하고 알파벳을 그리스에 전한 페니키아의 왕자》. 「Office.
C.A.D.O. 〚미공군〛 Central Air Documents
ca·dre [kǽdri, kɑ́:drei/kɑ́:də] *n.* 《F.》 **1** 기초(공사), 뼈대(framework); 줄거리, 개요. **2** 〚군사〛 〔집합적〕 기간요원《편성 · 훈련을 맡은 장교 · 부사관들》; 간부단. ***top*** **~** (정당의) 간부.
cádre·man [-mən, -mæ̀n] (*pl.* **-men** [-mən, -mèn]) *n.* 간부 요원.
ca·du·ce·us [kədjú:siəs, -ʃəs/-djú:siəs] (*pl.* **-cei** [-siài]) *n.* 〚그리스신화〛 Zeus 의 사자(使者) Hermes 의 지팡이《두 마리의 뱀이 감기고 꼭대기에 쌍날개가 있는 지팡이; 평화 · 상업 · 의술의 상징; 미육군 의무대의 기장》. ㊀ **ca·dú·ce·an** *a.*

caduceus

ca·du·ci·ty [kədjú:səti/-djú-] *n.* Ⓤ 노쇠(senility); 〚식물〛 조락성(早落性), 쉬이 짐; 덧없음(transitoriness); 단명.
ca·du·cous [kədjú:kəs/-djú-] *a.* 〚식물〛 (꽃받침 · 꽃 따위가) 조락성의(opp *persistent*), 쉬이 지는; 탈락되기 쉬운; 명이 짧은, 덧없는(fleeting).
CAE computer-aided engineering(컴퓨터 (이용) 공학).
caecal ⇨ CECAL.
caecitis, caecum, etc. ⇨ CECITIS, CECUM, etc.
caenogenesis ⇨ CENOGENESIS.
Cae·sar [sí:zər] *n.* **1** **Julius ~** 카이사르《로마의 장군 · 정치가 · 역사가; 100-44 B.C.》. **2** 로마 황제; 황제, 전제 군주(autocrat, dictator); 주권, 정권: Render unto ~ the things which are ~'s. 카이사르의 것은 카이사르에게 돌리라《마태복음 XXII: 21》. **3** 《의학속어》 제왕 절개(Caesarean section). ***appeal to*** **~** 최고 권력자에게 호소하다; 총선거에서 국민에게 호소하다. ***~'s wife*** 세상의 의심을 살 행위가 있어서는 안 되는 사람《카이사르가 말했다는 Caesar's wife must be above suspicion.에서》.
Cae·sar·e·an, -sar·i·an [sizɛ́əriən] *a.* Caesar 의; 로마 황제의; 제왕의; Caesarean section 의〔에 의한〕. **—** *n.* 카이사르파의 사람; 전제(專制) 정치론자〔지지자(支持者)〕; (때로 c-) =CAESAREAN SECTION.
Caesárean séction 〔**operátion**〕 〚의학〛 (때로 c-) 제왕 절개술.
Cae·sar·ism [sí:zərìzəm] *n.* Ⓤ 전제 정치(autocracy); 제국주의(imperialism).
Cáe·sar·ist *n.* 제국주의자.
Cae·sa·ro·pap·ism [sì:zəroupéipìzəm] *n.* 황제 교황주의《(1) 속권(俗權)의 수장에 의한 국가 및 교회에 대한 지상권의 행사〔보유〕. (2) 교권에 대한 속권 우위의 정체》. ㊀ **-pist** *n.*
Cáesar sálad 샐러드의 일종《멕시코의 Tijuana 시의 레스토랑 Caesar's 에서》.
caesium ⇨ CESIUM.
cae·su·ra, ce- [sizúərə, -zjúərə/-zjúərə] *n.* 〚운율〛 행(行)중 휴지(休止). ㊀ **-ral** *a.*
CAF currency adjustment factor(통화 시세 변동 할증료(割增料)). **C.A.F., c.a.f.** cost and freight.
ca·fard [kɑ:fɑ́:r] *n.* 《F.》 (특히 열대 지방에서의 백인의) 극도의 우울.
¦ca·fé, ca·fe [kæféi, kə-/kǽfei] *n.* 《F.》 **1** (가벼운 식사도 할 수 있는) 커피점(coffeehouse), 레스토랑. **2** 《미》 바(barroom), 나이트클럽. **3** Ⓤ 커피. ***sidewalk*** **~** (파리 등지의) 노상 다방.
CAFE [kæféi] 《미》 corporate average fuel economy《정부가 연료 절약을 위해 정한 각 자동차 제조 업체별 연료 효율 규준》. **CAFEA** Commission on Asian and Far East Affairs (국제 상공회의소 내(內)의 아시아 · 극동 위원회).
café au lait [kæ̀feiouléi, kæféi-] 《F.》 **1** 카페오레, 우유를 탄 커피. **2** (때로 a~) 엷은 갈색.
café car [∠∠] 〚철도〛 카페카《일부는 식당 · 휴게실 · 흡연실 따위로 사용하는 철도 차량》.
café chan·tant [*F.* kafeʃɑ̃tɑ̃] 음악을 〔노래를〕 들을 수 있는 카페.
ca·fé-con·cert [*F.* kafekɔ̃sɛ:ʀ] *n.* 음악 카페《현악 합주단이나 작은 orchestra가 경음악을 연주하는 카페》.
café coronary [∠∠] 카페코로나리《음식물이 걸렸을 때 생기는 관상(冠狀)동맥 혈전증(血栓症) 비슷한 증상》. 「커피.
café crème [*F.* kafekʀɛm] 《F.》 크림을 탄
café curtain [∠∠] 창 위나 밑부분을 가리는 짧은 커튼.
café fil·tre [*F.* kafefiltʀ] 《F.》 여과한 커피.
café noir [*F.* kafenwa:ʀ] 《F.》 블랙커피(black coffee); 암갈색.
café society [∠∠] 《미》 상류 사회, 사람들이 모이는 나이트 클럽 등의 단골손님들.

***caf·e·te·ria** [kæ̀fətíəriə] *n.* 《미》 카페테리아 《셀프서비스 식당》. [Sp.=coffee shop]

cafetéria bénefit prògrams 〖경제〗 카페테리아형 급부 방식《둘 이상의 부가 급부나 기타 특전 중에서 수익자가 자유 선택하는 방식》.

cafetéria plàn 〖경영〗 카페테리아 방식《보다 충실한 건강 보험, 보다 많은 퇴직 연금, 특별 휴가 등 몇 가지 복지 방식 중 종업원이 자유로이 선택할 수 있게 한 종업원 복지 제도》.

ca·fé thé·â·tre [*F.* kafeteɑːtʀ] (*pl.* ***ca·fés the·â·tres*** [—]) 《F.》 카페테아트르《특히 논쟁적인 테마를 다룬 강연이나 연극을 상연하는 카페》.

caf·e·to·ri·um [kæ̀fətɔ́ːriəm] *n.* (학교의) 식당 겸 강의실. [◂ *cafe*teria+audi*torium*]

caff [kæf] *n.* 《영속어》 =CAFÉ.

caf·fe·ic [kæfíːik] *a.* 커피의; 카페인의.

caf·fein·at·ed [kǽfənèitid] *a.* 카페인이 든.

caf·feine [kæfíːn, kǽfiin/kǽfiːn] *n.* Ⓤ 카페인, 다소(茶素). ㊎ **caf·fein·ic** [kæfíːnik, kæ̀fiínik] *a.*

caf·fe·in·ism [kæfíːnizəm/kǽfiːnìzəm] *n.* 카페인 중독.

caf·fè lat·te [kǽfeilǽtei, -lɑ́ːtei] 《It.》 밀크 커피.

ca·fo·ne [*It.* kafɔ́ːne] *n.* (*pl.* ***-ni*** [*It.* -ni]) 《It.》 촌뜨기; 비열한 사람.

caf·tan, kaf·tan [kǽftæn, -ˊ/-ˋ] *n.* (터키 사람의) 띠 달린 긴소매 옷.

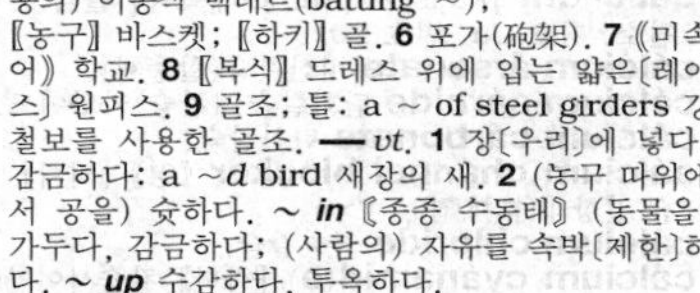
caftan

Cage [keidʒ] *n.* **John** ~ 케이지《미국의 작곡가; 전통적 음악을 부정하고 우연성 음악을 내세움; 1912–92》.

****cage** [keidʒ] *n.* **1** 새장(birdcage); 우리. **2** 옥사, 감옥; 포로 수용소. **3** (격자로 두른 은행 따위의) 창구. **4** (승강기 등의) 칸; (기중기의) 운전실; 〖광산〗 (곧은 바닥의) 승강대. **5** 〖야구〗 실내 연습장; 포수 마스크; (타격 연습용의) 이동식 백네트(batting ~); 〖농구〗 바스켓; 〖하키〗 골. **6** 포가(砲架). **7** 《미속어》 학교. **8** 〖복식〗 드레스 위에 입는 얇은(레이스) 원피스. **9** 골조; 틀: a ~ of steel girders 강철보를 사용한 골조. **—** *vt.* **1** 장〔우리〕에 넣다; 감금하다: a ~*d* bird 새장의 새. **2** (농구 따위에서 공을) 슛하다. ~ ***in*** 〖종종 수동태〗 (동물을) 가두다, 감금하다; (사람의) 자유를 속박〔제한〕하다. ~ ***up*** 수감하다, 투옥하다.

cáge bìrd 새장에서 기르는 새.

cag·ed [kéidʒd] *a.* 《미속어》 술 취한.

cage·ling [kéidʒliŋ] *n.* 새장의 새.

cag·er [kéidʒər] *n.* 《미구어》 농구 선수; 《미구어》 취한(醉漢).

càge ráttler 《미속어》 평범한 것으로는 만족 못하는 사람.

cag·ey, cagy [kéidʒi] (***cag·i·er; -i·est***) *a.* 《구어》 빈틈없는, 조심성 있는(cautious). ㊎ **cág·i·ly** *ad.* **-gi·ness** *n.* **-gey·ness** *n.*

Cag·ney [kǽgni] *n.* **James** ~ 캐그니《미국의 영화배우; 1899–1986》.

ca·goule, ka·gool [kəgúːl] *n.* 카굴《무릎까지 오는 얇고 가벼운 아노락(anorak)》.

ca·hier [kæjéi, kɑː-] *n.* 《F.》 (회의 등의) 의사록, 보고서; 접지장; (가철한) 팸플릿.

ca·hoot [kəhúːt] (흔히 *pl.*) *n.* 《속어》 공동; 공모, 한패. ***go* (*in*)** ~ 《속어》 똑같이 나누다; 한패가 되다. ***in*** ~(***s***) 《속어》 …과 공동으로; 공모하여, 한통속이 되어《*with*》: *in* ~(*s*) *with* the enemy 적과 결탁하여.

CAI computer-aided 〔computer-assisted〕 instruction(컴퓨터 보조 교육).

cai·man [kéimən] (*pl.* **~s**) *n.* =CAYMAN.

Cain [kein] *n.* 〖성서〗 카인《아우 Abel을 죽인, Adam의 장남》; 형제 살해자(fratricide); 살인자. ***raise*** ~ 《속어》 큰 소동을 일으키다; 골내다.

-caine [kèin, kéin] '마취약' 의 뜻의 결합사: ligno*caine*.

Cai·no·zo·ic [kâinəzóuik, kèi-] *a.* =CENOZOIC.

ca·ique, -ïque [kɑːíːk/kaiíːk] *n.* (터키의) 경주(輕舟); (지중해의) 작은 범선.

caird [kɛərd] 《Sc.》 *n.* 떠돌이 땜장이; 방랑자(vagabond).

Cai·rene [kaiəríːn] *n.*, *a.* Cairo 시민(의).

cairn [kɛərn] *n.* 케언《기념·이정표로서의 원뿔꼴 돌무덤》; =CAIRN TERRIER. ㊎ **~ed** *a.* 돌무덤이 있는; 이정표가 있는.

cairn·gorm [kɛ́ərngɔ̀ːrm] *n.* Ⓤ 연수정(煙水晶)《스코틀랜드 Cairngorm 산에서 남》.

cáirn térrier 몸집이 작은 테리어의 일종.

Cai·ro [kɑ́iərou] *n.* 카이로《이집트 아랍 공화국의 수도》.

Cáiro Cónference 카이로 회담《1943년 11월 미·영·중 3국 수뇌가 가진 2차대전 후의 일본 영토 처리에 대한 회담》.

cais·son [kéisən, -sɑn/-sɔn] *n.* **1** 탄약 상자; 폭약차; 지뢰 상자. **2** 케이슨 (수중 공사의) 잠함(潛函). **3** (독 등의) 철판 수문; 〖건축〗 (천장의) 소란(小欄).

cáisson disèase 케이슨병, 잠함병, 잠수병.

cai·tiff [kéitif] 《고어·시어》 *a.* 비겁한, 비열한. **—** *n.* 비열한(卑劣漢), 겁쟁이.

ca·jole [kədʒóul] *vt.*, *vi.* 부추기다; 구워삶다, 감언으로 속이다(coax)《*out of; from*》: He ~*d* the knife *out of* 〔*from*〕 the child. 그는 아이에게서 칼을 편취했다. ~ a person ***into*** 〔***out of***〕 do*ing* 아무를 속여서 …하게 하다〔하지 못하게 하다〕. ㊎ **~·ment** *n.* **ca·jól·er** *n.*

ca·jol·ery [kədʒóuləri] *n.* Ⓤ,Ⓒ 구슬림, 감언, 아첨.

Ca·jun, -jan [kéidʒən] *n.* **1** 《경멸》 Acadia 출신의 프랑스인의 자손인 루이지애나 주의 주민; 그 방언. **2** 앨라배마 주·미시시피 주 남동부의 백인과 인디언 및 흑인의 혼혈인.

†**cake** [keik] *n.* **1** Ⓤ 케이크, 양과자; Ⓒ 케이크 한 개: a sponge ~ 카스텔라 / You cannot eat your ~ and have it. 《속담》 먹은 과자는 손에 남지 않는다; 양쪽 다 좋을 수는 없다. **2** Ⓒ 《미》 둥글넓적하게 구운 과자, 핫케이크; 《Sc.》 귀리로 만든 딱딱한 비스킷; 어육(魚肉)단자. **3** Ⓒ (딱딱한) 덩어리; (고형물의) 한 개: a ~ *of* soap 비누 한 개. **4** 《비어》 섹시한 여성. ***a piece of*** ~ 쉬운〔유쾌한〕 일. ***a slice*** 〔***cut, share***〕 ***of the*** ~ 《구어》 이익의 몫. ***have*** one***'s*** ~ ***baked*** 넉넉하게 살다. ***hurry up the*** 〔one's〕 ~***s*** 《미》 서둘러 하다, 일을 매우 서두르다. One***'s*** ~ ***is dough.*** 《속어》 계획은 실패했다. ***sell*** 〔***go***〕 (***off***) ***like hot*** ~***s*** ⇨ HOT CAKE. ***take the*** ~ 《구어》 상을 타다; 빼어나다, 보통이 아니다《비꼬는 투로》: That *take the* ~! 정말 어처구니없구나 / His arrogance *takes the* ~. 그의 뻔뻔스러움에는 질렸다.

— *vt.* 《+목+전+명》 두껍게 묻히다〔굳히다〕: My shoes were ~*d with* mud.=Mud was ~*d on* my shoes. 내 구두에는 진흙이 두껍게 엉겨 붙었다. **—** *vi.* 《~/+부》 굳다; 덩어리지다 《*up*》.

cáke èater 《미속어》 여자에게 살살거리는 사람, 플레이보이.

cáke flòur 케이크용의 질 좋은 밀가루.

cáke-hòle *n.* 《영속어》 입(mouth).

cáke ìnk 막대 모양으로 굳힌 잉크, 먹.

cáke mìx 케이크 믹스《케이크 만드는 혼합 인

스턴트 재료》.

cákes and ále 맛있는 것 투성이; 즐거운 것 천지, 인생의 쾌락, 물질적 만족. 「틀〔판〕》.

cáke pàn 〔tìn〕 케이크 팬《케이크를 굽는 금속

cáke·wàlk *n.* **1** (남녀 한 쌍의) 걸음걸이 경기《흑인의 경기, 상으로 과자를 줌》; 일종의 스텝댄스(곡). **2** 《속어》 식은 죽 먹기, 누워서 떡 먹기. **—** *vi.* 케이크워크를 열다, 케이크워크에 참가하여 걷다. [파] **~·er** *n.*

caky [kéiki] *a.* 케이크 같은; 굳어진, 고형의.

CAL computer-aided〔-assisted〕 learning (컴퓨터 이용 학습). **Cal.** California《공식 약자는 Calif.》; 〚물리〛 large calorie(s). **cal.** calendar; caliber; 〚물리〛 small calorie(s).

cal·a·bash [kǽləbæ̀ʃ] *n.* 호리병박; 호리병박 제품《술잔·파이프 따위》.

cal·a·ber [kǽləbər] *n.* 다람쥐의 모피.

cal·a·boose [kǽləbùːs, ∸-∸] *n.* 《미구어》 교도소, 감옥(prison), 유치장(lockup). 「coli).

cal·a·bre·se [kæ̀ləbréizi] *n.* 브로콜리(broc-

ca·la·di·um [kəléidiəm] *n.* 〚식물〛 칼라디움《토란속(屬)의 관상 식물》.

Cal·ais [kǽlei, -∸, kǽlis/kǽlei] *n.* 칼레《Dover 해협에 면한 북프랑스의 항구》.

cal·a·man·co [kæ̀ləmǽŋkou] (*pl.* **~s**) *n.* [U] 캘러맹코 나사(羅紗)《18 세기에 유행한 윤나는 모직물》; [C] 그 옷.

cal·a·man·der [kǽləmæ̀ndər] *n.* 《특히》 흑단(黑檀)의 일종《고급 가구재》.

cal·a·ma·ry [kǽləmèri/-məri] *n.* (이탈리아 요리에서) 오징어. 「의.

ca·lam·i·form [kəlǽməfɔ̀ːrm] *a.* 갈대 모양

cal·a·mine [kǽləmàin, -min/-màin] *n.* [U] **1** 〚광물〛 이극석(異極石); 《영》 능(菱)아연석. **2** 〚약학〛 칼라민《피부염증 치료제》.

cálamine lòtion 칼라민 로션《핑크색의 피부 염증 치료용 로션》.

cal·a·mite [kǽləmàit] *n.* 〚고생물〛 노목(蘆木)《높이가 30 미터나 되는 고생대 식물》.

ca·lam·i·tous [kəlǽmətəs] *a.* 재난의; 몹시 불행한(disastrous), 비참한; 재난을 초래하는. [파] **~·ly** *ad.* **~·ness** *n.*

***ca·lam·i·ty** [kəlǽməti] *n.* [U,C] 재난; 참화, 재해(misery); 불행, 비운(悲運)(misfortune). [cf] disaster. ¶a ~ howler 《미속어》 불길한 예언만 하는 사람 / the ~ of war 전화(戰禍).

cal·a·mus [kǽləməs] (*pl.* **-mi** [-mài]) *n.* 등(籐)속의 식물; 창포(의 뿌리줄기); (새 날개의) 깃촉(quill); 깃펜.

ca·lan·do [kaːláːndou] *a.*, *ad.* 《It.》 〚음악〛 점점 느린〔느리게〕, 약한〔하게〕.

ca·lash [kəlǽʃ] *n.* 2 륜 포장마차; (마차의) 포장; 포장꼴의 여성용 모자《18 세기경 유행》.

cal·a·thi·form [kǽləθəfɔ̀ːrm, kəlǽθə-] *a.* 컵 모양의, 오목꼴의(concave). 「뜻의 결합사.

calc- [kælk], **cal·ci-** [kǽlsi, -sə] '칼슘'의

calc. calculate(d); calculating.

cal·cal·ka·line [kælkǽlkəlàin, -lən] *a.* 〚지학〛 칼크알칼리의《암석에 칼슘과 알칼리 금속이 비교적 많이 들어 있음》.

cal·ca·ne·um [kælkéiniəm] (*pl.* **-nea** [-niə]) *n.* 〚해부〛 =CALCANEUS.

cal·ca·ne·us [kælkéiniəs] (*pl.* **-nei** [-niài]) *n.* 〚해부〛 종골(踵骨).

cal·car [kǽlkaːr] (*pl.* **-car·ia** [kælkέəriə]) *n.* 〚동물·식물〛 며느리발톱; 또 그 모양의 돌기.

cal·car·e·ous, -i·ous [kælkέəriəs] *a.* 석회(질)의; 칼슘(질)의. [파] **~·ly** *ad.* **~·ness** *n.*

cal·ce·o·lar·ia [kæ̀lsiəlέəriə] *n.* 칼세올라리아《남아메리카 원산의 현삼과의 관상용 식물》.

cal·ces [kǽlsiːz] CALX 의 복수.

Cal·chas [kǽlkəs] *n.* 〚그리스신화〛 칼카스《트로이 전쟁 때에 그리스 군에 종군한 최고의 예언자》.

cal·cic [kǽlsik] *a.* 칼슘의; 칼슘을 함유한.

cal·ci·cole [kǽlsəkòul] *n.* 〚생태〛 석회 선호 식물. [파] **cal·cic·o·lous** [kəlsíkələs] *a.*

cal·ci·co·sis [kæ̀lsəkóusəs] (*pl.* **-co·ses** [-siːz]) *n.* 〚의학〛 석회증, 석회 침착증《석회암 진(塵)의 흡입으로 인한 진폐증》.

cal·cif·er·ol [kælsífərɔ̀ːl, -rál/-rɔ̀l] *n.* 〚생화학〛 칼시페롤《비타민 D_2》. 「는〔함유한〕.

cal·cif·er·ous [kælsífərəs] *a.* 탄산칼슘을 내

cal·cif·ic [kælsífik] *a.* 〚동물·해부〛 석회성(性)의, 석회 염류를 만드는, 석회를 분비하는.

cal·ci·fi·ca·tion [kæ̀lsəfikéiʃən] *n.* [U] 석회화(化), 《특히》 석회 침착(沈着); (토양의) 석회 집적 작용.

cal·ci·fuge [kǽlsəfjùːdʒ] *n.* 〚생태〛 혐석회(嫌石灰) 식물. [파] **cal·cíf·u·gous** *a.*

cal·ci·fy [kǽlsəfài] (*p.*, *pp.* **-fied**; **~·ing**) *vt.*, *vi.* **1** 〚생리〛 석회화〔골화〕하다; 〚지학〛 석회화하다. **2** (정치적 입장 등을〔이〕) 굳히다〔굳다〕.

cal·ci·mine [kǽlsəmàin, -min] *n.* [U] 칼시민《벽·천장 등을 끝마감하는 수성 도료의 일종》. **—** *vt.* …에 칼시민을 바르다. [파] **-mìn·er** *n.*

cal·ci·na·tion [kæ̀lsənéiʃən] *n.* [U] 〚화학〛 하소(煆燒); 〚야금〛 배소(焙燒)법.

cal·ci·na·tor [kǽlsənèitər] *n.* (방사성 폐기물 처리용의) 소각로, 하소로(煆燒爐).

cal·cine [kǽlsain, -sin] *vt.* 구워서 석회(가루)로 만들다, 하소(煆燒)하다. **—** *vi.* 구워져서 석회로 되다. [파] **-cin·a·ble** [-sənəbl] *a.*

cal·ci·no·sis [kæ̀lsənóusis] (*pl.* **-ses** [-siːz]) *n.* 〚의학〛 석회 침착(沈着)증.

cal·cite [kǽlsait] *n.* [U] 방해석(方解石).

cal·ci·to·nin [kæ̀lsətóunin] *n.* [U] 〚생화학〛 칼시토닌《혈액 속의 칼슘을 조절하는 호르몬》.

cal·cit·ri·ol [kælsítriɔ̀ːl, -àl/-ɔ̀l] *n.* 칼시시리올《골다공증에 유효한 합성 호르몬제》.

***cal·ci·um** [kǽlsiəm] *n.* [U] 〚화학〛 칼슘《금속 원소; 기호 Ca; 번호 20》.

cálcium ársenate 비산칼슘《살충제》.

cálcium cárbide 탄화칼슘, (칼슘)카바이드.

cálcium cárbonate 탄산칼슘.

cálcium chánnel blòcker 《영》 〚약학〛 칼슘 길항제(拮抗劑).

cálcium chlóride 염화칼슘.

cálcium cyánamid(e) 〚화학〛 칼슘사이안아마이드《농업용 석회질소의 주성분》.

cálcium-éntry blòcker 〚의학·약학〛 칼슘 차단제《칼슘 이온을 차단, 심근(心筋)의 부담을 줄여 심장 발작을 예방》.

cálcium glúconate 〚화학〛 글루콘산(酸)칼슘《무미(無味)·무취(無臭)의 흰색 가루〔과립〕; 칼슘 보급제》. 「회(消石灰).

cálcium hydróxide 〚화학〛 수산화칼슘, 소석

cálcium hypochlórite 〚화학〛 하이포염소산칼슘《강한 표백분》.

cálcium lìght 칼슘광(光), 석회광, 라임라이트.

cálcium nítrate 〚화학〛 질산칼슘, 질산석회.

cálcium óxalate 〚화학〛 옥살산칼슘.

cálcium óxide 산화칼슘, 생석회(quicklime).

cálcium phósphate 인산칼슘, 인산석회.

cálcium sílicate 〚화학〛 규산(硅酸)칼슘.

cálcium súlfate 〚화학〛 황산칼슘, 석고.

cal·cog·ra·phy [kælkágrəfi/-kɔ́g-] *n.* [U] 크레용 화법.

cal·crete [kǽlkrìːt] *n.* 〚지학〛 염류 피각(皮殼)《바다 밑에 형성되는 석회질의 응괴(凝塊)》.

cálc·spàr *n.* 〚광물〛 방해석(calcite).

cálc-tùfa, -tùff *n.* 〖지학〗 석회화(華).
cal·cu·la·ble [kǽlkjələbəl] *a.* 계산〔예측〕할 수 있는; 신뢰할 수 있는. ㊞ **-bly** *ad.* **~·ness** *n.* **càl·cu·la·bíl·i·ty** *n.* Ⓤ
cal·cu·la·graph [kǽlkjələgræ̀f, -grɑ̀:f] *n.* 「통화 시간 기록기.
cal·cu·late [kǽlkjəlèit] *vt.* **1** 《~+목/+목+전+명》 계산하다(reckon), 산정하다, 추계하다: ~ the speed of light 빛의 속도를 계산하다 / The population of the city is *~d at* 150,000. 그 도시의 인구는 15만으로 산정된다. **2** 《+목+전+명/+목+*to* do》 〔보통 수동태〕 (어느 목적에) 적합하게 하다; 맞추다《*for*》: be *~d for* modern conditions 현대의 상황에 적합하도록 되어 있다 / This machine is not *~d to* serve such purposes. 이 기계는 그런 목적에 맞도록 만들어진 것은 아니다. **3** 《+*that* 절/+*wh.* 절》 추정하다; 예측하다; 평가〔판단〕하다: ~ *that* prices may go up again 물가가 다시 오를 것이라고 예측하다 / ~ *when* the ship will arrive in port 배가 항구에 도착하는 일시를 추정하다. **4** 《+(*that*)절 / +목+*to* do / +*to* do》 (…라고) 생각하다; 꾀하다; 의도하다: ~ (*that*) it's a waste of time 그것은 시간 낭비라고 생각하다 / His remarks were *~d to* inspire our confidence. 그의 말은 우리들에게 신뢰감을 일으키려는 의도였다 / I ~ *to* climb that mountain. 나는 저 산을 오를 생각이다. **—** *vi.* **1** 계산하다; 어림잡다. **2** 《+전+명》 기대하다, 기대를 걸다; (일 따위를) 예측하여 준비하다《*on, upon*》: ~ *on* her doing a good job 그녀 일솜씨에 기대를 걸다 / ~ *on* a large outlay 큰 지출을 예측하고 준비하다. ◇ calculation *n.*
cál·cu·làt·ed [-id] *a.* **1** 계산된; 계획적인, 고의적인(intentional): a ~ crime 계획적인 범죄. **2** …할 것 같은(likely)《*to*》: The team is ~ *to* win. 그 팀은 이길 것 같다. **3** …에 적합한(fit)《*for*》: This book is not ~ *for* girls. 이 책은 소녀들에겐 부적합하다. ㊞ **~·ly** *ad.*
cálculated rísk 산정(算定) 위험률.
cál·cu·làt·ing *a.* 계산하는, 계산용의; 타산적인, 빈틈없는: a ~ scale 〔rule〕 계산자〔척(尺)〕.
cálculating machìne (자동)계산기《adding machine 보다 복잡한》.
cálculating tàble 계산 조견표.
càl·cu·lá·tion *n.* **1** Ⓤ 계산(하기), Ⓒ 계산(의 결과); 셈; 계산법: make a ~ 계산하다. **2** Ⓤ,Ⓒ 견적; 추정, 예상: be beyond ~ 추정할 수 없다. **3** Ⓤ 숙려(熟慮); 신중한 계획: after much ~ 숙려한 끝에. ◇ calculate *v.*
cal·cu·la·tive [kǽlkjəlèitiv, -lətiv] *a.* **1** 계산상의; 예상〔추측〕의. **2** 타산적인, 빈틈없는; 신중한; 계획적인.
cal·cu·la·tor [kǽlkjəlèitər] *n.* 계산자(者); 〖컴퓨터〗 계산기; 계산기 조작자, 오퍼레이터; 계산표; 타산적인 사람.
cal·cu·lous [kǽlkjələs] *a.* 결석(結石)(질)의; 〖의학〗 결석병의, 결석이 있는.
cal·cu·lus [kǽlkjələs] (*pl.* **~·es, -li** [-lài]) *n.* **1** 〖수학〗 계산법, 《특히》 미적(微積)법; ⇨ DIFFERENTIAL 〔INTEGRAL〕 CALCULUS. **2** 〖의학〗 결석(結石); 〖치과〗 치석(齒石): gastric 〔urethral〕 ~ 위〔요도〕 결석. **3** (서로 관련된 각 부분의) 상관관계, 배열 상태. **~ *of finite differences*** 〖수학〗 차분법. **~ *of variations*** 〖수학〗 변분법.
Cal·cut·ta [kælkʌ́tə] *n.* 캘커타《인도 북동부의 항구; 콜카타(Kolkata)의 옛 이름》.
cal·dar·i·um [kældέəriəm] (*pl.* **-ia** [-iə]) *n.* 《L.》 (옛 로마의) 고온 욕실.
Cál·de·cott Mèdal [kɔ́:ldəkət-] (the ~) 콜더 컷 메달《미국의 아동 문학상》.
cal·de·ra [kældέərə, kɔ:l-/kæl-] *n.* 《Sp.》 〖지학〗 칼데라《화산의 원형 함몰 지형》.
cal·dron [kɔ́:ldrən] *n.* =CAULDRON 1.
Cald·well [kɔ́:ldwel, -wəl] *n.* **Erskine ~** 콜드웰《미국의 소설가; 1903–87》.
ca·lèche, -leche [kəlé∫] *n.* 《F.》 (캐나다 Quebec에서 사용된) 이륜마차.
Cal·e·do·nia [kæ̀lədóuniə] *n.* 《주로 시어》 칼레도니아《스코틀랜드의 옛 이름》. ⓒⓕ Albion 1. ㊞ **-ni·an** *a., n.* (고대) 스코틀랜드의 (사람).
cal·e·fa·cient [kæ̀ləféi∫ənt] *n.* 발열(發熱) 물질《고추 · 후추 따위》. **—** *a.* 더운; 매운.
cal·e·fac·tion [kæ̀ləfǽk∫ən] *n.* Ⓤ 데움, 덥힘; 가열〔가온〕 상태. ㊞ **càl·e·fác·tive** *a.*
cal·e·fac·to·ry [kæ̀ləfǽktəri] *a.* 난방〔가열〕용의; 열을 전도하는. **—** *n.* (수도원의) 난방된 방〔응접실〕.
cal·en·dar [kǽləndər] *n.* **1** 달력(almanac), 역법(曆法), 캘린더. ⓒⓕ Gregorian 〔Jewish, Julian, French Revolutionary, Roman〕 calendar. **2** (보통 *sing.*) 일정표; 일람표; 연중 행사표; (공문서의) 연차 목록; 〖법률〗 소송 사건표; 《미》 (의회의) 의사 일정(표); 《영》 (대학의) 요람(要覽)(《미》 catalog(ue)). ≠ calender. ¶ a court ~ 법정 일정 / a university ~ 대학 행사 예정표. ***on the*** **~** 달력에 실리어; 일정에 들어 있어, 예정되어. **—** *vt.* (행사 따위를) 달력에 적다; (연)표에 올리다; (문서를) 날짜와 내용에 따라 일람표를 만들다. **—** *a.* 캘린더의; 캘린더 그림같이 속된.
cálendar àrt 값싼 그림《달력 등에 실린》.
cálendar clòck 날짜 시계《월 · 일 · 요일 등도 표시하는》. 「의 24시간》.
cálendar dáy 역일(曆日)《자정에서 자정까지
cálendar mónth 역월(曆月)《1년의 12분(分)의 1》. ⓒⓕ lunar month. 「시계.
cálendar wàtch 날짜가 표시되는 손목〔회중〕
cálendar yéar 역년《scholastic year, fiscal year 따위에 대하여》; 1년간.
cálendar-yéar bàsis 〖출판〗 (예약 구독이) 역년(曆年) 단위의《일부 과학 잡지나 학회보 등》.
cal·en·der[1] [kǽləndər] *n.* 〖기계〗 캘린더《종이 · 피륙 등에 윤내는 기계》; 압착 롤러. **—** *vt.* 윤내다; 압착 롤러에 걸다. ㊞ **~·er** *n.*
cal·en·der[2] (이슬람교국의) 탁발승.
ca·len·dric, -dri·cal [kəléndrik, kæ-], [-əl] *a.* 캘린더의〔에 관한, 에 쓰이는〕.
cal·ends, kal- [kǽləndz] *n. pl.* 초하룻날《고대 로마력의》. ***on*** 〔***at, till***〕 ***the Greek*** **~** 언제까지나 절대로 …하지 않는《그리스력에는 calends가 없음》: The debt would be paid *on the Greek* ~. 절대로 빚을 갚지 않을 게다.
ca·len·du·la [kəléndʒələ] *n.* 〖식물〗 금송화.
cal·en·ture [kǽlənt∫ər, -t∫ùər/-tjùə] *n.* Ⓤ 열대 지방의 열병, 열사병. 「가열.
ca·les·cence [kəlésəns] *n.* Ⓤ 증온(增溫),
ca·les·cent [kəlésənt] *a.* 차차 따스해지는〔뜨거워지는〕.
calf[1] [kæf, kɑ:f/kɑ:f] (*pl.* ***calves*** [-vz]) *n.* **1** 송아지; (사슴 · 코끼리 · 고래 따위의) 새끼; (*pl.* **~s**) 송아지 가죽: bound in ~ =CALFBOUND. **2** 《구어》 바보, 얼간이. **3** (빙산에서 떨어진) 얼음덩어리. ***in*** 〔***with***〕 **~** (소가) 새끼를 배어. ***kill the fatted* ~ *for*** (…을 맞아) 최대로 환대하다, 성찬을 마련하다《누가복음 XV: 27》. ***shake a wicked*** 〔***mean***〕 **~** 《속어》 춤을 잘 추다, 춤을 좋아하다.
calf[2] (*pl.* ***calves***) *n.* 장딴지, 종아리.
cálf·bòund *a.* (책이) 송아지 가죽으로 장정된.
cálf·dòzer *n.* 소형의 불도저.
cálf·kìll *n.* 가축류에 해롭다고 생각되는 히스

(heath)류의 각종 식물.
cálf knèe =KNOCK-KNEE.
cálf·less *a.* 종아리가 가는.
cálf lòve 《구어》 풋사랑(puppy love).
cálf's-foot jélly [kǽvzfùt-, kǽfs-, kɑ́ː-] Ⓤ 〖요리〗 송아지족(足) 젤리.
cálf·skìn *n.* Ⓤ 송아지 가죽.
cálf's tòoth 젖니. ⓒⓕ milk tooth.
Cal·ga·ry [kǽlgəri] *n.* 캘거리《캐나다 Alberta 주의 남부 도시; 1988 년 동계 올림픽 개최지》.
Ca·li [kɑ́ːli] *n.* **1** 칼리《콜롬비아 남서부의 도시》. **2** (c-) 《미속어》 마리화나.
Cal·i·ban [kǽləbæ̀n] *n.* 칼리반《Shakespeare 의 *The Tempest* 에 나오는 반수인(半獸人)》; 추악하고 야만적인 남자.
cal·i·ber, 《영》 **-bre** [kǽləbər] *n.* **1** (원통꼴 물건의) 직경; (총포의) 구경; (탄알의) 직경. **2** Ⓤ (인물의) 국량, 재간(ability), 관록; (사물의) 가치의 정도, 품질: a man of excellent ~ 수완가 / a man of great 〔high〕 ~ 큰 인물, 대기(大器) / books of this ~ 이 정도의 책. ⓜ **-bered,** 《영》 **-bred** *a.* 구경(…)의.
cal·i·brate [kǽləbrèit] *vt.* **1** (계기의) 눈금을 빠르게 조정하다; 기초화하다; (온도계·계량컵 등에) 눈금을 긋다. **2** (총포 등의) 구경을 측정하다; (착탄점을 측정하여) 사정을 결정〔수정〕하다. **3** 《비유》 (…용으로) 조정하다, 대상을 (…에) 맞추고 궁리하다. **4** …을 다른 것과 대응시키다, 서로 대조하다. ⓜ **càl·i·brá·tion** *n.* Ⓤ 구경 측정; (*pl.*) 눈금; 〖군사〗 포구(砲口) 수정. **cál·i·brà·tor** [-tər] *n.* 눈금〔구경(口徑)〕 검사기.
cal·i·ces [kǽləsìːz] CALIX 의 복수.
ca·li·che [kəlíːtʃi] *n.* 〖지학〗 칼리치《칠레·페루에 많은, 질산나트륨에 의한 교결(膠結) 충적토》.
cal·i·cle [kǽlikl] *n.* 〖생물〗 (산호 따위의) 술잔 모양의 부분〔기관〕.
°**cal·i·co** [kǽlikòu] (*pl.* **~(e)s**) *n.* Ⓤ,Ⓒ 《미》 사라사; 《영》 캘리코, 옥양목; 반점이 있는 동물〔금붕어〕; 〖식물〗 담배〔감자, 셀러리〕의 바이러스병; 《미우스개》 계집아이, 여자(woman). **—** *a.* 옥양목으로 만든; 《미》 얼룩빛의, 사라사 무늬의.
cálico·bàck, cálico bùg =HARLEQUIN BUG.
cálico prìnting 캘리코 날염; 사라사 무늬 날염술.
cal·i·duct [kǽlədʌ̀kt] *n.* 난방용 배관《따뜻한 공기·수증기를 보내는 관》.
calif, califate ⇨ CALIPH, CALIPHATE.
Calif. California. ★ Cal.은 비공식 생략형.
*__Cal·i·for·nia__ [kæ̀ləfɔ́ːrnjə, -niə] *n.* 캘리포니아《미국 태평양 연안의 주; 주도는 Sacramento; 생략: Calif., Cal.》. ***the Gulf of*** ~ 캘리포니아만. ⓜ **-nian** *a.*, *n.*
Califórnia blànket 《미노동자속어》 담요 대용으로 쓰는 신문지.
Califórnia Cúrrent (the ~) 캘리포니아 해류〔한류(寒流)〕.
Califórnia póppy 금영화(金英花)《California 의 주화(州花)》.
Califórnia rósebay 〖식물〗 (핑크색 꽃이 피는) 만병초(pink rhododendron)《미국 태평양 연안 원산》.
Califórnia súnshine 《속어》 =LSD.
Califórnia tílt 《미속어》 앞쪽으로 경사진 자동차.
Cal·i·for·ni·cate, Cal·i·for·ni·ate [kæ̀ləfɔ́ːrnəkèit], [kæ̀ləfɔ́ːrnièit] *vt.* (도시화·공업화에 따라) 경관(景觀)·환경을 해치다. ⓜ **Cal·i·fòr·ni·cá·tion** *n.*
cal·i·for·ni·um [kæ̀ləfɔ́ːrniəm] *n.* 〖화학〗 캘리포늄《방사성 원소; 기호 Cf; 번호 98》.
ca·lig·i·nous [kəlídʒənəs] *a.* 《고어》 어두운; 흐릿한; 뚜렷하지 못한, 어슴푸레한.
ca·lig·ra·phy [kəlígrəfi] *n.* =CALLIGRAPHY.
Ca·lig·u·la [kəlígjələ] *n.* 칼리굴라《로마 황제 Gaius Caesar 의 별명; 잔인함과 낭비로 미움받아 암살됨》.
cal·i·pash, cal·li- [kǽləpæ̀ʃ] *n.* Ⓤ 바다거북(turtle)의 등살《수프용》.
cal·i·pee, cal·li- [kǽləpìː, ᐩ-ᐩ] *n.* Ⓤ 바다거북의 뱃살.
cal·i·per [kǽləpər] *n.* **1** (*pl.*) 캘리퍼스《내경(內徑)·두께 따위를 재는 양각(兩脚) 기구》, 측경기(測徑器). **2** (종이·나무줄기 따위의) 두께. **—** *vt.* 캘리퍼스로 재다. [◂ caliber]

caliper 1

cáliper còmpass = CALIPER 1.
cáliper rùle 캘리퍼스 자.
ca·liph, ka-, -lif [kéilif, kǽl-] *n.* 칼리프《Muhammad 후계자의 칭호, 지금은 폐지》. ⓜ **ca·liph·ate, -lif-** [kéiləfèit, -fət, kǽl-] *n.* caliph 의 지위〔직, 영토〕.
cal·is·then·ic [kæ̀ləsθénik] *a.* 미용〔유연〕체조의. ⓜ **~s** *n. pl.* 〖단수취급〗 미용 체조법; 〖복수취급〗 미용 체조.
ca·lix [kéiliks, kǽl-] (*pl.* ***cal·i·ces*** [kǽləsìːz]) *n.* 〖가톨릭〗 성작(chalice); 그 포도주; 《문어》 잔; 움푹 팬 것; 잔 모양의 꽃; 〖해부〗 배상와(杯狀窩). ≠ calyx.
calk[1] [kɔːk] *vt.* =CAULK[1].
calk[2] *n.* 뾰족징, (편자·구두 따위의) 바닥징. **—** *vt.* …에 뾰족징을 박다; 뾰족징으로 상처 내다.
calk[3] *vt.* 투사(透寫)하다, (트레이스하여) …의 윤곽을 베끼다.
cálk·er *n.* (뱃널틈을) 뱃밥으로 틀어막는 사람〔도구〕.
cal·kin [kɔ́ːkin, kǽl-] *n.* 편자의 구부린 끝; (구두의) 바닥징.
†**call** [kɔːl] *vt.* **1** 《~+목/+목+부/+목+전+명》 부르다, (아무를) 소리 내어 부르다, 불러일으키다(awake); (아무)에게 전화를 걸다《*up*》; 불러내다《무선 통신으로》: He ~*ed* me *out.* 그는 나를 불러내었다 / *Call* me *at* six. 여섯 시에 전화 주시오 / *Call* him *on* the telephone. 그에게 전화를 거시오 / You can ~ me (*up*) anytime. 언제고 내게 전화해 주시오 / ~ a person *by* name 아무의 이름을 부르다《직접 본인에게》. **2** (이름을) 부르다: ~ a person's name 아무의 이름을 부르다〔불러 보다〕《찾을 때 따위》. ≠ ~ a person by name.
3 《~+목/+목+전+명/+목+목》 불러오다, …을 오라고 하다, 초대하다; 재청하다, 앙코르를 청하다: ~ the doctor 의사를 부르다 / He ~*ed* my family *to* dinner. 그는 우리 가족을 식사에 초대했다 / *Call* me a taxi. =*Call* a taxi *for* me. 택시를 불러 주게 / They ~*ed* the actress time and again. 그들은 재청으로 그 여배우를 몇 번이나 무대에 불러냈다.
4 《~+목/+목+전+명》 (관청 따위에) 불러내다; (회의 따위)를 소집하다; 〖보통 수동태〗 (직책·자리 따위에) 앉히다; (자격을) 얻다: ~ a meeting 회의를 소집하다 / ~ men *to* arms 사람들을 군대에 소집하다 / *be* ~*ed to* the bar 변호사의 자격을 얻다.
5 《+목+전+명》 (아무의 주의 따위를) 불러일으키다; (마음에) 상기시키다: ~ a person's attention *to* the fact 그 사실에 대해서 아무의 주의를 환기시키다 / ~ the scene *to* mind 그 광경을 상기하다.
6 《+목+전+명》 (아무에게) 주의를 주다, 비난하다《*on*》: She ~*ed* him *on* his vulgar lan-

guage. 그녀는 그의 저속한 말을 비난하였다.
7 《+목+보/+목+전+명》 …라고 이름짓다, …라고 부르다(name): We ~ him Tom. 우리는 그를 톰이라고 부른다/He *~ed* me a fool. 그는 나를 바보라고 불렀다/She is *~ed by* various names. 그녀는 여러 가지 이름으로 불려진다/What do you ~ this stone? — We ~ it granite. 이 돌은 무엇이라고 합니까 — 화강암이라고 합니다(*How* do you *call*...? 이라고는 아니함).
8 《+목+보》 …라고 일컫다, …라고 말하다, …라고 생각하다, …으로 간주하다: Can we ~ it a success? 그것을 성공이라고 말할 수 있느냐/I ~ that a mean remark. 그것은 비열한 소견이라고 생각한다/You may ~ him a scholar. 그를 학자라고 해도 좋다.
9 (소리 내어) 읽다, 부르다: ~ a list 목록을 읽다/~ a roll 출석을 부르다, 점호하다.
10 《~+목/+목+부》 명하다; (채권 등의) 상환을 청구하다; (경기의) 중지〔개시〕를 명하다; (심판이) …의 판정을 내리다; 〚카드놀이〛 (상대방의 패를) 보이라고 하다, 콜하다: ~ a halt 정지를 명하다/The union leader *~ed* a strike. 노조 지도자는 파업을 명했다/a *~ed* game 〚야구〛 콜드 게임/The umpire *~ed* him *out*. 심판은 그에게 아웃을 선언했다.
11 《~+목/+목+전+명》 심의〔재판〕에 부치다: ~ a case (*to* court) 사건을 재판에 부치다.
12 《미구어》 예상하다; 예언하다: ~ a horse race 경마의 예상을 하다.
— *vi.* **1** 《~/+부/+전+명/+전+명+*to* do》 소리쳐 부르다, 외치다(shout)《*to*》; (멀리 있는 사람을) 어이 하고 부르다《*to*》: He *~ed* (*out*) *to* me *for* help. 그는 구해달라고 내게 소리쳤다/I *~ed* (*out*) *to* him *to* stop. 나는 그에게 멈추라고 소리쳤다.
2 전화를 걸다(telephone), 통신을 보내다: Has anyone *~ed?* 누구한테서 전화 안 왔냐/Who's *~ing?* 누구십니까《전화에서》.
3 《~/+전+명》 들르다, 방문하다; 정차하다, 기항하다《*at; on*》. cf. visit. ¶ Has anyone *~ed?* 누가 안 찾아왔더냐/He *~ed at* my house yesterday. 그는 어제 나의 집에 (잠시) 들렀다/I'll ~ *on* you on Sunday. 일요일에 방문하겠다.
4 〚카드놀이〛 상대방의 패를 보이라고 요구하다; (스톱 따위를) 선언하다.
5 (새가) 힘차게 울다; 신호를 울리다.
~ ***after*** (아무의) 등 뒤에서 부르다. ~ ***... after*** (…의 이름)을 따서 이름짓다: He was *~ed* John *after* his father. 아버지 이름을 따서 존이라고 이름지었다. ~ ***aside*** 꾸짖다, 주의를 주다. ~ ***at*** = ~ on. ~ ***away*** 불러서 가게 하다, 불러내다; 마음을 어수선하게 하다: I am *~ed away* on business. 볼일로 나가 봐야 한다. ~ ***back*** 《*vt.*+부》 ① (아무를) 다시 부르다; 소환하다. ② (아무에게) 전화를 다시 하다; 회답의 전화를 걸다: I'll ~ you *back*. 나중에 다시 전화하겠다. ③ (앞서 한 말을) 취소하다, 철회하다; (결함 상품을) 회수하다. ④ (아무의 얼굴을) 생각해 내다; (원기 따위를) 회복하다. — 《*vi.*+부》 ⑤ 재차 방문하다. ⑥ 전화로 대답하다; 다시 전화하다. ~ ***by*** 《구어》 (…에) 지나는 길에 들르다《*at*》: ~ *by at* one's friend's on the way to the station 역에 가는 길에 친구 집에 (잠시) 들르다. ~ ***down*** 《*vi.*+부》 ① (아무를 아래로) 불러내리다. — 《*vt.*+부》 ② (신께 가호 따위를) 기구하다; (천혜·천벌 따위를) 내리라고 빌다《*on*》. ③ 《미구어》 야단치다, 꾸짖다: The boss *~ed* us *down* for lateness. 사장은 우리의 지각을 꾸짖었다. ④ 《미》 (상대)에게 도전하다; 《미속어》 (상대를) 혹평하다. ~ ***for*** ① …을 불러오다, (갈채하여 배우 등)을 불러내다; (술 따위)를 청하다, (물건 따위)를 가져오게 하다: ~ *for* orders 주문을 받다. ② …을 요구하다, …을 필요로 하다: This *~s for* prompt action. 이것은 신속한 행동을 필요로 한다. ③ (아무를) 데리러〔부르러〕 가다〔들르다〕; …을 들러서 받다: I'll ~ *for* you a little before ten. 열 시 조금 전에 모시러 가겠습니다. ~ ***forth*** (용기 따위를) 불러일으키다, 환기하다. ~ ***in*** 《*vt.*+부》 ① 안으로 불러들이다; (도움을 얻기 위해 아무를) 부르다, 조언을〔원조를〕 청하다〔구하다〕: ~ *in* a doctor 〔the police〕 의사를〔경찰을〕 부르다. ② (불량품을) 회수하다; (통화·대출금·대출 도서 따위를) 회수하다, 지급〔반환〕을 요구하다: ~ *in* overdue books 대출 기한이 지난 책들을 회수하다. ③ (주문 따위를) 전화로 하다: ~ *in* an order 전화로 주문하다. — 《*vi.*+부》 ④ (아무를) 잠시 방문하다《*on*》; (…에) 들르다; (배가) 기항하다《*at*》. ⑤ (근무처 등에) 전화하다; 전화로 보고하다. ~ ***in*** 〔***into***〕 ***question*** 〔***doubt***〕 문제 삼다, 의심을 품다, 이의를 제기하다. ~ ***in sick*** (근무처에) 전화로 병결(病缺)을 알리다. ~ ***it a day*** ⇨ DAY. ~ ***it square*** ⇨ SQUARE. ~ ***off*** ① (약속을) 취소하다, 손을 떼다; …의 중지를 명하다: ~ *off* a strike 파업을 중지하다/The performance was *~ed off* because of rain. 공연은 비 때문에 중지되었다. ② (이름 따위를) 차례로 부르다. ③ (사람·동물 따위를) 불러서 딴 데로 가게 하다: Please ~ *off* your dog. 개 좀 쫓아 주십시오. ~ ***on*** 〔***upon***〕 ① (아무)를 방문하다: ~ *on* a friend at his house 친구 집을 방문하다. ② (아무)에게 …을 요구하다, 부탁하다《*for*》: ~ *on* 〔*upon*〕 a person *for* a song 아무에게 노래를 청하다. ③ (아무)에게 …하도록 요구〔부탁〕하다《*to* do》: He *~ed on* me *to* make a speech. 그는 나에게 연설을 부탁했다. ④ (교사가 학생을) 지명하다: get *~ed on* (수업에서) 지명받다. ~ ***out*** ① 큰 소리로 부르다; 불러내다; (군대 등을) 출동시키다; (예비역 등을) 소집하다; (노동자를 파업에) 몰아넣다; = ~ forth; 〚야구〛 (심판이) …에게 아웃을 선언하다: ~ *out* the army 군대를 출동시키다/*~ed out* on strike 파업에 돌입하다. ② (상대)에게 도전하다, 결투를 신청하다. ~ ***over*** ① 호명〔점호(點呼)〕하다(=~ over the names). ② 초청하다, 불러오다. ~ ***round*** (집을) 방문하다, 들르다《*at*》. ~ (a thing) one***'s own*** 제것이라 부르다, 맘대로 하다: I have nothing to ~ *my own*. 빈털터리다. ~ ***together*** 소집하다. ~ ***up*** 《*vt.*+부》 ① ⇨ *vt.* 1. ② 상기시키다: The tomb *~ed up* my sorrows afresh. 무덤을 보니 슬픔이 새로웠다. ③ 소집하다; 동원하다: Several reserve units were *~ed up*. 몇몇 예비대가 소집되었다. ④ (혼령 따위를) 불러내다; (잠들어 있는 사람을) 깨우다. ⑤ (정보를 컴퓨터 화면에) 나타나게 하다; 불러내다: *~ed up* the full text ... 전문(全文)을 컴퓨터 화면에 나타나게 하다. — 《*vi.*+부》 ⑥ ⇨ *vi.* 2. ***What one ~s ...*** = ***What is ~ed*** = ***what we*** 〔***you, they***〕 ***~ ...*** 소위, 이른 바: He is *what is ~ed* a walking dictionary. 그는 말하자면 만물〔척척〕박사이다.
— *n.* **1** 부르는 소리, 외침(cry, shout); (새의) 지저귐; (나팔·피리의) 신호 소리: I heard a ~ *for* help. 사람 살리라고 외치는 소리를 들었다.
2 (전화의) 통화, 전화를 걺, 걸려온 전화; (무선의) 호출; (기·등불 따위의) 신호; 〚컴퓨터〛 불러내기: I have three *~s* to make. 전화를 세 군데 걸어야 한다/She gave me a ~. 그녀는 내

게 전화를 걸어왔다.
3 (짧은) 방문, 내방, 들름; (배의) 기항, (열차의) 정차: pay 〔make〕 a formal ~ *on* a person 아무를 정식 방문하다 / return a person's ~ 아무를 답례 방문하다.
4 초청, 초대; 앙코르; 소집 (명령); 점호, 출석 호명(roll ~); (직업·사명 등에 대한) 소명(召命); 천직, 사명: He had a ~ *to* the ministry. 그는 성직자가 되라는 신의 소명을 받았다.
5 (the ~) (장소·직업 따위의) 매력, 유혹; 충동: feel the ~ of the sea 〔the wild〕 바다〔야성〕의 매력에 끌리다.
6 요구(demand) 《*on*》; 필요(need) 《*for*, *to* do》, 수요《*for*》; 기회; (주금(株金)·사채 등의) 납입 청구; (거래소의) 입회(立會); 〖증권〗 콜, 매수 선택권(~ option)(OPP *put*[1]); 요구불(拂); 〖카드놀이〗 콜(패를 보이라〔달라〕는 요구): a ~ *for* medicines 약의 수요 / A busy man has many ~*s on* his time. 바쁜 사람은 이래저래 시간을 뺏기는 일이 많다 / You have no ~ *to* meddle 〔interfere〕. 참견〔간섭〕할 필요가 없다 / 30 days after ~ 청구 후 30일불.
a ~ of nature 대소변이 마려움. ***a ~ to quarters*** 〖미군사〗 귀영 나팔《소등나팔 15분 전》. ***a place 〔port〕 of ~*** 기항지, 정박지. ***at*** one's ***~*** 아무의 부름에 응하여; 대기하여. ***get a ~ through*** (건) 전화가 이어지다. ***give*** a person ***a ~*** 아무에게 전화를 걸다. ***have the ~*** 지도적 지위에 있다; 수요〔인기〕가 대단하다. ***money on 〔at〕 ~*** = CALL MONEY. ***on 〔at〕 ~*** ① 당좌로, 요구불로. ② (의사 등) 부르면 곧 응할 수 있는, 언제나 준비되어 있는: The nurse is *on* ~ for emergency cases. ***pay a ~*** 방문하다; 《구어·완곡어》 화장실에 가다. ***take a ~*** 연주〔공연〕 후 관람객의 박수에 답례하다. ***within ~*** 부르면 들리는 곳에; 전화로〔라디오로·텔레비전으로〕 연락이 되는 곳에; 명령을 기다려: Please stay *within* ~. 가까운 곳에서 기다려 주시오.

CALL 〖컴퓨터〗 computer aided 〔assisted〕 language learning (컴퓨터 보조 언어 학습).

cal·la [kǽlə] *n.* 토란의 일종; 〖원예〗 칼라(= ∠ lily).

call·a·ble *a.* 부를 수 있는; 〖상업〗 청구 즉시 지불되는; 기일 전에 상환될 수 있는.

cáll alàrm 비상 호출 장치《장애인이나 독신 노인등이 감시 센터에 긴급 신호를 보내는 장치》.

cal·lan(t) [kɑ́:lən(t)] *n.* 《Sc.》 젊은이(lad, boy).

Cal·las [kǽləs] *n.* **Maria Men·e·ghi·ni ~** 칼라스《미국 태생의 그리스의 소프라노 오페라 가수; 1923–77》.

call-a-thon [kɔ́:ləθɑ̀n/-θɔ̀n] *n.* 연속 전화 토론.

cáll·bàck *n.* (결함 제품의) 회수; (일시 휴가 중인 노동자의) 귀환; (상담을 위한) 고객과의 거듭되는 면담.

cáll bèll 초인종.

cáll bìrd 미끼새, 후림새(decoy).

Cáll Blóck 〖미통신〗 콜 블록《통화하고 싶지 않은 상대의 전화번호를 미리 기억시켜 통화를 거부할 수 있는 시스템》.

cáll·bòard *n.* 고지판(告知板)《극장에서 리허설·배역 변경을 알리는 판 따위》.

cáll bòx 《미》 (우편의) 사서함; (거리의) 경찰〔소방〕서 연락용 비상 전화; 《영》 공중전화 박스(《미》 telephone booth).

cáll·bòy *n.* **1** (무대에로의) 배우 호출원. **2** = BELLBOY, PAGE[2].

cáll càrd = CALL SLIP.

cáll cènter (대기업 따위의) 고객 전화 서비스.

cáll chàrges 통화료.

cáll dày 〖영법률〗 (Inns of Court에서) 변호사 자격이 수여되는 날.

cálled stríke 〖야구〗 못 보고 놓친 스트라이크.

call·ee [kɔ:lí:] *n.* 방문을 받는 사람; (누구에게) 불리우는 사람.

ca·lle·jón [kɑ:ljexɔ́:n] (*pl.* **-jo·nes** [-xóuneis]) *n.* 《Sp.》 좁은 길; 투우장과 관람석 사이의 좁은 통로.

°**call·er**[1] [kɔ́:lər] *n.* **1** 방문자. SYN. ⇨ VISITOR. **2** 호출인; 초청인; 소집자. **3** 《미》 전화 거는 사람; (도박에서) 점수를 불러 주는 사람.

cal·ler[2] [kǽlər, kɑ́:lər] *a.* 《Sc.》 신선한, 싱싱한(fresh)《청어 등》; 상쾌한(cool)《날씨 등》.

cáller ID 발신자 번호 표시 서비스《수화기를 들기 전에 전화를 건 사람의 번호가 전화기에 나타나는 전화 서비스》.

cal·let [kǽlət] *n.* 《Sc.》 매춘부; 《영방언》 잔소리가 심하고 심술궂은 여자(shrew).

cáll for vótes (인터넷에서) 투표를 위한 호출; 투표 절차《유즈넷(USENET)에서 새로운 뉴스그룹 설립의 가부를 묻는 경우에 행해짐》.

cáll fórwarding 착신 전환《어느 번호에 걸려온 통화가 자동적으로 미리 지정된 번호로 연결되는 서비스》.

cáll gìrl 콜걸.

cáll hòuse 콜걸이 사는 집.

cal·li- [kǽli, -lə] '선(善), 미(美)'의 뜻의 결합사. OPP *caco-*.

cal·lid·i·ty [kəlídəti] *n.* 교묘함.

cal·li·gram [kǽləgræ̀m] *n.* 캘리그램, 도형시(圖形詩)《주제에 걸맞는 도형으로 시행(詩行)을 배치한 시》; 캘리그램《이름이나 문자 등을 장식적으로 도안화한 것》.

cal·li·graph [kǽləgræ̀f, -grɑ̀:f] *vt.* 달필로 쓰다.

cal·lig·ra·pher, -phist [kəlígrəfər], [-fist] *n.* 달필가, 서예가.

cal·li·graph·ic, -i·cal [kæ̀ləgrǽfik] *a.* 서예의; 달필의. ㊞ **-i·cal·ly** *ad.*

cal·lig·ra·phy [kəlígrəfi] *n.* Ⓤ **1** 달필. OPP *cacography*. **2** 서도, 서예. **3** 필적.

cáll-ìn *n.* 콜인《텔레비전·라디오에서 시청자가 전화로 참여하는 프로》.

call·ing** [kɔ́:liŋ] *n.* **1** 부름, 외침; 점호; 발정한 암고양이의 울음소리. **2** 소집; 소환(summons); 초대: the ~ of Congress 의회의 소집. **3** 신의 부르심, 소명, 천직; 직업, 생업(profession); (해야 할 일에 대한) 강한 충동, 욕구《*for; to* do》: have a ~ *to* become a singer 가수가 되고 싶다는 강한 욕구를 가지다 / I am a carpenter *by* ~. 내 직업은 목수이다. **4** 방문, 들름; 기항. ***betray one's ***~*** 본색이 드러나다. ***give*** a person ***a ~*** 《방언》 아무를 꾸짖다. ***pursue*** one's ***~*** 생업에 종사하다.

cálling càrd 《미》 (방문용) 명함(visiting card); 《영》 = PHONECARD.

cáll-in pày 《미》 출근 수당《사전에 일이 없음을 통보받지 못한 노동자에게 지급하는》.

Cal·li·o·pe [kəláiəpi] *n.* **1** 〖그리스신화〗 칼리오페《웅변과 서사시의 여신; Nine Muses의 하나》. **2** (c-) [+kǽlioup] 증기로 울리는 건반 악기.

cal·li·op·sis [kæ̀liɑ́psis/-ɔ́p-] *n.* = COREOPSIS.

callipash ⇨ CALIPASH.

cal·li·per [kǽləpər] *n.*, *vt.* = CALIPER.

cal·li·pyg·i·an, -py·gous [kæ̀ləpídʒiən], [-páigəs] *a.* 엉덩이가 아름답고 균형 잡힌.

cal·li·sec·tion [kæ̀ləsékʃən] *n.* (동물을 마취해서 하는) 무통 생체 해부.

cal·lis·then·ic [kæ̀ləsθénik] *a.* = CALISTHENIC.

Cal·lis·to [kəlístou] *n.* 〖그리스신화〗 칼리스토《Zeus에게 사랑받은 탓으로 Hera에 의해 곰이 된》; 〖천문〗 목성의 제4 위성.

cal·li·thump [kǽləθʌ̀mp] *n.* 《미구어》 = CHARIV-

ARI; 소란스러운 가두 행렬. ㊞ **càl·li·thúm·pi·an** [-θʌ́mpiən] *a.*, *n.*
cáll lètters =CALL SIGN.
cáll lòan 콜론, 요구불 단기 대부금.
cáll màrket 콜시장, 단자(短資) 시장.
cáll mòney 콜머니, 요구불 단기 차입금.
cáll nìght call day의 밤.
cáll nùmber 〔**màrk**〕 (도서관의) 도서 정리〔신청〕 번호. cf. pressmark. 「자의 호출 대기」.
cáll-òn *n.* 《영》 콜온《항만에서 일을 구하는 노동
cáll òption 주식 매수 선택권(call).
cal·los·i·ty [kəlɑ́səti/kælɔ́s-] *n.* **1** (피부의) 경결(硬結), 못. **2** Ⓤ 무감각; 무정, 냉담.
°**cal·lous** [kǽləs] *a.* **1** (피부가) 굳은, 못이 박힌, 경결(硬結)한. **2** 무감각한(insensible), 무정한, 냉담한《*to*》: a ~ liar 태연히〔예사롭게〕 거짓말하는 사람. ── *vt.*, *vi.* ~하게 하다〔되다〕. ㊞ **~·ly** *ad.* 무정하게. **~·ness** *n.* 무정.
cáll òut 삽화를〔도형(圖形)을〕 설명하기 위해 붙인 번호《따위》.
call-out [kɔ́:làut] *n.* 호출, 출두 명령, 출장; 도전: Is there a ~ charge? 출장비를 받습니까.
cáll-òver *n.* 점호(roll call).
cal·low [kǽlou] *a.* 아직 깃털이 나지 않은(unfledged); 경험이 없는, 풋내기의.
cáll ràte 콜 대차 이율.
cáll sìgn 〔**sìgnal**〕 〖통신〗 콜 사인, 호출 부호.
cáll slìp (도서관의) 열람(신청)표.
cáll to quárters 〖미군사〗 소등(消燈) 준비 나팔, 귀영(歸營)나팔.
cáll-ùp *n.* 〖미군사〗 소집(병).
cal·lus [kǽləs] (*pl.* **~·es, -li** [-lai]) *n.* 피부경결(硬結), 못; 가골(假骨); 〖식물〗 유합(癒合) 조직. ── *vi.* ~를 형성하다. ── *vt.* …에 ~를 형성시키다.
cáll wáiting 《미》 통화 중 대기《통화 중 다른 전화가 오면 통화를 잠시 유보시킨 후 다른 전화를 받고 나서 통화를 계속할 수 있는 방식》.
⁑**calm** [kɑ:m] *a.* **1** 고요한, 조용한(quiet), 온화한, 바람이〔파도가〕 잔잔한(opp. *windy*): a ~ sea. **2** 침착한, 냉정한; 《구어》 철면피한, 뻔뻔스러운: a ~ face / ~ and self-possessed 냉정하고 침착한. ── *n.* **1** 〖기상〗 고요. **2** 고요함; 잔잔함: the region of ~ (적도 부근의) 무풍 지대. **3** 평온, 무사. **4** Ⓤ 냉정. ***the ~ before the storm*** 폭풍 전의 고요.
── *vt.* 《+目+副》 (분노·흥분을) 진정시키다; 달래다; 가라앉히다, (사람·생물을) 안정시키다《*down*》: ~ *down* a child 아이를 달래다 / ~ oneself 마음을 가라앉히다. ── *vi.* 《+副》(바다·기분·정정(政情) 등이) 가라앉다; 안정되다, 조용해지다《*down*》: The sea soon ~*ed down*. 바다는 곧 가라앉았다 / *Calm down*. 침착해라.
calm·a·tive [kɑ́:mətiv, kǽl-] *a.* 〖의학〗 진정시키는. ── *n.* 진정제(sedative). 「히, 태연스레.
*__calm·ly__ [kɑ́:mli] *ad.* 온화하게; 침착히; 냉정
*__calm·ness__ [kɑ́:mnis] *n.* Ⓤ 평온, 냉정, 침착: with ~ =CALMLY.
cal·mod·u·lin [kælmɑ́dʒəlin / -mɔ́dʒ-] *n.* 〖생화학〗 칼모듈린《여러 가지 세포 기능을 조절하는 칼슘 결합 단백질》.
ca·lo [kəlóu; *Sp.* kɑ:lɔ́:] *n.* 칼로《미남서부에서 멕시코계 청년들이 쓰는 영어가 섞인 스페인어》.
cal·o·mel [kǽləmèl, -məl] *n.* Ⓤ 〖화학〗 감홍(甘汞)《염화제 1 수은》. 「온각(溫覺).
cal·o·re·cep·tor [kǽlourisèptər] *n.* 〖생리〗
cal·o·res·cence [kæ̀lərésəns] *n.* 〖물리〗 열발광《적외선 조사(照射)로 가시 광선〔고온 발광〕이 나타나는 일》.
cal·o·ri- [kǽləri] '열(heat)'의 뜻의 결합사.
ca·lor·ic [kəlɔ́:rik, -lɑ́r-/-lɔ́r-] *a.* 열의, 열에 관

한; 칼로리의, 열량의. ── *n.* Ⓤ 열(heat); 《고어》 〖화학〗 열소(熱素). ㊞ **-i·cal·ly** *ad.*
cal·o·ric·i·ty [kæ̀lərísəti] *n.* 〖생리〗 온열 발생능(溫熱發生能)《체온을 유지하는 힘》.
*__cal·o·rie, -ry__ [kǽləri] *n.* **1** Ⓒ 〖물리·화학〗 칼로리《열량 단위》. **a** 그램〔소(小)〕칼로리(gram 〔small〕 ~)《1g의 물을 1°C 올리는 데 필요한 열량; 생략: cal.》. **b** 킬로〔대(大)〕칼로리(kilogram 〔large, great〕 ~)《그램칼로리의 천 배; 생략: Cal.》. **2** 열량《영양 단위; 1 킬로칼로리에 상당하는 영양가·음식물》. 「diet.
cálorie-contrólled *a.* 칼로리를 억제한: a ~
ca·lor·i·fa·cient [kəlɔ̀:rəféiʃənt, -lɑ̀r-, kæ̀lər-/kəlɔ̀r-] *a.* (음식이) 열을 내는.
cal·o·rif·ic [kæ̀lərífik] *a.* 열을 내는, 발열의; 열의, 열에 관한. ㊞ **-i·cal·ly** *ad.*
calorífic válue 〔**pówer**〕 발열량.
ca·lor·i·fi·er [kəlɔ́:rəfàiər, -lɑ́r-/-lɔ́r-] *n.* (증기에 의한) 액체 가열기, 온수기.
cal·o·rim·e·ter [kæ̀lərímətər] *n.* 〖원자〗 칼로리미터《(1) 소립자의 에너지를 재는 장치. (2) 열량계》. ㊞ **-e·try** [-tri] *n.* 열량 측정(법).
càl·o·ri·mét·ric, -ri·cal [-rəmétrik], [-əl] *a.*
calory ⇨ CALORIE. ⌊**-ri·cal·ly** *ad.*
ca·lotte [kəlɑ́t/-lɔ́t] *n.* (가톨릭 성직자가 쓰는) 반구모(半球帽); 반구 모양의 물건.
cal·o·type [kǽlətàip] *n.* 캘러타이프《요오드화 은을 감광제로 이용한 19세기의 사진술》.
cal·pac, -pack, kal- [kǽlpæk, -ˊ] *n.* 《Turk.》 (터키·이란 사람들이 쓰는) 양피로 만든 챙 없는 모자.
calque [kælk] *n.* 어의(語義) 차용; 번역 차용(어구)(loan translation).
CALS Commerce at Light Speed (생산·조달·운용 지원 종합 정보 시스템) 《제품의 설계·부품〔부재〕 조달·생산·유통의 전(全) 사이클을 전자적으로 관리하는 종합 시스템》.
Cal. Tech., Cal. tech., Cal·tech [kælték] 《미구어》 캘리포니아 공과 대학. [◂ *California* Institute of *Tech*nology]
cal·trop, -trap [kǽltrəp] *n.* **1** 마름쇠《적의 기병의 추격을 저지 또는 타이어를 펑크시키기 위해 지상에 깖》. **2** 〖식물〗 남가새.
cal·u·met [kǽljəmèt] *n.* 북아메리카 인디언이 쓰는 긴 담뱃대《평화의 상징》. ***smoke the ~ together*** 화해〔화친〕하다.
ca·lum·ni·ate [kəlʌ́mnièit] *vt.* 비방하다, 중상하다(slander). 「상, 비방.
ca·lùm·ni·á·tion *n.* Ⓤ 중상〔비방〕함; Ⓒ 중
ca·lum·ni·a·tor [kəlʌ́mnièitər] *n.* 중상〔비방〕자. 「중상적인.
ca·lum·ni·a·to·ry [kəlʌ́mniətɔ̀:ri/-təri] *a.*
ca·lum·ni·ous [kəlʌ́mniəs] *a.* =CALUMNIATORY. ㊞ **~·ly** *ad.* 「der).
cal·um·ny [kǽləmni] *n.* Ⓤ 중상, 비방(slan-
cal·u·tron [kǽljətrɑ̀n/-trɔ̀n] *n.* 〖물리〗 칼루트론《동위 원소를 분리하는 전자 장치》.
cal·va·dos [kæ̀lvədóus, -dɑ́s/-dɔ́s] *n.* (*or* C-) 칼바도스 사과주(酒)《노르망디산 브랜디》.
Cal·va·ry [kǽlvəri] *n.* **1** 갈보리, 예수가 십자가에 못 박힌 땅《Jerusalem 부근 Golgotha의 언덕; 누가복음 XXIII: 33》. **2** (c-) Ⓒ 예수 십자가상(像); Ⓤ 수난, 고통.
calve [kæv, kɑ:v/kɑ:v] *vi.*, *vt.* 송아지를 낳다; (사슴·고래 등이) 새끼를 낳다; (빙하·빙산이 얼음덩이를) 떨어뜨리다. ㊞ **~d** (소가) 새끼를 낳은 일이 있는. **cálv·er** *n.* 새끼 밴 소.
calves [kævz, kɑ:vz/kɑ:vz] CALF[1,2]의 복수.
Cal·vin [kǽlvin, -vən] *n.* **John ~** 칼뱅《프랑

스의 종교 개혁자; 1509-64). ㊞ **~·ism** *n.* 칼뱅교(敎), 칼뱅주의. **~·ist** *n.* 캘빈교도.
Cálvin cỳcle 〖생물〗 캘빈 순환 과정, 캘빈 회로《광합성 순환 과정》.
Cal·vin·is·tic, -ti·cal [kæ̀lvənístik], [-əl] *a.* Calvin 의; 칼뱅주의〔파〕의.
cal·vi·ti·es [kælvíʃiìːz] *n.* Ⓤ 대머리.
cal·vous [kǽlvəs] *a.* 대머리의, 독두(禿頭)의.
calx [kælks] (*pl.* **~·es, cal·ces** [kǽlsiːz]) *n.* 〖화학〗 금속회, 광회(鑛灰); 《고어》 생석회.
cal·y·cate [kǽləkèit] *a.* 〖식물〗 꽃받침이 있는.
cal·y·ces [kǽləsìːz, kéilə-] CALYX 의 복수.
ca·ly·cine [kǽləsin, -sàin/-sàin] *a.* 꽃받침(꼴)의.
cal·y·cle [kǽlikl] *n.* 〖식물〗 부악(副萼).
ca·lyc·u·late [kəlíkjələt, -lèit] *a.* 〖식물〗 부악(副萼)(조직)을 가지는.
ca·lyc·u·lus [kəlíkjələs] (*pl.* **-li** [-lài]) *n.* 〖동물〗 작은 술잔〔꽃봉오리〕 모양의 조직: gustatory ~ 미뢰(味蕾).
ca·lyp·so [kəlípsou] (*pl.* **~(e)s**) *n.* **1** 칼립소《서인도 제도 Trinidad 원주민이 춤추면서 부르는 즉흥적인 노래》; 그 리듬을 이용한 노래·춤(곡). **2** 〖식물〗 풍선난초. **3** (C-) 〖그리스신화〗 칼립소《Odysseus 를 유혹한 바다의 요정》. ㊞ **ca·lyp·so·ni·an** [kəlìpsóuniən, kæ̀lip-] *a., n.* 칼립소의 (가수〔작곡자〕).
ca·lyp·tra [kəlíptrə] *n.* 이끼류의 포자낭을 보호하는 조직; (꽃·열매의) 갓; 근관(根冠).
ca·lyx [kéiliks, kǽl-] (*pl.* **~·es, cal·y·ces** [-ləsìːz]) *n.* 〖식물〗 꽃받침. ≒calix.
cályx spràỳ 살충 분무액.
cal·za·da [kɑːlsáːðɑ, -θáː-] *n.* 《Sp.》 포장도로; (라틴 아메리카의) 대로.
cam [kæm] *n.* **1** =CAMERA. **2** 〖기계〗 캠《회전 운동을 왕복 운동 또는 진동으로 바꾸는 장치》.
CAM computer-aided manufacturing(컴퓨터 이용 생산). **Cam., Camb.** Cambridge.
CAMAC [kǽmæk] *n.* 〖군사〗 캐맥《계측(計測) 기기와 컴퓨터 간의 인터페이스(interface)의 표준 규격》.
ca·ma·ra·de·rie [kæ̀mərǽdəri, -rɑ́ːd-, kɑ̀ːmərɑ́ːd-] *n.* Ⓤ《F.》 동지애, 우정.
cam·a·ril·la [kæ̀mərílə] *n.* 《Sp.》 국왕의 사적(私的) 고문단; 도당; 비밀 결사.
cam·as(s) [kǽməs] *n.* 〖식물〗 백합과의 식물《북아메리카산》.
cam·ber [kǽmbər] *n.* Ⓤ,Ⓒ (노면 따위의) 위로 붕긋한 볼록꼴, 퀸셋형; 〖항공〗 캠버《날개의 만곡》. **—** *vt., vi.* 가운데가 돋게 만들다; (가운데가) 위로 휘다〔불룩해지다〕.
cam·bism [kǽmbizəm] *n.* 환(換)이론〔업무〕.
cam·bist [kǽmbist] *n.* 환(換)업무에 정통한 사람, 외국환 시세 전문가; 환어음 매매업자; 각국 통화·도량형 비교표. ㊞ **~·ry** *n.*
cam·bi·um [kǽmbiəm] (*pl.* **~s, -bia** [-biə]) *n.* 〖식물〗 형성층; 신생 조직.
Cam·bo [kǽmbou] *a.* =CAMBODIAN.
Cam·bo·dia [kæmbóudiə] *n.* 캄보디아《아시아 남동부의 왕국; 수도는 Phnom Penh》. ㊞ **-di·an** *a., n.* 캄보디아의; 캄보디아인(의); Ⓤ 크메르어(Khmer).
cam·brel [kǽmbrəl] *n.* 《영》 (정육점의) 고기를 거는 막대(gambrel). 「의 옛 이름.
Cam·bria [kǽmbriə] *n.* 《고어·시어》 Wales
Cam·bri·an [kǽmbriən] *a.* Cambria 의; 〖지학〗 캄브리아기(紀)〔계〕의: the ~ period 〔system〕 캄브리아기〔계〕. **—** *n.* 《시어》 Wales 사람(Welshman); (the ~) 〖지학〗 캄브리아기층.

cam·bric [kéimbrik] *a.* 흰 삼베로 만든. **—** *n.* Ⓤ 일종의 흰 삼베(처럼 짠 무명); Ⓒ 흰 삼베 손수건.
cámbric téa 《미》 홍차 우유《어린이용 음료》.
Cam·bridge [kéimbridʒ] *n.* 케임브리지《(1) 영국 남동부의 도시; (그 도시의) Cambridge 대학. (2) 미국의 Massachusetts 주의 도시; Harvard, M.I.T. 두 대학의 소재지》.
Cámbridge blúe 담청색. ⓒⓕ Oxford blue.
Cámbridge Certíficate (the ~) 케임브리지 영어 검정 시험《케임브리지 대학의 시험 위원회가 실시하는 외국어로서의 영어 사용 능력을 측정하는 시험》.
Cámbridge phenómenon (the ~) 케임브리지 현상《케임브리지 지역에 케임브리지 대학생·졸업생을 주축으로 한 많은 컴퓨터 관계 하이테크 벤처 기업들이 일어나는 현상; 미국 Silicon Valley 의 영국판》.
Cam·bridge·shire [kéimbridʒʃìər, -ʃər] *n.* 케임브리지셔《잉글랜드 동부의 주(州)》.
Cambs. Cambridgeshire.
cam·cord·er [kǽmkɔ̀ːrdər] *n.* 캠코더《비디오 카메라와 비디오 카세트 리코더(VCR)를 일체화한 소형 휴대용 카메라》.

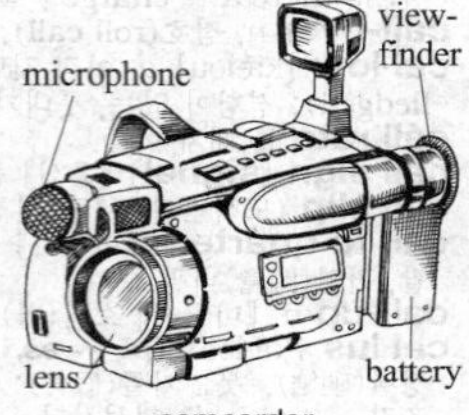

camcorder

came[1] [keim] COME 의 과거.
came[2] (격자창의 유리를 받쳐 주는 가느다란) 납으로 된 창살.
cam·el [kǽməl] *n.* **1** 〖동물〗 낙타. **2** 〖해사〗 부함(浮函)《얕은 물 건널 때 배를 띄우는 장치》; (부두와 배 사이에 띄우는) 방현목(防舷木). **3** 낙타색《엷은 황갈색》. ***a ~ sticking his nose under the tent*** 나서지 않아도 좋은데 주제넘게 나서는 자. ***break the ~'s back*** 연이어 무거운 짐을 실어 마침내 견딜 수 없게 하다. ***swallow a ~*** 믿을 수 없는〔터무니없는〕 것을 받아들이다. **—** *a.* 담황갈색의, 낙타색의.
cámel·bàck *n.* **1** 낙타 등; 의자의 물결 모양의 등. **2** 《미》 (타이어 수리용의) 일종의 재생고무.
cámel bìrd 〖조류〗 타조(ostrich).
cam·el·eer [kæ̀məlíər] *n.* 낙타 모는 사람(camel driver); 낙타 기병(騎兵).
cam·e·lid [kǽməlid] *n.* 낙타과(科)의 동물.
ca·mel·lia [kəmíːljə, -liə] *n.* 〖식물〗 동백나무.
ca·mel·o·pard [kəméləpɑ̀ːrd, kǽmələ-] *n.* 《드물게》 기린(giraffe); (the C-) 〖천문〗 기린자리(Camelopardalis)
Ca·mel·o·par·da·lis, -par·dus [kəmèləpɑ́ːrdəlis], [-dəs] *n.* 〖천문〗 =CAMELOPARD.
Cam·e·lot [kǽmələ̀t/-lɔ̀t] *n.* 캐밀롯《영국 전설에 Arthur 왕의 궁전이 있었다는 곳》.
cam·el·ry [kǽməlri] *n.* 낙타 부대〔기병대〕.
cámel('s) hàir 낙타털 (모직물).
cámel's-hàir *a.* 낙타털로 만든: ~ yarn 낙타털실/a ~ brush 다람쥐 꼬리털 화필.
cámel's nòse 작은 한 부분, 빙산의 일각.
Cám·em·bert (chèese) [kǽməmbɛ̀ər(-)] *n.* Ⓤ 카망베르《프랑스산 크림치즈》.
cam·eo [kǽmiòu] (*pl.* **-e·os**) *n.* **1** 카메오 새김(의 기술), 카메오 세공. **2** 카메오《1 과 같은 돋을새김을 한 보석·돌·조가비 등》. **3** (문학·극에서 주제를 돋보이게 하기 위한) 인상적인 장면, 절정, 대목. **4** (명배우가 단역으로 연기하는) 짧은 묘미 있는 연기〔역〕, 명장면. **5** 《미속어》 카메오

깎기《옆은 짧게, 정수리는 평탄하거나 모지게 하여 깎는 흑인 젊은이의 특유의 머리형》. **—** *a.* 〖한정적〗 작은, 소규모의; 짧으나 인상적인, 주옥의: a ~ part 〔performance, role〕. **—** *vt.* 카메오 새김을 하다.

cámeo glàss 카메오 유리《카메오풍으로 돈을새김을 한 공예 유리》.

cámeo párt 〖연극〗 유명한 스타나 배우가 단역 같은 사소한 역으로 특별 출연하는 일.

cámeo ròle (주연을 돋보이기 위한) 조연.

cámeo wàre 카메오 웨어《고전을 주제로 한 카메오풍으로 얇게 돋을새김을 한 재스퍼웨어》.

†**cam·era** [kǽmərə] *n.* **1** (*pl.* **-er·as**) 카메라, 사진기; 텔레비전카메라: load a ~ 카메라에 필름을 끼우다 / snap a ~ at a person 카메라로 아무를 찍다. **2** (*pl.* **-er·ae** [-ərìː]) 판사실. ***in*** **~** 〖법률〗 (공개가 아닌) 판사(判事)의 사실(私室)에서, 방청(傍聽) 금지로; 〖일반적〗 비밀히. ***Kill*** **~!** 《미속어》 카메라를 멈춰라, 찍지 마. ***on*** 〔***off***〕 **~** 〖TV · 영화〗 (주로 배우가) 촬영 카메라 앞에서〔에서 벗어나〕, 본 프로그램 촬영에서〔본 프로그램이 아니어서〕.

cámera-cónscious *a.* 《미》 카메라에 과민한. 「도(능력)〕.

cámera-èye *n.* 사진과 같이 정밀한 관찰력〔보

cam·er·al [kǽmərəl] *a.* 판사 사실(私室)의; 국가 재정 및 국사(國事)에 관한.

cam·er·a·lism [kǽmərəlìzəm] *n.* (17-18 세기 독일에서 발전한) 중상주의. [파] **-list** *n.*

cam·er·a·lis·tic [kæ̀mərəlístik] *a.* 카메럴리즘의; 국가 재정의.

cámera lú·ci·da [-lúːsidə] (프리즘 · 거울 등을 이용한) 실물 사생기(寫生器), 전사기.

cámera·màn [-mæ̀n] (*pl.* **-mèn** [-mèn]) *n.* (신문사 등의) 사진반원; 〖영화〗 촬영 기사; 사진사.

cámera ob·scú·ra [-ɑbskjúərə/-ɔb-] (사진기 등의) 어둠상자; 암실; 사진기.

cámera·pèrson *n.* (영화 · 텔레비전의) 촬영

cámera·plàne *n.* 촬영용 비행기. 「기사.

cámera-ready cópy 〖인쇄〗 (제판(製版)에 돌리기 위한) 사진 촬영용 교료지(校了紙) (mechanical). 「총연습.

cámera rehéarsal 〖TV〗 카메라 앞에서 하는

cámera scrìpt 〖TV〗 카메라의 위치 · 이동을 나타내는 대본.

cámera-shỳ *a.* 사진 찍기를 싫어하는.

cámera tùbe 〖TV〗 촬상관(撮像管). 「한.

cámera-wìse [-wàiz] *a.* 《미》 카메라에 익숙

cámera·wòman (*pl.* **-wòmen**) *n.* (영화 · 텔레비전의) 여성 촬영 기사.

cámera wòrk 촬영 기교. 「자, 사진가.

cam·er·ist [kǽmərist] *n.* 《구어》 카메라 사용

cam·er·len·go, -lin·go [kæ̀mərléŋgou], [-líŋ-] *n.* 로마 교황의 시종 겸 재무관.

Cam·e·roon [kæ̀mərúːn] *n.* 카메룬《서아프리카 동쪽의 공화국; 수도 Yaoundé》. [파] **Càm·e·róon·i·an** [-iən] *a., n.* 카메룬의; 카메룬 사람(의).

Cam·e·roons [kæ̀mərúːnz, ⌐-⌐] *n.* 아프리카 서부 옛 영국 신탁 통치령《1961년 북부는 Nigeria, 남부는 Cameroon 공화국에 합병》.

cám fòllower 〖기계〗 캠 공이.

ca·mik [káːmik] *n.* 바다표범 가죽으로 만든 장화《에스키모가 신음》.

cam·i·knick·ers [kǽmənìkərz] *n. pl.* 《영》 (여성용) 콤비네이션식 속옷. [파] **-knìck·er** *a.*

Ca·mil·la [kəmílə] *n.* 카밀라. **1** 여자 이름. **2** 〖로마신화〗 Aeneas 와 싸운 여걸.

cam·i·on [kǽmiən] *n.* 《F.》 짐마차; 포차(砲車), 군용 트럭.

ca·mise [kəmíːz, -míːs] *n.* 낙낙한 셔츠, 덧입는 겉옷.

cam·i·sole [kǽməsòul] *n.* 캐미솔《(1) 소매 없는 여자용 속옷의 일종. (2) 여자용 재킷. (3) (광인(狂人)용) 구속복(服)》.

cámisole tòp 〖복식〗 캐미솔톱《캐미솔 비슷한, 가는 끈으로 어깨에 건 드레스; 선드레스, 이브닝드레스 등》.

cam·let [kǽmlit] *n.* [U,C] 낙타 모직물; 튼튼한 방수포; 명주와 털의 교직.

cam·mies [kǽmiz] *n. pl.* 《미군대속어》 위장복, (얼룩무늬) 전투복.

camo [kǽmou] *n.* 위장 (전투)복. 「밀레.

cam·o·mile [kǽməmàil, -mìl] *n.* 〖식물〗 카

Ca·mor·ra [kəmɔ́ːrə, -mɑ́rə/-mɔ́rə] *n.* 《It.》 1820년경 조직된 이탈리아의 비밀 결사; (c-) 비밀 결사. [파] **-mor·rist** *n.*

°**cam·ou·flage** [kǽməflɑ̀ːʒ] *n.* [U,C] **1** 〖군사〗 위장(僞裝), 미채(迷彩), 카무플라주. **2** 변장; 기만, 속임. **—** *a.* (천 · 의복이) 미채(迷彩)(무늬)의, 위장의: ~ fatigues (얼룩무늬) 전투복. **—** *vt., vi.* 위장하다; 속이다; 감추다《*with*》: a ~*d* truck 위장한 트럭 / ~ one's anger *with* a smile (억지) 웃음으로 노여움을 감추다. [파] **~·a·ble** *a.* **càm·ou·flág·ic** *a.* **-flàg·er** *n.*

ca·mou·flet [kæ̀məfléi, ⌐-⌐] *n.* 지하〔갱내〕 폭발(로 생긴 구멍); 지하 폭발에 쓰는 폭약.

cam·ou·fleur [kǽməflə̀ːr] *n.* 《F.》 〖군사〗 위장〔미채(迷彩)〕 전문가.

†**camp**[1] [kæmp] *n.* **1** (군대의) 야영지, 주둔지, 막사; (포로 · 난민 등의) 수용소. **2** (산 · 해안 따위의) 캠프장; 〖집합적〗 텐트; 오두막: make 〔pitch〕 ~ 텐트를 치다, 야영하다. **3** [U] 〖무관사〗 캠프 (생활), 천막 생활; 야영; 군대 생활; 출정군; 싸움터: be in ~ 야영 중이다. **4** 야영대. **5** 〖정치〗 진영(陣營), 〖집합적〗 (주의 · 주장 · 종교 따위의) 동지, 동아리: be divided into two ~*s*, 2개 진영으로〔파로〕 나뉘다 / be in different ~*s* (주의나 이념상의) 입장을 달리하고 있다 / be in the same 〔enemy's〕 ~ 동지〔적(측)〕이다. **6** 《미》 산장(山莊). **7** 《미》 (재향 군인회 따위의) 분회; (정당의) 본부. ***go to*** **~** 캠프하러 가다; 자다. ***have a*** **~** 《구어》 잠시 쉬다. ***take into*** **~** 제것으로 하다; 이기다; 속이다; 죽이다.
— *vi.* **1** 천막을 치다; 야영〔캠프〕하다: Let's ~ here. 여기에 천막을 치자. **2** 《+[부]/+[전]+[명]》 진을 치다; 한자리에서 버티다; (어떤 장소에) 임시로 거처하다〔머물다〕《*in; with*》: ~ *down* 자리잡고 앉다 / ~ *in* an apartment house 〔*with* one's parents〕 아파트〔양친이 있는 곳〕에 임시로 거처하다. **—** *vt.* 야영시키다. **~** ***out*** 야영하다, 캠프 생활을 하다.

camp[2] *n.* 《구어》 과장되게 체하는 태도〔행동, 예술 표현〕; 호모(homo)의 과장된 여성적인 몸짓; 그런 짓을 하는 사람. **—** *a.* 점잔 빼는; 뽐내는; 과장된; 동성애의. **—** *vi., vt.* (일부러) 과장되게 행동하다. **~ *it up*** 《구어》 일부러 눈에 띄게 행동하다.

CAMP 《미》 Campaign Against Marijuana Planting (마리화나 재배 박멸 운동).

cAMP 〖생화학〗 = CYCLIC AMP.

Cam·pa·gna [kæmpɑ́ːnjə] *n.* 로마 부근의 평원(平原); (c-) 평원.

****cam·paign** [kæmpéin] *n.* **1** (일련의) 군사 행동; 회전(會戰), 전역(戰役). **2** 출정, 종군. **3** 선거 운동, 유세(election ~): a ~ chairman 선거 사무장. **4** 캠페인, (조직적인) 운동, 《특히》 사회 운동; 찬성 운동《*for*》, 반대 운동《*against*》: a sales ~ 판매 촉진 운동 / a fund-raising ~ 모금 운동 / ~ *to* combat crime 범죄 방지 운동 /

~ *for* world peace 세계 평화 운동 / ~ *against* air pollution 〔alcohol〕 대기 오염 반대〔금주(禁酒)〕 운동. ***on*** ~ 종군하여. — *vi.* **1** 종군하다: go ~*ing* 종군하다; 유세하다. **2** 《+전+명》 (…에 반대〔찬성〕하는) 운동을 하다〔일으키다〕《*for; against*》: ~ *for* 〔*against*〕 the legalization of marijuana 마리화나의 합법화를 추진〔반대〕하는 운동을 하다.

campáign bùtton 캠페인 버튼《후보자의 이름 때로는 사진이나 슬로건을 넣은 plate로 지지자가 가슴 등에 닮》.

campáign chèst 1 =CAMPAIGN FUND. **2** (양쪽에 손잡이가 달린) 서랍장.

cam·páign·er *n.* 종군자; 노련가; 노병(veteran); (사회·정치 따위의) 운동가.

campáign-finance làws 선거 자금법.

Campáign for Núclear Disármament (the ~) 《영》 핵무기 폐기 운동《1958년 설립; 생략: CND》.

campáign fùnd 선거 자금.

campáign fùrniture 이동용 조립식 가구.

campáign mànager 선거 사무장.

campáign mèdal 〔**rìbbon**〕 종군 기장.

campáign swíng 지방 유세 (여행).

campáign tràil 선거 유세 여행〔코스〕.

Cam·pa·nel·la [*It.* kampanélla] *n.* **Tommaso** ~ 캄파넬라《이탈리아 도미니크회의 수사; 옥중에서 '태양의 도시'를 씀; 1568–1639》.

cam·pan·i·form [kæmpǽnəfɔ̀ːrm] *a.* 종(鐘) 모양의.

cam·pa·ni·le [kæ̀mpəníːli] (*pl.* **~s, -li** [-níːliː]) *n.* 종루(鐘樓), 종탑(bell tower).

cam·pa·nol·o·gist [kæ̀mpənɑ́lədʒist/-nɔ́l-] *n.* 종 만드는 사람, 명종가(鳴鐘家).

cam·pa·nol·o·gy [kæ̀mpənɑ́lədʒi/-nɔ́l-] *n.* Ⓤ 명종술(鳴鐘術); 주종술(鑄鐘術). ㊞ **cam·pa·no·log·i·cal** [kæ̀mpənəlɑ́dʒikəl/-lɔ́dʒ-] *a.*

cam·pan·u·la [kæmpǽnjələ/kəm-] *n.* 【식물】 초롱꽃속(屬)의 식물《풍경초·잔대 따위》.

cam·pan·u·late [kæmpǽnjələt, -lèit/kəm-] *a.* 【식물】 종(鐘) 모양의.

cámp bèd (캠프용) 접침대, 야전 침대.

cámp chàir 접의자.

cámp còunselor 《미》 (아동을 대상으로 한) 여름 캠프의 지도자.

cámp·cràft *n.* Ⓤ 캠프 (생활) 기술.

Cámp Dávid 《미》 Maryland 주에 있는 대통령 전용 별장: ~ accords 캠프 데이비드 협정.

cámp·er *n.* **1** 야영자, 캠프 생활자. **2** 캠프용 트레일러〔자동차〕.

camper 2

camp·er·ship [kǽmpərʃìp] *n.* 《미》 (소년·소녀에게 주는) 캠프 참가 보조금.

cámper vàn 《영》 부엌·숙박 설비가 있는 자동차.

cam·pe·si·no [kæ̀mpəsíːnou] (*pl.* **~s**) *n.* 《Sp.》 (남아메리카의) 농부, 농업 노동자.

cam·pes·tral [kæmpéstrəl] *a.* 들판〔평원〕의; 전원의(rural).

cámp fèver 야영지에 발생하는 열병《특히 발진티푸스》.

Cámp Fìre (the ~) 캠프 파이어 소년 소녀단《건전한 인격 형성을 목적으로 1910년 미국에서 창설된 단체; 표어는 'work, health, love'》.

cámp·fìre *n.* 모닥불, 캠프파이어; 《미》 (모닥불 둘레에서의) 모임, 친목회.

cámpfire bòy 《속어》 아편 상용자.

Cámp Fìre Gìrl 미국 소녀단원《the Camp Fire Girls of America의 단원》.

cámp fòllower 부대 주변의 민간인《상인·매춘부 등》; (특정 집단의) 부외 공명자〔동조자〕.

cámp·gròund *n.* 야영지, 캠프장; 야영 집회소; 야외 전도 집회 장소.

cam·phene [kǽmfiːn, -ˊ] *n.* Ⓤ 【화학】 용뇌유(龍腦油)《테르펜유의 일종》.

cam·phol [kǽmfəl, -fɔːl, -foul/-fɔl] *n.* Ⓤ 용뇌(龍腦).

°**cam·phor** [kǽmfər] *n.* Ⓤ 장뇌(樟腦). ㊞ **~·ate** [-rèit] *vt.* 장뇌와 화합시키다, …에 장뇌를 넣다: ~*ated* oil 장뇌유《화농 방지》. **-pho·ra·ceous** [kæ̀mfəréiʃəs] *a.*

cámphor bàll 장뇌알《방충용》.

cam·phor·ic [kæmfɔ́ːrik, -fɑ́r-/-fɔ́r-] *a.* 장뇌질의, 장뇌를 넣은.

cámphor ìce 【약학】 장뇌 연고.

cámphor òil 장뇌유(油).

cámphor trèe 〔**làurel**〕 【식물】 녹나무《장뇌의 원료로 쓰임》.

cam·pim·e·ter [kæmpímətər] *n.* 시야계(視野計).

cam·pim·e·try [kæmpímətri] *n.* 【안과】 시야 측정(법).

cámp·ing *n.* Ⓤ 천막 생활; 야영, 노영; 캠프. ***go*** ~ 캠핑 가다.

cam·pi·on [kǽmpiən] *n.* 【식물】 석죽과의 식물《장구채·전추라 따위》.

cámp mèeting 《미》 (종교상의) 야외〔텐트〕 집회.

cam·po [kǽmpou, kɑ́ːm-] *n.* (남아메리카의) 초원 (지대).

cámp-òn 캠프온《상대방 전화가 통화 중일 때, 그 통화가 끝나는 즉시 자동적으로 그 번호에 접속되도록 하는 기능》.

cam·po·ree [kæ̀mpəríː] *n.* 《미》 (보이스카우트) 지방 대회. ⓒⓕ jamboree.

cam·po san·to [kǽmpousǽntou] (*pl.* ***cam·pi san·ti*** [kǽmpisǽnti]) 《It.》 묘지, 《특히》 공동묘지.

cámp·òut *n.* (그룹에 의한) 야영(野營).

cámp ròbber 【조류】 캐나다 어치새(=**Cánada jày**).

cámp shìrt 캠프 셔츠《보통 가슴 양쪽에 주머니가 달린 V자형 깃으로 된 반소매 블라우스》.

cámp·sìte *n.* 캠프장, 야영지.

cámp·stòol *n.* (휴대용) 접의자.

‡**cam·pus** [kǽmpəs] *n.* **1** (주로 대학의) 교정, 구내: on the ~ 교정〔대학 구내〕에서. **2** 대학, 학원; 대학 생활: ~ activities 학생 활동 / ~ life 대학 생활.

cámpus bùtcher 《속어》 여학생에게 친절한 남학생.

cámpus polìce 《미》 대학 경비원 (본부).

cámpus quèen 《속어》 미인이며 인기 있는 여자 대학생.

campy [kǽmpi] *a.* 《속어》 동성애(자)의; 우스꽝스럽게 통속적인. ㊞ **cámp·i·ly** *ad.* **-i·ness** *n.*

cam·pyl·o·bac·ter [kæ̀mpiloubǽktər, kæmpilə-] *n.* 【세균】 캄필로박터《살모넬라균과 흡사한 병원균으로 가축의 유산(流產), 사람의 식중독의 원인》.

cám·shàft *n.* 【기계】 캠축.

Ca·mus [kæmjúː] *n.* **Albert** ~ 카뮈《프랑스의 작가; 노벨 문학상(1957); 1913–60》.

cám whèel 캠톱니바퀴.

cam·wood [kǽmwùd] *n.* Ⓤ 서아프리카산 콩과(科)의 단단한 나무《빨간 물감을 채취함》.

†**can**[1] ⇨《p. 377》 CAN[1].

‡**can**[2] [kæn] *n.* **1** 《미》 양철통, (통조림의) 깡통(《영》 tin). **2** 《영》 금속제의 액체 용기《손잡이·뚜껑·주둥이가 있는》; (물)컵. **3** 그릇, 용기: a coffee 〔milk〕 ~ 커피〔우유〕통 / an ash 〔a garbage〕 ~ 쓰레기통 / a sprinkling ~ 물뿌리개. **4** 《군대속어》 수중 폭뢰(爆雷); 구축함. **5** 《미속

어》 교도소, 유치장; 금고; 자동차; 비행기; 머리; 엉덩이(buttocks); 변소. **6** 1 온스의 마리화나. ***a* ~ *of worms*** 《구어》 귀찮은 문제; 복잡한 사정. ***get a* ~ *on*** 《미속어》 취하다. ***hand*** a person ***the* ~** 《미속어》 아무를 해고하다. ***in the* ~** ① 〖영화〗 준비가 다 되어, 개봉 단계가 되어. ② 옥에 갇히어. ***pass the* ~ *to …*** 《영속어》 …에게 책임을 떠맡기다. ***take*** 〔***carry***〕 ***the* ~** 《미속어》 책임지다(워지다). ***tie a*** 〔***the***〕 **~ *to*** 〔***on***〕 ***…*** 《속어》 …을 해고하다; 제외하다.

— (*-nn-*) *vt.* **1** 통조림으로 만들다(《영》 tin); (핵연료를) 밀봉하다; 《구어》 (골프공을) 쳐서 홀에 넣다: ~ fruit 과일을 통조림으로 만들다. **2** 《속어》 녹음하다. **3** 《미속어》 해고하다(fire), 퇴교시키다; 버리다; 그만두다: get ~*ned* 해고되다 / ~ the chatter 재잘거리지 마라.

Can. Canada; Canadian. **can.** cannon; canto; canceled; cacellation; canon; canton.

Ca·naan [kéinən] *n.* 〖성서〗 가나안《지금의 서(西)팔레스타인》; 약속의 땅; 낙원, 이상향. [파] **~·ite** [-àit] *n.* 가나안 사람; 가나안어《히브리어 · 페니키아어 등의 셈어족》.

Canad. Canada; Canadian.

can[1]

can 은 '…할 수가 있다; …하는 수가 없다고는 할 수 없다; …해도 좋다' 따위의 뜻을 가지는 조동사로서 다음의 두 특징은 특히 주의를 요한다: (1) 다른 조동사의 부정형(will not, must not 따위)과 달라서, 현재 부정형 cannot 은 보통 한 단어로 쓰인다. 다만, 미국에서는 두 단어로 can not 을 쓰기도 하며, 또 이때 not 이 can 을 부정하지 않는 일이 있다: We *can not* go with him. 우리는 그와 함께 가지 않아도 된다. (2) can 은 직접적으로 미래형 · 완료형 · 동명사 따위를 만들 수 없으므로 be able to 를 대용한다. 또 과거형 could 는, 자칫 가정법으로 오해되기 때문에, 이를 명백히 하기 위하여 종종 was 〔were〕 able to 가 쓰인다. '…해도 좋다' 에 대해서는 ⇨ MAY.

변화형에는 현대형 외에, 다음 고형(古形)이 있다: 2 인칭 단수 《고어》 현재형(thou) **canst** [kænst, 약 kənst]; 과거형 **couldst** [kudst, 약 kədst], **could·est** [kúdist].

can [kæn, 약 kən] *aux. v.* (현재 부정형 ***can-not*** [kǽnɑt, kænɑ́t/kǽnɔt, -nət], 현재 부정 간약형 ***can't*** [kænt/kɑːnt]; 과거 ***could*** [kud, 약 kəd], 과거 부정형 ***could not,*** 과거 부정 간약형 ***couldn't*** [kúdnt]).

1 〖능력〗 **a** …할 수 있다: I will do what I *cán*. 내가 할 수 있는 일이라면 무슨 일이라도 하겠습니다《can 다음에 do가 생략돼 있음》/ What ~ I do for you? 어서 오십쇼《무엇을 도와 드릴까요》; 무엇을 드릴까요《점원이 손님에게 하는 말》/ *Can't* you see I'm busy? 내가 바쁜 걸 모르겠느냐 / *Can* he speak English? 그는 영어를 할 줄 압니까《can을 쓰면 노골적으로 들리므로 *Do* you speak …? 가 보통》. **b** …하는 법을 알고 있다: I ~ swim. 헤엄칠 수 있다 / *Can* you play the piano? 피아노를 치실 줄 압니까. **c** 〖지각동사나 remember 와 함께 쓰이어〗 …하고 있다《진행형과 같은 뜻이 됨》: *Can* you hear that noise? 저 소리가 들리는가 / I ~ remember it well. 그 일은 잘 기억하고 있다.

> [NOTE] (1) can 의 미래시제는 will 〔shall〕 be able to 인데, if-절 속에서는 미래의 일을 말하고 있더라도 can 을 씀: If you *can* [×will be able to] use this typewriter in a month, you may keep it. 만약 한 달 내에 이 타자기를 완전히 마음대로 칠 수 있다면 너는 그것을 가져도 좋다. (2) 과거형 could 는 가정법 과거로 많이 쓰고, 직설법에서는 뜻을 분명히 하기 위해서 흔히 was 〔were〕 able to 로 대용함.

2 〖허가〗 …해도 좋다《구어에서는 may보다 일반적》: You ~ go. 자네는 가도 좋아 / You ~ smoke here. 여기서 담배를 피우셔도 괜찮(좋)습니다 / *Can* I speak to you a moment? 잠깐 이야기 좀 해도 괜찮겠습니까 / No visitor ~ remain in the hospital after nine p.m. 면회인은 오후 9 시 이후엔 본병원에 머물러 있을 수가 없습니다《병원의 규칙》.

3 〖가벼운 명령〗 **a** 〖긍정문에서〗 …하시오, …하면 좋다, …해야 한다: You ~ go. 가거라. **b** 〖부정문에서〗 …해서는 안 된다, …하지 말아야 한다 《may not 보다 일반적; 강한 금지를 나타낼 때에는 must not》: You *can't* run here. 여기서는 뛰어서는 안 된다.

> [NOTE] (1) can 은 주어가 무생물일 때도 있음: Pencils *can* be red. 연필은 빨강도 좋다. (2) 허가를 나타내는 can 은 may 로 바꿀 수 있으나, 과거 시제일 경우, 특히 독립문에 있어서는 could 가 일반적임: In those days, anyone *could* 〔(드물게) might〕 enroll for this course. 당시에는 누구든지 이 코스에 등록하는 것이 인정되고 있었다.

4 〖가능성 · 추측〗 **a** 〖긍정문에서〗 …할 수 있다, …이 있을 수 있다, …할〔일〕 때가 있다: Anybody ~ make mistakes. 누구나 틀리는 수가 있다 / He ~ be rude enough to do so. 그 사람이라면 능히 그런 일을 할 만큼 무례할 수 있다. **b** 〖부정문에서〗 …할〔일〕 리가 없다, …이면 곤란하다: It *cannot* be true. 사실일 리가 없다 / This *can't* happen. 이런 일이 있으면 곤란하다. **c** 〖의문문에서〗 …일〔할〕 리가 있을까, (도대체) …일 수(가) 있을까, 대체 …일까: *Can* it be true? 도대체 정말일 수 있을까 / What ~ he be doing? 대체 무얼 하고 있는 거야 / Who ~ he be? 대체 그 사람은 누구일까. **d** 〖cannot have+과거분사로〗 …했을 리가 없다: He *cannot have told* a lie. 그가 거짓말을 했을 리가 없다. **e** 〖can have+과거분사〗 …하기를 다 마치고 있을 거다《미래를 나타내는 부사구를 동반함》: I ~ *have got* the dinner ready by 10 o'clock. 열시까지는 오찬의 준비를 다 끝내고 있을거다《I'll be able to get the dinner ready …. 가 보통》.

5 〖Can you …로 의뢰를 나타내어〗 …해 주(시)겠습니까《Could you…가 보다 공손한 표현임》: Can you give me a ride? 차에 태워 주실 수 없습니까.

all one **~** 《구어》 될 수 있는 한《부사적》: He will help you *all he* ~. 그는 전력을 다하여 너를 도울 거다. ***as … as* ~ *be*** 더없이 …, 그지없이 …, 아주 …: I am *as* happy *as* (happy) ~ *be*. 나는 아주〔무척〕 행복하다. ***~ but …*** 단지〔그저〕 …할 따름이다, …할 수밖에 없다: We ~ *but* wait. 그저 기다릴 (수)밖에 없다. ***cannot away with*** 《고어》 …을 참을 수 없다. ***cannot but*** do = ***cannot help*** do*ing* ⇨HELP. ***cannot … too*** — ⇨TOO. ***How* ~ *you!*** 네가 감히 그럴 수가!; 참 지독한 녀석이군!

***Can·a·da** [kǽnədə] *n.* 캐나다《수도 Ottawa》.
Cánada bálsam 캐나다 발삼《캐나다산 전나무에서 채취하는 유성(油性) 수지》.
Cánada Dày 《Can.》 캐나다 자치 기념일《7월 1일; 법정 휴일; 구칭 Dominion Day》.
Cánada góose 〖조류〗 캐나다 기러기.
***Ca·na·di·an** [kənéidiən] *a.* 캐나다(사람)의: ~ whiskey 캐나다 위스키. **—** *n.* 캐나다 사람; 캐나디안《위스키》.
Canádian bácon 캐나디안 베이컨《돼지 허리살을 소금에 절여 훈제한 것》.
Canádian Fálls (the ~) (Niagara Falls 의) 캐나다 폭포《캐나다 쪽》.
Canádian Frénch 캐나다 프랑스어《프랑스계 캐나다인이 말하는 프랑스어》; 프랑스계 캐나다인의.
Ca·na·di·an·ism [kənéidiənìzəm] *n.* 캐나다 특유의 관습〔사물〕; 캐나다주의; 캐나다 방식.
Ca·na·di·an·ize [kənéidiənàiz] *vi., vt.* 캐나다화(化)하다; 캐나다 식으로 하다.
Canádian Shíeld (the ~) 캐나다 순상지(楯狀地)《캐나다 동부 및 중앙의 대부분을 점하고 있는 선캄브리아기(紀)의 순상지》.
ca·naille [kənéil] *n.* 《F.》〘집합적〙 깡패; 하층민; 대중; 군중, 오합지졸; 폭도.
****ca·nal** [kənǽl] *n.* **1** 운하; 수로. **2** 〖건축〗 홈; (동식물의) 도관(導管)(duct). **3** 화성(火星) 표면의 줄. **—** *(-l(l)-,* 《영》 *-ll-) vt.* …에 운하를 만들다〔파다〕.
ca·nal·age [kənǽlidʒ] *n.* 운하 개설(開設); 〘집합적〙 운하, 수로; 운하 운송; 운하 통행료.
canál bòat (운하용의 좁고 긴) 짐배.
canál-buìlt *a.* (배가) 운하 항행에 적합한.
can·a·lic·u·lar [kæ̀nəlíkjələr] *a.* 〖해부 · 동물〗 소관(小管)의.
can·a·lic·u·lus [kæ̀nəlíkjələs] *(pl. -li [-lai]) n.* 〖해부 · 식물〗 소관(小管), 세관(細管); 작은 홈.
ca·nal·i·form [kənǽləfɔ̀ːrm] *a.* 도관(導管) 모양의, 홈 모양의.
ca·nàl·i·zá·tion *n.* Ⓤ 운하 개설〔화(化)〕; 운하망(網); (수도 · 가스 · 전기 등의) 배관 계통.
ca·nal·ize [kǽnəlàiz, kənǽlaiz/kǽnəlàiz] *vt.* **1** …에 운하〔수로〕를 파다; 운하로 하다, 운하화하다. **2** (감정 따위의) 배출구를 마련하다; 어떤 방향으로 이끌다. **—** *vi.* 수로로 흘러들다.
ca·nál·(l)er *n.* 운하 전용 화물선; 운하선 선원(船員).
canál rày 〖물리〗 양극선(陽極線).
Canál Zòne (the ~) 파나마 운하 지대.
ca·na·pé [kǽnəpi, -pèi/-pèi] *n.* 《F.》 **1** 카나페《작은 정어리 · 치즈 따위를 얹은 크래커 또는 빵; 전채(前菜)의 일종》. **2** 소파(sofa).
ca·nard [kənɑ́ːrd/kænɑ́ːd, ⌐⌐] *n.* 《F.》 **1** 허위 보도, 와전. **2** 〖요리〗 식용 오리. **—** *vi.* (뜬소문이) 퍼지다; (관악기 등으로) 오리 울음소리 같은 소리를 내다.
Ca·nar·ies [kənέəriz] *n. pl.* (the ~) =CANARY ISLANDS.
****ca·nary** [kənέəri] *n.* **1** 카나리아(=∠ **bird**). **2** Ⓤ 카나리아빛, 샛노랑(~ yellow). **3** Ⓤ Canary 제도산(産) 포도주(=**Canáry wìne**). **4** 《속어》 (소프라노) 가수; 《미구어》 젊은 여자, 아가씨. **5** 《속어》 밀고자(informer). **6** (평론가의) 찬사. **—** *a.* 카나리아 제도산의; 카나리아빛의.
canáry crèeper 카나리아빛의 꽃이 피는 덩굴풀《한련(旱蓮)의 일종》.
Canáry Islands (the ~) 카나리아 제도《아프리카 북서 해안 근처의 스페인령》.
Canáry Whárf 카나리 워프《London 동부의 Dockland 의 일부; 원래 Canary 제도와의 무역에 쓰인 부두이며, Canary Wharf Tower 는 영국에서 제일 높은 빌딩임》.
canáry yéllow 카나리아빛《선황색》.
ca·nas·ta [kənǽstə] *n.* 두 벌의 패〔카드〕를 가지고 하는 카드놀이.
ca·nas·ter [kənǽstər] *n.* Ⓤ (남아메리카산의) 막치 살담배.
Ca·nav·er·al [kənǽvərəl] *n.* =CAPE CANAVERAL.
cán bànk (재활용을 위한) 빈 캔 집적장(集積場).
Can·ber·ra [kǽnberə, -bərə/-bərə] *n.* 캔버라《오스트레일리아의 수도》.
cán bùoy (항로 표지로 쓰이는) 원통형 부표(浮標).
canc. canceled; cancellation.
can·can [kǽnkæ̀n] *n.* 《F.》 캉캉춤.
cán-càrrier *n.* 《속어》 책임자.
****can·cel** [kǽnsəl] *(-l-,* 《영》 *-ll-) vt.* **1** …을 지우다, 삭제하다. **2** …을 무효로 하다, 취소하다 (annul): ~ permission 허가를 취소하다 / ~ one's order for books 책 주문을 취소하다. **3** (차표 등에) 펀치로 찍다, …에 소인을 찍다: ~ a stamp 우표에 소인을 찍다. **4** 《+목+부》 소멸시키다, 상쇄하다; (빛 따위를) 에끼다《*out*》: Her weaknesses ~ *out* her virtues. 그녀의 약점이 장점을 소멸시킨다. **5** 《+목+전+명》 〖수학〗 맞줄임〔약분〕하다 《*by*》: ~ the number *by x* 그 수를 *x*로 약분하다. **6** 〖인쇄〗 …을 삭제하다; 선을 그어 지우다. **—** *vi.* **1** 《+부》 상쇄되다《*out*》. **2** 〖수학〗 약분되다: The two *a*'s on each side of an equation ~. 방정식의 두 변의 *a*는 약분된다. **—** *n.* 취소; 말살; (계약의) 해제; (인쇄) 삭제 부분; 펀치(a pair of ~s); 〖컴퓨터〗 없앰. ㊕ **~·a·ble, -cel·la·ble** *a.*, **~ed** *a.* 취소된; 소인이 있는. **~·(l)er** *n.* 《미》 소인기(消印器).
cáncel báck órder 〖상업〗 미조달(未調達) 주문의 취소《생략: CBO》.
cáncel·bòt *n.* 〖컴퓨터〗 캔슬봇《USENET 에서, 특정 개인이 게시한 정보를 추적하여 삭제하는 프로그램》.
cánceled chéck 지급이 끝난〔필요 없게 된〕 수표.
can·cel·late [kǽnsəlèit, -lət] *a.* 〖해부〗 (골) 다공질 (조직)의; 해면질 (조직)의; 망상(網狀) 조직의.
can·cel·la·tion, -ce·la- [kæ̀nsəléiʃən] *n.* 말살, 취소; 해제; 〖수학〗 소거(消去).
cancellátion làw 〖數〗 소거(消去) 법칙.
can·cel·lous [kǽnsələs] *a.* 〖해부〗 해면 모양의, 망상(網狀) 조직의.
****can·cer** [kǽnsər] *n.* **1** Ⓤ,Ⓒ 〖의학〗 암; Ⓒ 암종: get ~ 암에 걸리다 / die of lung ~ 폐암으로 죽다 / ~ of the breast 〔stomach〕 유방〔위〕암. **2** Ⓒ 《비유》 (사회의) 병폐, 적폐(積弊), 병근, 암: a ~ *on* 〔*of*〕 modern society 현대 사회의 병폐. **3** 〖동물〗 게류(類). **4** (C-) 〖천문〗 게자리 (the Crab). ***the Tropic of Cancer*** 북회귀선, 하지선. **—** *vt.* 암처럼 좀먹다. ㊕ **~·ate** [-rèit] *vi.* 암에 걸리다. **~ed** *a.* 암에 걸린.
can·cer·a·tion [kæ̀nsəréiʃən] *n.* 암이 되는 상태, 발암 상태.
cáncer gùn (암 치료용) 직선 전자 가속기.
can·cer·o·gen·ic [kæ̀nsərədʒénik] *a.* 〖의학〗 발암성의(carcinogenic).
can·cer·ous [kǽnsərəs] *a.* 암(성(性))의. ㊕ **~·ly** *ad.*
can·cer·pho·bia [kæ̀nsərfóubiə] *n.* 암 공포증.
cáncer stìck 《속어 · 우스개》 궐련(cigarette).
can·cri·form [kǽŋkrəfɔ̀ːrm] *a.* 게 모양의, 게 비슷한; 암 같은.
can·crine [kǽŋkrin] *a.* 게 같은, 게 모양의.
can·cri·zans [kǽnkrəzæ̀nz, kǽŋ-] *a.* 〖음악〗 《L.》 선율을 거꾸로 재현하는 역행의《선율을

끝에서부터 첫머리로 거슬러 진행시키는 주법》.
can·croid [kǽŋkrɔid] *a.* 암 모양의; 게 같은. ── *n.* Ⓤ 일종의 피부암.
c. & b. 〖크리켓〗 caught and bowled (by).
C & C cash and carry; computer and communications. 「촉광과 비슷함》.
can·de·la [kændíːlə] *n.* 칸델라《광도의 단위,
can·de·la·brum [kæ̀ndəlάː-brəm, -léi-] (*pl.* **-bra** [-brə], **~s**) *n.* 가지촛대, 큰 촛대.
can·dent, can·des·cent [kǽndənt], [kændésnt] *a.* 백열(白熱)의, 작열의. ㊕ **can·dés·cence** *n.* Ⓤ 백열. **~·ly** *ad.*
C. & F., c. & f. 〖상업〗 cost and freight(운임 포함 가격).
*__can·did__ [kǽndid] *a.* **1** 정직한, 솔직한(frank); 노골적인, 거리낌 없는(outspoken): a ~ friend 싫은 소리를 거리낌없이 하는 친구. **2** 공정한, 공평한 (impartial): a ~ mind 공정한 인물. **3** 《옛투》 깨끗한, 순수한. **4** 〖사진〗 포즈를 취하지 않은: a ~ photo. ── *n.* 스냅 사진. ***to be quite*** 〔***perfectly***〕 ~ (***with you***) 솔직히 말하면 《일반적으로 문장 첫머리에 씀》. ㊕ °**~·ly** *ad.* **~·ness** *n.*

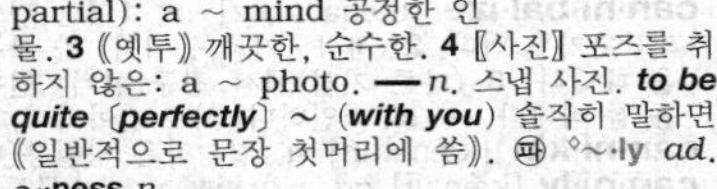
candelabrum

can·di·da [kǽndidə] *n.* 칸디다균(菌)《아구창의 원인이 됨》. 「《*for*》.
can·di·da·cy [kǽndidəsi] *n.* Ⓤ 《미》 입후보
_can·di·date__ [kǽndədèit, -dət] *n.* **1 후보자; 지원자, 지망자《*for*》: put up a ~ 후보자를 내세우다/a ~ *for* the governorship 지사 후보/a ~ *for* the M.A. degree 문학 석사 학위 취득 희망자. **2** …이 될〔을 얻을〕 듯한 사람《*for*》: a ~ *for* fame 〔wealth〕 장래 이름을 날릴〔부자가 될〕 사람. ***run ~ at*** …에 입후보하다. ㊕ **-da·ture** [-dətʃər, -tʃùər] *n.* 《영》 =CANDIDACY. **~·ship** [-ʃìp] *n.* 「메라.
cándid cámera 소형 스냅 사진기; 몰래 카
can·di·di·a·sis [kæ̀ndədáiəsis] (*pl.* **-ses** [-sìːz]) *n.* 〖의학〗 칸디다증(症)《candida 감염에 의한 대장염》.
can·died [kǽndid] *a.* **1** 당화(糖化)한; 설탕절임한, 설탕조림의; 설탕을 뿌린. **2** 휘황한; 달콤한, 발림말의. **3** 결정(結晶)한.
C. & L.C. 〖인쇄〗 capitals and lowercase.
_can·dle__ [kǽndl] *n.* **1 (양)초, 양초 비슷한 것. **2** 촉광(~ power). ***burn the ~ at both ends*** ⇨ BURN[1]. ***cannot*** 〔***be not fit to***〕 ***hold a ~*** 〔***stick***〕 ***to*** …와는 비교도 안 되다, …의 발밑에도 못 따라가다. ***curse with bell, book, and ~*** 〖가톨릭〗 정식으로 파문하다. ***hold a ~ to the devil*** 나쁜 일에 가담하다. ***not worth the ~*** 애쓴 보람이 없는, 돈 들일 가치가 없는. ***sell by the ~*** 〔***by inch of ~***〕 (경매에서) 촛동강이 다 타기 직전의 호가(呼價)로 팔아 넘기다. ── *vt.* (달걀 품질을) 불빛에 비춰 조사하다. ㊕ **~r** *n.*
cándle bàsh·er 《미속어》 자위하는 여자.
cándle·bèrry *n.* 〖식물〗 소귀나무(의 열매).
cándle-dìsh *n.* 촛대의 양초 받침 접시.
cándle ènd (타고 남은) 촛동강; (*pl.*) 조금씩 주워 모은 잡동사니.
cándle-fóot (*pl.* **-féet**) *n.* 〖광학〗 =FOOT-
cándle·hòlder *n.* =CANDLESTICK. ⌊CANDLE.
cándle hóur 〖광학〗 촉시(燭時).
cándle ìce 《Can.》 고드름.
cándle·lìght *n.* Ⓤ 촛불(빛); 은은한 인공 조명; 불 켤 무렵, 저녁.
cándle·lìghter *n.* (제식(祭式)에 쓰는 긴자루의) 촛불을 켜는 사람; (결혼식 등에서) 촛불을 켜는 사람.
cándle·lìt, -lìght·ed [-id] *a.* 촛불을 켠; 촛불에 비추어진.
Can·dle·mas [kǽndlməs, -mæ̀s] *n.* 〖가톨릭〗 성촉절(聖燭節)《2월 2일》.
cándle·nùt *n.* 〖식물〗 쿠쿠이나무; 쿠쿠이나무의 견과(堅果)《실을 꿰어 초로 씀》.
cándle·pìn *n.* 십주희(十柱戲)(tenpins)에서 쓰는 가늘고 긴 막대.
cándle·pòwer *n.* 〖단 · 복수동형〗 〖광학〗 촉광: five ~, 5 촉광.
cándle·snùff·er *n.* 촛불끄개.
cándle·stànd *n.* 대형 촛대.
*__can·dle·stick__ [kǽndlstìk] *n.* 촛대.
Cándlestick Párk 캔들스틱 파크《미국 San Francisco Giants 와 49er's 의 스타디움》.
cándle·wìck *n.* **1** 초의 심지(=**cándle-wìck·ing**). **2** 현삼과(科)의 식물.
cándle·wòod 횃불용 나무《수지(樹脂)가 많은 나무; 광솔 따위》; 양초 대용 나무토막.
C & M care and maintenance.
cán-dó *a.* 《미속어》 의욕 있는; 유능한; (어려운 일을) 할 수 있는: a ~ executive 유능한 간부.
*__can·dor,__ 《영》 **-dour** [kǽndər] *n.* Ⓤ 공정; 정직, 솔직. ◇ candid *a.* ***with ~*** 솔직하게, 허심탄회하게.
CANDU Canadian Deuterium Uranium (캐나다형(型) 중수로(重水爐)). **C & W** country and western.
Can·dy, -die [kǽndi] *n.* 캔디《여자 이름》.
_can·dy__ [kǽndi] *n.* **1 Ⓤ,Ⓒ 《미》 캔디, 사탕(《영》 sweets, sweetmeat)《캔디 · 초콜릿 등》: a piece of ~ 캔디 한 개/mixed *candies* 각종 배합 캔디. **2** 《속어》 해시시(hashish); LSD가 든 모사탕, LSD; (특히, 바르비탈계) 약물; 코카인(cocaine). **3** 《영》 얼음사탕(sugar ~). ── *vt., vi.* …에 설탕을 뿌리다, 설탕절임으로 하다, 설탕으로 조리다; 달콤하게〔즐겁게〕 하다; 결정(結晶)시키다〔하다〕.
cándy àpple 《미》 캔디 애플《캐러멜이나 캔디를 입힌 사과; 막대기에 꽂아 먹음》.
cándy àss 《미비어》 무기력〔소심〕한 사람, 나약한 사람, 겁쟁이.
cándy-àssed [-t] *a.* 《미속어》 소심한; 우유부단한, 적극성이 없는.
cándy bàr 《미》 캔디 바《막대 모양의 캔디; 흔히 초콜릿을 입히며, 견과나 캐러멜을 섞기도 함》.
cándy bùtcher (열차 · 경기장 관람석 사이를 돌아다니며) 과자를 파는 사람.
cándy càne 《미》 캔디 케인《빨갛고 하얀 갈고리 모양의 캔디; 크리스마스에 먹음》.
cándy flòss 《영》 솜사탕; 겉뿐인〔엉성한〕 것.
cándy màn 《미속어》 마약을 파는 사람.
cándy pùll (과자를 만들며 즐기는 젊은이의) 사교 모임. 「shop).
cándy stòre 《미》 과자 가게(《영》 sweet-
cándy strìpe 한 색으로 된 줄무늬. 「는 10 대.
cándy strìper 《구어》 자원 봉사로 간호사를 돕
cándy·tùft *n.* 이베리스꽃《여러 색깔의 꽃이 피는 겨잣과(科)의 관상 식물》. 「기념》.
cándy wédding 캔디혼식(婚式)《결혼 3 주년
*__cane__ [kein] *n.* **1** (등나무로 만든) 지팡이, 단장(walking stick)《영국에서는 특히 가늘고 가벼운 것》; 매, 회초리, 막대기. **2** (마디 있는) 줄기《등 · 대 · 종려나무 · 사탕수수 따위》; Ⓤ 등류(類)《용재로서의》. ***get*** 〔***give***〕 ***the ~*** 회초리로 맞다〔때리다〕. ── *vt.* **1** 《+목+전+명》 매로 치다: ~ a lesson *into* a person 아무에게 매질하

여 학과를 가르치다. **2** 등나무로〔대나무로〕 만들다〔엮다〕.

cáne·bràke *n.* 등〔대나무〕 숲.

cáne cháir 등나무 의자.

ca·nel·la [kənélə] *n.* 〖식물〗 서인도산의 육계(肉桂) 비슷한 나무; 백(白)계피.

ca·neph·o·ra [kənéfərə] (*pl.* **-rae** [-rìː]) *n.* 머리에 바구니를 인 처녀(의 상(像))《옛 그리스에서 곡물신(穀物神) 등의 제전 행렬에 참가한 자의 상》.

can·er [kéinər] *n.* 등나무 의자를 만드는 사람; 「등나무 세공인.

ca·nes·cent [kənésnt, kæ-] *a.* 흰빛을 띤, 회백색의; 〖식물〗 회백색 솜털로 뒤덮인.

cáne sùgar 사탕수수 설탕. ⓒⓕ beet sugar.

cáne·wàre *n.* 황색〔담황색〕 도자기의 일종.

cáne·wòrk *n.* Ⓤ 등(籐)세공(품).

can·ful [kǽnfùl] *n.* (깡)통 가득함, 그 분량.

cangue [kæŋ] *n.* 칼《옛 중국의 형틀》.

cán·hòuse *n.* 《미속어》 매춘굴.

ca·níc·o·la féver [kəníkələ-] *n.* 〖의학〗 카니콜라 열(熱)《스피로헤타(spirochaete)에 의한 위장의 염증과 황달을 수반하는 사람·개의 전염병》.

Ca·nic·u·la [kəníkjələ] *n.* 〖천문〗 천랑성(天狼星)(Sirius).

ca·nic·u·lar [kəníkjələr] *a.* 천랑성의; 한여름의: ~ days 삼복.

can·i·cule [kǽnəkjùːl] *n.* =DOG DAYS.

°**ca·nine** [kéinain] *a.* 개의, 개와 같은; 개속(屬)의: ~ madness 광견병 / ~ species 개 족속 / ~ tooth 송곳니. **—** *n.* 개; 개속의 짐승; 송곳니.

can·ing [kéiniŋ] *n.* Ⓤ 매질; 등나무로 엮은 앉을 자리〔등〕 부분.

Ca·nis [kéinis] *n.* 〖동물〗 개속(屬). **~ *Major*** 〔***Minor***〕 〖천문〗 큰〔작은〕개자리.

can·is·ter [kǽnəstər] *n.* 양철통, (차·담배·커피) 통; (대포의) 산탄(=**∠ shòt**); (방독면의) 여과통; (유도탄의) 보호 장치; 〖가톨릭〗 성합(聖盒)《축성하기 전의 제병(祭餠) 그릇》; 상자꼴 전기 청소기.

cánister bòmb =PELLET BOMB.

can·ker [kǽŋkər] *n.* Ⓤ,Ⓒ **1** 〖의학〗 옹(癰); 구강 궤양〔암〕; 〖수의〗 말굽 종창; Ⓤ (과수의) 암종병(癌腫病); 뿌리혹병. **2** 폐해, 해독; (마음을 좀먹는) 고민. **3** =CANKER WORM. **—** *vt., vi.* 옹이 나(게 하)다, 구강 궤양에 걸리(게 하)다; 해충이 꾀다; 부식〔부패〕시키다〔하다〕, 진무르(게 하)다; 서서히 파괴하다. ⓜ **~ed** *a.* ~에 걸린; 부패한; 악성의, 근성이 나쁜; 해충이 뀐. **~·ous** [-rəs] *a.* ~의〔같은〕; 해독을 미치는.

cánker ràsh 〖의학〗 성홍열.

cánker sòre 〖의학〗 작은 궤양(潰瘍); 아프테성(性) 구내염(口內炎).

cánker·wòrm *n.* 〖곤충〗 자벌레.

can·na [kǽnə] *n.* 〖식물〗 칸나.

can·na·bin [kǽnəbin] *n.* 인도 대마에서 채취한 수지상(樹脂狀) 물질《마취제·진통제》.

can·nab·i·noid [kənǽbənɔ̀id, kǽnəbə-] *n.* 〖화학〗 칸나비노이드《대마초의 화학 성분의 총칭》.

can·nab·i·nol [kənǽbənɔ̀ːl, -nɑ̀l, kǽnəbə-, -nɔ̀l] *n.* 〖화학〗 칸나비놀《생리학적으로 비활성(非活性)의 페놀; 마리화나의 유효 성분 THC의 친화합물》.

can·na·bis [kǽnəbis] *n.* Ⓤ 마리화나.

can·na·bism [kǽnəbìzəm] *n.* 마리화나 중독「(증).

cánnabis rèsin 대마 수지(大麻樹脂)《대마의 암꽃 끝에서 따는 점액(粘液)》.

***canned** [kænd] CAN²의 과거·과거분사.
— *a.* **1** 통조림한: ~ goods 통조림 제품; 《속어》 처녀, 동정. **2** 《속어》 녹음〔녹화〕한; 《속어》 미리 준비된: a ~ computer program 미리 짜인 컴퓨터 프로그램 / ~ laughter (효과음으로) 녹음된 웃음소리. **3** 〖신문〗 《미속어》 신디케이트 제공의, 동일 내용의. **4** (연설·논설 등이 반복, 공동 이용용으로) 미리 준비된. **5** 진부한, 낡아빠진; 《속어》 취한; 마약을 쓴.

cánned héat 휴대 연료《고체 알코올 따위》.

can·nel [kǽnl] *n.* Ⓤ 촉탄(燭炭)(=**∠ còal**).

can·nel·lo·ni [kæ̀nəlóuni] *n.* 《It.》 〖요리〗 원통형의 대형 pasta 또는 그 요리.

can·ne·lure [kǽnəljuər] *n.* (소총탄의) 탄피(彈皮) 홈; (저항을 덜기 위한) 탄띠 홈.

can·ner [kǽnər] *n.* 통조림 제조업자; 《미》 통조림용 하등 가축. ⓜ **-nery** [-ri] *n.* 통조림 공장; 《속어》 교도소.

Cannes [kænz] *n.* 칸《프랑스 남동부의 보양지; 영화제로 유명》.

°**can·ni·bal** [kǽnəbəl] *n.* 식인자; 서로 잡아먹는 동물. **—** *a.* 식인의; 서로 잡아먹는. ⓜ **~·ic** [ˋ-bǽlik] *a.* **~·ìsm** *n.* Ⓤ 식인 (풍습); 서로 잡아먹기; 잔인한 짓, 만행. **~·is·tic** [ˋ-bəlístik] *a.*

càn·ni·bal·i·zá·tion *n.* Ⓤ (폐품 이용의) 수리; 조립.

can·ni·bal·ize [kǽnəbəlàiz] *vt.* **1** (산 짐승의) 고기를 먹다. **2** (차량·기계 등에서) 쓸 부품을 떼내다. **3** (다른 기업)에서 공구〔설비·인원 등〕를 빼내다. **—** *vi.* 식인하다, 서로 잡아먹다.

can·ni·kin [kǽnəkin] *n.* 컵; 작은 양철통〔나무통〕.

can·ni·ly [kǽnəli] *ad.* =CANNY.

can·ning [kǽniŋ] *n.* Ⓤ 통조림 제조(업).

***can·non**¹ [kǽnən] (*pl.* **~s,** 〔집합적〕 **~**) *n.* **1** 대포《지금은 보통 gun》; 〖항공〗 기관포; 〖기계〗 이중축(軸); (종(鐘)의) 용두머리; 《미속어》 권총; 소매치기. **2** =CANNON BONE. **—** *vi.* 포격하다; 충돌하다 《*into; against*》: ~ *into* a person 아무와 충돌하다.

can·non² *n.* 《영》 〖당구〗 캐넌(《미》 carom)《친 공이 두 표적공에 계속하여 맞는 일》. **—** *vi.* 〖당구〗 캐넌을 치다, 캐넌이 되다; 간접으로 들어맞다《*against; into; with*》.

can·non·ade [kæ̀nənéid] *n.* (연속) 포격; 포성. ★ 지금은 보통 bombardment. **—** *vt., vi.* (연속) 폭격하다(bombard); 《미속어》 때려눕히다; 빨리 가다.

cánnon·bàll *n.* 포탄《지금은 보통 shell》; 무릎을 껴안고 하는 다이빙; 〖테니스〗 강속 서브; 《구어》 특급 열차. **—** *vi.* 《미속어》 탄환처럼 빠르게 달리다; 무릎을 껴안고 다이빙하다. **—** *a.* 《구어》 고속의; 강렬한.

cánnon bòne 말의 정강이뼈, 관골.

cánnon còcker 《미속어》 포병(砲兵).

cánnon cràcker 대형 불꽃.

can·non·eer [kæ̀nəníər] *n.* 포수(砲手), 포병.

cánnon fòdder 대포의 밥《병졸 따위》.

can·non·i·cal [kǽnənikəl] *a.* 《해커속어》 (그 분야에서는) 일반적인, 흔한.

can·non·ism [kǽnənìzəm] *n.* 《미》 하원 의장의 직권 남용.

cánnon nèt 사출 포획망(射出捕獲網)《사냥감이 적당한〔겨냥한〕 위치에 이르렀을 때 총같이 쏘아 망을 펼쳐 사냥감을 잡게 되어 있는 그물》.

cánnon·pròof *a.* 방탄의.

can·non·ry [kǽnənri] *n.* Ⓤ,Ⓒ 연속 포격; 〔집합적〕 대포.

cánnon shòt 포탄; 포격; 착탄 거리.

can·not [kǽnɑt, -ˊ, kənɑ́t/kǽnɔt, kənɔ́t] (간약형 ***can't*** [kænt/kɑːnt]) can not 의 연결형: Can you swim? — No, I *can't.* 당신은 헤엄칠 줄 아십니까 — 아뇨, 못 칩니다.

NOTE 《미》에서나 또는 not 에 강세를 둘 때에는 can not 으로 씀. 또, 회화에서는 can't 를 쓺. You can go, or you *can nót* go. 넌 가도 좋고 안 가도 좋다.

can·nu·la [kǽnjələ] (*pl.* **~s, -lae** [-lìː]) *n.* 〖의학〗 캐뉼러《환부에 삽입하여 액을 빼내거나 약을 넣는 데 씀》.

can·nu·lar [kǽnjələr] *a.* 캐뉼러 모양의, 도관「(導管) 모양의.

can·nu·late [kǽnjəlèit, -lət] *a.* =CANNULAR. — [kǽnjəlèit] *vt.* …에 캐뉼러를 끼워넣다.

can·nu·la·tion [kæ̀njəléiʃən] *n.* 〖의학〗 캐뉼러 삽입; 삽관(揷管)(법).

can·ny [kǽni] *a.* **1** 주의 깊은, 신중한; 기민한, (특히 금전적으로) 빈틈없는, 현명한. **2** 숙련된, 숙련자인. **3** 검약한, 검소한. **4** 《Sc.》 **a** 〖흔히 부정어와 함께〗 (거래 · 투자 · 일 등이) 안전한, 무난한. **b** 얌전한; 동하지 않는, 안정된. **c** 기분이 좋은. **d** 남에게 호감을 주는; 아름다운. **e** 행운의; 더할 나위 없는, 훌륭한《찬성 · 시인을 나타내는 말》. **f** 《고어》 신비력을 지닌. — *ad.* (cannily로도) **1** 신중히, 기민하게, 빈틈없이. **2** 《Sc.》 조심성 있게. **3** 《Sc.방언》 꽤, 상당히. ㊞ **-ni·ness** *n.*

ca·noe** [kənúː] *n.* 카누; 마상이, 가죽배: paddle a ~ 카누를 젓다. ***paddle** one's **own ~ ⇨ PADDLE[1]. — (*p., pp.* **-noed; -noe·ing**) *vt., vi.* 카누를 젓다; 카누에 타다, 카누로 가다〔나르다〕. ㊞ **~·ing** *n.* 카누젓기, 카누놀이. **~·ist** *n.*

cán of wórms 《미속어》 복잡하고 까다로운 문제〔상황〕; 몹시 안절부절못하는 사람.

can·o·la [kǽnələ] *n.* 〖농업〗 캐놀라《채종(菜種) 식물의 한 개량 변종》.

cánola òil 캐놀라 기름《캐놀라 씨에서 짜는 기름; 단불포화(單不飽和) 지방산이 많음》.

◇**can·on**[1] [kǽnən] *n.* **1** 〖종교〗 교회법; 〖일반적〗 법규; 법규집. **2** 규범, 표준(criterion). **3** (외전(外典)에 대한) 정전(正典); 진짜 작품 (목록). **4** 성인록(聖人錄). **5** 〖음악〗 카논, 전칙곡(典則曲). **6** 〖인쇄〗 카논 활자《48 포인트의 큰 활자》. **7** 미사 전문(典文). ≒ cannon.

can·on[2] *n.* **1** 《영》 대성당 참사회 의원. ㊀ capitular. **2** 〖가톨릭〗 =CANONS REGULAR. ㊞ **~·ess** [-is] *n.* 교단의 수녀.

canon[3] *n.* 종의 용두머리 《매다는 부분》 (cannon[1]); 〖당구〗 =CANNON[2].

ca·ñon [kǽnjən] *n.* 《Sp.》 =CANYON.

ca·non·i·cal [kənánəkəl/-nɔ́n-] *a.* 교회법에 의한; 정전(正典)으로 인정된; 정규의, 표준〔기본〕적인: ~ dress 성직자의 복장. — *n.* (*pl.*) (성직자의) 제의(祭衣), 성의(聖衣). ~ ***hours*** 〖가톨릭〗 정시과(定時課), 성무 일도(聖務日禱); 《영》 결혼식을 하는 시간《오전 8시-오후 6시》. ㊞ **~·ly** *ad.*

canónical fórm 〖수학〗 표준형《행렬의 가장 단순한 형》; 〖언어〗 기준형《한 언어의 음운 따위의 특징적 형태》.

canónical púnishment 교회법에 의거한 형벌《파문 · 파면 · 고행 따위》.

canónical sín (초기 교회에서) 교회법에 의거 극형에 해당한다고 여겨지던 죄《우상 숭배, 살인, 간음 등》.

can·on·ic·i·ty [kæ̀nənísəti] *n.* Ⓤ 교회법에 맞음; 정전(正典)임.

ca·non·ics [kənániks/-nɔ́n-] *n. pl.* 〖단수취급〗 경전 연구, 정전학(正典學).

cán·on·ist *n.* 교회법 학자.

can·on·is·tic, -ti·cal [kæ̀nənístik], [-əl] *a.* 교회법 학자의; 교회법에 관한.

càn·on·i·zá·tion *n.* Ⓤ 성인의 반열에 올림; 시성식(諡聖式); 정전(正典) 승인; (교회로서) …을 승인함.

cán·on·ìze *vt.* 시성(諡聖)하다; 성인(聖人)으로 추앙하다; 성전(聖典)으로 인정하다.

cánon láw 교회법, 종규(宗規).

cánon láwyer =CANONIST.

can·on·ry [kǽnənri] *n.* 수도 참사회원의 직(職); 〖집합적〗 수도 참사회원.

cánons régular 〖가톨릭〗 수도 참사회원; 의전(儀典) 수도회.

ca·noo·dle [kənúːdl] *vi., vt.* 《속어》 키스하다, 껴안다, 애무하다(fondle).

cán òpener 《미》 깡통따개(《영》 tin opener); 《미속어》 금고털이 연장.

Ca·no·pic [kənóupik] *a.* Canopus 의.

canópic jár 〔**úrn, váse**〕 (종종 C-) 카노푸스의 단지《(1) 고대 이집트에서 미라의 내장을 담아둔 단지. (2) 시신을 태운 재를 담은 단지》.

Ca·no·pus [kənóupəs] *n.* 〖천문〗 용골(龍骨)자리의 으뜸별《우주선의 항행 시의 기준별》.

can·o·py** [kǽnəpi] *n.* 닫집; 닫집 모양의 덮개〔차양〕; 하늘; 〖항공〗 (조종석의 투명한) 덮개; 낙하산의 갓. ***the ~ ***of heaven*** 하늘, 창공. ***under the*** ~ 《미》 도대체(in the world). — *vt.* 닫집으로 덮다. ㊞ **cán·o·pied** *a.* 닫집이 있는.

ca·no·rous [kənɔ́ːrəs] *a.* 음악적인, 가락이 좋은(melodious); 낭랑한, 울리어 퍼지는(resonant). ㊞ **~·ly** *ad.* **~·ness** *n.*

cans [kænz] *n. pl.* 《구어》 헤드폰.

cán-shàker *n.* 《미구어》 기금〔자금〕 조달자.

canst [kænst, 약 kənst] *aux. v.* 《고어》 =CAN[1] 《주어가 thou 일 때》.

cant[1] [kænt] *n.* Ⓤ **1** 위선적인 말투. **2** 변말, 은어(lingo); 암호의 말; (한때의) 유행어(~ phrase). **3** (거지 따위의) 가련한 말투. ***thieves'*** ~ 도둑의 은어. — *vi.* **1** 청승맞은 소리를 내다, 공염불하다; 점잔을 빼고 말하다. **2** 암호 말을 쓰다, 변말을 쓰다.

cant[2] *n.* **1** 경사(slope), 기욺; (둑 · 결정체 따위의) 사면(斜面)(slant); 경각(傾角). **2** (기울어지게 할 정도로) 갑자기 밀기(push); 홱 굴리기. **3** 〖철도〗 캔트《커브에서 바깥쪽 레일을 높게 만든 것》. — *a.* 경사진; 모서리를 잘라낸. — *vt., vi.* 비스듬히 베다〔자르다〕《*off*》; 기울이다; 기울다; 뒤집다, 전복시키다《*over*》; 뒤집히다; 비스듬히 찌르다〔밀다〕; 휙 던지다.

can't [kænt, kaːnt/kaːnt] CANNOT 의 간약형. ★ 구어에선 mayn't 대신 많이 씀: *Can't* I go now? 이제 가도 되지요. ㊀ CANNOT.

Cant. Canterbury; Canticles. **cant.** canton; cantonment.

Can·tab [kǽntæb] *n.* 《구어》 =CANTABRIGIAN.

can·ta·bi·le [kaːntáːbilèi/kæntáːbili] *a., ad.* 〖음악〗 《It.》 칸타빌레, 노래하듯(한). — *n.* 칸타빌레 의식(의 곡〔악절 · 악장〕).

Can·ta·brig·i·an [kæ̀ntəbrídʒiən] *a., n.* Cambridge 시(의); Cambridge 〔Harvard〕 대학의 (재학생, 출신자, 관계자).

Can·ta·brize [kǽntəbràiz] *vi.* Cambridge (대학)의 흉내를 내다.

can·ta·la [kæntáːlə] *n.* 〖식물〗 용설란과의 다육 식물; 그 잎에서 나오는 단단한 섬유.

can·ta·le·ver [kǽntəlìːvər] *n.* =CANTILEVER.

can·ta·loup(e) [kǽntəlòup/-lùːp] *n.* 멜론의 일종《로마 부근 원산으로 미국에 많음》.

can·tan·ker·ous [kæntǽŋkərəs] *a.* 심술궂은(ill-natured), 툭하면 싸우는. ㊞ **~·ly** *ad.* **~·ness** *n.*

can·ta·ta [kəntáːtə] *n.* 《It.》 〖음악〗 칸타타, 교성곡(交聲曲)《독창 · 합창에 기악 반주가 있는 일관된 내용의 서정적 성악곡》.

can·ta·tri·ce [kæ̀ntətríːtʃei, -tríːs] (*pl.* ***-ci*** [-tʃiː]) *n.* 《It.》 여류 가수《특히 오페라의》.

cánt dòg =PEAV(E)Y.

can·teen [kæntíːn] *n.* **1** (병사의) 반합, 휴대 식기; 수통, 빨병. **2** 《영》 군(軍) 매점 (《미》 Post Exchange); 〖군사〗 (무료) 위안소; (광산 · 바자 등의) 매점, 이동〔간이〕 식당: a dry 〔wet〕 ~ 술을 팔지 않는〔파는〕 군(軍) 매점. **3** 야영용〔가정용〕 취사 도구 상자.

can·te hon·do 〔**jon·do**〕 [káːnteihɔ́ːndou, -ti-] 《Sp.》 칸테혼도《비애(悲哀)에 찬 정감을 표현한 플라멩코의 하나》.

◇**can·ter** [kǽntər] 〖승마〗 *n.* 캔터, 느린 구보 《gallop과 trot의 중간》: a preliminary ~ (말의) 구보 연습; 〖일반적〗 연습. ***win at*** 〔***in***〕 ***a*** ~ (경주에서 말이) 낙승(樂勝)하다. — *vi., vt.* 느린 구보로 나아가(게 하)다.

Can·ter·bury [kǽntərbèri, -bəri/-bèri, -bəri] *n.* 잉글랜드 Kent 주의 도시《영국 국교(國敎) 총본산 소재지》; (c-) 악보대(臺), 독서대(臺). ***the*** ~ ***Tales*** 캔터베리 이야기《중세 영어로 씌어진 Chaucer 작의 운문 이야기집》.

Cánterbury bèll 〖식물〗 풍경초(風磬草).

Cánterbury tále 〔**stóry**〕 (지루하고) 긴 이야기: It grew into a ~.

can·thar·i·des [kænθǽrədìːz] *n. pl.* 〖곤충〗 가뢰(Spanish fly); 〖단수취급〗 〖약학〗 칸타리스 《발포(發泡) · 자극 · 이뇨 · 최음제》.

can·tha·xan·thin [kænθəzǽnθin] *n.* 〖생화학〗 칸타크산틴《식품 착색제용의 카로티노이드》.

cánt hòok (통나무를 굴리기 위한) 갈고랑 장대.

can·thus [kǽnθəs] (*pl.* ***-thi*** [-θai]) *n.* 〖해부〗 안각(眼角).

can·ti·cle [kǽntikəl] *n.* 찬(송)가; 영국 국교의 기도서 중의 송영 성구(頌詠聖句)의 하나; (the C-s) 〖성서〗 솔로몬의 아가(雅歌)(the Song of Solomon); 소곡(小曲).

can·ti·le·na [kæ̀ntəlíːnə] *n.* 〖음악〗 칸틸레나 《성악곡이나 기악곡의 서정적인 선율》.

can·ti·lev·er [kǽntəlìːvər] *n.* 〖건축〗 캔틸레버, 외팔보.

cántilever brìdge 캔틸레버식 다리.

can·til·late [kǽntəlèit] *vt.* 영창하다, 가락을 붙여 창화(唱和)하다. ㊀ **càn·til·lá·tion** *n.*

can·ti·na [kæntíːnə] *n.* 《미남서부》 술집.

cánt·ing *a.* 점잔을 빼고 말하는, 위선적인 말투의, 아니꼽고 관념적인.

can·tle [kǽntl] *n.* 《영에서는 고어》 **1** 안미(鞍尾), 안장 뒷가지. **2** 조각, 끄트러기, 쪼가리.

cant·let [kǽntlit] *n.* 소영가(小詠歌).

can·to [kǽntou] (*pl.* ~***s***) *n.* **1** (장편시의) 편(篇)《산문의 chapter에 해당》. ㊂ book, stanza. **2** 《속어》 (경기의) 한 이닝〔게임〕, (권투의) 한 라운드. **3** 〖음악〗 주선율(主旋律).

Can·ton [kæntán, ´-/kæntɔ́n] *n.* **1** 광둥(廣東)《중국 남부의 도시》. **2** [kǽntən] 미국 Ohio 주의 도시. ***the*** ~ ***River*** 주장(珠江) 강《중국 남부 최대의 강》.

can·ton [kǽntən, -tan, kæntán / kǽntɔn, -´] *n.* **1** (스위스의) 주(州). **2** 군, 시구(市區), 읍, 면《프랑스 arrondissement의 소구분》. **3** 〖일반적〗 구획; 부분(portion). **4** [kǽntən] 〖문장(紋章)〗 방패무늬 바탕의 왼쪽 위 끝의 작은 구획. — *vt.* **1** 주(州)로 가르다; 군 · 시구 · 읍 · 면으로 구분하다; 분할〔분리〕하다. **2** [kæntán, -tóun/ kəntúːn, kæn-] 〖군사〗 숙사를 할당하다, 숙영(宿營)시키다. ㊀ ~·**al** [kǽntənəl] *a.* ~·**al·ìsm** *n.* 주 분할 제도.

Cánton crépe 광둥(廣東) 크레이프《견직물의 일종》.

Can·ton·ese [kæ̀ntəníːz, -níːs] *a.* 광둥(廣東)(말)의. — (*pl.* ~) *n.* 광둥 사람; Ⓤ 광둥 사투리.

Cánton flánnel 광둥(廣東) 플란넬《면직물의 일종》.

can·ton·ment [kæntánmənt, -tóun-/-túːn-] *n.* 〖군사〗 (보통 *pl.*) 숙영(지); (원래 인도 주재 영국군(軍)의) 병영.

Cánton wàre 광둥 도자기《특히 18-19세기에 광둥에서 나온 각종 도자기》.

can·tor [kǽntər, -tɔːr/-tɔː] *n.* (성가대의) 합창 지휘자, 선창자; (유대 교회의) 독창자, 주창자. ㊀ **can·to·ri·al** [kæntɔ́ːriəl] *a.* 합창 지휘자의; (교회 강당에서) 성가대석 쪽의, 북쪽의.

can·to·ris [kæntɔ́ːris] *a.* 《L.》 〖음악〗 북쪽 합창대가 노래해야 할. ㊂ decani. — *n.* 북쪽 성가대.

cánt phràse 통용어, 유행어(jargon).

cánt ràil 객차의 지붕을 받쳐 주는 각재(角材).

can·trip [kǽntrip] 《Sc.》 *n.* (마녀의) 주문(呪文); 장난.

Cantuar : *Cantuariensis* 《L.》 (=of Canterbury)《Archbishop of Canterbury가 서명할 때 씀》. ★ archbishop이나 bishop이 서명할 때에 세례명 또는 그 머리글자 뒤에 성(姓) 대신 임지(任地)의 라틴어명의 속격형(屬格形)을 적음.

can·tus [kǽntəs] (*pl.* ~) *n.* 《L.》 **1** =CANTUS FIRMUS. **2** 음악의 성가 형식.

cántus fír·mus [-fə́ːrməs] (교회의) 단선(單旋) 성가; 〖음악〗 (대위법의 중심이 되는) 정선율(定旋律).

canty [kǽnti, káːn-] *a.* 《Sc.》 활발한, 쾌활한.

Ca·nuck [kənʌ́k] *n.* 《구어》 캐나다인, 《특히》 프랑스계 캐나다인.

Ca·nute [kənjúːt/-njúːt] *n.* 크누트《영국 · 덴마크 · 노르웨이 왕; 994?-1035》.

Ca·nut·ism [kənjúːtizəm/-njúːt-] *n.* 《영》 크누트주의《끝까지 변화에 저항하고자 하는 완고한 기도(企圖), 반동적인 시도》.

can·vas**[1], **-vass**[1] [kǽnvəs] *n.* **1** Ⓤ 즈크, 범포(帆布); Ⓒ 텐트, 덮개. **2** Ⓒ,Ⓤ 캔버스, 화포. **3** Ⓒ 유화(油畫)(oil painting), 그림(picture); 《비유》 (역사 따위의) 배경, 상황. **4** (천막을 치고 하는) 서커스. **5** (the ~) 권투〔레슬링〕의 링바닥. (win) ***by a ~ 근소한 차이로 (이기다). ***carry too much*** ~ 신분〔능력〕에 맞지 않는 일을 시도하다. ***on the*** ~ (권투에서) 다운되어; 패배 직전에. ***under*** ~ (배가) 돛을 달고(under sail); (군대가) 야영 중에. ㊀ ~·**like** *a.*

cánvas bàck 《속어》 유랑자, 떠돌이 노동자; 도시에 갓 나온 젊은이; 즈크 자루를 멘 사람.

cánvas·bàck *n.* (*pl.* ~, ~***s***) (북아메리카산) 들오리의 일종.

◇**can·vass**[2], **-vas**[2] [kǽnvəs] *vt.* **1** 《~+목/+목+전+명》 (투표 · 기부 · 의견 등을 어느 지역 · 사람들에게) 간청하다, 의뢰하다, (권유하며) 다니다, 유세하다 《*for*》: ~ a district *for* votes 투표를 부탁하러 선거구를 유세하다 / ~ the whole country *for* orders for their new product 신제품의 주문을 받기 위해 전국을 다니다. **2** 정사(精査)하다, 점검하다. **3** (문제 등을) 토의〔토론〕하다. **4** 《영》 (제안 · 계획을) 제출하다. — *vi.* **1** 《~/+전+명》 선거 운동을 하다; 권유하다《*for*》: ~ *for* a newspaper 신문의 주문을 받으러 다니다. **2** 《미》 (투표(수)를) 점검하다. **3** 토론하다. ~ ***for*** (insurance, subscriptions) (보험 · 기부)를 권유하다. — *n.* 선거 운동, 유세; 권유; 주문받기; 조사, 《미》 (투표의) 점검; 여론 조사. ㊀ ~·**er** *n.* 조사자; 운동원, 유세자; 권유〔외판〕원; 《미》 개표 점검원.

cánvas shóes 즈크신.

cany [kéini] *a.* 등(藤)나무로 만든; 등(cane)의, 등 모양의, 등이 무성한.

***can·yon** [kǽnjən] *n.* (개울이 흐르는 깊은)

협곡(cañon). ***the Grand Canyon*** ⇨ GRAND CANYON.

cán·yon·ing *n.* 보호복을 입고 물을 따라 골짜기 · 급류 · 폭포 등을 타고 내려오는 산악 스포츠.

can·zo·ne [kænzóuni] (*pl.* **-ni** [-ni:]) *n.* 《It.》 칸초네, 민요풍의 가곡.

can·zo·net, -nette [kænzənét], **-net·ta** [-nétə] *n.* 칸초네타《서정적인 소(小)가곡; 소규모의 canzone》.

caou·tchouc [káutʃuk, kautʃú:k] *n.* Ⓤ 탄성고무(India rubber); 생고무(pure rubber).

°**cap**[1] [kæp] *n.* **1** (양태 없는) 모자; 제모; 두건; 《영》 선수 모자; 선수. ⓒⓕ hat. ¶ a college ~ 대학의 제모 / a steel ~ 철모 (helmet) / a peaked ~ 챙 달린 모자《학생 모자 같은 것》. **2** 뚜껑; (칼)집, (만년필 따위의) 두겁; (시계의) 속딱지; (병의) 쇠붙이 마개; (버섯의) 갓; (구두의) 코(toe ~); 종지뼈(kneecap). **3** 〖건축〗 대접받침; 〖선박〗 장모(檣帽); 뇌관(percussion cap); (소량의 화약을 종이에 싼) 딱총알. **4** 최고부, 정상(top): the ~ of fools 바보 중의 바보. **5** (법령 · 협정 등에서 정한 가격 · 임금 등의) 상한, 최고 한도. **6** (헌 공기 타이어의 지면 접촉 부분에) 덧대는 부분(tread). **7** 삼각형의 종이 봉지. **8** 《영》 (여우 사냥 때 비(非)회원에게 받는) 임시 참가 회비. **9** 《미속어》 =CAPTAIN. **10** 용지의 사이즈. **11** (대패의) 덧날. **12** 《영》 피임용 페서리. ***~ and bells*** (예전에 궁전의 어릿광대가 쓴) 방울 (달린) 모자. ***~ and gown*** 대학의 제복 제모; 학자. ***~ in hand*** 《비유》 모자를 벗고, 공손한 태도로, 황공하여. ***~ of liberty*** (옛 로마에서 해방된 노예가 쓴 원뿔꼴의) 자유모; (공화 정체의 상징인) 깔때기 모자. ***~ of maintenance*** 《영》 관모(官帽)《지위 · 관위 등을 나타냄》; 국왕을 상징하는 식모(式帽)《대관식 때 어전에 받듦》. ***feather in*** one's ~ ⇨ FEATHER. ***kiss ~s with*** (아무와) 함께 술을 마시다. ***pull ~s*** ⇨ PULL. ***put on*** one's ***thinking*** 〔***considering***〕 ~ 《구어》 숙고하다, 차분히 생각하다. ***send the ~ round*** 모자를 돌리다《돈을 모으기 위해》. ★ 이렇게 모은 돈을 cap money라 함. ***set*** one's ~ ***for*** 〔***at***〕 《구어》 (남자의) 애정을 사려고 하다. ***snap*** one's ~ 《미속어》 몹시 흥분하다, 갈팡질팡하다. ***The ~ fits.*** (비평이) 적중하다. ***throw up*** one's ~ 기뻐서 모자를 던져 올리다. ***Where is your ~?*** (아가) 인사해야지.

— (**-pp-**) *vt.* **1** …에 모자를 씌우다: ~ a nurse 간호사에게 모자를 씌우다. **2** (기구 · 병에) 마개를 하다: ~ a bottle 병에 마개를 하다. **3** 《~+목/+목+전+명》 …의 위를〔표면을〕 덮다: Snow has ~*ped* Mt. Halla. 눈이 한라산을 덮었다 / ~ cherries *with* cream 버찌에 크림을 치다. **4** …보다 낫다(surpass), 능가하다: Her singing ~*ped* the others'. 그녀의 노래는 다른 사람들을 능가했다. **5** 《+목+전+명》 (일화 · 인용구 등을) 다투어 꺼내다: ~ one joke *with* another 번갈아 가며 농담을 잇따라 주고받다. **6** 매듭짓다; …의 유종의 미를 거두다《*with; with doing*》. **7** 《Sc.》 …에게 학위를 수여하다; (경기자를) 멤버에 넣다. **8** …에 뇌관을 달다. **9** 〖야구〗 승리를 굳히는 득점을 하다, 쐐기를 박다. — *vi.* (경의를 표하여) 모자를 벗다. ***~ off*** 《속어》 끝마치다, 완료하다. ***~ the climax*** 예상외로 (엉뚱하게) 나오다; 극단으로 흐르다. ***~ verses*** 시구(詩句)의 끝자를 따서 글짓기〔말〕하다. ***to ~*** (***it***) ***all*** 필경은, 결국〔마지막〕에는.

cap[2] (**-pp-**) *n., vt.* 대문자(capital letter)(로 쓰다〔인쇄하다〕).

cap[3] 《속어》 *n.* (헤로인 등) 약의 캡슐. — (**-pp-**) *vt., vi.* (캡슐에 든 마약을) 열다, 사용하다; (마약을) 사다(buy).

cap[4] (**-pp-**) *vt.* 《Sc.》 (배를) 약탈하다, 빼앗다; 덫에 걸리게 하다; 《폐어》 체포하다.

CAP Common Agricultural Policy 《EU의 농산물 정책》; computer-aided production; computer-aided publishing. **CAP, C.A.P.** Civil Air Patrol. **cap.** capacity; [kæp] capital; capitalize; captain; capsule; caput 《L.》 (=CHAPTER).

Capa [kǽpə] *n.* **Robert** (**Andrei Friedmann**) ~ 카파《헝가리 태생의 미국 사진 작가; 1913-54》.

cà·pa·bíl·i·ty *n.* Ⓤ,Ⓒ **1** 할 수 있음, 가능성; 능력, 역량, 재능(ability)《*of doing; to* do》; 자격: nuclear ~ 핵(전쟁) 능력 / have ~ *to* deal with the matter 그 일을 처리할 역량이 있다. **2** (*pl.*) (뻗을 수 있는) 소질, 장래성; 〖전기〗 가능출력: a man of great *capabilities* 장래가 유망한 사람. **3** (사물이 가진) 특성; 성능《*for; to* do》: the ~ of gases *for* compression 〔*to* be compressed〕 가스의 압축되는 성질.

⁑**ca·pa·ble** [kéipəbəl] *a.* **1** 유능한, 역량 있는 (able)《*for*》. SYN. ⇨ABLE. **2** (…할) 능력이 있는 《*of; of doing*》: a man ~ *of* judg*ing* arts 예술을 판정할 능력이 있는 사람. ★ He is *capable* to judge arts. 로 하면 잘못 / He's ~ *of* do*ing* anything. 그는 무슨 일이나 할 수 있는 사람이다. **3** (나쁜 짓 따위)까지도 (능히) 할 수 있는, …도 불사하는: He is ~ *of* treachery. 그는 능히 배반까지도 할〔서슴지 않을〕 사람이다. **4** …할 수 있는; …될 수 있는, (…이) 가능한: a verse ~ *of* many interpretations 여러 가지로 해석될 수 있는 시의 1절. ㊞ **-bly** *ad.* 유능〔훌륭〕하게, 잘. **~·ness** *n.*

*__ca·pa·cious__ [kəpéiʃəs] *a.* 포용력이 있는, 너른(wide); 듬뿍 들어가는; 도량이 큰. ㊞ **~·ly** *ad.* **~·ness** *n.*

ca·pac·i·tance [kəpǽsətəns] *n.* Ⓤ 〖전기〗 (도체의) 용량; 콘덴서(condenser).

ca·pac·i·tate [kəpǽsətèit] *vt.* (…을) 가능하게 하다(enable)《*to* do》, …에게 능력〔자격〕을 주다(make competent)《*for*》: be ~*d to* act 행동 능력이 있다. ㊞ **ca·pàc·i·tá·tion** *n.* Ⓤ

ca·pac·i·tive [kəpǽsətiv] *a.* 〖전기〗 전기 용량의, 용량성의. ㊞ **~·ly** *ad.*

capácitive reáctance 〖전기〗 용량(성) 리액턴스.

ca·pac·i·tor [kəpǽsətər] *n.* 〖전기〗 축전기 (condenser).

capácitor píckup 〖전기〗 커패시터〔가변 용량형〕 픽업《레코드 홈의 바늘의 움직임이 정전(靜電) 용량의 변화를 일으키는 픽업》.

⁑**ca·pac·i·ty** [kəpǽsəti] *n.* Ⓤ,Ⓒ **1** 수용량; (최대) 수용 능력: have a seating ~ *of* five persons, 5사람을 수용할 수 있다. **2** 용적, 용량; 〖물리〗 열〔전기〗 용량; 〖컴퓨터〗 용량. **3** 능력, 재능: a man of great ~ 대수완가 / have ~ *to* pay 지급 능력이 있다. **4** 자격(function); 〖법률〗 (행위) 능력, 법정 자격: in the ~ *of* legal adviser 법률 고문의 자격으로 / in an official ~ 공적인 자격으로 / in one's ~ *as* a critic 비평가로서의 입장에서.

> NOTE 일반적으로 capacity는 '받아들이는' 능력, ability는 '행위하는' 능력. 비교: He has great *capacity* for learning. / He shows unusual *ability* in science.

5 (공장 등의) (최대) 생산〔산출〕 능력: expand plant ~ 공장의 생산력을 확대하다 / The factory is running at (full) ~. 공장은 풀〔완전〕 가동 중이다. ***be filled to*** (***its utmost***) ~ 꽉 차

다, 초만원이다. ~ ***to action*** 〖법률〗 소송 능력. ***in a civil*** ~ 한 시민(의 자격)으로서. ***to*** ~ 최대한으로, 꽉 차게. ***with a*** ~ ***of*** (수)용량 …의: a tank *with a* ~ *of* 20 gallons.
— *a.* 최대한의; 만원의: a ~ crowd 만원.

cap-a-pie, cap-à-pie [kæ̀pəpíː] *ad.* 머리에서 발끝까지, 온몸에: a knight armed ~ 완전 무장한 기사.

ca·par·i·son [kəpǽrəsən] *n.* 장식 마의(馬衣)〔마구〕; (무사의) 성장(盛裝). — *vt.* …에 장식 마의를 입히다; …을 성장시키다.

cáp clòud (산봉우리를 덮는) 삿갓구름.

Cap·Com, Cap·com [kǽpkɑ̀m/-kɔ̀m] *n.* (지상 기지의) 우주선 교신(交信) 통신 기사(技士). [◂ *cap*sule *com*municator]

cape**[1] [keip] *n.* 곶(headland), 갑(岬). ***the Cape ① =the Cape of Good Hope. ② = CAPE COLONY. ***the Cape of Good Hope*** 희망봉; 남아프리카 공화국 남단의 곶〔한 주(州)〕.

cape[2] *n.* 케이프, 어깨 망토, 소매 없는 외투.

Cápe bóy 흑백 혼혈의 남아프리카인.

Cápe bùffalo (남아프리카의) 들소.

Cápe Canáveral 케이프커내버럴《미국 Florida 주에 있는 곳; 미공군의 로켓 발사 기지; 1963-73 년에는 Cape Kennedy 라고 불렸음》.

Cápe Cód 케이프코드《미국 Massachusetts 주의 반도》; =CAPE COD COTTAGE.

Cápe Còd cóttage 단층의 목조 소형주택《경사가 급한 맞배지붕과 중앙의 큰 굴뚝이 특징임》.

Cápe Còd líghter (난로 따위에) 불 붙이는 도구.

Cápe Còd túrkey 《속어》 대구(codfish).

Cápe Còlony the Cape of Good Hope 주의 구명(舊名).

Cápe Cólored 《S.Afr.》 백인과 유색 인종과의 혼혈인.

Cápe cràwfish 남아프리카의 식용 왕새우.

Cápe dòctor 《S.Afr.구어》 여름의 강한 남동풍《바다에 병원균을 털어버린다고 함》.

Cápe Hórn 케이프혼(the Horn)《남아메리카의 최남단》.

Càpe Hórn·er [-hɔ́ːrnər] Cape Horn을 돌아가는 배.

Ča·pek [tʃɑ́ːpek] *n.* 차페크. **1 Josef** ~ 《체코의 작가; 2의 형; 1887-1945》. **2 Karel** ~ 《체코의 극작가·소설가·언론인; 희곡 *R.U.R.* 에서 robot 라는 말을 창출함; 1890-1938》.

Cápe Kénnedy Cape Canaveral 의 1963-73 년 사이의 명칭.

cape·let [kéiplit] *n.* 어깨에 걸 정도의 작은 케이프.

cap·e·lin, cap·lin [kǽpəlin], [kǽplin] *n.* 빙엇과의 작은 바닷물고기《식용·낚싯밥용》.

Ca·pel·la [kəpélə] *n.* 〖천문〗 카펠라《마차부자리의 α성(星)》.

ca·per[1] [kéipər] *vi.* 뛰어돌아다니다, 깡총거리다. — *n.* 뛰어돌아다님; 장난, 희롱거림; 《속어》 마시고 떠듦, 주연; 야단법석; (종종 *pl.*) 광태(spree); 《속어》 (강도 등의) 나쁜 짓, 범죄 (계획). ***cut ~s*** 〔***a*** ~〕 《구어》 뛰어돌아다니다, 깡충거리다, 장난치다, 광태부리다. ㊎ **~·er** *n.*

ca·per[2] *n.* 풍조목속(風鳥木屬)의 관목《지중해 연안산(產)》; (*pl.*) 그 꽃봉오리의 초절임《식용》.

cap·er·cail·lie, -cail·zie [kæ̀pərkéiljі], [-kéilzi] *n.* 〖조류〗 유럽산 뇌조의 일종(COCK[1] of the wood)《이들 중 가장 큼》.

Ca·per·na·ite [kəpə́ːrniàit] *n.* 〖성서〗 가버나움 사람; 성체 변질론(transubstantiation)의 신자《특히 성서의 교의에 집착하는 사람》.

Ca·per·na·um [kəpə́ːrneiəm, -niəm] *n.* 가버나움《팔레스타인의 옛 도시》.

cápe·skin *n.* 남아프리카산(產) 양가죽; 가볍고 부드러운 양가죽 제품《장갑·외투 등》.

Ca·pe·tian [kəpíːʃən] *a.* 〖역사〗 (프랑스의) 카페(Capet) 왕조(987-1328 년)의.

Cápe·tòwn, Cápe Tòwn *n.* 케이프타운《남아프리카 공화국의 입법부 소재지》. ⓒⓕ Pretoria.

Cápe Vérde 카보베르데《서아프리카의 공화국, 1975 년 포르투갈로부터 독립》.

cápe·wòrk *n.* (투우사의) 케이프 다루기.

cap·ful [kǽpfùl] *n.* 모자 가득(한 양): a ~ of wind 일진의 바람.

ca·pi·as [kéipiəs, kǽ-/kéipiæs] (*pl.* **~·es**) *n.* 《L.》 〖법률〗 구속〔체포〕 영장.

cap·il·la·ceous [kæ̀pəléiʃəs] *a.* 털 같은, 털 모양의; 모세관의.

cap·il·lar·i·ty [kæ̀pəlǽrəti] *n.* Ⓤ 〖물리〗 모세관〔모관〕 현상.

cap·il·la·ros·co·py [kæ̀pələrɑ́skəpi] *n.* 〖의학〗 모세관 현미경 검사.

cap·il·lary [kǽpəlèri/kəpíləri] *a.* 털(모양)의; 모세관(현상)의: a ~ vessel 모세관. — *n.* 모세관.

cápillary àction 모세관 작용〔현상〕.

cápillary attràction 모세관 인력(引力).

cápillary jóint 〖기계〗 모세관 접합부(接合部).

cápillary repúlsion 모세관 척력(斥力).

cápillary tùbe (온도계 따위의) 모세관.

ca·pish [kəpíːʃ] *vi.* 《미속어》 이해하다; 알다.

ca·pi·ta [kǽpətə] *n.* 《L.》 CAPUT의 복수.

****cap·i·tal** [kǽpətəl] *n.* Ⓒ **1** 수도; 중심지. **2** 대문자, 머리글자. **3** Ⓤ 자본(금), 원금, 밑천; 자재(資材); (종종 C-) 자본가 계급: circulating 〔floating〕 ~ 유동 자본 / foreign ~ 외자(外資) / fixed ~ 고정 자본 / idle ~ 유휴 자본 / liquid ~ 유동 자본 / working ~ 운전 자본 / lose both ~ and interest 원금과 이자를 모두 잃다 / pay 5% interest on ~ 원금에 대해 5 퍼센트의 이자를 지급하다. **4** 〖건축〗 기둥머리, 주두(柱頭).

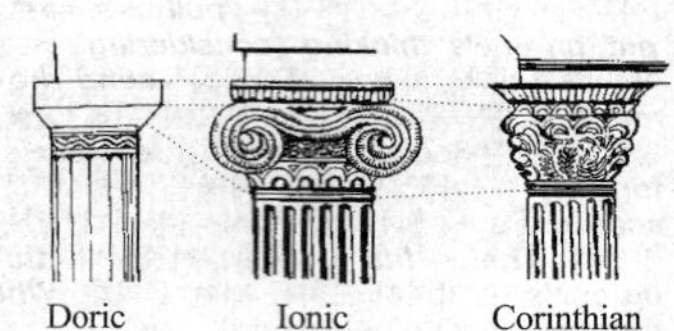

capital 4

≒capitol. ***Capital and Labor*** 노사 (계급). ***make*** ~ (***out***) ***of*** …을 이용하다, …에 편승하다. — *a.* **1** 주요한, 으뜸〔수위〕의: a ~ city 〔town〕 수도. ⓈⓎⓃ ⇨CHIEF. **2** 우수한; 훌륭한(excellent), 일류의(first-class): ~ dinners 성찬 / a ~ idea 명안 / *Capital!* 잘한다, 근사하다. **3** 원래의(original); 밑천의, 원금의, 자본의. **4** 사형에 처할 만한《죄 따위》; 중대한, 치명적인(fatal): a ~ error 치명적인 실수 / a ~ crime 죽을 죄 / a ~ sentence 사형 선고.

cápital accóunt 자본(금) 계정; (*pl.*) 순자산 계정.

cápital ássets 자산(資產).

cápital búdget 자본 예산, 자본 지출 예산서.

cápital consúmption 〖경제〗 자본 감모(減耗)《생산 활동에 의한 유형 고정 자산의 소모》.

cápital cóntrol 자본 규제.

cápital expénditure 〖상업〗 자본 지출.

cápital flíght 〖경제〗 (외국으로의) 자본 도피.

cápital fúnds 기금, 자본금.

cápital gáin 자본 이득, 자산 매각 소득.

cápital gáins distribùtion 자본 이득 배분.

cápital gáins tàx 자본 이득세.

cápital góods 자본재.

cápital-inténsive *a.* 자본 집약적: ~ industry 자본 집약형 산업.

cápital invéstment 기업 투하 자본.

***cap·i·tal·ism** [kǽpətəlìzəm] *n.* Ⓤ 자본주의; 자본의 집중.

***cap·i·tal·ist** [kǽpətəlist] *n.* 자본가, 전주; 자본주의자. — *a.* =CAPITALISTIC: a ~ country 자본주의국(가).

◇**cap·i·tal·is·tic** [kæ̀pətəlístik] *a.* 자본주의〔자본가〕의. ㊖ **-ti·cal·ly** *ad.* 「〔목표〕.

cápitalist róad (중국의) 주자(走資)파의 정책

cápitalist róader (중국의) 주자파(走資派) 《자본주의 노선을 걷는 실권파》.

càp·i·tal·i·zá·tion *n.* Ⓤ 자본화; 현금화; (수입·재산의) 자본 평가, 주식 자본《주의 총수》; (a ~) 자본금; 현가(現價) 계상; (사업에의) 투자; 대문자 사용; 수도로 삼기.

capitalizátion ìssue 〖증권〗 자본금 전입(轉入) 발행, 무상 증자(無償增資)〔발행〕.

cap·i·tal·ize [kǽpətəlàiz] *vt.* **1** 대문자로 쓰다〔인쇄하다〕. **2** …에 투자〔출자〕하다; 자본화(資本化)하다, 자본으로 산입하다. **3** (수입·재산 따위를) 현가 계상하다. **4** …을 이용하다, …에 편승하다. — *vi.* 이용〔편승〕하다《*on*》: ~ *on* another's weakness 남의 약점에 편승하다 / ~ (*on*) one's opportunities 기회를 잡다. ㊖ **-iz·er** *n.*

cápital létter 대(大)문자, 머리글자. OPP. *small letter*.

cápital lèvy 자본 과세. 「(差損).

cápital lóss 〖상업〗 자본 손실; 가격 하락 차손

cáp·i·tal·ly *ad.* 볼 만하게, 훌륭하게, 멋있게; 극형(極刑)으로.

cápital márket 〖금융〗 자본 시장. 「쓸 짓.

cápital offénce 사형에 처할 죄; 《우스개》 몹

cápital óutlay 자본 지출(capital expendi-

cápital púnishment 사형, 극형. ⌊ture).

cápital shìp 주력함(艦).

cápital síns 죽을 죄, 대죄. 「주식 자본.

cápital stóck 회사 발행의 주식 총수; (회사)

cápital strúcture (기업의) 자본 구성.

cápital súm (지급되는 보험금의) 최고액.

cápital súrplus 《미》 자본 잉여금.

cápital térritory 수도권.

cápital tránsfer tàx 《영》 증여세(gift tax).

cap·i·tate, -tat·ed [kǽpətèit], [-tèitid] *a.* 〖식물〗 두상(頭狀)꽃차례의.

cap·i·ta·tion [kæ̀pətéiʃən] *n.* 머릿수 할당; 인두세(稅)(poll tax); 머릿수 계산.

capitátion grànt 인두(人頭) 보조금.

***Cap·i·tol** [kǽpətl] *n.* **1** 카피톨《옛 로마의 Jupiter 신전》; Capitol 이 있는 언덕(Capitoline). **2** 《미》 (the ~) 국회 의사당; (보통 c-) 《미》 주의회 의사당(statehouse). ≒capital.

Cápitol Hìll (the ~) Capitoline 언덕; 《미》 국회 (의사당 소재지): on ~ 의회에서《관사를 안 붙임》.

Cap·i·to·line [kǽpətəlàin/kəpítə-] *n.* 옛 로마 7 언덕의 하나(the ~ Hill). — *a.* Capitoline 언덕의; Jupiter 신전의. 「은).

Cápitol políce 《미》 의회 경비원《제복을 입

ca·pit·u·lant [kəpítʃələnt] *n.* 항복하는 사람.

ca·pit·u·lar [kəpítʃələr] *a., n.* =CAPITULARY.

ca·pit·u·lary [kəpítʃəlèri/-ləri] *a.* 성당 참사회의. — *n.* 참사회원; (*pl.*) (특히 프랑크 왕국의) 법령집.

ca·pit·u·late [kəpítʃəlèit] *vi.* 〖군사〗 조건부로 항복하다; 항복하다.

ca·pìt·u·lá·tion *n.* (조건부) 항복; (*pl.*) 항복 문서; (*pl.*) (외국 거류민의 특권에 대한) 협정; 요항, 일람표; (회의·조약 등의) 합의 사항 메모. ㊖ **ca·pít·u·la·tò·ry** [-lətɔ̀:ri/-təri] *a.*

ca·pìt·u·lá·tion·ìsm *n.* 투항〔항복〕주의《특히 서방으로 전향한 공산주의자의 자세를 가리킴》. ㊖ **-ist** *n.*

ca·pit·u·lum [kəpítʃələm] (*pl.* **-la** [-lə]) *n.* **1** 〖식물〗 두상(頭狀)꽃차례, 두상화; 버섯류의 삿갓. **2** 〖해부〗 뼈의 소두(小頭).

Cap·let [kǽplit] *n.* 캐플릿《당의를 입힌 갸름한 ⌊정제; 상표명》.

caplin ⇨ CAPELIN.

cap'n [kǽpən] *n.* 《구어》 =CAPTAIN.

ca·po[1] [kɑ́:pou, kǽpou] (*pl.* **~s** [-z]) *n.* 《미속어》 (마피아의 지방 지부의) 두목, 우두머리; 지부장.

ca·po[2] [kéipou] (*pl.* **~s**) *n.* 카포《기타 따위의 모든 줄의 피치를 동시에 높이는 줄 굄목》.

ca·po·ei·ra [kɑ̀:pouéirə] *n.* 〖무용〗 카포에이라《아프리카 기원의 브라질 민속 무용》.

cáp of líberty =LIBERTY CAP.

ca·pon [kéipɑn, -pən/-pən] *n.* (거세한) 식용 수탉; 거세한 토끼; 《비유》 겁쟁이. ㊖ **~·ìze** *vt.* (수탉을) 거세하다(castrate).

Ca·po·ne [kəpóun] *n.* **Al**(**phonso**) ~ 카포네 《미국 마피아단의 두목; 1899-1947》.

cap·o·nier [kæ̀pəníər] *n.* 요새 둘레의 수로에 걸친 지붕 있는 통로. 「열한 자식.

ca·poop [kəpú:p] *n.* 《미속어》 제기랄 놈; 비

cap·o·ral [kǽpərəl, kæ̀pərǽl/kæ̀pərɑ́:l] *n.* 《F.》 Ⓤ 프랑스산(産) 살담배의 일종.

cap·o·re·gime [kɑ̀:pourəʒì:m/kæ̀pou-] *n.* 《미속어》 (마피아의) 부(副)지부장(capo 의 다음).

ca·pot [kəpɑ́t, -póu/-pɔ́t] *n.* (piquet 놀이에서의) 전승(全勝). — (**-tt-**) *vt.* (위의 놀이에서) 전승하다.

ca·pote [kəpóut] *n.* 후드 달린 긴 외투《여자·어린이용, 또 군인·여행가용》; 턱끈 달린 보닛의 일종; (탈것의) 포장, 접는 지붕; (투우사의) 케이프. 「이즈.

cáp pàper 엷은 다갈색 포장지; 편지지의 한 사

cap·per [kǽpər] *n.* 모자를 만드는〔파는〕 사람; (병 따위의) 마개를 씌우는 사람〔장치〕; 뇌관을 사용하는 장치; 《미속어》 (남을 꾀어내는 데 쓰는) 미끼, (경매의) 야바위꾼(by-bidder); 《미속어》 종말, 끝장, 결말.

cap·ping [kǽpiŋ] *n.* CAP[1]하는 것〔일〕; 〖지학〗 표토(表土); 〖건축〗 정재(頂材).

cáp pìstol 장난감 권총.

cap·puc·ci·no [kæ̀putʃí:nou, kɑ̀:pu-] *n.* 《It.》 카푸치노《(1) espresso coffee에 뜨거운 밀크를 가한 것. (2) 럼이나 브랜디를 가한 뜨거운 코코아》.

Ca·pri [kɑ́:pri, kǽp-, kəprí:/kǽpri:] *n.* **1** 카프리 섬《이탈리아 나폴리 만의 명승지》. **2** 카프리 《원래 Capri 섬산(産)의, 보통 백(白)포도주》; (보통 c-s) =CAPRI PANTS.

cap·ric [kǽprik] *a.* 숫염소의.

cápric ácid 〖화학〗 카프르산(酸).

ca·pric·cio [kəprí:tʃiòu] (*pl.* **~s**) *n.* 장난; 변덕; 〖음악〗 카프리치오, 기상(綺想)곡.

ca·pric·ci·o·so [kəprì:tʃióusou] *a.* 〖음악〗 《It.》 기분을 들뜨게 하는, 환상적인.

***ca·price** [kəprí:s] *n.* 변덕, 종작없음(whim), 줏대 없음, 무정견; 공상적인 작품; 기상곡.

ca·pri·cious [kəpríʃəs] *a.* 변덕스러운, (마음이) 변하기 쉬운, 일시적인(fickle). SYN. ⇨ WILLFUL. ㊖ **~·ly** *ad.* **~·ness** *n.*

Cap·ri·corn [kǽprikɔ̀:rn] 〖천문〗 *n.* 염소자리(the Goat); 마갈궁(磨羯宮)《황도(黃道)의 제 10 궁》. ***the Tropic of*** **~** ⇨ TROPIC[1].

Cap·ri·cor·nus [kæ̀prikɔ́:rnəs] *n.* 《L.》 =CAPRICORN.

cap·ri·fi·ca·tion [kæ̀prəfikéiʃən] *n.* 〖원예〗 식용 무화과의 수분(受粉) 촉진 기법.

cap·ri·fig [kǽprəfìg] *n.* 야생 무화과의 일종 《남유럽·소아시아산》. 「은).

cap·rine [kǽprain, -rin/-rain] *a.* 염소의(같

cap·ri·ole [kǽpriòul] 〖승마〗 *n.* 도약; 껑충 뜀, 뛰어오름. **—** *vi.* 도약하다; 껑충 뛰다. 「람.

Cap·ri·ote [kǽpriòut, -riət] *n.* 카프리 섬 사

Caprí pánts (종종 c-) 카프리 팬츠(=**Caprís**) 《바짓부리가 좁은 홀쭉한 여성용 캐주얼 바지》.

cap·ro·ate [kǽprouèit] *n.* 〖화학〗 카프로산염(酸塩)(에스텔).

cáp ròck 〖지학〗 유전이나 가스층을 덮고 있는 불침투성의 암반(岩盤), 덮개암; 암염(岩塩) 돔 바로 위의 경석고(硬石膏). 「(酸).

ca·pró·ic ácid [kəpróuik-] 〖화학〗 카프로산

cap·ro·lac·tam [kæ̀proulǽktæm] *n.* 〖화학〗 카프로락탐《백색 결정체 화합물; 나일론 원료》.

ca·prýl·ic ácid [kəprílik-, kæp-] 〖화학〗 카프릴산(酸)《액상(液狀)의 무색 지방산의 일종》.

caps. [kæps] 〖인쇄〗 capital letters; capsule.

cap·sa·i·cin [kæpséiəsin] *n.* 〖화학〗 캅사이신《고추의 매운 맛의 성분》. 「리가 있는).

cáp scrèw 나사못의 일종《네모·육모의 못대가

Cáp Sép 〖로켓〗 =CAPSULE SEPARATION.

Cap·si·an [kǽpsiən] *n., a.* 〖고고학〗 카프사 문화(의)《남유럽과 북아프리카의 구석기 시대 후기·중석기 시대 초기의 문화》.

cap·si·cum [kǽpsikəm] *n.* 고추 (열매).

cap·sid [kǽpsid] *n.* 〖생물〗 캡시드《바이러스의 핵산을 싸는 단백질의 외각(外殼)》.

cap·size [kǽpsaiz, ⌐⌐/⌐⌐] *vt., vi.* (배가) 뒤집히다, 전복시키다(하다). **—** *n.* 전복.

cáp slèeve 캡슬리브《어깨를 약간 덮을 정도의 아주 짧은 소매》.

cap·so·mere [kǽpsəmìər] *n.* 〖생화학〗 정(正) 20 면체의 capsid 를 형성하는 단백질 분자의 집합체.

cap·stan [kǽpstən, -stæn] *n.* **1** 캡스턴, 닻 따위를 감아 올리는 장치. **2** (테이프 리코더의) 캡스턴.

cápstan bàr 캡스턴을 돌리는 철봉.

cápstan làthe 터릿 선반(旋盤)(turret lathe).

capstan 1

cáp·stòne *n.* (돌기둥·담 등의) 갓돌, 관석(冠石)(coping); 절정, 극치.

cap·su·lar [kǽpsələr, -sju-/-sju-] *a.* 캡슐의, 캡슐 모양의; 캡슐에 든.

cap·su·late [kǽpsəlèit, -lət, -sju-/-sju-] *vt.* 캡슐에 넣다; 요약하다. **—** *a.* 캡슐에(로) 든(된)(=**cápsu·làt·ed**). ⊞ **càp·su·lá·tion** *n.*

°**cap·sule** [kǽpsəl, -sju:l/-sju:l] *n.* **1** (약·우주 로켓 등의) 캡슐. **2** 꼬투리, 삭과(蒴果); 〖화학〗 (증발용) 작은 접시; (유리병의 코르크 마개를) 덮싼 박(箔); 〖생리〗 피막(被膜). **3** (강연 등의) 요지(digest). **—** *vt.* ~로 싸다, 요약하다. **—** *a.* 소형의; 요약한: a ~ report 간결한 보고. ⊞ **cáp·sul·ìze** *vt.* 소형화하다.

cápsule commúnicator 〖로켓〗 (우주선 승무원과의) 지상 연락원《생략: Cap Com》.

cápsule separátion 〖로켓〗 캡슐 분리《생략: Cap Sep》.

capt. captain; caption.

‡**cap·tain** [kǽptən, -tin/-tin] *n.* **1** 장(長), 두령(chief); 지도자(leader); 주임; 《미방언》 보스(boss). **2** 선장, 함장, 정장(艇長), (배의 각부서의) 장(長); (민간 항공기의) 기장(機長). **3** 〖육군〗 대위; 〖해군〗 대령; 〖공군〗 대위. **4** (공장 등의) 감독; 단장, 반장, 소방서장(대장); 《미》 (경찰의) 지서장, 경위(警衛); 《미》 (호텔 등의) 급사장. **5** (스포츠 팀의) 주장; 통솔자; (실업계 등의) 거물; 《영》 (학급) 반장. **6** 명장, (육해군의) 지휘관: the great ~*s of* industry (antiquity) 대실업가(고대의 명장)들. **—** *vt.* …의 주장(지휘관)이 되다, 통솔하다: Who will ~ the team? 누가 팀의 주장이 되느냐. ⊞ **~·cy** [-si] *n.* Ⓤ,Ⓒ ~의 지위(직, 임기, 관할 구역).

cáptain géneral (*pl.* ***cáptains gén-, ~s***) 총사령관; 《영》 (포병대) 명예 장교.

cáptain of índustry (대기업의) 우두머리, 대기업주(主), 산업계의 거두.

cáptain's bíscuit 〖해사〗 질 좋은 건빵.

cáptain's chàir Windsor chair 형의 의자.

cáp·tain·shìp [-ʃìp] *n.* Ⓤ captain 의 자격; 통솔력.

cáptain's màst 〖미해군〗 (사병의 징계 처분에 대하여) 함장이 행하는 심리(재판); 함내 법정.

cáptain's táble séating (레스토랑 따위에서) 합석할 수 있는 테이블.

cáptain's wàlk =WIDOW'S WALK.

cap·tan [kǽptæn, -tən] *n.* 캡탄《합성 유기 살균제; 농약》.

cap·ta·tion [kæptéiʃən] *n.* 인기를 얻기 위한 획책, 아첨, 알랑거림.

cap·tion [kǽpʃən] *n.* **1** (페이지·기사 따위의) 표제, 제목(heading), (삽화의) 설명문(legend); 〖영화〗 자막(subtitle): a cinema ~ 영화의 자막. **2** (법률 문서의) 머리말, 전문(前文); 《고어》 체포. **3** 〖컴퓨터〗 캡션《워드프로세서에서 문서의 본문에 삽입되는 그림이나 표에 그 내용을 설명하거나 제목을 붙여서 적어 두는 것》. **—** *vt.* …에 표제를(설명문을, 타이틀을) 붙이다; 〖영화〗 …에 자막을 넣다. ⊞ **~·less** *a.*

cap·tious [kǽpʃəs] *a.* (공연히) 헐뜯는, 흠(탈)잡기 좋아하는, 말꼬리 잡는; 억지 쓰는, 궤변적인. ⊞ **~·ly** *ad.* **~·ness** *n.*

cap·ti·vate [kǽptəvèit] *vt.* …의 넋을 빼앗다, 현혹시키다, 뇌쇄(매혹)하다(charm).

cáp·ti·vàt·ing *a.* 매혹적인: a ~ smile. ⊞ **~·ly** *ad.* 「매력.

càp·ti·vá·tion *n.* Ⓤ 매혹(함); 매료(된 상태);

cap·ti·va·tive [kǽptəvèitiv] *a.* 매혹적인, 매력 있는.

cap·ti·va·tor [kǽptəvèitər] *n.* 매력적인 사람.

°**cap·tive** [kǽptiv] *n.* 포로; (사랑 따위의) 노예, 사로잡힌 사람《*to; of*》: a ~ *of* selfish interests 제 실속만 차리는 사람. **—** *a.* **1** 포로의: ~ state 사로잡힌 몸(신세). **2** 사로잡힌, 감금된, 유폐된; (동물이) 우리에 갇힌: a ~ bird 새장의 새. **3** 매혹된. **4** 고정된, 정위치의: a ~ balloon 계류기구. **5** 〖경제〗 (어느 회사 등에) 전속의, 자사(自社) 전용의: a ~ railroad / a ~ shop 자사점(店). ***take*** (***hold***) a person ~ 아무를 포로로 하다.

cáptive áudience 싫어도 들어야 하는 청중 《스피커 등을 갖춘 버스의 승객 따위》.

cáptive ballóon 계류기구(繫留氣球).

cáptive bólt 가축(도살)총《내장된 타격봉을 발사하여 동물《소, 말 등》을 기절시킴》.

cáptive márket 상품 선택의 여지가 없는 시장, 특정한 상품을 사지 않을 수 없는 구매자, 자사(전속) 시장《호텔, 공항 내 점포의 잠재적 구매자층》.

cáptive tèst (**fíring**) (미사일·로켓 엔진 등의) 지상 분사(噴射) 시험, 고정 테스트.

°**cap·tiv·i·ty** [kæptívəti] *n.* Ⓤ 사로잡힘, 사로잡힌 몸(기간), 감금; 속박: in ~ 사로잡히어. ***the Captivity*** 〖성서〗 유대인의 바빌론 유수(幽

囚)(the Babylonian ~).

cap·to·pril [kǽptəpril] *n.* 〖약학〗 캡토프릴《강압(降壓)약으로 쓰이는 흰색 가루》.

cap·tor [kǽptər] (*fem.* ***-tress*** [-tris]) *n.* 잡는 사람, 체포자(OPP *captive*); 다른 배를 나포하는 배〔사람〕; 상품 획득자.

***cap·ture** [kǽptʃər] *n.* **1** Ⓤ 포획, 빼앗음, 생포; Ⓒ 포획물, 붙잡힌 사람. **2** 〖물리〗 (방사성) 포획; 〖컴퓨터〗 갈무리《(1) 처리 또는 축적을 위해 컴퓨터에 자료를 넣음. (2) (1)의 준비로 자료를 기억함》. **3** 〖지리〗 쟁탈. —*vt.* **1** 붙잡다, 생포하다; 점령〔공략〕하다; 획득하다, 손에 넣다. SYN. ⇨ CATCH. **2** 〖물리〗 (원자핵·소립자 등이 소립자를) 포획하다. **3** 〖지리〗 (강이 다른 강의 상류 부분을) 쟁탈하다《수계(水系)변경 현상》. ⊞ **-tur·a·ble** *a.* **-tur·er** *n.*

cápture the flág 깃발 먼저 빼앗기 게임《상대팀의 깃발을 빼앗아 붙잡히지 않고 자기편으로 돌아오면 승리함》.

Cap·u·chin [kǽpjətʃən, -ʃən] *n.* (프란체스코파의) 카푸친 수도회 수사; (c-) 후드 달린 외투《여성용》; (c-) 꼬리말이원숭이의 일종《남아메리카산》.

ca·put [kéipət, kǽpət] (*pl.* ***ca·pi·ta*** [kǽpitə]) *n.* 《L.》 〖해부〗 머리(head); 두상 돌기.

cáput mór·tu·um [-mɔ́:rtʃuəm] 《L.》 〖연금〗 증류〔승화〕 앙금; 철단(鐵丹).

cap·y·ba·ra, cap·i- [kæ̀pəbá:rə] *n.* 〖동물〗 캐피바라(=**wáter hòg**)《남아메리카의 강가에 사는, 몸길이 1.2 m에 이르는 설치류 최대 동물》.

†**car** [kɑ:*r*] *n.* **1** 〔일반적〕 차; 《특히》 자동차: by ~ 자동차로/get into 〔out of〕 a ~ 차를 타다〔에서 내리다〕. ★ car는 automobile, motorcar의 뜻이며 보통 truck이나 bus는 포함되지 않음. **2** 《미》 (전차·기차의) 차량; (*pl.*) 《미》 열차(the train); 객차, 화차; 《영》 …차. cf. carriage, coach, van¹. ¶ an observation ~ 전망차/a 16-~ train, 16량(輛) 연결의 열차/a ~ replacer 탈선 차량 복선기(復線機). **3** (비행선·기구(氣球)의) 곤돌라; 《미》 (엘리베이터의) 칸. **4** 짐마차; 광차. **5** 《시어》 (고대의) 전차(chariot), 개선차(凱旋車). **6** 활어조(活魚槽). ***take a ~*** 차를 타다.

CAR Central African Republic; Civil Air Regulations(민간 항공 규칙); computer-aided retrieval(컴퓨터 검색). **Car.** Carlow; Charles. **car.** carat(s); carpentry.

ca·ra·bao [kɑ̀:rəbá:ou] (*pl.* ***~s,*** ***~***) *n.* 물소(water buffalo)《필리핀산(産)》.

car·a·bin [kǽrəbən], **car·a·bine** [kǽrəbàin] *n.* =CARBINE.

car·a·bi·neer, -nier [kæ̀rəbəníər] *n.* 기총병(騎銃兵); 《영》 (the C-s) 근위 스코틀랜드 용기병 연대의 별칭. 「카라비너.

car·a·bi·ner, kar- [kæ̀rəbí:nər] *n.* 〖등산〗

ca·ra·bi·ne·ro [kæ̀rəbənέərou] *n.* 《Sp.》 (스페인의) 국경 경비병; (필리핀의) 세관원; 연안 경비원.

ca·ra·bi·nie·re [kæ̀rəbənjέəri] (*pl.* ***-ri*** [-ri]) *n.* 《It.》 (이탈리아의) 경찰관.

car·a·cal [kǽrəkæ̀l] *n.* 〖동물〗 스라소니의 일종《서남 아시아산》; Ⓤ 그 모피.

ca·ra·ca·ra [kɑ̀:rəkɑ́:rə, kæ̀rəkǽrə/kɑ̀:rəkɑ́:rə] *n.* 〖조류〗 카라카라《다리가 길고 땅을 달리는 남아메리카산 매의 일종; 멕시코의 국조(國鳥)》.

Ca·ra·cas [kərɑ́:kəs/-rǽ-] *n.* 카라카스《Venezuela의 수도》.

car·ack, -ak [kǽrək] *n.* =CARRACK.

car·a·cole, -col [kǽrəkòul], [-kɑ̀l/-kɔ̀l] *n.*, *vi.*, *vt.* 〖승마〗 반회전(하다〔시키다〕), 반선회(하다〔시키다〕); 〖건축〗 나선상(狀)의 층계.

car·a·cul [kǽrəkəl] *n.* Ⓒ 양의 일종《중앙 아시아산》; Ⓤ 그 모피《아스트라한 모피 비슷함》; 그와 비슷하게 짠 직물(karakul).

ca·rafe [kərǽf, -rɑ́:f] *n.* (식탁·침실·연단(演壇)용) 유리 물병.

ca·ram·ba [kərɑ́:mbə; *Sp.* karámba] *int.* 《Sp.》 (놀라움·낭패·노여움 등을 나타내어) 쳇, 앗, 그것 참; 분하다.

°**car·a·mel** [kǽrəməl, -mèl] *n.* Ⓤ 캐러멜, 구운 설탕《색깔·맛을 내는 데 씀》; Ⓒ 캐러멜 과자; Ⓤ 캐러멜빛, 담갈색. ⊞ **càr·a·mel·i·zá·tion** *n.* **~·ize** [-àiz] *vt.*, *vi.* 캐러멜로 만들다〔이 되다〕. 「과의 (물고기).

ca·ran·gid [kərǽndʒid] *a.*, *n.* 〖어류〗 전갱잇

car·a·pace [kǽrəpèis] *n.* (게 따위의) 딱지, (거북 따위의) 등딱지; (마음의) 갑옷, 가면.

car·at [kǽrət] *n.* **1** 캐럿《보석류의 무게 단위; 200 mg》. **2** =KARAT.

car·a·van** [kǽrəvæ̀n] *n.* **1** 〔집합적〕 (사막의) 대상(隊商); 여행대(隊). **2** 이주민의 마차대; (집시 등의) 포장마차; 대형 트럭. **3** 《영》 (자동차로 끄는) 이동 주택, 트레일러 하우스(trailer). **4** 탈 것의 행렬: a ~ of buses. —*vi.*, *vt.* (~ned,*** ***~ed;*** ***~·ning,*** ***~·ing***) ~을 구성하여 여행하다〔휴가를 보내다, 나르다〕.

cáravan pàrk 〔**sìte**〕 《영》 이동 주택용 주차장(trailer camp)《지정 구역》.

car·a·van·sa·ry, car·a·van·se·rai [kæ̀rəvǽnsəri], [-rài] *n.* (중앙에 큰 안뜰이 있는) 대상(隊商) 숙박소; 큰 여관.

car·a·vel, -velle [kǽrəvèl] *n.* (15-16세기경 스페인·포르투갈의) 경쾌한 돛배(carvel).

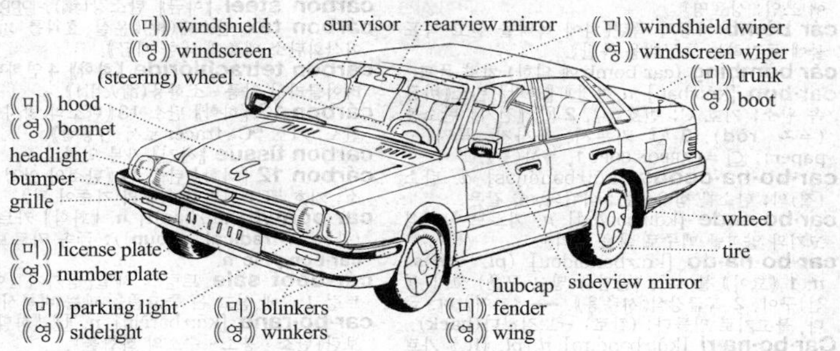

car 1

car·a·way [kǽrəwèi] *n.* 〖식물〗 캐러웨이《회향풀의 일종》; (*pl.*) 캐러웨이 열매(=∠ **sèeds**) 《향미료·약용》.

carb[1] [kɑːrb] *n.* 《구어》 =CARBURETOR.

carb[2] 《구어》 *n.* 탄수화물(carbohydrate)(이 많은 식품). ── *vi.* (운동에 앞서) 탄수화물을 많이 먹다《*up*》.

car·ba·chol [kɑ́ːrbəkɔ̀ːl, -kɑ̀l / -kɔ̀l] *n.* 〖약학〗 카르바콜《부교감 신경 흥분제; 수의·녹내장용》.

cár bàg (차로 여행할 때, 옷이 주름지거나 먼지가 앉지 않도록 보관하는 데 쓰는) 커버.

car·ba·mate [kɑ́ːrbəmèit, kɑːrbǽmeit/ kɑ́ːbəmèit] *n.* 〖화학〗 카르바민산염(酸塩)〔에스테르〕.

car·bám·ic ácid [kɑːrbǽmik-] 〖생화학〗 카르바민산(酸).

car·ba·mide [kɑ́ːrbəmàid, -mid, kɑːr-bǽmaid, -mid / kɑ́ːbəmàid] *n.* 〖생화학〗 카르바미드《요소(尿素)(urea) 또는 그 유도체》.

car·ban·i·on [kɑːrbǽnàiən, -naiɑ̀n / -nàiən, -naiɔ̀n] *n.* 〖화학〗 카르보 음(陰)이온《탄소 음이온》. cf. carbonium.

cár·bàrn *n.* 《미》 전차〔버스〕 차고.

car·ba·ryl [kɑ́ːrbəril] *n.* 〖화학〗 카르바릴《광범위 살충제; 농약》.

car·ba·zole [kɑ́ːrbəzòul] *n.* 카르바졸《염료(染料)·수지(樹脂)의 합성 원료》.

car·be·cue [kɑ́ːrbəkjùː] *n.* 폐차 처리기(機) 《폐차를 불 위에서 회전시키면서 압축하는 장치》. [◂ *car*+bar*becue*]

cár bèd 카 베드《유아용 휴대 침대》.

car·bide [kɑ́ːrbaid, -bid] *n.* 탄화물, 카바이드. ***calcium*** ~ 탄화칼슘.

car·bine [kɑ́ːrbin, -bain] *n.* 카빈총; (옛날의) 기병총(銃).

car·bi·neer [kɑ̀ːrbəníər] *n.* =CARABINEER.

car·bi·nol [kɑ́ːrbənɔ̀ːl, -nɑ̀l / -nɔ̀l] *n.* 〖화학〗 카르비놀《메틸알코올에서 유도해 낸 알코올 총칭》.

car·bo- [kɑ́ːrbou] '탄소'란 뜻의 결합사《모음 앞에서는 **carb-**》.

càrbo·cýclic *a.* 〖화학〗 탄소환식(環式)의.

càrbo·hýdrase *n.* 〖생화학〗 탄수화물 (가수) 분해〔합성〕 효소.

càrbo·hýdrate *n.* 탄수화물, 함수탄소.

car·bo·lat·ed [kɑ́ːrbəlèitid] *a.* 페놀을 함유한.

car·bol·ic [kɑːrbɑ́lik/-bɔ́l-] *a.* 탄소의; 콜타르성(性)의. ~ ***acid*** 석탄산, 페놀.

carbólic sóap 석탄산 비누《약한 산성》.

car·bo·lize [kɑ́ːrbəlàiz] *vt.* …에 페놀을 가하다, 페놀로 처리하다.

Car·bo·loy [kɑ́ːrbəlɔ̀i] *n.* 카볼로이《탄화텅스텐 초경(超硬)합금의 대표예(例); 선 긋는 다이스, 절삭(切削) 공구 날 끝, 내마모(耐磨耗) 부품에 쓰임; 상표명》.

cár bòmb 자동차 폭탄《차에 폭약을 싣고 목표물에 돌진하는 특공대용 폭탄》.

cár bòmbing (car bomb 에 의한) 차량 폭파.

***car·bon** [kɑ́ːrbən] *n.* **1** Ⓤ 〖화학〗 탄소《비금속 원소; 기호 C; 번호 6》. **2** Ⓒ 〖전기〗 탄소봉(=∠ **ròd**). **3** Ⓤ 카본지, 복사지, 묵지(~ paper); Ⓒ =CARBON COPY 1, 복사(물).

car·bo·na·ceous [kɑ̀ːrbənéiʃəs] *a.* 탄소(질)의; 탄소를 함유하는; 석탄의, 숯 같은.

car·bo·nade [kɑ̀ːrbənéid] *n.* 카르보나드《쇠고기와 양파를 맥주로 삶은 요리》.

car·bo·na·do [kɑ̀ːrbənéidou] (*pl.* ~**(e)s**) *n.* **1** 《고어》 불고기, (칼집을 넣고 구운) 고기〔생선〕구이. **2** 흑금강석《시추용》. ── 《고어》 *vt.* 굽다, 불고기로 만들다; (칼로) 난도질하다(hack).

Car·bo·na·ri [kɑ̀ːrbənɑ́ːrə] *n. pl.* 《It.》 카르보나리《19 세기 초 이탈리아 급진 공화주의자의 결사》.

car·bon·ate [kɑ́ːrbənèit] *vt.* 탄산염으로 바꾸다; 탄산으로〔탄산가스로〕 포화시키다; 탄화시키다; 숯이 되게 굽다〔태우다〕: ~*d* water 소다수 / ~*d* drinks 탄산음료. ── [-nèit, -nit] *n.* 탄산염. ~ ***of lime*** 〔***soda***〕 탄산석회〔소다〕. ⓜ **càr·bon·á·tion** *n.* Ⓤ 탄산염화〔포화〕; 탄(산)화(炭(酸)化).

cárbon blàck 카본 블랙《인쇄 잉크 원료》.

cárbon cópy 1 Ⓒ (복사지에 의한) 복사본, 사본《생략: c.c.》. **2** 《비유》 꼭 닮은 사람〔물건〕.

cárbon-còpy *a.* 꼭 닮은. ── *vt.* 복사하다, 사본을 뜨다.

cárbon cỳcle (생물권의) 탄소 순환; 〖물리〗 탄소 사이클.

cárbon-dàte *vt.* …의 연대를 방사성 탄소로 측정하다.

cárbon dàting 〖고고학〗 방사성 탄소 연대(年代) 측정법《carbon 14 를 이용》.

cárbon dióxide 이산화탄소, 탄산가스: ~ snow 드라이아이스(frozen ~).

cárbon dióxide snòw 드라이아이스.

cárbon disúlfide 〖화학〗 이황화(二黃化)탄소.

cárbon emíssions 탄소 배기《배기로 인해 생긴 대기 중의 일산화탄소와 이산화탄소》.

cárbon fiber 탄소 섬유.

cárbon 14 탄소 14《탄소의 방사성 동위원소; 기호 ^{14}C; tracer 등에 이용》.

car·bon·ic [kɑːrbɑ́nik/-bɔ́n-] *a.* 탄소의, (4가(價)의) 탄소의〔를 함유하는〕.

carbónic ácid 〖화학〗 탄산(炭酸).

carbónic-ácid gàs 탄산가스(carbon dioxide).

carbónic an·hý·drase [-ænháidreis, -dreiz] 〖생화학〗 탄산 탈수 효소(脫水酵素).

Car·bon·if·er·ous [kɑ̀ːrbənífərəs] 〖지학〗 *n.* (the ~) 석탄기(紀); 석탄층. ── *a.* 석탄기의; (c-) 석탄을 함유〔산출〕하는: the ~ period 〔strata, system〕 석탄기〔층, 계〕.

car·bo·ni·um [kɑːrbóuniəm] *n.* 〖화학〗 카르보 양(陽)이온(=∠ **ìon**). cf. carbanion.

car·bon·i·za·tion [kɑ̀ːrbənizéiʃən/-naiz-] *n.* Ⓤ 탄화(법), 석탄 건류(乾溜).

cár·bon·ìze *vt.* 숯으로 만들다, 탄화하다; 탄소와 화합시키다; (종이에) 탄소를 바르다.

cárbon knòck (엔진의) 불완전 연소로 인해 생기는 노크 소리.

cár·bon·less *a.* 카본지(紙)가 필요 없는, 노카본의.

cárbon monóxide 일산화탄소.

car·bon·ous [kɑ́ːrbənəs] *a.* 탄소의; 탄소처럼 검은색의; 탄소를 포함한.

cárbon pàper 카본지《복사용》.

cárbon prìnting 〔**pròcess**〕 〖사진〗 카본 인화법.

cárbon stàr 〖천문〗 탄소성(星)《비교적 저온의 붉은색 큰 별》.

cárbon stéel 〖야금〗 탄소강(鋼). opp. *alloy steel.*

cárbon tàx 탄소세(稅)《온실 효과를 가져오는 이산화탄소 배출에 대한 세금》.

cárbon tetrachlóride 〖화학〗 4 염화탄소《드라이클리닝 약품·소화용(消火用)》.

cárbon 13 〖화학〗 탄소 13《탄소의 방사성 동위원소; 기호 ^{13}C; tracer 로서 이용됨》.

cárbon tìssue 〖사진〗 카본 인화지.

cárbon 12 〖화학〗 탄소 12《탄소의 안정 동위원소; 기호 ^{12}C; 원자량 척도의 기준이 됨》.

car·bon·yl [kɑ́ːrbənìl] *n.* 〖화학〗 카르보닐기(基)(=∠ **ràdical** 〔**gròup**〕); 금속 카르보닐. ⓜ **càr·bon·ýl·ic** *a.*

cár-bòot sále 트렁크 세일《참가자들이 차의 트렁크 속에 싣고 온 중고품을 파는 벼룩시장》.

car·bo·rane [kɑ́ːrbərèin] *n.* Ⓤ 〖화학〗 카르보란《탄소·붕소·수소의 화합물》.

car·borne [kɑ́ːrbɔ̀ːrn] *a.* 차로 온〔운반된〕, 차

에 실린〔비치된〕.

Car·bo·run·dum [kɑ̀ːrbərʌ́ndəm] 《미》 *n.* 카보런덤《탄화규소(SiC), 융해 알루미나 등의 연삭(硏削)제 또는 내화물의 총칭; 상표명》.

car·box·yl [kɑːrbɑ́ksil/-bɔ́k-] *n.* 〖화학〗 카르복실기(基)(= **∽ ràdical** 〔**gròup**〕). ㊕ **car·box·yl·ic** [kɑ̀ːrbɑksílik / -bɔk-] *a.*

car·box·yl·ase [kɑːrbɑ́ksəlèis, -lèiz / -bɔ́k-] *n.* 〖생화학〗 카르복실라아제《카르복실기(基)의 이탈·첨가 반응을 하는 효소》. ⓒⓕ decarboxylase.

car·box·yl·ate [kɑːrbɑ́ksəlèit / -bɔ́k-] 〖화학〗 *n.* 카본산염(酸塩)〔에스테르〕. **—** *vt.* [-lèit] 유기화합물에 카르복실기(基)를 도입하다. ㊕ **car·bòx·yl·á·tion** *n.* 카르복실화 반응.

carboxýlic ácid 〖화학〗 카르복실산(酸).

car·box·y·meth·yl·cel·lu·lose [kɑːrbɑ̀ksimèθəlséljəlòus/-bɔ̀ks-] *n.* 〖화학〗 카르복시메틸셀룰로오스《셀룰로오스산(酸) 에테르 유도체; 농화제(濃化劑), 유화(乳化)제, 안정제, 제산제 등으로 쓰임》.

car·box·y·pep·ti·dase [kɑːrbɑ̀ksipéptədèis, -dèiz/-bɔ̀ks-] *n.* 〖생화학〗 카복시펩티아아제.

car·boy [kɑ́ːrbɔi] *n.* 상자〔채롱〕에 든 대형 유리병《강산액 등을 담음》.

carboys

cár brà 〖자동차〗 자동차앞 차체를 감싸는 커버.

car·bun·cle [kɑ́ːrbʌŋkəl] *n.* 〖의학〗 옹(癰); 정(疔); 여드름, 뾰루지; 〖광물〗 홍옥(紅玉), (머리 부분을 둥글게 간) 석류석; 적갈색. ㊕ **∼d, car·bun·cu·lar** [kɑːrbʌ́ŋkjələr] *a.*

car·bu·ret [kɑ́ːrbərèit, -bjə-/-bjə-] *n.* 탄화물. **—** (**-*t*-,** 《주로 영》 **-*tt*-**) *vt.* 탄소〔탄화수소〕와 화합시키다; (공기·가스에) 탄소 화합물을 혼입하다. ㊕ **car·bu·re·tion** [∸-réiʃən, -ré-] *n.* 탄화, 기화.

car·bu·re·tor, -ret·er, 《영》 **-ret·tor** [kɑ́ːrbərèitər, -bjə-/-bjərèt-] *n.* 탄화 장치; (내연기관의) 기화기(氣化器), 카뷰레터.

càr·bu·ri·zá·tion *n.* Ⓤ 〖화학〗 탄화(炭化); 〖야금〗 침탄(浸炭)(cementation).

car·bu·rize [kɑ́ːrbəràiz, -bjə-/-bju-] *vt.* **1** (금속)을 탄소로 처리하다. **2** =CARBURET.

car·ca·jou [kɑ́ːrkədʒùː, -kəʒùː] *n.* 〖동물〗 오소리 종류(wolverine)《북아메리카산》.

car·ca·net [kɑ́ːrkənèt, -nit] *n.* 관(冠) 모양의 머리 꾸미개; 《고어》 목걸이.

cár càrd (전동차·버스 등의) 차내 광고판.

cár càrrier (수출용) 자동차 운반선.

°**car·cass,** 《영》 **car·case** [kɑ́ːrkəs] *n.* **1** (짐승의) 시체; 《경멸》 인체; 송장; (죽인 짐승의 내장 따위를 제거한) 몸통. **2** (건물·배 따위의) 뼈대: ∼ roofing (이지 않은) 민지붕. **3** 《비유》 형해(形骸), 잔해(殘骸)(《*of*》). **4** 소이탄의 일종. ***to save*** one's **∼** 목숨이 아까워서, 몸의 안전을 꾀하여. **—** *vt.* …의 뼈대를 만들다.

cárcass mèat (식용의) 생육(生肉), 날고기《통조림 고기에 대하여》.

car·ce·ral [kɑ́ːrsərəl] *a.* 〖시어·문학〗 옥사(獄舍)의.

car·cin- [kɑ́ːrsən], **car·ci·no-** [kɑ́ːrsənou, -nə] '종양, 암' 의 뜻의 결합사.

car·cin·o·em·bry·ón·ic ántigen [kɑ̀ːrsənouèmbriɑ́nik-/-ɔ́nik-] 〖의학〗 암배항원(癌胚抗原)《일부 암환자의 혈액 및 태아의 장조직에 서 볼 수 있는 당(糖)단백》.

car·cin·o·gen [kɑːrsínədʒən] *n.* Ⓤ 〖의학〗 발암(發癌)(성) 물질, 발암 인자(因子).

car·ci·no·gen·e·sis [kɑ̀ːrsənoudʒénəsis] *n.* Ⓤ 〖의학〗 발암 (현상).

car·ci·no·ge·nic [kɑ̀ːrsənoudʒénik] *a.* 〖의학〗 발암성의: a ∼ substance 발암성 물질. ㊕ **-ge·níc·i·ty** [-dʒənísəti] *n.* 발암성.

car·ci·noid [kɑ́ːrsənɔ̀id] *n.* 〖의학〗 유암종(類癌腫).

car·ci·no·ma [kɑ̀ːrsənóumə] (*pl.* **∼·*ta*** [-tə], **∼*s*** [-z]) *n.* 〖의학〗 암(종)(cancer); 악성 종양.

car·ci·nom·a·tous [kɑ̀ːrsənɑ́mətəs/-nɔ́m-] *a.* 〖의학〗 암(성(性))의: a ∼ lesion 암의 병소(病巢).

càrcino·sarcóma *n.* 〖의학〗 암육종(癌肉腫).

cár còat 카코트《짧은 외투》.

†**card**[1] [kɑːrd] *n.* **1** 카드; 판지(板紙), 마분지; 〖컴퓨터〗 =PUNCH CARD. **2** …장(狀); …권(券); …증(證); 엽서(post ∼); 명함(《미》 calling ∼): an invitation ∼ 초대장, 안내장 / an admission ∼ 입장권 / a membership ∼ 회원권 / an application ∼ 신청 카드 / a student ∼ 학생증 / an identity ∼ 신분증 / a business ∼ (상용)명함 / a wedding ∼ 결혼 청첩장 / leave one's ∼ (on) (…에) 명함을 두고 가다《정식 방문 대신에》. **3** 카드, 놀이 딱지; (*pl.*) 카드놀이: a pack of ∼*s* 카드 한 벌 / play ∼*s* 카드놀이하다. **4** 목록(표); (자석의) 방위 지시반; 식단; (스포츠·경마의) 프로그램; 기록서. **5** (극장 등의) 상연표; 행사, 흥행; 시합: a drawing ∼ 인기물〔거리〕, 특별 프로(attraction). **6** 〖카드놀이〗 좋은 수; 〖일반적〗 수단, 방책: a doubtful 〔safe, sure〕 ∼ 불확실〔안전,확실〕한 방책〔수단〕. **7** 《구어》 〖여러 가지 형용사를 붙여서〗 …한 녀석〔인물〕; 《구어》 재미있는〔별난〕 사람〔것〕: He is a knowing 〔queer〕 ∼. 그는 빈틈없는〔별난〕 친구다. **8** (*pl.*) 《구어》 (고용주 측이 보관하는) 피고용자에 관한 서류. **9** (the ∼) 적절한 일〔것〕, 어울리는〔그럴듯한〕 일〔것〕: That's the ∼ for it. 그거야말로 그것에 안성맞춤이다, 제격이다. **10** 《미》 (신문에 내는 성명·해명 따위의) 짧은 광고, 통지. **11** 《속어》 (마약 중독자의) 일회분의 마약.

ask for one's **∼*s*** 《구어》 사직을 자청하다. **∼*s and spades*** (상대에게 허용하는) 큰 핸디캡. ***count on*** one's **∼*s*** 성공을 예상하다. ***get*** one's **∼*s*** 《구어》 해고당하다. ***go through the*** (***whole***) **∼** 《구어》 모든 것을 고려하다. ***have a ∼ up*** one's ***sleeve*** 비책을 간직하고 있다. ***hold all the ∼s*** 완전히 지배하다; 자기 것으로 만들다. ***house*** 〔***castle***〕 ***of ∼s*** (카드를 맞추어 지은 집 →) 위태로운〔탁상〕 설계〔계획〕, 사상누각. ***in*** 〔***on***〕 ***the ∼s*** 《구어》 (카드점(占)에 나와 있는 →) 예상되는, 있을 수 있는, 아마(…인 듯한). ***make a ∼*** 좋은 수를 쓰다. ***No ∼s.*** (신문의 부고(訃告)광고에서) '개별 통지 생략'. ***play*** one's ***best*** 〔***trump***〕 **∼** (비장의) 수법〔방책〕을 쓰다. ***play*** 〔***keep, hold***〕 one's **∼ *close to*** one's 〔***the***〕 ***chest*** 《구어》 (사물을) 은밀히 행하다, 비밀로 하다. ***play*** one's **∼*s well*** 〔***right, badly***〕 《구어》 일을 잘〔적절히, 서툴게〕 처리하다. ***play*** one's ***last ∼*** 최후 수단을 쓰다. ***put*** 〔***lay*** (***down***)〕 (***all***) one's **∼*s on the table*** 계획을 공개하다〔드러내다〕, 의도를 밝히다. ***show*** one's **∼*s*** 〔***hand***〕 ⇨ show one's HAND. ***speak by the ∼*** 확신을 가지고〔명확하게〕 이야기하다. ***throw*** 〔***fling***〕 ***up*** one's **∼*s*** 가진 패를 내던지다, 계획을 포기하다.

— *vt.* **1** …에게 카드를 도르다. **2** …에게 카드를 붙이다. **3** 카드에 적다〔표하다〕; 카드에〔로〕 붙이다. **4** …의 시간〔일정〕을 정하다: ∼ a train

열차 시간을 정하다. **5** 〖경기〗 득점하다《카드에 적으므로》. **6** 《미속어》 …에게 신분증명서 제시를 요구하다.

card² *n.* 금속빗〔솔〕《양털·삼 따위의 헝클어짐을 없앰》; 와이어브러시; (직물의) 괴깔〔보풀〕 세우는 기계. **—** *vt.* 빗(질하)다, 가리다; …의 보풀을 일으키다.

CARD, C.A.R.D. 《영》 Campaign against Racial Discrimination (인종 차별 철폐 운동) 《조직》. **Card.** Cardinal.

car·da·hol·ic [kὰːrdəhɔ́ːlik, -hάl-/-hɔ́l-] *n.* 크레디트 카드로 낭비하는 사람, 크레디트 카드 중독자.

car·da·mom, -mum [kάːrdəməm], **-mon** [-mən] *n.* 〖식물〗 생강과의 다년생 식물(의 열매) 《약용 또는 향료》.

cár·dan jòint [kάːrdæn-] 〖기계〗 카아단 조인트《이은 부분》.

cárdan shàft 〖기계〗 카아단 축(軸)《양쪽 또는 한쪽에 카아단 조인트가 있는 축》.

***card·board** [kάːrdbɔ̀ːrd] *n.* [U] 판지, 마분지. **—** *a.* **1** 판지의〔로 된〕: a ~ box 판지 상자. **2** 《비유》 명색뿐인, 비현실적인, 평범한.

cárdboard cíty 노숙자들이 잠자리로 삼는 지역《'골판지 상자로 만드는 노숙집 거리'의 뜻》.

cárd-càrrying *a.* 회원증을 가진; 정식 당원〔회원〕의; 《구어》 진짜의; 전형적인. ㊥ **cárd-càrrier** *n.* (조직의) 정규 회원.

cárd càse 명함 케이스; 카드 상자.

cárd càtalog (도서관의) 카드식 목록.

cárd-còunter *n.* 트럼프 도박사.

cárded páckaging 카드 모양의 포장《시각 효과를 노린, 인쇄된 판지에 상품을 부착시킨》.

cárd·er *n.* (털 따위를) 빗는 사람, 보풀 일으키는 직공〔기계〕; 빗는 기구.

cárd fìeld 〖컴퓨터〗 카드필드《천공 카드의 한 항목을 나타내는 몇개의 열(列)》.

cárd file =CARD CATALOG; CARD INDEX.

cárd gàme 카드놀이.

cárd·hòlder *n.* 정식 회원〔당원〕; 도서 대출증 소지자; (타자기의) 카드홀더.

car·di- [kάːrdi], **car·di·o-** [kάːrdiou, -diə] '심장'이란 뜻의 결합사《모음 앞에서는 cardi-》.

car·dia [kάːrdiə] (*pl.* ***-di·ae*** [-diìː], **~s**) *n.* 〖해부〗 분문(噴門)《식도에서 위로 이어지는 곳》.

-car·dia [kάːrdiə] '심장 활동, 심장 위치'란 뜻의 결합사: tachy*cardia*.

car·di·ac [kάːrdiæ̀k] *a.* 〖의학〗 심장(병)의; 분문(噴門)의: ~ dysfunction 심부전(心不全) / ~ passion 가슴앓이 / ~ surgery 심장 외과. **—** *n.* **1** 강심제(cordial). **2** 심장병 환자.

cárdiac arrést 〖의학〗 심장 (박동) 정지.

cárdiac ásthema 〖의학〗 심인성(心因性) 천식, 심장성 천식.

cárdiac glýcoside 〖약학〗 강심 배당체(強心配糖體)《식물에서 얻는 강심제》.

cárdiac masságe 〖의학〗 심장 마사지.

cárdiac mùscle 〖해부〗 심근(心筋).

cárdiac neuròsis 〖의학〗 심장 신경증.

car·di·al·gia [kὰːrdiǽldʒiə] *n.* [U] 〖의학〗 가슴앓이(heartburn); 심장통(痛).

car·di·ant [kάːrdiənt] *n.* 강심제.

car·di·ec·to·my [kὰːrdiéktəmi] *n.* 〖외과〗 심장 절제 수술; (위의) 분문 절제 수술.

Car·diff [kάːrdif] *n.* 카디프《영국 웨일스 남부의 항구》.

car·di·gan [kάːrdigən] *n.* 카디건《앞을 단추로 채우는 스웨터(=∠ **swèater**)》.

***car·di·nal** [kάːrdənəl] *a.* **1** 주요한(main); 기본적인: a matter of ~ importance 극히 중요한 문제〔일〕 / ~ rule 기본 원칙. **2** 심홍색의, 붉은, 주홍색의. **—** *n.* **1** 〖가톨릭〗 추기경. **2** (여성용의) 후드 달린 짧은 외투. **3** 심홍색. **4** (*pl.*) =CARDINAL NUMBER. **5** 데운 붉은 포도주. **6** 홍관조(=∠ **bìrd** 〔**gròssbeak**〕).

car·di·nal·ate [kάːrdənəlèit, -lit] *n.* **1** 추기경의 직〔지위, 권위〕. **2** 〖집합적〗 추기경.

cárdinal flòwer 〖식물〗 빨간 로벨리아, 잇꽃 《북아메리카산》.

cárdinal húmors (the ~) 체액(⇨HUMOR 5).

car·di·nal·i·ty [kὰːrdənǽləti] *n.* 〖수학〗 (집합에서의) 농도.

cárdinal númber 〔**númeral**〕 기수(基數) 《one, two, three 따위》; 〖수학〗 카디널 수(數), 계량수(計量數). [cf.] ordinal number.

cárdinal póints (the ~) 〖천문〗 기본 방위, 사방《북남동서(NSEW)의 순서로 부름》.

car·di·nal·ship [kάːrdənəlʃìp] *n.* =CARDINALATE 1.

cárdinal síns (the ~) =DEADLY sins.

cárdinal tráit 〖심리〗 기초 특성《탐욕·야심 따위》.

cárdinal vírtues (the ~) 기본 도덕, 덕목 《justice, prudence, temperance, fortitude 의 4 덕목, 종종 여기에 faith, hope, charity 를 더하여 7 덕목》. [cf.] the seven DEADLY sins.

cárdinal vówels (the ~) 〖음성〗 기본 모음.

cárd ìndex 카드식 색인.

cárd-ìndex *vt.* 카드식 색인을 만들다; (체계적으로) …을 분류〔분석〕하다.

cárd·ing *n.* **1** [U] 소면(梳綿), 소모(梳毛)《면화·양털을 잣기 전의 공정(工程)》. **2** =CARDING MACHINE.

cárding machìne 소면(梳綿)〔소모(梳毛)〕기.

cárding wòol 방모용(紡毛用) 양털.

cardio- ⇨ CARDI-.

càrdio·accélerator *n.* 〖약학〗 심장 기능〔활동〕 촉진제. **—** *a.* 심장 기능〔활동〕 촉진성의.

càrdio·áctive *a.* 심장(기능)에 작용하는.

càrdio·círculatory *a.* 〖의학〗 심장 순환기 계통의.

càrdio·dynámics *n. pl.* 〖단수취급〗 심장 역학 《심장 활동에 관한 과학》. ㊥ **càrdio·dynámic** *a.*

càrdio·génic *a.* 심장성의: ~ shock 심장성 쇼크.

car·di·o·gram [kάːrdiəgræ̀m] *n.* 심전도(心電圖). [cf.] electrocardiogram.

cárdio·gràph *n.* 심전계(心電計). [cf.] electrocardiograph. ㊥ **càr·di·óg·ra·phy** *n.* 심박(동) 기록(법).

car·di·oid [kάːrdiɔ̀id] *n., a.* 〖수학〗 심장 모양(의).

car·di·ol·o·gy [kὰːrdiάlədʒi/-ɔ́l-] *n.* [U] 심장(병)학(學). ㊥ **càr·di·ól·o·gist** *n.* **càr·di·o·lóg·i·cal** *a.*

càrdio·még·a·ly [-mégəli] *n.* 〖의학〗 심장 비대.

car·di·om·e·ter [kὰːrdiάmətər/-ɔ́m-] *n.* 〖의학〗 심장계(計).

càrdio·myópathy *n.* 〖의학〗 심근증(心筋症).

car·di·op·a·thy [kὰːrdiάpəθi] *n.* 〖의학〗 심장병.

car·di·o·ple·gi·a [kὰːrdiouplíːdʒiə, -dʒə] *n.* 〖의학〗 심장 마비, 심근 수축 정지.

càrdio·púlmonary *a.* 심폐의, 심장과 폐의.

cardiopúlmonary resuscitátion 〖의학〗 (심박 정지 후의) 심폐 기능 소생법《생략: CPR》.

càrdio·réspiratory *a.* 〖의학〗 심폐(기능)의.

car·di·o·scope [kάːrdiəskòup] *n.* 심장경(鏡).

càrdio·súrgery *n.* 심장 외과.

car·di·ot·o·my [kὰːrdiάtəmi/-ɔ́t-] *n.* 〖의학〗 심장 수술.

càrdio·tónic *a.* 〖약학〗 강심성(強心性)의. **—** *n.* 강심제.

càrdio·váscular *a.* 〖해부〗 심장 혈관의: ~ disease 심장 혈관 질환.

càrdio·vérsion *n.* 〖의학〗 (전기 쇼크에 의한)

심박(心拍) 정상화.

car·di·tis [kɑːrdáitis] *n.* Ⓤ 심장염(炎).

-car·di·um [kɑ́ːrdiəm] (*pl.* ***-dia*** [-diə]) '심장'의 뜻의 결합사.

cárd-kèy (*pl.* **~s**) *n.* 카드 열쇠《열쇠 역할을 하는 전자식 플라스틱 카드》.

car·doon [kɑːrdúːn] *n.* 〖식물〗 아티초크의 일종《지중해 연안국에서 자람; 잎과 줄기는 식용》.

cárd·phòne *n.* 카드식 공중전화.

cárd·plàyer *n.* 카드놀이하는 사람, 카드 도박사.

cárd plàying 카드놀이.

cárd pùnch 〖컴퓨터〗 카드 천공기; =KEYPUNCH.

cárd ràte 〖광고〗 표준 매체(媒體) 요금《신문, 잡지사, 방송국 등이 공표한 광고 표준 요금표》.

cárd rèader 〖컴퓨터〗 카드 판독기.

cárd·ròom *n.* 카드놀이 방.

cárd shàrk 《구어》 **1** 카드놀이 명수. **2** =CARDSHARP(ER).

cárd·shàrp(er) *n.* 카드놀이 사기꾼.

cárd swìpe 크레디트 카드 판독 장치.

cárd tàble 카드놀이용 테이블.

cárd trày 명함 접시〔받이〕.

cárd vòte 〔**vòting**〕 대표 투표《노동조합 대회 등에서 대표 투표자가 한 투표는 그 조합원 수와 같은 효력을 지님》.

CARE, Care [kɛər, 《미》 kær] *n.* 케어《미국 원조 물자 발송 협회》: ~ goods 케어 물자. [◂ *C*ooperative for *A*merican *R*elief *E*very-where]

*****care** [kɛər] *n.* **1** 걱정, 근심. SYN. ⇨ANXIETY. ¶ be free from all ~ 걱정이 하나도 없다; 마음이 편하다/He was never free from ~. 그는 걱정이 끊일 날이 없었다. **2** (종종 *pl.*) 걱정거리: worldly **~s** 이 세상의 근심 걱정. **3** 주의, 조심(attention), 배려; 고심(苦心); 책임. **4** 돌봄, 보살핌, 보호; 간호: under a doctor's ~ 의사의 치료를 받고. **5** 관심, 바람《*of; for*》; 관심사: one's greatest ~ 최대의 관심사/That shall be my ~. 그것은 내가 맡겠습니다. **~ *of*** = 《미》 ***in* ~ *of*** …씨 댁〔방(方)〕, 전교(轉交)《생략: c/o》: Mr. A. *c/o* Mr. B., B 씨방〔전교〕 A 씨 귀하. ***have a* ~** 《옛투》 조심〔주의〕하다. ***have the* ~ *of*** = take ~ of. ***take* ~** 조심〔주의〕하다: *Take* ~ that you don't catch cold. 감기들지 않도록 조심해라. ***take* ~ *of*** …을 돌보다, …을 보살피다; …에 조심하다; 《구어》 …을 처리〔해결〕하다; 《속어》 …을 제거하다, 죽이다. ***take* ~ *of itself*** 자연히 처리되다: Let it *take* ~ *of itself* now. 이제 그 일은 되어 가는 대로 놔 두자. ***take* ~ *of oneself*** 몸조심하다; 제 일은 제가 하다: *Take* good ~ *of yourself*. (아무쪼록) 몸조심하십시오. ***take ... into* ~** (어린애 등을) 양호 시설에 넣다〔보호하다〕. ***with* ~** 조심하여, 신중히: Handle *with* ~. 취급 주의《화물 따위에 씀》.

— *vi.* **1** 《~/+*wh.* 절/+전+명》〔보통 부정문·의문문으로〕 걱정〔염려〕하다, 관심을 갖다, 마음을 쓰다《*about; for*》: Who **~s**? 알게 뭐야/I do*n't* ~ *what* happens now. 이젠 무슨 일이 일어나든 상관없다/He does *not* ~ *about* dress. 그는 옷차림에 신경을 쓰지 않는다.

> SYN. **care** '…에 관심을 갖다' → '걱정하다'. **mind** '…을 꺼리다' → '걱정하다'. 다음 두 문장의 뜻과 구문상의 차이를 비교할 것: I don't *care* for him to talk that way. 그가 저런 식으로 지껄이지 말았으면 좋겠다. I don't *mind* his talking that way. 그가 그런 식으로 지껄여도 나는 상관하지 않는다. **be anxious** '걱정되다'의 뜻에서 *anxious about* 이 되면 '…을 염려하여' *anxious for*가 되면 '…을 간절히 바라는'이 됨. **worry** 고민하다, 마음 졸이다. **concerned** 관심이 많기 때문에 어떻게 될지 염려되는. 걱정은 안 하고 다만 관심을 나타내는 것은 take interest in.

2 《+전+명》 돌보다, 보살피다; 병구완을 하다《*for*》; 감독하다; (기계 따위를) 유지하다《*for*》: I'll ~ *for* his education. 그의 학자금을 내가 대어 주지. **3** 염려하다, 거리끼다. **4** 《+전+명/+*to* do/+전+명+*to* do》〔의문·부정문으로〕 하고자 하다, 좋아하다《*for*》: Do you ~ *for* a cup of coffee? 커피 한 잔 하시렵니까/Would you ~ *to* go for a walk? 산책하실 마음은 없으신지요/I shouldn't ~ *for* her *to* be my son's wife. 나는 그녀를 며느리로 삼고 싶지 않다. SYN. ⇨LIKE. **~ *about*** ⇨*vi.* 1. **~ *for*** ① …을 좋아하다; …을 바라다〔원하다〕, …에 관심을 갖다. ② …을 돌보다. ③ …을 염려〔걱정〕하다. ***couldn't*** 〔《미구어》 ***could***〕 **~ *less*** 《구어》 조금도 개의치 않다; 괘념치 않다; 전혀 무관심이다. ***for all I* ~** 《구어》 ① 나는 상관하지 않는다, 내 알 바가 아니다: It may go to the devil *for all I* ~. (그것이) 어떻게 되든 내 알 바가 아니다. ② 어쩌면, 혹시 …일지도 모르다. ***I don't* ~ *if*** (I go). 《구어》 (가도) 괜찮다《권유에 대한 긍정적인 대답》. ***If you* ~ *to,*** 원하신다면. ***See if I* ~!** 《구어》 마음대로 해라; 상관 않겠다.

cáre and máintenance 〖상업〗 대기유지《현재 사용치 않은 건물·선박·기계 등의 보수·보전이 완전하여 언제라도 사용 가능한 상태에 있는 것; 생략: C & M.》

cáre assistant (병원에서 노인이나 환자를 돌보는) 간병인.

cáre càrd 의료 카드《병력이 자기(磁氣) 테이프에 기록되어 있음》.

ca·reen [kəríːn] *vt., vi.* 〖해사〗 (배를) 기울이다《뱃바닥의 수리·청소 따위를 위하여》; (배·차가) 기울(어지)다; 《미》 (차가) 기울어지며 질주하다. **—** *n.* 배를 기울임, 경선(傾船)(수리): on the ~ (수리나 폭풍 때문에) 배가 기울어. ㊀ **~·age** [-idʒ] *n.* 경선 (수리); 선저(船底) 수리비; 경선수리소(所).

*****ca·reer** [kəríər] *n.* **1** (직업상의) 경력, 이력, 생애: start one's ~ *as* a newsboy 신문팔이로서 인생의 첫발을 내딛다/He sought a ~ *as* a lawyer. 그는 변호사를 평생 직업으로 하려고 했다. **2** (일생의) 직업(profession)《군인·외교관 등》. **3** 출세, 성공; (당·주의 따위의) 진전, 발전(development). **4** 질주, 쾌주, 전속력: in full 〔mad〕 ~ 전속력으로. ***in mid* ~** 도중에서. ***in*** 〔***at***〕 ***the full* ~** 파죽지세로. One***'s* ~ *is run.*** 생애는 끝났다. ***take*** 〔***make***〕 ***a* ~** 출세하다: *make a* ~ of music 음악으로 출세하다.

— *a.* 직업적인, 전문의, 본직의(professional); 상시 고용의; 평생〔통산〕의: a ~ diplomat 〔soldier〕 직업 외교관〔군인〕/a ~ employee 상시 고용된 종업원/his 700th ~ home run 통산 700 호 홈런.

— *vi., vt.* 《+부/+전+명》 질주하(게 하)다, 쾌주하다; 무턱대고 달리다, 돌진하다: ~ *along* 질주해 가다/a truck ~*ing down* the road 도로를 질주하고 있는 트럭/~ *through* the streets 거리를 질주해 지나가다.

㊀ **~·ism** [-ríərizəm] *n.* 출세(제일)주의. **~·ist** *n.* 전문 직업인; 출세주의자.

caréer educàtion 〖교육〗 생애 교육《장래의 진로·직업을 적절히 선택할 수 있도록, 유치원에서 고교까지 일관되게 지도하려는 미국의 교육 커리큘럼》.

caréer·man [-mən] (*pl.* ***-men*** [-mən]) *n.* 직업인; 직업 외교관.

caréers màster 《영》 (중등학교의) 직업〔진로〕 지도 교사.

Caréers Òfficer 《영》 직업 지도 교사. ★ 직업 지도를 하는 교사로서 정식으로 양성함.

caréer wòman 커리어 우먼(=**caréer gìrl**) 《가정보다 일에서 보람을 찾는 여성》.

°**cáre·frèe** *a.* 근심〔걱정〕이 없는; 태평한; 즐거운. ***be ~ with*** …에 무관심〔무책임〕하다. ㊎ **~·ness** *n.*

†**care·ful** [kέərfəl] *a.* **1** 주의 깊은, 조심스러운(cautious); (금전에 대하여) 검소한: He is ~ *in* speech. 그는 말을 조심하고 있다 / Be ~ *to* get there early. 정신차려 일찍 그곳에 닿도록 하여라 / Be ~ *not to* break it. 그것을 깨뜨리지 않도록 조심하여라 / Be ~ *that* you don't drop the vase. 꽃병을 떨어뜨리지 않도록 조심하여라 / Be ~ (*of* 〔*about*〕) what you're saying. 말을 삼가서 하여라.

> SYN. **careful** 실수 않도록 주의하다. **cautious** 예상되는 위험에 대하여 경계하여 신중을 기하다. **discreet** 말·행동·태도 등에 조심하여 분별이 있다. **prudent** 신중하게 계획을 세운 후 실행에 옮기다《특히 금전적으로 장래에 대비하여 낭비하지 않다》.

2 신중한; 꼼꼼한, 면밀한(thorough), 정성들인: ~ *with* one's work 일이 꼼꼼한 / a ~ piece of work 고심(苦心)한 작품. **3** 《고어》 걱정〔염려〕되는, 마음 졸이는. ***Be ~!=Careful!*** 조심〔주의〕해. ㊎ **~·ness** *n.* 조심, 신중함, 용의주도.

‡**care·ful·ly** [kέərfəli] *ad.* 주의 깊게; 면밀히, 신중히, 꼼꼼히, 정성들여; (금전에 대해) 검소하게, 규모 있게. ***live ~*** 검소하게 살다.

cáre·gìver *n.* (어린이·환자를) 돌보는 사람, 간병인(看病人), 양호사, 간호사. ㊎ **cáre·gìving** *n.*

cáre làbel (의류품 따위에 단) 취급 표시 라벨.

cáre-làden *a.* =CAREWORN.

‡**care·less** [kέərlis] *a.* **1** 부주의한(inattentive) 《*of; about; in*》: a ~ driver 부주의한 운전사 / ~ *of* danger 위험을 개의치 않는 / Don't be ~ *about* 〔*in*〕 your work. 일을 부주의하게 해서는 안 된다. **2** 경솔한, 조심성 없는(thoughtless): a ~ mistake 경솔한 실수 / It was ~ *of* you 〔You were ~〕 *to* lose my car keys. 내 자동차 열쇠를 잃다니 너 조심성이 없었구나. **3** (일이) 소홀한, 서투른, 적당히 해 두는: do ~ work 일을 소홀히 하다. **4** 무관심〔무심〕한《*of*》; 《고어》 걱정이 없는, 속이 편한, 태평한: a ~ attitude 무관심한 태도 / a ~ life 태평스러운 생활. **5** 자연스러운, 꾸밈 없는. ***be ~ of*** …을 염두에 두지 않다, …에 개의치 않다. ㊎ **~·ly** *ad.* 부주의〔소홀〕하게; 속 편하게. **~·ness** *n.* 부주의; 소홀; 속 편함.

cáre·lìne *n.* (메이커의) 전화 상담 서비스.

ca·rene [kərí:n] *n.* 물과 빵만으로 하는 40 일간의 단식《옛날에 주교가 성직자·평신도에게 대수도원장이 수도사에게 가한 고행》.

cáre pàckage 《종종 C- P-》 사랑의 소포(小包)《(1) 식료품·의류 등을 꾸려 난민들에게 보내는 구호의 소포. (2) 합숙소·기숙사 등에 있는 사람들에게 보내는 부모·친척·친구들로부터의 필요품 꾸러미, 차입물(差入物). CARE 에서 배급된 구호용 짐꾸러미에서 연유》.

cáre pàrtner 《미》 (환자와 함께 생활하며 돌보는) 간병인.

car·er [kέərər] *n.* 돌보는 사람, 간호사.

*__ca·ress__ [kərés] *n.* 애무《키스·포옹·쓰다듬기 따위》. ── *vt.* 애무하다; 어르다, 달래다.

ca·res·sant [kərésənt] *a.* 《시어》 부드럽게 애무하는.

ca·réss·ing *a.* 애무하는 (듯한), 어루만지는; 달래는 듯한(soothing). ── *n.* Ⓤ 애무. ㊎ **~·ly** *ad.*

ca·ress·ive [kərésiv] *a.* 애무하는 듯한, 기분 좋은; (어린이 등이) 어리광 부리는. ㊎ **~·ly** *ad.*

Cáre Súnday 사순절(Lent) 기간의 다섯 번째 일요일.

car·et [kǽrət] *n.* 〚교정〛 탈자(脫字) 기호《∧》.

cáre·tàker *n.* (공공시설 등의) 관리인, (집)지키는 사람; 《영》 문지기, 수위.

cáretaker gòvernment (총사직 후의) 과도정부, 선거 관리 내각.

cáre·wòrn *a.* 근심 걱정으로 여윈, 고생에 찌든.

Cár·ey Strèet [kέəri-] **1** 케리가(街)《전에 런던의 파산 법원(the Bankruptcy Court)이 있었음》. **2** 《영》 《비유》 파산 (상태). ***bring*** a person ***into ~*** 아무를 파산시키다. ***end up on ~*** 파산하다.

cár·fàre *n.* 《미》 승차 요금, 버스 요금.

car·fax [kɑ́:rfæks] *n.* 《영》 (주요 도로의) 십자로, 교차점, 네거리《보통 지명에 사용함》.

car·fen·tan·il [kɑ̀:rféntænil] *n.* 〚의학〛 카펜타닐《강력 마취약》.

cár fèrry 카페리《(1) 자동차 등을 건네는 연락선. (2) 바다 건너로 자동차를 나르는 비행기》.

cár·flòat *n.* 항만이나 운하에서 자동차·화차 등을 나르는 거룻배.

car·ful [kɑ́:rfùl] *n.* 자동차〔차량〕 한 대분.

car·ga·dor [kɑ̀:rgədɔ́:r] *n.* 짐꾼(porter), 하역 인부.

*__car·go__ [kɑ́:rgou] (*pl.* **~(*e*)*s***) *n.* (선박·항공기 등의) 적화(積貨)(load), 뱃짐, 선하(船荷), 화물: ship 〔discharge〕 the ~. SYN. ⇨ BURDEN.

cárgo bày 〚우주〛 (우주 왕복선의) 화물실.

cárgo bòat 〔**shìp**〕 화물선.

cárgo cùlt (종종 C- C-) (Melanesia 특유의) 적화(積貨) 숭배《현대 문명의 이기(利器)를 만재한 배 또는 비행기를 타고 조상들이 돌아와서, 백인의 지배로부터 해방시켜 준다는 신앙》.

cárgo lìner 정기 화물선, 화물 수송기.

cárgo pànts 카고 팬츠《헐렁한 면바지; 6 개의 주머니 중 둘은 무릎 바로 위 옆쪽에 하나씩 있음》.

cárgo plàne 화물 수송기.

cárgo pòcket 〚복식〛 대형 호주머니《용량이 매우 크며 보통 뚜껑이 달림》.

cár·hòp *n.* 《미》 차를 탄 채 들어가는 식당(drive-in restaurant)의 급사《특히 여급사》. cf. bellhop. ── *vi.* ~로서 일하다.

Car·ib [kǽrəb] (*pl.* **~s,** 〖집합적〗 **~**) *n.* 카리브 사람《서인도 제도 남부·남아메리카 북동부의 원주민》; Ⓤ 카리브 말. ㊎ **Cár·i·ban** [-ən] *n.*, *a.* 카리브어족(의); 카리브 사람(의).

Car·ib·be·an [kæ̀rəbí:ən, kəríbiən] *a.* 카리브 해〔사람〕의. ***the ~*** (***Sea***) 카리브 해.

Car·i(b)·bees [kǽrəbì:z] *n. pl.* (the ~) Lesser Antilles 의 별칭.

ca·ri·be [kərí:bi] *n.* 〚어류〛 피라냐(piranha).

car·i·bou [kǽrəbù:] (*pl.* **~s,** 〖집합적〗 **~**) *n.* 순록《북아메리카산》.

car·i·ca·ture [kǽrikətʃər, -tʃùər/-tjùə] *n.* **1** Ⓒ (풍자) 만화, 풍자〔만화〕 예술, 풍자하는 글〔그림〕: a harsh ~ 신랄한 만화. **2** Ⓤ 만화화(化); 우스운〔익살맞은〕 얼굴. **3** 서투른 모방. ***make a ~ of*** …을 만화화하다, …을 익살맞도록 하다. ── *vt.* 만화식〔풍자적〕으로 그리다〔묘사하다〕, 희화화하다. ㊎ **càr·i·ca·túr·al** [-tʃúərəl] *a.* **cár·i·ca·tùr·ist** [-rist] *n.* 풍자 (만)화가.

CARICOM, Car·i·com [kǽrəkɑ̀m/-kɔ̀m] *n.* 카리브 공동체〔공동 시장〕《CARIFTA 를 모체로 카리브 해역 10 개국이 1974 년에 발족함》. [◂ *Car*ibbean *Com*munity or *Car*ibbean

Common Market]
car·ies [kέəri:z, -riiːz/-riiːz] *n.* Ⓤ《L.》〚의학〛 카리에스, 골양(骨瘍): ~ of the teeth 충치.
CARIFTA, Ca·rif·ta [kəríftə] *n.* 카리브 자유 무역 연합. [◂ *Car*ibbean *F*ree *T*rade *A*ssociation]
car·il·lon [kǽrəlàn, -lən/kəríljən] *n.* (한 벌의) 편종(編鐘), 차임; 명종곡(鳴鐘曲); (오르간의) 종음전(鐘音栓). **—** *vi.* 명종곡을 연주하다.
car·il·lo(n)·neur [kæ̀rələnə́ːr/kəriljənə́ː] *n.* 종악기 연주가; 종지기.
Ca·ri·na [kəráinə] *n.* **1** 〚천문〛 용골(龍骨)자리(the Keel)《주성(主星)은 Canopus》. **2** 카라이나《여자 이름》. **3** (c-) 〚생물〛 용골 돌기.
car·i·nate, -nat·ed [kǽrənèit, -nət], [-nèitid] *a.* 〚동물·식물〛 용골(龍骨)이 있는; 용골형의. 「직, 용골 형성.
car·i·na·tion [kæ̀rənéiʃən] *n.* 용골 모양의 조
car·ing [kέəriŋ] *a.* 관심을 갖는, 염려하는, 동정하는; 복지의〔에 관련한〕: ~ professions 복지 관련의 직업. **—** *n.* 동정함, 복지 활동.
car·i·o·ca [kæ̀rióukə] *n.* **1** (남아메리카의) 춤의 일종; 그 곡. **2** (C-) Rio de Janeiro 태생의 사람〔주민〕(=**Càr·i·ó·can**).
car·i·ole [kǽriòul] *n.* =CARRIOLE.
car·i·o·stat·ic [kὲəriəstǽtik] *a.* 충치 발생을 억제하는.
car·i·ous [kέəriəs] *a.* 〚의학〛 카리에스에 걸린, 골양(骨瘍)의; 부식한; 충치의. ㊕ **~·ness** *n.*
ca·ri·tas [kǽrətæ̀s] *n.* 사랑, 자선; 크리스천의 사랑. [L.=charity] 「는.
car·i·ta·tive [kǽrətèitiv, -tət-] *a.* 자애 넘치
car·jack [kɑ́ːrdʒæ̀k] *vt.* (노상에서) 자동차를 강탈하다〔털다〕, (노상에서) 자동차의 운전자를 폭행〔살해〕하다. ㊕ **~·er** *n.* ~하는 자. **~·ing** *n.*
cár jòckey (주차장의) 주차계원. 「~하기.
cark [kɑːrk] 《고어》 *vt.* 괴롭히다. **—** *vi.* 마음 졸이다, 고민하다《*about*》; 안달하다. **—** *n.* (특히 ~ and care 로) 고민, 마음 고생; 걱정거리.
cárk·ing *a.* 괴롭히는, 성가신; 인색한. ~ *care*(*s*) 심로(心勞); 속상함.
cár knòcker 철도 차량 검사〔수리〕원. 「사람.
Cárl Comédian 《미속어》 서투른 농담을 하는
carl(e) [kɑːrl] *n.* 《고어》 농군, 촌놈; 《Sc.》 버릇없는〔무지막지한〕 사람, 야인; 보잘것없는 사람.
Cár·ley flòat [kɑ́ːrli-] 〚해사〛 칼리식(式) 고무제 구명보트.
car·lin(e) [kɑ́ːrlən] *n.* 《Sc.》 여자; 《특히》 노파. ★ 미국에서는 종종 경멸적.
car·ling [kɑ́ːrliŋ] *n.* 〚선박〛 종량(縱梁).
Cárling Súnday 사순절(Lent)의 다섯째 주일《이날 볶은 콩을 먹은 데서》.
Car·lisle [kɑːrláil, ⌐-/⌐⌐] *n.* 칼라일《잉글랜드의 북서부 Cumbria 주의 주도(州都)》.
Car·lism [kɑ́ːrlizəm] *n.* **1** 카를로스 주의《Don Carlos 가(家)의 스페인 왕위 계승권을 주장하는 주의·운동》. **2** 프랑스의 샤를(Charles) 10 세를 지지하는 Carlist 의 운동.
cár·lòad *n.* 한 화차〔차량〕분의 화물《*of*》: a ~ *of* furniture 화차 한 대분의 가구.
cár·lòadings *n. pl.* 〖단수취급〗 (일정 기간 내의) 화물량.
cárload ràte 《미》 화차 전세 운임(률).
Car·lo·vin·gi·an [kɑ̀ːrləvíndʒiən] *n.*, *a.* =CAROLINGIAN.
Car·lo·witz [kɑ́ːrləwìts, -vìts] *n.* Ⓤ 유고슬라비아산의 붉은 포도주.
Carls·berg [kɑ́ːrlzbəːrg] *n.* 칼스버그《덴마크의 라거 맥주; 상표명》.
Cárl·ton Clúb [kɑ́ːrltən-] 칼턴 클럽《London 에 있는 영국 보수당 본부》.

Cárl Vínson 미해군의 원자력 항공모함 VN-70.
Car·lyle [kɑːrláil] *n.* **Thomas** ~ 칼라일《영국의 평론가·사상가·역사가; 1795–1881》.
Carm. Carmarthenshire.
car·ma·gnole [kɑ̀ːrmənjóul] *n.* 《F.》 카르마뇰《프랑스 혁명에 참가한 사람들의 복장; 당시 유행한 춤·혁명가(歌)》.
cár·màker *n.* 자동차 제조업자(automaker).
cár·man [-mən] (*pl.* ***-men*** [-mən]) *n.* 《미》 열차의 승무원, 차량 점검 정비사; 《영》 (짐마차의) 마부; 운전사. 「수사〔수녀〕(의).
Car·mel·ite [kɑ́ːrməlàit] *n.*, *a.* 카르멜파의
car·min·a·tive [kɑːrmínətiv, kɑ́ːrmənèi-] *a.*, *n.* 위장 내의 가스를 배출시키는; 구풍제(驅風劑).
car·mine [kɑ́ːrmin, -main/-main] *n.* Ⓤ 카민, 양홍(洋紅)《채료》. **—** *a.* 양홍색의.
Cár·na·by Strèet [kɑ́ːrnəbi-] 카너비 거리《런던의 쇼핑가(街); 1960 년대 젊은이의 패션 중심지》.
car·nage [kɑ́ːrnidʒ] *n.* 살육, 대량 학살; 《고어》〖집합적〗 (전쟁터 따위의) 시체, 주검.
car·nal [kɑ́ːrnl] *a.* **1** 육체의(fleshly); 육감적인(sensual), 육욕적인: ~ appetite 〔desire〕 성욕 / have ~ knowledge of …와 성교하다. **2** 세속적인(worldly); 물욕의. ㊕ **~·ìsm** *n.* 육욕〔현세〕주의. **~·ly** *ad.*
cárnal abúse 〚법률〛 (어린애에 대한) 강제 외설 행위, (특히 소녀에 대한) 성폭행.
car·nal·i·ty [kɑːrnǽləti] *n.* 육욕 (행위); 음탕; 세속성(worldliness).
car·nal·ize [kɑ́ːrnəlàiz] *vt.*, *vi.* 육욕적으로 만들다〔되다〕; 육욕에 빠지(게 하)다; 세속적으로 되다.
cárnal knówledge 〚법률〛 성교(性交) (sexual intercourse). 「륨의 원료》.
car·nall·ite [kɑ́ːrnəlàit] *n.* 광로석(光鹵石)《칼
car·nap·(p)er [kɑ́ːrnæ̀pər] *n.* 자동차 도둑. [◂ *car*+kid*napper*]
car·nas·si·al [kɑːrnǽsiəl] *a.* 〚동물〛 (육식 동물의 이가) 고기를 찢어 먹기에 알맞은, 열육치(裂肉齒)의. **—** *n.* 열육치.
***car·na·tion** [kɑːrnéiʃən] *n.* **1** 〚식물〛 카네이션. **2** Ⓤ 연분홍, 핑크색, 살색(pink); (*pl.*) 〚회화〛 살색 부분. **—** *a.* 살색의.
car·náu·ba wàx [kɑːrnáubə-, -nɔ́ː-] 카르나우바 왁스《브라질 야자잎에서 채취; 광택용》.
cár navigàtion 자동차 항법(航法), 카내비게이션《GPS 위성의 전파와 지도 데이터를 이용하여 목적지까지 유도하는 자동차 운전 지원》.
Car·ne·gie [kɑ́ːrnəgi, kɑːrnéigi] *n.* **Andrew** ~ 카네기《미국의 강철왕; 1835–1919》.
Cárnegie Foundátion 카네기 재단.
Cárnegie Háll 카네기 홀《New York 시의 연주회장; 1890 년 설립》. 「구소.
Cárnegie Institútion 카네기 인문(人文) 연
Cárnegie ùnit 〚교육〛 카네기 학점《중등학교에서 한 과목을 1 년간 이수하면 주어짐》.
car·nel·ian [kɑːrníːljən] *n.* 〚광물〛 홍옥수(紅玉髓)(cornelian).
car·net [kɑːrnéi; *F.* kaʀnɛ] (*pl.* **~s** [-z]) *n.* 카르네《자동차로 유럽 제국을 통과할 때의 무관세 특별 허가증》; (버스·지하철의) 회수권.
car·ney[1] [kɑ́ːrni] *vt.* 《영구어》 =CAJOLE.
car·ney[2]**, car·nie** [kɑ́ːrni] *n.* =CARNY[2].
car·ni·fy [kɑ́ːrnəfài] *vt.*, *vi.* 〚의학〛 육질(肉質)로 하다; 육질이 되다.
car·ni·tine [kɑ́ːrnətìːn] *n.* 〚생화학〛 카르니틴

《근육이나 간에서 만들어지며 지방산의 미토콘드리아 내막투과(內膜透過)에 관여함》.

*car·ni·val [kɑ́ːrnəvəl] n. **1** 카니발, 사육제(謝肉祭)《가톨릭교국에서 사순절(Lent) 직전 3일 내지 1주일간에 걸친 축제》. **2** 법석떨기, 광란: the ~ of bloodshed 유혈의 참극. **3** (여흥·회전목마 등이 있는) (순회) 오락장; 순회 흥행. **4** 행사, 축제, 제전, …대회; 경기, 시합: a water ~ 수상(水上) 대회 / a winter ~ 겨울의 제전.

Car·niv·o·ra [kɑːrnívərə] n. pl. 〖동물〗 육식류(肉食類); (c-) 〖집합적〗 육식 동물.

car·ni·vore [kɑ́ːrnəvɔ̀ːr] n. 육식 동물(cf. herbivore); 식충(食蟲) 식물.

car·niv·o·rous [kɑːrnívərəs] a. 육식(성)의; 육식류의: ~ animals 육식 동물. ㊀ **~·ly** ad. **~·ness** n.

car·no·saur [kɑ́ːrnəsɔ̀ːr] n. 〖고생물〗 카르노사우루스《두 발로 걷는 거대한 육식 공룡》.

car·nose [kɑ́ːrnous] a. 다육질(多肉質)의.

car·no·tite [kɑ́ːrnətàit] n. 〖광물〗 카노석(石)《우라늄 원광》.

car·ny[1] [kɑ́ːrni] vt. 《영구어》 = CAJOLE.

car·ny[2] (pl. ***-nies, ~s***) n. 《미속어》 **1** = CARNIVAL 3. **2** 순회 오락장에서 일하는 사람, 순회 배우.

car·ob [kǽrəb] n. 〖식물〗 쥐엄나무 비슷한 교목《지중해 연안산》.

°**car·ol** [kǽrəl] n. 기쁨의 노래(joyous song), 축가; 찬가; 《시어》 새의 지저귐: Christmas ~ 크리스마스 캐럴. ―(***-l-***, 《영》 ***-ll-***) vi., vt. 기뻐 노래하다; 지저귀다, 재잘거리다; 찬가를 불러 찬양하다. ㊀ **~·er,** 《영》 **~·ler** n. ~을 부르는 사람.

Car·o·le·an [kæ̀rəlíːən] a. = CAROLINE.

Car·o·li·na [kæ̀rəláinə] n. 캐롤라이나《미국 동남부 대서양 연안의 주; North 및 South ~가 있음》.

Car·o·line [kǽrəlàin, -lin/-làin] n. 캐롤라인《여자 이름; 애칭 Carrie, Lynn》. ―a. 〖영국사〗 Charles 1세 및 2세(시대)의; Charlemagne의.

Cároline Íslands (the ~) 캐롤라인 제도.

Car·o·lin·gi·an [kæ̀rəlíndʒiən] a., n. (프랑스의) 카롤링거 왕조의 (사람·왕); 카롤링거 왕조풍의 (서체(書體)).

Car·o·lin·i·an [kæ̀rəlíniən] a., n. 미국 남〔북〕 Carolina 주의 (주민·출신).

cárol sèrvice (크리스마스 캐롤을 중심으로 한) 찬송가 예배.

cárol-sìnging n. 캐롤싱잉《성탄절에 무리를 지어 집을 돌면서 캐롤을 노래하고 헌금을 모으는 일》. ㊀ **cárol-sìnger** n.

car·om [kǽrəm] 《미》 n. **1** 〖당구〗 = CANNON[2]. **2** (pl.) 〖단수취급〗 캐럼스《2인 또는 4인이 하는 구슬치기 놀이》. ― vi., vt. 부딪쳐 튀(게 하)다.

car·o·tene, car·o·tin [kǽrətìːn] n. 〖화학〗 카로틴《일종의 탄수화물》.

ca·rot·e·noid, -rot·i- [kərɑ́tənɔ̀id/-rɔ́t-] n., a. (색소의 일종인) 카로티노이드(의).

ca·rot·ic [kərɑ́tik] a. 감각이 없는, 마비된; 인사불성의.

ca·rot·id [kərɑ́tid/-rɔ́t-] n., a. 경동맥(頸動脈)(의): the ~ arteries 경동맥. ㊀ **~·al, -i·de·an** [-əl], [-idiən] a.

carótid bòdy 〖해부〗 경동맥 소체(小體).

carótid sìnus 〖해부〗 경동맥 동(洞).

ca·rous·al [kəráuzəl] n. 대주연, 떠들썩한 큰 술잔치, 흥청거림; = CAROUSEL.

ca·rouse [kəráuz] n. 주연, 술잔치(drinking bout); 통음; 흥청거림, 법석떨기. ― vi., vt. 통음하다, 대음하다; 마시고 떠들다. ~ ***it*** (술을) 진탕 마시다. ㊀ **ca·róus·er** n.

car·ou·sel [kæ̀rəsél, -zél/kæ̀ruː-zél] n. **1** 회전목마, 메리고라운드. **2** (공항의) 회전식 수화물 수취대 (baggage carousel). **3** 집단 기마 곡예.

carousel 2

carp[1] [kɑːrp] (pl. ***~s,*** 〖집합적〗 ***~***) n. 잉엇(과의 물고기). ***the silver ~*** 붕어.

carp[2] vi. 시끄럽게 잔소리하다; 흠을 잡다; 쓸데없는 넋두리하다: ~ ***at*** minor errors 사소한 잘못을 나무라다. ― n. 불평, 투덜거림. ㊀ **cárp·er** n.

carp- [kɑ̀ːrp], **car·po-** [kɑ́ːrpou, -pə] '과실(果實)', '손목(관절)'이란 뜻의 결합사.

carp. carpenter; carpentry.

car·pal [kɑ́ːrpəl] a. 〖해부〗 손목(관절)의, 완골(腕骨)의. ― n. 완골.

car·pa·le [kɑːrpéili] (pl. ***-lia*** [-liə]) n. 〖해부〗 손목뼈, 완골(腕骨).

cárpal túnnel sỳndrome 〖의학〗 팔목 터널 증후군(손목·손가락의 동통·이상 감각을 수반함).

cár pàrk 《영》 주차장(《미》 parking lot).

Car·pa·thi·an [kɑːrpéiθiən] a. (중부 유럽의) 카르파티아 산맥의. ― n. (the ~s) 카르파티아 산맥(=the ≃ **Móuntains**).

car·pe di·em [kɑ́ːrpi-dáiem] 《L.》 현재를 즐기라(enjoy the present).

car·pel [kɑ́ːrpəl] n. 〖식물〗 심피(心皮), 암술잎《꽃의 가장 내부의 꽃잎》. ㊀ **~·late** [kɑ́ːrpəlèit] a. ~이 있는.

car·pen·ter [kɑ́ːrpəntər] n. **1** 목수, 목공, 선장(船匠): a ~'s rule 접자 / a ~'s son 목수의 아들《예수》 / a ~'s tool 목수의 연장. **2** 〖연극〗 무대 장치원(員). ― vi. 목수일을 하다. ― vt. **1** 목수일로 만들다. **2** 《비유》 일을 날리다.

cárpenter bèe 〖곤충〗 어리호박벌.

cárpenter's dréam 《영속어》 하라는 대로 하는 여자.

cárpenter('s) scène 〖연극〗 막간극(幕間劇)《무대 장치원이 다음 무대의 준비를 하는 동안 무대 앞쪽에서 하는》.

car·pen·try [kɑ́ːrpəntri] n. Ⓤ 목수직; 목수일; 목공품; (문학 작품·악곡의) 구성(법).

car·pet [kɑ́ːrpit] n. **1** 융단, 양탄자; 깔개. cf. rug. **2** (융단을 깐 듯한) 꽃밭·풀밭《따위》: a ~ of flowers 온통 양탄자를 깔아 놓은 듯한 꽃밭. **3** (포탄 등의) 집중 투하 지역. ***a figure in the ~*** 곧 분간하기 어려운 무늬. ***be on the ~*** (문제 따위가) 심의〔연구〕 중이다; 《구어》 (하인 등이) 야단맞고 있다(cf. be on the MAT). ***call on the ~*** 불러서 꾸짖다. ***pull the ~ 〔rug(s)〕 (out) from under*** …에 대한 원조〔지지〕를 갑자기 중지하다. ***roll out the (red) ~*** ⇨ RED CARPET. ***sweep 〔brush, push〕 under 〔underneath, beneath〕 the ~*** 《구어》 (수치스러운〔난처한〕 일을) 숨기다. ***walk the ~*** 윗사람에게 (불려나가) 야단맞다. ― vt. **1** 《~+목/+목+전+명》 …에 융단을 깔다; (꽃 따위로) 온통 덮다: ~ the stairs 계단에 융단을 깔다 / The stone is ~***ed with*** moss. 그 돌은 이끼로 덮여 있다. **2** 《영구어》 (하인 등을) 야단치려고 부르다.

cárpet·bàg n. 융단제 손가방《구식 여행 가방》. ― vi. 《미》 간편한 차림으로 여행하다; (한몫 보려고 딴 고장으로) 옮겨가다.

cárpet·bàgger 《경멸》 n. 《미》 전 재산을 손가방에 넣고 다니는 사람; 《미》 뜨내기 정상배《남

북 전쟁 후 이익을 노려 북부에서 남부로 간》; 《미 서부》 엉터리 은행가; (선거구에 연고가 없는) 입후보자.
cárpet·bèater *n.* 양탄자를 터는 사람〔도구〕.
cárpet bèd 융단 무늬같이 꾸민 화단.
cárpet bèdding 융단 무늬로 화단 꾸미기.
cárpet bèetle 〔**bùg**〕 『곤충』 동글수시렁이류(類)《유충은 모직물을 쏠아 먹음》.
cárpet·bòmb *vt., vi.* 융단 폭격하다.
cárpet bòmbing 융단 폭격(area bombing). cf. precision bombing.
cárpet dànce 양탄자 위에서 하는 (경쾌한) 약식 무도(회). 「합적》 깔개.
cár·pet·ing *n.* U 깔개용 직물, 양탄자 감; 《집
cárpet knìght 《경멸》 실전 경험 없는 군인; 여자와 교제를 즐기는 사내(lady's man); 《고어》 곰살궂은 남자.
cárpet mùncher 《미속어》 여성 동성애자.
cárpet ràt 《미속어》 유아, 갓난애; 어린애.
cárpet ròd (계단의) 양탄자 누르개(stair rod) 《안 움직이게 하는》. 「HOUSE SLIPPER.
cárpet·slìpper *n.* 모직 슬리퍼, 《일반적》 =
cárpet snàke 오스트레일리아산 얼룩뱀.
cárpet swèeper 양탄자 (전기) 청소기.
cárpet·wèed *n.* 『식물』 석류풀류(類).
cárpet yàrn 양탄자 짜는 실.
cár phòne 카폰(=**cár·phòne**).
car·pi [káːrpai] CARPUS의 복수.
cárp·ing *a.* 흠잡는, 시끄럽게 구는, 잔소리하는. cf. carp². ¶ ~ criticism 흠만 잡는 비평 / a ~ tongue 독설. **—** *n.* U 흠잡음.
carpo- ⇨ CARP-. 「열매를 맺는.
car·po·gen·ic [kàːrpədʒénik] *a.* 결실성의,
car·po·lite [káːrpəlàit] *n.* 씨앗화석, 화석과실.
car·po·log·i·cal [kàːrpəládʒikəl/-lɔ́dʒ-] *a.* 과실학(果實學)의.
car·pol·o·gy [kaːrpálədʒi/-pɔ́l-] *n.* U 과실(분류)학. ㊞ **-gist** *n.* 과실학자. 「이용; 그 그룹.
cár pòol 《미》 (통근 때 등의) 자가용차의 합승
cár·pòol *vt.* 교대로 운전하며 가다; (어린이 등을) 합승식으로 태워 주다. **—** *vi.* (자가용차의) 합승 운동에 참가하다. ㊞ **~·er** *n.*
cárpool làne 《미》 카풀 레인《간선 도로에서 한 사람 탄 차는 다닐 수 없는 차로》.
car·poph·a·gous [kaːrpáfəgəs] *a.* 과실을 먹는, 과실 식성(食性)의. 「만 있는》.
cár·pòrt *n.* (간이) 자동차 차고《벽이 없고 지붕
-car·pous [káːrpəs] '…한〔…개(個)의〕 열매를 가진'의 뜻의 결합사.
car·pus [káːrpəs] (*pl.* **-pi** [-pai]) *n.* 손목(wrist); 손목뼈; 『동물』 (네발짐승의) 완골(腕骨); (절지동물의) 완절(腕節).
Carr [kaːr] *n.* 카. **1 E(dward) H(allett)** ~ 영국의 정치학자·역사가(1892-1982). **2 Emily** ~ 캐나다의 여류 화가·작가(1871-1945). **3 Eugene Asa** ~ 미국 남북 전쟁 시 북군의 군인(1830-1910). **4 John Dickson** ~ 미국의 추리 작가(1906-77). **5 Terry** ~ 미국의 작가·편집자(1937-87).
car·rack [kǽrək] *n.* 『역사』 14-16 세기의 스페인·포르투갈인의 무장 상선. cf. galleon.
car·ra·gee·nan, -in, -ghee·nin [kæ̀rəgíːnən] *n.* 카라기닌《carrageen 등의 바닷말에서 추출되는 수지성(樹脂性) 다당류(多糖類)》.
car·ra·g(h)een [kǽrəgìːn] *n.* 돌가사리(Irish moss)《해초의 일종; 식용·약용》.
car·re·four [kǽrəfùər] *n.* 네거리; 광장.
car·rel(l) [kǽrəl] *n.* (도서관의) 개인 열람석〔실〕; 『역사』 수도원의 서재.
car·riage [kǽridʒ] *n.* **1** 《일반적》 차, 탈것; 《특히》 마차《자가용 4 륜》; 《영》 (철도의) 객차(《미》 car); 유모차(=**báby ~**): a ~ wrapper 마차용 무릎 덮개. **2** (기계의) 운반대, 대가(臺架); 포가(砲架)(gun ~): a typewriter ~ 타자기의 캐리지《타자 용지를 이동시키는 부분》. **3** U 운반, 수송: ~ of goods 화물 수송 / ~ by sea 해상 수송. **4** U 운임, 송료: the ~ on parcels 소화물 운임. **5** 몸가짐, 자세; 태도(bearing): have a graceful ~ 몸가짐이 우아하다. **6** 《고어》 처리, 처치, 운영, 경영. **7** (의안의) 통과. ***a ~ and pair*** 〔***four***〕 쌍두〔4 두〕 4 륜마차. ***free of ~*** 운임 무료로(~ free). ㊞ **~·a·ble** *a.* 마차가 지나갈 수 있는.
cárriage bòlt 《미·Can.》 캐리지 볼트《주로 차량에 쓰이는 나사》.
cárriage clòck (초기의) 여행용 휴대 시계.
cárriage-còmpany *n.* 《집합적》 자가용 마차를 가질 만한 신분의 사람들(=**cárriage-fòlk**).
cárriage dòg 흑백 얼룩의 달마티아 개(coach dog). 「도, 마찻길.
cárriage drìve (대저택의 정원·공원 안의) 차
cárriage fórward 《영》 운임〔송료〕 수취인 지급으로(《미》 collect).
cárriage frée 운임 발송인 지급으로.
cárriage hòrse 마차 말.
cárriage hòuse 마차 차고. 「paid).
cárriage páid 운임 선불(先拂)로(《미》 pre-
cárriage pòrch (현관의) 차 대는 곳.
cárriage retùrn (타이프라이터의) 행간 레버; 『컴퓨터』 복귀, 캐리지 리턴. 「담요.
cárriage rùg 《영》 (여행 시) 무릎을 덮는 작은
cárriage tràde (the ~) 부자 단골손님; 부자를 상대하는 장사《손님이 자가용 마차를 타고 상점에 온 데서》. 「way).
cárriage·wày *n.* (거리의) 차도, 마찻길(road-
cár·rick bènd [kǽrik-] 『해사』 캐릭 벤드, 닻매듭《밧줄의 끝과 끝을 이어매는 방법의 하나》.
car·ried [kǽrid] *a.* 운반된; 《Sc.》 넋을 잃은, 황홀해진, 제정신을 잃은.
car·ri·er [kǽriər] *n.* **1** 운반하는 사람〔것〕; 《미》 우편 집배원(《영》 postman); 신문 배달(원); 운수업자, 운수 회사《철도·기선·항공 회사 등을 포함》: a ~('s) note 화물 상환증. **2** 『기계』 운반차, 운반 설비〔기계〕; (자전거의) 짐받이. **3** 보균자〔물〕(disease ~), (유전자의) 보유자; 전염병 매개체(germ ~)《모기·파리 따위》; 『생물』 보독(保毒) 식물; 보험업자. **4** 전서구(鳩)(~ pigeon). **5** 『전기』 반송파(搬送波)(~ wave). **6** 항공모함(aircraft ~): a baby 〔light, regular〕 ~ 소형〔경, 정규〕 항공모함. ≠career. **7** 배수구(溝), 하수로; 움직도르래. **8** 『물리·화학』 담체(擔體). **9** =CARRIER BAG.
cárrier áir wìng 『미해군』 항공모함 비행단《항공모함 탑재 항공 부대》.
cárrier bàg 《영》 =SHOPPING BAG.
cárrier-bàsed [-t] *a.* 함재(艦載)의, 함상 발진의(cf. land-based).
Cárrier Báttle Gròup 『군사』 항공모함 전투군(群)《항모 1 척을 중심으로 순양함·구축함·프리깃함 등이 각 몇 척씩 배속되는 미(美)해상 부대 편성 방식의 하나; Midway CBG, Enterprise CBG와 같이 주(主)항모의 이름을 따서 부름》.
cárrier-bòrne *a.* 항공모함 탑재의, 함재의: a ~ aircraft 함재기 / a ~ bomber 함상 폭격기.
cárrier nàtion 해운국.
cárrier pìgeon 전서구(傳書鳩).
cárrier ròcket 운반 로켓, 쏘아 올리는 로켓.
cárrier transmìssion 『통신』 반송파 전송.
cárrier wàve 『군사』 반송파.
car·ri·ole [kǽriòul] *n.* 말 한 필이 끄는 소형

마차; 유개(有蓋) 짐수레; (캐나다의) 썰매.

◇**car·ri·on** [kǽriən] *n.* [U] 사육(死肉), 썩은 고기; 불결한〔썩은〕 물건, 오물. **—** *a.* 썩은 고기의〔같은〕; 썩은 고기를 먹는.

cárrion cròw 〖조류〗 **1** (유럽산) 까마귀. **2** (미국 남부산) 검은 독수리.

Car·roll [kǽrəl] *n.* **Lewis ~** 캐럴《영국의 동화 작가; *Alice's Adventures in Wonderland* 의 저자; 1832-98》.

car·ro·ma·ta [kæ̀rəmɑ́:tə] *n.* (필리핀의) 말 한 필이 끄는 2 륜마차.

car·ron·ade [kæ̀rənéid] *n.* 〖역사〗 함포(艦砲)의 일종《구경이 크고 포신이 짧음》.

cárron òil [kǽrən-] 화상에 바르는 기름약.

*****car·rot** [kǽrət] *n.* **1** 〖식물〗 당근; 《비유》 설득의 수단, 미끼; 포상. **2** (*pl.* **~s**) 〔단수취급〕《속어》 붉은 머리털(의 사람). **~ *and stick*** 상(賞)과 벌, 회유와 위협 (정책). **—** *vt.* 《미》 (가공하기 전의 모피에) 질산은(銀) 처리를 하다.

cárrot-and-stíck [-ənd-] *a.* 회유와 위협의: ~ diplomacy 회유와 위협의 외교.

cárrot-tòp *n.* 《미속어》 머리털이 붉은 사람, 빨강머리《종종 애칭으로 쓰임》. [파] **-tòpped** [-t] *a.*

car·roty [kǽrəti] *a.* 당근 같은, 당근 색의; 《속어》 (머리털이) 붉은(red-haired): ~ hair. [파] **cár·rot·i·ness** *n.*

car·rou·sel [kæ̀rəsél, -zél, ˊ-ˋ/kæ̀ru:zél] *n.* =CAROUSEL.

†**car·ry** [kǽri] (*p., pp.* ***car·ried; car·ry·ing***) *vt.* **1** 《~+[목]/+[목]+[전]+[명]/+[목]+[부]》 운반하다, 나르다(transport), 실어 보내다, (동기(動機) · 여비(旅費) · 시간 등이 (사람을)) 가게 하다; 휴대하다, (소리 · 소문 따위를) 전하다, (병 따위를) 옮기다: ~ a bag *upstairs* 가방을 윗층으로 나르다 / Some pets ~ diseases. 애완동물 중에는 병을 옮기는 것이 있다 / Business *carried* me *to* America. 사업차 미국에 갔다 / He *carried* the news *to* everyone. 그는 그 소식을 여러 사람에게 돌아가며 알렸다. ★ '아무를 데리고 가다' 의 뜻으로 He *carried* me *to* his lodgings. '그는 나를 그의 숙소로 데리고 갔다' 는 옛 용법이거나 방언적이므로 take 를 쓰는 것이 정확함.

> [SYN] **carry** '나르다' 를 뜻하는 일반적인 말로 널리 쓰임. **bear** 운반되는 물건의 무게를 받치는 것에 중점이 있으며 대개는 비유적인 뜻으로 쓰임. 실제로 '나르다' 의 뜻으로는 별로 쓰이지 않고 carry 로써 대용함. **convey** carry 와 달리 나른 물건을 도착지에서 상대에게 인도하는 뜻을 내포하고 있어 이 말은 carry 에 대한 형식어린 말임. **transport** 사람 또는 물건을 대대적으로 먼 목적지로 나르는 경우에 쓰임. [cf.] bring.

2 《+[목]+[전]+[명]/+[목]+[부]》 《비유》 (…까지) 이끌다; (…까지) 이르게 하다(conduct), 추진하다, (안전하게) 보내다: Young people often ~ logic *to* extremes. 젊은이들은 종종 논리를 극단까지 끌고 간다 / Such a discussion will ~ us *nowhere*. 그러한 토론은 소득이 없을 것이다 / The gas was not enough to ~ us *through* the land. 그 지방을 통과할 만큼 충분한 휘발유가 없었다 / This money will ~ us *for* another week. 이 돈이면 또 한 주일 지낼 수 있을 게다.

3 《+[목]+[전]+[명]/+[목]+[부]》 (도로 등을) 연장하다; (건물을) 확장〔증축〕하다; (전쟁을) 확대하다; (일 · 논의 등을) 진행시키다: ~ the road *into* the mountains 길을 산속까지 연장하다 / The war was *carried into* Asia. 전쟁은 아시아까지 확대되었다 / You *carried* the joke too *far*. 농담이 지나쳤다.

4 (손에) 가지고 있다, 들다, 안다, 메다: She is ~*ing* a child in her arms. 그녀는 아기를 안고 있다 / He is ~*ing* a suitcase on his shoulder. 그는 여행 가방을 어깨에 메고 있다.

5 《~+[목]/+[목]+[전]+[명]/+[목]+[부]》 휴대하다, 몸에 지니다; (장비 등을) 갖추다; (아이를) 배다: ~ a gun 〔sword〕 총〔검〕을 가지고 있다 / He never *carries* much money (*about*) *with* him. 그는 많은 돈을 몸에 지니지 않고 다닌다 / The man *carries* a scar *on* his face. 그 남자는 얼굴에 흉터가 있다 / The tiger *carries* a wound. 호랑이는 상처를 입었다 / She *carries* a baby. 그녀는 아이를 뱄다.

6 《+[목]+[부]/+[목]+[전]+[명]》 (몸의 일부를) …한 자세로 유지하다; 〖~ oneself〗 …한 몸가짐을 하다, 행동하다: She *carries* her head *high*. 그녀는 머리를 꼿꼿이 (쳐)들고 있다 / He *carried* his head *on* one side. 그는 머리를 한쪽으로 기울이고 있었다 / She *carries herself with* dignity. 그녀는 기품 있게 행동한다.

7 《~+[목]/+[목]+[전]+[명]》 따르다; (의무 · 권한 · 벌 등을) 수반하다, (의의 · 무게를) 지니다, 내포하다; (이자가) 붙다: ~ authority 권위를 지니다 / Freedom *carries* responsibility *with* it. 자유에는 책임이 따른다 / One decision *carries* another. 하나를 결정하면 또 하나를 결정할 수 있게 된다 / He used the word so that it *carried* a profound meaning. 그 말에 깊은 뜻을 두고 썼다 / The loan *carries* 3 percent interest. 그 대출금은 3 퍼센트 이자다.

8 《~+[목]/+[목]+[전]+[명]》 빼앗다; 손에 넣다, 쟁취하다(win); 〖군사〗 (요새 등을) 함락시키다; (관중을) 감동시키다《*with*》: ~ Ohio 오하이오 주에서 이기다《선거에서》 / Her acting *carried* the house. 그녀의 연기는 만장의 갈채를 받았다 / The soldiers rushed forward and *carried* the fort. 병사들은 돌진해 들어가서 성채를 점령했다 / He *carried* the audience *with* him. 그는 청중을 매혹시켰다.

9 《+[목]+[전]+[명]》 …의 위치를 옮기다, 《비유》 나르다, 옮기다: ~ a footnote *to* a new page 각주를 새 페이지로 옮기다 / She *carried* her eyes *along* the edge of the hill. 그녀는 언덕의 능선을 따라 눈길을 옮겼다.

10 a 《~+[목]/+[목]+[전]+[명]》 (주장 · 의견 따위를) 관철하다; 납득시키다; (의안 · 동의 따위를) 통과시키다《*through*》; (후보자를) 당선시키다: ~ one's point 자기 주장을 관철시키다 / ~ a bill *through* Parliament 법안을 의회에서 통과시키다 / He *carried* the precinct. 그는 선거구에서 당선되었다. **b** (선거)에 이기다, (선거구)의 지지를 얻다: The young candidate *carried* the election. 젊은 후보가 선거에서 이겼다.

11 《~+[목]/+[목]+[전]+[명]》 (무거운 물건을) 받치고 있다, 버티다(support), (압력 따위에) 견디다: ~ the farm *through* hard times 불황을 견뎌내고 농장을 유지하다 / These columns ~ the weight of the roof. 이들 기둥이 지붕 무게를 떠받치고 있다 / The boiler *carries* 200 pounds per square inch. 보일러는 1 제곱 인치당 200 파운드의 압력에 견딘다 / The bridge is *carried on* firm bases. 그 다리는 견고한 토대로 받쳐지고 있다.

12 《+[목]+[전]+[명]》 《미》 (정기적으로 (기사를)) 게재하다, 내다, 싣다, (정기적으로) 방송하다; (명부 · 기록 등에) 올리다: ~ a person *on* a payroll 급료 지급부에 이름을 올리다 / The public hearing will be *carried by* all networks. 공청회는 모든 방송망을 통해 방송될 것이다.

13 《+목+전+명》 기억해 두다: Can you ~ all these figures *in* your head? 이 숫자를 모두 기억할 수 있습니까.
14 《미》 (물품을) 가게에 놓다, 팔다, 재고품을 두다: We ~ a full line of canned goods. 통조림이라면 뭐든지 있습니다.
15 (가축 따위를) 기르다(support); (토지가 작물의) 재배에 적합하다: The ranch will ~ 1,000 head of cattle. 이 목장에서는 소를 천 마리 기를 수 있다.
16 (술을) 마셔도 흐트러지지 않다: He *carries* his liquor like a gentleman. 그는 술을 얌전히 마신다/He has had a drop more than he can ~. 그는 고주망태가 되었다.
17 …의 책임을 떠맡다; 재정적으로 떠받치다〔원조하다〕: ~ a magazine alone 혼자서 잡지를 재정적으로 떠받치고 있다/He *carries* that department. 그 부서는 그에 의해서 유지되고 있다.
18 (농작물을) 거둬들이다; 산출하다.
19 (돛을) 올리다, 달다: the danger of ~*ing* too much sail 돛을 지나치게 올릴 때의 위험.
20 (수를) 한 자리 올리다; 『부기』 (다음 면으로) 전기(轉記)하다, 이월하다; …에 신용 대부하다, 외상 판매를 하다.
21 『골프』 (거리·장애 등을) 단번에 쳐 넘기다.
22 『사냥』 (개가 냄새를) 좇다; (짐승이 냄새를) 남기다.
23 (나이 등을) 숨기다: ~ one's age very well 자기 나이를 남이 알아차리지 못하게 잘 숨기다.
— *vi.* **1** 들어 나르다; 가지고 다니다; 운반하다: a load that *carries* easily 운반하기 쉬운 화물. **2** 〔보통 진행형〕 임신하고 있다. **3** (소리·총알 따위가) 미치다, 달하다; 『골프』 (공이 힘차게〔정확하게〕) 날다: The report of the firing *carried* many miles. 포 소리가 수마일까지 들렸다/His voice *carries well*. 그의 목소리는 잘 들린다. **4** (신·말굽 등에 흙이) 묻다(stick). **5** (말 따위가) 고개를 쳐들다. **6** (법안 등이) 통과되다: The bill *carried* by a small majority. 그 법안은 근소한 표차로 통과됐다. **7** (사냥개가) 냄새를 좇다; (땅이) 냄새 흔적을 간직하다.
~ ***all*** 〔***everything, the world***〕 ***before*** one 무엇 하나 성공 않는 것이 없다; 파죽지세로 나아가다. ~ ***along*** (***with*** one) 실어 가다, 가지고 가다: Let's ~ our radio *along* (*with* us). 라디오를 가지고 가자/His hat was *carried along* by the wind. 그는 바람에 모자를 날렸다. ***Carry arms!*** 《구령》 어깨총. ~ ***away*** 〔수동태의 경우가 많음〕 ① …에 넋을 잃게 하다, 도취시키다: He *was carried away* by his enthusiasm. 그는 열중한 나머지 스스로를 잊었다/Music has *carried* him *away*. 음악에 도취되었다. ② …에 빠지게 하다: He *was carried away* into idleness. 그는 게으름에 빠졌다. ③ 가지고 가 버리다, 휩쓸어가다: The bridge *was carried away* by the flood. 다리가 홍수로 떠내려갔다. ④ …의 목숨을 뺏다: He *was carried away* by a disease. 그는 병으로 죽었다. ~ ***back*** ① 되가져가〔오〕다. ② (아무에게) 옛날을 회상〔상기〕시키다《*to*》: The picture *carried* me *back to* my childhood (days). 그 사진은 나의 어린 시절을 상기시켰다. ③ (사건을) 옛날로 소급케 하다, 더 오랜 것으로 추정하다. ④ 공제(控除)하다. ~ ***conviction*** (***to***) (사람을) 신복(信服)시키다; 설득력이 있다. ~ ***down*** ① 가지고 내리다; 집어 내리다. ② 〔보통 수동태〕 (사상 따위를) 후세에 전하다〔남기다〕. ~ ***forward*** ① (사업·계획 등을) 진척시키다, 앞으로 나아가게 하다: ~ *forward* the program 프로를 진행하다. ② 『부기』 (금액·숫자를) 차기〔다음 해〕로 이월하다; 다음 페이지로 넘기다《*to*》. ~ ***it*** =~ the day. ~ ***it off*** (***well***) (행동·계획 따위를) 잘 해내다; (어려운·난처한) 사태를 잘 극복하다; (잘못 따위를) 그럴듯이 잘 감추다〔속이다〕. ~ ***live*** 생중계하다. ~ ***off*** ① 빼앗아〔채어〕 가다; (아무를) 유괴하다; (병 따위가) 목숨을 빼앗다, 죽게 하다. ② (상품 따위를) 타다, 획득하다(win): Tom *carried off* all the school prizes. 톰은 학교의 상을 독차지했다. ③ (임무·역할 따위를) 잘 해내다, 성공시키다; 밀고 나아가다: ~ things *off* with a high hand 만사 고자세로 굴다. ④ (나이·잘못 따위를) 어름어름 숨겨 넘기다, 겉바르다: Her wit *carried off* her unconventionality. 그 여자는 꾀로써 상례를 벗어난 일을 잘 겉발라 넘어갔다. ~ a person ***off*** his ***feet*** 아무를 딴죽 걸다; 열광케 하다. ~ ***on*** 《*vt.*+부》 ① 계속하다, (…을) 계속해 나가다; 진행시키다; (일·대화 따위를) 행하다; (어려움 장애를 무릅쓰고) 꾸준히 해나가다: ~ *on* a conversation 대화를 계속하다/Everyone *carried on* singing and dancing. 모두가 노래와 춤을 계속했다/Rescue operations were *carried on* in spite of the storm. 폭풍을 무릅쓰고 구조 작업이 계속되었다. ② (사업 따위를) 경영하다, (회의 등을) 열다: He *carried on* business for many years. 그는 여러 해 동안 영업을 하였다. **—** 《*vi.*+부》 ③ 속행하다, 유지되다; 계속하다《*with*》: *Carry on with* your work. 일을 속행하여라. ④ 《구어》 울고불고 하다, 떠들어대다; 분별없는 짓을 하다, 추태를 부리다: I don't like the way she *carries on*. 나는 그녀의 분별없는 짓이 못마땅하다. ⑤ 《구어》 (남녀가) 음탕한 관계를 맺다, 농탕치다, 정사에 빠지다《*with*》. ⑥ (문장·행 따위가) 다음 행(行)〔페이지〕에 이어지다 ⑦ 『해사』 (날씨에 비해서) 지나치게 돛을 펴고 나아가다. ~ ***out*** ① (계획·예정·명령 따위를) 실행하다, 실시하다; (일·계획 따위를) 성취하다. 달성하다, 다하다: ~ *out* one's design 〔duty〕 기획을〔임무를〕 실행하다〔다하다〕/These orders must be *carried out* at once. 이 명령은 곧 실행되어야 한다. ② 들어 내다, 실어 내다: ~ *out* the victims of the fire 화재의 희생자들을 밖으로 들어 내다. ~ ***over*** 《*vt.*+부》 ① 연기하다, 뒤로 미루다, 넘기다《*from; into*》: ~ this discussion *over into* the next meeting 이 토론을 다음 모임까지 미루다. ② =carry forward. **—** 《*vi.*+부》 ③ (습관 등이) 계속 남다. ④ (일 등이) 이어지다, 계속되다《*from; to*》: ~ *over to* later generations 후세대에까지 이어지다. ~ one***'s bat*** ⇨ BAT[1]. ~ ***the day*** 승리를 거두다. ~ ***the game to*** …에 대하여 유리하게 싸우다. ~ ***through*** ① (일·계획을) 완성하다, 성취하다: The money is not enough to ~ *through* the undertaking. 그 사업을 완성시키기에는 돈이 모자란다. ② (아무에게) 난관을 극복케 하다, 지탱해 내다, 버티어 내다: His strong constitution *carried* him *through* his illness. 그는 체질이 튼튼해서 병을 이겨냈다. ③ 일관(一貫)하다: a theme that *carries through* the book 책에 일관하여 흐르는 주제. ~ a thing ***too far*** 〔***to extremes***〕 …의 도를 지나치다: ~ a joke *too far* 농담의 도를 지나치다. ~ ***weight*** 중요하다; 영향력 있다: His appeals *carried* no *weight* with them. 그의 호소는 그들에게 아무런 영향을 주지 못했다. ~ ***... with*** one ① ⇨ *vt.* 5. ② ⇨ *vt.* 8. ③ (인상·사건 따위가) 기억에 남다, 마음에 담아 두다.
— (*pl.* ***-ries***) *n.* **1** (총포의) 사정(射程); (골프 공 따위가) 날아간 거리(flight). **2** 운반; 《미·Can.》 (두 수로를 잇는) 육로 운반, 그 육로. **3**

〖군사〗 '어깨총(칼)' 의 자세: at the ~. **4** 〖컴퓨터〗 올림.

cárry·àll *n.* 《미》 한 필이 끄는 마차; 《미》 (좌우 양쪽에 마주 향한 좌석이 있는) 버스; (여행용) 큰 가방, 잡낭(holdall).

cárry-alòng *a.* 휴대용의.

cárry-bàck *n.* 《미》 (소득세의 과납(過納) 등으로 인한) 환급(액).

cárry bàg 《미》 =SHOPPING BAG.

cárry-còt *n.* 《영》 (아기용) 휴대 침대.

cárry flàg 〖컴퓨터〗 올림 플래그《어떤 연산이 일어났을 때 최상위 비트 자리에서 올림이 일어났는지 아닌지를 나타내는 한 비트의 자료》.

cárry-fórward *n.* **1** =CARRY-OVER. **2** 《미》 (소득세의) 손실 이월《차기 과세 이익에서 공제됨》.

cárry-ìn *a.* (가전제품 따위를) 수리(점검)하려고 가져올 수 있는; (파티 등에) 각자 먹을 것을 지참하는.

cárrying capàcity 1 수송력, 적재량; (케이블의) 송전력(送電力). **2** 〖생태〗 (목초지 등의) 동물 부양 능력, 목양력(牧養力).

cárrying chàrge 《미》 **1** (상품 운송의) 운송비. **2** 재산 소유자에 드는 비용《세금·보험 등》; 월부 판매 할증금.

cárrying plàce 《Can.》 (수로(水路) 사이의) 연수(連水) 육로(=portage).

cárryings-ón *n. pl.* 《구어》 떠들썩한(어리석은) 짓거리, (눈에 거슬리는) 행실; (남녀의) 농탕치기, 새롱거리기.

cárrying tràde 운수업, 해운업.

cárry lìght 〖군사〗 추적용 탐조등.

cárry-òn *a., n.* (비행기 내로) 휴대할 수 있는 (소지품); 《영구어》 =CARRYINGS-ON.

cárry·òut *a., n.* 사 가지고 가는 (음식물)(take-out).

cárry-òut rápe 《미경찰속어》 유괴 성폭행.

cárry-òver *n.* 〖부기〗 이월(移越); 〖상업〗 이월품, 잔품(殘品); 이월 거래; 나머지.

cár sèat (자동차 좌석에 부착하는) 유아용 의자; 〖일반적〗 자동차 좌석.

cár·sìck *a.* 탈것에 멀미난: get ~ 차멀미하다. ㊎ **~·ness** *n.*

Cár Sléeper (철도에 의한) 여객과 승용차의 동시 수송 서비스《열차에 의한 완성차의 수송은 'piggyback'이라고 함》.

Cár·son Cíty [kɑ́:rsn-] 카슨 시티《미국 Nevada 주의 주도(州都)》.

cart** [kɑ:rt] *n.* **1** 2륜 짐마차(달구지): a water ~ 살수차. SYN. ⇨WAGON. **2** 2륜 경마차. **3** 손수레. ***in the ~ 《영속어》 곤경에 빠지어, 꼼짝할 수 없게 되어. ***on the water*** ~ 《속어》 =on the (water) WAGON. ***put*** (***set, get, have***) ***the*** ~ ***before the horse*** 《구어》 본말(本末)을 전도하다. ── *vt., vi.* **1** 《+목+부》 수레로 나르다; 실어내다《*away*》; (거추장스러운 짐 따위를) 애써서 운반하다: ~ products to market 제품을 시장에 수레로 나르다 / ~ *away* rubbish out of the backyard 뒷뜰에서 쓰레기를 수레로 실어 내다 / ~ *in* a table through the door 테이블을 가까스로 문으로 들여놓다. **2** (아무를) 난폭하게(억지로) 데려가다《*off; away*》: ~ a criminal *off* (*away*) to jail 범인을 교도소에 처 넣다 / *Cart* yourself *away* (*off*)! 냉큼 꺼져라. **3** 〖크리켓〗 강타(強打)하다. ~ ***about*** 들고(끌고) 돌아다니다, 안내하고 다니다.

cart·age [kɑ́:rtidʒ] *n.* Ⓤ 짐수레(트럭) 운송(료); 짐마차 삯.

carte[1] [kɑ:rt] *n.* 〖펜싱〗 카르트(quarte)《손바닥을 위로 하고 칼끝을 적의 오른쪽 가슴에 겨누는 자세》. ~ ***and tierce*** 펜싱 (연습).

carte[2] *n.* 《F.》 (식사) 메뉴, 식단; 명함; 카드(패); (*pl.*) 카드놀이; 《폐어》 지도, 해도(海圖).

carte blanche [kɑ́:rtblǽ:ntʃ, -blɑ́:ntʃ/-blɑ́:ntʃ] (*pl.* ***cartes blanches*** [kɑ́:rts-]) 《F.》 (서명이 있는) 백지위임(장); 〖카드놀이〗 piquet에서 그림 패가 한 장도 없는 수: give ~ to …에게 자유 행동을 허용하다; …에게 백지위임하다.

carte de vi·site [kɑ́:rtdəvi:zí:t] (*pl.* ***cartes de visite*** [kɑ́:rts-]) 《F.》 명함; 명함판 사진 《5.7×9.5 cm》.

carte d'iden·tité [F. kaʀtdidɑ̃tite] 《F.》 신분증명서(identity card).

car·tel [kɑ:rtél] *n.* **1** 〖경제〗 카르텔, 기업 연합. **2** 교전국 간 협정서, 《특히》 포로 교환 협정서. **3** 결투장(狀)(written challenge). ㊎ **~·ize** *vt., vi.* 카르텔로 하다(되다), 카르텔화(化)하다.

cár tèlephone 자동차 전화.

cartél shìp 포로 교환선.

Cart·er [kɑ́:rtər] *n.* **Jimmy** ~ 카터《미국의 제 39 대 대통령; 온이름은 James Earl ~, Jr.; 1924- 》.

cart·er *n.* 짐마차꾼, 마부; 운송인.

Car·te·sian [kɑ:rtí:ʒən/-zjən] *a.* 데카르트(Descartes)의, 데카르트 철학(학파, 식)의. ── *n.* 데카르트 학도. ㊎ **~·ism** *n.*

Cartésian coórdinate 〖수학〗 데카르트 좌표: ~ system 데카르트 좌표계(系).

Cartésian dévil (**díver**) 〖물리〗 무자맥질 인형《가하는 압력에 따라 물에 떴다 잠겼다 하는 유리관 속의 인형》.

Cartésian pláne 〖수학〗 데카르트 평면.

Cartésian próduct (**sét**) 〖수학〗 데카르트 곱. 《집합 A와 B를 곱한 집합》.

cart·ful [kɑ́:rtfùl] *n.* 한 수레(바리)(의 분량).

Car·thage [kɑ́:rθidʒ] *n.* 카르타고《아프리카 북부의 고대 도시 국가; 146 B.C.에 멸망》. ㊎ **Car·tha·gin·i·an** [kɑ̀:rθədʒíniən] *a., n.* 카르타고의 (사람).

Carthagínian péace 카르타고적(的) 화평《패자에게 아주 엄한 화평 조약》.

cárt hòrse 짐마차 말.

Car·thu·sian [kɑ:rθú:ʒən/-θjú:ziən] *a., n.* 카르투지오 수도회《1086년 St. Bruno가 프랑스 Chartreuse에 개설》의 (수사, 수녀).

Car·ti·er [kɑ́:rtiːèi] *n.* 《F.》 카르티에《프랑스의 전통 있는 고급 보석상점》.

car·ti·lage [kɑ́:rtəlidʒ] *n.* Ⓒ,Ⓤ 〖해부〗 연골(조직): a ~ bone 연골성 경골(硬骨).

cártilage cèll 연골 세포.

car·ti·lag·i·noid [kɑ̀:rtəlǽdʒənɔ̀id] *a.* 연골 모양의(chondroid).

car·ti·lag·i·nous [kɑ̀:rtəlǽdʒənəs] *a.* 〖해부〗 연골성(질)의; 〖동물〗 (상어 따위처럼) 골격이 연골로 된.

cartiláginous físh 〖어류〗 연골 어류.

cárt·lòad *n.* 한 바리(의 짐); 《구어》 대량《*of*》.

car·to·gram [kɑ́:rtəgræ̀m] *n.* 통계 지도《지도에 의한 비교 통계도》.

car·to·graph [kɑ́:rtəgræ̀f, -grɑ̀:f] *n.* 지도(map); 《특히》 삽화가 있는 지도.

car·tog·ra·pher [kɑ:rtágrəfər/-tɔ́g-] *n.* 지도 제작자, 제도사.

car·to·graph·ic, -i·cal [kɑ̀:rtəgrǽfik], [-əl] *a.* 지도 제작(법)의. ㊎ **-i·cal·ly** *ad.*

car·tog·ra·phy [kɑ:rtágrəfi/-tɔ́g-] *n.* Ⓤ 지도 제작(법), 제도(법).

car·to·man·cy [kɑ́:rtəmæ̀nsi] *n.* Ⓤ 트럼프 점(占). ㊎ **-màn·cer** *n.* 트럼프 점쟁이.

°**car·ton** [kɑ́:rtn] *n.* (판지로 만든) 상자; 판지, 마분지(cardboard); (우유 등을 넣는) 납지(蠟紙)(플라스틱) 용기(容器); 과녁 복판의 흰 점; 명중탄: a ~ *of* cigarettes 담배 한 상자《10 갑

들이》. ── *vt., vi.* ～에 넣다〔을 만들다〕.

car·ton·nage [kɑ̀ːrtənáːʒ / káːrtənidʒ] *n.* 고대 이집트의 미라 관(棺).

car·toon [kɑːrtúːn] *n.* 풍자화, (시사) 만화; 연재 만화(comic strip), 만화 영화; (실물 크기의) 밑그림《벽화 등의》. ── *vt., vi.* 만화화하다; 만화로〔를〕 그리다; 밑그림을 그리다. ㊞ **～·ing** *n.* **～·ist** *n.* 만화가; 밑그림쟁이. **～·like** *a.* **～y** *a.*

car·toon·ish [kɑːrtúːniʃ] *a.* 만화 같은, 회화적인. ㊞ **～·ly** *ad.*

cartóon tést 〖마케팅〗 약화(略畫) 테스트《한 사람 이상의 인물 약화를 보이고 말이나 회화를 써넣게 하는 투영 원리를 이용한 임상 테스트법》. cf. Rorschach test; TAT.

cár·tòp *a.* (크기나 무게가) 자동차 지붕 위에 싣고 다니기 알맞은.

cár-tòp *vt. vi.* 자동차 지붕에 실어 나르다.

car·toph·i·ly [kɑːrtáfəli / -tɔ́f-] *n.* cigarette card 수집《담배 경품으로 만든 작은 그림 카드의 수집 취미》. ㊞ **car·tóph·i·list** *n.*

cár·tòpper *n.* 자동차 지붕 위에 싣고 다닐 수 있는 소형 보트.

car·touch(e) [kɑːrtúːʃ] *n.* 《F.》 〖건축〗 (기둥머리 · 기념비 따위의) 소용돌이 장식; 타원형 윤곽《옛 이집트 왕의 이름, 신의 이름을 둘러싼 선》; 장식 벽판; 탄약통〔상자〕; 폭죽의 화약통.

°**car·tridge** [káːrtridʒ] *n.* 탄약통, 약포(藥包); 카트리지《만년필의 잉크나 녹음기의 테이프 등의 교환 · 조작을 쉽게 하기 위한, 끼우는 식의 용기》, 〖사진〗 (카메라에 넣는) 필름통; 카트리지에 든 것《잉크 · 테이프 · 필름 따위》; (전축의) 카트리지《바늘을 꽂는 부분》; (엔진의) 시동(始動) 장치.

cártridge bàg 탄약 주머니.

cártridge bèlt (소총용의) 탄띠; (기관총용의) 탄대.

cártridge bòx 탄약 상자.

cártridge càse 약협(藥莢); CARTRIDGE BOX.

cártridge chàmber (총의) 약실(藥室).

cártridge clìp (총기 따위의) 삽탄자(揷彈子), 탄창.

cártridge pàper 약포지(藥包紙); 도화지.

cártridge pèn 카트리지식 펜《잉크가 떨어지면 여분의 잉크통을 바꿔 넣어 쓸 수 있게 만든 펜》.

cárt ròad 〔**tràck, wày**〕 (승용차가 통과하기 어려운) 좁고 울퉁불퉁한 시골길.

car·tu·lary [káːrtʃəlèri/-ləri] *n.* 기록부〔집〕; 특허장 대장(chartulary); 특허장 보관소, 〔일반적〕 기록 문서 보관소.

cárt·whèel *n.* **1** (짐마차의) 바퀴. **2** 《미속어》 1 달러짜리 은화, 대형 주화. **3** 옆재주 넘기; 〖항공〗 역(逆) U 자 비행: throw 〔turn〕 ～*s* 옆재주 넘다. ── *vi.* (손을 짚고) 옆으로 재주넘다; (수레)바퀴처럼 움직이다. ㊞ **～·er** *n.*

cárt whìp (마부의) 굵은 채찍.

cárt·wrìght *n.* 수레〔달구지〕 제작자.

car·un·cle [kǽrʌŋkl, kərʌ́ŋkl] *n.* 볏; (새의) 처진 살; 〖해부〗 육부(肉阜)《눈두덩 따위의》; 〖식물〗 종부(種阜)《씨앗의 배꼽 부근에 있는 붕긋한 부분》. ㊞ **ca·run·cu·lar** [kərʌ́ŋkjələr], **ca·rún·cu·lous** *a.* **ca·run·cu·late** [kərʌ́ŋkjələt, -lèit] *a.* caruncle(s)이 있는.

Ca·ru·so [kərúːsou; *It.* karúːzo] *n.* **Enrico** ～ 카루소《이탈리아의 테너 가수; 1873–1921》.

car·va·crol [káːrvəkrɔ̀ːl, -krɔ̀ul / -krɔ̀l] *n.* 〖화학〗 카르바크롤《방부 · 살균제》.

carve** [kɑːrv] *vt.* **1** 《+目+前+名》 새기다, 파다, …에 조각하다(inscribe): ～ wood *into* 〔*for*〕 a statue 나무를 새겨 상(像)을 만들다. **2** 《+目+前+名》 새겨 넣다〔새겨 만들다〕: ～ a name *in* 〔*on*〕 marble 대리석에 이름을 새기다 / ～ a statue *out of* wood 나무로 상(像)을 조각하다. **3** 《+目+副/+目+目》 (진로 · 운명 등을) 트다, 타개하다《*out*》; (명성 · 지위 등을) 쌓아올리다, 이루다《*out*》: ～ *out* a career for oneself = ～ oneself (*out*) a career 혼자 힘으로 진로를 개척하다. **4** 《～+目/+目+目/+目+前+名》 (식탁에서 고기 등을) 썰어서 나누다: ～ a chicken 닭고기를 썰다 / Mother ～*d* us the chicken. = Mother ～*d* the chicken *for* us. 어머니는 닭고기를 우리에게 썰어 주셨다. ── *vi.* 고기를 베어 나누다; 새기다, 조각하다: This marble ～*s* well. 이 대리석은 새기기 쉽다. ～ ***for one***self*** 멋대로 하다〔굴다〕. ～ ***up*** (고기 등을) 썰어 나누다〔썰다〕; 《속어》 (토지 · 유산 따위를) 분할하다; 《영속어》 나이프로 마구 찌르다; 《영속어》 속이다; 《영속어》 (다른 차를) 빠른 속도로 추월하다.

car·vel [káːrvəl] *n.* = CARAVEL.

cárvel-bùilt *a.* (뱃전의 널을) 겹치지 않고 평평하게 댄〔붙인〕. cf. clinker-built.

carv·en [káːrvən] *a.* 《고어》 조각한(carved).

Car·ver [káːrvər] *n.* 카버. **1 Jonathan** ～ 미국의 탐험가(1710–80). **2 Raymond** ～ 미국의 단편 작가(1939–88).

carv·er [káːrvər] *n.* 조각사; 고기를 써는 사람〔나이프〕; (*pl.*) 고기 써는 나이프와 포크.

carv·ery [káːrvəri] *n.* 손님의 요구에 따라 로스트 비프 등을 썰어서 제공하는 식당; 호텔 식당.

cárve-ùp *n.* 《영속어 · 경멸》 이익 등의 분배; 사기; 나이프와 면도칼을 들고 하는 싸움; 운전사의 노상(路上) 싸움.

carv·ing [káːrviŋ] *n.* U 조각(술); C 조각물; U 고기 썰어서 나누기. ～ ***fork*** 〔***knife***〕 고기 썰 때 쓰는 큰 포크〔나이프〕.

cár wàsh 세차(장), 세차기(機).

car·y·at·id [kæ̀riǽtid] (*pl.* ～*s*, ～·*es* [-ìːz]) *n.* 〖건축〗 여상주(女像柱). cf. atlas, telamon. ㊞ **-i·dal** [-l] *a.*

caryatid

car·y·op·sis [kæ̀riápsis/-ɔ́p-] (*pl.* ***-ses*** [-siːz], ***-sides*** [-sədìːz]) *n.* 〖식물〗 곡과(穀果), 영과(穎果).

cas [kæʒ] *a.* 《미속어》 (의복 따위가) 수수한, 캐주얼한; 무던한, 좋은.

CAS 〖항공〗 collision avoidance system(충돌 방지 장치); certificate of advanced study.

ca·sa [káːsə, -sɑː] *n.* 《미남서부》 집, 가옥.

ca·sa·ba, cas·sa·ba [kəsáːbə] *n.* 〖식물〗 머스크멜론의 일종(= ∠ **mélon**).

Cas·a·blan·ca [kæ̀səblǽŋkə] *n.* 카사블랑카《모로코 서북부의 항구》.

cas·al [kéisəl] *a.* 〖문법〗 격(格)(case)의.

Ca·sals [kəsǽlz, -sáːlz, kɑːsáːlz] *n.* **Pablo** ～ 카살스《스페인의 첼로 주자 · 지휘자; 1876–1973》.

Cas·a·no·va [kæ̀zənóuvə, -sə-] *n.* (*or* c-) 엽색(獵色)꾼, 색마(lady-killer).

Cas·bah [kǽzbə, -bɑː] *n.* = KASBAH.

cas·ca·bel [kǽskəbèl] *n.* 〖군사〗 (포구(砲口) 장전식 평사포(平射砲)의) 포미(砲尾) 후부의 유두상(乳頭狀) 돌기.

°**cas·cade** [kæskéid] *n.* **1** (작은) 폭포(cf. cataract); (계단 모양으로) 이어지는 폭포, 단폭(段瀑); (정원의) 인공 폭포; 폭포 모양의 레이스 장식. **2** 〖원예〗 현애(懸崖) 가꾸기; 〖화학〗 계단조(階段槽); 〖전기〗 종속(縱續), (축전지의) 직렬(= ∠ **connéction**); 〖기계〗 익렬(翼列); 〖물리〗 (우주선의) 캐스케이드(샤워); 〖물리〗 핵자(核子) 캐스케이드; 〖컴퓨터〗 층계형. ── *vi.* 폭포가 되

어 떨어지다. — *vt.* 폭포처럼 떨어뜨리다; 〖전기〗 종속 접속하다, 직렬로 하다.

Cascáde Ránge (the ~) 캐스케이드 산맥 《California 주 북부에서 캐나다의 British Columbia 주에 이르는 산맥》.

cascáde shòwer 〖물리〗 캐스케이드 샤워《방사선이 단계적으로 입자 수를 늘려 가는 현상》.

cas·ca·ra [kæskέərə] *n.* 〖식물〗 털갈매나무의 일종.

cascára sa·grá·da [-səgréidə, -grɑ́:-] cascara 의 껍질(로 만든 완하제(緩下劑)).

cas·ca·ril·la [kæskəríla] *n.* 〖식물〗 카스카릴라《등대풀과(科) 파두속(巴豆屬)의 관목(灌木); 서인도 제도산》; 그 수피(樹皮)(= ∠ **bàrk**)《향기 좋은 건위제》.

Case [keis] *n.* 컴퓨터를 사용한 소프트웨어 제작. [◂ *c*omputer-*a*ided *s*oftware *e*ngineering]

case[1] [keis] *n.* **1** 경우(occasion), 사례: in this ~ 이 경우에는 / in either ~ 어느 경우이건 / There are many ~s where ... …라는 경우가 많다. **2** 사정, 입장, 상태, 상황: in sorry ~ 비참한 처지에 / Circumstances alter ~*s*. 《속담》 사정에 의해 입장도 바뀐다 / The ~ is different *with* you. 당신의 경우는 다르다. **3** (the ~) 실정, 진상, 사실(fact): Is it the ~ that you did it? 네가 그것을 한 것이 사실이냐 / That is not the ~. 실은 그렇지 않다. **4** (조사를 요하는) 사건, 문제(question): a criminal 〔civil〕 ~ 형사 〔민사〕 사건 / a ~ between them 그들 간의 문제 / the ~ before us 우리가 당면한 문제〔사건〕 / work 〔be〕 on a murder ~ 살인 사건을 수사하다〔수사하고 있다〕. **5** (보호·구제 등의) 대상자, 해당자: a relief 〔welfare〕 ~ 복지 대상자. **6** 병증(disease); 환자: explain one's ~ 증상을 설명하다 / forty new ~*s* of flu 유행성 감기의 새 환자 40 명〔건(件)〕.

> SYN. **case** 의사가 쓰는 말로 환자라기보다 병을 염두에 두고 말함. 환자 자체는 **patient** 라고 함.

7 〖법률〗 판례; 소송 (사건)(suit); (소송의) 신청: a divorce ~ 이혼 소송 / a leading ~ 지도적〔주요〕 판례 / drop a ~ 소송을 취하하다. **8** (사실·이유의) 진술, 주장; 정당한 논거: the ~ *for* the defendant 피고의 주장 / lay one's ~ before the court 판사 앞에서 진술하다 / state 〔make out〕 one's ~ 자기의 주장〔입장〕을 설명하다 / prove the 〔one's〕 ~ 주장이 정당함을 증명하다. **9** 〖문법〗 격(格). ⇨《부록》 CASE. **10** 《구어》 괴짜, 다루기 힘든 놈, 알로 깐 아이: He is a ~. 그는 열외〔괴짜〕다. **11** 《속어》 (이성에 대한) 홍분, 열중: He has quite a ~ *on* her. 그녀에게 홀딱 반해 있다. ***a ~ in point*** 〖법률〗 (특수) 사건; 《구어》 유례. ***a ~ of conscience*** 양심〔도의상〕의 문제. ***a ~ of now or never*** 천재일우의 호기. ***as is often the ~*** (…에) 흔히 있는 일이지마는 《*with*》. ***as the ~ may be*** (그 때의) 사정〔경우〕에 따라서. ***as the ~ stands*** 이러한 이유로, 이런 현상이므로. ***be in good*** 〔***evil***〕 ~ 살림 형편〔건강 상태 등〕이 좋다〔나쁘다〕. ***bring a ~ against*** …을 상대로 고소를 제기하다. ***~ by ~*** 하나하나, 한 건씩: The President has decided the issue, ~ *by* ~, as it was raised by Congress. 대통령은 문제가 국회에서 제기되었을 때마다 하나하나 해결하여 왔다. ***come*** 〔***get***〕 ***down to ~s*** 《미구어》 요점으로 들어가다; 심리(審理)하다. ***Get off my ~!*** 《흑인속어》 귀찮게 굴지 마라. ***in any ~*** 어떠한 경우에도, 어쨌든, 어떻든(anyhow). ***in ~*** 만일에 대비하여; …한 경우에 대비하여; …하면 안 되므로: I will wait another ten minutes *in* ~. 만약의 경우도 있으니까 10 분 더 기다리겠다 / You had better take an umbrella *in* ~ it rains. 비가 올 경우에 대비하여 우산을 갖고 가거라. ***in ~ of*** …의 경우에는 (in the event of): *in* ~ *of* need 필요할 때는 / *in* ~ *of* my not seeing you 만일 만나지 못할 경우에는. ***in nine ~s out of ten*** 십중팔구. ***in no ~*** 결코 …이 아니다: The government insists that *in no* ~ will there be expropriations of land without proper compensation. 정부는 합당한 보상 없이는 결코 토지 몰수는 없을 것이라고 강조한다. ***in that*** 〔***such a***〕 ~ 그러한 경우에는. ***in the ~ of*** …의 경우에는, …에 관하여 말하면(as regards): *in the* ~ *of* children under fifteen, 15 세 이하의 어린이의 경우는. ***just in ~*** ① = in case. ② 《미》 …경우에 한하여(only if). ***lose*** 〔***win***〕 ***one's ~*** 패소〔승소〕하다. ***meet the ~*** (의견·제안이) 적절하다, 알맞다. ***on the ~*** 《미》 사건을 조사하여; 《미속어》 개인적인 일을 논하여. ***put*** 〔***set***〕 ***the ~*** (사정을) 설명하다《*to* a person》; (…라고) 가정(假定)〔제안〕하다《*that*》: *Put the* ~ *that* you're right, what then? 네 말이 옳다고 치자, 그래서 어쨌다는 거냐.

case[2] *n.* **1** 상자(box), 갑, 짐상자(packing ~); 한 상자의 양《*of*》: a ~ *of* wine 포도주 한 상자 《한 다스들이》. **2** 용기(容器), 그릇, 케이스, …주머니(bag); (칼)집(sheath), 통; 서류함, 가방(briefcase); (기계의) 덮개, 뚜껑; (시계의) 딱지(watch ~); (진열물의) 유리 상자〔장〕: a record ~ 레코드 케이스〔꽂이〕 / a pillow ~ 베갯잇 / a filing ~ 서류 정리용 케이스. **3** 창(문) 틀(window ~): 한 쌍〔벌〕《*of*》: a ~ *of* pistols 한 쌍〔벌〕의 권총. **4** 〖인쇄〗 활자 케이스: upper 〔lower〕 ~ 대〔소〕문자 케이스; 대〔소〕문자 활자 《생략: u.c. 〔l.c.〕》. **5** 《영속어》 갈봇집; 화장실. ***keep ~s*** (***on…***) 《미구어》 (…을) 잘 지켜보다. ***work at ~*** 조판하다. — (*p., pp.* ***cased; casing***) *vt.* **1** 상자〔집, 주머니 따위〕에 넣다; 싸다 (cover), **2** 《+목+전+명》 (벽 따위를) 씌우다, 덮다《*up; with*》: ~ a wall *with* marble 벽을 대리석으로 덮어 씌우다. **3** 《속어》 (범행 목적으로) 잘 조사하다〔살피다〕(examine carefully): Police said he was *casing* for the projected raid. 그가 계획적인 습격을 위해 사전 조사를 하고 있었다고 경찰은 말했다 / ~ the joint 《속어》 (도둑이) 목표물을 미리 잘 살펴보다.

ca·se·ase [kéisièis] *n.* 〖생화학〗 카세아제《카세인과 단백질 분해 효소; 치즈 제조에 씀》.

ca·se·ate [kéisièit] *vi.* 〖의학〗 건락화(乾酪化)하다, 치즈질(質)이 되다. ㊞ **cà·se·á·tion** *n.* (결핵 따위의) 건락화〔변성〕, 치즈화.

cáse bày 〖건축〗 천장 들보 상호 간의 공간.

cáse·bòok *n.* 케이스북《법·의학 등의 구체적 사례집》, 판례집.

cáse bòttle (상자에 담도록 만들어진) 각병(角瓶), 네모난 병.

cáse·bòund *a.* 표지를 판지로 제본한, 하드커버(hardcover)의.

cáse-by-cáse *a.* 축조적(逐條的)인, (사례를) 개별적으로 다루는: on a ~ basis 축조적으로, 하나하나 개별적으로.

cásed gláss 케이스 유리(case glass), 오버레이 유리(overlay glass)《색이 다른 유리를 두 장 이상 밀착시킨 것; 장식용으로 쓰임》.

cáse-dòugh *n.* 《미속어》 (약간의) 비상금.

cáse ènding 〖문법〗 격(변화)어미. 「다〔되다〕.

ca·se·fy [kéisəfài] *vt., vi.* 치즈질(質)로 만들

cáse gòods **1** 수납 가구《찬장, 옷장 따위》. **2**

(통조림, 캐러멜 따위) 상자에 넣어 파는 상품.
cáse·hàrden *vt.* 〖야금〗 (쇠를) 담금질하다, 열처리하다, 표면을 경화시키다; 《비유》 (아무를) 철면피〔무신경〕하게 만들다. ㊞ **~ed** *a.* 담금질한; 철면피한, 무신경한. **~·ing** *n.* 표면 경화, 담금질.
cáse hístory 〔**recórd**〕 사례사(史), 개인 경력〔기록〕, 신상 조사(서); 병력(病歷), 기왕증(旣往症).
cáse-hòuse *n.* 《속어》 매춘 여인숙.
ca·sein [kéisi(:)n] *n.* Ⓤ 〖생화학〗 카세인《인(燐) 단백질의 일종; 유(乳) 단백질의 주성분》.
ca·sein·ate [kéisiːnèit, -siə-, keisíːneit] *n.* 〖화학〗 카세인 염(塩).
cáse knìfe 집 있는 나이프(sheath knife); 식탁용 나이프(table knife).
cáse làw 〖법률〗 판례법. ㏇ statutory law.
cáse·lòad *n.* (법정 · 병원 등에서 일정 기간 취급된) 담당 건수.
cáse·màte *n.* 포대(砲臺); 〖군사〗 (군함의) 포탑, 포곽(砲廓), 장갑 장벽. ㊞ **-màt·ed** [-id] *a.* ~를 장비한.
cáse·ment *n.* **1** 두 짝 여닫이창(문)(의 한 쪽)(=∠ **wíndow**). ㏇ sash window. **2** 《시어》 창; 틀, 테; 덮개; 싸개.
cásement clòth 얇은 무명《커튼용》.
cáse mèthod 1 〖교육〗 사례(事例) 연구법(= **cáse-stúdy mèthod**). **2** 〖법률〗 =CASE SYSTEM.
ca·se·ous [kéisiəs] *a.* 〖생화학〗 치즈질(質)의 〔같은〕, 건락성(乾酪性)의.
ca·sern(e) [kəzə́ːrn] *n.* 막사《특히 요새지의》.
cáse-sènsitive *a.* 〖컴퓨터〗 대소문자 민감성의.
cáse shòt (대포의) 산탄(散彈). ㏇ shrapnel.
cáse státed 〖영법률〗 사실 기재서(事實記載書); 〖미법률〗 합의사실 기재서.
cáse stúdy 사례(事例) 연구.
cáse sỳstem 〖미법률〗 판례주의 교육(법).
cáse·wòrk *n.* 케이스워크, 사회 복지 사업으로서의 생활 환경 조사; 판례 연구. ㊞ **~·er** *n.* 케이스워커, 생활 환경 조사원.
cáse·wòrm *n.* 〖곤충〗 몸 둘레에 집을 짓는 유충《도롱이벌레 따위》.
⁑**cash**[1] [kæʃ] *n.* Ⓤ **1** 현금; 현찰; 《구어》 돈; 〖증권〗 현물: be in 〔out of〕 ~ 현금을 가지고 있다 〔있지 않다〕/be short of ~ 현금이 모자라다, 지급에 지장이 있다/deal in ~ only 현금 거래만 하다. **2** 즉시불《현금 · 수표에 의한》, 맞돈; 현금 지불: pay in ~ 현금으로 지불하다/buy 〔sell〕 a thing for ~ 즉시불로〔현금으로〕 사다〔팔다〕. ~ ***and carry*** 현금 판매주의 (상점) (㏇ cash-and-carry); 〖상업〗 현금 자국선(自國船) 수송주의. ~ ***down*** 맞돈으로, 즉시불(로). ~ ***in*** 〔《미》 ***on***〕 ***hand*** 수중(手中)의 돈, 현금 보유액. ~ ***on arrival*** 착화(着貨) 현금불. ~ ***on delivery*** 《영》 화물 상환불(拂), 대금 상환 인도(《미》 collect (on delivery)) 《생략: C.O.D., c.o.d.》. ~ ***on order*** 주문과 동시 납입. ~ ***on the nail*** 〔***barrel-head***〕 현금, 맞돈. ***do one's*** ~ 《영속어》 돈을 없애다〔탕진하다〕. ***keep the*** ~ 금전 출납 업무를 보다.
── *a.* 현금〔맞돈〕의, 현금 거래의: a ~ payment 〔sale〕 현금 지불〔판매〕.
── *vt.* **1** 《~+目/+目+前+名》 현금으로〔현찰로〕 하다; (수표 · 어음 따위를) 현금으로 바꾸다; (수표 · 어음을) 현금으로 바꿔 주다: ~ a check= get a check ~*ed* 수표를 현금으로 바꾸다/Can you ~ this check *for* me? 이 수표를 현금으로 바꿔 주겠습니까. **2** 〖카드놀이〗 (가망성이 있는 센 패를) 내놓고 이기다. ~ ***down*** 《미구어》 현금으로 치르다; 청산하다. ~ ***in*** 《*vt.*+副》 ① 《영》 (수표 따위를 은행에서) 현금으로 바꾸다: ~ *in* all one's bonds 공채 모두를 현금화하다. ② (어음 따위를) 은행에 넣다. ③ (도박장에서) 칩(chip)을 현금화하다. ── 《*vi.*+副》 ④ 《구어》 (…에서 돈을) 벌다, (경제적으로) 성공하다. ⑤ 《구어》 (…을) 이용하다. ⑥ 《미》 (거래 · 계약에서) 손을 떼다, 결말짓다, 청산하다. ⑦ 《미속어》 (포커에서) 죽다. ~ ***in on*** 《구어》 …에서 이익을 얻다; …을 이용하다; (체험 따위를) 살리다: ~ *in on* an investment 투자해서 이익을 얻다/~ *in on* one's experience 체험을 살리다. ~ ***in one's chips*** ⇨ CHIP[1]. ~ ***up*** 《*vt.*+副》 ① (상점에서, 그날의 매상을) 계산하다. ② 《구어》 (필요한 비용을) 치르다, 내다. ── 《*vi.*+副》 ③ 《구어》 필요한 비용을 지불하다.
㊞ **∠·a·ble** *a.* (어음을) 현금으로 바꿀 수 있는.
cash[2] *n.* 〖단 · 복수 동형〗 (중국 · 인도 등의) 소액 화폐; 엽전《동양의 구멍 뚫린 동전》.
cásh accòunt 〖부기〗 현금 계정.
cásh-and-cárry [-ən-] *a.*, *ad.* 배달 없이 현금 판매주의의〔로〕, 현찰 거래식의〔으로〕: a ~ business 〔market〕.
cásh ássets 현금 자산《현금 · 예금 및 현금화될 수 있는 증권류도 포함》.
cásh àudit 현금〔예금〕 감사(監査).
cásh·bàck *n.* 캐시백《(1) 대금의 일부를 고객에게 서비스로 돌려주는 것. (2) debit card 로 물건을 살 경우, 일정 한도의 현금을 인출할 수 있는 서비스》.
cásh bàr 현금 바《파티나 결혼 피로연 등에서, 술을 파는 가설(假設) 바》. ㏇ open bar.
cásh·bòok *n.* 현금 출납장.
cásh·bòx *n.* (돈을 종류별로 넣어 두는) 돈궤, 금고; (*pl.*) 부(富)(wealth).
cásh·bòy *n.* 판매 현금 수납을 돕는 남자 점원.
cásh càrd 캐시〔현금〕 카드《cash dispenser 에 집어넣는》.
cásh càrrier (은행 점내(店內)에서의) 금전 전송 장치.
cásh còw (기업의) 재원(財源), 달러 박스, 돈벌이가 되는 상품.
cásh crédit 〖상업〗 당좌 대부(貸付), 보증 대부 《생략: C.C., c.c.》.
cásh cróp 환금〔시장용〕 작물(《미》 money crop). ㏇ subsistence crop.
cásh dèsk (상점 · 식당 등의) 카운터, 계산대.
cásh díscount 〖상업〗 현금 할인.
cásh dispènser 현금 자동 지급기(=**cásh-dìspensing machíne**).
cásh·dràwer *n.* 주화 · 지폐 등을 종류별로 넣는 서랍《cash register 따위의》.
cash·ew [kǽʃuː, kəʃúː] *n.* 캐슈《열대 아메리카산 옻나뭇과 식물; 점성 고무가 채취됨》.
cáshew nùt 캐슈의 열매《식용》.
cásh flòw (기업의) 현금 흐름〔유출입〕: have a ~ problem 지급 능력이 없다, 파산 상태다.
cásh-húngry *a.* 현금(現金)이 없는, 현금을 갖고 싶어하는(cash-strapped).
*__cash·ier__[1] [kæʃíər] *n.* 출납원; 회계원; 《미》 (은행의) 지배인.
cash·ier[2] *vt.* (사관 · 관리를) 면직하다; 추방〔해고〕하다; 내버리다; 퇴짜 놓다.
cashíer's chèck 〖상업〗 보증〔자기앞〕 수표.
cásh-ìn *n.* (저축 채권 등의) 상환.
cásh·less *a.* 현금 없는; 현금이 불필요한.
cásh·less socíety 현금 불요(不要)의 사회, 카드 사회《크레디트 카드 사용 · 은행 자동 예입 시스템 등에 의한 미래 사회》.
cásh machíne =AUTOMATED-TELLER MACHINE.
cásh mánagement accòunt ⇨ CMA.
cásh màrket 〖상업〗 현금(現金) (거래) 시장. ㏇ futures market.

cash·mere [kǽʃmiər, kǽʒ-] *n.* Ⓤ 캐시미어《캐시미어 염소의 부드러운 털》; 그 옷감, 캐시미어직(織); 모조 캐시미어《양모제(製)》; Ⓒ 캐시미어제 숄.
cásh néxus (the ~) 돈에 의한 결합, 금전적 결합.
cásh pàyment 현금 지급.
cásh·pòint *n.* **1** = CASH DISPENSER. **2** 현금 거래 상점.
cásh prìce 현찰 가격.
cásh ràtio (은행의 지불 준비를 위한, 총예금에 대한) 현금 비율.
cásh règister 금전 등록기.
cásh sàle 현찰 판매; 〖증권〗 당일 결제 거래(cash trade).
cásh·stòre *n.* 현찰 판매점.
cásh-stràpped [-t] *a.* 돈에 궁해 있는.
cásh surrénder vàlue 〖보험〗 해약 반환금《보험 계약의 해약 때 반환되는 금액》.
cásh tràde 〖증권〗 = CASH SALE.
cásh vàlue 현금 가격.
cas·i·mere, -mire [kǽsəmìər] *n.* = CASSIMERE.
cas·ing [kéisiŋ] *n.* **1** 상자[집] 등에 넣기, 포장(채(材)). **2** 싸개, 덮개; 케이스, (전깃줄의) 피복(被覆). **3** (창 · 문짝 등의) 틀; 액자틀; 테두리. **4** (유정(油井) 등의) 쇠 파이프. **5** (소시지의) 껍질; 《미》 타이어 외피(外被). **6** 〖복식〗 케이싱《겹친 천에 두 줄로 나란히 박아 끈이나 심을 넣은 것》.
cásing·hèad gàs 〖화학〗 유전〔유정(油井)〕가스.
cásing knìfe 도배용 칼.
ca·si·no [kəsíːnou] (*pl.* **~s, -ni** [-niː]) *n.* 《It.》 카지노《연예 · 댄스 따위를 하는 도박장을 겸한 오락장》; (이탈리아) 시골의 소주택, 소별장; = CASSINO.
ca·si·ta [kəsíːtə; *Sp.* kasíta] (*pl.* **~s** [-z; *Sp.* -s]) *n.* 오두막집; (유원지 호텔에 부속된) 방갈로.
°**cask** [kæsk, kɑːsk/kɑːsk] *n.* 통(barrel); 한 통(의 양): a ~ of beer. **—** *vt.* 통에 담다.
cásk-condìtioned *a.* (맥주가) 통 안에서 2차적으로 발효 중인《마실 때까지 가공 처리하지 않음》.
°**cas·ket** [kǽskit, kɑ́ːs-/kɑ́ːs-] *n.* (귀중품 · 보석 등을 넣는) 작은 상자, 손궤; 《미》 관(coffin). **—** *vt.* ~에 넣다.
Cás·pi·an Séa [kǽspiən-] (the ~) 카스피해(海).
casque [kæsk] *n.* 〖역사〗 투구(helmet).
cassaba ⇨ CASABA.
Cas·san·dra [kəsǽndrə] *n.* 〖그리스신화〗 카산드라《Troy의 여자 예언자》; (세상 사람들이 용납할 수 없는) 흉사(凶事)의 예언자.
cas·sa·reep [kǽsərìːp] *n.* 〖요리〗 카사리프《cassava 뿌리의 즙을 고아 만든 조미료》.
cas·sa·tion [kæséiʃən, kə-] *n.* 〖법률〗 파기(破棄), 폐기, 파훼(破毁).
cas·sa·va [kəsɑ́ːvə] *n.* 〖식물〗 카사바《열대산》; Ⓤ 카사바 녹말〔전분〕《tapioca의 원료》.
cas·se·role [kǽsəròul] *n.* 《F.》 식탁에 올리는 뚜껑 있는 찜냄비; 오지 냄비 요리; 고기 · 야채를 섞은 볶음밥〔으깬 감자〕; (화학 실험용의) 캐서롤《자루가 달린 냄비》. ***en ~*** 냄비 요리의. **—** *vt.* 냄비로 요리하다.
***cas·sette** [kəsét, kæ-] *n.* **1** (보석 따위를 넣는) 작은 상자. **2** (사진기의) 필름 통; (녹음 · 녹화용의) 카세트 (테이프); 카세트 플레이어〔리코더〕: a ~ deck 〔player, recorder, tape〕 카세트 덱〔플레이어, 리코더, 테이프〕. **—** *vt.* 카세트에 녹음〔녹화〕하다, 카세트화(化)하다.
cassétte lòading 제품을 카세트에 넣은 채 기계에 장치함.
cas·sia [kǽʃə, kǽsiə/kǽsiə] *n.* Ⓤ 계피(桂皮)(= ~ bàrk); 계수나무(= ~-bark trèe); 석결명(石決明) · 센나류(類); 그 나무껍질 및 껍질 속의 연질부(軟質部).
cás·sie pàper [kǽsi-] 캐시《연(連)단위로 포장 · 수송되는 지물(紙物) 중 파손된 포장지 내의 윗층과 아래층의 종이》.
cas·si·mere [kǽsəmìər] *n.* 부드러운 나사 복지의 일종. ⓒⓕ cashmere.
Cas·si·ni('s) divìsion [kəsíːni(z)-] 〖천문〗 카시니 간극(間隙)《토성의 A고리와 B고리 사이의 공간; 폭(幅) 약 2,600 km》.
cas·si·no [kəsíːnou] *n.* Ⓤ 카드놀이의 일종.
Cas·si·o·pe·ia [kæ̀siəpíːə] *n.* 〖그리스신화〗 카시오페이아; 〖천문〗 카시오페이아자리. ***the ~'s Chair*** 카시오페이아자리 중의 5개의 별.
cas·sit·er·ite [kəsítəràit] *n.* 〖광물〗 석석(錫石)(tinstone)《주석의 원광(原鑛)》.
cas·sock [kǽsək] *n.* (성직자의) 통상복《보통 검은색》; 성직자. ⓟ **~ed** [-t] *a.*

cassock

cas·so·wary [kǽsəwèri/-wɛ̀əri, -wəri] *n.* 〖조류〗 화식조(火食鳥)《오스트레일리아 · 뉴기니산》.
cast** [kæst, kɑːst/kɑːst] (*p.*, *pp.* ***cast) *vt.* **1** 《~+목/+목+전+명》 던지다, 내던지다: ~ a ballot 〔a vote〕 투표하다 / ~ a stone *at* a person 아무에게 돌을 던지다. ⓈⓎⓃ. ⇨ THROW. **2** 《~+목/+목+전+명》 (그물을) 던지다, 치다; (낚싯줄을) 드리우다; (닻 · 측연을) 내리다: ~ the lead (측연을 던져) 수심을 재다 / ~ a net *into* the pond 연못에 그물을 던지다. **3** 《+목+전+명/+목+목》 (빛 · 그림자를) 던지다, 투영하다《*on; over*》; (시선을) 돌리다《*at*》, (마음 · 생각을) 쏟다, 향하다; (비난 · 모욕을) 퍼붓다, (축복을) 주다: ~ a glance *at* his friend 그의 친구를 흘끗 보다 / ~ a shadow *on* the wall 벽에 그림자를 투영하다 / ~ a light *on* the subject 그 문제에 해결의 빛을 던지다 / He ~ her a glance. 그녀를 흘끗 봤다. **4** (불필요한 것을) 내던져버리다《*off; away; aside*》: ~ a problem from one's mind 문제를 잊다. **5** (옷을) 벗다; (뱀이) 허물 벗다(shed); (새가 깃털을, 사슴이 뿔을) 갈다; (말이) 편자를 빠뜨리다; (꿀벌이) 분봉하다: The snake ~ (*off*) its skin. 뱀이 허물을 벗었다. **6** (짐승이 새끼를) 조산(早産)하다, 지우다; (나무가 과실을) 익기 전에 떨어뜨리다. **7** (쓸모없다고) 버리다(reject)《*away*》; 포기하다. **8** (수험자 따위를) 떨어뜨리다; …을 해고〔해직〕하다(dismiss), 추방하다. **9** 《~+목/+목+전+명》 (거푸집에다) 뜨다, 주조하다《*in; from*》: ~ a bronze bust 청동 흉상을 뜨다 / ~ a statue *in* bronze 청동으로 상을 주조하다. **10** 〖인쇄〗 연판으로 뜨다, 전기판으로 뜨다《*into*》. **11** 〖일반적〗 …의 꼴로 만들다〔다듬다〕; (…의) 꼴로 하다: a novel ~ in the form of a diary 일기체의 소설. **12** 《+목+전+명》 …의 배역을 정하다; (역을) 맡기다, 배역하다: ~ an actor *for* a play 연극의 배우를 정하다 / ~ a person *for* a part 아무에게 역을 맡기다. **13** 《~+목/+목+부》 (숫자를) 계산하다, 가산하다《*up*》: ~ accounts 계산하다 / ~ *up* a column of figures 한 난의 숫자를 합하다. **14** (운수를) 판단하다, 점치다; (점괘를) 뽑다(draw); 예언하다: ~ lots 제비 뽑다 / ~ a horoscope 별점을 치다. **15** (말 따위를) 땅 위에 넘어뜨리다; (상대방을) 던져 넘어뜨리다. **16** 〖법률〗 (재판에서) 패소(敗訴)시키다: be ~ in a suit 소송에 지다. **17** 게우다, 토하다.

18 …에 실을 드리우다: ~ a stream 강에서 낚시질하다. 19 〖해사〗 (뱃머리를) 하류쪽으로 돌리다.

— *vi.* **1** 물건을 던지다; 낚싯줄을 던지다(*for* fish). **2** 주조되다, 주형으로 떠지다. **3** 《영방언》 토하다(*up*). **4** (배가) 기울다. **5** (세로줄로 선 무용수가) 선회하다. **6** (재목 따위가) 휘다, 굽다. **7** 합계하다, 계산하다(calculate). **8** 생각하다, 예측하다. **9** 배역하다. **10** (사냥개가) 냄새 자국을 맡으려고 여기저기 돌아다니다.

~ ***about*** 〔***around***〕 ① (물건을) 찾다, 찾아다니다(*for*): ~ *about for* something to do 무슨 할 일이 없을까 하고 찾다. ② (핑계 · 방법 따위를) 궁리하다, 찾다: ~ *about how* to do 어떻게 하면 될까 하고 궁리하다. ③ 바람 불어가는 쪽으로 (배의) 침로를 바꾸다. ~ ***ashore*** (파도가) 해안〔강변〕에 밀어 올리다. ~ ***aside*** (물건 · 습관 · 불안 따위를) 버리다, 제거하다; (친구를) 버리다; (아무와) 절교하다. ~ ***a spell on*** …에게 요술을 걸다, …을 매혹시키다. ~ ***away*** 버리다; 배척하다; (걱정 따위를) 떨쳐버리다, 잊다; (노력 · 돈 등을) 헛되이 하다; 《보통 수동태》 (아무를) 표류시키다, (배를) 난파시키다. ~ ***back*** 회고하다; 거슬러 올라가다; 《미》 (조상을) 빼어닮다: He ~ his mind *back* over the day. 그는 그날을 회고했다. ~ ***behind*** 앞지르다. ~ ***beyond the moon*** 멋대로 추측하다. ~ ***down*** ① (무기를) 내던지다; (시선을) 떨어뜨리다, (눈을) 내리깔다. ② 《보통 수동태》 낙담시키다: Don't *be* ~ *down* by that news. 그 소식에 낙심해서는 안 된다. ~ ***forth*** 쫓아내다. ~ ***loose*** (배를) 풀어놓다; 밧줄을 풀다. ~ ***off*** (*vt.*+부) ① (…을) 던져〔벗어〕 버리다(⇨*vt.* 4, 5). ② (…을) 포기하다, 버리다; (관계 · 인연을) 끊다: ~ *off* a vicious habit 나쁜 버릇을 버리다. ③ 〖해사〗 (배를) 밧줄을 풀어 내보내다, (배 · 물건 · 사냥개 등을) 풀어놓다. ④ (원고를) 조판 페이지로 어림치다. ⑤ (=~ ***off stitches***) (편물의) 코를 풀리지 않도록 마무르다(finish off). **—** (*vi.*+부) ⑥ 〖해사〗 (배의) 밧줄을 풀다, (묶인 밧줄에서 배가) 풀어지다, 출항하다(*from*). ⑦ (편물에서) 코를 마무르다〔마감하다〕. ⑧ (스퀘어 댄스에서) 다른 커플의 위치와 바꾸다. ~ ***on*** 재빠르게 입다; (=~ ***on stitches***) 뜨개질의 첫 코를 잡다〔뜨다〕. ~ one***self on*** 〔***upon***〕 ① …에 몸을 맡기다, …에 의지하다: ~ one*self on* a person's mercy 아무의 자비심에 의지하다. ② (소파 따위에) 몸을 내던지다. ③ 운을 하늘에 맡기고 해보다. ~ ***out*** 《보통 수동태》 (사람 · 불안 · 악마 따위를) 쫓아내다, 추방하다, 축출하다(*of; from*): *be* ~ *out from* the school 퇴교당하다. ~ ***round*** =~ around. ~ ***up*** (*vt.*+부) ① (파도가 배 따위를) 해변으로 밀어올리다(*on*). ② (…을) 합계하다. ③ (과거의 불쾌한 일 따위를) 생각나게 하다(*at; to*). ④ (시선을) 위로 향하게 하다. ⑤ (흙을) 쌓아올리다. **—** (*vi.*+부) ⑥ 모습을 나타내다(appear). ⑦ (육식조(鳥) 따위가) 먹은 것을 토해 내다. ***The dice is*** ~. 주사위는 던져졌다; 벌인 춤이라.

— *n.* **1** (주사위 · 돌 · 그물 따위를) 던지기. **2** 던진 거리, 사정(射程). **3** (주사위의) 한 번 던지기, 모험(적 시도): the last ~ 마지막으로 한 번 해보기 / try another ~ 다시 한 번 해보다. **4** 던져진〔던져지는〕 것; (낚싯줄의) 끝 줄. **5** (낚시나 투망의) 호적지(好適地): a good ~. **6** (벌레 따위의) 허물; (지렁이의) 똥; (태어난) 양새끼; (꿀벌의) 분봉. **7** 주조; (주)형; 주물; 〖의학〗 깁스: pour bronze into a ~ 거푸집에 청동을 붓다 / put a person in a ~ 아무에게 깁스 붕대를 하다. **8** (보통 a ~, the ~) 유형, 경향; 성격(~ of mind), 기질(type); 모습, 얼굴 생김새(~ of figures): a ~ of defection 낙담한 모습. **9** 색조

(色調), …의 기미(氣味): a yellowish ~ 누르스름한 빛. **10** 종류. **11** 셈, 계산; 덧셈. **12** 〖연극〗 배역, (the ~) 출연 배우들: a good ~ 좋은 배역 / an all-star ~ 인기 배우 총출연. **13** (목재 따위의) 휨, 젖혀짐. **14** 사팔뜨기: have a ~ in the right eye 오른쪽 눈이 사팔뜨기이다. **15** 〖해사〗 측연(測鉛) 투하. **16** 도중에서 차에 태워주기(lift): give a person a ~. **17** 예상, 추측. ***stake*** one***'s all on a single*** ~ 단판 승부에 모든 것을 걸다. ***within a stone's*** ~ 돌을 던져 닿을 만한 가까운 거리에.

— *a.* (말 따위가) 일어설 수 없는 모양의.

Cas·ta·lia [kæstéiliə] *n.* =CASTALY. ㊥ **-li·an** [-ən] *a.* Castaly의; 시적인.

Cas·ta·ly, -lie [kǽstəli] *n.* 〖그리스신화〗 Parnassus 산의 신천(神泉); 《일반적》 영감(靈感)〔시〕의 원천.

cas·ta·net [kæ̀stənét] *n.* (보통 (a pair of) ~s) 캐스터네츠(타악기).

cást·awày *n.* 난파를 당한 사람, 표류자; 버림받은 사람; 무뢰한(outcast). **—** *a.* 난파한(wrecked); 신에게서〔세상에서〕 버림받은, 쓸모가 없는; 무뢰한의.

cást·dòwn *a.* =DOWNCAST.

°**caste** [kæst, kɑːst/kɑːst] *n.* U,C **1** 카스트 (인도의 세습적인 계급; Brahman, Kshatriya, Vaisya, Sudra), 4성(姓) 제도, 4성의 하나. **2** 《일반적》 특권 계급(의 신분); 배타적 계급 (제도). **3** 사회적 지위: lose ~ 사회적 지위를 잃다, 위신〔신망, 체면〕을 잃다. **4** 〖곤충〗 (집단 생활을 영위하는 곤충의) 직능군별(職能群別). **—** *a.* 특권 계급의, 카스트의.

cáste·ism *n.* 《Ind.》 카스트(유지)주의.

cas·tel·lan [kǽstələn] *n.* 성주(城主).

cas·tel·lat·ed [kǽstəlèitid] *a.* 성곽풍의, 성 같은 구조의; (지역이) 성이 많은.

càs·tel·lá·tion *n.* U 축성(築城).

cáste màrk 인도인이 이마에 붙이는 카스트의 표지; 소속 계급을 나타내는 특징(태도 · 말씨).

cást·er *n.* **1** 던지는 사람; 주조자, 주물공; 계산자(者); 배역 담당자; 노름꾼. **2** 피아노 · 의자 등의 다리 바퀴. **3** 양념병; (*pl.*) 양념병대(臺)(cruet stand)(castor로도 적음).

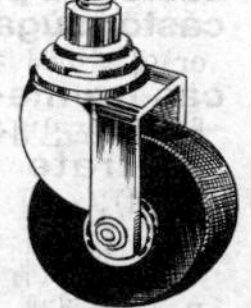
caster 2

cáster sùgar =CASTOR SUGAR.

cas·ti·gate [kǽstəgèit] *vt.* 매질하다, 가책하다, 징계하다(punish); 혹평하다; 수정하다, 첨삭하다, 퇴고(推敲)하다. ㊥ **càs·ti·gá·tion** *n.* U,C 견책, 징계; 혹평; 첨삭. **cás·ti·gà·tor** [-ər] *n.* **cás·ti·ga·tò·ry** [-gətɔ̀ːri/-gèitə-] *a.*

Cas·tile [kæstíːl] *n.* **1** 카스티야(스페인 중부에 있던 옛 왕국). **2** U 캐스틸 비누(=↗ **sóap**) (올리브유가 주원료). ㊥ **Cas·til·ian** [kæstíljən] *a., n.* 카스티야의 (사람); U 카스티야어(語)(스페인의 표준어).

cást·ing *n.* U **1** 주조; C 주물. **2** 던지기; 포기(拋棄); C (뱀의) 허물, 탈피, 탈모(脫毛); (*pl.*) (지렁이의) 똥; 탈각(脫却). **3** 계산. **4** 배역. **5** (회반죽의) 초벽; 〖건축〗 (널빤지 · 재목 따위의) 뒤틀림. **6** 〖수렵〗 (사냥감이 갓 지나간 곳에) 사냥개를 풀어놓기.

cásting còuch 《속어》 배역 담당 책임자 사무실의 소파. ★ 배역을 바라는 배우와의 정사를 연상시킴.

cásting dirèctor (극 · 영화 등의) 배역 담당 「책임자.

cásting nèt 투망(投網), 쟁이(cast net).
cásting vòte 〔vòice〕 캐스팅 보트《찬부 동수인 경우에 의장이 던지는 결정 투표》: have 〔hold〕 a ~ 캐스팅 보트를 쥐다.
cást íron 주철, 무쇠. [cf.] wrought iron.
cást-íron *a.* 주철〔무쇠〕의; 《비유》 융통성 없는, 엄격한, 튼튼한, 불굴의: a ~ constitution 강건한 체격 / a ~ will 불굴의 의지.
⁑**cas·tle** [kǽsl, kɑ́:sl/kɑ́:sl] *n.* **1** 성, 성곽: An Englishman's house is his ~. 《속담》 영국 사람의 집은 성이다《아무에게도 침입을 허락하지 않음》. **2** 대저택, 관(館)(mansion). **3** 〖체스〗 성장(城將)(rook) 《장기의 차(車)에 해당함》. **4** (the C–) 《영》 더블린 성《본디 아일랜드 정청(政廳)》. (***build***) ***a ~ in the air*** 〔***in Spain***〕 공중누각(을 쌓다), 공상(에 잠기다). ★ (build) an air castle이라고도 함. **—***vt., vi.* (…에) 성을 쌓다, 성곽을 두르다; (체스에서) 성장(城將)으로 (왕을) 지키다. ㊀ **~d** *a.* =CASTELLATED.
cástle-bùilder *n.* 공상가.
Cástle Cátholic 영국의 북아일랜드 지배를 지지하는 가톨릭교도《북아일랜드에서 반대파가 경멸적으로 일컬음》.
cástle púdding 작은 컵 모양의 틀에 넣어 찌거나 구운 푸딩.
Cás·tle·rob·in bòmb [-rɑ̀bin-/-rɔ̀b-] (신관을 못 빼게 만든) 장치 폭탄.
cást nèt =CASTING NET.
cást·òff *n.* 버림받은〔포기된〕 사람〔물건〕; 벗어 버린 옷; 〖인쇄〗 조판 페이지 수의 어림셈.
cást-òff *a.* 내버려진, (옷 따위를) 벗어 버린.
Cas·tor [kǽstər, kɑ́:stər/kɑ́:s-] *n.* 〖천문〗 카스토르《쌍둥이자리의 알파성》. **~ *and Pollux*** 〖그리스신화〗 카스토르와 폴룩스《Zeus와 Leda의 쌍둥이 아들; 뱃사람의 수호신》.
cas·tor[1] *n.* =CASTER 2.
cas·tor[2] *n.* [C] 〖동물〗 해리(海狸), 비버; [U] 해리향(香)(=**cas·tó·re·um**)《약품·향수 원료용》; 비버 털가죽; [C] 《속어》 비버털 모자.
cástor bèan 아주까리 열매.
cástor óil 아주까리 기름, 피마자유.
cástor-óil plànt 〖식물〗 아주까리, 피마자.
cástor sùgar 《영》 가루 백설탕《양념병(caster)에 담아서 치는 데서》.
cas·tra·me·ta·tion [kæ̀strəmətéiʃən] *n.* 〖군사〗 포진법(布陣法), 둔영법(屯營法).
cas·trate [kǽstreit/-́] *vt.* **1** 거세하다(geld); …의 정소(精巢)〔《드물게》 난소〕를 제거하다; 〖식물〗 거약(去葯)하다. **2** (책을) 삭제 정정하다, 골자(骨子)를 빼어버리다. ㊀ **cas·trá·tion** *n.* [U,C] 거세, 정소 제거〔적출(摘出)〕; 삭제 정정.
castrátion còmplex 〖정신의학〗 거세 콤플렉스.
cas·tra·to [kæstrɑ́:tou, kə-] (*pl.* ***-ti*** [-ti]) *n.* 〖음악〗 카스트라토《주로 17–18 세기의 이탈리아에서, 변성(變聲) 전의 고음을 유지하기 위해 거세된 남성 가수》.
Cas·tro[1] [kǽstrou] *n.* **Fidel ~** 카스트로 (1927–2016)《쿠바의 혁명가·수상 (1959–1976)》; 《미속어》 턱수염, (특히) 카스트로(풍의) 수염. ㊀ **~·ìsm** *n.* **~·ite** [-àit] *n., a.* 카스트로주의자(의), 카스트로(주의)의(Fidelist).
Cas·tro[2] *n.* (the ~) 카스트로《동성 연애자가 많이 사는 San Francisco의 한 지역; 유행에 매우 민감함》.
cást stéel 주강(鑄鋼).
***cas·u·al** [kǽʒuəl] *a.* **1** 우연한(accidental), 생각지 않은, 뜻밖의: a ~ meeting 뜻밖의 만남 / a ~ visitor 불쑥 찾아온 방문객 / a ~ fire 실화. **2** 그때그때의, 일시적인, 임시의(occasional): ~ expenses 임시비, 잡비. **3** 무심결의: a ~ remark 무심결에 해버린〔문득 떠오른〕 말. **4** 무(관)심한; 변덕스러운: a ~ air 무심한 태도 / a very ~ sort of person 형편없는 변덕쟁이. **5** (태도·분위기 따위가) 격식을 차리지 않는; (옷 따위가) 약식의, 평상시에 입는; 입어서 편한: ~ wear 평상복. **6** (교섭·우정 따위가) 표면적인, 가벼운; 건성으로 하는, 겉보기만의: a ~ friendship 표면적인 우정 / a ~ acquaintance 그저 안면이 있는 사람 / take a ~ glance at ... …을 건성으로 한 번 훑어보다. **7** 《영》 임시 구호를 받고 있는.
—*n.* 임시〔자유〕 노동자, 부랑자; 《영》 임시 보호를 받고 있는 사람; 임시 수업; 《미》 파견병, 대기자; (*pl.*) 평상복, 캐주얼 웨어(=**~́ clóthes**), 캐주얼 슈즈(=**~́ shóes**).
㊀ **~·ism** *n.* 우연이 지배하는 상태; 〖철학〗 우연론. **~·ness** *n.*
cásual Fríday 캐주얼 금요일《회사가 회사원의 평상복 출근을 인정하는 금요일》.
cásual hòuse 《영》 자선 구빈원(救貧院).
cas·u·al·i·za·tion [kæ̀ʒuəlizéiʃən/-laiz-] *n.* (상근(常勤) 고용에서) 임시 고용으로 바꾸는 것.
cas·u·a·lize [kǽʒuəlàiz] *vt.* (정식 고용인을) 임시 노동자로 만들다.
cás·u·al·ly *ad.* 우연히; 불쑥, 어쩌다가, 문득; 별생각 없이, 무의식적으로; 임시로, 가끔, 부정기적으로.
°**cas·u·al·ty** [kǽʒuəlti] *n.* **1** (불의의) 사고(accident), 재난(mishap), 상해(傷害). **2** 사상자, 희생자, 부상자. **3** (*pl.*) 사상자 수; (전시의) 손해: heavy *casualties* 많은 사상자 / total *casualties* 사상자 총수.
cásualty insùrance 《미》 재해 보험.
cásualty wàrd (병원의) 응급 의료실〔병동〕 (=**cásualty depàrtment**).
cásual wàrd (구빈원(救貧院)의) 부랑자 임시 수용소.
cásual wàter 〖골프〗 비 따위로 코스에 괸 물.
cas·u·ist [kǽʒuist/kǽzju-] *n.* 결의론자(決疑論者), 도학자; 궤변가(sophist).
cas·u·is·tic, -ti·cal [kæ̀ʒuístik/kæ̀zju-], [-əl] *a.* 결의론(決疑論)적인, 도학자적인; 궤변의. ㊀ **-ti·cal·ly** *ad.*
cas·u·ist·ry [kǽʒuəstri/kǽzju-] *n.* [U] 〖철학〗 결의론(決疑論), 결의법; 궤변, 부회.
ca·sus bel·li [kéisəs-bélai, kɑ́:səs-béli:] 《L.》 개전(開戰)의 이유(가 되는 사건·사태).
ca·sus foe·de·ris [kéisəs-fédəris, kɑ́:səs-fɔ́idəris] 《L.》 〖국제법〗 조약 해당 사유《조약에 규정되어 있는 사유〔경우〕》.
†**cat**[1] [kæt] *n.* **1** 고양이; 고양잇과의 동물《lion, tiger, panther, leopard 따위》; 《속어》 (서커스에서) 사자: A ~ has nine lives. 《속담》 고양이는 목숨이 아홉 있다《여간해서 죽지 않는다》/ A ~ may look at a king. 《속담》 고양이도 왕을 뵈올 수 있다《누구나 다 그에 상당한 권리는 있다》, 보는 것은 자유이다 / All ~*s* are grey in the dark. 《속담》 어둠 속의 고양이는 모두 잿빛으로 보인다《미모 따위는 한 꺼풀 벗기면 다 같다》/ Curiosity killed the ~. 《속담》 호기심은 몸을 그르친다 / When the ~'s away, the mice will 〔do〕 play. 《속담》 호랑이 없는 골에 토끼가 왕노릇 한다. **2** 고양이 같은 사람; 심술궂은 여자; 악의 있는 가십; 할퀴기 잘하는 아이. **3** 구승편(九繩鞭)(~-o'-nine-tails)《아홉 가닥의 채찍》. **4** 6각기(脚器)《아무렇게 놓아도 세 발로 섬》. **5** 〖해사〗 =CATBOAT, CATHEAD. **6** 〖해사〗 =CATFISH. **7** 《영》 자치기 (놀이)(tipcat); (tipcat 놀이에 쓰는) 양끝이 뾰족한 막대기. **8** 《속어》 사내, 놈(guy), 《특히》 재즈 연주자, 재즈광(狂)(hepcat); 여자 꽁무니를 좇아다니는 사내. **9** 《미속어》 캐딜락(Cadillac). **10** 《구어》 무한 궤도차(caterpil-

lar); 《구어》 쌍동선(雙胴船) (catamaran). (**as**) ***curious as a*** ～ 몹시 캐기〔캐어 묻기〕를 좋아하는. ***be enough to make a*** ～ ***laugh*** 《구어》 아주 우습다. ***be enough to make a*** ～ ***speak*** 《구어》 (고양이도 한마디 할 만큼) 훌륭하다, 썩 좋다《술 따위가》. ***be like a*** ～ ***on hot bricks*** 〔《미》 ***on a hot tin roof***〕 《구어》 안절부절못하다. ***bell the*** ～ ⇨ BELL. ***fight like*** ～***s and dogs*** =***fight like Kilkenny*** [kilkéni] ～***s*** 쌍방이 쓰러질 때까지 싸우다. ***grin like a Cheshire*** ～ ⇨ CHESHIRE CAT. ***Has the*** ～ ***got your*** 〔***his,*** etc.〕 ***tongue?*** 《구어》 입이 없어? 왜 말이 없지? 《흔히 아이들에 대해서》. ***Holy*** ～***s!*** ⇨ HOLY. ***It rains*** 〔***comes down***〕 ～***s and dogs***. 비가 억수처럼 내린다. ***It would make a*** ～ ***laugh***. 포복절도할 일이다. ***let the*** ～ 〔***the*** ～ ***is***〕 ***out of the bag*** 《구어》 무심결에 비밀을 누설하다〔이 새다〕. ***live under the*** ～***'s foot*** 엄처시하에서 살다. ***look*** 〔***feel***〕 ***like something the*** ～ ***has brought*** 〔***dragged***〕 ***in*** 《우스개》 구중중한〔초라한〕 꼴을 하고〔기분으로〕 있다. ***look like the*** ～ ***that ate*** 〔***swallowed***〕 ***the canary*** 아주 만족한 모양을 하고 있다, 대성공을 거둔 듯한 모습을 하고 있다. ***not have a*** ～ ***in hell's chance*** =***not have a snowball's chance in hell*** 《구어》 전혀 기회가〔가망이〕 없는. ***play*** ～ ***and mouse with*** ① …을 가지고 놀다, 곯리다. ② …을 불시에 치다, 앞지르다. ***put*** 〔***set***〕 ***the*** ～ ***among the pigeons*** 〔***the canaries***〕 《영구어》 소동〔내분〕을 불러일으키다〔도록 시키다〕. ***see*** 〔***watch***〕 ***which way the*** ～ ***will jump*** =***see how the*** ～ ***jumps*** =***wait for the*** ～ ***to jump*** 《구어》 형세를 관망하다, 기회를 엿보다. ***shoot the*** ～ 《속어》 토하다. ***sick as a*** ～ 몹시 메스꺼워. ***Suffering*** ～***s!*** 《영속어》 (형편없는 노래 따위에 대하여) 집어〔때려〕 치워라, 관둬라. ***There's not room to swing a*** ～ ***in*** (one's study). ⇨ ROOM. ***turn the*** ～ ***in the pan*** 변절하다, 배반하다.

— (***-tt-***) *vt.* 〖해사〗 (닻을) 닻걸이에 끌어올리다; 구승편으로〔매로〕 때리다. **—** *vi.* 《영속어》 게우다, 토하다; 《속어》 여자를 찾아〔낚으려〕 어슬렁거리다《*around*》.

cat² *n.* 《구어》 =CATALYTIC CONVERTER.

cat. catalog(ue); catamaran; catechism. **CAT, C.A.T.** Civil Air Transport《타이완의》; [kæt] clear-air turbulence; 《영》 [kæt] College of Advanced Technology(고등 공업 전문학교); computer-aided testing(컴퓨터에 의한 제품 검사); 〖인쇄〗 computer-assisted type-setting(컴퓨터 사식(寫植)); computerized axial tomography(컴퓨터 엑스선 체축(體軸) 단층 촬영).

cat(·a)- [kǽt(ə)], **cath-** [kǽθ] *pref.* '하(下), 반(反), 오(誤), 전(全), 측(側)' 의 뜻.

cat·a·bol·ic [kæ̀təbálik/-bɔ́l-] *a.* 〖생화학〗 이화(異化) 작용의. ㊎ **-i·cal·ly** *ad.*

ca·tab·o·lism, ka- [kətǽbəlìzəm] *n.* Ⓤ 〖생화학〗 이화(異化) 작용. OPP *anabolism.*

ca·tab·o·lite [kətǽbəlàit] *n.* 〖생화학〗 이화(異化) 생성물.

ca·tab·o·lize [kətǽbəlàiz] *vt., vi.* 〖생화학〗 대사 작용으로 분해하다, 이화(異化)하다.

cat·a·chre·sis [kæ̀təkríːsis] (*pl.* ***-ses*** [-siːz]) *n.* 〖수사학〗 (말·비유의) 오용, 비유의 남용. ㊎ **-chres·tic, -ti·cal** [-kréstik], [-kəl] *a.* **-ti·cal·ly** *ad.*

cat·a·cla·sis [kæ̀təkléisis, kətǽkləsis] *n.* 〖암석·지학〗 압쇄(壓碎) 작용.

cat·a·clasm [kǽtəklæ̀zəm] *n.* 파열, 분열(disruption).

cat·a·cli·nal [kæ̀təkláinəl] *a.* 〖지학〗 지층 경사와 같은 방향으로 하강하는, 암층(岩層) 경사의. OPP *anaclinal.* ¶ a ～ river.

cat·a·clysm [kǽtəklìzəm] *n.* 대홍수(deluge); 〖지학〗 지각 변동; (정치·사회적) 대변동, 격변 (upheaval). ㊎ **càt·a·clýs·mal, -clýs·mic** [-klízməl], [-mik] *a.* **càt·a·clýsmi·cal·ly** *ad.*

cat·a·comb [kǽtəkòum] *n.* **1** (보통 *pl.*) 지하 묘지. **2** 포도주 저장실. **3** (the ～s, the C-s) (로마의) 카타콤《초기 기독교도의 박해 피난처》; 지하 통로.

càta·dióptric *a.* 〖광학〗 반사 굴절의〔로 생기는, 을 수반하는〕.

ca·tad·ro·mous [kətǽdrəməs] *a.* 강하(降河)〔회유〕성의《물고기가 산란을 위하여 하류〔바다〕로 내려가는》. OPP *anadromous.*

cat·a·falque [kǽtəfɔ̀ːk, -fɔ̀ːlk, -fæ̀lk/-fæ̀lk] *n.* 영구대(靈柩臺); 무개(無蓋)의 영구차(open hearse).

Cat·a·lan [kǽtəlæ̀n, -lən] *n.* 카탈로니아 지방의 주민; 카탈로니아 말《Andorra의 공용어》. **—** *a.* 카탈로니아(사람〔말〕)의.

cat·a·lase [kǽtəlèis, -z] *n.* 〖생화학〗 카탈라아제《과산화수소 분해 효소》.

cat·a·lec·tic [kæ̀təléktik] 〖운율〗 *a.* 각운(脚韻)이 불완전한《행(行) 끝의 각운이 한두 음절 적은》. **—** *n.* 결절 시구(缺節詩句).

cat·a·lep·sis, cat·a·lep·sy [kæ̀təlépsis], [kǽtəlèpsi] *n.* Ⓤ 〖의학〗 (전신) 강경증. ㊎ **-lép·tic** [-tik] *a., n.* 강경증의 (환자).

cat·a·lex·is [kæ̀təléksis] (*pl.* ***-lex·es*** [-siːz]) *n.* 〖시학〗 결절시구(缺節詩句)《시행(詩行)의 마지막 시각(詩脚)의 음절을 하나 또는 그 이상을 생략하거나 빠뜨리는 것》.

cat·a·lin [kǽtəlin] *n.* (합성수지제) 보석.

cat·a·lo [kǽtəlou] *n.* =CATTALO.

‡**cat·a·log, -logue** [kǽtəlɔ̀ːg, -lɑ̀g/-lɔ̀g] *n.* **1** 목록, 카탈로그, 일람표; (도서의) 출판 목록; 도서관의 색인 목록〔카드〕: a ～ of new books 신간서 카탈로그/a library ～ 도서 목록. **2** 《미》 (대학의) 요람, 편람(《영》 calendar). ★ 미국에서도 catalogue로 철자하는 수가 종종 있으나 《특히》 2의 뜻으로 씀. ***a card*** ～ 도서관의 색인 목록 (카드). **—** (*p., pp.* ***-log(u)ed; -log(u)·ing***) *vt., vi.* 목록을 만들다; 분류하다; 목록에 싣다〔실리다〕. ㊎ **-lòg(u)·er** *n.* 목록 편집자〔작성자〕.

cátalog informátion provìder 상품〔카탈로그〕 정보 제공업자《생략: CIP》.

ca·ta·logue rai·son·né [ˊ-rèizənéi] 《F.》 (책·그림 따위의) 해설이 붙은 분류 목록.

Cat·a·lo·nia [kæ̀təlóuniə, -njə] *n.* 카탈로니아《스페인 북동부 지방》.

ca·tal·pa [kətǽlpə] *n.* 〖식물〗 개오동나무.

ca·tal·y·sis [kətǽləsis] (*pl.* ***-ses*** [-siːz]) *n.* Ⓤ,Ⓒ 〖화학〗 촉매 현상〔작용〕, 접촉 반응; 유인(誘因). ㊎ **cat·a·lyt·ic** [kæ̀təlítik] *a.* 촉매의〔에 의한〕: *catalytic* action 〔reaction〕 촉매 작용〔반응〕.

cat·a·lyst [kǽtəlist] *n.* 촉매(catalyzer); 기폭제; 《비유》 촉매 작용을 하는 사람〔것, 사건〕.

catalýtic convérter 촉매 컨버터《자동차 배기가스의 유해 성분을 무해화(無害化)하는 장치》.

catalýtic crácker (석유 정제의) 접촉 분해기 (=**cát cràcker**).

catalýtic crácking 〖화학〗 촉매에 의한 분류(分溜)《원유 등을 분해, 가솔린이나 경유를 만듦》.

catalýtic refòrming 〖화학〗 접촉 개질(改質)《탄화수소의 옥탄가(價)(octane rating)를 높이기 위한 방법》.

cat·a·lyze [kǽtəlàiz] *vt.* 〖화학〗 …에 촉매 작용을 미치게 하다; (화학 반응을) 촉진시키다. ㊎ **-lỳz·er** *n.* 촉매(catalyst).

cat·a·ma·ran [kæ̀təmərǽn] *n.* **1** 뗏목(배);

(2 개의 선체를 나란히 연결한) 배의 일종, 쌍동선(雙胴船); 《Can.》 (목재 운반용의) 대형 썰매. **2** 《구어》 바가지 긁는 여자, 심술궂은 여자.

cat·a·me·nia [kæ̀təmíːniə] *n. pl.* 월경(menses). ⓟ **-ni·al** *a.*

cat·a·mite [kǽtəmàit] *n.* 면, 미동(美童)《남색의 상대》.

cat·a·mount [kǽtəmàunt] *n.* 고양잇과의 야생 동물《특히 퓨마, 아메리카표범(cougar), 스라소니(lynx) 따위》.

cat-a-moun·tain, cat-o'- [kæ̀təmáuntən] *n.* 고양잇과의 야생 동물《특히 표범·유럽살쾡이 등》; 싸움꾼.

cát-and-dóg [-ən-] *a.* **1** 심한, 서로 용납될 수 없는, 사이가 나쁜: a ~ competition 심한 경쟁 / lead 〔live〕 a ~ life (부부 등이) 늘 싸움만 하고 지내다 / be on ~ terms 견원지간이다. **2** 《속어》 (증권 따위가) 투기적인, 위험한: ~ stocks 등락이 심한 불안정주(株).

cát and móuse 〔**rát**〕 (술래잡기 비슷한) 아이들의 유희. ***play ~*** 쫓기고 쫓는 실랑이를 하다. ***play ~ with*** ⇨ CAT.

cát-and-móuse *a.* 끝까지 징계〔공격〕의 손을 늦추지 않는; 습격의 기회를 엿보는; 쫓고 쫓기는.

ca·taph·o·ra [kətǽfərə] *n.* 〖문법〗 역행 대용《후속 낱말 또는 구를 지시하는 낱말 또는 구를 씀》. ⓒⓕ anaphora 3. ⓟ **càt·a·phór·ic** *a.* 역행 대용적인. **càt·a·phór·i·cal·ly** *ad.*

cat·a·pho·re·sis [kæ̀təfəríːsis] (*pl.* **-ses** [-siːz]) *n.* ＝ELECTROPHORESIS. ⓟ **-pho·re·tic** [-fərítik] *a.* **-i·cal·ly** *ad.*

cat·a·plasm [kǽtəplæ̀zəm] *n.* Ⓤ 〖의학〗 찜질 요법, 엄법(罨法)(poultice); 찜질약.

cat·a·plexy [kǽtəplèksi] *n.* 〖의학〗 캐터플렉시, 탈력(脫力) 발작《공포 따위로 갑자기 마비를 일으켜 움직일 수 없게 되는 상태》.

◇**cat·a·pult** [kǽtəpʌ̀lt] *n.* Ⓤ **1 a** 노포(弩砲), 쇠뇌; 투석기. **b** 《영》 (장난감) 새총(《미》 slingshot). **2** 〖항공〗 캐터펄트《항공모함의 비행기 사출 장치》; 글라이더 시주기(始走器). **—** *vi., vt.* ~로 쏘다, 발사하다, 발진(發進)시키다〔하다〕. ⓟ **cat·a·pul·tic** [kæ̀təpʌ́ltik] *a.*

catapult 1a

***cat·a·ract** [kǽtərӕkt] *n.* **1** 큰 폭포(ⓒⓕ cascade); 억수, 호우; 홍수(deluge); 분류(奔流). **2** 〖의학〗 백내장(白內障); (수정체의) 혼탁부(混濁部). **3** 〖기계〗 (광산 펌프의) 수력 절동기(節動機).

ca·tarrh [kətɑ́ːr] *n.* Ⓤ 〖의학〗 카타르; 《특히》 코〔인후〕 카타르; 콧물; 《영》 감기. ⓟ **~·al** [-rəl] *a.* 카타르성의. **~·al·ly** *ad.*

cat·ar·rhine [kǽtəràin] *n., a.* 〖동물〗 협비류(狹鼻類) 원숭이(의).

***ca·tas·tro·phe** [kətǽstrəfi] *n.* **1** (희곡의) 대단원(大團圓); (비극의) 파국(denouement). **2** 대이변; 큰 재해. **3** 대실패, 파멸. **4** 〖지학〗 (지각(地殼)의) 격변, 대변동〔이변〕(cataclysm). **5** 〖수학〗 (catastrophe theory 에서 다루어지는) 불연속적 사상(事象), 파국. ⓟ **cat·a·stroph·ic** [kæ̀təstrɑ́fik/-strɔ́f-], **-i·cal** *a.* **-i·cal·ly** *ad.*

catástrophe thèory 〖수학〗 파국〔카타스트로프〕의 이론《불연속적인 현상을 설명하기 위한 기하학 이론》.

ca·tas·tro·phism [kətǽstrəfìzəm] *n.* 〖지학〗 격변설(激變說), 천변지이설(天變地異說). ⓟ **-phist** *n.* 격변설 지지자.

cat·a·to·nia, kat·a- [kæ̀tətóuniə] *n.* Ⓤ 〖의학〗 긴장병; 《미속어》 (컴퓨터 따위의 고장으로 인한) 마비 상태. ⓟ **-tón·ic** [-tánik/-tɔ́n-] *a., n.* 긴장병의 (환자).

Ca·taw·ba [kətɔ́ːbə] *n.* Ⓒ 카토바 포도《북아메리카산》; Ⓤ 그것으로 빚은 백포도주; (남·북 Carolina 주의) 수(Sioux)어족(語族).

cát bàndit 《미속어》 몰래 숨어드는 도둑〔강도〕.

cát·bìrd *n.* 〖조류〗 개똥지빠귀의 일종.

cátbird sèat 〔**position**〕 《미구어》 유리한 〔부러운〕 입장〔상태, 지위〕.

cát blòck 〖해사〗 양묘(揚錨) 도르래.

cát·bòat *n.* 외대박이 작은 돛배.

catboat

cát bùrglar (천창(天窓)이나 이층 창으로 침입하는) 밤도둑.

cát·càll *n.* (집회·극장 따위에서의) 고양이 울음소리를 흉내 내어 하는 야유, 휘파람. **—** *vi., vt.* 야유하다. ⓟ **~·er** *n.*

†**catch** [kætʃ] (*p., pp.* ***caught*** [kɔːt]) *vt.* **1** 《+목+전+명》 붙들다, (붙)잡다, 쥐다: ~ a person *by* the arm 아무의 팔을 붙들다.

> SYN. **catch** '붙잡다'를 뜻하는 일반적인 말. **capture** 완력이나 책략으로 붙잡는 뜻으로 catch 보다 격식차린 딱딱한 말. **trap, snare** 덫〔함정〕을 이용하여 잡는다는 뜻.

2 《~+목/+목+보》 쫓아가서 잡다, (범인 따위를) 붙잡다; (새·짐승·물고기 따위를) 포획하다: ~ a thief 도둑을 잡다 / ~ a lion alive 사자를 산 채로 잡다.

3 (아무를) 따라잡다; (열차·버스 따위의) 시간에 (맞게) 대다, …에 타다.

4 (기회 따위를) 포착하다, 잡다: ~ an opportunity of going abroad 외국에 갈 기회를 잡다.

5 《~+목/+목+전+명/+목+-*ing*》 (갑자기) 달려들어 붙들다, 잡아채다, (…하고 있는 것을) 붙들다, 발견하다: He *caught* her *in* her fall. 그녀가 넘어지려는 것을 꼭 붙들었다 / He was *caught* steal*ing*. 그는 훔치는 현장에서 잡히었다 / Don't let him ~ you. 그에게 들키지 않도록 해라.

6 《~+목/+목+부》 불시에 습격하다; 함정에 빠뜨리다, 올가미에 걸다; (감언 따위로) 속이다: I *caught* him unawares. 그가 방심하고 있는 걸 붙들었다 / You don't ~ me! 그 수엔 안 넘어간다.

7 〔종종 수동태〕 (사고·폭풍 따위가) 엄습하다, 휘말다, 말려들게 하다: We *were caught in* a fog. 우리는 안개에 휩싸였다.

8 (던진 것·가까이 온 것을) 받다: ~ a fast ball 속구를 받다.

9 (돛이 바람을) 받다, 안다: The sail *caught* the wind. 돛이 바람을 받았다.

10 (빛을) 받다; (시선을) 끌다: Beauty ~*es* the eyes. 미인은 사람들의 시선을 끈다.

11 《+목+전+명/+목+목》 (낙하물·던진 것 따위가) …에 맞다《*on; in*》; (타격을) …에게 가하다, 때리다, 치다: A stone *caught* me *on* the head. 돌이 머리에 맞았다 / I *caught* him another blow *on* the nose. 나는 그의 코에 펀치를 한대 더 먹였다.

12 (소리·냄새 따위가 귀·코에) 미치다; 주의를 끌다: A distant sound *caught* my ear. 멀리

서 소리가 들려왔다.
13 (빛이) 비치다; (시선이) …에 미치다, 마주치다: His eyes *caught* mine. 그의 눈이 내 눈과 마주쳤다.
14 파악하다, 이해하다; (말·소리를) 알아듣다: ~ the situation 사정을 이해〔파악〕하다/I could not ~ what he said. 그가 말하는 것을 이해하지 못했다/~ a melody 멜로디를 이해하다.
15 (성격·분위기 따위를) 묘사하다, 정확히 나타내다〔재현하다〕: The painting *caught* her expression perfectly. 그 그림은 그녀의 표정을 완벽히 묘사했다.
16 (남의 이목·주의를) 끌다, 매혹하다, …의 마음에 들다: She *caught* his fancy. 그녀는 그의 마음에 들었다.
17 (옷·손가락 따위가) …에 걸리다, 얽히다: A nail *caught* her dress. 못에 옷이 걸렸다/Her sleeve *caught* the coffee cup and knocked it to the floor. 그녀의 옷소매에 커피 잔이 걸려 마루에 떨어졌다.
18 《+목+전+명》 (못·기계 따위에) …을 걸리게〔끼이게〕 하다, 얽히게 하다《*on; in; between*》: ~ a finger *in* the door 문에 손가락을 끼이다/He *caught* his coat *on* a hook. 그는 코트가 고리에 걸렸다/I *caught* my foot *on* a table leg and tripped. 나는 테이블 다리에 발이 걸려 비틀거렸다.
19 (…시간에) 대다, 대어 가다: ~ the 10:40 train, 10시 40분발 열차에 대어 가다/~ the mail〔post〕 우편 집배 시간에 대어 가다.
20 (건물 따위에) 불이 붙다; (불이) 옮겨 붙다, 댕기다: Paper ~*es* fire easily. 종이는 불이 쉬이 붙는다.
21 (버릇이) 몸에 배다, (말에 사투리를) 띠다.
22 (병에) 걸리다; (병이) …에 전염하다: ~ (a) cold 감기에 걸리다.
23 〖종종 it를 목적으로〗 (타격·비난을) 받다, 꾸지람 듣다, 벌을 받다: He *caught it* right in the chest. 《구어》 그는 가슴팍을 얻어맞았다/You'll ~ *it* from the boss! 상사로부터 꾸지람 들을 게다.
24 〖종종 ~ oneself〗 (말) 하려다 급히 입을 다물다, (생각 따위를) 그만두다; 몸을 지탱하다.
25 《구어》 (연극·텔레비전 등을) 보다, 듣다: ~ a radio program 라디오를 듣다.
26 〖수동태〗 《영구어》 임신하게 하다: *be*〔*get*〕 *caught* (*out*) 임신하다.
— *vi.* **1** 《+전+명》 붙들려고 하다, (붙)잡으려고 하다, 급히 붙들다《*at*》: A drowning man will ~ *at* a straw. 《속담》 물에 빠진 사람은 지푸라기라도 붙잡는다. **2** 《+전+명》 기대다, 매달리다《*at*》: ~ *at* a hope 희망에 매달리다. **3** 《+전+명》 걸리다, 휘감기다: The kite *caught in* the trees. 연이 나무에 걸렸다. **4** (자물쇠·빗장이) 걸리다; (톱니바퀴가) 서로 물리다; (요리의 재료가) 들러붙다, 눌어붙다《냄비에》. **5** 퍼지다; (불이) 댕기다, 번지다; (물건이) 발화하다; (병이) 전염〔감염〕하다: This match will not ~. 이 성냥은 불이 잘 안 붙는다. **6** 〖야구〗 캐처 노릇을 하다.
be caught in (a shower) (소나기)를 만나다. ***~ as ~ can*** 〖부사적〗 기를 쓰고, 닥치는 대로: live ~ *as* ~ *can* 하루살이 생활을 하다(cf. catch-as-catch-can). ~ ***at*** ① ⇨ *vi.* 1, 2. ② (기회·제안 따위에) 덤벼들다. ~ ***away*** …을 날치기하다. ~ ***hold of*** …을 붙들다; (상대방 말의 꼬리를) 붙들고 늘어지다. ~ ***hell*** (***it***) 《구어》 꾸지람을 듣다, 벌을 받다. ***Catch me*** (***doing it***)***!*** 내가 그런 짓을 할까 보냐. ~ ***off*** 《미》 잠들다. ~ ***on*** …을 붙잡다《*to*》; 《구어》 이해하다; 《구어》 인기를 얻다 《*with*》; 유행하다; 《구어》 (일 등을) 익히다, 터득하다; 《구어》 일자리를 얻다, 고용되다: The song *caught on* quickly. 그 노래는 빠르게 유행되었다/He's slow to ~ *on*. 그는 이해가 더디다. ~ ***out*** ① 〖야구·크리켓〗 포구(捕球)하여 아웃시키다. ② (아무의) 잘못〔거짓〕을 간파하다: ~ *out* a person in a lie 아무의 거짓말을 알아채다. ~ ***one's breath*** (놀라서) 숨을 죽이다, 헐떡거리다. ~ ***some rays*** 《구어》 ① 햇볕에 그을다〔그을리다〕. ② 안녕. ~ ***the Speaker's eye*** 〖영의회〗 (하원에서) 발언 허가를 얻다. ~ ***up*** 《*vt.*+부》 ① (…을) 급히 집어〔들어〕 올리다: ~ *up* one's bag and run out 가방을 급히 집어들고 달려나가다. ② (아무를) 따라잡다, 뒤지지 않고 따라가다: He couldn't ~ *up* the leader. 그는 선도자를 따라잡을 수 없었다. ③ 〖흔히 수동태〗 (아무를) …에 열중〔몰두〕하게 하다; (전쟁·범죄 등에) 휘말려들다《*in*》: *be caught up in* talking with a friend 친구와의 대화에 열중하다/*be caught up in* a bribery scandal 수회 의혹 사건에 휘말려들다. ④ (잘못·거짓말 따위를) 지적하다; (질문·비평 따위로 말하는 이를) 방해하다, 헤살 놓다 《*on*》: ~ him *up on* a number of erroneous details 그에게 많은 잘못된 세부사항들을 지적하다. ⑤ 《미》 (병·과실 따위가) 나쁜 결과를 가져오다; (범인·문제아 등을) 체포하다, 처벌하다《*with*》. ⑥ (옷소매·머리 등을) 올려서 고정시키다; (옷·머리 등을) …에 걸다, 감다《*in; on*》; (로프 따위로) 매달다《*with*》. ⑦ 《미남부》 (말에) 마구를 달다〔얹히다〕. — 《*vi.*+부》 ⑧ 뒤지지 않고 따라가다, 따라잡다《*with*》: Go on ahead. I'll soon ~ *up* (*with* you). 앞에 가시오. 곧 따라잡을 테니/cannot ~ *up with* fast increase in the cost of living 빠르게 치솟는 생활비를 따라갈 수가 없다. ⑨ (일·공부 따위의) 뒤진 진도를 만회하다《*on*》: ~ *up on* one's lessons 학과의 진도를 만회하다. ~ a person ***with*** his ***pants*** (〖군사〗 ***trousers***) ***down*** 아무에게 창피를 주다; 아무를 불의에 습격하다. ~ a person ***without*** (아무에게 필요한) …이 없다. ~ ***you later*** 《구어》 안녕.
— *n.* **1** 붙듦, 잡음, 포획, 어획, 포착; 파악. **2** 〖야구〗 포구, 포수(catcher); 캐치볼(놀이). **3** 잡은 것, 포획물〔량〕, 어획물〔량〕: a ~ quota 어획 할당(량)/a good ~ *of* fish 풍어. **4** 횡재물; 인기물; 〖부정적〗 대단한 것: a great ~ 인기 있는 사람. **5** 붙들 만한 가치가 있는 사람〔것〕, 《특히》 좋은 결혼 상대: a good ~ 좋은 결혼 상대. **6** (숨·목소리의) 막힘, 멤; 끊김, 중단; 단편(斷片)(fragment): some ~*es* of the conversation 회화의 중간중간/speak with a little ~ in one's voice 약간 목이 멘 목소리로 말하다. **7** (문의) 걸쇠, 고리, 손잡이, (기계의) 톱니바퀴 멈추개. **8** 함정, 올가미, 책략: There's a ~ in it. 속지 마라. **9** 〖음악〗 (익살맞은 효과를 노리는) 윤창곡, 돌려 부르기. **10** 발아(發芽). ***by ~es*** 때때로, 가끔. ***no ~ =not much of a ~*** 값에 비해 질이 나쁜 매물(買物); 달갑지 않은 물건. ***play ~*** 캐치볼을 하다; 협력하다《*with*》.
— *a.* **1** (질문 따위가) 함정이 있는: a ~ question (시험에서) 함정이 있는 문제, 난문. **2** 주의를 끄는, 흥미를 돋우는: a ~ line 사람의 주의를 끄는 선전 문구.

cátch·àll *n.* **1** 잡낭, 잡동사니 주머니〔그릇〕; 쓰레기통; 수용소, 탁아소. **2** 포괄적인 것. — *a.* 일체를 포함하는, 다목적용의: a ~ term 포괄적인 말〔구〕.

cátch-as-cátch-cán *n.* 랭커셔식〔자유형〕 레슬링. cf. Greco-Roman. — *a.*, *ad.* 《구어》 수단을 가리지 않는〔가릴 처지가 아닌〕, 닥치는 대

로(의), 계획성 없는, 하루 벌어 하루 사는〔살이로〕: in a ~ fashion 무계획적으로/lead a ~ life 하루 벌어 하루 사는 생활을 하다.

cátch bàsin 수챗구멍〔하수구〕의 그물《찌꺼기 등을 받는》.

cátch cròp 간작(間作) 작물.

cátch cròpping 간작(間作).

cátch dràin (산 중턱의) 배수구(排水溝).

cátch-'em-alíve-o *n.* (파리 잡는) 끈끈이 종이(flypaper).

***catch·er** [kǽtʃər] *n.* 잡는 사람〔도구〕; 〖야구〗 포수, 캐처; (고래잡이의) 캐처보트, 포경선.

cátcher rèsonator 〖전자〗 속도 변조관, 클라이스트론(klystron).

cátch·flỳ *n.* 〖식물〗 끈끈이대나물.

cátch·ing *a.* 전염성의; 매력적인.

cátch·light *n.* 매끄러운 표면〔수면〕에서 비치는 반사광.

cátch·lìne *n.* (사람의 주의를 끄는) 표제; 선전 문구.

cátch·ment *n.* Ⓤ 집수(集水); 저수지; Ⓒ 집수량.

cátchment àrea 〔**bàsin**〕 집수 지역, 유역(流域); 《비유》 통학〔통원〕 범위〔권〕.

cátch-òut *n.* 간파; 기대〔예상〕에 어긋남.

cátch·pènny *a.*, *n.* 당장 잘 팔리게 만든 (물건), 값싸고 번드르르한 (물건); 돈벌자주의(의): a ~ book 〔show〕 대중적 인기를 끄는 책〔쇼〕.

cátch phràse 캐치프레이즈, 사람의 주의를 끄는 글귀, (짤막한) 유행어, 경구, 표어.

cátch pìt 집수구(集水溝).

cátch·pòle, -poll *n.* 《고어》 집달관.

cátch quèstion (상대방의 마음을) 넌지시 떠보는 질문.

cátch stìtch 열십자 뜨기.

cátch-22 (때로 C-) 《구어》 *n.* (모순되는 규칙·상황에 의해) 꼭 묶인 상태, (곤란으로) 꼼짝할 수 없는 상태; 모순되는 규칙〔상황〕, 딜레마; 함정. ── *a.* 꼼짝할 수 없는.

cátch·up *n.* =KETCHUP.

cátch-ùp *n.* 따라잡으려는 노력, 만회; 격차 해소: After the slowdown there was a ~ in production. 태업(怠業) 후 감소된 생산을 만회하려는 노력이 가해졌다. ***play*** ~ ① 〖스포츠〗 (경기에서) 점수 차를 없애려고 필사적으로 싸우다. ② 지연을 만회하려고〔불리함을 극복하려고〕 분투하다〔애쓰다〕.

cátch·wèight *n.*, *a.* 〖경기〗 무제한급(의).

cátch·wòrd *n.* **1** (정치·정당의) 표어, 슬로건. **2** (사서류의) 난외 표제어, 색인어(guide word); 〖인쇄〗 페이지의 끝에 인쇄한 다음 페이지의 첫말. **3** 〖연극〗 상대 배우가 이어받도록 넘겨주는 대사.

catchy [kǽtʃi] (***catch·i·er; -i·est***) *a.* **1** 인기 끌 것 같은. **2** (재미있어) 외기 쉬운《곡조 등》. **3** 걸려들기 알맞은, 틀리기 쉬운; 현혹되기 쉬운. **4** (바람 등이) 변덕스러운, 단속적인. ㊕ **cátch·i·ly** *ad.* **-i·ness** *n.*

cát dàvit 〖선박〗 양묘주(揚錨柱).

cát distèmper 〖수의〗 (고양이의) 범(汎)백혈구 감소증.

cát dòor 〔**flàp**〕 고양이 출입구.

cate [keit] *n.* (보통 *pl.*) 《고어》 진미(珍味), 미식.

cat·e·chet·ic, -i·cal [kæ̀təkétik], [-əl] *a.* 〖종교〗 (교수법이) 문답식의; 교리 문답의.

càt·e·chét·ics *n.* 〖기독교〗 교리 교수학.

cat·e·chin [kǽtətʃin, -kin] *n.* 〖화학〗 카테킨《수용성, 수렴성의 황색 화합물; 주로 가죽 무두질이나 염색에 쓰임; $C_{15}H_{14}O_6$》.

cat·e·chism [kǽtəkìzəm] *n.* Ⓤ 교리 문답; Ⓒ 교리 문답책; Ⓒ 〖일반적〗 문답식 교과서, 문답집; Ⓒ (입후보자에 대한) 일련의 정견 질문, 계속적인 질문 공세: put a person through a 〔his〕 ~ 아무에게 질문 공세하다. ㊕ **càt·e·chís·mal** *a.*

cat·e·chist [kǽtəkist] *n.* 교리 문답 교수자; 전도사. ㊕ **càt·e·chís·tic, -ti·cal** [-kístik], [-əl] *a.*

cat·e·chize, -chise [kǽtəkàiz] *vt.* 문답식으로 가르치다《특히 기독교 교의에 대하여》; …에게 신앙을 캐어묻다; 〖일반적〗 심문하다. ㊕ **-chìz·er** *n.* **càt·e·chi·zá·tion** *n.*

cat·e·chol [kǽtəkɔ̀:l, -kàl/-tʃɔ̀l, -kɔ̀l] *n.* 〖화학〗 카테콜.

cat·e·chol·a·mine [kæ̀təkáləmì:n, -kóul-/-ɔ́l-] *n.* 〖생화학〗 카테콜아민《신경 전달 작용을 하는 호르몬》.

cat·e·chol·a·min·er·gic [kæ̀təkàləminə́:r-dʒik, -kòul-/-kɔ̀l-] *a.* 〖생화학〗 카테콜아민이 관여하는〔을 방출하는, 매개하는〕.

cat·e·chu [kǽtətʃù:] *n.* Ⓤ 아선약(阿仙藥)《지사제(止瀉劑)》.

cat·e·chu·men [kæ̀təkjú:mən/-men] *n.* 〖교회〗 (교의 수강 중인) 예비 신자; 입문자.

cat·e·go·ri·al [kæ̀təgɔ́:riəl] *a.* 범주의.

categórial grámmar 〖언어〗 범주(範疇) 문법《언어학적인 성분은 보다 큰 문장의 구성 요소를 이루기 위해 서로 결합되는 능력에 따라 분류된다는 문법론》.

cat·e·gor·ic [kæ̀təgɔ́:rik, -gár-/-gɔ́r-] *a.* = CATEGORICAL.

cat·e·gor·i·cal [kæ̀təgɔ́:rikəl, -gár-/-gɔ́r-] *a.* **1** 절대적인, 무조건의, 무상(無上)의, 예외〔제약〕 없는. **2** 명백한(explicit), 명확한, 솔직한. **3** 〖논리〗 직언적인, 단언적인(positive). OPP *hypothetical*. **4** 범주에 속하는. ㊕ **~·ly** *ad.* 절대로, 단호히. **~·ness** *n.*

categórical gránt (특별한 목적에 주는) 개별 보조금. OPP *block grant*.

categórical impérative 〖윤리〗 지상 명령《양심의 무조건적인 도덕률》, (定言命題).

categórical proposítion 〖논리〗 정언 명제

categóric cóntact 〖사회〗 개인으로서가 아니고 자기가 소속하는 그룹의 대표로서 행하는 접촉. OPP *sympathetic contact*.

cat·e·go·rize [kǽtigəràiz] *vt.* 분류하다, 유별하다. ㊕ **càt·e·go·ri·zá·tion** *n.*

°**cat·e·go·ry** [kǽtəgɔ̀:ri/-gəri] *n.* 〖논리〗 범주, 카테고리; 종류, 부류, 부문.

cátegory mistàke 〖철학·논리〗 범주 오인(誤認).

ca·te·na [kətí:nə] (*pl.* ***-nae*** [-ni:]) *n.* 《L.》 사슬(chain); 연쇄(連鎖), 연속(series); 〖기독교〗 성서 주석집.

ca·te·nac·ci·o [kà:tənáːtʃiou] *n.* 《It.》 〖축구〗 카테나치오《수비에 4인의 백을 중시하는 형태》.

cat·e·na·ri·an [kæ̀tənέəriən] *a.* =CATENARY.

cat·e·nary [kǽtənèri/kətí:nəri] *n.*, *a.* 쇠사슬 모양(의); 〖수학〗 현수선(懸垂線)(의).

cátenary brìdge 조교(弔橋), 현수교.

cat·e·nate [kǽtənèit] *vt.* 연쇄(連鎖)하다, 쇠사슬로 연결하다; 암기하다. ㊕ **càt·e·ná·tion** *n.*

cat·e·na·tive [kǽtənèitiv, -nət-] 〖문법〗 *a.* (동사가) 연쇄된. ── *n.* 연쇄 동사.

cat·e·noid [kǽtənɔ̀id] *n.* 〖수학〗 현수(懸垂)면.

°**ca·ter**[1] [kéitər] *vi.* 《+전+명》 **1** 음식물을 조달〔장만〕하다《*for*》: ~ *for* a feast 연회용 요리를 장만하다. **2** 요구〔분부〕에 응하다, 만족을 주다; 영합하다《*to; for*》: ~ *for* a person's enjoyments 아무에게 오락을 제공하다/~ *to* their needs 그들의 필요에 응하다/The store ~*s to* young people. 그 상점은 젊은이를 대상으로 하고 있다. ── *vt.* (연회 따위의 요리, 서비스 등)을 제공하다, (연회 등의 준비)를 떠맡다.

ca·ter[2] *n.* (주사위의) 넉 점; (카드놀이의) 네 끗.

cat·er·an [kǽtərən] *n.* 《Sc.》 산적(山賊).

cat·er·cor·ner, -cor·nered [kǽtərkɔ̀r-

nər], [-nərd] *a.*, *ad.* 대각선상의〔에〕.
cáter-còusin *n.* 친구; 한패.
cá·ter·er [-rər] (*fem.* ***-ess*** [-ris]) *n.* 요리 조달자, 음식을 마련하는 사람; (호텔 따위의) 연회 주선 담당자, (여흥 등의) 공급자, 진행자.
cát·er·ing [-riŋ] *n.* 케이터링《여객기 따위의 음식 제공 업무》.
°**cat·er·pil·lar** [kǽtərpìlər] *n.* **1** 모충(毛蟲), 풀쐐기《나비 · 나방 따위의 유충》. **2** 〖기계〗 무한궤도(차); 캐터필러; (C–) 무한궤도식 트랙터《상표명》. **3** 욕심쟁이, 착취자.
cáterpillar trèad 무한궤도.
cat·er·waul [kǽtərwɔ̀ːl] *vi.* (고양이가) 암내 나서 울다; (고양이처럼) 서로 으르렁대다, 아우성치다, 서로 꽥꽥거리다; (사내가) 색에 빠지다. **—** *n.* 암내난 고양이의 울음소리; 서로 으르렁대는 소리.
cát·èyed *a.* (고양이처럼) 어둠 속에서도 보이는.
cát·fàcing, cát·fàce *n.* (고양이 얼굴을 연상시키는) 과일의 기형(奇形)〔벌레 먹은 모양〕.
cát·fàll *n.* 〖선박〗 양묘삭(揚錨索).
cát·fight *n.* (특히 여자의) 서로 으르렁거림, 아옹다옹. cf. dogfight.
cát·fish (*pl.* ~(***es***)) *n.* 메기의 일종.
cát·fit *n.* 《속어》 격노(激怒).
cát fòot 고양이 발《짧고 포동포동한 발》.
cát-fòot *vi.* 살그머니 나아가다.
cát·gùt *n.* 장선(腸線), 거트《현악기 · 라켓에 쓰이는》; 바이올린; 〔집합적〕 현악기.
cath- ⇨ CAT(A)-.
Cath. Cathedral; Catherine; Catholic.
Cath·ar [kǽθɑːr] (*pl.* ***-a·ri*** [kǽθərai, -riː], ~***s***) *n.* (중세 유럽의 마니교의 이단파인) 카타리파의 신자. ㊞ **-a·rism** [-θərìzəm] *n.* **-a·rist** *n.* **Càth·a·rís·tic** *a.*
ca·thar·sis [kəθɑ́ːrsis] (*pl.* ***-ses*** [-siːz]) *n.* U,C 〖의학〗 배변(排便), (하제(下劑)에 의한) 변통(便通); 〖문학〗 정화(淨化), 상상적 경험, 카타르시스《비극 따위에 의한 정신의 정화》; 〖정신의학〗 정화(법)《정신 요법의 일종; 콤플렉스 · 공포 등을 배출하여 경감시킴》.
ca·thar·tic [kəθɑ́ːrtik] *a.* **1** 〖문학〗 카타르시스의〔를 일으키는〕. **2** 배변(排便)을 촉진하는, 변통(便通)시키는(=**ca·thár·ti·cal**). **—** *n.* 하제(下劑), 변통약.
Ca·thay [kæθéi] *n.* 《고어 · 시어》 중국.
cát·hèad *n.* 〖해사〗 (이물 양쪽의) 닻걸이, 양묘가(揚錨架).
ca·thect [kəθékt] *vt.* 〖의학〗 (특정한 대상 · 인물 · 관념에) 정신을 집중하다.
ca·the·dra [kəθíːdrə] (*pl.* ***-drae*** [-driː], ~***s***) *n.* 주교좌; 대학교수의 강좌〔지위〕, 강단(講壇); 〔일반적〕 권위자의 자리, 권좌. ***ex*** ~ 명령적으로, 권위로써.
***ca·the·dral** [kəθíːdrəl] *n.* 주교좌 성당, 대성당《bishop 의 교좌가 있고, 교구의 중심 교회임》. **—** *a.* 주교좌가 있는; 대성당의〔이 있는〕; 권위 있는: a ~ city 대성당이 있는 도시.
ca·thep·sin [kəθépsin] *n.* 〖생화학〗 카텝신《간 · 신장 · 장 따위에 있는 단백질 분해 효소》.
Cáth·e·rine whèel [kǽθərin-] 〖건축〗 바퀴 모양의 원창(圓窓); 윤전(輪轉) 불꽃(pinwheel); 〖문장(紋章)〗 (주위에 돌기가 있는) 바퀴 무늬. ***turn*** ~***s*** 옆재주넘기를 하다.
cath·e·ter [kǽθətər] *n.* 〖의학〗 카테터: a ureteral ~ 도뇨관(導尿管). ㊞ ~**·ize** [-ràiz] *vt.* …에 카테터를 꽂다. **cáth·e·ter·i·zá·tion** *n.*
cath·e·tom·e·ter [kæ̀θətɑ́mətər/-tɔ́m-] *n.* 카세토미터《두 점 간의 수직 · 수평 거리를 멀리서 정밀 측정하는 광학 기계》.
ca·thex·is [kəθéksis] (*pl.* ***-thex·es*** [-siːz]) *n.* 〖심리〗 (특정한 사람 · 물건 · 관념에 쏟는) 정신의 집중.
cáth·òd·al *a.* 〖생체공학〗 음극의〔에 끌리는〕. ㊞ ~**·ly** *ad.*
cath·ode [kǽθoud] *n.* 〖전기〗 (전해조 · 전자관의) 음극; (축전지 등의) 양극. OPP *anode*.
cáthode fòllower 〖전기〗 음극 접지형(接地型) 증폭 회로.
cáthode rày 음극선.
cáthode-rày tùbe 음극선관, 브라운관《생략: CRT》.
ca·thod·ic [kæθɑ́dik, -θóud-, kə-/-θɔ́d-] *a.* 음극(陰極)의, 음극성의. ㊞ **-i·cal·ly** *ad.*
cathódic protéction 〖야금〗 (철강재의) 음극 보호.
cath·o·do·lu·mi·nes·cence [kæ̀θədoulùːmənésns] *n.* 〖전자〗 음극선 발광《형광성 · 인광성》.
***Cath·o·lic** [kǽθəlik] *a.* **1** 《특히》 (로마) 가톨릭교의, 천주교의, (신교에 대해) 구교의; 영국국교회 고교파(高敎派)의(Anglo-~). **2** (동서교회 분열 이전의) 전(全) 그리스도 교회의《Roman Catholic Church, Anglican Church, Eastern Orthodox Church, Church of Sweden, Old Catholic Church 를 포함》. **3** 서방 교회의《Eastern Orthodox 에 대해》. **4** (c–) (관심 · 흥미 · 취미 따위가) 광범위한, 다방면의, 보편적인, 전반적인(universal); 포용적인; 마음이 넓은, 관대한(broad-minded): *catholic in* one's taste 취미가 다방면인. **—** *n.* 《특히》 (로마) 가톨릭교도, 구교도, 천주교도(Roman Catholic); 전(全) 그리스도교도.
ca·thol·i·cal·ly [kəθɑ́likəli/-θɔ́l-] *ad.* 보편적〔전반적〕으로; 가톨릭교적으로; 관대히.
Cátholic Apostólic Chúrch (the ~) 가톨릭 사도 교회.
Cátholic Chúrch (the ~) (로마) 가톨릭 교회《가톨릭 교회의 자칭; 딴 교회에서는 Roman Church 라 부름》; 전 기독교회.
Cátholic Emancipátion Àct 〖영국사〗 구교도 해방령.
Cátholic Epístles (the ~) 〖성서〗 공동 서한《James, Peter, Jude 및 John 이 일반 신도에게 보낸 7 교서》.
Ca·thol·i·cism [kəθɑ́ləsìzəm/-θɔ́l-] *n.* U 가톨릭교(의 교의(敎義) · 신앙 · 제도), 천주교; (c–) =CATHOLICITY 1.
cath·o·lic·i·ty [kæ̀θəlísəti] *n.* **1** U 보편성; 관심〔흥미〕의 다방면성; 관용, 도량(generosity). **2** (C–) 가톨릭교의 교의〔신앙〕(Catholicism); 가톨릭교.
ca·thol·i·cize [kəθɑ́lisaiz] *vt.* 일반화〔보편화〕하다; (C–) 가톨릭교도로 하다; 관대하게 하다. **—** *vi.* 일반화〔보편화〕되다; (C–) 가톨릭교도가 되다.
ca·thol·i·con [kəθɑ́ləkən/-θɔ́l-] *n.* 만능〔만병통치〕약.
cát hòok 〖해사〗 양묘구(揚錨鉤).
cát·hòuse *n.* 《미속어》 갈봇집, 매음굴(brothel).
cát ìce (물 빠진 자리에 남은) 박빙(薄氷), 살얼음.
Cat·i·li·nar·i·an [kæ̀tələnέəriən] *a.* 카틸리나(Catiline)와 같은, (특히 반정부적인) 음모의. **—** *n.* 음모자, 《특히》 카틸리나 음모 사건의 참가자.
Cat·i·line [kǽtəlàin] *n.* 비열한 반역자〔음모가〕《옛 로마 귀족 Catilina 에서》.
cat·i·on [kǽtàiən] *n.* 〖화학〗 양(陽)이온. OPP *anion*. ㊞ **-ion·ic** [kæ̀taiɑ́nik/-ɔ́n-] *a.* **-i·cal·ly** *ad.*
ca·tish [kətíʃ] *a.* 《미중북부》 훌륭한, 굉장한, 멋진.
cat·kin [kǽtkin] *n.* 〖식물〗 (버드나무 · 밤나무 등의) 유제(葇荑)꽃차례.

cát làdder 경사진 지붕에 설치한 사다리.
cát·làp *n.* Ⓤ《영속어》(차·죽 따위의) 싱거운〔묽은〕 음식물.
cát lìck《영구어》 대강대강〔적당히〕 씻음.
cát·lìke *a.* 고양이 같은; 재빠른, 몰래 다니는.
cat·ling [kǽtliŋ] *n.* 작은 고양이; 양날의 작은 칼《외과용》; 〖음악〗 장선(腸線)(catgut).
cát lìtter (litter box에 까는) 고양이 오물받이.
cát màn (서커스단에서) 맹수를 부리는 사람; =CAT BURGLAR; CATSKINNER.
cát·mìnt *n.* 〖식물〗 개박하《고양이가 좋아함》; 《비유》 바람직한 것〔일, 상황〕.
cát·nàp *n.*, *vi.* 선잠〔풋잠, 노루잠〕(을 자다) (doze). 「위하여》.
cát·nàpper *n.* 고양이 도둑《실험용으로 팔기
cat·nip [kǽtnip] *n.* =CATMINT.
Ca·to [kéitou] *n.* **Marcus** ~ 카토(~ *the Elder* 〔*the Censor*〕)《옛 로마의 장군·정치가; 234-149 B.C.》; (~ *the Younger*)《그 증손자인 철학자·정치가; 95-46 B.C.》.
cat-o'-nine-tails [kæ̀tənáintèilz] *n.* **1** (*pl.* ~) 아홉 가닥으로 된 채찍《체벌용(體罰用)》. **2**《미》〖식물〗 부들.

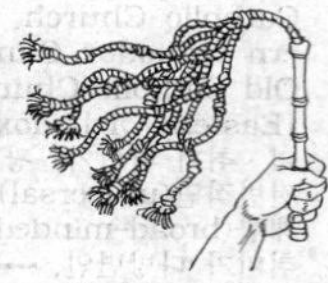
cat-o'-nine-tails 1

ca·top·trics [kətáptriks/-tɔ́p-] *n. pl.* 《단수취급》 반사 광학(光學) (cf. dioptrics). ㊕ **-tric, -tri·cal** *a.* 거울의, 반사의.
cát rìg catboat의 범장(帆裝).
cát-rìgged *a.* catboat 식으로 돛을 단.
cáts and dógs 《속어》 위험한〔투기적인〕 값싼 증권; 잡화, 잡동사니 상품.
CAT scàn [sì:èití:-, kǽt-] 〖의학〗 컴퓨터 엑스선 체축(體軸) 단층 사진. [◂ computerized axial tomography]
CAT scànner 〖의학〗 컴퓨터 엑스선 체축 단층 촬영 장치, CT 스캐너. 「층 촬영법.
CAT scànning 〖의학〗 컴퓨터 엑스선 체축 단
cát's crádle 실뜨기(놀이).
cát scràtch disèase〔**fèver**〕〖의학〗 고양이 발톱병《발열·권태·임파선 종류를 수반하는 바이러스 병》.
cát's-èar *n.* 〖식물〗 황금초.
cát's-èye *n.* 〖광물〗 묘안석(猫眼石); 야간 반사경〔반사 장치〕《도로상·자동차 뒤 따위의》.
cát's-fòot *n.* 〖식물〗 적설초(積雪草)(ground ivy).
cát·skìnner *n.*《속어》 트랙터 운전사.
cát slèep =CATNAP.
cát's-mèat *n.* Ⓤ《영》(고양이 먹이로서 팔고 다니는) 말고기; 질 나쁜 고기.
cát's meów (the ~)《속어》 훌륭한 것〔사람〕.
cát's pajámas (the ~) =CAT'S MEOW.
cát's-pàw *n.* 〖해사〗 미풍, 연풍(軟風); 앞잡이, 끄나풀, 괴뢰: make a ~ of a person 아무를 앞잡이로 쓰다.
cát('s)-tàil *n.* 〖식물〗 부들; 쇠뜨기. 「된 옷》.
cát·sùit *n.* 점프슈트《비행복처럼 위아래가 연결
cat·sup [kǽtsəp, kétʃəp] *n.* =KETCHUP.
cát('s) whísker 광석 검파기의 접촉용 가는 철사; 반도체와의 접촉선; (the ~s)《속어》 자랑거리, 굉장한 것(cat's meow).
cát·tàil *n.* 〖식물〗 부들(개지).
cat·ta·lo [kǽtəlou] (*pl.* ~(*e*)*s*) *n.* 〖동물〗 캐털로《집소와 아메리카 들소와의 교배종》.
cat·ter·y [kǽtəri] *n.* 고양이 사육장, 고양이집.
cat·tish [kǽtiʃ] *a.* 고양이 같은; 《특히》(여성(의 언동 등)이) 교활한(sly), 심술궂은, 악의 있는: a ~ remark 악의 있는 비평/a ~ gossip 심술궂은 소문. ㊕ ~·**ly** *ad.* ~·**ness** *n.*
cat·tle [kǽtl] *n.* 〔집합적〕 **1** 소, 축우(cows and bulls): twenty (head of) ~ 소 20 마리/Are all the ~ in? 소는 모두 들여놓았느냐. **2** 가축(livestock)《주로 소; 《영》에서는 소·말 따위의 가축》. **3** 《경멸》 하층민, 벌레 같은 인간(vermin, insects). **4** 《고어》 해충.
cáttle bòat 가축 수송선.
cáttle brèeding 목축(업).
cáttle càke 《영》 덩어리로 된 사료.
cáttle càll 집단 오디션《지원자 등》.
cáttle càr 《미속어》(여객기 후부의) 보통석.
cáttle dòg 《Austral.》 목축견, 소몰이개.
cáttle drìve 《미CB속어》 교통 정체.
cáttle grìd =CATTLE GUARD.
cáttle guàrd 《미》(가축 탈출 방지용) 도랑.
cáttle lèader 쇠코뚜레.
cáttle-lìfter *n.* 소도둑, 가축 도둑. ㊕ **-lìfting** *n.*
cáttle·man [-mən, -mæ̀n] (*pl.* **-men** [-mən]) *n.* 목장 주인, 목축업자; 목동, 소몰이꾼.
cáttle pèn 외양간, 가축 우리.
cáttle pìece 소〔가축〕의 그림.
cáttle plàgue 우역(牛疫)(rinderpest).
cáttle pròd 소몰이 막대《전류가 흐름》.
cáttle rànch〔**rànge**〕《미》 소 방목장.
cáttle rùn 목장.
cáttle-rùstler *n.* 소도둑.
cáttle shòw 축우〔가축〕 품평회.
cáttle trùck 〖철도〗 가축차(stockcar); 《비유》 혼잡하고 불쾌한 차.
catt·leya [kǽtliə] *n.* 〖식물〗 양란(洋蘭)의 일종.
cát tràin 《Can.》 캐터필러식 설상차(雪上車)가 끄는 일련의 썰매《화물 운반용》.
cat·ty [kǽti] (*cat·ti·er*; *-ti·est*) *a.* =CATTISH. ㊕ **-ti·ly** *ad.* **-ti·ness** *n.*
CATV community antenna television (유선〔공동 안테나〕 텔레비전). cf. cable TV.
cát·wàlk *n.* 좁은 통로《건축장의 발판·비행기 안·교량 등의 한쪽에 마련된》; (패션쇼 따위의) 객석으로 튀어나온 좁다란 무대.
cát whìsker 위스커, 침전극(針電極)《(1) 광석 검파기의 광석에 접촉하는 모발상의 가늘고 단단한 선(線). (2) 〖전자〗 반도체 접촉용의 선》.
Cau·ca·sia [kɔːkéiʒə, -ʃə/-zjə] *n.* 캅카스, 코카서스《흑해와 카스피해 사이의 한 지방》.
Cau·ca·sian [kɔːkéiʒən, -ʃən/-zjən] *a.* 캅카스 지방〔산맥〕의; 캅카스 사람의; 백색 인종의. ―*n.* 백인; 캅카스 사람.
Cau·ca·soid [kɔ́ːkəsɔ̀id] *a.*, *n.* 코카소이드(의), 코카서스 인종(의). 「산맥〔지방〕.
Cau·ca·sus [kɔ́ːkəsəs] *n.* (the ~) 캅카스
Cáu·chy sèquence [kouʃí:-; *F.* koʃi-] 〖수학〗 =FUNDAMENTAL SEQUENCE.
cau·cus [kɔ́ːkəs] *n.* 《미》(정당 등의 대표 선출·정책 작성·후보 지명 등을 토의하는) 간부회의, (정당의) 실력자 회의; 《영》《흔히 경멸》 정당 지부 간부회 (제도). ―*vt.*, *vi.* 간부제로 하다; 간부회를 열다.
cau·da [káudə, kɔ́ː-] (*pl.* **-dae** [-diː]) *n.* 〖해부·동물〗 꼬리, 꼬리 모양의 부속 기관.
cau·dad [kɔ́ːdæd] *ad.* 〖동물〗 꼬리 쪽에.
cau·dal [kɔ́ːdl] *a.* 〖해부·동물〗 꼬리의; 미부(尾部)의; 꼬리 비슷한. ㊕ ~·**ly** [-dəli] *ad.*
cáudal fín 〖어류〗 꼬리지느러미(tail fin).
cau·date, -dat·ed [kɔ́ːdeit], [-id] *a.* 꼬리가 있는; 꼬리 모양을 한. ㊕ **cau·dá·tion** *n.*
cáudate núcleus 〖해부〗 꼬리 모양의 핵《측뇌실 전체에 접하여 있는 아치형의 회백질》.
cau·dex [kɔ́ːdeks] (*pl.* ~·*es*, *cau·di·ces*

[-dəsì:z]) *n.* 〖식물〗 식물체의 축부(軸部)《줄기 · 뿌리 등을 포함》; (다년생 초본의) 목질부; (야자 · 종려나무의) 곧은 줄기.

cau·dil·lis·mo [*Sp.* kàuðiljí:zmou] *n.* 《Sp.》 caudillo의 지배 체제, 군사 독재.

cau·dil·lo [kɔ:dí:ljou, -dí:ou/-dí:lou] (*pl.* **~s** [-z]) *n.* 《Sp.》 (스페인어권(語圈) 여러 나라의) 군사 독재자, (게릴라의) 리더; (정계의) 지도자; (El C–) 총통.

cau·dle [kɔ́:dl] *n.* (죽에 달걀 · 포도주 · 향료를 넣은 더운) 영양 음료《산모 · 환자용》.

caught [kɔ:t] CATCH 의 과거 · 과거분사.

caul [kɔ:l] *n.* **1** 〖해부〗 **a** 대망막(大網膜). **b** 태아가 간혹 머리에 뒤집어쓰고 나오는 양막(羊膜)의 일부. **2** 꼭 맞는 실내용 여성모〔머리그물〕.

caul- [kɔ́:l], **cau·li-** [kɔ́:lə], **cau·lo-** [-lou, -lə] '줄기(stem, stalk)'의 뜻의 결합사.

caul·dron [kɔ́:ldrən] *n.* **1** 큰 솥〔냄비〕(caldron). **2** (끓는 가마 속 같은) 소연한 상황.

cau·les·cent [kɔ:lésənt] *a.* 〖식물〗 줄기가 있는, 지상경(地上莖)이 있는.

cau·lic·o·lous [kɔ:líkələs] *a.* 줄기에 자라는 《버섯 따위》.

cau·li·flo·rous [kɔ̀:ləflɔ́:rəs] *a.* 줄기에 꽃이 「직접 피는.

cau·li·flow·er [kɔ́:ləflàuər/kɔ́li-] *n.* U,C 콜리플라워, 꽃양배추; 《Sc.》 맥주 거품.

cáuliflower chéese 〖요리〗 콜리플라워 치즈 《콜리플라워〔꽃양배추〕에 치즈소스를 얹은 요리》.

cáuliflower éar (권투 선수 등의) 찌그러진 귀.

cau·line [kɔ́:lin, -lain] *a.* 〖식물〗 줄기의〔에 나는〕.

cau·lis [kɔ́:ləs] (*pl.* **-les** [-li:z]) *n.* 〖식물〗 (초본(草本) 식물의) 줄기.

caulk[1] [kɔ:k] *vt.* (뱃널 틈을) 뱃밥으로 메우다; (창틀 · 파이프 이음매 등의 틈을 메워서) 물이〔공기가〕 새는 것을 막다, 코킹하다.

caulk[2] *n.*, *vt.* =CALK[2].

cáulk·er *n.* 코킹공(工)《뱃널 틈을 뱃밥 따위로 메우는 사람》; 뱃밥을 메워 넣는 데 쓰는 공구(工具); 《속어》 (술) 한 잔, 한 모금.

cáulk·ing *n.* 코킹, 코킹용 자재: a ~ iron 코킹용 강철봉.

caus. causation; causative.

caus·a·ble [kɔ́:zəbl] *a.* 야기되는, 일어나는.

caus·al [kɔ́:zəl] *a.* 원인의; 원인이 되는; 원인을 나타내는; 인과(관계)의: ~ relation 인과 관계 / a ~ conjunction 원인을 나타내는 접속사 《because, for, since 따위》. **—** *n.* 〖문법〗 원인을 나타내는 말〔형식〕. 㽼 **~·ly** *ad.* 원인으로서; 인과 관계로.

cau·sal·gia [kɔ:zǽldʒiə, -dʒə] *n.* U 〖의학〗 작열통(灼熱痛)《말초 신경 손상에 의한》.

cau·sal·i·ty [kɔ:zǽləti] *n.* U,C **1** 인과 관계; 인과율(the law of ~). **2** 작인(作因).

cau·sa si·ne qua non [kɔ́:zə-sáini:-kwei-nán, -sínei-kwɑ:-nóun/-nɔ́n] 《L.》 필수 조건〔전제〕.

cau·sa·tion [kɔ:zéiʃən] *n.* U 원인; 인과 관계; 야기시킴〔됨〕, 결과를 낳음. ***the law of ~*** 인과율. 㽼 **~·ism** *n.* 인과설. **~·ist** *n.*

caus·a·tive [kɔ́:zətiv] *a.* 원인이 되는《*of*》; 〖문법〗 원인 표시의; 사역(使役)의: ~ verbs 사역동사《make, let 따위》. **—** *n.* 사역동사, 사역형. ***be ~ of*** …의 원인이 되다, …을 일으키다. 㽼 **~·ly** *ad.* 원인으로서; 〖문법〗 사역적으로. **~·ness** *n.*

⁂cause [kɔ:z] *n.* U,C **1** 원인(OPP. *effect*); 이유(reason); 까닭, 근거, 동기《*for*》: a ~ *for* a crime 범죄의 동기 / show ~ 〖법률〗 정당한 이유를 제시하다. SYN. ⇨ ORIGIN. **2** 주의, 주장; 대의, 큰 목적(object), …(을 위한) 운동《*for; of*》: the temperance ~ 금주 운동 / work for a good ~ 대의를 위해서 일하다. **3** (어떤 그룹의) 복지: support for the ~ of the American Negro 미국 흑인의 지위 향상을 위한 원조. **4** 〖법률〗 소송 (사건); 주장, 소명(疏明). ***~ and effect*** 원인과 결과. ***have ~ for*** (joy) 〔*to* (rejoice)〕 (기뻐)할 까닭이 있다; (기뻐)함이 당연하다. ***in the ~ of*** (truth 〔freedom〕) (진리〔자유〕)를 위해. ***make*** 〔***join***〕 ***common ~ with*** …와 제휴〔협력〕하다, 공동 전선을 펴다《*against*》: They *made common* ~ *with* neighboring countries and succeeded in reducing tariffs. 그들은 인접 국가들과 협력하여 관세 인하에 성공했다. ***plead*** **a person*'s ~*** 아무를 위해 변호하다, 소송의 이유를 개진하다.
— *vt.* **1** …의 원인이 되다; 일으키다. **2** 《+목+*to* do》 …로 하여금 —하게 하다: ~ him *to* protest 그로 하여금 항의하게 하다 / This ~*d* her *to* change her mind. 이것 때문에 그녀는 마음이 변했다. **3** 《+목+목/+목+전+명》 (남에게 걱정 · 폐 따위를) 끼치다《*to; for*》: The typhoon ~*d* the city a lot of damage. =The typhoon ~*d* a lot of damage *to* the city. 태풍은 도시에 큰 피해를 끼쳤다 / We were ~*d* a great deal of grief *by* her death. 그녀의 죽음은 우리에게 큰 슬픔을 주었다.

'cause [kɔ:z, kʌz/kɔz] *conj.* 《구어》 =BECAUSE.

cáuse-and-effréct [-ənd-] *a.* 원인과 결과의, 인과 관계의.

cause cé·lè·bre [kɔ́:zsəlébrə] (*pl.* ***causes cé·lè·bres*** [—]) 《F.》 (=famous case) 유명한 소송〔재판〕 사건.

cáuse·less *a.* 우발적인, 까닭 없는: ~ anger 이유 없는 분노.

cáuse lìst 〖법률〗 공판 일정표; 소송 사건 목록.

cáuse of áction 〖법률〗 소송 원인, 소인(訴因); 소권(訴權).

caus·er [kɔ́:zər] *n.* 원인이 되는 사람〔물건〕.

cau·se·rie [kòuzərí:] *n.* 《F.》 잡담, 한담; (신문 등의) 수필, 만필, 《특히》 문예 한담.

cáuse·wày *n.* 둑〔방죽〕길《습지에 흙을 쌓아 돋운》; (차도보다 높게 돋운) 인도; 포도. **—** *vt.* (습지에) 둑길〔방죽길〕을 만들다; (도로에) 자갈 따위를 깔다.

cau·sey [kɔ́:zi] *n.* 《영방언》 =CAUSEWAY.

°caus·tic [kɔ́:stik] *a.* 부식성의, 가성(苛性)의; 신랄한(sarcastic), 통렬한, 빈정대는; 〖광학〗 화선(火線)의, 화면(火面)의: ~ alkali 가성 알칼리 / ~ lime 생석회 / ~ remark 신랄한 비평 / a ~ tongue 독설. **—** *n.* U,C 부식제; 빈정대는 말; 〖광학〗 화면(=~ **súrface**), 화선(=~ **cúrve**). ***common ~*** 질산은(窒酸銀). 㽼 **-ti·cal·ly** [-kəli] *ad.* **caus·tic·i·ty** [kɔ:stísəti] *n.* U 부식성; 가성도(苛性度); 빈정댐, 신랄(함).

cáustic pótash 가성칼리《수산화칼륨의 속칭》.

cáustic sóda 가성소다, 양잿물(sodium hydroxide).

cau·ter·ant [kɔ́:tərənt] *n.* 부식성 물질, 부식제(腐蝕劑); 부식기(器). **—** *a.* 부식성의.

cau·ter·ize [kɔ́:təràiz] *vt.* **1** 〖의학〗 부식시키다; 소작(燒灼)하다. **2** (양심 · 감정을) 마비시키다. 㽼 **càu·ter·i·zá·tion** *n.* U 〖의학〗 소작(법); 부식.

cau·tery [kɔ́:təri] *n.* U 〖의학〗 소작(燒灼)(법); 부식(제); C 소작기, 소작 인두. ***moxa ~*** 뜸.

⁂cau·tion [kɔ́:ʃən] *n.* **1** U 조심, 신중(carefulness): with ~ 조심하여, 신중히 / use ~ 조심하다. **2** C 경고, 주의(warning); 계고(戒告); 〖군사〗 (구령의) 예령(豫令): dismiss the offender with a ~ 경고〔훈계〕를 하고 위반자를 방면하다. **3** U 《Sc.》 담보, 보증(surety). **4** C 《구어》 괴짜; 몹시 놀라운 광경〔사건〕; 경계를 요하는 사

물〔인물〕: Well, you're a ~! 너 여간내기가 아니구나. ***for ~'s sake*** =***by way of ~*** 다짐〔확실히〕해 두기 위하여. ***throw ~ to the winds*** (경솔하게) 대담한 행동을 하다.

— *vt.* 《~+목/+목+전+명/+목+*to* do/+목+*that*절》 …에게 조심시키다, 경고하다(warn) 《*against*》: The policeman ~*ed* the driver. 경찰관은 운전사에게 주의를 주었다/I ~*ed* him *against* 〔*to* avoid〕 dangers. 그에게 위험을 피하도록 주의시켰다/The doctor ~*ed* me *for* drink*ing* too much. 의사는 나에게 과음한다고 주의를 주었다/I must ~ you *that* you are trespassing. 나는 자네가 권리 침해를 하고 있음을 경고해야겠네.

㊕ **~·ary** [-nèri/-nəri] *a.* 경계〔주의〕의, 계고의; 담보〔보증〕의. **~·er** *n.*

cáution and wárning sỳstem 〖로켓〗 (우주선의) 경계 경보 시스템.

cáution mòney 《영》 (대학에서 손해에 대비하여 학생에게 예치케 하는) 보증금.

***cau·tious** [kɔ́ːʃəs] *a.* 주의 깊은, 신중한, 조심하는《*of; in; about*》: be ~ *in* do*ing* …하는 데 신중하다; 조심하여 …하다/be ~ *of* one's tongue 말을 삼가다〔조심하다〕/He was ~ *in* all his movements. 그는 일거수일투족에 신경을 썼다/I will *be* ~ *of* giv*ing* offense. 남의 감정을 사지 않도록 조심하겠습니다. SYN. ⇨ CAREFUL. ㊕ ◇**~·ly** *ad.* **~·ness** *n.*

CAV 〖전자〗 constant angular velocity《광학식 비디오디스크에서 각 트랙에 텔레비전의 1 프레임분을 기록하는 방법》.

cav. cavalier; cavalry; cavity.

ca·va [kάːvə] *n.* 카바《스페인의 발포성 와인》; 「=KAVA.

cav·al·cade [kæ̀vəlkéid] *n.* 기마대, 마차대; 기마〔마차〕 행렬〔행진〕; (화려한) 행렬, 퍼레이드; 사건의 진전; (별의) 운행.

◇**cav·a·lier** [kæ̀vəlíər] *n.* **1** 《영에서는 고어》 기사(knight). **2** 예절 바른 신사《기사도 정신을 가진》; (여성을 에스코트하는) 호위자(escort); (여성의) 춤 상대, 파트너; 멋쟁이 남자. **3** (C-) 〖영국사〗 (Charles 1 세 시대의) 기사당원. OPP. *Roundhead.* — *vt.* (여성을) 에스코트하다. — *vi.* (여성의) 파트너 노릇을 하다; 기사처럼 행동하다. — *a.* **1** 대범한, 호방(豪放)한; 기사다운. **2** 거만한, 오만한(arrogant). **3** 귀족적인; (C-) 기사당의; 왕당파 시인의. ㊕ **~·ly** *ad., a.* 기사답게〔다운〕; 호탕〔거만〕하게〔한〕. **~·ness** *n.* **~·ìsm** *n.*

◇**cav·al·ry** [kǽvəlri] *n.* **1** 〖집합적〗 기병, 기병대; 《특히》 기갑 부대; (기갑 부대의) 정찰대; 헬리콥터 정찰 공격 부대; 기마대(騎馬隊). cf. infantry. ¶ heavy 〔light〕 ~ 중〔경〕기병. **2** 〖집합적〗 말탄 사람들; 승마(乘馬). 「기병.

cávalry·man [-mən] (*pl.* ***-men*** [-mən]) *n.*

cávalry twìll 캐벌리트윌《견고하게 꼰 실로 짠 튼튼한 모직물; 바지 따위에 씀》.

ca·vate [kéiveit] *a.* (동)굴 같은; (돌을 빼낸 자국처럼) 휑하니 구멍이 난.

cav·a·ti·na [kæ̀vətíːnə] (*pl.* ***-ne*** [-nei]) *n.* 《It.》 〖음악〗 카바티나《짧은 서정 가곡·기악곡》.

****cave**[1] [keiv] *n.* **1** 굴, 동굴; (지하의) 술곳간, 작은 카페. **2** 《영》 (정당원의) 탈당〔이탈〕(파). **3** 《속어》 어두운 방, 작은〔창 없는〕 사무실: the ~ period 동굴 주거 시대. — *vt.* **1** …에 굴을 파다, …을 뚫다, 굴을 파서 만들다《*out*》. **2** 《+목+부》 꺼지게 하다, (지반·지붕 따위를) 함몰시키다, (모자 따위를) 우그러뜨리다《*in*》: He ~*d* my hat *in.* 그는 내 모자를 우그러뜨렸다. — *vi.* **1** 《+부》 꺼지다, 함몰하다, 움푹 들어가다, 욱다《*in*》: After the long rain the road ~*d in.* 오랜 장마 끝에 도로가 내려앉았다. **2** 《+부》 《구어》 양보하다, 굴복하다, 항복하다《*in*》: Germany ~*d in* due to lack of goods. 독일은 물자 결핍 때문에 굴복했다. **3** 《구어》 동굴을 탐험하다. **4** 《영》 탈당하다. **5** 《속어》 파다.

ca·ve[2] [kéivi] 《영학생속어》 *int.* 《L.》 (선생이 왔으니) 주의해라(Look out!). — *n.* 주의. ***keep ~*** 감시하다.

cáve àrt (석기 시대의) 동굴 예술.

ca·ve·at [kéiviæ̀t] *n.* 〖법률〗 소송 절차 정지 통고《*against*》; 발명 특허권 보호 신청; 경고, 제지, 억제; 단서(但書). ***enter*** 〔***file, put in***〕 ***a ~ against*** …에 대한 소송 정지를 신청하다. ㊕ **-a·tor** [-èitər] *n.*

cáveat émp·tor [-émptɔːr] 《L.》 〖상업〗 구매자의 위험 부담.

cáveat léc·tor [-léktɔːr] 《L.》 독자(讀者)의 위험 부담; 독자는 주의를 요함.

ca·ve ca·nem [kéivi-kéinəm, kάːvei-; *L.* kάweː-kάnɛm] 《L.》 개 조심.

cáve dwèller (특히 선사 시대의) 동굴 주거인; 《비유》 원시인; 《구어》 도시의 아파트 거주자.

cáve dwèlling 동굴 주거 (생활).

cáve-ìn *n.* **1** (광산의) 낙반; (토지의) 함몰 (장소). **2** 굴복; 실패(failure).

◇**cáve màn** (석기 시대의) 동굴 주거인; 《구어·비유》 (여성에 대해) 난폭한 사람; 동굴 탐험가.

cav·en·dish [kǽvəndiʃ] *n.* (단맛을 나게 하여 압축한) 씹는 담배. cf. negrohead.

cáve pàinting 동굴 벽화.

cav·er [kéivər] *n.* 동굴 연구가〔탐험가〕.

***cav·ern** [kǽvərn] *n.* 동굴, 굴(cave); 〖의학〗 (폐 따위의) 공동(空洞). — *vt.* 동굴에 넣다〔가두다〕; …에 동굴을 파다《*out*》. ㊕ **~ed** *a.* 동굴〔공동〕이 있는, 동굴 같은.

cav·er·nic·o·lous [kæ̀vərníkələs] *a.* (동물이) 동굴에 서식하는: ~ animals 동굴에 사는 동물.

cav·ern·ous [kǽvərnəs] *a.* 동굴의, 동굴이 많은; 동굴 모양의, 움푹 들어간《눈 따위》; 공동음(空洞音)의: a ~ chamber 휑뎅그렁한 큰 방. ㊕ **~·ly** *ad.*

cav·e(s)·son [kǽvəsn] *n.* (조마용) 재갈 가죽(noseband).

◇**cav·i·ar(e)** [kǽviὰːr, ⌐-⌐] *n.* U 캐비아《철갑상어의 알젓》; 〖일반적〗 진미, 별미. ***~ to the general*** 《문어》 보통 사람은 그 가치를 모르는 일품(逸品), 돼지에 진주.

cav·il [kǽvəl] (***-l-***, 《영》 ***-ll-***) *vi.* 《+전+명》 흠잡다, 무턱대고 이의를 내세우다, 트집 잡다《*at; about*》: I found nothing to ~ *about.* 흠잡을 데가 없었다/He often ~*s at* others' faults. 그는 곧잘 남의 흠을 잡는다. — *vt.* 《드물게》 …에 트집을 잡다. — *n.* U,C 흠잡기, 트집(잡기), 오금박기. ㊕ **~·er,** 《영》 **~·ler** *n.* 트집쟁이.

cav·ing [kéiviŋ] *n.* U 동굴 탐험; 함몰(陷沒).

cav·i·tary [kǽvətèri, -təri] *a.* 공동(空洞)이 있는, 공동의; 〖의학〗 공동 형성(성)의.

cav·i·tate [kǽvətèit] *vi.* (…에) 공동(空洞)을 〔기포를〕 만들다.

cav·i·ta·tion [kæ̀vətéiʃən] *n.* 〖기계〗 캐비테이션《추진기 따위의 뒤쪽에 생기는 진공 부분》; 공동화(空洞化); 공동.

◇**cav·i·ty** [kǽvəti] *n.* 구멍(hole), 공동; 〖해부〗 (신체의) 강(腔); (이빨의) 구멍; 충치; (플라스틱 성형 시 밀봉하는 금형의) 속빈 틀: the mouth 〔oral〕 ~ 구강/the nasal ~ 비강/⇨ BODY CAVITY. 「振器).

cávity rèsonator 〖전자〗 공동 공진기(空洞共

cávity wàll 〖건축〗 중공벽(中空壁)(hollow wall) 《단열 효과가 있는》.

ca·vort [kəvɔ́ːrt] *vi.* 《구어》 (말 따위가) 날뛰다, 껑충거리다; 신나게 뛰놀다《*about*》. ~ ***across the pages of*** (*The Times*, etc.) (이름이) (타임스 따위의) 기사에 자주 나다.

CAVU, c.a.v.u. 【항공】 ceiling and visibility unlimited (시계(視界) 양호).

ca·vy [kéivi] *n.* 【동물】 기니피그, 모르모트《남아메리카산》.

caw [kɔː] *vi.* (까마귀가) 울다; 까악까악 울다《*out*》. **—** *n.* 까악까악《까마귀 소리》.

Cax·ton [kǽkstən] *n.* **1 William** ~ 캑스턴《영국 최초의 활판 인쇄 · 출판업자; 1422?-91》. **2** 캑스턴판의 책; Ⓤ 캑스턴 활자(체).

cay [kei, kiː] *n.* 작은 섬, 암초, 사주(砂洲).

cay·énne (pépper) [kaién(-), kei-] 고추(red pepper), 고춧가루.

Cay·ley [kéili] *n.* 케일리암(岩)《월면 고지의 우묵한 곳을 메우고 있는 물질; 밝은 색의 각력암(角礫岩)질》.

cay·man [kéimən] (*pl.* ~***s***) *n.* 【동물】 큰 악어《라틴아메리카산》.

cay·use [kaijúːs, káiuːs] *n.* 《미서부》 인디언 조랑말.

CB chemical and biological; 【통신】 citizens band; Companion (of the Order) of the Bath; 【군사】 confinement 〔confined〕 to barracks (외출 금지, 금족); counter bombardment; county borough. **Cb** 【화학】 columbium; cumulonimbus. **C.B.** Bachelor of Surgery; Cape Breton; cashbook. **C / B** cashbook. **c.b.** center of buoyancy. **CBC** Canadian Broadcasting Corporation; 【의학】 complete blood count (전(全) 혈구 계산값); car bulk carrier. **CBD** central business district(중심 업무 지구). **C.B.D., c.b.d.** cash before delivery. **C.B.E.** Commander of (the Order of) the British Empire.

C.B.er, CB·er [sìːbíːər] *n.* 《미구어》 시민 라디오(Citizens Band radio) 사용자.

CBI computer based instruction. **CBI, C.B.I.** Confederation of British Industry. **CBL** computer-based learning. **CBO** 《미》 Congressional Budget Office(연방 의회의 예산 사무국); cancel back order.

C-bomb [síːbàm/-bɔ̀m] *n.* 코발트 폭탄. ⓒⓕ A-bomb, H-bomb.

CBR chemical, biological, radiological(화생방(化生放)): ~ warfare. **CB radio** Citizens Band radio. **CBS** Columbia Broadcasting System《현재의 정식 명칭은 CBS Inc.임》. **CBU** cluster 〔canister〕 bomb unit (산탄(散彈)형 폭탄). **CBW** chemical and biological warfare 〔weapons〕. **CC, cc** carbon copy. **cc.** chapters. **cc, c.c.** cubic centimeter(s). **C.C.** Cape Colony; cashier's check; Chamber of Commerce; circuit court; City Council(lor); Civil Court; common carrier; county clerk; county commissioner; County Council(lor); county court; Cricket Club. **CCA** car cargo. **C.C.A.** Circuit Court of Appeals (순회 항소원). **CCC** car and container carrier; Civilian Conservation Corps (민간 식림(植林) 치수단); Commodity Credit Corporation(상품 신용 보증 회사). **C.C.C.** Corpus Christi College 《Cambridge 및 Oxford 대학의》. **C.C.C.P.** [ésésésέər] 《Russ.》 *Soyuz Sovietskikh Sotsialisticheskikh Respublik* (소비에트 사회주의 공화국 연방)(ⓒⓕ U.S.S.R.). **CCD** charge-coupled device; Civil Censorship Department (민간 검열부); Conference of the Committee on Disarmament (군축 위원회 회의). **C.C.F.** Chinese Communist Forces. **C. Chem.** chartered chemist. **CCI** Chamber of Commerce and Industry(상공 회의소); Civil Communications Intelligence. **cckw** counterclockwise.

C-clàmp *n.* 【기계】 C자형 바이스.

C-CLAW [síːklɔ̀ː] *n.* 【군사】 근접 전투용 레이저 강습 병기. [◂ close-combat *l*aser *a*ssault *w*eapon]

C clèf ⇨ CLEF.

CCMS 【우주】 checkout, control and monitor subsystem (점검 · 초읽기 · 발사 관제 시스템). **CCP** 【군사】 Consolidated Cryptologic Programme (통합 암호 계획). **C.C.P.** Court of Common Pleas. **C.Cr.P.** Code of Criminal Procedure (형사 소송법). **CCS** central control station. **CCTV** closed-circuit television (폐회로 텔레비전). **CCU** 【의학】 coronary care unit (심장병 치료 병동). **CCUS** Chamber of Commerce of the United States. **CCV** 【항공】 control-configured vehicle (형태 변환 항공기). **CCW** carrying a concealed weapon(은닉 흉기 소지). **ccw** counterclockwise.

CD [síːdíː] (*pl.* ***CDs, CD's***) *n.* 콤팩트디스크. [◂ *c*ompact *d*isk]

CD cash dispenser (현금 자동 지급기). **CD, c / d** 【경제】 certificate of deposit. **Cd** 【화학】 cadmium. **cd.** candela. **cd., cd** cord(s). **C.D.** civil defense; corps diplomatique; current density. **c.d.** cash discount; cum dividend.

CD bùrner =CD WRITER.

CDC Center for Disease Control (미국의 질병 관리 센터). **cd. ft.** cord foot. **CD-G** compact disc graphics. **CD-I** compact disc interactive (media). **CDM** 【우주】 cold dark matter. **CDMA** code division multiple access(코드 분할 다중(多重) 접속). **Cdn** Canadian. **CDP** certificate in data processing.

CD plàyer CD 플레이어(compact disc player).

CDR compact disc recordable《1 회에 한하여 기록 가능한 CD-ROM》. **CDR, Cdr.** Commander.

cdr [sìːdìːáːr] *vt.* 《해커속어》 (리스트에서 제 1 항목을) 삭제하다. ~ ***down*** (리스트 앞부터 차례로 항목을) 삭제하다.

Cdre 【군사】 Commodore.

CD-ROM [síːdìːrám/-rɔ́m] *n.* 콤팩트디스크형 판독 전용 메모리. [◂ *c*ompact *d*isk *r*ead-*o*nly *m*emory]

CD-ROM chànger 【컴퓨터】 CD-ROM 체인저《복수의 CD-ROM을 내장하고, 필요에 따라 로드(load)시켜 판독하는 장치》.

CD-ROM dísk drìve 【컴퓨터】 CD-ROM 디스크 구동 장치.

CD-RW [síːdìːáːrdʌ́bljuː] *n.* 【컴퓨터】 compact disc rewritable (재기록 가능 CD).

CDS 【우주】 central data system.

CD single CD 싱글《pop song 을 한두 곡(曲) 가량 취입한 보통의 3 인치짜리 콤팩트디스크》.

CDT 《미》 Central Daylight Time(중부 여름 시간). **CDU, C.D.U.** Christian Democrat(ic) Union. **c.d.v.** *carte de visite*.

CD-vìdeo *n.* CD 비디오《CD 와 똑같은 12 cm 판에 5 분 분량의 영상과 음성을 입력〔기록〕한 것; 생략 CDV》.

CD wrìter 시디라이터《콤팩트디스크(CD)에 정보를 입력하는 장치》.

Ce 【화학】 cerium. **C.E.** Christian Endeavor;

Church of England; Civil 〔Chief, Chemical〕 Engineer, Common Entrance; Common Era; Council of Europe(유럽 회의).

-ce [s] *suf.* 추상명사를 만듦: diligen*ce*, intelligen*ce*. ★ 미국에서는 -se로 쓰는 수가 있음: defen*se*, offen*se*, preten*se*.

CEA carcinoembryonic antigen; Council of Economic Advisers.

ce·a·no·thus [sì:ənóuθəs] *n.* 털갈매나무.

*__cease__ [si:s] *vt.* 《~+목/+-*ing*/+*to* do》 그만두다(desist), (…하는 것을) 멈추다, 중지하다, 끝내다, (하던 일을) 하지 않게 되다. OPP *begin, continue.* ¶ ~ work 일을 그만두다/~ fire 포화를 멈추다, 전투를 중지하다/~ *to* work 일하지 않게 되다/He ~*d* writ*ing* in 1980. 그는 1980년에 작가 활동에 종지부를 찍었다. SYN. ⇨ STOP. ― *vi.* **1** 그치다, 끝나다(stop): The music has ~*d*. 음악이 끝났다. **2** 《~/+전+명》 그만두다《*from*》: ~ *from* fighting 싸움을 그만두다. **3** 《고어》 죽다(die). ***Cease fire!*** 〖군사〗 사격 그만. ~ ***to exist*** 〔***be***〕 없어지다, 죽다, 멸망하다. ― *n.* 중지, 정지《다음 관용구로 씀》. ***without*** ~ 끊임없이.

céase and desíst òrder (부당 경쟁·부당 노동 행위에 대한 행정 기관의) 정지 명령.

céase-fíre *n.* '사격 중지'의 구령; 정전 (명령): call a ~ 휴전 명령을 내리다.

°**céase·less** *a.* 끊임없는, 부단한(incessant): a ~ rain of leaves 쉬지 않고 떨어지는 낙엽. 파 **~·ly** *ad.* **~·ness** *n.*

ceas·ing [sí:siŋ] *n.* U 중지, 중절, 종결.

ce·cal, cae- [sí:kəl] *a.* 〖해부〗 맹장의(cf. cecum); 끝이 막힌.

ce·ci·form [sí:səfɔ̀:rm] *a.* 맹장 모양의.

Ce·cil·ia [sisí(:)ljə] *n.* **1** 세실리아《여자 이름》. **2 Saint** ~ 성(聖)세실리아《음악가의 수호 성인(聖人)》.

ce·ci·tis, cae- [si:sáitis] *n.* 〖의학〗 맹장염.

ce·ci·ty [sí:səti] *n.* 《문어·비유》 눈멂.

Ce·cró·pia (mòth) [sikróupiə(-)] (때로 c-) 누에나방《북아메리카 동부산》. 「〖의학〗 맹장.

ce·cum, cae- [sí:kəm] (*pl.* **-ca** [-kə]) *n.*

CED 《미》 Committee for Economic Development(경제 개발 위원회).

*__ce·dar__ [sí:dər] *n.* 히말라야 삼목, 삼목; 삼목 비슷한 각종 나무; 〖성서〗 백향목(柏香木); U 삼목재(=∠·**wòod**); 인도마호가니(toon).

cédar bìrd 〖조류〗 황여새(=**cédar wáxwing**) 《북아메리카산(產)》.

ce·darn [sí:dərn] *a.* 《시어》 삼목의; 삼목재의.

cede [si:d] *vt.* **1** 《~+목/+목+전+명》 인도(引渡)하다, (권리를) 양도하다, (영토를) 할양하다 《*to*》: ~ territory *to*... …에게 영토를 할양하다. **2** (권리·요구 따위를) 인정하다, 허용하다. 파 **céd·er** *n.*

ce·dil·la [sidílə] *n.* 《F.》 ç 처럼 c 자 아래의 부호《c 가 a, o, u 의 앞에서 [s]로 발음됨을 표시함; 보기: façade, François》.

cee [si:] *n.* C, c 의 글자.

CEEB 《미》 College Entrance Examination Board(대학 입학 시험 위원회).

Cee·fax [sí:fæks] *n.* 《영》 문자 다중(多重) 방송(teletext) 제도.

cée sprìng =C SPRING. 「ing Board.

C.E.G.B. 《영》 Central Electricity Generat-

cei·ba [séibə] *n.* 〖식물〗 케이폭나무; 그 섬유.

ceil [si:l] *vt.* …에 천장을 대다; (배의) 내부에 판자를 대다.

†**ceil·ing** [sí:liŋ] *n.* **1** 천장(널); 〖선박〗 내장 판자: a fly on the ~ 천장의 파리. **2** 상한(上限), 한계; (가격·임금 따위의) 최고 한도(top limit): set 〔impose, fix〕 a ~ *on* ... …에 상한 〔최고 한계〕를 정하다. **3** 〖항공〗 상승 한도; 시계(視界) 한도; 〖기상〗 운저(雲底) 고도: fly at the ~ 한계 고도로 날다. ***hit*** 〔***go through***〕 ***the*** ~ 《구어》 (가격이) 최고에 달하다 〔허용 한도를 넘다〕; 《구어》 뺏성을 내다. 파 **~ed** *a.* 「중의 여자.

céiling inspèctor 《영·Austral. 속어》 성교 도

céiling lìght 삼각 측량에 의하여 운저(雲底) 고도를 재는 탐조등.

ceil·om·e·ter [si:lámətər/-ɔ́m-] *n.* 〖기상〗 운고계(雲高計). 「셀로판」.

cel [sel] *n.* 〖영화〗 셀《동화(動畫)를 그리기 위한

cel·a·don [sélədàn, -dn/-dɔ̀n] *n., a.* 청자(색)(의); (도자기에 칠하는) 회록색 유약.

cel·an·dine [séləndàin] *n.* 〖식물〗 애기똥풀; 미나리아재비의 일종. 「종《상표명》.

Cel·a·nese [séləni:z, ∸-∸] *n.* 인조견(사)의 일

-cele [si:l] '종양(tumor)'의 뜻의 결합사.

ce·leb [səléb] *n.* 《속어》 명사(名士)(celebrity).

Cel·e·bes [séləbì:z, səlí:biz] *n.* 셀레베스《인도네시아 공화국의 한 섬》.

cel·e·brant [séləbrənt] *n.* (미사·성찬식의) 사제; 종교 식전의 참석자; 축하자《이 뜻으로는 celebrator 가 보통》.

‡**cel·e·brate** [séləbrèit] *vt.* **1** 《~+목/+목+전+명》 (식을 올려) 경축하다; (의식·제전을) 거행하다: ~ a festival 축제를 거행하다/We ~*d* Christmas *with* trees and presents. 나무를 장식하고 선물을 하면서 크리스마스를 축하했다. **2** 《+목+전+명》 (용사·훈공 따위를) 찬양하다(praise), 기리다: People ~*d* him *for* his glorious victory. 사람들은 그의 영광스러운 승리를 찬양했다. **3** 세상에 알리다, 공표하다: ~ the end of the war 전쟁 종결을 공표하다. ― *vi.* 축전〔의식〕을 행하다; 《구어》 축제 기분에 젖다, 쾌활하게 법석거리다. ◇ celebration *n.* 파 **-bra·to·ry** [-brətɔ̀:ri, səlébrə-/-təri] *a.*

*__cel·e·brat·ed__ [séləbrèitid] *a.* **1** 고명한, 유명한: a ~ painter 유명한 화가. **2** 세상에 알려진 《*for*》: The place is ~ *for* its hot springs. 그곳은 온천으로 유명하다. SYN. ⇨ FAMOUS. 파 **~·ness** *n.*

*__cel·e·bra·tion__ [sèləbréiʃən] *n.* **1** U 축하; C 축전, 의식; C 성체성사(의 거행): hold a ~ 축하연을 열다. **2** U 칭찬, 찬양; (*pl.*) 찬사. ***in*** ~ ***of*** …을 축하하여.

cel·e·bra·tor, -brat·er [séləbrèitər] *n.* 축하하는 사람, 의식 거행자.

°**ce·leb·ri·ty** [səlébrəti] *n.* **1** U 명성(名聲)(fame). **2** C 유명인, 명사. **3** 〔형용사적〕 명사적인, 유명한. 「할 수 있는 셀러리.

ce·ler·i·ac [səlériæ̀k] *n.* 〖식물〗 뿌리를 식용

ce·ler·i·ty [səlérəti] *n.* U 《문어》 신속, 민첩: act with ~ 민첩하게 행동하다.

*__cel·ery__ [séləri] *n.* U 〖식물〗 셀러리.

célery càbbage 배추(Chinese cabbage).

célery sàlt 셀러리솔트《셀러리 씨앗을 갈아서 소금을 섞어 만든 조미료》.

ce·les·ta [səléstə] *n.* 〖악기〗 첼레스타《종소리 같은 음을 내는 작은 건반 악기》.

ce·leste [səlést] *n.* U 하늘빛; C (오르간 등의) 첼레스트 음전(音栓). ― *a.* 하늘빛의.

ce·les·tial [səléstʃəl] *a.* **1** 하늘의; 천체의 (OPP *terrestrial*): ~ blue 하늘빛. **2** 천국의 (heavenly); 거룩한(divine); 절묘한, 뛰어나게 아름다운, 굉장한; (C-) (옛) 중국(인)의(Chinese): ~ bliss 지복(至福). ― *n.* 천인(天人), 천사(angel); (C-) 《우스개》 중국인; 하늘빛. 파 **~·ly** *ad.* **~·ness** *n.*

celéstial bódy 〔**óbject**〕 천체(天體).
Celéstial Cíty (the ~) 천국《Bunyan 의 *Pilgrim's Progress* 에 나오는》, 예루살렘.
Celéstial Émpire (the ~) 중국 왕조.
celéstial equátor (the ~) 천구의 적도.
celéstial glóbe 천구의(天球儀).
celéstial guídance 『항공』 (로켓의) 천측(天測) 유도. 「구대(天軍九隊).
celéstial híerarchy (the ~) 『기독교』 천군
celéstial horízon 『천문』 천문〔천구〕 수평〔지평〕, 천궁 지평선.
celéstial látitude 『천문』 황위(黃緯).
celéstial lóngitude 『천문』 황경(黃經).
celéstial márriage 영원한 결혼《모르몬 신전에서 거행되며, 이생뿐만 아니라, 저승에서도 결혼 상태가 이어진다고 여겨지고 있음》.
celéstial mechánics 천체〔우주〕 역학.
celéstial navigátion 천문(天文) 항법.
celéstial póle 『천문』 천구(天球)의 극(極).
celéstial sphére 천구(天球).
cel·es·tite [séləstàit] *n.* 천청석(天青石).
ce·li·ac [sí:liæ̀k] *a.* 『해부』 복강(腹腔)의, 배의. **—** *n.* celiac disease 환자. 「症).
céliac disèase 『의학』 소아 지방변증(脂肪便
cel·i·ba·cy [séləbəsi] *n.* [U] 독신(생활); 독신주의; 금욕. [파] **cel·i·ba·tar·i·an** [sèləbətέəriən] *a.*
cel·i·bate [séləbət, -bèit/-bət] *n.* 독신(주의)자《특히 종교적 이유로》. **—** *a.* 독신(주의)의.
***cell** [sel] *n.* **1** 작은 방; (수도원 따위의) 독방, 작은 수도원〔수녀원〕. **2** (교도소의) 독방, 『군사』 영창: a condemned ~ 사형수의 독방〔감방〕/ put a person in a ~ 아무를 독방에 넣다. **3** 『생물』 세포; 《비유》 (공산당 따위의) 세포; 『컴퓨터』 낱칸, 셀《스프레드시트나 워드 프로세서 프로그램에서 만든 표에서 행과 열이 만나는 한 칸》: ⇨ BRAIN CELL / communist ~*s* 공산당의 지부. **4** (벌집의) 봉방(蜂房). **5** (생물 또는 광물 조직 내의) 공동부(空洞部), 낭(囊), 강(腔), 와(窩). **6** 『전기』 전지《cell 이 모여서 battery를 이룸》; = FUEL CELL; (발전소 · 변전소 따위의) 격실(隔室): a dry ~ 건전지. **7** 《시어》 시골집; 무덤. **8** (기구의) 가스 주머니. **9** 『수학』 포체(胞體); 『화학』 전해조. **10** 『통신』 셀. **—** *vi.* 독방 살이를 하다, 작은 방에 들어박히다. [파] **∠·like** *a.*
cel·la [sélə] (*pl.* **-lae** [-li:]) *n.* 『건축』 성상(聖像) 안치소《그리스 · 로마 신전의 안쪽》.
cel·lar** [sélər] *n.* **1** 지하실, 땅광, 움. **2** 포도주 저장(실); 저장한 포도주. **3** 《영》 (도시 주택의) 석탄 저장소(coal ~). **4** (the ~) 《구어》 『경기』 최하위: be the ~ 맨 꼴찌다. ***keep a good ~ 좋은 포도주를 저장하다. **—** *vt.* (포도주 따위를) 지하실에 저장하다. [파] **~·age** [-ridʒ] *n.* [U] 〖집합적〗 지하(저장)실; 지하(저장)실 설비; [U] 지하실의 평수; 지하(저장)실 보관(료). **~·er** [-rər] *n.* (수도원 등의) 식료품 담당자. **~·ess** *n. fem.*
céllar·dwèllers *n.* 《구어》 최하위 팀.
cel·lar·et(te) [sèlərét] *n.* (식당의) 술병 선반.
céllar·man [-mən] *n.* (호텔 따위의) 저장실 관리인; 포도주 상인.
céllar·wày *n.* 지하실 입구; 《특히》 지하실로 통하는 바깥 계단의 입구〔통로〕.
céll biòlogy 세포 생물학.
céll·blòck *n.* (교도소의) 독방동(棟).
céll bòdy 『해부』 세포체.
céll cỳcle 『생물』 세포 주기, 분열 주기.
céll divìsion 『생물』 세포 분열.
celled [seld] *a.* 〖보통 복합어로〗 …한〔개의〕 세포를 가진.
céll fùsion 『생물』 세포 융합.
cel·list, 'cel·list [tʃélist] *n.* 첼로 연주자, 첼
céll lỳsis 『생물』 세포 용해. ⌊리스트.

céll·màte *n.* 감방 친구.
céll-mediated immúnity 세포(매개)성 면역《세포막에 부착하는 항체(抗體) 증가에 의한》.
céll mèmbrane 『생물』 세포막.
céll nùcleus 『생물』 세포핵.
cel·lo, 'cel·lo [tʃélou] (*pl.* **~s**) *n.* 《It.》 『악기』 첼로(violoncello).
cel·lo·phane [séləfèin] *n.* [U] 셀로판. [파] **~d** *a.* 셀로판제의, 셀로판으로 싼.
céllophane nóodles 당면.
céll·phòne *n.* = CELLULAR PHONE.
céll sàp 『생물』 세포액.
céll sòrter 『생물 · 의학』 세포 분별기(分別機).
céll thèory 『생물』 세포설.
céll thèrapy 세포 요법《뱃속의 새끼양의 세포 현탁액(懸濁液)을 주사하는 회춘법》.
cel·lu·lar [séljələr] *a.* **1** 세포로 된, 세포질〔모양〕의: ~ tissue 세포 조직. **2** 성기게 짠《셔츠 따위》; 다공(多孔)성의《바위》. **3** 『통신』 셀 방식의, 통화 존(zone)식의《도시를 기하학적 모양으로 분할하여 분할된 각 셀 중심에 중계국을 설치하는 방식》. **4** 독방 사용의: ~ confinement 독방 감금. [파] **~·ly** *ad.*
céllular engineéring 세포 공학.
cel·lu·lar·i·ty [sèljəlǽrəti] *n.* [U] 세포 밀도.
cél·lu·la·rìzed [-ràizd] *a.* 세분된. 「PHONE.
céllular móbile ràdio 『통신』 = CELLULAR
céllular phóne 〔**télephone**〕 『통신』 (셀 방식) 휴대 전화(mobile phone).
céllular respirátion 『생물』 세포 호흡《효소가 세포 내의 산소, 영양분에 작용하여 에너지를 발생시키는 작용》.
céllular thérapy = CELL THERAPY.
cel·lu·lase [séljəlèis] *n.* 『화학』 셀룰라아제《섬유소 분해 효소》.
cel·lu·late, -lat·ed [séljəlèit], [-lèitid] *a.* 세포 모양의, 다공성의.
cèl·lu·lá·tion *n.* [U] 세포 조직.
cel·lule [sélju:l] *n.* 『생물』 작은 세포.
cel·lu·lite [séljəlàit, -lì:t] *n.* [U] 셀룰라이트《지방 · 물 · 노폐물로 된 물질로, 둔부나 대퇴부에 멍울지는》. 「(蜂巢炎), 세포염.
cel·lu·li·tis [sèljəláitis] *n.* [U] 『의학』 봉소염
cel·lu·loid [séljəlɔ̀id] *n.* [U] **1** 셀룰로이드《원래 상표명》. **2** 《구어》 영화(의 필름): on ~ 영화로. **—** *a.* 《구어》 영화의. 「스, 섬유소(素).
cel·lu·lose [séljəlòus] *n.* [U] 『화학』 셀룰로오
céllulose ácetate 『화학』 아세트산 셀룰로오스《사진 필름용》.
céllulose nítrate 『화학』 질산 섬유소《폭약용》.
cel·lu·lous [séljələs] *a.* 세포가 많은, 세포로
céll wáll 『생물』 세포벽. ⌊이루어진.
cè·lo-navigátion [sì:lou-, sèlou- sì:-] *n.* = CELESTIAL NAVIGATION.
ce·lo·scope [sí:ləskòup] *n.* 『의학』 체강경(體腔鏡); 체강 검사기(= **cé·li·o·scòpe** [sí:liə-], **cóe·lo·scòpe** [sí:lə-]).
Cel·o·tex [sélətèks] *n.* 셀로텍스《건축용 절연 · 방음판; 상표명》.
Cels. Celsius.
Cel·si·us [sélsiəs, -ʃəs] *n.* **Anders** ~ 셀시우스《스웨덴의 천문학자; 1701–44》. **—** *a.* 섭씨의(centigrade)《생략: Cels., C.》. [cf] Fahren-
Célsius thermómeter 섭씨온도계. ⌊heit.
Celt, Kelt [kelt, selt], [kelt] *n.* 켈트 사람, (the ~s) 켈트족《아리안 인종의 한 분파; 아일랜드 · 웨일스 · 스코틀랜드 고지 등에 삶》.
celt [selt] *n.* 『고고학』 (유사 이전의) 돌〔금속〕도끼.
°**Celt·ic, Kelt·ic** [kéltik, sélt-], [kélt-] *a.* 켈

트의, 켈트 사람〔족〕의, 켈트 말의. **—** *n.* 켈트 사람; [U] 켈트 말. 「음」.
Céltic cróss 켈트 십자가《교차점에 ring이 있
Céltic frínge 〔**édge**〕 (the ~) 켈트 외변(外邊)(인(人))《잉글랜드의 외변에 사는 Scots, Irish, Welsh 및 Cornish; 그 거주 지역》.
Celt·i·cism [kéltəsìzəm, sél-] *n.* 켈트풍, 켈트인 기질; 켈트어법; 켈트 취미. [파] **-cist** *n.*
Céltic twílight '켈트의 박명(薄明)'《본래 예이츠의 민화집 이름인데, 아일랜드 민화의 신비스러운 분위기》.
Cel·to- [kéltou, -tə, sél-] 'Celt'의 뜻의 결합사: *Celto*-Roman.
cel·tuce [séltəs] *n.* 셀러리와 상추를 교배시켜 만든 야채. [◀ *cel*ery+let*tuce*]
cem. cement. **C.E.M.A.** Council for the Encouragement of Music and the Arts《현재는 A.C.G.B.》.
cem·ba·lo [tʃémbəlòu] (*pl.* ***-ba·li*** [-lìː], **~s**) *n.* 〖악기〗 쳄발로(harpsichord); 덜시머(dulcimer). [파] **-list** *n.*
⁑**ce·ment** [simént] *n.* [U] **1** 시멘트, 양회; (치과용) 시멘트. **2** 접합제〔물〕. **3** (우정 따위의) 유대. **4** 〖해부〗 =CEMENTUM. **5** 〖지학〗 교결물(膠結物); 〖야금〗 (침탄(浸炭)용의) 숯가루. **—** *vt.* 시멘트로 접합하다《*together*》; …에 시멘트를 바르다; 결합하다; (우정 따위를) 굳게 하다. **—** *vi.* 접합하다; 침탄법을 쓰다. [파] **~·er** *n.* **~·less** *a.*
ce·men·ta·tion [sìːmentéiʃən, -men-, sèmən-/sìmən-] *n.* [U] 시멘트 결합; 접합; 교착; 〖야금〗 침탄법(浸炭法).
cemént cìty 《속어》 공동묘지(=cemetery).
cemént hèad 《미속어》 멍청이, 바보. 「탄화철.
ce·ment·ite [siméntait] *n.* 〖화학〗 시멘타이트,
ce·men·ti·tious [sìːmentíʃəs, -men-, sèmən-/sìːmen-] *a.* 시멘트질(質)〔성(性)〕의.
cemént mìxer 시멘트〔콘크리트〕 믹서(concrete mixer). 「시멘트질.
ce·men·tum [siméntəm] *n.* 〖해부〗 (이의)
*__cem·e·tery__ [sémətèri/-tri] *n.* (교회에 부속되지 아니한) 묘지, 《특히》 공동묘지. [cf] churchyard, graveyard.
CEMF counter electromotive force (역(逆)기전력). **C.E.M.S.** Church of England Men's Society. **cen.** central; century.
cen·a·cle [sénəkl] *n.* **1** 만찬실; (C-) (그리스도의) 최후의 만찬소. **2** (작가 등의) 동인; 동인 집회소. **3** 〖가톨릭〗 묵상소.
ce·nes·tho·pa·thy [sìnəsθάpəθi] *n.* 〖정신의학〗 체감증, 체감 이상(異常)《신체 질환이 없는데도 머리 속이 끈적하거나 등골이 내려앉는 따위의 기묘한 체감 이상을 느끼는 증상》. 「합사.
ce·no- [síːnə, sénə/síːnə] '새로운'의 뜻의 결
ce·no·bite, coe- [síːnəbàit, sénə-/síːn-] *n.* (공동생활하는) 수도자, 수사. [cf] anchorite, hermit. [파] **cé·no·bìt·ism** *n.* [U] 수도원제, (공동생활하는) 수사의 생활. **ce·no·bit·ic, -i·cal** [sìːnəbítik, sènə-/sìːn-], [-əl] *a.*
ce·no·gen·e·sis, coe-, cae- [sìːnədʒénəsis, sènə-] *n.* 〖생물〗 변형〔신형〕 발생. [cf] palingenesis. [파] **-ge·net·ic** [-dʒənétik] *a.* **-ge·nét·i·cal·ly** *ad.*
ce·no·spe·cies, coe- [síːnəspìːʃi(ː)z, sénə-] *n.* 〖생물〗 집합종(種), 공동종, 종합종.
cen·o·sphere [sénəsfìər] *n.* 세노스피어, 공구(空球)《플라이 애시 속에 보이는 엷은 유리질 입토구(粒土球); 가볍고 초고압에 견딤》.
cen·o·taph [sénətæ̀f, -tὰːf] *n.* **1** 기념비(monument). **2** (the C-) 런던에 있는 제 1·2 차 세계 대전의 전사자 기념비.
Ce·no·zo·ic, Cae- [sìːnəzóuik, sènə-/sìːn-] *a.* 〖지학〗 신생대의. **—** *n.* (the ~) 신생대(층).
cense [sens] *vt.* …에 향을 피우다; 분향하고 예배하다.
cen·ser [sénsər] *n.* 향로(香爐)《가톨릭 의식 때 쇠사슬에 매달아 흔드는》. [파] **~·less** *a.*

censer

cen·sor [sénsər] *n.* **1** 검열관《출판물·영화·서신 등》. **2** 〖고대로마〗 감찰관《풍기 단속을 담당한》. **3** 비평〔비난〕자; (영국 대학의) 학생감. **4** [U] 〖정신분석〗 잠재의식 억압력. **—** *vt.* 검열하다, 검열하여 삭제하다《*out*》. [파] **~·a·ble** [-sərəbəl] *a.* 검열에 걸릴 (만한). **cen·so·ri·al, -ri·an** [sensɔ́ːriəl], [-riən] *a.* 검열(관)의.
cen·so·ri·ous [sensɔ́ːriəs] *a.* 검열관 같은; 비판적인; 탈잡(기 좋아하)는. [파] **~·ly** *ad.* **~·ness** *n.*
cen·sor·ship [sénsərʃìp] *n.* **1** [U] 검열 (계획, 제도); 검열관의 직〔직권, 임기〕. **2** 〖정신분석〗 검열《잠재의식 억압력의 기능》.
cen·sur·a·ble [sénʃərəbəl] *a.* 비난할 (만한). [파] **~·ness** *n.* **-bly** *ad.*
*__cen·sure__ [sénʃər] *vt.* 《~+[목]/+[목]+[전]+[명]》 비난하다, 나무라다; (비평가가) 혹평하다; 견책하다: ~ careless work 부주의한 행위를 나무라다 / ~ a person *for* a fault 아무의 잘못을 책하다. [SYN] ⇨ BLAME. **—** *n.* [U,C] 비난; 혹평; 질책, 책망, 견책. [파] **cén·sur·er** [-rər] *n.* 비난자.
°**cen·sus** [sénsəs] *n.* (통계) 조사; 인구〔국세〕 조사; 〖생태〗 개체수 조사: take a ~ (of the population) 인구〔국세〕 조사를 하다. **—** *vt.* …의 인구를 조사하다.
cénsus tàker 국세 조사원.
cénsus tràct 《미》 (대도시의) 인구 조사 표준 지역, 국세 조사 단위.
†**cent** [sent] *n.* **1** 센트《미국·캐나다 등의 화폐 단위, 1 달러의 100 분의 1》; 1 센트짜리 동전. **2** (a ~) 〔보통 부정문〕 《미》 푼돈, 조금: I do*n't* care a RED CENT. **3** 백(百)《단위로서의》: per ~, 100에 대하여, 퍼센트《%》. **~ *per* ~,** 100 퍼센트, 10 할(의 이자); 예외 없이. ***feel like two ~s*** 《미구어》 부끄럽다. ***five-per-~s*** **=5 *per ~s*** 오푼 이자 공채(公債). ***put*** 〔***get***〕 ***in*** one***'s two ~s worth*** ⇨ WORTH.
cent- ⇨ CENTI-.
cent. centered; centigrade; centimeter; central; centum; century. **CENTAG** [séntæg] Central (European) Army Group 《NATO의》.
cen·tal [séntl] *n.* 《영》 100 파운드《중량》.
cen·ta·mat·ic [sèntəmǽtik] *a.* (둘 이상의 용지를 펀치할 때) 자동적으로 중심 위치를 맞추는.
cen·tare [séntɛ̀ər] *n.* 센티아르(centiare)《100 분의 1 아르: 1 제곱미터; 생략: ca.》.
cen·taur [séntɔːr] *n.* **1** 〖그리스신화〗 켄타우로스《반인 반마(半人半馬)의 괴물》. **2** 명기수(名騎手). **3** (the C-) 〖천문〗 = CENTAURUS. **4** (C-) 〖우주〗 센토《미국의 재점화 가능형 액체 연료 엔진으로 인공위성·우주 탐사선 발사 따위에 사용》.

centaur 1

Cen·tau·rus [sentɔ́ːrəs]

n. 〚천문〛 켄타우루스 자리.
cen·tau·ry [séntɔːri] n. 〚식물〛 도깨비부채.
cen·ta·vo [sentάːvou] (pl. **~s**) n. 센타보《멕시코·필리핀·쿠바 따위의 화폐 단위; 1 페소의 100분의 1》.
Centcom 〚미군사〛 Central Command (중동사령부; 중앙군)《중동·북아프리카에서 작전을 전개하기 위해 설립된 육·해·공·해병 사단으로 이루어진 공격군》.
cen·te·nar·i·an [sèntənέəriən] a., n. 100 년의; 100 살(이상)의 (사람).
cen·ten·ary [senténəri, séntənèri/ sentíːnəri] a. 100 의; 100 년(마다)의; 100 년제의. **—** n. 100 년간; 100 년제(祭), 100 주년 기념일.

> NOTE 이백년제 (2)부터 천년제 (10)까지의 순으로: (2) bicentenary, (3) tercentenary, (4) quatercentenary, (5) quincentenary, (6) sexcentenary, (7) septingenary, (8) octocentenary =octingentenary, (9) nongenary, (10) millenary.

cen·ten·ni·al [senténiəl] a. 100 년마다의; 100 년제의; 100 세의, 100 년(간)의. **—** n. 100 년제(祭). ㊕ **~·ly** ad. 100 년마다.
Centénnial Stàte (the ~) 미국 Colorado 주의 별칭《독립 1 세기 뒤에 병합된 데서》.
†**cen·ter,** 《영》 **-tre** [séntər] n. **1** 중심; 핵심; 중앙; (중)축; 중추; 〚수학〛 중점: the ~ *of* circle 원의 중심 / in the ~ *of* a room 방 중앙에. SYN. ⇨MIDDLE. **2** 중심지(구); 종합 시설, 센터; 인구 밀집지: an amusement ~ 환락가 / an urban ~ 도심(지). **3** 〚구기〛 중견(수); 센터; 센터로 보내는 공〔타구〕. **4** (the C-) 〚정치〛 중도파(派), 온건파(cf. the Left, the Right). **5** 〚군사〛 (양익에 대해) 중앙 부대, 본대. **6** 본원(本源)(source): an earthquake ~ 진원지(震源地). **7** (the ~) (사건·흥미 따위의) 중심(中心); 중심인물: He's the ~ *of* the project. 그는 그 계획의 중심인물이다. **8** 축(軸). **9** (과일·캔디 등의) 속: a chocolate bar with a jam ~ 속에 잼을 넣은 초콜릿 바. **10** 〚건축〛 아치〔홍예〕받침. **11** (the (Red) Centre) =CENTRALIA. ◇ central a. **~ *of attraction*** 〚물리〛 인력의 중심; 인기거리, 인기인. **~ *of buoyancy* 〔*displacement*〕** 〚물리〛 부력의 중심. **~ *of curvature*** 〚수학〛 곡률 중심《곡률원의 중심》. **~ *of gravity*** 중심(重心); 흥미〔활동 등〕의 중심. **~ *of mass* 〔*inertia*〕** 질량 중심(中心), 중심(重心). ***come to the* ~** 《미속어》 남을 앞서다, 현저한 지위를 차지하다. ***set ... on* ~** 《미》 〚건축〛 기둥 따위의 중심에서 …의 간격으로 두다.
— vt. **1** 《+목+전+명》 중심에 두다; 중심으로 모으다; (렌즈)의 광학적 중심과 기하학적 중심을 일치시키다; 집중시키다《*on; in*》: ~ a vase *on* the table 꽃병을 테이블 가운데에 놓다 / ~ one's report *on* education in Korea 보고의 중심을 한국의 교육 사정에 두다. **2** …의 중심을 차지〔표시〕하다: A pond ~*s* the garden. 연못이 정원의 중심을 점하고 있다. **3** 〚기계〛 중심에 두다, 중축에 맞추다. **4** 〚축구·하키〛 (공·퍽을) 센터로 차다〔보내다〕, 센터링하다. **—** vi. 《+전+명》 (관심·화제 따위가) 중심이 되다, 집중하다, 중심에 있다, (문제 따위가) …을 중심으로 하다《*on; about; at; around; round; in*》: a discussion ~*ing around* student life 학생 생활을 중심으로 한 토론 / The topic today ~*s about* the crisis in the Middle East. 오늘 화제의 초점은 중동의 위기다. **—** a. 중심의; 중도파의. ★ 최상급은 centermost.
cénter báck 〚구기〛 (배구 등의) 센터백.
cénter bìt 〚기계〛 타래송곳.
cénter·bòard n. 〚선박〛 센터보드, 자재 용골(自在龍骨).
cén·tered a. **1** 중심에〔이〕 있는; 〚건축〛 심(心)(원(圓))이 있는; 〖복합어로〗 (어떤 것을) 관심·활동의 주대상으로 한: consumer-~ 소비자 중심의. **2** 집중한〔된〕.
cénter fíeld 〚야구〛 센터(의 수비 위치).
cénter fíelder 〚야구〛 중견수, 센터 필더.
cénter-fire a. (탄약 등이) 기저부(基底部) 중앙에 뇌관이 있는.
cénter·fòld n. **1** 잡지의 중간에 접어서 넣은 페이지《그림·사진 따위를 접어 넣은 것》. **2** 접어 넣은 페이지에 실린 것〔사람〕.
cénter fórward (축구 등의) 센터 포워드.
cénter háIf(back) (축구 등의) 센터 하프.
cén·ter·ing, 《영》 **-tr(e)-** [-riŋ] n. 〚건축〛 홍예틀; 센터링하기.
cénter·lìne n. 중심선, 중앙선.
cénter·mòst a. 한가운데의.
cénter of éxcellence 일류 연구 기관《대학 따위》.
cénter-of-máss sỳstem 〚물리〛 질량 중심 「계(系).
cénter of préssure 〚물리·항공〛 압력의 중심.
cénter of sýmmetry 〚결정〛 대칭 중심, 대칭 「심.
cénter·pìece n. **1** 중심부 장식, 《특히》 식탁 중앙에 놓는 장식물《유리·레이스 따위》. **2** 중심물, 중심적인 존재. **3** (정책·계략 등의) 주된 특징; 인기 있는 것; 최중요 항목.
cénter-pìvot a. (회전식 대형 스프링클러에 의한) 원형 관수의《관계 방식》.
cénter pùnch 중심 각인기(刻印器).
cénter-sècond n. (문자판 중심을 축으로 하는) 초침(이 있는 시계).
Cénters for Diséase Contròl and Prevéntion (the ~) 《미》 질병 관리 센터《질병 박멸·역학 연구·예방 교육을 목적으로 하는 연방 정부의 기구》.
cénter sprèad (신문·잡지의) 중앙의 마주보는 양면(의 기사·광고). 「위치(의〔에〕).
cénter stáge 무대의 중앙(의〔에〕); 중심적인
cénter thrée-quárter 〚럭비〛 센터 스리쿼터《스리쿼터 중앙의 선수; 공격의 중심》.
cen·tes·i·mal [sentésəməl] a. 100 분의 1 의; 〚수학〛 백분법의, 백진(百進)법의. cf. decimal.
cen·tes·i·mo [sentésəmòu] (pl. **~s, -mi** [-mìː]) n. 이탈리아의 화폐 (단위)《1 lira 의 100 분의 1》; 파나마·우루과이의 화폐 (단위)《전자는 1 balboa 의, 후자는 1 peso 의 100 분의 1》.
cen·ti- [sénti, -tə, sάːn-/sén-], **cent-** [sent] '100, 100 분의 1' 의 뜻의 결합사. cf. ⌊hecto-.
cénti·àre n. =CENTARE.
cénti·bàr n. 〚기상〛 센티바《생략: cb; 100 분의 1 바》.
‡**cen·ti·grade** [séntəgrèid] a. 100 분도(分度)의; (종종 C-) 섭씨의《생략: C., c., Cent., cent.》 cf. Celsius; Fahrenheit. ¶ twenty degrees ~ 섭씨 20 도(20℃). **—** n. 센티그레이드《각도의 단위; 100 분의 1 grade》.
céntigrade thermómeter 섭씨온도계(Celsius thermometer). 「1 그램》.
cénti·gràm n. 센티그램《생략: cg; 100 분의
cénti·lìter, 《영》 **-lìtre** n. 센티리터《생략: cl.; 100 분의 1 리터》.
cen·til·lion [sentíljən] n. 《미·프》 10 의 303 제곱; 《영·독》 10 의 600 제곱.
cen·time [sάːntiːm] n. 《F.》 상팀《프랑스의 화폐 (단위); 1 프랑의 100 분의 1》.

***cen·ti·me·ter,** 《영》 **-tre** [séntəmìːtər] *n.* 센티미터《생략: cm; 1 미터의 100 분의 1》.
céntimeter-grám-sécond *a.* 〖물리〗 C.G.S. 단위계(系)의 《센티미터·그램·초를 길이·질량·시간의 단위로 함; 생략: cgs》.
cénti·millionáire *n.* 1 억 달러〔파운드 따위〕 이상의 재산가, 억만장자.
cen·ti·mo [séntəmòu] (*pl.* **~s**) *n.* 센티모《스페인어권 나라들의 화폐 단위》.
cen·ti·mor·gan [séntəmɔ̀ːrgən] *n.* 〖유전〗 교차 단위, 센티모건《동일 염색체상의 유전자 간의 상대 거리의 단위》.
cen·ti·pede [séntəpìːd] *n.* 〖동물〗 지네.
cénti·pòise *n.* 〖물리〗 센티푸아즈《점도의 단위; 100 분의 1 poise; 생략: cP》.
cénti·sècond *n.* 100 분의 1 초. 「분의 1》.
cénti·stère *n.* 센티스티어《1 세제곱미터의 100
cent·ner [séntnər] *n.* 첸트너《독일 등의 중량 단위: 50 kg; 옛 소련 등에선 100 kg》.
cen·to [séntou] (*pl.* **~s**) *n.* 명시구(名詩句)를 따 모아 만든 글; 명곡을 추려 모은 곡.
CENTO, Cento [séntou] Central Treaty Organization(중앙 조약 기구; 1959-79).
centr- [séntr], **cen·tri-** [séntri, -trə], **cen·tro-** [séntrou, -trə] '중심'의 뜻의 결합사.
***cen·tral** [séntrəl] *a.* **1** 중심의, 중앙의; 중심부〔중앙부〕의; 중추의: the ~ area of the city 그 도시의 중심부. **2** 중심적인; 기본적인; 주요한: the ~ idea 중심 사상 / the ~ character in a novel 소설의 중심인물. **3** (…에게는) 중심인《*to*》: This theme is ~ *to* our study. 이 테마는 우리 연구의 중심이다. **4** (장소 등이) 편리한. **5** 집중 방식의: ~ heating. **6** 〖정치〗 중도적인, 온건한. **7** 중추 신경계의; 〖음성〗 중설(中舌)의; 추체(椎體)(centrum)의. **—** *n.* **1** 본점, 본사, 본부, 본국(本局). **2** 《미》 전화 교환국〔교환원〕. ***get* ~** 교환국을 호출하다. ㊞ **~·ly** *ad.* 중심(적)으로; 중앙에.
Céntral África̋n Repúblic (the ~) 중앙 아프리카 공화국《수도 Bangui》.
céntral alárm sỳstem 중앙 경보 장치《비상시 경찰이나 경비 회사에 자동적으로 통보됨》.
Céntral América 중앙아메리카. ㊞ **~n** 중앙 아메리카의 (사람).
céntral bánk 중앙 은행: ~ rate 공정 금리.
céntral bódy 〖생물〗 중심체; 〖로켓〗 중심 천체《위성·탐사선이 그 주위를 도는 천체》.
céntral cásting 《미》 (촬영소의) 배역부(配役部). (***straight***) ***from* ~** 틀에 박힌, 전형적인.
céntral cíty (메갈로폴리스의) 중심〔핵〕 도시.
céntral contról stàtion 〖통신〗 중앙 제어국.
Céntrál Críminal Còurt (the ~) 《영》 중앙 형사 법원《런던 소재》.
céntral dáylight tìme (종종 C- D- T-) 《미·Can.》 중부 일광 절약 시간《생략: CDT》.
céntral dógma 〖생물〗 센트럴 도그마《유전 정보의 흐름을 나타내는 분자 생물학의 원리》.
céntral góvernment (지방 정부에 대해) 중앙 정부.
céntral héating 집중〔중앙〕 난방 (장치).
Cen·tra·lia [sentréiljə, -liə] *n.* 센트레일리아 (the Centre)《오스트레일리아 중부 오지》.
Céntral Intélligence Àgency (the ~) 《미》 중앙 정보국《생략: CIA》.
cén·tral·ìsm *n.* Ⓤ 집중화; 중앙 집권주의〔제도〕; 〖물리〗 구심성. ㊞ **-ist** *n., a.* **cèn·tral·ís·tic** *a.* 「성.
cen·tral·i·ty [sentrǽləti] *n.* Ⓤ 중심임; 구심
cèn·tral·i·zá·tion *n.* Ⓤ 중앙으로 모임, 집중(화); 중앙 집권.
cén·tral·ìze *vt.* 중심에 모으다, 한 점에 집합시키다; 집중시키다《*in*》; (국가 등을) 중앙 집권제로 하다. **—** *vi.* 중심〔중앙〕에 모이다; 집중하다《*in*》; 중앙 집권화하다. ㊞ **-ìz·er** *n.*
céntralized fíre contról 〖군사〗 중앙 사격 통제〔지휘〕. 「한 정리.
céntral límit thèorem 〖수학·경제〗 중심 극
céntral lòcking (자동차 도어의) 중앙개폐 방식, 센트럴 로킹《운전석의 문을 잠그면 다른 모든 문도 동시에 닫히는 방식》. 「(장치)의.
céntrally-héated [-id] *a.* 중앙〔집중〕 난방
céntral nérvous sỳstem 〖해부〗 중추 신경계.
Céntral Óffice of Informátion (the ~) 《영》 중앙 홍보국《정부의 국내외 홍보 활동 기구》.
Céntral Párk 센트럴 파크《뉴욕 시의 대공원》.
Céntral Pówers (the ~) 동맹국《제 1 차 세계 대전 중 독일·오스트리아·헝가리, 때로는 터키·불가리아를 포함함》.
céntral prócessing ùnit 〖컴퓨터〗 중앙 처리 장치《생략: CPU》.
céntral prócessor 〖컴퓨터〗 =CENTRAL PROCESSING UNIT.
céntral projéction 〖수학〗 중심 도법(圖法), 중심 투상법(投像法), 중심 투영법.
céntral ráte 〖금융〗 중심 시세《변동 환율제 이전의 미 달러에 대한 각국 환의 공정 환율》.
céntral resérve 〔**reservátion**〕 《영》 (도로의) 중앙 분리대(《미》 median strip).
céntral resérve cìty bánk 《미》 중앙 준비시(市)은행《central reserve cities (New York, Chicago 2 개 시)에 있는 연방 준비 가맹 은행》.
Céntral Sérvices Organizàtion 《미》 중앙 서비스 조직《1984 년 AT&T 사의 해체에 따라 7 개의 지방 전화 회사가 공동 출자로 세운 회사》.
Céntral (**Stándard**) **Tìme** 《미》 중부 표준시《생략: C.(S.)T.》.
céntral téndency 〖통계〗 중심 경향.
cen·tre, etc. 《영》 =CENTER, etc.
cen·tric, -tri·cal [séntrik], [-əl] *a.* 중심의, 중추의; 신경 중추의. ㊞ **cén·tri·cal·ly** *ad.* **cen·tric·i·ty** [sentrísəti] *n.* Ⓤ
-cen·tric [séntrik] '…의〔에〕 중심을 가지는, …중심의'의 뜻을 갖는 결합사: helio*centric*.
cen·trif·u·gal [sentrífjəgəl/sèntrifjúː-] *a.* 원심(성)의; 원심력을 응용한; (중앙 집권에 대해) 지방 분권적인. opp. *centripetal.* ¶ ~ force 원심력 / ~ inflorescence 〖식물〗 유한 꽃차례. **—** *n.* 〖기계〗 원심 분리기. ㊞ **~·ly** *ad.* 「분리기.
centrífugal machíne 〔**séparator**〕 원심
centrífugal púmp 〖기계〗 원심〔소용돌이〕 펌프.
centrífugal súgar 분밀당(分蜜糖). 「프.
cen·trif·u·ga·tion [sèntrəfjugéiʃən] *n.* 원심 분리; 원심 침전법.
cen·tri·fuge [séntrəfjùːdʒ] *n.* 원심 분리기. **—** *vt.* …에 원심 작용을 받게 하다; …을 원심 분리기에 걸다.
cen·tri·ole [séntriòul] *n.* 〖생물〗 중심소체(小體), 중심립(中心粒), 중심자(中心子)《centrosome 의 중심에 있는 소립(小粒)》; =CENTROSOME.
cen·trip·e·tal [sentrípətl] *a.* 구심(성)의; 구심력을 응용한; 중앙 집권적인. opp. *centrifugal.* ¶ ~ force 구심력 / ~ inflorescence 〖식물〗 무한 꽃차례. ㊞ **~·ly** *ad.*
cen·trism [séntrizəm] *n.* Ⓤ (종종 C-) 중도〔온건〕주의, 중도 정치.
cen·trist [séntrist] *n.* (종종 C-) 중도파〔온건파〕 의원〔당원〕.
centro- ⇨ CENTR-.

cèntro·báric *a.* 중심(重心)의〔에 관한, 을 갖는〕.

cen·troid [séntrɔid] *n.* 〖수학〗 도심(圖心); 〖물리〗 중심(重心), 질량 중심.

cen·tro·mere [séntrəmìər] *n.* 〖생물〗 동원체(動原體)《염색체의 잘록한 부분에 있는 소립(小粒)》.

cen·tro·some [séntrəsòum] *n.* 〖생물〗 (세포의 중심 소체 둘레의) 중심체. ㊕ **cèn·tro·sóm·ic** *a.*

céntro·sphère *n.* 〖지학〗 (지구의) 중심핵; 〖생물〗 (세포의) 중심구(球).

cèntro·symmétric, -rical *a.* 중심 대칭(성)의.

cen·trum [séntrəm] (*pl.* **~s, -tra** [-trə]) *n.* **1** 중심. **2** 〖해부〗 추체(椎體), 중추. **3** 진원지(震源地).

cénts-òff *a.* 쿠폰(에 의한) 할인 방식의.

cen·tum [séntəm] *n.* 《L.》 백(100).

cen·tu·ple [séntəpəl, -tjə-/-tju-] *a.* 100 배의. **—** *n.* 100 배. **—** *vt.* 100 배하다.

cen·tu·pli·cate [sentjú:plikit/-tjú:-] *n.*, *a.* 100 배(의). ***in* ~** 백 부 찍은〔인쇄로〕. **—** [-kèit] *vt.* 100 배하다; 백 통을 찍다.

cen·tu·ri·al [sentjúəriəl/-tjúər-] *a.* 1 세기의, 100 년의.

cen·tu·ri·on [sentjúəriən/-tjúər-] *n.* 〖고대로마〗 백부장(百夫長). ㏇ century.

⁑cen·tu·ry [séntʃəri] *n.* **1** 1 세기, 백 년: the twentieth ~, 20 세기《1901 년 1 월 1 일부터 2000 년 12 월 31 일까지》. **2** 〖고대로마〗 백인조(組)《투표 단위; 100 명이 한 표를 가짐》; 백인대(百人隊)《군대의 단위; 60 centuries 가 1 legion 을 이룸》. **3** 백, 100 개; 〖크리켓〗 100 점(=100 runs). **4** 《미속어》 100 달러 (지폐): ~ note 백 달러 지폐. ***a* ~ *poems*** 백시선(百詩選). **—** *a.* =CENTENNIAL.

céntury plànt 〖식물〗 용설란(龍舌蘭)《북아메리카 남부산; 백 년에 한 번 꽃이 핀다고 함》.

CEO, C.E.O. chief executive officer (최고 경영자(經營者)). **CEP** 〖군사〗 circular error probable 〔probability〕 (원형 공산(圓形公算) 오차; 미사일이나 폭탄이 50%의 확률로 낙하하는 원의 반경).

ceph·al- [séfəl], **ceph·a·lo-** [séfəlou, -lə] '머리'의 뜻의 결합사. [Gr. *kephalē* head]

ceph·a·lex·in [sèfəléksin] *n.* 〖약학〗 세팔렉신《먹는 항균제》.

ce·phal·ic [səfǽlik] *a.* 머리의, 두부의.

cephálic índex 〖인류〗 두장폭 시수(頭長幅示數)《머리의 가로 세로의 비》.

ceph·a·li·za·tion [sèfələzéiʃən/-laiz-] *n.* 〖동물〗 세팔리제이션《중요 기관의 두부(頭部) 집중 경향》.

céphalo·cìde *n.* 지식인에 대한 집단 학살, 두뇌 살육.

ceph·a·lom·e·try [sèfəlámətri/-lɔ́m-] *n.* 〖인류〗 두부(頭部) 측정(법). ㊕ **cèph·a·lo·mét·ric** *a.*

ceph·a·lo·pod [séfələpàd/-pɔ̀d] *n.* 두족류(頭足類)의 동물《오징어·문어 따위》.

ceph·a·lor·i·dine [sèfəlɔ́(:)rədì:n, -lár-] *n.* 〖약학〗 세팔로리딘《cephalosporin에서 이끌어낸 광역 항생 물질》.

ceph·a·lo·spo·rin [sèfəlouspɔ́:rin] *n.* 〖약학〗 세팔로스포린《세팔로스포륨 속에서 얻은 광역 항생 물질》.

cèphalo·thórax *n.* 〖동물〗 (갑각류·거미류 따위의) 두흉부(頭胸部).

ceph·a·lous [séfələs] *a.* 〖동물〗 머리가 있는.

Ce·pheus [sí:fiəs, -fju:s/-fju:s] *n.* 〖천문〗 케페우스자리; 〖그리스신화〗 케페우스《Cassiopeia 의 남편이며 Andromeda 의 아버지》.

CER Closer Economic Relations (《오스트레일리아와 뉴질랜드의》 경제 관계 긴밀화); 〖심리〗 conditioned emotional response (조건 정서 반응).

ce·ra·ceous [səréiʃəs] *a.* 납 같은〔모양의〕.

ce·ram·al [sərǽməl] *n.* =CERMET.

ce·ram·ic [sərǽmik] *a.*, *n.* 요업 제품(의), 세라믹(의), 도기(陶器)(의); 제도술(의): the ~ industry 요업(窯業) / ~ manufactures 도깨그릇, 도자기.

ce·rám·ics *n. pl.* 〔단수취급〕 제도술(製陶術), 요업; 〔복수취급〕 도자기류.

cer·a·mist, ce·ram·i·cist [sérəmist/sérə-], [sərǽməsist] *n.* 제도업자, 요업가; 도예가.

ce·ras·tes [sərǽsti:z] (*pl.* **~**) *n.* 뿔뱀《아프리카산 독사》.

ce·ras·ti·um [sərǽstiəm] *n.* 〖식물〗 점나도나물.

ce·rate [síəreit/-rət, -reit] *n.* 〖약학〗 납(蠟) 고약. ㊕ **cé·rat·ed** [-id] *a.* 밀랍을 바른〔입힌〕.

ce·rat·o·dus [sirǽtədəs, sèrətóudəs] *n.* (오스트레일리아산의) 폐어(肺魚)의 일종.

cer·a·top·si·an [sèrətápsiən/-tɔ́p-] *n.* 〖고생물〗 뿔 달린 공룡(horned dinosaur).

Cer·be·re·an [sə:rbíəriən] *a.* Cerberus 같은; 엄중하고 무서운.

Cer·ber·us [sə́:rbərəs] *n.* 〖그리스신화〗 케르베로스《지옥을 지키는 개; 머리가 셋, 꼬리는 뱀》; 무서운 문지기. ***throw a sop to* ~** 골치 아픈 사람을 매수하다.

cere [siər] *n.* (새의 부리의) 납막(蠟膜). **—** *vt.* (시체를) 밀랍 먹인 천으로 싸다.

⁑ce·re·al [síəriəl] *n.* (보통 *pl.*) 곡물, 곡류; 곡초류; 곡물식품《아침 식사용 cornflakes, shredded wheat, oatmeal 등》. **—** *a.* 곡류〔곡물〕의〔로 만든〕, 곡물식품의.

cer·e·bel·lum [sèrəbéləm] (*pl.* **~s, -bel·la** [-bélə]) *n.* 〖해부〗 소뇌. ㊕ **-bél·lar** *a.*

cer·e·bra [səríːbrə, sérə-] CEREBRUM의 복수.

cer·e·bral [sərí:brəl, sérə-/sérə-] *a.* 〖해부〗 대뇌의; 뇌의; 지성에 호소하는, 지적인; 사색적인, 〖음성〗 반전음(反轉音)의: a ~ poet 지적인 시인. **—** *n.* 〖음성〗 반전음. ㊕ **~·ly** *ad.*

cérebral áccident 〔**ápoplexy**〕 〖의학〗 뇌졸중.

cérebral anémia 〖의학〗 뇌빈혈.

cérebral arterioscleróśis 〖의학〗 뇌동맥경화증.

cérebral ártery 〖의학〗 대뇌 동맥.

cérebral córtex 대뇌 피질.

cérebral déath 〖의학〗 뇌사(腦死)(brain death).

cérebral émbolism 〖의학〗 뇌색전증.

cérebral hémisphere 대뇌 반구(半球).

cérebral hémorrhage 〖의학〗 뇌일혈.

cérebral hyperémia 〖의학〗 뇌충혈.

cérebral infárction 〖의학〗 뇌경색.

cérebral pálsy 〖의학〗 뇌성 (소아)마비.

cérebral túmor 〖의학〗 뇌종양.

cer·e·brate [sérəbrèit] *vi.* 뇌를 쓰다, 생각하다. **—** *vt.* …을 머리〔뇌〕를 써서 하다. ㊕ **cèr·e·brá·tion** *n.* Ⓤ (대)뇌 작용; 사고(思考) (작용); (심각한) 사색(思索).

cer·e·bric [sərí:brik, sérə-] *a.* (대)뇌의.

cer·e·bri·tis [sèrəbráitis] *n.* Ⓤ 뇌염.

ce·re·bro- [sərí:brou, -brə, sérə-] '뇌(cerebrum)'의 뜻의 결합사《모음 앞에서는 **cerebr-**》.

cer·e·bro·side [sərí:brəsàid, sérə-] *n.* 〖생화학〗 세레브로시드《신경 조직 중의 각종 지질(脂質)》.

cèrebro·spínal *a.* 〖해부〗 뇌척수의, 중추 신경계의.

cerebrospínal flùid 수액(髓液), 뇌척수액.

cerebrospínal meningítis 〔**féver**〕 뇌척수막염.

cèrebro·váscular *a.* 〖해부〗 뇌혈관의.

cer·e·brum [səríːbrəm, sérə-] (*pl.* **~s** [-z], **-bra** [-brə]) *n.* 〖해부〗 대뇌; 뇌. [L. =brain]
cere·cloth [síərklɔ̀ːθ, -klɑ̀θ/-klɔ̀θ] *n.* U,C 밀랍을 바른〔입힌〕 천《방수포, 시체 싸는 데 씀》.
cere·ment [síərmənt] *n.* =CERECLOTH; (보통 *pl.*) 《영에서는 고어》 수의(壽衣)(graveclothes).
◇**cer·e·mo·ni·al** [sèrəmóuniəl] *a.* 의식의; 의례상의; 격식을 차린; 정식의, 공식의(formal): a ~ visit 의례적 방문 / ~ usage 의례상의 관례 / ~ dress 예복. **—***n.* 의식, 의례; 〖가톨릭〗 전례서(典禮書), 전례; 예식 존중. ㊞ **~·ism** *n.* 의식〔형식〕 존중주의. **~·ist** *n.* 예법가; 형식주의자. **~·ly** *ad.* 의식적〔형식적〕으로. **~·ness** *n.*
cer·e·mo·ni·ous [sèrəmóuniəs] *a.* 예의의; 예의 바른; 격식을 차리는, 딱딱한: ~ politeness 지나치게 공손함. ㊞ **~·ly** *ad.* **~·ness** *n.*
⁑**cer·e·mo·ny** [sérəmòuni/-məni] *n.* **1** C 식, 의식; 의전《공적 · 국가적인》: a marriage 〔wedding, nuptial〕 ~ 결혼식 / the board of *ceremonies* 의전국 / have 〔hold, perform〕 a ~ 식을 올리다. **2** U 의례, 예법, (사교상의) 형식, 예의; 허례, 딱딱함: His low bow was mere ~. 그의 정중한 절은 의례적일 뿐이었다. **3** U 삼감. ***master of ceremonies*** 사회자《생략: M.C.》; 《영》 의전(儀典) 장관. ***stand on*** 〔***upon***〕 ~ 《구어》 너무 의식적이다,〖보통 반어적〗 체면을 존중하다, 딱딱하다. ***with*** ~ 격식을 차려. ***without*** ~ 격식을 차리지 않고, 허물없이.
Ce·rén·kov cóunter [tʃəréŋkɔːf-/-kɔf-] 〖물리〗 체렌코프 계수관《체렌코프 효과를 이용한 방사선 검출기》.
Cerénkov effèct (the ~) 〖물리〗 체렌코프 효과《대전 입자가 물질 속에서 광속 이상의 등속 운동을 행할 때 전자파를 방사하는 일》.
Cerénkov radiàtion 〔**lìght**〕 〖물리〗 체렌코프 복사(輻射).
ce·re·ol·o·gy [sìəriálədʒi/-ɔ́l-] *n.* 미스터리 서클 연구〔조사〕.
Ce·res [síəriːz] *n.* 〖로마신화〗 케레스《농업의 여신; 그리스의 Demeter에 해당》; 〖천문〗 케레스《소(小)행성 중 최대》.
cer·e·sin [sérəsin] *n.* 〖화학〗 세레신《무정형의 밀랍 모양의 물질》.
ce·re·us [síəriəs] *n.* 선인장의 일종.
ce·ria [síəriə] *n.* 〖화학〗 산화세륨. 「함유한.
ce·ric [síərik, sér-] *a.* 〖화학〗 (4가의) 세륨을
cer·iph [sérif] *n.* 《드물게》 =SERIF.
ce·rise [səríːs, -ríːz] *n., a.* 《F.》 U 버찌빛(의), 선홍색(의); 염기성 물감의 일종.
cer·i·um [síəriəm] *n.* U 〖화학〗 세륨《희토류 원소; 기호 Ce; 번호 58》.
cer·met [sə́ːrmet] *n.* 서멧, 도성(陶性) 합금《내열성(耐熱性) 합금》.
CERN [səːrn] *n.* 유럽 원자핵 공동 연구소. [《F.》 *Conseil européen* 〔현 *Organisation européenne*〕 *pour la recherche nucléaire*]
ce·ro [síərou] (*pl.* **~, ~s**) *n.* 〖어류〗 삼치속(屬)의 식용어.
ce·ro- [síərou, -rə], **cer-** [siər] '밀랍(wax)'의 뜻의 결합사《모음 앞에서는 cer-》.
cèro·plástic *a.* 밀랍으로 형(型)을 만든. ㊞ **~s** *n. pl.* 〖단수취급〗 납소술(蠟塑術); 〖단 · 복수취급〗 밀랍 세공.
cert [səːrt] *n.* 《영속어》 확실함, 반드시 일어남; (경마의) 강력한 우승 후보. ***a dead*** 〔***an absolute***〕 ~ 절대로 확실한 일. ***for a*** ~ 《영속어》 =for a CERTAINTY. [◀ *certainty*]
cert. certainty; certificate; certified. **CERT** Computer Emergency Response Team (컴퓨터 긴급 사태 대책 팀) 《컴퓨터 바이러스 등 네트워크 보안상의 문제에 대처하는 조직》.
⁑**cer·tain** [sə́ːrtn] *a.* **1** 〖서술적〗 (아무가) 확신하는, 자신하는(sure): I am ~ *of* his honesty. =I am ~ (*that*) he is honest. 그의 성실함을 확신하고 있다 / I am not ~ *whether* it will succeed. 그것의 성공 여부에 대해서는 자신이 없다. **2** (일이) 확실한, 신뢰할 수 있는, 반드시 일어나는; (지식 · 기술이) 정확한: It is ~ 〔a ~ fact〕 that.... …함〔임〕은 확실하다〔의심할 여지가 없는 사실이다〕 / a ~ cure 반드시 낫는 치료법 / War is ~. 전쟁은 불가피하다 / His touch on the piano is very ~. 그의 피아노 터치는 정확하다. **3** 반드시 …하는, …하게 정해져 있는《*to do*》: The plan 〔He〕 is ~ *to* succeed. 계획은 〔그는〕 꼭 성공하게 되어 있다. **4** 〖명사 앞에 붙여〗 (어떤) 일정한, 어떤 정해진(definite): at a ~ place 일정한 곳에(서) / on a ~ day 어떤 정해진 날에 / receive a ~ percentage of the profit 이익의 일정률을 받다. **5** (막연히) 어떤: a ~ naval base 모 해군 기지 / for a ~ reason 어떤 이유로 / a ~ gentleman 어떤〔한〕 신사. cf. some.

> NOTE 이 경우의 certain은 알고 있으나 일부러 이름 따위를 밝히지 않을 때에 씀. 다만, 사람일 경우에는 a Mr. Smith 또는 a Henry Smith의 형식이, a ~ 〔one〕 Mr. Smith 또는 a ~ Henry Smith 보다 일반적임.

6 어느 정도의, 다소의: a ~ reluctance 약간 마음이 내키지 않음 / to a ~ extent 어느 정도(까지) / I felt a ~ anxiety. 어딘지 모르게 불안을 느꼈다. **7** 〖대명사적으로 쓰이어〗 몇 개의 물건, 몇몇 사람: ~ *of* his colleagues 그의 동료 중 몇 사람인가. ◇ certainty *n.* ***for*** ~ 확실히, 확신을 가지고: I know *for* ~ that.... 반드시 …일 것이다. ***make*** ~ ① (사실 따위를) 확인하다(make sure), 다짐하다《*of; that*》; (…을) 손에 넣다, 확보하다《*of*》: *Make* ~ *where* he is now. 그가 어디 있는지 확인하여라 / Please *make* ~ *that* there are no mistakes. 잘못이 없도록 잘 확인하여라 / I'll go earlier and *make* ~ *of* our seats. 일찍 가서 우리들의 좌석을 잡아두겠다. ② (…하도록) 조치하다, 반드시 …하도록 하다《*of doing; that*》: I'll *make* ~ *that* they meet you at the station. 그들이 너를 역에서 마중하도록 조치하겠다. ***of a*** ~ ***age*** (상당한) 연배의: a lady *of a* ~ *age* (상당한) 연배의 숙녀.
⁑**cer·tain·ly** [sə́ːrtnli] *ad.* **1** 확실히, 꼭; 의심없이, 반드시, 〖강조〗 정말. **2** 〖대답으로〗 물론이오, 그렇고 말고요; 〖부탁을 받고〗 좋고 말고요; 알았습니다 《《미》에서는 sure를 흔히 씀》. ***Certainly not.*** 안 됩니다; 어림도 없어요: Had you forgotten ?— *Certainly not*. 잊었었니 — 천만에 / This book is not worth reading.— *Certainly not*. 이 책은 읽을 가치가 없다 — 그래 맞아.
cer·tain·ty** [sə́ːrtnti] *n.* U **1** (객관적인) 확실성. **2** C 확실한 사실, 필연적인 사물: a moral ~ (절대 확실한 것이라고는 할 수 없으나) 대체로 믿어도 좋은 것 / bet on a ~ 처음부터 확실하다는 것을 알고 걸다. **3** 확신(conviction)《*of; that*》. ◇ certain *a.* ***for 〔***to, of***〕 (***a***) ~ 틀림없이, 분명히.
cer·tes [sə́ːrtiːz, sə́ːrts/-tìz] *ad.* 《고어》 확실히, 참으로.
certif. certificate(d); certified.
cer·ti·fi·a·ble [sə́ːrtəfàiəbəl, ⌐-⌐--] *a.* 증명〔보증〕할 수 있는; 《특히》 정신병으로 인정할 수 있는; 미친 것 같은: a ~ desire 당치도 않은 욕망. ㊞ **-bly** *ad.*

*__cer·tif·i·cate__ [sərtífikət] *n.* 증명서; 검정서; 면(허)장; (학위 없는 과정(課程)의) 수료〔이수〕 증명서; 증권: a marriage ~ 혼인 증명서/a medical ~ 진단서/a teacher's 〔a teaching〕 ~ 교사 자격증. ***a ~ of birth*** 〔***health, death***〕 출생〔건강, 사망〕 증명서. ***a ~ of competency*** 적임(適任) 증서; (선원의) 해기(海技) 면허장. ***a ~ of deposit*** 양도성 정기예금 증서. ***a ~ of efficiency*** 〔***good conduct***〕 적임〔선행〕증. ***a ~ of incorporation*** 법인 설립 인가증. ***a ~ of indebtedness*** 채무 증서, 차입 증서. ***a ~ of origin*** (무역품의) 원산지 증명서. ***a ~ of share*** 〔***stock***〕 기명(記名) 증권. ***the Certificate of Secondary Education*** 〖영교육〗 중등교육 수료 시험 (합격증)《중등학교 fifth form 수료 때 행하는 과목별 시험》.
— [-kèit] *vt.* 《~+목/+*that* 절》 …에게 증명서를 주다; …에게 면허하다, 증명〔인증〕하다: a ~*d* teacher 유자격 교원/~ a teacher 교사에게 증명서를 발행하다/I do hereby ~ *that*.... 여기에 …임을 증명합니다.
㊎ **cer·ti·fi·ca·tion** [sə̀ːrtəfəkéiʃən] *n.* **1** Ⓤ 증명, 검정, 보증: *certification* of payment 지급 보증. **2** Ⓒ 증명서. **3** Ⓤ 증명서 교부, 상장 수여; 《영》 정신 이상의 증명. **-ca·to·ry** [-kətɔ̀ːri/-təri] *a.* 증명이 되는.

__certíficate of enróllment__ 선박 등록증.

__certíficate of unrúliness__ 〖영법률〗 (소년 사건 법정(juvenile court)의) 수감 인가증.

__certificátion màrk__ 보증 마크.

__cer·ti·fied__ [sə́ːrtəfàid] *a.* 증명된(testified), 보증된; 《미》 (공인 회계사 따위가) 공인한; (법적으로) 정신 이상자로 인정된: a ~ check 지불 보증 수표/~ mail 《미》 배달 증명 우편《손해 배상은 안 함》/~ milk 《미》 보증 우유《위생상의 공인 기준에 맞는》/a ~ public accountant 《미》 공인 회계사《생략: C.P.A.》. cf. chartered accountant.

__cértified accóuntant__ 공인 회계사《영국의 공인 회계사 단체의 하나인 Chartered Association of Certified Accountant (공인 회계사 칙허 협회)의 회원》.

__cértified proféssional sécretary__ 《미》 「공인 비서.

__cértified stóck__ 〖농업〗 보증주(株)《어떤 종류의 병이나 해충에 감염되어 있지 않음을 보증한 식물》.

*__cer·ti·fy__ [sə́ːrtəfài] *vt.* **1** 《~+목/+목+보/+목+*as* 보/+*that* 절》 증명〔보증〕하다; 증언하다; 검정〔허가〕하다, 공인하다: ~ a product 제품의 품질을 증명하다/I hereby ~ *that* ... =This is to ~ *that*.... …임을 이에 증명한다/His report was *certified* (*as*) correct. 그의 보고는 정확하다고 증명되었다/He *certified* the truth of his claim. 그는 자기 주장의 정당함을 증명하였다. **2** 《미》 (은행이 수표의) 지급을 보증하다. **3** 증명서를〔면허증을〕 교부〔발행〕하다. **4** (의사가) 정신병자임을 증명하다《법적으로》. — *vi.* 《+전+명》 보증〔증언〕하다《*to*》; 증인이 되다 《*for*》: ~ *to* the stability of a person's character 아무의 착실한 인품을 보증하다. ◇ certification *n.* ㊎ **cér·ti·fi·er** *n.* 증명자.

__cer·ti·o·ra·ri__ [sə̀ːrʃiəréərai, -ri/-tiɔːréərai] *n.* 《L.》〖법률〗 (상급 법원의) 사건 이송 명령(서).

__cer·ti·tude__ [sə́ːrtətjùːd/-tjùːd] *n.* Ⓤ 확신(감); 확실(성).

__ce·ru·le·an__ [sərúːliən] *a.* 하늘색의.

__cerúlean blúe__ 밝은 청색; 그 안료〔그림물감〕.

__ce·ru·men__ [sərúːmən/-men] *n.* Ⓤ 귀지.

__ce·ruse__ [síəruːs] *n.* 백연(白鉛); 분. ㊎ **ce·ru(s)·site** [síərəsàit] *n.* Ⓤ〖광물〗 백연광(白鉛鑛).

__Cer·van·tes__ [sərvǽntiːz] *n.* **Miguel de ~ Saavedra** 세르반테스《스페인의 작가로 *Don Quixote* 의 작자; 1547-1616》.

__cer·ve·lat__ [sə́ːrvəlæ̀t] *n.* 훈제 소시지의 일종.

__cer·vi·cal__ [sə́ːrvikəl] *a.* 목의, 경부(頸部)의; 자궁 경관(頸管)의.

__cérvical cáp__ 〖의학〗 자궁 경관에 씌우는 고무제 피임구의 일종.

__cérvical sméar__ 〖의학〗 자궁 경관 도말(塗抹), 「경관 스미어.

__cer·vi·ci·tis__ [sə̀ːrvəsáitis] *n.* 〖의학〗 자궁 경관염(頸管炎).

__cer·vi·co-__ [sə́ːrvəkou, -kə] '목, 경부(頸部)'의 뜻의 결합사《또는 **cervic-**》.

__cer·vine__ [sə́ːrvain] *a.* 사슴의〔같은〕; 진한 고동색의.

__cer·vix__ [sə́ːrviks] (*pl.* **~·es, cer·vi·ces** [sərváisiːz, sə́ːrvəsiːz]) *n.* 〖해부〗 목, 경부(頸部); 자궁경부; 치(齒)경부.

__Ce·sar·e·an, -i·an__ [sizéəriən] *a.* =CAESAREAN.

__Ce·sar·e·vitch, -witch__ [səzáːrəvìtʃ], [-wìtʃ] *n.* 러시아 황태자(cf. czar); 《영》 매년 Newmarket에서 열리는 경마.

__ce·si·um, cae-__ [síːziəm] *n.* Ⓤ 〖화학〗 세슘《금속 원소; 기호 Cs; 번호 55》.

__césium clòck__ 세슘 시계《원자시계의 일종》.

__césium 137__ 〖물리·화학〗 세슘 137《세슘의 인공 방사성 원소; 기호 ^{137}Cs》.

__césium 133__ 〖물리·화학〗 세슘133《세슘의 동위원소; 기호 ^{133}Cs; 원자시계에 쓰임》.

__ces·pi·tose__ [séspətòus] *a.* 〖식물〗 군생(群生)하는.

__cess__[1] [ses] *n.* 《Ir.·Sc.·Ind.》 세(稅), 요금; Ⓤ 《Ir.》 운(luck): Bad ~ to you! 제기랄, 될 대로 돼라. — *vi.* 《영》 과세하다.

__cess__[2] *n.* =CESSPOOL.

◇__ces·sa·tion__ [seséiʃən] *n.* Ⓤ,Ⓒ 정지, 휴지, 중지: ~ of arms 〔hostilities〕 정전, 휴전.

__ces·ser__ [sésər] *n.* 〖법률〗 (권리의) 소멸《저당(抵當) 기간 따위가 끝나서》.

__ces·sion__ [séʃən] *n.* Ⓤ,Ⓒ 할양(割讓), (권리의) 양도; (재산 따위의) 양여(讓與); 할양된 영토. ≒ session. ㊎ **~·ary** [-nèri/-nəri] *n.* 〖법률〗 양수인(讓受人) (assignee).

__Cess·na__ [sésnə] *n.* 세스나기(機)《미제(美製) 경비행기》.

__Céssna repèllent__ 《미속어》 〖항공〗 (여객기의) 착륙등.

__céss·pìpe__ *n.* (구정물) 배수관.

__céss·pìt__ *n.* 쓰레기〔분뇨〕 구덩이; 《비유》 불결한 장소.

__céss·pòol__ *n.* 구정물 구덩이, 시궁창; 분뇨 구덩이; 《비유》 불결한 장소《*of*》: a ~ *of* iniquity 죄악의 소굴.

c'est la guerre [*F.* sɛlagɛʀ] 《F.》 전쟁이란 그런 거다, 그것이 전쟁이다.

c'est la vie [*F.* sɛlavi] 《F.》 (=That is life.) 그것이 인생이다.

__ces·tode__ [séstoud] *n.*, *a.* 〖동물〗 촌충(寸蟲)(의).

__ces·toid__ [séstɔid] *n.*, *a.* 〖동물〗 촌충 (같은).

__ces·tus__[1] [séstəs] (*pl.* ~) *n.* 〖고대로마〗 (가죽끈으로 만든) 권투 장갑.

__ces·tus__[2] (*pl.* **-ti** [-tai]) *n.* 허리띠; 〖그리스신화·로마신화〗 Aphrodite〔Venus〕의 허리띠《애정을 일으키게 하는 장식이 있었다 함》.

__cesura__ ⇨ CAESURA.

__C.E.T.__ Central European time (중앙 유럽 표준시)(G.M.T.보다 1시간 빠름).

__CETA__ [síːtə] *n.* 《미》 정부 자금을 받아 주정부나 지방 자치체가 실업자의 직업 훈련·공공사업 등을 행하는 계획. [◂ Comprehensive Employment and Training Act]

__Ce·ta·cea__ [sitéiʃə] *n. pl.* 〖동물〗 고래류《whale, dolphin, porpoise 따위》.

__ce·ta·cean__ [sitéiʃən] *a.*, *n.* 고래류(Cetacea)의 (동물).

ce·ta·ceous [sitéiʃəs] *a.* =CETACEAN.
ce·tane [síːtein] *n.* 〖화학〗 세탄(메탄계(系)의 포화 탄화수소).
cétane nùmber 〔**ràting**〕 〖화학〗 세탄가(價). ㊀ octane number.
cete [siːt] *n.* 〖동물〗 (오소리의) 무리, 집단.
cet·er·ach [sétəræ̀k] *n.* 〖식물〗 양치(羊齒)의 일종.
ce·te·ra de·sunt [kéitərɑ̀ː-déisùnt] 《L.》 (=The rest is missing.) 그밖의 것은 빠져 있다.
ce·te·ris pa·ri·bus [sétəris-pǽrəbəs] 《L.》 (=other things being equal) 다른 사정이 같다면(생략: cet. par.).
CETI communication with extraterrestrial intelligence (외계의 지적 생물과의 교신).
ce·tol·o·gy [siːtálədʒi/-tɔ́l-] *n.* 고래학. ㊍ **cè·to·lóg·i·cal** *a.* **ce·tól·o·gist** *n.*
cet. par. *ceteris paribus.*
ce·tri·mide [síːtrəmàid, sét-] *n.* 세트리미드(소독제 · 세척제).
C.E.T.S. Church of England Temperance Society.
Ce·tus [síːtəs] *n.* 〖천문〗 고래자리(the Whale).
cé·tyl álcohol [síːtəl-] 〖화학〗 세틸알코올(약품 · 화장품 제조용).
ce·vi·tám·ic ácid [sìːvaitǽmik-] 비타민 C.
Cey·lon [silán/-lɔ́n] *n.* 실론(인도 남방의 섬나라; 1972 년 스리랑카(Sri Lanka) 공화국으로 개칭; 수도 Colombo).
Cey·lon·ese [sìːləníːz, sèi-/sèlə-, sìː-] *a.* 실론(인)의, 실론 섬 사람 언어의. ── (*pl.* ~) *n.* 실론 사람.
Cé·zanne [sizǽn; *F.* sezan] *n.* **Paul** ~ 세잔(프랑스의 후기 인상파 화가; 1839-1906).
Cf 〖화학〗 californium. **cf.** [síːéf, kəmpέər, kənfə́ːr] 《L.》 *confer* (=compare). **CF, C.F.** centrifugal force; coefficient of friction; commercial film (광고용 텔레비전 필름); cost and freight; cystic fibrosis. **cf., c.f.** calf(skin); center field(er). **c/f** carried forward. **CFA** certified financial analyst. **CFC(s)** chlorofluorocarbon(s). **CFE** (Negotiations on) Conventional Forces in Europe(유럽 통상 전력 교섭); 《영》 College of Further Education. **CFF** compensatory financing facility ((IMF의) 보상 융자 제도). **C.F.I., c.f.(&)i.** cost, freight and insurance (★ 보통 CIF 라 함); Certified Flight Instructor; Chief Flying Instructor. **CFM** chlorofluoromethane. **CFM, cfm** cubic feet per minute. **CFO** Chief Financial Officer. **C⁴I** 〖군사〗 computers, communications, command, control, and intelligence. **CFRP** carbonfiber-reinforced plastics (탄소섬유 강화(強化) 플라스틱). **CFS** container freight station. **CFS, cfs** cubic feet per second. **CFV** 《미》 cavalry fighting vehicle (장궤(裝軌)식 전투 차량).
ĈFW móuse 〖의학〗 암이 없는 흰 쥐(의학 실험용). [◂ *cancer-free white*]
cg. centigram(s). **C.G.** Captain General; Coast Guard; Coldstream Guards; Commanding General; Consul General. **C.G., c.g.** center of gravity. **C.G.H.** Cape of Good Hope. **CGI** 〖항공〗 computer-generated image; 〖컴퓨터〗 computer-generated imagery (컴퓨터에 그리게 한 화상); 〖컴퓨터〗 Computer Graphics Interface (컴퓨터 그래픽 작업을 하는 여러가지 장치들의 접속에 사용하는 표준화된 방법을 지칭하는 용어). **C.G.M.** 《영》 Conspicuous Gallantry Medal. **cGMP** cyclic GMP. **C.G.S., c.g.s., cgs** centimeter-gram-second. **CGT** Capital Gains Tax; *Confédération générale du travail* 《F.》 (=General Confederation of Labor). **Ch.** Chancery; Charles; China; Chinese; 〖음악〗 choir organ. **ch.** central heating; chain; champion; chaplain; chapter; check; chief; church. **C.H., c.h.** clearinghouse; Companion of Honor; courthouse; customhouse.
cha [tʃɑː] *n.* 《영속어》 차(tea).
Cha·blis [ʃɑːblíː, ʃǽbliː/ʃǽbli] *n.* 흰포도주의 일종(프랑스 Burgundy 지방 Chablis 원산).
cha-cha(-cha) [tʃɑ́ːtʃɑ̀ː(tʃɑ́ː)] *n.* 〖음악〗 차차차(라틴 아메리카에서 시작된 빠른 리듬의 춤곡). ── *vi.* 차차차를 추다.
chac·ma [tʃǽkmə] *n.* 〖동물〗 차크마비비(狒狒)(남아프리카산).
cha·conne [ʃækɔ́ːn, -kán/ʃəkɔ́n] *n.* 《F.》 샤콘((1)스페인 기원의 오랜 춤. (2) 3 박자 변주곡의 하나).
Chad [tʃæd] *n.* **1** 차드(남자 이름). **2 Lake** ~ 차드 호(湖)(아프리카 중북부). **3** 차드(아프리카 중북부의 공화국; 공식명 the Republic of ~; 수도 N'Djamena). ★ Tchad 라고도 적음. ㊍ **Chád·i·an** *a., n.*
chad [tʃæd] *n.* Ⓤ 〖컴퓨터〗 차드(펀치 카드에 구멍을 뚫을 때 생기는 작은 종이 부스러기), 천공(穿孔)밥.
cha·dor, -dar [tʃʌ́dər] *n.* 차도르(인도 · 이란 등지의 여성이 숄로 사용하는 커다란 천).
chae·bol [tʃéibɔ̀l] (*pl.* ~, ~*s*) *n.* 재벌(財閥). 컨글로머릿(conglomerate).
chae·tog·nath [kíːtɑgnæ̀θ/-tɔg-] *n.* 〖동물〗 모악(毛顎)동물.
chae·toph·o·rous [kiːtáfərəs/-tɔ́f-] *a.* 〖동물〗 억센 털이 있는.
chafe** [tʃeif] *vt.* (손 따위를) 비벼서 따뜻하게 하다; 쓸려서 벗겨지게 하다〔끊어지게 하다〕; 노하게 하다; 안달 나게 하다: ~ one's cold hands 찬 손을 비벼서 따뜻하게 하다/This stiff collar ~*s* my neck. 이 빳빳한 옷깃이 목을 쓸리게 한다. ── *vi.* 《~/+전+명》 **1** 쓸려서 벗어지다〔끊어지다〕, 쓸려서 아프다(*from; against*): The rope ~*d against* the branch. 밧줄이 나뭇가지에 쓸려 끊어졌다. **2** 노하다, 안달 나다(*at; under; over*): ~ *at* an injustice 부정에 분노하다/~ *under* her teasing 그녀의 놀림에 안달 나하다. **3** (짐승이) 몸을 비비다(*on; against*); (냇물이 벼랑 등에) 부딪치다(*against*): The river ~*s against* the rocks. 냇물이 바위에 세차게 부딪친다. ~ ***at the bit (진행 등이) 늦어 안달나다, 짜증 내다, 화내다. ── *n.* 마찰; 찰상; 약오름; 안달, 초조. ***in a*** ~ 약이 올라; 안달 나서.
chaf·er [tʃéifər] *n.* 풍뎅이류(類)(특히 cockchafer).
chaff[1] [tʃæf/tʃɑːf] *n.* Ⓤ **1** 왕겨; 여물(사료). **2** 폐물, 찌꺼기; 하찮은 것. **3** 〖식물〗 포(苞). **4** 레이더 탐지 방해용의 금속편(비행기에서 뿌림); 〖로켓〗 대기 중에 재돌입 시 우주선이 지상의 추적국(tracking station)을 위해 방출하는 금속편. ***be caught with*** ~ 〖보통 부정문에서〗 쉽게 속아 넘어가다. ***separate*** (***the***) ***wheat*** 〔***grain***〕 ***from*** (***the***) ~ ⇨SEPARATE. ── *vt.* (짚 등을) 썰다.
chaff[2] *n.* (악의 없는) 놀림, 희롱. ── *vi., vt.* 놀리다, 희롱하다. ㊍ ∠**·er**[1] *n.*
cháff·cùtter *n.* 작두.
chaf·fer[2] [tʃǽfər] *n.* Ⓤ 흥정; 값을 깎음. ── *vi., vt.* 흥정하다; 값을 깎다(haggle)(*down*);

《영》 잡담하다(chat). [파] ~·er [-rər] *n.*
chaf·finch [tʃǽfintʃ] *n.* 〖조류〗 되새·검은방울새류의 작은 새.
chaffy [tʃǽfi, tʃɑ́:fi] (*chaff·i·er; -i·est*) *a.* 왕겨 같은; 왕겨가 많은; 시시한. [파] **cháff·i·ness** *n.*
cháf·ing dìsh [tʃéifiŋ-] 풍로가 달린 냄비.
cháfing gèar 〖해사〗 마멸(磨滅)막이《삭구(索具) 등의 마찰을 막기 위해 대는 헌 돛 조각·가죽 조각 등》.

chafing dish

Chá·gas' disèase [ʃɑ́:gəs-] 〖의학〗 샤가스병, 아메리카 트리파노소마증(=**Américan trypanosomíasis**)《라틴 아메리카의 잠자는 병》.
°**cha·grin** [ʃəgrín/ʃǽgrin] *n.* [U] 분함, 유감: to one's ~ 유감스럽게도. **—** *vt.* (보통 *pp.*) 유감스럽게〔분하게〕 하다: be 〔feel〕 ~*ed* 섭섭하게 〔유감으로〕 여기다《*at; by*》.
*****chain** [tʃein] *n.* **1** 사슬: keep a dog on a ~ 개를 사슬에 묶어 놓다. **2** (보통 a ~ of …로) 연쇄(連鎖), 일련(一連), 연속(물); (방송의) 네트워크: a ~ of mountains =a mountain ~ 연산(連山), 산맥/a ~ of events 연달아 일어나는 사건/ask a ~ of questions 잇달아 질문하다. **3** 목걸이; 연쇄점, 체인스토어《연쇄 경영의 은행, 극장, 호텔, 식당 따위》. **4** (보통 *pl.*) 매는 사슬, 속박; 구속, 구금; 족쇄: the ~*s of* tradition 전통이라고 하는 속박〔족쇄〕. **5** 〖측량〗 측쇄《surveyor's ~ (66 피트)과 engineer's ~ (100 피트)의 2 종이 있음》. **6** 〖지리〗 맥, 대(帶), 계(系); 〖전기〗 회로; 〖화학〗 (원자의) 연쇄; 〖생물〗 (세균의) 연쇄; 〖물리〗 (반응의) 연쇄 ([cf.] chain reaction). **7** 〖해사〗 닻사슬; (*pl.*) (돛대의) 버팀줄을 사슬로 뱃전에 고정시키는 판자. **8** 〖방직〗 날실. **9** 〖브레이크댄스〗 체인. **10** 〖컴퓨터〗 연쇄, 체인. ~ ***of command*** 지휘〔명령〕 계통. ***drag the*** ~ 《Austral.속어》 꾸물거리다, (일 따위가) 더디다. ***hug one's*** **~*s*** 속박〔예속〕을 감수하다. ***in*** **~*s*** 사슬에 묶여, 옥에 갇혀. **—** *vt.* **1** 《~+[목]/+[목]+[부]》 사슬로 매다 《*up; down*》; 사슬을 걸다: *Chain up* the dog. 개를 사슬로 매둬라. **2** 《+[목]+[전]+[명]》 (…에) 묶다《*down; to*》; 속박〔구속〕하다, 감금하다: With a sick husband, she's ~*ed to* the house all day. 앓는 남편 때문에 그녀는 종일 집에 묶여 있다. **3** 〖측량〗 …을 측쇄로 재다.
[파] **∠·less** *a.* 사슬〔속박〕 없는.
chain·age [tʃéinidʒ] *n.* 측쇄(surveyor's chain) 또는 줄자로 측정한 길이.
cháin ármor 사슬 갑옷.
cháin bèlt (자전거 따위의) 톱니바퀴용 체인.
cháin bràke 〖기계〗 사슬 브레이크.
cháin·brèak *n.* 〖방송〗 지국(支局)에서 삽입하는 짤막한 광고. [cf.] station break.
cháin brìdge 사슬 조교(弔橋).
cháin càble 〖해사〗 사슬 닻줄.
cháin còupling 〖기계〗 사슬 연결기.
cháin-drìnk *vi.* 내리 계속 마시다《chain-smoke 를 본떠서》. [파] **~·er** *n.*
cháin drìve (동력의) 체인 전달; 체인 전달을 이용한 시스템.
chaî·né [ʃenéi; *F.* ʃene] *n.* 《F.》 〖발레〗 회전 통과《무대 끝에서 끝으로 회전하며 이동하기》.
cháined líst 〖컴퓨터〗 연쇄 리스트.
cháin fèrn 고사리의 일종.
cháin gàng 한 사슬에 매인 죄수.
cháin gèar 〖기계〗 체인 톱니바퀴.
cháin hàrrow 〖농업〗 사슬 써레《트랙터가 끄는 막대 부분에 쇠사슬이 많이 달린 써레》.
cháin·ing *n.* 〖컴퓨터〗 체이닝, 연쇄.
chain·let [tʃéinlit] *n.* 작은 사슬.
cháin lètter (행운의) 연쇄 편지.
cháin lìghtning 지그재그 모양의 번갯불; 《미 방언·속어》 싸구려〔밀조(密造)〕 위스키.
cháin-link fènce 철사를 파도 모양으로 엮은 울타리.
cháin lòcker 〖해사〗 닻줄집.
cháin máil =CHAIN ARMOR.
cháin·man [-mən] (*pl.* ***-men*** [-mən]) *n.* 〖측량〗 chain 을 쥐는 사람, 측량 조수.
cháin mèasure 체인《야드·파운드법에 의한 측량용 길이의 단위계(系): 22 yards》.
cháin mòlding 〖건축〗 사슬 모양의 쇠시리.
cháin of béing 존재의 사슬《모든 실재(實在)가 완전성의 순서에 따라 이어지는 계층》.
cháin plàte (보통 *pl.*) 〖해사〗 체인 플레이트《돛대의 버팀줄(shrouds)을 뱃전에 고정시키는 데 쓰는 금속판》.
cháin prìnter 체인 프린터《고속 인자기(印字機)의 일종》.
cháin pùmp 사슬 펌프.
cháin-reàct *vi.* 〖물리〗 연쇄 반응을 일으키다.
cháin-reàcting *a.*, *n.* 〖물리〗 연쇄 반응을 하는 (일): a ~ pile 연쇄 반응로(爐), 원자로 (atomic pile).
cháin reàction 〖물리〗 연쇄 반응; 〖일반적〗 연쇄 반응.
cháin reàctor 〖물리〗 연쇄 반응 장치(reactor).
cháin rùle 〖수학〗 연쇄 법칙.
cháin sàw (휴대용) 동력(動力) 사슬톱.
cháin·sàw *vt.*, *vi.* 동력 사슬톱으로 자르다; 《속어》 (계획 등을) 망치다.
cháin shòt 연쇄탄《옛날 해전에서 두 개의 폭탄을 사슬로 이어 군함을 파괴하는 데 쓰임》.
cháin-smòke *vi.* 줄담배를 피우다.
cháin smòker 줄담배를 피우는 사람, 골초, 용고뚜리.
cháin stìtch 〖재봉·수예〗 사슬 모양으로 뜨기.
cháin stòre 체인 스토어, 연쇄점(連鎖店)(《영》 multiple shop 〔store〕).
cháin·wàle *n.* 〖해사〗 =CHANNEL².
cháin whèel (자전거 따위의) 사슬 톱니바퀴.
cháin·wòrk *n.* [U] 사슬 세공, 사슬 무늬.
*****chair** [tʃɛər] *n.* **1** (1 인용의) 의자. [cf.] armchair, easy chair. ¶ take a ~ 앉다/sit on 〔in〕 a ~ 의자에 앉다. **2** (대학의) 강좌; 대학교수의 직(professorship). **3** (the ~) 권위 있는 지위; 의장석〔직〕; 의장, 위원장; 《미》 대통령〔지사〕의 직; 《영》 시장의 직: support the ~ 의장을 지지하다/leave the ~ 의장직을 떠나다; 폐회하다. **4** (the ~) 《미구어》 전기의자: send 〔go〕 to the ~ 사형에 처하다〔처해지다〕. **5** 〖철도〗 좌철(座鐵), 레일 고정쇠. **6** 〖역사〗 의자 가마(sedan ~). ***appeal to the*** ~ 의장의 재결을 요청하다. ***Chair! Chair!*** 의장, 의장《의사당 정리의 요구》. ***fall off*** one's ~ 깜짝 놀라다. ***in the*** ~ 의장석에 앉아; 의장직을 맡고. ***leave the*** ~ 의장〔사회자〕 자리를 떠나다; 의사(議事)〔사회〕를 마치다. ***pass the*** ~ 〖보통 완료형으로〗 (의장·시장 따위의) 임기를 마치다. ***take the*** ~ 의장석에 앉다; 개회하다; 취임하다; 《미》 증인이 되다. **—** *vt.* **1** 착석시키다; (권위 있는) 직〔지위〕에 앉히다. **2** 《구어》 …의 의장직을 맡다. **3** (경기에 이긴 사람 등을) 의자에 앉히어 메고〔목말을 태우고〕 다니다. [파] **∠·less** *a.*
cháir bèd 긴의자 겸용 침대.
cháir·bòrne *a.* 《구어》 지상〔후방〕 근무의; 탁상〔연구실 따위〕에서의: a ~ pilot 정비원; 비전투 조종사.
cháir·bòund *a.* 휠체어(wheel chair) 신세를 지고 있는, 걷지 못하는.
cháir càr 〖미철도〗 (의자가 1 인용인) 특별차 (parlor car).

cháir·làdy *n.* =CHAIRWOMAN.
cháir lìft (스키어를 위한) 체어 리프트.
***chair·man** [tʃέərmən] (*pl.* **-men** [-mən]) *n.* **1 a** 의장, 사회자, 회장, 위원장; 총재. ★ 남자에게는 Mr. *Chairman*, 여자에게는 Madam *Chairman*이라고 부름; 미국에서는 chairperson을 쓰는 경향이 있음. cf. chairwoman. ¶ the *Chairman* of the Joint Chiefs of Staff 《미》 합동 참모 본부 의장. **b** (대학 학부의) 학과장, 주임 교수. **2** 휠체어(Bath chair)를 미는 사람; (sedan chair의) 교군꾼. **—** *vt.* (회의 따위를) 사회하다; (의장·위원장·회장 등)의 직을 수행하다. ㊕ **~·ship** [-ʃip] *n.* Ⓤ ~의 직〔지위〕; ~의 재능〔소질〕.
cháir·òne *n.* 의장(chairperson).
chair-o-plane [tʃέərouplèin] *n.* 공중회전 그네 《유원지 등의 어린이용 오락 시설》.
cháir·pèrson *n.* 의장, 사회자, 회장, 위원장 (cf. chairman); (대학의) 학과장〔주임〕.
cháir ràil 〖건축〗 의자로 인해 벽이 상하지 않도록 벽에 댄 긴 판자, 중방.
cháir·wàrmer *n.* 《미속어》 (호텔 로비 등에서) 자리를 오래 차지하는 사람, 끈기 있게 버티는 사람; 게으름뱅이.
cháir·wày *n.* =CHAIR LIFT.
cháir·wòman (*pl.* **-wòmen**) *n.* 여자 의장〔회장, 위원장, 사회자〕 (chairlady). cf. chairman.
chaise [ʃeiz] *n.* 2 륜〔4 륜〕의 가벼운 유람마차; 《고어》 =POST CHAISE.
chaise longue [ʃéizlɔ́ːŋ/-lɔ́ŋ] 《F.》 긴 의자의 일종.
cháise lóunge [ʃéiz-, tʃéis-] =CHAISE LONGUE.
chaise per·cée [ʃéizpɛərséi, tʃéiz-/ʃɛz-pɛʀse] 《F.》 변기가 딸린 의자, 침실용 변기.
cha·la·za [kəléizə] (*pl.* **~s, -zae** [-ziː]) *n.* 〖동물〗 (알의) 컬레이저, 알끈; 〖식물〗 합점(合點).
Chal·ce·don [kǽlsədàn, kælsíːdn/kǽlsidən] *n.* 칼케돈《소아시아 북서부에 있던 옛 도시》. ***the Council of*** ~ 〖기독교〗 칼케돈 종교회의《451년》. ㊕ **Chàl·ce·dó·ni·an** [-dóuniən] *a.*, *n.*
chal·ced·o·ny [kælsédəni, kǽlsədòuni/kælsédəni] *n.* Ⓤ,Ⓒ 〖광물〗 옥수(玉髓).
chal·cid [kǽlsəd] *n.* 〖곤충〗 수중다리좀벌(=≺ **flỳ** 〔**wàsp**〕)《유충 때에 딴 곤충에 기생함》.
chal·co·cite [kǽlkəsàit] *n.* 〖광물〗 휘동석(輝銅石).
chal·co·gen [kǽlkədʒən, -dʒèn] *n.* 〖화학〗 칼코겐《산소·황·셀렌·텔루르의 총칭》.
chal·co·graph [kǽlkəgræ̀f, -grὰːf] *n.* (조각) 동판(화). ㊕ **chal·cog·ra·pher** [kælkάgrəfər/-kɔ́g-] *n.* 동판 조각사. **chal·co·graph·ic, chal·co·graph·i·cal** [kælkəgrǽfik], [-əl] *a.* 동판술의. **chal·cog·ra·phy** [kælkάgrəfi/-kɔ́g-] *n.* 동판 조각술.
Chal·co·lith·ic [kælkəlíθik] *a.* 동석기 시대의(Aeneolithic)《신석기 시대에서 청동기 시대로의 과도기》.
chal·co·py·rite [kælkəpáirait/-páiə-] *n.* Ⓤ 〖광물〗 황동광.
Chal·da·ic [kældéiik] *a.*, *n.* =CHALDEAN.
Chal·dea, -daea [kældíːə] *n.* 칼데아《페르시아만 연안에 있었던 고대 왕국》.
Chal·de·an [kældíːən] *a.* 칼데아의; 점성술(占星術)의. **—** *n.* **1** 칼데아 사람. **2** Ⓤ 칼데아 말. **3** 점성가; 마법사.
Chal·dee [kældíː, ≺-/-≺] *a.*, *n.* =CHALDEAN.
chal·dron [tʃɔ́ːldrən] *n.* 《영》 촐드론《석탄·석회 따위를 재는 건량 단위: 32-36 bushels; 지금은 별로 쓰이지 않음》.
cha·let [ʃæléi, ≺-/≺-] *n.* 《F.》 샬레《스위스의 양치기들의 오두막집》; 스위스의 농가(풍의 집); (스위스풍의) 산장, 별장; 방갈로.

chalet

chal·ice [tʃǽlis] *n.* 〖기독교〗 성배(聖杯), 성찬배(聖餐杯); 《시어》 잔; 〖식물〗 잔 모양의 꽃. ㊕ **~d** [-t] *a.* ~에 든, ~을 단.
†chalk [tʃɔːk] *n.* **1** Ⓤ 백악(白堊). **2** Ⓤ,Ⓒ 초크, 분필, 백묵; (크레용 그림용의) 색분필: a (piece of) ~ 분필 1 자루/write in yellow ~ 노란색 분필로 쓰다/mark with ~ 분필로 표를 하다. **3** Ⓒ (점수 등) 분필로 적은 기호; 《영》 (승부의) 득점(score); 《속어》 인기 말. **4** 〖지학〗 초크《잉글랜드 남동안 등의 상부 백악계의 이회질(泥灰質)층》. **5** 《미속어》 분유(粉乳). **6** 《속어》 =AMPHETAMINE. (***as***) ***different*** 〔***like***〕 ***as*** ~ ***from*** 〔***and***〕 ***cheese*** (겉은 비슷하나 본질은) 전혀 틀리는, 전혀 다른. ***by a long*** ~ =***by*** (***long***) ~***s*** 《영구어》 훨씬, 단연(by far). ***come up to*** ~ 표준에 달하다, 훌륭하다; 다시 시작하다. ***not by a long*** ~ 《영구어》 전혀 …않다(not at all). ***not know*** ~ ***from cheese*** 선악을 분간하지 못하다. ***walk one's*** ~***s*** 《속어》 사라지다, 떠나 버리다. ***walk the*** ~ (***line*** 〔***mark***〕) ⇨ WALK(관용구).
— *a.* 백악질의; 초크로 쓴〔만든〕.
— *vt.* **1** 분필로 표를 하다〔적다〕《*down*》. **2** …에 분필칠을 하다. **3** …에 백악을 섞다. **4** …을 표백하다, 희게 하다. **—** *vi.* (페인트가 풍화(風化)로) 백악화하다(flour). ~ ***it up against*** (아무에게) 죄를 뒤집어씌우다, (아무의) 수치로〔치욕으로〕 하다. ~ ***it up to experience*** 실패〔불행한 일〕 따위가 다시 일어나지 않도록 유념하다〔기억해 두다〕. ~ ***out*** 초크로 윤곽을 그리다; 계획하다《종종 ~ *out for oneself*라고도 함》. ~ ***up*** ① (칠판 따위에) 초크로 쓰다; (득점 등을) 기록으로 적어 두다, 기록하다; (외상값 따위를) 치부(置簿)하다《*to*》: *Chalk* it *up to* me. 그것을 내 앞으로 치부해 놓게. ② 《구어》 마음에 새기다; (득점·승리 등을) 얻다, 거두다, 달성하다. ③ (…의) 탓으로 하다《*to*》.
chálk and tálk 판서(板書)와 교사의 이야기가 중심이 되는 전통적 교수법.
chálk bèd 〖지학〗 백악층(層).
chálk·bòard *n.* 《미》 칠판.
chálk·fàce *n.* 《영구어》 교육 현장, 교실.
chalk·ie [tʃɔ́ːki] *n.* 《Austral. 구어》 교사.
chálk pìt 〔**quàrry**〕 (초크를 채취하는) 백악갱.
chálk·stòne *n.* 〖의학〗 통풍석(痛風石)《손가락 관절 등에 생기는》.
chálk strìpe 짙은 색 바탕의 가늘고 긴 흰 무늬. ㊕ **chálk·strìped** [-t] *a.*
chálk tàlk 《미》 칠판에 쓰면서 하는 강연〔강의, 토론〕.
chalky [tʃɔ́ːki] (***chalk·i·er; -i·est***) *a.* 백악질〔색〕의; 백악이 많은; 분필이 묻은. ㊕ **chálk·i·ness** *n.*
***chal·lenge** [tʃǽləndʒ] *n.* **1** 도전, 경기의 신청; 도전장《*to*》; 결투의 신청: a ~ *to* civilization 문명에의 도전/accept 〔take up〕 a ~ 도전에 응하다/offer 〔give, issue, send〕 a ~ 도전하다, 싸움을 걸다. **2** 수하《보초의 Halt! Who goes there? '정지, 누구냐'》. **3** 해볼 만한 일〔문제, 과제〕, (보람 있는) 힘든 일, 노력의 목표; (자기 능력 발휘의) 좋은 기회: a task with more ~ 더욱 해볼 만한 보람 있는 일/I want a job that offers a ~. 나는 도전해 볼 만한 힘든 일을 하고 싶다. **4** 설명〔증거〕의 요구; 항의, 힐난《*to*》; 《미》

투표(자의 자격)에 대한 이의(異議) 신청. **5** 〚법률〛 (배심원에 대한) 기피. **6** 〚의학〛 공격《면역 반응의 항원 투여, 또는 예방 접종의 병원균 투여》. ***rise to the*** ~ 난국에 잘 대처하다.

— *vt*. **1** 《~+목/+목+전+명/+목+*to* do》 …에 도전하다; (논전·경기 따위를) 신청하다; (아무에게) …하도록 도전하다: Who will ~ the champion? 누가 챔피언에게 도전할 것인가/~ a person *to* a duel 아무에게 결투를 신청하다/They ~*d* me *to* fight. 그들은 내게 싸움을 걸어왔다. **2** 《~+목/+목+전+명/+목+*to* do》 (설명·칭찬 따위를) 요구하다: The problem ~*s* explanation. 그 문제는 설명을 요한다/I ~*d* her *for* evidence. 나는 그녀에게 증거를 대라고 요구했다/It ~*es* us *to* come up with a solution. 그것은 우리에게 해결 방법을 찾아내라고 요구한다. **3** 〚군사〛 (아무를) 수하하다. **4** 《~+목/+목+전+명》 (정당성·가치 등을) 의심하다; …에 이의를 제기하다《*about*》; (부정 유무를) 조사하다: She ~*d* the authority of the court. 그녀는 그 법정의 권위를 의심했다/They ~*ed* him *about* the fairness of his remarks. 그들은 그의 말의 공정성에 관해 의심을 품었다. **5** 〚법률〛 (배심원·진술 따위에) 이의를 신청하다, 기피하다; (증거 따위를) 거부하다(deny). **6** 《미》 (투표(자)의 유효성〔자격〕 따위에) 이의를 제기하다. **7** 감히 요구하다; …에 견딜 수 있다, …에 대항할 수 있다: ~ criticism 비평할 테면 해보라고 하다; 비평에 견디다/forgery that ~*s* discovery 간파되지 않을 정도의 교묘한 위조. **8** (감탄·비판을) 불러일으키다; (관심을) 환기하다; 자극하다, (난제 등이) 아무의 능력을 시험하다: a matter that ~*s* attention 주목할 만한 일. **—** *vi*. 도전하다; (사냥개가) 냄새를 맡고 짖다; 이의 신청을 하다.

㊞ **~·a·ble** *a*.

chállenge cùp 〔**tròphy**〕 도전〔우승〕컵.

chál·lenged *a*. 어려움을 지닌; 곤란에 맞서는, 장애가 있는(handicapped).

chállenge flàg 도전〔우승〕기.

chál·leng·er *n*. **1** 도전자. **2** 수하하는 사람; 〚법률〛 기피자, 거부자. **3** 〚라디오〛 발신기. **4** (C-) 《미》 챌린저호《우주 왕복선 제 2 호기; 1986 년 1 월 28일 발사 직후 폭발하여 승무원 7 명 전원 사망》. **5** (C-) 《영》 챌린저《1983 년부터 배치한 영국 육군의 주력 전차》.

chál·leng·ing *a*. 도전적인; 도발적인; 매력적인; 의욕을 돋우는, 해〔맞붙어〕볼 만한. ㊞ **~·ly** *ad*.

chal·lis, chal·lie [ʃǽli/ʃǽlis], [ʃǽli] *n*. Ⓤ 샬리천《가벼운 여자 옷감의 일종》.

cha·lone [kǽloun] *n*. 〚생리〛 칼론《생리 활동을 억제하는 물질》.

cha·lyb·e·ate [kəlíbiət] *a*. (광천이) 철분을 함유하는. **—** *n*. 철천(鐵泉); 철제(鐵劑).

cham [kæm] *n*. 《고어》 =KHAN¹.

cha·made [ʃəmɑ́ːd] *n*. 《F.》 담판〔항복〕의 뜻을 알리는 북〔나팔〕 신호; 후퇴〔퇴각〕 신호.

cham·ae·phyte [kǽməfàit] *n*. 〚식물〛 지표(地表) 식물《한기·건기의 저항 싹이 지상 30cm 이하에 있는 식물》.

cham·ber** [tʃéimbər] *n*. **1** 《영에서는 고어》 방, 《특히》 침실; (*pl*.) 《영》 (독신자용) 셋방, 전세 아파트. **2** (공관 등의) 응접실. **3** (*pl*.) 판사실 (특히, 영국 법학원(Inns of Court) 내의) 변호사 사무실. **4** 회관(hall); 회의소, 의장(議場): *Chamber* of Agriculture 〔Commerce〕 농업〔상업〕 회의소. **5** (the ~) 의원(議院)《상하 양원 중 한 쪽》: Lower 〔Upper〕 *Chamber* 하원〔상원〕. **6** 국고. **7** (총의) 약실(藥室); 〚기계〛 (공기·증기 따위의) 실(室). **8** (동물 체내의) 소실(小室), 구멍: The heart has four ~*s*. 심장에는 4 개의 심방〔실〕이 있다. **9** =CHAMBER POT. ~ ***of horrors 공포의 방《고문 도구 등의 진열 장소》. **—** *a*. 비밀의〔이 행해지는〕; 실내용으로 만들어진; 실내의; 실내악〔연주〕의. **—** *vt*. **1** 방에 가두다; …에게 침실을 제공하다. **2** (탄알을) 약실에 재다, 장전하다.

chámber còncert 실내악 연주회.

chámber còuncil 비밀 회의.

chámber còunsel 1 《영》 법률 고문(office lawyer)《법정에 서지 않는 변호사》. **2** Ⓤ (변호사의) 사견, 감정(鑑定).

chám·bered *a*. chamber 가 있는; 〔복합어로〕 …(의) 실(室)〔약실〕이 있는.

cham·ber·ing [tʃéimbəriŋ] *n*. 바람기, 불륜, 사통(私通).

Cham·ber·lain [tʃéimbərlin] *n*. (**Arthur**) **Neville ~** 체임벌린《영국의 보수당 정치가·수상; 나치 독일에 대하여 유화 정책을 채택; 1869–1940》.

cham·ber·lain *n*. 시종(侍從); 가령(家令); (시(市) 등의) 출납 공무원. ***Lord Chamberlain*** (***of the Household***) 《영》 의전(儀典) 장관.

chámber·màid *n*. (호텔의) 객실 담당 메이드; 《미》 가정부, 식모; 《고어》 시녀.

chámber mùsic 실내악.

chámber òpera 실내 오페라.

chámber òrchestra 실내 악단.

chámber òrgan 〚악기〛 소형 파이프 오르간.

chámber pòt 침실용 변기, 요강.

chámber prèssure 〚로켓〛 (로켓 엔진의) 연소실 압력.

chámber tòmb 〚고고학〛 돌방 무덤《서유럽의 신석기 시대 말경에 거석을 사용한 무덤의 일종》.

cham·bray [ʃǽmbrei] *n*. Ⓤ 샴브레이《흰 씨실과 색 있는 날실로 희끗희끗하게 짠 직물》.

cha·me·le·on [kəmíːliən, -ljən] *n*. **1** 〚동물〛 카멜레온. **2** 변덕쟁이, 경박한 사람. **3** (the C-) 〚천문〛 카멜레온자리. ㊞ **cha·me·le·on·ic** [kəmìːliɑ́nik/-ɔ́n-] *a*. 카멜레온 같은; 변덕스러운, 들뜬.

cham·fer [tʃǽmfər] 〚건축〛 *n*. 목귀《각재 등의 모를 둥글린》; 《미》 (문지방 등의) 홈. **—** *vt*. (목재·석재의) 모서리를 죽이다, 쇠시리하다; 《미》 홈을 파다.

chám·my (**lèather**) [ʃǽmi(-)] 섀미 가죽 (chamois).

cham·ois [ʃǽmi; *F*. ʃamwɑː] (*pl*. **~, -oix** [-z]) *n*. **1 a** 〚동물〛 샤무아《남유럽·서남 아시아산; 영양류(類)》. **b** 담황갈색(色) (=~ **yéllow**)《섀미 가죽 색에서》. **2** [영+ʃǽmi] Ⓤ 섀미 가죽《영양·양·염소·사슴 등의 부드러운 가죽》; (식기 등을 닦는 데 쓰는) 섀미 가죽제의 행주. **—** *vt*. (가죽을) 무두질하다; 섀미 가죽으로 닦다〔문지르다〕. **—** *a*. 섀미 가죽의; 엷은 황갈색의.

chamois 1a

cham·o·mile [kǽməmàil, -mìːl/-màil] *n*. =CAMOMILE.

champ¹ [tʃæmp] *vt*., *vi*. (말이 재갈을) 자꾸 씹다〔물다〕, (여물을) 우적우적 씹다; 말처럼 우적우적 먹다; (흥분하여) 이를 갈다《*with*》; 하고 싶어 안달복달하다《*to* do》. ~ ***at a*** 〔***the***〕 ***bit*** (말이) 재갈을 씹다; (사람이) 안달하다. **—** *n*. 우적우적 씹음; 그 소리; 이를 갊.

champ² *n*. 《구어》 =CHAMPION.

cham·pac, -pak [tʃǽmpæk] *n.* 목련과의 나무(동인도산; 노랑 꽃이 핌).

°**cham·pagne** [ʃæmpéin] *n.* Ⓤ 샴페인(발포성 와인; 프랑스의 원산지 상파뉴에서); 샴페인 빛깔(황록색 또는 황갈색); 최고〔사치〕품. ― *a.* 샴페인 빛깔의; 사치한, 값진.

champágne cùp 샴페인에 감미료와 향료를 넣어 얼음에 채운 음료.

champágne sòcialist (우스개) 유복한 사회주의자, 부르주아 사회주의자.

champágne trìck (미속어) 창녀의 돈 많은 「손님.

cham·paign [ʃæmpéin] *n.* (문어) 평야, 평원; (고어) 전장(戰場). ― *a., ad.* 평야의; 드넓은; 질펀히.

cham·pers [ʃǽmpərz] *n.* (영구어) =CHAMPAGNE.

cham·per·tous [tʃǽmpərtəs] *a.* 〖법률〗 소송을 원조하기로 약속된: a ~ contract.

cham·per·ty [tʃǽmpərti] *n.* Ⓤ 〖법률〗 (이익 분배의 특약이 있는) 소송 원조.

cham·pi·gnon [ʃæmpínjən] *n.* 샹피뇽(송이과의 식용 버섯; 유럽 원산).

***cham·pi·on** [tʃǽmpiən] (*fem.* **~·ess** [-is]) *n.* **1** (경기의) 선수권 보유자, 챔피언. **2** 우승자; (품평회 따위에서) 최우수품. **3** (구어) 남보다 뛰어난 사람〔동물〕. **4** (주의 등을 위해 싸우는) 투사, 옹호자; (옛날의) 전사. ― *a.* **1** 우승한; 선수권을 획득한: a ~ boxer 권투의 챔피언/the ~ terrier 최고상을 획득한 테리어. **2** (구어·방언) 일류의, 다시없는. ― *ad.* (구어·방언) 그 이상 더 없이, 멋지게. ― *vt.* 투사〔옹호자〕로서 활동하다, 옹호하다: ~ the cause of human rights 인권 운동을 옹호하다.

***cham·pi·on·ship** [tʃǽmpiənʃip] *n.* **1** 선수권, 우승, 우승자의 명예; (보통 *pl.*) 선수권 대회, 결승전: the ~ flag 〔cup〕 우승기〔컵〕/the ~ point 〖테니스〗 결승전의 매치 포인트. **2** Ⓤ (주의·주장·운동 등의) 옹호(*of*).

champ·le·vé [ʃɑ̀:nləvéi] (F.) *a.* 바탕에 새겨서 에나멜을 입힌. ― *n.* 바탕새김의 칠보(七寶). cf. cloisonné.

Champs Ély·sées [ʃɑ:nzeili:zéi/-lí:zei] (F.) (Elysian fields) 샹젤리제(파리의 번화가).

CHAMPUS [tʃǽmpəs] Civilian Health and Medical Program for the Uniformed Services (군무원 건강 의료 계획). **chan.** channel. **Chanc.** Chancellor; Chancery.

†**chance** [tʃæns, tʃɑ:ns/tʃɑns] *n.* **1** 우연; 우연한 일, 운: *Chance* governs all. 모든 것은 운에 달렸다. **2 a** 기회; 호기: a fair ~ 좋은 기회/the ~ of a lifetime 일생에 한 번 있는 기회/Now is your ~. 자, 호기를 놓치지 마라/I had a ~ *to* do …할 기회가 있었다. SYN. ⇨ OPPORTUNITY. **b** 〖야구〗 척살〔포살〕의 호기; 〖크리켓〗 타자를 아웃시킬 호기. **3** (종종 *pl.*) 가망, 승산, 가능성: The ~*s* are against 〔in favor of〕 him. 형세는 그에게 불리〔유리〕하다/nine ~*s* out of ten 십중팔구. **4 a** 위험, 모험: take a ~ 〔~*s*〕 성공하든 실패하든 해보다. **b** 복권의 추첨권. **5** (미구어) 상당수〔량〕(*of*): a smart 〔powerful〕 ~ *of* apples 많은 사과. ***against all ~s*** (성공의) 가망이 없는(데도). ***a game of ~*** 운에 맡긴 승부. ***as ~ would have it*** 우연히; 공교롭게도. ***by any ~*** 만일, 만약에. ***by ~*** 우연히, 공교롭게. ***Chances are*** (***that***) ... 아마 …일 것이다. ***even ~*** 반반(半半)의 가망성. ***fancy one's ~s*** (구어) 성공을 믿고 있다. ***have an eye to the main ~*** 사리(私利)를 꾀하다. ***leave to ~*** 운에 맡기다: *leave* nothing *to* ~ 만전을 기하다. ***let the ~ go*** 기회를 놓치다. ***No ~!*** (구어) 그럴 리가 없다. ***on the ~ of*** 〔***that...***〕 …을 기대(期待)하고, …을 믿고. ***take a*** (***long***) ***~*** =***take*** (***long***) ***~s*** 운명에 맡기고 해보다. ***take no ~s*** 요행수를 바라지 않다. ***take*** one***'s*** 〔***the***〕 ***~*** 결연히 해보다; 기회를 잡다.

― *a.* 우연한: a ~ meeting 우연한 만남〔해후〕/a ~ companion 우연한 길동무.

― *vi.* **1** (~+*to* do/+*that* 절) 어쩌다가 …하다; 우연히 일어나다: He ~*d to* be out then. =It ~*d that* he was out then. 마침 그는 그때 외출 중이었다. **2** (+전+명) 우연히 만나다〔발견하다〕(*on, upon*): I ~*d upon* this book. 우연히 이 책을 발견했다. SYN. ⇨ HAPPEN. ― *vt.* 해보다, 운에 맡기고 하다, 부닥쳐 보다(종종 it을 수반함): I'll have to ~ *it* whatever the outcome. 결과야 어찌 되든 해봐야겠다/I don't ~ driving in this blizzard. 이런 심한 눈보라에 차 운전 따위는 할 수 없다. ***as it may ~*** 그 때의 경우에 따라서. ***~ one's arm*** (구어) 성공의 기회를 잡다; (가망 없는 것이라도) 과감히 해보다. ***~ one's luck*** 운이 트였는지 어떤지를 시험해 보다. ***~ the consequence*** 운을 하늘에 맡기다.

chánce chìld 사생아, 서자.

chánce-cóme *a.* (영) 우연한.

chance·ful [tʃǽnsfəl, tʃɑ́:ns-/tʃɑ́:ns-] *a.* 사건이 많은; (고어) 운 여하에 따르는, 위험한.

chan·cel [tʃǽnsəl, tʃɑ́:n-/tʃɑ́:n-] *n.* 성단소(聖壇所), (교회의) 성상 안치소(보통 동쪽 끝의 성가대(choir)와 성직자의 자리).

chan·cel·lery [tʃǽnsələri, tʃɑ́:n-/tʃɑ́:n-] *n.* chancellor의 직〔관청〕; 대사관〔영사관〕 사무국.

°**chan·cel·lor** [tʃǽnsələr, tʃɑ́:n-/tʃɑ́:n-] *n.* **1** (영) **a** 대법관(the Lord (High) Chancellor =the CHANCELLOR OF ENGLAND). **b** 재무 장관(財務長官)(Chancellor of the Exchequer). **2** (독일 등의) 수상. **3** (미) 대학 총장, 학장(흔히 President라고 함); (영) 명예 총장(cf. vice-chancellor). **4** (미) (형평법(衡平法) 재판소의) (수석) 판사. **5** (영) 대사관 일등 서기관; (국왕·귀족의) 서기. **6** 〖성공회〗 주교구 상서관. ***the Chancellor of the Bishop*** 〔***Diocese***〕 주교의 종교법 고문(顧問). ㊕ **~·ship** [-ʃip] *n.* chancellor의 직〔임기〕.

Cháncellor of Éngland (the ~) (영) 대법관(각료의 한 사람, 의회 개회 중엔 상원 의장으로 the Lord (High) Chancellor 라고도 함; 생략: L.H.C., L.C.).

Cháncellor of the Exchéquer (the ~) (영) 재무 장관.

chánce-mèdley *n.* Ⓤ 〖법률〗 과실 살인(cf. chaud-medley); 우연한 행위; 자기 방어 살인.

chánce-mèt *a.* 우연히 만난.

chánce mùsic 우연성 음악(John Cage 등이 시작한 작곡이나 연주에 우연성을 도입한 음악).

chanc·er [tʃǽnsər, tʃɑ́:n-/tʃɑ́:n-] *n.* (주로 영속어) 곧잘 운수를 시험하는 사람; 위험을 무릅쓰는 자; 노름꾼.

chan·cery [tʃǽnsəri, tʃɑ́:n-/tʃɑ́:n-] *n.* **1** (미) 형평법(衡平法) 재판소; 형평법. **2** (C-) (영) 대법관청(지금은 고등 법원의 일부); 대법관 법정; 대법관 기록소. ***in ~*** 형평법 재판에서 소송 중인; 대법관의 지배하의; 〖레슬링·권투〗 상대자의 겨드랑이에 머리가 끼여; (비유) 진퇴유곡에.

chan·cre [ʃǽŋkər] *n.* 〖의학〗 하감(下疳); (속어) 「성병.

chan·croid [ʃǽŋkrɔid] *n.* 〖의학〗 연성 하감.

chan·crous [ʃǽŋkrəs] *a.* 〖의학〗 하감성의.

chancy [tʃǽnsi, tʃɑ́:n-/tʃɑ́:n-] (***chanc·i·er; -i·est***) *a.* 우연의; 불확실한, 불안(정)한; (구어) 위험한(risky). ㊕ **-i·ly** *ad.* **-i·ness** *n.*

°**chan·de·lier** [ʃæ̀ndəlíər] *n.* 샹들리에.

chan·delle [ʃændél] *n., vi.* 〖항공〗 급상승 방

향 전환(을 하다).

Chan·dler [tʃǽndlər, tʃɑ́:n-/tʃɑ́:n-] *n.* **Raymond** ~ 챈들러《미국의 탐정 소설가; 1888-1959》.

chan·dler *n.* 《영에서는 고어》 양초 제조인〔장수〕; 상인; 잡화상: a corn ~ 잡곡상/a ship ~ 선구상(船具商). ㊀ **~y** [-ləri] *n.* 양초 두는 곳; 양초 가게; 잡화점; (*pl.*) 〖집합적〗 잡화(류).

Chan·dra·se·khar [ʃɑ̀:ndrəséikɑ:r] *n.* **Subrahmanyan** ~ 찬드라세카르《인도 태생의 미국 천체 물리학자, 노벨 물리학상 수상; 1910-95》.

Chandrasékhar lìmit (the ~) 〖천문〗 찬드라세카르의 한계《진화의 종말에 가까워진 별이 백색왜성으로 변하지 않고 붕괴하여 중성자별 또는 블랙홀로 되는 한계 질량》.

Cha·nel [ʃənél; *F.* ʃanɛl] *n.* **1 Gabrielle** ~ 샤넬《통칭 'Coco'; 프랑스의 여류 복식 디자이너·향수 제조업자; 1883-1971》. **2** 샤넬사(社) 제품의 상표명《여성 의류·액세서리·화장품 등》.

Chang ⇨ CHANG JIANG.

†**change** [tʃeindʒ] *vt.* **1** 《~+목/+목+전+명》 바꾸다, 변경하다, 고치다, 갈다: ~ one's opinion 자기 의견을 바꾸다/Let's ~ the subject. 화제를 바꿉시다/You can't ~ human nature. 인성(人性)을 바꿀 수는 없다/Heat ~*s* water *into* steam. 열은 물을 수증기로 바꾼다. **2** 《+목+전+명》 바꿔 …으로 하다; (재산 따위를) 다른 형태로 하다《*into*》: ~ jewels *into* land 보석을 처분하여 토지로 바꾸다. **3** 《~+목/+목+전+명》 (같은 종류·부류의 것으로) 교환하다, 변경하다, 갈다《*with*》: ~ the subject 화제를 바꾸다/~ lanes 차선을 변경하다/~ places 〔seats〕 *with* a person 아무와 자리를 바꾸다/~ a dirty shirt *for* 〔*into*〕 a clean one 때묻은 셔츠를 깨끗한 것으로 갈아입다. **4** …의 장소를 옮기다; (아무를) 경질하다: ~one's weight *from* one foot *to* the other 몸무게를 한쪽 발에서 다른 발로 옮기다. **5** 《~+목/+목+목/+목+전+명》 환전하다, 잔돈으로 바꾸다; (수표·어음을) 현금으로 바꾸다: ~ a five-dollar bill, 5 달러 짜리 지폐를 바꾸다/Can you ~ me this ten-dollar bill? 이 10 달러짜리 지폐를 잔돈으로 바꾸어 주시겠소/I can ~ this bill *for* 50 dollars. 이 어음을 50 달러에 바꿀 수가 있다. **6** 《~+목/+목+전+명》 (장소·입장 따위를) 바꾸다; (탈것을) 갈아타다《*for*》: ~ schools 전학하다/~ trains *at* 〔*in*〕 Chicago *for* the west coast 시카고에서 서해안행 열차로 갈아타다. **7** (침대의) 시트를 갈(아대)다, (아기의) 기저귀를 갈아채우다: ~ a bed 〔baby〕. **8** (기어를) 바꾸다, 변속하다《《미》에서는 shift gear(s)》.

> SYN. **change** 가장 일반적인 말이나, 아래 말들과의 차이는 전혀 다른 것으로 바꿀 수 있다는 뜻이 있다는 것임. **alter** 일부를〔가〕 변경할〔될〕 때 씀: *alter* a suit 옷을 몸에 맞게 고치다. **transform** 꼴·성질·기능 따위를 변화시키다: A caterpillar is *transformed* into a butterfly. 쐐기가 나비로 된다. **convert** 어떤 목적에 들어맞게 바꾸다: *convert* one's bank notes into gold 은행권을 금으로 바꾸다. **transmute** 좋은 것이나 고급의 것으로 요술을 부린 것처럼 바꾸다: *transmute* sorrow into joy 슬픔을 기쁨으로 바꾸다. **vary** 변화의 불규칙성과 다양성에 초점이 있음: His mood *varies* from hour to hour. 그의 기분은 시시각각 변한다.

— *vi.* 《~/+전+명》 **1** 변하다, 바뀌다, 변화하다, 바뀌어 …이 되다: ~ *in* appearance 모습이 바뀌다/The rain has ~*d to* snow. 비가 눈으로 바뀌었다/Water ~*s into* vapor. 물은 증기로 변한다. **2** 변경되다, 갈리다, 고쳐지다; (역할·자리·차례 따위를) 바꾸다《*with*》: If you cannot see from your seat, I'll ~ *with* you. 당신 자리에서 안 보이면 자리를 바꿉시다. **3** (열차·버스 등을) 갈아타다: ~ here 〔at Cheonan〕 여기서〔천안(에)서〕 갈아타다/~ *for* Boston 〔*to* express〕 보스톤행〔급행〕으로 갈아타다. **4** (…로) 갈아입다《*into; for*》: She ~*d into* jeans. 그녀는 진으로 갈아입었다/I have nothing to ~ *into*. 갈아입을 옷이 없다/She's *changing for* dinner. 그녀는 만찬을 위해 옷을 갈아입고 있는 중이다. **5** 《미구어》 (동물을) 거세하다. **6** (자동차의) 기어를 바꾸다《*into, to*》: ~ *into* the low 〔high〕 gear =~ down 〔up〕 《영》 저속〔고속〕 기어로 바꾸다. **7** (달이) 모습을 바꾸다; (목소리가) 낮게〔굵게〕 바뀌다: Moon ~*s* through the month. 달의 모습은 1 개월 단위로 바뀐다.

All ~! 종점입니다, 여러분 모두 갈아타십시오. **~ *about*** 방향 전환하다; 변절하다; (형편 따위가) 크게 바뀌다. **~ *arms*** 총을 바꿔 메다. **~ *back*** 《*vi.*+부》 ① (본래의 것으로) 되돌아가다《*into*》. ── 《*vt.*+부》 ② (본래의 것으로) 되돌리다, 되돌려놓다《*into*》. ~ (the old shoes) ***for*** (the new ones) (헌신)을 (새것)으로 갈다. **~ *for the better*** 〔***worse***〕 (병·날씨 따위가) 좋아지다〔악화되다〕. **~ *off*** ① 《미구어》 (두 사람이 일 따위를) 교대하다《*at*》: ~ *off at* driving 교대로 운전하다. ② (아무와) 교대하다《*with*》. **~ *over*** ① (아무가 …을) (…에서 ― 로) 바꾸다, 변경(變更)하다《*from; to*》: ~ *over from* gas *to* electricity 가스에서 전기로 바꾸다. ② (기계 장치 따위가) (자동적으로 …에서 ― 로) 바뀌다, 전환되다《*from, to*》. ③ (두 사람이) 역할을〔입장·위치(등)을〕 서로 바꾸다. ④ 〖경기〗 (선수·팀이) 코트(따위)를 바꾸다. **~ *round*** 《*vi.*+부》 ① (바람이) 방향이 (…에서―로) 바뀌다《*from; to*》: The wind ~*d round from* south *to* west. 바람이 남에서 서쪽으로 바뀌었다. ② =~ over ③④. ── 《*vt.*+부》 ③ 《영》 (항목 등의) 순서를 바꾸다, (…을) 바꿔 넣다. **~ *one's money*** 잔돈으로 바꾸다.

── *n.* **1** 변화; 변경, 변천; 색다른〔새로운〕 것: a ~ *in* the daily routine 일상 일과에서 생긴 하나의 변화/the ~ *of* voice (사춘기의) 변성/the ~ *of* life (여성의) 갱년기/Anything for a ~. 《속담》 새로운 것은 모두 좋다. **2** 교환, 교체; 갈아타기; 갈아입기: a ~ *of* clothes 갈아입을 옷. **3** Ⓤ 거스름돈, 우수리; 잔돈: in small ~ 잔돈으로/Here's your ~. 거스름돈 여기 있습니다/I have no (small) ~ *about* 〔*on*〕 me. 잔돈을 갖고 있지 않다/Can you give me ~ *for* a dollar? 1 달러를 잔돈으로 바꿔 주시겠습니까. **4** 〖보통 단수형〗 기분 전환; 전지(轉地): go away for a ~ *of* air 〔climate〕 전지 요양을 떠나다/A ~ is as good as rest. 기분 전환은 휴식이나 매한가지다/Let's try a new restaurant (just) *for* a ~. (잠깐) 기분 전환을 위하여 다른 식당으로 가 보세. **5** (C-) 거래소《Exchange의 간약체로 잘못 생각하여, 'Change라고 쓰기도 함》: on *Change* 거래소에서. **6** (보통 *pl.*) 〖음악〗 여러 가지 다른 종을 치는 법; 전조(轉調), 조바꿈; 〖수학〗 순열; (중국의) 역(易). ***a ~ of pace*** 늘 하던 방법을 바꿈; 《미》 기분 전환; 〖야구〗 (투수가) 구속(球速)을 바꾸는 일. ***be going through ~s*** 《구어》 곤경에 빠져 있다. **~ *for the better*** 호전, 개량, 진보. **~*s and chances*** 변천. ***for a ~*** ① 변화를 위하여; 기분 전환을 위해. ② (옷 따위

를) 갈아입으려. ***get*** ~ ***out of*** a person 아무에게서 물건을 가로채다, 이득을 얻다. ***get no*** ~ ***out of*** a person 《영구어》 (논쟁 등에서) 아무를 당해내지 못하다; 아무에게서 아무것도 알아내지 못하다. ***get short*** ~ 무시당하다, 냉대받다. ***give*** a person ~ 《구어》 아무를 위해 애쓰다; 앙갚음하다. ***give*** a person ***short*** ~ 《구어》 아무를 무시하다, 냉대하다. ***make a*** ~ ① 변화시키다, 개량하다, ② (평소와는) 좀 다르다. ***make*** 〔《영》 ***give***〕 ~ 거스름돈을 주다. ***put the*** ~ ***on*** 〔***upon***〕 a person 《구어》 아무를 속이다. ***put*** a person ***through*** ~***s*** 《구어》 아무를 놀라게 하다. ***ring the*** ~***s*** 여러 가지 수단을 바꿔 시도해 보다; 같은 말을 여러 가지로 바꾸어 말하다. ***take*** one's 〔***the***〕 ~ ***out of*** a person 아무에게 보복을 하다. ***the Book of Changes*** 역경(易經). ***the*** ~ ***of tide*** 위기. ***undergo*** ~***s*** 변천하다.

◇**chánge·a·ble** *a.* **1** 변하기 쉬운, (날씨 따위가) 변덕스러운; 불안정한. **2** 가변성의. **3** (비단 따위가 광선에 의하여) 색이 여러 가지로 변화하여 보이는. ㊞ **chànge·a·bíl·i·ty** *n.* Ⓤ 변하기 쉬운 성질, 가변성; 불안정. **-bly** *ad.* ~**·ness** *n.*

chánge àgent 사회 개혁의 주도자.

chánge-dòwn *n.* (자동차 등의 기어를) 저속으로 바꾸기.

change·ful [tʃéindʒfəl] *a.* 변화가 많은; 변하기 쉬운, 불안정한. ㊞ ~**·ly** *ad.* ~**·ness** *n.*

chánge gèar 〖기계〗 변속기〔장치〕.

chánge·less *a.* 변화 없는; 불변의, 일정한 (constant). ㊞ ~**·ly** *ad.* ~**·ness** *n.*

change·ling [tʃéindʒliŋ] *n.* 바뀌친 아이(elf child)《요정이 앗아간 예쁜 아이 대신 두고 가는 작고 못난 아이》; (화학적으로) 변색한 우표; 《고어》 저능아; 무성의한 사람.

chánge machìne 잔돈 교환기.

chánge·màker *n.* 자동 동전 교환기〔환전기〕.

chánge-of-énds *n.* 〖테니스〗 체인지 코트.

chánge of fáce 〔**frónt**〕 태도〔방침〕의 변경: make a sudden ~ 태도를 갑자기 바꾸다.

chánge of héart 변심, 전향: have a ~ 자기 주장을 바꾸다, 개종(改宗)하다.

chánge of lífe (the ~) 갱년기, 월경 폐지기, 폐경기(menopause). 「소의 변경.

chánge of vénue 〖법률〗 관할 이전; 재판 장

chánge·òver *n.* (정책 따위의) 변경, 전환; (내각 따위의) 경질, 개조; (형세의) 역전《*from; to*》; (설비의) 대체.

chánge pòcket 잔돈용 (호)주머니《여성용 지갑, 남성용 웃옷의 큰 주머니 안의》.

chánge pùrse 잔돈 지갑.

chang·er [tʃéindʒə*r*] *n.* 변경〔개변〕하는 사람; 교환하는 사람; 의견〔기분〕을 쉽게 바꾸는 사람; =RECORD CHANGER; 《속어》 환전상(換錢商).

chánge rìnging 조바꿈의 타종《종을 여러 가지 음색, 특히 4 분음계로 침》.

chánge·ròom *n.* 경의실(更衣室).

chánge-ùp *n.* 〖야구〗 =CHANGE of pace; (자동차 기어 등의) 고속 변환.

chánge whèel 〖기계〗 전환 톱니바퀴.

Chànging of the Guárd (the ~) (London 의 근위 기병연대의) 위병 교대(식)《Buckingham Palace 에서 거행됨》.

chánging ròom 《영》 (운동장 등의) 탈의실.

Chang Jiang, Chang (**Kiang**) [tʃáːŋdʒiáːŋ], [tʃáːŋ(kjǽŋ), tʃǽŋ-] *n.* 장강(長江) 《양쯔강(揚子江)의 중국어 명칭》.

chan·nel**[1] [tʃǽnl] *n.* **1** 해협《strait 보다 큼》; 수로《하천·항만 따위의 물이 깊은 부분》, 운하; 강바닥: the (English) *Channel* 영국 해협. **2** 액체를 통과시키는 도관; (기둥·문지방 따위의) 홈(groove); 《미속어》 (마약 주사 놓는) 정맥. **3** 경로, 루트《지식·보도 등의》; 매개(媒介): ~*s of* trade 무역 루트/through illegal ~*s* 부정한 루트를 통하여, 암거래로. **4** (화제·행동·사상의) 방향: direct the conversation to a new ~ 화제를 새로운 방향으로 돌리다. **5** 〖방송〗 채널. **6** 〖전기〗 채널《(1) 전기 신호의 통로, (할당된) 주파수대(帶). (2) 전계(電界) 효과 트랜지스터의 소스와 드레인 사이의 반도체의 층》. **7** 〖컴퓨터〗 통신로, 채널. **8** 〖재즈〗 채널《경과부》. ***change the ~ 《속어》 화제를 바꾸다. ***Let the*** ~ ***roll.*** 《CB속어》 타교신자가 끼어드는 교신을 인정하라. ***take it to*** ~ 《CB속어》 … 채널에 다이얼을 맞추다.
— (**-l-**, 《영》 **-ll-**) *vt.* 《~+目/+目+前+名》 **1** …에 수로를 열다〔트다〕; …에 도랑을 파다; (길을) 열다: ~ the desert 사막에 수로를 트다〔파다〕/The river ~*ed* its way *through* the rocks. 강물이 바위산을 뚫고 흐르고 있었다. **2** 수로〔경로〕를 통해서 나르다〔보내다〕《*to; into*》; 《비유》 (관심·노력 등을) 일정 방향으로 돌리다, 쏟다《*into*》; 보내다,(정보 등을) 전하다: ~ one's efforts *into* a new project 새로운 기획에 노력을 기울이다/He ~*ed* the information *to* us. 그는 그 정보를 우리에게 (경로를 통해) 보내 주었다/Water is ~*ed from* the stream *to* the fields. 물은 개울에서 밭으로 (수로를 통해) 흘러 들어간다. **3** 《미속어》 (마약 주사를) 정맥에 놓다. — *vi.* (밭 따위에) 이랑이 생기다.

chan·nel[2] *n.* 〖해사〗 현측 계류판(舷側繫留板)《돛대의 버팀줄을 맴》.

chán·nel·er, 《특히 영》 **-nel·ler** *n.* 도랑을 파는 사람; 영매(靈媒)(medium).

chánnel-hòp *vi.* 《구어》 (리모콘으로) 채널을 자주 바꾸다; 영국 해협을 빈번하게 왕복하다.

chán·nel·ing *n.* 〖물리〗 채널링《가속시킨 이온 빔을 단결정(單結晶)에 입사(入射)시킬 때, 그 입사 방향이 결정축〔면〕에 평행일 경우 입사 이온의 투과율이 현저하게 증대되는 현상》. 「는 못》.

chánnel ìron 〔**bàr**〕 홈쇠《U 자 모양의 쇠 또

Chánnel Íslands (the ~) (영국 해협의) 해협 제도(諸島).

chan·nel·ize [tʃǽnəlàiz] *vt., vi.* =CHANNEL **1**. ㊞ **chàn·nel·i·zá·tion** *n.*

chánnel lèase 유선 TV 의 빈 채널을 빌림.

chánnel separàtion 〖오디오〗 채널 분리《스테레오 시스템에서 동시에 재생되는 좌우 채널 간의 cross talk 의 비율》.

chánnel sùrfing 〔**hòpping**〕 (같은 시간대에 방송되는 복수의 프로그램을 보기 위해) 채널을 자주 돌림. ㊞ **chánnel-sùrf** *vi.*

Chánnel Túnnel (the ~) 해협 터널《영불을 잇는 해저 터널; 1994 년 개통》.

chan·son [ʃǽnsən; *F.* ʃɑ̃sɔ̃] *n.* 《F.》 노래, 가요, 샹송. 「가; 샹송 가수.

chan·son·nier [ʃɑːnsənjéi] *n.* 《F.》 샹송 작

◇**chant** [tʃænt, tʃɑːnt/tʃɑːnt] *n.* **1** 노래, 멜로디. **2** 성가; 영창《시편 따위의 글귀를 단조롭게 읊는 일》. **3** 영창조(調); 단조로운 말투〔어조〕; 슬로건. — *vt., vi.* **1** (노래·성가를) 부르다, 영창하다: ~ hymns 〔psalms〕 찬송가를 부르다. **2** (시가(詩歌)로) 기리어 노래하다; 칭송하다. **3** 단조로운 말투로 이야기하다; (슬로건을) 반복 주장하다. ~ ***the praises of*** …을 되풀이하여 칭찬하다.

chan·tage [*F.* ʃɑ̃ːtaːʒ] *n.* 《F.》 갈취(喝取) (blackmail); 협박, 공갈.

chánt·er *n.* (chant 를) 읊조리는 사람; 영창자; 성가대원〔장〕; (백파이프의) 지관(指管); 《고속어》 사기 말 거간꾼.

chan·te·relle [ʃæ̀ntərél, tʃæ̀n-/ʃæ̀n-] *n.* 식용 버섯의 일종.

chan·teuse [ʃæntúːs] *n.* 《F.》 여가수《특히 나이트 클럽의》.
chant·ey [ʃǽnti, tʃǽn-] (*pl.* ~*s*) *n.* (선원의) 뱃노래《공동 작업 때에 부르는》.
chan·ti·cleer [tʃǽntəkliər/ㅅ-ㅅ] *n.* 수탉(rooster) 《cock¹의 의인화》.
chant·ress [tʃǽntris, tʃɑ́ːnt-/tʃɑ́ːnt-] *n.* 여성 가수; 《시어》 가희(歌姬).
chan·try [tʃǽntri, tʃɑ́ːn-/tʃɑ́ːn-] *n.* (명복을 빌기 위한 미사 또는 기도료로서의) 연보(捐補); (그 연보로 지어진) 공양당(供養堂), 공양 제단(祭壇); (교회의) 부속 예배당.
chanty [ʃǽnti, tʃǽnti/tʃɑ́ːnti] (*pl.* ***-ties***) *n.* =CHANTEY.
***cha·os** [kéiɑs/-ɔs] *n.* Ⓤ **1** (천지 창조 이전의) 혼돈. **2** 무질서, 대혼란, 아수라장. OPP *cosmos.* ¶ bring order to ~ 혼란 상태에 질서를 가져오다. **3** (C-) 〖그리스신화〗 카오스《천지가 생기고 최초에 태어났다는 신》. **4** 〖물리〗 카오스.
cháos théory 〖물리〗 카오스 이론《초기 조건의 변화에 극도로 민감한 시스템에서 일어나는 비주기적이며 예측 불가능한 운동을 다루는 이론》.
cha·ot·ic [keiɑ́tik/-ɔ́t-] *a.* 혼돈된; 무질서한, 혼란한: the ~ economic situation 혼돈된 경제 상황. ㊎ **-i·cal·ly** [-ikəli] *ad.*
chao·tzu [tʃáutsúː] *n.* 〖요리〗 교자(餃子)《중국 요리》.
***chap**¹ [tʃæp] *n.* 《구어》 놈, 녀석 (fellow); 사나이; 《미남·중부》 아이; 《영방언》 고객, 단골. ★ 친밀감이 담겨 있으며, 형용사를 수반할 때가 많음. ***Old* 〔*My dear*〕 ~!** 여보게, 자네《다정한 호칭》.
chap² *n.* (보통 *pl.*) 동창(凍瘡); (목재·지면의) 갈라짐, 균열. ── (***-pp-***) *vt., vi.* (살갗이) 트게 하다; 트다.
chap³ *n.* **1** (보통 *pl.*) (동물의) 턱, 빰(chop²). **2** 아래턱, 한쪽 볼《특히 돼지고기에서》. ***lick*** one's ~***s*** (성찬을) 군침을 삼키며 기다리다; 입맛을 다시다.
chap. chapel; chaplain; chapter.
cha·pa·ra·jos, -re·jos [ʃæ̀pəréious] *n. pl.* 《미》 가죽 바지(chaps)《카우보이가 보통의 바지 위에 입음; 보통 궁둥이 부분이 없음》.
chap·ar·ral [ʃæ̀pərǽl, tʃæ̀p-] *n.* 《미남서부》 작은 떡갈나무의 덤불; 〖일반적〗 들어서기 힘든 덤불.
chaparrál còck 〔**hèn**〕 뻐꾸기의 일종의 수〔암〕컷.
cháp·bòok *n.* 가두 판매되는 싸구려 책《이야기·가요 따위의》.
chape [tʃeip] *n.* (칼집의) 끝에 씌운 쇠; (혁대 장식을 물리는) 물림쇠.
cha·peau [ʃæpóu] (*pl.* ~*x* [-z], ~*s*) *n.* 《F.》 모자; 《특히》 군모. ***Chapeau bas*** [-bɑ́ː] ***!*** 탈모.
cha·peau bras [ʃæpóubrɑ́ː] 《F.》 (18세기의) 접을 수 있는 삼각모.
chap·el** [tʃǽpəl] *n.* **1** 채플, 예배당《학교·병원·병영·교도소의》, (교회의) 부속 예배당. **2** 《영》 (영국 비국교도의) 교회당: ~ folk 비(非)국교도. **3** 〖무관사〗 (대학 따위의) 예배(에의 출석). **4** 인쇄소; 인쇄공 조합; 〖집합적〗 조합 소속의 인쇄공. ~ ***of ease (영국 국교의) 분회당(分會堂). ***keep*** ~***s*** 〔***a*** ~〕 (학생이) 예배에 출석하다. ***Lady Chapel*** 《영》 성모 경당. ***miss*** ~***s*** 〔***a*** ~〕 예배에 결석하다. ── *a.* 《영》 비국교도의. ㊎ ~**·ry** [-ri] *n.* 예배당 관할구.
chápel gòer 《영》 비(非)국교도(nonconformist).
cha·pelle ar·dente [*F.* ʃapɛlaʀdɑ̃t] 《F.》 양초나 횃불을 켜 놓은 귀인(貴人)의 유해 임시 안치소.
chápel of rést 영안실(靈安室), 영현실, 시신안치실.
chápel róyal (*pl.* ***chápels róyal***) *n.* 왕궁 부속 예배당; (C- R-) 〖영국교회〗 왕실 예배당.
°**chap·er·on(e)** [ʃǽpəròun] *n.* 샤프롱, (사교계에 나가는 젊은 여성의) 보호자《주로 나이 많은 여성》. ── *vt.* (젊은 여성의) 보호자로서 동반하다(escort). ㊎ **cháper·òn·age** [-idʒ] *n.* Ⓤ 샤프롱 노릇.
chap·e·ro·nin [ʃæ̀pəróunən] *n.* 〖생화학〗 샤페로닌《몸 안에서 다른 단백질 분자의 형성을 돕는 단백질》.
cháp·fàllen *a.* 풀이 죽은, 기가 꺾인, 낙담한.
chap·i·ter [tʃǽpətər] *n.* 〖건축〗 대접받침.
°**chap·lain** [tʃǽplən] *n.* 예배당 목사《궁정·학교 따위의 예배당에 속하는》; (교도소의) 교회사(敎誨師); 군목(軍牧); 〖가톨릭〗 지도 신부; (공공 기관·클럽 등에서) 종교 행사를 위해 임명된 사람. ***See the*** ~. 잔소리 마라, 닥쳐. ㊎ ~**·cy**, ~**·ship** *n.* Ⓤ chaplain 의 직.
chap·let [tʃǽplət] *n.* 화관(花冠)《머리 장식》; 〖가톨릭〗 묵주《구슬 수 55; rosary의 1/3의 길이》; 묵주를 돌리며 하는 기구(祈求); 〖건축〗 (모서리 등의) 염주 새김(astragal). ㊎ ~**·ed** [-id] *a.* 화관을 쓴.
Chap·lin [tʃǽplən] *n.* Sir **Charles Spencer** ~, **'Charlie** ~**'** 채플린《영국 배우·감독·프로듀서; 미국 (1910-1952); 1889-1977》.
cháp·man [-mən] (*pl.* ***-men*** [-mən]) *n.* 《고어》 상인; 《영》 행상인; 《고어》 고객.
chap·pal [tʃǽpəl] *n.* 인도의 가죽 샌들.
chapped [-t] *a.* 살갗이 튼.
chap·per [tʃǽpər] *n.* 《영속어》 경관.
chap·pie, -py¹ [tʃǽpi] *n.* 《구어》 놈, 녀석 《chap¹의 애칭》; 꼬마.
chap·py² *a.* 피부가 많이 튼.
chaps [tʃæps, ʃæps] *n. pl.* =CHAPARAJOS.
cháp·stìck *n.* 《미》 입술 크림.
chap·tal·ize [ʃǽptəlàiz] *vt.* (양조 중의 포도주에) 설탕을 첨가하다; 가당하다.
****chap·ter** [tʃǽptər] *n.* **1** (책·논문 따위의) 장(章)《생략: chap., ch., c.》. **2** (역사상·인생 등의) 한 시기; 화제; 중요 사건, 에피소드; 《영》 (일련의) 사건, 연속《*of*》: a ~ *of* accidents 〔misfortunes〕 계속되는 사고〔불행〕. **3** 참사회《cathedral 또는 대학 부속 교회의 성직자 canons가 조직하는》; (수도회의 최고 권한을 갖는) 총회, 수도회 총회; 〖일반적〗 총회, 집회. **4** (조합·협회 등의) 지부, 분회. **5** 《야구속어》 이닝(inning). ~ ***and verse*** ① 〖성서〗 장과 절; 정확한 출처, 전거. ② 《미속어》 규칙집(規則集); 상세한 정보. ③ 상세히. ~ ***of canons*** 의전 사제단. ***read*** a person ***a*** ~ 아무에게 설교를 하다. ***to*** 〔***till***〕 ***the end of the*** ~ 최후까지; 영구히. ── *vt.* 장으로 나누다〔나누어 정리하다〕.
Chápter 11 〔**XI**〕 [-ilévən] 미국 연방 파산법 제 11 조《회사의 갱생 절차를 규정한 부분》.
chápter hòuse 〔**ròom**〕 **1** 성당 참사회 집회소. **2** 《미》 지부 회관《대학의 fraternity 나 sorority 의》.
chápter rìng (숫자나 기호가 표시되어 있는) 시계 문자반과 같은 윤상부(輪狀部).
Chápter 7 〔**VII**〕 [-sévən] 미국 연방 파산법 제 7 조《개인의 신용 회복 절차를 규정한 부분》.
char¹ [tʃɑːr] (***-r-***, 《영》 ***-rr-***) *vi.* 날품으로 잡역부(婦) 일을 하다. ── *vt.* (잡일을) 하다. ── *n.* 날품팔이 잡역부(의 일); (보통 *pl.*) (가정의) 잡일(chore).
char² (***-rr-***) *vt., vi.* 숯으로 만들다, 숯이 되도록 굽다; (시꺼멓게) 태우다, 눋다. ── *n.* Ⓤ 숯, 목탄(charcoal), (제당(製糖)용) 골탄.
char³, **charr** (*pl.* ~*s*, 〖집합적〗 ~) *n.* 〖어류〗 곤들매기류(類).
char⁴ *n.* Ⓤ 《영속어》 차(tea).

char·a·banc, char-à-banc [ʃǽrəbæ̀ŋ] *n.* 《F.》《드물게》 대형 관광〔유람〕버스.

*⁑***char·ac·ter** [kǽriktər, -rək-] *n.* **1** Ⓤ 특성, 특질, 개성, 특색: the ~ *of* a district 어떤 지방의 특색/a face without any ~ 특징이 없는 얼굴. **2** Ⓤ 인격, 성격, 기질, 품성: build 〔form〕 one's ~ 품성을 기르다/the ~ *of* the Americans 미국인의 국민성.

> SYN. **character** 주로 도덕적인 성격, 강한 의지 따위를 나타냄. 인격. **individuality** 남과 다른 성격. 개성: a man of strong *individuality* 개성이 강한 사람. **personality** 내면적인 성격과 외면적인 모습이 합친 것으로 남에게 주는 인상으로서의 성격. 인품: a man of pleasing *personality* 인상 좋은 인품의 사람. **temperament** 성격의 기초를 이루는 주로 감정적인 성질.

3 Ⓤ 고아한 품격, 기골(氣骨): a man of ~ 인격자, 기골이 있는 사람. **4** 성망, 명성; 평판: get a good 〔bad〕 ~ 좋은〔나쁜〕 평판을 얻다. **5** 《구어》 인물(person), 사람, 인간: a public ~ 공인(公人)/a good 〔bad〕 ~ 선〔악〕인/an international ~ 국제적 인물. **6** 위인, 걸물; 《구어》 기인, 괴짜. **7** (소설의) 등장인물, (연극의) 역(role): leading ~ 주역. **8** 신분, 자격, 지위. **9** 인물 증명서, 추천장《전의 고용주가 사용인에게 주는》. **10** (물건의 성질을 나타내는) 부호(mark), 기호(symbol): a musical ~ 악보 기호. **11** 문자(letter), 자체, 서체; 〖컴퓨터〗 문자, 캐릭터: a Chinese ~ 한자/write in large ~*s* 큰 글씨로 쓰다/a ~ reader 〖컴퓨터〗 문자 판독기. **12** 〖유전〗 형질: inherited ~ 유전 형질. **13** 〖가톨릭〗 인호(印號)《영세·견진 등의 성사로써 받은 보이지 않는 영적 감명》. ***give*** **a person *a good*** 〔***bad***〕 **~** 아무를 칭찬하다〔헐뜯다〕. ***in*** **~** 격에 맞게, 걸맞게; 어울리게《*with*》. ***in the ~ of*** …의 자격으로; …의 역으로 분장하여. ***It takes ~ to*** do …하는 데는 용기가 필요하다. ***out of*** **~** 격에 맞지 않게, 걸맞지 않는《*with*》; (옷 등이) 어울리지 않는.
— *vt.* 《고어》 **1** (인물·성격 따위를) 그리다, 묘사하다, 기술하다; …의 특성을 나타내다. **2** 새기다, 각인하다.

cháracter àctor 〔**àctress**〕 성격 배우.

cháracter àrmor 〖심리〗 (내면의 약점을 감추기 위한) 성격 방어. 「중상(中傷).

cháracter assassinátion 인신공격, 비방,

cháracter-básed [-t] *a.* 〖컴퓨터〗 문자 단위 표시 방식의.

cháracter còde 〖컴퓨터〗 문자 코드.

cháracter disòrder 성격 이상(異常).

char·ac·ter·ful [kǽriktərfəl] *a.* 특색을 나타내는; 특징적인.

cháracter generàtion 활자 생성(活字生成)《활자의 서체를 전자 공학을 이용해 구성함》.

*⁑***char·ac·ter·is·tic** [kæ̀riktərístik] *a.* 특색을 이루는, 특질의, 독자적인: the ~ taste of honey 꿀 특유의 맛/The violent temper was ~ *of* him. 과격한 기질은 그의 특징이었다/It is ~ *of* him to go to work before breakfast. 아침 식사 전에 일을 시작한다는 것은 과연 그 사람답다.
— *n.* **1** 특질, 특색, 특징; 특성. **2** 〖수학〗 (대수(對數)의) 지표, 지수. ㊞ **-ti·cal·ly** [-kəli] *ad.* 특징으로서; 특성을 나타내도록, 과연 …답게: *Characteristically*, he refused. 과연 그답게 거절해 버렸다. 「선.

characterístic cúrve 〖물리·사진〗 특성 곡

characterístic equátion 〖수학〗 특성 방정식.

characterístic fúnction 〖수학〗 특성 함수.

characterístic polynóminal 〖수학〗 특성 다항식.

characterístic radiátion 〖물리〗 특성 방사《원자 중 전자 1 개를 제거했을 때 발생하는 방사》.

characterístic róot 〖수학〗 특성근(根). 「터.

characterístic véctor 〖수학〗 특성〔고유〕 벡

characterístic velócity 〖로켓〗 특성 속도.

chàr·ac·ter·i·zá·tion *n.* Ⓤ 특성짓기; 성격 묘사.

chár·ac·ter·ìze [-ràiz] *vt.* **1** …의 특색을 이루다, 특징지우다; …의 성격을 나타내다: Her style is ~*d* by simplicity. 간결함이 그녀 문체의 특징이다. **2** …의 특성을 기술〔묘사〕하다: ~ her in a few words 몇 마디로 그녀의 성격을 묘사하다. **3** 《+목+*as* 보》 (사람·사물을) …으로 보다: ~ a person *as* a coward 아무를 겁쟁이로 보다. 「없는.

chár·ac·ter·less *a.* 특징 없는; 인물 증명서가

char·ac·te·rol·ogy [kæ̀riktərálədʒi/-rɔ́l-] *n.* Ⓤ 성격학. ㊞ **-o·log·i·cal** [kæ̀riktərəládʒikəl/-lɔ́dʒ-] *a.* **-i·cal·ly** *ad.*

cháracter pàrt 〖연극·영화〗 성격역(役).

cháracter prìnter 〖컴퓨터〗 문자프린터(serial printer).

cháracter recognìtion 〖컴퓨터〗 문자 인식《인쇄, 타이프라이터 등의 문자를 인식하여 컴퓨터 코드로 전환하는 것》.

cháracter rèference (종업원이 이직할 때에 고용주가 발행해 주는) 인물 증명서.

cháracter skètch 인물 촌평; 성격 묘사.

cháracter tỳpe 〖심리〗 성격 유형.

cháracter wìtness 〖법률〗 성격 증인《원고 또는 피고의 덕성, 평판, 인성에 대해 증언하는 사람》.

char·ac·tery [kǽriktəri] *n.* Ⓤ **1** 〔집합적〕 문자, 기호. **2** 문자〔기호〕의 사용.

char·ac·to·nym [kǽriktənìm] *n.* 문학 작품의 등장인물의 성격이나 특징을 나타내는 명칭《Caspar Milquetoast 따위》.

cha·rade [ʃəréid/-rɑ́ːd] *n.* **1** 제스처 게임《몸짓으로 판단하여 말을 한 자씩 알아맞히는 놀이》; (그 게임의) 몸짓으로 나타내는 말. **2** (쉽게 드러날) 허구〔속임〕.

cha·ran·go [tʃərǽŋgou] (*pl.* **~s**) *n.* 차랑고《남아메리카의 기타 비슷한 현악기》.

cha·ras [tʃɑ́ːrəs] *n.* = HASHISH; MARIJUANA.

char·broil [tʃɑ́ːrbrɔ̀il] *vt.* (고기를) 숯불에 굽다.

°**char·coal** [tʃɑ́ːrkòul] *n.* **1** Ⓤ 숯, 목탄. **2** Ⓒ 목탄화(~ drawing)(용 목탄). **—** *vt.* 목탄으로 그리다.

chárcoal bìscuit (소화를 돕기 위해) 탄소를 섞은 비스킷.

chárcoal bùrner 숯군; 숯가마; 숯풍로, 화로; (C- B-) = CARBONARI.

chárcoal dràwing 목탄화(畫).

chárcoal gráy 진회색.

char·cu·te·rie [ʃɑːrkùːtəríː; *F.* ʃaʀkytʀi] *n.* (프랑스의) 돼지고기 전문점, 육가공 식품점; 육가공 식품《소시지·햄·베이컨 따위》.

chard [tʃɑːrd] *n.* 〖식물〗 근대.

char·don·nay [ʃɑ̀ːrdənéi; *F.* ʃaʀdɔnɛ] *n.* 샤르도네《희고 쌉쌀한 테이블 와인》.

chare [tʃɛər] 《주로 영》 *n.*, *v.* = CHAR[1].

*⁑***charge** [tʃɑːrdʒ] *vt.* **1** 《~+목/+목+전+명》 (축전지를) 충전하다《*up*》; (총을) 장전하다《*with*》: ~ a storage battery 축전지를 충전하다/~ a gun *with* a shot 총에 탄알을 재다. **2** 《+목+전+명》〔일반적〕 …에 담다, 채우다, (짐 따위를) 싣다: *Charge* your glasses *with* wine. 잔을 술로 채우시오. **3** 《+목+전+명》 (의무·책임을) 지우다, 과(課)하다; 위탁하다(entrust)《*with*》:

~ a person *with* a task 아무에게 임무를 과하다. **4** 《+목+*to* do》 …에게 명령〔지시〕하다: I am ~*d to* give you this letter. 당신에게 이 편지를 전하도록 분부받았습니다. **5** 《+목+전+명/+*that* 절》 (죄·실태 따위를) …에 돌리다, …의 탓으로 하다; (죄 따위를) …에게 씌우다(impute); 책망하다; 고발하다, 고소하다《*with*》: ~ a person *with* a crime 아무에게 죄를 씌우다; 범죄 혐의로 아무를 고발하다/~ a person *with* carelessness 아무의 부주의를 책망하다/He ~*d that* they had infringed his copyright. 그는 그들이 판권을 침해했다고 고발했다.

> SYN. **charge** 법률 위반 따위의 죄악을 법률상의 정식 절차에 의해 고발하는 뜻임. **accuse** 일반적으로 죄악에 대해 그 사람을 개인적으로 비난하는 뜻의 말임. 이를테면 I *accused* him of stealing. (그가 훔친 것을 나무랐다)을 법률적으로 절차를 밟으면 I *charged* him with stealing. (그를 훔친 일로 고발했다)이 된다.

6 《+목+전+명/+*that* 절》 비난하다《*with*》: Some people ~*d that* the hospital was unclean. 그 병원은 불결하다고 비난하는 사람도 있었다. **7** 《+목+전+명/+목+목》 (세금·요금 등 또는 일정액을) 부담시키다, 청구하다, 물리다《*for*》: They ~*d* me five dollars *for* the book. 나는 이 책에 5달러 치렀다/How much do you ~ *for* this? 이 요금〔값〕은 얼마요/~ a tax *on* an estate 재산에 세금을 부과하다. **8** 《+목+전+명》 …의 요금을 과하다〔징수하다〕; …의 대가를 징수하다: ~ the postage *to* the customer 송료를 산 사람 부담으로 하다/~ steel *at* $150 a ton, 톤당(當) 150 달러로 강철을 팔다. **9** 《~+목/+목+전+명》 …의 앞으로 달아 놓다, …의 차변(借邊)에 기입하다《*to*》: *Charge* it, please. (가게에서) 대금을 내 앞으로 달아 놓으시오/*Charge* the cost *to* my account. 비용은 내 앞으로 달아 놓으시오. **10** (총검을) 겨누다; (적을 향하여) 돌격하다, 공격하다: *Charge* bayonets! 착검.

—*vi.* **1** 요금을 받다, 지불을 청구하다《*for*》. **2** 돌격하다, 돌진하다《*on; at*》. **3** (개가) 명령을 받고 엎드리다. **4** (축전지가) 충전되다. **5** 《미속어》 스릴을 느끼다.

be ~d with ① …으로 차 있다: The hall *was ~d with* intense excitement. 홀은 뜨거운 흥분으로 휩싸여 있었다. ② …을 맡고 있다, …의 책임을 지고 있다. ③ …의 혐의를 받다. ***~ off*** ① 손실로서 빼다〔공제하다〕. ② (또는 ~ up) (…의) 일부로 보다: A bad mistake must be ~*d off* to experience. 중대한 잘못도 경험의 하나로 본다. ③ (원인을) …에 돌리다《*to*》. ***~ up*** 《구어》 ① (군중·청중을) 선동하다, 흥분시키다: a speaker who can ~ *up* an audience 청중을 열광시키는 연사. ② (마취·수면제에) 취하다. ③ 《미》 ⇨ CHARGE off ②. ④ 충전하다. ⑤ (손해 등을) …의 부담으로 하다. **~ a person *with*** ① 아무에게 …을 맡기다; …의 책임을 지우다. ② 아무를 …의 이유로 비난하다.

—*n.* **1** 짐, 화물(load, burden). **2** U,C 충전; 전하; (총의) 장전, (1 발분의) 장약; (용광로 1 회분 원광(原鑛)의) 투입량; 충전〔장약, 투입〕량. **3** U,C 책임, 의무; 책무, 직무: assume a responsible ~ 책임 있는 직책을 맡다. **4** 위탁, 관리, 돌봄, 보호: a child in ~ *of* a nurse 유모에게 맡겨진 아이. **5** 맡고 있는 것〔사람〕; 담당한 학생〔신도〕. **6** U 명령, 지시(指示): receive one's ~ 지시를 받다. **7** 비난; 고발, 고소; 죄과: He is wanted on a ~ *of* burglary 〔murder〕. 그는 강도〔살인〕 혐의로 수배된 자이다/face a ~ 혐의를 받다. **8** (경비의) 부담, 요금, (치러야 될) 셈: a ~ *for* admission 입장료/No ~ *for* admission 입장 무료/a ~ *on* the state 국가의 부담/a list of ~*s* 요금표(表)/No ~ is made for the service. 서비스료는 받지 않습니다/put down a sum *to* a person's ~ 총액을 아무 앞으로 달다. **9** 청구 금액; 부과금; 비용, (종종 *pl.*) (제반) 비용: a bill of ~*s* 제비용 계산서/~*s* forward 〔paid〕 제비용 선불〔지불필〕. **10** 〖군사〗 돌격, 진격; 〖축구〗 차지《전진 저지(沮止)》. **11** 〖문장(紋章)〗 (방패의) 문장(bearing), 의장(意匠). **12** 《미속어》 스릴, 즐거운 경험. **13** 《속어》 성적 흥분; 《비어》 발기(勃起). **14** 《속어》 마리화나; 《미속어》 마약의 효과. ***at a ~ of*** …의 부담으로/***at*** one***'s own ~*** 자비로. ***be a ~ on*** a person 아무에게 부담을 끼치다; 아무에게 신세를 지다. ***become a public ~*** 사회에서 성가신 존재가 되다. ***bring a ~ of*** (theft) ***against*** a person 아무를 (절도죄)로 고발하다. ***free of ~*** =***without ~*** 무료로. ***give*** a person ***in ~*** 《영》 아무를 경찰에 넘기다. ***have ~ of*** …을 맡다, …을 돌보다. ***in ~*** ① (아무가) (물건을) 지휘〔감독·관리〕하고 있는《*of*》. ② 《미》 (…의) 지배〔관리·책임〕하에 있는《*of*》. ③ 《영》 (경찰에) 체포〔구금〕되어 있는. ***in full ~*** 쏜살같이 달려. ***in the ~ of*** =***in*** a person***'s ~*** …에 맡겨져 있는: the patient *in the ~ of* the nurse 〔*in her ~*〕 그 간호사〔그녀〕에게 맡겨져 있는 환자. ***lay a ~*** 비난〔고소〕하다. ***make a ~ against*** …을 비난하다; …을 공격하다. ***make a ~ for*** …을 견적하다, 대금을 청구하다. ***on*** (***the*** 〔***a***〕) ***~ of*** =***on ~s of*** …의 죄로, …의 혐의로. ***put*** a person ***on a ~*** 아무의 기소를 단행하다. ***put*** (a thing) ***under*** a person***'s ~*** (물건을) 아무에게 맡기다. ***return to the ~*** 돌격〔논쟁〕을 다시 하다. ***sound the ~*** 돌격 나팔을 불다. ***take ~*** 《구어》 제어할 수 없게 되다; 주도권을 잡다, 책임을 떠맡다. ***take ~ of*** …을 맡다, 담임하다. ***take*** a person ***in ~*** 아무를 경찰이 체포〔보호〕하다.

char·gé [ʃɑːrʒéi/ˊ-] *n.* 《F.》 =CHARGÉ D'AFFAIRES.

chárge·a·ble *a.* (세금이) 부과되어야 할; 돌려져야 할《*to*》; 지워져야 할《책임 등》《*on; with*》; (공동의) 신세를 지는; 비난받아야 할, 고발되어야 할《*with*》.

chárge accòunt 《미》 외상 거래 계정(《영》 credit account).

chárge-a-plàte [-əplèit] *n.* 크레디트 카드 〔(charge card).

chárge-càp *vt.* 《영》 (지방 자치 단체의 지역 사회세의) 징수액에 상한을 설정하다.

chárge càrd =CHARGE PLATE.

chárge càrrier 〖물리〗 전하담체(電荷擔體).

chárge conjugàtion 〖원자〗 하전 공액(荷電共軛)《입자를 반(反)입자로 바꿔 넣는 변환》.

chárge-còupled devíce 〖전자〗 전하(電荷) 결합 소자, 전자(電子) 디스크《반도체 소자의 일종; 생략: CCD》.

chárge cùstomer 외상 손님; 신용 거래처.

charged *a.* **1** 〖물리〗 대전(帶電)한: a ~ body 〖전기〗 대전체(帶電體)/a ~ particle 하전(荷電) 입자. **2** (분위기 따위가) 긴장된, 일촉즉발의, 논쟁이 일어나기 쉬운; 《속어》 마약에 취한.

char·gé d'af·faires [ʃɑːrʒéidəféər, ʃɑːr-ʒeiz-/ʃáːʒeidæféə] (*pl.* ***char·gés d'af·faires*** [ʃɑːrʒéiz-, ʃɑːrʒeiz-/ʃáːʒeizdæféə]) *n.* 《F.》 대리 대사〔공사〕.

chárge dènsity 〖물리〗 전하 밀도(電荷密度).

chárged párticle bèam 〖물리〗 하전(荷電) 입자빔(particle beam).

chárge hànd ⟪영⟫ 직공장, 조장, 주임.
chárge nùrse (병동의) 수석 간호사.
chárge of quárters ⟪미⟫ 당직 (부사관).
chárge plàte =CHARGE-A-PLATE.
charg·er[1] [tʃɑ́:rdʒər] *n.* **1** 습격자; 돌격자; (장교용의) 군마(軍馬). **2** 탄약 장전기(裝塡器); 충전기. **3** ⟪미속어⟫ (개조한 중고차의) 운전사.
charg·er[2] *n.* ⟪고어⟫ 큰 접시.
chárges collèct 운임 착지(着地) 지급.
chárge shèet 경찰의 기소용 범죄자 명부.
char·i·ly, char·i·ness ⇨ CHARY.
Chár·ing Cróss [tʃǽriŋ-] 런던 시 중심부에 있는 번화한 광장.
°**char·i·ot** [tʃǽriət] *n.* **1** (고대의) 전차(戰車), 병거(兵車)⟪전쟁·사냥·경주에 말 두필이 끈 2륜 마차⟫. **2** (18 세기의) 4 륜 경마차; 짐마차; 훌륭한 차. **3** ⟪시어⟫ 호화로운 탈것, 꽃마차. **4** (구식) 자동차. ── *vt., vi.* 전차를 몰다〔로 나르다〕.

chariot 1

char·i·o·teer [tʃæ̀riətíər] *n.* 전차 모는 전사; (the C–) 〖천문〗 마차부자리(Auriga).
cha·ris·ma [kərízmə] (*pl.* **~·ta** [-mətə]) *n.* **1** 〖신학〗 성령의 은사(恩賜). **2** 카리스마적 자질; 카리스마적 존재; 비범〔특수〕한 통솔력〔개성〕.
char·is·mat·ic [kæ̀rizmǽtik] *a.* 카리스마적인; 〖기독교〗 카리스마파의⟪병 치료 따위 성령의 초자연력을 강조하는 일파⟫; ⟪드물게⟫ 신의 은총을 입은. ── *n.* 카리스마파 신자.
char·i·ta·ble [tʃǽrətəbəl] *a.* 자비로운; 관대한; 자선의: be ~ toward the poor 가난한 사람들에게 자비롭다. ㊕ **-bly** *ad.* **~·ness** *n.*
*__char·i·ty__ [tʃǽrəti] *n.* Ⓤ **1** (신의 인간에 대한, 또는 인간의 동포에 대한 기독교적인) 자애, 자비, 박애(심), 사랑; 동정, 관용: out of ~ 자비심에서, 가엾게 여겨 / *Charity* begins at home. ⟪속담⟫ 자비는 내 집부터 시작한다⟪기부나 봉사 등의 사절 시 흔히 씀⟫. **2** 자선 (행위); 보시(布施), 자선을 위한 기부, 구호금, 자선 기금: a man of ~ 자선가. **3** (*pl.*) 자선 사업. **4** Ⓒ 자선 단체; 양육원, 요양원. **5** (C–) 여자 이름. ***as cold as ~*** 매우 냉담하여; 내기 싫어하여.
chárity bòy 〔**gìrl**〕 자선 학교의 남〔여〕학생.
chárity càrd 자선 카드(affinity card).
chárity chìld 고아원 원아.
Chárity Commíssion ⟪영⟫ 자선 사업 감독위원회.
chárity dàme 〔**mòlle**〕 ⟪속어⟫ (매춘부가 아닌) 군인 상대의 위안부.
chárity schòol ⟪미국사⟫ (옛날의) 자선 학교.
chárity shòp 자선 가게⟪자선 기금을 모으기 위한 중고품 가게⟫.
chárity stàmp 자선 우표.
chárity wàlk 자선 크로스컨트리 경보(sponsored walk).
cha·riv·a·ri [ʃìvəríː, ʃərìvəríː/ʃɑ̀ːrivɑ́ːri] *n.* =SHIVAREE.
chark [tʃɑ:rk] *n.* ⟪영방언⟫ 숯(charcoal). ── *vt.* …을 구워 숯을 만들다; (석탄)을 코크스로 만들다.
char·ka, -kha [tʃɑ́:rkə] *n.* ⟪Ind.⟫ 물레.
char·la·dy [tʃɑ́:rlèidi] *n.* ⟪영⟫ =CHARWOMAN.
char·la·tan [ʃɑ́:rlətən] *n.* 크게 허풍을 떠는 사람; 협잡꾼, ⟪특히⟫ 돌팔이 의사(quack). ── *a.* 엉터리〔가짜〕의. ㊕ **chàr·la·tán·ic** [-tǽnik] *a.* 가짜의, 엉터리의, 협잡의. **chár·la·tanìsm, chár·la·tan·ry** [-tənri] *n.* Ⓤ 허풍, 아는 체함; 사기적인 행위.
Char·le·magne [ʃɑ́:rləmèin] *n.* 샤를마뉴 대제(大帝)⟪서로마 제국 황제; 742-814⟫.
Charles [tʃɑ:rlz] *n.* 찰스⟪남자 이름⟫.
Charles's Wain [tʃɑ́:rlzizwéin] (the ~) 〖영천문〗 북두칠성.
Charles·ton [tʃɑ́:rlztən, -tʃɑ́:rls-/-tʃɑ́:ls-] *n.* ⟪미⟫ 찰스턴⟪4/4 박자의 춤의 일종⟫. ── *vi.* ~을 추다.
Char·ley [tʃɑ́:rli] *n.* **1** 찰리⟪Charles 의 애칭⟫. **2** ⟪흑인속어⟫ 백인 양반(Charlie). **3** (보통 C–) ⟪속어⟫ 야경(夜警)(꾼), 야번(夜番). ~ ***is dead.*** ⟪영속어⟫ 속옷이 보인다⟪아이가 하는 말⟫.
Chárley Cóke ⟪미속어⟫ 코카인 (중독자).
Chárley Góon ⟪미속어⟫ 순경.
chárley hòrse ⟪미구어⟫ (운동선수 따위의) 쥐, 근육 경직〔경련〕.
Chárley Nòble ⟪속어⟫ (배의) 조리실 굴뚝; 「(배 엔진의) 배기관.
Char·lie [tʃɑ́:rli] *n.* **1** 찰리⟪Charles 의 애칭⟫. **2** (종종 c–) ⟪흑인속어⟫ 백인(白人), ⟪호칭⟫ 백인 양반(=Mr. C–), 백인 사회. **3** (종종 c–, *pl.*) ⟪속어⟫ 유방; ⟪영속어⟫ 불알. **4** (종종 c–) ⟪Austral.구어⟫ 여자애(girl). **5** 문자 c 를 나타내는 통신(通信) 용어. (cf. communications code word); (*pl.*) ⟪미군대속어⟫ =CRATIONS; ⟪미속어⟫ 코카인. **6** 〖군사〗 찰리(급); C 급⟪옛 소련 순항 미사일 원자력 잠수함의 NATO 코드명⟫.
char·lie *a.* ⟪영속어⟫ 복장 등 스타일이 싸구려인; 겉만 번드르르한; 상류 계급이 아닌. 「관.
Chárlie Nébs [-nébz] ⟪미흑인속어⟫ 경찰, 경
char·lock [tʃɑ́:rlək, -lɑk/-lɔk] *n.* 배추속(屬)의 식물, 겨자류의 잡초.
char·lotte [ʃɑ́:rlət] *n.* 샬럿⟪찐 과일 등을 빵·케이크로 싼 푸딩⟫. 「넣은 케이크.
chárlotte rússe [-rú:s] 커스터드를〔크림을〕
charm [tʃɑ:rm] *n.* **1 Ⓤ,Ⓒ 매력(fascination); (보통 *pl.*) 아름다운 점; 미관; (여자의) 아름다운 용모, 요염함: feminine ~*s* 여성미. **2** Ⓤ,Ⓒ 마력(spell); 주문(呪文), 주문의 문구. be under the ~ 마력〔마법〕에 걸려 있다. **3** 부적, 호부 ⟪*against*⟫. **4** 작은 장식물⟪시곗줄 따위⟫. **5** (*pl.*) ⟪미속어⟫ 돈. **6** 〖물리〗 참⟪hadron 을 구별하는 물리량의 일종⟫. ***like a*** ~ ⟪구어⟫ 마법에 걸린 듯이; 신기하게, 멋지게, 효과적으로: act 〔work〕 *like a* ~ (약〔일〕 따위가) 용하게 잘 듣다〔진행되다〕. ── *vt.* **1** 매혹하다, 호리다, 황홀하게 하다 ⟪★ 흔히 수동태로 쓰며, 전치사는 *with, by*⟫: be ~*ed with* 〔*by*〕 the music 그 음악에 매혹되다. **2** ⟪+목+보/+목+부/+목+전+명⟫ 마법을 걸다; …을 마력으로 지키다⟪*against*⟫; (비밀·동의 따위를) 교묘히 이끌어 내다⟪*out of*⟫: ~ a person asleep 아무를 마력으로 잠들게 하다 / ~ a secret *out of* a person 속여서 아무에게서 비밀을 알아내다 / He was ~*ed against* all evil. 그는 마력으로 모든 악에서 지켜졌다. **3** ⟪+목+전+명⟫ (뱀을) 길들이다, 부리다⟪*into*⟫: ~ a snake *into* dancing 뱀을 춤추게 하다. ── *vi.* **1** 매력적이다, 매력을 갖다. **2** 마법을 걸다. **3** (약 등이) 신기하게 잘 듣다. ***bear a ~ed life*** 불사신이다. ㊕ **~ed** [-d, ⟪시어⟫ -id] *a.* 매혹된; 마법에 걸린; 저주받은; 마력으로 지켜진; 〖물리〗 참을 지닌. **∠·er** *n.* 마법사; 요염한 여자; 뱀을 길들여 부리는 사람.

chármed círcle 배타적 집단, 특권 계급.
chármed lífe 불사신(不死身): lead 〔have, bear〕 a ~ 불사신이다.
char·meuse [ʃɑːrmúːz] *n.* 《F.》 Ⓤ 샤르뫼즈 《수자직(繻子織)의 일종》.
***charm·ing** [tʃáːrmiŋ] *a.* 매력적인, 아름다운; 호감이 가는, 즐거운. ㊕ **~·ly** *ad.*
chárm offènsive 비위맞추기〔아부〕 작전.
char·mo·ni·um [tʃɑːrmóuniəm] (*pl.* ~) *n.* 〖물리〗 차모니움《참(charm) 쿼크와 참 반(反)쿼크로 이루어지는 입자》.
chárm schòol 신부(新婦) 학교.
char·nel [tʃáːrnl] *n.* 시체 안치소; 납골당(=∠ hòuse). **—** *a.* 납골당의; 섬뜩한, 기분 나쁜.
Cha·ro(l)·lais [ʃærəléi/∠-∸] *n.* 샤롤레《프랑스 원산의 대형 흰 소; 주로 식육 · 교배용》.
Char·on [kɛ́ərən] *n.* 〖그리스신화〗 카론《삼도내(Styx)의 나루지기》; 《우스개》 나루지기; 〖천문〗 카론《명왕성의 위성》. ***have one foot in ~'s ferry*** 〔***boat***〕 관에 한발을 들여놓고 있다; 죽음〔임종〕이 가깝다.
char·poy [tʃáːrpɔ̀i] *n.* (인도의) 간이 침대.
char·qui [tʃáːrki] *n.* Ⓤ 쇠고기포(脯).
char·rada [tʃɑːrɑ́ːdə] *n.* 차라다《멕시코의 전통적인 마술 경기》.
char·rette [ʃərét] *n.* 각 분야 전문가의 도움으로 문제를 논하는 집단 토론회.
char·ro [tʃáːrou; *Sp.* tʃáro] (*pl.* **~s** [-z; *Sp.* -s]) *n.* 목동《멕시코의 민속 의상을 차려입은》.
char·ry [tʃáːri] *a.* 숯 같은.
****chart** [tʃɑːrt] *n.* **1** 해도, 수로도. **2** 도표, 그림: a weather ~ 일기도. **3** 《미속어》 (재즈의) 편곡. **4** (the ~s) 잘 팔리는 음반의 리스트; (베스트셀러의) 월간 · 주간 순위표. **5** (경마의 결과를 알리는) 경마 상보. **6** 〖의학〗 병력(病歷), 카르테. **7** 〖야구〗 차트《box score 안에 투구 내용을 나타낸 난》. **8** 〖컴퓨터〗 차트《데이터의 분포를 알아보기 쉽게 그림으로 표현하는 것》. **—** *vt.* **1** 해도 · 도표로 만들다〔나타내다〕. **2** 계획〔입안〕하다. **—** *vi.* 〖의학〗 카르테를 작성하다. ㊕ **∠·able** *a.*
char·ta·ceous [kɑːrtéiʃəs] *a.* 종이의(같은), 지질(紙質)의.
****char·ter** [tʃáːrtər] *n.* **1** 헌장, (목적 · 강령 등의) 선언서; (the C-) 유엔 헌장(the Charter of the United Nations): the Great *Charter* = MAGNA CHARTA / ⇨ ATLANTIC 〔PEOPLE'S〕 CHARTER. **2** (회사 등의) 설립 강령(서), 설립. **3** 특허장, 면허장《주권자가 자치 도시의 창설 때 주는》; (협회 · 조합 · 대학 등의) 지부 설립 허가(장). **4** 특권, 특별 면제. **5** (버스 · 비행기 등의) 대차 계약(서), 전세; (선박의) 용선 계약. **6** 〖영법률〗 날인증서(deed), 양도 증서. **—** *a.* **1** 특허에 의한; 특권을 가진. **2** 전세 낸《비행기 · 선박 따위》. **—** *vt.* **1** …에게 특허〔면허〕를 주다. **2** (회사 등을) 설립하다. **3** (비행기 · 버스 · 선박 등을) 전세 내다(hire).
char·ter·age [tʃáːrtəridʒ] *n.* 임대차 계약, 특히 용선 계약(傭船契約); 용선료.
chárter còlony 〖미국사〗 특허 식민지《영국왕이 개인 · 상사 등에 교부한 특허장으로 건설된 식민지》.
chár·tered *a.* 특허 받은; 면허의; 공인의; 전세낸, 용선 계약을 한: a ~ bus 전세 버스 / ~ rights 특권 / a ~ libertine 천하에 이름난 방탕꾼〔아〕/ a ~ ship 용선(傭船).
chártered accóuntant 《영》 공인 회계사(《미》 certified public accountant)《생략: C.A.》.
chártered bánk 《Can.》 정부 특별 인가 민간 「은행.
chártered cómpany 《영》 특허 회사.
chár·ter·er [-rər] *n.* 용선 계약자.
chárter flíght 〖항공〗 차터〔전세〕편.
Char·ter·house [tʃáːrtərhàus] *n.* 런던의 Carthusian 수도원의 유적에 세워진 양로원; 거기에 병설되었다가 지금은 Godalming 으로 이전한 public school.
chárter mémber 《미》 (협회 · 단체 · 회사 등 「의) 설립 위원.
chárter pàrty 용선 계약(서)《생략: C/P》.
chárter ràte 〖출판〗 특별 요금《새 잡지의 정기구독자나 광고주에게 주는 할인 요금》.
chárter schòol 《미》 차터 학교《지방 자치 단체나 국가의 특별 인가를 받아 공적 자금으로 운영되는 독립 학교》.
Chárter 77 헌장 77《1977 년 체코슬로바키아의 반체제파가 인권 옹호 · 언론의 자유 등을 요구한 선언》.
chárt hòuse 〔**ròom**〕 〖해사〗 해도실(室).
Chart·ism [tʃáːrtizəm] *n.* Ⓤ 〖영국사〗 차티스트 운동《인민 헌장을 내건 운동: 1838-48》. ㊕ **-ist**[1] *n.* 차티스트 운동 참가자.
char·tist[2] [tʃáːrtist] *n.* **1** 지도 작성자(cartographer). **2** 괘선표에 의거하여 주식 시장의 동향을 분석 예측하는 주식 전문가. **3** 헌장 77 의 서명자〔지지자〕.
chárt·less *a.* 해도가 없는; 해도에 실리어 있지 않은: a ~ island.
char·tog·ra·phy [kɑːrtágrəfi, tʃɑːr-/-tɔ́g-] *n.* =CARTOGRAPHY.
char·treuse [ʃɑːrtrúːz, -trúːs/-trúːz] *n.* **1** (C-) 카르투지오회 수도원. **2** Ⓤ (프랑스의 샤르트뢰즈회 본원에서 제조한) 증류주. **3** Ⓤ 연둣빛.
chárt-tòpping *a.* 차트 1 위의《CD 의 주간 판매량이 가장 많은》: a ~ song.
char·tu·lary [káːrtʃəlèri/tʃáːtjuləri] *n.* 특허장 대장(臺帳), 등기부.
chár·wòman (*pl.* ***-wòmen***) *n.* 《영》 날품팔이 잡역부(婦), 파출부; 《미》 (특히 큰 빌딩의) 청소부(婦).
chary [tʃɛ́əri] (***char·i·er; -i·est***) *a.* 조심스러운, 신중한《*of*》; 섣부리 행동하지 않는《*in doing*》; 부끄럼(을) 타는《*of*》; 물건을 아끼는; 아까워하는, 인색한《*of; in*》; 까다로운《*about*》. ㊕ **chár·i·ly** *ad.* **-i·ness** *n.* 신중, 주의깊음, 세심한 주의; 완전무결.
Cha·ryb·dis [kəríbdis] *n.* 카리브디스. **1** 〖그리스신화〗 바다의 소용돌이를 의인화한 여괴(女怪). **2** Sicily 섬 앞바다의 위험한 소용돌이. ***between Scylla and ~*** ⇨ SCYLLA.
Chas. Charles.
****chase**[1] [tʃeis] *vt.* **1** 쫓다, 추적하다; 추격하다 《*down*》: ~ the thief 도둑을 쫓다. **2** 《+목+전+명/+목+부》 쫓아버리다《*away; off*》; 몰아내다《*from; out of*》; 몰아넣다 《*into; to*》: ~ fear *from* one's mind 공포심을 몰아내다 / ~ flies *off* 파리를 쫓아버리다. **3** 《구어》 손에 넣으려고 애쓰다, …의 뒤를 좇다; (여자를) 귀찮게 따라다니다. **4** 사냥하다. **5** 《구어》 (독한 술) 뒤에 chaser 를 마시다《*down*》. **—** *vi.* **1** 《+전+명》 뒤(를) 쫓다, 추적하다《*after*》: The police ~*d after* the murderer. 경찰은 살인범을 추적했다. **2** 《구어》 서두르다, 달리다, 뛰어 돌아다니다: ~ about (the house) (집 안을) 바쁘게 돌아다니다 / ~*ing* all over town looking for a hotel 호텔을 찾아 온 시내를 뛰어다니다. **~ *down*** 《구어》 (독한 술 뒤에 물 등을) 마시다. **~ *up*** 《구어》 (사람 · 정보 등을 서둘러) 찾아내다〔내려 하다〕, 조사하다. ***Go*** (***and***) **~ *yourself!*** 《구어》 물러가라! 꺼져라! **—** *n.* **1** 추적, 추격, 추구. **2** (the ~) 사냥, 수렵; 〔집합적〕 수렵가. **3** 《영》 사유 사냥터; 수렵권. **4** (the ~) 쫓기는 짐승〔배〕. ***give ~ to*** …을

추적〔추격〕하다. ***in* ~ *of*** …을 쫓아서. ***lead*** a person ***a*** (***hard*** 〔***merry***〕) ~ 추적자를 몹시 뛰게 하다, 애먹인 끝에 붙잡다; 수고하게 하다.

chase[2] *vt.* (금속에) 돋을새김을 하다; (무늬를) 양각하다(emboss); …에 보석을 박다. ㊞ **chás·ing** *n.* 금속에 양각한 무늬.

chase[3] *n.* (벽면(壁面)의) 홈; (포신(砲身)의) 앞부분; 〖인쇄〗 (조판을 죄는) 쇠틀. **—** *vt.* …에 홈을 내다; 욱이다.

cháse càr 《CB속어》 (경찰의) 속도 위반 차량 단속차.

cháse gùn (군함의) 추격포(chaser[1]).

cháse pòrt 〖해군〗 추격포문(追擊砲門)《추격포(chase gun)를 발사하기 위한 포문》.

chas·er[1] [tʃéisər] *n.* **1** 쫓는 사람, 추적자; 수렵가; 〖해군〗 구잠정(驅潛艇); 추격포(chase gun); 〖항공〗 추격기; 《미》 여자의 뒤꽁무니를 쫓아다니는 사내; =STEEPLECHASER; 《미속어》 교도관. **2** 《구어》 독한 술 뒤에 마시는 음료《물·탄산수》; 《영》 (커피·담배 등의 뒤에 마시는) 한 잔 술; 〖연극〗 (관객 교체를 위한) 음악, 짧은 영화.

chas·er[2] *n.* 양각사(陽刻師); 조각 도구.

°**chasm** [kǽzəm] *n.* (지면·바위 따위의) 깊게 갈라진 틈; 깊은 구렁; 빈틈(gap), 간격; 차이, (의견 따위의) 소격(疎隔)《*between*》; 이별; 탈락, 공백. ㊞ **~ed** *a.* 갈라진 틈이 있는. **chás·mal, chás·mic** *a.*

chas·my [kǽzmi] *a.* chasm이 많은; chasm과 같은.

chasse [ʃæs] *n.* 《F.》 입가심 술《커피·담배 따위의 뒤의》.

chas·sé [ʃæséi/-́-] *n.* Ⓤ 《F.》 샤세《빠른 템포로 발을 끄는 스텝》. **—** (*p.*, *pp.* **~*d***; **~*ing***) *vi.* 샤세 스텝으로 춤추다. ~ ***croisé*** [-krwɑ́:zei] 2중〔크로스〕 샤세; 헛된 책략.

chasse·pot [ʃǽspou; *F.* ʃaspo] *n.* (*pl.* **~s** [-z; *F.* —]) 샤스포 총《후장총(後裝銃)》.

chas·seur [ʃæsə́:r] *n.* (프랑스의) 추격병《경보병 또는 경기병》; 사냥꾼; (제복을 입은) 종자(從者), 하인; (프랑스 호텔의) 보이.

chas·sis [tʃǽsi, ʃǽsi/ʃǽsi] (*pl.* ~ [-z]) *n.* (자동차·마차 따위의) 차대; (비행기의) 각부(脚部); (은현포(隱顯砲) 등의) 포좌(砲座); 〖라디오〗 세트를 조립하는 대, 밑판; 《속어》 (여성의 매력적인) 몸매.

°**chaste** [tʃeist] *a.* **1** 정숙한, 순결한. **2** 고상한. **3** 순정(純正)한. **4** 조출한, 간소한. ◇ chastity *n.* ㊞ **∠·ly** *ad.* **∠·ness** *n.*

°**chas·ten** [tʃéisən] *vt.* (신이 사람을) 징벌하다; (고생이 사람을) 단련하다; (감정 따위를) 억제하다, 누그러지게 하다; 순량하게 하다, 순화시키다; (사상·문체 등을) 세련되게 하다(refine). ㊞ **~ed** *a.* 징벌을 받은; 원만해진, 누그러진. **~·er** *n.* 응징자.

chas·tís·a·ble *a.* 응징받아야 할.

°**chas·tise** [tʃæstáiz] *vt.* 《문어》 응징하다; 매질하여 벌하다, 질책〔비난〕하다; 《고어》 갈고 닦다, (감정 따위를) 억제하다. ㊞ **chas·tíse·ment** *n.* **chas·tís·er** *n.*

°**chas·ti·ty** [tʃǽstəti] *n.* Ⓤ 정숙; 순결; 고상; 순정; 간소.

chástity bèlt 정조대.

chástity swòrd 정조검(貞操劍)《같은 침대에서 자는 남녀 사이에 놓은 칼》.

chas·u·ble [tʃǽzjəbəl, tʃǽs-/tʃǽzju-] *n.* 제의(祭衣)《사제가 미사 때 alb 위에 입는》.

chasuble

⁑chat[1] [tʃæt] (***-tt-***) *vi.* 《~/+전+명》 잡담하다, 담화하다, 이야기하다: ~ *with* a friend 친구와 잡담하다 / ~ *of* old times 옛일을 서로 이야기하다 / Let's ~ *over* a cup of tea. 차라도 마시며 이야기하세. ★ 때로는 목적어를 취함: *chat* politics 정치를 논하다. ~ ***away*** one's ***time*** 잡담으로 시간을 보내다. ~ ***up*** 《영구어》 다정스레 〔어떤 흑심으로〕 (이성〔사람〕)에게 말을 걸다: ~ *up* a girl 여성에게 말을 걸다. **—** *n.* **1** 잡담, 한담, 세상 얘기: have a ~ (with) (…와) 잡담하다. **2** 〖조류〗 **a** 잘 지저귀는 지빠귓과 딱새속의 각종 명금. **b** (오스트레일리아산 각종의) 호주딱새.

chat[2] *n.* **1** 〖식물〗 미상(尾狀)꽃차례; 시과(翅果); 수상(穗狀)꽃차례. **2** 《속어》 이(louse).

châ·teau [ʃætóu/-́-] (*pl.* **~*x*** [-z]) *n.* 《F.》 성(城); 대저택, 별장; 샤토《프랑스의 보르도주(酒) 산지(産地)의 포도원(園)》.

châ·teau·bri·and [ʃætòubriɑ́:ŋ] *n.* (종종 C-) 《F.》 (필레 살을 넣은) 비프스테이크.

château wine [-́-́/-́-́] 샤토 와인《프랑스 보르도산의 우량 포도주》.

chat·e·lain [ʃǽtəlèin] *n.* 《F.》 성주.

chat·e·laine [ʃǽtəlèin] *n.* **1** 성주의 마님; 여자 성주; 대저택의 여주인; 여주인(hostess). **2** (여성용) 허리띠의 장식용 사슬《시계·열쇠 등을 닮》.

chát gròup (인터넷상의) 채팅 그룹.

chát·line *n.* (종종 C-) 채트라인《영국의 전화회사 British Telecom(BT)이 개발한, 젊은 여성이 말 상대를 해주는 전화 서비스; 상표명》.

cha·toy·ant [ʃətɔ́iənt] *a.* 광택〔빛깔〕이 변화하는《견직물·보석 등》. **—** *n.* 광택이 변화하는 보석. ㊞ **-ance, -an·cy** *n.*

chát ròom 〖컴퓨터〗 (네트워크상의) 채팅룸, 대화방.

chát shòw 《영》 =TALK SHOW.

Chat·ta·noo·ga [tʃæ̀tənú:gə] *n.* 채터누가《미국 Tennessee주 Tennessee강에 임한 도시; 남북 전쟁의 격전지(1863)》.

chat·tel [tʃǽtl] *n.* 〖법률〗 동산; 소지품; (*pl.*) 가재(家財); 노예. ***goods and ~s*** 가재 도구.

cháttel hòuse (바베이도스(Barbados) 지방에서 흔히 볼 수 있는) 이동식 목조 가옥.

cháttel mòrtgage 《미》 동산 저당.

cháttel pérsonal (*pl.* ***cháttels pérsonal***) 순수 동산.

cháttel réal 준부동산《차지권(借地權) 따위》.

***chat·ter** [tʃǽtər] *vi.* **1 a** 재잘거리다: Stop ~*ing* and finish your work. 그만 재잘거리고 일을 끝내라. **b** 《+전+명》 시시한 이야기를 재잘재잘 지껄이다: Who ~*s to* you will ~ *of* you. 《속담》 남의 소문을 자네에게 말하는 자는 자네의 소문도 말할 게다. **2** (새가) 지저귀다; (원숭이가) 캑캑 울다. **3** (시냇물이) 졸졸 흐르다. **4** (기계 따위가) 달각달각 소리내다, (이 따위가) 딱딱 맞부딪치다. **5** (기계가 진동하여 공작물 면에) 금이 가다. **—** *vt.* **1** (…을) 빠르게 말하다. **2** (이를) 딱딱 맞부딪쳐 소리나게 하다. **—** *n.* Ⓤ **1** 지껄임, 수다. **2** 지저귐; 캑캑 우는 소리. **3** (시냇물의) 졸졸 흐르는 소리; (기계 따위의) 달각달각하는 소리, (이 따위가) 맞부딪쳐 딱딱하는 소리; (기계의 진동으로 생긴) 금, =CHATTER MARK.

chátter·bòx *n.* 수다쟁이.

chát·ter·er [-rər] *n.* 수다쟁이; 미식조(美飾鳥)류《라틴 아메리카산》.

cháttering clàss (흔히 the ~) 공론가(空論家) 계층, 잡담을 좋아하는 계급(정치·사회의 여러 문제에 대해 즐겨 논의를 일삼는 중·상류층 계급의 지식인)

chátter màrk 1 〖기계〗 (진동으로 깎인 면에 생기는) 금이 간 무늬. **2** 〖지학〗 채터마크《빙하의 침식에 의한 암석 표면의 불규칙한 열은 가로홈》.

chátter·pìe *n.* 《속어》 =CHATTERBOX.

chat·ting [tʃǽtiŋ] *n.* 〖컴퓨터〗 대화《컴퓨터 통신에 접속하고 있는 사용자들이 상호 간에 키보드로 입력한 글을 화면으로 보면서 대화하는 것》.

chat·ty [tʃǽti] *a.* 수다스러운, 이야기 좋아하는; 기탄없는, 잡담(조)의.

Chau·cer [tʃɔ́ːsər] *n.* **Geoffrey** ~ 초서《영국의 시인; 1340?-1400》.

Chau·ce·ri·an [tʃɔːsíəriən] *a.* Chaucer의 〔에 관한〕. **—** *n.* Chaucer 연구가〔학자〕, Chaucer의 시풍.

chaud·froid [*F.* ʃofʀwa] *n.*《F.》젤리 또는 마요네즈 소스를 친 냉육(冷肉) 요리.

chaud-med·ley [ʃóudmèdli] *n.*〖법률〗격정(激情) 살인. cf. chance-medley.

chau(f)·fer [tʃɔ́ːfər] *n.* 풍로의 일종《바구니꼴이며 들고 다닐 수 있는 것》.

°**chauf·feur** [ʃóufər, ʃoufə́ːr] *n.*《F.》(주로 자가용차의) 운전사. **—** *vi., vt.* …의 운전사로서 일하다; …를 태우고 가다.

chauf·feuse [*F.* ʃoføz] *n.*《F.》여자 운전사.

chaul·moo·gra [tʃɔːlmúːgrə] *n.* 대풍수《인도산 나무; 그 씨로 대풍자유를 만듦》.

chaus·sure [*F.* ʃosyʀ] *n.* (*pl.* **~s** [*F.* —]) 신발(footgear, shoe).

Chau·tau·qua [ʃətɔ́ːkwə] *n.* **1** 셔토쿼《New York 주 서부의 호수(가의 마을)》. **2** (c-)《미》문화 강습회, (강의와 오락을 겸한) 여름철 야외 강습회《현재는 쇠퇴되었음》.

chau·vin [ʃóuvən] *n.* 열광적 군국(軍國) 찬미자《나폴레옹군의 병사로 열렬히 나폴레옹을 숭배한 Nicholas Chauvin의 이름에서》.

chau·vin·ism [ʃóuvənìzəm] *n.* Ⓤ 쇼비니즘, 맹목〔호전〕적 애국〔배외〕주의; 극단적인 일변도. cf. jingoism. ¶ ⇨ MALE CHAUVINISM. ㊞ **-ist** *n.* **chàu·vin·ís·tic** *a.* **-ti·cal·ly** *ad.*

chaw [tʃɔː]《방언·비어》*vt., vi.* 질겅질겅 씹다. ★ chew의 변형. ~ ***up***《미》(경쟁 따위에서) 완패시키다; 때려 부수다. **—** *n.* 한 입(의 양)《특히 씹는 담배의》.

cháw·bàcon *n.*《경멸》촌뜨기.

chawl [tʃɔːl] *n.*《Ind.》(공업 도시 등의) 긴 공동 주택, 연립 주택.

chay [ʃei] *n.*《방언》=CHAISE.

Ch. Ch. Christ Church. **CHD**〖의학〗coronary heart disease. **Ch. E.** Chemical Engineer; Chief Engineer.

C-head *n.*《속어》코카인 상용자(常用者), LSD 「상용자.

†**cheap** [tʃiːp] *a.* **1** 싼, 값이 싼, 저렴한, 헐한. opp. *dear.*

> SYN. **cheap** 값이 헐하고 이득이 되어서 가치가 있는 경우도 있으며, 값은 싸나 품질(品質)이 나빠 '싸구려'인 경우도 있음. **inexpensive** cheap의 뜻 중 '싸구려'란 뜻을 피하기 위한 사교적인 고려에서 cheap보다 자주 씀. **lowpriced** 사무적·객관적으로 가격이 낮음을 뜻함.

2 싸게 파는, 싼 것을 파는: a very ~ store 값이 아주 싼 가게. **3** 값싸게 손에 들어오는〔들어온〕; 고생하지 않은: a ~ victory 낙승(樂勝). **4** 싸구려의, 시시한, 속악(俗惡)한: ~ quality 저급(低級)/~ emotion 값싼 감동. **5** (인플레 등으로) 구매력이〔통화 가치가〕저하한; 저리(低利)의: the ~ dollar/~ money 저리 자금. **6**《속어》풀이 죽은; 부끄러운. **7**《영》할인한: a ~ trip 〔tripper〕《영》(열차 등의) 할인 여행〔여행자〕. **8**《미구어》인색한 (stingy). **(*as*)** ~ ***as dirt*** = ***dirt*** ~《구어》대단히〔퍽〕싼, 헐값의. ~ ***and nasty*** 값이 싸고 질이 나쁜. ***feel*** ~ ①《구어》멋쩍게 〔부끄럽게〕느끼다《*about*》: *feel* ~ *about* one's mistake 자기 잘못에 멋쩍어하다. ②《속어》건강〔기분〕이 나쁘다. ***hold*** a person 〔thing〕 ~ 아무를〔무엇을〕깔보다. ***make oneself*** (***too***) ~ 스스로 너무 값싸게 굴다. **—** *ad.* **1** 싸게, 싼값에: buy 〔get, make〕 a thing ~ 물건을 싸게 사다〔손에 넣다, 만들다〕. **2** 천하게, 비열하게: act ~ 천하게 행동하다. ***get off*** ~ (수리비 따위가) 싸게 먹히다; (벌 따위가) 가볍게 끝나다. **—** *n.* (the ~s)《영구어》싸게 살 수 있는 것; 염가판의 책.《주로 영》***on the*** ~ 싸게(cheaply): travel *on the* ~ 싸게 여행하다. ㊞ **∠·ish** *a.* 싼. ***∠·ly** *ad.*《흔히 비유》싸게, 값싸게. **∠·ness** *n.*

chéap chìc 돈을 들이지 않고 멋 내는 옷치레.

°**cheap·en** [tʃíːpn] *vt., vi.* 싸게 하다; 싸지다; 조잡하게 하다; 경시하다, 얕보다(belittle);《고어》흥정하다, 값을 깎다. ㊞ **~·er** *n.*

chéap hígh《미속어》질산 아밀(amyl nitrate)《속효성 각성제로 효과는 2, 3분》.

cheap·ie [tʃíːpi]《미구어》*n.* 싸구려 물건〔영화〕. **—** *a.* 싸구려의.

chéap-jàck, -jòhn *n.* 행상인; 싸구려 물건을 파는 사람; 간이 숙박소; 싸구려 매춘굴;《특히》싸구려 술집. **—** *a.* 싸구려의, 저질의; 싸구려를 판매〔제조〕하는. 「money).

chéap móney〖금융〗저리(低利)의 자금(easy

cheapo [tʃíːpou] *a.* =CHEAP. 「행〕.

chéap shòt《미속어》비열〔부당〕한 플레이〔언

chéap-shòt ártist《미·Can.》저항할 힘이 없는 상대에게 저속〔부당〕한 비판을 퍼붓는 사람.

Cheap·side [tʃíːpsàid] *n.* 런던 중앙부를 동서로 가로지르는 큰 거리.

chéap·skàte *n.*《구어》구두쇠, 노랑이.

‡**cheat** [tʃiːt] *vt.* **1** 기만하다, 속이다. **2**《+목+전+명》(…을) 사취하다, 사기하다《(*out*) *of*》; (…을) 속여서 …하게 하다《(*into*) do*ing*》: He ~*ed* me (*out*) *of* my money. 그는 나를 속여 돈을 사취했다/She ~*ed* me *into* accept*ing* the story. 그녀는 나에게 그 이야기를 감쪽같이 믿게 했다. **3** 용케 면하다〔벗어나다〕: ~ the gallows 용케 교수형을 면하다. **4**《고어》(지루함·슬픔 등을) 이럭저럭 넘기다: ~ fatigue 이럭저럭해서 피로를 잊다. **—** *vi.* **1**《~/+전+명》부정(不正)한 짓을 하다, 협잡질하다《*at; in; on*》: ~ *at* cards 카드놀이에서 속임수를 쓰다/~ *in* an examination 시험에서 부정행위를 하다. **2**《+전+명》《구어》부정(不貞)을 저지르다《*on*》: His wife was ~*ing on* him while he was away. 그의 아내는 그가 없는 동안에 바람을 피우고 있었다. **—** *n.* **1** 속임수, 사기; (시험의) 부정행위; 협잡 카드놀이. **2** 사기꾼: He is a ~ and a liar. **3**〖식물〗개귀리류의 풀(chess). ㊞ **∠·er** *n.* 사기〔협잡〕꾼; (*pl.*)《미속어》안경,《특히》색안경; 버스트패드. **∠·ing·ly** *ad.*

chéat shèet《미속어》수험생의 부정행위용 쪽지.

Che·chen [tʃətʃén] (*pl.* **~s,**〔특히 집합적〕 ~) *n.* **1** 체첸족(의 한 사람)《러시아 남동쪽 체첸 자치 공화국의 주민; 무슬림계의 코카시아인(人)》. **2** 체첸어(語).

Che·chén-In·gúsh Repúblic [tʃətʃénin-gúːʃ-] 체첸인구시 공화국《러시아 연방의 남쪽 소(小) 자치 공화국》. 「공화국.

Chech·nia, -nya [tʃetʃnjáː, tʃétʃnjə] *n.* 체첸

‡**check** [tʃek] *n.* **1** (보통 a ~) 저지, 억제, 정지; (돌연한) 방해; 반격; 좌절: come to a ~ 갑자기 정지하다/The enemy met with a ~. 적은 저지당했다. **2** 저지물, 막는 물건, 저지하는 도구《고삐·브레이크·마개·낚시릴의 ratchet 등》;〖음악〗(피아노의) 체크《해머를 눌러 두는 부품의 일부》: a ~ for a wheel 바퀴 멈추개. **3** 대조, 점검; 대조의 기준; 대조 표시(=∠ **màrk**)《기호: '∨'》; 검사, 관찰, 시험《*on*》; 감독, 감시, 관리, 조사: make 〔run〕 a ~ *on* a report 보고의 진위를 점검하다. **4** 꼬리표; 부신(符信); 물표,

상환권: ⇨ BAGGAGE CHECK. **5** 《미》 수표(《영》 cheque); 《미》 (상점·식당 등의) 회계 전표: a ~ *for* $150, 150 달러의 수표 / a certified 〔crossed〕 ~ 보증〔횡선〕 수표 / draw a ~ 수표를 발행하다 / pay 〔buy〕 by ~ 수표로 지불하다〔사다〕. **6** 바둑판〔체크〕 무늬(의 천). ㉢ chequer. **7** 《미》 산가지(counter). **8** (목재의) 갈라진〔터진〕 금(split). **9** 《미구어》 1 달러. **10** 《미구어》 (마약이나 밀매품의) 작은 꾸러미, 소량. **11** 〖체스〗 장군《공격》. **12** 〖카드놀이〗 칩, 점수패. ***a ~ to bearer*** 지참인불 수표. ***a ~ to order*** 지정인불 수표. ***give*** a person ***a blank ~*** …의 자유재량에 맡기다, 백지위임하다. ***hand*** 〔***pass, cash***〕 ***in*** one***'s ~s*** ⇨ CHIP[1]. ***keep a ~ on*** (one's statements) (한 말)의 당부〔진위〕를 확인해 두다. ***keep*** 〔***hold***〕 ***... in ~*** …을 막다, 억제하다.

— *vt.* **1** 저지하다(hinder), 방해하다; 반격하다. **2** 억제하다, 억누르다(restrain): ~ one's laugh 웃음을 참다. **3** 《~+목/+목+전+명/+목+부》 대조〔검사〕하다, 점검하다: ~ a copy *with* the original 사본을 원본과 대조해 보다 / *Check* your accounts. 계산서를 점검하십시오 / Did you ~ them *off*? 그것을 대조했습니까. **4** …에 대조 표시를 하다《*off*》. **5** 《~+목/+목+전+명/+목+부》 …에 꼬리표를 달다; 《미》 (물건을) 물표를 받고 보내다〔맡기다〕; 《미》 영수증과 맞바꾸어 넘겨주다; 《미》 (일시적으로) 두다, 맡(기)다: Have you *~ed* your baggage? 짐을 수화물로 하셨습니까 / *Check* your coat *at* the cloakroom. 코트는 휴대품 보관소에 보관해 주십시오. **6** …에 바둑판〔체크〕 무늬를 놓다. **7** 〖체스〗 장군을 부르다(~ a king); (상관이) 질책하다. **8** 재다, 가르다.

— *vi.* **1** 《+전+명》 《미》일치〔부합〕하다《*with*》: This copy *~s with* my original in every detail. 이 사본은 내 원문과 딱 일치한다. **2** 《~/+전+명》 (확인을 위해) 조사하다, 체크하다《*on, upon*》: I'll ~ to make it sure. 다지기 위해 조사하겠다 / ~ (*up*) *on* the report 보고서의 진위를 조사하다. **3** (장애를 만나) 갑자기 멈추다〔서다〕; 〖사냥〗 (사냥개가) 냄새 자취를 잃고 우뚝 서다; (매사냥에서 매가) 목적한 사냥감 추적을 그치고 다른 것으로 향하다《*at*》. **4** 〖체스〗 장군을 부르다; 〖포커〗 체크하다《다음 사람이 증액 못하도록 앞사람과 동액을 걺》. **5** (목재·페인트 등에) 금이 가다. **6** 《미》 수표를 떼다《*on; for; against*》. **~ *in*** 《*vi.*+부》 ① (호텔·공항 따위에 도착하여) 기장(記帳)하다, 체크인하다《*at*》: ~ *in at* a hotel 〔the airport〕 호텔〔공항〕에서 체크인하다. ② 《구어》 (타임리코더로) 출근을 기록하다, 도착하다: ~ *in at* the office at nine, 9 시에 회사에 출근하다. ③ 《미속어》 죽다. **—** 《*vt.*+부》 ④ 《미》 (아무에게 호텔) 예약을 해 주다《*at*》. ⑤ (사람·책 따위의) 도착을 기록하다, (보고를) 기록하다. ⑥ 《미》 (책의) 반환 절차를 밟다. ⑦ (짐 따위를) …에 맡기다《*at; to*》. **~ *into*** 《미구어》 (호텔에) 체크인하다, (병원에) 입원하다. **~ *off*** 《*vi.*+부》 ① 《영구어》 (근무를 마치고) 돌아가다, 퇴사하다; (정시에) 일을 끝내다. **—** 《*vt.*+부》 ② 《미》 …에 대조필의 표시를 하다. ③ (사물을) 고려 대상에서 제외하다. ④ (조합비 따위를 급료에서) 공제하다. **~ *out*** 《*vi.*+부》 ① (호텔 등에서) 체크아웃하다, (계산을 마치고) 나오다《*of; from*》. ② 《미구어》 (서둘러) 출발하다, 떠나다. ③ 《미》 일치하다, 부합하다. ④ 《속어》 죽다; 사직하다. ⑤ (기계·사람이 능력 테스트에) 합격하다, 점검이 끝나다. ⑥ (타임리코더로 기록하고) 퇴사〔퇴출〕하다. ⑦ 《속어》 (사실 등이) 확실〔정확〕하다. **—** 《*vt.*+부》 ⑧ (계산원이 산 물건의) 합계액을 계산하다《슈퍼마켓 등에서》, (손님이 산 물건의) 계산을 마치고 나오다. ⑨ 《미》 (…의 성능·안전성 따위)를 충분히 검사〔점검〕하다; 조사하다, 확인하다: ~ *out* the brakes 브레이크를 점검하다. ⑩ (도서관에서 책의) 대출 절차를 밟다. ⑪ (호텔 등에서 손님·짐 따위)를 보내다《*from*》. ⑫ (물표를 주고 맡긴 물건)을 되찾다, 돌려받다. **~ *over*** (잘못이 없는지) …을 자세히 조사〔점검〕하다; (아무의) 건강 진단을 하다. **~ *that*** 《미속어》 (앞서 한 말을) 취소〔점검〕하다. **~ *through*** …을 면밀히 조사하다, (교정쇄 따위를) 대조하다. **~ *up*** 《*vi.*+부》 ① 조사하다. ② (사람·사물의 배경·사실 관계·진위 등을) 살펴보다, 검토〔대조〕하다《*on*》. **—** 《*vt.*+부》 ③ (대조하여 …을) 조사하다. ④ (아무의) 건강 진단을 하다. **~ *with*** …와 의논〔타합〕하다.

— *int.* **1** 《미구어》 좋아!, 옳지!, 알았어! **2** 〖체스〗 장군!

— *a.* 검사〔대조〕용의; 바둑판〔체크〕 무늬의.

chéck·bàck *n.* (특히 앞으로 거슬러서 하는) 점검, 검사.

chéck bèam 〖항공〗 체크빔《조종사가 착륙 전에 위치 확인을 위해 발사하는 전파》.

chéck bìt 〖컴퓨터〗 검사 비트《정보의 전달·축적 과정에서 오류가 생겼는지를 검사하기 위해 원래의 정보에 덧붙이는 비트》. ㉢ parity bit.

chéck·bòok *n.* 수표장: ~ assistance 재정 지원.

chéckbook jóurnalism 독점 인터뷰에 큰 돈을 지불하고 기사를 만드는 저널리즘.

chéck bòx 〖컴퓨터〗 체크 박스《ON 과 OFF 라는 2 가지 상태 중에서 하나의 상태를 값으로 가질 수 있는 윈도의 버튼》.

chéck càrd 체크 카드《은행 교부의》.

chéck dìgit 체크 숫자《국제 표준 도서 번호 (ISBN) 말미에 추가하는 숫자》.

checked [-t] *a.* 바둑판 무늬의, 체크 무늬의; 〖음성〗 폐음절《자음으로 끝나는 음절》의.

chécked-swìng *a.* 〖야구〗 배트를 멈추듯이 휘두르는.

°**chéck·er**[1] *n.* **1** 바둑판 무늬; (*pl.*) 〘단수취급〙 《미》 서양장기(《영》 draughts)《체스판에 12 개의 말을 씀》, 체커; (체커의) 말; (*pl.*) 〖석공〗 =CHECKERWORK. **2** 〖식물〗 마가목(=**~ trèe**).

— *vt.* 바둑판 무늬로 하다; …에 변화를 주다.

chéck·er[2] *n.* 검사자; (휴대품 따위) 일시 보관원; (슈퍼마켓 따위의) 현금 출납원.

chécker·bèrry *n.* 백옥(白玉)나무속(屬)의 일종; 그 열매.

chécker·bòard *n.* **1** 체커판 (《영》 draughtboard); 체커판 같은 무늬가 있는 것. **2** 《미속어》 흑인·백인 혼주(混住) 지역. **—** *vt.* 체커판 모양으로 줄세우다〔나란히 하다〕.

chéck·ered *a.* 바둑판 무늬의; 가지각색의; 변화가 많은: a ~ career 파란만장한 생애.

chéckered flág 체커 플래그《자동차 경주에서 차가 골라인을 넘어 완주한 것을 알리는 바둑판 무늬의 기》.

check·er·wise [tʃékərwàiz] *ad.* 바둑판 무늬식으로.

chécker·wòrk *n.* Ⓤ 바둑판 무늬 세공; 〖석공〗 바둑판 무늬 쌓기; 《비유》 변화가 많은 것, (인생의) 부침(浮沈).

chéck·hòok *n.* 제지 고삐의 멈춤쇠.

chéck·ìn *n.* (호텔에서의) 숙박 절차, 체크인.

chéck-in còunter 《미》 (공항의) 체크인 카운터.

chéck-in dèsk 《영》 =CHECK-IN COUNTER.

chécking accòunt 당좌 예금 계정, 수표 계정: ~ deposits 요구불 어음.

chéckless socíety =CASHLESS SOCIETY.

chéck lìne =CHECKREIN.

chéck lìst ⦅미⦆ 대조표, 점검표; 선거인 명부.
chéck màrk 대조(對照)〔확인〕 표시〔마크〕. ㊥ **chéck·màrk** *vt.* 체크 마크를 하다, 대조·확인하다.
chéck·màte *n.* 〖체스〗 외통장군(mate); 격파, 좌절. ***give*** ~ (***to***) (…에게) 장군을 부르다; (…을) 좌절시키다. ***play*** ~ ***with*** …을 궁지로 몰아넣다. **—** *int.* 〖체스〗 장군!⦅단지 Mate! 라고도 함⦆. **—** *vt.* 〖체스〗 외통장군을 부르다; 저지하다; 격파하다, 좌절〔실패〕시키다.
chéck nùt 죔나사(lock nut).
chéck·òff *n.* (급료에서의) 조합비 공제; ⦅미⦆ 반환금·배당금의 일부를 정치 자금 등으로 기부하기; 자동 권총〔소총〕.
chéck·òut *n.* (호텔 등에서의) 퇴숙 절차〔시각〕; (기계 등의) 점검; (항공기 등의) 조작에 익숙해짐; (슈퍼마켓의) 계산(대)(=~ **còunter**).
chéckout ràck 체크아웃 랙⦅슈퍼마켓 등의 계산대(臺)에 설치한 상품 선반; 충동구매 유발에 유리함⦆.
chéckout scànner 상품(商品)에 붙어 있는 bar code를 읽어 내는 광학 기계.
chéck·pòint *n.* 검문소⦅통행인·차량 등의⦆; 〖항공〗 표지(標識)가 되는 지형; 〖컴퓨터〗 체크포인트, 검사점.
Chéckpoint Chárlie 체크포인트 찰리⦅동서 베를린의 경계에 있는 외국인 통행이 가능한 유일한 검문소; 1990년 6월 22일 철거됨⦆.
chéck·ràil *n.* 〖영철도〗 =GUARDRAIL.
chéck·rèin *n.* (말이 머리를 숙이지 못하게 하는) 제지 고삐; ⦅비유⦆ 견제 수단.
chéck·ròll *n.* =CHECK LIST.
chéck·ròom *n.* ⦅미⦆ (외투·모자·가방 등의) 휴대품 보관소(cloakroom).
chéck·ròw 〖미농업〗 *n.* 곧은 이랑. **—** *vt.* (농작물을) 정조식(正條植)하다.
chécks and bálances 억제와 균형⦅미국 정치의 기본 원칙⦆.
chéck·stànd *n.* 계산대.
chéck strìng 신호줄⦅전차·버스 운전사에게 하차를 알리는⦆.
chéck stùb ⦅미⦆ 수표를 떼어 주고 남은 쪽.
chéck·sùm *n.* 〖컴퓨터〗 검사 합계〔회계〕, 체크섬.
chéck tràding 은행 수표 할부 판매 방식⦅수표의 금액과 이자를 할부로 팔기⦆.
chéck·ùp *n.* 대조; 점검, 검사; (정기) 건강 진단; (기계의) 분해 검사. ***a*** ~ ***committee*** (회계) 감사 위원(회).
chéck vàlve 〖기계〗 역행 방지판(瓣).
chéck·wrìter *n.* 수표 금액 인자기(印字器).
Chéd·dar (**chéese**) [tʃédər(-)] 치즈의 일종⦅잉글랜드 Somerset 주의 원산지 지명에서⦆.
chedd·ite [tʃédait, ʃéd-] *n.* 강력 폭약의 일종.
chee-chee [tʃíːtʃìː] *n.* ⦅영·Ind.⦆ ⦅경멸⦆ 유럽 아시아 혼혈인(이 쓰는 부정확한 영어).
⁑**cheek** [tʃiːk] *n.* **1** 뺨, 볼, (*pl.*) 양볼. **2** (*pl.*) 기구의 측면. **3** ⦅구어⦆ 뻔뻔스러움, 건방진 말〔행위, 태도〕: have a ~ 뻔뻔하다, 건방지다 / None of your ~! 건방진 소리 마라. **4** ⦅속어⦆ 궁둥이. ~ ***by jowl*** (볼이 맞닿을 정도로) 꼭 붙어서; 정답게⦅*with*⦆. ***give*** a person ~ 아무에게 건방진 소리 하다. ***have the*** 〔***a lot of***〕 ~ ***to*** do 뻔뻔스럽게도 …하다. ***I like your*** ~. 놀랍도록 뻔뻔스럽구나. ***to*** one***'s own*** ~ 독점하여, 제 전용으로. ***turn the other*** ~ 부당한 처우를〔모욕을〕 얌전히 받다. ***with*** one***'s tongue in*** one***'s*** ~ =(***with***) ***tongue in*** ~ ⇨ TONGUE.
— *vt.* ⦅영구어⦆ …에게 건방지게 말을 걸다, …에게 거만하게 굴다. ~ ***it*** 뻔뻔스럽게 버티다. ~ ***up*** 건방지게 대답하다.
chéek·bòne *n.* 광대뼈.
chéek pòuch (다람쥐·원숭이 등의 먹이를 넣어 두는) 볼주머니.
chéek stràp 말굴레의 옆에 대는 가죽끈.
chéek tòoth 어금니.
cheeky [tʃíːki] (***cheek·i·er; -i·est***) *a.* ⦅구어⦆ 건방진, 뻔뻔스러운(impudent). ㊥ **chéek·i·ly** *ad.* **-i·ness** *n.*
cheep [tʃiːp] *vi.* (병아리 따위가) 삐악삐악 울다. **—** *n.* 삐악삐악 소리. [imit.] ㊥ **~·er** *n.* (메추라기 등의) 새끼; 갓난아기.
cheer** [tʃiər] *n.* Ⓤ **1** Ⓒ 환호, 갈채, 만세. **2** 격려: speak words of ~ 격려의 말을 하다 / two ~*s* ⦅우스개⦆ 건성으로 하는 격려, 마음이 없는 열의(熱意). **3** (스포츠의) 응원, 성원: a ~ section ⦅미⦆ 응원단. **4** 활기, 쾌활, 원기; 기분; ⦅고어⦆ 표정, 안색: What ~? (환자 등에게) 기분이 어떠세요 / Be of good ~! ⦅문어⦆ 기운 내라, 정신 차려라. **5** 성찬, 음식: make 〔enjoy〕 good ~ 성찬을 먹다 / The fewer the better ~. ⦅속담⦆ 맛있는 음식은 사람이 적을수록 좋다. **6** (C-s!) 〖감탄사적〗 ⦅구어⦆ 건배; ⦅영구어⦆ 그럼 안녕; 고맙소, ⦅미속어⦆ 오케이; ⦅구어⦆ 〖반어적〗 손들었다; 안 되겠어. ***give 〔***raise***〕 ***a*** ~ 갈채하다. ***give three*** ~***s for*** …을 위하여 만세 삼창을 하다⦅'Hip, hip, hurrah!'를 세 번 반복함⦆. ***with good*** ~ 쾌히, 기꺼이.
— *vt.* **1** ⦅+목+전+명/+목+보⦆ …에 갈채를 보내다, 성원하다, 응원하다; 〖~ oneself로〗 …상태가 되도록 성원〔응원〕하다: ~ a team *to* victory 팀을 응원하여 이기게 하다 / We ~*ed* our*selves* hoarse. 목이 쉬도록 응원하였다. **2** ⦅+목+부⦆ 격려하다, 기쁘게 하다, 기운을 북돋우다(encourage); 위로하다(comfort)⦅*up*⦆: One glance at her face ~*ed* him *up* again. 그녀의 얼굴을 보자 그는 다시 기운이 솟아났다. **—** *vi.* **1** ⦅+부/+전+명⦆ 갈채를 보내다, 환성을 지르다: ~ *for* a singer 가수에게 갈채를 보내다 / We ~*ed* wildly. 기쁨에 넘쳐 환성을 질렀다. **2** ⦅+부⦆ 힘이 나다 ⦅*up*⦆: ~ *up* at good news 희소식에 기운이 나다. ~ a person ***up*** 아무를 격려하다. ***Cheer up!*** 기운을 내라.
㊥ **cheer·er** [tʃíərər] *n.* 갈채하는 사람, 응원자.
⁑**cheer·ful** [tʃíərfəl] *a.* **1** 기분좋은, 기운찬. **2** 마음을 밝게 하는, 즐거운, 기분이 상쾌한: ~ surroundings 쾌적한 환경. **3** 기꺼이 …하는, 마음으로부터의: a ~ giver 선뜻 물건을 주는 사람. **4** 〖반어적〗 싫은, 지독한: That's a ~ remark. 그건 지독한 말인데. ㊥ °**~·ly** *ad.* **~·ness** *n.*
chéer·ing [-riŋ] *n.* 갈채. **—** *a.* 원기를 돋우는, 격려하는: a ~ party.
cheer·io(**h**) [tʃìərióu] *int.* ⦅영구어⦆ 잘 있게, 또 봄세⦅작별인사⦆; (축배를 들 때의) 축하합니다, 만세. 「치어리더.
chéer·lèader *n.* ⦅미⦆ (보통 여성인) 응원단장,
chéer·lèading *n.* 응원의 지휘.
°**chéer·less** *a.* 기쁨이 없는, 음산한, 쓸쓸한, 어두운: a ~ prospect 어두운 전망. ㊥ **~·ly** *ad.* **~·ness** *n.*
chéer·ly *ad.* ⦅고어⦆ =CHEERFULLY; 〖감탄사적〗 〖해사〗 힘내자⦅격려의 소리⦆.
cheero [tʃíərou] *int.* =CHEERIO.
cheery [tʃíəri] (***cheer·i·er; -i·est***) *a.* 기분이 좋은; (보기에) 원기 있는(lively), 명랑한, 유쾌한. ★ cheerful은 기분에 대하여, cheery는 외견에 대하여 이를 때가 많음. ㊥ **chéer·i·ly** *ad.* 기운차게, 명랑하게. **chéer·i·ness** *n.*
†**cheese**¹ [tʃiːz] *n.* **1** Ⓤ 치즈; 치즈 모양의 것. cf. BREAD and cheese. ¶ ⇨ GREEN CHEESE. ★

일정한 형태로 가공된 것은 [C]로 취급. **2** 구주희(九柱戲)의 공; ⟪속어⟫ 국부의 때. **3** ⟪학생속어⟫ 매력적인 여자애; 목적, 보수, 돈; 거짓, 풍치기: ⇨ HARD CHEESE. ***cut a ~*** ⟪속어⟫ 방귀 뀌다. ***hard ~*** ⟪영구어⟫ 불운: *Hard* ~! 그것 참 안되었군. ***make ~s*** 빙 돌다가 확 앉아 스커트를 불룩하게 만들다⟪여학생의 놀이⟫; (여성이) 무릎을 구부리고 인사하다. ***Say "cheese"!*** '치즈'라고 말하세요, 자 웃으세요⟪사진을 찍을 때 하는 말⟫. — *vi.* ⟪속어⟫ (특히 유아(幼兒)가) 게우다.

cheese[2] ⟪속어⟫ *n.* (the ~) 안성맞춤의 것; 대단한 것; 일류품; 귀중한 것; 중요 인물, 보스: ⇨ BIG 〔WHOLE〕 CHEESE / Quite the ~. 바로 안성맞춤이다.

cheese[3] *vt.* ⟪구어⟫ 〘주로 관용구로〙 =STOP. ***Cheese it!*** 그만둬, 조심해; 튀어라. — *vi.* ⟪교도소 속어로⟫ 굽실거리다. ~ ***off*** ⟪영속어⟫ …에 진절머리나게 하다⟪*with*⟫. 「구려 주택.

chéese·bòx *n.* ⟪미속어⟫ (교외의) 집장사의 싸

chéese·bùrger *n.* 치즈버거⟪치즈와 햄버거를 넣은 샌드위치⟫.

chéese·càke *n.* 치즈케이크⟪과자⟫; ⟪구어⟫ 성적 매력을 강조한 누드 사진, 또 그 모델. — *a.* 관능적인, 섹시한.

chéese·clòth *n.* 일종의 투박한 무명(⟪영⟫ butter muslin).

chéese cùtter 1 치즈 커터⟪치즈를 자르기 위해 동철선이 판에 부착되어 있음⟫. **2** (모자의) 큰 네모난 차양. **3** 〘해사〙 치즈 커터⟪centerboard의 일종⟫. **4** ⟪속어⟫ 구린 방귀 뀌는 사람.

chéesed *a.* ⟪영속어⟫ 진절머리나는, 아주 싫증나는. ~ ***off*** 진력나는, 기분이 언짢은.

chéese-èater *n.* ⟪속어⟫ 밀고자, (경찰의) 스파이; 변절자, 배반자.

chéese-hèad *n.* (나사 따위의) 뭉뚝한 대가리; ⟪속어⟫ 바보. — *a.* (나사 따위의) 대가리가 뭉뚝한. [파] **~·ed** [-id] *a.*

chéese mìte 치즈에 꾀는 벌레.

chéese·mònger *n.* 치즈 · 버터 장수.

chéese·pàring *n.* 치즈 위꺼풀을 깎은 부스러기; 하찮은 것; 인색함, 쩨쩨함; (*pl.*) 사천⟪여자가 절약해서 모은 돈⟫. — *a.*인색한(stingy).

chéese scòop 〔**tàster**〕 (시식용)치즈 국자.

chéese stràw 가루 치즈를 발라 구운 길쭉한

chéese vàt 〔**tùb**〕 치즈 제조용 틀. 「비스킷.

cheesy [tʃíːzi] (***chees·i·er; -i·est***) *a.* 치즈질(質)의〔맛이 나는〕; ⟪속어⟫ 하치의, 하찮은, 싸구려의. [파] **chées·i·ly** *ad.* **-i·ness** *n.*

chee·tah [tʃíːtə] *n.* 치타⟪표범 비슷한 동물; 길들여 사냥에 씀; 남아시아 · 아프리카산⟫.

◇**chef** [ʃef] *n.* ⟪F.⟫ 주방장; 요리사, 쿡(cook).

chef-d'oeu·vre [F. ʃɛdoevʀ] (*pl.* ***chefs-*** [—]) *n.* ⟪F.⟫ 걸작. 「술.

chei·lo·plas·ty [káiləplæ̀sti] *n.* 입술 성형 수

chei·ro- [káirou, -rə] =CHIRO-.

Che·ka [tʃéikɑː] *n.* 비상 위원회⟪옛 소련의 반혁명 운동 비밀 조사 기관; 후에 KGB로 개편됨⟫.

Che·khov [tʃékɔːf/-ɔf] *n.* **Anton ~** 체호프⟪러시아의 소설가 · 극작가; 1860–1904⟫.

Chekiang ⇨ ZHEJIANG.

che·la[1] [kíːlə] (*pl.* ***-lae*** [-liː]) *n.* (새우 · 게 · 전갈의) 집게발. 「입문자.

che·la[2] [tʃéilɑː/-lə] *n.* ⟪Ind.⟫ (불문의) 제자,

che·late [kíːleit] *a.* 집게발을 가진. — *n.* 〘화학〙 킬레이트 (화합물). — *vi., vt.* 킬레이트 화합물이 되다〔을 만들다〕.

chélating àgent 〘화학〙 킬레이트 시약(試藥).

che·la·tion [kiːléiʃən] *n.* 〘화학〙 킬레이트화(化).

Chel·le·an [ʃéliən] *a.* 〘고고학〙 (구석기 시대의) 셸문화기(期)의.

Chelms·ford [tʃélmzfərd] *n.* 첼름스퍼드⟪잉글랜드 남부 Essex주의 주도⟫.

cheloid ⇨ KELOID.

che·lo·ni·an [kilóuniən] *a.* 거북류의. — *n.* 거북, 바다거북.

Chel·sea [tʃélsi] *n.* 첼시. **1** Greater London 중의 Kensington and Chelsea 의 일부⟪예술가 · 작가들이 많이 삶⟫: the Sage of ~ ⇨ SAGE[1]. **2** 보스턴 교외의 도시. ***the ~ Royal Hospital*** 첼시 왕립 병원⟪노병 · 상이군인을 위한⟫.

Chélsea bún 건포도가 든 롤빵.

Chel·ten·ham [tʃéltnhæ̀m, tʃéltnəm] *n.* **1** 첼트넘⟪잉글랜드 서부 Gloucestershire 주 중부의 도시; 명문 퍼블릭 스쿨인 Cheltenham College 로 유명⟫. **2** 활자의 일종.

Chel·to·ni·an [tʃeltóuniən] *a., n.* 영국 Cheltenham 칼리지의 (학생).

chem. chemical; chemist; chemistry.

chem·i- [kíːmi, kémi, -mə/kémi] =CHEMO-.

chem·ic [kémik] *a.* **1** 〘화학〙 =CHEMICAL. **2** ⟪고어⟫ 연금술의.

‡**chem·i·cal** [kémikəl] *a.* 화학의, 화학상의; 화학용의; 화학 약품에 의한; 화학적인: ~ affinity 친화력 / ~ agent 화학 약제 / ~ analysis 화학 분석 / ~ changes 화학 변화 / ~ combination 화합 / ~ energy 화학 에너지 / ~ fiber 화학 섬유 / a ~ formula 화학식 / the ~ industry 화학 공업 / ~ reaction 화학 반응 / ~ textile 화학 섬유 / ~ weapons 화학 병기 / a ~ works 제약 공장. — *n.* (종종 *pl.*) 화학 제품〔약품〕; 화학 공업주(株): ⇨ FINE 〔HEAVY〕 CHEMICAL. [파] **~·ly** *ad.* 화학으로; 화학적으로.

chémical abùse 흥분제〔진정제, 알코올 음료 등〕 상용, 약물 남용. [파] **chémical abùser**

chémical bálance 〘화학〙 화학 저울⟪특히,

chémical bónd 〘화학〙 화학 결합. 「분석용⟫.

chémical carcinogènesis 화학 발암⟪화학 물질에 의해 발생하는 암⟫.

chémical depéndency 〘의학〙 약물 의존.

chémical enginéering 화학 공학. 「식〕.

chémical equátion 〘화학〙 화학 반응식〔방정

Chémical Informátion Sỳstem 미국 환경 보호청 등이 중심이 되어 작성한 화학 물질에 관한 데이터 뱅크⟪생략: CIS⟫.

chémical kinétics 〘화학〙 반응 속도론.

chémical oceanógraphy 해양 화학⟪바닷물의 화학적 성질을 다루는 학문⟫.

chémical óxygen demànd 〘환경〙 화학적 산소 요구량⟪물의 오염도를 나타내는 기준이 됨; 생략: COD⟫. [cf] BOD.

chémical wárfare 화학전⟪생략: CW⟫.

chem·i·co- [kémikou, -kə] '화학에 관계된'의 뜻의 결합사.

chèmico·biólogy *n.* [U] 생화학.

chèmico·phýsical *a.* 물리화학의.

chèmico·phýsics *n. pl.* 〘단수취급〙 물리화학.

chèmi·cultivátion *n.* 농약 사용 경작.

che·mig·ra·phy [kəmígrəfi] *n.* 화학 약품(으로 하는) 부식조각법.

chèmi·luminéscence *n.* 화학 루미네선스, 화학 발광. 「(滲透壓)의.

chèmi·osmótic *a.* 〘생화학〙 화학적 삼투압

◇**che·mise** [ʃəmíːz] *n.* **1** (여성의) 속옷의 일종, 슈미즈; 시프트 드레스. **2** 옹벽(擁壁).

chem·i·sette [ʃèməzét] *n.* 슈미젯⟪chemise 위에 입어 목과 가슴을 가리는 속옷⟫.

chem·ism [kémizəm] *n.* [U] ⟪드물게⟫ 화학 작용.

chem·i·sorb [kéməsɔ̀ːrb] *vt.* 화학적으로 흡수〔흡착〕하다.

‡**chem·ist** [kémist] *n.* **1** 화학자. **2** ⟪영⟫ 약제

사, 약종상, 약장수(《미》 druggist): ~'s shop 《영》 약국(《미》 drugstore).

chem·is·try [kémәstri] *n.* **1** 화학: applied ~ 응용 화학. **2** 화학적 성질, 화학 작용. **3** 《구어》 (사람과 사람 간의) 공감대, 공통점, 죽이 맞음. **4** 《비유》 성분.

chem·i·type [kémәtàip] *n.* 화학 제판(製版).

che·mo- [kí:mou, -mә, kém-/kém-] '화학'의 뜻의 결합사: *chemo*synthesis / *chemo*therapy.

chèmo·áutotroph *n.* 『생물』 화학 합성 독립영양 생물.

chèmo·immunothérapy *n.* 『의학』 화학 면역 요법.

chémo·nàsty *n.* 『식물』 굴화성(屈化性).

chèmo·núclear *a.* 핵방사〔융합〕에 의한 화학 반응의, 핵화학의.

chem·o·phil·i·ac [kì:moufíliæ̀k, kè-] *n.*, *a.* 약을 좋아하는 (사람).

chèmo·prophyláxis *n.* 『의학』 화학적 예방(법)《질병 예방에 화학 약제를 쓰는 일》(=**chèmo·prevéntion**).

chèmo·recéptor *n.* 『생리』 화학 수용기.

chèmo·sénsing *n.* 『생리』 화학적 감각.

chèmo·sénsory *a.* 『생화』 화학적 감각의.

che·mos·mo·sis [kì:mazmóusis, kèm-/kèmɔz-] *n.* 화학(적) 삼투 작용. [파] **-mót·ic** *a.*

che·mo·sorb [kí:mәsɔ:rb] *vt.* =CHEMISORB.

che·mo·sphere [kí:mәsfìәr, kém-/kém-] *n.* [U] 화학권《성층권 상부로서 광(光)화학 반응이 일어나는 고도 50-60 km 를 말함》.

chémo·stàt *n.* 『세균』 배양 조건 조절 장치〔조(槽)〕.

chèmo·stérilant *n.* 『생물』 (해충 따위의 유해 동물에 쓰이는) 화학 불임제(不妊劑).

chèmo·stérilize *vt.* (곤충 등을) 화학 불임케 하다. [파] **-sterilizátion** *n.*

chèmo·súrgery *n.* 화학 약품에 의한 환부 제거; 화학 요법.

chèmo·sýnthesis *n.* [U] 화학 합성. [파] **-synthétic** *a.* **-synthétically** *ad.*

che·mo·tax·is [kì:moutǽksis, kè-/ke-] *n.* 『생물』 주화성(走化性)《생물이 특정한 화학 물질의 농도에 반응하여 이동하는 성질》.

chèmo·taxónomy *n.* 『생물』 화학 분류《생화학적 구성의 같고 다름에 의한 동식물의 분류 방식》. [파] **-mist** *n.* **-taxonómic** *a.* **-ically** *ad.*

chèmo·therapéutic, -tical *a.* 화학 요법의.

chèmo·thérapy *n.* [U] 화학 요법.

che·mo·troph [kí:mәtràf, -trɔ̀:f, -tròuf/kém-/kémәtrɔ̀f] *n.* 『생물·세균』 화학 합성 생물《광선 아닌 화합물을 에너지원(源)으로서 사용하는 생물》. [파] **chè·mo·tróph·ic** *a.*

che·mot·ro·pism [kimátrәpìzәm/-mɔ́t-] *n.* 『생물』 화학 굴성(屈性), 굴화성(屈化性).

chem·ur·gy [kémә:rdʒi] *n.* 《미》 농산(農產)화학.

Chengchow ⇨ ZHENGZHOU.

Cheng·du, Cheng·tu [tʃʌ́ŋdú:], [tʃʌ́ŋdú: / tʃéŋtú:] *n.* 청두(成都)《중국 쓰촨(四川)성의 성도(省都)》.

che·nille [ʃәní:l] *n.* 가장자리 장식용으로 꼰 실의 일종; 그것으로 짠 천.

cheong·sam [tʃɔ́:ŋsà:m] *n.* 청삼《중국의 여성복》.

Cheops ⇨ KHUFU.

cheque [tʃek] *n.* 《영》 수표(《미》 check).

chéque·bòok *n.* 《영》 수표장(帳).

chéque càrd 《영》 =CHECK CARD.

cheq·uer [tʃékәr] *n.* 《영》 =CHECKER¹.

Cheq·uers [tʃékәrz] *n.* 《영》 영국 수상 별장.

chéquing accòunt 《Can.》 =CHECKING ACCOUNT.

cher [ʃɛәr] *a.* 《속어》 매력적인; 유행에 정통한, 현대적 감각을 지닌.

cher·chez la femme [*F.* ʃɛʀʃelafam] 《F.》 여자를 찾아라《사건 뒤에는 여자가 있다》.

cher·eme [kéri:m] *n.* American Sign Language(미식 수화(手話) 언어)의 기본 단위.

cher·ish [tʃériʃ] *vt.* **1** 소중히 하다. **2** 귀여워하다, 소중히 기르다: ~ a child 아이를 귀여워하다〔소중히 기르다〕. **3** 《~+[목]/+[목]+[전]+[명]》 (소원 등을) 품다: ~ the religion in the heart 그 종교를 마음속으로 남몰래 신봉하다 / ~ a grudge *against*… …에게 원한을 품다. **~*ed desire*** 평소의 소원, 숙망. **~ *the memory of*** … 에 대한 추억을 늘 간직하다.

Cher·no·byl [tʃә:rnóubәl] *n.* 체르노빌《우크라이나 공화국의 Kiev 북쪽 130km에 위치한 도시; 1986 년 원자로 사고가 남》.

cher·no·zem [tʃɔ́:rnәzém, tʃέәr-] *n.* 체르노젬《유럽 러시아나 북아메리카 중앙부 등지의 냉온대·아습윤 기후의 스텝 지대에 발달한 비옥한 흑토 지대》.

Cher·o·kee [tʃérәki:, ˋ-ˊ] (*pl.* **~(*s*)**) *n.* **1** 체로키족《북아메리카 인디언》; [U] 체로키어. **2** 『지리』 미국 Iowa 주 북서부의 군 및 그 중심 도시. **3** 미국제 레저용 승용차《상표명》.

Chérokee róse 『식물』 금앵자(金櫻子)《미국 Georgia 주의 주화(州花)》.

che·root [ʃәrú:t] *n.* 양끝을 자른 여송연.

cher·ry [tʃéri] *n.* **1** 버찌. **2** 벚나무(~ tree). **3** [U] 벚나무 재목. **4** 『볼링』 일부러 앞쪽의 핀만을 쓰러뜨리기. **5** 《비어》 처녀막〔성〕; 《미속어》 초심자; (우승) 미경험. ***a second*** 〔***another***〕 ***bite at the*** ~ 두번째 기회. ***make*** 〔***take***〕 ***two bites at*** 〔***of***〕 ***a*** ~ 한 번에 될 일을 두 번에 하다; 꾸물거리다; 하찮은 일에 안달하다. ― *a.* **1** 버찌(빛깔)의; 버찌가 든: ~ pie 버찌〔체리〕 파이. **2** 벚나무 재목으로 만든. **3** 《비어》 처녀의; 《미속어》 (물건이) 새것인. [파] **~·like** *a.*

chérry àpple 〔**cràb**〕 각시능금나무.

chérry blòssom 벚꽃.

chérry·bòb *n.* 《영》 (2개가 붙은) 버찌송이.

chérry bòmb 버찌 크기만한 빨간 딱총알.

chérry bóy 《미속어》 숫총각.

chérry brándy 버찌를 넣어 만든 브랜디.

chérry-pìck *vt.*, *vi.* 정성스레 고르다《소매점에서 특매〔특가〕품 따위만 골라 사다》.

chérry pìcker 1 버찌를 따는 사람. **2** 쌓아올린 통나무 등을 하나씩 쳐드는 이동식 크레인; 사람을 올리고 내리는 이동식 크레인. **3** 《속어》 남색 상대의 소년(catamite); 《미속어》 처녀를〔젊은 여성을〕 좋아하는 남자. **4** 《로켓속어》 발사대 위 우주선에 이상 발생 시 비행사의 캡슐을 빼내는 기중기.

chérry·pìpe *a.* 《운율속어》 (성적(性的)으로) 상기(上氣)된.

chérry réd 선홍색; 《영속어》 =BOVVER BOOTS.

chérry·stòne *n.* **1** 버찌씨. **2** 『패류』 대합조개.

chérry tomáto 『원예』 방울〔꼬마〕 토마토.

chérry tòp 《미속어》 =LSD.

chert [tʃә:rt] *n.* 『광물』 수암(燧岩), 각암(角岩).

cher·ub [tʃérәb] (*pl.* **~*s*, *cher·u·bim*** [-ìm]) *n.* **1** 지품천사(智品天使), 케루빔《제 2 계급에 속하는 천사; 지식을 맡음》. **2** (*pl.* **~*s***) 『미술』 천동(天童)《날개를 가진 귀여운 아이의 그림》; (천사처럼) 순진한 어린이, 통통히 살찐 귀여운 아이; 동안(童顏)인 사람. [cf.] seraph. [파] **~·like** *a.*

che·ru·bic [tʃәrú:bik] *a.* 천사의, 천사 같은; 천진스러운, 귀여운. [파] **-bi·cal·ly** *ad.*

cher·vil [tʃɔ́:rvil] *n.* 『식물』 파슬리류(類)《샐러드용》.

Cher·yl [ʃérәl] *n.* 여자 이름.

Chés·a·peake Báy [tʃésәpi:k-] 체서피크 만 《미국 Maryland 주와 Virginia 주 사이의 만》.

che sa·rà, sa·rà [*It.* kesaràsará] 《It.》 될 대로 되다(what will be, will be).

Chesh·ire [tʃéʃər] *n.* **1** 체셔《잉글랜드 북서부의 주; 주도 Chester; 생략: Ches.》. **2** =CHESHIRE CHEESE. **3** 우편물의 주소 자동 첨부기.

Chéshire cát 늘 능글맞게 웃는 사람. ***grin like a*** ~ 《구어》 공연히 능글맞게 웃다.

Chéshire chéese Cheshire 산(產)의 크고 둥글넓적한 치즈. 「람; Ⓤ 체코어.

ches·key [tʃéski] *n.* 《속어》 체코계(系)의 사

***chess**¹ [tʃes] *n.* Ⓤ 체스, 서양장기.

chess² *n.* 『식물』 참새귀리속(屬)의 식물.

chess³ *n.* 배다리 위의 건너지르는 널.

chéss·bòard *n.* 체스판, 서양장기판.

King Queen Rook Bishop Knight Pawn

chessboard

ches·sel [tʃésəl] *n.* 치즈 제조용 틀.

chéss·màn [-mæ̀n, -mən] (*pl.* ***-mèn*** [-mèn, -mən]) *n.* (체스의) 말.

chest** [tʃest] *n.* **1** (뚜껑 달린) 대형 상자, 궤; =CHESTFUL; CHEST OF DRAWERS. SYN. ⇨ BOX. ¶a carpenter's ~ 목수의 연장통. **2** (공공 단체의) 금고; 《비유》 자금: ⇨ MILITARY (COMMUNITY) CHEST. **3** 흉곽, 가슴: ~ trouble 폐병 / a cold on the ~ 기침감기. SYN. ⇨ BREAST. **4** (가스 등의) 밀폐 용기. ***Chest out! 《구령》 가슴펴. ***get a load off*** one***'s*** ~ ⇨ LOAD. ***have ... on*** one***'s*** ~ 《구어》 …이 마음에 걸리다. ***play*** 〔***keep, hold***〕 ***it*** 〔one***'s cards***〕 ***close to*** one***'s*** 〔***the***〕 ~ 《구어》 신중히〔비밀로〕 하다. ***puff*** one***'s*** ~ ***out*** 가슴을 펴다.

chést·ed [-id] *a.* 〖주로 복합어로〗 가슴이 …한: broad-〔flat-〕~ 가슴이 넓은〔납작한〕.

Ches·ter [tʃéstər] *n.* 체스터. **1** 영국 Cheshire 주 주도. **2** 미국 Pennsylvania 주 동남부 도시.

Ches·ter·field [tʃéstərfì:ld] *n.* 체스터필드. **1** **Earl of** ~ 영국의 정치가·문인(1694-1773). **2** 미국 Liggett 사 제조의 궐련《상표명》. **3** (c-)(벨벳깃을 단) 싱글 외투의 일종; 《영》 소파.

Chéster Whíte 흰 돼지의 일종《미국 Pennsylvania 주 Chester 원산》. 「득한 양.

chest·ful [tʃéstful] *n.* 큰 상자〔통〕 하나의 그

chést nòte 『음악』 가슴소리《최저 음조》.

°**chest·nut** [tʃésnʌ̀t, -nət] *n.* **1** 밤; 밤나무(=∠ **trèe**); Ⓤ 밤나무 재목(~ wood); 마로니에(horse ~): sweet ~ 유럽산 밤(marron). **2** Ⓤ 밤색, 고동색; 구렁말. **3** 《구어》 케케묵은 이야기〔재담, 곡(曲)〕. **4** (*pl.*) 《속어》 젖통이; 불알. ***pull*** a person***'s*** ~***s out of the fire*** 아무를 위하여 불 속의 밤을 꺼내다, 아무의 앞잡이로 이용당하다. **—** *a.* 밤색의, 밤색 털의. 파 **~·ting** *n.* Ⓤ 밤〔도토리〕 줍기.

chéstnut blìght 『식물』 밤나무의 동고병(胴枯病)〔줄기마름병〕. 「정리장(欌).

chést of dráwers (*pl.* ***chésts-***) 서랍장(欌),

chést-on-chést *n.* (다리가 짧은) 이층장(欌).

chést protèctor **1** (방한용) 가슴받이, 흉의(胸衣). **2** 『야구』 =PROTECTOR.

chést règister 『음악』 흉성 성역(胸聲聲域).

chést thùmping (가슴을 두드리며 하는) 허풍, 호언장담.

chést tòne 『음악』 흉성음(胸聲音)《가슴소리; 비교적 저음역(域)의 목소리》. cf. head tone.

chést vòice 『음악』 =CHEST TONE.

chesty [tʃésti] *a.* 가슴이 큰; 《속어》 (여성이) 젖통이가 불거진; 《미속어》 뽐내는, 거만한; 《영구어》 폐렴·결핵 따위에 걸리기 쉬운, 가슴이 약한.

che·tah [tʃí:tə] *n.* =CHEETAH.

Chet·nik [tʃetní:k, tʃétnik] *n.* 체트니크《세르비아 민족 독립 운동 그룹의 일원》.

che·val-de-frise [ʃəvæ̀ldəfrí:z] (*pl.* ***chevaux-*** [ʃəvóu-]) *n.* 《F.》 (보통 *pl.*) 『군사』 방마책(防馬柵), 녹채(鹿砦)《기병의 침입을 막음》; (*pl.*) (담 위의) 철책·유리 조각 등.

che·va·let [ʃəvǽlei] *n.* 《F.》 (현악기의) 기러기발; (현수교의) 교대(橋臺).

che·vál glàss [ʃəvǽl-] 체경(體鏡)《온몸을 비추는 큰 거울》.

chev·a·lier [ʃèvəlíər] *n.* 《F.》 《고어》 (중세의) 기사(knight); (프랑스 등의) 훈작사(勳爵士); 기사다운 사나이, 의협적인 사람.

che·va·lier d'in·dus·trie [*F.* ʃəvaljədɛ̃dystʀi] 《F.》 사기꾼, 협잡꾼(=**chevalíer of índustry**). 「= COMA².

che·ve·lure [*F.* ʃəvlyʀ] *n.* 《F.》 두발; 『천문』

che·vet [ʃəvéi] *n.* 《F.》 (교회 동쪽 끝으로) 내달아 지은 예배당(apse).

Chev·i·ot [tʃéviət, tʃí:v-] *n.* 체비엇양(羊)《Cheviot Hills 원산》; (c-) Ⓤ 체비엇 양털로 짠 두꺼운 모직물. ***the*** ~ ***Hills*** 잉글랜드와 스코틀랜드 경계의 산맥.

chè·vre [ʃévrə, ʃév; *F.* ʃɛ:vʀ] *n.* 염소젖으로 만든 치즈(goat cheese).

Chev·ro·let [ʃèvrəléi, ʃévrəlèi] *n.* 시보레《미국의 대중적인 자동차 이름; 상표명》.

Chev·ron [ʃévrən] *n.* 셰브론(사)(~ Corp.) 《미국의 국제 석유 자본의 하나; 1926년 Standard Oil Co. of California로 설립, 1984년 Gulf 사를 매수하며 현사명(現社名)으로 개칭》.

chev·ron [ʃévrən] *n.* **1** 갈매기표 수장(袖章)《부사관 등의; 영국에서는 근무 연한을, 미국에서는 계급을 표시》. **2** 『건축』 갈지자 무늬 장식.

chevron 1

A. master sergeant B. sergeant C. corporal

chévron bòard 급커브를 나타낸 도로 표지 《지그재그 모양의》.

chev·ro·tain [ʃévrətèin] *n.* 쥐사슴《열대 아시아·아프리카산; 작고 뿔이 없음》.

Chevy [ʃévi] *n.* 《미구어》 Chevrolet의 애칭.

chevy, chev·vy [tʃévi] *n., v.* =CHIV(V)Y.

chew** [tʃu:] *vt., vi.* **1** 씹다; 깨물어 바수다. **2** 《+목+부》 깊이 생각하다, (심사)숙고하다《*over; upon*》: ~ the matter *over* in mind before coming to a decision 결론을 내리기 전에 그 일을 충분히 생각하다. **3** 씹는 담배를 씹다. **4** 《미속어》 수다 떨다. ***be ~***ed up*** 《영속어》 (…에 관해) 몹시 걱정하다〔심려하다〕《*about*》. ***bite off more than*** one ***can*** ~ ⇨ BITE. ~ ***a lone drink*** 〔***song, summer,*** etc.〕 《미속어》 홀로 쓸쓸히 술을 마시다〔노래 부르다, 여름을 보내다 등〕. ~ ***face*** 《학생속어》 키스하다. ~ ***out*** 《미구어》 호되게 꾸짖다, 호통치다. ~ a person***'s ass out*** 《미비어》 아무를 꾸짖다. ~ a person***'s ear off*** 《미속어》 (장황하게) 지껄이다. ~ ***the fat*** 《구어》 지껄이다, 재잘거리다. ~ ***the rag*** 《미속어》 지껄이다, 논하다; 《영구어》 불평하다, 투덜거리다. ~ ***up*** ① 짓씹다. ② (…을) 엉망진창으로 부수다, 못쓰게 만들다. ③ 《속어》 〖수동태로〗 완전히 패배당하다; (…로) 괴롭힘을 당하다, 손들게 하다. ***like a piece of*** ~***ed string*** 《구어》 너무 지쳐서 쇠약해진, 축 늘어진. **—** *n.* 저작, 씹기; 한 입. ***have a*** ~ ***at***

…을 한 입 깨물다〔먹다〕. ㊕ **∠·a·ble** *a.*
chéw·er *n.* 씹는 사람, 《특히》 씹는 담배를 씹는 사람; (문제 등을) 깊이 생각하는 사람; 반추동물.
***chéwing gùm** 껌.
chéwing tobàcco 씹는 담배.
che·wink [tʃiwíŋk] *n.* 〖조류〗 되새의 일종《북아메리카산》.
chewy [tʃúːi] *a.* 잘 씹어지지 않는; 잘 씹을 필요가 있는.
Chey·enne [ʃaiǽn, -én] (*pl.* ~(**s**)) *n.* 샤이엔족《북아메리카 원주민》.
chez [F. ʃe] *prep.* 《F.》 …의 집에서; (편지 겉봉의) …방(方), 전교(轉交).
CHF 〖의학〗 congestive heart failure(울혈성 심부전).
chg. charge. **chgd.** charged.
Chi. [tʃai] *n.* 《CB속어》 시카고.
chi [kai] *n.* 그리스어 알파벳의 22번째 글자《X, *x*》.
chi·ack, chy·ack [tʃáiək] *vt.* 《Austral.속어》 놀리다, 조롱하다. **—** *n.* 놀림; 악의 없는 농담.
Chiang Kai-shek [tʃǽŋkaiʃék, dʒáːŋ-] 장제스(蔣介石)《중국의 정치가; 1887–1975》.
Chi·an·ti [kiáːnti, -ǽn-/-ǽn-] *n.* Ⓤ 《It.》 키안티《이탈리아 원산의 붉은 포도주》.
chi·a·ro·scu·ro [kiɑ̀ːrəskjúərou/-skúər-] *n.* Ⓤ 《It.》 〖미술〗 명암〔농담〕의 배합; 〖문예〗 명암(대조)법; Ⓒ 명암의 배합을 노린 그림〔목판화〕. **—** *a.* 명암(법)의.
chi·as·ma [kaiǽzmə] *n.* Ⓒ 〖생물〗 키아스마, 염색체 교차.
chi·as·mus [kaiǽzməs] *n.* 〖수사학〗 교차 대구법(交叉對句法)《말의 X자 모양 배열 전환; 보기: We live to die, but we die to live.》. ㊕ **chi·as·tic** [kaiǽstik] *a.* 교차법의.
chi·bouk, -bou·que [tʃibúː(ː)k] *n.* (터키의) 긴 담뱃대.
chic [ʃi(ː)k] *a.* (옷 등이) 매력 있고 유행에 어울리는, 멋진, 스마트한(stylish): a ~ hat 멋진 모자. **—** *n.* Ⓤ **1** (특히 옷의) 멋짐, 기품, 우아; (독특한) 스타일: She wears ~, expensive clothes. 그녀는 멋지고 값진 옷을 입고 있다. **2** 유행, 현대풍. ㊕ **∠·ly** *ad.* **∠·ness** *n.*
chi·ca [tʃíːkə] *n.* 《미속어》 라틴 아메리카 여자, (특히) 미국에 사는 라틴계 여자.
***Chi·ca·go** [ʃikáːgou, -kɔ́ː-] *n.* 시카고《미국 중부의 대도시》. ㊕ **~·an** *n.* 시카고 시민.
Chicágo Bóard of Tráde (the ~) 시카고 상품 거래소《특히 곡물의 세계 시세를 지배함; 생략: CBT》.
Chicágo Convèntion 시카고 조약《국제 민간 항공에 관한 조약》. ⓒⓕ ICAO.
Chicágo Mércantile Exchànge (the ~) 시카고 상품 거래소《소·돼지·육류 외에 국제 통화·주가 지수(株價指數) 선물 거래를 하는 미국 최대급의 상품 거래소》.
Chicágo piáno 《미속어》 =THOMPSON SUBMACHINE GUN.
Chicágo píneapple 《미속어》 수류탄; 소형 폭탄.
Chi·ca·na [tʃikáːnə, -kǽnə] *n.*, *a.* 치카나(의)《멕시코계 미국 여성》.
chi·cane [ʃikéin] *n.* **1** =CHICANERY. **2** 〖카드놀이〗 으뜸패가 한 장도 없는 사람(에게 주어지는 득점). **3** 시케인《자동차 경주 도로의 감속용 장애물》. **—** *vt.*, *vi.* (궤변으로) 얼버무리다, 둘러대다, 발뺌하다; 기만하다. ~ a person ***into*** do*ing* 아무를 속여서 …하게 하다. ~ a person ***out of*** a thing 아무에게서 물건을 속여 빼앗다.
chi·can·ery [ʃikéinəri] *n.* Ⓤ,Ⓒ 꾸며댐, 발뺌, 속임수, 궤변; 책략.
chi·ca·nis·mo [tʃiːkɑːníː(ː)zmou] *n.* 치카노(Chicano)로서 가지는 강한 민족적 자부심 또는 치카노 정신〔혼〕.
Chi·ca·no [tʃikáːnou] (*pl.* **~s**) *n.* 멕시코계 미국인, 멕시코계의 미국인 노동자.
chi·chi [tʃíːtʃìː] *a.*, *n.* 현란한〔태를 부린〕 (것); 멋진(것); 《속어》 (성적으로) 자극을 주는; 《미속어》 호모 사내의; (흔히 *pl.*) 《비어》 젖퉁이; 섹시한 것〔여자〕.
°**chick**[1] [tʃik] *n.* **1** 병아리, 새새끼. **2** 《애칭》 어린애; (the ~s) (한집안의) 아이들. **3** 《속어》 아가씨, 계집애.
chick[2], **chik** [tʃik] *n.* 《Ind.》 발(bamboo screen).
chick·a·bid·dy [tʃíkəbìdi] *n.* 《소아어》 삐악삐악《병아리》; 《애칭》 아기, 귀여운 아이.
chick·a·dee [tʃíkədìː] *n.* 〖조류〗 박새류.
Chick·a·mau·ga [tʃìkəmɔ́ːgə] *n.* 미국 Georgia 주 북서부에 있는 수로《남북 전쟁 때 남군이 대승한 곳(1863)》.
chick·a·ree [tʃíkəriː] *n.* 붉은다람쥐《북아메리카산》.
Chick·a·saw [tʃíkəsɔ̀ː] (*pl.* ~(**s**)) *n.* 치카소《아메리카 원주민의 한 종족》.
****chick·en** [tʃíkən] (*pl.* ~(**s**)) *n.* **1** 새새끼; 《특히》 병아리: hatch ~*s* 병아리를 까다〔부화하다〕. **2** 《미속어》 닭(fowl); Ⓤ 닭고기. **3** 《구어》 아이, 애송이; 계집아이; 《속어》 매력 있는 여자: She is no ~. 그녀는 이젠 어린애가 아니다; 《구어》 이젠 젊지 않다. **4** 《속어》 겁쟁이; 신병(新兵); (도둑·사기꾼의) '봉'. **5** 《속어》 음경. **6** 《속어》 호모의 대상으로서의 소년; (호모의) 면; 젊은 남창. **7** 《미속어》 담력 시험; 《경멸》 육군 대령의 기장. **8** 《미속어》 권력을 빗대고 횡포함, 마구 권위를 내세움; 《군대속어》 번거로운 규율. ***Chickens come home to roost.*** = 《구어》 Curses come home to ROOST. ***choke the*** ~ 《미속어》 마스터베이션하다. ***count*** one***'s*** ~***s before they are hatched*** 떡줄 놈은 생각도 않는데 김칫국부터 마신다. ***get it where the*** ~***s got the ax*** 《미구어》 혼난다, 호되게 경치다. ***go to bed with the*** ~***s*** 밤에 일찍 자다. ***like a*** ~ ***with its head off*** 《미속어》 마구 흥분하여. ***play*** ~ 《미속어》 상대가 물러서기를 기대하면서 서로 도전하다; (차를 충돌 직전까지 고속으로 몰아) 담력을 테스트하다. **—** *a.* **1** 닭고기의. **2** 어린애의, 작은: a ~ lobster 잔 새우. **3** 《속어》 겁 많은, 비겁〔비열〕한; 《군대속어》 하찮은 규칙을 내대는. **—** *vi.* 〘다음 관용구로〙 ~ ***out*** 《구어》 겁을 먹고 (…에서) 물러서다〔손을 떼다, 내리다〕《*of; on*》: ~ *out on* the plan 그 계획에 겁을 먹고 물러서다.
chícken-and-égg [-ənd-] *a.* (논의 따위가) 닭이 먼저냐 달걀이 먼저냐의: a ~ problem 〔dilemma〕.
chícken brèast 새가슴.
chícken-brèasted [-id] *a.* 새가슴의.
chícken bùtton 《속어》 비상용 탈출 버튼 (chicken switch).
chícken-chòker *n.* 《속어》 수음(手淫)을〔자위 행위를〕 하는 사람.
chícken chòlera 가금(家禽) 콜레라.
chícken còlonel 《미군대속어》 육군 대령.
chícken cóop 닭장.
chícken fèed 닭모이; 《구어》 잔돈; 싼 급료; (적의 스파이에게 흘려 주는) 가짜 정보.
chícken-fried stéak 〖요리〗 튀김옷을 입혀서 튀긴 조그마한 스테이크.
chícken hàwk 〖조류〗 말똥가리류(類); 《미속어》 소년을 찾아 헤매는 호모《성적 대상으로》.
chícken hèart 〔**lìver**〕 겁쟁이, 소심한 사람.
chícken-héarted〔**-lívered**〕 *a.* 겁많은, 소심한(timid).
Chícken Líttle 《미》 나쁜 일이 일어날 것이라고 늘 걱정하는 사람《동화에 나오는 Chicken Little이 견과에 머리를 얻어맞고 하늘이 무너진다고 생각한 데서》.
chícken mòney 《속어》 잔돈(chicken feed).
chícken pòx 수두(水痘), 작은마마.

chícken rùn 양계장.
chícken sèxer 병아리 감별사.
chícken·shìt *n.* 《미속어》 소심한 사람, 겁쟁이; 아주 조금〔약간〕; 매우 사소한〔꾀까다로운〕 일, 귀찮고 까다로운 규칙; 으스대는 짓〔태도〕; 거짓말, 사기. ── *a.* 하찮은, 꾀까다로운; 으스대는; 겁쟁이의, 겁 많은. ── *vi.* 거짓말하다, 속이다; 시간을 끌다〔벌다〕.
chícken sòup 치킨 수프《화성에서의 유기물의 대사 기능의 유무를 조사하기 위해 사용했던 아미노산·비타민 등이 함유된 용액》.
chícken switch 《미속어》 **1** 〖로켓〗 우주선의 긴급 탈출 단추. **2** 당황하여 거는 도움 요청의 전화《따위》.
chícken thìef 《구어》 좀도둑; (지난날에) 강을 따라 물건을 팔러 다니던 작은 배. 「분한 글씨.
chícken tràcks 《미속어》 판독하기 힘든 지저
chícken wìre (그물코가 육각형인) (닭장용) 철망.
chícken yàrd 《미》 양계장(《영》 fowl-run).
chíck flìck 《구어》 여성 영화.
chick·ie [tʃíki] *n.* 《미속어》 젊은 여성; 여자 아이.
chick·let(te) [tʃíklit] *n.* 《미속어》 소녀.
chick·ling [tʃíkliŋ] *n.* 햇병아리; 새 새끼; 〖식물〗 잠두.
chíck·pèa *n.* 이집트콩, 병아리콩.
chíck·wèed *n.* 〖식물〗 별꽃.
chicky [tʃíki] *n.* chick[1]의 애칭.
chic·le [tʃíkəl] *n.* 치클《sapodilla에서 채취하는 껌의 원료》.
Chi·com [tʃáikàm/-kɔ̀m] *n., a.* 《경멸》 중국 공산당원(의), 중국 공산당의.
chic·o·ry [tʃíkəri] *n.* 〖식물〗 치커리(《영》 endive) 《유럽산; 잎은 샐러드용, 뿌리는 커피 대용》.
°**chide** [tʃaid] (***chid*** [tʃid], ***chid·ed*** [tʃáidid]; ***chid·den*** [tʃidn], ***chid, chid·ed***) *vt., vi.* 《문어》 **1** 꾸짖다(scold), 비난하다《*for doing*》, …에게 잔소리하다; 꾸짖어 내쫓다《*from; away*》; 꾸짖어 …하게 하다《*into*》: ~ a person *into* apologizing 아무를 꾸짖어 사과하게 하다. **2** 투덜대다. **3** (사냥개 따위가) 미친 듯이 짖어 대다, (바람 따위가) 사납게 불어 대다.
chief [tʃiːf] (*pl.* ~**s**) *n.* **1** 장(長), 우두머리, 지배자: the ~ of police 경찰서장(《영》 ~ constable) / the ~ of staff 참모장; (대통령의) 수석 보좌관 / the ~ of state 국가 원수. **2** (종족의) 추장, 족장. **3** 장관, 국장, 과장, 소장. **4** 《속어》 상사, 보스(boss), 두목. **5** 《미속어》 여보세요《낯선 이에 대한 호칭》. **6** (흔히 C-) 〖해사〗 1등 기관사. **7** 《고어》 (물건의) 주요부. **8** Ⓤ (방패의) 윗 부분. **9** (the ~) 《미속어》 =LSD 2. ***all ~s and no Indians*** 《영구어》 대장뿐이고 병졸이 없다. ***in*** ~ ① 최고위의, 주된: the editor *in* ~ 편집장 / ⇨ COMMANDER IN CHIEF. ② 주로(chiefly); 특히. ── *a.* **1** 최고의, 우두머리의, 제1위의: ~ engineer 〔nurse〕 기사장〔수간호사〕. **2** 주요한, 주된: the ~ difficulty 주된 난점.

> SYN. **chief** 지위·중요성에 있어서 제일의. 순위가 강조됨: the *chief* point 주요점. **principal** 실력·영향력·역할에 있어서 중심적인→주요한: the *principal* dancer 발레의 주역 무희 / a *principal* offender 정범(正犯). **leading** 지도적인→주요한. principal과 근사한 말: a *leading* motive 주된 동기. **capital** 우두머리의 위치를 차지하는→주요한: a *capital* city 수도. **main** 근간·주류를 차지하는→주요한: the *main* event 주요 경기 종목.

── *ad.* 《고어》 주로(chiefly), 특히(especially). ~(*est*) ***of all*** (그 중에서도) 특히.
chíef cónstable 《영》 (시·주의) 경찰서장.
chief·dom [tʃíːfdəm] *n.* Ⓤ,Ⓒ chief의 직〔지위〕; chief가 통할하는 지역〔종족〕.
Chíef Exécutive (the ~) 《미》 대통령; (the c- e-) 《미》 주지사; (c- e-) (한 정부의) 최고 행정관, 수반.
chíef exécutive òfficer ⇨ CEO.
Chíef Júdge 〖미법률〗 수석 판사, 하급 법원장.
chíef jústice (the ~) 재판장; 법원장: the *Chief Justice* of the United States 미연방 대법원장.
***chief·ly** [tʃíːfli] *ad.* **1** 주로(mainly). **2** 흔히, 대개. ── *a.* chief의〔에 의한〕: ~ rule 보스에 의한 지배.
chíef máster sérgeant 〖미공군〗 원사.
chíef mínister (인도나 오스트레일리아의) 지방 장관.
chíef ófficer 〔**máte**〕 1등 항해사. 「모총장.
chíef of nával operátions 〖군사〗 해군 참
chíef óperating ófficer 최고 경영자《생략: COO》. cf. chief executive officer.
chíef pétty òfficer 〖미해군〗 상사; 〖영해군〗 상사.
chief·ship [tʃíːfʃip] *n.* =CHIEFDOM.
chíef superintendent 《영》 (경찰의) 경무관.
chief·tain [tʃíːftən, -tin] *n.* 수령, 추장; 왕초, 두목; 《시어》 지휘관. ㊎ ~**·cy** [-si], ~**·ship** [-ʃip] *n.* Ⓤ,Ⓒ ~의 지위. 「성형.
chief·tain·ess [tʃíːftənis] *n.* CHIEFTAIN의 여
chíef wárrant òfficer 〖미군사〗 준위.
chiff·chaff [tʃíftʃæ̀f] *n.* 〖조류〗 솔새 무리의 명금(warbler)의 일종.
chif·fon [ʃifán, ⌐-/⌐fɔn] *n.* 《F.》 시폰, 견(絹) 모슬린; (*pl.*) (여성복의) 가장자리 장식《레이스·리본 따위》. ── *a.* 시폰과 같이 얇은〔부드러운〕; 거품 일게 한 흰자 따위를 넣고 살짝 익힌《파이·케이크 등》: a lemon ~ pie 레몬 파이의 일종.
chif·fo·nier [ʃifəníər] *n.* 양복장《폭이 좁고 높은, 거울이 달린》.
chif·fo·robe [ʃífəròub] *n.* (서랍 달린) 양복장.
chig·ger [tʃígər] *n.* 진드기의 일종; 벼룩의 일종(chigoe).
chi·gnon [ʃíːnjan, ʃiːnján/ʃíːnjɔn] *n.* 《F.》 뒷머리에 땋아 붙인 쪽.
chig·oe [tʃígou] *n.* 모래벼룩(sand flea)《서인도·남아메리카산; 손발〔발살〕에 기생》; 진드기의 일종(chigger).
Chi·hua·hua [tʃiwáːwaː, -wə] *n.* 치와와《멕시코 원산의 작은 개의 품종》.
chil·blain [tʃílblèin] *n.* (보통 *pl.*) 동상(凍傷) 《frostbite보다 가벼움》. ㊎ ~**ed** *a.* 동상에 걸린.
†**child** [tʃaild] (*pl.* ***chil·dren*** [tʃíldrən]) *n.* **1** 아이; 사내〔계집〕 아이, 어린이, 아동; 유아: *children's* diseases 소아(小兒)병 / as a ~ 어릴 때 / from a ~ 어릴 때부터 / The ~ is (the) father of 〔to〕 the man. 《속담》 세살 적 버릇이 여든까지 간다. **2** 자식, 아들, 딸《연령에 관계없이》; 자손(offspring)《*of*》: an only ~ 외아들 / the eldest ~ 장자 / a ~ *of* Abraham 아브라함의 자손, 유대인. **3** 어린애 같은 사람, 유치하고 경험이 없는 사람: Don't be a ~! 바보 같은 짓 마라. **4** 《비유》 제자(disciple), 숭배자《*of*》: a ~ *of* God 하느님의 아들, 선인, 신자 / a ~ *of* the Devil 악마의 자식, 악인. **5** (어느 특수한 환경에) 태어난 사람,(어느 특수한 성질에) 관련 있는 사람《*of*》: a ~ *of* the Renaissance 르네상스가 낳은 인물 / a ~ *of* the Revolution 혁명아. **6** (두뇌·공상 등의) 소산, 산물: a fancy's ~ 공상의 산물. ***a ~ of fortune*** 〔***the age***〕 운명〔시대〕의 총아, 행운아. ***a ~ of nature*** 자연아, 순진한 사람. ***a ~ of the forest*** 《미》 인디언. ***the***

children of this world 세상 (물정에 밝은) 사람들. ***this*** ~ 《속어》 나(I, me). ***with*** ~ 임신하여: be *with* ~ by …의 씨를 배고 있다 / get a woman *with* ~ 임신시키다 / go *with* ~ (여자가) 임신하고 있다.
chíld abùse 아동 학대.
chíld-bàttering *n.* (어른에 의한) 아동 학대 행위. cf. baby-battering. 「신 가능한.
chíld·bèaring *n.* Ⓤ 해산. **—** *a.* (나이가) 임
chíld·bèd *n.* 산욕(産褥) 중; 해산 중: die in ~ 해산 중에 죽다.
chíldbed féver =PUERPERAL FEVER. 「수당.
chíld bénefit 《영》 (국가에서 지급하는) 아동
chíld·bìrth *n.* Ⓤ,Ⓒ 분만, 해산(parturition); Ⓤ (한 나라 · 지방의) 출산율: a difficult ~ 난산.
chíld·càre *n.* Ⓤ 육아: a ~ center 보육원; 탁아소. **—** *a.* 육아의(=**chíld càre**).
chíldcare lèave 육아 휴가.
chíld-céntered *a.* 아이 중심의.
chíld cústody 〖법률〗 =CUSTODY 4.
childe [tʃaild] *n.* 《고어》 도련님, 귀공자: *Childe Harold's Pilgrimage* 해럴드 공자의 순유(巡遊)《Byron 작의 장편시》.
Chil·der·mas [tʃíldərməs] *n.* =HOLY INNOCENTS' DAY.
chíld guídance 아동 복지 관리 지도.
****child·hood** [tʃáildhùd] *n.* Ⓤ **1** 어린 시절, 유년 시절. **2** (발달의) 초기 단계: the ~ of science 과학의 요람기. ***in one's*** ~ 어릴 적에. ***in one's second*** ~ 늘그막에.
chíld·ing *a.* 임신하고 있는(pregnant).
***child·ish** [tʃáildiʃ] *a.* **1** 어린애 같은, 앳된, 유치한; 어리석은: a ~ idea 유치한 생각 / ~ innocence 어린애 같은 천진성. **2** 어린애의, 어린. cf. childlike. ㊣ **~·ly** *ad.* **~ ·ness** *n.*
chíld lábor 미성년 노동《미국서는 15세 이하》.
◇chíld·less *a.* 아이가 없는. ㊣ **~·ness** *n.*
***chíld·lìke** [tʃáildlàik] *a.* 〖좋은 뜻으로〗 어린애 같은〔다운〕; 귀여운. 「같이; 유치하게.
chíld·ly 《시어》 a. 어린애 같은. **—** *ad.* 어린애
chíld·mìnder *n.* 《영》 애보는 사람(babysitter); 보모.
chíld-nàpping *n.* 이혼 절차가 끝나기 전에 한쪽 부모가 자식을 빼앗는 일.
chíld pornógraphy 어린이 포르노그래피 (kid 〔kiddie, kiddy〕 porn)《아이를 이용한 〔주제로 한〕 외설책이나 사진》.
chíld prédator 어린이를 매춘이나 포르노 모델 등을 시켜 영업하는 사람들.
chíld pródigy =INFANT PRODIGY.
chíld·pròof *a.* 어린애는 다룰 수 없는; 어린애에게 안전한: ~ caps 어린애는 열 수 없는 병(마
chíld psychólogy 〖심리〗 아동 심리학. ⌊개).
chil·dren [tʃíldrən] CHILD 의 복수. ~ ***of Israel*** 유대교도, 유대인. ***Children's Day*** 〖교회〗 어린이날《6월의 둘째 일요일, 미국에서 1868년 시작》.
chil·dren·ese [tʃìldrəníːz] *n.* 《미》 소아어(baby talk); 어린애말.
Chíldren of Gód (the ~) 〖기독교〗 하느님의 자녀파《Jesus Movement 의 한 파》.
chíld-resìstant *a.* (제품이) 어린애가 장난할 수 없는; 어린애용으로 안전하게 된(childproof).
chíld's plày 〖항상 무관사〗 《구어》 아이들 장난(같이 쉬운 일); 하찮은 일: It's mere ~ for him. 그에게 있어서 그건 식은 죽 먹기다.
chíld suppòrt (이혼 후 친권자에게 지급되는)
chíld wélfare 아동 복지. ⌊자녀 양육비.
chíld wífe 어린 아내.
Chile [tʃíli] *n.* 칠레《남아메리카 서남부의 공화국; 수도 Santiago》. ㊣ **Chíl·e·an, Chíl·i·an** [-ən] *a., n.* 칠레의 (사람).

chile ⇨ CHILI.
Chil·e·an·ize [tʃíliənàiz] *vt.* 칠레화하다, 칠레 정부의 통제 아래 두다. ㊣ **Chìl·e·an·i·zá·tion** *n.*
Chíle sáltpeter 〔**níter**〕 칠레 초석(硝石), 질산나트륨.
chili, chile, chil·li [tʃíli] (*pl.* **~s, chíll·ies**) *n.* 고추(hot pepper); 〖식물〗 칠레 고추《열대 아메리카 원산》; 〖요리〗 =CHILI CON CARNE. **—** *a.* 《미속어》 멕시코풍의: ~ food 멕시코풍 요리.
chil·i·ad [kíliæ̀d] *n.* 일천; 일천 년. 「人) 대장.
chil·i·arch [kíliɑ̀ːrk] *n.* 〖고대그리스〗 천인(千
chil·i·asm [kíliæ̀zəm] *n.* Ⓤ 천년 왕국설《예수가 재림하여 천년간 이 세상을 다스린다는》. cf. millennium. ㊣ **-ast** [-æ̀st] *n.* 위의 신봉자.
chil·i·as·tic [kìliǽstik] *a.*
chili con car·ne [tʃìlikɑnkɑ́ːrni/-kɔn-] *n.* 《Sp.》 Ⓤ 칠레 고추를 넣은 고기 및 콩 스튜《멕시코 요리》. 「그).
chíli dòg 칠레도그《chili con carne 를 친 핫도
chíli pòwder 칠레 파우더《고춧가루》.
chíli sàuce 칠레 고추를 넣은 토마토소스.
chill** [tʃil] *n.* **1** 냉기, 한기: the ~ *of* early dawn 새벽의 냉기. **2** 으스스함, 오한; 오싹하는 느낌, 오싹함, 무서움: have 〔catch, take〕 a ~ (몸이) 오싹하다, 으스스하다 / I feel a ~ creep over me. 몸이 오싹오싹한다 / The sight sent a ~ *to* my heart. 그것을 보고 오싹 소름이 끼쳤다. **3** 냉담: put on the ~ 《미속어》 …에게 냉담하게 굴다. **4** 풀 죽음, 실의; 흥을 깸, 싫증. **5** (주물의) 냉경(冷硬) 표면〔부〕; (니스 · 래커의) 흐린 부분; 〖야금〗 =CHILL MOLD. **6** 《미속어》 (차게 한) 맥주. ***cast a ~ ***upon*** 〔***over***〕 ***…*** =***put a*** ~ ***on …*** …에 찬물을 끼얹다; …의 흥을 깨다. **~*s and fever*** 《미》 학질, 간헐열. ***put the*** ~ ***on*** a person 아무를 죽이다. ***send*** **~*s*** 〔***a*** ~〕 ***up*** 〔***down***〕 a person***'s spine*** =***send*** **~*s*** 〔***a*** ~〕 ***up and down*** a person***'s spine*** 아무를 등골이 오싹게 하다. ***take the*** ~ ***off*** (물 · 술 따위를) 약간 데우다, 거냉하다.
— *a.* **1** 차가운, 냉랭한; 오싹하는: The night is ~. 냉랭한 밤이다. **2** 《문어》 냉담한, 쌀쌀한: a ~ reception 쌀쌀한 대접. **3** 〖부사적〗 《미속어》 완전한〔히〕, 정확한〔히〕, 완벽한〔히〕.
— *vt.* **1** 식히다, 냉각하다, (음식물 · 포도주를) 차게 하여 맛있게 하다; 냉장하다: *Chill* the wine before serving. 내오기 전에 와인을 차게 해 두세요. **2** 춥게 하다, 오싹하게 하다: be ~*ed* to the bone 추위가 뼛속까지 스며들다; 오싹 소름이 끼치다. **3** (정열 따위를) 식히다; …의 흥을 깨다, 낙담시키다: ~ a person's hopes 아무의 희망을 꺾어 버리다. **4** 〖야금〗 (쇳물을) 냉경(冷硬)하다. **5** 《영구어》 (술 · 물 등을) 알맞게 데우다. **6** 《미속어》 (분쟁 · 불만 등을) 냉정히 효과적으로 해결하다. **7** 《미속어》 (때려) 기절시키다, 죽이다; 화나게 하다. **8** (칠한 면을) 식혀 흐려지게 하다.
— *vi.* **1** 차지다, 으스스〔오싹〕해지다: My very blood ~s at the thought of it. 그것을 생각하면 오싹 소름이 끼친다. **2** 〖야금〗 (쇳물이) 급냉 응고하다. **3** 《미속어》 얌전하게 따르다; (저항 없이) 붙잡히다. **4** 《미속어》 (계획 · 사람에게) 정열을 잃다, 냉담해지다, 열이 식다. **5** 《미속어》 =~ out. ~ ***out*** 《속어》 침착해지다, 냉정해지다. ~ a person***'s blood*** 아무의 간담을 서늘하게 하다. ***Chill with you later.*** (미속어) 그럼 또 (만나자).
㊣ **~ed** *a.* 차가워진; 냉경(冷硬)된《강철》; 냉장한: ~*ed* meat 냉장육(肉) / ~*ed* casting 냉경 주물. **∠·er** *n.* **1** 냉장실, 냉장 담당원; =CHILL MOLD. **2** =THRILLER; 《구어》 멜로드라마; 흥을 깨는 것〔사람〕. **∠·ness** *n.* =CHILLINESS.

chíll càr 《미》 『철도』 냉장차.
chíll-càst *vt.* 『야금』 (녹인 금속을) 냉각 주조하다《단단하고 조밀한 표면을 만들기 위해 용해된 금속을 냉각시킨 금속제 주형(鑄型)에 부어 급속 냉각시키다》.
chíller-díller *n.* 《미속어》 (소설 · 영화 따위의) 공포물, 서스펜스물(chiller).
chíll fàctor 체감 온도, 내한 한도(耐寒限度), 풍속 냉각 지수(windchill factor).
chil·li [tʃíli] (*pl.* **~es**) *n.* 《영》 =CHILE.
chill·i·ness [tʃílinis] *n.* 냉기, 한기; 냉담.
chíll·ing *a.* 냉랭한; 냉담한. ㊞ **~·ly** *ad.*
chíll mòld 『야금』 냉경 주형(冷硬鑄型).
Chil·lon [ʃəlán, ʃíːlən/ʃilɔ́n] *n.* 스위스 Geneva 호(湖) 부근의 옛 성《전에 정치범을 수용한》.
chíll·òut *n.* (연료 부족으로 인한) 난방 정지.
chíll pìll 《속어》 진정제: take a ~ 《속어》 냉정해지다, 침착해지다.
chíll·ròom *n.* 냉장실.
chíll·some *a.* 으스스 추운, 차가운(chilly).
chil·lum [tʃíləm] *n.* 수연통(水煙筒)의 대통; (끽연용) 약초; 《구어》 마리화나용 수연통; (담배) 한 모금의 양.
chilly** [tʃíli] (chill·i·er; chill·i·est***) *a.* **1** 차가운, 으스스한: feel 〔be〕 ~ 으스스하다. **2** 추위를 타는. **3** 냉담한, 쌀쌀한. **4** (이야기 따위가) 등골을 서늘해지게 하는, 오싹하게 하는. **—** *ad.* 냉담하게. ㊞ **chíll·i·ly** *ad.*
chi·lo- [káilou, -lə] '입술'의 뜻의 결합사.
chi·lo·plas·ty [káiləplæ̀sti] *n.* Ⓤ 입술 성형 수술.
Chíl·tern Húndreds [tʃíltərn-] (the ~) 런던 북서쪽에 있는 구릉 지대 Chiltern Hills 부근의 국왕 영지《하원의원이 합법적인 사직의 절차로서 이곳의 관리직(管理職)을 청원하는 습관이 있음》. ***accept*** 〔***apply for***〕 ***the*** ~ 《영》 하원의원(직)을 사퇴하다.
Chi·lung, Kee·lung [tʃíːlúŋ], [kíː-] *n.* 지룽(基隆)《대만 북부의 항구 도시》.
chi·mae·ra [kimíərə, kai-] *n.* =CHIMERA.
chimb [tʃaim] *n.* =CHIME².
chime¹** [tʃaim] *n.* **1** 차임, (조율을 한) 한 벌의 종; (흔히 *pl.*) 관종(管鐘)《오케스트라용(用) 악기》; (종종 *pl.*) 그 종소리: ring 〔listen to〕 the ~*s* 차임을 울리다〔듣다〕. **2** (문 · 시계 등의) 차임; 차임 소리, (라디오의) 시보. **3** Ⓤ,Ⓒ 해조(諧調)(harmony), 선율(melody). **4** Ⓤ,Ⓒ 조화, 일치: fall into ~ with …와 조화하다 / keep ~ with …와 가락을 맞추다. ***in ~ 조화하여.
— *vt.* **1** (차임 · 종을) 울리다. **2** (선율 · 음악을) 차임으로 연주하다. **3** 《~+목/+목+부/+목+전+명》 (시간을) 차임으로 알리다; (사람을) 차임으로 모이게 하다: The clock ~*d* one. 시계가 한 시를 쳤다 / The bells ~*d* me home. 종소리가 귀가를 재촉했다 / ~ a person *to* rest 종을 쳐 아무를 쉬게 하다. **4** (노래하듯) 단조롭게 반복하다. — *vi.* **1** (차임이) 울리다. **2** (차임처럼) 조화되어 울려퍼지다. **3** 조화하다, 일치하다(agree) 《*with*》. **4** 단조롭게 이야기를 하다. ~ ***in*** 《*vi.*+부》 ① (노래 따위에) 맞추다, 맞도록하다. ② (사물이 …와) 조화하다, 일치하다《*with*》. ③ (이야기 따위에 찬성의 의견을 가지고) 끼어들다 《*with*》. ④ (아무 이야기 따위에) 동의하다《*with*》. — 《*vt.*+부》 ⑤ (…라고) 맞장구를 치다: "Of course," he ~*d in.* '물론이죠'라고 그는 맞장구를 쳤다.
chime² *n.* (맥주 통 따위 양끝의) 돌출한 가장자리; 『해사』 (갑판 위의) 홈.
chim·er¹ [tʃáimər] *n.* 종을 울리는 사람.

chi·me·ra [kimíərə, kai-] *n.* **1** (*or* C-) (그리스 신화의) 키메라《사자의 머리, 염소의 몸, 뱀의 꼬리를 하고 불을 뿜는 괴물》; 《널리》 괴물, 도깨비 (bogy). **2** Ⓤ,Ⓒ 망상 (wild fancy); 터무니없는 계획. **3** 『발생』 (이조직(異組織)의) 공생체.

Chimera 1

chi·mere, chimer² [tʃimíər, ʃi-], [tʃi-mər, ʃim-] *n.* 성공회의 주교가 rochet 위에 입는 소매 없는 검은 제의.
chi·mer·ic, -i·cal [kimérik, kai-], [-əl] *a.* 공상의, 망상의; 정체불명의, 터무니없는. ㊞ **-i·cal·ly** *ad.*
chi·me·rism [kimíərizəm, kai-, káimərìzəm] *n.* 『생물』 키메라 현상. ⓒⓕ chimera.
***chim·ney** [tʃímni] *n.* **1** 굴뚝《집 · 기관차 · 기선 · 공장 따위의》. **2** (램프의) 등피. **3** 굴뚝 모양의 것; (화산의) 분연구(噴煙口); 『등산』 (몸을 넣고 기어오를 정도의) 암벽의 세로로 갈라진 틈. **4** 《구어》 대단한 흡연가.

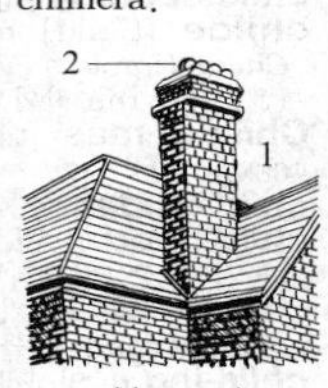

chimney 1
1. chimney stack
2. chimney pots

chímney brèast 벽난로의 방에 돌출한 부분.
chímney càp 굴뚝 갓.
chímney còrner 난롯가, 노변《옛날식의 큰 난로 앞의 따뜻한 자리》.
chímney jàck 회전식 굴뚝 갓.
chímney nòok =CHIMNEY CORNER.
chímney pìece =MANTELPIECE.
chímney pòt 굴뚝 꼭대기의 연기 나가는 구멍; 《영구어》 실크해트(=**chímney-pòt hát**).
chímney shàft =CHIMNEY STALK.
chímney stàck 〔**stàlk**〕 여러 개의 굴뚝을 한데 모아 맞붙인 굴뚝; (공장 따위의) 높은 굴뚝.
chímney swàllow 1 《영》 (굴뚝에 둥지를 치는) 제비. **2** 《미》 =CHIMNEY SWIFT.
chímney swèep(er) 굴뚝 청소부.
chímney swìft 『조류』 칼새《북아메리카산》.
chímney tòp 굴뚝 꼭대기.
chimp [tʃimp] *n.* 《구어》 =CHIMPANZEE.
chim·pan·zee [tʃìmpænzíː, tʃimpǽnzi] *n.* 『동물』 침팬지《아프리카산》.
chin** [tʃin] *n.* 턱; 턱끝. ⓒⓕ jaw. ¶ with (one's) ~ in hand 손으로 턱을 괴고. ***be ~ ***deep*** 턱까지 물에 잠기다. ~ ***in air*** 턱을 내밀고. ***Chin up!*** 《구어》 기운 내라; 힘내라. ***keep*** one***'s*** ~ ***up*** 낙담하지 않다. ***lead with*** one***'s*** ~ 《구어》 아슬아슬하리만큼 경솔히 행동하다. ***stick*** 〔***put***〕 one***'s*** ~ ***out*** 《구어》 =stick one's NECK out. ***take …*** 〔***take it***〕 (***right***) ***on the*** ~ 《구어》 (턱 · 급소를) 얻어맞다; 패배하다, 완전히 실패하다; (고통 · 벌을) 참고 견디다. ***up to the*** ~ 턱(밑)까지; 깊이 빠져 들어《*in*》: He is *up to* his ~ *in* debt. 그는 빚 때문에 옴쭉을 못 하고 있다. — (***-nn-***) *vt., vi.* **1** (바이올린 등을) 턱에다 갖다 대다, 턱으로 누르다. **2** 《~ oneself》 (철봉에서) 턱걸이하다. **3** 《미속어》 …에게 말을 걸다(talk to); 지껄이다.
Chin. China; Chinese.
†**Chi·na** [tʃáinə] *n.* 중국. ***from*** ~ ***to Peru*** 세계 도처에. ***the People's Republic of*** ~ 중화 인민 공화국, 중국. ***the Republic of*** ~ 중화민국《타이완 정부》. — *a.* 중국(산)의.

*__chi·na__ [tʃáinə] *n.* Ⓤ 자기(porcelain); 〔집합적〕 도자기; 《미속어》 차 한 잔; 《속어》 치아(teeth): a ~ shop 도자기 가게, 사기전. **—** *a.* **1** 도자기제(製)의. **2** 스무 번째의, 20주년 기념의; 도혼식(陶婚式)의.
chína àster 〖식물〗 과꽃. 「chona).
chí·na bàrk [káinə-, kíːnə-] 기나피(皮) (cin-
chína·bèrry *n.* 〖식물〗 **1** 멀구슬나무. **2** 무환자(無患子)나무. 「색.
chína blúe 차이나 블루, 밝은 회색이 감도는 청
chína clày 도토(陶土), 고령토(kaolin(e)).
chína clòset 찬장《특히 유리를 낀》.
chína crèpe =CRÊPE DE CHINE.
Chína gràss 모시풀.
Chína·man [-mən] (*pl.* ***-men*** [-mən]) *n.* **1** 중국인《Chinese보다 좀 경멸적》. **2** (c-) 도자기 상인. ***a ~'s chance*** 《미》〔보통 부정문〕 있을까 말까 한 희박한 가능성: He hasn't *a ~'s chance* of getting that job. 그에게는 그 직장을 얻을 수 있는 가능성이란 거의 없다.
chìna·mánia *n.* 도자기 수집광〔열〕. ㊞ **-ni·ac** *n.* ~의 사람.
Chína róse 〖식물〗 월계화; 목부용속(屬)의 일종.
Chína Séa (the ~) 중국해(海).
Chína sỳndrome 중국 증후군《원자로의 노심용융(爐心溶融)(melt down)에 의한 사고; 용융물이 대지에 침투, (미국의) 지구 반대쪽인 중국에까지 미친다는 상상에 의거한 말》.
Chína téa 중국차(茶).
Chína·tòwn *n.* 중국인 거리.
Chína trèe 〖식물〗 멀구슬나무(chinaberry).
chína·wàre *n.* Ⓤ 도자기.
Chína(-)wàtcher *n.* 중국 (문제) 전문가. cf. Pekingologist.
chína wédding 도혼식《결혼 20주년》.
Chína whíte 《미속어》 헤로인(heroin). 「dible).
chín·bòne *n.* 〖동물·해부〗 아래턱(뼈)(man-
chin·ca·pin [tʃíŋkəpìn] *n.* =CHINQUAPIN.
chinch [tʃintʃ] *n.* **1** 빈대(bedbug). **2** =CHINCH BUG.
chínch bùg 〖곤충〗 긴노린재류(類)《밀의 해충》.
chin·chil·la [tʃintʃílə] *n.* 친칠라《다람쥐 비슷한 짐승; 라틴 아메리카산》; Ⓤ 친칠라 모피; 보풀진 두꺼운 모직물.
chin-chin [tʃíntʃìn] *int.* 《영구어》 야아, 안녕하세요, 안녕히 가세요; 축배를 듭시다. **—** *n., vt., vi.* 정중히 격식 갖춘 인사(를 하다); 한담(하다).
CHINCOM [tʃínkəm] *n.* 대중공(對中共) 수출 통제 위원회《1970년대 중반에 그 활동을 중지함》. cf. COCOM. [◂ *China Com*mittee]
chine[1] [tʃain] *n.* 등뼈(backbone); (짐승의) 등(뼈)살; 산등성이, 산마루, 산봉우리. **—** *vt.* …의 등을 따라 찢다; …의 등뼈를 가르다.
chine[2] *n.* 《영방언》 좁고 깊은 골짜기.
chine[3] *n.* =CHIME[2].
Chi·nee [tʃainíː] *n.* 《속어·경멸》 중국인《Chinese를 복수로 생각해 만든 말》.
⁑**Chi·nese** [tʃainíːz, -níːs/-níːz] *a.* 중국의; 중국풍의; 중국인의; 중국어의. **—** (*pl.* ~) *n.* 중국
Chínese béllflower 도라지. 「인; Ⓤ 중국어.
Chínese blóck 목탁.
Chínese bóxes 크기의 차례대로 포개 넣을 수 있게 만든 그릇이나 상자.
Chínese cábbage 배추. 「력(太陰曆).
Chínese cálendar (중국에서 사용했던) 태음
Chínese cháracter 한자.
Chínese chéckers 다이아몬드 게임《구멍이 뚫린 다이아몬드형의 말판 위의 핀을 자기 쪽에서 상대방 쪽으로 먼저 이동시키는 사람이 이김; 2-6명이 놀 수 있음》. 「가짜.
Chínese cópy 결점까지 진짜와 꼭같이 만든
Chínese fíre drìll 《구어》 대혼란, 대소동; 중국식 소방 훈련《붉은 신호로 정지한 차에서 여러 사람이 뛰어내려 떠들면서 차의 주위를 돌다가 청신호로 바뀌기 직전에 다시 차안으로 들어가 자리를 차지하는 못된 장난》.
Chínese ínk 먹(China ink).
Chínese lántern (장식용의) 종이 초롱.
Chínese médicine 한의학《약초·침구 요법을 포함한 중국의 전통 의학》.
Chínese phóenix 봉황새.
Chínese púzzle 매우 복잡한 퀴즈; 난문(難問).
Chínese réd 주홍; 크롬적(赤); 《미속어》 헤로인.
Chínese-réstaurant sỳndrome 중화 요리점 증후군《중화 요리에 함유된 글루타민산나트륨 과다 사용에 의한 두통, 현기증, 팔·목 등의 마비》.
Chínese Revolútion (the ~) (1911년의) 신해혁명《이를 계기로 중화민국 수립》.
Chínese Wáll (the ~) 만리장성.
Chínese wáter tòrture 중국의 물 고문(拷問)의 한 가지《이마에 물을 흘리게 하여〔물방울을 떨어뜨려〕 미치게 만드는 고문》.
Chínese whíte 아연백(白)(zinc white)《그림물감》; 《미속어》 헤로인.
Chínese wóod òil 동유(桐油). 「간담.
chin·fest [tʃínfest] *n.* 《속어》 수다; 잡담모임;
Ching, Ch'ing [tʃiŋ] *n.* 〖역사〗 청(淸), 청조(淸朝)(1644-1912).
chin·ga·da, chin·ga·zo [tʃiŋgáːdə], [tʃiŋgáːsou] *n.* 《미속어》 성교.
Chink [tʃiŋk] *n.* 《속어·경멸》 중국인.
◇**chink**[1] [tʃiŋk] *n.* 갈라진 틈, 금, 틈새; (법·계획의) 맹점. ***a*** 〔***the***〕 ***~ in*** one***'s armor*** 《구어》 (작으나 치명적인) 약점. **—** *vt.* 갈라진 틈〔금〕을 메우다《up》.
chink[2] *n.* 짤랑짤랑, 땡그랑《화폐·유리그릇 등의 소리》; Ⓤ 《속어》 돈(money), 현금(cash). **—** *vi., vt.* 쨍그랑〔땡그랑〕 울리다.
chin·ka·pin [tʃíŋkəpìn] *n.* =CHINQUAPIN.
chinky [tʃíŋki] *a.* 금이 간, 틈새가 많은. ◇ chink[1] *n., v.*
chín·less *a.* 턱이 들어간; 《비유》 용기〔뚜렷한 목적〕 없는, 우유부단한, 나약한.
chínless wónder 《영속어》 (좋은 집안의) 못난〔병신〕 자식.
chín mùsic 《미속어》 잡담, 수다.
-chinned *a.* …턱의: double-~ 이중턱의.
chi·no [tʃíːnou, ʃíː-] (*pl.* **~s**) *n.* 《미》 치노《군복 등에 쓰이는 카키색의 질긴 면직물》.
Chi·no- [tʃáinou, -nə] '중국'의 뜻의 결합사: *Chino*-Korean 한중(韓中)의. ★Sino-Korean이 더 일반적임.
chi·noi·se·rie [ʃiːnwàːzəríː, -wáːzəriː] *n.* 17-18세기 유럽에 유행한, 복장·가구·건축 등에서의 중국풍의 취미; 중국 취미의 물건.
Chi·nook [ʃinúːk, -núk, tʃi-/tʃi-] *n.* **1** 치누크 사람《미국 컬럼비아 강 유역에 살던 아메리카 원주민》. **2** Ⓤ 치누크말. **3** 〖기상〗 (c-) 치누크(wet ~)《미국 북서부에서 겨울부터 봄까지 부는 따뜻한 남서풍》. ㊞ **~·an** *n., a.* 치누크 어족(의).
chin·qua·pin [tʃíŋkəpìn] *n.* 밤나무의 일종《북아메리카산》; 그 열매.
chín rèst (바이올린 따위의) 턱 괴는 곳.
chinse, chintze [tʃins], [tʃints] *vt.* (배의 널의 이음새를) 뱃밥으로 메우다.
chín stràp (모자의) 턱끈; (미용 성형용의) 턱끈; 고삐의 일부. 「의 총좌.
chín tùrret (폭격기·무장 헬리콥터의) 기수 밑
chintz [tʃints] *n.* Ⓤ 사라사 무명《커튼·의자

커버용》.

chintzy [tʃíntsi] (***chintz·i·er; -i·est***) *a.* 《구어》 값싼, 야한; chintz로 장식한[와 같은].

chín-ùp *a.* 지치지 않는, 용감한. **—** *n.* 턱걸이: do twenty ~*s.*

chín·wàg *n.* 《속어》 수다, 잡담. **—** (***-gg-***) *vi.* 「수다 떨다.

chip**[1] [tʃip] *n.* **1** (나무)토막, 지저깨비, (금속의) 깎아낸 부스러기; (모자·상자 등을 만드는) 대팻밥, 무늬목. **2** (도자기 등의) 깨진 조각, 사금파리; 이빠진 자국, 흠. **3** (보통 *pl.*) (음식의) 얇은 조각: potato ~*s* 얇게 썬 감자튀김. **4** (연료용) 가축의 말린 똥; 무미건조한 것; 시시한 것. **5** (포커 등의) 칩(counter). **6** 《구어》 알이 잔 다이아몬드. **7** (*pl.*) 《속어》 돈. **8** 〖골프〗 =CHIP SHOT. **9** 《영구어》 배에 승무하는 목수. **10** 〖컴퓨터〗 칩《집적 회로를 붙인 반도체 조각》; 집적 회로. ***a ~ in porridge (***pottage, broth***) 무해무득한 부가물, 있으나마나 한 것. ***a ~ of*** (***off***) ***the old block*** (기질·외모 등이) 아버지를 꼭 닮은 아들. ***a ~ on*** one***'s shoulder*** 《구어》 시비조; 원한[불만]을 지님. (***as***) ***dry as a ~*** 바싹 마른; 무미건조한, 시시한. ***buy ~s*** 투자하다. ***call in*** one***'s ~s*** 끝(났음)을 알리다. ***cash*** (***hand, pass***) ***in*** one***'s ~s*** (***checks***) 《미》 (포커에서) 칩을 현금으로 바꾸다; 장사 권리를 팔다; 《속어·완곡어》 죽다. ***have had*** one***'s ~s*** 《구어》 실패하다, 패배하다; 살해당하다. ***in the ~s*** 《미속어》 돈 많은, 유복한. ***let the ~s fall where they may*** (자기 탓으로) 결과야 어쨌든[남이야 뭐라 하든] (상관 않다). ***play*** one***'s last ~*** 비장의 수단을 쓰다. ***the bug under the ~*** 딴 생각, 저의(底意). ***when the ~s are down*** 《구어》 위급할 때, 일단 유사시.

— (***-pp-***) *vt.* **1** 《~+목/+목+전+명/+목+부》 (도끼·끌 따위로) 깎다, 자르다, 조각내다; (테·모서리 따위에서) 이가 빠지게 하다, 떨어져 나가게 하다; (페인트 등이) 벗겨지게 하다 《*from; off; out of*》: ~ (the edge of) a plate 접시(가장자리)의 이를 빠지게 하다 / ~a few pieces of ice *from* the large cube 네모진 얼음 덩어리에서 몇 개의 얼음 조각을 떼어내다 / The old paint was ~*ped off.* 낡은 페인트가 벗겨져 나갔다. **2** 《+목+전+명》 깎아서 …을 만들다 《*out of; into*》: ~ a toy *out of* wood = ~ wood *into* a toy 나무를 깎아 장난감을 만들다. **3** (병아리가 달걀 껍데기를) 깨다. **4** (튀김용의 감자를) 얇게 썰다. **5** 〖골프·미식축구〗 (볼을) 칩샷(chip shot)으로 치다; (포커 등에서) 칩을 내고 걸다. **6** 《Austral.》 괭이질하다, 갈다. **—** *vi.* **1** 《~/+부》 (돌·사기 그릇 등이) 이가 빠지다, 떨어져 나가다《*off*》: This china ~*s* easily. 이 사기 그릇은 이가 잘 빠진다. **2** 〖골프〗 칩샷을 치다. **3** (병아리가) 달걀 껍데기를 깨다.

~ ***at*** …에게 덤벼들다, …에게 독설을 퍼붓다. ~ ***away*** 《*vt.*+부》 ① (나무·돌 따위를) 조금씩 깎아내다[쪼아내다, 갉아내다]. **—** 《*vi.*+부》 ② (…이) 조금씩 깎이다[무너지다]; (…을) 조금씩 깎다[깎아내다]《*at*》: ~ *away at* the tree with one's ax 도끼로 그 나무를 조금씩 쪼아내다. ③ (관습·결의 따위를) 조금씩 무너지게 하다; (일·문제 따위를) 조금씩 처리해 나가다《*at*》: Repeated defeats ~*ped away at* the team's morale. 되풀이된 패배로 그 팀의 사기는 점차로 무너져 내렸다. ~ ***in*** 《구어》 《*vi.*+부》 ① (사업 등에) 기부하다, 돈을 (제각기) 내다, 추렴하다《*to* do; *for*》: ~ *in for* (*to* buy) the present 그 선물을 사기 위해 돈을 제각기 내다. ② (생각 따위를) 제각기 제시하다《*with*》: ~ *in with* suggestions for the trip 여행에 관한 생각들을 제각기 제시하다. ③ (논쟁·이야기에) 말참견하다, 끼어들다, (의견 따위를) 끼워 넣다《*with*》: ~ *in with* a few pertinent remarks 적절한 의견을 몇 개 끼워 넣다. ④ (포커 따위서) 판돈[칩]을 지르다. **—** 《*vt.*+부》 ⑤ (말을) 끼워 넣다: ~ *in* a few comments 몇 마디 끼워 넣다. ⑥ (…라고 말하며) 이야기에 끼어들다《*that*》: He ~*ped in that* it was a tiresome movie. 그는 지루한 영화였다고 말하며 이야기에 끼어들었다. ⑦ (돈 따위를) 기부하다, 추렴하다: ~ *in* six dollars, 6 달러 기부하다.

chip[2] (***-pp-***) *vi.* 《미》 짹짹 울다(chirp). **—** *n.* 짹짹 우는 소리. [imit.]

chip[3] *n.* 〖레슬링〗 안다리후리기.

chíp bàsket 《영》 대팻밥[무늬목]으로 결은[만든] 바구니.

chíp·bòard *n.* U,C 두꺼운 마분지, 판지(板紙).

chíp càrd 마이크로칩 등 반도체 칩을 실장(實裝)한 카드 《cash card, credit card, 진료 카드 등》.

chíp hèad 컴퓨터광(狂).

chíp·màker *n.* 반도체(소자(素子)) 제조업자.

chíp·màking *n.* 〖전자〗 반도체 제조. **—** *a.* 반도체 제조의.

chip·muck, -munk [tʃípmʌk], [-mʌŋk] *n.* 얼룩다람쥐(ground squirrel)《북아메리카산》.

chipmunk

chipped [-t] *a.* 얇게 깎은; 잘게 썬: ~ beef 잘게 썰어 만든 훈제 쇠고기.

Chip·pen·dale [tʃípəndèil] *n.* 치펜데일《18세기의 영국의 가구 디자이너; 그가 만든 가구; 치펜데일풍(의 가구)》. **—** *a.* 치펜데일풍의《곡선이 많고 장식적》.

chip·per[1] [tʃípər] *a.* 《미구어》 기운찬, 쾌활한. **—** *vt.* 기운을 돋우다《*up*》.

chip·per[2] *vi.* (새가) 짹짹 울다; 재잘재잘 지껄이다.

chip·per[3] *n.* chip[1] 하는 사람[도구]; 《미속어》 이따금 마약을 맞는 사람.

Chip·pe·wa [tʃípiwɑ̀ː, -wèi, -wə/-wɑ̀ː, -wə] *n.* 치피와 사람《Superior호(湖) 지방의 아메리카 원주민》.

chippie ⇨ CHIPPY[2] 3.

chip·ping[1] [tʃípiŋ] *n.* (보통 *pl.*) 지저깨비, 깎아낸 부스러기; (보통 *pl.*) 자갈.

chip·ping[2] *a.* 짹짹 우는.

chip·ping[3] *n.* 《미속어》 **1** 때로[몰래] 마약을 사용함. **2** 〖컴퓨터〗 위장 컴퓨터 칩을 적대국의 병기 체계에 잠입시키는 일.

chípping spàrrow 작은 참새의 일종《북아메리카산》.

chip·py[1] [tʃípi] (***-pi·er; -pi·est***) *a.* 지저깨비의 (가 많은); 《속어》 무미건조한(dry); 《속어》 (과음하여) 속이 쓰린, 숙취의; 성마른. 파 **chíp·pi·ness** *n.*

chip·py[2], **chip·pie** [tʃípi] *n.* **1** chipping sparrow의 애칭. **2** chipmuck의 애칭. **3** 《속어》 말괄량이; 바람기 있는 여자; 창녀. **4** 협궤 철도차. **—** *a.* 작은; 《구어》 아마추어 티가 나는, 미숙한; 행실 나쁜.

chíppy-chàser *n.* 《속어》 바람기 있는 여자를 좇는 남자.

chíppy jòint 《속어》 매춘굴(窟).

chíp revolùtion 반도체 혁명.

chíp sèt 〖컴퓨터〗 칩세트《세트가 되어 데이터 처리 기능을 행하는 소수의 실리콘 칩의 편성》 (=**chíp·sèt**).

chíp shòt 〖골프〗 칩샷《그린을 향하여 짧고 낮게 공을 쳐 올리는 일》.

chíp wàr 반도체 전쟁.

chip·wich [tʃípwitʃ] *n.* 《미》 칩위치《감자튀김

이나 비스킷 조각을 넣은 샌드위치 비슷한 것). [potato *chips*+sand*wich*]

chirk [tʃə:rk] *a.* ⦅미구어⦆ 쾌활한(=**chírky**), 기운찬. **—** *vi.* (문 등이) 날카롭게 삐걱거리다; (쥐·새가) 찍찍〔짹짹〕 울다; ⦅미구어⦆ 기운이 나다⦅*up*⦆. **—** *vt.* ⦅미구어⦆ 원기를 돋우다⦅*up*⦆.

chirm [tʃə:rm] *vi.* (새·벌레 등이) 시끄럽게 지저귀다〔울다〕. **—** *n.* 지저귐, 벌레 소리.

chi·ro- [káirou, -rə] '손'의 뜻의 결합사: *chi*rography.

chi·rog·no·my [kairágnəmi/-rɔ́g-] *n.* 수상술(palmistry), 손금보기.

chi·ro·graph [káirəgræ̀f, -grɑ̀:f] *n.* 증서, 자필 증서(自筆證書).

chi·rog·ra·phy [kairágrəfi/-rɔ́g-] *n.* Ⓤ 필법; 서체; 필적, 서(書). ***be skilled in*** ~ 달필이다. ㊞ **-pher** *n.* **chi·ro·graph·ic, -i·cal** [kàirəgrǽfik], [-ikəl] *a.*

chi·rol·o·gy [kairálədʒi/-rɔ́l-] *n.* Ⓤ 수화법(手話法); 손의 연구.

chi·ro·man·cy [káirəmæ̀nsi] *n.* Ⓤ 수상술, 손금보기. ㊞ **-màn·cer** [-sər] *n.*

chi·rop·o·dist [kirápədist, kai-/-rɔ́p-] *n.* 손발 치료 전문 의사.

chi·rop·o·dy [kirápədi, kai-/-rɔ́p-] *n.* 손발 치료. ㊞ **chi·ro·po·di·al** [kàirəpóudiəl] *a.*

chi·ro·prac·tic [kàirəprǽktik] *n.* 〖의학〗 척추 조정〔지압〕 요법, 카이로프랙틱. ㊞ **chí·ro·pràc·tor** *n.* 척추 지압사(師).

chi·rop·ter [kairáptər/-rɔ́p-] *n.* 〖동물〗 익수류(翼手類)의 동물⦅박쥐 따위⦆.

Chi·rop·tera [kairáptərə/-rɔ́p-] *n. pl.* (*sing.* ***-ter·os*** [-rəs]) 〖동물〗 포유강(哺乳綱) 익수목(目).

chi·rop·ter·an [kairáptərən/-rɔ́p-] *a., n.* 〖동물〗 익수류의 (동물). ㊞ **chi·róp·ter·ous** *a.*

***chirp** [tʃə:rp] *n.* Ⓤ 찍찍, 짹짹⦅새·벌레의 울음소리⦆. **—** *vi., vt.* **1** 짹짹〔찍찍〕 울다〔지저귀다〕. **2** (새된 음성으로) 이야기하다; ⦅속어⦆ 노래하다. **3** ⦅속어⦆ (경찰 등에) 정보를 알리다.

chirpy [tʃə́:rpi] *a.* 짹짹 우는; ⦅구어⦆ 쾌활한, 활발한. ㊞ **chírp·i·ly** *ad.* **chírp·i·ness** *n.*

chirr [tʃə:r] *vi.* (여치·귀뚜라미 따위가) 찌르르 찌르르〔귀뚤귀뚤〕 울다. **—** *n.* Ⓤ 찌르르찌르르〔귀뚤귀뚤〕 우는 소리.

chir·rup [tʃírəp, tʃə́:rəp] *n.* 지저귐; 쩟쩟⦅혀 차는 소리⦆. **—** *vi., vt.* 지저귀다; (아기를) 혀를 차며 어르다; (말 따위를) 혀를 차서 격려하다; ⦅속어⦆ (극장 등에서 박수부대가) 박수를 치다. ㊞ **~y** *a.* 짹짹 지저귀는; 쾌활한.

Chis·an·bop [tʃízənbɑ̀p/-bɔ̀p] *n.* 지산법(指算法)⦅산수 초보 교육을 위해 손가락을 쓰는 계산법; 한국인 배성진의 발명; 상표명⦆.

chis·el** [tʃízəl] *n.* **1** 끌, 조각칼, (조각용) 정: a cold ~ (금속용) 정. **2** (the ~) 조각술. **3** ⦅속어⦆ 잔꾀, 사취. ***full ~ 전속력으로. **—** (***-l-***, ⦅영⦆ ***-ll-***) *vt.* **1** ⦅~+목/+목+전+명⦆ 끌로 깎다, 끌로 파다〔새기다〕; 끌로 만들다; 마무르다⦅*out of; from; into*⦆: ~ marble 대리석을 끌로 깎다〔조각하다〕/~ a statue *out of* 〔*from*〕 marble 대리석으로 상(像)을 만들다. **2** ⦅+목+전+명⦆ ⦅속어⦆ 속이다; 사취하다⦅*out of*⦆: ~ a person *out of* something 아무를 속여 물건을 빼앗다. **—** *vi.* **1** 끌을 쓰다, 조각하다; ⦅구어⦆ 참견〔간섭〕하다⦅*in; in on*⦆. **2** ⦅+전+명⦆ 부정한 짓을 하다⦅*for*⦆: ~ *for* good marks 좋은 점수를 따려고 커닝을 하다. ***~ed features*** 이목구비가 뚜렷한 얼굴. ㊞ **chís·el·er,** ⦅영⦆ **-el·ler** *n.* 끌로 세공하는 사람; 새기는 도구; ⦅속어⦆ 사기꾼.

chí-square tèst 〖통계〗 카이제곱 검정.

chit[1] [tʃit] *n.* 싹. **—** (***-tt-***) *vi.* 싹을 내다, 싹이 트다.

chit[2] *n.* 어린아이; (건방진) 계집아이; 짐승의 새끼: a ~ of a girl 깜찍한 계집아이.

chit[3] *n.* (짧은) 편지, 보고; (음식점 따위에서의) 청구 전표; (특히 추천장으로서의) 인물 증명서; 차금 증서; 수표, 어음: the ~ system 전표 지불 제도⦅현금 지불에 대한⦆.

chít·chàt *n., vi.* Ⓤ 수다, 잡담〔한담〕(하다).

chi·tin [káitən] *n.* Ⓤ 〖생화학〗 키틴질(質), 각소(角素)⦅곤충·갑각류의 표면을 덮고 있는 껍질⦆. ㊞ **~·ous** [-əs] *a.* 키틴질의.

chít·lin cìrcuit [tʃítlən-] 흑인 극장〔나이트클럽〕.

chit·lings, -lins [tʃítliŋz], [-linz] *n.* =CHITTERLINGS.

chi·ton [káitn, -tɑn/-tn, -tɔn] *n.* **1** 〖고대그리스〗 일종의 가운. **2** 〖패류〗 딱지조개의 일종.

chit·ter [tʃítər] *vi.* 지저귀다(chirp); ⦅영방언⦆ (특히 추위로) 떨다.

chit·ter·lings [tʃítlinz, -liŋz] *n. pl.* (돼지 따위의) 소장(小腸)⦅식용⦆.

chit·ty [tʃíti] *n.* =CHIT[3].

chiv [ʃiv] *n.* ⦅속어⦆ 나이프, 단도(shiv).

chi·val·ric [ʃivǽlrik/ʃívəl-] *a.* ⦅시어⦆ 기사도(정신)의, 기사적인; 위협적인.

°**chiv·al·rous** [ʃívəlrəs] *a.* 기사의, 기사적인; 무용(武勇)의, 의협의; 기사도 시대〔제도〕의; 여성에게 정중한. ◇ chivalry *n.* ㊞ **~·ly** *ad.* **~·ness** *n.*

°**chiv·al·ry** [ʃívəlri] *n.* **1** Ⓤ 기사도, 기사도적 정신⦅여성에게 상냥하고 약자를 돕는⦆: the Age of *Chivalry* 기사도 시대⦅10-14세기⦆/the flower of ~ 기사도의 정화(精華). **2** Ⓤ (중세의) 기사도 제도. **3** 〔집합적〕 기사. **4** 여성에게 상냥한 신사들; 여성 숭배.

chive [tʃaiv] *n.* 〖식물〗 (보통 *pl.*) 골파⦅조미료⦆.

chiv(·v)y [tʃívi] *n.* (사냥의) 몰잇소리; 추적, 사냥; 〖유희〗 가댁질. **—** *vt., vi.* 쫓다, 쫓아다니다; 몰다; 혹사하다; 귀찮게 괴롭히다〔재촉하다〕⦅*along; up*⦆; 귀찮게 해 …시키다⦅*into*⦆.

Ch. J. Chief Justice.

chla·myd·ia [kləmídiə] *n.* 〖의학〗 클라미디아⦅성병(性病)의 하나; 림프샘염(炎)을 일으킴⦆.

chla·mys [kléimis, klǽ-] (*pl.* ***chlam·y·des*** [-mədi:z], **~·es**) *n.* 〖고대그리스〗 클라미스⦅어깨에서 매는 짧은 겉옷⦆.

Chloë [klóui] *n.* **1** 여자 이름. **2** 클로에⦅전원시에 나오는 양치는 소녀⦆.

chlor- [klɔ́:r] =CHLORO-.

chlo·ral [klɔ́:rəl] *n.* Ⓤ 〖화학〗 클로랄⦅무색의 유상(油狀) 액체; 수면제⦆; 클로랄 수화물(=~ **hýdrate**)⦅마취제(劑)⦆. ㊞ **~·ism** *n.* Ⓤ 클로랄 중독. **~·ize** *vt.* 클로랄로 처리하다.

chlo·ra·mine [klɔ́:rəmì:n] *n.* 〖화학〗 클로라민⦅쓴맛이 있는 결정; 최면 작용이 있음⦆.

chlor·am·phen·i·col [klɔ̀:ræmfénikɔ̀:l, -kɑ̀l/-kɔ̀l] *n.* 클로람페니콜⦅항생 물질⦆.

chlo·rate [klɔ́:reit, -rət] *n.* Ⓤ 〖화학〗 염소산염.

chlor·dane, -dan [klɔ́:rdein], [-dæn] *n.* 〖약학〗 클로르데인⦅냄새 없는 살충제⦆.

chlo·rel·la [klərélə] *n.* 〖식물〗 클로렐라⦅녹조(綠藻)의 일종; 우주식(食)으로 연구되고 있음⦆.

chlo·ric [klɔ́:rik] *a.* 〖화학〗 염소(塩素)의, 염소를 함유하는.

chlóric ácid 〖화학〗 염소산(酸), 클로르산.

chlo·ride [klɔ́:raid, -rid/-raid] *n.* Ⓤ 〖화학〗 염화물.

chlóride of líme 표백분.

chlóride pàper 〖사진〗 클로라이드지(紙).

chlo·ri·dize [klɔ́:rədàiz] *vt.* 염화물로 처리하다; …에 염화은(銀)을 입히다; 염화하다.

chlo·ri·nate [klɔ́ːrənèit] *vt.* …에 염소를 작용시키다, 염소로 처리〔소독〕하다. ㊊ **chlò·ri·ná·tion** *n.* Ⓤ

chlórinated hýdrocarbon 〖화학〗 염소화 탄화수소《환경 오염 물질 중 가장 오래 남는 살충제》.

chlo·rine [klɔ́ːrin] *n.* Ⓤ 〖화학〗 염소, 클로르《비금속 원소; 기호 Cl; 번호 17》.

chlórine dióxide 〖화학〗 이산화염소《ClO_2; 주로 목재 펄프·지방·기름·소맥분의 표백제용》.

chlo·rin·i·ty [klɔːrínəti] *n.* 염소량《해수(海水) 1kg 중에 함유된 염소, 요오드, 브롬 등의 전량의 그램수(數)》.

chlo·rite[1] [klɔ́ːrait] *n.* 〖화학〗 아염소산염.

chlo·rite[2] *n.* 〖광물〗 녹니석(綠泥石).

chlor·mád·i·none (**ácetate**) [klɔːrmǽdənòun(-)] 클로르마디논《경구 피임약》.

chloro- [klɔ́ːrou, -rə] **1** '초록색'의 뜻의 결합사. **2** '염소(塩素)'의 뜻의 결합사.

chlòro·acetophenóne *n.* 〖화학〗 클로로아세토페논(=**chlor·àcetophenóne**)《최루가스 용액》.

chlòro·bénzene *n.* 클로로벤젠《특이한 냄새의 무색 액체; DDT 등의 유기 합성용·용제》.

chloro·brómide pàper 〖사진〗 클로로브로마이드지《확대용 인화지의 일종》.

chlo·ro·dyne [klɔ́ːrədàin] *n.* Ⓤ 〖의학〗 클로로다인《아편·클로로포름을 함유한 진통 마취약》.

chlòro·fluorocárbon *n.* 〖화학〗 클로로플루오르카본《순환성 냉매(冷媒), 발포제, 용제로서 쓰이며 오존층 파괴가 문제되고 있음》.

chlòro·fluorométhane *n.* 〖화학〗 클로로플루오로메탄《스프레이의 분사제·냉각제; 생략: CFM》.

chlo·ro·form [klɔ́ːrəfɔ̀ːrm] *n.* Ⓤ 클로로포름《무색 휘발성 액체; 마취약》. ── *vt.* 클로로포름으로 마취시키다〔죽이다〕; (직물에) 클로로포름을 배게 하다. ㊊ **~·ize** *vt.* =CHLOROFORM.

Chlo·ro·my·ce·tin [klɔ̀ːroumaisíːtən] *n.* Ⓤ 〖약학〗 클로로마이세틴《chloramphenicol의 상표명》.

chlo·ro·phyl(**l**) [klɔ́ːrəfìl] *n.* Ⓤ 〖식물〗 클로로필, 엽록소, 잎파랑이.

chlo·ro·pic·rin, chlor·pic·rin [klɔ̀ːrəpíkrən], [klɔ̀ːr-] *n.* Ⓤ 클로로피크린《살충 살균제·독가스용》.

chlo·ro·plast [klɔ́ːrəplæ̀st] *n.* 〖식물〗 엽록체.

chlo·ro·prene [klɔ́ːrəprìːn] *n.* Ⓤ 클로로프렌《합성 고무의 원료》.

chlo·ro·quine [klɔ́ːrəkwin, -kwìːn/-kwìːn] *n.* Ⓤ 클로로퀸《말라리아 특효약의 일종》.

chlo·ro·sis [klɔːróusis] *n.* Ⓤ 〖의학〗 위황병(萎黃病)《빈혈증의 일종》; 〖식물〗 (녹색 부분의) 백화(白化)(현상). ㊊ **-rót·ic** *a.*

chlòro·thíazide *n.* 〖약학〗 클로로티아지드《강한 이뇨제·혈압 강하제》.

chlo·rous [klɔ́ːrəs] *a.* 〖화학〗 아염소산의, 3가(價)의 염소를 함유하는.

chlórous ácid 아염소산.

chlor·prom·a·zine [klɔːrprámәziːn/-prɔ́m-] *n.* 〖약학〗 클로르프로마진《정신병약》.

chlor·prop·a·mide [klɔːrprápəmàid, -próup-/-próup-] *n.* 〖약학〗 클로르프로파마이드《당뇨병의 경구 혈당 강하제》.

chlor·pyr·i·fos [klɔːrpírəfɑ̀s/-fɔ̀s] *n.* 〖약학〗 클로르피리파스《잔디·관상 식물 등의 살충제》.

chlòr·tetracýcline *n.* 〖약학〗 클로르테트라사이클린《항생 물질의 하나》.

chm., chmn. chairman. **Ch.M., Ch M** *Chirurgiae Magister* 《L.》 (=Master of Surgery).

choc [tʃɑk/tʃɔk] *n., a.* **1** 《영구어》 =CHOCOLATE. **2** 《미구어》 초콜릿 음료, 코코아.

chóc-bàr *n.* Ⓒ 《영구어》 아이스초코바.

chóc-ìce *n.* Ⓒ 《영구어》 초코아이스크림.

chock [tʃɑk/tʃɔk] *n.* 굄목, 쐐기《통·바퀴 밑에 괴어 움직임을 막음》; 〖해사〗 뿔 모양의 밧줄걸이; 받침 나무《갑판 위의 보트를 얹는》. ── *vt.* **1** 쐐기로 괴다〔고정시키다〕《*up*》; (보트를) 받침 나무에 얹다《*up*》. **2** 〔보통 수동태로〕 《영》 (방·공간 따위를) …으로 가득 채우다. 빽빽하게 넣다《*up*》: The car park *was ~ed up* with lorries. 주차장은 트럭으로 가득 채워져 있었다. ── *ad.* 꽉, 잔뜩, 빽빽하게; 아주.

chock-a-block [tʃákəblák/tʃɔ́kəblɔ́k] *a., ad.* 〖해사〗 (겹도르래의) 위아래의 도르래가 꽉 당겨져서; 완전히 감아올려진; 꽉 (들어)차서 〔찬〕《*with*》.

chock·er [tʃákər / tʃɔ́k-] *a.* 《속어》 지긋지긋한; 불쾌한; 《Austral.구어》 꽉 찬; 《Austral.구어》 술 취한.

chóck-fúll *a.* 꽉 들어찬: a box ~ *of* candy.

choc·o·hol·ic [tʃɔ̀ːkəhɔ́ːlik, -hálik, tʃɑ̀kə-/tʃɔ̀kəhɔ́l-] *n.* 초콜릿 중독자.

†**choc·o·late** [tʃɔ́ːkələt, tʃák-/tʃɔ́k-] *n.* Ⓤ **1** 초콜릿; (*pl.*) 초콜릿 과자; 초콜릿 음료: a ~ bar 판(板)초콜릿. **2** 초콜릿빛. **3** 《미속어》 대마초. ── *a.* 초콜릿(빛)의; 초콜릿으로 만든, 초콜릿이 든; 《속어》 흑인의.

chócolate-bòx *n.* (장식이 현란한) 초콜릿 상자. ── *a.*(=**chócolate-bòxy**) (초콜릿 상자 같은) 장식이 지나쳐 감상적인; 화려한, 즐거운.

chócolate chìps (보통 *pl.*) (디저트 등에 넣는) 초콜릿 칩; 《미속어》 환각제(LSD). 「키.

chócolate chìp cóokie 초콜릿 칩이 든 쿠

chócolate crèam 초콜릿크림《과자》.

chócolate sóldier 《비유》 실전에 참가하지 않는〔실전을 싫어하는〕 군인, 비전투원.

choc·o·laty, choc·o·lat·ey [tʃɔ́(ː)kələti, tʃák-] *a.* 초콜릿 비슷한, 초콜릿으로 만든.

Choc·taw [tʃáktɔː/tʃɔ́k-] (*pl.* ~(*s*)) *n.* 촉토족(의 사람)《아메리카 원주민의 한 종족; 현재는 Oklahoma에 삶》; (c-) 〖피겨스케이팅〗 촉토《오른발로 전진한 다음 왼발로 후진함》; 《미구어》 못 알아들을 말, 횡설수설.

choff [tʃɑf/tʃɔf] *n.* 《속어》 음식물(food). 「상》.

cho·go·ri [tʃougɔ́ːri] *n.* 저고리《한국의 고유 의

choice [tʃɔis] *n.* **1** Ⓤ 선택(하기), 선정: the ~ *of* one's company 친구의 선택. **2** Ⓤ 선택권, 선택의 자유〔여지〕: Let him have the first ~. 그에게 먼저 골라잡게 하십시오. **3** Ⓒ 〖집합적〗 (골라잡을 수 있는) 종류, 범위, 선택의 풍부함: a wide 〔great〕 ~ *of* candidates 다양한 후보자. **4** (the ~) Ⓒ 선발된 것〔사람〕; 특선품《*of*》: Which is your ~? 어느 것으로 하겠습니까. **5** 달리 취할 방도〔방책〕; 선택의 신중: with ~ 신중히. **6** Ⓤ 《미》 (쇠고기의 등급에서) 상등육.

a ~ for the tokens 〖신문〗 썩 잘 나가는 책. ***at*** one***'s own ~*** 멋대로, 자유 선택으로. ***by ~*** 좋아서, 스스로 택하여: I live here *by* ~. 나는 좋아서 이곳에 살고 있다. ***for ~*** 고른다면, 어느 쪽이냐 하면. ***from ~*** 자진하여. ***have a*** 〔***the,*** one***'s***〕 ~ 선택하다, 선택의 여지가 있다. ***have no*** (***other***) ***~ but*** 〔***except***〕 ***to*** do …할 수밖에 없다. ***have no*** (***particular, special***) ~ 어느 것이 특히 좋다고 할 수 없다, 무엇이나 상관없다. ***make ~ of*** …을 고르다. ***make*** 〔***take***〕 one***'s ~*** 골라잡다, 어느 하나를 택하다. ***of ~*** 고르고 고른, 정선한, 특상의. ***offer a ~*** 마음대로 고르게 하다. ***of*** one***'s*** (***own***) ~ 자기가 좋아서〔고른〕: He married the girl *of his own* ~. 좋아하는 여자와 결혼했다. ***There is no ~*** (between the two). (양자 사이에는) 우열이 없다. ***without*** ~ 가리지 않고, 차별 없이.

— (***chóic·er; chóic·est***) *a.* **1** (말 따위가) 고르고 고른, 정선한(well-chosen); 〖반어적〗 통렬한, 공격적인; (음식물 따위가) 극상의, 우량(품)의, 고급스러운; 《미》 (쇠고기가) 상등의: the *choicest* Turkish tobacco 특선 터키 담배 / my *choicest* hours of life 내 생애 최고의 때 / in ~ words 적절한 말로 / a ~ spirit 뛰어난 사람, 지도자. **2** 가리는, 까다로운: He is ~ *of* his food. 그는 식성이 까다롭다.

[파] **~·ly** *ad.* 정선하여, 신중히. **~·ness** *n.* 정교(우량)함.

*__choir__ [kwáiər] *n.* **1** 합창단, 《특히》 성가대. **2** (무용가 · 가수 등의) 대, 단; 《시어》 노래하고 있는 새(천사) 등의 떼. **3** (교회의) 성가대석. — *vt., vi.* 《시어》 (새 · 천사 등이) 합창하다. [파] **~·lìke** *a.*

chóir·bòy *n.* (성가대의) 소년 가수.

chóir·gìrl *n.* (성가대의) 소녀 가수.

chóir lòft (1 · 2층 중간의) 성가대석(席). [cf.] organ loft.

chóir·màster *n.* 성가대(합창단) 지휘자.

chóir òrgan (합창 반주용의) 최저음 오르간.

chóir schòol 성가대 학교《대성당 · 교회 등에서 경영하는 시립 초등학교 · 소년 성가대원에게 일반 교육을 함》.

chóir scrèen 성가대석과 일반석 사이의 칸막이.

chóir stàlls 《영》 성가대석.

*__choke__ [tʃouk] *vt.* **1** 《~+[목]/+[목]+[전]+[명]》 질식시키다, …을 숨막히게 하다: ~ a person *into* unconsciousness 목졸라 기절케 하다. **2** 《~+[목]/+[목]+[부]》 막다, 메우다, 막히게 하다《*up*》: Sand is *choking* the river. 모래 때문에 강이 메워지고 있다 / The drainpipe was ~*d up* with rubbish. 하수관이 쓰레기로 막혔다. **3** 《~+[목]/+[목]+[부]》 (성장 · 행동 등을) 저지(억제)하다《*off*》: ~ economic growth 경제 성장을 저해하다 / ~ *off* inflation 인플레이션을 억제하다. **4** 《+[목]+[부]》 (감정 · 눈물을) 억누르다: ~ *down* one's rage 분노를 꾹 참다. **5** 《~+[목]/+[목]+[부]》 (식물을) 시들게(마르게) 하다; (불을) 끄다《*off*》. **6** (엔진의) 초크를 당기다《혼합기(氣)를 진하게 하기 위하여 카뷰레터에 흘러들어가는 공기를 막다》. **7** 《영구어》 (남을) 실망시키다, 넌덜나게 하다. **8** 《~+[목]/+[목]+[부]》 (배트 · 라켓 등을) 짧게 쥐다《*up*》. — *vi.* 《~/+[전]+[명]》 **1** 숨이 막히다, 목메다; 막히다; (파이프 따위가) 메다: ~ *with* smoke 연기로 숨이 막히다 / ~ *on* (*over*) one's food 음식이 목에 걸리다. **2** (긴장 등으로) 얼다, 당황하여 실수하다《*with*》. ~ ***back*** (감정 등을) 억제하다, 참다. ~ ***down*** ① ⇨ *vt.* 4. ② (음식물을) 겨우 삼키다. ~ ***in*** 《미속어》 말을 삼가다, 잠자코 있다. ~ ***off*** ① ⇨ *vt.* 3, 5. ② (목을 졸라 비명 따위를) 지르지 못하게 하다. ③ 《영구어》 (호통을 치거나 하여) 침묵시키다. ④ 《구어》 (공급 따위를) 중단하다; (토론 등을) 중지시키다: ~ *off* supply of oil 석유 공급을 중단하다. ⑤ (…이유로 아무를) 꾸짖다, 야단치다《*for*》: ~ a person *off for* staying out late 밤늦게까지 외출해 있었다고 아무를 꾸짖다. ~ ***up*** 《*vt.*+[부]》 ① ⇨ *vt.* 2. ② 《구어》 (어떤 일이 …의) 말문을 막히게 하다. ③ ⇨ *vt.* 8. — 《*vi.*+[부]》 ④ (감정이 격앙되어) 말을 못 하게 되다. ⑤ 《미》 (긴장하여) 굳어지다, 얼다: He ~*d up* and dropped the ball. 그는 긴장으로 굳어져서 볼을 떨어뜨렸다.

— *n.* **1** 질식. **2** (파이프 등의) 폐색부(閉塞部)(chokebore); 총강(銃腔)의 폐색부를 조절하는 조리개. **3** 〖전기〗 초크 (코일), 색류(塞流) 코일(~ coil). **4** 〖기계〗 초크《엔진의 공기 흡입 조절 장치》.

chóke·bòre *n.* 폐색부; choke가 있는 총(銃).

chóke chàin 당길수록 조여지는 개목걸이.

chóke·chèrry *n.* (북아메리카산의) 벚나무의 일종; 그 열매《맛이 떫음》.

chóke còil 〖전기〗 초크 코일.

choked [tʃoukt] *a.* **1** 목멘. **2** 《구어》 진저리나는, 불쾌한. **3** 《속어》 (마약이) 효력이 없는.

chóke·dàmp *n.* [U] 질식성 가스(blackdamp) 《갱 속에 괴는 이산화탄소》.

chóke-fúll *a.* =CHOCK-FULL.

chóke póint (교통 · 항해의) 험난한 곳, 요충, 관문; 우회하기 어려운 길(지점).

chok·er [tʃóukər] *n.* **1** 숨막히게 하는 사람, (숨을) 막는 것. **2** 폭넓은 넥타이; 《구어》 높은 칼라; (목에 꼭 끼는) 짧은 네크리스, 목도리.

chok·ing [tʃóukiŋ] *a.* **1** 숨막히는. **2** (감동으로) 목이 메는 듯한: a ~ voice / a ~ cloud of smoke 숨이 막힐 듯이 자욱한 연기. — *n.* [U] 숨막힘. [파] **~·ly** *ad.*

choky[1] [tʃóuki] (***chok·i·er; -i·est***) *a.* 숨막히는, 목이 메는 듯한; 감정을 억제하는 기질의.

choky[2], **chokey** [tʃóuki] *n.* (the ~) 《속어》 유치장, 교도소.

chol- [kóul, kál/kɔ́l] =CHOLE-.

cho·lan·gi·og·ra·phy [kəlæ̀ndʒiágrəfi/-dʒiɔ́g-] *n.* 〖의학〗 담관(膽管) 조영(촬영)법. [파] **cho·làn·gio·gráph·ic** *a.*

cho·le- [kóulə, kálə/kɔ́li, -lə], **chol·o-** [kóulou, -lə, kál-/kóul-, kɔ́l-] '담즙(bile)'의 뜻의 결합사.

cho·le·cyst [kóuləsist, kál-/kɔ́l-] *n.* 〖의학〗 담낭.

cho·le·cys·tec·to·my [kòuləsistéktəmi] *n.* 〖의학〗 담낭 절제(술).

chòle·cystítis *n.* 〖의학〗 담낭염.

cho·le·cys·tos·to·my [kòuləsistástəmi, kàl-/kɔ̀lisistɔ́s-] *n.* [U] 〖의학〗 (담석 제거를 위한) 담낭 조루(造瘻).

chòle·lithiásis *n.* 〖의학〗 담석증.

chol·er [kálər/kɔ́l-] *n.* 《시어》 성마름; 불뚱이; 《고어》 담즙(질).

*__chol·era__ [kálərə/kɔ́l-] *n.* [U] 콜레라, 호열자. ***Asiatic*** (***epidemic, malignant***) ~ 진성 콜레라. ***European*** (***summer***) ~ =CHOLERA MORBUS.

[파] **chol·er·a·ic** [kàləréiik/kɔ̀l-] *a.* 콜레라(성)의, 유사 콜레라의.

chólera bèlt 콜레라 예방 복대(腹帶)《플란넬 따위의》.

chólera in·fán·tum [-infǽntəm] 〖의학〗 소아(小兒) 콜레라.

chólera mór·bus [-mɔ́ːrbəs] 급성 토사증, 식중독.

chol·er·ic [kálərik/kɔ́l-] *a.* 성마른; 성난: a man of ~ temper 툭하면 골내는 남자.

chol·er·ine [kálərin/kɔ́l-, -ràin] *n.* 경증(輕症) 콜레라.

cho·le·sta·sis [kòuləstéisis] (*pl.* ***-ses***) *n.* 〖의학〗 담즙 분비 중지.

cho·les·ter·ol, cho·les·ter·in [kəléstəròul, -rɔ̀ːl/-rɔ̀l], [kəléstərin] *n.* [U] 〖생화학〗 콜레스테롤《지방 · 혈액 · 담즙 따위에 있음》.

cho·les·ter·ol·e·mia [kəlèstərəlíːmiə] *n.* 〖의학〗 콜레스테롤혈(증)(血(症)).

cholésterol-lówering *a.* 콜레스테롤치(值)를 내리는: a ~ diet.

cholésterol-rích *a.* 콜레스테롤이 많은.

cho·li·amb [kóuliæ̀mb] *n.* 〖운율〗 파행 단장격(跛行短長格).

chó·lic ácid [kóulik-, kál-/kóul-, kɔ́l-] 〖생화학〗 콜산(酸)《담즙산(염)을 함유하는 스테로이드》.

cho·line [kóuliːn, kál-/kóul-, kɔ́l-] *n.* 〖생화학〗 콜린《비타민 B 복합체의 하나》.

cho·lin·es·ter·ase [kòulənéstərèis, -rèiz, kɑ̀l-/kɔ̀l-] *n.* 〖생화학〗 콜린에스테레이스《아세틸콜린을 초산과 콜린으로 가수 분해하는 효소》.

cho·li·no·mi·met·ic [kòulinoumimétik] *a.* 〖생화학 · 약학〗 콜린 자극성의. **—** *n.* 〖약학〗 콜린 자극제《부교감 신경 자극제》.

chol·la [tʃóuljɑː, -jə] *n.* 《Sp.》 선인장의 일종《미국 남서부산; 나무 같고 가시가 많음》.

chomp [tʃɑmp/tʃɔmp] *vt., vi.* 물다; (어적어적) 깨물다. **—** *n.* 어적어적 씹음.

Chom·sky [tʃɑ́mski/tʃɔ́m-] *n.* (**Avram**) **Noam** ~ 촘스키《미국의 언어학자 · 정치 평론가; 변형 생성 문법 창시; 1928-》. ⓟ **~·an** *a.* 촘스키의; 촘스키의 언어 이론의(에 의거한), 《특히》 변형 생성 문법의(=**-ski·an, ~·ite**).

chon·drin [kɑ́ndrin/kɔ́n-] *n.* Ⓤ 연골질(質)〔소(素)〕.

chon·dro·cyte [kɑ́ndrəsàit/kɔ́n-] *n.* 〖해부〗 연골 세포.

chon·droid [kɑ́ndrɔid/kɔ́n-] *a.* 연골 모양의.

chon·dro·ma [kɑndróumə/kɔn-] (*pl.* **~s, ~·ta** [-tə]) *n.* 〖의학〗 연골종(腫).

Chong·qing, Chung·king [tʃɔ́ːŋtʃíŋ], [tʃúŋkíŋ] *n.* 충칭(重慶)《중국 쓰촨(四川)성 동남부의 도시》.

choo-choo [tʃúːtʃùː] *n.* 《미소아어》 칙칙폭폭(《영》 puff-puff). **—** *vi.* 기차 타고 가다; 휙 달리다; 기차 소리를 흉내 내다. [imit.]

chook [tʃuk] *n.* 《Austral.구어》 병아리, 닭.

†**choose** [tʃuːz] (**chose** [tʃouz]; **cho·sen** [tʃóuzən]) *vt.* **1** 《~+목/목+전+명/+목+목》 (많은 것 가운데서) 고르다, 선택하다; 선정하다: ~ death before dishonor 불명예보다는 죽음을 택하다 / ~ whatever one likes 마음에 드는 것을 자유로이 고르다 / ~ Sunday *for* one's departure 출발 날짜를 일요일로 잡다 / I *chose* her a nice present. 그녀에게 좋은 선물을 골라 주었다. **2** 《+목+보/+목+전+명/+목+*as* 보/+목+*to be* 보》 …을 …으로 선출하다: ~ a person President 아무를 대통령으로 뽑다 / They *chose* him *for* their leader. =They *chose* him *as* their leader. =They *chose* him *to be* their leader. 그들은 그를 자기들의 지도자로 선출했다.

> SYN. **choose** 는 '선출하다'를 뜻하는 가장 일반적인 말. **elect** 는 투표 등의 방법으로 사람을 어떤 역이나 직에 선출한다는 뜻임. **select** 는 좋은, 적당한 사람이나 물건을 다수 중에서 신중히 골라낸다는 뜻임.

3 《+*to* do》 (…하는 편이 좋다고) 결정하다; (…하려고) 결심하다: You *chose to* do it. 네가 좋아서 한 일이 아니냐 / He *chose to* run for the election. 그는 출마하기로 결심했다. **4** 원하다, 바라다: Do you ~ any drink? 무엇을 좀 마시겠소. **—** *vi.* **1** 《~/+전+명》 (…에서) 선택하다, 고르다《*between; from; out of*》: ~ *between* the two 둘 중에서 고르다. **2** 바라다, 원하다: as you ~ 좋도록, 뜻대로, 좋다면 / You may stay here if you ~. 원한다면 여기 머물러도 좋소. ***cannot* ~ *but*** do …하지 않을 수 없다 (cannot help doing). **~ *how*** 《영구어》 좋든 싫든 상관없이. **~ *off*** 《미흑인속어》 싸움을 걸다. **~ *up*** 《미구어》 《*vt.*+부》 ① 선수를 뽑다, (팀을) 만들다: ~ *up* sides (teams) 팀으로 나누다. **—** 《*vi.*+부》 ② (야구 등 경기를 하기 위해) 팀으로 나누어지다. ***There is nothing* (*not much*) *to* ~ *between*** (them). (양자) 간에 우열은 전혀(거의) 없다.
ⓟ **chóos·er** *n.* 선택자; 선거인.

choosy, choos·ey [tʃúːzi] *a.* 《구어》 가리는, 까다로운《*about*》.

chop**[1] [tʃɑp/tʃɔp] (**-pp-**) *vt.* **1** 《~+목/+목+부/+목+전+명》 파팍 찍다, 자르다, 빼개다, 잘게(짧게) 자르다, 잘라 만들다《도끼 · 식칼 따위로》; (고기 · 야채 따위를) 저미다, 썰다《*up*》: ~ *up* a cabbage 양배추를 잘게 썰다 / ~ the tree *down* 나무를 베어 넘기다 / ~ a path *through* the forest 숲의 나무를 베어 작은 길을 내다. SYN. ⇨ CUT. **2** 《영구어》 (경비 · 예산 등을) 삭감(절감)하다. **3** 〖테니스 · 크리켓〗 (공을) 깎아치다. **4** (목화를) 솎아 내다. **5** (말을) 짧게 끊어 하다, 띄엄띄엄 말하다. **6** 《영구어》 해고하다. **7** 《영구어》 (계획 등을) 갑자기 중지하다《★ 종종 수동태로 쓰임》: The project *was* ~*ped*. 그 계획은 갑자기 중지됐다. **8** 《서아프리카구어》 먹다(eat). **—** *vi.* **1** 《~/+전+명》 찍다, 자르다, 베다: ~ *at* a tree 나무를 찍다. **2** 급히(갑자기) 움직이다(오다, 가다). **3** (물결이) 거칠어지다. **4** 〖권투〗 위에서 짧게 한 대 먹이다. **~ *at …에게 치고 덤벼들다, …에게 칼부림하며 달려들다. **~ *back*** 갑자기 되돌아가다. **~ *in* (*into*)** 갑자기 막다, 말참견하다《*with*》. **~ *off* (*away*)** 베어(잘라) 내다: ~ *off* a length of rope 밧줄을 어떤 길이로 잘라 내다. **~ *out* (*up*)** (지층이) 노출하다. **~ *upon*** 《속어》 …을 우연히 만나다; …에게 덤벼들다.
— *n.* **1** 절단. **2** 잘라 낸 한 조각; 두껍게 베어 낸 고깃점《흔히 뼈가 붙은》. **3** Ⓤ 역랑(逆浪), 삼각파(波). **4** 〖권투〗 위에서의 짧고 예리한 타격. **5** 《속어》 주먹의 일격; 《속어》 불쾌한 말(비평). **6** 《속어 · 서아프리카》 먹을 것, 음식물. **7** 《Austral. 속어》 몫(share). ***be for the* ~** 《영구어》 해고(살해)되다; 살해(해고)될 듯 싶다. ***get* (*be given*) *the* ~** 《영구어》 해고되다; 살해되다; 《영구어》 삭감되다. ***give ... the* ~** 《영구어》 …을 죽이다(해고하다); 《영구어》 (제안 등을) 뭉개 버리다.

chop[2] *n.* (보통 *pl.*) 턱, 뺨; (*pl.*) 《속어》 입, 구강; 입가; (*pl.*) 입구《항만 · 계곡 따위의》; (*pl.*) 《미속어》 음악적 재능; (*pl.*) 《미속어》 재능, 능력. ***beat*** one***'s* ~*s*** 《속어》 마구 지껄여대다. ***beat*** a person***'s* ~*s*** 《속어》 아무에게 시끄럽게 잔소리하다(쨍알거리다). ***lick* (*smack*)** one***'s* ~*s*** 《속어》 입맛 다시다(다시며 기대하다)《*over*》; 《미속어》 남의 불행을 고소해 하다.

chop[3] (**-pp-**) *vi.* **1** 《+부/+전+명》 (바람 따위가) 갑자기 바뀌다《*about; around*》: The wind ~*ped round from* west *to* north. 풍향이 갑자기 서에서 북으로 바뀌었다. **2** 생각이 흔들리다, 마음이 바뀌다《*about*》. **—** *vt.* 바꾸다. **~ *and change*** 《구어》 (방침 · 직업 · 의견 등을) 자꾸 바꾸다, 줏대가 없다《*about*》. **~ *logic* (*words*)** 구실을 늘어놓다, 자잘한 일에 퍼까다롭다 (cf. choplogic). **—** *n.* 갑자기 변함(바뀜)《다음 관용구만으로 쓰임》. **~*s and changes*** 변전(變轉), 우유부단, 무정견, 조령모개.

chop[4] *n.* 《Ind. · Chin.》 관인(官印); 출항(양륙, 여행) 허가증, 인가장; 《Chin.》 상표; 《영구어》 품종, 품질, 등급: the first ~, 1 급(품). ***grand* ~** 통관 절차. ***not much* ~** 《Austral. 구어》 대단치 않은, 별것 아닌.

chop-chop [tʃɑ́ptʃɑ́p/tʃɔ́ptʃɔ́p] *ad., int.* 《속어》 급히, 빨리빨리.

chóp·fàllen *a.* =CHAPFALLEN.

chóp·hòuse *n.* (육류(肉類) 전문의) 간이 음식점; 스테이크 요리점; 《고어》 (중국의) 세관.

Cho·pin [ʃóupæn] *n.* **Frédéric François** ~ 쇼팽《폴란드 태생의 피아니스트 · 작곡가; 1810-49》.

chop·log·ic [tʃɑ́plɑ̀dʒik/tʃɔ́plɔ̀-] *n., a.* 궤변(의) (⇨ CHOP[3] logic).

chóp màrk 인각(印刻)《18-19세기의 극동 지역에서 특히 은행가나 상인들이 경화(硬貨)가 진짜임을 나타내기 위해 표시한 자국》.
chopped [-t] *a.* 《미속어》 (자동차 · 오토바이 등) 개조한.
chópped líver 1 《미속어》 쓸모없는 사람〔것〕. 2 《영속어》 질(膣)(vagina).
◇**chóp·per** *n.* 1 자르는 사람〔물건〕; 도끼; 고기 자르는 큰 식칼(cleaver); 【전기】 단속(斷續)기. 2 (흔히 *pl.*) 《속어》 이(teeth), 《특히》 틀니. 3 《미속어》 표 받는 사람, 차장. 4 《구어》 헬리콥터; 《미속어》 경기관총. 5 【전자】 초퍼《직류나 광선을 단속하는 장치》. 6 《속어》 (특별히 맞춘) 개조 자동차〔오토바이〕. 7 【야구】 높이 바운드하는 타구(打球). ── *vt., vi.* 《속어》 헬리콥터로 날다〔나르다〕. 「관.
chópper-còpper *n.* 헬리콥터로 순찰하는 경
chóp·ping¹ *a.* 자르는 (데 쓰는); (아이가) 크고 튼튼한. ── *n.* 패기, 난도질; 나무를 벤 공터; 【테니스】 깎아치기.
chóp·ping² *a.* 삼각파(波)가 이는; (풍향 등이) 자주 바뀌는, 일정치 않은: a ~ sea 역랑(逆浪).
chópping blòck 〔**bòard**〕 도마.
chópping knìfe 잘게 써는 식칼.
chop·py [tʃápi/tʃɔ́pi] (**-pi·er; -pi·est**) *a.* 1 물결 이는, 파도치는. 2 (손 따위가) 터서 갈라진. 3 (바람이) 갑자기 변하는; (시장 따위가) 변동이 심한. 4 (문체 등이) 고르지 못한, 일관성이 없는. ㊞ **-pi·ly** *ad.* **-pi·ness** *n.*
chóp shòp 《속어》 훔친 차를 분해해 그 부품을 불법으로 비싸게 파는 장사.
chóp sócky mòvie 《미속어》 당수〔쿵후〕 영화.
chóp·stìck *n.* (보통 *pl.*) 젓가락; (C-s) 《단수취급》 양손의 집게손가락을 써서 피아노로 연주하는 간단한 왈츠.
chóp stròke 【구기】 (라켓으로 공을) 깎아치기.
chop su·ey, chop sooy [tʃápsú:i/tʃɔ́p-] 《Chin.》 *n.* 잡채《미국식 중국 요리》.
cho·ral [kɔ́:rəl] *a.* 1 합창대의; 합창(곡〔용〕)의. 2 일제히 소리 내는《낭독 따위》. ***the Choral Symphony*** 합창 교향곡《Beethoven 의 제 9 교향곡의 별칭》. ── *n.* =CHORALE. ㊞ **~·ly** [-i] *ad.* 합창으로.
cho·rale [kəræ̀l, -rá:l, kɔ:-, kɔ́:rəl/kərá:l] *n.* 1 합창곡; 성가. 2 합창단. ㊞ **cho·ral·ist** [kɔ́:rəlist] *n.* 성가대원; 합창단원; 합창곡 작곡가.
chórale prélude 【음악】 코랄 전주곡《주로 대위법 양식으로 작곡된 오르간용 전주곡》.
chóral sérvice (교회의) 합창 예배.
chóral socíety 합창단, 합창 음악 동호회.
chóral spéaking 슈프레히코어《시 · 산문을 소리를 합쳐 읊기》.
◇**chord**¹ [kɔ:rd] *n.* 1 (악기의) 현, 줄. 2 심금(心琴), 감정: strike a ~ 뭔가 생각나게 하다, 들은 일이 있다 / strike 〔touch〕 the right ~ 심금을 울리다. 3 【수학】 현(弦); 【공학】 현재(弦材); 【의학】 대(帶), 건(腱); 【항공】 익현(翼弦). ── *vt.* …에 현을 달다〔매다〕.
chord² *n.* 【음악】 화음, 화현(和絃). ── *vi.* 가락이 맞다. ── *vt.* …의 가락을 맞추다. 「화음(성)의.
chord·al [kɔ́:rdl] *a.* 【해부】 건(腱)의; 【음악】
chor·date [kɔ́:rdeit] *a.* 【동물】 척삭이 있는, 척삭동물의. ── *n.* 척삭동물.
chor·do·phone [kɔ́:rdəfòun] *n.* 【음악】 현명(絃鳴) 악기《harp, lute, lyre 따위》. 「의 옮김》.
chórd progréssion 【재즈】 화음 진행《화음 간
chórd sỳmbol 【음악】 (재즈 · 팝스 주자(奏者)들이 사용하는) 코드 기호《C, G 7 따위》.
***chore** [tʃɔ:r] *n.* 지루한〔싫은〕 일; (*pl.*) (일상의 가정의) 잡일, 허드렛일. ── *vi.* 잡일을 하다. ~ one's *way through* (college) 아르바이트하여 〔대학〕을 나오다.
cho·rea [kərí:ə, kɔ:-/kɔríə, kɔ:-] *n.* 무도병. ㊞ **cho·re·ic** [kɔ:rí:ik] *a.* 무도병의〔에 걸린〕.

chóre bòy 《미》 잡역부; (목장 등의) 취사 당번; 《구어》 심부름하는 아이. 「슷한〕.
cho·re·i·form [kərí:əfɔ̀:rm] *a.* 무도병의〔비
chóre·man [-mən, -mæ̀n] (*pl.* **-men** [-mən]) *n.* 잡일꾼, 노무자.
cho·re·o- [kɔ́:riou, -riə/kɔ́riɔ, -riə] '무용'의 뜻의 결합사: *choreo*mania.
cho·re·o·graph [kɔ́:riəgræ̀f, -grà:f/kɔ́riə-] *vt.* (음악 · 시 따위에) 안무하다. ── *vi.* 안무를 담당하다.
cho·re·og·ra·pher [kɔ̀:riágrəfər/kɔ̀:riɔ́g-] *n.* 안무가; 무용가〔교사〕.
cho·re·og·ra·phy, 《주로 영》 **cho·reg-** [kɔ̀:riágrəfi/kɔ̀:riɔ́g-], [kərég-] *n.* (무용 · 발레의) 안무(법); 안무 기술법; 스테이지댄스; 무용술. ㊞ **cho·re·o·graph·ic** [kɔ̀:riəgræ̀fik] *a.*
cho·re·ol·o·gy [kɔ̀:riálədʒi / kɔ̀riɔ́l-] *n.* 안무 기술(記述)법 연구. ㊞ **-gist** *n.*
chóreo·pòem *n.* 무용시(舞踊詩).
cho·ri·amb, cho·ri·am·bus [kɔ́:riæ̀mb], [ˋ-æ̀mbəs] *n.* 【운율】 강약약강격, 장단단장격. ㊞ **chò·ri·ám·bic** [-æ̀mbik] *a.*
cho·ric [kɔ́:rik, kár-/kɔ́r-] *a.* 합창(곡)의; 【고대그리스 연극】 가무단(歌舞團)의, 합창 가무식의.
chóric spéaking =CHORAL SPEAKING.
cho·rine [kɔ́:ri:n] *n.* 《미구어》 =CHORUS GIRL.
cho·ri·oid [kɔ́:riɔ̀id] *a., n.* 【해부】 =CHOROID.
cho·ri·on [kɔ́:riàn/-riən] (*pl.* **-ria** [-riə]) *n.* 【해부】 융모막(絨毛膜); 【동물】 장막(漿膜), 난각(卵殼). ㊞ **chò·ri·ón·ic** [-ik] *a.*
chorióníc gonadotróp(h)in 【생리】 융모막 성 생식선 자극 호르몬. 「체 검사.
chórion víllus biòpsy 【해부】 융모(絨毛) 생
cho·rist [kɔ́:rist] *n.* 합창대원. ㊞ **cho·ris·ter** [kɔ́:ristər, kár-/kɔ́r-] *n.* 성가대원《특히 소년 가수》; 《미》 성가대 지휘자.
C-horizon *n.* 【지학】 C 층위(層位)《기암(基岩) 중에서 B 층위 밑의 다소 풍화된 지층》.
cho·rog·ra·pher [kərágrəfər/kɔ:rɔ́g-] *n.* 지방지(誌)〔지도〕 편찬자.
cho·rog·ra·phy [kərágrəfi/kɔ:rɔ́g-] *n.* 지방지지(地誌)《topography 보다 넓은 범위 취급》; 지형도 (작성법). ㊞ **cho·ro·graph·ic, -i·cal** [kɔ̀:rəgræ̀fik], [-ikəl] *a.* **-i·cal·ly** *ad.*
cho·roid [kɔ́:rɔid] 【해부】 *a.* (눈알의) 맥락막(脈絡膜)의(=**cho·rói·dal**); 융모막 모양의. ── *n.* 맥락막(=ˊ~ **còat**); 융모막.
cho·roi·de·re·mia [kɔ̀:rɔidəri:miə] *n.* 【의학】 (선천성) 맥락막(脈絡膜) 결손(증).
cho·rol·o·gy [kərálədʒi/-rɔ́l-] *n.* (생물) 분포학. ㊞ **-gist** *n.* 「〔기념비〕.
chor·ten [tʃɔ́:rten] *n.* (티베트의) 라마교 사원
chor·tle [tʃɔ́:rtl] 《구어》 *vi.* (만족한 듯이) 크게 웃다, 우쭐해지다《*about; over*》. ── *n.* (a ~) 의기양양해 하는 웃음.
****cho·rus** [kɔ́:rəs] *n.* 1 【음악】 합창; 합창곡; (노래의) 합창 부분, 후렴(refrain). 2 〔집합적〕 합창대; 【고대그리스연극】 (종교 의식 · 연극의) 합창 가무단; (뮤지컬의) 합창단, 군무(群舞)단. 3 제창; 일제히 내는 소리〔웃음, 외침〕: a ~ *of* protest 일제히 일어나는 반대. ***a mixed*** ~ 혼성 합창. ***in*** ~ 이구동성으로, 일제히; 합창으로. ── *vt., vi.* 1 합창하다. 2 이구동성으로 〔일제히〕 말하다.
chórus bòy 〔**gìrl**〕 (가극 따위의) 코러스 보이〔걸〕, 합창단 소년〔소녀〕.
chórus lìne 코러스 라인《뮤지컬 무대에서 주연급과 코러스를 구별하는 선》.
chórus màster 합창 지휘자.
chose¹ [tʃouz] CHOOSE 의 과거.

chose² [ʃouz] *n.* 〖법률〗 물(物), 재산, (한 개의) 동산: a ~ in possession 소유〔유체〕 재산.
chose ju·gée [*F.* ʃoːzʒyʒe] (*pl.* ***choses ju·gées*** [—]) 《F.》 이미 지나간 일; 기결 사건〔사항〕.
cho·sen [tʃóuzən] CHOOSE의 과거분사. **—** *a.* **1** 선발된; 정선된; 특별히 좋아진; (the ~) 〖명사적으로〗 선택된 사람들: a ~ book 선정(選定) 도서. **2** 신에게 선발된.
chósen ínstrument 개인·단체·정부가 그 이익을 위해 후원하는 사람〔업자〕; 정부 보조 항공 회사.
chósen péople (the ~, 종종 the C- P-) 신의 선민(選民)《유대인의 자칭》.
chou [ʃuː] (*pl.* ***choux*** [—, ʃuːz]) *n.* 장식 리본《여성의 모자나 드레스의》; 슈크림(cream puff).
Chou En-lai [dʒóuènlái, tʃóu-] 저우언라이(周恩來)《중국의 정치가; 1898-1976》. 「산》.
chough [tʃʌf] *n.* 〖조류〗 붉은부리까마귀《유럽
chouse¹ [tʃaus] 《구어》 *vt.* 속이다, 사기하다 《*of; out of*》. **—** *n.* 《영에서는 고어》 협잡(꾼), 사기(꾼); (이용당하는) 봉.
chouse² *vt.* 《미서부》 (소 떼를) 거칠게 몰다.
chow¹ [tʃau] 《속어》 *n.* **1** 음식물(food); 식사(때). **2** (C-) 《Austral.·경멸》 중국인(Chinese). **3** (중국산) 개의 일종(chow-chow)《혀가 검음》. **—** *vi.* 《미구어》 먹다《*down*》. ***Chow down!*** 《군대속어》 식탁에 앉아라.
chow² *int.* 《영속어》 어; 안녕(하시오).
chow-chow [tʃáutʃàu] *n.* **1** 중국 김치 《과일·야채를 잘게 썰어 겨자를 넣고 담근 것》; (귤껍질·생강 따위의) 시럽 절임. **2** 〖일반적〗 잡탕 요리, 음식물; 설사. **3** =CHOW¹ 3. **—** *a.* 잡탕의, 뒤섞은.
chow·der [tʃáudər] *n.* 잡탕의 일종《조개〔생선〕에 감자·양파를 곁들여 끓인 것》. ***by*** ~ 《미구어》 젠장, 제기랄.
chówder·hèad *n.* 《미속어》 얼간이, 멍텅구리.
chów hàll 《속어》 식당.
chów·hòund *n.* 《미속어》 대식가. 「해 선 줄.
chów lìne 《미구어》 (군대 등에서) 급식 받기 위
chow mein [tʃàuméin] 《Chin.》 초면(炒麵).
chów·tìme *n.* 《구어》 식사 시간.
choz·rim [kɔːzríːm] *n. pl.* (이스라엘로 돌아온) 이스라엘인.
CHP combined heat and power (열·전기 동시 공급). **CHQ** Corps Headquarters (군단 사령부). **CHR** 《미》 contemporary hits radio 《(FM 라디오에서) 히트 차트의 상위곡만의 연주 프로그램 편성》. **Chr.** Christ; Christian; Christopher. 「의, 이재(理財)의.
chre·ma·tis·tic [krìːmətístik] *a.* 화식(貨殖)
chrè·ma·tís·tics *n. pl.* 〖단수취급〗 이재학(理財學), 화식론(貨殖論).
chres·ard [kríːsərd, krés-] *n.* 〖생태〗 유효 수분《식물이 흡수할 수 있는 토양 중의 수분량》.
chres·tom·a·thy [krestɑ́məθi/-tɔ́m-] *n.* 명문집(名文集)《고전어·외국어 학습용》.
Chris [kris] *n.* 크리스. **1** 남자 이름. **2** 여자 이
Chris. Christopher. 「름.
chrism [krízəm] *n.* Ⓤ 〖가톨릭〗 성유(聖油); 성유식. ㊕ **chrís·mal** [-əl] *a.* 성유(식)의.
chris·ma·to·ry [krízmətɔ̀ːri/-təri] *n.* 성유 그릇. **—** *a.* 성유식의.
chris·om [krízəm] *n.* 성유(聖油)(chrism); 유아(幼兒)의 세례복《흰 옷》. 「이내의 아기.
chrísom chìld 천진스러운 아기; 생후 1 개월
Chris·sake [kráisseik] *int.* 《구어》 (for ~) 제발 부탁인데.
Chris·sie [krísi] *n.* 크리시《여자 이름; Christiana, Christina, Christine의 애칭》.
⁑**Christ** [kraist] *n.* **1** Ⓤ 그리스도《구약 성서에서 예언된 구세주의 출현으로서 기독교 신도들이 믿은 나사렛 예수(Jesus)의 호칭, 뒤에 Jesus Christ로 고유명사화됨》. **2** (the C-) (유대인이 갈망한) 구세주(Messiah). ***before*** ~ 기원전《생략: B.C.; 20 B.C.처럼 씀》. ***by*** ~ 맹세코, 꼭. ***for ~'s sake*** ⇨SAKE. **—** *int.* 《비어》 저런, 제기랄, 뭐라고《놀람·노여움 따위를 표시》; 결단코, 절대로: ~, no 〔yes〕!
christ·cross [krískrɔ̀ːs] *n.* =CRISSCROSS.
chrístcross-rów *n.* 《고어》 =ALPHABET.
*__chris·ten__ [krísən] *vt.* **1** 세례를 주다, (세례를 주어) 기독교도로 만들다(baptize). **2** 《+목+보》 세례를 주고 이름을 붙여 주다: The baby was ~*ed* Luke. 그 아기는 누가라는 세례명을 받았다. **3** (배·동물·종 따위에) 이름을 붙이다, 명명하다. **4** 《구어》 (연장·새 차 따위를) 처음으로 사용하다, 꺼내어 쓰다. ㊕ **~·er** *n.*
°**Chris·ten·dom** [krísndəm] *n.* Ⓤ 〖집합적〗 기독교계(界), 기독교국(國); 기독교도 전체.
°**chrís·ten·ing** *n.* Ⓤ 세례; Ⓒ 명명〔세례〕식.
Christ·hood [kráisthùd] *n.* 그리스도〔구세주〕임; 그리스도의 성격〔신성(神性)〕.
⁑**Chris·tian** [krístʃən] *n.* **1** 기독교도; 그리스도의 가르침을 지키는 사람. **2** 《구어》 문명인, 훌륭한 사람; 《구어·방언》 (짐승에 대하여) 인간(opp. *brute*): behave like a ~ 인간답게 행동하다. ***Let's talk like ~s.*** 점잖게 이야기하자. ***make a ~ out of*** a person 《미속어》 아무에게 (억지로) 생각대로 행동하게 하다. **—** *a.* **1** 그리스도의 (가르침의); 기독교의; 기독교적인〔다운〕. **2** 문명인다운; 《구어》 인간적인, 점잖은; 《구어》 훌륭한.
Chris·ti·a·na, Chris·ti·na [krìstiǽnə, -ɑ́ːnə], [kristíːnə] *n.* 여자 이름.
Chrístian Áid (개발도상국에 대한 원조·구제 활동을 하는) 영국의 자선 단체.
Chrístian búrial 교회장(葬).
Chrístian Démocrats (the ~) 기독교 민주당《독일·이탈리아 등지의 정당》.
Chrístian Di·ór [-diɔ́ːr] 크리스티앙 디오르 《여성의 화장품·의상 따위의 세계적인 상표명》.
Chrístian Éra (the ~) 서력 기원.
Chris·ti·an·ia [krìstʃiǽniə, -ɑ́ːn-, krìsti-/-tiɑ́ːn-] *n.* **1** (때로 c-) 〖스키〗 크리스티아니아 회전. **2** 노르웨이의 수도 Oslo의 옛 이름.
Chrís·tian·ìsm *n.* 기독교주의, 기독교 교의〔체계, 실천〕.
*__Chris·ti·an·i·ty__ [krìstʃiǽnəti/-ti-] *n.* Ⓤ 기독교 신앙, 기독교적 정신〔주의, 사상〕; 기독교.
Chrís·tian·ìze *vt., vi.* 기독교도가 되다; 기독교화하다. ㊕ **Chrìs·tian·i·zá·tion** *n.* Ⓤ
Chrís·tian·lìke *a.* 기독교도다운.
Chrís·tian·ly *a., ad.* 기독교도다운〔답게〕.
⁑**Chrístian náme** 세례명(given name)《세례 때 명명되는 이름; ⇨NAME》.
Chrístian Scíence 크리스천 사이언스《약품을 쓰지 않고 신앙 요법을 특색으로 하는 기독교의 한 파; 그 신자는 Christian Scientist》.
Chrístian Scíence Mònitor (the ~) 크리스천 사이언스 모니터《미국 Boston시에서 발간되는 조간신문》.
Chrístian Sócialism 기독교 사회주의《그 주의자는 Christian Socialist, 그 당은 the Christian Socialists》.
Chrístian yéar **1** 서력역년(西曆歷年). **2** 교회력(church year)《보통 강림절 첫째 일요일부터 시작하는 1년을 말함》. 「CHRISTIANIA 1.
Chris·tie¹ [krísti] *n.* (때로 c-) 〖스키〗 =
Chris·tie² *n.* 크리스티. **1** 남자 이름《Chris-

topher의 별칭). **2** 여자 이름(Christine 의 별칭). **3 Dame Agatha** ~ 영국의 여류 추리 소설가(명탐정 Hercule Poirot가 등장하는 일련의 작품으로 유명; 본명 Agatha Mary Clarissa Miller; 1891-1976).

Chris·tie's, -ties [krístiz] *n.* 런던의 미술품 경매상.

Chríst·less *a.* 그리스도 정신에 위배되는, 기독교를 믿지 않는; 그리스도 부재의.

Chríst·lìke *a.* 그리스도 같은; 그리스도적인.

Chríst·ly *a.* 그리스도의; 그리스도다운.

†**Christ·mas** [krísməs] *n.* 크리스마스, 성탄절 (~ Day)(12월 25일; 생략: Xmas): green ~ 눈이 오지 않는〔따뜻한〕 크리스마스/white ~ 눈이 내린 크리스마스/~ party 〔present〕 크리스마스 축하회〔선물〕/A merry ~ to you. —The same to you. '성탄을 축하합니다' — '저 역시 축하드립니다.'

Chrístmas bòx 《영》 크리스마스 축하금〔선물〕(하인 · 우편집배원 등에게 줌). ⓒⓕ Boxing Day.

Chrístmas càke 크리스마스 케이크(마지팬(marzipan)과 당의(糖衣)를 듬뿍 입힌 프루츠 케이크; 크리스마스날 먹음).

Chrístmas càrd 크리스마스 카드; 《CB속어》 속도 위반 딱지.

Chrístmas càrol 크리스마스 송가.

Chrístmas clùb 크리스마스 때 쓰기 위한 정기 적립 예금 구좌.

Chrístmas crácker 《영》 크리스마스 크래커(양쪽에서 당기면 딱 소리가 나며 작은 크리스마스 선물이 나옴).

Chrístmas Dáy 성탄절(12월 25일).

Chrístmas dìnner 성탄절 만찬(칠면조 요리를 먹는 전통적인 성탄절의 점심).

Chrístmas disèase 〚의학〛 크리스마스병(病) (혈액 응고 인자의 결핍으로 생기는 출혈성 증후군 혈우병(血友病)B).

Chrístmas Éve 크리스마스 전야〔전일〕.

Chrístmas fàctor 〚생화학〛 크리스마스 인자(因子)(혈액 응고 인자의 하나).

Chrístmas hólidays 크리스마스 휴가; (학교의) 겨울 방학.

Chrístmas pàntomime =PANTOMIME 1.

Chrístmas píe 《주로 영》 =MINCE PIE.

Chrístmas púdding 《영》 크리스마스 때 먹는 푸딩(plum pudding을 씀).

Chrístmas róse 〚식물〛 크리스마스로즈(미나리아재빗과의 식물).

Chrístmas sèal (결핵 퇴치 기금을 위한) 크리스마스실.

Chrístmas stòcking 산타클로스 선물을 받기 위해 내거는 양말.

Christ·mas(·s)y [krísməsi] *a.* 《구어》 크리스마스다운〔기분의〕.

Christ·mas·tide, -time [krísməstàid], [-tàim] *n.* 크리스마스철(12월 24일-1월 6일).

Chrístmas trèe 크리스마스트리; 〚볼링〛 3 · 7 · 10 또는 2 · 7 · 10의 split; 《미속어》 (잠수함 등) 조정석의 계기반.

Chrístmas trèe bìll 〚미법률〛 크리스마스 트리 빌(법률의 골자와는 직접 관계없는 부분에 되풀이해서 수정을 가해 여러 특정 이익 단체를 이롭게 하는 법안).

Chrístmas trèe effèct 〚천문〛 크리스마스트리 효과(퀘이사(quasar) 광(光)의 주파수가 변하는 까닭은 퀘이사가 운동하고 있기 때문이 아니라 내부 변화를 이르키고 있기 때문이라는 가설).

Chris·to- [krístou, -tə, kráis-] 'Christ의'를 뜻하는 결합사.

Chris·tol·o·gist [kristálədʒist/-tɔ́l-] *n.* 그리스도론 학자.

Chris·tol·o·gy [kristálədʒi/-tɔ́l-] *n.* Ⓤ 그리스도론(論).

Chris·toph·a·ny [kristáfəni/-tɔ́f-] *n.* 그리스도의 재현(再現).

Chríst's-thòrn *n.* 〚식물〛 갯대추나무속의 일종(예수의 가시 면류관은 이 나뭇가지로 만들어졌다고 함).

Chris·ty [krísti] *n.* (때로 c-) 〚스키〛 =CHRISTIANIA 1.

Chrísty mínstrels 크리스티 악단(흑인으로 분장하여 흑인의 노래를 부르는).

chro·ma [króumə] *n.* Ⓤ 〚조명〛 채도(彩度); 색도(色度).

chro·maf·fin [króuməfin] *a.* 〚화학〛 크롬 친화성(親和性)의.

chróma kèy 〚TV〛 크로마키(인물 등의 전경(前景)은 그대로 두고 배경 화상만을 바꾸어 하나의 화면으로 합성하는 특수 기술).

chro·mate [króumeit] *n.* Ⓤ 〚화학〛 크롬산염.

chro·mat·ic [kroumǽtik, krə-] *a.* **1** 색채의; 채색한. ⓄⓅⓅ *achromatic*. ¶ ~ color 유채색/~ printing 색채 인쇄. **2** 〚생물〛 염색성의. **3** 〚음악〛 반음계의. ⓟ **-i·cal·ly** [-ikəli] *ad.*

chromátic aberrátion 색수차(色收差).

chro·mat·i·cism [kroumǽtəsìzəm] *n.* Ⓤ 〚음악〛 반음계주의.

chro·ma·tic·i·ty [kròumətísəti] *n.* Ⓤ 〚조명〛 색도(色度).

chro·mat·ic·ness [kroumǽtiknis, krə-] *n.* 지각 색도(知覺色度)(색상과 채도를 함께 고려한 색의 속성); 채도(彩度).

chro·mát·ics *n. pl.* 〔단수취급〕 색채론, 색채학.

chromátic scále 〔**sémitone**〕 〚음악〛 반음계 〔반음계적 반음〕.

chromátic sensátion 색채 감각.

chromátic sígn 〚음악〛 반음〔변위〕 기호.

chro·ma·tid [króumətid] *n.* 〚유전〛 (세포 분열에 앞서 염색체가 종렬(縱裂) 2분된) 염색 분체(分體).

chro·ma·tin [króumətin] *n.* Ⓤ 〚생물〛 크로마틴, 염색질(染色質).

chro·ma·tism [króumətìzəm] *n.* Ⓤ 〚의학〛 색채 환각; 〚광학〛 색수차(色收差); 〚식물〛 (녹색 부분의) 변색.

chro·ma·tist [króumətist] *n.* 색채학자.

chro·ma·to·graph [króumətəgræ̀f/-grɑ̀:f] *n.* 착색판(着色版). **—***vt.* 색인쇄로 하다; 색층(色層) 분석을 하다.

chro·ma·tog·ra·phy [kròumətágrəfi/-tɔ́g-] *n.* Ⓤ 〚화학〛 색층(色層) 분석.

chro·ma·tol·o·gy [kròumətálədʒi/-tɔ́l-] *n.* =CHROMATICS.

chro·ma·tol·y·sis [kròumətáləsis/-tɔ́l-] *n.* 〚생물〛 염색질 융해.

chro·mat·o·phore [krəmǽtəfɔ̀:r, króumət-] *n.* 〚식물 · 동물〛 색소 세포, 색소체.

chro·ma·top·sia [kròumətápsiə/-tɔ́p-] *n.* 〚의학〛 착색시증(着色視症); 색채 시각 이상.

chro·mat·o·scope [kroumǽtəskòup, krə-, króumət-] *n.* 크로마토스코프(여러 가지 빛깔의 광선을 혼합색으로 하는 장치).

chro·ma·trope [króumətròup] *n.* (환등식의) 회전 채색〔채광〕판.

chro·ma·type [króumətàip] *n.* Ⓤ,Ⓒ 크롬지(紙) 사진(법), 컬러 사진.

chrome [kroum] *n.* Ⓤ 〚화학〛 크롬; 황연(黃鉛)(~ yellow); 크롬 가죽(=∠ **léather**); 《구어》 (자동차의) 크롬 도금. **—***vt.* 크롬 염료로 염색하다; 크롬 도금을 하다.

chróme gréen 〔**réd**〕 크롬녹(綠)〔적(赤)〕.

chróme·plàted [-id] *a.* **1** (금속이) 크롬 도금의〔한〕. **2** 허식(虛飾)의.

chróme stéel 크롬강(鋼)(stainless steel).

chróme yéllow 크롬황(黃); 황연.

chro·mic [króumik] *a.* 〚화학〛 (3가(價)의)

크롬을 함유하는, 크롬의: ~ acid 크롬산.
chro·mite [króumait] *n.* 〖광물〗 크롬철광; 〖화학〗 아(亞)크롬산염.
chro·mi·um [króumiəm] *n.* Ⓤ 〖화학〗 크롬, 크로뮴《금속 원소; 기호 Cr; 번호 24》.
chrómium pláte 〖야금〗 크롬 도금.
chrómium-plàte *vt.* …에 크롬 도금을 하다.
chrómium stéel = CHROME STEEL.
chro·mize [króumaiz] *vt.* (강철에) 크롬 도금을 하다.
chro·mo [króumou] (*pl.* **~s**) *n.* **1** = CHROMOLITHOGRAPH. **2** 《미속어》 싫은 놈. **3** 《Austral. 속어》 매춘부, 창녀.
chròmo·dynámics *n. pl.* 《단수취급》 색역학《quark 를 연결하여 hadron 을 형성시키는 강한 상호 작용을 연구하는》.
chro·mo·gen [króumədʒən, -dʒèn] *n.* 〖화학·염색〗 색원체(色原體)《물감의 바탕이 되는 물질》; 매염(媒染) 물감의 일종.
chròmo·génic *a.* 색을 내는; 색소를 이루는; 색원체(色原體)의; 발색체(發色體)의.
chro·mo·graph [króuməgræ̀f, -grɑ̀:f] *n.* 젤라틴 등사판, 곤약판(崑蒻版). — *vt.* 곤약판〔젤라틴 등사판〕으로 복사하다.
chròmo·líthograph *n.* 다색 석판 인쇄(한 그림). — *vt.* 다색 석판으로 인쇄〔복사〕하다.
chròmo·lithógraphy *n.* Ⓤ 〖인쇄〗 다색 석판법(多色石版法). ㊞ **-lithógrapher** *n.* **-litho·gráphic** *a.*
chrómo·mère *n.* 〖유전〗 염색소립(小粒)《이것이 연속되어 염색체를 구성》.
chro·mo·ne·ma [kròuməní:mə] (*pl.* **-ma·ta** [-tə]) *n.* 〖유전〗 염색사(絲), 나선사.
chrómo·phòbe *a.* 〖생물〗 혐(嫌)염색성의; 혐색소성의.
chrómo·phòre *n.* 〖화학〗 발색단(發色團)《유기 화합물에 색을 내게 하는 원자단(團)》.
chròmo·prótein *n.* 〖유전〗 색소 단백질.
chro·mo·so·mal [kròuməsóuməl] *a.* 〖생물〗 염색체의.
chro·mo·some [króuməsòum] *n.* 〖생물〗 염색체. ㊀ chromatin.
chrómosome màp 〖생물〗 염색체 지도.
chrómosome númber 〖유전〗 염색체 수.
chrómo·sphère *n.* 〖천문〗 채층(彩層), 채구(彩球)《태양의 주변을 덮은 붉은색 가스층》.
chro·mo·type [króumətàip] *n.* 착색 석판쇄(刷); 컬러 사진.
chro·mous [króuməs] *a.* 〖화학〗 2가(價)의 크롬을 함유하는.
chron- [krán, króun/krɔ́n] = CHRONO-.
Chron. 〖성서〗 Chronicles.
°**chron·ic** [kránik/krɔ́n-] *a.* **1** 〖의학〗 만성의, 고질의. OPP *acute.* ¶ a ~ disease 만성병 / a ~ case 만성병 환자 / ~ depression 〔unemployment〕 만성적 불황〔실업〕. **2** 오래 끄는《내란 등》: a ~ rebellion 오랜 반란. **3** 상습적인. **4** 《영구어》 싫은, 지독한. **5** (버릇 따위가) 몸에 밴, 고치기 힘든: a ~ smoker. — *n.* 만성병 (환자). ㊞ **-i·cal** [-ikəl] *a.* = CHRONIC. **-i·cal·ly** *ad.* 만성적으로; 오래 끌어; 상습적으로.
chrónic fatígue sỳndrome 만성 피로 증후군.
°**chron·i·cle** [kránikl/krɔ́n-] *n.* **1** 연대기(年代記); 역사; (the C-s) 〖성서〗 역대기(歷代記)(상·하)《구약 성서 중의 한 편》. **2** 기록, 의사록. **3** 이야기. **4** (C-) … 신문 《보기: *The Daily Chronicle*》. — *vt.* 연대기에 올리다; 기록에 남기다; 열거하다.
chrónicle plày 〔**hìstory**〕 사극(史劇).
chron·i·cler [kráníklər/krɔ́n-] *n.* 연대기 편자; 기록자.
chrónic obstrúctive púlmonary disèase 〖의학〗 만성 폐쇄성 폐(肺)질환.
chron·o- [kránou, -nə, króun-/krɔ́nə, króunou] '시(時)'의 뜻의 결합사.
chròno·biólogy *n.* 시간 생물학《생체 내에서 인지되는 주기적 현상을 취급함》.
chróno·gràm *n.* 기년명(紀年銘)《문장 중의 큰 로마자를 숫자로서 맞추면 연대를 나타내는 것; 보기: LorD haVe MerCIe Vpon Vs (=Lord have mercy upon us) = 50+500+5+1000+100+1+5+5=1666; 1666년 London 에서 유행한 페스트의 부적으로 썼음》. ㊞ **chròno·grammátic** *a.*
chron·o·graph [kránəgræ̀f, -grɑ̀:f/krɔ́n-] *n.* 크로노그래프《시간을 도형적으로 기록하는 장치》; 초시계《스톱워치 따위》.
chron(ol). chronological; chronology.
chro·nol·o·ger [krənálədʒər/-nɔ́l-] *n.* 연대〔연표〕학자, 역사가.
chron·o·log·ic, -i·cal [krɑ̀nəládʒik/krɔ̀nəlɔ́dʒik], [-kəl] *a.* 연대순의; 연대학의: ~ period 〔table〕 연대〔연표〕. ㊞ **-i·cal·ly** *ad.* 연대순으로; 연대기적으로.
chronológical áge 〖심리〗 생활 연령, 역연령.
chro·nol·o·gist [krənálədʒist/-nɔ́l-] *n.* 연대학자, 연표(年表)학자, 편년사가(編年史家).
chro·nol·o·gize [krənálədʒàiz/-nɔ́l-] *vt.* 연대순으로 배열하다, 연표를 만들다.
chro·nol·o·gy [krənálədʒi/-nɔ́l-] *n.* Ⓤ 연대학; Ⓒ 연대기, 연표; 연대의 전후 관계.
chro·nom·e·ter [krənámətər/-nɔ́m-] *n.* 크로노미터《천문·항해용 정밀 시계》; 《일반적》 정밀 시계; 《고어》 = METRONOME.
chron·o·met·ric, -ri·cal [krɑ̀nəmétrik/krɔ̀n-], [-kəl] *a.* chronometer 의〔로 측정한〕; chronometry 의. ㊞ **-ri·cal·ly** *ad.*
chro·nom·e·try [krənámətri/-nɔ́m-] *n.* Ⓤ 시각 측정; 측시술(測時術).
chro·non [króunɑn/-nɔn] *n.* 〖물리〗 가설적인 시간적 양자《광자가 전자의 직경을 횡단하는 데 요하는 시간: 약 10^{-24}초》.
chron·o·pher [kránəfər/krɔ́n-] *n.* 라디오 시보기(時報機).
chróno·scòpe *n.* 극미(極微) 시간 측정기《광속 등을 잼》; 《일반적》 정밀한 시계.
chròno·thérapy *n.* 〖의학〗 시간요법《기침(起寢)과 취침(就寢)의 사이클을 바꾸는 불면증 요법》.
chròno·trópic *a.* 〖생리〗 (심박수(心拍數) 등의) 조율 운동의 속도에 영향을 끼치는, 변시성(變時性)의, 주기 변동의.
chrys- [krís], **chry·so-** [krísə, -sou] 〖화학·광물〗 '황색의, 금빛의, 금의'란 뜻의 결합사.
chrys·a·lid [krísəlid] *a.* 번데기(모양, 시절)의, 준비기(期)의. — *n.* = CHRYSALIS.
chrys·a·lis [krísəlis] (*pl.* **~·es, chry·sali·des** [krisǽlədì:z]) *n.* 번데기, 유충《특히 나비의》; 미숙기, 준비 시대, 과도기.
chry·san·the·mum [krisǽnθəməm] *n.* 〖식물〗 국화; (C-) 국화속(屬).
chrys·a·ro·bin [krìsəróubin] *n.* 〖약학〗 크리사로빈《피부병 외용약》.
Chry·se·is [kraisí:əs] *n.* 〖그리스신화〗 크리세이스《트로이 전쟁 때 그리스군에 잡힌 미인》.
chrys·el·e·phan·tine [krìseləfǽntin, -tain] *a.* 금과 상아로 만든〔장식한〕《옛 그리스의 조각물 등》.
Chrys·ler [kráislər/kráiz-] *n.* **1 Walter Percy** ~ 크라이슬러《미국의 자동차 회사 Chrysler Corporation 창립자》. **2** 크라이슬러(사)(~ Corp.)《미국의 자동차 제조 회사; 1925년 설립》. **3** 크라이슬러사제 자동차.

chrys·o·ber·yl [krísəbèril] *n.* 〖광물〗 금록옥(金綠玉), 알렉산더 보석.

chrys·o·lite [krísəlàit] *n.* 귀감람석(貴橄欖石) (olivine).

chrys·o·prase [krísəprèiz] *n.* 〖광물〗 녹옥수「(綠玉髓).

chrys·o·tile [krísətàil] *n.* 〖광물〗 온석면(溫石綿).

chs. chapters.

chub [tʃʌb] (*pl.* **~s;** 〔집합적〕 ~) *n.* 〖어류〗 황어속(屬)의 물고기.

chub·by [tʃʌ́bi] (*-bi·er; -bi·est*) *a.* 토실토실 살이 찐, 오동통한, 똥똥한. ㊞ **-bi·ness** *n.*

chúb pàckage 〔**pàckaging**〕 로켓〔원통형〕 포장《햄·소시지처럼 원통 모양으로 하여 양 끝을 묶은 포장》.

chuck**[1] [tʃʌk] *vt.* **1** 《+목+전+명》 (턱 밑 따위를) 가볍게 치다《*under*》: He ~*ed* the child *under* the chin. 그는 그 아이의 턱을 장난으로 가볍게 쳤다. **2** 《+목+부/+목+목》 휙 던지다, 팽개치다: ~ money *about* 돈을 내버려두다/Chuck me the book. 그 책을 내게 던져라. **3** 《구어》 《~+목/+목+부/+목+전+명》 (친구 등을) 버리다; (…에서 아무를) 들어내다《*out of*》; 해고(解雇)하다《*out*》: Why don't you ~ him? 그를 감원하는 것이 어떤가/~ a drunken man *out of* a pub 술집에서 취객을 들어내다. **4** 《~+목/+목+부》 (일·계획 따위를) 버리다, 단념〔포기〕하다, 중지하다《*up*》: ~ (*up*) one's job 사직하다. ~ ***away 내버리다; (돈·시간을) 헛되이 써 버리다; (기회를) 놓치다. ~ ***down*** 메어치다. ~ ***in*** 《Austral. 속어》 기부하다. ~ ***it*** 《속어》 그만두다; 〔명령형〕 그만둬, 잔소리 마라. ~ ***off*** 《Austral. 속어》 비웃다《*at*》. ~ ***out*** 《구어》 쫓아내다, 집어내다; 《영구어》 (의안·동의를) 부결하다. ~ ***over*** 《구어》 …와 갑자기 교제를 끊다. ~ one***self away on ...*** 《구어》 (남이 보아 하찮은 사람)과 결혼하다〔교제하다〕. ~ ***up*** 《구어》 (싫어져서) 그만두다, 단념하다, 내던지다; 《미속어》 게우다, 토하다. ~ ***up the sponge*** ⇨ SPONGE.
— *n.* (턱 밑을) 가볍게 침; 《구어》 휙 던짐; 포기; 《미구어》 (the ~) 해고. ***get the*** ~ 해고당하다. ***give*** a person ***the*** ~ 《속어》 갑자기 아무를 면직시키다; (아무와) 느닷없이 관계를 끊다.
㊞ **∠·er** *n.* 《미속어》 투수(投手).

chuck[2] *n.* 〖기계〗 척《선반(旋盤)의 물림쇠》; Ⓤ (쇠고기의) 목과 어깨의 살; (쐐기·꺾쇠 등으로 쓰는) 통나무; 《미구어》 음식물. — *vt.* 척에 걸다; 척으로 고정시키다.

chuck[3] *vi.* (암탉이) 꼬꼬하고 부르다〔울다〕; 낄낄〔쯧쯧〕하다《말을 몰 때》. — *vt.* (사람이 닭을) 구구하고 부르다; (혀를 차며 말을) 몰다. — *n.* 꼬꼬하는 소리; 혀차는 소리.

chuck[4] *n.* 《고어·방언》 귀여운 아이, 사랑스러운 이《자식·아내에 대해서 "My ~!"와 같이 씀; chick 가 바뀐 꼴》.

chuck[5] *n.* 《미흑인속어》 백인.

chuck-a-luck, 《미》 **chuck-luck** [tʃʌ́kəlʌ̀k], [tʃʌ́klʌ̀k] *n.* 도박의 일종《주사위로 함》.

chúcker-óut (*pl.* ***chúckers-óut***) *n.* 《영》 (극장 따위의) 경비원, 정리원(bouncer).

chúck-fàrthing *n.* 돈치기, 투전《돈을 던져서 구멍에 넣는 사람이 먹음》.

chúck-fúll *a.* =CHOCK-FULL.

chúck·hòle *n.* 구멍《포장도로 위의》.

***chuck·le** [tʃʌ́kəl] *n.* **1** 낄낄 웃음, 미소. **2** (암탉이 병아리를 부르는) 꼬꼬하는 울음소리. — *vi.* 《~/+전+명》 낄낄 웃다; (혼자서) 기뻐하다《*at; over*》: ~ smugly 득의에 차 낄낄 웃다/~ out 낄낄 웃으며 말하다/~ *to* oneself 혼자서 싱글벙글 웃다〔기뻐하다〕/~ while reading 책을 읽으면서 낄낄 웃다. SYN. ⇨ LAUGH. ㊞ **chúck·ler** *n.* **chúck·ling·ly** *ad.* **~·some** *a.*

chúckle·hèad *n.* 《구어》 바보, 얼간이; 큰 머리통. ㊞ **-hèaded** [-id] *a.*

chúck stéak 소의 목과 어깨 부위의 살.

chúck wàgon 《미》 (농장·목장용) 취사차; 《속어》 도로변의 작은 식당.

chud·dar, -der [tʃʌ́dər] *n.* 《Ind.》 =CHADOR.

chuff[1] [tʃʌf] *n.* 시골뜨기, 뒤틈바리, 구두쇠. — *vt.* 《영속어》 〔흔히 수동태로〕 기력을 북돋우다, 기쁘게 하다《*up*》.

chuff[2] *a.* 《영속어》 살찐; 똥똥한; 잘난 체하는.

chuff[3] *n., vi.* =CHUG.

chuffed [tʃʌft] *a.* 《영속어》 **1** 매우 기쁜, 즐거운. **2** 불쾌한.

chuf·fing [tʃʌ́fiŋ] *n.* 〖로켓〗 소리떨림 연소(燃燒)《로켓 연료의 불안정 연소의 일종》.

chuffy [tʃʌ́fi] *a.* 《영방언》 통통하게 살찐.

chug[1] [tʃʌg] *n.* 칙칙, 폭폭《엔진의 배기(排氣) 소리 따위》. — (**-gg-**) *vi.* 《구어》 칙칙〔폭폭〕 소리를 내다; 칙칙 소리 내며 나아가다《*along; away*》. ~ ***up*** 급히 나아가다. [imit.]

chug[2] *vi., vt.* 《속어》 꿀꺽꿀꺽 마시다. — *n.* 단번에 마시기.

chuga-chuga [tʃʌ́gətʃʌ̀gə] *n.* =CHOOCHOO.

chug-a-lug [tʃʌ́gəlʌ̀g] (**-gg-**) *vt., vi.* 《미속어》 단숨에 마시다, 꿀꺽꿀꺽 마시다. — *ad.* 꿀꺽꿀꺽.

chúk·ka (**bòot**) [tʃʌ́kə(-)] 〖복식〗 복사뼈까「지 오는 부츠.

chuk·ker, -kar [tʃʌ́kər] *n.* **1** 《Ind.》 원(circle). **2** (polo 경기의) (한) 회《한 시합은 8회》. cf. inning.

chum[1] [tʃʌm] 《구어》 *n.* **1** 단짝, 짝: a boyhood ~ 소꿉동무. **2** (대학 따위의) 같은 방〔반〕의 친구; 동료. ***a new*** 〔***an old***〕 ~ 《Austral.·뉴기니》 신참〔고참〕 이민(移民). — (**-mm-**) *vi.* **1** 《+부/+전+명》 사이좋게 지내다《*together; up; in; with*》: ~ *up* 〔*in*〕 *with* a person 아무와 친히 지내다. **2** 방을 함께 쓰다《*on*》.

chum[2] *n.* (낚시의) 밑밥. — (**-mm-**) *vi.* 밑밥을 뿌리고 낚시질하다.

chum·ble [tʃʌ́mbəl] *vt., vi.* 갉다, 물다.

chum·my [tʃʌ́mi] (***-mi·er; -mi·est***) *a.* 《구어》 사이가 좋은, 아주 친한; 붙임성 좋은. — *n.* **1** 단짝, 동무(chum). **2** 소형 자동차(의 차체). ㊞ **-mi·ly** *ad.* **-mi·ness** *n.*

chump [tʃʌmp] *n.* 큰 나무토막; 《영》 (양의 살코기의) 굵직한 쪽; 굵고 둥근 쪽의 끝; 《구어》 얼간이, 바보; 《속어》 머리; 《미속어》 잘 속는 사람, 봉. ***go off*** one***'s*** ~ 《구어》 머리가 좀 돌다, 미치다; 흥분하다. ***make a*** ~ ***out of*** 《속어》 …에게 창피를 주다.

chúmp chànge 《속어》 얼마 안 되는 돈, 푼돈.

chun·der [tʃʌ́ndər] *vi.* 《Austral.속어》 토하다.

Chungking ⇨ CHONGQING.

chunk[1] [tʃʌŋk] *n.* 《구어》 **1** (장작 따위의) 큰 나무토막; 두꺼운 조각; (치즈·빵·고기 따위의) 큰 덩어리《*of*》. **2** 《구어》 땅딸막하고 튼실한 사람〔아이〕, 탄탄하게 생긴 사람〔아이·말·짐승〕. **3** 상당한 양〔액수〕. **4** 《미속어》 섹스; 여자: a ~ of meat 《미비어》 (성의 대상으로서의) 여자. **5** 《미속어》 대마의 환각 물질.

chunk[2] *vt.* 《미속어》 던지다; (모닥불 등을) 지피다《*up*》. — *vi.* 덜커덩〔탕·덜컹〕 소리를 내다.

chunky [tʃʌ́ŋki] (***chunk·i·er; -i·est***) *a.* 짧고 두터운; 모착한; 덩어리진; 두툼히 털을 짠: a ~ man 땅딸막한 사람. ㊞ **chúnk·i·ly** *ad.* **-i·ness** *n.*

Chun·nel [tʃʌ́nəl] *n.* 《영구어》 영불 해협 터널. [◂ *Ch*annel+t*unnel*]

chun·ter [tʃʌ́ntər] *vi.* 《영구어》 투덜거리다, 「불평하다.

†**church** [tʃəːrtʃ] *n.* **1 a** (보통 기독교의) 교회(당), 성당. ★ 영국에서는 국교의 교회당을 말함. [cf] chapel. **b** [U] 예배: ~ time 예배 시간/after ~ 예배 후/~ music 교회 음악/at 〔in〕 ~ 예배 중에/between ~*es* 예배와 예배 사이에. **2** 《집합적》 기독교도; 회중; 특정 교회의 신도들: She is a member of this ~. 그녀는 이 교회의 신도이다. **3** (the C-) (조직체로서의) 교회: the *Church* and the State 교회와 국가; 교권과 국권. **4** (the C-) 성직: be brought up for the *Church* 목사가 되기 위하여 교육받다. **5** (C-) 교파: the Methodist *Church* 감리교파. [cf] Broad Church, High Church, Low Church. (***as***) ***poor as a ~ mouse*** 몹시 가난하여. ***go into*** 〔***enter***〕 ***the Church*** 성직에 앉다, 목사가 되다. ***go to*** 〔***attend***〕 ~ 예배에 참석하다. ★ 단지 교회에 간다는 뜻으로는 다음과 같이 씀: go to *the church* to sweep the chimney 굴뚝 청소하러 교회에 가다. ***talk*** ~ 종교를 논하다; 《속어》 재미없는 것을 지껄이다. ***the Church of Christ, Scientist,*** Christian Science의 공식 명칭. ***the Church of England*** =***the Anglican***〔***the English***〕 ***Church*** 영국 국교회, 성공회. ***the Church of Jesus Christ of Latter-day Saints,*** Mormon Church의 공식 이름. ***the Church of Scotland*** 스코틀랜드 국교회《장로파》.
— *vt.* **1** 교회에 데리고 가다; 교회원으로 만들다. **2** 교회 규율을 따르게 하다. **3** 《보통 수동태》 교회에 참석시키다《순산(順產) 감사 · 세례 등의 의식을 위해》.

Chúrch Ármy 영국 국교의 전도 단체.

Chúrch Commíssioners 《영》 국교 재무 위원회.

churched [-t] *a.* 교회와 관계가 있는〔제휴한〕, 교회 부속의.

chúrch·gòer *n.* 교회에 다니는 사람; 《영》 영국 국교도.

chúrch·gòing *n., a.* 교회에 다니기〔다니는〕, 예배에 참석하기〔하는 (사람)〕: the ~ bell 예배 시간을 알리는 종.

church·i·an·i·ty [tʃə̀ːrtʃiǽnəti] *n.* (특정 교회에 대한) 종파적 애착.

Church·ill [tʃə́ːrtʃil] *n.* Sir **Winston** ~ 처칠《영국의 정치가; Nobel 문학상 수상(1953); 1874–1965》.

chúrch·ing *n.* [U] 산후 결례(潔禮), 순산(順產) 감사 기도식.

chúrch invísible (the ~) 진정한 기독교회, 재천(在天) 교회《승천한 신자와 재세 중인 신자 양자를 포함》. [cf] church visible.

chúrch·ism *n.* [U] **1** 교회 의식의 고수(固守). **2** 영국 국교주의.

chúrch·less *a.* 교회 없는; 교회에 안 다니는, 무종교의.

chúrch·ly *a.* 교회의; 종교상의; 교회에 어울리는.

chúrch·man [-mən] (*pl.* ***-men*** [-mən]) *n.* 성직자, 목사; 독실한 신도; 《영》 영국 국교도.

chúrch mílitant 신전(神戰)의 교회《악과 싸우는 이 세상의 교회 · 교도》.

chúrch-mòuse *n.* 교회에 사는 쥐《가난뱅이를 이름》; (as) poor as a ~.

Chúrch of Gód (the ~) 하느님의 교회《미국의 여러 프로테스탄트 교파가 사용하는 호칭》.

chúrch paráde (정상적 군무(軍務)의 일부로 행하는) 교회 예배에 참석하기 위한 군대의 왕복 행진; 예배 후 교회에서 나오는 교인들의 열(列).

chúrch ràte 《영》 교회 유지세《교회의 수리 · 유지를 위해 징수함》.

chúrch régister (교구민의 세례 · 결혼 등을 기록한) 교회 기록부.

chúrch schòol (일반 교육 기관으로서) 교회가 설립한 학교; 교회 학교, 주일 학교.

chúrch sèrvice 예배(식); (영국 국교의) 기도서(service book).

chúrch tèxt 〖인쇄〗 일종의 가는 흑자체(黑字體). [cf] black letter.

chúrch triúmphant (the ~) 개선(凱旋) 교회《지상에서 악과의 싸움에 이기고 승천한 기독교도들》.

chúrch vísible (the ~) 지상 교회《재세 중인 신자의 총체》, 현세의 교회; 자칭 기독교도들. [cf] church invisible.

chúrch·wàrden *n.* **1** 교구 위원《평신도 중에서 교구를 대표하여 목사를 보좌하고 회계 사무 등을 담당》. **2** 《영구어》 긴 사기 담뱃대.

church·ward(s) [tʃə́ːrtʃwəːrd(z)] *ad., a.* 교회 쪽으로(의).

chúrch·wòman (*pl.* ***-wòmen***) *n.* 열성적인 여자 교회원; (영국 국교회 · 성공회의) 여자 신도.

chúrch wòrk (자선 · 전도 · 환자 방문 등의) 교회를 위한 신도들의 봉사 사업; (교회의 건축 사업처럼) 완만하게 진척되는 일.

churchy [tʃə́ːrtʃi] *a.* **1** 교회 의식을 고수하는: ~ people. **2** 교회만 중히 여기는.

***church·yard** [tʃə́ːrtʃjɑ̀ːrd] *n.* 교회 부속 뜰, 교회 경내; (교회 부속의) 묘지. [cf] cemetery, graveyard. ¶ a ~ cough 다 죽어 가는 맥없는 기침/A green Christmas 〔Yule〕 makes a fat ~. 《속담》 크리스마스에 눈이 안 오면 병이 돌아 죽는 이가 많아진다.

churl [tʃəːrl] *n.* 야비한 사람; 구두쇠; 고집쟁이; 촌뜨기, 《고어》 농부; 〖영국사〗 최하층의 자유민. ***put a ~ upon a gentleman*** 좋은 술 뒤에 나쁜 술을 마시다.

churl·ish [tʃə́ːrliʃ] *a.* **1** 시골 사람의; 야한; 거친; 예절 없는; 무뚝뚝한. **2** 농부의〔와 같은〕. **3** 인색한, 치사〔비열〕한, 돈에 눈이 먼. **4** (토지 등이 굳어) 갈기〔다루기〕 힘든. [파] **~·ly** *adv.* **~·ness** *n.*

churn [tʃəːrn] *n.* **1** 교유기(攪乳器)《버터를 만드는 큰 (나무)통》. **2** 동요(動搖); 《영》 큰 우유통. — *vt., vi.* **1 a** (우유 · 크림을) 교유기로 휘젓다〔휘저어 버터를 만들다〕; 휘젓다; 휘저어 거품을 일게 하다; 거품이 일다; 거품을 일으키며 나아가다; 파도가 일다; (엔진을) 심하게 회전시키다. **b** (속이) 울렁거리다. **2** (생각 따위가) 뒤끓다; (군중 따위가) 동요하다; 〖증권〗 (고객 계정)에서 매매를 빈번히 하다《수수료 획득을 위해》. ~ ***out*** 《구어》 대량 생산〔발행〕하다, 속속 내다; 기계적으로 (음악 따위를) 연주하다.

churn 1

chúrn dàsher 〔**stàff**〕 교유(攪乳) 장치〔봉〕.

chúrn·er *n.* 휘젓는 도구〔기계〕.

chúrn·ing *n.* **1** 교유(攪乳), 1회 제조분의 버터. **2** 교란.

churr [tʃəːr] *vi.* (쏙독새 · 자고새 · 귀뚜라미 따위가) 쪽쪽〔찍찍〕하고 울다. — *n.* 쪽쪽〔찍찍〕 우는 소리. [imit.]

chut [tʃʌt] *int.* 체!, 쯧쯧《마땅찮음 · 경멸 따위를 나타냄》. [cf] tut. [imit.]

chute [ʃuːt] *n.* **1** 활강로(滑降路), 비탈진 (물)도랑, 자동 활송(滑送) 장치《물 · 재목 · 광석 따위를 아래로 떨어뜨리는 경사진 길 · 파이프 따위》; 낙하 장치《주택에서 쓰레기 · 석탄 · 세탁물 따위를 떨어뜨리는》. **2** 낙수, 급류(rapids), 폭포(fall). **3** 《속어》 낙하산(parachute). ***mail*** 〔***letter***〕 ~ (빌딩의) 우편물 투하 장치. — *vt., vi.*

~로 떨어뜨리다〔내리다〕; ~로 운반하다.

chúte-the-chúte *n.* 《영》 **1** =ROLLER COASTER; WATER CHUTE. **2** 소름끼치게 하는 것〔경험〕.

chúte tròoper 《구어》 낙하산(부대)병.

chút·ist *n.* 《구어》 =PARACHUTIST.

chut·ney, -nee [tʃʌ́tni] *n.* [U] 처트니《인도의 달콤하고 매운 양념》.

chutz·pah, -pa [hútspə] *n.* [U] 《구어》 뻔뻔스러움, 후안무치.

Chu·vash [tʃuvɑ́:ʃ] *n.* [C] 터키어계의 불가리아인; [U] 그 언어.

chyle [kail] *n.* [U] 〖생리〗 유미(乳糜).

chyme [kaim] *n.* [U] 〖생리〗 (위에서 십이지장으로 보내는) 반유동체의 소화물, 유미죽.

chy·mo·pa·pa·in [kàimoupəpéiin, -páiin] *n.* 〖약학·생화학〗 키모파파인《파파이아에서 추출한 효소(enzyme)의 일종》.

Ci 〖기상〗 cirrus; 〖물리〗 curie(s). **CI, C.I.** cast iron; certificate of insurance; corporate identity 〔identification〕; comfort index([cf] discomfort index); Communist International; cost and insurance. **CIA, C.I.A.** Central Intelligence Agency. **CIAA** Central Intercollegiate Athletic Association.

ciao [tʃau] *int.* 《It.》 《구어》 차오, 안녕《만남·작별 인사》.

ci·bo·ri·um [sibɔ́:riəm] (*pl.* ***-ria*** [-riə]) *n.* 〖건축〗 제단의 닫집; 〖가톨릭〗 성감(聖龕), 감실(龕室).

C.I.C. combat information center; Commander-in-Chief; Counter Intelligence Corps.

ci·ca·da [sikéidə, -kɑ́:-/-kɑ́:-] (*pl.* **~s, *-dae*** [-di:]) *n.* 매미.

ci·ca·la [sikɑ́:lə] *n.* =CICADA.

cic·a·trice, -trix [síkətris], [-trìks] (*pl.* ***cic·a·tri·ces*** [sìkətráisi:z]) *n.* 〖의학〗 흉터; 상처 자국; 〖식물〗 엽흔(葉痕); 탈리흔(脫離痕).

cic·a·tri·cial [sìkətríʃəl] *a.* 〖의학〗 흉터 모양의; 〖식물〗 엽흔(葉痕)의.

cic·a·tri·cle [síkətrikl] *n.* 〖생물〗 (노른자위의) 씨눈; 〖식물〗 =CICATRICE.

cìc·a·tri·zá·tion *n.* [U] 흉터 형성; (상처의) 치유.

cic·a·trize [síkətràiz] *vt., vi.* 흉터가 생기(게 하)다, 아물(리)다.

cic·e·ly [sísəli] *n.* 〖식물〗 긴사상자류(類)《미나리과》.

Cic·e·ro [sísəròu] *n.* **Marcus Tullius ~** 키케로《로마의 정치가·철학자; 106–43 B.C.》.

cic·e·ro·ne [sìsəróuni, tʃìtʃə-] (*pl.* **~s, *-ni*** [-ni:]) *n.* 《It.》 (명승지의) 관광 안내인. ― *vt.* 안내하다.

Cic·e·ro·ni·an [sìsəróuniən] *a.* 키케로적인, 키케로풍의; 웅변의(eloquent), (문체가) 전아(典雅)한(classical). ― *n.* 키케로 연구가〔숭배자〕.

ci·cis·beo [tʃì:tʃizbéiou] (*pl.* ***-bei*** [-béii:]) *n.* 《It.》 (18 세기의) 유부녀의 공공연한 애인.

CICS 〖컴퓨터〗 customer information control system(고객 정보 관리 시스템). **CICT** Commission of International Commodity Trade (유엔 국제 상품 무역 위원회).

Cid [sid] *n.* 《Sp.》 두령, 수령; (the ~) 11 세기에 무어인과 싸운 기독교 옹호의 용사 Ruy Diaz de Bivar; 이 용사를 칭송한 서사시.

CID, C.I.D. Criminal Investigation Department (《미》 검찰국; 〖군사〗 범죄 수사대; 《영》 경찰국 등의 수사과); Committee of Imperial Defence.

-cide [sàid] '…살해범《범인·범죄》'의 뜻의 결합사: homi*cide*.

ci·der [sáidər] *n.* 사과즙; 사과술: ~ brandy (사과술로 만든) 모조 브랜디. ★ 알코올성 음료로서 사과즙을 발효시킨 것은 hard ~, 발효시키지 않은 것은 sweet ~; 한국의 '사이다'는 탄산수(soda pop). ***all talk and no*** **~** 말만 하고 아무 결론이 안 나는 것.

cíder cùp 사과주·리큐어·소다수를 섞은 청량음료.

ci·der·kin [sáidərkin] *n.* 좋지 않은 사과술.

cíder prèss 사과 착즙기(搾汁機).

cíder vínegar 사과즙으로 만든 초.

ci-de·vant [*F.* sidəvɑ̃] *a.* 《F.》 전(前)의(former), 이전의(ex-): a ~ general 이전의 장군. ― *ad.* 이전에. ― *n.* (프랑스 혁명으로 작위를 빼앗긴) 전 귀족.

C.I.E. 《영》 Companion of the (Order of the) Indian Empire. **Cie., Cie, cie.** 《F.》 *compagnier* (=company). **CIEC** Conference of International Economic Cooperation (국제 경제 협력 회의). **C.I.F., c.i.f.** [sí:áiéf, sif] 〖상업〗 cost, insurance and freight.

cig [sig] *n.* [C] 《구어》 여송연; 궐련.

ci·ga·la [sigɑ́:lə] *n.* =CICADA.

***ci·gar** [sigɑ́:r] *n.* 여송연, 엽궐련, 시가: a ~ case.

cigár cùtter 여송연의 빠는 부분을 자르는 도구.

***cig·a·ret(te)** [sìgərét, ⌐-⌐/⌐-⌐] *n.* **1** 궐련: a pack of ~*s* 담배 한 갑. **2** (최면제 등의) 가늘게 만 것.

cigarétte bùtt 〔**ènd**〕 담배꽁초.

cigarétte càrd (예전의) 담뱃갑에 들어 있던 그림 카드.

cigarétte càse 담뱃갑.

cigarétte gìrl (레스토랑 등에서) 담배를 팔고 다니는 소녀.

cigarétte hòlder (궐련) 물부리.

cigarétte pànts 홀태바지.

cigarétte pàper 담배 마는 종이.

cigarétte-vènding machíne 담배 자동 판매기.

cigár hòlder (여송연) 물부리.

cig·a·ril·lo [sìgərílou] (*pl.* **~s**) *n.* 가늘고 작은 여송연.

cigár lìghter (특히 자동차의) 담배용 라이터.

cigár-shàped [-t] *a.* 여송연 모양의.

cigár stòre 담뱃가게.

cigár-store Índian 북아메리카 원주민의 목각 인형《옛날 담뱃가게 간판》.

ci·lan·tro [silɑ́:ntrou, -lǽn-] *n.* 고수(coriander)의 잎《멕시코 요리의 조미료》.

cil·ia [síliə] (*sing.* ***-i·um*** [-iəm]) *n. pl.* 속눈썹(eyelashes); 〖생물〗 섬모(纖毛); (잎·깃 등의) 솜털. [파] **cil·i·ary** [sílièri/-əri] *a.* 속눈썹 같은; (눈의) 모양체(毛樣體)의.

cíliary mùscle 〖해부〗 모양체근(毛樣體筋).

cil·i·ate [síliət, -èit] *a.* 속눈썹이 있는; 섬모가 있는(=**cíl·i·àt·ed**). ― *n.* 섬모충.

cil·i·a·tion [sìliéiʃən] *n.* **1** [U] 속눈썹이〔섬모가〕 있음. **2** 《집합적》 속눈썹; 섬모.

cil·ice [sílis] *n.* 마미단(馬尾緞)(haircloth); 마미단 옷〔셔츠〕.

Ci·li·cia [silíʃə] *n.* 실리시아《소아시아 동남부에 있던 고대 국가》.

cil·i·o·late [síliələt, -lèit] *a.* 〖생물〗 섬모가 있는.

cil·i·um [síliəm] CILIA의 단수.

CIM computer-integrated manufacturing(컴퓨터에 의한 통합 생산).

ci·met·i·dine [səmétidì:n] *n.* 〖약학〗 십이지장궤양 치료제, 제산제.

ci·mex [sáimeks] (*pl.* ***cim·i·ces*** [síməsì:z, sái-]) *n.* 〖곤충〗 빈대.

Cim·me·ri·an [simíəriən] *n.* 킴메르족의 사람《Homer의 시에서 영원한 어둠의 나라에 살았다는 민족》. ― *a.* 킴메르족의; 암흑의, 음산한: ~ darkness 칠흑, 암흑.

C. in C., C.-in-C. Commander in Chief. **CINCEUR** [síŋkjùər] Commander-in-Chief, European Command.

cinch [sintʃ] *n.* **1** ⟪미⟫ 안장띠, (말의) 뱃대끈. **2** (a ~) ⟪미구어⟫ 꽉 쥠. **3** (a ~) ⟪속어⟫ 정확함; 확실한 일; 우승〔유력〕 후보; ⟪속어⟫ 아주 쉬운 일, 식은 죽 먹기. **—** *vt.* ⟪미⟫ (말의) 뱃대끈을 죄다; ⟪미구어⟫ 꽉 쥐다; ⟪속어⟫ 확인하다; (확실히) 손에 넣다; 보증하다.

cínch bèlt 〖복식〗 폭이 넓은 벨트.

cin·cho·na [siŋkóunə, sin-/siŋ-] *n.* 〖식물〗 기나나무; Ⓤ 기나피⟪키니네를 채취⟫; 기나피 제제.

cin·cho·nine [síŋkəniːn, sín-/síŋ-] *n.* 싱코닌⟪기나피에서 채취한 알칼로이드; 키니네 대용⟫.

cin·cho·nism [síŋkənìzəm, sín-/síŋ-] *n.* Ⓤ 키니네 중독(증).

cin·cho·nize [síŋkənàiz, sín-/síŋ-] *vt.* 키니네로 처리하다; 키니네 중독을 일으키게 하다.

Cin·cin·nati [sìnsənǽti] *n.* 신시내티⟪미국 Ohio 주의 도시⟫; ⟪볼링속어⟫ 8 · 10 핀의 split.

Cin·cin·na·tus [sìnsənéitəs] *n.* 킨킨나투스 ⟪로마의 정치가; 519?-439? B.C.; 원로원의 부름을 받아 한때 로마의 집정관이 됨⟫; 숨은 위인.

CINCLANT [síŋklənt] 〖미해군〗 Commander-in-Chief, Atlantic. **CINCPAC** [síŋkpæk] 〖미해군〗 Commander-in-Chief, Pacific. **CINCSAC** [síŋksæk] ⟪미⟫ Commander-in-Chief, Strategic Air Command.

cinc·ture [síŋktʃər] *n.* 울로 쌈(enclosure); 주변 지역; ⟪문어⟫ 띠(girdle), 〖건축〗 원주(圓柱)의 띠 장식; 〖기독교〗 alb 등의 제복을 허리께에서 매는 띠. **—** *vt.* …에 띠로 감다; 에우다, 둘러싸다.

°**cin·der** [síndər] *n.* 타다 남은 찌꺼기; 뜬숯; 〖야금〗 쇠똥, 광재(鑛滓); (화산의) 분석(噴石)(scoria); (*pl.*) 재, 회신(灰燼)(ashes); =CINDER PATH. ***be burnt to a ~*** (케이크 등이) 까맣게 타다; (집이) 전부 타 버리다. ***burn up the ~s*** ⟪미⟫ (경주에서) 역주하다.

cínder blòck ⟪미⟫ (속이 빈 건축용) 콘크리트 블록(⟪영⟫ breeze block).

cínder còne 〖지학〗 분석구(噴石丘).

Cin·der·el·la [sìndərélə] *n.* **1** 신데렐라⟪계모와 자매에게 구박받다가 행복을 얻은 동화 속의 소녀⟫. **2** ⟪비유⟫ 숨은 재원; 의붓딸; 별안간 유명해진 사람. **3** 잡역부. **4** =CINDERELLA DANCE.

Cinderélla còmplex 〖심리〗 여성의 남성에의 잠재적인 의지심과 응석 심리.

Cinderélla dànce (the ~) 자정에 끝나는 무도회.

cínder pàth 〔**tràck**〕 (석탄재를 깔아 굳힌) 경주로.

cin·dery [síndəri] *a.* 타다 남은 찌꺼기의〔가 많은〕.

cine [síni, sínei] *n.* 영화(motion picture), 영화관.

cin·e- [síni, -nə] '영화'의 뜻의 결합사.

cin·e·ast, cin·e·aste [síniæ̀st, -əst], [-æ̀st] *n.* 영화인; (열광적인) 영화팬.

cíne·càmera *n.* ⟪영⟫ 영화 촬영기(⟪미⟫ movie camera).

cíne·film *n.* 영화 필름.

‡cin·e·ma [sínəmə] *n.* **1** ⟪영⟫ 영화관(~ theater): go to the 〔a〕 ~ 영화 보러 가다. **2** (한 편의) 영화; (the ~) 〖집합적〗 영화(⟪미⟫ movies); (the ~) 영화 제작〔산업〕: a ~ actor 〔star〕 영화배우. [◂ *cinema*tograph]

cínema cìrcuit 영화의 흥행 계통.

cínema còmplex 시네마 콤플렉스⟪영화관이 모여 있는 건물⟫.

cin·e·mac·tor [sínəmæ̀ktər] *n.* ⟪미속어⟫ 영화배우.

cínema fàn 영화 팬.

cínema·gòer *n.* 영화 팬, 영화를 자주 보는 사람(moviegoer).

Cin·e·ma·Scope [sínəməskòup] *n.* 〖영화〗 시네마스코프⟪와이드스크린에 영사하여 입체감 · 현실감을 줌; 상표명⟫.

cin·e·ma·theque [sìnəmətékk] *n.* 실험 영화 극장.

cin·e·ma·tic [sìnəmǽtik] *a.* 영화의, 영화에 관한; =KINEMATIC. ㊞ **-i·cal·ly** *ad.*

cin·e·mát·ics *n. pl.* 〖단수취급〗 영화 예술.

cin·e·ma·tize [sínəmətàiz] *vt., vi.* 영화화(化)하다.

cin·e·mat·o·graph [sìnəmǽtəgræ̀f, -grɑ̀ːf] *n.* ⟪영⟫ **1** 영사기; 영화 촬영기. **2** 영화관. **3** 영화 상영. **4** (종종 the ~) 영화 제작 기술. **—** *vt., vi.* 영화화하다, 촬영하다.

cin·e·ma·tog·ra·pher [sìnəmətágrəfər/-tɔ́g-] *n.* 영화 촬영 기사(技師), 카메라맨; 영사(映寫) 기사.

cin·e·mat·o·graph·ic [sìnəmæ̀təgræ̀fik] *a.* 영화(촬영술)의; 영사의. ㊞ **-i·cal·ly** *ad.*

cin·e·ma·tog·ra·phy [sìnəmətágrəfi/-tɔ́g-] *n.* 영화 촬영술.

ci·né·ma vé·ri·té [sínəməvèriːtéi] ⟪F.⟫ 시네마 베리테⟪다큐멘터리식 영화⟫.

cin·e·mese [sínəmiːz] *n.* Ⓤ 영화 용어.

cìne·micrógraphy *n.* 현미경 영화 촬영법⟪박테리아 운동 등을 연구하기 위해 현미경의 화상(畫像)을 영화로 촬영하는 것⟫.

cin·e·phile [sínəfàil] *n.* ⟪영⟫ 영화 팬.

cíne·projèctor *n.* ⟪영⟫ 영사기.

Cin·er·ama [sìnərǽmə, -rɑ́ːmə/-rɑ́ːmə] *n.* 〖영화〗 시네라마⟪대형 호상(弧狀) 스크린에 3 대의 영사기로 동시에 영사하여 파노라마 같은 효과를 줌; 상표명⟫. [◂ *cine*ma+pano*rama*]

cin·e·rar·ia [sìnəréəriə] *n.* 〖식물〗 시네라리아 ⟪국화과의 일종⟫.

cin·e·rar·i·um [sìnəréəriəm] (*pl.* **-ia** [-iə]) *n.* 납골당(納骨堂).

cin·er·ary [sínərèri/-rəri] *a.* 재(그릇)의; 유골의, 유골을 넣는: a ~ urn 뼈단지.

cin·er·a·tor [sínərèitər] *n.* 화장로(火葬爐).

ci·ne·re·ous [siníəriəs] *a.* 재가 된, 재 같은; (깃털 등) 회색(잿빛)의(ashen).

cin·er·in [sínərin] *n.* 〖화학〗 시네린⟪살충국(殺蟲菊) 속에 있는 살충 성분⟫.

cin·e·star [sínəstɑ̀ːr] *n.* ⟪미⟫ 영화배우.

Cin·ga·lese [sìŋgəlíːz] *a., n.* =SINGHALESE.

cin·gu·late, -lat·ed [síŋgjələt, -lèit], [-lèitid] *a.* (곤충 등이) 색대(色帶)를 갖는, 띠 모양의 것이 있는.

cin·gu·lot·o·my [sìŋgjəlátəmi/-lɔ́t-] *n.* 〖의학〗 대상회전(帶狀回轉) 절제(술)⟪간질병 등 치료에⟫.

cin·gu·lum [síŋgjələm] (*pl.* **-la** [-lə]) *n.* 〖해부 · 동물〗 띠, 띠 모양의 것〔색〕; 〖치과〗 치대(齒帶)⟪치관부(齒冠部) 후면 기부(基部)의 U 자형 팽륭(膨隆)⟫.

cin·na·bar [sínəbɑ̀ːr] *n., a.* 〖광물〗 진사(辰砂); 적색 황화(黃化) 수은; 주홍색(의)(vermilion).

cin·nám·ic ácid [sinǽmik-, sínəm-] 〖화학〗 계피산(酸), 신남산.

°**cin·na·mon** [sínəmən] *n.* Ⓤ 육계(肉桂); 계피; 육계색; 육계나무. **—** *a.* 육계색의, 황갈색의, 육계의 향료를 친.

cínnamon bèar 〖동물〗 갈색곰⟪북아메리카산(産)⟫.

cínnamon còlor 황갈색, 육계(肉桂)색. ㊞ **cínnamon-còlored** *a.*

cínnamon fèrn 〖식물〗 꿩고비.

cin·na·mon·ic [sìnəmánik/-mɔ́n-] *a.* 육계의; 육계에서 얻은(=**cin·nám·ic**).

cínnamon stòne 〖광물〗 육계석(肉桂石).

cínnamon tóast 시나몬 토스트⟪설탕과 계피

를 바른 버터토스트). 「애인 집 방문.
cinq-à-sept [F. sɛ̃kasɛt] n. ⟪F.⟫ 저녁 때의
cin·quain [siŋkéin, ´-] n. ⟪시어⟫ 5행 스탠자, 5행련(聯). 「따위의).
cinque, cinq [siŋk] n. 5; 다섯 끗⟪카드놀이
cin·que·cen·tist [tʃiŋkwitʃéntist] n. ⟪It.⟫ (종종 C-) 16세기 이탈리아의 예술가⟪시인·화가 등⟫.
cin·que·cen·to [tʃiŋkwitʃéntou] n. ⟪It.⟫ (종종 C-) 16세기⟪특히 이탈리아 예술에 관해 씀⟫.
cinq(ue)·foil [síŋkfɔ̀il] n. **1** 〖식물〗 양지꽃속(屬)의 일종. **2** 〖건축〗 매화 무늬.

cinquefoil 2

Cínque Pórts (the ~) 〖영국사〗 5항(港)⟪중세 영국의 연안 경비에 공헌한 까닭에 특권이 부여된 영국 남동 연안의 다섯 항구⟫.
CINS [sinz] n. ⟪미⟫ 보호 감독이 필요한 아동. cf. JINS. [◂ *C*hild 〔*C*hildren〕 *I*n *N*eed of *S*upervision]
Cin·za·no [tʃinzá:nou] n. Ⓤ 친차노 술⟪이탈리아산 베르무트 술; 상표명⟫.
CIO, C.I.O. Congress of Industrial Organization. cf. AFL-CIO.
cion ⇨ SCION.
CIP catalog information provider; cataloging in publication.
Ci·pan·go [sipǽŋgou] n. ⟪고어⟫ =JAPAN.
◇**ci·pher,** ⟪영⟫ **cy-** [sáifər] n. **1** 영(零)의 기호, 제로; 아라비아 숫자⟪특히 자릿수를 표시하는 것으로서의⟫: a number of 5 ~*s*, 5자리의 수. **2** 암호(문), 부호; 암호 해독서: a ~ code 〔telegram〕 암호표〔전보〕/a ~ officer (대사관의) 암호 해독관/in ~ 암호로 (쓴). **3** 꾸며 맞춘 문자 (monogram). **4** 〖음악〗 자명(自鳴)⟪오르간의 고장으로 자연히 나는⟫. **5** ⟪비유⟫ 하찮은 사람〔물건〕.
— *vi.* **1** 계산하다. **2** (오르간이 고장으로) 저절로 울다⟪*out*⟫. — *vt.* **1** ⟪+목+부⟫ 계산하다(calculate); ⟪미구어⟫ 생각해 내다⟪*out*⟫: ~ *out* a sum 합계를 내다/~ *out* a plan. **2** (통신 등) 암호문으로 쓰다, 암호화하다. OPP *decipher*.
㊎ **~·ing** [sáifəriŋ] n. Ⓤ 계산, 운산.
cípher·tèxt n. (plaintext에 대한) 암호문.
ci·pho·ny [sáifəni] n. 암호 전화법⟪신호를 전기적으로 혼란시킴⟫.
cip·o·lin [sípəlin] n. Ⓤ 이탈리아산 운모 대리석의 일종⟪백색과 녹색의 줄무늬가 있음⟫.
CIQ customs, immigration and quarantine (세관·출입국 관리 및 검역). **cir., circ.** circa, circiter; circle; circuit; circular; circulation; circumference; circus.
cir·ca, cir·cit·er [sə́:rkə], [sə́:rsətər] *prep.* ⟪L.⟫ 대략, …쯤, 경⟪생략: C., ca, cir., circ.⟫.
cir·ca·di·an [sə:rkéidiən] a. 〖생리〗 24시간 주기의: ~ rhythms 24시간 주기 리듬. ㊎ **~·ly** *ad.*
cir·ca·lu·na·di·an [sə̀:rkəlu:ná:diən] a. 태음일(太陰日)(lunar day)마다 일어나는; 24시간 50분의 주기를 가지는.
cir·can·ni·an, -can·nu·al [sə:rkǽniən], [-kǽnjuəl] a. 연(年)주기의.
Cir·cas·sia [sərkǽʃə, -ʃiə/sə:kǽsiə] n. 캅카스 산맥 북부의 흑해에 면한 지방.
Cir·cas·sian [sərkǽʃən, -ʃiən/sə:kǽsiən] n., a. Circassia 족〔인, 언어〕(의).
Cir·ce [sə́:rsi] n. 〖그리스신화〗 키르케⟪Homer 작 *Odyssey*에서, 남자를 돼지로 만든 마녀⟫; Ⓒ 요부; 매혹적인 여성(enchantress). ㊎ **Cir·ce·an** [sə:rsí:ən] a. ~의, ~와 같은; 사람을 호리는, 매혹적인.

cir·ci·nate [sə́:rsənèit] a. 〖식물〗 소용돌이 모양의⟪양치류의 잎 따위⟫; 둥글게 된. ㊎ **~·ly** *ad.*
circiter ⇨ CIRCA.
⁑**cir·cle** [sə́:rkəl] n. **1** 원, 원주, 동그라미: draw a ~ 원을 그리다. **2** 원형의 것; 환(環), 고리(ring); 원진(圓陣); (철도의) 순환선; (주택가의) 순환 도로; (C-)(London의) 지하철 순환선; ⟪미⟫ 로터리: sit in a ~ 빙 둘러앉다. **3** (시간 등의) 주기(週期)(period), 순환(循環)(cycle) ⟪*of*⟫; 〖지리〗 위도(권(圈)); (행성의) 궤도(orbit), 운행 주기: the ~ *of* the seasons 사철의 순환. **4** (극장의) 원형 관람석: the dress ~, 2층 정면석(席). **5** (서커스의) 곡마장(=**círcus rìng**). **6** (교제·활동·세력 등의) 범위(sphere): a large ~ *of* friends 광범한 교우(交友). **7** 〖종종 복수형〗 집단, 사회, …계(界) (coterie), 패, 동아리: literary ~*s* 문인들, 문학계/the family ~ 친족/the upper ~*s* 상류 사회/business 〔political〕 ~*s* 실업계〔정계〕. **8** 전(全) 계통, 전역, 전체: the ~ *of* the sciences 학문의 전 계통/He gave up a ~ *of* pleasures. 그는 일체의 쾌락과 담을 쌓았다. **9** 〖논리〗 순환논법: in a ~ 순환논법으로. ***come full* ~** 빙 돌아 제자리로 오다. ***go* 〔*run, rush*〕 *round in* ~*s*** ⟪구어⟫ ① 제자리를 맴돌다. ② 애쓴 만큼의 진보가 없다. ***run* ~*s around*** a person 아무보다 훨씬 잘하다〔함을 보이다〕. ***square the* ~** 주어진 원과 같은 면적의 정사각형을 구하다; ⟪비유⟫ 불가능한 일을 꾀하다. ***well-informed* ~*s*** 소식통.
— *vt.* **1** (하늘을) 선회하다, 돌다; …의 둘레를 돌다. **2** 에워〔둘러〕싸다(encircle); 동그라미를 치다: *Circle* the correct answer. 옳은 답에 동그라미를 쳐라. **3** (위험을 피하여) 우회하다. — *vi.* **1** ⟪~/+전+명/+부⟫ 돌다, 선회하다: ~ *round* 빙빙 돌다/The airplane ~*d over* the landing strip. 비행기는 활주로 상공을 선회했다. **2** 〖영화·TV〗 화면의 원이 크게〔작게〕 되어 나오다〔사라지다〕⟪*in; out*⟫. **~ *back*** (출발점을 향해) 빙 돌아오다.
㊎ **cír·cler** n. 원을 그리는 것〔사람〕.
círcle gràph 원 그래프(pie chart).
cir·clet [sə́:rklit] n. 작은 원, (금·보석 등의) 장식 고리; 반지(ring); 헤드밴드.
cir·cle·wise [sə́:rklwàiz] *ad.* 둥글게.
cir·cling [sə́:rkliŋ] n. Ⓤ (마술(馬術)에서) 원형으로 돌기.
círcling disèase 〖수의〗 =LISTERIOSIS.
cir·clip [sə́:rklip] n. ⟪영⟫ 서클립⟪샤프트 따위의 홈에 고리 모양으로 끼우는 클립⟫. [◂ *circle*+*clip*]
Cir·clo·ra·ma [sə̀:rklərǽmə, -rá:-/-rá:-] n. Ⓤ 서클로라마⟪원주상의 스크린에 다수의 영사기로 동시 영사하는 영화; 상표명⟫.
circs [sə:rks] n. pl. ⟪영구어⟫ =CIRCUMSTANCES.
cir·cuit [sə́:rkit] n. **1** 순회, 회전; 순회 여행, 주유(周遊). **2** 우회(도로): make the 〔a〕 ~ of the town 읍을 일주하다. **3** 주위, 범위. **4** 순회 재판(구); 〖집합적〗 순회 재판 변호사; (목사의) 순회 교구; 순회로, 순회 구역: go on ~ 순회 재판하다/ride the ~ (판사·목사가) 말 타고 순회하다. **5** 〖전기〗 회로, 회선; 배선(도); 〖컴퓨터〗 회로. cf. short circuit. ¶ open 〔break〕 the ~ 회로를 열다. **6** (극장·영화관 따위의) 흥행 계통, 체인. **7** 리그, (축구·야구 등의) 연맹. **8** (자동차 경주의) 경주로. — *vt., vi.* 한 바퀴 돌다, 순회하다. ㊎ **~·al** a.
círcuit bòard 〖컴퓨터〗 **1** 회로판⟪전자 부품 또는 프린트 회로를 부착하는 절연판⟫. **2** 회로판 또는 집적 회로를 탑재한 회로 구성 소자.

círcuit brèaker 〖전기〗 회로 차단기.
círcuit cóurt 순회 재판소.
círcuit cóurt of appéals 《미》 연방 순회 항소원(抗訴院).
círcuit jùdge 순회 판사.
cir·cu·i·tous [sə:rkjú:ətəs] *a.* 에움길의, 우회(로)의; (말 따위가) 에두르는, 완곡한. ㊕ **~·ly** *ad.* **~·ness** *n.*
círcuit rìder 《미》 (개척 시대 감리교회의) 순회 목사.
cir·cuit·ry [sə́:rkitri] 〖전기〗 *n.* Ⓤ (전기·전자의) 회로 (설계); 회로 소자(素子).
círcuit tràining 서킷 트레이닝《여러 운동을 반복하는 체력 단련 훈련》.
cir·cu·i·ty [sə:rkjú:əti] *n.* Ⓤ 멀리 돌아감, 에두르기.
‡cir·cu·lar [sə́:rkjələr] *a.* **1** 원형의, 둥근; 빙글빙글 도는: a ~ stair 나선 계단/a ~ motion 원운동. **2** 순환(성)의: a ~ argument 〔reasoning〕 순환 논법/a ~ number 〖수학〗 순환수/a ~ railway 순환 철도/a ~ ticket 회유권(回遊券). **3** 순회하는; 회람의: a ~ letter 회장(回章). **4** 완곡한, 간접의. **—** *n.* 회장(回章); 안내장; 광고 전단: send out a ~ 회장을 돌리다. ㊕ **~·ly** *ad.* 원을〔고리를〕 이루어, 둥글게; 순환적으로. **~·ness** *n.*
círcular bréathing 〖음악〗 순환〔원환〕호흡《색소폰 주자(奏者) 등이 코로 들이마신 흡기(吸氣)를 그대로 호기(呼氣)로서 악기에 불어넣어 음을 중단 없이 내게 하는 호흡법》.
círcular díchroism 〖광학〗 원편광 이색성(圓偏光二色性), 원편광 이색성 분광분석(分光分析).
círcular fíle 《미속어》 (사무실 등의) 휴지통.
cir·cu·lar·i·ty [sə̀:rkjəlǽrəti] *n.* Ⓤ 원형, 원상(圓狀), 환상(環狀); 순환성.
cir·cu·lar·ize [sə́:rkjələràiz] *vt.* …에 광고 전단〔안내장·회람〕을 돌리다; 앙케이트를 보내다; 원형으로 만들다. ㊕ **-iz·er** *n.* **cìr·cu·lar·i·zá·tion** *n.*
círcular méasure 〖수학〗 호도법(弧度法).
círcular nóte 순환 신용장《몇 개의 거래 은행에 취결한 신용장(letter of credit)》.
círcular pláne 〖목공〗 둬대패(compass plane).
círcular polarizátion 〖광학〗 원편광(圓偏光).
círcular sáw 둥근 톱(buzz (saw)).
círcular tóur 주유(周遊) 여행(round trip).
círcular velócity 〖물리〗 (로켓의) 원궤도 속도.
***cir·cu·late** [sə́:rkjəlèit] *vi.* 《~/+전+명》 **1** 돌다, 순환하다《*through; among; in*》: Blood ~*s through* the body. 피는 체내를 순환한다. **2** 원운동을 하다, 빙글빙글 돌다; (술잔이) 차례로 돌다《*around; round*》. **3** 〖수학〗 (소수가) 순환하다. **4** 여기저기 걸어다니다; (특히 모임 등에서) 부지런히 돌아다니다; (소문 등이) 퍼지다; (신문 등이) 배부〔판매〕되다: ~ *from* table *to* table at the party 파티에서 테이블에서 테이블로 부지런히 돌아다니다/The story ~*d among* the people. 그 이야기는 사람들 사이에 퍼졌다. **5** (화폐·어음 따위가) 유통하다. **6** 《미》 순회하다. **—** *vt.* **1** 돌리다, 순환시키다; (술잔 등을) 차례로 돌리다: ~ a bottle of port (식후에) 포트와인 병을 차례로 돌리다. **2** (풍문 따위를) 유포시키다; (신문·책자 따위를) 배부〔반포〕하다; (통화 따위를) 유통시키다, 발행하다; 회람시키다: Various rumors ~*d* all over the town. 시내에 갖가지 풍문이 유포되었다. ◇ circulation *n.*
círculating cápital 유동 자본. ⓒⓕ fixed capital.
círculating décimal 〖수학〗 순환 소수.
círculating líbrary 대출〔이동〕 도서관.
círculating mèdium 통화.
cir·cu·la·tion** [sə̀:rkjəléiʃən] *n.* **1** Ⓤ 순환: the ~ of the blood 혈액의 순환. **2** Ⓤ (화폐 따위의) 유통; (풍설 따위의) 유포. **3** 〚단수꼴로〛 (서적·잡지 따위의) 발행 부수, 보급(도); (도서의) 대출 부수: The paper has a large 〔small, limited〕 ~. 그 신문은 발행 부수가 많다〔적다〕. **4** 〚집합적〛 통화; 유통 어음. ◇ circulate *v.* ***be back in ~ (사람이) 다시 활동을 시작하다, 다시 동료들과 어울리다. ***be in*** ~ 유포〔유통〕되고 있다; 활약하고 있다. ***be out of*** ~ (책·통화 등이) 나와 있지 않다, 사용되지 않다; 《미구어》 (사람이) 활동하지 않다, 남과 사귀지 않다. ***put in*** 〔***into***〕 ~ 유포〔유통〕시키다. ***take ... out of*** ~ …을 유통에서 회수하다. ***withdraw from*** ~ …의 발행〔유통〕을 정지시키다.
circulátion guarantée 〖광고〗 (광고주에 대한) 부수 보증.
cir·cu·la·tive [sə́:rkjəlèitiv, -lətiv] *a.* 순환성의, 순환을 촉진하는; 유통성 있는.
cir·cu·la·tor [sə́:rkjəlèitər] *n.* (보도·소문·병균 따위를) 유포시키는 사람, 전달자; (화폐의) 유통자; 순환기; 〖수학〗 순환 소수.
cir·cu·la·to·ry [sə́:rkjələtɔ̀:ri/ˌ-léitəri] *a.* (혈액·물·공기 따위의) 순환의; 순환성의.
círculatory sỳstem 〖해부〗 순환계《혈액이나 림프액을 흐르게 하는》.
cir·cu·lus [sə́:rkjələs] (*pl.* **-li** [-lài]) *n.* 물고기 비늘의 나이테.
cir·cum- [sə́:rkəm, sərkʌ́m] *pref.* '주(周), 회(回), 여러 방향으로' 따위의 뜻.
cir·cum·am·bi·ent [sə̀:rkəmǽmbiənt] *a.* (특히 공기·액체가) 에워싸는, 주위의, 위요하는 (surrounding). ㊕ **-ence, -en·cy** *n.* Ⓤ 주위의 상황〔존재〕. **~·ly** *ad.*
cir·cum·am·bu·late [sə̀:rkəmǽmbjəlèit] *vt., vi.* 두루 돌아다니다, 순행하다; (의향 따위를) 넌지시 떠보다〔말하다〕. ㊕ **-àm·bu·lá·tion** *n.* Ⓤ 두루 돌아다님, 순행; 우회, 완곡. **-ám·bu·la·to·ry** *a.*
cir·cum·bend·i·bus [sə̀:rkəmbéndəbəs] *n.* 《드물게·우스개》 빙 에둘러 하는 말투, 완곡(circumlocution); 에움길, 우회로.
cìrcum·cénter *n.* 〖수학〗 외심(外心).
círcum·cìrcle *n.* 〖수학〗 외접원.
cir·cum·cise [sə́:rkəmsàiz] *vt.* …에게 할례(割禮)를 행하다; 〖의학〗 …의 포피(包皮)를 자르다, 음핵 포피를 자르다; 〖성서〗 …의 마음을 정결케 하다(purify). ㊕ **~d** *a.* 할례를 받은. **-cìs·er** *n.*
cir·cum·ci·sion [sə̀:rkəmsíʒən] *n.* Ⓤ 할례《유대교 따위의 의식》; 〖의학〗 포경 수술; 〖성서〗 번뇌를 없앰; (the ~) 〚집합적〛 유대인《로마서 II: 29》, 마음이 정결한 사람; (the C-) 할례의 축절《예수의 할례 기념; 1월 1일》.
cìrcum·denudátion *n.* 〖지학〗 주변 침식.
◇cir·cum·fer·ence [sərkʌ́mfərəns] *n.* Ⓤ,Ⓒ 원주(圓周); 주선(周線); 주위; 주변 (지역); 영내, 영역; 경계선.
cir·cum·fer·en·tial [sərkʌ̀mfərénʃəl] *a.* 원주의; 주위의; 완곡한. **—** *n.* 시(市)의 외곽을 도는 초고속도로.
cir·cum·flex [sə́:rkəmflèks] *n.* = CIRCUMFLEX ACCENT. ⓒⓕ accent. **—** *a.* 곡절(曲折) 악센트가 있는; 만곡(彎曲)한. **—** *vt.* …에 곡절 악센트를 붙이다; 굽히다.
círcumflex áccent 곡절(曲折) 악센트 (기호)「(ˆ, ˜, ˆ)」.
cir·cum·flex·ion [sə̀:rkəmflékʃən] *n.* Ⓤ,Ⓒ 모음(母音) 곡절.
cir·cum·flight [sə́:rkəmflàit] *n.* (로켓의) 천체 궤도 비행.
cir·cum·flu·ent [sərkʌ́mfluənt] *a.* 돌아 흐르는, 환류(環流)하는. ㊕ **-flu·ence** *n.*
cir·cum·flu·ous [sərkʌ́mfluəs] *a.* 환류하

는; 물에 에워싸인.

cir·cum·fuse [sə̀ːrkəmfjúːz] *vt.* (빛·액체·기체 등을) 주위에 붓다〔쏟다〕《*about; round*》; …을 에워싸다(surround), 감싸다(bathe)《*with*》. ㊔ **-fu·sion** [-fjúːʒən] *n.* Ⓤ,Ⓒ

cìrcum·galáctic *a.* 〖천문〗 성운(星雲) 주위의〔를 운행하는〕; 성운을 둘러싸고 있는.

cìrcum·glóbal *a.* 〖천문〗 지구를 도는; 지구 주위의. ㊔ **~·ly** *ad.*

cìrcum·gýrate *vi.* 회전〔선회〕하다; 주유(周遊)하다. ── *vt.* 회전시키다.

cìrcum·gyrátion *n.* Ⓤ,Ⓒ 회전; 재주넘기; 둘러댐, 임시변통.

cir·cum·ja·cent [sə̀ːrkəmdʒéisənt] *a.* 주변의, 경계를 접하는, 둘레를 도는.

cìrcum·líttoral *a.* 연안의, 해안선의.

cir·cum·lo·cu·tion [sə̀ːrkəmloukjúːʃən] *n.* Ⓤ,Ⓒ 완곡; 에두른〔완곡한〕 표현; 핑계.

Circumlocútion Óffice 번문욕례국(繁文縟禮局)《C. Dickens 작 *Little Dorrit* 에서》.

cir·cum·loc·u·to·ry [sə̀ːrkəmlákjətɔ̀ːri/-lɔ́kjətəri] *a.* (표현이) 장황한; 완곡한.

cìrcum·lúnar *a.* 달을 에워싼, 달 궤도 비행의: a ~ flight 달 궤도 비행.

circumlúnar rócket 달의 이면을 촬영하고 귀환하게 된 로켓.

cìrcum·merídian *a.* 〖천문〗 자오선 근처의.

cir·cum·nav·i·gate [sə̀ːrkəmnǽvəgèit] *vt.* 배로 일주하다, (세계를) 주항(周航)하다. ㊔ **cìr·cum·nàv·i·gá·tion** *n.* Ⓤ,Ⓒ **cìr·cum·náv·i·gà·tor** [-tər] *n.* 세계 주항자.

cir·cum·nu·tate [sə̀ːrkəmnjúːteit] *vi.* 〖식물〗 (덩굴손 따위가) 회선(回旋)하다, 둘둘 감기다. ㊔ **cìrcum·nutátion** *n.* Ⓤ (덩굴손 따위의) 회선 운동.

cìrcum·óculɑr *a.* 눈 언저리의, 눈을 둘러싸는.

cìrcum·plánetary *a.* 〖천문〗 행성(行星) 부근의; 행성을 도는.

cìrcum·pólar *a.* 〖천문〗 극에 가까운; 천극(天極)을 도는; 〖지학〗 극지(방)의: ~ stars 주극성(周極星).

cir·cum·ro·tate [sə̀ːrkəmróuteit] *vi.* 윤전(輪轉)〔회전〕하다. ㊔ **-ro·tá·tion** *n.*

cir·cum·scribe [sə́ːrkəmskràib, ⌐-⌐] *vt.* …의 둘레에 선을 긋다, …의 둘레를 (선으로) 에두르다; …의 경계를 정하다; 제한하다(limit); 정의하다; 〖수학〗 외접(外接)시키다; 사발통문식으로 서명하다: a ~*d* circle 외접원. ㊔ **-scríb·a·ble** *a.* **cír·cum·scrìb·er** *n.* **1** 제한자(者)〔물(物)〕. **2** 사발통문 서명자.

cir·cum·scrip·tion [sə̀ːrkəmskrípʃən] *n.* Ⓤ 한계를 정함; 제한; 경계선; 범위, 영역, 구역; Ⓒ (화폐·메달의) 주위의 명각(銘刻); Ⓤ 〖수학〗 외접; 《고어》 (의미의) 한정, 정의(定義). ㊔ **-tive** *a.* **-tive·ly** *ad.*

cìrcum·sólar *a.* 〖천문〗 태양을 도는, 태양 주변의.

cir·cum·spect [sə́ːrkəmspèkt] *a.* 신중한(prudent), 주의 깊은, 용의주도한. ㊔ **~·ly** *ad.* **~·ness** *n.*

cir·cum·spec·tion [sə̀ːrkəmspékʃən] *n.* Ⓤ 주의 깊음; 용의주도함; 신중함.

cir·cum·spec·tive [sə̀ːrkəmspéktiv] *a.* 주의 깊은; 신중한.

‡**cir·cum·stance** [sə́ːrkəmstæ̀ns, -stəns/-stəns, -stæ̀ns, -stɑ̀ːns] *n.* **1** (보통 *pl.*) 상황, 환경; 주위의 사정. **2** (*pl.*) (경제적인) 처지, 생활 형편. **3** Ⓒ 사건(incident), 사실(fact): His arrival was a fortunate ~. 그가 와 주어서 다행이었다/the whole ~s 자초지종, 상세한 내용. **4** Ⓤ 부대 상황; 상세한 내용, 제목: Tell me every ~ of what happened. 자초지종을 모두 말해 주세요. **5** Ⓤ 형식에 치우침(ceremony), 요란함(fuss). ***depend upon ~s*** 사정 여하에 달리다. ***in bad*** 〔***needy, reduced, straitened***〕 ***~s*** 살림이 옹색하여. ***in comfortable*** 〔***easy, good***〕 ***~s*** 살림이 넉넉하여. ***not a ~ to*** 《미속어》 …와는 비교가 되지 않는. ***pomp and ~*** 당당한 위풍: The procession advanced with *pomp and* ~. 행렬은 위풍당당하게 나아갔다. ***under*** 〔***in***〕 ***any ~s*** 여하한 사정에서도; 꼭《…하지 않으면 안 되다》. ***under*** 〔***in***〕 ***no ~s*** 여하한 일이 있어도 …않다. ***under*** 〔***in***〕 ***such*** 〔***the, these***〕 ***~s*** 그러한〔이러한〕 사정으로(는). ***with much*** 〔***great***〕 ***~*** 상세하게. ***without ~*** 격식을 차리지 않고, 허물없이.

cír·cum·stànced [-t] *a.* (어떤) 사정〔경제적 형편〕에 있는: be differently 〔well, awkwardly〕 ~ 다른〔형편이 좋은, 난처한〕 입장에 있다/thus ~ 이런 사정으로.

cir·cum·stan·tial [sə̀ːrkəmstǽnʃəl] *a.* **1** (증거 등이) 상황에 의한, 추정상의. **2** 상세한(detailed). **3** 우연한, 부수적인. **4** 형식에 치우친, 딱딱한. ㊔ **~·ly** *ad.*

circumstántial évidence 〖법률〗 상황〔간접〕 증거. opp. *direct evidence.*

cir·cum·stan·ti·al·i·ty [sə̀ːrkəmstæ̀nʃiǽləti] *n.* Ⓤ,Ⓒ 상황, 사정; 상세, 정밀; 우연성.

cir·cum·stan·ti·ate [sə̀ːrkəmstǽnʃièit] *vt.* 상세하게 설명하다; (상황에 의하여) 실증하다. ㊔ **cìr·cum·stàn·ti·á·tion** *n.*

cìrcum·stéllar *a.* 별 주위의, 별 주위를 도는.

cìrcum·terréstrial *a.* 〖천문〗 지구 주위의; 지구를 도는.

cir·cum·val·late [sə̀ːrkəmvǽleit] *vt.* …을 성벽으로 에우다〔둘러싸다〕. ── *a.* …으로 둘러싸인. ㊔ **cìr·cum·val·lá·tion** *n.* Ⓤ 성벽을 둘러쌈; Ⓒ 성벽.

cir·cum·vent [sə̀ːrkəmvént] *vt.* **1** 선수를 쓰다, 앞지르다. **2** 함정에 빠뜨리다(entrap); (교묘하게) 회피하다; 우회하다; 일주하다. **3** 에워싸다, 포위하다. ㊔ **~·er, -vén·tor** *n.* **-vén·tion** *n.* Ⓤ **-vén·tive** *a.*

cir·cum·vo·lute [sə̀ːrkʌ́mvəljùːt] *vt.* 감다; 말다; 말려들게 하다.

cir·cum·vo·lu·tion [sə̀ːrkəmvəljúːʃən] *n.* Ⓤ,Ⓒ 말아〔감아〕들임; 빙빙 돎, 선전(旋轉)(rotation); 1 회전; 와선(渦線); 구불구불함; 우회로(迂回路).

cir·cum·volve [sə̀ːrkəmvάlv/-vɔ́lv] *vt., vi.* 회전시키다, 회전하다(revolve).

‡**cir·cus** [sə́ːrkəs] *n.* **1** 서커스, 곡마, 곡예; 곡마단: a flying ~ (비행기의) 공중 곡예. **2** (원형의) 곡마장, 흥행장; (옛 로마의) 경기장(arena): put up 〔pitch〕 a ~ 서커스 흥행장을 설치하다. **3** 《영》 (방사상(放射狀)으로 도로가 모이는) 원형 광장. cf. square. ¶ ⇨ PICCADILLY CIRCUS. **4** 《구어》 유쾌하고 소란스러운 사람〔일〕; 즐거운 한때; 구경거리. ㊔ **~·(s)y** *a.*

círcus càtch 《속어》 경이로운〔절묘한, 멋진〕 포구(捕球).

Círcus Máx·i·mus [-mǽksəməs] (the ~) 〖고대로마〗 대(大)원형 경기장.

ci·ré [siréiː; *F.* siʀe] *a.* (왁스를 바르고 가열·가압하여) 광택을 낸, 시레 가공을 한. ── *n.* 시레 가공을 한 표면〔직물〕.

cirque [səːrk] *n.* 원형의 공간〔배열〕; 《시어》 천연의 원형 극장; 작은 동그라미〔고리〕; 〖지학〗 권곡(圈谷), 원형의 협곡; 《고어》 =CIRCUS.

cir·rate [síreit] *a.* 〖동물·식물〗 덩굴손이 있는, 덩굴손(cirri) 모양의.

cir·rho·sis [siróusis] *n.* Ⓤ 〚의학〛 (간장 등의) 경변(증)(硬變(症)). ㊞ **cir·rhot·ic** [sirátik/ -rɔ́t-] *a.*

cir·ri [sírai] CIRRUS의 복수.

cir·ri·ped, -pede [sírəpèd], [-pìːd] *a., n.* 〚동물〛 만각류(蔓脚類)의 (동물).

cir·ro·cu·mu·lus [sìroukjúːmjələs] (*pl.* **-li** [-lài, -lìː]) *n.* 〚기상〛 권적운(卷積雲), 조개구름, 털쎈구름《기호 Cc》.

cir·rose, cir·rhose [sí(ː)rous] *a.* =CIRRATE.

cir·ro·stra·tus [sìroustréitəs, -strǽː-] (*pl.* **-ti** [-tai], ~) *n.* 〚기상〛 권층운(卷層雲), 털층구름, 솜털구름《기호 Cs》.

cir·rous [sírəs] *a.* 〚기상〛 권운(卷雲)〔새털구름〕(모양)의; 〚동물·식물〛 =CIRRATE.

cir·rus [sírəs] (*pl.* **-ri** [-rai]) *n.* 〚식물〛 덩굴손, 덩굴(tendril); (원생(原生)동물의) 모상 돌기(毛狀突起), 극모(棘毛); 〚기상〛 권운(卷雲), 새털구름《기호 Ci》.「모양의.

cir·soid [sə́ːrsɔid] *a.* 〚의학〛 정맥류(靜脈瘤)

cis- [sis] *pref.* **1** '…의 이쪽의, …의 다음의' 의 뜻. **2** 〚화학〛 '시스형의, 같은 원자나 기(基)가 2중 결합의 같은 쪽에 있는' 이란 뜻.

CIS Center for Integrated System(스탠퍼드 대학 집적 회로 연구 센터); Chemical Information System; 〚우주〛 communication interface system(대(對)오비터 교신 시스템); Counterintelligence Service (대(對)첩보부); the Commonwealth of Independent States (독립 국가 연합).

cis·álpine *a.* (로마에서 보아) 알프스 산맥 이쪽의, 알프스 산맥 남쪽의; 교황권 제한주의의.

cìs·atlántic *a.* 대서양 이쪽의《말하는 사람·필자를 기준으로 하여 미국 쪽이나 영국 쪽의 그 어느 쪽이 됨》. [opp.] *transatlantic.*

CISC [sisk] *n.* 복잡 명령 세트 컴퓨터. [◂ *c*omplex *i*nstruction *s*et *c*omputer].

cis·co [sískou] (*pl.* ~(**e**)**s**) *n.* 〚어류〛 청어 비슷한 물고기(whitefish)《미국 5대호산》.

cis·lúnar *a.* 〚천문〛 달 궤도 안쪽의, 달과 지구 사이의: ~ space 지구와 달 사이의 우주 공간.

cis·móntane *a.* 산(산맥) 이쪽의; 《특히》 = CISALPINE; 산맥에 가까운 쪽의.

cis·plat·in [sisplǽtən] *n.* 〚약학〛 시스플라틴《백금을 함유한 고환·난소 종양 및 방광암 치료제》.

cis·pon·tine [sispántain/-pɔ́n-] *a.* 다리 이쪽의; (특히 런던에서) 템스 강 이북의.

cis·sy [sísi] *n., a.* 《영》 =SISSY.

cist [sist] *n.* 〚고고학〛 석궤(石櫃), 석관, 상자꼴 석분; (옛 그리스의) 성기함(聖器函).

Cis·ter·cian [sistə́ːrʃən] *n.* 시토 수도회의 수사(修士). **—** *a.* 시토 수도회의. ***the ~ Order*** 시토 수도회《1098년 프랑스 Citeaux에서 창설》. ㊞ **~·ism** *n.*

°**cis·tern** [sístərn] *n.* 물통, 수조(水槽), 물탱크《특히 송수용》; (천연의) 저수지; 〚의학〛 (분비액) 저장기(器); 〚해부〛 조(槽).

cis·tron [sístran/-trɔn] *n.* 〚유전〛 시스트론《유전자의 기능 단위》. ㊞ **cis·trón·ic** *a.*

cis·tus [sístəs] *n.* 〚식물〛 시스투스《지중해 연안산의 관목; 물푸레나무류(類)》.

cit. citadel; citation; citizen; citrate.

cit·a·ble, cite- [sáitəbəl] *a.* 인용할 수 있는.

cit·a·del [sítədl, -dèl] *n.* (도시를 지키는) 성채; 요새; (군함의) 포탑; 아성; 최후의 거점: a ~ *of* conservation 보수주의의 거점.

ci·ta·tion [saitéiʃən] *n.* **1** Ⓤ (구절·판례·예증(例證) 따위의) 인증, 인용, Ⓒ 인용문(quotation). **2** [U,C] (사실·예 따위의) 언급, 열거 (enumeration). **3** 〚법률〛 Ⓤ 소환, Ⓒ 소환장. **4** Ⓒ 표창장, 감사장《군인·부대 등에 주어지는》. ◇ cite *v.* ㊞ **ci·ta·to·ry** [sáitətɔ̀ːri/-təri] *a.* 소환의.「사 따위).

citátion fòrm 〚언어〛 대표형《영어의 원형부정

ci·ta·tor [saitéitər, ⌐‐‐] *n.* 인용자(引用者); 《특히》 판례집.

***cite** [sait] *vt.* **1** 인용하다(quote), 인증하다; 예증하다(mention); 열거하다; (권위자 등을) 증언하게 하다. [SYN.] ⇨ QUOTE. **2** 《+[목]+[전]+[명]》 〚법률〛 **a** (법정에) 소환하다(summon), 출두를 명하다: ~ a person *for* a traffic violation 교통 규칙 위반으로 출두를 명하다. **b** (아무를) 소환장을 주고 석방하다(*out*). **3** 〚종종 수동태로〛 (공보(公報) 등에) 특기하다; 표창하다(*for*): *be ~d for* one's charity work 자선 사업으로 표창받다. **4** 《+[목]+[전]+[명]》 …에 언급하다, 상기시키다(*to*): ~ one's gratitude *to* her 그녀에게 감사의 뜻을 말하다. **5** 《고어》 흥분시키다. **—** *n.* 《구어》 인용문. ◇ citation *n.*

CITE 〚우주〛 cargo integration test equipment.

citeable ⇨ CITABLE.

cíte-òut *n.* 소환장만으로 방면하는 일《데모 등으로 체포자가 많을 때, 언제 출두하라는 소환장을 주고 석방하게 됨》.

CITES Convention on International Trade in Endangered Species (of wild Fauna and Flora) (절멸 우려가 있는 야생 동식물의 국제 거래에 관한 조약).「약).

cith·a·ra [síθərə] *n.* 〚고대그리스〛 하프 비슷한

cith·er [síθər] *n.* =CITHARA.

Cit·i·bank [sítibæ̀ŋk] *n.* 시티뱅크《미국의 대형 은행》.

cit·ied [sítid] *a.* 《시어》 도시(city)의〔다운〕; 도시화한; 시유(市有)의.

cit·i·fy [sítifài] *vt.* 《구어》 도시(인)화하다; 도시풍으로 하다. ㊞ **cit·i·fi·cá·tion** *n.* 도시풍화.

cít·i·fied [-fàid] *a.* 도시(인)화한, 도시풍의〔티가 나는〕.

****cit·i·zen** [sítəzən] (*fem.* **~·ess** [-is]) *n.* **1** (도시의) 시민(townsman). **2** (한 나라의) 공민, 국민. ★ 미국 따위 공화국인 경우 citizen '시민'은 '국민'이란 뜻인 경우가 있음. **3** 주민(resident)(*of*); 《널리》 구성원, 멤버: a ~ *of* Washington 워싱턴의 주민. **4** 《미》 일반인, 민간인(civilian)《군인·경찰 따위와 구별하여》. **5** (외국인에 대하여) 내국인. [opp.] *alien.* ***a ~ of the world*** 세계인(cosmopolitan). ㊞ **~·hòod** *n.* **~·ize** *vt.* 《미》 …에게 공민권을 주다. **~·ly** *a.* °**~·ship** [-ʃìp] *n.* Ⓤ 시민의 신분〔자격〕; 시민〔공민〕권; 국적: acquire 〔lose〕 *~ship* 시민권을 얻다〔잃다〕/ strip a person of his *~ship* 아무의 시민권을 박탈하다.

cítizen defénse 시민 방위《핵 셸터(nuclear shelter)로 대표되는 민간 방위》.「의 여성형.

cit·i·zen·ess [sítəzənis] *n.* 《드물게》 CITIZEN

cit·i·zen·ry [sítəzənri, -sən-] *n.* 〚집합적〛 (the ~) (일반) 시민.

cítizen's arrést 〚법률〛 사인(私人)에 의한 체포《중죄에 해당되는 현행범을 시민의 권한으로 체포하는 일》.

Cítizens(') Bánd (때로 c- b-) 시민 밴드《트랜스시버 등을 위한 개인용 주파수대(帶) 및 그 라디오; 생략: CB, C.B.》.

Cítizen's Chárter (the ~) 《영》 시민 헌장《1991년 Major 보수당 정권이 발표한, 시민이 정당한 권리로서 정부의 해당 부처로부터 받을 수 있는 서비스의 기준》.

cítizenship pàpers 《미》 시민권 증서《외국 태생 미국인 또는 미국 거주 외국인에게 줌》.

CITO Charter of International Trade Organization(국제 무역 헌장).

cit·ral [sítrəl] *n.* 〖화학〗 시트랄《레몬유 등에 함유된 액체상(狀)의 알데히드; 향료용》.
cit·rate [sítreit, sáit-] *n.* 〖화학〗 구연산염: sodium ~ 구연산나트륨.
cit·re·ous [sítriəs] *a.* 레몬색의, 푸른색을 띤 「황색의.
cit·ric [sítrik] *a.* 〖화학〗 레몬의, 레몬에서 채취한; 구연산〔성〕의: ~ acid 구연산.
cit·ri·cul·ture [sítrikʌ̀ltʃər] *n.* 감귤 재배.
cit·rin [sítrin] *n.* 〖생화학〗 시트린《비타민 P》.
cit·rine [sítriːn] *a.* 레몬(빛)의, 담황색의. ── *n.* [U] 레몬빛; 〖광물〗 황수정(黃水晶).
°**cit·ron** [sítrən] 〖식물〗 *n.* **1** 레몬 비슷한 식물《불수감(佛手柑) 따위》. **2** =CITRON MELON. **3** 레몬빛, 담황색. ── *a.* 레몬빛의.
cit·ron·el·la [sìtrənélə] *n.* **1** 〖식물〗 향수비자나무의 일종《스리랑카에서 나는 볏과 식물》. **2** [U] 시트로넬라 기름(=∠ **òil**)《향수·비누·구충제 등의 원료》.
cit·ron·el·lal [sìtrənélæl] *n.* 〖화학〗 시트로넬랄《무색 액상(液狀)의 알데히드; 향료용》.
cítron mèlon 〖식물〗 시트론 멜론《과육이 단단한 흰 수박의 일종; 과자·피클용》.
cit·rous [sítrəs] *a.* 감귤류의.
cit·rul·line [sítrəlìːn] *n.* 〖생화학〗 시트룰린《염기성 아미노산의 하나; 요소 회로의 중간체》.
cit·rus [sítrəs] (*pl.* **~, ~·es**) *n.* 〖식물〗 밀감속(屬), 감귤류.
cit·tern [sítərn] *n.* =CITHER.
†**city** [síti] *n.* **1 a** 도시, 도회. ★ town 보다 큼. **b** 시《영국에서는 bishop이 있는 도시 또는 왕의 특허장에 의하여 city로 된 town, 미국에서는 주로부터 자치권을 인가 받은 시장·시의회가 다스리는 자치 단체, 캐나다는 인구에 입각한 고위의 자치체》. **2** (the ~) 〔집합적; 보통 단수취급〕 전(全)시민. **3 a** (the C-) 시티《런던의 상업·금융의 중심 지구》. **b** 《영》 재계, 금융계. **4** 도시 국가(city-state). **5** 《미·Can.속어》 (…한) 상태〔사람, 것, 장소〕: ⇨FAT CITY. ***one on the ~*** 《미속어》 물 한 잔(의 주문). ***the City of David*** 예루살렘·베들레헴의 별칭. ***the City of God*** 천국. ***the City of Refuge*** 〖성서〗 도피의 도시《죄인의 보호지로 인정된 옛 유대의 6 도시의 하나; 여호수아서 XX》. ***the City of*** (***the***) ***Seven Hills*** 7 언덕의 도시 《Rome, Constantinople의 별명》. ***the something in the City*** 《영구어》 수상쩍은 금융업자.
cíty árticle 《영》 (신문의) 상업 경제 기사.
cíty assémbly 시의회(municipal assembly).
cíty blúes 〔단·복수취급〕 시티블루스(urban-blues).
cíty-bòrn *a.* 도시 태생의.
cíty-brèd *a.* 도시에서 자란.
cíty céntre 《영》 도심지.
cíty chícken 돼지고기나 송아지고기 조각을 꼬치에 꿰어 빵가루를 묻혀 기름에 튀긴 식품.
cíty clérk 시(市)의 사무 직원《공문서의 기록·인구 통계·면허증 발행 등을 담당》.
cíty còde 도시명 코드《항공사·여행사 등에서 사용되는 세 문자로 된 도시명의 약호: London 은 LON, 서울은 SEL 따위》.
Cíty Cómpany 런던시 상업 조합《옛날의 여러 상업 조합을 대표하는 단체》.
cíty cóuncil 시의회.
cíty cóuncilor 시의회 의원.
cíty delìvery 시내 우편 배달.
cíty désk 《미》 (신문사의) 사회부, 지방 기사 편집부; 《영》 경제 편집부.
cíty éditor 《미》 (신문사의) 사회부장; 지방 기사 편집장; (종종 C- e-) 《영》 (신문사·잡지사의) 경제부장〔기사 편집장〕.
cíty fáther 시의 유지(有志), 시의회 의원.
cit·y·fy [sítəfài] *vt.* =CITIFY.
cíty háll 시청, 시의회 의사당. ***fight ~*** 《미구어》 관권을 상대로 무익한 싸움을 하다; 관료의 권위를 상대로 싸우다.
cíty magazíne 시티 매거진《특정한 도시·주 등 한정된 지역의 독자를 위한 잡지》.
Cíty màn 《영》 실업가, 금융업자《특히 the City 내의》. 「당관.
cíty mánager 《미》 (시의회가 임명한) 시정 담
cíty òrdinance 시 조례(市條例)(bylaw).
cíty páge 《영》 (신문의) 경제란(欄)(=《미》 **fináncial páge**).
cíty plán 〔**plánning**〕 도시 계획.
cíty plánner 도시 계획가.
cíty polìce 시경찰국.
cíty ròom (신문·라디오·텔레비전의) 지방 뉴스 편집실 (직원).
cíty·scàpe *n.* 도시 풍경〔경관〕《특히 중심가의》.
cíty slícker 《구어》 도회지 물이 든 사람, (닳아빠진) 도시인.
cíty-stàte *n.* (옛 그리스의) 도시 국가 《고대 아테네, 스파르타 따위》.
cit·y·ward(s) [sítiwərd(z)] *ad.*, *a.* 도시(쪽으)로; 도시의.
cíty wàter 수도(水道) (용수).
cíty·wíde *a.*, *ad.* 전 도시의〔에〕.
civ. civic; civil; civilian.
civ·et [sívit] *n.* 〖동물〗 사향고양이(=∠ **cát**); 그 가죽; [U] 그것에서 채취되는 향료.

civet cat

civ·ex [síveks] *n.* 시벡스《핵병기의 제조 원료인 순수 플루토늄의 발생을 막기 위하여, 핵연료를 증식로(增殖爐)에서 재처리하는 시스템》.
°**civ·ic** [sívik] *a.* 시의, 도시의; 시민〔공민〕의: ~ duties 시민의 의무 / ~ life 시민〔도시〕 생활 / ~ rights 시민〔공민〕권. [파] **-i·cal·ly** [-ikəli] *ad.* 시민으로서, 공민답게.
cívic cénter 시민 회관; 도시의 관청가, 도심; 시당국. 「민주의〔정신〕.
civ·i·cism [sívəsìzəm] *n.* [U] 시정(市政); 시
cívic-mínded [-id] *a.* 공덕심이 있는; 사회복지에 열심인. [파] **~·ness** *n.*
civ·ics *n. pl.* 〔단수취급〕 공민학, 공민과(科); 시정(市政)학, 시정 연구.
civ·ies [síviz] *n. pl.* 《구어》 (군복에 대하여) 평복, 신사복(civvies, cits): in ~ 신사복〔평복〕을 입고.
⁑**civ·il** [sívəl] *a.* **1** 시민〔공민(公民)〕의, 공민으로서의, 공민적인: ~ life 시민〔사회〕 생활. **2** 문명(사회)의(civilized); 집단 활동을 하는. **3** 정중한, 예의 바른, 친절한: a ~ reply 정중한 회답 / ~ but not friendly 정중하지만 친밀감이 없는 / Be more ~ *to* me. 좀 더 예의 바르게 굴어라. [SYN.] ⇨POLITE. **4** (무관에 대하여) 문관의; (군에 대하여) 민간의, 일반인의: ~ administration 민정 / ~ airport 〔aviation〕 민간 비행장〔항공〕. **5** 국가의, 국내의, 사회의, 내정의: a ~ war 내란. **6** 〖법률〗 민사의: a ~ case 민사 사건. [cf.] criminal. **7** 보통력(曆)의, 상용(常用)하는: a ~ year 역년(曆年). [cf.] astronomical, solar. ***~ and military*** 문무의. ***do the ~*** 정중히〔공손히〕 하다. ***keep a ~ tongue in*** one's ***head*** ⇨TONGUE.
Cívil Aeronáutics Bóard 《미》 민간 항공 위원회《생략: CAB, C. A. B.》.
cìvil affáirs (점령지 등의) 민정.
cívil aviátion 민간 항공.

Cívil Aviátion Authòrity (the ~) 《영》 민간 항공국(局).
Cívil Aviátion Secúrity Sérvice 《미》 민간 항공 경비부《공항 경비 기관》.
cívil códe 민법전. cf. criminal code.
cívil commótion 소요, 폭동, 민요(民擾).
cívil dáy 역일(曆日)(calendar day).
cívil déath 〚법률〛 시민권 상실; 법률상의 사망.
cívil defénse 민간 방공(防空); 민방위 대책〔활동〕: a ~ corps 민방위대.
cívil disobédience 시민적 저항〔불복종〕《납세 거부 등의 시민의 공동 반항》.
cívil enginéer 토목 기사《생략: C.E.》.
cívil enginéering 토목 공학〔공사〕.
*__ci·vil·ian__ [sivíljən] *n.* **1** (군인·성직자가 아닌) 일반인, 민간인. **2** 비전투원, 군속. **3** (무관에 대하여) 문관. **4** 로마법학자, 민법학자. **5** (*pl.*) (군복에 대하여) 사복, 평복. — *a.* 일반인의, 민간의; 문관의; 군속의; 비군사적인: a ~ airman 〔aviator〕 민간 비행가/~ clothes 평복, 신사복/~ control 문관〔문민(文民)〕 지배〔통제〕.
ci·víl·ian·ìze *vt.* (포로에게) 일반 시민으로서의 신분을 부여하다; 군 관리에서 민간 관리로 바꾸다. ㊀ **ci·vìl·ian·i·zá·tion** *n.* U 시민화.
◇**ci·vil·i·ty** [sivíləti] *n.* U (형식적인) 정중함, 공손함; 예의 바름; (*pl.*) 정중한 말〔행위〕: exchange *civilities* 정중한 인사를 교환하다.
civ·i·liz·a·ble [sívəlàizəbəl] *a.* 교화〔문명화〕할 수 있는.
⁑**civ·i·li·za·tion,** 《영》 **-sa-** [sìvəlizéiʃən/-laiz-] *n.* **1** U,C 문명(文明), 문화: Western ~ 서양 문명. **2** U 문명화, 교화, 개화. **3** 〘집합적〙 문명국(민); 문명 사회〔세계〕; 문화 생활: All ~ was horrified by 〔at〕 the event. 문명 국민은 모두 그 사건에 전율을 느꼈다. **4** 문명의 이기. **5** 인구 밀집지, 도시《사막·벽지 등에 대하여》. ◇ civilize *v.* ㊀ **~·al** *a.* **~·al·ly** *ad.*
⁑**civ·i·lize,** 《영》 **-lise** [sívəlàiz] *vt.* 문명화하다; (야만인을) 교화하다(enlighten); 세련되게 하다; 《우스개》 (사람을) 예의 바르게 하다. ◇ civilization *n.* ~ ***away*** 문명에 의해 (만풍(蠻風) 따위를) 없애다. ㊀ **-lìz·er** *n.* 교화하는 사람.
⁑**civ·i·lized** [sívəlàizd] *a.* **1** 문명화된, 개화된: a ~ nation 문화 국민. **2** 예의 바른, 교양이 높은. ㊀ **~·ness** *n.*
cívil láw **1** 민법, 민사법《criminal law에 대하여》. **2** (종종 C- L-) 로마법(Roman law); 국내법《국제법에 대하여》; (로마법계(系)의) 사법(私法) 체계, 대륙법.
cívil líberty (보통 *pl.*) 시민적 자유; 시민적 자유에 관한 기본적 인권.
cívil líst 《영》 **1** (의회가 정한) 왕실비(費). **2** (영연방) 문관 봉급(표).
cív·il·ly *ad.* **1** 시민적으로, 시민〔공민〕답게. **2** 예의 바르게, 정중하게. **3** 민법상, 민사적으로. **4** (종교적이 아니고) 속인적으로.
cívil márriage 민법상 결혼, 민사혼(民事婚), (종교 의식에 의하지 않은) 신고 결혼.
cívil párish 《영》 =PARISH 4. 「〔옹호자〕.
cívil ríghter 〔**ríghtist**〕 《미구어》 민권 운동자
cívil ríghts 인권, 시민권, 공민권; 공민권 운동; 《미》 (특히 흑인 등 소수 민족 그룹의) 평등권.
Cívil Ríghts Àct (the ~) 《미》 시민적 권리에 관한 법률, 공민권법《인종·피부색·종교·출신국에 따른 차별을 철폐할 목적으로 제정된 연방법; 가장 종합적인 것이 1964년 제정된 것임》.
cívil ríghts mòvement 공〔시〕민권 운동《미국에서 특히 1950-60년대에 행해졌던 흑인 차별 철폐를 위한 비폭력적 시위 운동》.
cívil sérpent 《속어》 공무원, 관리(civil servant). 「(행정) 사무관.
cívil sérvant 공무원, 문관; (유엔 기관 등의)
cívil sérvice (the ~) (군·사법·입법 관계 이외의) 정부 관청〔기관〕; 행정 사무; (군관계 이외의) 문관, 공무원: ~ examination 〔commission〕 공무원 임용 시험〔시험 위원〕/join 〔enter〕 the ~ 공무원이 되다.
cívil-spóken *a.* 말씨가 공손한. 「입장〔상태〕.
cívil státe (독신·결혼·이혼 등의) 혼인상의
cívil wár **1** 내란, 내전. **2** (the C- W-) 《미》 남북 전쟁(1861-65); 《영》 Charles 1세와 의회와의 분쟁(1642-46, 1648-52). 「위반 따위》.
cívil wróng 〚법률〛 (민사상의) 권리 침해《계약
cívil yéar 역년(曆年)(calendar year).
civ·ism [sívizəm] *n.* U 공민 정신, 공공심; 선량한 공민으로서의 자격. 「CIVIES.
civ·vy, -vie [sívi] *n.* 《구어》 일반인; (*pl.*) =
CIWS 〚군사〛 close-in weapons system (근접 목표 요격용 무기). **C.J.** Chief Judge; Chief Justice. **CJD** 〚의학〛 Creutzfeldt-Jakob disease.
ÇJK únified ídeographs CJK 통합 한자《중국어·일본어·한국어의 한자를 통일적으로 코드화한 것으로 범용문자 집합(universal character set (UCS))로 채용됨》. [◂ *Chinese, Japanse, Korean*]
ck. cask; check; cock. **Cl** 〚화학〛 chlorine. **cl.** carload; centiliter; claim; class; classification; clause; clearance; clergyman; clerk; cloth. **c.l.** carload; civil law. **C/L** 〚은행〛 cash letter (당좌). **CLA** College Language Association.
clab·ber [klǽbər] *n.* 상해서 엉긴 우유(bonnyclabber). cf. yog(h)urt. — *vi., vt.* 진하게 엉기(게 하)다(curdle); 시어지다.
clack [klæk] *vi.* 찰칵 소리를 내다; 재잘재잘 지껄이다(chatter); (암탉이) 구구구 울다. — *n.* 찰칵하는 소리; 수다(chatter); 새 쫓는 딱따기; =CLACK VALVE; 《속어》 혀(tongue). [imit.]
cláck·er *n.* 달가닥〔찰칵〕거리는 것; 땡땡이.
cláck vàlve 〚기계〛 역행 방지판.
clad [klæd] 《고어·문어》 CLOTHE의 과거·과거분사. — *a.* 〘종종 결합사로〙 장비한, 입은, 덮인: iron*clad* vessels 철갑선. — (*p., pp.* ~; **∠·ding**) *vt.* (금속에) 다른 금속을 입히다〔씌우다〕, 클래딩하다. — *n.* 피복(被覆) 금속, 피복〔외장〕재(=**clád·ding**).
cla·dis·tics [klədístiks] *n. pl.* 〘보통 단수취급〙 〚생물〛 분기학(分岐學)《계통 발생적 분류를 행하는》. ㊀ **-dís·tic** *a.* **-ti·cal·ly** *ad.*
clàdo·génesis *n.* 〚생물〛 분기(分岐) 진화《하나의 계통이 둘 이상으로 분열되어 진화》.
clad·o·gram [klǽdəgræ̀m] *n.* 〚생물〛 진화(進化)의 파생도, 분기도(分岐圖). 「라붙는.
clag·gy [klǽgi] (**-gi·er; -gi·est**) *a.* 《방언》 달
⁑**claim** [kleim] *vt.* **1** (당연한 권리로서) 요구하다, 청구하다: ~ damages 손해 배상을 요구하다. SYN. ⇨ DEMAND. **2** (유실물을) 제것이라고 주장하다, 되찾다, (기탁물을) 찾(아내)다: Does anyone ~ this umbrella? 이 우산 임자는 안 계십니까. **3** (권리·사실의) 승인을 요구하다, 주장하다. **4** 《+*to* do/+*that* 절》 공언하다; 자칭하다; 주장하다: I ~ *to* be 〔*that* I am〕 the rightful heir. 내가 정당한 상속인임을 주장한다. **5** (남의 주의를) 끌다, 구하다(call for); (주의·존경 등의) 가치가 있다(deserve): The problem ~*s* our attention. 그 문제는 주의할 가치가 있다. **6** (병·재해 등이 인명을) 빼앗다: Death ~*ed* him. 그는 죽었다. — *vi.* 《+전+명》 (손해 배상을) 청구〔요구〕하다《*against;*

on》; 권리를 주장하다; 의견을 주장하다《on; for》; 토지를 점유하다: ~ *against* a person 아무에게 배상을 요구하다 / ~ *on* the car insurance 자동차 보험의 지불을 청구하다. ~ ***back*** …의 반환을 요구하다; 되찾다《from》. **~ing race** 출전마(出戰馬) 구입 예약 경마《경기 전에 출전할 말의 매매를 예약함》. ⓒⓕ selling race. ~ ***responsibility*** 범행 성명을 내다: The IRA ~*ed responsibility* for the bombings. IRA는 그 폭파를 실행한 것은 자신들이라고 발표했다. ~ a person's ***pound of flesh*** 아무에게 빚을 갚으라고 성화같이 조르다.

— *n.* **1** Ⓒ (당연한 권리로서의) 요구, 청구 (demand); (배상·보험금 등의) 지급 요구〔청구〕, 청구액, 클레임; (기탁물의) 인도 요구: a ~ *for* damages 손해배상 (청구)/We have put in the ~ *to* the maker. 우리는 제조업자에게 클레임을 냈다. **2** Ⓤ,Ⓒ (요구하는) 권리(right), 자격(title): We have no ~ *on* you. 우리는 너에게 요구할 권리는 없다/He has no ~ *to* scholarship. 그는 학자로 불릴 자격이 없다/He has little ~ *to* be a student. 그는 학생이라고 말할 자격이 거의 없다. **3** Ⓒ 청구물; (특히 광구 따위의) 불하 청구지. **4** Ⓒ (소유권·사실 등의) 주장: Her ~ *to* be promoted to the post was quite legitimate. 그 자리로 진급시켜 달라는 그녀의 주장은 아주 정당한 것이었다/Her ~ *that* he deserved the post was honored. 그가 그 자리에 앉을 만하다는 그녀의 주장은 존중되었다. **5** 필요한 일: I have many ~*s on* my time. 여러 가지 일에 시간을 뺏긴다. ***jump*** a person's ~ 아무의 불하 청구지를 가로채다; (아무의) 권리를 가로채다. ***lay*** 〔***make***〕 ~ ***to*** …에 대한 권리를〔소유권을〕 주장하다, …을 제것이라고 주장하다; …을 자칭하다: *lay* ~ *to* learning 학자로 자처하다. ***put in*** 〔***send in, file***〕 ***a ~ for*** …에 대하여 요구를 제출하다. ***set up a ~ to*** …에 대한 권리를 제기하다. ***stake out a*** 〔***one's***〕 ~ (…의) 소유권을 주장하다《to; on》.

㊞ **∠·a·ble** *a.* 요구〔청구, 주장〕할 수 있는.

claim·ant [kléimənt] *n.* 요구자, 청구자, 주장자, 신청인; 〖법률〗 (배상 따위의) 원고.

cláim chèck (옷·주차장 따위의) 번호표, 보관증, 예탁표, 상환권.

cláim·er *n.* **1** =CLAIMANT. **2** 〖경마〗 매각 경마 (claiming race)의 출주마(出走馬); =CLAIMING RACE.

cláiming ràce 〖경마〗 매각 경마, 양도 요구 경주《출주마(出走馬)는 레이스 후 레이스 전에 가격을 정한 사람에게 매각됨》.

cláim-jùmper *n.* 《미》 타인 명의의 광구(鑛區) 횡령자.

cláims·man [-mən] *n.* (*pl.* **-men** [-mən]) 〖보험〗 지급액 산정 계원(adjuster)《특히 상해 보험의》.

cláim tàg 수화물 상환증(=(**bággage**) **cláim chèck**).

clair·au·di·ence [klɛərɔ́ːdiəns] *n.* Ⓤ 〖심리〗 초인적인 청력, 투청(透聽).

clair·au·di·ent [klɛərɔ́ːdiənt] *a.* 초인적인 청력이 있는. — *n.* 투청자(透聽者).

cláir-obscúre [klɛ́ər-] *n.* 명암법(chiaroscuro).

clair·voy·ance [klɛərvɔ́iəns] *n.* Ⓤ 투시(력); 천리안; (비상한) 통찰(력).

clair·voy·ant [klɛərvɔ́iənt] *a.* 투시의; 투시력이 있는; 통찰력이 있는. — (*fem.* **-ante** [-ənt]) *n.* 천리안의 사나이, 투시자; 통찰자.

clam[1] [klæm] *n.* **1** 대합조개; 《구어》 뚱한 사람, 말이 없는 사람; 멍청한 사람. **2** =CLAMP[1]. **3** 《미속어》 잘못, 실수. **4** 《미속어》 1 달러(의 금액). (***as***) ***happy as a*** ~ 《미구어》 매우 행복하여. — (**-mm-**) *vi.* 대합조개를 잡다. ~ ***up*** 《구어》 (상대의 질문에 대해) 입을 다물다〔다물고 있다〕, 침묵을 지키다; 묵비(默秘)하다.

clam[2] (**-mm-**) *n., vi.* 가락이 안 맞는 음(을 내다)《재즈에서》.

clam[3] *n.* 《드물게》 바이스(vise), 클램프(clamp).

cla·mant [kléimənt] *a.* 《문어》 소란한(noisy); 극성스럽게 주장〔요구〕하는(insistent) 《for》; 긴급한, 시급한(urgent). ㊞ **~·ly** *ad.*

clám·bàke *n.* 《미》 **1** (대합을 구워 먹는) 해변의 피크닉〔파티〕(의 요리된 음식), (해변에서의) 대합 구워 먹기; 〖일반적〗 떠들썩한 회합〔대회〕. **2** 《속어》 실수가 많은 리허설.

°**clam·ber** [klǽmbər] *vi.* 기어오르다, (애쓰며) 기어오르다〔내려가다〕《*up; down; over,* etc.》. — *n.* 등반, 기어올라가기. ㊞ **~·er** *n.* 등반자.

clám chówder 〖요리〗 클램 차우더《대합을 넣은 야채 수프》.

clám dìggers 《미》 종아리 중간까지 내려오는 「짧은 바지.

clam·jam·fry, -phrey, -phrie [klæmdʒǽmfri] *n.* 《Sc.》 군중; 쓰레기, 잡동사니; 잡담, 허튼소리.

clam·my [klǽmi] (***clam·mi·er; -mi·est***) *a.* 끈끈한, 끈적끈적한; (날씨 따위가) 냉습한. ㊞ **clám·mi·ly** *ad.* **-mi·ness** *n.*

clam·or,** 《영》 **-our** [klǽmər] *n.* 외치는 소리 (shout); 왁자지껄 떠듦, 소란(uproar); 소리 높은 불평〔항의〕; (여론의) 아우성 소리《*against; for*》: the ~ *against* heavy taxes 중세(重稅) 반대의 외침/raise a ~ *for* reform 개혁의 외침 소리를 울리다. — *vi.* 《~/+부/+전+명/+*to* do》 와글와글 떠들다, 외치다, 시끄럽게 굴다; 극성스럽게 요구하다《*against; for*》: ~ *against* a bill 법안에 반대하여 시끄럽게 떠들다/~ *for* higher wages 임금 인상을 극성스럽게 요구하다/They ~*ed out*. 그들은 크게 외쳤다/The soldiers ~*ed to go* home. 병사들은 귀환한다고 떠들어댔다. — *vt.* 《~+목/+목+부/+*that* 절》 시끄럽게 말하다, 와글와글 떠들다; 고함쳐 …에게 —하게 하다《*down*》: ~ *down* a speaker 연사를 야유하여 물러나게 하다/They ~*ed* their demands. 그들은 떠들면서 요구했다/They ~*ed that* the accident was caused by carelessness. 그들은 그 사고가 부주의 때문에 일어난 것이라고 떠들어댔다. ~ a person ***into 〔***out of***〕 (do)***ing*** 고함쳐서 아무에게 억지로 …시키다〔못 하게 하다〕.

***clam·or·ous** [klǽmərəs] *a.* **1** 시끄러운, 소란스러운, 떠들썩한(noisy). **2** 《비유》 불만이 많은, 요구가 강력한. ㊞ **~·ly** *ad.* **~·ness** *n.*

clamp[1] [klæmp] *n.* **1** 꺾쇠, 거멀장, 죔쇠; (나사로 죄는) 죔틀. **2** 〖건축〗 접합부에 대는 오리목; 〖선박〗 보받이판. **3** (*pl.*) 집게; (외과용) 겸자(鉗子). ***put the ~s on*** 《속어》 강도질하다. — *vt.* (꺾쇠로) 고정시키다, (죔쇠로) 죄다; 강제로 시키다, 강제하다《on》. ~ ***down*** 《구어》 죄다; (…을) (강력히) 단속하다, (폭도 등을) 탄압〔압박〕하다《on》.

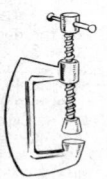

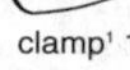

clamp[1] 1

clamp[2] 《영》 *n.* (쓰레기·벽돌 따위의) 퇴적(堆積), (흙·짚을 덮은 감자 따위의) 더미(pile).

— *vt.* (벽돌 등을) 높이 쌓아올리다《up》; (감자 따위를) 짚·흙 따위로 덮어서 가리다.

clamp[3] *n., vt.* 육중한 발소리(를 내며 걷다) (clump). [imit.]

clámp·dòwn *n.* 《구어》 엄중 단속, 탄압.

clámp·er *n.* **1** 꺾쇠(clamp[1]); (*pl.*) 집게; (구두 바닥에 대는) 동철. **2** 《영》 차에 꺾쇠를 채우는

사람.

clámp(ing) scrèw 고정 나사, 죄는 나사못.

clámp trùck 클램프트럭《대형 화물 등을 집어 나를 수 있도록 강력한 두 개의 클램프를 장비한 트럭》.

cláms casíno (종종 c- C-) 〖단·복수취급〗 카지노풍의 클램《대합껍질에 대합을 넣고 그 위에 피망과 베이컨을 얹어 구운 요리》.

clám·shèll *n.* 대합조개(clam)의 조가비; 〖기계〗 (준설기의) 흙 푸는 버킷(= ∠ **bùcket**); 〖항공〗 = EYELID.

clám·wòrm *n.* 《미》 갯지렁이《낚싯밥》.

°**clan** [klæn] *n.* **1** 씨족(氏族)(tribe), 일문(一門), 벌족(閥族)《특히 스코틀랜드 고지 사람의》. cf. sib. **2** 당파, 도당; 파벌(clique). **3** (대)가족.

clan·des·tine [klændéstin] *a.* 비밀의(secret), 은밀한(underhand), 남모르게 하는: a ~ marriage 〔dealing〕 비밀 결혼〔거래〕. ★ 보통 떳떳치 못한 목적에 대해 씀. ⊞ **~·ly** *ad.* 은밀히, 남몰래. **~·ness** *n.*

°**clang** [klæŋ] *vt., vi.* 쩽그렁〔뗑그렁〕 울리다; 뗑그렁 울다; 뗑그렁 소리를 내며 움직이다〔달리다〕. **—** *n.* 쩽그렁, 뗑그렁 (소리); 〖음악〗 악음(樂音), 복합음. [imit.] 「(類音) 연상.

cláng associàtion 〖심리〗 음(音) 연합, 유음

clang·er [klǽŋər] *n.* 《영구어》 큰 실책〔실수〕; (*pl.*) 《고속어》 불알. ***drop a*** **~** 《구어》 큰 실수를 저지르다.

clan·gor, 《영》 **-gour** [klǽŋgər] *n.* 쩽그렁〔뗑그렁〕 울리는 소리. **—** *vi.* 쩽그렁〔뗑그렁〕 울다, 울리(어 퍼지)다. ⊞ **clan·gor·ous** [klǽŋgərəs] *a.* 울리(어 퍼지)는. **~·ous·ly** *ad.* 쩽그렁〔뗑그렁〕하고.

Ć lànguage 〖컴퓨터〗 시 언어《1972년 미국 AT & T사와 Bell 연구소의 D. Ritchie에 의해 개발된 프로그래밍 언어》.

clank [klæŋk] *vt., vi.* (무거운 쇠붙이 따위가) 절거덕하고 소리나(게 하)다, 탁〔철꺽〕하고 울리다: The swords clashed and *~ed.* 칼과 칼이 맞부딪쳐 쩽그렁 소리가 났다. **—** *n.* 철꺽, 탁, 철커덩(하는 소리). ⊞ **∠·ing·ly** *ad.* [imit.]

clanked [-t] *a.* 《속어》 지친, 녹초가 된.

clan·nish [klǽniʃ] *a.* 당파적인; 배타적인; 씨족의. ⊞ **~·ly** *ad.* **~·ness** *n.*

clan·ship [klǽnʃip] *n.* Ⓤ 씨족 제도; 씨족 정신; 족벌적 감정; 애당심.

cláns·man [-mən] (*pl.* ***-men*** [-mən]) *n.* 종씨; 같은 씨족〔문중〕의 사람; 동향 사람.

clap**[1] [klæp] (-pp-***) *vt.* **1** 《+목+전+명》 쾅〔철썩〕 때리다〔부딪치다〕: He *~ped* his head *on* the door. 그는 문에 머리를 쾅 부딪쳤다. **2** (손뼉을) 치다; 박수갈채하다: ~ one's hands 박수를 치다. **3** 《+목+전+명》 찰싹 때리다, 가볍게 치다: I *~ped* him *on* the shoulder. 나는 그의 어깨를 툭 쳤다. **4** 탁탁〔찰싹, 쾅〕 소리를 내다; (새 따위가) 홰치다: A bird *~s* its wings. **5** 《+목+보/+목+부/+목+전+명》 (…에) 쾅〔철썩〕 놓다《*on*》; (문·창 따위를) 쾅 닫다; (책 따위를) 탁 덮다; (모자 따위를) 홱 쓰다: ~ the door *to* 〔shut〕 문을 쾅 닫다 / ~ one's hat *on* 모자를 홱 쓰다 / ~ a book *on* the table 책을 테이블 위에 철썩 놓다. **6** 《+목+부》 《구어》 서둘러 만들다〔준비하다〕《*up; together*》: ~ *together* a plan 계획을 서둘러 세우다. **7** 《+목+전+명》 (사람·물건을 …에) 급히 처넣다《*in; into*》: ~ a person *in* jail 아무를 감옥에 처넣다. **—** *vi.* **1** 《+전+명》 (…에게) 손뼉을 치다, 박수 치다《*for*》: ~ *for* the singer 가수에게 박수를 보내다. **2 a** 《~/+전+명》 쾅〔철썩, 덜커덩〕 소리를 내다: The shutters *~ped in* the wind. 셔터가 바람에 덜커덩거렸다. **b** 《+부/+보》 (문·창문 등이) 쾅 닫히다: The door *~ped to.* 문이 쾅 닫혔다 / The door *~ped* shut (in my face). 문이 (눈 앞에서) 쾅 닫혔다. **3** 《+전+명》 재빨리 움직이다〔행동하다〕: His hand *~ped over* my mouth. 그의 손이 재빨리 나의 입을 막았다. **~ *eyes on*** 《구어》 …을 우연히 보다, …을 보다《보통 never 등의 부정어를 수반함》. **~ *hold of*** …을 급히 붙잡다. **~ *on*** (돛을) 확 펴다; (수갑을) 탁 채우다; (브레이크를) 급히 밟다; (세금을) 부과하다; 《구어》 활기 있게 시작하다. **~ *up*** 급히 만들다; (계약·거래 등을) 제꺽제꺽 결정짓다; 투옥하다; 열심히 박수를 계속 치다. **—** *n.* 찰싹, 콰르릉, 쾅, 짝짝《천둥·문 닫는 소리·박수 소리 따위》: a ~ of thunder 천둥 소리. ***at a*** 〔***one***〕 **~** 일격에. ***in a*** **~** 갑자기. [imit.]

clap[2] *n.* Ⓤ 《비어》 성병; 《특히》 임질(gonorrhea).

clap·board [klǽpbərd, klǽpbɔ̀ːrd/klǽpbɔ̀ːd] *n.* **1** 《미》 미늘벽판자; 《영》 통 만드는 떡갈나무 판자. **2** = CLAPSTICK. **—** *vt.* 《미》 …을 미늘벽판자로 덮다.

cláp·nèt *n.* (새·곤충을 잡는) 덫그물.

clap·om·e·ter [klæpɑ́mətər/-ɔ́m-] *n.* 박수 측정기.

clápped-òut *a.* 《영속어》 지친, 녹초가 된; (차 등이) 낡은, 덜거덕거리는.

clápped-úp *a.* 《속어》 임질에 걸린.

cláp·per *n.* 박수 치는 사람; (종·방울의) 추(tongue); 딱따기; 《속어》 혀; 수다쟁이; (*pl.*) 《영속어》 불알. ***like the*** (***merry***) **~*s*** 《영속어》 매우 빨리, 맹렬히.

clápper bòards 〖영화〗 (촬영 개시·종료를 알리는) 신호용 딱따기(clapstick).

clápper·clàw *vt.* 《고어·영방언》 세게 치거나 할퀴다; 홀닥다, 꾸짖다(revile).

cláp·stìck *n.* (종종 *pl.*) = CLAPPER BOARDS.

cláp tràck 박수 트랙《사운드 트랙에 미리 녹음된 박수 소리》. 「책); 허튼소리.

cláp·tràp *a., n.* 인기를 끌기 위한(말, 짓, 술

claque [klæk] *n.* 《F.》 〖집합적〗 (극장 등에 고용된) 박수 부대; 아첨 떠는 무리.

claqu·er, cla·queur [klǽkər], [klækə́ːr] *n.* 《F.》 (고용된) 박수꾼. 「clarendon.

Clar. Clarence. **clar.** 〖악기〗 clarinet; 〖인쇄〗

clar·a·bel·la [klærəbélə] *n.* 〖음악〗 (오르간의) 음전(音栓) 이름《flute의 음색을 냄》.

Clare [klɛər] *n.* 클레어《Clara, Clarence, Clarice, Clarissa의 통칭》.

Clar·ence [klǽrəns] *n.* 클래런스《남자 이름》.

clar·ence *n.* (상자형의) 4륜 마차.

Clar·en·c(i)eux [klǽrənsjùː] *n.* 클래런수 문장관(紋章官). cf. king of arms.

clar·en·don [klǽrəndən] *n.* 〖인쇄〗 클래런던《약간 길고 굵은 활자의 일종; 생략: clar.》. ***the Clarendon Press*** Oxford 대학 출판부 인쇄소.

clar·et [klǽrit] *n.* Ⓤ (프랑스 Bordeaux산) 붉은 포도주; 자줏빛(= ∠ **réd**); 《속어》 피. ***tap*** a person***'s*** **~** 《속어》 아무를 때려서 코피를 내다. **—** *a.* 자줏빛의.

cláret cùp 일종의 청량음료《포도주에 브랜디·향료 따위를 섞어 얼음으로 차게 한 것》.

Clar·i·bel [klǽrəbèl] *n.* 클래러벨《여자 이름》.

Clar·ice [klǽris] *n.* 클래리스《여자 이름》.

clar·i·fi·ca·tion [klærəfikéiʃən] *n.* Ⓤ **1** 정화(淨化); 청징법(清澄法); (액체 등을) 깨끗이〔맑게〕 하기. **2** Ⓒ,Ⓤ 명시, 해명, 설명: a ~ of his position 그의 입장에 관한 설명.

clar·i·fi·er [klǽrəfàiər] *n.* 정화기(器)〔제(劑)〕; 설탕 정제기(精製器); 청정제(劑).

clar·i·fy [klǽrəfài] *vt.* **1** (의미·견해 따위를) 분명〔명료〕하게 하다, 해명하다(explain). **2** (공기·액체 따위를) 맑게 하다, 정하게 하다, 정화하다(purify). **3** (사고(思考) 따위를) 명쾌하게 하다. **—** *vi.* 분명〔명료〕하게 되다; 맑아지다.

Clar·i·Net [klǽrənèt] *n.* 〖컴퓨터〗 클라리넷 《각종 뉴스들을 제공하는 유즈넷 뉴스그룹의 하나; UPI가 운영하고 있음》.

clar·i·net [klæ̀rənét] 〖음악〗 *n.* 클라리넷; 파이프 오르간의 음전(音栓) 이름. ㊕ **~·(t)ist** *n.* 클라리넷 주자(奏者).

clar·i·on [klǽriən] *n.* 클라리온《예전에 전쟁 때 쓰인 나팔》; 《시어》 낭랑히 울리는 그 소리; (오르간의) 클라리온 음전. **—** *a.* 낭랑하게 울려 퍼지는, 명쾌한: a ~ call 〔note, voice〕 낭랑하게 울려 퍼지는 부름〔목〕소리. **—** *vt.* 큰 소리로 알리다.

clar·i·o·net [klæ̀riənét] *n.* =CLARINET.

Cla·ris·sa [klərísə] *n.* 클라리사《여자 이름》.

◇**clar·i·ty** [klǽrəti] *n.* Ⓤ (사상·문체 따위의) 명석, 명료, 명확; (액체 따위의) 투명(도), 맑음; (음색의) 맑고 깨끗함: have ~ of mind 두뇌가 명석하다.

clark·ia [klɑ́ːrkiə] *n.* 〖식물〗 바늘꽃과의 한해살이풀《북아메리카 원산》.

cla·ro [klɑ́ːrou] (*pl.* **~(e)s**) *a.*, *n.* 《Sp.》 빛이 엷고 맛이 순한 (여송연).

clart [klɑːrt] 《Sc.》 *vt.* (끈적끈적한 것으로) …을 더럽히다. **—** *n.* (종종 *pl.*) (구두에 묻은) 진흙.

clary [klέəri] *n.* 〖식물〗 샐비어(salvia)《관상식물》.

***clash** [klæʃ] *n.* **1** 충돌(collision), 격돌; 서로 부딪치는 소리. **2** (의견·이해 등의) 충돌, 불일치(disagreement); 부조화; (행사·시간 따위의) 겹침: a ~ *of* viewpoints 견해의 불일치 / a ~ *of* colors 색의 부조화. **—** *vi.* **1** 《~/+전+명》 부딪치는〔쨍그렁〕 소리를 내다, (소리를 내며) 충돌하다《*into; against; upon*》: ~ *into* a person 아무와 부딪치다 / The swords ~*ed*. 칼이 쨜그랑하고 부딪쳤다 / Shield ~*ed against* shield as the warriors met in battle. 전사들이 교전을 시작하자 방패와 방패가 서로 부딪쳤다. **2** 《~/+전+명》 (의견·이해·시간 등이) 충돌하다, 겹치다; (규칙 등에) 저촉되다《*with*》: Their stories of the accident ~*ed* completely. 그 사고를 목격한 그들의 말은 완전히 엇갈렸다 / This plan ~*es with* his interests. 이 계획은 그의 이익과 상충된다. **3** 격렬한 소리를 내다. **4** 《+전+명》 (색이) 조화되지 않다: This color ~*es with* that. 이 색깔은 저 색깔과 맞지 않는다. **—** *vt.* **1** 《~+목/+목+부/+목+전+명》 (종·심벌즈 따위를) 치다《*together*》; (소리를 내어) 부딪치다《*against*》: He ~*ed* his head *against* the wall. 그는 벽에 머리를 세게 부딪쳤다. **2** (소리를) 내다. ㊕ **~·er** *n.*

clas·mat·o·cyte [klæzmǽtəsàit] *n.* 붕괴 세포.

clasp** [klæsp, klɑːsp/klɑːsp] *n.* **1** 걸쇠, 버클, 죔쇠, 메뚜기, 훅. **2** 악수, 포옹(embrace). **3** 〖군사〗 종군 기념 약장(略章)《청동 또는 은제로 종군지 등이 새겨져 있음》. **—** *vt.* **1** 걸쇠로 걸다〔잠그다〕; …에 걸쇠를 달다; (띠 따위를) 버클로 죄다. **2** 《~+목/+목+부/+목+전+명》 (손 따위를) 꽉 잡다〔쥐다〕, 악수하다; 끌어안다: ~ one's hands (*together*) (깍지끼듯) 두 손을 움켜쥐다《절망·애원 등의 깊은 감동을 나타냄》/ The mother ~*ed* her baby hard *in* her arms 〔*to* her bosom〕. 어머니는 아기를 팔〔가슴〕에 꼭 껴안았다. **3** (덩굴 따위가) …에 휘감기다. **—** *vi.* (걸쇠 등으로) 걸다, 잠그다; 꽉 쥐다〔껴안다〕. **~ *hands 악수하다; 제휴하다. ㊕ **~·er** *n.* 잠그는 것, 죄는 것; 걸쇠; 〖식물〗 덩굴손; (곤충 수컷의) 교미기(交尾器).

clásp knìfe 대형 접칼.

†**class** [klæs, klɑːs/klɑːs] *n.* **1** (공통 성질의) 종류, 부류: an inferior ~ of novels 저급한 소설류. **2** 등급: a first ~ restaurant 일류 레스토랑 / travel second ~, 2등으로 여행하다. **3** (보통 *pl.*) (사회) 계급: the upper 〔middle, lower, working〕 ~*es* 상류〔중류, 하류, 노동〕 계급. **4** (the ~es) 유산〔지식〕 계급; 상류 사회. ⓒⓕ the MASSES. **5** 학급, 반, 학년(《미》 grade; 《영》 form, standard). **6** (클래스의) 학습 시간, 수업(lessons): We have no ~ today. 우리는 오늘 수업이 없다 / in ~ 수업 중에. **7** 〖집합적〗 《미》 동기 졸업생〔학급〕; (군대의) 동기병: the ~ of 1990, 〖집합적〗 1990년도 졸업생 / the 2000 ~, 2000년 (입대)병. **8** 《구어》 고급, 우수; 제일류(의 기술 따위); 《속어》 (복장·매너 등의) 좋은 점, 기품: She's a good performer, but she lacks ~. 그녀는 연주는 잘 하지만 일류라고는 할 수 없다. **9** 《영》 우등 학급《특별 전공이 허락되는 우등생 후보의 반》; 우등 (등급). **10** 〖생물〗 강(綱) 《phylum과 order의 중간》. ◇ classify *v.* ***be no*** **~** 도저히 축에 들 수 없다; 아주 떨어지다. ***in a ~ by itself*** 〔*oneself*〕 =***in a ~ of*** 〔***on***〕 ***its*** 〔***his***〕 ***own*** 비길 데 없이, 단연 우수하게. ***not in the same ~ with*** 《미》 …와는 비교가 되지 않는. ***take*** 〔***get, obtain***〕 ***a ~*** 우등(으로 졸업)을 하다. ***the ~es and the masses*** 상류 계급과 일반 대중.

— *vt.* **1** 《~+목/+목+보/+목+*as* 보/+목+전+명》 …을 분류하다(classify); …의 등급을 정하다: a ship ~*ed* A 1, 최고급의 배 / ~ a person *as* old 아무를 노인으로 분류하다 / be ~*ed in* three groups 세 그룹으로 분류되다 / ~ one thing *with* another 어떤 것을 다른 것과 동류로 하다. **2** 반(班)으로 나누다. **3** 《+목+전+명/+목+*as* 보》 (…을) …급〔부류〕에 넣다《*with; among*》; (…을) …으로 간주하다〔생각하다〕《*as*》: ~ technicians *among* laborers 전문 기술자를 근로자의 분류에 넣다 / ~ him *as* one of the wisest people I know 내가 아는 한 그를 가장 머리가 좋은 사람의 하나로 생각하다. **4** 〖영대학〗 …에게 우등급을 주다. **—** *vi.* 《+*as* 보》 (어느 class로) 분류되다, 속하다: those who ~ *as* believers 신앙인으로 꼽히는 사람들.

class. classic(al); classification; classified.

cláss·a·ble *a.* 분류할 수 있는, 유별(類別)할 수 있는.

cláss áct 《속어》 걸출한〔일급의〕 행동〔일〕.

cláss áction 〖법률〗 집단 소송(class suit).

Cláss À drúg 〖영법률〗 A급 마약《제일 강력하고 해로운 마약; 헤로인·코카인 따위》.

cláss·bòok *n.* 《미》 학급부《출석·성적 기입용》; 졸업 기념 앨범; 《영》 교과서.

cláss clèavage 〖문법〗 유분열(類分裂)《한 언어 형식이 둘 이상의 형식류(類)로 쓰임; 예컨대, one이 형용사·명사·대명사로 쓰이는 따위》.

cláss-cónscious *a.* 계급의식이 있는〔강한〕.

cláss cónsciousness 계급의식.

cláss dày 《미》 (졸업식 전의) 졸업 축하회.

cláss distínction 계급의식; 계급 구분의 규준.

cláss-féeling *n.* 계급(적) 감정.

cláss·fèllow *n.* =CLASSMATE.

‡**clas·sic** [klǽsik] *a.* **1** (예술품 따위가) 일류의, 최고 수준의, 걸작의. **2** (학문 연구·연구서 따위가) 권위 있는, 정평이 나 있는; 전형적인(typical) 《예 따위》, 모범적인: a ~ method 대표적인 방법. **3** 고전의, 그리스·로마 문예(文藝)의; 고대 그리스·로마의 예술 형식을 본받은; 고

전풍의, 고전적인(classical); 전아(典雅)한, 고상한: ~ myths 그리스·로마의 신화. **4** 전통적인, 역사적〔문화적〕 연상(聯想)이 풍부한, 유서 깊은; 고전적인: ~ ground (*for*...) (…으로) 유서 깊은 땅, 사적(史跡) / ~ Oxford 〔Boston〕 옛 문화의 도시 옥스퍼드〔보스턴〕 / a ~ event 전통적인 행사《시합·경기 따위》. **5** (복장 따위가) 전통적인 스타일의; 유행에 매이지 않는, 싫증이 나지 않는.

— *n.* **1** 고전 (작품) 《특히 고대 그리스·로마의》; 〖일반적〗 명작, 걸작: "Hamlet" is a ~. '햄릿'은 고전이다. **2** 고전 작가《특히 옛 그리스·로마의》; 《고어》 고전학자〔주의자〕. **3** (고전적) 대문학자, 문호(文豪); 대예술가; (특정 분야의) 권위자. **4** (the ~s) 고전 문학, 고전어. **5** 전통적 행사〔시합〕; 〖야구〗 =WORLD SERIES. **6** 〖일반적〗 최고〔일류〕의 것〔작품〕; 전통적〔고전적〕 스타일의 옷〔자동차, 도구 등〕; 유행을 초월한 스타일의 옷. **7** 《미구어》 클래식 카《1925-42 년 형의 자동차》.

***clas·si·cal** [klǽsikəl] *a.* **1** (문학·예술에서) 고전적인, 정통파의: a ~ education 고전 교육 / the ~ school 〖경제〗 고전학파, 정통학파 《Adam Smith 계통의 학자들; Mill, Malthus 등》. **2** (문학·미술에서) 고전주의〔풍〕의, 의고적(擬古的)인; 고전 음악의. cf. romantic. ¶ ~ music 고전 음악(cf. popular music) / ~ literature 고전주의 문학. **3** 고대 그리스·라틴 문화〔문학, 예술〕의; 고전어의: the ~ languages 고전어 《옛 그리스어·라틴어》. **4** 모범적인, 표준적인, 제 1 급의. **5** (방법 따위가) 전통적인, 종래의; 낡은: ~ arms 재래식 무기. **6** 인문적인, 일반 교양적인(opp. *technical*). ㊕ **~·ist** *n.* =CLASSICIST. **~·ly** *ad.* 고전적으로, 의고(擬古)적으로. **~·ness** *n.*

clássical condítioning 〖심리〗 고전적 조건 부여《무조건 자극과 조건 자극을 결합하여 조건 자극만으로 반응을 유발할 수 있을 때까지 이를 반복행하는 조건 부여》.

clás·si·cal·ìsm *n.* =CLASSICISM.

clas·si·cal·i·ty [klæ̀səkǽləti] *n.* Ⓤ 고전적임; 고전적 특질《예풍(藝風)의 완성·순미(純美)·고아(古雅)·전아(典雅) 등》; (작품의) 탁월; 고전적 학식〔교양〕.

clássic blúes 《단·복수취급》 〖재즈〗 클래식 블루스《여성 가수 중심의 시티블루스》.

clas·si·cism [klǽsəsìzəm] *n.* Ⓤ 고전주의; 고전 숭배, 의고(擬古)주의; 고전적 어법; 고전의 지식. cf. romanticism.

clas·si·cist [klǽsəsist] *n.* 고전학자, 고전 문학자; 고전주의자; 고전어 교육 주장자.

clas·si·cize [klǽsəsàiz] *vt., vi.* (문체 따위를) 고전풍으로 하다; 고전을 따르다.

clas·si·co [klǽsikòu] *a.* 《It.》 (키안티(Chianti)가) 특정 품질 기준에 달하는 지역산(地域産)인, 클래시코의.

clássic ráces (the ~) **1** 《영》 5 대(大) 경마 《Derby, Oaks, St. Leger, Two Thousand Guineas, One Thousand Guineas 를 말함》. **2** 《미》 3 대(大) 경마《Kentucky Derby, Preakness Stakes, Belmont Stakes 를 말함》.

cláss identificàtion 〖사회〗 계급 귀속 의식.

clas·si·fi·a·ble [klǽsəfàiəbəl] *a.* (사물이) 분류할 수 있는.

***clas·si·fi·ca·tion** [klæ̀səfikéiʃən] *n.* Ⓤ,Ⓒ 분류(법), 유별(법), 종별; 등급별, 급수별, 등급〔등차〕 매기기; 〖도서〗 도서 분류법; 《미》 (공문서의) 기밀 종별《restricted, confidential, secret, top secret 따위》; 〖생물〗 (동식물의) 분류. ◇ classify *v.*

NOTE 동·식물 분류는 다음과 같음. 〖동물〗 phylum 〔〖식물〗 division〕 문(門), class 강(綱), order 목(目), family 과(科), genus 속(屬), species 종(種), variety 변종(變種).

classificátion schèdule 〖도서〗 도서 분류 일람표.

「는) 선급 협회.

classificátion socìety (상선의 등급을 매기

classificátion yàrd 《미》 철도 조차장.

clas·si·fi·ca·to·ry [kləsífikətɔ̀ːri, klǽsəfi-/klæ̀sifikéitəri] *a.* 분류(상)의.

clas·si·fied [klǽsəfàid] *a.* **1** 분류된, 유별의; (광고 따위가) 항목별의; 《영》 분류 번호가 붙은 《도로 따위》: a ~ catalog(ue) 분류 목록 / a ~ telephone directory 직업별 전화번호부. **2** 《미》 기밀 취급으로 지정된; 《구어》 (서류 따위가) 비밀의 (cf. confidential, top secret): ~ information 비밀 정보 / a highly ~ project 극비의 계획. **3** 《영》 스포츠〔축구 등〕의 경기 결과가 실려 있는 《신문》. **—** *n.* =CLASSIFIED AD.

clássified ád 〔**ádvertising**〕 항목별 소(小)광고(란), (신문의) 안내〔광고〕, 분류 광고 《구인·구직·임대·분실물 등 항목별로 분류된》.

clas·si·fi·er [klǽsəfàiər] *n.* 분류자; 〖언어〗 분류사(辭); 〖화학〗 분급기(分級機).

***clas·si·fy** [klǽsəfài] *vt.* **1** 《+목+전+명/+목+*as* 보》 분류하다, 유별하다 《*into; under*》; 등급으로 나누다: ~ books *by* subjects 책을 항목별로 분류하다 / ~ these subjects *under* three topics 이 문제들을 세 개의 테마로 분류하다 / We usually ~ types of character *as* good or bad. 우리는 통상 사람의 성격을 선과 악으로 분류한다. **2** 《미》 (공문서를) 기밀 취급으로 하다.

「종(種)개념의) 포섭.

cláss inclùsion 〖논리〗 (유(類)개념에 의한

cláss ìnterval 〖경제〗 계급 간의 폭, 계급 간격.

clas·sis [klǽsis] (*pl.* **-ses** [-siːz]) *n.* 〖종교〗 (개혁파의) 종교 법원, 장로 감독회〔구〕.

cláss·ìsm *n.* 계급적 편견; 계급 차별; 계급주의.

cláss·less *a.* (사회가) 계급 차별이 없는; (개인 등이) 어느 계급에도 속하지 않는. ㊕ **~·ly** *ad.* **~·ness** *n.*

cláss lìst 학급 명부; 〖영대학〗 우등생 명부.

cláss mágazine 전문(잡)지.

cláss·màn [-mæ̀n] (*pl.* **-mèn** [-mèn]) *n.* 〖영대학〗 우등 시험 합격자. cf. passman.

cláss màrk 〖통계〗 계급치(値); 〖도서〗 =CLASS NUMBER.

‡**class·mate** [klǽsmèit] *n.* 동급생, 급우; 동창생.

cláss mèaning 〖언어〗 유(類)의 의미.

cláss nòun 〔**nàme**〕 〖문법〗 종속(種屬) 명사, 보통 명사(common noun).

「번호〔문자〕.

cláss nùmber 〔**lètter**〕 〖도서〗 (도서) 분류

†**class·room** [klǽsrù(ː)m] *n.* 교실.

clássroom cómbat fatìgue 《미》 (교사의) 교실분투 피로곤비증(困憊症)《★ teacher burn-out 이라고도 함》.

「~) 계급 투쟁.

cláss strífe 〔**strúggle, wár(fare)**〕 (the

cláss sùit 집단 소송(class action).

cláss wòrd 〖언어〗 유어(類語)《종래의 명사, 형용사, 동사, 부사에 상당》.

cláss·wòrk *n.* 교실 학습. opp. *homework.*

classy [klǽsi, kláːsi/kláːsi] (***class·i·er; -i·est***) 《속어》 *a.* 고급〔상류〕의, 귀족적인; 세련된, 멋진. ㊕ **cláss·i·ly** *ad.* **-i·ness** *n.*

clássy chássis 〔**chássy**〕 《속어》 (여성의) 매력적인 몸매; 매력적인 몸매의 여자.

「(破片)암.

clast [klæst] *n.* 〖지학〗 쇄설암(碎屑岩), 파편

clas·tic [klǽstik] *a.* 〖지학〗 쇄설(碎屑)성의; 〖생물〗 분류성의; (해부 모형이) 분해식의: ~ rocks 쇄설암.

clath·rate [klǽθreit] *a.* 〖생물〗 그물 모양의; 격자(格子) 무늬의; 〖화학〗 포접(包接)의. ── *n.* 포접 화합물.

*__clat·ter__ [klǽtər] *n.* [U] **1** (나이프·포크·접시·기계·말굽 따위의) 덜걱덜걱〔덜커덕덜커덕, 딸그락딸그락〕하는 소리. **2** 시끄러운 말〔웃음〕소리; 수다, 객설. ── *vi.* **1** 덜걱덜걱〔덜커덕덜커덕〕거리다. **2** 《+[부]/+[전]+[명]》 소란스러운 소리를 내며 움직이다: ~ *about* 소란스러운 소리를 내며 돌아다니다 / ~ *along* the street 거리를 덜걱〔덜커덕〕거리며 가다. **3** 《+[부]/+[전]+[명]》 재잘대다《*away*》: ~ *away about* their discontents 그들의 불만스러운 일들을 재잘대다. ── *vt.* 덜걱덜걱〔덜커덕덜커덕〕거리게 하다. ~ ***down*** 와르르 떨어지다, 덜커덩하고 넘어지다; (수레 등이) 소리를 내며 가다. [파] **~·er** [-tərər] *n.* 덜커덕 소리를 내는 것; 수다쟁이.

clát·ter·ing [-riŋ] *a.* 덜커덕덜커덕 소리 나는; 수다스러운. [파] **~·ly** *ad.*

Claud(e) [klɔːd] *n.* 클로드《남자 이름》.

Clau·dia [klɔ́ːdiə] *n.* 클로디아《여자 이름》.

clau·di·cant [klɔ́ːdəkənt] *a.* 《고어》 절름발이의.

clau·di·ca·tion [klɔ̀ːdəkéiʃən] *n.* 파행(跛行), 절름발이.

Clau·di·us [klɔ́ːdiəs] *n.* **1** 클로디우스《남자 이름》. **2** 클라우디우스《로마 황제; 10 B.C.–A.D. 54》.

claus·al [klɔ́ːzəl] *a.* 〖문법〗 절의; 〖법률〗 조항의.

*__clause__ [klɔːz] *n.* **1** (조약·법률 등의) 조목, 조항. **2** 〖문법〗 절(節). [cf] phrase. ¶ a noun ~ 명사절 ⇨《부록》 CLAUSE. **3** 〖음악〗 악구. ~ ***by*** ~ 한 조목 한 조목씩.

claus·tral [klɔ́ːstrəl] *a.* = CLOISTRAL.

claus·tra·tion [klɔːstréiʃən] *n.* 감금, 유폐.

claus·tro·phil·ia [klɔ̀ːstrəfíliə, -fíːljə/ -fíːljə] *n.* 〖의학·심리〗 폐소〔밀실〕 애호(증), 밀폐〔폐쇄〕 기호(증).

claus·tro·phobe [klɔ́ːstrəfòub] *n.* 폐소〔밀실〕 공포증 환자.

claus·tro·pho·bia [klɔ̀ːstrəfóubiə] *n.* [U] 〖의학〗 밀실 공포, 폐소(閉所) 공포(증). [opp] *agoraphobia*. [파] **-phó·bic** *a.*

cla·vate, -vat·ed [kléiveit], [-id] *a.* 〖생물〗 곤봉 같은; 두부(頭部)가 굵은. [파] **-vate·ly** *ad.* **cla·vá·tion** *n.* 곤봉 모양임.

clave[1] [kleiv] 《고어》 CLEAVE의 과거.

cla·ve[2] [klάːvei] *n.* (보통 *pl.*) 〖악기〗 클라베스《룸바 반주 등에 쓰이는 타악기의 일종》.

clav·e·cin [klǽvəsin] *n.* 《F.》 〖음악〗 클라브생《harpsichord의 프랑스 이름》.

cla·ver [kléivər] 《Sc.》 *n.* (보통 *pl.*) 잡담, 객쩍은 소리. ── *vi.* 잡담하다, 객쩍은 소리를 늘어놓다(gossip).

clav·i·cem·ba·lo [klæ̀vitʃémbəlòu] *n.* 〖악기〗 클라비쳄발로《하프시코드의 이탈리아 이름》.

clav·i·chord [klǽvikɔ̀ːrd] *n.* 〖음악〗 클라비코드《피아노의 전신》. [파] **~·ist** *n.*

clav·i·cle [klǽvikəl] *n.* 〖해부〗 쇄골(鎖骨).

cla·vic·u·lar [kləvíkjələr] *a.* 쇄골의.

clav·ier [klǽviər] *n.* 〖음악〗 **1** 건반(鍵盤); 연습용의 무음(無音) 건반. **2** [kləvíər] 건반악기《피아노 따위》.

clav·i·form [klǽvəfɔ̀ːrm] *a.* 곤봉 모양의(clubshaped).

*__claw__ [klɔː] *n.* **1** (고양이·매 따위의) 발톱(talon); (게·새우 따위의) 집게발. **2** 발톱 모양의 것《장도리의 노루발 등》. **3** 《경멸》 사람의 손; (악인 따위의) 마수. **4** (기중기 따위의) 거는 도구, 갈고랑쇠. **5** 《미속어》 순경. ***cut*** 〔***clip, pare***〕 ***the ~s of*** …의 발톱을 잘라 내다, …을 무력하게 만들다. ***get*** one***'s ~s into*** …을 붙잡다; 공격하다; 《구어》 (불쾌한 말로써) 반감을 표시하다; 《구어》 (남자를) 낚다《결혼하기 위해》. ***in*** one***'s ~s*** 꽉 누르고, 지배하에. ***put the ~ on*** a person 《미속어》 아무를 붙잡다, 체포하다, 구류하다; …에게 돈을 꾸어 달라고 하다. ***tooth and ~*** ⇨ TOOTH.
── *vt.* **1 a** 손톱〔발톱〕으로 할퀴다, 잡아찢다, 쥐어뜯다. **b** 《+[목]+[보]》 손톱〔발톱〕으로 잡아찢어 …하다: ~ a parcel open 꾸러미를 잡아찢어 풀어헤치다. **2 a** (구멍을) 손톱〔발톱〕으로 후벼 파다〔헤집다〕(~ a hole). **b** 《+[목]+[전]+[명]》 〖~ one's way로〗 (필사적으로) 손으로 헤치며 나아가다: ~ one*'s way through* the crowd 군중을 손으로 헤치며 나아가다. **3** 손〔발〕톱으로 움켜잡다; 《미속어》 체포〔포박〕하다; (돈 등을) 그러모으다: *Claw* me and I'll ~ thee. 《속담》 오는 말이 고와야 가는 말이 곱다. **4** (가려운 곳을) 긁다. ── *vi.* 《~/+[부]/+[전]+[명]》 (손〔발〕톱 따위로) 할퀴다〔찢다, 파다〕《*away*》; 손〔발〕톱으로 움켜잡으려 하다《*at*》; (열심히) 손으로 더듬다, 손으로 더듬어 찾다: ~ *for* the light switch 전등 스위치를 손으로 더듬어 찾다. ~ ***back*** 《영》 애써서 되찾다; 《영》 (정부가) 교부금 따위를 추가세의 형식으로 회수하다. ~ ***hold of*** …을 꽉 잡다, …을 꽉 움켜쥐다. ~ ***off*** 〖해사〗 뱃머리를 바람 부는 쪽으로 돌리다. ~ one***'s way*** ① ⇨ *vt.* 2 b. ② 어려움을 극복하여 출세하다.

cláw-bàck *n.* [C,U] 《영》 (교부금을) 세금으로 환수하기; 결점, 약점(drawback).

cláw bàr 노루발지렛대.

clawed *a.* 〖주로 복합어로서〗 …의 발톱을 가진: iron-~ (무)쇠발톱을 가진.

cláw hàmmer **1** 노루발장도리. **2** 《미구어》 연미복(tailcoat).

cláw·hàmmer *a.* 노루발장도리의; 연미복의.

cláw hàtchet 못뽑이가 있는 손도끼.

cláw sétting 〖보석〗 티파니 세팅(Tiffany setting)《반지 따위에 보석을 6–8개의 거미발로 고정시키는 세공법》.

*__clay__ [klei] *n.* **1** [U] 점토(粘土), 찰흙; 흙(earth): potter's ~ 도토(陶土) / ~ eater 《미속어》 미국 남부의 농민. **2** [U] 〖성서〗 육체; 《시어》 인체; 자질, 천성; 인격, 인품: a man of common ~ 보통 사람. **3** 사기 담뱃대(~ pipe). ***a yard of ~*** 긴 사기 담뱃대. ***die and turn to ~*** 죽어서 흙이 되다. ***feet of ~*** (사람·사물이 지니는) 인격상의〔본질적인〕 결점; 뜻밖의 결점〔약점〕. ***moisten*** 〔***soak, wet***〕 one***'s ~*** 《우스개》 술을 마시다, 한잔하다. ── *vt.* …에 점토를 바르다〔섞다〕.

cláy·bànk *n.* 황갈색(의 말). ── *a.* 황갈색의.

cláy-còld *a.* (죽어서) 흙처럼 차가운.

cláy cóurt 〖테니스〗 클레이 코트. [cf] hard 〔grass〕 court.

cláy èater 《속어》 남부의 농민〔시골뜨기〕.

clay·ey [kléii] (*clay·i·er; -i·est*) *a.* 점토질〔점토 모양〕의; 점토를 바른〔로 더러워진〕.

cláy íronstone 이철광(泥鐵鑛).

clay·ish [kléiiʃ] *a.* 점토질〔점토 모양〕의; 점토를 바른.

cláy lòam 양토(壤土)《점토를 20–30% 함유한 롬》.

cláy mìneral 점토 광물.

clay·more [kléimɔ̀ːr] *n.* **1** (옛날 스코틀랜드 고지인이 사용한) 양날의 큰 칼. **2** 큰 칼을 찬 사람. **3** = CLAYMORE MINE.

cláymore mìne 〖군사〗 클레이모어 지뢰.

cláy·pàn *n.* 〖지학〗 점토반(盤); 《Austral.》 (비가 오면 물이 괴는) 얕은 점토질의 웅덩이.

cláy pígeon **1** 〖사격〗 클레이 피전. **2** 《속어》 남에게 이용당하기 쉬운〔약한〕 입장에 있는 사람; 쉽게 속는 녀석, 봉. **3** 《미속어》 매우 쉬운〔편한〕 일; 《미속어》 항공모함에서 발사되는 비행기.

cláy pípe 토관(土管); 사기 담뱃대.

cláy stóne 〚지학〛 점토암(岩).
cláy·wàre *n.* 점토(粘土)로 빚어 구운 것《도자기 · 벽돌 따위》.
cld. called; canceled; cleared; colored.
-cle ⇨ -CULE.
clead·ing [klíːdiŋ] *n.* 〚기계〛 (보일러 등의 방열을 막는) 피복(被覆), 클리딩; (터널의) 토사 붕괴 방지용 판자막이, 가설판(假設板).
†**clean** [kliːn] *a.* **1** 청결한, 깨끗한, 더럼이 없는; 갓〔잘〕 씻은. OPP. *dirty.*

> SYN. **clean** 옷 · 방 등이 '깨끗한'. **cleanly** '깨끗함을 좋아하는'의 뜻으로 습관 · 경향에 대하여 말함. 따라서 cleanly한 사람이 반드시 clean한 것은 아님. **neat** '산뜻한'의 뜻. **tidy** '말쑥한'의 뜻: a *tidy* desk 말쑥하게 정돈된 책상.

2 (방사능 따위에) 오염 안 된; 감염되어 있지 않은; 병이 아닌. **3** 불순물이 없는, 순수한. **4** 새로운; 아무것도 씌어 있지 않은《종이 따위》, 백지의: a ~ sheet of paper 백지. **5** 결점(缺點)〔흠〕 없는: a ~ record 〔slate〕 깨끗한 이력 / a ~ diamond 흠 없는 다이아몬드. **6** (거의) 정정 기입이 없는《원고 · 교정쇄 따위》, 읽기 쉬운: a ~ copy 청서 / a ~ proof 고친 데 없는 교정쇄. **7** 장애물 없는: a ~ harbor 안전한 항구. **8** 순결한(chaste), 청정무구한; 부정이 없는, 전과 없는, 정직한: a ~ life 깨끗한 생활 / a ~ fighter 정정당당히 경기에 임하는 운동선수. **9** 깔끔한, 단정한; 《구어》 추잡하지〔외설되지〕 않은: be ~ in one's person 아무의 몸차림이 말쑥하다 / a ~ conversation 점잖은 대화. **10** 몸매가〔모양이〕 좋은, 미끈〔날씬〕한, 균형 잡힌(trim): ~ limbs 미끈한 팔다리. **11** (유대인 사이에서) 몸에 부정(不淨)이 없는; (고기 · 생선이) 식용으로 허가된〔적합한〕: ~ fish 먹을 수 있는 생선《산란기가 아닌》. **12** 교묘한, 솜씨 좋은, 능숙한, 멋진: ~ fielding 〚야구〛 훌륭한 수비 / a ~ hit 〚야구〛 클린 히트. **13** 완전한(complete), 철저한, 남김 없는. **14** 당연한(proper): a ~ thing to do 당연히 해야 할 일. **15** 〚해사〛 배 밑바닥에 해초나 조개가 붙지 않은; (배가) 짐을 싣지 않은. **16** 《미속어》 권총을 몸에 지니지 않은; 범죄와 관련 없는; 무일푼인. **17** 방사성 낙진이 없는〔적은〕; 《미속어》 마약을 쓰지 않는; 니코틴 함유량이 낮은: ~ cigarettes. **18** 《CB속어》 경찰이 없는; 사고 · 장애가 없는; 《흑인속어》 옷차림이 훌륭한.
a ~ bill (of health) 〚해사〛 건강 증명서; 적격〔적성〕 증명(서); (틀림없다는) 보증(保證). ***~ and sweet*** 깔끔한, 말쑥한. ***come ~*** 《구어》 자백〔실토〕하다(confess). ***have ~ hands*** = ***keep the hands ~*** 결백하다. ***keep a ~ tongue*** 상스러운〔무례한, 외설된〕 말을 하지 않다. ***keep oneself ~*** 몸을 깨끗이 하다. ***keep*** one***'s nose ~*** ⇨ NOSE. ***make a ~ breast of*** …을 몽땅 털어놓(고 이야기하)다. ***show a ~ pair of heels*** ⇨ HEEL[1].
— *ad.* **1** 아주, 전혀, 완전히: I ~ forgot about it. 그것을 완전히 잊고 있었다 / ~ mad 완전히 실성하여. **2** 보기 좋게, 멋지게; 정통으로: jump ~ 보기 좋게 뛰어넘다 / be hit ~ in the eye 눈을 정통으로 얻어맞다. **3** 청결하게, 깨끗이; 공정하게: sweep a room ~ 방을 깨끗이 쓸다 / play the game ~ 공정하게 게임을 하다.
— *vt.* **1** (…을) 깨끗하게 하다, 정결〔말끔〕히 하다, 청소하다; 손질하다; (이 · 신을) 닦다: ~ one's shoes 신발을 닦다. **2** (먹어서 접시 등을) 비우다(empty); (요리 전에 닭 · 생선 등의) 창자를 빼내다(~ a fish): ~ one's plate 접시에 있는 것을 깨끗이 먹어 치우다. **3** 《+목+전+명》 (…을) 씻어서 (더러움 · 때를) 없애다〔빼다〕《*of*》; (…에서 얼룩 따위를) 지우다〔없애다〕《*off; from*》: ~ one's shirt *of* dirt 와이셔츠의 때를 없애다 / ~ a spot *off* one's necktie 넥타이의 얼룩을 없애다. — *vi.* 청소를 하다, 깨끗해지다: ~ for dinner 식사하기 위해 손 따위를 씻다 / This kind of fabric ~*s* easily. 이런 종류의 천은 때가 잘 진다. ***~ down*** (벽 따위를) 깨끗이 쓸어 내리다; (말 따위를) 씻어 주다. ***~ out*** ① (…의 속을) 깨끗이 청소하다; (방을) 치우다, 비우다; (재고품 등을) 일소하다. ② (아무를) 쫓아내다; (돈을) 다 써 버리다. ③ 《구어》 (도박에서) 아무를 빈털터리로 만들다, (돈을) 털어먹다. ***~ up*** 《*vi.* + 부》 ① 깨끗이 청소하다, 정돈하다. ② 몸을 깨끗이 하다. ③ 일을 마무리짓다. ④ (도박 따위로) 큰돈을 벌다《*in; on*》. — 《*vt.* + 부》 ⑤ (방 따위를) 깨끗이 청소하다, 정돈하다; (부채 따위를) 정리하다; (먼지 따위를) 제거하다, 털어내다; (적을) 일소하다, (부패 따위를) 근절시키다; (거리를) 정화하다. ⑥ (몸을) 깨끗이 씻다, 몸단장을 하다: ~ oneself *up* = get oneself ~*ed up* 몸단장을 하다. ⑦ (일 등을) 마무르다, 끝내다; 《구어》 (순식간에 큰돈을) 벌다. ***~ up on*** 《미구어》 (거래 등에서) 한몫 벌다; 지우다; 해치우다.
— *n.* **1** 손질, 청소: give it a ~ 손질하다. **2** 〚역도〛 클린《바벨을 어깨 높이까지 들어올리기》. ***~ and jerk*** 〚역도〛 용상.
파 **~·a·ble** *a.* **~·ness** *n.*
cléan bíll of láding 〚상업〛 무고장 선하증권「(船荷證券).
cléan bréak 돌연한 중단, 딱 그만둠.
cléan-bréd *a.* 순종의.
cléan-cút *a.* **1** 윤곽이 뚜렷한〔선명한〕. **2** 미끈한, 말쑥한, 단정한: ~ features 반듯한 이목구비 / a ~ gentleman 단정한 신사. **3** (뜻이) 명확한, 분명한.
cléan énergy 무공해 에너지《태양열 따위》.
°**cléan·er** *n.* **1** 깨끗이 하는 사람; (양복 따위의) 세탁 기술자, 세탁소 주인; 청소부; (보통 *pl.*) 세탁소. **2** 진공청소기(vacuum ~). **3** 세제(洗劑). ***go to the ~s*** 《속어》 (도박 따위로) 빈털터리가 되다; (부정한 돈이) 합법화되다. ***take*** 〔***send***〕 a person ***to the ~s*** 《구어》 아무를 빈털터리로 만들다; 혹평하다, 격렬히 비난하다.
cléaner fish 〚어류〛 청소해 주는 물고기《큰 물고기의 몸 표면이나 아가미 등에서 외부 기생충을 잡아먹는 물고기》.
cléan-fíngered *a.* 결백한, 청렴한.
cléan·fíngernails *n.* (육체노동을 하지 않아 손톱이 깨끗한) 상류 계층; 특권층. 「않음.
cléan fíngers 《비유》 청렴(결백), 매수당하지
cléan flòat 〚경제〛 자유 변동 시세제(時勢制).
cléan-hánded [-id] *a.* 결백한.
cléan hánds (특히, 금전 문제 · 선거에 대해) 정직; 결백, 무죄: have ~ 결백하다.
*__clean·ing__ [klíːniŋ] *n.* **1** 청소; (옷 따위의) 손질, 세탁, 클리닝: general ~ 대청소. **2** 《속어》 완패(完敗); 대실패, 큰 손해. **3** 《구어》 살인. **4** (*pl.*) 쓰레기, 먼지; (보통 *pl.*) 성장이 나쁜 입목(立木)을 솎는 일. ***~ rod*** (총구 청소용의) 꽂을대.
cléaning wòman 〔**làdy**〕 (가정 · 사무소의) 청소부(婦).
clean·ish [klíːniʃ] *a.* 말쑥한, 제법 깨끗한.
clean·li·ly [klénlili] *ad.* 깨끗이, 말끔히.
cléan-límbed *a.* 팔다리의 균형이 잘 잡힌, 미끈한, 날씬한.
°**clean·li·ness** [klénlinis] *n.* 청결(함); 깔끔함; 깨끗함을 좋아함: *Cleanliness* is next to godliness. 《속담》 깨끗함을 좋아하는 것은 경신(敬神)에 가까운 일이다.
cléan-líving *a.* (도덕적으로) 깨끗한 생활을 하

는, 청렴 결백한.

***clean·ly**[1] [klénli] (*clean·li·er; -li·est*) *a.* **1** 깔끔한, 청결한, 깨끗한 (것을 좋아하는). SYN. ⇨ CLEAN. **2** 《고어》 순결한. ◇ cleanliness *n.*

***clean·ly**[2] [klí:nli] *ad.* **1** 청결하게, 깨끗하게, 정하게. **2** 《폐어》 아주, 완전히.

cléan·òut *n.* (대)청소; 일소, 소탕; (보일러 등의) 청소 구멍; 〚의학〛《미속어》 배변. 「실, 무균실.

cléan ròom (우주선·병원 등의) 청정(淸淨)

cléans·a·ble *a.* 깨끗하게 할 수 있는.

°cleanse [klenz] *vt.* **1** (상처 따위를) 정결하게〔깨끗이〕 하다. **2** 《+목+전+명》 **a** (마음에서 죄 따위를) 씻어 깨끗이 하다, 정화하다《*of*》; 씻어내다《*from*》: ~ oneself *of* sin by bathing in the holy river 성스러운 강에서 몸을 씻어 죄를 씻다/~ sin *from* the soul 영혼으로부터 죄를 씻어내다. **b** (장소·조직 등에서 바람직하지 않은 것〔사람〕을) 제거하다, 숙청하다《*of*》: ~ one's mind *of* illusion 마음에서 환상을 제거하다. **3** 〚성서〛 (문둥병 환자를) 고치다(cure). **—** *vi.* 깨끗해지다. SYN. ⇨ WASH. 「가루.

cléans·er *n.* 청소부; 세제(洗劑), 세척제, 닦는

cléan-sháven, -sháved *a.* 수염을 깨끗이 민〔기르지 않은〕.

cléan shéet 전혀 결점〔흠〕이 없는 경력, 나무랄 데 없는 이력. cf. clean slate.

cléans·ing *n.* **1** (특히 도덕적·영적인) 정화. **2** 세척, 청소. **3** (*pl.*) 〚수의〛 후산(後産). **4** (한 지역 내에서 싫어하는 인종의) 정화〔숙청〕. **—** *a.* 깨끗이〔맑게〕 하는, 정화하는.

cléansing crèam 세안(洗顔) 크림.

cléansing depàrtment (시의) 청소국〔과〕.

cléansing tìssue 화장지.

cléan·skin *n.* 《Austral.》 낙인 찍지 않은 동물; 《속어》 전과가 없는 사람.

cléan sláte 더할 나위 없는〔오점이 없는〕 경력, 백지: have a ~ 깨끗한〔훌륭한〕 경력을 가지다/start afresh with a ~ 백지로 돌아가 재출발하다.

cléan swéep 〚정치〛 (선거에서의) 완승.

cléan·ùp *n.* 대청소; (손발을 씻고) 몸을 단정히 하기; 일소; 잔적 소탕; (부대의) 유류품(遺留品) 수집; 숙청, (도시 따위의) 정화 (운동); 재고 정리; 《미속어》 (경찰의) 단속; 《구어》 큰 벌이; 〚야구〛 4번 (타자). **—** *a.* 〚야구〛 4번(타자)의.

†clear [kliər] *a.* **1** 맑은, 투명한(transparent), 갠, 깨끗한: ~ water 맑은 물/a ~ sky 〔day〕 맑은 하늘〔날〕. SYN. ⇨ FINE[1].

2 (색·음 따위가) 청아한, 산뜻한, 밝은: a ~ yellow 밝은 노란색/a ~ tone 맑은 음색.

3 (모양·윤곽 등이) 분명한, 뚜렷한(distinct): a ~ outline 뚜렷한 윤곽/a ~ image 분명한 영상(映像)/write with 〔in〕 a ~ hand 알아보기 쉬운 글씨를 쓰다.

4 (사실·의미·진술 따위가) 명백한(evident), 확연한, 의심할 여지없는: a ~ case of bribery 명백한 뇌물 사건.

> SYN. **clear** 글자 뜻 그대로 비유적으로도 쓸 수 있는 가장 일반적인 말. **apparent** '외견상 분명하게 보이는', '생각해 보아 분명하게 여겨지는'의 뜻. **distinct** 물건의 어느 부분이 다른 부분과 식별될 만큼 분명한 것. **evident** '추론컨대 의심할 여지없을 만큼 분명한'이라는 뜻으로 주로 추상적인 것에 쓰임. **obvious** 일목요연할 정도로 자명함을 뜻하는 말. **plain** 조사 연구하지 않아도 알기 쉬운 만큼 분명한 것.

5 (두뇌 따위가) 명석한, 명료한, 명쾌한(lucid): a ~ head 명석한 두뇌/have a ~ mind 머리가 좋다/a ~ judgment 명석한 판단.

6 (명료하게) 이해된: Is this ~ to you? 이 점 확실히 이해하시겠습니까/The causes are ~. 원인은 명백하다.

7 (눈을) 가리는 것이 없는, 통찰력이 있는: a ~ vision of the future 미래에 대한 명철한 통찰.

8 거칠 것이 없는, 자유로이 움직일 수 있는; (재산이) 저당잡히지 않은; (나무 줄기에) 가지가 없는: a ~ space 빈터, 공백/a ~ channel 전용 채널/The road is ~. 도로는 자유로이 통행할 수 있다.

9 (…에) 방해받지 않는, (…에서) 떨어진《*of*》: The horizon was ~ *of* haze. 지평선에는 안개가 껴 있지 않았다/We were ~ *of* the danger. 우리들은 위험에서 벗어났다.

10 흠〔결점〕 없는, 결백한, 죄 없는; (목재가) 마디가 없는: a ~ conscience 꿀릴 데 없는 양심/~ *from* suspicion 혐의의 여지없는/~ lumber 옹이 없는 재목/be ~ *of* the murder 살인과 무관하다.

11 (…을) 지고 있지 않은, (…에) 시달리지 않는《*of; from*》: ~ *of* debt 빚이 없는/~ *of* all reproach 하나 나무랄 데 없는.

12 (아무가 …에 관하여) 확신을 가진, 분명히 알고 있는《*on; about*》: I am ~ *on* this point. 이 점에 대해서는 의문이 없다/If I could be ~ what she means, ... 그녀가 말하는 것을 분명히 알 수 있다면….

13 깔축 없는, 정량의(net), 꼬박의, 완전한: three ~ months 꼬박 석 달/a hundred pounds ~ profit 백 파운드의 순익.

14 (숫적으로) 압도적인: ~ majority 절대다수.

15 짐 따위를 내려놓은, 빈; 특별히 할〔볼〕 일이 없는, 한가한: return ~ (배가) 빈 채로 돌아오다/I have a ~ day today. 오늘은 할 일이 없는 한가한 날이다.

All* ~.** '적기 사라짐', '공습 경보 해제'. ***as* ~ *as day* 〔*crystal*〕** 대낮처럼 밝은; 극히 명료한, 명약관화한. ***get* ~ *of …에서 떨어지다〔벗어나다〕, …을 피하다. ***keep* ~ *of*** …에 가까이 하지 않다, …을 피하고 있다: *keep* one's dress ~ *of* the mud 옷에 진흙을 안 묻히다. ***make oneself* ~** 자기 생각을 남에게 이해시키다: Do I *make* my*self* ~? 내 말을 알겠습니까.

— *ad.* **1** 분명히, 명료하게, 흐림 없이, 뚜렷하게: speak loud and ~ 큰 소리로 분명히 말하다. **2** 완전히, 전혀, 아주(utterly): go ~ round the globe 지구를 한 바퀴 빙 돌다/~ to the top 꼭대기까지 쭉. **3** 떨어져서, 닿지 않고: jump three inches ~ of the bar 바보다 3인치 더 높이 뛰어넘다. **4** 《미》 줄곧, 계속해서 쭉(all the time 〔way〕): ~ up to the minute 그때까지 줄곧/walk ~ to the destination 목적지까지 계속해서 쭉 걸어가다. ***hang* ~** …에 닿지 않도록 걸다.

— *vt.* **1** (물·공기 등을) 맑게 하다, 깨끗이 하다, (하늘을) 맑게 하다《*up*》: ~ the muddy water 흐린 물을 맑게 하다.

2 《~+목/+목+전+명》 깨끗이 치우다, (…의 장애를) 제거하다(remove)《*of; from; out of*》; (토지 따위를) 개간하다, 개척하다(open): ~ the table 식탁을 치우다/~ the pavement *of* snow 길의 눈을 치우다/~ land 토지를 개간하다. ★ clear the land와 혼동하지 말 것. ⇨6.

3 《+목+전+명》 해제하다, 풀다《*of; from*》: ~ one's property *of* debt 부채를 갚고 재산을 저당에서 해제하다.

4 《~+목/+목+부/+목+전+명》 밝히다, 해명하다; (의심 등을) 풀다, 떨어 버리다; (의문·문제를) 해소〔해결〕하다: ~ one's honor 명예를 회복하다/~ *up* ambiguity 미심쩍은 점을 밝히다〔풀다〕/~ one's mind *of* doubts 의심을

풀다 / ~ oneself *of* 〔*from*〕 a charge 자기의 결백을 입증하다.
5 《~+목/+목+전+명》 …의 결말을 내다; (빚을) 갚다《*of*》; (문제 · 헝클어진 실 따위를) 풀다 (disentangle); 〖군사〗 (암호를) 해독하다: ~ an examination paper 시험 문제를 모두 풀다/ ~ a debt 빚을 갚다.
6 《~+목/+목+전+명/+목+*to* do》 (육지를) 떠나다; (출항 · 입항 절차를) 마치다; 〖상업〗 (관세를) 지불하다, …의 통관 절차를 마치다; (법안이 의회를) 통과하다; (계획 · 제안 등을) 승인〔인정〕하다《위원회 등에서》《*with*》; (선박의) 출입항을 허가〔승인〕하다, (관제탑에서 비행기의) 이착륙을 허가하다《*for*》; (당국의〔이〕) 허가를 받다〔하다〕: ~ the land (배가) 육지를 떠나다/be ~*ed for* takeoff 이륙 허가가 내리다/We ~*ed* the plan *with* the council. 계획은 의회의 승인을 얻었다/ KAL flight 007 has been ~*ed to* take off. 대한 항공 007편은 이륙 허가를 받았다/The project was ~*ed with* the board of directors. 그 계획은 이사회에서 승인을 받았다.
7 〖상업〗 (어음을) 교환에 의해 결제하다; (셈을) 청산하다; (재고품을) 정리하다, 투매하다: ~ the cheque 수표를 현금으로 바꾸다.
8 (순익을) 올리다: ~ $100 from ... …로 백 달러를 벌다.
9 이익으로 지변(支辨)하다: ~ expenses 이익으로 비용을 쓰다.
10 떨어지다, …와 충돌을 피하다; (장애물 따위를) 거뜬히〔깨끗이〕 뛰어넘다: ~ a fence 〔ditch〕 울타리를〔도랑을〕 뛰어넘다/My car only just ~*ed* the truck. 내 차는 아슬아슬하게 트럭과의 충돌을 피했다.
11 (목의) 가래를 없애다; (목소리를) 또렷하게 하다: ~ one's throat.
12 〖컴퓨터〗 (자료 · 데이터를) 지우다.
— *vi.* **1** 《~/+부》 (액체가) 맑아지다; (하늘 · 날씨가) 개다, (구름 · 안개가) 걷히다 (disperse); (안색 등이) 밝아지다《*away; off; up*》: My head ~*ed*. 머리가 맑아졌다/It ~*ed off*. 하늘이 개었다. **2** (입국 · 출국의) 통관 절차를 마치다; 출항하다: ~ *for* New York 뉴욕으로 출항하다. **3** 《+전+명》 떠나다, 물러가다: ~ *out of* the way 방해가 안 되게 물러나다. **4** 〖상업〗 재고 정리하다: great reduction in order to ~ 재고 정리를 위한 대할인. **5** 〖상업〗 (어음교환소에서) 교환 청산하다. **6** 《+전+명》 (실시 전에) 심의를 거치다, 승인을 얻다: This bill ~*ed through* (the) committee. 이 법안은 위원회의 심의를 거쳤다.
~ a dish 음식을 깨끗이 먹어 치우다. ***~ away*** 《*vt.*+부》 ① (장애물 등을) 제거하다. ② (식후에 식탁 위의 것을) 치우다: ~ *away* the leftovers 먹다 남은 것을 치우다. —《*vi.*+부》 ③ 맑아지다(⇨ *vi.* 1). ④ 떠나다; 없어지다, 소산하다; (안개 따위가) 걷히다. ***~ off*** 《*vt.*+부》 ① (빚을) 갚다; 청산하다: ~ *off* a debt 빚을 다 갚다. ② 《구어》 (장애물을) 제거하다, 치우다. — 《*vi.*+부》 ③ 맑아지다(⇨ *vi.* 1). ④ 물러가다, 떠나다; 도망치다. ***~ out*** 《*vt.*+부》 ① (…의) 속을 비우다: ~ *out* a cupboard 찬장의 속을 비우다. ② 《영속어》 (…을) 빈털터리가 되게 하다: The bankruptcy has ~*ed* him *out*. 파산으로 그는 빈털터리가 되었다. ③ (불필요한 것 · 장애물 따위를) 제거하다, 버리다. ④ (…을) 청소하다. — 《*vi.*+부》 ⑤ 떠나가다. ⑥ (배가) 출항하다. ***~ up*** 《*vt.*+부》 ① (…을) 깨끗이 하다. ② (물건을) 깨끗이 치우다, 정돈하다: ~ *up* rubbish 쓰레기를 치우다/ ~ *up* one's desk 책상을 정돈하다. ③ (문제 · 의문 · 오해를) 풀다: ~ *up* a mystery 수수께끼를 풀다. ④ (병 따위를) 고치다, 낫게 하다. —《*vi.*+부》 ⑤ 맑아지다, 개다 (⇨ *vi.* 1). ⑥ 깨끗이 하다, 청소하다. ⑦ (병 따위가) 낫다, 치유되다.
— *n.* **1** 빈 터, 공간; 여백. **2** 갬. **3** 〖목공〗 안목(치수); 옹이〔상처〕가 없는 목재. **4** 〖배드민턴〗 클리어 샷《호를 그리며 상대방 등 뒤, 엔드라인 안으로 떨어지는 플라이트》. **5** (암호문에 대해) 명문(明文). **6** 〖컴퓨터〗 소거. ***in the ~*** ① 안목으로. ② (암호가 아닌) 명문(明文)으로《★ in ~로도 쓰임》. ③ 《구어》 (혐의 등이) 풀리어, 결백하여; 빚지지 않고, 자유로워(free); 위험을 벗어나서: Evidence put him *in the* ~. 그의 결백함이 증거에 의해 증명되었다. ④ 《미속어》 자산가로.

clear·a·ble [klíərəbəl] *a.* 깨끗하게 할 수 있는.

cléar-áir tùrbulence 〖기상〗 청천(晴天) 난기류《생략: CAT》.

clear·ance [klíərəns] *n.* Ⓤ **1** 치워 버림, 제거; 정리; 재고 정리 (판매); (개간을 위한) 산림 벌채. **2** Ⓤ,Ⓒ 출항〔출국〕 허가(서); 통관 절차; 〖항공〗 관제(管制) 승인《항공 관제탑에서 내리는 승인》: ~ inwards 〔outwards〕 입항〔출항〕 절차/ ~ notice 출항 통지. **3** Ⓒ 〖기계〗 빈틈, 틈새; 여유 공간《굴 · 다리 밑을 지나가는 선박 · 차량과 그 구조물의 천장과의 공간》. **4** 〖상업〗 어음 교환(액); (증권 거래소의) 청산 거래 완료. **5** (관리의) 퇴직 허가. **6** 순이익. **7** (보도 등의) 허가. ***make a ~ of*** …을 일소하다, …을 깨끗이 처분 ⌊하다.

cléarance òrder 건물 철거 명령.

cléarance sàle 재고 정리 세일, 떨이로 팖.

clear·cole [klíərkòul] *n., vt.* 눈먹임(하다); 애벌〔초벌〕칠(하다).

cléar-cút *a.* 윤곽이 뚜렷한〔선명한〕, 명쾌한: a ~ face / ~ pronunciation 또렷한 발음/give a ~ answer 명쾌하게 답하다. — *n.* [ㅅㅅ] 개벌(皆伐). — *vt.* [ㅅㅅ] 개벌하다. 파 **~·ness** *n.*

clear·er [klíərər] *n.* clear하는 사람〔물건〕.

cléar-éyed *a.* 눈이 맑은; 명민한; 시력이 좋은.

cléar-fèll *vt.* (숲 · 일정 지역의) 나무를 모조리 베다.

cléar·héad·ed [-id] *a.* 명민한, 두뇌가 명석한. 파 **~·ly** *ad.* **~·ness** *n.*

***clear·ing** [klíəriŋ] *n.* **1** Ⓤ 청소; (장애물의) 제거; 〖군사〗 소해(掃海). **2** Ⓒ (산림을 벌채해 만든) 개간지, 개척지. **3** Ⓤ 〖상업〗 청산, 어음 교환; (*pl.*) 어음 교환액.

cléaring bànk 《영》 어음 교환 조합 은행.

cléaring hòspital 야전〔후송〕 병원.

cléaring·hòuse *n.* 어음 교환소; 《비유》 정보 센터, 물자 집배(集配) 센터(=**cléaring hòuse**).

cléaring stàtion =CLEARING HOSPITAL.

‡**clear·ly** [klíərli] *ad.* **1** 똑똑히, 분명히; 밝게 (빛나는): Pronounce it more ~. 좀더 똑똑히 발음하시오. **2** 의심할 여지 없이, 확실히: *Clearly*, it is a mistake. =It is ~ a mistake. 의심할 여지없이 그것은 잘못이다. **3** 아무렴, 그렇고 말고요《대답으로서》.

◇**cléar·ness** *n.* 맑음, 밝음; 분명함, 명료, 명확; 무장애; 결백.

cléar·òut *n.* 《구어》 (불필요한 것의) 처분, 처리; 팔아치움; 일소(一掃)함.

cléar-síght·ed [-id] *a.* 시력이 날카로운; 명민한(discerning); 선견지명이 있는. 파 **~·ly** *ad.* **~·ness** *n.* 「cf. starch.

cléar·stàrch *vt., vi.* (옷 따위에) 풀 먹이다.

cléar·stòry *n.* 《미》 =CLERESTORY.

cléar·wáy *n.* 《영》 주차〔정차〕 금지 도로; (긴급용의) 대피로.

cléar wídth 안목 (치수). 「충》.

cléar·wìng *n.* 〖곤충〗 유리날개나방《식물의 해

cleat [kli:t] *n.* 쐐기 모양의 보강재(補強材);

(현문(舷門) 따위의) 미끄럼막이; 〖선박〗 밧줄걸이, 지삭전(止索栓)(wedge), 밧줄걸이, 삭이(索耳), 클리트; 〖전기〗 (사기제(製)의) 전선 누르개. ── *vt.* 쐐기를〔밧줄걸이를〕 붙이다; 밧줄걸이에 감아 매다; …에 클리트를 달다. 「수 있음.

clèav·a·bíl·i·ty *n.* Ⓤ 벽개성(劈開性); 절개할

cleav·a·ble [klíːvəbəl] *a.* 절개할〔쪼갤〕 수 있는.

cleav·age [klíːvidʒ] *n.* Ⓒ 분열; 갈라진 틈; Ⓤ 〖광물〗 벽개(성)(劈開(性)); 〖생물〗 난할(卵割); 《구어》 유방 사이의 오목한 곳; 여성의 음부; (의견 등의) 불일치, (당파의) 분열.

°**cleave**[1] [kliːv] (***cleft*** [kleft], ***cleaved, clove*** [klouv], 《고어》 ***clave*** [kleiv]; ***cleft, cleaved, clo·ven*** [klóuvən]) *vt.* **1** 《~+목/+목+부/+목+보/+목+전+명》 쪼개다, 찢다; (둘로) 쪼개어 가르다; 분열시키다; …에 금을 내다, 떼어놓다: ~ a piece of wood 장작을 쪼개다 / ~ it asunder 그것을 갈기갈기 찢다 / ~ it open 그것을 베어 가르다 / ~ it *in* two 그것을 두 동강 내다. **2** 《~+목/+목+전+명》 (물 등을) 가르고 나아가다; 〖~ one's way로〗 헤치고 나아가다: ~ the water 물을 가르고 나아가다 / ~ *one's way through* a crowd 군중을 헤치고 나아가다. **3** 《+목+전+명》 길을 트다: ~ a path *through* the wilderness 황야에 길을 트다. **4** 《+목+전+명》 (사람·장소를 …으로부터) 격리하다 《*from*》; (단체를) 분열시키다《*into*》: ~ those boys *from* the others 그 소년들을 다른 사람들로부터 떼어 놓다 / The issue *cleft* the party *into* opposing factions. 그 문제는 당을 서로 대립하는 파벌로 분열시켰다. ── *vi.* **1** 쪼개지다, 찢어지다; 트다; (단체가) 분열하다. **2** 헤치고 나아가다.

°**cleave**[2] (**~d,** 《고어》 ***clave*** [kleiv], ***clove*** [klouv]; **~*d***) *vi.* (주의·주장 따위를) 고수〔집착〕하다《*to*》; 굳게 결합하다《*together*》; (남에게) 충실히 대하다《*to*》; 《고어》 부착〔점착(粘着)〕하다《*to*》. Ⓒⓕ stick² 「는 큰 칼.

cléav·er *n.* 쪼개는 사람〔물건〕; 고기를 토막 내

cléav·ers (*pl.* ~) *n.* 〖식물〗 갈퀴덩굴.

cleek [kliːk] *n.* 쇠갈고리; 〖골프〗 클리크《아이언 1번 골프채》. ── *vt.* 《영속어》 꽉 쥐다.

clef [klef] *n.* 〖음악〗 음자리표. ***C*** ~ 다음자리표《가온음자리표》. ***F*** 〔***bass***〕 ~ 바음자리표《낮은음자리표》. ***G*** 〔***treble***〕 ~ 사음자리표《높은음자리표》.

F [bass] clef　G [treble] clef

cleft [kleft] CLEAVE¹ 의 과거·과거분사.
── *n.* 터진 금, 갈라진 틈; 쪼개진 조각; (두 부분 사이의 V 형의) 오목한 곳; 《구어·완곡어》 (여성의) 외음부, 성기; (당파 간의) 분열, 단절. ── *a.* 쪼개진, 갈라진, 터진: a ~ chin 오목하게 갈라진 턱. ***in a ~ stick*** 진퇴양난에 빠져; 궁지에 몰려.

cléft gráft 짜개접(椄).

cléft infínitive 분리 부정사《부정사가 부사구로 분할되는 용법. 보기: *to* once more *speak*》.

cléft líp =HARELIP.

cléft pálate ⇨ PALATE. 「장》.

cléft séntence 분리문《It... that 로 분리된 문

cleg(g) [kleg] *n.* 《영》 〖곤충〗 등에, 말등에.

clei·do·ic [klaidóuik] *a.* 〖발생〗 (동물의 알이) 폐쇄적인; (껍질로써) 외부로부터 차단된.

cleis·to·gam·ic [klàistəgǽmik] *a.* 〖식물〗 =CLEISTOGAMOUS.

cleis·tog·a·mous [klaistágəməs/-tɔ́g-] *a.* 〖식물〗 폐화 수정(閉花受精)의, 폐쇄화(閉鎖花)의.

cleis·tog·a·my [klaistágəmi/-tɔ́g-] *n.* 〖식물〗 Ⓤ 폐화 수정.

clem [klem] 《영방언》 *vt.* 수척하게 하다, 굶기다, 굶주림〔갈증·추위 등〕으로 고생시키다. ── *vi.* 수척해지다, 굶주리다, 굶주림〔갈증, 추위 등〕으로 고생하다.

clem·a·tis [klémətis] *n.* 〖식물〗 참으아리속(屬)의 식물《위령선(威靈仙)·큰꽃으아리 따위》; 〖원예〗 클레머티스.

Cle·men·ceau [klèmənsóu] *n.* **Georges** ~ 클레망소《프랑스의 정치가; 1841–1929》.

clem·en·cy [kléməns i] *n.* Ⓤ,Ⓒ (성격·성질의) 온화, 온순, 관대, 자비; 자비로운 행위〔조처〕; (날씨의) 온화함. OPP. *inclemency*.

Clem·ens [klémənz] *n.* **Samuel Langhorne** ~ 클레먼스《미국의 작가 Mark Twain 의 본명》.

Clem·ent [klémənt] *n.* 클레멘트《남자 이름》.

clem·ent [klémənt] *a.* 온후한; 자비스러운, 관대한(merciful); (기후가) 온화한, 온난한(mild). ㊔ **~·ly** *ad.* 「《여자 이름》.

Clem·en·ti·na [klèməntíːnə] *n.* 클레멘티나

Clem·en·tine [kléməntàin, -tìːn] *n.* 클레멘타인《여자 이름》.

clem·en·tine [kléməntàin, -tìːn] *n.* 클레멘타인《tangerine 과 sour orange 의 잡종인 작은 오렌지》.

Clem·mie [klémi] *n.* 클레미《Clementina, Clementine 의 애칭》.

°**clench** [klentʃ] *vt.* **1** (이를) 악물다; (손·주먹 따위를) 꽉 쥐다. **2** (물건을) 단단히 잡다〔쥐다〕. **3** (박은 못 따위의) 끝을 두드려 구부리다〔뭉개다〕; 〖해사〗 큰 밧줄의 끝을 붙들어 매다(clinch). **4** (의논·계약 등의) 결말을 짓다. ── *vi.* (입·손 따위가) ~된 상태가 되다. **~ *one's teeth*** 〔***jaws***〕 이를 악물다; 굳게 결심하다. ── *n.* ~하는〔된 상태가 되는〕 일; 단단히 잡기〔쥐기〕; (못의) 끝을 꼬부리기.

clénch·er *n.* =CLINCHER. 「몸짓.

clénch-físted salúte 주먹을 내미는 항의의

Cleo [klíːou] *n.* 클레오《여자 이름》.

Cle·o·cin [klióusin] *n.* 클레오신《clindamycin 의 상표명》.

Cle·o·pat·ra [klìːəpǽtrə, -páːtrə] *n.* 클레오파트라《이집트 최후의 여왕: 69–30 B.C.》.

Cleopatra's Needle 클레오파트라의 바늘《고대 이집트의 2개의 obelisk의 이름》.

Cleopátra's nóse 클레오파트라의 코《중대한 영향을 미치는 사소한 일; 만일 클레오파트라의 코가 조금만 낮았다면 세계의 역사는 달라졌을 것이라는 파스칼의 말에서 나온 말》.

CLEP College Level Examination Program.

clep·sy·dra [klépsədrə] (*pl.* **~s, *-drae*** [-drìː]) *n.* (고대의) 물시계(water clock).

clep·to·ma·nia [klèptəméiniə] *n.* 〖심리〗 = KLEPTOMANIA.

clere·sto·ry [klíərstɔ̀ːri] *n.* **1** 〖건축〗 고창층(高窓層)《Gothic식 건축 대성당의 aisles의 지붕에 맞닿은 채광용 높은 창이 달려 있는 층》. **2** 〖미철도〗 (차량의 천장 양쪽의) 통풍창.

clerestory 1

°**cler·gy** [klɔ́ːrdʒi] *n.* 〖집합적〗 목사, 성직자들《목사·신부·랍비 등, 영국에서는 영국 국교회의 목사》.
★ 한 사람의 경우는 clergyman 을 씀.

cler·gy·man** [klɔ́ːrdʒimən] (*pl.* ***-men [-mən]) *n.* 성직자, (특히 영국 국교회의) 목사《bishop(주교)에게는 쓰지 않음》. **~*'s week*** 〔***fortnight***〕 일요일을 두〔세〕번 포함하는 휴가.

clérgyman's sóre thróat 〖의학〗 만성후두염《목소리를 많이 쓰는 사람이 걸림》.

clérgy·pèrson *n.* 성직자《성별 회피어(語)》.

clérgy·wòman (*pl.* **-wòmen**) *n.* 여자 목사; 《고어·우스개》 (교구 내에서 위세를 떨치는) 목사의 아내〔딸〕.

cler·ic [klérik] *n.* 성직자, 목사(clergyman). **—** *a.* =CLERICAL 1.

cler·i·cal [klérikəl] *a.* **1** 목사의, 성직(자)의; 목사파의: ~ garb 성직복. **2** 서기의, 사무원의, 필생(筆生)의: a ~ error 오기(誤記), 잘못 베낌 / the ~ staff 사무직원 / ~ work 서기〔사무원〕의 일, 사무. **—** *n.* 성직자, 목사; (의회의) 목사파 의원; 성직권(聖職權) 지지자; (*pl.*) 성직자복(服). ㊕ **~·ìsm** *n.* 성직자〔성직권〕 존중주의, 교권주의; 《경멸》 성직자의 (부당한 정치적) 세력. **~·ist** *n.* 성직권 존중주의자. **~·ìze** *vt.* 성직에 취임시키다; 성직자 존중주의화(化)하다. **~·ly** *ad.* 성직자답게; 서기로서.

clérical cóllar 성직자용 칼라《목 뒤에서 채우는 가늘고 딱딱한 옷깃》.

cler·i·hew [klérəhjùː] *n.* (익살스러운 내용의) 사행 연구(四行聯句)의 일종.

cler·i·sy [klérəsi] *n.* 〔집합적〕 지식인, 학자; 인텔리 계급; 문인(文人) 사회.

⁑clerk [kləːrk/klɑːk] *n.* **1** (관청·회사 따위의) 사무원〔관〕, 사원, (은행의) 행원; (법원·의회·각종 위원회 따위의) 서기: a bank ~ 은행원 / the head ~ 사무장. **2** 《미》 점원, 판매원 (salesclerk)《남녀 공히》. **3** 〖종교〗 교구의 집사, 《영》 교회의 서기. **4** 《고어》 성직자. **5** 《고어》 학자. ***a ~ in holy orders*** 영국 국교회의 성직자, 목사(clergyman). ***~ of*** (***the***) ***work***(***s***) 《영》 (청부 공사의) 현장 감독. ***the Clerk of the Weather*** 《영》 (날씨의 지배력을 의인화하여) 날씨의 신; 《미속어》 기상대장.

— *vi.* 《+㉻+㉹》 사무원〔서기, 점원〕으로 근무하다: ~ *for* 〔*in*〕 a store 점원 일을 보다.

㊕ **∠·dom** [-dəm] *n.* Ⓤ 서기의 직〔지위〕. **∠·ish, ∠·like** *a.* 사무원〔점원〕 같은; 지나치게 세세한. **∠·ly** *a.* 서기〔사무원, 《미》 점원〕의〔같은〕; 달필의; 성직자의〔다운〕; 《고어》 학자의〔다운〕.

Clérk of the Clóset 《영》 국왕〔여왕〕 전속 목사. 「의) 단속 위원.

clérk of the cóurse (경마장·자동차 경기장

clérk·shìp [-ʃip] *n.* Ⓤ 서기〔사무원, 점원〕의 직〔신분〕; 성직; 성직자의 신분.

Cleve·land [klíːvlənd] *n.* 클리블랜드《잉글랜드 북부의 주; 1974년 신설》; 미국 Ohio 주의 항구·공업 도시.

⁑clev·er [klévər] (**~·er; ~·est**) *a.* **1** 영리한, 총명한(bright), 똑똑한, 재기 넘치는; (…에서) 유능한《*at*》: a ~ child 똑똑한 아이 / a student ~ *at* mathematics 수학을 잘하는 학생.

> SYN. **clever** 손재주가 있고 머리가 잘 돌아 눈치 빠른; 영리한. 그러나 wise 가 나타내는 '경험에 의한 슬기, 뛰어난 양식에 의한 판단'은 시사되지 않음. **bright** 이해가 빠르고 머리가 명석한. clever에 비해 이지적인 이해력에 중점이 있음. **adroit** 일·직무 따위를 하는 데 교묘한, 솜씨 있는, 빈틈없는: an *adroit* politician 빈틈없는 정치가. **ingenious** 연구·발명의 재질이 있는, 독창적인. **perspicacious** 표면에 나타나 있지 않은 것을 꿰뚫어 볼 힘이 있는, 혜안의. **shrewd** 남에게 속지 않는, 자기 실속을 착실히 차리는; 다음의 smart 에 비해 야비하고 음험한 성격이 암시됨: *shrewd* merchants 약삭빠른 장사꾼들. **smart** 머리가 매우 좋기 때문에 실무에 빈틈이 없는; 약삭빠른: a *smart* businessman 약삭빠른 실업가.

2 (말·생각·행위 등을) 잘하는, 솜씨 있는; 재치 있는: a ~ reply 재치 있는 대답. **3** (손)재주 있는(adroit), 잘하는《*at; in*》; 솜씨가 훌륭한, 멋진; 숙련된: a ~ carpenter 재주 있는 목공 / ~ fingers 재주 있는 손 / ~ *at* French 프랑스 말을 잘하는 / ~ *with* one's pen 글을 잘 쓰는 / a ~ horse 장애물을 잘 뛰어넘는 말. **4** 독창적인, 창의력이 풍부한; 훌륭한: a ~ device 창의력 있는 고안. **5** 《미방언》 사람이 좋은(good-natured). **6** 《방언》 능숙한; 모습이 멋진. **7** 《구어·방언》 적당한, 만족스러운(satisfactory); 《방언》 아름다운; 건강한. ***not too ~*** 《Austral.구어》 기분이 좋지 않은.

cléver bòots 〔**clògs, sìdes, stìcks**〕 《구어》 영리한 사람, 수완가. 「한 체하는.

cléver-cléver *a.* 똑똑한 체하는; 겉으로 영리

clev·er·ish [klévəriʃ] *a.* 잔꾀가 있는; 잔솜씨 있는. ㊕ **~·ly** *ad.* 「완전히.

°clév·er·ly *ad.* 영리하게; 솜씨 있게, 잘; 《방언》

***clev·er·ness** [klévərnis] *n.* Ⓤ 영리함, 솜씨 있음, 교묘; 민첩. 「형 갈고리.

clev·is [klévis] *n.* U자형 연결기, U링크; U자

clew [kluː] *n.* **1** 실꾸리; 길잡이 실몽당이《그리스 신화에서, 미궁에서 빠져 나올 때의》; (해결의) 실마리, 단서(clue): a ~ to …의 실마리〔단서〕. **2** 〖해사〗 돛귀《가로돛의 아랫구석, 세로돛의 뒷구석》; 돛귀의 고리; (*pl.*) 해먹(hammock)을 달아매는 줄. ***from ~ to earing*** 아래에서 위까지, 온통, 구석구석, 모두. **—** *vt.* (실을) 둥글게 감다《*up*》; (돛을) 활대에 끌어올리다《*up*》; 《미》 단서〔정보〕를 제공하다. **~ *down*** (돛을 펼 때) 가로돛의 아랫귀를 끌어내리다. **~ *up*** (돛을 접을 때) 가로돛의 아랫귀를 끌어올리다; (일을) 끝내다.

CLGP 〖군사〗 cannon-launched guided projectile (포발사형 유도 포탄). **CLI** Cost of Living Index(생계비 지수).

***cli·ché** [kli(ː)ʃéi/klíːʃei] *n.* 《F.》 진부한 표현〔사상, 행동〕, 상투적인 문구; 〖인쇄〗 전기판(電氣版), 스테로판, 연판(鉛版).

cli·ché(')d [kliːʃéid, kli-/klíːʃeid] *a.* cliché 가 많이 들어간; 오래 써먹은, 낡은 투의.

°click [klik] *vi.* **1** (~/+㊊) 짤까닥〔째깍〕 소리 나다〔소리 내며 움직이다〕: The latch ~*ed*. 걸쇠가 짤까닥하고 걸리는 소리가 났다 / The door ~*ed* shut. 문이 철컥하고 닫혔다. **2** 《구어》 **a** (극 따위가) 성공하다, 히트하다《*with*》. **b** 《~/+㉻+㉹》 마음이 맞다, 의기 상통하다; (서로) 반하다《*with*》: ~ *with* each other 서로 의기 상통하다 / They have ~*ed* all right. 그들은 잘 어울렸다. **c** 《구어》 《+㉻+㉹》 (사물이 갑자기) 알아지다, 이해되다; 퍼뜩 깨닫다《*with*》: What he meant has just ~*ed with* me. 그가 말하던 것이 나에게 퍼뜩 떠올랐다. **d** 임신하다. **3** 〖컴퓨터〗 마우스 단추를 누르다. **4** 《군대속어》 살해되다. **—** *vt.* **1** 《+㊍+㊊/+㊍+㉻+㉹》 째깍〔찰깍〕하고 울리게 하다〔움직이게 하다〕; (말이) 앞뒷발 편자를 맞부딪치다: ~ the light *on* 〔*off*〕 전등의 스위치를 짤깍하고 켜다〔끄다〕 / He ~*ed* his glass *against* hers. 그는 잔을 그녀의 잔에 쨍하고 맞췄다. **2** 〖컴퓨터〗 (마우스의 단추를) 누르다, (화면의 항목을 마우스로) 선택하다. **~ *for*** 《속어》 우연히〔재수 좋게〕 손에 넣다. **~ *off*** 기계적으로 기록하다, 기록을 반복하다. **~ *out*** 찰칵찰칵 소리를 내며 기록하다〔만들어 내다〕. **~ *one's heels*** (***together***) 뒤꿈치를 딱하고 맞붙이다.

— *n.* **1** 째깍(하는 소리): with a ~ 째깍하고. **2** 〖기계〗 제동자(制動子), 기계의 후진을 막는 소장치. **3** 〖음성〗 혀 차는 소리; 흡착 폐쇄음. **4** 영어

의 tut 하는 소리; (말 따위를 모는) 쉬 하는 소리; (키스의) 쪽 하는 소리. **5** 《미속어》 **a** (순간의) 이해, 퍼뜩임. **b** (흥행의) 성공, 히트. **c** 도당, 파벌(clique). **6** 《미군대속어》 1 km. **7** 〖컴퓨터〗 클릭《마우스와 동일한 입력 장치로 어떤 항목을 선택하거나 실행하기 위해 입력 장치의 버튼을 눌렀다 놓는 것》.
㊞ **∠·a·ble** *a.* 〖컴퓨터〗 클릭할 수 있는. **∠·less** *a.*

clíck-and-mórtar [-ən] *a.* 〖상업〗 전통 방식에 인터넷을 도입한 《기업》. ⓒⓕ brick-and-mortar.

clíck bèetle 〖곤충〗 방아벌레.

clíck-clàck *n.* 달그락달그락〔달각달각〕하는 소리 《하이힐의 구둣소리 따위》. **—** *vi.* 달그락〔달각〕거리다.

clíck·er *n.* 〖인쇄〗 식자 과장; 구둣방의 직공장.

click·e·ty-clack [klíkətiklǽk] *n.* 덜컹덜컹, 찰칵찰칵《기차 · 타이프 등의 소리》.

clíck ràte 〖컴퓨터〗 클릭률 《어떤 웹사이트를 일정 시간에 방문한 횟수》.

clíck stòp 〖사진〗 클릭 스톱《카메라 등에서 일정한 눈금마다 찌깍 소리를 내며 정지하는 장치》.

***cli·ent** [kláiənt] *n.* **1** 소송〔변호〕 의뢰인. **2** 고객, 단골손님. ⓈⓎⓃ. ⇨ VISITOR. **3** 〖고대로마〗 (귀족에 종속하는) 피(被)보호민; 가신(家臣), 부하. **4** 사회 복지 혜택을 받는 사람(a welfare ~); 예속자; 피보호자. **5** =CLIENT STATE. **6** 〖컴퓨터〗 클라이언트《분산 처리 시스템에서, 프로세스 실행 시 어떤 서비스를 다른 곳에서 구하여 그것을 받는 기기〔프로세스〕》 (ⓒⓕ server). ㊞ **~·less** *a.* **~·ship** *n.*

clí·ent·age [-idʒ] *n.* 피보호자의 지위; =CLIENTELE.

cli·en·tal [klaiéntəl] *a.* 의뢰인의; 고객(관계)의.

clíent-cèntered thérapy 〖의학〗 내담자 중심 요법《환자 자신의 숨은 힘을 끌어내어 문제를 해결하는 무지도(無指導) 요법》.

cli·en·tele [klàiəntél, klìːɑːn-/klìːən-] *n.* 〔집합적〕 소송 의뢰인; 고객; (극장 · 술집 등의) 단골손님; (병원의) 환자; 피보호민; 가신, 졸개들.

cli·en·tel·ism, cli·en·tism [klàiəntélizəm, klìːɑːn-/klìːən-], [kláiəntìzəm] *n.* 두목과 부하의 관계에 의존하는 사회.

cli·en·ti·tis [klàiəntáitis] *n.* Ⓤ 의존국 과신(過信)《정치적 · 경제적 · 군사적으로 의존하고 있는 나라에 대한 과신》.

clíent-sérver 〔**clíent / sérver**〕 **módel** 〖컴퓨터〗 클라이언트 / 서버 모델《네트워크상에서 네트워크에 연결되어 있는 클라이언트(서비스를 받는 측의 컴퓨터)와 서버(서비스를 주는 측의 고성능 컴퓨터)가 같은 시기에 직접 처리하는 모델》.

clíent stàte 보호국; (종)속국; 예속〔의존〕국(國)(client).

***cliff** [klif] *n.* (특히 해안의) 낭떠러지, 벼랑, 절벽.

clíff dwèller 암굴(岩窟) 거주민; (보통 C- D-) 미국 남서부의 원주민; 《미구어》 고층 아파트 주민《특히 도회지의》.

clíff dwèlling (주거로서의) 암굴.

clíff·hàng *vi.* 위험한〔불안정한〕 상태에 놓이다; 손에 땀을 쥐게 하는 아슬아슬한 상태로 끝나다; 연속 서스펜스 드라마를 쓰다〔제작하다〕.

clíff·hànger *n.* **1** (영화 · 텔레비전 · 소설 따위의) 연속 모험물(物), 스릴 만점〔파란만장〕의 영화; 마지막 순간까지 손에 땀을 쥐게 하는 것〔경쟁 · 시합〕. **2** (선거에서) 당락선(當落線)상에 있는 후보자.

clíff·hànging *a.* (영화 · 텔레비전 등이) 관객의 손에 땀을 쥐게 할 만큼 모험적인: ~ series = CLIFFHANGER 1.

Clif·ford [klífərd] *n.* 클리퍼드《남자 이름; 애칭은 Cliff》.

clíffs·man [-mən] (*pl.* **-men** [-mən]) *n.* 암벽타기의 명수.

clíff swàllow 〖조류〗 흰털발제비.

cliffy [klífi] (**cliff·i·er; -i·est**) *a.* 벼랑의〔이 있는〕, 벼랑진; 험준한.

cli·mac·ter·ic [klaimǽktərik, klàimæktérik] *n.* 갱년기《여자의 폐경기 등》; 액년(厄年)《7 년마다의》; 위기: the grand ~ 대액년《63 세 또는 81 세》. **—** *a.* 전환기에 있는, 위기의(critical); 액년의; 〖의학〗 정년기의, 월경 폐쇄기의.

cli·mac·te·ri·um [klàimæktíəriəm] *n.* 〖의학〗 갱년기, 갱년기의 생리적〔정신적〕 변화.

cli·mac·tic [klaimǽktik] *a.* 〖수사학〗 점층법(漸層法)의; 정점(頂點)의, 절정의. ㊞ **-ti·cal** *a.* **-ti·cal·ly** *ad.*

⁑**cli·mate** [kláimit, -mət] *n.* **1** Ⓤ 기후.

> NOTE climate 는 한 지방의 연간에 걸친 평균적 기상 상태. weather 는 특정한 때 · 장소에서의 기상 상태를 말함.

2 Ⓒ 풍토; 《비유》 환경, 분위기, (회사 따위의) 기풍, (어느 지역 · 시대의) 풍조, 사조(思潮): an intellectual ~ 지적 풍토 / a ~ *of* opinion 여론(輿論). **3** (기후상으로 본) 지방, 지대(region): a dry 〔humid, mild〕 ~ 건조한〔습기가 많은, 온화한〕 지방 / move to a warmer ~ 따뜻한 지방으로 전지(轉地)하다. ◇ climatic *a.*

clímate chànge 기후 변동(climatic change).

clímate contròl (에어컨 · 난방 장치의) 온도 조절기.

°**cli·mat·ic, -i·cal** [klaimǽtik], [-ikəl] *a.* 기후상의; 풍토적인. ㊞ **-i·cal·ly** *ad.*

climátic clímax 〖생태〗 기후적 극상(極相).

climátic zòne 〖기상〗 기후대(帶)《위도에 평행한 가장 단순한 기후 구분》.

cli·ma·tize [kláimətàiz] *vt.* 새로운 환경에 순응시키다; (자동차 · 건물 등을) 기후 조건에 합치시키다. **—** *vi.* 새로운 환경에 순응하다.

cli·mat·o·graph [klaimǽtəgræ̀f] *n.* 기후 그래프(=**cli·mát·o·gràm**)《월별 주야간 실효 온도의 변화를 나타낸 그래프》; =CLIMOGRAPH.

cli·ma·to·log·ic, -i·cal [klàimətəládʒik/-lɔ́dʒ-], [-ikəl] *a.* 기후학〔풍토학〕의.

cli·ma·tol·o·gist [klàimətálədʒist/-tɔ́l-] *n.* 기후〔풍토〕학자.

cli·ma·tol·o·gy [klàimətálədʒi/-tɔ́l-] *n.* Ⓤ 기후〔풍토〕학.

cli·max** [kláimæks] *n.* **1** (사건 · 극 따위의) 최고조, 절정(peak)《*of*》; 정점, 극점: reach 〔come to〕 a ~ 절정에 달하다. **2** 〖수사학〗 점층법《점차로 문세(文勢)를 높여 가는》. **3** 〖생물〗 극상(極相)《식물 군락(群落)의 안정기》. **4** 오르가슴; 성적 흥분의 절정. ***cap the **~** ⇨ CAP¹. **—** *vi., vt.* 정점(頂點)에 달하(게 하)다: The play ~*ed* gradually. 그 연극은 점차로 클라이맥스에 달했다.

clímax commùnity 〖식물〗 극상군락(極相群落).

⁑**climb** [klaim] (*p., pp.* **~ed,** 《고어》 ***clomb*** [kloum]) *vt.* **1** (산 따위에) 오르다, 등반하다: ~ a mountain.

> NOTE climb 은 어려움을 참고 노력하여 높은 곳에 오르다란 뜻임. ascend 는 노력이나 어려움이 내포되어 있지 않은 상태에서 높은 곳에 오르다란 뜻임.

2 (손발을 써서) 기어오르다, 기어 내려오다: ~ a ladder 〔a tree〕 사다리〔나무〕를 오르다. **3** (식물이 벽 따위를 타고) 기어오르다. **4** (천체 · 연기 따위가) 올라가다; (비행기를) 상승시키다: The sun has ~*ed* the sky. 태양이 하늘로 떠올랐다. **—** *vi.* **1** 《~/+㊌/+㊍+㊔》 (나무 · 로프 따위를) 기어오르다, (산 · 계단 따위를) 오르다:

Monkeys ~ *well*. 원숭이는 나무타기를 잘한다 / We were ~*ing up*. 우리는 (높은 곳으로) 올라가고 있었다 / ~ *up* a ladder 사다리를 오르다 / ~ *to* the top of a mountain 산의 정상에 오르다. **2** (해·달·연기·비행기 따위가 서서히) 솟다, 뜨다, 상승하다; (물가가) 뛰다, 오르다: The smoke ~*ed* slowly. 연기가 서서히 올라갔다 / ~*ing* prices 상승하는 물가 / Prices ~*ed* sharply. 물가가 뛰었다. **3** 《+전+명》 (노력하여 높은 지위에) 오르다, 승진하다, 출세하다 《*to*》: ~ *to* power 출세하여 권력을 잡다 / ~ *to* the head of the section 과장으로 승진하다. **4** (식물이) 휘감아〔덩굴이 되어〕 뻗어오르다. **5** (길이) 오르막이 되다. **6** 《+부/+전 +명》 (손발을 써서 자동차·비행기 등에) 타다; …에서 내리다: ~ *into* a jeep 지프차를 타다 / ~ *out* (*of* a car) (차에서) 내리다. **7** 《+전+명》 (옷을) 급히 입다《*into*》; (옷을) 급히 벗다《*out of*》: ~ *into* pajamas 급히 파자마를 입다. **8** 《미속어》 엄히 꾸짖다, 날카롭게 비판하다. **~ *down*** 《*vi.*+부》 ① (…을) 내리다, (…을) 기어 내리다: ~ *down* from a tree 나무에서 내려오다. ② 《구어》 (지위에서) 떨어지다《*from*》; 물러나다, 양보하다; 주장을〔요구를〕 버리다〔철회하다〕. ── 《*vi.*+전》 ③ (높은 곳)으로부터 (손발을 써서) 기어 내려오다.

── *n.* **1** 오름, 기어오름, 등반. **2** (기어오르는) 높은 곳; 오르막길. **3** (물가·비행기의) 상승; 승진, 영달《*to*》: a ~ in prices 물가의 상승. ㊕ **∠·a·ble** *a.* (기어)오를 수 있는.

clímb-dòwn *n.* **1** 기어 내림. **2** 《구어》 양보; (주장·요구 등의) 철회, 단념.

clímb·er *n.* **1** 기어오르는 사람; 등산가(mountaineer). **2** 《구어》 출세주의자, 야심가. **3** 등산용 스파이크. **4** 반연(攀緣) 식물《담쟁이 등》. cf. creeper. **5** 반금류(攀禽類)《딱따구리 따위》.

clímb ìndicator 〖항공〗 승강계(計).

clímb·ing *a.* 기어오르는; 상승하는; 등산용의. ── *n.* Ⓤ 기어오름, 등반; 등산 (mountain ~): ~ accident 등반 사고.

clímbing férn 〖식물〗 실고사리속의 양치식물.

clímbing·fish *n.* 〖어류〗 아나바스《나무에 오르는 물고기》.

clímbing fràme 정글짐《운동 시설》.

clímbing ìrons (등산용) 슈타이크아이젠; 스파이크가 달린 나무타기 기구.

clímbing pérch = CLIMBINGFISH.

clímbing plánt = CLIMBER 4.

clímbing ròpe 등산용 로프, 자일.

clímbing róse 〖식물〗 덩굴장미.

clímbing wàll 클라이밍 월《암벽 등반 연습용 인공 벽》.

clímb·òut *n.* (비행기의) 이륙 중의 급상승.

clime [klaim] *n.* 《시어》 나라, 지방; 풍토.

cli·mo·graph [kláiməgræ̀f, -grɑ̀:f] *n.* 클라이모그래프《어떤 지방의 온도와 습도를 월별로 나타낸 그래프》.

clin- [kláin], **cli·no-** [kláinou, -nə] '사면(斜面), 경사, 각(角)'이란 뜻의 결합사.

clin. clinical.

°**clinch** [klintʃ] *vt.* **1** (박은 못의) 끝을 두드려 구부리다; 못박다; 고정시키다, 죄다. **2** (의논·계약 따위의) 매듭을 짓다, 결말을 내다: ~ a deal 거래를 매듭짓다. **3** 〖해사〗 밧줄 끝을 반대로 접어서 동여매다. **4** (입을) 굳게 다물다; (이를) 악물다: with ~*ed* teeth 이를 악물고. **5** 〖권투〗 (상대를) 클린치하다, 껴안다. ── *vi.* **1** 〖권투〗 껴안다, 클린치하다. **2** 《구어》 격렬하게 포옹하다.

── *n.* **1** 못 끝을 두드려 구부림; 두드려 구부리는 도구; 고착(시키는 것). **2** 〖권투〗 클린치. **3** 〖해사〗 밧줄의 끝을 반대로 구부려 동여맨 매듭. **4** 《구어》 격렬한 포옹. **5** 《고어》 신소리, 결말. ***in a* ~** 《구어》 껴안고.

clínch·er *n.* 두드려 구부리는 도구; (볼트 따위를) 죄는 도구, 클램프(clamp), 꺾쇠; 《구어》 결정적인 의논〔요인, 행위〕, 상대를 꼼짝 못하게 하는 말: That was the ~. 그 한마디로 결말이 났다.

clíncher-bùilt *a.* = CLINKER-BUILT.

clin·da·my·cin [klìndəmáisin] *n.* 〖약학〗 클린다마이신《항균제》.

cline [klain] *n.* 〖생물〗 클라인, (지역적) 연속 변이(變異); 〖언어〗 클라인, 연속 변이; 〖인류〗 유전적 경사(傾斜)《어떤 형질의 빈도가 지리적으로 서서히 변화하는 현상》.

cling** [kliŋ] (*p.*, *pp.* ***clung [klʌŋ]) *vi.* 《+전+명》 **1** 착 들러〔달라〕붙다, 고착〔밀착〕하다 《*to*》: The wet clothes *clung to* my skin. 젖은 옷이 살에 달라붙었다. **2** 매달리다, 붙들고 늘어지다《*to*》: The children *clung to* each other in the dark. 어린이들은 어둠 속에서 서로 꼭 붙어 있었다. **3** (습관·생각 따위에) 집착〔애착〕하다, 고수하다《*to*》: ~ *to* the last hope 끝까지 희망을 버리지 않다 / ~ *to* power 〔office〕 권력〔직무〕에 집착하다. **4** (냄새·편견 따위가) …에 배어들다《*to*》: The smell of manure still *clung to* him. 거름 냄새가 아직 그의 몸에 배어 있었다. **~ *together*** (물건이) 서로 들러붙다, 떨어지지 않게 되다; 단결하다. ㊕ **∠·er** *n.*

Clíng·film *n.* 클링필름《식품 포장용 폴리에틸렌 막; 상표명》.

clíng·fish *n.* 〖어류〗 학치과(科) 물고기의 총칭《복부에 빨판이 있음》.

clíng·ing *a.* 들러붙는, 점착성의; (옷이) 몸에 찰싹 달라붙는; 남에게 의존하는〔매달리는〕: of the ~ sort 남에게 잘 의존하는 성질의. ㊕ **~·ly** *ad.*

clínging víne 《구어》 남자에게 의지만 하는 여자.

clíng pèach 씨가 잘 분리되지 않는 복숭아.

clíng·stòne *a.*, *n.* 점핵(粘核)(성(性)의); 과육이 씨에 밀착해 있는 (과실)《복숭아 따위》. cf. freestone.

clingy [klíŋi] (***cling·i·er; -i·est***) *a.* 들러붙는, 끈적이는.

***clin·ic** [klínik] *n.* **1** 임상 강의〔실습〕; 임상; 〔집합적〕 임상 강의 수강 학생; 〔집합적〕 진료소의 의사들. **2** (외래 환자의) 진료소, 진찰실; (대학 등의) 부속 병원; 개인〔전문〕 병원, 클리닉; (병원 내의) 과(科); 《미》 상담소; (어떤 특정 목적으로 설립된) 교정소(矯正所): a free ~ 무료 진료소 / a vocational ~ 직업 상담소 / a speech ~ 언어 장애 교정소, (농아의) 독화(讀話) 지도소 / a diabetic ~ 당뇨병과(科) / a dental ~ 치과 진료소. **3** 《미》 (의학 이외의) 실지 강좌, 세미나: a golf ~ 골프 강습회. ── *a.* = CLINICAL.

clin·i·cal [klínikəl] *a.* **1** 진료소의; 임상(강의)의; 병상의; 병실용의: a ~ diary 병상 일지 / ~ lectures 〔teaching〕 임상 강의〔교수〕 / ~ medicine 임상 의학 / a ~ thermometer 체온계. **2** 《비유》 (태도·판단·묘사 따위가 극도로) 객관적인, 분석적인, 냉정한; 실제적인, 현실적인. **3** 〖종교〗 임종 때의. ㊕ **~·ly** *ad.* 임상적으로.

clínical déath 〖의학〗 임상사(臨床死)《기기(器機)에 의하지 않고 임상적 관찰로 판단한 죽음》.

clínical ecólogist 임상 생태학자.

clínical ecólogy 임상 생태학.

clínical pathólogy 임상 병리학.

clínical pharmacólogy 임상 약학.

clínical psychólogist 임상 심리학자.

clínical psychólogy 임상 심리학.

clínical thermómeter 체온계.

clínical trìal 임상 실험.

clin·i·car [klínikɑ̀:r] *n.* 병원 자동차.

cli·ni·cian [kliníʃən] *n.* 임상의(醫).
clin·i·co·path·o·log·ic, -i·cal [klìnikoupæ̀θəládʒik/-lɔ́dʒ-], [-ikəl] *a.* 임상 병리적인. ㊞ **-i·cal·ly** *ad.*
clink[1] [kliŋk] *vi., vt.* **1** (금속편 · 유리 따위가) 쨍〔짤랑〕하다; 쨍〔짤랑〕 소리 내다: ~ glasses (건배에서) 잔을 맞부딪치다. **2** 어조(語調)를 고르다; 《고어》 …의 운(韻)을 맞추다〔이 맞다〕. ~ ***off*** 《영방언》 급히 떠나다. **—** *n.* **1** ~하는 소리. **2** 《고어》 압운(押韻). **3** 《영》 새의 날카로운 울음소리. **4** 《미속어》 돈(money, coin).
clink[2] *n.* (the ~) 《구어》 교도소, 구치소(lock-up): in ~ 수감〔투옥〕되어.
clink·er[1] [klíŋkər] *n.* **1** 쨍하고 울리는 것; (*pl.*) 《속어》 수갑. **2** (종종 a regular ~) 《영구어》 특상품, 일품, 뛰어난 인물. **3** 《미속어》 큰 실패, 실수, (영화 따위의) 실패작, 《특히》 연주의 실수; 《미속어》 교도소; 장거리 전화의 잡음.
clink·er[2] *n.* **1** (단단한) 클링커 벽돌; 투화(透化) 벽돌. **2** 용재(溶滓) 덩이, (용광로의) 클링커, 광재(鑛滓); 소괴(燒塊). **—** *vi.* ~가 되다.
clínker bòat 장갑(裝甲)선.
clínker-buìlt *a.* 〖선박〗 (뱃전을) 겹붙인, 덧붙여 댄《carvel-built 에 대하여》.
clínk·e·ty-clánk [klíŋkiti-] *n.* (연속적으로 나는 리드미컬한) 짤랑거리는 소리.
clínk·ing *a.* 쨍그렁 소리 나는; 《속어》 뛰어나게 좋은. **—** *ad.* 《속어》 훌륭〔굉장〕하게: a ~ good fellow.
clínk·stòne *n.* 〖광물〗 향암(響岩)(phonolite).
clino- ⇨ CLIN-.
cli·nom·e·ter [klainámətər/-nɔ́m-] *n.* 경사계(傾斜計), 클리노미터.
cli·no·met·ric, -ri·cal [klàinəmétrik], [-ikəl] *a.* 경사계의, 경사계로 잰; 〖광물〗 결정축(結晶軸) 사이에 경사가 진.
clin·quant [klíŋkənt] *a.* (쇳조각 따위가) 번쩍번쩍 빛나는; 번쩍번쩍거리는. **—** *n.* 가짜 금박; 싸구려 쇳조각〔장식물〕.
clint [klint] *n.* 돌출한 바위.
Clin·ton [klíntən] *n.* **Bill** 〔**William Jefferson**〕 ~ 클린턴《미국의 정치가; 제 42 대 대통령; 1946- 》.
Clio [kláiou/klái-] *n.* 〖그리스신화〗 역사의 여신《Nine Muses 의 한 신》.
cli·o·met·rics [klàiəmétriks] *n. pl.* 〖단수취급〗 계량 경제사(史), 계량 역사학. ㊞ **-mét·ric** *a.* **-ri·cal·ly** *ad.* **cli·o·me·tri·cian** [-mətríʃən] *n.*
clip**[1] [klip] (*-pp-*) *vt.* **1 a** 《~+㊀/+㊀+㊃》 자르다, 베다, 가위질하다, (양 · 말 따위의 털을) 깎다(shear)《*off; away*》: ~ a person's hair 아무의 머리를 깎다 / ~ a hedge 생울타리를 깎아 다듬다 / A sheep's fleece is ~*ped off* for wool. 양의 털을 깎아 양모를 만든다. **b** 《+㊀+㊄》 (…를) 깎아 다듬어 …하게 하다: He got his hair ~*ped* short 〔close〕. 그는 머리를 짧게 깎도록 했다. **2** 《~+㊀/+㊀+㊃/+㊀+㊅+㊆》 (신문 · 잡지의 기사 따위를) 오려내다《*out*》, 잘라내다, 바싹 자르다; (표의 한쪽 끝을) 찢어내다, (표에) 구멍을 내다; (금화 · 은화의 가장자리를) 깎아내다《금 · 은을 얻기 위해》; (기간 따위를) 단축하다(curtail); (경비 따위를) 삭감하다; (권력 따위를) 제한하다: ~ *out* a photo 사진을 오려내다 / ~ an article *from* 〔*out of*〕 a newspaper 신문에서 기사를 오려내다 / ~ one's visit by a week to return home earlier 집으로 일찍 돌아가기 위해 방문을 1 주일 단축하다. **3** (말의 끝 부분을) 생략하다. **4** 《~+㊀/+㊀+㊅+㊆》 《구어》 세게 때리다; 속이다(cheat); (부당하게) 돈을 빼앗다; 《미속어》 (총으로) 죽이다; 《미속어》 체포하다: ~ a person's ear =~ a person *on* the ear 아무의 따귀를 세게 때리다 / ~ a person *for* a hundred dollars 아무에게서 100 달러를 속여 빼앗다. **—** *vi.* **1** 잘라내다. **2** 《미》 (신문 · 잡지 등의) 오려내기를 하다. **3** 《구어》 질주하다; 빨리 날다. ~ *a person's* ***wings ⇨ WING.
— *n.* **1** (머리 · 양털 따위의) 깎(아내)기. **2** 깎아낸 것; 《특히》 (한철에 깎아낸) 양털의 분량; (영화의) 커트된 장면. **3** (*pl.*) 큰 가위. **4** 《구어》 강타. **5** 《구어》 재빠른 동작; 보조(步調), 속도: at a rapid ~ 빠른 걸음으로. **6** 《미구어》 1 회: at a 〔one〕 ~ 한 번에 / a week at a ~ 1 주일 내리. **7** 《미속어》 도둑, 야바위꾼. **8** 〖컴퓨터〗 오림, 오리기, 클립.
***clip**[2] *n.* 클립, 종이〔서류〕 집게〔끼우개〕; (보석 등이 붙은) 장식핀; (만년필의) 끼움쇠; (기관총의) 클립; 〖미식축구〗 클립《뒤에서 공을 갖지 않은 상대의 다리에 몸을 부딪치는 반칙》. **—** (*-pp-*) *vt.* **1** 《~+㊀/+㊀+㊃/+㊀+㊅+㊆》 꽉 쥐다, 꼭 집다; (물건을) 클립으로 고정시키다, (서류 따위를) 클립으로 철하다《*together; on; onto; to*》: ~ papers 서류를 클립으로 철하다 / ~ two sheets of paper *together* 종이 2 매를 클립으로 한데 철하다 / ~ a sheet of paper *to* another 클립으로 서류를 다른 서류에 철하다. **2** 둘러싸다. **3** 《고어 · 방언》 껴안다; 〖미식축구〗 클립하다. **—** *vi.* (장신구 따위가 …에) 클립으로 고정되다《*on; to*》.
clíp àrt 오려붙이기 예술《책 따위의 삽화를 오려붙여 공예품을 만듦》; 〖컴퓨터〗 클립 아트, 조각 그림, 잘라낸 그림《컴퓨터로 문서 등의 자료를 작성할 때 이용할 수 있도록 자주 쓰이는 그림들을 미리 만들어 저장해 놓은 것》.
clíp·bòard *n.* 종이 끼우개(판)《필기용》; 회람판; 〖컴퓨터〗 클립보드, 오려둠판, 오림판.
clíp-clóp *n.* (a ~) 다가닥다가닥(하는 말굽 소리), 그 비슷한 리드미컬한 발소리. **—** *vi.* 말굽 소리를 내며〔다가닥다가닥하는 소리를 내며〕 걷다〔달리다〕.
clíp-fèd *a.* (라이플 소총 따위가) 자동 장전식의, 총알을 잰.
clíp jòint 《미속어》 (바가지 씌우는) 하급의 카바레〔나이트 클럽, 식당, 상점〕; 〖석공〗 보통보다 높게 깐 모르타르의 이음 부분《조적층(組積層)의 높이를 같게 하기 위한》.
clíp-òn *a.* (장신구 따위가 스프링식) 클립으로 고정되는, (브로치 따위에) 핀이 달린: ~ earrings.
clipped [-t] *a.* 짧게 자른; 베어낸; 발음을 생략한. 「어.
clípped fórm 〔**wórd**〕 (낱말의) 단축형, 생략
clip·per [klípər] *n.* **1** 가위질하는 사람; 깎는〔치는〕 사람; (보통 *pl.*) 나뭇가지를 치는 가위, 큰 가위; (*pl.*) 이발 기계(hair ~); (*pl.*) 손톱깎이: No ~s on this side, please. 이 쪽은 깎지 마십시오. **2** 〖해사〗 쾌속 범선; 발이 빠른 말; 《영속어》 훌륭한 것〔사람〕, 일품(逸品), 걸물(傑物); 매력적인 여자; 《미속어》 살인 청부업자. **3** 〖항공〗 (옛날의 프로펠러식) 장거리 쾌속 비행정; 대형 여객기. **4** 〖전기〗 클립퍼《설정 강도 범위 외의 신호를 제거하는 회로》.
clípper-buìlt *a.* 쾌속 범선 구조의.
clip·pe·ty·clop [klípətiklάp/-klɔ́p] *n.* 따가닥따가닥《말굽 소리》.
clip·pie, clip·py [klípi] *n.* 《영구어》 (버스 · 전차 따위의) 안내양, 여차장.
°**clip·ping** [klípiŋ] *n.* 가위질, 깎기; 가위로 베어낸 털〔풀 등〕; 《미》 (신문 · 잡지의) 오려낸 기사(《영》 cutting); 잡보란(雜報欄); 〖언어〗 생략《예: photograph → photo》; 〖컴퓨터〗 오려냄, 오려내기, 클리핑. **—** *a.* 잘라내는; 《속어》 훌륭

한, 멋진; 《구어》 빠른.

clípping bùreau 〔**sèrvice**〕 《미》 신문·잡지 발췌 통신사《주문에 의하여 자료를 제공함》 (《영》 press cutting agency).

clíp·shèet *n.* 편면(片面) 인쇄 신문《보존·복사용》.

clique [kli(:)k/kli:k] *n.* 《F.》 (배타적인) 도당, 파벌: an academical ~ 학벌/a military ~ 군벌. **—** *vi.* 《구어》 도당을 짜다. ㊞ **clí·qu(e)y, clí·quish** [-ki], [-kiʃ] *a.* 당파심이 강한, 도당적〔배타적〕인. **clí·quish·ness** *n.* 당파심, 파벌 근성. **clí·quism** [-kizəm] *n.* Ⓤ 도당심, 배타심, 파벌.

clit [klit] *n.* 《속어》 음핵(陰核)(clitoris).

C. Lit., C. Litt. Companion(s) of Literature.

clit·ic [klítik] 〖언어〗 *a.* (단어가) 접어적(接語的)인. **—** *n.* 접어(接語).

clit·o·ri·dec·to·my [klitəridéktəmi] *n.* 음핵(陰核) 절제《이슬람 사회의 일부에서 유년시에 행하여짐》.

cli·to·ris [klítəris, klái-] *n.* 〖해부〗 음핵(陰核), 클리토리스. ㊞ **-ral, cli·tor·ic** [-rəl], [klaitɔ́(:)rik, -tár-] *a.*

clit·ter-clat·ter [klítərklǽtər] *ad.* 덜걱덜걱, 덜커덕덜커덕, 달그락달그락.

cliv·ers [klívərz] (*pl.* ~) *n.* =CLEAVERS.

clk. clerk; clock.

clo [klóu] (*pl.* ~) *n.* 클로《의복의 보온성을 나타내는 단위》.

clo. clothing.

clo·a·ca [klouéikə] (*pl.* **-cae** [-si:]) *n.* 〖동물〗 (조류·어류 등의) 총(總)배설강(腔); 하수도, 지하 배수로; 변소(privy); 마굴(魔窟). ㊞ **clo·á·cal** *a.*

°**cloak** [klouk] *n.* **1** (보통 소매가 없는) 외투, 망토. **2** 〖단수형〗 덮는 것(covering): under a ~ of (snow) (눈에) 덮여서. **3** 가면, 구실(pretext), 은폐하는 수단. ***under the ~ of*** ① …의 가면을 쓰고, …을 빙자하여: *under the ~ of* charity 자선이라는 미명하에. ② …을 틈타서: *under the ~ of* night 야음을 틈타서.

— *vt.* **1** …에게 외투를 입히다; …을 덮다: a mountain *~ed* with snow 눈으로 덮인 산. **2** 《+목+전+명》〖보통 수동태〗 (사상·목적 등을) 가리다, 숨기다, 감추다《*in; under*》: The mission *was ~ed in* mystery. 그 임무는 의문 속에 가려졌다. **—** *vi.* 외투를 입다.

clóak-and-dágger [-ən-] *a.* 스파이 활동의, 음모의; (연극·소설 따위가) 스파이〔첩보〕물을 다룬.

clóak-and-súiter [-ən-] *n.* 양복 제조업자 《특히 기성복의》.

clóak-and-swórd [-ən-] *a.* 사랑과 검의, 활극풍의, 시대극의.

***cloak·room** [klóukrù(:)m] *n.* (극장·호텔의) 휴대품 보관소; (역의) 수하물 임시 예치소; 《영완곡어》 변소; 《미》 의사당 안의 휴게실(《영》 lobby): a ~ deal 의원 휴게실에서 행하는 협정〔거래〕.

clob·ber¹ [klábər/klɔ́b-] *n.* **1** 《영속어》 옷; 소지품. **2** (구둣방에서 쓰는) 거무스름한 풀. **—** *vi.* 《영속어》 (나들이)옷을 입다. **—** *vt.* (도자기 등의 표면을) 꾸미다.

clob·ber² *vt.* 《속어》 사정없이 치다, 때려눕히다; (상대를) 참패시키다; (진지 따위에) 큰 타격을 주다; 호되게 꾸짖다, 신랄하게 비판하다. ㊞ **~ed** *a.* 《미속어》 몹시 취한.

clo·chard [klóuʃərd] *n.* 《F.》 방랑자, 떠돌이.

cloche [klouʃ] *n.* 원예용(園藝用) 종 모양의 유리덮개; 종 모양의 여성 모자(=∠ **hàt**).

cloche hat

†**clock**¹ [klak/klɔk] *n.* 시계《괘종·탁상시계 따위; 휴대하지 않는 점에서 watch 와 구별됨》; 《구어》 지시 계기《속도계·택시 미터 등》, (자동) 시간 기록기, 스톱워치; 《영속어》 사람의 얼굴; (the C-) 〖천문〗 시계자리: an eight-day ~, 8일에 한 번 태엽을 감는 시계/read 〔set〕 a ~ 시계를 보다〔맞추다〕/The ~ gains 〔loses〕. 시계가 빠르다〔늦다〕/wind (up) a ~ 태엽을 감다.

according to 〔***by***〕 ***the ~*** 시계처럼 정확하게. ***against the ~*** 시간을 다투어: work *against the ~* 어느 시간까지 끝내려고 열심히 일하다. ***around*** 〔***round***〕 ***the ~***, 24시간 내내; 쉬지 않고. ***beat the ~*** 정각까지 일을 마치다. ***enough to stop the ~*** 《구어》 (얼굴 등이) 놀랄 만큼 추하여. ***hold the ~ on*** 스톱워치로 시간을 재다. ***kill*** 〔***run out***〕 ***the ~*** (축구 등의 경기에서 리드하고 있는 쪽이) 시간 끌기 작전을 펴다. ***like a ~*** 매우 정확하게. ***put*** 〔***set, turn***〕 ***the ~ back*** 시계를 늦추다; 《비유》 진보를 방해하다, 역행하다, 구습을 고수하다. ***put the ~ forward*** 〔《미》 ***ahead***〕 ① (여름·겨울에 시간을 바꾸는 제도의 지역에서) 시곗바늘을 앞당겨 놓다. ② (미래의) 모습을 상상하다. ***race the ~*** 시간을 다투다, 촌각을 아끼다. ***sleep the ~ round*** 《영》 12시간 내리 자다. ***stop the ~*** 기한을 연장하다. ***watch the ~*** 끝나는 시간에만 정신을 쓰다. ***when*** one***'s ~ strikes*** 임종시에.

— *vt.* **1** (시계·스톱워치로) …의 시간을 재다, 계시(計時)하다, 계측〔기록〕하다《*up*》; (자동 계측기로 속도 따위를) 측정하다; (시간·속도의 기록을) 내다, 달성하다. **2** 《영속어》 (아무의 머리·얼굴을) 때리다: ~ a person one 아무를 한 방 먹이다〔때리다〕. **—** *vi.* 타임리코더로 취업 시간을 기록하다. **~ *in*** 〔***on***〕 (타임리코더로) 출근 시각을 기록하다, 출근하다; 일을 시작하다. **~ *out*** 〔***off***〕 (타임리코더로) 퇴근 시각을 기록하다, 퇴근하다; 일을 끝내다. **~ *up*** 《구어》 어떤 기록을 내다, 기록〔달성〕하다; (기록 등을) 쌓다, 보유하다: He *~ed up* a new world record for 100 meters. 100미터 경주에서 세계 신기록을 냈다.

clock² (*pl.* **~s,** 〖상업〗 ***clox*** [klaks/klɔks]) *n.* 양말 목의 자수 장식. **—** *vt.* 자수로 꾸미다.

clóck cỳcle 〖컴퓨터〗 클록 사이클《클록 신호의 주파수》.

clocked [-t] *a.* 자수로 꾸며진.

clóck·er *n.* 《구어》 기록 담당원《스포츠의 타임·입장자 수 따위의》.

clóck·fàce *n.* 시계의 문자반(文字盤).

clóck frèquency 〖컴퓨터〗 클록 주파수.

clóck generátor 〖전자〗 시계 생성기《중앙 연산 처리 장치 등의 각 접속부가 올바르게 작동되도록 설치된 발진기(發振器)》.

clóck gòlf 클록 골프《원둘레의 12지점에서 중앙의 홀에 공을 퍼팅하는 게임》.

clóck-hòur *n.* 60분 수업.

clóck·lìke *a.* 시계 같은, 정확한.

clóck·màker *n.* 시계공.

clóck·pùlse *n.* 〖전자〗 시각(時刻) 펄스.

clóck ràdio 시계〔타이머〕가 있는 라디오.

clóck spèed 〔**ràte**〕 〖컴퓨터〗 클록 스피드〔레이트〕《클록 주파수로 중앙 처리 장치(central processing unit; CPU) 등의 동작 속도를 결정함》.

clóck tòwer 시계탑.

clóck wàtch 회중시계.

clóck-wàtcher *n.* (일) 끝나는 시간에만 마음을 쓰는 직장인〔학생〕, 태만한 사람; 《미속어》 구두쇠. ㊞ **clóck·wàtching** *n., a.*

clóck·wìse [-wàiz] *a., ad.* (시곗바늘처럼) 우로〔오른쪽으로〕 도는, 오른쪽으로 돌아서. OPP *counterclockwise, anticlockwise.*

***clock·work** [klákwə̀ːrk/klɔ́k-] *n.* 시계 장치, 태엽 장치: ~ toys 태엽 장치가 있는 장난감/like ~ 정확히, 착실히; 규칙적〔자동적〕으로/(as) regular as ~ 매우 규칙바른〔바르게〕. ── *a.* 규칙적〔자동적〕인, 정밀한.

clóckwork órange 과학에 의해 개성을 잃고 로봇화(化)한 인간.

clod [klad/klɔd] *n.* **1** Ⓤ 흙덩어리; 흙. **2** 인체 《영혼에 대하여》; 소의 어깨살의 일부. **3** Ⓒ 바보; 시골뜨기. **4** (the ~) 흙, 토양. ── (*-dd-*) *vt.* …에 흙덩어리를 던지다; …을 흙덩어리로 만들다. ── *vi.* 흙덩어리가 되다.

clod·dish [kládiʃ/klɔ́d-] *a.* 흙덩어리 같은; 야비한; 천한; 무무한; 투미한, 어리석은. ㊞ **~·ly** *ad.* **~·ness** *n.*

clod·dy [kládi/klɔ́di] (*-di·er; -di·est*) *a.* 흙덩어리가 많은, 흙덩어리 같은; 천한.

clód·hòpper *n.* 《구어·경멸》 농부, 시골뜨기; 무지렁이; (*pl.*) 《구어》 (투박한) 농부 신발.

clód·hòpping *a.* 《구어》 무뚝뚝한, 투미한, 퉁명스러운. 「간이; 천치.

clód·pàte [-pèit], **-pòle, -pòll** *n.* 바보, 얼

clo·fi·brate [kloufáibreit, -fíb-] *n.* 【약학】 클로피브레이트《콜레스테롤 농도를 낮추는 데 씀》.

clog [klag/klɔg] *n.* **1** 방해물, 장애물; (먼지 등으로 인한 기계의) 고장; (짐승·사람의 다리에 다는) 차꼬. **2** (*pl.*) 나막신. **3** =CLOG DANCE. ── (*-gg-*) *vt.* 《~+목/+목+부/+목+전+명》 (…의 움직임〔흐름, 기능〕을) 방해하다《*up*》; (도로를 차 따위로) 막다《*up*》, (파이프 따위를) 막히게 하다《*up*》; (근심·걱정·불안 등으로 마음·기분을) 무겁게 하다, 괴롭히다《*with*》: ~ a person's movement 아무의 동작을 방해하다/The trade is *~ged* with restriction. 무역은 제한을 받고 활동이 저해되고 있다/The machine got *~ged* (*up*) with grease. 기계는 그리스가 고여 작동이 나빠졌다/Don't ~ your mind (*up*) *with* trifling matters. 하찮은 일로 너의 마음을 괴롭히지 마라. ── *vi.* **1** 《+부/+전+명》 막히다, 메다《*up*》; 들러붙다: The bathtub drain *~ged up with* hair. 욕조의 배수관이 머리카락으로 막혔다. **2** 나막신춤을 추다.

clóg àlmanac 봉력(棒曆)《영국이나 스칸디나비아 제국에서 중세까지 쓴 원시적인 달력》.

clóg dànce (마루를 구르며 박자를 맞추는) 나막신춤. ㊞ **clóg dàncer**

clóg·ger *n.* 나막신 만드는 사람; 【축구】 《속어》 으레 방해하는 선수.

clog·gy [klági/klɔ́gi] (*-gi·er; -gi·est*) *a.* 방해가 되는; 막히기 쉬운; 들러붙는; 덩어리투성이의, 울룩불룩한.

cloi·son·né [klɔ̀izənéi/klwɑ̀ːzɔnéi] *n., a.* 《F.》 칠보 자기(의): ~ work 칠보 세공.

°**clois·ter** [klɔ́istər] *n.* 수도원《남자 수도원은 monastery, 여자 수도원은 convent 또는 nunnery》; 은둔처; (수도원 따위의 안뜰을 에우는) 회랑(回廊); (the ~) 은둔〔수도원〕 생활. ── *vt.* **1** 《+목+부/+목+전+명》 《~ oneself》 수도원에 가두다〔처박다〕; (보통 *pp.*) …에 틀어박히다, 은둔(隱遁)시키다(seclude): ~ one*self* (*up*) *in* a monastery 수도원에 틀어박히다. **2** …에 회랑을 빙 두르다.

clóis·tered *a.* 수도원에 틀어박혀 있는; 은둔한; 회랑이 있는: a ~ life 은둔 생활.

clóister gàrth 회랑(回廊)으로 둘러싸인 안뜰.

clois·tral [klɔ́istrəl] *a.* 수도원의(monastic); 속세를 떠난; 고독한. 「사.

clomb [kloum] 《고어》 CLIMB의 과거·과거분

clom·i·phene [klámәfìːn/klɔ́m-] *n.* Ⓤ 클로미펜《수정(受精) 촉진제》.

clomp [klamp/klɔmp] *vi.* 쿵쿵 걷다, 무거운 발걸음으로 걷다. ── *n.* 쿵쿵하는 무거운 발걸음.

clon(e) [kloun] *n.* 【식물】 영양계(系), 클론《영양 생식에 의하여 모체로부터 분리 증식한 식물군》; 【동물】 분지계(分枝系); 【생물】 복제 생물; 빼쏜 것, 기계적으로 행동하는 사람, 로봇; 【컴퓨터】 복제품. ── *vt., vi.* 【생물】 무성 생식을 하다〔시키다〕; 꼭 닮게 만들다. ㊞ **clón·al** *a.* 클론의. **clón·al·ly** *ad.* 클론에 의하여.

clong [klɔːŋ, klaŋ/klɔŋ] *n.* 《속어》 어조(語調)만이 강할 뿐 무의미한 연설이 주는 충격.

clon·ic [klánik/klɔ́nik] *a.* 【의학】 간대성(間代性) 경련의. ㊞ **clo·nic·i·ty** [klounísəti] *n.* Ⓤ 간대성 경련.

clo·ni·dine [klánidìːn, klóun-/klɔ́ːn-] *n.* 【약학】 클로니딘《혈압 강하제·편두통 (예방)약》.

clon·ing [klóuniŋ] *n.* 【생물】 클로닝《미수정란의 핵을 체세포의 핵으로 바꿔 놓아 유전적으로 똑같은 생물을 얻는 기술》.

clonk [klaŋk, klɔːŋk/klɔŋk] *n., vi., vt.* 쿵〔퉁〕 하는 소리(를 내다); 《구어》 쾅 치기〔치다〕.

clo·nus [klóunəs] *n.* 【의학】 (근육의) 간대성〔간헐성(間歇性)〕 경련. 「소리》.

cloop [kluːp] *n., vi.* 펑 (하다)《마개가 빠지는

Cloot·ie [klúːti] *n.* 《Sc.》 악마(Devil).

clóp-clòp *n., vi.* 따가닥따가닥 (소리를 내다) 《말발굽·나막신 소리 따위》.

clo·que [kloukéi] *n.* 클로케《무늬·도안 따위를 도드라지게 짠 직물》. ── *a.* (천이) 도드라진 무늬가 있는.

†**close**¹ [klouz] *vt.* **1** 《~+목/+목+전+명/+목+부》 (눈을) 감다, (문·가게 따위를) 닫다(shut); (우산을) 접다; (책을) 덮다; (통로·입구·구멍 따위를) 막다, 차단하다, 메우다; (가게·사무소를) 폐쇄하다, 휴업하다: ~ the window 창문을 닫다/~ a wound *with* stitches 상처를 꿰매다/~ a gap 갈라진 틈을 메우다/The firm has *~d* (*down*) its Paris branch. 그 회사는 파리 지점을 폐쇄하였다/~ the wood *to* picnickers 소풍객들에게 산림 출입을 금지하다/Darkness *~d* her *round*. 어둠이 그녀의 주변을 뒤덮었다.

> SYN. **close**는 보통 열린 것을 닫음을 뜻하는데, **shut**는 close보다 일반적이며, 강한 뜻을 지니고 닫아 버리거나 막아 버림의 뜻이 강함.

2 《~+목/+목+전+명》 종결하다, 끝내다; (회합을) 폐회하다; (계산·장부를) 마감하다, (셈을) 청산하다: ~ a speech 연설을 끝마치다/~ a discussion 〔debate〕 (의장이) 토의 종결을 선언하다/~ one's letter *with* passionate words 열정적인 말로 편지를 매듭짓다. **3** (교섭을) 마치다, 타결하다; (계약을) 맺다, 체결하다: ~ a contract 계약을 맺다/~ a deal to everyone's satisfaction 모두가 납득할 수 있도록 거래를 매듭짓다. **4** (행렬의) 맨 뒤에 따라가다; (대열의) 간격을 좁히다. **5** (전류·회로를) 접속하다. **6** 【해사】 …에 다가가다, …에 옆으로 대다.
── *vi.* **1** 《~/+부/+전+명》 (문 따위가) 닫히다; (꽃이) 오므라들다; (상처가) 아물다; (사무소 따위가) 폐쇄되다, 폐점하다; (극장이) 휴관하다; (손가락이) (…을) 꼭 잡다《*on, upon*》: The door won't ~. 문이 아무리 해도 닫히지 않는다/The factory *~d down* for lack of business.

그 공장은 일감 부족으로 문을 닫았다 / The school ~*d for* the summer. 학교는 여름 방학에 들어갔다 / a hand *closing* on collar 내 목깃을 잡고 있는 손. **2** 《+전+명》 완결하다, 끝나다 (end); (말하는 사람 · 필자가) 연설을〔인사를, 문장을〕 끝맺다《*with*》: The service ~*d with* a hymn. 예배는 찬송가를 끝으로 끝났다. **3** 《+부》 접근〔결합〕하다, 한데 모이다, 결속하다; …와 합의〔타결〕하다: These five lines ~ *together* in a center. 이 다섯 줄은 중심에서 만난다. **4** 《~/+전+명》 (…의 주위에) 모여들다, 에워싸다 《*about; around; round*》; 다가서다《*on*》; 육박〔접근〕하다; (대열이) 밀집하다; …와 맞붙어 싸우다(grapple)《*with*》: ~ *about* the movie star 영화배우 주위에 모여들다 / His pursuers ~*d* rapidly. 그의 추적자들은 재빠르게 접근해 왔다. **5** 《+전+명》 〖증권〗 종가(終價)가 …이 되다: The dollar ~*d* in Seoul *at* 1,100 won. 서울에서 달러 종가는 1,100 원이었다. ◇ closure *n.*
~ an account with …와 신용 거래를 끊다; 청산하다. ***~ down*** 《*vt.*+부》 ① (…을) 닫다(⇨ *vt.* 1). ② (방송 · 방영을) 끝내다, 종료하다. ③ (…을) 제한하다, 근절시키다: ~ *down* the drug traffic 마약 거래를 근절시키다. ④ (공장 따위를) 폐쇄하다. ── 《*vi.*+부》 ⑤ 닫히다, 폐쇄되다(⇨ *vi.* 1). ⑥ (방송 시간이) 끝나다. ⑦ (어둠 · 안개 따위가) …에 깔리다《*on*》: A heavy fog ~*d down on* the airport. 공항에는 짙은 안개가 자욱이 깔렸다. ***Closed today***. 금일 휴업. ***~ in*** ① 포위하다. ② 《구령》 집합! ③ (적 · 밤 · 어둠 따위가) 다가오다, 몰려〔밀려〕오다《*on, upon*》. ④ (해가) 짧아지다: The days are beginning to ~ *in*. 해가 짧아지기 시작한다. ***~ out*** 《미》 《*vt.*+부》 ① (싸게 재고품을) 팔아 치우다; 떨이로 팔다. ② (최종적으로 …을) 마무리짓다, 처리〔정리〕하다: ~ *out* one's interests after many years 여러 해를 걸쳐 온 이권을 정리하다. ③ (발사 전에 우주선을) 봉쇄하다. ── 《*vi.*+부》 ④ 떨이로 싸게 팔다. ***~ one's mind to*** …에 마음의 문을 닫다, …에 귀를 기울이지 않다, …에 편견을 가지다. ***~ one's purse to*** …에 돈내기를 싫어하다. ***~ the door on*** 《비유》 …에 문호를 닫다. ***~ the eyes of*** 임종하다. ***~ the ranks*** 〔***lines***〕 대열의 간격을 좁히다; (정당 등이) 동지의 결속을 굳히다. ***~ up*** 《*vt.*+부》 ① (집 · 창문 등을 완전히) 막다, 닫다, 폐쇄하다. ② (활자의 행간 · 대열의 간격 따위를) 좁히다: ~ *up* the space between lines (of print) (책 · 신문 등의) 행간을 좁히다. ── 《*vi.*+부》 ③ (음식점 따위가) 일시적으로 폐점하다. ④ (간격이) 좁아지다; 접근하다; 모여들다; 〖군사〗 대열의 간격을 좁히다. ⑤ (상처가) 아물다. ⑥ 〖영화〗 (크게 찍기 위하여) 카메라를 가까이 대다. ***~ weak*** 〔***firm, steady***〕 (거래소에서 종가(終價)가) 약세〔강세〕로 끝나다. ***~ with*** ① …에 바짝 다그다, …에 육박하다; …와 격투〔교전〕하다. ② …와 협정을 맺다, …와 거래를 결정짓다; …에 응하다.
── *n.* **1** 끝, 종결, 결말; 끝맺음; (우편의) 마감: the complimentary ~ (편지의) 맺음말 / since the ~ *of* World War Ⅱ 제 2 차 대전 종결 이래. **2** 결합, 접합. **3** 근접, 육박; 《고어》 격투. **4** 〖음악〗 마침(표); 겹세로줄(‖). **5** 〖컴퓨터〗 닫기. ***at the ~ of day*** 해질녘에. ***bring*** (the matter) ***to a ~*** (일을) 끝나게 하다, 끝내다. ***come*** 〔***draw***〕 ***to a ~*** 끝나다〔종말에 가까워지다〕.

†**close²** [klous] *a.* **1** (시간 · 공간 · 정도가) 가까운(near), 접근한《*to*》: ~ *to* the house 바로 집 근처에 / a ~ cut 지름길. **2** (관계가) 밀접한, 친밀한(intimate)《*to*》: ~ relatives 근친 / a ~ friend 친구 / be ~ *to* a person 아무와 친밀하다. **3** (성질 · 수량이) 가까운, 근소한 차의, 거의 호각(互角)의, 유사한《*to*》: a ~ resemblance 아주 비슷함 / a ~ game 〔contest〕 접전(接戰) / a ~ election 《미》 세력 백중(伯仲)의 선거전 / something ~ *to* hostility 적의에 가까운 감정 / You are very ~. 매우 가깝지만 틀렸습니다《수수께끼의 답 등에》. **4** 닫은, 밀폐한; (문이) 열리지 않는; (방 따위) 통풍이 나쁜, 숨이 막힐 듯한 (stifling): a hot, ~ room 덥고 답답한 방. **5** (날씨가) 찌는 듯이 더운, 답답한(oppressive). **6** 빽빽한, (직물의 올이) 촘촘한; 밀집한; (비가) 세찬: a ~ texture 올이 밴 천 / a ~ thicket 밀림 / ~ print 빽빽이 행간을 좁혀서 조판한 인쇄. **7** (머리털 · 잔디 등이) (짧게) 깎인: a ~ haircut 짧게 깎은 머리. **8** 좁은, 옹색한; (옷 따위가) 꼭 끼는: a ~ coat 몸에 꼭 끼는 저고리 / a ~ alley 좁은 골목길. **9** 정밀한, 면밀한, 주도한; 원전에 충실한: a ~ analysis 면밀한 분석 / a ~ attention 세심한 주의 / ~ investigation 정밀 조사 / a ~ translation 직역(直譯). **10** 숨은, 내밀한; 비공개의, 일반에게 입수될 수 없는; 감금된: ~ privacy 비밀, 극비 / a ~ design 〔plot〕 음모 / a ~ prisoner 엄중히 감시당하고 있는 죄수. **11** (성질이) 내성적인; 말 없는; 입이 무거운: a ~ disposition 입이 무거운 성질. **12** (돈 따위에) 인색한(stingy) 《*with*》: He is ~ *with* his money. 그는 인색한 녀석이다. **13** 금렵(禁獵)의. **14** 입수하기 어려운, (금융이) 핍박한: Money is ~. 돈의 융통이 잘 안 된다. **15** 〖음성〗 (모음이) 입을 좁게 벌리는. opp. *open*. ¶ ~ vowels 폐(閉)모음《[i, u] 등》. **16** 《속어》 만족할 만한, 훌륭한. ***be ~ to one's heart*** 늘 생각하고 있다, 마음속에서 떠나지 않다.
── *ad.* **1** 밀접하여, 곁에, 바로 옆에: sit 〔stand〕 ~ to... …의 바로 곁에 앉다〔서다〕. **2** 딱 들어맞게, 꼭: fit ~ (옷 따위가) 딱 맞다. **3** 촘촘히, 빽빽이, 꽉 들어차서: pack things ~ 차곡차곡 빈틈없이 채워 넣다 / shut one's eyes ~ 눈을 꼭 감다. **4** 면밀히, 주도하게; 친밀히: listen 〔look〕 ~ 경청〔주시〕하다. **5** 짧게; 좁혀서, 죄어: cut one's hair ~ 머리를 짧게 깎다 / shave ~ 면도를 깨끗이 하다. **6** 비밀히. **7** 검소하게: live ~.
~ at hand 가까이에, 절박하여. ***~ by*** 바로 곁에. ***~ on*** 〔***upon***〕 《구어》 (시간 · 수량 등이) 거의, 약, 대략, …에 가까운: It is ~ *on* ten o'clock. 거의 10 시다. ***~ to*** ① …에 가까운. ② 거의, 대략: a profit of ~ *to* ten thousand dollars 만 달러에 가까운 이익. ③ 곧 …할 것같이: ~ *to* tears 곧 울 것같이. ***~ to home*** 《구어》 (발언이) 정곡을 찔러, 통절히, 마음에 사무치도록: His advice hit 〔came, was〕 ~ *to home*. 그의 충고는 마음에 통절하게 와 닿았다. ***come ~ to*** doing ⇨ COME. ***go ~*** 〖경마〗 《영》 신승하다. ***press*** a person ***~*** 아무를 호되게 추궁〔압박〕하다. ***run*** a person ***~*** 바싹 따라붙다, 거의 맞먹다. ***sail ~ to the wind*** 〖해사〗 (돛이 바람을 거의 정면으로 받으며) 엇거슬러 가다; (간신히 법규를 범하지 않을 정도로) 아슬아슬한 짓을 하다. ***too ~ for comfort*** 《구어》 (싫은 일 따위가) 절박하여.
── *n.* (개인 소유의) 울 안의 땅(enclosure); 《영》 구내, 경내(境內), 교정(校庭); 《Sc.》 한길에서 안뜰로 통하는 통로, 골목.

clóse-at-hánd [klóus-] *a.* (시간적 · 공간적으로) 근접한; 가까이 박두한.

clóse bórough =POCKET BOROUGH.

clóse bòx 〖컴퓨터〗 클로즈 박스《윈도 환경에서, 윈도를 닫는 기능을 가진 단추; 때로는 최대화 · 최소화 등의 기능도 선택할 수 있음》.

clóse-bý [klóus-] *a.* 바로 곁의, 인접한.
clóse cáll 〔**sháve**〕 《구어》 위기일발, 구사일생 (narrow shave 〔squeak〕, near shave 〔squeak〕): have a ~ (of it) 구사일생으로 살아나다 / by a ~ 위기일발로.
clóse-cárpet [klóus-] *vt.* (거실 · 홀 등에) 구석구석 카펫을 깔다.
clóse commúnion 〚교회〛 폐쇄 성찬식《같은 교파의 신자만이 참례할 수 있음》.
clóse cómpany 《영》 비공개 회사.
clóse corporátion =CLOSED CORPORATION.
close-cropped, -cút [klóuskrápt/-krɔ́pt], [-kʌ́t] *a.* (머리를) 짧게 깎은.
clóse·cròss [klóus-] 〚생물〛 *n., vt.* 근친 교잡(시키다); 근친 교잡〔교배〕에 의한 자손.
clósed [klóuzd] *a.* **1** 닫힌, 밀폐한; 폐쇄한; 비공개의; 배타적인; 업무를 정지한; 교통을 차단한: a ~ society 폐쇄 사회 / a ~ conference 비공개의 회의; 〚해사〛 폐쇄적 해운 동맹(海運同盟). **2** (차가) 지붕을 씌운, 상자형의. **3** 《미》 (수렵기가) 금지 중인, 금렵 기간 중의. **4** 자급(자족)의: a ~ economy 자급 경제. **5** (전기 회로 · 냉난방이) 순환식의. **6** 〚음성〛 자음으로 끝나는, 폐음절의. **7** 〚수학〛 닫혀 있는: ~ curve 폐곡선(閉曲線). ***behind ~ door*** 비밀히. ***with ~ doors*** ① 문을 잠그고. ② 방청을 금지하고.
clósed bóok 《구어》 불가해한 일, 까닭을 알 수 없는 일, 분명치 않은 일《*to*》; 정체를 알 수 없는 인물; 끝난〔확정된〕 일.
clósed cáption 〚TV〛 청각이 나쁜 사람을 위한 자막《폐쇄 회로 텔레비전용》.
clósed-cáptioned *a.* (TV 프로그램이) 해독 장치가 부착된 텔레비전에서만 자막이 나타나는.
clósed-céll *a.* 독립〔밀폐〕 기포(氣泡)의《소재는 플라스틱 따위이며, 완충재 · 단열재 · 구명구(救命具) 등으로 쓰임》.
clósed cháin 〚화학〛 닫힌 고리(ring)《3 이상의 원자의 결합이 고리 모양을 이룬 구조》.
clósed círcuit 〚전기〛 폐회로(閉回路), 닫힌 회로; 유선(有線) 텔레비전 방식.
clósed-cìrcuit télevision 〔**TV́**〕 유선〔폐회로〕 텔레비전《생략: CCTV》.
clósed commúnity 〚생태〛 밀생(密生)군락, 폐쇄군락《식물이 서로 근접하여 빽빽하게 자라고 있는 군락》.
clósed cómpany =CLOSED CORPORATION.
clósed corporátion (주식을 공개하지 않는) 동족〔폐쇄〕 회사.
clósed cóuplet 〚시학〛 완결 2행 연구, 폐지대련(閉止對聯)《그 행 단위로 뜻이 완결되는 것》.
clósed-dóor *a.* 비밀의; 비공개의: a ~ session 비밀 회의.
clósed-énd *a.* 〚경제〛 (투자 신탁이) 폐쇄식의, 자본액 고정식의, 유닛형의; (담보가) 대부 금액을 고정시킨. OPP *open-end.* ¶ a ~ investment (trust) company 폐쇄식 투자 (신탁) 회사.
clósed-end bónd fùnd 〚증권〛 폐쇄형 채권 펀드.
clósed frácture 〚의학〛 폐쇄성 골절.
clósed lóop 폐회로, 닫힌 루프; 〚컴퓨터〛 폐쇄 루프. OPP *open loop.*
clósed-lòop *a.* (자동 제어가) 피드백 기구에서 자동 조정되는.
clósed-mínded [-id] *a.* 소견〔아량〕이 좁은, 편협한; 완고한.
clóse·dòwn [klóuz-] *n.* 공장 폐쇄; 《영》 방송 종료.
clósed plán 폐쇄형 평면《사무용 공간이 벽으로 칸막이 된 평면》. cf. open plan.
clósed prímary 《미》 제한 예비 선거《당원 유자격자만 투표하는 직접 예비 선거》. OPP *open primary.*
clósed rúle 〚미의회〛 상정된 법안은 채부(採否)를 결정할 뿐이고 수정은 가할 수 없다는 규칙.
clósed schólarship 자격자 한정 장학금.
clósed séa 〚국제법〛 (the ~) 영해.
clósed séason 《미》 금렵기(《영》 close season).
clósed shóp **1** 클로즈드 숍《노동조합원만을 고용하는 사업장》. OPP *open shop.* **2** 〚전자〛 컴퓨터 사용법의 하나《프로그램 작성 및 조작 등을 전문 담당자가 하는 방식》.
clósed-stáck *a.* (도서관 이용자가 접가(接架)할 수 없는) 폐가식(閉架式)의. OPP *open-stack.*
clósed stánce 〚야구 · 골프〛 클로즈드 스탠스《우(右)타자가 왼쪽 발〔좌(左)타자가 오른쪽 발〕을 앞으로 내민 자세》.
clósed sýllable 〚음성〛 폐(閉)음절.
clósed sýstem 〚물리〛 폐쇄계, 닫힌 계(系), 〚물리〛 봉쇄 체계.
clósed únion (신규 가입 조건이 엄격하게 제한된) 폐쇄 노동조합.
clósed úniverse (우주론의) 닫힌 우주《우주의 체적은 유한하여 우주의 팽창은 점차로 정지하게 되며, 결국 수축을 향해 빅뱅(big bang) 상태로 되돌아간다는 가설》.
clóse encóunter [klóus-] (비행 중에 다른 천체 · 물체와) 근접 조우(遭遇)하는 일; (미지의 사람끼리) 가까이 만남.
close·fisted [klóusfístid] *a.* 인색한, 구두쇠의, 다라운.
clóse-fítting [klóus-] *a.* (옷이) 꼭 맞는. OPP *loose-fitting.*
clóse gìrl [klóus-, -z-] 여자 재봉사.
clóse-gráined [klóus-] *a.* 촘촘한, 결이 고운.
clóse hármony [klóus-] 〚음악〛 밭은 화성(和聲).
clóse-háuled [klóus-] *a.* 〚해사〛 (바람을 옆으로받도록) 돛을 눕혀 편, 활짝 편.
clóse-ìn [klóus-] *a.* **1** (특히 도시의) 중심에 가까운. **2** 가까운 거리로부터의《엄호 따위》, 바싹 가까이 다가선.
clóse-knít [klóus-] *a.* 긴밀하게 맺어진, 굳게 단결한; (정치 · 경제적으로) 밀접하게 조직된; (이론 등이) 논리적으로 빈틈없는.
close-lipped [klóuslípt] *a.* 입이 무거운; 말수가 적은.
clóse-look sátellite [klóus-] 정밀 정찰 위성, 스파이 위성.
****close·ly** [klóusli] *ad.* **1** 밀접하여, 바싹, 접근하여: resemble ~ 아주 비슷하다. **2** 친밀히: be ~ allied with… …와 친밀한 동맹 관계에 있다. **3** 꼭 맞게〔차게〕; 빽빽이; 꽉 차서〔채워서〕: a ~ printed page 빽빽이 활자가 들어찬 페이지. **4** 면밀히, 주도하게; 엄밀히: a ~ guarded secret 극비 사항. **5** 열심히, 주의하여: listen 〔watch〕 ~ 주의해서 듣다〔보다〕.
clósely héld 소수인이 투표권과 주식을 장악하고 있는.
clóse-móuthed [klóusmáuðd, -θt] *a.* 말 없는, 서름서름한; 입이 무거운.
°**clóse·ness** [klóusnis] *n.* U **1** 접근, 친밀; 근사(近似). **2** (천 따위의) 올이 촘촘함〔고움〕. **3** 정확, 엄밀〔치밀〕함. **4** 밀폐; 숨막힘, 답답함; (날씨 · 마음 등이) 찌무룩함. **5** 인색(stinginess).
clóse órder [klóus-] 〚군사〛 밀집 대형.
clóse-òut [klóuz-] *n.* (폐점 등을 위한) 재고 정리 (상품): a ~ sale 폐점 대매출.
close-packed [klóuspǽkt] *a.* 밀집한, 빈틈없이 들어찬(jampacked): ~ stars / ~ structure 〚화학〛 조밀쌓임 구조.
close-pitched [klóuspítʃt] *a.* (싸움이) 호각의: a ~ battle 접전.
clóse punctuátion [klóus-] 엄밀 구두법《구두점을 많이 사용하는》.

clóse quárters [klóus-] **1** 비좁은 장소, 옹색한 곳. **2** 육박전, 드잡이: come to ~ 육박전이 되다, 드잡이하게 되다. ***at*** **~** 접근하여, 육박하여.

clóse quóte [klouz-] (종종 ~s) **1** 인용문〔구〕의 끝에 붙이는 인용부(' 또는 "). **2** 괄호 닫기《구두 전달에서 인용의 끝을 나타내는 표현》.

clos·er [klóuzər] *n.* 닫는 것〔사람〕, 폐색기; 〖석공〗 파치 벽돌; 《야구속어》 최종회(回). 「된〕.

clóse-rún [klóus-] *a.* 간발의 차로 이긴〔처결

clóse séason [klóus-] 《영》 =CLOSED SEASON.

clóse-sét [klóus-] *a.* (서로) 가지런히 근접해 있는, 다닥다닥 붙어 있는, 밀집한: ~ eyes 모들뜨기 / ~ houses 밀집해 있는 집들.

clóse sháve [klóus-] =CLOSE CALL. 「깎은.

clóse-sháved [klóus-] *a.* (수염을) 깨끗이

clóse shòt [klóus-] 〖영화〗 근사(近寫) (close-up).

clóse-stòol [klóuz-, klóus-] *n.* (실내용) 뚜껑 달린 변기. cf. commode.

clos·et** [klázit/klɔ́z-] *n.* **1** 《미》 반침, 벽장, 찬장, 찬방(《영》 cupboard). **2** 작은 방; 사실(私室); 서재. **3** 변소(water ~). ***come out of the **~** 《미속어》 호모임을 드러내다; (숨겼던 것을) 공개하다. ***of the*** **~** 실제적 지식이나 경험이 없는, 공리공론의. **—** *a.* **1** 사실(私室)의, 사실용(用)의; 비밀〔내밀〕의. **2** 공론의, 실제적이 아닌: a ~ strategist 〔thinker〕 탁상 전략가〔공론가〕 / ~ theory 탁상공론. **—** *vt.* 《+목+전+명/+목+부》 〖보통 수동태〗 (밀담을 위해) …를 사실(私室)에 가두다; (사업이나 정치상의 일로) (아무를) 밀담케 하다《*together; with*》; 〖보통 ~ oneself〗 …를 (벽장)에 가두다: They *were ~ed together*. 그들은 밀담 중이었다 / He *~ed* him*self* in his study. 그는 서재에 틀어박혀 있었다. ***be ~ed with*** …와 밀담하다. 파 **~·ed** [-id] *a.* 갇힌, 감금된; 남몰래 행하는.

clóse thíng [klóus-] **1** 구사일생, 위기일발 (close call). **2** 호각(互角)의 시합〔승부〕.

clóset homosèxual 동성 연애자임을 숨기는 사람, 숨은 호모.

clóse tíme [klóus-] =CLOSE SEASON.

clóset plày 〔**dràma**〕 서재극(書齋劇), 레제드라마(Lesedrama《G.》)《무대 상연보다는 독서용의 극》.

clóset quèen 《속어》 숨은 동성(同性) 연애자 (closet homosexual).

clóset stáll 대변소(大便所). cf. urinal.

clóse-ùp [klóus-] *n.* 〖영화·사진〗 대사(大寫), 근접 촬영, 클로즈업; (일의) 실상; 《미속어》 상세한 조사; 《미속어》 전기(傳記).

clóse-wóven [klóus-] *a.* 존존하게 짠.

clos·ing [klóuziŋ] *n.* **1** 폐쇄, 밀폐, 폐지; 종결, 종료; 마감; 결산; 〖증권〗 종장(終場). **2** (부동산 취득의) 체결; 결합. **—** *a.* 끝의, 마지막의; 폐회의; 결산의; 〖증권〗 마감하는, 종장의: a ~ address 폐회사 / ~ quotations (거래소에서의) 입회 최종 가격.

clósing árgument 《미》 (변호사의) 최종 진술. 「등기 비용.

clósing còsts (부동산 매매 시의) 권리 이전

clósing dàte 1 (원고) 마감일; 결산일. **2** 증권 인수업자의 주식 대금 납입 기일(=**clósing dày**).

clósing èrror 〖증권〗 폐합오차(閉合誤差), 폐합차(error of closure).

clósing òrder 《영》 (지방 자치제 당국이 내리는, 몰수 재산에 관한) 폐쇄 명령.

clósing prìce 〖증권〗 종가(終價); 파장가.

clósing tìme (흔히 무관사로) 폐점 시간, (특히) 바(bar)의 「간판」.

clo·sure [klóuʒər] *n.* **1** 마감, 폐쇄, 폐지; 종지; 폐점, 휴업; 《영》 (의회 등의) 토론 종결(《미》 cloture); 〖음성〗 폐쇄(음). **2** 닫는 것, 파스너; 〖지학〗 클로저《배사층(背斜層)의 봉우리와 등고선 최하부와의 수직 거리》; 〖수학〗 닫힘, 폐포(閉包). **—** *vt., vi.* 《영》 (의회에서의) 토론을 종결시키다〔하다〕.

clot [klat/klɔt] *n.* 떼, (엉긴) 덩어리《*of*》; 《미속어》 바보: a ~ of blood 핏덩이. **—** (**-tt-**) *vi.* 덩어리지다; 응고하다. **—** *vt.* 응고시키다, 굳히다; …의 온 면에 점점이 붙이다; (그득히 하여) …움직일 수 없게 하다.

⁑**cloth** [klɔːθ, klɑθ/klɔθ] (*pl.* **~s** [-ðz, -θs]) *n.* **1** Ⓤ 천, 헝겊, 직물, 양복감; 나사. **2** 식탁보; 행주, 걸레. **3** Ⓤ (책의) 헝겊 표지, 클로스. **4** 특수한 용도의 천《제단보(altar ~) 따위》. **5** (무대의 배경 따위에 쓰이는) 채색한 천. **6** Ⓤ 〖해사〗 범포(帆布); 〖집합적〗 돛. **7** Ⓒ (종교상의 신분을 나타내는) 검은 성직복, (the ~) 성직, 〖집합적〗 성직자(the clergy). ★ 복수형의 발음 [-ðz]는 pieces of cloth, [-θs]는 kinds of cloth의 뜻으로 잘 쓰임. cf. clothes. ◇ clothe *v.* ***~ of gold*** 〔***silver***〕 금〔은〕실로 수놓은 천, 금〔은〕란(金〔銀〕襴). ***cut*** one***'s coat according to*** one***'s*** **~** ⇨COAT. ***invented out of whole*** **~** 처음부터 끝까지 꾸며낸 이야기의. ***lay the*** **~** 식탁 준비를 하다. ***remove*** 〔***draw***〕 ***the*** **~** 식사 후 식탁을 정리하다.

clóth·bàck *n.* 〖제본〗 클로스 장정본. 「장정.

clóth bìnding 〖제본〗 헝겊 표지 제본, 클로스

clóth·bòund *a.* 〖제본〗 클로스 장정의《책》.

clóth-càp *a.* 《영》 노동자 계급의.

clothe** [klouð] (*p., pp.* **~d**, 《고어·문어》 ***clad [klæd]) *vt.* **1** …에게 옷을 주다: ~ one's family 가족에게 옷을 사 주다. **2** 《+목+전+명》 《비유》 싸다, 덮다; (말로) 표현하다: The trees are *~d in* fresh leaves. 나무는 새잎으로 뒤덮인다 / ~ thoughts 〔ideas〕 *in* 〔*with*〕 words 사상〔생각〕을 말로 표현하다 / ~ face *in* smiles 만면에 미소를 띄우다. **3** 《~+목/+목+전+명》 〖~ oneself〗 …에게 옷을 입히다: ~ one*self* 옷을 입다 / He *~d* him*self in* his best. 그는 나들이옷을 입었다. ★ 이 뜻으로는 구어에서 보통 dress를 씀. **4** 《+목+전+명》 (권력·영광 따위를) 주다《*with*》: be *~d with* authority 권력을 부여받다. ◇ cloth *n.* ***be ~d*** 〔***clad***〕 ***in*** …을 입고 있다. **~ *and feed*** …에게 의식(衣食)을 대주다: work to ~ *and feed* one's wife and family 처자에게 의식을 대주기 위해 일하다.

clóth-èared *a.* 《구어》 난청의, 둔감한.

clóth èars 《구어》 **1** 난청, 음치: have ~ 건성으로〔빼먹고〕 듣다. **2** 〖감탄사적〗 똑똑히〔잘〕 들어.

†**clothes** [klouz, klouðz] *n. pl.* **1** 옷, 의복, 피복(被服): a suit of ~ 옷 한 벌 / put on 〔take off〕 one's ~ 옷을 입다〔벗다〕 / *Clothes* do not make the man. 《속담》 옷이 사람을 만들지 않는다《옷으로 인품이 안 바뀐다》 / Fine ~ make the man. 《속담》 옷이 날개. **2** 세탁물. **3** (침대용) 시트·담요《따위》, 침구(bedclothes).

> NOTE **clothes** '의복'을 뜻하는 일반적인 말로, 상의·하의 등을 가리킴. **clothing** 몸에 걸치는 모든 것을 뜻하는 '의류'로 각종 clothes의 총칭. **dress** 보통 겉에 입는 의복으로 사교장소 등에 입고 나가는 것. 또 보통명사로서는 '여성복·아동복'을 뜻하며, 좋은 옷이나 허름한 옷이나 다 쓰임. **suit** '갖춘 옷'으로 남자의 경우는 coat, waist coat 〔vest〕, trousers, 여자의 경우는 dress, skirt, drawers, brassiere를 가리킴.

clóthes·bàg *n.* 세탁물 주머니.

clóthes·bàsket *n.* 빨랫광주리.
clóthes·brùsh *n.* 옷솔.
clóthes clòset 의복실, 의류만을 두는 작은 방.
clóthes hànger =COAT HANGER.
clóthes hòist (빨랫줄이 있는) 빨래 건조대.
clóthes·hòrse *n.* **1** 《구어》 복장의 유행만 좇는 사람; 《속어》 패션모델. **2** 빨래 건조대.

clotheshorse 2

clóthes·lìne *n.* 빨랫줄; 〖미식축구〗 팔을 벌려 공잡은 선수의 머리와 목에 갑자기 거는 태클; 《야구속어》 라이너; 《미속어》 개인적인 문제: be able to sleep on a ~ 몹시 피로하다, 어디서 나 잘 수 있다. **—***vt.* 〖미식축구〗 (상대 플레이어)에게 팔을 벌려 태클하다.
clóthes·màn [-mæ̀n] (*pl.* **-mèn** [-mèn]) *n.* 헌옷 장수.
clóthes mòth 〖곤충〗 옷좀나방《유충은 의류를 해침》.
clóthes-pèg *n.* 《영》 =CLOTHESPIN.
clóthes·pìn *n.* 빨래 무집게.
clóthes·pòle *n.* 바지랑대.
clóthes pòst 《영》 =CLOTHES PROP.
clóthes·prèss *n.* 옷장, 양복장.
clóthes pròp 《영》 =CLOTHESPOLE.
clóthes trèe 《미》 (가지가 있는) 기둥 모양의 모자〔외투〕걸이.
clóthes wrìnger 빨래 짜는 기구.
clóth hóuse 성기게 짠 직물로 지은 오두막《담배 등의 고소득 식물을 따가운 햇볕, 풍우(風雨), 해충 등으로부터 보호하기 위해》.
cloth·ier [klóuðjər, -ðiər] *n.* 나사상(羅紗商); 옷(감) 장수; 《미》 피륙 마무리 직공.
⁑**cloth·ing** [klóuðiŋ] *n.* **1** 〔집합적〕 의복, 의류, 피복. SYN. ⇨ CLOTHES. **2** 덮개. **3** 〖해사〗 범장(帆裝).
clóthing wòol 방모사(紡毛絲)〔의류〕용 양모.
clóth mèasure 피륙(을 재는) 자.
Clo·tho [klóuθou] *n.* 〖그리스신화〗 클로토《생명의 실을 잣는 운명의 신》. cf. the Fates.
clothy [klóuθi] *a.* 천 같은.
clóth yàrd (피륙을 잴 때의) 야드《3 피트》.
clot·ted [klátid/klɔ́t-] *a.* 굳은, 응고된; 《영》 순전한(sheer): ~ nonsense 잠꼬대 같은 소리.
clótted créam Ⓤ (지방분이 많은) 고형(固形) 크림.
clótting fàctor 〖생화학〗 응고 인자(凝固因子).
clot·ty [kláti/klɔ́ti] (**-ti·er; -ti·est**) *a.* 덩어리가 많은; 덩어리지기 쉬운; 《구어》 둔한, 굼뜬.
clo·ture [klóutʃər] *n.* 《미》 (의회의) 토론 종결. cf. closure. **—***vt., vi.* (토론을) 종결하다.
clou [kluː] *n.* 흥미〔관심〕의 중심; 중심 사상.
†**cloud** [klaud] *n.* **1** C,U 구름; (*pl.*) 하늘: covered with ~(*s*) 구름에 덮이어 / Every ~ has a silver lining. 《속담》 어떤 구름이라도 그 뒤쪽은 은빛으로 빛난다《괴로움이 있는 반면에는 즐거움이 있다》. **2** (자욱한) 먼지〔연기 따위〕; 연무(煙霧)《*of*》: a ~ *of* dust 자욱한 먼지. **3** 다수, (벌레·새 따위의) 떼《*of*》: a ~ *of* flies 파리 떼. **4** (거울·보석 등의) 흐림, 흠. **5** 《비유》 (안면·이마에 어린) 어두움; (의혹·불만·비애 등의) 암영(暗影), 암운; (덮어씌워) 어둡게 하는 것, 어둠: dark ~*s* of war 전쟁의 암운. **6** 오점; 우울. **7** 부드러운 스카프《여성용》. ***a ~ of words*** 구름을 잡는 듯한 이야기. ***blow a ~*** 《구어》 담배를 피우다. ***cast a ~ over*** …에 암영을 던지다, 찬물을 끼얹다. ***drop from the ~s*** 뜻밖의 곳에서 나타나다. ***have*** one***'s head in the ~s*** ⇨ HEAD. ***in the ~s*** ① 하늘 높이. ② 비현실적인. ③ 명청하여, 세상사에 초연하여, 공상하여. ***kick up the ~s*** 《속어》 교수형에 처해지다. ***on a ~*** 득의(행복)의 절정에; 《미속어》 마약에 취해. ***under a ~*** ① 의심을〔혐의를〕 받아, 노염을 사서. ② 풀 죽어, 울적하여: Joe has been *under a* ~ since his dog died. 조는 개가 죽은 후 계속 풀이 죽어 있었다. ***under ~ of*** (night) (야음)을 틈타서.
—*vt.* **1** 《~+목/+목+전+명》 (…을) 흐리게 하다, …에 어두운 그림자를 던지다; (얼굴·마음 따위를) 어둡게 하다, 우울하게 하다; (명성·평판을) 더럽히다; (기억 등을) 모호하게 하다; (시력·판단 등을) 뿌옇게〔무디게〕 하다; (문제 따위를) 애매하게 하다: ~ one's reputation 명성을 더럽히다 / Nothing could ~ her happiness. 그녀의 행복에 어두운 그림자를 던지는 것은 아무것도 없었다 / The steam ~*ed* my glasses. 증기로 안경이 뿌옇게 되었다 / Don't ~ the issue *with* unnecessary details. 지엽적인 일로 논점을 흐리게 하지 마라. **2** 구름무늬로〔검은 얼룩으로〕 꾸미다: ~*ed* marble 구름무늬가 있는 대리석. **—***vi.* 《~/+부》 (하늘·마음 등이) 흐려지다, 어두워지다: It's beginning to ~ *over*. 하늘이 흐려지기 시작한다 / Her face ~*ed over* with anxiety. 그녀 얼굴이 걱정으로 어두워졌다.
clóud·bànk *n.* 〖기상〗 운제(雲堤), 구름둑《제방처럼 보이는 길게 연결된 구름띠》.
clóud·bèrry *n.* 〖식물〗 야생의 나무딸기.
clóud-bùilt *a.* 구름을 잡는 듯한, 공상적인.
clóud·bùrst *n.* 억수, 호우; 압도적인 양(수); 홍수.
clóud·bùrster 《미속어》 *n.* 〖야구〗 높은 플라이; 고층 건물; 고속 신형 비행기.
clóud-càpped [-t] *a.* 구름을 머리에 인, 구름까지 닿는.
clóud-càstle *n.* 공상, 백일몽.
clóud chàmber 〖물리〗 안개상자《고속의 원자나 원자적 입자의 비적(飛跡)을 관측하는 장치》.
clóud còver 〖기상〗 운량(雲量)(cloudiness).
clóud-cúckoo-lànd *n.* (때로 C-C-L-) Ⓤ 이상〔공상〕향; 공상의 세계《Aristophanes 작품 속의 도시명에서》.
clóud drìft 뜬〔떠다니는〕 구름; 《미》 (비행기에 의한) 분말 살충제 살포.
clóud·ed [-id] *a.* **1** 흐린, 구름에 덮인. **2** 암영이 감도는; (마음이) 우울한(gloomy). **3** (머리 등이) 멍한, 혼란된; (생각·뜻 따위가) 흐릿한, 애매한. **4** 구름 모양의(무늬가 있는): ~ leopard 대만 표범《동남 아시아산》.
clóud fòrest 운무림(雲霧林)《열대 산지의 운무에 덮인 숲》.
clóud-hòpping *n.* Ⓤ 〖항공〗 구름 뒤로 숨어 비행하기.
cloud·i·ly [kláudili] *ad.* 흐려서; 흐릿하게.
cloud·i·ness [kláudinis] *n.* Ⓤ 흐린 하늘; 〖항공〗 운량(雲量); 구름꼴 무늬; (색채·광채·액체의) 흐림; (시력·정신력의) 흐림, 둔함; 우울.
clóud·ing *n.* (광택면의) 흐림; (염색의) 채, 얼룩: ~ of consciousness 의식의 혼탁.
clóud-kìssing *a.* 구름까지 닿는, 하늘을 찌르는: a ~ mountain 구름 위에 솟은 산.
clóud·lànd *n.*구름 경치; 꿈나라, 선경, 이상향.
°**clóud·less** *a.* 구름 없는, 맑게 갠; 밝은. 파 **~·ly** *ad.* 구름 (한 점) 없이. **~·ness** *n.*
cloud·let [kláudlit] *n.* 구름조각(small cloud).
clóud níne 〔보통 다음 관용구로〕 하늘에 오를 듯한 기분《본래는 **clóud séven**》. ***on ~*** 더없이 즐거운〔행복한〕, 들떠서; 《미속어》 마약에 취해. ★미국 기상청이 9 형태로 나눈 구름의 최상층부.
clóud ràck 조각구름의 떼.
clóud·scàpe *n.*구름 경치〔그림〕.
clóud sèeding (인공 강우를 위해) 구름씨뿌리기《드라이아이스·요오드화은 등을 뿌리는》.

cloud-topped [kláudtɑ̀pt, -tɔ̀pt] *a.* 정상이 구름으로 덮인.
clóud-wòrld *n.* 이상향.
†**cloudy** [kláudi] (***cloud·i·er; -i·est***) *a.* **1** 흐린. **2** 구름의〔같은〕. **3** 구름이 낀; (다이아몬드 등) 흐린 데가 있는; 탁한: a ~ picture 흐린 그림〔사진〕. **4** 불명료한, 뜻이 확실치 않은, 애매한: a ~ idea 막연한 생각. **5** 걱정스러운, 기분이 언짢은: ~ looks. **6** 혐의를 받은.
clough [klʌf] *n.* 《영》 좁은 계곡, 골짜기.
clout[1] [klaut] *n.* **1** 《구어》 (손에 의한) 강타, 타격; 〖궁술〗 과녁, 명중; 《야구속어》 안타, 장타. **2** 《구어》 강한 영향력, 《특히》 정치적 영향력. **3** (구두창·바퀴 등의) 쇳조각, 징(~ nail). **4** 《방언》 (기운) 천 조각; 헝겊〔넝마〕 조각; 걸레; 《영방언》 옷, '누더기'. ***give*** a person ***a*** ~ 아무에게 펀치를 먹이다. ***In the ~!*** 명중, 맞았다. **—** *vt.* **1** 《구어》 톡 두드리다, (주먹·손바닥으로) 때리다; 《야구속어》 강타하다. **2** 《미속어》 훔치다, 《특히》 후무리다, 차(車)를〔에서〕 훔치다. **3** 《영방언》 조각을 대어 깁다. [파] **∠·er** 《미속어》 *n.* 자동차 도둑, 가택 침입 강도의 사전 답사꾼; 〖야구〗 강타자.
clout[2] *n.* **1** 흙 덩어리. **2** 바보(stupid).
clóut nàil (구두) 징. 「아(珠芽), 살눈.
clove[1] [klouv] *n.* 〖식물〗 (백합 뿌리 등의) 주
clove[2] *n.* 〖식물〗 정향(丁香)《나무 또는 향료》.
clove[3] *n.* 《영》 양모·치즈 등의 중량 단위《보통 8 파운드에 상당함》.
clove[4] CLEAVE[1,2]의 과거.
clóve gíllyflower = CLOVE PINK.
clóve hìtch 〖해사〗 (밧줄의) 감아매기.
clo·ven [klóuvən] CLEAVE[1]의 과거분사. **—** *a.* (발굽이) 갈라진, 째진.
clóven hóof〔**fóot**〕 〖동물〗 (반추 동물의) 우제(偶蹄). ***show the*** ~ (악의) 본성을 드러내다 《악마는 발굽이 갈라져 있다는 데서》.
clóven-hóofed [-t], **-fóoted** [-id] *a.* 우제(偶蹄)의; 악마 같은. 「놀의 원료》.
clóve òil 정향유(丁香油)《의약의 향료·오이게
clóve pìnk 〖식물〗 카네이션(carnation).
°**clo·ver** [klóuvər] *n.* [U,C] 〖식물〗 클로버, 토끼풀: ⇨ FOUR-LEAF CLOVER. ***be*** 〔***live***〕 ***in*** (***the***) ~ 호화롭게 살다. ***pigs in*** ~ 《속어》 여봐란 듯이 안일을 탐하는 졸부. [파] **~ed** *a.*
clóver·lèaf (*pl.* ***-leaves***) *n.* (네 잎 클로버꼴의) 입체 교차로〔점〕. **—** *a.* 네 잎 클로버꼴의.
clown** [klaun] *n.* **1** 어릿광대. **2** 《영에서는 고어》 뒤틈바리, 시골뜨기; 《미속어》 시골 경찰. **3** 천한 사람. ***play the ~ 익살떨다. **—** *vi.* 《~/+[부]》 어릿광대 노릇〔짓〕을 하다, 익살부리다; 익살떨다《*about; around*》. [파] **∠·ery** [-nəri] *n.* [U,C] 어릿광대짓; 익살.
clown·ish [kláuniʃ] *a.* 어릿광대의, 익살맞은; 촌〔상〕스러운, 버릇없는. [파] **~·ly** *ad.* **~·ness** *n.*
clówn whíte 〖연극〗 (흔히 어릿광대들이 하는) 얼굴을 온통 희게 하는 화장.
clox [klɑks/klɔks] 〖상업〗 CLOCK[2]의 복수.
clox·a·cil·lin [klɑ̀ksəsílin/klɔ̀ks-] *n.* 〖약학〗 클록사실린《합성 페니실린의 일종》.
cloy [klɔi] *vt.* (단것을) 물리도록〔신물나도록〕 먹이다; (쾌락·사치 등에) 넌더리 나게 만들다 《*by; with*》. **—** *vi.* 물리다, 싫증 나다; 배가 가득 차다. [파] **∠·ing** *a.* 물리는, 넌더리 나는. **∠·ing·ly** *ad.* **∠·ing·ness** *n.*
cloze [klouz] *a.* 클로즈법(=∠ **procèdure**)《글 중의 결어(缺語)를 보충하는, 독해력 테스트》의.
clr. clear; clearance. **CLU** Civil Liberties Union. **C.L.U.** Chartered Life Underwriter.
†**club** [klʌb] *n.* **1** 곤봉; 타봉(打棒)《골프·하키 따위의》. **2** (사교 따위의) 클럽, 동호회; 클럽실〔회관〕: ⇨ ALPINE 〔COUNTRY〕 CLUB. **3** 특별 회원 판매 조직: a record ~. **4** 나이트클럽, 카바레. **5** (카드놀이의) 클럽《♣》; (*pl.*) 클럽의 패(suit). **6** 〖식물〗 곤봉 모양의 구조〔기관〕. **7** 〖해사〗 보조 gaff, 클럽《gaff topsail을 치기 위해 gaff의 끝에 다는 짧은 원재(圓材)》. **8** 〖야구〗 구단(球團). ***in the*** (***pudding***) ~ 《속어》 임신하여: put 〔get〕 a person *in the* ~ 임신시키다. ***Join*** 〔***Welcome to***〕 ***the ~!*** 《영구어·우스개》 (운이 나쁘기는) 나도〔피차〕 마찬가질세, 피차일반이야. ***on the*** ~ 《영구어》 (질병에 의한 휴직으로) 공제조합으로부터 급부〔구제〕를 받아.
— (***-bb-***) *vt.* **1** 《~+[목]/+[목]+[전]+[명]》 곤봉으로 치다, 때리다; (총 따위를) 곤봉 대신으로 쓰다: ~ a rifle 총을 거꾸로 쥐다/~ a person *to* death 아무를 때려죽이다. **2** 《+[목]+[부]》 모아서 클럽을 만들다; 합동〔결합〕시키다: ~ persons *together* 사람을 모으다. **3** …와 의좋게 사귀다. **4** 《+[목]+[부]》 (돈·착상 등을) 모아 내놓다, 분담하다《*up; together*》: We ~*bed* our money *together* to buy the present. 추렴해서 선물을 샀다. **5** 〖야구〗 …을 치다. **6** 《고어》 (머리를) 곤봉 모양으로 묶다. **—** *vi.* 《+[부]/+[전]+[명]》 **1** 클럽을 조직하다, (돈·지혜 등을) 서로 내놓다, (공동 목적에) 협력하다: ~ *together* 서로 협력하다/~ *with* a person 아무와 협력하다. **2** 〖해사〗 (흔히 감속을 위해) 조류 속에 닻을 끌며 배를 회전하다. **3** 《고어》 (묶은 머리가) 곤봉 모양이 되다.
[파] **∠·ba·ble, ∠·a·ble** *a.* 클럽 회원 되기에 적합한; 사교적인. **clùb·(b)a·bíl·i·ty** *n.*
clúb bàg (위에서 지퍼로 여는) 여행 가방.
clúbbed *a.* 곤봉 모양의; 손가락 끝이 굵은《손가락》. 「사람.
clúb·ber *n.* 클럽 멤버, 회원; 곤봉을 휘두르는
clúb·bish *a.* 클럽을 좋아하는, 클럽적인.
club·by [klʌ́bi] (***club·bi·er; -bi·est***) *a.* 클럽(회원)다운; 사교적인; 회원제의; (입회) 자격이 까다로운, 배타적인. [파] **-bi·ly** *ad.* **-bi·ness** *n.* 클럽적인 분위기.
clúb càr (안락의자·바 등을 갖춘) 특별〔사교〕 열차(lounge car). 「자〔소파〕.
clúb chàir 〔**sòfa**〕 키가 낮고 푹신한 안락의
clúb chèese 클럽치즈《체더치즈(chedder cheese)에 다른 치즈를 섞은 다음 향신료와 조미료로 맛을 낸 치즈》.
clúb clàss (여객기 좌석 등급에서) 클럽 클래스 《business class에 상당》.
club·dom [klʌ́bdəm] *n.* **1** [U] 클럽계(界), 클럽 생활. **2** 〖집합적〗 클럽.
clúb flòor 〔**lèvel**〕 《미》 (호텔의 상류객을 위한) 호화 객실 플로어.
clúb·fòot (*pl.* ***-feet***) *n.* 내반족(內反足); 〖해사〗 jib[1] 끝에 대는 원재(圓材). [파] **~·ed** [-id] *a.*
clúb·hànd *n.* 굽은 손, 내반수(內反手).
clúb·hàul *vt.* 〖해사〗 (위급한 경우에) 닻을 내려 끌며 바람 불어 오는 쪽으로 뱃머리를 돌리다.
clúb·hòuse *n.* 클럽 회관; 운동선수용 로커 룸.
clúbhouse làwyer 《속어》 스포츠클럽 등에서 아는 체 떠벌리는 덥적군(특히 야구 경기·규칙에 대해 만물박사인양 떠벌리는 사람〔선수〕).
clúb·lànd *n.* 《속어》 각종 사교 클럽이 모여 있는 지역《London의 St. James's Palace 부근》.
clúb làw 폭력(violence); 폭력주의〔정치, 지배〕.
clúb·man [-mən, -mæ̀n] (*pl.* ***-men*** [-mən, -mèn]) *n.* 클럽 회원; 《미》 (상류) 사교가.
Clúb Me·di·ter·ra·née [-mèiditerɑːnéi] 지중해 클럽(=**Clúb Méd**)《휴가촌·호텔촌·가족촌 따위를 유럽 여러 나라에서 경영하는 회사》.
clúb·mòbile *n.* 《미》 이동 클럽차.

clúb mòss 〖식물〗 석송(石松).
Clúb of Róme (the ~) 로마 클럽《식량·인구·환경 등 지구 문제에 대해 연구·제언하는 경영자·경제학자·과학자 등의 단체》.
clúb plàyer 클럽 플레이어《테니스·골프 등에서, 주로 소속 클럽에서 플레이하며 서킷이나 토너먼트에는 별로 출전 않는 선수》.
clúb·ròom *n.* 클럽 회원용 방.
clúb·ròot *n.* 〖식물〗 (양배추·순무 따위의) 뿌리혹병(anbury).
clúb sándwich 샌드위치의 일종《보통 토스트 3조각 사이에 고기·야채·마요네즈 등을 넣음》.
clúb-shàped [-t] *a.* 곤봉 모양의.
clúb sóda =SODA WATER.
clúb stèak 소의 허릿살로 만든 작은 비프스테이크.
clúb·wòman (*pl.* ***-wòmen***) *n.* 클럽의 여자 회원; 여성 사교가.
cluck [klʌk] *vi., vt.* (암탉이) 꼬꼬 울다; (혀를) 차다. **—** *n.* **1** 꼬꼬 우는 소리. **2** 《미속어》 얼간이(dumb ~); 못쓰는 것, 위조 화폐. **3** 《흑인속어·경멸》 살빛이 아주 검은 흑인.
clucky [klʌ́ki] *a.* (닭이) 알을 품고 있는; 《Austral. 속어》 임신한《여성 용어》.
*__clue__ [klu:] *n.* **1** (수수께끼를 푸는) 실마리, (십자말풀이의) 열쇠, (조사·연구의) 단서. **2** 이야기의 줄거리, 사색의 실마리. **3** (미궁에의) 길잡이. **4** 《미속어》 정보, 개인적인 의견. cf. clew. ***get a*** **~** ① 실마리를 얻다; 《미구어》 실정을 잘 보다, 깨닫다, 꾀발라지다. ② 《미속어》 이해되다, 알다. ***not have a*** **~** 《구어》 어림이 안 잡히다; 《구어》 무지〔무능〕하다. **—** *vt.* 《+목+부/+목+전+명》 (아무에게) 해결의 실마리를 주다; 《구어》 (아무에게 …에 관한) 정보를 전하다, …을 알려〔가르쳐〕 주다《*about; on*》: Please ~ me *in on* what to do. 어찌 하면 좋을지 가르쳐 다오. ***be*** (***all***) ***~d up*** 《영구어》 (…에 관해) 잘 알고 있다, 숙지하고 있다《*about; on*》. ~ a person ***up*** 〔***in***〕 《속어》 아무에게 단서를 주다, 알리다, 설명하다. ⓜ **∠·less** *a.* 단서 없는; 《구어》 어리석은, 무지한.
clum·ber [klʌ́mbər] *n.* (다리가 짧은) 스패니얼종의 사냥개(=**∠ spániel**).
clump [klʌmp] *n.* **1** 수풀, (관목의) 덤불. **2** (구두의) 두꺼운 이중창. **3** (흙 등의) 덩어리; 세균 덩어리. **4** 쿵쿵(하는 발소리); 《구어》 강타, 구타. **—** *vi., vt.* **1** 떼를 짓(게 하)다; (세균 따위가〔를〕) 응집하다〔시키다〕. **2** (구두에) 이중창을 대다. **3** 쿵쿵 걷다; 《구어》 때리다.
clump·ish [klʌ́mpiʃ] *a.* =CLUMPY.
clumpy [klʌ́mpi] (***clump·i·er; -i·est***) *a.* 덩어리의〔가 많은〕; 울창하게 우거진; 꼴사나운.
*__clum·sy__ [klʌ́mzi] (***-si·er; -si·est***) *a.* **1** 솜씨 없는, 서투른: a ~ dancer 춤이 서투른 사람/He's ~ *with* tools. 그는 연장 다루는 데 서투르다. **2** 꼴사나운, 세련되지 않은. **3** 재치 없는. cf. awkward. ⓜ **-si·ly** *ad.* **-si·ness** *n.*
clunch [klʌntʃ] *n.* Ⓤ 경화 점토(硬化粘土); 경질 백악(硬質白堊).
*__clung__ [klʌŋ] CLING의 과거·과거분사.
Clu·ni·ac [klú:niæk] *a., n.* (베네딕트파에서 갈라진) 클뤼니파의 (수사).
clunk [klʌŋk] *n.* **1** 덜컹하는 소리; 《구어》 강타, 일격; 《Sc.》 (액체의) 볼록볼록하는 소리; 《Sc.》 (마개 뺄 때의) 펑 하는 소리. **2** 《구어》 아둔패기, 멍청이(=**clúnk·hèad**); 《구어》 털털이 기계〔자동차〕; 《속어》 시체. **—** *vt., vi.* 덜컹 소리를〔가〕 내다〔나다〕; 《구어》 꽝 치다; 《Sc.》 볼록볼록〔펑〕 소리를〔가〕 내다〔나다〕.
clúnk·er *n.* 《미속어》 털털이 기계〔자동차〕; 하찮은 것; 서툰 골퍼《따위》.
clunky [klʌ́ŋki] (***clunk·i·er; -i·est***) *a.* **1** (거북스레) 무거운; 모양새 없는: ~ metal jewelry 무거운 금속 장신구/~ boots 투박한 부츠. **2** (말이) 귀에 거슬리는, 발음하기 어려운, 어조가 껄끄러운.
clúny làce [klú:ni-] **1** 삼 또는 무명실로 짠 수직(手織) 레이스. **2** (1과 비슷한) 기계직(織) 레이스《보통 무명실을 사용》.
cluse [klu:z] *n.* 산의 능선을 횡단하는 협곡.
*__clus·ter__ [klʌ́stər] *n.* **1** (과실·꽃 따위의) 송이, 한 덩어리(bunch)《*of*》: a ~ *of* grapes 포도 한 송이. **2** (같은 종류의 물건·사람의) 떼, 집단 (group); (공용의 공터 사용을 위한) 집단 주택; 〖천문〗 성단(星團): a ~ *of* stars 성군(星群), 성단. **3** 〖미육군〗 (같은 훈장을 거푸 받았음을 표시하는) 훈장《리본에 붙이는 메달》. **4** 〖음성〗 연속 자음《한 음으로 발음하는 둘 이상의 연속 자음》. **5** 〖컴퓨터〗 집단, 클러스트《데이터 통신에서 단말 제어 장치와 그에 접속된 복수 단말의 총칭》. **6** 〖군사〗 =CLUSTER BOMB; 클러스터《지뢰 부설의 단위》. ***in a*** **~** 송이를 이루어; 덩어리가 되어. **—** *vi.* **1** 《+부/+전+명》 (…의 주변에) 송이를 이루다, 주렁주렁 달리다; (식물이) 군생하다; 밀집하다; (사람·짐승이) 모여들다, 몰려들다《*together; round; around*》: Eager shoppers ~*ed around* the display. 물건을 사려는 손님들은 전시품 주변에 몰려들었다/The horses ~*ed together for* warmth. 말들은 온기를 얻기 위해 떼 지어 몰려 있었다. **—** *vt.* 《보통 수동태》 (…을) 모여 있게 하다; 떼를 이루어 덮다: mountain ~*ed* with trees 나무가 군생해 있는 산/Several bookstores *are* ~*ed* together on the street. 그 거리에 몇몇 서점들이 몰려 있다. ⓜ **-tery** *a.*
clúster anàlysis 〖경제〗 집락(集落) 분석, 클러스터 분석.
clúster bòmb 집속탄(集束彈).
clúster còllege 《미》 (종합 대학 안의 독립된) 특정 분야 전공 학부.
clús·tered *a.* 떼 지은, 군집〔군생(群生)〕한, 주렁주렁 달린.
clúster fùck 《미속어·비어》 집단 성폭행; 윤간.
clúster hèadache 〖의학〗 클러스터 두통《일정 기간 동안 여러 번 일어나는 심한 두통》.
clúster pìne 〖식물〗 클러스터 소나무《지중해산》.
clúster sùicide 연속적으로 발생하는 자살(의 하나).
*__clutch__[1] [klʌtʃ] *vt.* 《~+목/+목+전+명》 (꽉) 잡다, 단단히 쥐다; 붙들다, 부여잡다; 《속어》(마음을) 사로잡다; 《미속어》 (담배를) 피우다: She ~*ed* her daughter *to* her breast. 자기 딸을 품 안에 꽉 부둥켜 안았다. SYN. ⇨TAKE. **—** *vi.* **1** 《+전+명》 (…을) 잡으려고 하다《*at*》; (식물이) …에 뿌리를 내리다《*into*》: A drowning man will ~ *at* a straw. 《속담》 물에 빠진 사람은 지푸라기라도 잡으려 한다. **2** 자동차의 클러치를 조작하다. **3** 《미속어》 (놀람·공포 따위로) 몸이 움츠러들다〔굳어지다〕, 긴장하다, 얼다. **—** *n.* **1** Ⓤ,Ⓒ 붙잡음, 파악; 《미속어》 악수, 포옹. **2** (보통 *pl.*) 우악스레 움켜쥠; (곰 등의) 발톱; (악인 등의) 독수(毒手), 가혹한 지배, 마수, 수중: fall 〔get〕 into the ~*es* of …의 손아귀에 붙잡히다. **3** 《미속어》 위기, 위급; 〖야구〗 핀치(pinch): a ~ hitter 핀치〔위기 상황〕에 강한 타자. **4** 〖기계〗 클러치, (자동차의) 전동 장치; =CLUTCH BAG. **5** 《미속어》 치사(恥事)한 놈, 언짢은 사람. ***get out of*** (***the***) ***~es of*** …의 손아귀에서 벗어나다. ***in the ~es*** 《구어》 견디기 어려운 상황에서. ***put into*** one***'s*** **~** 《속어》 침묵하다. ***ride the*** **~** 《미구어》 항시 클러치 페달에 발을 올려놓고 있다. **—** *a.* **1** 손잡이가〔어깨끈이〕 없는《백》; (지퍼 없는) 손으로 여미는《코트》. **2** 《미속어》 핀치의〔에 강한〕. ⓜ **clútched** [-t] *a.* 《속어》 얼어버린.

린, 긴장한. **clútchy** *a.* **1** 긴장하기〔불안해지기〕 쉬운. **2** 신경을 건드리는; 어려운; 위험한.

clutch² *n.* (알의) 한 번 깜《보통 13개》; 한 배에 깐 병아리. **—** *vt.* (새끼를) 부화하다.

clútch bàg 클러치 백(=**clútch pùrse**)《손잡이나 멜빵이 없는 소형 핸드백》.

clut·ter [klʌ́tər] *n.* Ⓤ 난장판, 어지러움, 혼란; 소란; 〖통신〗 클러터《레이더 스크린에 나타나는 목표 이외의 물체에 의한 간섭 에코》; 《속어》 (광고의) 정보 혼란 상태. **—** *vt., vi.* 어수선하(게 하)다, 흩뜨리다; 재잘재잘 지껄이다; 시끄럽게 떠들어대다; 허둥지둥 달리다《*along*》; (잡다한 지식 등으로 머리를) 혼란케 하다《*up; with*》. ㊞ **clút·tery** *a.*

clútter·flỳ *n.* =LITTERBUG.

CLV 〖전자〗 constant linear velocity《광학식 비디오디스크에서 안쪽 1트랙에 TV의 1프레임분을, 바깥쪽 트랙에 3프레임분을 기록하는 방법》.

Clw·yd [klúːid] *n.* 클루이드《1974년에 신설된 Wales 동북부의 주》.

clyde [klaid] *n.* 《미속어》 유행〔시류〕에 뒤진 사람, 꽉 막힌 놈, 무능자, 어리보기.

Clydes·dale [kláidzdèil] *n., a.* 클라이즈데일 말(의)《힘센 복마(卜馬); 스코틀랜드 원산》.

Clýdesdale tèrrier 스코치테리어(개).

clyp·e·ate, -at·ed [klípièit], [-tid] *a.* 둥근 방패 모양의; 〖곤충〗 두순(頭楯)이 있는.

clyp·e·us [klípiəs] (*pl.* ***clyp·ei*** [klípiài, -ìː]) *n.* Ⓒ 〖곤충〗 두순(頭楯); 액편(額片)《곤충의 윗입술과 이마 사이의 부분》. ㊞ **clý·e·al** *a.*

clys·ter [klístər] *n.* Ⓤ,Ⓒ 《고어》 관장(灌腸)(제(劑))(enema). **—** *vt.* 관장하다.

Cly·tem·nes·tra, -taem- [klàitəmnéstrə] *n.* 〖그리스신화〗 클리템네스트라《Agamemnon의 부정한 아내》.

CM command module((우주선의) 사령선); commercial message((라디오·TV의) 광고방송); Common Market. **C.M.** Congregation of the Mission. **Cm** 〖기상〗 cumulonimbus mammatus; 〖화학〗 curium. **cm, cm.** centimeter(s). **c.m.** church missionary; common meter; corresponding member; court-martial. **c/m** (of capital stocks) call of more. **CMA** cash management account (현금 관리 계정; 증권 회사계의 종합 금융상품); 《미》 Chemical Manufacturers Association (화학 공업 협회); Committee on Military Affairs. **C.M.A.** certificate of management accounting. **CMC** Cable Music Channel; certified management consultant; Commandant of the Marine Corps. **Cmd.** 《영》 command paper. **cmd.** command. **Cmdr.** Commander. **C.M.G.** Companion of (the Order of) St. Michael and St. George. **CMI** computer managed instruction; 《영》 Central Monetary Institutions (공적 금융 기관). **cml.** commercial. **c'mon** [kmɑn, kəmɑ́n] 《미구어》 come on의 간약형. **CMOS** 〖전자〗 complementary metal-oxide-semiconductor (상보형(相補型) 금속 산화막(酸化膜) 반도체); Computer Complementary Metal-Oxide Semiconductor《컴퓨터의 기억 장치에 있는 반도체; PC내에서 적은 양의 배터리로 유지되는 메모리》. **CMP** cytidine monophosphate; Controlled Materials Plan. **CMV** cytomegalovirus. **CN** chloroacetophenone. **C/N** credit note; Circular note. **CNBC** Consumer News and Business Channel《미국의 케이블 TV네트워크》. **CNC** computer numerical control(컴퓨터 수치 제어). **CND** Campaign for Nuclear Disarmament. **CNN** 《미》 Cable News Network(케이블 뉴스 방송망). **CNO** Chief of Naval Operations.

C-nòte *n.* 《미속어》 100달러 지폐.

co- [kóu, kòu] *pref.* '공동, 공통, 상호, 동등'의 뜻: ① 〔명사에 붙여〕 *co*author, *co*partner. ② 〔형용사·부사에 붙여〕 *co*operative, *co*eternal. ③ 〔동사에 붙여〕 *co*(-)operate, *co*adjust. ★ 다음 세 가지의 철자식이 있음: cooperate, coöperate, co-operate.

CO 〖화학〗 carbon monoxide; 〖미우편〗 Colorado. **Co** 〖화학〗 cobalt. **c/o, c.o.** (in) care of; carried over. **Co., co.** 〖상업〗 [kou, kʌ́mpəni] company(Ⓒf. AND Co.); county. **C.O.** Cash Order; Commanding Officer; conscientious objector; criminal offense. **C/O** 〖상업〗 Cash Order; Certificate of Origin.

co·ac·er·vate [kouǽsərvət, -vèit, kòuəsə́ːrvet] *n.* 〖화학〗 코아세르베이트. **—** [kouǽsərvət, -vèit, kòuəsə́ːrvət] *a.*

co·ac·er·va·tion [kouæ̀sərvéiʃən] *n.* 〖화학〗 (콜로이드 용액에서) 코아세르베이션.

‡coach [koutʃ] *n.* **1 a** 대형의 4륜 마차; (철도가 생기기 전의) 역마차. **b** (국왕용의) 공식용 마차; 〖영철도〗 객차 (《미》 car); 세단형 자동차; (대형의) 버스; 《영》 장거리 버스(motor ~).

coach 1a

2 《미》 (열차의) 보통 객차《parlor car, sleeping car와 구별하여》; (비행기의) 보통석(air coach), 이코노미 클래스. **3** 〖경기〗 코치; 지도원; 연기〔성악〕 지도자; 가정교사《수험 준비를 위한》; 《Austral.》 (야생의 소를 꾀어들이는) 후림 황소. **4** 〖해사〗 함미실(艦尾室). ***drive a ~ and horses through ...*** (법률·규칙 따위를) 쉽게 빠져나가다; (이론 따위를) 논파하다. **—** *vt.* **1** 《드물게》 마차로 나르다. **2** 《~+목/+목+전+명》 (경기 지도원이) 코치하다; 〖야구〗 (주자)에게 지시를 내리다; (가정교사가) …에게 수험 지도를 하다: ~ baseball 야구의 코치를 하다/~ him *in* English 그에게 영어의 개인 지도를 하다/~ a boy *through* an examination 소년에게 수험 지도를 해서 합격시키다. **—** *vi.* **1** 마차로 여행하다. **2** 코치 노릇을 하다; 수험 지도를 하다. **3** (경기의) 코치를 받다; (가정교사로부터) 수험 지도를 받다.

còach-and-fóur [-ənd-] *n.* 대형 4두마차.

còach-and-síx *n.* 대형 6두마차.

cóach bòx 마부석.

cóach·buìlder *n.* 《영》 자동차 차체 제작공.

cóach·buìlding *n.* 《영》 자동차 차체 제작.

cóach-buìlt *a.* 《영》 (자동차의) 차체가 목제인; 나무틀에 금속판을 낀; 주문 제작의.

cóach dòg 마차견《옛날에 마차를 따라 함께 달리던 개》; 달마티안(Dalmatian).

coach·ee [koutʃíː] *n.* 《구어》 마부.

cóach·er *n.* 〖경기〗 =COACH 3.

cóach fèllow (같은 마차를 끄는) 짝말; 동료.

coach·ful [kóutʃfùl] *n.* 마차 하나 가득(한 손님).

cóach hòrn (역마차의) 나팔.

cóach hòrse 역마차의 말.

cóach hòuse 마차의 차고(=**cóaching hòuse** 〔**inn**〕).

cóach lìne 코치라인《자동차 자체의 장식적 선》.

°**cóach·man** [-mən] (*pl.* ***-men*** [-mən]) *n.* **1** 마부. **2** (송어 낚는) 제물낚시. ㊞ **~·ship** *n.* Ⓤ 마부의 자격〔솜씨〕; 마부술(術).
cóach òffice 승합마차 매표소.
cóach pàrk 《영》 장거리〔관광〕 버스용 주차장.
cóach·wòod *n.* 〖식물〗 코치우드《오스트레일리아산의 *Ceratopetalum* 속(屬) 나무; 가구 용재》.
cóach·wòrk *n.* (설계에서 완성까지의) 자동차 차체(의 제작).
co·act [kouǽkt] *vt., vi.* (…와) 협력하다. ㊞ **co·áctive**¹ *a.* 공동의, 협력적인. **co·áctor** *n.*
co·áction¹ *n.* Ⓤ 공동 작업, 협력; 〖생태〗 상호 작용.
co·áction² *n.* 강제(coercion). ㊞ **co·áctive**² *a.* 강제적인.
coad. coadjutor.
co·ad·ap·ta·tion [kòuædəptéiʃən] *n.* 〖생물〗 공진화(共進化), 상호 진화; 공적응, 상호 적응.
cò·adápted [-id] *a.* (특히 자연도태에 의해) 상호 순응한.
cò·adjácent *a.* 이웃에 있는, 근접한.
cò·adjúst *vi.* 서로 조절하다. ㊞ **~·ment** *n.* Ⓤ 상호 조절.
co·ádjutant *a.* 서로 돕는; 협력하는. **—** *n.* 협력자.
co·ad·ju·tor [kouǽdʒətər, kòuədʒúːtər] *n.* 조수, 보좌인(補佐人); 〖가톨릭〗 보좌 신부: bishop's ~ 〖가톨릭〗 보좌 주교. ㊞ **-tress, -trix** [-tris], [-triks] (*pl.* ***-tres·ses, co·ad·ju·tri·ces*** [kòuədʒúːtrəsìːz, kouæ̀dʒətráisiːz]) *n.* ~의 여성형.
co·ad·u·nate [kouǽdʒənət, -nèit] *a.* 밀착한; 〖식물〗 착생(着生)의; 〖동물〗 착성(着性)의.
co·àd·u·ná·tion *n.* Ⓤ 〖동물·식물〗 밀착(성); 착생.
cò·advénture *vi.* 함께 모험하다. **—** *n.* 공동 모험. ㊞ **-tur·er** *n.*
co·ágency *n.* Ⓤ 협력, 공동 작업.
co·ágent *n.* 협〔조〕력자, 동료.
co·ag·u·la·ble [kouǽgjələbəl] *a.* 응고〔응결〕시킬 수 있는, 응고성의. ㊞ **co·àg·u·la·bíl·i·ty** *n.*
co·ag·u·lant [kouǽgjələnt] *n.* 응고제; 응혈〔지혈〕약.
co·ag·u·lase [kouǽgjəlèis, -z] *n.* 〖생화학〗 응고 효소(酵素).
co·ag·u·late [kouǽgjəlèit] *vt., vi.* 응고시키다〔하다〕(clot), 굳어지다. **—** [-lit, -lèit] *n.* 응괴. **—** [-lit, -lèit] *a.* 《고어》 응고한, 굳은. ㊞ **co·àg·u·lá·tion** *n.* Ⓤ 응고 (작용), 응집, 엉김; Ⓒ 응고물. **co·ág·u·là·tive** [-lèitiv, -lə-] *a.* 응고성의. **co·ág·u·là·tor** [-lèitər] *n.* 응고〔응결〕제.
co·ag·u·lop·a·thy [kouæ̀gjəlápəθi] *n.* 〖의학〗 응고병증, 응고 장애.
co·ag·u·lum [kouǽgjələm] (*pl.* ***-la*** [-lə], ***~s***) *n.* 〖생리〗 응괴: a blood ~ (응)혈괴.
co·ai·ta [kuəitáː] *n.* (라틴아메리카산의) 거미원숭이.
⁑coal [koul] *n.* **1** Ⓤ 석탄: brown ~ 갈탄/hard ~ 무연탄/small ~ 분탄(粉炭)/soft ~ 역청탄/as black as ~ 새까만. **2** (*pl.*) 《주로 영》 석탄의 작은 덩어리《연료용》: a ton of ~*s* 분탄 1톤/put ~*s* in the stove 난로에 석탄을 넣다. **3** 목탄, 숯(charcoal). **4** (장작 따위의) 타다 남은 것, 잉걸불. ***a cold ~ to blow at*** 가망 없는 일. ***blow*** 〔***stir***〕 ***the ~s*** 화〔다툼, 악감정 따위〕를 부채질하다. ***call*** 〔***drag, fetch, haul, rake, take***〕 a person ***over the ~s for*** a thing 어떤 일에 대해 아무를 야단치다. ***carry ~s to Newcastle*** 헛수고하다. ***heap*** 〔***cast, gather***〕 ***~s of fire on*** a person***'s head*** 〖성서〗 (악을 선으로써 갚아) 아무를 매우 부끄럽게 하다《로마서(書) XII: 20》. ***pour on the ~*** 《미속어》 (차나 비행기의) 속도를 높이다. ***take in ~s*** (배에) 석탄을 싣다. **—** *vt.* **1** (배 따위에) 석탄을 공급하다〔싣다〕. **2** 태워서 숯으로 만들다. **—** *vi.* (배 따위가) 석탄의 보급을 받다.
cóal bàll 탄구(炭球)《탄층에 보이는 석탄기(石炭紀) 식물을 포함하는 방해석 덩어리》.
cóal-bèaring *a.* 석탄을 산출하는.
cóal bèd 탄층.
cóal·bìn *n.* 석탄통〔저장소〕.
cóal-blàck *a.* **1** 새까만, 칠흑의. **2** 완전히 흑인만의(all-black), 흑인 종업원만의.
cóal·bòx *n.* 석탄통; 《군대속어》 (제 1 차 세계대전 때의) 독일군의 흑연탄(黑煙彈).
cóal bùnker 석탄 저장고(庫); (배의) 저탄고.
cóal càr 《미》 (철도의) 석탄차; (탄광의) 탄차.
cóal cèllar (주택의) 지하 석탄 저장고.
cóal dùst 분탄; 석탄 가루; 탄진(炭塵).
cóal·er *n.* Ⓒ 석탄 배; 석탄 수송 철도〔차〕; 석탄상(商); 석탄 싣는 인부.
co·a·lesce [kòuəlés] *vi.* (부러진 뼈가) 붙다, 접착(接着)하다, 유합(癒合)하다; (정당 등이) 합동〔합체〕하다, 연합하다. **—** *vt.* ~시키다. ㊞ **-lés·cence** [-ns] *n.* Ⓤ 〖지학〗 병합. **-lés·cent** [-nt] *a.*
cóal·fàce *n.* 〖광산〗 막장, (석탄의) 채벽(採壁); (노출한) 석탄층의 표면.
cóal·field *n.* 탄전; (*pl.*) (한 지방의) 탄갱(炭坑).
cóal·fish *n.* Ⓤ 거무스름한 대구과(科)의 물고기《북대서양산; 식용》.
cóal flàp 《영》 (노면(路面)의) 지하 석탄고의 뚜껑.
cóal gàs 석탄 가스.
cóal gòose 《영》 〖조류〗 가마우지.
cóal hèaver 석탄 적재〔운반〕 인부.
cóal hòd 《미북동부》 =COAL SCUTTLE.
cóal·hòle *n.* 석탄 투입구; 《영》 (지하의) 석탄 저장소. cf. coal flap.
cóal hòuse 석탄 저장소〔창고〕.
coal·i·fi·ca·tion [kòuləfikéiʃən] *n.* 석탄화(化) (작용).
cóal·ing *n.* Ⓤ 석탄 싣기〔공급〕, 급탄: ~ capacity (배의) 석탄 적재량.
cóaling bàse 〔**stàtion**〕 석탄 보급지〔항〕.
Coal·ite [kóulait] *n.* 콜라이트《저온 건류(乾溜) 코크스; 상표명》.
°**co·a·li·tion** [kòuəlíʃən] *n.* 연합, 합동(union); 〖정치〗 (정치상의) 연립, 제휴(提携): a ~ cabinet 〔ministry〕 연립 내각/form a ~ 연합〔제휴〕하다/~ forces 다국적군. ㊞ **~·al** [-ʃənəl] *a.* **~·er, ~·ist** *n.* 합동론자; 연립론자.
cóal·less *a.* 석탄이 없는.
cóal·man [-mən] (*pl.* ***-men*** [-mən, -mèn]) *n.* 석탄상; 석탄 운반인.
cóal màster 탄광주.
cóal mèasures 〖지학〗 석탄계, 협탄층(夾炭層).
cóal mèrchant 석탄 소매업자.
cóal mìne 탄갱; 탄광; 탄산.
cóal mìner 탄광주; 채탄부.
cóal mìner's lúng 《구어》 탄폐증.
cóal mìning 채탄, 탄광업.
cóal·mòuse (*pl.* ***-mice***) *n.* 〖조류〗 =COAL TIT.
cóal òil 《미》 석유(petroleum); 《특히》 등유(kerosene; 《영》 paraffin oil).
cóal òwner 탄광주.
cóal pàsser 〖해사〗 화부(火夫); 석탄 운반부.
cóal·pìt *n.* 탄갱(coal mine); 《미》 숯가마.
cóal plàte =COAL FLAP.
cóal·sàck *n.* (즈크로 만든) 석탄 포대; 〖천문〗 (C-) 백조자리와 남(南)십자자리 근처에 있는 암흑 성운.
cóal scùttle (실내용) 석탄 그릇〔통〕.

cóal sèam 탄층(coal bed).
cóal tàr 콜타르.
cóal tìt 〖조류〗 진박새.
cóal-whìpper *n.* 《영》 (배의) 석탄 양륙기〔인부〕.
coaly [kóuli] *a.* 석탄 같은; 석탄을 함유하는; 석탄이 많은; (석탄처럼) 검은.
coam·ing [kóumiŋ] *n.* (때로 *pl.*) 〖선박〗 (갑판 승강구 등의) 테두리판《물이 들어옴을 막음》.
có-ànchor 〖미방송〗 *vt., vi.* 공동 뉴스 캐스터를 맡다. **—** *n.* 공동 뉴스 캐스터. ㊀ anchor.
Co·án·da effèct [kouǽndə-] (the ~) 코안다 효과《유체(流體)가 만곡면(彎曲面)을 흐를 때 표면에 흡착하는 경향》.
co·apt [kouǽpt] *vt.* (뼈·상처 등을) 꼭 이어 맞추다, 접착하다, 《특히》 (뼈를) 맞추다. ㊐ **cò·ap·tá·tion** *n.* 접착, 유합(癒合), 접골.
co·arc·tate [kouɑ́ːrkteit] *a.* 〖곤충〗 잘록한 복부〔흉부〕를 가진; (번데기가) 용낭(蛹囊)〔용각(蛹殼)〕에 싸인; 틀어 넣은, 압축시킨. ㊐ **cò·arc·tá·tion** *n.*
*__coarse__ [kɔːrs] *a.* **1** 조잡한, 조악(粗惡)한, 열등한: ~ fare 〔food〕 조식(粗食). **2** (천·그물 따위가) 거친, 올이 성긴; 거친, 굵은《가루 따위》. **3** 야비한, 상스러운; (언사 따위가) 음탕한, 추잡한: a ~ joke 추잡한 농담. ㊐ **∠·ly** *ad.* **∠·ness** *n.*
cóarse ággregate 굵은 골재(骨材).
cóarse físh 《영》 잡고기《연어와 송어 이외의 담수어》.
cóarse-gráined *a.* 올이 성긴; 무무한, 상스러운; 굵은 입자 모양의; 〖암석〗 현정질(顯晶質)의.
coars·en [kɔ́ːrsən] *vt., vi.* 거칠게 하다〔되다〕; 조잡〔조야, 야비, 추잡〕하게 하다〔되다〕.
cò·articulátion *n.* 〖언어〗 동시 조음(調音).
COAS 〖우주〗 crewmen optical alignment sight ((우주선의) 광학 관찰용 기기).
†**coast** [koust] *n.* **1** 연안, 해안: on the ~ 해안에서, 연안에 / the Pacific ~ 태평양 연안. SYN. ⇨ BEACH. **2** (the C-) 《미구어》 태평양〔대서양〕 연안 지방. **3** (언덕을 내릴 때의) 자전거 타주(惰走); 《미》 (썰매의) 활강(滑降)(용 비탈). **4** 《미속어》 (마약·재즈 따위로 유발되는) 좋은 기분. ***Clear the ~!*** 비켜라. ***from ~ to ~*** 《미》 대서양 연안에서 태평양 연안까지, 전국에 걸쳐, 전국 방방곡곡에. ***off the ~*** (of Africa) (아프리카의) 난바다에. ***The ~ is clear.*** 《구어》 (상륙하는 데) 아무도 방해하는 자가 없다; 〖일반적〗 지금이야말로 좋은 기회다.
— *vt.* **1** …의 연안을 (따라) 항행(航行)하다〔나아가다〕. **2** 《+목+전+명》 (로켓 따위를) 타성(惰性)으로 비행시키다: ~ a rocket *around* the moon 로켓으로 달의 주위를 타성 비행시키다.
— *vi.* **1** 연안 항행〔비행〕을 하다. **2** 《~/+부/+전+명》 (썰매로) 활강하다; (자전거·자동차로〔가〕) 타주(惰走)하다《*along*》; (비행기가) 활공하다: ~ *along* on a bicycle / ~ *down* a hill 언덕을 활강하다. **3** 《+전+명/+부》 아무 노력도 없이 순조로이 나가다; 《미속어》 손쉽게 손에 넣다, 과거의 실적에 기대어 성공하려 하다; (경기〔시험〕에) 쉬이 이기다〔합격하다〕: ~ *through* college 제대로 공부도 않고 대학을 나오다 / She's *~ing along* on her past successes. 그녀는 과거의 성공덕으로 지금은 힘 안 들이고 해나가고 있다. **4** 《미속어》 (마약·재즈로) 기분이 좋아지다, 마약에 취하다.
°**coast·al** [kóustəl] *a.* 연안〔해안〕의, 근해의: ~ defense 연안 경비 / a ~ plain 해안 평야. ㊐ **~·ly** *ad.*
Cóastal Commánd (the ~) (제 2 차 세계대전 중 영국 공군이 해군 지원을 위해 파견한) 연안 경비대(警備隊).
cóastal pláin 해안 평야.
Cóastal Státes Organizàtion (the ~) 《미》 연안주 기구《미국의 태평양·대서양·5 대호에 접한 30 개 주와 5 신탁령으로 된 조직; 생략: CSO》.
cóastal wáters 〖기상〗 연안 해역《해안에서 약 20 마일 내의 수역》.
cóast artíllery 해안 포대; 해안 방어 포병대.
cóast defénse shíp 연안 경비정.
cóast·er *n.* **1** 연안 항행자〔선〕; 연안 무역선; 연안 무역업자; 연안의 주민. **2** 비탈용 썰매; (유원지의) 코스터; 《미》 = ROLLER COASTER. **3** (식탁용의) 바퀴 달린 쟁반《술병을 얹어 미끄러뜨려 옮김》; 《미》 (술잔 따위의) 받침 접시; 자전거 타주용(惰走用) 발판. **4** 《서아프리카》 연안 지방의 유럽계 주민.
cóaster bràke (자전거의) 코스터 브레이크 《페달을 반대로 밟아서 제동하는》.
cóast guàrd 해안 경비대(원); 해양 경찰(관); (C- G-) 《미》 연안 경비대〔원〕.
cóast·guàrd(s)·man [-mən] (*pl.* ***-men*** [-mən]) *n.* 연안 경비대원; 해양 경찰관.
cóast·ing *n.* **1** Ⓤ 연안 항행, 연안 무역. **2** Ⓤ,Ⓒ 해안선(지형), 해안선도(圖). **3** Ⓤ 타행(惰行), 타주(惰走). **—** *a.* 연안 항행의; 타성으로 나아가는.
cóasting flìght 〖로켓〗 관성(慣性) 비행《로켓의 추력(推力)이 작용하지 않을 때의 비행》.
cóasting tràde 연안 무역.
cóast·lànd *n.* Ⓤ 연안 지역.
cóast·lìne *n.* 해안선.
cóast-lìner *n.* 연안 항로선.
Cóast Ránges (the ~) 《미》 해안 산계(山系)〔산맥〕《북아메리카 대륙 태평양 연안의》.
cóast-to-cóast *a.* 미국 횡단의, 대서양안에서 태평양안에 이르는, 내륙〔대륙〕 횡단의.
cóast·wàiter *n.* 《영》 연안 수송품 담당 세관원.
coast·ward [kóustwərd] *ad., a.* 해안을 향하여〔향한〕, 해안 쪽으로.
coast·wards [kóustwərdz] *ad.* = COASTWARD.
coast·ways [kóustwèiz] *a., ad.* 《고어》 = COASTWISE.
coast·wise [kóustwàiz] *a., ad.* 연안의, 연안을 따라: ~ trade 연안 무역.
†**coat** [kout] *n.* **1** (양복의) 상의; 외투, 코트. ㊀ overcoat, greatcoat, topcoat. ¶ a ~ and skirt 《영》 여성의 외출복. **2** (짐승의) 외피《모피·털·깃털》. **3** 가죽(skin, rind), 껍질(husk); (먼지 따위의) 층: a thick ~ *of* dust 두껍게 쌓인 먼지. **4** (페인트 등의) 칠, (금속의) 도금. **5** 〖해부〗 막, 외막(外膜). **6** (*pl.*) 《방언》 스커트. ***a ~ of arms*** (방패 꼴의) 문장(紋章); (전령·기사가 갑옷 위에 덧입는) 문장 박힌 겉옷. ***a ~ of mail*** 쇠미늘 갑옷. ***cut one's ~ according to one's cloth*** 분수에 알맞게 살다. ***dust*** a person***'s ~ for*** him 아무를 때리다. ***pull*** a person***'s ~*** 《미속어》 정보를 제공하다. ***take off*** one***'s ~*** 상의를 벗다《싸움 채비》; (일에) 본격적으로 착수하다. ***trail*** one***'s ~*** 〔***coattails***〕 싸움〔말다툼〕을 걸다《옷자락을 끌어 남이 밟게 하는 데서》. ***turn*** 〔***change***〕 one***'s ~*** 변절하다; 개종하다. ***wear the king's*** 〔***queen's***〕 ***~*** 《영》 입대하다.
— *vt.* **1** (먼지 따위가) …의 표면을 덮다, (상의를) 입히다, (상의 따위로) 가리다; …에 씌우다: pills *~ed* with 〔in〕 sugar 당의정(糖衣錠) / Dust *~ed* the piano. 먼지가 피아노 위에 잔뜩 쌓였다. **2** 《+목+전+명》 (페인트 따위를) …에 칠하다, 도장(塗裝)하다; (주석 따위를) …에 입히다《*with*》: ~ the wall *with* paint 벽에 페인트를 칠하다.
cóat ármor 문장(紋章).
cóat càrd 《고어》 = FACE CARD.

cóat chèck (담당 계원이 있는) 휴대품 보관소.
cóat·drèss *n.* 코트드레스《코트처럼 앞이 타지 고 밑까지 단추가 달린》.
cóat·ed [-id] *a.* 상의를 걸친; 겉에 바른〔입힌〕; 광을 낸〔번쩍이는〕《종이 따위》; 방수 가공한《천 따위》; 〖사진·광학〗 =BLOOMED: ~ tongue 설태(舌苔)가 낀 혀. 「지 따위》.
cóated páper 도피지(塗被紙)《코트지·아트
coat·ee [koutí:] *n.* (여자·어린이 등의) 몸에 꼭 끼는 짧은 상의.
cóat gène 〖생화학〗 외막(外膜) 유전자《외막 단백질 합성에 관계하는 바이러스 유전자》.
cóat hànger 양복걸이.
co·a·ti [kouá:ti], **co·a·ti-mon·di, -mun-** [-mʌ́ndi] *n.* 〖동물〗 코아티《미국 너구릿과의 육식 동물; 라틴 아메리카산》.
cóat·ing *n.* 덮음, 입힘; (음식물의) 겉에 입히는 것; 상의; 상의용의 옷감(cf. shirting); 피복 가공(被覆加工), 피복제(劑), 피복물(物), 도료(塗料); 칠, 덧칠, 도장(塗裝); 〖광학〗 (렌즈의 반사 방지를 위한) 코팅.
cóat pròtein 〖생화학〗 외막(外膜) 단백질《바이러스를 항체로부터 보호하는 피막상 단백》.
cóat·ràck *n.* (클로크룸(cloakroom) 따위의) 외투·모자걸이〔선반〕.
cóat·ròom *n.* =CLOAKROOM.
cóat·tàil *n.* (흔히 *pl.*) (야회복·모닝코트 등의) 상의의 뒷자락; (*pl.*) 〖미정치〗 약한 동료 후보자도 함께 당선시키는 유력 후보자의 힘. ***on the ~s of*** …의〔이 있은〕 뒤에, …에 뒤이어; …의 덕택〔도움〕으로. ***ride*** 〔***climb, hang***〕 ***on*** a person***'s ~s*** 《미》 남(의 명성·정치력 따위)에게 의지하다; 유력한 후보자의 등에 업혀 당선하다; 남의 덕에 성공〔출세〕하다. ***trail*** one***'s ~s*** 〔***coat***〕 ⇨ COAT. **—** *a.* 《미》 약한 후보자도 함께 당선시킬 수 있는: ~ power.
cóat·tràiling *n.* 《영》 싸움〔논쟁〕을 겲, 도발. **—** *a.* 도발적인.
cóat trèe =CLOTHES TREE. 「집필하다.
co·au·thor [kouɔ́:θər] *n.* 공저자. **—** *vt.* 공동
°**coax**[1] [kouks] *vt.* **1** 《+목+부/+목+*to* do/+목+전+명》 감언으로 설득하다, 달래다, 꾀다; (아무를) 달래어〔구슬러서〕 …시키다: ~ a person *away* 〔*out*〕 아무를 꾀어서 데리고 나가다, 유혹하다/~ a child *to* take 〔*into* tak*ing*〕 his medicine 아이를 달래어서 약을 먹이다/~ her *to* come with us 그녀를 달래서 우리와 함께 오도록 하다. **2** 《+목+전+명》 감언으로 얻어〔우려〕내다: ~ a thing *out of* a person =~ a person *out of* a thing 감언으로 아무로부터 무엇을 우려내다. **3** 《+목+*to* do/+목+전+명》 (물건을) 잘 다루어 뜻대로 되게 하다: ~ a fire *into* burn*ing* 〔*to* burn〕 불을 잘 피워내다/He ~*ed* the large chair *through* the door. 큰 의자를 잘 움직여 문을 통과하게 했다. **4** 《폐어》 귀여워하다. **—** *vi.* 달콤한 말을 하다, 달래다. ***~ away*** 〔***out***〕 ⇨ *vt.* 1. **—** *n.* 감언, 따리붙임, 아첨. ㊎ **∠·er** *n.* **∠·ing·ly** *ad.*
co·ax[2] [kóuæks, -∠] *n.* =COAXIAL CABLE.
co·áxial *a.* 〖수학·기계·전기〗 공축(共軸)의, 동축(同軸)의〔을 가진〕(=**co·ax·al** [kouǽksəl]). ㊎ **-áx·ially** *ad.* 「화·TV의》.
coáxial cáble 동축(同軸) 케이블《전신·전
cob[1] [kab/kɔb] *n.* **1** 옥수수속(corncob). **2** 다리가 짧고 튼튼한 말; 《미》 다리를 높이 올리며 걷는 말; 백조의 수컷(cf. pen[4]). **3** (석탄·돌 따위의) 둥근 덩이, 둥글게 쌓은 더미; (빵 등의) 작고 둥근 덩이; =COBLOAF. **4** 《영》 (여물이 섞인) 벽토, 초벽 흙. **5** 〖식물〗 =COBNUT. **6** 《영방언》 중요인물, 지도자. **7** 《영구어》 =SPIDER. **8** 《미속어》 농부, 시골 읍의 주민. ***off the ~*** 《미속어》 감상(感傷)의, 낡아 빠진, 하찮은.
cob[2] *vt.* **1** (광석 따위를) 바수다; …의 볼기를 때리다. **2** …을 능가하다, 해내다.
cob[3], **cobb** *n.* 〖조류〗 갈매기.
co·balt [kóubɔ:lt] *n.* Ⓤ **1** 〖화학〗 코발트《금속 원소; 기호 Co; 번호 27》. **2** 코발트 채료〔그림물감〕; 코발트색. ~ ***blue*** 〔***green, yellow***〕 코발트 청(青)〔녹(綠), 황(黃)〕.
co·bal·tic [koubɔ́:ltik] *a.* 〖화학〗 코발트(Ⅲ)의〔를 함유한〕; 코발트색〔성〕의.
co·bal·tite, co·balt·ine [koubɔ́:ltait, ∠-∠], [-tì:n, -tin] *n.* 〖광물〗 휘(輝)코발트광(鑛).
cóbalt 60 코발트 60《코발트의 방사성 동위 원소; 암치료용; 기호 ^{60}Co, Co^{60}》.
cóbalt-60 bómb 코발트 60 용기(cobalt bomb)《암치료용》. 「구; 동료, 짝패.
cob·ber [kábər/kɔ́b-] *n.* 《Austral.속어》 친
cob·ble[1] [kábəl/kɔ́bəl] *n.* (보통 *pl.*) 〖지학〗 굵은 돌멩이, 조약돌, 자갈; (*pl.*) 자갈 포장길; (*pl.*) 《영》 자갈〔조약돌〕만한 석탄. **—** *vt.* (도로)에 자갈을 깔다. ㊎ **cób·bly** *a.*
cob·ble[2] *vt.* **1** (구두를) 수선하다, 깁다. **2** 조잡하게 주워 맞추다《*up; together*》.
cob·bler [káblər/kɔ́bl-] *n.* **1** 신기료 장수, 구두장이; 서투른 장색: The ~*'s* wife goes the worst shod. 《속담》 대장장이 집에 식칼이 논다. **2** 청량음료의 일종; 《미》 과실 파이의 일종. **3** 《영비어》 불알; 《영속어》 (*pl.*) 허튼소리: What a load of (old) ~*s!* 무슨 허튼수작이냐. **4** 《Austral.속어》 (다루기 힘들어) 최후에 털을 깎는 양. **5** 《미속어》 (여권·지폐·증권의) 위조자.
cóbbler's wàx 구두 꿰매는 실에 먹이는 밀랍.
cóbble·stòne *n.* (철도·도로용의) 조약돌, (밤)자갈.
cob·by [kábi/kɔ́bi] *a.* (cob[1]종의 말처럼) 땅딸막하고 강건한.
cób còal 괴탄, 둥근 석탄.
Cob·den·ism [kábdənìzəm/kɔ́b-] *n.* 코브던주의《영국의 Richard Cobden(1804-65)이 제창한 자유 무역·평화주의·불간섭주의》.
Cob·den·ite [kábdənàit/kɔ́b-] *n., a.* 코브던주의자(의).
co·bel·lig·er·ent [kòubəlídʒərənt] *n.* 공동 참전국. **—** *a.* 협동하여 싸우는.
co·bia, ca·bio [kóubiə], [ká:biòu] (*pl.* ***-bi·as, -bi·òs***) *n.* 〖어류〗 날쌔기.
co·ble [kóubəl] *n.* 《N.Eng.·Sc.》 평저(平底) 어선의 일종. 「양 없는〕 빵.
cób·lòaf *n.* 《영》 둥근〔위에 둥근 혹이 붙은, 모
cób-nòsed *a.* 주먹코의.
cób·nùt *n.* 개암나무속(屬)의 나무; 그 열매, 개암; 개암을 실에 매달아 부딪뜨리는 아이들 놀이.
COBOL, Co·bol [kóubɔ:l/kóubɔl] *n.* 〖컴퓨터〗 코볼《사무 계산용 프로그래밍 언어》. [◀ *co*mmon *b*usiness *o*riented *l*anguage]
co·bra [kóubrə] *n.* 코브라. **1** 〖동물〗 인도·아프리카산의 독사. **2** 코브라 껍질 가죽. **3** (C-) 〖미군사〗 다용도 헬리콥터 UH-1(Huey)을 바탕으로 개발되어 1967 년부터 실전(實戰) 배치된 대지(對地) 공격 헬리콥터 AH-1G, 동 J 및 그 발달형 AH-1S 등의 애칭.
co·burg [kóubə:rg] *n.* **1** Ⓤ 안감·복지(服地)용의 능직물. **2** (때로 C-) 위에 십자의 홈이 있는 둥근 빵(=**∠ lòaf**).
°**cob·web** [kábwèb/kɔ́b-] *n.* **1** 거미집〔줄〕. **2** (거미줄과 같이) 얇고 섬세한 것《얇은 숄·레이스 따위》. **3** 낡은 것, 곰팡내 나는 것; 낡음. **4** (*pl.*) 헝클어짐; (머리의) 혼란, 《구어》 (자다 일어난 때의) 졸음, 흐리마리함. **5** 올가미, 함정; 덧없는

것; 박약한 추론. 6 (*pl.*) 세세히 구별지음. ***blow*** 〔***clear***〕 ***away the ~s*** 《구어》 (바깥 바람을 쐬어) 기분을 일신하다; 기풍을 쇄신하다. ***have a ~ in the throat*** 목이 마르다. ***take the ~s out of*** one's ***eyes*** 눈곱을 떼다, 졸린 눈을 비비다. — (*-bb-*) *vt.* 거미줄을 치다; (망사 같은 것으로) 덮다; (머리를) 혼란케 하다. ⓟ **~bed** *a.* 거미줄을 친; 《미구어》 미친, 멍청한. **~·by** [-i] *a.* 거미집의〔같은〕, 거미줄투성이의; 가볍고 엷은 (filmy).

co·ca [kóukə] *n.* 코카나무《남아메리카산의 약용 식물》; 말린 코카 잎, 코카차(茶).

Co·ca-Co·la [kòukəkóulə] *n.* 《미》 코카콜라 (Coke)《청량음료의 일종; 상표명》.

Co·ca-col·o·nize, 《영》 **-nise** [kòukəkáləナàiz, -kóulə-/-kóulə-, -kɔ́lə-] *vt.* 미국의 문화·생활 양식의 영향하에 두다. ⓟ **-còl·o·ni·zá·tion** *n.* 아메리카화. 「=COKEAHOLIC.

co·ca·hol·ic [kòukəhɔ́:lik, -hálik/-hɔ́lik] *n.*

co·cain(e) [koukéin, ⌐-/koukéin, kə-] *n.* Ⓤ 〖화학〗 코카인《coca의 잎에서 채취하는 마취제, 마약》. ★ 코카인은 coke, C, snow, blow, toot, leaf, flake, happy dust, nose candy, lady, white girl 따위로도 불림. ⓟ **co·cáin·ism** *n.* Ⓤ 〖의학〗 코카인 중독. **cocáin·ist** *n.* 코카인 중독자.

cocáine blúes 《미구어》 코카인을 취한 뒤의 우울증.

co·cain·ize [koukéinaiz] *vt.* 코카인으로 마비시키다. ⓟ **co·càin·i·zá·tion** *n.* Ⓤ

còcarcínogen *n.* 〖의학〗 발암 보조 물질《다른 물질의 발암성을 촉진시키는 물질》.

coc·ci [káksai/kɔ́k-] COCCUS의 복수.

coc·cid [káksid/kɔ́k-] *n.* 패각충과(貝殼蟲科)의 곤충.

coc·cid·i·oi·do·my·co·sis [kaksìdiɔ̀idoumaikóusis/kɔk-] *n.* 콕시디오이데스 진균(眞菌)증. 「숫한; 구균 모양의.

coc·coid [kákɔid / kɔ́k-] *a.* 구균(球菌)과 비

coc·cus [kákəs/kɔ́k-] (*pl.* ***-ci*** [káksai/kɔ́k-]) *n.* 〖식물〗 분열과(分裂果)의 하나; 〖세균〗 구균(球菌); 〖곤충〗 연지벌레의 일종.

-coc·cus [kákəs/kɔ́k-] '…구균(球菌)'의 뜻의 결합사: strepto*coccus*. 「미저골(尾骶骨)의.

coc·cyg·e·al [kaksídʒiəl/kɔk-] *a.* 〖해부〗

coc·cyx [káksiks/kɔ́k-] (*pl.* ***-cy·ges*** [kaksáidʒi:z, káksidʒì:z/kɔksáidʒi:z]) *n.* 〖해부〗 미저골. 「의장을 맡다.

co·cháir *vt.* (위원회·토론회 따위에서) 공동

co·cháirman [-mən] *n.* 공동 사회자, 공동 의장; 부(副)사회자.

co·chan·nel [kóutʃǽnl] *a.* 〖방송〗 동일 채널의, 다중(多重) 주파수대의.

Co·chin [kóutʃən] *n.* (*or* c-) 코친《닭의 일종》.

Co·chin-Chi·na [kóutʃəntʃáinə, kátʃən-] *n.* 코친차이나《베트남 최남부의 지방》; (종종 c-c-) =COCHIN.

coch·i·neal [kàtʃəní:l, kòutʃ-, ⌐-⌐/kɔ̀tʃní:l, ⌐-⌐] *n.* 양홍(洋紅)《연지벌레로 만드는 물감》; 〖곤충〗 연지벌레《선인장에 기생하는 깍지진디》.

coch·lea [kákliə, kóuk-/kɔ́k-] (*pl.* ***-le·ae*** [-lìi:]) *n.* 〖해부〗 (내이(內耳)의) 달팽이관(管). ⓟ **cóch·le·ar** [-liər] *a.* 달팽이관의.

cóchlear ìmplant 〖의학〗 달팽이관 이식, 인공 귀《귀 속에 작은 마이크로폰을 넣는》.

coch·le·ate, -at·ed [kákliət, -lièit/kɔ́k-], [-èitid] *a.* 달팽이 모양의; 나선형의.

cock[1] [kak/kɔk] *n.* **1** 수탉, 장닭. opp. *hen.* ★ 미국에서는 rooster를 흔히 씀. ¶ As the old ~ crows, the young ~ learns. 《속담》 서당개 3 년에 풍월한다 / Every ~ crows in its own dunghill. 《속담》 이불 속에서 활개친다. **2** (새의) 수컷: ~ robin 울새의 수컷. **3** 〖조류〗 누른도요(woodcock). **4** 두목, 왕초, 보스; (새우·게·연어 따위의) 수컷. **5** (통·수도·가스 따위의) 마개, 전(栓), 꼭지(《미》 faucet): turn the ~ 마개를 열다. **6** (총의) 공이치기, 격철(擊鐵). **7** (수탉 모양의) 바람개비, 풍향계(weathercock). **8** (저울의) 지침, 바늘. **9** (코끝이) 위로 젖혀짐; 눈을 칩떠보기, 눈짓; (모자챙의) 위로 젖혀짐. **10** (curling 놀이의) 표적. **11 a** 《비어》 음경(陰莖). **b** 《영구어》 실없는 짓, (*int.*) 같잖아. **c** 《영구어》 무모한 행동. ***all to ~*** 《속어》 실수하여, 혼란〔분규〕하여. ***at*** 〔***on***〕 ***full*** 〔***half***〕 ***~*** 완전히〔반쯤〕 공이치기를 당기어; 충분히〔반쯤〕 준비하여. ***~ of the walk*** 〔***dunghill***〕 유력자; 두목, 독불장군. ***go off at half ~*** ⇨ HALF COCK. ***live like a fighting ~*** ⇨ FIGHTING COCK. ***Old ~!*** 《호칭》 여보게, 이봐, 형씨. ***That ~ won't fight.*** 그렇게는 안 될걸. — *vt.* **1** (총의) 공이치기를 당기다; (때리려고 주먹 따위를) 뒤로 끌다; (카메라 셔터 따위를) 누를 준비하다. **2** (모자의 챙을) 치켜 올리다; (모자를) 삐딱하게 쓰다. **3** 《+목+부》 (귀·꼬리)를 쫑긋 세우다《*up*》: The dog ~*ed up* its ears. 개는 귀를 쫑긋 세웠다. **4** (발 따위를) 들어 높은 곳에 걸치다. **5** 《~+목/+목+부/+목+전+명》 (…을) 위로 치올리다; (눈을 치뜨고 …을) 보다: ~ *up* one's head 머리를 뒤로 젖히다 / He ~*ed* his eyes *at* her. 그는 그녀에게 눈짓을 했다; 그는 그녀를 득의에 찬 얼굴로 슬쩍 보았다. — *vi.* **1** (개의 꼬리 따위가) 쫑긋〔곧추〕 서다《*up*》. **2** 뻐기며 걷다. **3** 공이치기를 당기다. **~ one's *little finger*** ① 한잔하다, 취하다. ② 새끼손가락을 곧추 세우다. **~ *up*** 《*vt.*+부》 ① ⇨ *vt.* 3. ② 《영속어》 (…을) 실패하다, 엉망으로 만들다. — 《*vi.*+부》 ③ ⇨ *vi.* 1.

cock[2] *n.* (원뿔 모양의) 건초〔곡물, 두엄, 이암(泥岩), 장작 따위〕의 더미, 가리. — *vt.* (건초 따위를) 원뿔 모양으로 쌓다, 가리다.

cock·ade [kakéid/kɔk-] *n.* 꽃 모양의 모표《특히 영국 왕실의 종복용(從僕用)의》. ⓟ **-ád·ed** [-did] *a.* 꽃 모양 기장이 달린.

cock-a-doo·dle-doo [kákədù:dldú:/kɔ́k-] *n.* 꼬끼오《수탉의 울음소리》; 《소아어》 꼬꼬, 수탉.

cock-a-hoop [kàkəhú:p/kɔ̀kə-] *a., ad.* 의기양양한〔하게〕; 뽐낸〔내어〕, 오만한〔하게〕; 기운〔기울어〕, 혼란한〔하여〕.

Cock·aigne, -ayne [kakéin/kɔk-] *n.* 환락향; 《우스개》 런던《cockney 에 빗대어》.

cock-a-leek·ie [kàkəlí:ki/kɔ̀k-] *n.* 《Sc.》 =COCKYLEEKIE.

cock·a·lo·rum [kàkəlɔ́:rəm/kɔ̀k-] *n.* 수평아리; 당닭; 《구어》 건방진 작은 사내; 허풍, 호언.

cock·a·ma·my, -mie [kákəmèimi/kɔ́k-] *a., n.* 《미속어》 나쁜, 저급인; 어처구니〔믿을 수〕 없는; 엉터리〔어처구니〕없는 일.

cóck-and-búll stòry 엉터리없는〔터무니없는, 황당무계한〕 이야기. 「따위》.

cóck-and-hén [-ən-] *a.* 남녀가 섞인《클럽

cock·a·tiel, -teel [kàkətí:l/kɔ̀k-] *n.* 〖조류〗 왕관앵무(=**cóckatoo párrot**).

cock·a·too [kàkətú:/kɔ̀k-] (*pl.* ***~s***) *n.* **1** 〖조류〗 앵무새의 일종《동인도·오스트레일리아산》. **2** 《Austral.구어》 소농(小農); 《Austral.속어》 (강도·도박의) 망꾼.

cock·a·trice [kákətris/kɔ́kətràis] *n.* 한 번 노려보기만 하여도 사람이 죽는다는 전설상의 뱀 (cf. basilisk); 〖성서〗 독사; 요부(妖婦); 〖문장(紋章)〗 계사상(鷄蛇像).

cóck bèad 〖건축〗 돋을구슬장식 모서리.

cóck·bìrd *n.* 수탉.
cóck·bòat *n.* (본선(本船)에 딸린) 소정(小艇).
cock·chaf·er [kάktʃèifər/kɔ́k-] *n.* 풍뎅이의 일종.
「침, 여명.
cóck·cròw, -cròwing *n.* [U] 새벽, 이른 아
cocked [-t] *a.*, *ad.* (모자챙이) 위로 젖혀진, (모자챙을) 젖히고. ~ ***and primed*** 전쟁 준비를 갖추고.
cócked hát 정장용 삼각모《해군 장교 등의》; 챙이 젖혀진 모자. ***knock*** 〔***beat***〕 ***... into a*** ~ 《구어》 …을 완전히 때려눕히다〔압도하다〕, 완전히 망치게〔잡치게〕 하다.

cocked hat

cock·er[1] [kάkər/kɔ́k-] *vt.* (아이를) 어하다, 응석을 받아 주다; (병자를) 소중히 하다(nurture) 《*up*》.
cock·er[2] *n.* =COCKER SPANIEL; 투계사(鬪鷄師), 투계 사육자; 《속어·방언》《호칭》 자네.
cock·er·el [kάkərəl/kɔ́k-] *n.* (1살 미만의) 수평아리; 툭하면 싸우는 젊은이.
cócker spániel 코커스패니얼《사냥·애완용 개》.

cocker spaniel

cóck·èye *n.* 사팔뜨기, 사시(斜視)(squint).
cóck·èyed *a.* **1** 사팔뜨기의, 사시의. **2** 《속어》 기울어진, 비뚤어진; 바보 같은; 괴짜의; 취해 있는. **3** 《속어》 취한, 인사불성의; 제정신이 아닌, 미친; 완전히 틀린. [파] **~·ly** *ad.* **~·ness** *n.*
cóckeye(d) bób 《Austral.속어》 갑작스러운 폭우〔스콜〕.
「투계.
cóck·fight *n.* 투계, 닭싸움. [파] **~·ing** *n.* [U]
cóck·hòrse *n.* (장난감) 말(hobbyhorse)《지팡이나 어른의 무릎 따위》, 흔들목마(木馬). ***on*** (***a***) ~ 흔들목마를〔사람 무릎, 죽마 등을〕 타고; 득의만면하여. ***—ad.*** ~를 타고, 의기양양하게.
cock·ish [kάkiʃ/kɔ́k-] *a.* 《구어》 =COCKY[1].
cock·le[1] [kάkəl/kɔ́kəl] *n.* 새조개(의 조가비); 작은 배(cockleboat); 《미》 표어를 넣는 조개 모양의 과자. ***the ~s of the*** 〔a person***'s***〕 ***heart*** 마음속: delight 〔warm〕 *the ~s of the heart* 아무를 기쁘게 하다, (마음을) 훈훈하게 해주다.
cock·le[2] *n.* (종이·가죽 따위의) 주름(wrinkle), 부풂. ***—vt.***, *vi.* 주름잡(히)다; 부풀게 하다; 잔물결이〔을〕 일(게 하)다.
cock·le[3] *n.* 〖식물〗 선옹초《잡초》.
cock·le[4] *n.* 방열형(放熱型) 난로의 일종.
cóckle·bòat *n.* 작은〔가벼운〕 배.
cock·le·bur, -burr [kάkəlbə̀ːr/kɔ́k-] *n.* 〖식물〗 우엉; 도꼬마리속.
cóckle·shèll *n.* 새조개의 조가비; =COCKLEBOAT.
cóckle stàirs 나선 층층대.
cóck·lòft *n.* (조그만) 고미다락방.
◇**cock·ney** [kάkni/kɔ́k-] *n.* **1** (종종 C-) **a** 런던내기《특히 East End 방면의》. [cf.] Bow bells. **b** [U] 런던 사투리〔말씨〕. **2** 《Austral.》 참돔 무리 식용어(snapper)의 치어. **3** 《폐어》 응석둥이; 나약한 도시인; 꾀까다로운 여자. ***—a.*** 런던내기(풍)의; 런던 말씨의: a ~ accent 런던 말씨〔사투리〕. [파] **~·ish** *a.*
cock·ney·dom [kάknidəm/kɔ́k-] *n.* 〖집합적〗 런던내기들(cockneys); 런던내기 기질; 런던내기 거주 구역.

cock·ney·ese [kὰkniːíːz/kɔ̀k-] *n.* 런던 말씨의 영어.
cock·ney·fy, -ni- [kάknifài/kɔ́k-] *vt.* 런던내기식으로 하다. [파] **còck·ney·fi·cá·tion, -ni-** *n.*
cóck·ney·ìsm *n.* 런던내기풍; 런던 말씨《'plate'를 [plait], 'house'를 [æus]로 발음하는 따위》.
Cóckney Schòol 19세기의 런던 토박이 작가들, 런던파(派).
cóck·pìt *n.* **1** 투계장(鬪鷄場); 싸움터, 전란의 터. **2** (비행기·우주선·요트 따위의) 조종〔조타〕실, (요트·보트 따위의) 선미(船尾) 좌석; (옛 군함의) 최하 갑판 후부의 사관실《전시에는 부상병용》. **3** 〖지학〗 콕피트《Jamaica의 석회질 지형에 특징적으로 보이는 우묵한 땅》.
cóckpit créw 〖항공〗 운항 승무원《조종실에서 조종하거나 기기를 조작하는》.
cóckpit vóice recòrder 〖항공〗 (조종실) 음성 기록 장치《생략: CVR》.
cock·roach [kάkròutʃ/kɔ́k-] *n.* 〖곤충〗 바퀴; 《미속어》 소기업가, 자잘한 일로 몹시 바쁜 사람.
cócks·còmb *n.*(닭의) 볏; 〖식물〗 맨드라미; (어릿광대의) 깔때기 모자.
cócks·fòot *n.* [U] =ORCHARD GRASS.
cóck·shòt, -shy *n.* 표적 떨어뜨리기《막대기·돌 따위를 표적에 던지는 놀이》; 그 표적; 그 한 번 던지기.
cóck·shùt *n.* 《영방언》 석양, 해질 녘; 황혼.
cócks·màn [-mæ̀n] *n.* 《비어》 난봉꾼; 섹스에 강한 남자; 바람둥이; 색마.
「내.
cóck spárrow 수참새; 《구어》 건방진 작은 사
cóck·spùr *n.* 며느리발톱; 산사나무속(屬)의 일종; 날도래의 유충《낚싯밥》.
cóck·sùcker *n.* 《비어》 남자 성기를 빠는 자, 여자역 호모; 아첨꾼; 치사한〔더러운〕 놈, 상놈. [파] **cóck·sùcking** *a.* 《비어》 구제할 길 없는, 비열한.
cóck·súre *a.* 확신하는, 꼭 믿는《*of; about*》; 독단적인, 자만심이 센; 절대 확실한, 반드시 …하는(certain)《*to* do》. [파] **~·ly** *ad.* **~·ness** *n.* [U]
cock·swain [kάksən, -swèin/kɔ́k-] *n.* =COXSWAIN.
cock·sy [kάksi/kɔ́k-] *a.* =COXY.
◇**cock·tail**[1] [kάktèil/kɔ́k-] *n.* **1** 칵테일. **2** 프루츠칵테일《식욕을 돋우기 위해 식전에 칵테일글라스에 넣어서 내는 전채(前菜)·주스 따위》. **3** 새우〔굴〕 칵테일《새우·굴 따위에 소스를 친 전채》. **4** 차게 한 과일 주스《전채》. **5** 《미속어》 마리화나가 든 담배. ***—a.*** 칵테일(용)의, 칵테일파티용의: a ~ hat. ***—vt.*** …을 위해 칵테일파티를 열다. ***—vi.*** 칵테일을 마시다.
cock·tail[2] *n.* **1** 꼬리 자른 말; 순종이 아닌 경마말. **2** 뱀뱀이 없는 인물, 벼락출세자(upstart).
cócktail bèlt 교외의 고급 주택 지대. [cf.] commuter belt.
「회복》.
cócktail drèss 칵테일드레스《여성의 약식 야
cóck·tàiled *a.* 꼬리를 짧게 자른; 꼬리를 위로 버쩍 올린.
cócktail glàss 칵테일글라스《굽이 있음》.
cócktail hòur 칵테일 아워《저녁 식사 전 4-6시가 보통》.
cócktail lòunge 칵테일 라운지《호텔·공항 따위에서 칵테일을 제공하는 휴게실》.
cócktail pàrty 칵테일파티.
cócktail pàrty phenòmenon 칵테일파티 현상《주위에서 여러 사람이 잡담을 하고 있어도 상대의 말을 제대로 들을 수 있는 것》.
cócktail sàuce 새우〔굴〕 칵테일용 소스.
cócktail shàker 칵테일 셰이커.
cócktail stìck 칵테일 스틱《칵테일의 체리나 올리브 따위에 꽂는 이쑤시개 모양의 것》.

cócktail tàble =COFFEE TABLE.
cóck tèaser 〔**tèase**〕《비어》 아슬아슬하게 유혹하면서 몸은 허락지 않는 여자.
cóck·ùp, cóck-ùp *n.* **1** (물건 끝의) 튀어오름, 휘어처짐, 말려오름. **2** 앞 챙이 휘어오른 모자. **3** 〖인쇄〗 글자 어깨에 붙은 (숫)자〔활자〕. **4** 《영속어》 엉망진창, 지리멸렬. **5** 《Ind.》 〖어류〗 가숭어(beckti).
cocky[1] [káki/kɔ́ki] (***cock·i·er; -i·est***) *a.* 《구어》 건방진, 자만심이 센. ㊞ **cóck·i·ly** *ad.* **-i·ness** *n.*
cocky[2] 《Austral.구어》 *n.* 소농(小農); 〖조류〗 왕관앵무(cockatiel).
cocky·leek·ie, -leeky [kàkilíːki/kɔ̀k-] *n.* 《Sc.》 부추 넣은 닭고기 수프(cock-a-leekie).
cock·y·ól·ly bìrd [kàkiáli-/kɔ̀kiɔ́li-] 《소아어》 새, 짹짹.
◇**co·co** [kóukou] (*pl.* **∼s** [-z]) *n.* 〖식물〗 (코코)야자수(coconut palm); 그 열매〔씨〕; 《속어》 (사람의) 머리(head).
⁑**co·coa**[1] [kóukou] *n.* Ⓤ **1** 코코아《cacao 씨의 가루》. **2** 코코아 (음료). **3** 코코아색, 다갈색.
— *a.* 코코아(색)의. **—** *v.* 〘다음 관용구로〙 ***I should*** **∼*!*** 《구어》 그렇고말고《I should say so. 의 운속(韻俗)》, 〘반어적〙 천만에, 그렇지 않아(certainly not); 《속어》 조금도 상관없어.
co·coa[2] *n.* =COCO 《철자의 잘못》.
cócoa bèan 카카오 열매.
cócoa bùtter =CACAO BUTTER.
cócoa nìb 카카오씨의 떡잎.
◇**co·co(a)·nut** [kóukənʌ̀t] *n.* **1** 코코야자 열매, 코코넛. **2** 《미속어》 (사람의) 머리; 《미속어》 1 달러; (*pl.*) 《속어》 풍만한 젖통이. ***the milk in the*** **∼** ⇨ MILK.
co·co·mat [kóukoumæ̀t] *n.* 코코야자 열매의 섬유로 만든 깔개.
co·cón·scious *n.*, *a.* 〖심리〗 공의식(共意識)(적인). ㊞ **∼·ness** *n.*
cò-conspírator *n.* 공모자, 모의 친구.
coconut ⇨ COCO(A)NUT.
cóconut ìce 설탕 · 말린 코코넛으로 만든 과자.
cóconut màtting =COCOMAT.
cóconut mìlk 〔**wàter**〕 야자열매 즙.
cóconut òil 코코넛 기름《비누용》.
cóconut pàlm 〔**trèe**〕 야자수.
cóconut shỳ 《영》 코코넛 떨어뜨리기《코코넛을 표적 또는 상품으로 함》.
◇**co·coon** [kəkúːn] *n.* **1** 고치. **2** (거미 따위의) 난낭(卵囊). **3** 따스한 덮개; 보호 피막(被膜)《기계류 · 함선 따위가 녹슬지 않도록 입히는 피복재》. **4** (보호 · 밀폐를 위한) 덮개, 고치 모양의 포장〔봉입〕. **—** *vi.* **1** 고치를 만들다. **2** (사람이) …에 들어박히다. **—** *vt.* **1** (고치처럼) 꼭 덮다, 감싸다. **2** (총 · 비행기 따위에) 보호 피막을 입히다. **3** 감싸서 보호하다; 격리하다. ㊞ **∼·ery** [-əri] *n.* 양잠소(養蠶所).
cóco pàlm =COCONUT PALM.
co·cotte [koukát/kɔkɔ́t] *n.* 《F.》 《옛투》 (파리의) 매춘부, 매음; 소형 내화(耐火) 냄비.
co·co·yam [kóukoujæ̀m] *n.* 토란(taro).
Coc·teau [kaktóu/kɔk-] *n.* **Jean ∼** 콕토《프랑스의 시인 · 작가 · 전위 작가; 1889-1963》.
co·cur·ric·u·lar [kòukəríkjələr] *a.* 정규 과목과 병행한.
cod[1] [kad/kɔd] (*pl.* **∼s,** 〘집합적〙 **∼**) *n.* **1** 〖어류〗 대구(codfish). **2** 《영방언》 (콩 등의) 꼬투리(pod). **3** 《고어》 주머니; 음낭(scrotum).
cod[2] (***-dd-***) *vt.*, *vi.* 《영속어》 속이다, 놀리다.
COD 〖화학〗 chemical oxygen demand(화학적 산소 요구량); 〖군사〗 carrier onboard delivery《해상에 있는 항모에 인원 · 보급 물자 등의 공수》. **C.O.D.** Concise Oxford Dictionary. **C.O.D., c.o.d.** collect 〔《영》 cash〕 on delivery: send (a thing) ∼ 대금 상환으로 보내다.
co·da [kóudə] *n.* 《It.》 〖음악〗 코다; (문예 작품 · 연극의) 종결부; (고전 발레의) 피날레. 「(堆).
cód·bànk *n.* (해저의) 대구가 많이 모이는 퇴
cod·der [kádər/kɔ́d-] *n.* 대구잡이 배〔어부〕.
cod·ding [kádiŋ/kɔ́diŋ] *n.* Ⓤ 대구잡이.
cod·dle [kádl/kɔ́dl] *vt.* 어하여〔소중히〕 기르다《*up*》; 맛난 것을 많이 먹이다《*up*》; 뭉근한 불로 삶다. **—** *n.* 《구어》 응석받이로 자란 사람, 약골; 나약한 사람; 《Ir.》 햄과 베이컨 조각으로 만드는 스튜.
⁑**code** [koud] *n.* **1** 법전: the civil 〔criminal〕 ∼ 민법〔형법〕 / the code of civil 〔criminal, penal〕 procedure 민사〔형사〕 소송법 / the *Code* of Hammurabi 함무라비 법전 / ∼ of honor 사교 의례, 《특히》 결투의 예법. **2** (어떤 계급 · 사회 · 동업자 등의) 규약, 규칙: moral ∼ 도덕률. **3** 신호법; 암호, 약호: a ∼ telegram 암호 전보 / a telegraphic ∼ 전신 부호〔약호〕 / the International Code 만국 선박 신호; 만국 공통 전신 부호 / break the enemy's ∼*s* 적의 암호를 해독하다. **4** 〖컴퓨터〗 코드; 〖유전〗 (생물의 특징을 정하는) 유전 암호(genetic ∼). ***the*** **∼** ***of silence*** = the vow of silence. ***the penal*** **∼** 형법전.
— *vt.* **1** 법전으로 작성하다. **2** (전문(電文)을) 암호로 하다. **3** 〖컴퓨터〗 (프로그램)을 코드화하다. **—** *vi.* (특정한 단백질 등을 합성키 위해) 유전 암호를 지정하다《*for*》. ㊞ **cód·a·ble** *a.*
CODE Cable Online Data Exchange.
códe bòok 전신 약호장; 암호책.
códe·brèaker *n.* 암호 해독자.
códe·brèaking *n.* 암호 해독.
co·dec [kóudèk] *n.* 〖통신〗 부호기(符號器), 복호기(復號器)《컴퓨터에서 전화 회선을 사용하여 데이터를 송수신하기 위한 기기》. [◂ *coder decoder*]
cò-decíde *vt.* 공동으로 정하다.
cò·declinátion *n.* 〖천문〗 여적위(餘赤緯), 극거리《적위의 여각》. 「도.
códe dàting 《미》 (식품 등에의) 날짜 표시 제
cò·defèndant *n.* 〖법률〗 공동 피고.
códe gròup 부호군(符號群)(code word).
co·deine [kóudiːn] *n.* Ⓤ 코데인《아편에서 채취되는 진통 · 진해 · 수면제》.
co·den [kóudən] (*pl.* **∼**) *n.* 도서분류코드《대개, 대문자 알파벳 네자(字)와 아라비아 숫자 두자로 이루어짐》.
códe nàme 암호용 문자〔이름〕, 코드명(名).
códe-nàme *vt.* …에 코드명을 붙이다.
Code Na·po·lé·on [F. kɔdnapɔleɔ̃] 《F.》 나폴레옹 법전.
CODENE *Comité pour le Désarmement Nucleaire en Europe*《F.》(=Committee for Nuclear Disarmament in Europe).
códe nùmber 코드 번호.
Códe of Mánu (the ∼) 마누 법전《기원전 250 년경에 제정된 힌두교의 가장 중요한 법전》.
códe of práctice 업무 규준.
co·depéndance *n.* 공의존(共依存)《식구 중 알코올〔마약〕 의존증 환자가 있을 때, 그 가족에게서 볼 수 있는 생활 문제 해결의 기능 부전; 남에 대한 과도한 책임감 등을 특징으로 함》.
cod·er [kóudər] *n.* 〖컴퓨터〗 코더《coding 하는 사람》.
códe réd 〘감탄사적〙 큰일이다, 야단났는데《급박한 상황을 나타냄》.
códe-swìtching *n.* 한 언어〔방언〕 체계에서 다른 체계로 전환함.
cò·determinátion *n.* 노동자의 경영 참가;

《미》(정부와 의회의) 공동 (정책) 결정. 「코다》.
co·det·ta [koudétə] *n.* 《It.》 〖악기〗 코데타《짧은
códe wòrd = CODE NAME; CODE GROUP; 공격적인 뜻을 가진 완곡한 말, 완곡 어구.
co·dex [kóudeks] (*pl.* ***-di·ces*** [koudəsìːz, kád-/kóud-, kɔ́d]-) *n.* (성서·고전의) 사본; 약전(藥典); 《고어》 법전(code). 「구(cod).
cód·fish (*pl.* **~·es,** 〔집합적〕 **~**) *n.* 〖어류〗 대
códfish càke 《미》 대구와 감자를 다져 튀긴 음식.
codg·er [kádʒər/kɔ́dʒ-] *n.* 《구어》 괴짜, 괴팍한 사람《주로 노인》; 《영방언》 구두쇠.
cod·i·cil [kádəsəl/kɔ́d-] *n.* 〖법률〗 유언 보족서(補足書); 〔일반적〕 추가 조항, 부록. [파] **cod·i·cil·la·ry** [kàdəsíləri/kɔ̀d-] *a.* 유언 보족서의; 추가(조항)의.
co·di·col·o·gy [kòudəkálədʒi/-kɔ́l-] *n.* (고전·성서 등의) 사본 연구, 사본학. [◂ codex+-logy] [파] **cò·di·co·lóg·i·cal** *a.*
cod·i·fi·ca·tion [kàdəfikéiʃən/kɔ́d-] *n.* [U] 법전 편찬; 성문화, 법전화(化).
cod·i·fy [kádəfài/kɔ́d-] *vt.* 법전으로 편찬하다; 성문화하다; (조목별로) 요약하다. [파] **cód·i·fi·er** *n.* 법전 편찬자〔집성자〕.
cod·ing [kóudiŋ] *n.* 법전화; 전문의 암호화; 〖컴퓨터〗 부호화《정보를 계산 조작에 편리한 부호로 바꾸는 일》.
cò·discóverer *n.* 공동 발견자.
cod·ling[1]**, -lin** [kádliŋ/kɔ́d-], [-lən] *n.* 덜 익은 작은 사과; 갸름한 요리용 사과; = CODLING MOTH. 「용어(hake).
cod·ling[2] *n.* 〖어류〗 새끼 대구; 대구 비슷한 식
códlin(g) mòth 나방의 일종《과수의 해충》.
cód·lins and créam [kádlənz-/kɔ́d-] 〖식물〗 분홍바늘꽃(fireweed).
cód-liver óil [kádlivər-/kɔ́d-] 간유.
co·dom·i·nant [koudámənənt/-dɔ́m-] *a.* 〖생태〗 (생물 군락 중에서) 공우점종(共優占種)의; 〖유전〗 (헤테로 표현도(表現度)에서) 공우성(共優性)의. **—** *n.* 공우점종.
co·don [kóudan/-dɔn] *n.* 〖유전〗 코돈《세 핵산 염기로 만들어지는 유전 암호의 단위》.
cod·piece [kádpìːs/kɔ́d-] *n.* **1** (15-16세기의) 남자 바지(breech) 앞의 불룩한 부분. **2** 《폐어》 음경. 「로 운전하는 사람.
cò-dríver *n.* (특히 자동차 경주 따위에서) 교대
cods·wal·lop [kádzwáləp/kɔ́dzwɔ̀ləp] *n.* [U] 《영속어》 어처구니없음, 난센스.
cód wàr 대구 전쟁《대구 자원을 둘러싼 영국과 아이슬란드의 분쟁; 1958, 1972-73, 1975-76》.
co·ed, co-ed [kóuéd] (*pl.* **~s**) *n.* 《구어》 (남녀 공학의) 여학생; 《영》 남녀 공학 학교〔대학〕. **—** *a.* 남녀 공학의; 양성에 맞는; 남녀 다 채용하는, 남녀 혼합이 되는; co-ed 의; 《미속어》 꼭 들어맞는: go ~ (학교가) 공학이 되다. [◂ *coed*ucational student]
cóed dórm 《미》 (대학의) 남녀 공동 기숙사.
co·édit *vt.* 공동 편집하다. 「한) 동시 출판.
cò·edítion *n.* (다른 언어·나라·출판사에 의
co·éditor *n.* 공편자(共編者). [파] **~·ship** *n.* 공동 편집. 「다〔받다〕.
co·éducate *vt., vi.* 남녀 공학의 교육을 실시하
cò·educátion *n.* [U] 남녀 공학. [파] **~·al** *a.*
coef(f). coefficient. ⌊**~·ally** *ad.*
cò·effícient *a.* 공동 작용〔작업〕의(cooperating), 협력하는. **—** *n.* 공동 작인(作因); 〖수학·물리〗 계수(係數), 율(率); 정도; 〖컴퓨터〗 계수: a differential ~ 미분 계수. ***a ~ of correlation*** 〖통계〗 상관 계수. ***a ~ of viscosity*** 〖물리〗 점성 계수〔률〕. ***the ~ of expansion*** 팽창 계수. ***the ~ of friction*** 마찰 계수.
coel- [siːl], **coe·lo-** [síːlou, -lə] '체강(體腔), 강(腔)'의 뜻의 결합사.
coe·la·canth [síːləkæ̀nθ] *n.* 〖어류〗 실러캔스《현존하는 중생대의 강극어(腔棘魚)의 일종》. **—** *a.* 강극어류의. [파] **còe·la·cán·thine, -cán·thous** [-θain, -θin], [-θəs] *a.*
coe·lan·a·glyph·ic [silæ̀nəglífik] *a.* (특히 고대의 조각이) 음각(陰刻)인, 음각으로 만든.
-coele [sìːl] '체강(體腔)'의 뜻의 결합사.
coe·len·ter·ate [siːléntərèit, -rət] *n., a.* 강장동물(의)《히드라·해파리 등》. 「의.
coe·li·ac, ce·li- [síːliæ̀k] *a.* 〖해부〗 배〔복강〕
coe·lom, -lome [síːləm], [-loum] (*pl.* ***-loms, -lo·ma·ta*** [siːlóumətə]) *n.* 〖동물〗 체강. [파] **-lom·ic** [silámik, -lóum-/-lɔ́m-, -lóum-] *a.*
coe·lo·mate [síːləmèit, silóumət/silóumit] *a.* 체강(體腔)을 가진. **—** *n.* 체강동물, 유강(有腔)동물.
coe·lo·stat [síːləstæ̀t] *n.* 〖천문〗 실로스탯《두 장의 평면 반사경으로 천체의 빛을 일정 방향으로 보내는 장치》.
co·empt [kouémpt] *vt.* (가격 조작을 목적으로) 매점하여 지배하다. [파] **-émp·tion** *n.*
coe·nes·the·sia, ce- [sìːnəsθíːʒə] *n.* 〖심리〗 체감(體感)(= **còe·nes·thé·sis**)《건강감·허탈감 같은 느낌의 막연한 전신의 감각》.
coe·no- [síːnou, -nə, sèn-/síːnou, -nə] '공통의, 보편의'의 뜻의 결합사.
coenobite ⇨ CENOBITE.
coe·no·cyte [síːnəsàit, sénə-/sínə-] *n.* 〖생물〗 다핵체(多核體). [파] **còe·no·cýt·ic** [-sít-] *a.*
còeno·spécies ⇨ CENOSPECIES.
co·en·zyme [kouénzaim] *n.* [U] 〖생화학〗 조(助)효소. [파] **-èn·zy·mát·ic** *a.* **-i·cal·ly** *ad.*
coénzyme Á 〖생화학〗 조효소 A《당질(糖質)이나 지질(脂質) 대사에 중요 역할을 함; 생략; Co A》.
coénzyme Q́ 〖생화학〗 조효소 Q《전자 전달체 기능을 지닌 퀴논(quinone)》.
co·e·qual [kouíːkwəl] *a., n.* 동등한 (사람), 동격의 (사람). [파] **~·ly** *ad.* **co·e·qual·i·ty** [kòuiːkwáləti/-kwɔ́l-] *n.* [U] 동등, 동격.
co·erce [kouə́ːrs] *vt.* **1** 《~+[목]/+[목]+[전]+[명]/+[목]+*to* do》 강요하다, 강제하다(force); (아무를) 강요하여 …하게 하다《*into*》: ~ obedience 복종을 강요하다/~ voters *with* a high hand 고압 수단으로 유권자에게 압력을 가하다/~ a person *to* drink 〔*into* drink*ing*〕 아무에게 억지로 술을 마시게 하다. **2** (법률·권위 따위로) …을 억압〔구속〕하다, 지배하다. [파] **co·ér·ci·ble** *a.* 강제〔위압〕할 수 있는. **co·érc·er** *n.*
co·er·ci·met·er [kòuəːrsímitər] *n.* 보자력〔항자력〕계(計).
co·er·cion [kouə́ːrʃən] *n.* [U] 강제; 위압; 압제 정치. [파] **~·ary** [-éri/-əri] *a.* = COERCIVE. **~·ist** [-ist] *n.* 강압 정치론자.
co·er·cive [kouə́ːrsiv] *a.* 강제적인, 위압적인, 고압적인. [파] **~·ly** *ad.* **~·ness** *n.*
co·er·civ·i·ty [kòuəːrsívəti] *n.* 〖물리〗 (재료의) 보자력(保磁力).
coércive fórce 〖물리〗 항자력(抗磁力), 보자력.
COESA 《미》 Committee on Extension to the Standard Atmosphere (표준 대기 달성 위원
coe·site [kóusait] *n.* 〖광물〗 코사이트. ⌊회).
cò·esséntial *a.* 동소(同素)의, 동체(同體)의, 동질의《*with*》; 〖신학〗 (신성(神性)이) 일체인. [파] **~·ly** *ad.*
co·e·ta·ne·ous [kòuitéiniəs] *a.* 같은 시대

〔기간〕의(coeval). ⊕ ~·ly *ad.*
cò·etérnal *a.* 영원히 공존하는. ⊕ ~·ly *ad.*
cò·etérnity *n.* Ⓤ 영원한 공존.
co·e·val [kouíːvəl] *a.* 같은 시대의; 동연대의; 동기간의《*with*》. ── *n.* 동시대〔동연대〕의 사람〔것〕. ⊕ ~·ly *ad.* 「동연대.
co·e·val·i·ty [kòuivǽləti] *n.* Ⓤ 동(同)시대,
cò·evolútion *n.* 〖생물〗 공(共)진화, 상호 진화. ⊕ ~·àry *a.*
cò·evólve *vi.* 〖생물〗 공(共)진화하다.
cò·exécutor (*fem.* **-trix** [-triks]) *n.* 〖법률〗 (유언 등의) 공동 집행자.
cò·exíst *vi.* 같은 때〔장소〕에 존재하다; (평화) 공존하다《*with*》. ⊕ ~·ence *n.* Ⓤ 공존(共存), 병립(倂立): peaceful ~*ence* 평화 공존. ~·ent *a.* 공존하는; 같은 시대의《*with*》.
cò·exténd *vi.*, *vt.* 같은 너비〔길이〕로 퍼지(게 하)다. ⊕ **-ténsion** *n.* (공간적·시간적으로) 같은 범위〔연장〕.
cò·exténsive *a.* 같은 시간〔공간〕에 걸치는; 〖논리〗 동연(同延)의. ⊕ ~·ly *ad.*
cò·extrúsion *n.* 〖공학〗 동시압출(壓出).
co·fáctor *n.* 〖수학〗 공통 인자, 여(餘)인자〔인수〕; 〖생화학〗 공동 인자, 보조 요인.
C. of C. Chamber of Commerce, coefficient of correlation. **C. of E.** Church of England.
có·fèature *n.* (연예 등의) 주(主)공연물에 딸리는 (부차적인) 상연물.
†**cof·fee** [kɔ́ːfi, kɑ́fi/kɔ́fi] *n.* Ⓤ,Ⓒ **1** 커피《나무·열매·음료》; 커피색, 다갈색; 한 잔의 커피. ★ '커피 몇 잔'의 뜻이 되면 복수형을 씀: order four ~*s* 커피 넉 잔 주문하다 / Let's have a ~. 커피 마시자 / Two ~*s*, please. 커피 두 잔이요. **2** (커피가 나오는) 다과회《사교 모임》; =COFFEE HOUR: have a ~ for the new mayor 새 시장을 위해 다과회를 열다.
cóffee-ánd *n.* Ⓤ 《구어》 커피와 스낵《가장 가벼운 식사》; 《속어》 최저 생활필수품. 「수, 푼돈.
cóffee and cáke(s) 《미속어》 형편없이 싼 보
cóffee-and-cáke-tìme *n.* 《속어》 (돈이 떨어져) 한탕해서 돈을 벌어야 할 시기; (도둑들이) 한탕 털 수 있는 시기〔장소〕.
cóffee bàg (1인분의 커피를 넣은) 커피백.
cóffee bàr 《영》 다방 겸 경양식점.
cóffee bèan 커피콩.
cóffee·bèrry *n.* 미국 북서부산의 상록 관목《커피 열매와 비슷한 열매를 맺음》.
cóffee brèak (오전·오후의) 차 마시는 시간, 휴게 (시간). ⓒⓕ tea break.
cóffee càke 커피 케이크《아침 식사에 먹는 과자, 빵 종류》.
cóffee-còlored *a.* 커피색의, 암갈색의.
cóffee cùp 커피 잔.
cóffee grìnder **1** 커피 가는 기계. **2** 《속어》 털털이 자동차; 《미속어》 허리를 흔드는 스트리퍼; 《미속어》 매춘부; 《미속어》 영화 제작소의 카메라맨; 《미속어》 (제2차 세계 대전 중의) 항공기의 엔진.
cóffee gròunds 커피 찌끼.
còffee·hólic *n.* 커피 중독자.
cóffee hòur (특히 정례의) 딱딱하지 않은 다과회; =COFFEE BREAK.
cóffee·hòuse *n.* (가벼운 식사를 할 수 있는) 커피점〔다방〕《영국에서 17-18세기엔 문인·정객의 사교장》. ── *vi.* 잡담하다. 「임, 다과회.
cóffee klàt(s)ch 커피를 마시며 잡담하는 모
cóffee-klàt(s)ch *vi.* coffee klat(s)ch를 열다〔에 가다〕. 「정 방문 유세.
cóffee-klát(s)ch campàign 〖미정치〗 가
cóffee lìghtener (유제품으로 만들지 않은) 커피용 크림 대용품(=**cóffee whìtener**). 「구.
cóffee machìne 커피 자판기; 커피 끓이는 기
cóffee màker 커피를 갈아서 끓이는 사람; 커피 판매 회사〔업자〕; 《미》 커피 끓이는 기구.
cóffee mìll 커피 가는 기구.
cóffee mòrning 아침의 커피 파티《종종 모금을 위한》.
cóffee plànt 커피나무.
cóffee·pòt *n.* 커피포트, 커피 (끓이는) 주전자; 《미속어》 (심야 영업의) 간이식당.
cóffee ròom 다방.
cóffee sèrvice 커피세트《보통 순은 또는 은도금한 찻주전자·설탕 단지·크림 종지·쟁반으로 됨》. 「SERVICE.
cóffee sèt (도자기의) 커피세트; =COFFEE
cóffee shòp 다방; (호텔 등의 간단한 식당을 겸한) 다실; 커피콩 파는 가게.
cóffee spòon demitasse cup용의 작은 스푼.
cóffee stàll 〔**stànd**〕 커피 파는 노점.
cóffee tàble 커피용 작은 탁자, (소파 따위의 앞에 놓는) 낮은 테이블.
cóffee-tàble *a.* coffee table용의.
cóffee-table bòok (본문보다 삽화·사진이 중심인) coffee table용의 호화로운 책(자).
cóffee tàvern 간이식당《원래는 술을 취급하지 않았음》. 「TREE.
cóffee trèe 커피나무; =KENTUCKY COFFEE
cof·fer [kɔ́ːfər, kɑ́f-/kɔ́f-] *n.* **1** 귀중품 상자, 돈궤. **2** (*pl.*) 금고; 자산, 재원, 기금(funds): the state ~*s* 국고. **3** 방죽; 잠함(潛函)(caisson); 〖건축〗 (소란반자 등의) 소란(小欄), 정간(井間). ── *vt.* 상자에 넣다; 금고에 넣다; 안전히 보관하다, 비장(秘藏)하다; 소란으로 장식하다; (흐르는 물 등을) 막다. ⊕ ~·like *a.*
cóffer·dàm *n.* 〖토목〗 (일시적으로 물을 막는) 방죽; 잠함(潛函); 〖조선〗 코퍼댐《흘수선(吃水線) 밑 수리용의 울》.
cóf·fer·ing [-riŋ] *n.* 소란(小欄)반자.
°**cof·fin** [kɔ́ːfin, kɑ́f-/kɔ́f-] *n.* **1** 관(棺), 널. **2** 굽통《말의 굽뼈가 있는 부분》; 〖인쇄〗 전주판(電鑄版)〔연판〕을 끼우는 틀의 테(=∠ **blòck**). **3** 낡은 배(=∠ **shìp**); 《미속어》 위험한 차〔버스, 비행기 등〕. **4** 《미속어》 장갑차, 탱크; 금고. **5** 《CB 속어》 트럭 운전석 뒤쪽에 수면용으로 칸막은 부분. ***drive a nail into*** one's ~ (무절제·고민 등으로) 수명을 줄이다. ***in*** one's ~ 죽어, 매장되어. ── *vt.* **1** 관에 넣다, 입관하다. **2** 단단히 가두어 넣다, (책 따위를) 사장(死藏)하다. ⊕ ~·less *a.* 관 없는.
cóffin bòne 굽뼈.
cóffin còrner 〖미식축구〗 코핀 코너《punt 하는 팀에서 보아 상대방 골라인과 10야드 라인간의 양귀퉁이》.
cóffin jòint (말 따위의) 굽관절.
cóffin nàil 《속어》 종이로 만 담배(cigarette); 《속어》 생명을 단축시키는 것, 술 한잔.
cóffin plàte 관 뚜껑에 다는 금속 명찰《성명·사망 연월일을 기입》.
cof·fle [kɔ́ːfəl, kɑ́fəl/kɔ́fəl] *n.* (사슬 따위에 함께 묶인) 한 무리의 노예〔짐승〕.
cof·fret [kɔ́ːfrət, kɑ́f-/kɔ́f-] *n.* 귀중품을 보관하는 상자, 보석함. 「치관을 가지는.
cò·fígurative *a.* 각 세대(世代)가 독자적인 가
co·fóunder *n.* 공동 창설〔창립〕자.
C. of S. Chief of Staff.
có·fùnction *n.* 〖수학〗 여함수(餘函數).
cog[1] [kɑg, kɔːg/kɔg] *n.* (톱니바퀴의) 이; 큰 조직 속에서 톱니바퀴의 이와 같이 작은 역할을 하는 사람; 〖목공〗 장부. ***slip a*** ~ 실수하다, 그르치다. ── (**-gg-**) *vt.* 장부촉으로 잇다; 〖야금〗 (강괴(鋼塊)를) 분해 압연하다.
cog[2] *n.* 사기, 속임수. ── (**-gg-**) *vt.*, *vi.* (주사위 굴리기에서) 농간을 부리다; 사기하다.

cog[3] *n.* 작은 어선; 소형 보트.
cog. cognate. **c.o.g.** center of gravity.
Co·gas [kóugæ̀s] *n.* 석탄·석유에서 채취하는 가스. [◂ coal-oil-*gas*] 「설득력.
co·gen·cy [kóudʒənsi] *n.* Ⓤ (의논·추론의)
co·génerate *vi.* 폐열(廢熱) 발전을 하다.
cò·generátion *n.* 폐열(廢熱) 발전《발전 시에 생긴 폐열을 냉난방·발전에 이용하는 것》; (증기 난방과 발전 등) 연료를 이중 목적으로 쓰는 일.
co·gent [kóudʒənt] *a.* 적절한, 설득력 있는; 강제력 있는. ㊞ **∼·ly** *ad.*
cogged[1] [kɑgd/kɔgd] *a.* 톱니바퀴가 달린.
cogged[2] *a.* (주사위가) 부정한 장치를 한.
cog·ging [kɑ́giŋ/kɔ́g-] *n.* **1** 〖집합적〗 (톱니바퀴의) 이. **2** 〖목공〗 장부.
cog·i·ta·ble [kɑ́dʒətəbəl/kɔ́dʒ-] *a.* 생각할〔궁리의 대상이 될〕 수 있는.
cog·i·tate [kɑ́dʒətèit/kɔ́dʒ-] *vi., vt.* 숙고하다, 궁리하다; 고안하다. ㊞ **còg·i·tá·tion** *n.* Ⓤ 사고(력), 숙고, 명상; (종종 *pl.*) (어떤) 생각, 고안, 계획. **cóg·i·tà·tor** [-tèitər] *n.* 심사숙고하는 사람.
cog·i·ta·tive [kɑ́dʒətèitiv, -tət-/kɔ́dʒitə-, -tèit-] *a.* 사고력 있는; 숙고하는; 생각에 잠기는. ㊞ **∼·ly** *ad.* **∼·ness** *n.*
co·gi·to, er·go sum [kɑ́dʒitòuə́:rgousʌ́m/kɔ́dʒ-] 《L.》 (=I think, therefore I am.) 나는 생각한다, 그러므로 나는 존재한다《Descartes의 말》.
cogn. cognate.
co·gnac [kóunjæk, kɑ́n-/kɔ́n-] *n.* Ⓤ 코냑《프랑스산 브랜디》; 〖일반적〗 (양질의) 브랜디.
cog·nate [kɑ́gneit/kɔ́g-] *a.* **1** 조상이 같은, 동족의(kindred). **2** 〖법률〗 여계친(女系親)의. ⓒⓕ agnate. **3** 같은 기원의; 같은 성질의, 동종의. **4** 〖언어〗 같은 어원〔어족〕의 《*with*》. **—** *n.* 동계자(同系者); 친족(relative); 외척(in-law); 기원〔성질〕이 같은 것; 〖언어〗 같은 어원〔어계, 어파〕의 말. ㊞ **∼·ly** *ad.* **∼·ness** *n.*
cógnate óbject 〖문법〗 동족(同族) 목적어《보기: *live* a happy *life*의 'life'》.
cog·nat·ic [kɑgnǽtik/kɔg-] *a.* 동족〔친족〕의; 여계친(女系親)의(cognate).
cog·na·tion [kɑgnéiʃən/kɔg-] *n.* **1** Ⓤ 동족 관계, 친족; 여계친(女系親). **2** 〖언어〗 동계(同系).
cog·ni·tion [kɑgníʃən/kɔg-] *n.* Ⓤ 인식(력·작용), 인지; 지각(된 것); 지식; 〖Sc. 법률〗 (정식) 인지. ㊞ **∼·al** [-əl] *a.*
cog·ni·tive [kɑ́gnətiv/kɔ́g-] *a.* 인식의; 인식력이 있는: ∼ power 인식력. ㊞ **∼·ly** *ad.* **còg·ni·tív·i·ty** *n.*
cógnitive díssonance 〖심리〗 인지적(認知的) 부조화《두 가지 모순되는 신념이나 태도를 동시에 취함으로써 가지게 되는 심리적 갈등》.
cógnitive ethólogy 인지(認知) 행동학《의식과 의도(意圖)가 동물에 미치는 영향을 연구하는 행동 생물학의 한 분야》.
cógnitive linguístics 인지 언어학.
cógnitive méaning 〖언어〗 지적 의미《외계 사물에 대한 감정이 내포되지 않은 의미》.
cógnitive psychólogy 인지(認知) 심리학《인지·학습·기억·추리 따위의 정신 활동을 연구하는 심리학의 한 분야》.
cógnitive scíence 인지(認知) 과학《심리학·언어학·컴퓨터 과학 등 인식에 관련한 제분야의 지식을 종합한 경험 과학》.
cógnitive thérapy 인지(認知) 요법《부정적 자아 인식과 기대(期待)로 인해 비뚤어진 사고(思考)를 정상화시킴으로써 울병의 징후를 치유해 가는 요법》.
cog·ni·tiv·ism [kɑ́gnətivìzəm/kɔ́g-] *n.* 〖철학·논리〗 인지주의(認知主義).
cog·ni·za·ble, -sa- [kɑ́gnəzəbəl, kɑgnái-, kɑ́n-/kɔ́gnə-, kɔ́n-] *a.* **1** 인식〔인지〕할 수 있는. **2** (법원의) 관할 내에 있는, 심리되어야 할《범죄 따위》. ㊞ **-bly** *ad.*
cog·ni·zance, -sance [kɑ́gnəzəns/kɔ́g-] *n.* Ⓤ **1** 인식; 지각; (사실의) 인지; 인식 범위: be 〔fall, lie〕 within 〔beyond, out of〕 one's ∼ 인식〔심리, 관할〕 범위 내이다〔밖이다〕 / have ∼ of …을 알고 있다 / lack of ∼ 인식 부족. **2** 감독; 〖법률〗 (입증이 필요 없는 명백한 사항에 대한) 법원의 사실 인정; 법원 관할권. **3** Ⓒ 기장(記章), 문장(紋章). ***take* ∼ *of*** …을 인정하다; …을 깨닫다; …을 (수리하여) 심리하다.
cog·ni·zant [kɑ́gnəzənt/kɔ́g-] *a.* 인식하고 있는《*of*》; 〖철학〗 인식력이 있는; 〖법률〗 재판 관할권〔심리권〕이 있는.
cog·nize [kɑ́gnaiz/kɔ́g-] *vt.* 〖철학〗 인지〔인식〕하다. ◇ cognition, cognizance *n.*
cog·no·men [kɑgnóumən/kɔgnóumen] (*pl.* **∼*s, -nom·i·na*** [-nɑ́mənə/-nɔ́m-]) *n.* **1** 성(姓). **2** 〖고대로마〗 셋째 이름, 가명(家名)《보기: Gaius Julius *Caesar*》. ⓒⓕ nomen, praenomen. **3** 이름, 명칭; 별명.
cog·nom·i·nal [kɑgnɑ́mənəl, -nóum-/kɔgnɔ́m-, -nóum-] *a.* 성(姓)의, 가명(家名)상의; 명칭상의; 동명의, 동성의. ㊞ **∼·ly** *ad.*
co·gno·scen·ti [kɑ̀njəʃénti, kɑ̀gnə-/kɔ́gnjə-, kɔ́gnə-] (*sing.* **-te** [-ti]) *n.* (미술·문학 등에) 능통한 사람; 감정가.
cog·nos·ci·ble [kɑgnɑ́səbəl/kɔgnɔ́s-] *a., n.* 〖철학〗 인식할 수 있는 (것).
cog·nos·ci·tive [kɑgnɑ́sətiv/kɔgnɔ́s-] *a.* 인식의, 인식력 있는.
cog·no·vit [kɑgnóuvit/kɔg-] *n.* 《L.》 승인서《피고가 원고의 신청이 정당함을 인정하는》.
cóg·ràil *n.* (아프트식철도의) 톱니꼴 레일.
cóg ràilway 톱니꼴 레일 철도(rack railway).
cóg·whèel *n.* 〖기계〗 톱니바퀴: ∼ railway 아프트식 철도.
co·hab·it [kouhǽbit] *vi.* (주로 미혼 남녀가) 동거 생활하다, (이종 동물 등이) 함께 서식하다《*with*》; 《고어》 동거하다. **—** *vt.* (같은 장소)에 함께 서식하다《*with*》. ㊞ **co·hàb·i·tá·tion** [-hæ̀bə-] *n.* Ⓤ 동거; 공동 생활〔생존〕; (특히 대통령과 야당 출신 수상과의) 정치적 공존〔협력〕.
co·hab·i·tate [kouhǽbətèit] *vi.* =cohabit.
co·hab·it·ee [kouhæ̀bətí:], **co·hab·i·tant** [kouhǽbətənt], **co·hab·i·tor, -it·er** [-hǽbətər] *n.* 동거자. 「대 보증인.
co·hánger *n.* 《미》 (자동차 구입 계약 시의) 연
co·heir [kouɛ́ər] (*fem.* **∼*ess*** [-ris]) *n.* 〖법률〗 공동 법정 상속인. ㊞ **∼·shìp** *n.* Ⓤ 공동 법정 상속 자격.
°**co·here** [kouhíər] *vi.* **1** 밀착하다; (분자가) 응집(凝集)하다; 〖식물〗 합착(合着)을 보이다. **2** (문체·이론 등이) 조리가 서다, 시종일관하다. **3** (주의 따위로) 결합하다, 일치하다, 모순되지 않다《*with*》.
co·her·ence, -en·cy [kouhíərəns/-híər-], [-ənsi] *n.* Ⓤ 부착(성); 응집(성); 결합; (문체·이론 등의) 통일, 시종일관성.
cohèrence théory 〖논리〗 정합설(整合說)《명제는 다른 많은 명제와 정합할 때에 '참'이라는 학설》.
°**co·her·ent** [kouhíərənt/-híər-] *a.* **1** 분명히〔똑똑히〕 말할 수 있는. **2** (의논 등이) 시종일관된, 이치가 닿는; 명석한. **3** 서로 엉겨붙는. **4** 통일성 있는. **5** 〖광학〗 가(可)간섭성의; 〖식물〗 합

착(合着)의; 『수학』 연접(連接)의. [파] ~·ly *ad.*

co·her·er [kouhíərər/-híər-] *n.* 『전기』 코히러《검파기(檢波器)의 일종》.

co·he·sion [kouhí:ʒən] *n.* **1** 점착(粘着), 결합; 단결, 유대. **2** 『물리』 응집(력); 『식물』 합착《동질의 세포나 기관이 처음부터 융합해 있는 현상》; 『언어』 결속성 (작용). [파] **~·less** *a.* 응집력 없는, 응집성 없는 입자로 된.

co·he·sive [kouhí:siv] *a.* 점착력이 있는; 밀착〔결합〕하는; 『물리』 응집력의〔있는〕: a ~ organization 단결한 조직. [파] **~·ly** *ad.* **~·ness** *n.*

co·ho·bate [kóuhoubèit] *vt.* 『약학』 재증류하다.

co·ho·mol·o·gy [kòuhəmálədʒi, -hou-/-hɔmɔ́l-] *n.* 『수학』 코호몰로지《위상(位相)론의 일부로, 위상 공간의 성질 연구에 군(group) 개념을 도입하며, 호몰로지 이론과 상보적 관계를 갖는 분야.》.

co·hort [kóuhɔ:rt] *n.* **1** 『고대로마』 보병대《300–600 명으로 구성》. [cf] legion. **2** (종종 *pl.*) 군세, 군대; 무리, 대(隊). **3** 일단《*of*》; 《미》 친구, 동료; 《구어》 지지자. **4** 『인구통계』 코호트《통계 인자를 공유하는 집단; 동시 출생 집단 등》; 『생물』 코호트《보조적인 분류상 계급의 하나》.

cóhort anàlysis 『심리』 동세대 분석.

co-host [kouhóust, ⌐⌐] *vt., vi.* (방송에서) 공동 사회를 보다. **—** *n.* [⌐⌐] 공동 사회자.

co·hóusing *n.* 공동 주택 (건설).

COHSE 《영》 Confederation of Health Service Employees (의료 관계자 조합).

C.O.I. 《영》 Central Office of Information.

cò·idéntity *n.* 두 가지(이상)의 것 사이의 동일성(同一性).

coif [kɔif] *n.* **1** (수녀 등의) 두건; (옛 병사가 투구 밑에 쓴) 금속제 쓰개; 《영》 (고등 변호사의) 흰 직모(職帽); 그 지위〔계급〕. **2** [kwɑ:f] 《구어》 =COIFFURE. **—** *vt.* **1** …에게 coif 를 씌우다. **2** [kwɑ:f] 조발(調髮)하다.

coif·feur [kwɑ:fə́:r] *n.* 《F.》 (남자) 이발사.

coif·feuse [kwɑ:fə́:z] *n.* 《F.》 여자 이발사.

coif·fure [kwɑ:fjúər] *n.* 《F.》 이발의 양식, 머리형; 조발(調髮); (여성용) 머리 장식(headdress). **—** *vt.* 조발하다.

coif·fured [kwɑ:fjúərd] *a.* 손질이 잘된; 곱게 빗은; 곱게 손질〔빗질〕한 머리의; 머리가 곱슬곱슬한.

coign(e) [kɔin] *n.* (벽 따위의) 돌출한 모서리, 뿌다구니; 구석돌. ***a* ~ *of vantage*** (관찰·행동 따위에) 유리한 지점〔입장〕.

***coil**¹ [kɔil] *n.* **1** 사리, 소용돌이. **2** (밧줄·철사 등의) 감은 것; 그 한 사리; 피임 링; 곱슬털; 나관(螺管). **3** 『전기』 코일. **4** 《미속어》 전기 장치, 《특히》 축전기, 발전기. **—** *vi.* 《~/+[전]+[명]》 사리를 틀다, 고리를 이루다, 감기다; 꿈틀꿈틀 움직이다〔나아가다〕: The snake ~*ed around* 〔*round*〕 its victim. 뱀은 먹이를 휘감았다. **—** *vt.* 《~+[목]/+[목]+[부]/+[목]+[전]+[명]》 똘똘 말다〔감다〕; 사리다; 똘똘 휘감다《*around; round*》: ~ a rope 로프를 둘둘 감다 / The snake ~*ed* itself *up*. 뱀은 서리었다 / He ~*ed* a wire *around* 〔*round*〕 a stick. 막대기에 철사를 똘똘 감았다. [파] ⌐**·er** *n.*

coil² *n.* 《고어·시어》 혼란, 소란. ***this mortal* ~** 이 속세의 괴로움.

cóil gùn 코일건《전자 유도에 의한 우주선 가속 「발사 장치」》.

coin [kɔin] *n.* **1** (낱낱의) 경화(硬貨), 화폐; 〔집합적〕 경화; 《구어》 돈, 금전: small ~ 잔돈 / a gold 〔silver〕 ~ 금화〔은화〕 / Much ~, much care. 《속담》 돈이 많으면 걱정도 많다. **2** 『건축』 (건물·벽의) 모서리; 구석돌. **~ *of the realm*** 《보통 우스개》 법정 화폐(legal tender). ***pay*** a person (***back***) ***in*** his ***own* ~** =***pay*** a person ***back in the same* ~** 아무에게 대갚음하다. ***the other side of the* ~** 《비유》 역(逆)의 입장.

— *vt.* **1** (화폐를) 주조하다(mint); (지금(地金)을) 화폐로 주조하다. **2** 《비유》 돈으로 바꾸다. **3** (신어·신표현을) 만들어 내다: a ~*ed* word 신조어(新造語). **—** *vi.* **1** 《영》 가짜 돈을 만들다. **2** 화폐를 주조하다. **~ *a phrase*** 새 표현을 만들어 내다: to ~ *a phrase* 〔반어적〕 참신한 표현을 쓴다면《상투적인 말을 할 때 쓰는 구실》. **~** one***'s brains*** 머리를 써서 돈을 벌다. **~ (*the*) *money* 〔*it*〕 (*in*)** 《구어》 자꾸 돈을 벌다.

COIN [kɔin] *n., a.* =COUNTERINSURGENCY.

°**coin·age** [kɔ́inidʒ] *n.* **1** [U] 화폐 주조. **2** 〔집합적〕 주조 화폐. **3** [U] 화폐 주조권; 화폐 제도. **4** (낱말 등의) 신조; [C] 신(조)어; 만들어 낸 것. **~ *of*** one***'s brain*** 두뇌의 산물.

cóin bòx (공중전화 따위의) 동전 상자; 《영》 공중전화 (박스).

cóin chànger 동전 교환기.

***co·in·cide** [kòuinsáid] *vi.* **1** 《~/+[전]+[명]》 동시에 같은 공간을 차지하다, (장소가) 일치하다; 동시에 일어나다《*with*》; (둘 이상의 일이) 부합〔일치〕하다《*with*》: The centers of concentric circles ~. 동심원의 중심은 일치한다 / The two events ~*d with* each other. 두 사건이 동시에 발생했다. **2** (수량·무게 따위가) …에 상당하다. **3** 《~/+[전]+[명]》 (의견·취미·행동 따위가) 맞다, 조화〔일치〕하다《*with*》; 의견을〔견해를〕 같이하다《*in*》: ~ *in* opinion 의견이 일치하다 / My ideas ~ *with* yours. 내 생각은 네 생각과 일치한다. [SYN.] ⇨ AGREE. ◇ coincidence *n.*

***co·in·ci·dence** [kouínsidəns] *n.* **1** [U] (우연의) 일치, 부합. **2** [U] 동시 발생, 동소 공재(同所共在); [C] 동시에 일어난 사건. ◇ coincide *v.*

coíncidence cìrcuit 〔**cóunter, gàte**〕 『전기』 동시 회로.

co·in·ci·dent [kouínsidənt] *a.* 일치〔부합〕하는; 암합(暗合)하는; 동시에 일어나는. **—** *n.* 『경제』 동시〔일치〕 지표(=⌐ **índicator**)《경제 상태를 즉시 반영하는 지표》. [파] **~·ly** *ad.* =COINCIDENTALLY.

co·in·ci·den·tal [kouìnsədéntl] *a.* (우연의) 일치에 의한; 암합하는; 동시에 일어나는. [파] **~·ly** *ad.* 일치〔부합〕하여, 동시적으로.

cóin·er *n.* 화폐 주조자; 《영》 사전(私錢)꾼(《미》 counterfeiter); (신어 등의) 안출자.

cò·inhábit *vi.* (한곳에서) 함께 살다. [파] **~ant** *n.*

cò·inhéritance *n.* [U] 공동 상속.

cò·inhéritor *n.* 공동 상속자.

cóin làundry 동전 투입식 세탁기를 갖춘 세탁소(《미》 Laundromat, launderette).

cóin lòck 동전을 넣어야 열 수 있는 자물쇠.

cóin machìne =SLOT MACHINE.

cóin of the réalm 법화(legal tender).

cóin-òp *a.* =COIN-OPERATED. **—** *n.* 자동판매기.

cóin-óperated [-id] *a.* 동전 투입식의; 자동판매식의.

cóin sìlver 화폐용 은(銀)《주조에 적합한 표준 「순도의」》.

cò·instantáneous *a.* 동시에 일어나는, 동시의. [파] **~·ly** *ad.*

cò·institútional *a.* 남녀 분리 학급〔학습〕제 고 「등학교의.」

cò·insúrance *n.* [U] 공동 보험. [파] **cò·insúre** *vi., vt.* 공동으로 보험에 들다.

Co·in·tel·pro [kòuintélprou] *n.* 《미》 대(對)테러 정보 활동《치안을 위협하는 개인이나 단체의 움직임을 은밀히 분쇄하는 FBI 의》. [◂ *coun*ter*intel*ligence *pro*gram]

cò·invéntor *n.* 공동 발명자.

coir [kɔiər] *n.* [U] 야자 껍질의 섬유《로프·돗자

리 등을 만듦).
cois·trel, -tril [kɔ́istrəl] *n.* 《고어》 (기사(騎士)의) 종복; 악한.
coit [kouət] *n., vt., vi.* 《완곡어》 (여자와) 성교(하다).
co·i·tion [kouíʃən] *n.* Ⓤ 교접(交接), 성교. ㊞ **~·al** *a.*
co·i·tus [kóuitəs] *n.* Ⓤ 〖의학〗 =COITION. ㊞ **có·i·tal** *a.*
cóitus in·ter·rúp·tus [-ìntərʌ́ptəs] (피임법으로서의) 중절(中絶) 성교 (행위).
cóitus re·ser·vá·tus [-rèzərvéitəs, -vɑ́ː-] 〖의학〗 =KAREZZA.
co·jo·nes [kəhóuneis] *n. pl.* 《Sp.》 고환(睾丸); 《비유》 용기(勇氣).
Coke [kouk] *n.* 《미》 =COCA-COLA《상표명》.
coke[1] [kouk] *n.* 코크스. ***Go and eat ~.*** 《영속어·경멸》 꺼져, 저리 가. **—** *vt., vi.* 코크스로 만들다〔되다〕.
coke[2] *n.* 《속어》 =COCAINE. **—** *vt.* …에 코카인을 넣다; 코카인〔마약〕으로 마비시키다(*up*).
coke·a·hol·ic [kòukəhɔ́ːlik, -hɑ́l-/-hɔ́l-] *n.* 《구어》 코카인 중독자.
cóke-bottle glásses 《속어》 (코카콜라 병의 밑처럼) 렌즈가 두꺼운 안경.
cóke·hèad *n.* 《미속어》 코카인 중독자; 얼간이, 바보.
cóke jòint 《미속어》 마약 밀매 장소.
cóke òven 코크스 제조 가마.
co·ker·nut [kóukərnʌ̀t] *n.* =COCO(A)NUT.
cok·ery [kóukəri] *n.* =COKE OVEN.
cók·ing cóal [kóukiŋ-] 점결탄(粘結炭)《코크스용》.
col [kɑl/kɔl] *n.* (산과 산 사이의) 안부(鞍部), 고갯마루, 산협; 〖기상〗 기압골.
COL collation; cost of living(생계비). **Col.** Colombia; Colonel; Colorado; 〖성서〗 Colossians; Columbia. **col.** collected; collector; college; colonial; colony; color(ed); column; counsel.
col-[1] [kəl, kɑl/kəl, kɔl] *pref.* =COM-《l 자 앞에 씀》.
col-[2] [kóul, kɑ́l/kóul, kɔ́l], **co·lo-** [kóulou, -lə, kɑ́l-/kóu-, kɔ́l-] '대장·결장·대장균'의 뜻의 결합사.
co·la[1] [kóulə] *n.* 〖식물〗 콜라《아프리카산》.
co·la[2] COLON[2]의 복수형의 하나.
COLA [kóulə] 《미》 cost-of-living adjustment(s)(생계비 조정 (제도)).
CÓLA clàuse 생계비 조정 조항.
CÓLA frèeze 생계비 조정 조항의 동결.
col·an·der, cul·len- [kʌ́ləndər, kɑ́l-/kʌ́l-, kɔ́l-], [kʌ́l-] *n.* 소쿠리《물기 빼는 요리 기구의 일종》. **—** *vt.* 여과하다.
cóla nùt 〔**sèed**〕 콜라 열매.
co·látitude *n.* 여위도(餘緯度)《어느 위도와 90° 와의 차》.
Col·by [kóulbi] *n.* 콜비(=**~ chèese**)《체다치즈형의 치즈; 체다보다 수분과 구멍이 많음》.
col·can·non [kəlkǽnən] *n.* Ⓤ 감자와 야채를 삶아 으깬 아일랜드 요리.
col·chi·cine [kɑ́ltʃəsìːn, -kə-/kɔ́l-] *n.* Ⓤ 〖약학〗 콜히친《통풍(痛風)의 특효약》.
col·chi·cum [kɑ́ltʃikəm/kɔ́l-] *n.* 〖식물〗 콜키쿰; Ⓤ 그 구경(球莖)이나 씨로 만든 마약.
Col·chis [kɑ́lkis/kɔ́l-] *n.* 〖그리스신화〗 콜키스《흑해 동안(東岸)의 고대 국가; 페르시아 서북부의 전설적인 땅임》.
col·co·thar [kɑ́lkəθər/kɔ́l-] *n.* Ⓤ 〖화학〗 철단(鐵丹), 벵갈라《안료·마분용(磨粉用)》.
†**cold** [kould] *a.* **1** 추운, 찬, 차게 한. OPP. *hot.* ¶ It's bitterly ~. 되게 춥다.

> SYN. **cold** 추운. **chilly** 쌀쌀하고 아주 추운. **cool** 서늘한, 적당히 추운.

2 냉정한, 냉담한, (마음·성격 따위가) 찬. OPP. *warm.* ¶ a ~ manner 냉담한 태도 / ~ reason 냉정한 이성. **3 a** (마음이) 불타지 않는, 내키지 않는: She was ~ *to* the advance. (결혼) 제의에 대해서 냉담했다. **b** 관심을〔흥미를〕 보이지 않는: a ~ audience 무관심한 청중 / She leaves me ~. 그녀는 나에게 아무런 흥미〔감명〕도 주지 않는다. **4** 《속어》 죽은; 《속어》 (때려눕혀져) 의식을 잃은. **5** (관능적으로) 불감증의; 《속어》 (여성이) 성교를 혐오하는. **6** (마음을) 불태우지 않는, 마음을 침울케 하는; 흥을 깨는, 시들한, (분위기가) 쌀쌀한; (자극·맛이) 약한: ~ news 언짢은 소식. **7** 〖미술〗 찬 색의; 〖사냥〗 (냄새가) 희미한: ~ colors 한색(寒色)《청색·회색 따위》. **8** 《미속어》 무지한, 우직한. **9** 객관적인《사실》; 《미속어》 에누리 없는; 《미구어》 준비 없는; 《속어》 확실히 습득한〔익힌〕. **10** 범죄와 관계없는, 혐의 없는. **11** (흙이) 열을 흡수하기 어려운. **12** (찾는 물건·알아맞히기 놀이에서) 어림이 빗나간. OPP. *hot.* ***as ~ as ice*** (사람이) 아주 냉담한. ***blow hot and ~*** ⇨ BLOW[1]. ***~ without*** 《구어》 (설탕기 없이) 물만 탄 브랜디〔위스키〕. ***get*** 〔《미》 ***have***〕 a person ~ 《구어》 아무를 마음대로 주무르다. ***go ~ all over*** 오싹하다. ***make*** a person***'s blood run ~*** ⇨ BLOOD. ***out ~*** 《구어》 의식을 잃고. ***throw*** 〔***pour***〕 ***~ water on*** (계획 따위에) 트집을 잡다, 찬물을 끼얹다: His boss is always *throwing ~ water on* his proposals, even when they are very good. 그의 상사는 그의 제안이 아주 훌륭한 것일 때조차 언제나 흠을 잡곤한다.

— *ad.* **1** 아주(entirely), 완전히, 확실히. **2** 준비 없이; 예고 없이. **3** 〖야금〗 상온(常溫)에서, 열을 가하지 않고. **—** *n.* **1** Ⓤ 추움, 한랭. OPP. *heat.* ¶ die from ~ 얼어 죽다. **2** Ⓤ 어는점 이하의 한기: twenty degrees of ~ 영하 20°. **3** 찬 바깥 공기, 추운 곳. **4** 감기, 고뿔: a ~ sufferer 감기 걸린 사람 / have a (bad) ~ (악성) 감기에 걸려 있다. ***a ~ in the head*** 〔***nose***〕 코감기, 비염(鼻炎). ***a ~ on the chest*** 〔***lungs***〕 기침 감기. ***a common ~*** (보통의) 감기. ***catch*** 〔***take***〕 ***(a) ~*** 감기 들다. ★ take cold 는 '감기 걸리다'의 약간 고어적인 표현법이며, 보통은 catch cold 쪽이 많이 쓰임. get cold 는 미국의 속어임. have a cold 는 '감기에 걸려 있다'라는 상태를 나타냄. ***come*** 〔***bring*** a person〕 ***in from*** 〔***out of***〕 ***the ~*** 《비유》 고립〔무시〕된 상태에서 빠져나오다〔나오게 하다〕.
cóld·bar sùit 〖미군사〗 기포(氣泡) 고무상(狀)의 플라스틱제(製) 방한·방수 겸용의 군복.
cóld báth 냉수욕.
cóld bíscuit 《미속어》 (성적) 매력이 없는 여자〔남자〕.
cóld blást (용광로에 불어 넣는) 찬 바람, 냉풍.
cóld-blóoded [-id] *a.* **1** 냉혈의《물고기 등》; 냉성의: a ~ animal 냉혈 동물. **2** 《비유》 냉혹한, 냉담한, 냉혈적인. OPP. *warm-blooded.* **3** 잡종의《말 따위》. ㊞ **~·ly** *ad.* 냉담하게; 냉정히. **~·ness** *n.* 냉담; 냉정.
cóld bòot 〖컴퓨터〗 콜드 부트《컴퓨터를 처음에 전원을 넣어 시동시키거나 켜져 있는 것을 일단 껐다 다시 켜는 것》. OPP. *warm boot.*
cóld-cáll 〖상업〗 *n.* 콜드 콜《미지의 손님에게 투자를〔상품 구입을〕 권유하는 전화〔방문〕》. **—** *vt.* 콜드 콜하다. ㊞ **~·ing** *n.*
cóld cáse 《미속어》 아주 나쁜 상황, 궁지.
cóld cásh 《구어》 현금.
cóld chàin 냉동식품 유통 조직.
cóld chìsel (금속을 쪼는) 정.
cóld-còck *vt.* 《미속어》 (주먹·곤봉으로) 때려

눕히다, 실신할 정도로 때리다.
cóld cóffee 《속어》 맥주.
cóld cómfort 〔**cóunsel**〕 달갑지 않은 위로〔충고〕: It's *cold comfort* to be told so. 그런 말을 들어도 위로가 되지 않는다.
cóld crèam 콜드크림.
cóld cùts 얇게 저민 냉육(冷肉)과 치즈로 만든 「요리.
cóld-dèck *vt.* 《속어》 속이다, 농간 부리다. — *a.* 교활한, 부정한(unfair).
cóld dràwing 〖야금〗 평온(平溫)에서 잡아늘이기, 냉간(冷間)에서 잡아뽑기.
cóld-dràwn *a.* 가열하지 않고 추출한; 평온에서 잡아늘인, 냉간 압연(冷間壓延)의.
cóld dúck (때때로 C- D-) 콜드 덕《발포성 버건디(Burgundy)와 샴페인을 섞은 음료수》.
cold-eyed [kóuldáid, ⌒] *a.* 냉담한, 냉정한.
cóld féet 《구어》 겁내는 모양, 도망칠 자세. ***have*** 〔***get***〕 ~ 겁을 먹다.
cóld físh 《구어》 쌀쌀한 사람.
cóld fràme 〖원예〗 콜드 프레임, 냉상(冷床)《식물을 보호하기 위한 구조물》.
cóld frònt 〖기상〗 한랭 전선. OPP *warm front*.
cóld fúsion 〖물리〗 저온〔상온〕 핵융합.
cóld-hàmmer *vt.* (금속을) 상온에서 망치질〔단련〕하다.
cóld-héarted [-id] *a.* 냉담한, 무정한. ㊞ ~·**ly** *ad.* ~·**ness** *n.*
cold·ish [kóuldiʃ] *a.* 약간 추운; 으슬으슬한.
cóld líght 무열광(無熱光)《인광·형광 등》.
cóld-lívered *a.* 냉정한, 무정한.
°**cóld·ly** *ad.* **1** 차게, 춥게. **2** 냉랭하게, 냉정하게, 냉담하게: turn away ~ 냉정하게 떠나다.
cóld méat 냉육(冷肉); 《속어》 시체.
cóld móoner 월면 운석설(月面隕石說) 주장자《달의 분화구는 운석의 충돌에 의해 생겼다고 주장함》. cf. hot mooner.
°**cóld·ness** *n.* Ⓤ **1** 추위, 차가움. **2** 냉랭함, 냉담, 냉정: with ~ 냉정히.
cóld pàck 냉습포; (통조림의) 저온 처리.
cóld-pàck *vt.* (…에) 냉찜질을 하다; (과일 등을) 저온 처리로 통조림하다.
cóld pàtch 자동차 타이어 따위의 튜브 수리용 고무 조각《접착제를 씀》.
cóld póle 〖기상〗 한극(寒極), 한랭극(寒冷極)《지구상에서 가장 한랭한 지구》.
cóld-pròof *a.* 내한(耐寒)의, 방한(防寒)의.
cóld-ròll *vt.* (금속을) 냉간〔상온〕 압연(冷間〔常溫〕壓延)하다.
cóld ròom 〖원예〗 (알뿌리) 냉장실.
cóld rúbber 저온에서 만든 질긴 합성 고무.
cóld-shòrt *a.* 냉기에 약한《쇠붙이 따위》. ㊞ ~·**ness** *n.*
cóld shóulder (the ~) 《구어》 냉대; 무시: give 〔show, turn〕 the ~ to a person 아무에게 냉담〔무정〕하게 대하다.
cóld-shóulder *vt.* 《구어》 냉대〔무시〕하다.
cóld shútdown 냉각 정지《원자로의 운전을 정지하고 그 온도를 상온까지 내리는 것》.
cold·slaw [kóuldslɔ̀ː] *n.* =COLESLAW.
cóld snàp 한파(寒波); 갑작스러운 한랭.
cóld sòre (코감기·열병 따위로) 입가에 나는 발진(發疹)(fever blister).
cóld spèll 추운 계절, 한절(寒節).
cóld spòt 냉점(cold point)《차가움을 느끼는 피부의 감각점》. cf. warm spot.
cóld stárt 〖컴퓨터〗 콜드 스타트, 첫시작《처음에 전원 스위치를 넣어서 컴퓨터 시스템을 시동시키는 것》.
cóld stéel 날붙이《칼·총검 등》.
cóld stórage (식품 등의) 냉장(실); 《비유》 동결〔정지〕 상태; (계획 등의) 보류, 동결; 《미속어》 묘, 묘지. ***in*** ~ 《구어》 뒤로 미루어; 《속어》 죽어 (dead).
cóld stóre 냉동 창고.
cóld swéat 식은땀.
cóld táble 찬〔식은〕 요리(가 차려진 식탁).
cóld túrkey 《미속어》 **1** (약물 치료 없이) 갑자기 마약을 끊기; 갑작스러운 금연〔금주〕. **2** 무뚝뚝한 사람. **3** 《미》 솔직한〔노골적인〕 이야기. **4** 〘부사적〙 무뚝뚝하게; 준비 없이, 갑자기.
cóld týpe 〖인쇄〗 콜드 타이프《사진 식자(植字) 따위; 활자 주조를 하지 않는 식자》.
cóld wár 냉전; (노사 간의) 분쟁〔냉전〕 상태. OPP *hot war*.
cóld wárrior 냉전주의자, 냉전 시대의 정치가.
cóld-wáter *a.* **1** 금주(禁酒) 집단의. **2** 온수 공급 설비가 없는《아파트 등》: a ~ flat.
cóld wàve **1** 〖기상〗 한파. OPP *heat wave*. **2** 콜드파마.
cóld-wèld *vt.* (우주 공간에서, 두 금속을) 냉간(冷間) 용접하다.
cóld-wòrk *vt.* (금속을) 냉간(冷間) 가공하다.
cole [koul] *n.* 〖식물〗 평지속(屬)의 식물《양배추·평지 따위》.
cò-léader *n.* 〖골프〗 공동 선두.
co·lec·to·my [kəléktəmi] (*pl.* **-mies**) *n.* Ⓤ,Ⓒ 〖의학〗 결장(結腸) 절제(술).
cole·man·ite [kóulmənàit] *n.* 〖광물〗 회붕광(灰硼鑛).
Co·le·op·te·ra [kòuliáptərə, kàl-/kɔ̀liɔ́p-] *n. pl.* 〖동물〗 갑충류(甲蟲類), 초시류(鞘翅類). ㊞ **cò·le·óp·ter·ous** [-rəs] *a.*
co·le·op·ter·on [kòuliáptərən, kàl-/kɔ̀liɔ́p-] *a.* 〖곤충〗 초시류〔목〕의. — *n.* 갑충(beetle).
Cole·ridge [kóulərìdʒ] *n.* **Samuel Taylor** ~ 콜리지《영국의 시인·비평가; 1772–1834》.
cóle·sèed *n.* 〖식물〗 평지의 씨.
cole·slaw [kóulslɔ̀ː] *n.* 양배추 샐러드.
Co·lette [koulét] *n.* 콜레트《여자 이름》.
co·le·us [kóuliəs] *n.* 〖식물〗 콜레우스《꿀풀과의 관엽 식물》.
cóle·wòrt *n.* =COLE.
col·ic[1] [kálik/kɔ́l-] *n., a.* Ⓤ 복통, 배앓이; 산통(疝痛)(의). ㊞ **cól·icky** [-i] *a.* =COLIC[1].
co·lic[2] *a.* 결장(結腸)의〔에 관한〕.
col·i·cin [káləsin / kɔ́l-] *n.* 〖약학〗 콜리신《대장균의 균주에서 만들어 내는 항균성 물질》.
col·i·form [káləfɔ̀ːrm/kɔ́l-] *n.* 대장균(=⌒ **bactéria**). — *a.* 대장균의〔과 비슷한〕.
col·i·se·um [kàlisíːəm/kɔ̀lisíəm] *n.* **1** 《미》 체육관, (대)경기장. **2** (C-) =COLOSSEUM. **3** (the C-) 영국의 콜리시엄 극장《the English National Opera의 본거지; London 최대 극장》.
co·lis·tin [kəlístin] *n.* 〖약학〗 콜리스틴《감염된 소화기 치료에 쓰는 항생 물질》.
co·li·tis [kəláitis, kou-/kɔ-, kə-] *n.* Ⓤ 대장염, 결장염.
coll. colleague; collected; collect(ion); collective(ly); collector; college; colloquial.
col·lab·o·rate [kəlǽbərèit] *vi.* **1** 《~/+전+명》 공동으로 일하다, 협력〔협동〕하다; 합작하다, 공동 연구하다; (일 따위를) 공동으로 하다《*on; in*》: ~ *on* a work with a person 아무와 공동으로 일을 하다. **2** 《+전+명》(자기편을 배반하고 적에게) 협력하다《*with*》: ~ *with* an enemy.
col·làb·o·rá·tion *n.* Ⓤ 함께 일하기; 협력, 합작, 공저(共著), 공동 연구; 협조, 제휴; (점령군·적국에의) 협력, 원조; 이적(利敵) 행위: in ~ *with* …와 협력하여. ㊞ ~·**ist** *n.* (점령군 등에의) 협력자.
col·lab·o·ra·tive [kəlǽbərèitiv, -rətiv] *a.* 협력적인〔하는〕, 합작의, 공동 제작의: a ~ research 공동 연구.
col·lab·o·ra·tor [kəlǽbərèitər] *n.* 공동자, 합작자, 공저자(共著者); (적·점령군 등에 대한)

부역자, 반역자.

col·lage [kəlάːʒ] *n.* 《F.》 **1** 〖미술〗 콜라주《인쇄물 오려낸 것·눌러 말린 꽃·헝겊 등을 화면(畫面)에 붙이는 추상 미술의 수법》; 그 작품. **2** 《비유》 갖가지 단편의 모임. **—** *vt.* 콜라주로 하다. ⊕ **col·lág·ist** *n.*

col·la·gen [kάlədʒən/kɔ́l-] *n.* Ⓤ 〖생화학〗 교원질(膠原質), 콜라겐《결합 조직의 성분》: ~ disease 교원병(膠原病).

col·la·gen·ase [kάlədʒənèis / kɔ́l-] *n.* 〖생화학〗 교원질(膠原質) 분해 효소.

col·la·gen·o·lyt·ic [kὰlədʒənəlítik/kɔ̀l-] *a.* 〖생화학〗 교원(膠原)〔콜라겐〕 용해의, 콜라겐 분해성의.

col·laps·a·ble [kəlǽpsəbəl] *a.* =COLLAPSIBLE.

col·lap·sar [kəlǽpsɑːr] *n.* 〖천문〗 = BLACK HOLE.

*__col·lapse__ [kəlǽps] *vi.* **1** (건물·지붕 따위가) 부서지다, 무너지다, 붕괴하다, 내려앉다; (풍선·타이어 따위가) 찌부러지다, 터지다. **2** (제도·계획 따위가) 무산되다, 무너지다, 실패하다; (교섭 따위가) 결렬되다; (가격이) 폭락하다: The negotiations have ~*d.* 교섭은 결렬되었다. **3** (사람이 과로·병 등으로) 쓰러지다〔주저앉다〕, 실신하다; (체력·건강이 갑자기) 쇠약해지다; 의기가 소침해지다; (폐 따위가 산소 부족으로) 허탈해지다, 수축하다, 무공기 상태가 되다: He ~*d* on the job. 그는 일하던 도중에 쓰러졌다/His health has ~*d.* 그의 건강이 갑자기 쇠약해졌다. **4** (의자 따위가) 접어지다. **—** *vt.* 무너뜨리다, 붕괴시키다; (기구를) 접다; (폐·혈관 등을) 허탈케 하다. **—** *n.* Ⓤ **1** 붕괴, 와해. **2** (제도의) 도괴; (계획의) 좌절; (가격의) 폭락; (가치·효력 따위의) 소실, 급락: the ~ of prices 물가의 대 폭락. **3** (건강의) 쇠약; 의기소침; 〖의학〗 허탈.

col·láps·i·ble *a.* 접는〔조립〕 식의: a~ chair 접의자.

*‡__col·lar__ [kάlər/kɔ́l-] *n.* **1** 칼라, 깃, 접어 젖힌 깃: grab〔seize, take〕 a person by the ~ 아무의 멱살을 잡다; 아무를 힐문〔추궁〕하다. **2** (훈장의) 경식장(頸飾章); (여자의) 목걸이; (개 등의) 목걸이; 목에 대는 마구(馬具). **3** (동물의 목둘레의) 변색부; 〖식물〗 경령(頸領)《뿌리와 줄기와의 경계부》; 〖동물〗 (편모충·연체동물 등의) 목; 맥주잔 상부의 거품. **4** 〖기계〗 칼라, 이음고리; 〖건축〗 ⇨ COLLAR BEAM. **5** 〖요리〗 둘둘 만 고기《돼지고기 등》. **6** 〖럭비〗 태클. **7** 《속어》 경관; 속박; 《미구어》 체포: They finally put the ~ *on* that notorious dope dealer. 당국은 마침내 그 악명높은 마약 밀매업자를 체포하였다. ***against the*** ~ 마지못해, 피로를 무릅쓰고, 무리를 하여. ***build a*** ~ 《미속어》 체포하기 위해 증거를 모으다〔굳히다〕. ***feel*** a person***'s*** ~ 《속어》 (경찰이) 아무를 체포하다. ***fill*** one***'s*** ~ 《구어》 직무를〔본분을〕 다하다. ***go for the*** ~ 〖야구〗 (시합을) 안타를 주지 않고 진행하다. ***hot under the*** ~ 《미속어》 화가 나서; 흥분하여; 당혹하여. ***in*** 〔***out of***〕 ~ 《구어》 취직〔실직〕하여. ***in the*** ~ 속박되어. ***keep*** a person ***up to the*** ~ 《구어》 아무를 혹사하다. ***make a*** ~ 《속어》 체포하다. ***slip the*** ~ 《구어》 곤란한〔힘든〕 일에서 벗어나다. ***the*** ~ ***of SS*** 〔***esses***〕 S자를 이은 수장(首章)《영국 궁내관(宮內官)·런던 시장 등이 닮》. ***wear*** 〔***take***〕 a person***'s*** ~ 아무를 섬기다〔좇다〕. ***work up to the*** ~ 열심히 일하다.

— *vt.* **1** …에 깃을〔목걸이를〕 달다. **2** …의 목덜미를 잡다. **3** 붙잡다, 체포하다; 〖럭비〗 태클하다; 《속어》 마음대로 하다, 좌우하다. **4** 《구어》 붙들어 세우고 이야기하다. **5** 《속어》 훔치다, 슬쩍하다. **6** 〖요리〗 (고기 따위를) 말다. **7** 《미속어》 충분히 이해하다. ~ ***a nod*** 《속어》 잠자다.

cóllar-and-élbow [-ənd-] *n.* 〖레슬링〗 서로 목덜미와 팔꿈치를 잡고 있는 자세.

cóllar bèam 〖건축〗 종보(宗褓).

cóllar·bòne *n.* 〖해부〗 쇄골(鎖骨).

cóllar bùtton 《미》 칼라 단추(《영》 collar stud).

cóllar cèll 〖동물〗 (해변 동물의) 동정 세포《편모실 벽에 있는 편모 세포》.

col·lard [kάlərd/kɔ́l-] *n.* (흔히 *pl.*) kale의 한 변종《식용》.

cól·lared *a.* 칼라〔목걸이〕를 단; 둘둘 만《고기》.

col·lar·et(te) [kὰlərét/kɔ̀l-] *n.* (레이스·모피 등의) 여성용 칼라.

cóllar hàrness (마차용 말의) 목에 대는 마구.

cól·lar·less *a.* 칼라가〔깃이〕 없는.

cóllar ròt 〖식물〗 윤문병(輪紋病)《잎이나 열매에 생기는 갈색 반점》.

cóllar stùd 《영》 칼라 단추.

cóllar wòrk (비탈에서 말이) 치끌기; 매우 힘드는 일.

collat. collateral(ly).

col·late [kəléit, kou-, kάleit/kəléit, kɔ-] *vt.* **1** 《~+목/+목+전+명》 맞추어 보다, 대조하다: ~ the latest *with* the earliest edition 신판본을 초판본과 대조하다. **2** 〖제본〗 페이지를 추려 가지런히 하다, 페이지의 순서를 확인하다; 합치다. **3** 〖종교〗 …에게 성직〔녹〕을 주다.

col·lat·er·al [kəlǽtərəl/kɔl-] *a.* **1** 평행한, (위치·시간 따위가) 대응하는; 부차(2차)적인; 부수적인: a ~ surety 부(副)보증인/~ circumstance 부수 사정. **2** 방계(傍系)의. ⓒⓕ lineal. ¶ ~ relatives 방계 친족. **3** 〖상업〗 담보로 한: a ~ loan 담보부 대출/a ~ security 근저당; 부가 저당물《약속 어음 지급의 담보로서 내놓는 주권 따위》. **—** *n.* **1** 방계친(傍系親), 분가(分家). **2** 부대(附帶) 사실〔사정〕. **3** 담보물, 대충(代充) 물자. ⊕ ~**·ly** *ad.* 나란히; 간접적으로; 부수적으로; 방계에서. ~**·ness** *n.*

colláteral dámage 〖군사〗 부수적 피해《군사 행동으로 인한 민간인의 인적·물적 피해》.

col·lát·er·al·ìze *vt.* (대출금 등을) 부가 저당에 의해서 보증하다; (유가 증권 등을) 부가 저당으로서 사용하다.

colláting márk 〖제본〗 접지 대수표(臺數標)《제본 순서를 쉽게 확인할 수 있게 접장(摺張) 등에 표시한 장방형의 표지》.

colláting séquence 〖컴퓨터〗 조합(組合) 순서《일련의 데이터 항목의 순서를 정하기 위해 쓰는 임의의 논리적 순서》.

col·lá·tion *n.* Ⓤ **1** 대조; 〖법률〗 (권리의) 조사(調査); (책의) 페이지〔낙장〕 조사; 〖도서〗 대조사항《판형·페이지 수·삽화 등의 표시》. **2** 성직(聖職) 서임. **3** 가벼운 식사, 간식; 〖가톨릭〗 (단식일에 점심 또는 저녁 대신에 허용되는) 가벼운 식사. **4** (수도원에서) 저녁의 성서 읽기.

col·la·tive [kəléitiv, kou-, kɑl-/kɔléit-, kə-] *a.* 비교 대조적인; 성직 서임에 의해 주어진.

col·la·tor [kəléitər, kou-, kάleitər/kɔléit-] *n.* **1** 대조〔교정〕자. **2** 〖제본〗 낙장 유무를 조사하는 사람〔기계〕. **3** 〖컴퓨터〗 (천공 카드의) 조합기(組合機).

*__col·league__ [kάliːg/kɔ́l-] *n.* (같은 관직·전문 직업의) 동료; 동업자. ⓈⓎⓃ. ⇨COMPANION. ⊕ ~**·shìp** *n.*

col·leagues·man·ship [kəlíːgzmənʃìp, kάliːgz-/kɔ́liːgz-] *n.* 우수한 동료와 친교(親交)할 수 있다는 점을 역설하여 대학 따위에 유능한 인재를 끌어들이는 것.

*‡__col·lect__[1] [kəlékt] *vt.* **1** 《~+목/+목+전+명》 모으다, 수집하다: ~ stamps 우표를 수집하다/~ materials *into* a volume 자료를 모아서 한 권의 책을 만들다. ⓈⓎⓃ. ⇨ GATHER. **2** (세금·

기부금·요금 따위를) 수금하다, 걷다, 모으다, …의 대금을 징수하다: ~ a bill 대금〔요금〕을 징수하다. **3** (생각을) 집중〔정리〕하다; (용기를) 불러일으키다; 〖~ oneself〗 마음을 가라앉히다, (기력을) 회복하다: He ~*ed* him*self* before getting up onto the platform. 그는 연단에 오르기 전에 마음을 가라앉혔다. **4** 《구어》 (수화물 등을) 받으러 가다〔받아오다〕, (사람을) 부르러〔맞으러〕 가다. ◇ collection *n.* **—** *vi.* **1** 모이다, 모아지다. **2** (눈·쓰레기 따위가) 쌓이다: Dust ~s on the shelf. 선반에 먼지가 쌓인다. **3** 기부금을 모으다 《*for*》; 《미》 모금하다《*for*》. **4** (배상금 따위의) 지급을 받다《*on*》. ~ ***on delivery*** 《미》 대금 상환 인도《생략: C.O.D.》. **—** *a.*, *ad.* 《미》 수취인 지급의〔으로〕(《영》 carriage forward): send a telegram ~ 수취인 지불로 전보를 치다.

col·lect² [kálekt/kɔ́l-] *n.* 〖가톨릭〗 본기도(本祈禱)《말씀의 전례 직전의 짧은 기도》.

col·léct·a·ble, -i·ble *a.* 모을〔징수할〕 수 있는. **—** *n.* (흔히 *pl.*) 수집 대상품, 고유의 가치는 없으나 희소하기 때문에 수집되는 물건.

col·lec·ta·nea [kὰlektéiniə/kɔ̀l-] *n. pl.* 《L.》 발췌, 선집; 잡록(雜錄).

colléct càll 요금 수신인 지급 통화.

col·léct·ed [-id] *a.* 모은, 모인; 침착한, 냉정한: the ~ edition (한 작가의) 전집 / ~ papers 논문집. ㊞ **~·ly** *ad.* **~·ness** *n.*

⁑col·lec·tion [kəlékʃən] *n.* **1** Ⓤ,Ⓒ 수집, 채집: a fine ~ *of* paintings 회화의 훌륭한 수집. **2** Ⓒ 수집〔채집〕물, (표본·미술품 등의) 소장품; 〖복식〗 컬렉션《고급 복식점의 신작 발표회, 또 그 작품 전체》. **3** Ⓤ,Ⓒ 우편물의 수집; 수금, 징세. **4** Ⓤ 기부금 모집; Ⓒ 모금, 기부금, 헌금: A ~ will be made for the fund. 그 자금을 위해 기부금이 모금될 것이다. **5** Ⓒ 쌓인 것, 퇴적: a ~ of soot in a chimney 굴뚝에 낀 검댕. **6** (*pl.*) 《영》 대학의 학기말 시험. **7** (말의) 수축(收縮) 자세. ◇ collect *v.* ***make a ~ of*** (books) (책)을 모으다. ***take up a ~*** (in church) (교회에서) 모금하다《*for*》. ㊞ **~·al** *a.*

colléction àgency 수금 회사《딴 회사 미수금을 수금해 주고 그 일부를 수입으로 함》.

colléction bòx (특히 교회의) 모금함; 우편함.

colléction plàte (교회의) 헌금 접시.

◇col·lec·tive [kəléktiv] *a.* **1** 집합적; 〖문법〗 집합의. **2** 집단적; 공동적: ~ property 공유 재산 / a ~ note (여러 나라가 서명한) 공동 각서 / ~ ownership 공동 소유권. **—** *n.* **1** 집단, 공동체; 집단 농장. **2** 〖문법〗 집합명사(~ noun). ㊞ **~·ly** *ad.* 집합적으로, 한데 뭉뚱그려; 공동으로; 〖문법〗 집합명사적으로〔로서〕.

colléctive bárgaining 〔**agréement**〕 (노사의) 단체 교섭〔협약〕.

colléctive behávior 〖사회〗 집단행동.

colléctive fárm (소련의) 집단 농장, 콜호즈.

colléctive frúit 〖식물〗 집합과(集合果)《오디·파인애플 따위》.

colléctive góods 공유 재산《도로·공공건물 등》.

colléctive léadership (특히 공산권 국가의) 집단 지도 체제.

colléctive márk 단체 마크《단체의 상표·서비스 마크 따위》.

colléctive nóun 〖문법〗 집합명사《crowd, people 따위》.

colléctive pítch lèver 〖항공〗 컬렉티브 피치 레버《헬리콥터 기체를 상하로 움직이는 제어 레버》.

colléctive secúrity (유엔의) 집단 안전 보장.

colléctive uncónscious 〖심리〗 (개인의 마음에 잠재하는) 집단〔보편적〕 무의식.

col·lec·tiv·ism [kəléktəvìzəm] *n.* Ⓤ 집산(集産)주의《토지·생산 수단 따위를 국가가 관리함》. ㊞ **-ist** *n.* 집산주의자. **col·lèc·tiv·ís·tic** [-ik] *a.* 집산주의의.

col·lec·tiv·i·ty [kὰlektívəti/kɔ̀l-] *n.* 집합성; 집단, 집합체; 전체; 전국민; 집산주의.

col·lec·tiv·ize, 《영》 **-ise** [kəléktəvàiz] *vt.* 집산주의적으로 하다; 집단 농장화하다; 공영화하다. ㊞ **col·lèc·ti·vi·zá·tion,** 《영》 **-sá·tion** *n.* Ⓤ

col·lec·to·ma·nia [kəlèktəméiniə] *n.* 열렬한 수집벽.

***col·lec·tor** [kəléktər] *n.* **1** 수집자〔가〕; 채집자. **2** 수금원; 징세원; (인도의) 수세관(收稅官) 겸 지방 장관; 《미》 세관원; (역의) 집찰계. **3** 수집기〔장치〕; 〖전기〗 컬렉터, 집전자(集電子): a solar ~ 태양열 집열 장치. ㊞ **-to·rate** [-tərət] *n.* (특히 인도의) 수세관(收稅官)의 직〔관구〕. **~·shìp** *n.* 수금원〔수세관〕의 직〔자리〕; 수세권.

colléctor elèctrode 〖전자〗 컬렉터 전극, 집전극(集電極).

colléctor's ìtem 〔**pìece**〕 수집가의 흥미를 끄는 물건, 일품; =COLLECTABLE *n.*

col·leen [káliːn, kalíːn/kɔ́liːn] *n.* 《Ir.》 소녀.

†col·lege [kálidʒ/kɔ́l-] *n.* **1** 《미》 칼리지, 대학《대학원을 두지 않고 교양 학부만을 설치한 대학; 종합 대학의 교양 학부》; 학부, 단과 대학《약학·농학·음악 따위를 가르치는 종합 대학의 일부; 독립인 경우엔 ⇨4》: go to 〔attend〕 ~ 대학에 다니다. **2** 《영》 학료(學寮)《대학의 구성 단위를 이루고, 많은 학료가 모여 university를 구성함》. **3** 《영》 (일부의) 퍼블릭 스쿨(public school)의 이름: Eton *College* / Winchester *College*. **4** 특수 전문학교: a ~ *of* music 음악 학교 / the Royal Naval *College* 《영》 해군 사관학교. **5** (위의 각종 학교의) 교사(校舍). **6** 교수단과 학생들. **7** 단체, 협회: the *College of* Surgeons 외과 의사회. **8** 집합, 떼: a ~ *of* bees 벌떼. **9** 《영속어》 교도소. ***the College of Arms*** =***the Heralds' College*** 《영》 계보 문장원(系譜紋章院). ***the College of Cardinals*** =***the Sacred College*** 〖가톨릭〗 추기경단. ***the College of Justice*** 스코틀랜드 고등 법원. ***work one's way through ~*** 학비를 벌어서 대학을 졸업하다.

cóllege bòards (때때로 C- B-) 《미》 대학 입학 시험.

cóllege-brèd *a.* 대학 출신의.

cóllege càp 대학 제모, 사각모.

cóllege fàir 대학 진학 설명회《매년 9-11월, 진학 희망 고교생을 위해 미국 각지에서 열림》.

cóllege ìce 《미》 =SUNDAE.

cóllege lìving 《영》 대학이 임명권을 갖고 있는 성직.

cóllege lòan 《미》 대학 학비 대부금.

cóllege of educátion 사범대학, 교육대학.

cóllege-preparatory *a.* 대학 입학 준비의.

cóllege pùdding 1 인분씩의 작은 plum pudding.

col·leg·er [kálidʒər/kɔ́l-] *n.* college의 학생; Eton 교의 장학생.

cóllege trý 《미》 (팀·모교를 위한) 최대한의 노력; 학생 시절을 연상케 하는 노력: give it the old ~ 학생 시절로 돌아간 기분으로 노력하다.

cóllege wìdow 《미구어》 대학촌에 살면서 학생과 교제하는 독신 여성.

col·le·gi·al [kəlíːdʒəl, -dʒiəl/-dʒiəl] *a.* **1** =COLLEGIATE. **2** [또는 -giəl] 동료 각자가 평등하게 책임을 지는, 합의제의. ㊞ **-gi·al·ly** *ad.* **cól·le·gi·al·ìsm** *n.*

col·le·gi·al·i·ty [kəlìːdʒiǽləti, -giǽl-] *n.* 동료 간의 협력〔협조〕 관계; (가톨릭에서) 사교들이 교황과 함께 행정에 참가함.

col·le·gian [kəlíːdʒiən] *n.* college의 학생〔졸업생〕.

col·le·giate [kəlíːdʒət, -dʒiət] *a.* college(의 학생)의; 대학 정도의; 단체 조직의: a ~ dictionary 대학생용 사전. ㊞ **~·ly** *ad.*

collégiate chúrch 《미》 합동 교회《여러 교회의 연합》; 《영》 대성당《bishop이 아니고 dean이 관리하는 성당》; college 부속의 채플.
col·le·gi·um [kəlí:dʒiəm] (*pl.* ***-gia*** [-iə], ***~s***) *n.* (각 구성원이 평등한 권리를 갖는) 회, 법인; 〖기독교〗 신학교; (옛 소련의) 같은 계급·권한을 가진 간부들의 협의회.
col·len·chy·ma [kəléŋkəmə] *n.* 〖식물〗 후각(厚角) 조직. [파] **-chym·a·tous** [kàləŋkímətəs/kɔ̀l-] *a.*
col·let [kálit/kɔ́l-] *n.* 거미발《보석을 물리는 바탕》; 〖기계〗 콜릿《통나무 따위를 물어 올리는》. ── *vt.* 거미발에 끼우다.
col·le·tér·i·al glánd [kàlitíəriəl-] 〖동물〗 점액선(粘液腺)《알을 점착시키는 물질을 분비하는》.
col·lic·u·lus [kalíkjələs] (*pl.* ***-li*** [-lai]) *n.* 〖해부〗 소융기(小隆起).
*__col·lide__ [kəláid] *vi.* **1** 《~/+[전]+[명]》 충돌하다《*against; with*》: The boat *~d with* a rock. 보트는 바위와 충돌하였다. **2** (의견·이해 등이) 일치하지 않다, 상충〔저촉〕되다《*with*》: We *~d with* each other over politics. 우리는 정치에 대한 견해가 서로 달랐다. ── *vt.* 충돌시키다. ◇ collision *n.*
col·líd·er *n.* 〖물리〗 충돌형 가속기(加速器).
col·lie [káli/kɔ́li] *n.* 콜리《원래 양 지키는 개; 스코틀랜드 원산》.
col·lier [káljər/kɔ́l-] *n.* 《주로 영》 탄갱부; 석탄 운반선; 석탄 운반선의 선원.

collie

col·liery [káljəri/kɔ́l-] *n.* 탄갱, 채탄소.
col·li·gate [káligèit/kɔ́l-] *vt.* 맺다, 결합하다; 〖논리〗 (여러 사실을) 총괄하다, 종합하다. ── *vi.* 집단의 일원이 되다. [파] **còl·li·gá·tion** *n.* [U]
col·li·ga·tive [káligèitiv/kəlígə-] *a.* 〖물리〗 총괄성의《물질을 구성하고 있는 분자의 수에만 의존하고, 그 종류에는 관계없는》.
col·li·mate [káləmèit/kɔ́l-] *vt.* 〖광학〗 조준하다, 시준(視準)하다; (렌즈·광선을) 평행하게 하다. [파] **còl·li·má·tion** *n.* [U] 시준, 조준. **cól·li·màtor** [-tər] *n.* 시준기(器); (망원경의) 시준의(儀).
col·lin·ear [kəlíniər/kɔl-] *a.* 〖수학〗 동일 직선상의, 공선적(共線的)인. [파] **~·ly** *ad.*
Col·lins [kálinz/kɔ́l-] *n.* **1** 《영구어》 환대에 대한 인사장(roofer). **2** (*or* c-) (진 따위에 설탕·레몬주스·탄산수를 넣은) 탄산주.
*__col·li·sion__ [kəlíʒən] *n.* 충돌; 격돌; (의견·이해 따위의) 대립, 불일치; 〖컴퓨터〗 부딪힘. ◇ collide *v.* ***come into ~*** (***with***) (…와) 충돌하다. ***in ~ with*** …와 충돌하여. [파] **~·al** *a.*
collísion còurse **1** (그대로 나가면 다른 물체와 충돌하게 될) 충돌 진로. **2** 《비유》 (의견의) 충돌이 불가피한 형편〔상황〕.
collísion dámage wàiver (대여 차량의) 파손 면책 보험.
collísion màt (배가 충돌하였을 때 생긴 구멍을 메우는) 방수 매트.
col·lo·cate [káləkèit/kɔ́l-] *vt.* 한곳에 두다, 나란히 놓다; (적절히) 배치하다; 〖문법〗 (말을) 연결시키다《*with*》. ── *vi.* 〖문법〗 연결하다, 연어를 이루다《*with*》.
còl·lo·cá·tion *n.* **1** [U] 병치(竝置); 배열, 배치; (문장 속의) 말의 배열. **2** [C] 〖문법〗 연어(連語)(관계).
col·loc·u·tor [kəlákjətər, káləkjù:tər/kəlɔ́kjə-] *n.* 말상대, 대담자.
col·lo·di·on, -di·um [kəlóudiən], [-diəm] *n.* [U] 〖화학〗 콜로디온《긁힌 상처·사진 필름에 바르는 용액》.
col·ló·di·on·ìze *vt.* …에 콜로디온을 바르다.
col·logue [kəlóug] *vi.* 밀담하다; 음모를 꾸미다《*with*》; 《방언》 공모하다.
col·loid [kálɔid/kɔ́l-] 〖화학〗 *n.* [U] 콜로이드, 교상체(膠狀體), 교질(膠質). [opp.] *crystalloid.* ── *a.* 콜로이드(모양)의. [파] **col·loi·dal** [kəlɔ́idl] *a.*
col·lop [káləp/kɔ́l-] *n.* 《영》 얇은 고깃점; 얇은 조각; 〖성서〗 (살찐 사람·동물의) 피부의 주름.
colloq. colloquialism; colloquial(ly).
◇**col·lo·qui·al** [kəlóukwiəl] *a.* 구어(口語)의, 일상 회화의; 구어체의, 회화체의. [cf.] literal, vulgar. [파] **~·ism** *n.* [U] 구어(의 어구(語句)), 구어체, 회화체. **~·ly** *ad.* 구어로, 회화체로.
col·lo·quist [káləkwist/kɔ́l-] *n.* 대화자; 회담자.
col·lo·qui·um [kəlóukwiəm] (*pl.* ***~s, -quia*** [-kwiə]) *n.* 전문가 회의; (대학에서의) 세미나.
col·lo·quize [káləkwàiz/kɔ́l-] *vi.* 대화하다.
col·lo·quy [káləkwi/kɔ́l-] *n.* [U,C] 대화, 대담; 〖미의회〗 자유 토의; 회담, 회의; 대화 형식의 문학 작품; (신교 계통 종교 단체의) 교무회(教務會)《장로 교회파의 presbytery에 해당》.
col·lo·type [kálətàip/kɔ́l-] *n.* 〖인쇄〗 콜로타이프(판); 콜로타이프 인쇄물. ── *vt.* ~로 인쇄하다.
col·lude [kəlú:d] *vi.* 은밀히 결탁하다, 공모하다《*with*》.
col·lu·nar·i·um [kàljənɛ́əriəm/kɔ̀l-] *n.* [U] 〖약학〗 세비제(洗鼻劑).
col·lu·sion [kəlú:ʒən] *n.* [U] 공모; 〖법률〗 통모(通謀). ***act in ~ to*** do 공모하여 …하려 하다. ***in ~ with*** …와 짜고.
col·lu·sive [kəlú:siv] *a.* 공모의: a ~ agreement on prices 가격 협정. [파] **~·ly** *ad.* **~·ness** *n.*
col·ly[1] [káli/kɔ́li] *vt.* 《영방언》 (석탄 가루로) 새까맣게 더럽히다. ── *n.* 그을음, 검댕.
col·ly[2] = COLLIE.
col·lyr·i·um [kəlíəriəm] (*pl.* ***-ia*** [-iə], ***~s***) *n.* 세안제(eyewash).
col·ly·wob·bles [káliwàblz/kɔ́liwɔ̀b-] *n. pl.* 《구어》 복통, 복명(腹鳴); 정신적 불안.
Cól·ney Hátch [kóuni-] 정신 병원.
colo- ⇨ COL-[2].
Colo. Colorado.
col·o·bus [káləbəs/kɔ́l-] *n.* 〖동물〗 콜로부스속(屬)의 원숭이《꼬리가 발달한 아프리카산(產)》.
cò·lócate *vt.* (시설을 공용할 수 있게, 둘 이상의 부대를) 같은 곳에 배치하다.
col·o·cynth [káləsìnθ/kɔ́l-] *n.* 〖식물〗 콜로신스《박과(科) 식물》; 그 열매로 만든 하제(下劑).
Co·logne [kəlóun] *n.* **1** 쾰른《독일의 Rhine 강변에 있는 도시; 독일 철자 Köln》. **2** [U] (또는 c-) 오드콜로뉴(=∠ **wàter**)《Cologne 원산의 화장수》.
Co·lom·bia [kəlʌ́mbiə/-lɔ́m-] *n.* 콜롬비아《수도 Bogotá》. [파] **-bi·an** [-biən] *a., n.* 콜롬비아의; 콜롬비아 사람(의).
Colómbian góld 《속어》 (남아메리카산의 독한) 마리화나.
Co·lom·bo [kəlʌ́mbou] *n.* 콜롬보《스리랑카의 수도》.
*__co·lon__[1] [kóulən] *n.* 콜론《: 의 기호; 구두점의 하나》. [cf.] semicolon.

NOTE 콜론(:)은 다음과 같은 용도에 쓰인다. (1) 대구(對句)의 사이, 설명구·인용구의 앞에. (2) 시간·분·초를 나타내는 숫자 사이에: 10 : 35 : 40, 10시 35분 40초 / the 9 : 10 train 9시 10분발 열차. (3) 성서의 장과 절 사이에: Matt. 5 : 6 마태복음 5장 6절. (4) 대비를 나타내는 숫자 사이에: 4 : 3, 4 대 3 《★ four to three 라 읽음》.

co·lon² (*pl.* **~s, co·la** [kóulə]) *n.* 〖해부〗 결장(結腸), (때로는) 대장 전체.

co·lon³ [kouló un] (*pl.* **co·lo·nes** [-eis], **~s**) *n.* 콜론《코스타리카 및 엘살바도르의 화폐 단위》.

co·lon⁴ [kóulan, kəlán/kɔlɔ́n, kə-] *n.* (식민지의) 입식자; 농원주(農園主).

cólon bacíllus *n.* 대장균《유전 연구에 씀》.

***colo·nel** [kə́ːrnl] *n.* **1** 《미》 《육군·공군·해병대》 대령; 연대장. **2** 《미남부》 부장, 단장, 각하 《단순한 경칭》. ⊞ **~·cy, ~·ship** [-ʃip] *n.* Ⓤ 육군 대령의 직위〔직〕.

Cólonel Blímp 거만하고 반동적인 중년 군인 〔정부 관리〕; 《일반적》 반동적 인물.

cólonel commándant 《영》 여단장(brigadier).

cólonel-in-chíef (*pl.* **cólonels-, -chiefs**) *n.* 《영》 명예 연대장.

co·lo·nia [kəlóuniə] *n.* (미국 남서부의) 멕시코인〔멕시코계 미국인〕 거주지(구).

***co·lo·ni·al** [kəlóuniəl] *a.* **1** 식민(지)의; 식민지풍의. **2** (종종 C-) 《미》 식민지 시대의; 케케묵은: (the) ~ days 〔era〕 미국의 영국 식민지 시대 / ~ architecture 미국 초기의 건축 양식. **3** 〖생물〗 군락〔군체(群體)〕의. ◇ colony *n.* **—** *n.* 식민지 주민. ⊞ **~·ism** *n.* Ⓤ **1** 식민(지화) 정책. **2** 식민지풍〔기질〕; 《미》 식민지 시대로부터의 유풍(遺風)〔구폐(舊弊)〕. **~·ist** *n.*, *a.* 식민지주의자(의). **~·ly** *ad.* **~·ness** *n.*

colónial ánimal = COMPOUND ANIMAL.

colónial milítia 둔전(屯田)병.

Colónial Óffice (the ~) 《영》 식민성(省) 《1966년 Commonwealth Office에 병합》.

co·lon·ic [koulánik/-lɔ́n-] *a.* 결장(結腸)의.

colónic irrigátion 결장(結腸) 세척.

°**col·o·nist** [kálənist] *n.* 식민지 사람, 해외 이주민, 입식자, 식민지 개척자; 《미》 (선거를 위한) 일시적 이주자.

col·o·ni·tis [kàlənáitis/kɔ̀l-] *n.* Ⓤ 결장염(炎)(colitis).

°**col·o·ni·za·tion** [kàlənizéiʃən/kɔ̀lənaiz-] *n.* Ⓤ 식민지 건설, 식민지화; 《미》 (선거를 위한) 일시적 이주. ⊞ **~·ist** *n.*

°**col·o·nize,** 《영》 **-ise** [kálənàiz/kɔ́l-] *vt.*, *vi.* 식민지로 만들다; 식민시키다; 입식(入植)하다; 이식하다; 《미》 (선거 투표를 위하여) 임시로 이주시키다. ⊞ **-nìz·er** [-ər] *n.* 식민지 개척자; 이민; 《미》 이입(移入) 유권자.

col·on·nade [kàlənéid/kɔ̀l-] *n.* **1** 〖건축〗 열주(列柱), 주랑. **2** 가로수. ⓒⓕ avenue. ⊞ **-nád·ed** [-id] *a.* 열주〔가로수〕가 있는.

co·lon·o·scope [koulánəskòup, kə-/-lɔ́n-] *n.* 〖의학〗 결장(結腸) (내시)경(鏡).

co·lon·os·co·py [kòulənáskəpi/-nɔ́s-] *n.* 〖의학〗 결장 내시경술(에 의한 검사).

co·lo·nus [kəlóunəs] (*pl.* **-lo·ni** [-nai, -ni]) *n.* 〖역사〗 콜로누스《로마제국 말기의 소작인》.

⁑**col·o·ny** [káləni/kɔ́l-] *n.* **1** 식민지; 〖그리스사·로마사〗 식민시(市); 식민〔이민〕단. **2** 〔집합적〕 재류 외(국)인, 거류민; 거류지(구), 조계; …인(人) 거리: the Italian ~ in New York 뉴욕의 이탈리아인 거리. **3** (같은 인종·동업자 등의) 집단, 부락(部落): a ~ of artists 미술가 부락. **4** 〖생태〗 콜로니; 〖생물〗 군체(群體); 〖지학〗 (다른 계통 안의) 화석군(化石群). **5** (the Colonies) 《영》 구(舊)대영 제국령; 〖미국사〗 독립 이전의 북미 동부 13주의 영국 식민지. **6** (*pl.*) 실업자 구제 기관《직업 알선, 교육 실시》.

col·o·phon [káləfàn, -fən/kɔ́ləfɔ̀n, -fən] *n.* (옛날 책의) 간기(刊記), 판권 페이지. ***from title page to*** **~** (책을) 첫 장부터 끝 장까지《읽다 따위》. ⓒⓕ from cover to cover.

col·o·pho·ny [káləfòuni, kəláfəni/kəlɔ́fə-] *n.* 수지(樹脂), 송진.

col·o·quin·ti·da [kàləkwíntidə/kɔ̀l-] *n.* = COLOCYNTH.

†**col·or,** 《영》 **-our** [kʌ́lər] *n.* Ⓤ **1** Ⓒ,Ⓤ 색, 빛깔, 색채; 채색, 색조; (광선·그림·묵화 등의) 명암: fundamental 〔primary〕 ~s 원색 / fading 〔fast〕 ~ 바래기 쉬운〔바래지 않는〕 색 / a movie in ~ 천연색 영화 / ⇨ ACCIDENTAL COLORS, COMPLEMENTARY COLOR, SECONDARY COLOR.

SYN. **color** 는 '색'을 뜻하는 일반적인 말. **hue** 는 color 에 대한 문어적인 말. 때때로 color 는 mix the colors 처럼 원색에, hue 는 a reddish hue 처럼 혼합색에 쓰임. **shade** 는 색의 농담·명암의 정도에 쓰임. **tint** 는 엷은 빛깔에 쓰임.

2 Ⓒ,Ⓤ 안료, 물감; (*pl.*) 그림물감. **3** 안색, 혈색, (얼굴의) 붉은 기; 홍조: have no ~ 핏기가 없다 / gain ~ 혈색이 좋아지다 / lose ~ 핏기가 가시다, 창백해지다, 색이 바래다. **4** (피부) 빛, 유색, 《특히》 흑색: a man of ~ 유색인, 《특히》 흑인 / ~ prejudice 흑인에 대한 편견. **5** (지방의) 특색; (개인의) 개성; (음의) 음색; (문학 작품 따위의) 특색, 문채(文彩): local ~ 지방색. **6** 외관, …의 맛; 가장, 겉치레, 구실; (*pl.*) 성격; (*pl.*) 입장, 의견; 〖법률〗 (실체는 없는데 있는 것처럼 꾸민) 표현상의 권리: some ~ of truth 다소의 진실한 맛 / see a thing in its true ~s …의 진상을 알다. **7** (*pl.*) (학교·단체·팀의 표지로서의) 기장, 배지, 색리본; 단체색; 무색 옷《색깔 옷》. **8** (흔히 *pl.*) 국기; 군기, 함기, 선박기; 〖미해군〗 함기 게양식〔강하식〕: the King's ~ 영국 국기. **9** 《미구어》 (스포츠 방송의 흥미를 위한) 경기의 분석·통계·선수의 프로필 등의 정보. **10** (사금을 일은 뒤에 남은) 금알갱이. **11** 〖물리〗 (쿼크(quark)의) 컬러, 색.

appear in **one's *true*** **~s** = show one's true ~s. ***call to the*** **~s** 군대로 소집하다; (국기 게양·강하의) 소집 나팔. ***change*** 〔***turn***〕 ~ 안색이 변하다; 빨개〔파래〕지다. ***come off with flying*** **~s** 대성공을 거두다, 훌륭히 해치우다. ***desert*** **one's ~s** 탈영〔탈주〕하다; (원조 등의) 손길을 끊다. ***get*** **one's ~s** 운동선수가 되다. ***give a true*** 〔***false***〕 **~ *to*** (진술·행위 따위를) 진실하게〔거짓으로〕 표현하다, (사실을) 바르게〔왜곡하여〕 전하다. ***give*** 〔***lend***〕 **~ *to*** (이야기 등을) 그럴싸하게 꾸미다. ***have the*** **~ *of*** …같은 눈치〔낌새〕가 보이다. ***in*** **~(s)** 색깔을 넣은〔넣어〕: an illustration *in* ~(*s*) 컬러 삽화. ⓒⓕ in BLACK AND WHITE. ***join the*** **~s** ⇨ JOIN. ***lay on the*** **~s** (***too thickly***) (더덕더덕) 분식(粉飾)하다; 대서특필하다, 극구 칭찬하다, 과장해서 말하다. ***lower*** 〔***haul down, strike***〕 **one's ~s** 기를 내리다; 항복하다; 주장을 철회하다. ***make*** **~s** (군함에) 함기를 게양하다. ***nail*** **one's ~s *to the mast*** 태도를 분명히 하다, 주의를 꺾지 않다. ***off*** **~** 기분이 개운찮은, 꺼림칙한; 건강이 좋지 않은; 퇴색한; 《미속어》 악취미인. ***paint*** (a thing) ***in bright*** 〔***dark***〕 **~s** 칭찬하여〔헐뜯어〕 말하다; 낙관〔비관〕적으로 말하다. ***put false*** **~s *upon*** …을 짐짓 곡해하다. ***sail under false*** **~s** 국적을

속이고 항해하다; 세상을 속이고 살아가다. ***see the ~ of** a person**'s money*** 아무의 지급 능력〔주머니 사정〕을 확인하다. ***serve* (*with*) *the ~s*** 현역에 복무하다. ***show* 〔*display*〕 one*'s* (*true*) *~s*** 태도를 분명히 하다, 기치를 선명히 하다; 실토하다. ***stick* 〔*stand*〕 *to* one*'s ~s*** 자기의 주의를 굳게 지키다. ***take* one*'s ~ from*** …을 흉내내다. ***under ~ of*** …을 구실 삼아. ***under ~s*** (말이) 공식 경주에《출전하다》. ***with flying ~s*** ⇨FLYING COLORS. ***without ~*** (꾸밈 없이) 있는 그대로. ***with the ~s*** 현역에 복무하여.
── *vt.* **1** …에 착색〔채색〕하다; 물들이다(dye). **2** (얼굴을) 붉히다《*up*》. **3** …에 색채〔광채〕를 더하다; 분식(粉飾)하다; (이야기 따위에) 윤색하다; …에 영향을 끼치다: *~ed* by prejudice 편견으로 왜곡된. **4** 특색짓다: Love of nature *~ed* all of the author's writing. 자연에 대한 사랑이 그 저자의 전 작품의 특징이었다. ── *vi.* **1** 빛을 띠다, (색으로) 물들다. **2** (얼굴이) 붉어지다, 얼굴을 붉히다《*up*》.

còl·or·a·bíl·i·ty *n.* Ⓤ 착색 가능성.

col·or·a·ble [kʌ́lərəbəl] *a.* 착색할 수 있는; 그럴듯한, 겉보기의, 거짓의. ㊞ **~·ness** *n.* **-bly** *ad.*

Col·o·ra·do [kɑ̀lərǽdou, -rɑ́ː-/kɔ̀lərɑ́ː-] *n.* 콜로라도《미국 서부에 있는 주(州); 생략: Colo., Col., CO》; (the ~) 콜로라도 강《Grand Canyon으로 유명》. ㊞ **Còl·o·rá·dan, ~·an** *a., n.* 콜로라도의 (사람).

Colorádo (**potáto**) **bèetle** 엽줄잎벌레《감자의 해충》.

Colorádo Spríngs 콜로라도 스프링스《미국 Colorado주 중동부의 도시; 온천 보양지; 미국 공군 사관학교 소재지》.

cólor annòuncer 〔**bàbbler**〕 =COLORCASTER.

col·or·ant [kʌ́lərənt] *n.* 《미》 착색제(劑).

col·or·a·tion [kʌ̀ləréiʃən] *n.* Ⓤ 착색법; 배색; 채색; (생물의) 천연색: protective ~ 보호색.

col·o·ra·tu·ra [kʌ̀lərətjúərə, kɑ̀l-/kɔ̀l-] *n., a.* 《It.》 『음악』 콜로라투라《성악곡의 장식적인 부분》(의), 콜로라투라 가수(의).

col·or·a·ture [kʌ́lərətʃùər, kʌ́l-] *n.* =COLORATURA.

cólor bàr =COLOR LINE.

cólor·bèarer *n.* 『군사』 기수(旗手).

cólor-blìnd *a.* 색맹의; 피부색으로 인종 차별을 않는; 《미속어·우스개》 자기 돈과 남의 돈을 구별하지 못하는, 도벽이 있는, 태연하게 훔치는〔속이는〕.

cólor blìndness 색맹.

cólor bòx 그림물감통(paint box).

cólor·brèed *vt.* (품종을) 특정한 색을 내기 위해서 개량하다, 선택 육종하다.

color·cast [kʌ́lərkæ̀st, -kɑ̀ːst/-kɑ̀ːst] *n., vt., vi.* 《미》 컬러텔레비전 방송(을 하다).

cólor·càster *n.* (스포츠 중계 방송에서) 경기 상황을 세부까지 묘사하는 아나운서.

cólor chàrt 색상표(色相表), 색도 견본책.

cólor còde 색 코드《전선 등을 식별하는 데 쓰이는 색분류 체계》.

cólor-còde *vt.* (식별을 위해 유형·종류 따위를) 색으로 분류하다. ㊞ **~d** [-id] *a.*

cólor commentàtor (실황 중계 방송의) 스포츠 해설자.

cólor còmpany 『군사』 군기(軍旗) 중대.

cólor condìtioning 색채 조절《좋은 인상을 주기 위해 색채를 쓰는 일》.

cólor còntrast 『심리』 색 대비《어떤 빛깔이 주위의 색의 영향을 받는 현상》.

cólor-coórdinated [-id] *a.* 배색한, 색을 섞은.

col·o·rec·tal [kòuləréktl] *a.* 『의학·해부』 결장직장의.

°**col·ored** *a.* **1** 착색한, 채색된. **2** …색의: cream-~ 크림색의. **3** 유색(인)의, 《미》 《특히》 흑인의: ~ people. **4** 수식한《문체 따위》, 과장한. **5** 가짜의, 수상쩍은. **6** 편견의, 색안경으로 본: a ~ view 비뚤어진 견해, 편견. ── *n.* (종종 C-) 〖집합적〗 (남아메리카의) 유색인.

cólored stóne 다이아몬드 이외의 보석.

col·or·er [kʌ́lərər] *n.* 채색〔착색〕자.

cólor·fàst *a.* 바래지 않는. ㊞ **~·ness** *n.*

cólor·fìeld *a.* (추상화에서) 색채면이 강조된.

cólor fìlm 컬러 필름; 컬러 영화.

cólor fìlter 『사진』 컬러 필터, 여광판(濾光板).

cólor fòrce 『물리』 색력(色力)《쿼크(quark)를 결합하는 강한 힘》.

⁑**col·or·ful** [kʌ́lərfəl] *a.* **1** 색채가 풍부한, 다채로운; 극채색(極彩色)의: ~ folk costumes 다채로운 민속 의상. **2** 그림 같은; 호화로운, 화려한. **3** 발랄한. ㊞ **~·ly** *ad.* **~·ness** *n.*

col·or·gen·ic [kʌ̀lərdʒénik] *a.* (컬러텔레비전〔사진〕에서) 빛깔이 선명한.

cólor guàrd 『군사』 군기 호위병; 기수.

col·or·if·ic [kʌ̀lərífik] *a.* 색의; 색채를 생기게 하는; (문체 등이) 화려한, 현란한.

col·or·im·e·ter [kʌ̀lərímətər] *n.* 비색계(比色計), 색도계. ㊞ **còl·or·ím·e·try** *n.* 비색 정량〔분석〕; 측색(測色)(학).

°**cól·or·ing** [-riŋ] *n.* Ⓤ 착색(법); 채색(법); 안료, 그림물감, 색소; (얼굴의) 혈색, 안색; 윤색; 겉치레; 편견: food ~ 식품 착색제.

cóloring bòok (윤곽만 인쇄해 놓은) 칠하기 그림책.

cóloring màtter 물감, 그림물감; 색소.

cól·or·ìsm *n.* 피부색에 의한 인종 차별.

col·or·ist [kʌ́lərist] *n.* 채색을 잘하는 사람; 채색파 화가; 화려한 문체의 작가.

col·or·is·tic [kʌ̀lərístik] *a.* 색의, 채색(상)의; 음색을 강조한《음악》.

col·or·i·za·tion [kʌ̀lərizéiʃən, -aiz-] *n.* 전자 채색《흑백 영화를 컬러 영화로 재생하는 기법》.

col·or·ize [kʌ́ləràiz] *vt.* 컬러화하다, 천연색으로 바꾸다《특히 컴퓨터를 이용하여 옛날 흑백 영화를》.

cólor-kèy *vt.* =COLOR-CODE.

°**cól·or·less** *a.* **1** 퇴색한, 흐릿한; 무색의. **2** 핏기가 없는, 창백한. **3** 정채(精彩)가 없는, 특색이 없는; 재미없는. **4** 윤색하지 아니한; 공평한, 중립의. ㊞ **~·ly** *ad.* **~·ness** *n.*

cólor lìne 〔**distínction**〕 《미》 (정치·사회적인) 흑인과 백인의 차별. ***draw the ~*** 인종 차별하다.

cólor màn =COLORCASTER.

cólor·man [-mən] (*pl.* **-men** [-mən]) *n.* 그림물감 장수; 도료상.

cólor mìxture (염색·조명 따위의) 혼합색.

cólor mùsic 『조명』 색채 음악《빛깔·모양·명도의 배합 변화로 빚어지는 음악적 분위기》.

cólor pàinting 선보다 색채를 두드러지게 한 추상화법.

cólor pàrty 『영군사』 군기 호위대《부사관의》.

cólor phàse 『동물』 유전에 의한 체색(體色) 변화; 체색 변화한 동물; 계절에 의한 변색.

cólor photógraphy 컬러 사진술.

cólor prèjudice 유색 인종(특히 흑인)에 대한 편견.

cólor prìnt 컬러 인화; 원색 판화(版畫).

cólor prìnting 색도 인쇄; 채색판(彩色版).

cólor schème (실내 장식·복식(服飾) 따위의) 색채 배합 설계.

cólor separàtion 『인쇄』 색분해.

cólor sèrgeant 군기 호위 부사관; (구세군의) 기수《생략: Col. Sergt.》.

cólor sìgnal 『전자』 (텔레비전의) 색신호.

cólor subcàrrier (TV의) 컬러 부(副)〔서브〕 반송파.

cólor sùpplement (신문 따위의) 컬러 부록 페이지〔면〕.

cólor télevision 컬러텔레비전.
cólor témperature 〖사진〗 색온도(色溫度).
cólor-tínted [-id] *a.* 머리를 염색한.
cólor TV [-tìːví] =COLOR TELEVISION.
cólor wàsh 질척한 그림물감, 수성(水性) 페인트〔도료〕.
col·or·way [kʌ́lərwèi] *n.* =COLOR SCHEME.
cólor whèel 색상환(色相環).
col·ory [kʌ́ləri] *a.* 〖상업〗 (커피·홉 따위가) 빛이 고운, 질이 좋은; 《구어》 다채로운.
Co·los·sae [kəlɑ́siː/-lɔ́s-] *n.* 골로새《소아시아 Phrygia 왕국 남서부의 옛 도시; 초기 그리스도 교회의 거점》.
co·los·sal [kəlɑ́səl/-lɔ́sl] *a.* **1** 거대한; colossus 와 같은. **2** 《구어》 어마어마한, 굉장한: ~ fraud 어머어마한 사기. ㊇ **~·ly** *ad.*
Col·os·se·um [kɑ̀ləsíːəm/kɔ̀l-] *n.* 콜로세움《로마의 큰 원형 경기장》.
Co·los·sian [kəlɑ́ʃən/-lɔ́ʃ-] *a.* 골로새(사람)의. **—***n.* 골로새 사람; 골로새의 그리스도 교회의 교인; (the ~s) 〔단수취급〕 〖성서〗 골로새서(書)《신약 성서 중의 한 편; 생략: Col.》.
co·los·sus [kəlɑ́səs/-lɔ́s-] (*pl.* ***-si*** [-sai], **~·*es***) *n.* 거상(巨像); 거인, 거대한 물건; (the C-) Rhodes 섬에 있는 Apollo 신의 거상《세계 7대 불가사의 중의 하나》.
co·los·to·my [kəlɑ́stəmi/-lɔ́s-] *n.* 〖의학〗 인공 항문 형성(술).
co·los·trum [kəlɑ́strəm/-lɔ́s-] *n.* (출산부 「의) 초유(初乳).
co·lot·o·my [kəlɑ́təmi/-lɔ́t-] *n.* 〖의학〗 결장(結腸) 절개(술).
colour, etc. ⇨ COLOR, etc.
-co·lous [ˊkələs] '…에 살고 있는, …에 나 있는' 의 뜻의 결합사: areni*colous*, saxi*colous*.
col·pi·tis [kɑlpáitis / kɔl-] *n.* 〖병리〗 질염(膣炎)(vaginitis).
col·por·teur [kɑ́lpɔ̀ːrtər/kɔ́l-] *n.* 서적 행상인, 《특히》 성서〔종교 서적〕 보급원.
col·po·scope [kɑ́lpəskòup/kɔ́l-] *n.* 〖의학〗 질경(膣鏡), 질확대경. ㊇ **col·po·scóp·ic** *a.* **col·pós·co·py** *n.* 질경 검사.
Col. Sergt. color sergeant.
Colt [koult] *n.* 콜트식 자동 권총《상표명》.
*__colt__ [koult] *n.* **1** 망아지《특히 4 살쯤까지의 수컷》. ⓒⓕ filly. ★ 성장한 말로서 작은 말은 pony. **2** 〖성서〗 낙타 새끼《창세기 XXXII: 15》. **3** 애송이, 미숙한 자, 신출내기; 《영》 (직업 크리켓단의) 신참자. **4** 〖해사〗 (매듭 있는) 노끈채찍. ***have ~'s teeth*** 바람피우다. **—***vt.* 〖해사〗 노끈채찍으로 때리다.
col·ter [kóultər] *n.* (보습 앞에 단) 풀 베는 날.
colt·ish [kóultiʃ] *a.* 망아지 같은; 장난치는. ㊇ **~·ly** *ad.* **~·ness** *n.*
Cólt revólver =COLT.
cólts·fòot (*pl.* **~*s***) *n.* 〖식물〗 머위.
col·u·brine [kɑ́ljəbràin/-brin, kɔ́ljə-] *a.* 뱀의, 뱀 같은. **—***n.* 일종의 독 없는 뱀.
col·um·bar·i·um [kɑ̀ləmbέəriəm/kɔ̀l-] (*pl.* ***-ia*** [-iə]) *n.* **1** (옛 로마 Catacomb 안의) 유골 안치소, 납골당. **2** 비둘기장.
Co·lum·bia [kəlʌ́mbiə] *n.* **1** 《시어》 미국. **2** 컬럼비아 대학《New York 시에 있음》. **3** 컬럼비아《미국 South Carolina 의 주도》. ≒ Colombia. **4** (the ~) 컬럼비아 강. **5** 〖우주〗 컬럼비아호《미국의 우주 왕복선 제 1 호》. ***the District of ~*** 컬럼비아 특별 지구《미국 수도 워싱턴의 소재지; 생략: D.C.》.
Co·lum·bi·an [kəlʌ́mbiən] *a.* 미국의; Columbus 의. **—***n.* 〖인쇄〗 16 포인트 활자.
col·um·bine [kɑ́ləmbàin/kɔ́l-] *a.* 비둘기의; 비둘기 같은. **—***n.* **1** 〖식물〗 매발톱꽃. **2** (C-) 〖연극〗 광대 Harlequin 의 아내역(役).

columbine 1

co·lum·bite [kəlʌ́mbait] *n.* 〖광물〗 컬럼바이트《columbium 의 원광(原鑛)》.
co·lum·bi·um [kəlʌ́mbiəm] *n.* =NIOBIUM.
Co·lum·bus [kəlʌ́mbəs] *n.* **Christopher ~** 콜럼버스《아메리카 대륙을 발견한 이탈리아의 탐험가; 1451-1506》.
Colúmbus Dày 《미》 콜럼버스 기념일《미국의 여러 주에서 10 월 제 2 월요일을 법정휴일로 함》.
col·u·mel·la [kɑ̀ljəmélə/kɔ̀l-] (*pl.* ***-lae*** [-liː]) *n.* 작은 기둥; 〖동물〗 (고둥 등의) 축주(軸柱); 〖식물〗 (이끼·곰팡이 따위의) 삭축(蒴軸), 자낭축(子囊軸). ㊇ **-lar** *a.*
col·umn [kɑ́ləm/kɔ́l-] *n.* **1** 기둥, 원주, 지주; 기둥 모양의 물건: a ~ *of* smoke 한 줄기의 연기 / the ~ *of* the nose 콧대 / the spinal ~ 척추, 등뼈 / a ~ *of* water 〔mercury〕 물기둥〔수은주〕. **2** 〖인쇄〗 단(段), 세로줄; 〖신문〗 칼럼, 난, 특별 기고란: ad ~*s* 광고란 / in our 〔these〕 ~*s* 본란에서, 본지에서. **3** 〖수학〗 (행렬식의) 열. **4** 〖군사〗 종대; (함선의) 종렬: ⇨ FIFTH COLUMN. **5** 《미》 (당파·후보자의) 후원자 일람표. **6** 〖컴퓨터〗 세로(칸), 열. ***a ~ of figures*** 세로로 줄지은 숫자. ***dodge the ~*** 《구어》 의무를 게을리하다. ***in ~ of fours*** 〔***sections, platoons, companies***〕 〖군사〗 4 열 〔분대, 소대, 중대〕 종대로. ㊇ **~ed** *a.* 원주의〔가 있는〕; 기둥꼴의.
co·lum·nar [kəlʌ́mnər] *a.* 원주(모양)의; 원주로 된; 〖인쇄〗 종란(縱欄) 배치의.
co·lum·ni·a·tion [kəlʌ̀mniéiʃən] *n.* Ⓤ 두리기둥 사용(법); 원주식 구조; 〔집합적〕 기둥; Ⓒ (페이지의) 단(段) 구획.
cólumn ínch 〖인쇄〗 1 인치 칼럼난《가로로 한 난(欄), 세로로 1 인치분의 지면》.
*__col·um·nist__ [kɑ́ləmnist/kɔ́l-] *n.* (신문의) 특별 기고가.
co·lure [kəlúər, kou-, kóuluər/kəljúə, kóuljúə] *n.* 〖천문〗 분지경선(分至經線). ***the equinoctial ~*** 이분경선(二分經線). ***the solstitial ~*** 이지경선(二至經線).
col·za [kɑ́lzə/kɔ́l-] *n.* 〖식물〗 평지의 일종; 평지의 씨; =COLZA OIL.
cólza òil 평지 기름.
COM[1] [kɑm/kɔm] *n.* 〖컴퓨터〗 콤《컴퓨터 출력 마이크로필름 (장치)》. [◂ *c*omputer-*o*utput *m*icrofilm(er)]
com- [kəm, kɑm/kəm, kɔm] *pref.* '함께, 전혀' 의 뜻《b, p, m 의 앞》.
COM[2] coal oil mixture(석탄·석유 혼합 연료).
Com. Commander; Commission(er); Committee; Commodore; Communist.
com. comedy; comic; comma; command; commentary; commerce; commercial; commission; committee; common(ly); communication; communist; community.
co·ma[1] [kóumə] *n.* Ⓤ 〖의학〗 혼수(昏睡).
co·ma[2] (*pl.* ***-mae*** [miː]) *n.* 〖천문〗 코마《혜성의 핵 둘레의 대기(大氣)》; 〖식물〗 씨(에 난) 솜털; 〖광학〗 코마《렌즈의 수차의 일종》.
có·màke *vt.* 연서(連署)하다(cosign).
co·máker *n.* 연서인(連署人); 《특히》 연대 보증인.
co·mánagement *n.* =WORKER PARTICIPATION.
Co·man·che [kəmǽntʃiː, kou-] (*pl.* **~, ~*s***) *n.* Ⓒ (북아메리카 인디언 중의) 코만치족; Ⓤ 코

만치어(語).

co·mate[1] [kouméit] *n.* 친구, 한패, 짝패.

co·mate[2] [kóumeit] *a.* 〖식물〗 씨(에 난) 솜털로 덮힌; 털 모양의(hairy).

com·a·tose [kámətòus, kóum-/kóumə-] *a.* **1** 〖의학〗 혼수성의, 혼수 상태의, 인사불성의. **2** 《비유》 활기〔생기〕 없는, 멍한. **3** 《속어》 술 취한. ㊞ **~·ly** *ad.*

cóma vígil 〖의학〗 각성(覺醒) 혼수《개안성(開眼性) 혼수》.

comb**[1] [koum] *n.* **1** 빗, 빗질하는 기구; 소면기(梳綿機); 빗 모양의 물건. **2** (닭의) 볏; (물마루·산마루의) 볏 모양의 것. **3** 벌집(honeycomb). ***cut the ~ of …의 오만한 콧대를 꺾다. ***with a fine-tooth ~*** 더할 나위 없이 신중하게. **—** *vt.* **1** (머리카락·동물의 털 따위를) 빗질하다, 빗다. **2** 《+목+전+명》 빗처럼 사용하다: ~ one's finger *through* one's hair 손가락으로 머리를 빗질하다. **3** (먼지 따위를) 빗질하여 제거하다《비유적으로도 씀》: The coward was ~*ed* from the group. 겁쟁이가 그룹에서 제거되었다. **4** 《+목+전+명》 (찾느라고) 뒤지다, 철저히〔샅샅이〕 찾다: She ~*ed* the files *for* the missing letter. 없어진 편지를 찾느라고 서류철을 샅샅이 뒤졌다. **—** *vi.* (파도가) 흰 물결을 일으키며 치솟다〔부닥쳐 흩어지다〕: ~*ing* waves 치솟는 흰 물보라. ~ ***off*** (머리의 먼지 따위를) 빗질하여 없애다. ~ ***out*** (머리를) 빗다, 빗질하여 매만지다; (불순물 등을) 골라내다, 제거하다; 불필요한 인원을 정리하다; (신병을) 마구 모으다; (경찰이 범인의 숨은 곳을) 덮치다; 철저히 수색하다; 면밀히 조사하다. ~ ***through*** (…을 찾으려고) 샅샅이 뒤지다〔조사하다〕. ~ ***up*** 머리를 빗어 모양을 내다. ㊞ **~ed** *a.* **~·like** *a.*

comb[2] ⇨ COMBE.

comb. combination; combining; combustion.

°**com·bat** [kámbæt, kʌ́m-/kɔ́mbæt, kʌ́m-] *n.* **1** 전투: close ~ 백병전. **2** 격투, 결투, 싸움: a single ~ 일대 일의 싸움, 결투. SYN. ⇨ FIGHT. **3** 논쟁. **—** [kəmbǽt, kámbæt, kʌ́m-/kɔ́mbæt, kʌ́m-, -bət, kəmbǽt] (*-tt-*) *vt.* …와 싸우다, …을 상대로 항쟁하다. **—** *vi.* 《~/+전+명》 싸우다, 격투하다《*with; against*》; 분투하다《*for*》: ~ *with* a crippling disease 지독한 병과 싸우다 / ~ *for* freedom of speech 언론의 자유를 위해 싸우다.

cómbat aìr patról 〖군사〗 전투 공중 초계《생략: CAP》.

°**com·bat·ant** [kəmbǽtənt, kámbət-, kʌ́m-/kɔ́mbət-, kʌ́m-] *a.* 격투하는; 싸우는; 교전 중의; 전투에 임하는; 전투적, 호전적. **—** *n.* 싸우는 사람; 전투원. OPP *non-combatant.* ¶ a ~ officer 전투병과(兵科) 장교.

cómbat bòots 〔**shòes**〕 전투화.

cómbat càr 《미》 전투 차량, 전차.

cómbat fatìgue 〔**exhàustion**〕 《미》 전투 피로증.

cómbat informátion cènter 〖군사〗 (군함의) 전투 정보 지휘소.

com·bat·ive [kəmbǽtiv, kámbət-, kʌ́m-/kɔ́mbət-, kʌ́m-] *a.* 전쟁〔싸움〕을 좋아하는, 호전적; 투쟁적. ㊞ **~·ly** *ad.* **~·ness** *n.*

cómbat jàcket ＝BATTLE JACKET.

cómbat neuròsis 〖의학〗 ＝BATTLE FATIGUE.

cómbat pày 전투 수당.

cómbat tèam 《미》 (육해공군의) 연합 전투 부대; (보병·포병 혼성의) 전투단.

cómbat ùnit 전투 단위(fighting unit).

cómbat zòne 전투 지역.

comb(e), coomb(e) [ku:m] *n.* 《영》 험하고 깊은 골짜기; 산허리의 골짜기.

cómb·er *n.* 빗질하는 사람; 빗질하는 틀, 소모기(梳毛機); 밀려오는 물결, 큰 물결《오랜 주기를 두고 밀려오는》.

com·bi [kámbi/kɔ́m-] *n.* 두 가지 이상의 기능을 가진 기계〔도구〕; 승객·화물 겸용 비행기.

com·bies [kámbiz/kɔ́m-] *n.* 《영구어》 아래위가 붙은 속옷(combinations).

com·bin·a·ble [kəmbáinəbəl] *a.* 결합〔화합〕할 수 있는.

⁑**com·bi·na·tion** [kàmbənéiʃən/kɔ̀m-] *n.* U,C **1** 결합, 짝맞추기; 연합, 공동 (동작); (색 등의) 배합. **2** (*pl.*) 《영》 콤비네이션《아래위가 붙은 속옷》. **3** 단체 행동, 공모; 공동체, 도당(cabal), 한패; 〖체스〗 일련의 교묘한 말의 움직임. **4** 〖화학〗 화합(물); 〖결정〗 집형(集形)《두 종류 이상의 결정면으로 이루어진 결정형》; (*pl.*) 〖수학〗 조합, 결합; 〖컴퓨터〗 조합. **5** (자물쇠 등을 열기 위해) 맞추는 번호; ＝COMBINATION LOCK. **6** 사이드카가 달린 오토바이. ◇ combine *v.* ***in ~ with*** …와 결합〔공동 협력〕하여. ***make a good*** 〔***strong***〕 ~ 좋은 짝이 되다. ㊞ **~·al** *a.*

combinátion càr 《미》 혼합 열차《1·2등 또는 객차와 화차의》.

combinátion dòor (철망 달린 방충문처럼) 떼고 붙일 수 있는 옥외문.

combinátion drùg 복합약《두 가지 이상의 항생 물질이나 술파제 등의 혼합약》.

combinátion làst 콤비네이션 라스트, 콤비형의 구두《표준 사이즈보다 어떤 일부분을 작거나 가늘게 변화시켜 만든 구두형》.

combinátion lòck 숫자 맞춤 자물쇠.

combinátion ròom (케임브리지 대학의) 특별 연구원의 사교실. cf. common room.

combinátion sàle 끼워팔기(tie-in sale).

combinátion squàre 조합(組合)자《치수·각도·기울기 등을 측정하는 여러 가지 자를 조합한 목공용 자》.

combinátion thèrapy 〖의학〗 (한 가지 병에 두 가지 이상의 약을 쓰는) 병용 요법.

com·bi·na·tive [kámbənèitiv/kɔ́mbinət-] *a.* 결합성의, 결합할 수 있는; 결합에 의한; 〖언어〗 (음 변화가) 연음 변화에 의한《연속하는 음에 의해 생김(cf. isolative)》.

com·bi·na·to·ri·al [kəmbàinətɔ́:riəl, kàmbə-/kɔ̀mbinə-] *a.* 결합의; 〖수학〗 조합의.

combinatórial análysis 〖수학〗 조합론.

combinatórial topólogy 조합 위상 기하학.

com·bi·na·tor·ics [kəmbàinətɔ́:riks, kàmbə-/kəmbài-, kɔ̀mbə-] *n. pl.* 《단수취급》 〖수학〗 순열 조합론.

⁑**com·bine** [kəmbáin] *vt.* **1** 《~+목/+목+전+명》 …을 결합시키다, 연합〔합병, 합동〕시키다, 협력하게 하다; (색 따위를) 배합하다: ~ two companies 두 회사를 합병하다 / ~ two parties *into* one 두 정당을 하나로 합치다. SYN. ⇨ JOIN. **2** 《~+목/+목+전+명》 …을 겸하다, 겸비하다; 아울러 가지다: ~ work *with* pleasure 일에 재미도 겸하게 하다 / She ~*s* marriage and a career very ably. 그녀는 가정생활과 직장생활을 다 잘 꾸려 가고 있다. **3** 〖화학〗 …을 화합시키다: The acid and alkali are ~*d* to form salt. 산과 알칼리는 화합하여 소금이 된다. **4** [kámbain/kɔ́m-] 콤바인으로 수확하다. **—** *vi.* **1** 《~/+전+명》 결합하다, 합동하다; 겸비하다: ~ *in* 〔*into*〕 a large mass 결합하여 큰 덩어리가 되다 / Everything ~*d against* him. 모든 것이 그를 곤경에 빠뜨렸다. **2** 연합하다, 합체하다, 합병하다, 협력하다: The two firms ~*d* to attain better management. 그 두 회사는 경영의 합리화를 위해 합병하였다. **3** 《+전+명》 〖화학〗 화합

하다: Hydrogen ~*s with* oxygen to form water. 수소는 산소와 화합하여 물이 된다. ◇ combination *n*.

— [kámbain/kɔ́m-] *n*. **1** 《미구어》 기업 합동, 카르텔; (정치상의) 합동. [cf.] syndicate. **2** 『미술』 콤바인《유화와 콜라주처럼 서로 다른 기법과 소재를 혼용해서 만든 작품》. **3** 『농업』 콤바인 (=∠ **hàrvester**)《수확과 탈곡을 동시에 처리할 수 있는 기계》.

[파] **com·bín·a·ble** *a*. **com·bín·er** *n*. 결합하는 것〔사람〕.

com·bíned *a*. 결합〔연합, 화합, 합동〕한: a ~ squadron 연합 함대.

combíned árms 『군사』 제병 연합 부대《기갑·보병·포병·공병·항공 부대 등을 통합한 작전 부대》.

combíned immunodefíciency disèase 『의학』 복합 면역 부전증《B-세포, T-세포 양자의 면역 결손》.

combíned operátions 〔**éxercises**〕 『군사』 연합〔합동〕 작전.

comb·ing [kóumiŋ] *n*. 『방적』 [U] 소모; (*pl*.) 빗질하여 빠진 머리카락.

cómbing machìne 소모기(梳毛機).

cómbing wòol 빗질한〔소모용〕 양털《worsted 따위의 원료》.

combíning fòrm 『문법』 (말의) 복합형(複合形)《예: Chino-Russian의 Chino- 따위》.

combíning wèight 『화학』 화합량.

cómb jèlly 『동물』 =CTENOPHORE.

com·bo [kámbou/kɔ́m-] (*pl*. **~s**) *n*. 《구어》 결합, 연합; 《구어》 캄보《작은 편성의 재즈밴드》; 《Austral.속어》 원주민 여성과 동거하는 백인 남자; (금고 자물쇠의) 맞춤 숫자.

cómb-oùt *n*. (이 등의) 일제 박멸; (신병 등의) 일제 징병; (용의자의) 일제 검색.

com·bust [kəmbʌ́st] *a*. 『천문』 (별이) 태양에 다가와 빛이 약해진.

com·bùs·ti·bíl·i·ty *n*. [U] 연소성, 가연성.

°**com·bus·ti·ble** [kəmbʌ́stəbəl] *a*. 타기 쉬운, 연소성의; 격하기 쉬운. — *n*. (보통 *pl*.) 연소물, 가연물. [파] **-bly** *ad*.

°**com·bus·tion** [kəmbʌ́stʃən] *n*. [U] 연소; (유기체의) 산화(酸化); 흥분, 소동: spontaneous ~ 자연 발화. 「소실(燒燒室).

combústion chàmber 『기계』 (엔진의) 연

combústion èngine 연소 기관.

combústion fùrnace 연소로(爐).

combústion tùbe 연소관(管).

com·bus·tive [kəmbʌ́stiv] *a*. 연소(성)의.

com·bus·tor [kəmbʌ́stər] *n*. (가스 터빈이나 제트 엔진 따위의) 연소실, 연소기(器).

comby [kóumi] *a*. 벌집 모양 (조직)의.

comd. command. **COMDEX** Computer Dealers Exposition (컴덱스)《컴퓨터 관련 업체들의 제품 전시회》. **comdg.** commanding. **Comdr.** Commander. **Comdt.** Commandant.

†**come** [kʌm] (**came** [keim]; **come**) *vi*. **1** 《~/+[부]/+*to* do/+[전]+[명]/+*doing*》 오다; (상대방에게 또는 상대방이 가는 쪽으로) 가다. ★ come, go 는 각기 '오다', '가다' 라는 우리말과 반드시 일치하지는 않음: I'm *coming* in a minute. 지금 곧 가겠다《네가 있는 곳에》/I'm *coming* with you. 함께 가겠다《네가 가는 쪽으로》/John! Supper is ready!—Yes, (I'm) *coming*. 존, 저녁 준비 다 됐다—네, 곧 갑니다/He's soon *coming* home. 그는 곧 돌아온다. 비교: I'm *going* home. 집으로 갑니다《지금 내가 있는 곳에서》/*Come* here 〔this way〕, please. 이리 오십시오/Please ~ *to* see me. =Please ~ and see me. =《미구어》 Please ~ see me. 놀러 오십시오/Will you ~ *to* the dance tonight? 오늘 밤 댄스파티에 오시지 않겠습니까/Some children *came running*. 몇 명의 아이들이 달려왔다.

2 《+[전]+[명]/+[부]》 도착하다, 도달하다(arrive): He *came to* the end of the road. 그는 길 끝에 이르렀다/The train is *coming in* now. 열차가 지금 들어오고 있다.

3 (시기·계절 등이) 도래하다, 돌아오다, 다가오다; 『to ~을 형용사적으로 써서』 앞으로 올, 장래〔미래〕의: Winter has ~. 겨울이 왔다《Winter is come.은 문어》/Dawn *came* at six. 6 시에 날이 샜다/The time has ~ *to* do …할 때가 왔다/the years *to* ~ 다가올 세월/the world *to* ~ 미래의 세계, 내세/in time(s) *to* ~ 장차.

4 《+[전]+[명]》 이르다, 미치다, 닿다《*to*》: The dress ~*s to* her knees. 옷이 무릎까지 닿는다.

5 (순서로서) 오다: My turn has ~. 내 차례가 왔다/Coffee will ~ after the meal. 식사 후에는 커피가 나올 것이다/Where did you ~ in the race?—I *came* in second. 경주에서 몇 등 했느냐—2 등했다.

6 《~/+[전]+[명]》 보이다, 나타나다: The light ~*s* and goes. 빛이 나타났다가는 사라진다/A smile *came to* his lips. 그의 입술에 미소가 떠올랐다.

7 《~/+[전]+[명]》 (…에서 …로) 옮아가다《*from; to*》; 손에 들어오다; (상품을 …형태로) 팔고 있다; 공급되다; 『현재분사 꼴로』 당연히 받아야 할: His fortune *came to* him *from* his father. 그의 재산은 아버지로부터 물려받은 것이었다/Easy ~, easy go. 《속담》 쉽게 얻는 것은 쉽게 잃는다/Toothpaste ~*s in* a tube. 치약은 튜브에 넣어 판다/He has another dollar *coming to* him. 그는 1 달러 더 받게 되어 있다.

8 《~/+[전]+[명]/+*that* [절]》 (일이) 생기다, 일어나다; (일·사물이) 돌아오다, 찾아오다: After pain ~*s* joy. 고생 끝에 낙이 있다/Success ~*s to* those who strive. 성공은 노력하는 자의 것이 된다/How ~*s* it 〔How does it ~〕 *that* you didn't know the news? 네가 그 소식을 몰랐다니 어떻게 된 거야.

9 《+[전]+[명]》 (어떤 때에) 해당하다, …에 들다: Christmas *came on* a Monday that year. 그해의 크리스마스는 월요일이었다.

10 《~/+[전]+[명]》 (생각 따위가) 떠오르다: The inspiration never *came*. 도무지 영감이 떠오르지 않았다/The idea just *came to* me. 문득 그 생각이 떠올랐다.

11 《~/+[전]+[명]》 (사물이) 세상에 나타나다, 생기다, 발생하다, 이루어지다, (아이가) 태어나다: The wheat began to ~. 밀이 싹트기 시작하였다/The butter will not ~. (아무래도) 버터가 되지 않는다/A chicken ~*s from* an egg. 알에서 병아리가 깬다.

12 《+[전]+[명]》 (결과로서) 생기다, …으로 말미암다, …에 원인이 있다《*of; from*》: Your illness ~*s of* drinking too much. 네 병은 과음이 원인이다/Cultural prejudices ~ *from* ignorance. 문화적 편견은 무지에서 생긴다.

13 《+[전]+[명]》 (…의) 출신〔자손〕이다, 태생이다《*from; of*》: I ~ *from* Seoul. 서울 출신이다《I *came from* Seoul.은 「서울에서 왔다」의 뜻》/She ~*s of* a good family. 양가 태생이다/Where do you ~ *from*? 고향이 어딘가.

14 《+*to* do》 …하게 되다, …하기에 이르다: How did you ~ *to* know that? 어떻게 그것을 알게 되었느냐.

15 ⟪+보/+*done*⟫ …의 상태로 되다, …이 되다: ~ true (꿈이) 현실이 되다; (예언·예감이) 들어맞다/Things will ~ all right. 만사가 잘 될 것이다/The work will ~ easy with a little practice. 조금만 해보면 쉬운 일이야/It ~*s* cheap. 그것이 싸게 먹힌다/~ *untied* 〔*undone*〕 풀어지다/~ ten years old. 10살이 되다.
16 ⟪+전+명⟫ …의 상태로 되다, 들어가다, 이르다⟪*to; into*⟫: ~ *into* sight 보이기 시작하다/~ *into* use 사용할 수 있게 되다/~ *into* play 활동하기 시작하다/~ *to* a conclusion 결론에 도달하다.
17 ⟪+전+명⟫ 합계 …이 되다; 요컨대 …이 되다, …와 같다: Your bill ~*s to* $20. 계산은 20 달러가 됩니다/What you say ~*s to* this. 요컨대 이렇다는 뜻이지.
18 〖명령·재촉·제지·주의 따위〗 자, 이봐; ⟪미⟫ (문을 두드리는 사람에게) 들어와(Come in!): *Come*, tell me all about it. 자, 그것을 나에게 모두 말해다오/*Come*, that will do. 그만, 그것으로 됐어.
19 〖가정법 현재를 접속사적으로 써서〗 …이 오면: He will be six ~ April. 4월이 오면 여섯 살이 된다⟪if April come(s) …의 뜻에서⟫/a week ago ~ Tuesday 다음 화요일로 꼭 일주일 전. ★ and를 넣어 쓰기도 함: *Come* summer *and* we shall meet again. 여름이 오면 다시 만나자.
20 ⟪비어⟫ 오르가슴에 이르다, 사정(射精)하다.
21 〖과거분사의 꼴로〗 왔다: A Daniel ~ to judgment! 명재판관 다니엘씨의 재림이다.
— *vt.* **1** 하다, 행하다, 성취하다: He cannot ~ that. 그는 그것을 못한다/~ a joke 〔a trick〕 on a person 아무를 조롱하다. **2** ⟪구어⟫ …체하다, …인 것처럼 행동하다: ~ the moralist 군자인 체하다/~ the swell 잘난 체하다. ★ 보통 정관사 붙은 명사가 따름.
as ... as they ~ 특별히 뛰어나게 …한: The baby is *as* cute *as they* ~. 참으로 귀여운 아이이다. **~ *about*** (일이) 일어나다, 생기다; 〖it을 주어로〗 …하게 되다⟪*that*⟫; (바람 방향이) 바뀌다; 〚해사〛 (배가) 뱃머리를 바람이 불어 오는 쪽으로 돌리다: The explosion *came about* by accident. 그 폭발은 우연히 일어났다/*It came about that* he was asked to resign. 사직을 요청받게 되었다. **~ *across*** ⟪*vi.*+전⟫ ① (사람·물건을) 뜻밖에 만나다, 우연히 발견하다. ② (생각 따위가) …에 떠오르다: ~ *across* one's mind 문득 머리에 떠오르다. ③ …을 건너오다. — ⟪*vi.*+부⟫ ④ (말·소리가) 전해지다, 이해되다. ⑤ (…라는) 인상을 주다⟪*as*⟫: He *came across* to us *as* arrogant. 그는 우리에게 거만한 인상을 주었다. ⑥ ⟪속어⟫ 약속을 이루다; 기대한 바대로 하다, (요구하는 것을) 주다; (빚을) 갚다⟪*with*⟫: ~ *across with* the rent 세를 주다. ⑦ ⟪미속어⟫ 매수하다; 실토〔자백〕하다. ⑧ ⟪구어⟫ 효험이 있다. ⑨ ⟪비어⟫ (여자가) 몸을 허락하다. **~ *after*** …을 찾으러 오다; …의 뒤를 잇다, …의 뒤를 쫓다; …에 계속하다. **~ *again*** 또 한 번 해보다; (지금 말한 것을) 되풀이하다; 다시 자세히 말하다: *Come again?* 뭐라고, 다시 한 번 말해 보시오. **~ *against*** …을 공격해 오다. **~ *along*** ① 오다; (길을)지나가다; 동행하다⟪*with*⟫: He *came along* (*with* me). ② 숙달〔성공〕하다⟪*in; with*⟫. ③ (건강이) 좋아지다; (일 등이〔을〕) (잘) 진행되다〔해나가다〕⟪*with*⟫; (식물이) (잘) 자라다: How are you *coming along with* your work? 연구〔공부〕가 잘 진행되고 있느냐. ④ 〖명령형〗 따라와, 자 빨리; ⟪영⟫ 힘내; ⟪영구어⟫ 설마, 그럴 리가. **~ *a long way*** 크게 진보〔향상〕하다, (건강이) 아주 좋아지다. ***Come and get it!*** 가지러 오너라; ⟪구어⟫ (자 와서 먹어→) 식사 준비가 되었다. **~ *and go*** 오가다; 잠시 들르다; 딴 것으로 바뀌다, 갈마들다: Money will ~ *and go.* 돈이란 돌고 돈다. **~ *apart*** 낱낱이 흩어지다, 분해되다; (육체적·정신적으로) 무너지다. **~ *apart at the seams*** ⇨ SEAM. **~ *around*** ① (돌아)오다, 훌쩍 오다⟪*to*⟫; (정기적으로) 일어나다. ② (다른 의견·입장으로) 바꾸다, 동조〔동의〕하다⟪*to*⟫: He will ~ *around to* my opinion. 그는 내 의견에 동조할 것이다. ③ 시초로〔근본으로〕 되돌아가다; 의식을 회복하다; 기운〔기분〕을 되찾다. ④ (바람이) 방향을 바꾸다⟪*to*⟫. ⑤ (아무를) 속이다; 구워 삶다. ⑥ ⟪비어⟫ 뒤늦게 멘스가 나오다. **~ *at*** …에 이르다, …에 손을 뻗치다, …을 얻다; …을 알게 되다; (사람에게) 다가가다〔오다〕; …을 덮치다〔공격하다〕: ~ *at* the truth 진실을 알게 되다. **~ *away*** ① (어느 곳에서)(…와) 떠나가다⟪*from; with*⟫; 〖종종 보어를 수반하여〗 (…한 기분을 안고) 떠나가다⟪*with; doing*⟫: He *came away* gloomy *from* the talks. 그는 회담을 마치고 침울해져서 나갔다. ② (붙어 있던 것이)(…에서) 떨어지다, 떼어지다, 빠지다⟪*from*⟫. ③ ⟪주로 영⟫ (식물이) 나다, 빨리 자라다. ④ ⟪Sc. 구어⟫ 〖명령형〗 들어와: *Come away!* The door is open. ⑤ …이라는 결과가 되다. ***Come away with it!*** (그것을) 말해 버리렴. **~ *back*** 돌아오다; ⟪구어⟫ (원상태로) 복귀하다, 회복하다; 다시 생각나다; ⟪속어⟫ 말대답하다, 보복하다⟪*at*⟫: He *came back at* me with bitter words. 그는 심한 말을 하며 내게 대들었다. **~ *back in*** 정상적인 상태로 돌아오다. **~ *before*** …의 앞에〔먼저〕 나가다; (판사 등)에게 취급〔담당〕되다; …의 앞에 제출되다, …의 의제가 되다; …보다 앞서다. **~ *between*** …의 사이에 끼다; …의 사이를 이간하다. **~ *by*** ⟪*vi.*+전⟫ ① …의 곁을 지나다; (상처 등을) 입다. ② …을 손에 넣다: ~ *by* money 돈이 손에 들어오다. — ⟪*vi.*+부⟫ ③ (곁을) 통과하다; ⟪구어⟫ 들르다: He *came by* for a visit. 방문차 들렀다. **~ *close to*** doing 거의 …하게 되다; 자칫 …할 뻔하다. **~ *down*** ① 내려가다; (위층에서) 내려오다. ② 떨어지다; (비 따위가) 내리다; (머리카락 따위가) 드리워지다, 흘러내리다⟪*to*⟫; (값이) 내리다, 하락하다; (비행기가) 착륙〔불시착〕하다, 격추되다: Her skirt ~*s down to* her ankles. 그녀의 스커트는 발목까지 닿았다. ③ (사람이) 영락하다; 영락하여〔면목 없게도〕 …하게 되다⟪*to doing*⟫: ~ *down to* begging in the streets 영락해 거리에서 구걸하게 되다. ④ (건물·사람이) 쓰러지다. ⑤ 전래하다, 전해지다⟪*from; to*⟫. ⑥ 〖handsomely, generously 등을 수반하여〗 ⟪구어⟫ (아끼지 않고) 돈을 내다. ⑦ 의사 표시를 하다, 결정을 내리다: ~ *down* against 〔in favor of〕 …에 반대〔찬성〕하다. ⑧ (London 따위의) 대도시를 떠나다, 시골로 가다; 낙향하다⟪*from; to*⟫. ⑨ 총계해서〔결국은〕 …이 되다, 귀착하다⟪*to*⟫. ⑩ ⟪영⟫ (대학을) 졸업하다, 나오다⟪*from*⟫. ⑪ 각성제〔마약〕 기운이 깨다〔떨어지다〕. ⑫ ⟪미속어⟫ 일어나다, 생기다. **~ *down on*** 〔***upon***〕 …을 급습하다; …을 호되게 꾸짖다⟪*for*⟫, …에 반대하다; ⟪구어⟫ …에게 강요하다⟪*for; to do*⟫: They *came down on* him *for* 〔*to* pay〕 1,000 dollars in back taxes. 그들은 그에게 체납된 세금 1,000달러를 내라고 요구했다. **~ *down with*** (병에) 걸리다; ⟪구어⟫ (돈을) 내다: ~ *down with* measles 홍역에 걸리다. **~ *for*** …목적으로 오다; 〔아무를〕 맞으러 오다; 덮치다, 덮치려 하다. **~ *forth*** (제안 따위가) 나오다; 공표〔출판〕되다. **~ *forward*** 앞으로 나서다; (후보자로서) 나서다, 지원하다; (…에) 쓸모가 있다, 소용

되다; (문제가) 검토〔제출〕되다. ~ ***from behind*** (스포츠에서) 역전승하다. ~ ***good*** 《Austral.구어》 잘 돼 가다. ~ ***home*** 귀가하다; 귀국하다; 절실히 느껴지다《*to*》; 〖해사〗 (닻이) 끌리기 시작하다; (물건이) 끌려 움직이다. ~ ***in*** ① 집〔방〕에 들어가다; 도착하다; 입장하다: *Come in!* 들어오시오. ② (밀물이) 들어오다. ③ (…등으로) 결승점에 들어오다, 입상하다: ~ *in* first 〔last〕, 1등으로〔꼴찌로〕 들어오다. ④ 〖크리켓〗 타자로〔타석에〕 서다. ⑤ (잘못 따위가) 생기다: That's where the mistake ~*s in*. 거기에 잘못이 있다. ⑥ (돈·수입이) 생기다; 자금이 걷히다. ⑦ (계절로) 접어들다; (식품 등이) 제철이 되다, 익다. ⑧ 유행하기 시작하다. ⑨ 입장이 (…하게) 되다; 쓸모 있게 되다, 힘을 발휘하다; 간섭하다: Where do I ~ *in?* 내 처지는 어떻게 되나; 내가 할 일은 무엇인가/Odds and ends will ~ *in* some day. 잡동사니도 언젠가는 쓸모가 있게 된다. ⑩ 취임하다; 당선되다; (정당이) 정권을 잡다. ⑪ 《미속어》 (동물이) 새끼를 낳다. ⑫ 협력하다 《*with*》. ⑬ 〖방송〗 (해설자 등이) 방송〔토론〕에 가담하다; 말참견하다; (신호에 대해서) 응답하다: *Come in*, Seoul, please. 서울 나오세요. ⑭ 〔보어를 수반하여〕 (라디오·TV가) (…하게) 들리다〔비치다〕; (…임을) 알다, 알게 되다: ~ *in* clear 〔strong〕 선명하게 들리다〔비치다〕/It *came in* useful. 그것이 유익함을 알았다. ⑮ 《미》 (유정(油井)이) 생산을 시작하다. ~ ***in for*** (몫·재산 따위)를 받다, (칭찬·비난 따위)를 받다; …에 쓸모가 있다. ~ ***in handy*** 〔***useful***〕 소용 (있게) 되다. ~ ***in on*** (계획·사업 등)에 참가하다. ~ ***into*** ① …에 들어오다, …에 들어가다: ~ *into* the world 태어나다. ② (재산 따위)를 물려받다: ~ *into* a fortune. ③ (계획)에 참가하다; …을 지지하다. ~ ***into being*** 탄생하다. ~ ***in with*** 《구어》 (사업 따위로 회사 따위)에 참가하다. ~ ***it*** 목적을 이루다; 폭로하다; 뻔뻔스럽게 행동하다. ~ ***it*** (***over*** 〔***with***〕***...***) 《영구어》 (…에 대하여) 잘난 체〔대담하게〕 행동하다; 〔that 절을 수반하여〕 (…에게 …라고) 믿어 버리게 하려고 들다. ~ ***it strong*** ⇨ STRONG. ~ ***off*** 《*vi.*+부》 ① 떠나다, (배 따위에서) 내리다; (말 따위에서) 떨어지다; 도망가다. ② (단추·손잡이 따위가) 떨어지다; (머리·이 따위가) 빠지다; (도료가) 벗겨지다; (얼룩이) 빠지다; (뚜껑이) 열리다. ③ (결혼식 따위가) 행해지다; 실현되다, 성공하다: The game will ~ *off* next week. 경기는 내주 거행된다/~ *off* well 〔badly〕 성공〔실패〕하다. ④ 공연을 그만두다; 〖크리켓〗 투구를 그치다. ⑤ (가스 따위가) 나오다, 발생하다. ⑥ 〔보어를 수반하여〕 …이 되다: ~ *off* a victor 〔victorious〕 승리자가 되다/~ *off* cheap 별다른 손해를 안 보고 그치다; 큰 욕을 보지 않고 끝나다. ⑦ 《비어》 사정(射精)하다, 오르가슴에 이르다. ―《*vi.*+전》 ⑧ (단추·손잡이 따위가) …에서 떨어지다, 빠지다. ⑨ (장소를) 떠나다; (말 따위에서) 떨어지다. ⑩ 《영》 (금액이) …에서 공제〔할인〕되다. ⑪ (일을) 마치다; (제도 따위를) 중지하다. ⑫ (가스 등이) …에서 발생하다. ~ ***off it*** 《구어》 허세〔객쩍은 소리 따위〕를 그만두다. ~ ***on*** 《*vi.*+부》 ① 다가오다; (밤·겨울 따위가) 오다; (발작·병·고통이) 엄습하다; 시작되다; (비 따위가) 내리기 시작하다; 〖크리켓〗 투구를 시작하다: It *came on* to rain. 비가 내리기 시작했다. ② 뒤에서 따라오다: Go first. I'll ~ *on*. 먼저 떠나라, 나중에 갈께. ③ 전진하다, 진보하다, 진척하다; 발전하다; (아이 따위가) 자라다: My picture is *coming on*. 내 그림은 잘 진척되고 있다/The team is *coming on*. 그 팀은 손발이 맞기 시작한다/The crops are *coming on* nicely. 농작물이 잘 자라고 있다. ④ (극·영화 따위가) 상연〔상영〕되다; (TV 따위에서) 보이다, (전화 따위에서) 들리다. ⑤ (배우가) 등장하다; (축구 따위에서, 선수가) 도중에〔교체하여〕 출장하다. ⑥ 〔형용사 또는 as 구를 수반하여〕 《구어》 (…라는) 인상을 주다. ⑦ 성적 관심을 나타내어 보이다《*to; with*》. ⑧ (장치가) 작동하기 시작하다, (전기·수도 따위가) 사용 가능하게 되다. ⑨ (문제가) 제기되다, (의안이) 상정되다: ~ *on* for trial 공판에 회부되다. ⑩ 〔명령형〕 이리로 오시오, 이리와, 자 오라, 덤벼라; 자아《재촉할 때》: *Come on*, let's play. 자, 놉시다. ⑪ 〔감탄사적〕 무슨 소리야, 설마, 말도 안 된다. ―《*vi.*+전》 〔on이 전치사일 때는 upon도 씀〕 ⑫ (뜻밖에) 만나다, 발견하다. ⑬ (무대 따위에) 등장하다; (전화 따위에) 나오다. ⑭ 달려들다, 엄습하다. ⑮ …에게 생각나게 하다. ⑯ …의 부담이 되다; …에게 요구하다. ~ ***on down*** 〔***in, out, round, up***〕 〔명령형〕 자자 어서 오세요《come 보다 더 열성스러운 권유》. ~ ***out*** ① (밖으로) 나가다; 사교계에 처음으로 나가다, 첫 무대에 서다; (싹이) 나다, (꽃이) 피다; (별 따위가) 나타나다; (책이) 출판되다; 공매에 붙여지다; (새 유행이) 나타나다, (비밀·본성 등이) 드러나다; (뉴스 따위가) 공표되다; (수학의 답이) 나오다, 풀리다: It *came out* that he had a criminal record. 그에게 전과가 있다는 것이 드러났다. ② (사진이) 현상(現像)되다; 사진이〔에〕 …하게 찍히다: The picture *came out* well. 사진이 잘 찍혔다. ③ (결과가) …이 되다: ~ *out* right in the end 결국 잘 되다. ④ (합계가) …이 되다《*at; to*》: The fare ~*s out to* five dollars. 요금은 5달러가 된다. ⑤ 스트라이크를 하다(=~ *out on* strike). ⑥ (얼룩 등이) 지워지다, (이 따위가) 빠지다. ⑦ 찬성하다《*for; in favor of*》; 반대하다《*against*》: ~ *out for* striking 파업에 찬성하다/He *came out* strongly *against* the plan. 그는 그 계획에 강하게 반대했다. ⑧ 《미속어》 호모인 것을 감추지 않다. ~ ***out in*** (얼굴 등이 부스럼 따위)로 뒤덮이다: I *came out in* a rash. 발진(發疹)이 생겼다. ~ ***out of*** …에서 나오다; (병·곤경 등에서) 벗어나다; …에서 발(發)하다. ~ ***out on the right*** 〔***wrong***〕 ***side*** ⇨ SIDE. ~ ***out with*** …을 보여 주다; …을 입밖에 내다, …을 토로하다; …을 공표하다; …을 시장〔세상〕에 내놓다. ~ ***over*** 《*vi.*+부》 ① …을 건너오다; 멀리서〔이주해〕 오다. ② 갑작스레 방문하다. ③ 전해지다, 이해되다. ④ (적이) 이쪽으로 붙다, (다른 측·견해로) 바뀌다《*to*》. ⑤ 《영구어》 〔보어를 수반해〕 갑자기 (어떤 기분 따위로) 되다: ~ *over* dizzy 어지러워지다. ―《*vi.*+전》 ⑥ (감정·구역질 등이) 엄습하다; (병 따위가) 침범하다. ⑦ (변화가) …에 일어나다. ⑧ 속이다. ~ ***round*** 《영》 =~ around. ~ ***round to...*** 《구어》 (지연된 뒤에) 겨우 …에 착수하다《*doing*》. ~ ***through*** 《*vi.*+부》 ① 해내다, 성공하다. ② 《구어》 요구에 응하다, 긴급함을 해결하다, 제공하다, (돈을) 치르다, (약속 등을) 이행하다《*with*》: He *came through with* the information he promised us. 그는 우리에게 약속한 정보를 제공해 주었다. ③ 기대한 대로〔순조로이〕 모습을 나타내다. ④ 전해지다, (통신 등이) 다다르다, (전화 따위로) 연락해 오다《*on*》. ―《*vi.*+전》 ⑤ …을 해내다; (병·위기 따위를) 헤쳐 나가다, 견디어 내다. ⑥ (성격·능력 따위가) …에 나타나다. ~ ***to*** ① 의식을 되찾다, 제정신 들다. ② (배가) 바람을 안고 달리다; (배가) 닻을 내리다, 정박하다. ~ ***together*** 화해하다. ~ ***to no good*** 신통치 않다, 잘 안 되다. ~ ***to oneself*** 〔***one's senses***〕 되살아나다; 의식을 되찾다; 본심으로 돌아가다. ~ ***to that*** 《구어》 =***if it*** ~(***s***) *to that* 그것에 관해서라면, 그 경우에는, 그리 말하면. ~ ***to think of it*** 생각해 보니; 참으로. ~ ***under*** ① …의 밑으로 오다[들어가다]; …의 부문[항목]에 들다; …에 편입[지배]되다; …에 상당[해당]하다. ② …의 영향을[지배를] 받다; (비판·공격 따위를) 받다, 당하다: ~ *under* attack again 다시 공격당하다 / ~ *under* a person's notice 아무에게 눈치채이다. ~ ***up*** ① 오르다, (해 따위가) 뜨다. ② (씨·풀 따위가) 지상으로 머리를 내밀다, 싹을 내다, (수면 등에) 떠오르다; 《구어》 (먹은 것이) 올라오다. ③ 《비유》 두드러지다, 빼어나다. ④ 상경하다, 북상하다; 《영》 (대학에) 진학하다《*to*》; (지위·계급 따위가) 오르다, 승진하다《*in*》: ~ *up in* the world 출세하다. ⑤ 오다, 다가오다《*to; on*》; 모습을 나타내다; 출두하다: Did you ~ *up* here to pick a fight? 싸움을 걸러 여기 왔는가. ⑥ (물자 따위가) 전선에 보내지다. ⑦ (폭풍 등이) 일어나다, (기회·결원 등이) 생기다. ⑧ 유행하기 시작하다. ⑨ (화제(話題)에) 오르다; (선거·입회 등의) 후보[지망]자로서 나오다《*for*》. ⑩ 《구어》 (추첨 등에서) 당선되다, 뽑히다. ⑪ (닦여서) 광택이 나다, (곱게) 마무리되다: My shirt *came up* quite beautiful. 셔츠를 세탁했더니 아주 말끔해졌다. ⑫ 더 빨리 (나아)가다《특히, 말에 대한 명령으로 쓰임》. ⑬ 【해사】 (돛줄 등을) 서서히 늦추다. ⑭ (영화·TV 프로 등이) 상영[방송] 예정이다; 【컴퓨터】 (정보가) 전광판에 나오다. ~ ***up against*** (곤란·반대)에 직면하다. ~ ***up for the third time*** (익사 전에 세 번은 물 위에 떠오른다는 관점에서) 구조될 수 있는 마지막 고비에 이르다, 죽음에 임박하다. ~ ***upon*** ⇨ ~ on. ~ ***up to*** …쪽으로 오다; …에 달하다[…에 이르다]; (기대)에 부응하다, (표준)에 맞다; …에 필적하다: ~ *up to* expectations 기대에 부응하다. ~ ***up with*** …을 따라잡다[붙다]; …을 제안[제공]하다; (해답 등을) 찾아내다; 생각해 내다; (깜짝 놀랄) 말을 하다; (아무)에게 보복하다. ~ ***what may*** [***will***] 어떠한 일이 일어날지라도. ~ ***with*** …에 부속돼 있다; …이 설비되어 있다: All the rooms ~ *with* bath, TV and air conditioning. 모든 방에 욕실, TV, 냉난방 장치가 설비되어 있다. ***coming up*** 《구어》 (식당에서 요리 등이) 곧 나갑니다, '다 되었습니다'. ***have it coming*** (***to*** one) ⇨HAVE. ***How ~ … ?*** 《구어》 어째서 …인가, 왜 그런가(why): *How* ~ you didn't join us? 왜 우리 측에 들지 않았나 / *How* ~ you aren't taking me! 어째서 자넨 나를 데리고 가지 않지. ***How ~s it*** (***that…***)? 왜 그렇게 (…하게) 되었나. ***if it ~s to that*** = ~ to that. ***Let'em all ~!*** (어떤 무기로든) 덤빌 테면 덤벼라. ***not know if*** [***whether***] one ***is coming or going*** 《구어》 어떻게 된 것인지[뭐가 뭔지] 전혀 모르다. ***see*** a person ***coming*** (아무를) 속여 바가지를 씌우다, 아무의 약점을[무지를] 기화로 삼다[틈타다]. ***take… as it ~s*** (일 따위)를 주어진 상황에서 [그 자리에서] 처리하다. ***things to come*** 장차 일어날 수 있는 일, 미래. ***when it ~s*** (***down***) ***to…*** …(의 이야기·문제)라 하면, …에 관해서 말한다면: *When it ~s to* classical music I know almost nothing. 고전 음악에 관한 것이라면 나는 거의 아는 것이 없네. ***where*** one ***is coming from*** 《미속어》 (아무가) 무엇을 생각하고 있는지, 무슨 심산인지; (아무의) 의도, 말하고 싶은 것: It's hard to understand *where* your friend *is coming from* when he say such crazy things. 그런 미친 소리를 하다니, 자네 친구의 의도가 무엇인지 알 수가 없군 그래.

cóme-and-gó [-ənd-] *n.* 왕래, 내왕; 변천.

còme-át-able *a.* 《구어》 가까이하기 쉬운, 교제하기 쉬운; 입수하기 쉬운.

cóme·bàck *n.* **1** (원래의 지위·직업·신분으로의) 되돌아감; 컴백; (병으로부터의) 회복. **2** (효과적인) 응구첩대, 응답, 반론. **3** 《속어》 (점원 용어로) 반품하는 손님; 반품; 보상. **4** 《미속어》 나중에 불평할 여지, 후에 군소리할 권리. **5** 《Austral.》 양털과 식육 양쪽에 적합한 양; 그 털. **6** 《CB속어》 응답, 회신. **7** 《영속어》 (사람의) 매력; 활력. ***make*** [***stage***] ***a ~*** 복귀[재기]하다.

cóme·bàcker *n.* 【야구】 피처 앞[강습] 땅볼.

cómeback wín 역전승(come-from-behind victory).

cóme-by-cháncе *n.* 《영구어》 사생아(chance child).

COMECON, Com·e·con [kάmikən/kɔ́m-] *n.* 코메콘, 동유럽 경제 상호 원조 회의《1991 년 해체》. [◂ *C*ouncil for *M*utual *Econ*omic Assistance]

cóme-dày-gó-dày *a.* 일하지 않는, 게으른; 무관심한.

◇**co·me·di·an** [kəmíːdiən] *n.* 희극 배우, 코미디언; 익살꾼; 《드물게》 희극 작가.

co·me·dic [kəmíːdik, -méd-] *a.* 코미디의[에 관한]; 희극풍의, 희극적인.

co·mé·die de mœurs [kɔːmeidíːdəmə́ːrs] 《F.》 풍속 희극(comedy of manners).

Co·mé·die-Fran·çaise [kɔːmeidíːfrɑːnséz] *n.* 《F.》 (the ~) 코메디 프랑세즈《고전극 상연으로 유명한 프랑스 국립 극장; 1680 년 창립》.

comédie lar·mo·yante [kɔːmeidíːlàːr-mwəjɑ́ːŋt] 《F.》 감상적인[로맨틱한] 희극.

co·me·di·enne [kəmìːdién, -mèi-] *n.* 《F.》 희극 여우(女優).

comédie noire [kɔːmeidíːnwάːr] 《F.》 = BLACK COMEDY.

co·me·di·et·ta [kəmìːdiétə, -mèi-] *n.* 《It.》 소(小)희극, 단편 희극《보통, 1막》.

com·e·dist [kάmədist/kɔ́m-] *n.* 희극 작가.

com·e·do [kάmədòu/kɔ́m-] (*pl.* **~·nes** [⌐-⌐ niːz], **~s**) *n.* 여드름.

cóme·dòwn *n.* (지위·명예의) 하락, 실추, 영락, 몰락; 《구어》 실의(失意); 기대에 어긋남.

⁑**com·e·dy** [kάmədi/kɔ́m-] *n.* C,U 희극, 코미디; 희극적인 장면[사건]; (the ~) 희극적 요소; 인생극《인생의 희비 양면을 묘사한 작품》; 유머(humor): ⇨ HIGH [LOW] COMEDY / a light ~ 경(輕)희극 / Dante's *Divine Comedy* 단테의 '신곡' / a ~ of misunderstandings [errors] 오해에서 빚어진 희극. ◇ comic *a.* ***cut the ~*** 《속어》 농담[바보짓]을 그만두다. ㊞ **co·me·di·al** [kəmíːdiəl] *a.*

cómedy dràma 희극적 요소를 가미한 드라마, 코미디 드라마.

cómedy of húmors 기질(氣質) 희극《네 가지 체액(體液)에 의해 유형화된 기질을 갖는 인물이 엮어 내는 엘리자베스 시대의 희극》.

cómedy of mánners 풍속 희극《17세기 말의 영국 상류 사회의 풍속·인습 등을 풍자한 희극》.

cómedy·wrìght *n.* 희극 작가.

còme-from-behínd *a.* 역전의《승리》.

còme-híther *a.* 《구어》 (특히 성적으로) 도발적인, 유혹적인. ── *n.* 《구어》 유혹; (가축 따위를) 부르는 소리[짓].

cóme-ìn *n.* 《미속어》 표를 사려고 줄을 선 관객; 연기의 시작을 기다리고 있는 관객.

cóme-látely *a.* 신참의, 새로 가담한.

*__come·ly__ [kʌ́mli] *a.* 잘생긴, 미모의, 아름다운 《얼굴 따위》; 《고어》 품행이 단정한; 말쑥한; 알맞은. ㊞ **-li·ness** *n.*

cóme-òff *n.* 《미구어》 결론, 결말; 발뺌, 변명.

cóme-òn *n.* 《속어》 권유, 유혹(물), 유혹하는 듯한 태도[눈]; 눈길을 끄는 싸구려 상품; 섹스 어필; 사기꾼; 호인, '봉'.

còme-óuter *n.* (사회에서의) 이탈자; 배교자; 급진적 개혁주의자.

co·me pri·ma [kòumeiprí:mə] 《It.》 『음악』 「처음과 같게.

cóme-quèen *n.* 《미속어》 구강 성교(oral sex) 애호가〔마니아〕.

com·er [kʌ́mər] *n.* 오는 사람; 새로 온 사람; 《구어》 유망한 사람〔것〕, 성장주(成長株). ***all*** **~s** 오는 사람 전부, 신청자 전부: Open to *all* ~*s*. 참가 자유.

co·me so·pra [kòumeisóuprə] 《It.》 『음악』 위와〔앞과〕 같이.

co·mes·ti·ble [kəméstəbəl] *a.* 《드물게》 먹을 수 있는(edible). **—***n.* (보통 *pl.*) 식료품, 먹을 것.

***com·et** [kámit/kɔ́m-] *n.* 『천문』 혜성, 살별. ⓟ **~·ary** [-èri/-əri] *a.* 혜성의; 혜성 같은.

co·meth·er [kouméðər] *n.* 《Ir.·구어》 = COMEHITHER. ***put the*** 〔*one's*〕 **~ *on…*** 달콤한 말로 …을 설득하려 하다, 구슬리다.

co·met·ic, -i·cal [kəmétik], [-kəl] *a.* = COMETARY.

cómet sèeker 〔**fìnder**〕 혜성 발견용 망원경 《배율은 낮으나 시야가 넓음》.

come·up·pance [kʌ̀mʌ́pəns] *n.* Ⓤ 《구어》 당연한 벌〔응보〕, 인과응보: get one's ~ for …의 당연한 벌을 받다.

COMEX Commodity Exchange, New York.

CÓM file 『컴퓨터』 컴파일《MS-DOS 상에서 실행되는 명령 파일, 사용자가 파일 이름을 입력하면 MS-DOS 운영 체제가 파일을 주(主)기억 장치에 적재하여 실행함》.

com·fit [kʌ́mfit] *n.* 《미·영드물게》 (눈깔)사탕《속에 과일·호두 조각 등이 있는》; (*pl.*) 과자.

****com·fort** [kʌ́mfərt] *n.* **1** Ⓤ 위로, 위안. OPP *irritation*. ¶ ⇨ COLD COMFORT / words of ~ 위로의 말 / give ~ to …을 위로하다. **2** Ⓒ 위안이 되는 것〔사람〕, 위문품; (*pl.*) 생활을 편케 하는 것, 즐거움: She's a great ~ to her parents. 그녀는 부모에게 큰 위안이 된다. **3** Ⓤ 안락, 편함; 마음 편한 신세: ⇨ CREATURE COMFORT / live in ~ 안락하게 살다. **4** 《미》 (침대의) 이불. **5** 《고어》 『법률』 조력. ***take*** 〔***find***〕 **~ *in*** …으로 낙을 삼다.

—*vt.* **1** 《+목/+목+전+명》 위로하다, 위문하다《*for*》; 안락하게 하다: They ~*ed* me *for* my failure. 그들은 나의 실패를 위로해 주었다《~ my failure 라고는 아니함》. **2** 《고어》 …에게 조력〔원조〕하다.

> SYN. **comfort** '위로하다'는 뜻의 가장 일반적인 말로, 사람이나 사람 마음에 기운·희망 등을 주어 위로하는 적극적인 뜻을 갖는 말. **console** 은 손실·실망감을 경감하는 뜻의 '위로하다'이며 소극적인 뜻의 말. **relieve** 는 불행이나 불쾌함을 일시적으로 경감하는 뜻의 '위로하다'.

****com·fort·a·ble** [kʌ́mftəbəl, -fərt-] *a.* 기분 좋은, 편한, 위안의; 고통〔불안〕이 없는; 《구어》 (수입이) 충분한; 《미속어》 술 취한: a ~ person to be with (사귀어) 기분이 좋은 사람. ***in ~ circumstances*** 팔자좋게. **—***n.* 《영》 목도리; 《미》 이불(comforter). ⓟ **~·ness** *n.*

***com·fort·a·bly** [kʌ́mftəbəli, -fərt-] *ad.* 기분 좋게; 마음놓고, 안락하게, 고통〔곤란, 부자유〕 없이: win ~ 낙승하다 / be ~ off 《완곡어》 꽤 잘 살고 있다.

cóm·fort·er *n.* 위로하는 사람〔것〕, 위안자; (the C-) 『신학』 성령(聖靈)(the Holy Spirit) 《요한 복음 XIV: 16, 26》; 《영》 긴 털목도리; 《미》 이불; 《영》 고무 젖꼭지.

cómfort fòod 그리운 옛맛《어머니의 맛깔스러운 음식맛 따위》; 강장(強壯) 음식.

cóm·fort·ing *a.* 격려가 되는, 기운을 돋우는, 위안이 되는. ⓟ **~·ly** *ad.*

cóm·fort·less *a.* 위로를 주지 않는; 위안〔낙〕이 없는, 쓸쓸한. ⓟ **~·ly** *ad.* **~·ness** *n.*

cómfort lètter (비공식) 감사(監査) 의견서 《합병, 신주·사채 발행 등을 앞두고, 공인 회계사가 약식 감사에 의거 제출하는 의견서. 대개, 앞서 실시된 감사 후 회사 재무에 커다란 변화가 없다는 뜻이 담겨 있음》. 「(rest room).

cómfort stàtion 〔**ròom**〕 《미》 공중변소

cómfort zòne 쾌감대《대부분의 사람이 쾌적하게 느끼는 기온·습도·풍속의 범위》.

com·frey [kʌ́mfri] *n.* 『식물』 컴프리.

com·fy [kʌ́mfi] *a.* 《구어》 = COMFORTABLE.

°**com·ic** [kámik/kɔ́m-] *a.* **1** 희극의, 희극풍의. OPP *tragic*. **2** 익살스러운, 우스운: a ~ look on one's face 익살스러운 표정. **3** 《미》 만화의. ◇ comedy *n.* **—** *n.* **1** 《구어》 희극 배우(comedian); 익살스러운〔우스운〕 사람. **2** (the ~) 익살스러움, 우스움, 풍자(적 해학); = COMIC BOOK; COMIC STRIP. **3** (*pl.*) (신문·잡지 등의) 만화란; 《미군대속어》 지형〔지세〕도《지도를 만화로 비유한 말》. ⓟ °**cóm·i·cal** [-ikəl] *a.* 익살맞은; 얄궂은. **cómi·cal·ly** *ad.*

com·i·cal·i·ty [kàmikǽləti/kɔ̀m-] *n.* Ⓤ 우스움, 익살; Ⓒ 우스운 것〔사람〕.

cómic bòok 만화책〔잡지〕.

cómic ópera 희가극(의 작품).

cómic-òpera *a.* 곧이곧대로 받아들여서는 안 될; 너무 허풍을 떨어 우스꽝스러운.

cómic relíef 『연극·영화』 (비극적 장면 사이의) 기분 전환 (장면).

cómic strìp 연재 만화(comic)《1 회에 4 컷》.

Com. in Chf. Commander in Chief.

Com·in·form [káminfɔ̀:rm/kɔ́m-] *n.* (the ~) 코민포름《공산당 정보국(1947-56)》. [◂ *Com*munist *Inform*ation Bureau]

****com·ing** [kʌ́miŋ] *a.* **1** (다가)오는, 다음의: the ~ generation 〔week〕 다음 세대〔주〕. **2** 《구어》 신진의, (지금) 한창 팔리기 시작한, 장래성 있는《배우 등》. **3** …이 되려고 하는: a horse ~ four soon 곧 4 살이 되는 말. **~ *and going*** 모면할 수 없는, 어쩔 도리 없는. **—** *n.* 도래; (the C-) 그리스도의 재림. **~*s and goings*** 《구어》 오고 감, 왕래; 일어난 일, 활동.

cóming ín (*pl.* ***cómings ín***) 도착, 시작; (보통 *pl.*) 수입.

cóming-of-áge *n.* 《주로 영》 성인 (연령), 성숙; 두각을 나타내는 것, 널리 알려지게 되는 것, 제법 제 앞가림을 할 수 있게 되는 것.

cóming-óut *n.* **1** (특히) 젊은 여성의 사교계에의 데뷔: a ~ party 사교계 데뷔의 축하 파티. **2** 《구어》 (비밀로 한 것을) 동성애자가 이를 공표함.

com·int, COMINT [kámint/kɔ́m-] *n.* 『군사』 통신 도청에 의한 정보 수집 (활동). [◂ *com*munications *int*elligence]

Com·in·tern [kámintə̀:rn/kɔ́m-] *n.* 코민테른, 국제 공산당《제 3〔적색〕 인터내셔널(1919-43)》. [◂ (Third) *Com*munist *Intern*ational]

COMISCO, Co·mis·co [kəmískou] *n.* 코미스코, 국제 사회주의자 회의 위원회. [◂ *Com*mittee of the *I*nternational *S*ocialist *Co*nference]

comitadji ⇨ KOMITADJI.

co·mi·tia [kəmíʃiə] *n. pl.* (the ~) 『고대로마』 민회(民會), 시민 회의.

com·i·ty [káməti/kɔ́m-] *n.* **1** 우의, 예의, 예양(禮讓): the ~ of nations 〔states〕 국제 의례〔예양〕《타국의 법률·습관의 존중》; 국제 친선국 《국제 예양을 서로 인정하는 나라들》. **2** 공통된

사회 제도에 입각한 광범한 공동체: ~ of civilization 문명 제국(諸國).
com·ix [kámiks/kɔ́m-] *n. pl.* 만화(책), 《특히》 전위 만화.
coml. commercial. **comm.** commander; commerce; commission; committee; commonwealth.
*__com·ma__ [kámə/kɔ́mə] *n.* **1** 쉼표, 콤마(,). **2** 〖음악〗 콤마《큰 음정 사이의 미소한 음정차(音程差)》. ***to the last ~ and dot*** 완전히; 일자 일구(一字一句)까지; 세부에 이르기까지.
cómma bacillus 콤마상(狀)균《아시아 콜레라의 병원균 따위》.
cómma-còunter *n.* 《미속어》 사소한 일에 까다로운 사람(hairsplitter).
cómma fàult 〔**splìce**〕 〖문법〗 콤마의 오용(誤用)《접속사 없이 2개의 등위절 사이에 콤마를 쓰는 일》.
‡**com·mand** [kəmǽnd, -máːnd/-máːnd] *vt.* **1** 《~+목/+목+*to* do/+(*that*) 절》 …에게 명(령)하다, …에게 호령〔구령〕하다, 요구하다. opp. *obey*.¶ ~ silence 정숙을 명하다/He ~*ed* his men *to* attack.=He ~*ed* (*that*) his men (should) attack. 그는 부하에게 공격하라고 명령하였다. ★ that 절의 경우 구어에서는 흔히 should를 쓰지 않음. **2** 지휘하다, …의 지휘권을 갖다; 통솔하다: ~ the air 〔sea〕 제공〔제해〕권을 장악하다. **3** (감정 따위를) 지배하다, 누르다, 억제하다; 〖~ oneself〗 자제하다. **4** (남의 존경·동의 따위를) 모으다, 일으키게 하다; (사물이) …을 강요하다; …할 만하다, …의 값어치가 있다: ~ respect 존경할 만하다, 존경을 얻다〔모으다〕. **5** 자유로이 쓸 수 있다, 마음대로 하다, 소유하다; (어느 가격으로) 팔리다: ~ a skill 재능을 구사하다/~ a good price 좋은 값으로 팔리다/~ a ready sale 날개 돋친듯 팔리다/I cannot ~ the sum. 그만한 돈은 내 마음대로 쓸 수 없다. **6** 내려다보다, 전망하다: The tower ~*s* a fine view. 그 망루는 전망이 참 좋다/a hill ~*ing* the sea 바다를 한눈에 내려다볼 수 있는 언덕. — *vi.* **1** 명령하다; 지휘하다, 지휘권을 갖다. **2** (경치가) 내려다보이다〔보이는 위치를 차지하다〕. ~ ***attention*** (사람의) 주의를 끌게 하다. ***Yours to ~*** 《고어》 여불비례(餘不備禮), 경백(Yours obediently)《편지의 맺음말; '명령을 받아야 할 귀하의 머슴(인 저)'의 뜻》.
— *n.* Ⓤ **1** Ⓒ 명령, 호령, 구령; 지령, 분부; 《영》 국왕에 의한 초대: ⇨ WORD OF COMMAND/I have his ~ *to* do so. 그렇게 하라는 그의 명령을 받고 있다. **2** 지휘(권), 지배(권), 통제: chain of ~ 지휘 계통/He was in ~ *of* the expeditionary force. 그는 그 원정군의 지휘를 맡고 있었다/under (the) ~ *of* …의 지휘하에/take ~ *of* …을 지휘하다. **3** 지배력, 통어력; (언어의) 구사력(mastery), 유창함; (자본 등의) 운용(액), 시재액: have ~ *of* one's temper 기분을 억제할 수 있다. **4** 조망; 〖군사〗 (요새 등을) 내려다보는 위치〔고지〕(의 점유). **5** 〖군사〗 관구, 예하 부대〔병력, 선박 등〕; 〖미공군〗 =AIR COMMAND. **6** 〖컴퓨터〗 명령; 〖우주〗 (우주선 등을 작동·제어하는) 지령. **7** 〖한정형용사적〗 사령관에 의한; 명령〔요구〕에 의한. ***at ~*** 장악하고 있는, 자유롭게 쓸 수 있는. ***at*** 〔***by***〕 a person***'s ~*** 아무의 명령에 의해. ***get a ~*** 지휘관으로 임명되다. ***get*** 〔***have***〕 ***the ~ of the air*** 〔***sea***〕 제공〔제해〕권을 장악하다〔하고 있다〕. ***have a*** (***good***) ***~ of*** …을 마음대로 쓸〔구사할〕 수 있다.
com·man·dant [kámәndæ̀nt, -dɑ̀ːnt/kɔ̀mәndǽnt, -dáːnt] *n.* (도시·요새·부대 등의) 지휘관, 사령관; 대장. ㊞ **~·ship** *n.*
Commandánt-in-Chíef *n.* 최고사령관.

commánd càr 〖군사〗 사령관 전용 차.
commánd destrúct 〖우주〗 지령 파괴《쏴 올린 로켓의 파괴 시스템》.
commánd-drìven *a.* 〖컴퓨터〗 명령구동형의.
commánd ecònomy 〖경제〗 (중앙 정부에 의한) 계획 경제(planned economy).
com·man·deer [kɑ̀məndíər/kɔ̀m-] *vt.* (장정 등을) 징집〔징용〕하다; (물자를) 징발하다; 《구어》 강제로 뺏다, (남의 것을) 제멋대로 쓰다. — *vi.* 징용〔징발〕하다.
*__com·mand·er__ [kəmǽndər, -máːnd-/-máːnd-] *n.* **1** 지휘관, 사령관; 명령자; 지휘자, 지도자. **2** (해군·미국 해안 경비대의) 중령; (군함의) 부함장; 런던 경찰국의 총경급 경찰관; 경찰서장. **3** (친목 단체 등의) 분단장(分團長); 상급 나이트(knight). **4** 큰 나무망치. ***the Commander of the Faithful*** 대교주《회교국 군주인 caliph의 칭호》.
commánder in chíef (*pl.* ***commanders in chief***) (전군의) 최고 사령관; (육·해군의) 총사령관; (나라의) 최고 지휘관《미국은 대통령; 생략: C.I.C., C. in C., Com. in Chf.》.
com·mand·er·ship [kəmǽndərʃìp/-máːnd-] *n.* Ⓤ commander의 직〔지위〕.
com·mand·ery [kəmǽndəri, -máːnd-] *n.* 중세 기사단의 영지; (어떤 비밀 결사의) 지부; =COMMANDERSHIP.
commánd guídance 〖항공〗 (미사일 등의) 「지령 유도.
*__com·mánd·ing__ *a.* 지휘하는; 위풍당당한; 전망이 좋은; 유리한 장소를 차지한. ㊞ **~·ly** *ad.*
commánding ófficer 부대 지휘관, 부대장《소위에서 대령까지》.
commánd kèy 〖컴퓨터〗 명령 키《Macintosh 자판의 네 잎 클로버 또는 사과 마크가 붙은 키; 다른 시스템의 control key와 같은 기능》.
commánd lànguage 〖컴퓨터〗 명령 언어.
commánd lìne 〖컴퓨터〗 명령 줄〔행〕.
°**com·mánd·ment** *n.* 율법, 계율, 성훈(聖訓); 명령(권); (C-) 모세의 십계 중 하나. cf. Ten Commandments.
commánd mòdule 1 (우주선의) 사령선《생략: CM》. cf. lunar excursion module. **2** 〖일반적〗 사령실. **3** (a person's ~) 《구어》 (아무의) 가장 중요한 일을 하는 장소. 「ance의 밤.
commánd nìght 《영》 command perform-
com·man·do [kəmǽndou, -máːn-/-máːn-] (*pl.* **~(*e*)*s***) *n.* 게릴라 부대(원); (특히 남아프리카 보어인(Boers)의) 의용군(의 기습); 《영》 (제 2차 대전 때의) 특공대(원); 《영》 해병대의 최소 단위; (수륙 양면(兩面)의 특수 훈련을 받은) 특공〔기습〕대원: a ~ ship 《영》 공격 상륙함.
commánd operàtion 〖외과〗 커맨드 수술《머리나 목의 암 치료를 위한 대수술》.
commánd pàper 《영》 (의회에 대한) 칙령《생략: C., Cmd., Cmnd.》; 영국 정부 간행물.
commánd perfórmance 어전(御前) 연주〔연극〕. 「략: C.P.》.
commánd pòst 〖미육군〗 (전투) 지휘소《생
commánd sérgeant májor 〖미육군〗 주임 상사《first sergeant 위의 부사관》; 준위.
commánd sỳstem (미사일·비행기·우주선·잠수함 등의) 지령 방식. cf. inertial system. 「를〕 갖는.
com·méas·ur·a·ble *a.* 같은 양을〔크기, 무게
com·meas·ure [kəméʒər] *vt.* …와 같은 양을〔크기, 무게, 길이, 넓이를〕 가지다.
com·me·dia del·l'ar·te [kəméidiədeláːrti] 《It.》 (16-18세기 이탈리아의) 즉흥 가면 희극.
comme il faut [kʌ̀miːlfóu] 《F.》 예의에 맞

는, 우아한; 어울리는; 적당한.

com·mem·o·ra·ble [kəmémərəbəl] *a.* 기억〔기념〕할 만한.

***com·mem·o·rate** [kəmémərèit] *vt.* **1** (축사·의식 등으로) (…을) 기념하다, 축하하다. **2** …의 찬사를 말하다; 공경하다. **3** (기념비·날짜 등이) …의 기념이 되다.

com·mèm·o·rá·tion *n.* Ⓤ 기념, 축하; Ⓒ 기념식〔축제〕, 축전; 기념물; (C-) 《영》 Oxford 대학 기념 축제. ◇ commemorate *v.* ***in* ~ *of*** … 을 기념하여.

com·mem·o·ra·tive [kəmémərèitiv, -rə-/-rə-] *a.* 기념의; 〖서술적〗 …을 기념하는: a ~ stamp 기념 우표 / stamps ~ *of* the Olympic Games 올림픽 기념 우표. **—** *n.* 기념품, 기념 우표, 기념 화폐. ㊕ **~·ly** *ad.*

com·mem·o·ra·tor [kəmémərèitər] *n.* 축하자, 기념식 참가자, 기념식 거행자.

com·mem·o·ra·to·ry [kəmémərətɔ̀:ri/-təri] *a.* =COMMEMORATIVE.

***com·mence** [kəméns] *vt.* 《~+목/+-*ing*/+*to* do》 시작하다, 개시하다: ~ a lawsuit 소송을 제기하다 / *Commence* fire! 사격 개시《구령》/ ~ study*ing* 〔*to* study〕 law 법률 공부를 시작하다. **—** *vi.* **1** 《~/+전+명》 시작되다: The performance will ~ soon. 연주는 곧 시작될 것이다 / ~ *on* a research 조사에 착수하다. SYN. ⇨ BEGIN. **2** 《+전+명》《영》(M.A. 등의) 학위를 받다: ~ *in* arts 인문 과학의 학위를 수여받다. **3** 《고어》 (변호사 따위를) 개업하다.

◇**com·ménce·ment** *n.* U,C **1** 시작, 개시; 착수. **2** (the ~)(대학 따위의) 졸업식 (행사 기간); (Cambridge, Dublin 및 미국 여러 대학의) 학위 수여식〔일〕: hold the ~ 졸업식을 거행하다.

com·mend** [kəménd] *vt.* **1** 《~+목/+목+전+명》 칭찬하다(praise): be highly ~*ed* 격찬받다 / I ~*ed* him *for* his good conduct. 나는 그의 선행을 칭찬했다. **2** 《+목+전+명》 권하다, 추천〔천거〕하다《*to*》: ~ a person *to* (the notice of) one's friends 아무를 친구에게 추천하다. **3** 《+목+전+명》 맡기다, 위탁하다《*to*》: ~ one's soul *to* God 신에게 영혼을 맡기다《안심하고 죽다》. **4** 《+목+전+명》〔~ oneself〕 (…에게) 좋은 인상을 주다, (…의) 마음을 끌다《*to*》: This book doesn't ~ it*self to* me. 이 책은 마음에 들지 않는다. ◇ commendation *n.* ***Commend me to … ① 《고어》 …에게 안부 전해주시오. ② 《구어》 나에게는 …이 제일 좋다; 〖흔히 반어적〗 (참말로) …의 쪽이 훌륭하군《…은 골칫거리다》.

com·ménd·a·ble *a.* 칭찬할 만한, 훌륭한, 기특한; 추천할 수 있는. ㊕ **-bly** *ad.* **~·ness** *n.*

com·men·dam [kəméndæm] *n.* Ⓤ 〖교회〗 성직록(聖職祿)(benefice) 일시 보유《잉글랜드에서는 1836년 이래 폐지》; 그 성직록.

◇**com·men·da·tion** [kɑ̀məndéiʃən/kɔ̀men-] *n.* Ⓤ 칭찬; 추천; 위탁, 위임; Ⓒ 상(賞), 상장 《*for*》. ◇ commend *v.*

com·mend·a·to·ry [kəméndətɔ̀:ri/-təri] *a.* 칭찬의; 추천의: a ~ letter 추천장.

com·men·sal [kəménsəl] *a.* 식사를 함께 하는; 〖생물〗 (편리(片利)) 공생하는. **—** *n.* 식사를 함께 하는 친구; 〖생물〗 (편리) 공생 동물〔식물〕. cf. parasite. ㊕ **~·ìsm** *n.* 친교(親交); 〖생물〗 편리 공생, 〖일반적〗 공생. **~·ly** *ad.*

com·men·sal·i·ty [kɑ̀mensǽləti/kɔ̀m-] *n.* 식사를 함께 함; 그런 사교 모임; 친교.

com·men·su·ra·ble [kəménsərəbəl, -ʃər-/-ʃər-] *a.* **1** 《문어》 동일 기준〔척도〕로 계량할 수 있는《*with; to*》. **2** 〖수학〗 통약〔약분〕할 수 있는《*with*》; 유리(有理)의(rational). **3** 걸맞는, 균형 잡힌, 상응(相應)한《*to*》. ㊕ **-bly** *ad.* **~·ness** *n.* **commèn·su·ra·bíl·i·ty** *n.*

com·men·su·rate [kəménsərət, -ʃər-/-ʃər-] *a.* 같은 양〔면적, 크기〕의, 동연(同延)의《*with*》, 같은 시간의; 비례한, 균형이 잡힌, 상응한《*to; with*》; =COMMENSURABLE 1, 2. ***be* ~ *with*** … 와 잘 맞는다, 적합하다. ㊕ **~·ly** *ad.* **~·ness** *n.* **com·mèn·su·rá·tion** *n.* 동량(同量), 동연(同延); 비례, 균형.

com·ment** [kɑ́ment/kɔ́m-] *n.* **1** U,C (시사 문제 등의) 논평, 평언(評言), 비평, 견해, 의견《*on, upon*》: No ~. (아무것도) 할 말이 없음. **2** U,C 주석, 설명, 해설. **3** Ⓤ (항간의) 소문, 풍문, 평판. SYN. ⇨ REMARK. ***give* 〔*make*〕 *a* ~ *on … 을 논평하다. **—** *vi.* 《+전+명》 비평〔논평〕하다, 의견을 말하다; 주석하다; 이러니저러니하다《*on, upon; about*》: ~ *on* 〔*upon*〕 a text 원〔본〕문에 주석을 달다 / They ~*ed* humorously *about* 〔*on*〕 her hat. 그들은 그녀의 모자에 대해 이러쿵저러쿵 익살을 떨었다. **—** *vt.* 《+*that* 절》 … 에〔이라고〕 주석을 달다, 논평하다: He ~*ed* *that* prospects for the firm look good. 그는 그 회사의 전망이 밝다고 말했다.

◇**com·men·tary** [kɑ́məntèri/kɔ́məntəri] *n.* 주석서(書); 논평, 비평; 〖방송〗 (시사 문제·스포츠 등의) 해설; 실황 방송; (*pl.*) 실록, 회고록 《*on*》: a ~ *on* the Scriptures 성서 평석(評釋). ***running*** **~** ⇨ RUNNING. ㊕ **còm·men·tár·i·al** [-tέəriəl] *a.*

cómmentary bòx (경기장의) 중계석.

com·men·tate [kɑ́məntèit/kɔ́m-] *vi.* **1** 해설자로서 일하다, 해설자가 되다. **2** 《+전+명》 …의 해설〔논평〕을 하다《*on, upon*》: He ~*d on* the contemporary political situation. 그는 현대의 정치 정세에 대해서 해설했다. **—** *vt.* … 을 해설〔논평〕하다; …에 주석을 달다.

còm·men·tá·tion *n.* Ⓤ 주석을 닮; 논평〔해설〕함.

com·men·ta·tor [kɑ́məntèitər/kɔ́m-] *n.* 주석자; 〖방송〗 (시사) 해설자; 실황 방송원; 〖가톨릭〗 미사의 진행·의식을 해설하는 신도.

cóm·ment·er *n.* 비평가.

****com·merce** [kɑ́mərs/kɔ́m-] *n.* Ⓤ **1** 상업; 통상, 무역, 거래. cf. business, trade. **2** 교섭, 교제; 영적〔정신적〕 교섭; 사교; 《고어》 성적(性的) 교섭. **3** (C-) 《미구어》 상무부(the Department of Commerce, Commerce Department). **4** 카드놀이의 일종. ◇ commercial *a.* **—** [´-, kəmə́:rs] *vi.* 《고어》 교제〔통신〕하다《*with*》.

****com·mer·cial** [kəmə́:rʃəl] *a.* **1** 상업〔통상, 무역〕의, 상업〔무역〕상의; 상업에 종사하는, 거래에 쓰이는: ~ pursuits 상업 / a ~ agent 대리상 / a ~ museum 상품 진열관 / a ~ transaction 상거래 / ~ English 상업 영어 / ~ flights (군용이 아닌) 민간 항공편 / a ~ school 상업학교. **2** 영리적인, 돈벌이 위주인: a ~ company 영리 회사. **3** (화학 제품 등이) 공업용〔시판용〕의; 대량 생산된; 덕용(德用)의, 중간치의: ~ detergent 영업용 세제 / a ~ grade of beef 일반 등급의 쇠고기. **4** 〖라디오·TV〗 민간 방송의; 광고〔선전〕용의: ~ television 〔TV〕 민간 방송 텔레비전. **5** 외판원용의: a ~ hotel 외판원용 호텔. **—** *n.* **1** 〖라디오·TV〗 광고〔상업〕 방송, 시엠(CM); 광고주를 스폰서로 하는 프로. **2** 《영》 =COMMERCIAL TRAVELLER. **3** 《미속어》 칭찬의 말, 찬사. **4** 《미속어》 관객이나 댄서의 요청에 따라 오케스트라나 악대가 연주하는 음악. ㊕ **~·ly** *ad.*

commércial àgency 상업 신용 조사소.

commércial árt 상업 미술.

commercial attaché [-ˊ----ˊ] (대사관·공사관의) 상무관.
commércial bánk 시중〔상업〕 은행.
commércial bìll 상업 어음.
commércial brèak 『방송』 광고 방송.
commércial bróadcasting 상업 방송.
commércial còllege 상과 대학, 상업 전문 학교.
Commércial Cóurt (the ~) 《영》 상사(商事) 법정.
commércial crédit 상업 신용《은행이 기업에 제공하는 신용 대출》.
com·mer·cial·ese [kəmə̀ːrʃəlíːz] *n.*, *a.* 상업 통신문 용어(의).
commércial fértilizer 화학 비료.
com·mer·cial·ism [kəmə́ːrʃəlìzəm] *n.* Ⓤ 상업주의〔본위〕, 영리주의, 상인 근성; 상관습(商慣習); 상용어(商用語)(법). ㊞ **-ist** *n.* 상업가, 상업 본위의 사람. **com·mèr·cial·ís·tic** *a.*
com·mer·ci·al·i·ty [kəmə̀ːrʃiǽləti] *n.* Ⓤ 상업주의, 영리주의〔본위〕.
com·mèr·cial·i·zá·tion *n.* Ⓤ 상업〔상품〕화, 「영리화.
com·mer·cial·ize [kəmə́ːrʃəlàiz] *vt.* 상업〔영리〕화하다; 상품화하다; 시장에 내놓다.
commércial láw 상법. ⓒⓕ mercantile law.
commércial mèssage 『TV·라디오』 광고 방송. ★ 영국에서는 보통 CM 이라고 생략하지 않음.
commércial pàper 상업 어음《환어음·수표·약속 어음 등의 총칭》.
commércial pílot 사업용 항공기 조종사.
commércial póol 『광고』 언제든지 방송할 수 있도록 준비된 특정 상품에 대한 광고 방송.
commércial rehabilitátion 『건축』 상업 시설 재(再)이용 계획《낡은 건물을 개수하여 상업 시설로 이용하는 따위》. 「박실.
commércial ròom 《영》 (호텔의) 외판원 숙
commércial sátellite 상업 위성.
commércial tráveller 《영드물게》 순회〔지방 담당〕 외판원(traveling salesman).
commércial tréaty 통상 조약.
commércial véhicle (요금을 받는) 상업용〔영업용〕 차, 상품 수송차.
com·mer·ci·o·gen·ic [kəmə̀ːrʃiədʒénik] *a.* 상업적으로 인기 있는, 상업성 위주의. 「회자.
com·mère [kámɛər/kɔ́m-] *n.* 《F.》 여성 사
com·mfu [kɑmfúː/kɔm-] *n.* 《미공군속어》 완전한 군사적 실패. [◂ *c*omplete *m*onumental *m*ilitary *f*uck-*u*p]
com·mie, com·my [kámi/kɔ́mi] (*pl.* **-mies**) *n.* (종종 C-) 《구어·흔히 경멸》 공산당원, 공산당 동조자.
com·mi·nate [kámənèit/kɔ́m-] *vt.*, *vi.* (신벌(神罰)이 내린다고) 위협하다.
còm·mi·ná·tion *n.* Ⓤ (신벌이 내린다고) 위협함; 신벌의 선언; (영국 국교의) 대재(大齋) 참회: the ~ service (영국 국교의) 대재 참회식.
com·min·a·to·ry [kəmínətɔ̀ːri, kámən-/kɔ́mənətəri] *a.* 위협의; 신벌을 경고하는.
com·min·gle [kəmíŋgl] 《문어》 *vt.* 혼합하다. — *vi.* (뒤)섞이다《*with*》. ㊞ **-gler** *n.*
com·mi·nute [kámən*j*ùːt/kɔ́minjùːt] *vt.* 가루로 만들다(pulverize); 분쇄하다; (토지 따위를) 세분하다. — *a.* 분쇄〔세분〕한. ㊞ **com·mi·nu·tion** [kàmən*j*úːʃən/kɔ̀minjúː-] *n.* Ⓤ 분쇄; 세분; 『의학』 분쇄 골절.
com·mi·nu·tor [kámən*j*ùːtər / kɔ́minjùː] *n.* 분쇄기《폐기 처리를 위해 고형물을 부수는》.
com·mis [kəmíː; *F.* kɔmi] (*pl.* ~ [-míːz; *F.* —]) *n.* 《F.》 대리인; 요리장〔웨이터〕 견습인.
com·mis·er·a·ble [kəmízərəbəl] *a.* 가엾은.
com·mis·er·ate [kəmízərèit] *vt.* 《~+目/+目+前+名》 가엾게 여기다, 불쌍하게〔딱하게〕 생각하다: ~ another's misfortune 남의 불행을 가엾게 여기다 / ~ a person *for* his poverty 아무의 가난을 동정하다. — *vi.* 《+前+名》 동정하다; 조의를 표하다《*with*》: ~ *with* her *on* her misfortune 그녀의 불행에 동정하다.
com·mìs·er·á·tion *n.* Ⓤ 가엾게 여김, 동정(compassion)《*on; for*》; (*pl.*) 동정의 말, 애도사(辭).
com·mis·er·a·tive [kəmízərèitiv] *a.* 불쌍히 여기는, 동정하는. ㊞ **~·ly** *ad.*
com·mis·saire [kàmisέər / kɔ̀m-] *n.* (프랑스의 경찰) 총경(commissary); (자전거 경기 등의) 심판원.
com·mis·sar [káməsɑ̀ːr, ˋ-ˊ/kɔ̀misɑ́ː, ˊ-ˊ] *n.* (공산당의) 통제 위원; (옛 소련의) 인민 위원《다른 나라의 장관에 상당; 1946 년 이후는 minister》.
com·mis·sar·i·al [kàməsέəriəl/kɔ̀m-] *a.* 대리자의; (옛 소련의) 인민 위원의; 『영국교회』 주교〔감독〕 대리의; 『군사』 병참 장교의.
com·mis·sar·i·at [kàməsέəriət/kɔ̀m-] *n.* 병참부, 식량 경리부; 식량 보급; (옛 소련의) 인민 위원회《1946 년 이후는 ministry》; 위원회.
com·mis·sary [káməsèri/kɔ́misəri] (*pl.* **-saries**) *n.* 대표자, 위원; 대리; 《미》 (군대·광산·산판 따위의) 물자 배급소, 매점; 공급된 식량; 《미》 영화〔텔레비전〕 스튜디오의 식당〔찻집〕; (옛 소련의) 인민 위원; 『영국교회』 주교(bishop) 대리; 『군사』 병참부, 병참 장교; (프랑스의) 총경(總警)《시장 또는 경찰국장 밑의》; 《Cambridge 대학》 부총장 보좌관: a ~ line 병참선.
cómmissary géneral (*pl.* ***cómmissaries géneral***) 수석 대표〔대리〕; 『군사』 병참감(兵站監).
com·mis·sion** [kəmíʃən] *n.* **1** Ⓤ 임무, 직권; 부탁〔위임〕 사항; 명령, 지령. **2** Ⓒ (임무·직권의) 위임, 위탁; (위탁받은) 일. **3** Ⓒ 위임장, 사령. **4** 『집합적』 (종종 C-) 위원회; 최고 권위자 집단: a ~ of inquiry 조사 위원회 / the Atomic Energy *Commission* 원자력 위원회. **5** Ⓒ 『군사』 (장교의) 임관, 관위(官位); 임관 사령: get 〔resign〕 a 〔one's〕 ~ 장교로 임관되다〔퇴역하다〕. **6** Ⓤ 현역; (함선의) 취역. **7** Ⓒ 의뢰, 부탁, 청탁: I have a few ~*s for* you. 당신에게 부탁할 일이 두 세 가지 있습니다. **8** Ⓤ 『상업』 중개, 거간, 대리(권); 수수료, 구전, 커미션: allow 〔get〕 ~ of 5 percent, 5%의 수수료를 내다〔받다〕. **9** Ⓤ 죄를〔과실을〕 범하기, 저지름, 범행《*of*》. ⓒⓕ commit. **10** Ⓤ 『법률』 작위(作爲). ⓞⓟⓟ *omission*. ***accept 〔***obtain, receive***〕 ***a*** ~ 장교로 임명되다. ***go beyond*** one***'s*** ~ 월권 행위를 하다. ***in*** ~ ① 현역의; (군함이) 취역 중의; 언제라도 쓸 수 있는: put a radio *in* ~ again 라디오를 다시 소리 나게 하다. ② 위임된: have it *in* ~ *to* do …하도록 위탁받고 있다. ***on*** ~ ① 위탁을 받고: sell *on* ~ 위탁 판매하다. ② 수수료를 받고: work *on* a 10% ~ 수수료 1 할을 받고 일하다. ***on the Commission*** 치안 판사〔위원〕에 임명되어. ***out of*** ~ 퇴역의, 예비의; 사용 불능의; 《구어》 (사람이) 일하지 못하는, 쓸모없는. ***return*** ~ 환부(還付) 수수료. ***the Commission for Racial Equality*** 《영》 인권 평등 위원회《1976 년 설립된 정부 조직》. ***the*** ~ ***of the peace*** 『영법률』 치안 판사(의 권한).
— *vt.* **1** 《~+目/+目+目/+目+*to* do》 …에게 위탁〔위임〕하다, 위촉하다; …을 장교에 임명하다; …에게 위임장을 주다; (일 따위를) 의뢰하다, 주문하다: ~ a graduate of a military academy 사관학교 졸업생을 임관시키다 / He

was ~*ed* a major. 그는 소령으로 임관되었다/~ an artist *to* paint a portrait 화가에게 초상화를 그리라고 의뢰하다. **2** (군함을) 취역시키다; (기계 따위를) 작동시키다.

commíssion àgent 중개인, 위탁 판매인, 사설 마권(馬券) 영업자(bookmaker).

com·mis·sion·aire [kəmìʃənέər] *n.* **1** 《영·Can.》 (극장·호텔 따위의) 제복 입은 수위〔사환〕; corps of commissionaire (특히 연금을 받고있는 제대 군인의) 조합 멤버. **2** (수입 업자를 대행하는) 중매인(仲買人).

commíssion bròker (거래소에서 수수료의 취득을 목적으로 하는) 중매인.

commíssion dày 《영》 순회 재판 개정일.

com·mís·sioned *a.* **1** 임명된. **2** (군함이) 취역된: a ~ ship 취역함.

commíssioned ófficer 사관, 장교. cf. noncommissioned officer.

*__com·mis·sion·er__ [kəmíʃənər] *n.* (정부가 임명한) 위원, 이사; 국장, 장관; 판무관; (세무·경찰 등의) 감독관; 지방 행정관; 커미셔너《직업 야구 따위의 최고 책임자》; 《영속어》 도박 브로커: ~ ***for oaths*** 〖법률〗 《영》 선서 관리관. ***the Commissioner of Customs*** 《미》 관세청장. ***the Commissioner of the Metropolitan Police*** =***the Commissioner of Police of the Metropolis*** 《영》 (런던의) 경찰국장. ⓜ **~·ship** *n.*

commíssion hòuse 위탁 판매점, 주식 중개점(仲介店).

commíssion mèrchant 중개상, 위탁 매매인.

commíssion of the Européan Commúnity 〖경제〗 유럽 공동체 위원회《EC 각료 이사회 결정의 집행 기관》.

commíssion plàn 〖미정치〗 위원회제《시의 입법·행정 전반을 하나의 위원회가 처리하는 제도》.

commíssion sàle 위탁 판매.

com·mis·sure [kámәʃùər/kɔ́misjùər] *n.* 이음매, 접합선〔면〕; 〖해부〗 (신경의) 교련(交連), 횡연합(橫連合). ⓜ **com·mis·su·ral** [kəmíʃərəl, kàməʃúər-/kəmísjuər-, kɔ̀misjúər-] *a.*

__com·mit__ [kəmít] (-tt-*) *vt.* **1** 《(+목+전+명)》 위임하다, 위탁하다; 회부하다: ~ a bill *to* a committee 의안을 위원회에 회부하다. **2** 《(+목+전+명)》 (기록·기억·처분·망각 등에) 맡기다, 부치다《*to*》: ~ one's ideas *to* paper 〔writing〕 자신의 착상을 글로 적어 두다/*Commit* these words *to* memory. 이 말을 기억해 두어라/~ a manuscript *to* the fire 〔flames〕 원고를 소각하다. **3** 《~+목/+목+전+명》〖~ oneself〗 (문제·질문에 대해) 입장을〔태도를〕 분명히 하다, (의향·감정 등을) 언명하다: He refused to ~ him*self on* the subject. 그는 그 문제에 대하여 태도를 분명히 하려 하지 않았다. **4** (죄·과실을) 범하다, 저지르다, (위험한 일에) 관계하다, 말려들다《*to*》: ~ an error 잘못을 저지르다/~ a crime 죄를 범하다/~ suicide 〔murder〕 자살〔살인〕하다. **5** 《(+목+전+명)》〖종종 수동태〗 (정신 병원·시설·싸움터 따위에) …를 보내다, 수용〔구류〕하다《*to*》: ~ a troop *to* the front 부대를 전방에 보내다/The man *was* ~*ted to* prison 〔*to* a mental hospital〕. 그 남자는 투옥〔정신 병원에 수용〕되었다. **6** 《~+목/+목+전+명/+목+*to* do》〖~ oneself 또는 수동태〗 (약속·단언 따위를 하여) 구속하다, 의무를 지우다; 공약하다, 약속하다, 언질을 주다; (명예·체면을) 위태롭게 하다; 전념하다: ~ one*self to* a promise 확약하다/Do not ~ your*self.* 언질을 주지 마라/He *was* ~*ted to* the cause of world peace. 그는 세계 평화를 위하여 전념하였다/He ~*ted* him*self to* make a fresh start in life. 그는 새출발할 것을 맹세하였다. ***Commit no nuisance.*** 소변 금지《게시》. ~ ***to*** a person***'s hands*** 아무에게 위임〔위탁〕하다. ~ ***to the care of*** …에게 부탁하다. ~ ***to the waves*** 〔***earth, dust***〕 …을 수장〔매장〕하다.

*__com·mit·ment__ [kəmítmənt] *n.* **1** U,C 범행; (범죄의) 실행, 수행. **2** U 위임; 위원회 회부. **3** U,C 공약〔서약〕함, 언질을 줌; 혼약; (…한다는) 공약, 서약, 약속《*to; to* do》; (…에 대한) 의무, 책무, 책임; 방침《*to*》: He gave a clear ~ *to* reopen disarmament talks. 그는 군축 회담을 재개할 것을 확약하였다. **4** U,C (…에의) 참가, 연좌; (주의·운동 등에의) 몰두, 헌신《*to*》; (작가 등의) 현실 참여: make a ~ *to* …에 마음을 쏟다. **5** U,C 투옥, 구류(拘留)《*to*》; 구속(영장); 입원(명령)《특히 정신 병원에의》. **6** (증권의) 매매 약정; 채무.

com·mit·ta·ble [kəmítəbəl] *a.* 구속해야 할, 공판에 부쳐야 할, 재판에 회부될.

com·mit·tal [kəmítl] *n.* =COMMITMENT; 매장.

com·mít·ted [-id] *a.* **1** (주의·주장에) 전념하는, 헌신적인; 명확한 정치〔사회〕 의식을 가진 《작가·작품 등》: a ~ Christian 헌신적인 기독교인. **2** 〖정치〗 제휴한.

‡**com·mit·tee** [kəmíti] *n.* **1** 위원회, 〖집합적〗 위원. cf. committeeman. ★ committee는 단·복수 취급. ¶ The ~ *meets* today at three. 위원회는 오늘 3시에 열린다/The ~ *get* together with difficulty. 위원이 잘 모이지 않는다/on the ~ 위원회의 한 사람으로. **2** [kəmíti, kàmətíː/kɔ̀m-] 〖법률〗 관재인, 수탁자; (심신 상실자의) 후견인. ***in*** ~ 위원회에 회부되어; 위원회에 출석하여. ***Senate Committee on Foreign Relations*** 《미》 상원 외교 운영 위원회. ***sit on a*** ~ 위원회에 참석하다. ***the Committee of Rules*** 《미》 (하원의) 운영 위원회. ***the*** ~ ***of the whole*** (***house***) 전원(全院) 위원회. ***the Committee of*** 〔《미》 ***on***〕 ***Ways and Means*** (의회의) 세입 위원회.

commíttee Énglish (격식이 번거로운) 공문서식의 영어.

commíttee·man [-mən, -mæ̀n] (*pl.* ***-men*** [-mən, -mèn]) *n.* 위원(의 한 사람); (지구의) 정치 지도자; (당의) 선거 대책 위원(장).

commíttee·pèrson *n.* (위원회) 위원; (정당의 지부·선거구의) 지부장, 위원장.

commíttee ròom 회의실.

commíttee stàge 《영》 위원회 심의《법안이 심의되는 5단계 중의 제 3단계》.

commíttee·wòman (*pl.* ***-wòmen***) *n.* 여성위원.

com·mix [kəmíks/kɔm-] *vt., vi.* 《고어·시어》 섞다, 혼합되다(mix). ⓜ **~·ture** [-tʃər] *n.* 혼합(물).

com·mo[1] [kámou/kɔ́m-] (*pl.* **~s**) *n.* 《Austral.속어》 공산주의자.

com·mo[2] (*pl.* **~s**) *n.* 《미속어》 복역수가 교도소의 매점에서 사는 담배나 캔디.

Commo. Commodore.

cóm mòde 《해커속어》 커뮤니케이션 모드, 컴모드(=**cómm mòde**)《복수의 이용자가 동시에 1대의 컴퓨터를 사용할 때, 자기의 단말기가 다른 단말기와 접속된 상태》.

com·mode [kəmóud] *n.* **1** (서랍·선반이 있는) 낮은 장; 찬장. **2** (의자식) 변기; 변소. **3** 17-18세기 유행한 얼개 높은 여성의 머리 장식.

commode 1

com·mod·i·fi·ca·tion [kəmàdəfikéiʃən] *n.* (스

포츠·문화 등의) 상품화, 상업화; 《특허》 통화의 상품화《상품이 될 수 없는 것, 또는 상품으로 취급해서는 안 되는 것을 상품화하는 것》.

com·mo·di·ous [kəmóudiəs] *a.* 넓은, 널찍한《집》; 《고어》 편리한: ~ storage space 넓은 저장 장소. ㊞ **~·ly** *ad.* **~·ness** *n.*

*__com·mod·i·ty__ [kəmádəti/-mɔ́d-] (*pl.* **-ties**) *n.* (흔히 *pl.*) 일용품, 필수품, 물자; (*pl.*) 상품; 유용한 물품; 《고어》 편리: prices of *commodities* 물가 / staple *commodities* 중요 상품.

commódity agrèement (식량·원료에 대한 국제 간의) 상품 협정.

commódity dòllar 〖경제〗 상품 달러.

commódity exchànge 〖경제〗 상품 거래소.

commódity mòney 〖경제〗 상품 화폐.

commódity plástics 범용(汎用) 플라스틱〔수지〕《LDPE, HDPE, PP, PS, PVC 의 5 대(大) 수지》.

com·mo·dore [kámədɔ̀ːr/kɔ́m-] *n.* **1** (해군·미국 해안 경비대의) 준장. **2** 《영》 함대 사령관. **3** 《경칭》 제독《선임〔고참〕 선장〔함장〕·요트 클럽 등의 회장》. **4** (준장 지휘 함대의) 기함(旗艦). **5** 공군 준장.

‡**com·mon** [kámən/kɔ́m-] (**~·er, more ~; ~·est, most ~**) *a.* **1** (둘 이상에) 공통의, 공동의, 공유(共有)의: ~ ownership 공유(권) / a ~ language 공통의 언어. **2** 협동의, 협력의: a ~ defense 공동 방위. **3** 공유(公有)의, 공공의, 공중의: a ~ highroad 공로(公路). **4 a** 일반의; 만인의, 일반적으로 보급되어 있는. **b** 보통의, 일반적인, 평범한, 흔히 있는, 자주 일어나는. OPP *rare.* ¶ ~ honesty 흔히 볼 수 있는 정직 / the ~ people 평민, 서민 / a ~ soldier 병졸 / a ~ event 흔히 있는 사건 / a ~ being 보통 사람.

> SYN. **common** 거의 모든 사람이나 물건에 공통적으로 흔히 볼 수 있는 것. 때로 평범·조악을 뜻함: a *common* interest 모두가 다 같이 갖고 있는 흥미. *common* good 모두를 위해서 좋은 것⇨공익. **general** 개인을 떠난 전반적인, 전체로서의: a *general* belief 일반적으로 사람들이 믿고 있는 것. **ordinary** 일반의 기준·습관과 일치하여 유별나게 눈에 띄지 않음을 뜻함: an *ordinary* reader(특별한 지식을 가지거나 또는 무식하다거나 하지 않은) 보통 독자, 일반 독자. **normal** 기준에 합치하여, 이상함이 없는 것. **familiar** 널리 알려져서, 상대방이 금방 알아차릴 수 있는 것: a *familiar* practice 흔히 행해지는 것. **usual** 흔히 보고 들어서 신기하게 여겨지지 않는 것에 씀.

5 비속한, 품위 없는, 하치의: an article of ~ make 졸렬한 제품 / ~ clothes 싸구려 옷 / ~ manners 예의없는 태도. **6** 〖수학〗 공약의, 공통의, 공(公)…; 〖문법〗 공통〔보통명사〕의, 통성(通性)의, 통격(通格)의; 〖해부〗 종합〔공통〕의; 〖운율〗 (음절이) 장단(長短) 공통의, 공통률의; 〖음악〗 공통 박자《2/4 또는 4/4 박자》의. (***as***) **~ *as muck*** 〔***dirt***〕 품위 없는, 교양 없는. ***by* ~ *consent*** ⇨CONSENT. **~ *or garden*** 《영구어》 평범한, 2 류 정도의. ***make* ~ *cause with*** ⇨CAUSE. ***to use a* ~ *phrase*** 〔***word***〕 이른바, 흔히 말하는.

— *n.* **1** (the ~) (마을 따위의) 공유지, 공용지(公用地)《울타리 없는 목초지〔황무지〕》; (도시 중앙부의) 공원. **2** Ⓤ 〖법률〗 (목장 등의) 공유권, 공동 사용권(right of ~): ~ *of* piscary 〔fishery〕 (공동) 어업권, 입어권(入漁權) / ~ *of* pasturage (공동) 방목권(放牧權). **3** (*pl.*) ⇨COMMONS. **4** 미사 통상문(通常文); 성인(聖人) 공통 전례문(典禮文). **5** 《속어》 =COMMON SENSE. ***above*** 〔***beyond***〕 ***the* ~ =*out of*** (***the***) **~** 비범한; 진귀한. ***a* ~ *make of*** 조잡하게 만든. ***have ... in* ~** (***with***) (…와) 공통으로 갖다, 공유하다: We had all things *in* ~. 우리는 모든 것을 공유했다. ***in* ~** 공동으로, 공통으로〔의〕: He and I have nothing *in* ~. 그와 나는 공통점이 전혀 없다. ***in* ~ *with*** …와 같은〔같게〕, 공유의, 공통하여, 공통한: *In* ~ *with* many other people, he thought it was true. 다른 많은 사람과 같이 그도 그것이 진실이라고 생각했다. ***in the* ~ *of*** a person …에게 빚을 지고, 은혜를 입어.

㊞ **~·able** *a.* 공유지의, 공유지에서 방목할 수 있는. **~·age** [-idʒ] *n.* Ⓤ 공동 소유지, 공동 사용권; (the ~) 서민. **~·ness** *n.* 공통; 보통, 평범; 통속.

Cómmon Agricúltural Pólicy (EU 의) 공통 농업 정책《1962 -; 생략: CAP》.

com·mon·al·i·ty [kàmənǽləti/kɔ̀m-] *n.* Ⓤ =COMMONNESS; (the ~) 평민, 일반 시민.

com·mon·al·ty [kámənəlti/kɔ́m-] *n.* (the ~) 〖집합적〗 평민, 서민; 법인, 단체, 공동체; 공통의 습관.

cómmon-area chárge 《미》 (아파트 따위의) 공동 관리비.

cómmon carótid àrtery 〖해부〗 총경동맥《경동맥 내의 기점에서 분기점까지》.

cómmon cárrier 일반 운송업자〔회사〕; 일반 통신 사업자: a specialized ~ 특수 통신업자.

Cómmon Cáuse 《미》 코먼 코즈《1970년 미국에 결성된 시민 단체로, 국민의 요구·호소에 따르는 행정 개혁을 목적으로 함》. ㊞ **Cómmon Cáuser** 「통현.

cómmon chórd 〖음악〗 보통 화음; 〖수학〗 공

cómmon cóld (보통) 감기.

cómmon córe (영국 학교의) 필수 과목.

cómmon cóuncil 시〔읍, 면〕의회.

cómmon críer 광고하는 사람; =TOWN CRIER.

cómmon críminal 일반〔상습〕 범죄자.

cómmon cúrrency (두 나라 이상이 쓰는) 공용 통화.

cómmon denóminator 〖수학〗 공통 분모; 《비유》 공통점〔요소〕.

cómmon dífference 〖수학〗 (등차수열〔급수〕의) 공차(公差).

cómmon disáster 〖보험〗 동시 재해《피보험자와 보험금 수취인이 동시에 사망한 경우》.

cómmon divísor 〖수학〗 공약수(common factor). cf. greatest common divisor.

cómmon éntrance (**examinàtion**) 〖영교육〗 (public school 에의) 공통 입학 시험.

cóm·mon·er *n.* 평민, 서민, 대중; (영국의) 하원 의원; (Oxford 대학 따위의) 자비생; 보통 학생《fellow, scholar 또는 exhibitioner 가 아닌》; 공유권〔입회권〕 소유자: ⇨ FIRST COMMONER. ***the Great Commoner*** 위대한 하원 의원《William Pitt 또는 W. E. Gladstone 의 별명》.

Cómmon Éra (the ~) 서력 기원(Christian era).

cómmon fráction 〖수학〗 분수(vulgar fraction). cf. decimal fraction.

cómmon-gárden *a.* =COMMON-OR-GARDEN.

cómmon gás 《CB속어》 보통 휘발유.

cómmon génder 〖문법〗 통성(通性)《남녀 양성에 통용되는 parent, baby 등》.

cómmon góod (the ~) 공익.

cómmon gróund (이익·상호 이해 등의) 공통되는 바탕, 견해의 일치점: be on ~ 견해가 일치하다. ***Common ground !*** 《영》 찬성이요, 동감이요.

cómmon·hòld *n.* 《영》 공동 소유제《집주인의 공동 주택 관리가 불충분할 경우 세입자들이 공동

매입해서 관리하는 제도》.

cómmon infórmer 직업적 밀고자.

cómmon júry 〖법률〗 보통 배심《일반인으로 구성된》. cf. special jury.

cómmon knówledge 주지의 사실, 상식. cf. general knowledge.

cómmon·lànd *n.* 〖법률〗 공공 용지, 공유지.

cómmon láw 관습법, 불문율, 코먼로. cf. statutory law.

cómmon-làw *a.* 관습법의; common-law marriage 에 의한.

cómmon-law márriage 관습법상의 혼인, 내연 관계《일체의 의식을 배제하고 남녀의 합의만으로 동서하는 혼인》.

cómmon lódging (hòuse) 간이 숙박소.

cómmon lógarithm 〖수학〗 상용 로그. cf. natural logarithm.

***com·mon·ly** [kámənli/kɔ́m-] *ad.* **1** 보통으로, 일반적으로, 상례로. **2** 《경멸》 상스럽게, 통속적으로, 싸구려로.

Cómmon Márket (the ~) 유럽 공동 시장 《European Economic Community 의 별칭; 1958 년 발족》; (c- m-) 공동 시장.

cómmon marketéer (특히 영국의) 유럽 공동 시장 가입 지지자.

cómmon méasure 1 〖수학〗 공약수(common divisor): the greatest ~ 최대 공약수《생략: G.C.M.》. **2** 〖음악〗 보통의 박자《4 분의 4 박자》. **3** 〖운율〗 보통률(律).

cómmon méter 〖운율〗 보통률(ballad meter).

cómmon múltiple 〖수학〗 공배수: the lowest 〔least〕 ~ 최소 공배수《생략: L.C.M.》.

cómmon náme 〖문법〗 =COMMON NOUN; (학명에 대하여) 속칭, 속명.

cómmon nóun 〖문법〗 보통명사.

cómmon núisance 치안 방해, 공해.

cómmon of píscary 〔**físhery**〕 〖법률〗 입어권(入漁權), 어로〔어획, 어업〕 입회권.

cómmon ópal 〖광물〗 보통의 단백석(蛋白石).

cómmon-or-gárden *a.* 《영 구어》 보통의, 흔해빠진, 일상의; 표준형의: a ~ house 표준형 주택.

***com·mon·place** [kámənplèis/kɔ́m-] *a.* **1** 평범한, 개성이 없는, 하찮은. **2** 진부한, 흔해빠진. **—** *n.* 평범한 물건〔일〕; 진부한 말, 상투어; 평범〔진부〕함; (기억해 둘 만한) 문구; 인용구. ㊀ **~·ly** *ad.* **~·ness** *n.*

cómmonplace bòok 메모 수첩, 비망록.

cómmon pléas 《영》 민사 소송; (the C- P-) 〖단수취급〗 민사 법원(the COURT of Common Pleas).

cómmon práyer 〖영국교회〗 기도서《전례문》; (the C- P-) =the Book of Common PRAYER: the Sealed Book of *Common Prayer* 〖영국교회〗 기도서 표준판(版)《찰스 2 세의 국새(國璽)가 찍혀 있음》.

cómmon próperty (특정 사회의) 공유(共有)재산; 일반 대중의 것이라고 생각되는 사람〔것〕; 주지의 사실, 상식.

cómmon rátio 〖수학〗 공비(公比).

cómmon ròom (학교의) 교원 휴게실, 사교실; 〖집합적〗 휴게실 이용자; 《영》 (대학의) 특별 연구원 사교〔휴게〕실; 학생의 사교〔휴게〕실.

cóm·mons *n. pl.* **1** 평민, 서민(common people). **2** (C-) 〖집합적〗 서민층; (영국의) 하원 의원, (the C-) =the HOUSE of Commons. **3** 〖단수취급〗 (대학·수도원 등의) 식사, 정식(定食); 공동 식탁(이 있는 식당); (많은 인원에 배분되는) 음식; (나날의) 할당 식량. ***on short*** ~ 《영》 불충분한 식사로, 식료품 부족으로. ***Put ... on short*** ~ 음식을 충분히 주지 않다, 식사를 줄이다.

cómmon sált 소금, 식염(salt).

cómmon sáying 속담.

cómmon schòol 《미》 공립 초등학교.

cómmon séal 사인(社印), (법인 등의) 공인(公印).

cómmon secúrity 공통의 안전 보장《상대 국가와 상호 간에 도모하는 안전 유지》.

cómmon sénse 상식, 양식《체험하여 얻은 사려·분별》; 일반인 공통의 견해〔감정〕, 공통 감각《*of*》. cf. common knowledge.

cómmon·sénse *a.* 상식적인, 상식〔양식〕이 있는. ㊀ **-sénsible, -sénsical** *a.*

cómmon sháres 보통주(普通株) (common stock).

cómmon sítus pìcketing 《미》 전(全) 건설 현장 피켓(=**cómmon síte pìcketing**)《건축 현장에서 노동조합의 협력을 받고 행하는 하청 업자의 피켓》.

cómmon stóck 《미》 보통주(株)(《영》 =**cómmon sháres, órdinary stóck**). cf. preferred stock.

cómmon tíme =COMMON MEASURE 2.

cómmon tòuch (the ~) 사람들에게 호감을 주는 성질〔재능〕, 붙임성, 서민성.

cómmon trúst fùnd 《미》 공동 투자 신탁 기금《은행이나 신탁 회사가 소액의 신탁 자금을 병합하여 투자하는》.

com·mon·weal [kámənwìːl/kɔ́m-] *n.* Ⓤ 공익, 공안, 공중의 복리; Ⓒ 《고어》 공화국.

°**com·mon·wealth** [kámənwèlθ/kɔ́m-] *n.* **1** Ⓒ 국가(body politic), 국민 (전체). **2** Ⓒ 민주국, 공화국(republic). **3** 연방(聯邦); (the C-) 영국 연방, 영연방(the British Commonwealth, the Commonwealth of Nations). **4** (공통의 목적·이익으로 맺어진) 단체, 사회; the ~ *of* writers 〔artists〕 문학가〔예술가〕 사회, 문학〔예술〕계 / the ~ *of* learning 학계. **5** (the C- of…) 《미》 주《공식명으로서 Massachusetts, Pennsylvania, Virginia, Kentucky 의 각 주와 (자치령) Puerto Rico 에 State 대신으로 쓰임》. **6** Ⓤ 《폐어》 복리, 공익. ***the Commonwealth*** (***of Australia***) 오스트레일리아 연방. ***the Commonwealth*** (***of England***) 잉글랜드 공화국《왕정이 폐지되었던 1649－1660》. [◂ common+wealth]

Cómmonwealth Dày (the ~) 전(全) 영제국 경축일《원래 빅토리아 여왕 탄생일인 5월 24 일이었으나, 지금은 3 월의 두 번째 월요일로 하는 곳이 많음; 1958 년까지의 명칭은 Empire Day》.

Cómmonwealth Gámes (the ~) 영연방 경기 대회《과거의 영국 식민지를 포함한 영연방 제국의 운동 경기 대회; 4 년마다 개최함》.

Cómmonwealth of Indepéndent Stàtes 독립 국가 연합《1991 년 12 월 21 일 소련의 소멸로 발족한 12 개국 공동체; 생략: CIS》.

Cómmonwealth prèference 영연방 특혜 관세 제도《가맹국으로부터의 수입품에 대한; 1977 년 폐지》.

cómmon yèar 평년《365 일》. cf. leap year.

com·mo·ran·cy [káməransi/kɔ́m-] *n.* 〖법률〗 (어떤 장소에서의) 거처; 거주. ㊀ **-rant** *a.* 〖법률〗 일시적으로 살고 있는.

°**com·mo·tion** [kəmóuʃən] *n.* Ⓤ,Ⓒ 동요; 흥분; 소동, 소요, 폭동. ***be in*** ~ 동요하고 있다. ***create*** 〔***cause***〕 ***a*** ~ 소동을 일으키다. ㊀ **~·al** *a.*

com·move [kəmúːv] *vt.* 동요〔흥분〕시키다.

com·mu·nal [kəmjúːnəl, kámjə-/kɔ́mju-] *a.* 자치 단체의, 시읍면(市邑面)의; 공공의; 《Ind.》 대립하는 종교적〔인종적〕 단체 (상호 간)의; 파리 코뮌의. cf. commune². ¶ ~ life 〔property〕 공동 생활〔재산〕. ㊀ **~·ly** *ad.*

com·mú·nal·ìsm *n.* Ⓤ 지방 자치주의; 자기 민족 중심주의; 공동체주의. ㊕ **-ist** *n., a.* **com·mù·nal·ís·tic** [-lístik] *a.*

com·mu·nal·i·ty [kàmjənǽləti/kɔ̀m-] *n.* Ⓤ 공동체의 상태〔특징〕; (의견·감정의) 공동체적인 일치〔조화〕.

com·mu·nal·ize [kəmjú:nəlàiz, kámjə-/kɔ́m-] *vt.* 지방 자치화하다; 지방 자치 단체〔시·읍·면〕의 소유로 하다. ㊕ **com·mù·nal·i·zá·tion** *n.* Ⓤ

commúnal márriage =GROUP MARRIAGE.

Com·mu·nard [kámjənà:rd/kɔ́m-] *n.* 〖프랑스사〗 (1871년의) 파리 코뮌 지지자; (c-) commune² 의 거주인.

com·mune¹ [kəmjú:n] *vi.* **1** 《+전+명/+부》 (친하게) 이야기하다, 친하게 교제하다《*with*》: friends *communing* together 친밀하게 서로 이야기하는 사이의 친구들 / ~ *with* nature 자연을 벗 삼다. **2** 《미》 성찬(聖餐)을 받다, 영성체(領聖體)하다. ◇ communion *n.* ~ ***with*** one***self*** 〔one***'s own heart***〕 심사숙고하다. ── [kámju:n/kɔ́m-] 《시어》 *n.* 간담, 친교; 공감; 심사숙고.

com·mune² [kámju:n/kɔ́m-] *n.* **1** 코뮌《프랑스·벨기에 등의 최소 지방 자치체》; 《일반적》 지방 자치체. **2** 〖경제사〗 미르(mir). **3** (중국 등의) 인민 공사, 집단 농장. **4** 공동 생활체, (히피 따위의) 공동 부락. ***the Commune*** (***of Paris***) =***the Paris Commune*** 파리 코뮌《(1) 프랑스 혁명 때의 파리의 혁명적 자치 단체(1792-94). (2) 1871년 3월부터 5월까지 파리를 지배한 혁명 정부》.

com·mu·ni·ca·ble [kəmjú:nikəbəl] *a.* 전할 수 있는; 전염성의; 《고어》 말하기 좋아하는, 개방적인《*with*》: a ~ disease 전염병. ㊕ **-bly** *ad.* **~·ness** *n.* **com·mù·ni·ca·bíl·i·ty** *n.* Ⓤ

com·mu·ni·cant [kəmjú:nikənt] *n.* Ⓒ 성체 배령자(拜領者); 전달자, 통지자. ── *a.* 전달하는; …에 통한《*with*》.

Com·mu·ni·care [kəmjú:nikɛ̀ər] *n.* 《영》 광범한 사회 복지 시설을 갖춘 공공(公共) 서비스 센터. [◂ *community*+*care*]

☆com·mu·ni·cate [kəmjú:nəkèit] *vt.* **1** (사상·지식·정보 따위를) 전달하다, 통보하다《*to*》. **2** 《+목+전+명》 (열 따위를) 전도하다, 전하다; (병을) 감염시키다《*to*》; 〔~ oneself〕 (감정 등이) 전해지다, 분명히 알다《*to*》: ~ a disease *to* another 남에게 병을 옮기다 / Her enthusiasm ~*d* it*self to* him. 그녀의 열의를 그도 분명히 알았다. **3** …에게 성체를 주다. **4** 《+목+전+명》 …을 서로 나누다《*with*》: ~ opinions *with* … 와 의견을 나누다. ── *vi.* **1** 《+전+명》 (길·방 따위가) 통해 있다, 이어지다《*with*》: The lake ~*s with* the sea by a canal. 호수는 운하로 바다와 연결되어 있다 / The living room ~*s with* the dining room. 거실은 식당과 통해 있다. **2** 《~/+전+명》 통신하다, 교통하다, 의사를 서로 통하다《*with*》: ~ by telephone 전화로 통화하다 / ~ *with* one's teacher 선생과 통신하다. **3** (병이) 옮다《*to*》. **4** 성찬을 받다. 「달자.

com·mu·ni·ca·tee [kəmjù:nikətí:] *n.* 피전

☆com·mu·ni·ca·tion [kəmjù:nəkéiʃən] *n.* **1** Ⓤ 전달, 통신, 보도; 공표, 발표; (병의) 전염: mass ~ 대중〔대량〕 전달, 매스컴. **2** Ⓤ,Ⓒ 정보; 교신; 통신문, 전언, 소식, 편지: mutual ~ 상호 교신 / receive a ~ 통신문을 받다. **3** Ⓤ,Ⓒ 교통, 교통수단〔기관〕: a means of ~ 교통〔통신〕 기관 / a ~ trench 〖군사〗 교통호(壕). **4** 왕래, 연락, 교제, (개인 간의) 친밀한 관계. **5** (*pl.*) 보도 기관 《신문·라디오 등》, 통신 기관《전신·전화 등》. **6** (*pl.*) 〖군사〗 (작전 기지와 전선의) 후방 연락선, 병참 조직, 수송 기관. **7** (*pl.*) 사상 전달법; 정보 전달학. ***in ~ with*** …와 연락〔통신〕하여. ***Place*** one***self in ~ with*** …에 조회하다. ㊕ **~·al** *a.*

communicátion còrd 《영》 (열차 내의) 비상〔긴급〕 통보선: ~ word 통신 용어.

communicátion ínterface sỳstem 〖우주〗 대(對)궤도선 교신 시스템《생략: CIS》.

communicátion líne 1 〖컴퓨터〗 통신 회선. **2** (*pl.*) 〖군사〗 병참선.

communicátion pòrt 〖컴퓨터〗 통신 포트 《통신에서 컴퓨터에 통신 회선을 연결하는 부분》.

communicátion pròtocol 〖컴퓨터〗 통신 규약, 통신 프로토콜《데이터 통신에서 컴퓨터와 컴퓨터를 접속하여 에러 없이 정보를 교환하기 위해 제정된 규칙》.

Communicátion Secúrity =COMSEC.

communicátions gàp (다른 세대나 계급·당파 사이의) 상호 이해의 결여.

communicátion(s) sàtellite 통신 위성.

communicátion thèory 정보 이론. 「관구).

communicátions zòne 〖군사〗 병참 지대

com·mu·ni·ca·tive [kəmjú:nəkèitiv, -kət-/-kət-] *a.* 수다스러운(talkative); 터놓은; 통신〔전달〕의. ㊕ **~·ly** *ad.* **~·ness** *n.*

commúnicative cómpetence 〖언어〗 전달〔의사 소통〕 능력.

com·mu·ni·ca·tor [kəmjú:nəkèitər] *n.* Ⓤ 전달자, 통보자; (전신) 발신기, (차내) 통보기.

com·mu·ni·ca·to·ry [kəmjú:nikətɔ̀:ri/-təri] *a.* 통신〔전달〕의〔하는〕.

com·mu·ni·col·o·gy [kəmjù:nəkálədʒi/-kɔ́l-] *n.* Ⓤ 커뮤니케이션학(學). ㊕ **-gist** *n.*

◇com·mun·ion [kəmjú:njən] *n.* **1** Ⓤ (어떤 일을) 함께함; 간담(懇談), 친교; (영적) 교섭; 깊은 반성, 내성(內省); 성찬: hold ~ *with* …와 영적으로 사귀다, (자연 등을) 마음의 벗으로 삼다. **2** Ⓒ 종교 단체, 교회; (종파·신앙상의) 교우(敎友); (천주교회 간의) 조합: be of the same ~ 같은 종단(宗團)의 교우이다. **3** Ⓤ (C-) 〖교회〗 성찬식(~ service), 영성체; 영성체송(頌); 〖그리스정교〗 성체 기밀(機密): a ~ cup 성배(聖杯) / ⇨ CLOSE 〔OPEN〕 COMMUNION. ◇ commune¹ *v.* ~ ***in both kinds*** 양종(兩種) 성찬식 《빵과 포도주》. ~ ***in one kind*** 일종 성찬식《빵만의》. ***hold ~ with*** one***self*** 깊이 반성하다, 심사숙고하다. ***in ~ with*** …와 연락을 취하여, …와 단결하여; …와 같은 종파에 속하여. ***take*** 〔***go to***〕 ***Communion*** 성찬식(聖餐式)에 참석하다. ***take*** 〔***receive***〕 ***Communion*** 영성체하다. ***the ~ of saints*** 〖기독교〗 성도의 교제; 〖가톨릭〗 성인의 통공(通功). ㊕ **~·ist** *n.* 성체 배령자; 성체에 대해 특정 의견을 갖고 있는 사람. 「의 난간).

commúnion ràil 영성체대(臺)《제대(祭臺) 앞

Commúnion Súnday (개신교의) 성찬 주일.

commúnion tàble 성찬대.

com·mu·ni·qué [kəmjú:nikèi, -ˋ-ˊ] *n.* 《F.》 공식 발표, 성명, 코뮈니케.

***com·mu·nism** [kámjənìzəm/kɔ́m-] *n.* (종종 C-) Ⓤ 공산주의(운동, 정치 체제); 《막연히》 사회주의.

com·mu·nist** [kámjənist/kɔ́m-] *n.* 공산주의자; (또는 C-) 공산당원; 좌익 분자; 《구어》 무법자. ── *a.* 공산주의(자)의; (또는 C-) 공산당의: a ~ cell 공산당 세포. ***go ~ 공산화하다.

Cómmunist Chína 중공(中共)《중화 인민 공화국의 속칭》.

com·mu·nis·tic, -ti·cal [kàmjənístik/kɔ̀m-], [-əl] *a.* 공산주의(자)의. ㊕ **-ti·cal·ly** *ad.* 공산주의적으로.

Cómmunist Internátional (the ~) 공산주의〔제 3, 적색〕 인터내셔널, 코민테른《생략:

Comintern》.
Cómmunist Manifésto (the ~) 공산당 선언《마르크스와 엥겔스가 집필; 1848 년 출판》.
Cómmunist Párty 공산당.
com·mu·ni·tar·i·an [kəmjù:nətέəriən] *n.*, *a.* 공산 사회〔단체〕의 (일원); communalism 의 신봉자. ㊋ **~·ism** *n.*
com·mu·ni·ty [kəmjú:nəti] *n.* **1** (정치·문화·역사를 함께하는) 사회, 공동 사회, 공동체. **2** 지역 (공동) 사회; (큰 사회 속에 공통의 특징을 가진) 집단, 사회: the Jewish 〔foreign〕 ~ 유대인〔거류 외국인〕 사회. **3** (the ~) (일반) 사회 (the public); 공중. **4** 〖생태〗 (생물) 군집(群集); (동물의) 군서(群棲); (식물의) 군락. **5** (사상·이해 따위의) 공통(성), 일치, 유사; 친교, 친목: ~ of interest 이해의 일치. **6** (재산의) 공유, 공용: ~ *of* goods 〔property, wealth〕 재산의 공유. **7** (이해 따위를 같이하는) 단체; …계(界); 국가군: the financial ~ 재계 / the Pacific Rim ~ 환태평양 국가군. **8** 공동〔사회〕 생활; 〖교회〗 일정한 계율에 따라 공동 생활을 하는 집단(=**relígious ~**).
commúnity anténna télevision 공동 시청 안테나 텔레비전《생략: CATV》.
commúnity associàtion (지역의) 자치회.
commúnity càre 지역 내 보호《노령자·신체 장애자를 보살피고 원조하는 사회 복지 제도》.
commúnity cènter 지역 문화 회관.
commúnity chàrge 《영》 인두세(人頭稅) 《poll tax의 정식명》.
commúnity chèst 〔**fùnd**〕 《미·Can.》 공동 모금에 의한 기금.
commúnity chúrch 《미·Can.》 (여러 종파 합동의) 지역 교회.
commúnity-clósure *n.* 공동체의 폐쇄화.
commúnity cóllege 《미》 (그 지방 주민을 위한) 지역 초급 대학; 《영》 =VILLAGE COLLEGE.
commúnity còuncil 지역 평의회《지역 이익을 위해 일반인으로 구성된 자문 기관》.
commúnity educàtion (지방 자치체에 의한) 지역 교육.
commúnity hòme 《영》 소년원, 감화원.
commúnity mèdicine 지역 의료(family medicine 〔practice〕)《가정의(家庭醫)의 활동을 통한 일반 진료》.
commúnity phàrmacist 지역〔개업〕 약제사 《병원 약제사는 hospital pharmacist》.
commúnity physìcian (지방 당국이 임명한) 지역 담당 의사.
commúnity polìcing 지역 경비《범죄를 줄이기 위해 주민을 잘 알고 지역과 관련이 깊은 경관으로 하여금 그 지역의 경비를 담당케 하는 제도》.
commúnity própertý 〖미법률〗 (부부의) 공동 재산.
commúnity relátions 《미》 CR 활동《지역 사회에 대한 경찰의 방범 홍보 활동》.
commúnity schóol 지역 사회 학교; =COMMUNITY HOME.
commúnity sérvice 지역 봉사 (활동); 〖법률〗 지역〔사회〕 봉사《유죄 판결을 받은 피고인을 금고형에 처하는 대신, 지역을〔사회를〕 위해 무상 노동을 시키는 제도》.
commúnity sérvice òrder 〖법률〗 (법원이 명하는) 지역〔사회〕 봉사 명령.
commúnity sínging 회중(會衆)의 합창.
commúnity spírit 공동체 의식.
com·mu·nize [kámjənàiz/kɔ́m-] *vt.* (토지·재산 따위를) 공유〔국유〕로 하다; 공산화하다. ㊋ **còm·mu·ni·zá·tion** *n.* Ⓤ 공유화, 공산제.
com·mut·a·ble [kəmjú:təbəl] *a.* 전환〔(금전과) 교환〕할 수 있는; 〖법률〗 감형할 수 있는. ㊋ **com·mùt·a·bíl·i·ty** *n.* Ⓤ
com·mu·tate [kámjətèit/kɔ́m-] *vt.* 〖전기〗 (전류의) 방향을 전환하다, (교류를) 직류(直流)로 하다, 정류(整流)하다.
còm·mu·tá·tion *n.* Ⓤ **1** 교환, 전환, 대체; (지불 방법 따위의) 대체, 환산《물납을 금납으로 하는 등》. **2** 〖법률〗 (형벌 등의) 감면, 감형; Ⓒ 감액. **3** 〖전기〗 정류, 전환. **4** 《미》 (정기권〔회수권〕) 통근; 2 지점 간의 반복 왕복.
commutátion tìcket 《미》 (정기) 승차 회수권. ⓒⓕ season ticket.
com·mu·ta·tive [kəmjú:tətiv, kámjətèi-/kəmjú:tət-, kɔ́mjutèit-] *a.* 교환의; 〖수학〗 교환 가능한, 가환(可換)의; 상호적인(mutual). ㊋ **~·ly** *ad.* **com·mù·ta·tí·vi·ty** [-tívəti] *n.* Ⓤ 〖수학〗 교환 가능성.
commútative cóntract 〖법률〗 쌍무(雙務) 계약, 등가(等價) 교환 계약.
commútative làw (the ~) 〖수학·논리〗 교환 법칙.
com·mu·ta·tor [kámjətèitər/kɔ́m-] *n.* 〖수학〗 (군(群)의) 교환자(子); 〖전기〗 정류〔전환〕기(器), (발전자(發電子)의) 정류자(子): a ~ motor 정류자 전동기.
°**com·mute** [kəmjú:t] *vt.* **1** 《+目+前+名》 교환〔변환〕하다; 지급 방법을 바꾸다, 대체(對替)하다《*for; to; into*》: ~ an annuity *into* 〔*for*〕 a lump sum payment 연금제를 일시불로 전환하다. **2** 《+目+前+名》 (벌·의무 따위를) 감형〔경감〕하다《*from; into; to*》: ~ a death sentence *into* 〔*to*〕 life imprisonment 사형을 종신형으로 감형하다. **3** 〖전기〗 (전류의) 방향을 바꾸다, 정류(整流)하다. **—** *vi.* **1** 《+前+名》 (열차 등으로) 통근〔통학〕하다: Most office worker ~ *from* the suburbs. 대부분의 회사원들은 교외에서 통근한다. **2** 돈으로 대신 갚다《*for; into*》; 분할불 대신 일괄 지불하다; …을 대신〔대리〕하다《*for*》. **3** 〖수학〗 교환 가능하다. **~ *between*** …의 사이를 통근하다: He ~s *between* New York and Philadelpia every day. 그는 매일 뉴욕과 필라델피아 간을 통근한다. **—** *n.* 통근, 통학; 통근 거리.
com·mút·er *n.* (교외) 통근자, 정기권 사용자; 자택 통학생. **—** *a.* 통근〔통학〕(자)의.
commúter áircraft 근거리 도시 사이의 왕복 여객기.
commúter áirline 통근 항공 회사, 정기 승객용 항공 노선.
commúter bèlt 정기권 통근자의 주택 지대.
commúter cóuple 별거 결혼의 부부.
commúter·lànd, -dom [-dəm] *n.* (교외의) 정기권 통근자의 주택 지역.
commúter márriage 별거 결혼《직장이 서로 멀어서 별거하는 부부가 주말 등에 만나는》.
commúter tàx 통근세《통근처의 시(市)가 통근자에게 부과하는 소득세》.
commúter tràin 통근 열차.
commuter·ville [kəmjú:tərvil] *n.* 통근자 주택지.
commy ⇨ COMMIE.
Com·ne·nus [kamní:nəs/kɔm-] *n.* 콤네노스《6 대에 걸친 비잔틴 왕조》.
Co·mo [kóumou] *n.* **Lake ~** (북부 이탈리아의) 코모 호(湖).
co·mo·do [kəmóudou] *a.*, *ad.* 〖음악〗 코모도, 느릿한〔하게〕.
Com·o·ran, Co·mo·ri·an [kámərən/kɔ́m-], [kəmɔ́:riən] *a.* 코모로(제도(諸島))의. **—** *n.* 코모로(제도)의 주민, 코모로 사람.
Cóm·o·ro Íslands [káməroù-/kɔ́m-] (the ~) 코모로 제도《아프리카 남동쪽 Mozambique 해협 북부》.
Com·o·ros [káməròuz/kɔ́m-] *n.* (Comoro

Islands의) 코모로 이슬람 연방 공화국(1975년 독립; 수도는 Moroni).

co·mose [kóumous] *a.* 〖식물〗 (씨앗이) 털 모양의(hairy), 털이 있는.

comp[1] [kamp/kɔmp] *n.* 광고 편집 배정도: a rough ~ 초기 단계의 손그림 도면/a tight ~ 완성품에 가까운 편집 배정도. [◂ *comp*rehensive]

comp[2] *vi.* 식자공으로 일하다. — *vt.* (활자를) 식자하다. — *n.* 식자공(compositor).

comp[3] *vi.* 〖재즈〗 (리듬을 강조하기 위해) 불규칙한 화음으로 반주하다. — *vt.* …의 반주를 하다. — *n.* 반주(accompaniment); 반주자.

comp[4] *vt., vi.* 《미구어》 =COMPENSATE.

comp[5] *n.* 《구어》 =COMPETITION.

comp[6] *n.* 《미속어》 (호텔·레스토랑·흥행 등의) 무료 초대객〔권〕, 우대권. [◂ *comp*limentary]

comp. companion; company; comparative; compare; comparison; compilation; compiled; compiler; complete; composer; composition; compositor; compound; comprehensive; comprising; comptroller.

***com·pact**[1] [kəmpǽkt, kámpækt/kəmpǽkt] *a.* **1** 빽빽하게 찬, 밀집한. **2** (천 따위가) 날이 촘촘한, 바탕이 치밀한; (체격이) 꽉 짜인. **3** (집 따위가) 아담한; (자동차가) 소형(이고 경제적)인: a ~ car 소형 자동차. **4** (문체 따위가) 간결한. **5** (…으로) 된(*of*). — *vt.* **1** 죄다, 굳히다; 빽빽이 채워 넣다; 압축하다; 간결하게 하다. **2** (…으로) 만들다, 구성하다, (…을) 뭉뚱그려 만들다(*of*). — *vi.* 눈 따위가 단단하게 굳어지다; 〖야금〗 (분말이) 성형되다. — [kámpækt/kɔ́m-] *n.* **1** 콤팩트(휴대용 분갑). **2** 《미》 소형 자동차(=∠ càr). **3** 〖야금〗 성형체(成形體), 분압체(粉壓體). ㊞ **~·ly** *ad.* **~·ness** *n.*

com·pact[2] [kámpækt/kɔ́m-] *n.* 계약, 맹약. ***general*** **~** 공인, 여론. — *vi.* (…와) 계약하다 (*with*).

cómpact cassétte tàpe (일반적인) 카세트테이프.

cómpact dísc 콤팩트디스크(생략: CD).

cómpact dísc plàyer 콤팩트디스크 플레이어(CD player)(콤팩트디스크를 하이파이 음으로 재생하는 장치).

com·páct·ed [-id] *a.* 꽉 찬; 굳게 결부된.

com·páct·i·ble *a.* 굳힐 수 있는.

com·pac·tion [kəmpǽkʃən] *n.* Ⓤ 꽉 채움〔찬 상태〕; 간결화; 〖지학〗 (퇴적물의) 치밀화(작용); 〖농업〗 다지기; 〖컴퓨터〗 압축.

com·pac·tor, -pact·er [kəmpǽktər] *n.* 굳히는 사람〔물건〕; (표포·노반(路盤)을 만들 때 쓰는) 다지는 기계; 쓰레기 분쇄 압축기(부엌용).

Compáct Prò 〖컴퓨터〗 콤팩트 프로(Macintosh용의 데이터 압축 프로그램).

cómpact vìdeo dìsc 콤팩트 레이저 디스크 (음향과 영상을 재생할 수 있는; 생략: CVD).

com·pa·dre [kəmpá:drei] *n.* 《미남서부》 친구, 단짝.

com·pa·ges [kəmpéidʒi:z] *n. pl.* (복잡한 부분이 모여서 이룬) 구조, 골조.

com·pand·er, -dor [kəmpǽndər] *n.* 〖전자〗 컴팬더, (음량) 압신기(壓伸器). [◂ *com*pressor+ex*pander*]

com·pand·ing [kəmpǽndiŋ] *n.* Ⓤ 〖전자〗 송신 신호를 압축하고 수신 신호를 신장하기. [◂ *compander*+*-ing*]

****com·pan·ion**[1] [kəmpǽnjən] *n.* **1** 동료, 상대, 친구; 반려(comrade, associate): a ~ *in* arms 전우/a ~ *of* one's misery 불행을 함께 하는 사람.

> SYN. **companion** 일·생활·운명 등을 함께 하는 자: a faithful *companion* of fifty years 50년간의 충실한 반려자(아내). **associate** 사업 등의 협력자, 파트너. **comrade** companion 보다 정신적인 유대가 강하며, 같은 단체 등에 소속하는 경우가 있음, 동지. **colleague** 변호사·대학교수 등 지적인 직업을 함께하는 자, 동료.

2 말동무; (우연한) 벗, 동반자: a travel ~ 여행의 길동무. **3** 상대역; (노(老)귀부인 등의) 말상대로서 고용되는 안잠자기. **4** 쌍〔조〕의 한쪽, 짝 (*to*): a ~ volume *to* …의 자매편/the ~ *to* a picture 2매가 한 벌인 그림의 한쪽. **5** (C-) 최하급 나이트 〔훈작사〕: a *Companion of* the Bath 《영》 바스 훈위 최하급자(생략: CB)/the *Companions of* Honor 《영》 명예 훈위(생략: C.H.)/the *Companions of* Literature 《영》 문학 훈작사(1961년 제정된 문학 훈위; 생략: C. lit(t).). **6** (책 이름으로서의) 지침서(guide), 안내서, '…의 벗': A Teacher's *Companion* 교사용 지침서. **7** …용(用) 도구 한 벌: a shaving ~ 면도용품 한 벌. **8** 〖천문〗 동반성(同伴星) (=**có·mes**)(OPP. *primary*); 〖생태〗 반생종(伴生種)(식물 군락(群落) 중 다른 군락과 결합하지 않는 종류). ***be much of a*** **~** 아주 마음에 들다. ***make a*** **~** ***of*** …을 반려자로 하다, …을 벗 삼다. — *vt.* …을 모시다, …와 동반하다(accompany). — *vi.* 《문어》 함께 가다; 사귀다(*with*). ㊞ **~·less** *a.*

com·pan·ion[2] *n.* 〖해사〗 (갑판의) 지붕창; = COMPANION HATCH; COMPANIONWAY.

com·pán·ion·a·ble *a.* 벗 삼기에 좋은, 친하기 쉬운, 사교적인. ㊞ **-bly** *ad.* 친하기 쉽게. **~·ness** *n.*

com·pan·ion·ate [kəmpǽnjənət] *a.* 동반자의, 동료의; 우애적인; (옷이) 잘 어울리는, 잘 조화된(블라우스와 스커트 등).

compánionate márriage 《미》 우애 결혼 (피임·이혼을 시인하는 시험적 결혼). cf. trial marriage.

compánion cèll 〖생물〗 반(伴)세포.

compánion hàtch 〔**hèad**〕 (갑판 승강구의) 비바람막이 뚜껑.

compánion hàtchway 갑판 승강구.

compánion làdder =COMPANIONWAY.

compánion pìece (문학 작품 따위의) 자매편(姉妹篇).

compánion sèt 난로용 기구 세트(난롯가에 세워 두는 부삽, 쇠꼬챙이 등); (쌍으로 된) 촛대.

°**com·pan·ion·ship** [kəmpǽnjənʃip] *n.* Ⓤ **1** 동무 사귀기, 교우 관계, 교제: enjoy the ~ *of* a person 아무와 가까이 사귀다. **2** 〖인쇄〗 (한 사람의 직공장 밑에서 일하는) 식자공 동료. **3** (C-) 최하급 훈작사(Companion)의 지위.

compánion·wày *n.* (갑판과 선실 사이의) 승강 계단.

****com·pa·ny** [kʌ́mpəni] *n.* **1** 떼, 일단(의 사람들), 모인 사람들; Ⓤ 《집합적》 친구, 동아리: a large ~ *of* teachers 많은 교사들의 일행/a ~ *of* birds 새 떼/A man is known by the ~ he keeps. 《속담》 사귀는 친구를 보면 그의 사람됨을 알 수 있다. **2** Ⓤ 《집합적》 동석한 사람(들), (한 사람 또는 두 사람 이상의) 내객: We are having ~ *for* the weekend. 이번 주말에 손님이 온다. **3** Ⓤ 교제, 사귐; 동석: be fond of ~ 교제를 좋아하다/Will you favor me with your ~ *at* dinner? 함께 식사를 해 주시지 않겠습니까/*Company in* distress makes sorrow less. 《속담》 함께 고민하면 슬픔은 덜하다. **4** (사교적인) 회합; Ⓒ 단체, 협회; (배우의) 일행, 극단: a ~ *of* players 배우 일행.

> [SYN] **company** 일시적 또는 영속적인 교제를 하며 협력하는 사람들의 모임. **band** 공통의 목적에 따라 결합되어 있는 모임으로서 company 보다 밀접함: a *band* of musicians 악단. **party** 공통 목적을 위하여 모인 동아리: a rescue *party* 구조대.

5 [C] 회사, 상사, 상회, 조합(guild); [U] 〔집합적〕 (회사명에 인명이 표시되지 않은) 사원들《생략: Co. [kóu, kʌ́mpəni]》: a publishing ~ 출판사.

> [NOTE] (1) 인명을 포함하는 회사명으로서는 and Company《원래 '및 그 동료'의 뜻》의 형태로 쓰이는 일이 많음: McCormick & Co., Inc. 매코믹 유한 책임 회사. (2) 회사명으로 쓰이지 않을 때는 firm 이 보통임: get a job in a *firm* downtown 도심지의 회사에 취직하다.

6 [C] 〖군사〗 보병〔공병〕 중대; 〖해사〗 〔집합적〕 전 승무원(ship's ~, crew): a ~ commander 중대장 / a ~ first sergeant 중대 선임 하사. **7** 소방대. **8** (the C–) 《미속어》 중앙 정보국(CIA); 연방 수사국(FBI); 도시 경찰. ***be addicted to low* ~** 야비한 사람들과 어울리다. ***be good* 〔*bad*〕 ~** 사귀어 재미가 있다〔없다〕. ***for* ~** 교제상: weep *for* ~ 덩달아 울다. ***get into bad* ~** 못된 친구와 사귀다. ***in* ~** 사람들〔남들〕 앞에서: He insulted me *in* ~. 그는 사람들 앞에서 나를 모욕했다. ***in each other's* ~** 서로 함께. ***in good* ~** ① 좋은 친구와 사귀어. ② 《구어》 (어떤 일을 못해도) 다른〔잘난〕 사람들과 마찬가지로: I err 〔sin, transgress〕 *in good* ~. 나도 다른 사람들과 마찬가지로 실수를 저지른다, 실수하는 것도 당연하다. ***keep*** 〔《고어》 ***bear***〕 a person ~ =***keep* ~ *with*** …와 교제하다; …와 다정하게 사귀다《특히 애인으로서》. ***keep good* 〔*bad*〕 ~** 좋은〔나쁜〕 친구와 교제하다. ***keep to* one's *own* ~** 홀로 있다. ***part* ~ *with*** ⇨ PART *vt*. ***Present* ~ *excepted*** 여기에 계시는 여러분을 제외하고: Many people of today are selfish, *present* ~ *excepted*. 여기 계신 분들을 제외하고, 요즘 사람들은 이기적인 분들이 많습니다. ***receive* ~** 손님을 맞다; 접대하다. ***receive* 〔*get*〕 one's ~** 중대장이〔대위가〕 되다. **—** *vi*. 《문어》 사귀다《*with*》. **—** *vt*. 《고어》 …을 따르다.

cómpany cár (업무용) 회사 차.

cómpany dòctor 〖경영〗 컴퍼니 닥터《사업 부진의 기업을 일으켜 세우기 위해 지도하는 기업 컨설턴트》.

cómpany gràde òfficer =COMPANY OFFICER.

cómpany màn (쟁의 때의) 회사 측 (앞잡이) 종업원, (회사 측의) 끄나풀.

cómpany mànners 남 앞에서의 예의.

cómpany mònkey 《미육군속어》 회사원.

cómpany ófficer (미국 육군·공군·해병대의) 위관(尉官). [cf] field officer.

cómpany sécretary 《영》 (주식회사의) 총무 담당 중역, 총무부장.

cómpany sérgeant màjor 《영》 중대 선임 상사.

cómpany's stòpcock 옥외 지수전(止水栓) 《수도 본관과 각 가정 사이의》.

cómpany stóre (회사의) 매점, 구매부.

cómpany tòwn 회사 의존 도시《고용·주택을 거의 한 기업에 의존하는 도시》.

cómpany ùnion 《미》 어용(御用) 조합; (한 사업장만의) 단독〔독립〕 조합.

Com·paq [kɑ́mpæk/kɔ́m-] *n*. 컴팩《미국 Compaq Computer Corp. 제의 퍼스널 컴퓨터》.

compar. comparative; comparison.

°**com·pa·ra·ble** [kɑ́mpərəbəl/kɔ́m-] *a*. 비교되는《*with*》; 필적하는《*to*》; 상당하는, 동등한. ★ 악센트의 위치가 compare 와 다름. [파] **-bly** *ad*. 동등하게, 비교될 정도로. **~·ness** *n*. **còm·pa·ra·bíl·i·ty** *n*.

cómparable wórth 남녀 동일 임금 원칙.

com·par·a·tist [kəmpǽrətist] *n*. 비교 언어학〔문학〕자.

***com·par·a·tive** [kəmpǽrətiv] *a*. **1** 비교의, 비교에 의한: ~ analysis 비교 분석 / ~ cost theory 비교 생산비설 / ~ psychology 비교 심리학; 민족〔종족, 인종〕 심리학(race psychology) / a ~ method 비교 연구법. **2** 비교적인, 비교상의: ~ merits 딴 것과 비교해 나은 점. **3** 상당한, 상대적인: live in ~ comfort 비교적 편하게 살다 / with ~ ease 비교적 쉽게. **4** 〖문법〗 비교(급)의: the ~ degree 비교급. **—** *n*. (the ~) 〖문법〗 비교급(의 어형); 《고어》 경쟁자. [파] **~·ness** *n*.

compárative advántage 〖경제〗 비교 우위(성)《국제 분업과 국제 무역을 근거로 Ricardo가 제창》.

compárative ádvertising 비교 광고(《영》 knocking copy)《경합 상품과 비교하여 우수성을 선전하는 광고》.

compárative júdgment 〖심리〗 비교 판단 《둘 이상의 자극 사이의 차이에 대한 판단》.

compárative linguístics 비교 언어학.

compárative líterature 비교 문학.

***com·pár·a·tive·ly** *ad*. 비교적(으로); 꽤, 상당히, 다소라도: ~ speaking 비교해 말하면 / ~ good 비교적〔꽤〕 좋은.

compárative spót 비교 스폿 광고《상품·서비스를 타사 것과 비교하는 텔레비전·라디오 광고》.

compárative wórth 《미》 (동일 임금의 기준이 되는) 남녀 간 이종(異種) 업무에 대한 대등(對等) 가치.

com·par·a·tiv·ist [kəmpǽrətivist] *n*. =COMPARATIST.

com·par·a·tor [kəmpǽrətər, kɑ́mpərèi-/kəmpǽrətə] *n*. 〖기계〗 비교 측정기(器)《거리·색채 등의 정밀 측정용》; 〖전기〗 비교기《2 개 신호의 일치 여부의 판단용》; 〖컴퓨터〗 비교기.

*:**com·pare** [kəmpέər] *vt*. **1** 《~+[목] / +[목]+[전]+[명]》 비교하다, 견주다, 대조하다《*with*》: ~ two documents 문서 2 통을 대조해 보다 / ~ Seoul *with* other large cities 서울을 딴 대도시와 비교하다.

> [NOTE] (1) 'A를 B와 비교하다'는 *compare* A *with* B 가 옳으나, *compare* A *to* B 라고 하는 일도 있음. (2) cp.라고 생략함.

2 《+[목]+[전]+[명]》 비유하다, 비기다《*to*》: Life is ~*d to* a voyage. 인생은 항해에 비유된다. **3** 〖문법〗 (형용사·부사의) 비교 변화형《비교급, 최상급》을 나타내다. [cf] inflect.

— *vi*. 《+[전]+[명]》 〔보통 부정구문〕 비교되다, 필적하다《*with*》: *No* book can ~ *with* the Bible. 성서에 필적하는 책은 없다. ◇ comparison *n*. ***(as)* ~*d with*** …와 비교하여. ***(be) not to be* ~*d with*** …와 비교할 수 없다; …보다 훨씬 못하다. **~ *favorably with*** …에 비하여 나을 지언정 뒤지지 않다, …보다 못하지 않다. **~ *notes*** ⇨ NOTE. **—** *n*. 비교. ***beyond* 〔*past, without*〕 ~** 비할 바 없이, 비교거리가 안 되는. ***draw a* ~ *between*** …과 …을 비교하다.

***com·par·i·son** [kəmpǽrəsən] *n*. **1** [U,C] 비교, 대조《*of* A *with* B; *between*》: by ~ (*with*) (…와) 비(교)하면 / make a ~ *between* A and B, A와 B를 비교하다 / There is no ~ *between* the two. 양자는 비교가 안 된다, 하늘과 땅 차이다. **2** [U,C] 유사, 필적《*of* A *to* B》; 필적하는 것. **3** 〖수사학〗 비유; 〖문법〗 (형용사·부사의) 비교, 비

교 변화《good, better, best; big, bigger, biggest 등》. ⇨《부록》COMPARISON. ◇ compare *v.* ***bear*** 〔***stand***〕 **~ *with*** …에 필적하다: *bear* a very favorable ~ *with* …에 비하여 우위(優位)에 서다. ***beyond*** 〔***past, without***〕 **~** 비할〔비길〕 데 없이〔없는〕. ***in* ~ *with*** 〔***to***〕 …와 비교하여 (보면) (compared with). ***out of*** (***all***) **~** 비할〔비길〕 데 없는〔없이〕.

compárison-shòp *vt., vi.* (백화점 종업원이) 동업 타사의 가격·선전·서비스 등을 비교하다.

compárison shòpper (경합하는 회사의 가격·서비스 등을 조사하는) 정탐(偵探) 사원, 정탐〔스파이〕 손님.

compárison tèst 〖수학〗 비교 판정법.

com·part [kəmpɑ́ːrt] *vt.* 구획하다, 칸을 막다.

◇**com·párt·ment** *n.* **1 a** 칸막이, 구획. **b** (객차·객선 내의) 칸막이방. **c** (배의) 방수 격실 (watertight ~); 《미》 (열차의) 침실이 붙은 특별 사실(私室). **2** 〖영정치〗 (시간 제한부의) 특수 협의 사항. ── [-ment, -mənt] *vt.* 구획으로 나누다, 구획〔구분〕하다. ㊞ **~·ed** [-id] *a.* **com·part·mental** [kəmpɑ̀ːrtméntl, kɑ̀mpɑːrt-/kɔ̀m-] *a.*

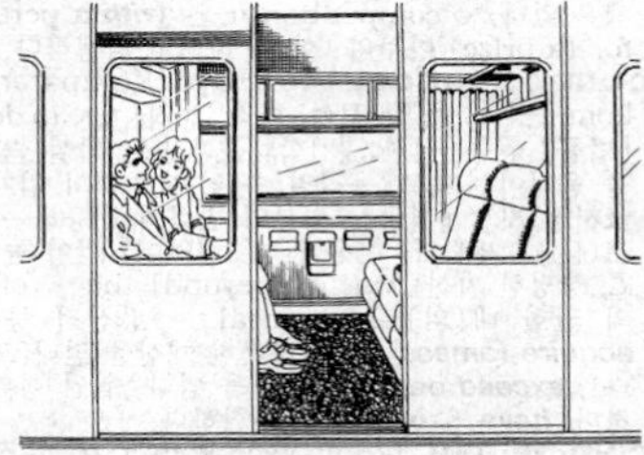

compartment 1b

com·part·men·tal·ize [kəmpɑ̀ːrtméntəlàiz, kɑ̀m-/kɔ̀m-] *vt.* (상호 관계를 고려하지 않고) 구획〔부문〕으로 나누다, 구획〔구분〕하다, 칸을 막다. ㊞ **com·part·mèn·tal·i·zá·tion** *n.*

com·part·men·ta·tion [kəmpɑ̀ːrtməntéiʃən, -men-] *n.* 구획화, 칸으로 막음, 구분.

compártment plàte 〔**dìsh, tràу**〕 칸막이〔구획된〕 접시.

*__com·pass__ [kʌ́mpəs] *n.* **1** 나침반, 나침의; (the C-es) 〖천문〗 나침반자리: a mariner's ~ 선박용 나침의/the points of the ~ 나침반의 방위. **2** (보통 *pl.*) (제도용) 컴퍼스: a pair of ~*es*. **3** 《비유》 한계, 범위(extent, range); 둘레, 주위; 〖음악〗 음역: beyond 〔within〕 the ~ *of* the imagination 상상력이 미치는 범위외〔내〕에. **4** 중용, 적도(適度): keep within ~ 도를 지나치지 않게 하다. **5** (C-) 컴퍼스《미국이 개발한 업무용 퍼스널 컴퓨터의 하나; 상표명》. **6** 《고어》 우회로: fetch 〔go〕 a ~ 에둘러 말하다〔가다〕. ***beyond* one's ~** =***beyond the* ~ *of* one's *powers*** 힘〔능력〕이 미치지 않아. ***box the* ~** ⇨ box[1]. ***cast*** 〔***fetch, go, take***〕 ***a* ~** 빙 한바퀴 돌다; 《비유》 에둘러 행동〔말〕하다, 탈선하다. ***in small* ~** 간결히, 긴밀히. ***within* ~** 정도껏, 분수에 맞게: speak *within* ~ 조심스레 말하다.

── *a.* 구부러진(curved); 반원형으로 굽은, 아치형의.

── *vt.* **1** …의 주위를 돌다; (담 등을) 두르다 《*with*》; 〔흔히 수동태〕 에워싸다《현재는 encompass 라고 함》; 돌아서 가다. **2** 포착하다; (…을) 충분히 이해하다. **3** 《문어》 (음모 등을) 꾸미다, 계획하다, 궁리하다(plot). **4** 달성하다, 수행하다, 획득하다(obtain).

㊞ **~·a·ble** *a.*

cómpass càrd 컴퍼스 카드, 나침반의 지침면 「(指針面).

cómpass còurse 〖해사〗 나침로《나침반에서 가리키는 침로》.

*__com·pas·sion__ [kəmpǽʃən] *n.* Ⓤ 불쌍히 여김, (깊은) 동정(심)《*on, upon; for*》: have 〔take〕 ~ *on* 〔*upon, for*〕 …을 불쌍히 여기다. SYN. ⇨ SYMPATHY.

◇**com·pas·sion·ate** [kəmpǽʃənət] *a.* 자비로운, 동정심이 있는; 정상을 참작한, 온정적인; 〖영군사〗 특별 배려에 의한: ~ leave 특별〔온정〕 휴가. ── [-ʃənèit] *vt.* 《영에서는 고어》 불쌍히 여기다, 동정하다. ㊞ **~·ly** *ad.*

compássion fatìgue (자선 행위나 기부 등이 너무 빈번하고 장기에 걸치는 경우의) 동정심 감퇴, 동정의 피로.

cómpass locàtor 〖항공〗 계기 착륙 시스템의 무선 유도 표지(標識).

cómpass plàne 〖목공〗 뒷대패.

cómpass plànt 향일성(向日性) 식물《잎이 햇빛이 강한 쪽으로 향하는 식물의 총칭》.

cómpass pòint 나침반 방위상의 한 점.

cómpass ròse 1 〖해사〗 나침도(圖)《해도의 원형 방위도》. **2** 방사선도(圖), 방위도《장식용으로도 씀》.

cómpass sàw (가늘고 끝이 뾰족한) 곡선 절단용의 톱. 「(彎曲材).

cómpass tìmber 〖선박〗 굽은 재목, 만곡재

cómpass wíndow 〖건축〗 반원형의 퇴창(退窓).

com·pa·thy [kɑ́mpəθi/kɔ́m-] *n.* 공감(共感).

com·pàt·i·bíl·i·ty *n.* **1** Ⓤ 적합(성). **2** 〖TV·라디오〗 양립성; (컴퓨터 따위의) 호환성(互換性). **3** 〖식물〗 (수정(受精)의) 화합성, (접목(接木)의) 친화성; 〖화학〗 융화(融和)〔상용(相溶)〕성, 일치, 조화.

com·pat·i·ble [kəmpǽtəbəl] *a.* **1** 〔서술적〕 양립하는, 모순되지 않는, 조화되는, 적합한 《*with*》. **2** 〖TV〗 (컬러 방송을 흑백 수상기에서 흑백 화상으로 수상할 수 있는) 겸용식의; 〖라디오〗 양립성의《스테레오 방송이 보통 수신기로 monaural로 수신 가능한》; 〖컴퓨터〗 호환성 있는. **3** 〖식물〗 타화(他花) 수정〔접목〕이 용이한, 화합성〔친화성〕의; 〖화학〗 혼합해도 화학 반응이 일어나지 않는, 융화성〔상용성〕의《약제 등》. ㊞ **-bly** *ad.* 사이 좋게; 적합하게. **~·ness** *n.* 「터.

compátible compúter 호환성(互換性) 컴퓨

com·pa·tri·ot [kəmpéitriət/-pǽtri-] *n.* 동국인, 동포; 동배(同輩), 동료. ── *a.* 같은 나라의, 나라를 같이하는. ㊞ **com·pà·tri·ót·ic** [-ɑ́tik/-ɔ́t-] *a.* 동국인(人)의, 동포적인, 조국〔고향〕의. **com·pá·tri·ot·ìsm** *n.* Ⓤ 동국인임, 동포의 정의(情誼).

compd. compound.

com·peer [kəmpíər, kɑ́mpiər/kɔ́m-, ⌐⌐] *n.* 대등한 사람, 동배; 동료. ── *vt.* 《폐어》 필적하다.

__com·pel__ [kəmpél] (-ll-*) *vt.* **1** 《+목+전+명/+목+*to* do》 강제하다, 억지로 …시키다: ~ a person *to* 〔*into*〕 submission 아무를 굴복시키다/His disregard of the rules ~*s* us *to* dismiss him. 그는 규칙을 좇지 않으므로 해고하지 않을 수 없다.

SYN. **compel, force** 두 말은 거의 구별 없이 쓰이지만, compel은 '물리적·정신적인 압력으로 무리하게 아무에게 어떤 일을 시키는' 경우에, force는 '힘으로 또는 강박적으로 …하지 않을 수 없게 하는' 경우에 많이 쓰임: Bad weather *compelled* us to stay another day. 날씨가 나빠서 하루 더 머물러야 했다. *force* a suspect to confess 용의자에게 자백시키다. **oblige** 필요 · 의무 · 도덕상 · 법률상 …하지 않을 수 없게 하다. 즉, 육체적이 아니라 정신적인 속박을 말함.

2 《+목+*to* do》〖수동태〗 …하지 않을 수 없다, 할 수 없이 …하다: He *was* ~*led to* go. 가지 않을 수가 없었다. **3** 《~+목/+목+전+명》 강요〔강제〕하다: No one can ~ obedience. 아무도 남에게 복종을 강요할 수는 없다/They ~*led* silence *from* us. 그들은 우리에게 침묵을 강요하였다. **4** 《~+목/+목+전+명》 (강제적으로) 끌어들이다, 끌어내다: ~ attention 〔applause〕 주의〔칭찬〕하지 않을 수 없게 하다/~ tears *from* the audience 관객의 눈물을 자아내다. **5** 《고어 · 시어》 강제로 내몰다〔모으다〕. **—** *vi.* 강제하다; 항거하기 어려운 힘을 갖다. ◇ compulsion *n.* ㊞ **com·pél·la·ble** *a.* 강제할 수 있는. **-pél·ler** *n.* 강제자.

com·pel·la·tion [kὰmpəléiʃən/kɔ̀m-] *n.* Ⓤ 말을 걸기〔거는 태도〕; 호칭, 명칭, 경칭.

com·pel·ling [kəmpéliŋ] *a.* …하지 않을 수 없는, 강제적인, 강력한; 강한 흥미를 돋우는, 감탄하지 않을 수 없는. ㊞ **~·ly** *ad.*

com·pend [kάmpend/kɔ́m-] *n.* =COMPENDIUM.

com·pen·di·ous [kəmpéndiəs] *a.* (책 등이) 간결한, 간명한. ㊞ **~·ly** *ad.* **~·ness** *n.*

com·pen·di·um [kəmpéndiəm] (*pl.* **~s, -dia** [-diə]) *n.* 대요, 개략, 요약, 개론; 일람표; 《영》 …필휴(必携)《실용적인 힌트를 모은 책》; 《영》 게임 상자; 편지 세트《편지지와 봉투의》.

com·pen·sa·ble [kəmpénsəbəl] *a.* (특히 상해 따위) 보상의 대상이 되는, 보상할 수 있는. ㊞ **com·pèn·sa·bíl·i·ty** *n.*

***com·pen·sate** [kάmpənsèit/kɔ́m-] *vt.* **1** 《~+목/+목+전+명》 …에게 보상하다, …에게 변상하다; 《미》 …에게 보수〔급료〕를 주다《*for*》: ~ a person *for* loss 아무에게 손실을 배상하다. **2** 《+목+전+명》 (손실 · 결점 등을)(…로) 보충〔벌충〕하다, 상쇄하다《*with*》: He ~*d* his homely appearance *with* great personal charm. 그는 못생긴 용모를 인간적인 매력으로 벌충했다. **3** (물가 변동에 대해 금(金)함유량을 조정하여 통화의) 구매력을 안정시키다. **4** 〖기계〗 (흔들이 등에) 보정(補整)장치를 달다, 보정하다. **—** *vi.* 《+전+명》 보충하다, 벌충되다《*for*》; 보상하다《*to*》: Industry and loyalty sometimes ~ *for* lack of ability. 근면과 충실이 때로는 재능의 결여를 메워 준다/~ *to* a person *with* money 아무에게 돈으로 보상하다. ◇ compensation *n.*

cómpensated semicondúctor 〖물리〗 보상형 반도체.

com·pen·sa·tion** [kὰmpənséiʃən/kɔ̀m-] *n.* Ⓒ,Ⓤ **1** Ⓤ 배상, 변상, 벌충《*for*》; Ⓒ,Ⓤ 보상〔배상〕금《*for*》; Ⓒ 보충이 되는 것: a ~ *for* removal 퇴거 보상금/a ~ *for* damage 손해 배상/make ~ *for* …의 벌충을 하다. **2** 《미》 보수; 급료, 수당: ⇨ UNEMPLOYMENT COMPENSATION. **3** 〖기계〗 보정(補正); 〖선박〗 보강: a ~ pendulum 보정 진자(振子). **4** 〖심리 · 생리〗 대상(代償) 작용. ◇ compensate *v.* ***in* ~ *for …의 보상으로; …의 보수로서. ㊞ **~·al** [-ʃənəl] *a.*

compensátion bàlance (시계의) 속도 조절 보정 톱니바퀴.

compensátion òrder 《영법률》 (형사 재판에서 법원이 가해자에게 부가적으로 내리는) 손해배상 지급 명령.

com·pen·sa·tive [kάmpənsèitiv, kəmpénsə-/kɔ́mpensèi-] *a.* =COMPENSATORY.

com·pen·sa·tor [kάmpənsèitər/kɔ́m-] *n.* 배상자, 보상자; 〖기계〗 컴펜세이터, 보정기(器)〔판〕; 〖전기〗 보상기(補償器); 〖광학〗 보정판(補正板).

com·pen·sa·to·ry [kəmpénsətɔ̀ːri/-təri] *a.* 보상의, 대상적인; 보충의; 보정(補整)적인: ~ lengthening 〖언어〗 대상(代償) 연장《인접 자음의 소실로 모음이 장음화되는 현상》.

compénsatory dámages 〖법률〗 보상적 손해 배상.

compénsatory educátion 〖교육〗 보상(補償) 교육.

com·per [kάmpər/kɔ́m-] *n.* 현상 퀴즈〔콘테스트〕 단골 응모자.

com·père, -pere [kάmpεər/kɔ́m-] 《영》 *n.* (방송 연예의) 사회자. **—** *vt., vi.* (…의) 사회를 하다, 사회를 맡다《*to*》. [F.=godfather]

****com·pete** [kəmpíːt] *vi.* 《~/+전+명》 **1** 겨루다, 경쟁하다; 서로 맞서다《*with; for; against; in*》: ~ *against* other countries *in* trade 무역으로 다른 나라와 겨루다. **2** 〖보통 부정문〗 필적하다, 어깨를 겨루다《*with; in*》: There is *no* book that can ~ *with* this. 이것과 견줄 만한 책은 없다. ◇ competition *n.* **~ *with*** a person ***for*** (a prize) 아무와 (상)을 타려고 경쟁하다.

°**com·pe·tence, -ten·cy** [kάmpətəns/kɔ́m-], [-i] *n.* Ⓤ 적성, 자격, 능력《*for; to* do》; 〖법률〗 권능, 권한; 〖지학〗 콤피턴스, 암설(岩屑)을 움직이는 능력《움직일 수 있는 최대의 입자로 표시한 것》; 〖생물〗 (외부의 변화에 대응하는 배포(胚胞) 세포의) 반응력〔성〕; 〖언어〗 언어 능력; Ⓒ 상당한 자산: within 〔beyond〕 the ~ of … 의 권한 내〔외〕로/mental ~ 정신적 능력. ***acquire*** 〔***amass***〕 ***a*** **~** 충분한 재산을 얻다〔모으다〕. ***exceed*** one***'s* ~** 권한을 넘다, 월권 행위를 하다. ***have* ~ *over*** …을 관할하다.

***com·pe·tent** [kάmpətənt/kɔ́m-] *a.* **1** 적임의, 유능한; 〖생물〗 반응력이 있는: a ~ player 유능한 선수/He is ~ *to* act as chairman. 그는 의장을 맡을 역량이 있다. SYN. ⇨ABLE. **2** 적당한, 충분한, 상당한; 요구에 맞는: a ~ knowledge of English 충분한 영어 지식. **3** (법정) 자격이 있는《법정 · 법관 · 증인 따위》; 관할권 있는: the ~ authorities 소관 관청/the ~ minister 소관〔주무〕 장관. **4** (행위 등이) 합법적인, 정당한: It is ~ for you to take the post. 자네가 그 지위에 앉는 것은 정당하지. ◇ competence *n.* ㊞ **~·ly** *ad.*

com·pét·ing *a.* 경쟁〔경합〕하는.

****com·pe·ti·tion** [kὰmpətíʃən/kɔ̀m-] *n.* **1** Ⓤ 경쟁, 겨루기《*with; for; between*》: be 〔put〕 in ~ *with* …와 경쟁하다〔시키다〕/~ *between* nations 국가 간의 경쟁. **2** Ⓒ 경기(회(會)); 경쟁시험: the Olympic ~ 올림픽 경기/a wrestling ~ 레슬링 경기/enter a ~ 경기에 참가하다. SYN. ⇨MATCH². **3** Ⓤ〖집합적〗 경쟁자, 라이벌. **4** Ⓤ 〖생물〗 (개체 간의) 경쟁, 경합. ◇ compete *v.*

competítion desìgn 〖건축〗 **1** 경쟁 설계《2명 이상의 설계자를 경합시키는》. **2** 경쟁 설계를 위하여 작성된 설계도(서).

°**com·pet·i·tive** [kəmpétətiv] *a.* 경쟁의, 경쟁에 의한; 경쟁적인; (시장이) 자유 경쟁인, 독점적이 아닌, (가격 · 제품 등이) 경쟁할 수 있는; 〖생화학〗 길항(拮抗)적인: ~ games 경기 종목/a ~ examination 경쟁 시험/a ~ price 경쟁 가격/~ sports 경기/a ~ inhibition (효소 반응의) 길항(拮抗)적 저해. ㊞ **~·ly** *ad.* 경쟁하여. **~·ness** *n.*

compétitive coexístence 〖정치〗 (예전의, 「미 · 소 간의」) 경쟁적 공존.

compétitive exclúsion (**prìnciple**) 〖생태〗 경쟁적 배타〔배제〕의 원칙〔원리〕.

°**com·pet·i·tor** [kəmpétətər] (*fem.* **-tress** [-tris]) *n.* 경쟁자, 경쟁 상대(rival). ⊞ **~·ship** [-ʃip] *n.*
com·pet·i·to·ry [kəmpétətɔ̀ːri/-təri] *a.* = COMPETITIVE.
°**com·pi·la·tion** [kɑ̀mpəléiʃən/kɔ̀m-] *n.* Ⓤ 편집, 편찬《*of*》; Ⓒ 편집〔편찬〕물: the ~ *of* a dictionary 사전의 편찬. ◇ compile *v.* ⊞ **com·pil·a·to·ry** [kəmpáilətɔ̀ːri/-təri] *a.*
compilátion film 실황 녹화 편집 필름《다큐멘터리나 명(名)장면 등 기존의 필름에서 편집한 것》.
*__com·pile__ [kəmpáil] *vt.* **1** 편집하다, 편찬하다: ~ a guidebook 안내서를 만들다. **2** 《~+목/+목+전+명》 (자료 따위를) 수집하다; 집계하다: ~ materials *into* a magazine 자료를 모아 잡지를 만들다. **3** 《영속어》 (크리켓에서) 득점하다(score); (재산 따위를) 이룩하다, 장만하다. **4** 〖컴퓨터〗 다른 부호〔컴퓨터 언어〕로 번역하다.
com·píl·er *n.* **1** 편집〔편찬〕자. **2** 〖컴퓨터〗 번역기, 컴파일러《BASIC, COBOL, PASCAL 등의 프로그래밍〔고급〕 언어를 기계어로 번역하는 프로그램》.
compíler lànguage 〖컴퓨터〗 컴파일러 언어《ALGOL, FORTRAN 따위》.
compíling routíne = COMPILER 2.
comp·ing [kɑ́mpiŋ] *n.* (취미로서의) 현상 퀴즈 응모.
compl. complement.
°**com·pla·cence, -cen·cy** [kəmpléisəns], [-i] *n.* Ⓤ 자득(自得), 안심, 자기만족; 만족감을 주는 것, 위안이 되는 것.
com·pla·cent [kəmpléisənt] *a.* 만족한, 자기만족의, 득의의, 마음속으로 즐거워하는; 안심한; 은근한, 사근사근한(complaisant). ⊞ **~·ly** *ad.* 만족하여.
‡**com·plain** [kəmpléin] *vi.* **1** 《~/+전+명》 불평하다, 투정하다, 우는소리하다, 한탄하다《*of; about*》: Some people are always ~*ing*. 항상 불평만 하는 사람이 있다 / ~ *of* little supply 공급이 적다고 불평하다. **2** 《+전+명》 하소연하다; (정식으로) 호소하다《*to* a person *of* 〔*about*〕》: He ~*ed to* the police *about* his neighbor's dog. 그는 이웃 개에 대해 경찰에 호소했다. **3** 《+전+명》 (병고·고통을) 호소하다, 앓다《*of; about*》: ~ *of* a headache 머리가 아프다고 투덜대다; 두통이 나다. **4** 《시어》 (바람 등이) 구슬픈 소리를 내다, 신음하다. ― *vt.* 《+*that* 절/+전+명+*that* 절》 …라고 불평〔한탄〕하다: She ~*ed that* her husband drank too much. 그녀는 남편이 술을 너무 마신다고 푸념했다 / He ~*ed to* his mother *that* his allowance was too small. 그는 어머니에게 용돈이 너무 적다고 투덜거렸다. ◇ complaint *n.* **~ *against*** …에 관하여 하소연하다, …을 고소하다.
com·plain·ant [kəmpléinənt] *n.* 〖법률〗 원고, 고소인(plaintiff); 《고어》 불평하는 사람.
com·pláin·er *n.* 불평가, 투덜대는 사람; 《Sc.》 원고, 고소인(complainant).
com·pláin·ing·ly *ad.* 불만스레, 불평하며.
‡**com·plaint** [kəmpléint] *n.* **1** Ⓤ 불평, 찡찡거림, 우는소리; Ⓒ 불평거리, 고충: be full of ~*s about* one's food 음식에 대해 불평이 많다. **2** Ⓒ 병, 몸의 부조(不調): have a ~ *in* one's stomach 위가 나쁘다. **3** Ⓒ 〖법률〗 (민사의) 고소, 항고; 《미》 (민사소송에서) 원고의 최초의 진술. ◇ complain *v.* ***(I have) no ~s.*** 별다른 불만은 없다: How are you doing?—*No ~s.* 어떻게 지내는가—그럭저럭. ***make*** 〔***lodge, file, lay***〕 ***a ~ against*** a person 아무를 고소하다.
com·plai·sance [kəmpléisəns, -zəns, kɑ́mpləzæ̀ns/kəmpléizəns] *n.* Ⓤ **1** 은근함(civility), 정중함, 사근사근함. Ⓒⓕ complacence. **2** 공손, 친절.
com·plai·sant [kəmpléisənt, -zənt, kɑ́mpləzæ̀nt/kəmpléizənt] *a.* 사근사근한, 고분고분한; 공손한, 친절한. ⊞ **~·ly** *ad.*
com·pla·nate [kɑ́mplənèit/kɔ́m-] *a.* 같은 평면에 놓인; 고르게 된, 편평해진(flattened). ⊞ **-ná·tion** *n.* **1** 평면화(化). **2** 〖수학〗 곡면 구적법(求積法).
com·pleat [kəmplíːt] *a.* 《고어》 = COMPLETE: *The Compleat Angler* '조어 대전(釣魚大全)' 《영국의 수필가 Izaak Walton 의 수필》.
com·plect [kəmplékt] *vt.* 《고어》 함께 엮다, 섞어 짜다(interweave).
com·plect·ed[1] [-id] *a.* 함께 엮은, 복잡한(complicated).
com·plect·ed[2] *a.* 《미방언·미구어》 〖복합어〗 얼굴색이 …한: dark-~ 얼굴이 가무잡잡한.
*__com·ple·ment__ [kɑ́mpləmənt/kɔ́m-] *n.* **1** 보충〔보족〕물, 보완하는 것《*of; to*》. Ⓒⓕ supplement. ¶ Good brandy is a ~ *to* an evening meal. 저녁 식사는 고급 브랜디가 따라야 완벽하다 / Love and justice are ~s each of the other. 사랑과 정의는 서로 더불어야 완전해진다. **2** 〖문법〗 보어(補語); 〖생성문법〗 보문(補文). ⇨《부록》 COMPLEMENT. **3** 〖수학〗 여각(餘角), 여호(餘弧), 여수(餘數); 여집합; 〖컴퓨터〗 보수. **4** 〖음악〗 보충 음정(音程). **5** 〖면역〗 (혈청 중의) 보체(補體). **6** (필요한) 전수, 전량; 〖해사〗 승무원 정원; (직공·공장 인원의) 정수(定數): a full ~ *of* workers (공장의) 전체 노동자 / The ship has taken in its full ~ *of* fuel. 배는 연료를 만재하였다. ◇ complete *v.* ― [-mènt] *vt.* 보충〔보족, 보완〕하다, …의 보충이 되다; 《폐어》 = COMPLIMENT. ⊞ **~·er** *n.*
com·ple·men·tal [kɑ̀mpləméntl/kɔ̀m-] *a.* = COMPLEMENTARY. ⊞ **~·ly** *ad.*
com·ple·men·tar·i·ty [kɑ̀mpləmentǽrəti/kɔ̀m-] *n.* 〖물리·화학〗 상보성(相補性).
complementárity prìnciple 〖원자물리〗 상보성 원리.
com·ple·men·ta·ry [kɑ̀mpləméntəri/kɔ̀m-] *a.* 보충하는, 보족(補足)의; 〖생화학〗 (DNA, RNA 분자에 대하여) 상보(相補)적인. ⊞ **-ri·ly** *ad.* 보충으로. **-ri·ness** *n.*
compleméntary ángle 〖수학〗 여각(餘角). Ⓒⓕ supplementary angle.
compleméntary cèll 〖식물〗 전충(塡充) 세포.
compleméntary cólors 보색(補色).
compleméntary distribútion 〖언어〗 상보(相補)적 분포.
compleméntary DNA 〖유전〗 상보적(相補的) DNA(= cDNA).
compleméntary gène 〖유전〗 보족(補足) 유전자.
compleméntary médicine 상보적(相補的) 의료, 보완 의료《종래의 의료를 보완하는 것으로서의 각종 요법》. ★ alternative medicine 과 거의 같은 뜻으로 쓰임.
com·ple·men·ta·tion [kɑ̀mpləmentéiʃən/kɔ̀mplimen-] *n.* Ⓤ 〖수학〗 여집합 만들기, 여집합의 결정; 〖언어〗 = COMPLEMENTARY DISTRIBUTION; 〖문법〗 보문화(補文化); 〖동물〗 (동일종 또는 근연종(近緣種)의 2 개체의) 합식(合植)《유합(類合)되어 1 개체가 되는 일》; 〖유전〗 상보(성).
cómplement fixàtion 〖면역〗 보체(補體)결합.
cómplement-fixátion tèst 보체(補體)결합 시험《보체결합 원리에 의거한 항원 또는 항체의 검출 방법; 감염 질환의 진단 테스트의 한 방법》.
†**com·plete** [kəmplíːt] *a.* **1** 완전한, 완벽한; 흠

잡을 데 없는, 완비된: a ~ victory 완승/a ~ failure 완패.

[SYN.] **complete, perfect** 서로 바꾸어 쓸 경우도 있으나, complete는 '완비한'이라는 양적 충족을, perfect는 '이상적인'이라는 질적인 주관적 가치 판단을 강조하는 경향이 있음: a *complete* work 완결된 작품(질의 좋고 나쁨을 묻지 않음). a *perfect* work 완벽〔훌륭〕한 작품. *complete* ignorance 완전한 무지, 통 모르고 있음. a *perfect* gentleman 나무랄 데 없는 신사. **full** 가득 차서 더 이상 여지가 없는: *full* employment 완전(한) 고용. **entire** 전체의, 처음부터 끝까지의: an *entire* book 책 전체. **whole** 통째의, 고스란히 그대로의: the *whole* city 전시(全市). **intact** 본래대로의, 온전한.

2 전부의, 전부 갖춘《*with*》: the ~ works of Shakespeare 셰익스피어 전집/a ~ set (식기 등의) 완전한 한 벌〔세트〕/a flat ~ *with* furniture 가구가 완비된 아파트. **3** 전면적인, 철저한: a ~ stranger 생소한 타인. ★ '완전'에 대한 정도를 나타내기 위해 more, most를 첨가하거나 complet*est*로서 비교를 나타내는 일이 있음. **4** 《드물게》 능란한, 숙달한: a ~ angler 낚시의 명수. **5** 〖미식축구〗 (포워드 패스가) 잘 받아 낸. **6** 〖식물〗 자웅 동화(雌雄同花)의; 〖문법〗 완전한《목적어·보어가 필요치 않은》; 〖수학〗 완비된, 완전한: a ~ verb 완전 동사.

── *vt.* **1** 완성하다, 마무르다, (작품 따위를) 다 쓰다; 완결하다; (목적을) 달성하다: ~ one's toilet 화장을 마치다/~ the whole course 졸업하다. **2** 완전한 것으로 만들다; 전부 갖추다; (수·양을) 채우다; (기간을) 만료하다; (계약 등을) 이행하다: ~ the puzzle 퀴즈난에 말을 다 채우다. **3** 〖미식축구〗 (포워드 패스)를 잘 패스하다, 성공시키다. ◇ complement, completion *n.*

[파] **⁑~·ly** *ad.* 완전히, 철저히, 완벽하게, 전혀, 전부; 《미속어》〔강조적〕 매우, 굉장하게, 무지무지하게. **~·ness** *n.* 완전.

cómplete blóod còunt 〖의학〗 전(全)혈구 계산(치), 전(全)혈산(치)《생략: CBC》.

compléte fértilizer 완전 배합 비료.

compléte frácture 완전 골절(骨折).

compléte gáme 〖야구〗 완투(完投) 경기.

compléter sèt 보조 식기 세트《작은 접시, 조미료 그릇 따위》.

compléte zéro 《속어》 최저의 사람, 아무 쓸모없는 사람(zero).

°**com·plé·tion** *n.* [U] 성취, 완성, 완결; (목적의) 달성; 〖토목〗 낙성; 졸업, 수료; (기간의) 만료; 〖미식축구〗 잘 받아 낸 포워드 패스, 패스 성공. ***bring*** (work) ***to*** ~ (일을) 완성시키다. ***reach*** ~ 완성하다. 「(의).

com·ple·tist [kəmplíːtist] *n.*, *a.* 완전주의자

com·ple·tive [kəmplíːtiv] *a.* 완성적인; 완료를 나타내는.

cómp lètter (기증하는 잡지·서적에 삽입된) 증정 인사장(狀)《광고용》.

⁑**com·plex** [kəmpléks, kámpleks/kɔ́mpleks] *a.* **1** 복잡한, 착잡한; (문제가) 어려운. [opp] *simple*. **2** 복합(체)의, 합성의(composite). **3** 〖문법〗 복문의. **4** 〖수학〗 복소수의. ◇ complexity *n.*

── [kámpleks/kɔ́m-] *n.* **1** (관련된 조직·부분·활동 등의) 복합〔연합〕체, 합성물(~ whole) 《*of*》; 〖화학〗 복합체, 착물(錯物); 문화 복합체《몇 가지의 문화 특성이 유기적으로 결합한》: the military-industrial ~ 산군(産軍) 복합체. **2** 종합 빌딩; (건물 등의) 복합〔집합〕체: an apartment ~ 아파트 단지/a building ~ 종합 빌딩/a housing ~ 주택 단지/the government ~ 정부 종합 청사. **3** 〖정신분석〗 콤플렉스, 복합; 《구어》 고정관념, 과도한 혐오〔공포〕《*about*》; 강박 관념; 《속어》 이상 심리: a woman ~ 여성 공포감/He has a ~ *about* spiders. 그는 거미를 몹시 싫어한다/⇨ INFERIORITY COMPLEX. **4** 〖문법〗 복소어(複素語)《보기: child(자유형식) + ish(구속형식) → childish》. **5** 〖수학〗 복소수(複素數). **6** 콤비나트: a petrochemical ~ 석유화학 콤비나트. ── [-ˊ] *vt.* 복잡하게 하다; 합성하다; 〖화학〗 =CHELATE.

[파] **còm·plex·á·tion** [-éiʃən] *n.* **~·ly** *ad.* 복잡하여, 뒤얽혀. **~·ness** *n.*

cómplex fráction 〖수학〗 번분수(繁分數).

com·plex·i·fy [kəmpléksəfài, kam-] *vt.* 복잡하게 하다, 뒤얽히게 하다. ── *vi.* 복잡해지다, 뒤섞여 엉키다. 「퓨터」 ⇨ CISC.

cómplex instrùction sèt compúter 〖컴

°**com·plex·ion** [kəmplékʃən] *n.* **1** 안색, 피부색, 얼굴의 윤기; 얼굴의 살갗. **2** (사태의) 외관, 모양; 양상, 국면: the ~ *of* the war 전황/That puts a new ~ *on* the matter. 그렇게 되면 문제가 또 달라진다. **3** 기질; 성격; (중세(中世) 생리학에서 hot, cold, moist, dry의 조합에 의해 정해지는) 체질. ***assume* 〔*take*〕 *a serious*** ~ 중대한 양상을 띠다. ***give a fair*** ~ 예쁘게 보이도록 하다. [파] **~·al** [-ʃənəl] *a.* 안색의; 천성의.

com·pléx·ioned *a.* 《주로 복합어》 …한 안색〔피부색〕을 한: dark-~ 가무잡잡한/fair-~ 살갗이 흰. 「는; 가냘픈, 기운 없는.

com·pléx·ion·less *a.* 안색이 나쁜, 핏기 없

⁎**com·plex·i·ty** [kəmpléksəti] *n.* [U] 복잡성, 착잡; [C] 복잡한 것〔일〕.

cómplex númber 〖수학〗 복소수.

cómplex pláne 〖수학〗 복소평면(複素平面), 가우스 평면.

cómplex séntence 〖문법〗 복문《종속절을 포함하는 문장》. 「數).

cómplex váriable 〖수학〗 복소변수(複素變

com·pli·a·ble [kəmpláiəbəl] *a.* 《고어》 =COMPLIANT. [파] **-bly** *ad.*

com·pli·ance, -an·cy [kəmpláiəns], [-i] *n.* [U] **1** 승낙, 응낙. **2** 고분고분함; 굴종, 추종; 맹종, 순종《*with*》: in ~ with the law 법에 따라, 법을 준수하여. **3** 〖물리〗 컴플라이언스《외력을 받았을 때의 물질의 탄력성 등》; (오디오 기기(機器)의) 용수철의 유연성《바늘 끝과 음반 홈과의 접촉에 대한 유연성 등》. ◇ comply *v.*

complíance òfficer (명령 등의) 복종〔준수〕 확인 담당 직원《미국 FDA 등의》.

com·pli·ant [kəmpláiənt] *a.* 남이 시키는 대로 하는, 고분고분한. [파] **~·ly** *ad.* 고분고분하게, 유유낙낙하여. 「COMPLEXITY.

com·pli·ca·cy [kámplikəsi/kɔ́m-] *n.* =

⁑**com·pli·cate** [kámpləkèit/kɔ́m-] *vt.* **1** 복잡하게 하다, 까다롭게 하다: ~ matters 일을 복잡하게〔까다롭게〕 만들다. **2** 《흔히 수동태》 (병상을) 악화하다《합병증 따위로》: His disease *was* ~*d* by pneumonia. 그의 병은 폐렴의 병발로 더욱 악화되었다. **3** 끌어들이다, 말려들게 하다.

── [-kit] *a.* 복잡한, 성가신. [파] **~·ness** [-kət-] *n.*

⁑**com·pli·cat·ed** [kámpləkèitid/kɔ́m-] *a.* 복잡한, 까다로운; 번거로운, 알기 어려운: a ~ machine 복잡한 기계/a ~ fracture 〖의학〗 복잡 골절. [파] **~·ly** *ad.* **~·ness** *n.*

°**còm·pli·cá·tion** *n.* **1** [U,C] 복잡, 번쇄; 복잡화. **2** [U,C] (사건의) 분규(tangle), 혼란, 말썽거리, (예상 외로) 곤란한 사정: A ~ has arisen. 곤란한 문제가 생겼다. **3** [C] 〖의학〗 합병증; [U]

〖심리〗 혼화(混化): A ~ set in. 여병(餘病)이 병발했다. 「공범인.

com·plic·it [kəmplísət] *a.* 공모한, 연좌한,

com·plic·i·tous [kəmplísətəs] *a.* =COMPLICIT.

com·plic·i·ty [kəmplísəti] *n.* Ⓤ 공모, 공범, 연루(連累); 《드물게》 =COMPLEXITY: ~ *with* another *in* crime 공범 관계.

com·pli·er [kəmpláiər] *n.* 승낙자, 응낙자.

*__com·pli·ment__ [kámpləmənt/kɔ́m-] *n.* **1** 경의, 칭찬: lavish 〔shower〕 ~ *on* …에게 칭찬을 퍼붓다. **2** 경의의 표시; 영광스러운 일: Your presence is a great ~. 왕림해 주셔서 큰 영광입니다/in ~ *to* …에게 경의를 표하여. **3** 아첨, 따리. **4** (*pl.*) 치하, 축사; (의례적인) 인사: the ~*s of* the season 계절의 (문안) 인사, 안부《크리스마스나 설날 따위의》: Give 〔Present, Send〕 my ~*s* to …에게 안부 전해 주시오/make 〔pay, present〕 one's ~*s* to a person 아무에게 인사하다. **5** 《고어·방언》 진상품, 촌지. ***make*** 〔***pay***〕 ***a*** ~ ***to*** …을 칭찬하다, …에게 입에 발린 말을 하다. ***return the*** 〔***a***〕 ~ 답례하다; 대갚음하다. ***With the*** ~***s of*** (the author)=***With*** (the author's) ~***s*** (저자) 근정(謹呈), 혜존(惠存)《기증본에 쓰는 문구》.

— [-mènt] *vt.* 《+목+전+명》 **1** …에게 찬사를 말하다, 칭찬하다; 경의를 표하다. **2** …에게 아첨하는 말을 하다. **3** …에게 축사를 하다, 축하하다. **4** …에게 증정하다《*with*》: ~ a person *with* a book 아무에게 책을 증정하다. ~ a person ***on*** 아무의 …을 축하〔칭찬〕하다: ~ a woman *on* her new hat 그녀의 새 모자를 칭찬하다.

com·pli·men·ta·ry [kàmpləméntəri/kɔ̀mplə-] *a.* **1** 칭찬의, 찬사의, 찬양하는: a ~ address 〔speech〕 축사, 찬사. **2** 아첨 잘하는. **3** 무료의, 우대의: a ~ copy 기증본/~ beverage (비행기 안에서 손님에게 제공하는) 무료 음료/a ~ ticket 우대권, 초대권《*to*》. ㊞ **-mén·ta·ri·ly** [-rili, -mentérəli] *ad.*

compliméntary clóse 〔**clósing**〕 편지의 결구(結句)《Sincerely yours 등》.

cómpliment slìp 근정(謹呈) 쪽지《저자가 저서를 증정할 때, '저자 근정' 따위를 쓰는 긴 쪽지》.

com·pline, -plin [kámplin, -plain/kɔ́m-], [-plin] *n.* (종종 C-) 〖교회〗 **1** 최종 기도 시간. **2** 만과(晩課), 종도(終禱). ⓒⓕ matins.

com·plot [kámplàt/kɔ́mplɔ̀t] 《고어》 *n.* 공모, 음모. — [kəmplát/-plɔ́t] (***-tt-***) *vt., vi.* 공모하다, …의 음모를 꾀하다. ㊞ **com·plót·ment** *n.* **com·plót·ter** *n.*

*__com·ply__ [kəmplái] *vi.* 《~/+전+명》 좇다, 동의하다, 승낙하다, 응하다, 따르다《 *with*》: They asked him to leave and he *complied.* 그들이 그에게 떠나라고 해서 그는 응했다/~ *with* a person's request 아무의 요구에 응하다/~ *with* a rule 규칙을 좇다. ◇ compliance *n.*

com·po [kámpou/kɔ́m-] (*pl.* ~***s***) *n.* Ⓤ 혼합물, 합성물; 《특히》 회반죽, 모르타르; 인조 상아. [◂ composition]

◇**com·po·nent** [kəmpóunənt] *a.* 구성하고 있는, 성분을 이루는: ~ parts 구성 요소〔부분〕, 성분. — *n.* 성분, 구성 요소; (기계·스테레오 등의) 구성 부분; 부품; 〖물리〗 (벡터의) 성분; 분력(分力); 〖전기〗 소자(素子)(element). ⓈⓎⓃ ⇨ ELEMENT. ㊞ **-nen·tial** [kàmpənénʃəl/kɔ̀m-] *a.*

componéntial análysis 〖언어〗 성분 분석《말 뜻을 구성적 성분으로 기술하는 방법》.

com·po·nen·try [kəmpóunəntri] *n.* 〖집합적〗 (기계·자동차 따위의) 구성 부분, 부품.

cómpo rátions 〖군사〗 비상 휴대 식량.

com·port [kəmpɔ́ːrt] *vt.* 〖~ oneself〗 처신하다, 행동하다(behave): ~ one*self* with dignity 위엄 있게 거동〔행동〕하다. — *vi.* 《+전+명》 일치하다, 어울리다, 적합하다《*with*》: His behavior does not ~ *with* his status. 그의 거동은 신분에 어울리지 않는다. ㊞ ~**·ment** *n.* 거동, 태도, 동작.

COM pòrt 〖컴퓨터〗 COM 포트《IBM 호환 PC 계열에 있는 통신 포트》.

*__com·pose__ [kəmpóuz] *vt.* **1** 〖보통 수동태〗 조립하다, 조직하다, 구성하다: The troop *was* ~*d* entirely of American soldiers. 그 부대는 전부 미국 병사로 구성되어 있었다/Facts alone do not ~ a book. 사실만으로 책이 되는 것은 아니다. **2** (시·글을) 만들다, 작문하다; 작곡하다; (그림을) 구도(構圖)하다: ~ a poem 시작(詩作)하다/~ an opera 오페라를 작곡하다. **3** 〖인쇄〗 식자〔조판〕하다; (활자를) 짜다(SET up). **4** 수습하다, 가라앉히다, 정돈하다; (논쟁·쟁의 등을) 진정시키다, 조정하다. **5** 《~+목/+목+전+명》 (안색·태도 따위를) 부드럽게 하다; (마음을) 도사리다, 가다듬다: ~ one's figures 표정을 부드럽게 하다/~ one's mind *for* action 행동으로 옮길 마음의 태세를 갖추다. **6** 《+목+*to* do》 〖~ oneself〗 마음을 가라앉히다: ~ one*self to* sleep 마음 편히 자기로 하다. — *vi.* **1** 문학〔음악〕 작품을 창작하다, (글·시를) 짓다, 작곡하다. **2** 구도로서 갖춰지다. **3** 활자를 짜다, 식자〔조판〕하다. ◇ composition *n.*

*__com·posed__ [kəmpóuzd] *a.* (마음이) 가라앉은, 침착한; (…으로) 이루어진《*of*》: a ~ face 태연한 얼굴. ㊞ **com·pós·ed·ly** [-idli] *ad.* 마음을 가라앉혀, 태연하게, 침착하게, 냉정하게. **compós·ed·ness** [-idnis] *n.*

‡**com·pos·er** [kəmpóuzər] *n.* **1** 작곡가, 구성자, 구도자(構圖者), (글의) 작자(作者). **2** 조정자, 화해자.

com·pós·ing *n.* 조립; 저작; 작곡; 〖인쇄〗 식자(植字). — *a.* 식자의; 진정시키는: ~ medicine 진정제. 「(植字臺).

compósing fràme 〔**stànd**〕 〖인쇄〗 식자대

compósing machíne 〖인쇄〗 (자동) 식자기.

compósing ròom 〖인쇄〗 식자실(室).

compósing stìck 〖인쇄〗 식자용 스틱.

◇**com·pos·ite** [kəmpázit/kɔ́mpəzit] *a.* **1** 여러 가지의 요소를 함유하는; 혼성〔합성〕의: a ~ income tax 종합 소득세. **2** (C-) 〖건축〗 혼합식의; 〖선박〗 쇠와 나무로 만든《선박》; 〖식물〗 국화과(科)의: a ~ vessel 철골 목피선(鐵骨木皮船)/the *Composite* order 〖건축〗 컴포지트 오더《코린트식과 이오니아식의 절충식; 주두(柱頭)가 특징》. **3** (로켓이나 미사일이) 다단식(多段式)인; (발사 화약이) 혼합 연료와 산화제로 이루어진. **4** 〖수학〗 소수(素數)가 아닌, 합성수(合成數)의; 복합의《가설(假說)》. — *n.* **1** 합성〔복합, 혼합〕물; 〖공학〗 복합 재료. **2** 〖식물〗 국화과 식물《국화·민들레 등》. **3** 합성화〔사진〕, 몽타주 (사진). **4** 〖수학〗 합성함수(=∠ **fúnction**); 〖건축〗 혼합식; 〖로켓〗 혼합 추진제. **5** 〖치과〗 컴퍼지트《충치 구멍 충전용 플라스틱과 수정 또는 유리의 혼합제》. ㊞ ~**·ly** *ad.* ~**·ness** *n.* 「합 양초.

compósite cándle (짐승 기름과 밀랍의) 혼

compósite cólor sìgnal (컬러텔레비전 방송의) 합성〔복합〕 컬러 신호.

compósite fámily 복합 가족.

compósite matérial 〖항공〗 복합 재료.

compósite númber 〖수학〗 합성수.

compósite phótograph 합성〔혼성〕 사진, 몽타주 사진(montage).

compósite schòol 《Can.》 종합제(綜合制) 중등학교《보통 교육과 실업 교육을 행함》.

‡com·po·si·tion [kàmpəzíʃən/kɔ̀m-] *n.* **1** Ⓤ 구성, 조립; 조직; 합성, 혼합; 성분: the ~ *of* the atom 원자의 구조/What is its ~? 그것은 무엇으로 돼 있나? **2** Ⓤ (타고난) 기질, 성질: a touch of genius in one's ~ 나면서 갖춘 천재 기질. **3** Ⓤ,Ⓒ 〖미술〗 구성, 배치(配置), 배합(arrangement). **4** Ⓤ 작문(법), 작시(법); 저작, 저술: a ~ book 《미》 작문 공책. **5** Ⓤ 작곡(법); Ⓒ (음악·미술의) 작품. **6** 〖회화·사진〗 구도. **7** 〖문법〗 복합어, (말의) 복합법. **8** Ⓒ 구성물, 합성물〔품〕, 혼합물; 모조품《종종 compo로 생략》: ~ billiard balls (당구용) 인조 상아공. **9** Ⓒ 〖법률〗 화해, 타협; 화해금; (채무의) 일부 변제(금): a ~ deed 화해서. **10** 〖인쇄〗 식자, 조판. ◇ compose *v.* ***make a ~ with*** (one's creditors) (채권자들)과 화해하다. ㊞ **~·al** *a.* **~·al·ly** *ad.* **~·al·ism** *n.* 〖미술〗 구성파.

com·pos·i·tive [kəmpázətiv/-pɔ́z-] *a.* 조립하는, 합성의, 복합적인. ㊞ **~·ly** *ad.*

com·pos·i·tor [kəmpázitər/-pɔ́z-] *n.* 〖인쇄〗 식자공(植字工); 식자기(機).

com·pos men·tis [kàmpəs-méntis/kɔ́m-] 《L.》 〖법률〗 정신이 건전한, 제정신의(sane).

com·pos·si·ble [kampásəbəl, kəm-/kɔmpɔ́s-] *a.* 양립〔공존〕할 수 있는 《*with*》, 모순되지 않은; 동시에 발생할 수 있는.

com·post [kámpoust/kɔ́mpɔst] *n.* 혼합물; 회반죽; 배합토, 배양토, 혼합 비료, 퇴비. **—** *vt.* …에 퇴비를 주다; (풀 따위를) 썩혀서 퇴비로 만들다; 회반죽을 바르다.

cómpost pìle 〔**hèap**〕 퇴비 더미; 불필요한 물건〔서류〕 쌓아 두는 곳.

◇com·po·sure [kəmpóuʒər] *n.* 침착, 냉정, 평정, 자제: with (great, perfect, utmost) ~ (아주) 침착하게, 태연히/keep 〔lose〕 one's ~ 마음의 평정을 유지하다〔잃다〕/recover 〔regain〕 one's ~ 평정을 되찾다. ◇ compose *v.*

com·po·ta·tion [kàmpətéiʃən/kɔ̀m-] *n.* 《문어》 술을 함께 마심, 주연(酒宴).

com·po·ta·tor [kámpətèitər/kɔ́m-] *n.* 《드물게》 회음자(會飮者), 술친구.

com·pote [kámpout/kɔ́m-pɔt, -pout] *n.* 《F.》 **1** 설탕조림〔설탕절이〕의 과일. **2** (과자나 과일 담는) 굽 달린 접시.

compote 2

com·po·tier [kàmpətíər/kɔ̀m-] *n.* =COMPOTE 2.

***com·pound¹** [kəmpáund, kámpaund/kəmpáund] *vt.* **1** 《종종 수동태》 (하나로) 합성하다, 조합(調合)하다, (요소·성분을) 혼합하다(mix): The new plastic has *been ~ed of* unknown materials. 새로운 플라스틱은 미지의 재료를 혼합하여 만든 것이다. **2** 《+목+전+명》 (하나로) 만들어 내다, 조성하다; (약을) 조제하다: ~ various ingredients *into* a medicine 여러 가지 성분을 조제하여 약을 만들다. **3** (분쟁을) 가라앉히다; 〖법률〗 (돈으로) 무마하다, 화해하다. **4** (채무·셈을) 끊다《일부 지급으로》; (예약금을) 일시불로 하다. **5** …의 고소를 취하하다. **6** 〖전기〗 복합식으로 감다. **7** 《종종 수동태》 …을 증가〔배가〕하다, 더욱 크게〔심하게〕 하다: The misery of his loneliness *was* now *~ed* by poverty. 그의 고독의 불행은 가난으로 더욱 심해졌다. **8** (이자를) 복리로 지급〔계산〕하다. **—** *vi.* **1** 《+전+명》 타협하다; 화해하다: ~ *with* a person *for* a thing 어떤 일로 아무와 타협하다. **2** 서로 섞이다, 혼합하여 하나가 되다.

— [kámpaund, -ˊ/kɔ́m-] *a.* **1** 합성의, 복합의, 혼성의(opp. *simple*); 복잡한, 복식의; 화합한; 집합의: ~ ratio 〔proportion〕 복비례. **2** 〖문법〗 (문장이) 중문(重文)의; (말이) 복합의: a ~ noun 복합 명사.

— [kámpaund/kɔ́m-] *n.* 합성〔혼합〕물; 화합물; 복합어(~ word). opp. *simple*.

㊞ **~·a·ble** *a.* **~·er** *n.* 혼합자, 조제자; 화해 붙이는 사람.

com·pound² [kámpaund/kɔ́m-] *n.* **1** 구내(構內); (동양에서) 울타리 친 백인의 주택·상관·공관 따위. **2** 《S.Afr.》 울타리 친 원주민 노무자의 주택 지구; 포로 수용소.

cómpound ánimal 군체(群體) 동물《산호·태충류(苔蟲類) 따위》.

cómpound-cómplex séntence 〖문법〗 중복문《종속절을 하나 이상 포함한 중문》.

cómpound É 〖생화학〗 복합(複合) E 물질(cortisone).

cómpound éngine 〖기계〗 복식(複式) 기관; 「2단 팽창 기관.

cómpound éye 복안(複眼), 겹눈.

cómpound F 〖생화학〗 복합 F 물질(hydrocortisone).

cómpound fáult 〖지학〗 복습곡(複褶曲).

cómpound flówer 〖식물〗 두상화(頭狀花)《국화꽃 따위》.

cómpound fráction 〖수학〗 번(繁)분수 「(complex fraction).

cómpound frácture 〖의학〗 복잡 골절.

cómpound frúit 〖식물〗 복과(複果).

cómpound hóuseholder 《영》 지방세는 주인이 물기로 하고 세든 사람.

cómpound ínterest 복리(複利).

cómpound ínterval 〖음악〗 겹〔복〕음정(音程).

cómpound léaf 〖식물〗 겹잎.

cómpound léns 〖광학〗 복합 렌즈.

cómpound mágnet 복합 자석.

cómpound mícroscope 복합 현미경.

cómpound númber 〖수학〗 복명수(複名數), 제등수(諸等數)《5 ft. 3 in.처럼 두 개 이상의 명칭으로〔단위로〕 표시되는 수》.

cómpound séntence 〖문법〗 중문(重文)《둘 이상의 절을 and, but, or, for 등 등위 접속사로 결합한 문장》.

cómpound tíme 〖음악〗 복합 박자.

cómpound-wóund *a.* 〖전기〗 복합으로 감은.

com·pra·dor(e) [kàmprədɔ́:r/kɔ̀m-] *n.* 매판(買辦)《중국에 있는 외국 상사·영사관 따위에 고용되어 거래의 중개를 하던 중국인》.

Com·preg [kámprèg/kɔ́m-] *n.* (합성수지로 접착한) 고압 합판, 강화목(強化木)《상표명》. cf. impreg.

com·preg·nate [kəmprégneit] *vt.* (합성수지로) 접착시키다. cf. Compreg.

***com·pre·hend** [kàmprihénd/kɔ̀m-] *vt.* **1** (완전히) 이해하다, 파악하다, 깨닫다. SYN. ⇨ UNDERSTAND. **2** 포함〔내포〕하다: Science ~*s* many disciplines. 과학에는 많은 분야가 있다. ◇ comprehension *n.* ㊞ **~·ing·ly** *ad.* 이해하여.

còm·pre·hèn·si·bíl·i·ty *n.* Ⓤ 이해할 수 있음, 알기 쉬움; 포용성(包容性).

com·pre·hen·si·ble [kàmprihénsəbəl/kɔ̀m-] *a.* 이해할 수 있는〔가 빠른〕《*to*》; 《고어》 포함되는《*in*》. ㊞ **-bly** *ad.* 알기 쉽게.

com·pre·hen·sion** [kàmprihénʃən/kɔ̀m-] *n.* Ⓤ **1** 이해; 터득; 이해력: without ~ 까닭도 모르고. **2** 포함, 함축; 〖논리〗 내포. **3** (영국 국교회의) 포용주의〔정책〕. ◇ comprehend *v.* ***be above 〔***be beyond, pass***〕 ***one's ~*** 이해하기 어렵다.

***com·pre·hen·sive** [kàmprihénsiv/kɔ̀m-] *a.* **1** 포괄적인, 포용력이 큰: a ~ mind 넓은 마음/be ~ *of* …을 포함하다. **2** 범위가 넓은: a ~ knowledge 〔survey〕 광범위한 지식〔조사〕. **3** 이

해(력)의, 이해력이 있는, 이해가 빠른: the ~ faculty 이해력. 4 『논리』 내포적인. ◇ comprehend v. — n. 《영》 =COMPREHENSIVE SCHOOL. [파] ~·ly ad. 포괄적으로, 광범위하게. ~·ness n.

Comprehénsive Emplóyment and Tráining Àct (the ~) 《미》 직업 훈련 종합법 《실업자의 직업 훈련을 위해 1973 년에 제정한 연방법; 생략: CETA》.

comprehénsive schòol 《영》 종합 (중등) 학교《여러 가지 과정이 있음》.

Comprehénsive Tést Bàn Tréaty (the ~) 포괄적 핵실험 금지 조약《생략: CTBT》.

com·pre·hen·siv·ist [kàmprihénsivist/ kɔ̀m-] n. (전문 교육보다 넓고 일반적인 교육을 실시하는) 종합 교육〔일반 교양〕 제창자; 《영》 종합화 추진〔제창〕자.

com·pre·hen·siv·i·za·tion [kàmprihènsivəzéiʃən/kɔ̀mprihènsivaiz-] n. 《영》 종합화 《학생의 능력에 따른 종합적 커리큘럼을 편성할 수 있는 중등학교로 만드는 일》.

◇**com·press** [kəmprés] vt. 압축하다, 압착하다; 단축하다, 축소하다, (말·사상 따위를) 요약하다 《*into*》: ~ one's lips 입술을 굳게 다물다 / ~ cotton *into* bales 솜을 곤포(梱包)로 압착하다. — [kámpres/kɔ́m-] n. (혈관을 압박하는) 압박 붕대; 습포(濕布); 압착기《솜 포장용》.

com·préssed [-t] a. 압축〔압착〕된; (사상·문체 따위가) 간결한; 『식물』 편평한; 『어류』 (넙치 따위가) 납작한: ~ air 압축 공기 / ~ lips 굳게 다문 입술.

compréssed-aìr íllness 잠함병, 케이슨 병 (caisson disease).

compréssed spéech 압축 언어《이해도를 잃지 않게 보통 속도보다 빨리 재생된 음성 언어》.

com·prèss·i·bíl·i·ty n. 압축 가능성; 『물리』 압축성〔률〕.

com·préss·i·ble a. 압축〔압착〕할 수 있는, 압축성의.

◇**com·pres·sion** [kəmpréʃən] n. [U] 압축, 압착, 가압; 축소, 간결, 요약; (잠수함에 들어가기 전의) 응압(應壓) (시험); 압축된 화석(化石) 식물; 『의학』 압박(증). [파] ~·al a.

compréssion(al) wáve 『물리』 압축파.

compréssion-ignìtion éngine 압축 점화 기관.

compréssion ràtio 『기계』 압축비(比)《엔진의》.

com·pres·sive [kəmprésiv] a. 압축력이 있는, 압축의〔을 가하는〕. [파] ~·ly ad.

compréssive stréngth 『물리』 내압(耐壓)〔압축〕 강도.

com·pres·sor [kəmprésər] n. 압축자; 컴프레서, (공기·가스 등의) 압축기〔펌프〕; 『해부』 압축근; 『의학』 지혈기(止血器), 혈관 압박기.

com·pri·mar·io [kàmprəméəriòu, -má:r-/ kɔ̀m-] n. (오페라의) 준(準)주역 가수〔댄서〕.

◇**com·prise, -prize** [kəmpráiz] vt. 1 함유하다, 포함하다; 의미하다; …으로 이루어져 있다; 구성하다: The United States ~*s* 50 states. 미국은 50 주로 이루어져 있다. 2 …의 전체를 형성하다: Fifty states ~ the US. — vi. 성립하다《*of*》. ***be ~d in*** …의 안에 포함되어 있다; …중에 표시되어 있다. ***be ~d of*** …로 구성되다, …로 이루어지다. [파] **-prís·al** [-práizəl] n. [U] 포함, 함유; [C] 개략, 대요(大要).

***com·pro·mise** [kámprəmàiz/kɔ́m-] n. [U,C] 1 타협, 화해, 양보: reach 〔come to〕 a ~ 타협에 이르다 / make a ~ *with* …와 타협하다. 2 타협〔절충〕안; 절충〔중간〕물《*between*》. 3 (명성·신용 등을) 위태롭게 함. — vt. 1 《(+[목]+[전]+[명]》 타협〔절충〕하여 처리하다, 화해하다: ~ a dispute *with* a person 아무와 타협하여 분쟁을 해결하다. 2 (주의·원칙을) 양보하다, 굽히다. 3 (명예·평판·신용 따위를) 더럽히다, 손상하다; 위태롭게 하다, 떨어뜨리다: be ~*d* by …으로 위태롭게 되다, …에게 누를 끼치게 되다 / ~ oneself 스스로 체면〔신용〕을 깎는 짓을 하다 / ~ one's credit with a slip of tongue 입을 잘못 놀려 신용을 떨어뜨리다. — vi. 《~/+[전]+[명]》 타협하다, 화해하다, 절충하다《*with; on; over*》; (불리한·불명예스러운) 양보를 하다《*with*》: ~ *on* these terms 이들 조건으로 타협하다 / ~ *with* a person 〔a principle〕 아무와〔주의에〕 타협하다.

cóm·pro·mìs·er n. 타협(주장)자.

cóm·pro·mìs·ing a. 명예를〔평판을〕 손상시키는, 의심을 초래하는: in a ~ situation 의심을 받아도 어쩔 수 없는 상황에 빠져.

com·pro·vin·cial [kàmprəvínʃəl/kɔ̀m-] a. 같은 지방의; 동일 관구(同一管區)의. — n. 동일 관구의 bishop.

compt. compartment.

compte ren·du [F. kɔ̃:tʀɑ̃dy] (*pl.* ***comptes rendus*** [—]) 《F.》 (조사 등의) 보고(서); 『상업』 지불 청구서.

cómp tìme 《미》 보상 시간《시간외 근무 시간만큼 근무 시간을 줄여 주는》.

Comp·tom·e·ter [kamptámətər/kɔmptɔ́m-] n. 고속도 계산기의 일종《상표명》.

Cómp·ton effèct [kámptən-/kɔ́mp-] 『물리』 콤프턴 효과《X선, γ선 영역의 전자파(電磁波) 방사가 산란됐을 때 파장이 길어지는 일》.

comp·trol·ler [kəntróulər] n. (회계, 은행의) 검사관, 감사관. [cf.] controller 1. ***the Comptroller General*** 《미》 감사원장. ***the Comptroller of the Currency*** 《미》 통화 감사 장관. [파] ~·**ship** n. 감사관의 직〔신분〕.

com·pu- [kámpju/kɔ́m-] 'computer'의 뜻의 결합사: *compu*word 컴퓨터 용어.

com·pu·fess [kámpju:fès/kɔ́m-] n. (가정에서 컴퓨터를 사용하여 행하는) 가톨릭의 고해(告解). [◂ *compu*ter+con*fess*]

com·pul·sion [kəmpʌ́lʃən] n. [U] 강요, 강제; 『심리』 강박 충동, 누르기 어려운 욕망: by ~ 강제로 / on 〔upon, under〕 ~ 강제되어, 부득이 / driven by a ~ *to* see what is inside 내용물을 보고자 하는 충동에 사로잡혀서. ◇ compel v.

com·pul·sive [kəmpʌ́lsiv] a. 강제적인, 억지로의, 강박감에 사로잡힌: a ~ eater 무엇인가 먹지 않고는 못 배기는 사람. [파] ~·ly ad. 강제적으로. ~·ness n.

***com·pul·so·ry** [kəmpʌ́lsəri] a. 강제된, 강제적인; 의무적인; 필수의. [opp.] *elective, optional.* ¶ ~ education 의무 교육 / ~ service 징병 / ~ execution 강제 집행 / ~ purchase (토지 따위의) 강제 수용 / a ~ subject 《영》 필수 과목 (《미》 required subject) / ~ winding-up (유한 책임 회사의) 강제 해산. — n. 『경기』 (피겨스케이팅·체조 등의) 규정 연기. ◇ compel v. [파] **com·púl·so·ri·ly** [-sərili] ad. 무리하게, 강제적으로. **-ri·ness** n.

com·punc·tion [kəmpʌ́ŋkʃən] n. [U] 양심의 가책, 후회, 회한. ***without*** (***the slightest***) ~ (아무) 거리낌 없이, (매우) 천연스럽게, (조금도) 미안해 하지 않고.

com·punc·tious [kəmpʌ́ŋkʃəs] a. 후회하는, 양심에 가책되는. [파] ~·ly ad. 후회하여.

com·pu·ni·ca·tions [kəmpjù:nəkéiʃənz] n. pl. 컴퓨터 통신 (시스템).

com·pur·ga·tion [kàmpə:rgéiʃən/kɔ̀m-] n. 『옛영법률』 (친구 등의) 면책(免責) 선서《일정수의 친구나 이웃의 선서로 피고는 무죄가 됨》. [파] **cóm·pur·gà·tor** [-tər] n. 면책 선서자.

Cómpu·Sèrve *n.* 컴퓨서브《미국의 컴퓨터 네트워크 회사 및 동사(同社) 제공의 온라인 정보 검색 서비스; 정식명은 Compuserve Information Service》.
com·put·a·ble [kəmpjúːtəbəl] *a.* 계산할 수 있는. ⓜ **com·pùt·a·bíl·i·ty** *n.*
com·pu·ta·tion [kàmpjutéiʃən/kɔ̀m-] *n.* Ⓤ 계산; 계산의 결과, 산정(算定) 수치; 평가; 컴퓨터의 사용〔조작〕. ⓜ **~·al** *a.*
computátional linguístics 〖언어〗 컴퓨터 언어학.
com·pu·ta·tive [kámpjutèitiv/kɔ́m-] *a.* 산정적인; 계산을 좋아하는.
◇**com·pute** [kəmpjúːt] *vt.* **1** 《~+목/+목+전+명/+목+*to be* 보》 (컴퓨터로) 계산〔측정〕하다, 산정(算定)하다, 평가하다; 어림잡다《*at*》: ~ the area of a field 밭의 면적을 계산하다 / We ~*d* the distance *at* 200 miles. 거리를 200 마일로 어림잡았다 / This area is ~*d to be* 5,000 square miles. 이 지역은 계산상 5,000 제곱 마일이다. **2** 《+*that* 절》 (…이라고) 추정하다. ── *vi.* 계산하다; 컴퓨터를 사용하다. ── *n.* Ⓤ 계산, 측정: be beyond ~ 계산할 수 없다.
compúted tomógraphy 〖의학〗 컴퓨터 단층 촬영《생략: CT》.
***com·put·er, -pu·tor** [kəmpjúːtər] *n.* 컴퓨터; 계산기(器); 계산하는 사람: ~ crime 컴퓨터 범죄 / a ~ program 컴퓨터 프로그램 / a ~ game 컴퓨터 게임. ⓒⓕ analog, digital.
compúter abúse 컴퓨터 (시스템의) 부정 이용.
com·put·e·ra·cy [kəmpjúːtərəsi] *n.* 컴퓨터 조작 능력.
compúter-àided desígn 컴퓨터 보조 설계 《생략: CAD》.
compúter-àided instrúction 〖컴퓨터〗 ⇨ CAI.
compúter-àided manufácturing 〖컴퓨터〗 ⇨ CAM.
compúter-àided públishing = DESKTOP PUBLISHING《생략: CAP》.
compúter animátion 컴퓨터 애니메이션 (제작).
com·put·er·ate [kəmpjúːtərət] *a.* 컴퓨터에 정통한〔숙달된〕, 컴퓨터를 잘 아는. ⓜ **com·put·er·a·cy** [kəmpjúːtərəsi] *n.*
compúter-bàsed léarning 컴퓨터를 학습 도구로 이용하는 일《생략: CBL》.
compúter-bàsed méssaging sỳstem 컴퓨터를 사용한 정보 전달 시스템《생략: CBMS》.
compúter bréak-in 컴퓨터에 의한 불법 침해 《허가 없이 데이터 뱅크에 침입하여, 데이터를 도용하거나 개변(改變)하는 일》.
compúter cónferencing 컴퓨터 회의.
compúter dàting 컴퓨터에 의한 결연, 중매.
com·put·er·dom [kəmpjúːtərdəm] *n.* 컴퓨터 세계; 컴퓨터 일에 직접 관계하는 사람들.
compúter-enhànced [-t] *a.* (천체 사진 등) 컴퓨터 처리로 화질(畫質)을 향상시킨.
com·put·er·ese [kəmpjùːtəríːz] *n.* 컴퓨터 전문 용어; 컴퓨터 기술자의 전문 용어, (컴퓨터의) 프로그램 언어, 기계어.
compúter flùency 컴퓨터를 자유로이 사용할 수 있음.
compúter gràphics 컴퓨터 그래픽《컴퓨터에 의한 도형 처리》.
compúter hédgehog 한 기종(機種)의 컴퓨터밖에 조작하지 않는 사람.
com·put·er·hol·ic [kəmpjùːtərhɔ́(ː)lik, -hálik] *n.* 《구어》 = COMPUTERNIK.
compúter illìterate 컴퓨터 사용에 익숙지 않은 사람. ★ 형용사적으로는 computer-illiterate.
com·pút·er·ist *n.* 컴퓨터광, (특히 취미로서의) 컴퓨터 사용자.
com·put·er·ite [kəmpjúːtərit] *n.* = COMPUTERNIK.
com·pút·er·ìze [-ràiz] *vt.* 컴퓨터로 처리〔관리, 자동화〕하다; (정보를) 컴퓨터에 기억시키다; (어떤 과정을) 전산화하다. ── *vi.* 컴퓨터를 도입〔사용〕하다. ⓜ **-ìz·a·ble** *a.* **-pùt·er·i·zá·tion** *n.*
compúterized áxial tomógraphy 컴퓨터에 의한 엑스선 체축(體軸) 단층 촬영(= **compúterized tomógraphy**)《생략: CAT》.
compúter jùnkie 《미속어》 컴퓨터광(狂).
compúter lànguage 컴퓨터 언어.
compúter·lìke *a.* 컴퓨터 같은: with ~ precision 컴퓨터 같은 정확성으로.
compúter lìteracy 컴퓨터 언어의 이해 능력, 컴퓨터 사용 능력.
compúter-líterate *a.* 컴퓨터를 사용할 수 있는, 컴퓨터 사용 능력이 있는.
compúter·màn [-mæ̀n] (*pl.* **-mèn** [-mèn]) *n.* 컴퓨터 전문가.
compúter mòdel 컴퓨터 모델《시뮬레이션 따위를 하기 위해 시스템이나 프로젝트의 내용 동작을 프로그램화한 것》.
compúter mònitoring 〖경영〗 컴퓨터 모니터링《컴퓨터로 공장이나 사무소의 작업 능률을 계측하는 관리 기술》.
com·put·er·nik [kəmpjúːtərnìk] *n.* 《구어》 컴퓨터 전문가; 컴퓨터에 관심을 가진 사람, 컴퓨터화 추진자.
com·put·er·ol·o·gy [kəmpjùːtərálədʒi/-rɔ́l-] *n.* Ⓤ 컴퓨터학.
compúter òrphan 《구어》 생산을 중단한 컴퓨터 기종.
compúter·phòbe *n.* 컴퓨터 공포증의〔컴퓨터를 싫어하는〕 사람.
compùter·phóbia *n.* 컴퓨터 공포증; 컴퓨터 불신.
compúter·phòne *n.* 컴퓨터폰《컴퓨터와 전화를 합친 통신 시스템》.
compúter revolùtion 컴퓨터 혁명《컴퓨터의 발전에 의한 정보 혁명을 중심으로 한 사회 혁명》.
com·put·er·scam [kəmpjúːtərskæ̀m] *n.* 컴퓨터에 관한 스파이 (행위).
compúter scìence 컴퓨터 과학《컴퓨터 설계, 자료 처리 등을 다루는 과학》.
compúter scìentist 컴퓨터 과학자〔전문가〕.
compúter scrèen 컴퓨터 스크린《컴퓨터로부터의 출력을 나타내는 장치의 화면》.
compúter secùrity 컴퓨터 보안《컴퓨터와 그 관련 사항을 고장, 파괴, 범죄 등으로부터 지키기 위한 보안 대책〔조치〕》.
compúter·spèak *n.* 컴퓨터어, 컴퓨터 언어.
compúter tỳpesetting 〖인쇄〗 전산〔컴퓨터〕 사식(寫植)(automatic typesetting).
compúter vìrus 〖컴퓨터〗 컴퓨터 바이러스《기억 장치 등에 숨어들어 정보나 기능을 훼손시키는 프로그램》.
com·put·ery [kəmpjúːtəri] *n.* Ⓤ 《집합적》 컴퓨터(시설); 컴퓨터 사용〔기술 · 조작〕.
com·pút·ing *n.* 컴퓨터 사용; 계산.
com·pu·tis·ti·cal [kàmpjutístikəl/kɔ̀m-] *a.* 컴퓨터 집계의; 컴퓨터로 통계 처리한.
com·pu·toc·ra·cy [kàmpjətákrəsi/kɔ̀mpjətɔ́k-] *n.* Ⓤ 컴퓨터 중심의 정치〔사회〕.
com·pu·tron [kámpjutràn/kɔ́mpjətrɔ̀n] *n.* **1** 컴퓨터 처리 능력의 단위. **2** 가공(架空)의 컴퓨터 구성 입자.
Comr. Commissioner.
◇**com·rade** [kámræd, -rid/kɔ́mreid, -rid] *n.* 동료, 동지, 친구, 벗, 전우; 같은 조합〔당파〕의 사람; (공산국에서 서로를 부르는 말로) 동무; (보통 the ~) 《구어》 공산당원. SYN. ⇨ COMPANION. ***a ~ in arms*** 전우, 동지. ⓜ **~·ly** *a.* 동지의〔에 걸맞는〕. **~·li·ness** *n.* 우정, 우애. **~·ship** [-ʃìp] *n.* 동지로서의 교제, 동료 관계, 우애, 우정: a

sense of ~*ship* 동료 의식.
com·rade·ry [kámrædri, -rid-/kɔ́mreid-, -rid-] *n.* 우정, 동료 의식. ⌈BINATION 2.
coms [kamz/kɔmz] *n. pl.* 《영구어》 =COM-
Com·sat [kámsæ̀t/kɔ́m-] *n.* 콤샛《미국 통신 위성 회사; 상표명》; (c-) 콤샛《대륙 간 등의 통신위성》. [◂ *Com*munications *Sat*ellite]
COMSEC [kámsèk/kɔ́m-] *n.* 【군사】 통신 보안. [◂ *Com*munication *Sec*urity]
Com·so·mol [kàmsəmɔ́ːl, ⌐-⌐/kɔ́msəmɔl] *n.* (옛 소련의) 청년 공산당《1991 년 해체》.
Com·stock·ery [kʌ́mstɑ̀kəri/kɔ́mstɔk-] *n.* (또는 c-) 부도덕하다거나 외설스럽다는 이유로 문학이나 다른 표현 양식에 행해지는 검열. ㊕ **Com·stóck·i·an** *a.*
com·symp [kámsìmp/kɔ́m-] *n.* 《미구어》 공산당 동조자; 여행의 길동무. [◂ *Com*munist *symp*athizer]
Comte [kɔːnt] *n.* **Auguste** ~ 콩트《프랑스의 철학자 · 사회학자; 1798–1857》. ㊕ **Com·ti·an** [kámtiən/kɔ́ːn-] *a.* 콩트 (철학)의. **Comt·ism** [kámtizəm/kɔ́ːnt-] *n.* 콩트의 철학, 실증 철학(positivism). **Comt·ist** [kámtist/ kɔ́ːnt-] *n.* 콩트파의 철학자, 실증 철학자.
comte [kɔ̃ːnt] *n.* 《F.》 백작(count).
Co·mus [kóuməs] *n.* 【그리스신화 · 로마신화】 코머스《주연 · 축제를 관장하는 젊은 신》.
con[1] [kan/kɔn] (***-nn-***) *vt.* 《영에서는 고어》 정독(精讀)〔숙독〕하다; 배우다; 암기하다; 자세히 조사하다《*over*》.
con[2] (***-nn-***) *vt.* (배의) 조타(操舵)를 지휘하다, 침로를 지령하다. cf. conning tower. **—** *n.* 조타 지휘, 조함(操艦) 지휘자의 위치.
con[3] *ad.* 반대하여. ***pro and*** ~ ⇨ PRO[2]. **—** *a.* 반대의. **—** *prep.* …에 반대하여. **—** *n.* 반대 투표(자); 반대론(자). OPP *pro*[2]. (***the***) ***pros and ~s*** ⇨ PRO[2].
con[4] 《속어》 *n.* (금전의) 유용; (신용) 사기. **—** (***-nn-***) *vt.* 속이다, 사취하다. **—** *a.* 신용 사기의, 야바위의.
con[5] *n.* 《속어》 **1** 죄수, 전과자. [◂(ex)*con*vict] **2** 차장. [◂ *con*ductor] **3** 폐병. [◂ *con*sumption]
con- [kən, kan/kən, kɔn] *pref.* =COM-《b, h, l, p, r, w 이외의 자음 글자 앞에서》.
Con. Conformist; Conservative; Consul.
con. concerto; conclusion; connection; consolidated; contra 《L.》 (=against); conversation.
con·acre [káneikər / kɔ́n-] 《Ir.》 *n.* (경작이 끝난) 소작자의 한 경작 기간의 전대(轉貸). **—** *vt.* (한 경작 기간만) 대여하다.
CONAD [kánæd/kɔ́n-] *n.* 【미군사】 본토 방공군《육 · 해 · 공 3 군의 통합군; 1975 년 폐지》. [◂ *Co*ntinental *A*ir *D*efense]
Con·a·kry, Kon- [*F.* kɔnakʀi] *n.* 코나크리 《기니(Guinea)의 수도》.
con amo·re [kanəmɔ́ːri/kɔn-] 《It.》 애정을 갖고, 상냥스럽게; 열심히, 마음속에서; 【음악】 애정을 담아서, 부드럽게(tenderly).
con ani·ma [kanǽnəmɑ̀ː, -ɑ́ːni-/kɔnǽnə-, -ɑ́ːni-] 《It.》 【음악】 씩씩하게, 활발하게.
cón àrtist 《미속어》 사기꾼; 똑똑한 아이.
co·na·tion [kounéiʃən] *n.* U 【심리】 능동(能動), 의욕(감). ㊕ **~·al** *a.*
con·a·tive [kánətiv, kóun-/kɔ́n-] *a.* **1** conation 의. **2** 【문법】 능동적인, 의욕을 나타내는. ㊕ **~·ly** *ad.*
con brio [kanbríːou/kɔn-] 《It.》 【음악】 활발〔쾌활〕하게, 생기 있게.
conc. concentrate, concentrated, concentration; concerning; concrete.

con·cat·e·nate [kankǽtənèit/kɔn-] *vt.* 사슬같이 잇다, (사건 따위를) 연결시키다. **—** *a.* 연쇄상(連鎖狀)의, 연결된. ㊕ **con·càt·e·ná·tion** *n.* 연쇄, 연결; (사건 따위의) 연관.
°**con·cave** [kankéiv, ⌐⌐/kɔn-] *a.* 옴폭한, 오목한, 요면(凹面)의. OPP *convex*. ¶ a ~ lens 오목 렌즈/a ~ mirror 요면경(鏡), 오목 거울/a ~ tile 둥근 기와, 암키와. **—** [⌐⌐] *n.* 요면; 요면체; (the ~) 하늘: the spherical ~ 《시어》 하늘. **—** *vt.* 요면으로 만들다, 옴폭하게 하다. **—** *vi.* 오목해지다. ㊕ **~·ly** *ad.* **~·ness** *n.*
con·cav·i·ty [kankǽvəti/kɔn-] *n.* 가운데가 옴폭함, 요상(凹狀); 요면(凹面); 함몰부(部).
con·cá·vo-concáve [kankéivou-/kɔn-] *a.* 양면이 옴폭한, 양요(兩凹)의(biconcave).
concávo-convéx *a.* 요철(凹凸)의, 한 면은 오목하고 한 면은 볼록한.
⁑**con·ceal** [kənsíːl] *vt.* **1** 《~+목/+목+전+명》 숨기다; 《~ oneself》 숨다: ~ one's identity 신분을 숨기다/The tree ~*ed* her *from* view. 나무 때문에 그녀의 모습이 보이지 않았다/He ~*ed* him*self* behind a tree. 그는 나무 뒤에 숨었다. **2** 《~+목+전+명/+전+명+*that* 절/+*wh.* 절》 비밀로 하다: I ~ nothing *from* you. 자네에게는 아무것도 비밀로 하는 것이 없네/He could not ~ *from* us *that* he liked her. 그가 그녀를 좋아한다는 것을 그는 우리에게 비밀로 하지 못했다/She didn't ~ *how* she felt. 어떤 느낌이었는가를 그녀는 감추지 않았다.
°**con·céal·ment** *n.* U,C 숨김, 은폐; 숨음, 잠복; 숨는 장소. ***be*** 〔***remain***〕 ***in*** ~ 숨어 있다.
***con·cede** [kənsíːd] *vt.* **1** 《~+목/+목+전+명/+*that* 절》 인정하다, 시인하다(admit); 양보하다: ~ defeat 패배를 인정하다/~ a point *to* a person in argument 토론에서 아무에게 어떤 점을 양보하다/Everyone ~*s that* lying is wrong. 거짓말하는 것이 나쁘다는 것은 누구나 인정하는 바다. **2** 《~+목/+목+목/+목+전+명》 …을 (권리 · 특권으로) 용인하다; (특권 따위를) 양여하다, 부여하다《*to*》: He ~*d* us the right to walk through his land. 그는 우리에게 그의 소유지를 지나갈 권리를 부여해 주었다/~ a longer vacation *for* 〔*to*〕 all employees 종업원 전원에게 더 긴 휴가를 주다. **3** 《+목+전+명》 (경기 · 토론 등에서 상대방의) 승리를 허용하다, 지다: We ~*d* two points *to* our opponents. 상대에게 2 점을 허용했다. **4** …의 패배를 인정하다《공식 결과가 나오기 전에》: ~ an election 선거에서 상대방의 승리를 인정하다. **—** *vi.* **1** 《+전+명》 (…에게) 양보하다, (…을) 용인하다: ~ *to* a person 아무에게 양보하다. **2** 《미》 (경기 · 선거 따위에서) 패배를 인정하다. ◇ concession *n.*
con·ced·ed·ly [kənsíːdidli] *ad.* 명백히.
con·ceit** [kənsíːt] *n.* **1** U 자부심, 자만, 자기 과대평가. OPP *humility*. ¶ be full of ~ 한껏 자만에 빠져 있다/with ~ 자만하여, 우쭐해서. SYN. ⇨ PRIDE. **2** 마음에 떠오른〔생각난〕 것, 생각. **3** 《고어》 공상; 기발한 착상; 변덕. **4** 기발한 비유. **5** 《영방언》 개인적인 평가〔의견〕. ***in **one's** ***own*** ~ 제딴에는: He is a big man *in his own* ~. 그 사람은 제딴에는 거물인 줄로 알고 있다. ***out of*** ~ ***with*** …이 싫어져서, …에 정나미 떨어져. **—** *vt.* **1** 《~ oneself》 우쭐하다: ~ one*self* over one's success 성공하여 우쭐해지다. **2** 《고어》 상상하다, 생각하다; 《영방언》 …이 마음에 들다, …을 좋아하다. **—** *vi.* 《방언》 생각하다.
***con·céit·ed** [-id] *a.* **1** 자만심이 강한, 젠체하는, 우쭐한. **2** 《고어》 변덕스러운. ㊕ **~·ly** *ad.*

con·cèiv·a·bíl·i·ty *n.* 생각〔상상〕할 수 있는 가능성, 상상할 수 있음.

◇**con·céiv·a·ble** *a.* 생각〔상상〕할 수 있는; 있을 법한: by every ~ means 가능한 모든 수단으로/It is the best ~. 그 이상의 것은 생각할 수 없다. ㊞ **-bly** *ad.* 생각되는 바로는, 상상으로는, 생각건대. **~·ness** *n.*

***con·ceive** [kənsíːv] *vt.* **1** (감정 · 의견 따위를) 마음에 품다, 느끼다: ~ a hatred 증오를 느끼다. **2** (계획 등을) 착상하다, 고안하다: ~ a plan 입안하다/a badly ~*d* scheme 졸렬한 기획. **3** 이해하다: I ~ you. 기분은 잘 압니다. **4** 《~+목+(*to be*) 보/+*that* 절/+*wh.* 절/+*wh.*+*to* do》 …을 마음속에 그리다, 상상하다, 생각하다, …라고 생각하다: ~ something (*to be*) possible 어떤 일을 가능하다고 생각하다/I can't ~ *that* it would be of any use. 그것이 무슨 소용이 된다고는 생각되지 않는다/I cannot ~ *how* that can be. 어떻게 그렇게 될 수 있는지 상상을 못 하겠다/It was difficult for me to ~ *how to* deal with the problem. 그 문제를 어떻게 처리해야 좋을지 도무지 몰랐다. SYN. ⇨ THINK. **5** 〖보통 수동태〗 말로 나타내다, 진술하다; 만들다, 창설〔창건〕하다: ~*d* in plain terms 쉬운 말로 표현된〔씌어진〕. **6** (아이를) 임신하다, 배다: ~ a child/The baby was ~*d* in March, so will be born in December. 3월에 임신했으니까 12월이면 태어나겠군. **—** *vi.* **1** 〖보통 부정문〗 《+전+명》 (…을) 상상하다, 마음에 그리다; 생각하다; 생각이 나다《*of*》; 이해하다: ~ *of* a plan 하나의 계획이 떠오르다/I can*not* ~ *of* his killing himself. 그가 자살을 하다니 생각도 할 수 없는 일이다. **2** 임신하다. ◇ conception *n.* ㊞ **con·céiv·er** *n.*

con·cel·e·brant [kənséləbrənt] *n.* (미사의) 공동 집전자.

con·cel·e·brate [kənséləbrèit] *vt., vi.* 공동 집전자로서 (미사에) 참가하다. ㊞ **con·cèl·e·brá·tion** *n.* (미사의) 공동 집전.

con·cent [kənsént] *n.* 《고어》 **1** (소리 · 음성의) 일치, 조화. **2** 협조.

con·cen·ter, 《영》 **-tre** [kənséntər, kan-/kɔn-] *vt., vi.* 한 점에 집중시키다〔하다〕.

:con·cen·trate [kánsəntrèit/kɔ́n-] *vt.* **1** 《~+목/+목+전+명》 (광선 · 주의 · 노력 따위를) 집중〔경주〕하다; 한 점에 모으다 《*on, upon*》: ~ one's attention 〔efforts〕 *on* 〔*upon*〕 …에 주의를〔노력을〕 집중하다. **2** 《+목+전+명》 (부대 등을) 집결시키다《*at*》: ~ troops *at* one place 군대를 한곳에 집결시키다. **3** 농축하다; 응집하다. **4** 〖광산〗 선광(選鑛)하다. **—** *vi.* **1** 《+전+명》 집중하다; 한 점에 모이다: Population tends to ~ *in* large cities. 인구는 대도시에 집중하는 경향이 있다. **2** (부대 등이) 집결하다. **3** 《+전+명》 전심하다, 주의〔노력 따위〕를 집중하다, 전력을 기울이다《*on, upon*》: ~ *upon* a problem 문제에 온 정신을 쏟다. **4** 순화〔농축〕되다. ◇ concentration *n.* **—** *n.* 〖화학〗 농축물〔액〕; 〖광물〗 정광(精鑛); 농축 사료: uranium ~ 우라늄 정광. ㊞ **-tràt·ed** [-id] *a.* **1** 집중한: ~*d* hate 심한 증오/a ~*d* attack on …에 대한 집중 공격. **2** 농축〔응집, 응축〕된, 《비유》 농후한: ~*d* milk 농축 우유/~*d* feed 농축 사료.

cóncentrate spráyer 〖농업〗 농후(濃厚) 분무기《살충제 살포용》.

:con·cen·tra·tion [kànsəntréiʃən/kɔ̀n-] *n.* **1** 집중. **2** (노력 · 정신 등의) 집중, 전념, 전심. **3** 〖화학〗 농축(한 것), (액체의) 농도; 〖광산〗 선광(選鑛). **4** 〖군사〗 (부대의) 집결《*of*》; (포화의) 집중: (a) ~ *of* armaments 군사력의 집결. **5** 집중 연구〔강의〕: His area of ~ is nuclear physics. 그의 중점 연구 분야는 핵물리학이다. ◇ concentrate *v.*

concentrátion càmp 강제 수용소《특히 나치스의》; (포로) 수용소; 부대 집결소.

con·cen·tra·tive [kánsəntrèitiv, kənsén-/kɔ́n-] *a.* **1** 집중적인, 집중성의. **2** 전심하는, 골몰하는.

con·cen·tra·tor [kánsəntrèitər/kɔ́n-] *n.* 집중시키는 사람〔물건〕; (액체의) 농축기; 선광기; (탄약통 안 또는 총구의) 발화 집중 장치; 〖전기〗 집신기(集信機); 〖통신〗 집선(集線) 장치.

concentre 《영》 ⇨ CONCENTER.

con·cen·tric, -tri·cal [kənséntrik], [-kəl] *a.* **1** 동심(同心)의, 중심이 같은《*with*》. OPP. *eccentric.* ¶ ~ circles 〖수학〗 동심원. **2** 집중적인: ~ fire 〖군사〗 집중 포화. ㊞ **-tri·cal·ly** *ad.*

con·cen·tric·i·ty [kànsəntrísəti/kɔ̀n-] *n.* Ⓤ 중심이 같음; 집중(성).

***con·cept** [kánsept/kɔ́n-] *n.* 〖철학〗 개념, 생각; 구상(構想), 발상; 〖광고〗 (상품 · 판매의) 테마, 기본적 생각. SYN. ⇨ IDEA. **—** *vt.* 《구어》 …을 생각해내다.

cóncept àlbum 콘셉트 앨범《하나의 concept가 전체에 걸쳐 일관되어 있는 레코드 앨범》.

cóncept càr 콘셉트 카《소비자의 반응을 살펴보기 위한 미래형 시제차(試製車)》.

◇**con·cep·tion** [kənsépʃən] *n.* **1** Ⓤ 개념, 의상(意想), 생각(concept). **2** Ⓤ 개념 작용; 파악, 이해. cf. perception. **3** Ⓒ 구상, 착상, 창안, 고안, 계획: a grand ~ 웅대한 구상. SYN. ⇨ IDEA. **4** Ⓤ 수태(受胎), 임신; Ⓒ 태아. **5** 발단, 시작. ◇ conceive *v.* ***have no ~ of*** 〔***that ...***〕 …이 전혀 짐작이 가지 않다, …을 도무지 모르다. ㊞ **~·al** [-ʃənəl] *a.* 개념상의, 개념에 관한.

concéption contròl 수태 조절, 피임.

con·cep·tive [kənséptiv] *a.* 개념 작용의; 생각하는 힘이 있는; 임신할 수 있는.

con·cep·tu·al [kənséptʃuəl] *a.* 개념상의. ㊞ **~·ly** *ad.* **con·cèp·tu·ál·i·ty** [-ǽləti] *n.*

concéptual árt 개념 예술《예술가의 제작 중의 이념 · 과정을 중시하는》.

concéptual ártist 개념 예술가.

concéptual fúrniture 건축가가 디자인한 가구(家具).

con·cép·tu·al·ìsm *n.* Ⓤ 〖철학〗 개념론.

con·cép·tu·al·ist *n.* 개념론자; =CONCEPTUAL ARTIST.

con·cèp·tu·al·ís·tic *a.* 개념(론)적인, 개념에 의거한. ㊞ **-ti·cal·ly** *ad.*

con·cèp·tu·al·i·zá·tion *n.* 개념화.

con·cép·tu·al·ìze *vt.* 개념화하다, 개념적으로 설명하다. ㊞ **-iz·er** *n.*

con·cep·tus [kənséptəs] *n.* 수태산물(受胎產物)《태아와 타애막 따위를 포함》.

:con·cern [kənsə́ːrn] *vt.* **1** …에 관계하다, …에 관계되다; …의 이해에 관계되다(affect), …에 있어서 중요하다: The problem does not ~ us. 그 문제는 우리들에겐 관계없다/It ~*s* him to know that.... 그는 …라는 것을 알고 있을 필요가 있다. **2** 《+목+전+명》 〖수동태 또는 ~ oneself〗 관계하다, 관여하다, 종사하다《*in; with; about*》. cf. concerned. ¶ I *am* not ~*ed with* that matter. =I do not ~ my*self with* that matter. 나는 그 일과는 관계없다. **3** 《~+목/+목+전+명》 〖수동태 또는 ~ oneself〗 관심을 갖다, 염려하다, 걱정하다《*about; for; over*》: I *am* ~*ed about* his health. 그의 건강이 걱정이다. ***as ~s ...*** …에 대〔관〕해서는. ***be ~ed to*** do ① …하여 유감이다: I *am* (much) ~*ed to* hear that... . …라는 것을 듣고 (매우) 유감으로 생각합니다. ② …하고 싶다, …하기를 원하다〔노력하다〕: We *are* not particularly ~*ed to* trace their history. 우리는 그들의 역사를 특히 더듬으려고 생각하는 것은 아니다. ***so*** 〔***as***〕 ***far as*** (I am) ***~ed*** (나에) 관한 한. ***To whom it may ~*** 관계자 제위(諸位).

— *n.* **1** 관계, 관련《*with*》; 이해관계《*in*》: have no ~ *with* …에 아무런 관계도 없다. **2** 중대한 관계, 중요성: a matter of the utmost ~ 매우 중대한 사건. **3** 관심; 염려, 걱정: feel ~ *about* 〔*for, over*〕 …을 걱정하다 / show deep ~ at the news 그 뉴스에 깊은 관심을〔우려를〕 나타내다 / a matter of ~ 관심사 / with 〔without〕 ~ 걱정하여〔없이〕. **4** (종종 *pl.*) 관심사, 용건, 사건: It's none of my ~. =It is no ~ *of* mine. 내 알 바 아니다 / Mind your own ~s. 쓸데없는 간섭 마라. **5** 사업, 영업: a paying ~ 수지가 맞는〔벌이가 되는〕 장사. **6** 회사, 상회; 콘체른, 재벌. **7** 《구어》 (막연한) 일, 것; 사람, 놈: The war smashed the whole ~. 전쟁이 모든 것을 망쳐 버렸다 / I'm sick of the whole ~. 이것엔 진저리가 난다 / a selfish ~ 이기적인 놈 / everyday ~*s* 일상의 일들. ***going ~*** 영업 중인 사업〔회사〕; 착착 진전 중인 사업. ***have a ~ in*** …에 이해관계가 있다. …의 공동 소유자〔출자자〕이다. ***have no ~ for*** …에 아무 관심도 없다.

◇**con·cérned** *a.* **1** 걱정하는, 염려하는; 걱정스러운《*about; over*》: feel ~ 염려하다 / with a ~ air 걱정스러운 태도로 / He's very (much) ~ *about* the future of the country. 그는 나라의 장래를 몹시 걱정하고 있다. [SYN.] ⇨ CARE. **2** 〖보통 명사 뒤에서〗 관계하고 있는, 당해(當該)…; 관련된: the authorities 〔parties〕 ~ 당국〔관계〕자 / Many companies were ~ *in* the scandal. 많은 회사가 그 스캔들에 관련되어 있었다. **3** (사회 · 정치 문제에) 관심 있는《학생 따위》. [파] **con·cérn·ed·ly** [-nidli] *ad.* 염려하여.

***con·cern·ing** [kənsə́ːrniŋ] *prep.* …에 관하여, …에 대하여: ~ the matter 그 일에 관하여〔관한〕. **—** *a.* 걱정을 끼치는, 성가신.

con·cérn·ment *n.* [U] **1** 중요성, 중대성: a matter *of* (vital) ~ (대단히) 중대한 일. **2** 걱정, 근심, 우려. **3** 《고어》 관계, 관여; [C] 관계하는 일, 업무.

con·cert**[1] [kánsəːrt/kɔ́nsət] *n.* **1** 합주; 연주회, 음악회, 콘서트: a ~ hall 연주회장 / give a ~ 연주회를 개최하다. **2** 〖음악〗 협화음. **3** [U] 협력, 협조, 제휴, 협약(協約). ***in ~ 일제히; 제휴하여《*with*》.

***con·cert**[2] [kənsə́ːrt] *vt.* **1** 협정〔협조〕하다, 협의하다, 공동으로 행하다《*with*》. **2** (안건 따위를) 마무르다, 만들다(devise). **—** *vi.* (…와) 협력〔협조 · 협약〕하다《*with*》.

con·cer·tan·te [kànsərtáːnti/kɔ̀ntʃətǽnti] (*pl.* ***-ti*** [-tiː]) *n.* 《It.》 〖음악〗 콘체르탄테《복수의 솔로 악기와 오케스트라 합주의 18세기 심포니》. **—** *a.* 협주곡 형식의.

con·cer·ta·tion [kànsərtéiʃən/kɔ̀n-] *n.* 〖프랑스정치〗 (이해가 다른 당파 간의) 협조, 공동 보조.

con·cért·ed [-id] *a.* 합의한, 협정된, 예정의; 협력한, 일치된; 〖음악〗 합창용〔합주용〕으로 편곡된: a ~ effort 협력 / take ~ action 일치된 행동을 취하다. [파] **~·ly** *ad.* **~·ness** *n.*

cóncert·gòer *n.* 음악회에 자주 가는 사람; 음악 애호가.

cóncert gránd (piàno) 연주회용의 대형 피아노.

con·cer·ti·na [kànsərtíːnə/kɔ̀n-] *n.* **1** 〖악기〗 콘서티나《아코디언 비슷한 6각형 악기》. **2** 가시 철선(鐵線)을 콘서티나 모양으로 감아 만든 장애물(~ wire).

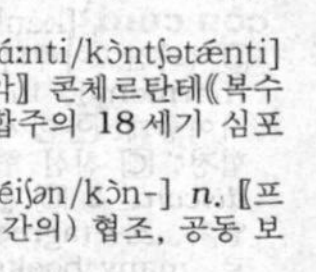

concertina 1

con·cer·ti·no [kàntʃərtíːnou/kɔ̀n-] (*pl.* ***~s, ti·ni*** [-tíːni]) *n.* 〖음악〗 **1** 소(小)협주곡, 콘체르티노. **2** (합주 협주곡의) 독주 악기군(群).

cón·cert·ìze *vi.* 연주회에서 프로 음악가로서 연주하다.

cóncert·màster, -mèister [-màistər] *n.* 〖음악〗 (오케스트라의) 수석 악사, 콘서트마스터《보통 제1 바이올리니스트가 됨; 지휘자의 차석》.

con·cer·to [kəntʃέərtou/-tʃέə-] (*pl.* ***-ti*** [-tiː], ***~s***) *n.* 〖음악〗 협주곡, 콘체르토《관현악 반주의 독주곡》: a piano ~ 피아노 협주곡.

cóncerto grós·so [-gróusou] (*pl.* ***concérti grós·si*** [-gróusi]) 〖음악〗 합주 협주곡, 콘체르토 그로소.

cóncert òverture 〖음악〗 연주회용 서곡.

cóncert pàrty 1 《영》 콘서트 파티, 경묘한 몸짓, 노래, 춤 따위를 보이는 공연회. 《피서지에서 열림》. **2** 《속어》 (주식의) 비밀〔은밀〕 매점(買占) 집단.

cóncert perfórmance 연주회 형식에 의한 공연《오페라 등을 배경 · 의상 없이 상연하는 것》.

cóncert pìtch 〖음악〗 합주조(合奏調); 평상시보다 더 박차를 가하기; 연주회용 표준음. ***at ~*** ① 몹시 흥분〔긴장〕한 상태에서. ② (…에) 대해 만반의 준비가 갖추어져《*for*》.

cóncert tòur (연주자 · 악단의) 연주 여행.

***con·ces·sion** [kənséʃən] *n.* **1** [U,C] 양보, 용인: make a ~ *to* …에게 양보하다. **2** 용인된 것; (주로 정부에 의한) 허가, 면허, 특허, 이권(利權), 특권: a mining ~ 광산 채굴권. **3** 거류지, 조계(租界), 조차지(租借地). **4** 《미》 (공원 따위에서 인정되는) 영업 허가, 영업 장소, 구내 매점: a parking ~ 유료 주차장. **5** (*pl.*) 《Can.》 시골, 외진 개척지. ◇ concede *v.* [파] **~·al** *a.* (공공 지출에 의한) 무료의. **~·er** *n.* =CONCESSIONAIRE.

con·ces·sion·aire [kənsèʃənέər] *n.* (권리의) 양수인(讓受人); 특허권 소유자; 《미》 (극장 · 공원 등의) 영업권 소유자, 구내 매점업자; (학교 · 공장 등의) 급식업자.

con·ces·sion·ary [kənséʃənèri/-nəri] *a.* 양여의, 양여된 것〔권리〕의. **—** *n.* =CONCESSIONAIRE.

concéssion stànd 《미》 (직영이 아닌) 구내 「매점.

con·ces·sive [kənsésiv] *a.* 양보의, 양여의; 양보를 나타내는: a ~ clause 〖문법〗 양보절《no matter what, even if, though 따위로 시작되는 절》. [파] **~·ly** *ad.* 양보하여.

conch [kaŋk, kantʃ/kɔŋk, kɔntʃ] (*pl.* ***~s*** [kaŋks/kɔŋks], ***conch·es*** [kántʃiz/kɔ́n-]) *n.* **1** 소라류(類); 《시어》 조개, 조가비; 〖그리스신화〗 (바다의 신 Triton이 부는) 소라. **2** 〖건축〗 (교회의) 반원형 지붕; 〖해부〗 외이(外耳), 귓바퀴. **3** (종종 C-) 《해사속어》 서인도 Bahama 제도의 원주민; 《미》 Key West 의 주민, 《특히》 플로리다 남안(南岸)의 백인 주민.

con·cha [káŋkə/kɔ́ŋ-] (*pl.* ***-chae*** [-kiː]) *n.* 〖해부〗 귓바퀴, 외이(外耳); (교회의) 반원형 지붕; 〖건축〗 =APSE.

con·chie [kántʃi/kɔ́n-] *n.* =CONCHY.

con·chif·er·ous [kaŋkífərəs/kɔŋ-] *a.* 〖동물〗 패각(貝殼)을 가진; 〖지학〗 조가비를 함유한.

con·chi·o·lin [kaŋkáiəlin / kɔŋ-] *n.* 〖생화학〗 갑개기질(甲介基質)《조개껍질 진주층의 섬유상 단백질》.

Con·chi·ta [kantʃíːtə/kɔn-] *n.* 콘치타《여자 이름》.

con·chi·tis [kaŋkáitis/kɔŋ-] *n.* [U] 〖의학〗 외「이염(外耳炎).

con·choid [káŋkɔid/kɔ́ŋ-] *n.* 〖기계〗 콘코이드.

con·choi·dal [kaŋkɔ́idl/kɔŋ-] *a.* 〖지학·광물〗 패각상(貝殼狀)의. ㊕ **~·ly** *ad.*

con·chol·o·gy [kaŋkálədʒi/kɔŋkɔ́l-] *n.* 패각(貝殼)〔패류〕학. ㊕ **-gist** *n.* 패류학자.

con·chy [kántʃi/kɔ́n-] *n.* 《속어》 양심적〔종교적〕 참전〔병역〕 거부자(conscientious objector).

con·ci·erge [kànsiέərʒ/kɔ̀n-] *n.* 《F.》 수위(doorkeeper); (아파트 따위의) 관리인.

con·cil·i·a·ble [kənsíliəbəl] *a.* 달랠〔회유할〕 수 있는, 화해〔조정〕할 수 있는.

con·cil·i·ar [kənsíliər] *a.* 회의의; 〖기독교〗 총회 지상주의의. ㊕ **~·ly** *ad.*

con·cil·i·ate [kənsílièit] *vt.* **1** 달래다, 무마〔회유〕하다. **2** (친절을 다하여) …의 호의를〔존경을〕 얻다, (아무의) 환심을 사다. **3** 화해시키다, 알선〔조정〕하다; (양설을) 절충시키다. **4** 제 편으로 끌어들이다.

con·cìl·i·á·tion *n.* Ⓤ 회유; 달램, 위무; 화해, 조정: the court of ~ =~ court 조정 재판소. ***the Conciliation Act*** 《영》 (노동 쟁의) 조정법.

con·cil·i·a·tive [kənsílièitiv/-síliətiv] *a.* =CONCILIATORY.

con·cil·i·a·tor [kənsílièitər] *n.* 위무(慰撫)〔회유, 조정〕자.

con·cil·i·a·to·ry [kənsíliətɔ̀:ri/-təri] *a.* 달래는 (듯한), 회유적인, 타협적인.

con·cin·ni·ty [kənsínəti] *n.* Ⓤ,Ⓒ (전체의) 조화; (문체의) 우아함, 우미.

con·cise** [kənsáis] (때때로 ***con·cis·er; -est) *a.* 간결한, 간명한: a ~ statement 간결한 진술. ㊕ **~·ly** *ad.* **~·ness** *n.*

con·ci·sion [kənsíʒən] *n.* Ⓤ 간결, 간명; 절단, 분리: with ~ 간결〔간명〕하게.

con·clave [kánkleiv, káŋ-/kɔ́n-, kɔ́ŋ-] *n.* 비밀 회의; 〖가톨릭〗 (비밀로 행하여지는) 교황 선거 회의 (장소); (그 회의에 출석하는) 추기경단; 《미》 (친목 단체 등의) 회의, 집회. ***in*** **~** 밀의(密議) 중에〔의〕: sit *in* ~ 밀의하다《*with*》. **—** *vi.* 협의하다.

con·clav·ist [kánkleivist, káŋ-/kɔ́ŋ-, kɔ́n-] *n.* 〖가톨릭〗 교황 선거 회의에 출석하는 추기경의 수행원.

con·clude** [kənklú:d] *vt.* **1** 《~+목/+목+전+명》 마치다, 끝내다, …에 결말을 짓다, 종결하다《*by; with*》: ~ an argument 논증을 마치다 / ~ a speech *with* a quotation from the Bible 성서에서의 인용구로 연설을 마치다. **2** (…이라고) 결론을 내리다; 끝으로 말하다. **3** 《+*that* 절/+목+*to be* 보》 추단〔추정〕하다: From what you say, I ~ *that*.... 네 말로 미루어 …라고 추측한다 / ~ a rumor *to be* true 소문이 사실이라고 판단하다. **4** 《+*that* 절》 《미》 결정하다, 결심하다: He ~*d that* he would go. 그는 가기로 결정했다. **5** 《~+목/+목+전+명》 (협약 등을) 체결하다, 맺다《*with*》: ~ (a) peace 강화 조약을 맺다 / ~ an agreement *with* …와 협정〔계약〕을 체결하다. **—** *vi.* **1** (…으로써) 말을 맺다: The letter ~*d* as follows. 편지는 이렇게 끝맺고 있었다. **2** (글·이야기·모임 등이) 끝나다: The ceremony ~*d* with the school song. 식은 교가 제창으로 끝났다. **3** 결론을 내다 《*to* do》; 합의에 도달하다: The jury ~*d to* set the accused free. 배심원들은 피고를 석방키로 결론을 내렸다. ◇ conclusion *n.* (and***) ***to*** **~** (그리고) 마지막으로; 결론으로 말하면. ***To be* ~*d.*** '다음 회 완결' 《연재물 따위에서》. SYN. ⇨END.

con·clúd·ing *a.* 최종적인; 종결의, 끝맺는: ~ remarks 끝맺는 말.

con·clu·sion** [kənklú:ʒən] *n.* Ⓤ,Ⓒ **1** 결말, 종결, 끝(맺음), 종국《*of*》; (분쟁 따위의) 최종적 해결: come to a ~ 끝나다, 결론에 달하다. **2** 결론, 끝맺는 말; (전제로부터의) 귀결; 단정: draw ~*s* 추단하다; 단안〔결론〕을 내리다 / come to 〔reach〕 the ~ that ... …라는 결론에 도달하다. **3** 추단; 〖논리〗 (삼단(三段) 논법의) 결론(結論). OPP *premise*. **4** 결정, 판정. **5** (조약 따위의) 체결(*of*). ◇ conclude *v.* ***at the* ~ *of …의 마지막에 임하여. ***bring to a* ~** 마치다, 끝내다; (교섭 등을) 수습하다, 결정하다. ***in* ~** (논의·진술을) 마침에 즈음하여, 결론으로서, 최후로. ***jump*** 〔***rush***〕 ***at*** 〔***to***〕 ***a* ~** 속단하다, 지레짐작하다. ***try* ~*s with*** …와 결전을 시도하다, 우열을 다투다, 자웅을 겨루다. ㊕ **~·àry** *a.*

°**con·clu·sive** [kənklú:siv] *a.* 결정적인, 확실한, 단호한, 종국의: a ~ answer 최종적인 대답 / ~ evidence 〔proof〕 〖법률〗 확증. ◇ conclude *v.* ㊕ **~·ly** *ad.* **~·ness** *n.*

con·clu·so·ry [kənklú:səri:] *a.* 추단적(推斷的)인, 뒷받침할 만한 증거가 제시되지 않은 결론에서 나온, 《드물게》 결론에 관한〔관련된〕.

con·coct [kankákt, kən-/kənkɔ́kt] *vt.* **1** (음료 따위를) 혼합하여 만들다, 조합(調合)하다. **2** (이야기 따위를) 조작하다: ~ a story 이야기를 날조하다. **3** (음모 따위를) 꾸미다. ㊕ **~·er, -cóc·tor** *n.*

con·coc·tion [kankákʃən, kən-/kənkɔ́k-] *n.* **1** Ⓤ 혼합, 조합(調合); Ⓒ 조합물, 조제약; 혼합 수프〔음료〕. **2** Ⓒ 날조; 꾸며낸 이야기; 책모, 음모, 계획.

con·coc·tive [kankáktiv, kən-/kənkɔ́k-] *a.* 조합한; 꾸며낸, 날조한.

con·col·or·ous [kankʌ́lərəs/kɔn-] *a.* 단색의; 동색(同色)의《*with*》.

con·com·i·tance, -tan·cy [kankámətəns, kən-/kənkɔ́m-], [-i] *n.* Ⓤ 수반(隨伴), 부수(accompaniment); 공존(coexistence); 〖가톨릭〗 제병(祭餠) 안에 예수의 몸과 피〔성체〕가 현존함; = CONCOMITANT.

con·com·i·tant [kankámətənt, kən-/kən-kɔ́m-] *a.* 동반하는, 부수하는; 공존〔양립〕하는; 동시에 생기는(concurrent)《*with*》. **—** *n.* 부수물, (보통 *pl.*) 부수 사정. ㊕ **~·ly** *ad.* 부수적으로.

Con·cord [káŋkərd/kɔ́ŋ-] *n.* **1** 콩코드《미국 Massachusetts 주 동부의 마을; 독립 전쟁의 시발이 된 곳; Emerson, Hawthorne 등이 거주하였음》. **2** 콩코드 포도(=∠ **grápe**) 《미국 동부산; 알이 크고 보랏빛》. **3** [káŋkɔ:rd] 콩코드《미국 New Hampshire 주의 주도》.

***con·cord** [kánkɔ:rd, káŋ-/kɔ́ŋ-, kɔ́n-] *n.* **1** Ⓤ (의견·이해의) 일치; (사물 간의) 화합, 조화(harmony): in ~ *with* …와 일치〔화합〕하여, 사이좋게. OPP *discord*. **2** Ⓤ (국제 간의) 협조, 협정; Ⓒ 친선 협약; Ⓒ 〖음악〗 어울림음. OPP *discord*. **3** Ⓤ 〖문법〗 (수·격·성·인칭 등의) 일치, 호응(agreement)《many a book은 단수로, many books는 복수로 받는 따위》. **—** *vt.* [-∠] 일치〔조화〕시키다.

con·cord·ance [kankɔ́:rdns, kən-/kən-] *n.* Ⓤ 조화, 일치, 화합; Ⓒ (성서·시작(詩作) 등의) 용어 색인: a ~ *to* Shakespeare 셰익스피어 용어 색인. ***in* ~ *with*** …에 따라서.

con·cord·ant [kankɔ́:rdnt, kən-/kən-] *a.* 화합하는, 조화하는, 일치하는《*with*》; 협화(음)의. ㊕ **~·ly** *ad.*

con·cor·dat [kankɔ́:rdæt/kɔn-] *n.* 협약, 화친(和親) 조약; 〖역사〗 (로마 교황과 국왕〔정부〕 사이의) 정교(政敎) 협약.

Con·corde [kánkɔ:rd, káŋ-, -∠/kɔnkɔ́:d] *n.* 콩코드《영국·프랑스 공동 개발의 초음속 제트

여객기》.

Con·cor·dia [kɑnkɔ́ːrdiə/kɔn-] *n.* **1** 콘코디아《여자 이름》. **2** 〖로마신화〗 콘코르디아《조화와 평화의 여신》.

concórdia dís·cors [-dískɔːrs] 불협화음.

con·cours [*F.* kɔ̃kuːʀ] *n.* 《F.》 콩쿠르, 경연. [cf] contest. ★ 영어에서는 별로 안 씀.

concours d'é·lé·gance [*F.* -delegɑ̃ːs] 《F.》 고급차 콘테스트《실용보다는 전시성(展示性)을 다루는 자동차 쇼》.

con·course [kɑ́nkɔːrs, kɑ́ŋ-/kɔ́ŋ-, kɔ́n-] *n.* (사람 · 물질 · 분자의) 집합; (강 따위의) 합류(점); 군집; 집합 장소; (공원 등의) 중앙 광장; (역 · 공항의) 중앙 홀; 경마장, 경기장.

con·cres·cence [kɑnkrésns/kən-] *n.* [U] 〖생물〗 유착, 합생(合生); 배분자(胚分子)의 결합.

con·crete** [kɑ́nkriːt, -ˊ/kɔ́ŋ-] *a.* **1** 유형의, 구체〔구상(具象)〕적인, 실재하는. [OPP] *abstract.* ¶ a ~ noun 〖문법〗 구상 명사 / a ~ example 구체적인 실례. **2** 응고한, 굳어진, 고체의. **3** 현실의, 실제의, 명확한: Our project is not yet ~. 우리의 계획은 아직 구체화되지 않았다. **4** 콘크리트(제)의: a ~ block 콘크리트 블록. ***take* ~ *form 구체화하다. **—** *n.* **1** [C] 구체물; 응고물. **2** [U] 콘크리트: reinforced 〔armored〕 ~ 철근 콘크리트. **3** [C] 콘크리트 포장도로. **4** 〖논리〗 [C] 구체적 명사; 구상적 관념. ***in the* ~** 구체적〔실제적〕으로〔인〕. [OPP] *in the* ABSTRACT. **—** *vi., vt.* **1** (…에) 콘크리트를 바르다, 콘크리트로 굳히다; 굳다; [kɑnkríːt, kɑŋ-] 굳히다; 응결하다〔시키다〕. **2** [kɑnkríːt, kɑŋ-] 구체적으로 하다, 구상화하다. ◇ concretion *n.* [파] **~·ly** *ad.* 구체적〔실제적〕으로. **~·ness** *n.*

cóncrete júngle 콘크리트 정글《인간을 소외하는 도시》.

cóncrete míxer 콘크리트 믹서.

cóncrete músic 〖음악〗 구체 음악(《F.》 *musique concrète*)《테이프에 녹음한 인공음 · 자연음을 편곡한 전위 음악; 1948 년 창안》.

cóncrete númber 〖수학〗 명수(名數)《*two* men, *five* days 따위; 단순한 *two, five* 는 abstract number》.

cóncrete póetry 구상시(具象詩)《문자 · 단어 · 기호를 회화적으로 배열한 전위시》.

con·cre·tion [kɑnkríːʃən, kən-, kəŋ-] *n.* **1** [U] 응결; [C] 응고물. **2** 〖의학〗 결석(結石), 담석; 〖지학〗 결핵(結核), 응괴(凝塊). **3** 구체화. [파] **~·ary** [-nèri/-əri] *a.* 응고의; 응고하여 된; 〖지학〗 응괴를 함유하는.

con·cret·ism [kɑnkríːtizəm, kɑŋ-, ˊ-ˋ-/kɔ́nkriːtìzəm] *n.* 구체주의, 《특히》 concrete poetry 의 이론〔실천〕. [파] **con·crét·ist** *n.*

con·cre·tive [kɑnkríːtiv/kən-] *a.* 응결성의, 응결력 있는. [파] **~·ly** *ad.*

con·cre·tize [kɑ́nkrətàiz, kɑ́ŋ-/kɔ́nkriː-, kɔ́ŋ-] *vt., vi.* 응결시키다, 응결되다; 구체화하다.

con·cu·bi·nage [kɑnkjúːbənidʒ/kən-] *n.* [U] 내연 관계, 동서(同棲), 축첩(蓄妾)(의 풍습); 첩의 신분; 정신적 굴종(屈從).

con·cu·bi·nary [kɑnkjúːbənèri/kɔnkjúːbinəri] *a., n.* 내연 관계(의), 첩(의), 첩을 둔, 내연 관계에서 태어난, 첩소생의.

con·cu·bine [kɑ́ŋkjəbàin, kɑ́n-/kɔ́ŋ-, kɔ́n-] *n.* 첩; 내연의 처; (일부(一夫)다처제 나라에서) 제 2 부인 이하의 처.

con·cu·pis·cence [kɑnkjúːpəsəns, kɑŋ-/kən-] *n.* [U] 강한 욕망; 《특히》 색욕, 육욕; 〖성서〗 현세에의 욕망.

con·cu·pis·cent [kɑnkjúːpəsənt, kɑŋ-/kən-] *a.* 색욕이 왕성한; 호색의; 탐욕한.

con·cu·pis·ci·ble [kɑnkjúːpəsəbəl, kɑŋ-/kən-] *a.* (강한) 욕망에 사로잡힌; 《특히》 정욕에 의한, 색욕의.

con·cur [kənkə́ːr] (*-rr-*) *vi.* **1** 《~/+[전]+[명]》 진술이 같다, 일치하다, 동의하다《*with*》; 시인하다《*in; on*》: ~ *with* a person's proposal 아무의 제의에 동의하다 / ~ *in* a person's statement 아무의 진술을 시인하다. **2** 《~/+*to* do》 서로 돕다, 협력하다: Everything ~*red to* make him happy. 모든 사정이 서로 작용하여 그를 행복하게 했다. **3** 동시에 일어나다, 일시에 발생하다《*with*》: His graduation ~*red with* his birthday. 그의 졸업식은 생일과 겹쳤다. **4** 《고어》 한군데로 모이다; 합류하다. ◇ concurrence *n.*

con·cur·rence, -cur·ren·cy [kənkə́ːrəns, -kʌ́rəns], [-i] *n.* [U] **1** 찬동, (의견의) 일치: ~ in opinion 의견의 일치. **2** 협력; (원인의) 동시 작용. **3** 동시 발생, 병발. **4** 〖수학〗 (선 · 면의) 집합(점). **5** 〖법률〗 동일 권리《여러 사람이 같은 것에 같은 권리를 갖는 일》. **6** 〖컴퓨터〗 병행성(竝行性)《2 개 이상의 동작 또는 사상(事象)이 같은 시간대에 일어나는 일》. ◇ concur *v.*

con·cur·rent [kənkə́ːrənt, -kʌ́rənt] *a.* **1** 동시(발생)의, 동반하는《*with*》: ~ insurance 동시 보험. **2** 공동으로 작용하는, 협력의. **3** 일치의; 찬동의, 같은 의견의. **4** 겸무의, 겸임의. **5** 〖법률〗 같은 권리의, 같은 권한이 있는. **6** 〖수학〗 한 점에 모이는, 공점적(共點的)인; 〖기계〗 병류(竝流)의. **—** *n.* 동시에 일어난 사건; 병발 사정; 동시에 작용하는 원인; 협력자, 동의자; 《고어》 경쟁자; 〖수학〗 공점(共點). [파] **~·ly** *ad.* (…와) 동시에, 함께, 일치하여, 겸임하여《*with*》.

concúrrent prócessing 〖컴퓨터〗 동시〔병행〕 처리.

concúrrent resolútion 〖미의회〗 (상하 양원에서 채택된) 공동 결의《법적 효력은 없으며, 대통령의 서명도 필요 없음》.

concúrring opínion 〖법률〗 보족(補足)〔동의〕 의견.

con·cuss [kənkʌ́s] *vt.* …에게 (뇌)진탕을 일으키게 하다; 《보통 비유》 세차게 흔들다, 격동케 하다; 《고어》 협박하다, 으르다.

con·cus·sion [kənkʌ́ʃən] *n.* [U,C] **1** 진동, 격동, 충격(shock); 착발(着發) 신관. **2** 〖의학〗 진탕(震盪): a ~ of the brain 뇌진탕. **3** 《고어》 협박. [파] **~·al** *a.*

concússion grenàde 충격 수류탄《충격으로 기절시킴을 목적으로 함》.

con·cus·sive [kənkʌ́siv] *a.* 충격을 주는; 진탕성(震盪性)의.

con·cy·clic [kənsáiklik/kɔn-] *a.* 〖수학〗 동일 원둘레상의.

con·demn** [kəndém] *vt.* **1** 《~+[목]/+[목]+[전]+[명]/+[목]+*as* [보]》 비난하다, 힐난하다, 나무라다《*for*》; 규탄〔매도〕하다: ~ a person's behavior 아무의 행동을 꾸짖다 / ~ a person *for* his indiscretion 아무의 무분별을 비난하다 / ~ war *as* evil 전쟁을 악이라고 비난하다. [SYN.] ⇨ BLAME. **2** 《~+[목]/+[목]+[전]+[명]/+[목]+*to* do》 …에게 유죄 판결을 내리다; …에게 형을 선고하다: ~ a person *to* death 〔*to* be beheaded〕 아무에게 사형〔참수형〕 선고를 내리다. **3** (얼굴 · 말 따위가 아무의) 죄를 증명하다: His looks ~ him. 그가 했다고 얼굴에 씌어 있다. **4** (환자를) 불치라고 선고하다. **5** (물품을) 불량품으로 결정하다, 폐기 처분하다. **6** 《+[목]+[전]+[명]/+[목]+*to* do》 운명지우다《*to*》: be ~*ed to* poverty 가난하도록 운명지워져 있다 / be ~*ed to* lead a hopeless life 희망 없는 생활을 하게 운명지워져 있다. **7** 〖미법률〗 (사유지 등의) 공적 수용을 선고하다. ◇ condemnation *n.* **~ a thing 〔person〕 *as unfit for … 어떤 물건〔사람〕을 …에 부적당하다

고 선언하다.

con·dem·na·ble [kəndémnəbəl] *a.* 나무랄, 비난[규탄]할; 벌받아 마땅한; 폐기할.

con·dem·na·tion [kὰndemnéiʃən/kɔ̀n-] *n.* U,C 비난; 유죄 판결, 죄의 선고; 비난[선고] 이유[근거]; 불량품의 선고; 폐기; 【법률】 몰수 선고, 수용 선고. ◇ condemn *v.*

con·dem·na·to·ry [kəndémnətɔ̀:ri/-təri] *a.* 비난의; 처벌의, 유죄 선고의; 악인처럼 보이는, 흉악한《얼굴 따위》.

con·démned *a.* **1** 비난된; 유죄를 선고받은; 사형수의: a ~ man 사형수. **2** 불량품으로 선고된; 몰수로 정해진: a ~ building 사용 금지된 건물. **3** 《속어》 저주받은, 구제할 수 없는.

condémned céll 사형수 감방.

con·demn·er, -dem·nor [kəndémər] *n.* **1** (죄의) 선고자. **2** 비난자. **3** 폐기 (처분) 결정자; 몰수를 선고하는 사람.

con·dèn·sa·bíl·i·ty, -si·bil- *n.* U 응축성, 압축성; 요약[단축]성.

con·den·sa·ble, -si·ble [kəndénsəbəl] *a.* 압축[응축]할 수 있는; 요약[단축]할 수 있는.

con·den·sate [kəndénseit, kándənsèit/kəndénseit] *n.* 응축액[물], 축합물.

°**còn·den·sá·tion** *n.* U,C **1** 압축, 응축, 농축; 【물리】 응결; 【화학】 액화. **2** 응축 상태, 응결[액화]된 것. **3** (사상·문장의) 간략화, 요약. ◇ condense *v.* ㊎ **~·al** *a.*

***con·dense** [kəndéns] *vt.* **1** 《~+목/+목+전+명》 응축하다, 압축[축합(縮合)]하다; 농축하다《*to; into*》: ~ milk 우유를 농축하다 / ~ a gas *to* a liquid 기체를 액체로 응축하다. **2** (렌즈가 광선을) 모으다; (전기의 세기를) 더하다: a *condensing* lens 집광(集光) 렌즈. **3** 《~+목/+목+전+명》 (사상·문장 따위를) 요약하다; (표현을) 간결히 하다, 줄이다: ~ an answer *into* a few words 답을 몇 마디로 요약하다 / ~ a paragraph *into* a line 한 절(節)을 한 행으로 줄이다. **—** *vi.* **1** 줄어들다, 응축하다; 요약하다. **2** (액체가) 고체화하다, (기체가) 액화하다《*into*》: The steam ~*d into* waterdrops. 증기는 응축하여 물방울이 되었다. ◇ condensation *n.*

***con·densed** [kəndénst] *a.* 응축[응결]한; 요약한, 간결한: ~ type 【인쇄】 폭이 좁은 활자체.

condénsed mílk 연유(煉乳).

con·dens·er [kəndénsər] *n.* 응결기, 응축기, 냉각기; 복수기(復水器); 【전기】 축전기, 콘덴서; 【광학】 집광 렌즈[장치].

con·den·sery [kəndénsəri] *n.* 연유(煉乳) 제조소.

°**con·de·scend** [kὰndəsénd/kɔ̀n-] *vi.* **1** 《+*to* do》 겸손하게 굴다; (손아랫사람에게) 으스대지 않고 …해주다; 《폐어》 양보하다, 동의하다. cf. deign. ¶ The king ~*ed to* eat with the beggars. 왕의 몸으로 거지들과 식사를 같이 하였다. **2** 《+전+명》 (우월감을 의식하면서) 짐짓 친절[겸손]하게 굴다, 생색을 내다: He always ~*s to* his inferiors. 그는 늘 아랫사람들에게 생색을 낸다. **3** 《+*to* do/+전+명》 자신을 낮추고 …하다《*to*》; 부끄럼을 무릅쓰고 …하다: ~ *to* accept bribes 지조를 버리고 뇌물을 받다 / ~ *to* trickery 사기꾼으로 영락(零落)하다. ◇ condescendence, condescension *n.* ㊎ **~·er** *n.*

con·de·scend·ence [kὰndəséndəns/kɔ̀n-] *n.* U **1** =CONDESCENSION. **2** 《Sc.》 명세표.

còn·de·scénd·ing *a.* (아랫사람에게) 정중한; 짐짓 겸손하게 구는, 생색을 부리는. ㊎ **~·ly** *ad.* **~·ness** *n.*

con·de·scen·sion [kὰndəsénʃən/kɔ̀n-] *n.* U 겸손, 정중; 생색을 내는 태도[행동].

con·dign [kəndáin] *a.* 당연한, 적당한, 타당한《형벌 따위》. ㊎ **~·ly** *ad.*

con·di·ment [kándəmənt/kɔ́n-] *n.* 양념(seasoning)《고추·겨자 따위》, 조미료. ㊎ **còn·di·mén·tal** [-méntl] *a.* 양념의.

con·dis·ci·ple [kὰndisáipəl/kɔ̀n-] *n.* 같은 스승의 제자; 동급생.

****con·di·tion** [kəndíʃən] *n.* **1** C 조건; 필요조건; (*pl.*) (제)조건, 조목, 조항; 제약: the ~ *of* all success 모든 성공의 필수 요건 / ~*s of* acceptance 승낙 조건 / make ~*s* 조건을 붙이다 / the necessary and sufficient ~ 【수학】 필요충분조건 / make it a ~ that …을 하나의 조건으로 삼다. **2** (종종 *pl.*) 주위의 상황, 형세, 사정: under favorable [difficult] ~*s* 순경(順境)[역경]에 처해 있어. **3** U 상태; 《특히》 건강상태, (경기자의) 컨디션. SYN. ⇨ STATE. **4** C 지위, 신분; 《특히》 좋은 신분; 사회적 지위, 처지: a man of ~ 사회적 지위가 있는 사람 / live according to one's ~ 분수에 맞는 생활을 하다. **5** C 【법률】 조건, 규약, 규정: the ~*s of* peace 강화 조건. **6** 【문법】 조건문[절]; 【논리】 조건, 전건(前件); (*pl.*) 지불 조건. **7** C 《미》 (가(假)입학·가진급 학생의) 재시험 (과목): work off ~*s* 추가 시험을 치르다. **8** C 《구어》 병, 질환: have a heart ~ 심장에 병이 있다.

be in good* [*bad, poor*] ~** 좋은[나쁜] 상태이다, 건강하다[하지 않다]; (물건이) 온전하다[손상되다]. ***be in no ~ to do …하기에 적당치 않다. ***change one's ~*** 새 생활로 들어가다; 《고어》 결혼하다. ***in a delicate* [*a certain, an interesting*] ~** 《영고어》 임신해. ***in* [*out of*] ~** 건강[건강치 못]하여; 양호[불량]한 상태로; 사용할 수 있는[없는] 상태로. ***meet the ~s*** 조건에 맞다. ***on ~ that ...*** …이라는 조건으로, 만약 …이라면. ***on no ~*** 결코 …아니다. ***on* (*one*) ~ =*on ~s*** 조건부로. ***under* [*in*] *the present* [*existing*] ~*s*** 현상태로는.

— *vt.* **1** 《~+목/+목+전+명/+목+*to* do》 (사물이) …의 필요조건이 되다, (사정 따위가) …을 결정하다, 제약하다, 좌우하다; …의 생존에 절대 필요하다: Ability and effort ~ success. 능력과 노력이 성공의 조건이다 / The gift is ~*ed on* your success. 선물은 자네가 성공하면 주겠다 / Fear ~*ed* the boy *to* behave in such a way. 공포가 그 소년에게 그 같은 행동을 하도록 하였다. **2** 《+목+전+명/+*that* 절/+*to* do》 조건부로 승낙하다; …을 조건으로 하다; (…이라는) 조건을 설정하다: He ~*s* his going *on* [*upon*] the weather. 날씨가 좋으면 간다고 한다 / ~ *that* they (should) marry 결혼한다는 조건을 설정하다 / ~ *to* observe the rule 규약을 지킨다는 조건을 붙이다. **3** 《+목+전+명》 개량하다《*for*》; (자기·소·말 등의) 컨디션을 조절하다; (상품의) 신선도를 유지하다; (실내 공기의 습도·온도를) 조절하다(air-~): Her studies ~*ed* her *for* her job. 공부가 그녀의 일에 도움이 됐다. **4** 《+목+*to* do/+목+전+명》 (…하도록) 습관화시키다; 【심리】 …에 조건 반사를 일으키게 하다; 익숙하게 하다: The dog was ~*ed to* expect food when he heard a bell. 개는 벨 소리를 들으면 음식을 기대하는 조건 반사를 일으키도록 되었다 / Poverty ~*ed* him *to* hunger. 그는 가난 때문에 굶주림에 익숙해 있다. **5** (상품을) 검사하다; 【상업】 (생사·양모를) 검사해서 품격을 매기다. **6** 《미》 (재시험을 본다는 조건부로) 가진급시키다, …으로 가진급[입학]을 허가하다. **—** *vi.* 조건을 붙이다.

°**con·di·tion·al** [kəndíʃənəl] *a.* **1** 조건부의; 잠정적인, 가정적인, 제한이 있는: a ~ contract 조건부 계약, 가계약. **2** (…을) 조건으로 한, …하

기 나름인《on, upon》: It is ~ on your ability. 그건 너의 능력 여하에 달렸다. **3** 조건을 나타내는: a ~ clause 조건을 나타내는 조항; 〖문법〗 조건절《보통 if, unless, provided 따위로 시작됨》. **4** 〖논리〗 (전제가) 가정적인, (삼단 논법이) 조건〔가언(假言)〕 명제를 포함한; 〖심리〗 조건 반사를 일으키는. **5** 〖수학〗 (부등식에 관해) 변수가 있는 값만이 옳은. ── *n.* 〖문법〗 가정 어구《provided that 등》; 조건문〔절〕; 조건법; 〖논리〗 조건 명제. ㊎ **~·ly** *ad.* 조건부로. 「〔면책〕.

condítional díscharge 〖법률〗 조건부 석방

con·di·tion·al·i·ty [kəndìʃənǽləti] *n.* Ⓤ 조건부, 제약성; 〖경제〗 (국가 간의) 융자 조건.

condítional óffer 조건부 신청; (대학 등의) 조건부 채용 신청. 「부 확률.

condítional probabílity 〖통계·수학〗 조건

condítional sále 조건부 매매《계약 조건 완료시 소유권이 이전되는》.

condítion còde règister 〖컴퓨터〗 조건 코드 레지스터《일시 기억용 장소》.

con·dí·tioned *a.* 조건부의; 조건 지워진; (…에) 습관화된《to》; (어떠한) 상태의; 조절〔냉방, 난방〕된; 《미》 (조건부) 가진급의: well-〔ill-〕~ 양호〔불량〕한 상태의.

condítioned réflex 〔**respónse**〕 〖심리〗 조건 반사〔반응〕.

condítioned stímulus 〖심리〗 조건 자극.

condítioned suppréssion 〖심리〗 조건 억제〔억지, 금압〕.

con·dí·tion·er *n.* **1** (머리 감은 뒤의) 정발용 크림《rinse 따위》; (세탁용) 유연제(柔軟劑); (센물을 단물로 바꾸는) 연화제; 토양 조정제; 첨가물, 약제. **2** 조정기; 조정자. **3** (스포츠의) 코치; (동물의) 조련사. **4** 냉난방〔공기 조정〕 장치. **5** (생사(生絲) 따위의) 품질 검사관.

con·dí·tion·ing *n.* Ⓤ **1** 검사: a silk ~ house 생사 검사소. **2** (공기의) 조절. **3** 〖심리〗 조건 붙이기.

condítion pòwder (동물의) 컨디션 조절약.

condítion precédent 〖법률〗 (법적 행위의 효력 발생에 관한) 정지 조건.

condítion súbsequent 〖법률〗 해제 조건.

con·do [kándou/kɔ́n-] (*pl.* **~s**) *n.* 《미구어》 맨션, 분양 아파트. [◂ *condo*minium]

con·do·la·to·ry [kəndóulətɔ̀:ri/-təri] *a.* 조상(弔喪)〔조위, 애도〕의.

con·dole [kəndóul] *vi.* 조상(弔喪)하다, 조위(弔慰)하다; 위로하다, 동정하다: ~ *with* a person *on* 〔*upon*〕 his affliction 아무의 불행에 대해 위로하다. ㊎ **-dól·er** *n.* 애도자, 조위자. **~·ment** *n.* =CONDOLENCE.

con·do·lence [kəndóuləns] *n.* Ⓤ,Ⓒ 애도, (종종 *pl.*) 조상, 조사: Please accept my sincere ~*s*. 충심으로 애도의 말씀을 드립니다 / express 〔present〕 one's ~*s* to …에게 애도의 뜻을 표하다.

con·do·lent [kəndóulənt] *a.* 조위〔조사〕의, 애도를 표하는. 「콘돔.

con·dom [kándəm, kʌ́n-/kɔ́n-] *n.* (피임용)

con·do·ma·nia [kàndəméiniə/kɔ̀n-] *n.* (임대 아파트의) 분양 아파트화(化) 붐.

con·dom·i·nate [kəndámənət/kɔndɔ́m-] *a.* 공동 지배〔통치〕의.

con·do·min·i·um [kàndəmíniəm/kɔ̀n-] (*pl.* **~s**) *n.* **1** 《미》 콘도미니엄; 분양 아파트, 맨션, 그 한 호(戶)〔방〕. **2** 공동 주권(joint sovereignty); 〖국제법〗 공동 통치〔관리〕국〔지〕.

con·do·na·tion [kàndounéiʃən/kɔ̀n-] *n.* Ⓤ (죄, 특히 간통의) 용서, (죄를) 눈감아 줌, 너그러이 봐줌.

con·done [kəndóun] *vt.* (죄·과실 특히 간통을) 용서하다, 너그럽게 봐주다, (어떤 행위가 죄를) 갚다. ㊎ **con·dón·er** *n.*

con·dor [kándər, -dɔ:r/kɔ́ndɔ:] *n.* 〖조류〗 콘도르《남아메리카·북아메리카 서부산 독수리》.

con·dot·tie·re [kɔ̀:ndətjέərei, -ri:] (*pl.* **-ri** [-ri:]) *n.* 《It.》 (14-16 세기의) 용병(傭兵)대장; 용병대원.

con·duce [kəndjú:s/-djú:s] *vi.* 《+전+명》 도움이 되다, 이바지〔공헌〕하다, (어떤 결과로) 이끌다《to; toward》: Rest ~*s to* health. 휴식은 건강에 도움이 된다.

con·duc·i·ble [kəndjú:səbəl/-djú:s-] *a.* =CONDUCIVE.

con·du·cive [kəndjú:siv/-djú:-] *a.* 도움이 되는, 이바지하는, 공헌하는《to》: Exercise is ~ *to* health. 운동은 건강을 돕는다. ㊎ **~·ly** *ad.* **~·ness** *n.*

‡con·duct [kándʌkt/kɔ́n-] *n.* Ⓤ **1** 행위; 행동, 품행, 행상(行狀): a prize for good ~ 선행상. **2** 지도, 지휘, 안내; 《드물게》 안내인: under the ~ of …의 안내〔지도〕로. **3** 경영, 조처, 관리: the ~ of state affairs 국사의 운영. **4** (무대·극 등의) 줄거리의 진행, 각색, 윤색: the ~ of the background 배경의 처리법. **5** Ⓒ 《영》 (Eton 교의) 목사. ── [kəndʌ́kt] *vt.* **1** 《~+목/+목+전+명/+목+부》 인도하다, 안내하다, 호송하다: I ~ tours. 여행 안내원을 하고 있다 / ~ a guest *to* his room 손님을 방으로 안내하다 / ~ a person home 아무를 집까지 바래다 주다 / a ~*ed* tour 안내원이 딸린 관광 여행. SYN. ⇨ GUIDE. **2** 지도하다, 지휘하다: ~ a campaign 〔an orchestra〕 캠페인〔악단〕을 지휘하다. **3** (업무 등을) 집행하다; 처리〔경영, 관리〕하다: ~ one's business affairs 사무를 처리하다. **4** 《~ oneself》 행동하다, 거동하다, 처신하다: He always ~*s* him*self* well. 그는 항상 훌륭하게 처신한다. **5** 〖물리〗 (열·전기·음파 등을) 전도하다: a ~*ing* wire 도선. ── *vi.* (길이 …로) 통하다《to》; 전도하다; 지휘를 하다. **~ *away*** (경찰관·경비원 등이) (강제로) 데리고 가다, 연행하다《*from*》. ~ a person ***in*** 〔***into***〕 …로 아무를 안내하다.

con·duct·ance [kəndʌ́ktəns] *n.* Ⓤ 전도력〔성〕; 〖전기〗 컨덕턴스《전기 저항의 역수》.

condúcted EMI 〖전기〗 전도전자(傳導電子) 방해《전자 기기의 전원 선로를 따라 전달되는 잡음》. [◂ *e*lectro*m*agnetic *i*nterference]

con·duct·i·ble [kəndʌ́ktəbəl] *a.* (열 따위를) 전도(傳導)할 수 있는, 전도성의; 전도되는. ㊎ **-dùct·i·bíl·i·ty** *n.* Ⓤ

con·duc·tion [kəndʌ́kʃən] *n.* Ⓤ (파이프로 물 따위를) 끌기; 유도 (작용); 〖물리〗 전도; 〖생리〗 (자극의) 전도.

condúction bànd 〖물리〗 전도 띠.

condúction cùrrent 전도 전류.

con·duc·tive [kəndʌ́ktiv] *a.* 전도(성)의, 전도력이 있는: ~ power 전도력. ㊎ **con·duc·tiv·i·ty** [kàndʌktívəti/kɔ̀n-] *n.* Ⓤ 〖전기〗 도전(導電)율; 〖물리〗 전도성〔력, 율, 도(度)〕.

condúctive educátion 전도(傳導) 교육《운동 장애를 갖는 아동이나 성인들에게 보행(步行), 의복의 착탈(着脫) 등을 스스로 할 수 있도록 반복하게 하는 치료 방법》. 「〔출두〕 여비.

cónduct mòney (증인에게 지급하는) 소환

con·duc·to·met·ric [kəndʌ̀ktəmétrik] *a.* 전도성(傳導性) 측정의; 전도(도) 적정(滴定)의.

‡con·duc·tor [kəndʌ́ktər] (*fem.* **-tress** [-tris]) *n.* **1** 안내자, 지도자, 호송자. **2** 관리인, 경영자. **3** (전차·버스·《미》 열차의) 차장. cf. guard. **4**

〖음악〗 지휘자, 악장, 컨덕터. **5** 〖물리·전기〗 전도체; 도체, 도선(導線): a good 〔bad〕 ~ 양〔불량〕도체. **6** 〖건축〗 낙숫물 홈통. **7** 피뢰침(lightning rod). ⊞ **~·ship** *n.* Ⓤ ~의 직.
condúctor láureate 명예 지휘자《감독으로 남아 있는 퇴직한 상임 지휘자》.
condúctor ràil 도체(導體) 레일《전차에 전류를 보내는 데 쓰이는 레일》.
cónduct shèet 〖영군사〗 (부사관·병사의) 품행 기록 카드.
con·duit [kándwit, -dju:it, -dit/kɔ́ndit, -djuit] *n.* 도관(導管); 도랑, 구거(溝渠); 〖전기〗 콘딧, 선거(線渠); 《고어》 샘, 분수: a ~ pipe 도관.
cónduit sỳstem (전차의) 지하 구거식(溝渠式); (전기 배선의) 연관식(鉛管式).
con·du·pli·cate [kandjú:plikət/kɔndjú:-] *a.* (꽃잎·잎이) 2절(折)〔두 겹〕의, 접합상(摺合狀)의.
con·dyle [kándail, -dl/kɔ́ndil, -dail] *n.* 〖해부〗 (뼈 끝의) 과(髁), 과상(顆狀) 돌기, 관절구(丘). ⊞ **cón·dy·lar** [-ər] *a.*
con·dy·loid [kándəlɔ̀id/kɔ́n-] *a.* 〖해부〗 과상(顆狀)의.
con·dy·lo·ma [kàndəlóumə/kɔ̀n-] (*pl.* **~s, ~·ta** [-tə]) *n.* 〖병리〗 콘딜로마, 습우(濕疣)《항문·외부 생식기에 생기는 종양》.
Cón·dy's flúid [kándiz-/kɔ́n-] 《영구어》 콘디 소독액《생략: Condy》.
*__cone__ [koun] *n.* **1** 원뿔체, 원뿔꼴; 〖수학〗 원뿔. **2** 원뿔꼴의 것; (아이스크림을 넣는) 콘; 뾰족한 봉우리; 화산추(volcanic ~)《원뿔꼴 화산》; 〖패류〗 청자고둥《총칭》(=∠ **shèll**); (폭풍우의) 경보구(球)(storm ~); 〖식물〗 구과(毬果), 솔방울: an ice-cream ~ ⇨ICE-CREAM CONE / the ~ of volcano 화구구(丘). **—** *vt.* 원뿔꼴로 만들다〔비스듬히 자르다〕. **—** *vi.* 구과(毬果)를 맺다; (소용돌이가) 원뿔꼴을 형성하다. **~ *off*** (교통을 제한하기 위해) 원뿔꼴 표지로 구획〔폐쇄〕하다.
cóne·flòwer *n.* 〖식물〗 원뿔꼴의 화반(花盤)을 가진 국화과(科) 식물.
Con·el·rad [kánəlræ̀d/kɔ́n-] *n.* 파장(波長) 통제《무전이 적에게 방수(傍受)되지 않게 하고, 또 적기가 무선을 이용할 수 없게 하는 방공(防空) 전파 관제 방식》. [◂ *con*trol of *el*ectromagnetic *rad*iation]
cone·nose [kóunnòuz] *n.* 침노린잿과(科)의 흡혈 곤충《미국 남부 및 서부산(產)》.
con es·pres·si·o·ne [kánisprèsióuni/kɔ́n-] 《It.》 〖음악〗 감정을 넣어서, 표정이 넘치게.
Con·es·to·ga (wàgon) [kànəstóugə(-)/kɔ̀n-] 대형 포장마차《미국 서부 개척 때 서부로의 이주자들이 사용한》.
coney ⇨CONY.
Có·ney Ísland [kóuni-] 코니아일랜드《뉴욕시(市) Long Island 에 있는 해안 유원지》.
conf. *confer* 《L.》 (=compare); conference; confessor; confidential.
con·fab [kánfæb/kɔ́n-] 《구어》 *n.* =CONFABULATION. **—** (***-bb-***) [kənfǽb, kánfæb/kɔ́nfæb, -∠] *vi.* =CONFABULATE.
con·fab·u·late [kənfǽbjəlèit] *vi.* 서로〔허물없이〕 이야기하다, 담소하다《*with*》. ⊞ **con·fàb·u·lá·tion** *n.* Ⓤ 간담, 담소; 허물없이 하는 의논. **con·fáb·u·là·tor** *n.* **-la·tò·ry** [-lətɔ̀:ri/-lətəri] *a.* 담소적인.
con·fect [kánfekt/kɔ́n-] *n.* 과자; 설탕절임, 캔디(candy). **—** [kənfékt] *vt.* 만들다, 조제하다; 과자로 만들다, 설탕절임으로 하다.
con·fec·tion [kənfékʃən] *n.* **1** 과자, 캔디; 설탕절임의 과일; 잼; 〖의학〗 당제(糖劑). **2** (특히 정교한 양식의) 여성용의 복식품(服飾品)《모자·외투 등 기성품의》. **3** Ⓤ 《드물게》 혼합, 합성, 조제, 제조. **—** *vt.* 《고어》 (…을 과자·당제 따위로) 조제하다, 만들다.
con·fec·tion·ary [kənfékʃənèri/-nəri] *a.* 과자의, 캔디의; 과자 제조〔판매〕의. **—** *n.* =CONFECTIONERY.
con·féc·tion·er *n.* 과자〔캔디〕 제조인; 과자 장수, 제과점.
conféctioner's cústard 제과용 커스터드《과자 속에 채워 넣는》.
conféctioners' súgar 정제(精製) 가루설탕.
con·fec·tion·ery [kənfékʃənèri/-nəri] *n.* Ⓤ 과자류《pastry, cake, jelly, pies 따위의 총칭》; Ⓤ 과자 제조〔판매〕; Ⓒ 제과점, 과자〔빵〕 공장.
Confed. Confederate; Confederation.
con·fed·er·a·cy [kənfédərəsi] *n.* **1** 동맹, 연합(league); 연합체, 연맹국, 동맹국, 연방: the (Southern) *Confederacy* 〖미국사〗 남부 연방 (the Confederate States of America). **2** 도당; 〖법률〗 공동 모의(謀議).
con·fed·er·al [kənfédərəl] *a.* 연합〔연맹〕의, 동맹의.
°**con·fed·er·ate** [kənfédərət] *a.* 동맹한, 연합한; 공모한; (C-) 〖미국사〗 남부 연방의: the *Confederate* army 〖미국사〗 남군. ***the Confederate States of America*** 남부 연방《남북 전쟁 시초(1861)에 합중국으로부터 분리한 남부 11주 (Ala., Ark., Fla., Ga., La., Miss., N.C., S.C., Tenn., Tex., Va.)》. ⓒⓕ Federal States. **—** *n.* **1** 동맹자, 연합자; 동맹국, 연합국. **2** 공모자, 일당, 한패. **3** (C-) 〖미국사〗 남부 연방 측의 사람, 남군 병사. ⓄⓅⓅ *Federal.* **—** [kənfédərèit] *vt.* 동맹〔연합〕시키다; 도당에 끌어들이다. **—** *vi.* 동맹〔연합〕하다; 도당을 맺다《*with*》. ◇ confederation *n.* **~ one*self*** 〔***be ~d***〕 ***with*** … 와 동맹을 맺다; …와 도당을 짜다.
Conféderate Memórial Dày (the ~) 《미》 (남북 전쟁의) 남군 전몰 용사 추도의 날《남부 각주에서는 법정 공휴일》.
°**con·fèd·er·á·tion** *n.* **1** Ⓤ 동맹, 연합. **2** Ⓒ 동맹국, 연합국; 《특히》 연방. **3** (the C-) 〖미국사〗 아메리카 연합 정부《1781-89년 연합 규약 (the Articles of Confederation)에 의하여 조직된 13주 연합》; 〖Can. 역사〗 Quebec, Ontario 등 4주로 된 캐나다 연방(1867).
con·fed·er·a·tive [kənfédərèitiv, -dərə-] *a.* 동맹〔연합〕의, 연방의.
°**con·fer** [kənfə́:r] (***-rr-***) *vt.* **1** (+목+전+명) (칭호·학위 등을) 수여하다, (선물·영예 등을) 증여하다, (은혜 등을) 베풀다: ~ a thing *on* 〔*upon*〕 a person 아무에게 물건을 주다. ⓈⓎⓃ. ⇨ GIVE. **2** 《폐어》 〖명령형〗 (비교) 참조하라 (compare)《생략: cf.》. **—** *vi.* (+전+명) 의논하다, 협의하다《*together; with*》《*about; on, upon*》: ~ *with* a person *about* a thing 어떤 일을 아무와 의논하다. ◇ conference *n.*
con·fer·ee, -fer·ree [kànfəri:/kɔ̀n-] *n.* **1** 의논 상대; 회의 출석자; 평의원. **2** (칭호나 기장을) 받는〔타는〕 사람.
__con·fer·ence__ [kánfərəns/kɔ́n-] *n.* **1 Ⓤ 회담, 협의, 의논. **2** Ⓒ 회의, 협의회: a general ~ 총회 / a disarmament ~ 군축 회의 / an international ~ 국제 회의 / a peace ~ 평화회의 / the Premiers' *Conference* 영연방 수상 회의. **3** Ⓒ 해운(海運) 동맹; 《미》 경기 연맹. **4** 수여(授與), 서훈(敍勳)(conferment). ◇ confer *v.* ***be in ~*** 협의〔회의〕 중이다《*with*》. ***go into ~ with*** =***have a ~ with*** …와 협의하다. ***hold a ~*** 회의〔협의회〕를 열다. ***meet in ~*** 협의회를 열다.
cónference càll (여럿이 하는) 전화에 의한 회의.
Cónference on Secúrity and Cooper-

átion in Európe 유럽 안보 협력 회의(《생략: CSCE》). cf. Helsinki accords.

cónference tàble 회의용 대형 테이블.

cón·fer·enc·ing *n.* (특히 전자 기기를 사용하는) 회의(에의 참가): computer ~ 컴퓨터 회의.

con·fer·en·tial [kɑ̀nfərénʃəl/kɔ̀n-] *a.* 회의의.

con·fer·ment [kənfə́ːrmənt] *n.* Ⓤ 수여, 증여, 서훈(敍勳); 협의.

con·fer·ra·ble [kənfə́ːrəbəl] *a.* 수여할 수 있는.

con·fer·ral [kənfə́ːrəl] *n.* =CONFERMENT.

con·fer·rer [kənfə́ːrər] *n.* 수여자; 협의자.

＊con·fess [kənfés] *vt.* **1** 《~+목/+목+전+명/(+전+명)+*that* 절〔*wh.* 절〕/+-*ing*》 (과실·죄를) 고백〔자백〕하다, 실토하다, 털어놓다: ~ one's fault *to* a person 아무에게 자기의 과실을 고백하다/He ~*ed* (*to* me) *that* he had broken the vase. 꽃병을 깨뜨린 것이 자기라고 그는 (내게) 실토했다/He ~*ed* (*to* me) *how* he did it. 그는 어떻게 그것을 했는지를 고백하였다/He ~*ed* hav*ing* killed his wife. 그는 아내를 살해한 것을 자백했다. **2** 《+*that* 절/+목+(*to be*) 보》 인정하다, 자인하다: I must ~ *that* I dislike him. 사실을 말한다면 그를 좋아하지 않는다/The man ~*ed* himself (*to be*) guilty. 그는 죄를 범했음을 인정했다. **3** 《시어》 입증하다, 명백히 하다. **4** (신·성직자에게) 참회〔고해〕하다. **5** (신부가) …의 참회를 듣다: The priest ~*ed* her. 신부는 그녀의 참회〔고해〕를 들어주었다. **6** (태도 따위를) 표명하다; 믿는다고 고백하다: ~ Christ 예수를 믿는다고 고백하다. **—** *vi.* **1** 《~/+전+명》 (…을) 인정하다《*to*》; 고백〔자백〕하다《*to*》: He ~*ed to* a weakness for whisky. 위스키엔 사족을 못 쓴다고 실토했다/I ~ *to* (having) a dread of spiders. 실은 거미가 무섭습니다. **2** 신앙 고백을 하다; (신자가) 고해하다; (신부가) 참회를 듣다. ***be ~ed of a crime*** 고해하여 죄의 사함을 받다. ~ one***self to God*** 자기의 죄를 신에게 고백하다. ㊕ **~·a·ble** *a.* **~·er** *n.* =CONFESSOR.

con·fess·ant [kənfésnt] *n.* 고백자, 고해 신부.

con·féssed [-t] *a.* (일반에게) 인정된, 정평 있는(admitted), 의심할 여지가 없는, 명백한; 자백된: a ~ fact 명백한 사실/a ~ thief 죄상이 뚜렷한 도둑/stand ~ as …하다는 것이(…의 죄상이) 명백하다. ㊕ **con·féss·ed·ly** [-sidli] *ad.* 명백하게, 널리 인정되어; 스스로 인정한 대로, 자백에 의하면.

con·fes·sio fi·dei [kɔːnfésioufídìː] 신앙 고백.

＊con·fes·sion [kənféʃən] *n.* **1** Ⓤ 고백, 실토, 자백, 자인: a ~ of guilt 죄의 자백/a public ~ 공중 앞에서의 고백. **2** Ⓒ 신앙 고백. **3** Ⓒ 참회, 고해: an auricular 〔a particular, a sacramental〕 ~ (성직자에게 하는) 비밀 고해. **4** Ⓒ 〖법률〗 고백서, 구술서. **5** Ⓒ 순교자의 묘. ◇ confess *v.* ~ ***of faith*** 신앙 고백; 신조, (교회 등이 공표하는) 성문화된 신조. ~ ***to make*** 해야 할 고백. ***go to*** ~ 고해하러 가다. ***hear*** ~ (신부가) 고해를 듣다. ***make a*** ~ 자백〔참회, 고해〕하다.

con·fes·sion·al [kənféʃənəl] *a.* 자백에 의한; 참회〔고해〕의, 신앙 고백의. **—** *n.* **1** 〖가톨릭〗 고해실, 고해 청문석; (the ~) 참회의 제도. **2** (프랑스 18 세기의) 안락 의자. ㊕ **~·ism** *n.* Ⓤ 신앙 고백주의, 신조주의. **~·ist** *n.*

confessional 1

con·fes·sion·ary [kənféʃənèri/-nəri] *a.* 참회〔고백, 고해〕의. **—** *n.* 《고어》 =CONFESSIONAL.

con·fes·sor [kənfésər] *n.* **1** 고해 신부(father ~). **2** 고백자; (기독교) 신앙 고백자; 참회자; (종종 C-) (박해 등에 굴하지 않은) 독실한 신자; (the C-) 〖영국사〗 참회왕(王)(《영국의 Edward 왕(재위 1042-66)을 말함》).

con·fet·ti [kənféti:] *n. pl.* 《It.》 **1** 색종이 조각 《혼례·사육제 같은 때에 뿌림》. **2** 사탕, 캔디, 봉봉. **3** 《미속어》 벽돌.

con·fi·dant [kɑ́nfədæ̀nt, -dɑ̀ːnt, ˌ-ˈ/kɔ́nfidæ̀nt, ˌ-ˈ] *n.* 《F.》 막역한 친구《연애 비밀 따위도 털어놓을 수 있는》.

con·fi·dante [kɑ̀nfidǽnt, -dɑ́ːnt, ˈ-ˌ/kɔ́nfidæ̀nt, ˌ-ˈ] *n.* **1** CONFIDANT의 여성형. **2** (18 세기의) 일종의 긴 의자.

◇con·fide [kənfáid] *vt.* 《+목+전+명》 **1** (비밀 따위를) 털어놓다《*to*》: He ~*d* his secret *to* me. 그는 비밀을 나에게 털어놓았다. **2** 신탁〔위탁〕하다, 맡기다《*to*》: ~ a task *to* a person's charge 일을 아무에게 맡기다. **—** *vi.* 《+전+명》 **1** 신용하다, 신뢰하다《*in*》: You can ~ *in* his good faith. 그의 성실함은 신뢰해도 좋다. **2** 비밀을 털어놓다《*in*》: The girl always ~*d in* her mother. 소녀는 어머니에게 무엇이든지 털어놓았다.

＊con·fi·dence [kɑ́nfədəns/kɔ́n-] *n.* Ⓤ **1** (남에 대한) 신용, 신뢰: enjoy a person's ~ 아무에게 신뢰를 받고 있다/my ~ *in* him 그에 대한 나의 신뢰/a vote of (no) ~ (불)신임 투표/a want of ~ *in* the Cabinet 내각 불신임/win the ~ *of* …의 신용을 얻다. SYN. ⇨ BELIEF. **2** Ⓒ 속내 말; 비밀, 내밀한 일: exchange ~*s with* (…와) 서로 비밀을 털어놓다/betray a ~ 비밀을 누설하다. **3** (자기에 대한) 자신, 확신: be full of ~ 자신만만하다/act with ~ 자신을 갖고 행동하다. OPP. *diffidence.* ¶ have ~ *in* the future 장래에 희망을 걸고 있다. **4** 대담, 배짱; 사기: have the ~ *to* do 대담하게도 …하다.

> SYN. **confidence** 자기 능력에 대해 품고 있는 강한 확신의 뜻: He spoke with great *confidence.* 그는 대단한 확신을 갖고 얘기하였다. **conviction** 진실에 대해 아무 의심 없이 굳게 믿는 신념으로, 이성적인 것은 포함되어 있지 않음: The arguments compel *conviction.* 논의는 신념을 필요로 한다.

give one***'s ~ to*** =***have*** 〔***put, show, place***〕 ~ ***in*** …을 신뢰하다. ***in*** one***'s*** ~ 털어놓고. ***in*** (***strict***) ~ (절대) 비밀로. ***in the ~ of*** …에게 신임을 받아; …의 기밀에 참여하여. ***make ~s*** 〔***a*** ~〕 ***to*** a person =***take*** a person ***into*** one***'s*** ~ 아무에게 자신의 비밀을 털어놓다.
— *a.* 신용 사기〔야바위〕의.

cónfidence-búilding *a.* 자신(自信)을 갖게 하는〔높이는〕; 신뢰를 조성하는: ~ measures 〖정치〗 상호 신뢰 조성 조치.

cónfidence gàme 〔《영》 **trìck**〕 (호인을 기화로 한) 신용 사기(con game 〔trick〕).

cónfidence ìnterval 〖통계〗 신뢰 구간(區間).

cónfidence lèvel 〖통계〗 신뢰 수준.

cónfidence lìmits 〖통계〗 신뢰성 한계.

cónfidence màn 〔**trìckster**〕 사기꾼, 협잡꾼(con man).

＊con·fi·dent [kɑ́nfədənt/kɔ́n-] *a.* **1** 확신하는 《*of; that*》: I am ~ *of* his success. 그의 성공을 확신하고 있다/I feel ~ *that* our team will win. 우리 팀이 이길 것을 확신하고 있다. **2** 자신이 있는, 자신만만한《*in*》: a ~ speaker/be ~

in oneself 자신 있다. **3** 대담한; 뻔뻔스러운, 독단적인. ◇ confide *v.* ── *n.* =CONFIDANT.
㊞ **~·ly** *ad.* 확신을 갖고, 대담하게, 자신만만하게. **~·ness** *n.*

°**con·fi·den·tial** [kὰnfədénʃəl/kɔ̀n-] *a.* **1 a** 은밀한, 내밀한(secret), 기밀의: a ~ remark 내밀한 말 / ~ papers 〔documents〕 기밀 서류 / a ~ price list 내시(內示) 가격표 / ~ inquiry 비밀 조사. **b** (C-) 친전《겉봉에 씀》; 3급 비밀의 《문서》. **2** 속사정을 터놓을 수 있는, 친한: become ~ *with* strangers 낯선 사람과 친한 사이가 되다. SYN. ⇨FAMILIAR. **3** 신임이 두터운, 심복의, 신뢰할 수 있는: a ~ clerk 심복 점원 / a ~ secretary 심복 비서. ◇ confide *v.* ***Strictly* ~** 극비《겉봉에 씀》. ***with a ~ tone*** 소곤소곤.
㊞ **~·ly** *ad.* **còn·fi·dèn·ti·ál·i·ty** [-ʃiǽləti] *n.* 비밀〔기밀〕성.

confidéntial communicátion 〖법률〗 비밀 정보《법정에서 증언을 강제당하지 않는 변호사와 의뢰인, 의사와 환자, 남편과 아내 사이 등의 정보》.

con·fid·ing [kənfáidiŋ] *a.* 남을 (쉽게) 믿는.
㊞ **~·ly** *ad.* 신뢰하여, 철석같이 믿고. **~·ness** *n.*

CONFIG. SYS 〖컴퓨터〗 컨피그 시스《운영 체제에서 시스템이 부팅될 때 초기 조건을 설정하는 시스템 파일》.

con·fig·u·ra·ble [kənfígjərəbəl] *a.* 〖컴퓨터〗 갖가지 형상·형식·요구에 적합성이 있는, 설정〔변경〕 가능한.

con·fig·u·ra·tion [kənfìgjəréiʃən] *n.* **1** 배치, 지형(地形); (전체의) 형태, 윤곽. **2** 〖천문〗 천체의 배치, 성위(星位), 성단(星團). **3** 〖물리·화학〗 (분자 중의) 원자 배열. **4** 〖사회〗 통합《사회 문화 개개의 요소가 서로 유기적으로 결합하는 일》; 〖항공〗 비행 형태; 〖심리〗 형태. cf. Gestalt. **5** (미사일에서의) 형(型). cf. model. ¶ long-range ~ (미사일의) 장거리형 / cargo ~ (미사일의) 수송형. **6** 〖컴퓨터〗 구성. ㊞ **~·al** [-ʃənəl] *a.* **~·al·ly** *ad.* **~·ism** *n.* Ⓤ 〖심리〗 형태 심리학.

con·fig·ure [kənfígjər] *vt.* (어떤 틀에 맞추어) 형성하다《*to*》; (어떤 형으로) 배열하다; 〖컴퓨터〗 구성하다.

*__con·fine__ [kənfáin] *vt.* **1** 《+목+전+명》 제한하다, 한하다《*to; within*》: ~ oneself *to* …에 틀어박히다; …에 국한하다 / ~ a talk *to* ten minutes 얘기를 10분으로 제한하다. **2** 《~+목 / +목+전+명》 가둬 넣다, 감금하다《*in; within*》; 들어박히게 하다《*to*》: ~ a convict *in* jail 죄수를 교도소에 가두다 / be ~*d to* (one's) bed for a week 일주일 간 자리에 누워 있다. **3** 〔보통 수동태로〕 산욕(產褥)에 있게 하다. ── *vi.* 《고어》 인접하다《*on; with*》. ◇ confinement *n.*
── [kánfain/kɔ́n-] *n.* (보통 *pl.*) **1** 경계, 국경; 경계지〔선〕. **2** 한계, 범위: the ~ *of* human knowledge 인지(人知)의 한계 / within 〔beyond〕 the ~*s* of …의 (범위) 안〔밖〕에. **3** 《고어》 감금, 유폐; 《폐어》 교도소. ***on the ~s of*** ① (나라 등)의 경계에. ② …에 임하여: *on the ~s of* ruin 파멸 일보 직전에.

con·fín(e)·a·ble *a.* 제한된, 제한 〔감금〕할 수 있는.

con·fíned *a.* **1** 제한된, 좁은; (군인이) 외출 금지된《*to* barracks》. **2** 〔서술적〕 산욕(產褥)에 있는: She expects to be ~ in May. 5월에 해산할 예정이다.

°**con·fíne·ment** *n.* **1** Ⓤ 제한, 국한. **2** Ⓤ 감금, 금고, 억류; 유폐: under ~ 감금되어. **3** Ⓒ 틀어박힘; 해산 자리에 눕기; Ⓤ 해산(delivery). ◇ confine *v.*

confínement fàrming =FACTORY FARM.

*__con·firm__ [kənfə́ːrm] *vt.* **1** 확실히 하다, 확증하다, …이 옳음〔정확함〕을 증명하다: This report ~*s* my suspicions. 이 보고로 나의 의심이 확실했음을 알았다. **2** 확인하다, …이 유효함을 확인하다: ~ a reservation 예약을 확인해 두다. **3** 《미》 (상하 양원이 정부 임명 관리를) 승인하다. **4** 《~+목 / +목+전+명》 (재가(裁可)·비준(批准) 등으로) …을 승인〔확인〕하다; 추인(追認)하다: ~ an agreement 〔a treaty, an appointment〕 / ~ a possession 〔a title〕 *to* a person 아무에게 물건을〔칭호를〕 수여할 것을 승인하다. **5** (결의·의견 등을) 굳히다: His support ~*ed* my determination to run for mayor. 그의 지지가 나의 시장 출마 결의를 더욱 굳혔다. **6** 《+목+전+명》 (신앙·의지·버릇 등을) 굳게 하다《*in*》: The accident ~*ed* him *in* his fear of driving. 그 사고로 그는 자동차 운전하기가 더욱더 두려워졌다. **7** 〖교회〗 …에게 견진성사(堅振聖事)를 베풀다, …에게 안수(按手)를 행하다. ◇ confirmation *n.* ㊞ **~·a·ble** *a.*

con·fir·mand [kὰnfərmǽnd/kɔ̀n-] *n.* 〖교회〗 견진 성사(堅振聖事) 지원자.

°**con·fir·ma·tion** [kὰnfərméiʃən/kɔ̀n-] *n.* Ⓤ **1** 확정, 확립. **2** 확인, 인가; 비준; 확증《*of*》: in ~ *of* …을 확인하여, …의 확증으로서 / seek ~ *of* …의 확인을 구하다 / lack ~ 확인이 결여되다, 확실치가 않다. **3** Ⓤ,Ⓒ 〖교회〗 견진 (성사), 안수례(按手禮); 〖유대교〗 성인식(成人式). **4** 〖법률〗 (취소할 수 있는 행위의) 추인(追認). ◇ confirm *v.*

con·firm·a·tive [kənfə́ːrmətiv] *ad.* 확인하는, 확증적인.

con·firm·a·to·ry [kənfə́ːrmətɔ̀ːri/-təri] *a.* 확실히〔확증〕하는.

con·fírmed *a.* 확립된; 확인된; 고정된, 만성의, 상습적인; 견진 성사를 받은: a ~ invalid 고질 환자 / a ~ drunkard 모주꾼, 주정뱅이 / a ~ disease 고질, 만성병. ㊞ **-firm·ed·ly** [-fə́ːrmidli] *ad.*

con·fir·mee [kὰnfəːrmíː/kɔ̀n-] *n.* 〖법률〗 추인을 받는 사람; 〖교회〗 견진 성사를 받는 사람.

con·fis·ca·ble [kənfískəbəl, kánfəs-/kənfís-] *a.* 몰수할 수 있는.

con·fis·cate [kánfəskèit, kənfís-/kɔ́nfis-] *vt.* 몰수〔압류〕하다; 징발하다: The government ~*s* the illegally imported goods. 정부는 밀수품을 압수한다. ── *a.* 몰수된. ㊞ **còn·fis·cá·tion** *n.* Ⓤ,Ⓒ. **cón·fis·cà·tor** [-tər] *n.* **con·fis·ca·to·ry** [kənfískətɔ̀ːri/-təri] *a.*

con·fit·e·or [kənfítiɔ̀ːr/-fít-, -tiər] *n.* 〖가톨릭〗 고백의 기도, 고죄경.

con·fi·ture [kánfətʃùər/kɔ́n-] *n.* 설탕절임 과일, 당과(糖果); 잼.

con·fla·grant [kənfléigrənt] *a.* 불타고 있는, 불타는.

°**con·fla·gra·tion** [kὰnfləgréiʃən/kɔ̀n-] *n.* 큰불, 대화재; (전란·큰 재해 등의) 발생. ㊞ **cón·fla·grà·tive** [-tiv] *a.*

con·flate [kənfléit] *vt.* 융합하다, 섞다; (이본(異本)을 한가지로) 정리하다.

con·fla·tion [kənfléiʃən] *n.* 융접; 융합; 〖서지〗 이문융합(異文融合)《사본의 이본(異本)을 몇 가지 대교(對校)하여 하나로 정리하기》.

*__con·flict__ [kánflikt/kɔ́n-] *n.* Ⓒ,Ⓤ **1** (무력에 의한 비교적 장기간의) 싸움, 다툼, 투쟁, 전투; 분쟁: a ~ *of* arms 교전 / a ~ *between* two countries 두 나라 사이의 싸움. SYN. ⇨FIGHT. **2** (의견·사상·이해(利害) 등의) 충돌, 대립, 불일치, 쟁의; 알력, 마찰; 〖심리〗 갈등: Wall Street analysts often had ~*s* of interest on the stocks they were touting. 월 스트리트의 전문가들은 주식 매입을 권유할 경우 이해관계가 상충되곤 한다. **3** (일이) 양립하지 않음. ***come into ~ with*** …와 싸우다; …와 충돌〔모순〕되다. ***in ~***

with …와 충돌〔상충〕하여. **—** [kənflíkt] *vi.* **1** 투쟁하다《*with*》, 다투다. **2** 《+전+명》 충돌하다, 모순되다, 양립하지 않다《*with*》: His testimony ~*s with* yours. 그의 증언은 자네의 것과 어긋난다. ㊐ **con·flic·tion** [kənflíkʃən] *n.* U,C 싸움, 충돌. **con·flic·tive** [kənflíktiv] *a.*

con·flíct·ed [-id] *a.* 정신적 갈등을 지닌.

con·flíct·ing *a.* 서로 싸우는; 충돌하는, 일치하지 않는: ~ emotion 상반되는 감정. ㊐ **~·ly** *ad.*

cónflict of ínterest 이해(利害) 상충, (공무원 등의) 공익과 사리의 상충.

cónflict of láws 법률의 상충《주나 나라에 따라서 법률이 다를 경우의》.

con·flu·ence [kánfluəns/kɔ́n-] *n.* U,C (강 따위의) 합류(점)《*of*》; (사람 따위의) 집합, 군중; 〖생물〗 세포 배양으로 배양기(器) 바닥 전체가 한 켜의 세포로 덮이는 일.

cónfluence mòdel 〖사회〗 지적(知的)인 성장은 가족의 크기와 자녀의 출생 간격〔터울〕과 관련 있다는 학설.

con·flu·ent [kánfluənt/kɔ́n-] *a.* 합류하는, 만나 합치는; 〖의학〗 (여러 발진(發疹) 따위가) 융합성의, 유착(癒着)하는. **—** *n.* 합류하는 강; 속류(屬流), 지류(支流).

con·flux [kánflʌks/kɔ́n-] *n.* =CONFLUENCE.

con·fo·cal [kanfóukəl/kɔn-] *a.* 〖수학〗 초점이 같은, 초점을 공유하는.

°**con·form** [kənfɔ́:*r*m] *vt.* **1** 《+목+전+명》 (사회의 규범·관습 따위에) 적합〔순응〕시키다; 따르게 하다《*to; with*》: ~ oneself *to* the fashion 유행을 따르다. **2** 같은 모양〔성질〕이 되게 하다《*to*》. **—** *vi.* 《+전+명》 **1** 적합하다, 일치하다《*to*》; 따르다, 순응하다《*to*》; 〖영국사〗 국교(國敎)를 준봉하다: ~ *to* 〔*with*〕 the laws 법률에 따르다. **2** 같은 모양〔성질〕이 되다《*to*》: ~ in shape *to* another part 다른 부분과 형태가 같아지다. ◇ conformity *n.* ㊐ **~·ism** *n.* 체제 순응(주의).

con·fórm·a·ble *a.* 적합한, 일치된, 조화된《*to; with*》; 유순한《*to*》; 상사(相似)의(similar)《*to*》; 〖지학〗 (지층이) 정합(整合)의. ㊐ **-bly** *ad.* 일치하여; 유순히. **con·fòrm·a·bíl·i·ty** *n.* 일치(성).

con·for·mal [kənfɔ́:*r*məl] *a.* **1** 〖수학〗 등각의; 공형(共形)의: ~ geometry 공형 기하학. **2** 〖지도〗 정각(正角)〔등각〕(투영)의: a ~ map 등각 지도.

confórmal projéction (지도 제작의) 정각도법(正角圖法).

con·form·ance [kənfɔ́:*r*məns] *n.* U 적합, 일치, 순응《*to; with*》.

con·for·ma·tion [kànfɔ:*r*méiʃən/kɔ̀n-] *n.* U 구조(構造), 형태; U 적합, 일치; 〖화학〗 형태, (분자의) 배좌(配座); 〖지학〗 (지층의) 정합(整合). ㊐ **~·al** *a.* **~·al·ly** *ad.*

conformátional análysis 〖화학〗 형태 해석(形態解析).

con·fórm·er *n.* 순응자, 준봉자.

con·fórm·ist *n.* 준봉자(遵奉者); (종종 C-) 〖영국사〗 영국 국교도. cf. dissenter, nonconformist. **—** *a.* 체제 순응적인.

°**con·form·i·ty** [kənfɔ́:*r*məti] *n.* U 적합, 일치《*to; with*》; 상사(相似), 유사《*to; with*》; 준거, 복종; 순응주의《*with; to*》; 〖영국사〗 국교 신봉; 〖물리〗 정합(整合). ◇ conform *v.* ***in ~ with*** 〔***to***〕 …와 일치하여; …에 따라서.

*__con·found__ [kanfáund, kən-/kən-] *vt.* **1** 《~+목/+목+전+명》 혼동하다, 뒤죽박죽으로 하다《*with*》; 구별하지 못하다: ~ right and wrong 옳고 그름을 분간 못하다 / ~ means *with* end 수단을 목적과 혼동하다. **2** 논파(論破)하다; (계획·희망 등을) 깨뜨리다, 좌절시키다: ~ an imposter 사기꾼의 정체를 까발리다. **3** (아무를) 당황케 하다, 어리둥절케 하다: be ~*ed* at 〔by〕 the sight of …을 보고 당황하다. SYN. ⇨PERPLEX. **4** 《구어》 저주하다. ◇ confusion *n.*

Confound it 〔***you***〕***!*** =(***God***) ***~!*** 제기랄, 망할 놈.

con·fóund·ed [-id] *a.* **1** 〖서술적〗 혼란한; 당황한. **2** 《구어》 말도 안 되는, 터무니없는: a ~ lie 어처구니없는 거짓말. **3** 《구어》 화나는, 비위에 거슬리는. **—** *ad.* =CONFOUNDEDLY. ㊐ **~·ly** *ad.* 《구어》 지독하게, 엄청나게, 지겹게.

con·fra·ter·ni·ty [kànfrətə́:*r*nəti/kɔ̀n-] *n.* (종교·자선 사업 등의) 단체, (어떤 목적·직업 따위의) 조합, 결사.

con·frere [kánfrεə*r*/kɔ́n-] *n.* 《F.》 조합원, 회원; 동지; (전문 직업의) 동업자, 동료.

*__con·front__ [kənfrʌ́nt] *vt.* **1** 《~+목/+목+전+명》 …에 직면하다, …와 마주 대하다; …와 만나다《*with*》: I was ~*ed with* 〔*by*〕 a difficulty. 나는 어려움에 직면했었다 / He was ~*ed by* the lady at the gate. 그는 문 앞에서 그 부인(婦人)과 만났다. **2** (적·위험 따위에) 대항하다, …와 맞서다. **3** 《+목+전+명》 (아무를) 마주 대하게 하다, 맞서게 하다《*with*》; (법정에서) 대결시키다《*with*》; (증거 등을) 들이대다: ~ a person *with* evidence of his crime 아무에게 죄증을 들이대다. **4** 《+목+전+명》 대조하다, 비교하다《*with*》: ~ an account *with* another 한 계정을 다른 계정과 대조하다. ◇ confrontation *n.* ㊐ **~·er** *n.* **~·ment** *n.* =CONFRONTATION.

con·fron·ta·tion [kɑ̀nfrəntéiʃən, -frʌn-/kɔ̀nfrʌn-] *n.* U 직면, 조우(遭遇); (법정에서의) 대면, 대결; 대항, 대치: ~ policy 대결 정책. ㊐ **~·al** *a.*

còn·fron·tá·tion·ist *n.* 대결주의자. **—** *a.* 대결을 주장하는; 전통적 가치와 충돌하는. ㊐ **-ìsm** *n.*

confrontátion stàte 인접 적(대)국.

con·fro·talk [kɑ̀nfrətɔ̀:k] *n.* 찬부 대결 토론 프로그램.

Con·fu·cian [kənfjú:ʃən] *a.* 공자의; 유교의. **—** *n.* 유생(儒生). ㊐ **~·ìsm** *n.* U 유교. **~·ist** *n.* 유생.

Con·fu·cius [kənfjú:ʃəs] *n.* 공자(551-479 B.C.).

con fuo·co [kanfwɔ́:kou/kɔnfu:óukou] 《F.》 〖음악〗 정열적으로.

‡**con·fuse** [kənfjú:z] *vt.* **1** 《~+목/+목+전+명》 혼동하다, 헛갈리게 하다, 잘못 알다: ~ verse 〔liberty〕 *with* poetry 〔license〕 운문과 시를〔자유와 방종을〕 혼동하다. **2** (순서·질서 등을) 혼란시키다, 어지럽히다. **3** 〖보통 수동태〗 어리둥절케 하다, 혼란시키다, 당황케 하다. ◇ confusion *n.*

> SYN. **confuse** (머리를) 혼란시키다, 뭐가 뭔지 모르게 하다: *confuse* by giving contrary directions 모순되는 지시를 하여 혼란시키다. **disconcert** (마음속에 준비되어 있지 않은 것을 갑자기 끄집어내거나 하여) 잠시 어리둥절케 하다, 당황케 하다: *disconcert* by asking irrelevant questions 엉뚱한 질문을 하여 당황케 하다. **embarrass** 난처하게 하다, 거북하게 하다: *embarrass* by treating with rudeness 무례하게 사람을 다루어 당황케 하다.

be 〔***become, get***〕 ***~d*** ① 당황하다, 얼떨떨해하다《*at*》. ② …을 혼동하다《*with*》.

con·fúsed *a.* 당황한; 혼란한, 헛갈리는; 어리둥절한: a ~ explanation 뜻이 애매모호한 설명. ㊐ **-fú·sed·ly** [-zidli] *ad.* 당황〔혼란〕하여. **-fús·ed·ness** [-zidnis] *n.* 혼란 (상태).

confúsed èlderly 〚사회〛 늙어서 자활할 정신력을 상실한 (사람).

con·fús·ing *a.* 혼란시키는; 당황케 하는. ㊕ ～**·ly** *ad.*

‡**con·fu·sion** [kənfjú:ʒən] *n.* Ⓤ **1** 혼동 《*with; between*》. **2** 혼란 (상태), 분규; 착잡. **3** 당황, 얼떨떨함. ◇ confuse *v.* ***be in*** 〔***throw …into***〕 ～ 당황하다〔하게 하다〕; 혼란되어 있다〔시키다〕. ***Confusion !*** 《구어》 제기랄, 야단났군! ～ ***worse confounded*** 혼란에 또 혼란. ***covered with*** ～ 어쩔줄 몰라, 허둥지둥하여. ***drink*** ～ ***to*** …을 저주하여 잔을 들다. ㊕ ～**·al** [-ʒənəl] *a.*

con·fut·a·ble [kənfjú:təbəl] *a.* 논파〔논박〕할 수 있는.

con·fu·ta·tion [kɑ̀nfjutéiʃən/kɔ̀n-] *n.* Ⓤ 논파, 논박.

con·fut·a·tive [kənfjú:tətiv] *a.* 논파〔논박〕하는.

con·fute [kənfjú:t] *vt.* 논파〔논박〕하다; 찍소리 못하게 만들다(silence). ㊕ **-fút·er** *n.* 논박자.

Cong. Congregation(al); Congregationalist; Congress; Congressional.

con·ga [kɑ́ŋgə/kɔ́ŋ-] *n.* 콩가《아프리카에서 전해진 쿠바의 춤》; 그 곡; 그 반주에 쓰는 북(= ∠ **drùm**). ― *vi.* 콩가를 추다.

cónga lìne 지그재그 행진(snake dance).

cón gàme [kɑ́n-/kɔ́n-] 《구어》 =CONFIDENCE GAME; 《미속어》 유혹; 《미속어》 위법, 못된 짓; 《미속어》 손쉬운 벌이; 《구어》 신용 사기.

con·gé [kɑ́nʒei/kɔ́n-] *n.* 《F.》 (돌연한) 면직, 해임; 작별 (인사); 출발〔퇴거〕 허가. ***get*** one***'s*** ～ 해고되다. ***give*** a person his ～ 아무를 면직시키다. ***pour prendre*** ～ [pùərprɑ̃́:ndr-] 《F.》 (=to take leave) 작별 인사차《명함 아래쪽에 P.P.C.라고 약기(略記)함》. ***take*** one***'s*** ～ 작별 인사하다.

con·geal [kəndʒí:l] *vt., vi.* 얼(리)다, 응결시키다〔하다〕; 굳(히)다《고기·생선 기름 따위》; 생기를 잃(게 하)다《사상 따위》: Fear ～*ed* my blood. 무서워서 피가 얼어붙는 듯했다. ◇ congelation *n.* ㊕ ～**·a·ble** *a.* ～**·er** *n.* 응고시키는 것〔사람〕. ～**·ment** *n.* 동결, 응결.

con·gee [kɑ́ndʒi:/kɔ́n-] *n.* =CONGÉ. ― *vt.* 《드물게》 …에게 작별 인사하다.

con·ge·la·tion [kɑ̀ndʒəléiʃən/kɔ̀n-] *n.* Ⓤ 동결, 응결; Ⓒ 동결물, 응결물, 엉긴 덩이; 동상(凍傷). ◇ congeal *v.*

con·gel·i·frac·tion [kəndʒèləfrǽkʃən] *n.* 〚지학〛 컨젤리프랙션《암석 틈의 물이 얼어서 부서지는 현상》.

con·ge·ner [kɑ́ndʒənər/kɔ́n-] *n.* 동종의 동식물, 동류(同類)의 사람《*of*》. ― *a.* 동종의, 동류의《*to*》.

con·ge·ner·ic [kɑ̀ndʒənérik/kɔ̀n-] *a.* 관련이 있는; 동속(同屬)의, 동종의, 동류의.

con·gen·er·ous [kəndʒénərəs] *a.* =CONGENERIC; 〚해부〛 협동 작용의: ～ muscles 협동근.

◇**con·gen·ial** [kəndʒí:njəl] *a.* **1** 같은 성질의, 마음이 맞는, 같은 정신의, 같은 취미의《*with; to*》: ～ company 뜻이 맞는 동지 / ～ *to* one's tastes 취미에 맞는. **2** (건강·취미 따위에) 적합한《*to*》, 기분 좋은, 쾌적한《*to*》: a climate ～ *to* one's health 건강에 적합한 풍토. **3** 붙임성 있는, 인상이 좋은: a ～ host. ◇ congeniality *n.* ㊕ ～**·ly** *ad.*

con·ge·ni·al·i·ty [kəndʒì:niǽləti] *n.* Ⓤ,Ⓒ (성질·취미 등의) 합치《*in; between*》; 적응〔적합〕성《*to; with*》; 쾌적함.

con·gen·ic [kəndʒénik] *a.* 유사(類似) 유전자형〔성〕의.

con·gen·i·tal [kəndʒénətl] *a.* **1** (병·결함 등) 타고난, 선천적인《*with*》: ～ deformity 선천적 불구자. **2** 《구어》 손 쓸 도리가 없는, 전적인: a ～ idiot 순 천치. ㊕ ～**·ly** *ad.* 선천적으로.

cón·ger (**èel**) [kɑ́ŋgər-/kɔ́ŋ-] 〚어류〛 붕장어류(類).

con·ge·ries [kandʒíəri:z, kɑ́ndʒəri:z/kɔn-dʒíəri:z] (*pl.* ～) *n.* 모인 덩어리, 집괴(集塊), 퇴적.

◇**con·gest** [kəndʒést] *vt.* …에 충만시키다; 가득 채워 넣다; 혼잡하게 하다; 정체시키다; 〚의학〛 충혈〔울혈〕시키다; (코가) 막히게 하다: The traffic is ～*ed.* 교통이 혼잡하다. ― *vi.* 붐비다, 그득 차다; 모이다; 〚의학〛 충혈〔울혈〕하다. ◇ congestion *n.*

con·gést·ed [-id] *a.* (사람·교통 등이) 혼잡한; 밀집한; (화물 등이) 정체한; 〚의학〛 울혈〔충혈〕된: a ～ area 〔district〕 인구 과밀 지역.

◇**con·ges·tion** [kəndʒéstʃən] *n.* Ⓤ 혼잡, 붐빔; (인구) 과잉, 밀집; (화물 등의) 폭주; 〚의학〛 충혈, 울혈: the ～ of cities 도시의 과밀화 / ～ of traffic 교통의 혼잡 / ～ of the brain 뇌충혈. ◇ congest *v.*

con·ges·tive [kəndʒéstiv] *a.* 〚의학〛 울혈〔충혈〕의.

congéstive héart fàilure 〚의학〛 울혈성 심부전(心不全).

con·glo·bate [kanglóubeit, kɑ́ŋgloubèit/kɔ́ŋgloubèit] *a.* 공 모양의, 둥그런. ― *vt., vi.* 공 모양으로 하다; 공 모양이 되다. ㊕ **còn·glo·bá·tion** *n.* 구형화(球形化); 구상체(球狀體).

con·globe [kanglóub/kɔn-] *vt., vi.* =CONGLOBATE.

con·glo·bu·late [kənglóubjəlèit] *vi.* 구상(球狀)으로 모이다. ㊕ **con·glò·bu·lá·tion** *n.* 구상화〔체〕(球狀化〔體〕).

con·glom·er·a·cy [kənglɑ́mərəsi/-glɔ́m-] *n.* (거대) 복합 기업의 형성.

con·glom·er·ate [kənglɑ́mərət/-glɔ́m-] *a.* 밀집하여 뭉친, 뭉치어 덩이진, 집괴(集塊)를 이루는; 복합적인; 〚지학〛 역암질(礫岩質)의. ― *n.* 집성체, 집괴, 집단; 〚지학〛 역암; 〚경제〛 (거대) 복합 기업. ― [-rèit] *vt., vi.* 모아서 굳히다, 결합시키다; 집괴〔덩이〕를 이루다, 결합하다. ㊕ **con·glom·er·at·ic, -er·it·ic** [kənglɑ̀mərǽtik/-glɔ̀m-], [-ərítik] *a.* 〚지학〛 역암성〔집괴성〕의. **-glóm·er·à·tor** *n.* =CONGLOMERATEUR.

conglómerate integràtion 〚경영〛 (기업의) 다각적 통합.

con·glom·er·a·teur, -teer [kənglɑ̀mərətə́:r/-glɔ̀m-], [-tíər] *n.* (거대) 복합 기업 경영자.

con·glom·er·a·tion [kənglɑ̀məréiʃən/-glɔ̀m-] *n.* Ⓒ 덩이, 혼합〔집합〕물; Ⓤ (인가(人家) 등의) 모임, 밀집.

con·glu·ti·nant [kənglú:tənənt] *a.* 교착〔유착〕하는; 〚의학〛 (상처의) 치유를〔유착을〕 촉진하는.

con·glu·ti·nate [kənglú:tənèit] *vt., vi.* 교착(膠着)시키다〔하다〕, 유착시키다〔하다〕. ― *a.* 교착〔유착〕한, 유합(癒合)한. ㊕ **con·glù·ti·ná·tion** *n.* Ⓤ 교착; 유착. **conglú·ti·nà·tive** [-nèitiv, -nə-] *a.* 교착성의.

Con·go [kɑ́ŋgou/kɔ́ŋ-] *n.* **1** (the ～) 콩고 강 (= ∠ **Ríver**)《중부 아프리카의 강》. **2** (보통 the ～) **a** Zaire 의 구칭. **b** 콩고 인민 공화국《아프리카 중부에 있는 공화국; 공식명은 People's Republic of the Congo; 수도 Brazzaville》.

con·go *n.* =CONGOU.

Cóngo dỳe 〔**còlor**〕 인공 물감의 일종.

Con·go·lese [kɑ̀ŋgəlí:z/kɔ̀ŋ-] *n., a.* 콩고의, 콩고 말〔사람〕(의).

cóngo snàke 〔**èel**〕 뱀장어 비슷한 큰 도롱뇽류(類)《미국 남동부산(産)》.

con·gou [kɑ́ŋgu:/kɔ́ŋ-] *n.* 중국산 홍차의 일종.

con·grats, con·grat·ters [kəngrǽts], [kəngrǽtərz] *n. pl., int.* 《구어》 축하합니다.

con·grat·u·lant [kəngrǽtʃələnt] *a.* 축하의, 경하의. — *n.* 축하하는 사람.

con·grat·u·late [kəngrǽtʃəlèit] *vt.* 《~+목/+목+전+명/+목+that절》 축하하다, …에 축하의 말을 하다《*on*》; 〖~ oneself〗 …을 기뻐하다: I ~ you. 축하합니다 / We ~*d* him *on* his success. 그의 성공을 축하했다 / He ~*d* him*self that* he had found a job. 그는 일자리를 찾은 것을 기뻐했다. ◇ congratulation *n.*

con·grat·u·la·tion [kəngrӕtʃəléiʃən] *n.* 축하, 경하《*on*》; (*pl.*) 축사: It is a matter for ~ that... …은 기뻐할 일이다. ◇ congratulate *v.* ***Congratulations!*** 축하합니다. ***offer*** one's **~s** (***to***) (…에게) 축하 인사를 하다.

con·grat·u·la·tor [kəngrǽtʃəlèitər] *n.* 축하하는 사람, 경하자.

con·grat·u·la·to·ry [kəngrǽtʃələtɔ̀:ri/-təri] *a.* 축하의: a ~ address 축사 / send a ~ telegram 축전을 치다.

con·gre·gant [káŋgrigənt/kɔ́ŋ-] *n.* (남과 함께) 모이는 사람, 《특히》 회중(會衆)의 한 사람.

con·gre·gate [káŋgrigèit/kɔ́ŋ-] *vt., vi.* 모으다, 집합시키다; 모이다, 집합하다. — [-git] *a.* 모인, 집단(적)인.

cóngregate hóusing 반공동 주택《침실·거실은 각 세대 전용, 식당·오락실 등은 공동》.

con·gre·ga·tion [kὰŋgrigéiʃən/kɔ̀ŋ-] *n.* **1** 모이기; 모임; 집합, 회합; (종교적인) 집회; (교회의) 회중(會衆), 신도들. **2** (the C-) 〚성서〛 이스라엘 사람《전체》, 유대 민족(C- of the Lord); 〚가톨릭〛 (성청(聖廳) 안의) 성성(聖省). **3** (보통 C-) 《영》 (Oxford 대학의) 교직원 총회.

con·gre·ga·tion·al [kὰŋgrigéiʃənəl/kɔ̀ŋ-] *a.* 집회의, 회중(會衆)의; (C-) 조합(組合) 교회의: the *Congregational* Churches 조합 교회. ㊞ **~·ìsm** *n.* 조합 교회주의, 독립 교회제. **~·ist** *n.* 조합 교회원; 조합 교회주의자.

con·gre·ga·tive [káŋgrigèitiv/kɔ́ŋ-] *a.* 집합적인. ㊞ **~·ness** *n.* Ⓤ 집합.

con·gress [káŋgris/kɔ́ŋgres] *n.* **1** (대표자·사절·위원 따위의) 회의, 회합; 대의원회; 학술 대회: the annual ~ 연차 대회 / the Trades Union *Congress* 《미》 노동조합 총협의회. **2** (C-) Ⓤ 〖보통 무관사〗 의회, 국회《미국 및 라틴 아메리카 공화국의》; 국회의 개회기: in *Congress* 국회 개회 중 / Library of *Congress* 미국 국회 도서관. ★ 긴 형태인 *the Congress* of the United States of America에는 관사가 붙음. **3** 교제; 성교. ***the Congress of Industrial Organizations*** 《미》 산업별(別) 노동조합 회의《생략: C.I.O., CIO》. cf. AFL-CIO. — [kəngrés] *vi.* 참집(參集)하다. ◇ congressional *a.*

cóngress gàiters 〔**bòots**〕 (종종 C-) 《미》 복사뼈까지의 깊이로서 양쪽에 고무를 댄 남자용 부츠. cf. romeo.

con·gres·sion·al [kəngréʃənəl, kəŋ-/kɔŋ-] *a.* 회의의; 입법부의; (종종 C-) 《미》 의회의, 국회의: a ~ hearing 의회 청문회 / the *Congressional* Medal (of Honor) 《미》 명예 훈장《국회의 이름으로 대통령이 손수 수여하는 최고 훈장》.

congréssional dístrict 《미》 하원 의원 선거구(區).

Congréssional Récord 《미》 연방 의회 의사록.

congréssional stàffer 《미》 의회 스태프(의 한 사람).

cóngress·man [-mən] (*pl.* ***-men*** [-mən]) *n.* (종종 C-) 《미》 국회 의원, 《특히》 하원 의원.

cóngressman-at-lárge (*pl.* ***-men-at-lárge***) *n.* 《미》 (congressional district 선출에 대하여) 전주(全州) 1구 선출 하원 의원.

cóngress·pèrson (*pl.* ***-pèople***) *n.* (종종 C-) 《미》 하원 의원《남녀 공통어》.

cóngress·wòman (*pl.* ***-wòmen***) *n.* 《미》 여자 국회 의원《특히 하원의》.

con·gru·ence, -en·cy [káŋgruəns, kəngrú:əns/kɔ́ŋ-], [-si] *n.* 일치, 합치; 조화(성); 〚수학〛 합동(合同), 합동식.

con·gru·ent [káŋgruənt, kəngrú:-/kɔ́ŋ-] *a.* =CONGRUOUS.

con·gru·i·ty [kəngrú:əti, kan-, kəŋ-, kaŋ-/kən-, kəŋ-] *n.* Ⓤ 적합(성), 일치(점)《*between; with*》, 조화; 〚수학〛 합동(성).

con·gru·ous [káŋgruəs/kɔ́ŋ-] *a.* 일치하는, 적합한, 어울리는, 조화하는《*with; to*》; 〚수학〛 합동의. ㊞ **~·ly** *ad.* **~·ness** *n.*

con·ic [kánik/kɔ́n-] *a.* 원뿔의; 원뿔꼴의. — *n.* 원뿔 곡선; (*pl.*) 〚수학〛 원뿔 곡선론(論). ㊞ **cón·i·cal** [-kəl] *a.* 원뿔꼴의. **cón·i·cal·ly** *ad.* **co·nic·i·ty** [kanísəti/kɔ-], **cón·i·cal·ness** *n.*

con·i·coid [kánikɔ̀id/kɔ́n-] *n.* 〚수학〛 2차 곡면(曲面).

cónic projéction 〚지도〛 원뿔 도법.

cónic séction 원뿔 곡선; (~s) 《단수취급》 원뿔 곡선론〔기하학〕.

co·nid·i·um [kənídiəm] (*pl.* ***-dia*** [-diə]) *n.* 〚식물〛 (균류의) 분생자(分生子).

co·ni·fer [kóunəfər, kánə-/kóu-, kɔ́n-] *n.* 〚식물〛 구과(毬果) 식물《소나무류》, 침엽수.

co·nif·er·ous [kounífərəs] *a.* 구과(毬果)를 맺는, 침엽수의: a ~ tree 침엽수.

co·ni·form [kóunəfɔ̀:rm] *a.* 원뿔꼴의(conical).

co·ni·ine [kóunii:n, -ni:n] *n.* 〚화학〛 코닌《맹독성 알칼로이드》.

conj. conjugation; conjunction; conjunctive.

con·jec·tur·a·ble [kəndʒéktʃərəbəl] *a.* 추측할 수 있는.

con·jec·tur·al [kəndʒéktʃərəl] *a.* 추측적인, 억측의. ㊞ **~·ly** *ad.*

con·jec·ture [kəndʒéktʃər] *n.* 추측, 억측; (사본 따위의) 판독; 추론(推論): hazard a ~ 추측해〔헤아려〕 보다, 짐작으로 말하다. — *vt.* 《~+목/+*that* 절》 …을 추측〔억측〕하다: ~ the fact from... 그 사실을 …에서 추측하다 / I cannot ~ *that*... …라는 것을 추측할 수 없다. — *vi.* 추측하다, 짐작으로 말하다. cf. guess, surmise.

con·join [kəndʒɔ́in] *vt., vi.* 결합하다, 합치다; 합쳐지다. ㊞ **~ed** *a.* **~·er** *n.*

conjóined twíns =SIAMESE TWINS.

con·joint [kəndʒɔ́int] *a.* 잇닿은, 꼭 붙은, 결합한; 공동〔연대〕의. — *n.* (*pl.*) (특히 공동 재산 소유자로서의) 부부. ㊞ **~·ly** *ad.* 결합〔공동〕하여; 연대로. **~·ness** *n.*

con·ju·gal [kándʒəgəl/kɔ́n-] *a.* 부부(간)의; 혼인(상)의: ~ affection 부부애(愛) / ~ family 부부 가족, 핵가족. ㊞ **~·ly** *ad.* 부부로서.

con·ju·gal·i·ty [kὰndʒəgǽləti/kɔ̀n-] *n.* Ⓤ 혼인 (상태), 부부임, 부부 생활.

cónjugal ríghts 〚법률〛 부부 동거권〔성교권〕.

cónjugal vísit (죄수의) 배우자 면회《한 방에서 부부 둘만의 시간을 가질 수 있음》.

con·ju·gant [kándʒəgənt/kɔ́n-] *n.* 〚생물〛 접합 개체.

con·ju·gate [kándʒəgèit/kɔ́n-] *vt., vi.* **1** 〚문법〛 (동사를) 활용〔변화〕시키다; (동사가) 활용〔변화〕하다. **2** 교미〔교접〕하다; 〚생물〛 접합하다. — [kándʒəgət, -gèit/kɔ́n-] *a.* (쌍으로) 결합된; 〚식물〛 (한) 쌍의; 〚문법〛 동근(同根)의, 어원이 같은; 〚수학·물리〛 켤레의; 〚화학〛 =CONJUGATED; 〚생물〛 접합의: a ~ point 켤레점 / ~ angles 〔arcs〕 켤레각(角)〔호(弧)〕 / ~ foci 켤레 초점.

◇ conjugation *n.* — [kándʒəgət, -gèit/kɔ́n-] *n.* 〖문법〗 어원이 같은 말, 동근어(同根語); 〖수학〗 켤레. ㊕ **-ga·tive** [-gèitiv] *a.* **-ga·tor** [-gèitər] *n.*

cónjugate áxis 〖수학〗 켤레축.

cónjugate cómplex númbers 〖수학〗 켤레 복소수.

cón·ju·gàt·ed [-id] *a.* 〖화학〗 두 화합물의 결합으로 된, 복합의.

cónjugated prótein 〖생화학〗 복합 단백질.

cónjugate númbers 〖수학〗 켤레수.

còn·ju·gá·tion *n.* U,C **1** 〖문법〗 (동사의) 활용(活用), 어형 변화. ⇨《부록》 CONJUGATION: regular 〔irregular〕 ~ 규칙〔불규칙〕 변화 / strong 〔weak〕 ~ (동사의) 강〔약〕변화. **2** 결합, 배합; 〖생물〗 (세포의) 접합. ◇ conjugate *v.* ㊕ **~·al** *a.* **~·al·ly** *ad.*

con·junct [kəndʒʌ́ŋkt, kándʒʌŋkt/kən-, kɔ́n-] *a.* 결합된, 연결된; 공동의. — *n.* 결합한 것〔사람〕; 연합〔공동〕자. ㊕ **~·ly** *ad.*

°**con·junc·tion** [kəndʒʌ́ŋkʃən] *n.* **1** U 결합, 연결; 합동; 관련. **2** C 〖문법〗 접속사. **3** (사건 등의) 동시 발생; 〖천문〗 (행성 등의) 합(合), 회합, (달의) 삭(朔). ◇ conjunctive *a.* ***in* ~ *with*** …와 함께, …와 협력하여; …에 관련하여. ㊕ **~·al** *a.* 접속의, 접속사의. **~·al·ly** *ad.*

conjúnction-redùction *n.* 〖문법〗 등위구조 축약(等位構造縮約)《심층구조에서 등위접속사로 결합된 부분을 변형함》.

con·junc·ti·va [kàndʒʌŋktáivə/kɔ̀n-] (*pl.* ***-vas, -vae*** [-viː]) *n.* 〖해부〗 (눈알의) 결막. ㊕ **-val** [-vəl] *a.* 결막의.

con·junc·tive [kəndʒʌ́ŋktiv] *a.* 연결〔결합〕하는; 연결된, 결합된; 공동의; 〖문법〗 접속(사)적인. ◇ conjunction *n.* — *n.* 〖문법〗 접속사〔법〕. ㊕ **~·ly** *ad.* 결합하여, 접속적으로.

conjúnctive ádverb 〖문법〗 접속 부사《accordingly, also, besides 따위》.

con·junc·ti·vi·tis [kəndʒʌ̀ŋktəváitis] *n.* 〖의학〗 결막염. cf. conjunctiva.

con·junc·ture [kəndʒʌ́ŋktʃər] *n.* 국면, 사태; 위기, 비상사태; 《드물게》 결합: at 〔in〕 this ~ 이 (위급한) 때에.

con·jur·a·tion [kàndʒəréiʃən/kɔ̀n-] *n.* U,C 주술, 마법; 주문; 요술; 《고어》 기원, 서원, 탄원.

°**con·jure** [kándʒər, kʌ́n-/kʌ́n-] *vt.* **1** 마력(魔力)으로〔마법을 써서〕 …하다. **2** (마물·영혼 등을) 불러내다, 출현시키다《*up; away*》. **3** 《+목+부》 (마음에) 그려 내다, 생각해 내다《*up*》. **4** [kəndʒúər] 《+목+*to* do》 《문어》 …을 탄원하다, 기원하다: I ~ you *to* help me. 제발 나를 도와 주십시오. — *vi.* (주문으로) 악마를〔영혼을〕 불러내다; 마법〔요술〕을 쓰다. ***a name to* ~ *with*** 주문에서 외는 이름; 영향력 있는 이름. ~ ***away*** 마법으로 쫓아 버리다. ~ ***out*** 마술〔요술〕로 나오게 하다. ~ ***up*** 마법으로 불러내다; (상상으로) 만들어 내다, 출현시키다.

con·jur·er, -ju·ror [kándʒərər, kʌ́n-/ kʌ́n-] *n.* 마술사; 요술쟁이; 《구어》 아주 똑똑한 사람: He is no ~. 대단한 사람은 못 된다. 「(의).

cón·jur·ing [-dʒəriŋ] *n.* U, *a.* 요술〔마술〕

con·jury [kándʒəri, kʌ́n-] *n.* U 주술(呪術), 마법; 요술, 마술.

conk[1] [kaŋk/kɔŋk] 《속어》 *n.* 머리; 코; 머리〔코〕를 때리기. ***bust* one's ~** 열심히 일하다, 힘껏 하다. — *vt.* …의 머리〔코〕를 때리다. ~ a person ***one*** …에게 한 방 먹이다.

conk[2] 《구어》 *vi.* (기계가) 망그러지다《*out*》; 실신하다; 죽다《*out*》; 잠들다《*off; out*》.

conk[3] 《미속어》 *vt.* (흑인 등이 약품으로) 고수머리를 펴다. — *n.* (흑인 등의) 고수머리를 편 머리〔헤어스타일〕(process).

cónk-bùster *n.* 《속어》 싸구려 막술; 난제(難題); 지적(知的)인 사람〔흑인〕, 인텔리.

cónk·er *n.* 《영》 **1** (*pl.*) 도토리 놀이《실에 매단 도토리를 상대편 것에 부딪쳐서 깨뜨린 사람이 이김》. **2** =HORSE CHESTNUT.

cónk·òut *n.* 《미속어》 고장.

conky [káŋki/kɔ́ŋ-] *a.* (***conk·i·er; -i·est***) 《속어》 코가 큰. — *n.* 《속어》 코 큰 사람, 코주부.

cón màn 《구어》 =CONFIDENCE MAN. 「《별명》.

cón-mànnerism *n.* 사기꾼 같은 행위〔태도〕.

con·man·ship [kánmənʃip/kɔ́n-] *n.* 《구어》 사기꾼의 솜씨.

con mo·to [kanmóutou/kɔn-] 《It.》 〖음악〗 콘모토, 발랄하게.

conn [kan/kɔn] *vt.* =CON².

Conn. Connacht; Connecticut.

Con·nacht [kánɔːt/kɔ́n-] *n.* 코노트《아일랜드 공화국의 북서부 지역; 생략: Conn.》.

con·nate [káneit/kɔ́n-] *a.* 타고난, 선천적인; 쌍생의, 동시 발생의; 혈족 관계의; 〖식물〗 합착(合着)의, 합생(合生)의. ㊕ **~·ly** *ad.* **~·ness** *n.*

con·nat·u·ral [kənǽtʃərəl, kan-/kɔn-] *a.* 타고난, 생래(生來)의, 고유의《*to*》; 같은 성질의, 동종의. ㊕ **~·ly** *ad.*

‡**con·nect** [kənékt] *vt.* **1** 《~+목/+목+전+명》 잇다, 연결하다《*with; to*》: ~ this wire *to* 〔*with*〕 that 이 철사를 그것에 잇다. SYN. ⇨ JOIN. **2** 《~+목/+목+전+명》 연락시키다; 〖전화〗 잇다, 접속하다: You are ~*ed*. 〖전화〗 (상대가) 나왔습니다(《미》 You're through.) / ~ two towns *by* a railroad 두 읍을 철도로 연락시키다 / Will you please ~ me *with* Mr. Jones? 존스씨를 대 주시오. **3** 《~+목/+목+전+명》 〖보통 수동태 또는 ~ oneself〗 (사업 따위로) …을 (…와) 관계시키다; (결혼 따위로) …을 (…와) 인척(姻戚) 관계로 하다《*with*》: I am distantly ~*ed with* the family. 그 집안과는 먼 일가가 된다 / He ~*s* him*self with* the firm. 그는 그 회사에 관계하고 있다. **4** 《+목+전+명》 …을 연상하다, 결부시켜 생각하다《*with*》: ~ prosperity *with* trade 번영을 무역과 결부시켜 생각하다. **5** (논설 따위의) 조리를 세우다, 시종일관되게 하다. — *vi.* **1** 《+전+명》 이어지다, 연속〔접속(接續)〕하다《*with*》: My room ~*s with* his. 내 방은 그의 방에 이어져 있다. **2** 《+전+명》 (기차·비행기 등이) 접속하다, 연락하다《*with*》: This train ~*s with* another at Albany. 이 열차는 올버니에서 딴 열차와 접속한다. **3** 《+전+명》 (문맥·말·생각 따위가) 연결되다, 연락하고 있다, 관련되다: This paragraph doesn't ~ *with* the others. 이 구절은 다른 구절과 연결이 안 된다. **4** 《미속어》 마약·대마초 등을 사다. **5** 《구어》 〖야구〗 강타하다《*for*》; 〖경기〗 득점과 연결하다. **6** 《미속어》 마음이 통하다, 서로가 이해하다. **7** 《미속어》 잘 하다, 성공하다《*for*》; 《미속어》 꼭 맞다, 합치되다. ◇ connection *n.* ~ ***up*** (가스·전기·전화 등을 본관·간선 따위에) 접속시키다《*to*》. ㊕ **~·a·ble, ~·i·ble** *a.*

con·néct·ed [-id] *a.* 이어진, 연락〔연고, 관계〕 있는: be well ~ 좋은 연줄을 갖고 있다, 집안이 좋다 / a ~ account 조리 있는 설명. ㊕ **~·ly** *ad.* **~·ness** *n.*

con·néct·er *n.* =CONNECTOR.

Con·nect·i·cut [kənétikət] *n.* 코네티컷《미국 북동부의 주(州); 생략: Conn., CT》.

connécting ròd 〖기계〗 커넥팅 로드, 연접봉.

‡**con·nec·tion,** 《영》 **-nex·ion** [kənékʃən] *n.* **1** U,C 연결, 결합; 접속. **2** U,C (인과적·논리적) 관계, 관련; (문장의) 전후 관계, 앞뒤: the

~ *between* crime and poverty 범죄와 빈곤의 관계. **3** U,C (흔히 *pl.*) (열차·비행기 등의) 연락, 접속: There are good ~*s between* buses in Seoul. 서울에선 버스의 접속이 잘 된다. **4** U,C (인간 상호의) 관계; 교섭, 교제; 성교; 연고(緣故), 연줄; (보통 *pl.*) 연고 관계의 사람, 친척(관계): a ~ of mine 나의 연고자 / an intimate ~ 가까운 친척 / form a ~ *with* …와 관계를 맺다 / cut 〔break off〕 one's ~ *with* …와 관계를 끊다 / ⇨ CRIMINAL CONNECTION. **5** 거래처, 단골: a business with a good ~ 좋은 단골이 있는 장사. **6** U,C 연락 장치, (기계·도관 등의) 연접(부), (전신·전화의) 연결; 회로; 통신 수단. **7** 단체, 교파. **8** 《속어》 마약 밀매인; (마약 따위의) 밀수 조직〔경유지〕; (비밀의) 범죄 조직. ◇ connect *v.* ***be in*** ~ 연관되어 있다; 전화가 이어져 있다: You *are in* ~. 전화가 연결됐습니다. ***enter into a*** ~ ***with*** …와 관계를 맺다. ***establish*** (***a***) ~ 연락을 짓다; 단골을 만들다. ***get*** 〔***miss***〕 ***a*** ~ ***with*** …와 연락하다〔연락이 끊어지다〕. ***have a*** ~ ***with*** …와 관계가 있다, …와 정교를 맺다. ***in*** ~ ***with*** … 와 관련하여; …에 관한; …와 연락하여. ***in this*** ~ 이와 관련하여, 이 점에 대해서. ***of good*** ~***s*** 좋은 친척이 있는. ***take up*** one's ~***s*** 《미속어》 대학을 나오다. ㊞ ~**·al** [-əl] *a.* 연락〔접속〕의, 관계의.

con·néc·tion·ìsm *n.* 〖심리〗 결합설《인공 지능 컴퓨터 이론의 모델이 됨》.

connéction-óriented [-id] *a.* 〖컴퓨터〗 (데이터 통신에서) 송신할 때마다 그때그때 수신처와의 접촉을 확립하는.

connéction pòint 〖컴퓨터〗 접속 포인트, 액세스 포인트《네트워크에 접속하려는 개개의 사용자가 전화 회선을 통해 직접 접속하는 컴퓨터》.

connéction tìcket 바꿔 탈 수 있는 차표.

con·nec·tive [kənéktiv] *a.* 연결하는, 접속의. ── *n.* 연결물, 연계(連繫); 〖문법〗 연결사《접속사·관계사·전치사 따위》. ㊞ ~**·ly** *ad.* 연결하여, 접속적으로. **còn·nec·tív·i·ty** *n.* 〖컴퓨터〗 상호 통신 능력.

connéctive tìssue 〖해부〗 결합 조직.

con·nec·tor [kənéktər] *n.* 연결하는 것; (철도 차량의) 연결기(coupling), 연결수; 연결물; 연결관; 〖전기〗 접속용 소켓; 〖전화〗 접속기; 〖컴퓨터〗 이음기, 연결기.

connéct tìme 〖컴퓨터〗 접속 시간《이용자가 온라인 데이터베이스를 사용하고 있는 시간》.

connexion 《영》 ⇨ CONNECTION.

Con·nie [káni/kɔ́n-] *n.* 코니《여자 이름; Constance의 애칭》. 「con².

cón·ning tòwer (군함·잠수함의) 사령탑. cf.

con·nip·tion [kənípʃən] *n.* (종종 *pl.*) 《미구어》 발작적 히스테리〔격노〕(= ∠ **fit**).

con·niv·ance, -van·cy [kənáivəns], [-i] *n.* U 묵허(默許), 묵과, 못 본 체함, 간과《*at; in*》; (범죄의) 묵인. ***in*** ~ ***with*** …와 공모하여.

con·nive [kənáiv] *vi.* 눈감아 주다, 묵인하다《*at*》; 공모〔묵계〕하다, 서로 짜다《*with*》.

con·niv·ence [kənáivəns] *n.* = CONNIVANCE.

con·niv·er [kənáivər] *n.* 묵인자, 눈감아 주는 사람.

◇**con·nois·seur** [kɑ̀nəsə́ːr, -súər/kɔ̀nisə́ː] *n.* (미술품 등의) 감식가; (그 방면의) 통달자, 전문가, 권위자《*of; in*》. ㊞ ~**·ship** *n.* U 감식안, 감정업.

con·no·ta·tion [kɑ̀nətéiʃən/kɔ̀n-] *n.* U,C **1** 함축, 언외지의(言外之意). **2** 〖논리〗 내포. opp *denotation*.

con·no·ta·tive [kánətèitiv, kənóutə-/kɔ́nətèi-, kənóutə-] *a.* 함축 있는, 암시하는《*of*》; 〖논리〗 내포적. opp *denotative*. ¶ a ~ sense 언외(言外)의 뜻. ㊞ ~**·ly** *ad.*

con·note [kənóut] *vt.* **1** (말이) 언외(言外)의 뜻을 갖다〔품다〕《mother(어머니)라는 말은 '자애'를 암시하는 따위》; 《구어》 의미하다. **2** 〖논리〗 내포하다. opp *denote*.

con·nu·bi·al [kənjúːbiəl/-njúː-] *a.* 결혼(생활)의; 부부의, 배우자의. ㊞ ~**·ly** *ad.* 혼인상; 부부로서. **con·nù·bi·ál·i·ty** [-biǽləti] *n.* U 혼인, 결혼 생활; 부부 관계.

co·no·dont [kóunədɑ̀nt, kán-/kóunədɔ̀nt, kɔ́n-] *n.* 코노돈트《고생대에 절멸한 무척추동물의 미(微)화석; 지층의 순서와 연대 결정에 도움이 됨》. 「학」 원뿔곡선체; 첨원체(尖圓體).

co·noid [kóunɔid] *a.* 원뿔 모양의. ── *n.* 〖수

co·noi·dal [kounɔ́idl] *a.* = CONOID.

*****con·quer** [káŋkər/kɔ́ŋ-] *vt.* **1** (무력으로) 정복하다, (적을) 공략하다. SYN. ⇨ DEFEAT. **2** (명성·애정 따위를) 획득하다. **3** (역경·곤란·격정·유혹·버릇 따위를) 극복하다, …을 이겨내다; 억제하다: ~ a peak 정상을 정복하다 / ~ a bad habit 나쁜 버릇을 타파하다. **4** (이성을) 따르게 하다. ── *vi.* 승리를 얻다, 이기다: Justice will ~. 정의는 이긴다. ◇ conquest *n.* ㊞ ~**·a·ble** [-rəbəl] *a.* 정복 가능한, 이겨낼 수 있는; 타파할 수 있는. ~**ed** *a.* 정복된, 패한: the ~*ed* 패자.

*__con·quer·or__ [káŋkərər/kɔ́ŋ-] *n.* 정복자; 승리자, 극복자; (the C-) 〖영국사〗 정복왕 William I세《1066 년 영국을 정복한 Normandy 공》. ***play the*** ~ 《구어》 결승전을 하다.

*__con·quest__ [kánkwest, káŋ-/kɔ́ŋ-] *n.* **1** U 정복 《*of*》. SYN. ⇨ TRIUMPH. **2** C 획득; 이성〔애정〕의 획득. **3** C 획득물; 전리품, 정복지; 애정에 끌린 이성. **4** (the C-) = NORMAN CONQUEST. ◇ conquer *v.* ***make*** 〔***win***〕 ***a*** ~ ***of*** …을 정복하다; …의 애정을 획득하다.

con·qui·an [káŋkiən/kɔ́ŋ-] *n.* U 카드놀이의 일종《rummy와 비슷하며 두 사람이 함》.

con·quis·ta·dor [kankwístədɔ̀ːr, kaŋ-/kɔn-, kɔŋ-] (*pl.* ~***s***, **-do·res** [-kwìstədɔ́ːris, -kì(ː)s-]) *n.* 정복자(conqueror), 《특히》 16세기에 멕시코·페루를 정복한 스페인 사람.

Con·rad [kánræd/kɔ́n-] *n.* 콘래드. **1** 남자 이름. **2 Joseph** ~ 폴란드 태생의 영국 해양 소설가(1857–1924).

Con·rail [kánrèil/kɔ́n-] *n.* 콘레일《미국 동부·중서부 통합 화물 철도 공사》. [◂ *Consolidated Rail Corporation*]

Cons., cons. consolidated; consonant; constitutional; construction; constable; Constitution; Consul.

con·san·guine [kansǽŋgwin/kɔn-] *a.* = CONSANGUINEOUS.

con·san·guin·e·ous [kɑ̀nsæŋgwíniəs/kɔ̀n-] *a.* 혈족의, 혈연의, 동족의: ~ marriage 혈족 결혼, 근친혼. ㊞ ~**·ly** *ad.*

con·san·guin·i·ty [kɑ̀nsæŋgwínəti/kɔ̀n-] *n.* U 혈족 (관계); 밀접한 관계〔결합〕.

‡**con·science** [kánʃəns/kɔ́n-] *n.* U,C **1** 양심, 도의심, 도덕 관념: qualms of ~ 양심의 가책 / a case 〔matter〕 of ~ 양심이 결정할 일 / a bad 〔guilty〕 ~ 떳떳치 못한 마음 / a good 〔clear〕 ~ 떳떳한 마음 / the freedom 〔liberty〕 of ~ 신고〔양심〕의 자유. **2** 의식, 자각. ◇ conscientious *a.* ***for*** ~(′) ***sake*** 양심에 걸려, 양심 때문에; 핑계〔위안〕 삼아; 제발. ***have ... on*** one's ~ …을 꺼림칙해 하다, …을 떳떳하지 않게 생각하다. ***have the*** ~ ***to*** do 뻔뻔스럽게도 …하다, 태연히 …하다. ***in*** (***all***) ~ 《구어》 ① 양심에 비추어, 도의상. ② 확실히, 꼭(surely). ***keep***

a person's ~ 양심에 부끄럽지 않은 행동을 하게 하다. ***My ~!*** 저런 맙소사. ***on* 〔*upon*〕 one's ~** 양심에 걸고 (맹세하다), 기필코. ***sleep on a calm ~*** 마음 편히 자다. ***with an easy* 〔*a good, a safe*〕 ~** 안심하고.

cónscience clàuse 〖영법률〗 양심 조항《신교의 자유 등을 규정》.

cónscience invèstment 양심적 투자《일정한 윤리적 기준을 충족시키는 경영을 하는 회사의 주식에만 투자하는 것》.

cón·science·less *a.* 비양심적인, 파렴치한.

cónscience mòney 보상의 헌금; 회오금(悔悟金)《탈세자 등이 뉘우치고 익명으로 국고에 납입하는 돈》.

cónscience-smìtten, -strùck *a.* =CONSCIENCE-STRICKEN. 「에 꺼림칙한.

cónscience-strìcken *a.* 양심에 찔린, 마음

◇**con·sci·en·tious** [kὰnʃiénʃəs/kɔ̀n-] *a.* 양심적인, 성실한; 실직(實直)〔근직(謹直)〕한; 신중한; 공들인. ◇ conscience *n.* ㊞ **~·ly** *ad.* **~·ness** *n.*

consciéntious objéctor (종교적 · 도의적 신념에 따른) 양심적 병역 거부자《생략: C.O.》.

con·sci·en·ti·za·tion [kὰnʃièntizéiʃən/kɔ̀nʃièntaiz-] *n.* (라틴 아메리카의) 무지한 대중 의식 고양 운동.

con·scion·a·ble [kánʃənəbəl/kɔ́n-] 《고어》 *a.* 양심적인; 바른, 정당한. ㊞ **-bly** *ad.*

⁑**con·scious** [kánʃəs/kɔ́n-] *a.* **1** 의식〔자각〕하고 있는, 알고 있는《*of; that*》. OPP *unconscious.* ¶ He is ~ *of* his own faults. 그는 자기의 결함을 알고 있다. **2** 의식적인: with ~ superiority 우월감을 갖고 / a ~ liar 나쁜 줄 알면서 거짓말하는 사람. **3** 지각〔의식〕 있는, 제정신의: become ~ 제정신이 들다. **4** 자의식이 강한, 사람 앞임을 의식하는: a ~ smile (겸연쩍은) 억지 웃음 / speak with a ~ air (남을 의식하여) 조심스럽게 말하다. **5** 〔복합어로 쓰여〕 …의식이 있는: class-~ 계급의식에 눈뜬. **—** *n.* (the ~) 〖심리〗 의식. ㊞ **~·ly** *ad.* 의식적으로, 자각하여.

*__con·scious·ness__ [kánʃəsnis/kɔ́n-] *n.* Ⓤ **1** 의식, 자각; 알고 있음, 알아챔: class ~ 계급의식 / race ~ 민족의식 / lose 〔regain, recover〕 one's ~ 의식을 잃다〔되찾다〕. **2** 〖심리〗 의식, 지각: a stream of ~ 의식의 흐름. ***bring* a person *to ~*** 아무를 제정신이 들게 하다. ***~ of kind*** 동류의식. ***raise* one's ~** 정치적〔사회적〕 의식을 높이다.

cónsciousness-expànding *a.* 의식을 확대하는, 환각(幻覺)을 일으키는: ~ drugs 환각제, LSD.

cónsciousness-ràising *n.* **1** 자기 발견(법); (사회적 차별 문제에 대한) 의식 고양(법), 의식 확대. **2** 〔형용사적〕 의식 고양을 도모하는〔위한〕: ~ groups. ㊞ **-ràis·er** *n.*

cónscious pàrallelism 〖경영〗 (기업 간의) 의식적 평행 관계 유지 경영.

con·scribe [kənskráib] *vt.* 병적(兵籍)에 넣다, 징집하다; 제한하다.

con·script [kánskript/kɔ́n-] *a.* 병적에 등록된, 징집된: a ~ soldier 신병, 징집병. **—** *n.* 징집병. **—** [kənskrípt] *vt.* 군인으로 뽑다; 징집하다; 징용하다.

con·script·ee [kənskriptíː, kὰn-/kən-, kɔ̀n-] *n.* 《미구어》 징집자; 《특히》 신병.

cónscript fáthers (옛 로마의) 원로원 의원; 〔일반적〕 입법부〔국회〕 의원.

con·scrip·tion [kənskrípʃən] *n.* Ⓤ 징병 (제도), 모병; 〔집합적〕 징모병; 징발, 징집: ~ age 징병 적령 / the ~ system 징병 제도. ㊞ **~·al** *a.* **~·ist** *n.* 징병주의자. 「~ system.

con·scrip·tive [kənskríptiv] *a.* 징병의: the

*__con·se·crate__ [kánsəkrèit/kɔ́n-] *vt.* **1** 《~+목/+목+전+명》 신성하게 하다, 성화(聖化)하다; 〖가톨릭〗 (미사에서 빵과 포도주를) 성별(聖別)하다; 봉헌하다《*to*》; 성직에 임명하다: ~ a bishop / ~ a church *to* divine service 헌당(獻堂)하다. **2** 《+목+전+명》 (어떤 목적에) 바치다, 전념하다《*to*》: He ~*d* his life *to* church. 그는 교회를 위해 일생을 바쳤다. **3** (…을) 귀중〔신성〕하게 하다: a tradition ~*d* by time 예로부터 전해 온 귀중한 전통. **—** *a.* 《고어》 신에게 바쳐진; 신성한. ㊞ **-cràt·ed·ness** *n.* **-crà·tive** *a.*

còn·se·crá·tion *n.* Ⓤ 신성화, 정화《*of*》; (C-) 〖가톨릭〗 축성(祝聖); 성별(聖別)(식); (교회의) 헌당(식), 봉헌(식); 성직 수임; 헌신, 정진(精進).

con·se·cra·tor [kánsəkrèitər/kɔ́n-] *n.* 성별자(聖別者); 봉납자; 성직 수임자(受任者).

con·se·cra·to·ry [kánsəkrətɔ̀ːri/kɔ̀nsikréitəri] *a.* 신성하게 하는; 봉헌의.

con·se·cu·tion [kὰnsikjúːʃən/kɔ̀n-] *n.* Ⓤ 연속; 논리적 관련, 조리(條理); 〖문법〗 (시제 · 어법의) 일치(sequence).

◇**con·sec·u·tive** [kənsékjətiv] *a.* 연속적인, 잇따른; (논리적으로) 모순 · 비약이 없는, 시종일관된; 〖문법〗 결과를 나타내는; 〖음악〗 병행(竝行)의: It rained four ~ days. 나흘 계속해서 비가 왔다 / a ~ clause 〖문법〗 결과를 나타내는 부사절 / ~ fifths 〖음악〗 병행 5 도 / ~ numbers 연속〔일련〕번호. ㊞ **~·ly** *ad.* **~·ness** *n.*

consécutive íntervals 〖음악〗 병행 음정.

Con·seil d'É·tat [kɔːŋséideitáː] 《F.》 (le ~) (프랑스의) 국무원; (정부 행정에 대한) 민원(民怨) 조사관. 「Ⓤ 노쇠(老衰).

con·se·nes·cence [kὰnsənésəns/kɔ̀n-] *n.*

con·sen·su·al [kənsénʃuəl] *a.* 〖법률〗 합의에 의하여 성립된; 〖생리〗 교감성(交感性)의: a ~ marriage 합의 결혼. ㊞ **~·ly** *ad.*

con·sen·sus [kənsénsəs] *n.* Ⓤ (의견 · 증언 따위의) 일치; 〖법률〗 합의; 여론; 컨센서스; 〖생리〗 교감(交感): a ~ *of* opinion 의견의 일치; 세론. 「공통 배열.

consénsus sèquence 〖생화학〗 (핵산의)

*__con·sent__ [kənsént] *vi.* **1** 《~/+전+명/+*to* do/+*that* 절》 동의하다, 찬성하다, 승인하다, 허가하다《*to*》: ~ *to* a plan 계획에 동의하다 / ~ *to* give a lecture 강연할 것을 승낙하다 / He ~*ed that* an envoy should be sent. 특사를 보내는 것에 찬동했다. SYN. ⇨ AGREE. **2** 《고어》 동감하다. **—** *n.* **1** 동의, 허가, 승낙: Silence gives ~. 《속담》 침묵은 승낙의 표시 / give 〔refuse〕 one's ~ 승낙하다〔않다〕 / obtain a person's ~ 아무의 승낙을 얻다. **2** (의견 · 감정의) 일치. ***by common* 〔*general*〕 ~ =*with one* ~** 만장일치로, 이의 없이. ***withhold* one's ~** 승낙을 보류하다. ㊞ **~·er** *n.* **~·ing·ly** *ad.*

con·sen·ta·ne·ous [kὰnsentéiniəs/kɔ̀n-] *a.* 일치〔합치〕된《*to; with*》; 만장일치의; 협동의. ㊞ **~·ly** *ad.* **con·sen·ta·ne·i·ty** [kənsèntəníːəti] *n.* Ⓤ

consént decrèe 〖법률〗 동의 판결《법원의 승인을 얻어 소송의 당사자가 해결에 합의하는 것》.

consént fòrm 동의서.

con·sen·tience [kənsénʃəns] *n.* Ⓤ (감각적인) 의식의 일치, 일치감.

con·sen·tient [kənsénʃənt] *a.* 동의하는; 이의 없는, 만장일치의《*to*》.

consénting adúlt 《영》 동의(同意) 성인《법적으로 동성 연애〔호모 행위〕가 허용되는 21 세 이

상의 남자》; 《완곡어》 호모. 「상의 화해.
consént jùdgement 〖법률〗 화해 판결, 재판
‡**con·se·quence** [kánsəkwèns/kɔ́nsikwəns] *n.* **1** 결과; 결말: The ~ is *that* ... 그 결과는〔결론은〕 …이다. SYN. ⇨ RESULT. **2** 영향(력). **3** Ⓤ (영향의) 중대성, 중요함; (사람의) 사회적 지위〔중요성〕, 실력; 오만함, 자존(self-importance). **4** 〖논리〗 귀결, 결론. ***as a* ~ (*of*)** =***in* ~ (*of*)** …의 결과, …때문에. ***of* (*great*) ~** (매우) 중대〔중요〕한: a man *of* ~ 유력자. ***of little* 〔*no*〕 ~** 거의 〔전혀〕 대수롭지 않은. ***take* 〔*answer for*〕 *the* ~*s*** (자기 행동의) 결과를 감수하다〔책임지다〕. ***with the* ~ *that...*** 그 결과로서 당연히 …이 되다.
°**con·se·quent** [kánsəkwènt/kɔ́nsikwənt] *a.* 결과로서 일어나는《*on*》; (논리상) 필연의, 당연한; 모순 없는: This increase of the unemployed is ~ *on* the business depression. 실업자의 이러한 증가는 불경기의 당연한 결과이다. **—** *n.* **1** 잇따라 일어나는 일. **2** 결과, 귀결. **3** 〖논리〗 후건(後件). OPP *antecedent*. **4** 〖수학〗 (비(比)의) 후항(後項). ㊕ ‡**~·ly** *ad., conj.* 따라서, 그 결과로서.
con·se·quen·tial [kànsəkwénʃəl/kɔ̀n-] *a.* **1** 결과로서 일어나는, 수반하여 생기는, 간접의. **2** (논리상으로) 당연한, 필연의《*on*》; (논리의) 조리가 닿는, 일관성 있는. **3** 거드름 부리는, 젠체하는. **4** 중요한, 중대한. ㊕ **~·ly** *ad.* 그 결과로서, 필연적으로; 짐짓 젠체하여. **~·ness** *n.* **con·se·quen·ti·al·i·ty** [kànsəkwènʃiǽləti/kɔ̀n-] *n.*
consequéntial dámages 〖법률〗 간접 손해.
cón·se·quen·tial·ìsm *n.* 〖논리〗 결과주의《행위의 선악은 그 결과에 의하여 판단되어야 한다는 이론》. 「보험.
consequéntial lóss insùrance 간접 손해
con·sérv·a·ble *a.* 보존할 수 있는.
con·serv·an·cy [kənsə́ːrvənsi] (*pl.* **-cies**) *n.* Ⓤ (자연 등의) 보존, 보호, 관리; Ⓒ 《영》 (하천 등의) 관리 위원회〔사무소〕.
con·ser·va·tion** [kànsəːrvéiʃən/kɔ̀n-] *n.* Ⓤ (자연 · 자원의) 보호, 관리; 보존, 유지, 존속; 자연〔조수(鳥獸)〕 보호 지구; 보호 하천, 보안림. ◇conserve *v.* **~ *of charge 〖물리〗 전하(電荷) 보존. **~ *of energy*** 에너지 보존(설). **~ *of mass* 〔*matter*〕** 〖물리〗 질량(質量) 보존. **~ *of momentum*** 〖물리〗 운동량 보존. **~ *of nature*** 자연보호, 자연환경 보존. ㊕ **~·al** *a.* **~·ist** *n.* (자연 · 자원) 보호론자.
conservátion àrea (특수 건조물, 사적 등의) 보전 지구, 보호 관리 지구.
con·serv·a·tism [kənsə́ːrvətìzəm] *n.* Ⓤ 보수주의; 보수적 경향; (종종 C-)(영국 · 캐나다의) 보수당의 주의〔강령〕; 안전제일주의.
‡**con·serv·a·tive** [kənsə́ːrvətiv] *a.* **1** 보수적인, 보수주의의; 전통적인; 케케 묵은. OPP *progressive*. ¶ ~ politics 〔views〕 보수적인 정책〔의견〕. **2** (C-) 영국 보수당의. **3** 보존력 있는: ~ measure 〖법률〗 보전 처분. **4** 조심스러운, 신중한: a ~ estimate 줄잡은 어림. **5** (옷차림 등이) 수수한. **—** *n.* **1** 보수주의자, 보수적인 경향의 사람; (C-) 보수당원《특히 영국의》. **2** 《드물게》 보존력이 있는 것, 보존물, 방부제. ◇ conserve *v.* ㊕ **~·ly** *ad.* 보수적으로; 조심스레. **~·ness** *n.*
Consérvative Párty (the ~) 《영》 보수당. cf. Labour Party.
consérvative súrgery 〖의학〗 보존 외과《되도록 절제(切除)를 하지 않는》. 「화, 보수화.
consérvative swíng 〔shíft〕 〖정치〗 우경
con·serv·a·tize [kənsə́ːrvətàiz] *vt., vi.* (…을〔이〕) 보수화하다〔되다〕.
con·ser·va·toire [kənsə̀ːrvətwáːr, -ˊ-ˋ/ -ˊ-ˋ] *n.* 《F.》 (주로 프랑스의) 국립 음악〔미술, 연극〕 학교, 콩세르바투아르.
con·ser·va·tor [kənsə́ːrvətər, kánsər-vèitər/kɔ́nsəvèitə] (*fem.* **-trix** [-triks]) *n.* **1** 보호자. **2** (박물관 등의) 관리인; 《영》 (하천 따위의) 관리 위원; 《미》 (재산) 관리자, 후견인; (미성년자 · 백치 · 광인 등의) 보호자: a ~ of the peace 치안 위원, 보안관.
con·ser·va·to·ri·um [kənsə̀ːrvətɔ́ːriəm] *n.* 《Austral.》 =CONSERVATOIRE.
con·serv·a·to·ry [kənsə́ːrvətɔ̀ːri/-təri] *a.* 《드물게》 보존성의, 보존력이 있는. **—** (*pl.* **-ries**) *n.* **1** (전시용) 온실. **2** 음악〔미술, 연극, 예술〕 학교.
°**con·serve** [kənsə́ːrv] *vt.* **1** 보존하다; 보호하다: ~ one's strength for …에 대비하여 체력을 유지하다. **2** 설탕 절임으로 하다. ◇ conservation *n.* **—** [kánsəːrv, kənsə́ːrv/kənsə́ːrv, kɔ́nsəːrv] *n.* (흔히 *pl.*) (과일 따위의) 설탕 절임; 잼; 〖의학〗 당제(糖劑). ㊕ **consérv·a·ble** *a.*
con·shy, con·shie [kánʃi/kɔ́n-] *n.* = CONCHY.
‡**con·sid·er** [kənsídər] *vt.* **1** 《~+목/+*that* 절/+*wh.* 절/+*wh. to* do/+*-ing*》 숙고하다, 두루 생각하다, 고찰하다; 검토하다: ~ a matter in all its aspects 일을 여러 면에서 생각하다 / I ~ *that* he ought to help me. 그가 나를 도와야 할 것이라고 생각한다 / You must ~ *whether* it will be worthwhile. 그게 그만한 가치가 있는지를 생각해야 한다 / I ~*ed what to* buy there. 나는 그곳에서 무엇을 사야 할지 생각하였다 / I am ~*ing going* to London. 런던으로 갈까 생각하고 있다. SYN. ⇨ THINK.

> SYN. **consider** 주의 깊게 머릿속에서 검토하다: *consider* the cost before buying a new car 새 차를 사기 전에 비용을 검토하다. **reflect on** 반사하다→머릿속에서 곰곰 생각하다: *reflect on* one's virtues and faults 자기의 장점과 결점을 반성하다. **weigh** 무게를 재다→생각하여 헤아리다: *weigh* one's words 말을 주의하여 쓰다. **contemplate** 눈여겨보다→숙고하다: *contemplate* a problem.

2 《+목+*as* 보/+목+(*to be*) 보》 …을 …로 생각하다, (…로) 간주하다: I ~ him (*to be* 〔*as*〕) a coward. 나는 그를 겁쟁이라고 생각한다 / *Consider* it *as* done. 그것은 끝난 일로 생각해라. **3** …을 참작하다, 고려에 넣다: We should ~ his youth. 그의 젊음을 참작해야 할 것이다. **4** …에 주의를 기울이다, …을 염려하다: He never ~s others. 그는 남의 일은 전혀 생각지 않는다. **5** …을 존경하다, 존중하다: He is greatly ~*ed* by townsmen. 그는 읍민으로부터 매우 존경받고 있다. **6** (구입 · 채택)에 대해 고려하다: ~ an apartment 아파트를 살〔세들〕 생각을 하다. **7** 《고어》 …을 응시〔주시〕하다. **—** *vi.* **1** 고려〔숙고〕하다: Let me ~ a moment. 잠깐 생각케 해 다오. **2** 응시〔주시〕하다. ◇ consideration *n.* ***all things* ~*ed*** 만사를 고려하여, 결국.
‡**con·sid·er·a·ble** [kənsídərəbəl] *a.* **1** (사람이) 중요한, 유력한. **2** 고려할, 무시할 수 없는: a ~ personage 저명인사. **3** (수량이) 꽤 많은, 적지 않은; 상당한: a ~ number of students 상당수의 학생들 / to a ~ extent 대단히, 몹시, 아주. **—** *n.* 《미구어》 다량: A ~ *of* a trade was carried on. 상당한 거래가 이루어졌다 / by ~ 다량으로, 많이. **—** *ad.* 《미방언》 =CONSIDERABLY. ㊕ **~·ness** *n.*
***con·sid·er·a·bly** [kənsídərəbəli] *ad.* 적지

않게, 매우, 꽤, 상당히.

*__con·sid·er·ate__ [kənsídərət] *a.* **1** 동정심 많은, 인정이 있는, 잘 생각해 주는《*of*》: It is very ~ *of* you *to* do. …해 주셔서 정말 고맙습니다 [SYN.] ⇨ KIND[2]. **2**《고어》 사려 깊은. ◇ consider *v.* [파] **~·ly** *ad.* **~·ness** *n.*

__con·sid·er·a·tion__ [kənsìdəréiʃən] *n.* **1 [U] 고려, 숙려(熟慮), 고찰: after due ~ 충분히 고려한 끝에. **2** [U] (남에 대한) 동정, 참작, 헤아림《*for*》: Have more ~ *for* the old. 노인들에게 보다 더 동정심을 가지십시오. **3** [C] 행하, 보수, 팁; 〖법률〗 (계약상의) 약인(約因), 대가(對價). **4** [C] 고려의 대상, (고려할) 사정, 항목; 동기, 이유: Money is no ~. 돈은 문제가 아니다/That's a ~. 그것은 생각해 볼 일〔문제〕이다. **5** [U] 중요시, 경의, 존경. **6** [U] 중요성, 가치: men of ~ 상당한 지위의 사람들. ◇ consider *v.* ***have no ~ for*** …을 고려하지 않다, …을 마음에 두지 않다. ***in ~ of*** ① …을 고려하여: *in ~ of* his youth 연소함을 감안하여. ② …의 사례로서. ***leave ... out of ~*** …을 도외시하다. ***on*〔*under*〕 *no ~*** 결코 …않는: That's a thing I could do *on no* ~. 그런 일은 도저히 할 생각이 나지 않습니다. ***take ... into ~*** 고려에 넣다, …을 참작하다. ***treat** a person **with ~*** 아무를 정중히 대우하다. ***under ~*** 고려 중에〔의〕.

con·síd·ered *a.* **1** 충분히 고려한 끝의, 신중한: ~ judgment 숙려한 끝의 판단. **2**《드물게》 중히 여기는: highly ~ (one's) parents 매우 존경받고 있는 어버이.

*__con·sid·er·ing__ [kənsídəriŋ] *prep.* …을 고려하면, …을 생각하면; …에 비해서: She looks very young ~ her age. 그녀는 나이에 비해서는 퍽 젊어 보인다. ― *conj.* 〖보통 that을 수반하여〗 …임을 생각하면, …임에 비해서, …이니까: *Considering that* he is young, ... 그가 젊다는 것을 고려한다면…. ― *ad.*《구어》 그런대로, 비교적: He does very well, ~. 그는 그런대로 퍽 잘 한다.

con·si·glie·re [*It.* konsiʎʎέ:re] (*pl.* ***-ri*** [-ri]) *n.*《It.》 (마피아 두목의) 상담역, 법률 고문.

*__con·sign__ [kənsáin] *vt.* **1**《+[목]+[전]+[명]》 건네주다, 인도하다; 교부하다; 위임하다, (돈을) 맡기다《*to*》: ~ him *to* prison 교도소에 넣다/~ money *in* a bank 은행에 예금하다/~ one's soul *to* God 영혼을 신(神)에게 의탁하다《죽다》/~ a letter *to* the post 편지를 우송하다. **2**《~+[목]/+[목]+[전]+[명]》 〖상업〗 (상품을) 위탁하다《*for; to*》; 탁송하다: articles *~ed* 위탁품/~ goods *to* an agent 상품 판매를 대리점에 위탁하다. **3**《+[목]+[전]+[명]》 충당하다, 할당하다《*to*》: ~ a room *to* one's private use 방 하나를 자기의 전용으로 하다. ◇ consignation *n.* ***~ the body to the flames*〔*watery grave*〕** 시체를 화장〔수장〕하다. ***~ ... to oblivion*** …을 잊어버리다. [파] **~·a·ble** *a.* 위탁할 수 있는.

con·sig·na·tion [kànsignéiʃən/kɔ̀nsai-] *n.* 교부; (상품의) 위탁, 탁송; 공탁(供託): to the ~ of …을 수하인(受荷人)으로 하여, …앞으로.

con·sign·ee [kànsainí:/kɔ̀n-] *n.* (판매품의) 수탁자, 수탁 판매자; 수하인(受荷人).

con·síg·ner *n.* =CONSIGNOR.

con·síg·ment *n.* 〖상업〗 **1** [U] 위탁 (판매), 탁송(託送). **2** 적송품(積送品); 위탁 판매품(=∠ gòods). ***on ~*** =***on a ~ basis*** 위탁 판매로.

consígnment nòte (철도·항공편의) 화물 송장(送狀).

consígnment sàle 위탁 판매.

con·sign·or [kənsáinər] *n.* (판매품의) 위탁자, 적송인(積送人)(shipper), 하주.

con·sil·i·ence [kənsíliəns] *n.* [U] (추론의 결과 등의) 부합, 일치.

__con·sist__ [kənsíst] *vi.*《+[전]+[명]》 **1 (…으로) 되다, (부분·요소로) 이루어져 있다《*of*》: Water ~*s of* hydrogen and oxygen. 물은 수소와 산소로 되어 있다. **2** (…에) 존재하다, (…에) 있다《*in*》: Happiness ~*s in* contentment. 행복은 족함을 아는 데 있다. ★ '*consists of*'=is made of. '*consists in*'=is. **3** (…와) 양립하다, 일치하다《*with*》: Health does not ~ *with* intemperance. 건강과 부절제는 양립하지 않는다. **4**《고어》 (…에 의해) 존립하다. ― [kánsist] *n.* 〖철도〗 차량 편성.

◇__con·sist·en·cy, -ence__ [kənsístənsi], [-ns] *n.* [U] **1** (-cy) 일관성; 언행일치; 모순이 없음《*of; with*》. **2** 조화. **3** 농도, 밀도; 경도(硬度). **4** 견실함, 견고함.

*__con·sist·ent__ [kənsístənt] *a.* **1** (의견·행동·신념 등이) (…와) 일치〔양립〕하는; 조화된《*with*》: His views are ~ *with* his action. 그의 말과 행동은 일치하고 있다. **2** (주의·방침·언행 등이) 불변한, 견지하는, 시종일관된, 견실한《*in*》: An explanation must be ~. 설명은 시종일관해야 한다. **3** (성장 등이) 착실한, 안정된: ~ growth 착실한 성장. **4** 〖논리·수학〗 모순이 없는. [파] ◇**~·ly** *ad.* **1** 시종일관하게, 조리 있게, 모순 없이《*with*》: act ~*ly with* one's principles 자기의 소신에 따라서 일관성 있게 행동하다. **2** 언행일치하여, 지조 있게.

con·sis·to·ry [kənsístəri] *n.* 종교 법원 (회의실); 〖가톨릭〗 추기경 회의; (영국 국교의) 감독 법원(=**Consistory Cóurt**); (장로 교회의) 장로 법원. [파] **con·sis·to·ri·al** [kànsistɔ́:riəl/kɔ̀n-] *a.*

con·so·ci·ate [kənsóuʃièit] *vt., vi.* 연합〔합동〕시키다; 연합하다《*with*》. ― [kənsóuʃiət, -ʃièit] *a., n.* =ASSOCIATE.

con·sò·ci·á·tion *n.* [U] 연합, 제휴; [C] 〖종교〗 (조합 교회의) 협의회. [파] **~·al** *a.*

consol. consolidated.

con·sol·a·ble [kənsóuləbəl] *a.* 위안이 되는, 마음이 가라앉는.

◇__con·so·la·tion__ [kànsəléiʃən/kɔ̀n-] *n.* **1** [U] 위로, 위안: a letter of ~ 위문편지/find ~ in one's work 일에서 위안을 찾다. **2** [C] 위안이 되는 것〔사람〕. **3** 패자 부활전; 애석상(~ prize).

consolátion prìze 애석상(賞), 감투상.

consolátion ràce〔**màtch**〕 패자 부활전.

con·sol·a·to·ry [kənsálətɔ̀:ri/kənsɔ́lətəri] *a.* 위문의, 위로가 되는: a ~ letter.

*__con·sole__[1] [kənsóul] *vt.*《~+[목]/+[목]+[전]+[명]》 위로하다, 위문하다: I tried to ~ her, but in vain. 그녀를 위로하려 했으나 허사였다/~ oneself by thinking... …라고 생각하여 자위하다/~ a person *for* his misfortune 아무의 불행을 위로하다. [SYN.] ⇨ COMFORT.

con·sole[2] [kánsoul/kɔ́n-] *n.* **1** 〖건축〗 소용돌이꼴 까치발. **2** (파이프오르간의) 연주대(臺)《건반·페달 포함》; (전축·텔레비전 등의) 콘솔형 캐비닛; =CONSOLE TABLE. **3** 〖컴퓨터〗 콘솔《컴퓨터를 제어·감시하기 위한 장치》.

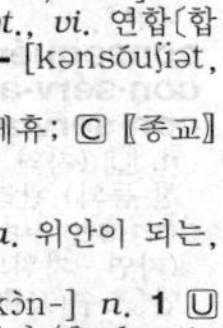

console[2] 1

cónsole mìrror〔**tàble**〕 까치발로 벽에 붙여 놓는 거울〔테이블〕.

con·so·lette [kànsəlét/kɔ̀n-] *n.* (라디오·텔레비전 등을 넣는) 소형 캐비닛.

con·sol·i·date [kənsálədèit/-sɔ́l-] *vt.* **1**《~+[목]/+[목]+[전]+[명]》 결합하다, 합체(合體)시

키다; (토지·회사·부채 따위를) 통합 정리하다: ~ one's estates 재산을 통합하다 / ~ two companies *into* one 두 회사를 하나로 합병하다. **2** 굳게 하다, 공고〔견고〕히 하다, 강화하다: ~ one's power 권력을 강화하다. **—** *vi.* 합병하다, 통합하다; 굳어지다. ㊎ **con·sól·i·dà·tive** *a.*

con·sól·i·dàt·ed [-id] *a.* 합병 정리된, 통합된; 고정〔강화〕된: a ~ ticket office 《미》 (각 철도의) 연합 차표 판매소 / a ~ balance sheet 연결 대차 대조표.

consólidated annúities 《영》 =CONSOLS.

consólidated fúnd (the ~) 《영》 정리 공채 기금《각종 공채 기금을 합병 정리한 것으로, 공채 이자 지급 기금》.

consólidated schòol 《미》 (몇 학구를 합병한) 연합 학교《주로 초등학교》.

con·sòl·i·dá·tion *n.* Ⓤ **1** 굳게 함; 터닦기; 강화. **2** 합동, 합병; (회사 등의) 정리 통합(cf. merger): ~ funds 정리 기금. **3** 〖식물〗 착생(着生); 〖의학〗 (폐(肺)조직의) 경화(硬化); 〖지학〗 석화(石化) (작용); 〖공학〗 소고(燒固), 압밀(壓密).

con·sol·i·da·tor [kənsálədèitər/-sɔ́l-] *n.* 굳게 하는 사람〔물건〕; 통합자〔물〕.

con·sol·i·da·to·ry [kənsálədətɔ̀ːri/-sɔ́lədətəri] *a.* 굳게 하는; 결합〔합병〕하는.

con·sol·ing [kənsóuliŋ] *a.* 위안이 되는.

con·sols [kánsalz, kənsálz/kɔ́nsɔlz, kənsɔ́lz] *n. pl.* 《영》 콘솔〔정리〕 공채(consolidated annuities) 《1751년 각종 공채를 정리해 만든 영구 공채》. 「성(共溶性)의.

con·sol·ute [kánsəlùːt/kɔ́n-] *a.* 〖화학〗 공용

con·som·mé [kànsəméi, ⌐-⌐/kənsɔ́mei, kɔ́nsɔmèi] *n.* 《F.》 〖요리〗 콩소메, 맑은 수프. cf. potage.

con·so·nance, -nan·cy [kánsənəns/kɔ́n-], [-i] *n.* Ⓤ 《비유》 협화(協和), 조화, 일치; 〖음악〗 협화(음); 〖물리〗 공명(共鳴). ***in* ~ *with*** …와 조화〔일치〕하여, …와 공명하여.

◇**con·so·nant** [kánsənənt/kɔ́n-] *a.* 일치하는, 조화하는《*with; to*》; 〖음악〗 협화음의; 〖음성〗 자음의; 〖물리〗 공명하는: behavior ~ with one's words 언행일치. **—** *n.* 〖음성〗 자음; 자음 글자; 협화음. ㊎ **~·ly** *ad.* 일치〔조화〕하여.

con·so·nan·tal [kànsənǽntl/kɔ̀n-] *a.* 자음의; 자음적인.

cónsonant shìft 〖음성〗 자음 추이(推移)《어느 언어의 발전 단계에서 자음 음소(音素)의 발음이 변화하는 것》. 「el system.

cónsonant sỳstem 〖언어〗 자음체계. cf. vow-

con sor·di·no [kansɔːrdíːnou/kɔn-] 《It.》 〖음악〗 약음기(mute)를 붙여서; 《비유》 조용히.

con·sort [kánsɔːrt/kɔ́n-] *n.* **1** (특히 국왕·여왕 등의) 배우자. cf. queen 〔prince〕 consort. **2** 《고어》 동료, 조합원. **3** 요선(僚船), 요함, 요정(僚艇). **4** 《고어》 일치, 조화; (특히 한 가족으로 구성된) 실내 악단, 합주단; 음의 협화. ***in* ~ (*with* ...)** (…와) 함께, 협동〔연합〕하여. **—** [kənsɔ́ːrt] *vi.* 《+전+명》 **1** 교제하다, 사귀다《*together; with*》: Do not ~ *with* thieves. 도둑과 사귀지 마라. **2** 일치하다, 조화하다: Pride does not ~ well *with* poverty. 자부심과 빈곤은 별로 걸맞지 않는다. **—** *vt.* …을 조화 있게 결합하다.

con·sor·ti·um [kənsɔ́ːrʃiəm, -tiəm/-tiəm] (*pl.* ***-tia*** [-ʃiə], **~*s***) *n.* 협회, 조합; (국제) 차관단, 채권국 회의; 〖법률〗 배우자권(權).

con·spe·cif·ic [kànspisífik/kɔ̀n-] *a.* 〖동물·식물〗 동일종의, 동종의. 「적요.

con·spec·tus [kənspéktəs] *n.* 개관; 개요,

con·spic·u·ous [kənspíkjuəs] *a.* **1** 눈에 띄는, 똑똑히 보이는: a ~ error 분명한 착오 / a ~ road sign 보기 쉬운 도로 표지. SYN. ⇨ EVIDENT. **2** 특징적인, 사람 눈에 띄는: He is ~ *by* his booming laughter. 그는 호탕하게 웃는 것이 특징이다. ***be* ~ *by its*** 〔one's〕 ***absence*** 그것이〔그 사람이〕 없는 것이 오히려 사람 눈을 끈다〔이상하다〕. ***make*** one***self*** **~** 사람 눈에 띄는 짓을 하다, 별나게 행동하다. ㊎ **~·ly** *ad.* **~·ness, con·spi·cu·i·ty** [kànspikjúːəti/kɔ̀n-] *n.*

conspícuous consúmption 〔**wáste**〕 〖경제〗 과시적 소비.

con·spír·a·cist *n.* 음모설 지지자.

◇**con·spir·a·cy** [kənspírəsi] *n.* Ⓤ,Ⓒ 공모, 모의; 음모, 모반《*against*》; 음모단; (사정 따위의) 겹침: in ~ 공모〔작당〕하여 / take part in ~ 한패에 가담하다. ◇ conspire *v.*

conspíracy of sílence 묵인〔묵살〕하자는 약조〔결탁〕.

conspíracy thèory 음모설《불가해한 사건 이면에는 음모가 개입되었다는 생각》. 「의; 협력.

con·spi·ra·tion [kànspəréiʃən/kɔ̀n-] *n.* 모

con·spir·a·tor** [kənspírətər] (*fem.* ***-tress [-tris]) *n.* 공모자; 음모자. ◇ conspire *v.*

con·spir·a·to·ri·al [kənspìrətɔ́ːriəl] *a.* 음모의, 공모의. ㊎ **~·ly** *ad.*

◇**con·spire** [kənspáiər] *vi.* **1** 《~/+전+명/+*to* do》 공모(共謀)하다, 작당하다; 음모를 꾸미다《*against*》; (…와) 기맥(氣脈)을 통하다《*with*》: ~ *with* …와 공모하다 / ~ *against* the state 〔a person's life〕 반란〔암살〕을 꾀하다 / They ~*d to* drive him out of the country. 그를 국외로 추방하려고 공모했다. **2** 《+*to* do》 협력하여 〔서로 도와〕 …하다, (같은 목적을 위해) 서로 협력하다; (어떤 결과를 초래하도록 사정이) 서로 겹치다, 일시에 일어나다: Events ~*d to* bring about his ruin. 여러 사건들이 어우러져 그의 파멸을 가져왔다. **—** *vt.* (음모를) 꾸미다, 꾀하다(plot): ~ his downfall 그의 실각(失脚)을 기도하다. ◇ conspiracy *n.*

con·spír·er *n.* =CONSPIRATOR.

con·spír·ing·ly *ad.* 공모하여; 기맥을 통하여.

con spir·i·to [kanspíritòu/kɔn-] 《It.》 〖음악〗 기운차게, 활기 있게(with spirit).

Const. Constantine; Constantinople.

const. constable; constant; constitution(al). **cons't** consignment.

◇**con·sta·ble** [kánstəbəl/kʌ́n-, kɔ́n-] *n.* 치안관; 《영》 순경; 경관(policeman); 〖영국사〗 중세의 고관; 성주(城主). ***the chief* ~** (지방 자치체) 경찰 본부장. ***the Constable of France*** 〖프랑스사〗 국내장관; (국왕 부재 중의) 총사령관; 원수(元帥). ***the Lord High Constable*** =(***High***) ***Constable of England*** 〖영국사〗 (중세의) 보안무관장(保安武官長); 시종 무관장《지금은 특별 의식 때 임명됨》. ㊎ **~·shìp** *n.* Ⓤ ~의 직〔지위, 임기〕.

con·stab·u·lar [kənstǽbjələr] *a.* =CONSTABULARY.

con·stab·u·lary [kənstǽbjəlèri/-ləri] *a.* 경찰관의. **—** *n.* 경찰〔보안〕대; 경찰(관구); 〖집합적〗 (한 지구의) 경찰관.

Con·stance [kánstəns/kɔ́n-] *n.* **1** 콘스턴스《여자 이름; 애칭: Connie》. **2** (the Lake (of) ~) 콘스턴스호《스위스·독일·오스트리아 국경에 있음; 독일명은 Bodensee》.

◇**con·stan·cy** [kánstənsi/kɔ́n-] *n.* Ⓤ **1** 불변성, 항구성. **2** 지조 견고; 절조, 성실; 정절.

****con·stant** [kánstənt/kɔ́n-] *a.* **1** 변치 않는, 일정한; 항구적인, 부단한. OPP *variable.* ¶ ~ attention 부단한 주의 / ~ temperature 정온, 항온(恒溫) / a ~ wind 항풍(恒風). SYN.

⇨ CONTINUAL. 2 (뜻 따위가) 부동의, 불굴의, 견고한. 3 성실한, 충실한: a ~ wife 정숙한 아내 / a ~ friend 충실한 친구. 4 《서술적》 (한가지를) 끝까지 지키는《*to*》. [SYN.] ⇨ SINCERE. — *n.* 1 불변의 것. 2 『수학·물리』 상수(常數), 불변수〔량〕, 항수, 계수, 율.

con·stant·an [kánstəntæ̀n/kɔ́n-] *n.* [U] 콘스탄탄《구리와 니켈의 합금; 전기 저항선에 씀》.

cónstant dóllar 고정〔불변〕 달러《인플레 부분을 제거한 실질 달러 가치; 기호 C$》.

Con·stan·tia [kɑnstǽnʃiə/kɔn-] *n.* [U] 포도주의 일종《Cape Town 부근산(産)》.

Con·stan·tine [kánstəntìːn, -tàin/kɔ́nstən-tàin] *n.* 1 콘스탄틴《남자 이름》. 2 ~ **the Great** 콘스탄티누스 대제(280? - 337).

Con·stan·ti·no·ple [kànstæntənóupəl/kɔ̀n-] *n.* 콘스탄티노플《터키의 도시; 지금은 Istanbul》.

cónstant-lével ballóon *n.* 정고도(定高度) 기구.

***con·stant·ly** [kánstəntli/kɔ́n-] *ad.* 변함없이; 항상; 끊임없이; 빈번히.

con·sta·ta·tion [kànstətéiʃən/kɔ̀n-] *n.* 주장(함), 단언, 언명; 확인, 증명.

con·sta·tive [kənstéitiv] *a.* 『문법』 아오리스트(aorist) 용법의; 『논리』 술정적(述定的)인. — *n.* 『논리』 술정적 발언, 사실 확인문.

con·stel·late [kánstəlèit/kɔ́n-] *vt.*, *vi.* 성좌(星座)로 하다; 별자리를 이루다; 떼 지어 반짝이다: the ~*d* sky 별이 총총한 하늘.

còn·stel·lá·tion *n.* 1 『천문』 별자리. 2 멋진 차림의 신사와 숙녀〔쟁쟁한 인사〕들의 무리(galaxy): a ~ *of* beautiful women 기라성 같은 미녀들의 무리. 3 『점성』 성위(星位), 성운(星運). 4 형(型), 배열.

con·ster·nate [kánstərnèit/kɔ́n-] *vt.* 《보통 수동태》 (깜짝·섬뜩) 놀라게 하다.

còn·ster·ná·tion *n.* [U] 섬뜩 놀람, 소스라침, 당황: in 〔with〕 ~ 당황하여. ***throw*** a person ***into*** ~ 아무를 깜짝 놀라게 하다.

con·sti·pate [kánstəpèit/kɔ́n-] *vt.* 1 《보통 수동태》 『의학』 변비에 걸리게 하다. 2 …을 활기 없게 하다. [파] **-pat·ed** [-id] *a.* 변비증의; 융통성 없이 막힌.

còn·sti·pá·tion *n.* [U] 변비; 《비유》 활발치 않음, 침체.

con·stit·u·en·cy [kənstítʃuənsi/-tju-] *n.* 1 (한 지구의) 선거인, 유권자; 선거구, 지반. 2 단골, 고객; (정기 간행물의) 구독자; 후원자, 지지자들. ***nurse*** one's ~ 《영》 (의원이) 선거구의 기반을 보강하다. ***sweep a*** ~ 선거구에서 압도적 다수를 차지하다.

°**con·stit·u·ent** [kənstítʃuənt/-tju-] *a.* 1 구성하는, 만들어 내는; 조직하는; …의 성분을〔요소를〕 이루는: the ~ parts of water 물의 성분. 2 선거권〔지명권〕을 갖는; 헌법 제정〔개정〕의 권능이 있는. — *n.* 1 요소, 성분; 구성〔조성〕물. [SYN.] ⇨ ELEMENT. 2 《특히》 선거인, 선거구 주민, 유권자, 지지자. 3 설립자. 4 대리 지정자, (대리인에 대한) 본인. ◇ constitute *v.* [파] ~·**ly** *ad.*

constítuent assémbly 제헌〔개헌〕 의회; (the C- A-) 『프랑스사』 국민 의회.

constítuent strúcture 『문법』 구성소(素) 구조(構造).

***con·sti·tute** [kánstətjùːt/kɔ́nstitjùːt] *vt.* 1 **a** 구성하다, 조직하다; …의 구성 요소가 되다; (상태를) 성립시키다, 만들어 내다: Murder ~*s* a criminal offense. 살인은 형사 범죄를 구성한다〔형사 범죄이다〕. **b** 《수동태》 …한 성질〔체질〕이다: *be* strongly ~*d* 몸이 튼튼하다. 2 《+[목]+[보]》 …로 선정하다, …로 임명〔지명〕하다 (appoint): ~ a person an arbiter 아무를 조정인으로 지명하다 / the ~*d* authorities 당국 / ~ oneself a guide 스스로 안내역이 되다, 안내역을 자청해 나서다 / He was ~*d* representative of the party. 그는 당의 대표자로 내세워졌다. 3 (법령 등을) 제정하다; (단체 등을) 설립하다: ~ an acting committee 임시 위원회를 설치하다. ◇ constitution *n.*

con·sti·tu·tion** [kànstətjúːʃən/kɔ̀nstitjúː-] *n.* 1 [U] 구성(構成), 조성; 구조, 조직《*of*》; 본질, 골자. 2 [U,C] (국가의 구성으로서의) 정체; (국가 조직을 규정하는) 헌법: monarchical 〔republican〕 ~ 군주〔공화〕 정체 / a written 〔unwritten〕 ~ 성문〔불문〕 헌법. 3 [U] (단체·회사 따위의) 설립, 조직; (설립) 규약; 제정. 4 [U,C] 체질, 체격: a good 〔poor〕 ~ 건전한〔허약한〕 몸 / by ~ 나면서, 체질적으로 / have a cold ~ 냉한 체질이다. 5 [C] 소질, 성질, 성격: a nervous ~ 신경질. ◇ constitute *v.* ***suit 〔***agree with***〕 one's ~ 체질〔성품〕에 맞다. ***undermine*** one's ~ 몸을 해치다.

°**con·sti·tu·tion·al** [kànstətjúːʃənəl/kɔ̀nstitjúː-] *a.* 1 체질상의, 소질의, 타고난; 건강을 위한, 보건상의: a ~ disease 〔disorder〕 체질병, 체질성 질환 / ~ infirmity 선천적 허약. 2 구조상의, 조직의. 3 헌법의, 합헌(合憲)의; 입헌적인, 법치(法治)의. [OPP.] *autocratic.* ¶ a ~ law 헌법 / ~ government 입헌 정치〔정체〕 / a ~ monarch 〔sovereign〕 입헌 군주 정체. — *n.* 보건 운동《산책 따위》. [파] ~·**ism** *n.* [U] 입헌 제도〔정치〕; 입헌주의, 헌법 옹호. ~·**ist** *n.* 헌법학자; 입헌주의자, 헌법 옹호자. ~·**ize** *vt.*, *vi.* 입헌 제도로〔입헌적으로〕 하다. ~·**ly** *ad.*

Constitútional Convéntion (the ~) 『미국사』 헌법 제정 의회《1787년 5월 Philadelphia에서 개최》.

constitútional fórmula 『화학』 구조식.

con·sti·tu·tion·al·i·ty [kànstətjùːʃənǽləti/kɔ̀nstitjùː-] *n.* [U] 합헌성, 합법성.

constitútional mónarchy 입헌 군주국.

constitútional psychólogy 체질 심리학.

Constitútion Státe (the ~) 미국 Connecticut 주의 별칭.

con·sti·tu·tive [kánstətjùːtiv/kɔ́n-] *a.* 구성하는, 조직하는, 구성 성분인, 본질의; 설정권〔제정권〕이 있는. [파] ~·**ly** *ad.*

con·sti·tu·tor, -tut·er [kánstətjùːtər/kɔ́nstitjùː-] *n.* 구성자, 조직자, 제정자.

constr. construction; construed.

°**con·strain** [kənstréin] *vt.* 1 《~+[목]/+[목]+[전]+[명]/+[목]+*to* do》 강제하다, 강요하다, 무리하게 …시키다《*to*》: ~ obedience 복종을 강요하다 / ~ a person *to* a course of action 아무에게 어떤 행동을 취하게 하다 / ~ a person *to* work 아무를 억지로 일을 시키다. 2 《+[목]+[전]+[명]》 《보통 수동태》 속박하다, 구속하다, 거북하게 하다: He *was* ~*ed in* the prison. 그는 교도소에 갇혔다. ◇ constraint *n.* ***be*** ~***ed to*** do 부득이〔하는 수 없이〕 …하다. [파] ~·**er** *n.*

con·stráined *a.* 강제적인; 부자연한, 무리한; 거북한 듯한, 어색한; 『기계』 한정된: ~ manner 어색한 태도 / ~ motion 『물리』 속박 운동.

con·stráin·ed·ly [-nidli] *ad.* 억지로, 무리하게, 강제적으로; 부자연하게.

°**con·straint** [kənstréint] *n.* [U] 1 강제, 압박: by ~ 억지로, 무리하게 / under 〔in〕 ~ 압박을 받아. 2 구속, 억제. 3 거북함, 조심스러움, 압박감, 어색함. ◇ constrain *v.* ***feel*** 〔***show***〕 ~ 딱딱해지다; 거북해하다.

con·strict [kənstríkt] *vt.* 압축하다; 죄다; 수축시키다. [파] ~·**ed** [-id] *a.* 압축된; 『생물』 가

운데가 잘록한; 갑갑한, 옹색한.

con·stric·tion [kənstríkʃən] *n.* Ⓤ 압축, 수축; 죄어드는 느낌; 죄어진 부분; Ⓒ 죄어지는 것.

con·stric·tive [kənstríktiv] *a.* 압축하는; 수축성의, 괄약적(括約的)인.

con·stric·tor [kənstríktər] *n.* **1** 압축하는 물건〔사람〕. **2** 〖해부〗 괄약근(括約筋), 수축근. opp. *dilator*. **3** (동물을 졸라 죽이는) 큰 뱀, 왕뱀《특히 boa ~》.

con·stringe [kənstríndʒ] *vt.* 줄이다, 수축〔긴축〕시키다, 수렴(收斂)시키다. ㊕ **con·strín·gen·cy** [-ənsi] *n.* Ⓤ 수축, 수렴.

con·strin·gent [kənstríndʒənt] *a.* 수렴성(收斂性)의, 수축하는. 「할 수 있는.

con·stru·a·ble [kənstrúːəbəl] *a.* 해석〔해부〕

con·stru·al [kənstrúːəl] *n.* 해석.

con·struct [kənstrʌ́kt] *vt.* **1** 조립하다; 세우다, 건조〔축조·건설〕하다. opp. *destroy* ¶ ~ a factory 공장을 건조하다. SYN. ⇨BUILD. **2** (기계·이론 등을) 꾸미다, 구성하다, 연구〔고안〕하다: ~ a theory 이론〔학설〕을 세우다/a well ~*ed* novel 구성이 잘 된 소설. **3** 〖수학〗 작도하다, 그리다. **4** 〖문법〗 (말을) 구로〔절로·문으로〕 구문하다. ◇ construction *n.* ── [kánstrʌkt/kɔ́n-] *n.* 구조물, 건조물; 〖심리〗 구성 (개념); 〖문법〗 구문; 구성주의 작가〔화가, 조각가〕에 의해 제작된 작품. ㊕ **~·er** [-ər] *n.* =CONSTRUCTOR. **con·strúct·i·ble** *a.*

con·struc·tion [kənstrʌ́kʃən] *n.* **1** Ⓤ,Ⓒ 건설, 건조, 건축, 구성; (건조·건축·건설) 공사, 작업: of steel ~ 철골 구조의/a ~ engineer 건축 기사/~ work 건설 공사/a ~ crew 〔gang〕 건설 공사 인부단(團)/a ~ laborer 《미》 철도 공사 인부/under ~ 건설 중. **2** Ⓒ 구조, 구성. **3** Ⓒ 건조물, 건축물. **4** Ⓒ 구문 분석; 《일반적》 해석, 추정, 의미: a charitable ~ of an action 어떤 행위에 대한 호의적 해석. **5** Ⓒ 〖문법〗 구문, (어구의) 구성; Ⓤ 〖수학〗 작도; Ⓤ 〖미술〗 구성. ◇ construct *v.*, 4 는 construe *v.* ***bear a*** **~** 해석되다: The word does not *bear* such *a* ~. 그 말은 그런 뜻이 아니다. ***put a false* ~ *on*** … 을 곡해하다. ***put a good*** 〔***bad***〕 **~ *on*** 〔***upon***〕 …을 선의〔악의〕로 해석하다. ㊕ **~·al** [-ʃənəl] *a.* 건설의, 구조상의, 해석상의. **~·al·ly** *ad.* **~·ism** *n.* Ⓤ 〖미술〗 =CONSTRUCTIVISM. **~·ist** *n.* (법률 따위의) 해석자; 〖미술〗 구성파의 화가.

constrúction lòan 〖금융〗 (부동산 프로젝트에 대한) 건설 (단기) 융자.

constrúction pàper 미술 공작용 색판지.

constrúction sìte 건축 부지.

con·struc·tive [kənstrʌ́ktiv] *a.* **1** 건설적인, 적극적인. opp. *destructive; negative*. ¶ ~ criticism 건설적〔적극적〕 비평. **2** 구조상의, 조립의, 구성적인. **3** 〖법률〗 해석에 의한, 추정〔인정〕의, 준(準)…: a ~ contract 인정 계약/~ crime 준범죄. **4** 〖수학〗 작도(作圖)의. ㊕ **~·ly** *ad.* 건설적으로. **~·ness** *n.* **-tiv·ism** *n.* Ⓤ 〖미술〗 구성파, 구성주의. **-tiv·ist** *n.* 구성파의 화가.

constrúctive dismíssal 〖법률〗 추정적 해고《표면상으로는 자발적 퇴직이지만 진짜 원인은 고용주의 부당한 처사에 기인한 해고; 부당 해고로 간주됨》.

constrúctive engágement (국가 간의) 적극적 개입, 건설적 포용 정책.

constrúctive interférence 〖물리〗 보강 간섭. cf. destructive interference.

con·struc·tor [kənstrʌ́ktər] *n.* 건설〔건조〕자, 건축 청부업자; 조선(造船) 기사.

con·strue [kənstrúː] *vt.* **1** 《~+목/+목+*as* 보》 …의 뜻으로 취하다; 해석하다, 추론하다: What he said was wrongly ~*d*. 그가 말한 것이 잘못 해석〔오해〕되었다/His silence may be ~*d as* agreement. 그의 침묵은 동의하는 것으로 해석될 수 있다. **2** 축어적으로〔구두로〕 번역하다. **3** (문장의) 구문법을 설명하다, (문장을) 구성 요소로 분석하다. **4** 《+목+전+명》 (어·구를) 짜맞추다, 문법적으로 결합하다《*with*》: 'Rely' is ~*d with* 'on'. 'rely'는 'on'과 결합되어 사용된다. ── *vi.* (구문을) 해석하다, 해석되다; (문법상) 분석되다. ◇ construction *n.* ── [kánstruː/kɔ́n-] *n.* 문맥 해부; 직역, 축어역.

con·sub·stan·tial [kànsəbstǽnʃəl/kɔ̀n-] *a.* 동체(同體)의, 동질의. ㊕ **~·ism** [-ìzəm] *n.* Ⓤ =CONSUBSTANTIATION. **~·ist** *n.* **~·ly** *ad.* 동질적으로.

con·sub·stan·ti·al·i·ty [kànsəbstæ̀nʃiǽləti] *n.* Ⓤ 동체〔동질〕임; 〖신학〗 동일 실체성, 동(同)본질성: the ~ of the three persons of the Trinity 삼위일체설.

con·sub·stan·ti·ate [kànsəbstǽnʃièit/kɔ̀n-] *vt.* 동체〔동질〕로 하다. ── *vi.* 동체가 되다; 성체(聖體) 공존론을 믿다. 「존(설).

con·sub·stàn·ti·á·tion *n.* Ⓤ 〖신학〗 성체 공

con·sue·tude [kánswitjùːd/kɔ́nswitjùːd] *n.* Ⓤ (사회적) 관습, (법적 효력이 있는) 관례, 관행, 불문율; 사교(社交).

con·sue·tu·di·nary [kànswitjúːdənèri/kɔ̀nswitjúːdinəri] *a.* 관습의, 관례상(慣例上)의: the ~ law 관습법, 불문율. ── *n.* **1** Ⓤ 관습법, 불문율. **2** Ⓒ 관례서(書); (특히 교회의) 식례집(式例集).

con·sul [kánsəl/kɔ́n-] *n.* **1** 영사: an acting 〔honorary〕 ~ 대리〔명예〕 영사. **2** 〖로마사〗 집정관. **3** 〖프랑스사〗 총독. **4** 《영》 자전거 여행 클럽의 지방 대표. 「증명 수수료.

con·su·lage [kánsəlidʒ/kɔ́nsju-] *n.* Ⓤ 영사

con·su·lar [kánsələr/kɔ́nsju-] *a.* 영사(관)의; 집정관의: a ~ assistant 영사관보(補)/a ~ attaché 〔clerk〕 영사관원. ── *n.* 〖로마사〗 집정관 동격자.

cónsular ágent 영사 대리.

cónsular ínvoice 영사 증명 송장(送狀).

con·su·late [kánsəlіt/kɔ́nsju-] *n.* 영사의 직〔임기, 관구〕; 영사관; (the C-) 〖프랑스사〗 집정 정부(1799-1804). 「관구〕.

cónsulate géneral 총영사의 직〔공관, 관사,

cónsul géneral 총영사.

con·sul·ship [kánsəlʃip/kɔ́n-] *n.* Ⓤ 영사의 직〔지위, 임기〕.

con·sult [kənsʌ́lt] *vt.* **1** …의 의견을 듣다, …의 충고를 구하다; …의 진찰을 받다: ~ one's lawyer 변호사의 의견을 구하다. **2** (사전·서적 등을) 참고하다, 찾다, 보다; (시계를) 보다: ~ a dictionary 사전을 찾다/~ a mirror 〔watch〕 거울을〔시계를〕 보다. **3** (득실·편의 등을) 고려하다, 염두에 두다(consider). ── *vi.* **1** 의논하다, 협의하다; (변호사 등에게) 조언을 구하다 《*with* a person *about* a matter》. **2** (회사 등의) 고문〔컨설턴트〕 노릇을 하다《*for*》. ◇ consultation *n.* **~ a person's convenience** 아무의 사정을 고려하다. **~ one's pocketbook** (before buying) (사기 전에) 주머니 사정을 고려하다. ㊕ **~·a·ble** *a.* 「상담.

con·sult·an·cy [kənsʌ́ltənsi] *n.* 컨설턴트업,

con·sult·ant [kənsʌ́ltənt] *n.* 의논 상대; (회사 따위의) 컨설턴트, 고문《*on* business method》; 자문 의사(consulting physician).

con·sul·ta·tion [kànsəltéiʃən/kɔ̀n-] *n.* **1** Ⓤ 상담, 의논, 협의; 자문; 진찰〔감정〕을 받음《*with*》: I made the decision in ~ *with* her. 그녀와 상담하여 결정했다/no ~ day 휴진일. **2**

전문가의 회의, 협의〔심의〕회. **3** (책 따위를) 참고하기, 찾아보기, 참조《*of*》. ◇ consult *v.*

con·sult·a·tive, -ta·to·ry [kənsʌ́ltətiv], [-tɔ̀ːri/-təri] *a.* 상담〔협의, 평의〕의, 자문의: a ~ body 자문 기관. 「는」 사람, 협의자.

con·súlt·er *n.* (아무에게) 상담하는〔의견을 묻

con·súlt·ing *a.* 전문적 조언을 주는, 자문의, 의논 상대의, 고문(자격)의; (의사가) 진찰 전문의, 진찰을 위한: a ~ engineer 고문 기사 / ~ hours 진찰 시간 / a ~ physician 자문 의사《왕진·투약하지 않는》/ a ~ room 진찰실; 협의실 / a ~ lawyer 고문 변호사. **—** *n.* 조언; 진찰.

consúlting firm 컨설턴트 회사《설계를 맡거나 기술자를 제공하는 새 업종의 산업 회사》.

con·sul·tive [kənsʌ́ltiv] *a.* =CONSULTATIVE.

con·sul·tor [kənsʌ́ltər] *n.* 상담자, 충고자; 《특히》 로마 성성(聖省) 고문.

con·sum·a·ble [kənsúːməbəl/-sjúːm-] *a.* 소비〔소모〕할 수 있는: a ~ ledger 소모품 대장. **—** *n.* (보통 *pl.*) 소모품. ◇ consume *v.*

***con·sume** [kənsúːm/-sjúːm-] *vt.* **1** 다 써 버리다; 소비하다, 소모하다: ~ one's energy 힘을 다 써 버리다. SYN. ⇒SPEND. **2** 다 마셔〔먹어〕 버리다. **3** 없애 버리다; 다 태워 버리다(destroy): be ~*d by* fire 몽땅 불타 버리다. **4** (금전·시간 따위를) 낭비하다《*away*》. **5** 《보통 수동태 또는 ~ oneself》 (…의) 마음을 빼앗다, 열중시키다, 사로잡다《*with; by*》: *be ~d with* jealousy 질투로 제정신을 잃다. **—** *vi.* **1** 없어지다, 다하다, 소멸하다, 소비되다. **2** 소실하다. **3** 야위다《*with*》. ◇ consumption *n.* ㊞ **con·súm·ed·ly** [-idli] *ad.* 대단히, 엄청나게, 단연(excessively).

***con·sum·er** [kənsúːmər/-sjúːmə] *n.* 소비자(消費者), 수요자. OPP *producer.* ¶ an association of ~*s* =a ~*s'* union 소비자 협동조합.

consúmer cónfidence (경제에 대한) 소비자 신뢰.

consúmer crédit 〖상업〗 소비자 신용《월부 구매자에 대한》. 「재.

consúmer dúrables 〖경제〗 내구(耐久) 소비

consúmer gòods 〖경제〗 소비재(consumption goods). cf. capital goods, producer goods.

con·súm·er·ìsm [-rizəm] *n.* U 소비자 중심주의; 소비자 보호 (운동); 〖경제〗 소비주의《건전한 경제의 기초로서 소비 확대를 주장하는》. ㊞ **-ist** *n., a.* 소비자 중심주의자(의).

con·sùm·er·i·zá·tion [-rizéiʃən/-raiz-] *n.* 〖경제〗 소비(확대)화 (정책).

consúmer magazìne 〔**prèss**〕 소비자 잡지《광고를 보고 상품을 구입할 가능성이 있는 소비자를 대상으로 한 잡지》.

consúmer orientàtion 〖마케팅〗 소비자 지향(指向)《기업의 기획·정책·운영 등에 소비자를 지향하여야 한다는 마케팅의 기본 이념》.

consúmer príce ìndex 〖경제〗 소비자 물가지수《생략: CPI》.

Consúmer Próduct Sáfety Àct 《미》 소비자 제품 안전법《1972 년 제정》.

consúmer pròfile 소비자 프로필.

Consúmer Repórts 컨슈머 리포츠《미국의 상품 테스트 전문 월간지; 1936 년 창간》.

consúmer reséarch 소비자 수요 조사.

consúmer resístance 소비자 저항, 구매 거부, 판매 저항(《미》 sales resistance).

consúmer(s') gòods 〔**ìtems**〕 소비재.

consúmer strìke (소비자의) 불매 운동.

consúmer tèrrorism 소비자 테러, 소비자 생활 용품 테러《식품·약품 등에 독극물을 넣거나, 넣겠다고 협박하는 범죄 행위》.

Consúmer Únion of ÚS 《미》 소비자 동맹《세계 최대의 소비자 교육 기관》.

con·súm·ing *a.* 통절한, (느낌·관심 등이) 절실한: a ~ interest 마음을 강하게 끄는 흥미 / a ~ need to be successful 꼭 성공해야 할 필요.

°**con·sum·mate** [kɑ́nsəmèit/kɔ́n-] *vt.* 성취〔완성〕하다; 극점에 달하게 하다; 신방에 들어(결혼을) 완성하다: ~ a marriage 신방에 들다. **—** [kənsʌ́mət] *a.* **1** 완성된, 더할 나위 없는, 완전한(perfect); 숙련된, 원숙한: ~ happiness 더할 나위 없는 행복. **2** 매우 심한, 형편없는: a ~ ass 지지리 바보. **3** 유능한: a ~ artist 명화가. ㊞ **~·ly** *ad.* **-ma·to·ry** [kənsʌ́mətɔ̀ːri/-təri] *a.* 완전한, 완성하는; 〖심리〗 완결 행동의.

còn·sum·má·tion *n.* U **1** 완성, (목적·소망 따위의) 달성, 성취, 완료, 완결; 완전히 하기. **2** 극점, 극치. **3** (첫날밤〔신방〕 치르기에 의한) 결혼의 완성: the ~ of marriage. **4** 죽음, 종말. **5** 〖법률〗 기수(旣遂).

con·sum·ma·tive [kɑ́nsəmèitiv/kɔ́n-] *a.* 완성하는, 마무리의. ㊞ **~·ly** *ad.* **~·ness** *n.*

con·sum·ma·tor [kɑ́nsəmèitər/kɔ́n-] *n.* 완성자; 실행자; (한 분야의) 대가.

consúmmatory behávior 〖심리〗 완결(完結) 행동, 완료 행동.

***con·sump·tion** [kənsʌ́mpʃən] *n.* U **1 a** 소비; 소비고(액). OPP *production.* ¶ a ~ guild 〔association〕 소비조합. **b** 소모, 소진, 멸실. **2** 초췌; 폐병(pulmonary ~). ◇ consume *v.*

consúmption crédit =CONSUMER CREDIT.

consúmption dùty 〔**tàx**〕 소비세.

consúmption gòods 소비재, 소모품.

con·sump·tive [kənsʌ́mptiv] *a.* **1** 소비의; 소모성의. **2** 폐병(질)의, 폐병에 걸린. **—** *n.* 폐병 환자. ㊞ **~·ly** *ad.* **~·ness** *n.*

Cont. Continental. **cont.** containing; content(s); continent(al); continue(d); contract; control; contrary.

con·ta·bes·cence [kɑ̀ntəbésns/kɔ̀n-] *n.* 위축, 소모; 〖식물〗 수술·꽃가루의 위축.

‡**con·tact** [kɑ́ntækt/kɔ́n-] *n.* **1 a** U 접촉, 서로 닿음; 인접: a point of ~ =a ~ point 접(촉)점 / the path of ~ 〖수학〗 접(촉)점의 궤적(軌跡)〔자취〕. **b** 접촉물; =CONTACT LENS. **2** (종종 *pl.*) 《미》 접근, 교제; 연락, 연결; 연줄, 유력한 지인(知人); 《구어》 (거래상의) 사이에 서는 사람, 중개자: He has many ~*s.* 그는 교제가 넓다 / come in 〔into〕 ~ *with* …와 접촉하다; …와 만나다 / get in ~ *with* …와 접촉〔연락〕하다 / keep 〔stay〕 in ~ *with* …와 접촉〔연락〕을 유지하다 / lose ~ *with* …와 연락이 끊기다 / make ~ *with* …와 연락을 취하다. **3** U 〖전기〗 접촉, 혼선; 〖수학〗 접촉, 상접(相接); 〖의학〗 보균 용의자, 접촉자; 살갗의 (뜨끔뜨끔 하는) 염증; 〖군사〗 접전; (비행기에 의한 지상 부대와의) 연락; 〖천문〗 접촉《일·월식 형태의》; 〖무선〗 교신; 〖항공〗 (비행기로부터의) 육안에 의한 지상 관찰: fly by ~ 시계(視界) 비행을 하다. **4** (간첩의) 접선 상대. ***be in*** 〔***out of***〕 **~ *with*** …와 접촉하고 있(지 않)다; …와 가까이 하고 있(지 않)다. ***break*** 〔***make***〕 **~** 전류를 끊다〔통하다〕; 교제를 끊다〔시작하다〕《*with*》. ***establish*** **one's ~ *with*** …와 접촉〔연락〕을 취하다.

— *a.* 접촉의; 접촉에 의한; 경기자의 몸과 몸이 서로 부딪치는; 접(接)하고 있는《토지》; 〖항공〗 시계(視界) 비행의.

— *ad.* 〖항공〗 시계 비행으로. ***fly*** **~** 〖항공〗 접촉〔시계〕 비행하다. cf. contact flying.

— [kɑ́ntækt, kəntǽkt/kɔ́ntækt] *vt.* **1** 접촉시키다; 교제시키다; 〖통신〗 교신하다. **2** …와 접

촉하다, …와 연락하다; …에 다리를 놓다, …와 아는 사이가 되다: We'll ~ you by mail or telephone. 당신에게 편지나 전화로 연락하리다.
— *vi.* 접촉하다, 연락하다; 교제하다; 〖통신〗 교신하다《*with*》.
— *int.* 〖항공〗 준비 완료《옛날 프로펠러 비행기가 발진할 때의 신호》.

cóntact àgent 〖화학〗 촉매(제).
cóntact bìnary 〖천문〗 접촉 연성(連星)《가스 때문에 근접한 두 별이 맞닿은 것처럼 보이는》.
cóntact brèaker 〖전기〗 (자동) 접촉 차단기.
cóntact cemènt (합판 등에 쓰이는) 합성 접착제.
cóntact clàuse 〖문법〗 접촉절《관계대명사 없이 명사에 연결된 관계사절: the boy *I saw yesterday*》.
cóntact dermatìtis 〖의학〗 접촉 피부염.
con·tact·ee [kɑ̀ntæktíː/kɔ̀n-] *n.* 우주인에 접촉된 사람《공상 과학 소설에서》.
cóntact electrìcity 〖전기〗 접촉 전기《상이한 두 물질의 접촉면에 생기는 전기》.
cóntact flìght 〔**flỳing**〕 〖항공〗 목시(目視) 비행, 시각 비행. OPP. *blind* 〔*instrument*〕 *flying*.
cóntact hìgh 《미속어》 감염〔간접〕 도취《마약에 취한 사람과 접촉하거나 냄새를 맡는 따위로 취한 기분이 되는 상태》.
cóntact inhibìtion 〖생물〗 접촉 저해《배양된 두 개의 정상적인 세포가 접촉했을 때, 그 기능이 저해되는 현상》.
cóntact lànguage 접촉 언어(pidgin).
cóntact lèns 콘택트렌즈.
cóntact magazíne (남녀 또는 동성 간의) 교제를 위한 잡지.
cóntact màker (전류의) 접촉기.
cóntact màn (거래 따위의) 중개인; (민간 회사의) 관청 교섭원. 「(變成) 작용.
cóntact metamórphism 〖지학〗 접촉 변성
cóntact mìne 촉발 기뢰〔수뢰, 지뢰〕.
con·tac·tor [kɑ́ntæktər, kəntǽk-] *n.* 〖전기〗 접촉기(器).
cóntact pàper 〖사진〗 밀착 (인화)지.
cóntact potèntial 〖전기〗 접촉 전위차(電位
cóntact prìnt 밀착 인화. 「差).
cóntact pròcess 〖화학〗 (황산 제조의) 촉매
cóntact shèet 〖사진〗 밀착 인화지. 「법.
cóntact spòrt 접촉 스포츠《권투 · 레슬링처럼 경기 중 신체 접촉이 허용되는 스포츠》.
cóntact vìsit 접촉〔자유〕 면회《교도소에서 면회자와 악수 · 포옹 등이 허용됨》.
°**con·ta·gion** [kəntéidʒən] *n.* **1** Ⓤ 접촉 전염〔감염〕. cf. infection. ¶ Smallpox spreads by ~. 천연두는 접촉 전염으로 퍼진다. **2** Ⓒ (접촉) 전염병: a ~ ward 전염병동. **3** Ⓤ,Ⓒ 전염력; 감화력, 나쁜 감화; 폐풍, (관리 등의) 부패.
con·ta·gious [kəntéidʒəs] *a.* **1** (접촉) 전염성의; 만연하는, 전파하는: a ~ disease (접촉) 전염병. **2** 《서술적》 (사람이) 전염병을 가지고 있는, 보균자인. **3** 옮기 쉬운(catching). ㊕ **~·ly** *ad.* 전염하여, 전염적으로. **~·ness** *n.* 전염성.
con·ta·gi·os·i·ty [kəntèidʒiɑ́səti/-ɔ́s-] *n.*
contágious abórtion 〖수의〗 전염성 유산.
con·ta·gium [kəntéidʒəm, -dʒiəm/-dʒiəm] (*pl.* **-gia** [-dʒə, -dʒiə]) *n.* 〖병리〗 전염〔감염〕 병원체.
***con·tain** [kəntéin] *vt.* **1 a** 담고 있다, 내포하다, 포함〔함유〕하다: The rock ~*s* a high percentage of iron. 이 광석은 철의 함유량이 높다.

> SYN. **contain** '포함되어 있는 것' 에 중점을 두고 있음: This glass *contains* oil. 이 컵에는 기름이 들어 있다. **hold** '내용' 보다 '수용 · 지탱' 을 강조함. '최대 수용 능력' 을 뜻할 때도 있음: This bottle *holds* a quart. 이 병은 1쿼트가 든다. **include** '포괄' 을 뜻하며, 목적어는 물건 · 물질이 아닌 때가 종종 있음: The list *includes* my name. 이 명부에는 내 이름도 나와 있다.

b (얼마가) 들어가다; (수량이) …에 상당하다〔와 같다〕: A pound ~*s* 16 ounces. 1파운드는 16 온스이다. **2** 《보통 부정문 또는 ~ oneself》 (감정 따위를) 안으로 억누르다, 참다, 억제하다: I can*not* ~ my anger. 화가 나서 견딜 수가 없다. **3** 〖군사〗 (적을) 견제하다; 억제하다, 저지하다; 봉쇄하다: a ~*ing* attack 〔force〕 견제 공격〔부대〕. **4** 〖수학〗 (변이 각을) 끼고 있다, (도형을) 둘러싸다; (어떤 수)로 나누이다〔인수를 가지다〕: 10 ~*s* 5 and 2. 10은 5와 2로 나누인다. ***a ~ed angle*** 끼인각. ㊕ **~·a·ble** *a.* 들어갈 수 있는; 억누를 수 있는. 「러운.
con·táined *a.* 자제〔억제〕하는; 침착한, 조심스
***con·tain·er** [kəntéinər] *n.* 그릇, 용기; 컨테이너《화물 수송용 큰 금속 상자》.
contáiner·bòard *n.* 골판지, 용기용 판지.
contáiner càr 컨테이너용 차량.
con·tàin·er·i·zá·tion *n.* Ⓤ 컨테이너에 의한 화물 수송, 컨테이너화(化).
con·táin·er·ìze [-ràiz] *vt.* (화물을) 컨테이너에 싣다, 컨테이너로 수송하다; (항만 시설 따위를) 컨테이너 수송 방식으로 고치다.
contáiner·pòrt *n.* 컨테이너 항(港)《컨테이너 적하 설비가 되어 있는》.
contáiner·shìp *n.* 컨테이너선(船). 「(업).
contáiner shìpping (화물의) 컨테이너 수송
contáiner sỳstem 컨테이너 수송 방식.
con·táin·ment *n.* Ⓤ 봉쇄 (정책), 확장 견제(책); 〖군사〗 견제, 억제; 포함, 포괄: ~ policy 봉쇄 정책.
contáinment bòom 오일 펜스(oil fence).
con·tam·i·nant [kəntǽmənənt] *n.* 오염 물질〔균〕.
con·tam·i·nate [kəntǽmənèit] *vt.* (접촉하여) 더럽히다, 오염하다; 악에 물들게 하다; (방사능 · 독가스 따위로) 오염되게 하다: be ~*d* by radioactivity 방사능에 오염되다. **—** *vi.* (이야기 · 줄거리 따위가) 얽혀서 하나의 새 이야기가 되다. ㊕ **-i·nous** *a.*
con·tàm·i·ná·tion *n.* Ⓤ **1** (특히 방사능에 의한) 오염; 더러움, 오탁(pollution); 〖군사〗 독가스에 의한 오염; 잡균 혼입: radioactive ~ 방사능 오염. **2** Ⓒ 오탁물, 해독을 끼치는 것. **3** (원문 · 기록 · 이야기 등의) 혼합; 〖언어〗 혼성(混成), 혼성어(blending)《flush < *fl*ash + bl*ush* 등》.
con·tam·i·na·tive [kəntǽmənèitiv/-nətiv] *a.* 더럽히는, 오염시키는.
con·tam·i·na·tor [kəntǽmənèitər] *n.* 더럽히는 사람〔것〕.
con·tan·go [kəntǽŋgou] (*pl.* **~s, ~es**) *n.* 〖영증권〗 지급 유예금, 이월 일변(移越日邊), 순일변(順日邊): the ~ day 《영》 이월 결산일.
contd. contained; continued.
conte [kɔːnt; *F.* kɔ̃ːt] *n.* 《F.》 콩트, 단편(短篇).
con·temn [kəntém] *vt.* 《문어》 경멸하다, 업신여기다. ㊕ **con·tém·ner, con·tém·nor** [-tém-
contemp. contemporary. *nər*] *n.*
con·tem·pla·ble [kəntémpləbəl] *a.* 생각할 수 있는, 꾀할 수 있는.
***con·tem·plate** [kɑ́ntəmplèit, -tem-/kɔ́n-] *vt.* **1** 찬찬히 보다, 정관하다, 관찰하다. **2** 잘 생각하다, 심사숙고하다. SYN. ⇨ CONSIDER. **3**

《~+[목]/+-*ing*》 계획〔기도〕하다, …하려고 생각하다: ~ a tour around the world 세계 일주 여행을 꾀하다/I ~ visit*ing* France. 프랑스로 갈까 생각하고 있다. **4** 예측〔예기〕하다, 기대하다: We did not ~ such a consequence. 우리는 그런 결과를 예기하지 못했다. **—** *vi.* 명상하다, 깊이 생각하다: All day he did nothing but ~. 하루 종일 그는 오직 생각에만 잠겨 있었다. ◇ contemplation *n.* [파] **-plat·ing·ly** *ad.*

°**con·tem·pla·tion** [kàntəmpléiʃən, -tem-/kɔ̀n-] *n.* [U] **1** 주시, 응시; 정관(靜觀). **2** 숙고, 심사(深思), 명상, 관조(觀照): be lost in ~ 명상에 잠기어 있다/spiritual ~ 종교적 묵상. **3** 기대, 예기, 의도, 계획: be in 〔under〕 ~ 계획 중이다. ◇ contemplate *v.*

con·tem·pla·tive [kəntémplətiv, kántəmplèi-/kəntémplə-, kɔ́ntəmplèi-] *a.* 명상적인, 정관적인, 관조적인; 응시하는, 명상에 잠기는 《*of*》: a ~ life (은자(隱者) 등의) 묵상 생활, 명상적인 생활. **—** *n.* 명상에 잠기는 사람《특히, 수도자》. [파] **~·ly** *ad.* **~·ness** *n.*

con·tem·pla·tor [kántəmplèitər, -tem-/kɔ́n-] *n.* 명상자, 정관자, 숙고하는 사람.

con·tem·po [kəntémpou] *a.* 《구어》 최신식의, 최신 유행의: ~ furniture 최신 유행의 가구.

con·tem·po·ra·ne·i·ty [kəntèmpərəní:əti] *n.* [U] 같은 시대임, 동시대성.

con·tem·po·ra·ne·ous [kəntèmpəréiniəs] *a.* 동시 존재〔발생〕의, 동시성의; (…와) 동시대의《*with*》. [파] **~·ly** *ad.* 같은 시대에. **~·ness** *n.* 동시대성.

***con·tem·po·rary** [kəntémpərèri/-pərəri] *a.* **1** (…과) 동시대의, 동연대의《*with*》; (그) 당시의: ~ accounts 당시의 기록/Byron was ~ *with* Wordsworth. 바이런과 워즈워스는 동시대인이었다. **2** (우리와 동시대인) 현대의, 당대의; 최신의《1 의 뜻과의 혼동을 피하기 위해 modern, present-day를 대신 쓰는 경우도 있음》: ~ literature 〔writers〕 현대 문학〔작가〕/~ opinion 시론(時論). **—** *n.* **1** 동시대〔동연대〕의 사람; 동기생《*at* school》; 동갑내기: our *contemporaries* 현대〔동시대〕의 사람들. **2** 동시대 발행의 신문〔잡지〕: our ~ 〖신문〗 동업지. [파] **con·tèm·po·rár·i·ly** [-rérəli] *ad.*

con·tem·po·rize [kəntémpəràiz] *vt.* 같은 시대로 하다, …의 시대를 같게 하다. **—** *vt.* 시대〔시기〕가 같아지다.

con·tempt** [kəntémpt] *n.* [U] **1** 경멸, 모욕《*for*》: be beneath ~ 경멸할 가치조차 없다/have a ~ *for* …을 경멸하다. **2** 치욕, 체면 손상. **3** 〖법률〗 모욕죄. ***bring 〔***fall***〕 ***into*** **~** 창피를 주다〔당하다〕. **~ *of court*** 〔***Congress***〕 법정〔국회〕 모욕죄. ***have*** 〔***hold***〕 a person ***in*** **~** 아무를 얕보다, 경멸하다. ***in*** **~** ***of*** …을 경멸〔무시〕하여.

°**con·tempt·i·ble** [kəntémptəbəl] *a.* 멸시할 만한, 경멸할 만한, 비열한; 말할 거리도 안 되는, 하찮은: You are a ~ worm! 너는 비열한 녀석이다. ◇ contempt *n.*

> [SYN.] **contemptible** 그것 자체가 '비열한'의 수동적인 뜻: *contemptible* conduct 타기할 행위. **contemptuous** 남을 '얕보는' 능동적인 뜻: a *contemptuous* person 남을 멸시하는 사람.

[파] **-bly** *ad.* 비열하게. **~·ness** *n.* **-tèmpt·i·bíl·i·ty** *n.* [U]

°**con·temp·tu·ous** [kəntémptʃuəs] *a.* 모욕적인, 남을 얕보는, (…을) 경멸하는《*of*》: a ~ smile 남을 얕보는 듯한 웃음. [SYN.] ⇨ CONTEMPTIBLE. ◇ contempt *n.* [파] **~·ly** *ad.* **~·ness** *n.* 오만무례(傲慢無禮).

con·tend** [kənténd] *vi.* 《+[전]+[명]》 **1** 다투다, 경쟁하다; (적 · 곤란 따위와) 싸우다: ~ *with* a person *for* a prize 아무와 상(賞)을 다투다/~ *against* one's fate 운명과 싸우다/~ *with* the enemy 적과 싸우다. **2** 논쟁하다《*with* someone *about* something》; 주장〔옹호〕하다《*for*》: He ~*ed with* his friends *about* trifles. 그는 친구들과 하찮은 일로 논쟁하였다. **—** *vt.* 《+*that* [절]》 (강력히) 주장하다: I ~ *that* honesty is always worthwhile. 정직은 항상 그만한 가치가 있다고 주장합니다. ◇ contention *n.* **~*ing passions 상극하는 두 개의 감정《기쁨과 슬픔 따위》. ***have much to*** **~ *with*** 많은 곤란과 싸워야만 되다. [파] **~·er** *n.* 경쟁자, 주창자. **~·ing·ly** *ad.*

con·tent**[1] [kəntént] *a.* 〖서술적〗 **1** (…에) 만족하는, 감수하는《*with*》; (…함에) 불평 없는, 기꺼이 …하는《*to* do》: Let us rest ~ *with* a small success. 작은 성공으로 만족해 두자/He is not ~ *to* accept failure. 그는 실패를 받아들일 마음이 없다/live 〔die〕 ~안심하고 살다〔죽다〕. **2** 《영》 '찬성' 으로《yes, no 대신 영국 상원에서는 content, not content, 하원에서는 yes, no 라고 함》. **—** *vt.* 《~+[목]/+[목]+[전]+[명]》 〔주로 oneself와 결합〕 …에 만족을 주다, 만족시키다: He ~*s* him*self with* small success. 그는 조그마한 성공에 만족하고 있다. [SYN.] ⇨ SATISFY. **—** *n.* **1** 만족. **2** (*pl.*) (영국 상원의) 찬성 투표자들. [cf.] noncontent. ***in **~** 만족하여. ***to*** **one's *heart's*** **~** 마음껏, 만족할 때까지. [파] **~·less** *a.*

***con·tent**[2] [kántent/kɔ́n-] *n.* **1** (보통 *pl.*) (구체적인) 내용, 알맹이: the ~*s of* a box 상자 속의 내용물. ★ 단수형은 흔히 추상적인 뜻이나 성분의 양을 나타내고, 복수형은 대체로 구체적인 것을 가리킴. **2** (*pl.*) (서적 따위의) 목차, 목록, 내용 (일람)(table of ~s). **3** [U] (문서 등의) 취지, 요지, 진의; (형식에 대한) 내용; 〖철학〗 개념 내용: *Content* determines form. 내용이 형식을 결정한다. **4** 함유량, 산출량: moisture ~ of a gas 기체의 습도. **5** (용기의) 용량, 크기; 〖수학〗 용적, 면적: solid 〔cubic〕 ~(*s*) 용적, 체적.

cóntent-addrèssable mémory 〖컴퓨터〗 연상(聯想) 기억 장치.

cóntent anàlysis 〖사회 · 심리〗 내용 분석《매스컴의 의의 · 목적 · 영향 등에 관한 통계적 연구》.

***con·tent·ed** [kənténtid] *a.* 만족하고 있는《*with*》, 느긋해 하는; 기꺼이 …하는《*to* do》: He is 〔rests〕 ~ *with* his lot. 그는 제 분수에 만족하고 있다. [파] **~·ly** *ad.* **~·ness** *n.*

cóntent-frèe *a.* (정보가) 알맹이 없는.

°**con·ten·tion** [kənténʃən] *n.* [C] 싸움, 투쟁; 말다툼, 논쟁; 논전; [U] 논쟁점, 주장; 취지; 〖통신〗 회선 쟁탈. ◇ contend *v.* ***a bone of*** **~** 쟁인(爭因). ***in*** **~** 논쟁 중에.

con·ten·tious [kənténʃəs] *a.* 다투기 좋아하는, 토론하기 좋아하는, 논쟁적인; 이론(異論) 있는; 〖법률〗 계쟁(係爭)의: a ~ case 계쟁〔소송〕 사건. [파] **~·ly** *ad.* **~·ness** *n.*

con·tent·ment** [kənténtmənt] *n.* [U] 만족(하기): *Contentment* is better than riches. 《속담》 족(足)함을 아는 것은 부(富)보다 낫다. ***live in **~** 만족하게 살다.

cóntent provìder 〖상업〗 콘텐트 제공자《주로 뉴스나 정보를 제공하는 웹사이트 또는 웹사이트에 정보를 제공하는 사업체; 생략: CP》.

cóntent sùbject 〖교육〗 내용 교과《실용 과목에 대(對)하여, 철학 · 역사 등처럼 그 자체(自體)를 목적으로 하는 과목》. [cf.] tool subject.

cóntent wòrd 〖언어〗 내용어《사서적(辭書的)

의미로 글의 뜻에 영향을 주는 말》. cf. function word.

con·ter·mi·nous, con·ter·mi·nal [kəntə́:rmənəs/kɔn-], [-nəl] *a.* 상접한, 인접한 《*with; to*》; (공간·시간·의미가) 동일 연장〔한계〕의. ㊞ **~·ly** *ad.* **~·ness** *n.*

con·test [kántest/kɔ́n-] *n.* **1** 논쟁, 논전: beyond ~ 논쟁의 여지없이, 분명히. **2** 경쟁, 경기, 경연, 콘테스트: a beauty ~ 미인 콘테스트/a musical ~ 음악 콩쿠르/a speech 〔an oratorical〕 ~ 웅변대회. SYN. ⇨MATCH². **3** 다툼, 싸움: a bloody ~ *for* power 피비린내 나는 권력 투쟁.

— [kəntést] *vt.* **1** (…을 목표로) 싸우다; 논쟁하다, (논의로) 다투다: ~ a point 어떤 점에 관해 논쟁하다/~ a suit 소송을 다투다. **2** (…에) 이의를 제기하다, 의문시하다: ~ a person's right to speak 아무의 발언권을 의문시하다. **3** 《~+목/+목+전+명》 (얻고자) 겨루다: ~ a seat 의석을 다투다/~ a victory *with* a person 아무와 승리를 겨루다. — *vi.* 다투다《*with; against; for*》; 겨루다, 경쟁하다; 논쟁하다: ~ *with* 〔*against*〕 a person 아무와 겨루다〔논쟁하다〕.
㊞ **~·er** *n.*

con·tést·a·ble *a.* 다툴 만한; 논쟁의 여지가 있는, 의심스러운: a ~ statement 여러 가지로 문제가 되는 진술. ㊞ **-bly** *ad.* **~·ness** *n.*

con·test·ant [kəntéstənt] *n.* **1** 경쟁자, 경쟁 상대; 경기 참가자. **2** 논쟁자, 항의자; 《미》 이의 신청자《선거 결과·유언 등의》.

con·tes·ta·tion [kàntestéiʃən/kɔ̀n-] *n.* U 논쟁, 쟁론, 소송; 쟁점, 주장. ***in*** **~** 계쟁 중.

contésted eléction 《미》 (낙선자가) 당선 무효 소송을 제기한 선거; 《영》 경쟁 선거.

con·tes·tee [kàntestí:/kɔ̀n-] *n.* 《미》 경쟁자; 경기자.

con·text [kántekst/kɔ́n-] *n.* (글의) 전후 관계, 문맥; (사건 등에 대한) 경위, 배경; 상황, 사정, 환경《*of*》: In what ~ did he say that? 어떤 상황에서 그는 그렇게 말했는가/in this ~ 이 같은 관계〔상황, 문맥〕에서(는), 이에 관련해서. ***take*** (a sentence) ***out of*** **~** (문장을) 문맥을 무시하고 해석하다. 「구애받지 않은.

cóntext-frée *a.* 『언어』 문맥 자유의, 문맥에

con·tex·tu·al [kəntékstʃuəl] *a.* 문맥상의, 전후 관계의〔로 판단되는〕. ㊞ **~·ly** *ad.* **~·ize** *vt.* …의 상황〔문맥〕을 설명하다, 상황〔문맥〕에 들어맞추다, 맥락화하다.

con·téx·tu·al·ìsm *n.* 『철학』 콘텍스트 이론 《언명(言明)이나 개념은 문맥을 벗어나서는 의미를 이루지 못한다는 이론》.

con·tex·ture [kəntékstʃər] *n.* U,C (직물의) 짜임새, 감; 직물; 조직, 구조; (글의) 구성.

con·ti·gu·i·ty [kàntəgjú:əti/kɔ̀n-] *n.* U **1** 접촉, 접근, 근접, 인접: in ~ with …와 근접하여. **2** 연속. **3** 『심리』 관념 연상, (시간·공간상) 접근.

con·tig·u·ous [kəntígjuəs] *a.* **1** 접촉하는; 접근하는, 인접한《*to*》. **2** (사건 따위의 시간·순서 등이) 끊이지 않는, 연속된; 동일 한계 내의 (conterminous). ㊞ **~·ly** *ad.* **~·ness** *n.*

contin. continued.

con·ti·nence, -nen·cy [kántənəns/kɔ́nti-], [-i] *n.* U 《문어》 자제, (특히 성욕의) 절제, 극기, 금욕; 배설 억제 능력. ◇ contain *v.*

con·ti·nent¹ [kántənənt/kɔ́nti-] *n.* **1** 대륙, 육지: (the C-) 《영》 유럽 대륙《영국 제도(諸島)와 구별하여》; (the C-) 《미》 북아메리카 대륙: the New *Continent* 신대륙《남북 아메리카》/the Old *Continent* 구대륙《유럽·아시아·아프리카》. **2** 본토.

con·ti·nent² *a.* 《문어》 자제하는, 절제를 지키는, 금욕적인; 정절이 있는; 배설을 억제할 수 있는; 《드물게》 포용력이 있는.

con·ti·nen·tal [kàntənéntl/kɔ̀nti-] *a.* **1** 대륙의; 대륙성의. OPP *insular*. ¶ a ~ climate 대륙성 기후. **2** (보통 C-) 유럽 대륙풍〔식〕의; 비(非)영국적인. **3** (C-) 《미》 (독립 전쟁 당시의) 아메리카 식민지의. **4** 《미》 북아메리카(대륙)의. — *n.* **1** 대륙 사람; (보통 C-) 유럽 대륙의 사람. **2** 《미》 (독립 전쟁 당시의) 아메리카 대륙의 병사; (당시 폭락한) 미국 지폐(~ money). **3** 《미구어》 『부정문』 조금(도): not care 〔give〕 a ~ 《미구어》 조금도 개의치 않다. ***not worth a*** **~** 한 푼의 가치도 없는. ㊞ **~·ly** *ad.*

continéntal blockáde =CONTINENTAL SYSTEM.

continéntal bréakfast 빵과 뜨거운 커피〔홍차〕 정도의 간단한 아침 식사. cf. English breakfast.

continéntal códe 대륙 부호, 국제 모스 부호.

Continéntal Cóngress (the ~) 『미국사』 대륙 회의《독립 전후에 필라델피아에서 2번 열린 각 주 대표자 회의; 1774, 1775-89》.

continéntal crúst 『지학』 대륙 지각(地殼).

continéntal cusíne 서구식 요리(법).

continéntal divíde (the ~) 대륙 분수령; (the C- D-) 《미》 로키 산맥 분수령.

continéntal dríft 『지학』 대륙 이동설.

continéntal ísland 대륙에 부속(附屬)한 섬. OPP *oceanic island*.

còn·ti·nén·tal·ìsm *n.* U (유럽) 대륙주의, 대륙인 기질; 대륙적 특성; 대륙 우선주의. ㊞ **-ist** *n.* (유럽) 대륙주의자〔심취자〕, 대륙인.

còn·ti·nén·tal·ìze *vt.* 대륙식〔풍〕으로 하다; 대륙적 규모로 하다, 대륙에 퍼뜨리다; 《특히》 유럽화시키다. ㊞ **còn·ti·nèn·tal·i·zá·tion** *n.* 대륙화, 대륙 형성.

continéntal quílt 《영》 새털 이불(duvet).

continéntal séating (종종 C- s-) 『연극』 특히 중앙 통로를 두지 않고 좌석 사이를 넓게 잡는 (좌석) 배치 방식.

continéntal shélf 대륙붕.

continéntal slópe 대륙붕 사면(斜面).

Continéntal Súnday (the ~) (휴식·예배가 아닌) 레크리에이션으로 보내는 일요일.

Continéntal Sýstem (the ~) 『역사』 대륙 제도, 대륙 봉쇄《1806년 나폴레옹의 영국에 대한 정책》; (c- s-) =FRENCH SYSTEM.

continéntal térrace 대륙 단구(段丘)《대륙붕 및 대륙 사면(斜面)》.

cón·ti·nent·ly *ad.* 자제〔절제〕하여.

cón·ti·nent·wìse [-wàiz] *a.* 대륙적 규모의, 전대륙에 퍼져 있는.

con·tin·gence [kəntíndʒəns] *n.* 접촉(contact); =CONTINGENCY.

con·tin·gen·cy [kəntíndʒənsi] *n.* U 우연(성), 우발(성), 가능성; C 우발 사건, 뜻하지 않은 사고; (어떤 사건에 수반되는) 부수적인 사건〔사태〕; U 임시비: future *contingencies* 장래 있을지도 모를 우발 사건/the *contingencies* of war 전쟁에 수반되어 일어나는 사건/in the ~ that… …이 일어난 경우에(는). ***not … by any possible*** **~** 설마 …아니겠지.

contíngency fèe =CONTINGENT FEE.

contíngency 〔contíngent〕 fùnd 우발 위험 준비금.

contíngency mànagement 『심리』 수반성〔부수성〕 관리《행동 변용에 있어서, 바람직한 행동을 강화하기 위해 상대가 반응하며 나타내는 것을 관리·조작하는 방법》.

contíngency plàn 긴급 시〔비상 사태〕의 대책(emergency plan).

contíngency 〔**contíngent**〕 **resèrve** 〖회계〗 우발 손실 적립금.

contíngency tàble 〖통계〗 분할표(分割表).

contíngency tàx 임시세《재정 적자를 보충하기 위해 신설한 세》.

con·tin·gent [kəntíndʒənt] *a.* **1** 혹 있을 수 있는(possible); 우발적인, 불의의, 우연의; 부수적인《*to*》, 본질적이 아닌: a ~ event 불의의 사건 / ~ expenses 임시비 / Such risks are ~ *to* the trade. 그 영업에는 그런 위험이 따른다. **2** 사정 나름으로의, …을 조건으로 하는(conditional)《*on, upon*》: a fee ~ *on* success 성공 사례금. **3** 〖법률〗 불확정의; 〖논리〗 우연적〔경험적〕인; 〖철학〗 자유로운, 결정론에 따르지 않는: ~ remainder 불확정 잔여금 / a ~ truth 우연적 진리《'영원한 진리'에 대한》. **—***n.* **1** 우연한 일, 뜻하지 않은 사건; 부수적인 사건. **2** 몫, 분담(액); 〖군사〗 분견대〔함대〕; 파견단, 대표단. ㊞ **~·ly** *ad.* 우연히, 불시에; 부수적으로, 경우에 따라서.

contíngent benefíciary 〖보험〗 우발 수익자, 차순위(次順位) 보험금 수취인《보험금 수취인이 사망 또는 실격했을 경우》.

contíngent fèe 성공 사례금, 평가액 의존 보수《승소해서 얻어진 금액의 일정 비율로 지급되는 변호사의 보수》.

contíngent liabílity 불확정 책임액《우발 사건으로 지급되는 금액》.

con·tin·ua [kəntínjuə] CONTINUUM 의 복수.

con·tín·u·a·ble *a.* 계속할 수 있는.

***con·tin·u·al** [kəntínjuəl] *a.* **1** 잇따른, 계속되는, 연속적인: a week of ~ sunshine 내리 좋은 날씨의 일주일간. **2** 계속 되풀이되는, 빈번한; 단속적인: ~ interruptions 계속 거듭되는 방해 / ~ invitations 잇따른 초대. ◇ continue *v.*

> SYN. **continual** 끊겼다가도 곧 계속되는: *continual* misunderstanding between nations 국가 간의 끊임없는 오해. **continuous, unbroken** 끊이지 않는, 중단 없이 계속되는: a *continuous* rain 줄기차게 내리는 비. **constant** 언제나 같은 상태로 일어나며, 같은 결과를 낳는: *constant* repetition of the same mistakes 똑같은 실수의 변함없는 반복. **perpetual** '언제까지나 끝나지 않는'다는 어감이 있음: *perpetual* chatter 그칠 줄 모르는 수다. **incessant** 위의 모든 말 뜻과 통하지만, '쉴 새 없이 활동적인'이라는 뜻에서 비난·곤혹의 어감을 내포하는 경우가 있음: *incessant* noises 〔pain〕 끊임없는 소음〔고통〕.

***con·tin·u·al·ly** [kəntínjuəli] *ad.* 계속적으로, 잇따라, 끊임없이; 빈번히.

***con·tin·u·ance** [kəntínjuəns] *n.* Ⓒ,Ⓤ 영속, 존속《*in*》; 계속, 연속; 체류《*in* a place》; (이야기의) 계속, 속편; 〖법률〗 (재판의) 속행, (소송 절차의) 연기; 《단수형》 계속〔체류〕 기간: a ~ of bad weather 악천후의 연속 / during one's ~ *in* office 재직 중에 / a disease of long 〔short, some〕 ~ 오랫동안〔잠시, 얼마 동안〕 계속되는〔된〕 병. ◇ continue *v.*

con·tin·u·ant [kəntínjuənt] 〖음성〗 *a.* 계속음의. **—***n.* 계속〔연속〕음《[f, v, s, θ, r] 따위》.

°**con·tin·u·a·tion** [kəntinjuéiʃən] *n.* **1** Ⓤ 계속(하기), 연속; 지속, 존속; 체류, (어떤 지위에의) 유임: request the ~ *of* a loan 계속 대부를 부탁하다. **2** Ⓒ (이야기의) 계속; 속편; 〖도서〗 연속 간행물; (중단 후의) 계속, 재개: a ~ *of* hostilities 전투의 재개 / *Continuation* follows. 다음 호에 계속(To be continued). **3** Ⓒ 연장(부분); 이어댐, 증축《*to*》, 이어 댄 부분, 보족. **4** 〖영상업〗 (결산의) 이연(移延); 이월 거래. **5** (*pl.*) 무릎 아래를 단추로 채우는 바지; 《속어》 바지. ◇ continue *v.*

continuátion dày 이월 결산일(contango day).

continuátion schòol 〔**clàss**〕 (근로 청소년을 위한) 보습(補習) 학교〔반〕; (특히 야간의) 성인 학교〔클래스〕.

con·tin·u·a·tive [kəntínjuèitiv, -njuət-/-njuət-] *a.* 연속〔계속〕적인; 연단; 〖문법〗 진행을 나타내는, 계속 용법의, 비제한적인: the ~ use 〖문법〗 (관계사의) 계속 용법(ⓒⓕ restrictive use). **—***n.* 연속하는 것; 〖문법〗 계속사(詞)《관계대명사·접속사·전치사 따위》. ㊞ **~·ly** *ad.*

con·tin·u·a·tor [kəntínjuèitər] *n.* 계속자; 인계자; (남의 일·저작의) 계승자.

****con·tin·ue** [kəntínju:] *vt.* **1** 《~+목/+-*ing*/+*to* do》 계속하다, 지속(持續)하다: ~ a story 이야기를 계속하다 / ~ smil*ing* 계속 미소 짓다 / ~ *to* be friendly 언제까지나 우호적이다.

> SYN. **continue** '계속되고 있다' '계속되다' 라는 상태를 나타냄: The war still *continues*. 전쟁은 아직도 계속되고 있다. **last** 변화하지 않고 그냥 그대로의 형태로 계속되다. 현재 형태의 지속을 나타냄: Fine weather will *last* another day. 맑은 날씨가 하루 더 계속되겠지요. **endure** 곤란한〔새로운〕 조건에서도 지속하다: His fame will *endure* forever. 그의 명성은 영원히 지속될 것이다. **persist** 완고하게 지속하다, 존속하다: The custom still *persists*. 그 습관은 아직도 남아 있다.

2 《~+목/+목+전+명/+*that* 절》 (중단 후 다시) 계속하다, 속행하다; (지위 등에) 머물러 있게 하다: ~*d on* 〔*from*〕 page 7, 7 페이지에(서) 계속 / ~ a person *in* office 유임시키다 / To be ~*d*. 미완(未完), 다음 호에 계속. **3** 계속시키다, 존속시키다, 연장하다(prolong): ~ a boy *at* school 소년을 학교에 계속 다니게 하다. **4** 《+*that* 절》 (앞에) 이어서 말하다: He ~*d that* the welfare of the company was at stake. 그는 이어서 회사 번영이 걸렸다고 말했다. **5** 〖상업〗 이월〔이연〕하다. **6** 〖법률〗 연기하다, 미결로 두다.

—*vi.* **1** 《~/+전+명》 연속하다, 계속되다; (도로 등이) 계속되어 있다: His speech ~*d* an hour. 그의 연설은 한 시간 계속되었다 / ~ *on* one's course 원방침대로 계속하다. **2** (한번 정지한 뒤) 다시 계속되다: The program ~*d* after an intermission. 일단 휴식한 후 프로그램은 계속되었다. **3** 《+전+명》 존속하다; 체재하다; 머무르다; 유임하다《*at; in*》: ~ *at* one's post 유임하다 / ~ *in* power 권좌에 계속 머무르다 / He ~*d in* London. 그는 런던에 머물렀다. **4** 《+보》 여전히 …이다; 계속 …하다: ~ impenitent 여전히 후회하지 않다 / He ~*s* well. 그는 여전히 잘 있다. ㊞ **-u·a·ble** *a.* **-tín·ued** *a.* 계속된, 연속되고 있는, 연장된. **-u·er** *n.*

contínued bónd 상환 연기 공채〔사채〕.

contínued fráction 〖수학〗 연분수(連分數).

contínued propórtion 〖수학〗 연(連)비례.

con·tín·u·ing *a.* 연속적인; 갱신의 필요가 없는, 계속의; 영속하는.

contínuing educátion 계속 교육 (과정), 성인 교육《최신 지식·기능을 가르치는》.

Contínuing Légal Educátion 《미》 변호사에게 정기적으로 새 법률 또는 법개정에 대하여 연수시키는 교육 제도.

°**con·ti·nu·i·ty** [kɑ̀ntənjú:əti/kɔ̀ntinjú:-] *n.* Ⓤ **1** 연속(성), 연속 상태, 계속; (논리의) 밀접한 관련; 〖수학〗 연속: break the ~ of a person's speech 남의 얘기의 허리를 끊다. **2** 연속된 것, 일련(*of*); 연관: a ~ *of* scenes 일련의 연속된 장면. **3** Ⓒ 〖영화·방송〗 콘티(script), 촬영〔방송〕용 대본: a ~ writer 촬영 대본 작가. ◇ continue *v.*

continúity equàtion 〖역학〗 연속 방정식.

continúity gìrl 〔**clèrk**〕 〖영화〗 촬영 기록원.

continúity prògram 〖상업〗 계속 주문(고객의 중지 요청이 없는 한, 상품〔서적, 잡지 등〕이 계속 송부됨).

continúity stùdio TV나 라디오 방송 중에 이어질 방송을 제작하는 소(小) 스튜디오.

con·tin·uo [kəntínjuòu] (*pl.* ***-u·os***) *n.* (It.) 〖음악〗 통주(通奏) 저음, 콘티누오(화성(和聲)은 변하지만 저음은 일정한 것).

⁑**con·tin·u·ous** [kəntínjuəs] *a.* **1** (시간·공간적으로) 연속〔계속〕적인, 끊이지 않는, 부단한, 잇단; 〖수학〗 연속의; 〖문법〗 진행형의: ~ function 〖수학〗 연속 함수/a ~ group 〖수학〗 연속군(群). SYN. ⇨ CONTINUAL. **2** 〖식물〗 마디〔격막〕 없는. ◇ continue *v.* ㊕ **~·ness** *n.*

contínuous asséssment 〖교육〗 계속 평가(학습 과정 전체를 통해 학생을 평가하는 방법).

contínuous bráke (전(全) 차량에 작동하는) 관통(貫通) 브레이크.

contínuous cúrrent 〖전기〗 직류(direct current).

contínuous-fòrm *a.* 〖컴퓨터〗 (프린터 용지가) 연속 용지인.

*__con·tin·u·ous·ly__ [kəntínjuəsli] *ad.* 잇따라, 연속적〔계속적〕으로, 간단〔끊임〕없이.

contínuous spéctrum 〖물리〗 연속 스펙트럼.

contínuous státionery (컴퓨터용) 연속 인자지(印字紙).

contínuous wáves 지속(전)파(持續(電)波)(생략: CW).

con·tin·u·um [kəntínjuəm] (*pl.* ***-tin·ua*** [-njuə]) *n.* 〖철학〗 (물질·감각·사건 등의) 연속(체); 〖수학〗 연속체. ***space-time*** **~** (4차원의) 시공(時空) 연속체.

contínuum hypòthesis 〖수학〗 연속체 가설(假說).

con·to [kántou/kɔ́n-] (*pl.* **~*s***) *n.* (Port.) 콘토(화폐의 계산 단위로, 브라질의 1,000 cruzeiros, 포르투갈의 1,000 escudos).

con·toid [kántɔid/kɔ́n-] *n.* Ⓒ 음성학적 자음.

con·tor·ni·ate [kəntɔ́ːrniət] *a., n.* 가장자리에 홈이 있는 (메달·동전).

con·tort [kəntɔ́ːrt] *vt., vi.* 비틀(리)다, 뒤틀(리)다; 구부리다, (의미 등을) 왜곡〔곡해〕하다(*out of*); (얼굴을) 찡그리다: ~ one's limbs 수족을 비틀다/a face ~*ed with* pain 고통으로 일그러진 얼굴. ㊕ **~·ed** [-id] *a.*

con·tor·tion [kəntɔ́ːrʃən] *n.* U,C 뒤틂, 뒤틀림, 일그러짐; 찡그림; (어구·사실 따위의) 왜곡, 곡해; (바윗돌 등의) 기형: make ~*s* of the face 얼굴을 찡그리다. ㊕ **~·ist** *n.* (몸을 마음대로 구부리는) 곡예사; (말·문장 뜻 등을) 곡해하는 사람. **con·tòr·tionís·tic** [-ístik] *a.*

con·tor·tive [kəntɔ́ːrtiv] *a.* 비뚤어진, 뒤틀린; 비틀어지게 하는, 비틀어지기 쉬운.

◇**con·tour** [kántuər/kɔ́n-] *n.* **1** 윤곽, 외형; 윤곽선; 지형선, 등고선, 등심선(~ line): the ~ of a coast 해안선. **2** (*pl.*) 형세, 정세, 상황: the ~*s* of a discussion 토론의 형세. **3** 〖미술〗 윤곽의 미; 〖도안〗 (서로 다른 색깔끼리의) 구획선; 〖음악〗 음조 곡선; (종종 *pl.*) (여성 등의) 몸의 선, 곡선. **—*a.*** **1** 윤곽을〔등고를〕 나타내는; 〖농업〗 산중턱을 따라서 고랑이나 두둑을 만든: ~ farming 등고선 농업〔재배〕. **2** (의자 따위를) 체형에 맞게 제작한. **—*vt.*** …의 윤곽을 그리다; …의 등고선을 기입하다; (길 따위를) 산중턱을 따라 만들다; (경사지를) 등고선을 따라 경작하다.

cóntour chàsing 〖항공〗 (지형의 기복을 따라 나는) 저공 비행.

cóntour fèather 새의 몸 표면을 덮은 깃털.

cóntour ìnterval 〖지리〗 등고선 간격.

cóntour lìne 〖지리〗 등고선, 등심선(等深線).

cóntour màp 등고선 지도.

cóntour plòwing 〔**plòughing**〕 등고선식 경작.

cóntour shèet 매트리스용 시트.

cóntour tòne 〖언어〗 곡선 음조(높이의 변화를 곡선적으로 나타내는 음조; 중국어의 4성 따위).

contr. contract(ed); contraction; contractor.

con·tra [kántrə/kɔ́n-] *prep.* …에 (반)대하여. ~ ***credit*** 〔***debit***〕 대변〔차변〕에 대하여. **—*a.*** 반대 세력의(특히 니카라과 좌파 정권에 대한). **—*ad.*** 반대로. **—*n.*** **1** 반대 의견〔투표〕, 반론; 〖부기〗 반대쪽. **2** (*pl.* **~*s***) 니카라과의 반정부 우파 게릴라 단원: pros and *con*(*tra*)*s* 찬부 양론〔투표〕.

con·tra- [kántrə/kɔ́n-] *pref.* '반대, 역, 대응'의 뜻.

con·tra·band [kántrəbæ̀nd/kɔ́n-] *n.* **1** U,C (수출입) 금제(禁制)품(~ goods); 암거래(품), 밀매(품), 밀수(품); =CONTRABAND OF WAR. **2** Ⓒ 〖미국사〗 남북 전쟁 때 북군 측으로 도망한 흑인 노예. **—*a.*** (수출입) 금지의, 금제의, 불법의: a ~ trader 밀수업자/~ weapons (수출입) 금지 무기. ㊕ **~·ist** *n.* 금제품 매매자; 밀수업자.

cóntraband of wár 〖국제법〗 전시 금제품.

con·tra·bass [kántrəbèis/ kɔ̀ntrəbéis] 〖음악〗 *a.* 최저음의. **—*n.*** 콘트라베이스(double bass)(최저음의 대형 현악기). ㊕ **~·ist** *n.* 콘트라베이스 연주자.

con·tra·bas·soon [kɑ̀ntrəbəsúːn/kɔ́n-] *n.* 〖악기〗 콘트라바순(double bassoon).

con·tra·cept [kɑ̀ntrəsépt/kɔ̀n-] *vt.* 피임하다: ~ a baby 피임〔산아 제한〕하다. [◂ *contraception*]

con·tra·cep·tion [kɑ̀ntrəsépʃən/kɔ̀n-] *n.* Ⓤ 피임(법).

con·tra·cep·tive [kɑ̀ntrəséptiv/kɔ̀n-] *a.* 피임(용)의. **—*n.*** Ⓒ 피임약; 피임 용구.

con·tra·clock·wise [kɑ̀ntrəklákwaiz/kɔ̀ntrəklɔ́k-] *a., ad.* =COUNTERCLOCKWISE.

⁑**con·tract** [kántrækt/kɔ́n-] *n.* **1** 계약, 약정; 계약서: a breach of ~ 계약 위반, 위약/get an exclusive ~ *with* …와 독점 계약을 맺다/sign 〔draw up〕 a ~ 계약서에 서명하다〔계약서를 작성하다〕/a verbal 〔an oral〕 ~ 구두 계약/a written ~ 서면 계약/under ~ …와 계약하여(*with*). **2** 청부; (속어) 살인 청부, 살인 명령: a ~ *for* work 공사의 도급/put out a ~(속어) 살인 청부업자를 고용하다. **3** (정식) 약혼. **4** 〖카드놀이〗 =CONTRACT BRIDGE. **5** (속어) 증회, 수회. ***by*** **~** 도급으로. ***make*** 〔***enter into***〕 ***a*** **~** ***with*** …와 계약을 맺다. ***put ... out to*** **~** 도급을 주다. **—** [kəntrǽkt] *vt.* **1** [kántrækt] (~+目/+目+前+名/+*to* do/+-*ing*) 계약하다, 계약을 맺다, 도급〔청부〕맡다: as ~*ed* 계약대로/We have ~*ed* that firm *for* the job. 우리는 그 회사와 그 일의 계약을 맺었다/He ~*ed to* build 〔build*ing*〕 the houses at a fixed price. 그는 일정한 예산으로 그 집들을 지을 것을 청부 맡았다. **2** (~+目/+目+前+名) 〖보통 수동태〗 (약혼·친교를) 맺다: ~ amity 〔friendship〕 *with* …와 친교를 맺다/~ marriage 〔matrimony〕 *with* …와 혼인을 맺다/*be* ~*ed* to …와 약혼 관계에 있다. **3** (나쁜 습관에) 물들다; (병에) 걸리다; (빚을) 지다: ~ bad habits 나쁜 버릇이 붙다/I have ~*ed* a bad cold. 독감에 걸렸다. **4** (근육 등을) 수축시키다; 죄다; 축소하다: ~ one's (eye)brows 〔forehead〕 눈살〔이맛살〕을 찌푸리다. **5** 좁히다, 제한하다; 줄이다; (글이나 말을) 단축〔축약〕하

다: In talking we ~ "do not" *to* "don't." 구어에서는 do not을 don't로 줄인다. **—** *vi.* **1** 줄(어들)다; 좁아지다, 수축하다. opp *expand.* **2** [kántrækt] 계약하다; 도급 맡다《*for*》; 약혼하다. ~ ***out*** 계약에 의해 (일을) 주다, 하청으로 내다, 외주(外注)하다《*to*》. ~ (one***self***) ***in*** 참가 계약을 하다《*to; on*》. ~ (one***self***) ***out*** (***of...***) 《영》 (계약·협약을) 파기하다, (…에서) 탈퇴하다, …의 적용 제외 계약을 하다. ⊞ **~·a·ble** *a.* (병이) 걸릴 수 있는.

cóntract bònd 계약 이행 보증.

cóntract brìdge 카드놀이의 일종《auction bridge의 변종》.

cóntract càrrier 계약〔전속〕 수송업자.

con·tract·ed [kəntrǽktid] *a.* **1** 수축된, 오그라든, 줄어든, 단축〔축약〕된: a ~ form 〖문법〗 단축〔축약〕형. **2** 편협한, 도량이 좁은, 인색한. **3** 옹색한, 궁색한; 여유가 없는, 여의치 못한. **4** [kántræktid] 계약한. ⊞ **~·ly** *ad.* **~·ness** *n.*

cóntract fàrming 1 계약 농업《식품 회사 등이 농가와 계약을 맺고 경작함》. **2** (중국 및 기타 사회주의 국가에서의) 자유 농업《규정된 수확량 이상의 초과분은 팔아 개인 소득으로 할 수 있음》.

cóntract hìre 《영》 계약 임대, 리스(lease).

con·tráct·i·ble *a.* 줄일 수 있는, 줄어드는. ⊞ **-i·bly** *ad.* **~·ness** *n.* **con·tràct·i·bíl·i·ty** *n.* U 수축성, 단축성.

con·trac·tile [kəntrǽktil, -tail/-tail] *a.* 줄어드는, 수축성이 있는: ~ muscles 수축근(筋). ⊞ **contrac·til·i·ty** [kàntræktíləti] *n.* 수축성.

contráctile vácuole 〖동물〗 (원생동물의) 수축 세포.

con·tráct·ing *a.* **1** 수축성 있는. **2** 계약의, 도급의: ~ parties 계약 당사자; 체맹국(締盟國). **3** 결혼의.

◇**con·trac·tion** [kəntrǽkʃən] *n.* U **1** 수축, 수렴; 〖의학〗 위축, (출산 시 자궁의) 수축. **2** (말이나 글의) 단축; C 단축형, 단축어《e'er(=ever), can't 따위》. **3** 〖수학〗 축소, 생략산(算). **4** (병에) 걸림, (버릇이) 붙기, (빚을) 걸머짐. **5** (약혼 등의) 맺기. **6** 한정(限定), 구속. **7** (자금·통화 따위의) 제한, 회수, 축소; 불황. ⊞ **~·al** *a.*

con·trac·tive [kəntrǽktiv] *a.* 줄어드는, 수축성의. ⊞ **~·ly** *ad.* **~·ness** *n.*

cóntract lábor 청부 노동(자), 계약 노동(자); 계약 이민 노동자.

cóntract màrriage 계약 결혼. cf. open marriage, serial marriage.

cóntract nòte 계약 보고서; 매매 계약서.

◇**con·trac·tor** [kántræktər, kəntrǽktər] *n.* **1** 계약자; 도급자, (공사) 청부인: a general ~ 청부업자. **2** 〖해부〗 수축근.

con·trac·to·ri·za·tion [kəntræktərizéiʃən/-rai-] *n.* (특히 공공 서비스의) 민간 위탁. ⊞ **con·trác·to·rìze** *vt.*

cóntract pràctice 계약 진료《미리 의사와 요금 등을 결정하여 단체 진료를 받는 제도》.

con·trac·tu·al [kəntrǽktʃuəl] *a.* 계약(상)의, 계약적인. ⊞ **~·ly** *ad.*

con·trac·ture [kəntrǽktʃər] *n.* 〖의학〗 (근육·힘줄 따위의) 구축(拘縮), 경축(痙縮).

còntra·cýclical *a.* (정책 따위가) 경기(景氣) 조정(형)의.

con·tra·dance [kántrədæ̀ns/kɔ́ntrədɑ̀:ns] *n.* =CONTREDANSE.

***con·tra·dict** [kàntrədíkt/kɔ̀n-] *vt.* **1** (진술·보도 따위를) 부정〔부인〕하다, 반박하다; (남의 말에) 반대하다, 반론하다; (…이) 옳지 않다고〔잘못이라고〕 언명하다: I'm sorry to ~ you, but... 말씀에 반론하는 것 같지만…. **2** …와 모순되다; …에 반하는 행동을 하다: ~ oneself 모순된 말을 하다/The reports ~ each other. 보고가 서로 어긋난다. **—** *vi.* 반대하다, 부인〔반박〕하다; (두 가지 일이) 모순되다. ◇ contradiction *n.* ⊞ **~·a·ble** *a.* 반박〔부정〕할 수 있는. **~·er, -díc·tor** *n.*

◇**con·tra·dic·tion** [kàntrədíkʃən/kɔ̀n-] *n.* U,C **1** 부인, 부정; 반박, 반대: in ~ to …에 반하여, …와 정반대로. **2** 모순, 당착; 모순된 행위〔사실, 사람〕; 〖논리〗 모순 원리〔율(律)〕. ***a*** ~ ***in terms*** 〖논리〗 명사(名辭) 모순《보기: a two-sided triangle 이변 삼각형》.

con·tra·dic·tious [kàntrədíkʃəs/kɔ̀n-] *a.* 반대〔반박〕하기 좋아하는, 논쟁을 좋아하는; 《고어》 자가당착의. ⊞ **~·ly** *ad.* **~·ness** *n.*

con·tra·dic·tive [kàntrədíktiv/kɔ̀n-] *a.* = CONTRADICTORY. ⊞ **~·ly** *ad.* **~·ness** *n.*

con·tra·dic·to·ry [kàntrədíktəri/kɔ̀n-] *a.* 모순된, 양립치 않는, 자가당착의; 반항적인: ~ statements 서로 모순되는 진술/be ~ *to* each other 서로 모순되다. **—** *n.* 반박, 부정적 주장; 〖논리〗 모순 대당(對當); 정반대의 사물. ⊞ **-ri·ly** *ad.* **-ri·ness** *n.* U

còntra·distínction *n.* U,C 대조 구별, 대비(對比): in ~ to 〔from〕 …와 대비하여, …와는 구별되어.

còntra·distínctive *a.* 대조적으로 다른, 대비적인. ⊞ **~·ly** *ad.*

còntra·distínguish *vt.* 비교하여 구별하다; 대비(對比)하다《*from*》: ~ A *from* B, A와 B를 대비하여 구별하다.

cóntra·flòw *n.* (교통의) 역방향 흐름《도로 보수 공사가 있을 경우 한쪽의 차선을 폐쇄하고 통상과 역방향으로 교통을 흐르게 하는 것》.

con·trail [kántreil/kɔ́n-] *n.* (로켓·비행기 따위의) 비행운(雲), 항적운(航跡雲)(vapor trail). [◂ *con*densation+*trail*]

còntra·índicate *vt.* 〖의학〗 (약·요법 따위가) …에 대해서 금기(禁忌)를 보이다.

còntra·indicátion *n.* U 〖의학〗 금기(禁忌).

còntra·láteral *a.* 반대쪽에 일어나는, 반대쪽의 유사한 부분과 연동(連動)하는, (반(反))대측성(對側性)의.

con·tral·to [kəntrǽltou] (*pl.* **~s** [-z], ***-ti*** [-ti:]) 〖음악〗 *n.* 콘트랄토, 최저 여성음(부); 콘트랄토 가수. **—** *a.* 콘트랄토의.

con·tra mun·dum [kántrə-mʌ́ndəm] 《L.》 세계에 대하여, 일반의 의견에 반대해서(라도).

còntra·óctave *n.* 〖음악〗 콘트라옥타브, 아래 1점음(點音).

còntra·órbital *a.* (어떤 로켓·미사일·인공위성 등의 궤도에 대하여) 역(逆)궤도 비행의.

con·tra pa·cem [kántrə-pá:kem, -péisəm/kɔ́n-] 《L.》 〖법률〗 평화를 해치고, 평화에 반하여.

con·tra·pose [kántrəpòuz/kɔ́n-] *vt.* 대치〔(對置)〔대비〕하다.

còntra·posítion *n.* U 대우(對偶), 대치(對置); 대위; 대조; 〖논리〗 환질(換質) 환위법. ***in*** ~ ***to*** 〔***with***〕 …에 대치〔대조〕하여. ⊞ **-pósitive** *a.*

con·tra pro·fe·ren·tem [kántrə-pràfəréntem] 《L.》 〖법률〗 (계약의 해석에 있어서) 기초자에게 불리하게《애매한 점은 제안〔제시〕자에게 불리하게 해석할 것이란 뜻》.

con·tra·prop [kántrəpràp/kɔ́ntrəprɔ̀p] *n.* 〖항공〗 이중 반전(二重反轉) 프로펠러.

con·trap·tion [kəntrǽpʃən] *n.* 《구어》 새로운 고안, 신안(新案); 《영속어》 기묘한 기계〔장치〕; 《미》 기구(器具).

con·tra·pun·tal [kàntrəpʌ́ntl/kɔ̀n-] *a.* 〖음악〗 대위법(對位法)의〔적인〕. ⊞ **~·ly** *ad.*

con·tra·pun·tist [kὰntrəpʌ́ntist/kɔ̀n-] *n.* 〖음악〗 대위법(에 능한) 작곡가.

con·trar·i·an [kəntrέəriən] *n., a.* 반대 행동을 취하는 (사람); (증권 거래에서 일반 투자가들이 매도하는 때에 주식을 사고, 매수할 때에 매도하는) 반대 사고(思考)의 주식 투자 운영자(의).

con·tra·ri·e·ty [kὰntrəráiəti/kɔ̀n-] *n.* Ⓤ 반대, 모순; 불일치; Ⓒ 상반되는 점, 모순된 사실; 〖논리〗 반대.

con·tra·ri·ly [kántrerili/kɔ́ntrə-] *ad.* **1** 이에 반해, 반대로. **2** 《구어》 [+kəntrέərəli] 옹고집을 부려, 완고하게.

con·tra·ri·ness [kántrerinis/kɔ́ntrə-] *n.* Ⓤ **1** 반대, 모순. **2** 《구어》 [+kəntrέərinis] 외고집, 옹고집, 심술.

con·trar·i·ous [kəntrέəriəs] 《고어》 *a.* 외고집의(perverse); 반대의, 역(逆)의; 불리한. ㊞ **~·ly** *ad.* **~·ness** *n.*

con·tra·ri·wise [kántreriwàiz/kɔ́ntrə-] *ad.* 반대로, 반대 방향으로; 이에 반(反)하여; 고집 세게, 심술궂게.

⁑**con·tra·ry** [kántreri/kɔ́ntrə-] *a.* **1** 반대의, …에 반(反)하는, 반대 방향의, …와 서로 용납치 않는《*to*》; 역(逆)의: look the ~ way 외면하다/a ~ current 역류/~ wind 역풍/~ propositions 모순되는 명제/~ *to* fact 〔reason〕 사실과 상반되는 〔도리에 어긋나는〕. SYN. ⇨ OPPOSITE. **2** 적합치 않은, 불순(不順)한, 불리한: ~ weather 악천후. **3** [+kəntrέəri] 《구어》 고집 센, 옹고집의, 빙퉁그러진: a ~ child. **4** 〖식물〗 직각의. **—** *n.* (the ~) (정)반대, 모순; (종종 *pl.*) 반대〔상반되는〕 것〔일〕; 〖논리〗 반대 명제: courage and its ~ 용기와 그 반대(즉 비겁)/He is neither tall nor the ~. 키가 크지도 작지도 않다. ***by contraries*** 정반대로, 거꾸로; 예상과는 달리: Dreams go *by contraries.* 꿈은 실제와는 반대. ***on the ~*** 이에 반하여, 도리어, …은 커녕. ***to the ~*** 그와 반대로〔의〕, 그렇지 않다는, 그와는 달리〔다른〕, 그럼에도 불구하고: an evidence *to the* ~ 반증/unless I hear *to the* ~ 그렇지 않다는 말이 없으면. **—** *ad.* 반대로, 거꾸로《*to*》: act ~ *to* rules 규칙에 반하는 행동을 하다/~ *to* one's expectation 예상과는 반대로, 의외로.

cóntrary mótion 〖음악〗 반(反)진행.

cóntrary térms 〖논리〗 반대 명사《흑과 백, 선과 악처럼 결코 같은 의미가 될 수 없는》.

còn·tra·séasonal *a.* 철 지난〔늦은〕, 시기(時期)에 맞지 않은.

⁑**con·trast** [kántræst/kɔ́ntrɑːst] *n.* **1** Ⓤ 대조, 대비《*with; to; between*》: the ~ *between* light and shade 명암(明暗)의 대조/by ~ 대조해 보면/by ~ *with* …와의 대조〔대비〕에 의해/in ~ *to* 〔*with*〕 …와 대비하여, …와는 현저히 달라서. **2** Ⓒ 현저한 차이〔상이〕《*between*》. **3** Ⓒ 대조가 되는 것, 정반대의 물건〔사람〕《*to*》: What a ~ *to* the days of old! 옛날에 비하면 사뭇 다르구나/She is a great ~ *to* her sister. 그녀는 동생과는 아주 딴판이다. **4** Ⓤ 〖수사학〗 대조법. ***form*** 〔***present***〕 ***a striking*** 〔***singular***〕 ***~ to*** …와 현저〔기묘〕한 대조를 이루다.

— [kəntrǽst, kántræst/kəntrɑ́ːst] *vt.* **1** 《~+목/+목+전+명》 대조〔대비〕시키다《*with*》: ~ two things/~ light and shade 명암을 대조하다/ *Contrast* Jane *with* her sister. 제인을 동생과 대비해 보세요. **2** 대조하여 뚜렷이 드러나게〔두드러지게〕 하다《*with*》. **—** *vi.* 《+전+명》 (…와) 좋은 대조를 이루다; 뚜렷한 차이를 보이다: This color ~*s* well *with* green. 이 색은 녹색과 뚜렷이 대조를 이룬다. ★ compare 는 유사·차이 어느 쪽에도 쓰이나, contrast 는 차이에만 쓰임. ***as ~ed*** (***with*** A), (A 와) 대조해 보면.

㊞ **con·trást·a·ble** *a.*

con·tras·tive [kəntrǽstiv/-trɑ́ːs-] *a.* **1** 대조적인. **2** 〖언어〗 (두 언어 사이의) 일치·상위를 연구하는, 대비 연구하는: a ~ grammar 대조문법/~ linguistics 대조 언어학. ㊞ **~·ly** *ad.*

cóntrast mèdium 〖의학〗 조영제(造影劑).

con·trasty [kəntrǽsti, kántræs-/kəntrɑ́ːs-] *a.* 〖사진〗 경조(硬調)의, 명암이 두드러진. OPP. *soft.*

còntra·suggéstible *a.* 〖심리〗 피암시성(被暗示性)이 없는〔낮은, 적은〕. ㊞ **-géstion** *n.*

con·trate [kántreit/kɔ́n-] *a.* 〖기계〗 가로톱니의: a ~ wheel 가로톱니바퀴.

con·tra·test [kántrətèst, kɔ́n-] *a.* 실험을 컨트롤하는〔하기 위한〕.

còntra·vallátion *n.* 대루(對壘)《포위군이 적의 요새지 둘레에 쌓는 참호·포루(砲壘)》.

con·tra·vene [kὰntrəvíːn/kɔ̀n-] *vt.* **1** (법률 따위를) 위반하다; (남의 자유·권리 따위를) 무시하다. **2** (의논 따위를) 부정하다, 반박하다. **3** (주의(主義) 따위와) 모순되다, 일치하지 않다. ㊞ **-vén·er** *n.*

con·tra·ven·tion [kὰntrəvénʃən/kɔ̀n-] *n.* Ⓤ,Ⓒ 위반 (행위), 위배; 반대, 반박; 〖법률〗 (유럽 각국의) 경범죄. ***in ~ of*** …에 위반하여.

con·tre·coup [kántrəkù/kɔ́n-] *n.* 《F.》 〖의학〗 대측(對側) 충격〔타격〕《충격 받은 부분과 반대측 부분에 생기는 뇌 따위의 상해》.

con·tre·danse [kántrədæ̀ns, -dɑ̀ːns/kɔ́ntrədɑ̀ːns] *n.* 《F.》 대무(對舞); 대무곡(contradance).

con·tre-jour [kὰntrəʒúər/kɔ̀n-] *a., ad.* 〖사진〗 역광의〔으로〕.

con·tre·temps [kántrətɑ̀ːŋ/kɔ́n-] (*pl.* ~ [-z]) *n.* 《F.》 **1** 뜻하지 않은 불행, 뜻밖의 사고〔고장〕. **2** 〖음악〗 =SYNCOPATION.

contrib. contribution; contributor.

con·trib·ut·a·ble [kəntríbjutəbəl] *a.* 기부〔공헌〕할 수 있는.

⁑**con·trib·ute** [kəntríbjuːt] *vt.* **1** 《~+목/+목+전+명》 (금품 따위를) 기부하다, 기증하다《*to; for*》: ~ money *to* relieving the poor 빈민 구제를 위해 돈을 기부하다. **2** 기여〔공헌〕하다; (조언·원조 따위를) 제공하다, 주다《*to; for*》. **3** 《+목+전+명》 (글·기사를) 기고하다《*to*》: ~ an article *to* a magazine 잡지에 논문을 기고하다. **—** *vi.* 《+전+명》 **1** 기부를 하다《*to*》: ~ *to* a community chest 공동 모금에 기부하다. **2** (…에) 힘을 빌리다, (…에) 도움이 되다, (…의) 한 원인이 되다, 기여〔공헌〕하다《*to; toward*》: Gambling ~*d to* his ruin. 도박도 그의 파산의 (한) 원인이 되었다. **3** 기고〔투고〕하다《*to*》: ~ *to* a newspaper 신문에 기고하다. ◇ contribution *n.*

⁑**con·tri·bu·tion** [kὰntrəbjúːʃən/kɔ̀n-] *n.* Ⓤ,Ⓒ **1** 기부, 기부금, 헌금(獻金), 의연금; 기증(품); 보급(물). **2** 기여, 공헌《*to; toward*》. **3** 기고, 투고《*to*》, 기고문, 논문. **4** (사회 보험의) 보험료; 세금, 조세; 〖법률〗 분담금; 〖군사〗 군세(軍稅)《점령지 주민에게 부과하는》. ◇ contribute *v.* ***lay*** (people) ***under ~*** (백성에게) 강제적으로 기부시키다; …에게 군세를 부과하다. ***make a ~ to*** 〔***toward***〕 …에 기부〔공헌〕하다.

con·trib·u·tive [kəntríbjətiv] *a.* (…에) 기여〔공헌〕하는, (…을) 증진하는, (…에) 이바지하는《*to*》. ㊞ **~·ly** *ad.* **~·ness** *n.*

con·trib·u·tor [kəntríbjətər] *n.* 기부〔공헌〕자; 기고〔투고〕가; 유인(誘因), 일인(一因)《*to*》. ㊞ **con·trìb·u·tó·ri·al** *a.*

con·trib·u·to·ry [kəntríbjətɔ̀:ri/-təri] *a.* **1** 기여하는: a ~ cause of the accident 사고의 유력한 원인. **2** 〖서술적〗 …에 공헌하는, 이바지하는, (…에) 도움이 되는《*to*》. **3** 기부의, 출자의, 의연(義捐)적인; 출자금〔세금〕을 분담하는, (연금·보험이) 갹출제〔분담제〕의. **—** *n.* 출자 의무자; 〖영법률〗 무한 책임 사원.

contríbutory négligence 〖법률〗 기여〔근인(近因), 조성(助成)〕 과실(過失).

cón trìck 《미구어》 =CONFIDENCE GAME.

con·trite [kəntráit, kántrait/kɔ́ntrait] *a.* 죄를 깊이 뉘우치고 있는; 회개한; 회오의: ~ tears 회오의 눈물. ⓜ **~·ly** *ad.* **~·ness** *n.*

con·tri·tion [kəntríʃən] *n.* Ⓤ 〖신학〗 통회(痛悔), 회개; (깊은) 회한. ⓒⓕ attrition.

con·triv·a·ble [kəntráivəbəl] *a.* 고안〔안출〕할 수 있는, 궁리할 수 있는.

°**con·triv·ance** [kəntráivəns] *n.* Ⓤ,Ⓒ **1** 고안, 발명; 고안〔연구〕의 재간. **2** 고안품; 장치. **3** 계획; 계략, 간계, 책략. ◇ contrive *v.*

con·trive** [kəntráiv] *vt.* **1** 연구하다; 고안〔발명〕하다; 설계하다: ~ an excuse 구실을 마련하다. ⓈⓎⓃ. ⇨ INVENT. **2** 《~+목/+*to* do》 용케 …하다, 이럭저럭 (…을) 해내다(manage); 〖반의적〗 일부러 (불리한 일을) 저지르다, 불러들이다: He ~*d to* persuade me. 나는 그에게 결국 설복당했다 / He ~*d* only *to* get himself into hot water. 그는 자청해서 따끔한 맛을 본 결과가 되었다 / He ~*d* his escape. 그는 용케 도망쳤다. **3** 《~+목/+*to* do》 꾀하다, 하고자 획책〔도모〕하다: ~ a plan for an escape 도망갈 계획을 세우다 / ~ *to* kill her 그녀를 죽이려고 꾀하다. **—** *vi.* **1** 궁리하다, 고안하다; 획책하다. **2** (살림 따위를) 잘 꾸려 나가다: Can you ~ without it? 그것 없이도 해내겠소? ◇ contrivance *n.* ***cut and **~** (살림 따위를) 용케 꾸려 나가다.

con·tríved *a.* 인위적인, 부자연스러운, 무리를 한: a ~ ending of a play.

con·trív·er *n.* **1** 연구자, 고안자. **2** 계략자. **3** 변통을 잘하는 사람.

****con·trol** [kəntróul] *n.* **1** Ⓤ 지배(력); 관리, 통제, 다잡음, 단속, 감독(권)《*on; over; of*》: ~ *of* foreign exchange 외국환 관리 / gain ~ *of* 〔*over*〕 the armed forces 군의 지휘권을 잡다, 군대를 장악하다 / be in ~ *of* …을 관리〔지배〕하고 있다 / be under the ~ *of* …의 지배〔관리〕하에 있다 / take ~ *of* …의 지배권을 장악하다 / fall under the ~ *of* …의 지배를 받게 되다. **2** Ⓤ 억제, 제어; (야구 투수의) 제구력(制球力): thought ~ 사상 통제 / inflation ~ 인플레 억제 / birth ~ 산아 제한. **3** 통제〔관리〕 수단; (*pl.*) (기계의) 조종 장치; (종종 *pl.*) 제어실, 관제실〔탑〕; 〖컴퓨터〗 제어. **4** Ⓒ (실험 결과의) 대조 표준; 대조부(簿), (기록 따위의) 부본(副本). **5** Ⓒ (자동차 경주 등에서 간단한 수선을 위한) 경주 중단 구역, 스피드 관제 구역; 차체 검사소. **6** Ⓒ 단속자, 관리인. **7** Ⓒ (심령술에서) 영매(靈媒)를 지배하는 영혼; Ⓤ 〖우주〗 제어(制御). ***bring*** 〔***get***〕 ***… under*** **~** 억제〔제어〕하다; 진화하다. ***have*** **~** ***of*** 〔***over***〕 …을 제어〔관리〕하고 있다. ***keep … under*** **~** …을 억누르고 있다. ***lose*** 〔***get, gain***〕 **~** ***over*** 〔***of***〕 …을 제어할 수 없게 되다〔제어하게 되다〕. ***without*** **~** 제멋대로, 통제 없이.
— (*-ll-*) *vt.* **1** 지배하다; 통제〔관리〕하다, 감독하다. **2** 제어〔억제〕하다: ~ oneself 자제하다. **3** 검사하다; (실험 결과를 다른 실험이나 표준과) 대조하다. **4** (지출 등을) 제한〔조절〕하다.

contról accòunt 〖통계〗 통제 계정, 총괄 계정, 통괄 계정.

contról bàll 〖컴퓨터〗 =TRACK BALL.

contról bòard 제어반(盤).

contról bòoth 〖라디오·TV〗 제어실.

contról chàracter 〖컴퓨터〗 제어 문자.

contról chàrt 〖통계〗 관리도(圖)《특히 제품 품질의》.

contról clòck =MASTER CLOCK.

contról còlumn 〖항공〗 조종륜(輪)《차의 핸들식 조종간》.

contról commànds (*pl.*) 〖컴퓨터〗 제어 명령어.

contról expèriment 대조 실험.

contról frèak 《구어》 주변 일에 일일이 간섭하는 사람; 지배광(狂).

contról grìd 〖전자〗 (전자관의) 제어 격자〔그리드〕.

contról gròup 〖전자〗 제어 집단; 〖항공〗 조종 장치; 〖약학〗 대조군(對照群)《동일 실험에서 실험 요건을 가하지 않은 그룹; 플라세보(placebo)를 복용한 환자 등》.

contról kèy 〖컴퓨터〗 컨트롤 키《컴퓨터 키보드의 문자 키 등과 동시에 누름으로써 그 키 본래의 코드와는 다른 코드를 발생시키는 키》.

con·tról·la·ble *a.* 지배〔제어, 조종〕할 수 있는. ⓜ **-bly** *ad.*

con·trólled *a.* 지배하의; 통제된; 조심스러운.

contrólled circulátion (잡지·신문의) 무료 배포 부수《증정·광고·권유용》.

contrólled disbúrsement 《미》 조작에 의한 고의적인 수표 지연 지급《수취인에게서 멀리 떨어진 은행 앞으로 수표를 발행하는 따위》.

contrólled ecónomy 통제 경제.

contrólled·relèase *a.* (의약품·살충제 따위가) 일정한 시간에 방출되는〔방출되면 효능을 발휘하는〕.

contrólled súbstance 통제〔규제〕 약물〔약품〕《사용 및 소지가 규제되는 약물》.

°**con·tról·ler** *n.* **1** 관리인, 지배자; 감사, (회계) 감사관, 감사역, (회사의) 경리부장《관명으로는 comptroller》; (항공) 관제관; 조종자; 주간, 간사; 《영》 재무차관〔차장〕: the *Controller* 〔Comptroller〕 of the Navy 〖영해군〗 해군통제관 / the *Controller* General of the U.S. 《미》 회계 감사원장. **2** (전차의) 제동기; 〖전기〗 정류기; 〖선박〗 제쇄기(制鎖機); 〖컴퓨터〗 제어기. ⓜ **~·shìp** *n.* Ⓤ

contról lèver =CONTROL STICK.

con·trólling ìnterest 지배적 이권(利權)《회사 경영을 장악하기에 충분한 주식 보유 따위》.

con·tról·ment *n.* Ⓤ 《고어》 지배, 관리, 제어.

contról pànel **1** =CONTROL BOARD. **2** 〖컴퓨터〗 제어판《조작 조정용 콘솔의 일부》.

contról ròcket 제어 로켓《우주선·미사일의 코스 수정에 사용되는》.

contról ròd (원자로 작동 상태의) 제어봉.

contról ròom 관제실; (방송·녹음의) 조종실; (원자로 등의) 제어실.

contról stìck 〖항공〗 조종간(桿). ⓒⓕ control column.

contról stòrage 〖컴퓨터〗 제어 기억 장치.

contról sùrface 〖항공〗 조종익면(操縱翼面), 조종면(面).

contról tòwer (공항의) 관제탑.

contról ùnit 〖컴퓨터〗 제어 장치《하드웨어의 일부》.

con·tro·ver·sial [kɑ̀ntrəvə́:rʃəl/kɔ̀n-] *a.* 논쟁의; 논쟁을 즐기는; 논의의 여지가 있는, 논쟁의 대상인, 물의를 일으키는: a ~ decision 〔statement〕 물의가 있는 결정〔진술〕. ⓜ **~·ly** *ad.* **~·ism** *n.* 논쟁버릇, (격한) 논쟁. **~·ist** *n.*

con·tro·ver·sy** [kántrəvə̀:rsi/kɔ́n-] *n.* Ⓤ,Ⓒ 논쟁, 논의, (특히 지상(紙上)의) 논전; 말다툼. ⓒⓕ contention, debate, dispute. ◇ controvert *v.* ***arouse 〔***cause***〕 ***much*** **~** 크게 물의를 일으키다. ***beyond*** 〔***without***〕 **~** 논쟁의 여지없이, 당연히. ***have*** 〔***enter into***〕 ***a*** **~** ***with*** …와 논쟁하다. ***hold*** 〔***carry on***〕 ***a*** **~** ***with*** 〔***against***〕

…와 논의하다.

con·tro·vert [kántrəvə̀ːrt/kɔ́n-] *vt.*, *vi.* 논의[논쟁, 논박]하다, 부정하다. ◇ controversy *n.* ㊞ ~·er, ~·ist *n.* **cón·tro·vèrt·i·ble** *a.* 논의[논쟁]의 여지가 있는, 논쟁할 만한. **~·i·bly** *ad.*

con·tu·ma·cious [kàntjəméiʃəs/kɔ̀ntju-] *a.* **1** 반항적인, 오만한. **2** 〖법률〗 (법정) 소환에 응하지 않는. ㊞ **~·ly** *ad.* **~·ness** *n.*

con·tu·ma·cy [kántjəməsi/kɔ́ntju-] *n.* Ⓤ,Ⓒ 불순종, 완고; 명령 불복종《특히 법정 소환의 불응》.

con·tu·me·li·ous [kàntjəmíːljəs/kɔ̀ntju-] *a.* 오만불손한, 무례한. ㊞ **~·ly** *ad.* **~·ness** *n.*

con·tu·me·ly [kántuməli, kəntjúː-/kɔ́ntjuːmli, -tjumili] *n.* Ⓤ,Ⓒ (언어 · 태도 따위의) 오만 무례; 모욕적 언동.

con·tuse [kəntjúːz/-tjúːz] *vt.* …에게 타박상을 입히다; 찧어 섞다. ㊞ **con·tú·sion** [-ʒən] *n.* Ⓒ,Ⓤ 〖의학〗 멍듦; 타박상. **con·tú·sive** [-siv] *a.*

co·nun·drum [kənʌ́ndrəm] *n.* 수수께끼, 재치문답; 어려운 문제; 수수께끼 같은 인물[물건].

con·ur·ba·tion [kànəːrbéiʃən/kɔ̀n-] *n.* 집합도시《몇 개의 도시가 팽창 접근하여 한 개의 대도시로 간주되는 것》, 대도시권, 광역 도시권.

CONUS [kánəs/kɔ́n-] *n.* 〖군사〗 미국 본토(군)《하와이 · 알래스카 등을 제외한 미국 본토의 총칭》. [◂ *Con*tinental *U*nited *S*tates]

conv. convention(al); convertible; convocation.

con·va·lesce [kànvəlés/kɔ̀n-] *vi.* (병이) 차도가 있다, (병후 차차) 건강을 회복하다.

°**con·va·les·cence** [kànvəlésns/kɔ̀n-] *n.* Ⓤ 차도가 있음; 회복(기), 요양 (기간).

°**con·va·les·cent** [kànvəlésnt/kɔ̀n-] *a.* 차도를 보이는, 회복기(환자)의: a ~ hospital [home] 회복기 (환자) 보양소(保養所). **—** *n.* 회복기 환자, 갓 앓고난 사람. ㊞ **~·ly** *ad.*

con·vect [kənvékt] *vi.* 대류(對流)로 열을 보내다. **—** *vt.* (따뜻한 공기를) 대류로 순환시키다.

con·vec·tion [kənvékʃən] *n.* Ⓤ,Ⓒ 전달; 〖물리〗 (열 · 전기의) 대류(對流), 환류(環流); 〖기상〗 대류. ㊞ **~·al** [-əl] *a.* 대류의.

convéction cùrrent 〖물리〗 대류. 〖전기〗 대류(對流) 전류;

convéction òven 대류식(對流式) 오븐.

con·vec·tive [kənvéktiv] *a.* 대류(對流)[환류(環流)]의, 전달성의. ㊞ **~·ly** *ad.*

convéctive actívity 〖기상〗 대류(對流) 활동.

con·vec·tor [kənvéktər] *n.* 대류식(對流式) 난방기[방열기].

con·ve·nance [kánvənàːns/kɔ́n-] *n.* 《F.》 **1** 적합. **2** 관용. **3** 예의; (보통 *pl.*) (세상 일반의) 풍습, 관습. **4** =CONVENIENCE.

°**con·vene** [kənvíːn] *vt.* 모으다, (모임 · 회의를) 소집하다; 소환하다. **—** *vi.* 모이다, 회합하다. ㊞ **con·vén·a·ble** *a.*

con·vén·er, -vé·nor *n.* (위원회 따위의) 소집자, (회의의) 주최자; (위원회 등의) 위원장, 의장.

con·ven·ience** [kənvíːnjəns] *n.* **1 a** Ⓤ 편리, 편의; (개인적인 편리한) 형편, 편익: a marriage of ~ 물질을 노린 결혼, 정략 결혼/for ~ of explanation 설명의 편의상. **b** Ⓒ (보통 *sing.*) 형편이 좋음: It is a great ~ to keep some good reference books in your study. 서재에 좋은 참고 서적을 비치하는 것은 매우 편리한 일이다. **2** Ⓤ 형편이 좋은 기회, 유리[편리]한 사정: as a matter of ~ 편의상/if it suits your ~ 지장이 없으시다면/at one's (own) ~ 형편 닿는 대로; 편리한[형편 좋은] 때에/to a person's ~ 아무에게 형편이 좋은. **3** Ⓒ 편리한 것[도구], (문명의) 이기(利器); (*pl.*) (편리한) 설비, (의식주의) 편의: The house has all the modern ~*s*. 그 집은 현대적인 설비를 모두 갖추고 있다. **4** 《영》 (공중)변소. ◇ convenient *a.* ***at* one's *early* [*earliest*] ~** 형편 닿는 대로 조속히. ***await* a person's ~** 아무의 형편 좋을 때를 기다리다. ***consult* one's *own* ~** 자기의 편의를 도모하다. ***for* ~(') *sake 편의상. ***make a* ~ *of*** …을 멋대로 이용하다.

convénience fòod 인스턴트식품.

convénience gòods 일용 잡화 식료품.

convénience màrket 일용 잡화 식료품 시장.

convénience òutlet 실내 콘센트.

convénience stòre (장시간[24 시간] 영업하는) 일용 잡화 식료품상, 편의점.

con·ven·ien·cy [kənvíːnjənsi] (*pl.* **-cies**) *n.* 《고어》 =CONVENIENCE.

con·ven·ient** [kənvíːnjənt] *a.* **1** (물건이) 편리한, 사용하기 좋은[알맞은], 편의한; 〖서술적〗 (물건 · 시간 따위가 …에) 형편 좋은《*to* a person; *for* a person *to* do》: If it is ~ *to* you, ... 형편이 좋다면 …/When will it be ~ *for* you *to* go there? 언제 가는 게 좋겠나. ◇ convenience *n.* ★ 서술적 용법에서는 사람을 주어로 하지 않음. 《미》에서는 전치사로 to 보다는 for가 더 일반적. **2** 〖서술적〗 (…에) 가까이에 (accessible)《*to*; *for*》: My house is ~ *to* [*for*] the station. 내 집은 역 근처에 있다. ***make it* ~ *to (do) 형편을[계제를] 보아서 …하다. ㊞ °**~·ly** *ad.* 편리하게, 형편 좋게: a bus stop ~*ly* placed 편리한 곳에 있는 버스 정류장.

con·vent [kánvent, -vənt/kɔ́nvənt] *n.* 수도회, 《특히》 수녀단; 수도원, 《특히》 수녀원: go into a ~ 수녀가 되다.

con·ven·ti·cle [kənvéntikəl] *n.* (종교상의) 비밀 집회(소); 〖영국사〗 (비국교도 · 스코틀랜드 장로파의) 비밀 집회(소). ㊞ **-cler** *n.* 비밀 집회에 모이는 사람; 《경멸》 분리파의 사람(separatist).

con·ven·tic·u·lar [kànventíkjələr/kɔ̀n-] *a.*

***con·ven·tion** [kənvénʃən] *n.* **1** (정치 · 종교 · 교육 따위의) 대회, 대표자 회의, 정기 총회; 〖집합적〗 대회 참가자, 대표자《집합체로 생각할 때는 단수, 구성 요소일 때는 복수 취급》; 〖영국사〗 컨벤션《1660 년 및 1688 년 국왕의 소집 없이 열린 영국의 의회》; 《미》 (노동조합 · 종교 · 교육 단체 따위의) 연차(年次) 총회; 《미》 (정당의) 전국[당] 대회: a ~ hall (호텔 따위의) 회의장. **2** 소집, 협정, 약정, 협약, 합의(agreement); 국제 협정, 협상, 가조약: a postal ~ 우편 협정. **3** Ⓒ,Ⓤ 풍습, 관례; 인습: social ~ 사회적 관습/a slave to ~ 인습에 젖은 사람. SYN. ⇨ HABIT. **4** (예술에서의) 약속; (카드놀이 따위의) 규칙, 규약: stage ~*s* 〖연극〗 무대 위에서의 약속. ◇ convene *v.*

***con·ven·tion·al** [kənvénʃənəl] *a.* **1** 전통적인; 인습적인, 관습적인: ~ morality 인습적인 도덕/~ ways 종래의 방법/~ taxonomy 관습 분류학. **2** 형식적인, 판에 박힌, 상투적인, 진부한, 독창성[개성]이 결여된, 〖예술〗 양식화된: a ~ melodrama 흔해 빠진 멜로드라마/~ phraseology 상투적인 문구. **3** (병기가) 재래식인, 보통의, 비핵(非核)의: ~ war 재래식 무기에 의한 전쟁/~ forces (핵장비를 안 갖춘) 통상 전력/~ weapons 재래식 병기/a ~ power plant (비핵의) 재래형 발전소. **4** 협정[조약]에 관한, 협정[협약]상의: a ~ tariff 협정 세율/~ neutrality 조약 중립. **5** 대회[집회]의. **6** 회의의. **—** *n.* 〖카드놀이〗 **1** =CONVENTION 4. **2** 《구어》 재래[통상]형(形)의 것. ㊞ **~·ly** *ad.* 인습적으로, 진부하게, 판에 박은 듯이.

con·vén·tion·al·ìsm *n.* Ⓤ 인습[전통]주의, 관례 존중[답습]; 〖철학〗 약속주의, 편의주의, 규

약주의; (종종 *pl.*) 판에 박힌 관습; 판박이 문구. ㊞ **-ist** [-ʃənəlist] *n.* 인습주의자; 관례 답습자; 평범한 사람.

con·ven·tion·al·i·ty [kənvènʃənǽləti] *n.* Ⓤ 관례〔전통, 인습〕 존중; (종종 the -ities) 상례, 상투성; 습속, 관습.

con·vén·tion·al·ize *vt.* 인습〔관례〕에 따르게 하다; 평범하게 하다; 〖예술〗 양식화하다.

convéntional wísdom 옛날부터 배양되어 온 지혜〔생각〕, 일반 통념.

con·ven·tion·ary [kənvénʃənèri/-nəri] *a.* (차지(借地)가 관례상의 것이 아니라) 명문화된 협정에 근거한, 협정상의. **—** *n.* 협정 차지(인).

convéntion cènter 컨벤션 센터《회의 장소나 숙박 시설이 집중된 지구 또는 종합 빌딩》.

con·ven·tion·eer [kənvènʃəníər] *n.* 《미》 대회 참가자〔출석자〕.

Convéntion Reláting to the Státus of Refugées 〖외교〗 난민(難民) 조약 《1954년 4월에 발효》.

convéntion tòur 관광지 등에서 개최되는 대회 · 집회 따위에 참석하기 위한 여행.

cónvent schòol 수녀원 부속 학교《교사가 모두 수녀인 여학교》.

con·ven·tu·al [kənvéntʃuəl] *a.* 수도〔수녀〕원의, 수도원〔수녀원〕 같은; (C-) 프란체스코파 수녀원의. **—** *n.* 수사, 수녀; (C-) 프란체스코파 수녀. ㊞ **~·ly** *ad.*

°**con·verge** [kənvə́ːrdʒ] *vi.* **1** 《+전+명》 한 점〔선〕에 모이다: All these roads ~ *on* the city. 이 길들은 모두 그 도시로 모아진다. **2** 《+전+명》 (사람 · 차 등이) 몰려들다; (의견 · 행동 따위가) 한데 모아지다, 집중하다: Our interest ~*d on* that point. 우리 흥미는 그 점에 집중되었다. **3** 〖물리 · 수학 · 생물〗 수렴(收斂)하다. OPP *diverge.* **—** *vt.* (…을) 한 점에 모으다, 집중시키다.

con·ver·gence, -gen·cy [kənvə́ːrdʒəns], [-i] *n.* Ⓤ **1** (한 점에의) 집중, 집중성〔상태〕. **2** 〖수학 · 물리〗 수렴(收斂); 〖생리〗 폭주(輻輳). **3** 〖정치〗 동서 양 진영의 접근.

convérgence lìne 〖기상〗 수렴선(收斂線)《바닷바람과 뭍바람이 부딪쳐 상승(上昇) 기류가 발생하는 선》.

con·ver·gent [kənvə́ːrdʒənt] *a.* 한 점으로 향하는, 한데 모이는; 〖군사〗 (포위) 집중적인; 〖물리 · 수학 · 생리〗 수렴성의; 〖생물〗 수렴의, 2차적 유사(類似)의. ㊞ **~·ly** *ad.*

convérgent bóundary *n.* 〖지학〗 수렴(收斂) 경계《두 개의 플레이트가 접근하여 겹치는 영역》.

convérgent thínking 〖심리〗 집중적 사고.

con·vérg·er *n.* **1** converge 하는 사람〔것〕. **2** 〖심리〗 집중적 사고형의 사람《치밀한 논리적 사고 능력을 가진》.

convérging léns 〖물리〗 수렴(收斂) 렌즈.

con·vers·a·ble [kənvə́ːrsəbəl] *a.* 이야기하기 좋아하는; 말붙이기 쉬운; 붙임성 있는; 담화〔사교〕에 알맞은. ㊞ **~·ness** *n.*

con·ver·sance, -san·cy [kənvə́ːrsəns/kənvə́ː-], [-i] *n.* 친교, 친밀; 숙지, 정통《*with*》.

con·ver·sant [kənvə́ːrsənt, kánvər-/kənvə́ː-] *a.* **1** 정통하고 있는《*with*》: He is ~ *with* Greek literature. **2** 《고어》 관심이〔관계가〕 있는. **3** 《고어》 친한, (…와) 친교가 있는《*with; in; among*》. **4** (사물이) 관련되어 있는《*in; about; with*》. ㊞ **~·ly** *ad.*

˟con·ver·sa·tion [kὰnvərséiʃən/kɔ̀n-] *n.* **1** Ⓤ,Ⓒ 회화, 대담, 대화, 좌담《*with; on; about*》: be in ~ *with* a person 아무와 대담 중이다. **2** 〖컴퓨터〗 (컴퓨터와의) 대화. **3** Ⓒ (외교상의) 비공식 회담. **4** 좌담의 재주: have no ~ 화제가 궁하다. **5** Ⓤ 《고어》 교제, 교섭; 친교; 《고어》 행동, 생활양식. **6** 성교: criminal ~ 〖법률〗 간통 《생략: crim. con.》. ◇ converse[1] *v.* ***change the*** **~** 화제를 바꾸다. ***enter*** 〔***fall, get***〕 ***into*** **~** ***with*** …와 이야기를 시작하다. ***hold*** 〔***have***〕 ***a*** **~** ***with*** …와 회담〔담화〕하다. ***make*** **~** 잡담하다; 이야기 꽃을 피우다.

con·ver·sa·tion·al [kὰnvərséiʃənəl/kɔ̀n-] *a.* **1** 회화(체)의, 좌담식의; (말씨가) 스스럼없는. **2** 이야기하기 좋아하는, 말 잘하는. ㊞ **~·ly** *ad.* 회화(체)로. **~·ist** *n.* 이야기하기 좋아하는 사람, 입담 좋은 사람, 좌담가.

conversátional ím·pli·ca·ture [-ímplikətʃər] 〖철학 · 언어〗 회화의 함의(含意)《회화의 협조 원칙에 의거하여, 발화(發話)에서 추론할 수 있는 함의, 예컨대 'A bus!' 라는 발화에서 추론할 수 있는 'We must run.' 이라는 함의 같은 것》.

conversátional móde 〖컴퓨터〗 대화(對話) 형식《단말 장치를 통하여 컴퓨터와 정보를 교환하면서 정보 처리를 하는 형태》.

conversátional quálity (연설 · 낭독에서) 대화식의〔자연스러운〕 화술(話術)〔낭독법〕.

còn·ver·sá·tion·ist *n.* =CONVERSATIONALIST.

conversátion pìece 화제가 되는 물건《진귀한 가구 · 장식품 따위》; (18세기 영국의) 단란도(團欒圖); 〖연극〗 대화극.

conversátion pìt 차분히 대화를 나눌 수 있도록 거실(居室) 등의 바닥 일부를 약간 낮춘 부분.

con·ver·sa·zi·o·ne [kὰnvərsὰːtsióuni] (*pl.* **~s** [-niːz], ***-ni*** [-niː]) *n.* 《It.》 (특히 학자 · 예술가 등의) 좌담〔간담〕회.

°**con·verse**[1] [kənvə́ːrs] *vi.* **1** 《~/+전+명》 담화하다, 서로 이야기하다(talk)《*with; on; about*》. SYN. ⇨SPEAK. **2** 〖컴퓨터〗 대화하다《컴퓨터와 교신하다》; 정신적으로 교류하다, (자연 따위와) 대화하다. **3** 《고어》 친하게 사귀다《*with*》. ◇ conversation *n.* **—** [kánvəːrs/kɔ́n-] *n.* Ⓤ 《영에서는 고어》 담화; 정신적인 교류; 《고어 · 문어》 교제. ㊞ **con·vérs·er** *n.*

°**con·verse**[2] [kənvə́ːrs, kánvəːrs/kɔ́nvəːs] *a.* 역(逆)의, 거꾸로의, 전환한: the ~ proposition 〖논리〗 전환 명제. **—** [kánvəːrs/kɔ́n-] *n.* Ⓤ (a ~ 또는 the ~) 역, 반대, 전환; 역의 진술; 〖논리〗 전환 명제; 〖수학〗 역. ㊞ **~·ly** *ad.* 거꾸로, 반대로; 그것에 비해; 거꾸로 말하면; 환위적(換位的)으로. ***and ~ly*** 〔문장 끝에 쓰여〕 또 그 역이기도 하다.

conver·si·ble [kənvə́ːrsəbəl] *a.* 전환 가능한, 거꾸로 할 수 있는.

°**con·ver·sion** [kənvə́ːrʒən, -ʃən/-ʃən] *n.* Ⓤ **1** 변환, 전환, 전화(轉化)《*of; from; to; into*》: the ~ *of* farmland *to* residential property 농지의 택지로의 전환(轉換) / the ~ *of* goods *into* money 상품의 현금화. **2** (건물 등의) 용도 변경; 개장(改裝), 개조《*of; from; to*》: the ~ *of* stables *to* flats 마구간의 아파트로의 개조. **3** (의견 · 신앙 · 당파 등의) 전환, 전향, 개당(改黨), 개종; 귀의(歸依)《특히 기독교로》《*of; from; to*》: the ~ *of* pagans *to* Christianity 이교도의 그리스도교로의 개종. **4** (지폐의) 태환; (외국 화폐 간의) 환산, 환전; (상품 · 물건의) 현금화; 이자의 원금에의 산입: the ~ rate 환산율. **5** 〖상업〗 (부채의) 차환(借換). **6** 〖법률〗 (동산의) 횡령; 재산 전환. **7** 〖심리〗 전환(轉換)《심리 사상(事象)의 신체적 변화 · 조후(兆候)로의》. **8** 〖논리〗 환위법(換位法); 〖수학〗 전환법. **9** 〖컴퓨터〗 (데이터 표현의) 변환; 이행(移行)《데이터 처리 시스템〔방법〕의 변환》; (테이프를) 펀치카드에 옮기기. **10**

U 『물리』 전환《핵연료 물질이 다른 핵연료 물질로 변화하기》. **11** 『미식축구』 터치다운한 후 주어진 보너스 득점 플레이를 성공 시키기; 그 득점. ◇ convert *v.* ㊥ **~·al, ~·ary** [-ʒənəl], [-ʒənèri/-əri] *a.* 전환〔개종〕의.

convérsion àgent 『금융』 전환 대리 기관〔인〕《전환 사채를 주식으로 전환하는 청구를 중개해 주는》.

convérsion disòrder 『정신의학』 전환 장애, 전환 히스테리.

convérsion fàctor 『경제』 전환 계수(轉換係數).

convérsion hèater 《영》 전열기(電熱器)(electric heater).

convérsion prìce 『금융』 전환 가격.

convérsion ràtio 『물리』 전환 비율.

convérsion reàction 〔**hystèria**〕 『정신의학』 전환 히스테리.

convérsion tàble (이종(異種)의 척도·중량의) 환산표; 『컴퓨터』 변환표.

***con·vert** [kənvə́ːrt] *vt.* **1** 《+목+전+명》 전환하다, 전화(轉化)시키다, 바꾸다; 화학 변화시키다: ~ cotton *into* cloth 면사를 천으로 가공하다 / ~ sugar *into* alcohol 화학 변화에 의해 설탕을 알코올로 변화시키다. SYN. ⇨ CHANGE. **2** 《~+목/+목+전+명》 개장〔개조〕하다, 가공하다, 전용(轉用)하다: a ~*ed* cruiser 개장 순양함 / ~ a study *into* a nursery 서재를 육아실로 개조하다. **3** 《+목+전+명》 개심〔개종〕시키다; 전향시키다《*to*》: ~ a Roman Catholic *to* Protestantism 가톨릭교도를 신교도로 개종시키다. **4** 《+목+전+명》 태환하다; 환산하다, 환전하다; 현금화하다; 이자를 원금에 합산하다: ~ banknotes *into* gold 은행권을 금과 태환하다. **5** 『상업』 (증권 따위를) 교환하다; (공채 따위를) 차환하다. **6** 《+목+전+명》 『법률』 (동산을) 횡령하다; (공금을) 부정 사용하다: ~ money *to* one's own use. **7** 『논리』 환위하다; 『수학』 전환하다. **8** 『컴퓨터』 변환하다. **9** 『럭비』 골킥을 넣어 추가 득점하다. — *vi.* 개심하다, 전향하다; 바꾸다; 바뀌다; 『럭비』 트라이하여 골킥을 성공하다: This sofa ~*s into* a bed. 이 소파는 침대로도 쓴다 / They have ~*ed from* solid fuel *to* natural gas. 고체 연료를 천연가스로 바꿨다. ◇ conversion *n.*

— [kɑ́nvəːrt/kɔ́n-] *n.* 개심자; 개종자; 귀의자《*to*》; 전향자. ***make a ~ of*** …을 개종〔전향〕시키다.

con·vert·a·plane [kənvə́ːrtəplèin] *n.* = CONVERTIPLANE.

con·vért·ed [-id] *a.* 전향한, 개종한; 개장〔개조〕한. ***preach to the ~*** 부처에게 설법하다.

convérted próduct 플라스틱 2차 가공 제품.

con·vért·er *n.* **1** 전환시키는 사람〔것〕; 개심〔개종〕시키는 사람, 교화자. **2** 직물 가공(판매)업자. **3** 『야금』 전로(轉爐), (연료의) 전환기; 『전기』 변환기, 변류기; 『컴퓨터』 (데이터 표현의) 변환기; 『물리』 전환로. **4** 플라스틱 제품 2차 가공업자.

convérter reàctor 전환로(爐), 연료 전환로.

con·vèrt·i·bíl·i·ty *n.* U 전환〔개종〕할 수 있음; 전환〔개종〕 가능성; 『금융』 태환성.

con·vért·i·ble *a.* **1** 바꿀 수 있는, 개조〔전용(轉用)〕할 수 있는; 개조되는: a ~ sofa (침대 따위로) 전용할 수 있는 소파. **2** 개종할 수 있는. **3** 교환〔태환〕할 수 있는: ~ bond 〔debentures〕 전환〔무담보 전환〕 사채(社債) / ~ note 〔paper money〕 태환 지폐. **4** (말·표현이) 같은 의미의, 바꿔 말할 수 있는, 『논리』 환위(換位)할 수 있는: ~ terms 동의어. **5** (자동차가) 접는 포장이 달린. — *n.* 전환 가능한 것; 접는 포장이 달린 자동차; 『항공』 여객 또는 화물 수송에도 쓰이는 수송기. ㊥ **-bly** *ad.* **~·ness** *n.*

convértible insúrance 전환 가능 보험, 가변보험.

convértible léns 『사진』 초점 가변(可變) 렌즈.

con·vert·i·plane [kənvə́ːrtəplèin] *n.* 『항공』 가변형〔전환식〕 비행기《헬리콥터처럼 수직 비행도 할 수 있음》. [◂ *converti*ble+*plane*]

con·vert·ite [kɑ́nvərtàit/kɔ́n-] *n.* 《고어》 **1** 개종〔귀의〕자. **2** 《특히》 갱생한 매춘부.

con·vex [kɑnvéks, kən-/kɔnvéks] *a.* 볼록한, 철면(凸面)의. OPP. *concave*. ¶ a ~ lens 〔mirror〕 볼록렌즈〔거울〕. — [kɑ́nveks/kɔ́n-] *n.* 볼록 렌즈. ㊥ **~·ly** *ad.* **~·ness** *n.* **con·vex·i·ty** [kənvéksəti] *n.* U,C 볼록꼴, 볼록면(체).

con·véx·o·concáve [kənvéksou-] *a.* (렌즈의) 한 면은 볼록하고 다른 면은 오목한, 요철(凹凸)의: a ~ lens 요철 렌즈.

convéxo-convéx *a.* (렌즈가) 양쪽이 볼록한, 양철(兩凸)의.

convéxo-pláne *a.* (렌즈의) 한 면은 볼록하고 다른면은 판판한, 평철(平凸)의(plano-convex).

***con·vey** [kənvéi] *vt.* **1** 나르다, 운반〔운송〕하다: ~ goods by truck 트럭으로 물품을 운반하다. SYN. ⇨ CARRY. **2** 《~+목/+목+전+명》 전달하다; (전갈·지식 등을) 전하다; (의미·사상·감정 따위를) 전하다; (말·기술(記述)·몸짓 따위가) 뜻하다, 시사(示唆)하다: No words can ~ my feelings. 말로는 내 감정을 전할 수 없다 / ~ the expression of grief *to* a person 아무에게 애도의 뜻을 전하다. **3** (소리·열·전류 따위를) 전하다; (전염병을) 옮기다: Air ~*s* sound. 공기는 소리를 전한다. **4** 《~+목/+목+전+명》 『법률』 (재산 등을) 양도하다: ~ one's property *to* a person. ㊥ **~·a·ble** *a.*

◇**con·vey·ance** [kənvéiəns] *n.* **1** U 운반, 수송: means of ~ 교통〔수송〕 기관. **2** C 수송 기관, 탈것. **3** U 전달, 통달, 통신. **4** U 『법률』 교부, 양도; C 교부서, 양도 증서. ㊥ **-anc·er** *n.* 운반자; 전달자; 『법률』 부동산 양도 취급인; 양도 증서 작성 변호사. **-anc·ing** *n.* U (부동산) 양도 절차, 양도 증명 작성(업).

con·véy·er, -or *n.* **1** 운반 장치; (유동 작업용) 컨베이어. **2** 운송업자; 운반인; 전달자. **3** 『법률』 양도인.

convéyor bèlt 컨베이어 벨트.

convéyor·ìze *vt.* …에 컨베이어를 설치하다, 컨베이어로 일하다. ㊥ **convèyor·izátion** *n.*

***con·vict** [kənvíkt] *vt.* 《~+목/+목+전+명》 **1** …의 유죄를 입증하다, 유죄를 선언하다《*of*》: be ~*ed of* having committed theft 절도죄로 유죄 선고를 받다 / a ~*ed* prisoner 기결수 / ~ a person *of* murder 아무에게 살인죄 판결을 내리다. **2** …에게 죄〔과오〕를 깨닫게 하다: His conscience ~*ed* him. 그는 양심의 가책을 받았다 / a person ~*ed of* a sin 죄책감으로 괴로워하는 사람. — [kɑ́nvikt/kɔ́n-] *n.* 죄인; 죄수, 기결수; 《미속어》 (곡마단의) 얼룩말; 《미속어》 책사(策士).

cónvict còlony 유형수(流刑囚) 식민지.

con·vic·tion** [kənvíkʃən] *n.* **1** U,C 신념, 확신: hold a strong ~ 강한 확신을 품다. SYN. ⇨ CONFIDENCE. **2** U 설득(력), 설득 행위. ◇ convince *v.* **3** U,C 죄의 자각, 양심의 가책. **4** C,U 유죄의 판결〔선고〕: a summary ~ 즉결 재판. **5** U 『신학』 뉘우침, 회오. ◇ convict *v.* ***be open to ~ 설득을 받아들이다. ***carry ~*** 설득력이 있다. ***under ~(s)*** 죄를 자각하여, 양심의 가책을 받아. ㊥ **~·al** [-əl] *a.* 확신〔회오〕시키는.

con·vic·tive [kənvíktiv] *a.* 확신을 갖게 하는, 설득력 있는, 잘못을 자각게 하는. ㊥ **~·ly** *ad.*

****con·vince** [kənvíns] *vt.* 《+목+전+명/+목

+*that* [절] / +[목]+*to* do》 …에게 납득시키다, …에게 깨닫게 하다, …에게 확신시키다; 설득하여 …하게 하다; 《폐어》 논박하다, 압도하다《*of; that*》: He tried to ~ me *of* his innocence. =He tried to ~ me *that* he was innocent. 그는 자기의 무죄를 나에게 납득시키려 했다 / We ~*d* her *to* go with us. 우리와 함께 가도록 그녀를 설득했다 / ~ oneself *of* …을 확신하다. ◇ conviction *n.* [파] **~·ment** *n.* 신복(信服), 확신, 《특히》 회오, 죄의 자각, 회심(回心). **con·vínc·er** *n.* 납득〔승복, 확신〕시키는 사람〔것, 일〕. **con·vínci·ble** *a.* 설득할 수 있는, 도리에 따르는.

°**con·vínced** [-t] *a.* 확신을 가진, 신념이 있는: a ~ believer 신념이 있는 신자 / I am ~ *of* the truth of my reasoning. 내 추리에 잘못이 없다고 확신한다 / I felt ~ *that* he would succeed. 그가 성공할 것이라고 확신하고 있었다.

°**con·vínc·ing** *a.* 설득력 있는, 납득〔수긍〕이 가게 하는《증거 따위》: a ~ argument 설득력 있는 논지. [파] **~·ly** *ad.* 납득이 가도록. **~·ness** *n.*

con·vive [kánvaiv/kɔ́n-] *n.* (한 자리에서) 식사〔연회〕를 같이 하는 사람들〔동아리들〕.

con·viv·i·al [kənvíviəl] *a.* **1** 주연〔연회〕의, 환락의: a ~ party 간친회(懇親會). **2** 연회를 좋아하는; 명랑한, 쾌활한. [파] **~·ist** *n.* 연회를 좋아하는 사람. **~·ly** *ad.*

con·viv·i·al·i·ty [kənvìviǽləti] *n.* [U] 주연, 연회, 환락; 주흥(에 빠짐); 유쾌함, 연회 기분, 기분 좋음.

con·vo·ca·tion [kànvəkéiʃən/kɔ̀n-] *n.* [U] (회의·의회의) 소집; [C] (소집된) 집회; 《미》 (감독교회의) 성직 회의, 주교구(主教區) 회의; (C-) 〖영국교회〗 (Canterbury 또는 York 의) 성직자 회의, 대주교구 회의; 《영》 (대학의) 평의회. ◇ convoke *v.* [파] **~·al** [-ʃənəl] *a.* 소집〔집회〕의. **~·al·ly** *ad.*

con·vo·ca·tor [kánvəkèitər/kɔ́n-] *n.* (의회·회의의) 소집자; 회의 참가자.

con·voke [kənvóuk] *vt.* (회의·의회 따위를) 소집하다. ◇ convocation *n.*

con·vo·lute [kánvəlùːt/kɔ́n-] *a.* 회선상(回旋狀)의, 서려 감긴; 〖동물〗 포선(包旋)하는; 〖식물·패류〗 한쪽으로 말린. **—** *vt., vi.* 둘둘 감다〔말다〕; 회선하다. **—** *n.* 〖동물·식물〗 포선(체). [파] **~·ly** *ad.*

cón·vo·lùt·ed [-id] *a.* 〖동물〗 회선상의 (spiral), 둘둘 말린, 소용돌이 모양의; 뒤얽힌, 매우 복잡한. [파] **~·ly** *ad.*

cónvoluted túbule 〖해부〗 곡세관(曲細管).

con·vo·lu·tion [kànvəlúːʃən/kɔ̀n-] *n.* 소용돌이, 회선(回旋) (상태); 〖해부〗 뇌회(腦回).

con·volve [kənválv/-vɔ́lv] *vt., vi.* 감다; 감기다; 둘둘 말다〔감다〕; 휘감기다. [파] **~·ment** *n.*

con·vol·vu·lus [kənválvjələs/-vɔ́l-] (*pl.* **~·es, -li** [-lài, -lìː]) *n.* 메꽃·나팔꽃류.

con·voy [kánvɔi/kɔ́n-] *n.* [U] 호송, 호위; [C] 호위자〔대〕; 호위함〔선〕; (호송되는) 수송차대(隊); 피호송선(단); 《폐어》 (바퀴의) 마찰 제동기. ***under*** 〔***in***〕 **~** 호위되어, 호위〔경호〕하여. **—** [kánvɔi, kənvɔ́i/kɔ́nvɔi] *vt.* 호위〔경호, 호송〕하다(escort); 《고어》 (객을) 안내하다.

con·vul·sant [kənvʌ́lsənt] *a.* 경련을 일으키는, 경련성의. **—** *n.* 경련약; 경련 환자.

°**con·vulse** [kənvʌ́ls] *vt.* 진동시키다, 진감(震撼)시키다; 《비유》 …에 큰 소동을 일으키게 하다; 〔보통 수동태〕 …에게 경련을 일으키게 하다; 몸 부림치게 하다《*by; with*》: The island *was* ~*d by* the eruption. 섬은 화산의 폭발로 몹시 진동하였다 / The country *was* ~*d with* civil war. 나라는 내란으로 격동하고 있었다. ◇ convulsion *n.* ***be ~d with laughter*** 〔***anger***〕 포복절도하다; 노여움으로 몸을 부들부들 떨다.

°**con·vul·sion** [kənvʌ́lʃən] *n.* **1** (보통 *pl.*) 경련, (특히 소아의) 경기(驚氣). **2** (*pl.*) 포복절도, 터지는 웃음. **3** [C] (자연계의) 격동, 변동, 진동; (사회·정계 등의) 이변(異變), 동란: a ~ of nature 자연계의 격변《지진·분화 따위》. ◇ convulse *v.* ***fall into a fit of ~s*** = ***have ~s*** 경련을 일으키다, 경기가 나다. [파] **~·ary** [-èri/-əri] *a., n.* 진동성〔격동성〕의; 경련성의 (사람); (종교적 광신에서) 경련을 일으키는 사람.

con·vul·sive [kənvʌ́lsiv] *a.* 경련을 일으키는, 경련성의; 격동적인; 발작적인; 급격한: a ~ effort 필사의 노력 / a ~ rage 발작적인 격노. [파] **~·ly** *ad.* **~·ness** *n.*

convúlsive disòrder 경련성 장애《갖가지 간「질의 총칭」.

co·ny, co·ney [kóuni] *n.* 토끼; 토끼의 모피; 〖성서〗 팔레스타인산 바위너구리; 《고어》 멍청이.

°**coo**[1] [kuː] (*p, pp.* ***cooed; cóo·ing***) *vi., vt.* (비둘기 따위가) 꾸꾸꾸 울다; (아기가) 목을 울리며 좋아하다; 정답게 말을 주고받다. ***bill and ~*** ⇨ BILL[2]. **—** (*pl.* **~s**) *n.* 꾸꾸꾸《비둘기 따위의 울음소리》.

coo[2] *int.* 《영속어》 거참, 허《놀람·의문을 표시》.

COO 《미》 chief operating officer《(기업의) 최고 업무 진행 책임자》.

co·oc·cur [kòuəkə́ːr] *vi.* 동시에〔함께〕 일어나「다〔나타나다〕.

coo·ee, coo·ey [kúːi] *n., int.* 어어이《오스트레일리아 원주민이 새된 소리로 외치는 신호》. ***within*** (***a***) **~** (***of …***) 《구어》 (…이) 부르면 들리는 거리 안에, (…에) 매우 가까운 데에서. **—** *vi.* 어어이 하고 고함치다. [imit.]

coo·er [kúːər] *n.* 정답게 말을 주고받는 사람, 「애인.

Cook [kuk] *n.* **James ~** 쿡《오스트레일리아를 탐험한 영국 항해가(1728–79); 통칭 Captain ~》.

†**cook** [kuk] *vt.* **1** 《~+[목] / +[목]+[목] / +[목]+[전]+[명]》 요리〔조리〕하다, 음식을 만들다: ~ fish 물고기를 요리하다 / He ~*ed* her some sausages. =He ~*ed* some sausages *for* her. 그는 그녀에게 소시지를 요리해 주었다.

> [SYN] **cook** '삶다, 찌다, 끓이다, 굽다, 지지다, 볶다, 기름에 튀기다' 따위처럼 열을 이용하는 요리에 한한다. **bake** 빵·과자 따위를 오븐에 굽다. **roast** 고기를 오븐에 굽다. **grill**, 《미》 **broil** 고기를 석쇠 등을 이용해서 불에 쬐어 굽다. **fry** 기름에 튀기거나 볶다. **deep-fry** 기름에 푹 담가 튀기다. **pan-fry, sauté** 프라이팬 등으로 소량의 기름을 치고 지지다〔볶다〕. **boil** 뜨거운 물에 삶다. **simmer** 끓기 직전의 온도로 호물호물하게 고다〔삶다〕. **stew** 약한 불로 천천히 끓이다. **braise** 기름에 튀긴 다음, 소량의 국물이 담긴 밀폐된 그릇에 넣어 약한 불에 푹 끓이다. **steam** 증기로 찌다.

2 열〔불〕에 쬐다; 굽다. **3** 《~+[목] / +[목]+[부]》 《구어》 (장부·이야기 따위를) 조작하다, 날조하다《*up*》; 속이다: ~ accounts 장부를 조작하다 / ~ *up* a story 이야기를 날조하다. **4** 《구어》 …에 방사선을 쬐다《원자로에서》; 《미속어》 전기의자로 처형하다. **5** 《영속어》 〔보통 수동태〕 몹시 지치게 하다, 못 쓰게 하다. **6** 《미속어》 (마약을 주사하기 전에 불에 쬐어 물에) 녹이다. **—** *vi.* **1** 《~ / +[부]》 요리를 만들다; 요리사로 일하다: ~ *out* 옥외에서 요리하여 식사하다. **2** 《~ / +[부]》 삶아지다, 구워지다: Early beans ~ *well*. 햇콩은 잘 삶아진다. **3** 《구어》 생기다, 일어나다(happen). **4** 《구어》 (더위로) 녹초가 되다. **5** 《미속어》 흥분하다, 열렬해지다; 열연하다: Everybody is ~*ing*. 모두가 열기에 들떠 있다. **6** 《구어》 방사성을 띠다. ***be ~ed alive*** 찌는 듯이 덥다. **~ *away*** 삶아서 …을

없애다. ~ a person**'s *goose*** ⇨GOOSE. ~ ***off*** (탄알이) 열 때문에 폭발하다. ~ ***the books*** 장부를 속이다. ~ ***up*** ① …을 재빨리 요리하다. ② ⇨*vt.* 3. ③ 《속어》 가열하여 (마약을) 준비하다. ~ ***up a storm*** 대량으로 요리하다. ~ ***with gas*** 〔***butane, electricity, microwave, radar***〕《미속어》 훌륭히 하다; 올바른 생각을 하다; 최첨단적인 일에 밝다. ***What's ~ing?*** =***What ~s?*** 《구어》 무슨 일이냐; 별일 없느냐, 무슨 뉴스라도 있느냐; (앞으로) 어쩔 셈이냐.

— *n.* **1** 쿡, 요리사《남녀》; 《속어》 지도자: a man ~ 쿡《남자》/ a head ~ 주방장 / be a good 〔bad〕 ~ 요리 솜씨가 좋다〔나쁘다〕/ Too many ~*s* spoil the broth. 《속담》 사공이 많으면 배가 산으로 오른다. **2** 끓임. **3** 《미구어》 리더, 지도자. [파] **cóok·a·ble** *a., n.* 요리할 수 있는; 요리하여 먹을 수 있는 (것).

◇**cóok·bòok** *n.* 《미》 요리책(《영》 cookery book); 《미》 상세한 설명서〔해설서〕; 《속어》 비행 계획서《로켓의》; 《미학생속어》 화학 실험실 필휴(必携).

cóok chéese 쿡치즈《탈지유로 만든 치즈》.

cóok-chíll *n.* (한꺼번에 대량 공급하기 위해) 요리를 냉동했다가 후에 데워 내는 방식. — *a.* 요리를 급랭해서 냉장한, 쿡칠 방식의.

***cook·er** [kúkər] *n.* 요리〔조리〕 기구; 요리의 재료《과일 등》; (식품 가공의) 가열 처리인; 《속어》 (마약을 주사용으로 물에 녹이는) 작은 용기《병뚜껑 등》; 《속어》 헤로인 정제 공장.

◇**cook·ery** [kúkəri] *n.* [U] 요리법; 요리업; [C] 《미》 조리실.

cóokery bòok 《영》 요리책.

cóok-géneral (*pl.* ***cóoks-géneral***) *n.* 《영》 요리 및 가사 일반을 맡는 하인.

cóok·hòuse *n.* 취사장; 【군사】 야외 취사장; (배의) 조리실.

cook·ie, -ey** [kúki] *n.* **1** 《미》 쿠키《비스킷류》; 《Sc.》 롤빵. **2** 《속어》 =COOKY 2. **3** 《미속어》 귀여운 소녀, 애인《보통 애정을 표시하는 호칭》. **4** 《미속어》 놈, 사내, 사람: a smart ~ 영리한 놈〔녀석〕. **5** (*pl.*) 《속어》 위(胃) 속의 것. **6** 《비어》 여성의 음부; 《속어》 음경(penis). ***drop 〔***flip***〕 one**'s** ~**s** 《미속어》 열중〔몰두〕하다. ***This is*** 〔***That's***〕 ***the way*** 〔***how***〕 ***the ~ crumbles.*** =***This is how it crumbles ~-wise.*** 《구어》 이런 것이 인간 세상이다. ***toss*** 〔***blow, lose, snap, spill, shoot, throw***〕 one**'s** ~**s** 《미속어》 토하다.

cóokie cùtter 쿠키 커터《쿠키를 특정한 모양으로 자르는 도구》.

cóokie-cùtter *a.* **1** 같은 모양〔생김새〕의, 빼쏜. **2** 진부한, 흔해 빠진, 개성이 없는, 판에 박힌.

cóokie jàr 쿠키 병. ***be caught with*** one**'s** ***hand in the*** ~ 《미》 부정한 것을 하다 잡히다.

cóokie shèet 쿠키 시트《과자·빵을 굽는 철판·알루미늄판》.

cóok-ìn *n.* 자가 요리; 요리 교실.

†**cook·ing** [kúkiŋ] *n.* [U] 요리(법). — *a.* 요리(용)의: a ~ stove =COOKSTOVE.

cóoking àpple 요리용의 시고 푸른 큰 사과.

cóoking tòp 버너가 넷 달린 캐비닛형(型) 레인지(cooktop).

cóok·òff *n.* 요리 콘테스트.

cóok·òut *n.* 《미구어》 야외 요리 (파티).

cóok·ròom *n.* 주방, 부엌; (배의) 조리실.

cóok·shàck *n.* (농장·캠프장 등의) 조리용 오두막; 이동 주방〔조리대〕.

cóok·shòp *n.* (작은) 음식점, 식당.

Cóok's tóur 주마간산식(走馬看山式) 여행; 조잡한 개관, 대강 훑어봄.

cóok·stòve *n.* 《미》 요리용 레인지.

cóok·tòp *n.* =COOKING TOP.

cóok-ùp *n.* 조작〔날조〕한 것; (카리브 지방의) 고기·새우·쌀·야채 따위로 만든 요리.

cóok·wàre *n.* 취사 도구, 조리용 기구(器具).

cooky [kúki] *n.* **1** =COOKIE 1. **2** 《미속어》 (캠프장·선박 등의) 요리사 (조수); 《특히》 여자 쿡.

†**cool** [ku:l] *a.* **1** 서늘〔시원〕한; (의복 따위가) 시원스러운. [OPP] *warm.* ¶ a ~ chamber 냉장실 / a ~ drink 시원한 음료. [SYN] ⇨COLD. **2** 식은; 평열(平熱)의: The coffee isn't ~. 커피는 식지 않았다 / get ~ 식다, 서늘해지다. **3** 냉정한, 침착한, 태연한; 냉담한(*to*); 뻔뻔스러운, 넉살 좋은: a ~ head 냉정한 두뇌(의 소유자) / stay ~ in the face of disaster 재해를 만나도 침착하다. **4** 찬 색의, (청·녹·자색이 주조(主調)를 이루어) 찬. **5** 《구어》 정미(正味)…, 에누리 없는: a ~ million dollars 에누리 없는 백만 달러의 거액. **6** (사냥감의 냄새 등이) 희미한([cf.] cold, warm, hot). **7** (재즈가) 조용한 클래식조의. **8** 《구어》 훌륭한, 근사한: a real ~ comic 본격적인 훌륭한 희극 / a ~ guy 〔chick〕 근사한 녀석〔여자〕. **9** 《미속어》 (이지적으로) 감흥을 일으키는. (You are) ***a ~ customer*** 〔***fish, hand***〕. 뻔뻔스러운 놈(이군). ***as ~ as a cucumber*** 아주 냉정〔침착〕한. ~(***, calm***) ***and collected*** 《구어》 매우 침착하여. ***give*** a person ***a ~ reception*** 아무를 냉대하다. ***have*** (***a***) ~ ***cheek*** 뻔뻔스럽다. ***in ~ blood*** =in cold BLOOD. ***keep ~*** =***keep a ~ head*** 냉정하다. ***That's ~.*** 《속어》 괜찮다, 좋다; 만사 오케이.

— *n.* [U] **1** (the ~) 서늘한 기운, 냉기; 《속어》 냉정함. **2** 서늘한 장소〔때〕: in the ~ *of* the evening 저녁나절의 서늘한 때에. ***blow*** 〔***lose***〕 one**'s** ~ 《속어》 흥분하다, 울컥 치밀다, 당황하다. ***keep*** one**'s** ~ 《속어》 침착하다.

— *ad.* 《구어》 =COOLLY. ***play it ~*** 《구어》 냉정한 태도를 취하다, 아무렇지도 않은 체하다. — *vt., vi.* **1** 차게 하다; 차지다; 시원하게 하다〔해지다〕(*down*). **2** 냉정하게 하다〔해지다〕, 진정시키다, 가라앉(히)다(*down; off*); 《미속어》 죽(이)다. ~ ***it*** 《속어》 냉정하게 되다, 침착해지다. ~ ***out*** 《미구어》 (때려서) 냉정하게 하다; 《미속어》 의도를 살피다; 《미속어》 죽이다; 《비어》 성교하다. ~ ***... over*** 여러 각도에서 객관적으로 면밀히 검토하다. ~ one***self*** 납량하다. ~ one**'s *heels*** ⇨HEEL[1].

cool·ant [kú:lənt] *n.* 【기계】 쿨란트; 냉각제(劑); 냉각수.

cóol bàg 〔**bòx**〕 쿨러《피크닉 등에 쓰이는 식품 보냉(保冷) 용기》.

cóol cát 《속어》 (열렬한) 재즈 팬, 재즈통(通).

cóol·dòwn *n.* **1** (극저온의) 냉각. **2** 쿨다운《심한 운동 후에 가벼운 운동으로 몸 풀기》.

◇**cóol·er** *n.* 냉각기; 《미》 냉장고; 《구어》 냉방 장치; 냉각제; 청량음료; (the ~) 《속어》 교도소, 감방; 《군대속어》 영창.

cóol hànd 《미속어》 *n.* 냉정하고 침착한 사람. — *a.* 냉정하고 침착한.

cóol-héaded [-id] *a.* 냉정〔침착〕한, 차분한. [파] ~**·ly** *ad.* ~**·ness** *n.*

coo·lie, coo·ly [kú:li] *n.* (인도·중국의) 쿨리; 하층 노동자.

cóolie jàcket 〔**còat**〕 허리를 가릴 정도의 짧은 박스형 코트《쿨리가 입던 것과 비슷》.

cóol·ing *n., a.* [U] 냉각(하는): ~ drinks 청량음료 / a ~ room 냉각실.

cóoling òff 할부 판매 계약 취소 보증 제도.

cóoling-óff *a.* (분쟁 등을) 냉각시키기 위한.

cóoling-óff pèriod 냉각 기간; 《미》 매수인(買受人)이 구입 계약을 무조건 해제할 수 있는 기간《방문·할인 판매 등에서》; 《미》 (증권 발행에서) 등록에서 공모(公募)까지의 기한.

cóoling tìme =COOLING-OFF period.

cóoling tòwer 냉각탑, 냉수탑.
cool·ish [kúːliʃ] *a.* 좀 찬; 어쩐지 쌀쌀한.
cóol jázz 쿨 재즈《모던 재즈의 한 형식; 지적(知的)이고 세련됨》.
cóol·ly *ad.* 차갑게; 냉정하게; 쌀쌀맞게.
cóol·ness *n.* 차가움; 침착; 냉담; 무뚝뚝함; 뻔뻔스러움.
cóol-òff *a.*, *n.* (분쟁 등에서의) 냉각을 위한 「(기간).
cóol-off màn 《속어》 바람잡이《사기 도박의 공모자; 크게 돈을 잃은 봉을 달래 줌》.
coolth [kuːlθ] *n.* 《구어·우스개》 =COOLNESS.
coom, coomb, comb(e) [kuːm] *n.* 《영》 험하고 깊은 골짜기; 산중턱의 골짜기.
coon [kuːn] *n.* **1** 〚동물〛《구어》 너구리의 일종(raccoon). **2** 《미구어》 교활한 녀석(sly fellow); 《미속어》 바보, 멍청이; 《경멸》 깜둥이(negro): a ~ song 흑인 노래. ***a gone*** **~** 가망 없는 인간. ***go the whole*** **~** 철저하게 하다(go the whole hog). ***hunt the same old*** **~** 언제나 똑같은 일만 하고 있다. **—** *vt.* 《미속어》 도둑질하다.
coon·can [kúːnkæ̀n] *n.* (두 사람이 하는) 카드놀이의 일종.
cóon·hòund *n.* 아메리카너구리 사냥용 사냥개.
cóon's àge 《미구어》 긴 세월. cf. dog's age.
cóon·skìn *n.* 아메리카너구리의 털가죽; 또, 그 가죽으로 만든 제품.
coon·tie [kúːnti] *n.* 〚식물〛 플로리다소철.
◇**coop** [ku(ː)p/kuːp] *n.* 닭장, 우리, 장; 《영》 (물고기를 잡는) 어살; 《속어》 가두어 두는 장소, 교도소. ***fly the*** **~** 《미속어》 탈옥하다, 도망치다. ***in the*** **~** 《미속어》 (근무 시간 중에) 잠만 자는; 일을 게을리 하는. **—** *vt.* 《+목+부/+목+전+명》 〘보통 수동태〙 (좁은 곳에) 가두다《*up; in*》: He *is* ~*ed up in* a room. **—** *vi.* 《미속어》 (경관이) 근무 중 패트롤카 안에서 잠자다; 사보타주(sabotage)하다.
co-op [kóuɑp/-ɔp] *n.* 생활 협동〔소비〕조합(매점); (조합 조직의) 공동 주택. ***on the*** **~** 조합 방식으로. **—** *vt.* (집합 주택을) 임대 방식에서 협동조합 소유〔분양〕 방식으로 전환하다. **—** *ad.* 〘다음 관용구로 쓰임〙 ***go*** **~** (집합 주택이) 협동조합 방식으로 전환하다.
co-op. co(-)operation; co(-)operative.
Coo·per [kú(ː)pər/kúːp-] *n.* 쿠퍼. **1 Alfred Duff** ~ 영국의 정치가·외교가·작가 《1952년 작위를 받아 First Viscount Norwich가 됨; 1890-1954》. **2 Gary** (**Frank James**) ~ 미국의 배우(1901-61). **3 Leon Neil** ~ 미국의 물리학자(1930-) 《1972년 노벨 물리학상 수상》. **4 Peter** ~ 미국의 발명가·사회 개혁가(1791-1833)《미국 최초의 기관차 제조》.
cóop·er *n.* 통메장이, 통장이, 통 제조업자; (병에 넣어 파는) 술집, 술장수(=**wíne** ∸); (porter와 stout를 절반씩 섞은) 혼합 흑맥주. ***a dry*** 〔***wet***〕 **~** 건물용(乾物用)〔액체용〕 통 제조업자. ***a white*** **~** (보통의) 통장이. **—** *vt.*, *vi.* (통을) 메우다, 수선하다, 만들다; 통장이 노릇을 하다; (포도주 따위를) 통에 넣다〔담다〕; 《속어》 해치우다. **~ *up*** 〔***out***〕 수선하다; 모양을 내다.
coop·er·age [kúːpəridʒ] *n.* Ⓤ 통메장이의 일〔품삯〕; Ⓒ 통메장이의 일터〔제품〕.
co·op·er·ant [kouɑ́pərənt/-ɔ́p-] *n.* 《F.》 프랑스의 개발도상국 원조 계획의 참여자《미국의 Peace Corps 단원과 비슷함》.
***co(-)op·er·ate** [kouɑ́pərèit/-ɔ́p-] *vi.* **1** 《~/+전+명》 협력하다, 협동하다《*with; for; in; in doing*》: ~ *with* them 그들에게 협력하다/ ~ *in* an anti-TB campaign 〔*in* rais*ing* a fund〕 결핵 박멸 운동〔기금 모집〕에 협력하다. **2** 《~/+*to* do》 (사정 따위가) 서로 돕다: Everything ~*d to* make our plan a success. 모든 일이 잘 협조되어 계획은 성공하였다. ◇ co(-)operation *n.*

> NOTE co+o로 시작되는 말은 coo-[kuː-]로 읽지 않도록 두 o 사이에 '-'을 넣음. 자주 쓰이는 말은 그냥 coo-로 쓰는 경향이 있음: co-operate, cooperate, *etc.*

****co(-)op·er·a·tion** [kouɑ̀pəréiʃən/-ɔ̀p-] *n.* **1** Ⓤ 협력, 협동, 제휴: economic ~ 경제 협력 / technical ~ 기술 제휴 / in ~ *with* …와 협력〔협동〕하여. **2** Ⓤ 협조성; 원조. **3** 협동 (작업); 〚경제〛 협업(協業). **4** (협동)조합. **5** 〚생태〛 협동(작용). ◇ co(-)operate *v.* 파 **~·ist** *n.*
◇**co(-)op·er·a·tive** [kouɑ́pərətiv, -ɑ́pərèit-/-ɔ́pərətiv] *a.* 협력적인, 협조적인, 협동의; 협동〔소비〕조합의: ~ savings 공동 저금 / a ~ movement 소비〔협동〕조합 운동 / a ~ society 협동조합《소비자·생산자 따위의》/ a ~ store 협동조합의 매점 / He was most ~ when I had troubles. 내가 곤란할 때에 그는 매우 협력적이었다. **—** *n.* 협동〔소비〕조합(의 매점); 《미》 조합식 (공동) 아파트(=∸ **apártment**): a consumers' 〔consumptive〕 ~ 소비자 협동조합 / a producers' 〔productive〕 ~ 생산자 협동조합. 파 **~·ly** *ad.* 협동〔협력〕하여. **~·ness** *n.*
coóperative fárm **1** 협동농장. **2** 집단 농장(collective farm).
co(-)op·er·a·tor [kouɑ́pərèitər/-ɔ́p-] *n.* 협력〔협동〕자; 협동조합원.
coop·ery [kúːpəri] *n.* =COOPERAGE.
co(-)opt [kouɑ́pt/-ɔ́pt] *vt.* (위원회 따위가 사람을) 신회원으로 선출〔선임〕하다; …을 흡수〔접수〕하다; 징용하다; 제멋대로 쓰다. 파 **cò-op·tá·tion, co-óp·tion** [-téiʃən], [-ʃən] *n.* 신(新)회원 선출. **co-óp·ta·tive, co-óp·tive** [-tətiv], [-tiv] *a.* 신회원 선출의〔에 관한〕.
co(-)or·di·nate [kouɔ́ːrdənət, -nèit] *a.* **1** 동등한, 동격의, 동위의《*with*》: a man ~ *with* him *in* rank 그와 같은 계급의 사람. **2** 〚문법〛 등위(等位)의. OPP *subordinate*. ¶ a ~ clause 등위절. **3** 〚수학〛 좌표의; 〚컴퓨터〛 대응시키는, 좌표식의: ~ indexing 정합(整合) 색인법. **—** *n.* 동등한 것, 동격자; 〚문법〛 등위 어구; (보통 coor-) 〚수학〛 좌표; (*pl.*) 〚복식〛 코디네이트《색깔·소재·디자인 등이 서로 조화된 여성복》; 위도와 경도(로 본 위치): What are the ~*s* of the ship in distress? 조난선(遭難船)의 정확한 위치는 어디입니까. **—** [kouɔ́ːrdənèit] *vt.*, *vi.* 동위(同位)로 하다〔되다〕, 대등하게 하다〔되다〕; 통합〔종합〕하다, 조정하다, 조화시키다〔하다〕. 파 **~·ly** *ad.* **~·ness** *n.*
coórdinate bònd 〔**covàlence**〕 〚화학〛 배위(配位)결합《2개 원자 간에 발생하는 공유 결합》.
coórdinate conjúnction 등위 접속사《and, but, or, for 따위》.
co·ór·di·nat·ed [-id] *a.* 한 목적을 위해 둘 이상의 근육계(筋肉系)를 쓸 수 있는.
coórdinated universal tìme 〚천문〛 = UNIVERSAL TIME COORDINATED 《생략: UTC》.
coórdinate geómetry 좌표기하학(analytic geometry).
coórdinating conjúnction 〚문법〛 등위 접속사《and, but 따위》.
◇**co·òr·di·ná·tion** *n.* Ⓤ 동등(하게 함); 대등(의 관계); 동위, 등위(等位); (작용·기능의) 조정, 일치; 〚생리〛 (근육 운동의) 협조; 〚화학〛 배위(配位). ◇ coordinate *v.*
coordinátion còmpound 〔**còmplex**〕 〚화학〛 배위(配位) 화합물.

co·or·di·na·tive [kouɔ́ːrdənèitiv, -nət-] *a.* **1** 동위의, 동격의, 동등한. **2** 정합(整合)된, 조절된; 협조적인. **3** 〖문법〗 등위의. **4** 〖언어〗 (내심적(內心的) 구조에) 복수의 주요어(語)가 있는 (opp. *subordinative*).

co·or·di·na·tor [kouɔ́ːrdənèitər] *n.* 동격으로 하는 사람〔것〕; 조정〔정합〕자〔물〕; 제작 진행계(進行係); 〖문법〗 등위 접속사.

coot [kuːt] *n.* **1** 큰 물닭《유럽산》; 검둥오리 《북아메리카산》. **2** 《구어》 얼간이. (*as*) ***bald as a*** ~ 이마가 홀랑 벗어져서. (*as*) ***stupid as a*** ~ 멍텅구리인.

coot 1

coot·ie [kúːti] *n.* 《속어》 이(louse).

cò-ówner *n.* 〖법률〗 공동 소유자, 공유자. ㊕ **~·shìp** *n.* 공유.

cop[1] [kɑp/kɔp] *n.* 《구어》 경찰(policeman); 《영속어》 체포, 포박. ~ ***and heel*** 《미속어》 탈주, 도망; 위기일발. ~***s and robbers*** 술래잡기. ***It's no*** 〔***not much***〕 ~. 《영속어》 수월하지 않다〔대단한 것은 아니다〕. ***on the*** ~***s*** 경찰관이 되어서.

cop[2] (***-pp-***) *vt.* 《영속어》 (범인을) 잡다; (상 따위를) 획득하다; 유괴하다; 훔치다; 마약을 사다; (벌 따위를) 받다. ~ ***a mope*** 《미속어》 도망치다. ~ ***a plea*** 《속어》 (중죄를 피하려고 가벼운) 죄를 자백하다. ~ ***hold of*** …을 붙잡다. ~ ***it*** 《영속어》 꾸중 듣다, 벌 받다. ~ ***out*** 《속어》 (싫은 일·약속에서) 손을 떼다; 《미속어》 잡히다; =~ a plea; 《속어》 단념〔항복〕하다. ~ ***some z's*** 《미속어》 선잠을 자다. ***Cop that!*** 저것 봐.

cop[3] *n.* (방추·북에) 원뿔꼴으로 감은 실톳; 《영방언》 (언덕 따위의) 꼭대기.

cop. copper; copulative; copy; copyright(ed). **Cop., Copt.** Coptic.

co·pa·cet·ic, -pe·set- [kòupəsétik] *a.* 《미속어》 훌륭한, 만족스러운.

co·pai·ba, -va [koupéibə, -pái-/koupái-, kɔ-], [-və] *n.* Ⓤ 코파이바 발삼(=∠ **bàlsam** 〔**rèsin**〕)《점막(粘膜) 질환의 특효약》.

co·pal [kóupəl, -pæl] *n.* Ⓤ 코펄《천연수지; 니스·래커 등의 원료》.

co·palm [kóupɑ̀ːm] *n.* Ⓤ 〖식물〗 풍향수(楓香樹) 《북아메리카산》; 그 수지.

co·párcenary *n., a.* Ⓤ 〖법률〗 공동 상속(의), 상속 재산 공유(의). ㊕ **co·párcener** *n.* 〖법률〗 (토지) 공동 상속인.

co-par·ent [kóupὲərənt, -pæ̀r-, ∠∠-] *n.* 이혼 후에도 공동으로 자녀의 양육을 분담하는 어버이《아버지 또는 어머니》. ── [∠∠-] *vt., vi.* (자식의) 양육을 서로 분담하다, ~이다.

co·pártner *n.* (기업 따위의) 협동자, 공동 출자자; 조합원; 공범자. ㊕ **~·shìp, co·pártnery** *n.* Ⓤ,Ⓒ 협동; 조합제(制); (공동) 조합; 합명 회사.

có·pàyment *n.* (생명 보험·건강 보험·연금 등의) 공동 부담《고용주가 피고용인과 부금(賦金)을 분담함》.

◇**cope**[1] [koup] *vi.* **1** 《+전+명》 대처하다, 극복하다《*with*》: ~ *with* a difficulty 어려운 문제를 잘 처리하다. **2** 대항하다, 맞서다, 만나다《*with*》. **3** 《구어》 그럭저럭 잘 해 나가다. ── *vt.* 《구어》 …에 대처〔대항〕하다; 《고어》 (경기 등에서) …와 만나다.

cope[2] *n.* 덮개; 가빠, 망토 모양의 긴 외투《행렬·성체 강복(降福) 같은 때 성직자가 몸에 걸치는 옷》; 종(鐘)의 거푸집 꼭대기 부분; 〖건축〗 = COPING; 《시어·비유》 창공. ***the*** ~ ***of heaven*** 〔***night***〕 창공〔밤의 장막〕. ── *vt., vi.* 덮어씌우다; …에 갓돌을 얹다; 덮이다, 내밀다《*over*》: walls ~*d* with broken bottles 꼭대기에 깨진 병 조각을 박은 담.

copeck ⇨ KOPE(C)K.

Co·pen·ha·gen [kòupənhéigən, -há-/kòupənhéigən] *n.* 코펜하겐《덴마크의 수도》; (c-) = COPENHAGEN BLUE.

copenhágen blúe 회청색(灰青色).

co·pe·pod [kóupəpɑ̀d/-pɔ̀d] *a., n.* 〖동물〗 요각류(橈脚類)《물벼룩 등의 수생(水生) 동물》(의).

cop·er [kóupər] *n.* 《영》 말 장수, 마도위.

Co·per·ni·can [koupə́ːrnikən] *a.* **1** 코페르니쿠스(설)의. cf. Ptolemaic. ¶ the ~ theory 〔system〕 코페르니쿠스의 학설《지동설》. **2** 획기적인; 근본적인, 중대한《변화·전향 따위》: a ~ revolution (사상·기술 따위의) 코페르니쿠스적 대변혁. ㊕ **~·ism** *n.*

*****Co·per·ni·cus** [koupə́ːrnikəs] *n.* **Nicolaus** ~ 코페르니쿠스《지동설을 제창한 폴란드의 천문학자; 1473–1543》.

copesetic ⇨ COPACETIC.

Cópe's rùle 〖생물〗 코프의 법칙《비(非)특수화의 법칙, 체대화(體大化)의 법칙, 진화에 관한 수렴의 법칙 등 정향(定向) 진화에 근거한 법칙》.

cópe·stòne *n.* 갓돌, 관석(冠石); 《비유》 최후의 마무리, 극치.

cop·i·a·ble [kápiəbəl/kɔ́-] *a.* 복사〔복제, 카피〕할 수 있는.

cop·i·er [kápiər/kɔ́p-] *n.* **1** 복사기; 복사하는 사람. **2** 사자생(寫字生)(transcriber). **3** 모방자, 표절자.

có·pìlot *n.* **1** 〖항공〗 부조종사. **2** 《미속어》 암페타민(amphetamine)《트럭 운전사 등이 졸음을 쫓기 위해 쓰는 약》; 마약 중독자를 시중드는 사람.

cop·ing [kóupiŋ] *n.* 〖건축〗 (난간·담장 등의 위에 대는) 가로대, 횡재(橫材); 〖건축〗 (돌담·벽돌담 따위의) 정층(頂層), 갓돌, 관석(冠石).

cóping sàw 실톱.

cóping stòne = COPESTONE.

◇**co·pi·ous** [kóupiəs] *a.* 매우 많은, 풍부한; 내용〔지식〕이 풍부한; 어휘 수가 많은; (작가가) 다작인, 자세히 서술하는. cf. abundant, plentiful. ¶ a ~ harvest 풍작 / a ~ speaker 능변가 / a ~ writer 다(多)작가. ㊕ **~·ly** *ad.* **~·ness** *n.*

cóp-kìller *n.* 《속어》 방탄조끼를 관통하는 총탄.

co·plánar *a.* 〖수학〗 동일 평면상의, 공면(共面)의《점·선 따위》.

co·pólymer *n.* 〖화학〗 혼성 중합체(混成重合體). ㊕ **co·pòlymerizátion** *n.* 혼성 중합.

cóp-òut *n.* 《속어》 (책임 회피의) 구실; (일·약속 등에서) 손을 떼기〔떼는 사람〕; 회피하는 것〔사람〕, 변절〔전향〕(자); (비겁한) 도피, 타협.

*****cop·per**[1] [kápər/kɔ́pər] *n.* **1** Ⓤ 구리, 동(銅)《금속 원소; 기호 Cu; 번호 29》: ~ nitrate 질산구리. **2** Ⓒ 동전; (*pl.*) 《속어》 잔돈: a ~ coin 동전. **3** Ⓒ 구리 그릇; 《영》 (본디는 구리로 된) 취사용〔세탁용〕 보일러〔큰 가마〕; (*pl.*) 배의 목욕물 끓이는 솥, 구리 단지; 동판. **4** (*pl.*) 동산주(銅山株). **5** 구릿빛, 적갈색. ***cool*** 〔***clear***〕 ***one's*** ~***s*** 술 깨기 위해 물을 마시다. ***have hot*** ~***s*** (폭음 후) 목이 몹시 마르다. ── *a.* 구리의; 구릿빛의, 적갈색의; 구리로 만든. ── *vt.* **1** 구리로 싸다, …에 구리를 씌우다; (배 밑바닥에) 동판을 대다. **2** 《미속어》 (…의 반대에) 돈을 걸다. ~ ***a tip*** 시키는 일을 반대로 하다; (직감(直感)의) 반대로 돈을 걸다. ㊕ **~ed** *a.* 구리를 도금한.

cop·per[2] 《속어》 *n.* 순경(cop[1]); 밀고자; (모범수 등의) 감형. ── *vt.* **1** 경관으로 근무하다. **2** …을 체포하다; (경찰에) 밀고하다.

cop·per·as [kápərəs/kɔ́p-] *n.* Ⓤ 〖화학〗 녹

반(緑礬)(green vitriol).
cópper béech 〚식물〛 너도밤나무의 일종.
Cópper Bèlt (the ~) 구리 산출 지대《중앙 아프리카의 잠비아와 자이르 국경 지대》.
cópper-bóttomed *a.* 바닥을 동판으로 싼 《배》; (재정적으로) 건전한; 진짜의, (재정적으로) 신뢰할 수 있는.
cópper bràcelet (관절염 · 신경통에 좋다는 건강용의) 구리 팔찌.
cópper-cólored *a.* 구릿빛의.
cópper glánce 〚광물〛 휘동광(輝銅鑛).
cópper·hèad *n.* 독사의 일종《북아메리카산》; (C-) 〚미국사〛 남북 전쟁 때 남부에 동정한 북부 민주당원.
cópper·héarted [-id] *a.* 《속어》 밀고할 것 같은, 신뢰할 수 없는, 마음 놓을 수 없는.
cópper Índian =YELLOWKNIFE.
cop·per·ish [kápəriʃ/kɔ́p-] *a.* 구리 같은, 구리를 함유한.
cópper náph·the·nate [-nǽfθənèit] 〚화학〛 나프틴산동(酸銅)《살충제 및 목재 방부제에 쓰임》.
cópper·nòse *n.* (모주꾼의) 주부코.
cópper·plàte *n.* 구리판, 동판; [U] 동판 조각(彫刻); 동판 (인쇄); [U] (동판 인쇄처럼) 가늘고 예쁜 초서체의 글씨: write like ~ 마치 동판으로 찍은 듯이 깨끗이 쓰다. **—** *a.* 동판에 새긴; 동판 인쇄의; (글자가) 깨끗한. **—** *vt.* 동판에 새기다; 동판 인쇄로 하다.
cópper pyrítes 〔**réd**〕 황동〔적동〕광.
cópper·skìn *n.* 동색인(銅色人)《북아메리카 원주민》.
cópper·smìth *n.* 구리 세공인; 구리 그릇 제조인.
cópper's nàrk *n.* 《속어》 밀고자, 경찰의 끄나풀〔앞잡이〕.
cópper súlfate 〔**vítriol**〕 〚화학〛 황산구리.
cópper·wàre *n.* 구리 제품.
cop·pery [kápəri/kɔ́p-] *a.* 구리를 함유한; 구리제(製)의; 구리 같은; 구릿빛의, 적갈색의.
cop·pice [kápis/kɔ́p-] *n.* 작은 관목숲, 잡목숲(copse). ㊎ **cóp·pic·ing** [kápisiŋ/kɔ́p-] *n.* 〚임업〛 정기 벌채.
cóppice·wòod *n.* (잡목숲 밑의) 덤불.
cop·ra [káprə/kɔ́p-] *n.* [U] 코프라《야자의 과육(果肉)을 말린 것; 야자유의 원료》.
có·prèsident *n.* 공동 사장(社長).
co·prócessor *n.* 〚컴퓨터〛 보조 처리기《컴퓨터 시스템에서 CPU를 보조하기 위해 사용하는》.
cò·prodúce *vt.* 협동 생산하다. ㊎ **-dúcer** *n.* **-dúction** *n.*
có·pròduct *n.* 부산물(by-product).
cop·ro·lag·nia [kàprəlǽgniə/kɔ̀p-] *n.* 〚정신의학〛 애분(愛糞)《성(性)도착증의 하나》.
cop·ro·la·lia [kàprəléiliə/kɔ̀p-] *n.* 〚정신의학〛 예어(穢語), 추언(醜言)(증)《똥 · 오줌 등 배설에 관한 말을 계속 입에 담는 경향》.
cop·ro·lite [káprəlàit/kɔ́p-] *n.* [U] 〚지학〛 (동물의) 똥의 화석, 분석(糞石).
cop·rol·o·gy [kəprálədʒi/kɔprɔ́l-] *n.* [U] 외설 문학〔미술〕. ㊎ **còp·ro·lóg·i·cal** *a.*
cop·roph·a·gous [kəpráfəgəs/kɔprɔ́f-] *a.* (곤충 · 새 · 동물이) 똥을 먹는《투구벌레 따위》.
cop·ro·phil·ia [kàprəfíliə/kɔ̀p-] *n.* [U] 〚정신의학〛 분변 기호증(糞便嗜好症).
cop·roph·i·lous [kəpráfələs/-prɔ́f-] *a.* (버섯 · 곤충이) 똥에서 자라는.
cop·ro·pho·bia [kàprəfóubiə/kɔ̀p-] *n.* 〚의학〛 이상 분변(異常糞便) 공포증, 공분증(恐糞症).
cò·prósecutor *n.* 〚법률〛 공동 소추(訴追) 검찰관 (중의 1인).
cò·prospérity *n.* 공영(共榮).
copse [kaps/kɔps] *n.* =COPPICE.
cópse·wòod *n.* =COPPICEWOOD.
cóp shòp 《미속어》 파출소.
copsy [kápsi/kɔ́p-] *a.* 잡목숲 같은〔이 많은〕.
Copt [kapt/kɔpt] *n.* 콥트 사람《고대 이집트인의 자손이라고 주장하는》; 《특히》 콥트 교도《예수를 믿는 이집트인》.
cop·ter [káptər/kɔ́p-] *n.* 《구어》 =HELICOPTER.
Cop·tic [káptik/kɔ́p-] *n.*, *a.* 콥트 사람(의); [U] 콥트어(語)(의); (c-) 은은한 적갈색. ***the ~ Church*** 콥트 교회《이집트 재래의 기독교파》.
co·pub·lish [koupʌ́bliʃ] *vt.* (다른 출판사와) 공동 출판하다. ㊎ **~·er** *n.*
cop·u·la [kápjələ/kɔ́p-] (*pl.* ***-las, -lae*** [-liː]) *n.* 〚논리 · 문법〛 계합사(繫合詞), 연사(連辭) 《subject 와 predicate 를 잇는 be 동사 등》; 〚해부〛 접합부; 〚법률〛 (남녀의) 교접. ㊎ **-lar** [-lər] *a.*
cop·u·late [kápjəlèit/kɔ́p-] *vi.* 성교하다; 교접〔교미〕하다; 〚생물〛 (배우체(配偶體)가) 접합하다. **—** [kápjələt/kɔ́p-] *a.* 연결한, 결합한. ㊎ **còp·u·lá·tion** [-léiʃən] *n.* [U]
cop·u·la·tive [kápjəlèitiv, -lə-/kɔ́p-] *a.* 연결하는, 결합의; 성교의; 교접〔교미〕의. **—** *n.* 〚문법〛 계합사《be 따위》; 계합 접속사《and 따위》. [cf.] disjunctive. ㊎ **~·ly** *ad.*
cop·u·lin [kápjələn/kɔ́p-] *n.* 〚생화학〛 코퓰린《암원숭이가 내는 성유인물(性誘引物)》.
copy [kápi/kɔ́pi] *n.* **1** 사본, 부본(副本); 복사; 모사, 모방: a clean 〔fair〕 ~ 청서, 정서 / make a ~ (*of*) (…을) 복사하다. [cf.] script. **2** (판화 따위의) 장(張), 부(部). **3** (같은 책의) 부, 권: a ~〔two *copies*〕 of *Life* magazine 라이프지 한〔두〕 권. **4** [U] 원고, 초고: follow ~ 원고대로 짜다 / knock up ~ (신문 등의) 원고를 정리하다. **5** 〚영법률〛 등본; 초본. **6** 〚영화〛 복사 인화. **7** 습자〔글씨〕본; 《영》 (시 · 산문의) 작문 과제. **8** 〚신문〛 기사; 《good, bad 를 붙여서》 제재(題材), 기삿거리. **9** [U] 광고문(안), 카피. **10** 〚컴퓨터〛 카피, 사본, 복사《컴퓨터에 있는 파일을 다른 곳에 똑같이 하나 더 만드는 것》. ***a ~ of verses*** (학생의 작문 과제로서의) 단시(短詩). ***a foul*** 〔***rough***〕 ***~*** 초고. ***hold*** one's ***~*** 교정원의 조수 노릇을 하다. ***keep a ~ of*** …의 사본을 떠 두다. ***make good ~*** (일이) 좋은 신문 기삿거리가 되다, 좋은 원고가 되다. ***write from a ~*** 본을 보고 쓰다.
— *vt.* **1** 베끼다, 복사하다; 모사하다; 표절하다. **2** 모방하다. [SYN.] ⇨IMITATE. **3** 《CB속어》 (메시지 등을) 받아 이해하다. **4** (장점 등을) 본받다. **5** 〚컴퓨터〛 카피〔복사〕하다. **—** *vi.* 《~/+[전]+[명]》 **1** 복사하다, 베끼다: ~ *into* a notebook 노트에 베끼다. **2** 모방하다, 흉내 내다; 《영》 (시험에서 남의 답안을) 몰래 베끼다《*after; from; out of; off*》: ~ *after* a good precedent 좋은 선례(先例)를 따르다 / pictures *copied from* Picasso 피카소를 모방한 그림. **3** 《CB속어》 (무선을) 분명히 이해하다: Do you ~? 잘 알겠습니까〔들립니까〕. **~ *from nature*** 〔(***the***) ***life***〕 사생(寫生)하다. **~ *... out*** …을 몽땅 베끼다. **~ *the mail*** 《CB속어》 ⇨ MAIL[1].
cópy·bòok *n.* 습자책; 습자〔그림〕본; 《미》 복사부(簿), 비망록. ***blot*** one's ***~*** 이력에 오점을 남기다, (경솔한 짓을 해서) 평판을 잃다. **—** *a.* 인습적인, 진부한, 판〔틀〕에 박힌; 본대로의, 정확한: ~ maxims 〔morality〕 진부한 격언〔교훈〕.
cópy·bòy (*fem.* ***-girl***) *n.* (신문사의) 원고 심부름하는 아이.
cópy·càt *n.* 《구어 · 경멸》 모방하는 사람. **—** *vt.*, *vi.* 마구 (…의) 흉내를 내다.
cópycat pàcking 모조〔가짜〕 유명 브랜드 포장술.
cópy dèsk 《미》 (신문사의) 편집자용 책상.

cópy·èdit *vt.* (원고를) 정리하다.
cópy èditor =COPYREADER.
cópy·gràph *n.* =HECTOGRAPH.
cópy·hòld *n.* 【영국사】 Ⓤ 등본 보유권(에 의해 소유하는 부동산). ⓒⓕ freehold. ¶in ~ 등본 소유권에 의해. ── *a.* ~의.
cópy·hòlder *n.* **1** 【영국사】 등본 소유권자. **2** 보조 교정원. **3** (타자기의) 원고 누르개; (식자공의) 원고걸이〔대(臺)〕. ㊔ **cópy·hòlding** *n.* 보조 교정원의 일.
cóp·y·ing *n., a.* Ⓤ 복사(의), 등사(의): a ~ book 복사부(簿) / No ~! (남의 것을) 베끼면 안 돼요.
cópying ìnk 필기용〔복사용〕 잉크.
cópying pàper 복사지.
cópying pèncil (지워지지 않는) 카피펜슬.
cópying prèss (압착식) 복사기.
cóp·y·ist *n.* (고문서 따위의) 필생, 필경(생); 모방자.
cópy·lèft *n.* 【컴퓨터】 카피레프트《무료로 배포되는 컴퓨터의 소프트 중에서 저작권을 포기하지 않은 것; 저작권을 빈정댄 말》.
cópy machìne 《미》 복사기(copier).
cópy pàper 원고〔복사〕 용지.
cópy protèction 【컴퓨터】 복사 방지 조치.
cópy·rèad *vt.* (원고를) 정리하다.
cópy·rèader *n.* (신문사의) 원고 정리〔편집〕 부원《보통 데스크라 부름》.
cópy·rèading *n.* 【출판】 원고 교열.
°**cópy·rìght** *n.* Ⓤ,Ⓒ 판권, 저작권: a ~ holder 판권 소유자 / hold 〔own〕 the ~ on a book 책의 판권을 갖고 있다. ***Copyright reserved.*** 저작권 소유. ── *a.* 판권〔저작권〕을 갖고 있는, 판권으로 보호된(copyrighted). ── *vt.* …의 판권을 얻다; (작품을) 저작권으로 보호하다. ㊔ **~·a·ble** *a.* 판권을 취득할 수 있는. **~·er** *n.* 판권 소유자.
cópyright (depòsit) líbrary 《영》 납본 도서관《영국 내에서 출판되는 모든 서적을 1 부씩 기증 받는》.
cópyright pàge 【출판】 판권장, 간기(刊記).
cópy tàg 【언어】 반복 부가 의문문《긍정·부정이 선행문(先行文)과 일치하는 부가 의문문: The door is open, *is it?*》.
cópy·tàster *n.* 원고 심사원.
cópy·tỳpist *n.* (문서 따위의) 타이프 사본을 만드는 사람.
cópy·wrìter *n.* 광고 문안 작성자, 카피라이터.
cópy·wrìting *n.* 광고 문안 작성.
cópy·wròng *n.* 판권 위반의 카피, 해적판.
coq au vin [*F.* kɔkovɛ̃] 《F.》 【요리】 코코뱅《볶은 다음에 포도주로 찐 닭고기》.
coque·li·cot [kóuklikòu] *n.* 【식물】 우미인초, 개양귀비(corn poppy).
co·quet [koukét] (*-tt-*) *vi.* **1** (여자가) 교태를 짓다, 아양을 부리다, 는실난실하다, '꼬리치다'(flirt)《*with*》. **2** 《+전+명》 가지고 놀다, 농락하다《*with*》; 심심풀이로 손을 대다《*with*》: ~ *with* politics 정치에 손을 대다. ── *a.* =COQUETTISH.
co·quet·ry [kóukitri, koukét-/kɔ́kit-, kóuk-] *n.* Ⓤ 아양 부리기; Ⓒ 아양, 교태; Ⓤ 요염함; (문제·제안·정당 등에 대한) 농락.
co·quette [koukét] *n.* 교태 부리는 여자; 바람둥이 여자, 요부(妖婦)(flirt); 【조류】 벌새의 일종. ── *vi.* =COQUET.
co·quet·tish [koukétiʃ] *a.* 요염한, 교태를 부리는. ㊔ **~·ly** *ad.* **~·ness** *n.*
co·quille [koukí:l/kɔ-] *n.* 《F.》 【요리】 코키유《조가비(모양의 그릇)에 담은 조개〔닭고기〕구이 요리; 그 그릇》.
co·qui·na [koukí:nə] *n.* 【패류】 패각암(貝殼岩)《조가비와 석회질이 결합된 연질(軟質) 석회석; 건축·토목 재료》.
co·qui·to [koukí:tou] (*pl.* **~s**) *n.* 야자과 나무의 일종(=∠ **pálm**)《칠레산》.

cor[1] [kɔ:r] (*pl.* ***cor·dia*** [kɔ́:rdiə]) *n.* 【해부·동물】 심장.
cor[2] *int.* 《영속어》 앗, 이런《놀람·감탄·초조할 때》.
cor- [kər, kɔ(:)r, kɑr/kər, kɔr] *pref.* =COM-《r 앞에 쓰임》.
Cor. 【성서】 Corinthians; Coriolanus; Corsica.
cor. corner; cornet; coroner; coronet; corpus. **cor., corr.** correct(ed); correction; correlative; correspond(ence); correspondent; corresponding(ly); corrigendum; corrugated; corrupt; corruption.
cor·a·cle [kɔ́:rəkəl, kɑ́r-/kɔ́r-] *n.* (고리로 엮은 뼈대에 짐승 가죽을 입힌) 작은 배《웨일스나 아일랜드의 호수 따위에서 씀》.
cor·a·coid [kɔ́:rəkɔid, kɑ́r-/kɔ́r-] 【해부】 *n.* 오훼골(烏喙骨)(=∠ **bóne**); 오훼 돌기(=∠ **prócess**). ── *a.* 오훼골〔돌기〕의.
°**cor·al** [kɔ́:rəl, kɑ́r-/kɔ́r-] *n.* Ⓤ 산호; 산호충; 산호로 만든 장난감 젖꼭지; Ⓤ 새우〔게〕의 알집《삶으면 빛깔이 붉음》; Ⓤ 산홋빛. ── *a.* 산호(제)의; 산홋빛의; 산호가 나는. ㊔ **~·like** *a.*
córal ísland 산호섬.
cor·al·lif·er·ous [kɔ̀:rəlífərəs, kɑ̀r-/kɔ̀r-] *a.* 산호질의; 산호가 나는.
cor·al·line [kɔ́:rəlin, -làin, kɑ́r-/kɔ́rəlàin] *a.* 산호질의; 산호 모양의; 산홋빛의; 산호가 나는: ~ ware 산호 도기《17-18 세기경 이탈리아산(産)》/ ~ zone 심해(深海)의 제 3 층《산호 모양의 동물이 많음》. ── *n.* 산호; 산호 모양의 동물〔구조〕; 【식물】 산호말.
cor·al·lite [kɔ́:rəlàit, kɑ́r-/kɔ́r-] *n.* 산호석(石), 화석 산호; 산홋빛〔질〕의 대리석.
cor·al·loid, -loid·al [kɔ́:rəlɔ̀id, kɑ́r-/kɔ́r-], [kɔ̀:rəlɔ́idl, kɑ̀r-/kɔ̀r-] *a.* 산호 모양의.
córal pínk 산호색《황색이 도는 핑크색》.
córal rèef 산호초.
Córal Séa (the ~) 산호해(海)《오스트레일리아의 북동방》.
córal snàke 산호뱀《작은 독사의 일종; 아메리카산(産)》.
córal trèe 【식물】 홍두(紅豆)《인도산 콩과(科) 식물》.
córal wédding 산호혼식(珊瑚婚式)《결혼 35 주년 기념》.
co·ram [kɔ́:ræm/-əm] *prep.* 《L.》 …의 면전에서(in the PRESENCE of).
córam jú·di·ce [-dʒú:disì:] 《L.》 재판관의 앞에서.
córam pó·pu·lo [-pɑ́pjəlou/-pɔ́p-] 《L.》 대중 앞에서, 공공연히(in public).
Co·ran [kərɑ́:n, -rǽn, kɔ:rɑ́:n] *n.* =KORAN.
cor an·glais [kɔ̀:rɔ:ngléi] (*pl.* ***cors anglais*** [—]) 《F.》 【악기】 잉글리시 호른(English horn) 《목관 악기의 일종》.
cor·ban [kɔ́:rbən/-bæn] *n.* 【성서】 고르반, 봉납물(奉納物).
cor·beil, -beille [kɔ́:rbel] *n.* 【건축】 (조각한) 꽃바구니 장식.
cor·bel [kɔ́:rbəl] *n.* 【건축】 무게를 받치기 위한 벽의 돌출부, 내쌓기, 까치발, 초엽; (대들보·도리를 받치는) 받침나무, 양봉(樑奉). ── (*-l-*, 《영》 *-ll-*) *vt., vi.* 초엽을 대다; 양봉으로 받치다. ~ ***out*** 〔***off***〕 초엽으로 내밀다〔내버티다〕. ㊔ **~·ing** *n.* 【건축】 내물림 구조, 내물림을 붙임.
córbel-stèp *n.* 【건축】 =CORBIESTEP.
córbel táble 【건축】 돌벽에서 일련의 벽돌에 의해 받쳐진 돌출면.
cor·bie [kɔ́:rbi] *n.* 《Sc.》 까마귀, 갈까마귀.
córbie·stèp *n.* 【건축】 박공단(段)《박공 양편에 붙이는》(corbel-step, crowstep).
‡**cord** [kɔ:rd] *n.* Ⓤ,Ⓒ **1** 새끼, 끈; 목 매는 (밧)줄《rope 보다 가늘고 string 보다 굵음》: a

length of nylon ~ (어떤 길이의) 나일론 끈 하나. **2** 〖전기〗 코드. **3** (종종 *pl.*) 《비유》 구속, 기반(羈絆)(*of*). **4** 〖해부〗 삭상(索狀) 조직, 인대(靭帶), 건(腱) **5** 골지게 짠 천, 《특히》 코르덴; (*pl.*) 코르덴 바지. **6** 코드《목재나 장작의 용적 단위로 1코드는 128 세제곱 피트》. ***the silver*** **~** 탯줄; 〖성서〗 은(銀)줄《생명; 전도서(書)XII: 6》. ***the spinal*** **~** 척수. ***the umbilical*** **~** 탯줄. ***the vocal*** **~*s*** 성대. **—** *vt.* **1** 밧줄로〔끈으로〕 묶다〔동이다〕. **2** (장작을) 코드척 단위로 쌓다. **3** 장식끈〔골지게 짠 천〕으로 꾸미다〔마무르다〕. ㊕ **∠·age** [-idʒ] *n.* Ⓤ **1** 《집합적》 밧줄; 새끼(ropes); 줄(cords); (특히 배의) 삭구(索具). **2** (장작·목재의) 코드척 평수. **∠·er** *n.* **∠·like** *a.*

cor·date [kɔ́:*r*deit] *a.* 〖식물〗 심장형의, 하트형의. ㊕ **~·ly** *ad.*

córd·ed [-id] *a.* 밧줄로 묶은〔동인〕; 밧줄로 만든; 장식 줄이 달린; 골지게 짠; (근육 따위가) 힘줄이 불거진; 코드 단위로 쌓아 올린.

Cor·de·lia [kɔ:*r*dí:ljə] *n.* 코델리아. **1** 여자 이름. **2** Shakespeare 작 *King Lear* 에 나오는 Lear 왕의 효녀 막내딸.

Cor·de·lier [kɔ̀:*r*dəlíə*r*] *n.* 프란체스코파 수사《허술한 옷에, 밧줄띠를 두름》; ((the Club of) the ~s) 프랑스 혁명 당시의 급진 정치 클럽.

cor·delle [kɔ:*r*dél/kɔ́:dəl] *n.* (특히 미국·캐나다에서 쓰이는 배를) 끌어당기는 줄. **—** *vt.* (배를) ~로 끌어당기다.

***cor·dial** [kɔ́:*r*dʒəl/-diəl] *a.* **1** 충심으로부터의, 따뜻한, 성심성의의; 친절한, 간곡한: a ~ reception 진심에서 우러나온 환대 / ~ dislike 깊은 혐오. **2** 기운을 돋우는; 강심성(強心性)의: a ~ food 강장식(食). **—** *n.* 강심제, 흥분제; 감로주, 리큐어 술; 주스. ㊕ **~·ness** *n.*

°**cor·dial·i·ty** [kɔ:*r*dʒǽləti, kɔ̀:*r*dʒiǽl-/kɔ̀:di-] *n.* Ⓤ 진심, 정중함; 온정; Ⓒ 친절한 말〔행위〕; (*pl.*) 진정이 깃들인 인사.

°**cór·dial·ly** *ad.* 진심으로; 성심껏; 몹시《미워하다》. ***Cordially yours*** =***Yours*** **~** 여불비례(餘不備禮), 경구(敬具)《편지의 끝맺음》.

cor·di·form [kɔ́:*r*dəfɔ̀:*r*m] *a.* 심장형의(heart-shaped).

cor·dil·le·ra [kɔ̀:*r*dəljέərə, kɔ:*r*dílərə/kɔ̀:diljέərə] *n.* 《Sp.》 (대륙을 종단하는) 큰 산맥, 산계(山系)《특히 안데스 산맥 및 멕시코·중앙아메리카 산맥》.

córd·ing *n.* Ⓤ 밧줄, 끈, 새끼류; 골지게 짜기, 그 짠 천.

cor·dis [kɔ́:*r*dis] *a.* 심장의(of the heart)《처방전에서》.

cord·ite [kɔ́:*r*dait] *n.* 끈 모양의 무연 화약.

córd·less *a.* 〖통신〗 전화선 없는, 코드가 (필요) 없는: a ~ phone 무선 전화기.

Cor·do·ba [kɔ́:*r*dəbə, -və] *n.* 코르도바. **1** 아르헨티나 중부의 도시. **2** 스페인 남부의 도시.

cor·do·ba [kɔ́:*r*dəbə] *n.* 코르도바《니카라과의 화폐 단위; 기호 C $》; 1 코르도바 지폐.

cor·don [kɔ́:*r*dn] *n.* **1** 〖군사〗 초병선(哨兵線); (경찰의) 비상〔경계〕선; (전염병 발생지의) 교통 차단선, 방역선(sanitary ~): a ~ of police 비상경계선. **2** 장식끈; (어깨에서 겨드랑 밑으로 걸치는) 수장(綬章): the blue ~ 청(青)수장 / the grand ~ 대수장. **3** 〖원예〗 외대 가꾸기. **4** 〖축성(築城)〗 (보루 벽의) 정연석(頂緣石); 〖건축〗 벽 윗부분에 수평으로 둘린 장식용 돌출부. ***post*** 〔***place, draw***〕 ***a*** **~** 비상선을 치다. **—** *vt.* ~으로 꾸미다; 비상선을 치다; 교통을 차단하다《*off*》.

cor·don bleu [*F.* kɔʀdɔ̃blø] (*pl.* ***cor·dons bleus*** [—]) 《F.》 **1** 청수장(青綬章)《부르봉 왕조의 최고 훈장》. **2** (그 방면의) 일류(의), 대가(의), 명인(의); 《우스개》 일류 요리사(가 만든).

cor·don sa·ni·taire [*F.* kɔʀdɔ̃sanitɛʀ] (*pl.* ***cor·dons sa·ni·taires*** [—]) 《F.》 방역선(防疫線); (교통) 차단선; (정치·경제상의) 완충(緩衝) 지대.

cor·dot·o·my [kɔ:*r*dɑ́təmi/-dɔ́t-] *n.* 〖의학〗 척수삭(脊髓索) 절단(술).

Cor·do·van [kɔ́:*r*dəvən] *n.* **1** 코르도바 사람. **2** (*c*-) 코도반 가죽. **—** *a.* **1** 코르도바 (사람)의. **2** (*c*-) 코도반 가죽의.

cor·du·roy [kɔ́:*r*dərɔ̀i, ∸-∠] *n.* Ⓤ 코르덴; (*pl.*) 코르덴 양복〔바지〕. **—** *a.* **1** 코르덴제(製)의; 코르덴 같은, 골이 진: ~ trousers 코르덴 바지. **2** (길 따위가) 통나무를 깔아 만든. **—** *vt.* (길을) 통나무를 깔아 만들다; …에 통나무 길을 만들다.

córduroy róad 《미》 (습지 따위의) 통나무 길.

cord·wain [kɔ́:*r*dwein] *n.* 《고어》 코도반 가죽(cordovan). ㊕ **~·er** *n.* 《고어》 제화공(shoemaker); 《미》 제화공 조합원, 구두장이. **~·ery** *n.* 《고어》 제화, 구두 제조.

córd·wòod *n.* 코드 단위로 파는〔쌓은〕 땔나뭇감; 길이 4 피트로 자른 목재.

core** [kɔ:*r*] *n.* **1** (과일의) 응어리, 속. **2** 핵심; 정수(pith). **3** 중심(부); (나무의) 고갱이; (부스럼 따위의) 근; (끈목·전선 따위의) 심; (변압기 따위의) 철심; (주물의) 심형(心型). **4** (the ~) (사물의) 핵심, 안목(gist); (마음) 속. **5** 〖지학〗 (지구의) 중심핵. ⓒⓕ mantle, crust. **6** (도시의) 중심부; 원자로의 노심(=**reáctor** **∼**). **7** (지질의) 채취 샘플《원통형의》. **8** (석기 시대의) 석핵(石核). **9** 〖컴퓨터〗 코어, 자심(磁心)(magnetic ~). ***at the **~** 마음속이, 근저(根底)가: rotten *at the* ~ 속〔근성〕이 썩어서. ***to the*** **~** 속속들이, 철두철미하게: true *to the* ~ 진짜의, 틀림없는. **—** *vt.* **1** (과일의) 속을〔응어리를〕 빼다〔도려내다〕《*out*》. **2** …에서 견본을 뜨다. **3** 〖주물〗 …에 공동(空洞)을 만들다. **4** 중심에서 끊어내다.

CORE 《미》 Congress of Racial Equality(인종 평등 회의).

Co·rea [kərí:ə, -riə] *n.* =KOREA.

cò·recípient *n.* 공동 수상자.

córe cìty 도시의 중심부, 핵도시; 구(舊)시가(inner city).

córe currículum 〖교육〗 코어 커리큘럼, 핵심 교육 과정《개별 과목에 구애하지 않고 사회생활을 널리 경험시키는 데 중점을 둔 교과 과정》.

córe dùmp 〖컴퓨터〗 주(主)기억을 비우다; 《속어》 속마음을 털어놓다.

cò·réference *n.* 〖언어〗 동일 지시《2개의 명사(구) 간에 동일 대상을 언급하는 관계: *She* laid her*self* on the bed.》.

co·re·late [kɔ́:rəlèit, kɑ́r-/kɔ́r-] *vt.* 《영》 =CORRELATE.

cò·re·lá·tion *n.* 《영》 =CORRELATION.

córe·less *a.* 속이 없는; 공허한.

cò·relígionist *n.* 같은 종교를 믿는 사람, 같은 신자《*of*》.

córe mèmory 〖컴퓨터〗 =CORE STORAGE.

co·re·op·sis [kɔ̀:riɑ́psis/-ɔ́p-] *n.* 〖식물〗 기생초 종류.

cò·réquisite *n.* (어떤 과목과) 동시에 이수해야 할 과목.

cor·er [kɔ́:rə*r*] *n.* (사과 등의) 응어리를 따 내는 기구; (지질의) 표본 채취기.

córe sègment 〖우주〗 (우주 실험실의) 기밀 작업실. ⓒⓕ experiment segment.

cò·résidence *n.* (대학의) 남녀 공동 기숙사(《미》 coed dorm).

cò·respóndent *n.* 〖법률〗 (특히 간통으로 인한 이혼 소송의) 공동 피고인. ≒correspondent.

corespóndent shóes 《영우스개》 2 색 신사화.

córe stòrage 〖컴퓨터〗 자심(磁心) 기억 장치.

córe stòre 〖컴퓨터〗 자심(磁心) 기억 장치.

córe sùbjects 《영》 (영어·수학·과학의) 주

요 3과목.

córe tìme 코어 타임《flextime에서 반드시 근무해야 하는 시간대》.

córe túbe (지질 조사용) 코어 튜브, 표본 채취관.

corf [kɔːrf] (*pl.* **corves** [-vz]) 《영》 *n.* 석탄 운반 바구니; 활어조(活魚槽). 「죽《상표명》.

Cor·fam [kɔ́ːrfæm] *n.* 구두에 쓰이는 인조 가

cor·gi, -gy [kɔ́ːrgi] *n.* =WELSH CORGI.

co·ria [kɔ́ːriə] CORIUM의 복수.

co·ri·a·ceous [kɔ̀ːriéiʃəs/kɔ̀ri-] *a.* 가죽 같은; 피질(皮質)의; 가죽으로 만든; 강인한.

co·ri·an·der [kɔ̀ːriǽndər/kɔ̀ri-] *n.* 고수풀《열매는 양념·소화제로 씀; 미나릿과》.

Cor·inth [kɔ́ːrinθ, kɑ́r-/kɔ́r-] *n.* 코린트《옛 그리스의 예술·상업의 중심지》.

Co·rin·thi·an [kərínθiən] *a.* 코린트의; 코린트 사람의〔과 같은〕; 〖건축〗 코린트식의; 우아한; (문체가) 화려한; 방탕한: the ~ order 코린트(주)식((柱)式)《Doric order, Ionic order와 함께 그리스의 건축 양식》. ― *n.* 코린트 사람; (*pl.*) 〖성서〗 고린도서(=**Epístles to the ∠s**)(생략: Cor.); 유복한 스포츠맨; 《미》 아마추어 요트맨; 《고어》 난봉꾼.

Co·ri·ó·lis fòrce [kɔ̀ːrióulis-] 〖물리〗 코리올리 힘《지구의 자전으로 비행 중인 물체에 미치는 편향의 힘》.

co·ri·par·i·an [kòuripέəriən, -rai-] *n.* 〖법률〗 하안(河岸) 공동 소유자.

co·ri·um [kɔ́ːriəm] (*pl.* **-ria** [-riə]) *n.* 〖해부〗 진피(眞皮)(dermis); 〖곤충〗 (반시초(半翅鞘)의) 혁질부(革質部).

*__cork__ [kɔːrk] *n.* **1** Ⓤ 코르크; 〖식물〗 코르크질〔층〕(phellem)《나무껍질의 내면 조직》: burnt ~ 태운 코르크《눈썹을 그리거나 배우의 분장에 씀》. **2** Ⓒ 코르크 마개; 코르크 부표(浮標)(float). ***like a*** ~ 활발히, 곧 원기를 회복하여. ― *a.* 코르크로 만든: a ~ stopper 코르크 마개. ― *vt.* **1**…에 코르크 마개를 끼우다〔로 밀폐하다〕《*up*》. **2** (얼굴·눈썹을) 태운 코르크로 까맣게 칠하다. **3** 〖식물·의학〗 코르크 조직으로 하다. ~ ***up*** (코르크 따위로) 막다; (감정을) 억제하다. ― *vi.* 〖식물·의학〗 코르크화하다.

cork·age [kɔ́ːrkidʒ] *n.* Ⓤ 코르크 마개를 빼기〔끼우기〕; 마개 뽑아 주는 서비스료《손님이 가져온 술병에 대한 호텔의》.

corked [-t] *a.* 코르크 마개를 한; 코르크로 바닥을 댄; 태운 코르크로 화장한; 코르크 냄새를 풍기는《술》; 《속어》 만취한.

córk·er *n.* **1** (코르크) 마개를 하는 사람〔기계〕. **2** 《속어》 (상대의 반박 여지를 두지 않는) 결정적 의논; 결정적 일격; 엄청난 거짓말, 아주 우스운 농담〔장난〕; 굉장한 물건〔사람〕. 「게」; 대단히 큰.

córk·ing *a.*, *ad.* 《미속어》 아주〔썩〕 좋은〔좋

córk jàcket 코르크 재킷《수중 구명조끼》.

córk òak 〖식물〗 코르크나무.

córk·scrèw *n.* 타래송곳《마개뽑이·목공용》. ― *a.* 타래송곳처럼 생긴, 나사 모양의: a ~ dive 〖항공〗 선회 강하. ― *vt.*, *vi.* 빙빙 돌리다; 나선 모양으로 구부리다; 억지로 끄집어내다; 넘겨짚어 실토하게 하다, 유도 신문하다; 나사 모양으로 나아가(게 하)다; (~로) 빼다.

córk-tìpped [-t] *a.* 《영》 (담배가) 코르크 (모양의) 필터를 단.

córk trèe 〖식물〗 =CORK OAK; 황벽나무.

córk·wòod *n.* Ⓤ 〖식물〗 코르크(처럼 가볍고 구멍이 많은) 목재《balsa 따위》.

corky [kɔ́ːrki] (**cork·i·er, -i·est**) *a.* 코르크의〔같은〕; (술이) 코르크 냄새가 나는(corked); 《구어》 들뜬; 변덕스러운. ⊕ **córk·i·ly** *ad.* **-i·ness** *n.*

corm [kɔːrm] *n.* 〖식물〗 구경(球莖), 알뿌리.

cor·mo·rant [kɔ́ːrmərənt] *n.* 〖조류〗 가마우지(sea crow); 대식가; 욕심 사나운 사람. ― *a.* 가마우지 같은; 많이 먹는; 욕심 많은.

__corn__[1] [kɔːrn] *n.* **1 Ⓒ 낟알. **2** 〔집합적〕 곡물, 곡류, 곡식《영국에서는 밀·옥수수류의 총칭》: Up ~, down horn. 《속담》 곡식 값이 오르면 쇠고기 값이 떨어진다. **3** Ⓤ 《Can.·Austral.·미》 옥수수; 《영》 밀; 《Sc.·Ir.》 귀리. **4** Ⓤ 곡초(穀草)《밀·보리·옥수수 등》. **5** Ⓤ 《미구어》 옥수수 위스키. **6** 《구어》 하찮은 것; 진부한〔감상적인〕 생각〔유머, 음악〕. **7** 〖스키〗 싸라기눈. ***acknowledge*** 〔***admit, confess***〕 ***the*** ~ 제 잘못을〔패배를〕 인정하다. ~ ***in Egypt*** 〖성서〗 풍요, 풍부함, (식량 따위의) 무진장《창세기 XLII: 1-2》. ***earn*** one***'s*** ~ 《구어》 생활비를 벌다. ***measure another's*** ~ ***by*** one***'s own bushel*** 자기 표준으로 남을 판단하다. ― *vt.* **1** 가루〔작은 알〕로 만들다. **2** 소금을 뿌리다〔에 절이다〕. **3** (토지에) 곡물을 심다; (가축에) 곡물을 주다. ― *vi.* (곡식 이삭에) 알이 들다, 여물다.

corn[2] *n.* (발가락의) 못, 티눈, 물집. ***tread*** 〔***step, trample***〕 ***on*** a person***'s*** ~***s*** 《구어》 남의 아픈 데를 찌르다, 기분을 상하게 하다.

-corn [kɔ̀ːrn] '뿔'의 뜻의 결합사: uni*corn*.

Corn. Cornish; Cornwall.

córn·bàll *a.*, *n.* 《미속어》 **1** 시골뜨기; 고리타분하고 감상적인 (녀석·음악가 등). **2** 당밀〔캐러멜〕을 묻힌 팝콘; 진부한 (것).

córn béef 《미》 =CORNED BEEF. 「배 지대.

Córn Bèlt (the ~) (미국 중서부의) 옥수수 재

córn bòrer 〖곤충〗 조명충나방《옥수수의 해충》.

córn·bràsh *n.* 〖지학〗 석회질 사암(砂岩)《곡물 생산에 적합함》.

córn brèad 《미》 옥수수빵(Indian bread).

córn càke 《미》 옥수수 과자.

córn chàndler 《영》 잡곡상(商).

córn chìp 《미》 콘칩《맷돌에 간 옥수수를 반죽하여 튀긴 식품》.

córn·còb *n.* 옥수수의 속대; 그것으로 만든 곰방대(=∠ **pípe**).

córn còckle 〖식물〗 선옹초.

córn còlor 담황색. ⊕ **córn-còlored** *a.*

córn·cràcker *n.* 《미·경멸》 =POOR WHITE; KENTUCKIAN 《속칭》; 〖조류〗 =CORNCRAKE.

córn·cràke *n.* 〖조류〗 흰눈썹뜸부기.

córn·crìb *n.* 《미》 옥수수 창고.

córn dànce 《미》 (옥수수 파종·수확 때 추는) 북아메리카 인디언의 춤. 「딱한 빵.

córn dòdger 《미남부》 옥수숫가루로 만든 딱

córn dòg 《미》 콘도그《꼬챙이에 끼운 소시지를 옥수수빵으로 싼 핫도그》.

cor·nea [kɔ́ːrniə] *n.* 〖해부〗 각막(角膜): ~ transplantation 각막 이식. ⊕ **cór·ne·al** *a.*

córn èarworm 〖곤충〗 회색담배나방의 유충.

corned *a.* 작은 알로 만든; 소금에 절인(salted); 《속어》 만취한.

córned béef 콘비프《쇠고기 소금절이》.

Cor·neille [kɔːrnéi] *n.* **Pierre** ~ 코르네유《프랑스의 극작가; 1606-84》.

cor·nel [kɔ́ːrnl] *n.* 〖식물〗 산딸나무속(屬) 관목의 일종, 꽃층층나무. 「玉髓).

cor·nel·ian [kɔːrníːljən] *n.* 〖광물〗 홍옥수(紅

Cornéll Univérsity 코넬 대학.

cor·ne·ous [kɔ́ːrniəs] *a.* 각질의(horny).

†**cor·ner** [kɔ́ːrnər] *n.* **1** 모퉁이, 길모퉁이.

> SYN. **corner**는 '모퉁이, 모'의 일반적인 말. **angle**은 수학상의 '각(角)'.

2 (방·상자 따위의) 구석, 귀퉁이: put 〔stand〕 (a child) in the ~ (벌로서 아이를) 방구석에

세우다. **3** 한쪽 구석, 사람 눈에 띄지 않는 곳; 인가에서 떨어진 곳, 변두리; 비밀 장소. **4** (때로 *pl.*) 장소, 방면: every ~ *of* the land 방방곡곡. **5** (보통 a ~) 궁지: be in a tight ~ 곤경에 처하다 / drive 〔force, put〕 a person into a ~ 아무를 궁지에 몰아넣다. **6** 〖상업〗 사재기, 매점(買占). **7** 〖야구〗 코너; 〖축구〗 코너킥(~ kick); 〖하키〗 코너 히트; 〖권투 · 레슬링〗 (링의) 코너. **8** (the C-) 《영속어》 Tattersall's의 도박장《본디 런던의 Hyde Park Corner 근처에 있었음》. ***around* 〔*round*〕 *the* ~** 길모퉁이를 돈 곳에; 바로 어귀〔근처〕에; 임박하여: Christmas is just *round the* ~. 이제 곧 크리스마스이다. ***cut* ~*s* =*cut* (*off*) *the* 〔*a*〕 ~** 질러 가다; 《비유》 (돈 · 노력 · 시간 등을) 절약하다; 안이한 방법으로 끝마치다. ***do in a* ~** 비밀히 행하다. ***establish* 〔*make*〕 *a* ~ *in*** …을 매점하다. ***keep a* ~** 일각을〔한 귀퉁이를〕 차지하다. ***leave no* ~ *unsearched*** 샅샅이 찾다. ***look out of the* ~ *of* one's *eyes*** 곁눈질로 보다. ***trim* one's ~*s*** 《미구어》 사태가 허락하는 범위에서 모험하다. ***turn the* ~** 모퉁이를 돌다; (병 · 불경기 등이) 고비를 넘기다. ***within the four* ~*s of*** …의 안에 둘러싸여; (문서 따위)의 문면(文面)의 범위 내에 있는.

— *a.* 길모퉁이의〔에 있는〕; 구석에 둔〔에서 사용하는〕; 〖경기〗 코너의.

— *vt.* **1** …에 모(서리)를 내다: The walls are ~*ed* with brick. 벽 모서리는 벽돌로 되어 있다. **2** 구석에 두다; 구석에 밀어붙이다〔몰아넣다〕. **3** 《비유》 궁지에 빠뜨리다. **4** 사재기〔매점(買占)〕하다: ~ the market 주식을〔(시장의) 상품을〕 매점하다. **—** *vi.* **1** 모(퉁이)를 이루다; 모나다; 모퉁이에 있다《*on*》. **2** 사재기〔매점〕하다, …의 시장을 독점하다《*in*》: ~ *in* cotton 면 시장을 독점하다 / ~ *in* stocks 재고품을 매점하다. **3** (자동차가) 고속으로 모퉁이를 돌다: He ~*s* well. 그는 커브를 잘 돈다.

córner-bàck *n.* 〖미축구〗 코너백《수비팀 포지션의 하나; 디펜스의 가장 바깥쪽을 지키는 하프백; 좌우 각 1인씩 배치됨; 생략: CB》.

córner bòy 거리의 부랑자.

córner càbinet (방 귀퉁이의) 삼각 장식장.

cór·nered *a.* **1** 구석〔궁지〕에 몰린, 진퇴유곡의: like a ~ rat 궁지에 몰린 쥐처럼. **2** 〖보통 복합어로〗 모가 진; (…한) 입장에 있는, (…의) 경쟁자가 있는: a four-~ contest for a prize 상을 둘러싼 네 사람의 경합.

cór·ner·er [-rər] *n.* 매점인(買占人).

córnering skìd (자동차 따위가) 방향 전환 때의 미끄러짐.

córner kìck 〖축구〗 코너킥.

córner màn **1** 부랑자; 거리의 건달. **2** (흑인 악단의 양쪽 끝에서 캐스터네츠나 트롬본 따위를 연주하며) 장단 맞추는 사람(end man). **3** 매점(買占) 상인. **4** 〖권투〗 세컨드.

córner reflèctor 코너 리플렉터《입사 광선을 정역(正逆) 방향으로 되돌리는 반사경; 행성 간의 거리 측정에 쓰임》.

córner shóp 작은 상점《슈퍼마켓에 대한》.

córner·stòne *n.* 초석, 귓돌(quoin); 〖일반적〗 토대, 기초, 초석, 요긴한 것〔사람〕, 기본적인 것〔사람〕: lay the ~ 정초식을 거행하다 / Science is the ~ of modern civilization. 과학은 근대 문명의 토대이다.

córner stóre 《미》 (식품 따위를 파는) 작은 상점《흔히 길모퉁이에 있음》.

cor·ner·wise, -ways [-wàiz], [-wèiz] *ad.* 비스듬하게, 대각선 모양으로, 각을 이루도록.

cor·net [kɔːrnét, kɔ́ːrnit/kɔ́ːnit] *n.* **1** 코넷《악기》; 코넷 취주자; (오르간의) 코넷 음전(音栓). **2** 자선 수녀단원(慈善修女團員)이 쓰는 크고 흰 모자. **3** 〖해사〗 신호기; 〖영국사〗 기병대 기수. cf. ensign. **4** (과자 따위를 담는) 원뿔꼴의 종이 봉지; 《영》 = ICE-CREAM CONE.

cor·net-à-pis·tons [kɔːrnétəpístənz] (*pl.* ***cor·nets-*** [kɔːrnétsə-]) *n.* 《F.》 〖악기〗 코넷《오늘날의 것과 달리 피스톤이 달림》.

cor·nét·(t)ist *n.* 코넷 취주자(吹奏者).

córn exchànge 《영》 곡물 거래소.

córn fàctor 《영》 곡물 중개인(《미》 grain broker).

córn·fèd *a.* 《미》 옥수수로 기른, 《영》 밀로 기른; 《미구어》 살찐《여자 따위》, 영양이 좋은; 《미속어》 둔중한, 촌스러운.

°**córn·field** *n.* 《미》 옥수수밭; 《영》 밀밭.

córn·flàg *n.* 〖식물〗 노랑붓꽃《유럽산》.

córn·flàkes *n. pl.* 콘플레이크《옥수수를 으깨어 말린 박편(薄片); 아침 식사용》.

córn flòur 《영》 =CORNSTARCH; 《영》 곡물 가루; 《미》 옥수숫가루.

córn·flòwer *n.* 수레국화; 선옹초.

córn·hùsk *n.* 《미》 옥수수 겉질.

córn·hùsking *n.* Ⓤ 옥수수 겉질 벗기기; Ⓒ ~ 축제〔모임〕(husking bee).

cor·nice [kɔ́ːrnis] *n.* 〖건축〗 배내기《벽 윗부분에 장식으로 두른 돌출부》, 처마 언저리의 벽에 수평으로 낸 쇠시리 모양의 장식; (배내기식의) 가장자리 테; 〖등산〗 벼랑 끝에 처마 모양으로 얼어붙은 눈더미. **—** *vt.* …에 배내기 장식을 하다. ㊕ **~d** [-t] *a.* 배내기 장식이 있는.

cor·níche (ròad) [kɔ́ːrniʃ(-), kɔːníːʃ(-)] (전망이 좋은) 절벽을 따라 있는 도로.

cor·níc·u·late cártilage [kɔːrníkjələt-, -lèit-] 〖해부〗 소각연골(小角軟骨).

cor·ni·fi·ca·tion [kɔ̀ːrnəfikéiʃən] *n.* 〖생물〗 각질화(角質化).

Cor·nish [kɔ́ːrniʃ] *a.* Cornwall의; Cornwall 사람〔말〕의. **—** *n.* Cornwall 말《지금은 사어(死語)》.

Córnish bóiler 코니시 보일러《원통형의 연관(煙管) 보일러》.

Córnish·man [-mən] (*pl.* ***-men*** [-mən]) *n.* Cornwall 사람.

Córnish pásty 양념한 야채와 고기를 넣은 Cornwall 지방의 파이 요리.

Córn Làws 〖영국사〗 (the ~) 곡물법《곡물 수입에 중세(重稅)를 과한 법; 1846년 폐지》.

córn lìquor 《미》 옥수수〔싸구려〕 위스키.

córn·lòft *n.* 곡물 창고.

córn mèal 《미》 맷돌에 탄 옥수수; 《영》 맷돌에 탄 보리; 《Sc.》 =OATMEAL.

córn mìll 《영》 (밀의) 제분기(flour mill); 《미》 옥수수 분쇄기.

córn òil 옥수수 기름《식용, 경화유(硬化油), 도료, 비누 제조 등》.

córn on the cób 옥수수자루에 붙어 있는 옥수수.

cor·no·pe·an [kɔ̀ːrnəpíːən, kɔːrnóupiən/ kənóupjən, kɔː-] *n.* 《영》 〖음악〗 코넷(cornet); 풍금의 코넷 음전.

córn pìcker 《미》 옥수수 자동 채취기.

córn-pòne *a.* 《미속어》 남부풍의.

córn pòne 《미남중부》 옥수수 빵.

córn pòppy 〖식물〗 개양귀비.

corn·po·ri·um [kɔ̀ːrnpɔ́uriːəm] *n.* 팝콘 전문 체인 스토어.

córn rènt 《영》 (돈 대신 밀로 내는) 소작료.

córn·ròw *n.* (*pl.*) 머리칼을 가늘고 단단하게 세 가닥으로 땋아 붙인 흑인의 머리형. **—** *vt.*, *vi.* ~로 하다.

córn shòck 《미》 죽 세워 놓은 옥수수 줄기 더미.

córn sìlk 《미》 옥수수의 수염.

córn snòw 〖스키〗 싸라기눈.

córn·stàlk *n.* 《미》 옥수숫대; 《영》 밀짚; 《영구어》 키다리《오스트레일리아 태생 백인의 별명》.

°**córn·stàrch** *n.* Ⓤ 《미》 옥수수 녹말.
córn sùgar 《미》 옥수수 녹말당(糖)(dextrose).
córn sỳrup 《미》 옥수수 시럽.
cor·nu [kɔ́ːrnjuː/-njuː] (*pl.* **-nua** [-njuə]) *n.* 뿔(horn); 〖해부〗 각상(角狀) 돌기. ㊥ **~·al** *a.*
cor·nu·co·pia [kɔ̀ːrnjukóupiə/-nju-] *n.* **1** 〖그리스신화〗 풍요의 뿔(horn of plenty) 《어린 Zeus에게 젖을 먹였다는 염소의 뿔》; 뿔 모양의 장식품《뿔 속에 과일, 곡물 등을 가득히 담은 모양으로 표현되는, 풍요의 상징》; 《비유》 (a ~) 풍요(abundance), 풍부(*of*). **2** 원뿔꼴의 종이 봉지. ㊥ **-pi·an** [-n] *a.* 풍부한, 풍요한.

cornucopia 1

cor·nute, cor·nút·ed [kɔːrnjúːt/-njúːt], [-id] *a.* 뿔이 있는, 뿔 모양의; 《고어》 오쟁이진(cuckolded), 아내에게 배신당한.
cor·nu·to [kɔːrnjúːtou/-njúː-] *n.* 오쟁이진 남편. 「드 남서부의 주》.
Corn·wall [kɔ́ːrnwɔːl/-wəl] *n.* 콘월《잉글랜
córn whìskey 《미》 옥수수 위스키.
corny[1] [kɔ́ːrni] (*corn·i·er; -i·est*) *a.* **1** 곡물〔옥수수〕의; 곡물이 풍부한. **2** 《구어》 촌스러운, 세련되지 않은, 시시한. **3** 《구어》 (익살이) 진부한, 구식의. **4** 《구어》 (재즈 따위) 감상적인(opp. *hot*); 멜로드라마적인. ㊥ **córn·i·ly** *ad.* **-i·ness** *n.* 곡물이 풍부함.
corny[2] (*corn·i·er; -i·est*) *a.* 티눈의, 티눈이 생긴.
corol(l). corollary.
co·rol·la [kərálə/-rɔ́lə] *n.* 〖식물〗 꽃부리, 화관. ㊥ **cor·ol·la·ceous** [kɔ̀ːrəléiʃəs, kàrə-/kɔ̀r-] *a.* 꽃부리〔화관〕의, 꽃부리 같은.
cor·ol·lary [kɔ́ːrəlèri, kár-/kərɔ́ləri] *n.* 〖논리·수학〗 계(系); 추론(推論); 당연한〔자연의〕 결과.
co·rol·late, -lat·ed [kəráleit, -lət, kɔ́ːrəlèit/kɔ́rələt], [kəráleitid, kɔ́ːrəlèit-/kɔ́r-] *a.* 〖식물〗 꽃부리가〔화관이〕 있는.
°**co·ro·na** [kəróunə] (*pl.* **~s, -nae** [-niː]) *n.* **1** 관(冠), 화관《옛 로마에서 전공을 세운 상으로 준 것》; 〖식물〗 내(內)화관, 부관(副冠); 〖해부〗 (치관(齒冠) 따위의) 관(crown); 〖건축〗 코로나; 배내기(cornice)의 중층부(中層部); (교회당 천장에 매단) 원형 촛대. **2** 〖천문〗 코로나《태양의 개기식(皆旣蝕) 때 그 둘레에 보이는 광관(光冠)》; (해·달의 둘레의) 광환(光環), 무리(cf. halo); 〖전기〗 (방전의) 코로나(=∠ **dischàrge**). 「쪽왕관자리.
Coróna Aus·trá·lis [-ɔːstréilis] 〖천문〗 남
Coróna Bo·re·ál·is [-bɔ̀ːriǽlis, -éil-] 〖천문〗 북쪽왕관자리.
cor·o·nach [kɔ́ːrənək, kár-/kɔ́r-] *n.* 《Sc.·Ir.》 조가(弔歌), 만가(輓歌).
co·ro·na·graph [kəróunəgræ̀f, -gràːf] *n.* 〖천문〗 코로나그래프《일식 때 이외의 코로나 관측 장치》.
cor·o·nal [kɔ́ːrənl, kár-/kɔ́r-] *n.* 보관(寶冠); 화관; 화환; 《비유》 영관(榮冠). ── [kəróunl, kɔ́ːrə-, kárə-/kəróunl, kɔ́rə-] *a.* **1** 관의; 화관의; 〖해부〗 두정(頭頂)의; 관상(冠狀)의; 〖식물〗 부관(副冠)의; 보관의: a ~ suture 〖해부〗 관상봉합. **2** 〖천문〗 코로나의; 광환(光環)의.
córonal hóle 〖천문〗 코로나의 구멍《태양 코로나의 어둡게 보이는 저밀도(低密度) 부분》.
cor·o·nary [kɔ́ːrənèri, kár-/kɔ́rənəri] *a.* (왕)관의〔같은〕; 화관의; 〖해부〗 관상(冠狀)(동맥)의; 심장의: the ~ arteries 〔veins〕 (심장의) 관상동맥〔정맥〕/ ~ trouble 심장병.
córonary býpass 〖의학〗 관(冠) 동맥 바이패스 수술, 측부 혈행(側副血行) 작성(술).
córonary-cáre ùnit 관상동맥 질환 집중 치료(병동), 관상동맥 질환 (감시) 병실《생략: CCU》.
córonary (héart) disèase 〖의학〗 관상동맥(성) 심장 질환. 「전(증).
córonary insufficiency 〖의학〗 관상동맥 부
córonary sínus 〖해부〗 관상 정맥동(洞).
córonary thrombósis 〖의학〗 관상동맥 혈전증(血栓症).
cor·o·nate [kɔ́ːrənèit, kár-/kɔ́r-] *vt.* …에 관(冠)을 씌우다. ── *a.* 관〔화환〕을 쓴.
°**còr·o·ná·tion** *n.* 대관식(戴冠式), 즉위식; 대관, 즉위: a ~ oath 대관식의 선서.
co·ro·na·vi·rus [kəròunəváiərəs] *n.* 호흡기 감염 증세를 일으키는 코로나 모양의 바이러스.
cor·o·ner [kɔ́ːrənər, kár-/kɔ́r-] *n.* 검시관(檢屍官); 발굴〔매장〕물(treasure trove) 조사관: ~'s inquest 검시 / ~'s jury 검시 배심원. ㊥ **~·shìp** *n.* Ⓤ ~ 의 직〔임기〕.
*****cor·o·net** [kɔ́ːrənit, kár-/kɔ́r-] *n.* (왕자·귀족 등의) 소관(小冠), 보관; (여자의) 소관 모양의 머리 장식《보석이나 꽃을 붙임》; 화관; 〖수의〗 제관(蹄冠). ㊥ **~·(t)ed** [-id] *a.* 보관을 쓴; 귀족의.
co·ro·no·graph [kəróunəgræ̀f, -gràf] *n.* =CORONAGRAPH.
co·ro·tate [kòuróuteit] *vi.* 동시 회전하다. ㊥ **cò·ro·tá·tion** *n.*
co·ro·zo [kəróusou/-zou] (*pl.* **~s**) *n.* 〖식물〗 상아야자(=∠ **pàlm**)《남아메리카산》; 상아야자 열매(=∠ **nùt**)《인조 상아의 재료》.
Corp., corp. Corporal; Corporation.
Corpl. Corporal.
cor·poc·ra·cy [kɔːrpákrəsi/-pɔ́k-] *n.* 관료주의적 기업 경영.
cor·po·ra [kɔ́ːrpərə] CORPUS 의 복수.
°**cor·po·ral**[1] [kɔ́ːrpərəl] *a.* 육체의, 신체의; 개인의; 《폐어》 물질적인, 유형의(corporeal): the ~ pleasure 육체적 쾌락 / ~ punishment 체형《주로 태형》. ── *n.* 〖기독교〗 성체포(聖體布). ㊥ **~·ly** *ad.* 육체적으로.
cor·po·ral[2] *n.* 〖군사〗 병장; (C-) 코퍼럴《미국의 지대지 미사일》. **~'s guard** (하사가 인솔하는) 소(小)분대; 소수의 신봉자〔추종자들〕; 작은 그룹〔집회〕. ㊥ **~·cy** *n.* **~·shìp** *n.*
cor·po·ral·i·ty [kɔ̀ːrpərǽləti] *n.* Ⓤ 유형(有形); Ⓒ 육체; (*pl.*) 육체적인 일〔욕구〕.
córporal óath 《고어》 (성경 따위) 성물(聖物)에 손을 대고 하는 선서.
°**cor·po·rate** [kɔ́ːrpərət] *a.* 법인〔회사〕(조직)의(corporative); 단체의, 집합적인; 공동의; 《고어》 결합한, 통일된: a ~ body =a body ~ 법인 / ~ bonds 사채(社債) / in one's ~ capacity 법인의 자격으로 / ~ responsibility 공동 책임 / ~ right(s) 법인권(權) / ~ name 법인〔단체〕 명의; (회사의) 상호. ◇ corporation *n.* ㊥ **~·ly** *ad.* 법인으로서; 단결하여.
córporate ádvertising 〖광고〗 기업 광고.
córporate cóunty 〖영국사〗 독립 자치구(county corporate).
córporate cúlture 사풍(社風)《회사의 전체적인 분위기》.
córporate éspionage =INDUSTRIAL ESPIONAGE.
córporate hospitálity 기업의 고객 우대.
córporate idéntity 〖경영〗 기업 이미지 통합 전략《회사의 이미지 고양(高揚) 전략》.
córporate ímage 기업 이미지.
córporate íncome tàx 법인세.
córporate ládder 〖경영〗 (기업) 승진 단계

《특히 대기업의 라인 부문의 하급 관리직에서 최고 경영층에 이르는 승진 단계》. 「기업 재건.
córporate mákeover (새 경영진에 의한)
córporate párk =OFFICE PARK. 「(買收者).
córporate ráider 《미》〖경영〗 기업 매수자
córporate státe (비인간적인) 법인형 국가; =CORPORATIVE STATE.
córporate tákeover 기업 매수(買收).
córporate táx =CORPORATION TAX.
córporate tówn (법인 단체인) 자치 도시.
córporate wélfare (재정이나 세제상의) 기업 복지책〔지원 정책〕.
cor·po·ra·tion** [kɔ̀ːrpəréiʃən] *n.* **1** 〖법률〗 법인, 협회, 사단 법인: a ~ sole 단독 법인《국왕·교황 따위》. **2** (때로 C-) 《영》 도시 자치체; 시(市)의회; 시제(市制) 지구: ~ houses 시영 주택 / the *Corporation* of the City of London 런던시 자치체. **3** 《미》 유한 회사, 주식회사(joint-stock ~): a trading ~ 상사(商事) 회사 / the ~ law 《미》 회사법. **4** (자치) 단체; 조합. **5** 《구어》 올챙이배(potbelly). ◇ corporate *a.* ***a municipal ~ 시(市) 자치체, 시 행정 기관.
corporátion ággregate 〖법률〗 사단 법인.
corporátion làwyer 《미》 회사의 고문 변호사. 「시(市) 공채.
corporátion stòck 《영》 자치체 공채, 《특히》
corporátion tàx 법인세.
cor·po·rat·ism, -ra·tiv·ism [kɔ́ːrpərətìzəm], [kɔ́ːrpərèitəvìzəm, -pərə-] *n.* 〖정치·경제〗 협동조합주의. ㊕ **cór·po·rat·ist** *a.*, *n.*
cor·po·ra·tive [kɔ́ːrpərèitiv, -pərət-/kɔ́ːpərət-, -pərèit-] *a.* 법인〔단체〕의; 〖정치·경제〗 협동조합 주의〔제도, 방식〕의.
córporative státe 조합 국가《파쇼 시대의 이탈리아와 같이 산업·경제 부문의 전 조합이 국가의 통제를 받는》.
cor·po·ra·tize [kɔ́ːrpərətàiz] *vt.* 대기업으로 발전시키다, 기업의 지배하에 두다; 법인 조직으로 하다. ㊕ **còr·po·ra·ti·zá·tion** *n.*
cor·po·ra·tor [kɔ́ːrpərèitər] *n.* 법인(단체)의 일원, 주주; 시정(市政) 기관 구성의 일원.
cor·po·re·al [kɔːrpɔ́ːriəl] *a.* 육체(상)의(bodily); 유형의, 물질적인; 〖법률〗 유형(有形)〔유체(有體)〕의: ~ hereditament 〖법률〗 유체 상속 부동산 / ~ property 유체 재산. SYN. ⇨ PHYSICAL. ㊕ **~·ist** *n.* **~·ly** *ad.* **~·ness** *n.* **cor·pò·re·ál·i·ty** [-riǽləti] *n.* Ⓤ 유형, 유체; 육체; 구체성; 《우스개》 신체.
cor·po·re·i·ty [kɔ̀ːrpəríːəti] *n.* Ⓤ 형체적 존재, 형체가 있음; 물질성; Ⓒ 《우스개》 신체. 「FIRE.
cor·po·sant [kɔ́ːrpəzæ̀nt] *n.* =SAINT ELMO'S
°**corps** [kɔːr] (*pl.* **corps** [kɔːrz]) 《단·복수의 발음 차이에 주의》 *n.* **1** 〖군사〗 군단, 병단; 특수 병과, …부〔대〕; (특수 임무를 띤) …단(團); 부대: the Army Ordnance *Corps* 육군 병기부 / the Army Service *Corps* 병참대. **2** (행동을 같이하는) 단체, 집단, 단; (독일 대학의) 학우회. ~ ***de ballet*** [-dəbæléi/-bǽlei] 코르 드 발레, 군무(群舞)를 추는 무용단원들. ~ ***d'élite*** [-deilíːt] 선발대(選拔隊); 〖일반적〗 정예. ***the (US) Marine Corps*** 미국 해병대.
córps àrea 〖미군사〗 군단 작전 지역 (군관구).
corps di·plo·ma·tique [kɔ̀ːrdiplәmætíːk] (*pl.* ~ [kɔ́ːr(z)-]) 《F.》 (the ~) 외교단(DIPLOMATIC corps).
***corpse** [kɔːrps] *n.* (특히 사람의) 시체, 송장. — *vi.* 《속어》 (무대에서) 실수하다.
córpse màn 시체 화장 담당자.
córpse wàtch (초상집의) 밤샘, 경야(經夜).
córps·man [-mən] (*pl.* **-men** [-mən]) *n.* 〖미육군〗 위생병, 〖미해군〗 위생 부사관; (평화) 부대원.
córps of commissionáires 《영》 용역(用役) 조합《수위·잡역부(雜役夫)로서의 고용을 목적으로 창설된 제대 군인 등의 조합》.
cor·pu·lence, -len·cy [kɔ́ːrpjələns], [-si] *n.* Ⓤ 비만, 비대.
cor·pu·lent [kɔ́ːrpjələnt] *a.* 뚱뚱한, 살찐, 비만한(fat). ㊕ **~·ly** *ad.* **~·ness** *n.*
cor pul·mo·na·le [kɔ́ːrpùlmənǽli, -náːli, -pʌ̀l-/-pʌ̀lmənáːli, -nǽli] (*pl.* ***cor·dia pul·mo·na·lia*** [kɔ́ːrdiəpùlmənǽliə, -náːl-, -pʌ̀l-/-pʌ̀lmənáːl-, -nǽl-]) 〖병리〗 폐성심(肺性心), 폐심증(肺心症)《폐의 병에 의한 심장 기능의 저하》.
cor·pus [kɔ́ːrpəs] (*pl.* **-po·ra** [-pərə], **~·es**) *n.* 《L.》 **1** 신체; 《우스개》 시체, 송장; 〖해부〗 …체(體)《기관의 일부》. **2** (문서, 법전 따위의) 집성, 전집; (지식·증거의) 집적; 〖언어〗 언어 자료. **3** (물건의) 본체; (이자·수입 따위에 대한) 원금(principal), 자본금. **4** 전부, 총체.
córpus cal·ló·sum [-kəlóusəm] (*pl.* ***córpora cal·ló·sa*** [-kəlóusə]) 〖해부〗 뇌량(腦梁).
córpus ca·ver·nó·sum [-kævərnóusəm] 〖해부〗 (음핵·음경의) 해면체(海綿體).
Córpus Chrís·ti [kɔ́ːrpəs-krísti] 《L.》 〖가톨릭〗 성체 축일(聖體祝日)《Trinity Sunday 의 다음 목요일》; 코퍼스크리스티《미국 Texas 주의 항구 도시》.
°**cor·pus·cle, cor·pus·cule** [kɔ́ːrpəsəl, -pʌsəl], [kɔːrpʌ́skjuːl] *n.* 〖생리〗 소체(小體); 《특히》 혈구(血球); 〖물리〗 미립자; 《특히》 전자(electron). ㊕ **cor·pus·cu·lar** [kɔːrpʌ́skjulər] *a.*
corpúscular thèory 〖물리〗 입자설.
córpus de·líc·ti [-dilíktai] (*pl.* **-po·ra-**) 《L.》 〖법률〗 범죄의 주체, 죄체(罪體)《범죄의 실질적 사실》; 《구어》 범죄의 명백한 증거, 《특히》 피살자의 시체.
córpus jú·ris [-dʒúəris] 《L.》 법전(法典).
Córpus Júris Ci·ví·lis [-siváilis] 《L.》 로마법〔시민법〕 대전.
córpus lú·te·um [-lúːtiəm] 《L.》 〖생리〗 (난소의) 황체(黃體).
córpus ví·le [-váili] (*pl.* ***-pora vil·ia*** [-váiliə]) 실험용에 지나지 않은 무가치한 것〔사람〕.
corr. ⇨ COR.
cor·rade [kəréid] *vt.* 〖지학〗 (강물이 바위 따위를) 닳게 하다(wear away). — *vi.* 침식당하다, 무너지다.
cor·ral [kərǽl/-ráːl] *n.* 《미》 가축 우리, 축사(畜舍)(pen); (짐승을 사로잡기 위한) 울타리; (야영할 때의) 수레로 둥글게 둘러친 진. — (**-ll-**) *vt.* 우리에 넣다; (수레로) 둥글게 진을 치다; 《미구어》 손에 넣다, 잡다; 긁어모으다; 《미구어》 찾아내다, 찾다.
cor·ra·sion [kəréiʒən] *n.* Ⓤ 〖지학〗 마식(磨蝕)《토사·자갈 섞인 흐르는 물에 의한 침식 작용》. ㊕ **cor·rá·sive** [-siv, -ziv] *a.*
†**cor·rect** [kərékt] *a.* **1** 옳은, 정확한: a ~ judgment 옳은 판단 / That's ~. 그래, 그렇다.

> SYN. **correct** 틀리지 않은, 정해(正解)·기준 따위에 맞는: the *correct* answer 정답. **accurate** 주의를 기울인 → 꼭 맞는, 정밀한: *accurate* knowledge 정확한 지식. **exact** 엄밀한 → 조금도 틀림이 없는: the *exact* time 정확한 시간. **precise** 세세하게 구별하는, 구분이 분명한 → 정확한: a *precise* definition 정확한 정의.

2 정당한; 예절에 맞는, 품행 방정한; 의당한, 온

당〔적당〕한: the ~ thing《구어》의당 그래야 할 일. ◇ correctness *n.*
— *vt.* **1** 바로잡다, 고치다, 정정하다; 첨삭하다; 교정하다: *Correct* errors, if any. 잘못이 있으면 고쳐라. SYN. ⇨ REFORM. **2** …의 잘못을 지적하다. **3** 《+[목]+[전]+[명]》 꾸짖다, 나무라다, 징계〔제재〕하다: ~ a child *for* disobedience 말 안 듣는다고 아이를 꾸짖다. **4** 〖수학·물리·광학〗 (계산·관측·기계(器械) 등을) 수정하다, 조정하다, 보정(補正)하다. **5** (악영향 등을) 억제하다; 중화(中和)시키다(neutralize); (병 등을) 고치다. — *vi.* 정정〔교정, 보정〕을 행하다. ◇ correction *n.* ***stand ~ed*** 정정을 승인하다.
(파) **~·a·ble** *a.* **~·ness** *n.* 정확함; 방정, 단정.

corréct cárd (the ~) (운동회 따위의) 프로그램; 예의범절 (요항).

corrécted tíme 〖요트레이스〗 보정(補正)시간《실제 코스 주행 시간에서 일정 조정 시간을 뺀 것》.

corrécting pláte 〖광학〗 보정렌즈, 보정판(板).

◇**cor·rec·tion** [kərékʃən] *n.* U,C **1** 정정, 수정, (틀린 것을) 바로잡기; 첨삭; 교정(校正). **2** 교정(矯正); 제재; 《완곡어》 징계, 벌: a house of ~ 감화원, 소년원. **3** 〖수학·물리·광학〗 보정(補正), 조정. **4** (가격·경기의) 반락(反落). **5** 〖컴퓨터〗 바로잡기. ◇ correct *v.* ***under ~*** 정정의 여지를 인정하고: I speak *under* ~. 내 말에 틀림이 있을지 모르나 말하겠습니다. (파) **~·al** *a.* 정정〔수정〕의; 교정의; 제재의.

corréction(al) facílity 《미》 교정(矯正) 시설, 교도소(prison). 「교도소.

corréction(al) institútion 〔**cénter**〕 《미》

corréction(al) ófficer 《미·완곡어》 교도관.

corréction flùid (타자기 따위의) 수정액.

cor·rect·i·tude [kəréktətjùːd] *n.* U (품행의) 바름, 방정; (동작 따위의) 단정함.

cor·rec·tive [kəréktiv] *a.* 고치는, 개정하는; 바로잡는, 교정(矯正)의; 제재하는; 중화(中和)하는. — *n.* 개선〔조정〕책; 교정물; 향료. (파) **~·ly** *ad.* **~·ness** *n.*

corréctive máintenance 〖컴퓨터〗 (고장 수리에 필요한) 수리 작업의 지속적인 보전.

corréctive tráining 〖영법률〗 교정 교육 처분《1948 년 형사 소송법에 의해, 죄인을 교도 시설에 수용해 직업 교육과 일반 교육을 베푸는 처분》.

***cor·rect·ly** [kəréktli] *ad.* 바르게, 정확히; 품행 방정하게.

cor·rec·tor [kəréktər] *n.* 바로잡는 사람, 첨삭자; 교정(校正)자; 교정(矯正)자; 감사관; 〖약학〗 조정제, 중화제. **~ *of the press*** 교정원(校正員).

correl. correlative(ly).

cor·re·late [kɔ́ːrəlèit, kár-/kɔ́r-] *n.* 서로 관계 있는 것〔말〕, 상관 있는 물건〔사람〕, 상관 현상: Hatred is a ~ of love. =Hatred and love are *~s.* 애증(愛憎)은 상호 관계에 있다. — *vt.* 《~+[목]/+[목]+[전]+[명]》 서로 관련시키다《*with; to*》: ~ the two 둘을 연관시키다/~ geography *with* other studies 지리를 딴 과목과 관련시키다. — *vi.* 《~/+[전]+[명]》 서로 관련하다, 상관하다《*to; with*》: Her research *~s with* his. 그녀의 연구는 그의 것과 관련이 있다. (파) **-làt·a·ble** *a.*

còr·re·lá·tion *n.* U,C 상호 관계《*between*》, 상관; 〖지학〗 (연대·구조의) 대비(對比); 〖생리〗 (기관·기능의) 상호 의존 (관계); 〖통계〗 상관(관계): show a ~ *between* smoking and lung cancer 흡연과 폐암의 상관관계를 나타내다. (파) **~·al** [-ʃənəl] *a.*

correlátion coefficient 〖통계〗 상관 계수.

correlátion ràtio 〖통계〗 상관비(比).

cor·rel·a·tive [kərélətiv] *a.* 상호 관계 있는, 상관적인; 〖수학·문법〗 상관의《*with; to*》; 유사한: ~ terms 〖논리〗 상관 명사(名辭)《'아버지'와 '아들' 따위》/~ words 〖문법〗 상관어(구)《either와 or; the former... the latter; the one... the other 따위》. — *n.* 상관물(物)《*of*》; 〖문법〗 상관 어구. (파) **~·ly** *ad.* 상관하여. **~·ness** *n.*

corrélative conjúnction 〖문법〗 상관 접속사《both... and; either... or 등》. ⇨《부록》CORRELATIVE CONJUNCTION. 「상관성.

cor·rel·a·tiv·i·ty [kərèlətívəti] *n.* 상호 관계;

‡**cor·re·spond** [kɔ̀ːrəspánd, kàr-/kɔ̀rəspɔ́nd] *vi.* **1** 《+[전]+[명]》 (구조·기능·양 등이) 같다, 상당하다, 대응하다, (…에) 해당하다《*to*》: The broad lines on the map ~ *to* roads. 지도상의 굵은 줄은 도로에 해당한다. **2** 《~/+[전]+[명]》 부합〔일치〕하다, 조화하다《*to; with*》: His words and actions do not ~. 그의 언행은 일치하지 않는다/Her white hat and shoes ~ *with* her white dress. 그녀의 흰 모자와 구두는 흰 옷에 잘 어울린다. SYN. ⇨ AGREE. **3** 《~/+[전]+[명]》 교신하다, 서신 왕래를 하다《*with*》: We have *~ed* but never met. 우리는 서신 교환은 있었으나 아직 만난 적은 없다/He earnestly wishes to ~ *with* her. 그는 그녀와의 서신 왕래를 열렬히 바라고 있다. ◇correspondence *n.*

cor·re·spond·ence** [kɔ̀ːrəspándəns, kàr-/kɔ̀rəspɔ́nd-] *n.* U **1** 대응, 해당, 상사(相似)《*to*》: the ~ *of* the punishment *with* the sin 죄와 벌의 상응. **2** 일치, 조화, 부합: the ~ *of* one's words *with* 〔*to*〕 one's actions 언행 일치. **3** 통신, 교신, 서신 왕래; 편지, 서한집: commercial ~ 상업 통신문, 상용문/a ~ school 통신 교육 학교/be in ~ *with* …와 서신 왕래를 하고 있다/have a great deal of ~ 서신 왕래가 많다. ◇ correspond *v.* ***enter 〔***get***〕 ***into ~ with*** …와 서신 왕래를 시작하다. ***keep up ~*** 서신 왕래를 계속하다. 「드.

correspóndence càrd 메모용〔연락용〕 카

correspóndence còllege 통신 대학.

correspóndence còlumn (신문·잡지의) 독자 통신란, 투고란. 「과정〕.

correspóndence còurse 통신 교육 강좌

correspóndence prìnciple 〖물리〗 대응 원리.

correspóndence schòol 통신 교육 학교.

correspóndence thèory (**of trùth**) 〖철학〗 (진리의) 대응설《명제의 진리는 명제의 조건과 어떤 사실의 원리 간의 실제적 일대일 대응에 의하여 결정된다는 이론》.

cor·re·spond·en·cy [kɔ̀ːrəspándənsi, kàrəs-/kɔ̀rəspɔ́nd-] *n.* =CORRESPONDENCE.

***cor·re·spond·ent** [kɔ̀ːrəspándənt, kàr-/kɔ̀rəspɔ́nd-] *n.* **1** 통신자: He is a good 〔bad, negligent〕 ~. 그는 자주 편지를 쓰는〔안 쓰는〕 사람이다. **2** (신문·방송 등의) 특파원, 통신원, 기자; (신문의) 투고자: a political ~ 정치(부) 기자/a special ~ (*for*) (…신문사의) 특파원/a war ~ 종군 기자/our London ~ 본사 런던 통신원《신문 용어》. **3** 〖상업〗 (특히 원거리) 거래처〔선〕. **4** 일치〔상응, 대응〕하는 것. ≒corespondent. — *a.* 일치〔대응, 상응〕하는(corresponding)《*to; with*》. (파) **~·ly** *ad.*

correspóndent accòunt 대리 계좌《작은 은행이 correspondent bank에 개설한 계좌》.

correspóndent bànk 《미》 대리 은행《소규모 은행의 업무를 대신하는 큰 은행》.

***cor·re·spond·ing** [kɔ̀ːrəspándiŋ, kàr-/kɔ̀rəspɔ́nd-] *a.* **1** 대응하는, 상응하는; 유사한: the ~ period of last year 지난해의 같은 시기. **2** 부합하는, 일치하는, 조화하는《*to; with*》. **3** 통신(관계)의: a ~ clerk 〔secretary〕 (회사의)

통신계 / a ~ member (학회 등의) 통신 회원, 객원(客員). **4** 거래하는. ㊕ **~·ly** *ad.*

correspónding ángles 〖수학〗 동위각(同位角).

cor·ri·da [kɔːríːdə] *n.* 《Sp.》 U,C 투우(鬪牛).

*__cor·ri·dor__ [kɔ́ːridər, -dɔ̀ːr, kɑ́r-/kɔ́ridɔ̀ː, -də] *n.* 〖건축〗 복도, 회랑(回廊); 항공기 전용로(路); (로켓의) 제한 통로; (도시의) 주요 교통 기관; 〖지정학〗 회랑 지대: a ~ train 《영》 객차의 한쪽에 통로가 있고 옆에 칸막이 방(compartment)이 있는 열차 / the Polish Corridor 폴란드 회랑 (지대).

córridors of pówer 권력의 회랑, 정치 권력의 중심《정계·관계의 고관 따위》.

cor·rie [kɔ́ːri, kɑ́ri/kɔ́ri] *n.* 〖지학〗 =CIRQUE; 《Sc.》 산 중턱의 동굴.

cor·ri·gen·dum [kɔ̀ːrədʒéndəm, kɑ̀r-/kɔ̀r-] (*pl.* **-da** [-də]) *n.* (정정해야 할) 잘못; 오식(誤植); (*pl.*) 정오표. cf. errata.

cor·ri·gent [kɔ́ːridʒənt, kɑ́r-/kɔ́r-] *n.* 〖의학〗 교정약(矯正藥)《약제의 맛·빛깔·냄새 따위를 고치는》.

cor·ri·gi·ble [kɔ́ːridʒəbəl, kɑ́r-/kɔ́r-] *a.* 고칠 수 있는, 바로잡을 수 있는, 교정(矯正)할 수 있는; 솔직한; 순순히 고치는, 순종하는. ㊕ **-bly** *ad.* **~·ness** *n.* **còr·ri·gi·bíl·i·ty** *n.*

cor·ri·val [kəráivəl] *n., a.* 경쟁 상대(의).

cor·rob·o·rant [kərɑ́bərənt/-rɔ́b-] 《고어》 *a.* 강하게 하는; 확증하는. **—** *n.* 강장제; 확증 재료.

°**cor·rob·o·rate** [kərɑ́bərèit/-rɔ́b-] *vt.* (소신·진술 등을) 확실히 하다, 확증〔확인〕하다; (법률 따위를) 정식으로 확인하다: *corroborating* evidence 보강 증거.

cor·ròb·o·rá·tion *n.* U 확실히 하기; 확증; 확증적인 사실〔진술〕; 〖법률〗 보강 증거. ***in ~ of*** …을 확증하기 위하여〔확인하여〕.

cor·rob·o·ra·tive [kərɑ́bərèitiv, -rət-/-rɔ́bə-] *a.* 확인의, 확증적인, 뒷받침하는. ㊕ **~·ly** *ad.*

cor·rob·o·ra·tor [kərɑ́bərèitər/-rɔ́b-] *n.* 확증하는 사람〔물건〕.

cor·rob·o·ra·to·ry [kərɑ́bərətɔ̀ːri/-rɔ́b-] *a.* 확실히 하는, 확증하는.

cor·rob·o·ree [kərɑ́bəri/-rɔ́b-] *n.* 오스트레일리아 원주민의 코로보리춤〔노래〕《제사 또는 전투 전날 밤의》; 《Austral.》 법석떨기.

cor·rode [kəróud] *vt., vi.* 부식〔침식〕하다; 좀먹다; 마음에 파고들다; (힘을) 덜다, (성격을) 약화시키다: Failure *~d* his selfconfidence. 그는 실패하여 점차 자신을 잃었다. ◇ corrosion *n.* ㊕ **cor·ród·i·ble** *a.* 부식성의.

cor·ro·sion [kəróuʒən] *n.* U 부식 (작용), 침식; 부식에 의해 생긴 것《녹 따위》; 소모; (걱정이) 마음을 좀먹기. ◇ corrode *v.* ㊕ **~·al** *a.*

corrósion fatígue 〖야금〗 부식 피로.

cor·ro·sive [kəróusiv] *a.* 부식하는, 부식성〔침식성〕의; (정신적으로) 좀먹는; (말 따위가) 신랄한. **—** *n.* 부식물, 부식제(劑)《산(酸) 따위》. ㊕ **~·ly** *ad.* **~·ness** *n.*

corrósive súblimate 〖화학〗 승홍(昇汞).

CORRTEX [kɔ́ːrtèks] *n.* 연속 거리 시간 측정용 반사율 계측 장치《핵폭발 실험의 규모 측정》.

cor·ru·gate [kɔ́ːrəgèit, kɑ́r-/kɔ́rə-] *vt.* …을 주름〔골〕지게 하다; …을 물결 모양으로 만들다. **—** *vi.* 주름〔골〕지다. **—** [-gət, -gèit] *a.* 《고어》 주름 있는, 물결 모양의. ㊕ **-gat·ed** [-gèitid] *a.* 주름살 잡은, 골진; 물결 모양의.

córrugated íron 골함석.

córrugated páper 골판지.

còr·ru·gá·tion *n.* U,C 주름잡음; 주름(짐); (함석 등의) 골.

cor·ru·ga·tor [kɔ́ːrəgèitər] *n.* 〖해부〗 추미근(皺眉筋)《이맛살 근육》; 골판지 제조기〔제조원〕.

*__cor·rupt__ [kərʌ́pt] *a.* **1** 부정한, 뇌물이 통하는; 오직(汚職)의; 타락한, 퇴폐한; 부도덕한; 사악한: a ~ press 악덕 신문(계) / a ~ judge 수회(收賄) 판사 / a ~ politician 타락한 정치인 / ~ practices (선거 따위의) 매수 행위. **2** (언어가) 사투리화한; 전와(轉訛)된, 틀린; (텍스트 등이) 원형이 훼손된, 틀린 데 투성이인: a ~ manuscript 원형이 훼손된 사본. **3** 부패한, 썩은; 더러워진, 오염된: ~ air 오염된 공기. **—** *vt.* **1** 매수하다. **2** (아무를) 타락시키다; (품성을) 더럽히다; 〖법률〗 (혈통을) 더럽히다. **3** (원문을) 개악하다; (언어를) 불순화하다, 전와시키다. **4** 부패시키다; 오염시키다. **—** *vi.* 타락〔부패〕하다; 붕괴하다; (원문이) 개악되다; (언어가) 전와되다. ◇ corruption *n.* ㊕ **~·er, -rúp·tor** *n.* 뇌물 수수자, 부패 정치가, 부정 공무원. **~·ly** *ad.* 부패〔타락〕하여; 전와되어. **~·ness** *n.*

cor·rúpt·i·ble *a.* 부패〔타락〕하기 쉬운; 뇌물이 통하는. ㊕ **-bly** *ad.* **~·ness** *n.* **cor·rùpt·i·bíl·i·ty** *n.*

°**cor·rup·tion** [kərʌ́pʃən] *n.* U 타락; 퇴폐; 부패 (행위); 위법 행위, 수회, 매수, 독직; (언어의) 전와(轉訛); (원문의) 개악, 변조. ◇ corrupt *v.* ~ ***of blood*** 〖영법률〗 (중죄로 인한) 혈통 오손. ㊕ **~·ist** *n.* 증회〔수회〕자; 배덕한(漢).

cor·rup·tive [kərʌ́ptiv] *a.* 부패시키는, 부패성의; 타락시키는《*of*》: be ~ *of* …을 타락시키다. ㊕ **~·ly** *ad.*

corrúpt práctices àcts 《미》 부패 행위 방지법《선거비 따위를 규제》.

cor·sage [kɔːrsɑ́ːʒ] *n.* (여성복의) 가슴 부분 조끼; 《미》 (여성이 허리·어깨에 다는) 꽃장식, 코르사주.

cor·sair [kɔ́ːrsɛər] *n.* (특히 Barbary 연안에 출몰했던) 사략선(私掠船)(privateer); 해적선; 해적; (C-) (미해군의) 전투 공격기의 하나《예전에는 F-4 전투기, 현재는 A-7 공격기》.

corse [kɔːrs] *n.* 《고어·시어》 =CORPSE.

corse·let(te), cors·let [kɔ́ːrslit] *n.* **1** 허리에 두르는 갑옷. **2** 〖곤충〗 곤충의 흉부. **3** [kɔ̀ːrsəlét] 코르셋과 브래지어를 합친 속옷.

°**cor·set** [kɔ́ːrsit] *n.* 코르셋. **—** *vt.* …에 코르셋을 착용하다; 죄다; 엄중히 규제하다. ㊕ **~·ed** [-id] *a.* 코르셋을 착용한.

córset còver 코르셋 커버《코르셋을 가리는 속옷》.

cor·se·tier [kɔ̀ːrsətíər] 《F.》 CORSETIERE 의 남성형.

cor·se·tiere [kɔ̀ːrsətíər/kɔ̀ːsetiɛ́ə] *n.* 《F.》 여성 코르셋 제조자〔착용자, 판매업자〕.

Cor·si·ca [kɔ́ːrsikə] *n.* 코르시카《이탈리아 서해안 프랑스령의 섬; 나폴레옹 1 세의 출생지》.

Cor·si·can [kɔ́ːrsikən] *a.* 코르시카 섬〔사람, 방언〕의. ***the ~ ogre*** 〔***robber, etc.***〕 나폴레옹 1 세. **—** *n.* 코르시카 사람; 코르시카 방언; (the (great) ~) 나폴레옹 1 세《속칭》.

cor·tege, *cor·tège* [kɔːrtéiʒ/-téiʒ] *n.* 《F.》 수행원; 행렬; 《특히》 장례 행렬.

Cor·tes [kɔ́ːrtiz/-tes, -tez] *n. pl.* (스페인 또는 예전 포르투갈 양원제의) 의회.

cor·tex [kɔ́ːrteks] (*pl.* **-ti·ces** [-təsìːz], **~·es**) *n.* 외피; 〖해부〗 (대뇌) 피질(皮質); 〖식물〗 피층, 나무껍질.

cor·ti·cal [kɔ́ːrtikəl] *a.* 외피의; 피질〔피층〕의.

córtical bráille 피질 점자법《맹인의 대뇌 시각 조직을 자극하여 점자를 알 수 있게 하는 시스템》.

cor·ti·cate, -cat·ed [kɔ́ːrtikət, -kèit], [-kèitid] *a.* 피층이〔외피가〕 있는; 수피(樹皮)에 덮인. ㊕ **còr·ti·cá·tion** *n.*

cor·ti·coid [kɔ́ːrtəkɔ̀id] *n.* 〖생화학〗 코르티코이드(corticosteroid).

cor·ti·co·pón·tine cèll [kɔ̀ːrtikoupántiːn-/-pɔ́n-] 〖의학〗 피질교(皮質橋) 세포《대뇌 피질 내의 세포로서, 시각 자극을 뇌교(腦橋)로 보냄》.

cor·ti·co·ster·oid [kɔ̀ːrtikoustérɔid] *n.* 〖생화학〗 코르티코스테로이드《부신피질 호르몬 및 그 비슷한 화학 물질》.

cor·ti·co·tro·pin, -phin [kɔ̀ːrtikoutróupin/-trɔ́p-], [-fin/-trɔ́f-] *n.* 〖생화학〗 부신피질(副腎皮質) 자극 호르몬.

cor·ti·le [kɔːrtíːlei] *n.* 《It.》 〖건축〗 안뜰, 안마당.

cor·tin [kɔ́ːrtən] *n.* 코르틴《부신피질의 유효 성분과 부신 전체의 정수(精髓)》.

cor·ti·sol [kɔ́ːrtəsɔ̀ːl, -sòul/-sɔ̀l] *n.* **1** 〖생화학〗 코르티솔《부신피질에서 생성되는 스테로이드 호르몬》. **2** 〖약학〗 1 의 상품명(hydrocortisone).

cor·ti·sone [kɔ́ːrtəzòun, -sòun] *n.* 코르티손《부신(副腎)피질 호르몬의 일종; 류머티즘·관절염 치료약》.

co·run·dum [kərʌ́ndəm] *n.* Ⓤ 강옥(鋼玉); 금강사(金剛砂).

cor·us·cate [kɔ́ːrəskèit, kár-/kɔ́r-] *vi.* 《문어》 번쩍이다(glitter), 번쩍번쩍 빛나다(sparkle); (재치·지성 따위가) 번득이다. ㊕ **còr·us·cá·tion** *n.*

cor·vée [kɔːrvéi/ˊ-] *n.* 《F.》 (봉건 시대의) 부역, 강제 노역; (도로 공사 등의) 근로 봉사.

corves [kɔːrvz] CORF의 복수.

cor·vet(te) [kɔːrvét] *n.* 코르벳함(艦)《옛날의 평갑판·일단 포장(一段砲裝)의 목조 범장(帆裝)의 전함; 오늘날엔 대공·대잠수함 장비를 갖춘 소형 쾌속 호위함》.

cor·vine [kɔ́ːrvain, -vin/-vain] *a.* 까마귀의 〔같은〕.

Cor·vus [kɔ́ːrvəs] *n.* 〖천문〗 까마귀자리; 〖조류〗 까마귀속(屬).

Cor·y·bant [kɔ́ːrəbæ̀nt, kár-/kɔ́r-] (*pl.* **~s, *Cor·y·ban·tes*** [ˊ-bǽntiːz]) *n.* **1** 〖그리스신화〗 코리반트《(1) 여신 Cybele 의 시종. (2) Cybele 의 사제(司祭)》. **2** (c-) 술 마시고 떠드는 사람. ㊕ **Còr·y·bán·tic, -tian, -tine** [-bǽntik], [-ʃən], [-tən] *a.* 코리반트 같은; 소란한 음악과 춤의, 법석 떠는.

Cor·y·don [kɔ́ːrədn, kár-, -dàn/kɔ́ridn, -dɔ̀n] *n.* (전원시(詩)에 나오는 대표적인) 목동; 시골 젊은이.

cor·ymb [kɔ́ːrimb, kár-/kɔ́r-] *n.* 〖식물〗 산방꽃차례〔화서〕. ㊕ **co·rym·bose** [kərímbous] *a.* 산방꽃차례의.

cor·y·ne·bac·te·ri·um [kɔ̀ːrənibæktíəriəm/kɔ̀rini-] (*pl.* ***-ria*** [-riə]) *n.* 〖세균〗 코리네박테리아《디프테리아균 따위》.

cor·y·phae·us [kɔ̀ːrəfíːəs, kàr-/kɔ̀r-] (*pl.* ***-phaei*** [-fíːai]) *n.* 합창대의 총지휘자《고대 그리스극 등의》; 《비유》 (일당·일파의) 지도자, 리더.

cor·y·phée [kɔ̀ːrəféi, kàr-/kɔ̀r-] *n.* 《F.》 발레단의 주요 무용가; 발레 무용가.

co·ry·za [kəráizə] *n.* Ⓤ 〖의학〗 비염(鼻炎), 코감기. ㊕ **-zal** *a.*

cos[1] [kas/kɔs] *n.* 〖식물〗 상추의 일종(cos lettuce).

cos[2], **'cos** [kaz/kɔz] *conj.* 《구어》 =BECAUSE.

cos 〖수학〗 cosine. **cos., Cos.** companies; counties. **C.O.S., c.o.s.** 〖상업〗 cash on shipment.

Co·sa Nos·tra [kóuzənóustrə] 미국의 마피아형 비밀 범죄 조직.

co·saque [kouzáːk, -zǽk] *n.* 크래커 봉봉(cracker).

COSATO [kəsátu/-sɔ́-] Congress of South African Trade Unions.

cose [kouz] *vi.* 편히 쉬다〔앉다〕. Ⓒⓕ coze.

co·sec [kóusìːk] 〖수학〗 cosecant.

co·se·cant [kousíːkænt, -kənt] *n.* 〖수학〗 코시컨트《생략: cosec》.

co·seis·mal, -mic [kousáizməl, -sáis-/-sáiz-], [-mik] *a.* (지진의) 등진파권(等震波圈)(선(線)) 상의: a ~ zone 등진역(等震域). **—** *n.* (-mal) 등진선(線).

co·set [kóuset] *n.* 〖수학〗 잉여류(剩餘類).

co·sey [kóuzi] *a., n.* =COSY.

cosh [kaʃ/kɔʃ] 《영구어》 *n.* (경관·폭력단이 쓰는, 끝에 납 따위를 채워 무겁게 한) 곤봉. **—** *vt.* 곤봉으로 치다.

cosh·er [káʃər/kɔ́ʃ-] *vt.* 맛있는 것을 먹이다; 귀여워하다, 응석을 받아 기르다《*up*》.

co·sie [kóuzi] (***co·si·er; -est***) *a.* =COZY. ㊕ **-si·ly** *ad.* **-si·ness** *n.*

co·sign [kòusáin] *vt., vi.* (약속 어음 등의) 연대 보증인으로 서명하다; 연서(連署)하다. ㊕ **~·er** *n.* 연서인(連署人).

co·sig·na·to·ry [kòusígnətɔ̀ːri/-təri] *a.* 연서(連署)의: the ~ Powers 연서국(連署國). **—** *n.* 연서인, 연판자(連判者).

cos·i·nage [kʌ́zənidʒ] *n.* 〖법률〗 혈연, 혈족(consanguinity).

co·sine [kóusain] *n.* 〖수학〗 코사인《생략: cos》.

cós léttuce 양상추의 일종.

cosm- [kázm/kɔ́zm] =COSMO-.

◇**cos·met·ic** [kazmétik/kɔz-] *n.* 화장품; 《비유》 결점을 감추는 것. **—** *a.* 화장용의; 미용의; 장식적〔표면적〕인: a ~ compromise 표면상의 타협.

cos·me·ti·cian [kàzmətíʃən/kɔ̀z-] *n.* 화장품 제조〔판매〕인; 미용사, 화장 전문가.

cos·met·i·cize, -me·tize [kazmétəsàiz/kɔz-], [kázmətàiz/kɔ́z-] *vt.* 외면적으로 아름답게 꾸미다, 화장하다.

cosmétic súrgery 미용(성형) 외과(plastic surgery).

cos·me·tol·o·gy [kàzmətálədʒi/kɔ̀zmətɔ́l-] *n.* Ⓤ 화장품학, 미용술. ㊕ **-gist** *n.* 미용사(beautician).

***cos·mic, -mi·cal** [kázmik/kɔ́z-], [-əl] *a.* **1** 우주의; 우주론의: a ~ journey 우주여행. **2** 《드물게》 질서 있는, 정연한. Ⓒⓕ chaotic. **3** 광대무변한. **4** 《미속어》 멋진, 발군의, 대단한. ㊕ **cós·mical·ly** *ad.* 우주 법칙에 따라서; 우주적으로; 대규모로.

cósmic báckground radiàtion 〖우주〗 우주 배경 복사.

cósmic dúst 〖우주〗 우주진(塵).

cósmic jét 〖우주〗 우주 제트《우주 공간의 가스 분출 현상》.

cósmic nóise 〖우주〗 우주 잡음(galactic noise).

cósmic philósophy =COSMISM.

cósmic radiátion 〖물리〗 우주(방사)선.

cósmic rádio spectròscopy 〖우주물리〗 우주 전파 분광학(分光學).

cósmic ráys 우주선(線).

cósmic spéed 〖로켓〗 우주 속도.

cósmic státic =COSMIC NOISE.

cos·mism [kázmizəm/kɔ́z-] *n.* Ⓤ 〖철학〗 우주(진화)론. ㊕ **-mist** *n.*

cos·mo[1] [kázmou, -mə] *n.* 도시적인 센스〔분위기〕; (C-) 코즈모《*Cosmopolitan* 지(誌)의 통칭》. **—** *a.* 《미속어》 유행의, 유행되는.

cos·mo[2] *n.* 《미속어》 외국인 (유)학생.

cos·mo- [kázmou, -mə/kɔ́z-] '세계, 우주'의 뜻의 결합사.

còsmo·chémistry *n.* 우주 화학.

cósmo·dòg *n.* (러시아의) 우주견(犬)《생체 실험용》.

cósmo·dròme *n.* (특히, 러시아의) 우주선 기지.

cosmog. cosmogony; cosmography.

còsmo·génesis *n.* 우주의 생성. ㊞ **còsmo-genétic** *a.*

còsmo·génic *a.* 우주선(線)에 의해 생기는.

cos·mog·e·ny [kazmádʒəni/kɔzmɔ́dʒ-] *n.* = COSMOGONY.

cos·mog·o·nist [kazmágənist/kɔzmɔ́g-] *n.* 우주 진화론자.

cos·mog·o·ny [kazmágəni/kɔzmɔ́g-] *n.* Ⓤ 우주〔천지〕의 발생〔창조〕; 〖천문〗 우주 진화론; (신화적인) 우주 개벽설.

cos·mog·ra·phy [kazmágrəfi/kɔzmɔ́g-] *n.* Ⓤ,Ⓒ 우주 형상지(形狀誌), 우주 구조론. ㊞ **-pher, -phist** *n.* **cos·mo·graph·ic, -i·cal** [kàzməgrǽfik/kɔ̀z-], [-ikəl] *a.*

cos·mo·log·ic, -i·cal [kàzməládʒik/kɔ̀zməlɔ́dʒ-], [-ikəl] *a.* 우주론의, 우주 철학적인.

cosmológical cónstant 〖천문〗 (아인슈타인 방식의) 우주 상수(常數).

cosmológical príncipal (the ~) 〖우주〗 우주 원리《보다 거시적으로 볼 때 우주는 균일하며, 등방적이라는 가설》.

cos·mol·o·gy [kazmálədʒi/kɔzmɔ́l-] *n.* Ⓤ 우주 철학, 우주론. ㊞ **-gist** *n.*

cos·mo·naut [kázmənɔ̀:t/kɔ́z-] *n.* (특히 러시아의) 우주 비행사, 우주 여행자. ⓒf astronaut. ㊞ **còs·mo·náu·tic, -ti·cal** [-tik], [-kəl] *a.* 우주 비행의. **-ti·cal·ly** *ad.* 「학〔술〕.

còs·mo·náu·tics *n. pl.* 《단수취급》 우주 비행

cos·mo·nette [kàzmənét/kɔ̀z-] *n.* (특히 러시아의) 여자 우주 비행사.

cos·mo·plas·tic [kàzməplǽstik/kɔ̀z-] *a.* 우주〔세계〕 형성의. 「제도시.

cos·mop·o·lis [kazmápəlis/kɔzmɔ́p-] *n.* 국

***cos·mo·pol·i·tan** [kàzməpálətn/kɔ̀zməpɔ́l-] *n.* 세계인, 국제인, 세계주의자. **—** *a.* **1** 세계를 집으로 삼는〔여기는〕, 세계주의의: a ~ outlook 세계주의적 견해. **2** 세계 공통의, 전 세계적인; 〖생물〗 전 세계에 분포하는: ~ species 범존종(汎存種) / a ~ city 국제도시. ㊞ **~·ism** *n.* Ⓤ 세계주의, 사해동포주의. **~·ize** *vt., vi.* 세계(주의)적으로 하다〔되다〕. **~·ly** *ad.*

cos·mop·o·lite [kazmápəlàit/kɔzmɔ́p-] *n.* **1** = COSMOPOLITAN. **2** 세계 각지에 분포하는 동식물, 범존종(汎存種), 보통종. **—** *a.* = COSMOPOLITAN.

còsmo·polítical *a.* 세계 정책적인, 전세계의 이해에 관계되는. ㊞ **~·ly** *ad.* 「정책.

còsmo·pólitics *n., pl.* 《단·복수취급》 세계

cos·mop·o·lit·ism [kazmápəlàitizəm/kɔzmɔ́p-] *n.* = COSMOPOLITANISM.

cos·mo·ra·ma [kàzmərǽmə, -rá:mə/kɔ̀zmərá:mə] *n.* 세계 풍속 요지경.

***cos·mos** [kázməs/kɔ́zmɔs] (*pl.* ~, 2와 3에서 ~·*es*) *n.* **1** Ⓤ (질서와 조화의 구현으로서의) 우주, 천지만물. **2** Ⓤ (관념 등의) 질서 있는 체계, 완전 체계; 질서, 조화. OPP *chaos*. **3** Ⓒ 〖식물〗 코스모스. **4** 〖우주〗 (C-) (러시아의 우주 관측용) 위성.

cos·mo·sphere [kázməsfìər / kɔ́z-] *n.* (지구를 중심으로 하는) 우주의 입체 모형.

cos·mo·tron [kásmətràn/kɔ́smətrɔ̀n] *n.* 〖물리〗 코스모트론《원자핵 파괴 장치》.

COSPAR [káspa:r/kóus-] Committee on Space Research(국제 우주 공간 연구 위원회).

co·spónsor *n., vt.* 공동 스폰서〔주최자〕(가 되다): ~*ed* programs 공동 제공 프로그램. ㊞ **~·shìp** *n.*

Cos·sack [kásæk, -sək/kɔ́sæk] *n.* 코사크〔카자흐〕 사람; 카자흐 기병; 《속어》 기마경찰, (데모·노동 쟁의 따위에 출동하는) 기동대원; (*pl.*) 바지《상점 용어》. **—** *a.* 코사크〔카자흐〕인의.

cos·set [kásit/kɔ́s-] *n.* 손수 기르는 새끼 양〔동물〕, 페트; 총아. **—** *vt.* 애육하다, 응석 부리게 하다, 귀여워하다(pet).

cos·sie [kázi/kɔ́zi] *n.* 《Austral.구어》 수영복.

‡**cost** [kɔ:st/kɔst] *n.* **1** 가격, 원가; (상품·서비스에 대한) 대가: sell at 〔below〕 ~ 원가로〔이하로〕 팔다. SYN. ⇨ PRICE. **2** 비용, 지출, 경비: the prime 〔first, initial〕 ~ 매입 원가 / the ~ of distribution 유통 경비 / cut ~*s* 비용을 절감하다 / free of ~ = ~ free 무료로, 공짜로. **3** (돈·시간·노력 등의) 소비, 희생, 손실; 고통. **4** (*pl.*) 〖법률〗 소송 비용. ***at a* 〔*the*〕 ~ *of*** …의 비용으로. ***at all* ~*s*** = ***at any* ~** 어떤 희생을 치르더라도, 꼭. ★ 《미》에서는 in any cost 라고도 함. ***at a person's* ~** 아무의 비용으로, 아무에게 손해를 끼치어. ***count the* ~** 비용을 어림잡다; 앞일을 여러 모로 내다보다. ***to one's* ~** 자신의 부담으로, 피해〔손해〕를 입고; 쓰라린 경험을 하여: as I know it *to my* ~ 나의 쓰라린 경험으로 아는 일이지만.

— (*p., pp.* **cost; cóst·ing**) *vt.* **1** 《~+목/+목+목》 …의 비용이 들다: It will ~ five dollars. (비용이) 5 달러 들 것이다 / The house *cost* him a great deal of money. 그는 저 집에 매우 많은 돈을 들였다. **2** 《~+목/+목+목》 (노력·시간 따위가) 걸리다, 요하다; (귀중한 것을) 희생시키다, 잃게 하다: It *cost* us much time. 많은 시간이 걸렸다 / It may ~ him his life. 그것으로 그는 생명을 잃을지도 모른다 / It'll ~ you. 큰 대가를 치르게 될거다. **3** 《+목+목》 …에 부담을〔수고를, 걱정을〕 끼치다, …에 짐이 되다: It ~*s* me much to tell you that. 그걸 얘기하긴 매우 괴롭소. **4** (~, ~·*ed*) 〖상업〗 …의 원가〔생산비〕를 견적하다. ★ cost는 본래 자동사이므로 수동태로는 되지 않음. **—** *vi.* 원가를 산정〔계산〕하다. **~ *a fortune*** 매우 비싸다. **~ *an arm and a leg*** 많은 돈이 들다. ~ a person ***dear*(*ly*)** 아무에게 비싸게 치이다; 아무를 혼내다. **~ *out*** 경비의 견적을 내다. **~ *what it may*** 비용이 얼마 들든지; 어떤 희생을 치르더라도, 무슨 일이 있든지.

㊞ **∠·less** *a.* **∠·less·ly** *ad.*

cos·ta [kástə/kɔ́s-] (*pl.* **-tae** [-ti:]) *n.* 〖해부〗 늑골(rib); 〖식물〗 잎의 중륵맥(中肋脈), 중앙맥.

cóst-accóunt *vt.* (공정·계획 등)의 원가〔비용〕 견적〔계산〕을 하다, 원가 계산하다.

cóst accòuntant 원가 계산원〔회계사〕.

cóst accòunting 원가 계산〔회계〕.

cos·tal [kástl/kɔ́s-] *a.* 늑골의, 늑골이 있는; 중앙맥의〔이 있는〕.

cos·tal·gia [kastǽldʒiə/kɔs-] *n.* Ⓤ 늑골통.

cóst and fréight 〖상업〗 운임 포함 가격《생략: C.A.F., C. & F., CF》.

co·star [kóustà:r] *n.* 공연 스타, (주역의) 공연자. **—** [ˊˋ] (*-rr-*) *vt., vi.* (주역으로서) 공연시키다〔하다〕.

cos·tard [kástərd, kɔ́:s-/kʌ́s-, kɔ́s-] *n.* 큰 사과의 한 품종《영국산》; 《고어·우스개》 대가리.

Cos·ta Ri·ca [kástərí:kə, kɔ́:s-/kɔ́s-] 코스타리카《중앙아메리카의 공화국; 수도 San José》. ㊞ **Cósta Rí·can** *a., n.* ~의〔사람(의)〕.

cos·tate, -tat·ed [kástet, kɔ́:steit/kɔ́s-], [-teitid] *a.* 〖해부〗 늑골 있는.

cóst-bénefit *a.* 〖경제〗 비용과 편익(便益)의: ~ analysis 비용 편익 분석.

cóst bòok 원가장(原價帳); 《영》 (광산의) 회계부, 광업 장부.

cóst cènter 〖경영〗 원가 중심점, 원가 부문.

cóst clèrk = COST ACCOUNTANT.

cóst-cùt *vt.* (*p., pp.* ~; ~·*ting*) …의 코스트

를 내리다.
cos·tean, -teen [kastíːn/kɔs-] *vi.* 《영》 광맥을 찾기 위해 바위까지 파내려가다.
cos·tec·to·my [kastéktəmi, kɔːs-/kɔs-] *n.* 〖외과〗 늑골(肋骨) 절제(술).
cóst-effèctive *a.* 비용 효율이 높은, 비용 효과적인: ~ analysis 비용 효과 분석. ㊕ **~·ness** *n.* 비용 효과.
cóst-effícient *a.* = COST-EFFECTIVE. ㊕ **-effíciency** *n.* 비용 효과.
cos·ter [kástər/kɔ́s-], **cóster·mònger** *n.* 《영》 과일〔생선〕 행상인. **—** *vi.* 행상하다.
cóst·frée *a., ad.* 무료의〔로〕.
cóst inflàtion =COST-PUSH INFLATION.
cóst·ing *n.* Ⓤ 《영》 원가 계산.
cóst, insúrance, and fréight 〖상업〗 운임 보험료 포함 가격(의)《생략: C.I.F.》.
cos·tive [kástiv/kɔ́s-] *a.* 변비의; 《비유》 쩨쩨한; 동작이 둔한, 우유부단한. ㊕ **~·ly** *ad.* **~·ness** *n.*
cóst kèeper =COST ACCOUNTANT.
cóst lèdger 원가 원장(元帳)《상품의 원가·수수료를 기록하는》.
***cost·ly** [kɔ́ːstli/kɔ́st-] (*-li·er; -li·est*) *a.* **1** 값이 비싼, 비용이 많이 드는; 《고어》 사치스러운: a ~ enterprise 비용이 드는 사업. SYN. ⇨ EXPENSIVE. **2** 희생이 큰, 타격이 큰《실패》; 호화로운: a ~ mistake 희생이 큰 과실. ㊕ **-li·ness** *n.*
cost·mary [kástmɛ̀əri/kɔ́ːst-] *n.* 〖식물〗 쑥국화류.
cóst of líving 생계비, 생활비.
cóst-of-líving *a.* 생계비의: ~ allowance 물가 수당, 생계비 수당.
cóst-of-líving bònus (소비자 물가 지수에 의한) 생계비 수당.
cóst-of-líving ìndex 소비자 물가 지수(consumer price index).
cos·tot·o·my [kastátəmi/kɔstɔ́t-] *n.* 〖의학〗 늑골 절제(술).
cóst òverrun 예상 초과 비용; (특히 정부 계약 등의) 당초 견적을 초과하는 비용.
cóst perfórmance (**ràtio**) 〖경제〗 비용대 성능 비율《소비자 측이 부담하는 비용과 상품이나 서비스의 성능과의 대비; 보통 컴퓨터를 핵으로 하는 시스템 평가 시에 쓰임》.
cóst per thóusand 〖광고〗 광고에 사용하는 매체 비교를 위한 경비 효율 지표(=**cóst per mílle**)《광고 도달 시청자 혹은 독자 1,000명 당에 요하는 경비》.
cóst-plús *a.* 이윤 가산 생산비《정부가 입찰시킬 때의 원가에 적정 이윤을 가산한 것》의: ~ contract 원가 가산 계약/~ pricing 코스트 플러스 가격 결정《총비용에 이익 마진을 더한 가격 설정 방법》.
cóst prìce 〖경제〗 비용 가격; 《일반적으로》 원가.
cóst-push inflátion 〖경제〗 코스트푸시 인플레이션《생산 요소 비용 중 주로 임금의 상승으로 인한 인플레이션》.
cos·trel [kástrəl, kɔ́ːs-/kɔ́s-] *n.* (특히 도자기의) 귀가 달린 작은 병〔단지〕《끈으로 귀에 꿰어 허리에 매닮》.
cóst rènt (임대 주택의) 원가 집세.
cóst rísk anàlysis 〖컴퓨터〗 코스트 리스크 분석《컴퓨터 시스템에서 데이터 상실의 발생 위험을, 데이터 보호를 할 때와 하지 않을 때를 대비하여 코스트면에서 평가하는 일》.
cóst-shàre *vt.* …의 비용을 분담하다.
cóst shèet 〖부기〗 원가 계산표.
‡**cos·tume** [kástjuːm/kɔ́stjuːm] *n.* Ⓤ **1** (특히 여성의) 복장, 복식(服飾), 의상, 몸차림. **2** (머리 모양 등을 포함하여 국민·계급·시대·직업·지방에 따른 특유한) 차림새, 풍속. **3** 〖연극〗 (무대) 의상, 시대 의상: stage ~ 무대 의상. **4** Ⓒ 여성복, 슈트; 수영복; (특수한) …복, …옷: a street ~ 외출복/a hunting ~ 사냥옷. **—** [-́-] *vt.* …에게 의상을 입히다; (연극의) 의상을 준비하다: ~ a play. ㊕ **cós·tum·ey** *a.* 《미》 (복장이) 지나치게 꾸며진〔공들인〕.
cóstume bàll 가장무도회(fancy dress ball).
cóstume dráma (TV·영화의) 시대극, 시대물(時代物).
cóstume jéwelry (값싼) 인조 장신구.
cóstume pàrty 《미》 코스튬 파티《유명 인사·동물 따위로 분장하고 참석하는 파티》.
cóstume pìece 시대극《시대 의상을 입고 연기하는》.
cos·tum·er [kástjuːmər, -́-/kɔstjúːmə] *n.* **1** 의상업자《연극·무용 등의 의상을 제조·판매 또는 세놓는》; (연극의) 의상계(係)〔담당자〕. **2** 《미》 옷〔모자〕걸이.
cos·tum·ery [kastjúːməri/kɔstjúːm-] *n.* 〔집합적〕 복장, 의상; 복식 디자인.
cos·tum·i·er [kastjúːmiər/kɔstjúːm-] *n.* =COSTUMER **1**.
cóst ùnit 〖부기〗 원가 (계산) 단위.
cò·supervísion *n.* =WORKER PARTICIPATION.
co·súrety *n.* (채무의) 공동〔연대〕 보증인. ㊕ **~·shìp** *n.*
cò·survéillance *n.* =WORKER PARTICIPATION.
co·sy [kóuzi] *a.* 《영》 =COZY.
cot[1] [kat/kɔt] *n.* (양·비둘기 등의) 집, 우리(cote), 《시어》 시골집, 모옥(茅屋), 오두막집; 씌우개, 덮개; (손가락에 끼우는) 고무색(sack). **—** (*-tt-*) *vt.* (양을) 우리에 넣다.
◇**cot**[2] *n.* 《미》 간이 침대; (호텔의) 보조 침대; 《영》 어린이용 흔들침대; 《미》 (소아과) 병원의 침대; 〖해사〗 해먹.
cot[3] *n.* 《Ir.》 작은 배.
cot, co·tan [kóutæ̀n] 〖수학〗 cotangent.
co·tan·gent [koutǽndʒənt] *n.* 〖수학〗 코탄젠트《생략: cot, ctn》.
cót càse 걷지 못할 상태의〔누워만 있는〕 병자; 《Austral. 우스개》 고주망태가 된 사람.
cót dèath 《영》 =SIDS.
cote [kout] *n.* (양 따위의) 우리, (비둘기 따위의) 집. cf. dovecote.
Côte d'Azur [*F.* kotdazyʀ] 코트다쥐르《프랑스 남동부의 지중해 연안 지대; 보양 관광지》.
Côte d'I·voire [*F.* kotdivwaʀ] 코트디부아르 공화국《아프리카 서부의 나라》. ★ 구칭 Ivory Coast《1986년까지》.
Côte d'Or [*F.* kotdɔʀ] 코트도르《프랑스 Burgundy 지방 북동부의 현》.
cote·har·die [kouthɑ́ːrdi/-hɑ́ːdi] *n.* 코트아르디《유럽 중세의 소매 긴 옷》.
co·tem·po·ra·ne·ous, -po·ra·ry [koutèmpəréiniəs], [-́pərèri/-rəri], **etc.** =CONTEMPORANEOUS, CONTEMPORARY, etc.
co·ténant *n.* 부동산 공동 소유자; 공동 차지인(借地人)〔차가(借家)인〕. ㊕ **-ancy** *n.* 부동산 공동 보유(권); 공동 차지〔차가〕(권).
co·te·rie [kóutəri] *n.* 《F.》 (사교·문학 연구 등을 위해 자주 모이는) 한패, 동아리, 동인(同人), 그룹; (사교계의) 쟁쟁한 사람들.
co·términal *a.* (각(角)이) 양변 공유인《크기가 2π〔360°〕의 정수 배만큼 다른 두 각에 대해서 말함》.
co·ter·mi·nous [koutə́ːrmənəs] *a.* 공통 경계의, 경계가 접해 있는; (시간·공간·의미 따위가) 동일 한계의, 동일 연장의, 완전히 겹치는. ㊕ **~·ly** *ad.*
co·thur·nus [kouθə́ːrnəs] (*pl.* ***-ni*** [-nai])

n. 1 (고대 그리스의 비극 배우가 신은) 반장화(buskin)(=**co·thurn** [kóuθəːrn, ⌐⌐]). 2 (the ~) 비극조; 비극.

「(narcotics).

cot·ics [kátiks/kɔ́t-] n. pl. 《미속어》 마약

co·tid·al [koutáidl] a. 등조(선)(等潮(線))의: a ~ line (지도에 기입된) 등조선.

co·til·lion [kətíljən] n. 1 코티용《quadrille 비슷한 활발한 춤; 프랑스 기원》; 그 곡; 《미》 줄곧 상대를 바꾸는 스텝이 복잡한 댄스; 그 곡. 2 《미》 (debutantes 등을 소개하는) 정식 무도회.

cot·quean [kátkwiːn/kɔ́t-] 《고어》 n. 우락부락한 여자; 여자 일을 좋아하는 남자.

co·trans·duc·tion [kòutrænsdʌ́kʃən] n. 〖유전〗 공(共)형질 도입《둘 이상의 유전자가 한 bacteriophage에 의하여 형질 도입되는 것》.

Cots·wold [kátswould, -wəld/kɔ́ts-] n. 몸이 크고 털이 긴 양(羊)의 일종.

cot·ta [kátə/kɔ́tə] n. 〖교회〗 중백의(中白衣)(surplice); (성가대원이 입는 소매가 없거나 짧은) 백의(白衣).

cot·tage** [kátidʒ/kɔ́t-] n. 1 시골집, 작은 집, 아담한 집; (양치기·사냥꾼 등의) 오두막. 2 (시골풍의) 소별장; 《미》 (피서지 등의) 별장, 산장. 3 (교외 등의) 독채 주택; 《미》 (병원·피서지 호텔 따위의) 독채《작은 그룹 단위로 수용하는》; 《Austral.》 단층집. 4 《속어》 공중변소. ***love in a ~ 가난하지만 즐거운 부부 생활. ㊞ **cót·tag·ey** a.

「고 휜 치즈.

cóttage chèese (시어진 우유로 만드는) 연하

cóttage cùrtains pl. 상하 한 벌로 된 커튼.

cóttage flàt 《영》 (각층 2세대씩의) 2층 4세대 주택 아파트.

cóttage gàrden 텃밭, 코티지 가든《영국의 시골집 주위에 있는 작은 꽃밭이나 채마밭》.

cóttage hòspital 《영》 (상주 의사가 없는) 지방의 작은 병원.

cóttage ìndustry 가내 공업, 영세 산업.

cóttage lòaf 《영》 크고 작은 두 개를 포갠 빵.

cóttage piáno 작은 수형(竪型) 피아노.

cóttage píe 시골 파이《일종의 고기만두》.

cóttage púdding 달콤한 과일 즙을 바른 카스텔라.

cót·tag·er n. 시골 집에 사는 사람; 《미·Can.》 (피서지의) 별장객, 산장에 사는 사람; 《영》 가난한 농군, 농장 노동자.

cóttage wìndow 위 창틀이 작은 내리닫이창.

cot·ter[1], **-tar** [kátər/kɔ́t-] n. 오두막집에 사는 사람; 〖영국사〗 《Sc.》 (농장 오두막에 사는) 날품팔이 농부; 〖Ir. 역사〗 =COTTIER.

cot·ter[2], **cot·ter·el** [kátər/kɔ́t-], [kátərəl/kɔ́t-] n. 〖기계〗 코터, 가로쐐기, 쐐기전(栓); 비녀못, 코터핀(cotter pin); 〖건축〗 비녀장.

cótter pìn 〔**wày**〕 〖기계〗 코터핀(cotter).

cot·ti·er [kátiər/kɔ́t-] n. 《영》 가난한 농부; 〖Ir. 역사〗 입찰 소작인; 〖영국사〗 =COTTER[1].

cóttier ténure 입찰(入札) 소작권.

****cot·ton** [kátn/kɔ́tn] n. Ⓤ 1 솜, 면화; 〖식물〗 목화: ⇨ ABSORBENT COTTON / raw ~ 원면 / ~ in the seed 씨 빼지 않은 목화. 2 무명실, 목면사: a needle and ~ 무명실을 꿴 바늘 / ⇨ SEWING COTTON. 3 무명, 면직물: ~ goods 면제품 / ~ grower 목화 재배자. 4 (식물의) 솜털. 5 《미》 탈지면. 6 《미속어》 amphetamine을 먹인 솜; 약물을 먹인 솜. ***in tall ~*** 《미속어》 대단히 성공하여, 굉장한 행운으로. ***sitting on high ~*** 《미남부》 (성공하여) 기뻐 날뛰는. ***shit in high ~*** 호화롭게 살다. ***spit ~*** 《속어》 목이 칼칼하다. ***too high for picking ~*** 《미속어》 얼근히 취한. ―vt. …을 솜으로 싸다. ―《구어》 vi. 일치하다《with》; 친해지다《to; with》; (…이) 좋아지다《to》, 애착을 갖다《to》, (제안 등에) 호감을 갖다, 찬성하다《to》; 이해하다《to》. **~ on** (**to**) 《구어》 (…이) 좋아지다, (…을) 이해하다, (…을) 깨닫다; 《구어》 (…을) 이용하다. **~ up** 《고어》 친해지다《together; with》, (…와) 가까워지다《to》. ㊞ **~·less** a.

cótton bàll 코튼 볼《화장을 지우거나 상처를 깨끗이 닦을 때 쓰는 조그만 솜뭉치》.

cótton bátting 정제면(精製綿)《엷은 층(層)으로 포갠 탈지면; 외과·이불솜용》.

「지대.

Cótton Bèlt (the ~) (미국 남부의) 목화 산출

Cótton Bòwl (the ~) 1 Texas 주 Dallas 에 있는 미식축구 경기장. 2 그곳에서 매년 1 월 1 일에 개최하는 대학 대항 미식축구 경기.

cótton bùd 《영》 =COTTON SWAB.

cótton càke 면화씨 깻묵《사료용》.

cótton cándy 《미》 솜사탕.

cótton flánnel 면플란넬(Canton flannel).

cótton frèak 《미속어》 마약 상용자.

cótton gìn 조면기(繰綿機).

cótton gràss 〖식물〗 황새풀.

cótton mìll (면)방적 공장.

cótton mòuth 《속어》 입이 바싹 마름《공포·숙취·마약 복용 등에 의한》.

cot·to·noc·ra·cy [kàtənákrəsi/kɔ̀tənɔ́k-] n. 면업(綿業) 왕국; 〔집합적〕 면업자; 〖미국사〗 (남북 전쟁 전의 남부의) 목화 재배자.

Cot·to·nop·o·lis [kàtənápəlis/kɔ̀tənɔ́p-] n. 《우스개》 방적의 도시《영국 Manchester의 별칭》.

cótton pìcker 채면기(採綿機); 목화 따는 사람.

cótton-pìcking [-pìkiŋ], **-pìckin'** [-pìkən] a. 《미속어》 변변찮은, 쓸모없는. ―ad.

⌊=VERY.

cótton plànt 목화나무.

cótton pòwder 면화약.

cótton prèss 조면 압착기.

cótton prìnt 날염(捺染) 면포.

cótton ràt 코튼랫《미국 남부·중앙 아메리카 원산의 쥐로, 실험 동물》.

cótton rèel 《영》 실꾸릿대.

cótton·sèed n. 목화씨, 면실(綿實).

cóttonseed càke 목화씨 깻묵.

cóttonseed mèal 목화씨 깻묵으로 만든 사료, 면실박(綿實粕)《비료도 됨》.

cóttonseed òil 면실유(綿實油).

cótton spìnner (면사) 방적공; 방적 공장주(主); 〖동물〗 해삼.

cótton spìnning 면사 방적(업).

cótton stùff 면제품.

「bud).

cótton swàb 《미》 면봉(綿棒)(《영》 cotton

cótton·tàil n. 〖동물〗 (부풀부풀한 흰 꼬리가 있는) 야생 토끼의 일종《미국산》.

「**cotton trèe**).

cótton trèe 〖식물〗 케이폭수(樹)(=**sílk-**

cótton wàste 솜지스러기.

cótton·wèed n. 〖식물〗 풀솜나무.

cótton·wòod n. 〖식물〗 사시나무의 일종《북아메리카산》.

cótton wóol 원면, 솜; 《특히》 정제한 솜; 《영》 탈지면(《미》 absorbent cotton). ***be*** 〔***live***〕 ***in ~*** 안일을 일삼다, 호화롭게 살다. ***keep*** 〔***wrap*** (***up***)〕 ***... in ~*** 《구어》 (아이들을) 과보호하다; (물건을) 소중히 다루다.

cótton·wóol vt. 1 (귀에) 솜마개를 하다. 2 응석받이로 기르다.

cótton wòol báll 《주로 영》 =COTTON BALL.

cot·tony [kátəni/kɔ́t-] a. 솜(털) 같은, 부풀부풀한; 보드라운; (나사가) 무명 같은, 투박한.

cótton yárn 방적사(絲), 면직사(綿織絲).

Cóttrell pròcess 집진법(集塵法)《정전기(靜電氣)를 이용한》.

cot·y·le [kátəli/kɔ́-] n. 1 (pl. ***cot·y·lae*** [-liː,

-lài]) 〖해부·동물〗 배상와(杯狀窩); 관골구(臗骨臼), 비구(髀臼)(acetabulum). **2** (*pl.* ~**s**) 〖식물〗 국화과 로마카밀레속의 풀.

cot·y·le·don [kàtəlí:dən/kɔ̀t-] *n.* 〖식물〗 자엽(子葉), 떡잎; 〖해부〗 태반엽(胎盤葉). ⊞ **~·al, ~·àry** [-èri/-nəri], **~·ous** [-dənəs] *a.* 떡잎이 있는, 떡잎 모양의.

co·tyl·i·form [kətíləfɔ̀:rm, kátələ-] *a.* 배상(杯狀)의, 밑부분에 관이 있는.

cot·y·loid [kátəlɔ̀id/kɔ́t-] *a.* 〖해부〗 구상(臼狀)의, 관골구(臗骨臼)의(acetabular): ~ joint 구상관절 / ~ cavity 관골구.

Cou·ber·tin [*F.* kubɛrtɛ̃] *n.* **Pierre, Baron de** ~ 쿠베르탱《프랑스의 교육가; 근대 올림픽 경기의 창시자(1894); 국제 올림픽 위원회 회장(1894-1925); 1863-1937》.

***couch** [kautʃ] *n.* **1** 침상, 소파; 《문어·시어》 침석, 잠자리: retire to one's ~ 잠자리에 들다. **2** 휴식처《풀밭 따위》; (야수의) 은신처, 굴. **3** (엿기름의) 못자리. **4** 〖회화〗 애벌칠. **5** 《구어》 (환자용의) 베개 달린 소파: on the ~ 정신 분석을〔치료를〕 받고서. ── *vt.* 〔보통 수동태 또는 ~ oneself〕 **1** 누이다, 재우다: *be ~ed* on the grass 풀 위에 눕다. **2** (엿기름을) 띄우다. **3** 《+목+전+명》 말로 표현하다, 변(邊)죽 울리다: a refusal *~ed in* polite terms 정중한 말로 한 거절. **4** (창(槍) 따위를) 하단(下段)으로 꼬느다; (머리 따위를) 숙이다. **5** …에 무늬를 수놓다. **6** 〖의학〗 (백내장을 고치기 위하여) 유리체 전위(轉位)를 베풀다. ── *vi.* **1** 쉬다, 눕다. **2** (달려들려고) 웅크리다, 쭈그리다; 매복하다. **3** (마른 잎 따위가) 쌓이다, 썩다. ⊞ **∠·ant** [káutʃənt] *a.* 웅크리는; 〖문장(紋章)〗 (사자 따위가) 머리를 쳐들고 웅크린.

cou·chette [ku:ʃét] *n.* 〖철도〗 (유럽의) 침대 찻간; 그 침대.

cóuch gràss 〖식물〗 개밀의 일종

cóuch·ing *n.* Ⓤ **1** 웅크리기. **2** (자수 따위의) 무늬 수놓기. **3** 〖의학〗 유리체 전이(轉移).

cóuch pèople 식객《집이 없어 친구 집의 소파에서 기거하는》.

cóuch potàto 《미속어》 소파에 앉아 TV만 보며 많은 시간을 보내는 사람.

cou·gar [kú:gər] *n.* 〖동물〗 쿠거, 퓨마, 아메리카라이온(panther, puma).

cougar

****cough** [kɔ(:)f, kaf] *n.* **1** 기침, 헛기침: dry ~ 마른기침 / give a ~ 기침을 하다. **2** 기침 나는 병. **3** (내연 기관의) 불연소음. ── *vi.* **1** (헛)기침을 하다. **2** (내연 기관이) 불연소음을 내다. **3** 《속어》 자백하다. ── *vt.* **1** 《+목+부》 기침을 하여 …을 뱉어내다 《*up; out*》: ~ *out* phlegm 기침하여 가래를 뱉다. **2** 《+목+보 / +목+부》 기침을 하여 …을 ─이 되게 하다: ~ oneself hoarse 기침을 하여 목소리를 쉬게 하다. **3** 기침을 하면서 말하다. ~ (a speaker) ***down*** (청중이 기침을 하여) 연사를 방해하다. ~ ***up*** 《속어》 (돈·정보 등을) 마지못해 〔겨우〕 건네다〔지불하다〕; 〔보통 ~ it up〕 《속어》 자백하다, 털어놓다. ⊞ **∠·er** *n.*

cóugh dròp 〔**lòzenge**〕 진해정(鎭咳錠); 《속어·비유》 거추장스러운 사람〔물건〕.

cóugh mìxture 기침약.

cóugh sỳrup 진해(鎭咳) 시럽, 기침약.

†**could** ⇨ 《p. 580》 COULD.

†**could·n't** [kúdnt] could not 의 간약형.

couldst, could·est [kudst], [kúdist] 《고어·시어》 =COULD《주어가 thou 일 때》.

cou·lee, *cou·lée* [kú:li], [ku:léi] *n.* 《F.》 〖지학〗 용암류(熔岩流); 《미서부》 (간헐) 하류(河流), 말라 버린 강바닥, 협곡.

cou·lisse [ku:lí:s] *n.* (수문을 올렸다 내렸다 하는) 홈이 있는 기둥; 〖연극〗 (무대의) 옆 배경; (*pl.*) 옆 배경과 옆 배경 사이의 빈 곳; (the ~s) 무대 뒤. ***be experienced in the ~s of*** (the political world) 정계 소식에 밝다. ***the gossip of the ~s*** 무대 뒤의 소문. 「협곡; 통로.

cou·loir [ku:lwá:r] *n.* 《F.》 〖등산〗 산중턱의

cou·lomb [kú:lam/-lɔm] *n.* 〖전기〗 쿨롬《전기량의 실용 단위; 생략: C》. ⊞ **cou·lom·bic** [ku:lámbik/-lɔ́m-] *a.*

Cóulomb field 〖물리〗 쿨롬 전기장(電氣場).

Cóulomb fòrce 〖물리〗 쿨롬 힘.

Cóulomb's láw 〖물리〗 쿨롬의 법칙.

cou·lom·e·ter [ku:lámətər/-lɔ́m-] *n.* 〖물리〗 (전기 분해를 이용하는) 전기량계(電氣量計)(voltameter).

cou·lom·e·try [ku:lámətri/-lɔ́m-] *n.* Ⓤ 〖화학〗 전기량(電氣量) 분석. ⊞ **cou·lo·met·ric** [kù:ləmétrik] *a.*

coul·ter [kóultər] *n.* 《영》 =COLTER.

cou·ma·rone, cu- [kú:mərò̀un] *n.* 〖화학〗 쿠마론(benzofuran)《인쇄 잉크·도료 제조용》.

cóumarone rèsin 〖화학〗 쿠마론 수지《도료(塗料)·인쇄 잉크 안정제》.

****coun·cil** [káunsəl] *n.* **1** 회의; 협회; 심의회, 평의회: a ~ of war 작전 회의; 《비유》 행동 방침 토의 / the family ~ 친족 회의 / the *Council* for Mutual Economic Assistance 경제 상호 원조 회의(COMECON) / the *Council* of Economic Advisers 《미》 (대통령의) 경제 자문 위원회《생략: CEA》 / the *Council* of Europe 유럽 회의《1949년 설립》 / the ~ of state 국책 회의; (the C- of S-) (프랑스의) 최고 행정 법원 / the *Council* of Trent 〖가톨릭〗 트리엔트 공의회 / the King 〔Queen, Crown〕 in *Council* 《영》 추밀원에 자문하여 행동하는 국왕《칙령 발포나 식민지로부터의 청원 수리의 주체》. **2** 지방 의회《시의회, 읍의회 따위》; 교회 회의; (대학 등의) 평의원회; 〖신약〗 =SANHEDRIN: a municipal 〔city〕 ~ 시의회. **3** (단체의) 지방 지부; 사교 클럽.

cóuncil bòard 〔**tàble**〕 회의 테이블; 의석; 「회의.

cóuncil chàmber 회의실.

cóuncil estàte 《영》 공영 주택 단지.

cóuncil flàt 《영》 공영 아파트.

cóuncil-hòuse *n.* 《영》 의사당, 회의장; 《Sc.》 =TOWN HALL; 《영》 공영 주택; 《미》 원주민〔인디언〕의 회의 장소.

cóuncil·man [-mən] (*pl.* ***-men*** [-mən]) *n.* (미국 또는 London 의) 시〔읍, 군〕의회 의원 (《영》 councillor). ⊞ **còun·cil·mán·ic** *a.*

cóuncil-mánager plàn 〖미정치〗 시의회 선임 사무 시장 제도《시의회가 City Manager 를 선임하여 시정을 맡기는》. cf. commission plan.

***coun·ci·lor,** 《영》 **-cil·lor** [káunsələr] *n.* (시의회·읍의회 등의) 의원; 평의원; 고문관; (대사관의) 참사관: the House of *Councilors* (일본의) 참의원. ⊞ **~·ship** [-ʃip] *n.* Ⓤ ~의 직〔지위〕.

cóuncil·pèrson *n.* (지방) 의회 의원.

cóuncil ròom =COUNCIL CHAMBER.

cóuncil schòol 《영》 공립 초등학교.

cóuncil tàx 《영》 지방 의회세(稅).

cóuncil·wòman *n.* council 의 여성 의원.

****coun·sel** [káunsəl] *n.* Ⓤ **1** 의논, 협의, 평의(consultation). cf. council. **2** 조언, 권고, 충언: give ~ 조언하다, 의견을 제출하다. **3** (행동의) 계획, 방침. **4** C,U 〔단·복수 동형〕 법률 고

문, 변호인(단); 변호사: ⇨ KING'S 〔QUEEN'S〕 COUNSEL / the ~ for the prosecution 〔the defense〕 검찰 측〔피고 측〕 변호사. **5** 《고어》 의도, 목적; 사려, 분별: Deliberate in ~, prompt in action. 숙려 단행(熟慮斷行). ***a ~ of perfection*** (천국 가기를 바라는 자에 대하여) 완전을 기하는 권고《마태복음 XIX: 21》; 실행할 수 없는 이상. **~ *of despair*** 궁여지책, 괴로운 나머지의

could

could 는 can 의 과거형이지만 오늘날에는 그 직설법은 문맥상 시제가 과거임이 분명할 경우에만 사용된다. 문맥상 시제가 분명치 않을 때에는 was 〔were〕 able to 를 대용하는 것이 바람직하다《아래 1 에서만》. 이럴 때 could 를 사용하면 실제로 과거를 나타낸다기보다 가정법으로서 받아들여지기 쉽다: I *could* buy it. 어쩌면 그걸 살 수 있을 텐데(가정법). —I *was able to* buy it. 그걸 살 수 있었다《직설법 could 의 대용》. 즉 오늘날의 영어에서는 could 는 반가정법 전용이 되어 가고 있으며, 다시 말하면 can 과는 어느 정도 별개인 문맥상 must 와 성질이 비슷한 독립된 조동사가 되어 가고 있다.

could [kud, ⓐ kəd] (could not의 간약형 ***could·n't*** [kúdnt]; 2인칭 단수 《고어》 (thou) ***couldst*** [kudst], ***could·est*** [kúdist]) *aux. v.*

A 《직설법》 **1** 〖능력 · 가능의 can의 과거형으로〗 …할 수 있었다: I ~ run faster in those days. 당시 나는 더 빨리 달릴 수 있었다 / I ~n't catch the bird. 그 새를 잡을 수 없었다 / When I lived by the station I ~ (always) reach the office on time. 역 근처에 살고 있을 때엔 (언제나) 제시간에 회사에 도착할 수 있었다《습관적이 아니고 특정의 경우에는 could 를 쓰지 않고, I was able to reach the office on time this morning. 처럼 쓴다》 / I ~ hear the door slamming. 문이 쾅하고 닫히는 소리가 들렸다《얼마 동안 들리고 있었음을 함축》.

> NOTE 과거형 could는 부정문, 습관적인 뜻을 나타내는 경우, 지각동사와 함께 쓰는 경우 (⇨can[1] 1 c) 이외에는 가정법의 could와 구별하기 위해서 흔히 was 〔were〕 able to, managed to, succeeded in ...ing 따위로 대용함: I *was able* 〔*managed*〕 *to* catch the bird. 그 새를 잡을 수 있었다.

2 a 〖시제 일치를 위하여 종속절의 can이 과거형으로 되어〗 …할 수 있다, …해도 되다: I thought he ~ drive a car. 나는 그가 차 운전을 할 수 있는 줄로 알았었다. **b** 〖간접화법에서 can이 과거형으로 쓰이어〗 …할 수 있다, …해도 좋다: He said (that) he ~ go. 그는 갈 수 있다고 말했다《비교: He said, "I can go."》 / He asked me if he ~ go home. 집에 가도 되느냐고 내게 물었다.
3 〖과거의 가능성 · 추측〗 **a** 〖주어+could do〗 …하였을〔이었을〕 게다: She ~ sometimes be annoying as a child. 어렸을 때 그녀는 가끔 속을 태웠을 게다(=It was possible that she was sometimes annoying as a child.). **b** 〖주어+could have+과거분사〗 …이었을는지도 모른다《현재에서 본 과거의 추측》: You figure the blow ~ *have killed* him? — *Could have*. 그 일격이 그를 죽게 했다고 보십니까 — 그럴 수 있죠 (=You *figure* it *was* possible that the blow (*had*) *killed* him?) / It seemed like hours, but it ~n't *have been* more than three or four minutes. 몇 시간이나 지난 것처럼 생각되었으나 실은 3, 4 분 이상은 되지 않았었다.
4 〖과거시의 허가〗 …할 수 있었다, …하는 것이 허락되어 있었다: When she was 15, she ~ only stay out until 9 o'clock. 15 살 때, 그녀는 외출이 9 시까지밖엔 허락되지 않았다(=... she was allowed only to stay out ...).

B 《가정법》 **1** 〖사실에 반하는 가정 · 바람〗 (만일) …할 수 있다면, …할 것을: If he ~ come, I should be glad. 그가 올 수 있다면 나는 기쁠 텐데(실제는 올 수 없다) / How I wish I ~ see her! 그녀를 만날 수 있다면 얼마나 좋으랴《만날 수 없음은 확실하다》.

> NOTE 이상의 예문은 실제의 때가 과거이면 각기 다음과 같이 됨: If he *had been able to* come, I should have been glad. '만약 그가 올 수 있었더라면 나는 기뻤을 텐데'. How I wished that I ~ see her! '그녀를 만날 수 있기를 얼마나 바랐던가'. 이처럼 주절의 동사가 과거형(wished)으로 되어 있어도 that 에 이끌리는 명사절 속의 could 는 had been able to 로 되지 않는 점에 주의할 것. 즉 법은 시제에 우선한다는 원칙에 따름.

2 〖가정에 대한 결과의 상상〗 …할 수 있을 텐데: I ~ do it if I tried. 하면 할 수 있을 텐데 / It is so quiet there that you ~ hear a pin drop. 그곳은 핀이 떨어지는 소리도 들을 수 있을 정도로 조용한 곳이다.

> NOTE 이상의 예문은 실제의 때가 과거이면, 각기 다음과 같이 됨: I ~ *have done* it if I had tried. '했더라면 할 수 있었을 텐데'. It was so quiet there that you ~ *have heard* a pin drop. '그곳은 핀 떨어지는 소리도 들을 수 있을 정도로 조용한 곳이었다'. 이 때의 that 절(부사절)에서는, *could* hear 가 *could* have heard 로 바뀜에 주의할 것.

3 〖감정적인 표현〗《문법적으로는 2의 if 이하의 생략으로 볼 수 있고, 뜻은 can 에 '의념, 가능성; 허가를 요구하는 겸손'이 가미됨. could not 의 경우는 '절대의 불가능' 또는 '극히 희박한 가능성'을 의미함》: It ~ be (so). 어쩌면〔아마〕 그럴지도 몰라 / I ~ have come last evening. 간밤에 (오려고만 했으면) 올 수 있었을 텐데 / I ~ smack his face! 그의 얼굴을 한대 갈기고 싶을 정도다(그만큼 화가 난다) / *Could* I go? 가도 괜찮을까요(Can I go? 보다 공손) / *Could* you spare me a copy? 한 권만 주실 수 있겠습니까 / I ~n't think of that. 그런 일은 생각할 수조차 도 없다.

> NOTE (1) **could** 와 **might** could 와 might 는 마음대로 바꿔칠 수 있을 때가 있다: We *could* 〔*might*〕 get along without his help. 그의 도움 없이도 잘 해나갈 수 있을 것 같다.
> (2) **if ... could have done** 의 형태 would, should, might 등에는 "if ... would 〔should, might〕 have done" 의 형식은 없으나, could 에 한해서 if ... could have done 의 형식을 취할 수 있음: *If* I *could have found* him, I would have told him that. 그를 볼 수 있었다면 그에게 그것을 말해 주었을 것을.

행위. ***keep*** one***'s*** (***own***) ~ 자기의 생각을 남에게 털어놓지 않다; 비밀을 지키다. ***take*** 〔***hold***〕 ~ 토론 심의하다; 상담〔협의〕하다《*with; together*》: *take* ~ *with* oneself 스스로 잘 생각하다. ***take the*** ~***'s opinions*** 변호사에게 상의하다.

── (**-l-,** 《영》 **-ll-**) *vt.* **1** 《~+[목]/+[목]+*to* do》 …에게 조언〔충고〕하다《*to* do》: ~ prudence 신중한 태도를 취하라고 충고하다/He ~*ed* me *to* quit smoking. 그는 내게 담배를 끊으라고 충고하였다. [SYN.] ⇨ ADVISE. **2** 《~+[목]/+-*ing*/+*that*[절]》 (물건·일을) 권하다: ~ patience 인내하도록 권하다/He ~*ed* act*ing* at once. =He ~*ed that* I (should) act at once. 그는 즉시 행동에 옮길 것을 권했다. ── *vi.* 의논하다, 협의〔상담〕하다《*about*》; 조언하다; 권하다.

[파] ~**·a·ble, -sel·la·ble** *a.*

coun·se·lee [kàunsəlíː] *n.* 카운슬링을 받는 사람.

cóun·sel·ing *n.* 카운슬링《학교·직장 등에서의 개인 지도·상담》.

⁑**coun·se·lor,** 《영》 **-sel·lor** [káunsələr] *n.* 고문, 상담역; 법률 고문, 《미》 법정 변호사; 의논 상대; 카운슬러; (대·공사관의) 참사관; 캠프의 지도원; =COUNCILOR: *Counsellor* of State 《영》 (국왕 부재 기간 중의) 임시 섭정. [파] ~**·ship** *n.* [U] counselor의 직〔지위〕.

cóunselor-at-láw (*pl.* ***cóunselors-***) *n.* 《미》 변호사.

†**count**[1] [kaunt] *vt.* **1** 세다, 계산하다; 세어 나가다. **2** 셈에 넣다, 포함시키다《*in; among*》: ~ *among* ... (…가〔을〕 친구 등)의 한 사람이 되다〔으로 보다〕. **3** 《+[목]+[보]/+[목]+*as* [보]/+[목]+[전]+[명]》 …이라고 생각하다, …으로 보다〔간주하다〕《*as; for*》: I ~ it an honor to serve you. 도울 수 있음을 영광으로 생각합니다/Everyone ~*ed* her *as* lost 〔*for* dead〕. 모두가 그녀는 실종된〔죽은〕 것으로 생각했다. **4** (공적 따위를) 돌리다, (…의) 탓으로 하다. **5** 《+*that* [절]》 《미구어》 …라고 추측하다, 생각하다: I ~ *that* she will come. 그녀는 오리라고 생각한다. ── *vi.* **1** (물건의 수를) 세다, 계산하다; 수〔계정〕에 넣다. **2** 수적으로 생각하다, 합계 …이 되다. **3** 《+*as* [보]》 …로 보다〔간주되다〕, 축에 들다: This picture ~*s as* a masterpiece. 이 그림은 걸작의 하나로 보고 있다. **4** 《~/+[전]+[명]》 중요성을 지니다, 가치가 있다: He does not ~ *for* much. 그는 대단한 사람이 아니다/Every minute ~*s*. 1분인들 소홀히 할 수 없다/Money ~*s for* nothing 〔little〕. 돈 따위는 중요치 않다. **5** 《+[전]+[명]》 의지하다, 기대하다, 믿다《*upon, on*》: ~ *on* others 남에게 의지하다. [SYN.] ⇨ RELY. **6** 〖음악〗 박자를 맞추다. **7** (특수한) 수치를 갖다.

~ ***against ...*** (실패 따위가〔를〕) …에게 불리해지다〔하다고 생각하다〕. ~ ***in*** …을 셈〔동료〕에 넣다. ~ ***kin*** (***with***) 《Sc.》 (…와) 가까운 핏줄〔혈연〕이다. ~ ***off*** 《미》 (군대 따위에서) 번호를 붙이다(number off); 세어서 따로 하다, 세어서 반(半)으로 가르다. ~ ***on*** …을 의지하다, 기대하다: I ~ *on* you to help. 도와주실 것을 기대합니다. ~ ***on*** one***'s fingers*** 손꼽아 세다. ~ ***out*** ① (하나하나) 세어서 꺼내다; (세어서) 덜다; 소리 내어 세다. ② 《구어》 제외하다, 따돌리다; (아이들 놀이에서) 셈노래를 불러 놀이에서 떼내다〔술래로 지명하다〕: *Count* me *out*. (게임에서) 나는 빼 주시오. ③ 〖영의회〗 (정족수의 부족으로 의장이) 토의를 중지시키다, 유회를 선포하다. ④ 《미구어》 (개표 때) 득표의 일부를 빼내 …를 낙선시키다. ⑤ 〖권투〗 (10초를 세어) 녹아웃을 선언하다. ~ ***over*** 다시 세다. ~ ***the house*** 입장자의 수를 헤아리다. ~ ***up*** 총계하다; 일일이 세다. ~ (***up***) ***to ten*** 《구어》 마음을 가라앉히려고 열을 세다. ***stand up and be*** ~***ed*** 자기 의견을 공표(公表)하다, 자신의 입장을 밝히다.

── *n.* **1** [U,C] 계산, 셈, 집계: A ~ of hands showed 5 in favor and 4 opposed. 거수 결과는 찬성 5 반대 4 였다. **2** 통산, 총수: hold a census ~ 인구 조사를 하다. **3** [U] 《고어》 평가, 고려. ★ 지금은 보통 account. ¶ take ~ of …을 고려하다; …을 세다/take no ~ of …을 무시하다. **4** [C] 〖법률〗 (기소장의) 소인(訴因), 기소 조항; 문제점, 논점. **5** 〖영하원〗 =COUNT-OUT 1. **6** (the (full) ~) 〖권투〗 카운트(를 셈). **7** 〖야구〗 (타자의) 볼 카운트; 〖볼링〗 스페어 후의 제1투로 쓰러뜨린 핀의 수. **8** [C] 〖직물〗 (실의 굵기를 나타내는) 번수(番手). **9** 《미》 (무게가 아닌) 개수로 파는 것. **10** 〖물리〗 (가이거 계수관 등에서의 방사선의) 계수. **11** 〖컴퓨터〗 계수. ***beyond*** 〔***out of***〕 ~ 셀 수 없는, 무수한. ***get*** ~ ***on*** …을 의지하다, 중시하다. ***keep*** ~ ***of ...*** ① …을 계속 세다, …의 수를 세어 나가다. ② …의 수를 외고 있다. ***lose*** ~ ***of*** …을 셀 수 없게 되다; …수를 잊어버리다: *lose* ~ *of* time 시간을 알 수 없게 되다, 시간이 지나감을 잊다. ***off the*** ~ 《교도소속어》 없어져서, 뺑소니쳐. ***on all*** ~***s*** 모든 점에서. ***on the*** ~ 《교도소속어》 제대로 있는. ***out for the*** ~ 〖권투〗 녹아웃되어; 《구어》 의식을 잃어, 숙면하여; 《구어》 몹시 지쳐, 활동을 계속 못 할. ***set*** ~ ***on*** …을 중시하다. ***set no*** ~ ***on*** …을 셈에 넣지 않다, …을 안중에 두지 않다. ***take the*** ~ 〖권투〗 10초를 세다〔셀 때까지 못 일어나다〕, 카운트아웃이 되다; 패배를 인정하다; 이미 없어졌다, 이젠 사용치 않다: *take the* last 〔long〕 ~ 《미속어》 죽다.

°**count**[2] (*fem.* ***cóunt·ess*** [-is]) *n.* (영국 이외의) 백작. ★ 영국에서는 earl. 단 earl의 여성은 countess. [파] ~**·shìp** *n.* ~의 지위〔권한〕.

cóunt·a·ble *a.* 셀 수 있는, 계산할 수 있는. [OPP.] *uncountable*. ── *n.* 셀 수 있는 것; 〖문법〗 셀 수 있는 명사, 가산 명사. ⇨ 《부록》 COUNTABLE, UNCOUNTABLE. [파] **còunt·a·bíl·i·ty** *n.* **-bly** *ad.*

cóunt·bàck *n.* 카운트백 방식《동점인 경우 후반 성적이 좋은 쪽을 승자로 하는》.

cóunt·dòwn *n.* (로켓 발사 때 등의) 초(秒)읽기; 《비유》 (중대 계획의) 최후 점검.

*__coun·te·nance__ [káuntənəns] *n.* **1** [C] 생김새, 용모, 안색, 표정: a sad ~ 슬픈 표정/His ~ fell. 〖성서〗 실망한 빛이 보였다, 안색이 변했다《창세기 IV: 5》. **2** [U] 침착한 표정, 냉정: with a good ~ 침착하게/keep one's ~ 태연히 있다; 새침 떨고〔웃지 않고〕 있다/lose ~ 냉정을 잃다; 감정을 나타내다. **3** [U] 장려, 지지, 찬조, 후원. ***find no*** ~ ***in*** …의 지지를 받지 못하다. ***give*** 〔***lend***〕 (one***'s***) ~ ***to*** …을 은근히 장려하다, …의 뒤를 밀어주다. ***in the light of*** a person***'s*** ~ 아무의 찬조로. ***keep*** a person ***in*** ~ 아무에게 어색한 생각을 갖지 않도록 하다; 낯을 세워 주다. ***out of*** ~ 당혹하여: put a person *out of* ~ 아무를 당황케 하다; 아무에게 면목을 잃게 하다. ── *vt.* …에게 호의를 보이다; (은근히) 장려〔지지〕하다; 후원하다; 묵인하다.

cóun·te·nanc·er *n.* 찬조자, 원조자, 찬성자.

⁑**count·er**[1] [káuntər] *n.* **1** 계산대, 카운터; 〖컴퓨터〗 계수기(器); 〖물리〗 (방사선의) 계수관(管)〔장치〕; 〖전자〗 계수 회로(scaling circuit): pay at 〔over〕 the ~ 카운터에서 돈을 치르다. **2** 판매대: a girl behind the ~ 여점원/stand 〔sit, serve〕 behind the ~ 점원 노릇하다, 소매점을 하다. **3** (식당·바의) 카운터, 스탠드; (주방(廚房)의) 조리대: a lunch ~ 《미》 간이식당. **4** 계산하는 사람; (기계의) 회전 계수기; 계산기; 산가지《카드놀이 등에서 득점 계산용 칩(chip)》. **5**

모조 화폐; 《경멸》 경화(硬貨)(coin). **6** 거래의 재료; 이용〔교묘히 조종〕될 듯한 사람〔것〕; 〖언어〗 =COUNTERWORD. ***over the*** ~ 판매장에서; (거래소에서가 아니고) 증권업자의 점포에서《주식 매매에 이름》; (도매업자가 아니라) 소매업자를 통해; 처방전 없이. ***under the*** ~ 몰래, 부정하게, 암거래(시세)로.

coun·ter² *a.* **1** 반대의, 역의; 명령 철회의, 취소의: a ~ proposal 반대 제안 / the ~ side 반대측. **2** (한 쌍 중에서) 한 쪽의; 부(副)의: a ~ list 비치 명부. **—** *ad.* 반대로, 거꾸로: run 〔go, act〕 ~ (to) (…에) 반하다, 거스르다. **—** *vt., vi.* **1** …에 반대하다, …에 거스르다; …을 무효로 하다. **2** …에 반격하다; 〖체스〗 되받아 치다, 역습하다. **—** *n.* **1** 역, 반대의 것; 대항력〔활동〕. **2** 〖권투〗 받아치기, 카운터블로(counterblow); 〖펜싱〗 칼 끝으로 원을 그리며 받아넘기기; 〖스케이트〗 역(逆)회전(~-rocking turn, ~ rocker); 〖미식축구〗 역주행. **3** 선미(船尾)의 돌출부. **4** (구두의) 뒤축 가죽. **5** 말의 앞가슴. **6** 〖인쇄〗 활자면의 파인 부분; 경화(硬貨)·메달의 우묵한 부분.

coun·ter- [káuntər, ´--] '적대, 보복; 역, 대응'의 뜻의 결합사.

còunter·accusátion *n.* 〖법률〗 맞고소; 역(逆) 고소〔고발〕.

***coun·ter·act** [kàuntərǽkt] *vt.* …와 반대로 행동하다, 방해하다; 좌절시키다; 반작용하다; (효과 등을) 없애다; 중화(中和)하다. ㊎ **-ác·tion** *n.* Ⓤ,Ⓒ **1** (약의) 중화 (작용); (계획의) 방해, 저항. **2** 반작용, 반동.

còunter·áctive *a.* 반작용의; 방해하는; 중화성의. **—** *n.* 반작용제(劑), 중화제; 중화력. ㊎ ~**·ly** *ad.*

còunter·ádvertising *n.* 반론 광고, 역선전 (countercommercial).

còunter·ágency *n.* Ⓤ 반동력〔작용〕.

còunter·ágent *n.* 반대〔저항〕하는 것; 반작용제(劑); 중화제.

cóunter·appròach *n.* (보통 *pl.*) 〖군사〗 (포위된 군대가 포위군의 접근을 막는) 대항 참호; 대항도(道).

cóunter·àrgument *n.* 반론(反論).

cóunter·attàck *n.* 반격, 역습. **—** [´-´-] *vt., vi.* 반격〔역습〕하다.

còunter·attráction *n.* 반대 인력; 따로 마음을 끄는 것. ㊎ ~**·er** *n.*

còunter·bálance *vt.* 균형을 맞추다, 평형시키다; (…의 부족을) 메우다; (효과를) 상쇄하다. **—** [´-´-] *n.* 평형량(平衡量); 〖기계〗 평형추(錘)(counterweight); 평형 균형을 이루는 세력, 평형력, 대항 세력.

cóunter·bìd *n.* 〖상업〗 대항적 매입 주문《경매 시장 등에서 상대방보다 높은 값으로 주문하는》.

cóunter·blàst *n.* 반대 기류, 역풍; 맹렬〔강경〕한 반대《*to*》.

cóunter·blockàde *n.* 역봉쇄.

cóunter·blòw *n.* 반격, 역습(逆襲), 보복; 〖권투〗 카운터블로(counterpunch); 〖의학〗 반동〔반충〕 손상.

cóunter·bùff *n., vt.* 《고어》 반격〔역습〕(하다).

cóunter-cèiling *n.* 〖건축〗 방화〔방음〕 천장.

còunter·chánge *vt.* …의 위치를〔특성을〕 바꾸어 넣다; 체크 무늬〔다채로운 무늬〕로 하다, 다채로이 하다. **—** *vi.* 교대해 들다, 엇바뀌다.

cóunter·chàrge *n.* 〖군사〗 역습, 반격; 〖법률〗 반소(反訴). **—** [´-´] *vt.* 〖군사〗 반격〔역습〕하다; 〖법률〗 반소하다.

cóunter chèck 예금 인출표.

cóunter·chèck *n.* 대항〔방지〕 수단, 저지, 방해; 재차 하는 대항〔방지〕 수단; 재대조(再對照); 《고어》 말대꾸, 반박: the ~ quarrelsome 맞욕지거리, 서로 시비하는 반론. **—** [´-´] *vt.* 저지〔방해〕하다; 재대조하다.

cóunter·clàim *n.* 반대 요구, 《특히》 반소(反訴). **—** [´-´] *vi.* 반소하다, 반소를 제기하다 《*for; against*》. **—** *vt.* 반대 요구〔반소〕에 의해 요구하다. ㊎ **còunter·cláim·ant** *n.* 반소자; 반대 요구자.

còunter·clóckwise *a., ad.* 시계바늘과 반대 방향의〔으로〕, 왼쪽으로 도는〔돌게〕. OPP. *clockwise.* ¶ a ~ rotation 왼쪽으로 돌기.

còunter·commércial =COUNTER ADVERTISING.

còunter·condítioning *n.* 〖심리〗 반대 조건 부여《불쾌한 반응을 없애는 치료 기법》.

cóunter·còup *n.* 반격; 역(逆)쿠데타.

cóunter·cùlture *n.* Ⓤ 대항(對抗) 문화《기성 가치관·관습 등에 반항하는, 특히 젊은이의 문화》. ㊎ **-tural** *a.* **-turist, -turalist** *n.*

cóunter·cùrrent *n.* 역류, 반류(反流), 향류(向流); 〖전기〗 역전류. **—** [´-´-] *a.* 향류(형)의. ㊎ ~**·ly** *ad.*

còunter·cýclical *a.* 경기 순환의 경향에 반하는, 경기 조정의: ~ actions 경기 대책.

còunter·declarátion *n.* 반대 선언; 대항 성명.

cóunter·dèed *n.* 〖법률〗 반대 증서《공표되어 있는 증서를 무효화시키는 비밀 증서》.

còunter·démonstrate *vi.* 반대적인 시위 운동을 하다. ㊎ **-stràtor** [-ər] *n.*

cóunter·demonstrátion *n.* 대항적 시위 운동.

cóunter·drìve *n.* 반격, 역습.

cóunter drùg 의사 처방 없이 판매되는 약.

cóunter·drùg *n.* 〖약학〗 대항약《의존성 물질에서 벗어나게 하는 약제》.

cóunter electromótive fórce 〖전기〗 역(逆)기전력(back electromotive force).

cóunter-élite *n.* 신(흥)엘리트층.

cóunter·escalátion *n.* 대항적 확대《escalation에 대한 보복으로 이쪽도 escalate 함》.

còunter·éspionage *n.* Ⓤ (적의 스파이 조직에 대한) 반(反)〔대항적〕스파이 활동, 방첩.

cóunter·èvidence *n.* 반증.

cóunter·exàmple *n.* (공리·명제에 대한) 반례, 반증.

còunter·fáctual *a.* 〖논리〗 반사실적인. **—** *n.* 반사실적 조건문.

***coun·ter·feit** [káuntərfìt] *a.* 모조의; 가짜의; 허울만의, 겉치레의; 허위(虛僞)의: a ~ note 위조지폐 / a ~ signature 가짜 서명 / ~ illness 꾀병. **—** *n.* 가짜; 모〔위〕조품, 위작(僞作); 《고어》 모사(模寫); 《고어》 초상(화); 《고어》 사기꾼, 야바위꾼. **—** *vi.* 위조품을〔가짜를〕 만들다; 《비유》 모뜨다; …와 흡사하게 하다. **—** *vt.* (화폐·문서 따위를) 위조하다; (감정을) 속이다, 가장하다. ㊎ ~**·er** *n.* 위조자, 모조자, 《특히》 화폐 위조자(《영》 coiner).

cóunter·flòw *n.* 역류(逆流).

cóunter·fòil *n.* 부본(副本)(stub) 《수표·영수증 따위를 떼어 주고 남겨 두는 쪽지》.

cóunter·fòrce *n.* **1** 반대〔저항〕 세력. **2** 〖군사〗 (선제) 무력 분쇄 공격; 〖미군사〗 선제 핵공격 병기.

cóunter·fòrt *n.* 〖건축〗 부벽(扶壁), 버팀벽; (산의) 지맥(支脈), 돌출부.

cóunter·gìrl *n.* 여점원; 여자 급사.

cóunter·glòw *n.* 〖천문〗 대일조(對日照).

còunter·gue(r)rílla *n.* 대항 게릴라.

còunter·indémnity *n.* 손해 보증서.

cóunter-inflátionary *a.* 인플레 억제의: ~ measure 〔step〕 인플레 억제책.

còunter·institútion *n.* 대립〔대항〕 제도《대학 당국의 교육 방침에 반대하는 대학 내의 비공식적 그룹》.

còunter·insúrgency *n., a.* 대(對)게릴라 계획〔활동〕(의), 대(對)반란 활동〔계획〕(의).

còunter·insúrgent *n.* 대(對)게릴라 전투원.

— *a.* 대(對)게릴라(활동)의.

còunter·intélligence *n.* Ⓤ 대적(對敵) 정보 활동, 방첩 활동〔기관〕.

còunter·intúitive *a.* 직관에 반(反)한.

cóunter·ìon *n.* 〖물리〗 반대 이온.

còunter·írritant *n.* 유도(誘導)〔반대〕 자극(약)《겨자 따위》. — *a.* 유도〔반대〕 자극하는.

còunter·írritate *vt.* 유도〔반대〕 자극약으로 치료하다. ㊕ **còunter·irritátion** *n.* Ⓤ 유도〔반대〕 자극(법).

cóunter·jùmper *n.* 《구어·경멸》 점원.

coun·ter·light [káuntərlàit] *n.* Ⓤ,Ⓒ 역광선.

cóunter·màn [-mæ̀n] (*pl.* **-mèn** [-mèn]) *n.* (cafeteria 등에서) 카운터 안쪽에서 손님 시중을 드는 사람; 점원.

coun·ter·mand [kàuntərmǽnd, -mɑ́ːnd/kàuntəmɑ́ːnd] *vt.* (명령·주문을) 취소〔철회〕하다; 반대 명령에 의해 …에 대한 명령을〔요구를〕 취소하다; (군대 등)에 철퇴를 명하다, 되불러들이다. — [ˊ-ˋ] *n.* Ⓤ,Ⓒ 반대〔철회, 취소〕 명령; (주문〔명령〕의) 취소.

còunter·manifésto (*pl.* **~es**) *n.* (어떤 성명에 대한) 반대 성명(聲明).

cóunter·màrch *n.* 〖군사〗 배진(背進), 반대 행진; 후퇴; (행동·방침의) 180 도 전환; (정치 데모 등의) 대항 행진. — [ˋ-ˊ] *vi.*, *vt.* 후퇴〔배진, 역행〕하다〔시키다〕.

cóunter·màrk *n.* 부표(副標), 부가 꼬리표《여러 상인의 공유 화물에 붙임》; (금은 세공에 찍는 런던 금 세공인 조합의) 인증 각인(刻印); 〖수의〗 인조 치와(齒窩). — *vt.* …에 ~를 달다〔찍다〕.

cóunter·mèasure *n.* 대책, 대응책, 대항〔보복〕 수단.

coun·ter·mine [káuntərmàin] *n.* 항적 갱도(抗敵坑道)《적의 갱도를 파괴하기 위한》; 역(逆)기뢰; (남의) 의표를 찌르기, 대항책. — [ˋ-ˊ] *vt.*, *vi.* 대적 갱도를 마련하다; 적의 갱도〔기뢰〕를 파괴하다; 의표를 찌르다.

coun·ter·move [káuntərmùːv] *n.* 반대 운동, 대항 수단〔동작〕. — [ˋ-ˊ] *vi.*, *vt.* (…에 대해) 대항 수단을 취하다.

cóunter·mòvement *n.* 대항 운동.

còunter·offénsive *n.* 역공세, 반격.

còunter·óffer *n.* 대안(代案·對案); 〖상업〗 반대〔수정〕 신청, 카운터오퍼.

cóunter òption 〖미식축구〗 카운터옵션 (=**cóunter òption pláy**)《counter play의 타이밍으로 시작되는 option play》.

coun·ter·pane [káuntərpèin] *n.* 침대의 겉덮개, 침대보, (장식적인) 이불.

◇**cóunter·pàrt** *n.* **1** 정부(正副) 두 통 중의 한 통, 《특히》 부본, 사본; 계인(契印). **2** 짝의 한쪽. **3** 상대물〔인〕, 대응물〔자〕, 동(同)자격자: The Korean foreign minister met his German ~. 한국 외무 장관이 독일 외무 장관과 회담했다. **4** 닮은 물건〔사람〕. **5** 〖음악〗 대응부(部). — *a.* 〖경제〗 (자금 등이) 대충(對充)의: a ~ fund 대충 자금.

coun·ter·pho·bic [kàuntərfóubik] *a.* 역공포의, 공포스러운 상황〔장면〕을 스스로 찾는.

cóunter·plàn *n.* 대책, 대(체)안(代(替)案).

cóunter plày 〖미식축구〗 카운터 플레이《예정된 주로와 딴 방향으로 백(back)이 움직여 한숨 돌린 뒤에 당초의 주로를 돌파하는 공격 플레이》.

cóunter·plèa *n.* 〖법률〗 (부수적) 반대 항변〔답변〕, 재답변.

cóunter·plòt *n.* 적의 의표를 찌르는 계략, 대항책《*to*》; 〖문학〗 부주제(副主題). — (**-tt-**) *vt.*, *vi.* (적의 책략의) 의표를 찌르다; 반대 계략〔대책〕을 강구하다.

cóunter·pòint *n.* Ⓤ **1** 〖음악〗 대위법; 다성(多聲) 음악(polyphony); Ⓒ 대위 선율. **2** 대조적인 요소; (문학 등의) 대위적 수법; 〖운율〗 싱커페이션. — *vt.* 대위법을 써서 작곡〔편곡〕하다; (대비·병치에 의해) 두드러지게 하다, 강조하다.

cóunter·pòise *vt.* …와 걸맞다; 걸맞게 하다, 평형(平衡)시키다; 메우다, 보충〔보상〕하다. — *n.* Ⓤ 균형, 평균; Ⓒ 평형추(錘)(counterbalance); Ⓒ 균세물(均勢物), 평형력(counterbalance); 〖전기〗 카운터포이즈, 매설지선(埋設地線): be in ~ 평형을 유지하다, 균형이 잡혀 있다.

cóunter·pòison *n.* 해독성 독소; 해독제(antidote).

còunter·póse *vt.* 대치(對置)하다.

cóunter·prèssure *n.* Ⓤ 반대 압력.

còunter·prodúctive *a.* 의도와는 반대된, 역효과의〔를 낳게 하는〕.

còunter·prógram *vi.*, *vt.* 〖TV〗 (타국(他局) 프로에 대항하기 위한) 프로를 제작 방송하다.

còunter·propagánda *n.* 역(逆)선전; 반대운동.

cóunter·propósal *n.* 반대 제안.

còunter·proposítion *n.* 반대 동의(動議).

còunter·pulsátion *n.* 〖의학〗 대위(代位) 박동(법), 반대 박동(법).

cóunter·pùnch *n.* 〖권투〗 반격(counterblow), 역습. ㊕ **~·er** *n.*

Cóunter Reformátion (the ~) 반종교 개혁《종교 개혁에 의해 유발된 16-17 세기의 가톨릭 내부의 자기 개혁 운동》.

còunter·reformátion *n.* Ⓤ,Ⓒ 반(대)개혁.

coun·ter·re·ply [káuntərriplài] *n.* 대답에 대한 대답; 응답, 답변. — [ˋ--ˊ] *vi.* 말대답하다. — *vt.* (대답에 대해) 되대꾸하다.

còunter·revolútion *n.* Ⓤ,Ⓒ 반혁명. ㊕ **~·ary** *a.* 반혁명의. **~·ist** *n.* 반혁명주의자.

cóunter-rocking túrn, còunter rócker 〖스케이트〗 역회전, 카운터(counter).

còunter·rotáte *vi.* 역회전하다. ㊕ **còunter-rotátion** *n.*

cóunter·scàrp *n.* 〖축성(築城)〗 (해자의) 외벽(外壁), 외안(外岸).

cóunter·shàding *n.* 〖동물〗 명암소거형(明暗消去型) 은폐《체표(體表)에서 햇빛에 노출되는 부분은 어둡고, 그늘이 되는 부분은 밝은 색이 되는 현상; 가자미·광어 등이 몸을 숨기는 데 도움이 됨》.

cóunter·shàft *n.* 〖기계〗 중간축(軸).

cóunter·shòck *n.* 〖의학〗 역(逆)충격《심장에 전기 충격을 주어 부정맥을 정지시키는》.

cóunter·sìgn *n.* **1** 〖군사〗 암호(password)《보초의 수하에 대답하는》; 응답 신호. **2** 부서(副署). — [ˋ-ˊ] *vt.* …에 부서하다; 확인〔승인〕하다.

còunter·sígnature *n.* 부서(副署), 연서(連署); 확인 도장.

cóunter·sìnk (**-sànk; -sùnk**) *vt.* (구멍의) 아가리를 넓히다; …에 나사못대가리 구멍을 파다; (나사못 등의 대가리를) 구멍에 박아 넣다. — *n.* (못대가리 구멍을 파는) 송곳; 입구를 넓힌 구멍.

cóunter·spỳ *n.* 역(逆)스파이.

cóunter·stàin *n.* 〖생물〗 (현미경 표본의) 대비(對比) 염색제, 대조 염색제. — *vt.*, *vi.* [ˋ-ˊ] 대비 염색하다〔되다〕.

cóunter·stàtement *n.* 반대 진술, 반박.

cóunter·stèp *n.* 대책.

cóunter·stròke *n.* 되받아 치기, 반격.

cóunter·sùbject *n.* 〖음악〗 (푸가에 있어서의) 대(對)주제, (제 1 주제에 대한) 대비 주제.

còunter·súe *vt.*, *vi.* (민사 소송의 피고가 원고에 대하여) 반소(反訴)를 제기하다; 맞고소하다.

còunter·suggéstible *a.* =CONTRASUGGESTIBLE.

cóunter·téndency *n.* 역(逆)경향.
cóunter·tènor *n.* 〖음악〗 카운터테너(alto) 《남성의 최고음부; 그 가수; 생략: c.》.
còunter·térrorism *n.* Ⓤ 대항〔보복〕 테러(행위). ㊕ **-ist** *n., a.*
cóunter·thrùst *n.* 되받아 찌르기; 반발, 역습.
cóunter·tìde *n.* 반조(反潮), 역조(逆潮).
cóunter·tòp *n.* 조리대(의 상부 평면).
cóunter·tràde *n.* 대응 무역《수입 측이 그 수입에 따르는 조건을 붙이는 거래》.
còunter·tránsference *n.* 〖심리〗 역전이(逆轉移), 반대 전이《분석자가 피분석자에 대해 감정 전이를 하는 것》.
cóunter·trènd *n.* 반대의 경향, 역경향.
cóunter·tùrn *n.* 역방향 전환, 역회전; (이야기 줄거리 등의) 역전.
cóunter·tỳpe *n.* 상당〔대응〕하는 형; 반대형.
coun·ter·vail [kàuntərvéil] *vt.* 상쇄하다, 무효로 하다; 메우다, 보상하다; …에 대항하다《*against*》; 《고어》 …에 필적하다. **—** *vi.* 대항할 힘이 있다《*against*》.
counterváiling dùty (수출 장려금에 대한) 상계(相計) 관세.
cóunter·vàlue *n.* (특히 전략상의) 동치(同値), 등가(等價).
cóunter·vìew *n.* 반대 의견; 대항, 대면.
còunter·víolence *n.* Ⓤ 대항〔보복〕적 폭력.
còunter·wéigh *vt.* =COUNTERBALANCE. **—** *vi.* 평형력으로서 작용하다《*with; against*》.
cóunter·wèight *n., vt.* =COUNTERBALANCE.
cóunter·wòrd *n.* 전용어(轉用語)《본뜻 외에 막 연한 뜻으로 쓰이는 통속어; *awful*=very, *swell* =first-rate, *affair*=thing 따위》.
coun·ter·work [káuntərwə̀ːrk] *n.* Ⓤ 반대 작용, 반대 행동, 대항; (*pl.*) 〖군사〗 대루(對壘). **—** [ˌ-ˈ-] *vt.* …에 대항하다, 방해하다. **—** *vi.* 반대로 작용하다. ㊕ **~·er** *n.*
°**count·ess** [káuntis] *n.* (종종 C-) 백작 부인《count² 및 영국의 earl 의 부인》; 여(女)백작.
cóunt·ing *n.* Ⓤ 계산; 집계; 개표: a ~ overseer 〔witness〕 (투표의) 개표 관리자〔참관인〕.
cóunting fràme 〔**ràil**〕 (소아용) 주판식 계산기구.
cóunting hòuse (회사 등의) 회계실〔과〕; 회계 사무소; (옛 귀족·상인 집의) 집무실.
cóunting machìne 계산기.
cóunting nùmber 〖수학〗 제로 이외의 정(正)의 정수(整數), 자연수(natural number).
cóunting ròom =COUNTING HOUSE.
cóunting tùbe (방사선의) 계수관.
***count·less** [káuntlis] *a.* 셀 수 없는, 셀 수 없을 정도로 많은, 무수한(innumerable).
cóunt nòun 〖문법〗 가산 명사(countable).
cóunt-òut *n.* **1** 〖영하원〗 하원의 정족수(40 명) 미달에 의한 유회 (선언). **2** 〖권투〗 카운트아웃《10 초가 지나 녹아웃이 됨》. **3** 《미》 자기의 득표가 고의로 제외되어 낙선된 후보자; 제외표(除外票).
cóunt pálatine 〖역사〗 팔라틴백(伯)《(1) 후기 로마제국의 최고 사령관. (2) 독일 황제 밑에서 자기 영토 내에서 왕권의 일부 행사를 허가받은 영주. (3) 잉글랜드 · 아일랜드의 주(州)영주》.
coun·tri·fied, -try·fied [kʌ́ntrəfàid] *a.* 촌티가 나는, 촌스러운; 전원풍〔시골풍〕의.
†**coun·try** [kʌ́ntri] (*pl.* **-tries**) *n.* **1** 나라, 국가; 국토: an industrialized ~ 공업국 / a developing ~ 개발도상국 / So many *countries*, so many customs. 《속담》 나라마다 풍속이 다르다. **2** (the ~) 시골, 교외, 지방, 전원: go into the ~ 시골에 가다 / live in the ~ 시골에 살다. **3** 조국, 고국; (one's ~) 고향: love of one's ~ 조국애, 애국심 / My 〔Our〕 ~, right or wrong! 옳든 그르든 조국은 조국. **4** Ⓤ 지역, 고장: mountainous ~ 산악지 / wooded ~ 삼림 지역. **5** Ⓤ (어떤) 영역, 분야, 방면. **6** 〖법률〗 배심(jury). **7** Ⓤ 〖해사〗 해역; 〖해군〗 사관 전용 구역. **8** =COUNTRY ROCK 1. **9** 《영구어》 〖크리켓〗 외야(outfield); (경마장) 결승점에서 가장 멀리 떨어진 장소. **10** (the ~) 〔집합적〕 국민, 선거민, 민중: The ~ was against war. 국민은 전쟁에 반대였다. **11** Ⓤ 《구어》 =COUNTRY MUSIC.
across **~** 들을 가로질러, 단교(斷郊)의《경주 따위》. ***appeal*** 〔***go***〕 ***to the*** **~** 《영》 (의회를 해산하여) 국민의 총의를 묻다. ***down*** **~** 지방〔해안〕으로. ***God's*** (***own***) **~** 《미》 미국(의 일부); 지상의 낙원. ***in the*** **~** 시골에; 〖크리켓〗 (삼주문에서 떨어진) 외야에서. ***leave the*** **~** 고국을 떠나다. ***put*** 〔***throw***〕 one***self on*** 〔***upon***〕 ***the*** 〔one's〕 **~** 배심 재판을 요구하다.
— *a.* 시골(풍)의; 전원 생활의; 농촌에서 만든, 손으로 만든; 조야한, 무무한; 컨트리 뮤직의: a ~ town 지방 도시 / ~ life 전원생활 / a ~ holiday 교외에서 보내는 휴일, 피크닉.
cóuntry-and-wéstern [-ən-] *n.* 미국 서부 · 남부 지방에서 발달한 대중음악.
cóuntry blúes 〔때때로 단수취급〕 컨트리블루스《기타 반주를 수반한 포크블루스》.
cóuntry-bréd *a.* 시골에서 자란.
cóuntry bùmpkin 시골뜨기, 촌놈.
cóuntry clùb 컨트리클럽《테니스 · 골프 따위의 설비를 갖춘 교외 클럽》; 《미속어》 신참에게 따뜻이 하는 교도소.
cóuntry cóusin 《경멸》 시골 친척, 도회지에 갓 올라온 시골 사람.
cóuntry dámage 〖상업〗 (수출품 따위의) 원산지 파손.
cóuntry-dànce *n.* (영국의) 컨트리댄스《남녀가 두 줄로 마주 서서 춤》.
cóuntry drùnk *a.* 《속어》 (술에) 곤드레만드레로 취한, 억병으로 취한.
countryfied ⇨ COUNTRIFIED.
cóuntry·fòlk *n. pl.* 시골 사람들(rustics); 동포(fellow countrymen).
cóuntry géntleman 시골에 토지를 소유하고 넓은 주택에 거주하는 신사〔귀족〕 계급의 사람, 지방의 명사〔대지주〕(squire).
cóuntry hòuse 《영》 시골에 있는 대지주의 저택(ⓒⓕ town house); 《미》 별장.
cóuntry lìfe 전원생활.
cóuntry lóve 궁정풍의 연애, 귀부인 숭배《귀부인에 대한 절대적 헌신을 이상으로 한 중세 유럽의 기사도적 연애》.
°**cóuntry·man** [-mən] (*pl.* **-men** [-mən]) *n.* **1** (one's ~) 동국인, 동포, 동향인; 한 지방의 주민〔출신자〕. **2** (종종 [-mæ̀n]) 촌뜨기.
cóuntry míle 《미구어》 굉장히 긴 거리, 광대(廣大)한 범위.
cóuntry músic =COUNTRY-AND-WESTERN.
cóuntry pàrk 전원(田園) 공원, 지방 공원.
cóuntry·pèople *n. pl.* 시골 사람들.
cóuntry rísk 〖금융〗 컨트리 리스크, 국가별 위험도《융자 대상국의 신용도》.
cóuntry róck **1** 〖광물〗 모암(母岩). **2** 〖음악〗 로큰롤조(調)의 웨스턴 뮤직(rockabilly).
cóuntry·sèat *n.* 시골의 대저택(country house).
***coun·try·side** [kʌ́ntrisàid] *n.* 시골; (시골의) 한 지방; 〔집합적〕 지방민.
cóuntry sìnger 컨트리 싱어《country music 가수》.
cóuntry stóre 시골 잡화상, 관광 기념품 가게.
cóuntry·wíde *a.* 전국적인. ⓒⓕ nationwide.
cóuntry·wòman (*pl.* **-wòmen**) *n.* (one's ~) 같은 나라〔고향〕 여자; 한지방 출신의 여성;

시골 여자.

*coun·ty [káunti] *n.* **1** 《미》 군(郡)《State 밑의 행정 구획; Louisiana와 Alaska주 제외》. **2** 《영》 주(州)《최대의 행정·사법·정치 구획; the *County* of York =Yorkshire》. **3** (the ~) 〔집합적〕 《미》 군민, 《영》 주민(州民); 《영》 지방 토호〔재산가〕들(~ family). **4** 〖영국사〗 sheriff가 주재하는 주의 정기 사무회의. **—** *a.* **1** 주〔군〕의; 주가〔군이〕 관리하는. **2** 주(州)의 부호에 속하는〔어울리는〕, 상류의, 상류티를 내는. 「사 고문.

cóunty ágent 《미》 (연방·주정부 파견의) 농

cóunty bórough 《영》 특별시《인구 5만 이상의 행정상 county와 동격인 도시; 1974년 폐지》; 《Ir.》 자치 도시.

cóunty cóllege 《영》 (15-18세의 남녀를 위한) 정시제(定時制)의 보습(補習) 학교.

cóunty commíssioner 《미》 군정(郡政) 위원.

cóunty cóuncil 《영》 주(의)회(州(議)會); 《미》 군(의)회(郡(議)會).

cóunty-còurt *vt.* 《영구어》 (채권자가) 주(州) 법원에 고소하다.

cóunty crícket 《영》 주 대항 크리켓 경기.

cóunty fáir 《미》 (연 1회의) 군의 농산물·가축의 품평회〔공진회〕.

cóunty fámily 《영》 주〔지방〕의 명문.

cóunty fárm 《미》 군영(郡營) 구빈(救貧) 농장(poor farm). 「빈원(救貧院).

cóunty hóme 〔**hóuse**〕 《미》 군영(郡營) 구

cóunty(-)móun·ty [-máunti] *n.* 《CB속어》 군(郡) 보안관 대리; 하이웨이 순찰 경관.

cóunty pálatine 《영》 왕권주(王權州)《원래 COUNT PALATINE의 영지(領地), 지금도 잉글랜드의 Cheshire와 Lancashire는 이렇게 호칭됨》.

cóunty schòol 《영》 공립학교.

cóunty séat 〔**síte**〕 《미》 군청 소재지, 군(郡)의 행정 중심지.

cóunty séssions 《영》 주(州) 사계(四季) 법원《각 주에서 매해 네 번 개정되는 형사 법원》.

cóunty shériff 《미》 =SHERIFF.

cóunty tówn 《영》 주(州)의 행정 중심지, 주청(州廳) 소재지.

coup [kuː; *F.* ku] (*pl.* **~s** [kuːz]) *n.* 《F.》 타격; 멋진〔불의의〕 일격; (사업 등의) 대히트, 대성공; 명안; 쿠데타. ***make*** 〔***pull off***〕 ***a ~*** 멋지게 해내다, 히트를 치다.

coup de fou·dre [*F.* kudəfudʀ] (*pl.* ***coups de foudre*** [—]) 《F.》 낙뢰; 돌발적인 일〔사고〕, 청천벽력; 한눈에 반함.

coup de grâce [*F.* kudəgʀɑːs] (*pl.* ***coups de grâce*** [—]) 《F.》 최후의 일격; 숨통을 끊기 (mercy stroke).

coup de main [*F.* kudəmɛ̃] (*pl.* ***coups de main*** [—]) 《F.》 〖군사〗 기습.

coup de maî·tre [*F.* kudəmɛtʀ] (*pl.* ***coups de maître*** [—]) 《F.》 멋진 솜씨(master-stroke).

coup d'é·tat [kùːdeitáː; *F.* kudeta] (*pl.* ***coups d'état*** [—], **~s** [-z]) 《F.》 쿠데타, 무력 정변.

coup de thé·â·tre [*F.* kudəteɑːtʀ] (*pl.* ***coups de théâtre*** [—]) 《F.》 극(劇) 전개의 의표를 찌르는 급전환; 즉석 효과를 노린 연극상의 꾸밈〔동작〕; 극의 히트.

coup d'oeil [*F.* kudoej] (*pl.* ***coups d'oeil*** [—]) 《F.》 (전반적 사태의) 일별, 개관; (사태 판단의) 혜안(慧眼).

‡**cou·ple** [kʌ́pəl] *n.* **1** 한 쌍, 둘; (같은 종류의) 두 개〔사람〕: a ~ *of* girls 두 아가씨. SYN. ⇨ PAIR. **2** 부부, 약혼한 남녀; (남녀의) 한 쌍: a loving ~ 사랑하는 남녀 / a newly wedded ~ 신혼 부부. **3** 〔단·복수동형〕 두 마리씩 맨 사냥개 한 쌍: a pack of twenty ~ 사냥개 20쌍의 한 떼. **4** 두 가지 것을 잇는 것, (보통 *pl.*) 사냥개를 매는 가죽끈. **5** 〖물리〗 짝힘, 우력(偶力); 〖전기〗 커플; 〖건축〗 두 재목 사이에 이음쪽을 대고 죈 보; 〖천문〗 쌍성(雙星), 이중성(星). ***a ~ of*** ① 두 개〔사람〕의(two); 2인 1조의. ② 《구어》 몇몇의, 두셋의(a few)《of를 생략하기도 함》: *a ~ of* miles 〔days〕, 2-3마일〔일〕 / *a ~ (of)* years 두 해, 2-3년. ***go*** 〔***hunt, run***〕 ***in ~s*** 늘 둘이 함께 다니다; 협력하다. ★ 원래는 한 쌍의 사람·물건의 뜻이지만 일상어로서는 two의 뜻인 수사로서 쓰임: I bought *a couple of* pencils. **—** *vt.* **1** (두 개씩) 잇다, 연결하다 (link); 연결기로 (차량을) 연결하다《*up; on; onto*》; 〖전기〗 커플러로 잇다. **2** 결혼시키다; 짝지우다; (짐승을) 흘레붙이다. **3** 《+목+전+명 / +목+부》 연상하다, 결부시켜 생각하다 《*together*》: ~ A *with* B =~ A and B (*together*), A와 B를 결부시켜 생각하다. **—** *vi.* **1** 연결되다, 협력하다. **2** 짝이 되다, 교미하다, 성교하다. **3** 결혼하다(marry). **4** 〖화학〗 결합하다.

cou·ple·dom [kʌ́pəldəm] *n.* 부부 생활.

cóu·pler *n.* **1** 〖철도〗 연결수; 연결기〔장치〕. **2** 커플러《오르간 등의 연동 장치》; 〖전기〗 (회로의) 결합기, 커플러.

cou·plet [kʌ́plit] *n.* (시(詩)의) 대구(對句), 2행 연구(連句)(cf. heroic ~); 한 쌍; 〖음악〗 쿠플레《주제 사이에 끼인 에피소드》.

cóu·pling *n.* Ⓤ 연결, 결합; 흘레; Ⓒ 〖기계〗 커플링, 연결기〔장치〕; 〖전기〗 (회로의) 결합; 〖화학〗 커플링, 결합, 짝지음; 〖생물〗 공역(共役)(반응) (OPP. *repulsion*).

cóupling cònstant 〖물리〗 결합 상수(常數)《입자와 장(場)의 상호 작용의 강함을 나타내는》.

cóupling súgar 커플링 슈거《설탕·녹말·효소를 섞어 만든 당의 일종》.

cou·pon [kjúːpɑn/-pɔn] *n.* **1** 회수권의 한 장; (철도의) 쿠폰식 (연락) 승차권; (광고·상품 등에 첨부된) 우대권, 경품권; 식권(a food ~); 배급권; 〖상업〗 (무기명 이자부 채권의) 이표(利票): a clothing ~ 의류 구입권 / a discharge ~ 할인권 / a ~ system 경품부 판매법 / a ~ ticket 쿠폰식 유람〔승차〕권. **2** (판매 광고에 첨부된) 떼어 쓰는 신청권〔용지〕; 《영》 (내기 등의) 참가 신청 용지. **3** (당수가 주는) 입후보 공천장. ***cum ~*** =***~ on*** 이표(利票)가 붙어 있는. ***ex ~*** =***~ off*** 이표가 떨어진.

cóupon bònd 이자부 채권.

cóupon clìpper 《미》 (다량의) 이자부 채권 소유자, 이자 생활자.

cóu·pon·ing *n.* **1** (판촉을 위한) 쿠폰〔할인권〕 배포. **2** (절약을 위한) 쿠폰 수집.

cóupon ràte 채권의 표면 이자율.

‡**cour·age** [kə́ːridʒ, kʌ́r-] *n.* Ⓤ 용기, 담력, 배짱. ★ courage는 정신력을, bravery는 대담한 행위를 강조함. ¶ have the ~ *to* do …할 용기가 있다 / lose ~ 낙담하다. ◇ courageous *a.* ***have the ~ of one's convictions*** 〔***opinions***〕 용기 있게 자기 소신〔의견〕을 단행〔주장〕하다. ***take*** 〔***muster up, pluck up, screw up***〕 ***~*** 용기를 내다. ***take one's ~ in both hands*** 대담하게 해보다.

◇**cou·ra·geous** [kəréidʒəs] *a.* 용기 있는, 용감한, 담력 있는, 씩씩한. OPP. *cowardly.* ㊥ **~·ly** *ad.* **~·ness** *n.*

cour·gette [kuərdʒét] *n.* 《영》 =ZUCCHINI.

cou·ri·er [kə́ːriər, kúr-/kúr-] *n.* **1** 급사(急使), 특사; 밀사, 스파이; 밀수꾼. **2** 여행 안내인, (단체 여행의) 안내원, 가이드. **3** (옛날의) 여행

종자, 시중꾼. **4** (C-) …신문.

†**course** [kɔːrs] *n.* Ⓒ **1** 진로, 행로; 물길, (물의) 흐름; (경주·경기의) 주로(走路); (배·비행기의) 코스, 침로, 항(공)로; 《특히》 경마장(race ~), 골프코스(golf ~): a ship's ~ (배의) 침로 / the ~ of a river 강의 줄기. **2** Ⓤ 진행, 진전, 추이; (시간의) 경과; (사건의) 되어감; (일의) 순서; (인생의) 경력(career): the ~ of life 인생행로 / in mid ~ 도중에 / the ~ of events 〔things〕 사건의 진전, 사태, 추세 / the ~ of exchange 외환 시세표. **3** (행동의) 방침, 방향, 방식, 수단; (*pl.*) 행동, 행실: hold 〔change〕 one's ~ 자기의 방식을 계속하다〔바꾸다〕 / mend one's ~*s* 행실을 고치다. **4** (연속) 강의, (학교의) 교육 과정; 〖미대학〗 과목, 단위, 강좌: a ~ of lectures 연속 강의 / a ~ of study 교과〔연구〕 과정 / a summer ~ 하계 강좌. **5** 〖요리〗 (차례로 한 접시씩 나오는) (일품)요리: a dinner of six ~*s*, 6품 요리. ★ 보통은 soup, fish, meat, sweets, cheese, dessert의 6품. **6** (기사(騎士)의) 돌격; 〖사냥〗 사냥개의 추적. **7** 〖건축〗 (벽돌 따위의) 옆으로 줄지은 층; (편물의) 가로코; 〖해사〗 큰 가로돛: the main 〔fore, mizzen〕 ~ 큰 돛대〔앞 돛대, 뒷 돛대〕의 가로돛. **8** 〖의학〗 쿠르《복용할 일련의 약; 치료 단위》; (*pl.*) 월경. (***as***) ***a matter of*** ~ 당연한 일(로서). ***by*** ~ ***of*** (법률)의 절차를 밟아서, …의 관례에 따라서. ***in*** ~ =《고어》 in due ~; 《속어》 of ~. ***in*** 〔***under***〕 ~ ***of*** (construction) (건축) 중: *in* ~ *of* writing 집필 중. ***in due*** ~ 당연한 추세로, 순조롭게 나가면; 미구에. ***in full*** ~ 전속력으로, 방해받지 않고. ***in short*** ~ 이윽고, 곧; 간결하게. ***in the*** ~ ***of*** …의 경과 중에, …동안에 (during): *in the* ~ *of* this year 연내에. ***in*** (***the***) ~ ***of time*** 때가 경과함에 따라, 마침내, 불원간에. ***lay a*** 〔one***'s***〕 ~ 〖해사〗 (지그재그로 나가지 않고) 목표로 직진하다; 방침을 정하다. ***of*** ~ ① 당연한, 예사로운. ② 당연한 귀추로서. ③ 〖문장 전체에 걸려〗 물론, 당연히; (아) 그래, 그렇군요, 확실히: *Of* ~ not. 물론 그렇지 않다. ***on*** 〔***off***〕 ~ 예정 방향으로 나아가〔에서 벗어나〕. ***shape*** 〔***set***〕 one***'s*** ~ 진로를 정하다; 방침을 세우다. ***stay*** 〔***stick***〕 ***the*** ~ 끝까지 버티다, 쉽사리 체념〔단념〕하지 않다. ***take*** one***'s own*** ~ 자기 생각대로 행하다.

— *ad.* 《구어》 =of ~(='course).

— *vt.* **1** (토끼 등을) 뒤쫓다, 추적하다, (사냥개에게) 쫓게 하다; (말 따위를) 달리게 하다; (사냥개로) 사냥하다. **2** 《시어》 (말 등이 들판을) 가로질러 달리다; (구름 등이) 어지럽게 날다. **3** (벽돌·돌을) 옆으로 쌓다. — *vi.* (말·개·아이가) 뛰어다니다; 달리다; (눈물이 계속) 흐르다 《*down*》, (냇물이) 세차게 흐르다; (피가) 돌다; (생각 따위가 머릿속을) 흐르다 《*through*》; (사냥개로) 사냥하다; 일정 코스를 잡아 나아가다.

cóurse·bòok *n.* (특정 교과 과정에서 사용하는) 텍스트북, 교과서.

cóurse-dìnner *n.* Ⓤ 정식 만찬.

cóurse protràctor 침로(針路) 각도기.

cours·er [kɔ́ːsər] *n.* 사냥개, 《특히》 그레이하운드; (사냥개를 쓰는) 사냥꾼; 《문어》 준마, 군마; 〖조류〗 제비물떼새류(類)의 새.

cóurse·wàre [-wɛ̀ər] *n.* 〖교육〗 코스웨어《대학 교재로 쓰는 오디오 카세트·레코드판》.

cóurse·wòrk *n.* 특정 학습 과정에 필요한 수업 내용; 학습 과정 연구.

cours·ing [kɔ́ːrsiŋ] *n.* Ⓤ (사냥개를 쓰는) 사냥; (greyhounds로 하는) 토끼 사냥.

‡**court** [kɔːrt] *n.* **1** 안뜰, 뜰(yard, courtyard) 《담·건물로 둘러 있는》. SYN. ⇨ GARDEN. **2** (뜰에 세워진) 건물, 큰 저택; 《미》 모텔(motor ~). **3** 궁전, 왕실; 〖집합적〗 조정의 신하: a ~ etiquette 궁중 예법. **4** 알현(식); 어전 회의: be presented at ~ (외교 사절·사교계 자녀 등이) 알현하다. **5** Ⓤ (군주에 대한) 충성; 추종, 아첨; (여성에 대한) 구애. **6** (테니스·농구 등의) 코트. **7** (박람회 등의) 전시품용 할당 구획. **8** (비교적 넓은) 골목길, 막다른 골목. **9** 법정(法廷); Ⓤ 공판; 〖집합적〗 법관: a ~ of justice 〔judicature, law〕 법원, 법정 / a civil 〔criminal〕 ~ 민사〔형사〕 법원 / Supreme *Court* of the U.S. 《미》 연방 최고 법원. **10** 《특히 주의》 의회, 입법부. **11** (회사 등의) 임원회; 〖집합적〗 임원, 중역. ~ ***of appeals*** 《미》 상소 법원《흔히는 주의 supreme court 다음 가는 중간 상소(上訴) 법원》. ~ ***of chancery*** =~ ***of equity*** 《미》 형평법 법원. ~ ***of domestic relations*** 《미》 가정 법원. ~ ***of first instance*** 제1심 법원. ~ ***of inquiry*** 군인 예심 법원; 《영》 사고〔재해〕 원인 조사 위원회. ~ ***of record*** 기록 법원《소송 기록을 작성 보관하는》. ***go to*** ~ 입궐하다; 재판으로 해결하다. ***hold*** (***a***) ~ 알현식을 거행하다; 개정(開廷)하다, 재판을 하다; 《구어》 왕〔여왕〕 행세를 하다; 《비유》 숭배자와〔팬과〕 이야기를 나누다. ***in*** ~ (원고가) 심리 대상이 되지 않는; (결정·화해가) 심리〔판결〕 전에; 법정에서〔으로〕: appear *in* ~ 법정에 나가다. ***in open*** ~ 공개적으로, 당당하게. ***out of*** ~ 법정 밖에서, 비공식으로; 각하된; 《비유》 하찮은, 문제가 되지 않는: laugh *out of* ~ 일소에 부치다, 문제시하지 않다. ***pay*** ~ ***to*** a person =***pay*** a person ~ 아무의 비위를 맞추다; (구혼하려고) 아무에게 지싯거리다. ***put*** 〔***rule***〕 ***... out of*** ~ …을 문제 삼지 않다; 무시하다. ***put*** one***self out of*** ~ 다른 사람이 거들떠보지도 않을 일을 하다〔말하다〕. ***settle*** (a case) ***out of*** ~ (소송을 일으키지 않고) 당사자끼리 (사건을) 해결하다. ***take*** (a matter) ***into*** ~ (사건)을 재판에 옮기다. ***The ball is in your*** ~***.*** ⇨ BALL[1]. ***the Court of Admiralty*** 《영》 해사(海事) 재판소《1873년 폐지》. ***the Court of Appeal*** 《영》 항소(抗訴) 법원. ***the Court of Claims*** 《미》 청구 법원. ***the Court of Common Pleas*** 〖영국사〗 민사 소송 법원《1873년 폐지》. ***the Court of Conscience*** 《영》 소액 채권 법원. ***the Court of St. James***(***'s***) [sntdʒéimz(iz)] 성(聖)제임스 궁정《영국 궁정의 공식 명칭》. ***the High Court of Parliament*** 영국 의회.

— *vt.* …의 환심을 사다; 지싯거리다, 구혼하다; 〖일반적〗 (칭찬 따위를) 구하다, 받고자 하다; (화를) 자초하다; (남을) 꾀다, 유혹하다; 《영구어》 고소하다. — *vi.* (사람·동물이) 구애하다. ㊞ **∠·er** *n.*

cóurt bàron (*pl.* ***cóurts bàron,*** **~*s***) 〖영국사〗 장원(莊園) 재판소《장원 내 민사 사건을 영주가 다스린 재판소; 1867년 폐지》.

cóurt bóuillon [kúər-] 《F.》 쿠르 부용《생선 요리용 국물》.

Cóurt Cìrcular 《영》 (신문의) 궁정 기사.

cóurt dànce 궁정 무용(곡).

cóurt dày 공판일, 개정일(開廷日).

cóurt drèss (입궐용) 대례복, 궁중복.

*__cour·te·ous__ [kə́ːrtiəs] *a.* **1** 예의 바른, 정중한. SYN. ⇨ POLITE. **2** 친절한: receive a ~ welcome 극진한 환영을 받다. ◇ courtesy *n.* ㊞ **~·ly** *ad.* **~·ness** *n.*

cour·te·san, -zan [kɔ́ːrtəzən, kə́ːr-/kɔ̀ːtizǽn] *n.* 고급 창부; (옛 왕후 귀족의) 정부(情婦).

*__cour·te·sy__ [kə́ːrtəsi] *n.* Ⓤ **1** 예의 바름, 공손〔정중〕함. **2** Ⓒ 정중〔친절〕한 말〔행위〕. **3** 호의(favor), 우대, 특별 취급: a ~ member 회원 대

우자. 4 Ⓒ 《고어》 =CURTSY. ***be granted the*** ~ 〔***courtesies***〕 ***of the port*** 《미》 세관 검사를 면제 받다. ***by*** (***the***) ~ ***of*** ① …의 호의〔제공〕에 의해 《라디오 · TV 프로 등》. ② 《미》 …의 허가〔승낙〕에 의한《삽화 · 기사 등의 전재 허가를 명기하는 문구》. ***through*** (***the***) ~ ***of*** =by (the) ~ of ①. ***to return the*** ~ 답례로서.
cóurtesy càll 〔**vìsit**〕 의례적 방문.
cóurtesy càr 《미》 (회사 · 호텔 등의) 송영차(送迎車).
cóurtesy càrd (호텔 · 은행 · 클럽 등의) 우대「〔소개〕 카드.
cóurtesy lìght (문을 열면 켜지는) 자동차의 차내 등.
cóurtesy tìtle 관례 · 의례적인 경칭《귀족 자녀의 성 앞에 붙이는 Lord, Lady 나 모든 대학교수를 professor 라 부르는 등》.
cóurt fòol 궁중 전속의 어릿광대. ⓒⓕ clown.
cóurt gàme 코트 경기《테니스 · 농구 · 배구 따위》.
cóurt guìde 《영》 신사록(紳士錄)《원래는 입궐이 허용된 사람의 명부》.
cóurt·hòuse *n.* 법원; 《미》 군청 (소재지); (영주(領主)의) 주거(住居).
◇**cour·ti·er** [kɔ́ːrtiər] *n.* 정신(廷臣), 조신(朝臣); 따리꾼; 《고어》 구애자.
cóurt·ing *a.* 연애 중인, 결혼할 것 같은: a ~ couple 열애 중인 두 사람.
cóurt làdy 궁녀.
cóurt lèet 〖영국사〗 영주 (형사) 재판소.
◇**cóurt·ly** *a.* 궁정의; 예절 있는, 품격이 있는; 정중한; 아첨하는. ―*ad.* 궁정풍으로; 우아하게; 아첨하여. ㊞ **-li·ness** *n.*
cóurtly lóve 궁정풍 연애《귀부인에 대한 절대적 헌신을 이상으로 하는 기사도적 연애》.
cóurt-màrtial (*pl.* ***cóurts-;*** ~***s***) *n.* 군법 회의. ― (*-l-*, 《영》 *-ll-*) *vt.* 군법 회의에 회부하다.
cóurt of hónor 명예 법원, 명예 법정《개인, 특히 군인의 명예에 관한 침해 등을 심리하는 법정》.
cóurt of revíew 〖법률〗 상소 법원.
cóurt of súmmary jurisdíction 즉결 재판「소.
cóurt órder 법원 명령.
cóurt plàster 반창고.
cóurt repórter 법정 속기사〔서기〕.
cóurt ròll 재판 기록부; 〖영국사〗 장원(莊園) 재판소 보관의 토지 등기부.
cóurt·ròom *n.* 법정.
◇**court·ship** [kɔ́ːrtʃip] *n.* Ⓤ (여자에 대한) 구애, 구혼; 구혼 기간.
cóurt shòe (보통 *pl.*) 《영》 =PUMP².
cóurt tènnis 《미》 실내 테니스《lawn tennis 에 대하여》.
Cóurt TV 법정의 재판을 생중계하는 유선 TV「방송《상표명》.
cóurt·yàrd *n.* 안뜰, 안마당.
cous·cous [kúːskuːs] *n.* 쿠스쿠스《거친 밀가루를 쪄서 고기와 야채를 곁들여 먹는 북아프리카 요리》.
⁑**cous·in** [kʌ́zən] *n.* **1** 사촌, 종(從)형제〔자매〕: a girl ~ 여자 사촌/a first 〔full, own〕 ~ 친사촌. **2** 재종, 삼종; 친척, 일가: a second ~ 육촌, 재종, 종질/a third ~ 삼종, 팔촌(first ~ twice removed). **3** 경(卿)《국왕이 타국의 왕 또는 자국의 귀족에 대하여 쓰는 호칭》. **4** 같은 계통의 민족《인종 · 문화면에서》; 대응물, 등가물. **5** 《미속어》 친구; 좋은 뜻에서의 라이벌; 얼간이, 봉; 〖야구〗 특정 타자에게 약한 투수. **6** 《속어》 호모의 애인. ***a*** (***first***) ~ ***once removed*** 사촌의 자녀, 종질(從姪). ***be first*** ~ ***to*** …와 닮다. ***call*** ~***s*** (***with***) (…와) 친척이 된다고 말하다; 일가라고 부르다.
cous·in·age [kʌ́zənidʒ] *n.* 사촌〔친척〕 관계, =COUSINRY.
cóusin-gérman (*pl.* ***cóusins-***) *n.* 친사촌 (first cousin).
cou·sin·hood [kʌ́zənhùd] *n.* Ⓤ 사촌 관계.
cóusin-in-làw (*pl.* ***cóusins-***) *n.* 사촌의 아내〔남편〕.「이〕.
cóus·in·ly *a.*, *ad.* 사촌 관계의; 사촌 같은〔같
cous·in·ry [kʌ́zənri] *n.* 〖집합적〗 사촌들, 친척.
cous·in·ship [kʌ́zənʃip] *n.* =COUSINHOOD.
cou·teau [kuːtóu] (*pl.* ***-teaux*** [-z]) *n.* 《F.》 양날의 큰 나이프《예전에 무기로서 휴대》.
coûte que coûte [F. kukəkut] 《F.》 어떤 희생을〔대가를〕 치르더라도, 꼭.「*n.* 세련, 고상함.
couth [kuːθ] *a.* 《우스개》 고상한, 예의 바른. ―
couth·ie [kúːθi] *a.* 《Sc.》 우호적인, 친절한; 안락한, 기분 좋은
cou·ture [kuːtúər] *n.* 《F.》 양재업(자).
cou·tu·ri·er [kuːtúəriὲi] (*fem.* ***-ri·ère*** [-riər]) *n.* 《F.》 (남자) 양재사, 드레스메이커.
cou·vade [kuːvɑ́ːd] *n.* 《F.》 의만(擬娩).
cou·ver·ture [kùvεərtjúər/-tjúə] *n.* 캔디나 케이크에 치는 초콜릿.
co·va·lence, -lency [kouvéiləns], [-si] *n.* Ⓤ 〖화학〗 공유(共有) 원자가(價); =COVALENT BOND. ㊞ **-lent** [-lənt] *a.*
cováIent bónd 〖화학〗 공유 결합.
co·var·i·ance [kouvέəriəns] *n.* Ⓤ 〖통계〗 공분산(共分散).
co·var·i·ant [kouvέəriənt] *a.* 〖수학〗 공변(共變)의〔하는〕《미분 · 지수 따위》.
cove¹ [kouv] *n.* 후미, 작은 만(灣); 한 구석; 골짜기, 협곡, 산모롱이(nook); 〖건축〗 (천장 등을) 활 모양으로 굽혀 올린 곳. ― *vt.* (천장 따위를) 활 모양으로 굽혀 올리다; (난로의 양쪽 안벽을) 활 모양으로 우묵하게 하다.
cove² *n.* 《영속어》 녀석, 자식; 《Austral.속어》 주인, 《특히》 양목장의 지배인.「마녀단.
cov·en [kʌ́vən, kóuv-] *n.* 마녀 집회; 13 인의
cov·e·nant [kʌ́vənənt] *n.* 계약, 서약, 맹약; 계약서, 날인 증서, 계약 조항; (the C-) 〖성서〗 (신과 인간 사이의) 성약(聖約). ***Ark of the Covenant*** 〖성서〗 (Moses 십계명을 새긴 돌을 넣은) 법궤(法櫃)《출애굽기 XXV: 10》. ***the Covenant of the League of Nations*** 국제 연맹 규약《1919 년 베르사유 조약의 제 1 편》. ***the Land of the Covenant*** 〖성서〗 약속의 땅《Canaan》. ― *vi.* 《+전+명》 계약〔서약, 맹약〕하다《*with*》: ~ *with* a person *for* 아무와 …의 계약을 하다. ― *vt.* 《~+목/+*to* do/+*that* 절》 …을 계약에 의해 동의〔약속, 서약〕하다: He ~*ed to* do it. 그는 그것을 하겠다고 서약하였다. ㊞ **còv·e·nán·tal** [-nǽntl] *a.*
cóv·e·nant·ed [-id] *a.* (날인) 계약한; 계약상의 의무가 있는; 신의 약속에 의해 주어진: ~ grace (신의) 은총.
cov·e·nan·tee [kʌ̀vənəntíː] *n.* 피계약자.
cóv·e·nant·er *n.* 계약〔맹약〕자; (C-) 스코틀랜드 종교 개혁단원.
cov·e·nan·tor [kʌ́vənəntər] *n.* 〖법률〗 계약 당사자, 계약 이행자.「ology).
cóvenant theólogy 계약 신학(federal the-
Cóv·ent Gárden [kʌ́vənt-, kɑ́v-/kɔ́v-, kʌ́v-] **1** 코번트 가든《London 중앙부의 지구》. **2** =ROYAL OPERA HOUSE.
Cov·en·try [kʌ́vəntri, kɑ́v-/kɔ́v-] *n.* 코번트리《영국 West Midlands 의 중공업 도시》. ***send*** a person ***to*** ~ 아무를 축에서 빼놓다, 사교계에서 따돌리다, 절교하다.
†**cov·er** [kʌ́vər] *vt.* **1** 《~+목/+목+전+명》 덮다, 씌우다, 싸다: Snow ~*ed* the highway. 간선 도로는 눈으로 덮였다/~ one's face *with*

one's hands 손으로 얼굴을 가리다. **2** ⦅~+목/+목+전+명⦆ …에 모자를 씌우다; (몸에) 걸치다; …에 뚜껑을 하다; …에 온통 뒤바르다; …의 표지를 붙이다; 바르다: ~ one's head 〔oneself〕 모자를 쓰다 / ~ oneself *with* furs 모피옷을 입다 / ~ a wall *with* wallpaper 벽에 벽지를 바르다. **3** ⦅~+목/+목+전+명⦆ 덮어 가리다, 감추다: ~ one's feelings 감정을 숨기다 / ~ one's bare shoulder *with* a shawl 드러난 어깨를 숄로 가리다. SYN. ⇨ HIDE. **4** ⦅~+목/+목+전+명⦆ 감싸다, 보호하다(shield, protect); 〖군사〗 호위하다, …의 엄호 사격〔폭격〕을 하다, 방위하다; 〖군사〗 …의 바로 앞〔뒤〕에 1 렬로 줄서다; (길 등을) 경비하다; 〖경기〗 …의 후방을 지키다; (상대방을) 마크하다; 〖야구〗 커버하다⦅잠시 비어 있는 베이스를⦆; 〖테니스〗 (코트를) 지키다; 〖미식축구〗 (패스 플레이에서) 마크하다: ~ the landing 상륙 작전을 엄호하다 / The cave *~ed* him *from* the snow. 동굴에서 눈을 피했다. **5** ⦅+목+전+명⦆ 〖~ oneself〗 …을 짊어지다, 몸으로 받다, 뒤집어쓰다, (영광 · 치욕 따위를) 누리다, 당하다⦅*with*⦆: ~ one*self with* honors 명예를 누리다 / He *~ed* him*self with* disgrace. 그는 창피를 당했다. **6** …을 떠맡다, …의 대신 노릇을 하다; (판매원이 어느 지역)을 담당하다: He wanted someone to ~ his post during the vacation. 그는 휴가 동안 누가 자기의 자리를 대신해 주기를 바랐다. **7** (어느 범위에) 걸치다(extend over), 포함하다(include), 망라하다; 들어맞다; 다루다: ~ the whole subject 문제를 남김 없이 다루다. **8** (기자가 사건 등을) 뉴스로 보도하다, 취재하다: The reporter *~ed* the accident. **9** (어느 거리를) 가다, (어떤 지역을) 여행〔답파〕하다(travel). **10** (물건 · 위험에) 보험을 들다; (어음의) 지급금을 준비하다; (채권자에게) 담보를 넣다; (내기에서 상대와) 같은 돈을 태우다. **11** (손실을) 메우다; (경비를) 부담하다, …하기에 충분하다. **12** 〖상업〗 (선물(先物)을) 되사다. **13** (닭이 알을) 품다; (동물의 수컷이 암컷을) 올라타다. **14** ⦅~+목/+목+전+명⦆ 〖군사〗 (대포 따위가 목표를) 부감(俯瞰)하다(command); (총기를) 들이대다; …을 사정권 안에 두다: The battery *~ed* the city. 포대는 그 시를 사정권 내에 두었다 / ~ a person *with* a pistol 아무에게 권총을 들이대다. **15** 〖카드놀이〗 (상대보다) 높은 패를 내다. **16** ⦅미⦆ 미행하다. **—** *vi.* **1** (액체 등이) 표면에 퍼지다. **2** (비밀 등을) 감싸서 숨기다⦅*for*⦆, 알리바이를 제공하다; (부재자의) 대신 노릇을 하다; ⦅속어⦆ 기둥서방이 되다.

~ *in* (무덤 따위에) 흙을 덮다, (구멍을) 흙으로 메우다; (하수도 따위에) 뚜껑을 하다; (집에) 지붕을 이다. **~ *into the Treasury*** ⦅미⦆ 국고에 납부하다. **~ *over*** 덮어 가리다. **~ *shorts*** 〔***short sales***〕 〖증권〗 공매(空賣)한 주를 다시 사다. **~ *up*** 완전히 덮다〔싸다〕; (형적 · 감정 · 과오 등을) 덮어 가리다〔숨기다〕⦅*for*⦆; 〖권투〗 두 팔로 커버하다.

— *n.* **1** 덮개; 뚜껑; 책의 표지⦅소위 '커버'는 jacket⦆; 봉투; 포장지; (*pl.*) 침구, 이불; (어느 지역의) 식물. **2** Ⓤ 은신처, 잠복처(shelter); (사냥감이) 숨는 곳⦅숲이나 덤불 등⦆; 〖군사〗 엄호물, 은폐물; 상공 엄호 비행(air ~); (폭격기의) 엄호 전투기대; (어둠 · 밤 · 연기 등의) 차폐물; ⦅속어⦆ (무기를 지닌) 호위; 대역(代役)⦅*for*⦆. **3** Ⓤ 구실, 핑계. **4** (식탁 위의) 1 인분 식기⦅나이프 · 포크 따위⦆: *Covers* were laid for six. 식탁에는 6 인분의 식기가 준비되어 있었다. **5** =COVER CHARGE. **6** 보증금(deposit), 담보물. **7** 〖크리켓〗 후위(~ point); 〖테니스〗 수비 범위. **8** ⦅속어⦆ 커버 버전⦅히트곡을 딴 사람이 뒤따라 녹음한 것⦆. **9** 가공의 신분; 알리바이 제공자. ***beat a ~*** 사냥감의 숨은 데를 두드려 찾다. ***between the ~s of a book*** 책 안에. ***blow* one's *~*** (부주의로) 비밀 신분을 드러내다. ***break ~*** (동물이) 숨은 곳에서 나오다(break covert). ***draw a ~*** =draw a COVERT. ***from ~ to ~*** 책의 처음부터 끝까지⦅읽다 따위⦆. ***get under ~*** 안전한 곳에 숨다; (비 따위를) 피하다. ***take ~*** 〖군사〗 지형(지물)을 이용하여 숨다〔피신하다〕. ***under ~*** 엄호〔보호〕 아래⦅*of*⦆; 봉투에 넣어서, 편지에 동봉하여⦅*to*⦆; 숨어서; 몰래. ***under separate*** 〔***the same***〕 ***~*** 별봉〔동봉〕으로. ***under* (*the*) *~ of*** …의 엄호를 받아; (어둠 따위)를 틈타, (병 따위)를 빙자하여〔구실 삼아〕: *under ~ of* night 야음을 틈타.

㊞ **~·a·ble** *a.* **~·er** *n.* **~·less** *a.*

cóver addrèss 편지의 수취인 주소.

cov·er·age [kʌ́vəridʒ] *n.* **1** 적용〔통용, 보증〕 범위. **2** 보도〔취재〕(의 규모); (라디오 · TV 의) 유효 시청 범위(service area); (광고의) 유효 도달 범위. **3** 〖경제〗 정화(正貨) 준비(금); 보험 계약 범위 내의 위험, (보험의) 전보(塡補) (범위). **4** (식물체 지상부가 지표(地表)를 차지하는) 피도(被度); 건폐율.

cóver·àll *n.* (보통 *pl.*) (짧은) 소매가 달린 내리닫이 작업복. cf. overall.

coveralls

cóver-àll *a.* 전체를 덮는; 전반적인, 포괄적인.

cóver chàrge (카바레 따위의) 서비스료.

cóver cròp 피복(被覆) 작물⦅겨울철, 토리(土理)를 보호하기 위해 밭에 심는 클로버 따위⦆.

cóver drìve 〖크리켓〗 후위를 통과하는 타구.

cóv·ered *a.* 감춰진, 덮인, 차폐된(sheltered); 지붕〔뚜껑〕이 있는; 모자를 쓴: a ~ vehicle 지붕 있는 마차⦅따위⦆ / a ~ position 차폐진지.

cóvered brídge 지붕이 있는 다리.

cóvered-dìsh súpper 각자 음식을 지참하는 회식.

cóvered wágon ⦅미⦆ 포장마차⦅특히 초기 개척자가 사용한⦆, 포장 트럭; 〖영철도〗 유개 화차; ⦅미속어⦆ 항공모함.

cóvered wáy ⦅미⦆ 지붕 있는 건널 복도.

cóver gìrl 잡지 표지에 나오는 미인.

cóver glàss 커버 유리⦅슬라이드 표본의 덮개용 유리; 영사 필름 슬라이드의 보호용 유리⦆.

cóv·er·ing [-riŋ] *n.* Ⓒ 덮개; 지붕; Ⓤ 덮기, 피복; 엄호; 〖상업〗 (공매(空賣) 결재를 위한) 주식 되사기. **—** *a.* 덮는, 덮어 가리는; 엄호하는: ~ fire 〖군사〗 엄호 사격.

cóvering létter 〔**nóte**〕 (봉함물의) 설명서, 첨부장; (동봉물 · 구매 주문서에 붙인)설명서.

***cov·er·let, cov·er·lid** [kʌ́vərlit], [-lìd] *n.* 침대의 덮개; 덮개; 이불.

cóver lètter =COVERING LETTER.

cóver nòte 〖보험〗 가(假)증서, 보험 인수증; =COVERING NOTE.

cóver pàge 〔**shèet**〕 (팩스 전송문의) 첫 페이지⦅보낸 사람의 이름 · 팩스 번호 따위를 적음⦆.

cóver pòint 〖크리켓〗 후위, 후위의 수비 위치.

cóver posítion (잡지 표지의) 광고 게재 위치.

có·versed síne [kóuvəːrst-] 〖수학〗 여시(餘矢).

cóver shòoting 숲에서의 총사냥.

cóver shòt 광각(廣角)〔전경(全景)〕 사진(촬영).

cóver slìp =COVER GLASS.

cóver stòry 잡지 표지에 관련된 특집 기사.

◇**cov·ert** [kóuvərt, kʌ́-/kʌ́v-] *a.* 숨은, 덮인; 비밀의, 암암리의, 은밀한(OPP *overt*); 〖법률〗 남편의 보호하에 있는: a ~ glance 은밀한 눈짓 / a

~ nook 사람 눈에 안 띄는 구석. — *n.* 덮어 가리는 것; 구실; (사냥감의) 은신처(cover); (*pl.*) 〖조류〗 (새의) 우비깃; 큰물닭(coot)의 무리; = COVERT CLOTH. ***break*** ~ = break COVER. ***draw a*** ~ 사냥감을 덤불에서 몰아내다. ㊞ **~·ly** *ad.* 남몰래. **~·ness** *n.*
cóvert áction (경찰·정부 정보부에 의한) 비밀 공작(= **cóvert operátion**). 「복·코트용).
cóvert clòth 커버트(혼방 능직(綾織) 천; 운동
cóvert còat 《영》 (covert cloth의) 짧은 외투 《사냥·승마용》.
cóver tèxt 암호의 뜻이 숨겨진 문장《그 자체는 평이한 문장임》.
cov·er·ture [kʌ́vərtʃər] *n.* Ⓤ,Ⓒ 덮개, 피복물(被覆物); 엄호물; 은신처, 피난처; Ⓤ 〖법률〗 (남편 보호 아래의) 아내 지위〔신분〕. ***under*** ~ 〖법률〗 아내의 신분으로.
cóver-ùp *n.* Ⓤ 숨김; 은닉; 은폐 공작; 알리바이; 위에 걸치는 옷《수영복 위에 걸치는 비치코트
cóver vèrsion = COVER 8. ⌊따위》.
°**cov·et** [kʌ́vit] *vt.* **1** (남의 것을) 몹시 탐내다, 바라다, 선망하다: All ~, all lose. 《속담》 대탐대실(大貪大失). **2** 갈망하다, 절망〔열망〕하다. — *vi.* 《(+전+명)》 몹시 바라다: ~ *after* riches 부(富)를 몹시 바라다. ㊞ **~·a·ble** *a.* **~·er** *n.* **~·ing·ly** *ad.*
°**cov·et·ous** [kʌ́vitəs] *a.* 탐내는《*of; to* do》; 탐욕스러운; 열망하는. ㊞ **~·ly** *ad.* **~·ness** *n.*
cov·ey [kʌ́vi] *n.* 한배의 병아리; (메추라기 등의) 무리, 떼; 《우스개》 가족, 일단, 대(隊).
cov·in [kʌ́vin] *n.* 〖법률〗 (제 3 자에게 피해를 입힐 목적의) 공동 모의; 《고어》 사기, 속임수.
†**cow**[1] [kau] (*pl.* **~s,** 《고어》 ***kine*** [kain]) *n.* **1** 암소, 젖소《bull[1]에 대하여》; (*pl.*) 《미서부》 축우(畜牛): a milk ~ 젖소. **2** 《미속어》 우유, 크림, 버터, 쇠고기. **3** (코끼리·무소·고래 따위의) 암컷. **4** 《구어》 (살찌고) 주책없는 여자, 보기 싫은 여자. **5** 《Austral.속어》 싫은 녀석, 불쾌한 것. ***have a*** ~ 《미구어》 흥분하다, 화내다. ***Holy*** ~***!*** ⇨ HOLY. ***till the*** ~***s come home*** 《구어》 오랫동안, 영구히.
cow[2] *vt.* 으르다, 위협〔협박〕하다《*down*》; 올러서 …하게 하다《*into*》. ***be*** ~***ed*** 겁먹다.
cow·a·bun·ga [kàuəbʌ́ŋgə] *int.* 〖서핑〗 카우어벙거《파도마루를 탈 때의 외침소리》; 만세, 해냈다. — *n.* 《미》 (음악의) 큰 히트.
⁑**cow·ard** [káuərd] *n.* 겁쟁이; 비겁한 자; 〖경마〗 겁 많은 말: play the ~ 비겁한 짓을 하다. — *a.* 겁 많은, 비겁한; 두려워하는.
*****cow·ard·ice** [káuərdis] *n.* Ⓤ 겁, 소심, 비겁.
°**cow·ard·ly** *a.* 겁 많은, 소심한, 비겁한. — *ad.* 겁내어, 비겁하게.

> SYN. **cowardly** 위험에 직면했을 때 '용기가 없는, 겁먹은'의 뜻: *cowardly* conduct 겁쟁이의 행위. **timid** 위험도 없는데 '몸을 움츠리는 겁 많은'의 뜻: Deer are *timid* animals. 사슴은 겁 많은 짐승이다. **shy** '남 앞에서 수줍어하는'의 뜻: She is *shy*.

㊞ **-li·ness** [-linis] *n.*
ców·bàne *n.* 〖식물〗 독미나리.
ców·bèll *n.* 소의 목에 단 방울; 〖음악〗 카우벨《무용 음악에 쓰이는 타악기》; 〖식물〗 서양장구채.
ców·bèrry *n.* 〖식물〗 월귤나무.
ców·bìrd *n.* 〖조류〗 북아메리카산의 찌르레기(= **ców blàckbird**)《흔히 소와 함께 있음》.
*****cow·boy** [káubɔ̀i] *n.* **1** 카우보이, 목동; 스피드광, 난폭한 운전수. **2** 《미속어》 서부풍의 샌드위치; 〖카드놀이〗 킹; 갱단의 두목; 경관. **3** 《미》 (건설 관계) 노동자, 노무자. ***~s and Indians*** 서부극놀이. — *vi.* 《미》 카우보이로 생활〔일〕하다. — *vt.* 《미속어》 (사람을) 잽싸게 잔인한 방법으로 죽이다.

ców·boy bòots 카우보이 부츠《굽이 높고 의장을 한 가죽 장화》.
ców·boy còffee 《미속어》 블랙커피.
ców·boy hàt 카우보이 모자.
ców càmp 《미》 카우보이의 야영(지).
ców·càtcher *n.* 《미》 (전차의) 구조망(救助網), (기관차의) 배장기(排障器)(fender, 《영》 plough)《선로 위의 소나 그 밖의 장애물을 제거함》; 〖방송〗 (프로 직전의) 짧은 광고 방송.
ców còllege 농과 대학; 이름 없는 지방 대학.
ców cònutry 목우(牧牛) 지대《특히 미국 서남부, Texas 주》.
cow·er [káuər] *vi.* 움츠러들다, 곱송그리다, 위축되다; 《영》 웅크리다.
ców-èyed *a.* = OX-EYED.
ców·fish *n.* 〖동물〗 고래·돌고래류(類); 〖어류〗 거북복; 《드물게》 해우(海牛)(sirenian), 듀공.
ców·gìrl *n.* 《미》 목장에서 일하는 여자.
ców·hànd *n.* 《미》 = COWBOY.
ców·hèel *n.* 쇠족발; 카우힐《쇠족발을 양파 따위로 양념하여 끓인 요리》.
ców·hèrd *n.* 소치는 사람.
ców·hìde *n.* **1** Ⓤ 쇠가죽. **2** 《미》 쇠가죽 채찍; 쇠가죽 구두; 《미속어》 야구 공. — *vt.* 《미》 쇠가죽 채찍으로 치다.
ców·hòuse *n.* 외양간(cowshed).
cò·wínner *n.* 동시 수상〔승리〕자; 공동 수상자.
cow·ish [káuiʃ] *a.* 소 같은; 둔한; 《고어》 겁 많은.
cowl[1] [kaul] *n.* **1** 고깔 달린 수사(修士)의 겉옷; 그 두건; 수사. **2** (굴뚝의) 갓; (증기 기관의 연통 꼭대기에 댄) 불똥막이 철망; 카울《자동차의 앞 창과 계기판을 포함하는 부분》; = COWLING. — *vt.* 두건을 씌우다; (아무를) 수사로 만들다; 덮다; …에 덮는 장치를〔부품을〕 달다.
cowl[2] *n.* 《영방언》 (막대기를 꿰어 둘이서 메는) 큰 물통. 「자 꼴의.
cowled *a.* 고깔을 쓴; 〖식물·동물〗 성직자 모
ców·lìck *n.* (이마 위의, 소가 핥은 듯한) 일어선
ców·l·ing *n.* (비행기의) 엔진 커버. ⌊머리털.
ców·man [-mən] (*pl.* ***-men*** [-mən]) *n.* 소치는 사람(cowherd); 목축 농장주, 목장주, 목축업자(ranchman). 「(fellow worker).
có-wòrker *n.* 함께 일하는 사람, 협력자, 동료
ców pàrsnip 〖식물〗 어수리《소의 사료》.
ców·pàt *n.* 쇠똥, 우분.
ców·pèa *n.* 〖식물〗 광저기《소의 사료》.
Cow·per [kúːpər, káu-] *n.* **William** ~ 쿠퍼《영국의 시인; 1731-1800》.
Ców·per's glànd 〖해부〗 쿠퍼선(腺)《남성의 구(球)요도선》.
ców pìe 《속어》 쇠똥.
ców·pòke *n.* 《미속어》 = COWBOY.
ców pòny 《미》 카우보이가 타는 목우용 말.
ców·pòx *n.* Ⓤ 〖의학〗 우두(牛痘).
ców·pùncher *n.* 《미구어》 = COWBOY.
cow·rie, -ry [káuri] *n.* 〖패류〗 개오짓과(cypraeidae) 고둥의 총칭; 그 조가비.
co·wríte (***-wrote; -written***) *vt.* (책을) 함께
ców·shèd *n.* 우사, 외양간. ⌊쓰다.
ców·shòt *n.* 《크리켓속어》 허리를 구부리고 치는 강타. 「로 치다.
ców·skìn *n., vt.* 쇠가죽 (채찍); 쇠가죽 채찍으
cow·slip [káuslip] *n.* 〖식물〗 **1** 앵초(櫻草)의 일종. **2** 《미》 눈동의나물의 일종.
ców·slip tèa cowslip의 꽃을 삶아 우려낸 음료.
ców·slip wìne cowslip의 꽃으로 담근 술.
ców tòwn (미국 서부의) 소 치는 고장의 중심 도시; (C- T-) 《미속어·CB속어》 Texas 주 Fort Worth 시.

cowy [káui] *a.* 소의, 소의 맛이〔냄새가〕 나는: fresh ~ milk.

cox [kɑks/kɔks] 《구어》 *n.* (보트의) 키잡이(~swain). ── *vt., vi.* (…의) 키잡이가 되다. ㊞ **∠·less** *a.*

coxa [kɑ́ksə/kɔ́k-] (*pl.* ***cox·ae*** [-siː]) *n.* 엉덩이, 둔부; 고(股)관절; (절지동물의) 저절(底節), (특히 곤충의) 기절(基節). ㊞ **cox·al** [kɑ́ksəl/kɔ́k-] *a.* 기절의; 둔부의; 고관절의.

cox·al·gia, -al·gy [kɑksǽldʒiə/kɔk-], [-dʒi] *n.* Ⓤ 〖의학〗 고(股)관절통; 요통.

cox·comb [kɑ́kskòum/kɔ́k-] *n.* **1** 멋쟁이, 맵시꾼(dandy). **2** 〖식물〗 =COCKSCOMB. **3** 맨드라미 꼴의 빨간 모자《중세의 어릿광대가 쓴》; 《고어》 머리, 정수리; 《폐어》 바보. ㊞ **cox·comb·i·cal** [kɑkskɑ́mikəl, -kóum-/kɔkskóum-] *a.* 멋쟁이의, 젠체하는. **-i·cal·ly** *ad.*

cox·comb·ry [kɑ́kskòumri/kɔ́k-] *n.* Ⓤ 멋부리기, 젠체하기; 태깔스러운 거동.

Cox·sáck·ie vírus [kuksɑ́ːki-] 콕사키 바이러스《호흡기 질환의 원인이 되는 장관계(腸管系) 바이러스》.

cox·swain, cock·swain [kɑ́ksən, -swèin/kɔ́k-] *n.* 정장(艇長); (보트의) 키잡이: a ~'s box 키잡이석(席). ── *vt., vi.* (…의) 키잡이가 되다; (…의) 키를 잡다. ㊞ **~·ship** *n.* Ⓤ

coxy [kɑ́ksi/kɔ́k-] *a.* 《영》 거만한, 건방진.

°**coy** [kɔi] *a.* 수줍어하는, 스스럼을 타는; 과묵한; 짐짓 부끄러운 체하는《주로 여자의》; 《고어》 으슥한, 깊숙한《장소 따위》. ***be ~ of*** …을 (스스러워하여) 좀처럼 말하지 않다, …을 삼가고 조심하다. ㊞ **∠·ly** *ad.* **∠·ness** *n.*

coy·ish [kɔ́iiʃ] *a.* 약간 수줍어하는.

coy·ote [kaióuti, káiout/kɔióuti, kɔ́iout] (*pl.* ***~s,*** 〔집합적〕 ~) *n.* 코요테《북아메리카 서부 대초원의 이리》; 《미》 악당, 불한당, 비열〔교활〕한 사나이; 밀입국자 안내인. 「속칭.

Cóyote Státe (the ~) South Dakota 주의

coyóte-ùgly *a.* 《속어》 (사람이) 몹시 못생긴, 두번 다시 보기 싫은.

coy·pu [kɔ́ipuː] (*pl.* ***~s,*** 〔집합적〕 ~) *n.* 코이푸, 뉴트리아(nutria)《남아메리카산의 물쥐; 고기는 식용, 모피는 귀하게 여겨짐》; 그 모피.

coz [kʌz] (*pl.* **∠·(z)es**) *n.* 《영에서는 고어》 = COUSIN.

coze [kouz] *vi.* 친하게〔정답게〕 이야기하다, 무간하게 이야기하다, 한담하다. ── *n.* 허물없는 담화, 잡담. ㉹ cose.

coz·en [kʌ́zən] *vt., vi.* 속이다; 속여 빼앗다 《*of; out of*》; 속여 …하게 하다《*into*》. ㊞ **~·age** [kʌ́zənidʒ] *n.* Ⓤ 속임(수), 기만. **~·er** *n.*

*__co·zy__ [kóuzi] (***co·zi·er; -zi·est***) *a.* **1** 아늑한, 포근한, 아담한, 안락한; 기분 좋은: a ~ corner (실내의) 아늑한 구석. **2** (부정한 방법·묵인으로) 이득을 보는, 짬짜미한. **3** (…와) 깊은 관계에 있는, 유착한《*with*》: a ~ relationship between a lobbyist and some politicians 로비스트와 일부 정치가의 유착 관계. **4** 과묵한, 확실한 언질을 주지 않는. ── *ad.* 신중하게. ***play it ~*** 《미속어》 신중하게 하다. ── *n.* 보온 커버《찻주전자 따위에 씌움》; 차양 달린 2인용 의자. ── *vt.* 위로하다, 달래다. ── *vi.* 〖~ up으로〗 ~ ***up to*** 《미구어》 …와 친해지려고〔가까워지려고〕 하다, …의 마음에 들고자 하다. ~ (***along***) 《구어》 안심시키다, 속이다. ㊞ **có·zi·ly** *ad.* **có·zi·ness** *n.*

CP [siːpíː] *n.* (the ~) 공산당(Communist Party). ㊞ **CP'·er** [siːpíːər] *n.* 공산당원.

cp. compare; coupon. **CP, c.p.** candlepower. **C.P.** Chief Patriarch; Clerk of the Peace; Command Post; Common Pleas; Common Prayer; Court of Probate. **cp** 〖물리〗 centipoise(s). **c.p.** center of pressure; chemically pure; circular pitch; command post; common pleas. **c/p** charter party. **CPA** 〖컴퓨터〗 critical path analysis. **C.P.A.** Certified Public Accountant (공인 회계사); Civil Production Administration (민간 생산 관리국).

ĊP Áir 캐나다 태평양 항공《캐나다의 민영 항공 회사》. [◂ *Canadian Pacific Airlines*]

CPAP 〖의학〗 continuous positive airway pressure (지속적 상기도(上氣道) 양압술; 수면 중 일시 무호흡증 치료술). **CPB** 《미》 Corporation for Public Broadcasting (공공 방송 협회). **CPBW** charged particle beam weapon. **cpd.** compound. **C.P.F.F.** cost plus fixed fee. **C.P.I.** consumer price index. **Cpl., cpl.** corporal. **C⁺⁺** 〖컴퓨터〗 시플러스 플러스《1983년 미국 Bell 연구소의 Bjarne Stroustrup에 의해 개발된 객체 지향적인 프로그래밍 언어》. **CPM** 〖경영〗 critical path method. **CPM, cpm** cost per thousand. **c.p.m.** 〖음악〗 common particular meter; cycles per minute. **CPM** 〖컴퓨터〗 monitor control program for microcomputers. **CPO, C.P.O.** Chief Petty Officer (해군상사); compulsory purchase order; cost per order. **CPR** cardiopulmonary resuscitation (심폐 기능 소생). **C.P.R.** Canadian 〔Central〕 Pacific Railway. **C.P.R.E.** Council for the Protection 〔Preservation〕 of Rural England. **cps** cycles per second. **C.P.S.** Consumer Price Survey. **CPSC** 《미》 Consumer Product Safety Commission (소비자 제품 안전 위원회). **C.P.S.U.** Communist Party of the Soviet Union. **CPT** captain. **CPU** Communications Programs Unit. **C.P.U.** 〖컴퓨터〗 central processing unit(중앙 처리 장치). **CPVE** 《영》 Certificate of Pre-Vocational Education (직업 교육 적성 시험). **CPX** 〖군사〗 Command Post Exercise(지휘소 훈련). **CQ** 《CB속어》 call to quarters; 〖군사〗 charge of quarters (야간 근무 당번). **C.Q.M.S.** Company Quartermaster Sergeant. **CR** 〖컴퓨터〗 carriage return《CR키; 명령어가 끝났음을 표시하기 위하여 입력하는 키》; consciousness-raising. **C.R.** Costa Rica. **Cr** 〖화학〗 chromium. **cr.** cathode ray; credit; 〖부기〗 creditor (㉹ dr.); crown.

°**crab**[1] [kræb] *n.* **1** 〖동물〗 게《게 종류의 갑각류 총칭》; (the C-) 〖천문〗 게자리, 거해궁(巨蟹宮)(the Cancer); Ⓤ 게의 살. **2** 윈치(=∠ **winch**). **3** 《속어》 (주사위 던지기에서 1이 두 번 나오는 따위의) 지는 눈; 〖일반적〗 실책, 불리, 실패. **4** 〖곤충〗 사면발니(~ louse); (*pl.*) 사면발니의 대량 발생; (*pl.*) 벼룩의 일종. **5** 〖브레이크댄싱〗 크래브, 게걸음. ***catch a ~*** 노를 헛저어 배가 균형을 잃다. ***turn out*** 〔***come off***〕 ***~s*** 실패로 끝나다. ── (**-bb-**) *vt., vi.* **1** 게를 잡다. **2** 게걸음 치다; (배 따위를〔가〕) 옆으로 흘러가게 하다〔밀려나다〕; 코스를 벗어나다; 〖항공〗 (비행기 따위를〔가〕) 비스듬히 비행시키다〔하다〕. **3** 〖염색〗 크래빙(crabbing)하다. ㊞ **∠·like** *a.*

crab[2] *n.* **1** =CRAB APPLE. **2** 짓궂은 사람, 심술쟁이, 까다로운 사람. **3** (*pl.*) 《비어》 매독. ── (**-bb-**) *vt., vi.* **1** (매가) 발톱으로 할퀴다 (scratch, claw); …와 맞붙어 싸우다. **2** 《구어》 …의 흠을 잡다, 깎아내리다; 불평하다《*about*》. **3** 《구어》 (상거래 등을) 망치다, 결딴내다(spoil). **4** 《미속어》

하찮은 물건을 후무리다; 《미속어》 늘 빌리기만 하다. **5** 손을 떼다, 꽁무니를 빼다《*out*》.

cráb àpple 〖식물〗 야생 사과, 능금, 그 나무.

cráb·bed [-id] *a.* **1** 심술궂은; 까다로운. **2** (문체 등이) 난해한, 어려운, 회삽(晦澁)한; (필적 등이) 알아보기 힘든. **3** 《고어》 (능금처럼) 떫은. ㊕ **~·ly** *ad.* **~·ness** *n.*

cráb·ber[1] *n.* 게잡이 어부〔배〕.

cráb·ber[2] *n.* 《구어》 흠〔탈〕잡는 사람.

cráb·bing *n.* Ⓤ 게잡이; 〖염색〗 크래빙, (모직물을 톡톡하게 마무리하기 위한) 열탕(熱湯) 처리.

crab·by [krǽbi] (***crab·bi·er; -bi·est***) *a.* 심술궂은, 까다로운.

cráb gràss 〖식물〗 바랭이류의 잡초.

cráb lòuse 〖곤충〗 사면발니.

cráb·mèat *n.* 게의 살.

Cráb Nèbula 〖천문〗 게 성운(星雲)《황소자리(Taurus)의 성운; 지구에서 약 5,000 광년》.

cráb pòt (바구니처럼 만든) 게 잡는 덫.

cráb's-èye *n.* (종종 *pl.*) 해안석(蟹眼石)《가재의 밥통 속의 결석(結石); 예전엔 의료용》.

cráb spìder 게거밋과(科)의 거미《옆으로 기어 다님》.

cráb stìck 게맛이 나는 어묵.

cráb·stìck *n.* **1** 야생 사과나무(crab tree)로 만든 곤봉〔지팡이〕. **2** 심술궂은 사람.

cráb trèe 야생 사과나무.

crab·wise, -ways [krǽbwàiz], [-wèiz] *ad.* 게같이, 게걸음으로, 옆으로, 비스듬히; 신중히 (길을) 에둘러서, 간접적으로.

***crack** [kræk] *vt.* **1** (채찍 따위로) 찰싹 소리내다; 《구어》 (아무를) 철썩 때리다. **2** (호두 따위를) 우두둑 까다; …을 금가게 하다. SYN. ⇨ CRASH[1]. **3** (책을) 펼치다; (병·깡통 따위를) 열다, 따고 마시다; 《속어》 (금고를) 비집어 열다; (집 따위에) 억지로 들어가다. **4** 《~+목/+목+전+명》 부수다, 깨뜨리다; 부딪치다; (목을) 쉬게 하다; (신용 따위를) 떨어뜨리다, 손상시키다: ~ a safe 금고를 부수다 / ~ one's knee *against* the edge of a table 탁자 모서리에 무릎을 부딪치다. **5** …의 머리를 돌게 하다, …의 마음에 아픔을 주다. **6** 〖화학〗 (석유·타르 등을) (열)분해하다, 분류(分溜)하다. **7** (사건 해결·수수께끼의) 실마리를 열다; (사건을) 해결하다; 《구어》 (암호를) 해독하다. **8** (농담을) 지껄이다; …의 비밀을 밝히다. **9** 《미속어》 (지폐를) 헐다. **10** 〖야구〗 …을 치다: ~ a homer 홈런을 치다. **11** 《미속어》 〖카드놀이〗 (브리지에서 상대의 점수를) 배가(倍加)하다. ── *vi.* **1** 딱 소리를 내다, 쨍그렁〔우지끈〕 소리나다; (채찍이) 찰싹 소리나다. **2** 금가다; 쪼개지다. **3** (목이) 쉬다, 변성하다. **4** 《+전+명》 엉망이 되다, 맥을 못추다; (압력을 받고) 물러앉다, 항복하다: ~ *under* a strain 과로로 지쳐 버리다. **5** 《미속어》 지껄이다, 얘기하다, 입을 열다; 《방언》 자랑하다, 자만하다《*of*》. **6** 질주〔쾌주〕하다. **7** 폭주하여 망가지다《*up*》. **8** 밤이 새다. **9** 《Sc.》 잡담하다 (chat). **10** 〖화학〗 (화합물이) 열분해하다. **11** 〖카드놀이〗 (브리지에서) 상대방의 내는 돈을 배가하다. **12** 《속어》 성교하다.

a hard nut to **~** ⇨ NUT. **~ *a book*** 책을 펼치다; 책을 결딴내다; 《비유》 (주입식으로) 공부하다. **~ *a bottle together*** 술을 같이 마시다. **~ *a crib*** 《속어》 (강도가) 집에 침입하다. **~ *a deal*** 《미속어》 거래〔협정〕하다. **~ *a record*** 〔***mark***〕 《미속어》 기록을 깨다. **~ *a smile*** 《구어》 씽긋 미소짓다. **~ *a tube*** 《미속어》 캔 맥주의 뚜껑을 따다. **~ *down*** (***on***) 《구어》 단호한 조처를 취하다, (…을) 엄하게 단속하다, (…을) 탄압하다; (…을) 호되게 혼내다, 비난하다: States and localities are ~*ing down on* smoking even more aggressively. 주와 지역 당국이 흡연에 대해 더욱 강력히 단속할 예정이다. **~ *funny*** 《미속어》 재치 있는 농담을 하다. **~ *hardy*** 〔***hearty***〕 《Austral.구어》 꾹 참다, 태연한 얼굴을 하다; 대담하게 행동하다. **~ *heads together*** 《속어》 양쪽을 똑같이 벌주다. **~ *it*** 《Austral.구어》 잘 해내다, 다행히 손에 넣다. **~ *off*** ① 〔유리 제조〕 취관(吹管)·철봉 끝에서 유리를 떼어내다. ② 《미속어》 싫은 소리를 늘어놓다. **~ *on*** 〖해사〗 돛을 활짝 펴다〔펴고 쾌주하다〕; 《구어》 마구 앞서 나가다; 《속어》 …체하다(pretend); 《미속어》 증명하다; …에 대해 납득시키다. **~** one***'s jaw*** 《미속어》 자랑하다, 허풍을 떨다. **~ *open*** 폭로하다; 《미속어》 병마개를 따다. **~ *out*** do*ing* 갑자기 …하다〔하기 시작하다〕. **~ *the whip over*** …의 위에 세력을 떨치다. **~ *up*** 《*vt.*+부》 ① 〔보통 수동태〕 《구어》 (…이라고) 칭찬하다, 평판하다《*to be; as*》: ~ oneself *up* 자랑하다 / It's not all (that) it's ~*ed up to be*. 평판만큼은 못 된다. ② 《구어》 (차·비행기를) 부스러뜨리다, 분쇄하다(crash). ③ 크게 웃기다. ── 《*vi.*+부》 ④ (차·비행기가) 부스러지다. ⑤ 《구어》 (육체적·정신적으로) 질리다, 지치다, 기진하다. ⑥ 갑자기 웃기〔울기〕 시작하다; 《속어》 배꼽이 빠지게 웃다. ⑦ 《속어》 미치다. **~ *wise*** 《미속어》 재치〔재미〕 있는 말을 하다. ***get ~ing*** ⇨ CRACKING.

── *n.* **1** (돌연한) 날카로운 소리《딱·탕·우지끈 등》; 채찍소리; 총소리: a ~ *of* thunder 천둥소리. **2** (찰싹 하고) 치기, 타격. **3** 갈라진 금, 금; 틈; 균열; 흠; 《비어》 =VAGINA. **4** 사소한 결함〔결점〕; 쇠약《병·연로 등으로 인한》; 머리가 돎〔돈 사람〕; 목쉼. **5** 《구어》 (…에 대한) 호기, 찬스; 노력, 시도《*at*》: give a person a ~ *at* ... 《구어》 아무에게 …의 기회를 주다. **6** (*pl.*) 소식; 《구어》 농담, 경구. **7** 《속어》 금고털이, 강도. **8** 명수; 걸출물; 《구어》 능숙한 선수. **9** 《구어》 순간(instant): in a ~ 순식간에. **10** 《고어·방언》 자랑, 허풍; 《Sc.》 잡담. **11** 《속어》 코카인을 정제한 환각제. ***a fair ~ of the whip*** 《영구어》 호기(好機), 찬스. ***at*** (***the***) **~ *of dawn*** 〔***day***〕 새벽에. ***have*** 〔***get, take***〕 ***a ~ at*** 《구어》 …을 시도해 보다. ***paper*** 〔***paste, cover***〕 ***over the ~s*** 결함〔난점〕을 감싸 숨기다, 호도하다. ***the ~ of doom*** 최후의 심판날(의 뇌명(雷鳴)); 〔일반적〕 모든 종말의 신호.

── *a.* 《구어》 훌륭한; 일류의(first-rate), 가장 뛰어난: a ~ player / a ~ unit 정예 부대. ***be a ~ hand at*** …에 관해서는 명수다.

── *ad.* 날카롭게(sharply), 철썩, 딸깍, 쾅.

crack·a·jack [krǽkədʒæ̀k] *a., n.* 《구어》 출중한 (사람), 극상의 (물품).

cráck·bràin *n.* 머리가 돈 사람. ㊕ **~ed** *a.* 머리가 돈, 분별없는.

cráck·dòwn 《구어》 *n.* (갑작스러운) 타격; 강경 조처; (윗 사람의) 질타, 벼락; (경찰의) 단속, 탄압; 법률〔조례〕의 엄격한 시행. ── *vi.* 징계하다; 훌닦다《*on*》.

cracked [-t] *a.* 금이 간, 깨진; (맷돌 등에) 탄《보리 따위》; (인격·신용 따위가) 손상된, 떨어진; 목이 쉰; 《구어》 미친(crazy). ㊕ **∠·ness** *n.*

crack·er** [krǽkər] *n.* **1** 크래커《얇고 파삭파삭한 비스킷》. **2** 딱총, 폭죽; 크래커 봉봉(=∠ **bònbon**)《당기면 폭발하며 과자·장난감 등이 나오는 통》. **3** 《미남부·경멸》 백인 빈민(poor white); (C-) 플로리다〔조지아〕 사람《속칭》. **4** 파쇄기(破碎器); (*pl.*) 호두 까는 도구(nut-~s); 《우스개》 이빨. **5** 《속어》 거짓말(쟁이), 허풍(lie). **6** 《속어》 빠른 걸음(cracking pace); 파멸, 파산. **7** 《영구어》 대단한 것, 매우 기분 좋은 인물〔물건〕, 일품(逸品); 《영구어》 대단한 미인. **8** 〖컴퓨터〗 크래커 《다른 컴퓨터에 침입하여 데이터를 이용하거나 파괴하는 사람(hacker)》. ***get the ~s 《속어》 미치다. ***go a ~*** 전속력을 내다; 짜부러지다. ***haven't***

got a ~ 《Austral.구어》 빈털터리다. ***not worth a*** ~ 《Austral.구어》 전혀 쓸모가 없어.

crácker-bàrrel *a.* 《미》 (말 따위가) 알기 쉬운; 시골티가 나는, (사람이) 소박한; (생각·생활 등이) 보통인, 평범한. **—** *n.* 《속어·비유》 남자들이 편한 마음으로 인생 따위를 논하는 자리〔때〕.

crácker fàctory 《미속어》 정신 병원. 「표명》.

Crácker Jàck 설탕에 버무린 팝콘과 피넛《상

crácker·jàck 《구어》 *a., n.* =CRACKAJACK.

cráck·ers *a.* 《영구어》 〖서술적〗 머리가 돌아(crazy); 열중하여. ***go*** ~ 미치다; 열중하다 《*about*》.

Crácker Státe (the ~) Georgia 주의 속칭.

cráck·hèad *n.* 《속어》 마약 흡인〔중독〕자.

cráck hòuse 《속어》 마약 거래점.

cráck·ing *n.* 〖화학〗 분류(分溜), (석유의) 열분해(=∠ **distillátion**). **—** *a., ad.* 《구어》 몹시 빠른〔빠르게〕; 맹렬한〔하게〕. ***get*** ~ 《구어》 서두르다, 신속히 시작하다.

crack·jaw [krǽkdʒɔː] 《구어》 *a.* 발음하기 어려운. **—** *n.* 발음하기 어려운 단어〔어구〕.

crack·le [krǽkəl] *n.* Ⓤ **1** 딱딱〔바삭바삭·꽝〕하는 소리. **2** (도자기의) 잔금 무늬, 잔금이 나게 굽기, 그 도자기. **—** *vi.* 딱딱 소리를 내다; (도기 등에) 금이 가다; 활기차 있다. **—** *vt.* 딱딱 부수다; 금을 내다, …에 잔금 무늬를 넣다.

cráckle·wàre *n.* 잔금이 나게 구운 도자기.

crack·ling [krǽkliŋ] *n.* Ⓤ 딱딱 소리를 냄; 구운 돼지고기의 바삭바삭한 살가죽; (보통 *pl.*) 기름을 없앤 후의 바삭바삭한 고기; 《구어》 〖집합적〗 매력적인 여성《보통은 a bit of ~ 이라고 함》.

cráck·ly (***crack·li·er; -li·est***) *a.* 바삭바삭한.

crack·nel [krǽknəl] *n.* 얇은 비스킷의 일종; (*pl.*) 《미》 바싹 튀긴 돼지고기.

cráck·pòt 《구어》 *n., a.* 정신이 돈 (사람); 별난 생각을 지닌 (사람). ㊞ **~·ism** *n.* 기이한〔괴상한〕 짓, 미친 것 같음.

crácks·man [-mən] (*pl.* ***-men*** [-mən]) *n.* 《속어》 밤도둑, 강도(burglar); 금고털이.

cráck-ùp *n.* 분쇄, 붕괴, 파괴, 격돌(collision); 《구어》 (정신적·육체적) 파탄, 쇠약; 신경 쇠약; 추락; 충돌: the ~ of a marriage 이혼.

cracky[1] [krǽki] (***crack·i·er; -i·est***) *a.* 금이 간; 깨지기 쉬운; 《방언》 미친 것 같은; 수다스러운.

cracky[2] *int.* =CRIKEY.

Crac·ow [krǽkou] *n.* =KRAKÓW.

-cra·cy [∠krəsi] *suf.* '정체, 정치, 사회 계급, 정치 세력, 정치 이론'의 뜻: demo*cracy*. ★ 주로 그리스 말의 o로 끝나는 어간에 붙지만, 때로는 -ocracy의 꼴로도 결합함: cottono*cracy* 면업(綿業) 왕국.

cra·dle** [kréidl] *n.* **1** 요람, 소아용 침대(cot). **2** (the ~) 요람 시대, 어린 시절; (the ~) 《비유》 (예술·국민 따위를 육성한) 요람의 땅, (문화 따위의) 발상지: from the ~ 어린 시절부터 / from the ~ to the grave 요람에서 무덤까지, 나서 죽을 때까지, 한평생 / in the ~ 유년 시절에; 초기에. **3** (전화 수화기·배·비행기·대포 등을 얹는) 대(臺); 자동차 수리용 대《그 위에 누워 차 밑으로 기어드는》. **4** 이피가(離被架)《상처에 이불이 닿지 않게 하는 틀》. **5** 〖농업〗 낫의 덧살《낫에 덧대는 틀》; 덧살을 댄 낫. **6** 〖광산〗 선광대(選鑛臺). **7** (부상병의) 침대. **8** 〖조선〗 (진수 시의) 진수가(架). **9** 《미속어》 〖철도〗 대형의 무개차. ***rob 〔***rock***〕 ***the*** ~ 《구어》 자기보다 훨씬 젊은 상대〔배우자〕를 고르다. ***the*** ~ ***of the deep*** 《시어》 바다(ocean). ***watch over the*** ~ 발육〔성장〕을 지켜보다.

— *vt.* **1** 《+목+전+명》 (보호하듯) 안다, 살며시 안다; 두 손으로 안듯이 잡다〔받다〕: She ~*d* the baby in her arms. 그녀는 아기를 두 팔에 안았다. **2** (아기를) 요람에 누이다〔넣어 흔들다〕, 흔들어 어르다. **3** (수화기를) 목과 어깨 사이에 끼우다《*in*》. **4** 기르다, 육성〔보육〕하다. **5** (곡물을) 덧살 댄 낫으로 베다. **6** 받침대에 얹다〔놓다〕. **7** 〖채광〗 (모래·자갈을) 선광기로 씻어 내다, (사금을) 선광기로 고르다《*out*》. **8** 〖회화〗 (화판을) 나무틀로 지탱하다. **9** 〖라크로스〗 (공을) 크로스(crosse)의 네트에 넣고 달리다. **—** *vi.* 요람 속에서 자다, 덧살 댄 낫으로 작물을 베다; 〖채광〗 모래·자갈을 선광기로 일다, 사금을 선광기로 고르다.

crádle càp 〖의학〗 유아 지방관(脂肪冠)《유아 두피(頭皮)의 지루성(脂漏性) 피부염》.

crádle·lànd *n.* 발상지, 요람지.

crádle ròbber 《미》 (결혼) 상대가 훨씬 연하(年下)인 사람.

crádle scỳthe 덧살을 댄 낫.

crádle snàtcher 《구어》 훨씬 연하인 사람과 결혼하는〔에게 반하는〕 사람; =BABY SNATCHER.

crádle·sòng *n.* 자장가(lullaby).

crádle-to-gráve *a.* 나면서 죽기까지 전생애의: ~ welfare.

cra·dling [kréidliŋ] *n.* Ⓤ 육성; 〖광산〗 (사금의) 선광; Ⓒ 〖건축〗 반자틀.

****craft** [kræft, krɑːft/krɑːft] *n.* **1** Ⓤ 기능; 기교; 솜씨(skill). **2** Ⓒ (특수한 기술을 요하는) 직업; (특수한) 기술, 재간; 수공업; 공예: arts and ~*s* 미술 공예. **3** 〖집합적〗 동업 조합; 동업자들. **4** Ⓤ 교활, 간지, 술책(cunning): get industrial information by ~ 교묘한 술책으로 산업 정보를 입수하다. **5** 〖보통 단·복수동형〗 선박, 항공기; 우주선. **6** (the C-) Freemason 조합. **—** *vt.* …을 정교하게 만들다.

-craft [krǽft, krɑ̀ːft/krɑ̀ːft] *suf.* '기술, 기예, 직업, …술(術), …재능'의 뜻: state*craft*.

cráft apprènticeship (숙련공이 되기 위한) 기술 습득〔견습, 실습〕 기간.

cráft bròther 〔**guìld**〕 동업자, 동업 조합.

cráfts·man [-mən] (*pl.* ***-men*** [-mən]) *n.* **1** 장인(匠人), 기공(技工). **2** 기예가, 공예가; 명공(名工). ㊞ **~·lìke** *a.* **~·shìp** [-ʃìp] *n.* Ⓤ (장인의) 솜씨, 기능, 숙련.

cráfts·pèople *n. pl.* 직인(職人).

cráfts·pèrson *n.* 직인(職人), 장인(匠人).

cráfts·wòman (*pl.* ***-wòmen***) *n.* craftsman 의 여성. 「union).

cráft ùnion 직업〔직종〕별 조합(horizontal

cráft·wòrk *n.* 특수 기술을 요하는 일, 공예, 세공; 공예〔세공〕품. ㊞ **~·er** *n.* 공예가, 장인.

°**crafty** [krǽfti, krɑ́ːf-/krɑ́ːf-] (***craft·i·er; -i·est***) *a.* 교활한(cunning); 간악한; 《구어·방언》 교묘한, 능란한. ㊞ **cráft·i·ly** [-tili] *ad.* **-i·ness** *n.*

°**crag** [kræg] *n.* 울퉁불퉁한 바위, 험한 바위산; 〖지학〗 (잉글랜드 동부의) 개사층(介砂層); 돌출한 바위.

crag·ged [krǽgid] *a.* =CRAGGY.

crag·gy [krǽgi] (***crag·gi·er; -gi·est***) *a.* 바위가 많은; (바위가) 울퉁불퉁하고 험한; (얼굴이) 딱딱하고 위엄 있는. ㊞ **crág·gi·ness** *n.*

crágs·man [-mən] (*pl.* ***-men*** [-mən]) *n.* 바위 잘 타는 사람, 바위타기 전문가.

crake [kreik] *n.* 〖조류〗 뜸부기(corncrake); 그 울음소리; 《영》 《비유》 까마귀(crow). **—** *vi.* (뜸부기가) 울다.

cram** [kræm] (-mm-***) *vt.* **1** 《~+목/+목+전+명》 (장소·그릇 등에) 억지로 채워 넣다, 밀어 넣다《*with*》: ~ a hall *with* people 홀안에 사람들을 잔뜩 몰아넣다. **2** 《~+목/+목+전+명》 …을 (장소·그릇 속에) 채워 넣다, 다져

넣다, 밀어 넣다(stuff)《*into; down*》: ~ books *into* a bag 책을 가방 속에 채워 넣다. **3** 《~+목/+목+전+명》 배가 터지도록 먹이다(overfeed): ~ oneself *with* food 잔뜩 먹다. **4** 《구어》 (시험을 위해) 주입식 공부를 시키다; (학과를) 건성으로 외다《*up*》. **5** 《속어》 …에게 거짓말하다. **—** *vi.* 잔뜩 먹다; 《구어》 (시험을 위해) 주입식〔당일치기〕 공부를 하다; 《속어》 거짓말하다. **~ ... *down* a person's *throat*** 《구어》 (생각 등을) 아무에게 강요하다. **~ *it*** 《속어》 알게 뭐야《의견을 물을 때 강한 거절이나 증오를 나타내는 대답》.
— *n.* **1** Ⓤ 《구어》 주입식 공부〔지식〕, 벼락공부, (시험 공부용의) 참고서: a ~ school 입시 준비 학원. **2** 《속어》 주입주의의 교사〔학생〕; 《속어》 책벌레. **3** 《미구어》 (특히 부독본을 많이 읽지 않으면 안 되는) 엄격한 강좌〔과정〕. **4** 《구어》 (사람을) 빽빽이 넣기, 북적임. **5** 《속어》 거짓말(lie).
— *a.* 《구어》 주입식 공부의; 공부만을 들이파는.

cram·bo [krǽmbou] (*pl.* **~es**) *n.* 운(韻)찾기《놀이》; 《경멸》 동운어(同韻語), 운.

crám còurse **1** 집중 보충 수업. **2** =CRASH COURSE.

crám-fúll *a.* 꽉 찬《*of; with*》. ★ 악센트가 첫머리에 있는 단어 앞에서는 [krǽmful]이 됨.

cram·mer [krǽmər] *n.* 주입 제일주의의 교사〔학생〕; 《구어》 당일치기 공부를 하는 학생; 《속어》 거짓말; (닭의) 강제 비육기(肥育器).

cram·ming [krǽmiŋ] *n.* Ⓤ 잔뜩 처넣음; 《구어》 벼락공부, 주입식 공부〔교수〕.

crámming schóol 학원, 수험 준비교.

cramp[1] [kræmp] *n.* **1** 꺾쇠(~ iron); 죔쇠(clamp). **2** 속박(물). **—** *a.* **1** 답답한, 비좁은. **2** (글씨체가) 읽기 어려운. **—** *vt.* **1** 꺾쇠로 죄다. **2** 속박하다, 제한하다; 가두다《*up*》. **3** 핸들을 (갑자기) 꺾다. **~ a person's *style*** 《구어》 아무를 방해하다, 아무의 능력을 충분히 발휘하지 못하게 하다.

cramp[2] *n.* (손발 등의) 경련, 쥐; (보통 *pl.*) 갑작스러운 복통, 《미완곡어》 월경통: a ~ in the calf (수영할 때) 종아리에 나는 쥐 / bather's ~ 수영 중에 나는 쥐. **—** *vt.* 〔보통 수동태〕 …에 경련을 일으키다. **—** *vi.* 경련하다, 쥐가 나다; 갑작스러운 복통이 나다.

cramped [kræmpt] *a.* **1** 비좁은, 답답한, 꽉 끼는; (문체가) 비비 꼬인, (필적이) 알아보기 어려운. **2** 경련을 일으킨, 쥐가 난. 파 **~·ness** *n.* Ⓤ 갑갑함, 회삽(晦澁).

crámp·fish (*pl.* **~·es,** 〔집합적〕 **~**) *n.* 〖어류〗 시끈가오리(electric ray).

crámp ìron 죔쇠, 꺾쇠(cramp[1]).

cram·pon, 《미》 **-poon** [krǽmpɑn/-pɔn], [kræmpúːn] *n.* (보통 *pl.*) **1** (구두 바닥에 대는) 스파이크창; 〖등산〗 아이젠, 동철(冬鐵). **2** (보통 *pl.*) (무거운 물건을 집어 올리는) 쇠집게, 매다는 쇠갈고리.

crampons 1

cran·age [kréinidʒ] *n.* Ⓤ 기중기 사용권〔사용료〕.

cran·ber·ry [krǽnbèri, -bəri/-bəri] *n.* 〖식물〗 덩굴월귤; 그 열매.

cránberry bùsh 〔**trèe**〕 〖식물〗 미국 불두화나무《북아메리카 원산; 가막살나무속》.

cránberry glàss 크랜베리 글라스《청자색(青紫色)이 도는 붉은 빛깔의 투명 유리》.

◇**crane** [krein] *n.* **1** 두루미, 학; 《미》 왜가리; (the C-) 〖천문〗 두루미자리. **2** 기중기, 크레인; 흡수관(管), 사이펀(siphon); (기관차의) 급수관(管)(=**wáter ~**); (난로의) 자재(自在) 갈고리; 〖TV · 영화〗 크레인《카메라 이동 장치》: a traveling 〔bridge〕 ~ 이동〔교형(橋形)〕 기중기.
— *vt.* **1** (목을) 쑥 빼다. **2** 기중기로 나르다〔옮기다〕. **—** *vi.* 목을 길게 빼다《*out; over; down*》; (말이) 멈추어 서서 머뭇거리다《*at*》, 《구어》 (사람이) 뒷걸음질치다; 주저하다《*at*》; (카메라가) 크레인으로 이동하다. **~ *an ear*** …을 잘 들으려 하다, …에 귀를 기울여 듣다《*to*》.

cráne flỳ 〖곤충〗 꾸정모기(daddy-longlegs).

crane's-bill [kréinzbil] *n.* 이질풀(속(屬)의 식물).

cra·nia [kréiniə] CRANIUM의 복수.

cra·ni·al [kréiniəl] *a.* 두개(골)(頭蓋(骨))의, 두개 같은.

cránial índex 〖인류〗 두개(頭蓋)지수《두폭(頭幅)의 두고(頭高)에 대한 백분비》. cf. cephalic index.

cránial nèrve 〖해부 · 동물〗 뇌신경.

cra·ni·ate [kréiniət, -nièit] *a.* 〖동물〗 척추동물의; 두개(頭蓋)가 있는. **—** *n.* 두개〔척추〕동물.

cra·ni·o- [kréiniou, -niə], **cra·ni-** [kréini] '두개(頭蓋)'라는 뜻의 결합사《모음 앞에서는 crani-》.

crànio·fácial *a.* 두개(頭蓋) 및 안면(顏面)의: ~ index 〖인류〗 두안폭(頭顏幅) 지수《두폭(頭幅)의 안면에 대한 비》.

cra·ni·ol·o·gy [krèiniɑ́lədʒi/-ɔ́l-] *n.* Ⓤ 두개(골)학. 파 **cra·ni·o·log·i·cal** [krèiniəlɑ́dʒikəl/-lɔ́dʒi-] *a.* **cra·ni·ol·o·gist** [krèiniɑ́lədʒist/-ɔ́l-] *n.*

cra·ni·om·e·ter [krèiniɑ́mətər/-ɔ́m-] *n.* 두개(골) 측정기.

cra·ni·o·met·ric, -ri·cal [krèiniəmétrik], [-rikəl] *a.* 두개(골) 측정학의.

cra·ni·om·e·try [krèiniɑ́mətri/-ɔ́m-] *n.* Ⓤ 두개(골) 측정(법), 두개(골) 측정학.

cra·ni·os·co·py [krèniɑ́skəpi /-ɔ́s-] *n.* 두개(골) 진찰, 두개(골) 검사; 두상학(頭相學).

cra·ni·ot·o·my [krèiniɑ́təmi/-ɔ́tə-] *n.* 〖의학〗 개두(開頭)(술).

cra·ni·um [kréiniəm] (*pl.* **~s, -nia** [-niə]) *n.* 〖해부〗 두개(頭蓋); 두개골(skull); 《우스개》 머리.

◇**crank**[1] [kræŋk] *n.* **1** 〖기계〗 크랭크, (Z자 꼴로) 굽은 자루; 삐뚤삐뚤, 굴곡. **2** 회선반《옛날, 죄수에게 형벌로 돌리게 한》. **3** 괴상한 말투; 변덕(fad), 기상(奇想); 《구어》 괴짜, 괴팍한 사람(faddist); 《미구어》 꾀까다로운 사람. **4** 《속어》 =AMPHETAMINE. **—** *a.* (기계 · 건물 따위가) 흔들흔들하는, 불안정한; 고장난; 〖해사〗 뒤집히기 쉬운; 《영방언》 병약한. **—** *vt., vi.* 크랭크 모양으로 구부리다; …에 크랭크를 부착하다; 크랭크로 연결하다; 크랭크를 돌려 시동 걸다〔촬영하다〕; 《폐어》 휘어 굽어지다. **~ *in*** …을 시작하다; …에 짜 넣다. **~ *out*** (작가 등이 작품 따위를 별 수고 없이) 기계적으로 만들어 내다. **~ *up*** 《*vi.*+부》 ① 《구어》 시작하다; 준비하다《*for*》. ② (노력, 생산을) 늘리다, (정도를) 높이다. **—** 《*vt.*+부》 ③ (일의) 능률을 (애써) 높이다; 시동시키다, (엔진 시동을 위해) 크랭크를 돌리다. ④ 자극하다, 활성화하다; 흥분시키다, 《속어》 마약 주사를 맞다.

crank[2] *a.* 《방언》 명랑한, 기운찬; 콧대가 센.

cránk àxle 크랭크 차축(車軸).

cránk·càse *n.* (내연 기관의) 크랭크실(室).

cran·kle [krǽŋkəl] *vt., vi.* 구부러지다, 구부리다; 구불구불하다, 뒤틀(리)다. **—** *n.* 굽음, 굴곡.

cránk lètter 익명의 투서, 협박장.

cránk·pìn *n.* 〖기계〗 크랭크핀.

cránk·shàft *n.* 크랭크축(軸).

cranky [krǽŋki] (***crank·i·er; -i·est***) *a.* 성미가 까다로운(eccentric), 짓궂은; 야릇한, 변덕스

러운; (길 등이) 꼬불꼬불한; (건물 등이) 흔들흔들하는; 《영방언》 병약한; (배가) 기울기〔뒤집히기〕 쉬운. ㊞ **cránk·i·ly** *ad.* **-i·ness** *n.*

cran·nied [krǽnid] *a.* 금이 간, 갈라진.

cran·nog, -noge [krǽnəg], [-nədʒ] *n.* 『고고학』 (고대 스코틀랜드 및 아일랜드의) 호상(湖上) 인공 섬, 호상 주택.

cran·ny [krǽni] *n.* 벌어진 틈, 갈라진 틈, 틈새기. ***search every*** ~ 샅샅이 뒤지다.

crap[1] [kræp] *n.* 《미》 (craps 에서) 2 개의 주사위를 굴려 나온 지는 숫자《2, 3, 12; 2 번째 이후는 7》; =CRAPS. **—** (**-pp-**) *vi.* 지는 숫자〔2, 3, 12〕가 나오다; (2 번째 이후에서) 7이 나오다《내기에 지고, 또 던지는 권리도 잃음》. ~ ***out*** 《속어》 ① 단념하다, 손을 떼다, 포기하다; 쉬다, 낮잠 자다. ② (craps 에서) 지다.

crap[2] *n.* 《속어》 쓰레기; 《비어》 배설물, 똥; 《속어》 실없는 소리; 거짓말; 허풍; 《속어》 저속한 연예물: Cut the ~! 바보 취급 마라; 헛소리 마라. ***shoot the*** ~ 《미속어》 =shoot the BULL[1]. ***the*** ~ ***out of*** 《구어》 몹시. **—** (**-pp-**) *vt.* 《미속어》 **1** …에게 실없는 말을 하다, 허풍 떨다; 거짓말하다. **2** (일 따위를) 엉망으로 만들다《*up*》. **—** *vi.* 《비어》 똥누다. ~ ***around*** 바보짓을 하다; (일을) 농땡이 부리다; (시시한 일에) 구애되다《*with*》. **—** *a.* 《속어》 =CRAPPY.

crape [kreip] *n.* **1** Ⓤ 축면사(縮緬紗), 크레이프. ★ 주로 상복용의 검은 것; 딴 색의 것은 흔히 *crêpe* 라 이름. **2** (모자 · 소매 따위에 두르는) 상장(喪章). **—** *vt.* (머리를) 곱슬곱슬하게 지지다; crape 로 덮다〔를 두르다〕; …에 상장을 달다. ~ ***cloth*** 크레이프 비슷한 모직물. ㊞ **~d** [-t] *a.* 쭈글쭈글한, 곱슬곱슬한; (검은) 크레이프를 두른, 상장을 단.

crápe háir =CREPE HAIR.

crápe·hànger *n.* 《미속어》 **1** 남의 흥을 깨는 음침한 자, 비관론자. **2** 장의사 주인.

crápe mỳrtle 『식물』 백일홍.

cráp gàme 주사위 도박.

cráp·hòuse *n.* 《비어》 화장실, 옥외 변소; 《속어》 지저분한 곳, 더러운 곳.

crap·pie [krǽpi] (*pl.* ~(**s**)) *n.* 『어류』 북아메리카 중부산(産)의 작은 담수어 sunfish 의 일종.

crap·py [krǽpi] (***crap·pi·er; -pi·est***) *a.* 《속어》 진절머리 나는, 아주 엉망인, 시시한.

craps [kræps] *n. pl.* 〔단 · 복수취급〕 《미》 크랩스《주사위 2 개로 하는 노름의 일종》: shoot ~ 크랩스 놀이를 하다.

cráp·shòot *n.* 투기적 사업.

cráp·shòoter *n.* 《미》 craps 도박꾼.

crap·u·lence [krǽpjələns] *n.* Ⓤ 과음〔과식〕으로 인한 몸의 부실함〔고통〕.

crap·u·lent, -lous [krǽpjələnt], [-ləs] *a.* 과음 · 과식하여 거북한〔몸을 버린〕; 폭음〔폭식〕의.

cra·que·lure [krækljúər, ⌐-/krǽkəljùə] *n.* (오래 된 그림에 생기는) 잔금, 균열.

cra·ses [kréisiːz] CRASIS 의 복수.

****crash**[1] [kræʃ] *n.* **1** 갑자기 나는 요란한 소리《쨍그랑 · 와르르》; 『연극』 그 음향 효과 장치: a ~ of artillery 포성. **2** 충돌: a train ~ 열차 충돌. **3** (비행기의) 추락, 불시 착륙. **4** 《비유》 (주식 시장 · 경기 · 사업 등의) 폭락, 몰락, 붕괴, 파산, 공황; 『컴퓨터』 (시스템의) 고장, 충돌. **5** 《속어》 홀딱 반함. **6** 《속어》 완전한 실패. **7** 《속어》 (하룻밤) 숙박.

— *vi.* **1** 《~/+뷔/+전+명》 와르르 소리 내며 무너지다〔망가지다, 깨지다, 부서지다〕: The roof ~*ed in.* 지붕이 와르르 내려앉았다/The dishes ~*ed to* the floor. 접시가 쨍그랑하고 마룻바닥에 떨어져서 산산조각이 났다. **2** 《~/+전+명》 (충돌하여) 요란한 소리를 내다; (요란한 소리를 내면서) 부딪치다; 돌진하다; 충돌하다: The tank ~*ed through* the jungle. 탱크가 요란한 소리를 내며 밀림을 뚫고 돌진했다. **3** (비행기가) 추락하다, 불시착하다; (착륙 때) 기체가 부서지다. **4** (장사 · 계획 따위가) 실패하다, 파산하다; 『컴퓨터』 (시스템 · 프로그램이) 갑자기 기능을 멈추다, 충돌하다. **5** 《구어》 (초대받지 않은 파티 따위에) 밀고 들어가다; 《속어》 강도짓하다; 《속어 · 비유》 억지로 멤버가 되다. **6** 《속어》 자다; (공으로) 묵다; 《속어》 취하여 곤드레만드레가 되다. **7** 《속어》 (마약 기운이 떨어져) 제정신으로 돌아오다, 마약〔LSD〕의 효과가 없어지다.

— *vt.* **1** 《~+목/+목+전+명》 쨍그랑 부수다; 산산이 부수다: ~ a cup *against* a wall 찻잔을 벽에 던져 산산조각을 내다.

> SYN. **crash** 와르르 · 쨜깡하는 큰 소리를 내며 '깨지는' 경우에 쓰임. **crush** 외부로부터의 압박에 의하여 '부서지는' 경우에 쓰임. **crack** 딸깍 · 짤까닥 소리를 내면서 '갈라지는' 경우. **smash** 는 갑자기 강한 힘으로 산산조각이 나게 '부스러지는' 경우에 쓰임.

2 《~+목/+목+전+명》 (요란한 소리를 내면서) …을 달리다, 밀고 나아가다《*in; through; out*》: ~ one's way *through* the crowd 사람들 속을 마구 밀고 나가다. **3** (비행기를) 불시착〔격추〕시키다; (자동차 등을) 충돌시키다; (착륙 때 비행기를) 망가뜨리다. **4** (극장 · 파티 따위에) 표 없이〔불청객으로〕 들어가다, 숨어들다; 《속어》 …에 공짜로 묵다; 『야구』 (홈런 따위)를 치다.

~ ***and burn*** 《미학생속어》 (사내가) 보기좋게 채이다〔실패하다〕. ~ ***in*** 《속어》 방해하다. ~ ***into*** …에 쿵하고 뛰어들다; …에 와지끈 충돌하다. ~ ***out*** 《속어》 공짜로 묵다; 《속어》 탈옥하다. ~ ***over*** 와르르 뒤집히다. ~ ***the gate*** 《속어》 표 없이 입장하다; 초대받지 않았는데 마구 들어가다.

— *a.* 《구어》(긴급 사태 · 시일에 대처하기 위해) 전력을 기울인; 응급의, 단숨에 해내는; (수업이) 속성인, 벼락치기의: a ~ plan to house flood victims 홍수 이재민 수용을 위한 응급 계획.

— *ad.* 요란하게 소리 내며, 쨍그랑하고: go ~ 와르르 무너지다. ≒crush.

crash[2] *n.* Ⓤ (타월 · 커튼용의) 성긴 삼베.

crásh bàrrier 《영》 (도로 · 경주로 등의) 가드레일, (고속도로의) 중앙 분리대.

crásh bòat (고속의) 조난 구조선.

crásh càr 《미속어》 도주 엄호차《경찰의 도로 봉쇄 때에 범인의 도주를 돕기 위해 그 봉쇄를 돌파하는 역할을 함》.

crásh còurse 《구어》 (입시 대비의) 집중 강좌, 특강.

crásh dìet 급격한 다이어트.

crásh dìve (잠수함의) 급속 잠항.

crásh-dìve *vi.* (잠수함이) 급속히 잠항하다; (비행기가) 급강하하다. **—** *vt.* (잠수함을) 급속 잠항시키다; (비행기를) 급강하시키다.

crashed [-t] *a.* 《속어》 술 취한(drunk).

crásh·er *n.* 요란한 소리를 내며 부수는〔부서지는〕 것, 통타(痛打), 통격; 《구어》 =GATECRASHER; 《미속어》 강도.

crásh·hàlt *n.* =CRASH STOP.

crásh hèlmet (자동차 경주자용) 안전 헬멧.

crásh·hòuse *n.* 《CB 속어》 병원.

crásh·ing *a.* 《구어》 **1** 완전한, 철저한, 최고의. **2** 특별한. **3** 놀랄 만한, 두려운. ***a*** ~ ***bore*** 매우 따분한 인물〔일〕.

crásh-lánd *vt., vi.* 동체 착륙하다, 불시착시키다. ㊞ **~·ing** *n.* Ⓤ 불시착, 동체 착륙.

crásh·òut *n.* 《속어》 탈옥, 파옥(破獄).

crásh pàd **1** (자동차 내부의) 안전 패드. **2** 《속어》 무료 숙박소, 임시 잠자리.

crásh prògram (개발 · 생산 등의) 긴급 계획〔타개책〕. 「a ~ cars.
crásh·pròof *a.* (차 따위가) 충돌해도 안전한:
crásh stòp 급정거(crash halt).
crásh·tàckle *n.* 〖럭비〗 맹렬한 태클.
crásh-tèst *vt.* (신제품의) 안전 테스트를 하다.
crásh trùck (사고 시의 공항) 긴급 차량.
crásh wàgon 《미속어》 구급차.
crásh·wòrthy *a.* 충돌〔충격〕에 강한: ~ motorcycle helmet. ㊞ **-wòrthiness** *n.*
cra·sis [kréisis] (*pl.* ***-ses*** [-si:z]) *n.* 〖문법〗 모음 축합(縮合)《2 개의 모음이 하나로 됨》.
crass [kræs] *a.* 아둔한, 우둔한, 매우 어리석은; 《비유》 심한, 지독한; 《고어》 (올이) 성긴; 두꺼운. ㊞ **∠·ly** *ad.* **∠·ness** *n.*
cras·si·tude [krǽsitjù:d/-tjù:d] *n.* Ⓤ 조잡; 아둔함.
-crat [kræt] '-cracy의 지지자' 란 뜻의 결합사: demo*crat*, auto*crat*. 「《고어》 여물통.
cratch [krætʃ] *n.* **1** 구유, 여물 시렁(crib). **2**
crate [kreit] *n.* **1** (짐꾸리기용의) 틀상자, 나무틀; (일반적으로) 밀봉한 포장용 상자. **2** 《구어》 고물이〔털털이가〕 된 것, 《특히》 털털이 자동차〔버스, 비행기〕. **3** 크레이트《특히 과일의 한 상자분》. **4** 《속어》 관(棺); 《부랑자속어》 유치장. ── *vt.* 크레이트에 채우다〔넣다〕.
°**cra·ter** [kréitər] *n.* 분화구; (달 표면의) 크레이터; 운석공(隕石孔); (폭발로 인한 지상의) 폭탄 구멍; (the C-) 〖천문〗 컵자리. ── *vt.* (폭탄 따위가) …에 구멍을 내다. ── *vi.* (길이) 패다, 구멍이 생기다; (도구의 표면이) 마멸되다; 《미속어》 죽다; 《비유》 못 쓰게 되다.
cra·ter·i·form [kréitərəfɔ̀:rm, krətérə-] *a.* 분화구 모양의; 접시 모양의.
Cráter Láke 크레이터 호《미국 Oregon 주 남서부에 있는 사화산의 분화구에 생긴 호수》.
cra·ter·let [kréitərlit] *n.* 작은 분화구, (달 표면의) 작은 크레이터.
Ć ràtion 〖미육군〗 휴대 식량의 하나《통조림류》.
cra·ton [kréitɑn/-tɔn] *n.* 〖지학〗 대륙괴(大陸塊), 강괴(剛塊), 크레이톤《지각의 안정 부분》.
craunch [krɔ:ntʃ, krɑ:-/krɔ:ntʃ] *v.*, *n.* = CRUNCH.
cra·vat [krəvǽt] *n.* **1** 넥타이. ★ 《영》에서는 상용어(商用語), 《미》에서는 점잖은 용어. **2** 《고어》 (남자용) 목도리(neckcloth); 〖의학〗 삼각건(巾) 《붕대용》. ***wear a hempen ~*** 《속어》 교수형을 받다.
*****crave** [kreiv] *vt.* **1** 《~+목/+*that* 절/+*to do*》 열망〔갈망〕하다: I ~ water. 목이 말라 못 견디겠다/I ~ *that* she (should) come. 그녀가 꼭 오기를 바란다/I ~ *to* hear her voice. 그녀의 목소리가 꼭 듣고 싶다. **2** (사정이) …을 필요로 하다, 요구하다(require). **3** 《~+목/+목+전+명》 (열심히 아무에게) …을 구하다, 간절히 원하다: ~ a person's pardon 용서를 간원하다/~ mercy *of* 〔*from*〕 a person 아무에게 관대한 처분을 바라다. ── *vi.* **1** 간절히 원하다《*for*》. **2** 갈망〔열망〕하다《*for; after*》. ★ wish, desire, long for 따위보다 뜻이 강함. ㊞ **cráv·er** *n.*
cra·ven [kréivən] *n.* 겁쟁이, 소심한 사람; 비겁자. ── *a.* 겁 많은, 비겁한; 《고어》 패배한. ***cry ~*** 항복하다; 단념하다. ── *vt.* 《고어》 겁쟁이로 만들다. ㊞ **~·ly** *ad.* 겁이 나서, 비겁〔소심〕하게도. **~·ness** *n.*
*****crav·ing** [kréiviŋ] *n.* 갈망, 열망; 간원: have a ~ *for* …을 열망하다. ── *a.* 갈망〔열망〕하는. ㊞ **~·ly** *ad.* **~·ness** *n.*
craw [krɔ:] *n.* (새의) 모이주머니, 소낭; (동물의) 밥통; 《속어》 목구멍(throat). ***stick in*** a person***'s*** 〔***the***〕 ~ 화〔부아〕가 나게하다, 참을 수 없다.
cráw·fish *n.* =CRAYFISH; 《미구어》 꽁무니 빼는 사람; 변절자. ── *vi.* 《미속어》 손 떼다, 취소하다; 《미구어》 꽁무니 빼다《*out*》; 《속어》 남 앞에서 비굴하게 행동하다, 굽실거리다.
*****crawl**[1] [krɔ:l] *vi.* **1** 《~/+부/+전+명》 네발로 기다, 포복하다; (식물의 덩굴 등이) 기다; 크롤로 헤엄치다: ~ *about on* all fours 〔*on* hands and knees〕 네발로 기어다니다. SYN. ⇨CREEP. **2** 구물구물 움직이다, 천천히 가다, 서행(徐行)하다; (시간이) 천천히 흐르다; (병자가) 슬슬 걷다: The work ~*ed*. 일이 지지부진하였다. **3** 《+전+명/+부》 비굴하게 굴다, 굽실거리다《*to; before*》; 살살 환심을 사다《*into*》; (사냥감에) 슬금슬금 다가가다《*on, upon*》: ~ *to* 〔*before*〕 one's superiors 상사에게 굽실거리다/~ *into* a person's favor 아무에게 빌붙다. **4** 《+전+명》 (벌레 따위가 지면 · 마룻바닥에) 득실거리다《*with*》: The floor ~*s with* vermin. 마루에 벌레가 득실거린다. **5** (벌레가 기듯이) 스멀스멀하다: ~ all over 온몸이 근질거리다. **6** (페인트 등 도료가) 얼룩지다. **7** 〖미식축구〗 crawling 을 하다. ── *vt.* 기다; 《속어》 (남자가 여자와) 자다; 《속어》 혹독하게 비난하다. ~ ***(home) on*** one***'s eyebrows*** 《구어》 녹초가 되어 (돌아)오다. ~ ***up*** (옷이) 밀려 오르다. ── *n.* **1** 기어〔느릿느릿〕 가기: go at a ~ 슬슬 걷다; 서행(徐行)하다, (자동차가) 손님을 찾아 슬슬 달리다/go for a ~ 어슬렁어슬렁 산책에 나가다. **2** 크롤 수영법(=∠ **stròke**). **3** 《미속어》 춤; 텔레비전 프로 끝에 비추는 스태프 명단. **4** 《영속어》 =PUB CRAWL. ㊞ **∠y** *a.*
crawl[2] *n.* 활어조(活魚槽); 《드물게》 =KRAAL.
cráwl·er *n.* **1 a** 기는 사람〔동물〕; 파충류, 이(louse); 《미》 뱀잠자리의 유충. **b** 《영구어》 손님을 찾아 천천히 달리는 빈 택시. **c** (보통 *pl.*) 아기가 길 무렵에 입는 옷, 롬퍼스. **d** 크롤 수영자. **2 a** 《Austral.》 (비굴한) 아첨꾼. **b** 게으름뱅이; 《미구어》 앉은뱅이 거지. **3** 〖기계〗 무한궤도; 그 궤도 위에 얹은 기계《트랙터 · 크레인 따위》.
cráwler làne (고속도로 오르막의) 저속 차로.
cráwler tràctor 무한궤도(형) 트랙터.
cráwler·wày *n.* 로켓 · 우주선 운반용 도로.
cráwl·ing *n.* 〖미식축구〗 크롤링《넘어진 볼 캐리어가 계속 전진하려고 하는 일》. ── *a.* 《속어》 벼룩이〔이가〕 꾄.
cráwl·ing·ly *ad.* 기듯이; 느릿느릿.
cráwling pèg 〖경제〗 환평가(換平價)의 소폭 조정《평가 변경에 따른 충격을 완화하는 방법》.
cráwl spàce (지붕 · 마루 밑 등의 배선 · 배관을 위한) 좁은 공간; =CRAWLERWAY.
cráwl·wày *n.* 기어서만 다닐 수 있는 낮은 길《동굴 속 따위의》.
cray·fish [kréifiʃ] *n.* 가재; 왕새우, 대하.
cráy·fishing *n.* 가재잡이.
*****cray·on** [kréiɑn, -ən/-ɔn, -ən] *n.* 크레용; 크레용화; (아크등(燈)의) 탄소봉. ── *vt.* 크레용으로 그리다; 대충 그리다; 《비유》 개략적인 계획을 세우다. ㊞ **~·ist** *n.* 크레용 화가.
*****craze** [kreiz] *vt.* **1** 〔보통 수동태〕 미치게 하다; 발광시키다; 열광〔열중〕하게 하다《*with; about; for*》. **2** (도자기를) 잔금이 가게 굽다. ── *vi.* 미치다; 잔금이 가다. ── *n.* **1** 광기, 발광; (일시적인) 열광, 열중, 대유행(rage). **2** (도자기 등의) 잔금. ◇ crazy *a.* ***be the*** (***latest***) ~ (최근) 대유행이다.
crazed *a.* 미친; 잔금이 간《도자기》.
*****cra·zy** [kréizi] (***-zi·er; -zi·est***) *a.* **1** 미친, 미치광이의: Are you ~ ? 너 미쳤니.

SYN. **crazy** 걱정 따위로 정신이 매우 흩어져 있는 상태를 나타냄. **mad** 실성기가 있어 정신 착란의 정도가 한층 중증인 것. **insane** 정신 이상을 나타냄: an *insane* hospital 정신 병원.

2 얼빠진 짓의, 무리한: a ~ scheme 무모한 계획. **3** 《구어》 열중한, 열광한, 홀딱 빠진《*for; about; over*》: ~ *about* 〔*over*〕 a girl 여자에게 열을 올리고 있는. **4** 《구어》 참 좋은, 최고의. **5** 결함 많은; 비뚤어진; (건물 등이) 흔들흔들하는, 무너질 듯한. ***be ~ to*** do …하고 싶어 못 견디다: I'*m ~ to* try new skis. 새 스키를 타 보고 싶어 죽겠다. ***like ~*** 《구어》 무서운 기세로, 맹렬히: run *like ~* 필사적으로 달리다.

— *n.* 《구어》 **1** 광인, 미치광이. **2** 과격파 사람. ㊞ **crá·zi·ly** *ad.* 미친 듯이, 미친 사람처럼; 열중하여. **-zi·ness** *n.* 발광, 열광.

crázy bòne 《미》 =FUNNY BONE.

crázy hòuse 1 《속어》 정신 병원. **2** =FUN HOUSE.

crázy pàving 〔**pàvement, wàlk**〕 (정원의) 다듬지 않은 돌·타일로 만든 산책길.

crázy quìlt 조각보 이불; 쪽모이 세공(patchwork).

cra·zy·weed [kréiziwìːd] *n.* 〖식물〗 로코초(草)(locoweed).

CRC camera-ready copy; Civil Rights Commission. **C.R.E.** 《영》 Commander, Royal Engineers. 「《생략: CRP》.

C-reactive prótein 〖생화학〗 C 반응성 단백

◇**creak** [kriːk] *n.* 삐걱거리는 소리, 알력. — *vi., vt.* 삐걱삐걱하(게 하)다; 삐걱삐걱 소리를 내며 움직이다: *Creaking* doors hang the longest. 《속담》 고로롱 팔십, 쭈그렁 밤송이 3년 간다. ㊞ **∠·er** *n.* 《미속어》 늙다리.

creaky [kríːki] (**creak·i·er; -i·est**) *a.* 삐걱삐걱하는, 삐걱거리는. ㊞ **créak·i·ly** *ad.* **créak·i·ness** *n.*

‡**cream** [kriːm] *n.* Ⓤ **1** 크림; 우유의 빽빽한 더껑이. **2** 크림이 든 과자〔요리〕; (크림을 함유하는) 진한 수프; 크림 모양의 물건. **3** 화장용〔약용〕 크림. **4** (the ~) 최량의 부분, 정수(精髓): the ~ *of* youth 고르고 고른 젊은이들 / the ~ *of* manhood 사나이 중의 사나이 / the ~ *of* society 사교계의 꽃, 최상류층 사람들. **5** 크림색(의 말·토끼). **6** 《비어》 정액(semen); (여성의) 애액(愛液). ★ 흔히 '애액'은 cunt 〔pussy〕 cream 이라고 함. **7** 크림 셰리(=∠ **shérry**)《감칠맛이 나는 달콤한 포도주》. ***~ of tartar*** 주석영(酒石영)《타르타르산 칼륨》. ***get the ~ of*** …의 진수〔정수〕를 뽑아내다. ***the ~ of the crop*** 《구어》 최상의 것〔사람들〕. — *vt.* **1** (우유에) 더껑이를 앉히다; (크림 따위를) 떠내다. **2** …의 최상의 부분을 취하다. **3** (커피 따위에) 크림을 넣다〔치다〕. **4** 크림 모양으로 만들다; 크림으로〔우유·크림 소스로〕 요리하다. **5** 《미속어》 마구 치다; 속이다; (멋진 성공을) 거두다, (좋은 성적으로 시험에) 패스하다; (경기에서 상대를) 완패시키다. — *vi.* **1** (우유에) 더껑이가 생기다. **2** 거품이 일다; 《비어》 사정(射精)하다; (여자가) 애액을 분비하다. **~ *off*** (…에서 가장 좋은 것을) 골라내다, 정선(精選)하다. **~ *one's jeans*** 《미속어》 수월하게 해내다〔패스하다〕; 《비어》 황홀해하고 있다, 오르가슴에 달해 있다. **~ *up*** 《미속어》 일을 완벽하게 마무르다.

— *a.* 《속어》 **1** 크림(색)의. **2** 간단한, 수월한. **3** 즐거운, 유쾌〔쾌적〕한. **4** 크림으로 만든.

créam chèese 크림치즈《무르고 맛이 짙은》.

créam·cùps (*pl.* ~) *n.* 〖식물〗 (캘리포니아산(產)의) 양귀비꽃과의 풀.

créam·er *n.* (식탁용) 크림 그릇; 유피(乳皮) 떠내는 접시; 크림 분리기.

cream·ery [kríːməri] *n.* 버터·치즈 제조소; 낙농장; 우유 제품 판매점; 우유 저장실. 「린.

créam-fáced [-t] *a.* (무서워서) 새파랗게 질

créam hòrn 크림혼《원뿔 모양의 크림 과자》.

créam ìce 《영》 =ICE CREAM.

créam làid 《영》 크림빛의 가로줄이 비치게 뜬 종이. ㊀ laid paper.

créam pùff 슈크림; 《비유》 시시한 사람〔물건〕; 《구어》 여자 같은 사내, 암사내(sissy); 《속어》 성능이 좋은 중고차.

créam·slìce *n.* (아이스)크림을 뜨는 나무주걱.

créam sóda 소다수(水).

créam tèa 《영》 잼이나 크림을 바른 스콘(scone)과 함께 차 마시는 오후 간식. 「기(陶器).

créam·wàre *n.* 〖요업〗 크림색 유약을 바른 도

créam wòve 《영》 크림빛의 그물 무늬가 있는 종이《필기용》. ㊀ wove paper.

creamy [kríːmi] (**cream·i·er; -i·est**) *a.* 크림 같은; 크림색의; 매끄럽고 보드라운. ㊞ **créam·i·ly** *ad.* **-i·ness** *n.* 크림질(質).

◇**crease**[1] [kriːs] *n.* 주름(살), 접은 금; 〖크리켓〗 투수〔타자〕의 위치를 지시하는 선; 《미속어》 (여성의) 성기, 외음(부), 음문, 질(vulva, vagina). ◇ creasy *a.* — *vt., vi.* 접어 금을 내다〔이 나다〕; 주름 잡(히)다; 《미》 (동물에) 탄알을 스치게 하여 가벼운 상처를 입히다; 《속어》 (사람을) 기절시키다; 《속어》 죽이다; 《속어》 매우 피곤하게 하다; 《속어》 매우 재미있게 하다〔재미있어 하다〕, 배꼽을 쥐게 하다〔쥐다〕《*up*》. ㊞ **~d** [-t] *a.* 주름 잡은; 구겨진. **∠·less** *a.* **créas·er** *n.* (재봉·제본 따위의) 주름 잡는 기구.

crease[2] *n.* =CREESE.

créase-resìstant *a.* (천이) 구겨지지 않는.

créas·ing *n.* 주름, 금; 〖건축〗 담이나 굴뚝 위의 비 막는 기와〔벽돌〕.

cre·a·sote [kríːəsòut] *n., vt.* =CREOSOTE.

creasy [kríːsi] (**creas·i·er; -i·est**) *a.* 주름〔금〕이 있는; 주름투성이의.

***cre·ate** [kriːéit] *vt.* **1** 창조하다; 창시〔창작〕하다; 〖컴퓨터〗 만들다: All men are *~d* equal. 모든 인간은 평등하게 창조되었다. **2** 안출〔고안〕하다; (유행형 등을) 디자인하다. **3** (회사·부·국 등을) 창설〔창립〕하다. **4** 《~+목/+목+보》 …에게 위계〔작위〕를 수여하다: ~ a person a baron. **5** (역을) 초연(初演)하다. **6** (소동·상태·기회·욕구 따위를) 일으키다, 만들어 내다. **7** (인상을) 주다; (평판을) 내다. — *vi.* (자못) 창조적인 일을 하다; 《속어》 법석 떨다, 불평〔불만〕을 말하다《*about*》. ◇ creation, creature *n.* ㊞ **cre·át·a·ble** *a.* **cre·át·ed·ness** *n.*

cre·a·tine, -tin [kríːətìːn], [-tin] *n.* 〖생화학〗 크레아틴《혈액·근육 조직 속의 유기 염기》.

créatine kínase 〖생화학〗 크레아틴 키나제《근육 활동 시에 ATP 생성 반응을 촉매하는 효소》.

cre·at·i·nine [kriǽtəniːn, -nin] *n.* 〖생화학〗 크레아티닌《척추동물의 근육·오줌·혈액 속에 함유되는 백색 결정》.

cre·a·tion** [kriːéiʃən] *n.* **1** Ⓤ 창조; 창작; 창설; (the C-) 천지 창조. **2** Ⓤ (신의) 창조물; 우주, 천지 만물, 삼라만상: lower ~ 하등 동물 / the lords of (the) ~ 만물의 영장, 인간. **3** Ⓒ 창작품, 고안물; (유행의) 새 디자인. **4** Ⓤ 작위 수여. **5** Ⓒ (역의) 초연(初演). **6** 《미구어》 〖감탄사적〗 야아: *Creation!* (how he looked!) 야아 (어쩌면 표정이 그러냐). ◇ create *v.* ***beat 〔***lick, whip***〕 (***all***) ~ 《미구어》 무엇보다도 뛰어나다〔뒤지지 않다〕. ***in all ~*** 《미구어》 〖의문사를 강조하여〗 대관절, 도대체. ***like all ~*** 《미구어》 맹렬히. ***the ~ of peers*** 《영》 (상원을 견제하기 위해 정부를 지지하는) 귀족을 마구 만들어 내기. ㊞ **~·ism** *n.* Ⓤ 〖신학〗 영혼 창조설; 〖생물〗 특수 창조설. opp.

evolutionism. **~·ist** *n*. 영혼 창조설 신봉자.

creátion scìence 〖신학〗 (천지) 창조 과학.

*__cre·a·tive__ [kriːéitiv] *a*. **1** 창조적인, 창조력이 있는, 창작적인, 독창적인(originative) : ~ power 창조력; 창작력 / ~ writing 창작 (문학). **2** 건설적인, 의의(意義)가 있는. ◇ create *v*. ***be ~ of*** …을 만들어 내다. ㊕ **~·ly** *ad*. **~·ness** *n*.

cre·a·tiv·i·ty [kriːeitívəti] *n*. Ⓤ 창조성〔력〕; 독창력; 창조의 재능.

creátive accóunting 창작적 회계(cf. window dressing 2)《모호한 회계 기준 따위를 악용한 합법적인 조작 회계》.

creátive evolútion 창조적 진화《Bergson이 제창한 학설》.

creátive púnishment 건설적 처벌《사회〔공공〕 봉사 등을 부과》.

*__cre·a·tor__ [kriːéitər] (*fem*. **-tress** [-tris]) *n*. 창조자; 창작가; 창설자; 작위 수여자; 새 디자인 고안자; (the C-) 조물주, 신. ㊕ **~·ship** *n*. Ⓤ 창조자〔창시자〕임.

crea·tur·al [kríːtʃərəl] *a*. 생물의; 동물적인.

__crea·ture__ [kríːtʃər] *n*. **1 (신의) 창조물, 피조물. **2** 생물, 《특히》 동물; 《미》 마소, 가축. **3** 〔경멸·동정·애정을 곁들여〕 놈, 녀석, 년, 자식: Poor ~ ! 가엾어라, 가엾게도 / a pretty 〔dear〕 ~ 귀여운 아가씨. **4** 예속자, 부하, 앞잡이; 괴뢰. **5** (시대의) 산물; (시대·습관의) 노예. **6** (the ~) 위스키. ◇ create *v*. ***a ~ of impulse*** 충동에 좌우되는 사람. ㊕ **~·hòod** *n*. **~·ly** *a*. =CREATURAL. **~·li·ness** *n*.

créature cómforts (보통 one's ~) 육체적인 쾌락을 주는 것《훌륭한 의식주 따위》, 《특히》 음식물(good creatures).

crèche [kreiʃ] *n*. 《F.》 탁아소; 고아원; (크리스마스에 흔히 장식하는) 구유 속의 아기 예수상.

cre·dence [kríːdəns] *n*. **1** Ⓤ 신용(belief, credit); 신빙성. **2** Ⓒ 〖가톨릭〗 (성체 성사용의) 제구대(祭具臺) (=∠ **tàble**). ***a letter of ~*** 신임장; 추천장. ***find ~*** 신임 받다. ***give*** 〔***refuse***〕 ***~ to*** …을 믿다〔믿지 않다〕.

cre·den·da [kridéndə] (*sing*. **-dum** [-dəm]) *n. pl*. 〖신학〗 신앙 개조(信仰個條)(articles of faith).

cre·den·tial [kridénʃəl] *n*. 자격 증명서, 성적〔인물〕 증명서; (보통 *pl*.) (대사 등에게 주는) 신임장: present one's ~*s* (대사 등이) 신임장을 제출하다. **—** *a*. 신임하는: a ~ letter 신임장. **—** *vt*. 신임〔신용〕을 얻다. ㊕ **~·ism** *n*. (고용할 때의) 자격〔학력〕 편중주의.

cre·dén·tial·(l)ing *n*. 증명서〔자격 인정서〕 발행; 신임장 제출.

credéntials commìttee (정당·노조의 대의원에 대한) 자격 심사 위원회.

cre·den·za [kridénzə] *n*. (르네상스 시절의) 귀중한 식기류를 넣어 두는 찬장; 그것을 본뜬 찬장〔책장〕; 〖가톨릭〗 =CREDENCE 2.

crèd·i·bíl·i·ty *n*. Ⓤ 믿을 수 있음, 진실성; 신용, 신뢰성, 신빙성, 위신.

credibílity gàp (정부에 대한) 신빙성의 결여, 불신감; (정치가 등의) 언행 불일치; (세대 간의) 단절(감).

◇**cred·i·ble** [krédəbəl] *a*. 신용〔신뢰〕할 수 있는, 확실한. ◇ credit *v*. ㊕ **-bly** *ad*. 확실히, 확실한 소식통에서. **~·ness** *n*.

crédible detérrent 〖군사〗 (적측에게 보이는) 믿을 만한 저지력〔물〕.

*__cred·it__ [krédit] *n*. Ⓤ **1** 신용; 신망, 성망(聲望); 세력, 영향력; 명성, 명예; 칭찬: gain 〔lose〕 ~ to …에 대한 신용을 얻다〔잃다〕 / get ~ for …의 명성을 얻다 / have ~ with …에 신용이 있다. **2** 영예, 면목; Ⓒ 자랑거리: He is a ~ *to* the school. 그는 학교의 자랑〔명예〕이다. **3** (협력·봉사 따위의) 공적; (공적에 대한) 인정, 감사. **4** (금융상의) 신용; 신용 대부〔거래〕, 외상 판매; 채권; 예금; Ⓒ 신용장: a letter of ~ 〖상업〗 신용장《생략 L/C》 / give a person ~ 아무에게 신용 대부하다, 아무를 신용하다 / long 〔short〕 ~ 장〔단〕기 신용 대부 / open a ~ 〖상업〗 신용장을 개설하다 / open ~ with 신용 거래를 트다. **5** 〖부기〗 대변(貸邊)《생략: cr.》, 대변 기입액. OPP. *debit*. **6** Ⓒ 《미》 (이수) 단위, 학점 《학과의》; 《영》 (시험 성적의) 양. **7** (보통 *pl*.) 크레디트《출판물·연극·라디오〔텔레비전〕 프로 등에 사용된 자료 제공자에 대한 치사》. **8** (세금 따위의) 공제. ***do*** a person ***~ =do ~ to*** a person 아무의 명예가〔공이〕 되다. ***give ~ to*** … 을 믿다. ***have a ~ for*** …라는 평판을 받다. ***have*** 〔***get***〕 ***the ~ of*** …의 영예를 얻다, 명예롭게도 …했다고 인정 받다. ***in ~*** 《영속어》 자금〔용돈〕을 가지고 있는. ***No ~.*** 외상 사절. ***on ~*** 외상으로, 신용 대부로: deal *on* ~ 신용 거래하다 / put one *on* ~ 외상으로 한 잔 하다. ***put ~ in a report*** 소문을 믿다. ***reflect ~ on*** …의 명예가 되다. ***take*** (***the***) ***~*** (***to*** one***self***) ***for*** …을 자신의 공로로 삼다, …의 공을 인정 받다. ***to the ~ of*** a person=***to*** a person***'s ~*** ① 아무의 명예가 되게. ② 자기 이름으로〔이 붙는〕: He already has ten published books *to his* ~. 그는 자기 이름이 붙은 책을 이미 10권이나 출판하였다. ③ 〖부기〗 (아무의) 대변에. ***with ~*** 훌륭하게.

— *vt*. **1** 신용하다, 신뢰하다, 믿다. **2** …의 명예가 되다, …에게 면목을 세워 주다. **3** 《+목+전+명》 (공적·명예 등을) …에게 돌리다《*to*》, …의 소유자〔공로자, 행위자〕로 생각하다《*with*》: I ~*ed* you *with* more sense. 자네에겐 좀 더 분별이 있는 줄 알았네 / ~ something *to* a person = ~ a person *with* something 어떤 물건을 아무의 소유로 여기다. **4** 《+목+전+명》 〖부기〗 (금액을 아무의) 대변에 기입하다; …에게 외상으로 팔다: ~ a person *with* $200 = ~ $200 *to* a person, 200달러를 아무의 대변에 기입하다. **5** 《+목+전+명》 《미》 …에게 (이수) 학점을 주다《*with*》: be ~*ed with* three hours in history 주(週) 3시간짜리 역사 학점을 따다.

◇**créd·it·a·ble** *a*. 명예로운; 칭찬할 만한, 평판이 좋은; 신용할 수 있는. ㊕ **-bly** *ad*. 훌륭히, 썩 잘. **~·ness** *n*. **crèd·it·a·bíl·i·ty** *n*.

crédit accòunt 〖영상업〗 외상 거래 계정(《미》 charge account).

crédit àgency (신용 판매를 위한) 신용 조사소〔기관〕.

crédit bùreau 신용 조사소, 상업 흥신소.

crédit càrd 크레디트 카드, 신용 구입권.

crédit-cárd càlculator 〖컴퓨터〗 **1** 크레디트 카드형 전자식 계산기《크레디트 카드 크기〔두께〕의 계산기》. **2** 크레디트 카드 겸용 전자식 계산기《두께 0.8 mm 정도의 크레디트 카드에 계산기를 내장(內藏)한 것》.

crédit crùnch 금융 경색〔핍박〕.

crédit èntry 〖부기〗 대변 기입.

crédit hòur 《미》 (이수) 학점 시간.

crédit inquìry 신용 조회.

crédit insùrance (대손(貸損)에 대한) 신용 보험.

crédit·ìsm *n*. 신용주의 (정책)《인플레이션 대책으로 정부가 신용 공급을 컨트롤하는》.

crédit lífe insùrance 〖보험〗 신용 생명 보험, 미결제 할부 채무자 생명 보험《채무자 사망 시에는 융자 변제 할부 채무의 잔액 지불을 확약하는 보험》.

crédit lìmit 신용 한도(credit line).

crédit lìne 크레디트 라인《뉴스·TV프로·영화·사진·그림 등에 곁들이는 제작자·연출자·

기자 · 제공자의 이름》; (신용 대부의) 대출 한도액, 신용장 개설 한도, 신용 한도(credit limit).
crédit lòan 신용 대부.
crédit màn 신용 조사원. 「=CREDIT MAN.
crédit mànager (은행 · 회사 등의) 조사부장;
crédit mèmo 〔**memoràndum**〕 신용 메모, 신용표《파는 사람이 고객에게 발행하는 송장(送狀) 이외의 표》.
crédit nòte 대변 전표. OPP *debit note*.
◇**cred·i·tor** [kréditər] *n.* 채권자; 〖부기〗 대변 《생략: cr.》. OPP *debtor*.
crédit ràting (개인 · 법인의) 신용 등급〔평가〕.
crédit-reference àgency (개인 · 법인의) 신용 등급 부여 기관. 「이 있는》.
crédit rìsk 신용 리스크《채무 변제 불능 위험성
crédit sàle 외상 판매.
crédit sìde 〖부기〗 대변.
crédit slìp 《미》 입금표, 크레디트 슬립《백화점 등에서, 불량품을 반품하면 매장에서 현금 대신 주는 전표》.
crédit squèeze 금융 긴축.
crédit stànding (지불 능력의) 신용 상태.
crédit tìtles 〖영화 · TV〗 원작자〔제작 관계자 · 자료 제공자〕 따위 이름의 자막.
crédit trànche 크레디트 트랑슈《IMF 가맹국이 출자 할당액을 초과하여 IMF에서 빌릴 수 있는
crédit trànsfer 은행 계좌의 대체. 」금액》.
crédit ùnion 소비자 신용 조합《조합원에게 저리(低利)로 대부하는》.
crédit·wòrthy *a.* 〖상업〗 신용 있는, 지불 능력이 있는. ㊕ **-wòrthiness** *n.*
cre·do [krí:dou, kréi-] (*pl.* **~s**) *n.* 〖일반적〗 신조(creed); (the C-) 사도 신경, 니체노 신경; 신경의 반주곡.
◇**cre·du·li·ty** [krədjú:ləti/-djú:-] *n.* Ⓤ (남을) 쉽사리 믿음, 고지식함, 경신(성)(輕信(性)); 우직함.
◇**cred·u·lous** [krédʒələs] *a.* (남을) 쉽사리 믿는, 경솔하게 믿어 버리는, 속아넘어가기 쉬운. ㊕ **~·ly** *ad.* **~·ness** *n.*
Cree [kri:] (*pl.* **~(s)**) *n.* 크리 사람〔족〕《본디 캐나다 중앙부에 살았던 아메리카 원주민》.
⁑**creed** [kri:d] *n.* **1** 교의(教義), 신조, 신념; (the C-) 사도 신경(the Apostles' Creed); (미사의) 그레도. **2** 주의, 강령.
Creek [kri:k] *n.* 크리크 사람《Oklahoma 지방에 사는 아메리카 원주민》; Ⓤ 크리크어(語).
*__creek__ [kri:k, krik] *n.* **1** 《미》 시내, 크리크, 샛강《brook¹ 보다 약간 큼》. **2** 《영》 (해안 · 강기슭 등의) 후미, 소만(小灣), 작은 항구. ***up the ~*** (***without a paddle***) 《속어》 꼼짝달싹 못하게 되어, 궁지〔곤경〕에 빠져; 《속어》 임신하여; 《속어》 미친 듯한, 상궤를 벗어난; 《속어》 틀린, 부정확한. ㊕ **~y** [krí:ki] *a.* 크리크〔후미〕가 많은.
creel [kri:l] *n.* (낚시질의) 물고기 바구니; 통발; 〖방적〗 실꾸리 축(軸)을 얹는 대(臺).
CREEP, Creep [kri:p] *n.* 대통령 재선 위원회 《조소적(嘲笑的)으로 쓰임; Watergate 사건은 이 위원회의 도청 활동에서 비롯됨》. [◂CRP < *C*ommittee to *Re*elect the *P*resident]
⁑**creep** [kri:p] (*p., pp.* ***crept*** [krept]) *vi.* **1** 기다, 포복하다: ~ on all fours 네발로 기다.

> SYN. **creep** 뱀 따위가 '(천천히) 기는' 것으로, 비유로 쓰이는 일이 많음: Time *creeps* on. 시간이 지나다. **crawl** 힘없이 휘청거리는 상태를 내포하고 있음.

2 《~/+副/+前+名》 살금살금 걷다, 몰래 다가서다, 발소리를 죽이며 가다; 천천히 나아가다〔걷다〕: ~ *in* 〔*out*〕 몰래〔가만히, 살며시〕 기어들다〔나가다〕/ ~ *on* tiptoe 발끝으로 살금살금 걷다 / When did he ~ *out*? 그는 언제 몰래 빠져나갔는가 / Sleepiness *crept over* me. 졸음이 닥쳐왔다. **3** 스멀스멀하다; 섬뜩하다. **4** 《+前+名》 《구어》 비굴하게 굴다, 은근히 환심을 사다. **5** 《+前 +名》 (덩굴 · 뿌리 등이) 휘감겨 붙다, 뻗어 나가다: ~ *over* the ground 지면으로 뻗어 나가다. **6** (조금씩) 미끄러져 나가다; (금속이 무게 · 고온 따위로) 휘다, 늘어나다. **7** (문장 따위가) 매끄럽지 못하다, 단조롭다. **8** 〖해사〗 탐해구(探海鉤)로 해저를 더듬다. **~ *into*** …에 몰래 들어가다: ~ *into* a person's favor 교묘히 아무의 환심을 사다. **~ *on*** (때가) 어느새 지나다. ***make*** a person***'s flesh*** 〔***skin***〕 **~** 〔***crawl***〕 = ***make*** a person **~ *all over*** 아무를 섬뜩하게 하다.
— *n.* **1** 김, 배를 깖, 포복; 서행; 《미속어》 〖골프〗 느린 라운드. **2** (보통 the ~s) 《구어》 섬뜩한 느낌: That horror movie gave me the ~*s*. 그 공포 영화를 보고 소름이 끼쳤다. **3** 《속어》 아니꼬운〔시시한〕 녀석; (특히 매춘굴 등의) 좀도둑; 성범죄자. **4** (울타리 밑 등의) 짐승이 드나드는 구멍; =CREEPHOLE. **5** 〖지학〗 하강 점동(下降漸動); 〖물리〗 크리프. ***at*** 〔***on***〕 ***the ~*** 사람이 있는데 몰래 숨어 들어. 「살며시 다가감.
créep·age *n.* 천천히〔살금살금〕 걸음〔움직임〕,
créep·er *n.* **1** 기는 것; 곤충; 파충류(reptile); 〖식물〗 덩굴 식물, 만초(蔓草), 《특히》 양담쟁이 (Virginia ~); 〖조류〗 나무에 기어오르는 새, 《특히》 나무발바리. **2** 《속어》 아첨꾼; 《고어》 비열한 사람. **3** 〖기계〗 자재 반송기(搬送器), 벨트컨베이어. **4** 〖해사〗 탐해구(探海鉤). **5** (*pl.*) (갓난아이의) 내리닫이; (스키용의) 실스킨(seal skin); (구두창의 미끄럼 방지용) 스파이크 달린 철판; 《속어》 (도둑이 신는) 고무창 구두. **6** 〖크리켓〗 땅볼 (grounder). **7** 《미속어》 마이크에 너무 가까이 서는 출연자. ㊕ **~ed** *a.* 담쟁이로 덮인. **~·less** *a.*
créep·hòle *n.* 기어 나오는〔들어가는〕 구멍, (짐승의) 숨는 구멍; 핑계, 발뺌(excuse).
creep·ie-peep·ee [krí:pipí:pi] *n.* (휴대용의 소형) 텔레비전 카메라.
créep·ing *a.* 기어 돌아다니는; 느린; 살며시 다가오는; 비루한, 아첨하는; 근실거리는 느낌의; 섬뜩한: ~ plants 덩굴〔만성〕 식물 / ~ things 파충류 / ~ hole =CREEPHOLE. **—** *n.* Ⓤ 기기, 포복; 살그머니 움직이기; 아첨; 근질근질〔오싹〕한 느낌; 〖해사〗 탐해법(探海法); 〖공학〗 잠동(潛動). ㊕ **~·ly** *ad.* 기어서; 서서히.
créeping barráge =ROLLING BARRAGE.
créeping erúption 〖의학〗 포복성 발진(發疹) 《개 · 고양이에 의해 전염되는 피부병》.
créeping féaturism 《해커속어》 만능 지향 《컴퓨터의 프로그램 따위가 복잡한 것이 더 복잡해지는 일》.
créeping inflátion 〖경제〗 크리핑 인플레이션 《물가가 서서히 오르는 인플레》. cf. galloping inflation.
créeping Jénnie 〔**Jénny**〕 포복(匍匐) 식물, 《특히》 좀가시풀(moneywort).
créeping Jésus 《속어》 숨어 다니는 사람, 비겁자; 위선자; 아첨꾼.
créeping parálysis 〔**pàlsy**〕 〖의학〗 서서히 진행하는 마비, 《특히》 보행성(步行性) 운동실조(증)(失調症).
créeping sócialism 크리핑 소셜리즘《사회 · 경제적으로 서서히 정부 개입이 증가하는 것》.
créep jòint 《미속어》 밀매 주점(=**créep dìve**); 《미속어》 (경찰의 단속을 피하기 위해) 매일밤 장소를 옮기는 도박장.
créep-mòuse *a.* 겁 많은, 소심한.
creepy [krí:pi] (***creep·i·er; -i·est***) *a.* 기어다

니는; 느릿느릿 움직이는; 근실거리는, 근지러운; 오싹하는; 《미속어》 싸구려의; 《영학생속어》 비굴한, 아첨하는. ㊕ **créep·i·ly** *ad.* **-i·ness** *n.*
créepy-cráwly *a.* 기어다니는; 오싹하는; 비굴한. **—** *n.* 《구어》 기어다니는 벌레〔동물〕.
creese [kri:s] *n.* (말레이 사람의) 단검(kris) 《날이 물결 모양인》.
cre·mains [kriméinz] *n. pl.* (화장한) 유골.
cre·mate [krí:meit/kriméit] *vt.* 불태워 재로 만들다, 소각하다; 화장하다.
cre·ma·tion [kriméiʃən] *n.* Ⓤ (문서의) 소각; 화장, 〖불교〗 다비(茶毘). ㊕ **~·ìsm** *n.* (매장에 대한) 화장론. **~·ist** *n.* 화장론자.
cremátion-búrial *n.* 화장 후의 매장.
cremátion-cémetery *n.* 화장 묘지.
cre·ma·tor [krí:meitər/kriméitər] *n.* (화장터의) 화부; 쓰레기 태우는 인부; 화장로(爐); 쓰레기 소각로.
cre·ma·to·ri·al [krì:mətɔ́:riəl, krèmə-/krèmə-] *a.* 화장의.
cre·ma·to·ri·um [krì:mətɔ́:riəm, krèmə-/krèmə-] (*pl.* **-ria** [-riə]) *n.* 화장장.
cre·ma·to·ry [krí:mətɔ̀:ri, krémə-/krémətəri] *n.* 화장로; 화장터; 쓰레기 소각장〔소각로〕. **—** *a.* 화장의; 소각의.
crème [krem, kri:m] *n.* 《F.》 =CREAM; 크렘 《달콤한 리큐어 술의 일종》; 화이트 소스. **—** *a.* (리큐어가) 달콤하고 감칠맛이 나는.
crème de ca·cao [krémdəkɑ:ká:ou, -kóukou] 《F.》 초콜릿 넣은 리큐어 술.
crème de la crème [krémdəla:krém] 《F.》 빼어난 사람들, 사교계의 꽃; 최상의 것, 정화(精華).
crème de menthe [krémdəmá:nt] 《F.》 박하 넣은 리큐어 술.
crème fraîche [*F.* kʀɛmfʀɛʃ] 《F.》 신맛이 나는 진한 크림의 일종.
Cre·mo·na [krimóunə] *n.* 크레모나. **1** 이탈리아 북부 도시. **2** (때로 c-) 크레모나제 바이올린.
cre·nate, -nat·ed [krí:neit], [-id] *a.* 〖식물〗 무딘 톱날 모양의《잎의 가장자리 등》. ㊕ **cre·na·tion** [krinéiʃən] *n.* 〖식물〗 무딘 톱날 모양. **cren·a·ture** [krénətʃər, krí:-] *n.* 〖식물〗 무딘 톱날 모양의 구조.
cren·el, cre·nelle [krénl], [krinél] *n.* 총안(銃眼); (*pl.*) 총안이 있는 흉벽(胸壁). **—** *vt.* =CRENEL(L)ATE.
cren·el·et [krénəlit] *n.* 작은 총안(銃眼).
cren·el·(l)ate [krénəlèit] *vt.* …에 총안을 만들다〔설비하다〕. **—** *a.* =CRENEL(L)ATED. ㊕ **crén·el·(l)àt·ed** [-id] *a.* (성벽 따위) 총안을 설치한; 총안 무늬의; 〖식물〗 작고 무딘 톱니 모양의; 깔쭉이가 있는《주화(鑄貨)》. **crèn·el·(l)á·tion** *n.* Ⓤ,Ⓒ 총안 설비 (흉벽); 톱날 모양의 것, 들쭉날쭉.
Cre·ole [krí:oul] *n.* **1** Ⓒ 크레올 사람《(1) 미국 Louisiana 주에 이주한 프랑스 사람의 자손. (2) 남아메리카 제국·서인도 제도·Mauritius 섬 태생의 프랑스 사람·스페인 사람. (3) (c-) 프랑스 사람·스페인 사람과 흑인의 혼혈(=~ **Négro**). (4) (c-) 《고어》 (서인도·미대륙 태생) 토착 흑인》. **2** Ⓤ 크레올 말《Louisiana 말투의 프랑스 말》. **—** *a.* 크레올 사람의; (동식물이) 외래종의; 〖요리〗 토마토·피망·양파 등 각종 향료를 쓴.
cre·o·lize [krí:əlàiz] *vt., vi.* 〖언어〗 혼합어로 하다〔되다〕. ㊕ **crè·o·li·zá·tion** *n.*
cre·oph·a·gous [kriɑ́fəgəs/-ɔ́f-] *a.* 육식성의. ㊕ **crè·óph·a·gy** [-dʒi] *n.*
cre·o·sol [krí:əsɔ̀:l/-sɔl] *n.* Ⓤ 〖화학〗 크레오솔《방부제》.
cre·o·sote [krí:əsòut] *n.* Ⓤ 〖화학〗 크레오소트《목재 방부·의료용》; =CREOSOTE OIL. **—** *vt.* (…을) 크레오소트로 처리하다.

créosote òil 크레오소트유《목재 방부용》.
crepe, crêpe [kreip] *n.* 《F.》 **1** Ⓤ 크레이프, 축면사(縮緬紗); Ⓒ 검은 크레이프 상장(喪章) (crape). **2** Ⓤ =CREPE PAPER; =CREPE RUBBER. **3** Ⓒ 크레이프《얇게 구운 팬케이크》. **—** *vt.* crepe 로 덮다〔싸다〕.
crêpe de Chine [krèipdəʃí:n] 《F.》 크레이프 드 신《가는 생사로 짠, 바탕이 오글오글한 비단의 일종》.
crépe háir (연극의 가짜 수염·가발용) 인조 털.
crépe·hànger *n.* =CRAPEHANGER.
crépe pàper (조화용) 오글오글한 종이.
crépe rúbber 크레이프 고무《구두창용》.
crèpe su·zétte [krèipsu:zét] (*pl.* ***crèpes suzétte*** [krèips-], **~s** [-su(:)zéts]) 《F.》 크레이프 수젯《크레이프에 리큐어를 넣은 뜨거운 소스를 쳐서 내놓음; 디저트용》.
crep·i·tant [krépətənt] *a.* 딱딱 소리 나는; 〖의학〗 염발음(捻髮音)의.
crep·i·tate [krépətèit] *vi.* 딱딱 소리 나다 (crackle); 〖의학〗 염발음(捻髮音)을 내다. ㊕ **crèp·i·tá·tion** *n.* Ⓤ
crep·i·tus [krépətəs] *n.* 〖의학〗 (폐렴 따위의) 염발음(捻髮音); 〖외과〗 골성알음(骨性軋音)《골절된 뼈가 삐걱거리는 소리》.
cre·pon [kréipɑn/-pɔn] *n.* 《F.》 크레퐁 《crepe 비슷한 약간 두툼한 천》.
crept [krept] CREEP의 과거·과거분사.
cre·pus·cu·lar [kripʌ́skjələr] *a.* **1** 황혼의, 새벽〔해질〕 무렵의; 어스레한; 〖동물〗 어스레한 때에 활동〔출현〕하는《박쥐 따위》. **2** (시대가) 반(半)개화의, 문명의 여명기의.
cre·pus·cule, -cle [kripʌ́skju:l, krépəskjù:l/krépəskjù:l], [kripʌ́səl] *n.* 새벽〔해질〕 무렵; 황혼(twilight, dusk).
cres., cresc. 〖음악〗 crescendo.
cre·scen·do [kriʃéndou] 《It.》 *ad.* **1** 〖음악〗 점점 세게, 크레센도로《생략: cres(c).; 기호 <》. OPP. *diminuendo.* **2** (감정·동작을) 점차로 세게. **—** *a.* 〖음악〗 점강음(漸強音)의. **—** (*pl.* **~(*e*)*s***) *n.* 〖음악〗 크레센도; 점강음(절); 음성 점강; 《비유》 (클라이맥스로의) 진전; 클라이맥스. **—** *vi.* (소리·감정이) 점점 세어지다.
°**cres·cent** [krésnt] *n.* **1** 초승달, 신월(新月); 상현달. **2** 초승달 모양의 물건; 《주로 영》 초승달 모양의 가로〔광장〕; 《미》 초승달 모양의 빵. **3** 초승달 모양의 기장(旗章)《터키 국기의》, 터키국〔군(軍)〕; (the C-) 이슬람교, 회교(回教). **—** *a.* 초승달 모양의; 점차 커지는. ㊕ **cres·cen·tic** [krəséntik] *a.*
cre·scit eun·do [krésit-iʌ́ndou] 《L.》 전진함에 따라 성장한다《미국 New Mexico 주의 표어》(=It grows as it goes).
cres·cive [krésiv] *a.* 점차 증대〔성장〕하는. ㊕ **~·ly** *ad.*
cre·sol [krí:sɔ:l/-sɔl] *n.* Ⓤ 〖화학〗 크레졸.
cress [kres] *n.* Ⓤ 겨잣과의 야채, 《특히》 다닥냉이(garden cress)《샐러드용》.
cres·set [krésit] *n.* 쇠초롱《화톳불용》.
Cres·si·da [krésidə] *n.* 〖중세전설〗 크레시다 《애인인 Troilus 를 배반한 Troy 의 여인》.
crest** [krest] *n.* **1** 볏; 도가머리, 관모(冠毛). **2** (투구의) 깃장식, 장식털; (투구의) 앞꽂이 장식; 《시어》 투구. **3** 〖문장(紋章)〗 꼭대기 장식; (봉인(封印)·접시·편지지의) 문장; 〖건축〗 마룻대 장식; 〖해부〗 골즐(骨櫛), 융기. **4** 꼭대기; 산꼭대기; (파도의) 물마루; 최고 수위점(水位點). **5** 최고조, 클라이맥스; 절정: at the ~ of one's fame 명성의 절정에 서서. **6** (동물의) 목덜미; 말갈기. ***on the

~ ***of the wave*** 물마루를 타고; 행운의 물결을 타고. one***'s ~ falls*** 풀이 죽다, 의기소침〔저상〕하다. **—** *vt.* 꼭대기 장식을 달다; (산)꼭대기에 달하다; (파도의) 물마루를 타다. **—** *vi.* (파도가) 놀치다, 물마루를 이루다; 최고 수위에 달하다. ㊊ **∠·ed** [-id] *a.* ~가 있는.

crést clòud 삿갓구름《산꼭대기에 걸려 있는 갓 모양의》.

crést·fàllen *a.* 볏이 처진; 머리를 푹 숙인; 《비유》 풀이 죽은; 기운이 없는, 멋쩍어〔거북해〕하는. ㊊ **~·ly** *ad.* **~·ness** *n.*

crést·ing *n.* 〖건축〗 마룻대 장식; (의자·경대 따위의) 꼭대기 장식 조각.

crést·less *a.* 볏〔꼭대기 장식〕이 없는; 미천한.

crést lìne 능선(稜線).

cre·ta·ceous [kritéiʃəs] *a.* 백악(白堊)(질)의 (chalky); (C-) 〖지학〗 백악기(紀)의. **—** *n.* (the C-) 백악기〔계(系)〕. ㊊ **~·ly** *ad.*

Cretáceous périod 〖지학〗 백악기(紀).

Cretáceous sýstem 〖지학〗 백악계(系).

Cre·tan [kríːtn] *a.* Crete 섬(사람)의. **—** *n.* Crete 섬 사람.

Crete [kriːt] *n.* 크레타《지중해의 섬; 그리스령(領)》.

cre·tic [kríːtik] *n.* 〖운율〗 장단장(長短長)의 운각(韻脚).

cre·ti·fy [kríːtəfài] *vt.* 백악화〔석회화〕하다.

cre·tin [kríːtn/krétin] *n.* 크레틴병 환자; 《해커속어》 바보; 싫은 놈. ㊊ **~·ìsm** *n.* Ⓤ 크레틴병《알프스 산지 등의 풍토병; 갑상선 호르몬의 결핍에 의한 것으로 소인증과 정신박약을 특징으로 함》. **~·oid** [-ɔ̀id] *a.* 크레틴병 (환자) 같은. **cré·tin·ous** [-tənəs] *a.* 크레틴병의; 《해커속어》 (프로그램 따위의) 설계가 나쁜, 쓰기 사나운.

cre·tin·ize [kríːtənàiz/krét-] *vt., vi.* 크레틴병으로 하다〔되다〕.

cre·tonne [kritán, kríːtan/kretɔ́n, ∠-] *n.* 《F.》 Ⓤ 크레톤사라사《커튼·의자 커버용》.

Créutz·feldt-Já·kob disèase [krɔ́itsfeltjáːkɔːp-] 〖의학〗 크로이츠펠트·야코프병 (Jakob-Creutzfeldt disease)《기질성 치매나 다양한 신경 증상을 나타내는 바이러스 병》.

cre·val·le [krəvǽli] *n.* 〖어류〗 갈전갱이, 《특히》 발구지.

cre·vasse [krəvǽs] *n.* 《F.》 갈라진 틈, (빙하의) 균열, 크레바스; 《미》 (둑의) 터진〔파손된〕 곳. **—** *vt.* 갈라진 틈을 생기게 하다.

°**crev·ice** [krévis] *n.* (벽·바위 등의 좁고 깊이) 갈라진 틈, 균열, 터진 곳. ㊊ **~d** [-t] *a.* 금이 간.

‡**crew**[1] [kruː] *n.* 〔집합적〕 **1** (배·열차·비행기·우주선의) 탑승원, 승무원; (보통 고급 선원을 제외한) 선원; (보트의) 선수단; 보트 레이스, 경조(競漕); =CREW CUT. **2** 동료, 패거리; (노동자의) 일단, 반; 《고어》 군대: a noisy, disreputable ~ 시끄럽게 떠드는 좋지 않은 패거리. **—** *vt., vi.* (…의) 승무원으로서 일하다. ㊊ **∠-less** *a.*

crew[2] 《고어》 CROW[2]의 과거.

créw activity plànning (우주선 비행 중의) 승무원 작업 계획.

créw cùt (항공기 탑승원 등의) 상고머리.

crew·el [krúːəl] *n.* Ⓤ 겹실, 자수용 털실(=∠ **yàrn**); =CREWELWORK. ㊊ **~·ist** *n.*

créwel·wòrk *n.* Ⓤ 털실 자수.

créw·man [-mən] (*pl.* ***-men*** [-mən, -mèn]) *n.* 탑승〔승무〕원; (군의) 부대원.

créw·màte *n.* 우주선의 동료 승무원.

créw nèck 〔**nèckline**〕 크루넥《깃이 없는 네크라인》.

créw sòcks 크루 삭스《골이 진 두꺼운 양말》.

°**crib** [krib] *n.* Ⓒ **1 a** 구유, 여물 시렁; 마구간, 외양간; 구유 속의 아기 예수상(像)(crèche). **b** (소아용) 테두리 난간이 있는 침대, 베이비 베드. **c** (곡식·소금 따위의) 저장통, 저장소, 곳간, 헛간. **d** (갱도 따위의) 동바리, 테두리틀; 통나무 기초 공사《습한 곳에 통나무를 몇 겹 깔고 그 위에 콘크리트를 하는》. **e** 조그마한 집〔방〕; 좁은 장소; 어린이용 풀; 귀틀집; 《미속어》 (자기의) 집. **f** 《속어》 금고; 《구어》 절도. **2** Ⓤ 《구어》 (남의 글·학설 따위의) 도용, 표절. **3** 《구어》 (학생의) 주해서; 커닝 페이퍼. **4** (the ~) 선(先)이 가지는 패《cribbage에서 딴 사람이 버린 한 벌의 패; 산가지로 씀》; 《구어》 =CRIBBAGE. **5** 《속어》 싸구려 갈봇집; 선술집. **6** 《영·Austral.》 간단한 식사, 스낵, (노동자의) 도시락. **7** 방사성 폐기물을 버리는 도랑《땅속으로 침투시킴》. **8** 불평, 불만.

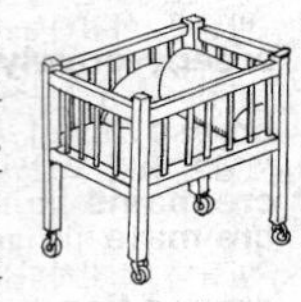

crib 1b

— (***-bb-***) *vt.* **1** (…에) …을 갖추다; 재목으로 보강하다. **2** (좁은 곳에) 가두다. **3** 《구어》 좀도둑질을 하다, 도용하다, 표절하다, (답을) 커닝하다. **4** 《구어》 주해서를 사용하다. **—** *vi.* **1** 《구어》 좀도둑질하다; 표절하다; 커닝하다; 주해서를 쓰다. **2** (말이) 구유를 물어뜯다.

crib·bage [kríbidʒ] *n.* 2-4 명이 하는 카드놀이.

críbbage bòard 크리비지의 득점 기록판.

crib·ber [kríbər] *n.* 표절〔커닝〕하는 사람; 구유를 물어뜯는 버릇이 있는 말.

crib·bing [kríbiŋ] *n.* **1** (갱도 따위의) 동바리; =CRIBWORK. **2** 《구어》 (남의 작품의) 무단 사용, 표절, 커닝. **3** =CRIB-BITING.

críb-bite *vi.* (말이) 구유를 물어뜯고 사납게 숨을 쉬다. ㊊ **-bìting** *n.* ~하는 버릇.

críb crìme 《미속어》 노인을 노려 습격하는 범죄(=**críb jòb**).

críb dèath 《미》 유아 돌연사 (증후군)(《영》 cot death).

críb màn 〔**bùrglar**〕 《미속어》 가택 침입 도둑.

críb nòte 〔**shèet**〕 커닝 페이퍼.

crib·ri·form, crib·rous [kríbrəfɔ̀ːrm], [kríbrəs] *a.* 〖해부·식물〗 소공질(小孔質)의, 체 모양의.

críb·wòrk *n.* 통나무로 기초를 짜는 공사, 통나무를 우물정자로 짜는 일.

crick [krik] *n.* (목·등 따위의) 근육〔관절〕 경련, 급성 경직, 쥐. **—** *vt.* …에 경련을 일으키다, 쥐가 나다.

crick·et**[1] [kríkit] *n.* **1** 〖곤충〗 귀뚜라미. **2** 찌르릉 울리는 완구〔발신기〕; 조그만 (3각) 걸상. (as***) ***chirpy*** 〔***lively, merry***〕 ***as a*** ~ 《구어》 아주 쾌활〔명랑〕하여.

‡**crick·et**[2] [kríkit] *n.* Ⓤ **1** 크리켓《영국의 구기; 쌍방 11 명씩 함》. **2** 《구어》 공정한 시합 (태도), 정정당당한 태도(fair play). ***not*** (***quite***) ~ 《구어》 공정을 결한, 비열한. **—** *a.* 공명정대한. **—** *vi.* 크리켓을 하다. ㊊ **~·er** *n.* 크리켓 경기자.

crick·et[3] *n.* 낮은 의자, 발판(foot stool).

crícket bàg 크리켓 백《크리켓용 배트 따위를 넣어 다니는 기다란 백》.

cri·coid [kráikɔid] *a.* 〖해부〗 고리 모양의, 환상의. **—** *n.* 환상 연골(環狀軟骨).

cri de coeur [kríːdəkə́ːr] (*pl.* ***cris de coeur*** [kríːzdə-]) 《F.》 (=cry from the heart) 열렬한 항의〔호소〕.

cri·er [kráiər] *n.* **1** 외치는〔우는〕 사람. **2** (공판정의) 정리(廷吏). **3** 큰 소리로 포고(布告)를 알리고 다니던 고을의 관원(town ~); 외치며 파는 장사군. ◇ cry *v.*

cri·key, crick·ey, crick·ety [kráiki], [kríki], [kríkəti] *int.* (종종 By ~!) 《속어》 야, 이것 참 (놀랐다).
crim. con. 〖법률〗 criminal conversation.
crime [kraim] *n.* **1** [C] (법률상의) 죄, 범죄 (행위); [U] 법률 위반, 위법. [cf.] sin. ¶ commit a ~ 죄를 범하다 / ~*s against* the State 국사범 / organized ~ 조직 범죄 / the prevention of ~ 범죄 예방. **2** [U] 〖일반적〗 죄악, 반도덕적 행위 (sin); [C] 《구어》 못된〔수치스러운〕 짓; 우행(愚行). ◇ criminal *a.* ***put*** 〔***blame, throw***〕 ***a ~ upon*** …에게 죄를 덮어씌우다. **—** *vt.* 〖군사〗 군기 위반죄로 고발하다. [파] **∠·less** *a.* 범죄가 없는, 무범죄의. **∠·less·ness** *n.*
Cri·mea [kraimíːə, kri-] *n.* (the ~) 크림《흑해 북안의 반도; 우크라이나 공화국의 한 주》. [파] **Cri·mé·an** [-ən] *a.*
críme agàinst humánity 인류에 대한 범죄 《인종·민족의 집단 학살 등》.
críme agàinst náture 1 남색. **2** 자연법·종교 교리 등에 반하는 행위.
Criméan Tátar 〔**Tártar**〕 크리미아 타타르 《18-19 세기에 소아시아로 이주, 다시 제 2 차 대전 후 소련에 의해 우즈베키스탄 기타의 지방으로 이주된 Crimea 반도를 고향으로 하는 투르크계 민족》; 크리미아 타타르어.
Criméan Wár (the ~) 〖역사〗 크림 전쟁《러시아 대(對) 영국·프랑스·오스트리아·터키·프로이센·사르디니아 연합국의 전쟁; 1853-56》.
crim·ee [kràimíː] *n.* 범죄 동료.
críme fiction 범죄〔추리〕 소설.
críme índex offénses 《미》 지정 범죄《경찰이 그 발생을 FBI 에 보고해야 하는 범죄》.
críme làboratory 《미》 (경찰의) 과학〔화학〕 검사실, 과학 수사 연구소.
crime pas·si·o·nel [kríːmpɑ̀ːsiənél] (*pl.* ***crimes pas·si·o·nels*** [—]) 《F.》 치정(癡情) 사건, 《특히》 치정 살인.
crimes [kraimz] *int.* =CHRIST.
críme shèet 〖영군사〗 (군기 위반의) 처벌 기록.
críme wàtch (주민에 의한) 범죄 감시, 방범. ★ 정식으로는 neighborhood crime watch.
críme wàve 범죄의 일시적 증가.
críme wrìter 범죄〔추리〕 소설 작가.
crim·i·nal [krímənl] *a.* **1** 범죄의; 죄 있는; 죄되는: a ~ operation 낙태죄. **2** 형사상의《civil에 대해》: a ~ case 〔action〕 형사 사건〔소송〕 / ~ psychology 범죄 심리학. **3** 《구어》 〖주로 it's ~ to do 의 형식으로〗 어리석은; 괘씸한, 한심스러운. ◇ crime *n.* **—** *n.* 범인, 범죄자. ***the Criminal Investigation Department*** 《영》 (런던 시경) 수사과; 〖군사〗 범죄 수사대《생략: C.I.D.》. [파] **~·ly** *ad.* 범죄적으로, 죄를 범해; 형사〔형법〕상.
críminal abórtion =ILLEGAL ABORTION.
críminal assáult 〖법률〗 범죄성 폭행, 강간.
críminal chrómosome '범죄자 염색체'《극히 일부 남성에서 볼 수 있는 여분의 Y염색체》.
críminal códe 형법(의 체계); 형사법전.
críminal contémpt 〖법률〗 법정 모욕죄.
críminal conversátion 〔**connéction,** 《영》 **connéxion**〕 간통(죄)《생략: crim. con.》.
críminal cóurt 형사 법원.
críminal dámage 〖영법률〗 손괴죄(損壞罪).
crím·i·nal·ist *n.* 형법학자.
crim·i·nal·is·tics [krìmənəlístiks] *n. pl.* 〖단수취급〗 (범인) 수사학, 범죄 과학. [cf.] criminology.
crim·i·nal·i·ty [krìmənǽləti] *n.* [U] 범죄성; 범죄 행위; 유죄(guiltiness).
crím·i·nal·ize *vt.* 법률로 금지하다; (사람·행위를) 유죄로 하다. [파] **crìm·i·nal·i·zá·tion** *n.*
críminal láw 형법. [opp] *civil law.*
críminal láwyer 형사 전문 변호사.
críminal líbel 〖법률〗 범죄적 비방 행위《지극히 악질적인 중상 문서를 보내는 일》.
críminal négligence 사고 예방 태만죄.
críminal récord 전과 기록: have a ~ 전과가 있다.
críminal sýndicalism 〖미법률〗 사회 소란죄, 형사 신디컬리즘《폭력·테러 따위로 사회 변혁을 꾀하는 제정법상의 범죄》.
crim·i·nate [krímənèit] *vt.* …에게 죄를 지우다; 고발〔고소〕하다; 비난하다. [파] **-nà·tor** *n.*
crìm·i·ná·tion *n.* [U,C] 죄를 씌움, 고발, 고소. ***~s and recriminations*** 죄를 서로 뒤집어씌우기, 이전투구.
crim·i·na·tive, -to·ry [krímənèitiv/-nə-], [krímənətɔ̀ːri/-nèitəri] *a.* 죄를 지우는; 비난하는.
crim·i·ne [krímәni] *int.* 이런, 이것 참, 저런 《놀라움을 나타냄》.
crim·i·no·gen·ic [krìmənədʒénik] *a.* (제도·환경이) 범죄의 원인이 되는, 범죄를 야기〔조장〕하는(=**crim·o·gen·ic** [kràimədʒénik]).
crim·i·no·log·i·cal [krìmənəládʒikəl/-lɔ́dʒ-] *a.* 범죄학(상)의. [파] **~·ly** *ad.*
crim·i·nol·o·gy [krìmənálədʒi/-nɔ́l-] *n.* [U] 범죄학, 《널리》 형사학. [파] **-gist** *n.*
crim·i·nous [krímənəs] *a.* 《고어》 죄를 범한 《다음 관용구에만 쓰임》: a ~ clerk 파계 성직자.
crim·i·ny [kríməni] *int.* =CRIMINE.
crimp[1] [krimp] *vt.* (머리·천 따위를) 곱슬곱슬하게 하다, 지지다; 주름을 잡다; (가죽을) 틀이 잡히게 하다; (철판·판지에) 물결무늬를 넣다; (어육에) 진집을 내다; 《미구어》 제한〔방해〕하다; 《미구어》 격하하다. **—** *n.* 오그라뜨림, 주름잡기; 주름(살); 접은 금; (*pl.*) 고수머리, 파마 머리. ***put*** 〔***throw***〕 ***a ~ in*** 〔***into***〕 《미구어》 …을 방해하다. **—** *a.* 부서지기 쉬운.
crimp[2] *n.* 유괴〔납치〕 알선꾼《사람을 유괴·납치해 선원·군인 등으로 팔아먹는》. **—** *vt.* 납치〔유괴〕하다.
crimp[3] *n.* 《미속어》 따분하고 재미없는 사람.
crímp·er *n.* (머리·천 등을) 곱슬곱슬 지지는 사람〔물건〕; 헤어 아이론.
crímping ìron 헤어 아이론.
crim·ple [krímpl] *n.* 주름(살), 구김(살), 오글오글함. **—** *vt., vi.* 주름잡(히)다; 오그라뜨리다; 오그라지다.
Crimp·lene [krímpliːn] *n.* 크림플린《주름이 잘 지지 않는 합성 섬유; 상표명》.
crimpy [krímpi] (***crimp·i·er; -i·est***) *a.* 곱슬곱슬한; 물결 모양의; (날씨가) 추워진: ~ weather 《미속어》 악천후.
crim·son [krímzən] *n.* [U] 심홍색 (안료(顔料)). **—** *a.* 심홍색의, 연지색의(deep red); 피로 물들인. **—** *vt., vi.* 심홍색으로 하다〔되다〕; 얼굴을 붉히다, 얼굴이 붉어지다(blush)《수치·화 때문에》.
crímson láke 심홍색 안료.
cringe [krindʒ] *n.* 외축(畏縮); 굽실거림, 아첨, 비굴한 태도. **—** *vi.* **1** 곱송그리다, 움츠리다; 《구어》 (…이) 싫어지다, 진력내다《*at*》: ~ *away* 〔*back*〕 (from...) (…에서) 무서워 물러나다, 꽁무니 빼다. **2** 굽실거리다, 아첨하다(fawn)《*before; to*》. [파] **críng·er** *n.* 굽실거리는〔비굴한〕 사람.
crínge-máking *a.* 《구어》 당혹스럽게 만드는; 진절머리나게 하는.
crínge·wòrthy *a.* 《구어》 당혹게 하는, 몸이 자지러지는 듯한.

cring·ing *a.* **1** (공포로) 움츠린, 굽송그리는. **2** 굽실굽실하는, 비굴한. ㊞ **~·ly** *ad.*

crin·gle [kríŋgəl] *n.* 〖해사〗 (돛 가장자리 따위의) 밧줄 구멍.

cri·nite [kráinait] 〖식물·동물〗 *a.* 털과 같은; 부드러운 털이 있는.

crin·kle [kríŋkəl] *n.* 주름, 물결 모양, 굴곡; 버스럭거리는 소리; 〖식물〗 축엽병(縮葉病). ── *vt., vi.* 물결치(게 하)다; 파동치다; 주름잡(히)다; 주춤하다, 손을 떼다(cringe); 버스럭거리다(rustle). ㊞ **crin·kly, -kley** [kríŋkəli] *a.* 주름(살)이 진, 주름투성이의; 오그라든, 곱슬곱슬한; 물결 모양의; 버스럭거리는.

crínkle lèaf 주름잎《식물병의 일종》.

crin·kum-cran·kum [kríŋkəmkrǽŋkəm] 《문어》 *n.* 꾸불꾸불함; 꾸불꾸불한〔복잡한〕 것; 변덕. ── *a.* 꾸불꾸불한, 복잡한.

cri·noid [kráinɔid, krín-] *a.* 백합(百合) 같은 (lily-shaped); 〖동물〗 갯나리류의. ── *n.* 〖동물〗 갯나리. ㊞ **cri·nói·dal** *a.*

crin·o·line [krínəlin] *n.* Ⓤ 크리놀린, 빳빳한 천, (말총을 넣어 짠) 심 감; Ⓒ 그것으로 만든 페티코트; 버팀테를 넣은 페티코트〔스커트〕; Ⓒ (군함의) 어뢰 방어망.

crin·o·tox·in [krìnətáksin/-tɔ́ks-] *n.* 〖생화학〗 크리노톡신《개구리 따위의 몸에서 분비되는 동물의 독(毒)》.

cripes [kraips] *int.* 《속어》 〖때로 by ~로서〗 저런저런, 이것 참. 「장한 거지.

críp-fàker [kríp-] *n.* 《속어》 불구(不具)를 가

***crip·ple** [krípəl] *n.* **1** 불구자, 지체〔정신〕 장애자: a mental ~. **2** 다리 병신, 절뚝발이. **3** 《미 방언》 잡목이 우거진 저습지. **4** (창문 청소 등에 쓰는) 비계. **5** 《야구속어》 노 스트라이크 스리볼, 또는 원 스트라이크 스리볼부터의 투구. ── *vt.* 불구〔절름발이〕가 되게 하다; 무능케 하다, …의 힘을 없애다: a ~*d* soldier 상이군인 / The storm ~*d* the railway service. 폭풍우로 열차가 불통이 되었다. ── *vi.* 《주로 Sc.》 다리를 절다《*along*》. ── *a.* 불구〔절름발이〕의; 능력이 떨어지는. ㊞ **críp·pler** *n.*

Crípple Créek 미국 콜로라도 주 중앙부의 도시《본디 세계적인 금 산출 지대》.

crípp led *a.* **1** 불구의; 불구가 된, 몸이 부자유스러운《*with; by*》: The old man was ~ *with* rheumatism. 그 노인은 류머티즘으로 보행조차 부자유스러웠다. **2** 무능력한.

crípple·dom [-dəm] *n.* 불구; 무능력.

crip·pling [krípliŋ] *a.* (기능을 상실할 정도의) 큰 손해를〔타격을〕 주는.

cris de coeur CRI DE COEUR 의 복수.

crise de con·science [krí:zdəkɔŋsiá:ns] 《F.》 (=crisis of conscience) 양심의 위기.

***cri·sis** [kráisis] (*pl.* **-ses** [-si:z]) *n.* 위기, (흥망의) 갈림길; (정치상·재정상 등의) 중대 국면, 난국, 공황; (병의) 위험기, 위독 상태, 고비; 〖의학〗 분리(分利): a financial ~ 금융〔재정〕 위기 / ⇨ ENERGY CRISIS / a ~ in 〔of〕 confidence 신뢰감의 위기 / bring ... to a ~ …을 위기에 몰아넣다〔빠뜨리다〕 / come to 〔reach〕 a ~ 위기에 달하다 / pass the ~ 위기〔고비〕를 넘기다. ◇ critical *a.*

crísis cènter 위기 관리 센터, 긴급 대책 본부; 전화 긴급 상담소《생명의 전화 따위》.

crísis intervèntion 〖정신의학·심리〗 위기 개입《정신적 위기 상태에 있는 사람에 대한 즉각의 치료적 개입》.

crísis mànagement 《미》 위기 관리《주로 국제 긴급 사태에 대처하는 일》. ㊞ **crísis mànager**

crísis of cápitalism 자본주의의 위기《자본주의 체제가 내포하는 구조적 원인에 의한 재정적 위기; 마르크스 경제학자의 용어》.

crísis relocàtion 《미》 비상시 소개(疏開).

crísis theòlogy 위기 신학《Karl Barth 등이 제창한 신정통파 신학》.

crisp** [krisp] *a.* **1** 파삭파삭한《과자 따위》, 딱딱하고 부서지기 쉬운; (야채·과일 따위가) 신선한; 바삭바삭 소리 나는《종이 따위》; (지폐 따위) 빳빳한, 손이 베일 것 같은: a ~ leaf of lettuce 신선한 상추잎. **2** 힘찬《동작·문체 따위》, 또렷또렷한; 뚜렷한《윤곽 따위》. **3** (공기·날씨 등이) 상쾌한, 서늘한: a ~ autumn day 상쾌한 가을날. **4** (머리가) 곱슬곱슬한; 잔물결 이는; (양배추 따위가) 잎이 오므라든. ── *n.* **1** 부서지기 쉬운〔빳빳한〕 물건. **2** (the ~) 《속어》 (손이 베일 듯 빳빳한) 지폐, 지폐 뭉치. **3** (*pl.*) 《영》 파삭파삭한 포테이토칩. ***to a **~** 파삭파삭하게. ── *vt., vi.* 파삭파삭하게 하다〔되다〕; (머리를) 곱슬곱슬하게 하다; 잔물결이 일(게 하)다; 땅이 꽁꽁 얼(게 하)다. ㊞ **∠·ly** *ad.* **∠·ness** *n.*

cris·pate, -pat·ed [kríspeit], [-peitid] *a.* 지지러든, 오그라든; 〖식물·동물〗 끝이 말린.

cris·pá·tion *n.* Ⓤ,Ⓒ 오그라짐, 잔물결 모양; 〖의학〗 (근육의 수축으로 인한) 연축성 의주감(攣縮性蟻走感); (액체면의) 잔물결.

crísp brèad 《영》 (호)밀가루로 만든 얇고 파삭파삭한 비스킷. 「〔되다〕.

crisp·en [kríspən] *vt., vi.* 파삭파삭하게 하다

crisp·er [kríspər] *n.* 쭈그러진 것, 컬한 머리; (냉장고의) 야채 보관실.

crispy [kríspi] (***crisp·i·er; -i·est***) *a.* =CRISP. ㊞ **crísp·i·ness** *n.*

criss·cross [krískrɔ̀:s/-krɔ̀s] *n.* 열십자(十) 《글씨 못 쓰는 사람의 서명 대신》; 십자형 (교차); 엇갈림, 모순, 혼란 (상태); =TICKTACKTOE. ── *a., ad.* 열십자의〔로〕; 교차된〔되어〕; 엇갈린, 엇갈려; 의도에 반하여; 성마른. ── *vt.* 종횡으로 움직이다; 동분서주하다; 열십자를 그리다, 종횡으로 선을 긋다. ── *vi.* 종횡으로 움직이다, 교차하다. 「파벳.

crísscross-rów *n.* (the ~) 《고어·방언》 알

cris·sum [krísəm] (*pl.* ***cris·sa*** [-sə]) *n.* 〖조류〗 배설강(腔) 주위의 깃털.

cris·ta [krístə] (*pl.* **-tae** [-ti:]) *n.* 볏; 계관; 〖해부·동물〗 능(稜), 소릉(小稜)《근육의 뼈에 붙어 있는 융기 부분처럼 솟아오른 부분》.

cris·tate [kristeit] *a.* 〖동물〗 볏이〔도가머리가〕 있는; 〖식물〗 볏 모양의. ㊞ **-tat·ed** [-id] *a.*

crit [krit] *n.* 《구어》 **1** 비평(criticism), 평론(critique). **2** 〖물리〗 임계(臨界) 질량(critical mass).

crit. critic(al); criticism; criticized.

***cri·te·ri·on** [kraitíəriən] (*pl.* **-ria** [-riə], **~s**) *n.* **1** (비판·판단의) 표준, 기준《*of*》; 척도. SYN. ⇨ STANDARD. **2** 특징. ㊞ **~·al** *a.*

cri·te·ri·um [kraitíəriəm, kri-] *n.* 크리테리움《교통을 통제한 도로의 소정 코스에서 특정 수의 랩(lap)을 달리는 자전거 경주》.

crith [kriθ] *n.* 〖물리·화학〗 크리스《기체 질량(質量)의 단위; 0.08987 g》.

***crit·ic** [krítik] *n.* **1** 비평가, 평론가, 감정가: a Biblical ~ 성서(聖書) 비평학자. **2** 혹평가, 흠잡는〔탈 잡는〕 사람(faultfinder), 비난자. **3** 《고어》 비판, 비평. ── *a.* 비판적인.

***crit·i·cal** [krítikəl] *a.* **1** 비평의, 평론의; 비판적인: a ~ essay 평론 / with a ~ eye 비판적으로. **2** 비판력 있는, 감식력 있는; 정밀한. **3** 꼬치꼬치 캐기 좋아하는, 흠 잡기를 좋아하는, 혹평하는. **4** 위기의, 위험기의, 위급한; 위독한: a ~ wound 중상 / a ~ moment 위기 / a ~ condition 위험〔위독〕한 상태 / ~ eleven minutes 위

험한 11 분간《항공기 사고가 일어나기 쉬운 시간대(帶)로, 착륙 전 8 분간과 이륙 후 3 분간》. **5** 운명의 갈림길의, 결정적인, 중대한: the ~ age 폐경기, 갱년기 / a ~ situation 중대한 국면〔형세〕/ ~ period 〖수학〗 결정적 시기. **6** (식량·물자 따위가) 부족한; 긴급히 필요한. **7** 〖물리·수학〗 임계(臨界)의. ◇ 1-2 는 criticism *n.* 4 는 crisis *n.* ㊞ ~·ness *n.*

crítical ángle (the ~) 〖광학·항공〗 임계각「(臨界角).

crítical apparátus =APPARATUS CRITICUS.

crítical cónstants (*pl.*) 〖물리〗 임계 상수《임계 밀도·임계 압력·임계 온도의 총칭》.

crítical dámping 〖물리〗 임계 제동, 임계 감「쇠.

crítical dénsity 임계 밀도《(1) 〖물리〗 임계 상태에 있는 물질의 밀도. (2) 〖우주〗 우주가 팽창을 계속할 것인가, 수축할 것인가를 정하는 경계치》.

crítical edítion 교정판(校訂版), 원전〔본문〕 비평 연구판.

crit·i·cal·i·ty [krìtikǽləti] *n.* 〖물리〗 임계(臨界)《핵분열 연쇄 반응이 일정한 비율로 유지되는 상태》; 위험한 상태.

crítical lìst (병원의) 중환자 리스트.

crít·i·cal·ly *ad.* 비평〔비판〕적으로; 혹평하여; 정밀하게; 위태롭게; 아슬아슬하게; 결정적으로; 〖물리〗 임계적(臨界的)으로: ~ ill 위독하여.

crítical máss 〖물리〗 **1** 임계(臨界) 질량《어떤 핵분열성 물질이 연쇄 반응을 일정 비율로 계속하는 데 필요한 물질량》. **2** (어떤 영향·결과를 초래 하는 데에) 필요(충분)한 양: a ~ of popular support 필요하게 될 대중 동원의 인원수.

crítical páth anàlysis 〔mèthod〕 〖경제〗 크리티컬 패스 분석(법)《컴퓨터로 복잡한 작업의 각 단계를 도식화하여, 사전에 계획·관리하는 분석법; 생략: CPA〔M〕》.

crítical períod 〖심리〗 임계기(臨界期).

crítical philósophy (Kant(파)의) 비판 철학.

crítical póint 〖수학·물리〗 임계(臨界)점.

crítical préssure 〔témperature〕 〖물리〗 임계(臨界) 압력〔온도〕.

crítical rátio 〖통계〗 임계비, 기각(棄却) 한계비《표본값과 평균값의 차(差)의, 표준 편차에 대한 비(比)의 한계》.

crítical région 〖통계〗 (가설(假說) 검정에 있어서의) 기각역(棄却域), 위험역(危險域).

crítical státe 〖물리〗 임계(臨界) 상태.

crítical válue 〖수학〗 임계값. 「속(流速).

crítical velócity (유체(流體)의) 임계 속도〔유

crítical vólume 〖물리〗 임계 체적〔부피〕《어느 질량의 임계점에서의 부피; 임계 밀도로 결정됨》.

crit·ic·as·ter [krítikæ̀stər] *n.* 엉터리 비평가. [◂critic+-aster] ㊞ ~·ism, -try *n.* 엉터리 비평.

***crit·i·cism** [krítəsìzəm] *n.* Ⓒ,Ⓤ **1** 비평, 비판(문); 평론: beneath ~ 비평할 가치가 없는 / ~ on …에 관한 비평 / literary ~ 문학〔문예〕 비평. **2** 비판 능력; 감상력, 안식. **3** 흠잡기, 비난: beyond 〔above〕 ~ 나무랄 데가 없는 / ~ against …에 대한 비난. **4** 원전(原典) 연구, 본문 비판《작품 특히 성서의 본문·기원 따위의》: higher ~ 고등 비평《주로 성경 내용의》/ textual ~ (원전의) 본문 비판, 교정(校訂). **5** 〖철학〗 비판주의; (칸트의) 비판 철학. ◇ critical *a.* 「만한.

crít·i·cìz·a·ble *a.* 비평의 여지가 있는; 비판할

***crit·i·cize,** 《영》 **-cise** [krítəsàiz] *vt., vi.* **1** 비평하다, 비판〔평론〕하다. **2** …의 흠을 찾다; 혹평하다, 비난하다. ◇ critic *n.*

crit·i·cule [krítəkjùːl] *n.* 엉터리 평론가.

cri·tique [kritíːk] *n.* Ⓒ,Ⓤ (문예 작품 따위의) 비평, 비판; Ⓒ 평론, 비판문; Ⓤ 비평법. ── *vt.* 비평하다.

crit·ter, -tur [krítər] *n.* 《영방언》 =CREATURE, 《특히》 가축, 소, 말; 《경멸》 놈, 녀석; 《구어》 괴상한 동물《가공의 동물이나 특별히 작은 동물 따위》.

crlf [siàːrèléf] 《해커속어》 *n.* 복귀(復歸)와 개행(改行). ── *vi.* 개행하다. [◂ carriage return line feed]

°**croak** [krouk] *n.* 깍깍〔개골개골〕하고 우는 소리《까마귀·개구리 등의》; 쉰 소리; 원망하는 말; 불평; 불길(不吉)한 소리; 우는 소리. ── *vi.* **1** (까마귀·개구리 등이) 개골개골〔깍깍〕 울다; 목쉰 소리를 내다; 음울한 소리로 투덜대다〔원망하는 말을 하다〕; 불길한 예언을 하다. **2** 《속어》 뻗다, 죽다(die); 《미속어》 낙제하다(fail). ── *vt.* 목쉰 소리로 말하다; 음울한 소리로 재앙을 알리다; 《미속어》 죽이다(kill). ㊞ **∠·er** *n.* 까옥까옥〔개골개골〕 우는 동물; (북아메리카산의) 우는 물고기; 목이 쉰 사람; 불평가; 비관론자; 재수 없는 말을 하는 사람; 《미속어》 의사; 《미속어》 목사.

croaky [króuki] (*croak·i·er; -i·est*) *a.* 까옥까옥〔개골개골〕하는; 목쉰 소리의; (목소리 따위가) 음울한. ㊞ **cróak·i·ly** *ad.*

Cro·at [króuæt, -ɑːt/-æt] *n., a.* =CROATIAN.

Cro·a·tia [krouéiʃiə] *n.* 크로아티아(공화국)《옛 유고슬라비아 공화국의 하나였으나 1991 년 독립을 선언하여 1992 년에 EC 의 국가 승인을 얻음》. ㊞ **-tian** [-n] *a., n.* 크로아티아의; 크로아티아 사람〔말〕의; 크로아티아 사람〔말〕.

croc [krɑk/krɔk] *n.* 《구어》 =CROCODILE.

cro·chet [krouʃéi/∠-, -ʃi] *n.* **1** Ⓤ 코바늘 뜨개질: a ~ hook 〔needle〕 코바늘. **2** 〖건축〗 =CROCKET. ── (*p., pp.* **~ed**) *vt., vi.* 코바늘(로) 뜨개질하다. ㊞ **~·er** *n.*

cro·ci [króusai, -kai] CROCUS 의 복수.

cro·cid·o·lite [krousídəlàit] *n.* 푸른 석면.

crock[1] [krɑk/krɔk] *n.* 단지, 항아리, 《영방언》(금속(金屬)의) 항아리; (화분(花盆)의 밑구멍을 막는) 사금파리.

crock[2] *n.* **1** 《방언》 검댕, 더럼, 때(soot, smut). **2** 비비면 벗겨져 떨어지는 안료. ── *vt.* 《방언》 검댕으로 더럽히다. ── *vi.* 안료〔색채〕가 벗겨지다.

crock[3] *n.* 폐마(廢馬); 《속어》 불구자, 늙은이, 무능자, 쓸모없는 것〔인간〕; 늙은 암양; 낡은 차〔배〕; 《미속어》 술 한 병; 《미속어》 취한(醉漢); 《속어》 거짓말(쟁이); 《미속어》 싫은 녀석〔여자〕; 《미속어》 놈, 녀석; 《미구어》 괴짜(geezer); 《미속어》 (특히 컴퓨터 프로그램에 대해) 임시변통의〔솜씨가 서툰〕 것; 복잡한〔개조하기 힘든〕 것. ── *vt., vi.* 《구어》 폐인이 되(게 하)다, 쓸모없게 하다〔되다〕, 약해지(게 하)다, 결딴나다〔내다〕《*up*》; 《속어》 때리다. **~ *of shit*** 《미속어》 엉터리, 대단한 난센스; 쓸모없는 녀석. ㊞ **~ed** [-t] *a.* 《속어》 술 취한.

crock·ery [krɑ́kəri/krɔ́k-] *n.* **1** Ⓤ 〔집합적〕 도자기, 토기. **2** 《미속어》 이(teeth); 《야구속어》 움직이지 않게 된 투수의 팔.

crock·et [krɑ́kit/krɔ́k-] *n.* 〖건축〗 크로켓《당초(唐草)무늬의 돋을새김》, 당초무늬 장식. ㊞ **~·ed** *a.*

Crock·pot [krɑ́kpɑ̀t/krɔ́kpɔ̀t] *n.* 저온 가열의 장시간 요리용 전기 솥《상표명》.

crocky [krɑ́ki/krɔ́ki] (*crock·i·er; -i·est*) *a.* 늙어 빠진, 병약한, 무능한(crocked); 노후한.

°**croc·o·dile** [krɑ́kədàil/krɔ́k-] *n.* **1** (아프리카·아메리카·아시아산의 대형) 악어; 악어 가죽. ㊀ alligator. **2** 《고어》 거짓 눈물을 흘리는 사람, 위선자. **3** 《영구어》 초등학생의 긴 2 열 종대 행렬; (자동차 따위의) 긴 행렬.

crócodile bìrd 악어새《악어의 입가에서 먹이를 취함; 나일강 유역산(産)》.

crócodile tèars 거짓 눈물: shed 〔weep〕 ~ 거짓 눈물을 흘리다.

croc·o·dil·i·an [krɑ̀kədíliən/krɔ̀k-] *a.* 악어

의〔같은〕; 위선적인. **—** *n.* 악어류.

cro·cus [króukəs] (*pl.* **~·es, -ci** [-sai, -kai]) *n.* 〖식물〗 크로커스《사프란속(屬)》; 적황색, 사프란 색; (마분(磨粉)으로 쓰는) 철단(鐵丹)(=∠ **mártis** [-mάːrtis]); 《영속어》 돌팔이 의사.

Croe·sus [kríːsəs] *n.* 크리서스《기원전 6세기의 Lydia 최후의 왕; 큰 부자로 유명》; 큰 부자: (as) rich as ~ 굉장한 부호로.

croft [krɔːft/krɔft] *n.* 《영》 (주택에 인접한) 작은 농장; (특히, crofter의) 소작지. **—** *vi.* 소작하다. ㊞ **∠·er** *n.* (스코틀랜드 고지 등의) 소작인.

Cróhn's disèase [króunz-] 〖병리〗 크론병《만성 염증성 장질환》.

crois·sant [krəsάːnt] *n.* 《F.》 크루아상《초승달 모양의 롤빵》.

Croix de Guerre [*F.* krwadəgɛːʀ] 《F.》 (프랑스의) 무공 십자 훈장.

cro·jack [krάdʒik/krɔ́-] *n.* =CROSSJACK.

Cro-Mag·non [kroumǽgnən, -mǽnjən] *n.* 《F.》 크로마뇽인《구석기 시대의 인간》.

crom·lech [krάmlek/krɔ́m-] *n.* 크롬렉《환상 열석(環狀列石)》; =DOLMEN.

cró·mo·lyn sódium [króuməlin-] 〖약학〗 크로몰린 나트륨《기관지 확장제》.

Crom·well [krάmwəl, -wel, krΛ́m-/krɔ́m-] *n.* **Oliver** ~ 크롬웰《영국의 정치가·군인·청교도; 1599-1658》. ㊞ **Crom·wel·li·an** [krɑmwéliən/krɔm-] *a.*, *n.* 크롬웰의 (부하, 지지자).

crone [kroun] *n.* 쭈그렁 할멈; 늙은 암양(羊).

Cro·nin [króunin] *n.* **James Watson** ~ 크로닌《미국의 물리학자; 노벨 물리학상(1980); 1931-2016》.

cronk [krɑŋk/krɔŋk] *a.* 《Austral.구어》 병의; 속임수의; (경주에서) 달릴 수 없게 된《말》.

Cro·nos, Cro·nus [króunəs] *n.* 〖그리스신화〗 크로노스《제우스의 아버지, 제우스 이전에 우주를 지배한 거인; 로마 신화의 Saturn》.

cro·ny [króuni] *n.* 친구, 옛벗(chum). ㊞ **~·ìsm** *n.* 편파, 편애, (정치상의) 연줄, 연고.

crook** [kruk] *n.* **1** 굽은 것〔물건〕; 갈고리; (불 위에 냄비를 거는) 만능 갈고리; (양치는 목동의) 손잡이가 구부러진 지팡이; (주교의) 홀장(笏杖); 〖음악〗 (취주 악기의) 조관(調管). **2** (길·강 등의) 굴곡(부), 만곡: have a ~ in one's back 〔nose〕 등이〔코가〕 굽다. **3** 《구어》 악한, 도둑, 사기꾼. ***by hook or (***by***) ~ ⇨HOOK. ***on the*** ~ 부정직하게, 부정 수단으로. **—** *a.* **1** =CROOKED. **2** 《Austral.구어》 싫은, 지독한, 부정한, 기분 나쁜; 성난: go ~ (*at* 〔*on*〕 a person) (아무에게) 화내다, 노하다. **—** *vt.* **1** 구부리다; 굴곡시키다. **2** 《~+목/+목+전+명》 사취하다; 《미속어》 훔치다(steal): ~ a thing *from* a person 아무에게서 물건을 사취하다. **—** *vi.* 구부러지다, 굴곡하다. ~ ***one's*** 〔***the***〕 ***elbow*** ⇨ELBOW. ~ ***one's*** (***little***) ***finger*** ⇨FINGER.

cróok·bàck *n.* 꼽추(hunchback). ㊞ **~ed** *a.*

◇**crook·ed** [krúkid] *a.* **1** 꼬부라진, 비뚤어진, 뒤둥〔빙퉁〕그러진; 늙어 허리가 꼬부라진. **2** 부정직한, 마음이 비뚤어진: a ~ business deal 부정한 상거래. **3** 《속어》 밀조〔밀매〕의. **4** [krukt] 고무래 모양의 자루가 달린《지팡이》, 갈고리 달린. **5** [krukt] (목·손가락 등이) 굽은, 기운; 기형의. ~ ***on*** 《Austral.구어》 …가 싫어서. ㊞ **~·ly** *ad.* 구부러져서; 부정(不正)하게. **~·ness** *n.* 굽음; 부정.

cróok·ery *n.* 비뚤어진 것, 나쁜 짓, 부정(不正).

Crookes [kruks] *n.* Sir **William** ~ 크룩스《영국의 화학·물리학자; 1832-1919》.

Cróokes dárk spàce, Cróokes spáce 〖물리〗 (진공 방전의) 크룩스〔음극〕 암부(暗部).

Cróokes gláss 크룩스 유리《자외선 흡수 유리; 보안경용》.

Cróokes ráy 〖물리〗 크룩스선, 음극선(cathode ray).

Cróokes túbe 크룩스(진공)관.

cróok·nèck *n.* 목이 길고 굽은 호박《관상용》.

croon [kruːn] *vt.*, *vi.* 작은 소리로 노래하다〔중얼대다〕, 읊조리다; 작은 소리로 노래 불러 잠재우다; 《N.Eng.》 비탄하다. **—** *n.* 읊조림; (작은 소리로 노래하는) 감상적인 유행가. ㊞ **∠·er** *n.* 낮은 소리로 감상적으로 노래하는 사람〔가수〕.

croot [kruːt] *n.* 《미속어》 (육군) 신병(recruit).

‡**crop** [krɑp/krɔp] *n.* **1** 수확《곡물·과실·채소 따위》: a rice 〔wheat〕 ~ 쌀〔밀〕수확 / an abundant 〔average〕 ~ 풍〔평년〕작. **2** 농작물, 《특히》 곡물; (the ~s) 한 지방〔한 계절〕의 전 농작물〔총수확고〕. ★ 아주 통속적인 말로서 harvest 처럼 '결과·응보' 등의 비유적인 뜻으로 쓰이는 일은 없음.

> SYN. **crop** 가장 일반적으로 쓰임. 재배하는 작물이나 거둬들인 뒤의 작물을 나타냄. **harvest** 수확을 주로 나타내며, 그 작황을 나타내는 일이 많음: a good 〔bad〕 *harvest* 풍작〔흉작〕. **yield** 원래 수확량이나 생산량을 나타냄.

3 (일시에 모이는 물건·사람 등의) 한 떼, 다수; 속출: a ~ of questions 질문의 속출 / a ~ of troubles 속출하는 난문제. **4** 〖야금〗 절단설(切斷屑)《잉곳(ingot) 등의 잘라 버린 결함부》. **5** (새의) 멀떠구니. **6** (끝에 가죽 고리가 달린) 채찍; 채찍의 손잡이. **7** 단발; 5푼 덧빗대기(로 깎은 머리), 몽구리: have a ~, 5푼 덧빗대기로 깎다. **8** (귀를 잘라 소유 표시를 하는) 가축의 안표. **9** 동물 한 마리 통째로 무두질한 가죽. **10** 〖채광〗 노두(露頭), 광맥의 노출; 〖건축〗 엽첨(葉尖), 정화(頂華). **11** 〖컴퓨터〗 잘라내기《컴퓨터 그래픽에서 그래픽 화상을 보다 섬세하게 만들기 위해 이미지의 필요 없는 부분을 잘라내고 정리하는 작업》. ***in*** 〔***under***〕 ~ (밭에) 심어져. ***neck and*** ~ ⇨NECK. ***out of*** ~ 심지 않고. ***stick in*** a person***'s*** ~ ⇨STICK². ***the cream of the*** ~ ⇨CREAM.

— (**-pp-**) *vt.* **1** (나무·가지 따위)의 우듬지를〔끝을〕 잘라내다; 전정(剪定)하다; …의 털을 깎다. **2** 〔일반적〕 물건의 끝〔일부분〕을 베어내다. **3** 《~+목/+목+보》 …을 짧게 베다〔자르다〕, (짐승이 풀의) 끝을 뜯어먹다: The sheep have ~*ped* the grass very short. 양이 풀을 아주 짧게 뜯어먹었다. **4** (귀의) 끝을 자르다《표시·본보기로》. **5** 수확하다, 거두어들이다(reap). **6** 《~+목/+목+전+명》 …에 작물을 심다《*with*》: ~ a field *with* potatoes 밭에 감자를 재배하다. **—** *vi.* **1** (농작물이) 나다, 되다. **2** 작물을 심다. **3** 풀 등을 베어 주다. **4** 《+부》 (문제 따위가) 갑자기 발생하다, 나타나다《*out; up; forth*》; (광상 따위가) 노출하다《*out; up*》: A bed of coal ~*ped up* there. 그곳에서 석탄층이 갑자기 노출되었다.

cróp cìrcle 크롭〔미스터리〕 서클(corn circle)《특히 잉글랜드 남부 지역 등에서, 밭에 있는 밀이 큰 원형을 이루며 쓰러져 있는 현상; 기상·지질학적인 힘·전자력(電磁力)·초자연적인 어떤 힘의 작용·우주인의 소행 등이나 누군가의 장난으로 인한 것이 아니냐는 등의 추측이 무성함》.

cróp-dùst *vt.*, *vi.* (밭에) 비행기로 농약을 뿌리다.

cróp dùster 농약 살포(비행)기.

cróp-dùsting *n.* Ⓤ 농약의 공중 살포.

cróp-èar *n.* Ⓤ 잘라낸 귀; 귀를 베어낸 사람 또는 동물《개 따위》.

cróp-èared *a.* 귀를 벤《가축》; 머리를 짧게 깎은; 〖영국사〗 (머리를 짧게 깎아) 귀를 드러낸《청교도를 이름》. 「게 만족한, 물린.
cróp-fúll *a.* 배가 찬, 만복(滿腹)의; 《비유》 크
cróp·lànd *n.* 농작물 심기에 알맞은 땅, 경작지.
cróp-òver *n.* (서인도 제도의) 사탕수수 수확(축제). 「라 버린 바지.
crópped pànts 〖복식〗 무릎 근처에서 짧게 잘
cróp·per *n.* **1** 농작물 심는 사람; 《미》 (반타작의) 소작인(sharecropper). **2** 베는〔깎는〕 사람; 베는 기계. **3** 수확이 있는 작물: a good 〔bad〕 ~ 잘 되는〔되지 않는〕 농작물. **4** 《구어》 추락, 곤두박이치기; 낙마; 큰 실패. **5** 〖조류〗 (멀떠구니가 큰) 가슴볼록비둘기. ***come* 〔*fall, get*〕 *a* ~** 《구어》 (말 따위에서) 털썩 떨어지다; 《구어·비유》 큰 실수를 하다.
crop·pie [krápi/krɔ́pi] *n.* =CRAPPIE.
crop·py [krápi/krɔ́pi] *n.* **1** 까까중, 몽구리. **2** 〖영국사〗 의회당원(Roundhead); 1798년의 아일랜드의 반도(叛徒). **3** 《속어》 시체, 송장(corpse).
cróp rotàtion 〖농업〗 윤작(輪作).
cróp tòp 크롭톱《배 부분이 노출되도록 짧게 재단한 여성용 캐주얼웨어》.
cro·quet [kroukéi/⌐-, -ki] *n.* [U] 크로케《잔디 위에서 하는 공놀이》; 그 타구: take ~ = ~ a ball. **—** *vt., vi.* 〖크로케〗 (상대방 공을) 쳐서 물리치다: ~ a ball 자기 공으로 상대방 공을 쳐내다.
◇**cro·quette** [kroukét] *n.* 《F.》 〖요리〗 크로켓.
cro·qui·gnole [króukənjòul] *n.* 《F.》 크로키뇰《퍼머넌트 웨이브 세트의 한 방식》.
crore [krɔːr] (*pl.* ~(***s***)) *n.* 《Ind.》 1,000만: a ~ of rupees, 1천만 루피.
cro·sier, -zier [króuʒər] *n.* **1** 〖가톨릭〗 목장(牧杖), 주교장(主教杖)《bishop 또는 abbot의 직위 표지》. **2** 〖식물〗 (양치식물처럼) 끝이 말린 구조. [파] **~ed** *a.*
⁑**cross** [krɔːs/krɔs] *n.* **1** 십자형, 열십자 기호. **2** 십자가; (the C-) (예수가 처형된) 십자가; 예수의 수난(도), 속죄; 기독교(국): a follower of the *Cross* 기독교도 / die on the ~ 십자가에 못 박혀 죽다 / a preacher of the *Cross* 기독교 선교사. **3** 수난, 고난; 시련; 불행, 역경: No ~, no crown. 《속담》 고난 없이는 영광도 없다. **4** 십자형의 것; 십자 장식; 십자 훈장; (대주교의) 십자장(杖); (시장·묘비 따위를 표시하는) 십자표; 십자탑; 십자로(路), 교차점(부근): a boundary 〔market〕 ~ 경계를〔시장을〕 표시하는 십자표. **5** ×표《무식쟁이의 서명 대용》; (맹세·축복할 때 공중 또는 이마·가슴 위에 긋는) 십자; 키스《편지에서 ××로 씀》; 가로획《t자 등의》, (수표의) 횡선: make one's ~ (무식쟁이가 서명 대신) 열십자를 그리다. **6** 잡종; 이종(異種) 교배; 혼혈, 트기(hybrid): a ~ *between* a Malay and a Chinese 말레이인과 중국인의 혼혈. **7** 중간물, 절충. **8** 《속어》 야바위, 짬짜미, 부정, 사기, 협잡. **9** 방해, 장애. **10** 〖증권〗 크로스 매매(cross-trade)《브로커가 파는 쪽과 사는 쪽의 양쪽 입장을 동시에 취함》. **11** 〖전기〗 혼선; 〖기계〗 십자형 연결관; 〖측량〗 직각기(直角器). **12** 〖천문〗 (the C-) 십자성(星): the Southern 〔Northern〕 *Cross* 남〔북〕십자성. **13** 〖권투〗 크로스 카운터.

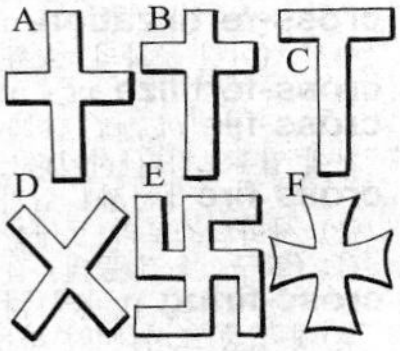

crosses
A. Greek cross B. Roman cross
C. St. Anthony's cross
D. St. Andrew's cross
E. Swastika F. Maltese cross

bear* 〔*carry, take up*〕 *one's* ~** 십자가를 지다, 고난을 견디다. ***fiery* ~** ⇨ FIERY CROSS. ***on the* ~** 비스듬하게, 엇걸리게; 《속어》 부정(직)하게. ***papal* ~** 교황의 십자(‡). ***patriarchal* ~** 총대주교의 십자(‡). ***take* (*up*) *the* ~** 십자군에 참가하다; 고난을 감수하다. ***the Buddhist* ~** 만자(卍). ***the* ~ *of Lorraine 로렌 십자(‡). ***the* ~ *of St. Andrew*** 성(聖)안드레의 십자(×). ***the* ~ *of St. Anthony*** 성 안토니우스의 십자(T). ***the Cross versus the Crescent*** 기독교 대 회교. ***the Greek* ~** 그리스 십자(+). ***the holy* 〔*real, true, Saint*〕 *Cross*** 예수가 못 박힌 십자가. ***the Latin* ~** 라틴 십자(†). ***the Maltese* ~** 몰타 십자(✠).
— *a.* **1** 교차된; 비스듬한, 가로지르는, 가로의. **2** 반대의, 역(逆)의; 엇갈린; (…에) 반하는, 위배되는《*to*》; 《고어》 불리한: a result ~ *to* a purpose 목적과 엇갈린 결과 / run ~ *to* …에 반(反)하다. **3** 불길〔불행〕한. **4** 까다로운; 찌무룩한; 성마른, 암상스러운, 짓궂은《*with*》. **5** 몇 개의 영역에 걸친; 상호의: a ~ marriage 교차 결혼《오뉘가 다른 오뉘와 결혼하는 따위》. **6** 잡종의, 교배된. **7** 《속어》 부정한, 속임수의. **(*as*) ~ *as two sticks*** 성미가 몹시 까다로운.
— *ad.* **1** 가로질러; 〖주로 동사와 결합하여 복합어를 만듦〗 교차적으로: ~-index. **2** 형편 사납게, 기대에 반하여.
— *vt.* **1** 교차시키다; (손·발 따위를) 엇걸다: ~ one's arms 팔짱을 끼다 / ~ one's legs 다리를 꼬다; 책상다리를 하다. **2** …와 교차하다; …와 서로 엇갈리다: ~ each other on the road 노상에서 서로 엇갈리다. **3** 가로지르다《도로·사막 따위》; (강·바다·다리 따위를) 건너다; (마음에) 떠오르다; (문턱·경계선 따위를) 넘다: ~ a road 〔river〕. **4** 《~+[목]/+[목]+[부]》 …에 횡선을 긋다, (수표를) 횡선으로 하다; (선을 그어) 지우다, 말살하다《*out; off*》: ~ a check 수표에 횡선을 긋다 / ~ names *off* a list 명부에서 이름을 지우다. **5** 《~+[목]/+[목]+[전]+[명]》 방해하다; …에 반대하다: be ~*ed in* one's plans 아무의 계획이 방해당하다. **6** …에 십자를 긋다; …에 열십자를 쓰다: ~ oneself = ~ one's heart 가슴에 십자를 긋다. **7** (동식물을) 교잡하다《*with*》; 잡종으로 하다. **8** 〖해사〗 (활대를) 돛대에 대다. **9** 《속어》 (안장 따위에) 걸터앉다: ~ a horse 말에 올라앉다. **10** 《속어》 속이다. **11** (복수의 서류를) 비교 검토하여 새 데이터를 얻다, 대비하다. **—** *vi.* **1** 교차하다《*with*》. **2** 가로지르다, 넘다, 건너다《*over*》; 〖연극〗 무대를 가로지르다: *Cross* at the intersection. 교차로를 건너가시오. **3** (편지가) 서로 엇갈리다《*in the post*》. **4** 잡종이 되다.
be* ~*ed in love 사랑이 깨어져 버리다. **~ *a check*** 수표에 (두 줄의) 횡선을 긋다. **~ *over*** 건너(가)다; 〖음악〗 (음악 스타일을) 바꾸다; (특정 음악 집단의 틀을) 넘다; (반대파에게로) 넘어가다; 〖생물〗 (유전자가) 교차(交叉)하다. **~ (*over*) *the line*** (흑인이) 백인과 같은 신분이 되다. **~ *one's fingers*** =***have* 〔*keep*〕 *one's fingers* ~*ed*** ⇨ FINGER. **~ *a person's hand*** =***cross*** a person's PALM[1]. **~ *a person's luck*** (남의) 행운을 가로막다. **~ *a person's mind*** (생각이) 마음에 떠오르다. **~ *the cudgels*** 싸움을 그만두다. **~ *the line*** 〖해사〗 적도를 통과하다. **~ *up* a person** 《구어》 아무의 의표를 찌르다, 헷갈리게 하다, 배반하다. **~ *wires* 〔*lines*〕** 전화를 (잘못) 연결하다; 〖수동태〗 혼선하다; 《비유》 오해하다: have 〔get〕 one's *wires* 〔*lines*〕 ~*ed* 오해하다.

— *prep.* =ACROSS.

㊞ ∠·er *n.* ∠·ness *n.* 심술궂음, 외고집, 성마름, 언짢음.

cróss·a·ble *a.* (강 따위를) 건널 수 있는; (식물 등이) 교잡 가능한. ㊞ **cròss·a·bíl·i·ty** *n.* (이종(異種) 간 · 품질 간의) 교잡 능력〔가능성〕.

cróss àction 〖법률〗 반대 소송, 반소(反訴).

cróss-addícted [-id] *a.* 교차성 중독(자)의 《동시에 두 종류 이상의 약물 따위를 상용(常用)하는 경우에 대하여 이름》.

cróss assémbler 〖컴퓨터〗 교차 어셈블러 《어셈블 처리를 하는 컴퓨터에 관계없이, 다른 컴퓨터의 어셈블리 언어로 된 프로그램을 기계어로 번역하는 것》.

cróss·bàr *n.* 가로대, (높이뛰기 등의) 바; 빗장; 횡선; (골포스트의) 크로스바.

cróss·bèam *n.* 〖건축〗 대들보.

cróss·bèarer *n.* 〖교회〗 십자가를 잡는〔짊어지는〕 사람; 〖건축〗 들보.

cróss bédding 〖지학〗 사층리(斜層理).

cróss bèlt (어깨에 비스듬히 걸치는) 탄띠.

cróss·bènch *n.* (보통 *pl.*) 무소속〔중립〕 의원석. — *a.* 중립의. ㊞ ~·er *n.* 무소속〔중립〕 의원.

cróss·bìll *n.* 〖조류〗 잣새《부리가 교차함》.

cróss·bìll *n.* 〖법률〗 반소장(反訴狀).

cróss bìrth 〖의학〗 횡위(橫位) 분만.

cróss·bìte [-bàit] *n.* 〖치과〗 교차 교합, 부정교합(不正咬合).

cróss bònd (벽돌의) 열십자로 쌓기.

cróss·bònes *n. pl.* 2개의 대퇴골(大腿骨)을 교차시킨 그림《죽음 · 위험의 상징》: ⇨ SKULL AND CROSSBONES.

cróss-bòrder *a.* 국경을 넘는, 월경(越境)하여 활동하는.

cróss·bòw *n.* (중세의) 격발식 활.

cróssbow·man [-mən] (*pl.* **-men** [-mən]) *n.* 격발식 활을 쏘는 사람, 궁노수. 「잡종(의).

crossbow

cróss·brèd *n.*, *a.*

cróss·brèed *n.* 잡종(hybrid). — (*p.*, *pp.* **-bred**) *vt.*, *vi.* 교잡하다, 잡종을 만들다, 교잡 육종(交雜育種)하다.

cróss bùn 《영》 십자가 무늬가 찍힌 과자(hot ~)《Good Friday에 먹음》.

cróss-búsing *n.* 《미》 =BUSING.

cróss-chánnel *a.* 해협 횡단의, 해협 저쪽의 《특히 영국 해협의 경우》.

cróss-chéck *vt.*, *n.* **1** (데이터 · 보고 등을) 다른 관점에서 체크하다〔함〕. **2** 〖하키〗 크로스체크하다〔함〕《스틱을 상대의 몸과 교차시켜 패스하다》.

cróss-clàim *n.* 〖법률〗 교차 청구《공동 소송인의 입장에 있는 자가 서로 행하는 청구》. 「러짐).

cróss còlor 크로스 컬러(컬러 TV 화상의 일그

cróss-correlátion *n.* 〖통계〗 교차 상관.

cróss cóunter 〖권투〗 상대방의 공격을 막으면서 교차적으로 치는 반격〔혹〕.

cróss-còuntry *a.* (도로가 아닌) 들을 횡단하는; 전국적인; 크로스컨트리(경기)의: a ~ race. — *ad.* 들판을〔나라를〕 지나. — *n.* 크로스컨트리 경주, 단교(斷郊) 경주.

cróss-country skíing 크로스컨트리 스키.

cróss·cóurt *ad.*, *a.* 코트 대각선 방향으로(의).

cróss·còusin *n.* 고종〔내종, 외종〕사촌. cf. parallel cousin. 「(交差婚).

cróss-cousin márriage 사촌끼리의 교차혼

cróss-cúltural *a.* 비교 문화의, 이(異)문화 간의.

cróss·cùrrent *n.* 본류와 교차하는 물줄기, 역류; (보통 *pl.*) 반주류적(反主流的) 경향, 상반되는 경향, 반목.

cróss·cùt *a.* 가로 켜는; 옆으로 벤: a ~ saw 동가리톱. — *n.* 횡단; 가로켜기; 가로 켜는 톱(~ saw); 샛길, 지름길; (광산의) 가로굴. — (*p.*, *pp.* **-cut; -cut·ting**) *vt.*, *vi.* 가로 베다; 가로지르다; (선 · 면이) 교차하다; (딴 분야)에 개입하다; 〖영화〗 (필름을) 교차법에 의해 편집하다. ㊞ **-cùtter** *n.*

cróss·cùtting *n.* 〖영화 · TV〗 크로스커팅《동시에 일어나는 둘 이상의 사건을 나타내기 위해 둘 이상의 일련의 필름을 상호 간에 삽입하는 편집 기술》.

cróss dáting 〖고고학〗 비교 연대 측정《딴 유적과의 상관관계로 측정》.

cróss-dísciplinary *a.* =INTERDISCIPLINARY.

cróss-dréss *vi.* 이성(異性)의 옷을 입다. ㊞ ~·er *n.*

crosse [krɔːs/krɔs] *n.* lacrosse용 라켓.

crossed [-t] *a.* 열십자로 된, 교차된; 열십자를 그은; 횡선을 그은; (열십자 따위를 그어) 지운; 방해되는: a ~ check 횡선수표 / a ~ star 불운.

cróss-examinátion *n.* U,C 힐문, 반문; 〖법률〗 반대 신문.

cróss-exámine *vt.* 〖법률〗 반대 신문하다; 힐문하다. ㊞ ~d *a.* **-in·er** *n.* 반대 신문자; 힐문자; 추궁자. 「모들뜨기 눈.

cróss-èye *n.* 내사시(內斜視)(esotropia); (*pl.*)

cróss-èyed *a.* 모들뜨기〔내사시〕의; 《속어》 머리가 약간 돈; 《미구어》 술 취한. ***look at*** a person ~ 《미속어》 아무에게 좀 이상한 짓을 하다; 아무의 감정을 좀 상하게 하다. ㊞ ~·ness *n.*

cróss-fáde 〖라디오 · 영화〗 *vt.* 페이드인과 페이드아웃을 동시에 쓰다, 크로스페이드하다. — [∠∸] *n.* 크로스페이드.

cróss-fértile *a.* 〖생물〗 교잡〔타가〕 수정하는.

cróss-fertilizátion *n.* U 〖동물〗 타가(他家) 수정; (이질 문화의) 교류. 「다〔하다〕.

cróss-fértilize *vt.*, *vi.* 〖생물〗 타가 수정시키

cróss-fíle *vi.*, *vt.* 《미》 두 정당(이상)의 예비선거에 입후보하다〔시키다〕.

cróss fire 〖군사〗 십자 포화; 〖야구〗 (각도가 큰) 사이드스로의 투구; (질문 따위의) 일제 공격; (요구 · 용건 등의) 집중, 쇄도; 곤경.

cróss-firing *n.* 〖의학〗 여러 방향에서 병소(病巢)에 집중 조사(照射)하는 방사선 요법.

cróss·flòw *n.* 〖기계〗 크로스플로《흡기구가 배기구 반대 측에 있는 타입의 엔진 실린더 헤드》.

cróss-frontíer *a.* 경계를〔영역을〕 넘어서 행해

cróss-gàrnet *n.* 《고어》 T자형 경첩. ⌊지는.

cróss-gráde *vi.* 〖컴퓨터〗 (타사의 동종 제품으로) 변경 · 사용하다.

cróss gràin 불규칙한 나뭇결.

cróss-gráined *a.* 나뭇결이 불규칙한; 외고집의, 빙퉁그러진, 꾀까다로운.

cróss guàrd 십자형 칼코등이. 「자선(線).

cróss hàirs (망원경 따위의 초점에 표시된) 십

cróss·hàtch *vt.*, *vi.* (도판(圖版) 등에) 그물눈의 음영(陰影)을 넣다. cf. hatch³.

cróss·hèad *n.* **1** 〖신문〗 중간 표제《긴 기사의 매듭을 구분키 위해 세로 난의 중간에 둠》. **2** 〖기계〗 크로스헤드《피스톤의 꼭지》.

cróss·hèading *n.* **1** =CROSSHEAD 1. **2** (광산의) 통풍 구멍과 연결되는 구멍.

cróss-hóldings *n. pl.* 《영》 (복수(複數)기업에 의한 주식의) 상호 소유.

cróss-immúnity *n.* U 교차 면역《병원균과 그와 비슷한 균에 의한 면역》.

cróss índex (책의) 참조 표시.

cróss-índex *vt.* (책의) 참조 표시를 하다. — *vi.* 참조 표시 역할을 하다.

cróss inféction 〖의학〗 교차 감염《다른 전염성 질환이 있는 환자 간의 감염》.

*__cross·ing__ [krɔ́:siŋ/krɔ́s-] *n.* **1** 교차(점), 건널목, 십자로; 횡단점〔보도〕: a ~ gate 건널목 차단기. **2** 횡단, 도항(渡航): the Channel ~ 영국 해협 횡단. **3** 방해; 반대; 모순. **4** 십자 긋기. **5** 이종 교배. **6** 《영》 (수표의) 횡선.

cróssing guàrd 《미》 (아동 등하교 때의) 교통안전 유도원.

cróssing-óver *n.* 〖생물〗 (염색체) 교차(交叉).

cross·jack [krɔ́:sdʒæ̀k, krás-/krɔ́s-; 〖해사〗 krɔ́:dʒik, krádʒ-/krɔ́:dʒ-, krɔ́dʒ-] *n.* Ⓤ 뒷돛대 밑 활대에 다는 큰 가로돛.

cróss kèys 〖문장(紋章)〗 교차된 두 열쇠의 문장《특히 로마 교황의》.

cróss-légged *a.* 다리를 포갠; 책상다리를 한.

cróss·let [-lit] *n.* (문장(紋章)의) 소(小)십자.

cróss lícense 상호 특허 사용 허가《두 회사가 서로의 특허를 이용할 수 있는》.

cróss-lícense *vt.* (다른 회사와) 상호 특허 사용계약을 맺다〔인정하다〕.

cróss·lìght *n.* Ⓤ 교차광(光), 십자광(光); (한 문제에 관한) 서로 다른 견해〔의견〕.

cróss·lìne *n.* **1** 횡단선, 교차선, 십자선; (떨어진 두 점을 잇는) 연결선. **2** 〖신문〗 1행 표제〔제목〕. **—** *a.* 〖생물〗 유전적 조성이 다른 두 순종의 교잡계인〔의〕. 「에 관련된.

cróss·linguístic *a.* 〖언어〗 계통이 다른 언어

cróss-lìnk *n.* 〖물리〗 (원자 따위의) 교차〔가교〕 결합. **—** [ˊˋ] *vt., vi.* 교차〔가교〕 결합시키다〔하다〕. ㊞ **-línkage** *n.* 가교 결합.

cróss-lìnker *n.* 〖화학〗 가교제(架橋劑)《원자 간의 가교 결합에 쓰이는 물질》.

cróss-lòts *ad.* 지름길로. ***cut*** ~ 지름길로 가다.

cróss·ly *ad.* 가로, 옆으로; 거꾸로; 심술궂게; 암상스레, 지르퉁하여. 「합)시험을 하다.

cróss-màtch *vt., vi.* 〖의학〗 (…에) 교차 (적

cróss màtching 〖의학〗 교차 (적합) 시험《수혈 전에 행하는 적합성 검사》.

cróss mémber 〖기계〗 크로스 멤버《자동차의 차대(車臺)나 타 구조물을 보강하는 횡재(橫財)》.

cróss-modálity *n.* 〖심리〗 감각 영역이 다른 감각을 연합하는 능력. ㊞ **cróss-módal** *a.*

cróss múltiply 두 분수의 각각의 분자에 다른 분수의 분모를 곱하다.

cróss-nátional *a.* 2개국 이상에 걸치는.

cróss nètwork cáll 〖컴퓨터〗 교차 네트워크 호출《다른 컴퓨터에 있는 COM 컴포넌트 사이에서 이루어지는 호출》.

cróss·òver *n.* **1** (입체) 교차로, 육교; 〖철도〗 전철(轉轍) 선로《상행선과 하행선을 연락하는》; U자(형 연)관. **2** (가슴에서 교차하는) 여성용 숄의 일종. **3** 〖생물〗 (염색체의) 교차(형). **4** 실험 중인 대조 표준 집단과 피험(被驗) 집단의 교환; 지지 정당을 바꾸는 투표자. **5** (the ~) 〖음악〗 크로스오버《재즈와 다른 음악과의 혼합; 그 음악이나 연주자》; 〖댄스〗 크로스오버《상대와 위치를 바꾸기 위한 스텝》. **6** 〖볼링〗 크로스오버《오른손으로 던져 킹 핀의 왼쪽에 맞는 공》. **7** =CROSSOVER NETWORK. **—** *a.* **1** 갈림길의, 분기점의, 위기의 (critical): a ~ point. **2** 〖정치〗 지지 정당 변경 투표를 인정하는: the ~ primary.

cróssover nétwork 〖전자〗 크로스오버 네트워크《멀티웨이 스피커 시스템에서 주파수 분할용 회로망》.

cróss-ównership *n.* 《미》 (단일 기업에 의한 신문·방송국의) 교차 소유.

cróss·pàtch *n.* 《구어》 괴까다로운 사람; 토라지기 잘하는 여자〔어린이〕.

cróss·pìece *n.* 가로장, 가로대 (나무).

cróss-plátform *a.* 〖컴퓨터〗 크로스플랫폼의, 다른 플랫폼에 대응하는.

cróss-plòw *vi., vt.* 교차 경작하다〔시키다〕.

cróss-ply tíre =BIAS-PLY TIRE.

cróss-póllinate *vt., vi.* 〖생물〗 타화(他花)〔이화(異花)〕 수분(受粉)시키다〔하다〕. ㊞ **cróss-pol·li·ná·tion** *n.* Ⓤ

cróss-póst *vi., vt.* 〖컴퓨터〗 횡단 게시하다《여러 게시판이나 뉴스 그룹에 하나의 게시물을 동시에 게재하다》.

cróss protéction 〖식물〗 간섭 효과, 획득 저항성; 〖의학〗 교차 면역《바이러스의 간섭에 의하여 저항성을 획득하는 일》.

cróss-púrpose *n.* 반대 목적, 엇갈린 의향; (*pl.*) 동문서답 문답놀이. ***be at ~s*** (보통 무의식중에) 의도를 서로 오해하다, (행동 등이) 엇갈리다: I realized we had *been at ~s.* 우리가 서로 오해하고 있었음을 깨달았다.

cróss-quéstion *n.* 반대 신문; 힐문. **—** *vt.* =CROSS-EXAMINE.

cróss·ràil *n.* 가로대, 가로장, 가로쇠.

cróss ràte 크로스레이트, 제 3 국 환(換)시세《특히 영국·미국의》.

cróss rátio 〖기하〗 복비(復比).

cróss-reáction *n.* 〖의학〗 교차 반응《2 종의 항원이 각각의 항혈청과 상호 반응함》. 「키다〕.

cróss-refér (*-rr-*) *vt., vi.* 앞뒤를 참조하다〔시

cróss réference (한 책 안의) 앞뒤 참조.

cróss-resístance *n.* 〖생물〗 저항성 교차, 교차 내성(交差耐性).

cróss-rhỳthm *n.* 〖음악〗 =POLYRHYTHM.

°**cróss·ròad** *n.* **1** (보통 *pl.*) 십자로, 네거리; 기로. **2** 교차 도로; 갈림〔골목〕길《간선도로와 교차되는》. **3** 네거리에 생긴 취락; 집회소; 들르는 곳: a ~(s) store 《미》 네거리의 가게《마을 사람들이 모여 잡담하는 잡화점 등》. ***stand*** 〔***be***〕 ***at the ~s of one's life*** 인생의 기로에 서다; 위기에 직면하다.

cross·ruff [krɔ́:srʌ̀f, ˊˋ/krɔ́s-] *n., vt., vi.* 〖카드놀이〗 자기편끼리 서로 다른 으뜸패를 내는 전법(으로 (패를) 내다); 조종하다; 능가하다 (surpass). 「이 이는해면》.

cróss sèa 〖해사〗 교차 해면《역풍파, 삼각파 등

cróss sèction 횡단(면); 단면도; 《비유》 (사회의) 단면, 대표적인 면, 축도(*of*); 〖물리〗 단면적(斷面積); 〖측량〗 횡단면도.

cróss-sèction *a.* 횡단면〔도〕의. **—** *vt.* …의 횡단면을〔횡단도를〕 만들다.

cróss-sèctional *a.* =CROSS-SECTION. 「의》.

cróss sèlling 끼워팔기 《영화와 원작본 따위

cróss-shàreholding *n.* 〖경영〗 (기업 간의) 주식의 상호 보유.

cróss shòt 〖방송〗 크로스 숏《화면에 대하여 비스듬히 찍은 화상》; 〖테니스〗 코트의 대각선 방향으로 치는 공.

cròss-socíetal *a.* 사회 전체에 미치는, 사회 각층에 걸친. 「기(直角器).

cróss-stàff (*pl.* **~s, -stàves**) *n.* 〖측량〗 직각

cróss-stérile *a.* 〖식물〗 교잡불임(交雜不妊)의.

cróss-stìtch *n., vt., vi.* (X 자형의) 십자뜨기(하다). 「골목.

cróss strèet 교차(도)로, (큰 길과 교차되는)

cróss-súbsidize *vt., vi.* (채산이 맞지 않는 사업을) 다른 사업의 수익으로 유지하다. ㊞ **-subsidizátion** *n.*

cróss tàlk 〖통신〗 혼선, 누화(漏話); 잡담, 입씨름; 《영》 (하원에서의 당파 간의) 논쟁; 〖TV〗 뉴스 방송 중의 대화, 뉴스 아나운서끼리의 대화.

cróss·tìe *n.* 《미》 (철도의) 침목(枕木). 「性).

cróss-tólerance *n.* 〖의학〗 교차 내성(交叉耐

cróss·tòwn *a., n.* 도시를 가로지르는 (버스〔전차〕 노선): a ~ road 〔bus〕 시내 횡단도로〔버스〕. **—** *ad.* 《미》 도시를 가로질러.
cróss-tràde *n.* 〖증권〗 =CROSS 10.
cróss-tràding *n.* 외국 항구 간의 선박 수송; 삼국 간 항로.
cróss-tráin *vt.* 두 직종 이상의 일을 할 수 있도록 훈련하다.
cróss-tráining *n.* 크로스트레이닝《몇 가지 운동을 결합하여 행하는 트레이닝 법》.
cróss·trèes *n. pl.* 〖해사〗 돛대 위의 가로장.
cróss-ùp *n.* 《구어》 (오해로 빚어진) 혼란, 혼동; 배신.
cróss-vóting *n.* 교차 투표《자기 당에 반대, 또는 타당에 찬성을 표하는 투표 형식》.
cróss·wàlk *n.* 《미》 횡단보도.
cróss·wày *n.* =CROSSROAD.
cróss·wàys [-wèiz] *ad.* =CROSSWISE.
cróss wìnd 〖항공〗 옆바람: ~ landing 〔takeoff〕 옆바람 착륙〔이륙〕.
cróss·wìse [-wàiz] *ad.* 옆으로; 열십자로, 교차하여, 엇갈리게; 빙퉁그러져, 심술궂게. **—** *a.* 횡단하는; 비스듬한.
***cróss·word pùzzle** [krɔ́ːswə̀ːrd(-)/krɔ́s-] 크로스워드 퍼즐, 십자말풀이: do a ~ 크로스워드 퍼즐을 풀다.
crotch [kratʃ/krɔtʃ] *n.* 가랑이, 샅; (나무의) 아귀; 〖해사〗 갈래 진 지주(支柱). ***a kick in the*** ~ 《구어》 불알을 걷어참; 비열한 반칙. ㊕ **~ed** [-t] *a.* 두 갈래 진.
crotch·et [krátʃit/krɔ́tʃ-] *n.* **1** 별난〔묘한〕 생각; 변덕. **2** 〖해사〗 갈고리 모양의 기관; 《폐어》 작은 갈고리; 《영》 〖인쇄〗 =BRACKET. **3** 《영》 〖음악〗 4분음표(《미》 quarter note).
crotch·e·teer [krɑ̀tʃətíər/krɔ̀tʃ-] *n.* 변덕쟁이, 괴짜.
crotch·ety [krátʃəti/krɔ́tʃ-] (***-et·i·er; -et·i·est***) *a.* 별난 생각을 갖고 있는, 변덕스러운. ㊕ **crótch·et·i·ness** *n.*
cro·ton [króutn] *n.* 〖식물〗 파두《아시아 열대지방산》.
Cróton bùg 〖곤충〗 노랑바퀴.
cro·tón·ic ácid [kroutánik-/-tɔ́n-] 〖화학〗 크로톤산《합성수지 제조 등 유기 합성의 원료》.
cróton òil 파두유(油)《완하제》.
***crouch** [krautʃ] *vi.* **1** 쭈그리다, 몸을 구부리다; 웅크리다. ⓒⓕ cower, squat. **2** 《+전+명》 굽실거리다《*to*》: He ~*ed* to his master. 그는 주인에게 굽실거렸다. **—** *vt.* 비하(卑下)하여〔두려워서〕 (머리를) 낮게 숙이다. **—** *n.* 쭈그림; 웅크림.
cróuch stàrt 〖경기〗 크라우칭 스타트《몸을 앞으로 구부린 자세에서의 출발》. OPP *standing start.*
croup[1] [kruːp] *n.* Ⓤ 〖의학〗 크루프, 위막성 후두염(僞膜性喉頭炎).
croup[2], **croupe** [kruːp] *n.* 엉덩이《말 등의》.
crou·pi·er [krúːpiər] *n.* (노름판의) 딜러의 보좌; (공식 연회석상의) 부(副)사회자.
croup·ous, croupy [krúːpəs], [krúːpi] *a.* 〖의학〗 크루프성(性)의.
crou·ton, croû- [krúːtan, -´/krúːtɔn] *n.* 《F.》 크루통《바싹 구운 빵 조각》.
Crow [krou] (*pl.* ~(**s**)) *n.* 크로 사람《아메리카 원주민의 한 종족; Montana 주에 삶》; Ⓤ 크로 말.
crow**[1] [krou] *n.* **1** 까마귀《raven[1], rook[1], jackdaw, chough, carrion crow 따위의 총칭》. **2** 〖기계〗 =CROWBAR. **3** 《경멸》 흑인. **4** (the C-) 〖천문〗 까마귀자리(Corvus). **5** 《미속어》 〖해병〗 독수리표《계급장》; (독수리표를 붙인) 대령. **6** (종종 old ~) 《속어·경멸》 못생긴 여자, 추녀. ***as the ~ ***flies*** =***in a*** ~ ***line*** 일직선으로. ⓒⓕ in a BEELINE. ***a white*** ~ 희귀〔진귀〕한 물건. ***eat*** (***boiled***) ~ 《미》 (마지못해) 하기 싫은 짓을 하다〔말하다〕; 굴욕을 참다, 과오를〔잘못을〕 인정하다. ***have a*** ~ ***to pick*** 〔***pluck, pull***〕 ***with*** a person 《구어》 아무에게 할 말이 있다. ***Stone*** 〔***Starve, Stiffen***〕 ***the*** ~***s!*** 《영구어》 어럽쇼《놀람·불신·혐오의 표현》.
crow[2] (***crowed,*** 《고어》 ***crew*** [kruː]; ***crowed***) *vi.* **1** (수탉이) 울다, 홰를 쳐 때를 알리다. **2** (아기가) 까르륵 웃다; 기뻐하며 소리치다. **3** 《~/+전+명》 의기양양해지다, 환성을〔개가를〕 올리다《*over*》; 자랑〔자만〕하다(boast)《*about*》: ~ *over* one's victory 자기의 승리를 크게 기뻐하다 / ~ *about* one's success 성공을 자만하다. ~ ***before*** a person ***is out of the woods*** 위험〔곤란〕에서 벗어나기도 전에 우쭐해지다. **—** *n.* **1** 수탉의 울음소리. ⓒⓕ cockcrow. **2** (아기의) 까르륵거리는 웃음; 환희의 외침, 환성. ㊕ **´-·er** *n.*
crów·bàr *n.* 〖기계〗 쇠지레.
crów·bèrry *n.* 〖식물〗 시로미; 《미》 덩굴월귤의 일종.
crów·bìll *n.* 원뿔 모양의 뿔 화살촉; 〖의학〗 상처에서 탄알 따위를 빼내는 핀셋.
‡**crowd** [kraud] *n.* **1** 군중; (사람의) 붐빔, 북적임. ★ 많은 사람을 강조하기 위하여 복수로 쓰는 경우도 있음: large *crowds* in the streets 거리의 많은 사람들. **2** (the ~) 민중, 대중. **3** 다수(의 물건), 많음. **4** 《구어》 패거리, 한동아리; 일단; 《군대속어》 부대. **5** 관객, 구경꾼, 청중, 출석자.

> SYN. **crowd** 별다른 목적이 없는 사람들의 모임이나 물건의 모임. **group** crowd 에 비하여 훨씬 규모가 짜인 집단: a family *group* 가족의 모임. **mob** 무질서할 뿐만 아니라 무법한 짓을 하는 군중. **multitude** 이상의 세 말과는 달리 단지 수를 강조할 때의 사람 또는 물건의 모임.

follow 〔***go with***〕 ***the*** ~ 대중에 따르다, 여럿이 하는 대로 하다. ***in*** ~***s*** 여럿이. ***pass in a*** ~ 그만그만한 정도다, 특히 이렇다 할 흠은 없다. ***rise*** 〔***raise*** one***self***〕 (***up***) ***above the*** ~ 빼어나다, 남을 앞서다.
— *vt.* **1** 《~+목/+목+전+명》 (방·탈것 등에) 빽빽이 들어차다, …에 밀어닥치다: People ~*ed* the small room. =The small room *was* ~*ed with* people. 작은 방에 사람들이 꽉 찼다. **2** 밀치락달치락하다《*together*》. **3** 《+목+전+명》 꽉꽉 채우다, 쑤셔 넣다《*into*》: ~ books *into* a box =~ a box *with* books 책을 상자속에 채워 넣다. **4** 《+목+전+명》 《미구어》 …에게 강요하다; (귀찮게) 요구〔재촉〕하다: ~ a debtor *for* immediate payment 채무자에게 즉시 갚으라고 하다. **5** …의 바로 가까이 있다〔서다〕; 〖야구〗 (타자가) 플레이트에 바싹 다가서다; 《미구어》 (어떤 나이가) 되려고 하다. **—** *vi.* 《+전+명》 **1** 떼 지어 모이다, 붐비다, 쇄도하다《*around; round*》: They ~*ed around* the woman. 그들은 그녀 주위에 몰려들었다. **2** 밀어닥치다, 밀치락달치락하며 들어가다《*into; through; to*》: People ~*ed through* the gate. 사람들은 서로 밀치며 문을 빠져나갔다. ~ ***on*** 〔***upon, in upon***〕 (생각이) 자꾸 떠오르다; …에 쇄도하다. ~ (***on***) ***sail*** 〖해사〗 (최대 속도를 내기 위해) 돛을 전부 펴다, 돛의 수를 늘리다. ~ ***out*** 밀쳐내다, 밀어 젖히다; 〖흔히 수동태〗 (장소가 좁아서) 내쫓다《*of; from*》. ~ ***up*** 밀어올리다; (값 따위를) 다투어 올리다.
‡**crowd·ed** [kráudid] *a.* **1** 〖공간적〗 붐비는, 혼잡한, 꽉 찬; 만원의: a ~ bus 만원 버스 / a page ~ *with* misprints 오식투성이인 쪽. **2** 〖시간적〗 (일 따위로) 꽉 짜인: a ~ schedule 바쁜 일정 / a year ~ *with* events 다사다난했던

일년. ⊞ **~·ly** *ad.* **~·ness** *n.*

crówd enginèer 《미》 군중 정리 전문가, 《특히》 경찰견(犬).

crówd pùller 《구어》 인기인〔물〕.

crów·fòot (*pl.* ***-feet***) *n.* **1** (*pl.* 흔히 **~s**) 〖식물〗 미나리아재비(buttercup) 따위의 속칭. **2** 〖해사〗 (천막 따위의) 달아매는 밧줄. **3** (흔히 *pl.*) 눈초리의 주름(crow's-feet). **4** 〖군사〗 =CALTROP. ⊞ **~·ed** [-id] *a.* 눈초리에 주름이 진.

crów·hòp *n.* 짧은 점프; (말의) 다리를 뻗게 하고 등을 활 모양으로 휘게 해서 행하는 도약.

Crów Jím 《미속어》 (흑인의) 백인에 대한 강한 편견. ⓒⓕ Jim Crow. ⊞ **Crów Jím·ism**

****crown** [kraun] *n.* **1** 왕관; (the ~; the C-) 제왕〔여왕〕(의 자리), 왕권; (군주주의) 주권, 국왕의 지배〔통치〕; 입헌 군주국의 정부, 《특히》 영국〔캐나다〕 정부; 국왕의 영토: succeed to the ~ 왕위를 잇다 / wear the ~ 왕위에 있다, 국왕으로 통치하다; 순교자이다 / an officer of the ~ 《영》 관리. **2** (승리의) 화관, 영관; 영광, 명예. **3** 왕관표; 왕관표가 붙은 것. **4** 화폐의 이름《영국의 25펜스 경화, 구 5실링 은화》. **5** 크라운지(紙) 《15×20 인치, 미국에서는 15×19 인치; 왕관표의 투문(透紋)이 있음》. **6** 꼭대기; (모자의) 춤; (산의) 정상; 최고부, 중앙부; 정수리; 머리; 볏, 계관. **7** 절정, 극치; 《미속어》 선수권. **8** 〖의학〗 치관(齒冠), 금관(金冠); (보석의) 관부(冠部); (시계의) 용두; (길)마루; 크라운 매듭《밧줄의 세 가닥을 얽어 묶는 방법으로, 밧줄의 끝이 풀리는 것을 막음》; 수관(樹冠); 근두(根頭); 〖동물〗 (갯나리의) 관부. **9** =CROWN GLASS; CROWN LENS. ***~ and anchor*** 주사위 놀이의 일종《왕관·닻·하트 등을 그린 주사위와 판을 씀》. ***the pleas of the ~*** 〖영법률〗 형사 소송.

—*vt.* **1** 《~+목/+목+보》 …에게 왕관을 씌우다; 왕위에 앉히다: George VI was *~ed* in 1936. 조지 6세는 1936년에 즉위했다 / The people *~ed* him king. 국민은 그를 왕위에 앉혔다. **2** 《+목+전+명》 …의 꼭대기에 얹다〔올려놓다〕《*with*》, (치아)에 금관 따위를 씌우다: a mountain *~ed with* snow 꼭대기에 눈이 있는 산. **3** 《~+목/+목+전+명》 …에게 영관(榮冠)을 주다; (종국에 가서) 갚다, 보답하다; …의 최후를 장식하다, 유종의 미를 거두다; 마무르다, 성취하다: His efforts have been *~ed with* success. 그의 노력이 끝내 결실을 맺어 성공했다. **4** (draughts 놀이에서) 졸개 말이 일정한 선까지 갔을 때 왕이 되게 하다. **5** 《구어》 (머리를) 때리다. **6** (밧줄)에 크라운 매듭을 만들다. ***to ~ (it) all*** 결국에 가서, 게다가, 그 위에 더: And, *to ~ all*, we missed the bus and had to walk home. 게다가 버스마저 놓치니 걸어서 돌아가야만 했다.

crówn àntler (사슴의) 가장 끝에 있는 가지 뿔(枝角).

Crówn attórney 《Can.》 주정부〔연방 정부〕 검찰관(Crown prosecutor).

crówn cánopy 〖생태〗 임관(林冠), 숲의 우거진 윗부분.

crówn càp (맥주병 따위의) 마개, 뚜껑.

crówn cólony (종종 C- C-) 영국의 직할 식민지.

crówn cóurt 〖법률〗 (순회) 형사 재판소《잉글랜드·웨일스의》.

Crówn Dérby 영국 Derby 산(産)의 도자기《왕관표가 있음》.

(-)crowned *a.* **1** 왕관을 쓴, 왕위에 오른; 왕관 장식이 있는: ~ heads 국왕과 여왕. **2** 《복합어로》 (모자의) 운두가〔춤이〕 있는: a high-〔low-〕 ~ hat 춤이 높은〔낮은〕 모자.

crówn·er *n.* 관을 씌우는 사람; 명예를 주는 사람〔물건〕; 완성자; 《구어》 (말에서) 거꾸로 떨어뜨리기; 《미속어》 수탉; 《영방언·고어》 =CORONER.

Crówn Estáte Commíssioners (the ~) 《영》 왕실 소유지 관리 위원회.

crówn èther 〖화학〗 크라운에테르《원자 배열이 왕관 모양인 폴리에테르》, 왕관형 에테르.

crówn fire 수관화(樹冠火)《나무의 윗부분을 태우며 급속히 번지는 산불》.

crówn glàss (두꺼운) 창유리; (광학용의) 크라운 유리.

crówn gràft 〖원예〗 짜개접.

crówn grèen 양쪽보다 가운데가 높은 론볼링용(用)의 잔디밭.

crówn·ing *a.* 최고의, 더없는: the ~ glory 〔folly〕 더없는 영광〔바보짓〕 / the ~ moment of my life 내 생애 최고의 순간.

crówn jéwels (the ~) 대관식에서 왕이 착용하는 보석류.

crówn lànd 《영》 왕실 소유지.

crówn·lànd *n.* (옛 오스트리아-헝가리 왕국의) 주(州).

crówn láw 《영》 형법.

crówn lèns 크라운 렌즈《crown glass로 만든 렌즈, 특히 색지움 렌즈를 구성하는 볼록 렌즈》.

Crówn Óffice 〖영법률〗 (the ~) 고등 법원의 형사부; (the ~) Chancery의 국새부(國璽部).

crówn of thórns (그리스도가 썼던) 가시나무관(冠)《고난·죄악·불안의 상징》.

crówn pìece 크라운화(貨)《영국의 구 5실링 은화》.

crówn·pìece *n.* 정점(頂點)을 구성하는 것.

crówn prínce (영국 이외의 나라의) 왕세자. ★ 영국 왕세자는 Prince of Wales.

crówn príncess 왕세자비(妃); 여성의 추정(推定) 왕위 계승자.

crówn sàw 〖기계〗 원통톱.

crówn stròller 《영속어》 다른 차의 진행을 방해하는 운전수.

crówn wítness 《영》 (형사 소추의) 검사 측 〔원고 측〕 증인.

crówn·wòrk *n.* Ⓤ **1** 〖축성(築城)〗 관새(冠塞) 《보통 위험 지점을 숨기기 위한 방어 보루》. **2** 〖치과〗 금관(金冠) (기공(技工)), 치관(齒冠) (보철).

crów quìll 까마귀깃 펜; (제도용의) 가는 철펜.

crów's-bìll *n.* 〖해부〗 오훼(烏喙)돌기(=**córacoid prócess**).

crów's-fòot (*pl.* ***-fèet***) *n.* **1** (보통 *pl.*) 눈꼬리의 주름. **2** 〖군사〗 =CALTROP. **3** 세 가닥 자수《까마귀 발 모양의 수》.

crów's-nèst *n.* 〖해사〗 (포경선의) 돛대 위의 망대; 〖식물〗 (야생) 홍당무.

crów·stèp *n.* =CORBIESTEP.

Croy·don [krɔ́idn] *n.* **1** Greater London 남부의 도시. **2** (C-) 일종의 이륜 마차.

crozier ⇨ CROSIER.

CRP 《미》 Committee to Reelect the President (대통령 재선 위원회). ⓒⓕ creep.

Cr $ cruzeiro(s). **CRT, C.R.T.** cathode-ray tube(음극(선)관).

CRT displáy 〖전자〗 음극(선)관 표시(기)《브라운관에 문자나 도형을 나타내는 컴퓨터 단말 장치》.

CRTT certified respiratory therapy technician.

cru [kru:; *F.* kʀy] *n.* (프랑스의) 포도주를 양조하는 포도원, 포도주 생산지〔등급〕.

cru·ces [krú:si:z] CRUX의 복수형의 하나.

cru·cial [krú:ʃəl] *a.* 결정적인, 중대한《*to; for*》; 엄격한; (시기·문제 등이) 어려운; 십자형의: a ~ incision 〖의학〗 십자 절개(切開) / a ~ pattern 십자문양. ⊞ **~·ly** *ad.*

crú·cian (càrp) [krú:ʃən(-)] 〖어류〗 붕어.

cru·ci·ate [krú:ʃiət, -ʃièit] *a.* 〖동물·식물〗 십자형의.

crúciate lígament 〖해부〗 (무릎의) 십자인대(十字靭帶).

cru·ci·ble [krú:səbəl] *n.* 〖야금〗 도가니; 《비유》 호된 시련. ***in the ~ of*** …의 모진 시련을 겪어.

crúcible fúrnace 〚야금〛 도가니로(爐).
crúcible stéel 〚야금〛 도가니강(鋼).
cru·ci·fer [krúːsəfər] *n.* 〚식물〛 평지과의 식물; 〚교회〛 =CROSSBEARER.
cru·cif·er·ous [kruːsífərəs] *a.* 십자가를 진, 십자가로 장식한; 〚식물〛 평지과(科)의.
cru·ci·fix [krúːsəfiks] *n.* 십자가에 못 박힌 예수상(像), 십자 고상(苦像); 십자가.
cru·ci·fix·ion [krùːsəfíkʃən] *n.* **1** [U] (십자가에) 못 박힘〔박음〕; (the C-) 십자가에 못 박힌 예수; [C] 그 그림 또는 상(像). **2** [U,C] 《비유》 괴로운 시련; 정신적 고뇌.
cru·ci·form [krúːsəfɔ̀ːrm] *a., n.* 십자형(의); 〚수학〛 십자곡선. [파] **~·ly** *ad.*
◇**cru·ci·fy** [krúːsəfài] *vt.* **1** 십자가에 못 박다, 책형에 처하다. **2** 몹시 괴롭히다; 박해하다; 《속어》 여지없이 괴롭히다〔웃음거리로 만들다〕; 혹평하다. **3** 《비유》 (욕정 등을) 억제하다.
cru·ci·ver·bal·ist [krùːsəvə́ːrbəlist] *n.* 크로스워드퍼즐 창안자〔애호가〕, 십자말 풀이 문제를 만드는 사람〔애호가〕.
crud [krʌd] *n.* **1** 《속어》 지겨운 놈. **2** 《속어》 굳어진 침전물; 《비어》 말라붙은 정액. **3** (the ~) 《속어》 부정 수소(不定愁訴), 몸의 부조(不調). **4** 《비어》 성병; 매독. **5** 《방언》 =CURD. ── (**-dd-**) *v.* 《방언》 =CURD. ── *int.* 제기랄, 빌어먹을《불쾌감·실망의 표시》. [파] **crúd·dy** [-di] *a.* 추접스러운; 지겨운; 지독한.
***crude** [kruːd] *a.* **1** 가공하지 않은, 천연 그대로의, 생짜의, 조제(粗製)의: ~ sugar 조당(粗糖), 흑설탕 / ~ material(s) 원료 / ~ rubber 생고무. **2** 《고어》 미숙한, 떫은; (병이) 초기의. **3** 생경한, 투박한, 솜씨 없는; 유치한. **4** 《비유》 조야(粗野)한, 버릇없는: a ~ person 〔manner〕. **5** 노골적인; 있는 그대로의; 〚통계〛 분류〔분석〕하지 않은 (채 도표로 만든): ~ reality 있는 그대로의 현실 / ~ birth rate 일반 출생률. **6** (색이) 야한; 품위 없는. **7** 〚문법〛 어미변화가 없는. [cf.] raw, rough. ── *n.* 원료; 원유. [파] **~·ly** *ad.* **~·ness** *n.*
crúde óil 〔**petróleum**〕 원유(原油).
cru·di·ty [krúːdəti] *n.* **1** [U] 생짜임, 미숙; 생경(生硬); 조잡. **2** [C] 미숙한 것〔행위〕, (예술 따위의) 미완성품. **3** [U] 거칢.
****cru·el** [krúːəl] (**~·er; ~·est;** 《영》 **~·ler; ~·lest**) *a.* **1** 잔혹〔잔인〕한; 무자비한.

> [SYN.] **cruel** 사람을 괴롭혀 놓고 태연하거나 오히려 흔쾌해 하는 정신 상태를 말함. **brutal** 인간으로서는 있을 수 없는 짐승과 같은 잔인함이나 비열함을 말함.

2 참혹한, 비참한; (말에) 가시〔독기〕가 있는. **3** 《구어》 대단한, 지독한; 가혹한; 끔찍한; 냉엄한. ── *ad.* 《구어》 몹시: ~ hard 몹시 괴로운. ── *vt.* 《Austral.속어》 엉망으로 만들다, 잡치다. [파] ***~·ly** *ad.* 참혹히, 박정하게; 《구어》 몹시. **~·ness** *n.*
crúel·héarted [-id] *a.* 무정〔잔혹〕한.
***cru·el·ty** [krúːəlti, krúəl-] *n.* [U] 잔학〔잔인〕함, 무자비함; 끔찍함; 잔인한 행위; 〚법률〛 학대: *cruelties* to animals 동물 학대.
crúelty-frée *a.* (화장품·약품 등이) 동물 실험을 거치지 않고 개발된; 동물 성분을 포함하지 않은.
cru·et [krúːit] *n.* (식탁용) 양념병; 〚교회〛 주수병(酒水甁)《미사 때 술과 물을 담는 병》.
cruft [krʌft] *n.* 《해커속어》 **1** (쓰레기·먼지 따위처럼) 불유쾌한 것. **2** (컴퓨터 프로그램의) 석연치 않은 부분.
Cruft's [krʌfts] *n.* 런던에서 2월 초에 열리는 개 전시회(= ~ **Dóg Shòw**).
crufty [krʌ́fti(ː)] 《해커속어》 *a.* 손대고 싶지 않은, 기분 나쁜; 너무 복잡한; 잘못 만들어진; 〚일반적〛 불유쾌한. ── *n.* 자질구레한 잡동사니〔다루기 힘든 데이터 기록〕.
◇**cruise** [kruːz] *vi.* **1** 순항하다; 바다 위를 떠돌아다니다; (육상을) 만유(漫遊)하다. **2** 순항〔경제〕속도로 비행하다〔달리다〕; 쾌적한 속도로 나아가다; (택시 따위가 손님을 찾아) 돌아다니다; 《구어》 (이성을 구하며) 어슬렁거리다; 《미》 삼림지대를 답사하다: a *cruising* taxi. ── *vt.* (특정 구역을) 순항하다; 돌아다니다; 조사하고 다니다. ── *n.* 순항, 떠돌아다님; 만유, 선박 여행; 《해커속어》 간단한 것. ── *a.* 《해커속어》 간단한, 손쉬운.
crúise càr 《미》 순찰차(squad car).
crúise contròl (자동차 등에서) 자동적으로 일정 속도를 유지케 하는 장치.
crúise lìner =CRUISE SHIP.
crúise mìssile 크루즈〔순항〕 미사일.
crúise míssile sùbmarine 크루즈 미사일 잠수함.
◇**cruis·er** [krúːzər] *n.* **1** 순양함; 대형 모터보트〔요트〕(cabin ~): a converted 〔light〕 ~ 개장〔경〕 순양함. **2** 《미》 삼림 답사자; 만유자(漫遊者). **3** (손님을 찾아) 돌아다니는 택시; 《미》 경찰〔순찰〕차; 순항 비행기; 《속어》 매춘부. **4** 《영》 =CRUISERWEIGHT.
crúiser·wèight *n.* 《영》 〚권투〛 =LIGHT HEAVYWEIGHT.
crúise shìp 유람선.
crúise·wày *n.* 《영》 보트놀이용의 수로《강이나 운하를 개수한 것》.
crúising ràdius 순항〔항속〕 반경《재급유 없이 왕복할 수 있는 최대 거리》.
crúising spèed (차 따위의) 경제(주행)속도, (배·비행기의) 순항속도.
crúising táxi 손님을 찾아다니는 빈 택시.
cruit [kruːt] *n.* 《미속어》 신병(新兵), 신인, 풋내기.
crul·ler [krʌ́lər] *n.* 《미》 도넛의 일종; 《미속어》 실패, 실수.
crumb** [krʌm] *n.* **1** (보통 *pl.*) 작은 조각, 빵 부스러기; 빵가루. **2** [C] 《비유》 소량, 약간(*of*); 《미속어》 잔돈: a ~ *of* comfort 약간의 위안. **3** [U] 빵의 속《말랑말랑한 부분》. [cf.] crust. **4** (*pl.*) 크럼즈《설탕·버터·밀가루를 개어 만든 것으로, 커피쿠키 따위의 위에 얹음》. **5** 《미속어》 이(louse); 더럽고 지저분한 사람. **6** 《속어》 싫은 놈; 같잖은 놈. ***to a **~** 자세히, 엄밀히, 정확히. ── *vt.* (빵을) 부스러뜨리다, 빵가루를 내다; 〚요리〛 빵가루를 묻히다; 빵가루를 넣어 (수프를) 걸게 하다; 《구어》 (식탁)에서 빵 부스러기를 떨다. **~** 〔***crum***〕 ***the deal*** 《미속어》 계획을 망쳐 놓다. **~ *up*** 《속어》 (삶아서) 옷의 이를 죽이다; 청소하다. ── *a.* (파이 껍질을) 비스킷 부스러기와 설탕 따위를 섞어서 만든. [파] **~·er** *n.*
crúmb brùsh 빵가루를 떠는 솔《식탁용》.
crúmb·clòth *n.* 빵 부스러기받이《식탁 밑에 까는 보》.
crum·ble** [krʌ́mbəl] *vt.* 빻다, 부수다, 가루로 만들다. ── *vi.* **1** 부서지다, 가루가 되다. **2** 《~/+[부]/+[전]+[명]》 무너지다; 망하다; 허무하게 사라지다: The temples ~*d into* ruin. 신전은 무너져서 폐허가 되었다. ── *n.* 잘게 부순〔빻은〕 것; 크럼블《익힌 과일에 밀가루·쇠기름·설탕을 개어 얹은 것》; 《방언》 =CRUMB. ***That's the way the cookie ~s. ⇨ COOKIE.
crúm·blings *n. pl.* 아주 잘게 부서진 것, 가늘고 고운〔작은〕 조각.
crum·bly [krʌ́mbli] (**-bli·er; -bli·est**) *a.* 부서지기 쉬운, 무른. [파] **-bli·ness** *n.*
crumbs [krʌmz] *int.* 《영》 어허 참, 거참《놀람·실망을 나타냄》.
crúmb strùcture 〚토양〛 단립(團粒) 구조《경작에 최적》.
crumby [krʌ́mi] (**crumb·i·er; -i·est**) *a.* **1** 빵 부스러기투성이의; 빵가루를 묻힌. **2** 빵속 같은;

(빵이) 속이 많은; 말랑말랑하고 연(軟)한(opp. *crusty*). **3** 《속어》 지저분한, 초라한.

crum·my[1] [krʌ́mi] (*-mi·er; -mi·est*) *a.* 《영속어》 (여자가) 살찐, 포동포동한; 《속어》 초라한, 값싼, 지저분한; (급료 따위가) 싼, 빈약한. — *n.* 《속어》 =CABOOSE 1. ㊞ **-mi·ness** *n.* ｢는 트럭.

crum·my[2] *n.* 《Can.》 벌채 노동자를 실어 나르

crump [krʌmp] *vt.* 우두둑우두둑 씹다; 《군대속어》 대형 폭탄으로 폭격하다; 강타하다. — *vi.* 우두둑우두둑〔뿌드득뿌드득〕 소리를 내다; 《군대속어》 폭음을 내며 폭발하다. *~ed out* 《속어》 엉망으로 취하여, 몹시 지쳐, 깊이 잠들어. — *n.* 우두둑우두둑하는 소리; 《구어》 강타, 털썩 쓰러짐; 《군대속어》 대형 폭탄, 폭음; 쾅; =CRUNCH. — *a.* 《Sc.》 부서지기 쉬운, 무른.

crum·pet [krʌ́mpit] *n.* 《영》 핫케이크의 일종; 《속어》 머리; 《영속어》 성적 매력(이 있는 여자), 성교. ***a*** 〔a person***'s***〕 (***nice***) ***bit*** 〔***piece***〕 ***of*** ~ 《영속어》 (성적으로 호감이 가는) 여자, 성교. ***barmy*** 〔***balmy***〕 ***on the*** ~ =***off one's*** ~ 《속어》 머리가 돈. ***not worth a*** ~ 《Austral. 속어》 전혀 쓸모없는.

crúmp hòle 포탄으로 생긴 구멍, 탄공(彈孔).

crum·ple [krʌ́mpəl] *vt.* **1** 《~+목/+목+부/+목+전+명》 구기다, 쭈글쭈글하게 하다; 찌부러뜨리다《*up*》: He *~d* (*up*) a letter *into* a ball. 그는 편지를 구깃구깃 뭉쳤다. **2** 부수다; (상대를) 압도하다《*up*》. — *vi.* **1** 구겨지다, 쭈글쭈글하게 되다; 찌부러지다. **2** 《+전+명/+부》 압도되다, 붕괴되다, 굴하다《*up*》: He *~d up* under the news. 그 소식을 듣고 그는 풀이 죽었다 / She burst into tears and *~d on to* her chair. 그녀는 울음을 터뜨리며 의자에 풀썩 주저앉았다. — *n.* 구김살; 와지끈와지끈《물체가 부서지는 소리》. ㊞ **crúm·ply** *a.* 주름이 잘 가는.

crúm·pled *a.* **1** (쇠뿔 따위가) 비틀린; 구겨진: a ~ horn.

crúmple zòne 충격 흡수대《차의 선단 또는 후단에 있어, 충돌 시 찌그러지며 충격을 흡수함》.

crunch [krʌntʃ] *vi., vt.* **1** 우두둑〔어쩍〕 깨물다; 우지끈〔우지직〕 부수다; (눈 위 등을) 저벅저벅 밟다《*through*》; (수레바퀴가) 삐걱거리다. **2** 《해커속어》 (되풀이하여) 처리하다; (파일을) 복잡한 기법을 써서 압축하다. — *n.* **1** 우두둑우두둑 부서지는 소리; 짓밟아 부숨, 또 그 소리. **2** (필수품 등의) 부족, 감소; (필수품 등의 부족에 의한) 곤궁; (경제의) 침체, 불황: a severe capital ~ 심각한 자본 핍박〔결핍〕 / energy ~. **3** (the ~) 《구어》 위기, 중대 고비, 고빗사위; 급소, 긴요한 점(crux): when 〔if〕 it comes to the ~ =when the ~ comes 만일의 경우.

crúnch·er *n.* **1** 우둑우둑 소리 내는 것〔사람〕. **2** 《구어》 (마지막) 숨통을 끊는 일격. **3** (*pl.*) 《미속어》 발(feet). **4** 《미속어》 지상 근무의 해병대원. **5** 〖컴퓨터〗 계산기(number ~).

crúnch tìme 《야구속어》 분발할 때《상대 팀을 추월하거나 리드를 당하지 않으려고》.

crunchy [krʌ́ntʃi] (***crunch·i·er; -i·est***) *a.* 우두둑우두둑〔저벅저벅〕 소리를 내는; 퍼석퍼석한, 무른(crisp).

cru·or [krú:ɔ:r] *n.* 〖의학〗 혈병(血餠), 응혈.

crup·per [krʌ́pər] *n.* (말의) 껑거리끈; (말의) 궁둥이; 《우스개》 (사람의) 엉덩이.

cru·ra [krúərə] CRUS 의 복수.

cru·ral [krúərəl] *a.* 〖해부〗 다리의, 하퇴(下腿)의, 《특히》 대퇴부의(femoral).

crus [krʌs, kru:s] (*pl.* ***cru·ra*** [krúərə]) *n.* 〖해부〗 다리, 하퇴(下腿), 정강이.

***cru·sade** [kru:séid] *n.* (종종 C-) 〖역사〗 십자군; (종교상의) 성전(聖戰); 강력한 개혁〔숙청, 박멸〕 운동: a ~ *against* drinking =a temperance ~ 금주 운동. — *vi.* 십자군에 참가하다; (개혁 · 박멸 따위) 운동을 (추진)하다: ~ *for* 〔*against*〕 ... …에 찬성〔반대〕하는 운동을 하다. ㊞ **cru·sád·er** [-ər] *n.* 십자군 전사(戰士); 개혁(운동)가.

cru·sa·do, -za- [kru:séidou, -zɑ́:-/-séi-] (*pl.* ***~s, ~es***) *n.* 《Port.》 (십자 무늬가 있는) 포르투갈의 옛 금화〔은화〕.

cruse [kru:z, kru:s/kru:z] *n.* 《고어》 항아리, 물주전자, 병. ***the widow's*** ~ ⇨ WIDOW'S CRUSE.

crush** [krʌʃ] *vt.* **1** 《~+목/+목+보/+목+전+명》 눌러서 뭉개다, 짓밟다, 으깨다: My hat was *~ed* flat. 모자가 납작하게 짜부라졌다 / ~ a person *to* death 아무를 압사시키다. SYN. ⇨ CRASH, BREAK. **2** 《+목+전+명》 …을 억지로 밀어넣다, 〖~ one's way 〔oneself〕〗 밀치고 들어가다〔나가다〕: He *~ed his way through* the crowd. 그는 군중 틈을 헤치고 나아갔다 / All six of us *~ed* our*selves into* the car. 우리들 여섯명은 차 안으로 밀치고 들어갔다. **3** 갈아서〔찧어서〕 가루로 만들다, 분쇄하다: ~ (*up*) rock 바위를 분쇄하다. **4** 《~+목/+목+부》 짜다, 압착하다《*up; down*》: ~ nuts for oil 호두를 빻개어 기름을 짜다 / ~ (*out*) the juice from grapes 포도에서 과즙을 짜내다. **5** 《+목+부/+목+전+명》 짓구기다《*up*》; (힘있게) 포옹하다: She *~ed* her child *to* her breast. 그녀는 아이를 힘껏 끌어안았다. **6** 《~+목/+목+전+명》 《비유》 진압하다, 격파하다《*out*》; (희망 등을) 꺾다: ~ a rebellion 반란을 진압하다 / My hopes were *~ed*. 내 희망은 산산조각이 났다 / They *~ed* all their enemies *out of* existence. 그들은 적군을 전멸시켰다. **7** 《고어》 다 마셔 버리다. — *vi.* **1** 《+부》 뭉그러지다; 짓구겨지다: Cotton *~es* very easily. 무명은 쉽게 구겨진다. **2** 《+전+명》 서로 밀치며 들어가다, 쇄도하다《*into; through*》: The crowd *~ed through* the gates. 군중이 서로 밀치며 문을 지나 쇄도했다. ~ ***a cup of wine 술을 한 잔 마시다. ~ ***a fly on the wheel*** 쓸데없는 일에 많은 노력을 들이다. ~ ***down*** 뭉개다; 바수다, 가루로 만들다; 진압하다. ~ ***out*** 밀치고〔부수고〕 나가다; (반란 등을) 진압하다; (과즙 등을) 짜내다; 근절하다; 〚TV〛 …의 색의 콘트라스트를 약하게 하다; 《미속어》 탈옥하다. — *n.* Ⓒ **1** Ⓤ 으깸; 분쇄(粉碎); 진압, 압도. **2** 밀치락달치락, 쇄도(殺到), 붐빔; 《구어》 붐비는 집회〔연회〕. **3** 《Austral.》 (낙인 따위를 찍기 위하여) 가축을 몰아넣는 울타리 길. **4** Ⓤ (과실을 으깨어 만든) 과즙(squash). **5** 《구어》 (사춘기 여자가 남자에 대해) 홀딱 반함, 홀려 제정신을 잃음; 열중하는〔열을 올리는〕 대상. **6** 《구어》 짝패, 한패; 《군대속어》 부대(unit). ***have*** 〔***get***〕 ***a*** ~ ***on*** 《구어》 …에 열중〔반〕하다, …에 홀리다.

㊞ **~·a·ble** *a.* ｢바.

crúsh bàr (막간에 관객이 이용하는) 극장 안의

crúsh bàrrier 《영》 군중 제지용 철책〔장벽〕.

crúsh·er *n.* 눌러서 으깨는 것〔사람〕; 분쇄기, 쇄석기(碎石機), 파쇄기(破碎機), 압착기; 《구어》 맹렬한 일격; 《구어》 압도하는 것, 꼼짝 못하게 하는 논쟁〔사실〕; 《속어》 경찰; 《속어》 (여자에게 인기 있는) 멋진 남자〔젊은이〕.

crúsh hát 오페라 해트.

crúsh·ing *a.* **1** 눌러 터뜨리는, 분쇄하는, 박살내는, 압도적〔궤멸적〕인: a ~ reply 두말 못 하게 하는 대답. **2** 결정적인: a ~ defeat 재기불능의 패배 / a ~ victory.

crúshing zòne 〖지학〗 파쇄대(破碎帶)《단층을 따라 암석이 부서진 띠 모양의 부분》.

crúsh-pròof *a.* 찌부러지지 않는《종이 상자 따

위》: a ~ box.
crúsh-ròom *n.* 《영》 (극장 등의) 휴게실, 로비.
Cru·soe [krúːsou] *n.* 크루소. **1 Robinson** ~《Defoe 작 *Robinson Crusoe*(1719)의 주인공》. **2** (자급자족하면서) 혼자 살아가는 사람.
cru·soe·ing [krúːsouiŋ] *n.* 고독한〔사회와 등진〕 생활(을 보냄)《Robinson Crusoe의 이름에서》.
*__crust__ [krʌst] *n.* **1** (딱딱한) 빵껍질《crumb에 대해》; 파이 껍질. **2** 빵 한 조각; 《비유》 생활의 양식; 《Austral.속어》 생계: beg for ~*s* 매일 양식을 구걸하다. **3** (물건의) 딱딱한 외피〔표면〕; 〚지학〛 지각(地殼); 〚동물〛 등딱지, 갑각(甲殼); 부스럼 딱지; 쌓인 눈의 얼어붙은 표면(表面), 크러스트: ~ movement 지각 운동. **4** (포도주 등의) 술 버캐(scum); 탕(湯)더께. **5** 《비유》 (사물의) 겉모양, 피상(皮相): a ~ *of* politeness 표면적인 정중함. **6** 《속어》 철면피, 뻔뻔스러움: He's got a ~. 철면피한 녀석이다. **7** 《속어》 머리. ***earn*** **one's** ~ 생활비를 벌어들이다. ***off*** **one's** ~ 《속어》 미쳐서, 실성해서. ***thin in the upper*** ~ ⇨ UPPER CRUST. **—** *vt., vi.* 겉껍질로 덮다〔싸다〕; 껍질이 생기다; (눈이) 굳어지다; 부스럼 딱지가 앉다.
Crus·ta·cea [krʌstéiʃiə] *n. pl.* 〚동물〛 갑각류. ㊞ **crus·tá·cean** [-ʃən] *a., n.* 갑각류의 (동물). **crus·tá·ceous** [-ʃəs] *a.* 갑각(류)의.
crus·ta·ce·ol·o·gy [krʌstèiʃiálədʒi/-ɔ́l-] *n.* 갑각류학. ㊞ **-gist** *n.* 「지각(地殼)의.
crus·tal [krʌ́stl] *a.* 외피〔외각(外殼), 갑각〕의;
crúst·ed [-id] *a.* 겉껍질이〔더껑이가〕 생긴; (포도주가) 술버캐가 앉은; 오래된, 묵은; 《비유》 예스러운; 굳은, 융통성 없는; 《속어》 뻔뻔스러운; 《속어》 추접스러운; 《속어》 쓸모없는: ~ habits 구습. ㊞ **~·ly** *ad.*
crust·i·fi·ca·tion [krʌ̀stəfikéiʃən] *n.* =INCRUSTATION. 「지진.
crúst·quàke *n.* (행성 따위의) 지각성(地殼性)
crusty [krʌ́sti] (***crust·i·er; -i·est***) *a.* 외각(外殼)이 있는; (빵의) 거죽이 딱딱하고 두꺼운(OPP. *crumby*); 굳은; 심술궂은; 괴까다로운; 무뚝뚝한; 《미구어》 더러운, 초라한; 비열한. ㊞ **crúst·i·ly** *ad.* **-i·ness** *n.*
crutch [krʌtʃ] *n.* **1** 목다리, 협장(脇杖)《보통 a pair of ~es 라고 함》: walk on ~*es* 목발을 짚고 걷다. **2** 버팀, 지주(支柱); 의지; (가랑이진) 버팀나무; (여성용의) 등자(鐙子); 《미속어》 차(車). **3** 〚해사〛 고물의 팔꿈치 모양의 버팀나무; 노받이, (보트의) 크러치. **4** (사람·옷 등의) 샅(crotch). **—** *vt.* ~로 버티다; …에 ~를 대다. **—** *vi.* 목다리를 짚고 걷다.
crutched [krʌtʃt] *a.* 목다리를 짚은; 지주로 버틴; [krʌ́tʃid] 십자가를 단.
Crútched Fríars 십자가 수도회《13-17 세기 영국 수도회의 일파; 십자가 표지를 지팡이와 옷에 달았음》; 런던의 그 수도원 자리.
crux [krʌks] (*pl.* **~·*es*** [krʌ́ksiz], ***cru·ces*** [krúːsiːz]) *n.* 중요점, 핵심; 십자가; 난문, 난제; 〚등산〛 등반에서 가장 어려운 곳; (the C-) 〚천문〛 남십자성(the Southern Cross).
crúx an·sá·ta [-ænséitə] (*pl.* ***crú·ces an·sá·tae*** [-ænséitiː]) 윗부분에 고리 모양의 손잡이가 달린 십자가. 「난문(難問).
crúx cri·ti·có·rum [-kritəkɔ́ːrəm] 비평가의
cru·zei·ro [kruːzéərou] (*pl.* **~*s***) *n.* 크루제이루《브라질의 옛 화폐 단위; =100 centavos; 기호 Cr$》.
‡**cry** [krai] (*p., pp.* ***cried; crý·ing***) *vi.* **1** 《~/+뭐/+전+명(+*to* do)》 소리치다, 외치다; 큰 소리로 말하다; 소리쳐 부르다《*to; into*》: ~ (*out*) *for* mercy 〔help〕 큰 소리로 자비를〔도움을〕 구하다 / ~ *out against* injustice 큰 소리로 부정에 항의하다 / He *cried to* us *for* help 〔*to* help him〕. 그는 우리에게 도와달라고 외쳤다.

> SYN. **cry** 큰 소리로 외치거나 뜻 모를 것을 소리침. **exclaim** 정신적 흥분 상태가 원인이 되어 무의식적으로 소리침. **shout** 분명히 뜻이 통하는 말을 상대에게 외침.

2 (새·동물이) 울다, 짖다.
3 《~/+뭐/+전+명》 (소리내어) 울다, 탄성을 올리다; 훌쩍거리며 울다: ~ *out* with pain 아픈 나머지 큰 소리로 울다 / The infant *cried for* its mother's breast. 그 애기는 젖을 달라고 울어 댔다.

> SYN. **cry** 슬프거나 너무 기쁜 나머지 소리를 내어 욺: *cry* for joy 너무 기뻐서 울다. **sob** 감상적으로 흐느껴 욺. **weep** 보다 시적인 표현으로, 눈물을 흘리며 욺.

4 삐걱거리다.
— *vt.* **1** 《~+목/+*that* 절》 큰 소리로 말하다〔부르다〕, 소리쳐 알리다《*out*》: "That's good," he *cried*. '좋았어' 라고 그는 소리쳤다 / She *cried* (*out*) *that* she was happy. 그녀는 기쁘다고 큰 소리로 말했다. **2** (소식을) 큰 소리로 알리고 다니다; 소리치며 팔다: ~ the news all over the town 그 소식을 온 동네방네에 알리며 다니다 / ~ fish 생선을 외치며 팔다. **3** 구하다, 요구하다, 애원하다: ~ shares 몫을 요구하다. **4** 《~+목/+목+보/+목+전+명》 (눈물을) 흘리다; 〚~ oneself〛 울어서 (어떤 상태에) 이르게 하다: ~ bitter 〔hot〕 tears 비통한〔뜨거운〕 눈물을 흘리다 / The boy *cried* him*self* asleep 〔to sleep〕. 소년은 울다가 잠이 들었다.
~ ***against*** …에 대한 반대의 소리를 높이다; …을 비난하다. ~ ***all the way to the bank*** 《속어》 (남이 뭐라든) 열심히 돈을 벌다. ~ ***back*** 소환하다(call back); 〚사냥〛 (사냥꾼 등이) 되돌아가다; 《비유》 격세 유전을 하다. ~ ***before*** one ***is hurt*** 《구어》 쓸데없는 걱정을〔수고를〕 하다. ~ ***down*** 비난하다, 야유를 퍼붓다, 매도하다. ~ ***for the company*** 동정하여 울다, 덩달아 울다. ~ ***for the moon*** 불가능한 것을 바라다. ~ ***halves*** ⇨ HALF. ~ ***off*** 《*vi.*+뭐》 ① (계획 따위에서) 손을 떼다; (계약 등을) 포기하다《*from*》: They *cried off from* the deal. 그들은 그 거래에서 손을 뗐다. **—**《*vi.*+전》 ② (계약 등을) 취소하다. ~ ***out for*** ① …을 바라고〔얻고자〕 외치다. ② (사태 따위가) 필요로 하다: The land is ~*ing out for* development. 그 땅은 개발을 필요로 하고 있다. ~ ***over*** (불행 등을) 한탄하다: It is no use ~*ing over* spilt milk. 《속담》 엎지른 물은 다시 주워 담지 못한다. ~ ***quits*** 비긴 것으로 하다, 무승부로 하다. ~ one***'s eyes*** 〔***heart***〕 ***out*** 몹시 울다, 하염없이 울다. ~ ***stinking fish*** ⇨ FISH. ~ ***up*** 칭찬하다. ~ ***wolf*** ⇨ WOLF. ***for*** ~***ing out loud*** 《구어》〚의문문 등에서 강조적으로〛 이거 참, 뭐라고, 야 잘됐다; 〚명령을 강조하여〛 알았지, 꼭 …하는 거야: *For* ~*ing out loud*, stop it! 제발 그만해. ***give ... something to*** ~ ***for*** 〔***about***〕 ⇨ GIVE.
— *n.* **1** 고함, 환성; (짐승의) 우는〔짖는〕 소리: let out a sudden ~ 갑자기 고함치다. **2** 울음소리; 흐느껴 욺; 함석 따위를 말 때 나는 소리. **3** 청원, 탄원, 요구: a ~ to raise wages 임금 인상 요구. **4** 알리며 다니는 소리; 변말, 암호의 말; 표어, 슬로건. **5** 외치며 파는 소리: street *cries* 거리 장사꾼들의 외침 소리. **6** 소문, 평판; 여론(의 소리); 운동《*for; against*》; (*pl.*) 《Sc.》 결혼 예고(banns): a ~ *for* 〔*against*〕 reform 개

혁 찬성〔반대〕 여론. 7 풍조, 유행. 8 〖사냥〗 사냥개의 무리. ***a far*** 〔***long***〕 ~ 먼 거리《*to*》; 큰 격차〔차이〕《*from*》. ***all*** ~ ***and no wool*** =***more*** ~ ***than wool*** =***much*** 〔***a great***〕 ~ ***and little wool*** 헛소동. ***all the*** ~ 최신 유행. ***follow in the*** ~ 부화뇌동하다. ***give*** 〔***raise***〕 ***a*** ~ 외치다, 큰소리치다. ***have a good*** ~ 실컷 울다. ***in full*** ~ (사냥개가) 일제히 추적하여; 모두 달려들어(서)《*after*》: The hounds were *in full* ~ *after* the fox. 사냥개가 일제히 여우를 추적했다. ***out of*** ~ 소리가 미치지 않는 곳에; 손이 닿지 않는 곳에, 멀리. ***out of all*** ~ 논의할 여지없이, 확실히; 상식외로, 맹렬히. ***within*** ~ (***of***) (…에서) 부르면 들릴 곳에, 지호지간(指呼之間)에.

cry- [krái], **cry·o-** [kráiou, kráiə] '저온, 냉동' 의 뜻의 결합사. ★ 모음 앞에서는 cry-.

crý·bàby *n.* 울보, 겁쟁이, 우는소리를 늘어놓는 사람.

crýbaby clàss 《미속어》 (여객기의) 비즈니스 클래스.

crý·ing *a.* 부르짖는; 울부짖는; 심한; 긴급한: a ~ evil 내버려둘 수 없는 해악 / a ~ need 긴요한 일. ㊞ **~·ly** *ad.*

crýing drùnk 《미속어》 술 취하면 우는, 취해서 우는 사람의.

crýing ròom 《미속어》 울음 방《크게 좌절했다든지 할 때 들어가 우는 가상적인 방》.

crýing tòwel 《미속어》 눈물 수건《조그만 실패나 불운에도 우는소리를 하는 사람에게 내주는 가상적인 수건》.

cryo- ⇨ CRY-.

crỳo·bánk *n.* 극저온 정자(精子) 보관.

crỳo·biólogy *n.* Ⓤ 저온〔냉동〕 생물학. ㊞ **crỳobiológical** *a.* **-biólogist** *n.*

crỳo·cáble *n.* 〖전기〗 극저온 케이블.

crỳo·chémistry *n.* 저온 화학. ㊞ **-chémical** *a.* **-chémically** *ad.*

crỳo·electrónics *n. pl.* 〘단수취급〙 (극)저온 전자 공학.

crỳo·extráction *n.* 1 냉동 적출《냉동 기구에 의한 백내장 수정체 수술》. 2 (포도즙) 냉동 농축.

crỳo·extráctor *n.* 〖의학〗 (백내장 치료에서) 동결 추출기(凍結抽出器).

cry·o·gen [kráiədʒən, -dʒèn] *n.* 〖화학〗 한제(寒劑), 기한제(起寒劑), 냉동제.

cry·o·gen·ic [kràiədʒénik] *a.* 저온학의; 극저온의; 극저온을 요하는; 극저온 저장을 요하는; 극저온 물질의 보존에 적당한: ~ engineering 저온 공학. ㊞ **-gén·i·cal·ly** *ad.*

crỳ·o·gén·ics *n. pl.* 〘단수취급〙 저온학(低溫學).

cry·o·lite [kráiəlàit] *n.* 〖광물〗 빙정석(氷晶石).

cry·om·e·ter [kraiámətər/-ɔ́m-] *n.* 저(低)온도계.

cry·on·ics [kraiániks/-ɔ́n-] *n. pl.* 〘단수취급〙 인간〔인체〕 냉동 보존술.

cry·o·phil·ic [kràioufílik] *a.* 호저온성(好低溫性)의, 호빙설성의.

crỳo·plánkton *n.* 빙설랑크톤《빙하 지대나 극지의 빙수에 서식하는》.

crỳo·preservátion *n.* 저온〔냉동〕 보존 《특히 생체 조직의》.

crýo·pròbe *n.* 〖의학〗 저온 존데《조직을 얼려 제거할 때 쓰는 탐침(探針)》.

crỳo·protéctant *n.* 동결 방지제. — *a.* =CRYOPROTECTIVE.

crỳo·protéctive *a.* 동결 방지의.

crýo·pùmp *n.* 〖물리〗 크라이오펌프《액화 가스를 이용하여 고체 표면에 기체를 응축시키는 진공펌프》. — *vi.* 크라이오펌프를 작동시키다.

crỳo·resístive *a.* 저항을 줄이기 위해 극단으로 냉각한: ~ transmission line 극저온 저항 케이블.

crýo·scòpe *n.* 빙점 측정기〔계〕, 빙점계.

cry·os·co·py [kraiáskəpi/-ɔ́skə-] *n.* 〖화학〗 (액체의) 빙점 측정, 응고점 강하법, 빙점법. ㊞ **cry·o·scop·ic** *a.*

cry·o·stat [kráiəstæ̀t] *n.* 저온 유지 장치.

crỳo·súrgery *n.* Ⓤ 〖의학〗 동결〔냉동〕 외과; 저온 수술. ㊞ **-súrgeon** *n.* **-súrgical** *a.*

crỳo·thérapy *n.* 〖의학〗 한랭〔냉동〕 요법.

cry·o·tron [kráiətràn/-trɔ̀n] *n.* 크라이오트론《자장에 의하여 제어할 수 있는 초전도성 소자(素子); 컴퓨터의 연산(演算) 회로용》.

crý-prìnt *n.* 젖먹이·어린아이의 울음소리의 성문(聲紋)《소아과 진찰용》.

crypt [krípt] *n.* 토굴; (교회당 등의) 지하실《납골소(納骨所)·예배용의》; 〖해부〗 여포선(濾胞腺), 선와(腺窩), 소낭(小囊); 《구어》 암호문.

crypt- [kript], **cryp·to-** [kríptou, -tə] '숨겨진, 비밀의, 신비적인' 이라는 뜻의 결합사. ★ 모음 앞에서는 crypt-.

crỳpt·análysis *n.* 비문(秘文)〔암호〕 해독(법).

crypt·and [kríptənd] *n.* 〖화학〗 고리 모양 폴리에테르폴리아민《고리 모양의 질소끼리 결합된 것의 총칭》.

cryp·tate [kripteit] *n.* 〖화학〗 크립테이트《원자가 결합에 관여하고 있지 않은 전자와 함께 금속 이온의 주위에 대칭적으로 모여 있는 킬레이트 화합물》.

crỳpt·esthésia *n.* 〖심리〗 잠재감각, 잠재성 지각력.

cryp·tic, -ti·cal [kríptik], [-əl] *a.* 숨은, 비밀의; 신비의; 〖동물〗 몸을 숨기기에 알맞은: ~ coloring 보호색. ㊞ **-ti·cal·ly** *ad.* 은밀히; 불가해하게.

cryp·to [kríptou] (*pl.* **~s**) *n.* 《구어》 (정당의) 비밀 당원, 비밀 동조자.

crypto- ⇨ CRYPT-.

crỳpto·bíont *n.* 〖생태〗 은폐 (생활이 가능한) 생물.

crỳpto·biósis *n.* (*pl.* ***-ses***) 〖생태〗 (초저온 등에서) 생물의 휴면 상태〔은폐 생활〕; 대사 기능만이 정지되어 있는 생물.

crỳpto·bíote *n.* 〖생태〗 은폐(隱蔽) 생활자〔생물〕.

crỳpto·biótic *a.* 〖생태〗 은폐(隱蔽) 생활의《대사 활동 없이 생존할 수 있는》.

crỳpto-Cómmunist *n.* 공산당 비밀 당원〔동조자〕.

crypto·explósion strúcture 〖지학〗 의사(擬似) 분화 구조《거대한 운석의 충돌로 생겼다고 하는 크레이터나 그런 모양의 지질 구조》.

cryp·to·gam [kríptəgæ̀m] *n.* 〖식물〗 은화(隱花)식물. opp. *phanerogam.* ㊞ **cryp·to·gamic, cryp·tog·a·mous** [krìptəgǽmik], [kriptágəməs/-tɔ́g-] *a.*

cryp·to·gen·ic [krìptədʒénik] *a.* (병 따위가) 원인 불명의.

cryp·to·gram [kríptəgræ̀m] *n.* 암호(문). ㊞ **crỳp·to·grám·mic** *a.*

cryp·to·graph [kríptəgræ̀f, -grɑ̀:f] *n.* 암호 서기법(書記法); =CRYPTOGRAM. ㊞ **cryp·tog·ra·pher** [kriptágrəfər/-tɔ́g-] *n.* 암호 담당자〔사용자〕; 암호 해독자.

cryp·to·graph·ic [krìptəgrǽfik] *a.* 암호 (서기법)의.

cryp·tog·ra·phy [kriptágrəfi/-tɔ́g-] *n.* 암호 작성〔해독〕(법).

cryp·tol·o·gy [kriptálədʒi/-tɔ́l-] *n.* Ⓤ 암호 작성술〔해독술〕.

cryp·to·me·ria [krìptəmíəriə/-mí:ziə] *n.* 〖식물〗 삼나무.

cryp·tom·ne·sia [krìptəmní:ʒə] *n.* 은재(隱在) 기억《과거의 기억이 잊혀지고 그것이 새로운 사실로 의식에 나타나는 현상》.

cryp·to·nym [kríptənìm] *n.* 익명. ㊞ **cryp·ton·y·mous** [kriptánəməs/-tɔ́n-] *a.*

cryp·to·phyte [kríptəfàit] *n.* 지중(地中) 식물.

cryp·tor·chism [kriptɔ́:rkizəm] *n.* 〖의학〗 잠재〔잠복〕 고환(睾丸)(증).

crýpto·sỳstem *n.* 암호 체계.
crỳpto·zoólogy *n.* 신비〔미지〕동물학. 「phy.
cryst. crystalline; crystallized; crystallogra-
***crys·tal** [krístl] *n.* **1** Ⓤ,Ⓒ 수정(水晶)(rock ~); Ⓒ 수정 제품. **2** Ⓒ (점치기에 쓰는) 수정 구슬; Ⓤ《구어》 수정점, 예언. **3** Ⓤ 크리스털 유리(~ glass); 〖집합적〗 크리스털 유리제 식기류: silver and ~ 은식기와 유리 식기. **4** Ⓤ,Ⓒ 〖광물·화학〗 결정, 결정체: ~*s of* snow 눈의 결정. **5** Ⓒ 《미속어》 (시계의) 유리(《영》 watch-glass). **6** Ⓒ 〖전자〗 (검파용) 광석, 광석 검파기; 결정 정류기(整流器). **7** Ⓒ 수정과 같은 것《눈물·얼음 등》. **8** 《속어》 크리스털《코로 마시거나 정맥 주사하는 투명한 메탐페타민》; =PCP. (**as**) ☆*clear as* ~ (물 등이) 맑고 깨끗한, 투명한; (말·논리 따위가) 명석한, 명백한. **—** *a.* **1** 수정의〔과 같은〕; 크리스털 유리제의. **2** 투명한. **3** 결정의; 〖전자〗 광석식의: a ~ receiver 광석 (라디오) 수신기. ㊞ **~-lìke** *a.*
crýstal áxis 〖결정〗 결정축(軸).
crýstal báll (점쟁이의) 수정 구슬: peer into 〔dust off〕 the ~ 점치다, 예언하다.
crýstal-báll *vt., vi.* 《속어》 예언하다, 점치다.
crýstal-cléar *a.* 아주 명료〔명석〕한.
crýstal clòck =QUARTZ CLOCK.
crýstal cóunter 〖전자〗 크리스털 카운터, 결정 계수기《입자 검출기의 일종》. 「오드 검파기.
crýstal detéctor 광석 검파기; (반도체) 다이
crýstal gàzer 수정 점쟁이; 《미》 예상가.
crýstal gàzing 수정점《수정 구슬에 나타나는 환영(幻影)으로 점침》; 《미》 예상.
crýstal gláss 크리스털 유리《고급 납유리》.
crýstal hábit 〖결정〗 결정의 형상.
crys·tall- [krístəl], **crys·tal·lo-** [krístəlou, -lə] '결정(結晶)'의 뜻의 결합사.
crýstal làttice 〖결정〗 결정 격자(格子).
crys·tal·lif·er·ous [krìstəlífərəs], **crys·tal·lig·er·ous** [krìstəlídʒərəs] *a.* 수정을 산출〔포함〕하는.
crys·tal·line [krístəlin, -làin, -liːn/-làin, -liːn] *a.* 수정(질)의; 투명한; 〖화학·광물〗 결정성〔상(狀)〕의. **—** *n.* 결정체; (눈알의) 수정체(~ lens).
crýstalline héaven 〔**sphére**〕 (고대 그리스의 프톨레마이오스(Ptolemy) 천문학에서 하늘의 외권(外圈)과 항성계 사이에 두 개가 있다고 상상되었던) 투명 구체(透明球體).
crýstalline léns 〖해부〗 (안구의) 수정체.
crys·tal·lin·i·ty [krìstəlínəti] *n.* 결정도(結晶度); 투명성(透明性).
crys·tal·lite [krístəlàit] *n.* 〖광물〗 정자(晶子); (섬유의) 마이셀(micelle).
crỳs·tal·li·zá·tion *n.* Ⓤ 결정화; 결정(체); 정출(晶出); 구체화.
crys·tal·lize, 《영》 **-lise** [krístəlàiz] *vt.* **1** 결정(화)시키다: ~*d* sugar 얼음사탕. **2** (사상·계획 등을) 구체화하다《*into*》. **3** 설탕 절임으로 하다: ~*d* fruits 설탕 절임한 과일. **—** *vi.* **1** 《~/+*to* do》 결정(結晶)하다: Water ~*s to* form snow. 물이 결정하여 눈이 된다. **2** 《~/+전+명》 (사상·계획 따위가) 구체화되다: Her vague fear ~*d into* a reality. 그녀의 막연한 두려움이 현실로 나타났다. ㊞ **-lìz·a·ble** *a.*
crýs·tal·lìzed *a.* 결정화(結晶化)된; 설탕에 절인; 구체화된, 명확한: ~ fruit 설탕에 절인 과
crystallo- ⇨ CRYSTALL-. 「일.
crys·tal·lo·graph·ic, -i·cal [krìstələgrǽfik], [-əl] *a.* 결정학적인〔상의〕.
crys·tal·log·ra·phy [krìstəlágrəfi/-lɔ́g-] *n.* Ⓤ 결정학. ㊞ **-pher** *n.*
crys·tal·loid [krístəlɔ̀id] *a.* 결정과 같은; 투명한. **—** *n.* **1** Ⓤ 〖화학〗 정질(晶質). OPP colloid. **2** 〖식물〗 가정(假晶). ㊞ **crỳs·tal·lói·dal** *a.*
crýstal núcleus 〖화학〗 결정핵《결정되는 초기에 만들어지는 아주 작은 결정체》.
crýstal píckup (전축의) 크리스털 픽업.
crýstal-sèer *n.* =CRYSTAL GAZER.
crýstal-sèeing *n.* =CRYSTAL GAZING.
crýstal sèt 〖전자〗 광석 수신기.
crýstal sỳstem 〖결정〗 결정계(系)《결정에 적용되는 7개의 구분》. 「는 치료법.
crýstal thèrapy 수정〔보석, 광물〕에 접촉시키
crýstal vísion 수정점(占). 「념》.
crýstal wédding 수정혼식《결혼 15주년 기
Cs 〖화학〗 cesium; 〖기상〗 cirrostratus. **C/S, cs** cases. **C$** cordoba(s). **C.S.** Christian Science 〔Scientist〕; Civil Service; Court of Session. **C.S., c.s.** capital stock; civil service. **CSA** Canadian Standards Association (캐나다 표준 협회). **C.S.A.** Confederate States of America. **CSAS** 〖항공〗 command and stability augmentation system(조정 및 안정성 증대 장치). **C.S.C.** Civil Service Commission (관리 임용 위원회); Conspicuous Service Cross (수훈 십자 훈장). **csc** cosecant. **CSCE** Conference on Security and Cooperation in Europe(유럽 안전 보장 협력 회의)《1996년 OSCE로 개칭》. **C.S.C.S.** Civil Service Cooperative Stores. **CSDS** 〖통신〗 circuit switched digital capability (회선 교환 디지털 기능). **CSE** 《영》 Certificate of Secondary Education. 「section).
Ć-sèction *n.* 《구어》 제왕절(Caesarean
CSF 〖해부〗 cerebrospinal fluid.
CS gàs 최루 가스의 일종《CS는 이를 만든 두 화학자 이름의 머리글자》.
C.S.I. Companion of the Star of India; Crime Scene Investigation. **CSIRO, C.S.I.R.O.** 《Austral.》 Commonwealth Scientific and Industrial Research Organization(연방 과학 산업 연구 기구). **csk.** cask. **CSM** command and service module (지령 기계선); corn, soya, milk (옥수숫가루·콩가루·우유의 혼합 식품). **C.S.M.** 《영》 Company Sergeant Major. **C.S.O.** chief signal officer; chief staff officer(참모장). **CSOC** Consolidated Space Operations Center (통합 우주 작전 센터).
C-SPAN, C-Span [síːspæ̀n] *n.* 〖통신〗 C스팬《1979년에 설립된 미국의 비영리 위성 방송망; 의회 중계나 공공 프로그램을 방송함》. [◂ *C*able *S*atellite *P*ublic *A*ffairs *N*etwork]
Ć sprìng C자형 스프링《자동차 따위의》.
C.Ss.R. *Congregatio Sanctissimi Redemptoris* 《L.》 (=Congregation of the Most Holy Redeemer). **CST., C.S.T.** 《미》 Central Standard Time. **CT** cell therapy; 《미·Can.》 〖의학〗 computed 〔computerized〕 tomography(컴퓨터 단층 촬영); Central time; 〖미우편〗 Connecticut. **Ct.** Connecticut; Count; Court. **ct.** carat(s); cent(s); certificate; county; court. **c.t., C.T.** cock teaser; cunt teaser. **CTBT** Comprehensive Test Ban Treaty (포괄 핵실험 금지 조약). **C.T.C.** Cyclists' Touring Club; centralized traffic control (열차 집중 제어 장치).
cte·noid [tíːnɔid, tén-] *a., n.* 〖동물〗 빗 모양의; 즐린과(櫛鱗科)의 물고기.
cten·o·phore [ténəfɔ̀ːr] *n.* 〖동물〗 빗해파리류(comb jelly)《유즐(有櫛) 동물》.

ctg(.), ctge. cartage.
C3, C-3 [sí:θrí:] *a.* 〖군사〗 건강〔체격〕 열등의; 《구어》 최저의, 삼류의.
C^3 [sí:θrí:] 〖군사〗 communications, command, control (통신, 지휘 및 통제〔관제(管制)〕).
C^3-I [sí:θrí:ái] 〖군사〗 command, control, communication and intelligence. **ctn** cotangent. **CTO** 〖무역〗 combined transport operator (복합 수송업자). **c. to c.** center to center.
CTOL 〖항공〗 conventional take-off and landing(통상 이착륙). **ctr.** center; counter.
Ctrl key, Ctrl, Control key 〖컴퓨터〗 컨트롤 키《일반 영문 또는 한글 키와 조합하여 사용하는 특수 키 중의 하나》.
CTS crude oil transshipment station (원유 비축 기지); central terminal system (원유의 중앙 터미널식 중계 수송 방식); cold type system 〖인쇄〗 (사식화(寫植化) 인쇄 방식).
ĆT scàn =CAT SCAN. **cts.** cents.
ĆT scànner =CAT SCANNER.
CTT 《영》 capital transfer tax. **CTY** 《해커속어》 console TTY(텔레타이프 조작 탁자의 단말 장치).
Ć-type vírus C형 바이러스《발암성임》.
CU close-up; 〖컴퓨터〗 control unit(제어 장치). **Cu** 〖화학〗 *cuprum* 《L.》 (=copper). **cu., cu** cubic. **C.U.A.C.** Cambridge University Athletic Club. **C.U.A.F.C.** Cambridge University Association Football Club.
◇**cub** [kʌb] *n.* **1** (곰·이리·여우·사자·호랑이 따위 야수의) 새끼; 고래〔상어〕의 새끼. **2** 애송이, 젊은이: an unlicked ~ 버릇없는 젊은이. **3** =CUB SCOUT. **4** 《구어》 수습〔풋내기〕 기자(~ reporter); 경비행기. ── (*-bb-*) *vt., vi.* **1** (엽기(獵期) 초에) 새끼 여우 사냥을 하다. **2** (짐승이) 새끼를 낳다.
cub. cubic.
Cu·ba [kjú:bə] *n.* 서인도 제도의 최대의 섬; 쿠바 공화국《수도 Havana》.
cub·age [kjú:bidʒ] *n.* 체적, 용적; 입체 구적법(求積法).
Cu·ban [kjú:bən] *a., n.* 쿠바(사람)의; 쿠바 사람.
cub·ane [kjú:bein] *n.* 〖화학〗 쿠반(C_8H_8; 8개의 CH기가 입방체의 각 모서리에 있는 탄화수소).
Cúban fórkball 〖야구〗 pitball 비슷한 투구.
Cúban héel 쿠반 힐《굵직한 중간 힐》.
Cú·ban·ìze *vt.* 쿠바화하다《특히 라틴아메리카의 국가를 사회주의화함을 이름》.
Cu·ba·nol·o·gist [kjù:bənálədʒist/-nɔ́l-] *n.* 쿠바 문제 전문가, 쿠바 학자.
Cúban sándwich 쿠바식 샌드위치《햄·소시지·치즈 따위를 충분히 쓴》.
cu·ba·ture [kjú:bətʃər] *n.* Ⓤ 입체 구적법, 체적 계산; 체적, 용적(cubic content(s)).
cub·bing [kʌ́biŋ] *n.* 《영》 =CUB HUNTING.
cub·bish [kʌ́biʃ] *a.* 어린 짐승 새끼 같은, 버릇없는; 단정치 못한, 지저분한.
cub·by(·hole) [kʌ́bi(hòul)] *n.* 아늑하고 기분 좋은 장소; 비좁은 방; 반침.
C.U.B.C. Cambridge University Boat Club.
***cube** [kju:b] *n.* **1** Ⓒ 입방체, 정6면체; 입방체의 물건《주사위·벽돌 등》. **2** Ⓤ 〖수학〗 세제곱, 입방《*of*》. cf. square. ¶ 6 feet ~, 6세제곱 피트 / The ~ *of* 3 is 27. 3의 세제곱은 27. **3** (냉장고에서 만든) 각빙(角氷)(ice ~); 《미학생속어》 LSD가 든 각설탕. **4** 《구어》 〖사진〗 =FLASHCUBE. **5** (*pl.*) 《미속어》 주사위. **6** 《미구어》 보수적인 사람. **7** (the ~, the C-) 루빅 큐브(Rubik's Cube). ── *vt.* **1** 입방체로 하다. **2** 주사위 모양으로 베다. **3** …에 벽돌〔포석〕을 깔다. **4** 세제곱하다; …의 부피를 구하다: ~ a solid 어떤 입방체의 체적을 구하다. (파) **cúb·er** *n.*
cu·beb [kjú:beb] *n.* 〖식물〗 자바후추(Java pep-per); 쿠베바《자바후추의 열매를 말린 것; 약용·조미료》.
cúbe·hèad *n.* 《속어》 LSD(가 함유된 각설탕) 상용자.
cúbe róot 세제곱근, 입방근.
cúbe stèak 큐브 스테이크《직사각형의 값싼 스테이크》.
cúbe sùgar 각사탕.
cub·hood [kʌ́bhud] *n.* Ⓤ (짐승의) 어린〔새끼〕 시절; 《비유》 초기.
cúb hùnting 새끼 여우 사냥(《영》 cubbing).
◇**cu·bic** [kjú:bik] *a.* 세제곱〔3차〕의; 입방의; =CUBICAL; 〖결정〗 입방〔등축(等軸)〕정계(晶系)의(isometric): a ~ foot 세제곱 피트 / the ~ system 등축정계 / ~ crossing 입체 교차. ── *n.* 3차 곡선〔방정식, 함수〕. (파) **~·ly** *ad.*
cu·bi·cal [kjú:bikəl] *a.* 입방체의, 정육면체의; 체적〔용적〕의; =CUBIC. (파) **~·ly** *ad.*
cúbic equàtion 〖수학〗 3차(방정)식.
cu·bi·cle [kjú:bikəl] *n.* 칸막이한 작은 방〔침실〕; (도서관의) 특별〔개인〕 열람실.
cúbic méasure 체적 도량법《단위 또는 단위계》.
cu·bic·u·lum [kju:bíkjələm] (*pl.* *-la* [-lə]) *n.* 〖고고학〗 (지하 묘지의) 널방, 현실(玄室).
cu·bi·form [kjú:bəfɔ̀:rm] *a.* 입방형의.
cub·ism [kjú:bizəm] *n.* Ⓤ 〖미술〗 입체파, 큐비즘. (파) **-ist** *n., a.* 입체파 화가〔조각가〕; 입체파의. **cu·bís·tic** [-tik] *a.* 입체파(풍)의.
cu·bit [kjú:bit] *n.* 〖역사〗 큐빗, 완척(腕尺)《팔꿈치에서 가운뎃손가락 끝까지의 길이; 약 46-56 cm》.
cu·bit·al [kjú:bitl] *a.* 전박(前膊)의; cubit의.
cu·bi·tus [kjú:bətəs] *n.* 〖해부〗 전박(前膊); 척골(尺骨); 팔꿈치.
Cú·bo-Fúturism [kjú:bou-] *n.* 〖미술〗 큐비즘적 미래주의《20세기 초에 주로 러시아에서 일어난 운동》.
cu·boid [kjú:bɔid] *a.* 입방형의, 주사위 모양의. ── *n.* 〖해부〗 입방골(骨); 직평행육면체. (파) **cu·boi·dal** [kju:bɔ́idl] *a.* =CUBOID.
cúb repòrter 풋내기〔신출내기〕 기자.
cúb scòut (때로 C- S-)(Boy Scouts의) 유년단원《미국은 8-10세, 영국은 8-11세》; (the ~s) 유년단.
cu·ca·ra·cha [kù:kərá:tʃə] *n.* 《Sp.》 쿠카라차《멕시코의 춤·노래》.
C.U.C.C. Cambridge University Cricket Club.
cu·chi·fri·to [kù:tʃi:frí:tou] (*pl.* **~s**) *n.* 《Sp.》 쿠치프리토《모나게 썬 돼지고기 튀김》.
cúck·ing stòol [kʌ́kiŋ-] 〖역사〗 (중세의) 징벌(懲罰) 의자.
cuck·old [kʌ́kəld] *n.* 오쟁이 진 남편, 부정한 아내의 남편. ── *vt.* (남편)을 속여 서방질하다. (파) **~·ry** [-ri] *n.* Ⓤ (아내의) 간통.
cuck·oo** [kú(:)ku:/kúku:] (*pl.* **~s**) *n.* **1** 뻐꾸기; 《널리》 두견잇과의 새; 뻐꾹《뻐꾸기의 울음소리》. **2** 《속어》 미친 사람, 얼간이, 멍청이; 기인(奇人); 애애《부드럽게 나무라는 기분》. ***the ~ in the nest 평화로운 부모·자식 관계를 어지럽히는 침입자. ── *vi.* 뻐꾹뻐꾹 울다, 뻐꾸기 흉내를 내다. ── *vt.* 단조로이 반복하다. ── *a.* 《속어》 멍청한, 어리석은; 미친 기가 있는; (맞아) 정신이 아찔한, 의식을 잃은: knock a person ~ 아무를 기절시키다.

cuckoo 1

cúckoo clòck 뻐꾸기 시계.
cúckoo·flòwer *n.* 〖식물〗 황새냉이.
cúckoo·lànd *n.* 환상의 나라.
cuck·oo·pint [kú(:)ku:pàint/kúku:-] *n.* 〖식물〗 천남성 (비슷한 식물).
cúckoo spìt 〔**spìttle**〕 〖곤충〗 좀매미; Ⓤ 그 거품.
cu. cm. cubic centimeter(s).
cu·cul·late, -lat·ed [kjú:kəlèit, kju:kʌ́leit], [-lèitid] *a.* 고깔 모양의; 두건(頭巾)으로 싸인; 〖식물〗 (잎이) 고깔 모양의.
◇**cu·cum·ber** [kjú:kəmbər] *n.* **1** 〖식물〗 오이. **2** 《미속어》 달러(dollar). (**as**) **cool as a ~** 아주 냉정하여, 침착하여.
cúcumber trèe 목련속(屬)의 나무《미국산》.
cu·cur·bit [kju:kə́:rbit] *n.* **1** 〖식물〗 호리병박. **2** 〖화학〗 (예전에 쓰던) 호리병박 모양의 증류병 《실험용》. ㊕ **cu·cùr·bi·tá·ceous** [-bitéiʃəs] *a.* 〖식물〗 박과의.
cud [kʌd] *n.* Ⓤ 새김질 감《반추(反芻) 동물이 위에서 입으로 되내보낸》; 《속어·방언》 씹는 담배의 한 입(quid). ***chew the*** 〔***one's***〕 **~** (소 따위가) 새김질하다, 반추하다; 숙고〔반성〕하다.
cud·bear [kʌ́dbɛ̀ər] *n.* Ⓤ 이끼의 일종; (그 이끼로 만든 자줏빛의) 커드베어 물감.
cúd-chèwer *n.* 반추(反芻) 동물.
cud·dle [kʌ́dl] *vt.* 꼭 껴안다, 부둥키다, (어린아이 등을) 껴안고 귀여워하다. **—** *vi.* 바짝〔꼭〕 붙어 자다〔앉다〕, 바싹 달라붙다《*up together; up to* 〔*against*〕》; 웅크리고 자다《*up*》. **—** *n.* 포옹: have a ~ 포옹하다. ㊕ **~·some, cúd·dly** [-səm], [-i] *a.* 꼭 껴안고 싶은, 귀여운.
cud·dy[1] [kʌ́di] *n.* **1** 작은 선실(船室); (작은 배의) 선실 겸 취사실. **2** 작은 방; 찬장.
cud·dy[2] *n.* 《Sc.》 당나귀; 바보, 얼간이.
cudg·el [kʌ́dʒəl] *n.* 곤봉, 몽둥이. ***take up the ~s for*** …을 강력히 변호〔지원〕하다. **—** (*-l-*, 《영》 *-ll-*) *vt.* 몽둥이로 치다. **~ *one's brains*** ⇨ BRAIN.
C.U.D.S. Cambridge University Dramatic Society.
cud·weed [kʌ́dwi:d] *n.* 떡쑥속(屬)의 식물.
◇**cue**[1] [kju:] *n.* 〖연극〗 큐《대사의 마지막 말; 다음 배우 등장 또는 연기의 신호가 됨》; 〖음악〗 (연주의) 지시 악절(樂節); 단서, 신호, 계기, 실마리; 역할, 구실; 《고어》 기분. ***give*** a person his **~** 아무에게 암시〔힌트〕를 주다, 귀띔해 주다. ***in the ~ for*** (walking) (산책)하고 싶은 기분이 나서. ***on ~*** 마침내 좋은 때에, 적시에. ***take the*** 〔***one's***〕 **~ *from*** …에서 단서를 얻다, …을 본받다.
— (*cú*(*e*)*·ing*) *vt.* 《~+목/+목+부》 …에게 신호〔지시〕하다; …에게 계기를 주다; 《구어》 …에게 정보를 주다, 알리다; 〖연극〗 …에게 큐를 주다; 〖음악〗 (…에) 큐를 넣다《*in; into*》; (음·효과 따위를) 삽입하다《*in*》: ~ *in* a lighting effect 조명 효과를 넣다. **—** *vi.* 〖영화〗 촬영 개시 신호를 내다. ~ a person ***in*** 아무에게 큐〔신호〕를 보내다〔주다〕; 《비유》 아무에게 …에 관해서 알리다 《*on*》: *Cue* him *in on* the plans for the dance. 댄스 파티 계획을 그에게 알려 주어라.
cue[2] *n.* 변발(辮髮)(queue); (차례를 기다리는 사람의) 줄(queue); 〖당구〗 큐. **—** (*cú*(*e*)*·ing*) *vt.* (머리 따위를) 땋다, 틀다(twist); 큐로 치다. **—** *vi.* 열지어 늘어서다 《*up*》; 큐로 치다《*on*》.
cúe bàll 〖당구〗 큐볼《백구》.
cúe càrd 〖TV〗 큐 카드《방송 중에 출연자에게 대사를 외우게 하려고 문자를 기록한 카드》.
cúed spéech 귀머거리를 위해 독순술(讀脣術)과 수화(手話)를 조합한 전달법.
cúe·ist *n.* 당구가.
cues·ta [kwéstə] *n.* 한쪽은 비교적 가파르고 다른 쪽은 완만한 경사인 대지(臺地).
◇**cuff**[1] [kʌf] *n.* 소맷부리, 소맷동, 커프스; (긴 장갑의) 손목 윗부분; 《미》 바지의 접어 젖힌 아랫단; 《구어》 (보통 *pl.*) 수갑(handcuffs); (혈압 측정기의) 가압대(加壓帶). ***for the ~*** 《미속어》 내밀한. ***off the ~*** 《구어》 즉흥적인〔으로〕, 즉석의〔에서〕; 《구어》 비공식의〔으로〕, 형식을 차리지 않는〔않고〕. ***on the ~*** 《미속어》 외상의〔으로〕, 월부의〔로〕; 무료의〔로〕; 비밀인; 즉석에서. ***shoot*** one***'s ~*** 셔츠의 커프스를 소맷부리 밖으로 내놓다《거만떨거나 불안감을 나타내는 짓》. **—** *vt.* 커프스를 달다; 되접어 꿰다; 수갑을 채우다; 《미속어》 …을 외상으로 하다; 《속어》 마리화나 담배를 손으로 쥐고서 감추다. ㊕ **~ed** [kʌft] *a.* **∠·less** *a.*
cuff[2] *n.* 손바닥으로 때리기(slap). ***be at ~s with*** …와 서로 주먹다짐하다. ***go*** 〔***fall***〕 ***to ~s*** 주먹다짐〔싸움〕을 하다. **—** *vt., vi.* 손바닥으로 때리다, 두드리다; 맞붙어 싸우다.
cúff bùtton 커프스 단추.
cuf·fe·roo [kʌ̀fərú:] *a.* 《속어》 무료의, 공짜의; 외상의.
cúff lìnk 커프스 단추(sleeve link).
cuf·fy, cuf·fee [kʌ́fi] *n.* 《미속어》 흑인.
Cu·fic [kjú:fik] *n., a.* (비명(碑銘)에 나타난) 고대 아라비아 문자(로 쓰인).
CUFT 《미》 Center for the Utilization of Federal Technology (상무부(商務部) 내의 연방 기술 이용 센터). **cu. ft.** cubic foot 〔feet〕.
cui bo·no [kwí:-bóunou, kái-/kwí:-bɔ́nou] 《L.》 누가 그것으로 득(得)을 보았는가〔보는가〕, 누구를 위하여, 무엇 때문에.
cu. in. cubic inch(es).
cui·rass [kwirǽs] *n.* 동체(胴體) 갑옷; 흉갑(胸甲); (군함의) 장갑판(裝甲板); 〖동물〗 보호 골판(骨板); 일종의 인공 호흡 장치(= ∠ **res·pirator**). **—** *vt.* (…에게) 동체 갑옷〔흉갑〕을 입히다; 장갑하다. ㊕ **~ed** [-t] *a.* 동체 갑옷〔흉갑〕을 입은, 장갑한. **cui·ras·sier** [kwìərəsíər] *n.* 〖역사〗 (특히 프랑스의) 갑옷 입은 기병.
Cui·se·náire ród [kwi:zənɛ́ər-] 퀴즈네어 막대《직경 1 cm, 길이 1-10 cm 의 색칠한 10 개의 막대; 산수 교육용; 상표명》.
Cui·si·nart [kwìzənɑ́:rt, ∠-∸] *n.* 퀴지나트《미국 Cuisinart 사제의 식품 가공기(food processor); 상표명》.
cui·sine [kwizí:n] *n.* Ⓤ 요리 솜씨, 요리(법); 《고어》 요리장, 조리실, 주방(廚房): French ~ 프랑스 요리.
cui·sine min·ceur [*F.* kɥizinmɛ̃sœ:ʀ] 《F.》 녹말·설탕·버터·크림 사용을 억제한 저(低)칼로리의 프랑스 요리법.
cuisse, cuish [kwis], [kwiʃ] *n.* 〖역사〗 (갑옷의) 넓적다리 가리개.
cul-de-sac [kʌ́ldəsǽk, -sæ̀k, kúl-] (*pl.* **~*s, culs-*** [kʌ́lz-]) *n.* 《F.》 막힌 길, 막다른 골목; (피할 길 없는) 곤경; (의논의) 정돈(停頓); 〖군사〗 (후퇴로 밖에 없는) 3 방 포위; 한쪽만 열린 관(管)〔자루〕; 〖해부〗 맹관(盲管).
cul·do·scope [kʌ́ldəskòup] *n.* 〖의학〗 더글러스와(窩) 검경(檢鏡)《자궁〔난소〕용 내시경》.
-cule [kjù:l], **-cle** [kəl] *suf.* '작은' 의 뜻: animal*cule*, parti*cle*.
cu·lex [kjú:leks] (*pl.* ***cu·li·ces*** [-ləsì:z]) *n.* 〖곤충〗 집모기 속(屬)의 각종 모기.
cul·i·nar·i·an [kjù:lənɛ́əriən, kʌ̀l-/kʌ̀l-] *n.* 요리사; 주방장.
cu·li·nary [kjú:lənèri, kʌ́l-/kʌ́linəri] *a.* 부엌(용)의; 요리(용)의: the ~ art 요리법 / ~ vegetables 〔plants〕 야채류.
cull[1] [kʌl] *vt.* **1** (꽃을) 따다, 따 모으다(pick). **2** 《~+목/+목+전+명》 고르다; …에서 발췌하

다《*from*》: ~ the choicest lines *from* poems 시에서 가장 잘된 행을 발췌하다. **3** (노약한 양 따위를 무리 중에서) 가려내다, 도태하다. **—** *n.* 따기, 채집; 선별; 가려낸 물건; (보통 *pl.*) 가려낸 가축《양 따위》; (사회에서) 버림받은 사람.

cull² *n.* 《영속어》 =CULLY.

cúll bìrd 《미속어》 따돌림당한〔사회적으로 버림받은〕 사람; 학생 클럽에 입회 자격이 인정되지 않는 자.

cul·len·der [kʌ́ləndər] *n.* ⇨COLANDER.

cul·let [kʌ́lit] *n.* [U] (재활용(再活用)의) 지스러기 유리.

cúll·ing *n.* 집어냄, 채집; 선택, 골라냄, 선발 제거; (*pl.*) 골라낸 것, 찌꺼기.

cul·ly [kʌ́li] *n.* 《속어》 속기 쉬운 사람, 얼간이; 짝패; 놈, 자식. **—** *vt.* 《고어》 속이다.

culm¹ [kʌlm] *n.* 〖식물〗 줄기; 대《마디 있는 풀줄기》. **—** *vi.* (자라서) 줄기가 되다.

culm² *n.* (질이 나쁜) 가루 무연탄; (C-) 〖지학〗 쿨름층《하부 석탄계의 혈암(頁岩)〔사암〕층》.

cul·mif·er·ous [kʌlmífərəs] *a.* 대〔줄기〕(culm¹)가 있는.

cul·mi·nant [kʌ́lmənənt] *a.* 최고점〔절정〕의; 〖천문〗 남중(南中)하고 있는, 자오선상의.

◇**cul·mi·nate** [kʌ́lmənèit] *vi.* **1** 《~/+[전]+[명]》 정점에 이르다; 최고점〔절정〕에 달하다, 전성기를 누리다《종종 내리막을 암시함》《*in*》: ~ *in* amount 최고량에 달하다 / His efforts ~*d in* success. 그의 노력은 마침내 성공하여 결실했다. **2** 〖천문〗 남중(南中)하다, (천체가) 자오선상에 오다. **—** *vt.* 끝나게 하다, 완결시키다; 클라이맥스에 이르게 하다. [파] **-nàt·ing** *a.* 절정에 달하는, 궁극의.

cùl·mi·ná·tion *n.* [C] 최고점, 최고조, 극점, 정상; [U] 최고점〔절정·최고조〕에 달함; [U] 〖천문〗 남중(南中), (천체의) 자오선 통과. ◇ culminate *v.*

Cúlm Mèasures 〖지학〗 쿨름층(Culm).

cu·lottes [kju:láts/kju:lɔ́ts] *n. pl.* 《F.》 퀼로트《여성의 운동용 치마바지》. 「실; 죄.

cul·pa [kʌ́lpə] (*pl.* **-pae** [-pi:]) *n.* 〖법률〗 과

cùl·pa·bíl·i·ty *n.* [U] 꾸중들어야 할 일, 유죄.

cul·pa·ble [kʌ́lpəbəl] *a.* 비난할 만한〔해야 할〕, 과실〔허물〕 있는, 괘씸한; 《고어》 유죄의: ~ negligence 태만죄; 부주의. ***hold*** a person ~ 아무를 나쁘다고 생각하다. [파] **-bly** *ad.* 괘씸하게도, 무법하게도.

cúlpable hómicide 〖법률〗 고살(故殺)(죄).

cul·prit [kʌ́lprit] *n.* (the ~) 죄인, 범죄자; 피의자; 〖영법률〗 형사 피고인, 미결수.

◇**cult** [kʌlt] *n.* **1** (종교상의) 예배(식), 제사. **2** (사람·물건·사상 따위에 대한) 숭배, 예찬; 유행, …열(熱); 숭배의 대상; 숭배자〔예찬자〕의 무리: an idolatrous ~ 우상 숭배 / the ~ *of* nature 자연 예찬 / the ~ *of* golf 골프열(熱). **3** 이교(異教), 사이비 종교; 종파; 기도 요법. **4** 〖사회〗 컬트《전통적 조직의 교단에 대하여, 조직성이 희박한 특수한 소수자 집단》.

cultch, culch [kʌltʃ] *n.* [U,C] (굴 양식용의) 조개껍질 부스러기; 굴의 알; 《방언》 쓰레기, 잡동사니.

cúlt figure 숭배〔대중적 인기〕의 대상, 교조적(教祖的)인 사람.

cul·ti·gen [kʌ́ltədʒən, -dʒèn] *n.* (원종(原種) 불명의) 배양 변종(變種); =CULTIVAR.

cúlt·ish *a.* 숭배의, 컬트〔열광〕적인. [파] **~·ly** *a.* **~·ness** *n.*

cúlt·ism *n.* [U] 열광, 헌신; 극단적인 종교적 경향. [파] **-ist** *n.* 광신자, 열광자.

cul·ti·va·ble, -vat·a·ble [kʌ́ltəvəbəl], [-vèitəbəl] *a.* 경작〔재배〕할 수 있는; (사람·능력 따위를) 계발〔교화〕할 수 있는.

cul·ti·var [kʌ́ltəvɑ̀:r/-vɑ̀:] *n.* 〖식물〗 재배 변종, (재배) 품종《생략: cv.》.

***cul·ti·vate** [kʌ́ltəvèit] *vt.* **1** (땅을) 갈다, 경작하다; (재배 중인 작물·밭을) 사이갈이하다: ~ a field 밭을 갈다. [SYN.] ⇨TILL². **2** 재배하다; (물고기·진주 등을) 양식하다; (세균을) 배양하다. [SYN.] ⇨GROW. **3** (재능·품성·습관 따위를) 신장하다, 계발〔연마〕하다; 수련하다; (학예 따위를) 장려하다, 촉진하다: ~ the moral sense 도의심을 기르다. **4** (사람을) 교화하다. **5** (면식·교제를) 구하다, 깊게 하다: ~ a person 〔a person's acquaintance〕 아무와의 교제를 구하다. **6** (예술 등에) 몰두하다, 탐닉하다. **7** (수염을) 기르다. ◇ cultivation *n.*

cúl·ti·vàt·ed [-id] *a.* 경작된; 개간된; 재배된; 양식된; 배양된; (사람·취미가) 교양 있는, 세련된: ~ land 경작지.

◇**cul·ti·va·tion** [kʌ̀ltəvéiʃən] *n.* [U] **1** 경작; 재배; 개간; 사육: put new land into ~ 〔bring new land under ~〕 새 땅을 경작하다. **2** 경작되어 있음. **3** (굴 따위의) 양식(養殖); (세균 따위의) 배양; [C] 배양균. **4** 교화, 양성; 촉진, 장려. **5** 수양, 수련; 교양; 세련. ◇ cultivate *v.*

◇**cul·ti·va·tor** [kʌ́ltəvèitər] *n.* 경작자, 재배자; 수양자; 양성자; 개척자; 연구자; 경운기.

cúlt mòvie 컬트 무비《주로 소극장에서 상영되는 젊은이에게 인기 있는 영화》.

cul·trate, -trat·ed [kʌ́ltreit], [-id] *a.* (잎·나이프처럼) 끝이 뾰족한.

cul·tur·a·ble [kʌ́ltʃərəbəl] *a.* =CULTIVABLE.

***cul·tur·al** [kʌ́ltʃərəl] *a.* **1** 문화의: ~ assets 〔goods〕 문화재 / ~ conflict 문화 마찰. **2** 교양의; 계발적인: ~ studies 교양 과목. **3** 배양하는; 경작의; 재배의; 개척의. [파] **~·ly** *ad.*

cultural anthropólogy 문화 인류학. 「관.

cultural attaché [ˊ ˊ] (대사관의) 문화 담당

cultural exchánge 문화 교류.

cultural geógraphy 문화 지리학.

cúl·tur·al·ìze, 《영》 **-ise** *vt.* 〖인류〗 문화의 영향을 받게 하다. [파] **cùl·tur·al·i·zá·tion** *n.*

cultural lág 〖사회〗 문화적 지체《문화 제상(諸相) 발달의 파행(跛行)적 현상》.

cultural plúralism 〖사회〗 문화적 다원성《소수자 집단이 그 고유 문화를 유지하면서 전체 사회에 관여함》; (그런 상태의 유익함을 주장하는) 문화 다원주의.

cultural relatívity 〖사회〗 문화 상대주의.

cultural revolútion **1** 문화 혁명. **2** (the C-R-) (중국의) 문화 대혁명《1966-71》.

cultural revolútionary 문화 혁명 제창자〔지지자〕.

cultural sociólogy 문화 사회학. 「화인들.

cul·tu·ra·ti [kʌ̀ltʃərɑ́:ti] *n. pl.* 교양인 계급, 문

****cul·ture** [kʌ́ltʃər] *n.* **1** [U,C] 문화, 정신문명: Greek ~ 그리스 문화 / primitive ~ 원시 문화. **2** [U] 교양; 세련: a man of ~ 교양 있는 사람. **3** [U] 수양; 교화; 훈육: physical 〔intellectual〕 ~ 체육〔지육(智育)〕. **4** [U] 재배; 양식; 경작: the ~ of cotton 면화 재배 / silk ~ 양잠. **5** [U] (세균 등의) 배양; [C] 배양균〔조직〕. **—** *vt.* =CULTIVATE. [파] **~·less** *a.*

culture àrea 〖사회〗 문화 영역《어떤 독특한 형태의 문화를 갖는 지역》. 「특성의 복합체》.

culture còmplex 〖사회〗 문화 복합체《문화

◇**cúl·tured** [kʌ́ltʃərd] *a.* 교양 있는, 수양을 쌓은; 세련된; 점잖은; 배양〔양식(養殖)〕된, 경작된; 문화를 가진, 문화가 발달된.

cúlture(d) péarl 양식(養殖) 진주.

cúlture fàctor 문화 요인.

cúlture flúid (세균) 배양액.
cúlture-free tést 〚심리·교육〛 탈(脫)문화적 검사《문화적 요소에 의존하는 모든 문항이 제거되도록 꾸며진 검사》.
cúlture hèro 문화 영웅《어떤 문화 집단의 이상을 구현한, 또는 글자·생존 수단을 전해 주었다고 생각되는 전설〔신화〕상의 인물》.
cúlture làg =CULTURAL LAG.
cúlture mèdium 〚생물〛 배양기(培養基).
cúlture mỳth 민족 개화에 관한 신화.
cúlture pàttern 〚사회〛 문화 형태〔양식(樣式)〕.
cúlture shòck 문화 쇼크《다른 문화에 처음 접했을 경우에 받는 충격》.
cúlture tràit 〚사회〛 문화 단위 특성.
cúlture tùbe 세균 배양관(管). 「인.
cúlture vùlture 《속어》 문화병자, 사이비 문화
cul·tur·ist [kʌ́ltʃərist] *n.* 양식자, 경작자; 배양자; 교화자; 문화주의자. 「학.
cul·tu·rol·o·gy [kʌ̀ltʃərɑ́lədʒi/-rɔ́l-] *n.* 문화
cul·tus [kʌ́ltəs] (*pl.* **~·es, *cul·ti*** [-tai]) *n.*
cul·ver [kʌ́lvər] *n.* 비둘기. 「=CULT.
cul·ver·in [kʌ́lvərin] *n.* 컬버린 포(砲)《16-17세기의 장포(長砲)》; 컬버린 소총.
cul·vert [kʌ́lvərt] *n.* 암거(暗渠), 배수 도랑, 지하 수로; 전선용(電線用) 매설구(溝).
cum [kʌm] *prep.* 《L.》 …이 붙은〔딸린〕, …와 겸용의《보통 복합어를 만듦; 영국에서는 합병 교구의 명칭으로 쓰임》. OPP *ex.* ¶ a house-~-farm 농장이 딸린 주택 / a dwelling-~-workshop 주택 겸 공장 / Chorlton-~-Hardy 촐튼하디구(區) 《Manchester의 주택 지구》. ~ ***coupon*** ⇨ COUPON. 「lative.
Cum., Cumb. Cumberland. **cum.** cumu-
cum·ber [kʌ́mbər] *vt.* 《드물게》 방해〔훼방〕하다; 《고어》 괴롭히다. **—** *n.* 방해(물); 《고어》 곤혹, 고뇌. ㊕ **~·er** *n.* 방해자, 귀찮은 사람.
Cum·ber·land [kʌ́mbərlənd] *n.* 컴벌랜드《이전의 잉글랜드 북서부의 주(州); 1974년 Cumbria 주의 일부가 됨》.
°**cum·ber·some** [kʌ́mbərsəm] *a.* 성가신, 귀찮은; 부담이 되는; 장애〔방해〕가 되는. ㊕ **~·ly** *ad.* **~·ness** *n.*
cum·brance [kʌ́mbrəns] *n.* 방해, 두통거리.
Cum·bria [kʌ́mbriə] *n.* 컴브리아《잉글랜드 북부의 주; 1974년 신설; 주도는 Carlisle》. ㊕ **-brian** *a., n.* Cumbria 〔Cumberland〕의 (사람).
cum·brous [kʌ́mbrəs] *a.* =CUMBERSOME.
cùm dívidend 〚증권〛 배당부(配當附)《생략: c.d., cum div.》. cf ex div.
cu·mec [kjú:mek] *n.* 큐멕《유량(流量)의 단위; 매초 1세제곱 미터에 상당》. [◂ *cubic meter per second*]
cum gra·no sa·lis [kʌm-gréinou-séilis] 《L.》 (=with a grain of salt) 다소 줄잡아, 에누리하여《듣다 등》.
cum·in, cum·min [kʌ́mən] *n.* 커민《미나릿과의 식물》; 그 열매《요리용 향료·약용》.
cum lau·de [kum-láudei, kʌm-lɔ́:di] 《L.》 (대학 졸업 성적의 3단계 우등 중) 제 3위 우등으로.
cum·mer [kʌ́mər] *n.* 《Sc.》 대모(代母); 여자 친구; 소녀, 계집아이.
cum·mer·bund, kum- [kʌ́mərbʌ̀nd] *n.* 《Ind.》 폭넓은 띠, 장식띠; 허리띠《턱시도를 입을 때 조끼 대신 두름》.
cummin ⇨ CUMIN.
cùm néw 〚증권〛 신주부(新株附).
cum·quat [kʌ́mkwɑt/-kwɔt] *n.* 〚식물〛 금귤.
cùm ríghts *ad., a.* 〚증권〛 권리부의, 신주(新株) 인수권이 딸린《주주가 신주를 할당 받을 권리를 가진 상태》.
cum·shaw [kʌ́mʃɔ:] *n.* 《Chin.》 (중국의 부두에서) 팁, 선물. ★ '감사'의 뜻.
cu·mu·late [kjú:mjələt, -lèit] *a.* 쌓아올린, 산적한. **—** [-lèit] *vt.* 쌓아올리다; 축적하다. ㊕ **-lat·ed** [-lèitid] *a.*
cù·mu·lá·tion *n.* U,C 쌓아올림; 축적, 퇴적; 〚수학〛 누적(累積).
cu·mu·la·tive [kjú:mjələtiv, -lèit-] *a.* 축적적〔점증적, 누가적(累加的)〕인, 누적하는: ~ dividend 누적 배당 / ~ offense 〚법률〛 누범(累犯) / ~ preference shares 누적 배당 우선주 / ~ relative frequency 〚수학〛 누적 상대 도수 / ~ action 〔effect〕 누적 작용〔효과〕. ㊕ **~·ly** *ad.* **~·ness** *n.*
cúmulative distribútion fùnction 〚통계〛 누적 분포 함수.
cúmulative érror 〚통계〛 누적 오차《샘플이 증가함에 따라 늘어나는 오차》.
cúmulative évidence 〚법률〛 (이미 증명된 일의) 누적〔중복〕 증거.
cúmulative tráuma disòrder 〚정신의학〛 누적 외상〔쇼크〕성 장애.
cúmulative vóting 누적 투표법《후보자와 같은 수의 표가 선거인에게 주어지고, 선거인은 그 표 모두를 한 사람의 후보자에게 또는 몇 사람에게 나누어 투표할 수 있음》.
cu·mu·li [kjú:mjəlai] CUMULUS의 복수.
cu·mu·li·form [kjú:mjələfɔ̀:rm] *a.* 〚기상〛 적운상(積雲狀)의, 산봉우리구름의.
cu·mu·lo·cir·rus [kjù:mjələsírəs] *n.* 〚기상〛 고적운(高積雲), 높쌘구름《생략: Cc》.
cu·mu·lo·nim·bus [-nímbəs] *n.* 〚기상〛 적란운(積亂雲), 쌘비구름, 소나기구름《생략: Cb》.
cu·mu·lo·stra·tus [-stréitəs] *n.* 〚기상〛 =STRATOCUMULUS.
cu·mu·lous [kjú:mjələs] *a.* 적운(積雲)〔산봉우리구름〕 같은.
cu·mu·lus [kjú:mjələs] (*pl.* ***-li*** [-lài, -lì:]) *n.* 퇴적, 누적; 적운(積雲), 쌘구름, 산봉우리구름, 뭉게구름《생략: Cu》.
cúmulus fràc·tus [-frǽktəs] (*pl.* ***cúmuli fráctus***) 〚기상〛 조각 적운(積雲).
cunc·ta·tion [kʌŋktéiʃən] *n.* 지연(delay).
㊕ **cunc·ta·tive** [kʌ́ŋktətiv] *a.* 「람.
cunc·ta·tor [kʌŋktéitər] *n.* 굼떠서 답답한 사
cu·ne·al [kjú:niəl] *a.* 쐐기 같은〔모양의〕.
cu·ne·ate [kjú:niət, -èit] *a.* 쐐기 모양의; (잎이) 장상(掌狀)의. ㊕ **~·ly** *ad.*
cu·ne·i·form [kju:ní:əfɔ̀:rm, kjú:niə-/kjú:n-ifɔ̀:m, -nii-] *a.* 쐐기 모양의; 쐐기〔설형(楔形)〕 문자의; 설상골(楔狀骨)의. **—** *n.* (바빌로니아·아시리아 등지의) 쐐기〔설형〕 문자; 〚해부〛 설상골.
cun·ner [kʌ́nər] *n.* 양놀래깃과(科)의 작은 물고기의 일종《미국 대서양 연안산(產); 식용》.
cun·ni [kʌ́ni(:)] *n.* 《영속어》 =CUNNILINGUS.
cun·ni·lin·gus [kʌ̀nilíŋgəs] *n.* U 쿤닐링구스《여성 성기에의 구강(口腔) 성교》.
***cun·ning** [kʌ́niŋ] *a.* **1** 교활한; 약삭빠른. **2** 잘된, 교묘하게 연구된.

> SYN. **cunning** 부정한 수단으로 상대방을 기만하거나 음모·술책 따위를 꾸밈을 이름. **crafty** 남을 속이는 간계를 잘 꾸미는 것을 말함. **sly** 부정한 수단으로 상대방을 기만하는데, 그것이 꽤나 음험한 것을 말함.

3 《미구어》 (아이·복장 따위가) 귀여운. **4** 《영에서는 고어》 교묘한; 《고어》 노련한, 솜씨 있는. (*as*) **~ *as a fox*** 매우 교활한. **—** *n.* U **1** (솜씨의) 교묘함: His hand lost its ~. 그의 손은 옛날처럼 재지 못하다. **2** 교활, 간교; 《고어》 솜씨,

숙련, 교묘. ㉫ ~·ly *ad.* ~·ness *n.*
cunt [kʌnt] *n.* 《비어》 여성 성기; 성교; 놈, 《특히》 여자, 싫은 여자; 비열한 놈.
cúnt hòund 《미속어》 호색가, 엽색가(獵色家).
cúnt tèaser 《미속어》 여성을 유혹하면서도 성교까지는 하지 않는 사내. [cf.] cock teaser.
⁑cup [kʌp] *n.* **1** 찻종, 컵; 찻잔 한 잔(의 양): a ~ and saucer 접시에 받친 찻잔. **2** 반 파인트(pint)의 양. **3** (양주용의 다리 달린) 글라스; (성체 성사의) 잔; (성체 성사의) 포도주. **4** 우승컵, 상배: win the ~ 우승컵을 타다. **5** (the ~) 술; (*pl.*) 음주: have got 〔had〕 a ~ too much 《구어》 취해 있다. **6** 운명의 잔; 운명; 경험: drain the ~ of life to the bottom 〔dregs〕 인생의 쓴맛 단맛을 다 맛보다. **7** 찻종 모양의 물건; 분지(盆地); (꽃의) 꽃받침; (도토리 따위의) 깍정이; 〖의학〗 흡각(吸角), 부항(附缸); 〖해부〗 배상와(杯狀窩); 〖골프〗 (그린상의 공 들어가는) 금속통, 홀; (복서 등의) 컵《서포터의 일종》; (브래지어의) 컵: a ~ insulator 〖전기〗 컵 모양의 애자(碍子). **8** 컵《샴페인 · 포도주 따위에 향료 · 단맛을 넣어서 얼음으로 차게 한 음료》. **9** (the C-) 〖천문〗 컵자리(the Crater). **10** (*pl.*) 《미흑인속어》 잠, 최면. **11** 〖미식축구〗 =POCKET. ★ 항상 in the ~ 〔pocket〕의 구로 씀. ***a ~ and ball*** 죽방울《접시 모양의 공받이가 있는 자루에 끈으로 공을 매단 장난감》. ***a ~ of coffee*** 커피 한 잔; 《미구어》 짧은 체재; 〖야구〗 마이너리그 선수의 메이저리그 선수로의 단기적인 승격. ***a ~ of tea*** 《구어》 〔흔히 수식어와 함께〕 (어떤 종류의) 사람, 물건: a very unpleasant ~ *of tea* 아주 불쾌한 사람. ***be a ~ too low*** 《영방언》 기운이 없다. ***between the ~ and the lip*** 다 되어 가던 판에《틀어지다 등》. ***dash the ~ from*** a person***'s lips*** 《문어》 남의 즐거움을 빼앗다, 남의 의도를 짓밟다. ***in*** one***'s ~s*** 취하여, 거나한 기분으로. One***'s*** 〔***The***〕 ~ ***is full.*** 더할 나위 없는 기쁨 · 행복〔슬픔 · 불행〕에 젖어〔빠져〕 있다. one***'s ~ of tea*** ① 《구어》 기호에 맞는 것, 마음에 드는 것, 취미. ② 《영》 운; 수상한 것〔사람〕. One***'s ~ runs over*** 〔***overflows***〕. 이를 데 없이 행복하다. ***the ~s that cheer but not inebriate*** 차 · 홍차의 별칭《W. Cowper의 시구(詩句)에서 유래》. ***the ~ that cheers*** 《속어》 백약지장(百藥之長), 술.
— (*-pp-*) *vt.* **1** 《~+[목]/+[목]+[전]+[명]》 찻종에 받다〔넣다〕; (오목한 것에) 받아 넣다: ~ water *from* a brook 시내에서 물을 떠내다. **2** (손바닥 따위를) 찻종 모양으로 하다: ~ one's hand behind one's ear 귀에 손을 대다《잘 들리도록》. **3** 〖의학〗 …에 흡각〔부항〕(吸角〔附缸〕)을 대다. **4** 〖골프〗 (클럽으로 공을) 땅에 스치게 쳐올리다.
cúp·bèarer *n.* (궁정 연회 따위에서) 술잔을 따라 올리는 사람.
cup·board** [kʌ́bərd] *n.* 찬장; 《영》 〔일반적〕 작은 장, 벽장. ***skeleton in the ~ (세상에 알려지면 곤란한) 가정의 비밀, 집안의 수치. ***The ~ is bare.*** 찬장이 비어 있다; 돈이 없다.
cúpboard lòve 타산적인 애정《용돈 타려고 어머니에게 '엄마가 좋아' 하는 따위》.
cúp·càke *n.* [U,C] 찻종 모양으로 구운 케이크; 《속어》 =LSD.
cu·pel [kjú:pəl, kju:pél] *n.* 회취(灰吹) 접시《귀금속 분석에 쓰임》; 골회제(骨灰製) 도가니. — (*-l-*, 《영》 *-ll-*) *vt.* ~로 분석하다. ㉫ **cu·pel·la·tion** [kjù:pəléiʃən] *n.* Ⓤ 〖야금〗 회취법(灰吹法).
cúp final (the ~) (우승배 쟁탈의) 결승전《특히 영국 축구 연맹배 쟁탈의》.
cup·ful** [kʌ́pfùl] (*pl.* ~s***, ***cúps·fùl***) *n.* 찻종〔컵〕으로 하나 (가득)《*of*》; 《미》 〖요리〗 반 파인트(half pint)《8 액량(液量) 온스; 약 220 cc》: two ~*s of* milk 두 잔(분량)의 우유.
cúp·hòlder *n.* 우승컵 소지자, 우승자.
Cu·pid [kjú:pid] *n.* 〖로마신화〗 큐피드《연애의 신》; (c-) 큐피드《사랑의 상징으로 사용되는 인형》, 사랑의 사자; 《드물게》 미소년.

Cupid

cu·pid·i·ty [kju:pídəti] *n.* Ⓤ 물욕, 탐욕, 욕망.
Cúpid's bów [-bóu] 큐피드의 활; 활 모양의 것《특히 윗입술의 윤곽을 이름》.
cúp·lìke *a.* 찻종 같은.
cu·po·la [kjú:pələ] *n.* 둥근 지붕〔천장〕; (특히 지붕 위의) 돔; 〖야금〗 큐폴라; 용선로(溶銑爐); 회전 포탑(砲塔); 《미속어》 정수리, 머리.
cup·pa [kʌ́pə] *n.* 《영구어》 한 잔의 차.
cupped [-t] *a.* 찻종 모양의.
cúp·per[1] *n.* 〖의학〗 흡각(吸角)을 쓰는 사람.
cúp·per[2] *n.* 《영구어》 홍차 한 잔(cuppa).
cúp·ping *n.* Ⓤ 〖의학〗 (부항(附缸)으로) 피를 빨아내기, 흡각법(吸角法).
cúp plànt 국화과의 풀《노란 꽃이 피며, 잎이 줄기를 중심으로 컵 모양을 이룸; 북아메리카산》.
cup·py [kʌ́pi] *a.* 컵 모양의; (땅바닥 따위가) 작은 구멍이 많은.
cupr- [kjú:pr/kjú:pr] '구리'의 뜻의 결합사: *cupr*eous. ★ 자음 앞에서는 **cu·pri-** [kjú:pri/kjú:pri], **cu·pro-** [-prou, -prə]가 됨: *cupri*ferous; *cupro*nickel.
cu·pram·mo·ni·um [kjù:prəmóuniəm / kjù:-] *n.* 〖화학〗 구리 암모늄.
cu·pre·ous [kjú:priəs/kjú:-] *a.* 구리의, 구릿빛의.
cu·pric [kjú:prik/kjú:-] *a.* 〖화학〗 구리의, 제 2 구리의: ~ oxide 산화(제 2)구리 / ~ salt 제 2 구리염(塩).
cúpric hydróxide 〖화학〗 수산화(제 2)구리.
cúpric súlfate 〖화학〗 황산구리(copper sulfate).
cu·prif·er·ous [kju:prífərəs/kju:-] *a.* 〖화학〗 구리를 함유한.
cu·prite [kjú:prait/kjú:-] *n.* 〖광물〗 적동광(赤銅鑛).
cúpro·nìckel *n.* 백통. —*a.* 구리와 니켈을 함유한.
cu·prous [kjú:prəs/kjú:-] *a.* 〖화학〗 제 1 구리의: ~ oxide 아(亞)산화구리, 산화제 1 구리.
cu·prum [kjú:prəm/kjú:-] *n.* Ⓤ 〖화학〗 구리《금속 원소; 기호 Cu; 번호 29》.
cúp tìe 《영》 (특히 축구의) 우승배 쟁탈전.
cúp-tìed *a.* 《영》 (팀 등이) 우승배 쟁탈전에 나가는〔나가기 때문에 다른 시합에 출전 못하는〕.
cu·pule [kjú:pju:l] *n.* 〖동물〗 빨판, 흡반(吸盤); 〖식물〗 (도토리 등의) 깍정이; (우산이끼의) 배상체(杯狀體).
°cur [kə:r] *n.* 똥개, 잡종개; 불량배, 천한 사람; 겁쟁이.
cur. currency; current.
cur·a·ble [kjúərəbəl] *a.* 치료할 수 있는, 고칠 수 있는, 낫는. ㉫ **-bly** *ad.* ~·**ness** *n.*
cùr·a·bíl·i·ty *n.* Ⓤ 치료 가능성.
cu·ra·çao, -çoa [kjúərəsàu, -sòu, ˋ-ˊ/kjùərəsóu], [kjùərəsóu, -sóuə/-sóuə] *n.* 퀴라소《오렌지로 만든 리큐어; 베네수엘라의 북방 Curaçao 섬 원산》.
cur·a·cy [kjúərəsi] *n.* Ⓤ curate의 직〔지위·임기〕; 〖역사〗 분교구(分敎區) 목사의 녹(祿).
cu·ran·de·ro [kùərəndɛ́ərou] *n.* (남성) 민간〔심령〕 치료사, 주술〔기도〕사.

cu·ra·re, -ri [kjurá:ri/kjuə-] *n.* 쿠라레《마전속(馬錢屬) 식물의 즙으로 만든 독(毒); 남아메리카 원주민이 화살에 바름; 지금은 의료용》; 쿠라레가 채취되는 열대성 식물.

cu·ra·rine [kjuərá:rin, -ri:n] *n.* 쿠라린《쿠라레에서 채취되는 독성의 알칼로이드; 근육 완화·마취 작용이 있음》.

cu·ra·rize [kjuərá:raiz, kjúərəràiz/kjuə-] *vt.* (생체 해부 따위에서 동물을) 쿠라레로 마비시키다.

cu·ras·sow [kjúərəsòu] *n.* 봉관조(鳳冠鳥)《칠면조 비슷한 라틴아메리카산(產)의 새》.

◇**cu·rate** [kjúərət] *n.* 《영》 목사보(補), 부목사; (영혼의 지도자로서의) 목사, 신부; 《영구어》 작은 부젓가락: a perpetual ~ 분교구의 목사.

cúrate-in-chárge *n.* (교구 목사의 실격·정직 때 등의) 교구 목사 대리.

cúrate's égg (the ~) 《우스개》 옥석혼효(한 것), 장단점이 있는 것.

cur·a·tive [kjúərətiv] *a.* 치료용의; 치료력이 있는. **—** *n.* 치료(법); 의약. ㊍ **~·ly** *ad.* **~·ness** *n.*

cu·ra·tor [kjuəréitər] *n.* (특히 박물관·도서관 따위의) 관리자, 관장; 감독, 관리인, 지배인; (대학의) 평의원; 〖Sc. 법률〗 (미성년자·정신 이상자 등의) 후견인. ㊍ **cu·ra·to·ri·al** [kjùərətɔ́:riəl] *a.* ~의. 「의 직(신분).

cu·ra·tor·ship [kjuəréitərʃìp] *n.* Ⓤ curator

cu·ra·trix [kjuəréitriks] (*pl.* ***-tri·ces*** [-trəsì:z, kjùərətráisiz]) *n.* 여성 curator.

curb** [kə:rb] *n.* **1** (말의) 재갈, 고삐. **2** 구속, 억제, 제어《*on*》. **3** (밖·둘레에서 죄는) 틀; (보도(步道)의) 연석(緣石)(《영》 kerb). **4** 《미》 (증권의) 장외(場外) 시장《비상장(非上場) 증권의 거래》; 〖집합적〗 장외 시장 중개인들. **5** (우물의) 둘레테《네모진》; 〖건축〗 가장자리 장식; 곧은 쨈의 벽받이. **6** 비절 후종(飛節後腫)《말 뒷다리에 생겨 절게 됨》. ***on the **~** 거리에서, 장외에서. ***put*** 〔***place***〕 ***a*** **~** ***on*** …을 제한〔억제〕하다. ***stop off the*** **~** 《미속어》 죽다.
— *vt.* **1** (말에) 재갈을 물리다. **2** 《비유》 억제하다, 구속하다: ~ inflation 인플레이션을 억제하다. **3** (길에) 연석을 깔다; (우물)에 둘레테를 대다. **4** (개를) 똥 누이러 도랑 쪽으로 데리고 가다.

cúrb bìt 재갈. 「주식 거래 중개인.

cúrb bròker 〔**òperator**〕 《미》 장외(場外)

cúrb chàin (말의) 재갈 사슬.

Cúrb Exchànge 〖증권〗 American Stock Exchange의 구칭《개칭 전의 애칭으로도 씀》.

cúrb·ing *n.* 〖집합적〗 연석(緣石)(curb); 연석의 재료.

cúrb màrket 《미》 장외(場外) 주식 시장.

cúrb ròof 〖건축〗 망사르드 지붕《물매를 2단으로 낸》.

cúrb sèrvice 《미》 배달 서비스《길가에 주차 중인 손님에게 음식을 날라다 주는》; 특별 봉사.

cúrb·sìde *n.* 연석(緣石)이 있는 보도(步道) 가장자리; 보도; 가두(街頭).

cúrb·stòne *n.* (보도의) 연석(緣石); 《미속어》 꽁초, (꽁초를 모아 만든) 궐련. **—** *a.* 장외(場外) 거래의; 풋내기의; 《구어》 아마추어의. 「BROKER.

cúrbstone bròker 〔**òperator**〕 = CURB

cúrb wèight (자동차의) 차량 전비(全備) 중량《비품·연료·오일·냉각액을 포함》. 「바구미.

cur·cu·lio [kə:rkjú:liòu] (*pl.* ***~s***) *n.* 〖곤충〗

cur·cu·ma [kɔ́:rkjəmə] *n.* 〖식물〗 강황(薑黃).

cúrcuma pàper 강황지(薑黃紙).

curd [kə:rd] *n.* **1** (종종 *pl.*) 엉겨 굳어진 것, 응유(凝乳) (제품). ⓒⓕ whey. ¶ bean ~ 두부. **2** 식용 꽃. **—** *vt., vi.* = CURDLE.

cúrd chèese 《영》 = COTTAGE CHEESE.

cúrd knìfe 커드 나이프《양조통에서 유장(乳漿)을 배제하고 치즈 응유(凝乳)를 꺼내는 데 쓰는 한 벌의 기구》.

cur·dle [kɔ́:rdl] *vt., vi.* **1** 엉기(게 하)다, 응결시키다, 응결하다. **2** 못 쓰게 만들다〔되다〕. **3** 《미속어》 성나게〔초조하게〕 하다. **~** ***the*** 〔a person***'s***〕 ***blood*** (추위·공포 등이) 섬뜩〔오싹〕하게 하다.

cúrds and whéy 응유(凝乳) 식품(junket).

cúrd sòap 염석(塩析) 비누.

curdy [kɔ́:rdi] (***curd·ier; -i·est***) *a.* 엉겨 굳어진, 응결한, 응유(凝乳)분이 많은.

⁑**cure**[1] [kjuər] *n.* **1** Ⓒ 치료; 치료법〔제〕《*for*》; 광천(鑛泉), 온천: a ~ *for* headache 두통약. **2** Ⓤ 치유, 회복. **3** Ⓒ 구제책, 교정법《*for*》: a ~ *for* unemployment 실업 대책. **4** Ⓤ (영혼의) 구원; (교구민에 대한) 신앙 감독; Ⓒ 성직; 관할 교구. **5** Ⓤ (생선·고기 등의) 저장(법), 소금절이; (고무·수지의) 경화; (시멘트의) 양생(養生). ***take the*** **~** (알코올 중독 치료 등을 위해) 입원하다; 방탕한 생활을 그만두다. **—** *vt.* **1** 《~+목/+목+전+명》 (병이나 환자를) 치료하다, 고치다; 교정(矯正)하다, 제거하다: ~ a child *of* a cold 〔~ a child's cold〕 아이의 감기를 치료하다 / be ~*d of* a disease 병이 낫다.

> SYN. **cure** 육체상·정신상의 병이나 고뇌를 완화시켜 치료함을 나타냄. **heal** 육체의 상처·화상 따위를 치료함을 말함. **remedy** 병·상처·그 밖의 폐해 따위를 치료·구제함을 나타냄.

2 구제〔구원〕하다. **3** 가공하다; (고기·물고기 등을) 절이다, 건조하다《보존을 위해》; (고무를) 경화시키다, 가황(加黃)하다; (콘크리트를) 양생하다: *curing* agent (수지의) 경화제, (고무의) 가황제. **—** *vi.* **1** (병이) 낫다. **2** (생선·고기 등이) 보존에 적합한 상태가 되다; (고무가) 경화하다. **~** a person ***of*** (bad habits) 아무의 (못된 버릇)을 고치다. ***kill or*** **~** ⇨ KILL[1]. 「[◂*curious*]

cure[2] *n.* 《속어》 별난 사람, 괴짜, 기인(奇人).

cu·ré [kjuəréi, ⌐⌐] *n.* 《F.》 (프랑스의) 교구(教區) 목사. ⓒⓕ cure[1] 4, curate.

cúre-àll *n.* 만능약, 만병통치약(panacea).

cúre·less *a.* 불치의; 구제할 수 없는.

cur·er [kjúərər] *n.* 건어물〔훈제품〕 제조자; 치료자; 치료기.

cu·ret·tage [kjùərətá:ʒ, kjuərétidʒ] *n.* Ⓤ,Ⓒ 〖의학〗 소파(搔爬)(술); 인공 임신 중절.

cu·rette, -ret [kjuərét] *n.* 〖의학〗 소파기(搔爬器), 퀴레트《소파 수술에 쓰는 날카로운 숟가락 모양의 기구》. **—** *vt.* 퀴레트로 긁어내다, 소파하다.

cur·few [kɔ́:rfju:] *n.* Ⓤ,Ⓒ **1** (중세기의) 소등(消燈)〔소화〕 신호의 만종(晩鐘); 그 종이 울리는 시각. **2** 〖일반적〗 만종, 저녁 종. **3** (계엄령 시행 중의) (야간) 통행금지 (시각); 〖미군사〗 귀영(歸營) 시간.

cu·ria [kjúəriə] (*pl.* ***-ri·ae*** [-riì:]) *n.* **1** 쿠리아《고대 로마의 행정 구분》; (쿠리아 주민의) 집회소. **2** (로마의) 원로원. **3** (중세의) 법정. **4** (the C-) 로마 교황청. ㊍ **cú·ri·al** [-l] *a.* ~의.

cu·ri·age [kjúəriidʒ] *n.* 〖물리〗 퀴리수(數)《퀴리로 나타낸 방사능의 강도》. ⓒⓕ curie.

cu·ri·al·ism [kjúəriəlìzəm] *n.* (지방 교황청의 의견·분권을 인정하지 않는) 바티칸〔교황 절대권〕주의. 「교황청.

Cúria Ro·má·na [-rouméinə] (the ~) 로마

Cu·rie [kjúəri, kjuəri:/kjúəri] *n.* 퀴리. **1 Pierre ~** (1859-1906), **Marie ~** (1867-1934)《라듐을 발견한 프랑스 물리학자 부부; Nobel 물리

학상은 부부 공동으로(1903), 화학상은 부인 단독으로(1911) 각각 수상함》. **2** Ⓒ (c-) 〖물리〗 방사능 계량(計量) 단위《기호 C, Ci》.

Cúrie cònstant 〖물리〗 =CURIAGE.

Cúrie pòint 〔**tèmperature**〕 〖물리〗 퀴리점〔온도〕《강(強)자성체의 자기 변태(磁氣變態)가 일어나는 온도》.

Cúrie's láw 〖물리〗 (상자성체(常磁性體)의) 퀴리의 법칙.

cu·rio [kjúəriòu] (*pl.* **~s**) *n.* 골동품; 진품(珍品): a ~ dealer 골동품상.

cu·ri·o·sa [kjùəriόusə] *n. pl.* 진본(珍本), 진서(珍書); 외설책.

cúrio shòp =CURIOSITY SHOP.

⁑**cu·ri·os·i·ty** [kjùəriásəti/-ɔ́s-] *n.* **1** Ⓤ 호기심, 캐기 좋아하는 마음; 진기함: out of 〔from〕 ~ 호기심에서 / She satisfied my ~ *to* know the reason. 그녀는 이유를 알고 싶어하는 나의 호기심을 만족시켜 주었다. **2** Ⓒ 진기한 물건, 골동품(curio). **3** Ⓤ 《고어》 신중함, 까다로움. ◇ curious *a.*

curiósity shòp 골동품점.

cu·ri·o·so [kjùəriόusou] (*pl.* **-si** [-sai], **~s**) *n.* 《It.》 미술품 애호〔감식〕가, 골동품 수집가.

⁑**cu·ri·ous** [kjúəriəs] *a.* **1** 호기심 있는, 사물을 알고 싶어하는; 〖나쁜 뜻으로〗 꼬치꼬치 캐기 좋아하는: ~ neighbors 남의 일을 호비기 좋아하는 이웃 사람들 / I am ~ *to* know who he is. 그가 누군지 알고 싶다 / He is too ~ *about* other peolple's business. 그는 다른 사람들의 일을 무턱대고 알고 싶어한다 / She was ~ (*about*) *what* she would find in the box. 그녀는 상자 안에 무엇이 있는지 알고 싶었다 / steal a ~ look (*at* ...) (…을) 신기한 듯 엿보다. **2** 진기한; 호기심을 끄는. **3** 기묘한; 《구어》 별난: a ~ fellow. **4** 《완곡어》 진본(珍本)의《서점 목록에서의 음란 서적》. **5** 《고어 · 문어》 면밀한, 주의 깊은. **~ *to say*** (좀) 이상한 얘기지만. **~*er and* ~*er*** 《속어》 갈수록 신기해지는. ㊞ **~·ness** *n.*

***cu·ri·ous·ly** [kjúəriəsli] *ad.* **1** 진기한 듯이, 호기심에서. **2** 기묘하게, 이상하게도: ~ enough 이상하게도.

cu·rite [kjúərait] *n.* 〖광물〗 큐라이트《방사성 우라늄 광석》.

cu·ri·um [kjúəriəm] *n.* Ⓤ 〖화학〗 퀴륨《방사성 원소; 기호 Cm; 번호 96》.

Curl [kəːrl] *n.* **Robert ~** 컬《미국 Houston의 Rice 대학 교수; 노벨 화학상 수상(1996); 1933-》.

curl** [kəːrl] *vt.* **1** 《~+目 /+目+副》 (머리털을) 곱슬곱슬하게 하다, 컬하다; (수염 따위를) 꼬다, 비틀다: ~ one's lip(s) (경멸하여) 입을 삐죽 내밀다 / He has his mustaches ~*ed up*. 그는 콧수염을 모두 꼬아 올렸다. **2** 〖~ oneself〗 둥글게 오그리고 자다: ~ one*self* up 몸을 곱송그리(고 눕)다, 오그라들다. **3** (종이 · 잎 등을) 둥글게 말다. **— *vi. **1** 곱슬털 모양이 되다. **2** 《~/+副》 비틀리다, 뒤틀리다; (연기가) 소용돌이치다; (길이) 굽이치다; (공이) 커브하다: Smoke ~*ed* (*up*) out of the chimney. 연기가 굴뚝에서 소용돌이치며 올라갔다. **3** 《Sc.》 컬링(curling) 경기를 하다. **4** 《구어》 꽁무니 빼다, 망설이다, 주저하다. **~ a person*'s hair*** =***make*** a person***'s hair* ~** 아무를 놀라게〔간담을 서늘하게〕 하다. **~ *the mo*** 《Austral.속어》 잘 해내다, 성공하다, 쟁취하다. **~ *up*** (끝에서부터) 말아올리다, (잎이) 말려 올라가다; 《영구어》 (혐오감으로) 구역질이 나다; 《구어》 까라지다; (기분 좋은 듯이) 웅크리고 자다〔앉다〕; 《비유》 (공포 · 무서움 · 웃음 등으로) 몸을 뒤틀다; 《구어》 (사람을) 넘어뜨리다, (사람이) 넘어지다.

— *n.* **1** Ⓒ 고수머리, 컬. **2** Ⓒ,Ⓤ 곱슬머리의 상태, 곱슬곱슬하게 되어〔비틀려〕 있음《*of*》: keep the hair in ~ 머리를 곱슬하게 해 두다 / a ~ *of* the lip(s) (경멸하여) 입을 비쭉거리기. **3** Ⓤ 컬하기, 말기. **4** Ⓒ 고수머리 모양의 것, 비틀려 있는 것. **5** Ⓤ (감자 등의) 위축병. **6** 《속어》 〖서핑〗 컬《부서질 때의 아치꼴 물마루》. **7** 《테니스속어》 볼의 회전, 스핀. **8** 〖미식축구〗 컬《패스플레이에서 리시버의 코스의 하나, 10-15 야드 직진한 후 빙 돌아 되돌아옴》. ***go out of* ~** (머리의) 컬이 풀리다; 《구어》 기운을 잃다, 맥이 풀리다. ***shoot the* ~** 〔***tube***〕 〖서핑〗 놀치는 파도 속에 들어가다.

curled *a.* 고수머리의; 소용돌이진; (잎이) 말린; 위축병에 걸린.

cúrl·er *n.* curl 하는 사람〔물건〕; 컬클립; curling 경기자.

cur·lew [kə́ːrluː/-ljuː] *n.* 〖조류〗 마도요.

curl·i·cue, curl·y·cue [kə́ːrlikjùː] *n.* 소용돌이(장식); (글자의) 장식체로 쓰기.

curl·i·ness [kə́ːrlinis] *n.* 곱슬곱슬함; 소용돌이.

cúrl·ing *n.* Ⓤ **1** 《Sc.》 컬링《얼음판에서 둥근 돌을 미끄러뜨려 과녁에 맞히는 놀이》. **2** (머리카락의) 컬; 지지기, 오그라짐: ~ pins 컬 핀. **— *a.*** 컬의.

curling 1

cúrling ìrons 〔**tòngs**〕 헤어아이론.

cúrling stòne 컬링 돌《curling 경기에 쓰는 돌〔쇠〕; 15-18 kg》.

cúrl·pàper *n.* Ⓤ (보통 *pl.*) 머리 지지는 데 쓰는 종이.

***curly** [kə́ːrli] *a.* 오그라든, 곱슬머리의; 소용돌이 모양의; (나뭇결 등) 꼬불꼬불한; (잎이) 말린; (뿔 따위) 꼬부라진.

cúrly bráckets 《구어》 〖수학 · 컴퓨터〗 중괄호 「{ }」.

cúrly·hèad *n.* =CURLY-PATE; 〖식물〗 clematis의 일종.

cúrly-pàte *n.* 곱슬머리(의 사람).

cur·mudg·eon [kərmʌ́dʒən] *n.* 노랭이, 구두쇠; 심술궂은 사람, 까다로운 사람〔노인〕. ㊞ **~·ly** *a.* 인색한; 심술궂은.

curr [kəːr] *vi.* (비둘기 · 고양이처럼) 구구〔가르랑〕거리는 목울림 소리를 내다.

cur·rach, -ragh [kʌ́rəx, kʌ́rə] *n.* 《Ir. · Sc.》 =CORACLE; 《Ir.》 소택지(沼澤地).

°**cur·rant** [kə́ːrənt, kʌ́r-/kʌ́r-] *n.* **1** (알이 잘고 씨 없는) 건포도. **2** 〖식물〗 까치밥나무《red ~, white ~, black ~ 따위의 종류가 있음》.

°**cur·ren·cy** [kə́ːrənsi, kʌ́r-/kʌ́r-] *n.* **1** Ⓤ (화폐의) 통용, 유통; (사상 · 말 · 소문 등의) 유포; 유통〔유행〕 기간; 현재성: acquire 〔attain, gain, obtain〕 ~ (화폐 · 말 · 소문 등이) 통용〔유포〕되다, 널리 퍼지다 / pass out of ~ 쓰이지 않게 되다 / be in common 〔wide〕 ~ 일반에〔널리〕 통용되고 있다. **2** Ⓒ 통화, 화폐《경화 · 지폐를 포함》; 통화 유통액. **3** Ⓤ 세상의 평판, 성가(聲價); 시가, 시세. **4** 《비유》 전달 수단, 언어〔지적〕 표현 수단. ***accept*** a person ***at his own* ~** 아무를 그 자신이 말하는 대로 인정하다. ***gain*** 〔***lose***〕 **~ *with the world*** 사회에서 신용을 얻다〔잃다〕. ***give* ~ *to*** …을 통용〔유포〕시키다.

cúrrency bònd 발행국 통화 지불 채권.

cúrrency bòx 손금고《같은 액면의 지폐 · 동전을 구분해 보관하는 휴대용의》.

cúrrency prìnciple 〔**dòctrine**〕 통화설, 통화주의.

cúrrency snàke 공동 변동 환시세제(換時勢制)(the snake).

cúrrency swàp 〖금융〗 통화 스와프《두 차입자가 상이한 통화로 차입한 자금의 원리 상환을

상호 교환하여 이행하는 약정 거래》.

cur·rent [kə́ːrənt, kʌ́r-/kʌ́r-] *a.* **1** 통용하고 있는; 현행의: a ~ deposit 당좌 예금/~ news 시사 뉴스/the ~ price 시가(時價)/~ English 현대〔시사〕 영어. **2** (의견·소문 등) 널리 행해지고 있는, 유행〔유포〕되고 있는: the ~ practice 일반적인 습관. SYN. ⇨PREVALENT. **3** 널리 알려진, 유명한. **4** (시간이) 지금의, 현재의: the ~ month 〔year〕 이달〔금년〕/the 5th ~ 이달 5일/~ topics 오늘의 화제/the ~ issue 〔number〕 (잡지 등의) 이달〔금주〕호. **5** 갈겨 쓴, 초서체의; 유창한: ~ handwriting 초서(草書). ***go*** 〔***pass, run***〕 ~ 일반적으로 통용되다, 세간에 인정되고 있다, 널리 행해지다. — *n.* **1** 흐름; 해류; 조류, 물살: air ~*s* 기류. SYN. ⇨FLOW. **2** (여론·사상 따위의) 경향, 추세, 풍조, 사조 (tendency). **3** 전류(electric ~); 기류(氣流). ㊞ ~·ness *n.*

cúrrent accóunt 당좌 예금, 당좌 계정; (국제 수지에서) 경상 수지 계정.

cúrrent affáirs (정치·경제·사회적인) 당면 문제.

cúrrent ássets 유동〔단기성〕 자산.

cúrrent collèctor 〖전기〗 집전(集電) 장치.

cúrrent dènsity 〖전기〗 전류 밀도《기호: J》.

cúrrent diréctory 〖컴퓨터〗 현재 디렉터리, 현재 목록《MS-DOS(microsoft disk operating system)에서 현재 작업 중인 디렉터리》.

cúrrent dríve 〖컴퓨터〗 현재 드라이브, 커런트 드라이브.

cúrrent efficiency 〖물리〗 전류 효율.

cúrrent evénts 〔단·복수취급〕 시사, 시사 문제 연구.

cúrrent expénses (회사 따위의) 경상비.

cúrrent liabílities 유동 부채.

cúr·rent·ly *ad.* 일반적으로, 널리; 현재, 지금; 쉽게, 어렵지 않게.

cúrrent rátio 유동 비율《유동 자산의 유동 부채에 대한》.

cúrrent shéet =MAGNETODISK.

cur·ri·cle [kə́ːrikəl/kʌ́r-] *n.* (예전의) 쌍두 2 륜 마차.

cur·ric·u·lar [kəríkjələr] *a.* 교육 과정의.

cur·ric·u·lum [kəríkjələm] (*pl.* ~*s*, *-la* [-lə]) *n.* 커리큘럼, 교육〔교과〕 과정; 이수 과정; (클럽 활동 등을 포함한) 전반적 학교 교육; 일반 교육.

currículum ví·tae [-váitiː] 이력(서).

cur·ried [kə́ːrid, kʌ́r-] *a.* 카레로 요리한: ~ rice 카레라이스.

cur·ri·er [kə́ːriər, kʌ́r-/kʌ́r-] *n.* 가죽 다루는 사람, 제혁장(製革匠); 말을 손질하는 사람.

cur·ri·ery [kə́ːriəri, kʌ́r-/kʌ́r-] *n.* Ⓤ 제혁업; Ⓒ 제혁소.

cur·rish [kə́ːriʃ] *a.* 들개 같은; 싸움을 좋아하는; 딱딱거리는; 상스러운, 천한. ㊞ ~·ly *ad.* ~·ness *n.*

cur·ry[1], **cur·rie** [kə́ːri, kʌ́ri/kʌ́ri] *n.* 카레 가루; Ⓒ,Ⓤ 카레 요리: ~ and 〔with〕 rice 카레라이스. ***give*** a person ~ 《Austral.속어》 아무를 호통치다, 윽박지르다. — *vt.* 카레로 맛을 내다〔요리하다〕: *curried* chicken 카레로 맛을 낸 닭고기.

cur·ry[2] *vt.* (말 따위를) 빗질하다; (무두질한 가죽을) 다듬다; 《속어》 치다, 때리다. ~ ***below the knee*** 《속어》 환심을 사다. ~ ***favor with*** … 의 비위를 맞추다; …에게 빌붙다.

cúrry·còmb *n.*, *vt.* 말빗(으로 빗질하다).

cúrry pòwder 카레 가루.

curse [kəːrs] (*p.*, *pp.* ~*d* [-t], 《고어》 ***curst*** [-t]) *vt.* **1** 저주하다, 악담〔모독〕하다. OPP. *bless*. **2** 《+목+전+명》 욕설을 퍼붓다, …의 욕을 하다: He ~*d* the taxi driver *for* trying to overcharge him. 그는 그에게 터무니없는 요금을 청구하려고 했다고 택시 기사에게 욕을 했다. **3** 〔보통 수동태〕 …에 빌미붙다; 괴롭히다《*with*》. **4** 〖종교〗 파문하다. — *vi.* 《~/+전+명》 저주하다; 욕설을 퍼붓다; 함부로 불경한 말을 하다 《*at*》: ~ *at* a person 아무를 매도(罵倒)하다. ***be ~d with*** (나쁜 성질·운명 등)을 가지고 있다 (have): She *is* ~*d with* a bad temper 〔drunken husband〕. 그녀에게는 못된 성미가 〔주정뱅이 남편이〕 있다. ~ ***and swear*** 갖은 악담을 퍼붓다. ***Curse it!*** 제기랄, 빌어먹을. ***Curse you!*** 뒈져라.

— *n.* **1** 저주; 악담, 욕설; 저주〔독설〕의 말 《Blast!, Deuce take it!, Damn!, Confound you! 등》: *Curses*(, like chickens,) come home to roost. 《속담》 저주는 (새 새끼처럼) 둥지로 돌아온다, 남잡이가 제잡이. **2** 천벌, 벌. **3** 재해, 화(禍), 불행: the ~ of drink 음주의 해(害). **4** 불행〔재해〕의 씨; 저주받은 것, 저주의 대상. **5** 〖종교〗 파문. **6** (the ~) 《구어》 월경 (기간). ***be not worth a*** ~ 전혀 가치가 없다. ***call down a*** ~ ***upon*** a person 아무를 저주하다. ***Curse upon it!*** 제기랄, 빌어먹을(Curse it!). ***do not care*** 〔***give***〕 ***a*** ~ ***for*** 《구어》 …따위는 조금도 상관없다. ***lay*** a person ***under a*** ~ 아무에게 주술을 걸다. ***the*** ~ ***of Cain*** 가인이 받은 저주, 영원한 유랑. ***the*** ~ ***of Scotland*** 〖카드놀이〗 다이아의 아홉 끗. ***under a*** ~ 저주를 받아; 빌미붙어.

curs·ed, curst [kə́ːrsid, kəːrst], [kəːrst] *a.* **1** 저주를 받은, 빌미붙은. OPP. *blessed*. **2** 《구어》 저주할 (만한), 지겨운, 지긋지긋한; 파문당한. **3** 《고어》 〖흔히 curst〗 빙퉁그러진, 짓궂은: This ~ fellow! 이런 염병할 놈. — *ad.* 《구어》 =CURSEDLY 2. ㊞ ~·ly *ad.* **1** 저주받아. **2** 《구어》 가증스럽게도; 지겹게도. ~·ness *n.* 저주받은 상태; 저주스러움; 《구어》 성질이 비뚤어짐: a ~ hard job 호되게 힘든 일.

cur·sil·lo [kuərsíːljou] (*pl.* ~*s*) *n.* 〖가톨릭〗 **1** 꾸르실료 운동《'복음화를 위한 단기 교육'을 통해서 신앙 생활을 쇄신하고, 세상을 복음화시키려는 운동》. **2** 단기 교육을 위한 제 1 단계 집회.

curs·ing [kə́ːrsiŋ] *n.* Ⓤ 저주; 악담.

cur·sive [kə́ːrsiv] *n.*, *a.* 흘림(으로 쓰는), 초서(草書)(의). ㊞ ~·ly *ad.* ~·ness *n.*

cur·sor [kə́ːrsər] *n.* 커서《(1) 계산자·측량기기 등의 눈금이 달린 투명한 움직이는 판. (2) 깜박이, 반디컴퓨터 등에 연결된 디스플레이의 스크린 위에서 여러 위치로 이동 가능한 빛의 점》.

cúrsor contról kèy 〖컴퓨터〗 커서 제어 키.

cúrsor dìsk 〖컴퓨터〗 커서 디스크《키보드의 구석에 있는 원반 또는 4 각형의 패드》.

cur·so·ri·al [kəːrsɔ́ːriəl] *a.* 〖동물〗 달리기에 알맞은《발을 가진》, 주행성(走行性)의: ~ birds 주 금류(走禽類)《타조·화식조(火食鳥) 등》.

cur·so·ry [kə́ːrsəri] *a.* 몹시 서두른, 조잡한, 엉성한. ㊞ **-ri·ly** [-rili] *ad.* **-ri·ness** *n.*

curst [kəːrst] 《고어》 CURSE의 과거·과거분사. — *a.* =CURSED.

cur·sus ho·no·rum [kə́ːrsəs-hɑnɔ́ːrəm, -hɔ-] 《L.》 (=course of honor) 명예로운 관직의 연속, 엘리트 코스.

curt [kəːrt] *a.* 짧은, 간략한; 무뚝뚝한, 퉁명스러운; 짤막하게 자른: be ~ to a person 아무에게 무뚝뚝하다〔퉁명스럽다〕. ㊞ ⌐·ly *ad.* ⌐·ness *n.*

cur·tail [kəːrtéil] *vt.* **1** 짧게 (잘라) 줄이다; 생략하다; (원고 따위를) 간략하게 하다; 단축하다; 삭감하다: ~ a program 예정 계획을 단축하다/have one's pay ~*ed* 감봉(減俸)되다. **2** 《~+목/+목+전+명》 박탈하다《*of*》, 빼앗다: ~ a person *of* his privilege 아무에게서 특권을 박탈하다. ㊞ ~·ment *n.* Ⓤ 줄임, 단축, 삭감:

~*ment* of expenditure 경비 절감.

cur·tain [kə́ːrtn] *n.* **1** 커튼, 휘장: draw down the ~ 커튼을 내리다. **2** (극장의) 막; 개막, 개연(開演), 종연(終演). **3** 막 모양의 것; 막 모양 칸막이; 〖축성(築城)〗 막벽(幕壁)《두 능보(稜堡)를 잇는 것》; 〖건축〗 =CURTAIN WALL: a ~ *of* secrecy 비밀의 베일. **4** (*pl.*) 《속어》 죽음, 최후, 종말. ***behind the*** ~ 음으로, 배후에서; 비밀히; 남몰래. ***bring*** 〔***ring***〕 ***down the*** ~ ***on*** …을 끝나게 하다, 폐지하다. ***Curtain!*** 여기서 막!《다음은 상상해 보시라; 관객의 주의를 끌기 위한 말》 (Tableau!). ***draw*** 〔***throw, cast***〕 ***a*** ~ ***over ...*** =draw a VEIL over.... ***draw the*** ~ ***on*** …에 커튼을 치고 가리다, …을 (다음은 말 않고) 끝내다. ***lift*** 〔***raise***〕 ***the*** ~ ***on ...*** 막을 올리고 …을 보이다; …을 시작하다; …을 터놓고 이야기하다. ***ring up*** 〔***down***〕 ***the*** ~ 벨을 울려서 막을 올리다〔내리다〕; 개시를〔종말을〕 고하다《*on*》. ***take a*** ~ (배우가) 관객의 갈채를 받고 막 앞에 나타나 인사하다. ***The*** ~ ***falls*** 〔***drops, is dropped***〕. (연극의) 막이 내리다; (사건이) 끝나다. ***The*** ~ ***rises*** 〔***is raised***〕. (연극의) 막이 오르다, 개막되다; (사건이) 시작되다.

— *vt.* 《~+目/+目+副》 …에 (장)막을 치다; (장)막으로 덮다; (장)막으로 가르다〔막다〕《*off*》: ~*ed* windows 커튼을 친 창문 / ~ *off* part of a room 커튼으로 방 한쪽을 막다.

cúrtain càll (배우를 무대로) 다시 불러내기.

cúrtain fàll 종막; 결말, 대단원.

cúrtain fìre 〖군사〗 탄막(彈幕) 포화〔사격〕, 탄막(barrage).

cúrtain lècture 베갯밑공사《아내가 잠자리에서 남편에게 하는 잔소리》.

cúrtain lìne (연극 등에서) 장(場)이나 막(幕)의 마지막 한 절. cf. tag line.

cúrtain mùsic (연극 등의) 개막 직전이나 막간에 연주되는 음악.

cúrtain ràiser 개막극《본극이 시작되기 전에 하는 짧은 극》; 《구어》(리그의) 개막전(戰); (경기의) 첫회, (더블헤더의) 첫 경기; 《비유》개시, 전조.

cúrtain rìng 커튼 고리.

cúrtain ròd 휘장을 거는 막대.

cúrtain spèech (극이 끝나고) 막 앞에서 하는 인사말; 연극〔막·장〕의 마지막 대사.

cúrtain tìme (연극·콘서트 등의) 개막 시간.

cúrtain-ùp *n.* 《영》(연극의) 개막.

cúrtain wàll 〖건축〗 칸막이 벽《건물의 무게를 지탱하지 않는》; 〖축성(築城)〗 =CURTAIN.

cur·ta·na [kəːrtéinə, -tɑ́ːnə] *n.* 칼끝 없는 검(劍)《영국왕 대관식 때 자비의 증표로 받듦》.

cur·tate [kə́ːrteit] *a.* 단축시킨〔한〕; 생략한.

cur·te·sy [kə́ːrtəsi] *n.* 상처한 남편이 죽은 아내의 토지를 일평생 소유할 수 있는 권리《단 자녀 있는 경우에 한하였음》.

cur·ti·lage [kə́ːrtəlidʒ] *n.* Ⓤ 〖법률〗 대지, 택지, 주택에 딸린 마당.

°**curt·sey, curt·sy** [kə́ːrtsi] *n.* (여성이 무릎과 상체를 굽히고 하는) 인사, 절: make one's ~ to the queen (여성이) 여왕을 배알하다. — *vi.* 무릎을 굽혀 인사하다《*to*》.

cu·rule [kjúəruːl] *a.* 〖고대로마〗 고관 의자에 앉을 자격이 있는; 고관의; 최고위의.

cúrule chàir 〖고대로마〗 (상아를 박은) 고관 의자, 상아 의자.

cur·va·ceous, -cious [kəːrvéiʃəs] *a.* 《구어》 곡선미의, 육체미의《여성에 대한 말》.

cur·va·ture [kə́ːrvətʃər] *n.* Ⓤ 굴곡, 만곡(彎曲); 곡선; 〖수학〗 곡률(曲率); 〖의학〗 만곡.

*****curve** [kəːrv] *n.* **1** 만곡(부·물(物)), 굽음, 휨; 커브. **2** 곡선, 곡선 모양의 물건. **3** 〖야구〗 곡구(曲球). **4** 〖통계〗 곡선도표, 그래프; 운형(雲形)자. **5** 사기, 속임, 부정. **6** 〖교육〗 상대 평가《학생의 인원 비례에 의한》. **7** (보통 *pl.*) (여성의) 곡선미; (곡선미의) 미인(美人). ***get on to*** a person***'s*** ~***s*** 《미속어》 아무의 속내를 알아채다. ***throw a*** ~ 《구어》 속이다; 의표를 찌르다. — *vt.* 구부리다; 만곡시키다; 〖야구〗 커브시키다; 〖교육〗 상대 평가하다. — *vi.* 《~/+전+명》 구부러지다, 만곡하다; 곡선을 그리다: The road ~*s round* 〔*around*〕 the gas station. 도로가 그 주유소의 둘레를 돌아서 나 있다.

cúrve bàll **1** 〖야구〗 커브. **2** 책략.

curved *a.* 굽은, 곡선 모양의. ㊕ **cúrv·ed·ly** [-vidli] *ad.* 굽어서. **cúrv·ed·ness** [-vid-] *n.* 만곡(彎曲).

cúrve fitting 〖수학〗 곡선 맞춤.

cúrve kìller 《미학생속어》 우등생.

cur·vet [kə́ːrvit/kəːvét] *n.* 〖승마〗 등약(騰躍)《앞발이 땅에 닿기 전에 뒷발로 뛰어오르기》; 도약, 커벳; (껑충껑충) 뛰어 돌아다님. — (**-tt-**) [kərvét, kə́ːrvit] *vi.*, *vt.* (말이) 등약하다; (말을) 커벳시키다; (어린이 등이) 뛰놀다.

cur·vi·lin·e·al, -e·ar [kəːrvilíniəl], [-niər] *a.* 곡선의〔으로 된〕; 화려한, 곡선미의: ~ style 곡선 장식 양식.

curvy [kə́ːrvi] *a.* 《구어》 굽은; 곡선미의.

cu·sec [kjúːsek] *n.* 큐섹《유량의 단위; 매초 1 세제곱 피트 상당》. [◂ *cu*bic foot per *sec*ond]

cush [kuʃ] *n.* 《미속어》 **1** 금전, 현금; 주운〔훔친〕 지갑. **2** 죽; 디저트, 단것.

cush·at [kʌ́ʃət, kúʃət] *n.* 《Sc.》 염주비둘기.

Cúshing's disèase 〖의학〗 쿠싱병《뇌하수체 종양에 의한》.

Cúshing's sỳndrome 〖의학〗 쿠싱증후군《부신 피질의 기능 항진으로 생기는 병》.

*****cush·ion** [kúʃən] *n.* **1** 쿠션, 방석; (쿠션) 베개. **2** 쿠션 모양의 물건; 받침 방석; 바늘겨레 (pin-~); (머리에 덧넣는) 다리; (스커트 허리에 대는) 허리받이; (신에 넣는) 패드. **3** 완충물, 충격을 늦추는 것; (당구대의) 쿠션; 〖기계〗 공기 쿠션. **4** 마이너스 효과를 막는 것; 마음의 고통을 달래는 것; 경기 퇴행을 완화하는 요소; 예비비; (고통을 더는) 약, 치료: a ~ *against* inflation 인플레이션 완화책. **5** (소·돼지 따위의) 볼깃살; (말굽의) 연골. **6** 〖식물〗 엽침(葉枕). **7** 〖방송〗 (시간) 조정 재료《자막·간주 음악 등》. **8** (야구의) 누(壘)(base).

— *vt.* **1** …에 쿠션을 대다; 방석 위에 놓다〔앉히다〕. **2** (충격·자극·악영향 따위를) 완화시키다, 흡수하다. **3** 《+目+전+명》 (불평 따위를) 무마하다, 가라앉히다; (…로부터) 지키다, 보호하다《*from; against*》: We try to ~ our children *from* the hard realities of life. 우리는 자녀들을 삶의 험난한 현실로부터 보호하려고 애를 쓴다. **4** 〖당구〗 (공을) 쿠션에 밀어놓다. ~***ed voice*** 부드러운〔듣기 좋은〕 목소리.

㊕ ~**·less** *a.* ~**·lìke** *a.*

cúshion·cràft (*pl.* ~) *n.* =AIR-CUSHION VEHICLE.

cúsh·ion·ing *n.* 쿠션재.

> NOTE ‘구체명사의 어미변화형+ing’ 형태의 명사는 ‘가공 재료로서 본 구체물’ 또는 ‘구체물 바로 앞 단계의 가공 재료’를 뜻함. 보기: tubing(튜브재), roofing(지붕재), filming(필름재), piping(파이프재, 배관), wiring(와이어재, 배선) 따위.

cúshion stàr 〖동물〗 불가사리.

cúshion tìre 고무 조각을 채워 넣은 자전거 타이어.

cush·iony [kúʃəni] *a.* 쿠션 같은, 푹신한; 즐거운; =CUSHY.

cushy [kúʃi] (***cush·i·er; -i·est***) *a.* 《구어》 편한, 편하게 돈 버는《일·지위 따위》; 《군대속어》 (상처

가) 가벼운. ―n. 돈(money). ㊞ **cúsh·i·ly** *ad.* **cúsh·i·ness** *n.*

cusk [kʌsk] (*pl.* **~s,** ~) *n.* 〖어류〗 대구 비슷한 큰 바닷물고기《식용》; 모캐.

cusp [kʌsp] *n.* 뾰족한 끝; 〖해부·생물〗 (치아·잎 따위의) 첨단, 첨두(尖頭); 〖천문〗 (초승달의) 끝; 〖수학〗 (두 곡선의) 꼭지점; 〖건축〗 (고딕식 건축에서 아치 안쪽의) 두 곡선이 만나는 돌출점; 〖점성〗 수(宿)(house)의 개시점. ㊞ **~ed** [-t] *a.* 끝이 있는, 뾰족한.

cus·pid [kʌ́spid] *n.* 〖해부〗 (특히 사람의) 송곳니(canine tooth). ㊞ **cus·pi·dal** [kʌ́spədəl] *a.* 끝이 뾰족한.

cus·pi·date, -dat·ed [kʌ́spədèit], [-id] *a.* 첨단(尖端)이 있는, 끝이 뾰족한.

cus·pi·dor(e) [kʌ́spədɔ̀ːr] *n.* 《미》 타구(唾具)(spittoon).

cuspy [kʌ́spi] *a.* 《해커속어》 (컴퓨터 프로그램이) 잘된, 기능적인, 편리한. OPP. *rude, crufty.*

cuss [kʌs] 《구어》 *n.* Ⓤ 저주, 욕설, 악담; Ⓒ 《흔히 경멸》 녀석, 새끼. ―*vt., vi.* 저주하다, 악담하다; 비방하다.

cuss·ed [kʌ́sid] 《구어》 *a.* ＝CURSED; 고집통이의, 빙퉁그러진. ㊞ **~·ly** *ad.* **~·ness** *n.* 「(暴白).

cúss·wòrd *n.* 《미구어》 악담, 저주의 말, 폭백

°**cus·tard** [kʌ́stərd] *n.* Ⓒ,Ⓤ 커스터드《우유·달걀·설탕 따위를 섞어 찌거나 구운 과자》; 커스터드소스《우유·달걀 또는 곡식 가루를 섞어 찐 단맛이 나는 소스》.

cústard àpple 〖식물〗 번려지속(蕃荔枝屬)의 식물《서인도 제도산; 식용 과실》; 포포(papaw) 《북아메리카산(產)》. 「유리》.

cústard glàss 커스터드 유리《담황색 불투명

cústard-píe *a.* 최하급〔공연히 수선 떠는〕 희극의(slapstick)《전에 희극 영화에서 파이를 얼굴에 던지는 장면이 많았음》.

cústard pówder 커스터드소스용 곡식 가루.

Cús·ter's Làst Stánd [kʌ́stərz-] 커스터의 최후 항전《19세기의 미국 제7기병대 대장 커스터(George Armstrong ~)와 미국 원주민 수족(Sioux族) 간의 전투; 여기서 커스터와 그의 기병대가 전멸당함》.

cus·to·di·al [kʌstóudiəl] *a.* 보관〔보호〕의; 관리인의. ―*n.* 성물함(聖物函).

custódial párent 〖법률〗 자녀 양육권을 가진 부(父) 또는 모(母). 「결.

custódial séntence 〖법률〗 구금형, 구류 판

cus·to·di·an [kʌstóudiən] *n.* 관리인, 보관자; 수위; (남을 위해 증권을 맡는) 보관 은행. ㊞ **~·ship** [-ʃip] *n.*

°**cus·to·dy** [kʌ́stədi] *n.* Ⓤ **1** (…의) 보관, 관리; (아무의) 보호〔감독〕《*of*》: be in the ~ *of* …에 관리〔보관, 보호〕되어 있다 / have the ~ *of* …을 보관〔관리〕하다. **2** (관헌의) 보호 관리《*of*》. **3** 구금, 구류《*in; into*》: keep *in* ~ 수감〔구치〕하고 있다 / take a person *into* ~ 아무를 구류하다. **4** 〔관사 없이〕〖법률〗 (특히 이혼·별거에서) 자녀 양육권(child custody): ~ battle 자녀 양육권 다툼 / ~ hearings 자녀 양육권 재판. cf. joint custody, sole custody.

⁑**cus·tom** [kʌ́stəm] *n.* **1** Ⓒ 관습, 풍습, 관행: manners and ~*s* of a country 일국의 풍속 습관 / *Custom* makes all things easy. 《속담》 배우기보다 익혀라 / *Custom* is (a) second nature. 《속담》 습관은 제2의 천성이다. SYN. ⇨ HABIT. **2** Ⓒ 〖법률〗 관례, 관습(법). **3** Ⓤ (상점 등에 대한 손님의) 애호, 애고(愛顧); 〔집합적〕 고객: increase 〔lose〕 ~ 단골을 늘리다〔잃다〕 / withdraw 〔take away〕 one's ~ from a store 어느 가게에 단골로 다니기를 그만하다. **4** Ⓒ 〖역사〗 (영주에게 바치던) 공조(貢租). **5** (*pl.*) 관세; (*pl.*) 〔단수취급〕 세관, 통관 절차; 사용세〔료〕: a ~*s* officer 세관원(稅關員). ―*a.* 《미》 (기성품에 대해) 맞춘, 주문한: ~ clothes 맞춤 옷 (tailor-made 〔made-to-measure〕 clothes) / a ~ tailor (맞춤 전문) 양복점.

cús·tom·a·ble *a.* 관세가 붙는(dutiable).

cus·tom·ar·i·ly [kʌ́stəmèrəli, 《강조》 kʌ̀stəmér-/kʌ́stəmər-] *ad.* 습관적으로, 관례상.

*__cus·tom·ary__ [kʌ́stəmèri/-məri] *a.* 습관적인, 재래의, 통례의; 〖법률〗 관례에 의한, 관습상의: It is ~ *for* 〔*with*〕 me to get up at six. 6시에 일어나는 것이 나의 습관이다 / a ~ law 관습법 / a ~ price 관습 가격. ―*n.* (한 나라·영역의) 관례집; ＝CONSUETUDINARY.

cústom-buílt *a.* 주문 건축〔제작〕의.

cústom-desígn *vt.* 주문에 의해 설계하다; 설계를 특별 주문하다. ★ 보통 *pp.*로 형용사적으로 쓰임.

⁑**cus·tom·er** [kʌ́stəmər] *n.* **1** (가게의) 손님, 고객; 단골, 거래처. SYN. ⇨ VISITOR. **2** 《구어》 놈, 녀석: a cool ~ 냉정한 놈 / a tough ~ 벅찬 상대.

cústomer púrchase òrder 구입 주문서. ★ 흔히는 purchase order.

cústomer's bròker 〔**màn**〕 증권 회사의 고객 담당. ★ 현재는 registered representative (등록된 증권 세일즈맨)와 같은 뜻으로 씀.

cústomer sèrvice 고객 서비스; 《우스개》 (손님의 부정을 방지하기 위한) 고객 대책.

°**cústom·hòuse, cústoms·hòuse** (*pl.* *-hòus·es*) *n.* 세관.

cús·tom·ìze *vt.* …을 주문을 받아 만들다, 개인의 희망에 맞추다.

cústom-máde *a.* (기성품에 대하여) 주문품의, 맞춤의; (선전 따위에서) 고급(제)품의. OPP. *ready-made.*

cústom-máke *vt.* 주문으로 만들다.

cústom òffice 세관 (사무소).

cústoms bròker 세관 화물 취급인, 통관업자.

cústoms dùties 관세.

cústoms·frée *a.* 관세가 붙지 않는, 무관세의.

cústoms tàriff 관세표, 관세율.

cústoms ùnion (국가 간의) 관세 동맹.

cústom-táilor *vt.* 특별 주문에 따라 변경〔기획, 제작〕하다.

cus·tos [kʌ́stɑs/-tɔs] (*pl.* ***cus·to·des*** [kʌstóudiːz]) *n.* 관리인, 감시인.

cus·tu·mal [kʌ́stʃuməl] *n.* (한 나라·한 영역의) 관습 기록집(customary).

†**cut** [kʌt] (*p., pp.* **~;** **∠·ting**) *vt.* **1** 《~+목/+목+보》 (칼 따위로) 베다: ~ one's finger 손가락을 베다 / ~ something open 무엇을 절개하다.

> SYN. **cut** 잘 드는 날붙이로 자름을 나타냄: *cut* one's finger with a knife 칼에 손가락을 베다. **chop** 힘껏 두드려서 자름을 말함: *chop* trees with an ax 도끼로 나무를 내리침. **hack** 자잘한 것을 가리지 않고 닥치는 대로 잘라 버림을 이름.

2 《~+목/+목+목/+목+전+명/+목+보/+목+부》 절단하다, 잘라 내다《*away; off; from; out of*》; (나무를) 자르다; (풀·머리 등을) 깎다; (책의 페이지를) 자르다; (종이를) 오리다; (고기·빵을) 베어 가르다; 《미속어》 (이익을) 분할하다; 《미속어》 분담하다, 공유하다: ~ the lawn 잔디를 깎다 / *Cut* me a slice of bread. ＝*Cut* a slice of bread *for* me. 빵 한 조각 잘라 줘요 / ~ the cake *in* two 케이크를 반분하다 / Let's ~ (*up*) the profits. 이익을 나누자 / ~ one's hair

close 머리를 짧게 깎다 / ~ *away* the dead wood *from* a tree 나무에서 죽은 가지를 치다.
3 (선 따위가 다른 선 따위와) 교차하다; (강 따위가) 가로질러 흐르다《*through*》.
4 《~+목/+목+전+명》 〖~ one's 〔a〕 way의 꼴로〗 (물·길 등을) 헤치고 나아가다《*through*》; (길을) 내다, (운하·터널 등을) 파다《*through*》: ~ a trench 도랑을〔참호를〕 파다 / He ~ *his way through* the jungle *with* machete. 긴 칼을 휘둘러 정글을 헤치고 나갔다.
5 《~+목/+목+전+명》 (보석을) 잘라서 갈다, 깎다; (돌 등을) 새기다, 파다; (천·옷을) 재단하다, 마르다: ~ a coat 상의를 재단하다 / ~ a diamond 다이아몬드를 갈다 / a figure ~ *in* stone 돌에 새긴 상(像).
6 긴축하다; 삭감하다; (값·급료를) 깎다《*down*》; (비용을) 줄이다: ~ the pay 급료를 내리다 / Automation will ~ production costs. 자동화하면 생산비가 줄어들 것이다.
7 《+목+전+명》 (이야기 따위를) 짧게 하다; 삭제하다; (영화·각본 따위를) 컷〔편집〕하다: ~ several scenes *from* the original film 원 영화에서 몇 장면을 컷하다.
8 〖라디오·TV〗 〖명령형〗 (녹음·방송을) 그만두다, 중단하다, 컷하다《*out*》.
9 (두드러진 동작·태도 따위를) 보이다, 나타내다: ~ a poor figure 초라하게 보이다.
10 《+목+전+명》 (채찍 따위로) 세게 치다; (찬바람 따위가) …의 살을 에다; …의 마음을 도려내다: ~ a person *to* the heart 아무에게 골수에 사무치도록 느끼게 하다.
11 《구어》 짐짓 모른 체하다, 몽따다, 무시하다; 《비유》 관계를 끊다, 절교하다《*off*》; 《구어》 포기〔단념〕하다; 《구어》 (회합·수업 등을) 빼먹다, 빠지다: His friends ~ him in the street. 그의 친구들은 거리에서 그를 만나도 모른 체했다 / ~ the English class 영어 수업을 빼먹다.
12 용해하다; (술 따위를) 묽게 하다.
13 (어린이가 새 이를) 내다.
14 〖카드놀이〗 (패를) 떼다; (공을) 깎아치다, 커트하다.
15 (테이프로) 녹음하다: ~ a record 레코드를 녹음하다.
16 차단하다, 방해하다; (엔진·전기·수도를) 끄다, 끊다《*off*》: ~ (*off*) the supply of gas 〔electricity〕 가스〔전기〕 공급을 끊다.
17 (말 따위를) 거세하다.
18 《미속어》 …을 훼방 놓다, 망쳐 놓다; (남을) 무색하게 만들다, 압도하다; 괴롭히다.
19 《미속어》 (아무를 춤추는 그룹에서) 빼내다, 물러나게 하다.
— *vi.* **1** 《+부》 베이다, (날이) 들다: This knife ~*s well.* 이 칼은 잘 든다. **2** 《+전+명》 곧바로 헤치고 나아가다, 뚫고 나아가다《*through*》: ~ *through* woods 숲을 헤치고 나아가다. **3** 《+전+명》 지름길로 가다, 가로지르다《*across*》: ~ *across* a yard 마당을 질러가다. **4** 《+부/+전+명》 (채찍 따위로) 세차게 치다; (배트 등을) 휘두르다; (찬바람 따위가) 살을 에다; (문제점·핵심을) 찌르다; 남의 감정을 해치다, 골수에 사무치다: The wind ~ *bitterly.* 바람이 살을 에는 듯 몹시 찼다 / The criticism ~ *at* me. 그 비평은 심히 견디기 어려웠다 / His insight ~ *to* the heart of the problem. 그의 통찰력은 문제의 핵심을 찔렀다. **5** 《구어》 급히 떠나다〔가다〕, 질주하다, 도망치다《*along*》. **6** (이가) 나다. **7** 〖카드놀이〗 (패를) 떼다. **8** (말이 가다가) 발과 발을 맞부딪다(interfere). **9** (구기에서) 공을 깎아치다. **10** 〖회화〗 (색깔 따위가) 너무 두드러지다. **11** 〖라디오·TV〗 녹음〔촬영〕을 중단하다, 컷하다; (영화 등을) 편집하다.

~ ***about*** 뛰어 돌아다니다. ~ ***a caper***(***s***) ⇨ CAPER[1]. ~ ***across*** ① (들판 등을) 질러가다. ② …와 엇갈리다. ③ 《비유》 …을 초월하다. ~ ***adrift*** (배를) 흘러가게 하다; (영원히) 헤어지다. ~ ***after*** …을 급히 좇다. ~ ***along*** 선 등을 따라 자르다; 《영구어》 급히 사라지다. ~ ***a loss*** 〔one's ***losses***〕 ⇨ LOSS. ~ ***and carve*** (고기 등을) 베어 노느다, 분할하다. ~ ***and come again*** 몇 번이고 갖다 먹다; 갖고 싶은 만큼 가지다. ~ ***and run*** (배가) 닻줄을 끊고 급히 출범하다; 《구어》 허둥지둥 달아나다. ~ a person ***dead*** 아무를 아주 모르는 체하다. ~ ***a*** person***'s ass*** 《미속어》 호되게 꾸짖다. ~ ***at*** …을 칼로 내리치다, (매로) …을 맹타하다; 《구어》 (정신적인) 타격을 주다, (희망 등을) 좌절시키다. ~ ***away*** 베어 내다〔버리다〕; 마구 베다; 《구어》 도망치다. ~ ***back*** ① (나뭇가지 등을) 치다. ② (계약 등을) 중도에서 파기하다; (생산 경비 등을) 줄이다(reduce), 중지하다. ③ (이야기 도중에) 거슬러 올라가다; 〖축구〗 급히 후퇴하다; 〖영화〗 컷백하다. cf. cutback. ~ ***both ways*** 유리·불리의 양면을 지니다, 좋은 면도 나쁜 면도 있다. ~ ***corners*** ⇨ CORNER. ~ ***down*** 《*vt.*+부》 ① (나무를) 베어 넘기다; (적을) 베어 죽이다, 때려눕히다. ② (값을) 깎다, 에누리하다《*to*》. ③ (비용·수당을) 삭감하다; …의 생기를 잃게 하다. ④ (헌 옷을) 줄여 고치다, 줄이다. ⑤ 《비유》 (질병 등이) 쓰러뜨리다. ⑥ 음량〔볼륨〕을 낮추다. ─ 《*vi.*+부》 ⑦ (음식·담배 따위의) 양을 줄이다《*on*》: ~ *down on* smoking. ~ ***... down to size*** (과대평가된 사람·능력·문제 등을) 그에 상응한 수준에까지 내리다, …의 콧대를 꺾다. ~ ***fine*** 아주 적은 이익밖에 생기지 않다. ~ ***for deal*** 〔***partners***〕 패를 떼어 선〔짝〕을 정하다. ~ ***... free*** (끊어) …을 자유롭게 하다: ~ oneself *free* 오라를 끊고 달아나다; (일 등에서) 빠져나오다《*from*》. ~ ***in*** 《*vi.*+부》 ① 끼어들다; (남의 이야기 따위에) 참견하다; (남의 말을) 가로막다《*on*》. ② (사람·자동차가) 새치기하다《*on*》. ③ (전화로) 남의 이야기를 엿듣다. ④ (춤 추는데) 춤 상대를 가로채다《*on*》; 〖카드놀이〗 물러난 사람 대신 게임에 참가하다. ⑤ (전기가) 켜지다, (기계가) 가동하다. ─ 《*vt.*+부》 ⑥ (나이프·주걱 따위로) (쇼트닝을) 밀가루에 섞다. ⑦ (집단·연속물에) 가입시키다, (장면 등을) 삽입하다. ⑧ …에 몫을 나눠 주다, (이익 나는 일에) 끼워 주다《*on*》. ⑨ (장치를) 접속하다. ~ ***into*** (고기·케이크 등)에 칼을 대다; (이야기 따위)에 끼어들다, …을 방해하다; (일 등이 시간을) 잡아먹다; (이익·가치 등을) 줄이다. ~ ***it*** 《미구어》 〖종종 의문문·부정문〗 훌륭하게 잘 하다; 바람직하게 활약하다; 성교하다. ~ ***it fine*** ⇨ FINE[1]. ~ ***it off*** 《속어》 잠자다. ***Cut it*** 〔***that***〕 ***out.*** 《구어》 그만둬, 닥쳐. ~ ***loose*** 사슬〔구속〕을 끊고 놓아주다; 관계를 끊다; 도망치다; 《구어》 거리낌없이 행동하다, 방자하게 굴다; 법석을 떨다, 통음(痛飮)하다; 활동〔공격〕을 개시하다. ~ ***lots*** 제비를 뽑다. ~ ***no ice*** ⇨ ICE. ~ ***off*** 《*vt.*+부》 ① 베어〔잘라〕 내다, 떼어 내다; 삭제하다《*from*》. ② 중단하다, (가스·수도·전기 등을) 끊다; (수당 등을) 끊다. ③ (통화·연락 등을) 방해하다; (통화 중) 상대의 전화를 끊다. ④ (퇴로·조망 등을) 차단하다; (사람·마을·부대 따위를) 고립시키다《*from*》: ~ oneself *off from* the world 세상과의 관계를 끊다. ⑤ (엔진 등을) 멈추다. ⑥ 〖보통 수동태〗 (병 등이 아무를) 쓰러뜨리다. ⑦ 폐적(廢嫡)〔의절〕하다. ⑧ 〖야구〗 (외야로부터의 공을) 커트하다. ─ 《*vi.*+부》 ⑨ 서둘러 떠나다. ⑩ (기계가) 서다. ~ ***off*** one***'s nose to spite*** one***'s face*** ⇨ SPITE. ~ ***on*** 급히 나아가

다; 살아가다. ~ ***out*** 《*vt.*+부》 ① 베어 내다 《*of*》; 오려 내다; 생략하다; 삭제하다; 제거〔제외〕하다; (차량을) 분리하다. ② 잘라〔파, 새겨〕서 만들다, (옷을) 재단하다. ③ 〖흔히 과거분사로〗 예정하다, 준비하다; 알맞게 하다. ④ 《비유》 (아무)를 대신하다, (경쟁 상대를) 앞지르다, 제쳐 놓다, 이기다. ⑤ 〖해군〗 (적의 포화를 뚫고 가서, 또는 항구 안에서 적의 배를) 나포하다. ⑥ 〖카드놀이〗 (패를 떼어) 게임을 쉴 사람을 정하다, 쉬게 하다; 게임을 쉬다. ⑦ 《미 · Austral.》 (동물을) 그 무리에서 떼어 놓다, 고르다. ⑧ 《Austral.》 양털 깎기를 마치다; (활동을) 마치다, (재잘거림 등을) 그만하다; (흡연 등을) 그만하다; (앞차를 추월하려고) 차선을 벗어나다; (엔진을) 멈추게 하다: *Cut out!* 그만둬 / ~ *out* tobacco 〔smoking〕 담배를 끊다. ── 《*vi.*+부》 ⑨ (엔진이) 멈추다; 정지하다; (기계를) 세우다; (히터 등이) 저절로 정지하다; 《Austral.》 (도로 등이) 막다르다. ⑩ 《구어》 급히 떠나다〔도망하다〕. ⑪ 〖인쇄〗 컷을〔삽화를〕 넣다. ⑫ (침식(浸蝕)에 의해) 형성하다. ~ ***round*** 《미》 뛰어 돌아다니다; 자랑 삼아 보이다, 과시하다. ~ one***'s eye*** 《미구어》 눈짓하다. ~ a person***'s hair*** 아무를 놀라게 하다. ~ ***short*** ⇨ SHORT. ~ one***'s teeth on*** ⇨ TOOTH. ***Cut the funny stuff!*** 농담 말게, 바보짓 그만둬. ~ ***the knot*** 《비유》 변칙적이지만 효과적인 방법으로 문제를 해결하다. cf. Gordian knot. ~ ***... to*** 〔***in***〕 ***pieces*** 〔***ribbons, shreds***〕 갈기갈기 찢다; 난도질하다; (적을) 분쇄하다; 여지없이 혹평하다, 모욕하다, 혼내 주다. ~ a person ***to the heart*** 〔***the quick***〕 마음에 사무치게 하다. ~ ***two ways*** =~ both ways. ~ ***under*** 《구어》 다른 데보다 싸게 팔다. ~ ***up*** 《*vt.*+부》 ① 분할하다. ② 째다; 잘게 썰다; 난도질하다; 《구어》 …에게 자상을 입히다. ③ (적군을) 괴멸시키다. ④ 《구어》 매섭게 혹평하다. ⑤ 《구어》 〖보통 수동태〗 (몹시) …의 마음을 아프게 하다, 슬프게 하다《*at; about*》. ── 《*vi.*+부》 ⑥ (몇 벌로) 재단되다, 마를 수 있다《*into*》. ⑦ 《미구어》 장난치다, 까불다, 익살 떨다(clown). ⑧ (어떤 액수의) 유산을 남기다《*for*》. ⑨ 《영속어》 (스포츠에서) 부정을 하다. ~ ***up fat*** 〔***well***〕 유산을 많이 남기고 죽다. ~ ***up rough*** 〔***savage, rusty, stiff, ugly, nasty***〕 《구어》 성내다; 난폭하게 굴다, 설치다. ~ ***up*** (***the***) ***touches*** 〔***pipes, jackpots***〕 《속어》 모여서 이익을 노느다; 《속어》 지난날의 공치사를 하다.
── *a.* **1** 벤; 베인 상처가 있는; 베어 낸, 짧게 자른, 잘게 썬; 재단된. **2** 새긴, 판; 〖식물〗 (잎끝이) 톱날같이 째진. **3** 삭감한, 바짝 줄인, 할인한: (at) ~ rates 〔prices〕 할인 가격(으로). **4** 거세한. **5** 《속어》 술 취한. ~ ***and carried*** 《영속어》 결혼한. ~ ***and dried*** 〔***dry***〕 =CUT-AND-DRIED. ~ ***in the craw*** 〔***eye***〕 《미속어》 취한. ~ ***out for ...*** …에 적임의; (남녀가) 잘 어울리는. ***give*** a person ***the*** ~ ***direct*** 아무를 보고도 모르는 체 지나치다.
── *n.* **1** 절단, 삭제; 제거; 생략; 한 번 자르기, 일격; 《미야구속어》 타격, 치기, 스윙; 《미속어》 차례, 기회. **2** 베인 상처; 새긴 금(notch). **3** 단편, 절단〔삭제〕 부분; 무리에서 선별한 짐승; 〖화학〗 컷《석유 정제 등에 의한 유분(溜分)》. **4** (각본 · 필름 등의) 컷, 삭제; 〖영화 · TV〗 급격한 장면 전환, 컷; (값 · 경비 등의) 삭감, 깎음, 할인, 임금 인하; 〖컴퓨터〗 자르기. **5** (철로의) 개착; 해자(垓字), 수로; (배경을 올리고 내리는) 무대의 홈. **6** 지름길(shortcut); 횡단로. **7** 한 조각, 고깃점, 베어 낸 살점; 큰 고깃덩어리: a ~ *of* a pie 파이 한 조각. **8** 《구어》 (이익 · 약탈품의) 배당, 몫(share): His ~ is 20%. **9** (옷의) 재단(법); (조발의) 형. **10** (사람의) 형, 종류: We need a man of his ~. 저런 타입의 인간을 원한다. **11** 목판(화); 삽화, 컷; 〖인쇄〗 판(版). **12** 신랄한 비꼼; 냉혹한 취급《*at*》: give a ~ *at* a person 아무의 마음에 모질게 상처 주다. **13** 《구어》 (아는 사람에게) 모르는 체함; 《구어》 (수업 따위의) 무단결석, 빼먹기. **14** 〖카드놀이〗 패를 떼기, 패떼는 차례; 〖구기〗 공을 깎아치기, 커트; (공의) 회전. **15** (지푸라기, 종이심지 따위로 만든) 제비: draw ~*s* (종이심지 따위로) 제비를 뽑다. **16** (목재의) 벌채량, (양털 등의) 깎아 낸 양, 수확량. **17** (전력 · 공급 등의) 제한, 정지. **18** 〖댄스〗 컷. **19** 《미》 가벼운 식사(snack). **20** 〖골프〗 예선 통과 라인, 결승 라운지 진출 라인. ***a*** ~ ***above*** 〔***below***〕 《구어》 …보다 한수 위〔아래〕: *a* ~ *above* one's neighbors 이웃사람들보다 한층 높은 신분. ***have*** 〔***take***〕 ***a*** ~ 《미》 간단한 식사를 하다. ***make a*** ~ 삭감〔삭제〕하다. ***make a*** ~ ***at*** …에 맞닥뜨리다.

cut·a·bil·i·ty [kʌ̀təbíləti] *n.* 〖축산〗 도축된 가축에서 팔 수 있는 살코기의 비율.

cút-and-cóme-again [-ənd-] *n.* U,C **1** (고기 따위를) 몇 번이고 먹고 싶은 만큼 베어 먹는 일; 무진장, 풍부함. **2** 〖식물〗 양배추의 일종. ── *a.* 마음껏 먹는, 풍부한.

cút-and-dríed, -drý *a.* (연설 · 계획 등이) 미리 준비된 대로의; 신선미 없는, 무미건조한; 활기 없는; 틀에 박힌, 평범한.

cút and páste 〖컴퓨터〗 오려 붙이기《워드프로세싱이나 전자 출판에서 텍스트 또는 그래픽의 일부를 잘라 내어 다른 곳으로 옮기는 작업》.

cút-and-páste *a.* 풀과 가위로 만든〔편집한〕, 있는 조각으로 짜맞춘; 〖컴퓨터〗 잘라 붙이는.

cút and thrúst (펜싱 등에서) 칼로 베고 찌르는 일; 활발한 의논(의 주고받기). 「에 의한.

cút-and-trý *a.* 시행착오를 거듭한, 경험〔실험〕

cu·ta·ne·ous [kjuːtéiniəs] *a.* 피부의; 피부를 침범하는: ~ respiration 〔sensation〕 〖생물〗 피부 호흡〔감각〕. 파 ~·ly *ad.*

cút·away *a.* (웃옷의) 앞자락을 뒤쪽으로 어슷하게 재단한; 〖기계〗 절단 작용이 있는; (설명도 등) 안이 보이게 표층부를 잘라 낸. ── *n.* 모닝코트(=∠ **cóat**); 절단면《안이 보이는 설명도》; 〖영화 · TV〗 장면 전환.

cút·bàck *n.* 〖영화〗 컷백《두 장면의 평행 묘사》; (생산 · 주문 · 인원 등의) 삭감, 축소; 중지; 〖원예〗 가지치기, 가지 친 나무; (소설 등에서) 이야기가 거슬러 올라가는 일; 〖미식축구〗 컷백; 〖서핑〗 컷백《서프보드를 파도 마루로 향해서 회전함》.

cut·cha [kʌ́tʃə] *a.* **1** 《Ind.》 빈약한, 임시변통의. cf. pucka. **2** 볕에 말린《벽돌》.

cút·dòwn *n.* (이익 등의) 감소, 절하; 깎음; 〖의학〗 (카테터의 삽입을 쉽게 하기 위한) 정맥 절개; 〖미식축구〗 수비 선수가 낮은 블록에 나자빠짐.

°**cute** [kjuːt] *a.* **1** 《구어》 날렵한, 영리한. **2** 《구어》 (아이 · 물건 등이) 귀여운, 예쁜; 《미》 태깔스러운. **3** 《미속어》 멋진, 근사한, 최고의: completely ~ 《미속어》 핸섬한, 미남의. 파 ∠·**ly** *ad.* ∠·**ness** *n.* 「장한, 태깔스러운.

cute·sie, -sy [kjúːtsi] *a.* 《미구어》 귀엽게 치

Cu·tex [kjúːteks] *n.* 큐텍스《미국의 Chesebrough-Pond's 사(社)의 매니큐어, 매니큐어 제거제, 입술 연지의 상표명》.

cutey ⇨ CUTIE.

cút gláss 컷글라스《조탁(彫琢) 세공 유리(그릇)》. 「풀.

cút-gráss *n.* 잎 가장자리가 톱니 모양으로 된

Cuth·bert [kʌ́θbərt] *n.* **1** 커스버트《남자 이름; 애칭 Cuddie》. **2** 〖식물〗 나무딸기《미국산》. **3** 《영속어》 (특히 제 1 차 대전 중의) 징병 기피자.

cu·ti·cle [kjúːtikəl] *n.* 〖해부〗 표피(表皮), 외

피; 〖식물〗 상피(上皮); (손톱 뿌리 쪽의) 연한 살갗. ㊞ **cu·tic·u·lar** [kju:tíkjələr] *a.* **cu·tìc·u·lar·i·zátion** *n.*

cu·ti·col·or [kjú:təkʌ̀lər] *a.* 살색의.

cu·tic·u·la [kju:tíkjələ] (*pl.* **-lae** [-lì:]) *n.* =CUTICLE.

cu·tie, 《미》 **cut·ey** [kjú:ti] *n.* **1** 《미구어》 〔호칭으로〕 귀여운 소녀. **2** 《속어》 (상대의 의표를 찌르려는) 사람〔선수〕, 모사(謀士); 아는 체하는〔건방진〕 놈; 《속어》 교묘한 작전; 책략. ***pull a*** ~ 《미속어》 위태로운 줄타기를 하다, 멋지게 해내다.

cu·tin [kjú:tən] *n.* 〖생화학〗 각질(角質), 큐틴질.

cút-ìn *n.* 〖인쇄〗 (삽화 등의) 삽입; 〖영화〗 삽입 자막; (인세 · 이윤 등의) 배당(을 받는 사람). ── *a.* 삽입한, 짜 넣은.

cu·tin·ize [kjú:tənàiz] *vt., vi.* 큐틴화하다.

cu·tis [kjú:tis] (*pl.* **~·es, -tes** [-ti:z]) *n.* 《L.》 〖해부〗 피부, 진피(眞皮); 〖식물〗 표피(表皮).

cut·las(s) [kʌ́tləs] *n.* (예전에 선원 등이 사용한) 도신(刀身)이 넓고 위로 휜 검.

cutlass

cut·ler [kʌ́tlər] *n.* (특히 식탁용의) 칼붙이 장인(匠人), 칼 장수.

cut·lery [kʌ́tləri] *n.* Ⓤ 칼붙이; 칼 제조〔판매〕 업; 식탁용 철물《나이프 · 포크 · 스푼 따위》.

cut·let [kʌ́tlit] *n.* (소 · 양 · 돼지의) 얇게 저민 고기; 커틀릿; (저민 고기 · 생선살 등의) 커틀릿 형 크로켓.

cút·lìne *n.* (신문 · 잡지의 사진 등의) 설명 문구 (caption).

cút mòney 분할 화폐《18-19 세기에 스페인 화폐를 잘라 잔돈 대신으로 썼음》.

cút nàil 대가리 없는 못.

cút·òff *n.* **1** 절단, 차단; 분리, 구별《*between*》. **2** 〖기계〗 (증기 따위의 흐름을 막는) 컷오프; 〖음악〗 쉼; 〖야구〗 컷오프《외야에서 본루로 던진 공을 내야수가 컷함》; 〖전자〗 컷오프《전자관 · 반도체 소자 등의 전류가 끊김》. **3** 절단된 것, (기계에 걸고) 깎아 낸 다음에 남은 금속〔플라스틱 따위〕. **4** 《미》 지름길, (고속도로의) 출구; 《미》 개천, 굴강(掘江). **5** 차단 (장치); 자동 개폐기; (총 등의) 안전장치; 정지; 〖로켓〗 (엔진의) 연소 정지. **6** (*pl.*) 컷오프《무릎 위에서 잘라 내어 올을 푼 블루진 바지》; 〖건축〗 방음〔방화〕 장치. **7** (신청의) 마감일; (회계의) 결산일.

cút-off-blòck *n.* 〖미식축구〗 컷오프 블록《플레이의 진행 방향이 아닌 곳에서 수비 측 선수와 볼캐리어 사이에 위치하여 상대의 추격을 막음》.

cútoff fréquency 〖전기〗 차단 주파수.

cútoff màn 〖야구〗 컷오프맨《외야에서 던진 공을 내야로 전달하는 선수》.

cu·tor [kjú:tər] *n.* 《미속어》 검찰관(Prosecutor).

cút·òut *n.* **1** 차단; (흔히 *pl.*) 도려내기〔쾌매 붙이기〕 세공; 도려낸 그림; (각본 · 필름 등의) 삭제 부분. **2** (엔진의) 배기 장치; 〖전기〗 안전기(器), 개폐기, 컷아웃; (수집을 위해) 봉투에서 오려 낸 우표. **3** 《속어》 스파이 등의 비밀 활동 단원 간의 접촉을 숨기기 위해 쓰이는 사람〔회사〕.

cút·òver *a., n.* 벌목이 끝난 (땅).

cút-prìce *a.* 에누리한, 특가의, (값이) 싼: ~ goods 특가품.

cút-price sále 염가 대매출.

cút·pùrse *n.* 소매치기(pickpocket).

cút ráte 할인 가격〔운임, 요금〕, 특가.

cút-ráte *a.* 할인한; 싸게 파는; 싸구려의; 날림치의〔질이 나쁜〕: a ~ ticket 할인표.

cút shéet fèed 〖컴퓨터〗 (프린터의) 용지 자동 삽입 장치.

cút·ta·ble *a.* 잘리는, 자르기 쉬운.

◇**cút·ter** *n.* **1** 자르는〔베는〕 사람; 재단사; 〖영화〗 필름 편집자. **2** 절단기; (연모의) 날, 절삭 공구; 〖해부〗 앞니(incisor). **3** 《미》 (말 한 필이 끄는) 작은 썰매. **4** 〖해사〗 군함용의 소정(小艇), 커터; 외대박이 돛배의 일종; 《미》 밀수 감시선, 연안 경비선. **5** 벽돌의 일종《부드러워 잘라 쓸 수 있음》. **6** 〖식물〗 (담배의) 중엽(中葉).

cútter-lid *n.* (통조림의) 따개가 붙은 뚜껑.

cút·thròat *n.* 살인자(murderer), 흉한(凶漢); 《영》 (날 덮는 집이 없는) 서양 면도날 (《미》 straight razor). ── *a.* 흉악한, 살인적인; 〖카드놀이〗 (브리지 등) 셋이 하는 게임의; (경쟁 따위가) 격렬〔치열〕한: a ~ competition.

cútthroat tròut 〖어류〗 턱 밑에 칼에 벤 상처 같은 붉은 반점이 있는 송어《북아메리카 북서부산》.

◇**cút·ting** *n.* Ⓤ,Ⓒ **1** 절단, 재단, 도려〔베어〕내기; 벌채; (보석 등의) 가공; 개착(開鑿); 《영》 (철도 등을 위한 산중의) 깎아 낸〔파서 뚫은〕 길; (잘라 낸) 한 조각. **2** 꺾꽂이순, 삽수(揷穗); 《영》 (신문 등의) 오려 낸 것(《미》 clipping); 잘라 낸 지스러기. **3** 《구어》 떨이〔싸구려〕로 팔기; 《구어》 심한 경쟁. **4** 〖영화〗 필름 편집. ── *a.* (날이) 잘 드는, 예리한; (눈 등이) 날카로운; (바람 등이) 살을 에는 듯한; 통렬한, 비꼬는; 《구어》 싸게 파는: a ~ retort 통렬한 반박.

cútting bòard 도마; (천 · 가죽 등의) 재단판(대).

cútting édge 1 (말 · 글 등의) 날카로움. **2** 최첨단: on the ~ of computer technology.

cútting-èdge *a.* 날카로운《말 · 글》; 최첨단의.

cútting hòrse 거세한 수소나 송아지를 무리에서 격리하기 위해 조련된 재빠른 승용마.

cútting ròom (필름 · 테이프의) 편집실.

cut·tle [kʌ́tl] *n.* =CUTTLEFISH; CUTTLEBONE.

cúttle·bòne *n.* 오징어 뼈.

cúttle·fish (*pl.* **-fish·es,** 〔집합적〕 **-fish**) *n.* (갑)오징어: ~ tactics (구축함 따위의) 연막 전술.

cut·ty [kʌ́ti] (**-ti·er; -i·est**) 《N.Eng.》 *a.* 짧게 자른, 짧은. ── *n.* 짧은 숟가락(=∠ **spòon**); (사기로 만든) 곰방대(=∠ **pìpe**); 개구쟁이〔땅딸막한〕 소녀; 막돼먹은 여자, 말괄량이; (흑인 사이에서) 친구, 벗.

cútty sàrk 1 《Sc.》 짧은 여성복《셔츠, 스커트, 슬립 등》; 여성용 속옷; 《Sc.》 굴러먹은 여자. **2** (C- S-) 커티 사크《(1) R. Burns의 이야기시 *Tam o' Shanter*에 나오는 마녀. (2) 스카치위스키의 한 종류; 상표명》.

cútty stòol 낮은 걸상; 망신대(臺)《옛날 스코틀랜드에서 부정한 여자를 앉히던》.

cút·ùp *n.* 《구어》 개구쟁이, 장난꾸러기.

cút-ùp *n.* (기존의 녹음을〔녹화를〕 컷하여 편집해서 만든) 편집물의 녹음〔녹화〕.

cút·wàter *n.* 이물〔뱃머리〕의 물결 헤치는 부분; (물살이 갈라져 쉽게 흐르게 하기 위한) 교각(橋脚)의 모난 가장자리.

cút·wòrk *n.* Ⓤ 컷워크《레이스(lace) 모양의 서양 자수의 하나》.

cút·wòrm *n.* 뿌리 잘라먹는 벌레.

cu. yd. cubic yard(s). **CV** cylinder volume (기통(汽筒) 용량). **C.V.** Common Version. **c.v.** curriculum vitae. **CVA** 〖의학〗 cerebrovascular accident(뇌(腦)졸중). **CVD** chemical vapor deposition(화학적 기상(氣相) 성장법). **CVI** 〖의학〗 common variable immunodeficiency 《항체의 수가 감소한 상태》. **C.V.O.** Commander of the Royal Victorian Order(빅토리아 상급 훈작사(士)). **CVR** 〖항공〗 Cockpit Voice Recorder (조종실 음성 녹음기). **CVS** computer-controlled vehicle system. **CVT** continuously variable transmission 《새 자동차 변속 장치의 일종》.

cvt. convertible.
CW [síːdʌ́bljùː] *n.* 《구어》 =MORSE CODE. [◂ *c*ontinuous *w*ave]
CW, C.W. chemical warfare; continuous wave(s). **cw.** clockwise. **CWA** Communication Workers of America(미국 통신업 노동조합). **CWAC** Canadian Women's Army Corps. **Cwlth, C'wealth** Commonwealth.
cwm [kuːm] *n.* 〖지학〗 =CIRQUE; 《영》 =COMBE.
CWM coal water mixture (석탄수 슬러리(slurry))《석탄 가루와 물을 섞은 액체 연료》.
CWO, C.W.O. Chief Warrant Officer. **c.w.o.** cash with order. **CWS** Chemical Warfare Service; Cooperative Wholesale Society. **cwt.** hundredweight.
-cy [si] *suf.* '직(職), 지위, 신분; 성질, 상태; 집단, 계급; 행위, 작용'의 뜻: captain*cy*, bankrupt*cy*. ★ 대개 -t, -te, -tic, -nt로 끝나는 형용사에 붙음.
CY 〖무역〗 container yard(컨테이너 샤시의 수도(受渡) 보관소). **Cy.** County. **cy.** capacity; currency. **cy, cy.** 〖컴퓨터〗 cycle(s).
cy·an [sáiæn, -ən] *n., a.* 청록(색의).
cy·an·a·mide [saiǽnəmid, -màid/saiǽnəmàid] *n.* Ⓤ 〖화학〗 시안아미드.
cy·a·nate [sáiənèit] *n.* 〖화학〗 시안산염(酸塩).
cy·an·ic [saiǽnik] *a.* 시안의[을 함유한]; 〖식물〗 푸른 빛의: ~ acid 시안산(酸).
cy·a·nide [sáiənàid, -nid/-àid] *n.* 〖화학〗 시안화물; 《특히》 청산칼리: mercury ~ 시안화 수은. **—** *vt.* 〖야금〗 시안으로 처리하다.
cýanide pròcess 〖제련〗 시안화법, 청화법(青化法).
cy·a·nine [sáiəniːn, -nin] *n.* Ⓤ 〖화학〗 시아닌, 청색소(青色素).
cy·a·nite [sáiənàit] *n.* Ⓤ 〖광물〗 남정석(藍晶石).
cy·a·nize [sáiənàiz] *vt.* (공중(空中) 질소를) 시안화하다[고정시키다].
cy·a·no- [sáiənou, saiǽnou], **cy·an-** [sáiən, saiǽn] '남색, 시안(화물)'의 뜻의 결합사: *cyano*meter.
cỳano·ácrylate *n.* 〖화학〗 시아노아크릴레이트《강력 순간 접착제》.
cỳano·bactérium (*pl.* **-ria** [-riə]) *n.* 시아노박테리아《청록색 세균문(門)의 세균》.
cy·an·o·gen [saiǽnədʒən, -dʒèn] *n.* Ⓤ 〖화학〗 시아노겐 《가연성 유독 가스》, 청소(青素); (일반식 M'CN으로 나타내는 시안화물을 형성하는) 시안 1가의 기(基).
cy·a·nom·e·ter [sàiənɑ́mətər/-nɔ́m-] *n.* (하늘의 푸르름을 재는) 시안계(計), 청도계(青度計).
cy·a·no·sis [sàiənóusis] (*pl.* **-ses** [-siːz]) *n.* Ⓤ 〖의학〗 청색증(青色症), 치아제《산소 결핍으로 혈액이 암자색을 띠는 상태》. ⓟ **cy·anot·ic** [sàiənɑ́tic/-nɔ́t-] *a.* 치아노제(성)의.
cy·an·o·type [saiǽnətàip] *n.* 청사진(법) (blueprint).
Cyb·e·le [síbəliː] *n.* 〖그리스신화〗 키벨레 《Phrygia의 대지(大地)의 여신》. ⓒⓕ Rhea.
cy·ber- [sáibər] '전자 통신망과 가상 현실'의 뜻의 결합사.
cyber·café [⊥kæfei] *n.* 사이버[인터넷] 카페.
cýber·cròok *n.* (컴퓨터 체계를 혼란시키는) 무법 침입자.
cýber·cùlture *n.* 사이버컬처, 사이버네이션(cybernation)에 의한 사회; 인공두뇌화 사회. ⓟ **cỳber·cúltural** *a.*
cỳber·jóurnalism *n.* 컴퓨터 네트워크를 통한 저널리즘.
cýber·metrìcian *n.* 컴퓨터에 강한 사람.
cy·ber·nate [sáibərnèit] *vt., vi.* 사이버네이션화[인공두뇌화]하다, 컴퓨터로 자동 제어화(化)하다. ⓟ **-nat·ed** [-nèitid] *a.* 컴퓨터로 자동 제어화한, 인공두뇌화한.
cỳber·nátion *n.* Ⓤ 사이버네이션《컴퓨터에 의한 자동 제어》.
cy·ber·net·ic, -i·cal [sàibərnétik], [-əl] *a.* 인공두뇌학의: ~ organism 특수 환경 적응 생체.
cỳ·ber·nét·ics *n. pl.* 〖단수취급〗 인공두뇌학, 사이버네틱스《제어와 전달의 이론 및 기술을 비교 연구하는 학문》. ⓟ **-i·cist, -ne·tí·cian** [-nétəsist], [-nətíʃən] *n.* =CYBERNETIST.
cy·ber·net·ist [sàibərnétist] *n.* 인공두뇌학자, 사이버네틱스 전문가.
cỳber·phília *n.* 컴퓨터를 병적으로 좋아함, 컴퓨터광.
cýber·phòbe *n.* 컴퓨터 공포[혐오]증의 사람. ⓟ **cỳber·phóbic** *n., a.*
cỳber·phóbia *n.* 컴퓨터 공포증[알레르기].
Cýber·plùs *n.* 사이버플러스《멀티 프로세서의 일종으로, 1초에 2.5억 회의 계산 처리가 가능; 상표명》.
cýber·pòrn *n.* 컴퓨터상의 음란물.
cýber·pùnk *n.* 사이버펑크《컴퓨터와 마약이 지배하는 폭력적이고 도시적인 미래를 그리는 SF》.
cỳber·relátionship *n.* 컴퓨터로 메시지를 주고받아 맺는 관계.
cýber·sèx *n.* 사이버섹스《컴퓨터를 통해서 행하는 성적 행위·전시·말》.
cỳber·socíety *n.* 컴퓨터로 메시지를 주고받는 회원들의 사회.
cýber·spàce *n.* 사이버스페이스《컴퓨터 네트워크가 둘러진 가상 공간》.
cýber·squàtter 〖컴퓨터〗 도메인 투기꾼.
cýber·squàtting *n.* 〖컴퓨터〗 도메인 투기《선원주의(先願主義)로 취득되는 도메인을 전매·나쁜 목적으로의 취득·불법 점거하는 행위》.
cýber·wàr *n.* 전자 기기가 주동 역할을 하는 전쟁, 컴퓨터 전쟁.
cy·borg [sáibɔːrg] *n.* 사이보그《우주 공간처럼 특수한 환경에서도 살 수 있게 신체 기관의 일부가 기계로 대치된 인간·생물체》.
cyc [saik] *n.* 《구어》 =CYCLORAMA.
cyc., cyclo. cyclopedia; cyclopedic.
cy·cad [sáikæd] *n.* 〖식물〗 소철류(類).
cy·cl- [sáikl], **cy·clo-** [síːklou, sáik-] '원, 고리, 주기, 회전, 환식(環式), 모양체(毛樣體)'의 뜻의 결합사.
cy·cla·mate [sáikləmèit, sík-] *n.* 시클라메이트《무영양의 인공 감미료》. [◂ *cyclo*hexyl sulpha*mate*]
cyc·la·men [sáikləmən, sí-, -mèn/sík-] *n.* 〖식물〗 시클라멘. **—** *a.* 짙은 적자색(赤紫色)의.
***cy·cle** [sáikəl] *n.* **1** 순환, 한 바퀴: ⇨ BUSINESS CYCLE / the ~ theory 〖경제〗 경기 순환설. **2** 주기, 순환기: move in a ~ 주기적으로 순환하다. **3** 한 시대, 긴 세월. **4** 완전한 한 바퀴; (사시(史詩)·전설 따위의) 일군(一群): the Arthurian ~ 아서왕의 전설집. **5** 〖전기〗 사이클, 주파; 〖물리〗 순환 과정; 〖수학〗 윤체(輪體), 순회 치환(置換). **6** 자전거; 3륜차(tricycle); 오토바이. **7** (천체의) 궤도; (원자의) 고리(ring). **8** (the ~) 〖야구〗 사이클 히트. **9** 〖컴퓨터〗 주기, 사이클《(1) 컴퓨터의 1회 처리를 완료하는 데 필요한 최소 시간 간격. (2) 1 단위로서 반복되는 일련의 컴퓨터 동작》. **—** *vi.* **1** 순환[윤회]하다. **2** 자전거[오토바이]를 타(고 가)다. **—** *vt.* 순환시키다.
cýcle·càr *n.* (3·4 륜의) 소형 자동차.
cýcle of erósion 〖지학〗 (지형의) 침식 윤회.
cýcle of the sún [**Súndays**] 〖천문〗 태양 순환기(solar cycle)《월·일과 요일이 같아지는 해의 주기: 28 년》.
cy·cler [sáiklər] *n.* 《미》 =CYCLIST.

cýcle ríckshaw 《Ind.》 (3 륜의) 자전거 택시.
cy·cle·ry [sáikləri] *n.* 자전거 상점.
cýcle tíme 〖컴퓨터〗 사이클 타임《기억 장치의 읽는 속도》.
cýcle·tràck, -wày *n.* 자전거 길.
cy·clic, -li·cal [sáiklik, sík-], [-əl] *a.* **1** 주기(周期)의; 윤전하는, 순환하는; 〖화학〗 고리(모양)의. **2** (cyclic) 사시(史詩)〔전설〕에 관한. ㊊ **cý·cli·cal·ly** *ad.*
cýclic adénosine monophósphate = CYCLIC AMP.
cýclical plót 〖연극〗 순환 플롯《플롯이 일관되지 않고 사건의 반복·재현의 형식을 취하는 것》.
cýclical unemplóyment 〖경제〗 (경기 순환에 의한) 주기적 실업.
cýclic ÁMP 〖생화학〗 사이클릭 AMP, 아데노신 린산 회로(酸回路)《세포 대사나 신경계의 기능을 조정하는 생화학적 반응의 하나》.
cýclic chórus 〖고대로마〗 윤무창(輪舞唱) 《Dionysus 제단 둘레를 돌며 춤추면서 하는 합창》.
cýclic flówer 〖식물〗 윤생화(輪生花).
cýclic GMP 〖생화학〗 사이클릭 GMP《호르몬 작용의 발현(發現) 중개 물질; 생략: cGMP》.
cýclic photophosphorylátion 〖생화학〗 순환적 광인산화(循環的光燐酸化).
cýclic póets 호머에 이어서 트로이 전쟁을 읊은 시인들.
cýclic redúndancy chèck 〖컴퓨터〗 순환 중복 검사《데이터 전송 시의 오류를 검출하는; 생략: CRC》.
cýclic shíft 〖컴퓨터〗 순환 자리 이동.
cy·clin [sáiklən] 〖생화학〗 사이클린《세포 주기(周期) 제어에 관여하는 단백질》.
***cy·cling** [sáikliŋ] *n.* Ⓤ 사이클링, 자전거 타기, 자전거 여행; 〖경기〗 자전거 경기: go ~ 자전거 여행을 가다.
***cy·clist** [sáiklist] *n.* 자전거 타는 사람〔선수〕; 순환설 주장자.
cy·cli·zine [sáikləzi:n] *n.* 〖약학〗 시클리진《운동질병·오심(惡心)에 쓰이는 항히스타민제》.
cy·clo [sí:klou, sái-] (*pl.* **~s**) *n.* 삼륜 택시.
cyclo ⇨ CYCL-.
cýclo-cròss *n.* 크로스컨트리 자전거 경주.
cỳclo·déxtrin *n.* 〖생화학〗 시클로덱스트린《물질의 가용화(可溶化)·안정화·불휘발화(不揮發化) 등에 이용》.
cy·clo·drom [sáiklədròum] *n.* 경륜장(競輪場).
cỳclo·génesis *n.* 〖기상〗 저기압성 순환의 발생〔발달〕.
cy·clo·graph [sáikləgræ̀f, -grɑ̀:f] *n.* 원호기(圓弧器); 파노라마 사진기; 금속 경도(硬度) 측정기의 일종.
cỳclo·héxane *n.* Ⓤ 〖화학〗 시클로헥산《용매(溶媒)·유기 합성용》.
cy·cloid [sáiklɔid] *n.* 원린어(圓鱗魚); 〖수학〗 사이클로이드, 파선(擺線); 〖정신의학〗 조울증 환자 (cyclothyme). **—** *a.* 원형의; 〖어류〗 둥근 비늘의; 〖의학〗 조울증형(型)의; 순환 기질(循環氣質)의. ㊊ **cy·cloi·dal** [saiklɔ́idl] *a.*
cy·clol·y·sis [saiklɑ́ləsis /-klɔ́l-] *n.* 〖기상〗 저기압의 소멸〔쇠약〕. ㊌ cyclogenesis.
cy·clom·e·ter [saiklɑ́mətər/-klɔ́m-] *n.* (바퀴의) 회전 기록기, (자전거 등의) 주정계(走程計); 원호 측정기.
◇**cy·clone** [sáikloun] *n.* **1** 《구어》 선풍, 큰 회오리바람(㊌ tornado); 〖기상〗 구풍(颶風), (인도양 방면의) 폭풍우, 사이클론. SYN. ⇨ STORM. ★ 열대성 저기압을 멕시코만 방면에서는 hurricane, 서태평양 방면에서는 typhoon, 인도양 방면에서는 cyclone 이라고 함. **2** (원심 (遠心) 분리식) 집진(集塵) 장치. **3** 《속어》 =PCP 《phencyclidine 의 상표명》. ㊊ **cy·clon·ic, -i·cal** [saiklɑ́nik/-klɔ́n-], [-əl] *a.*

cýclone cèllar 《미》 선풍 대피호〔지하실〕; 안전 지대(storm cellar 〔cave〕).
cy·clo·net [sàiklounét] *n.* 사이클로네트《석유 유출 시에 석유와 물을 분리하는 장치》.
cy·clo·nite [sáiklənàit, sík-] *n.* Ⓤ 사이클로나이트《고성능 폭약》.
Cy·clo·pe·an, Cy·clop·ic [sàikləpí:ən], [saiklɑ́pik/-lɔ́p-] *a.* Cyclops의; (종종 c-) 거대한; 거석(巨石)을 쌓는 식의; 외눈박이의.
cyclopéan percéption 〖의학〗 편시야 지각(片視野知覺).
cy·clo·pe·dia, -pae- [sàikləpí:diə] *n.* 백과사전. ★ encyclopedia의 생략형. ㊊ **-dic** *a.* 백과사전의; 백과적인, 여러 방면에 걸친, 다양한.
cỳclo·péntane *n.* 〖화학〗 시클로펜탄《석유 원유 중에 존재하는 무색 액체로 용매용(溶媒用)》.
cy·clo·phos·pha·mide [sàikləfɑ́sfəmàid/-fɔ́s-] *n.* 〖약학〗 시클로포스파미드《악성 림프샘종(腫)·백혈병 치료제》.
cy·clo·pousse [sì:kloupú:s] *n.* 삼륜 택시.
cỳclo·própane *n.* 시클로프로판《흡입 마취약》.
Cy·clops [sáiklɑps/-klɔps] (*pl.* ***Cy·clo·pes*** [saiklóupi:z]) *n.* 〖그리스신화〗 키클롭스《Sicily 섬에 살았다는 외눈의 거인》; (c-) (*pl.* **~**) 외눈박이; (c-) (*pl.* **~, -pes**) 〖동물〗 물벼룩(water flea).
cy·clo·ra·ma [sàiklərǽmə, -rɑ́:mə/-rɑ́:mə] *n.* 원형 파노라마; 〖연극·영화·TV〗 파노라마식 배경막(幕). ㊊ **cỳ·clo·rám·ic** [-rǽmik] *a.*
cy·clo·sis [saiklóusis] *n.* 〖생물〗 (세포 내에서의) 원형질 환류(環流).
cy·clo·spo·rine [sàikləspɔ́:rin] *n.* 〖약학〗 시클로스포린《장기 이식 때의 거부 반응 방지약》.
cy·clo·stome [sáikləstòum, sík-] *a., n.* 둥근 입을 가진, 원구류(圓口類)의 (물고기).
cy·clo·style [sáikləstàil] *n., vt.* (등사용 원지를 자르는) 작은 톱니바퀴가 끝에 달린 철판; 그 등사기(로 등사하다).
cy·clo·thyme [sáikləθàim] *n.* 조울증 환자.
cy·clo·thy·mia [sàikləθáimiə] *n.* Ⓤ 〖의학〗 조울(躁鬱) 정신병.
cy·clo·tri·meth·yl·ene·tri·ni·tra·mine [sàikloutraimèθəlì:ntrainàitrəmí:n] *n.* 〖화학〗 시클로트리메틸렌트리니트라민《고성능 폭약》. ㊌ RDX. [◂ cyclo-+tri-+methylene+tri-+nitr-+amine]
cy·clo·tron [sáiklətrɑ̀n/-trɔ̀n] *n.* 〖물리〗 사이클로트론《하전(荷電) 입자 가속 장치》.
cy·cross [sáikrɔ̀:s] *n.* =CYCLO-CROSS.
cy·der [sáidər] *n.* 《영》 =CIDER.
cy·e·sis [saií:sis] (*pl.* **-ses** [-si:z]) *n.* 임신.
cyg·net [sígnit] *n.* 백조〔고니〕의 새끼.
Cyg·nus [sígnəs] *n.* 〖조류〗 고니속(屬); 〖천문〗 백조자리.
cyl. cylinder; cylindrical.
cyl·in·der** [sílindər] *n.* **1** 원통; 〖수학〗 원기둥; 주면체(柱面體). **2** 〖기계〗 실린더, 기통; 《영》 온수〔급수〕 탱크; (회전식 권총의) 탄창: This car has six ~*s*. 이 자동차는 6기통이다. **3** 〖인쇄〗 금속 롤러. **4** 〖고고학〗 원통형의 돌도장〔질그릇〕. **5** 〖컴퓨터〗 실린더《자기(磁氣) 디스크 장치의 기억 장소의 단위》. ***function* 〔*click, hit, operate*〕 *on all* 〔*four, six*〕 ~*s (엔진이) 모두 가동하고 있다; 《비유》 전력을 다하고 있다, 풀 가동이다. ***miss on all* 〔*four*〕 ~*s*** 상태가 나쁘다, 저조하다. **—** *vt.* …에 실린더를 달다; 실린더로 처리하다. ㊊ **~·lìke** *a.*
cýlinder blòck (자동차의) 실린더 블록《내연 기관의 실린더를 포함하는 금속제의 기관 본체》.
(-)cýl·in·dered *a.* …기통의: a six-~ car 6기통 차.

cýlinder escàpement (시계의) 역회전 방지 장치.
cýlinder glàss 판(板)유리.
cýlinder hèad 실린더 헤드《내연 기관 실린더의 관 · 판(瓣)이 장치된 부분》.
cýlinder prèss 〖인쇄〗 원압(圓壓)식 인쇄기.
cy·lin·dric, -i·cal [silíndrik], [-əl] *a.* 원통 모양의, 원주 모양의. ㊞ **-cal·ly** *ad.*
cylíndrical coórdinates 〖수학〗 원기둥 좌표.
cylíndrical projéction 〖지도〗 원통 도법(圖法).
cyl·in·droid [sílindrɔ̀id] 〖수학〗 *n.* 곡선주(柱), 타원주. **—** *a.* 원주〔원통〕형의.
Cym. =CYMRIC.
cy·ma [sáimə] (*pl.* **-mae** [-miː], **~s**) *n.* 〖건축〗 물결 모양으로 판 무늬, 반곡선(反曲線); 〖식물〗 =CYME.
cy·mar [simáːr] *n.* 여자용의 가볍고 품이 넉넉한 옷《특히 속옷》.
cy·ma·ti·um [siméiʃiəm/-tiəm] (*pl.* **-tia** [-ʃiə/-tiə]) *n.* 《L.》 〖건축〗 반곡(反曲).
cym·bal [símbəl] *n.* 〖악기〗 (보통 *pl.*) 심벌즈《타악기》. ㊞ **~·ist, ~·er** [-bələr] *n.* 심벌즈 연주자.
cym·ba·lo [símbəlòu] (*pl.* **~s**) *n.* 쳄발로《해머로 현(弦)을 두드리는 피아노 비슷한 악기》.
cym·bi·form [símbəfɔ̀ːrm] *a.* 〖동물 · 식물〗 보트 모양의.
cyme [saim] *n.* 〖식물〗 취산 화서(聚繖花序), 「취산꽃차례.
cy·mene [sáimiːn] *n.* 〖화학〗 시멘《무색 방향성의 방향족 탄화수소》.
cy·mo- [sáimou, -mə] '물결'의 뜻의 결합사.
cy·mo·gene [sáimədʒiːn] *n.* 시모겐《석유 정제시에 추출되는 부탄을 주성분으로 한 휘발유》.
cy·mo·graph [sáiməgræf, -gràːf] *n.* =KYMOGRAPH.
cýmo·scòpe *n.* 〖전기〗 검파기.
cy·mose, -mous [sáimous, -⌐], [sáiməs] *a.* 〖식물〗 취산꽃차례의; 취산꼴의.
Cym·ric [kímrik, sím-] *a.* 웨일스 사람〔말〕의. **—** *n.* Ⓤ 웨일스 말《생략: Cym.》.
Cym·ry [kímri] *n.* 〔집합적〕 웨일스 사람.
cyn·ic [sínik] *n.* **1** (C-) 견유학파(犬儒學派)의 사람. **2** (the C-s) 키니코스〔견유〕학파《Antisthenes가 창시한 고대 그리스 철학의 한 파》. **3** 냉소하는 사람, 비꼬는 사람. **—** *a.* **1** (C-) 견유학파의. **2** =CYNICAL. **3** 〖천문〗 시리우스의, 천랑성(天狼星)의.
°**cyn·i·cal** [sínikəl] *a.* 냉소적인, 비꼬는; 인생을 백안시하는. ㊞ **~·ly** *ad.* **~·ness** *n.*
cyn·i·cism [sínəsìzəm] *n.* Ⓤ **1** (C-) 견유(犬儒)주의. **2** 냉소, 비꼬는 버릇; Ⓒ 꼬집는 말(생각, 행위).
cy·no·ceph·a·lus [sìnouséfələs, sài-/sài-] *n.* 〖동물〗 비비(狒狒); (전설상의) 개머리를 한 사람.
cy·no·sure [sáinəʃùər, sínə-/-sjùə, -zjùə] *n.* **1** 주목〔찬미〕의 대상; 지침, 목표: the ~ of all eyes 〔of the world〕 만인이 주목하는 대상. **2** (the C-) 《고어》 〖천문〗 작은곰자리(the Ursa Minor); 북극성.
Cyn·thia [sínθiə] *n.* **1** 신시아《여자 이름》. **2** 〖그리스신화〗 킨티아《달의 여신 Artemis 〔Diana〕의 별명》; 《시어》 달.
CYO, C.Y.O. Catholic Youth Organization.
cypher ⇨CIPHER.
cýpher·pùnk *n.* 사이퍼펑크《남의 눈에 띄지 않고 친서를 보낼 수 있는 것이 만인의 권리라고 하는 입장에서 암호 기술의 규제에 반대하는 자》.
cy pres, cy-pres, cy-press [siːpréi] 〖법률〗 (유언 집행 · 자선 기부 등) 실행 가능한 범위에서 되도록 가깝게, 가급적 근사하게; 가급적 근사의 법칙.
cý prés dòctrine 〖법률〗 가급적 근사한 법칙《여러 가지 사정으로 재산의 처분이 유언자가 지정한 방법에 따라 실행될 수 없을 경우, 그것에 가장 근접한 방법을 취한다는 형평법상의 해석》.
°**cy·press** [sáiprəs] *n.* 〖식물〗 삼(杉)나무의 일종; 그 가지《애도의 상징》; 그 재목: a Japanese ~ 〖식물〗 노송나무.

cypress

Cyp·ri·an [síprian] *a.* Cyprus의; 사랑의 여신 Aphrodite 〔Venus〕의; 음란한. **—** *n.* Cyprus 사람〔말〕; Aphrodite 〔Venus〕 숭배자; 음란한 여자, 《특히》 매춘부. ★ Cyprus인의 뜻으로는 지금은 Cypriot가 보통.
cy·pri·nid [sipráinid, síprə-] *n.* =CYPRINOID.
cyp·ri·noid [síprənɔ̀id] *n., a.* 잉어류(의).
Cyp·ri·ot, -ote [sípriət] *n.* Cyprus 사람〔말〕. **—** *a.* =CYPRIAN.
cyp·ri·pe·di·um [sìprəpíːdiəm] (*pl.* **-dia** [-diə]) *n.* 〖식물〗 개불알꽃류.
cy·prot·er·one [saiprátəròun/-prɔ́t-] *n.* 〖생화학〗 시프로테론《웅성(雄性) 호르몬의 분비를 억제하는 합성 스테로이드》.
cypróterone ácetate 〖약학〗 시프로테론 아세테이트《남성 과잉 성욕 억제제》.
Cy·prus [sáiprəs] *n.* 키프로스《지중해 동단의 섬 · 공화국; 수도 Nicosia》.
Cyr·e·na·ic [sìrənéiik, sàir-] *a.* 북아프리카의 옛 나라 키레나이카(Cyrenaica)의; 키레네 철학《쾌락 지상주의》의. **—** *n.* 키레나이카 사람; 키레네〔쾌락〕주의자.
Cyr·e·na·i·ca [sìrənéiikə, sàirə-] *n.* 키레나이카《아프리카, 리비아 동부의 지역으로 3개 도(道)를 이룸; 고대 그리스 · 로마의 식민지; 주도 Benghazi》.
Cyr·il [sírəl] *n.* **1** 시릴《남자 이름》. **2** 키릴로스《그리스의 전도자; 키릴 문자를 발명했다 함; 827-869》.
Cy·ril·lic [sirílik] *n., a.* 키릴 자모〔문자〕(의).
Cyríllic álphabet (the ~) 키릴 자모(字母)《그리스 정교를 믿는 슬라브 민족의 자모; 현 러시아어 자모의 모체》.
cyr·to·sis [sərtóusis] *n.* 〖병리〗 첨봉증(尖峰症), 척추후만(脊椎後彎).
Cy·rus [sáirəs/sáiə-] *n.* 키루스《기원전 6세기경의 페르시아 왕; 페르시아 제국 건설자》.
cyst [sist] *n.* 〖생물〗 포낭(包囊); 〖의학〗 낭포(囊胞), 낭종(囊腫), 물혹: the urinary ~ 방광.
cyst- [sist], **cys·ti-** [sísti], **cys·to-** [sístou, -tə] '담낭, 방광, 낭포, 포낭(cyst)'의 뜻의 결합사.
cys·te·ine [sístiìːn] *n.* 〖생화학〗 시스테인《아미노산의 하나; 산화되어 cystine이 됨》. ㊞ **cỳs·te·ín·ic** *a.*
cys·tic [sístik] *a.* **1** 포낭이 있는. **2** 〖의학〗 방광의; 담낭의.
cys·ti·cer·coid [sìstəsə́ːrkɔid] *n.* 〖동물〗 의낭미충(擬囊尾蟲). **—** *a.* 낭충(囊蟲)의.
cýstic fibrósis 〖의학〗 낭포성 섬유증(纖維症).
cys·ti·form [sístəfɔ̀ːrm] *a.* 포(胞) 모양의, 낭상(囊狀)〔주머니 모양〕의.
cys·tine [sístiːn] *n.* Ⓤ 시스틴《아미노산의 일종》.
cys·ti·tis [sistáitis] *n.* Ⓤ 방광염.
cys·to·cele [sístəsìːl] *n.* Ⓤ 방광 헤르니아.

cys·tog·raphy [sistágrəfi] *n.* 〖의학〗 방광(X선) 조영〔촬영〕법.
cys·toid [sístɔid] *a.* 포낭〔방광〕 비슷한. — *n.* 낭종(囊腫) 모양의 구조〔조직〕.
cys·to·ma [sistóumə] (*pl.* **~s, ~·ta** [tə]) *n.* 〖병리〗 낭종(囊腫)(cystic tumor)《난소에 많이 발생》.
cys·to·scope [sístəskòup] *n.* 〖의학〗 방광경(鏡). ㊞ **cỳs·to·scóp·ic** [-skáp-] *a.* 방광경에 의한.
cys·tos·co·py [sistáskəpi/-tɔ́s-] *n.* Ⓤ 방광경 검사(법). ㊞ **-pist** *n.* 방광경 검사자.
cys·tot·o·my [sistátəmi/-tɔ́t-] *n.* Ⓤ 〖의학〗 방광〔담낭〕 절개(술).
cyt- [sáit], **cy·to-** [sáitou, -tə] '세포, 세포질'의 뜻의 결합사. 「사: leuko*cyte*.
-cyte [sàit] '세포'의 뜻의 명사를 만드는 결합
Cyth·er·ea [siθəríːə] *n.* =APHRODITE.
cyt·i·dine [sítədìːn, -din, sáit-/-dàin] *n.* 〖생화학〗 시티딘《cytosine을 함유한 뉴클레오티드》. ㊞ **cit·i·dyl·ic** [sìtədílik, sàit-] *a.*
cỳto·chémistry *n.* Ⓤ 세포 화학. ㊞ **-chémical** *a.*
cy·to·chrome [sáitəkròum] *n.* Ⓤ 〖생화학〗 시토크롬《동식물의 세포 안에서 호흡의 촉매 작용을 하는 물질》.
cýtochrome ć (종종 c- C) 〖생화학〗 시토크롬 c《가장 풍부하고 안전한 시토크롬》.
cýtochrome óxidase 〖생화학〗 시토크롬 산화 효소《세포 호흡에 있어서 자동 산화성(自動酸化性)을 갖는 효소》.
cy·toc·la·sis [saitákləsis, sàitəkléisis/saitɔ́klə-] *n.* 〖병리〗 세포 파괴.
cỳto·ecólogy *n.* 〖생물〗 세포 생태학. ㊞ **-colóɡical** *a.* 「세포 발생.
cy·to·gen·e·sis [sàitədʒénəsis] *n.* 〖생물〗
cỳto·genétics *n.* 《단수취급》 세포 유전학. ㊞ **-genétic, -nétical** *a.* **-ically** *ad.* **-néticist** *n.*
cy·to·kine [sáitəkàin] *n.* 사이토카인《혈액 속에 있는 면역 단백(蛋白)의 하나》.
cy·to·ki·nin [sàitəkáinin] *n.* 〖생화학〗 시토키닌《식물 성장 호르몬》.
cy·tol·o·gist [saitálədʒist/-tɔ́l-] *n.* 세포학자.
cy·tol·o·gy [saitálədʒi/-tɔ́l-] *n.* Ⓤ 세포학.
cy·to·ly·sin [saitáləsin, sàitəláisin/saitɔ́li-] *n.* 〖생물〗 세포 용해소.
cy·tol·y·sis [saitáləsis/-tɔ́l-] *n.* Ⓤ 〖생물〗 세포 용해(溶解)〔융해, 붕괴〕 (반응).
cỳto·mègalo·vírus (*pl.* **-rus·es**) *n.* 사이토메갈로〔거대 세포〕 바이러스《헤르페스 바이러스의 일반형》.
cỳto·mémbrane *n.* 〖생물〗 세포막.
cỳto·morphólogy *n.* Ⓤ 〖생물〗 세포 형태학.
cỳto·pathólogy *n.* 〖병리〗 세포 병리학.
cy·to·pe·nia [sàitəpíːniə] *n.* 〖병리〗 혈구 감소(증)(hypocytosis).
cỳto·physiólogy *n.* 세포 생리학.
cy·to·plasm [sáitəplæ̀zəm] *n.* Ⓤ 〖생물〗 세포질. ㊞ **cy·to·plas·mic** [sàitəplǽzmik] *a.*
cy·to·sine [sáitəsiːn] *n.* Ⓤ 〖생화학〗 시토신《핵산의 구성 물질; 기호 C》.
cỳto·skéleton *n.* 세포 골격.
cỳto·státic *a.* 세포 증식 억제성의. — *n.* 〖약학〗 세포 증식 억제제(劑)《특히 암치료에 사용》. ㊞ **-i·cally** *ad.* 「구조.
cỳto·taxónomy *n.* Ⓤ 세포 분류학; 세포핵의
cy·to·tech [sáitətèk] *n.* =CYTOTECHNOLOGIST.
cỳto·technólogist *n.* 〖의학〗 세포 검사 기사.
cỳto·tóxic *a.* 〖의학〗 세포 독성의, 세포 장해성의. 「T 세포(killer T cell).
cytotóxic T́ cèll [-tíː-] 〖면역〗 세포 장해성
Cý Yóung Awàrd [sái-] (the ~) 《미》 사이영 상《매년 최고의 투수에게 주는 상》.
CZ 〖우편〗 Canal Zone. **C.Z.** Canal Zone(파나마 운하 지대).
°**czar** [zɑːr] *n.* **1** 황제, (종종 C-) 차르, 러시아 황제. **2** 전제 군주(autocrat); 독재자. **3** 제일인자, 지도자, 권위자, 대가: a ~ of industry = an industrial ~ 공업왕. ★ tsar, tzar라고도 씀.
czar·das, csar·das [tʃáːrdaːʃ/-dæʃ] *n.* 헝가리의 민속무용(곡).
czar·e·vitch, -wich [záːrəvìtʃ] *n.* (제정 러시아의) 황태자. 「황태자비(妃).
cza·rev·na [zɑːrévnə] *n.* 제정 러시아의 공주;
cza·ri·na [zɑːríːnə] *n.* (제정 러시아의) 황후.
czar·ism [záːrizəm] *n.* Ⓤ (특히 제정 러시아 황제의) 독재〔전제〕 정치.
czár·ist *n.* 전제〔독재〕 정치 지지자. — *a.* (C-) 러시아 제정(帝政)의: *Czarist* Russia 제정 러시아.
cza·rit·za [zɑːrítsə] *n.* =CZARINA.
Czech, Czekh [tʃek] *n.* **1** 체코 공화국《수도는 Prague》. **2** 체코 사람《Bohemia와 Moravia에 사는 슬라브 민족》; Ⓤ 체코 말. — *a.* 체코 사람의; 체코 말의.
Czech, Czechosl. Czechoslovakia.
Czech·ish [tʃékiʃ] *a.* =CZECH.
Czech·o·slo·vak, -Slo·vak [tʃèkəslóuvæk, -vɑːk] *n.*, *a.* 체코슬로바키아 사람(의).
Czech·o·slo·va·kia, -Slo·va·kia [tʃèkəsləváːkiə, -vǽkiə/-vǽkiə] *n.* 체코슬로바키아《Bohemia, Moravia, Silesia, Slovakia 로 이루어진 유럽 중부의 공화국: 1993년 체코 공화국, 슬로바키아 공화국으로 각기 분리 독립함》. ㊞ **-ki·an** *a.*, *n.*
Czer·ny [tʃέərni/tʃə́ːni] *n.* **Karl** ~ 체르니《오스트리아의 피아니스트; 1791-1857》.

D

D, d [diː] (*pl.* **D's, *Ds*, d's, *ds*** [-z]) **1** 디 (영어 알파벳의 넷째 글자). **2** (D) 《미》 가(可)《학업 성적의 합격 최저점》; 최저의 것〔작품〕: a *D* movie 최하위의 영화/He passed algebra with a *D*. 그는 대수에 최저점으로 합격했다. **3** 〖수학〗 제4의 기지수; (연속된 경우의) 네 번째 사람〔것〕. **4** 〖음악〗 라음(音)《고정 도창법의 '레'》; 라조(調): *D* major 〔minor〕 라장조〔단조〕. **5** D 자형의 것; =DEE; (D) (로마 숫자의) 500: a *D* valve, D 형 밸브/*CD*=400. **6** 〖컴퓨터〗 (16진수의) D (10진법에서 13). **7** D 사이즈《구두폭이나 브래지어 컵 사이즈; C 보다 큼》. **8** 《미속어》 달러; 딜라우디드(Dilaudid); 소문(dirt); 형사(ditective).

d- [diː, dæm] =DAMN.

d' [də] 《구어》 do 의 간약형.

'd [d] 《구어》 **1** 대명사(특히 I, we, you, he, she, they) 뒤에 오는 had, would, should 의 간약형《보기: I'*d*》. **2** 〔where, what, when 등의 의문문에서〕 조동사 did의 간약형《보기: Where'*d* they go?》.

D density; deuterium; diameter; didymium. **D.** December; Democrat(ic); *Deus* 《L.》 (=God); Dutch. **d** deci-; deuteron; dyne. **d.** dated; daughter; day; dead *or* died; degree; dele; denarius *or* denarii; density; dime; dividend; dollar(s); dose.

DA [dìːéi] *n.* =DUCKTAIL. [◂ *d*uck's *a*ss]

da [dɑː] *n.* 《구어·방언》 =DAD.

da [dɑː] *ad.* 《Russ.》 네, 예(yes).

DA Department of Agriculture; Dictionary of Americanisms; 《미》 District Attorney; 〖성서〗 Daniel. **D/A** days after acceptance 《또는 **d/a**》; deposit account; digital-to-analog; documents against 〔for〕 acceptance. **DA.** dinar(s)《알제리의 화폐 단위》. **D.A.** delayed action 《또는 **d.a.**》; Defense Act; deputy advocate; direct action; 《미》 District Attorney; doctor of arts; doesn't 〔don't〕 answer; drug addict. **Da.** Danish. **da, da.** deca-; deka-. **da.** daughter; day(s).

dab[1] [dæb] (*-bb-*) *vt.* **1** 《~+목/+목+전+명》 가볍게 두드리다(tap)《*with*》; 가볍게 두드리듯 대다《*against*》; (새 따위가) 쪼다; 갖다 대다; 가볍게 두드려 붙이다; (페인트·고약 등을) 살살 칠하다《*on; over*》: ~ one's eyes *with* a handkerchief 손수건을 가볍게 눈에 대다. **2** 《속어》 지문을 채취하다. **—** *vi.* 《+전+명》 가볍게 두드리다〔닿다, 대다〕: ~ *at* one's face *with* a puff 분첩으로 얼굴을 토닥거리다. **~ *off*** (먼지를) 가볍게 두드려 털다. **—** *n.* 가볍게 두드리기; 타인기(打印機); 가벼운 터치로 칠하기; 소량《*of*》; (*pl.*) 《속어》 지문; (D-s) 《영속어》 런던 치안국의 지문부: a ~ *of* peas 한 줌의 완두콩.

dab[2] *n.* 〖어류〗 작은 가자미류(類).

dab[3] *n.* 《구어》 명수, 명인(=⁓ **hànd**)《*at*》. **—** *a.* 숙련된.

D.A.B., DAB Dictionary of American Biography.

dab·ber [dǽbər] *n.* 가볍게 두드리는 사람〔도구〕; (잉크·물감 따위를) 칠하는 사람, 도장공(塗裝工); 〖인쇄〗 착육봉(着肉棒)《판화면에 잉크를 고르게 칠하는 막대기》.

dab·ble [dǽbəl] *vt.* 《+목+전+명》 **1** 물을 튀기다; 물을 튀겨 적시다《*with*》: boots ~*d with* mud 튄 흙이 묻은 구두. **2** 물을 철버덕거리다《*in*》: She ~*d* her feet *in* the water. 그녀는 발을 물에 담그고 철버덕거렸다. **—** *vi.* 《+전+명》 **1** 장난삼아 하다《*in; at*》: ~ *in* water 물장난을 치다. **2** 잠깐 손을 대다《*in; at; with*》: ~ *in* philosophy 철학에 잠깐 손을 대다. ㊔ **dáb·bler** *n.* 물장난을 하는 사람; 장난삼아 하는 사람. **dáb·bling** *n.* 잠깐 해〔먹어〕보기.

dáb·chìck *n.* 〖조류〗 농병아리.

dab·ster [dǽbstər] *n.* 《방언》 =DAB[3]; 《미구어》 장난삼아 하는 사람, 서투른 사람; 《영구어》 서투른 화가(daubster).

DAC 《미》 Department of the Army Civilian; Development Assistance Committee (개발원조 위원회; OECD의 하부 기관); 〖컴퓨터〗 digital-to-analog converter (디지털 아날로그 변환기).

da ca·po [dɑːkáːpou] 《It.》 〖음악〗 처음부터 반복하여《생략: D.C.》

Dac·ca [dǽkə] *n.* Dhaka의 옛 철자.

dace [deis] (*pl.* ***dác·es,*** 〔집합적〕 ~) *n.* 〖어류〗 황어.

da·cha, dat·cha [dáːtʃə] *n.* 러시아의 시골 저택〔별장〕.

dachs·hund [dáːkshùnt, -hùnd, dǽks-/dǽksənd, dǽkshùnd] *n.* 《G.》 닥스훈트《짧은 다리에 몸이 긴 독일산의 개》.

da·coit, -koit [dəkɔ́it] *n.* (인도·미얀마의) 강도단원. ㊔ **da·cóity** *n.* ~에 의한 약탈.

D/A convérter 〖전자〗 DA 컨버터〔변환기〕《디지털 신호를 아날로그 신호로 변환하는 전기적 장치》. [◂ *d*igital-to-*a*nalog]

Da·cron [déikrɑn, dǽk-/-krɔn] *n.* Ⓤ 데이크론《폴리에스테르 합성 섬유의 일종; 상표명》; (종종 d-) 데이크론감; (*pl.*) 데이크론감의 셔츠〔옷〕.

Dac·tyl, Dak- [dǽktil] (*pl.* **~s, *-ti·li*** [-əlài]) *n.* **1** 〖그리스신화〗 닥틸로스《Ida 산에서 금속 세공, 마술 등의 일을 한 산의 요정》. **2** 〖천문〗 댁틸《소행성의 위성 이름》.

dac·tyl [dǽktil] 〖운율〗 *n.* 강약약격(強弱弱格)《⊥××》; 장단단격(長短短格)《— ⏑⏑》. ㊔ **dac·tyl·ic** [dæktílik] *a.*, *n.* ~의 (시구).

dac·ty·l- [dǽktəl], **dac·ty·lo-** [dǽktəlou, -lə] '손가락, 발가락'의 뜻의 결합사.

dac·tyl·o·gram [dæktíləgræ̀m] *n.* 지문(指紋)(fingerprint).

dac·ty·log·ra·phy [dæ̀ktəlágrəfi/-lɔ́g-] *n.* Ⓤ 지문학〔법〕.

dac·ty·lol·o·gy [dæ̀ktəlálədʒi/-lɔ́l-] *n.* Ⓤ (deaf-and-dumb alphabet을 쓰는) 수화(手話)(법), 지화(指話)법〔술〕.

dac·ty·los·co·py [dæ̀ktəláskəpi/-lɔ́s-] *n.* 지문 감정; 지문 동정법(同定法); 지문 분류.

dad[1], **da·da** [dæd], [dáːdɑː] *n.* 《구어》 아빠, 아버지. ★ father 따위와 마찬가지로 보통 무관사로 쓰임.

dad[2] *int.* (종종 D-) 《구어》 =GOD《대개 가벼운 저주의 표현》.
da·da(·ism) [dáːdaː(ìzəm)] (때로 D-) *n.* Ⓤ 다다이즘《전통적인 도덕·미적 가치를 부정하는 허무주의적 예술 운동》. ㊕ **dá·da·ist** *n.* 다다이스트. **dà·da·ís·tic** *a.*
dad·dy [dǽdi] *n.* 《구어》 아버지(dad[1]); 《미속어·Austral.속어》 최연장자, 최중요 인물; 《미속어》 =SUGAR DADDY.
dád·dy-lóng·legs *n.* **1** (*pl.* ~) **a** 《미》 장님거미 (harvestman). **b** 꾸정모기 (crane fly). **2** 《우스개》 다리 긴 사람; 꺽다리.

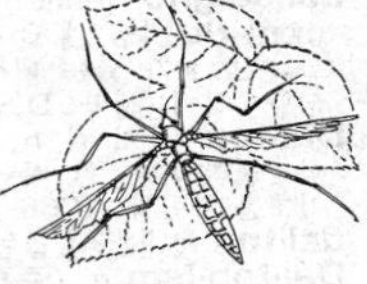
daddy-longlegs 1b

Dad·dy-o [dǽdiòu] *n.* (종종 d-) 《속어》 아저씨《남자 일반에 대한 친근한 호칭》.
D.A.D.M.S. Deputy Assistant Director of Medical Services.
da·do [déidou] (*pl.* ~(*e*)*s*) *n.* 〖건축〗 징두리 판벽《벽면의 하부》; 기둥뿌리《둥근 기둥 하부의 네모난 데》. ── *vt.* …에 징두리판벽을 붙이다; (판자 등에) 홈을 파다. ㊕ **da·do'd** [-d] *a.* 징두리널을 댄.
DAE, D.A.E. Dictionary of American English.
dae·dal [díːdl] 《문어》 *a.* 교묘한; 복잡한; 천변만화의(varied).
Dae·da·li·an, -le·an [diːdéiliən, -ljən] *a.* Daedalus의 솜씨 같은, 솜씨가 정교한.
Daed·a·lus [dédələs/díː-] *n.* 〖그리스신화〗 다이달로스《Crete섬의 미로(迷路) 및 비행 날개를 만든 명장(名匠)》.
daemon ⇨ DEMON.
dae·mon·ic [diːmánik/-mɔ́n-] *a.* =DEMONIC.
daff [dæf] *n.* 《영구어》 =DAFFODIL.
daf·fa·down·dil·ly [dǽfədàundíli] *n.* 《방언·시어》 =DAFFODIL.
daf·fo·dil, daf·fo·dil·ly [dǽfədìl], [dǽfədìli] *n.* **1** 〖식물〗 나팔수선화. **2** Ⓤ 선명한 노랑색. **3** 《미속어》 여자 같은 남자.
daf·fy [dǽfi] (*daf·fi·er; -fi·est*) *a.* 《구어》 어리석은; 미친. ~ ***about ...*** 《미속어》 …에 반해서.
Dáffy Dúck 대피덕《미국의 animation character인 수컷 오리》.
daft [dæft, daːft/daːft] *a.* 《영구어》 어리석은; 미친; 발광하는. ***go*** ~ 발광하다. ㊕ **∠·ly** *ad.* **∠·ness** *n.*
dag [dæg] *n.* 옷의 가선 장식; (보통 *pl.*) = DAGLOCK; 《Austral. 구어》 별난 사람, 괴짜. ── (*-gg-*) *vt.* (옷 따위에) 가선 장식을 하다.
dag. decagram(me). **D.A.G.** Deputy Adjutant General.
dag·ger [dǽgər] *n.* (양날의) 단도; 〖인쇄〗 칼표(†). ***at ~s drawn*** (남과) 반목하여 《*with*》; 견원지간의 사이로. ***look ~s at*** …을 노려보다. ***speak ~s to*** …에게 독설(욕)을 퍼붓다. ── *vt.* 단도로 찌르다; …에 칼표를 하다.
dag·gle [dǽgəl] *vt., vi.* 《고어》 (옷 따위를) 질질 끌어 더럽히다(더러워지다)(draggle); (흙탕·물 등을) 튀겨 더럽히다(젖게 하다).
dag·lock [dǽglɑ̀k/-lɔ̀k] *n.* (양 꼬리 등의) 더러운 털, 딱딱하게 얽혀 붙은 털.
da·go [déigou] (*pl.* ~(*e*)*s*) *n.* (종종 D-) 《속어·경멸》 남부 유럽 사람《이탈리아·스페인·포르투갈 태생》, 〔일반적〕 타관 사람; 《미속어》 이탈리아어.
da·go·ba [dáːgəbə] *n.* 《Sans.》 사리탑.
Dágo réd 《미속어》 이탈리아산 붉은 포도주, 값싼 술, 《특히》 =CHIANTI.
da·guerre·o·type [dəgɛ́ərətàip, -riə-] *n., vt.* (옛날의) 은판 사진술; 은판 사진(으로 찍다).
Dag·wood [dǽgwud] *n.* 미국 만화 *Blondie*의 남편; 《미속어》 여러 층으로 포갠 샌드위치《Dagwood가 직접 큰 샌드위치를 만드는 데서》.
dah[1] [dáː] *n.* 미얀마 사람의 작은 칼.
dah[2] *n.* 모스 부호의 장음(長音). ⓒⓕ dit.
da·ha·be·ah, -bee·yah, -bi·ah [dɑ̀ːhəbíːə] *n.* 《Ar.》 나일강의 삼각돛 여객선.
dahl·ia [dǽljə, dáːl-/déil-] *n.* 달리아; 달리아의 꽃, 그 괴경상(塊莖狀) 뿌리; Ⓤ 달리아색《엷은 보라》. ***blue*** ~ 푸른 달리아, 있을 수 없는 것(impossibility).
Da·ho·mey [dəhóumi] *n.* 다호메이《Benin 공화국의 옛 이름》.
DAI Detection Anti-Intruder《잠포용의 방법 장치》.
Dail (Eir·eann) [dɔ́il(ɛ́ərɔːn)/dáil(-)] *n.* 아일랜드 공화국의 하원.
dai·ly [déili] *a.* **1** 매일의, 일상의; (일요일 또는 토요일도 제외한) 평일의; 일간(日刊)의: (one's) ~ life 일상생활 / a ~ newspaper 일간 신문. **2** 1일 계산의, 일당으로 하는: a ~ wage 일급 / ~ installment 일부(日賦). ── (*pl.* *-lies*) *n.* **1** 일간 신문. **2** 《영구어》 통근하는 가정부(=∠ hélp). **3** (종종 *pl.*) 영화의 편집용 프린트. ── *ad.* 매일, 날마다. ㊕ **-li·ness** *n.* 일상성; 일상적인 규칙성.
dáily bréad (보통 one's ~) 생계.
dáily-bréader *n.* 《영》 통근자(commuter), 근로자, 샐러리맨.
dáily dóuble (경마 등의) 이중승식(二重勝式) 투표 방식《같은 날의 지정된 두 레이스의 1착을 맞추는》; 연속 수상, 2연승, 두 번 계속된 성공.
dáily dózen 《구어》 (one's ~) 일과로 행해지는 미용 체조《12종으로 구성되어 있음》; 정해져 있는 일.
dáily esséntials 생활필수품.
Daim·ler [dáimlər] *n.* **Gottlieb** ~ 다임러《독일의 자동차 기술자·발명가; 1834-1900》.
Dáimler-Bénz *n.* = BENZ 2.
dai·mon [dáimoun] (*pl.* ***-mo·nes*** [-məniːz], ~***s***) *n.* (때로 D-) 수호신, 〖그리스신화〗 = DEMON. ㊕ **dai·mon·ic** [daimánik/-mɔ́n-] *a.*
dain·ty [déinti] *a.* **1** 우미한, 고상한, 미려한. SYN. ⇨ DELICATE. **2** 맛좋은. **3** (기호가) 까다로운, 사치를 좋아하는, (음식을) 가리는《*about*》; 결벽성의, 괴까다로운: be ~ *about* one's food 식성이 까다롭다. ── *n.* 맛좋은 것, 진미(珍味). ㊕ **-ti·ly** *ad.* 우미하게; 섬세히; 풍미 있게; 꼼꼼히, 기호〔취미〕에 세세히 마음을 써서, 좋은 것만 가리어. **-ti·ness** *n.*
dai·qui·ri [dáikəri, dǽk-] *n.* 다이키리《칵테일의 일종; 럼·설탕·레몬즙을 섞어 만듦》.
dairy [dɛ́əri] *n.* **1** 낙농장, 착유실(搾乳室); 낙농업(dairy farming). **2** 우유 판매점, 유제품(乳製品) 판매소. **3** 〔집합적〕 젖소《한 목장의 젖소 전부》. ㊕ **~·ing** *n.* Ⓤ 낙농업.
Dáiry Bèlt (the ~)(미북부의) 낙농 지대.
dáiry brèed 유우종(乳牛種).
dáiry càttle 〔집합적〕 젖소. ⓒⓕ beef cattle.
dáiry crèam (합성품이 아닌) 유지방, 생크림.
dáiry fàrm 낙농장.
dáiry fàrming 낙농업.
dáiry·màid *n.* 낙농장에서 일하는 여자.
dáiry·man [-mən] (*pl.* ***-men*** [-mən]) *n.* 낙농장 일꾼; 우유 장수; 《미》 낙농장 주인.
dáiry pròducts 〔**pròduce**〕 유제품(乳製品).
da·is [déiis, dái-] *n.* (귀빈용의) 높은 자리, 단(壇); (강당 따위의) 연단, 교단.
dai·sy [déizi] *n.* **1** 데이지(《미》 English ~);

이탈리아 국화(=**óxeye** ∠). **2** 《속어》 훌륭한〔제 1급의〕 물건〔사람〕, 일품, 귀여운 여자. **3** Ⓤ = DAISY HAM. **4** (D–) 데이지《여자 이름》. **5** 《미구어》 호모《특히 여성역을 하는》. (*as*) ***fresh as a*** ~ 생기발랄하여, 매우 신선하여. ***push up*** (***the***) ***daisies*** 《속어》 죽다, 죽어서 매장되다. ***turn up*** one***'s toes to*** (***the***) ***daisies*** ⇨ TOE. ***under the daisies*** 《속어》 죽어서 매장되어. — *a.* 《속어》 극상의, 최고급의. — *ad.* 《미속어》 굉장히(very).

dáisy chàin 데이지 화환《아이들이 목걸이로 함》; 《미》 〖일반적〗 이어놓은 것, 하나로 이어짐; 〖컴퓨터〗 데이지 체인《여러 주변 기기를 컴퓨터에 연쇄적으로 연결하는 방식》; 그룹 섹스.

dáisy-chàin *vt.* 〖컴퓨터〗 (기기를) 데이지 체인 방식으로 접속하다.

dáisy cùtter 《속어》 속보 때, 지면에서 발을 조금만 드는 말; 〖크리켓〗 센 땅볼; 《미육군속어》 비산성(飛散性) 대인(對人) 폭탄.

dáisy hàm 뼈를 추려낸 돼지 어깻살의 훈제햄.

dáisy whèel 데이지 휠《타자기 따위에 설치된 데이지 꽃처럼 원형으로 나열된 활자틀》.

dak, dawk [dɔːk, dɑːk/dɑːk] *n.* 《Ind.》 역전(驛傳) 우편(물).

Dak. Dakota.

Da·kar [dəkáːr, dɑː-] *n.* 다카르《Senegal의 수도》.

Da·ko·ta [dəkóutə] *n.* 다코타《미국의 중부 지역명; North Dakota와 South Dakota의 두 주로 됨; 생략: Dak.》. ***the*** **~s** 남북 양(兩)다코타주.

daks [dæks] *n. pl.* 《영 · Austral. 속어》 바지.

dal[1] [dɑːl] *n.* =DHAL.

dal[2] decaliter(s).

Da·lai La·ma [dáːlailáːmə/dǽlai-] **1** 달라이 라마《티베트의 라마교 교주》. **2** (*batan hdsin rgya mtsho*) 14대 달라이라마《노벨 평화상 수상(1989); 1935–》.

da·la·si [dɑːláːsi] (*pl.* ~, ~**s**) *n.* 달라시《Gambia 통화 단위; =100 bututs; 기호 D》.

dale [deil] *n.* 골짜기《특히 넓은》. ⓒⓕ vale, valley.

Da·lek [dáːlek] *n.* 《영》 (종종 d–) 달렉《귀에 거슬리는 단조로운 소리로 말하는 로봇》.

dales·man [déilzmən, -mæ̀n] (*pl.* **-men** [-mən]) *n.* (특히 잉글랜드 북부) 골짜기의 주민.

Da·li [dáːli] *n.* **Salvador** ~ 달리《surrealism의 대표적 스페인 화가; 1904–89》.

Da·lian, Ta·lien [dáːljáːn], [dàːljén, tàː-] *n.* 다롄, 대련(大連)《중국 랴오둥 반도 남단에 있는 항만 도시》.

Dal·las [dǽləs] *n.* 댈러스《미국 Texas주 북동부의 도시; 1963년 J. F. Kennedy가 암살된 곳》.

dalles [dælz] *n. pl.* 《미 · Can.》 (협곡의) 급류.

dal·li·ance [dǽliəns] *n.* 《주로 문어》 **1** 빈둥거리며 지냄, 시간 낭비. **2** 놀이, 장난; 《특히》 사랑의 장난; 희롱거림. **3** 성실치 못한 행위; (…을) 가지고 놂《*with*》.

dal·ly [dǽli] *vi.* 《~/+전+명》 희롱하다, 농탕치다; 가지고 놀다, 장난하다《*with*》; 섣불리 손을 대다, 번롱하다《*with*》; 빈들거리다; (시간 등을) 허비하다, 우물쭈물하다: Don't stand ~ing. 빨리빨리 해라 / ~ *with* a lover 연인과 농탕치다 / ~ over one's work 홍뚱항뚱하게 일하다. — *vt.* 《+목+부》 (시간 따위를) 낭비하다, 헛되이 하다《*away*》: ~ *away* one's chance 호기(好機)를 헛되이 놓치다. ⓜ **dál·li·er** *n.*

Dal·ma·tia [dælméiʃə] *n.* 달마티아《크로아티아 공화국의 지방》.

Dal·ma·tian [dælméiʃən] *a.* 달마티아의. — *n.* **1** 달마티아 사람〔어〕. **2** (보통 d–) 달마티아 개(=∠ **dóg**)《흰 바탕에 흑반점의》.

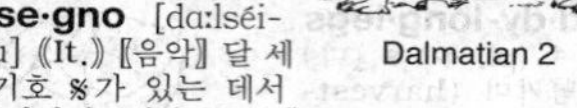

Dalmatian 2

dal·mat·ic [dælmǽtik] *n.* 〖가톨릭〗 부제복(副祭服); (왕의) 대관식 예복.

dal se·gno [dɑːlséinjou] 《It.》 〖음악〗 달 세뇨《기호 𝄋가 있는 데서 되풀이하여; 생략: D.S.》.

Dal·ton [dɔ́ːltn] *n.* **John** ~ 돌턴《영국의 화학 · 물리학자; 원자론을 발표하고, 근대 화학의 기초를 확립함; 1766–1844》.

dal·ton *n.* 〖물리〗 돌턴《원자 질량 단위》.

Dál·ton·ism *n.* (종종 d–) Ⓤ 〖의학〗 선천성 색맹, 《특히》 적록(赤綠) 색맹. ⓜ **-ist** *n.* 색맹인.

Dal·ton·ize [dɔ́ːltənàiz] *vt.* …에게 돌턴식 학습 지도법(Dalton system)을 실시하다.

Dálton plàn 〔**sỳstem**〕 돌턴식 교육법《학생의 능력에 따라 과제를 맡겨 자발적으로 학습시키는 교육 방법; 미국 Massachusetts주 Dalton 시에서 시작》.

Dálton's atómic théory 〖화학〗 돌턴의 원자설《근대 원자 이론의 기초》.

⁑**dam**[1] [dæm] *n.* **1** 댐, 둑. **2** 둑으로 막은 물. **3** 《비유》 장애물. — (**-mm-**) *vt.* 《~+목/+목+부》 둑으로 막다《*up; out; off*》; 막다, (감정 등을) 억누르다《*in; up; back*》: ~ *back* one's tears.

dam[2] *n.* (네발짐승의) 어미; 《고어》 어머니.

dam[3] *a., ad.* =DAMNED.

dam. decameter.

⁑**dam·age** [dǽmidʒ] *n.* **1** Ⓤ 손해, 피해, 훼손, 손상 (injury): The storm did considerable ~ to the crops. 폭풍은 농작물에 상당한 피해를 주었다. **2** (*pl.*) 〖법률〗 손해액, 배상금: claim 〔pay〕 ~*s* 손해 배상금을 요구〔지불〕하다. **3** Ⓒ (the ~(s)) 《구어》 대가(代價), 비용(cost) 《*for*》. ***prove*** 〔***turn out***〕 ***to*** a person***'s*** ~ 아무의 손해가 되다. — *vt.* …에 손해를 입히다; (명성 · 체면 따위를) 손상〔훼손〕시키다; 건강을 해치다: Too much drinking can ~ your health. 과음하면 건강을 해칠 수 있습니다. SYN. ⇨ HURT. — *vi.* 손해를〔손상을〕 입다. ★ damage는 '물건'의 손상을, '사람 · 동물'의 손상은 injure. ⓜ **~·a·ble** *a.* **dàm·age·a·bíl·i·ty** *n.* **dám·ag·er** *n.*

dámage contròl 〖군사〗 피해 대책: ~ party 피해 대책반.

dámaged góods 흠이 있는 것; 《속어》 비(非)처녀.

dámage limitàtion 응급 피해 대책《적의 공격이나 천재 등에 의한 피해를 최소한에 그치도록 하는 대책》; 피해 대책반; (기업등에 의한) 손실 · 악평 등에 대한 대책. =DAMAGE CONTROL.

dám·ag·ing *a.* 파괴적〔중상적〕인; 손해를 끼치는, 해로운. ⓜ **~·ly** *ad.*

dam·a·scene [dǽməsìːn, ⌐-⌐] *n., a.* Ⓤ 물결 무늬(가 있는); Ⓒ (D–) Damascus의 (사람). — *vt.* 물결 무늬를 넣다, (칼날에) 물결 무늬를 띠게 하다; (쇠붙이에) 금은으로 상감(象嵌)하다. ⓜ **-scèn·er** *n.*

Da·mas·cus [dəmǽskəs] *n.* 다마스쿠스《Syria의 수도》. ~ ***steel*** =DAMASK STEEL.

dam·ask [dǽməsk] *n., a.* Ⓤ 단자(緞子)(의), 능직(綾織)(의); (삼의) 능직천(의); 다마스크 강철(의); 연분홍색(의), 석죽색(石竹色)(의). — *vt.* 무늬놓아 짜다; (볼을) 붉히다.

dam·a·skeen [dǽməskìːn] *vt.* =DAMASCENE.

dámask róse 향기로운 연분홍색 장미의 일종.

dámask stéel 다마스크 강철《도검용(刀劍用)》.

dám bùster 〚군사〛 댐 파괴 폭탄.

◇**dame** [deim] *n.* **1** 《고어·시어》 귀부인(lady); 《고어》 주부; 중년 여자; 《미속어》 여자. **2** 《영》 (D-) knight에 맞먹는 작위가 수여된 여자의 존칭; (D-) knight 또는 baronet의 부인의 정식 존칭. **3** (영국 Eton 교 기숙사의) 사감《남자 또는 여자》. **4** (D-) (자연·운명 등) 여성으로 의인화된 것에 붙이는 존칭: *Dame* Fortune 〔Nature〕 운명〔자연〕의 여신.

dáme schòol (여자가〔노부인이〕 경영한 옛) 「초등학교.

dam·fool [dǽmfúːl] *n.* 《구어》 지독한 바보. ── *a.* 지지리도 못난.

dam·fool·ish [dǽmfúːliʃ] *a.* =DAMFOOL.

Da·mien [déimiən; *F* damjɛ̃] **Father** (**Joseph de Veuster**) ~ 다미앵《벨기에의 가톨릭 선교사; Molokai섬에서 한센(Hansen)병 환자에게 전도하다 그 병에 걸려 죽음; 1840-89》.

da·min·o·zide [dəmínəzàid] *n.* 〚화학〛 다미노지드《식물 성장 촉진제; 사과 따위에 씀》.

dam·mit [dǽmit] *int.* 염병할, 빌어먹을(damn it). (*as*) *near as* ~ 《영속어》 거의.

*****damn** [dæm] *vt.* **1** 비난하다, 매도하다; 혹평하다: ~ a person's new novel 아무의 신작 소설을 혹평하다. **2** (사람·전도를) 파멸시키다; 결딴내다: ~ a person's prospects 아무의 전도를 망치다. **3** (신이 사람을) 지옥에 떨어뜨리다, 벌주다; 저주하다. **4** 〚감탄사적〛 제기랄, 젠장칠, 지긋지긋해: *Damn* the flies! 젠장칠 파리 같으니. ── *vi.* '제기랄〔젠장칠〕' 하고 매도하다. ***Damn it*** 〔***you, him***〕***!*** 빌어먹을〔염병할〕 것 같으니. ~ ***with faint praise*** 치살리는 체하면서 비난하다. ***I'll be*** 〔***I am***〕 ***~ed if …*** 〚부정을 강조하여〛 절대로 …않다. (***Well,***) ***I'll be ~ed.*** 《구어》 저런, 어머나, 허《놀람·초조·노여움 따위를 나타내는 감탄사》. ── *n.* **1** 저주, 매도. **2** 《구어》 〚부정어와 함께〛 조금도, 요만큼도: do not care a ~ =don't give a ~ 《구어》 조금도 개의치 않다/not worth a ~ 한푼의 가치도 없는.
── *a., ad.* 《구어》 =DAMNED: ~ cold 지독히 추운. ***a ~ thing*** 《속어》 =ANYTHING. ~ ***all*** 《영속어》 아무것도 …않다. ~ ***well*** 《속어》 확실히 (certainly), 단연.

dam·na·ble [dǽmnəbəl] *a.* 지옥에 갈; 가증한, 지겨운; 지독한(confounded). ㊎ **~·ness** *n.* **-bly** *ad.* 언어 도단으로; 《구어》 지독하게.

dam·na·tion [dæmnéiʃən] *n.* **1** Ⓤ,Ⓒ 비난, 악평(*of*). **2** Ⓤ 지옥에 떨어뜨림, 천벌; 파멸(ruin). ── *int.* 아뿔싸, 빌어먹을, 쳇.

dam·na·to·ry [dǽmnətɔ̀ːri/-təri] *a.* 저주의; 비난의(condemning); 지옥에 떨어뜨리는, 영겁의 벌을 내리는.

◇**damned** [dæmd] (*∠·er; ∠·est, dámnd·est*) *a.* **1** 저주받은. **2** 〚종종 d—d [diːd]로 간약〛 《강조적으로》 전적인, 완전한, 결정적인. **3** 《구어》 터무니없는, 엄청난, 놀라운: It's a ~ lie! 터무니없는 거짓말이야. **4** 영겁의 벌을 받은, 지옥에 떨어진; (the ~) 지옥의 망령들. ── *ad.* 《구어》 지독하게; 굉장히: ~ funny 지독히 재미있는.

damned·est, damnd·est [dǽmdist] *n.* 《구어》 최선, 최대한의 노력〔기능〕. ***do*** 〔***try***〕 ***one's*** ~ 할 수 있는 데까지 하다, 최선을 다하다. ── *a.* (the ~) 매우 놀라운, 아주 이상한.

dam·ni·fy [dǽmnəfài] *vt.* 〚법률〛 …에 손상을 주다(damage, injure). ㊎ **dàm·ni·fi·cá·tion** [-fəkéiʃən] *n.* Ⓤ 〚법률〛 손상 (행위).

damn·ing [dǽmiŋ, dǽmniŋ] *n.* Ⓤ 저주함. ── *a.* 영겁의 죄에 빠진; 파멸이 되는; 저주의; (증거 등이) 유죄를 증명하는, 어쩔 도리가 없는: ~ evidence 죄의 확증. ㊎ **~·ly** *ad.* **~·ness** *n.*

dam·no·sa h(a)e·re·di·tas [dæmnóusəhərédətæ̀s] 《L.》 〚로마법〛 불이익이 되는 상속물; 〚일반적〛 해로운〔귀찮은〕 계승물.

dam·nous [dǽmnəs] *a.* 〚법률〛 손해의〔에 관한〕. ㊎ **~·ly** *ad.*

dám·num àbs·que in·jú·ria [dǽmnəm ǽbzkwi injúəriə] 《L.》 배상 청구가 성립되지 않는 손해(damage without wrongdoing).

dámnum fa·tá·le [-fətéiliː] 《L.》 〚법률〛 불가항력에 의한 손해(damage through fate).

Dam·o·cles [dǽməkliːz] *n.* 〚그리스신화〛 Syracuse의 왕 Dionysius의 신하. ***the sword of*** ~ =~***' sword*** 신변에 따라다니는 위험《Dionysius 왕이 연석에서 Damocles 머리 위에 머리카락 하나로 칼을 매달아, 왕위에 따르는 위엄을 보여준 데서》. ㊎ **Dam·o·cle·an** [dæ̀məklíːən] *a.*

Da·mon and Pyth·i·as [déimənənd píθiəs] 막역한 벗, 둘도 없는 친구. ⓒⓕ David and Jonathan.

*****damp** [dæmp] *a.* **1** 축축한, 습기찬. **2** 《고어》 의기소침한; 망연한, 어찌할 바를 모르는. ── *n.* Ⓤ **1** 습기, 습도; 안개; (갱내의) 유독 가스. ⓒⓕ firedamp. **2** (보통 a ~) 기세를 꺾는〔저지하는〕 것〔일〕; 《고어》 의기 소침, 실의, 낙담: cast a ~ *over* a person 아무의 기세를 꺾다. ***strike a ~ into company*** 좌중의 흥을 깨다. ── *vt.* **1** 적시다, 축이다. **2** 《~+목/+목+부》 (기를) 꺾다, 좌절시키다; 낙담시키다; (불·소리 등을) 약하게 하다, 끄다, 재를 뿌리다, (불을) 잿속에 묻다《*down*》: ~ a person's enthusiasm 아무의 열의를 꺾다/~a person's spirit 아무를 실망시키다/~ *down* an agitation 소동을 가라앉히다. **3** 〚음악〛 (현(絃) 따위의) 진동을 멈추게 하다; 〚전기〛 (전파의) 진폭을 감소시키다. ── *vi.* **1** 눅눅해지다. **2** 〚원예〛 (식물이) 습기 때문에 썩다《*off*》. **3** 의기 소침해지다. **4** 〚물리〛 (진폭이) 감쇠하다. ~ ***down*** ① (마루 따위의) 전면을 축축하게 하다. ② …의 화력을 떨어뜨리다. ③ (열의·흥분 따위를) 약하게〔식게〕 하다. ~ ***off*** 〚식물병리〛 입고병(立枯病)에 걸리다. ㊎ **∠·ly** *ad.* 축축하여, 습기가 차서. **∠·ness** *n.* 습기.

dámp còurse 〚건축〛 벽 속의 방습층.

dámp-drý 《미》 *vt.* (빨래를) 눅눅하게 말리다. ── *a.* 설마른《빨래》.

damp·en [dǽmpən] *vt.* 축이다, 풀이 죽게 하다, 기를 꺾다. ── *vi.* 축축해지다; 기죽다. ~***ing weather*** 궂은 날씨. ㊎ **~·er** *n.* ~하는 사람〔것〕; 완충 장치.

dámp·er *n.* **1** 헐뜯는〔기를 꺾는〕 사람; 악평, 야료, 생트집. **2** 적시는 것, 축이는 도구. **3** (난로 따위의) 바람문, 조절판(瓣); 〚전기〛 제동자(制動子), 제동기(機). **4** (피아노의) 단음(斷音) 장치, (바이올린의) 약음기(弱音器). **5** 《속어》 마실 것, 음료. ***cast*** 〔***put, throw***〕 ***a ~ on*** …에 생트집을 잡다. ***turn*** a person***'s ~ down*** 《미속어》 (아무의) 당장의 성욕을 채우다; (아무를) 안정시키다. ── *vt.* 《구어》 …의 흥을 깨다.

dámp·ing *a.* **1** 습기를 주는: a ~ machine (천에 윤을 내는) 가습기(加濕機). **2** 〚전기〛 제동〔감폭〕하는: a ~ coil 제동 코일. **3** 〚오디오〛 댐핑《진동을 흡수 억제함》. ── *n.* Ⓤ 〚전기〛 제동, (진동의) 감폭.

dámping-óff *n.* Ⓤ 〚식물〛 잘록병《식물이 말라 「시드는 병》.

damp·ish [dǽmpiʃ] *a.* 습기찬. ㊎ **~·ly** *ad.* **~·ness** *n.*

dámp·pròof *a.* 습기를 막는: ~ course =DAMP COURSE. ── *vt.* 방습을 하다.

dámp squìb 《영구어》 효과가 없는 것; 불발로 「끝난 계획.

dam·sel [dǽmzəl] *n.* 《고어·시어》 처녀; 《고

어》 신분이 높은 소녀.

dámsel·flỳ *n.* 『곤충』 실잠자리.

dám·site *n.* 댐 건설 용지(用地).

dam·son [dǽmzən] *n.* 『식물』 서양자두(나무). **—** *a.* 서양자두색의, 암자색의.

dámson chèese 서양자두의 설탕절임.

dam·yan·kee [dæmjǽŋki] *n.* 《미구어》 미북부 여러 주의 주민; 〔일반적〕 미국 사람, 양키.

Dan [dæn] *n.* **1** 단《북부 Palestine 에 이주한 히브리인》. **2** 단《Palestine 북쪽 끝의 옛 도시》. **3** 댄《남자 이름; Daniel 의 애칭》. **4** 《고어·시어》 Sir, Master 에 해당하는 경칭. ***from ~ to Beersheba*** 끝에서 끝까지.

dan[1] [dæn] *n.* 《영》 부표(= ∠ **bùoy**)《소해(掃海)작업·심해 어업용》.

dan[2] *n.* (태권도·유도·검도·바둑 등의) 단 「(段); 유단자.

Dan. Daniel; Danish; Danzig.

Da Nang, Da·nang [dáːnáːŋ/dáːnǽŋ] *n.* 다낭《베트남 중부의 항구 도시》.

†**dance** [dæns, dɑːns/dɑːns] *vi.* **1** 《~/+전+명》 춤추다: I ~*d with* her to the piano music. 피아노곡에 맞춰 그녀와 춤추었다. **2** 《~/+부(+전+명)》 뛰어 돌아다니다, 기뻐서 껑충껑충 뛰다: ~ *about* (*for* joy) (기뻐) 날뛰다. **3** (파도·그림자·나뭇잎 따위가) 흔들리다; (마음·심장 등이) 약동하다; 고동치다: leaves *dancing* in the wind 바람에 흔들리는 나뭇잎/Her heart ~*d* (with happiness). 그녀의 가슴은 (기뻐) 두근거렸다. **4** 《미속어》 남의 생각〔말〕대로 하다. **—** *vt.* **1** (춤을) 추다. **2** 《+목+전+명》 춤추게 하다, …을 리드하다; (아이를) 어르다: He ~*d* her *around* the ball room. 그녀를 리드하여 무도장을 빙글빙글 돌게 했다/~ a baby *on* one's knee 아기를 무릎 위에 놓고 어르다. **3** 《+목+보/+목+전+명/+목+부》 (…이 될 때까지) 춤추게 하다: ~ a person weary 아무를 녹초가 되도록 춤추게 하다/~ a person *out of* breath 춤의 상대를 헐떡이게 하다/~ the new year *in* = ~ *in* the new year 춤추며 새해를 맞이하다. ***~ attendance on*** 〔***upon***〕 ⇨ ATTENDANCE. ***~ away*** 〔***off***〕 춤추며 사라지다; 춤으로 …을 없애다〔잊다, 떨쳐버리다〕: ~ *away* one's worry 춤으로 근심을 잊다. ***~ off*** 《속어》 (처형되어) 죽다. ***~ on a rope*** 〔***nothing,*** 〔***the***〕 ***air***〕 교수형을 당하다. ***~ oneself into*** a person***'s favor*** 춤을 추어서〔알쫑알쫑해서〕 아무의 환심을 사다. ***~ the carpet*** 《미속어》 (질책·처벌을 위해) 소환되다, 출석하다. ***~ to another*** 〔***a different***〕 ***tune*** 갑자기 태도를〔의견을〕 바꾸다. ***~ to*** a person***'s pipe*** 〔***tune, whistle***〕 아무의 장단에 맞추다, 시키는 대로 행동하다.

— *n.* **1** 댄스, 춤, 무용; 댄스곡: a social ~ 사교 댄스. **2** 댄스파티, 무도회. ★ 특별한 경우를 제외하고는 a dance party 라 하지 않고 그냥 dance 라고 함. 공식적인 성대한 것은 ball, 가정에서의 소규모의 것은 그냥 party 라고 흔히 말함: go to a ~ 댄스 파티에 가다/give a ~ 무도회를 개최하다. ***lead*** a person ***a fine*** 〔***pretty, jolly***〕 ~ 아무를 마구 부려 애먹이다, 곤란케 하다. ***lead*** 〔***begin***〕 ***the*** ~ 솔선하다. ***the ~ of death*** 죽음의 무도《중세의 화제(畫題); 죽음의 신이 사람을 무덤으로 인도하는 그림》.

dánce·a·ble *a.* (곡 등이) 댄스〔춤〕에 적합한, 댄스용의.

dánce bànd 댄스(용) 밴드.

dánce dràma 무용극.

dánce flòor (클럽·레스토랑 따위의) 댄스장.

dánce hàll 댄스 홀; 《미속어》 사형 집행실(의 대기실).

dánce·hall *n.* =RAGGA.

dánce hòstess 직업 댄서.

dánce lànguage 댄스 언어《꿀벌이 정보 전달에 사용하는 일련의 몸짓 운동》.

dánce mùsic 무도〔무용〕곡.

⁑**danc·er** [dǽnsər, dáːns-/dáːns-] *n.* 춤추는 사람; 무희, 댄서; 무용가: She is a good ~. 그녀는 춤을 잘 춘다.

danc·er·cise [dǽnsərsàiz, dáːns-/dáːns-] *n.* 댄서 사이즈《건강 증진을 위한 일종의 재즈 댄스》. [◂ dance+exercise].

dánce stùdio 댄스 교실〔연습장〕.

⁑**danc·ing** [dǽnsiŋ, dáːns-/dáːns-] *n.* Ⓤ 춤(연습), 춤추기.

dáncing gìrl 댄서, 무희.

dáncing hàll 댄스홀; 《미》 사형수 감방.

dáncing mània 〔**plàgue**〕 무도병(病).

dáncing màster 〔**mìstress**〕 댄스 교사〔여교사〕.

dáncing stèp 댄스의 스텝; 나선 계단의 부채꼴의 발판 안쪽의 좁은 부분을, 직선 계단 발판의 폭과 같게 한 것.

dancy [dǽnsi, dáːn-/dáːn-] *a.* 춤을 추는 것 같은; 활발하고 민첩한.

D́ and B́ 《미속어》 신용 조사(보고서). [◂ *Dun and Bradstreet*]

D́ and Ć (자궁경관) 확장과 소파(搔爬), 인공 중절. [◂ *d*ilation and *c*urettage]

D & D Death and Dying. **D. & D., D and D** 《미속어》 deaf and dumb: play ~ (묵비권을 행사하여) 침묵을 지키다; 《미속어》 drunk and disorderly(술에 취해 난폭하게 굴다)《경찰이 체포할 때의 말》.

°**dan·de·li·on** [dǽndəlàiən] *n.* 『식물』 민들레.

dándelion clòck 민들레의 갓털 같은 머리.

dándelion còffee 건조시킨 민들레의 뿌리(로 만든 음료).

dan·der [dǽndər] *n.* Ⓤ 비듬; 《구어》 노여움, 분노(temper): get one's 〔a person's〕 ~ up 《구어》 노하다〔아무를 노하게 하다〕.

dan·di·a·cal [dændáiəkəl] *a.* 멋쟁이의, 멋부린, 멋낸.

Dan·die Din·mont [dǽndidínmɑnt/-mɔnt] 테리어 개의 일종《다리가 짧고 몸이 긺》.

dan·di·fi·ca·tion [dæ̀ndifəkéiʃən] *n.* Ⓤ 멋부림, 맵시냄.

dan·di·fied [dǽndifàid] *a.* 번드르르하게 차린.

dan·di·fy [dǽndifài] *vt.* 멋부리다.

dan·dle [dǽndl] *vt.* (갓난 아이를) 안고 어르다; 귀여워하다, 어하다.

dan·druff, -driff [dǽndrəf], [-drif] *n.* Ⓤ 비듬. ***a galloping*** ~ 《미속어》 사면발니.

°**dan·dy**[1] [dǽndi] *n.* 멋쟁이; 《구어》 훌륭한 물건, 일품; 『해사』 댄디형 범선; (그 선미의) 작은 (삼각)돛. **—** (***-di·er; -di·est***) *a.* 멋내는(foppish); 《구어》 굉장한, 일류의. ***fine and*** ~ = FINE[1]. **—** *ad.* 《구어》 훌륭하게.

dan·dy[2] *n.* =DENGUE.

dándy brùsh (말 손질에 쓰는 뻣뻣한) 솔.

dándy càrt (바퀴에 스프링이 달린) 우유 배달차.

dándy féver 『의학』 =DENGUE.

dándy hòrse 발로 지면을 차면서 나아가는 초기의 자전거; = HOBBYHORSE.

dan·dy·ish [dǽndiiʃ] *a.* 멋쟁이의.

dán·dy·ìsm *n.* Ⓤ 멋부림, 치레, 멋.

dándy ròll 〔**ròller**〕 『제지』 투문(透紋)을 넣는 롤러.

Dane [dein] *n.* **1** 덴마크 사람; 『영국사』 데인 사람《9-11 세기경 영국에 침입한 북유럽인》. **2** 덴마크종의 큰 개(Great ~).

dáne·gèld, -gèlt *n.* (종종 D-) **1** 『영국사』 데인세(稅)《10 세기경 데인 사람에게 바치거나 데인 사람의 침입을 막기 위한 군비로 과해진 조세; 후에는 토지세》. **2** 세금. **3** 뇌물에 의한 아부.

Dáne·làw, -làgh *n.* 『영국사』 데인법《9-11세

기경 데인족이 점령한 England 북동부에서 시행된 법률); 그 법률이 시행된 지역.
Dáne pàrticle 〖의학〗 데인 입자((B형 간염의 원인이 되는 바이러스 입자)). 「(ED).
dang[1] [dæŋ] *v.*, *n.*, *a.*, *ad.* ((완곡어)) =DAMN-
dang[2], **dange** [dændʒ] *n.* ((비어)) 음경. **—** *a.* =SEXY. 「인 처녀.
dánge bròad *n.* ((속어)) 성적 매력이 있는 흑
dan·ger [déindʒər] *n.* **1** Ⓤ,Ⓒ 위험(상태) ((*of*)): be in ~ *of* (catching cold) (감기들) 위험이 있다 / run into ~ 위험에 빠지다 / put a person in ~ 위험에 빠뜨리다 / be exposed to ~ 위험에 노출되다 / escape from ~ 위험에서 벗어나다.

> SYN. **danger** 가장 일반적인 말. **hazard** 예측되나 피할 수 없는 위험: the many *hazards* of a big city 대도시의 갖가지 위험. **peril** 몸에 닥치는 큰 위험: be in *peril* of one's life 목숨의 위험이 눈앞에 다가와 있다. **risk** 자기의 책임하에 무릅쓰는 위험.

2 Ⓒ 위험물; 위험의 원인이 되는 것, 위협((*to*)). **3** Ⓤ (신호의) 위험 표시. **4** ((고어)) (해악을 끼치는) 힘; 권력, 지배(권), =JURISDICTION. ***at*** **~** (신호가) 위험을 나타내어. ***in*** **~** 위험(위독)하여. ***make*** **~** ***of*** …을 위험시하다. ***out of*** **~** 위험을 벗어나서. ***stand within*** a person***'s*** **~** 아무의 지배하(수중)에 있다.
dánger àngle 〖해사〗 위험각(角)((배가 위험 범위에 들어가는 것을 나타내는 각도)).
dánger lìne 위험 라인((그 앞은 위험 영역)).
dánger lìst ((구어)) 중증 입원 환자 명부: on the ~ (입원 환자 등이) 중태로.
dánger màn 〖스포츠〗 (상대에게) 위협이 되는 선수, 무서운 상대.
dánger mòney ((영)) 위험 수당.
dan·ger·ous [déindʒərəs] *a.* 위험한, 위태로운; ((방언)) 위독한: a ~ drug 마약 / a ~ man 위험 인물 / look ~ 험악한 얼굴을 하고 있다. ㊞ **~·ly** *ad.* 위험하게, 위험할 정도로: be ~*ly* ill 위독하다. **~·ness** *n.*
dángerous áge 위험한 연령((불륜 따위를 저지를 가능성이 있는 연령, 40 세)).
dángerous drúg 위험한 약물((특히 약물 습관성을 초래하는 마약)). 「으킬 소지.
dángerous gróund (**térritory**) 문제를 일
dánger pày =DANGER MONEY.
dan·gle [dǽŋgəl] *vi.* ((+전+명)) **1** 매달리다, 흔들흔들하다: ~ *from* the ceiling 천정에 매달려 있다. **2** 붙어다니다, 좇아다니다((*about; after; around*)): He's always *dangling after* (*around*) her. 그는 항상 그녀의 뒤꽁무니만 좇아다닌다. **—** *vt.* …을 매달다; 자랑삼아 보이다, (마음이 동하도록) 언뜻 내비치다. ***keep*** a person ***dangling*** (아무에게) 확실한 결과를 알리지 않고 기다리게 하다, 어중간한 상태로 두다, 애타게 하다. **—** *n.* 매달림; 매달린 것. 「스코트 인형.
dángle-dòlly *n.* ((영)) 자동차의 창에 매다는 마
dángling párticiple 〖문법〗 현수(懸垂)분사((participle의 의미상의 주어가 주절의 주어와 같지 않은 분사; 보기: *Coming to the river*, the bridge was gone. 강에 와 보니 다리는 없었다)).
dan·gly [dǽŋgli] *a.* 매달린, 흔들흔들하는.
Dan·iel [dǽnjəl] *n.* **1** 다니엘((남자 이름)). **2** 〖성서〗 다니엘((히브리의 예언자)); 다니엘서((구약성서 중의 한 편)); 명재판관.
da·nio [déiniòu] (*pl.* **-ni·òs**) *n.* 〖어류〗 다니오((작은 관상용 열대어의 일종)).
Dan·ish [déiniʃ] *a.* 덴마크(사람 · 어)의; 〖역사〗 데인 사람(어)의. **—** *n.* Ⓤ 덴마크어; 데인어. cf. Dane.

Dánish pástry 과일 · 땅콩 등을 가미한 파이 비슷한 과자빵.
Dánish Wèst Índies (the ~) 덴마크령 서인도 제도((미국이 매수하기 전의 Virgin Islands of the United States 의 구칭)).
dank [dæŋk] *a.* 물이 스며나는, 축축한, 눅시 습한. ㊞ **∠·ish** *a.* **∠·ly** *ad.* **∠·ness** *n.*
Danl. Daniel.
D'An·nun·zio [dɑːnúːntsiòu] *n.* **Gabriele ~** 단눈치오((이탈리아의 시인 · 작가 · 군인; 데카당스 문학의 대표자; 1863-1938)).
Dan·ny [dǽni] *n.* 대니((남자 이름; Daniel의 애칭)).
dan·ny, don·ny [dǽni], [dáni/dɔ́ni] *n.* ((영방언)) 손, (어린아이에게) 손 줘.
danse ma·ca·bre [*F.* dɑ̃smakɑːbʀ, -kabʀ] ((F.)) =the DANCE of death.
dan·seur [*F.* dɑ̃sœːʀ] *n.* ((F.)) 남자 발레 댄서.
dan·seuse [*F.* dɑ̃søːz] *n.* ((F.)) 발레리나.
Dan·te [dǽnti] *n.* **~ Alighieri** 단테((이탈리아의 시인; *La Divina Commedia* (신곡)의 작자; 1265-1321)).
Dan·te·an [dǽntiən, dæntíː-] *n.* 단테 연구가; 단테 숭배자. **—** *a.* 단테(풍)의. 「한.
Dan·tesque [dæntésk] *a.* 단테(풍)의; 장중
Dan·ube [dǽnjuːb] *n.* (the ~) 다뉴브 강((남서 독일에서 흘러 흑해로 들어감; 독일명 Donau)). ㊞ **Da·nu·bi·an** [dænjúːbiən] *a.*
Dan·zig [dǽntsig; *G.* dántsiç] *n.* **1** 단치히((GDAŃSK 의 독일어명)). **2** 감상용(鑑賞用) 비둘기의 한 품종.
dap [dæp] (***-pp-***) *vi.* (낚시로) 미끼를 물 위에 살짝 던지다(던져 낚다); (새 등이) 쑥 물에 잠기다((먹이 잡을 때 따위)); (물수제비뜨기 따위로 돌멩이가) 수면을 튀다; (공이) 튀다. **—** *vt.* (낚시 미끼를) 수면에 나왔다 들어갔다 하게 하다; (돌멩이 따위를) 수면에서 튀게 하다; 〖목공〗 (목재)에 장붓구멍을 파다. **—** *n.* dapping 낚시의 미끼; (공의) 튐; (물을 가르는 돌멩이의) 수면 위로의 튐; 〖목공〗 (목재의) 장붓구멍; ((미)) (군인들이 행하는) 과장된 악수.
Daph·ne [dǽfni] *n.* **1** 대프니((여자 이름)). **2** 〖그리스신화〗 다프네((Apollo에게 쫓기어 월계수가 된 요정)). **3** (d-) 〖식물〗 월계수; 팥꽃나무.
daph·nia [dǽfniə] *n.* 〖동물〗 물벼룩속(屬)의 각종 갑각 동물.
Daph·nis [dǽfnis] *n.* 〖그리스신화〗 다프니스((Sicily 의 목동으로 목가(牧歌)의 발명자)).
Dáphnis and Chlóe 다프니스와 클로에((2-3 세기경 그리스의 목가적인 이야기 속의 순진한 연인들)).
dap·per [dǽpər] *a.* 말쑥한, 단정한; 몸집이 작고 잰, 날렵한. ㊞ **~·ly** *ad.* **~·ness** *n.*
dap·ping [dǽpiŋ] *n.* 미끼를 물위로 내었다 들였다 하면서 낚시하는 방법.
dap·ple [dǽpəl] *n.* Ⓒ,Ⓤ 얼룩; Ⓒ 얼룩이((말 · 사슴 따위)). **—** *a.* 얼룩진. **—** *vt.*, *vi.* 얼룩지게 하다(되다).
dápple bày 밤색털에 얼룩이 있는 말.
dáp·pled *a.* 얼룩진, 얼룩덜룩한: a ~ horse 얼룩말. 「이 말(의).
dàpple-gráy, ((영)) **-gréy** *n.*, *a.* 회색 돈점박
D.A.Q.M.G. Deputy Assistant Quartermaster General. **DAR** 〖미군사〗 Defense Acquisition Regulation(병기 조달 규정); Defense Acquisition Radar(방위용 목표 포착 레이더). **DAR, D.A.R.** Daughters of the American Revolution.
darb [dɑːrb] *n.* ((미속어)) 굉장한 사람(것).

dar·bies [dá:rbiz] *n. pl.* 《속어》 수갑.
Dar·by and Joan [dá:rbiəndʒóun] 금실 좋은 늙은 부부(옛 노래에서).
dar·cy [dá:rsi] *n.* 〖물리〗 다르시《액체의 다공성(多孔性)의 매질 투과율의 단위》.
Dárcy's làw 〖물리〗 다르시의 법칙《다공질 속을 통과하는 유체(流體)의 속도에 관한 법칙》.
Dar·dan [dá:rdn] *a., n.* =TROJAN.
Dar·da·nelles [dà:rdənélz] *n.* (the ~) 다르다넬스 해협《Marmara 해와 에게 해 사이를 연결하는 유럽 · 아시아 대륙간의 해협》.
‡dare [dɛər] (*p.* **~d,** 《고어》 ***durst*** [də:rst]) *aux. v.* 감히 …하다, 대담하게〔뻔뻔스럽게도〕 …하다; …할 용기가 있다: *Dare* he do it? 그가 감히 그것을 할 수 있을까/He *~n't* tell me. 그는 내게 말할 용기가 없다/*Dare* he admit it? 그가 그걸 인정해줄까/I met him, but I *~d not* tell him the truth. 그를 만났지만 차마 사실을 말할 수 없었다/How ~ you speak like that? 감히 어찌 그런 말을 할 수 있단 말인가.

[NOTE] (1) 3인칭 · 단수 · 현재형은 어미에 -s를 붙이지 않으며, 조동사 do를 쓰지 않고, 또 그 다음에 to 없는 부정사가 이어짐. (2) 아래 숙어 이외에는 조동사로서의 용법은 현재 거의 쓰이지 않으며, 동사 용법이 일반적.

I ~ say 〔***daresay***〕 아마도(I suppose): *I ~ say* you are right. 당신 말이 옳을 것이오. ***I ~ swear*** 반드시 …이라고 확신한다.
— (**~d,** 《고어》 ***durst*** ; **~d**) *vt.* **1** 《+*to* do》 감히 …하다, 대담하게〔뻔뻔스럽게도〕 …하다, …할 수 있다: He *~d to* doubt my sincerity. 무례하게도 그는 나의 성실성을 의심했다/Don't (you) ~ go into my room! 내 방에 들어오는 (뻔뻔스러운) 일은 절대 없어야 한다. ★ 본동사로서의 dare는 부정 · 의문에 do를 취함. dare 다음에는 to 부정사나 to 없는 부정사 두루 쓰임. **2** (위험 등을) 무릅쓰다, 부딪쳐 나가다: He was ready to ~ any danger. 어떠한 위험도 무릅쓸 각오가 되어 있었다/I will ~ your anger and say. 네가 화낼 것을 각오하고 말하겠다.

[SYN] **dare** 일을 행함에 있어 굳은 결의와 용기를 갖고 부닥치는 경우 등을 말함. **venture** 어찌 될지는 모르지만 여하튼 용기를 갖고 과감히 해본다는 뜻.

3 《+[목]+*to* do/+[목]+[전]+[명]》 …에 도전하다, …에게 할 수 있거든 …해 보라고 덤비다: I ~ you *to* jump from this wall. 이 담에서 뛰어내릴 수가 있으면 뛰어내려 봐/He *~d* me *to* a fight. 덤빌 테면 덤비라고 그는 나에게 도전했다.
— *vi.* 감히 (…할) 용기가 있다: You wouldn't ~! 너는 도저히 못 할거야. ***How ~ you ... !***〔?〕 어떻게 감히 …하는가: *How ~ you* say such a thing? 어떻게 감히 그런 말을 해. **—** *n.* 감히 함, 도전: take a ~ 도전에 응하다. [파] **dár·er** *n.*
dáre·dèvil *a., n.* 무모한〔물불을 안 가리는〕 (사람). [파] **~·(t)ry** [-(t)ri] *n.* [U,C] 무모(한 행위), 만용.
daren't [dɛərənt, dɛ́ərnt] dare not의 간약형.
dàre·sáy *vi., vt.* 〘I를 주어로 하여〙 아마도 …일 것이다. [cf.] dare. ¶ I ~ we will soon be finished. 아마도 곧 끝날 것으로 생각한다/Yes, I ~. 예, 그렇게 생각합니다.
darg [dá:rg] *n.* 《Sc.》 하루의 일; 《Austral.》 일정량의 일.
dar·gah, dur- [də́:rga:] *n.* (이슬람교의) 성인의 묘, 성묘(聖廟).
Da·ri [dá:ri:] *n.* [U] 다리어(語)《아프가니스탄의 Tajik 사람 등이 사용하는 페르시아어의 일종》.
dar·ic [dǽrik] *n.* 다릭《고대 페르시아의 화폐 단위 · 금화》.
°dar·ing [dɛ́əriŋ] *n.* [U] 대담무쌍, 호담(豪膽).
— *a.* 대담한, 용감한; 앞뒤를 가리지 않는. [파] **~·ly** *ad.* **~·ness** *n.*
Da·ri·us [dəráiəs] *n.* 다리우스《옛 페르시아의 왕; 558?-486? B.C.》.
Dar·jee·ling, -ji- [da:rdʒí:liŋ] *n.* **1** 다르질링 《인도 West Bengal 주의 도시》. **2** 다르질링 (= **~ téa**)《다르질링산의 고급 홍차》.
†dark [dá:rk] *a.* **1** 어두운, 암흑의. [opp.] *light.*

[SYN] **dark** 일반적으로 쓰이는 말. 전혀 빛이 없는 상태를 말함: a *dark* night 캄캄한 밤. **dim** 어렴풋이 물건이 식별되는 상태를 나타냄: *dim* light 희미한 빛. **dusky** 새벽이나 해거름의 어둑어둑한 상태를 나타냄. **gloomy** 문학적 · 시적인 뜻을 지니며 단순히 어둡고 빛이 없는 상태뿐만 아니라, 음울한 느낌을 나타냄.

2 거무스름한; (피부 · 머리털 · 눈이) 검은(brunette); 가무잡잡한. **3** (색이) 짙은: (a) ~ green 진초록. **4** 비밀의, 은밀한; (의미 따위가) 모호한, 알기 어려운: a ~ passage 이해하기 어려운 한 구절. **5** 무지한, 어리석은: the *~est* ignorance 일자무식. **6** (~est) 《보통 우스개》 오지〔시골〕의: in *~est* Africa 아프리카 오지에서. **7** (안색이) 흐린, 슬픈 듯한; (사태가) 음울한, 음산한. **8** 사악한, 음험한: ~ deeds 나쁜 짓, 비행/~ designs 흉계. ***in a ~ temper*** 기분이 언짢아. ***keep*** a thing ***~*** 일을 비밀로 해두다, 숨겨두다. ***the ~ side of the moon*** ① 달의 이면(裏面). ② 《미속어》 하원.
— *n.* [U] **1** 암흑; [C] 어두운 곳. **2** 어둠, 땅거미 (nightfall), 밤: at ~ 해질녘에/*Dark* fell over the countryside. 시골에 밤이 찾아왔다. [SYN.] ⇨ TWILIGHT. **3** [U,C] 어두운 색; 음영(陰影). **4** 비밀; 불분명; 무지. ***after*** 〔***before***〕 ***~*** 해가 진 후에〔지기 전에〕. ***a stab in the ~*** 억측, 근거 없는 추측에 의한 행동. ***in the ~*** 어둠 속에(서); 비밀히〔로〕; (…을) 알지 못하고《*about; as to...*》: He was in the ~ *about* their plans. 그는 그 계획에 관해 아무것도 몰랐다. ***whistle in the ~*** ⇨ WHISTLE.
dárk adaptàtion 〖안과〗 암순응(暗順應).
dárk-adàpted [-id] *a.* 암순응의.
Dárk Ages (the~) (중세) 암흑시대.
Dárk and Blóody Gróund (the ~) 검은 피로 물든 땅《Kentucky 주를 초기 인디언과의 전투와 관련시킨 호칭》.
dárk brówn stár 〖천문〗 암갈색의 별《은하 속에서 발견된, 가시광을 거의 방사하지 않는 적외선원(源)》.
dárk chócolate 블랙 초콜릿《밀크가 안 들어간 초콜릿》.
dárk cómedy =BLACK HUMOR; BLACK COMEDY.
Dárk Cóntinent (the ~) 검은 대륙《아프리카 대륙》.
dárk cúrrent 〖전자〗 암(暗)전류《광전관(光電管) 속에 빛이 입사(入射)하지 않은 상태에서 흐르는 전류》.
dark·en** [dá:rkən] *vt., vi.* **1** 어둡게 하다; 어두워지다; (빛깔이) 거뭇해지다. **2** (하늘 · 안색 · 마음이) 흐려지다, 흐리게 하다; 침침〔음울〕하게 하다〔해지다〕. **3** 애매하게 하다〔애매해지다〕. **4** 시력을 빼앗(기)다. **~ *counsel 더욱 더 혼란하게 하다. ~ a person***'s door***(***s***) 〔***the door***〕 아무를 방문하다: Don't 〔Never〕 ~ *my door*(*s*) again. 내 집에 두 번 다시 발을 들여놓지 마라.
dark·ey [dá:rki] *n.* =DARKY.
dárk field (현미경의) 암시야. [파] **dárk-field** *a.*
dárk-field illuminátion 암시야 조명(법)《현미경 시료(試料)의 측면에서 빛을 비추어 시료가

어두운 배경에 도드라져 보이게 하는》.
dárk-field micróscope =ULTRAMICROSCOPE.
dárk glásses 검은 색안경.
dárk hórse 다크호스《경마·경기·선거 따위에서 뜻밖의 유력한 경쟁 상대》.
dark·ie [dɑ́ːrki] *n.* =DARKY.
dark·ish [dɑ́ːrkiʃ] *a.* 어스름한; 거무스름한.
dárk lántern 빛을 가리는 장치를 한 각등(角燈).
dar·kle [dɑ́ːrkəl] *vi.* 어둠 속에 잠기다; 거무스름하게 보이다; 어두워지다; (안색이) 흐려지다.
dark·ling [dɑ́ːrkliŋ] 《시어》 *ad.* 어둠 속에. ── *a.* 어두운 (곳에서의); 기분 나쁜; 몽롱한.
***dark·ly** [dɑ́ːrkli] *ad.* **1** 어둡게; 검게. **2** 음침하게; 험악하게; 비밀히: He looked ~ at her. 그는 험악한 얼굴로 그녀를 보았다. **3** 막연히, 넌지시, 어렴풋하게; 희미하게.
dárk mátter 【우주】 암흑 물질《전자파에 의한 통상의 방법으로는 직접 관측이 안 되는 별 사이의 물질; 우주의 질량 대부분이 이것이라고 여겨지고 있음》. [cf.] cold dark matter.
dárk mèat 요리해서 거뭇하게 보이는 고기《닭이나 칠면조의 다리고기 등》; 《비어》 흑인 여자, (남녀) 흑인의 성기.
dárk mìneral 【지학】 암색 광물《비중 2.8 이상의 조암(造岩) 광물》. [cf.] light mineral.
dárk nébula 【천문】 암흑 성운(星雲).
****dark·ness** [dɑ́ːrknis] *n.* [U] **1** 암흑, 어둠, 검음: in pitch 〔dead〕 ~ 칠흑 같은 어둠 속에서. **2** 무지; 미개; 맹목. **3** 뱃속이 검음, 사악. **4** 불명료, 애매모호함; 비밀. ***cast ... into the outer ~*** …을 내쫓다, 해고하다. ***deeds of ~*** 악행, 범죄. ***the Prince of Darkness*** 악마, 사탄.
dárk of the móon (the ~) **1** 음력 초순경의 달이 뜨지 않은 약 1주일간. **2** 〖일반적〗 달이 보이지 않은〔어슴푸레한〕 기간.
dárk reàction 【식물】 암반응(暗反應).
dárk repàir 【유전】 암회복(暗回復) 《방사선에 의한 DNA 분자의 손상이 빛에 의하지 않고 특정 효소에 의하여 회복되는 일》. [cf.] photoreactivation.
dárk·ròom *n.* 【사진】 암실.
dárk·some *a.* 《고어·시어》 어스레한, 음울한, 불명료한; 사악한.
dárk·tòwn *n.* 흑인 거주 구역.
darky [dɑ́ːrki] *n.* 《구어·경멸》 검둥이.
****dar·ling** [dɑ́ːrliŋ] *n.* 가장 사랑하는 사람; 귀여운 사람; 소중한 것: the ~ of fortune 운명의 총아(寵兒). ***My ~!*** 여보, 당신, 애야《부부·연인끼리 또는 자식에 대한 애칭》. ── *a.* **1** 마음에 드는; 가장 사랑하는; 귀여운. [cf.] dear. **2** 《구어》 훌륭한, 멋진《옷 따위》: a ~ living room 마음에 드는 거실. [파] **~·ness** *n.*
darn[1] [dɑːrn] *vt.* 감치다, 깁다, 꿰매다. ── *n.* 감치기, 깁기; 꿰맨 곳.
darn[2] 《구어》 *a.*, *ad.* =DARNED. ── *vt.* …에게 욕지거리하다; …을 저주하다: *Darn* that pesky fly! 젠장할 파리 같으니. ── *n.* (a ~) 〖부정문〗 조금(도), 전혀: *not* care a ~ for …을 전혀 개의치 않다.
darned [dɑːrnd] 《미구어》 *a.*, *ad.* 터무니없는, 지긋지긋한; 굉장히, 엄청나게.
dar·nel [dɑ́ːrnl] *n.* 【식물】 독보리.
dárn·er *n.* 감치는 사람; (감치는) 바늘; 감치는 도구.
dárn·ing *n.* [U] 감침질; 〖집합적〗 기운 것, 꿰맨 것.
dárning bàll 〔**làst**〕 감칠 때 받치는 도구.
dárning ègg 〔**mùshroom**〕 달걀 모양의 감침질용 덧대는 감.
dárning nèedle (감치는) 바늘; 《미방언》 잠자리(dragonfly).
dar·o·bok·ka [dærəbɑ́kə/-bɔ́kə] *n.* (북아프리카의) 손바닥으로 치는 원시적인 북.
da·ro·g(h)a [dəróugə] *n.* 《Ind.》 관리자, 감독자, (경찰·세무서 등의) 서장.
DARPA, Darpa [dɑ́ːrpə] Defence Advanced Research Project Agency《미국 국방부의 방위 고등 연구 계획국》.
◇**dart** [dɑːrt] *n.* **1 a** 던지는 창〔살〕. **b** (*pl.*) 다트 던지기놀이《둥근 판에 끝이 뾰족한 쇠살을 던져 점수를 다툼》. **2** (곤충의) 침, 살. **3** (a ~) 급격한 동작; 돌진: make a ~ for the exit 비상구로 돌진하다. **4** (양재의) 다트. **5** 험악한 표정, 신랄한 말. ── *vt.* 《+[목]+[부]/+[목]+[전]+[명]》 (창·빛·시선을) 던지다, 쏘다: ~ one's eyes *around* 재빨리 둘러보다 / ~ an angry look *at* a person 성난 눈으로 아무를 힐끗 보다. ── *vi.* 《+[전]+[명]/+[부]》 (화살처럼) 돌진하다, 휙 날아가다: A bird *~ed through* the air. 새가 공중을 휙 날아갔다 / The deer saw us and *~ed away*. 사슴은 우리를 보자 쏜살같이 달아났다.

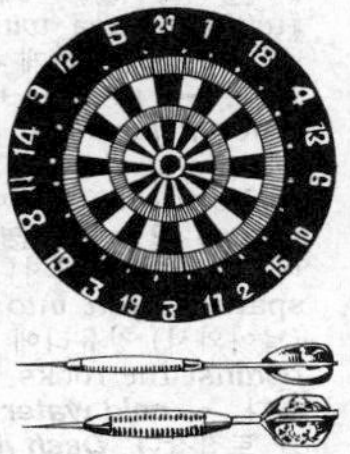
dart 1b

dárt·bòard *n.* 다트판《다트 던지기놀이의 표적판》.
dárt·er *n.* dart를 던지는〔사출(射出)하는〕 사람〔것〕; 날쌘〔돌진하는〕 사람〔동물〕; 【조류】 가마우지의 일종; 【어류】 작고 예쁜 담수어의 하나《미국산》.
dar·tle [dɑ́ːrtl] *vt.*, *vi.* 연달아 쏘다; 되풀이해서 돌진하다; 들락날락하다.
Dart·moor [dɑ́ːrtmuər, -mɔːr] *n.* **1** 다트무어《영국 Devon 주의 바위가 많은 고원; 선사 유적이 많고 국립공원 Dartmoor National Park가 있음》. **2** 다트무어 교도소(=∠ **Príson**). **3** 다트무어종(種)의 양(=∠ **shèep**).
Dart·mouth [dɑ́ːrtməθ] *n.* 다트머스《영국 Devon주의 항구; 해군 사관학교(Royal Naval College)가 있음》.
dar·tre [dɑ́ːrtər] *n.* 【의학】 포진(疱疹), 헤르페스. [파] **dár·trous** [-trəs] *a.*
dárt tàg 《생선의 등에 있는》 화살 모양의 표지.
Dar·von [dɑ́ːrvɑn/-vɔn] *n.* 다르본《진통제; 상표명》.
Dar·win [dɑ́ːrwin] *n.* **Charles ~** 다윈《영국의 박물학자, 진화론의 주창자; 1809-82》. [파] **Dar·wín·i·an** *a.*, *n.* 다윈설의 (신봉자). **Dár·win·ìsm** *n.* [U] 다윈설, 진화론. **~·ist** *n.*, *a.* =Darwinian.
Darwínian fítness 【생물】 다윈 적응도(適應度)(fitness).
Darwínian théory 다윈설(Darwinism).
DASD [déizdiː] *n.* 【컴퓨터】 직접 접근 기억장치《임의의 정보에 직접 도달함》. [◂ *d*irect-*a*ccess *s*torage *d*evice]
DASH drone anti-submarine helicopter(대(對)잠수함 무인 헬리콥터).
****dash** [dæʃ] *vt.* **1** 《+[목]+[전]+[명]/+[목]+[부]》 내던지다; 박살내다; 부딪뜨리다《*against; to; at; away; down*》: ~ a glass *to* 〔*on*〕 the floor 컵을 마룻바닥에 내던지다 / He *~ed* his head *against* the door. 그는 머리를 문에 부딪뜨렸다 / He *~ed away* his tears. 그는 눈물을 훔쳤다. **2** (기운·희망을) 꺾다, (계획 따위를) 좌절시키다; 실망시키다: His hope was *~ed*. 그의 희망은 꺾이고 말았다. **3** 《+[목]+[전]+[명]》 (물 등을) 끼얹다, 튀기다《*in; on; over*》; (색을) 칠하다《*on*》: She *~ed* water *in* his face. 그녀는 그의

얼굴에 물을 끼얹었다 / A car ~*ed* mud *on* me. 자동차가 나한테 흙탕물을 튀겼다. **4** 세차게 …하다, 급히 …하다〔쓰다, 그리다, 만들다〕《*down; off*》: ~ *down* a letter 편지를 급히 쓰다. **5** 《+목+전+명》 …에 조금 섞다, …에 가미하다《*with*》: ~ tea *with* brandy 홍차에 브랜디를 좀 타다. **6** 당황하게 하다; 창피를 주다, 무안하게 하다. **— *vi.*** **1** 《+전+명 /+부》 돌진하다《*along; forward; on*, etc.》; 급히 가다: ~ *along* a street 거리를 달려 가다 / I must ~ *off to* London. 런던에 급히 가야 한다. SYN. ⇨RUSH. **2** 《+전+명》 (세게) 부딪치다, 충돌하다; 부딪쳐 부서지다《*against; into; on*》: A sparrow ~*ed into* the windowpane. 참새가 (날아와서) 창유리에 부딪쳤다 / The waves ~*ed against* the rocks. 파도가 바위에 부딪쳐 부서졌다. ***~ cold water on*** …에 찬물을 끼얹다, …을 트집잡다. ***Dash it*** (***all***) ***!*** 《영구어》 빌어먹을. ***~ off*** ① 급히 쓰다; 단숨에 해치우다. ② 돌진하다, 급히 떠나다: I must ~ *off* now. 지금 급히 가야 된다. ***~ out*** 급히 가다, 뛰쳐나가다; (대시로) 지우다. ***~ up*** 전속력으로 도달하다. ***I'll be ~ed*** 〔***damned***〕 ***if …*** …이라면 목이라도 내놓겠다, 죽어도 …이 아니다.

— *n.* Ⓒ **1** (a ~) 돌진; 돌격, 급습. **2** 충돌, 분쇄, 타격; 일격. **3** (보통 the ~) (파도 · 비 따위의) 세차게 부딪치는 소리. **4** 기를 꺾는 것, 장애. **5** Ⓤ 예기(銳氣), 위세; 활기, 원기. **6** (가미하는) 소량(少量); (…의) 기미: red with a ~ *of* purple 보랏빛을 띤 빨강. **7** 일필휘지(一筆揮之), 필세(筆勢). **8** 〖전신〗 (모스 부호의) 장음(長音). **9** 단거리 경주: a hundred meter ~, 100 미터 경주. **10** 대시(—). **11** 〖음악〗 staccato의 기호; 〖수학〗 대시(기호). ★ 수학에서 말하는 '대시'《보기: A′ B′》, 각도의 '분'《보기: 35′》 따위는 영어에서는 보통 prime이라고 함. **12** 《구어》 (자동차의) 계기반(dashboard). **13** 외양; 훌륭한 외관. ***a ~ in the bloomers*** 《영속어》 성교. ***at a ~*** 단숨에, 일거에. ***cut a ~*** 《구어》 남의 시선을 끌다; 멋부리다; 허세부리다: She *cut a* ~ in her new suit. 그녀는 새 옷을 입고 멋을 부렸다〔남의 이목을 끌었다〕. ***have a ~ at*** 《구어》 시험삼아 …을 해보다. ***make a ~ for*** …을 향해 돌진하다.

Dash·a·vey·or [dǽʃəvèiər] *n.* 대셔베이어《내장된 전기 모터로 궤도를 달리는 교통 기관의 일종; 상표명》.

dásh·bòard *n.* **1** (조종석 · 운전석 앞의) 계기반〔판〕. **2** (마차 · 썰매 등의 앞에 단) 흙받이, 널가래판; (이물의) 파도막이판.

dashed [-t] *a.*, *ad.* =DAMNED.

da·sheen [dæʃíːn] *n.* 〖식물〗 타로 토란(taro).

dásh·er *n.* **1** 돌진하는 사람〔것〕. **2** 교반기(攪拌器). **3** =DASHBOARD 2. **4** 《구어》 허세부리는 사람, 씩씩한 사람.

da·shi·ki [dəʃíːki, dɑː-] *n.* 다시키《아프리카의 부족 의복에서 유래한 낙낙하고 화려한 색의 남자용 반소매 셔츠》.

◇**dásh·ing** *a.* 용감한, 기운찬; 씩씩한, 멋있는; 화려한. ㊞ **~·ly** *ad.* 위세 좋게.

dásh lìght (자동차 등의) 계기판상의 밝은 빛.

dásh·pòt *n.* 〖기계〗 대시포트《완충 · 제동 장치》.

dashy [dǽʃi] *a.* =DASHING.

das·n't, dass·n't [dǽsnt] 《미방언》 dare not의 간약형.

das·tard [dǽstərd] *n.* (못된 짓을 하는) 비겁자.

dás·tard·ly *a.* 비겁〔비열〕한. **— *ad.*** 비겁〔비열〕한 수법으로〔태도로〕. ㊞ **-li·ness** *n.*

da·stur [dəstúər] *n.* Parsi의 고승(高僧).

da·sym·e·ter [dæsímətər] *n.* 가스〔기체〕 밀도계.

das·y·phyl·lous [dæ̀səfíləs] *a.* 〖식물〗 잎에 거친 털이 있는; 잎이 조밀한.

das·y·ure [dǽsijùər] *n.* 〖동물〗 주머니고양이《오스트레일리아산》.

DAT differential aptitude test; digital audio taperecorder. **dat.** dative.

***da·ta** [déitə, dǽtə, dɑ́ːtə/déitə, dɑ́ːtə] (*sing.* **-tum** [-təm]) *n. pl.* **1** 자료, 데이터. **2** (관찰 · 실험에 의해 얻어진) 지식, 정보.

> NOTE (1) 《미구어》에서는 data를 종종 단수 취급함: These ~ are 〔This ~ is〕 doubtful. 이 데이터는 의심스럽다. (2) 단수형으로는 one of the data로 쓰는 것이 보통.

— *vt.* …에 관한 데이터를 수집하다.

dáta bànk 〖컴퓨터〗 자료 은행, 데이터 뱅크.

dáta·bànk *vt.* 데이터 뱅크에 넣다〔보관하다〕.

dáta·bàse *n.* 자료틀, 자료 기지, 데이터 베이스《컴퓨터에 쓰이는 데이터의 집적; 그것을 사용한 정보 서비스》(data bank): ~ industry 데이터 베이스 산업.

dátabase mánagement sỳstem 〖컴퓨터〗 데이터 베이스〔자료틀, 자료 기지〕 관리 체계《생략: DBMS》.

dáta bìnder 데이터 바인더《컴퓨터의 프린트아웃을 수납하는 바인더식 커버》.

dát·a·ble, dáte·a·ble *a.* 시일을 추정할 수 있는.

dáta bròadcasting 데이터 브로드캐스팅《데이터를 전송하는 새로운 방송 서비스》.

dáta bùoy 〖기상〗 데이터 부이《감지기와 송신기를 갖춘 기상 관측용 부이》.

dáta càpture 〖컴퓨터〗 데이터〔자료〕 수집.

dáta cárrier 〖컴퓨터〗 데이터〔자료〕 기억 매체.

dáta·cènter *n.* 데이터 센터《1대 이상의 컴퓨터를 설치 · 접속하고, 데이터를 처리 · 전송하는 시설 · 기관(=**dáta** (**pròcessing**) **cènter**)》.

dáta chànnel 〖컴퓨터〗 데이터 채널《데이터 전송을 위한 양방향성 채널》.《단말 장치에서》.

dáta collèction 〖컴퓨터〗 데이터〔자료〕 수집

dáta cònnm =DATA COMMUNICATION.

dáta communicátion 〖컴퓨터〗 데이터 통신.

dáta compréssion 〖컴퓨터〗 데이터 압축, 자료 압축《하나 또는 여러 개의 파일 크기를 줄여 하나의 압축 파일로 만드는 작업》.

dáta convérsion 〖컴퓨터〗 데이터 변환, 자료 변환《하나의 자료를 다른 형식으로 표현하기 위하여 자료 표기 방법을 변경하는 것》.

dáta díctionary 〖컴퓨터〗 데이터 사전, 자료 사전《데이터 베이스 관리 시스템에서 사용되는 모든 파일》.

dáta dísk 〖컴퓨터〗 데이터 디스크.

dáta flów 〖컴퓨터〗 데이터 흐름《프로그램의 실행에 따른 데이터의 흐름》.

dáta-flów compùter 〖컴퓨터〗 데이터 흐름 컴퓨터《복수의 처리기로 여러 조작을 동시에 실행할 수 있게 설계된 컴퓨터》.

dáta glòve 〖컴퓨터〗 데이터글러브《가상 현실이나 원격 로봇 조작에서, 손의 방향이나 손가락의 움직임을 감지하는 센서가 부착된 장갑》.

da·ta·gram [déitəgræ̀m] 〖컴퓨터〗 데이터그램《패킷 교환망에서 쓰는 전송 블록의 한 형태》.

dáta gràphics 〖컴퓨터〗 데이터 그래픽스《컴퓨터에서 얻은 정보를 분석하기 위하여 그래프 · 표 · 그림 따위로 나타낸 것》.

da·tal *a.* 날짜〔연대〕순의; (문서 따위) 날짜가 (기재되어) 있는. **— *n.*** 일급제(日給制).

dáta lìnk 〖컴퓨터〗 데이터 링크《데이터 전송에 있어서, 복수의 장치를 묶은 접속로; 생략: D/L》.

da·tal·ler [déitələr] *n.* 《영방언》 =DAYTALER.

dáta lògger 데이터〔자료〕 이력 기록기.

da·ta·ma·tion [dèitəméiʃən] *n.* 〖컴퓨터〗 **1**

자동 데이터 처리. **2** 데이터 처리재(材) 제조〔판매, 서비스〕 회사.
dáta mìning 〖컴퓨터〗 데이터 마이닝《특수 소프트웨어에 의한 데이터 베이스의 검색》.
dáta pèn 데이터 펜《상품 관리용 코드 따위의 해독 장치》.
dáta·phòne *n.* 데이터폰《컴퓨터에 데이터를 보내는 전화》.
Dáta·pòst *n.* 《영》 데이터포스트《Royal Mail의 익일 배달 소포 우편; 미국의 Express Mail에 해당》.
dáta prínt óut file 〖컴퓨터〗 필요한 데이터〔자료〕를 검색하고, 소요 형식으로 프린트 아웃된 기록 보지(保持)용 파일.
dáta pròcessing 데이터〔자료〕 처리: the ~ industry 정보 처리 산업.
dáta pròcessor 데이터〔자료〕 처리 장치.
dáta protèction (컴퓨터의) 데이터 보호《데이터의 불법 사용을 규제하는 법적 규칙》.
dáta provìder 데이터〔자료〕 제공업자.
Dáta·quèst *n.* 데이터퀘스트《하이테크놀로지 전문의 정보 서비스 회사》.
dáta redùction 데이터〔자료〕 정리.
dáta retrìeval 〖컴퓨터〗 데이터 검색.
da·ta·ry [déitəri] *n.* 〖가톨릭〗 성청내 장새원(聖廳內掌璽院)《교황청의 한 부국(部局); 유급 성직자의 적격 심사를 함》; 장새원 원장.
dáta sèt 데이터 세트《데이터 처리상 한 단위로 취급하는 일련의 기록; 데이터 통신에 쓰이는 변환기》.
dáta strùcture 데이터 구조.
dáta términal equìpment 〖통신〗 데이터〔자료〕 단말 장치《생략: DTE》.
dáta transmìssion 〖컴퓨터〗 데이터〔자료〕 전송(傳送), 자료 내보냄.
dáta-under·vóice *n.* 〖통신〗 마이크로파 중계 시스템을 이용한 디지털 정보 · 음성 동시 전송 방식의 하나.
dáta wàrehouse 〖컴퓨터〗 자료 저장고《조직 안에 산재되어 있는 데이터를 수집 · 통합하여 정보 분석 · 의사 결정 지원에 이용하도록 하는 것》.
datcha =DACHA.
†**date**[1] [deit] *n.* **1** 날짜, 연월일: the ~ of birth 생년월일 / What's the ~ today? 오늘이 며칠인가. ★ 요일을 물을 때는 What day is it? **2** 기일(期日); (사건 따위가 일어난) 시일; 예정 날짜; (어음 따위의) 기한; 만기; 마감날: at an early ~ 머지않아, 근간 / without~ 무기한으로. **3** 《구어》 (일시를 정한) 면회 약속; 데이트《특히 이성과 만나는 약속》; 데이트의 상대: a blind ~ 《미속어》(제삼자의 소개로) 모르는 남녀끼리의 데이트 / break 〔keep〕 a ~ with …와의 데이트를 깨다〔지키다〕 / have 〔make〕 a ~ with …와 데이트를 가지다〔약속하다〕. **4** 《상업》 당일; 동일(同日). **5** (역사적인) 시대, 연대; (계속 · 존속) 기간: of an early ~ 초기의, 고대의. **6** (*pl.*) 생존 기간, 생몰년.

> [NOTE] date (날짜)는 (1) 일(日)까지 표시해야 하며, 월(月)만 표시하는 일은 없음. (2) 《미》에서는 일반적으로 March 17, 1999; 군부 · 과학 분야 등에서는 17 March, 1999 의 형(形)을 선호함; 3/17/99로 약기(略記). (3) 《영》 기타에서는 17(th) March, 1999로 쓰고, 17/3/99로 약기함.

out of ~ 시대에 뒤진, 구식의: go *out of* ~ 쇠퇴하다, 케케묵다. ***to*** ~ 현재까지(로서는): This is his best book *to* ~. 이것은 지금까지 그가 쓴 책 중에서 최상의 것이다. ***up*** 〔***down***〕 ***to*** ~ ① 오늘까지(의). ② 최신식의〔으로〕; 현대적인〔으로〕; 최신 정보를 다룬: an *up to* ~ news commentary 최신의 정보를 다룬 뉴스 해설. [cf] up-to-date.

— *vt.* **1** 《~+[목]/+[목]+[보]》 …에 날짜를 적다; (날짜가) …부로 되어 있다: ~ a letter 편지에 날짜를 적다 / The letter (from New York) is ~*d*, May 2. 그 (뉴욕발) 편지는 5월 2일부로 되어 있다. **2** …의 연대를 정〔추정〕하다. **3** 《구어》 …와 데이트(의 약속을) 하다. — *vi.* **1** 《+[전]+[명]》 날짜가 (적혀) 있다; (…부터) 시작하다, 기산하다《*from*》: This university ~*s from* the early 17th century. 이 대학은 17 세기 초기에 시작됐다. **2** (…로) 거슬러 올라가다《*back to*》: This church ~*s back to* 1527. 이 교회의 기원은 1527 년으로 거슬러 올라간다. **3** 연대가 오래 되다, 세월이 많이 걸리다, 낡아빠지다. **4** 《구어》 데이트 (약속을) 하다《*with*》.
◇**date**[2] *n.* 대추야자(~ palm)(의 열매).
dateable ⇨ DATABLE.
dáte·bòok *n.* (신문 편집자의) 보도 예정 기사록; 〖일반적〗 메모장, 수첩.
dát·ed [-id] *a.* 날짜가 있는〔붙은〕; 케케묵은, 구식의(old-fashioned): a letter ~ April 3, 4월 3일자 편지. [파] **~·ly** *ad.* **~·ness** *n.*
dáte·less *a.* 날짜가 없는; 기한이 없는; 오래되어 연대를 모르는; 언제나 흥미 있는; 《미구어》 (사교상의) 약속이 없는; 교제 상대가 없는. [파] **~·ness** *n.*
dáte lètter (귀금속 세공품, 도자기의) 제작 연대인(印)(datemark)《때때로 알파벳 문자로 나타내기도 함》.
dáte lìne (보통 the ~) 날짜 변경선.
dáte·lìne *n.* (신문 · 편지 등의) 날짜〔발신지〕 표시란. — *vt.* (신문 · 편지 등)에 날짜〔발신지〕를 표시하다.
dáte·màrk *n.* 날짜 도장. — *vt.* …에 날짜 도장을 찍다.
dáte of récord (the ~) 권리 확정 기일, 할당일《배당 기타의 수익권을 확정하는 주주 명부상의 기일》.
dáte pàlm 〖식물〗 대추야자.
dáte plùm 〖식물〗 고욤나무《중국 원산으로, 한국 · 일본 · 중국 등지에 분포》.
dat·er [déitər] *n.* 날짜 찍는 기계〔사람〕, 날짜 스탬프; 《구어》 데이트하는 사람.
dáte ràpe 교제 상대에게 당하는 성폭행. [cf] acquaintance rape.
dáte slìp (도서관 책의) 대출 카드《책의 표지 안쪽의 봉지에 끼움》.
dáte stàmp 소인(消印); 날짜 도장.
dáte-stàmp *vt.* (우편물 따위)에 소인〔일부인〕을 찍다.
dát·ing *n.* [U] **1** 날짜 기입; 〖상업〗 사후 일부(事後日付)(postdating); (고고학 · 지질학 등의) 연대 결정. **2** 이성과의 만남〔데이트하기〕.
dáting àgency =DATING SERVICE.
dáting bàr 《미》 독신 남녀용 바(singles bar): pick up a girl in a ~.
dáting sèrvice 데이트 알선〔소개〕, 데이트 서비스.
da·ti·val [deitáivəl] *a.* 〖문법〗 여격(與格)의.
da·tive [déitiv] *a.* 〖문법〗 여격의: the ~ case 여격《명사 · 대명사 따위가 간접 목적어가 될 때의 격》/ the ~ verb 수여동사《이중목적을 가지는 동사 give, teach, ask 등》. — *n.* 여격; 여격어(語). [파] **~·ly** *ad.* 여격으로서.
dátive bónd 〖화학〗 =COORDINATE BOND.
da·to, dat·to [dɑ́ːtou] (*pl.* **~s**) *n.* (필리핀 · 말레이시아 등의 부족의) 족장; (barrio의) 수장(首長).
◇**da·tum** [déitəm, dǽ-, dɑ́ː-] *n.* 《L.》 **1** (*pl.* ***-ta*** [-tə]) 자료, 정보. ★ 이 뜻으로는 보통 복수형인 data를 씀. **2** 〖철학 · 논리〗 논거, 전제, 소여(所與); 기지(旣知) 사항; 〖수학〗 기지수; 〖심리〗 =SENSE-DATUM. **3** (*pl.* **~s**) (계산 · 계측의)

기준점〔선, 면〕, 기준. 「기준선〔면, 점〕.
dátum lìne 〔**lèvel, plàne, pòint**〕 〚측량〛
da·tu·ra [dətjúərə/-tjúərə] *n.* 〚식물〛 흰독말
DATV digitally assisted television. └풀.
dau. daughter.
◇**daub** [dɔ:b] *vt.* 《~+目/+目+前+名》 (도료 등을) 칠하다, 바르다《*with; on*》; (그림을) 서투르게 그리다; 더럽히다《*with*》: ~ paint *on* a wall =~ a wall *with* paint 벽에 페인트를 칠하다. **—** *vi.* 서투른 그림을 그리다. **—** *n.* Ⓒ 뒤발라진 것; U,C 칠(하기); Ⓒ 서투른 그림. ㊞ **∠·er** *n.* 칠하는 사람〔도구〕; 환쟁이; 《미속어》 원기(元氣), 용기. **∠·ing·ly** *ad.* 서투르게.
daub·ery, daub·ry [dɔ́:bəri], [dɔ́:bri] *n.* 서투른 그림〔일〕.
daub·ster [dɔ́:bstər] *n.* 서투른 화가, 환쟁이.
dauby [dɔ́:bi] *a.* 끈적끈적한; 처덕처덕 칠한, 매대기친; (그림이) 서투른.
†**daugh·ter** [dɔ́:tər] *n.* **1** 딸. OPP. *son.* **2** 여자 자손《*of*》: a ~ *of* Eve 이브의 후예. **3** 며느리, 의붓딸. **4** 파생된 것; 소산(所産): a ~ language *of* Latin 라틴어에서 파생된 언어 / a ~ *of* civilization 문명의 소산. ㊞ **~·ly** *a.* 딸다운, 딸의.
dáughter átom 〚물리〛 딸원자《daughter element의 원자》.
dáughter bòard 《전자속어》 도터 보드(motherboard에 삽입되는 회로판). 「포.
dáughter céll 〚생물〛 (세포분열에 의한) 딸세
dáughter chrómosome 〚생물〛 딸염색체.
dáughter élement 〚물리〛 (방사성 원소의 붕괴에 의해 생기는) 딸원소.
daugh·ter·hood [dɔ́:tərhùd] *n.* 딸로서의 신분〔시절〕; 〘집합적〙 딸들. 「리; 의붓딸.
dáughter-in-làw (*pl.* ***dáughters-***) *n.* 며느
dáughter lánguage 파생 언어《Latin에서 파생된 French, Italian, Spanish 등은 Latin의 daughter languages이며, 이들 상호간은 sister languages》.
dáughter núcleus 〚생물〛 딸핵《핵분열에 의해 생기는 세포핵》.
Dáughters of the Américan Revolútion (the ~) 미국 혁명 부인회《독립전쟁 참전자의 자손에 의해 조직된 애국 여성 단체; 1890 년에 창설; 생략: DAR》.
dau·no·my·cin [dɔ̀:nəmáisn, dàu-] *n.* 〚생화학〛 다우노마이신《급성 백혈병 치료용의 항생물질; 이탈리아의 지명 Daunia에서》.
◇**daunt** [dɔ:nt, dɑ:nt/dɔ:nt] *vt.* 으르다; 주춤〔움찔〕하게 하다, …의 기세를 꺾다. ***nothing ~ed*** 조금도 굴하지 않고《nothing은 부사》.
dáunt·ing *a.* (일 따위가) 벅찬, 힘겨운, 귀찮은, 어려운; 정신이 아찔해지는.
◇**dáunt·less** *a.* 불굴의, 겁 없는, 용감한(brave). ㊞ **~·ly** *ad.* **~·ness** *n.*
dau·phin [dɔ́:fin] *n.* 〚역사〛 (1349-1830 년간의) 프랑스 왕세자의 칭호. ㊞ **~·ess** [-is] *n.* 프랑스 왕세자비의 칭호.
DAV, D.A.V. Disabled American Veterans (미국 상이 군인회). 「칭》.
Dave [deiv] *n.* 데이브《남자 이름; David의 애
dav·en·port [dǽvənpɔ̀:rt] *n.* 《영》 작은 책상의 일종; 《미》 침대 겸용의 대형 소파.
Da·vid [déivid] *n.* **1** 데이비드《남자 이름》. **2** 〚성서〛 다윗《이스라엘의 제2대 왕》. **~ *and Goliath*** 다윗과 골리앗《상대도 안 되는 약자가 강자를 이긴 경우의 비유; 양치기 David이 거인 전사 Goliath를 돌멩이 하나로 쓰러뜨린 고사에서; 사무엘상 XVII:49》. **~ *and Jonathan*** 막역한 친구.
da Vin·ci [dəvíntʃi] *n.* **Leonardo ~** 다빈치《이탈리아의 화가·조각가·건축가·과학자; 1452-1519》.
Da·vis [déivis] *n.* 데이비스. **1** 남자 이름. **2 Benjamin Oliver ~** 미국 흑인 최초의 장성. **3 Bette ~** 미국의 영화여배우(1908-89). **4 Jefferson ~** 미국의 정치가《남북 전쟁 당시의 남부 연합 대통령(1861-65); 1808-89》. **5 Dwight F(illey) ~** 미국 테니스 선수; 육군 장관(1925-29), 필리핀 총독(1929-32)《전 미국 남자 복식 챔피언으로 1900년 Davis Cup 기증; 1879-1945》. **6 John ~** 영국의 탐험가《Falkland 제도를 발견(1592); 1550?-1605》. **7 Miles (Dewey Jr.) ~** 미국의 재즈 트럼펫 주자·작곡가(1926-91). **8 Owen ~** 미국의 극작가(Pulitzer상 수상; 1874-1956). **9 Richard Harding ~** 미국의 저널리스트·작가(1864-1916). **10 Stuart ~** 미국의 추상화가(1894-1964).
Dávis apparàtus 데이비스 장치《잠수함에서의 탈출 장치》.
Dávis Cùp (the ~) 데이비스컵《1900년 미국의 정치가 D. F. Davis가 기증한 국제 테니스 경기의 우승 은배》.
Dávis Stráit (the ~) 데이비스 해협《Greenland와 캐나다의 Baffin 섬 사이의 해협》.
dav·it [dǽvit, déivit] *n.* 〚해사〛 (보트·닻을 달아올리는) 철주, 대빗.

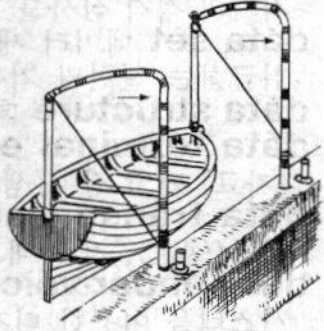
davit

Da·vy [déivi] *n.* 데이비《남자 이름; David의 애칭》.
da·vy *n.* 《속어》 =AFFIDAVIT. ***take* one's ~** 맹세하다.
Dávy Jónes 바다 귀신.
Dávy Jónes'(s) lócker 해저, 《특히》 무덤으로서의 바다: go to ~ 물고기의 밥이 되다.
Dávy làmp (탄갱용) 안전등.
daw [dɔ:] *n.* 〚조류〛 갈까마귀(jackdaw); 바보.
daw·dle [dɔ́:dl] *vi.* 《~/+前+名》 빈둥거리다, 꾸물거리다: ~ all day 온종일 빈둥거리다 / ~ *along* a street 거리를 어슬렁거리다. **—** *vt.* 《+目+副》 (시간을) 부질없이〔헛되이〕 보내다《*away*》: ~ *away* one's time 빈둥빈둥 시간을 보내다. ㊞ **-dler** *n.* 빈둥빈둥 노는 사람, 게으
dawg [dɔ:g] *n.* 《구어》 =DOG. └름뱅이.
dawk[1] [dɔ:k] *n.* 비둘기파(派)(dove)와 매파(hawk)의 중간파. [◂ *d*ove+h*awk*]
dawk[2] ⇨ DAK.
*__dawn__ [dɔ:n] *n.* Ⓤ **1** 새벽, 동틀녘; 여명: at ~ 새벽녘에 / *Dawn* breaks. 날이 샌다. SYN. ⇨ TWILIGHT. **2** 발단, 처음, 시작《*of*》: since the ~ *of* history 유사 이래. ***from ~ till dusk*** 〔***dark***〕 새벽부터 저녁까지. **—** *vi.* **1** 날이 새다; 밝아지다: It 〔Day, Morning〕 ~*s.* 날이 샌다. **2** 시작하다, (사물이) 나타나기 시작하다: A new era is ~*ing.* 새로운 시대가 열리고 있다. **3** 《+前+名》 (일이) 점점 분명해지다, (생각이) 떠오르다《*on, upon*》: The truth began to ~ *on* me. 나는 진실을 알기 시작했다.
dáwn chòrus (오로라 등에 관계가 있는) 새벽의 라디오 전파 장애; 《영》 새벽의 합창《새벽녘의 새들의 지저귐》.
dáwn·ing *n.* Ⓤ **1** 새벽녘, 동틀녘. **2** 동쪽, 동방. **3** 징조, 시작. 「PILTDOWN MAN.
dáwn màn (종종 D- M-) (절멸한) 원시인; =
dáwn patròl 〚군사〛 새벽 정찰 비행; (라디오·텔레비전의) 새벽 프로 담당자.
dáwn ràid 새벽의 급습《주식 시장 개장 직후 특정 주식을 대량으로 매입하는 것》.

daw·son·ite [dɔ́:sənàit] 〖광물〗 도소나이트 《흰 유리 광택이 나는 미세한 침상(針狀) 결정》.

†**day** [dei] *n.* **1** [U] 낮, 주간; 일광. [opp] *night*. ¶ work during the ~ 낮에 일하다/at break of ~ 동틀녘에/before ~ 날이 밝기 전에/by ~ 낮에는, 주간에는. **2** 하루, 일주야: every ~ 매일/in a ~ 하루에. **3** 기일, 약속일; (종종 D-) …날; 축제일, 기념일: keep one's ~ 기일을 지키다/Christmas 〔New Year's〕 *Day*. **4** (노동〔근무〕 시간으로서의) 1 일: an eight-hour ~ 하루 8시간 노동. **5** (종종 *pl.*) 시대; (*sing.*) (그) 시기; (the ~) 현대; 당시: in my school ~*s* 나의 학창 시절에/in olden ~*s* 옛날(엔)/(in) those ~*s* 그 당시(에). **6** (보통 one's ~) (*sing.*) (아무의) 전성 시대; (*pl.*) 일생, 수명: His ~ is over 〔done〕. 그의 (전성) 시대는 끝났다/Every dog has his ~. 《속담》 쥐구멍에도 볕들 날이 있다/spend one's ~*s* in study 평생을 연구에 바치다/end one's ~*s* 수명을 다하다, 죽다. **7** (the ~) 어느 날의 사건, 《특히》 싸움, 승부, 승리: The ~ is ours. 승리는 우리의 것이다.

a ~ of ~s 중대한 날. ***all ~*** (***long***) =***all the ~*** 종일: *all* ~ yesterday 어제 온 종일. ***all in the*** 〔***a***〕 ***~'s work*** ⇨ WORK. ***any ~*** (***of the week***) 어떤 날〔오늘〕이라도; 어떤 경우〔조건이〕라도; 아무리 생각해 봐도. (***as***) ***clear as ~*** ⇨ CLEAR. ***at that*** 〔***this***〕 ***~*** 그 무렵〔바로 지금〕. ***at the end of the ~*** 여러모로 고려해서, 결국. ***better ~s*** (과거 또는 미래의) 좋은 시절: He has seen 〔known〕 *better ~s*. 전성 시대도 한 번은 있었다. ***between two ~s*** 밤새도록. ***by the ~*** 하루〔일당〕 얼마에《일〔지급〕하다 등》. ***call it a ~*** 《구어》 하루를〔의 일을〕 마치다. ***count the ~s*** (즐거운 날을) 손꼽아 헤아리며 기다리다. ***~ about*** =***every other*** 〔***second***〕 ***~*** 하루 걸러. ***~ after ~*** 매일 매일. ***~ and night*** 주야로, 끊임없이. ***~ by ~*** =***from ~ to ~*** 나날이. ***~ in,*** (***and***) ***~ out*** 날이면 날마다, 언제나. ***… ~s after date*** (어음의) 약속 날짜 기입 후 …일. ***~s of grace*** 〖상업〗 (어음 등의) 지급 유예(猶豫) 기간. ***~s of wine and roses*** 영화로운 시절. ***for a rainy ~*** 비오는 날을 위해; 만일의 경우에 대비하여. ***from this ~ forth*** 오늘 이후. ***get*** 〔***have, take***〕 ***a ~*** 〔***… ~s***〕 ***off*** 하루〔…일〕의 휴가를 얻다. ***have*** one***'s ~*** 때를 만나다, 번영하다. (She is twenty,) ***if a ~*** (=if she is a ~ old). 틀림없이 (그녀는 스무 살이다). ***in a ~ or two*** 금명간에. ***in all*** one***'s born ~s*** 오늘에 이르기까지. ***in broad ~*** 백주에. ***in ~s gone by*** 〔***to come***〕 왕년〔장래〕에. ***in ~s of old*** 옛날(엔). ***in*** one***'s ~*** 한창〔젊었을〕 때에는. ***in the ~ of*** (trouble 〔evil〕) (고난〔재난〕)을 당할 때에는. ***know the time of ~*** 뭣이든지 다 알고 있다. ***lose the ~*** 지다. [cf] carry 〔win〕 the ~. ***make a ~ of it*** 유쾌히 하루를 보내다. ***Make my ~!*** 《미속어》 할테면 해봐, 자 해봐, 덤벼. ***make a*** person***'s ~*** 《구어》 아무를 유쾌하게 하다. ***men of the ~*** 그 시대 사람, 때를 만난 사람. ***not have all ~*** 《구어》 시간적 여유가 없는. ***of a ~*** 단명(短命)의, 하루살이의. ***of the ~*** 당시의; 현대의. ***one ~*** 어느 날; 다른 날. ★ one day 는 과거 또는 미래에 있어서의 '어느 날'의 뜻. some day 는 미래의 '언젠가' 닥칠 날의 뜻. ***one ~ or other*** 언젠가는. ***one of these*** (***fine***) ***~s*** 근일 중에. ***pass the time of ~*** ⇨ PASS. ***quit the ~*** (일을 끝내고) 귀가하다. ***save the ~*** 《구어》 마지막〔절망적〕 순간에 승리를 거두다, 궁지를 벗어나다. one***'s ~ out*** 《구어》 (경기 등에서) 컨디션이 좋은 날. ***some ~*** 머지않아. ***That'll be the ~!*** 《구어·우스개》 설마 그럴 수가 있을까. ***the*** 〔***a***〕 ***~ after the fair*** 《구어》 너무 늦어서. ***the ~ after tomorrow*** 〔***before yesterday***〕 모레〔그저께〕. ★ 《미구어》 the 를 생략하기도 함. ***the other ~*** 요전에, 며칠 전에. ***this ~ week*** 〔***month, year***〕 내주〔내달, 내년〕의 오늘; 지난 주〔지난 달, 작년〕의 오늘. ***till*** 〔***up to***〕 ***this ~*** 오늘(날)까지. ***to a ~*** 하루도 틀림없이, 꼬박. ***to this*** 〔***that***〕 ***~*** 오늘〔그 당시〕에 이르기까지. ***without ~*** 무기한으로, 날짜를〔기한을〕 정하지 않고.

Day·ak, Dy·ak [dáiæk/-ək] (*pl.* **~, ~s**) *n.* 다야크족(族)《Borneo 섬 내륙부에 사는 비(非)이슬람교 종족》; [U] 다야크어(語).

dáy bèacon (항로의) 주간 표지《불빛이 아닌 형상과 색깔로 표시한 항로 표지(건조)물》.

dáy bèd 침대 겸용 소파.

dáy blìndness 〖의학〗 주맹증(晝盲症).

dáy bòarder 《영》 (기숙사에 들어가지 않고 식사만 학교에서 하는) 통학생.

dáy·bòok *n.* **1** 일기. **2** 〖상업〗 (거래) 일기장.

dáy bòy *n.* 《영》 (기숙제 학교의) 남자 통학생.

***day·break** [déibrèik] *n.* [U] 새벽녘, 동틀녘: at ~ 새벽녘에.

dáy-by-dáy *a.* 매일의, 나날의.

dáy càmp 평일의 주간에 행하는 어린이를 위한 캠프《밤에는 집에 돌아감》.

dáy càre 데이 케어《미취학 아동·고령자·신체 장애자 등 각 집단에 대해 전문적 훈련을 받은 직원이 가족 대신 주간에만 돌보는 보살핌》.

dáy-càre *a.* day care 에 관한〔를 행하는〕.

dáy·càre *vt.* 탁아소에 맡기다.

dáy-care cénter (낮의) 탁아소, 보육소.

dáy cènter 데이 센터《고령자·신체 장애자에 대해 오락 등을 제공하는 복지 센터》.

dáy-clèan *n.* 《카리브·서아프리카구어》 새벽녘, 동틀녘.

dáy còach 《미》 보통 객차.

°**dáy·drèam** *n.* 백일몽, 공상, 몽상. ―*vi.* 공상에 잠기다. [파] **~·er** *n.* 공상가.

dáy fighter 주간 (작전용) 전투기.

dáy·flòwer *n.* 핀 그날로 시드는 꽃; 〖식물〗 자주닭의장풀.

dáy·flỳ *n.* 〖곤충〗 하루살이.

dáy gìrl 《영》 (기숙사제 학교의) 여자 통학생; 드난살이 하녀.

Day-Glo [déiglòu] *n.* 데이글로《안료에 첨가하는 형광 착색제; 상표명》.

dáy·glòw *n.* 〖천문〗 주간의 대기광(大氣光).

dáy hòspital 주간 병원, 외래 (환자 전용) 병원.

dáy in cóurt 〖법률〗 법정 출두일; 자기 주장을 말할 기회.

dáy jòb (주된 수입원인) 본업(本業).

dáy làbor 날품팔이 노동.

dáy làborer 날품팔이꾼.

dáy lèngth 〖생물〗 광(光)주기(photoperiod).

dáy lètter 〔**lèttergram**〕 《미》 (요금이 싼) 주간 발송 전보. [cf] night letter.

‡**day·light** [déilàit] *n.* [U] **1** 일광; 낮, 주간(daytime); (암흑에 대하여) 밝음; 새벽: in broad ~ 백주에, 대낮에. **2** 주지(周知), 공공연함, 공표(公表)(publicity). **3** (똑똑히 보이는) 틈, 간격《말안장과 기수와의 틈, 술의 표면과 그 술이 담긴 컵의 운두와의 사이 등》. **4** (*pl.*) 《속어》 눈; 시력; (*pl.*) 《속어》 의식, 제정신. ***beat*** 〔***frighten, knock, lick, punch, scare, whale***〕 ***the*** (***living***) ***~s out of …*** 《속어》 …을 호되게 혼내 주다, 부들부들 떨게 하다; 때려눕히다. ***burn ~*** 쓸데없이 정력을 낭비하다. ***let ~ into*** 《속어》 …을 찌르다〔치다〕, …의 배에 구멍을 내다; …을 공표하다. ***see ~*** 이해하다; 공표되다; (사람이) 태어나다; 실마리가〔가능성이〕 보이다. ―*vt.* **1** …에 햇빛을 쬐다. **2** (장애물을 제거하

여) 전망을 좋게 하다. —*vi*. 햇빛에 쬐다.
dáy·lìghting *n*. 〖건축〗 채광(조명); 《구어》 (보통 규칙 위반의) 주간 부업.
dáylight làmp 주광등.
dáylight róbbery 공공연한 도둑 행위; 터무니없는 대금〔청구〕, 바가지 씌우기.
dáylight sávings 〔**sáving tìme**〕 《미》 일광 절약 시간, 서머타임(《영》 summer time) 《생략: D.S.T.》.
dáy lìly 하루 피고 시드는 백합과의 식물.
dáy·lòng *a*., *ad*. 온종일(의), 하루 걸리는; 하룻동안.
day·mare [déimὲər] *n*. (악몽 같은) 고뇌 체험; 격렬한 불안 발작.
dáy·màrk *n*. 〖항공〗 주간 항로 표지.
dáy núrsery 탁아소, 보육원.
Dáy of Atónement (the ~) =YOM KIPPUR.
dáy óff 《구어》 쉬는 날, 비번일.
Dáy of Júdgment 〔**Dóom**〕 (the ~) =JUDGMENT DAY; (the ~) ROSH HASHANAH.
dáy of réckoning (the ~) 빚을 청산하는 날, 결산일, (널리) 청산해야 할 때; (the ~) 자신의 잘못의 결과를 뼈저리게 느끼게 될 때; (the ~) =JUDGMENT DAY.
Dáy Óne 〔**1**〕 《구어》 최초(의 날), 첫날.
dáy òrder 〖증권〗 (당일 입회 시간 안에만 유효한) 당일한 주문. cf. open order.
dáy òut 당일치기 여행〔소풍〕.
dáy òwl 올빼미의 일종《낮에 먹이를 찾아다님》.
dáy pàck 당일치기 하이킹 등에 쓰는 소형 배낭.
dáy·pàrting 〖TV〗 방송 시간대 구분.
dáy pèrson 주간형(晝間型) 생활자. cf. night person.
dáy pùpil (기숙 학교의) 통학생.
dáy relèase 《영》 연수 휴가 제도《대학에서 전문적인 연수를 하는 근로자에 대해 매주 며칠간의 휴가를 주는 제도》.
dáy retúrn 당일 왕복 할인 요금〔표〕.
dáy ròom **1** (군사 기지의) 오락실. **2** (병원의 통원 환자용) 담화실(=**dáy·ròom**).
days [deiz] *ad*. 《구어》 낮에는 (매일). OPP. *nights*. ¶ work ~ and go to school nights.
dáy sàiler (침구 설비가 없는) 소형선(小型船).
dáy schòlar =DAY STUDENT.
dáy schòol **1** 주간 학교. OPP. *night school*. **2** 통학 학교. OPP. *boarding school*. **3** 주일(週日) 학교. OPP. *Sunday school*.
dáy shìft (공장 등의) 낮근무(자); 낮근무 시간.
dáy·sìde *n*. (신문사의) 석간 요원. OPP. *nightside*.
dáy sìde 〖천문〗 행성의 햇빛을 받는 반구(半球), 낮쪽.
days·man [déizmən] (*pl*. **-men** [-mən]) *n*. 《고어》 중재인, 조정자(arbiter, mediator); 날품팔이꾼.
dáy·sprìng *n*. U 《고어·시어》 동틀녘, 여명(dawn); 시작(beginning).
dáy·stàr *n*. **1** 샛별. **2** (the ~) 《시어》 태양.
dáy stùdent (대학 기숙생에 대한) 통학생.
dáy sùrgery (입원이 필요없는) 간단한 수술.
day·tal·er [déitələr] *n*. 《영방언》 **1** 날품팔이 노동자. **2** (특히 광산의) 날품팔이 인부.
dáy tìcket 《영》 왕복표《당일 유효》.
⁑**day·time** [déitàim] *n*., *a*. U (the ~) 주간(의). OPP. *nighttime*. ¶ in the ~ 주간에, 낮에 / ~ flights 주간 비행.
dáy·tìmes *ad*. 낮에는 (언제나), 평일에는.
dáy-to-dáy [-tə-] *a*. **1** 나날의. **2** 하루살이의. **3** 〖상업〗 당좌의.
Day·ton [déitn] *n*. 데이턴. **1** 미국 Ohio 주 남서부의 도시. **2** 미국 Tennessee 주의 읍《그 곳 고교의 생물학 교사 J. T. Scopes 가 진화론을 가르쳐 재판이 된 Scopes Trial 로 알려짐》.
Day·tó·na béach [deitóunə-] 미국 플로리다주의 도시《자동차 경주로 유명》.
dáy tràding 〖상업〗 (당일 종목 주식의) 당일 매매만을 하는 초단기 투기. ⊕ **dày tràder**
dáy trìp 당일치기 여행.
dáy-trìpper *n*. 당일치기 여행자.
dáy·wèar *n*., *a*. 낮 옷차림(의), 평상복(의).
dáy·wòrk *n*. (교대 근무제의) 주간 근무; (시간급의) 일급 근로, 날품팔이.
°**daze** [deiz] *vt*. **1** 현혹시키다; 눈부시게 하다. **2** 멍하게〔얼떨떨하게〕 하다(stupefy). ★ 종종 수동태. ¶ *be* ~*d* by a blow 한 대 얻어맞아 어찔하다. —*n*. 현혹; 멍한 상태: in a ~ 눈이 부셔서, 현혹되어; 멍하니. ⊕ **daz·ed·ly** [déizidli] *ad*. 눈이 부셔, 멍하니.
da·zi·bao [dáːdziːbáu] *n*. (중국의) 벽신문, 대자보(大字報) (wallposter).
***daz·zle** [dǽzəl] *vt*. **1** (강한 빛 따위가) …의 눈을 부시게 하다. **2** (화려함 따위로) 현혹시키다, 감탄시키다, 압도하다. —*vi*. (강한 빛으로) 눈부시다; 눈부시게 빛나다; 경탄하다. —*n*. 현혹; 눈부신 빛. ⊕ **-zler** *n*. 눈부신 미인, 모델.
dázzle làmp 〔**lìght**〕 (자동차의) 강렬한 헤드라이트.
dázzle pàint (함선의) 미채(迷彩), 위장.
dázzle sỳstem 〖선박〗 미채 도장법(迷彩塗裝法) 《전함 따위의 위장을 위한》.
***dáz·zling** *a*. 눈부신, 현혹적인: ~ advertisement 현혹적인 광고. ⊕ **~·ly** *ad*.
DB 〖컴퓨터〗 database. **Db** 〖화학〗 dubnium. **dB, db.** decibel(s). **db.** debenture. **D.B.** Bachelor of Divinity; Domesday Book. **D.B., d.b.** daybook. **d.b.** double bed; 〖복식〗 double-breasted. **DBA, dba, d.b.a.** doing business as〔at〕. **D.B.A.** Doctor of Business Administration. **dBa** decibel(s), adjusted.
dBASE II [díːbèistúː] 디베이스 Ⅱ 《미국 Ashton-Tate사제의 PC용 소프트웨어》.
DBCP dibromochloropropane 《살충제》. **D.B.E.** 《영》 Dame Commander of (the Order of) the British Empire. **D.B.H., d.b.h.** diameter at breast height. **D. Bib.** Douay Bible. **dbl.** double. **DBMS** 〖컴퓨터〗 database management system. (자료틀〔자료 기지〕 관리 체계). **dBrn, dbrn** decibels above reference noise. **DBS** direct broadcasting (by) satellite 〖TV〗 직접 위성 방송. **dbt.** debit. **DC** data communication. **D.C.** da capo; District of Columbia. **D.C., d.c.** direct current. **DCB** Defense Commission Board. **D.ch.E.** Doctor of Chemical Engineering. **D.C.L.** Doctor of Civil Law. **DCM** 〖우주〗 displays and controls module. **D.C.M.** 《영》 Distinguished Conduct Medal. **DCS** 《미》 Defense Communication System; 〖우주〗 display control system. **DD** drunk driver; drunk(en) driving; 〖컴퓨터〗 double density (배밀도); direct deal (직접 거래). **dd** dated. **dd., d / d** delivered.
d-d [diːd, dæmd] ⇨ DAMNED.
D.D. Doctor of Divinity. **d.d.** days after date; demand draft; *dono dedit* 《L.》 (=presented as a gift). **D.D.A.** 《영》 Dangerous Drugs Act.
D-dày *n*. **1** 〖군사〗 공격 개시일(cf. zero hour); 〖일반적〗 계획 개시 예정일. **2** 동원 해제일(demobilization day).
DDC Dewey Decimal Classification; 〖약학〗 dideoxycytidine.
DDD [dìːdìːdíː] *n*. 살충제의 일종. [◀ *d*ichloro-*d*iphenyl-*d*ichloro-ethane]

DDD direct distance dialing.
DDE [dìːdìːíː] *n.* 〖약학〗 살충제의 일종《DDT 보다 약함》. [◂ *d*ichloro-*d*iphenyl-dichloro-*e*thylene]
DDG Guided Missile Destroyer《미사일 탑재 구축함의 미해군 유별(類別) 기호》.
DDI [dìːdìːái] *n.* 〖약학〗 항에이즈약《AIDS 바이러스와 싸우는 백혈구를 늘림으로써 병의 진행을 억제함》. [◂ *did*eoxy*i*nosine]
DDP 〖컴퓨터〗 distributed data processing.
DDS drug delivery system《약물을 필요한 국소에만 작용시키는 방법》; deep diving system (심해 잠수 시스템). **D.D.S.** 《미》 Doctor of Dental Surgery. **D.D.Sc.** Doctor of Dental Science.
DDT, D.D.T. [dìːdìːtíː] *n.* 〖약학〗 살충제의 일종. [◂ *d*ichloro-*d*iphenyl-*t*richloro-ethane]
DDT 〖컴퓨터〗 dynamic debugging tool《디버그 작업에 쓰이는 프로그램》.
DDVP [dìːdìːvìːpíː] *n.* 〖약학〗 살충제의 일종. [◂ *d*imethyl + *d*ichlor + *v*inyl + *p*hosphate]
DDX 〖컴퓨터〗 digital data exchange.
de[1] [diː] *prep.* 《L.》 '…의, …에서, …에 관한'의 뜻: *de* facto, *de* jure.
de[2] [də] *prep.* 《F.》 '…의, …에서, …에 속한'의 뜻: *de* luxe, *de* nouveau.
de- [di, də, diː] *pref.* **1** '…에서; 분리, 제거'의 뜻: *de*pend, *de*throne, *de*tect. **2** '저하, 감소'의 뜻: *de*mote, *de*value. **3** '비(非)…, 반대'의 뜻: *de*merit, *de*nationalize. **4** '완전히, 상세히'의 뜻: *de*scribe, *de*finite.
DE 〖미우편〗 Delaware; 〖미해군〗 destroyer escort (호위 구축함). **DE, D.E.** 〖미식축구〗 defensive end; Doctor of Engineering. **DEA** 《미》 Drug Enforcement Administration (마약 단속국; 사법부 내의 기관). **Dea.** Deacon.
de·ac·cel·er·ate [dìːæksélərèit, -ək-] *vt., vi.* =DECELERATE.
de·ac·ces·sion [dìːækséʃən, -ək-] *vt.* (작품·수집품의 일부를 신규 구입 자금을 얻기 위해) 매각하다. **—** *n.* 매각.
de·a·cid·i·fy [dìːəsídəfài] *vt.* …에서 산(酸)을 제거하다; 탈산하다. [파] **dè·a·cid·i·fi·cá·tion** *n.*
dea·con [díːkən] *n.* **1** 〖가톨릭〗 부제(副祭); (개신교의) 집사. **2** 《Sc.》 조합장. **3** 《미》 갓난 송아지(의 가죽). **—** *vt.* 《미구어》 (찬송가 따위의 1 절을) 낭독하다《회중이 노래 부르기에 앞서》; (과일 따위를) 겉보기 좋게 꾸리다; 속이다. [파] **~·ship** [-ʃip] *n.* [U] 〖종교〗 deacon의 직; 〖집합적〗 부제들. 「권사.
dea·con·ess [díːkənis] *n.* (교회의) 여집사;
dea·con·ry [díːkənri] *n.* =DEACONSHIP.
déacon's bénch 좁고 긴 방추형의 나무를 몇 개씩 나란히 엮어, 등받이와 팔걸이가 되도록 한 벤치.
de·ac·qui·si·tion [diːækwəzíʃən] *n.* (미술관 등의 수집품의) 일제 매각(품), 제적(품).
de·ac·ti·vate [diːǽktəvèit] *vt.* 동원을 해제하다, 군대를 해산하다; 활동력을 잃게 하다; (폭발물을) 불발로 하다; 〖화학〗 (촉매 등을) 불활성화하다. [cf.] activate. **—** *vi.* 〖물리·화학〗 방사능을 잃다. [파] **de·àc·ti·vá·tion** *n.*
†**dead** [ded] *a.* **1** 죽은, 생명이 없는; (식물이) 말라 죽은. [opp.] *living.* ¶ My father has been ~ (for) five years. 아버지가 돌아가신 지 5년이 된다 / *Dead* men tell no tales 〔lies〕. 《속담》 죽은 자는 말이 없다. **2** 죽은 듯한; 무감각한, 마비된《*to*》: a ~ sleep 깊은 잠 / the ~ hours (of the night) 한밤중 / He's ~ *to* pity. 그에겐 동정심이라곤 전혀 없다. **3** 활기가〔생기, 기력이〕 없는; 잠잠한; (빛깔이) 산뜻하지 않은, (소리 따위가) 맑지 않은, (눈 따위가) 흐린, 흐리멍덩한; (술이) 김빠진: a ~ calm 바람 한 점 없이 잠잠함. **4** (석탄 따위가) 불이 꺼진; (애정 따위가) 식은; (공기·물이) 탁한. **5** (시장 따위가) 활발치 못한; (상품 따위가) 안 팔리는: a ~ market 침체된 시장. **6** (땅이) 메마른; 쓸모없는; (공이) 튀지 않는. **7** (법률·언어 따위가) 폐기된; (관습 따위가) 없어진; 무효의; 〖법률〗 재산권〔시민권〕을 빼앗긴〔잃은〕: a ~ language 사어(死語)《라틴어 따위》 / a ~ law 폐지된 법률 / ~ forms 허례. **8** 출입구가 없는, (앞이) 막힌. **9** 《구어》 녹초가 된. **10** (선이) 곧은; 직진의: ~ level 완전히 수평으로. **11** (경기에서) 아웃된, 죽은. **12** 〖골프〗 (공이) 홀(hole) 가까이 있는. **13** 완전한, 절대적인; 돌연한: The train came to a ~ stop. 열차가 딱 멈췄다 / a ~ certainty 절대 확실함. **14** 〖인쇄〗 (조판·활자가) 사용이 끝난, 짰으나 쓰지 않은. **15** 〖전기〗 전류가 통하지 않는, 전원에 접속되지 않은. ***(as) ~ as mutton*** 〔***a herring, a doornail***〕 아주 죽어서; 완전히 쇠락하여〔한〕. ***~ and buried*** 완전히 죽어〔끝나〕. ***~ and gone*** 죽어서; 말끔히 잊어버린; 중요하지 않은. ***~ from the neck up*** = ***~ above ears*** 《구어》 우둔한, 머리가 텅 빈. ***~ to rights*** 《구어》 ① 확실한〔히〕. ② 범죄 현장에서: have a person ~ *to rights* 아무를 현장에서 붙잡다. ***~ to the world*** 〔***the wide***〕 의식이 없는, 푹 잠들어 버린. ***drop ~*** ⇨ DROP. ***in ~ earnest*** 진지하게, 진정으로. ***more than half ~*** 빈사 상태로. ***over my ~ body*** 살아생전에는〔내 눈에 흙이 들어가기 전에는〕 …하지 못한다; 《구어》 마음대로 해라, 될 대로 되라. ***would*** 〔***will***〕 ***not be seen ~*** = ***refuse to be seen ~*** 《구어》 죽어도 싫다; 절대로 안 하다.
— *ad.* **1** 완전히, 아주, 전연: ~ asleep 정신 없이 잠들어 / ~ drunk 곤드레만드레 취하여 / ~ sure 절대로 확실한 / ~ tired 기진맥진하여. **2** 전혀, 절대로, 완전히; 정확히, 곧바로. ***be ~ set*** 굳게 결심하다. ***cut*** a person ***~*** 아무를 모른 체하다. ***fall ~*** 죽다.
— *n.* **1** (the ~) 〖집합적〗 사자(死者), 망자(亡者). **2** [U] 한창 (…하는 중); 죽은 듯한 고요: at ~ *of* night 한밤중에 / in the ~ *of* winter 한겨울에. **3** 《미속어》 배달 불능 우편물. ***rise*** 〔***raise***〕 ***from the ~*** 부활하다〔시키다〕.
[파] **~·ness** *n.* **1** 죽은 상태; 무감각; 생기가 없음. **2** (색의) 칙칙함, (광택의) 흐림; (술 따위의) 김빠짐.
déad áir (옥내·갱내 등에 갇힌) 정체 공기; (방송 중의) 침묵 시간.
déad-áir spàce (밀폐된) (정체) 공기층《중공벽(中空壁)의 내부 같은 곳》.
déad-alíve *a.* (사람·장소 따위가) 활기 없는, 불경기의, 재미없는, 따분한(=**déad-and-alíve**).
déad ángle 〖군사〗 사각(死角).
déad béat 《구어》 몹시 지친; 빈털터리의; 참패한; 평판이 좋지 않은.
déad·bèat[1] *n.* **1** 《속어》 게으름뱅이, 빈둥빈둥 노는 사람. **2** 《미속어》 대금〔빚〕을 떼어먹는 녀석; 기차에 무임승차하는 방랑자. **3** 《구어》 =BEATNIK. **—** *vi.* 《미속어》 빈둥거리며 지내다, 남을 등쳐먹고 살다.
déad·béat[2] *a.* 〖기계〗 (계기의 지침이) 흔들리지 않고 바로 눈금을 가리키는, 속시(速示)의; (계기가) 속시성의 지침을 갖춘. **—** *n.* (추(錘)시계의) 정밀도가 높은 탈진기.
déadbeat contról 데드비트 제어《목표 입력 또는 외란(外亂)이 가해졌을 때 단시간에 오차나 출력이 제로로 돌아가게 하는 제어》.

déadbeat dád 《미구어》 어버이로서의 책임을 게을리하고 있는 아버지, 《특히》 이혼 후에 자녀의 양육비를 부담하지 않는 아버지.
déad·bòlt *n.* 데드볼트《용수철 작용이 아니라 손잡이나 키를 돌려 작동하는 자물쇠용 잠금쇠》.
déad bòok 〖증권〗 폐업회사의 표(表).
déad·bòrn *a.* 《고어》 사산(死産)의.
déad-càt bóunce 《구어》 〖증권〗 (대폭 하락 후의) 일시적인 주가 회복.
déad cénter 〖기계〗 (크랭크의) 사점(死點), (선반(旋盤)의) 부동(不動) 중심.
déad cínch 《속어》 절대 확실한 것, 극히 쉬운 〔간단한〕 일.
déad dóg 죽은 개; 무용지물이 된 것.
déad dróp (스파이의) 연락 정보 은닉 장소.
déad-drúnk *a.* 억병으로 취한, 곤드레만드레가 된.
déad dúck 《구어》 가망 없는 사람〔것〕.
dead·ee [dedíː] *n.* 사진에서 뜬 고인의 초상화.
°**dead·en** [dédn] *vt.* **1** (조직·활동력 따위를) 죽이다, 무감각하게 하다. **2** 누그러뜨리다, 약하게 하다, 둔화하다; (술의) 김을 빼다. **3** 방음 장치를 하다; 윤〔광택〕을 없애다. **4** (나무를 말라 죽게 하여) 땅을 개간하다. **—** *vi.* 죽다; 약해지다, 둔해지다. ㊕ **~·er** *n.*
déad énd (길의) 막다름; 종점; (관(管) 따위의) 막힌 끝; 더 출세할 가망이 없는 지위.
déad-énd *a.* 막다른; 빈민가의, 뒷거리의: a ~ kid 빈민가의 비행 소년/a ~ street 〔route〕 막다른 골목.
déad-end jób 장래성 없는 직업.
déad·en·er *n.* 둔하게〔약하게〕 하는 사람〔물건〕.
déad·en·ing *n.* 방음 장치〔재료〕; 광택 지우는 도료.
déad·èye *n.* 〖해사〗 세 구멍 도르래; 《속어》 명사수. **—** *a.* 《구어》 매우 정확한.
déad·fàll *n.* **1** (위에서 통나무 등이 떨어지게 된) 함정. **2** (산림의) 쓰러진 나무. **3** 《미속어》 나이트클럽, 철야 영업 레스토랑; 《미》 (부정(不正)) 도박장.
déad fíngers 〔단수취급〕 〖의학〗 백납병.
déad fíre =SAINT ELMO'S FIRE.
déad fréight 〖상업〗 공하(空荷) 운임.
déad gíveaway 《구어》 틀림없는〔결정적인〕 증거.
déad gróund 사각(死角); 〖전기〗 완전 접지.
déad hánd 〖법률〗 =MORTMAIN; (현재〔생존자〕를 부당하게 구속하고 있다고 느껴지는) 과거 〔사자(死者)〕의 압박감; (D- H-) =RAYNAUD'S PHENOMENON.
déad·hèad *n.* 《구어》 (초대권·우대권을 쓰는) 무료 입장자〔승객〕; 빈 차, 빈 항공기; 무용지물. **—** *vt.* 무임 승차시키다; (차를) 승객 없이 달리게 하다, 회송하다. **—** *vi.* 우대권〔초대권〕을 사용하다; 승객 없이 달리다. **—** *a.* (차·배·창고 등의) 짐이 없는. **—** *ad.* 빈 차로.
déad héat 동시 도착(의 경주).
déad-héat *vi.* (두 사람 이상이) 동시에 도착하다.
déad hórse 《구어》 소용이 없어진 것; 하찮은 문제; 묵은 화제: ~ work 선금을 받은 일. ***beat*** 〔***flog***〕 ***a*** **~** 쓸모없게 된 계획을〔문제를〕 계속 추구〔논의〕하다, 헛수고하다. ***pay for a*** **~** 옛 빚을 갚다.
dead·ish [dédiʃ] *a.* 죽은 것 같은, 활기 없는.
déad lánguage 사어(死語)《일상 언어로서 사용되지 않는 라틴어·고대 그리스어 따위》.
déad létter 배달 불능 우편물; (법률 따위의) 공문(空文), 사문(死文).
déad létter bòx 〔**dròp**〕 =DEAD DROP.
déad-letter óffice (우체국의) 배달·반송 불능한 우편물 취급·담당과(=**déad-mail óffice**).
déad líft (기계를 안 쓰고 무거운 것을) 맨손으로 들어올리는 일; 《고어》 필사적인 노력을 요하는 일〔상황〕.
déad·lìght *n.* 선창(船窓) 뚜껑; 현창(舷窓); 채광창.
déad·lìne *n.* **1** (포로 수용소의) 경계선《넘으면 사살됨》. **2** 마감 시간; 최종 기한; 〖컴퓨터〗 기한. **3** 〖군사〗 수리(修理)나 정기 검사를 위해 모아 놓은 차량들.
déadline diplòmacy 기한부 외교《해결 기한이 정해진 가운데 행하는 외교 활동》.
déad lóad 〖건축·토목〗 정하중(靜荷重), 사(死)하중.
°**déad·lòck** *n.* 정돈(停頓), 막힘, 막다름; (경기의) 동점; 이중 자물쇠; 〖컴퓨터〗 교착 상태《두 사람〔둘〕 이상의 사람〔작업〕이 동시에 진행하려 하여 컴퓨터가 응할 수 없음》. ***come to*** 〔***at***〕 ***a*** **~** =***be brought to a*** **~** (완전히) 벽에 부딪치다, 교착 상태에 빠지다. **—** *vt., vi.* 정체시키다〔되다〕, 막다른 골에 이르게 하다〔이르다〕.
déad lóss 전손(全損); 《구어》 아주 무능한 사람, 무용지물, 아주 하찮은 것〔일〕, 시간 낭비.
***dead·ly** [dédli] *a.* **1** 죽음의, 생명에 관계되는, 치명적인: ~ poison 맹독.

> SYN. **deadly** 비유적인 뜻으로 쓰이는 일이 가장 많음. **deathly** 말 그대로 '죽음과 같은' 의 뜻: *deathly* stillness 죽음과 같은 고요. **mortal** 필연적으로 죽음을 초래케 한다는 경우에 쓰임: a *mortal* wound 치명상. **fatal** mortal과 마찬가지로 죽음을 면할 수 없는 상태를 가리킴.

2 죽은 것 같은《얼굴 따위》: a ~ pallor 죽은 사람같이 창백함/a ~ silence 죽음과 같은 고요. **3** 죽어야 마땅한, 용서할 수 없는: a ~ sin 죽을 죄, 대죄. **4** 죽이고야 말, 앙심 깊은: a ~ enemy 불구대천의 원수. **5** 죽음에 이르게 할 만한, 격렬한: a ~ combat 격전/a ~ insult 참을 수 없는 모욕/a ~ evidence 결정적인 증거. **6** 《구어》 맹렬한, 심한, 지독한; 진절머리나는: be perfectly ~ 참으로 지독하다〔못 견디겠다〕. ***in*** **~** ***haste*** 부랴부랴. ***the*** (***seven***) **~** ***sins*** 〖신학〗 일곱가지 큰죄《pride, covetousness, lust, anger, gluttony, envy, sloth》. cf. cardinal virtues. **—** *ad.* 죽은 것같이; 《구어》 대단히, 몹시: ~ tired 기진맥진한. ㊕ **-li·ness** *n.* 치명적인 것; 집념이 강함; 맹렬함.
déadly embráce 〖컴퓨터〗 교착 상태(deadlock).
déadly níghtshade 〖식물〗 벨라도나《그 열매는 독이 있음》.
déad màn 죽은 사람; (게의) 호흡기《먹지 못함》; 《구어》 (연회 뒤의) 빈 술병; 《미속어·방언》 허수아비(scarecrow).
déad·màn [-mæ̀n] (*pl.* ***-mèn*** [-mèn]) *n.* 데드맨《땅 속에 묻은 물건을 고정시키거나 지렛대로 쓰는 통나무〔판자〕》.
déad màn's flóat 〖수영〗 엎드려 뜨기《양손을 앞으로 뻗고 엎드려 뜨는 방법》.
déad màn's hànd 《미속어》 〖카드놀이〗 에이스와 8의 투페어를 갖춘 손패; 불운, 불행.
déadman's hándle 〖기계〗 (전차 등의) 손을 떼면 자동적으로 동력원이 끊어지는 조작 핸들.
déadman's pédal 〖기계〗 발을 떼면 자동적으로 동력원이 끊어지는 조작 페달.
déad màrch (특히 군대의) 장송 행진곡.
déad maríne 《속어》 빈 술병(dead man).
déad màtter 〖인쇄〗 필요 없게 된 조판(組版), 폐판(廢版); 무기물(無機物).
déad méat 《속어》 시체.
déad métaphor 죽은 은유《빈번하게 쓰이고 있으므로써 비유력을 상실한 표현; 예: the legs of a chair, room and board》.
déad néttle 〖식물〗 광대수염속(屬)의 식물.
déad-ón *a.* 매우 정확한.

déad-ón-arríval *n.* 병원에 도착했을 때 이미 사망한 사람; 처음 사용할 때 작동하지 않는 전자 회로.
déad pán 무표정한 얼굴(의 사람); 아무렇지도 않은 태도; 시치미 떼고 하는 연기〔희극〕.
déad·pàn *a., ad.* 무표정한〔하게〕. **—** *vt., vi.* 무표정한 얼굴을 짓다, 무표정한 얼굴로 말하다.
déad párrot =DEAD PIGEON.
déad pèdal 《CB속어》 느리게 운전하는 차; 일요 운전자(Sunday driver).
déad pígeon 《속어》 =DEAD DUCK.
déad póint 〖기계〗 (크랭크의) 사점(死點).
déad réckoning 〖해사〗 추측 항법(航法).
déad rínger 《속어》 똑같이 닮은 사람〔물건〕.
déad róom 무향실(無響室)《음향의 반사를 최소로 줄인 방》.
déad rún 전력 질주: on the ~ 전력 질주하여.
Déad Séa (the ~) 사해(死海)《Palestine의 염수호》.
Déad Sèa ápple 〔**frúit**〕 (the ~) 소돔의 사과(apple of Sodom).
Déad Séa Scròlls (the ~) 사해(死海) 사본〔문서〕《사해 북서부의 동굴에서 발견된 구약 성서를 포함한 고사본의 총칭》.
déad sét **1** 사냥개가 사냥감을 노리는 부동자세; 맹공격. **2** 끈기 있는 노력《*at*》: make a ~ *at* marrying a woman 여자에게 결혼해 달라고 끈질기게 구혼하다. **3** 단호(斷乎)한: He is ~ against it. 그는 단호히 그것에 반대하고 있다.
déad shót 명사수; 명중탄. 「히 움직이는.
déad-smóoth *a.* 대단히 매끄러운, 매우 원활
déad sóldier (보통 *pl.*) 《구어》 빈 술병(dead man); 《미속어》 똥.
déad spáce 〖생리〗 사강(死腔)《비강(鼻腔)에서 폐포(肺胞)까지의 부분》; 〖군사〗 사각(死角); 〖건축〗 (기둥 둘레 등) 이용할 수 없는 공간; 집회장 등에서 소리가 들리지 않는 부분.
déad spòt 〖통신〗 난청 지역.
déad stíck (엔진이 꺼져) 회전을 멈춘 프로펠러; 《비어》 발기하지 않는 페니스.
déad-stick lánding 〖항공〗 (엔진) 정지 착륙.
déad stóck 〖영상업〗 팔다 남은 물건, 사장〔불량〕 재고, 체화(滯貨); 〖농업〗 농기구(農器具)《가축(livestock)에 대하여》.
déad stórage 퇴장물, 사장(死藏) 물품.
déad tìme 〖전자〗 (지령을 받고 나서 작동하기까지의) 불감(不感) 시간, 대기 시간.
déad wáter 흐르지 않는 물, 갇힌 물; 항적 와류(航跡渦流)《고물 밑의 소용돌이》.
déad wéight **1** 무거운 짐《빚 따위》; 중량품. **2** 〖철도〗 자중(自重)《차량 자체의 중량》. **3** 〖해사〗 배에 적재한 물건의 무게《선원·승객·화물·연료 등》. **4** 〖건축·토목〗 =DEAD LOAD; 중량 화물《중량으로 운임을 계산함》.
déadweight capácity 〔**tónnage**〕 〖해사〗 재화(載貨) 중량 톤수.
déadweight tón 중량톤《2240 파운드》.
déad·wòod *n.* Ⓒ **1** 말라 죽은 가지〔나무〕, 삭정이. **2** 쓸모없는 것〔사람〕. **3** 〖볼링〗 쓰러져 레인 위에 남은 핀. **4** 〖카드놀이〗 (포커에서) 버린 패. **5** 〖조선〗 역재(力材). ***cut out*** 〔***get rid of, remove***〕 (***the***) ~ (조직 등에서) 불필요〔무용〕한 것〔사람〕을 제거하다. ***have the ~ on ...*** 《미서부》 …보다 분명히 유리한 입장에 서다.
de·aerate [diéiəreit] *vt.* 공기를 제거하다.
de-aes·thet·i·cize [dì:esθétəsàiz] *vt.* (예술·작품)에서 예술성을 제거하다.
‡deaf [def] *a.* **1** 귀머거리의; 귀먹은; (the ~) 귀머거리들: He is ~ *of* 〔*in*〕 one ear. 한쪽 귀가 안 들린다 / a ~ person 귀머거리 / a school for the ~ and dumb 농아(聾啞) 학교 / ~ as an adder 〔a post, a doornail, a stone〕 전혀 못 듣는. **2** 귀를 기울이지 않는, 무관심한《*to*》: turn a ~ ear to …에 귀를 기울이지 않다 / He is ~ *to* all advice. 그는 어떤 충고도 들으려 하지 않는다. ***fall on ~ ears*** (요구 따위가) 무시되다: All of his demands *fell on ~ ears*. 그의 모든 요구는 묵살되었다. ㊄ **∠·ish** *a.* **∠·ly** *ad.* **∠·ness** *n.*
déaf-àid *n.* 보청기(hearing aid).
déaf-and-dúmb [-ən-] *a.* 농아(聾啞)의: the ~ alphabet 지화(指話) 문자.
déaf-blínd *a.* 눈과 귀가 부자유스러운, 눈과 귀에 장애가 있는. 「정이.
déaf éar 가금류(家禽類)의 귓불〔귀〕; (*pl.*) 쭉
◇deaf·en [défən] *vt.* **1** 귀머거리를 만들다, 귀를 먹먹하게 하다, …의 귀청을 터지게 하다. **2** (큰 소리가 작은 소리를) 안 들리게 하다. **3** 〖건축〗 …에 방음 장치를 하다. ㊄ **~·ing** *n., a.* Ⓤ 방음 장치; Ⓒ 방음 재료; 귀청이 터질 것 같은.
de·af·fer·ent·ed [di:ǽfərəntid] *a.* 〖의학〗 구심로(求心路)를 차단한.
déaf-múte *n.* 농아자. **—** *a.* 농아〔귀머거리〕의.
déaf-mútism *n.* Ⓤ 농아 상태.
déaf nút 인(仁)(kernel)이 없는 견과(堅果); 이익이 되지 않는 것.
‡deal[1] [di:l] (*p., pp.* ***dealt*** [delt]) *vt.* **1** 《~+목/+목+전+명》 분배하다, 나누(어주)다《*out*》: ~ *out* alms *to* the poor 빈민에게 구호물자를 분배하다 / ~ *out* justice 공평한 재판을 하다. **2** 《+목+전+명/+목+목》 (타격을) 가하다: ~ a blow *to* 〔*at*〕 a person = ~ a person a blow 아무에게 일격을 가하다. **3** 《~+목/+목+목/+목+전+명》 (카드를) 도르다: He *dealt* each player four cards. =He *dealt* four cards *to* each player. 그는 각자에게 4 장씩 패를 돌렸다. **—** *vi.* **1** 《+전+명》 다루다, 처리하다, 관계하다《*with*》: ~ *with* a question 문제를 다루다 / ~ *with* a situation 사태에 대처하다. **2** 《+전+명》 (사람에 대하여) 행동하다, 다루다, 상대〔교제〕하다《*with; by* a person》: Let me ~ *with* her. 그녀는 내가 상대하지 / ~ *with* a culprit 범인을 다루다 / ~ roughly *with* 〔《고어》 *by*〕 a person 아무를 난폭히 다루다. **3** 《+전+명》 장사하다, 거래하다; 취급하다《*in; with; at*》: ~ *in* wool 양털 장사를 하다 / I don't ~ *in* that line. 그 방면의 상품은 취급하지 않는다 / I ~ *at* that store. 저 가게와 거래한다. ★ '…을 상대로 …장사를 하다'는 *deal with* a person *in* an article. **4** 카드를 도르다: Whose turn to ~? 패는 누가 도를 차례입니까. ~ a person ***in*** 〔***out***〕 《속어》 아무를 한패에 끼워 주다〔에서 밀어내다〕. ~ ***them off the arm*** 《속어》 웨이터 노릇을 하다. ~ ***from the bottom of the deck*** 《미속어》 속이다. ~ ***up*** 《미》 종범인 피고에게 주범의 범죄를 증명하는 정보를 제공하면 면죄시켜 주겠다고 약속하다, 거래하다. ***hard*** 〔***easy***〕 ***to ~ with*** 감당하기 어려운〔쉬운〕.
— *n.* **1** 《구어》 (상업상의) 거래; 관계: close 〔open〕 a ~ 거래를 끝내다〔트다〕. **2** 타협, 담합(談合)《종종 비밀 또는 부정한》. **3** 《구어》 취급, 대우. **4** 《미구어》 정책; 계획: crumb the ~ 계획을 망치다. **5** (카드놀이의) 패 도르기〔도를 차례〕; 한 판. ***call it a ~*** (거래 등에서) 일이 낙착된 것으로 치다. ***That's a ~.*** 좋아 알았다; 계약하자, 결정 짓자. ***wet the ~*** 《구어》 계약을〔거래를〕 마치고 한잔하다.
‡deal[2] *n.* 분량(quantity), 다량; 정도; 액(額). ***a good*** 〔***great***〕 ~ =《구어》 ***a ~*** ① 많은(양), 상당량; 다량의《*of*》. ② 〖부사구〗 상당히, 꽤: *a*

good ~ better 훨씬 나은.

deal³ *n.* Ⓤ (소나무 · 전나무의) 제재목(木).

de·al·co·hol·ize [di(ː)ǽlkəhɔːlàiz, -hɑl-/-hɔl-] *vt.* (술의) 알코올 성분을 제거하다.

***deal·er** [díːlər] *n.* **1** 상인, …상(商) ⦅*in*⦆; ⦅속어⦆ (마약) 판매인; ⦅미속어⦆ 혼자서 많은 일에 관계하고 있는 사람, (사업 등을) 크게 하는 사람: a horse-~ 말 장수. **2** (the ~) (카드를) 도르는 사람. **3** 〖증권〗 ⦅미⦆ 딜러(⦅영⦆ jobber)⦅자기 매매를 전문으로 하는 증권업자⦆. OPP. *broker*. **4** 어떤 특수한 행동을 하는 사람: a double ~ 언행에 표리가 있는 사람.

déaler brànd =PRIVATE BRAND.

deal·er·ship [díːlərʃip] *n.* 판매권〔허가권〕(있는 상인); 판매 대리점, 특약점.

°**déal·ing** *n.* Ⓤ 취급, 태도; 조치; (*pl.*) (거래) 관계, 장사, 교제⦅*with*⦆; Ⓤ 카드의 분배: have ~*s with* …와 교제〔거래〕하다.

déaling ròom 〖증권〗 (증권 거래소의) 거래장.

dealt [delt] DEAL¹ 의 과거 · 과거분사.

de·am·bu·la·tion [diːæ̀mbjəléiʃən] *n.* 걸어 다님, 산책, 소요(逍遙).

de·am·bu·la·to·ry [diːǽmbjələtɔ̀ːri/-təri] *a.*, *n.* =AMBULATORY.

de·am·i·nase [diːǽmənèis, -nèiz] *n.* 〖생화학〗 아미노기 이탈 효소.

de·am·i·nate [diːǽmənèit] *vt.* 〖화학〗 …에서 아미노기를 없애다. ㊀ **de·àm·i·ná·tion** *n.*

Dean [diːn] 딘. **1** 남자 이름. **2 James** ~ 미국의 영화배우(1931–55).

°**dean¹** [diːn] *n.* **1** (cathedral 등의) 수석 사제(司祭); 〖가톨릭〗 지구장(rural ~); (영국 국교의) 지방 부감독. **2** (단과 대학의) 학장; (영국 대학의) 학생감; (미국 대학의) 학생과장. **3** (단체의) 최고참자, 장로. **— *vi.*** ~을 맡아보다.

dean², dene [diːn] ⦅영⦆ *n.* (숲이 있는) 깊은 골짜기.

dean³ ⇨ DENE¹.

dean·ery [díːnəri] *n.* C,U dean¹ 의 직〔저택〕; Ⓒ ⦅영⦆ 지방 부감독 관구.

dean·ship [díːnʃip] *n.* Ⓤ dean¹ 의 직(위).

déan's lìst ⦅미⦆ (학기말 · 학년말의) 대학 우등생 명단.

de·anthropomórphize [di-] *vt.* 비의인화하다.

†**dear** [diər] *a.* **1** 친애하는, 친한 사이의, 사랑하는, 귀여운: my ~ friend Smith 내 친구 스미스 군/my ~ daughter 사랑하는 나의 딸. **2** 귀중한, 소중한⦅*to*⦆: hold a person 〔life〕 ~ 아무를〔생명을〕 소중히 하다/Life is ~ *to* me. 나는 목숨이 아깝다. **3** ⦅주로 영⦆ 비싼, 고가의. OPP. *cheap*. ¶ ~ cigars 비싼 여송연. SYN. ⇨ EXPENSIVE. ★ dear에는 '가격'의 뜻이 포함되므로, The price is *dear*. 라고는 별로 안 하며, The price is *high*. 가 옳음. **4** 물건을 비싸게 파는: a ~ shop 비싸게 파는 가게. **5** 입수하기 어려운. ***Dear*** 〔***My*** ~〕 ***Mr.*** 〔***Mrs., Miss***〕 ***A*** ① 저 여보세요 A 씨〔씨 부인, 양〕⦅회화에서 정중한 호칭; 때로 빈정댐이나 항의 등의 뜻을 내포함⦆. ② 근계⦅편지의 허두; ⦅영⦆에서는 My dear… 의 편이 Dear… 보다 친밀감이 강하나 ⦅미⦆에서는 그 반대임⦆. ***Dear Sir***(***s***) 근계⦅단수형은 안면이 없는 사람이나 윗사람에게, 복수형은 회사 · 단체 앞으로 보낼 때 씀⦆. ~ ***to*** a person***'s heart*** 아무에게 있어 소중한, 중요한. ***for ~ life*** 죽을 힘을 다하여, 필사적으로.

— *n.* 친애하는 사람, 귀여운 사람; 애인: What ~s they are! 정말이지 귀엽기도 하네. ★ 보통 호칭으로서 (my) dear, (my) dearest 가 되어 '얘, 여보, 당신' 의 뜻. ***Dear knows ...*** …은 아무도 모른다. ***There's*** 〔***That's***〕 ***a*** ~. 착하기도 하지(…해주렴, 울지 마라); (잘했어, 울지 않아) 참 착하다.

— *ad.* **1** 귀여워하여; 소중하게. **2** 값비싸게: They buy cheap and sell ~. 싸게 사서 비싸게 판다. ***pay ~ for*** one***'s sins*** 〔***errors***〕 죄〔과오(過誤)〕 때문에 곤욕당하다. ***That will cost him*** ~. 호되게 비싼 값을 치를걸; 그 사람 혼날걸.

— *int.* 어머(나), 아이고, 저런⦅놀라움 · 근심 · 슬픔 · 동정 따위를 나타냄⦆: *Dear*, ~! =*Dear me*! =Oh ~! 어어, 야 참, 저런.

㊀ **∠·ness** *n.*

Déar Ábby 디어 애비⦅미국의 칼럼니스트 Paulin Friedman Phillips 가 Abigail Van Buren 이라는 예명(藝名)으로 담당하는 인생 상담란;독자가 편지에서 Dear Abby 로 부르는 체제로 됨⦆.

dear·ie [díəri] *n.* =DEARY.

Déar Jóhn (**lètter**) ⦅미구어⦆ (애인 · 약혼자에 대한 여성의) 절교장, 파혼장.

***dear·ly** [díərli] *ad.* **1** 끔찍이, 애정으로. **2** 비싼 값으로: a ~ bought victory 막대한 희생을 치르고 얻은 승리.

déar móney 고금리(의 돈). OPP. *cheap money*. ¶ ~ policy 고금리 정책.

dearth [dəːrθ] *n.* (흔히 a ~) **1** 부족, 결핍(lack): a ~ of housing 주택난. **2** 기근(famine): a water ~ 물기근.

deary [díəri] *n.* ⦅구어⦆ 사랑하는〔귀여운〕 사람 (dearie)⦅보통 여성이 쓰는 호칭; 때로는 빈정댐 · 익살⦆.

dea·sil [díːzəl] *ad.* ⦅Sc.⦆ 태양의 운행 방향으로, 오른쪽으로 돌아(clockwise). cf. widdershins.

****death** [deθ] *n.* U,C **1** 죽음, 사망: be burnt 〔frozen, starved〕 to ~ 타〔얼어, 굶어〕 죽다/die a natural ~ 천수를 다하다/shoot 〔strike〕 a person to ~ 아무를 쏴〔때려〕 죽이다/violent ~ 변사, 사고사. **2** (the~) 죽음의 원인, 사인, 생명을 앗아가는 것⦅*of*⦆: Overworking was the ~ *of* him. 과로가 그의 사망 원인이었다. **3** (보통 the ~) 파멸, 소멸, 종말⦅*of*⦆: the ~ *of* one's hopes 희망이 없어짐. **4** 살인, 살해; 사형: be done to ~ 살해당하다/put a person to ~ 아무를 처형하다, 죽이다. **5** (D-) 사신(死神)⦅낫을 든 해골로 상징함⦆. **6** 죽는 모양〔방법〕: a fine 〔a disgraceful〕 ~ 훌륭한〔불명예스러운〕 죽음. **7** ⦅고어⦆ 염병: the black ~ 흑사병. (***as***) ***pale as*** ~ (송장같이) 창백하여. (***as***) ***sure as*** ~ 틀림없이, 확실히. ***be at ~'s door*** 빈사 상태에 이르다. ***be ~ on*** ⦅구어⦆ ① …에 대해 놀라운 솜씨를 가지고 있다, …에 백발백중이다: The cat *is ~ on* rats. 저 고양이는 쥐를 잘 잡는다. ② …을 무척 싫어하다: She *was ~ on* dust. 그녀는 먼지가 딱 질색이었다. ③ …을 매우 좋아하다: She *is ~ on* her aunt. 그녀는 숙모를 매우 좋아한다. ④ (약 따위가) …에 잘 듣다. ***be in at the*** ~ (여우 사냥에서) 여우의 죽음을 지켜보다; (사건의) 전말을 최후까지 보다. ***be tickled to*** ~ ⇨ TICKLE. ***be worse than*** ~ 매우 지독하다. ***catch*** 〔***take***〕 one***'s*** ~ (***of cold***) ⦅구어⦆ 심한 감기에 걸리다. ***catch the ~ of it*** 죽다. ***die the*** ~ ⇨ DIE¹. ~ ***with dignity*** 존엄사(死)⦅무리한 연명 의료를 중지하는 일⦆. ***do ... to*** ~ …을 죽이다; ⦅비유⦆ …을 물리도록 반복하다. ***hang*** 〔***hold, cling,*** etc.〕 ***on like grim*** ~ 죽어도 놓지 않다, 결사적으로 달라붙다. ***in the*** ~ ⦅속어⦆ 최후에, 드디어, 결국. ***like*** ~ (***warmed up***) ⦅구어⦆ 형편이〔상태가〕 아주 나쁜 것처럼. ***to*** ~ 몹시, 아주, 극도로: tired *to* ~ 아주 녹초가 되어서/done *to* ~ 지나친; 손을 너무 댄. ***to the*** ~ 최후까지, 죽을 때까지. ***will be the ~ of*** ① …의 목숨을 빼앗다. ② 우스워 죽을 지경이다: Stop! You*'ll be*

the ~ *of* me. 그만해! 우스워 죽겠어.
déath àdder (오스트레일리아산) 독사의 일종.
déath ágony 죽음[단말마]의 괴로움.
déath àsh 죽음의 재《방사능의》.
°**déath·bèd** *n.* 죽음의 자리; 임종: one's ~ confession 임종의 고백/a ~ will 임종 유언/~ repentance 임종의 참회; 때늦은 정책 변경. ***on*** [***at***] ***one's*** ~ 임종에[의].
death bèll 임종을 알리는 종, 조종; 귀울음《죽음의 전조라 함》.
death bèlt *n.* 《미속어》 사형지대《미국내 다른 주에 비교해서 범죄자가 사형에 처해지는 비율이 높은 Alabama, Arkansas, Mississippi, Texas를 말함》.
déath bènefit 〖보험〗 사망 급부금.
déath blòck 사형수 감방이 있는 구획, 사형수 동(棟).
déath·blòw *n.* 치명적 타격, 치명상.
déath càmp 죽음의 수용소《아우슈비츠 등의》.
déath cèll 사형수 독방.
déath certificate (의사가 서명한) 사망 진단서.
déath chàir (사형용) 전기 의자.
déath chàmber 임종의 방; 사형실.
déath contròl 죽음[사망] 제어(制御)《의료 기술·위생 향상·개선으로 인한 사망률의 저하와 평균수명의 연장》.
déath cùp 파리버섯속(屬)《독버섯》.
déath dàmp 임종시에 흘리는 식은 땀, 사한(死汗).
déath·dày *n.* 기일(忌日).
déath-dèaling *a.* 죽음을 초래하는, 치사적인.
déath dùst 〖군사〗 (방사능을 함유한) 죽음의 재 =DEATH SAND.
déath dùty 〖영법률〗 유산 상속세.
déath educàtion 죽음에 관한 준비 교육《죽음과 죽음에 대한 여러 문제점을 다루는 교육》.
death·ful [déθfəl] *a.* 치명적인; 살인적인; 잔인한; 죽음과 같은.
déath grànt 《영》〖보험〗 (근친자·유언 집행자에게 지급되는) 사망 급부금.
déath hòuse 《미》 사형수 감방(이 있는) 건물.
déath ìnstinct (the ~) 〖심리〗 죽음의 본능.
déath knèll (종말·죽음·파멸의) 조짐; =PASSING BELL.
déath·less *a.* 불사[불멸, 불후]의: ~ fame 불후의 명성. ㊞ **~·ly** *ad.* **~·ness** *n.*
déath·lìke *a.* 죽은 듯한.
déath·ly *a.* 죽음 같은; 치명적인; 《시어》 죽음의. SYN. ⇨DEADLY. **—** *ad.* 죽은 듯이; 몹시, 극도로.
déath màrch 죽음의 행진《주로 전쟁 포로 등에게 강요된 가혹한 조건 아래에서의 행진》.
déath màsk 데스마스크, 사면(死面).
déath mètal 〖음악〗 데스 메탈《병적인 기미의 나쁜 감정을 강조하는 메탈 록》.
déath pènalty 사형(capital punishment).
déath·plàce *n.* 사망지.
déath pòint 〖생물〗 사점(死點)《생존 한계 온도》.
déath-quàlify *vt.* (사형 폐지론자에게) 배심원이 되어야 할 의무를 면제하다.
déath ràte 사망률.
déath ràttle 임종 때의 가래 끓는 소리.
déath rày 살인광선《가공적인》: a ~ weapon 살인광선 병기.
déath ròll 《영》 사망자 명부; 과거장.
déath rów (한 줄로 된) 사형수 감방.
déath sànd (방사능을 함유한) 죽음의 재.
déath sèat 《미속어·Austral. 속어》 (자동차의) 조수석.
déath sèntence 사형선고.
déath's-hèad [déθs-] *n.* (죽음의 상징으로서의) 해골.
déath snòw 《속어》 독을 넣은[오염] 코카인.
déath squàd (라틴 아메리카의 군사정권 아래에서 경범자·좌파 등에 대한) 암살대.
Déath Stàr 죽음의 별《태양계에 있다고 하는 암흑 반성(伴星)》.
déath tàx 《미》 유산 상속세(death duty).
déath thèrapy 대사(對死) 요법《말기 환자에게 조언을 주는》.
death throes (사물의) 종말; 단말마의 몸부림.
déath tòll (사고 등으로 인한) 사망[희생]자수.
déath·tràp *n.* 죽음의 함정《위험한 건물·탈것·장소·상황》.
Déath Válley 죽음의 계곡《미국의 California 주와 Nevada 주에 걸쳐 있는 해면보다 낮은 메마른 혹서(酷暑)의 저지대》.
déath wàrrant 〖법률〗 사형 집행 영장; (의사의) 임종 선언: sign one's (own) ~ 파멸을 자초하다.
déath·wàtch *n.* **1** (초상집의) 경야(經夜). **2** 사형수 감시인. **3** 〖곤충〗 살짝수염벌레《그 소리를 죽음의 전조로 믿었음》. **4** 《미》 (중대 발표 등을 기다리는) 기자단.
déath wìsh 죽음을 바람.
de·au·tom·a·ti·za·tion [diɔ̀ːtəmətaizéiʃən/-tɔ̀m-] *n.* 〖기호론〗 탈(脫)자동화《일상화·타성화된 상태로부터의 탈출》.
deb [deb] *n.* =DEBUTANT(E); 《미속어》 거리를 쏘다니는 불량소녀.
deb. debenture; debutante.
de·ba·cle [deibáːkəl, -bǽkəl, də-/-báːkəl] *n.* 《F.》 (군대·군중 따위의) 와해, 패주; (정부 등의) 붕괴; (시장의) 폭락, 도산; (강의) 얼음의 깨짐; (강 얼음의) 쏟아져 내림.
de·bag [diːbǽg] *vt.* 《영속어》 (장난·벌로서) 바지를 벗기다.
de·bar [dibáːr] (*-rr-*) *vt.* **1** (어떤 장소·상태에서) 내쫓다, 제외하다《*from*》. **2** (…하는 것을) 방해하다; 금하다《*from* do*ing*》: He was consistently ~*red from* attend*ing* the meetings. 그는 계속 모임에 참석할 수 없었다.
de·bark[1] [dibáːrk] *vt., vi.* 상륙[양륙]시키다[하다](disembark). ㊞ **dè·bar·ká·tion** *n.* Ⓤ
de·bark[2] *vt.* (나무)의 껍질을 벗기다.
de·bár·ment *n.* Ⓤ 제외; 방지; 금지.
de·bar·rass [dibǽrəs] *vt.* (어려움·걱정 등에서) 해방하다, …을 제거하여 편안하게 해주다《*of*》.
°**de·base** [dibéis] *vt.* (인품·품질·가치 따위를) 떨어뜨리다, 저하시키다; (화폐를) 변조하다. ㊞ **~·ment** *n.* Ⓤ (인품·품질 따위의) 저하; 타락; 변조. **de·bás·er** *n.*
de·bát·a·ble *a.* 논쟁의 여지가 있는, 문제되는; 미해결의; 논쟁 중인: a ~ land[ground] (국경 따위의) 계쟁지(係爭地).
*****de·bate** [dibéit] *n.* Ⓤ,Ⓒ 토론, 논쟁, 토의; 숙고; 토론회; (the ~s) (의회의) 토론 보고서: open the ~ 토론을 개시하다. **—** *vi.* **1** 《+전+명》 토론[논쟁]하다《*on; about*》: ~ hotly *on* [*about*] a question 어떤 문제에 대해 격론을 벌이다. **2** 숙고하다, 검토하다. **—** *vt.* **1** 《+*wh. to* do》 토의[논의]하다: We are *debating what to* do. 무엇을 해야 할지 의논 중이다. SYN. ⇨DISCUSS. **2** 《+*wh. to* do》 숙고[숙의]하다: I am just *debating whether to* go or stay. 갈까 머무를까 생각하고 있는 중이오. **3** 《고어》 (승리 따위)를 다투다. ***a debating society*** 토론 연수회. ㊞ **de·bát·er** *n.* 토론자, 변론부.
debáting clùb [**socìety**] 토론 연수회[클럽].
debáting pòint (본질적인 것은 아니지만) 토론의 화제가 될 만한 사안; 상대방을 어리둥절하게 하는 얼토당토아니한 말[일].
de·bauch [dibɔ́ːtʃ] *vt.* 타락시키다; (여자를)

유혹하다; (생활·취미 등을) 퇴폐시키다; 〖경제〗 가치를 저하시키다. ― *vi.* 주색에 빠지다, 방탕하다. ― *n.* 방탕, 난봉; 폭음, 폭식. ㊞ **~·er** *n.* 타락시키는 사람〔것〕; 난봉꾼. **~·ment** *n.* Ⓤ

de·báuched [-t] *a.* 타락한; 방탕한. ㊞ **de·báuch·ed·ly** [-idli] *ad.*

deb·au·chee [dèbɔːtʃíː] *n.* 방탕아, 난봉꾼.

de·bauch·ery [dibɔ́ːtʃəri] *n.* Ⓤ,Ⓒ 방탕, 도락; (*pl.*) 유흥, 야단법석.

Deb·by, -bie [débi] *n.* 데비《여자 이름; Deborah 의 애칭》.

deb·by, -bie *n.*, *a.* 《구어》 =DEBUTANTE(의 「(같은)).

de·beak [dibíːk] *vt.* (서로 싸우거나 잡아먹지 못하게 새)의 윗부리 끝을 제거하다.

de·ben·ture [dibéntʃər] *n.* (공무원이 서명한) 채무증서, 공정증서; (무담보) 사채(社債), 사채권(=∼ **bònd**); (세관의) 환세(還稅) 증명서.

debénture stóck 《영》 무상환 사채〔공채〕.

de·bil·i·tate [dibílətèit] *vt.* (사람·몸을) 쇠약하게 하다. ㊞ **de·bíl·i·tant, de·bìl·i·tá·tion** *n.* Ⓤ 쇠약, 허약. **de·bíl·i·tà·ting·ly** *ad.* **-ta·tive** [-tèitiv] *a.* 쇠약하게 하는.

de·bil·i·ty [dibíləti] *n.* Ⓤ (특히 육체적인) 약함; (생활 기능의) 약질(弱質), 쇠약; 무기력: congenital ~ 선천성 약질 / nervous ~ 신경 쇠약.

deb·it [débit] *n.* 차변(借邊)《생략: dr.》(OPP *credit*); 차변 기입; 결점, 단점: a ~ slip 출금 전표 / the ~ side 차변란. ― *vt.* 차변에 기입하다《*against; to*》.

débit càrd 데빗 카드《은행 예금의 인출·예입을 직접 할 수 있는 카드》.

débit pòlicy 〖보험〗 데빗 보험《일정 지구 안의 보험 가입자에게 호별 수금하는 방식의 소액 생명 보험》.

deb·o·nair, deb·o(n)·naire [dèbənέər] *a.* 쾌활한, 활기찬; 명랑한; 정중한, 상냥한. ㊞ **dèb·o·náir·ly** *ad.* **dèb·o·náir·ness** *n.*

de·bone [diːbóun] *vt.* (고기·생선·닭고기 따위의) 뼈를 발라내다.

de·boost [dibúːst] *vt.* (우주선 따위를) 감속하다. ― *n.* (우주선 따위의) 감속.

Deb·o·rah [débərə] *n.* 데보라. **1** 여자 이름. **2** 〖성서〗 이스라엘의 여자 예언자.

de·bouch [dibúːʃ, -báutʃ] *vi.* (군대가 평지로) 진출하다; (강이 넓은 곳으로) 흘러나오다. ― *vt.* (넓은 곳으로) 유출〔진출〕시키다. ― *n.* =DÉBOUCHÉ.

dé·bou·ché [dèibuːʃéi] *n.* 《F.》〖군사〗 (요새 등의) 진출구, 출구; 상품의 판로《*for*》. 「(구).

de·bóuch·ment *n.* Ⓤ,Ⓒ 진출; (강의) 유출

De·brett's [dəbréts] *n.* 디브렛《영국 귀족의 인명록; John Debrett 이 1802 년에 창간한 *Debrett's Peerage and Baronetage* 의 약칭》.

de·bride, dé- [dibríːd, dei-] *vt.* 〖의학〗 창상(創傷)을 깨끗이 하다〔절제하다〕; 괴사(壞死) 조직을 (건강 부위에서) 도려내다.

de·bride·ment, dé- [dibríːdmənt, dei-] *n.* 〖의학〗 상처의 표면 절제(술); 괴사(壞死) 조직 제거, 데브리드망.

de·brief [diːbríːf] *vt.* (특수 임무를 끝낸 비행사·외교관 등에게) 보고를 듣다; (공무원 등에게) 이임 후 비밀 정보를 공표하지 않도록 명령하다. ― *vi.* (임무 완수 귀환 병사 등이) 보고하다. ㊞ **~·er** *n.* 임무 보고를 듣는 사람. **~·ing** *n.*

°**de·bris, dé-** [dəbríː, déibriː/déib-] (*pl.* ~ [-z]) *n.* Ⓤ 부스러기, 파편(의 더미); 〖지학〗 암설(岩屑); 〖등산〗 쌓인 빙괴(氷塊).

‡**debt** [det] *n.* **1** Ⓤ,Ⓒ 빚, 부채, 채무: a ~ of five dollars 5 달러의 빚 / a bad ~ 대손(貸損) / contract 〔incur〕 ~*s* 빚이 생기다. **2** Ⓒ (남에게) 신세짐, 의리, 은혜: a ~ *of* gratitude 은혜. ***a ~ of honor*** 신용(信用) 빚, 《특히》 노름빚. ***be in*** a person***'s ~*** =***be in ~ to*** a person 아무에게 빚이 있다; …에게 신세를 지고 있다. ***be out of ~*** 빚이 없다; 힘입은 바가 없다. ***~ of*** 〔***to***〕 ***nature*** 죽음: pay one's ~ *to nature* 죽다. ***get out of ~*** 빚을 갚다. ***keep out of ~*** 빚 안 지고 살다. ***run*** 〔***get***〕 ***into ~*** 빚내다.

débt collèctor 부채 회수 대행업자.

débt-equity swàp 《미》 채무·주식 교환《사채 등 회사의 채무를 신주식과 바꿈; 차액에 과세되지 않는 이점을 노림》.

débt ìssue 채권, 채무 증서.

débt lìmit 채무 한계.

°**debt·or** [détər] *n.* **1** 채무자; 차주(借主). **2** 〖부기〗 차변《생략: dr.》. OPP *creditor.* ¶ a ~ account 차변 계정. **3** 은혜를 입고있는 사람.

débt relìef (채무국에 대한) 부채 감면.

débt sèrvice 할부 상환 금액《장기 차입금의 금리 지불금 및 원금 상각용 적립금으로서 해마다 계상하는 충당금의 총액》.

débt swàp 〖금융〗 채무 스와프《채권을 할인 가격으로 사서 고가로 전매하는 거래》.

de·bug [diːbʌ́g] (*-gg-*) *vt.* **1** …의 결함〔잘못〕을 조사하여 제거하다. **2** (방·건물에서) 도청 장치를 제거하다;(숨긴 마이크를 전파 방해 등으로) 쓸모없게 하다. **3** 〖컴퓨터〗 (프로그램의) 오류를 수정하다, 벌레잡기하다. **4** (정원수·작물 등의) 해충을 제거하다. ― *n.* 〖컴퓨터〗 오류 수정, 디버그.

de·búg·ger *n.* debug 하는 사람〔것〕; 〖컴퓨터〗 디버거《오류의 방지·수정을 쉽게 해주는 프로그램》(=**debúg prògram**).

de·búg·ging *n.* 〖컴퓨터〗 오류 수정: a ~ program 오류 수정 프로그램.

de·bunk [diːbʌ́ŋk] *vt.* 《구어》 (정체를) 폭로하다, 가면을 벗기다; 헐뜯다. ㊞ **~·er** *n.*

de·bus [diːbʌ́s] (*-ss-*) *vt.*, *vi.* 〖주로 군사〗 (버스·차에서) 내리다.

°**de·but, dé·but** [deibjúː, di-, déi-, déb-; *F.* deby] *n.* 《F.》 무대〔사교계〕에 첫발 디디기, 첫무대〔출연〕, 데뷔: make one's ~ 첫무대를 밟다; 사교계에 처음으로 나서다. ― *vi.* 데뷔하다, 첫무대를 밟다; 사교계에 처음 나가다. ― *vt.* (청중 앞에서) …을 초연하다.

°**deb·u·tant, déb-** [débjutàːnt; *F.* debytɑ̃] (*fem.* ***-tante*** [-tàːnt]) *n.* 《F.》 첫무대에 서는 사람; (-tante) 사교계에 처음 나서는 아가씨; 경박한 상류 사교계 아가씨.

de·bye [dibái] *n.* 〖전기〗 디바이《전기 쌍극자 모멘트의 단위; 10^{-18}CGS 정전(靜電) 단위와 같음; 생략: D》.

DEC Digital Equipment Corp. ***Dec.** December. **dec.** deceased; decimeter; declaration; declension; decrease.

dec·(a)- [dék(ə)] *pref.* '10 배' 의 뜻. cf. hecto-, deci-. ¶ *deca*syllable.

dec·a·dal [dékədl] *a.* 열〔10〕의, 10 년간의.

***dec·ade** [dékeid, dekéid/dékeid] *n.* **1** 10 년간; 10; 열 개 한 벌〔조〕; 열 권〔편〕. ★ 드물게는 decad 라고도 씀. **2** [dékəd] 〖가톨릭〗 단(端).

dec·a·dence, -cy [dékədəns, dikéidns], [-i] *n.* Ⓤ 쇠미; 타락;(문예상의) 데카당 운동.

dec·a·dent [dékədənt, dikéidnt/dékədənt] *a.* 쇠퇴기에 접어든; 퇴폐적인; 데카당파의. ― *n.* 데카당파의 예술가《특히 19 세기 말 프랑스의》; 퇴폐자, 데카당. ㊞ **~·ly** *ad.*

de·cad·ic [dekǽdik] *a.* 십진법의.

de·caf(f) [diːkæf] *n.* 카페인을 제거한〔줄인〕

커피〔콜라 등〕. ― *a.* 카페인을 뺀.
de·caf·fein·ate [diːkǽfənèit/-fin-] *vt.* (커피 등에서) 카페인을 제거하다〔줄이다〕.
dec·a·gon [dékəgɑ̀n/-gən] *n.* 〖수학〗 10 변형, 10 각형. ㊕ **de·cag·on·al** [dikǽgənl] *a.*
dec·a·gram, 《영》 **-gramme** [dékəgræ̀m] *n.* 데카그램《10 그램》.
dec·a·he·dral [dèkəhíːdrəl] *a.* 10 면체의.
dec·a·he·dron [dèkəhíːdrən] (*pl.* **~s, -dra** [-drə]) *n.* 〖수학〗 10 면체.
de·cal [díːkæl, dikǽl/dikǽl, díːkæl] *n.* =DECALCOMANIA. ― *vt.* (도안·그림 등을) 전사(轉寫)하다.
de·cal·ci·fi·ca·tion [dikæ̀lsəfikéiʃən] *n.* (뼈 등에서의) 칼슘분 상실; 탈석회.
de·cal·ci·fy [diːkǽlsəfài] *vt.* (뼈에서) 석회질을 빼다.
de·cal·co·ma·nia [dikæ̀lkəméiniə] *n.* Ⓤ 전사술(轉寫術)《무늬를 유리나 도자기 같은 데 넣는 법》; Ⓒ 그 무늬.
dec·a·li·ter, 《영》 **-tre** [dékəlìːtər] *n.* 데카리터《10 리터》.
Dec·a·logue, -log [dékəlɔ̀ːg, -lɑ̀g/-lɔ̀g] *n.* (the ~) 〖성서〗 (모세의) 십계명(the Ten Commandments).
De·cam·er·on [dikǽmərən] *n.* 데카메론《Boccaccio 작》.
dec·a·me·ter, 《영》 **-tre** [dékəmìːtər] *n.* 데카미터《10 미터》.
dec·a·me·tho·ni·um [dèkəməθóuniəm] *n.* 〖약학〗 데카메토니움《브롬화 데카메토니움 또는 요오드화 데카메토니움의 형태로, 근육 이완제》.
dec·a·met·ric [dèkəmétrik] *a.* (고주파 전파가) 데카미터파의, 단파(短波)의: ~ wave 데카미터파《파장 10–100m, 주파수 3–30 MHz》.
de·camp [dikǽmp] *vi.* 캠프를〔진(陣)을〕 거두고 물러나다; 도주하다(run away); 폐회〔산회〕하다. ㊕ **~·ment** *n.* Ⓤ 철영(撤營); 도망.
dec·a·nal [dékənl, dikéi-/dikéi-] *a.* dean[1]의; dean[1] 관하(管下)의; 남측(南側) 성가대의.
dec·ane [dékein] *n.* 〖화학〗 데칸《메탄계 탄화수소》.
de·ca·ni [dikéinai] *a.* 《L.》 =DECANAL; 〖음악〗 (교창(交唱)에서) 남측(南側) 성가대가 노래할. ― *n.* 남측 성가대. ⓒⓕ *cantoris.*
de·cant [dikǽnt] *vt.* (용액의 웃물을) 가만히 따르다; 딴 그릇에 옮기다; 《비유》 이동시키다. ㊕ **de·can·ta·tion** [dìːkæntéiʃən] *n.* Ⓤ
de·cant·er [dikǽntər] *n.* 식탁용의 마개 있는 유리병.

decanter

de·ca·pac·i·tate [dìːkəpǽsətèit] *vt.* 〖축산〗 (정자의) 수정 능력 획득을 방해하다.
dè·ca·pac·i·tá·tion *n.* 수정 능력 획득 억제.
de·cápitalize *vt.* (기업에서) 자본을 회수하다, 자본 형성을 방해하다; 감자하다.
de·cap·i·tate [dikǽpətèit] *vt.* …의 목을 베다, 참수하다; 《미》 해고〔추방〕하다.
de·càp·i·tá·tion *n.* Ⓤ **1** 목베기, 참수. **2** 《미》 (느닷없는) 면직, 해고.
de·cap·i·ta·tor [dikǽpətèitər] *n.* 목베는 사람; 《미》 해고시키는 사람.
dec·a·pod [dékəpɑ̀d / -pɔ̀d] *n.* 〖동물〗 십각목(十脚目)《게·새우 따위》; 십완목(十腕目)《오징어 따위》. ― *a.* 십각목의; 십완목의.
de·car·bon·ate [diːkɑ́ːrbənèit] *vt.* …의 이산화탄소를 제거하다. ㊕ **de·cár·bon·à·tor** *n.* 「(脫)탄소.
de·càr·bon·á·tion *n.*
de·càr·bon·i·zá·tion *n.* 탄소 제거〔탈실〕, 탈
de·car·bon·ize [diːkɑ́ːrbənàiz] *vt.* (내연 기관의 실린더 따위에서) 탄소를 제거하다.
de·car·box·yl·ase [dìːkɑːrbɑ́ksəlèis, -lèiz/-bɔ́k-] *n.* 〖생화학〗 카르복시 이탈 효소. ★carboxylase라고도 함.
dè·carbóxylate *vt.* 〖화학〗 (유기 화합물)에서 카르복시기를 제거하다; 〖생화학〗 (아미노산·단백질)에서 이산화탄소 분자를 제거하다. ㊕ **dè·car·boxylátion** *n.*
de·car·bu·rize [diːkɑ́ːrbəràiz, -bjə-/-bju-] *vt.* =DECARBONIZE; 〖야금〗 탈탄(脫炭)하다.
dec·are [dékɛər, dekɛ́ər] *n.* 데카르《10 아르, 10 a; 0.2471 에이커; 1000m²》.
dec·a·rock [dékərɑ̀k/-rɔ̀k] *n.* =GLITTER ROCK.
de·car·te·li·za·tion [diːkɑ̀ːrtelaizéiʃən] *n.* Ⓤ (독점 금지법에 의한) 기업 집중 배제.
dec·a·stere [dékəstìər] *n.* 10 세제곱미터, 10m³.
de·cas·u·a·lize [diːkǽʒuəlàiz] *vt.* (임시 고용을) 줄이다, 없애다.
dec·a·syl·lab·ic [dèkəsilǽbik] *n., a.* 10 음절(시행(詩行))(의).
dec·a·syl·la·ble [dékəsìləbəl] *n.* 10 음절(시행).
de·cath·lete [dikǽθliːt] *n.* 10 종 경기 선수.
de·cath·lon [dikǽθlɑn/-lɔn] *n.* 10 종 경기. ⓒⓕ pentathlon.
dec·at·ing [dékətiŋ] *n.* 〖방직〗 증융(蒸絨).
***de·cay** [dikéi] *vi.* **1** 썩다, 부패〔부식〕하다. **2** 쇠하다, 감쇠〔쇠미, 쇠약, 쇠퇴〕하다. **3** 〖물리〗 (방사성 물질·소립자·원자핵이) (자연) 붕괴하다; 〖전자〗 (전류·전압이) 감소하다, (자속(磁束)이) 감쇠하다, (전하가) 소실하다; 〖우주〗 (인공위성 등) 궤도 축소를 일으키다. ― *vt.* **1** 부패〔붕괴〕시키다; 쇠하게 하다. **2** 충치가 되다: a ~*ed* tooth 충치. ― *n.* Ⓤ **1** 부패, 부식, 호기적(好氣的) 부패; 부패한 물질; 충치. **2** 감쇠, 쇠미, 쇠약, 쇠퇴(衰退), 노후화: the ~ *of* civilization 문명의 쇠퇴 / mental ~ 지력 감퇴. **3** 〖물리〗 (방사성 물질·원자핵 등의) 붕괴; (전류의) 감소, (자속(磁束)의) 감쇠, (전하 등의) 소실; (인공위성 등의) 궤도 축소. ***be in* ~** 쇠퇴하고 있다. ***go to* ~** = ***fall into* ~** 썩다, 부패하다; 쇠미하다. ㊕ **~·able** *a.* **~·less** *a.*
decáy cònstant 〔**ràte**〕 〖물리〗 붕괴 상수 (disintegration constant).
decáy sèries 〖물리〗 =RADIOACTIVE SERIES.
Dec·can [dékən] *n.* (the ~) 데칸《(1) 인도의 반도부를 이루는 고원. (2) 인도의 Narmada 강 이남의 반도부》. 「⇨DIE[1].
°**de·cease** [disíːs] *n., vi.* Ⓤ 사망(하다). SYN.
***de·ceased** [disíːst] *a.* 죽은, 고(故)…: the ~ father 선친 / the ~ 고인《단·복수 동형》 / the family of the ~ 유가족. 「사자(死者).
de·ce·dent [disíːdənt] *n.* (the ~) 〖미법률〗
decédent estáte 〖미법률〗 유산.
***de·ceit** [disíːt] *n.* Ⓤ,Ⓒ 속임; 책략; 사기; Ⓤ 허위, 부실(不實); 교활함. ◇ deceive *v.*
°**de·ceit·ful** [disíːtfəl] *a.* 사람을 속이는, 거짓의; (겉보기에) 남을 오해시킬 만한; 사기적인. ㊕ **~·ly** *ad.* **~·ness** *n.*
de·céiv·a·ble *a.* 속기 쉬운; =DECEITFUL, DECEPTIVE. ㊕ **~·ness** *n.*
****de·ceive** [disíːv] *vt.* 《~+목/+목+전+명》 **1** 속이다, 기만하다, 현혹시키다; 속여서 …시키다: be ~*d by* appearance 외관 때문에 속다 / He was ~*d into* buying such a thing. 그는 속아서 저런 물건을 샀다. **2** 〖~ oneself〗 잘못

생각하다, 오해하다: He ~*d* him*self into* believing she loved him. 그는 그녀가 자기를 사랑하는 줄로만 알았다. — *vi.* 사기치다, 거짓말하다. ◇ deceit, deception *n.* [파] **de·céiv·er** *n.* 사기꾼. **de·céiv·ing·ly** *ad.*

de·cel·er·ate [di:séləreit] *vt., vi.* 속력을 늦추다〔줄이다〕, 감속하다. [opp] *accelerate.* **de·cèl·er·á·tion** *n.* [U] 감속.

decelerátion làne 〔**strìp**〕 (특히 고속도로의) 감속 차로.

decelerátion pàrachute =DROGUE PARACHUTE.

†**De·cem·ber** [disémbər] *n.* 12월《생략: Dec.》.

de·cem·vir [disémvər] (*pl.* **~s, -vi·ri** [-vərài]) *n.* 〖고대로마〗 십인위원〔십인관(十人官)〕의 한 사람; 십인 위원회의 위원. [파] **de·cém·vi·ral** [-vərəl] *a.* 10대관(大官)의, 10인 위원의.

de·cem·vi·rate [disémvərət, -rèit] *n.* 십인 위원회 위원의 직〔기간〕; 십두(十頭) 정치.

*__de·cen·cy__ [dí:sənsi] *n.* **1** [U] 보기 싫지 않음, 품위; 체면; 예절 바름, (언동이) 고상함: for ~'s sake 체면상. **2** (the decencies) **a** 예의, 예절. **b** 보통의 살림에 필요한 것《의류·가구 등》. **3** [U,C] (the ~) 친절, 관대《*to* do》: He didn't even have the ~ *to* show me the way. 그는 나에게 길을 가르쳐 줄 만한 친절함조차 없었다. ***Decency forbids.*** 소변 금지《게시》.

de·cen·na·ry [disénəri] *n., a.* 10년간(의).

de·cen·ni·ad [diséniæd] *n.* =DECENNIUM.

de·cen·ni·al [diséniəl] *a.* 10년간의; 10년마다의. — *n.* 《미》 10년제(祭).

de·cen·ni·um [diséniəm] (*pl.* **~s, -nia** [-niə]) *n.* 10년간(decade).

‡**de·cent** [dí:sənt] *a.* **1** (복장·집 등이) 버젓한, 알맞은, 볼꼴 사납지〔남부끄럽지〕 않은: quite a ~ house 꽤 훌륭한 집. **2** (태도·사상·언어 등이) 예의 바른, 예법에 의거한, 도덕에 걸맞은; 품위 있는, 점잖은: be ~ in manner 태도가 단정하다. **3** (수입 등이) 어지간한, 상당한, 그리 나쁘지 않은. **4** (가족 따위) 문벌이 좋은, 사회적 지위가 있는. **5** 《구어》 느낌이 좋은, 호감이 가는, 더할 나위 없는: He's quite a ~ fellow. 그는 아주 좋은 사람이다. **6** 친절한, 관대한《*of; to* do》: It's ~ *of* you *to* grant my request. 제 부탁을 들어주셔서 감사합니다. **7** 《구어》 (사람 앞에 나설 정도로) 복장을 갖춘. [파] **~·ly** *ad.* **~·ness** *n.*

de·cèn·tral·i·zá·tion *n.* [U] 집중 배제, 분산; 지방 분권; (인구·산업 등의) 도회지 집중 배제, 지방 분산: economic ~ 경제력 집중 배제.

de·cen·tral·ize [di:séntrəlàiz] *vt.* (권한을) 분산시키다, 집중을 배제하다; 지방분권으로 하다. — *vi.* 분산화(化)하다.

◇**de·cep·tion** [disépʃən] *n.* [U,C] 사기, 기만, 협잡; [C] 속임수, 현혹시키는 것; 가짜: There is no ~. 아무 속임수도 없다. ◇ deceive *v.*

de·cep·tive [diséptiv] *a.* (사람을) 현혹시키는, 거짓의; 사기의; 믿지 못할; 실망을 주는. [파] **~·ly** *ad.* **~·ness** *n.*

decéptive cádence 〖음악〗 거짓 마침, 위종지(僞終止).

de·cer·e·brate [disérəbrèit] *vt.* 〖의학〗 …의 대뇌(大腦)를 제거하다, 제뇌(除腦)하다, …의 대뇌 활동을 정지시키다. — *a.* [-brət, -brèit] 제뇌된; 이성〔지성〕이 없는: ~ rigidity 제뇌 경직. — *n.* [-brət] 제뇌 동물, 제뇌자. [파] **de·cèr·e·brá·tion** *n.*

de·cern [disə́:rn] *vt., vi.* 〖Sc. 법률〗 (…에) 판결을 내리다; 《드물게》 =DISCERN.

de·cer·ti·fy [di:sə́:rtəfài] *vt.* …의 증명〔인증〕을 취소〔철회〕하다. [파] **de·cèr·ti·fi·cá·tion** [-fəkéiʃən] *n.*

de·chlo·ri·nate [di:klɔ́:rənèit] *vt.* 〖화학〗 …의 염소를 제거하다. [파] **de·chlò·ri·ná·tion** *n.* 탈염소(脫塩素).

de·chris·tian·ize [di:krístʃənàiz] *vt.* …의 그리스도교적 특질을 잃게 하다, 비(非)그리스도교화하다.

de·ci- [désə, -si] *pref.* '10분의 1'의 뜻.

dec·i·are [désəὰ:r] *n.* 데시아르《1/10 are》.

dec·i·bar [désəbὰ:r] *n.* 〖기상〗 0.1 바.

dec·i·bel [désəbèl, -bəl] *n.* 데시벨《음향 강도의 단위; 생략: db.; 가청 범위는 1-130 db.》.

de·cíd·a·ble *a.* 결정할 수 있는. [파] **de·cìd·a·bíl·i·ty** *n.*

†**de·cide** [disáid] *vt.* **1** 《~+[목]/+[목]+[전]+[명]/+*that* [절]/+*wh.* [절]/+*wh. to* do》 (문제·논쟁·투쟁 등을) 해결하다, 재결〔결정〕하다, 판결하다, 정하다: ~ a question 문제를 해결하다/The court ~*d* the case *against* the plaintiff. 법원은 원고에게 불리한 판결을 했다/It has been ~*d that* the conference shall be held next month. 회의는 다음 달에 개최하기로 결정되었다/He has ~*d what* he will do. 그는 무엇을 할지 결정했다/She could not ~ *which* way *to* go. 그녀는 어느 길로 가야 할지 정하지 못했다. **2** 《+*to* do/+*that* [절]/+*wh. to* do/+*wh.* [절]》 …을 결심〔결의〕하다: She has ~*d to* become a teacher. =She has ~*d that* she will become a teacher. 그녀는 선생이 되려고 결심했다/He could not ~ *which to* choose. =He could not ~ *which* he should choose. 그는 어느 쪽을 택할 것인지 정할 수 없었다.

> [SYN] **decide** 여러 가지 가능성 중에서 선택하여 결정하다: He *decided* to go today. 그는 오늘 가기로 결정했다. **resolve** 마음에 정하다, 결의하다: *resolve* to ask for a promotion 승진을 부탁하기로 결심하다. **determine** 정한 것을 끝까지 관철하려고 결심하다: He *determined* to become an astronaut. 그는 어떤 일이 있어도 우주 비행사가 되려고 결심했다.

3 《~+[목]/+[목]+*to* do》 …을 결심시키다: That ~*s* me. 그것으로 결심이 선다/His advice ~*d* me *to* carry out my plan. 그의 충고로 계획을 실천하려고 결심했다. — *vi.* **1** 《~/+*to* do/+[전]+[명]》 결심하다, 결정하다《*on; against*》: I haven't ~*d* yet. 아직 결정하지 못했다/I have ~*d* to go. =I have ~*d on* 〔*for*〕 going. 가기로 정했다. **2** 《+[전]+[명]》 〖법률〗 판결하다《*for; in favor of; against*》: The judge ~*d against* 〔*for; in favor of*〕 the defendant. 판사는 피고에게 불리한〔유리한〕 판결을 내렸다. **~ *between*** …의 어느 하나로 결정하다.

— *a.* 결정할 수 있는; 〖수학〗 결정 가능한.

*__de·cid·ed__ [disáidid] *a.* **1** 결정적인; 단호한, 과단성 있는. **2** 분명한, 명확한(distinct). [파] *__~·ly__ *ad.* 확실히, 단연; 단호히: answer ~ 분명히 대답하다. **~·ness** *n.*

de·cíd·er *n.* 결정자, 결재자; 《영》 (동점자끼리의) 결승 경기.

de·cíd·ing *a.* 결정적인, 결승〔결전〕의: the ~ vote.

de·cid·o·pho·bia [disàidəfóubiə] *n.* 결단 공포(決斷恐怖).

de·cid·u·ous [disídʒuəs/-dju-, -dʒu-] *a.* **1** 〖동물·식물〗 탈락성의, 낙엽성의([opp] *evergreen*). ¶ a ~ tree 낙엽수. **2** (이·뿔 등이 어느 시기에) 빠지는: a ~ tooth 젖니(milk tooth). **3** 일시적인, 덧없는, 영존하지 않는.

dec·i·gram, 《영》 **-gramme** [désigræm] *n.* 데시그램《1 그램의 10분의 1; 기호 dg》.

dec·ile [désil, -sail] *n.*, *a.* 〖통계〗 십분위수(十分位數)(의).
dec·i·li·ter, 《영》 **-tre** [désəlìːtər] *n.* 데시리터《1 리터의 10 분의 1; 기호 dl》.
de·cil·lion [disíljən] *n.* 《미·프》 1,000 의 11 제곱수《1 에 0 을 33 개 붙인 수》; 《영·독》 100 만의 10 제곱수《1 에 0 을 60 개 붙인 수》.
°**dec·i·mal** [désəməl] *a.* 〖수학〗 십진법의 (cf. centesimal); 소수의; (통화 등이) 십진제의: go ~ 통화 십진제를 채용하다. **—** *n.* 소수(~ fraction); (*pl.*) 십진법: a circulating 〔recurring, repeating〕 ~ 순환 소수 / an infinite ~ 무한 소수. ㊞ **~·ly** *ad.* 십진법으로; 소수로.
décimal classificàtion 십진 분류법《특히 도서의》.
décimal còinage 십진 화폐 제도.
décimal cùrrency 십진제 통화.
décimal fràction 〖수학〗 소수. cf. common fraction.
déc·i·mal·ist *n.* 십진법주의자.
dèc·i·mal·i·zá·tion *n.* Ⓤ 십진법화(十進法化).
dec·i·mal·ize [désəməlàiz] *vt.* (통화 등을) 십진법으로 하다; 소수로 고치다.
décimal notátion 〖수학〗 십진 기수법(記數法).
décimal plàce 〖수학〗 소수 자리.
décimal pòint 〖수학〗 소수점.
décimal sỳstem (the ~) 십진법〔제〕; = DECIMAL CLASSIFICATION.
décimal tàb 〖컴퓨터〗 데시멀 탭《일련의 숫자를 소수점에서 2 자릿수로 정리하는 탭》.
dec·i·mate [désəmèit] *vt.* (특히 고대 로마에서 반란죄 등의 처벌로) 10 명에 1 명꼴로 제비뽑아 죽이다; …의 10 분의 1 을 거두다〔징수하다〕; 많은 사람을 죽이다《전염병 등이》. ㊞ **-má·tor** *n.* **dèc·i·má·tion** *n.* Ⓤ
dec·i·me·ter, 《영》 **-tre** [désəmìːtər] *n.* 데시미터《1/10m; 기호 dm》.
°**de·ci·pher** [disáifər] *vt.* (암호문 등을) 해독하다(decode)(opp. *cipher*), 번역하다; (옛 문서 등을) 판독하다. **—** *n.* Ⓤ (암호문 등의) 해독, 번역; 판독. ㊞ **~·a·ble** [-rəbəl] *a.* **~·ment** *n.* Ⓤ
*__de·ci·sion__ [disíʒən] *n.* **1** Ⓤ 결심, 결의《*to* do; *that*》: his ~ *to* pursue a military career 군인으로서 살아가려는 그의 결심 / The principal's ~ *that* he would resign was a surprise to me. 그의 교장을 사임하려는 결의가 나에겐 놀라운 일이었다. **2** 결정, 해결: ~ by majority 다수결 / make 〔take〕 a ~ 결정하다 / come to 〔reach, arrive at〕 a ~ 결정되다. **3** Ⓒ 판결, 판례; 결정서; 〖권투〗 판정승; (야구에서 투수가 승패에 관계한) 경기: give a ~ of not guilty 무죄 판결을 내리다. **4** 결단력, 과단성: a man of ~ 과단성이 있는 사람. **—** *vt.* 《구어》 〖권투〗 …을 판정으로 이기다.
decísion màker 의사(意思) 결정자.
decísion màking (정책 등의) 의사 결정.
decísion-màking *a.* 의사 결정의.
decísion pròblem 〖수학〗 결정 문제《어느 집합 위에 주어진 명제 함수가 항상 성립하는가 안 하는가를 유한회(有限回)의 조작으로 판정할 수 있는 일반적인 절차의 존재를 묻는 문제》.
decísion suppórt sỳstem 〖컴퓨터〗 (경영의) 의사 결정 지원 시스템《생략: DSS》.
decísion tàble 의사 결정표.
decísion thèory **1** 〖통계〗 (의사) 결정 이론《의사를 결정하는 데 있어서, 여러 가지 요인의 확립, 수량적인 계산 등을 결과에 반영시키는 이론》. **2** 〖경제〗 의사 결정론《불확실한 상황하에서의 목적 달성을 위한 최적 코스의 선택에 관한 이론》.
decísion trèe 〖컴퓨터〗 의사 결정(을 위한) 분지도(分枝圖) 《여러 가지 전략·방법 등을 나뭇가지 모양으로 도시(圖示)한 것》.

*__de·ci·sive__ [disáisiv] *a.* **1** 결정적인, 결정하는《*of*》: ~ evidence 〔proof〕 확증 / ~ ballots 〖법률〗 결선 투표 / It is ~ *of* the fate of the question. 거기에 따라서 그 문제가 결판난다. **2** 의심할 여지가 없는; 단호한, 확고한: a ~ manner 확고한 태도 / a ~ tone of voice 단호한 어조 / a ~ character 과단성 있는 성격. ◇ decide *v.* ㊞ **~·ly** *ad.* **~·ness** *n.*
dec·i·stere [désistiər] *n.* 1 m^3 의 10 분의 1.
de·civ·i·lize [diːsívəlàiz] *vt.* 비(非)문명화하다, 야만 상태로 되돌아가게 하다. ㊞ **de·cìv·i·li·zá·tion** *n.*
*__deck__ [dek] *n.* 〖선박〗 **1** 갑판: the lower 〔upper〕 ~ 하〔상〕갑판 / the forecastle 〔quarter, main〕 ~ 앞〔후(後), 주(主)〕갑판. **2** 《영속어》 지면(地面)(ground). **3** 〖건축〗 납작한 지붕; 《미》 (철도의) 객차 지붕; (다리의) 차도(車道); 부두〔돌제(突堤)〕 바닥. **4** (전차·버스 따위의) 바닥; (건물의) 층; (스케이트보드의) 널(board); 〖항공〗 (특히 복엽기의) 날개. **5** 카드의 한 벌(pack) 《52 매》: a ~ *of* cards 카드 한 벌. **6** (신문의) 부제(副題). **7** 〖야구〗 다음 타자가 대기하는 장소 (=∠ circle): Gibson on ~. 다음 타자는 깁슨. **8** 〖컴퓨터〗 덱, 대(臺), 천공(穿孔) 카드를 모은 것. **9** 《미속어》 마약 봉지. **10** 테이프 덱. ***below*** **~(*s*)** 주갑판의 밑(에〔으로〕), 선창(에〔으로〕). ***between*** **~*s*** 〖해사〗 갑판 사이에(서), 주갑판 밑에(서) (cf. 'tween decks); 배 안의; 방 안의. ***clear the* ~*s* (*for action*)** 전투〔활동〕 준비를 하다. ***deal*** a person ***a poor*** **~** 《미속어》 아무를 모질게〔부당하게〕 다루다; 〖수동태〗 나면서 운이 없는, (생김새·재능·돈 따위에) 복이 없는. **~*s awash*** 《미속어》 술취한. ***hit the*** **~** 《구어》 ① 일어나다, 기상하다. ② 전투〔활동〕 준비를 하다. ③ 바닥에 쓰러지다〔엎드리다〕. ***on*** **~** ① 〖해사〗 갑판에 나가; 당직하여. ② 《구어》 (활동) 준비가 된; (야구의 타자 등) 다음 차례에〔의〕. ***stack the*** **~** ⇨ STACK.
— *vt.* **1** …에 갑판을 대다. **2** 《~+목/+목+전+명/+목+부》 〖보통 수동태 또는 ~ oneself〗 …을 (…로) 장식하다《*out; in; with*》: They *are* ~*ed out in* their Sunday best. 그들은 나들이옷으로 빼입었다. **3** 《미속어》 …을 때려눕히다, 녹다운시키다. **~ *out*** ① 《미속어》 (헤로인을) 잘게 나누다. ② ⇨2. **~ *over*** 상갑판의 조립을 완료하다. **~ *up*** 《미속어》 성장(盛裝)하다.
déck brìdge 〖건축〗 상로교(上路橋).
déck chàir 갑판 의자; 접(摺)의자, 휴대용 의자.
déck depàrtment 갑판부(部).
deck·el [dékəl] *n.* =DECKLE.
déck·er *n.* 장식자; 갑판 선원; 갑판 선객; …층의 갑판이 있는 배〔버스〕: a double-~ bus, 2 층 버스 / a three-~ novel, 3 부작 소설.
déck·hànd *n.* 갑판 선원, 평선원; (요트의) 승무 조수; 《미속어》 (극장의) 무대 담당자(stagehand).
déck·hòuse *n.* 갑판실.
deck·le [dékəl] *n.* 〖제지〗 뜸틀《종이의 판형(判型)을 정하는》; =DECKLE EDGE.
déckle édge 〖제지〗 떠낸 후 도련(刀鍊)하지 않은 종이의 가장자리.
déckle-èdged *a.* 도련하지 않은《종이》.
déck lìd 자동차 뒤 트렁크의 덮개.
déck·lòad *n.* 갑판의 적재 화물.
déck lòg 갑판 일지.
déck òfficer 갑판 사관; 당직 항해사.
déck pàssage (선실을 정하지 않은) 갑판 도항(渡航).
déck pàssenger 갑판〔3 등〕 선객.
déck shòe 두꺼운 천으로 만든 굽 없는 고무 바닥의 신발.

déck tènnis 덱 테니스《배 위에서 하는 테니스 비슷한 게임》.

de·claim [dikléim] *vi., vt.* (미사여구를 써서) 변론하다; 연설하다; 낭독하다; 낭독을 연습하다. **~ *against*** …에 항의하다; …을 비난하다. ⊞ **~·er** *n.*

dec·la·ma·tion [dèkləméiʃən] *n.* Ⓤ 낭독(법); Ⓒ 연설, 열변; (형식적인) 인사.

de·clam·a·to·ry [diklǽmətɔ̀:ri/-təri] *a.* 연설조의, 웅변가투의; 낭독조의; (문장이) 미사여구를 늘어놓은.

de·clar·a·ble [dikléərəbəl] *a.* 선언[언명]할 수 있는; 밝힐[증명할] 수 있는; (세관에서) 신고해야 할.

de·clar·ant [dikléərənt] *n.* 신고자; 〖미법률〗 미국 귀화 신청[선언]자.

****dec·la·ra·tion** [dèkləréiʃən] *n.* Ⓤ,Ⓒ **1** 선언(서), 포고(문); 공표, 발표; (사랑의) 고백《*of*》: a ~ *of* war 선전 포고/a ~ *of* the poll 선거 투표 결과 공표/make a ~ *of* love 사랑을 고백하다. **2** (세관·세무서에의) 신고(서): a ~ of income 소득(의) 신고. **3** 〖법률〗 (원고의) 최초 진술; 신청서. **4** 〖카드놀이〗 (브리지의) 으뜸패 선언. ◇ declare *v.* ***the Declaration of Human Rights*** 세계 인권 선언《1948년 12월 유엔 제3 총회에서 채택》. ***the Declaration of Independence*** (미국) 독립 선언《1776년 7월 4일 채택》. ***the Declaration of Rights*** =the BILL of Rights ②.

de·clar·a·tive, -to·ry [diklǽrətiv], [-tɔ̀:ri/-təri] *a.* 선언하는, 포고의; 신고의, 진술의; 서술의: a *declarative* sentence 〖문법〗 서술문. ⊞ **de·clár·a·tive·ly** *ad.*

declárative lánguage 〖컴퓨터〗 선언적[형] 언어《데이터 간의 관계를 규정하는 데 기본이 되는 프로그래밍 언어》. 「판결.

decláratory júdgment 〖법률〗 선언적[확인]

decláratory statúte 〖법률〗 선언적 제정법《의미나 내용상의 의문을 일소하기 위하거나 판례의 상호 저촉·모순을 통일적으로 해결하기 위해 제정된 법으로 새로운 규정을 포함하지 않음》.

****de·clare** [dikléər] *vt.* **1** 《~+목/+목+보/+목+(*to be*) 보/+목+전+명/+*that* 절/+*wh.* 절》 선언[언명]하다, 발표[포고, 단언, 성명, 공언]하다; …을 밝히다, 분명히 하다, 표시하다: ~ one's position 입장을 분명히 하다/~ a person a winner 아무를 승자로 선언하다/The accused was ~*d* (*to be*) guilty. 피고는 유죄로 선고되었다/~ war *against* [*on, upon*] a country 어떤 나라에 선전 포고를 하다/~ oneself *for* [*against*] the proposal 제안에 찬성[반대]의 의사를 표명하다/These footprints ~ that somebody came here. 이 발자국들은 누가 여기 왔었다는 것을 표시한다/He refused to ~ *which* way he would vote. 그는 어떻게 투표할지 밝히기를 거부했다. **2** (세관·세무서에서 과세품·소득액을) 신고하다: Do you have anything to ~? 신고할 과세품을 가지고 계십니까. **3** 〖카드놀이〗 (손에 든 패를) 알리다; (어떤 패를) 으뜸패로 선언하다. **— *vi.* 1** 《~/+전+명》 선언[언명, 단언]하다; 의견[입장]을 표명하다《*against; for*》: ~ *against* [*for*] war 반전[주전(主戰)]론을 부르짖다. **2** 〖크리켓〗 (중도에서) 회(回)의 종료를 선언하다.

> SYN. **declare** 는 상대방의 반대를 무릅쓰고 하는 자기 주장을 말함. **announce** 는 공식적으로 발표하여 전함. **proclaim** 은 announce 에 비해 한층 권위 있는 공식적인 발표를 나타내는 것이 보통.

~ ***off*** (언명해 놓고) …을 취소하다, 해약하다. ***I ~!*** 〖문말에서 문장을 강조하여〗 정말 …이다. ***Well, I*** (***do***) ***~!*** 저런, 설마.

de·cláred *a.* 공언한, 공표된, 공공연한; 신고된; 가격을 표기한: a ~ atheist 공공연한 무신론자. ⊞ **de·clar·ed·ly** [-kléəridli] *ad.* 공공연히.

de·clar·er [dikléərər] *n.* 선언[성명]자; 신고자; 〖카드놀이〗 (특히 브리지에서) 으뜸패의 선언자.

de·class [di:klǽs, -klá:s] *vt.* 계급을[사회적 지위를] 낮추다.

dé·clas·sé [dèiklæséi] (*fem.* **-sée** [—]) *a.* 《F.》 몰락한, 영락한. **—** *n.* 낙오자, 실직자.

de·clas·si·fy [di:klǽsəfài] *vt.* 기밀 취급을 재분류[해제]하다, 기밀 리스트에서 삭제하다. ⊞ **de·clàs·si·fi·cá·tion** *n.* 비밀 취급의 해제(서류·암호 등의). 「다.

de·claw [diklɔ́:] *vt.* 발톱을 제거하다; 무력화하

de·clen·sion [diklénʃən] *n.* **1** Ⓤ 기울어짐; 타락《*from*》; 내리막길; (기준에서의) 일탈(逸脫), 탈선. **2** Ⓒ 〖문법〗 어형 변화《명사·대명사·형용사의 성(性)·수(數)·격에 의한 굴절》, 격변화. cf. inflection. 「하는.

de·clin·a·ble [dikláinəbəl] *a.* 〖문법〗 격변화

dec·li·nate [dékləneit, -nit] *a.* 아래로[밖으로] 굽은[기운].

dec·li·na·tion [dèklənéiʃən] *n.* Ⓤ,Ⓒ **1** 내리받이, 경사. **2** 편위(偏位); 〖물리〗 (자침의) 편차(variation)《*of*》; 〖천문〗 적위(赤緯). **3** 쇠퇴, 타락, 부패. **4** (정식) 사퇴, 정중한 사절. ⊞ **~·al** [-əl] *a.* 적위의; 편차의. 「LINOMETER.

dec·li·na·tor [déklənèitər] *n.* 〖측량〗 =DEC-

de·clin·a·to·ry [dikláinətɔ̀:ri/-təri] *a.* 거절[사퇴]의[하는].

****de·cline** [dikláin] *vi.* **1** 《~/+전+명》 (아래로) 기울다, 내리막이 되다; (해가) 져가다: The road ~*s* sharply. 길이 가파르게 내리받이가 된다/The sun ~*s toward* the west. 해가 서쪽으로 기운다. **2** (세력·건강 등이) 쇠하다, 감퇴[감소]하다, 조락하다: He has ~*d* in health. 그는 건강이 쇠약해졌다. **3** (인기·물가 등이) 떨어지다: Demand for this software has ~*d*. 이 소프트웨어의 수요가 하락했다. **4** (사람이) 영락하다, 타락하다: He has ~*d* to a disgraceful state. 그는 비참한 상태로 영락했다. **5** 〖문법〗 어형[격(格)] 변화하다, 굴절하다. **— *vt.* 1** 《~+목/+*to* do/+*-ing*》 (초대·제의 등을) 정중히 사절하다, 사양하다; (도전·명령 등을) 거부하다, 무시하다: ~ an offer 제의를 정중히 거절하다/He ~*d to* explain. =He ~*d* explain*ing*. 그는 설명하기를 거부했다. **2** 기울이다, (머리를) 숙이다. **3** 〖문법〗 (명사·대명사·형용사를) (격)변화시키다. cf. conjugate. ◇ declination *n.*

— *n.* **1** 경사, 내리받이; 쇠퇴, 감퇴: a gentle ~ in the road 도로의 완만한 내리막길/~ in the power of Europe 유럽 세력의 쇠퇴. **2** 퇴보, 타락, (국가·귀족 계급 등의) 몰락. **3** (체력의) 쇠약; 소모성 질환, 《특히》 폐병: go [fall] into a ~ 쇠약해지다; 폐병에 걸리다. **4** (인생의) 종말, 만년, 쇠퇴기: in the ~ of one's life 만년에. **5** (가격의) 하락, (혈압, 열 등의) 저하: a sharp ~ 급락, 대폭 하락/a ~ in prices 물가의 하락. ***on the ~*** 기울어져; 내리받이로; 쇠약하여. ⊞ **de·clín·er** *n.* 사퇴자. **de·clín·ing** *a.* 기우는; 쇠약해지는: *declining* fortune 쇠운/one's *declining* years 만년.

declíning-bálance mèthod 〖회계〗 (감가상각의) 정률법(定率法).

dec·li·nom·e·ter [dèklənɑ́mitər/-nɔ́m-] *n.*

〖측량〗 방위각계, 자침 편차계.

de·cliv·i·tous [diklívətəs] *a.* 내리받이의, 아래로 경사진.

de·cliv·i·ty [diklívəti] *n.* U,C (내리받이의) 경사, 내리받이. opp. *acclivity.*

de·cli·vous [dikláivəs] *a.* 내리받이의, 아래로 경사진.

de·clutch [di:klʌ́tʃ] *vi., vt.* (자동차의) 클러치를 풀다.

de·co [dékou, déi-, deikóu] *n.* =ART DECO.

de·coct [di:kákt/-kɔ́kt] *vt.* 달이다, 끓여 우리다. ㊕ **de·cóc·tion** *n.* U 달이기; C 달인 즙〔약〕.

de·code [di:kóud] *vt.* **1** 디코드하다《부호화된 데이터나 메시지를 해독하여 본디말로〔형식으로〕 되돌림》. **2** (암호문을) 해독〔번역〕하다(decrypt). **3** 〖TV〗 (케이블 TV 등에서) 암호화된 신호를 원신호로 되돌리다(descramble). **4** (때로 외국어의) 어구 구조를 분석하여 이해〔해석〕하다. **5** 《미속어》 설명하다. ── *vi.* 암호를 풀다. ── *n.* (정보 처리에서) 디코드(화). ㊕ **de·cód·er** *n.* 암호 해독자〔해독기〕; (전화 암호의) 자동 해독 장치; 〖통신〗 아군 식별 장치; 〖컴퓨터〗 디코더, 복호기(復號器)《부호화된 신호를 원형으로 되돌림》.

de·cód·ing *n.* 〖컴퓨터〗 디코딩《코드화(化)된 데이터나 명령을 처리할 수 있도록 해독하는 일》.

de·coke [di:kóuk] 《영구어》 *vt.* =DECARBONIZE. ── *n.* =DECARBONIZATION.

de·col·late [dikáleit/-kɔ́l-] *vt.* 목을 베다, 참수하다(behead). ㊕ **de·col·la·tion** [dì:kəléiʃən] *n.* U 참수; (특히 세례 요한의) 참수화(畫); 〖기독교〗 세례 요한의 참수 기념일《8월 29일》.

de·col·la·tor [dí:kəlèitər] *n.* 참수형 집행인(人), 망나니.

dé·col·le·tage [dèikɑlətá:ʒ, dèkələ-/dèikɔltá:ʒ] *n.* 《F.》 (목과 어깨를 드러낸) 깊이 판 옷깃(의 여성복).

dé·col·le·té [deikɑ̀lətéi, dèkələ-/deikɔ́ltei] (*fem.* **-tée** [─]) *a.* 《F.》 어깨와 목을 많이 드러낸 《옷》; 데콜테 옷을 입은: a robe ~ 로브 데콜테《여성의 야회복》.

de·col·o·nize [di:kálənàiz/-kɔ́l-] *vt.* (식민지에) 자치를〔독립을〕 허락하다. ㊕ **de·còl·o·ni·zá·tion** *n.*

de·col·or, 《영》 **-our** [di:kʌ́lər] *vt.* 탈색하다, 표백하다. cf. discolor.

de·col·or·ant [di:kʌ́lərənt] *n.* 탈색〔표백〕제. ── *a.* 탈색성의, 표백하는(bleaching).

de·col·or·i·za·tion [di:kʌ̀lərizéiʃən] *n.* U 탈색, 표백; 퇴색, 무색.

de·col·or·ize [di:kʌ́ləràiz] *vt.* =DECOLOR.

de·com·mis·sion [dì:kəmíʃən] *n.* (원자로의) 폐로(廢爐). ── *vt.* **1** (배·비행기 따위의) 취역을 해제하다, 취항을 풀다. **2** …의 사용을 중지하다; …의 조업을 중지하다, 휴업하다; 원자로를 폐로 조치하다. **3** (임원 등의) 위임 직권을 해제하다.

de·com·mit·ment [dì:kəmítmənt] *n.* 관계하기를 거절하는 것, 관계를 단절함.

de·com·mu·nize [di:kámjunàiz/-kɔ́m-] *vt.* 비(非)공산화하다. ㊕ **de·còm·mu·ni·zá·tion** *n.*

de·com·pen·sa·tion [di:kɑ̀mpənséiʃən/-kɔ̀m-] *n.* U 보상(補償) 작용의 상실; 〖의학〗 (심장의) 대상 부전(代償不全), 호흡 곤란.

dè·com·pós·a·ble *a.* 분해〔분석〕할 수 있는.

°**de·com·pose** [dì:kəmpóuz] *vt.* **1** 《~+목/+목+전+명》 (성분·요소로) 분해시키다: The bacteria ~ the impurities *into* a gas and solids. 박테리아는 불순물을 기체와 고체로 분해시킨다. **2** 썩게 하다, 부패〔변질〕시키다. ── *vi.* **1** 분해하다. **2** 썩다, 부패하다. ㊕ **-pós·er** *n.* 분해하는 사람〔것〕; 〖생태〗 분해자(分解者)《세균·곰팡이 등》.

de·com·pos·ite [dì:kəmpázit/-kɔ́mpə-] *a.* 복혼합의, 혼합물과 섞인. ── *n.* 복〔재(再)〕혼합물; 이중 복합어《newspaperman 따위》.

de·com·po·si·tion [di:kɑ̀mpəzíʃən/-kɔ̀m-] *n.* U **1** 분해 (작용), 해체. **2** 부패.

de·com·pound [dì:kəmpáund] *a., n.* =DECOMPOSITE. ── *vt.* 분해하다(decompose); 《고어》 혼합물과 섞다.

de·com·press [dì:kəmprés] *vt., vi.* …의 압력을 줄이다〔이 줄다〕; 긴장이 풀리다.

de·com·pres·sion [dì:kəmpréʃən] *n.* **1** 감압《심해 잠수부가 급히 부상했을 때 경험하는 수압〔기압〕의 점차적인 저하》. **2** 감압하는 일. **3** 〖의학〗 감압법〔술〕 《두개·심장·안구 등의 내압을 감소하는 조작》. **4** (고통 등의) 완화, 경감; (긴장·억압에서의) 해방. 「절실.

decompréssion chàmber 감압실, 기압 조

decompréssion sìckness 〔**ìllness**〕 〖의학〗 감압증, 케이슨병(caisson disease).

de·com·pres·sor [dì:kəmprésər] *n.* (엔진의) 감압 장치.

de·con·cen·trate [di:kánsəntrèit/-kɔ́n-] *vt.* (중앙 집중에서) 분산시키다(decentralize); (경제력의) 집중을 배제하다; 분산〔분해〕하다. ㊕ **de·còn·cen·trá·tion** *n.* U

de·con·gest·ant [dì:kəndʒéstənt] *n.* 〖의학〗 (점막 등의) 울혈〔충혈〕 제거제(劑). ── *a.* 울혈〔충혈〕을 완화〔제거〕하는.

de·con·glom·er·ate [dì:kənglámərət, -kəŋ-/-glɔ́m-] *vi.* 복합 기업을 개개의 회사로 분할하다, 해체하다. ㊕ **-glom·er·á·tion** *n.* 복합 기업 분할, 분사(分社)화, 분사 경영.

de·con·se·crate [di:kánsəkrèit/-kɔ́n-] *vt.* (교회당 등을) 속용(俗用)으로 사용하다, 속화(俗化)하다. 「하다.

de·con·struct [dì:kənstrʌ́kt] *vt.* …을 해체

dè·con·strúc·tion *n.* 〖문예〗 해체 구축《구조주의 문학 이론 이후에 유행한 비평 방법》.

de·con·tam·i·nant [dì:kəntǽmənənt] *n.* 오염 제거 장치, 정화〔제염(除染)〕제.

de·con·tam·i·nate [dì:kəntǽmənèit] *vt.* 정화(淨化)하다; (독가스·방사능 따위의) 오염을 제거하다; (기밀 문서에서) 기밀 부분을 삭제하다. ㊕ **dè·con·tam·i·ná·tion** *n.*

de·con·trol [dì:kəntróul] (**-ll-**) *vt.* (정부의) 관리를 해제하다, 통제를 풀다. ── *n.* U 관리〔통제〕 해제: ~ of domestic oil prices 국내 석유 가격의 통제 해제.

de·cor, dé·cor [deikɔ́:r, di-, déikɔ:r/déikɔ:] *n.* 《F.》 U 장식, 실내 장식; 무대 장치.

*__dec·o·rate__ [dékərèit] *vt.* **1** 《~+목/+목+전+명》 꾸미다, 장식하다《*with*》: Paintings ~ the walls. 그림이 벽을 장식하다 / She ~*d* the room *with* flowers. 그녀는 꽃으로 방을 꾸몄다. **2** (방 안에) 칠을 하다, 도배하다. **3** 《+목+전+명》 (아무에게) 훈장을 주다《*for; with*》: ~ a person *with* the Order of the Bath *for* eminent services 현저한 공로에 대해 아무에게 바스 훈장을 주다 / a heavily ~*d* general 가슴에 훈장을 잔뜩 단 장군. ㊕ **-ràt·ed** [-id] *a.* 화려하게 꾸민, 장식한; 훈장을 받은〔단〕; (D-) 〖건축〗 장식식(式)의.

*__dec·o·ra·tion__ [dèkəréiʃən] *n.* **1** U,C 장식(법); (보통 *pl.*) 장식물: ~ display (상점의) 장식 진열 / interior ~ 실내 장식. **2** C 훈장: grant 〔confer〕 a ~ *to* 〔*on*〕 …에게 훈장을 수여하다.

Decorátion Dày 《미》 현충일(Memorial

Day).

◇**dec·o·ra·tive** [dékərətiv, -kərèit-/dékərət-] *a.* 장식(용)의, 장식적인: ~ art 장식 미술. ㊕ ~·**ly** *ad.* ~·**ness** *n.* 「SURGERY.

décorative súrgery 정형외과 =COSMETIC

dec·o·ra·tor [dékərèitər] *n.* 장식자; 실내 장식가〔업자〕(interior ~); (실내) 장식품.

dec·o·rous [dékərəs, dikɔ́:rəs/dékər-] *a.* 예의 바른; 점잖은, 단정한. ㊕ ~·**ly** *ad.* ~·**ness** *n.*

de·cor·ti·cate [di:kɔ́:rtikèit] *vt.* …의 (나무) 껍질을 벗기다; 〖의학〗 (뇌 따위의) 피질(皮質)을 제거하다; …의 가면을 벗기다, 혹평하다. ㊕ -**cà·tor** *n.* 박피기(剝皮機).

de·co·rum [dikɔ́:rəm] *n.* Ⓤ 단정; 예의 바름; (종종 *pl.*) 예법.

de·cou·page, dé- [dèiku:pá:ʒ] *n.* 《F.》 오려 낸 종이 쪽지를 붙이는 그림(의 기법).

de·cou·ple [di:kʌ́pəl] *vt.* 분리〔분단〕하다; 〖전자〗 결합도(度)를 줄이다; (핵폭발의) 충격을 완화하다《지하 폭발로》.

de·coy [dí:kɔi, dikɔ́i] *n.* **1** 유인하는 장치, 미끼, 후림새: a ~ bird 후림새. **2** 미끼로 쓰이는 것〔사람〕: a police ~ 위장 잠입 형사. **3** (오리 사냥 따위의) 유인 못, 꾀어들이는 곳. **4** 〖우주〗 (레이더 탐지기를 교란시키기 위한) 방해용 물체 《미사일, 금속편(片) 따위》. **5** 《CB 속어》 (아무도 타지 않은) 빈 경찰차. ── [dikɔ́i] *vt.* 《~+목/+목+전+명》 (미끼로) 유혹〔유인〕하다; 꾀어내다〔들이다〕《*into; out of*》: ~ a person out of a place 아무를 어떤 장소에서 꾀어내다. ── *vi.* 미끼에 걸리다, 유혹당하다.

décoy dùck 후림 오리; (사기꾼의) 한통속.

décoy shìp =Q-BOAT.

de·crease [dí:kri:s, dikrí:s] *n.* Ⓤ 감소, 축소, 감퇴; Ⓤ 감소량〔액〕. opp. *increase*. ***be on the*** ~ 줄어가다, 점차 감소하다. ── [dikrí:s] *vi.* 《~/+전+명》 줄다; 감소〔저하〕하다: His influence slowly ~*d.* 그의 영향력은 서서히 줄었다 / ~ *in* number 수가 줄다. ── *vt.* 줄이다, 감소시키다, 저하시키다.

de·créas·ing·ly *ad.* 점점 줄어, 점감적으로.

***de·cree** [dikrí:] *n.* **1** 법령, 포고, 명령: an Imperial ~ 칙령 / issue a ~ 법령을 발포하다. **2** 〖종교〗 교령(敎令); 신의(神意), 천명; (*pl.*) 교령집. **3** 〖법률〗 판결, 선고. ── *vt.* 《~+목 /+*that* 절》 포고하다; 판결하다; (운명 등이) 정하다: Fate ~*d that* we should meet. 우리는 만나게 될 운명이었다. ── *vi.* 법령을 공포(公布)하다; (하늘이) 명하다. 「decree nisi.

decrée ábsolute 〖법률〗 이혼 확정 판결. cf.

decrée-làw *n.* 긴급명령, 법령.

decrée ní·si [-náisai] 〖법률〗 이혼 가(假)판결《6 주일(원래 6 개월) 이내에 이혼 반대의 사유가 없을 때 판결이 확정됨》.

dec·re·ment [dékrəmənt] *n.* **1** Ⓤ 점감, 감소, 소모. **2** 감소량; 감소율. opp. *increment*.

de·cre·me·ter [dékrəmì:tər, dikrémə-] *n.* 〖통신〗 감쇠계(減衰計).

de·crep·it [dikrépit] *a.* 노쇠한, 늙어빠진; (낡아서) 터덜〔덜커덩〕거리는. ㊕ ~·**ly** *ad.*

de·crep·i·tate [dikrépətèit] *vt.* 후드득거리며 타다《소금 따위가》. ── *vi.* 타서 후드득 소리내다. ㊕ **de·crèp·i·tá·tion** *n.* Ⓤ

de·crep·i·tude [dikrépətjù:d/-tjù:d] *n.* Ⓤ 노쇠, 노폐; 노후.

decresc. 〖음악〗 decrescendo.

de·cre·scen·do [dì:kriʃéndou, dèi-/dì:-] 《It.》 〖음악〗 *a., ad.* 점점 여린, 점점 여리게《생략: decres(c).》. ── (*pl.* ~**s**) *n.* 데크레셴도(의 악절).

de·cres·cent [dikrésnt] *a.* 점점 줄어드는, 작아지는; (달이) 이지러져드는, 하현(下弦)의. opp. *increscent*.

de·cre·tal [dikrí:tl] *n.* 〖가톨릭〗 교황의 교서, 교령(敎令); (*pl.*) 교령집(集). ── *a.* 법령의.

de·cre·tist [dikrí:tist] *n.* 교회법 통달자.

de·cre·tive [dikrí:tiv] *a.* decree의 힘을 가진, 법령의, 법령적인; 결정적인.

de·cri·al [dikráiəl] *n.* Ⓤ,Ⓒ 비난, 중상.

de·cri·er [dikráiər] *n.* 비난자, 중상(中傷)자.

de·crim·i·nal·ize [di:krímənəlàiz] *vt.* 해금(解禁)하다; (사람·행위를) 기소〔처벌〕 대상에서 제외하다. ㊕ **de·crìm·i·nal·i·zá·tion** [-lizéiʃən] *n.* 비(非)범죄화.

de·cruit [dì:krú:t] *vt.* 《미》 (고령자 등을) 다른 회사로 배치 전환하다, 격하하다. ㊕ ~·**ment** *n.*

de·crus·ta·tion [dì:krʌstéiʃən] *n.* 외피〔외각〕의 제거.

de·cry [dikrái] *vt.* 공공연히 비난〔중상〕하다, 헐뜯다; (통화 등)의 가치를 떨어뜨리다.

de·crypt [di(:)krípt] *vt.* =DECODE, DECIPHER.

dec·u·man [dékjumən] *a.* 열 번째의; (파도가) 거대한: a ~ wave 큰 파도.

de·cum·ben·cy, -bence [dikʌ́mbənsi], [-bəns] *n.* Ⓤ,Ⓒ 누움, 누운 자세.

de·cum·bent [dikʌ́mbənt] *a.* 누운; 〖식물〗 (줄기·가지가) 땅을 따라 뻗고 끝이 쳐들린.

de·cu·mu·late [dikjú:mjəlèit] *vt.* (누적된 것을) 줄이다, (재산을) 까먹어 없애다. ㊕ **de·cù·mu·lá·tion** *n.* 누적된 것의 처분.

dec·u·ple [dékjəpəl] *n., a.* 10배(의)(tenfold); 10개 단위의. ── *vt., vi.* 10배로 하다〔가 되다〕.

dec·u·plet [dékjəplət] *n.* (같은 종류의 것의) 10체 1조(十體一組).

de·cur·rent [dikə́:rənt, -kʌ́r-/-kʌ́r-] *a.* 〖식물〗 (잎이 줄기를 따라) 아래로 뻗은.

de·cus·sate [dikʌ́seit, dékəsèit] *vt., vi.* X자형으로 교차하다〔시키다〕, 열십자로 교차하다. ── [dikʌ́sit] *a.* 교차된, 직각으로 교차하는, X자형의; 〖식물〗 십자 대생(十字對生)의. ㊕ **de·cus·sa·tion** [di:kəséiʃən, dèk-] *n.* Ⓤ X자형〔열십자형〕 교차; 〖해부〗 (중추신경 섬유의) 교차.

dec·yl [désəl] *n.* 〖화학〗 데실(기)《데칸(decane)에서 수소 원자 1개를 제거한 1가의 기》.

ded. dedicated; dedication. **D. Ed.** Doctor of Education.

de·dal [dí:dl] *a.* 《고어》 =DAEDAL. 「LIAN.

De·da·li·an [didéiliən] *a.* 《고어》 =DAEDA-

de·dans [*F.* dədɑ̃] *n.* 《F.》 〖테니스〗 선수의 등 뒤의 관람석; (the ~) 테니스의 관중. 「정자.

ded·i·cant [dédikənt] *n.* 헌정자(獻呈者), 증

***ded·i·cate** [dédikèit] *vt.* **1** 《+목+전+명》 **a** 바치다《시간·생애 등을》: She ~*s* her spare time *to* her children. 그녀는 여가 시간을 그녀의 아이들에게 바친다. **b** 〔~ oneself〕 전념하다: ~ one*self to* the study of bacteria 박테리아 연구에 전념하다. **2** 《+목/+목+전+명》 봉납하다, 헌납하다: ~ a new church building 새로운 교회당을 헌당하다 / The ancient Greeks ~*d* many shrines *to* Apollo. 고대 그리스인은 많은 신전을 아폴로 신에게 봉납했다. **3** 《+목+전+명》 (저서·작곡 따위를) 헌정(獻呈)하다 《*to*》: ~ a book *to* a person / *Dedicated to* A, 이 책을 A에게 드립니다《책의 첫장 따위에 인쇄하는 말》. **4** 《미》 (건물 등을) 개관하다, (기념비)의 제막식을 하다; 〖법률〗 (토지 등을) 공용으로 제공하다. ㊕ **ded·i·ca·tee** [dèdikətí:] *n.* 기증받은 사람.

déd·i·càt·ed [-id] *a.* **1** (이상·주의(主義) 등

에) 일신을 바친, 헌신적인: a ~ nurse 헌신적인 간호사. **2** (장치 따위가) 오직 특정한 목적을 위한, 〚컴퓨터〛 전용의: a ~ system 전용 시스템. [파] **~·ly** *ad.*

°**ded·i·cá·tion** *n.* [U] 봉납, 봉헌; 헌신, 전념; 헌정(獻呈), 헌정의 말; 헌당식(獻堂式); 《미》 개관(식), 개통(식), 제막(식).

ded·i·ca·tive [dédikèitiv] *a.* =DEDICATORY.

ded·i·ca·tor [dédikèitər] *n.* 봉납자, 기증자; 헌신자.

ded·i·ca·to·ry [dédikətɔ̀:ri/-təri] *a.* 봉납〔헌납〕의, 헌정의.

°**de·duce** [didjú:s/-djú:s] *vt.* **1** 《~+[목]/+[목]+[전]+[명]/+*that* [절]》 (결론·진리 등을) 연역(演繹)하다, 추론하다(infer)《*from*》. [opp] *induce.* ¶ *From* this we ~ a method for the construction. 이것을 기초로 하여 건축 방법을 이끌어낸다/*From* his remarks we ~*d that* he didn't agree with us. 그의 말에서 그가 우리들과 의견이 같지 않다고 추론했다. **2** 경과〔추이(推移)〕를 더듬다, …의 유래를 찾다《*from*》: ~ one's lineage 〔descent〕 가계를〔조상을〕 더듬다. ◇ deduction *n.* [파] **de·dúc·i·ble** *a.*

de·duck [didʌ́k] *n.* 《속어》 (수입 중의) 과세 공제 항목; 세(稅) 공제(경비).

°**de·duct** [didʌ́kt] *vt.* 《~+[목]/+[목]+[전]+[명]》 (세금 따위를) 공제하다, 빼다《*from; out of*》: ~ 10% from the salary 급료에서 1할을 공제하다. [파] **~·i·ble** *a.* 공제할 수 있는, 세금 공제를 받을 수 있는. **—** *n.* (*pl.*) 공제액; 〚보험〛 공제〔면책〕 조항; 공제 조항이 있는 보험 증권.

°**de·dúc·tion** *n.* [U] 뺌, 공제; [C] 차감액, 공제액; 추론; [U] 〚논리〛 연역(법)([opp] *induction*); 연역에 의한 결론.

de·duc·tive [didʌ́ktiv] *a.* 추리의, 연역적인. [opp] *inductive.* ¶ ~ method 연역법/~ reasoning 연역적 추리. [파] **~·ly** *ad.*

dee [di:] *n.* D 자; D 자형의 마구(馬具) 고리; 〚물리〛 디, 반원형 전극.

‡**deed** [di:d] *n.* **1** 행위, 행동, 소행: a good 〔bad〕 ~ 선행〔악행〕/*Deeds*, not words, are needed. 말이 아니라 행동이 필요하다. [SYN.] ⇨ACT. **2** 실행; [U,C] 사실(reality). **3** 공훈(功勳), 공적: a ~ of arms 무공. **4** 〚법률〛 (서명 날인한) 증서, 권리증: a ~ of covenant 약관 날인 증서. ***in ~ and not in name*** =***in ~ as well as in name*** 명실 공히. ***in*** (***very***) ~ 실로, 참으로 (indeed). ***in word and*** (***in***) ~ 언행일치하여. **—** *vt.* 《미》 증서를 작성하여 (재산을) 양도하다.

déed·bòx *n.* (증서 등의) 서류 보관 금고〔함〕.

déed of association (주식회사의) 정관.

déed of deféasance 〚법률〛 (원(原)증서의 실효 조건을 기입한) 실효 조건 증서.

déed of trúst =TRUST DEED.

déed pòll (*pl.* ***déeds pòll***) 〚법률〛 (당사자의 한쪽만이 작성하는) 단독 날인 증서.

dee·jay [dí:dʒèi] *n.* 《구어》 =DISK JOCKEY.

°**deem** [di:m] 《문어》 *vt.* 《+[목]+(*to be*)[보]/+*that* [절]》 (…으로) 생각하다(consider), …로 간주하다〔보다〕: We ~ it our duty to do so. 그렇게 하는 것이 우리의 의무라 생각한다/We ~ him (*to be*) honest. =We ~ *that* he is honest. 우리는 그를〔가〕 정직하다고 생각한다. **—** *vi.* 《+[전]+[명]》 생각〔판단〕하다《*of*》: ~ highly *of* a person's conduct (아무의 행위)를 존경하다.

de-em·pha·size [di:émfəsàiz] *vt.* 덜 강조하다, 중요성을 깎아 내리다, 중요시하지 않다. [파] **de·ém·pha·sis** *n.*

deem·ster [dí:mstər] *n.* (영국 the Isle of Man 의) 재판관.

de-en·er·gize [di:énərdʒàiz] *vt.* …의 전원(電源)을 끊다, …의 동력원을 끊다.

†**deep** [di:p] *a.* **1** 깊은([opp] *shallow*); 깊이〔길이〕가 …인: a pond ten feet ~ 깊이 10 피트의 못/a lot 100 feet ~ 안 길이가 100 피트인 부지/a ~ shelf 깊숙한 선반. **2** 깊은 데〔깊숙이〕 있는; 깊은 데서 나오는; 깊이 파묻힌: from the ~ bottom 깊은 밑바닥에서/a ~ wound 깊은 상처/draw 〔take〕 a ~ breath 심호흡을 하다/~ *in* snow 눈에 깊이 파묻힌. **3** 몰두〔골몰〕하고 있는; (…에) 빠져든《*in*》: ~ *in* reading/~ *in* love 사랑에 빠진. **4** (정도가) 강한, 심한; (사상 등이) 깊은, 심원한; (슬픔·감사 등이) 깊은, 마음으로부터의: ~ study 깊은 연구/~ sleep 깊은 잠/~ sorrow 깊은 슬픔/a ~ drinker 술고래. **5** (색깔이) 짙은 ([opp] *faint, thin*); (음성이) 낮고 굵은: (a)~ blue/a ~ voice. **6** 낮게 늘어진, 낮은 데까지 달하는: a ~ bow 큰 절/a ~ dive 급강하. **7** (심원해서) 헤아리기 어려운, 은밀한; 《구어》 속 검은: a ~ secret 극비/a ~ one 교활한 놈. **8** (시간적·공간적으로) 멀리 떨어져서: ~ *in* the past 아주 먼 옛날에/a ~ fly 〚야구〛 (타자로부터 멀리 떨어진) 깊숙한 외야 플라이. **9** 〚의학〛 신체 심부의; 〚언어〛 심층의: ~ therapy (X선에 의한) 심부 치료. **10** …열로 겹쳐서: drawn up six 〔eight〕 ~ 6〔8〕열로 늘어서서. ***ankle-*** 〔***knee-, waist-***〕 ***~ in mud*** 진창에 발목〔무릎, 허리〕까지 빠져. **~ *down*** 본심은, 내심(은). ***in ~ water***(***s***) 매우 곤궁하여〔비탄에 잠겨〕. **—** *ad.* 깊이, 깊게: ~ into the night 밤깊도록/Still waters run ~. 《속담》 조용히 흐르는 물이 깊다.

— *n.* **1** (the ~) 《시어》 바다, 대양: the great ~ 창해(滄海)/monsters 〔wonders〕 of the ~ 대해의 괴물〔경이〕. **2** (바다·강 등) 깊은 곳, 심연(深淵). **3** 한가운데: in the ~ of winter 〔night〕 한겨울〔한밤중〕에. **4** (사상 따위의) 깊음, 심오. **5** 하늘: the azure ~ 창공. ***loose*** 〔***stir***〕 ***the great ~s*** 대소동을 일으키다. [파] **∠·ness** *n.*

déep-bódied *a.* (동물, 특히 물고기의) 체고(體高)가 높은.

déep bréathing (체조의) 심호흡.

déep-chésted [-id] *a.* 가슴이 두툼한; 가슴 속에서 터져나오는《외침 따위》.

déep cóver (첩보원 등의 신분·소재의) 은폐, 위장, 비밀로 하기.

déep díscount bònd 〚증권〛 고(高) 할인채(債), 대폭 할인채.

déep-dráw *vt.* (판금을) 디프드로잉하다《다이스에 밀어넣고 컵〔상자〕 모양으로 가공하다》.

déep-dráwn *a.* (한숨을) 깊이 들이쉰; 금속판을 컵 모양으로 가공한.

déep-dýed *a.* 《흔히 경멸》 진하게 물든; 순전한, 속속들이 악에 물든.

déep ecólogy 심부(深部)〔전면적〕 생태계 보호. [cf.] biocentrism.

*****deep·en** [dí:pən] *vt., vi.* **1** 깊게 하다, 깊어지다; 진하게 하다, 짙어지다, 어둠〔인상 등〕이 깊어지다. **2** (목소리를) 굵게〔낮게〕 하다.

déep fócus 〚영화〛 디프 포커스《근경부터 원경까지 선명하게 보이게 영화의 초점을 맞추는 방법》.

déep fréeze 극도의 저온〔추위〕; 《비유》 (계획·활동 등의) 동결 상태; 《속어》 (특히 동맹자에 대한) 냉대.

Déep·freeze *n.* 급속 냉동 냉장고《상표명》.

déep-fréeze *vt.* (식품 따위를) 급속 냉동하다 (quick-freeze); 급속 냉동 냉장고에 보존하다.

déep fréezer 급속 냉동 냉장고〔실〕(freezer).

déep-frý *vt.* (튀김 냄비에) 기름을 듬뿍 넣고 튀기다. [cf.] sauté. [파] **-fried** *a.*

déep frýer 〔**fríer**〕 운두가 높은 튀김 냄비(deep frying pan).
déep-góing *a.* 근본적인, 기본적인.
déep gréen 《구어》 열성적인 녹화〔환경〕 운동가.
deep·ie [dí:pi] *n.* 《구어》 입체 영화(3-D film).
déep inelástic còllision 〖핵물리〗 심부비탄성(深部非彈性) 충돌《두 개의 원자핵이 충돌하여 일어나는 핵반응의 일종》.
déep kíss 혀 키스(soul kiss, French kiss).
déep-láid *a.* 비밀리에 교묘히〔면밀히〕 꾸민《음모 따위》: a ~ plan.
⁑**deep·ly** [dí:pli] *ad.* **1** 깊이; 철저하게. **2** (소리가) 굵고 낮게; (색이) 짙게. **3** 교묘히.
déep-míned *a.* 깊은 갱 속에서 파낸《석탄 따위》. [cf.] open-cut.
déep móurning 정식 상복(喪服)《검고 무광택의》. [cf.] half mourning.
déep-móuthed [-ðd, -θt] *a.* (사냥개의 짖는 소리가) 굵고도 낮은.
déep pòcket 《미속어》 **1** 부, 재력: He has a ~. 그는 돈이 많다. **2** (종종 ~s) 풍부한 재원; 부자 족속들.
déep-réad [-réd] *a.* 학식이 깊은, 정통한《*in*》.
déep-róoted [-id] *a.* 깊이 뿌리박은, 뿌리 깊은(deeply-rooted).
déep scáttering làyer 심해 (음파) 산란층《음향 측심기가 발하는 음파가 반사해 오는 깊이 약 270–360 m 되는 층》.
déep-séa *a.* 심해〔원양〕의: ~ fishery 〔fishing〕 원양 어업 / a ~ diver 심해 잠수부.
déep-séated [-id] *a.* 심층(深層)의; (원인·병 따위가) 뿌리 깊은, 고질적인《병 따위》.
déep-sét *a.* 깊게 움푹 팬, 깊이 끼워 넣은; 뿌리 깊은, 끈질긴.
déep síx 《미속어》 매장, 《특히》 해장(海葬); 묘지; 버리는 곳; 폐기 (처분). ***give ... the ~*** …을 내던지다, 버리다, 매장하다.
déep-síx *vt.* 《미속어》 (바다에) 내던지다; 폐기하다; 말살하다, 죽이다.
déep-skỳ *a.* 태양계 밖의〔에 있는〕.
Déep Sóuth (the ~) (미국의) 최남부 지방《특히 멕시코 만에 접한 Georgia, Alabama, Louisiana, Mississippi 의 4주》.
déep spáce (지구의 중력이 미치지 않는, 태양계 밖을 포함하는) 심(深)우주(= **déep ský**).
déep spàce nétwork 〖우주〗 심우주(深宇宙) 통신망.
déep stríke 심공(深攻) 작전.
déep strúcture 〖문법〗 심층 구조《생성(生成) 변형 문법에서, 표현 생성의 근원이 되는 기본 구조》.
déep thérapy 〖의학〗 (단파장 X선에 의한) 심부(深部) 치료.
déep-thìnk *n.* 《미속어》 탁상공론, 극단적으로 학구적〔현학적〕인 생각.
déep thróat **1** 《미·Can.》 내부 고발자, 밀고자《특히 정부의 범죄 정보를 제공하는 고관》. **2** 《비어》 페니스를 목구멍까지 삼키고 애무함.
déep vèin thrombósis 〖의학〗 심(深)정맥 혈전증.
déep-vóiced [-t] *a.* 목소리가 낮고 굵은, 저음의.
déep·wáter *a.* 수심이 깊은; 심해의(deep-sea), 원양의.
⁑**deer** [diər] (*pl.* **~, ~s**) *n.* 사슴. ★ 수사슴 stag, hart, buck; 암사슴 hind, doe, roe; 새끼사슴 calf, fawn. ◇ cervine *a.* ***run like a ~*** 질주하다. ***small ~*** 《고어》 소(小) 동물, 잡배, 〘집합적〙 시시한 물건〔인간〕.
déer·hòund *n.* greyhound 비슷한 개《스코틀랜드 원산; 원래 사슴 사냥개》.
déer lìck 사슴이 소금기를 핥으러 오는 샘〔늪〕. [cf.] salt lick.
déer mòuse 〖동물〗 흰발생쥐《북아메리카산》.
déer·skìn *n.* [U,C] 사슴 가죽(의 옷).
déer·stàlk·er [-stɔ̀:kər] *n.* **1** 사슴 사냥꾼. **2** 헌팅캡의 일종(= **∠ hàt**).

deerstalker 2

déer·stàlk·ing *n.* [U] 사슴 사냥.
déer·yàrd *n.* 겨울철에 사슴이 모이는 장소.
de-es·ca·late [di:és-kəlèit] *vt.* (범위·규모·세기·수·양 등을) 점감(漸減)시키다; 단계적으로 줄이다〔축소하다〕. [파] **de-ès·ca·lá·tion** *n.* (단계적인) 축소. **de-és·ca·la·to·ry** *a.*
deet, Deet [di:t] *n.* 〖화학〗 디트《무색·유상(油狀)의 방충제; diethyltoluamide 의 상표명》.
de-ex·cite [dì:iksáit] 〖물리〗 *vt.* (원자를) 하방(下方) 전이시키다《고에너지 준위(準位)에서 저에너지 준위로 급락시키다》. **— *vi.*** (원자가) 하방 전이하다. [파] **de-èx·ci·tá·tion** *n.*
def [def] *ad.* 《미속어》 확실히, 참으로. **— *a.*** 멋진, 모양 좋은.
def. defective; defendant; deferred; defined; definition.
de·face [diféis] *vt.* 외관을 손상하다; 흉하게 하다; (비석 따위의 표면을) 마멸시키다; 《비유》 닦아 없애다, 지우다; …의 가치〔효과〕를 손상케 하다. [파] **~·ment** *n.* **de·fác·er** *n.*
de fac·to [di:-fǽktou, dei-] 《L.》 사실상(의): a ~ government 사실상의 정부.
de·fal·cate [difǽlkeit, -fɔ́:l-/dí:fælkèit] *vi.* 〖법률〗 위탁금을 유용하다. [파] **dè·fal·cá·tion** [dì:-] *n.* 위탁금 횡령; 부당 유용액; 약속 불이행, 배임. **de·fal·ca·tor** [difǽlkeitər, -fɔ́:l-] *n.*
def·a·ma·tion [dèfəméiʃən] *n.* [U] 명예 훼손, 중상, 비방: ~ of character 명예 훼손.
de·fam·a·to·ry [difǽmətɔ̀:ri/-təri] *a.* 명예 훼손의, 중상적인.
de·fame [diféim] *vt.* 비방하다, 중상하다, …의 명예를 훼손하다. [파] **de·fám·er** *n.*
de·fang [di:fǽŋ] *vt.* …의 엄니를 뽑다.
de·fat [di:fǽt] *vt.* 지방질을 제거하다, 탈지하다. [파] **~·ted** [-id] *a.* 기름을 뺀: *~ted* milk powder 탈지 분유.
◇**de·fault** [difɔ́:lt] *n.* [U] **1** (의무·약속 등의) 불이행, 태만. **2** 〖경기〗 경기 불참가, 불출장(不出場), 기권. **3** 결핍, 부족, 결여. **4** 〖법률〗 채무 불이행; (법정에의) 결석: ~ interest 연체 이자 / go into ~ 채무 불이행에 빠지다 / win a game 〔case〕 by ~ 부전승〔상대방 결석으로 승소〕하다. **5** 〖컴퓨터〗 **a** 디폴트 옵션(= **∠ òption**)《기정치(値) 자동 채용법》. **b** 디폴트 값(= **∠ válue**)《생략시의 값》. ***go by ~*** 결석〔결장〕하다. ***in ~ of*** … 의 불이행의 경우에는; …이 없을 때에는. ***judgment by ~*** 결석 재판. ***make ~*** 〖법률〗 (재판에) 결석하다. **— *vi.*** **1** 《+[전]+[명]》 (의무·채무 따위를) 이행하지 않다, 태만히〔게을리〕 하다: ~ *in* one's payment(s) 지불을 게을리 하다. **2** 〖법률〗 (재판에) 결석하다. **3** 경기에 출장하지 않다; 부전패로 되다. **4** 〖컴퓨터〗 자동적으로 선택하다. **— *vt.*** **1** (의무 등을) 이행하지 않다. **2** 〖법률〗 결석 재판에 부치다. **3** 경기에 출장하지 않다; (시합을) 중도 이탈하여 지다.
de·fáult·er *n.* **1** 태만자; 채무〔계약, 의무, 약속〕 불이행자; 배임 행위자; 위탁금 횡령자. **2** (재판의) 결석자. **3** (경기의) 결장자, 중도 이탈자. **4** 〖영군사〗 군기 위반자.
DEFCON [défkɑn/-kɔn] *n.* 〖미군사〗 방위 준비

태세《전투 적응 태세를 나타내는 기준; 1부터 5까지의 단계로 나뉨》. [◂ *Defense Condition*]
de·fea·sance [difíːzəns] 〖법률〗 *n.* Ⓤ 무효로 함, 파기; Ⓒ 계약 해제 조건〔증서〕, 실권(失權) 조항. 「(被)해제성.
de·fèa·si·bíl·i·ty *n.* Ⓤ 폐기〔파기〕 가능성; 피
de·fea·si·ble [difíːzəbəl] *a.* 파기〔해약〕할 수 있는. ㊎ **-bly** *ad.*
‡**de·feat** [difíːt] *vt.* **1** 《~+목/+목+전+명》 쳐부수다, 지우다(beat): ~ the enemy 적을 쳐부수다 / She ~*ed* her brother *at* tennis. 그녀는 오빠를 테니스에서 이겼다.

SYN. **defeat** 패배시키다, 승리보다 상대의 '패배'에 중점을 둔 일반적인 말(⇨defeatism). **conquer** 여러 저항을 배제하고 정복하다. **overcome** 때로는 지게 될 듯하다가 마침내 이기다: *overcome* bad habits 악습을 마침내 극복하다. **subdue** 상대가 저항 의욕을 잃게 하다, 진압하다.

2 《~+목/+목+전+명》 (계획·희망 등을) 좌절시키다, 꺾다: ~ a person's hopes 아무의 희망을 좌절시키다 / be ~*ed in* one's plan 계획이 무너지다. **3** 〖법률〗 무효로 하다. ~ ***one's own object*** 목적〔본뜻〕에 어긋나다.
— *n.* **1** Ⓤ,Ⓒ 패배: four victories and 〔against〕 three ~*s*, 4승 3패. **2** Ⓤ,Ⓒ 좌절, 실패《*of*》. **3** Ⓤ 타파《*of*》. **4** 〖법률〗 파기.
㊎ **~·ism** *n.* Ⓤ 패배주의(적 행동〔행위〕). **~·ist** *n.* 패배주의자. — *a.* 패배주의(자)적인.
de·fea·ture [difíːtʃər] *vt., n.* 《고어》 =DISFIGURE(MENT); =DEFEAT.
def·e·cate [défikèit] *vt.* …에서 오물을 없애다, 맑게〔깨끗이〕 하다. — *vi.* 맑아지다; 배변(排便)하다. ㊎ **dèf·e·cá·tion** *n.* Ⓤ 맑게 함, (오물의) 배제, 배변. **déf·e·cà·tor** *n.* 청정기(淸淨器), 여과 장치.
de·fect** [díːfekt, -ˊ] *n.* **1** Ⓤ 결점, 결함; Ⓒ 단점, 약점; 흠: ~ in one's character 성격상의 결함. **2** Ⓤ 부족, 결손; Ⓒ 부족액: ***in ~ 모자라서, 부족해서. ***in*** ~ ***of*** …이 없어서〔없을 경우에〕. ***the*** ~***s of*** one***'s qualities*** 장점에 따르는 결점: Every man has *the* ~*s of his qualities*. 《격언》 누구나 장점과 그에 따르는 결점이 있는 법.
— [difékt] *vi.* **1** 도망〔탈주〕하다, 피하다. **2** (주의·당 따위를) 이탈하다; 변절하다《*from*》, 망명하다《*from; to*》: ~ *from* the party 탈당하다.
defect. defective.
défect áction lèvel =ACTION LEVEL.
de·féc·tion *n.* **1** Ⓤ 이반(離反); 탈당, 탈회《*from*》; 변절; Ⓤ,Ⓒ 의무 불이행, 태만. **2** 부족, 결여, 결함(defect).
◇**de·fec·tive** [diféktiv] *a.* **1** 결함〔결점〕이 있는, 하자가 있는; 불완전한: a ~ car 결함이 있는 차. **2** 결여되어 있는, 모자라는, 부족한《*in*》: be ~ *in* courage 용기가 결여되어 있다. **3** 〖문법〗 결여적인《동사 어형 변화의 일부가 없는》: ~ verbs 결여 동사《변화 어형이 불완전한 may, can, shall 따위》. — *n.* 심신 장애자, 《특히》 정신 장애자; 결함〔불량〕품; 〖문법〗 결여어: a mental ~ 지능 장애자. ㊎ **~·ly** *ad.* **~·ness** *n.*
deféctive númber =DEFICIENT NUMBER.
deféctive vírus 〖생물〗 불완전 바이러스(incomplete virus)《증식에 필요한 유전자의 일부를 잃은 바이러스의 총칭》.
de·fec·tol·o·gy [dìːfektálədʒi, difek-/-tɔ́l-] *n.* 결함〔결점〕 연구, 결함학. cf. birth defect.
de·fec·tor [diféktər] *n.* 이탈자; 망명자; 도망자; 탈주병.
de·fem·i·nize [diːfémənàiz] *vt.* …의 여자다운 점을 없애다, 남성화(化)하다.

***de·fence** [diféns] *n.* 《주로 영》 =DEFENSE.
de·fénce·a·ble *a.* 《주로 영》 =DEFENSIBLE.
defénce·less *a.* 《주로 영》 =DEFENSELESS.
‡**de·fend** [difénd] *vt.* **1** 《~+목/+목+전+명》 막다, 지키다, 방어〔방위〕하다, (타이틀)의 방어전을 하다: ~ one's reputation 명성을 지키다 / one's country *from* 〔*against*〕 the enemy 적으로부터 나라를 지키다. SYN. ⇨GUARD. **2** (사람·주장을) 변호하다, 지지〔옹호〕하다: ~ oneself 스스로 지키다; 자기변호하다. **3** 〖법률〗 항변〔답변〕하다. **4** 《고어》 (악 등을) 멀리하다, 금하다. — *vi.* 방어〔변호〕하다. ***God*** 〔***Heaven***〕 ~***!*** 그런 일은 결단코 없다; 당치도 않다.
◇**de·fend·ant** [diféndənt] *n., a.* 〖법률〗 피고(의). OPP. *plaintiff*. ¶ the ~ company 피고측.
de·fend·er [diféndər] *n.* **1** 방어자; 옹호〔변호〕자. **2** 〖경기〗 선수권 보유자(OPP. *challenger*); 수비(측) 선수. **3** 《Sc.》 피고측 변호인; 피고. ***the Defender of the Faith*** 신교(信敎) 옹호자《Henry 8세(1521) 이후 영국왕의 전통적 칭호》.
de·fen·es·tra·tion [diːfènəstréiʃən] *n.* Ⓤ (사람이나 물건을) 창 밖으로 내던지기.
‡**de·fense** [diféns] *n.* **1** Ⓤ,Ⓒ 방위, 방어, 수비. OPP. *offense, attack*. ¶ legal ~ 정당방위 / national ~ 국방 / offensive ~ 공격 방어 / the science 〔art〕 of (self-)~ 호신술 《권투 따위》 / make a ~ *against* an attack 공격에 대하여 방어하다 / a line of ~ 〖군사〗 방어선 / The best ~ is offense. 공격은 최선의 방어다. **2** Ⓒ 방어물; (*pl.*) 〖군사〗 방어 시설, 요새. **3** Ⓤ 변명; 〖법률〗 Ⓤ,Ⓒ 변호, 답변(서); (피고의) 항변: speak in ~ of …의 변호를 하다. **4** (the ~) 피고측《피고와 그의 변호인》. OPP. *prosecution*. **5** 〖스포츠〗 수비측(의 팀). ◇ defend *v.* ***put*** one***self in the state of*** ~ 방어 태세를 갖추다. — *vt.* 《구어》 〖스포츠〗 (공격을) 저지하다, 방어하다.
Defénse Condítion 〖군사〗 =DEFCON.
defénse in dépth 〖군사〗 (방어선을 중층적으로 겹친) 종심(縱深) 방어.
defénse·less *a.* 무방비의; 방어할 수 없는: a ~ city 무방비 도시. ㊎ **~·ly** *ad.* **~·ness** *n.*
defénse·man [-mən, -mæ̀n] *n.* (하키 등의) 방어 구역〔위치〕의 선수.
defénse mèchanism 〔**reàction**〕 〖심리〗 방어 기제(機制); 〖생리〗 방어 기구(機構)《병원(病原)균에 대한 자기 방어 반응》. cf. escape mechanism.
de·fén·si·ble *a.* 방어할 수 있는; 옹호할 수 있는; 변호할 수 있는. ㊎ **~·ness** *n.* **-bly** *ad.* **de·fèn·si·bíl·i·ty** *n.* Ⓤ 방어〔변호〕의 가능성.
◇**de·fen·sive** [difénsiv] *a.* 방어의, 방비용의; 변호의; 수세〔수비측〕의; (경기 등에 별로 좌우되지 않는) 안정 업종의《식품·공익 사업 등》. OPP. *offensive*. ¶ a ~ alliance 방위 동맹 / ~ war(fare) 수비전. ***take*** ~ ***measures*** 방어책을 강구하다. — *n.* (the ~) 수세; 방어의 자세〔위치〕; 변호; 방어물: assume the ~ =be 〔act; stand〕 on the ~ 수세를 취하다. ㊎ **~·ly** *ad.* **~·ness** *n.*
defénsive báck 〖미식축구〗 수비팀의 최후열 위치로서 좌우의 코너백과 세이프티의 총칭(=**defénsive bàckfield**).
defénsive drìving 《미》 (경찰의) 방위적 운전법《범인의 방해를 피하면서 추적·체포하는 운전 기술》.
defénsive mèdicine (의사의) 자위적(自衛的) 의료《의료 과오 소송을 피하려고 과잉 검사·진단을 지시하는 일》.
defénsive tàctics 《미》 (경찰의) 호신술.

de·fen·so·ry [difénsəri] *a.* =DEFENSIVE.

◇**de·fer**[1] [difə́:r] (**-rr-**) *vt.* **1** 《~+목/+-*ing*》 늦추다, 물리다, 연기하다(postpone): ~ departure 출발을 연기하다 / ~ go*ing* to the dentist 치과 의사에게 가는 것을 미루다. **2** 《미》 징병 유예하다. **—** *vi.* 늦어지다, 연기〔지연〕되다; 미루적거리다. ◇ deferment *n.* ㊕ **~red** *a.*

◇**de·fer**[2] (**-rr-**) *vi.* 경의를 표하다; (의견·판단 따위를) 양보하다, (남의 의견에) 따르다《*to*》. **—** *vt.* (의견·판단·결정을) …에게 맡기다《*to*》. ◇ deference *n.*

de·fér·a·ble *a.* =DEFERRABLE.

◇**def·er·ence** [défərəns] *n.* Ⓤ 복종; 존경, 경의《*to*》: blind ~ 맹종 / ~ for one's elders 윗사람에 대한 경의 / in ~ *to* public opinion 여론을 존중하여 / pay 〔show〕 ~ to …에게 경의를 표하다. ***with all*** (***due***) **~ *to you*** 지당한 말씀이오나, 죄송하오나.

def·er·ent[1] [défərənt] *a.* =DEFERENTIAL.

def·er·ent[2] *a.* 〖해부〗 수송〔배설〕의, 수정관의. ***a ~ duct*** 〖해부〗 수정관(輸精管).

def·er·en·tial [dèfərénʃəl] *a.* 경의를 표하는, 공경하는. ㊕ **~·ly** *ad.*

de·fér·ment *n.* Ⓤ 연기; 거치; 《미》 징병 유예.

de·fér·ra·ble *a.* 연기할 수 있는; 《미》 징병 유예 가능한. **—** *n.* 《미》 징병 유예자.

de·fer·ral [difə́:rəl] *n.* =DEFERMENT.

deférred annúity 거치 연금.

deférred íncome 〖회계〗 순연 수익.

deférred páy 《영》 거치 급료《사병 등의 급여 일부를 제대·해고·사망 때까지 보류하는》.

deférred páyment 연불, 분할급: on a ~ basis 연불로.

deférred séntence 〖법률〗 선고 유예. cf. suspended sentence.

deférred sháre 〔**stóck**〕 《영》 〖증권〗 후배주(後配株). cf. preference share.

de·fer·ves·cence [di:fərvésns, dèf-] *n.* 〖의학〗 해열, 발열 정지, 해열기(期). ㊕ **-cent** *a.*

◇**de·fi·ance** [difáiəns] *n.* Ⓤ,Ⓒ 도전; 저항; 반항; 무시. ◇ defy *v.* ***bid ~ to ...*** …에 도전〔반항〕하다. ***in ~ of*** …을 무시하여, …에 상관치 않고: *in* ~ *of* the law 법률을 무시하고. ***set ... at ~*** …을 무시〔모멸〕하다.

◇**de·fi·ant** [difáiənt] *a.* 도전적인, 반항적인, 싸움투의; 대담한; 무례한, 방약무인한: with a ~ air 무례한 태도로. ㊕ **~·ly** *ad.* **~·ness** *n.*

de·fib·ril·late [di:fíbrəlèit, -fáib-] *vt.* 〖의학〗 (전기적 자극으로 심근〔심방, 심실〕의) 세동(細動)을 정지하다. ㊕ **de·fib·ril·lá·tion** *n.* 제세동(除細動), 세동 제거.

de·fi·bri·nate [di:fáibrənèit] *vt.* 〖의학〗 (혈액 중에서) 섬유소(fibrin)를 제거하다. ㊕ **de·fi·bri·ná·tion** *n.*

◇**de·fi·cien·cy** [difíʃənsi] *n.* **1** Ⓤ,Ⓒ 결핍, 부족, 결여; 영양 부족, 영양소 결핍; 결손; 결함. **2** Ⓒ 부족분〔액·량〕. opp *sufficiency.* ¶ supply a ~ 부족분을 보충하다.

defíciency accòunt 결손금 계정, 결손금 계산서(=**defíciency stàtement**).

defíciency disèase 결핍성 질환, 영양 실조, 비타민 (등의) 결핍증.

defíciency jùdgment 〖미법률〗 부족금 〔채무 미필〕 판결《저당물 처분 후에도 아직 남은 부족금에 관한 판결》.

defíciency pàyment 《주로 영》 (농산물 가격 안정을 위해 정부가 농가에 지불하는) 정부 보조금.

*__de·fi·cient__ [difíʃənt] *a.* **1** (…이) 모자라는, 부족한, 불충분한《*in*》: He's ~ *in* common sense. 그는 상식이 부족하다. **2** 결함이 있는; 불완전한, 멍청한. **—** *n.* 불완전한 것〔사람〕: a mental ~ 정신박약자. ㊕ **~·ly** *ad.* 불충분하게.

defícient númber 〖수학〗 부족수(defective number). cf. abundant number, perfect number.

def·i·cit [défəsit] *n.* 부족(액)《*in; of*》, 결손, 적자; 불리한 입장〔조건〕. opp *surplus.* ¶ trade ~*s* 무역 적자.

déficit fináncing (특히 정부의) 적자 재정 (정책).

déficit spénding (적자 공채 발행에 의한) 적자 재정 지출.

de·fi·er [difáiər] *n.* 도전자, 반항자, 무시하는 사람.

def·i·lade [dèfəléid] *vt.* 〖군사〗 차폐하다, 가리다. **—** *n.* 가리기, 차폐.

◇**de·file**[1] [difáil] *vt.* 더럽히다; (신성을) 모독하다; (여성의) 순결을 빼앗다. ㊕ **~·ment** *n.* Ⓤ 더럽히기; 더럼, 오욕. **de·fíl·er** *n.* 더럽히는 사람〔것〕, 모독자.

de·file[2] [difáil, dí:fail] *vi., vt.* (일렬) 종대로 행진하다〔시키다〕. **—** *n.* (종대가 지나갈 정도의) 애로(隘路), 좁은 골짜기.

de·fín·a·ble *a.* 한정할 수 있는, 정의를 내릴 수 있는.

*__de·fine__ [difáin] *vt.* **1** (성격·내용 따위를) 규정짓다, 한정하다: ill-~*d* duties 내용이 분명하게 규정되지 않은 임무 / ~ one's position 입장을 분명하게 하다. **2** 《~+목/+목+*as* 보》 (말의) 정의를 내리다, 뜻을 밝히다: ~ a word *as*... 말을 …이라고 정의를 내리다. **3** …의 경계를 정하다: ~ property with stakes 말뚝으로 땅의 경계를 정하다. **4** …의 윤곽을 명확히 하다; (…의 특성을) 나타내다: Reason ~*s* man. 인간의 특징은 이성이다. **—** *vi.* 정의를 내리다.

de·fin·i·en·dum [difiniéndəm] (*pl.* ***-da***) *n.* 정의(定義)된 것(사전의 표제어 등); 정의된 항(項).

defíning cláuse =RESTRICTIVE CLAUSE.

defíning móment (사람·집단 등의 본질〔정체〕을 밝히게 되는) 결정적인 순간.

__def·i·nite__ [défənit] *a.* **1 (윤곽·한계가) 뚜렷한, 확실한; (태도 따위가) 명확한: a ~ answer 확답 / a ~ reason 확실한 이유. **2** 한정된, 일정한: a ~ period of time 일정 기간. **3** 〖문법〗 한정하는: ⇨ DEFINITE ARTICLE. opp *indefinite.* ◇ define *v.*

> SYN. **definite** 명백하게 범위·한계 따위가 정해진, 모호함이 없는: a *definite* area 특정 지역. **specific** 내용·용도 따위가 집중적으로 명백히 초점을 맞추어 표시된: state one's *specific* purpose 자기의 특정한 목적을 밝히다. **particular** general(일반적)의 반대어로서 어떤 개개의 사물에 주의를 할 때 씀: this reason 이 이유 → this *particular* reason (여러 이유 중) 특히 이 이유.

㊕ **~·ly** *ad.* 한정적으로; 명확〔명백〕히; 《구어》 확실히, 틀림없이; 《대답으로》 그렇고 말고(certainly). **~·ness** *n.*

définite árticle (보통 the ~) 〖문법〗 정관사 《the》.

définite descríption 〖철학〗 확정 기술(記述)《정관사 또는 소유격형의 어구에 의하여 수식된 어구》.

définite íntegral 〖수학〗 정적분(定積分). cf. indefinite integral.

définite pólicy 〖보험〗 확정 보험 증권.

__def·i·ni·tion__ [dèfəníʃən] *n.* **1 Ⓤ (윤곽·한계 따위의) 한정; 명확. **2** Ⓒ 정의(定義); 설명《말뜻의 해설》. **3** Ⓒ (TV·렌즈 따위) 선명도, (라디오·스테레오 따위의 재생음의) 명료도, (무전의) 감응도. ◇ define *v.* ***by ~*** 정의상; 자명한 일로서. ㊕ **~·al** *a.* **~·al·ly** *ad.* 본래, 아무래도.

de·fin·i·tive [difínətiv] *a.* 결정적인, 최후적인; 한정적인; 일정한, 명확한; 완성된: a ~ edition 결정판(版). **—** *n.* 〚문법〛 한정사(the, this, all, no 등); (기념우표 등과 구별하여) 보통 우표(~ postage stamp). ⓟ **~·ly** *ad.* **~·ness** *n.*

defínitive hóst 〚생물〛 최종〔고유(固有)〕 숙주《기생충의 성충기의 숙주》. cf. intermediate host.

def·i·nit·ize [défənitàiz, difín-/défin-] *vt.* 명확히 하다; (사상·계획 따위를) 구체화하다.

de·fin·i·tude [difínət*j*ù:d/-tjù:d] *n.* U 명확성; 정확성(definiteness).

def·la·grate [défləgrèit/déf-, dí:f-] *vt.* 확 연소시키다; 〚화학〛 폭연(爆燃)시키다. **—** *vi.* 확 타오르다. ⓟ **dèf·la·grá·tion** *n.* U 〚화학〛 폭연.

de·flate [difléit] *vt.* …의 공기〔가스〕를 빼다; (자신·희망 등을) 꺾다; 〚경제〛 통화를 수축시키다. opp. *inflate*. **—** *vi.* 공기가 빠지다; (통화가) 수축하다.

de·flá·tion *n.* U 공기〔가스〕 빼기, (기구(氣球)의) 가스 방출; 〚경제〛 통화 수축, 디플레이션; 〚지학〛 건식(乾蝕), 풍식(風蝕). opp. *inflation*. ⓟ **~·ary** [-ʃənèri/-əri] *a.* 통화 수축의. **~·ist** *n.* 통화 수축론자.

deflátionary gáp 〚경제〛 디플레이션 갭《유효수요 수준이 완전 고용 수준을 밑돌 때 발생하는》.

deflátionary spìral 〚경제〛 진행성 디플레이션, 디플레적(的) 악순환.

de·fla·tor [difléitə*r*] *n.* 〚경제〛 디플레이터.

de·flect [diflékt] *vt., vi.* (원 진로에서) 비끼(게 하)다, (비평·공격 등을) 피하다《*from*》; (행동의 추구를) 멈추게 하다《*from*》; (광선 등이〔을〕) 굴절하다〔시키다〕: He now coolly *~ed* criticism of graybeards. 그는 지금까지 노인들의 비평을 냉정히 피해 왔다.

de·fléc·tion, 《영》 **-fléx·ion** *n.* U,C 비낌, 기울어짐; 〚물리〛 (계기 바늘의) 편향; 편향도(度); 〚군사〛 편각; 편차, (탄알의) 편류; 〚공학〛 휨; 빛의 굴절.

defléction yòke 〚전자〛 편향 요크《브라운관 따위에서 전자 빔을 편향시키는 자심(磁心)으로 쓰이는 것》. ★ yoke 라고도 함. 「키는.

de·flec·tive [difléktiv] *a.* deflection을 일으

de·flec·tor [difléktə*r*] *n.* **1** (기류·광선 따위의) 전향(轉向) 장치. **2** 〚해사〛 편침의(偏針儀).

de·flexed [diflékst] *a.* 〚생물〛 급각도로 아래로 구부러진, 반곡(反曲)의, 반굴(反屈)의.

de·floc·cu·late [di:flákjəlèit/-flɔ́k-] *vt., vi.* 콜로이드 고체를〔가〕 풀리게 하다〔풀리다〕, 응집한 콜로이드 입자를〔가〕 분산시키다〔하다〕, (콜로이드의) 응집을 방지하다. ⓟ **de·flòc·cu·lá·tion** *n.* **-lant** *n.* (콜로이드 고체의) 풀림제(制), 해교(解膠)제.

de·flo·ra·tion [dèfləréiʃən, dì:-/dì:flɔ:r-] *n.* U 꽃을 땀; 미(美)를 빼앗음; (처녀) 능욕.

de·flow·er [di(:)fláuə*r*] *vt.* …의 꽃을 따다〔꺾다〕; …의 청순〔신선〕함을 빼앗다; …의 처녀성을 빼앗다; (여자를) 범하다.

de·fluor·i·date [diflúərədèit] *vt.* (음료수)의 불소 첨가를 제한〔중지〕하다.

de·fo·cus [difóukəs] *vt.* (렌즈 따위의) 초점을 흐리게 하다. **—** *vi.* 흐려지다. **—** *n.* 초점이 흐려짐; (일부러) 흐리게 한 영상《특히, 영화 화면의》.

De·foe [difóu] *n.* **Daniel ~** 디포《영국 소설가; *Robinson Crusoe*의 저자; 1660?-1731》.

de·fog [difɔ́:g, -fág/-fɔ́g] *vt.* (자동차 유리의) 김〔물방울〕을 제거하다.

de·fo·li·ant [di:fóuliənt] *n.* 고엽제(枯葉劑)《월남전에서 미군이 쓴》.

de·fo·li·ate [di:fóulièit] *vt., vi.* 잎이 떨어지(게 하)다. ⓟ **de·fò·li·á·tion** *n.* U 낙엽(기); 〚군사〛 고엽(枯葉) 작전.

de·fo·li·a·tor [di:fóulièitə*r*] *n.* 낙엽 지게 하는 것; 낙엽제, 고엽제(defoliant); 잎벌레.

de·force [di(:)fɔ́:*r*s] *vt.* 〚법률〛 (남의 재산, 특히 토지를) 불법으로 점유하다. 「자.

de·for·ciant [difɔ́:*r*ʃənt] *n.* 〚법률〛 불법 점유

de·for·est [di:fɔ́:rist, -fár-/-fɔ́r-] *vt.* 산림을 벌채하다, 수목을 베어내다. opp. *afforest*. ⓟ **de·fòr·es·tá·tion** [-téiʃən] *n.* U 산림 벌채, 산림 개척; 남벌(濫伐).

°**de·form** [di(:)fɔ́:*r*m] *vt.* 모양 없이〔흉하게〕 하다; 불구로 하다; 〚물리〛 변형시키다; 〚미술〛 데포르메하다. **—** *vi.* 변형되다; 흉하게 되다.

de·fórm·a·ble *a.* 변형할 수 있는.

de·for·mal·ize [di:fɔ́:*r*məlàiz] *vt.* 격식차리지 않게 하다, 대하기 편하게 해주다.

de·for·ma·tion [dì:fɔ:*r*méiʃən, dèf-/dì:fɔ:m-] *n.* U **1** 모양을 망침; 개악. opp. *reformation*. **2** 기형, 불구; 변형; 〚미술〛 데포르마시옹.

de·for·ma·tive [difɔ́:*r*mətiv] *a.* deform 하는 (경향〔성질〕이 있는).

°**de·fórmed** *a.* 볼품 없는; 불구의, 기형의; 불쾌감을 주는: a ~ baby 기형아. ⓟ **-fórm·ed·ly** [-midly] *ad.*

defórmed bár (마디 모양의 돌기가 있는) 이형(異形) 철근《콘크리트의 부착력을 높임》.

de·form·i·ty [difɔ́:*r*məti] *n.* **1** U 모양이 흉함. **2** U,C 기형(물), 불구(자); U,C 보기 흉한 것, 보기 싫음. **3** U,C (인격·제도의) 결함.

de·frag·ment [difrǽgmènt, --ˊ/--ˊ] *vt.* 〚컴퓨터〛 (디스크 따위의) 단편화(fragmentation)를 해소하다.

de·frag·men·ta·tion [difrӕgməntéiʃən/-men-] *n.* 〚컴퓨터〛 프래그멘테이션의 해소, 손실을 없앰.

***de·fraud** [difrɔ́:d] *vt.* 《~+목/+목+전+명》 편취하다, 사취하다《*of*》; 속이다: be *~ed of* (one's estate) (재산)을 사취당하다, 속아 빼앗기다. **—** *vi.* 사기 행위를 하다. ◇ defraudation *n.* ⓟ **de·frau·da·tion** [dì:frɔ:déiʃən] *n.* U 속임, 사취. **de·fráud·er** *n.*

de·fray [difréi] *vt.* (비용을) 지불〔지출〕하다, 떠맡다, 부담하다. ⓟ **~·a·ble** *a.* 지불 가능한. **~·al** [-əl], **~·ment** *n.* U 지불, 지출; 비용 부담. **~·er** *n.*

de·frock [di:frák/-frɔ́k] *vt.* …의 성직을 박탈하다(unfrock).

de·frost [di:frɔ́:st, -frást/-frɔ́st] *vt., vi.* …의 서리를〔얼음을〕 제거하다; (냉동식품 등을) 녹이다; (동결 자산을) 해제하다; 녹다. ⓟ **~·er** *n.* (자동차 등의) 서리 제거 장치.

deft [deft] *a.* (일의) 솜씨가 좋은, 능란한, 능숙한(skillful): a ~ blow 멋진 일격. ⓟ **ˊ·ly** *ad.* **ˊ·ness** *n.*

deft. defendant.

de·funct [difʌ́ŋkt] *a.* 죽은; 소멸한; 현존하지 않는. **—** *n.* (the ~) 고인; (the ~) 죽은 사람들.

de·func·tive [difʌ́ŋktiv] *a.* 고인의; 장례식의.

de·fund [di:fʌ́nd] *vt.* …에서 자금을 회수하다, …에 대한 출자를 중지하다.

de·fuse, -fuze [di:fjú:z] *vt.* (폭탄·지뢰의) 신관을 제거하다; …의 긴장을 완화하다: ~ the crisis. ⓟ **de·fús·er, -fúz-** *n.*

°**de·fy** [difái] (*p., pp.* ***-fied; ~·ing***) *vt.* **1** 《+목+*to* do》 …에 도전하다: I ~ you *to* do so. 할테면 해 봐. **2** (경쟁·공격 등을) 문제삼지 않다; …을 허용하지 않다: ~ competition 경쟁

을 문제시하지 않다 / ~ description 이루 다 말할 수 없다 / ~ every criticism 비평의 여지가 없다. **3** (권위 등에) 반항하다; (법률 따위를) 무시하다. — [dí:fai] *n.* U,C 《미》 공공연한 반항, 도전(defiance).

deg, deg. degree(s).

dé·ga·gé [déigɑ:ʒéi] (*fem.* ***dé·ga·gée*** [—]) *a.* 《F.》 (마음) 편한, 여유 있는《태도 따위》.

De·gas [dəgɑ́:] *n.* **Hilaire Germain Edgar ~** 드가(프랑스의 인상파 화가; 1834-1917).

de·gas [di:gǽs] (**-ss-**) *vt.* 가스를 없애다〔빼다〕; 독가스를 제거하다.

de·gas·i·fi·ca·tion [digæ̀səfikéiʃən] *n.* 가스 빼기, 탈(脫)가스.

de Gaulle [dəgóul, gɔ́:l] *n.* **Charles ~** 드골(프랑스의 장군·정치가·대통령; 1890-1970). ㊇ **de Gáull·ist** *n.* 드골파의 사람.

de·gauss [di:gáus] *vt.* =DEMAGNETIZE; (텔레비전 수상기 등의) 자장(磁場)을 중화하다; (군함 따위에) 자기기뢰 방어 장치를 하다. ㊇ **~·ing** *n.* 감자(減磁), 소자(消磁).

de·gear [di:gíər] *vi.* 〖경제〗 (기업이) 타인 자본을〔부채를〕 줄이고 자기 자본 부분의 비중을 높이다.

de·gen·der [di:dʒéndər] *vt.* (언어 등에서) 성(gender)에 의한 구별을 없애다, 비성화(非性化)하다.

de·gen·er·a·cy [didʒénərəsi] *n.* U,C 퇴보, 퇴화, 타락; 쇠망; 성적 도착, 변태; 〖화학〗 축퇴(縮退).

◇**de·gen·er·ate** [didʒénərèit] *vi.* **1** 《~/+전+명》 나빠지다, 퇴보하다《*from*》; 타락하다《*into*》: ~ *into* commonplace 평범한 일이 되어버리다. **2** 〖생물〗 퇴화하다《*to*》; 〖의학〗 변질하다. — [-nərit] *a.* 타락한; 퇴화한; 변질한; 〖화학〗 축퇴(縮退)한; 〖수학〗 축중(縮重)한. — [-nərit] *n.* 퇴화물; 퇴화 동물; 타락자; 변질자, 성욕 도착자. ㊇ **~·ly** *ad.* **~·ness** *n.*

de·gen·er·a·tion [didʒènəréiʃən] *n.* U 퇴보; 악화, 타락, 퇴폐; 〖의학〗 변성, 변질; 〖생물〗 퇴화; 〖화학〗 축퇴. ◇ degenerate *v.*

degenerátion of énergy 〖열역학〗 유효 에너지의 점멸(漸滅) 법칙.

de·gen·er·a·tive [didʒénərətiv, -rèit-] *a.* 퇴화적인; 타락적인; 변질성의: a ~ disease 퇴행성(退行性) 질환.

degénerative jóint disèase 〖의학〗 = OSTEOARTHRITIS.

degénerative mátter 〖물리〗 퇴축(退縮) 물질《도전자를 잃은 원자로 구성된 물질》.

degénerative stár 퇴축성(退縮星)《전자·중성자 등이 퇴축된 항성; 백색왜성·중성자성 등》.

de·gla·ci·a·tion [diglèiʃiéiʃən, -si-/-glæsi-, -glèisi] *n.* (빙하의) 퇴빙(退氷).

de·glu·ti·tion [dì:glu:tíʃən] *n.* U 삼키기, 연하(嚥下); 삼키는 작용; 삼키는 힘.

de·grád·a·ble *a.* 〖화학〗 감성(減成) 가능한, 분해되는. ㊇ **de·gràd·a·bíl·i·ty** *n.*

◇**deg·ra·da·tion** [dègrədéiʃən] *n.* U,C 지위를 내림, 격하, 강직(降職), 좌천, 강등; 하강, 하락; 타락; 퇴화; 〖지학〗 (지층·암석의) 붕괴; 〖화학〗 분해; 변질; (에너지의) 감손. ◇ degrade *v.*

◇**de·grade** [digréid] *vt.* **1** 《+목+전+명》 …의 지위를 낮추다, 격하하다, 좌천시키다; 강등시키다: ~ a person *from* high public official *to* private citizen 아무를 고관에서 일반 시민으로 격하시키다. **2** 《+목+전+명》 …의 품성을 떨어뜨리다, 타락시키다: ~ oneself *by* telling lies 거짓말을 해서 스스로 품위를 떨어뜨리다 / Dealers have ~*d* art *to* an investment industry. 화상들은 미술을 투자 산업으로 전락시켰다. **3** 〖생물〗 퇴화시키다; 〖지학〗 점붕(漸崩)시키다. — *vi.* 지위가 떨어지다; 타락하다; 〖생물〗 퇴화하다. ㊇ **de·grád·er** *n.* **1** ~하는 사람. **2** 〖항공〗 디그레이더《제트 연료 무화(霧化) 억제 첨가제를 탄 연료(AMK)의 정상 연소를 위해 연소기에 다는 장치》.

de·grád·ed [-id] *a.* 타락〔부패〕한, 퇴화〔퇴행〕한; 저하〔비속화〕한. ㊇ **~·ly** *ad.* **~·ness** *n.*

de·grád·ing *a.* 타락〔퇴폐〕시키는, 품위를 낮추는, 자존심을〔명예를〕 멍들게 하는, 비열한, 불명예스러운. ㊇ **~·ly** *ad.* **~·ness** *n.*

de·gran·u·la·tion [di:grænjuléiʃən] *n.* 〖생물〗 탈과립(脫顆粒)《세포 안의 과립 구조가 없어지는 현상》.

de·grease [digrí:s, -grí:z] *vt.* 탈지(脫脂)하다.

‡de·gree [digrí:] *n.* **1** 정도; 등급, 단계: a high 〔low〕 ~ of technique 고도〔저수준〕의 기술 / differ in ~ 정도의 차가 있다. SYN. ⇨ RANK. **2** 계급, 지위; 칭호, 학위: people of every ~ 모든 계급의 사람들 / a man of high 〔low〕 ~ 신분이 높은〔낮은〕 사람 / take the doctor's 〔master's, bachelor's〕 ~ 박사〔석사, 학사〕 학위〔칭호〕를 얻다. **3** (온도·각도·경위도 따위의) 도(度)《부호 °》; 〖수학〗 차(次); 〖음악〗 음계상의 도(度); 〖문법〗 급(級)《형용사·부사의 비교의》: … ~(*s*) *of* frost 빙점하〔영하〕 …도 / The thermometer stands at 32 ~*s* Fahrenheit. 온도계는 화씨 32°를 가리키고 있다 / the positive 〔comparative, superlative〕 ~ 원(原)〔비교, 최상〕급. **4** 〖미법률〗 (죄의) 경중의 정도, 등급: a murder in the first ~ 제 1 급 살인. **5** 〖법률〗 촌수: a relation in the fourth ~, 4 촌. ***by ~s*** 점차, 차차로: *by* slow ~*s* 서서히, 조금씩. ***in a ~*** 조금은. ***in a greater or less ~*** (정도 차이는 있으나) 다소간에. ***in due ~*** 적당하게. ***in full ~*** 충분하게. ***in its ~*** 각기 분수에 따라. ***in*** 〔***to***〕 ***some ~*** 다소, 얼마간은. ***not in the slightest*** 〔***least, smallest***〕 ***~*** 조금도 …않는. ***one ~ under*** 《구어》 상태가〔형편이〕 좀 나빠서. ***the prohibited*** 〔***forbidden***〕 ***~s*** (***of marriage***) 〖법률〗 결혼 금지 촌수《1·2·3 촌》. ***to a certain ~*** 어느 정도는, 다소는. ***to a ~*** 다소는; 《구어》 꽤, 몹시. ***to a high ~*** 고도로, 대단히. ***to such a ~ that …*** …라는 정도까지. ***to the last ~*** 극도로.

degrée dày (대학의) 학위 수여일.

degrée-dày *n.* 기온 편차일《하루의 평균 온도와 표준 온도와의 차; 연료 소비량 등의 지표가 됨》.

de·grée·less *a.* 눈금이 없는, 눈금으로는 측정할 수 없는; 학위가 없는, 칭호가 없는; 학위를 수여하지 않는 (대학). 「육 기관」.

degrée mìll 《구어》 학위 제조소《학위 남발 교

degrée of fréedom 〖물리〗 자유도(自由度).

de·gres·sion [digréʃən] *n.* U 하강; (세율의) 체감(遞減).

de·gres·sive [digrésiv] *a.* 체감적인.

dé·grin·go·lade [deigræŋgəlɑ́:d; *F.* degʀɛgɔlad] *n.* 《F.》 급락, 급속한 하락〔쇠퇴, 몰락〕(down-fall).

de·gum [digʌ́m] *vt.* …에서 고무를 제거하다; (실크 섬유 따위)에서 세리신(sericin)을 제거하다. ㊇ **~·mer** *n.*

de haut en bas [*F.* dəotɑ̃bɑ] 《F.》 (=from top to bottom) 얕보는〔거만한〕 태도로.

de·hire [di:háiər] *vt.* 《미》 (요직에 있는 사람을) 퇴직〔해고〕시키다(fire).

de·hisce [dihís] *vi.* 입을 벌리다; 〖식물〗 (콩꼬투리 따위가) 터져 열리다.

de·his·cence [dihísns] *n.* U 〖식물〗 열개(裂開)(성); 〖의학〗 (봉합의) 터져 벌어짐.

de·his·cent [dihísnt] *a.* 〖식물〗 열개성(性)

의: ~ fruits 열개과(果).
de·horn [diːhɔ́ːrn] *vt.* …의 뿔을 자르다; …의 뿔 생장을 막다; (나무의 큰 가지를) 바싹 자르다; 《군대속어》 …의 신관을 제거하다; 《미속어》 산발(散髮)하다, 금욕 뒤에 성교하다. — *n.* 《미속어》 주정뱅이, 모주꾼.
de·hor·ta·tion [diːhɔːrtéiʃən] *n.* [U] 말림, 간언.
de·hor·ta·tive, -ta·to·ry [dihɔ́ːrtətiv], [-tətɔ̀ːri/-təri] *a.* 말리는, 간(諫)하는. 「간화.
de·hù·man·i·zá·tion *n.* [U] 인간성 말살, 비인
de·hu·man·ize [diːhjúːmənàiz/-hjúː-] *vt.* …의 인간성을 빼앗다, (사람을) 짐승〔기계〕같이 만들다, 비인간화하다.
de·hu·mid·i·fi·ca·tion [dìːhjuːmìdəfikéiʃən/-hjúː-] *n.* [U] 제습(除濕), 탈습(脫濕).
de·hu·mid·i·fy [dìːhjuːmídəfài/-hjuː-] *vt.* …의 습기를 없애다, (공기를) 건조시키다. [파] **dè·hu·míd·i·fi·er** *n.* 탈습기〔장치〕, 제습기.
de·hy·dra·tase [diːháidrətèis, -tèiz] *n.* 〚생화학〛 탈수(脫水) 효소.
de·hy·drate [diːháidreit] *vt.* **1** 〚화학〛 탈수하다; …에서 수분을〔습기를〕 빼다, 건조시키다: ~*d* eggs 〔vegetables〕 건조한 달걀〔야채〕. **2** 《비유》 보잘것없게 하다. — *vi.* 수분이〔습기가〕 빠지다. [파] **dè·hy·drá·tion** *n.* [U] 탈수, 건조; 〚의학〛 탈수(증). **de·hý·dra·tor** *n.* 탈수기〔장치〕; 탈수〔건조〕제(劑).
de·hy·dro·chlo·ri·nase [diːhàidrəklɔ́ːrənèis, -nèiz] *n.* 〚생화학〛 디하이드로클로리나아제《탄화수소의 염화물에서 수소, 염소 이온을 탈리(脫離)시키는 효소》.
de·hy·dro·chlo·ri·nate [diːhàidrəklɔ́ːrənèit] *vt.* 〚화학〛 탈염화 수소화(化)하다. [파] **-chlo·ri·ná·tion** *n.* 탈염화 수소 반응.
de·hy·dro·cho·les·ter·ol [diːhàidrəkəléstərɔ̀ul, -rɔ̀ːl/-rɔ̀l] *n.* 〚생화학〛 디하이드로콜레스테롤《피부에 존재하는 콜레스테롤; 자외선 조사(照射)에 의해 비타민 D_3가 됨》.
de·hy·dro·freez·ing [diːháidrəfrìːziŋ] *n.* [U] 건조 냉동법《식료품을 부분 건조 후 급속 냉동하여 저장함》.
de·hy·dro·gen·ase [diːháidrədʒənèis, dìːhaidrɑ́-, -nèiz] *n.* 〚생화학〛 수소 이탈 효소.
de·hy·dro·gen·ate [diːháidrədʒənèit, diːhaidrɑ́dʒ-/diːháidrə-] *vt.* 〚화학〛 (수소 화합물에서) 수소를 제거하다. [파] **dè·hy·dro·gen·á·tion** *n.* 탈수소(脫水素).
de·hy·dro·gen·ize [diːháidrədʒənàiz/dìːhaidrɑ́dʒ-/diːháidrə-] *vt.* =DEHYDROGENATE.
de·hyp·no·tize [diːhípnətàiz] *vt.* 최면 상태에서 깨어나게 하다, 최면술을 풀다.
de·ice [diːáis] *vt.* 〚항공〛 결빙을 막다〔없애다〕, 제빙(除氷) 장치를 하다. [파] **de·íc·er** *n.* (비행기 날개·차창·냉장고 등의) 방빙(防氷)〔제빙〕 장치, 제빙〔방빙〕제.
de·i·cide [díːəsàid] *n.* [U] 신을 죽임; [C] 신을 죽이는 사람; 예수를 못박는 데 관계한 사람.
deic·tic [dáiktik] *a.* 〚논리〛 직증적(直證的)인 ([opp.] *elenctic*); 〚문법〛 (대상) 지시적인, 직시적(直示的)인(demonstrative). — *n.* 〚문법〛 대상 지시어〔용법〕.
de·if·ic [diːífik] *a.* 신격화하는; 신과 같은.
de·i·fi·ca·tion [dìːəfikéiʃən] *n.* [U] 신으로 섬기기, 신성시, 신격화; 신으로 모셔진 것.
de·i·fi·er [díːəfàiər] *n.* 예배자. 「같은.
de·i·form [díːəfɔ̀ːrm] *a.* 신의 모습을 한; 신과
de·i·fy [díːəfài] *vt.* 신으로 삼다〔모시다〕; 신처럼 공경하다, 신성시〔신격화〕하다.
deign [dein] *vi.* 《+*to* do》 **1** (황송하옵게도) …하시다(condescend), …하여 주시다: ~ *to* grant a private audience 내밀한 알현을 허락해 주시다. **2** 〔주로 부정문에서〕 (자존심을 버리고) …하다: He would *not* ~ *to* listen to you. 그는 네가 말하는 것 따위는 듣지 않을 게다. — *vt.* 《+[목]+[목]》 …을 내리시다: She ~*s* us no attention. 그녀는 우리들을 거들떠보지도 않는다.
De·i gra·tia [díːai-gréiʃiə] 《L.》 (=by the grace of God) 신의 은총으로.
deil [diːl] *n.* 《Sc.》 =DEVIL.
de·in·di·vi·du·a·tion [diːindividʒuéiʃən] *n.* 〚사회·심리〛 비(非)개체화, 몰(沒)개성화, 탈(脫)개인화.
dè·in·dùs·tri·al·i·zá·tion *n.* (특히 패전국의) 산업 조직〔잠재 세력〕의 축소〔파괴〕.
de·in·sti·tu·tion·al·ize [diːinstətjúːʃənəlàiz, dìːin-] *vt.* 비(非)제도화하다; (사회) 시설에서 해방〔복귀〕시키다《수형자·입원 환자 등을》.
de·i·on·ize [diːáiənàiz] *vt.* 〚화학〛 …을 탈이온화(脫 ion 化)하다.
deip·nos·o·phist [daipnɑ́səfist/-nɔ́s-] *n.* (식탁에서) 손님 접대가 뛰어난 사람, 식탁에서의 회화에 능한 사람, 식탁에서의 좌담가.
de·ism [díːizəm] *n.* [U] 이신론(理神論).
de·i·so·late [diːáisəlèit, -ísə-/-áisə-] *vt.* …을 비(非)고립화시키다, 고립 상태에서 구해 내다, 같은 동료로 받아들이다.
de·ist [díːist] *n.* 이신론자, 자연신교 신봉자. [파] **de·ís·tic, de·ís·ti·cal** [-tik], [-əl] *a.* 이신론의〔적인〕, 자연신교의〔적인〕.
°**de·i·ty** [díːəti] *n.* [C] 신(god)《다신교의 남신·여신》; [U] 신위, 신성, 신격; (the D-) [U] (일신교의) 신, 조물주, 천제(天帝)(God).
dé·jà en·ten·du [*F.* deʒaɑ̃tɑ̃dy] 《F.》 이미 이해한〔들은, 본〕 적이 있다는 인식.
dé·jà lu [*F.* deʒaly] 《F.》 이미 읽은〔경험한〕 적이 있다는 인식.
dé·jà vu [dèiʒɑːvjúː; *F.* deʒavy] 《F.》 〚심리〛 기시감(旣視感)《일종의 착각》; 기시의 환각; 몹시 진부한 것, 보기 싫증난 것.
de·ject [didʒékt] *vt.* 기를 죽이다, 낙담시키다.
de·jec·ta [didʒéktə] *n. pl.* 배설물, 대변.
*de·ject·ed [didʒéktid] *a.* 기운 없는, 낙담〔낙심〕한(depressed), 풀없는. [SYN.] ⇨ SAD. [파] ~·**ly** *ad.* ~·**ness** *n.*
°**de·jéc·tion** *n.* [U] 낙담, 실의(depression); 우울; 〚의학〛 배설(물), 대소변; 〚의학〛 변통(便通). *in* ~ 낙담하여.
dé·jeu·ner [déiʒənèi, ∸-∸/∸-∸; *F.* deʒœne] *n.* 《F.》 늦은 조반; (정식의) 오찬《유럽 대륙에서》.
dèjeuner à la four·chette [*F.* deʒœnealafuʀʃɛt] 《F.》 (*pl.* ***déjeuners-***) (특히 달걀·고기 등이 나오는) 점심, 가벼운 식사.
de ju·re [diː-dʒúəri, dei-dʒúərei] 《L.》 권리에 의한, 정당한《왕 따위》; 권리상, 법률상([opp.] *de facto*).
dek·a- [dékə] *pref.* =DECA-.
dek·ko [dékou] *n.* [U] 《영속어》 일별(glance).
de Koo·ning [də kúːniŋ] *n.* **Willem** ~ 더 쿠닝《네덜란드 태생의 미국 추상 표현주의 화가; 1904–97》.
Del. Delaware. **del.** delegate; delegation; 〚교정〛 delete; delivery; *delineavit* 《L.》 (=he 〔she〕 drew it).
De·la·croix [dələkrwɑ́ː; *F.* dəlakʀwa] *n.* **Ferdinand Victor Eugène** ~ 들라크루아《프랑스의 화가; 1798–1863》.
de·laine [dəléin] *n.* [U] 모슬린.
de·lam·i·nate [diːlǽmənèit] *vi., vt.* (…이

〔을〕) 얇은 조각〔층〕으로 갈라지다〔가르다〕.

de·làm·i·ná·tion *n.* [U] **1** 얇은 조각으로 갈라짐. **2** 〖생물〗 엽열(葉裂).

De·lá·ney améndment 〔**cláuse**〕 [dəléini-] 《미》 (식품 · 의약품 · 화장품법의) 딜레이니 수정(修正)〔조항〕《발암성 식품 첨가물 등의 전면 금지법》.

de·late [diléit] 《고어》 *vt.* 고소하다; 널리 알리다, 고발하다, 공표하다. [파] **de·lá·tion** *n.* [U,C] 고소, 고발. **de·lá·tor** *n.* 고소인.

Del·a·ware [déləwὲər] *n.* 델라웨어《미국 동부의 주; 생략: Del.; 주도는 Dover》. ***the* ~ *Water Gap*** 델라웨어 협곡. [파] **Del·a·war·e·an, -i·an** [dèləwέəriən] *a., n.*

de·law·yer [di:lɔ́:jər, -lɔ́i-] *vt.* (법률 문제에서) 변호사를 쓸모없게 하다.

⁑**de·lay** [diléi] *vt.* **1** 《~+[목]/+-*ing*》 미루다, 연기하다: You'd better ~ your departure. 출발을 연기하는 쪽이 좋겠다/~ writ*ing* to a person 아무에게 편지 쓰는 것을 미루다. **2** 〖종종 수동태〗 …을 늦추다, 지체하게 하다: The train *was* ~*ed* by heavy snow. 열차는 폭설로 인하여 연착했다. ― *vi.* 우물쭈물하다, 지체하다. ― *n.* [U] 지연, 지체; 연기, 유예; 〖미식축구〗 = DRAW PLAY; 〖컴퓨터〗 지연: It admits of no ~. 일각의 유예도 허락하지 않는다/without (any) ~ 지체없이, 곧(at once).

deláyed-áction *a.* 지연 작동식의; 지발(遲發)의, 시한식의: a ~ bomb 시한폭탄(time bomb)/a ~ camera 셀프타이머가 있는 카메라.

deláyed dróp (낙하산의) 펼침을 늦춘 낙하.

deláyed néutron 〖물리〗 지발 중성자.

deláyed ópening (낙하산의) 지연시킨 펼침《어느 고도까지 내려와서 자동적으로 펼쳐짐》.

deláyed stéal 〖야구〗 투수의 투구 순간이 아니라 타이밍을 늦춰서 행하는 도루.

deláyed-stréss sỳndrome 〔**disòrder**〕 〖의학〗 지연성 스트레스 증후군〔반응〕《외상을 입은 후 얼마 지나서 발생하는 스트레스 장애》.

deláyed tíme sỳstem 〖전자〗 시간 지연〔축적〕 처리 방식. [opp] *real-time system.*

de·láy·er·ing [-riŋ] *n.* 〖경영〗 계층 감축《조직의 집행부 간부의 수를 감축함으로써 관리 체제를 간소화하는 조치》.

deláying àction 〖군사〗 지연 전술.

deláying táctics 지연 작전〔전술〕.

deláy scrèen 〖전자〗 (음극선관에서) 잔광(殘光) 스크린《형광 물질을 발라 감광성을 준 스크린》.

del cre·de·re [delkréidəri] *a., ad.* 《It.》 〖상업〗 매주(買主)〔판매선〕 지급(능력) 보증의〔아래〕: a ~ account 보증금 계정/a ~ agent 매주(買主) 지급 능력 보증 대리인. ― *n.* 판매선 신용 보증(료).

de·le [dí:li] *vt.* 《L.》 〖교정〗 〔보통 명령문〕 (지시한 부분을) 삭제하라, 빼라. [cf] delete.

de·lec·ta·ble [diléktəbəl] *a.* 《종종 우스개》 즐거운, 기쁜, 유쾌한. [파] **-bly** *ad.* **~·ness** *n.*

de·lec·ta·tion [dì:lektéiʃən, dilèk-] *n.* [U] 환희; 유쾌, 쾌락, 즐거움.

de·lec·tus [diléktəs] *n.* (특히 그리스 · 라틴 글의) 발췌서(拔萃書); 교과서용 초본(抄本).

del·e·ga·ble [déligəbəl] *a.* (책무 따위가) 대리인에게 위임할 수 있는.

del·e·ga·cy [déligəsi] *n.* **1** [U] 대표자 파견; 대표자의 지위〔임명〕. **2** [C] 대표단, 사절단. **3** 〖영대학〗 상임 위원.

de·le·gal·ize [di:lí:gəlàiz] *vt.* …의 법적 인가를 취소하다, 비합법화하다.

°**del·e·gate** [déligət, -gèit] *n.* **1** 대표자, 대리(인); 파견 위원, 대의원. **2** 《미》 Territory 선출 연방 하원 의원《발언권은 있으나 투표권이 없음》; 《미》 (Maryland, Virginia, West Virginia 의) 주의회 하원 의원. ― [-gèit] *vt.* **1** 《+[목]+*to* do/+[목]+[전]+[명]》 대리〔대표〕로 보내다〔파견하다〕, 대리로 내세우다: ~ a person *to* perform a task 일을 수행하기 위해 아무를 파견하다/~ a person *to* a convention 아무를 대표로서 회의에 파견하다. **2** 《+[목]+[전]+[명]》 (권한 등을) 위임하다: ~ authority *to* a person 아무에게 권한〔권능〕을 위임하다. **3** 〖미법률〗 (…에게 채무를) 전부(轉付)하다.

délegated legislátion 〖법률〗 위임 입법《행정 기관이 법률의 위임에 의하여 행하는 입법》.

*****del·e·ga·tion** [dèligéiʃən] *n.* **1** 〔집합적〕 대표단, 파견 위원단. **2** [U] 대표 파견; (직권 등의) 위임; 《미》 각주 선출 국회의원단.

de·le·git·i·mate [dilidʒítəmèit] *vt.* …의 적법성을 부정하다, 비합법화하다, …의 권위를〔위신을〕 실추시키다.

de·le·git·i·ma·tion [dìlidʒitəméiʃən] *n.* 위신〔권위〕의 실추〔저하〕.

de·len·da [diléndə] *n. pl.* 《L.》 삭제할 일〔것〕.

de·lete [dilí:t] *vt.* 삭제하다, 지우다《교정 용어; 「생략: del》.

deléte kèy 〖컴퓨터〗 삭제 키.

del·e·ter·i·ous [dèlitíəriəs] *a.* 심신에 해로운, 유독한. [파] **~·ly** *ad.* **~·ness** *n.*

de·lé·tion *n.* [U,C] 삭제 (부분).

delf(t), delft·ware [delf(t)], [délftwὲər] *n.* [U] 델프트 도자기《네덜란드 Delft 산 도기》.

Del·hi [déli] *n.* 델리《인도 북부의 도시; 영국령 때의 수도 Old Delhi 와 인도 공화국의 수도 New Delhi 로 나뉨》.

Délhi bélly 《속어》 델리 설사《여행자가 인도에서 걸리는 설사》.

deli [déli] (*pl.* ***dél·is***) *n.* 《미 · Austral. 구어》 =DELICATESSEN.

Del·ia [dí:ljə] *n.* 델리아(여자 이름).

*****de·lib·er·ate** [dilíbərət] *a.* **1** 계획적인, 숙고한 뒤의, 고의의. **2** 생각이 깊은, 신중한: take ~ action 신중하게 행동하다. **3** 침착한, 유유한. ― [-líbərèit] *vt.* 《~+[목]/+*wh.* to do/+*wh.* [절]》 잘 생각하다, 숙고하다; …을 심의하다: ~ a question 문제를 잘 생각하다/~ *how to* do it 그것을 하는 방법을 숙고하다/They are *deliberating what* he said. 그들은 그가 말한 것을 검토하고 있다. [SYN] ⇨ THINK. ― *vi.* 《~/+[전]+[명]》 **1** 숙고하다《*on; over*》: ~ *on* what to *do* 무엇을 할 것인가를 잘 생각하다. **2** 심의하다, 협의하다《*on; over*》: ~ with a person *on* 〔*over, upon*〕 the result 결과에 대하여 아무와 검토하다. [파] **~·ness** *n.*

*****de·lib·er·ate·ly** [dilíbərətli] *ad.* 신중히; 유유히; 일부러.

°**de·lib·er·a·tion** [dilìbəréiʃən] *n.* **1** [U] 숙고; [U,C] 협의, 심의, 토의: under ~ 숙고 중/be taken into ~ 심의되다. **2** [U] 신중, 세심; 유장(悠長), 침착: with ~ 신중히.

de·lib·er·a·tive [dilíbərətiv, -réit-/-rət-] *a.* 신중한; 심의의, 토의의; 심의를 위한: a ~ body 〔assembly〕 심의회. [파] **~·ly** *ad.* 숙고한 후에.

de·lib·er·a·tor [dilíbərèitər] *n.* 숙고하는 사람; 심의자.

*****del·i·ca·cy** [délikəsi] *n.* [U] **1** 섬세(함), 정치(精緻), (기계 따위의) 정교함; (취급의) 정밀함. **2** 우미, 우아함. **3** 민감, 예민; (남의 감정에 대한) 동정(심), 격정, (세심한) 마음씨. **4** 부드러움, 얌전함. **5** (문제 따위의) 미묘함, 다루기 힘듦: matters of ~ 신중을 요(要)하는 사건/of extreme ~ 매우 다루기 힘든/a situation of great ~ 매우 미묘한 정세. **6** (신체의) 허약, 가

날픔: ~ of health 병약. **7** [C] 맛있는 것, 진미: all *delicacies* of the season 계절의 온갖 진미 / table *delicacies* 여러 맛있는 음식, 진수성찬. ◇ delicate *a.* ***feel a ~ about*** …을 꺼리다〔스스러워하다〕. ***give a proof of*** one***'s ~ about*** 〔***in***〕 …에 동정심이 있음을 보이다.

⁑**del·i·cate** [délikət] *a.* **1** 섬세한, 우아한, 고운(fine): ~ manners 품위 있는 예의범절.

> [SYN] **delicate** 망그러지기 쉬운 섬세한 느낌을 주는 우미(優美), 화려한 모양을 나타냄. **dainty** 섬세한 느낌의 우미함에는 변함없으나 한층 조촐한 관점을 내포하고 있음. **exquisite** 문학적인 표현. 어느 특정한 우수한 사람에만 알 수 있는 그러한 절묘한 우미 · 섬세함을 나타냄.

2 민감한, 예민한; (남의 감정에 대하여) 세심한, 이해심이 있는, 자상한: a ~ refusal 말을 꺼내기 어려운 거절. **3** (차이 등이) 미묘한(subtle), (취급에) 신중을 요하는: a ~ situation 미묘한 사태, 난처한 입장 / a ~ question 처리하기 어려운 문제 / a ~ difference 〔nuance〕 미묘한 차이〔뉘앙스〕/ a ~ operation (세심한 주의를 요하는) 어려운 수술. **4** (기계 등이) 정밀한, 정교한, 감도(가) 높은: a ~ instrument 정밀한 기구 / ~ embroidery 정교한 자수. **5** (빛 · 향기 · 맛 따위가) 은은한, 부드러운: a ~ hue 은은한 빛깔 / the ~ skin of a baby 아기의 보드라운 피부. **6** 가냘픈; 허약한; (기물 등이) 깨지기 쉬운: a ~ child 허약한 아이 / ~ china 깨지기 쉬운 도자기. **7** 맛있는. ◇ delicacy *n.* ***be in a ~ condition*** 《미속어》 임신 중이다. ***be in ~ health*** 병약하다. [파] **~·ly** *ad.* **~·ness** *n.*

del·i·ca·tes·sen [dèlikətésn] *n. pl.* **1** 〖단수취급〗 조제(調製) 식품점〔식당〕. **2** 〖단수취급〗 조제 식품《요리한 고기 · 샐러드 · 훈제 생선 · 소시지 · 통조림 등》. **3** 《미속어》 탄알, 소총탄(bullets). **4** 《미광고속어》 일터, 작업장.

⁑**de·li·cious** [dilíʃəs] *a.* **1** 맛있는, 맛좋은; 향기로운: a ~ cake 맛있는 케이크. **2** 유쾌한, 즐거운, 기분 좋은: a ~ moment 통쾌한 순간. **—** *n.* (종종 D–) 딜리셔스《미국산 사과의 한 품종》; 그 나무. [파] **~·ly** *ad.* **~·ness** *n.*

de·lict [dilíkt] *n.* 〖법률〗 불법〔위법〕 행위, 범죄. ***in flagrant ~*** 현행범으로.

⁑**de·light** [diláit] *n.* **1** [U] 기쁨, 즐거움. [SYN] ⇨ PLEASURE. ¶ with ~ 기쁘게 / take ~ in music 음악을 즐기다. **2** [C] 기쁨을 주는 것, 즐거운 것: The dance is a ~ to see. 춤은 눈요기가 된다. ***to*** one***'s*** (***great***) ~ (매우) 기쁘게도. **—** *vt.* 매우 기쁘게 하다《*with, by*》; (귀 · 눈을) 즐겁게 하다: ~ the children *with* a story 〔*by* telling them a story〕 아이들에게 이야기를 해주어 즐겁게 하다 / Beautiful pictures ~ the eye. 아름다운 그림은 눈을 즐겁게 한다. **—** *vi.* 《+[전]+[명] / +*to* do》 매우 기뻐하다〔즐기다〕 《*in*》: He ~*s in* (tending) his garden. 뜰가꾸기를 좋아한다 / We ~ *to* serve Jesus. 우리는 예수에 봉사하는 것을 즐거움으로 삼고 있다. [파] **~·some** [-səm] *a.* 《시어 · 문어》 =DELIGHTFUL.

*****de·light·ed** [diláitid] *a.* **1** 아주 기뻐하는《*at; by; with; to* do》: He was much ~ *with* 〔*by*〕 this idea. 그는 이 아이디어에 무척 기뻐했다 / He was ~ *at* the news. 그 소식을 듣고 기뻐했다 / I'm ~ *to* see you. 만나뵈어 반갑습니다. **2** 〖shall 〔will〕 be ~ *to* do의 꼴로〗 기꺼이 …하다: I *shall be* ~ *to* come. 기꺼이 찾아 뵙겠습니다. [파] **~·ly** *ad.* 기뻐하여, 기꺼이. **~·ness** *n.*

⁑**de·light·ful** [diláitfəl] *a.* 매우 기쁜, 즐거운, 매우 유쾌한, 쾌적한; 애교 있는: a ~ room 쾌적한 방. [파] **~·ly** *ad.* **~·ness** *n.*

De·li·lah [diláilə] *n.* **1** 딜라일라《여자 이름》. **2** 〖성서〗 델릴라《Samson 을 배신한 여자》. **3** 〖일반적〗 요부, 배신한 여자.

de·lim·it, de·lim·i·tate [dilímit], [dilímətèit] *vt.* …의 범위〔한계, 경계〕를 정하다. [파] **de·lìm·i·tá·tion** *n.* [U]

de·lím·it·er *n.* 〖컴퓨터〗 구분 문자《자기(磁氣) 테이프 등에서 데이터의 시작〔끝〕을 나타내는 문자〔기호〕》.

de·lin·e·ate [dilínièit] *vt.* (선으로) …의 윤곽을〔약도를〕 그리다; (말로) 묘사〔기술〕하다.

de·lìn·e·á·tion *n.* [U] 묘사; [C] 윤곽; 도형; 설계, 도해; (재봉용) 본; 기술(記述).

de·lin·e·a·tive [dilínièitiv, -ətiv/-ətiv] *a.* 묘사의, 도해의; 서술하는; 묘사하는.

de·lin·e·a·tor [dilínièitər] *n.* 묘사하는 사람; 묘사용 기구; 〖재봉〗 만능본.

de·link [diːlíŋk] *vt.* …을 독립시키다; 별개의 것으로 하다, 떼어놓다, 연계를 끊다. [파] **~·age** *n.*

de·lin·quen·cy [dilíŋkwənsi] *n.* [U] 의무 불이행, 직무 태만; [U,C] 과실, 범죄, (청소년의) 비행; (세금 등의) 체납(금), 연체.

°**de·lin·quent** [dilíŋkwənt] *a.* **1** 의무를 다하지 않는, 직무 태만의, 과실이 있는. **2** 비행(자)의; 비행 소년의; 죄를 범한. **3** 체납되어 있는. **—** *n.* 직무 태만자; 비행자, 《특히》 비행 소년: a juvenile ~ 비행 소년. [파] **~·ly** *ad.*

delínquent sùbculture 〖심리〗 비행성(非行性)저(低)문화《비(非)공리성 · 집단 맹종성 · 찰나적 쾌락주의 등》.

del·i·quesce [dèlikwés] *vi.* 용해〔액화〕하다; 〖화학〗 조해(潮解)하다; 〖식물〗 (잎맥 등이) 분기하다. [파] **dèl·i·qués·cence** [-kwésns] *n.* [U] **dèl·i·qués·cent** [-nt] *a.*

de·lir [dilíər] *vi.* 섬망(譫妄) 상태가 되다.

del·i·ra·tion [dèləréiʃən] *n.* 《드물게》 =DELIRIUM.

de·lir·i·ant [dilíriənt] *a.* 섬망(譫妄) 발생성의. **—** *n.* 헛소리 발생(약).

del·ir·i·fa·cient [dilìrəféiʃənt] *a., n.* =DELIRIANT.

°**de·lir·i·ous** [dilíriəs] *a.* (일시적인) 정신 착란의; 헛소리하는; 광란 상태의; 기뻐서 흥분한〔어쩔줄 모르는〕: be ~ *with* fever 열병으로 헛소리하다 / ~ *with* joy 미칠 듯이 기뻐하여. [파] **~·ly** *ad.* **~·ness** *n.*

°**de·lir·i·um** [dilíriəm] (*pl.* **~s, -lir·ia** [-riə]) *n.* [U] 정신 착란, 헛소리하는 상태; [U,C] 황홀, 광희(狂喜); 망상, 헛소리. ***lapse into ~*** 헛소리를 하다.

delírium tré·mens [-tríːmənz, -menz] 〖의학〗 (알코올 중독에 의한) 섬망증(譫妄症)《생략: d.t.('s), D.T.('s)》.

de·list [diːlíst] *vt.* …을 리스트에서 빼다; 〖증권〗 (어느 종목을) 상장 폐지하다.

del·i·tes·cence [dèlətésəns] *n.* [U] 잠복기〔상태〕; (증상의) 돌연 소멸.

del·i·tes·cent [dèlətésənt] *a.* 《드물게》 잠복해 있는, 잠복기의.

⁑**de·liv·er** [dilívər] *vt.* **1** 《~+[목] / +[목]+[부] / +[목]+[전]+[명]》 인도하다, 교부하다《*up; over; to; into*》: ~ (*up*) a fortress *to* the enemy 요새를 적에게 내어주다 / ~ *over* the house *to* the buyer 매입자에게 가옥을 양도하다. **2** (물품 · 편지를) 배달〔송달〕하다, (전언(傳言) 따위를) 전하다. **3** 《~+[목] / +[목]+[전]+[명]》 (의견을) 말하다; (연설을) 하다: ~ a speech 연설하다 / He ~*ed* himself *of* an anecdote. 그는 일화를 이야기했다. **4** 《~+[목] / +[목]+[전]+[명]》 (공격 · 포격을) 가하다, (타격 등을) 주다; (공을) 던지다(pitch): ~ a blow 일격을 가하다 / The pitcher ~*ed* a fast ball. 투수는 속구를 던졌다 / ~

an attack *against* 〔*on*〕 an enemy 적에게 공격을 가하다. **5** 《+목+전+명》 해방시키다, 구해내다《*from; out of*》: ~ a person *from* danger 아무를 위험에서 구해내다 / *Deliver* us *from* evil. 〖성서〗 우리를 악에서 구하옵소서《주기도문》. **6** 《~+목/+목+전+명》 …에게 분만시키다《*of*》: The doctor ~*ed* triplets yesterday. 의사는 어제 세 쌍둥이를 받았다 / ~ a woman *of* a child 여인에게 분만시키다. **7** 《+목+목/+목+전+명》 《미구어》 (어느 후보자·정당 등을 위하여 표·지지를) 모으다: Let's ~ him all our support. =Let's ~ all our support *to* him. 우리 모두 그를 지지하자. **—** *vi.* 분만하다, 낳다; (상품을) 배달하다; 《미》 잘 해내다. ◇deliverance, delivery *n.* **~ *a jail*** 교도소에서 죄수를 끌어내다《법정으로》. **~ *battle*** 공격하다, 개전하다. **~ one*self to the police*** 경찰에 자수하다. **~ *the goods*** 《구어》 약속〔계약〕을 이행하다; 《미속어》 기대에 어그러지지 않다: He never fails to ~ *the goods*. 그는 반드시 약속을 지킨다.

de·lív·er·a·ble [-rəbəl] *a.* **1** 구조할 수 있는. **2** 교부할 수 있는. **3** 〖군사〗 (미사일 따위가 목표 지점에) 도달 가능한.

◦**de·liv·er·ance** [dilívərəns] *n.* **1** Ⓤ 구출, 구조; 석방, 해방《*from*》. **2** (공식) 의견; 진술; 발표; (배심의) 평결(verdict). **3** 마귀 제거, 액막이.

de·lív·ered *a.* 〖상업〗 …인도의; 배달비 포함의: ~ to order 지정인 인도 / ~ on rail 화차 적하(積荷) 인도.

delívered príce 〖상업〗 인도(引渡) 가격.

de·lív·er·er [-rər] *n.* 구조자; 인도인, 교부자; 배달인.

⁑**de·liv·ery** [dilívəri] *n.* Ⓤ,Ⓒ **1** 인도, 교부; 출하, 납품; (재산 등의) 명도(明渡). **2** 배달; 전달, …편(便): ⇨ EXPRESS 〔GENERAL, SPECIAL〕 DELIVERY / make a ~ of letters 편지를 배달하다 / These goods must be paid on ~. 이 상품은 배달시에 대금을 지불해야 한다. **3** (a ~) 이야기투, 강연(투): a telling ~ 효과적인 이야기투 / a good 〔poor〕 ~ 능란한〔서투른〕 연설. **4** 방출, (화살·탄환 등의) 발사; 투척, 〖야구〗 (투수의) 투구(법); 구타. **5** 구출, 해방. **6** 분만, 해산: an easy 〔a difficult〕 ~ 순산〔난산〕. **7** 〖군사〗 (포격·미사일의 목표 지점) 도달. ***payment on*** **~** 현품 상환 지불. ***take*** **~ *of*** (goods) (물건을) 인수하다. 「년(paperboy).

delívery bòy (상점의) 배달 소년, 신문 배달 소

delívery·man [-mən] (*pl.* ***-men*** [-mən]) *n.* (트럭으로 상품을 배달하는) 배달부.

delívery mònth 〖상업〗 기한 달《정기 내지 선물(先物) 거래를 정산하는 기한》.

delívery nòte (상품 배달) 수령증.

delívery ròom 분만실; 도서 출납실.

delívery trùck 배달용 트럭.

Dell [del] *n.* 델. **1** 남자 또는 여자 이름. **2** 미국의 출판사 Dell Publishing Co. **3** 미국의 컴퓨터 회사 Dell Computer Corp.

dell [del] *n.* 협곡, (수목이 우거진) 작은 골짜기.

Del·la [délə] *n.* 델라《여자 이름》.

Dél·lin·ger phenòmenon [délindʒər-] 〖물리〗 델린저 현상《태양 흑점이 나타나면 생기는 통신 전파의 이상 감쇠 현상》.

del·ly, del·lie [déli] *n.* 《구어》 =DELI.

Del·már·va Península [delmá:rvə-] (the ~) 델마버 반도《미국 동부 Chesapeake 만과 Delaware 만 사이의》. [◂ *Delaware*+*Maryland*+*Virginia*] 「지화.

de·lò·cal·i·zá·tion *n.* 지방성 배제; 비(非)국

de·lo·cal·ize [di:lóukəlàiz] *vt.* 고유의 장소에서 옮기다; 지방 색채를 없애다; 〖물리〗 (전자(電子)를) 특정한 위치에서 분리시키다.

de·louse [di:láus, -láuz] *vt.* …에서 이를 잡다.

Del·phi [délfai] *n.* **1** 델포이《그리스의 옛 도시; 유명한 Apollo 신전이 있었음》. **2** 〖컴퓨터〗 델파이《미국 제너럴 비디오 텍스사가 운영하는 PC 통신 서비스》.

Del·phi·an, -phic [délfiən], [-fik] *a.* Delphi (신탁)의; (뜻이) 모호한; 신비한.

Dèlphic óracle (the ~) Apollo 신전의 신탁《다의(多義) 난해한 신탁으로 유명》.

Del·phine [delfí:n] *n.* 델핀《여자 이름》.

del·phin·i·um [delfíniəm] *n.* 〖식물〗 참제비고깔. 「(the Dolphin).

Del·phi·nus [delfáinəs] *n.* 〖천문〗 돌고래자리

Délphi pòll 델포이식 투표《한 문제에 대하여 두 번 투표 기회가 주어지는 방식》.

Del·phol·o·gy [delfálədʒi/-fɔ́l-] *n.* (특히 과학 기술 분야에서의) 미래 예측 방식의 연구, 미래학 방법론.

◦**del·ta** [déltə] *n.* **1** 그리스 알파벳의 넷째 글자 《Δ, δ; 로마자의 D, d에 해당함》; 시험 성적 제4급의 표시; Δ음. **2** (D-) 글자 d를 나타내는 통신 용어; 〖천문〗 델타성《별자리 중 밝기가 제4위》; 미국의 인공위성 발사용 로켓. **3** Δ자꼴(삼각형, 부채꼴)의 것; 삼각주; 〖수학〗 델타《변수의 증분(增分); 기호Δ》. **4** 《미속어》 소량, 소수; (작은) 변경;증가(량). ⓟ **del·ta·ic** [deltéiik] *a.* 델타의〔같은〕; 삼각형의, 부채 모양의.

délta àgent 델타 인자(因子)《B형 간염 바이러스가 있을 때에 델타형 간염을 일으키는 결손성 RNA 바이러스》.

Délta Áir Línes 델타 항공《미국 항공 회사; 항공 회사 코드: DL》.

Délta blùes 델타 블루스《블루스의 영향을 받은 컨트리 뮤직》. 「線).

délta connèction 〖전기〗 삼각〔델타〕 결선(結

Délta Fórce 《미》 델타 부대《미육군 소속의 테러 대책 특별 부대》.

délta fùnction 〖물리·수학〗 델타 함수. ★ Dirac delta function 이라고도 함.

délta hepatìtis 〖의학〗 =HEPATITIS DELTA.

délta mètal 〖야금〗 델타 메탈《구리·아연·철의 합금》.

délta pàrticle 〖물리〗 델타 입자《기호 Δ》.

délta ràу 〖물리〗 델타선(線).

délta-v́ *n.* 《구어》 가속(acceleration). [◂ *delta*, *velocity*] 「atitis의 원인》.

délta vìrus 〖의학〗 델타 바이러스《delta hep-

délta wàve 〔**rhỳthm**〕 〖생리〗 (뇌파의) 델타파〔리듬〕《깊은 수면 상태를 나타냄》.

délta wìng 〖항공〗 (제트기의) 삼각 날개; 삼각익기(翼機). 「plane.

délta-wìng(ed) *a.* (제트기가) 삼각익의: a ~

del·ti·ol·o·gy [dèltiálədʒi/-ɔ́l-] *n.* Ⓤ 우편엽서 수집(취미).

del·toid [déltɔid] *a.* 삼각형의; 삼각주 모양의. **—** *n.* 삼각근(筋)(=~ **mùscle**).

del·toi·de·us [deltɔ́idiəs] (*pl.* ***-dei*** [-diai]) *n.* =DELTOID.

◦**de·lude** [dilú:d] *vt.* 《~+목/+목+전+명》 **1** 미혹시키다; 속이다; 속이어 …시키다: ~ a person *into* belief 〔believ*ing* that ...〕 아무를 속여 …라고 믿게 만들다. **2** 《~ oneself》 잘못 생각하다, 착각하다《*with; into*》: She ~*d* herself *with* false hopes. 그녀는 잘못된 희망을 품었다. ◇delusion *n.*

◦**del·uge** [délju:dʒ/délju:dʒ] *n.* **1** 대홍수, 큰물; 호우; 범람; (the D-) 〖성서〗 Noah 의 홍수《창세기 VII》: The rain turned to a ~. 비는

호우로 변했다. **2** (흔히 a ~) (편지·방문객 등의) 쇄도(*of*): a ~ *of* mail 쇄도하는 우편물. ***After me*** 〔***us***〕 ***the*** ~. 나〔우리〕 사후에야 홍수 나면 나라지; 나중 일이야 내 알 게 뭐냐. — *vt.* **1** …에 범람하다, 침수시키다. **2** (+목+전+명) 〖보통 수동태〗 …에 쇄도하다: *be ~d with* applications 〔letters〕 신청이〔편지가〕 쇄도하다.

de·lurk [dilə́ːrk] *vi.* 〖컴퓨터〗 읽기 전용 상태를 벗어나다.

◇**de·lu·sion** [dilúːʒən] *n.* **1** Ⓤ 미혹, 기만. **2** Ⓤ,Ⓒ 혹함, 잘못, 미망(迷妄); 잘못된 생각; 망상: ~*s* of grandeur 〔importance〕 과대 망상 / ~*s* of persecution 피해 망상. ◇ delude *v.* ***be*** 〔***labor***〕 ***under a*** ~ 망상에 사로잡혀 있다. ㊥ **~·al** [-ʒənəl] *a.* 망상적인. **~·àry** *a.*

de·lu·sive [dilúːsiv] *a.* 미혹시키는; 기만의; 그릇된; 망상적인. ㊥ **~·ly** *ad.* **~·ness** *n.*

de·lu·so·ry [dilúːsəri] *a.* =DELUSIVE.

de·lus·ter [dilʌ́stər] *vt.* 〖섬유〗 …의 광택을 없애다. ㊥ **~·ant** *n.* 광택 제거제.

de·luxe, de luxe [dəlʌ́ks, -lúks] *a.* (F.) 딜럭스한, 호화로운: a ~ edition (of a book) 호화판 / a hotel ~ 고급 호텔 / articles ~ 사치품. — *ad.* 호화롭게.

delve [delv] *vt., vi.* (정보를 얻기 위해 과거·기록·자료 따위를) 철저히 조사하다, 탐구하다, 정사(精査)하다(*into*); (고어·시어) (가래로) 파다(dig); (동물이) 깊게 구멍을 파다; (길 따위가) 움푹 패다; (서랍·주머니 따위를 뒤져서) 찾다; (보물·비밀을) 찾아내다(*out; up*): ~ *into* the past 과거를 철저히 조사하다 / ~ *into* one's pocket for one's handkerchief 주머니 속을 뒤져 손수건을 찾다. — *n.* 팜; (고어) 동굴(den), 움푹 들어간 데〔땅〕. ㊥ **délv·er** *n.* 탐구자; 파는 사람.

dely., delvy. delivery.

Dem [dem] *n.* (미구어) 민주당원(Democrat).

Dem. (미) Democrat; Democratic.

de·màg·net·i·zá·tion *n.* Ⓤ 소자(消磁), 멸자(滅磁); (자기(磁氣) 테이프의) 소음(消音).

de·mag·net·ize [diːmǽgnətàiz] *vt.* …의 자성(磁性)을 없애다; (자기 테이프의) 녹음을 지우다. ㊥ **-iz·er** *n.* 소자(消磁) 장치.

de·mag·ni·fy [diːmǽgnəfài] *vt.* (영상(映像)·전자빔 등을) 축소하다, 마이크로화(化)하다.

dem·a·gog [déməgɑ̀g, -gɔ̀ːg/-gɔ̀g] *n.* (미) =DEMAGOGUE.

dem·a·gog·ic, -i·cal [dèməgɑ́dʒik, -gɑ́gik/-gɔ́gik, -gɔ́dʒik], [-əl] *a.* 민중 선동가의〔같은〕; 선동적인.

dem·a·gogue [déməgɑ̀g, -gɔ̀ːg/-gɔ̀g] *n.* (민중) 선동자; 선동 정치가; (옛날의) 민중의 지도자. — *vi.* ~로서 행동하다; (말·연설 등을) 과장해서 말하다. ㊥ **dém·a·gògu·ery** [-əri], **dém·a·gòg·ism** *n.* Ⓤ (민중) 선동; 선동 행위.

dem·a·gogy [déməgòudʒi, -gɔ̀ːdʒi, -gɑ̀dʒi/-gɔ̀gi, -gɔ̀dʒi] *n.* **1** Ⓤ 민중 선동(책). **2** 〖집합적〗 민중 선동자(의 무리).

de-man [diːmǽn] *vi., vt.* (영) 감원〔해고, 면직〕하다; (미) …의 사내다움을 없애다.

de·mand [dimǽnd, -mɑ́ːnd/-mɑ́ːnd] *vt.* **1** (~+목/+목+전+명/+*to* do/+*that* 절) 요구하다, 청구하다: ~ a thing *from* 〔*of*〕 a person 아무에게 무엇을 요구하다 / I ~ *to* know why he had done it. 그가 왜 그걸 했는지 알고 싶다 / He ~*ed that* I (should) help him. 그는 나에게 도와달라고 요구했다. ★ demand 는 사람을 목적어로 삼지 않으며, (+목+*to* do)의 형태로는 쓰지 않음. 곧, 위의 용례에서 that 절 대신 He ~*ed* me *to* help him. 이라고는 쓰지 않음.

SYN. **demand** 고압적으로 요구하다: *demand* an explanation 설명을 요구하다. **claim** 당연히 자기의 것으로서 요구하다: *claim* compensation money 보상금을 요구하다. **require** 필요해서 요구하다. 수동태를 쓰거나 또는 사람 이외의 것이 주어로 되는 일이 많음: Your presence is *required*. 꼭 참석해 주기를 바랍니다.

2 (사물이) …을 요하다, 필요로 하다: This work ~*s* (a) great care. 이 일은 극히 주의를 요한다. **3** (권위를 갖고) 묻다, 힐문하다, 말하라고 다그치다: ~ a person's business (아무에게) 무슨 용건인가 묻다 / The policeman ~*ed* my name and address. 경찰관은 내 이름과 주소를 대라고 다그쳤다. SYN. ⇨ ASK. **4** 〖법률〗 소환하다, …에게 출두를 명하다. — *vi.* 요구하다; 묻다; 힐문(詰問)하다.

— *n.* **1** 요구, 청구(*for; on*); (보통 *pl.*) 요구 사항, 필요 사항〔요건〕: a ~ *for* higher wages 임금 인상의 요구 / I have many ~*s upon* my time. 여러 모로 시간을 빼앗기는 일이 많다, 매우 바쁘다 / I have a ~ *to* make *of* him. 그에게 요구하고 싶은 것이 있다. **2** Ⓤ 〖경제〗 수요, 판로(*for; on*); 수요액〔량〕: laws of supply and ~ 수요 공급의 법칙 / meet public ~ 대중의 수요에 부응하다. **3** 문의, 조회. ***be in*** ~ 수요가 있다, 잘 팔린다: This type of machine *is* much *in* ~. 이런 종류의 기계가 잘 팔린다. ***make great ~s on*** a person (일 따위가) 아무에게 대단한 시간〔노력〕이 필요하게 하다. ***on*** ~ 요구〔수요〕가 있는 대로.

㊥ **~·a·ble** *a.* 요구〔청구〕할 수 있는. **~·er** *n.* 요구〔청구〕자.

de·mand·ant [dimǽndənt, -mɑ́ːnd-/-mɑ́ːnd-] *n.* 〖법률〗 원고; 요구자.

demánd bìll 〔**dràft**〕 일람 출급 어음((미) sight draft).

demánd bùs 디맨드 버스(정해진 노선이 없이, 일정 구역내의 이용자로부터 (전화 등의) 요청에 의해 손님을 태우러 오는 버스).

demánd cùrve 〖경제〗 수요 곡선. cf. supply curve.

demánd depòsit 요구불 예금, 당좌 예금. cf. time deposit.

de·man·deur [F. dəmɑ̃dœːʀ] *n.* (F.) 원고(原告).

demánd-drìven *a.* 〖경제〗 수요 주도형의; 〖컴퓨터〗 요구 구동형(驅動型)의 (어떤 명령의 결과가 필요할 때 그 명령을 실행하도록 제어하는).

demánd fèeding 자율 수유(授乳) (시간이나 양을 정하지 않고 아기에게 젖을 먹이는 일).

demánd inflátion =DEMAND-PULL INFLATION.

de·mánd·ing *a.* (사람이) 너무 많은〔지나친〕 요구를 하는, 주문이 벅찬(exacting); (일이) 힘든, 벅찬.

demánd lòan =CALL LOAN.

demánd mánagement 〖경제〗 (실업이나 인플레이션을 피하기 위한) 수요 관리 정책(케인스 학파가 제창한 경기 안정책).

demánd nòte 일람(一覽)출급 약속 어음; (영) 청구서.

demánd-óriented [-id] *a.* 〖경제〗 수요에 중점을 둔.

demánd-pull (**inflátion**) 〖경제〗 수요 과잉 인플레이션.

demánd-side económics 수요 중시(重視)의 경제학. cf. supply-side economics.

de-Mao·i·za·tion, de-Mao·i·fi·ca·tion [diːmàuaizéiʃən], [-əfəkéiʃən] *n.* 비마오(非毛)(쩌둥)화(化), 탈(脫)마오(쩌둥)화.

de·mar·cate [dimɑ́ːrkeit, díːmɑːrkèit/díːmɑːkèit] *vt.* 경계를 정하다; 한정〔구분〕하다, …을 분리하다, 구별하다.
de·mar·ca·tion, -ka- [dìːmɑːrkéiʃən] *n.* Ⓤ **1** 경계 설정; 경계(선): a line of ~ 경계선. **2** 한계, 구획; 구분. **3** 〖노동〗 관할. ***military ~ line*** 군사 분계선.
dé·marche [deimɑ́ːrʃ, di-] *n.* 《F.》 수단, 조처, 대책; 〖외교〗 전환책(策), 신정책.
de·mark [diːmɑ́ːrk] *vt.* =DEMARCATE.
de·mar·ket·ing [diːmɑ́ːrkitiŋ] *n.* 반(反)마케팅《(자사(自社) 제품의) 수요 억제를 위한 선전 활동; 과다한 흡연의 경고 따위》.
de·mas·cu·lin·ize [diːmǽskjulənàiz] *vt.* …의 남성다움을 없애다.
de·ma·te·ri·al·ize [dìːmətíəriəlàiz] *vt.*, *vi.* 비물질화하다; 보이지 않게 하다〔되다〕.
deme [diːm] *n.* (현대 그리스의) 지방 자치제; (고대 그리스의) 도시; 〖생물〗 개체군에 중점을 두는 분류학상의 단위.
de·mean[1] [dimíːn] *vt.* 《드물게》 품위를〔신분을〕 떨어뜨리다, 천하게 하다: Don't ~ yourself by answering him. 그에게 대답함으로써 네 품위를 떨어뜨리지 마라.
de·mean[2] *vt.* 〖~ oneself〗 행동〔처신〕하다 (behave): ~ one*self* well 〔ill, like a man〕 훌륭하게〔잘못, 남자답게〕 처신하다.
◇**de·mean·or,** 《영》 **-our** [dimíːnər] *n.* Ⓤ 태도, 표정; 품행, 행실: assume a haughty ~ 거만한 태도를 취하다.
de·ment [dimént] *vt.* 《드물게》 발광케 하다.
de·ment·ed [-id] *a.* 발광한, 정신 착란 상태의; 《미속어》 (프로그램이) 이상한, 쓸모없는. ㊞ **~·ly** *ad.* **~·ness** *n.*
dé·men·ti [deimɑ́ːnti] *n.* 《F.》 〖외교〗 (풍설(風說)에 대한 당국의) 공식 부인.
de·men·tia [diménʃiə] *n.* Ⓤ 〖의학〗 치매(癡呆): senile ~ 노인성 치매증. ㊞ **-tial** *a.*
deméntia práe·cox 〔**pré·cox**〕 [-príːkɑks/-kɔks] 조발성(早發性) 치매《정신 분열증(schizophrenia)의 고칭(古稱)》.
dem·e·rara [dèmərɑ́ːrə, -réərə] *n.* 사탕수수에서 얻는 엷은 갈색의 조당(粗糖).
de·merg·er [dimə́ːrdʒər] *vt.*, *vi.* (사업부 · 자회사 따위) 본사에서 분리하다〔되다〕.
de·mer·it [diːmérit] *n.* 결점, 결함, 단점; (학교의) 벌점(=∠ **màrk**); (보통 *pl.*) 《폐어》 과실, 죄과. [opp.] *merit*. ¶ the merits and ~s 장점과 단점; 상벌.
Dem·er·ol [démərɔ̀ːl, -rɑ̀l/-rɔ̀l] *n.* 〖약학〗 데메롤《meperidine의 상표명》.
de·mer·sal [dimə́ːrsəl] *a.* 〖동물〗 해저〔호저〕(부근)의〔에 사는〕: ~ fish 저생어(底生魚).
de·mes·mer·ize [dimézməràiz, -més-/-méz-] *vt.* …의 최면 상태를 풀다, 각성시키다, 깨어나게 하다.
de·mesne [diméin, -míːn] *n.* Ⓤ 〖법률〗 토지의 점유; Ⓒ 점유지; 영지, 장원; (국가의) 영토; (활동 · 관심 등의) 범위, 영역, 분야: a royal ~ 《영》 왕실 소유지(a ~ of the Crown)/a State ~ 국유지/hold land in ~ (소유자가) 토지를 점유하다.
De·me·ter [dimíːtər] *n.* 〖그리스신화〗 데메테르《농업 · 풍요(豊饒) · 결혼의 여신》. [cf.] Ceres.
De·me·tri·us [dimíːtriəs] *n.* 남자 이름.
de·mi- [démi] *pref.* '반(半)…, 부분적 …'의 뜻.
dem·i·god [démigɑ̀d/-gɔ̀d] (*fem.* ***~·dess*** [-is]) *n.* 반신 반인(半神半人); 소신(小神); 숭배받는 인물; 신격화된 영웅.
dem·i·john [démidʒɑ̀n/-dʒɔ̀n] *n.* 채롱에 든 목이 가는 큰 병.
de·mìl·i·ta·ri·zá·tion *n.* Ⓤ 비군사화, 비무장화.
de·mil·i·ta·rize [diːmílətəràiz] *vt.* 비군사〔비무장〕화(化)하다; 군정(軍政)에서 민정(民政)으로 이양하다.
demílitarized zóne 비무장 지대《생략: D.M.Z.》.

demijohn

dem·i·lune [démilùːn] *n.* **1** 반달. **2** 〖축성(築城)〗 반월보(半月堡).
dem·i-mini [démimìni] *a.*, *n.* 초미니의 (스커트 · 드레스), 초미니 스커트의.
dem·i·mon·daine [dèmimandéin/-mɔn-] *n.* 《F.》 화류계 여자, 몸파는 여자; 첩.
dem·i·monde [démimɑ̀nd/ㅗ-mɔ́nd] *n.* 《F.》 (the ~) 〖집합적〗 화류계 여자, 화류계.
de·mine [diːmáin] *vt.* 지뢰를 제거하다. ㊞ **de·mín·er** *n.* 지뢰 제거자〔병〕.
de·min·er·al·ize [diːmínərəlàiz] *vt.* …에서 광물질을 제거하다, 탈염(脫塩)하다: ~*d* water 탈염〔탈(脫)이온〕수.
de·mi-pen·sion [*F.* dəmipɑ̃sjɔ̃] *n.* 《F.》 **1** (하숙 · 호텔 등의) 1박 2식제(《영》 half board); 그 요금. **2** =MODIFIED AMERICAN PLAN.
dem·i·rep [démirèp] *n.* =DEMIMONDAINE.
de·mis [démiːz] *n.* 《속어》 =DEMEROL.
de·mís·a·ble *a.* 양도할 수 있는.
demi·sai·son [*F.* dəmisɛzɔ̃] *n.* 《F.》 **1** (남녀의) 만남의 계절 (봄 · 가을 등); 이 때에 입는 옷.
de·mise [dimáiz] *n.* **1 a** 붕어, 서거, 사망. **b** 소멸, 종언; (활동의) 종지. **2** 〖법률〗 (유언 · 임대차 계약에 의한) 권리 양도〔설정〕; 〖정치〗 (사망 · 퇴위 등에 의한) 통치권〔왕위〕의 이전〔위양〕. ── *vt.* 〖법률〗 (재산권을) 임대〔유증〕하다;(통치권을) 옮기다〔넘기다〕. ── *vi.* 통치권〔왕위〕 계승을 하다; (재산 등이) 상속〔유증〕에 의해 옮겨가다.
démi·sèason *a.* 만남의 계절인〔의〕, 만남을 위한, 만남의. 「[cf.] bare boat.
demíse chàrter 〖해사〗 나용선(裸傭船) 계약.
démi·sémiquaver *n.* 《영》 〖음악〗 32 분음표(《미》 thirty-second note). 「《고어》 해임.
de·mis·sion [dimíʃən] *n.* Ⓤ,Ⓒ 사직, 퇴직;
de·mist [diːmíst] *vt.* 《영》 (차의 창유리 등에서) 흐림을〔서리를〕 제거하다. ㊞ **~·er** *n.* 《영》 ~하는 장치(defroster).
de·mit [dimít] (*-tt-*) *vi.*, *vt.* 《영》 (직을) 그만두다, 사직하다; 해임〔해고〕시키다.
dem·i·tasse [démitæ̀s, -tɑ̀ːs] *n.* 작은 찻종《식후에 나오는 블랙커피용의》. 「림 (부분).
dem·i·tint [démitìnt] *n.* Ⓤ,Ⓒ 〖미술〗 간색, 바
démi·tòilet *n.* 약식 정장(正裝)〔예장〕.
dem·i·urge [démiə̀ːrdʒ/démi-, díːmi-] *n.* (플라톤 철학의) 세계 형성자, 조물주. ㊞ **dem·i·ur·gic** [dèmiə́ːrdʒik] *a.* (신보다는 열등한) 조물주의.
de·mi-vi·erge [dèmiviéərʒ] *n.* 《F.》 반(半)처녀《성교는 하지 않으나 외설담이나 페팅을 즐기는 처녀》(=**half virgin**).
dem·i·volt, -volte [démivòult] *n.* Ⓤ 〖승마〗 (말이 앞발을 들고) 반회전하게 함.
dem·i·world [démiwə̀ːrld] *n.* (the ~) 화류계(demimonde). 「원(Democrat).
Demo [démou] (*pl.* **~*s***) *n.* 《미구어》 민주당
demo (*pl.* **~*s***) *n.* 《구어》 **1** 데모; 데모 참가자. **2**시청(試聽)용 음반〔테이프〕; 실물 선전용 제품(demonstrator). **3** 《미》 파괴〔폭파〕 작업대원.
de·mo- [díːmou, démou, -mə], **dem-** [diːm] '민중, 인민'의 뜻의 결합사.
de·mob [diːmɑ́b/-mɔ́b] 《구어》 *n.* =DEMOBI-

LIZATION. ── (-*bb*-) *vt.* =DEMOBILIZE. 「대 해산.
de·mò·bi·li·zá·tion *n.* [U] 복원, 동원 해제, 부
de·mo·bi·lize [diːmóubəlàiz] *vt.* 〚군사〛 복원(復員)〔제대〕시키다; 부대를 해산하다.
Dem·o·chris·tian [déməkrístʃən] *n.* (유럽의) 기독교 민주당원.
⁑**de·moc·ra·cy** [dimákrəsi/-mɔ́k-] *n.* **1** [U] 민주주의; 민주정치〔정체〕, 사회적 평등, 민주제. **2** 민주국가〔사회〕. **3** (D-) 《미》 민주당. **4** (the ~) (특권 계급에 대하여) 평민 계급, 서민.
*__dem·o·crat__ [déməkræ̀t] *n.* 민주주의자; 민주정체론자; (D-) 《미》 민주당원([cf] Republican): the *Democrats* 민주당.
⁑**dem·o·crat·ic** [dèməkrǽtik] *a.* **1** 민주주의의; 민주정체의. **2** 민주적인, 사회적 평등의; 서민〔대중〕의: ~ art 대중〔민중〕 예술. **3** (D-) 《미》 민주당의 ([cf] Republican). [파] **-i·cal·ly** *ad.* 민주적〔평민적〕으로.
democrátic céntralìsm (공산주의의) 민주적 중앙주권제도〔주의〕, 민주 집중제.
Democrátic Léft (the ~) 민주주의 좌익《영국 공산당이 1991년에 개명》.
Democrátic Párty (the ~) 《미》 민주당. [cf] Republican Party.
Democrátic-Repúblican Párty (the ~) 〚미국사〛 (19세기초의) 민주 공화당《현 민주당의 전신》.
de·moc·ra·tism [dimákrətìzəm/-mɔ́k-] *n.* [U] 민주주의 (이론, 제도), 민주 정치.
de·mòc·ra·ti·zá·tion *n.* [U] 민주화.
de·moc·ra·tize [dimákrətàiz/-mɔ́k-] *vt., vi.* 민주화하다, 민주적으로 하다. [파] **-tiz·er** *n.*
De·moc·ri·tus [dimákritəs/-mɔ́k-] *n.* 데모크리토스《그리스의 철학자; 460?-370? B.C.》.
dé·mo·dé [dèimɔːdéi] *a.* 《F.》 =DEMODED.
dem·o·déc·tic mánge [dèmədéktik-] 〚수의〛 모낭충(毛囊蟲)〔모낭성〕 개선(疥癬).
de·mod·ed [dimóudid] *a.* 유행에 뒤진, 낡은, 구식의.
de·mod·u·late [diːmádʒulèit/-mɔ́dju-, -dʒu-] *vt.* 〚통신〛 복조(復調)하다, 검파(檢波)하다. [파] **-là·tor** *n.* 〚통신〛 복조기; 검파기.
de·mod·u·la·tion [diːmàdʒuléiʃən/-mɔ̀dju-, -dʒu-] *n.* 〚통신〛 복조(復調), 검파(檢波) (detection).
De·mo·gor·gon [diːməgɔ́ːrgən, dèmə-] *n.* (고대 신화의) 마왕, 마신(魔神).
de·mog·ra·pher [dimágrəfər/diːmɔ́g-] *n.* 인구 통계학자.
de·mo·graph·ic [dèməgrǽfik, diːmə-] *a.* 인구학〔인구 통계학〕의.
demográphic characterístics 〚출판〛 (성별·연령·가족 구성 등에 의한 잡지 독자의) 인구 통계적 특성.
demográphic edítion 〚출판〛 한 잡지에서 공통의 인구 통계적 특성을 지닌 독자층별 판《기사는 같고 광고의 일부가 다른 경우가 많음》.
dè·mo·gráph·ics *n. pl.* 실태적인 인구 통계《특히 평균 연령, 수입, 교육 수준 등을 분석한 통계 데이터》.
demográphic segmentátion (마케팅에서) 인구통계학적 세분화《인구통계학적 변수로 시장을 그룹으로 나눔》.
demográphic transítion 인구학적 천이(遷移)《출생률·사망률의 주된 변화》.
de·mog·ra·phy [dimágrəfi/-mɔ́g-] *n.* [U] 인구(통계)학.
dem·oi·selle [dèmwəzél] *n.* 《F.》 =DAMSEL; 〚조류〛 두루미의 일종; 〚곤충〛 기생잠자리.
°**de·mol·ish** [dimáliʃ/-mɔ́l-] *vt.* **1** (건물 따위를) 부수다, 폭파〔분쇄〕하다; (계획·제도·지론 따위를) 뒤엎다. **2** 《우스개》 (음식물을) 다 먹어치우다. [파] **~·er** *n.* **~·ment** *n.* =DEMOLITION.
dem·o·li·tion [dèməlíʃən, dìː-] *n.* [U] 해체, 파괴; 폭파; 분쇄, (특권 따위의) 타파; (*pl.*) 폐허; (*pl.*) (전쟁용의) 폭약.
demolítion bòmb 〚군사〛 파괴용 폭탄.
demolítion dérby 자동차 파괴 경기, 스턴트카레이스《고물 자동차를 서로 박치기 하여, 주행 가능한 마지막 한 대가 우승》.
demolítion jòb 《영구어》 대승, 완승, 낙승.
°**de·mon, dae-** [díːmən] (*fem.* ***de·mon·ess*** [-is, -es]) *n.* **1** 악마, 귀신, 사신(邪神). **2** 《해커속어》 어떤 조건이 충족된 경우에 실행에 옮겨지는 컴퓨터 프로그램의 일부《인공 지능의 분야에서 잘 쓰임》. **3** 극악인, 악의 화신《*of*》: the ~ *of* jealousy 질투의 화신. **4** (보통 dae-) 〚그리스신화〛 다이몬《신과 인간 사이의 초자연적 존재》; 수호신. **5** 비범한 사람, 명인《*for; at*》: a ~ *at* golf 골프의 명수 / He is a ~ *for* work. 그는 일하는 데는 귀신이다. **6** 《Austral.구어》 (사복) 경관, 형사. ── *a.* =DEMONIAC.
demon. 〚문법〛 demonstrative.
de·mon·e·ta·rize [diːmánətəràiz, -mʌ́n-/-mʌ́n-] *vt.* 화폐의 자격을 박탈하다(demonetize). [파] **de·mòn·e·ta·ri·zá·tion** *n.*
de·mòn·e·ti·zá·tion *n.* [U] (본위 화폐로서의) 통용 폐지, 폐화(廢貨).
de·mon·e·tize [diːmánətàiz, -mʌ́n-/-mʌ́n-] *vt.* 화폐의 자격을 박탈하다; 통화〔우표〕로서의 사용을 폐지하다.
de·mo·ni·ac [dimóuniæ̀k, dìːmənáiæk/dimóuniæ̀k] *a.* 악마의; 악마와 같은; 귀신들린, 광란의; 흉악한. ◇ demon *n.* ── *n.* 귀신들린 사람; 미치광이.
de·mo·ni·a·cal [dìːmənáiəkəl] *a.* =DEMONIAC. [파] **~·ly** *ad.* 「같은(demoniac).
de·mo·ni·an [dimóuniən] *a.* 악마의, 악마와
de·mon·ic [dimánik/-mɔ́n-] *a.* 악마의; 악마와 같은; 마력을 지닌, 천재적인.
de·mon·ism [díːmənìzəm] *n.* [U] 귀신 숭배; 사신교(邪神教); 귀신학(學). [파] **-ist** *n.*
de·mon·ize [díːmənàiz] *vt.* …을 악마화하다, 악마 같게 하다; …을 악마〔귀신〕 들리게 하다. [파] **dè·mon·i·zá·tion** *n.* 「합사.
de·mon·o- [díːmənou, -nə] '귀신'의 뜻의 결
de·mon·oc·ra·cy [dìːmənákrəsi/-nɔ́k-] *n.* [U] 마신(魔神)〔귀신〕의 지배.
de·mon·og·ra·phy [dìːmənágrəfi/-nɔ́g-] *n.* 악령〔악마〕학. [파] **~·pher** *n.*
de·mon·ol·a·try [dìːmənálətri/-nɔ́l-] *n.* [U] 귀신〔마귀〕 숭배.
de·mon·ol·o·gy [dìːmənálədʒi/-nɔ́l-] *n.* [U] 귀신학〔론〕, 악마 연구〔신앙〕. [파] **-gist** *n.*
de·mon·o·pho·bia [dìːmənəfóubiə] *n.* 귀신 공포(증).
de·mòn·stra·bíl·i·ty *n.* [U] 논증〔증명〕 가능성.
de·mon·stra·ble [dimánstrəbəl, démən-/dimɔ́n-, démən-] *a.* 논증〔증명, 명시〕할 수 있는; 명백한. [파] **-bly** *ad.*
de·mon·strant [dimánstrənt/-mɔ́n-] *n.* =DEMONSTRATOR.
⁑**de·mon·strate** [démənstrèit] *vt.* **1** 《~+[목] /+*that* [절] /+*wh.* [절]》 증명하다, 논증하다, (사물이) …의 증거가 되다; (모형·실험에 의해) 설명하다; (기술을) 시범 교수하다: This ~*s* his integrity. 이것이 그의 정직함을 증명한다 / How can you ~ *that* the earth is round? 지구가 둥글다는 것을 어떻게 증명할 수 있는가 / He ~*d how* the computer worked. 그는 그 컴퓨터가

어떻게 작동하는가를 실제로 조작해 보였다. **2** (상품을) 실물 선전하다: ~ the new car 새 차를 실물로 선전하다. **3** (감정·의사 등을) 밖으로 나타내다, 드러내다: We ~*d* our approval by loud applause. 큰 박수로 찬성을 표시했다.

— *vi.* **1** (~/+[전]+[명]) 시위 운동을 하다, 데모를 하다(*against; for*): They ~*d against* the government's nuclear policy. 그들은 정부의 핵정책에 반대하여 시위를 하였다 / They are *demonstrating for* a 15 percent wage rise. 그들은 15%의 임금 인상을 요구하며 시위를 하고 있다. **2** 〖군사〗 (위협·견제를 위해) 군사력을 과시하다, 양동(陽動) 작전을 하다. **3** 실례(實例)를 들어 가르치다〔설명하다〕.

⁑dem·on·stra·tion [dèmənstréiʃən] *n.* [U,C] **1** 증명; 논증; 증거. [SYN.] ⇨ PROOF. **2** 실물 교수〔설명〕, 시범, 실연, (상품의) 실물 선전. **3** (감정의) 표현. **4** 데모, 시위 운동; 〖군사〗 (군사력) 과시, 양동 (작전). ***to*** **~** 결정적으로, 명확하게: It is clear *to* ~ that you are mad. 네가 미쳤다는 건 명백하다. [파] **~·al** *a.* 시위의. **~·ist** *n.*

demonstrátion cìty (도시 재개발의 기법과 이점을 실물 선전하기 위한) 모델 도시, 실증 도시.

demonstrátion mòdel 전시(필)(展示(畢)) 제품, 견본품(판매점에서 전시를 끝낸 후에 할인 판매하는 제품).

***de·mon·stra·tive** [dimánstrətiv/-mɔ́n-] *a.* **1** 감정을 노골적으로 나타내는, 심정을 토로하는. **2** 명시하는; 설명적인; 증명하는. **3** 논증적인; 확정적인; 시위적인. **4** 〖문법〗 지시의: a ~ pronoun 〔adverb〕 지시 대명사〔부사〕. — *n.* 〖문법〗 지시사(this, that 따위). [파] **~·ly** *ad.* 입증〔논증〕적으로; 감정을 드러내어; 지시적으로. **~·ness** *n.*

de·mon·stra·tor [démənstrèitər] *n.* 논증자; (실기·실험 과목의) 시범 교수자〔조수〕; (상품·기기(機器)의) 실지 설명자, 실물 선전원; 실물 선전용의 제품〔모델〕(자동차 따위); 시위 운동자, 데모 참가자.

de·mòr·al·i·zá·tion *n.* [U] **1** 풍기 문란, 타락, 퇴폐. **2** 사기 저하; 혼란.

de·mor·al·ize [dimɔ́ːrəlàiz, -már-/-mɔ́r-] *vt.* …의 풍기를 문란케 하다, 타락시키다; 사기를 저하시키다; (시장 등을) 혼란시키다.

démo rèel 〖광고〗 = SAMPLE REEL.

de mor·tu·is nil ni·si bo·num [deimɔ́ːrtuìːs-nìːl-nìsi-bɔ́ːnùm] (L.) 죽은 사람에게 채찍질 마라.

de·mos [díːmɑs/-mɔs] (*pl.* **~·es, *de·mi*** [díːmai]) *n.* (*or* D-) [U] (고대 그리스의) 시민, 평민, 민중, 대중.

De·mos·the·nes [dimásθənìːz/-mɔ́s-] *n.* 데모스테네스(그리스의 웅변가; 384?-322 B.C.). [파] **De·mos·then·ic** [dimasθénik, dìː-] *a.* ~와 같은; 애국적 열변의.

de·mote [dimóut] *vt.* …의 지위를〔계급을〕 떨어뜨리다(*to*), 강등시키다. [opp.] *promote.* [파] **de·mót·ed** [-id] *a.* 강등된.

de·moth·ball [diːmɔ́ːθbɔ̀ːl, -máθ-/-mɔ́θ-] *vt.* (전투에 사용키 위해 군함을) 현역에 복귀시키다.

de·mot·ic [dimátik/-mɔ́t-] *a.* 민중의, 통속적인(popular); (옛 이집트의) 민용(民用) 문자의. [cf.] hieratic. — *n.* (D-) [U] 현대 그리스어.

de·mót·ics *n. pl.* 〔단수취급〕 민중과 사회의 연구, 민중학.

de·mó·tion *n.* [U] 좌천, 강등, 격하. [opp.] *promotion.*

de·mo·ti·vate [diːmóutəvèit] *vt.* …에게 동기를 잃게 하다, (아무)의 의욕을 잃게 하다. [파] **de·mo·ti·vá·tion** *n.* 의기 저상.

de·mount [diːmáunt] *vt.* (대(臺) 따위에서) 떼어내다, (기계를) 분해하다. [파] **~·a·ble** *a.* 떼어낼 수 있는; 해체 가능한.

de·mul·cent [dimʌ́lsənt] 〖의학〗 *a.* 완화하는, 진통(鎭痛)의. — *n.* 완화제, 진통제.

de·mul·ti·plex·er [dimʌ́ltəplèksər] *n.* 〖컴퓨터〗 디멀티플렉서(단일회선의 디지털 정보를 다른 여러 회선에 전달해 주는 논리 회로).

de·mur [dimə́ːr] (-*rr*-) *vi.* **1** (+[전]+[명]) 이의를 말하다, 반대하다(*to; at; about*): ~ *to* a demand 요구에 반대하다. **2** 〖법률〗 항변하다. ◇ demurrer *n.* — *n.* [U] 이의 (신청), 반대: make no ~ 이의를 제기하지 않다 / without 〔with no〕 ~ 이의 없이.

◇de·mure [dimjúər] (***-mur·er; -est***) *a.* 새침떼는, 점잔빼는; 진지한, 근직(謹直)한; 침착한; 예절 바른. [파] **~·ly** *ad.* **~·ness** *n.*

de·mur·ra·ble [dimə́ːrəbəl] *a.* 〖법률〗 항변할 수 있는, 이의를 말할 수 있는.

de·mur·rage [dimə́ːridʒ/-mʌ́r-] *n.* [U] (배의) 초과 정박; 체선료(滯船料)(정박 일수 초과에 따라 더 무는); 화차 유치료(留置料).

de·mur·ral [dimə́ːrəl/-mʌ́r-] *n.* [U] 이의 신청 (demur); 항변.

de·mur·rant [dimə́ːrənt/-mʌ́r-] *n.* 〖법률〗 이의 신청자.

de·mur·rer [dimə́ːrər] *n.* 〖법률〗 **1** 방소(妨訴) 항변, 항변; 이의 신청, 반대. **2** 항변자, 이의 신청자. ◇ demur *v.* ***put in a*** **~** 이의를 신청하다.

de·my [dimái] *n.* [U] 디마이판(判)((영) 인쇄용지의 사이즈 17 1/2×22 1/2 인치; 필기용은 (미) 16×21인치, (영) 15 1/2× 20 인치); [C] (영) 장학생(영국 Oxford 대학의 Magdalen [mɔ́ːdlin] 학료(學寮)의).

de·my·e·li·nate [diːmáiələnèit] *vt.* 〖의학〗 (신경)의 수초(髓硝)를 제거하다〔떼내다, 파괴하다〕. [파] **de·mỳ·e·li·ná·tion, de·mỳ·e·lin·i·zá·tion** *n.* 탈(脫)수초, 수초 탈락.

de·mys·ti·fy [diːmístəfài] *vt.* …의 신비성을 제거하다, 수수께끼를 풀다; 계몽하다. [파] **de·mỳs·ti·fi·cá·tion** *n.*

de·myth·i·cize [diːmíθəsàiz] *vt., vi.* 비(非)신화화(化)하다, (…의) 신화적 요소를 없애다. [파] **dè·mỳth·i·ci·zá·tion** *n.*

de·myth·i·fy [diːmíθəfài] *vt.* = DEMYTHICIZE.

de·my·thol·o·gize [dìːmiθálədʒàiz/-θɔ́l-] *vt.* 〖신학〗 …의 신화성을 없애다, (특히) (예수의 가르침·성서를) 비신화화(非神話化)하다. [파] **dè·my·thòl·o·gi·zá·tion** *n.* [U] (성서의) 비(非)신화화.

◇den [den] *n.* **1** (야수의) 굴; (동물원의) 우리. **2** (도둑의) 소굴; 초라한 살림집; (불법이 행해지는) 밀실: a gambling ~ 도박굴 / an opium ~ 아편굴. **3** 사실(私室)(서재·침실 따위). **4** (미) 보이스카우트 유년부(cub scouts)의 분대. — (-*nn*-) *vi., vt.* 굴에 살다(*up*); (동물을) 굴에 몰아넣다(*up*).

Den. Denmark.

de·nar [dináːr, díːnàːr] *n.* 데나르(마케도니아의 화폐 단위; =100 paras).

de·nar·i·us [dinɛ́əriəs] (*pl.* ***-nar·ii*** [-riài]) *n.* 옛 로마의 은화. ★ 그 약어 d.를 영국에서는 구 penny, pence 의 약어로 썼음.

de·na·ry [dénəri, díː-/díːnə-] *a.* 10의; 10진(법)의. [cf.] binary. ¶ the ~ scale 십진법.

de·nà·tion·al·i·zá·tion *n.* [U] **1** 국적 박탈〔상실〕. **2** 국가의 독립 폐지. **3** 비국유화. **4** 국제화.

de·na·tion·al·ize [diːnǽʃənəlàiz] *vt.* 국민으로서의 특권〔국적〕을 박탈하다; 국민성을 빼앗다; 독립 국가로서의 자격을 박탈하다; 비국유화〔비국영화〕하다; 국제화하다.

de·nàt·u·ral·i·zá·tion *n.* [U] 변성(變性), 변

질, 부자연하게 함; 시민권〔국적〕 박탈.

de·nat·u·ral·ize [diːnǽtʃərəlàiz] *vt.* 부자연하게 하다; …의 본성〔특질〕을 바꾸다; 변성〔변질〕시키다; …의 귀화권〔국적·시민권〕을 박탈하다.

de·na·tur·ant [diːnéitʃərənt] *n.* 변성제(變性劑).

de·na·ture [diːnéitʃər] *vt.* …의 성질을 바꾸다, 《특히》 (에틸알코올·천연 단백질·핵연료를) 변성(變性)시키다; =DEHUMANIZE. **—** *vi.* (단백질이) 변성하다: ~*d* alcohol 변성 알코올.

de·na·zi·fi·ca·tion [diːnàːtsəfikéiʃən] *n.* Ⓤ 비(非)나치스화.

de·na·zi·fy [diːnáːtsəfài, -nǽts-/-náː-] *vt.* 비(非)나치스화하다. ⓒⓕ Nazi.

dén chìef 《미》 cub scout의 분대장.

dén dàd 《미》 cub scout의 감독.

den·dr- [déndr], **den·dro-** [déndrou, -drə] '수목(tree)'이란 뜻의 결합사.

den·dri·form [déndrəfɔ̀ːrm] *a.* (구조가) 나무꼴의.

den·drite [déndrait] *n.* 〖광물〗 모수석(模樹石); 〖화학〗 수지상(樹枝狀) 결정; 〖해부〗 (신경세포의) 수지상 돌기.

den·drit·ic [dendrítik] *a.* 모수석 (모양)의; 나뭇가지 모양의.

den·dro·bi·um [dendróubiəm] *n.* 〖식물〗 덴드로븀, 석골풀.

dèndro·chronólogy *n.* Ⓤ 연륜(年輪) 연대학.

den·dro·gram [déndrəgræ̀m] *n.* 〖생물〗 계통수(系統樹). ⓒⓕ cladogram.

den·droid [déndrɔid] *a.* 나무 모양〔꼴〕의.

den·drol·o·gy [dendrálədʒi/-drɔ́l-] *n.* Ⓤ 수목학(樹木學)〔론(論)〕.

den·drom·e·ter [dendrámətər/-drɔ́m-] *n.* 측수기(測樹器)《나무의 높이·직경을 잼》.

den·dron [déndrɑn/-drɔn] (*pl.* **~s, -dra** [-drə]) *n.* 〖해부〗 (신경 세포의) 수지상(樹枝狀) 돌기(dendrite). ㊞ **dén·dric** *a.*

-den·dron *suf.* '…수목, 수목상(狀) 구조'라는 뜻의 명사를 만듦.

dene[1], **dean** [diːn] *n.* 《영》 (해안의) 모래밭, 모래 언덕.

dene[2] ⇨ DEAN[2].

Den·eb [déneb, -əb] *n.* 〖천문〗 데네브《백조자리의 α성》.

De·neb·o·la [dinébələ] *n.* 〖천문〗 데네볼라《사자자리의 β성》.

den·e·ga·tion [dènigéiʃən] *n.* 부인, 거절(denial).

de·ne·go·ti·ate [diːnigóuʃièit] *vt.* (협정의) 파기 교섭을 하다.

de·ner·vate [diːnə́rveit] *vt.* 〖의학〗 …의 (신경을 끊어) 신경을 마비시키다. ㊞ **dè·ner·vá·tion** *n.* 탈(脫)신경, 제(除)신경.

de·neu·tral·ize [diːnjúːtrəlàiz/-njúː-] *vt.* (나라·영토를) 비중립화하다.

dén fàther 《미》 cub scout의 분대(分隊)(den)의 남성 지도자.

D. Eng. Doctor of Engineering.

den·gue [déŋgei, -gi/-gi] *n.* Ⓤ 〖의학〗 뎅기열(熱)(= ~ **fèver**)《관절·근육이 아픔》.

Deng Xiao·ping [dʌ́ŋʃàupíŋ] 덩샤오핑(鄧小平)《중국의 정치가; 1904-97》.

de·nì·a·bíl·i·ty *n.* 《미》 부인권《대통령 등 정부 고관은 불법 활동과의 관계를 부인해도 좋다는》.

de·ni·a·ble [dináiəbəl] *a.* 부인(否認)〔거부〕할 수 있는.

*__de·ni·al__ [dináiəl] *n.* **1** Ⓤ,Ⓒ 부인, 부정; 거절; 거부: make 〔give〕 a ~ of …을 부정〔거절〕하다. **2** Ⓤ 극기, 자제(self-~). ◇ deny *vt.* ***give a flat*** **~** 딱 잘라 거절하다. ***meet ... with flat*** **~** 단호히 부정하다. ***take no*** **~** 싫다는 말을 못하게 하다.

de·nic·o·tin·ize [diːníkətinàiz] *vt.* (담배의) 니코틴을 없애다.

de·ni·er[1] [dináiər] *n.* 부인자, 거부〔거절〕자.

de·nier[2] [dəníər] *n.* **1** 《고어》 프랑스의 옛 은화; 아주 적은 금액. **2** 데니어《생사·인조 견사·나일론 따위의 굵기의 단위; 450미터 실의 무게가 0.05그램일 때 1데니어》.

den·i·grate [dénigrèit] *vt.* **1** 검게 하다〔칠하다〕, 더럽히다. **2** 모욕하다, (인격·명예 등을) 훼손〔모독〕하다. ㊞ **-grà·tor** *n.*

dèn·i·grá·tion *n.* Ⓤ 더럽힘, 명예 훼손.

den·im [dénim] *n.* Ⓤ,Ⓒ 데님《능직의 두꺼운 무명; 작업복 따위를 만듦》; (*pl.*) 데님제(製) 작업복; 진(jeans) 바지. ㊞ **~ed** *a.* 데님제 옷을 입은.

Den·is, -ys [dénis] *n.* 데니스《남자 이름》.

De·nise [dəníːs, -níːz] *n.* 데니스《여자 이름》.

de·ni·trate [diːnáitreit] *vt.* …의 질산을 제거하다. ㊞ **dè·ni·trá·tion** *n.* Ⓤ

de·ni·tri·fi·ca·tion [diːnàitrəfikéiʃən] *n.* (특히 박테리아에 의한) 탈(脫)질소 작용.

de·ni·tri·fy [diːnáitrəfài] *vt.* …에서 질소를 제거하다, 탈질소(脫窒素)하다; =DENITRATE.

den·i·zen [dénəzən] *n.* **1** 주민, 거주자; 《영》 거류민, 특별 귀화인《일정한 주에 정착하여, 약간의 공민권이 부여됨》; 〖영법률〗 국적 취득자. **2** 외래어; 귀화(歸化) 동식물; (숲·하늘·바다 따위의) 서식 생물. **—** *vt.* …에게 귀화를 허가하다; 《드물게》 이식하다. ㊞ **~·shìp** *n.* Ⓤ 공민〔영주〕권.

°**Den·mark** [dénmaːrk] *n.* 덴마크《수도 Copenhagen》. ★ 국어 Danish, 사람 Dane. ***go to*** **~** 《미속어》 성전환 수술을 받다《초기의 성전환자가 이 나라에서 수술받은 데서》.

dén mòther 《미》 cub scout의 분대(分隊)(den)의 여성 지도자.

Den·nis [dénis] *n.* 데니스《남자 이름》.

de·nom·i·nate [dinámənèit/-nɔ́m-] *vt.* 《+목+보》 …의 이름을 붙이다, …이라고 일컫다〔부르다〕, 명명하다: They did not ~ him a priest. 그들은 그를 목사라고 부르지 않았다. **—** [-nit, -nèit] *a.* 특정한 이름이 있는.

denóminate númber 명수(名數)《3 pounds, 3 feet처럼 단위 이름이 붙은 수》.

°**de·nòm·i·ná·tion** *n.* **1** Ⓒ 명칭, 이름, 명의(名義); Ⓤ 명명(命名). **2** 조직체, 종파, 《특히》 교단, 교파: clergy of all ~*s* 모든 종파의 목사/Protestant ~*s* 신교 제파(諸派). **3** Ⓒ 종류, 종목; 부류(部類). **4** Ⓒ (도량형의) 단위; 액면 금액: money of small ~*s* 소액 화폐, 잔돈.

de·nom·i·na·tion·al [dinɑ̀mənéiʃənəl/-nɔ̀m-] *a.* (특정) 종파〔파벌〕의; 교파의; (학교가) 종파에 속하는: ~ education 종파 교의에 기초한 교육. ㊞ **~·ism** *n.* Ⓤ 종파심; 분파〔파벌〕주의. **~·ly** *ad.*

de·nom·i·na·tive [dinámənèitiv, -mənə-/-nɔ́minət-] *a.* 이름 붙이는; 이름 구실을 하는; 〖문법〗 명사〔형용사〕에서 파생한. **—** *n.* 명사〔형용사〕에서 온 낱말《특히 동사; to *eye*, to *man*, to *blacken* 따위》.

de·nom·i·na·tor [dinámənèitər/-nɔ́m-] *n.* **1** 〖수학〗 분모. ⓞⓟⓟ *numerator*. ¶ a common ~ 공분모/⇨ LEAST COMMON DENOMINATOR. **2** 《드물게》 명명자; (이름의) 기원. **3** 《비유》 공통 특징, 통성(通性); 《비유》 (기호·의견 등의) 일반 수준, 표준.

de nos jours [*F.* dənoʒuːʀ] 《F.》 〔후치〕 당대〔현대〕의: the problems ~ 오늘의 제문제.

de·not·a·ble [dinóutəbəl] *a.* 지시〔표시〕할 수 있는.

de·no·ta·tion [dìːnoutéiʃən] *n.* Ⓒ 명시적 의

미, 원뜻; U,C 지시, 표시; 표(mark), 기호(sign); C 명칭; 부호; U 〖논리〗 외연(外延); 〖논리〗 지시 대상. opp. *connotation*.

de·no·ta·tive [dí:noutèitiv, dinóutət-/dinóutət-] *a.* 지시하는, 표시〔명시〕하는《*of*》; 〖논리〗 외연적인. ㊕ **~·ly** *ad.*

◇**de·note** [dinóut] *vt.* **1** 《~+목/+*that* 절》 나타내다, 표시하다, …의 표시이다; 의미하다: Those clouds ~ an approaching storm. 저 구름은 폭풍우가 다가오고 있음을 나타낸다 / These signs ~ *that* a political crisis is approaching. 이 징후들은 정치적 위기가 다가오고 있음을 의미한다. **2** 〖논리〗 …의 외연을 표시하다. opp. *connote*. ㊕ **~·ment** *n.* 표시. **de·nó·tive** *a.*

denóting stàmp (문서 따위에 첨부하는) 수입 인지.

de·noue·ment, dé- [dèinu:mɑ́:ŋ/dei-nú:mɔŋ] *n.* 《F.》 (소설 · 희곡의) 대단원; (사건의) 고비; (분쟁 따위의) 해결, 낙착, 결말.

*__de·nounce__ [dináuns] *vt.* **1** 《~+목/+목+전+명/+목+*as* 보》 (공공연히) 비난〔공격〕하다, 탄핵하다, 매도하다: ~ a heresy 이교(異教)를 탄핵하다 / ~ a person *for* neglect of duty 아무를 근무 태만이라고 비난하다 / He was ~*d as* a coward. 그는 비겁한 자라고 비난받았다. **2** 《+목+전+명》 고발하다, 고소하다: ~ a person *to* the authorities 아무를 당국에 고발하다. **3** (조약 따위의) 실효(失效)를 통고하다. ◇ denunciation *n.* ㊕ **~·ment** *n.* =DENUNCIATION.

de nou·veau [*F.* dənuvo] 《F.》 =*DE NOVO*.

de no·vo [di:nóuvou, dei/di-] 《L.》 새로이, 다시.

‡**dense** [dens] *a.* **1** 밀집〔밀생〕한《*with*》; (인구가) 조밀한. opp. *sparse*. ¶ a ~ crowd 빽빽이 들어찬 인파 / The garden was ~ *with* grass. 정원은 풀이 무성했다.

> SYN. **dense** 낱낱의 것이 모여서 밀집한 무리를 이루고 있는 상태를 나타냄: a *dense* forest 밀림. **thick** 많은 것이 밀집해 있는 상태를 나타냄: a *thick* forest 우거진 숲.

2 밀도가 높은, 짙은; 농후한: a ~ fog 짙은 안개 / ~ smoke 자욱한 연기. **3** 아둔한, 어리석은; (어리석음 따위가) 심한, 극단적인: a ~ head 잘 돌지 않는 머리 / ~ ignorance 지독한 무식. **4** (문장이) 치밀한, 이해하기 어려운. **5** 〖사진〗 (음화가) 농도가 진한; (유리가) 불투명한. ◇ density *n.* ㊕ ***∠·ly** *ad.* **∠·ness** *n.*

dénse pàck 〖군사〗 (MX 미사일의) 밀집 배치 방식.

den·si·fy [dénsəfài] *vt.* …의 밀도를 높이다, 《특히》 (수지(樹脂)를 삼투시켜 목재를) 치밀하게 하다. ㊕ **-fi·er** *n.*

den·sim·e·ter [densímətər] *n.* 비중〔밀도〕계.

den·si·tom·e·ter [dènsətámətər/-tɔ́m-] *n.* =DENSIMETER; 〖광학〗 농도계.

*__den·si·ty__ [dénsəti] *n.* U **1** 밀집 상태, (안개 등의) 짙은 정도; (인구의) 조밀도: population ~ 인구 밀도. **2** 〖사진〗 (음화 따위의) 농도; 〖물리〗 밀도; 비중. **3** 아둔함. **4** 〖컴퓨터〗 밀도《자기(磁氣) 디스크나 테이프 따위의 데이터 기억 밀도》. ◇ dense *a.*

dénsity cùrrent 〖지학 · 해양〗 밀도류(密度流).

dénsity fùnction 〖통계〗 =PROBABILITY DENSITY FUNCTION.

den·som·e·ter [densámətər/-sɔ́m-] *n.* 〖제지〗 덴소미터《공기 압송으로 종이의 다공성을 재는 기구》; =DENSIMETER.

◇**dent**[1] [dent] *n.* **1** 움푹 팬 곳, 눌려서 들어간 곳, 눌린 자국: a ~ *in* a helmet (부딪쳐서 생긴) 헬멧의 들어간 곳. **2** (약화 · 감소시키는) 효과, 영향; (수량의) 감소. ***make a ~ in*** …에 충격을 주다; …을 줄이다; (명성 따위에) 흠을 안기다; 〖보통 부정문〗 《구어》 약간 진척시키다; …에게 주의를 환기시키다, 효과가 있다. ― *vt.* 움푹 들어가게 하다; 손상시키다, 약화시키다. ― *vi.* 움푹 들어가다, 패다.

dent[2] *n.* (톱니바퀴의) 이, (빗의) 살.

dent- [dent] =DENTI- 《모음 앞의 변형》.

dent. dental; dentist; dentistry.

*__dent·al__ [déntl] *a.* 이의; 치과(용)의, 치과의(齒科醫)의; 〖음성〗 치음(齒音)의: a ~ college 치과 대학 / a ~ office 치과 의원 / a ~ consonant 치음. ― *n.* 치음《영어의 [t, d, θ, ð] 따위》; 치음자(字)《d, t 따위》. ㊕ **~·ly** *ad.* **den·tál·i·ty** *n.*

déntal cáries 충치(蟲齒).

déntal clínic 치과 의원.

déntal flòss 치실.

déntal fòrmula 〖동물〗 치식(齒式)《포유류의 이의 종류 · 수를 나타냄》.

déntal hýgiene 치과 위생.

déntal hygíenist 치과 위생사(士).

den·tal·ize [déntəlàiz] *vt.* 〖언어〗 치음화하다.

déntal mechànic 《영》 =DENTAL TECHNICIAN.

déntal núrse 치과 조수.

déntal pláque 치구(齒垢), 치태(齒苔).

déntal plàte 의치 가상(義齒假床).

déntal púlp 치수(齒髓).

déntal sùrgeon 치과의사, 《특히》 구강외과의사.

déntal sùrgery 치과(의학), 구강외과(학).

déntal technìcian 《미》 치과 기공사.

den·ta·ry [déntəri] *n.* 〖동물〗 치골(齒骨).

den·tate [dénteit] *a.* 〖동물〗 이가 있는; 이빨 모양의 돌기가 있는; 〖식물〗 톱니 모양의 돌기가 있는. ㊕ **den·tá·tion** *n.* U,C 이빨이 있음; 이빨 모양의 구조〔돌기〕; 〖식물〗 톱니 모양의 돌기.

den·ti- [dénti] '이빨'이란 뜻의 결합사.

dénti·càre *n.* 《Can.》 (정부에 의한) 어린이 무료 치과 치료.

den·ti·cle [déntikəl] *n.* 〖동물〗 이 모양의 돌기, 작은 이; 〖건축〗 =DENTIL.

den·tic·u·late, -lat·ed [dentíkjələt, -lèit], [-lèitid] *a.* 〖식물〗 작은 이 모양의 돌기(突起)가 있는; 〖동물〗 작은 이가 있는; 〖건축〗 이 모양의 장식이 있는. ㊕ **den·tic·u·lá·tion** *n.* U,C 작은 이 모양의 돌기; C 작은 이; C 〖건축〗 이 모양의 장식; (보통 *pl.*) 한 틀의 작은 이.

den·ti·form [déntəfɔ̀:rm] *a.* 이 모양의.

den·ti·frice [déntəfris] *n.* 치약, 치마분.

den·tig·er·ous [dentídʒərəs] *a.* 이를 가진, 이 모양의 구조를 가진.

den·til [déntil/-til] *n.* 〖건축〗 이 모양의 장식.

dènti·lábial *a., n.* 〖음성〗 이와 입술의; 순치음(labiodental)《[f, v]》.

dènti·língual *a.* 치설음의《[θ, ð] 따위》.

den·tin, -tine [déntn], [-ti:n] *n.* U (이의) 상아질. ㊕ **den·tin·al** [déntinl, -tnəl, dentí:nl] *a.*

‡**den·tist** [déntist] *n.* 치과의사. ㊕ **~·ry** [-ri] *n.* U 치과학; 치과 의술〔업〕.

den·ti·tion [dentíʃən] *n.* U **1** 이가 남, 치아 발생. **2** 잇바디, 치열. **3** 〖집합적〗 (한 인간의) 이.

den·toid [déntɔid] *a.* 이와 같은, 이 모양의.

den·tu·lous [déntʃələs] *a.* 치아가 있는, 유치(有齒)의.

den·ture [déntʃər] *n.* (한 벌의) 틀니; 한 벌의 이; 《특히》 총(總)의치: ⇨ PARTIAL DENTURE / a full ~ 총의치. ★ false teeth 가 일반적임.

den·tur·ist [déntʃərist] *n.* 의치 기공사.
de·nù·cle·a·ri·zá·tion *n.* 비핵화; 핵실험 금지: a ~ zone 핵실험 금지 지역.
de·nu·cle·ar·ize [di:njú:kliəràiz/-njú:-] *vt.* 핵무장을 금지하다: a ~*d* zone 비(非)핵무장 지대.
de·nu·cle·ate [di:njú:klieit/-njú:-] *vt.* (원자·분자·세포의) 핵(核)을 제거하다. ㊀ **de·nù·cle·á·tion** *n.*
de·nu·dant [dinjú:dənt/-njú:-] *n.* 발가벗기는 것〔사람〕, (덮개를) 벗기는 것〔사람〕; 〖지학〗 삭박(削剝) 인자.
de·nu·da·tion [dènjudéiʃən, di:nju-/di:nju-] *n.* Ⓤ **1** 발가벗기기; 벌거숭이 (상태), 노출. **2** 〖지학〗 삭박(削剝), 침식, 나지화(裸地化). ㊀ **~·al** *a.*
de·nu·da·tive [dènjudéitiv, di:nju-/di:nju-] *a.* 발가벗기는; 삭박하는.
de·nude [dinjú:d/-njú:d] *vt.* **1** 《+목+전+명》 발가벗기다, 노출시키다; (껍질을) 벗기다; 박탈하다《*of*》: ~ a person *of* his clothing 아무의 옷을 벗기다 / He was ~*d of* every penny he had. 한 푼 없이 모두 빼앗겼다. **2** (땅)에서 나무를 베어 없애다, 나지화(裸地化)하다: ~ a bank *of* trees 둑에서 나무를 없애다. **3** 〖지학〗 (하안(河岸) 따위를) 표면 침식하다, 삭박(削剝)하다.
de·nu·mer·a·ble [dinjú:mərəbəl/-njú:-] *a.* 〖수학〗 (집합이) 가산(可算)의. ㊀ **de·nù·mer·a·bíl·i·ty** *n.* **de·nú·mer·a·bly** *ad.*
de·nun·ci·ate [dinʌ́nsièit, -ʃi-] *vt.* =DENOUNCE.
de·nùn·ci·á·tion *n.* **1** Ⓤ,Ⓒ 탄핵(public condemnation), 공공연한 비난; (죄의) 고발; (조약 등의) 폐기 통고. **2** 《고어》 위협, 위협〔경고〕적인 선언.
de·nun·ci·a·tive [dinʌ́nsièitiv, -ətiv, -ʃi-] *a.* =DENUNCIATORY.
de·nun·ci·a·tor [dinʌ́nsièitər, -ʃi-] *n.* 비난〔탄핵〕자; 고발자; 협박자.
de·nun·ci·a·to·ry [dinʌ́nsiətɔ̀:ri, -ʃiə-/-təri] *a.* 비난의〔하는〕, 탄핵하는; 위협적인.
de·nu·tri·tion [dì:nju:tríʃən/-nju:-] *n.* 탈(脫)영양; 영양 실조(증).
Den·ver [dénvər] *n.* 덴버《미국 Colorado 주의 주도》.
Dénver bòot 《미》 (주차 위반차를 움직이지 못하게 하는) 바퀴 고정구(固定具).
****de·ny** [dinái] *vt.* **1** 《~+목 / +-*ing* / +*that* 절 / +목+*to be* 보》 부정하다; 취소하다; 진실이 아니라고〔근거가 없다고〕 주장하다; (관계·책임이 없다고) 부인하다: ~ one's guilt 자신의 죄를 부인하다 / The accused man *denies* ever hav*ing* met her 〔*that* he has ever met her〕. 그 피고인은 그녀를 만난 적이 없다고 부인한다 / He strongly *denied* himself *to be* a Jew. 그는 강경하게 자기가 유대인이 아니라고 말했다. **2** 《~+목 / +목+목 / +목+전+명》 (권리·요구 등을) 인정하지 않다, 거부하다, 물리치다; 주지 않다: ~ a request 부탁을 들어주지 않다 / ~ a beggar 거지에게 돈을 주지 않다 / She can ~ her son nothing. =She can ~ nothing *to* her son. 그녀는 아들의 요구는 뭐든지 들어준다. **3** 《+목+전+명》 …와의 면회를 거절하다, (아무를) 만나게 하지 않다《*to*》: ~ the door *to* visitor 방문객을 사절하다 / The secretary *denied* her employer *to* visitors without appointments. 비서는 약속 없는 방문객을 주인에게 면회시키지 않았다. **4** 〖~ oneself〗 욕망〔즐거움〕을 억제하다; 자제〔극기〕하다: These missionaries ~ them*selves* to give to the poor. 이들 선교사는 가난한 자를 돕기 위해 그들의 욕망을 억제했다 / ~ one*self* the comforts of life 생의 안락함을 자제하다. ◇ denial *n.* **~ *knowledge of*** …을 모른다고 말하다. ***not*** **~ (*but*) *that*** …이 아니라고는 말하지 않다: I do*n't* ~ *that* he is clever. 그가 머리가 좋다는 것은 인정한다. **~ one*self a thing*** (어떤) 물건 없이 지내다.
deoch an dor·is [dɔ́:xəndɔ́:ris, dɔ́:k-] *n.* 《Sc.·Ir.》 =DOCH-AN-DORRACH.
de·o·dand [dí:ədæ̀nd] *n.* 《영고법률》 속죄 봉납물(贖罪奉納物), 하느님을 위해 바쳐야 할 물건.
de·o·dar, -da·ra [dí:ədà:r], [dì:ədá:rə] *n.* 〖식물〗 히말라야 삼목(杉木).
de·o·dor·ant [di:óudərənt] *n.* 탈취(脫臭)〔방취〕제(劑); 방취용 화장품. **—** *a.* 냄새를 막는, 탈취〔방취〕의.
de·ò·dor·i·zá·tion *n.* Ⓤ 탈취, 방취, 제취(除臭).
de·o·dor·ize [di:óudəràiz] *vt.* 악취를 없애다, 탈취〔방취〕하다. ㊀ **-iz·er** *n.* 탈취〔방취〕제.
Deo gra·ti·as [déiougrá:tsià:s] 《L.》 하느님 은혜로, 고맙게도《생략: D.G.》.
de·on·tic [di:ántik/-ɔ́n-] *a.* 의무의, 의무에 관한: ~ logic 의무 논리학《의무·허가·금지 등의 개념을 다룸》.
de·on·tol·o·gy [dì:antálədʒi/-ɔntɔ́l-] *n.* Ⓤ 〖철학〗 의무론, 도의론. ㊀ **-gist** *n.* **-gi·cal** *a.*
de·or·bit [di:ɔ́:rbit] *vi., vt.* (인공위성 따위가) 궤도에서 벗어나(게 하)다. **—** *n.* 궤도에서 벗어남〔벗어나게 하기〕.
Deo vo·len·te [déiou-vəléntei] 《L.》 주의 뜻이라면, 사정이 허락하면《생략: D.V.》.
de·òx·i·dá·tion, de·òx·i·di·zá·tion *n.* Ⓤ 〖화학〗 탈산(소)(脫酸(素)).
de·ox·i·dize [di:áksədàiz/-ɔ́ks-] *vt.* 〖화학〗 …의 산소를 제거하다; (산화물을) 환원하다. ㊀ **-dìz·er** *n.* 탈산(소)제(劑); 환원제.
de·ox·y- [di:áksi/-ɔ́ksi], **de·sox·y-** [dezáksi, -sák-/-zɔ́k-, -sɔ́k-] 〖화학〗 '유사한 화합물보다 분자 중의 산소가 적은' 이란 뜻의 결합사.
de·ox·y·chó·lic ácid [di:àksəkóulik-, -ká-/-ɔ̀ksikɔ́-] 디옥시콜산(酸)《포유동물의 담즙산(膽汁酸)의 일종》.
de·ox·y·cor·ti·cos·ter·one, de·sox·y- [di:àksikɔ:rtikástəroun, -ɔ́ksikɔ:rtikɔ́s-], [dezàksi-, desàk-] *n.* 〖생화학〗 디옥시코르티코스테론《부신 피질에서 나는 스테로이드 호르몬; 생략: DOC; 합성하여 부신 기능 저하용》.
de·ox·y·cyt·i·dine [di:àksisítədì(:)n/-ɔ̀ks-] *n.* 〖생화학〗 디옥시시티딘《deoxyribose와 화합한 cytosine으로 이루어지는 nucleoside》.
de·ox·y·gen·ate [di:áksədʒənèit/-ɔ́ks-] *vt.* …에서 (유리(遊離)) 산소를 제거하다; =DEOXIDIZE.
de·óx·y·gen·àt·ed [-id] *a.* (혈액이) 헤모글로빈이 감소한.
de·ox·y·gen·ize [diáksidʒənàiz] *vt.* =DEOXYGENATE.
deòxy·ribonúclease *n.* 〖생화학〗 디옥시리보뉴클레아제《DNA를 가수분해하는 효소》.
deóxy·ribonucléic ácid 〖생화학〗 디옥시리보핵산《생략: DNA》.
deòxy·ribonúcleotide *n.* 〖생화학〗 디옥시리보뉴클레오티드《디옥시리보오스를 함유한 뉴클레오티드로, DNA의 구성 요소(構成要素)》.
deòxy·ríbose *n.* 〖생화학〗 디옥시리보오스《디옥시리보핵산의 주요 성분》.
deoxyríbose nucléic ácid 〖생화학〗 ⇨DNA.
dep. departed; department; departs; departure; deponent; deposed; 〖은행〗 deposit; depot; deputy.
***de·part** [dipá:rt] *vi.* **1** 《~ / +전+명》 (열차 따위가) 출발하다(start), 떠나다《*from; for*》:

The train ~s at 7:15. 열차는 7시 15분에 출발한다/They ~ed for America. 그들은 미국으로 떠났다/I ~ed from my home. 집〔고향〕을 떠났다. **2** 《+전+명》 (습관·원칙 등에서) 벗어나다, 이탈하다, 빗나가다《from》: ~ from the truth 진실에서 빗나가다. **3** 《미·영문어》 죽다: ~ from (this) life 이 세상을 뜨다, 죽다. **—** vt. **1** 《~+목/+목+전+명》 《미》 …을 출발하다: ~ Korea for Japan 한국을 떠나 일본으로 향하다. **2** 《고어·시어》 (세상을) 떠나다: ~ this life 이승을 떠나다, 죽다. ~ ***from plan*** 계획을 바꾸다. ~ ***from*** one***'s promise*** 〔***word***〕 약속을 어기다〔깨다〕. ◇ departure n. **—** n. 《고어》 출발, 죽음.

◇**de·párt·ed** [-id] a. **1** 과거의; (최근) 죽은: ~ glory 과거의 영광/a ~ friend. **2** (the ~) 고인(故人); 〖집합적〗 사자(死者).

de·part·ee [dipɑːrtíː] n. 조국〔지역〕을 떠나는 사람; 《미속어》 연극의 막간에 돌아가는 사람.

‡**de·part·ment** [dipάːrtmənt] n. **1** (공공 기관·회사 등의) 부, 부문: the export ~ 수출부. **2** 《영》 국(局), 과(課); 《영·미》 성(省), 부(部). **3** (프랑스의) 현(縣). **4** (대학의) 학부, 과(科): the ~ of sociology 사회학과. **5** 《구어》 (지식·활동의) 분야: That's your ~. 그것은 자네 일이다. **6** (백화점 따위의) 매장. **7** 군관구(軍管區). ***the Department of State*** 〔***Agriculture, Commerce, Defense, Education, Justice, Labor, the Interior***〕 《미》 국무〔농무, 상무, 국방, 교육, 사법, 노동, 내무〕부. ***the Department of Trade*** 〔***Education and Science, Environment***〕 《영》 통상〔교육 과학, 환경〕부.

de·part·men·tal [dipɑːrtméntl, dìːpɑːrt-] a. 국〔부, 과, 계〕의, 부문별의; 구(區)의, 현의. ㊎ **~·ism** n. Ⓤ 부문주의, 분과제(分課制); 《경멸》 관료적 형식주의, 관청식. **~·ly** ad.

de·part·men·tal·ize [dipɑːrtméntəlàiz, dìːpɑːrt-] vt. 각부문으로 나누다, 세분하다. ㊎ **-mèn·tal·i·zá·tion** n.

***depártment stòre** 백화점(《영》 stores).

‡**de·par·ture** [dipάːrtʃər] n. **1** Ⓤ,Ⓒ 출발, 떠남; 발차; 출항(出航): a point of ~ (논의 등의) 출발점/take one's ~ 출발하다. **2** Ⓤ,Ⓒ 이탈, 벗어남《from》; 배반. **3** Ⓤ (보통 a~) (방침 등의) 새로운 출발, 새로운 시도《in; for》: a new ~ for company 기업의 새로운 출발. **4** Ⓤ 《고어》 사망. ◇ depart v.

depárture lòunge (공항의) 출발 로비.

depárture stàtement (정부 고관 등이 외국 방문 후에 본국으로 떠날 때 발표하는) 귀국 성명 《공동 성명이 아닌 개별 성명임》. 「방목(권).

de·pas·tur·age [dipǽstʃəridʒ, -pάːs-] n. Ⓤ

de·pas·ture [dipǽstʃər, -pάːs-/-pάːs-] vt. …에게 풀을 뜯기다; 방목하다; (토지가 가축에게) 목초를 공급하다; (토지)의 목초를 다 먹어치우다. **—** vi. 풀을 뜯어먹다.

de·pau·per·ate [dipɔ́ːpərèit] vt. 빈약하게 하다; 〖식물〗 발육 부전케 하다, 위축시키다; 쇠약하게 하다; (땅을) 메마르게 하다; 《고어》 가난하게 하다. **—** [-rət] a. 〖생물〗 발육부전(不全)의. ㊎ **de·pàu·per·á·tion** n. Ⓤ 빈궁화; 〖생물〗 위축, 발육 부전.

de·pau·per·ize [diːpɔ́ːpəràiz] vt. 가난하지 않게 하다; …의 빈민을 없애다. 「있기가 불편한.

dé·pay·sé [F. depεize] a. 《F.》 정들지 않는,

de·pe·nal·ize [dipíːnəlaiz, -pén-/-píːn-] vt. …의 불이익을 감소시키다〔막다〕, 처벌〔손실〕을 가볍게 하다.

‡**de·pend** [dipénd] vi. **1** 《~/+전+명/+전+wh. 절》 …나름이다, (…에) 달려 있다, 좌우되다 《on, upon》: ~ing on conditions 조건 여하로/His success here ~s upon effort and ability. 그가 여기에서 성공하느냐 못 하느냐는 노력과 능력 여하에 달려 있다/Everything ~s on whether you pass the examination. 모든 것은 너의 시험 합격 여부에 달려 있다. **2** 《+전+명》 (…에) 의지하다, 의존하다《on, upon》: I have no one but you to ~ on. 너밖에 의지할 사람이 없다/The children ~ on their parents. 아이들은 부모에게 의지하고 있다. SYN. ⇨ RELY. **3** 《+전+명/+전+명+to do/+전+명+that 절》 믿다, 신뢰하다《on, upon》: You can ~ upon him. 그 사람 같으면 믿을 수 있다/You can ~ on her to do it right. 그녀가 당장 그 일을 할 것이라고 믿어도 된다/You may ~ on it that she will go with you. 그녀는 틀림없이 너와 동행할 것이다. **4** (소송·의안 등이) 미결로〔현안으로〕 되어 있다. **5** 《+전+명》 《고어·시어》 매달리다, 늘어져 있다《from》: a lamp ~ing from the ceiling 천장에 매달려 있는 램프. **6** 〖문법〗 종속하다《on, upon》. ◇ dependent a. ***Depend upon it***. 걱정 마라; 틀림없이 《말머리나 말끝에서》. ***That ~s***. =***It all ~s***. 그건 때와 형편에 달렸다; 사정 나름이다. ***You may*** ~ 반드시〔꼭〕(…하다): You may ~ he will do it. 반드시 그는 그렇게 할 것이다. ***You may ~ upon it*** 《구어》 확실히. 「음, 확실성.

de·pènd·a·bíl·i·ty n. Ⓤ 신뢰〔의지〕할 수 있

◇**de·pénd·a·ble** a. 신뢰할〔믿을〕 수 있는; 신빙성 있는. ㊎ **~·ness** n. **-bly** ad.

de·pend·ance [dipéndəns] n. =DEPENDENCE. 「ENCY.

de·pend·an·cy [dipéndənsi] n. =DEPEND-

de·pend·ant [dipéndənt] n. =DEPENDENT.

‡**de·pend·ence** [dipéndəns] n. Ⓤ **1** 의지함, 의존〔종속〕 (관계·상태): the ~ of children on their parents 부모의 신세를 지고 사는 자식. **2** 신뢰; 믿음. **3** 〖법률〗 미결. **4** 《고어》 늘어진 것. **5** 〖의학〗 (마약) 의존(증): drug ~ 약물 의존(증). ◇ depend v. ***place*** 〔***put***〕 ~ ***on*** …을 신뢰하다.

de·pend·en·cy [dipéndənsi] n. 속국, 보호령; 의존(상태); 의존물; 종속물; 부속건물, 별관.

depéndency cùlture 의존(형) 문화《의료·교육·사회 보장 등의 면에서 국가 복지에 의존하는 경향이 있는 사회 환경》. 「향이 있는.

depéndency-pròne a. 마약〔약물〕 의존 경

‡**de·pend·ent** [dipéndənt] a. **1** 의지하고 있는, 의존하는; 도움을 받고〔신세를 지고〕 있는《on, upon》: He is ~ on his wife's earnings. 그는 아내의 수입에 의존하고 있다. **2** 종속 관계의, 예속적인. OPP. independent. ¶ a ~ domain 속령지(屬領地). **3** …나름의, …에 의한《on, upon》: Crops are ~ upon weather. 수확은 날씨에 좌우된다. **4** 《고어·시어》 매달린, 늘어진《from》: a lamp ~ from the ceiling 천정에 매달린 램프. ◇ depend. vi. **—** n. **1** 의존하고 있는 사람; 부양가족; 식객. **2** 하인, 종자(從者); 《고어》 종속물. ㊎ **~·ly** ad. 남에게 의지하여, 의존〔종속〕적으로.

depéndent cláuse 〖문법〗 종속절(節)(subordinate clause). OPP. principal clause.

depéndent váriable 〖수학〗 종속 변수.

de·peo·ple [diːpíːpəl] vt. =DEPOPULATE.

de·pèr·son·al·i·zá·tion n. 비개인화, 객관화; 몰(沒)개성화.

de·per·son·al·ize [diːpə́ːrsənəlàiz] vt. 비개인적으로 하다, 객관화하다; …에서 자아감(自我感)을 없애다; 주체성을 빼앗다.

de·phos·phor·ize [diːfάsfəràiz/-fɔ́s-] vt.

〖야금〗 탈린(脫燐)하다.
de·phos·pho·ryl·a·tion [di:fɑ̀sfərəléiʃən/-fɔ̀s-] *n.* 〖생화학〗 탈린산화(脫燐酸化).
de·pict [dipíkt] *vt.* (그림·글·영상으로) 그리다; 묘사〔서술, 표현〕하다. ㊎ **~·er, de·píc·tor** *n.* **de·píc·tion** *n.* Ⓤ **de·píc·tive** [-tiv] *a.* 묘사적인.
de·pic·ture [dipíktʃər] *vt.* =DEPICT; IMAGINE.
de·pig·ment [di:pígmənt] *vt.* …의 색소를 없애다, 탈색하다.
de·pig·men·ta·tion [di:pìgməntéiʃən] *n.* 〖의학〗 탈색소(脫色素)《피부나 체모에서 색소가 없어지는 일》.
dep·i·late [dépəlèit] *vt.* 털을 뽑다, 탈모(脫毛)하다. ㊎ **dèp·i·lá·tion** *n.* Ⓤ,Ⓒ 탈모, (특히 동물 가죽의) 털뽑기. **-là·tor** *n.* 털뽑는 사람〔기계〕.
de·pil·a·to·ry [dipílətɔ̀:ri/-təri] *a.* 탈모용의; 탈모 효능이 있는. **—** *n.* 탈모제.
de·plane [di:pléin] *vi., vt.* 비행기에서 내리다〔내리게 하다〕. OPP. *enplane.*
de·plen·ish [diplénìʃ] *vt.* (속을) 비우다.
de·plete [diplí:t] *vt.* (세력·자원 따위를) 고갈〔소모〕시키다; …에서 (자원 따위를) 빼앗다《*of*》; 〖의학〗 방혈(放血)하다. ㊎ **de·plét·a·ble** *a.* **-plé·tive, -plé·to·ry** *a.* 고갈〔소모〕시키는; 혈액〔수분〕을 감소시키는.
depléted uránium 감손(減損) 우라늄《천연 우라늄보다 우라늄 235의 함유량이 적음》.
de·plé·tion *n.* 수분 감소 (상태), 고갈, 소모; 〖의학〗 고갈, 결핍; 방혈; 〖생태〗 소모《수자원·산림 자원 등의 회복을 상회하는 소비》; 〖회계〗 (자원의) 감모(減耗)(액).
deplétion allòwance 〖회계〗 (지하자원 채굴 회사에 인정하는) 감모(減耗) 공제《석유·목재 등 언젠가는 고갈될 자원으로부터의 소득에 대하여 인정되는 세금 공제》.
de·plòr·a·bíl·i·ty *n.* Ⓤ 통탄함, 비통, 비참.
°**de·plór·a·ble** [-rəbəl] *a.* 통탄할; 비참한, 애처로운; 당치도 않은, 괘씸한: ~ conduct 통탄할 행위. ㊎ °**-bly** *ad.* **~·ness** *n.*
dep·lo·ra·tion [dèpləréiʃən] *n.* 통탄〔한심〕스러운 상태.
***de·plore** [diplɔ́:r] *vt.* 《~+목/+*that*절》 한탄〔개탄〕하다, 애도하다; 유감으로 여기다, 뉘우치다. cf. lament, grieve[1], regret. ¶ ~ the death of a close friend 친구의 죽음을 애통해하다 / It's to be ~*d that* we cannot help him. 그를 도울 수 없다니 유감스러운 일이다.
de·ploy [diplɔ́i] *vt., vi.* 〖군사〗 (부대를〔가〕) 전개시키다〔하다〕; (부대·장비를) (전략적으로) 배치하다; (인구 따위를) 분산하다; 〖로켓〗 (안테나·태양 전지 패널을) 전개하다. **—** *n.* Ⓤ 〖군사〗 전개, 산개, 배치. ㊎ **~·ment** *n.* Ⓤ 〖군사〗 (부대의) 전개, 배치; (낙하산의) 개산(開傘); 〖우주〗 페이로드 배치.
de·plu·ma·tion [di:plu:méiʃən] *n.* Ⓤ **1** 깃털을 뽑음, 깃털의 탈락. **2** (명예·재산 등의) 박탈.
de·plume [diplú:m] *vt.* …의 깃털을 뽑다〔뜯다〕; …의 명예를〔재산을〕 빼앗다.
de·pò·lar·i·zá·tion *n.* Ⓤ 〖전기〗 편극 소거(偏極消去), 감극(減極)〔소극(消極)〕(한 것); 〖광학〗 편광의 소멸.
de·po·lar·ize [di:póulərài z] *vt.* **1** 〖전기〗 감극〔소극(消極)〕하다; 〖광학〗 …의 편광을 없애다. **2** (신념·편견 따위를) 번복하다; 해소시키다. ㊎ **-ìz·er** *n.* 감극〔소극〕제(劑).
de·po·lit·i·cize [dì:pəlítəsàiz] *vt.* …에서 정치적 색채를 없애다, 비정치화하다. ㊎ **-lìt·i·ci·zá·tion** *n.*
de·pol·lute [dì:pəlú:t] *vt.* …의 오염을 제거하다, 정화하다. ㊎ **dè·pol·lú·tion** *n.* Ⓤ
de·po·lym·er·ize [di:pəlímərài z, di:pálim-] *vt., vi.* 〖화학〗 단위체(單位體)로 분해하다, 해중합(解重合)하다.
de·pone [dipóun] *vt., vi.* 〖법률〗 선서하고 증언하다.
de·po·nent [dipóunənt] *n.* 〖법률〗 선서 증인; 〖문법〗 =DEPONENT VERB. **—** *a.* 〖문법〗 이태(異態)의.
depónent vérb 이태 동사《그리스·라틴어에서 수동형이면서 능동의 뜻을 갖는 동사》.
de·pop·u·lar·ize [dipápjələràiz/-pɔ́p-] *vt.* 인기를〔인망을〕 빼앗다, 인기를 잃어버리다.
de·pop·u·late [di:pápjəlèit/-pɔ́p-] *vt.* …의 주민을 절멸〔감소〕시키다. **—** *vi.* 인구가 줄어들다. ㊎ **-pòp·u·lá·tion** *n.* Ⓤ 주민 절멸; 인구 감소.
de·pop·u·la·tor [di:pápjəlèitər/-pɔ́p-] *n.* 인구를 감소〔절멸〕시키는 것《질병, 전쟁, 기근 등》.
de·port [dipɔ́:rt] *vt.* 《~+목/+목+전+명》 **1** 〖종종 oneself로〗 처신〔행동〕하다: ~ one*self like* a gentleman 신사답게 행동하다. **2** (외국인을) 국외로 퇴거시키다, 추방하다; (강제) 이송〔수송〕하다: They ~*ed* the criminals *from* their country. 범죄자를 국외로 추방했다.
de·por·ta·tion [dì:pɔ:rtéiʃən] *n.* Ⓤ 국외 추방; (강제) 이송〔수송〕: a ~ order 퇴거 명령.
de·por·tee [dì:pɔ:rtí:] *n.* 피(被)추방자.
de·pórt·ment *n.* Ⓤ 행동, 거동, 품행; 태도; 《영》 (젊은 여성의) 행동거지.
de·pós·a·ble *a.* 폐할〔물리칠〕 수 있는; 증언할 수 있는.
de·pos·al [dipóuzəl] *n.* Ⓤ 면직, 파면; 폐위.
°**de·pose** [dipóuz] *vt.* **1** (고위층 사람을) 면직〔해임〕하다, (권력의 자리에서) 물러나게 하다《*from*》; (국왕을) 폐하다: ~ a person *from* office 아무를 면직시키다. **2** 《+*that* 절》 〖법률〗 (문서로) 선서 증언〔진술〕하다: He ~*d that* he had seen the accused before. 그는 피고를 전에 본 적이 있다고 증언했다. **—** *vi.* 선서 증언하다, 입증하다《*to*》: ~ *to* having seen it 그것을 목격했다고 증언하다. ㊎ **de·pós·er** *n.*
⁑**de·pos·it** [dipázit/-pɔ́z-] *vt.* **1 a** 《+목+전+명》 (특정한 장소에) 놓다, 두다; (알을) 낳다: He ~*ed* his bag *on* the chair. 그는 가방을 의자 위에 놓았다 / These insects ~ their eggs *in* the ground. 이들 곤충들은 땅속에 알을 낳는다. **b** 〖~ oneself〗 (…에) 앉다: He ~*ed* him*self on* the sofa. 그는 소파에 앉았다. **2** 《+목+전+명》 침전시키다, 가라앉히다, 퇴적시키다: The flood ~*ed* a layer of mud *on* the farm. 그 홍수로 농장에 진흙의 층이 퇴적했다. **3** 《~+목/+목+전+명》 (돈 따위를) 맡기다, 예금하다; 공탁하다; 착수금으로서 주다〔걸다〕; (물품을) 맡기다, 넘겨주다; 〖정치〗 (조약 비준서를) 기탁하다: ~ money *in* a bank 은행에 예금하다 / ~ papers *with* one's lawyer 변호사에게 서류를 맡기다 / ~ valuables *with* a person 아무에게 귀중품을 맡기다. **4** (돈을) 넣다《자동판매기 따위에》: *Deposit* a quarter and push the button. 25센트를 넣고 단추를 누르시오. **—** *vi.* 침전〔퇴적〕하다, 가라앉다; 예금〔공탁〕되다.
— *n.* **1** 부착물; 퇴적물, 침전물; (광석·석유·천연 가스 등의) 매장물, 광상(鑛床): oil ~*s* 석유 매장량. **2** 맡기기; (은행) 예금; 공탁금, 적립금, 보증금, 계약금, 착수금; 증거금; 기탁물: a current 〔fixed〕 ~ 당좌〔정기〕예금 / a ~ *in* trust 신탁예금. **3** 《주로 미》 저장소; 보관소, 창고. **4** (다른 새집에 낳은) 알. **5** (금속 따위의) 피복물(被覆物). ***have* 〔*place*〕 *money on* ~** 예금해 있다〔예금하다〕. ***make a* ~ *on*** (a car) (자동차)의 계약금을 치르다. ***on* 〔*upon*〕 ~** 저축하여, 예금하여.
depósit accòunt 《영》 저축 계정(《미》 sav-

ings account); 《미》 예금 계정〔계좌〕.
de·pos·i·ta·ry [dipázitèri/-pɔ́zitəri] *n.* 맡는 사람, 수탁〔보관〕자; 수탁소, 보관소; 창고.
depósitary recèipt 예탁 증권《외국에서 증권을 유통시킬 때, 원 주권은 발행국에 보관하고 이것을 보증으로 매매하는 대체 증권》.
°**dep·o·si·tion** [dèpəzíʃən, dì:-] *n.* **1** Ⓤ 면직, 파면; 폐위. **2** Ⓤ,Ⓒ 〖법률〗 선서 증언〔증서〕; Ⓒ 증언〔진술〕 조서. **3** Ⓤ 산란(產卵); Ⓒ 〖화학〗 석출(析出); 침전; 퇴적〔침전〕물; 〖생물〗 침착(沈着). **4** Ⓤ 기탁, (유가 증권 따위의) 공탁; Ⓒ 공탁물. **5** (the D-) 그리스도 강가(降架)《예수를 십자가에서 내림》; 그 그림〔조각〕(=**Deposítion from the Cróss**).
depósit mòney 공탁금, 보증금.
de·pos·i·tor [dipázitər/-pɔ́z-] *n.* 공탁자; 예금자; 침전기(沈澱器); 전기 도금기(鍍金器).
de·pos·i·to·ry [dipázətɔ̀:ri/-pɔ́zitəri] *n.* 창고, 저장소, 보관소; 《비유》 보고(寶庫); 수탁〔보관〕자: a ~ of learning 지식의 보고.
depósitory líbrary 관청 출판물 보관 도서관.
depósit recèipt 예금 증서.
depósit slìp 〖미은행〗 예입 전표, 예금 입금표.
*__de·pot__ [dí:pou/dépou] *n.* **1** 《미》 (철도의) 정거장, (버스) 정류소, 공항; 버스〔전차, 기관차〕 차고. **2** [dépou] 저장소; 보관소, 창고; 〖군사〗 병참부, 보급소; 〖군사〗 신병 훈련소, (신병 훈련의) 보충 부대; 《영》 연대 본부; 포로 수용소.
dépot shìp 모함(母艦), 모선.
de·pow·er [dipáuər] *vt.* 〖요트〗 (돛을) 바람을 받지 않게 조절하다.
depr. depreciation; depression.
dep·ra·va·tion [dèprəvéiʃən] *n.* Ⓤ 악화; 부패, 타락.
de·prave [dipréiv] *vt.* 타락〔악화〕시키다, 부패시키다; 《고어》 …의 욕을 하다. ㊕ **~d** *a.* **~·ment** *n.* **de·práv·er** *n.*
de·prav·i·ty [dipræ̀vəti] *n.* Ⓤ =DEPRAVATION; Ⓒ 악행, 비행, 부패 행위.
°**dep·re·cate** [déprikèit] *vt.* **1** 《~+목/+-*ing*/+목+*as* 보》 …에 불찬성을 주장하다, 비난하다, (전쟁 따위에) 반대하다: He ~*d* extend*ing* a helping hand to lazy people. 그는 게으른 사람들에게 원조의 손을 뻗어서는 안 된다고 강경히 반대했다 / He ~*d* his son's premature attempt *as* improvident. 그는 아들의 성급한 시도를 경솔하다고 비난했다. **2** 《고어》 …이 없도록 간원하다, …이 면제되도록 탄원하다〔빌다〕: ~ a person's anger 아무에게 제발 화내지 말라고 빌다. **3** (아무의 성격을) 나빠 말하다, 업신여기다.
dép·re·càt·ing·ly *ad.* 반대를 외쳐, 비난조로; 애원〔탄원〕하듯이, 미안한 듯이; 겸손〔비하(卑下)〕하여.
°**dèp·re·cá·tion** *n.* Ⓤ,Ⓒ **1** 불찬성, 반대; 비하, 겸손. **2** 애원, (재해를) 면하기를 바라는 기원.
dép·re·cà·tive *a.* =DEPRECATORY.
dep·re·ca·to·ry [déprikətɔ̀:ri/-təri] *a.* 불찬성〔비난〕의; 탄원적〔애원적〕인; 변명의, 사죄의: a ~ letter 사과〔변명〕의 편지. ㊕ **-tò·ri·ly** *ad.*
de·pre·ci·a·ble [diprí:ʃiəbəl] *a.* 가치를 떨어뜨릴 수 있는; 《미》 (과세상) 감가 상각의 대상이 되는: ~ assets 감가 상각 재산.
*__de·pre·ci·ate__ [diprí:ʃièit] *vt.* **1** (화폐를) 평가절하하다; (물품)의 (시장) 가치〔평가〕를 떨어뜨리다. OPP. *appreciate*. **2** 경시하다, 얕보다: ~ oneself (자기) 비하하다 / We should not ~ the value of regular exercise. 규칙적인 운동의 가치를 경시해서는 안 된다. ― *vi.* 가치가〔가격이〕 떨어지다, 하락하다. ㊕ **de·pré·ci·àt·ing·ly** *ad.* 낮추어, 얕보아, 깔보아. **-ci·à·tor** *n.* 가치를 떨어뜨리는 사람; 경시하는 사람.
*__de·prè·ci·á·tion__ *n.* Ⓤ,Ⓒ **1** 가치〔가격〕 저하; (화폐 가치의) 절하, 하락: ~ *of* the currency 통화 가치의 하락. **2** 〖상업〗 감가 상각〔견적〕. **3** 경시: in ~ (*of*) (…을) 얕보아, 경시하여.
depreciátion allówance 〔**resérve**〕 감가상각 준비금.
depreciátion expénse 감가상각비.
de·pre·ci·a·tive [diprí:ʃièitiv] *a.* =DEPRECIATORY.
de·pre·ci·a·to·ry [diprí:ʃiətɔ̀:ri/-təri] *a.* 가치 저감의, 감가적인; 하락 경향의; 깎아내리는, 얕보는, 경시의.
dep·re·date [déprədèit] *vt., vi.* 《고어》 강탈〔약탈〕하다. ㊕ **dép·re·dà·tor** *n.* **dep·re·da·to·ry** [déprədèitəri, diprédətɔ̀:ri/-təri] *a.*
dèp·re·dá·tion *n.* Ⓤ,Ⓒ 약탈; 침식; (보통 *pl.*) 약탈 행위, 파괴(된 흔적).
*__de·press__ [diprés] *vt.* **1** 풀이 죽게 하다, 우울하게 하다: Her death ~*ed* him 〔his spirits〕. 그는 그녀의 죽음으로 완전히 풀이 죽었다. **2** 불경기로 만들다; (시세 따위를) 떨어뜨리다: Trade is ~*ed*. 시황(市況)은 부진하다. **3** (힘·기능 따위를) 약화시키다, 쇠약하게 하다; (소리를) 낮추다. **4** (버튼·지렛대 등을) 누르다, 내리누르다. ㊕ **~·i·ble** *a.*
de·pres·sant [diprésənt] *a.* 〖의학〗 진정〔억제〕 작용이 있는; 의기소침케 하는; 경제 활동을 억제하는, 불경기를 초래하는. ― *n.* (특히 근육·신경 따위의) 진정제.
*__de·pressed__ [diprést] *a.* **1** 내리눌린, 낮아진, 파인《노면 따위》. **2** 우울한, 풀이 죽은, 의기소침한: feel ~ 마음이 울적하다 / She was ~ *by* the bad news. 그녀는 좋지 않은 소식으로 침울하였다. SYN. ⇨ SAD. **3** 궁핍의, 빈곤에 허덕이는. **4** 불경기의, 불황의; (주식의) 값이 떨어진: a ~ industry 불황 산업. **5** 〖식물·동물〗 평평한, 낮고 폭이 넓은.
depréssed área 빈민〔쇠퇴〕 지역.
depréssed clásses (the ~) (인도의) 최하층 사회(=**schéduled clásses**).
de·préss·ing *a.* 억누르는; 울적해지는 (것 같은), 침울한: ~ news 우울한 뉴스 / ~ weather 찌무룩한 날씨. ㊕ **~·ly** *ad.*
__de·pres·sion__ [dipréʃən] *n.* **1 Ⓤ 의기소침, 침울, 우울; 〖의학〗 울병(鬱病), 우울증: in a state of deep ~ 의기소침하여 / nervous ~ 신경 쇠약. **2** Ⓒ 불경기, 불황(기); (the D-) =GREAT DEPRESSION. **3** Ⓤ 내리누름〔눌림〕, 하강, 침하(沈下); (지반의) 함몰; Ⓒ 구렁, 저지(低地). **4** 부진, 저하, 감퇴. **5** Ⓤ 〖음악〗 (반음계의) 저하; Ⓒ 〖측량〗 (수평) 복각(伏角); Ⓤ 〖생리〗 기능 저하; 〖천문〗 내려본 각; Ⓒ 〖기상〗 저기압: an atmospheric 〔a barometric〕 ~ 저기압. ◇ depress *v.* ***fall*** 〔***sink***〕 ***into a*** (***deep***) ~ (몹시) 우울〔침울〕해지다.
de·pres·sive [diprésiv] *a.* 내리누르는, 억압적인; 우울하게 하는; 우울해진; 불경기의. ― *n.* 우울한 상태의 사람, 《특히》 울병환자. ㊕ **~·ly** *ad.*
de·pres·sor [diprésər] *n.* 억압자; 내리누르는 것, 억압물; 〖해부〗 억제근(筋); 〖생리〗 감압(減壓) 신경(=**~ nèrve**); 〖의학〗 압자(壓子), 누르는 기구; 〖약학〗 혈압 강하제, 강압약(降壓藥); 〖화학〗 억제제(劑).
de·pres·sur·ize [di:préʃəràiz] *vt.* …의 기압을 내리다, 감압하다. ㊕ **-près·sur·i·zá·tion** *n.*
de·prív·a·ble *a.* 빼앗을 수 있는.
de·priv·al [dipráivəl] *n.* Ⓤ,Ⓒ 박탈.
dep·ri·va·tion [dèprəvéiʃən] *n.* Ⓤ,Ⓒ **1** 탈취, 박탈; 상속인의 폐제(廢除); (성직자) 파면; 가치

박탈. **2** 상실, 손실; 결핍. **3** 궁핍, 빈곤.

deprivátion dwàrfism 〖의학〗 애정이나 정서면의 결핍에 의한 자녀의 소인증(小人症).

*__de·prive__ [dipráiv] *vt.* **1** 《+목+전+명》 …에게서 빼앗다, 박탈하다《*of*》: ~ a person *of* his rights 〔liberty〕 아무에게서 권리〔자유〕를 박탈하다. SYN. ⇨ ROB. **2** 《+목+전+명》…에게 거절하다, …에게 주지 않다《*of*》: ~ a person *of* food 아무에게 먹을 것을 주지 않다. **3** 해임〔해직〕시키다, (특히 성직자를) 파문하다. ~ one***self*** (즐거움 따위를) 끊다, 자제하다《*of*》.

de·prívedl *a.* 혜택받지 못한, 가난한, 불우한: the ~ 가난한 사람들 / culturally ~ children 문화적으로 혜택을 못 받는 아이들.

de·pro·fes·sion·al·ize [di:prəféʃənəlàiz] *vt.* (직업을) 대중화하다; (학교 따위를) 전문가 양성만을 목적으로 하지 않게 하다.

de pro·fun·dis [dèi-proufúndis dì:-proufʌ́ndis] 《L.》 (슬픔 · 절망 따위의) 구렁텅이에서 (의 절규); 〖성서〗 (the D– P–) (이 구로 시작하는) '시편(詩篇)' 제 130 편의 명칭.

de·pro·gram [di:próugræm] *vt.* 신념〔(특히) 신앙〕을 (강제적으로) 버리게 하다, 눈뜨게 하다. ㊔ **~·mer** *n.*

dept. department; deponent; deputy.

‡**depth** [depθ] (*pl.* **~s** [depθs, depts]) *n.* **1** Ⓤ 깊이, 깊음; 심도; Ⓒ 안 길이, (집이나 땅의) 앞쪽에서 뒤쪽까지의 거리 · 길이: two feet *in* ~ 깊이〔안 길이〕 2 피트 / The snow falls there to the ~ *of* six feet. 눈은 그 곳에 6 피트 깊이까지 쌓였다. **2** (종종 *pl.*) 깊은 곳, 깊은 정도; 안쪽의 곳, 오지(奧地)(inmost part): in the ~*s of* the forest 숲속 깊은 곳에. **3** Ⓤ (학문 따위의) 심원함(profundity); (인물 · 성격 따위의) 깊은 맛; (감정의) 심각성, 강도: a question of great ~ 심오한 문제 / with a ~ *of* feeling 깊은 감정을 담아서 / I was impressed by his ~ *of* knowledge. 그의 해박한 지식에 감명받았다. **4** (종종 *pl.*) (사회적 · 도덕적 · 지적인) 밑바닥, 타락(의 심연); (절망 등의) 구렁텅이: How could he sink to such ~*s*? 어쩌면 그토록 타락했을까 / (down) in the ~*s* (*of* despair) (절망의) 구렁텅이에 빠져서. **5** Ⓤ (빛깔 등의) 짙음, 농도; (소리의) 낮은 가락. **6** (종종 *pl.*) 계절의 한창때 《한여름 따위》: in the ~ *of* winter 한겨울에. ◇ deep *a.* ***a man of*** ~ 학문〔지식〕이 깊은 사람. ***be out of*** 〔***beyond***〕 one's ~ ① 깊어서 키가 넘다, 깊은 곳에 빠져 있다. ② 이해할 수 없다; 역량이 미치지 못하다, 힘에 겹다. ***from*** 〔***in***〕 ***the*** ~ ***of*** one's ***heart*** 〔***mind***〕 마음속에서〔에〕, 진심으로. ***in*** ~ (연구 등을) 철저히, 심층적으로: explore a subject *in* ~ 문제를 깊이 탐구하다 / defense *in* ~ 〖군사〗 심층 방어. ***plumb the*** ~***s*** (슬픔 · 불행 등의) 밑바닥에 빠지다. ***within*** one's ~ (물속의) 발이 닿는 곳에; 힘이 미치는 범위에서, 이해할 수 있을 정도로.

dépth chàrge 〔**bòmb**〕 폭뢰(爆雷), 수중 폭탄《잠수함 공격용》.

dépth finder 〖해사〗 음향 측심기(測深機).

dépth gàuge 〖기계〗 측심기, 깊이 게이지.

dépth ìnterview 심층 인터뷰《개인적 견해 · 감정 따위를 깊이 파고 물어봄》. 「기록 방식.

dépth-múltiplex recòrding 〖비디오〗 심층

dépth of fíeld 〔**fócus**〕 〖광학 · 사진〗 피사계(被寫界)〔초점〕 심도(深度)《피사체 전후의 핀트가 맞는 범위》.

dépth percèption 〖생리〗 오행(奧行) 감각〔지각〕, 거리 감각〔지각〕.

dépth psychòlogy 〖심리〗 심층 심리학.

dépth recòrder 〖해사〗 자기심도계(自記深度計).

dep·u·rant [dépjərənt] *n.* 청정제(淸淨劑), 정화약; 정화법.

dep·u·rate [dépjərèit] *vt., vi.* 청정(淸淨)하게 하다〔되다〕; 정화하다. ㊔ **dèp·u·rá·tion** *n.* Ⓤ 정화〔정혈〕 (작용).

dep·u·ra·tive [dépjərèitiv] *a.* 정화하는. ── *n.* 청정제(劑). 「정화제(劑)〔약〕.

dep·u·ra·tor [dépjərèitər] *n.* 정화기〔장치〕;

de·purge [di:pə́:rdʒ] *vt.* …의 추방을 해제하다. OPP *purge*. ㊔ **de·pur·gee** [di:pə:rdʒí:] *n.* 추방이 해제된 사람.

dep·u·ta·tion [dèpjətéiʃən] *n.* Ⓤ 대리 (행위), 대표; 대리 파견; Ⓒ 대표단. ★ 개인은 deputy.

de·pute [dipjú:t] *vt.* **1** 《~+목 / +목+*to* do》 …을 대리로 명하다, 대리(자)로 하다, 대리로서 파견하다: I ~*d* him *to* look after the factory during my absence. 내가 없는 동안 그를 공장 관리의 대행자로 임명했다. **2** (일 · 직권을) 위임하다: ~ a task *to* an assistant 일을 조수에게 위임하다. ── *n.* 《Sc.》 = DEPUTY.

dep·u·tize [dépjətàiz] *vt.* 대리로 임명하다. ── *vi.* 대리〔대행〕하다《*for*》.

*__dep·u·ty__ [dépjəti] *n.* 대리인; 대리역, 부관; 대표자, 대의원; (프랑스 · 이탈리아 등의) 의원, 민의원; 《미》 〖광산〗 보안 위원: by ~ 대리로. ***the Chamber of Deputies*** (이전의 프랑스의) 하원. ★ 현재는 the National Assembly. ── *a.* 대리의, 부(副)의(acting, vice–): a ~ chairman 부의장 / a ~ governor 부지사 / a ~ mayor 부시장 / a ~ prime minister 부총리 / the *Deputy* Speaker (영국 하원의) 부의장 / *Deputy* Assistant Secretary 《미》 부차관보.

députy chíef (경찰, 소방직의) 본부장 보좌.

députy lieuténant 《영》 주(州) 부지사.

députy shériff (군(郡)) 보안관 대리.

deque [dek] *n.* 〖컴퓨터〗 데크《양끝의 어느 쪽에서도 데이터를 입출할 수 있게 된 데이터의 행렬》. [◂ *d*ouble-*e*nded *queue*]

der. derivation; derivative; derive(d).

de·ra·cial·ize [di:réiʃəlàiz] *vt.* …에서 인종적 특성을 제거하다; 인종 차별을 없애다. ㊔ **de·rà·cial·i·zá·tion** *n.*

de·rac·i·nate [dirǽsənèit] *vt.* 뿌리뽑다, 근절시키다. ㊔ **de·ràc·i·ná·tion** *n.* Ⓤ

dé·ra·ci·né [deirӕsinéi] (*fem.* ***-née*** [—]) *a., n.* 《F.》 본래의 환경에서 격절된 (사람), 고향을 잃어버린 (사람).

de·rad·i·cal·ize [di:rǽdikəlàiz] *vt.* 급진적인 입장을 버리게 하다.

de·raign [diréin] *vt.* 《폐어》 (당사자 간의 결투로써) 문제를 해결하다, (권리를) 주장하다, 다투다; (군대를) 배치하다. ㊔ **~·ment** *n.*

de·rail [diréil] *vt.* (계획을) 틀어지게 하다; 〖보통 수동태〗 (기차 따위를) 탈선시키다: *be* 〔*get*〕 ~*ed* 탈선하다. ── *vi.* 탈선〔일탈〕하다. ── *n.* 《미》 (차량의) 탈선기(=**de·ráil·er**). ㊔ **~·ment** *n.* Ⓤ,Ⓒ 탈선.

de·rail·leur [diréilər] *n.* (자전거의) 변속 장치; 변속 장치가 달린 자전거.

de·range [diréindʒ] *vt.* 혼란〔교란〕시키다, 어지럽히다; 발광시키다: be ~*d* 발광하다. ㊔ **~·ment** *n.* Ⓤ,Ⓒ 혼란, 교란; 착란: mental ~*ment* 정신 착란.

de·ránged *a.* 혼란된, 미친.

de·rate [di:réit] *vt., vi.* …의 세율을 경감하다, 세(稅) 부담을 완화〔폐지〕하다; 〖전기〗 …의 정격 출력(定格出力)을 낮추다.

de·ra·tion [di:réiʃən] *vt.* (식품 따위를) 배급(제)에서 해제하다.

de·rat·i·za·tion [diːrӕtəzéiʃən] *n.* 〖해사〗 (특히 상선(商船) 안의) 쥐잡기.

◇**Der·by** [dɑ́ːrbi/dɑ́ː-] *n.* **1** 더비《영국 Derbyshire 의 특별시》. **2** (the ~) 더비 경마《영국 Surrey 주의 Epsom Downs 에서 매년 거행됨》; 〖일반적〗 대경마(大競馬). **3** (d-)〖일반적〗 경기, 경주: a bicycle ~ 자전거 경주. **4** (d-) 《미》 =DERBY HAT.

Dérby Dày 더비 경마일.

Dérby dòg 경마장 안을 어슬렁대는 개; 귀찮은 「방해자〔물〕.

dérby hát 《미》 중산 모자(《영》 bowler hat).

Der·by·shire [dɑ́ːrbiʃiər/dɑ́ː-] *n.* 더비셔《잉글랜드 중부의 주》.

de·rè·al·i·zá·tion *n.* (분열증 따위로 인한) 현 「실감 상실.

de·rec·og·nize [diːrékəgnàiz] *vt.* (국가에 대한) 승인을 취소하다. ㊎ **de·rèc·og·ní·tion** *n.*

de·ref·er·ence [diréfərəns] *vt.* 〖컴퓨터〗 (포인터 · 링크)로부터 참조 번지의 데이터를 얻다.

de·reg·is·ter [diːrédʒistər] *vt.* …의 등록을 취소〔말소〕하다. ㊎ **de·règ·is·trá·tion** *n.*

de rè·gle [dərégl] 《F.》 상규(常規)와 같이, 상례에 따라.

de·reg·u·late [diːrégjəlèit] *vt.* (경제 · 가격 등의) 공적 규제를 해제하다, 통제를 해제하다. ── *vi.* 통제 해제〔규제 철폐〕하다.

de·règ·u·lá·tion *n.* 규칙〔제한〕 철폐, 통제 해제, 규제 철폐; 〖정치〗 인허가 규제 철폐.

de·re·ism [diːríːizəm] *n.* Ⓤ 〖심리〗 자폐증(自閉症); 비현실성(autism). ㊎ **de·re·is·tic** [dìːriːístik] *a.* 비현실적인. **-ti·cal·ly** [-tikəli] *ad.*

der·e·lict [dérəlìkt] *a.* 유기〔방기〕된, 버려진 《배 따위》; 《미》 의무〔직무〕 태만의, 무책임한: He is ~ *of* his duty. 그는 자신의 직무에 태만하다. ── *n.* 유기물《특히 바다 위에 버려진 배》; 사회〔인생〕의 낙오자, 버림받은 사람, 부랑자; 《미》 직무 태만자; 〖법률〗 (해안선 따위의 후퇴로 생긴) 새로운 육지.

dèr·e·líc·tion *n.* Ⓤ 유기, 방기(放棄); (직무〔의무〕) 태만; 결점, 약점, 〖법률〗 해수(海水) 감퇴로 생긴 새로운 육지(의 획득): (a) ~ of duty 직무 태만.

de·re·press [dìːriprés] *vt.* **1** 〖유전〗 (유전자 단백질 합성을) 활성화하다. **2** 〖생화학〗 (산소의) 합성 억제를 해제하다. ㊎ **dè·re·prés·sion** *n.* 억제 해제.

de·re·pres·sor [dìːriprésər] *n.* 〖발생〗 억제 해제 인자; 〖유전〗 유도 물질(inducer).

de·req·ui·si·tion [dirèkwəzíʃən] *n.* (군에서 접수한 민간 재산의) 접수(接收) 해제. ── *vt.*, *vi.* (물건을) 접수 해제하다.

de·re·strict [dìːristríkt] *vt.* …에 대한 통제를 해제하다, 《특히》 (도로)의 속도 제한을 철폐하다. ㊎ **dè·re·stríc·tion** *n.*

◇**de·ride** [diráid] *vt.* 《+목+*as* 보》 조소〔조롱〕하다, 비웃다(mock): ~ a person *as* a fool 아무를 바보 취급하며 조롱하다. ㊎ **de·ríd·er** *n.* **de·ríd·ing·ly** *ad.* 비웃듯이(derisively).

de·rig [dirig] *vt.* (배 · 경비행기 따위)의 삭구〔장비〕를 떼내다. 「행하는.

de ri·gueur [dərigə́ːr] 《F.》 예절상 필요한; 유

de·ris·i·ble [dirízəbəl] *a.* 웃음거리가 되는.

◇**de·ri·sion** [diríʒən] *n.* Ⓤ 조소, 조롱; Ⓒ 조소〔웃음〕거리: be in ~ 조소받고 있다 / submit a person to ~ =treat a person with ~ 아무를 조롱하다 / make a person an object of ~ 아무를 웃음거리로 만들다. ◇ deride *v.* ***be the ~ of*** …로부터 우롱당하다. ***bring into ~*** 웃음거리로 만들다. ***hold*** 〔***have***〕 a person ***in ~*** 아무를 조롱하다.

de·ri·sive [diráisiv] *a.* 조소〔조롱, 우롱〕하는 (mocking); 비웃을 만한, 보잘것없는, 우스꽝스러운: a ~ gesture 조롱하는 몸짓. ㊎ **~·ly** *ad.* 비웃듯, 업신여기어. **~·ness** *n.*

de·ri·so·ry [diráisəri, -zə-] *a.* =DERISIVE.

deriv. derivation; derivative; derive(d).

de·riv·a·ble [diráivəbəl] *a.* **1** 유도할〔끌어낼〕 수 있는. **2** (유래 등을) 추론할 수 있는. ~ ***from*** …에서 이끌어내는〔얻어지는〕; …을 근본으로 삼는.

der·i·vate [dérəvèit] *n.* =DERIVATIVE.

der·i·va·tion [dèrəvéiʃən] *n.* Ⓤ,Ⓒ **1** 끌어내기, 유도. **2** 유래, 기원(origin). **3** 〖언어〗 (말의) 파생, 어원; Ⓒ 파생어: a word of Latin ~ 라틴어에서 파생한 말. **4** 파생(물). **5** 〖수학 · 논리〗 도출《인정된 사항에서 어떤 결과를〔공식을〕 이끌어 냄》; 〖수학〗 미분. ㊎ **~·al** *a.* **~·al·ly** *ad.* **~·ist** *n.* =EVOLUTIONIST.

de·riv·a·tive [dirívətiv] *a.* 끌어낸, 모방한, 독창적이 아닌; 유래하는, 파생적인; 이차적인; 〖법률〗 전래적(傳來的)인. opp. *primitive*. cf. original. ── *n.* 유래물, 파생물; 〖문법〗 파생어; 〖화학〗 유도체; 〖의학〗 유도약〔제(劑)〕; 〖수학〗 미분 계수, 도(導)함수; 〖경제〗 (주식이나 채권 등에서 파생한) 복합 금융 상품, 파생 상품. ㊎ **~·ly** *ad.* 파생적으로. **~·ness** *n.*

***de·rive** [diráiv] *vt.* **1** 《+목+전+명》 끌어내다《*from*》; 손에 넣다, 획득하다《*from*》: He ~*s* his character *from* his father. 그는 성격을 아버지로부터 이어받고 있다 / We ~ knowledge *from* books. 우리는 책에서 지식을 얻는다. **2** 〖종종 수동태〗 …의 기원을〔유래를〕 찾다《*from*》; …에서 파생하다, …에서 나와 있다, …에서 시작하다《*from*》: These words *are* ~*d from* German. 이 단어들은 독일어에서 파생된 것이다. **3** (결론 따위를) 논리적으로 도출하다, (연역적으로) 추론하다《*from*》. **4** 〖화학〗 (화합물을) 유도하다; 〖수학〗 (함수를) 이끌어내다. ── *vi.* 《+전+명》 유래〔파생〕하다《*from*》: This slang word ~*s from* a foreign word. 이 속어는 어떤 외국말에서 유래한다. ㊎ **de·rív·er** *n.*

derívedfúnction 〖수학〗 도함수(導函數).

derívedprotéin 〖생화학〗 유도 단백질.

derívedúnit 〖물리 · 화학〗 유도 단위.

DERL derived emergency reference level 《방사선의 위험 레벨; 한 살 미만의 유아에 대한 위험도를 기준으로 함》.

derm, der·ma [dəːrm], [də́ːrmə] *n.* Ⓤ 〖해부〗 진피(眞皮); 〖일반적〗 피부(skin), 외피.

derm- [dəːrm] '가죽 · 피부' 란 뜻의 결합사.

derm. dermatologist; dermatology.

dèrm·abrásion *n.* 〖외과〗 피부 찰상법(擦傷法), 삭피술(削皮術).

der·mal, der·mat·ic [də́ːrməl], [dəːrmǽtik] *a.* 피부에 관한, 피부의. 「부염.

der·ma·ti·tis [də̀ːrmətáitis] *n.* Ⓤ 〖의학〗 피

der·ma·to- [də́ːrmətou, -tə, dəːrmǽtə], **der·mat-** [də́ːrmət] '피부의' 란 뜻의 결합사.

der·mat·o·gen [dəːrmǽtədʒən, -dʒèn] *n.* 〖식물〗 원표피(原表皮).

der·ma·to·glyph [də́ːrmətəglif, dərmǽt-] *n.* 피문(皮紋).

der·mat·o·glyph·ics [dərmæ̀təglífiks, də̀ːrmətə-] *n. pl.* **1** 〖복수취급〗 피문(皮紋). **2** 〖단수취급〗 피문학, 장문학(掌紋學).

der·ma·toid [də́ːrmətɔ̀id] *a.* 피부 비슷한, 피부 모양의. 「문) 의사.

dèr·ma·tól·o·gist *n.* 피부병 학자; 피부과 (전

der·ma·tol·o·gy [də̀ːrmətálədʒi/-tɔ́l-] *n.* Ⓤ 〖의학〗 피부 의학, 피부병학. ㊎ **-lóg·ic, -i·cal** *a.* 피부과의: 피부과학의.

der·ma·tome [də́ːrmətòum] *n.* 〖해부〗 피절

(皮節), 피부분절(分節), 피판(皮板): 피부 채취기〔절제기〕. ⓜ **dèr·ma·tó·mal** *a.*

der·mat·o·my·co·sis [də:rmætəmaikóusis, də̀:rmətou-] *n.* 〖의학〗 피부 진균증(眞菌症).

der·mat·o·my·o·si·tis [də:rmætəmàiəsáitis, də́:rmətou-] *n.* 〖의학〗 피부근염(筋炎).

der·mat·o·path·ia, der·ma·top·a·thy [də̀:rmətoupǽθiə, də:rmætə-], [də̀:rmətápəθi/-tɔ́p-] *n.* Ⓤ 피부병.

der·mat·o·pa·thol·o·gy [də̀:rmətoupəθáləd3i/-θɔ́l-] *n.* 〖의학〗 피부병리학. ⓜ **~·gist** *n.*

der·mat·o·phyte [dərmǽtəfàit, də́:rmətə-] *n.* 〖의학〗 피부 사상균. ⓜ **der·mat·o·phyt·ic** [dərmæ̀təfítik, də̀:rmətə-] *a.*

der·mat·o·phy·to·sis [dərmæ̀təfaitóusis, də̀:rmətou-] *n.* 〖의학〗 피부 사상균증, (발의) 무좀(athlete's foot).

der·mat·o·plas·ty [də́:rmætəplæ̀sti, də:rmətə-] *n.* 〖의학〗 (식피(植皮) 등으로 하는) 피부 형성(술).

der·ma·to·sis [də̀:rmətóusis] (*pl.* **-ses** [-si:z]) *n.* 〖의학〗 피부병.

der·mat·o·ther·a·py [də̀:rmætəθérəpi, də̀:rmətə-] *n.* 〖의학〗 피부병 치료.

der·ma·trop·ic [də̀:rmətrápik/-trɔ́p-] *a.* 피부에 기생하는〔모이는〕《바이러스 따위》, 피부성의 (=**dèr·mo·tróp·ic, der·màt·o·tróp·ic**).

der·mic [də́:rmik] *a.* 〖해부〗 =DERMAL.

der·mis [də́:rmis] *n.* 〖해부〗 =DERMA.

der·moid [də́:rmɔid] *a.* 피부 모양의(dermatoid).

der·ni·er cri [dέərnjeikrí:] 《F.》 마지막〔결정적인〕 말; 최신 유행.

der·ni·er re(s)·sort [-rəsɔ́:r] 《F.》 최후의 「수단(last resort).

de·ro [dérou] (*pl.* **~s**) *n.* 《Austral.속어》 낙오자, 부랑자; 《우스개》 놈, 녀석(person).

der·o·gate [dérəgèit] *vi.* 《(+전+명)》 **1** (가치·명예 따위를) 떨어뜨리다, 훼손〔손상〕하다 (detract)《*from*》: ~ *from* one's reputation 명성을 손상시키다. **2** 꼴사나운 짓을 하다; 타락하다《*from*》. ⓜ **dèr·o·gá·tion** *n.* Ⓤ 훼손, 저하, 하락, 실추; 타락; 비난, 경멸.

de·rog·a·tive [dirágətiv/-rɔ́g-] *a.* 가치〔명예〕를 손상하는《*to; of*》. ⓜ **~·ly** *ad.*

de·rog·a·to·ry [dirágətɔ̀:ri/-rɔ́gətəri] *a.* (명예·인격 따위를) 손상시키는《*from*》; 가치를 떨어뜨리는《*to*》; 경멸적인: ~ *from* authority 권위를 손상시키는 / ~ *to* a person's dignity 아무의 품위를 떨어뜨리는 / ~ remarks 욕. ⓜ **-ri·ly** *ad.* **-ri·ness** *n.*

de·ro·man·ti·cize [dì:roumǽntəsàiz] *vt.* …에서 로맨틱한 요소를 제거하다, 현실〔세속〕적으로 하다.

°**der·rick** [dérik] *n.* 데릭《수직 기둥의 밑동에 장치된 까치발로써 물건을 오르내리는 기중기의 일종》; 유정탑(油井塔); 〖항공〗 이륙탑. ── *vt.* 데릭 기중기로 달아 올리다; 《미속어》 〖야구〗 (피처를) 강판시키다.

der·ri·ère, -ère [dèriέər] *n.* 《F.》 《구어》 엉「덩이(buttocks).

der·ring-do [dériŋdú:] (*pl.* ***dér·rings-dó***) *n.* 《고어》 Ⓤ 필사의 용기, 호기(豪氣), 만용; 대담〔용감〕한 행위: deeds of ~.

der·(r)in·ger [dérind3ər] *n.* 데린저식 권총《구경이 크고 총열이 짧음》.

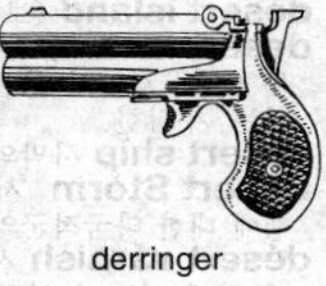
derringer

der·ris [déris] *n.* 〖식물〗 데리스《열대 아시아 원산, 콩과 식물》; 데리스 뿌리《살충제》.

der·ry[1] [déri] *n.* 《Australian.》 혐오. ***have a ~ on*** …을 싫어하다.

der·ry[2] *n.* 《속어》 폐옥(廢屋)《특히 부랑자나 마약 중독자가 사는》.

de·rust [di:rʌ́st] *vt.* …의 녹을 제거하다.

derv [də:rv] *n.* 《영》 디젤용 연료유(油). [◂ *d*iesel *e*ngined *r*oad *v*ehicle]

der·vish [də́:rviʃ] *n.* 회교 금욕파의 수도사.

DES [dí:ì:és] *n.* =DIETHYLSTILBESTROL.

de·sa·cral·ize [di:séikrəlàiz, -sǽk-] *vt.* 비(非)신성화하다, …에서 금기성(禁忌性)을 제거하다; 세속화(世俗化)하다.

de·sal·i·nate [di:sǽlənèit] *vt.* =DESALT. ⓜ **de·sàl·i·ná·tion, de·sál·i·nà·tor** *n.*

de·sal·in·ize [di:sǽlənàiz, -séil-] *vt.* =DESALT. ⓜ **de·sàl·in·i·zá·tion** *n.*

de·salt [di:sɔ́:lt] *vt.* (바닷물 따위의) 염분을 제거하다; 담수화하다.

de·sat·u·rate [di:sǽtʃərèit] *vt., vi.* (색을〔이〕) 비포화하다〔되다〕, 채도(彩度)를 낮추다.

de·sàt·u·rát·ion *n.* (색의) 탈포화(脫飽和).

de·scale [di:skéil] *vt.* …에서 물때를 벗기다.

des·cant [déskænt] *n.* 《시어》 가곡; 〖음악〗 (정선율(定旋律)의) 수창부(隨唱部); (다성 악곡의) 최고 음부; 대위법의 초기 형식; 상설(詳說), 논평. ── [deskǽnt, dis-] *vi.* 상세히 설명하다, 길게 늘어놓다《*on, upon*》; (정선율에 맞추어) 수창하다; 노래하다.

Des·cartes [deiká:rt] *n.* **René ~** 데카르트《프랑스의 철학자·수학자; 1596-1650》. ◇ Cartesian *a.*

de·scend [disénd] *vi.* **1** 《~/+전+명》 내리다, 내려가다〔오다〕《*from*》. OPP. *ascend.* ¶ ~ *from* the train 기차에서 내리다 / ~ *from* a mountain 산에서 내려오다. **2** 《~/+전+명》 (길이) 내리받이가 되다; 경사지다《*to*》: The road ~*s* steeply. 도로가 급한 내리막으로 되어 있다 / The hill gradually ~*s to* the lake. 언덕은 완만한 경사를 이루어 호수로 이어진다. **3** 《+전+명》 (…의) 자손이다, 계통을 잇다《*from*》; (토지·재산·성질 등이) 전하여지다: This farm has ~*ed from* father *to* son. 이 농장은 아버지로부터 아들에게 물려졌다. **4** 《~/+전+명》 (높은 단계에서 낮은 단계로) 퍼지다, 미치다; (수가) 적어지다; (소리가) 낮아지다: 75-50-25 form a series that ~*s*. 75, 50, 25는 하강 수열을 이룬다 / ~ *from* generals *to* particulars 개략적인 데서 상세한 점에까지 미치다. **5** 《+전+명》 채신을 떨어뜨리다, 영락하다: ~ *to* lying 아비하게 거짓말까지 하다 / He ~*ed to* begging. 그는 거지로까지 영락〔전락〕했다. **6** 《+전+명》 갑자기 습격하다; (불시에) 몰려가다《*on, upon*》: They ~*ed upon* the enemy soldiers. 그들은 적병을 급습했다 / Twenty-five guests ~*ed upon* us on Monday evening. 25명의 손님이 월요일 저녁 우리들 있는 곳에 몰려왔다. **7** (어둠이) 찾아들다; (구름·안개 등이) 낮게 드리우다. ── *vt.* **1** (계단·강 등을) 내려가다; (길이) 비탈지다: ~ a flight of stairs 계단을 내려가다. **2** 〖수동태〗 …의 자손이다; (말 등이) …에서 유래하다.

***de·scend·ant** [diséndənt] *n.* 자손, 후예. OPP. *ancestor.* ── *a.* =DESCENDENT.

de·scénd·ed [-id] *a.* 전래한, 유래한《*from*》. ***be ~ from*** …의 자손이다.

de·scen·dent [diséndənt] *a.* 내리는, 낙하〔강하〕하는; 세습의, 조상으로부터 전해 오는.

de·scénd·er *n.* **1** 내려오는 사람〔물건〕. **2** 〖인쇄〗 (글자의) 기선(基線)에서 밑으로 뻗은 부분; 또, 이것이 있는 글자《q, p, y 등》.

de·scen·deur [F. desɑ̃dœːʀ] n. 《F.》 〖등산〗 (현수(懸垂) 하강 속도를 조절하는 금속제의) 현수 하강기.
de·scénd·i·ble, -able a. (자손에게) 전하여지는, 유전되는; 유증(遺贈)할 수 있는.
de·scénd·ing a. 내려가는, 강하적인, 하향성의. OPP ascending. ¶ ~ powers 〖수학〗 내림차.
descénding létter =DESCENDER 2.
de·scen·sion [disénʃən] n. 격하(格下), 강등(降等); 〖점성〗 최저 성위(星位)《운명을 지배하는 행성의 영향력이 가장 강해지는 황도대(黃道帶) 내의 위치》; 《드물게》 하강.
de·scent** [disént] n. **1** U,C 하강, 내리기; 하산(下山). OPP ascent. **2** C 내리받이, 내리막길; 내리막 경사. **3** U 가계, 혈통, 출신: a man of high ~ 지체 높은 가문의 사람 / an American of Irish ~ 아일랜드계 미국인. **4** U 〖법률〗 세습; 상속; 유전. **5** 전락, 몰락; 하락: a sudden ~ *in* the price of shares 주가(株價)의 급락. **6** C 내습《*upon, on*》; 임검(raid)《*on*》, (불시의) 검색, 검문. ◇ descend v. ***in direct ~ from …부터의 직계로. ***make a ~ on*** 〔***upon***〕 …을 급습하다.
de·school [diːskúːl] vt. (사회)에서 (전통적인) 학교 또는 학교 제도를 없애다.
dè·schóol·er n. 탈(脫)학교론자《의무 교육을 폐지하고, 자주적으로 공부할 수 있는 교육 기관의 설치를 주장하는 사람》.
de·scram·ble [diːskrǽmbəl] vt. 〖통신〗 (암호를) 해독하다(unscramble, decode).
de·scríb·a·ble a. 묘사〔기술〕할 수 있는.
****de·scribe** [diskráib] vt. **1** 《~+목/+목+전+명/+wh. 절/+wh. 절+to do》 (언어로) 묘사하다, 기술하다; (말로) 설명하다: ~ a scene 장면을 묘사하다 / Can you ~ the man *to* me? 그 남자의 모습을 나에게 얘기해 주겠소 / He ~*d* exactly *what* had happened. 그는 무슨 일이 일어났는지 정확히 기술했다 / He ~*d how to* get to his house. 그는 집까지 어떻게 찾아갔는지 설명했다. **2** 《+목+*as* 보》 (인물을) 평하다; 간주하다; 언급하다: He ~*d* her *as* clever 〔a clever woman〕. 그는 그녀를 현명한 여자라고 했다. **3** …의 징조이다, 나타내다: Aggressiveness often ~*s* inferiority complex. 공격적인 태도는 종종 열등감을 나타낸다. **4** (도형을) 그리다(draw); (곡선 등을) 그리며 나아가다: ~ a circle 원을 그리다.
de·scri·er [diskráiər] n. 발견자.
****de·scrip·tion** [diskrípʃən] n. **1** U 기술, 묘사, 서술(account): excel in ~ 묘사 솜씨가 뛰어나다. **2** 특징 열거, (패스포트 등의) 기재 사항, (경찰 등의) 인상서: answer (*to*) 〔fit〕 the ~ 인상서와〔기재 사항과〕 부합하다. **3** 〖상업〗 지정 품목, 종목, (물품의) 설명서, 명세서. **4** 종류(kind); 등급(class): of every ~ 모든〔온갖〕 종류의 / of worst ~ 가장 나쁜 종류의. **5** 〖수학〗 작도(作圖). ◇ describe v. ***beggar all ~*** =***be beyond ~*** 이루 다 말할 수 없다. ***give*** 〔***make***〕 ***a ~ of*** …을 기술하다, …의 모습을 말하다. ***some*** 〔***any***〕 ***~ of*** (food) 뭐든 (음식)이라는 이름이 붙는 것.
◇**de·scrip·tive** [diskríptiv] a. **1** 기술적인; 묘사적인 ; 설명적인; 도형 (묘사)의: ~ bibliography 기술 서지학(書誌學) / a ~ style 서술체 / ~ writing 서사문(敍事文). **2** 서술〔묘사〕한 《*of*》: a chapter ~ *of* …을 묘사한 장(章). 파 **~·ly** ad. **~·ness** n.
descríptive geómetry 〖수학〗 도형 기하학.
descríptive grámmar 기술〔서술〕 문법.
descríptive linguístics 기술 언어학.
de·scríp·tiv·ìsm n. 〖철학〗 경험주의, 기술(記述)〔사실〕주의; 〖언어〗 기술주의.
de·scrip·tor [diskríptər] n. 〖컴퓨터〗 서술자(敍述子)《정보의 분류 · 색인에 사용하는 어구〔영숫자(英數字)〕》.
de·scry [diskrái] vt. (관측 · 조사하여) 발견하다, 찾아내다; (멀리 있는 것을) 어렴풋이 식별하다〔보다〕; 《시어》 보다.
des·e·crate [désikrèit] vt. (신성한 물건을) 속된 용도에 쓰다; …의 신성을 더럽히다, 모독하다. OPP consecrate. 파 **-cràt·er, -crà·tor** n. 신성 모독자. **dès·e·crá·tion** n. U 신성 모독.
de·seed [disíːd] vt. (…의) 씨를 받다.
de·seg·re·gate [diːségrigèit] vt., vi. (군대 · 교육 등에서) 인종 차별을 폐지하다. OPP segregate. cf. integrate. 파 **de·sèg·re·gá·tion** n. U 《미》 인종 차별 대우〔제도〕 철폐.
de·se·lect [dìːsilékt] vt. 《미》 …을 훈련 계획에서 제외하다, 연수 기간 중에 해고하다.
de·sen·si·tize [diːsénsətàiz] vt. …에 대해 감수성을 줄이다, 둔감해지다; 〖사진〗 (감광 재료 등의) 감도를 줄이다; 〖의학〗 …의 알레르기를〔과민성을〕 없애다, 둔감하게 하다. 파 **-tìz·er** n. 〖사진〗 감감제(減感劑). **de·sèn·si·ti·zá·tion** n. 〖의학〗 탈감작(脫感作), 제(除)감작; 〖통신〗 감도 억압.
***des·ert**[1] [dézərt] n. **1** 사막; 황무지: the ship of ~ 사막의 배《낙타》 / the Sahara *Desert*. **2** 황량한 상태; 무미건조한 화제(話題)〔시대〕《따위》, 지적 · 정신적인 자극이 없는 장소〔환경〕. **—** a. **1** 사막의; 불모의(barren); 황량한. **2** 사람이 살지 않는. **3** 사막에 사는.
***de·sert**[2] [dizə́ːrt] vt. **1** (처자 등을) 버리다, 돌보지 않다(abandon). **2** (무단히 자리를) 뜨다, 도망하다, (병사 · 선원 등이) 탈영〔탈주〕하다. **3** (신념 따위를) 버리다; (희망 등이 아무에게서) 없어지다, 사라지다: His courage ~*ed* him. 그는 용기를 잃었다. **—** vi. 《~/+전+명》 의무〔직무〕를 버리다, 자리〔지위〕를 떠나다, 도망하다, 탈주하다《*from; to*》: ~ *from* the barracks 탈영하다. 파 **~·er** n. 도망자, 탈영병; (의무 · 가족 등을) 버린 사람, 유기자, 직장 이탈자; 탈당자.
de·sert[3] [dizə́ːrt] n. **1** 상〔벌〕을 받을 만한 가치〔자격〕, 공과(功過); (종종 *pl.*) 당연한 보답, 응분의 상〔벌〕. **2** 공적(merit); 미덕: He was rewarded according to his ~*s*. 공적에 따른 응분의 보상을 받았다. ***above*** one***'s ~s*** 과분히. ***get*** 〔***meet with, receive***〕 one***'s*** (***just***) ***~s*** 응분의 보답〔상, 벌〕을 받다: The thief *got his just ~s*. 그 도둑은 마땅히 받아야 할 벌을 받았다.
désert bòot suede 가죽으로 만든 고무창의 목구두.
désert chèrry 《속어》 사막전(沙漠戰) 경험이 없는 병사.
Désert Cùlture 사막 문화《미국 서부에 있어서 농경 문화 이전의 유목 시대의 문화》.
de·sért·ed [-id] a. **1** 사람이 살지 않는, 황폐한: a ~ street 사람의 왕래가 없는 거리. **2** 버림받은.
de·ser·tic [dezə́ːrtik] a. 사막의.
de·sert·i·fi·ca·tion, des·ert·i·za·tion [dizə̀ːrtəfikéiʃən], [dèzəːrtəzéiʃən] n. 사막화.
◇**de·ser·tion** [dizə́ːrʃən] n. U 버림, 유기; 도망; 탈당; 탈주, 탈함(脫艦); 〖법률〗 처자 불법 유기; 황폐 (상태). ◇ desert[2] v.
désert ìsland (보통 열대 지방의) 무인도.
desért·less a. 장점이 없는, 칭찬할 만한 것이 못 되는, 걸맞지 않은; 《폐어》 받을 만한 것이 못 되는, 부당한.
désert shìp 사막의 배《낙타의 속칭》.
Désert Stòrm '사막의 폭풍'《1991년 걸프 전쟁에 대한 다국적군의 작전명》; 《비유》 걸프 전쟁.
désert várnish 사막 니스《철 · 망간의 산화물에 의해 사막의 암석 표면에 생기는 검은 광택의

박피》.

de·serve [dizə́:rv] *vt.* 《~+명/+*to* do/+-*ing*/+*that* 절》 …할 만하다, 받을 가치가 있다, …할 가치가 있다: ~ attention 주목할 만하다/The problem ~*s* solv*ing*. =The problem ~*s to* be solved. 그 문제는 풀어 볼 만한 가치가 있다/He ~*s* help*ing*. =He ~*s that* we should help him. =He ~*s to* have us help him. 그는 도움받을 자격이 있다.

NOTE 뒤에 동명사가 오면 수동의 뜻으로 되고, 부정사가 오면 능동의 뜻으로 되는 것이 보통임. *that* 절은 딱딱한 표현이기 때문에 보통은 부정사를 씀.

— *vi.* 《~/+전+명》 상당하다, 보상받을 가치가 있다《*of*》: reward a person as he ~*s* 공적에 따라 아무에게 상을 주다/efforts *deserving* of admiration 칭찬받을 만한 노력. **~ *ill* 〔*well*〕 *of*** …으로부터 벌〔상〕받을 만하다, …에 대하여 죄〔공로〕가 있다: He ~*d well of* his country. 그는 나라에 공로가 있었다.

de·sérved *a.* 당연한, 마땅한《상·벌·보상 등》. 파 **de·sérv·ed·ly** [-idli] *ad.* 당연히, 마땅히, 정당히.

de·sérv·er *n.* 적격자, 유자격자.

de·sérv·ing *a.* **1** (…을) 받을 가치가 있는, 보상받을 만한, 당연히 …을 받아야 할, …할 만한 《*of*》: be ~ *of* sympathy 동정받을 만하다. **2** 공적이 있는. — *n.* 당연한 상벌; 공과(功過). 파 **~·ly** *ad.* 당연히; (…할 만한) 공이 있어.

de·sex [di:séks] *vt.* 거세하다; …의 난소를 제거하다; …의 성적 특징을 억제하다, 성적 매력을 잃게 하다; (용어 등) 성차별을 배제하다.

de·sex·u·al·ize [di:sékʃuəlàiz] *vt.* =DESEX.

des·ha·bille [dèzəbí:l/dézæbì:l] *n.* =DISHABILLE.

desi [dézi:] *n.* 〖야구〗 지명 대타, DH(designated hitter).

des·ic·cant [désikənt] *a., n.* =DESICCATIVE.

des·ic·cate [désikèit] *vt., vi.* **1** 건조시키다〔하다〕; (음식물을) 말려서 보존하다; 탈수하여 가루 모양으로 만들다; (지적·정신적으로) 고갈시키다: ~*d* milk 분유(粉乳). **2** 생기를 잃게〔무기력하게〕 하다: a ~*d* voice 생기 잃은〔무기력한〕 목소리. 파 **dès·ic·cá·tion** *n.* Ⓤ 건조 (작용), 탈수, 고갈.

des·ic·ca·tive [désikèitiv, disíkə-] *a.* 말리는, 건조용의. — *n.* 《고어》 건조제(劑).

des·ic·ca·tor [désikèitər] *n.* 건조기〔장치〕.

de·sid·er·ate [disídərèit/-zíd-, -síd-] *vt.* 바라다, 요망하다. 파 **de·sìd·er·á·tion** *n.* Ⓤ 바람; 갈망, 열망.

de·sid·er·a·tive [disídərətiv, -rèit-/-zídərət, -síd-] *a.* 바라는; 〖문법〗 원망(願望)(법)의. — *n.* (라틴어 문법 등의) 원망법; 원망 동사.

de·sid·er·a·tum [disìdəréitəm, -zìd-] (*pl.* **-ta** [-tə]) *n.* 《L.》 바라는 것, 꼭 있었으면 하는 것; 절실한 요구.

de·sight [dí:sàit] *n.* 보면 불유쾌한 것, 눈에 거슬리는 것.

de·sign [dizáin] *n.* **1** U,C 디자인, 의장(意匠), 도안; 밑그림, 소묘(素描); Ⓒ 무늬, 본(pattern): art of ~ 디자인술(術)/a vase with a ~ *of* roses (on it) 장미 무늬가 있는 꽃병. **2** U,C 설계(도); 계획: a ~ *for* a bridge 다리의 설계도/machine ~ 기계 설계. SYN. ⇨PLAN. **3** U,C (소설·극 따위의) 구상, 복안, 착상, 줄거리. **4** Ⓒ 기도, 의도, 목적. **5** (*pl.*) 속마음, 음모《*on; against*》. ***by* ~** 고의로, 계획적으로. ***have* 〔*harbor*〕 *~s on* 〔*upon, against*〕** …을 해치려고 마음 먹다, …에게 살의를 품다.

— *vt.* **1** 디자인하다, 도안〔의장〕을 만들다; 설계

하다: ~ a dress/~ a stage sets. **2** 《~+명/+*to* do/+*that* 절》 계획하다, 안을 세우다, …하려고 생각〔뜻〕하다: ~ a new kind of dictionary 새로운 종류의 사전을 고안하다/He ~*ed to* study law. 그는 법률 공부에 뜻을 두었다/He is ~*ing that* he will study abroad. 그는 외국에 가서 공부하려고 생각하고 있다. **3** 《+목+전+명/+목+*to be* 보/+*that* 절/+목+*as* 보》 의도하다, 예정하다: He is ~*ing* his son *for* 〔*to be*〕 a lawyer. =He is ~*ing that* his son shall be a lawyer. 아들을 법률가로 만들려고 마음먹고 있다/~ a room *as* a billiard room 한 방을 당구실로 할 생각이다. SYN. ⇨INTEND. — *vi.* 《~/+전+명》 디자인하다, 도안을 만들다; 설계하다; 계획하다, 안을 세우다; 뜻을 두다, …할 예정이다: He ~*s for* law. 그는 법률에 뜻을 두고 있다/She ~*s for* a famous dressmaking firm. 그녀는 유명한 양장점의 디자이너로 일한다.

des·ig·nate [dézignèit] *vt.* **1** 가리키다, 지시〔지적〕하다, 표시〔명시〕하다, 나타내다: On this map red lines ~ main roads. 이 지도에서 붉은 선은 주요 도로를 나타내고 있다. **2** 《+목+(*as*) 보》 …라고 부르다(call), 명명하다: Trees, moss and ferns are ~*d* (*as*) plants. 수목·이끼·양치류는 식물이라고 불린다. **3** 《+목+전+명/+목+*as* 보/+목+*to* do》 지명하다, 임명〔선정〕하다《*to; for*》; 지정하다: ~ a person *as* 〔*for*〕 one's successor 아무를 후계자로 지명하다/He ~*d* me *to* work under 〔for〕 him. 그는 나에게 부하로서 일하도록 지명했다. — [dézignit, -nèit] *a.* 〔명사 뒤에서〕 지명된; 지정된: an ambassador ~ 지명된〔미취임〕 대사. 파 **-nat·ed** [-id] *a.* 지정된; 관선의: a ~*d* hitter 〖야구〗 지명 타자《생략: DH, dh》. **dés·ig·na·tive** [-nèitiv, -nə-] *a.* 지시〔지명〕하는. **dés·ig·nà·tor** *n.* 지명〔지정〕자. **des·ig·na·to·ry** [dézignətɔ̀:ri, dèzignətəri] *a.*

désignated dríver 지명 운전사《파티 후의 귀갓길에 운전하도록 지명된 자.》

désignated hítter 《미》 〖야구〗 지명 타자; 《미》 임시 대리인.

des·ig·na·tion [dèzignéiʃən] *n.* **1** Ⓤ 지시; 지정《*of*》. **2** Ⓤ 지명, 임명, 선임《*of; as*》. **3** Ⓒ 명칭, 호칭; 칭호.

de·sígned *a.* 설계〔도안〕에 의한; 계획된; 고의의, 계획적인(intentional). 파 **de·sígn·ed·ly** [-nidli] *ad.* 고의로, 일부러.

des·ig·nee [dèzigní:] *n.* 지명된 사람, 피지명인.

desígn engineèr 설계 기사.

de·sign·er [dizáinər] *n.* **1** 디자이너, 도안가: a clothes 〔dress〕 ~ (의상) 디자이너/a commercial ~ 상업 미술가. **2** 설계자, 입안자. **3** 음모자(plotter); 《미속어》 위조자, 위폐범(僞幣犯). — *a.* 유명한 디자이너의 이름이 붙은, 디자이너 브랜드의.

desígner drùg **1** 헤로인과 같은 규제 물질과는 약간 다른 분자 구조를 가지면서 효능이 비슷한 합성 마약. **2** 특정한 세균에만 효능을 갖는 약품·항생 물질.

desígner géne 〖유전·의학〗 디자이너 유전자《유전자 공학에 의해 변경되거나 만들어진 유전자; 특히 유전자 치료에 씀》.

de·sígn·ing *a.* 설계〔도안〕의; 계획적인; 흉계가〔속셈이, 야심이〕 있는. — *n.* Ⓤ 설계; 도안; 계획; 음모. 파 **~·ly** *ad.*

desígn·less *a.* 무계획적인, 무계획한, 목적이 없는, 부주의한.

desígn rùle 〖전자〗 디자인 룰《LSI의 최소 배

선폭으로 특징지을 수 있는 설계의 기준》.

de·silt [di:sílt] *vt.* (강 따위를) 준설(浚渫)하다.

de·sil·ver·ize [di:sílvəràiz] *vt.* (…에서) 은(銀)을 제거하다.

des·i·nence [désənəns] *n.* **1** 시의 끝, 끝행. **2** 〖문법〗 어미(ending), 접미사(suffix).

de·sip·i·ence, -en·cy [disípiəns], [-i] *n.* Ⓤ 《문어》 어처구니없음.

de·si·pra·mine [dəzíprəmì:n, dèzəprǽmin] *n.* 〖약학〗 데시프라민《항울병(抗鬱病) 약》.

***de·sir·a·ble** [dizáiərəbəl] *a.* **1** 바람직한; 탐나는, 갖고 싶은. cf desirous. ¶ ~ surroundings 바람직한 환경. **2** 호감이 가는; 매력 있는: ~ companions 마음에 드는 친구. ― *n.* 바람직한 사람〔것, 일〕. ㊕ **-bly** *ad.* **~·ness** *n.* **~·a·bíl·i·ty** *n.* Ⓤ 바람직함.

⁑**de·sire** [dizáiər] *vt.* **1** 《~+목/+*to* be 보/+목+*to* do/+*that* 절/+전+명+*that* 절》 바라다, 원하다; 욕구(欲求)하다(long); 요망하다, 희망하다: ~ a college education 대학 교육 받기를 원하다/Everybody ~*s to* be happy. 누구나 행복해지기를 원한다/He ~*d to* go at once. 그는 곧 가고자 했다〔가고 싶다고 말했다〕/I ~ *that* action (should) be postponed. 의결이 연기되기를 요망합니다 / He ~*d of* me *that* I (should) go at once. 그는 내가 곧 가기를 바랐다〔나보고 곧 가라고 말했다〕. **2** …와 성적 관계를 갖고 싶어하다. ― *vi.* 욕망을 갖다〔느끼다〕. ~ ***earnestly for*** …을 열망하다, 동경하다. ***It is ~d that ...*** …함이 바람직하다. ***leave much*** 〔***nothing***〕 ***to be ~d*** 유감스러운 점이 많다〔더할 나위 없다〕.

― *n.* Ⓒ,Ⓤ **1** 욕구; 원망(願望), 욕망《*to* do; *for*》: He has a ~ *for* fame. 명성을 바라고 있다/His ~ *to* succeed was strong. 그의 출세욕은 강했다. **2** 식욕; 정욕: sexual ~ 성욕. **3** 요망, 요구; 바라는 것: get one's ~ 바라던 것을 손에 넣다, 소망이 이루어지다. ***at*** one's ~ 바라는 대로. ***by*** ~ 요망에 따라. ㊕ **-sír·er** *n.* 욕구자.

de·síred *a.* 원하고 바라던, 요망된; 바람직한, 바라던 대로의: have the ~ effect 바라던 대로의 효과를 얻다.

***de·sir·ous** [dizáiərəs] *a.* 원하는, 바라는, 열망하는《*of; to* do; *that*》. cf desirable. ¶ I am ~ *to* know further details. 더 자세한 것을 알고 싶다/She *was* ~ *of* her son's success. 그녀는 자식의 성공을 바랐다/He was ~ *that* nothing (should) be said about it. 그는 그것에 관해서 아무 말도 듣고 싶지 않았다.

de·sist [dizíst, -síst] *vi.* 《문어》 그만두다, 중지하다, 단념하다《*from; in*》: ~ *from* going 가는 것을 단념하다. ㊕ **de·sís·tance** *n.* Ⓤ 중지, 단념.

de·si·tion [dizíʃən, -sí-] *n.* 존재하지 않게 됨, 「소멸.

†**desk** [desk] *n.* **1** (공부·사무용의) 책상; (the ~) 사무〔문필〕직. **2** 〖음악〗 보면대(譜面臺); 《영》 (문방구·편지용) 문갑, 손궤. **3** 《미》 성서대(聖書臺), 설교단; (the ~) 목사의 직. **4** 《미》 (신문사의) 편집부, 데스크; (호텔의) 접수원. ***be*** 〔***sit***〕 ***at*** one's 〔***the***〕 ~ (책상 앞에 앉아) 책을 읽고〔글을 쓰고〕 있다, 업무를 보다. ***go to*** one's ~ 집무를 시작하다. ― *a.* 책상의; 탁상용의; 사무직의: a ~ job 글쓰기, 사무/a ~ copy (교수용) 증정본/a ~ lamp 탁상 스탠드/a ~ dictionary 탁상판 사전/a ~ theory 탁상공론.

désk·bòund *a.* 책상에 얽매인, 책상에서 하는; 내근의.

désk càlendar 탁상용 달력.

désk chèck 《속어》 〖컴퓨터〗 탁상 검사《오류 제거를 위한 하드 카피 점검》. ㊕ **désk·chèck** *vt.*

désk clèrk 《미》 (호텔의) 접수계원〔담당자〕 (receptionist).

de·skill [di:skíl] *vt.* (자동화·분업화로) 일을 단순 작업화하다.

désk jòckey 《미속어·우스개》 사무 직원.

désk·man [-mæ̀n, -mən] (*pl.* ***-men*** [-mèn, -mən]) *n.* (신문사의) 데스크《보통 편집 차장》; (기업체의) 관리 직원, 사무원. 「통.

désk òrganizer (필기구 따위를 넣는) 탁상용

désk pàd 책상용 깔개《고무판 등》.

désk sécretary 《미》 (협회 등의) 내근 직원.

désk stùdy 《영》 탁상 연구.

désk tìdy (책상용의) 필통.

désk·tòp *a.* 탁상용의, 소형의: a ~ computer 탁상 컴퓨터. ― *n.* 탁상 컴퓨터; 탁상 작업면.

désktop públishing 〖컴퓨터〗 탁상 출판(computer-aided publishing)《퍼스널 컴퓨터와 레이저 프린터를 써서 편집·레이아웃을 하여 인쇄 대본을 작성하는 시스템; 생략: DTP》.

désk wòrk 사무; 문필업. 「Letters).

D. ès L. *Docteur ès Lettres* 《F.》 (=Doctor of

des·moid [dézmɔid, dés-] *a.* 인대(靭帶) 모양의, 인대의, (종양 등이) 섬유성의. ― *n.* 〖의학〗 유건종(類腱腫), 데스모이드.

des·mo·some [dézməsòum] *n.* 〖생물〗 접착반(接着班), 교소체(橋小體), 세포간교(細胞間橋). ㊕ **dès·mo·sòm·al** *a.*

de·so·cial·i·za·tion [di:sòuʃəlizéiʃən] *n.* 비(非)사회화; (기업·정부의) 비사회주의화.

***des·o·late** [désələt, déz-] *a.* **1** 황폐한; 황량한. **2** 사는 사람이 없는; 쓸쓸한, 외로운, 고독한. **3** 우울한, 어두운. ― [-lèit] *vt.* **1** 황폐케 하다; 살지 못하게 하다, 주민을 없애다. **2** 돌보지 않다. **3** 쓸쓸하게〔외롭게〕 하다. ㊕ **~·ly** [-lətli] *ad.* **~·ness** *n.*

dés·o·làt·ed [-lèitid] *a.* (사람이) 쓸쓸한, 외로운, 허전한: She is ~ without you. 그녀는 네가 없어서 외로워하고 있다.

dés·o·làt·er, dés·o·là·tor [-lèitər] *n.* 황폐케 하는 사람〔것〕.

°**des·o·la·tion** [dèsəléiʃən] *n.* Ⓤ 황폐시킴, 황폐, 황량; 주민을 없앰; Ⓒ 황무지, 폐허(ruin); Ⓤ 쓸쓸함, 외로움(loneliness).

de·sorb [di:sɔ́:rb, -zɔ́:rb] *vt.* 흡수제로부터 흡수된 물질을 제거하다. ― *vi.* 탈착(脫着)되다. ㊕ **de·sorp·tion** [di:sɔ́:rpʃən] *n.* Ⓤ 탈착.

⁑**de·spair** [dispέər] *n.* **1** Ⓤ 절망; 자포자기. opp hope. ¶ He was in ~ *at* his failure. 그는 실패하여 절망했다. **2** Ⓒ (one's 〔the〕 ~) 절망의 원인: He is my ~. 그에게는 두 손 들었다《구제하기 어렵다는 뜻》; 그에게는 도저히 미치지 못한다《너무 잘나 상대가 안 된다는 뜻》. ***abandon*** one***self*** 〔***give*** one***self up***〕 ***to*** ~ 자포자기하다. ***drive*** a person ***to*** ~ =***throw*** a person ***into*** ~ 아무를 절망에 빠지게 하다. ― *vi.* 《+전+명》 절망하다, 단념하다《*of*》: ~ *of* succeeding 성공할 가망이 없다/His life is ~*ed of*. 그의 목숨은 도저히 구조될 가망이 없다.

de·spáir·ing *a.* 자포자기의; 절망적인, 가망 없는: a ~ sigh 절망적인 한숨. SYN. ⇨HOPELESS. ㊕ **~·ly** *ad.*

des·patch [dispǽtʃ] *n., vt., vi.* =DISPATCH.

des·per·a·do [dèspərá:dou, -pəréi:-] (*pl.* ~(***e***)***s*** [-z]) *n.* 《Sp.》 무법자, 악한《특히 개척시대의 미국 서부의》; 분수에 맞지 않게 돈을 꾸는〔노름을 하는, 생활을 하는〕 사람.

⁑**des·per·ate** [déspərət] *a.* **1** 자포자기의; 무모한, 될 대로 되라는 식의: become 〔grow〕 ~ *at* the failure 그 실패로 자포자기하다. **2** 필사적인; 혈안이 된, 열중한; …하고 싶어 못 견디는 《*for; to* do》: a ~ remedy 궁여지책/in a ~

effort *to* (do) 기를 쓰고 …하려고 / I was ~ *for* a glass of water. 물 한 잔 마시고 싶어 죽을 지경이었다. **3** 절망적인; (구제되거나 좋아질) 가망이 없는: The situation is ~. 사태는 절망적이다. SYN. ⇨HOPELESS. **4** 맹렬한; 지독한. **—** *ad.* 《구어·방언》 =DESPERATELY. ◇ despair *v.* ㊐ **~·ness** *n.*

◇**dés·per·ate·ly** *ad.* **1** 필사적으로, 혈안이 되어; 절망적으로. **2** 자포자기하여. **3** 《구어》 몹시, 지독하게(excessively).

◇**des·per·a·tion** [dèspəréiʃən] *n.* Ⓤ 필사적임; 열중; 절망, 자포자기: in ~ 필사적으로; 자포자기하여. ***drive** a person **to** ~* 아무를 절망으로 몰아 넣다, 필사적이 되게 하다; 《구어》 노발대발케 하다.

des·pi·ca·ble [déspikəbəl, dispík-] *a.* 야비한, 비열한: a ~ crime 비열한 범죄. ㊐ **-bly** *ad.* **~·ness** *n.*

de·spin [diːspín] (*p.*, *pp.* ***-spun; ~·ning***) *vt.*, *vi.* 【우주】 (인공위성·항공기 기체의) 회전을 정지하다, 회전 속도를 떨어뜨리다.

de·spir·it·u·al·ize [diːspíritʃuəlàiz] *vt.* …에서 정신적인 것을 빼앗다, …의 정신적 요소를 빼내다.

***de·spise** [dispáiz] *vt.* **1** 경멸하다, 멸시하다, 얕보다: I ~ liars. 거짓말쟁이를 경멸한다. **2** 싫어(혐오)하다: He thoroughly ~*d* his job. 그는 자기가 하는 일을 전적으로 싫어했다. ㊐ **de·spís·er** *n.*

de·spite** [dispáit] *prep.* …에도 불구하고(in spite of): He is very strong ~ his age. 노령임에도 불구하고 매우 정정하다. **— *n. Ⓤ **1** 무례, 멸시(contempt). **2** 악의, 원한(spite); 위해(危害); 분노. ***(in) ~ of*** …에도 불구하고, …을 무릅쓰고 《이 뜻으로는 despite 또는 in spite of 가 보통》. ***in** one's (**own**) ~* 《고어》 본의 아니게.

de·spite·ful [dispáitfəl] *a.* 《고어》 심술궂은; 악의 있는(spiteful). ㊐ **~·ly** *ad.*

de·spoil [dispɔ́il] *vt.* 《~+목/+목+전+명》 …으로부터 탈취하다, 약탈하다: ~ a person *of* his land 아무에게서 토지를 빼앗다 / ~ a village 마을을 약탈하다. ㊐ **~·er** *n.* 약탈(강탈)자. **~·ment** *n.* Ⓤ 약탈.

de·spo·li·a·tion [dispòuliéiʃən] *n.* Ⓤ 약탈.

de·spond [dispánd/-spɔ́nd] *vi.* 실망하다, 낙담하다, 비관하다: ~ *of* one's future 장래를 비관하다. **—** *n.* Ⓤ 《고어》 낙담, 실망.

de·spond·ence, -en·cy [dispándəns/-spɔ́nd-], [-ənsi] *n.* Ⓤ 낙담, 의기소침: fall into *despondency* 의기소침하다.

◇**de·spond·ent** [dispándənt/-spɔ́nd-] *a.* 낙담한, 기운(풀) 없는, 의기소침한. SYN. ⇨HOPELESS, SAD. ㊐ **~·ly** *ad.*

de·spónd·ing *a.* =DESPONDENT. ㊐ **~·ly** *ad.*

◇**des·pot** [déspət, -pat/-pɔt] *n.* 전제 군주, 독재자; 《일반적》 폭군.

◇**des·pot·ic, -i·cal** [dispátik/despɔ́t-], [-əl] *a.* 전제의, 독재적인; 횡포한, 포학한《*to; toward*》: He is utterly *despotic to* (*toward*) his subordinates. 그는 부하에게 몹시 횡포를 부린다. ㊐ **-i·cal·ly** *ad.*

despótic mónarchy 【정치】 전제 군주제(국).

◇**des·pot·ism** [déspətìzəm] *n.* **1** Ⓤ 독재, 전제; 전제 정치; 폭정. **2** Ⓒ 전제국, 독재 군주국. ㊐ **-ist** *n.* 전제론자.

des·po·tize [déspətàiz] *vi.* 전제 군주이다, 독재 지배를 하다.

des·pu·mate [déspjumèit, dispjúː-] *vt.* (액체의) 웃더껑이를 걷어내다, 표면 피막을 제거하다 **—** *vi.* (액체가) 피막을 형성하다; (불순물이) 웃더껑이로 배출되다. ㊐ **dès·pu·má·tion** *n.*

des·qua·mate [déskwəmèit] *vi.*, *vt.* (표피(表皮) 등이) 벗겨지다; 벗기다, 박리(剝離)하다.

des·qua·ma·tion [dèskwəméiʃən] *n.* Ⓤ (표피 따위의) 벗겨짐, 박리.

‡**des·sert** [dizə́ːrt] *n.* Ⓤ,Ⓒ 디저트《식후의 푸딩·파이 따위; 영국에서는 주로 과자류(sweets) 뒤의 과일을 가리킴》. ≒desert.

dessért fòrk 디저트용 포크.

dessért knìfe 디저트 나이프《table knife 보다 소형》.

dessért·spòon *n.* 디저트용 스푼《teaspoon 과 tablespoon의 중간 크기》.

des·sert·spoon·ful [dizə́ːrtspùːnfùl] (*pl.* **~*s***) *n.* 디저트용 스푼 하나의 분량. 「에도 나옴》.

dessért wìne 달콤한 포도주《디저트나 식사 중

de·sta·bi·lize [diːstéibəlàiz] *vt.* 불안정하게 하다, 동요시키다. ㊐ **de·stà·bi·li·zá·tion** *n.*

de·stain [diːstéin] *vt.* (표본을) 탈색하다《보기 쉽게 하기 위하여》.

de-Stà·lin·i·zá·tion *n.* Ⓤ (흐루쇼프 시대의) Stalin 격하 운동.

de-Sta·lin·ize [diːstáːlinàiz, -stǽl-/-stáːl-] *vt.* 비(非)스탈린화하다.

de·ster·i·lize [diːstérəlàiz] *vt.* 《미》 (금(金))의 봉쇄를 해제하다; (유휴 물자·유휴 자금을) 활용하다; 풍요하게 하다. ㊐ **de·stèr·i·li·zá·tion** *n.*

◇**des·ti·na·tion** [dèstənéiʃən] *n.* **1** (여행 등의) 목적지, 행선지; 도착지(항); 【상업】 보낼 곳. **2** 목적, 의도; 용도. **3** (통신의) 수신자(受信者). ◇ destine *v.*

***des·tine** [déstin] *vt.* **1** 《+목+전+명/+목+*to* do》 《수동태》 운명으로 정해지다, 운명지어지다; …행이다: a ship ~*d for* Hong Kong 홍콩행의 배 / *be* ~*d to* failure 실패할 것이 뻔하다 / *be* ~*d for* the ministry =*be* ~*d to* enter the ministry 성직자가 될 몸이다 / They *were* ~*d* never *to* meet again. 그들은 두 번 다시 못 만날 운명이었다. **2** 《+목+전+명》 예정하다, (어떤 목적·용도에) 충당하다: ~ the day *for* a reception 그 날을 환영회 날로 정해 두다.

des·ti·ny** [déstəni] *n.* **1** Ⓤ,Ⓒ 운명, 숙명; 운: work out one's own ~ 혼자 힘으로 제 운명을 개척하다 / *Destiny* appointed it so. 그렇게 될 운명이었다. **2** Ⓤ (D-) 하늘, 신(神)(하느님)의 뜻(Providence); 【그리스신화·로마신화】 (the Destinies) 운명의 세 여신(the Fates). ***the man of ~ 운명을 지배하는 사람.

***des·ti·tute** [déstətjùːt/-tjùːt] *a.* **1** (극도로) 빈곤한: be left ~ 곤궁에 빠져 있다 / in ~ circumstances 곤궁하여. **2** (…이) 결핍한, (…을) 갖지 않은, (…이) 없는《*of*》: people ~ *of* principle 신조를 갖지 않은 사람들 / They are ~ *of* common sense. 그들은 상식이 없다. **3** (the ~) 《집합적》 빈민. ㊐ **~·ly** *ad.* **~·ness** *n.*

dès·ti·tú·tion *n.* Ⓤ 빈곤, 궁핍, 결핍(상태).

de·stock [diːsták/-stɔ́k] *vt.*, *vi.* 《주로 영》 (가축의) 수를 줄이다; 【상업】 재고를 줄이다.

de·stress [diːstrés] *vt.* …의 지나친 변형(變形)을 완화하다.

des·tri·er [déstriər] *n.* 《고어》 군마(軍馬).

‡**de·stroy** [distrɔ́i] *vt.* **1** 파괴하다, 부수다, 분쇄하다; 소멸시키다. OPP. *construct.* ¶ The invaders ~*ed* the whole town. 침입군은 전도시를 파괴했다 / be ~*ed* by fire (the flood) 소실(燒失)(유실)되다. **2** 죽이다, …의 목숨을 빼앗다; 멸망(절멸)시키다; (해충 따위를) 구제(驅除)하다: ~ one*self* 자살하다 / ~ rats 쥐를 구제하다. **3** (명성 등을) 해치다, (계획 등을) 못쓰게 만들다. **4** (증거 등을) 말소시키다, 무효로 만들다; (문서

를) 파기하다: The accident ~*ed* all his hopes for success. 불의의 사고로 그의 성공에의 희망은 깨지고 말았다. — *vi.* 파괴되다; 부서지다. ◇ destruction *n.* ㊈ **~·a·ble** *a.*

◇**de·stróy·er** *n.* 파괴자; 구제자(驅除者); 파괴하는 것; 〖군사〗 구축함; (D-) =SIVA. 「위 구축함.

destróyer èscort 《미》 (대(對)잠수함용) 호

destróyer lèader 향도(嚮導) 구축함.

destróying ángel 〖식물〗 송이과의 맹독을 가진 버섯의 일종.

de·struct [distrʌ́kt] *n.* (로켓의) 고의적인 파괴. — *a.* 파괴용의: a ~ button (미사일을 공중 폭발시키는) 파괴 버튼. — *vt.* (미사일 등을) 파괴하다, 자폭시키다. — *vi.* (미사일 등이) 자동적으로 파괴되다, 자폭하다.

de·strúct·i·ble *a.* 파괴〔궤멸, 구제(驅除)〕할 수 있는; 취약한. ㊈ **de·strùct·i·bíl·i·ty** *n.* Ⓤ

⁑**de·struc·tion** [distrʌ́kʃən] *n.* Ⓤ **1** 파괴; 분쇄. opp. *construction.* ¶ environmental ~ 환경 파괴. **2** 구제(驅除), 절멸. **3** 파멸, 멸망; 파멸의 원인: Gambling 〔Drink〕 was his ~. 도박으로〔술 때문에〕 신세를 망쳤다. ***bring ... to*** ~ …을 파괴하다, 파멸시키다. ◇ destroy, destruct *v.* ㊈ **~·ist** *n.* 파괴〔무정부, 허무〕주의자.

*__de·struc·tive__ [distrʌ́ktiv] *a.* **1** 파괴적인, 파괴주의적인; 파멸적인. opp. *constructive.* ¶ ~ criticism 파괴적 비평. **2** 해로운, 해를 끼치는, 유해한《*of; to*》: ~ *of* 〔*to*〕 health 건강에 해로운. ㊈ **~·ly** *ad.* 파괴적으로, 여지없이. **~·ness** *n.*

destrúctive distillátion 〖화학〗 분해 증류, 건류(乾溜).

destrúctive interférence 〖물리〗 상쇄 간섭. cf. constructive interference.

de·struc·tiv·i·ty [dìːstrʌktívəti] *n.* 파괴 능력.

de·struc·tor [distrʌ́ktər] *n.* 파괴자; 폐기물〔쓰레기〕 소각로(爐)(incinerator); (궤도를 벗어난 미사일의) 파괴〔폭파〕 장치.

de·sub·li·mate [diːsʌ́bləmèit] *vt.* …에서 (본능적 욕구를) 승화시키는 능력을 빼앗다.

de·suete [diswíːt] *a.* 시대〔유행〕에 뒤진.

des·ue·tude [déswitjùːd / déswitjùːd, disjúːd-] *n.* Ⓤ 폐지 (상태), 폐절(廢絶); 불용(不用). ***fall*** 〔***pass***〕 ***into*** ~ 폐절되다, 쇠퇴하다.

de·sul·fu·rize, 《영》 **-phu-** [diːsʌ́lfjəràiz/-fju-] *vt.* …에서 황분〔황질〕을 제거하다, 탈황하다. ㊈ **de·sùl·fu·ri·zá·tion** *n.*

des·ul·to·ry [désəltɔ̀ːri/-təri] *a.* 산만한, 단편적인; 일관성이 없는; 변덕스러운, 종작 없는; 주제를 벗어난, 탈선적인: ~ reading 산만한 독서, 남독(濫讀) / a ~ talk 만담. SYN. ⇨ RANDOM. ㊈ **-ri·ly** [-li] *ad.* 만연히, 산만히. **-ri·ness** *n.*

de·syn·chro·nize [disíŋkrənàiz] *vt.* 비동기화(非同期化)하다.

desýnchronized sléep 비동기성 수면, D수면. cf. REM sleep.

de·syn·on·y·mize [dìsinánəmàiz/-nɔ́n-] *vt.* (동의어의) 뜻을 바꾸어 동의어가 아닌 것으로 하다, (동의어로서 쓰이는) 말의 뜻을 구별하다.

DET diethyltryptamine(속효성(速效性) 환각제). **det.** detached; detachment; detail; determine.

*__de·tach__ [ditǽtʃ] *vt.* **1** 《~+목/+목+전+명》 떼어내다, 떨어지게 하다, 분리하다《*from*》. opp. *attach.* ¶ ~ a locomotive *from* a train 열차에서 기관차를 분리하다. **2** 《~+목/+목+*to* do/+목+전+명》 (군대·군함 등을) 파견〔분견〕하다: Soldiers were ~*ed to* guard the visiting princess. 병사들은 내방한 왕녀를 경호하기 위해 파견되었다 / ~ a ship *from* a fleet 함대로부터 배 한 척을 파견하다. **3** 〖~ oneself〗 …로부터 이탈하다, 떠나다: Some of them ~*ed* them*selves from* the party. 그들 중에는 당을 떠나는 사람도 있었다. ㊈ **~·a·ble** *a.* 분리〔파견〕할 수 있는.

◇**de·táched** [-t] *a.* **1** 떨어진, 분리한《*from*》: a ~ house 독립 가옥, 단독 주택 / a ~ palace 별궁(別宮). **2** 초연한, 편견이 없는, 공평한: a ~ attitude 초연한 태도 / take a ~ view of things 사물을 공평히 보다. **3** 분견〔파견〕된: a ~ troop 〔force〕 분견대. ㊈ **-tach·ed·ly** [-tǽtʃidli, -tʃtli] *ad.* **1** 떨어져서, 고립하여. **2** 사심 없이, 공평히; 초연히.

detáched sérvice 〖군사〗 파견 근무.

*__de·tách·ment__ *n.* **1** Ⓤ 분리, 이탈; 고립. **2** Ⓒ 〖집합적〗 파견대, 지대(支隊). **3** Ⓤ (세속·이해 따위로부터) 초연함, 초월; 공평.

⁑**de·tail** [diːtéil, díːteil] *n.* Ⓒ **1** 세부, 세목(item); 항목: a matter of ~ 하찮은〔자질구레한〕 일 / (down) to the smallest ~ 극히 사소한 세목에 이르기까지. **2** (종종 *pl.*) 상세(particulars); 상술(詳述). **3** (자상하고 잔손질이 간) 세공 (장식). **4** Ⓤ (조각·건축·기계 따위의) 세부, 세부 묘사〔장식〕; =DETAIL DRAWING. **5** 〖집합적〗 〖군사〗 소(小)분견대, 선발대(選拔隊); (소수의) 특파 부대《미국에선 경찰대·기자 등에게도 씀》, 특수 사명: a kitchen ~ 취사반. **6** (또는 a ~) 지엽적인 것, 쓸모없는 것, 사소한 것. ***defeat*** 〔***beat***〕 ***in*** ~ 〖군사〗 각개 격파. ~ ***by*** ~ 하나하나 상세히. ***give a full*** ~ ***of*** …을 상세히 설명하다. ***go*** 〔***enter***〕 ***into*** ~(***s***) 상술하다. ***in*** ~ 상세하게, 자세히; 세부에 걸쳐서.

— *vt.* **1** 《~+목/+목+전+명》 상술하다; 열거하다: ~ a story 상세히 설명하다 / ~ a plan *to* a person 아무에게 계획을 상세히 설명하다. **2** 《~+목/+목+*to* do/+목+전+명》 〖군사〗 선발〔파견〕하다: They were ~*ed to* search the chapel. 그들은 예배당을 수색하도록 파견되었다 / ~ a man *for* espionage duty 병사를 정찰 보내다. **3** …에 세부 장식을 달다. 「세도.

détail dràwing 〖건축·기계〗 세부 설계도; 상

de·tailed [díːteild, ditéild] *a.* 상세한, 정밀한; 파견된: give a ~ report 상보(詳報)하다. ㊈ **~·ly** *ad.* **~·ness** *n.*

dé·tail·ing *n.* (건물·의복·예술품 따위의) 정밀〔세부〕 장식.

détail màn (제약 회사의) 신약 선전원《의사·병원·약국 따위를 방문함》.

*__de·tain__ [ditéin] *vt.* **1** 붙들어 두다; 기다리게 하다: I won't ~ you more than five minutes. 5분 이상 붙들어두지는 않겠네. **2** 《~+목/+목+*as* 보》 〖법률〗 억류〔유치, 구류〕하다: The police ~*ed* him *as* a suspect. 경찰은 그를 용의자로 구금했다. **3** 《고어》 보류하다; 그대로 두다. SYN. ⇨ KEEP. ㊈ **~·ee** [ditèiníː] *n.* (정치적 이유에 의한 외국인) 억류자. **~·er** *n.* **1** Ⓤ 〖법률〗 불법 유치〔점유〕. **2** Ⓒ 구금 갱신〔속행〕 (영장); Ⓤ 그 절차. **~·ment** *n.* =DETENTION.

de·tas·sel [diːtǽsəl] *vt.* (옥수수의) 수꽃이삭을 제거하다《제꽃가루받이를 못 하게》.

detd. determined.

*__de·tect__ [ditékt] *vt.* **1** 《+목+-*ing*》 (나쁜 짓 따위를) 발견하다, (…하고 있는 것을) 보다: I ~*ed* the man steal*ing* money. 그자가 돈을 훔치는 것을 보았다. SYN. ⇨ FIND. **2** 《~+목/+목+전+명》 간파하다, …임을 알아내다, 탐지〔감지〕하다; 〖화학〗 검출하다: ~ a spy 간첩임을 간파하다 / ~ the odor of gas 가스 새는 것을 발견하다 / I ~*ed* a change *in* her attitude. 그녀의 태도에 변화가 생겼음을 알아냈다. **3** 〖통신〗 검파하다. ㊈ **~·a·ble, ~·i·ble** *a.* 찾아낼〔탐지할〕 수

있는: a barely ~*able* change 겨우 알아차릴 수 있을 정도의 변화.

de·tec·ta·phone, de·tec·to·phone [ditéktəfòun] *n.* (전화) 도청기, 탐정용 전화기.

°**de·téc·tion** *n.* U,C 발견; 간파, 탐지; 발각, 탄로; 〖화학〗 검출; 〖전자〗 정류검파: a ~ station (핵실험의) 감시소.

*__de·tec·tive__ [ditéktiv] *a.* **1** 탐정의: a ~ story 〔novel〕 탐정〔추리〕 소설/a ~ agency 사립 탐정 사무실; 흥신소. **2** 검출용〔검파용〕의. ―*n.* 탐정; 형사; (재무성 따위의) 조사관: a private ~ 사립 탐정.

°**de·tec·tor** [ditéktər] *n.* 발견자; 간파자; 〖화학〗 검출기; 〖전기〗 (누전) 검전기; 〖전자〗 검파기, 정류기: a lie ~ 거짓말 탐지기/a crystal ~ 광석 검파기. 「디텍터 차.

detéctor càr 〖철도〗 (선로의 균열을 찾아내는)

de·tent [ditént] *n.* 〖기계〗 멈춤쇠, 회전 멈추개, 역회전 멈추개; (시계 톱니바퀴의) 걸쇠, 톱니바퀴 멈추개.

dé·tente, de- [deitá:nt] *n.* 《F.》 (국제 간의) 긴장 완화, 데탕트.

de·tente·nik [deitá:ntnik] *n.* 《경멸》 데탕트파(派), (예전의) 미 · 소 간의 데탕트 정책 지지자.

de·ten·tion [ditén∫ən] *n.* U 붙듦, 붙들림; 저지; 지체; 구류, 구금, 유치; (벌로서) 방과 후 잡아두기: a house of ~ 유치장, 구치소/a ~ cell 유치장. ◇ detain *v.* ***under*** ~ 구류되어.

deténtion bàrrack 〖영군사〗 영창.

deténtion càmp 포로 수용소, 억류소; (정치범 · 불법 입국자의) 수용소; (전시의 적국인) 강제 수용소.

deténtion cènter 《영》 비행 청소년 단기 수용소; =CONCENTRATION CAMP. 「별소(鑑別所).

deténtion hòme 불량 소년 수용소; 소년 감

deténtion hòspital 격리 병원.

°**de·ter** [ditə́:r] (*-rr-*) *vt.* **1** (공포 · 의혹 따위로) 제지〔만류〕하다, 단념시키다《*from; from doing*》: Nothing can ~ him *from* (do*ing*) his duty. 어떤 일도 그의 의무 수행을 막을 수는 없다. **2** 방해하다; 저지〔억지〕하다; 방지하다: treat timber with creosote to ~ rot 썩지 않게 나무에 크레오소트를 칠하다. ㊕ **de·tér·rer** *n.*

de·terge [ditə́:rdʒ] *vt.* (상처 등을) 깨끗이 하다, 세척하다.

de·ter·gence, -gen·cy [ditə́:rdʒəns], [-si] *n.* U 세척〔세정〕성(性); 정화력(淨化力).

de·ter·gent [ditə́:rdʒənt] *a.* 깨끗하게 하는, 세정성의. ―*n.* 청정제(劑); 세제, (특히) 합성세제.

°**de·te·ri·o·rate** [ditíəriərèit] *vt.* 나쁘게 하다; 열등하게 하다, (가치를) 저하시키다; 타락시키다. ―*vi.* (질 · 가치가) 떨어지다, 악화하다, 저하하다; (건강이) 나빠지다; 타락하다. OPP *ameliorate*. ㊕ **de·tè·ri·o·rá·tion** *n.* U 악화, (질의) 저하, 열화(劣化), 노후화, 가치의 하락; 타락. **de·té·ri·o·rà·tive** [-tiv] *a.* 나빠질 경향이 있는; 타락적인. 「물(deterrent).

de·tér·ment *n.* U 제지〔저지〕(하는 것); 방해

de·tér·min·a·ble *a.* 결정〔확정〕할 수 있는; 〖법률〗 종결해야 할.

de·ter·mi·na·cy [ditə́:rmənəsi] *n.* 확정성, 결정성; 한정성, 확실도.

de·ter·mi·nant [ditə́:rmənənt] *a.* 결정하는; 한정적인. ―*n.* 결정자(者)〔물〕, 결정 요소; 〖생물〗 결정 인자(決定因子), 유전소; 〖논리〗 한정사(辭); 〖수학〗 행렬식(行列式). 「數)(rank).

detérminant rànk 〖수학〗 (행렬의) 계수(階

de·ter·mi·nate [ditə́:rmənət] *a.* 한정된, 명확한; 일정한; 결정적인; 확고〔단호〕한, 결연한; 〖식물〗 (꽃차례가) 유한(有限)의; 〖수학〗 기지수의. ― [-nèit] *vt.* 확인하다. ㊕ ~·**ly** *ad.* 결정적으로. ~·**ness** *n.*

detérminate cléavage 〖생물〗 결정적 난할(卵割)《발생 운명이 처음부터 결정되어 있는》.

*__de·ter·mi·na·tion__ [ditə̀:rmənéi∫ən] *n.* U **1** 결심; 결의, 결단(력) 《*to* do》: a man of great ~ 결심이 굳은 사람/with ~ 단호히/his ~ *to* master English 영어를 철저히 배우려는 그의 결의. **2** 결정, 확정; 측정: the ~ *of* the boundary between the two countries 양국 간의 국경 확정. **3** 해결, 해답; 〖법률〗 (재산권의) 종료〔소멸〕; 〖법률〗 논쟁의 종결, 판결; 〖물리〗 측정(법); 〖논리〗 한정; 《고어》 〖의학〗 (혈행의) 편향(偏向): the ~ of a word's meaning 말 뜻의 한정. ◇ determine *v.*

de·ter·mi·na·tive [ditə́:rmənèitiv, -nətiv] *a.* 결정력 있는; 확정적인; 한정하는. ―*n.* U,C 결정〔한정〕의 원인; C 〖문법〗 한정사(관사 · 지시대명사 따위). ㊕ ~·**ly** *ad.* ~·**ness** *n.* 「MINER.

de·ter·mi·na·tor [ditə́:rmənèitər] *n.* =DETER-

__de·ter·mine__ [ditə́:rmin] *vt.* **1 《+목+*to* do/+목+전+명》 …에게 결심시키다, …에게 결의하게 하다《*to go*》: The letter ~*d* him *to* go. 그 편지로 그는 가기로 결심했다/The letter ~*d* him *against* the plan. 그 편지를 읽고, 그는 그 계획에 반대하기로 결심했다. **2** 《+*to* do/+*that* 절》 …을 결심하다, 결의하다: He firmly ~*d to* try again. 그는 한 번 더 해보려고 굳게 결심했다/He ~*d that* nobody should dissuade him from doing it. 그는 누가 뭐라 해도 그것을 하기로 결심했다. **3** 《~+목/+*wh.* 절/+*wh. to* do》 결정하다, 결정〔조건〕짓다; (규칙 · 조건 · 날짜 · 가격 등을) 정하다, 예정하다; (경제 등을) 확정하다: The incident ~*d* the whole of his career. 그 사건은 그의 일생의 운명을 결정지었다/Demand ~*s* supply 〔the price〕. 수요는 공급〔가격〕을 좌우〔결정〕한다/~ *which* is right 어느 쪽이 옳은지를 결정하다/We have not yet ~*d what to* do. 우리들은 무엇을 할 것인가를 아직 정하지 않았다. SYN. ⇨DECIDE. **4** (성분 · 거리 등을) 측정하다, 사정하다; (식물의 종속(種屬) 등을) 결정하다. **5** (논쟁 · 문제 등을) 판정하다, 재정(裁定)하다. **6** 〖수학〗 …의 위치를 정하다; 〖논리〗 한정하다; 〖법률〗 판결하다, 종결하다; 〖법률〗 (권리를) 종료〔소멸〕시키다. ―*vi.* **1** 《+전+명》 결심하다, 결론짓다, 결정하다《*on, upon*》: ~ *on* a course of action 행동 방침을 결정하다. **2** 〖법률〗 (효력 따위가) 종료하다.

*__de·ter·mined__ [ditə́:rmind] *a.* **1** (단단히) 결심한: I am ~ *to* go. 기어코 갈 작정이다. **2** 결의가 굳은, 단호한(resolute): a ~ look 단호한 표정/in a ~ manner 결연하게. **3** 확정〔한정〕된(limited). ㊕ ~·**ly** *ad.* 결연히, 단호히. ~·**ness** *n.*

de·tér·min·er *n.* **1** 결정하는 사람〔물건〕. **2** 〖문법〗 한정사《a, the, this, your 따위》. **3** 〖생물〗 =DETERMINANT.

de·tér·min·ìsm *n.* U 〖철학〗 결정론. ㊕ **-ist** *n., a.* 결정론의 (신봉자). 「(자)적인.

de·ter·min·is·tic [ditə̀:rminístik] *a.* 결정론

de·ter·ra·ble [ditə́:rəbəl] *a.* (협박하여) 단념시킬 수 있는, 억제〔억지〕 가능한. ㊕ **de·tèr·ra·bíl·i·ty** *n.*

de·ter·rence [ditə́:rəns, -tʌ́r-, -tér-/-tér-] *n.* U 단념시킴, 제지, 억제; (핵무기 등에 의한) 전쟁 억지(력); C 저지물, 방해물.

de·ter·rent [ditə́:rənt, -tʌ́r-, -tér-/-tér-] *a.* 단념시키는, 제지〔방지〕하는, 못 하게 하는; 방해하는. ―*n.* 억제하는 것, 억제책; 방해물; (전

쟁) 억지력〔물〕《핵무기 따위》. [파] ~·ly *ad.*

de·ter·sive [ditə́ːrsiv] *a.*, *n.* =DETERGENT. ◇ deterge *v.*

*__de·test__ [ditést] *vt.* 《~+[목]/+-*ing*》 몹시 싫어하다, 혐오하다. [cf] abhor, loathe. ¶ I ~ dishonest people. 나는 부정직한 사람을 몹시 싫어한다/She ~*s* hav*ing* to talk to people at parties. 그녀는 파티에서 남들과 이야기해야 하는 것이 질색이다. [SYN.] ⇨ HATE. [파] ~·er *n.*

◇**de·tést·a·ble** *a.* 혐오(嫌惡)〔증오〕할, 몹시 싫은: be ~ *to* …에게 혐오를 받다〔미움을 사다〕. [파] **-bly** *ad.* ~·ness *n.*

de·tes·ta·tion [dìːtestéiʃən] *n.* **1** [U] 증오, 혐오(hatred). **2** 몹시 싫은 사람〔것〕. ***be in*** ~ 미움을 사고 있다. ***have* 〔*hold*〕... *in*** ~ …을 몹시 혐오하다.

de·throne [di(ː)θróun] *vt.* 왕위에서 물러나게 하다, 폐위시키다; 《비유》 (권위 있는 지위에서) 쫓아내다《*from*》. [파] ~·ment *n.* [U] 폐위, 강제 퇴위.

det·i·nue [détənjùː/-njùː-] *n.* 〖법률〗 [U] (동산의) 불법 점유; [C] 불법 점유 동산 반환 청구 소송(action of ~).

detn. detention; determination.

det·o·na·ble [détənəbəl] *a.* 폭발할 수 있는. [파] **dèt·o·na·bíl·i·ty** *n.*

det·o·nate [détənèit] *vt.*, *vi.* 폭발시키다〔하다〕, 작렬(炸裂)시키다〔하다〕; 폭음을 내다. ***a detonating cap*** 뇌관. ***a detonating fuse*** 폭발 신관. ***a detonating hammer*** (총포의) 공이치기. ***detonating gas*** 폭명(爆鳴) 가스. ***detonating powder*** 폭약. [파] **dèt·o·ná·tion** *n.* [U,C] 폭발; 폭발음; (내연 기관의) 자연 폭발. **dét·o·nà·tor** [-tər] *n.* 기폭 장치《뇌관·신관 등》; 기폭약, 〖영철도〗 신호용 뇌관.

◇**de·tour** [díːtuər, ditúər] *n.* 우회(迂廻); 우회로(路); 도는 길. ***make a*** ~ 우회하다. ― *vi.*, *vt.* 돌아가(게 하)다.

de·tox [díːtaks/-tɔks] *n.* 《미》 해독(detoxification). ― *a.* 해독(용)의. ― *vt.* 해독하다(detoxify).

de·tox·i·cant [diːtáksəkənt/-tɔ́k-] *a.* 해독성의. ― *n.* 해독약〔제〕.

de·tox·i·cate [diːtáksikèit/-tɔ́k-] *vt.* = DETOXIFY. [파] **de·tòx·i·cá·tion** *n.* [U]

detóxification cènter 해독 센터《알코올 중독자·마약 중독자의 갱생을 위한 시설》.

de·tox·i·fy [diːtáksəfài/-tɔ́k-] *vt.* …의 독성을 제거하다, 해독하다; …의 힘을 약하게 하다, 완화하다. [파] **de·tòx·i·fi·cá·tion** *n.* 무독화(無毒化), 해독.

◇**de·tract** [ditrǽkt] *vt.* **1** 줄이다, (가치·명성·아름다움 따위를) 떨어뜨리다, 손상시키다 《*from*》: This will ~ much *from* his fame. 이것으로 그의 명성은 크게 떨어질 것이다. **2** (주의 따위를) 딴 데로 쏠리게 하다(divert)《*from*》; 《고어》 비방하다. ― *vi.* (가치·명성 등을) 떨어뜨리다, 손상하다《*from*》.

de·trác·tion *n.* [U,C] 욕(slander), 비난; 훼손, 감손(減損)《*from*》.

de·trac·tive [ditrǽktiv] *a.* 감손하는, 줄이는; 욕하는, 비난하는. [파] ~·ly *ad.* ~·ness *n.*

de·trac·tor [ditrǽktər] *n.* (명예 훼손 목적으로) 비방〔중상〕하는 사람.

de·trac·to·ry [ditrǽktəri] *a.* =DETRACTIVE.

de·train [diːtréin] *vt.*, *vi.* 열차에서 내리(게 하)다. [opp] *entrain*. [파] ~·ment *n.*

de·trash [di(ː)trǽʃ] *vt.* (쓰레기 등 여분의 것을) 없애다(remove).

de·trib·al·ize [diːtráibəlàiz] *vt.* (다른 문화와의 접촉에 의해) …로부터 부족 고유의 의식〔풍습, 조직〕을 없애다〔잃게 하다〕.

det·ri·ment [détrəmənt] *n.* [U,C] 손해, 손상; [C] 손해의 원인, 유해물. ***to the*** ~ ***of*** …을 손상시켜; …에 손해를 입히고; …의 희생 아래. ***without*** ~ ***to*** …을 손상하지 않고; …에 손해를 주지 않고.

det·ri·men·tal [dètrəméntl] *a.* 유해한, 손해되는《*to*》: Smoking is ~ *to* health. 흡연은 건강에 해롭다. ― *n.* 이롭지 못한〔달갑지 않은〕 사람〔물건〕; 《속어》 (여자에게) 탐탁지 않은 구혼자 《원래는 차남 등》. [파] ~·ly *ad.*

de·tri·tal [ditráitl] *a.* 쇄암질(碎岩質)의.

de·tri·tion [ditríʃən] *n.* [U] 마멸, 마모, 마손.

de·tri·ti·vore [ditráitəvɔ̀ːr] *n.* 〖생태〗 부식성(腐食性) 생물(detritus feeder)《죽은 동물의 고기나 부분적으로 분해된 유기물을 먹는 동물》. [파] **dèt·ri·tív·or·ous, de·trív·or·ous** *a.*

de·tri·tus [ditráitəs] (*pl.* ~ [-təs, -tuːs]) *n.* 〖지학〗 암설(岩屑); 쇄암(碎岩), 쇄석; (해양 등의) 유기 퇴적물; 파편(의 더미).

De·troit [ditrɔ́it] *n.* **1** 디트로이트《미국 Michigan 주 남동부의 자동차 공업 도시》; 미국 자동차 산업. **2** (the ~) 디트로이트 강《Michigan 주 남동부와 캐나다의 국경을 흐름》. **3** 《미속어》 디트로이트 깎이《남성 헤어스타일의 하나》. [파] ~·er *n.* 디트로이트 시민.

de trop [dətróu] 《F.》 군더더기의, 쓸모없는, 오히려 방해가 되는(not wanted).

de·trude [ditrúːd] *vt.* 밀어 넘어뜨리다; 밀어내다; 밀치다. 「잘라내다.

de·trun·cate [ditrʌ́ŋkeit] *vt.* (…의) 일부를

de·tru·sor [ditrúːzər] *n.* 〖해부〗 (방광의) 배뇨근(排尿筋).

de·tu·mes·cence [dìːtjuːmésəns/-tjuː-] *n.* [U] 〖의학〗 종창(腫脹) 감퇴; 발기 감퇴. [파] **-cent** *a.*

Deu·ca·li·on [djuːkéiliən/djuː-] *n.* 〖그리스신화〗 듀칼리온《Prometheus의 아들; 아내 Pyrrha와 함께 홍수에서 살아남아 인류의 조상이 됨》.

deuce[1] [djuːs/djuːs] *n.* **1** [C] (카드놀이·주사위의) 2점; 2점의 패, (주사위의) 2점의 눈. **2** [U] 〖테니스〗 듀스. **3** [C] 《미속어》 2달러; 《미속어》 2년형(刑); 《미속어》 겁쟁이. ~ ***of clubs*** 《미속어》 양쪽 주먹. ― *vt.* 〖테니스〗 (경기를) 듀스로 만들다. ~ ***it*** 《미속어》 두 번째가 되다; 《미속어》 둘이서 하다, 약혼하다, 데이트하다.

◇**deuce**[2] *n.* **1** [U] 《구어》 불운; 재난; 재액; 악마. **2** (보통 the ~) 제기랄《devil과 같이 가벼운 저주나 분노·경악·강조 등을 나타내는 구에 씀》: The ~ it is 〔you are, etc.〕! 그것이〔자네가, …이〕 그렇다니 놀랐다〔심하다, 괘씸하다, 설마〕. **3** (the ~) 〔의문사의 힘줌말로서〕 도대체; 〔부정〕 전혀〔하나도, 한 사람도〕 없다〔않다〕(not at all). [cf] devil 10, 11, 12. ¶ The ~ is in it if I cannot. 내가 못 할 것이 있을 쏘냐/The ~ he isn't. 그가 그렇지 않을 리는 결코 없다/Who 〔What〕 the ~ is that? 도대체 그것은 어떤 놈이냐〔뭐냐〕/Why 〔Where〕 the ~...? …은 도대체 왜 그런가〔어디냐〕. **4** (a 〔the〕 ~ of a) 〔형용사적으로〕 굉장한, 지독한, 어처구니없는.

~ ***a bit*** 결코 …아니다(not at all). ~ ***a one*** 단 한 사람도 없다(no one). ***Deuce knows!*** 알게 뭐야. ***Deuce take it!*** 제기랄, 아차. ***go to the*** ~ 못쓰게 되다, 타락하다, 파멸하다: *Go to the* ~! 꺼져라, 뒈져라. ***like the*** ~ 굉장한 기세로, 맹렬히. ***play the*** ~ ***with*** …을 망쳐 버리다. ***The*** ~***!*** 아뿔싸, 빌어먹을. ***the*** ~ ***and all*** 모조리; 무엇 하나〔쓸 만한 것이〕 없다. ***the*** ~ ***to pay*** =the DEVIL to pay. ***The*** (***very***) ~ ***is in them!***

그자들 정말 돌았군.

déuce-àce *n.* (주사위의) 2 점눈과 1 점눈《가장 나쁨》; 《고어》 불운(不運), 액운(bad luck).

déuce cóurt 〖테니스〗 듀스 코트《리시버 측의 오른쪽 서비스 코트》.

deuc·ed [djú:sid, djuːst/djú:-] 《구어》 *a.* 정말 분한, 지긋지긋한, 심한; 굉장한: in a ~ hurry 화급히. **—** *ad.* 엄청나게, 몹시; 엉터리없이: a ~ fine girl 몹시 예쁜 아가씨. ⓟ **~·ly** [-sidli] *ad.*

de·us ex ma·chi·na [déiəs-eks-máːkinə, díːəs-eks-mǽkinə] 《L.》 (소설 · 연극의 줄거리에서) 절박한 장면을 해결하는 사건 · 등장인물 또는 신의 힘《따위》; 절박한 장면의 해결책(god from the machine).

Deut. 〖성서〗 Deuteronomy.

deu·ter-[1] [djú:tər/djú:-] =DEUTERO[1].

deu·ter-[2] =DEUTERO-[2].

deu·ter·ag·o·nist [djù:tərǽgənist/djù:-] *n.* (옛 그리스극의) 부주역(副主役), 단역, 《특히》 악역. cf. protagonist.

deu·ter·a·nom·a·ly [djù:tərənáməli/-nɔ́m-] *n.* 《미》 〖안과〗 녹색약(綠色弱), 제 2 색약. cf. trichromat. ⓟ **-a·nóm·a·lous** *a.*

deu·ter·an·ope [djú:tərənòup/djù:-] *n.* 제 2 색맹(色盲)인 사람.

deu·ter·an·o·pia [djù:tərənóupiə/djù:-] *n.* 〖의학〗 제 2 색맹, 녹(綠)색맹.

deu·ter·ate [djú:tərèit/djú:-] *vt.* 〖화학〗 (화합물)에 중수소를 넣다. ⓟ **dèu·ter·á·tion** *n.* 중수소화(化).

deu·ter·ic [djù:térik, ∸∸-/djù:tə-] *a.* 〖지학〗 초생(初生)의《용암의 응고 작용의 후기에 있어서 화성암의 변질에 관하여 씀》.

deu·ter·ide [djú:təràid/djú:-] *n.* 〖화학〗 중수소화물(重水素化物).

deu·ter·i·um [djuːtíəriəm/djuː] *n.* Ⓤ 〖화학〗 중수소, 듀테륨.

deutérium óxide 〖화학〗 중수(重水).

deu·ter·o-[1] [djú:tərou, -rə/djú:-] '제 2 의, 재(再)' 의 뜻의 결합사.

deu·ter·o-[2] '중수소(重水素)' 의 뜻의 결합사.

deu·ter·og·a·my [djù:tərágəmi/djù:tərɔ́g-] *n.* 재혼(digamy); 〖식물〗 2 차 양성(兩性) 결합, 진성(眞性) 양성 생식. ⓟ **-mist** [-mist] *n.* 재혼자.

deu·ter·on [djú:təràn/djú:tərɔ̀n] *n.* 〖물리 · 화학〗 중양자(重陽子), 듀테론《deuterium 의 원자핵》.

Deu·ter·on·o·mist [djù:tərάnəmist/djù:-tərɔ́n-] *n.* 〖성서〗 신명기(申命記)의 작자.

Deu·ter·on·o·my [djù:tərάnəmi/djù:tərɔ́n-] *n.* 〖성서〗 신명기(申命記)《구약성서 중의 한 편》.

déutero·plàsm *n.* 〖발생〗 =DEUTOPLASM.

deu·ton [djú:tan/djú:tɔn] *n.* =DEUTERON.

deu·to·plasm [djú:təplæ̀zəm/djú:-] *n.* 〖발생〗 노른자위《노른자 중의 영양 물질》. ⓟ **dèu·to·plásmic, dèu·to·plás·tic** *a.*

Deut·sche Mark [dɔ́itʃəmὰːrk] (*pl.* **~, ~s**) *n.* 《G.》 독일 마르크(=**Déut·sche·màrk**) 《독일의 화폐 단위: =100 pfennigs; 생략: DM》.

Deut·sches Reich [dɔ́itʃəsráik] 《G.》 (2 차 대전 전의) 독일의 정식 명칭.

Deutsch·land [dɔ́itʃlὰːnt] *n.* 《G.》 독일 (Germany).

deut·zia [djú:tsiə/djú:t-] *n.* 〖식물〗 병꽃나무속(屬)의 식물. 「2 회 공연.

deux·ième [F. døzjɛm] (*pl.* **~z** [—]) *n.* 제

dev. develop(er); development; deviation.

de·va [déivə] *n.* **1** 〖힌두교 · 불교〗 (D-) 제파(提婆); 천신(天神), 범천(梵天)(왕). **2** 〖조로아스터교〗 악신(惡神).

de·val·u·ate, de·val·ue [diːvǽljuèit], [diːvǽljuː] *vt.* …의 가치를 내리다; 〖경제〗 (화폐의) 평가를 절하하다. opp. revalue. **—** *vi.* 평가 절하를 행하다.

de·vàl·u·á·tion *n.* Ⓤ 가치〔신분〕의 저하; 〖경제〗 평가 절하. opp. revaluation. ⓟ **~·ist** *n.* 평가 절하 제창자.

°**dev·as·tate** [dévəstèit] *vt.* **1** (국토 · 토지 따위를) 유린하다, 황폐시키다: The country had been ~*d* by the long war. 그 나라는 오랜 전쟁으로 황폐화되어 있었다. **2** (사람을) 망연자실하게 하다, 곤혹스럽게 하다, 놀라게 하다.

dév·as·tàt·ing *a.* **1** 황폐시키는, 파괴적인, 참화를 가져오는. **2** 《비유》 (의논 · 매력 따위가) 압도적인, 강력한, 통렬한, 항거하기 어려운: a ~ reply 통렬한 응수. **3** 《구어》 매우 훌륭한, 굉장한, 효과적인; 지독한, 형편 없는: ~ charm 넋을 잃게 할 정도의 매력. ⓟ **~·ly** *ad.*

dèv·as·tá·tion *n.* Ⓤ,Ⓒ 황폐하게 함; 유린, 황폐 (상태); 참화, 참해; (*pl.*) 약탈의 자취, 폐허; (정신적 · 도덕적) 파멸; 〖법률〗 (유언 집행인의) 유산 횡령.

dev·as·ta·tor [dévəstèitər] *n.* 약탈〔파괴〕자.

de·vein [divéin] *vt.* (새우)의 등의 창자를 빼다.

de·vel·op [divéləp] *vt.* **1** 《~+목/+목+전+명》 발전시키다, 발달시키다《*from; into*》; 발생〔발육〕시키다, 진화시키다: ~ one's business 사업을 확장하다/~ an area *into* an industrial center 지역을 개발하여 공업 중심지로 만들다/Rain and sun ~ plants. 비와 태양은 식물을 발육시킨다. **2** (자원 · 기술 · 토지 따위를) 개발하다, (택지를) 조성하다; (자질 · 지능 따위를) 계발(啓發)하다, 신장시키다: ~ land/~ one's faculties 재능을 계발하다. **3** (의논 · 사색 따위를) 전개하다, 진전시키다: ~ one's argument (further) 의논을 더 진전시키다/~ a theory of language learning 언어 학습 이론을 전개하다. **4** (사실 따위를) 밝히다; (자질 따위를) 나타내다, 발휘하다, (비밀을) 드러내다; 〖사진〗 현상하다: The detective's inquiry did not ~ any new facts. 그 형사의 조사는 아무런 새로운 사실을 밝혀내지 못했다/print the ~*ed* films 현상된 필름을 인화하다. **5** (습관 · 취미 따위를) 몸에 붙이다, (성질을) 갖게〔띠게〕 되다; (병에) 걸리다; (열을) 내다: As he grew older, he ~*ed* a tendency to obstinacy. 나이 먹어감에 따라 그는 점점 고집이 세어졌다/My trousers have ~*ed* a shine. 바지가 반질반질하게 됐다/He ~*ed* a tumor. 종기가 생겼다. **6** 〖수학〗 전개하다. **7** 〖군사〗 (부대를) 전개하다; (공격을) 개시하다; 〖체스〗 (말을) 움직이다.

— *vi.* **1** 《~/+전+명》 발전〔진전〕하다, 발달〔발육〕하다; 〖생물〗 발생하다, 진화하다: The situation ~*ed* rapidly. 사태가 급속히 전개되었다/~ *into* a good citizen 훌륭한 시민으로 성장하다/A bud ~*s into* a blossom. 꽃봉오리는 발육하여 꽃이 된다. **2** (겉으로) 나타나다; (사진이) 현상(現像)되다: Symptoms of cancer ~*ed*. 암 증상이 나타났다. **3** 《미》 (사실 등이) 밝혀지다, 알려지다: It ~*ed* that he was a murderer. 그가 살인범임이 밝혀졌다. **4** 〖체스〗 말을 움직이다.

ⓟ **de·vél·op·a·ble** *a.* 발달〔발전〕시킬 수 있는; 전개 가능한.

devélopable súrface 〖기하〗 가전면(可展面)《평면상에 평평히 펼칠 수 있는 곡면; 기둥면, 뿔면 따위》.

de·vél·oped [-t] *a.* (국가 등이) 고도로 발전

한, 공업화한, (경제, 공업 기술 등이) 진보된, 선진의: ~ countries 선진국/a highly ~ industry 고도로 발달된 산업.

de·vél·op·er *n.* **1** 개발자, 택지 개발〔조성〕업자. **2** 〖사진〗 현상자; 현상액〔약〕.

de·vél·op·ing *a.* (국가·지역 등이) 개발 도상에 있는, 발전 도상의: the ~ world/a ~ country 〔nation〕 개발 도상국《an underdeveloped country 대신 쓰임》. 「략: D.O.P.》.

devéloping-óut pàper 〖사진〗 인화지《생

‡de·vel·op·ment [divéləpmənt] *n.* Ⓤ **1** 발달, 발전; 발육, 성장(growth): economic ~ 경제 발전〔개발〕/the ~ of language 언어의 발달/mental ~ 지성의 발육. **2** (자원·기술 따위의) 개발; (재능 따위의) 계발(啓發). **3** Ⓤ (택지의) 조성, 개발; Ⓒ 조성지, 단지: a ~ area 개발 지역/bring land under ~ 토지를 개발〔개간〕하다. **4** (종(種)의) 진화; 〖생물〗 발생. **5** 〖철학〗 발전; (사태의) 진전; Ⓒ 진화〔발전〕의 결과, 새로운 사실〔사태〕: the latest news ~*s from* New York 뉴욕으로부터의 최신 뉴스. **6** 〖수학〗 전개; 〖사진〗 현상; 〖염색〗 현색(顯色); 〖음악〗 전개(부). ㊞ **de·vèl·op·mén·tal** [-tl] *a.* 개발적〔계발적〕인, 발달상〔발육상〕의; 진화의; 발생의.

developméntal biólogy 발생 생물학.

developméntal disabílity 〖심리〗 발달 장애《정신 지체·뇌성 마비 등에 의한》.

developméntal disòrder 〖의학〗 발달〔발육〕장애《유아기에 나타나는 자폐증·실어증 등》.

devélopment àrea 《영》 개발 촉진 지역《실업률이 높아서 정부가 새 산업을 육성 촉진하고 있는 지역》.

devélopment sỳstem 〖컴퓨터〗 (소프트웨어·인터페이스 따위의) 개발 시스템.

devélopment thèory 〔**hypòthesis**〕 〖생물〗 진화론《Lamarck 의》.

de·verb·al [divə́ːrbəl] *a., n.* 〖문법〗 동사에서 파생한 (말)(deverbative).

de·verb·a·tive [divə́ːrbətiv] 〖문법〗 *a.* 동사에서 파생한; (접미사가) 동사의 파생어를 만드는 《-er 따위》. **—** *n.* 동사 파생어.

de·vest [divést] *vt.* (재산·권리 등을) 박탈하다(divest); 《폐어》 (사람의) 옷을 벗기다.

de·vi·ance [díːviəns] *n.* **1** 일탈(한 행동) (=**dé·vi·an·cy**). **2** 〖통계〗 편찻값.

de·vi·ant [díːviənt] *a.* (표준에서) 벗어난, 정상이 아닌, 이상한. **—** *n.* 사회의 상식〔습관〕에서 벗어난 사람, 이상 성격자.

de·vi·ate [díːvièit] *vi.* (상도·규칙·원칙 따위에서) 벗어나다, 빗나가다, 편향(偏向)하다《*from*》. **—** *vt.* 벗어나게 하다, 일탈(逸脫)시키다. **—** *n.* =DEVIANT; 성적 도착자, 변질자. **—** *a.* 기준에서 벗어난, 상궤를 일탈한.

de·vi·a·tion [dìːviéiʃən] *n.* Ⓤ,Ⓒ **1** 벗어남, 탈선, 일탈(逸脫)《*from*》; 편의(偏倚), 편향. **2** (정치 신조로부터의) 일탈 행위. **3** (자침(磁針)의) 자차(自差); 〖통계〗 편차; 〖해사〗 항로 변경; 〖의학〗 편시(偏視); 〖교육〗 학력 편차치(=∠ **vàlue**). ㊞ **~·ism** *n.* (특히 공산당 등의 노선으로부터의) 일탈. **~·ist** *n.* ((당) 노선으로부터의) 일탈자.

de·vi·a·tor [díːvièitər] *n.* 일탈자〔물건〕.

de·vice** [diváis] *n.* **1** 고안; 계획, 방책. **2** 장치, 설비; 고안물: a safety ~ 안전장치/a nuclear ~ 핵폭발 장치, 핵폭탄. **3** (종종 *pl.*) 책략, 간계, 지혜. **4** 상표, 문장(紋章); 제명(題銘)(motto); 도안, 의장, 무늬. **5** (*pl.*) 소망, 욕망, 의향, 의지. ◇ devise *v.* ***leave a person ***to*** his ***own ~s*** 아무에게 제멋대로 하게 내버려 두다《조언이나 원조를 하지 않고》.

devíce-depèndent *a.* 〖컴퓨터〗 (프로그램, 데이터 등이) 장치 의존적인.

devíce drìver 〖컴퓨터〗 장치 드라이버(입출력 장치를 제어하는 역할을 하는 프로그램).

devíce-indepèndent *a.* 〖컴퓨터〗 (데이터·프로그램이) 장치 의존적이 아닌, 장치 독립적인.

devíce-indepèndent cólor 〖컴퓨터〗 장치 독립 컬러 장치에 의존하지 않은 색《프린터·디스플레이어 등의 출력 기기를 보정하여 충실하게 재현할 수 있는 색》.

‡dev·il [dévəl] *n.* **1** 악마; 악귀; 악령; (the D–) 마왕, 사탄(Satan): The ~ has the best tunes. 《속담》 악마는 멋진 가락을 지니고 있다; 나쁜 짓일수록 즐거운 법/Talk 〔Speak〕 of *the* ~, and he will 〔is sure to〕 appear. 《속담》 호랑이도 제말 하면 온다《종종 and 이하를 생략하여 씀》/The ~ take the hindmost 〔hindermost〕. 《속담》 뒤진 자 귀신이 잡아간다; 빠른 자가 장땡. **2** (악덕의) 화신; 악당, …광(狂): the ~ *of* greed 탐욕의 화신/a veritable ~ *for* golf 지독한 골프광. **3** 무모한〔저돌적인〕 사람; 비상한 정력가. **4** (불쌍한) 놈: a poor ~. **5** 하청 문필업자, 대작자(代作者); 변호사의 조수; (인쇄소의) 사동(printer's ~); 남에게 이용당하는 사람. **6** 앞잡이. **7** 〖요리〗 겨자를 발라 조리한 불고기. **8** 〖기계〗 절단기. **9** 어려운 일〔문제〕; 심한 것; 못된〔나쁜〕 물건. **10** (the ~) 《의문사의 힘줌말》 도대체, 어째서(deuce): What the ~ are you doing? **11** 《힘줌말로서 부정의 뜻》 결코 (…아닌): (the) ~ a bit 조금도 … 아닌, 추호도 …않는. **12** (the ~) 제기랄, 설마《저주·놀람 따위》: The ~ you did! 네가 했다니 (설마). ★ deuce² 의 관용구에선 이것을 devil 로 바꿔 놓을 수 있음. ***a*** 〔***the***〕 ***~ of a …*** 《구어》 굉장한 …, 엄청난 …, 터무니없는 …, 통쾌한: *a ~ of a* wind 굉장한 바람/*the ~ of a* way 터무니없이 먼 길. ***and the ~ knows what*** 그 밖에 (이것저것) 많이. ***Be a ~!*** 《영》 과감하게 해보게. ***be between the ~ and the deep*** (***sea***) 진퇴 양난에 빠지다. ***be ~ may care*** 전혀 무관심하다〔태평스럽다〕. ***be the ~*** (***of it***) 야단이다, 골칫거리다. ***black as the ~*** 새까만. ***~ a bit*** ⇨11. ***~ a one*** 단 한 사람도 (없다). ***Devil take it!*** 제기랄, 빌어먹을. ***give the ~ his due*** ⇨DUE. ***go to the ~*** 멸망〔타락〕하다: *Go to the ~!* 뒈져라, 꺼져라. ***have the ~'s own time*** 〔***job***〕 (…하는 데) 몹시 애먹다, 혼나다. ***have the luck of the ~*** =***have the ~'s own luck*** ⇨ LUCK. ***in the ~*** 《강조》 도대체: Where *in the ~* …? ***It's the ~*** (***and all***). 그거 난처하다, 귀찮은데: *It's the ~ and all* to get him to consent. 그로 하여금 승낙토록 하는 건 쉬운 일이 아니다. ***kick up the ~'s delight*** 대소동을 일으키다. ***like the***〔***a***〕 ***~*** 맹렬히. ***paint the ~ blacker than he is*** 과장하여 헐뜯다. ***play the ~*** 야단법석을 떨다. ***play the ~ with*** 《구어》 …을 못 쓰게 만들다, …을 엉망으로 만들다. ***raise the ~*** (주문으로) 악마를 불러내다; 소동을 벌이다. ***send*** a person ***to the ~*** 아무를 쫓아버리다. ***the ~ among the tailors*** 《영》 야단법석, 대판 싸움. ***the ~ and all*** (모조리) 나쁜 일뿐; 이것저것 모두 다. ***the ~ of it*** 매우 골치아픈〔성가신〕 일: for *the ~ of it* 장난삼아, 놓지거리로. ***the ~ on two sticks*** =DIABOLO. ***the ~ rebuking the sin*** 악마의 설법《제 허물은 제쳐놓고 남에게 교훈하는》. ***the ~'s own*** 대단한, 지독한: *the ~'s own* job 〔time, luck, etc.〕. ***the ~ to pay*** 《구어》 앞으로 닥칠 큰 곤란, 뒤탈; 큰 어려움, 《미속어》 심한 벌: There'll be *the ~ to pay*. 나중에 혼이 날거다; 앞 일이 무섭다. ***To the ~ with …!*** …따위를 내가 알게 뭐냐, …따위는 아무래도 좋다. ***whip the ~ round the post***

〔**stump**〕《미》 교묘한 구실로 곤란을 타개하다, 교묘히 법망을 빠져나가다.
— (**-l-,** 《영》 **-ll-**) *vt.* **1** 《미구어》 괴롭히다, 지분거리다: ~ a person *with* questions 아무에게 질문 공세를 퍼붓다. **2** (불고기 등에) 겨자를 발라 굽다. **3** 절단기에 넣다. — *vi.* (변호사·저술가의) 하청(下請) 일을 하다《*for*》. 「사, 군목.

dévil·dòdger *n.* 《구어》 (큰 소리 내는) 설교

dévil dòg 《미구어》 해병대원(marine)《별명》.

dev·il·dom [dévldəm] *n.* 악마의 나라; Ⓤ 악마의 지배(력)〔신분〕; 〖집합적〗 악마.

dévil·fish *n.* 〖어류〗 **1** 쥐가오리. **2** 아귀; 오징어, 《특히》 낙지.

devilfish 1

***dev·il·ish** [dévəliʃ] *a.* 악마 같은; 무서운, 극악무도한; 《구어》 굉장한, 심한, 대단한. — *ad.* 《구어》 지독하게, 무섭게, 맹렬하게. ㊐ **~·ly** *ad.* **~·ness** *n.*

dév·il·ìsm *n.* Ⓤ 마성(魔性), 악마 같은 짓; 악마 숭배. 「(imp).

dévil·kin *n.* 소〔작은〕악마

dévil-may-cáre *a.* 저돌적인; 무모한; 태평한: a ~ attitude 될 대로 되라는 식의 태도.

dév·il·ment *n.* Ⓤ,Ⓒ 악마의 소행; 악행; 심한 장난; 괴사(怪事).

dev·il·ry, dev·il·try [dévəlri], [-tri] *n.* Ⓤ,Ⓒ 악마의 짓, 마법; 극악무도한 행위; 《우스개》 지독한 장난, 대담무쌍한 행위; 《우스개》 Ⓤ 악마론(論), 요괴학(妖怪學); 마계(魔界); 〖집합적〗 악마.

dévil's ádvocate 〖가톨릭〗 악마의 변호인《성인 후보자의 덕행에 대한 반증(反證) 제출관(官)》; 험구가, 트집쟁이, (의논이나 제안의 타당성을 시험하기 위해) 일부러 반대 의견을 말하는 사람: play the ~ 일부러 반대 입장을 취하다.

dévil's Bíble =DEVIL'S PICTURE BOOKS.

dévil's bónes 주사위(dice).

dévil's bóoks =DEVIL'S PICTURE BOOKS.

dévil's dárning nèedle 〖곤충〗 (실)잠자리.

dévil's dózen 《구어》 13, 13개.

dévil's fòod (**càke**) 초콜릿이〔코코아가〕 들어 있는 케이크.

dévil's-grìp *n.* 〖의학〗 유행성 흉막통(胸膜痛).

Dévil's Ìsland 프랑스령 Guiana 앞바다의 섬《옛 프랑스의 유형지(流刑地)》.

dévil's pícture(**d**) **bòoks** 〔**pìctures**〕 (the ~) 《구어》 카드패(playing cards).

dévil's tattóo 손가락이나 발로 책상·마루 등을 똑똑 두드리기《홍분·초조 등의 표시》: beat the 〔a〕 ~.

Dévil's Tríangle (the ~) 마(魔)의 삼각 수역(水域)(Bermuda Triangle).

◇**de·vi·ous** [díːviəs] *a.* 우회한, 꾸불꾸불한; 정도(正道)를 벗어난, 길 잃은; 솔직〔순진〕하지 않은, 속임수의, 교활한: take a ~ route 우회하다 / There is something ~ *about* him. 그에겐 어딘가 교활한 데가 있다. ㊐ **~·ly** *ad.* **~·ness** *n.*

de·vis·al [diváizəl] *n.* Ⓤ 연구, 고안, 발명.

***de·vise** [diváiz] *vt.* **1** 궁리하다, 고안〔안출〕하다(think out); 발명하다. SYN. ⇨INVENT. ◇device *n.* **2** 〖법률〗 (부동산을) 유증(遺贈)하다《*to*》. **3** 《고어》 상상하다; 《고어》 꾀하다. — *vi.* 궁리하다, 안출하다. — *n.* Ⓤ (부동산의) 유증; Ⓒ (유언장의) 유증 조항; 유증 재산〔부동산〕. ㊐ **de·vís·a·ble** *a.*

de·vi·see [divaizíː, dèvəzíː] *n.* 〖법률〗 (부동산의) 수증자(受贈者). 「DEVISOR.

de·vís·er *n.* 고안자, 안출자; 계획자; 〖법률〗 =

de·vi·sor [diváizər] *n.* (부동산의) 유증자.

de·vi·tal·ize [diːváitəlàiz] *vt.* …의 생명〔활력〕을 빼앗다〔약화시키다〕. ㊐ **de·vì·tal·i·zá·tion** *n.* Ⓤ 활력 탈실〔약화〕.

de·vit·ri·fy [diːvítrəfài] *vt.* 〖화학〗 …의 유리질〔투명성〕을 제거하다; 불투명하게 하다. ㊐ **de·vìt·ri·fi·cá·tion** *n.* Ⓤ 유리질 제거, 실투(失透)(현상·작용).

de·vo·cal·ize [diːvóukəlàiz] *vt.* 〖음성〗 무성화하다(devoice). ㊐ **de·vò·cal·i·zá·tion** *n.* 무성화.

de·voice [diːvɔ́is] *vt.* 〖음성〗 (유성음을) 무성음화하다.

◇**de·void** [divɔ́id] *a.* …이 전혀 없는, …이 결여된《*of*》: a book ~ *of* interest 전혀 흥미를 끌지 않는〔재미없는〕 책. ★ 명사 앞에는 안 씀.

de·voir [dəvwáːr, dévwaːr] *n.* 《F.》 본분(duty), 의무, 직무; (*pl.*) 경의, 예의. ***do* one's ~** 본분을 다하다. ***pay* one's ~*s to*** (방문하여) …에게 경의를 표하다.

de·vo·lu·tion [dèvəlúːʃən/dìːv-] *n.* **1** Ⓤ,Ⓒ 상전(相傳); 〖법률〗 (권리·의무·지위 따위의) 상속인에의 이전. **2** Ⓤ,Ⓒ (관직·권리·의무의) 이전; 〖의회〗 위원회 회부(回附); 권한 이양《중앙 정부로부터 지방 자치체로의》. **3** Ⓤ 〖생물〗 퇴화(退化). OPP *evolution*. ㊐ **~·àry** *a.* **~·ist** *n.*

de·volve [diválv/-vɔ́lv] *vt.* (의무·책임 따위를) 양도하다, 지우다《*upon; to*》; 맡기다; (권력 따위를) 위임하다《*upon; to*》: ~ the duty *upon* another person 그 임무를 남에게 지우다〔맡기다〕. — *vi.* (직책 따위가 남의 손에) 넘어가다, 맡겨지다, (…에게) 귀속하다《*to; upon*》; (재산 등이) 계승되다, 이전되다《*to; on*》; (…에) 의존하다(depend)《*on*》: The work ~*d upon* him. 그 일은 그에게 맡겨졌다. ㊐ **~·ment** *n.*

Dev·on [dévən] *n.* **1** 데번《잉글랜드 남서부의 주; 생략: Dev.》. **2** 데번종(種)(의 소)《유육(乳肉) 겸용의 붉은 소》.

De·vo·ni·an [dəvóuniən] *a.*, *n.* Devon 주의 (사람); 〖지학〗 (지층의) 데본기(紀)(의). 「칭.

Dev·on·shire [dévənʃìər] *n.* Devon 1의 구

dé·vot [deivóu] (*fem.* **-vote** [-t]) *n.* 《F.》 신앙이 깊은 사람(devotee); (일·스포츠 등에) 열중하는 자; 열광적인 지지자〔팬〕.

⁑**de·vote** [divóut] *vt.* 《+목+전+명》 **1** (노력·돈·시간 따위를) 바치다《*to*》; 내맡기다, (전적으로) 쏟다〔돌리다〕, 충당하다《*to*》: ~ one's life *to* education 교육에 일생을 바치다. **2** 〖~ oneself〗 (…에) 헌신하다, 전념하다, 몰두하다, 빠지다, (…을) 열애하다《*to*》: She ~*d herself to* her children. 그녀는 자식들에게 헌신했다.

***de·vot·ed** [divóutid] *a.* 충실한, 헌신적인; 몰두〔열애〕하(고 있)는《*to*》; 헌신하(고 있)는《*to*》, 애정이 깊은; 《고어》 저주받은: a ~ mother 자모(慈母) / the queen's ~ subjects 여왕의 충신들. ㊐ **~·ly** *ad.* 한 마음으로, 충실히. **~·ness** *n.*

dev·o·tee [dèvətíː] *n.* 열애가(熱愛家); 열성가《*of*》; (광신적인) 귀의자(歸依者)《*of*》.

***de·vo·tion** [divóuʃən] *n.* Ⓤ **1** 헌신; 전심, 전념《*to*》; 강한 애착, 헌신적인 애정, 열애《*to*》: one's ~ *to* the cause of justice 정의를 위한 헌신. **2** 귀의(歸依), 신앙심. **3** (*pl.*) 기도, (개인적인) 예배: a book of ~*s* 기도서 / be at one's ~*s* 기도를 드리고 있다.

de·vo·tion·al [divóuʃənəl] *a.* 믿음의, 경건한; 비는, 기도의; 헌신적인: a ~ book 신앙 수양서, 신심서. ㊐ **~·ìsm** *n.* Ⓤ 경건주의; 광신(狂信). **~·ist** *n.* 경건주의자; 광신자. **~·ly** *ad.*

de·vour** [diváuər] *vt.* **1** 게걸스럽게 먹다; 먹어 치우다: ~ sandwiches. **2** (질병·화재 등이) 멸망시키다; (바다·어둠 따위가) 삼켜 버리다, 휩쓸어 넣다; (노정을) 빠르게 주파하다: The fire ~*ed* two hundred houses. 불은 200 채의 집을 소실시켰다 / The raging sea ~*ed* the boat. 거친 바다는 보트를 삼켜 버렸다. **3** 탐독하다, 뚫어지게 보다; 열심히 듣다: ~ with one's eyes 뚫어지게 보다 / He ~*ed* every word (I said). 그는 (내 말을) 한 마디도 빠뜨리지 않을 듯이 열심히 들었다. **4** 〖보통 수동태〗 (호기심·근심 따위가) …의 이성〔주의력〕을 빼앗다, 열중케 하다, 괴롭히다: *be* ~*ed* by fears 두려움에 질려 제 정신이 아니다 / *be* ~*ed* with curiosity 호기심에 완전히 사로잡히다. ~ ***the way 〔***road***〕 《시어》 (말 따위가) 빨리 달리다; 길을 재촉하다. ㊞ **~·er** *n.*

de·vóur·ing [-riŋ] *a.* 게걸스레 먹는; 사람을 괴롭히는, (사람을) 열중시키는; 맹렬한, 열렬한, 격렬한. ㊞ **~·ly** *ad.*

◇**de·vout** [diváut] *a.* **1** 독실한, 경건한(pious): a ~ Roman Catholic 독실한 가톨릭 교도. **2** (the ~) 〖명사적, 복수취급〗 신앙심이 깊은 사람들, 신자. **3** 진심으로부터의; 열렬한: a ~ hope (마음으로부터의) 간절한 희망. ㊞ **~·ly** *ad.* **~·ness** *n.*

DEW[1] [dju:/dju:] *n.* 〖군사〗 에너지 지향형 병기 《SDI(전략 방위 구상) 계획에서 유력시되는 주무기; high energy laser, particle beam weapon 따위》. [◀ *d*irected *e*nergy *w*eapon]

DEW[2] [dju:] Distant Early Warning (원거리 조기 경보〔경계〕).

***dew** [dju:] *n.* Ⓤ **1** 이슬; (눈물·땀 등의) 방울: *Dew* glistened in her eyes. 그녀 눈에 맺힌 이슬이 반짝였다. **2** 상쾌함; 신선한 맛, 싱싱함(freshness): the ~ of youth 싱싱한 청춘. **3** 《미속어》 =WHISKEY; 마리화나; (*pl.*) 10 달러: ⇨ MOUNTAIN DEW. **—** *vt., vi.* 이슬로 적시다, 축이다; 이슬을 맺다. ㊞ **∠·less** *a.* 이슬이 내리지 않는.

de·wan, di- [diwá:n, -wɔ́:n] *n.* 《Ind.》 고관, 주(州) 재무장관; (인도 독립주(州)의) 수상; (벵골 지방에서 외국인 상사 등의) 원주민 지배인.

Déw·ar (flàsk 〔vèssel〕) [djú:ər(-)/djú(:)ə(-)] 듀어 병《사이가 진공인 이중벽의 (실험용) 단열 병; 액화 가스 따위를 넣음; 스코틀랜드의 화학자·물리학자인 Dewar의 이름에서》.

de·wa·ter [diwɔ́:tər, -wát-/-wɔ́:t-] *vt.* 탈수〔배수〕하다. ㊞ **~·er** *n.* 탈수기.

déw·bèrry *n.* 나무딸기류(類)(의 열매).

déw·clàw *n.* (개·소 따위의) 며느리 발톱; (사슴 등의) 며느리발굽. ㊞ **~ed** *a.*

déw·dròp *n.* 이슬(방울); 《영우스개》 콧물.

Dew·ey [djú:i/djú:i] *n.* 듀이. **1 John ~** 미국의 철학자·교육가(1859–1952). **2 Thomas E. ~** 미국의 법학자·정치가(1902–71).

Déwey (décimal) classificàtion 〔sỳstem〕 〖도서관학〗 듀이식 10 진(進) 분류법 《1876 년 미국의 Melvil Dewey 의 창안》.

déw·fàll *n.* Ⓤ,Ⓒ 이슬이 맺힘〔내림〕; 저녁때.

déw·làp *n.* (소 따위의) 목정; 군턱. ㊞ **-làpped** [-t] *a.* 군턱이 있는.

DÉW lìne [djú:-/djú:-] 듀 라인《미국이 북쪽 국경에 설치한 원거리 조기 경보 레이더망》.

de·worm [diwɔ́:rm] *vt.*(개 따위)에서 벌레를 구제(驅除)하다, 구충하다. ㊞ **~·er** *n.* 구충제.

déw pòint 〖기상〗 (습도의) 이슬점(點).

dew·ret [djú:rèt/djú:-] *vt.* (삼 따위를) 비·이슬이나 햇빛에 노출시켜 부드럽게 하다.

dewy** [djú:i/djú:i-] (dew·i·er; -i·est***) *a.* **1** 이슬의; 이슬에 젖은, 이슬을 머금은, 이슬 많은; 이슬 내리는: ~ tears 이슬 같은 눈물. **2** (잠 따위가) 상쾌한, 고요한: ~ sleep. **3** 《문어》 조용히 내리는〔떨어지는〕; 《시어》 눈물젖은. ㊞ **dèw·i·ly** *ad.* 이슬처럼, 조용히, 덧없이. **-i·ness** *n.*

déwy-èyed *a.* 천진난만한 (눈을 가진), 순진한, 남을 쉽사리 믿는. 「mine의 알약》.

dex [deks] *n.* 《속어》 덱스《dextroamphetamine의 알약》.

dex·a·meth·a·sone [dèksəméθəsòun, -zòun] *n.* 〖약학〗 덱사메타손《염증 치료제》.

Dex·e·drine [déksidrì:n, -drin] *n.* 덱세드린 《dextroamphetamine 제제(製劑)의 상표명》.

dex·ie [déksi] *n.* 《속어》 =DEX.

dex·ter [dékstər] *a.* **1** 오른쪽의. **2** 〖문장(紋章)〗 (방패의) 오른쪽의《보는 쪽에서는 왼쪽》. ⓄⓅⓅ *sinister.* **3** 《고어》 운이 좋은, 길(吉)한.

◇**dex·ter·i·ty** [dekstérəti] *n.* Ⓤ 솜씨 좋음; 기민함, 빈틈없음; 《드물게》 오른손잡이.

dex·ter·ous [dékstərəs] *a.* **1** 솜씨 좋은, 교묘한, 능란한: a ~ pianist. **2** 기민한; 빈틈없는. **3** 《드물게》 오른손잡이의. ***be ~ in*** 〔***at***〕 ***doing*** …을 능란하게 잘 하다. ㊞ **~·ly** *ad.* **~·ness** *n.*

dextr- [dekstr], **dex·tro-** [dékstrou, -trə] '오른쪽의, 우선회(右旋回)의'란 뜻의 결합사.

dex·tral [dékstrəl] *a.* 오른쪽의; 오른손잡이의; (고둥이) 오른쪽으로 감긴. ㊞ **~·ly** *ad.*

dex·tran [dékstrən] *n.* Ⓤ 덱스트란《혈장(血漿) 대용품》.

dex·tran·ase [dékstrənèis, -nèiz] *n.* 〖생화학〗 덱스트라나아제《덱스트란을 분해하는 효소; 치석을 제거함》.

dex·trin, -trine [dékstrin], [-tri(:)n] *n.* Ⓤ 덱스트린, 호정(糊精).

dex·tro [dékstrou] *a.* =DEXTROROTATORY.

dextro- ⇨ DEXTR-.

dèxtro·amphétamine *n.* 〖약학〗 덱스트로암페타민《각성제 및 식욕 억제제로 쓰임》. ⓒⓕ dex.

dèxtro·rotátion *n.* 〖광학·화학〗 (빛의 편광면의) 우회전성, 우선성(右旋性).

dèxtro·rótatory *a.* 〖광학·화학〗 우회전성의, 우선성(右旋性)의: ~ crystals.

dex·trorse [dékstrɔ:rs, -∠] *a.* 〖식물〗 (뿌리로부터) 오른쪽으로 감아 올라가는.

dex·trose [dékstrous] *n.* Ⓤ 〖화학〗 포도당, 우선당(右旋糖).

dex·trous [dékstrəs] *a.* =DEXTEROUS.

dey [dei] *n.* (옛 Algiers, Tunis, Tripoli 의) 태수(太守)의 칭호.

D.F., DF Dean of the Faculty; *Defensor Fidei* 《L.》 (=Defender of the Faith); damage free. **DF, D/F, D.F.** direction finder (방위(方位) 측정 장치); direction finding. **DFA, D.F.A.** Doctor of Fine Arts. **D.F.C.** Distinguished Flying Cross. **DFDR** 〖항공〗 digital flight data recorder. **D.F.M.** 《영》 Distinguished Flying Medal. **dft.** defendant; draft. **DG** 〖미식축구〗 defensive guard. **D.G.** *Dei gratia* 《L.》 (=by the grace of God); *Deo gratias* 《L.》 (=thanks to God); Director General; 《영》 Dragon Guards (근위 용기병). **dg.** decigram(s). **d.h.** *dasheisst* 《G.》 (=that is; namely). **DH, dh** 〖야구〗 designated hitter (지명 타자); dirham(s). **D.H.** Doctor of Humanities. **DHA** dehydroacetic acid (탈(脫)수소 아세트산)《살균제로 씀》; 《영》 District Health Authority; 〖생화학〗 docosahexaenoic acid(도코사헥사엔산(酸))《물고기 기름 속에 있는 *w*-3-지방산》. 「도》.

Dha·ka [dá:kə, dǽ-] *n.* 다카《방글라데시의 수도》.

dhal [da:l] *n.* 달콩《동인도산(產)의 누른콩》.

dham·ma [dʌ́mə] *n.* =DHARMA.

dhar·ma [dá:rmə, dɔ́:r-/dá:-] *n.* Ⓤ 〖힌두교〗 (지켜야 할) 규범, 계율, 덕(virtue); 〖불교〗 법(法); (D-) 달마《선종(禪宗)의 시조》. ㊞

dhár·mic *a.*
dho·bi(e) [dóubi] *n.* 《Ind.》 세탁부(夫)《하층민》. ***dhobie('s) itch*** 완선(頑癬)(습진의 일종).
dhole [doul] *n.* 《Ind.》 돌(사나운 들개).
D-horízon *n.* 〖지학〗 D층《토양 단면을 구성하고 있는 모재(母材)와 질이 다른 토양층》.
dho·ti [dóuti], **dhoo·ti(e), dhu·ti** [dú:ti] (*pl.* ~*s*) *n.* 《Ind.》 허리에 두르는 천《남자용》.
dhow, dow [dau] *n.* 아라비아 해 등에서 쓰이는 대형 삼각돛을 단 연안 항행용 범선.
D.H.Q. Division Headquarters. **DHT** dihydrotestosterone. **D.Hy.** Doctor of Hygiene.
Di [dai] *n.* 다이. **1** 여자 이름. **2** (Princess ~) 《구어》 Diana 비(妃)의 애칭. [◂ Diana]
di [di:] 〖음악〗 디《do 와 re 의 중간음》.
di-[1] [di, də, dai] *pref.* =DIS- 《b, d, g, l, m, n, r, s, v 의 앞에서》.
di-[2] [dài] 〖화학〗 '2 (중)의' 의 뜻의 결합사: *di*archy.
di-[3] [dai], **di·a-** [dáiə] *pref.* '…해내는, 철저한, 완전한〔히〕, …에서 떨어져 나가는, …을 가로질러' 의 뜻: *di*orama; *dia*meter. ★ di- 는 모음 앞에서 쓰임.
DI 〖경제〗 diffusion index(확산지수); discomfort index; drill instructor(훈련 담당 부사관); 《미》 Department of the Interior; Department of Industry. **D.I.** 《영》 Defence Intelligence. **Di** 〖화학〗 didymium. **di** diameter. **d.i.** *das ist* 《G.》 (=that is). **DIA** 《미》 Defense Intelligence Agency(국방 정보국; 1961년부터 육해공군의 첩보 통합). **dia** diameter.
di·a·base [dáiəbèis] *n.* 휘록암(輝綠岩)《미국에서는 거친 현무암》.
di·a·bat·ic [dàiəbǽtik] *a.* 열 교환성이 있는.
di·a·be·tes [dàiəbí:tis, -ti:z] *n.* [U] 〖의학〗 당뇨병, 소갈병(消渴病).
diabétes in·síp·i·dus [-insípidəs] 〖의학〗 요붕증(尿崩症)《갈증과 많은 배뇨가 특징; 생략: DI》.
diabétes mel·lí·tus [-mélitəs, məlái-] 〖의학〗 (진성) 당뇨병.
di·a·bet·ic [dàiəbétik] *a.* 당뇨병의. — *n.* 당뇨병 환자.
di·a·be·to·gen·ic [dàiəbì:tədʒénik] *a.* 당뇨병 유발(성)의.
di·a·be·tol·o·gist [dàiəbitálədʒist/-tɔ́l-] *n.* 당뇨병 전문의.
di·a·ble·rie, -ry [diá:bləri] *n.* [U] 악마의 소행〔영역〕; 마법, 마술; 심한 장난; 악마 전설〔연구〕; 악마의 그림; 마성(魔性).
di·a·bol·ic, -i·cal [dàiəbálik/-bɔ́l-], [-ikəl] *a.* 악마의; 악마적인; 잔인한, 극악무도한; 《구어》 불유쾌한, 지독한. [파] **-i·cal·ly** *ad.* **-i·cal·ness** *n.*
di·ab·o·lism [daiǽbəlìzəm] *n.* [U] 마법, 요술; 악마 같은 행위〔성질〕; 악마주의〔숭배〕; 악마 같음. [파] **-list** *n.* 악마주의자〔연구가, 신앙가〕.
di·ab·o·lize [daiǽbəlàiz] *vt.* 악마화하다; 악마처럼 보이게 하다; …을 악마에 들리게 하다.
di·ab·o·lo [di:ǽbəlòu/-ǽb-, -á:b-] *n.* [U] 디아볼로, 공중 팽이《손에 든 두 개의 막대 사이에 켕긴 실 위에서 팽이를 굴리기》.
di·a·caus·tic [dàiəkɔ́:stik] *n.*, *a.* 〖수학·광학〗 (빛의 굴절에 의해 생기는) 굴절 화선(火線)(의); 굴절 화면(火面)(의).
di·a·ce·tyl [dàiəsí:tl, -sétl, daiǽsətl/daiǽsitl] *n.* 〖화학〗 =BIACETYL.
dìacètyl·mórphine *n.* 〖약학〗 다이아세틸모르핀(heroin).
di·a·chron·ic [dàiəkránik/-krɔ́n-] *a.* 〖언어〗 통시적(通時的)인《언어 사실을 사적(史的)으로 연구·기술하는 입장》. [OPP] *synchronic*.
di·ach·ron·ism [daiǽkrənìzəm] *n.* 〖언어〗 통시적(通時的) 연구.
di·ach·ro·ny [daiǽkrəni] *n.* 〖언어〗 통시적(通時的) 방법《언어를 역사적 변화에 따라 연구하는 방법》; 통시적 변화《언어 체계상의 시간적 변화》; 〔일반적〕 역사적 변화.
di·ach·y·lon, -lum [daiǽkəlàn/-lɔ̀n], [-ləm] *n.* [U] 〖의학〗 단연 경고(單鉛硬膏).
di·ac·id [daiǽsid] *a.* 〖화학〗 이산(二酸)의: a ~ base 이산 염기.
di·a·cid·ic [dàiəsídik] *a.* =DIACID.
di·ac·o·nal [daiǽkənl] *a.* 〖교회〗 부제(副祭)〔집사〕(deacon)의.
di·ac·o·nate [daiǽkənət, -nèit] *n.* **1** [U] 부제〔집사〕의 직〔임기〕. **2** 〖집합적〗 부제, 집사; 부제〔집사〕 단체.
di·a·crit·ic [dàiəkrítik] *a.* **1** =DIACRITICAL. **2** 〖의학〗 진단의〔에 유용한〕. — *n.* =DIACRITICAL MARK.
di·a·crit·i·cal [dàiəkrítikəl] *a.* 구별하기 위한; 구별〔판별〕할 수 있는. [파] ~·**ly** *ad.*
diacrítical márk 〔**póint, sígn**〕 발음 구별 부호, 분음(分音)부호《a 자를 구별해서 읽기 위해 ā, ă, ä, â 와 같이 붙이는 부호》.
di·ac·tin·ic [dàiæktínik] *a.* 〖물리〗 화학선(化學線) 투과성의. [파] **di·ac·tin·ism** [daiǽktənìzəm] *n.* 화학선 투과성(性).
di·a·del·phous [dàiədélfəs] *a.* 〖식물〗 (수술이) 이체(二體)의; (꽃이) 두몸수술의.
di·a·dem [dáiədèm] *n.* 왕관; (동양에서 왕관 대신의) 머리띠; (the ~) 왕권, 왕위, 주권; 머리 위에 빛나는 영광. — *vt.* …에게 왕관을 씌우다〔영예를 주다〕; (왕관으로) 꾸미다. [파] ~**ed** *a.* 왕관을 쓴.
díadem spíder 〖동물〗 무당거미.
di·aer·e·sis, di·er·e·sis [daiérəsis] (*pl.* **-ses** [-si:z]) *n.* (음절의) 분철; 분음(分音) 기호《coöperate, naïve 따위와 같이 문자 위에 붙이는 ¨》; 〖의학〗 절단.
diag. diagonal; diagram.
di·a·gen·e·sis [dàiədʒénəsis] *n.* 〖지학〗 속성(續成) 작용《퇴적물이 굳어 암석이 되기까지의 물리적·화학적 변화》. [파] **di·a·ge·net·ic** [dàiədʒənétik] *a.*
dia·geótropism *n.* 〖식물〗 가로 땅굽성, 횡굴지성(橫屈地性).
di·ag·nose [dáiəgnòus, -nòuz, ˋ-ˊ/dáiəgnòuz] *vt.*, *vi.* 《~/+[목]/+[목]+*as* [보]》 〖의학〗 진단하다《★ 사람은 목적어가 안 됨》; (정세 등을) 조사 분석하다, (문제 따위의) 원인을 규명하다: The doctor ~*d* her case as tuberculosis. 의사는 그녀의 병을 결핵으로 진단하였다. [파] **di·ag·nós·a·ble** *a.*
°**di·ag·no·sis** [dàiəgnóusis] (*pl.* **-ses** [-si:z]) *n.* [U,C] 〖의학〗 진단〔검진〕(법); (문제·상황 등의) 원인〔실태〕분석(에 의한 판정), 진단; [U] 식별; [U] 〖생물〗 특성, 표징(表徵): a ~ of the economy 〔circumstances〕 경제 분석〔상황 판단〕.
di·ag·nos·tic [dàiəgnástik/-nɔ́s-] *a.* 진단상의; 〖서술적〗 진단에 도움이 되는, 증상을 나타내는《*of*》; 〔일반적〕 원인〔실태〕 분석을 위한, 진단적인; 〖생물〗 특징적인: ~ reading tests 독서력 진단 테스트. — *n.* 진단; (병의) 징후; 특징, 특수 증상; 〖컴퓨터〗 진단. [파] **-ti·cal·ly** *ad.* 진단〔진찰〕에 의해.
di·ag·nos·ti·cian [dàiəgnastíʃən/-nɔs-] *n.* 진단 (전문)의(醫), 진단자.
diagnóstic routìne 〖컴퓨터〗 진단 경로《다른 프로그램의 잘못을 추적하거나 기계의 고장난 곳을 찾기 위한 프로그램》.
dì·ag·nós·tics *n. pl.* 〔단수취급〕 진단학〔법〕; 〖컴퓨터〗 진단《다른 프로그램의 오류를 진단 추적하거나 기계의 고장난 곳을 찾아내기 위해 쓰인 프로그램》.
di·ag·o·nal [daiǽgənl] *a.* 대각선의; 비스듬한; 사선(斜線)(무늬)의: a ~ line 대각선. —

n. 〖수학〗 대각선; 사선, 비스듬한 줄〔길〕(따위); 능직(綾織). ⓟ **~·ly** *ad.* 대각선으로, 비스듬히.

diágonal clòth 능직천.

di·ag·o·nal·ize [daiǽgənəlàiz] *vt.* 〖수학〗 (행렬을) 대각(對角) 행렬로 하다, 대각선화(化)하다. ⓟ **-ìz·a·ble** *a.*

diágonal mátrix 〖수학〗 대각선 행렬.

°**di·a·gram** [dáiəgræ̀m] *n.* 그림, 도형; 도표, 일람표; 도식, 도해; 〖수학〗 작도(作圖); (열차의) 다이어그램, 운행표: a ~ of the inside of the heart 심장의 내부를 나타내는 해부도〔그림〕. ── (*-m-*, 《영》 *-mm-*) *vt.* 그림으로〔도표로〕 표시하다.

di·a·gram·mat·ic, -i·cal [dàiəgrəmǽtik], [-əl] *a.* 도표〔도식〕의; 윤곽만의; 개략의. ⓟ **-i·cal·ly** *ad.* 도식으로.

di·a·gram·ma·tize [dàiəgrǽmətàiz] *vt.* 도표로 작성하다, 도해하다.

di·a·graph [dáiəgræ̀f, -grɑ̀:f] *n.* 〖측량〗 분도척(分度尺); 작도기, 원도(原圖) 확대기.

di·a·ki·ne·sis [dàiəkiní:sis, -kai-] *n.* 〖생물〗 이동기(移動期)《감수분열 제 1 분열 전기에 있어서의 최종기》. ⓟ **di·a·ki·net·ic** [dàiəkinétik, -kai-] *a.*

‡**di·al** [dáiəl] *n.* **1 a** 다이얼; 문자반(~ plate); 눈금판; (계량기 · 시계 · 라디오 등의) 지침반; (전화기의) 숫자반. **b** 갱내(坑內) 나침의. **2** 《영속어》 안면, 낯. ── (*-l-*, 《특히 영》 *-ll-*) *vt.* **1** (라디오 · 텔레비전의) 다이얼을 돌려 파장에 맞추다. **2** (전화기의) 다이얼을 돌리다; (상대방의 번호를) 돌리다〔누르다〕. **3** (…에) 전화를 걸다: *Dial* me at home. 집으로 전화하시오. **4** 다이얼로 표시〔계량〕하다; 갱내 나침의로 측량하다. ── *vi.* 다이얼을 돌리다; 전화를 걸다. ~ ***in*** 《*vi.*+[부]》 ① (라디오 · 텔레비전 프로에) 의견을 말하기 위해 전화하다《*to*》. ── 《*vt.*+[부]》 ② 《구어》 (기계 · 계획을) 조정〔수정〕하다. ~ ***into*** 《구어》 …에 흥미를 갖다, 몰두하다; (제도 · 계획 · 조직의) 불가결한 일부가 되다. ~ ***out*** 《미속어》 고의로 …을 잊다〔무시하다〕. ~ ***up*** (정보 따위를) 전화 회선으로 얻다; …에 전화로 연락하다; (소정의 전화 코드를) 단말기의 화면에 불러내다.

dial. dialect(al); dialectic(al); dialog(ue).

dial-a- [dáiələ] '…이 필요하시다면 전화를' 이란 뜻의 결합사: *dial-a*-bus 전화 호출 버스/*dial-a*-story 전화로 이야기를 들려주는 서비스/*dial-a*-soap 연속극 줄거리를 일러주는 서비스.

díal-a-pòrn *n.* 텔레폰포르노《전화에 의한 외설회화 등의 서비스》.

*__di·a·lect__ [dáiəlèkt] *n.* 방언, 지방 사투리; (같은 어족(語族)에서 갈린) 파생 언어; (어떤 직업 · 계급 특유의) 통용어, 말씨: the Scottish ~ 스코틀랜드 방언. ── *a.* 방언의: a ~ poem 방언으로 쓴 시.

di·a·lec·tal [dàiəléktl] *a.* 방언〔사투리〕의; 방언 특유의. ⓟ **~·ly** *ad.* 방언으로(는).

díalect àtlas 방언 (분포) 지도(linguistic atlas).

díalect geógraphy 방언 지리학; =LINGUISTIC GEOGRAPHY.

di·a·lec·tic [dàiəléktik] *a.* 변증(법)적인; 방언의. ── *n.* **1** (종종 *pl.*) 〖단수취급〗 변증법; (중세의) 논증학; 논리학. **2** 상극.

di·a·lec·ti·cal [dàiəléktikəl] *a.* =DIALECTIC; DIALECTAL. ⓟ **~·ly** *ad.* 변증법적으로.

dialéctical matérialism 변증법적 유물론, 유물 변증법.

dialéctical theólogy 변증법적 신학.

di·a·lec·ti·cian [dàiəlektíʃən] *n.* 변증가; 변론가(logician).

di·a·lec·tol·o·gy [dàiəlektɑ́lədʒi/-tɔ́l-] *n.* Ⓤ 방언학, 방언 연구. ⓟ **-gist** *n.*

dí·al·ing, 《특히 영》 **-al·ling** *n.* Ⓤ 해시계 제조 기술; 해시계에 의한 시간 측정; 갱내 나침의에 의한 측량; 〖컴퓨터〗 번호 부르기.

díaling còde (전화의) 가입 국번(局番).

díaling tòne 《영》 =DIAL TONE.

di·al·lel [dáiəlèl] *a.* 〖유전〗 (유전자의 우성 정도 · 분포 상태 따위를 조사하는) 이면 교배(二面交配)의.

DIALOG [dáiəlɔ̀(:)g, -lɑ̀g/-lɔ̀g] *n.* 다이얼로그 《미국의 DIALOG Information Service 사 및 동사(同社) 제공의 데이터베이스 시스템의 명칭》.

di·a·log [dáiəlɔ̀:g, -lɑ̀g/-lɔ̀g] *n.*, *v.* 《미》 =DIALOGUE.

di·a·log·ic, -i·cal [dàiəlɑ́dʒik/-lɔ́dʒ-], [-əl] *a.* 대화(체)의, 문답(체)의; 대화에 참가하고 있는. ⓟ **-i·cal·ly** *ad.*

di·al·o·gism [daiǽlədʒìzəm] *n.* 대화식 토론법; 〖논리〗 어느 한 전제로부터 추론할 수 있는 선언적 판단: 《고어》 (저자의 사상을 표현하기 위한) 가공의 대화.

di·al·o·gist [daiǽlədʒist] *n.* 대화자; 문답체 작가; 극작가.

di·al·o·gize [daiǽlədʒàiz] *vi.* 대화하다(dialogue).

*__di·a·logue__ [dáiəlɔ̀:g, -lɑ̀g/-lɔ̀g] *n.* 대화, 문답, 회화(會話); 의논, (공동 이해를 얻기 위한) 의견 교환, (건설적인) 토론, 회담; Ⓤ 대화체(體); Ⓤ 대화체의 작품; Ⓤ (극 · 소설의) 대화 (부분). ── (*p.*, *pp.* ***-logued; -logu·ing***) *vi.*, *vt.* 대화하다; 대화체로 표현하다.

díalogue bòx 〖컴퓨터〗 대화 상자《프로그램이 사용자가 입력할 때에 나타나는 윈도》.

dialogue des sourds [F. djalɔgdesu:r] 상대의 의견은 들으려고도 하지 않는 자들끼리의 의론, 입씨름.

Díalogue Màss 〖가톨릭〗 대화 미사.

dialogue of the déaf =DIALOGUE DES SOURDS.

díal tèlephone 다이얼식 (자동) 전화.

díal tòne 《미》 (전화의) 발신음.

díal-ùp *a.* 다이얼 호출의《전화 회선으로 컴퓨터의 단말기 등과 연락하는 경우에 이름》.

di·al·y·sate [daiǽləzèit, -sèit] *n.* 〖화학〗 투석물(透析物); 투석물의.

di·al·y·sis [daiǽləsis] (*pl.* ***-ses*** [-si:z]) *n.* 〖화학 · 물리〗 투석(透析), 다이알리시스.

di·a·lyt·ic [dàiəlítik] *a.* 〖화학 · 물리〗 투석의; 투석성(透析性)의. ⓟ **-i·cal·ly** *ad.*

di·a·lyze, 《영》 **-lyse** [dáiəlàiz] *vt.*, *vi.* 〖화학 · 물리〗 투석(透析)하다. ⓟ **-lỳz·a·ble** *a.*

dí·a·lỳz·er *n.* 투석기(透析器)〔장치〕; 〖의학〗 (인공 신장의) 투석조(槽).

di·am. diameter.

di·a·mag·net [dáiəmæ̀gnit] *n.* 〖물리〗 반자성체(反磁性體).

di·a·mag·net·ic [dàiəmægnétik] *a.* 〖물리〗 반자성의. ── *n.* 반자성체. ⓟ **-i·cal·ly** *ad.*

di·a·mag·net·ism [dàiəmǽgnətìzəm] *n.* Ⓤ 〖물리〗 반자성(학), 역(逆)자성.

di·a·man·té [dì:əmɑ:ntéi/dàiəmǽnti] *a.*, *n.* 《F.》 반짝이는 모조 다이아몬드 · 유리 등의 작은 알을 점점이 박아 넣은 (장식); 그 장식을 넣은 직물〔드레스〕《이브닝드레스 등》. [=like a diamond]

di·a·man·tif·er·ous [dàiəmæntífərəs] *a.* =DIAMONDIFEROUS.

di·a·man·tine [dàiəmǽntain, -ti(:)n] *a.* 다이아몬드의〔같은〕.

di·a·mat [dáiəmæ̀t] *n.* =DIALECTICAL MATE

RIALISM.

*__di·am·e·ter__ [daiǽmətər] *n.* 직경, 지름; (렌즈의) 배율: 3 inches in ~ 지름 3 인치 / magnify 2,000 ~*s* 배율 2 천으로 확대하다.

di·am·e·tral [daiǽmətrəl] *a.* 직경의. ㊀ **~·ly** *ad.*

di·a·met·ric, -ri·cal [dàiəmétrik], [-əl] *a.* 직경의; 정반대의, 서로 용납되지 않는, 대립적인 《상위(相違) 따위》.

dì·a·mét·ri·cal·ly *ad.* 정반대로, 전혀, 바로 (exactly): a view ~ opposed 정반대의 견해.

di·a·mide [dáiəmàid, daiǽmid] *n.* 〖화학〗 디아미드《두 개의 아미드기(基)를 가진 화합물》.

di·a·mine [dáiəmì:n, daiǽmin/dáiəmì:n, -min, dàiəmí:n] *n.* 〖화학〗 디아민《두 개의 아미노기(基)를 가진 화합물》.

di·am·mó·ni·um phósphate [dàiəmóuniəm-] 〖화학〗 인산 이암모늄《주로 비료·난연제(難燃劑)로 씀》.

di·a·mond [dáiəmənd] *n.* **1 다이아몬드, 금강석(金剛石); 다이아몬드 장신구. **2** 다이아몬드 모양, 마름모꼴; (카드의) 다이아. ㊂ club, heart, spade. **3** 유리칼(glazier's ~, cutting ~). **4** 〖야구〗 내야(infield); 야구장. **5** 〖인쇄〗 다이아몬드체 활자《4.5 포인트》. ***a ~ of the first water*** 일등 광택의 다이아몬드; 일류의 인물. ***a small ~*** 〖카드놀이〗 점수가 낮은 다이아몬드 패. ***black ~s*** 흑다이아몬드; 석탄. ***~ cut ~*** 불꽃 튀기는 듯한 호적수의 대결, 막상막하의 경기. ***~ in the rough*** =ROUGH DIAMOND. **—** *a.* 다이아몬드의〔와 같은〕, 다이아몬드제의〔를 박은〕; 마름모의: a ~ ring 다이아몬드 반지 / a ~ pencil 다이아몬드 연필《끝에 다이아몬드가 붙어서, 금속판에 줄 긋기 따위에 씀》. **—** *vt.* 다이아몬드로 장식하다, 다이아몬드를 박(아 넣)다.

díamond annivérsary 60 주년〔때로는 75 주년〕 기념일〔축제〕.

díamond·bàck *a., n.* 등에 마름모〔다이아몬드형〕 무늬가 있는 (뱀·거북 따위).

díamondback móth 〖곤충〗 배추좀나방.

díamondback ráttlesnake 〖동물〗 방울뱀.

díamondback térrapin 식용 거북《북아메리카산(產)》.

díamond cróssing 〖철도〗 마름모꼴 교차.

díamond-cùt *a.* 마름모꼴로 자른《보석 따위》.

díamond-cùtter *n.* 다이아몬드 연마공.

díamond dríll 흑다이아몬드 시추기(機).

díamond dùst 다이아몬드 가루《연마용》.

díamond field 다이아몬드 산출지.

Díamond Hèad 다이아몬드 헤드《Hawaii 주 Oahu 섬 남동부의 곶을 이룬 사화산(232m)》.

di·a·mon·dif·er·ous [dàiəmǝndífərəs] *a.* (광상(鑛床)이) 다이아몬드를 함유〔산출〕하는.

díamond jubilée 《영》 60〔75〕 주년 기념식〔식전〕; (D- J-) 빅토리아 여왕 즉위 60 주년제(祭)《1897 년》.

díamond làne 《미》 =HOV LANE.

díamond péncil 다이아몬드 연필《금속판에 줄 긋는 등에 쓰임》.

díamond pòint 조각용 다이아몬드 칼〔커터〕.

díamond ríng effèct 〖천문〗 다이아몬드 링 효과《일식(日蝕)의 직전·직후에 생기는 고리》.

díamond sáw 다이아몬드 톱《원반 가장자리에 다이아몬드 가루를 넣은 돌 자르는 톱》.

Díamond Státe (the ~) 미국 Delaware 주의 별칭《주(州)가 작은 데서》.

díamond wédding 다이아몬드 혼식《결혼 60 또는 75 주년 기념》.

di·a·mor·phine [dàiəmɔ́:rfi:n] *n.* 〖약학〗 「=HEROIN.

Di·an [dáiən] *n.* 《시어》 =DIANA 3, 4.

Di·ana [daiǽnə] *n.* **1** 다이애나(여자 이름). **2** (Lady ~ Spencer) 다이애나《영국의 왕세자비; Paris 에서 교통 사고로 사망; 1961-97》. **3** 〖로마신화〗 디아나《달의 여신; 처녀성과 사냥의 수호신》. ㊂ Artemis. **4** 《시어》 달. **5** Ⓒ 여사냥꾼; 여기수(女騎手); 독신을 지키는 여자; 젊고 아름다운 여성.

Diana 3

di·a·no·et·ic [dàiənouétik] *a.* 사고(思考)에 관한, 추고〔논증〕적인, 지적(知的)인.

di·an·thus [daiǽnθəs] *n.* 〖식물〗 패랭이속(屬)의 각종 식물.

di·a·pa·son [dàiəpéizən, -sən] *n.* **1** 〖음악〗 화성; 선율; 완전 협화음; (악기·음성의) 음역. **2** (파이프오르간의) 다이어페이슨 음전(音栓)《an open ~ (개구(開口) 음전)과 a closed〔stopped〕 ~ (폐구 음전)의 두 가지가 있음》. **3** 음차(音叉). **4** (고대 그리스 음악의) 8 도 음정. **5** Ⓤ 전(全)범위, 전분야. ㊀ **~·al** *a.*

dia·pause [dáiəpɔ̀:z] *n.* 〖생물〗 휴면, (곤충·절지동물의) 일시적 발생 휴지. **—** *vi.* 휴면하다.

di·a·pe·de·sis [dàiəpidí:sis] *n.* (*pl.* **-ses** [-si:z]) 〖생리〗 누출(성 출혈), 혈관외 유출.

di·a·per [dáiəpər] *n.* **1** Ⓤ 마름모 무늬(의 삼베). **2** Ⓒ 기저귀; 월경대; 마름모 무늬가 있는 타월〔냅킨〕《삼 또는 무명제》. **—** *vt.* 마름모 무늬로 꾸미다; (아기에게) 기저귀를 채우다.

dí·a·pered *a.* 마름모꼴 무늬가 있는, 마름모꼴 무늬 비슷한.

díaper ràsh 《미》 기저귀를 차서 생기는 헌데.

díaper sèrvice 기저귀 대여업(貸與業).

di·aph·a·ne·i·ty [daiæ̀fəní:əti, dàiə-/dàiə-] *n.* 투명도(transparency).

di·aph·a·nous [daiǽfənəs] *a.* (천 따위가) 내비치는, 투명한; 영묘한; 어렴풋한, 희미한《가능성 따위》. ㊀ **~·ly** *ad.* **~·ness** *n.*

di·a·phone [dáiəfòun] *n.* **1** 무적(霧笛). **2** 〖언어〗 방언적인 이음(異音).

di·aph·o·rase [daiǽfərèis] *n.* 〖생화학〗 디아퍼레이스《플라빈 단백질(flavoprotein) 효소의 일종》.

di·a·pho·re·sis [dàiəfərí:sis] *n.* Ⓤ 〖의학〗 (인위적인 다량의) 발한(發汗); 발한 요법.

di·a·pho·ret·ic [dàiəfərétik] *a.* 발한(發汗)을 촉진하는. **—** *n.* 발한제(劑).

°**di·a·phragm** [dáiəfræ̀m] *n.* 〖해부〗 횡격막; 격막, 막; (전지 따위의) 칸막이판; (송 수화기 따위의) 진동판; 〖사진〗 (렌즈의) 조리개; (피임용) 페서리(pessary); 〖토목〗 (금속 구조물을 보강하는) 격판(隔板), 칸막이판, 다이어프램. **—** *vt.* …에 칸막이판을〔진동판·조리개를〕 붙이다; 조리개로 빛을 가감하다.

di·a·phrag·mat·ic [dàiəfrægmǽtik] *a.* 횡격막의; 격막(隔膜)의: ~ respiration 횡격막 호흡.

díaphragm pùmp 〖기계〗 (피스톤 대신 막(膜)을 상하로 움직이는) 격막(隔膜) 펌프.

di·aph·y·sis [daiǽfəsis] (*pl.* **-ses** [-si:z]) *n.* 〖해부〗 골간(骨幹); 〖식물〗 선단 관생(先端貫生). ㊀ **di·a·phys·i·al, di·a·phys·e·al** [dàiəfíziəl] *a.*

di·a·pir [dáiəpìər] *n.* 〖지학〗 다이어피어《주입(注入) 습곡 작용에 의한 돔 모양의 지질 구조》. ㊀ **~·ic** [dàiəpírik] *a.*

di·a·pos·i·tive [dàiəpázətiv/-pɔ́z-] *n.* 〖사진〗

투명 양화(陽畫)《슬라이드 따위》.

di·ar·chy [dáiɑːrki] *n.* Ⓤ,Ⓒ 양두(兩頭) 정치. ⓒⓕ monarchy. ㊞ **di·ar·chi·al** [daiɑ́ːrkiəl] *a.*

di·ar·i·al [daiέəriəl] *a.* 일기(체)의.

di·a·rist [dáiərist] *n.* 일기를 쓰는 사람; 일지 기록원; 일기 작자. ㊞ **di·a·ris·tic** [dàiərístik] *a.* 일기식〔체〕의.

di·a·rize [dáiəràiz] *vi., vt.* 일기를〔에〕 쓰다.

di·ar·rhea, 《영》 **-rhoea** [dàiəríːə] *n.* Ⓤ 〖의학〗 설사. ㊞ **-rh(o)é·al, -rh(o)ét·ic** [-rétik] *a.*

di·ar·thro·sis [dàiɑːrθróusis] (*pl.* ***-ses*** [-siːz]) *n.* 〖해부〗 가동(可動) 관절《고관절처럼 모든 방향으로 움직일 수 있는 관절》.

†**di·a·ry** [dáiəri] *n.* 일기, 일지; 일기장: keep 〔open〕 a ~ 일기를 쓰다〔새로 쓰기 시작하다〕.

Di·as, -az [díːəs] *n.* **Bartholomeu** ~ 디아스 《희망봉을 발견한 포르투갈의 항해가; 1450?-1500》.

dia·scope [dáiəskòup] *n.* 다이어스코프, 투영경(投影鏡)(투명체의 화상(畫像)을 영사하는 장치); 〖의학〗 유리 압진기(壓診器).

Di·as·po·ra [daiǽspərə] *n.* **1** (the ~) 디아스포라《Babylon 포수(捕囚) 후의 유대인의 이산》; (d-) (국외) 이산, (국외) 이주. **2** 〔집합적〕 이산한 유대인; 이산한 장소; 이스라엘 이외의 유대인 거주지.

di·a·spore [dáiəspɔ̀ːr] *n.* 〖광물〗 다이아스포어, 수산화 알루미늄석《보크사이트 구성 물질》.

di·a·stase [dáiəstèis] *n.* Ⓤ 디아스타아제, 녹말당화〔소화〕 효소. ㊞ **di·a·stat·ic** [dàiəstǽtik] *a.* 디아스타아제의, 당화성(糖化性)의.

di·a·ste·ma [dàiəstíːmə] (*pl.* ~***ta*** [-tə]) *n.* (세포의) 격막질(隔膜質); 〖의학〗 정중 이개(正中離開); 〖치과〗 치간(齒間) 이개. ㊞ **-ste·mat·ic** [-stəmǽtik] *a.*

di·a·ster·e·o·mer [dàiəstériəmər, -stíər-] *n.* 〖화학〗 디아스테레오 이성체(異性體)(=**dì·a·ster·e·o·i·so·mer**).

di·as·to·le [daiǽstəli(ː)] *n.* Ⓤ 〖생리〗 심(心) 이완〔확장〕(기(期)); 《비유》 확장기; 〖시학〗 음절 연장. ㊞ **di·as·tol·ic** [dàiəstɑ́lik/-tɔ́l-] *a.*

diastólic (blóod) préssure 〖의학〗 확장 기압(壓)《최소 혈압》.

di·as·tro·phism [daiǽstrəfìzəm] *n.* 〖지학〗 지각(地殼) 변동(에 의한 지층).

di·a·tes·sa·ron [dàiətésərən, -rɑ̀n/-rɔ̀n] *n.* (종종 D-) 〖신학〗 공관(共觀) 복음서.

di·a·ther·man·cy, -ma·cy [dàiəθə́ːrmənsi], [-məsi] *n.* 〖물리〗 투열성(透熱性), 열이 통함. ㊞ **-ma·nous** [-mənəs] *a.* 투열성의, 열이 통하는.

di·a·therm·ic [dàiəθə́ːrmik] *a.* 디아테르미 요법의, 투열 요법의; 투열성의.

di·a·ther·my [dáiəθə̀ːrmi] *n.* Ⓤ 〖의학〗 디아테르미, 투열 요법《전기 투열 및 그에 의한 요법》.

díathermy knife 고주파 메스《출혈이 없음》.

di·ath·e·sis [daiǽθəsis] (*pl.* ***-ses*** [-siːz]) *n.* 〖의학〗 병적 소질, 특이 체질: tubercular ~ 결핵성 체질.

di·a·tom [dáiətəm, -tɑ̀m/-təm, -tɔ̀m] *n.* 〖식물〗 규조류(珪藻類).

di·a·to·ma·ceous [dàiətəméiʃəs] *a.* 규조류의; 규조를 함유한; 〖지학〗 규조토의.

diatomáceous éarth 〖지학〗 규조토(diatomite).

di·a·tom·ic [dàiətɑ́mik/-tɔ́m-] *a.* 〖화학〗 이(二)원자의; 이가(二價)의.

di·a·ton·ic [dàiətɑ́nik/-tɔ́n-] *a.* 온음계의: the ~ scale 온음계. ㊞ **-i·cal·ly** [-ikəli] *ad.*

di·a·treme [dáiətrìːm] *n.* 〖지학〗 다이어트림 《화산 가스의 폭발적 유출로 생긴 화도(火道)》.

di·a·tribe [dáiətràib] *n.* Ⓤ 통렬한 비난〔논란〕; 욕, 비방《*against*》. ㊞ **dí·a·trìb·ist** *n.* 통렬한 비난자〔욕설가〕.

di·az·e·pam [daiǽzəpæ̀m] *n.* Ⓤ 디아제팜《트랭퀼라이저의 일종》.

di·a·zine [dáiəziːn, -zin, daiǽzi(ː)n] *n.* 〖화학〗 다이아진.

di·azo [daiǽzou, -éiz-] *a.* 〖화학〗 2 질소의, 다이아조늄의, DIAZOTYPE의. **—** *n.* 다이아조 화합물, 《특히》 다이아조 염료; =DIAZOTYPE.

di·a·zo·ni·um [dàiəzóuniəm] *n.* 〖화학〗 다이조늄《다이아조늄염 속의 1 가의 양이온 원자단》.

diázo pròcess 다이아조법(法)《다이아조 화합물로 처리한 종이를 사용하는 복사법》.

di·az·o·tize, 《특히 영》 **-tise** [daiǽzətàiz] *vt.* 〖화학〗 다이아조화(化)하다. ㊞ **di·áz·o·tìz·a·ble** *a.* **di·àz·o·tìz·a·bíl·i·ty** *n.*

di·azo·type [daiǽzətàip] *n.* 다이아조타이프《사진 인화법의 하나》; =DIAZO PROCESS.

dib[1] [dib] (***-bb-***) *vi.* (낚시에서) 미끼를 수면에서 위아래로 가볍게 흔들다(dap).

dib[2] *n.* **1** (lawn bowling의) 표적용 소백구(小白球)(jack). **2** 《미속어》 몫; 1 달러.

di·bas·ic [daibéisik] *a.* 〖화학〗 이염기(二塩基)(성)의.

dib·ber [díbər] *n.* =DIBBLE.

díbber bòmb 활주로 폭탄《대(對)활주로 폭파용》.

dib·ble [díbəl] *n.* (씨뿌리기·모종내기에 쓰는) 구멍 파는 연장. **—** *vt., vi.* (지면에) 구멍을 파다; (이 연장으로) 구멍을 파고 파종하다〔심다〕.

dibble

díb·bler *n.* dibble 하는 사람〔것, 기계〕; 〖동물〗 디블러《오스트레일리아산의 쥐 비슷한 유대류》.

dibbuk ⇨ DYBBUK.

di·ben·zo·fu·ran [daibènzoufjúræn, -zəfjərǽn] *n.* 〖화학〗 디벤조푸란($C_{12}H_8O$)《유독하며 살충제로 쓰임》.

di·bit [dáibit] *n.* 〖컴퓨터〗 쌍(雙)비트.

di·bro·mo·chlo·ro·pro·pane [daibròmoklɔ̀ːrəpróupein] *n.* 〖화학〗 디브로모클로로프로판《유독 발암성이 있는 살충제; 불임증의 원인으로 알려짐》.

dibs [dibz] *n. pl.* **1** 〔단수취급〕 《영》 =JACKS 《아이들 놀이》; =JACKSTONE; (카드놀이의) 뼈로 된 산가지. **2** 《속어》 잔돈; 받을〔쓸〕 권리, 우선권 《*on*》: I have 〔put〕 ~ *on* the magazine. 이번엔 내가 잡지를 읽을 차례다. ~ ***and dabs*** 《미》 조금, 약간; 《영운율속어》 사면발니(crabs). **—** *int.* 《주로 소아어》 내 몫이야〔차례야〕.

di·bu·tyl phthal·ate [daibjúːtəlθǽleit, -fθǽl-] 〖화학〗 프탈산 디부틸《용제·가소제(可塑劑)·방충제로 씀》.

di·car·box·ýl·ic ácid [daikɑ̀ːrbɑksílik-/-bɔk-] 〖화학〗 디카르복실산(酸).

◇**dice** [dais] (*sing.* ***die*** [dai]) *n. pl.* **1** 주사위; 주사위놀이, 노름: play (at) ~ 주사위를 던지다, 노름하다. **2** (주사위 꼴의) 작은 입방체. ***load the*** ~ 바라는 결과가 나오도록 미리 잔꾀를 쓰다; (…에게) 불리〔유리〕하게 짜놓다《*against; for*》. ***no*** ~ 《구어》 안 돼, 싫다(no)《부정·거절의 대답》; 잘 안 되다, 헛수고다. ***with loaded*** ~ 세공한 주사위를 써서; 잔꾀를 써서, 협잡으로.

— (*p., pp.* ***diced; dic·ing***) *vi.* 《~/+전+명》 주사위놀이를 하다《*with*》; 노름〔내기〕하다 《*for*》: ~ *for* drinks 술을 걸고 내기하다. **—** *vt.* **1** (야채 등을) 주사위 모양으로 썰다; 주사위 무늬로 장식하다. **2** 《+목+부》 주사위놀이로〔노름으로〕

잃다: ~ *away* a fortune 노름으로 큰돈을 잃다. 3 〖군사〗 (어느 지역의) 항공사진을 찍다. ~ one*self into debt* 노름으로 빚지다. ~ one*self out of ...* 노름으로 …을 날리다. ~ *with death* (목숨을 걸고) 큰 모험을 하다.

di·cen·tric [daiséntrik] 〖유전〗 *a.* 두 개의 동원체(動原體)를 가진. ── *n.* 이동원체 염색체.

di·ceph·a·lous [daiséfələs] *a.* 머리가 둘 있는, 쌍두의.

díce·plày *n.* Ⓤ 주사위놀이; 노름.

dic·ey [dáisi] (*dic·i·er; -i·est*) *a.* 《구어》 위험한, 아슬아슬한.

dich- [daik] *pref.* =DICHO-.

di·chlo·ride, -rid [daiklɔ́:raid, -rid/-raid], [-rid] *n.* 〖화학〗 이(二)염화물(bichloride).

di·chlo·ro- [daiklɔ́:rou, -rə], **di·chlor-** [daiklɔ́:r] *pref.* '이(二)염화'의 뜻.

dichlòro·bénzene *n.* 〖화학〗 다이클로로벤젠 《3종의 이성체가 있음》, 《특히》 =PARADICHLOROBENZENE 《살충제》.

di·chlo·ro·phe·nox·y·acé·tic ácid [daiklɔ̀:roufinɑ̀ksiəsí:tik-/-nɔ̀k-] 〖화학〗 다이클로로페녹시 아세트산《통칭 2, 4-D; 그 나트륨염은 제초제(除草劑)》.

di·chlor·vos [daiklɔ́:rvɑs, -vəs/-vɔs] *n.* 〖화학〗 다이클로로보스(DDVP) 《살충제》.

di·cho- [dáikou, -kə] *pref.* '두 부분의, 2분하여'의 뜻: *dicho*tomy.

di·chog·a·my [daikɑ́gəmi/-kɔ́g-] *n.* Ⓤ 〖식물〗 자웅이숙(異熟)《암술과 수술의 이기(異期) 성숙; 자가수분이 안 됨》. OPP *homogamy*.

dich·o·tic [daikóutik] *a.* (소리의 높이·세기가) 좌우의 귀에 다르게 들리는. ㊞ **-óti·cal·ly** *ad.*

di·chot·o·mize [daikɑ́təmàiz/-kɔ́t-] *vt., vi.* 2분하다, 두 종류〔뿌리〕로 나누다〔나뉘다〕, (줄기·잎맥 따위가) 분기(分岐)하다.

dichótomizing sèarch 〖컴퓨터〗 이분(二分) 탐색법(binary search).

di·chot·o·mous [daikɑ́təməs/-kɔ́t-] *a.* 양분된; 2분법의; 〖식물〗 대생(對生)의, (가지가) 두 갈래진. ㊞ ~·**ly** *ad.*

dichótomous kéy 〖생물〗 이분식(二分式) 검색표.

di·chot·o·my [daikɑ́təmi/-kɔ́t-] *n.* Ⓤ 둘로 갈림; 분열; 〖논리〗 이분법; 〖식물〗 대생(對生), 대생분기(分岐); 〖천문〗 현월(弦月), 반달. ㊞ **-mist** *n.* 둘로 가르는 사람, 이분론자.

di·chro·ism [dáikrouìzəm] *n.* Ⓤ 이색성(二色性)《결정체가 보는 각도에 따라, 또는 액체가 농도에 따라 색이 다르게 보이는 성질》.

di·chro·mat [dáikroumæ̀t] *n.* 〖안과〗 이색형 색각자(二色型色覺者).

di·chro·mate [daikróumeit] *n.* Ⓤ 〖화학〗 다이크로뮴산염(bichromate).

di·chro·mat·ic [dàikroumǽtik] *a.* 이색(二色)(성)의; 〖동물〗 이색을 띠는; 〖안과〗 이색성 색각(色覺)의. ㊞ **-i·cism** [-tisìzəm] *n.* =DICHROMATISM.

di·chro·ma·tism [daikróumətìzəm] *n.* Ⓤ 이색성(二色性), 이변색성(二變色性); 〖의학〗 이색성〔형〕 색맹.

di·chro·mic [daikróumik] *a.* 〖화학〗 다이크로뮴산의; =DICHROMATIC.

dic·ing [dáisiŋ] *n.* 1 Ⓤ =DICEPLAY: a ~ house 도박장. 2 Ⓤ,Ⓒ 〖제본〗 (가죽 표지의) 마름모꼴 무늬의 장식.

Dick [dik] *n.* 딕《Richard의 애칭》.

dick[1] [dik] *n.* 《영속어》 맹세, 선언. ***take** one's* ~ 맹세하다《*to* it, *that*》. ***up to*** ~ 멋진, 상당한; 빈틈없는. [◂ *declaration*]

dick[2] *n.* 《속어》 형사, (사립) 탐정(detective), 조사관.

dick[3] *n.* 《속어》 사전. [◂ *dictionary*]

dick[4] *n.* 《영구어》 놈, 녀석; 《비어》 =PENIS; 《미속어》 혼자 잘났다고 생각하는 저질 사내. ── *vt.* 《미속어》 (여자와) 성교하다.

Díck and Jáne 딕과 제인《1930년대부터 1960년대까지 사용된 미국의 어린이 독본 시리즈》. 「한; 용의주도한.

dicked [dikt] *a.* 《미속어》 (성공할 것이) 확실

Dick·ens [díkinz] *n.* **Charles** ~ 디킨스《영국의 소설가; 1812-70》. ㊞ **Dick·en·si·an** [dikénziən] *a.* Dickens(풍)의.

dick·ens [díkinz] *n.* 《구어》 =DEUCE[2], DEVIL (가볍게 저주·매도하는 말). ***catch the*** ~ 호되게 야단맞다, 벌받다. ***like the*** ~ 맹렬히. ***The*** ~*!* 어렵쇼; 빌어먹을. ***The*** ~ ***of it is that ...*** 그것에 관해 가장 곤란한 것은 …이다. ***What the*** ~ ***is it?*** 도대체 뭐냐(What on earth ... ?).

dick·er[1] [díkər] *n.* 〖상업〗 10, 털가죽 10장, 10개 한 벌; 약간의 수량.

dick·er[2] *vi.* 작은 거래를 하다, 물물 교환을 하다; 흥정하다, 값을 깎다《*with; for*》; 정치상의 흥정을 하다; 주저하다: ~ *with* a person *for* a thing 아무와 흥정해 물건 값을 깎다. ── *vt.* …를 거래하다; 교환하다. ── *n.* Ⓤ,Ⓒ 작은 거래, 물물 교환(된 물건); (정치상의) 타협, 협상.

dick·ey[1], **dick·ie, dicky**[1] [díki] (*pl.* ***dick·eys, dick·ies***) *n.* 1 (뗄 수 있는) 와이셔츠의 가슴판; 앞치마, 턱받이; 장식용 가슴판(여성용). 2 《영》 (마차의) 마부석; (마차 뒤의) 종자석; (자동차 뒤의) 임시 좌석. 3 =DICKEYBIRD; 《영》 수탕나귀.

dickey[1] 1

dick·ey[2], **dicky**[2] [díki] *a.* 《영구어》 흔들흔들하는, 위태로운, 약한, 불안한: very ~ on one's pins 다리가 휘청거려.

díckey·bìrd, dícky- *n.* 《소아어》 작은 새; 《영구어》 한마디 말(word). ***watch the*** ~ 〖명령형〗 렌즈에 주목《사진 찍을 때 쓰는 말》.

díck·hèad *n.* 《속어》 바보, 얼간이.

Dick·in·son [díkinsən] *n.* **Emily** (**Elizabeth**) ~ 디킨슨《미국의 여류 시인; 1830-86》.

dick·o·ry [díkəri] *n.* 《영속어》 택시의 미터《택시 운전사 용어》.

Díck tèst 〖의학〗 성홍열 피부 테스트.

dickty ⇨DICTY.

di·cli·nous [dáiklənəs, daiklái-] *a.* 자웅이화(異花)의, 단성화(單性花)의.

di·cot, di·cot·yl [dáikɑt/-kɔt], [daikɑ́tl/-kɔ́tl] *n.* =DICOTYLEDON.

di·cot·y·le·don [daikɑ̀təlí:dən, dàikɑtəl-/-kɔ̀t-] *n.* 쌍떡잎〔자엽〕 식물. ㊞ ~·**ous** [-əs] *a.*

di·cou·ma·rin, -ma·rol [daikjú:mərin/-kú:], [-mərɔ̀:l, -rɑ́l-/-kú:mərɔ̀l] *n.* Ⓤ 〖약학〗 디쿠마린, 디쿠머롤《혈액 응고 방지제》.

di·crot·ic [daikrɑ́tik/-krɔ́t-] *a.* 〖의학〗 1 중박(重搏)의; 일심박(一心搏)에 두 번 맥박이 뛰는. 2 중박맥(重搏脈)의.

di·cro·tism [dáikrətìzəm] *n.* 〖의학〗 중복 맥박, 중박성(重搏性).

dict. dictated; dictation; dictator; dictionary.

dic·ta [díktə] DICTUM의 복수.

dic·ta·belt [díktəbèlt] *n.* 구술 녹음기용 녹음 벨트.

Dic·ta·phone [díktəfòun] *n.* 딕터폰《속기용 구술 녹음기; 상표명》. ㊞ **dìc·ta·phón·ic** *a.* 정확히 복사〔복제〕된.

*__dic·tate__ [díkteit, -ˊ] *vt.* 《~+목/+목+전+명》 1 구술하다, (말하여) 받아쓰게 하다《*to*》: ~ a letter *to* the secretary 비서에게 편지를 받

아쓰게 하다. **2** 명령하다, 지시하다《*to*》: Don't let impulse ~ your actions. 충동에 따라 행동하지 마라 / ~ terms *to* a vanquished enemy 항복한 적에게 조건을 지시하다. ― *vi.* 《+전+명》 **1** 받아쓰기를 시키다, 구술(口述)하여 필기케 하다《*to*》: ~ *to* a stenographer 구술하여 속기사에게 받아쓰게 하다. **2** 〖보통 부정문, 종종 수동태〗 지시〔명령〕하다 《*to*》: *No* one shall ~ *to* me. = I *won't be* ~*d to.* 어느 누구의 지시도 받지 않겠다. ― [díkteit] *n.* (보통 *pl.*) (양심·이성 따위의) 명령, 지령, 지시: the ~*s* of reason 이성의 명령.

dictáting machìne 구술 녹음기.

*__dic·ta·tion__ [diktéiʃən] *n.* **1** Ⓤ 구술; (구술에 의한) 받아쓰기; Ⓒ 받아쓴〔구술한〕 것, 구술 시험. **2** Ⓤ 명령, 지령, 지시. **3** 〖음악〗 청음(聽音)《소리를 듣고 악보로 기록하기》. ***at the ~ of*** …의 지시에 따라〔지령대로〕: do (something) *at the ~ of* ... …의 지시에 따라 (어떤 일)을 하다. ***write from*** 〔***under***〕 a person***'s ~*** = ***take*** a person***'s ~*** 아무의 구술을 받아쓰다.

dictátion spèed 구술〔받아쓰기〕할 만한 속도.

*__dic·ta·tor__ [díkteitər, ―⌐―] (*fem.* ***dic·ta·tress*** [-tris]) *n.* **1** 독재자, 절대 권력자; 〖일반적〗 위압적인 사람, 실력자; 건방진 사람; (로마의) 독재 집정관. **2** 구수자(口授者), 받아쓰게 하는 사람.

dic·ta·to·ri·al [dìktətɔ́ːriəl] *a.* 독재자의; 전제적인, 전단(專斷)하는; 오만한, 명령적인. ◇ dictate *v.* ㊕ **~·ly** *ad.* **~·ness** *n.*

°**dic·ta·tor·ship** [diktéitərʃip, ⌐―⌐] *n.* Ⓤ,Ⓒ 독재(권), 절대권; 독재 정권〔정부, 국가〕; 독재자의 직〔임기〕: live under a ~ 독재 정권하에서 살다.

dictátorship of the proletáriat 프롤레타리아 독재《공산주의 사회에 이르기 전단계로서의》.

dic·tion [díkʃən] *n.* Ⓤ **1** 말씨; 용어의 선택, 조사(措辭), 어법, 말의 표현법: poetic ~ 시어(법). **2** 《미》 화법, 발성법. ㊕ **~·al** *a.* **~·al·ly** *ad.*

†**dic·tion·ary** [díkʃənèri/-ʃənəri] *n.* 사전, 사서; 옥편, 자전(字典): a Korean-English ~ 한영 사전 / look up a word in a ~ 한 낱말을 사전에서 찾다 / a walking 〔living〕 ~ 살아 있는 사전, 박식한 사람. ***Dictionary of National Biography*** 영국 인명사전《1882-1949; 전 26권; 생략: D. N.B.》. ***see***〔***consult***〕 ***a ~*** 사전을 찾아보다. ***speak like a ~*** 박식한 체 이야기하다. ***swallow the ~*** 긴 어려운 말을 쓰다.

díctionary càtalog 〖도서〗 사서체 목록《모든 저자명·책명·건명(件名)·총서명 등을 사전적으로 배열한 목록》.

díctionary sòrt 〖컴퓨터〗 사전 차례의 정렬.

Dic·to·graph [díktəgræ̀f, -grὰːf] *n.* 딕토그래프《도청용·녹음용 고감도 송화기; 상표명》.

dic·tum [díktəm] (*pl.* ***-ta*** [-tə], **~*s***) *n.* (권위자, 전문가의) 공식 견해, 언명, 단정; 〖법률〗 재판관의 부수적 의견; 격언, 금언.

dic·ty, dick·ty [díkti] *a.* 《미속어》 고급의; 훌륭한, 상류인 체하는, 거만한. ― *n.* 귀족, 부자.

dic·ty·o·some [díktiəsòum] *n.* 〖생물〗 망상체(網狀體)(Golgi body).

Di·cu·ma·rol [daikjúːmərɔ̀ːl, -rὰl/-rɔ̀l] *n.* 디쿠마롤《dicoumarin의 상표명》.

did [did] DO¹의 과거.

DID densely inhabited district(인구 밀집 지구).

di·dact [dáidækt] *n.* 도학자(같은 사람).

di·dac·tic, -ti·cal [daidǽktik], [-əl] *a.* 가르치기 위한, 교훈적〔설교적〕인; 교훈벽(癖)이 있는. ㊕ **-ti·cal·ly** *ad.*

di·dác·ti·cìsm *n.* Ⓤ 교훈〔계몽〕주의, 교훈적 경향, 교훈벽(癖).

di·dác·tics *n. pl.* 〖단·복수취급〗 교수법, 교수학; 교훈.

di·dap·per [dáidæ̀pər] *n.* (소형의) 논병아리 (dabchick).

diddicoy ⇨ DIDICOI.

did·dle¹ [dídl] 《구어》 *vt.* **1** 《~+목/+목+전+명》 속이다, 편취하다《*out of*》: ~ a person *out of* his money 아무를 속여 돈을 빼앗다. **2** (시간을) 낭비하다《*away*》. ― *vi.* 시간을 낭비하다, 빈둥거리다: Stop *diddling* around and get to work. 빈둥거리지 말고 일해라.

did·dle² *vt., vi.* 《구어》 급속히 전후(상하)로 움직이게 하다〔움직이다〕; 만지작거리다《*with*》; 《미속어》 (프로그램에) 간단한 손을 보다; 《비어》 …와 성교하다; 수음하다.

díddle bàg 자잘한 물건을 넣는 백.

díd·dly(**-squàt**〔**-dàmn, -pòop, -shìt, -squìrt, -whòop**〕) [dídli(-)] *n.* 《미속어》 아무것도 아닌 것; 싸구려 물건; 터무니없는 것, 난센스; 같잖은 놈: not worth ~ 아무 가치도 없는. ― *a.* 하찮은, 시시한.

di·de·ox·y·cyt·i·dine [dàidiːὰksisíːtədiːn, -sáit-/-dàin] *n.* 〖약학〗 디데옥시시티딘《AIDS 치료약으로 시험되고 있는 nucleoside 유사약; 생략: DDC》.

di·de·ox·y·in·o·sine [dàidiːὰksiíːnəsiːn] *n.* 〖약학〗 디데옥시이노신《AIDS 치료약; 생략: DDI》.

did·ger·i·doo [dìdʒəridúː] *n.* Ⓒ 긴 나무관으로 된 오스트레일리아의 전통 관악기.

did·i·coi, did·di·coy [dídikɔi] *n.* 《속어》 집시(의 혼혈인).

did·n't [dídnt] did not의 간약형.

DIDO [dáidou] *n.* 《컴퓨터속어》 =GIGO. [◂ *d*irect *i*n *d*irect *o*ut]

Di·do [dáidou] *n.* 〖그리스신화〗 디도《카르타고를 창설한 여왕》.

di·do [dáidou] (*pl.* **~(*e*)*s***) *n.* 《구어》 (때로 *pl.*) 농담, 장난; 희롱거림, 법석; 《속어》 불평, 반대; 《속어》 하찮은 것(trinket); 술. ***cut*** 〔***kick***〕 (***up***) ***a ~*** 〔**~(*e*)*s***〕 장난치다, 야단법석을 떨다.

didst [didst] 《고어》 =DID《thou와 함께 쓰임》.

di·dym·i·um [daidímiəm, di-] *n.* Ⓤ 〖화학〗 디디뮴《희금속》.

†**die**¹ [dai] (*p., pp.* ***died; dý·ing***) *vi.* **1** 《~/+전+명》 죽다, 별세하다; (식물이) 말라 죽다: The flower ~*d* at night. 그 꽃은 밤에 시들었다 / ~ *for* one's country 나라를 위해 죽다 / ~ *of* illness 〔hunger〕 병사〔아사〕하다 / ~ *from* wounds 〔weakness〕 부상〔쇠약〕으로 죽다. ★ '…으로 죽다'의 경우, die *of*... 는 병·굶주림·노쇠가 원인, die *from*...은 부주의·외상(外傷)이 원인일 때에 쓰는 경향이 있음.

> SYN. **die** 일반적으로 '죽다'를 나타내는 말임. **decease** die의 완곡한 표현이지만, 법률 용어로서도 쓰임. **expire** 에둘러서 사람이나 물건의 생명이 끝남을 말함. **perish** 보통 괴로움이나 폭력 따위로 '죽음'을 나타냄.

2 《+보》 …한 상태로〔모습으로〕 죽다: ~ a hero 영웅으로서 생을 마치다, 용감하게 죽다 / She ~*d* young. 그녀는 젊어서 죽었다 / He ~*d* a beggar. 그는 거지 신세로 죽었다. **3** 《~/+부/+전+명》 (불이) 꺼지다, (제도가) 없어지다, (예술·명성 등이) 사라지다; (소리·빛 따위가) 희미해지다, (서서히) 옮어지다《*away; down; off; out*》: The engine ~*d.* 엔진이 멈췄다 / Don't let the fire ~. 불을 꺼뜨리지 마라 / The wind slowly ~*d down.* 바람이 서서히 잤다 / His secret ~*d with* him. 그는 죽을 때까지 비밀을 지켰다 / This memory will never ~. 이 기억은 결코 잊혀지지 않을 것이다. **4** 《+전+명》 무감각해지다; 무관심해지다《*to*》: ~ *to* shame

부끄러움을 잊다 / ~ *to* the world 세상을 버리다. **5** 《+*to* do/+[전]+[명]》〔보통 현재분사꼴로〕《구어》 간절히 바라다, 하고 싶어 애타다: She is *dying to* go. 그녀는 몹시 가고 싶어한다 / She is *dying for* a look at her child. 그녀는 애타게 아이를 한 번 보고 싶어한다. **6** 《+[전]+[명]》 (고통·괴로움으로) 죽을 것 같다: I'm *dying of* boredom. (나는) 따분해서 죽을 지경이다. **7** 〖신학〗 정신적으로 죽다, 죽음의 고통을 맛보다. **8** 〖야구〗 아웃되다. ≒dye.

— *vt.* 〔동족목적어를 취하여〕 …한 죽음을 하다: ~ a glorious death 명예롭게 죽다 / ~ a natural death 자연사하다 / ~ a martyr 순교하다. ~ ***at*** *one's* ***post*** 순직하다. ~ ***away*** (바람·소리 등이) 잠잠해지다; 실신하다. ~ ***back*** (초목이) 가지 끝에서부터 말라죽어서 뿌리만 남다. ~ ***down*** 점점 조용해지다〔꺼지다, 그치다〕; (초목이 뿌리만 남고) 지면까지 마르다. ~ ***game*** 용감히 싸워 죽다. ~ ***hard*** 최후까지 저항하다, 좀처럼 죽지 않다; (습관·신앙 따위가) 좀처럼 사라지지 않다. [cf.] die(-)hard. ~ ***in harness*** 현직에서 죽다; 죽을 때까지 일하다. ~ ***in*** *one's* ***shoes*** 〔***boots***〕 = ~ ***with*** *one's* ***shoes*** 〔***boots***〕 ***on*** ⇨ BOOT¹. ~ ***off*** 차례로 죽다, 죽어 없어지다; (소리 따위가) 점점 희미해지다. ~ ***of laughing*** 포복절도하다. ~ ***on*** …의 목전에서〔신세를 지며〕 죽다; (차 따위가) 움직이지 않아 …에게 애를 먹이다; …의 관심을 끌지 못하다. ~ ***on*** *one's* ***feet*** 급사하다. ~ ***on the air*** (종소리 따위가) 공중에서 사라져 가다. ~ ***out*** 사멸하다; (풍습 등이) 소멸하다. ~ ***standing up*** 연극을 해도 박수를 못 받다. ~ ***the death*** 《고어》 죽다; 피살되다; 사형되다. ~ ***to self*** 〔***the world***〕 자기〔속세〕를 버리다. ~ ***unto sin*** 죄악을 초월하다, 잔시름〔근심〕을 끊다〔버리다〕. (***I***) ***hope*** 〔***with***〕 ***I may*** ~ = (***I***) ***hope to*** ~ 《구어》 (말하는 것이 진실임을 단언하여) 절대로, 맹세코. ***Never say*** ~**!** 죽는 소리 마라, 비관하지 마라, 힘을 내라. ***to*** *one's* ***dying day*** 살아 있는 한.

die² (*pl.* ***dice*** [dais]) *n.* 주사위; (*pl.*) 주사위 노름; 주사위 모양의 물건: The ~ is cast 〔thrown〕. 주사위는 던져졌다. ***upon the*** ~ 죽느냐 사느냐 하는 판국에서.

die³ (*pl.* ~***s*** [daiz]) *n.* 철인(鐵印); 거푸집; 찍어내는 본, 형판(型板); 〖기계〗 다이《수나사 깎는 공구》; 〖건축〗 기둥 뿌리의 네모 부분. (***as***) ***straight*** 〔***level, true***〕 ***as a*** ~ 똑바른, 정직한, 절대로 틀림이 없는. **—** (*p., pp.* ***died; díe·ing***) *vt.* …을 나사틀로 자르다; 거푸집으로 만들다; 틀로 찍어내다.

díe-awày *a.* 힘없는, 초췌한, 번민하여 여윈, (병 따위가) 오래 끄는: a ~ look 초췌한 표정 / a ~ disease 오래 끄는 병. **—** *n.* (소리·영상의) 점차적인 소멸.

díe-càst *vt.* 〖야금〗 die casting 방법으로 주조〔제조〕하다. **—** *a.* die casting 방법으로 주조〔제조〕된.

díe càsting 〖야금〗 다이 캐스팅《녹인 금속〔플라스틱〕 따위를 거푸집에 부어서 만드는 방법》; 다이 캐스팅 주조물.

di·e·cious [daiíːʃəs] *a.* = DIOECIOUS.

díe-cùt *vt.* …을 형판(型板)쇠로 눌러 떼어내다.

di·e·ge·sis [dàiədʒíːsis] (*pl.* ***-ses*** [-siːz]) *n.* 이야기(narration), 줄거리(plot). [파] **-get·ic** [-dʒétik] *a.*

díe·hàrd *n.* [C] 완강한 저항자, 검질긴 사람; 완고한 보수파 정치가; 〖동물〗 스코치 테리어 개.

díe-hàrd *a.* 끝까지 버티는〔저항하는〕; 완고한. [파] ~**·ism** *n.* 완고한 보수주의.

díe-ìn *n.* 죽은 듯이 드러눕는 시위 행동.

di·el [dáiəl] *a.* 〖생물〗 1 주야의, 일주기적(日周期的)인. **—** *n.* 1 주야.

diel·drin [díːldrin] *n.* [U] 디엘드린《살충제》.

di·e·lec·tric [dàiiléktrik] 〖전기〗 *n.* 유전체(誘電體); 절연체. **—** *a.* 유전성의; 절연성의. [파] **-tri·cal** *a.* **-tri·cal·ly** *ad.*

dieléctric cónstant 〖전기〗 = PERMITTIVITY.

dieléctric héating 〖전기〗 유전체(誘電) 가열.

Dien Bien Phu [djénbjénfúː] 디엔 비엔푸《베트남 북부, 라오스와의 국경 부근의 도시; 1954년 이곳의 프랑스군 기지가 월맹군에게 함락됨》.

di·en·ceph·a·lon [dàienséfəlàn/-lɔ̀n] (*pl.* ~***s, -la*** [-lə]) *n.* 〖해부〗 간뇌(間腦). [파] **di·en·ce·phal·ic** [dàiensəfǽlik] *a.*

di·ene [dáiin, -´] *n.* 〖화학〗 디엔《이중결합이 둘 있는 화합물의 총칭》.

díe-òff *n.* 집단사(集團死)《돌연 개체군 중 상당수의 개체가 계속 자연사하는 일》.

dieresis ⇨ DIAERESIS.

Die·sel [díːzəl, -səl] *n.* **1 Rudolf** ~ 디젤(디젤 기관을 발명(1892)한 독일인 기사; 1858–1913). **2** (d-) = DIESEL ENGINE; 디젤 기관차〔트럭, 배 따위〕; 《구어》 = DIESEL OIL. **—** *a.* (d-) 디젤 엔진의. **—** *vi.* (d-) (가솔린 엔진이) 스위치를 끈 뒤에도 회전을 계속하다, 디젤링하다.

díesel-eléctric *a.* 디젤 발전기의〔를 장비한〕. **—** *n.* 디젤 전기 기관차(= ~ **locomótive**).

díesel èngine 〔**mòtor**〕 디젤 기관〔엔진〕.

díesel-hydráulic *n., a.* 액체식 디젤 기관(의).

díe·sel·ing *n.* (가솔린 엔진의) 디젤링《스위치를 끈 뒤에도 엔진내의 과열점에 의해 회전을 계속하는 일》.

die·sel·ize [díːzəlàiz, -səl-] *vt.* 디젤 기관을 달다, (철도 따위를) 디젤화하다. [파] **die·sel·i·za·tion** [dìːzəlizéiʃən] *n.*

díesel òil 〔**fùel**〕 디젤유.

die·sink·er [dáisìŋkər] *n.* 철인(鐵印)〔주형〕 조각공〔사〕, 금형공(金型工).

Di·es Irae [díːeis-íərei] 《L.》 '노여움의 날', 최후의 심판일; Dies Irae로 시작되는 찬미가.

di·e·sis [dáiəsis] (*pl.* ***-ses*** [-siːz]) *n.* **1** = DOUBLE DAGGER. **2** 〖음악〗 디에시스《장 3 도 셋 겹친 것과 옥타브의 작은 음정차》.

di·es non (**ju·ri·di·cus**) [dáiiːz-nán-(juːrídikəs)/-nɔ́n-] 《L.》 〖법률〗 휴정일; 휴업일.

die·so·hol [díːzəhɔ̀ːl, -hàl/-hɔ̀l] *n.* 디젤유와 알코올의 혼합물《디젤 엔진의 연료》.

díe stàmping (die에 의한) 돋을새김 가공.

di·es·ter [dáièstər] *n.* 〖화학〗 디에스테르《두 개의 에스테르기(基)를 갖는 화합물》.

díe·stòck *n.* 〖기계〗 다이스톡《die³의 손잡이》.

di·estrus [daiéstrəs] *a.* 〖동물〗 발정 간극《포유동물의 암컷의 발정기와 발정기 사이의 성적(性的) 휴지(休止) 기간》.

****di·et¹** [dáiət] *n.* **1** (일상의) 식품, 음식물: a meat 〔vegetable〕 ~ 육〔채〕식 / a ~ low in sugar 당분이 적은 음식물 / a low-calorie ~ 저칼로리식. **2** (치료·체중 조절을 위한) 규정식; 식이 요법, 음식 조리; (병원 등의) 특별식 일람표 (= ~ **shèet**): a subsistence ~ 최저 보건 식량 / take 〔keep〕 ~ 규정식을 먹다〔먹고 있다〕. **3** (TV프로·오락 등의) 규칙적으로〔늘〕 제공되는 것. ***be on a*** ~ 식이 요법을 하고 있다, 규정식을 먹고 있다. ***put*** a person ***on a special*** ~ 아무에게 특별 규정식을 먹게 하다. **—** *vt.* **1** …에게 규정식을 주다. **2** …에게 식사를 시키다; …에게 영양을 취하게 하다: The patient was ~*ed* with only milk and soup. 환자에게는 우유와 수프만 먹게 했다. **—** *vi.* **1** 규정식을 먹다, 식이

요법을 하다. **2** 영양을 취하다.

di·et² *n.* (the D-) 국회, 의회《덴마크·스웨덴·일본 등지의》; 회합(일), 회(기). cf. congress, parliament. ㊕ **~·al** *a.*

di·e·tar·i·an [dàiətéəriən] *n.* 규정식(치료식) 엄수(섭취)(주의)자.

di·e·tary [dáiətèri/-təri] *a.* 식사의, 음식의; 규정식의, 식이 요법의: a ~ cure 식이 요법. **—** *n.* 규정식; 음식의 규정(량). ㊕ **dì·e·tár·i·ly** *ad.*

díetary fíber 식이성 섬유.

díetary làw (유대교의) 음식(물) 금기《돼지고기를 먹지 않는 따위》. 「이 요법자.

di·et·er [dáiətər] *n.* 규정식을 취하는 사람, 식

di·e·tet·ic, -i·cal [dàiətétik], [-əl] *a.* 식사의, 영양의; 식이 요법의; (응용) 영양학의. ㊕ **-i·cal·ly** *ad.* 「이 요법학.

dì·e·tét·ics *n. pl.* 《단수취급》 응용 영양학; 식

di·e·ther [daiíːθər] *n.* 【화학】 디에테르《에테르 결합을 한 두 개의 산소 원자를 갖는 화합물》.

di·éth·yl·ene glýcol [daiéθəliːn-] 【화학】 디에틸렌 글리콜(diglycol)《nitrocellulose의 용제; 천의 유연제, 합성수지 원료 등에 쓰임》.

di·éth·yl éther [daiéθəl-] 【화학】 디에틸에테르《무색의 액체; 시약·용제로 씀》.

di·eth·yl·stil·bes·trol [daièθəlstilbéstrɔːl, -trɑl/-trɔl] *n.* 【생화학】 디에틸스틸베스트롤, DES(=**stil·bés·trol**)《합성 여성 호르몬의 하나》.

di·eth·yl·tol·u·a·mide [daièθəltáljuəmàid, -mid/-tɔ́l-] *n.* 【화학】 디에틸톨루아미드《방충제·수지 용제용》.

diéthyl zínc 디에틸 아연《무색의 액체로 공기 중에서 자연 발화함; 중합 반응의 촉매, 종이의 탈산(脫酸) 따위에 씀》.

di·et·ist [dáiətist] *n.* =DIETITIAN. 「영양학자.

di·e·ti·tian, -ti·cian [dàiətíʃən] *n.* 영양사;

díet kìtchen (병원 등의) 규정식 조리실.

díet pìll 《미》 다이어트정(錠), 살 빼는 약《호르몬·이뇨제 등의 복합제》.

Die·trich [díːtrik, -trix] *n.* **Marlene ~** 디트리히《독일 태생의 미국 여배우; 1901-92》.

dif- [dif] *pref.* =DIS-《f 앞에서의 형태》.

dif(f) [dif] *n.* 《구어》 =DIFFERENCE.

diff. difference; different; differential.

dif·fe·o·mor·phism [dìfioumɔ́ːrfizəm] *n.* 【수학】 미분동상사상(微分同相寫像). [◂ *differ*entiable home*omorphism*]

dif·fer [dífər] *vi.* 《~/+전+명》 **1** 다르다, 틀리다《*from; in*》: Tastes ~. 취미는 사람마다 다르다 / ~ *from* a person *in* opinion 아무와 의견이 다르다 / The two regions ~ *in* religion and culture. 두 지역은 종교와 문화가 다르다. **2** 의견이 다르다(맞지 않다); 《고어》 다투다, 티격나다《*with; from*》: I beg to ~ (*from* you). 실례지만 저의 생각은 다릅니다《★ 격식 차린 딱딱한 표현》/ He ~*s with* me entirely. 전혀 나와 의견이 다르다. ◇ difference *n.* ***agree to ~*** 견해 차이로 보고 더 논하지 않기로 하다.

dif·fer·ence [dífərəns] *n.* U,C **1** 다름, 차, 상위; 차이(상위)점《*between*》. cf. distinction. ¶ the ~ *of* this book *from* that one 이 책과 그 책의 차이 / the ~ *between* man *and* woman 남녀의 차 / the ~ *in* quality 질의 차. **2** (종종 *pl.*) 의견의 차이; 불화, 다툼; (국제간의) 분쟁: ~*s of* opinion 의견의 차이 / ~*s between* us 우리 사이의 불화. **3** (때로 a ~)(수·양의) 차; 차액: There's a ~ *of* 5 dollars in price. 값에 5 달러의 차이가 있다. **4** 차별, 구별(함): We should make no ~ *between* the rich and the poor. 부자와 가난한 이를 차별해서는 안 된다. **5** 【수학】 차; 【경제】 (주식의 가격 변동의) 차액; 간격; 【논리】 차이. ◇ differ *v.* ***bury the ~s*** 의견의 상치(相馳)를 덮어두다. ***carry the ~*** 《미속어》 총을 지니다. ***make a* (*the*) *~*** ① 차이를 낳다; 차별을 두다《*between*》. ② 효과를 내다, 영향을 미치다; 중요하다《*to*》: The flowers *made* all *the* ~ *to* the room. 방은 그 꽃으로 크게 달라져 보였다. ***make no ~*** 차이가 없다; 문제가 아니다. ***meet* (*pay*) *the ~*** 차액을 보상(지급)하다. ***split the ~*** ① 차액을 등분하다. ② (서로) 양보하다; 타협하다. ***the same ~*** 《구어》 (전혀) 같은 것(일). ***What's the ~?*** 상관 없지 않나. ***with a ~*** 특별한 점을 가진: an artist *with a* ~ 특이한 예술가. **—** *vt.* **1** 차이를 짓다. **2** …의 차를 셈하다. **3** 【문장(紋章)】 문장에 분가(分家) 따위를 나타내는 표시를 하다.

dífference lìmen (**thrèshold**) 【심리】 차이식역(差異識閾), 식별역(閾).

dífference rìng 【수학】 미분환(微分環). ★ quotient ring이라고도 함.

dif·fer·ent [dífərənt] *a.* **1** 다른, 상이한, 딴《*from; in*》: Man is ~ *from* other animals. 인간은 다른 동물과 다르다 / He felt like a ~ person. 그는 딴 사람이 된 것같이 느껴졌다 / A pigeon is ~ *in* size to a sparrow. 비둘기는 참새와 크기가 다르다 / She was no ~ *than* usual. 그녀는 평소와 전혀 다르지 않았다.

> NOTE *different* from 이 보통인데, 영국 구어에서는 *different* to, 미국 구어에서는 *different* than으로 쓰는 경우가 많음; 수식어는 much (very) *different*.
>
> SYN. **different** '같지 아니함, 차이'가 강조됨: two *different* stories concerning an event 한 사건에 관한 두 개의 다른 이야기. **distinct** '분리, 무관계'가 강조됨. 유사 여부는 문제되지 않음: These two *distinct* accounts coincide. 이 두 개의 다른 이야기는 (우연히) 일치한다. **various, diverse** '종류의 다양성'이 강조됨. diverse에는 수사가 붙는 수가 있음: *various* types of seaweed 여러가지 종류의 해초. three completely *diverse* proposals 각기 다른 세 개의 제안.

2 서로 다른(~ from each other), 각각의; 《복수 명사를 수반하여》 여러 가지의《*in*》: We are all ~. 우리는 제각기 서로 다르다 / It's a ~ matter. 그것은 별개의 문제다 / at ~ times 여러 기회에 / gather from ~ places 여러 곳에서 모이다. **3** 《미》 색다른, 특이한(unusual), 특별한: a tobacco that is ~ 특별한(고급) 담배. **~ *people with the same name*** 동명이인. ***It's ~ when it comes to*** (education). (교육)에 이르면 이야기(사정, 문제)는 다르다. ***It's* (*The case is*) *quite ~ with*** (us). (우리)로 말할 것 같으면 전혀 사정이 다르다.

dif·fer·en·tia [dìfərénʃiə/-ʃiə] (*pl.* **-ti·ae** [-ʃiiː]) *n.* 차이점; 본질적 차이, 특이성; 【논리】 종차(種差), 차이(specific difference).

dif·fer·en·ti·a·ble [dìfərénʃiəbəl/-ʃiə-] *a.* 구별(차별)할 수 있는, 판별 가능한; 【수학】 미분 가능한. ㊕ **dìf·fer·èn·ti·a·bíl·i·ty** *n.*

differéntiable mánifold 【수학】 미분 가능 다양체(多樣體).

dif·fer·en·tial [dìfərénʃəl] *a.* **1** 차별(구별)의, 차이를 나타내는, 차별적인《임금·관세 등》, 격차의: ~ duties 차별(특별) 관세 / ~ wages 격차 임금 / ~ diagnosis 【의학】 감별 진단. **2** 특이한《특징 따위》. **3** 【수학】 미분의. cf. integral. ¶ ~ geometry 미분 기하학. **4** 【물리·기계】 차동(差動)의, 응차(應差)의. **—** *n.* 【철도】 (한 지점에

이르는 두 경로의) 운임차(運賃差); 기업별 임금차; (동일 기업 내의) 숙련도에 의한 임금차; 〖수학〗 미분; 〖상업〗 협정 임금차; 〖기계〗 차동(差動) 톱니바퀴; 〖생물〗 특이 형태. [파] **~·ly** *ad.* 달리, 구별하여, 특이하게, 차별적으로.
differéntial ánalyzer 〖전자〗 미분 해석기《아날로그(analog) 계산기의 하나》.
differéntial associátion 〖사회〗 문화적 접촉《범죄 행위나 일탈 행위는 이상한 행동 양식·규범·가치관 따위와 빈번히 밀접한 접촉을 함으로써 습득된다는 이론》.
differéntial cálculus 〖수학〗 미분학.
differéntial coeffícient 〖수학〗 미분 계수.
differéntial equátion 〖수학〗 미분 방정식.
differéntial géar 〔**géaring**〕 〖기계〗 차동 기어〔장치〕.
differéntial óperator 〖수학〗 미분 연산자(演算子).
differéntial psychólogy 〖심리〗 차이 심리학《집단 안에서의 개인차를 연구하는 심리학》.
differéntial quótient 〖수학〗 미분몫.
differéntial ráte 임금 격차; (철도 등의) 특정 저(低)운임률.
differéntial scréw 〖기계〗 차동(差動) 나사.
◇**dif·fer·en·ti·ate** [dìfərénʃièit] *vt.* **1** 《~+[목]/+[목]+[전]+[명]》 구별짓다, 구별〔차별〕하다, 식별하다《*from*》: ~ one *from* 〔and〕 another 갑과 을의 차이를 인정하다/~ man *from* brutes 인간과 짐승을 구별하다. **2** 분화시키다; 특수화시키다; 〖수학〗 미분하다. **—** *vi.* 달라지다, 구별이 생기다; 분화하다; (기관·언어 따위가) 분화〔특수화〕하다.
dìf·fer·èn·ti·á·tion *n.* 차별(의 인정), 구분; 차별 대우; 특수화; 〖생물〗 분화(分化); 〖수학〗 미분법. [cf] integration.
díf·fer·ent·ly *ad.* 다르게, 같지 않게; 그렇지 않게, 달리(otherwise): I know ~. 그렇지 않음을 알고 있다/Different people behave ~. 사람마다 행동하는 것이 다르다.
dífferently ábled 《미술·완곡어》 신체장애(자)의(disabled).
dif·fi·cile [dìfisíːl/ˊ-ˋ] *a.* 《F.》 곤란한; 까다로운, 다루기 힘든. [opp] *docile*.
†**dif·fi·cult** [dífikʌ̀lt, -kəlt/-kəlt] *a.* **1** 곤란한, 어려운, 힘드는, 난해(難解)한《*of; for; to* do》: This problem is ~ *to* solve. 이 문제는 풀기 어렵다/a subject ~ *of* solution 해결하기 곤란한 문제/It is ~ *for* a child *to* do so. 아이에겐 그렇게 하기가 어렵다. **2** (사람이) 까다로운, 완고한; (일이) 다루기 힘든; 재정난의: He is a ~ person to get on with. 그는 사귀기 어려운 사람이다. **3** 불리한, 괴로운: under the most ~ conditions 가장 불리한 조건하에서. [파] **~·ly** *ad.*
‡**dif·fi·cul·ty** [dífikʌ̀lti, -kəl-/-kəl-] *n.* **1** [U] 곤란; 어려움; 고생(苦生); 수고: I have ~ (*in*) remember*ing* names. 남의 이름 외기가 힘들다. **2** [C] (종종 *pl.*) 어려운 일, 난국: face many *difficulties* 많은 어려움에 직면하다. **3** (주로 *pl.*) 곤경, 《특히》 재정 곤란: be in *difficulties* for money 돈에 곤란을 겪고 있다. **4** [C] 불평, 불만; 이의, 불찬성; 다툼, 분규: labor *difficulties* 노동 쟁의. ***be under a* ~** 역경에 처해 있다. ***find* ~ *in* do*ing*** …하기 어렵다(는 것을 알다). ***find no* ~ *in*** 무난히 …하다. ***get into difficulties*** 곤궁하다. ***have* (*a great*) ~ *in* do*ing*** …하는 데 (무척) 고생하다. ***iron out difficulties*** 장애를 제거하다; 일을 원활히 하다. ***make* 〔*raise*〕 *difficulties* =*make a* ~** 이의(異議)를 제기하다; 불평을 하다; 난색을 보이다: Her father *raised difficulties* when she said so. 그녀가 그렇게 말하자 아버지는 이의를 제기했다.

***with* ~** 간신히, 겨우. [opp] *with ease*. ***without* (*any*) ~** 쉽게, 수월하게.
dif·fi·dence [dífədəns] *n.* [U] **1** 자신 없음, 망설임, 사양. [opp] *confidence*. **2** 암띰, 수줍음(modesty). ***with* ~** 망설이면서, 주저하면서. ***with seeming* ~** 얌전부리며, 조심스럽게.
◇**dif·fi·dent** [dífədənt] *a.* 자신 없는, 사양하는, 수줍은, 머뭇거리는, 겁많은, 내성적인. [파] **~·ly** *ad.* **~·ness** *n.*
dif·flu·ence [dífluəns] *n.* [U] 유출(流出), 분류 속도; 유동성, 용해, 융해.
dif·fract [difrǽkt] *vt.* 분산시키다, 분해하다; 〖물리〗 (빛·전파·소리 따위를) 회절(回折)시키다. **—** *vi.* 분산〔회절〕하다.
dif·frác·tion *n.* [U] 〖물리〗 (전파 따위의) 회절.
diffráction gràting 〖광학〗 회절 격자(格子).
dif·frac·tive [difrǽktiv] *a.* 회절〔분해〕하는, 회절성의. [파] **~·ly** *ad.*
dif·frac·tom·e·ter [difræktɑ́mətər, dìf-/-tɔ́m-] *n.* 〖물리〗 회절계(回折計).
dif·fu·sate [difjúːzeit] *n.* 〖원자〗 확산체(擴散體); 〖화학〗 투석물(透析物).
‡**dif·fuse** [difjúːz] *vt.* **1** 흩뜨리다, 방산(放散)시키다; (빛·열 따위를) 발산하다. **2** 《~+[목]/+[목]+[전]+[명]》 (지식·소문 따위를) 퍼뜨리다, 유포하다, 보급시키다; (친절·행복 따위를) 두루 베풀다, 널리 미치게 하다: ~ kindness 친절을 두루 베풀다/~ a feeling of happiness 행복감을 주위에 감돌게 하다/His fame is ~*d throughout* the city. 그의 명성은 시중에 널리 퍼져 있다. **3** 〖물리〗 (기체·액체를) 확산(擴散)시키다. **—** *vi.* 흩어지다; 퍼지다; 〖물리〗 확산하다. ◇diffusion *n.* **—** [difjúːs] *a.* 흩어진; 널리 퍼진; (문체 따위가) 산만한, 말(수가) 많은. [파] **~·ly** [-fjúːsli] *ad.* 산만하게, 장황하게, 널리 보급하여. **~·ness** [-fjúːsnis] *n.* [U] 산만, 장황, 확산(성).
dif·fúsed *a.* 확산된, 널리 퍼진, 넓게 흩어진, 보급된: ~ light 산광(散光)/~ knowledge 보급된 지식.
diffúsed júnction (반도체 접합의) 확산접합.
dif·fús·er *n.* **1** 유포〔보급〕하는 사람. **2** (기체·광선 등의) 확산기, 방산기, 산광기(散光器); 살포기.
dif·fùs·i·bíl·i·ty *n.* [U] 분산〔보급〕력; 〖물리〗 확산율〔성(性)〕.
dif·fus·i·ble [difjúːzəbəl] *a.* 퍼지는, 흩어질 수 있는; 전파〔보급〕될 수 있는; 〖물리〗 확산성의.
◇**dif·fu·sion** [difjúːʒən] *n.* [U] 산포; 전파, 만연, 보급, 유포; (문체 따위의) 산만, 장황함; 〖전자〗 확산; (빛의) 난반사; 〖사진〗 (초점의) 흐려짐: nuclear ~ 핵(병기) 확산/~ furnace 확산로(爐)《반도체 제조 장치의 하나》. ◇ diffuse *v.*
diffúsion brànd 보급 브랜드《대중용 브랜드 상품》.
diffúsion coefficient 〔**cònstant**〕 〖물리〗 「확산 계수.
diffúsion·ism *n.* 〖사회·인류〗 전파론(傳播論)《각지의 문화가 유사한 것은 주로 전파 때문이라는 것》.
diffúsion lìne 〔**rànge**〕 디퓨전 라인《보다 싼 소재로 만든 유명 브랜드의 보급용 의류 컬렉션》.
diffúsion pùmp 〖물리〗 확산 펌프《가스의 확산을 이용한 고도의 진공 펌프》.
dif·fu·sive [difjúːsiv] *a.* 산포되는; 보급력이 있는, 널리 퍼지는; 장황한, 산만한; 확산성의. [파] **~·ly** *ad.* **~·ness** *n.*
dif·fu·siv·i·ty [dìfjuːsívəti] *n.* 〖물리〗 확산율.
dif·fu·sor [difjúːzər] *n.* =DIFFUSER.
†**dig** [dig] (*p., pp.* **dug** [dʌg], 《고어》 ***digged; díg·ging***) *vt.* **1** 《~+[목]/+[목]+[보]/+[목]+[부]/+[목]+[전]+[명]》 (땅 따위를) 파다, 파헤치다; (구

멍·무덤을) 파다: ~ a well 우물을 파다/~ a grave open 무덤을 파헤치다/~ a field *up* 밭을 파일구다/~ a tunnel *through* the hill 언덕에 터널을 파다. **2** 《+목+부》 (광물을) 채굴하다; (보물 따위를) 발굴하다; (감자 따위를) 캐다 《*up; out*》: ~ (*up*) potatoes 감자를 캐다. **3** 《+목+부/+목+전+명》 …을 탐구하다; 찾아〔밝혀〕내다, 캐내다《*out*》: ~ *out* the truth 진실을 탐색해 내다/~ (*out*) facts *from* books 책에서 사실을 찾아내다. **4** 〔흔히 명령형〕 (아무를) (뒷)조사하다: *Dig* him. 그의 뒤를 캐어 보아라. **5** 《+목+전+명》 《구어》 (손발·칼 따위를) 지르다; (손가락·팔꿈치 등으로) 들이밀다, 찌르다 《*in; into*》: ~ one's hands *into* the pockets 호주머니에 손을 찌르다/~ a person *in* the ribs (팔꿈치 따위로) 아무의 옆구리를 찌르다《친밀감의 표시》. **6** 《속어》 이해하다; 알다: He just doesn't ~ modern jazz. 그는 모던 재즈를 통 모른다. **7** 《속어》 …에 주목하다, 귀기울이다. **8** 《속어》 …이 마음에 들다, …에 감탄하다.

— *vi.* 《~/+전+명》 **1** (손이나 연장을 써서) 파다; 구멍을 파다: ~ deep 깊이 파다/~ *for* gold 〔treasure〕 금〔보물〕을 찾아 땅을 파다. **2** 캐내다, 찾아내다《*against*》; 캐내려고 하다; 파내려고 하다《*for*》: ~ *for* information 정보를 얻으려고 하다. **3** (구멍·터널 등을) 파 나가다 《*into; through; under*》: ~ *under* a mountain 산 밑에 터널을 파다. **4 a** 《구어》 (자료 등을) 꼼꼼히 조사하다; (…을) 탐구〔연구〕하다: ~ *down into* a person's mind 아무의 흉중을 깊숙이 살피다. **b** 자세히 보다, …에 주의하다. **c** 《미구어》 (…을) 꾸준히 연구하다, (…에) 힘쓰다《*in; into; at*》: ~ *into* one's work 착실히 일을 하다. **5** 《영구어》 하숙하다, 셋방살이하다. **6** (도구 따위가) (…에) 깊이 박히다; (의사 등이) 환부를 절개하다: The stone *dug into* my bare feet. 돌조각이 나의 맨발에 박혔다.

~ **at ...** 《구어》 …에 빈정대다, 짓궂은 말을 하다. ~ **down** 파내려가다; 파무너뜨리다; 《미속어》 돈을 치르다, (남을 위해) 제 돈을 들이다. ~ **down into** one**'s pocket** 제 호주머니 돈을 쓰다. ~ **in** 《*vt.*+부》 ① (비료 등을) 주다, (감자 등을) 파묻다, (…을) 흙에 섞다. ② ⇨ ~ oneself in(관용구). — 《*vi.*+부》 ③ 《구어》 (먹기) 시작하다. ④ 《미구어》 〔dig in and …로〕 열심히 …하기 시작하다: ~ *in and* study 〔work〕 열심히 공부〔일〕하기 시작하다. ⑤ 의견〔입장〕을 고수하다; 버티다. ~ **into** (비료 따위를) …에 파묻다; …을 철저하게 조사하다; 《구어》 …을 열심히 공부하다; (일을) 열심히 하다; 게걸스럽게 먹기 시작하다; 《구어》 (자금 따위에) 손을 대다. ~ **open** 파헤치다. ~ **out** ① 파내다《*of*》; (터널 따위를) 파서 만들다; (사태 등에서) 구출하다《*of; from*》. ② 조사해 내다. ③ 《미속어》 달아나다. ~ **over** 파서 찾다; 《구어》 재고(再考)하다. ~ one**self in** 〔군사〕 참호를〔구멍을〕 파서 자기 몸을 보호하다〔숨기다〕; 《구어》 (장소·직장 등에) 자리잡다, 지위를〔입장을〕 굳히다. ~ one**'s way** 파나가다《*in; into*》; 파고 나오다《*out*》, 파 뚫다《*through*》. ~ **up** ① (황무지 등을) 파서 일구다; 파내다, 발굴하다. ② (고구마 등을) 캐다. ③ 조사해 내다; 밝히다. ④ 맞닥뜨리다; 《구어》 우연히 찾아내다. ⑤ (비용 등을) 그러모으다.

— *n.* **1** (한 번) 파(내)기; 《구어》 찌르기, 쿡 찌름: give a person a ~ in the ribs 아무의 옆구리를 쿡 찌르다. **2** 《비유》 빈정거림, 빗댐《*at*》: That's a ~ *at* me. 그것은 나에 대한 빈정거림이다. **3** 《미구어》 근면한 사람. **4** 《구어》 발굴 작업〔지〕, 발굴 중의 유적. **5** (*pl.*) 《영구어》 하숙(diggings). **6** 《미속어》 (밀수품) 은닉처.

a ~ in the grave 《속어》 수염 깎기. ***have*** 〔***make, take, get in***〕 ***a ~ at*** a person 아무를 빗대어 비평하다, 귀에 거슬리는 소리를 하다.

dig. digest《책의》.

di·ga·met·ic [dàigəmétik] *a.* 〖생물〗 2종의 생식 세포를 형성하는, 양성 배우자성(兩性配偶者性)의.

dig·a·mist [dígəmist] *n.* 재혼자.

di·gam·ma [daigǽmə] *n.* 디감마《F와 비슷한 초기 그리스 문자; 음가(音價)는 [w]》.

dig·a·mous [dígəməs] *a.* 재혼의.

dig·a·my [dígəmi] *n.* Ⓤ 재혼(再婚). ⓒⓕ bigamy.

di·gas·tric [daigǽstrik] 〖해부〗 *a.* (근육이) 이복(二腹)의; 이복근(筋)의. — *n.* 이복근《아래턱의 근육》.

di·ge·ne·an [dàidʒəníːən, daidʒéniən] *a.* 〖생물〗 이생류(二生類)의(digenetic).

di·gen·e·sis [daidʒénəsis] *n.* Ⓤ 〖생물〗 세대교번〔교대〕(alternation of generations). ㊕ **di·ge·net·ic** [dàidʒənétik] *a.*

dig·e·ra·ti [dìdʒəráːti] *n. pl.* 컴퓨터 지식인 계급, 디지털 지식인.

⁑di·gest [didʒést, dai-] *vt.* **1** 소화하다, 삭이다, (약·술 따위가) …의 소화를 촉진하다. **2** …의 뜻을 잘 음미하다, 이해〔납득〕하다; 숙고하다(think over). **3** (모욕 따위를) 참다, 견디다: ~ an insult 모욕을 참다. **4** 요약하다, 간추리다; (압축하여) 정리〔분류〕하다. **5** 〖화학〗 침지(浸漬)하다; 쪄서 부드럽게 하다. **6** (…의) 축약판을 만들다. — *vi.* **1** 소화되다, 삭다: This food ~*s* well 〔ill〕. 이 음식물은 소화가 잘〔안〕 된다. **2** 음식을 소화하다. — [dáidʒest] *n.* **1** 요약; 적요; (문학 작품 따위의) 개요; 요약〔축약〕판. **2** 법률 요람, 법률집. **3** 소화물(消化物).

di·ges·tant [didʒéstənt] *n.* 〖의학〗 소화(촉진)제.

di·gést·ed·ly [-idli] *ad.* 질서정연하게, 규칙적으로.

di·gést·er *n.* **1** 소화하는 것, 소화제. **2** 다이제스트 기자〔편집자〕. **3** 찌는 그릇, 수프 냄비; 〖화학〗 침지기(浸漬器).

di·gèst·i·bíl·i·ty *n.* Ⓤ 소화 능력〔능률〕.

di·gést·i·ble *a.* **1** 소화할 수 있는; 삭이기 쉬운. **2** 간추릴〔요약할〕 수 있는.

di·ges·tif [*F.* diʒɛstif] *n.* 디제스티프《소화를 돕기 위해 식후〔식전〕에 먹는 것, 특히 브랜디》.

°di·ges·tion [didʒéstʃən, dai-] *n.* Ⓒ,Ⓤ **1** 소화(작용〔기능〕); (a ~) 소화력: food hard 〔easy〕 *of* ~ 소화가 안〔잘〕 되는 음식/have a strong 〔weak, poor〕 ~ 위가 튼튼〔약〕하다. **2** (정신적인) 동화 흡수; 동화력; 이해〔터득〕(한 상태). **3** 〖화학〗 침지(浸漬); 숙성(熟成); 박테리아에 의한 하수 오물의 분해. ㊕ **~·al** *a.*

°di·ges·tive [didʒéstiv, dai-] *a.* 소화의; 소화를 돕는, 소화력이 있는; 〖화학〗 침지(浸漬)의: the ~ system 소화(기(器)) 계통/~ organs 〔juice, fluid〕 소화 기관〔액〕. — *n.* 소화제. ㊕ **~·ly** *ad.* **~·ness** *n.*

digéstive glànd 〖해부〗 소화샘.

°dig·ger [dígər] *n.* **1** 파는 사람〔동물〕; (금광 등의) 갱부(坑夫); 구멍 파는 도구〔장치〕. **2** 《미구어》 공부 벌레. **3** 《구어》 (1·2차 대전 중의) 오스트레일리아〔뉴질랜드〕 사람〔병사〕. **4** 〖곤충〗 나나니벌(=∠ **wàsp**). **5** (D-) (*pl.*) 식물의 뿌리를 먹는 미국 서부 원주민. **6** (D-) 《영》 17세기 토지 소유 평등주의 운동. **7** 《미속어》 소매치기.

dig·ging [dígiŋ] *n.* **1** 파기; 채굴, 채광; 〖법률〗 발굴; (*pl.*) 발굴물. **2 a** (~s) 〔단·복수취급〕 채광장〔지〕; (*pl.*) 금광 노동자의 캠프. **b** 《영구어》 하숙; 《구어》 주거, 거처.

dight [dait] (*p., pp.* **~, ∠·ed** [-id]) *vt.* 《고어·시어·방언》 (보통 *pp.*) 차리다, 꾸미다

《with》; 정리하다; 준비하다; 수선하다.
dig·it [dídʒit] n. **1** 손가락, 발가락; 손가락폭 《약 0.75 인치》. **2** 아라비아 숫자《0 에서 9 까지; 0 을 빼는 수도 있음》. **3** 한 자리 숫자: add a few ~s 숫자를 두세 자리 늘리다 / double-~ inflation 두 자리 숫자 인플레 / dial four ~s (전화 번호의) 4 자리 숫자를 돌리다. **4** 〖천문〗 식분(蝕分)《해·달의 직경의 1/12》.
*__dig·it·al__ [dídʒətl] a. **1** 손가락의; 손가락이 있는; 손가락 모양의; 손가락으로 하는. **2** 숫자의; 숫자로 표시〔계산〕하는, 숫자를 사용하는; 〖전자〗 디지털 방식의: a ~ transmission system (정보의) 디지털 전송 방식. **—** n. 손〔발〕가락; (피아노·오르간의) 건(鍵); 디지털시계〔온도계〕, 디지털(식) 계기; 〖컴퓨터〗 수치형, 디지털. ㊎ **~·ly** ad. 숫자로, 디지털 방식으로.
dígital àudio =PCM AUDIO.
dígital áudiotape 디지털 오디오테이프《생략: DAT》.
dígital bròadcasting 디지털 방송《디지털(PCM)화한 음성 신호에 의한 방송》.
dígital cámera 디지털카메라《화상을 디지털 데이터로 하여서 전자적으로 기록하는 카메라》.
dígital cásh =ELECTRONIC CASH.
dígital clóck 디지털시계.
dígital communicátion 〖컴퓨터〗 디지털 통신《디지털 신호를 사용하는 통신 체계》.
dígital còmpact cassétte 디지털 콤팩트 카세트《종래의 카세트테이프의 재생을 겸용할 수 있는 디지털 녹음 재생 시스템; 생략: DCC》.
dígital cómpact dísk 디지털 콤팩트 디스크 《생략: DCD》.
dígital compúter 디지털 컴퓨터. ㉢ analog(ue) computer.
dígital divíde (the ~) 정보 격차《인터넷 사용자가 비사용자보다 정보와 기회가 많음을 이름》.
dígital ímage procèssing 〖전자〗 디지털 화상 처리《컴퓨터에 알맞도록 화상 정보를 디지털화(化)한 것》.
dig·i·tal·in [dìdʒətǽlin, -téil-/-téil-] n. 〖약학〗 디기탈린《디기탈리스에서 추출한 강심 배당체(強心配糖體)》.
dig·i·tal·is [dìdʒətǽlis, -téil-] n. 〖식물〗 디기탈리스; 디기탈리스 제제(製劑)《강심제》.
dig·i·tal·ize [dídʒətəlàiz, dìdʒətǽlaiz/dídʒitəlàiz] vt. 〖컴퓨터〗 (계수형 계산기로 정보를) 수치화하다(digitize), 디지털〔계수〕화(化)하다.
dígital máp(ping) 〖컴퓨터〗 디지털 지도 제작.
dígital módem 〖컴퓨터〗 디지털 모뎀《컴퓨터가 통합 정보 통신망(ISDN)과 같은 디지털 회선과 데이터를 교환하는 데 사용하는 어댑터》.
dígital photógraphy **1** 디지털 사진(술)《자기 디스크 등에 정지 화상을 디지털 신호로 기록하는 방식의 사진술》. **2** 컴퓨터에 의한 사진 조작.
dígital plótter 디지털 플로터《컴퓨터에서 보내오는 디지털 신호에 따라 그림·표 등을 그리는 출력 장치》.
dígital recórding 디지털 녹음.
Dígital Sígnal Prócessor 〖컴퓨터〗 디지털 신호 프로세서《디지털 신호의 고속 처리를 위한 LSI 칩; 생략: DSP》.
dígital sígnature 디지털 서명《암호화된 ID 정보》.
dígital subtráction angiògraphy 〖의학〗 말초 정맥에 소량의 조영제(造影劑)를 주입, 컴퓨터 처리로 동맥의 협소화나 폐색 등을 찾아내는 방법《생략: DSA》.
dígital télevision 디지털 텔레비전.
dígital-to-ánalog convèrter 〖컴퓨터〗 DA 〔디지털-아날로그〕 변환기.
dígital vérsatile dísc 〖컴퓨터〗 디지털 다목적 광디스크《생략: DVD》.

dígital wátch 디지털 시계.
dig·i·tate, -tat·ed [dídʒətèit], [-id] a. 〖동물〗 손가락이 있는; 손가락 모양의; 〖식물〗 (잎이) 손바닥 모양의. ㊎ **~·ly** ad.
dig·i·ta·tion [dìdʒətéiʃən] n. Ⓤ 〖생물〗 지상(指狀) 분열; 지상(指狀) 조직〔돌기〕.
dig·i·tech [dídʒitèk] n. 〖전자〗 디지털 기술 《디지털 신호를 취급하는 기술》.
dígit·hèad n. 《미속어》 컴퓨터광(狂), 공부〔책〕벌레.
dig·i·ti- [dídʒəti] '손가락'이란 뜻의 결합사.
dig·i·ti·form [dídʒətəfɔ̀ːrm] a. 손가락 모양의.
dig·i·ti·grade [dídʒətəgrèid] a. 〖동물〗 발가락으로 걷는, 지행류(趾行類)의. **—** n. 지행 동물 《개·고양이 따위》.
dig·i·tize [dídʒətàiz] vt. =DIGITALIZE. ㊎ **-tìz·er** n. 디지타이저《기계로는 읽을 수 없는 데이터를 디지털 형식으로 변환하는 장치》. **dìg·i·ti·zá·tion** n. 디지털화(化).
dígitized spéech 디지털 신호화한 음성; 합성 음성.
dígitizing tàblet 〖컴퓨터〗 디지타이징 태블릿 《태블릿과 그 위를 움직이는 위치 지시기(cursor)를 짜맞춘 입력 장치》.
dig·i·to·nin [dìdʒətóunin] n. 〖화학〗 디기토닌 《디기탈리스에 함유된 스테로이드사포닌; 콜레스테롤의 분리·정량용》.
dig·i·tox·i·gen·in [dìdʒətɑ̀ksədʒénin/-tɔ̀k-] n. 〖화학〗 디기톡시게닌《식물 심장독의 아글리콘》.
dig·i·tox·in [dìdʒətɑ́ksin/-tɔ́k-] n. 〖약학〗 디기톡신《디기탈리스 잎에 함유된 강심 배당체(強心配糖體)》.
dig·i·tron [dídʒətrɑ̀n/-trɔ̀n] n. 〖전자〗 디지트론《한 개의 공통 양극과 몇 개의 음극을 가진 문자 정보 표시용 방전관》.
di·glot [dáiglɑt/-glɔt] a. 2 개 국어로 쓰인, 2 개 국어를 말하는. **—** n. 2 개 국어로 쓰인 책, 2 개 국어판(~ edition).
di·glyc·er·ide [daiglísəràid, -rid] n. 〖화학〗 디글리세리드《글리세린의 수산기 두 개를 지방산으로 치환해서 얻어지는 에스테르》.
di·gly·col [daigláikɔːl, -kɑl/-kɔl] n. 〖화학〗 디글리콜(⇨ DIETHYLENE GLYCOL).
*__dig·ni·fied__ [dígnəfàid] a. 위엄〔관록, 품위〕있는, 고귀한, 당당한, 엄숙한. ㊎ **~·ly** ad.
*__dig·ni·fy__ [dígnəfài] vt. **1** …에 위엄을 갖추다 《with》; …에게 명예〔칭호〕를 주다. **2** 고귀〔고상〕하게 (보이게) 하다. **3** 《+목+전+명》 과칭(過稱)하다: ~ a school *with* the name of an academy 학교를 아카데미라고 그럴듯한 이름으로 부르다.
dig·ni·tary [dígnətèri/-təri] n. 고귀한 사람; (정부의) 고관; 《특히》 고위 성직자; 《반어적》 높으신 분. **—** a. 위엄의, 존엄한, 명예 있는. ㊎ **-tar·i·al** [dìgnətέəriəl] a.
__dig·ni·ty__ [dígnəti] n. **1 Ⓤ 존엄, 위엄; 존엄성; 품위, 기품; 체면, 긍지: the ~ *of* labor 〔the Bench〕 노동〔법관〕의 존엄성〔위엄〕. **2** Ⓤ (태도 따위가) 무게 있음, 장중함, 위풍: a man of ~ 관록〔위엄〕 있는 사람. **3** Ⓒ 고위; 위계(位階), 작위; 명예, 명성. **4** Ⓒ 《고어》 고위층의 인물, 고관, 고위 성직자; 〔집합적〕 고위층. ***be beneath*** 〔***below***〕 one***'s*** **~** 위엄을 손상시키다, 품위를 떨어뜨리다. ***stand*** 〔***be***〕 ***upon*** one***'s*** **~** 점잔을 빼다; 뽐내다.
di·gox·in [didʒɑ́ksin/-dʒɔ́k-] n. 〖약학〗 디곡신《디기탈리스 잎에서 추출한 강심 배당체(強心配糖體)》.
di·graph [dáigræf, -grɑːf] n. 2 자 1 음, 이중

자(二重字)《ch [k, tʃ, ʃ], ea [iː, e]와 같이 두 글자가 한 음(音)을 나타내는 것》.

°**di·gress** [digrés, dai-] *vi.* (이야기 · 의제 따위가) 옆길로 빗나가다, 본제를 벗어나다, 여담을 하다, 지엽(枝葉)으로 흐르다, 탈선하다《*from*》: ~ *from* the main subject 주제에서 벗어나다. [파] ~·**er** *n.*

°**di·gres·sion** [digréʃən, dai-] *n.* [U,C] 본제를 벗어나 지엽으로 흐름, 여담, 탈선; 〖천문〗 이각(離角): to return from the ~ 본제로 되돌아가서 / ..., if I make a ~ …여담으로 들어가도 괜찮으시다면. [파] ~·**al** *a.*

di·gres·sive [digrésiv, dai-] *a.* 옆길로 벗어나기 쉬운; 본론을 떠난, 여담의, 지엽적인. [파] ~·**ly** *ad.* ~·**ness** *n.*

di·he·dral [daihíːdrəl] *a.* 두 개의 평면을 가진, 두 개의 평면으로 된; 이면각(二面角)의. — *n.* 〖수학〗 =DIHEDRAL ANGLE. 「(上反角).

dihédral ángle 〖수학〗 이면각; 〖항공〗 상반각

di·he·dron [daihíːdrən] *n.* 〖기계〗 이면각(二面角)(dihedral angle).

di·hy·brid [daiháibrid] *n.* 〖생물〗 양성 잡종, 2인자〔2유전자〕 잡종. [파] ~·**ism** *n.*

di·hydr- [daiháidr], **di·hy·dro-** [daiháidrou, -drə] '수소 2원자와의 화합물인, 이수화(二水化)의' 란 뜻의 결합사. ★ 모음 또는 h 앞에서는 dihydr-.

di·hy·dric [daiháidrik] *a.* 〖화학〗 (특히 알코올 · 페놀이) 이가(二價)인, 수산기 두 개를 가진.

dihỳdro·streptomýcin *n.* [U] 〖약학〗 디하이드로 스트렙토마이신《결핵 특효약》.

di·hy·droxy [dàihaidrɑ́ksi/-drɔ́k-] *a.* 〖화학〗 (분자가) 디히드록시인, 두 개의 수산기를 가진.

dihydròxy·ácetone *n.* 〖약학〗 디히드록시아세톤《시안화물 중독 치료용》. 「산(産)》.

dik-dik [díkdìk] *n.* 작은 영양(羚羊)《아프리카

°**dike, dyke** [daik] *n.* **1** 둑, 제방; 도랑, 해자, 수로; 둑길; 《비유》 방벽(防壁), 방어 수단; 장벽, 장애물; 〖지학〗 암맥(岩脈); 《영》 낮은 담〔울타리〕. **2** (dyke) 《속어》 소변소; =DUNNY. **3** 여성 동성애자, 《특히》 남자역의 레즈비언. ***hold the ~ against ...*** (소중한 것을) 지키다《제방을 손가락으로 막아 지킨 네덜란드 소년의 이야기에서》. — *vt.* …에 제방을 쌓다; …에 해자(垓字)를 두르다; …에 도랑을 파서 배수하다.

dik·tat [diktɑ́ːt / díktæt, -tɑːt] *n.* (패자 등에 대한) 절대적 명령, 일방적 결정, 강권 정책.

DIL 〖컴퓨터〗 dual in-line (package). **dil.** dilute.

Di·lan·tin [dailǽntən, di-] *n.* [U] 〖약학〗 다일랜틴(=∠ **Sòdium**)《간질약; 상표명》.

di·lap·i·date [dilǽpədèit] *vt., vi.* **1** (건물 따위를 방치하여) 못쓰게 만들다〔못쓰게 되다〕, 황폐케 하다〔황폐해지다〕. **2** (가산을) 탕진하다. [파] **-dà·tor** *n.*

di·láp·i·dàt·ed [-id] *a.* **1** (집 따위가) 황폐해진, 황폐한, 무너져가는, 헐어빠진. **2** (옷 따위가) 남루한, 초라한; (자동차 따위가) 낡은, 노후화된.

di·làp·i·dá·tion *n.* [U,C] 황폐(ruin); 산사태; 허물어져 떨어진 것《암석 따위》; 낭비; (종종 *pl.*) 〖영법률〗 (가구 딸린 셋집의) 손모료(損耗料)《임차인이 지불》.

di·làt·a·bíl·i·ty *n.* [U] 팽창성〔률, 력〕.

di·lat·a·ble [dailéitəbəl, di-] *a.* 팽창성의, 부풀어오르는.

di·la·tan·cy [dailéitənsi, di-] *n.* 《미》 〖물리〗 다일레이턴시《(1) 입상(粒狀) 물질이 변형으로 팽창하는 일. (2) 현탁물(懸濁物)이 고화(固化)하는 성질. (3) 지하수의 수압으로 암석이 팽창하는 일》.

di·la·tant [diléitənt, dai-] *a.* 팽창성의, 확장성의(dilating, expanding); 〖물리〗 다일레이턴시의〔를 나타내는〕. — *n.* 팽창성의 것; 〖화학〗 다일레이턴트; 〖외과〗 확장기(器)(dilator).

dil·a·ta·tion [dìlətéiʃən, dàil-] *n.* [U] 팽창, 확장; 팽창부; 부연(敷衍), 상설(詳說); 〖의학〗 비대〔확장〕(증): ~ of the stomach 위확장. [파] ~·**al** *a.* 「(파도; 소밀파(疎密波).

dilatátional wáve (바다 쪽으로) 밀려나가는

di·la·ta·tive [dailéitətiv, də-] *a.* =DILATIVE.

*__di·late__ [dailéit, di-] *vt.* 팽창시키다; 넓히다(expand); 《고어》 부연〔상설〕하다: with ~*d* eyes 눈을 크게 뜨고. — *vi.* 《~/+[전]+[명]》 넓어지다; 팽창하다; 상세히 설명〔부연〕하다《*on, upon*》: ~ *on* 〔*upon*〕 one's views 의견을 상세히 진술하다.

di·la·tion [dailéiʃən, di-] *n.* =DILATATION.

dilátion and curettáge 〖의학〗 (자궁경관) 확장과 (내막(內膜)) 소파(搔爬)《생략: D and C, D & C》.

di·la·tive [dailéitiv, di-] *a.* 팽창성의. 「계(計).

dil·a·tom·e·ter [dìlətɑ́mətər/-tɔ́m-] *n.* 팽창

di·la·tor [dailéitər, di-] *n.* 확장〔팽창〕시키는 사람〔것〕; 〖의학〗 확장기(器)〔약〕; 〖해부〗 확장근(筋). [opp] *constrictor.*

dil·a·to·ry [dílətɔ̀ːri/-təri] *a.* 더딘, 꾸물거리는; 지연하는, 늦은(belated), 시간을 끄는: ~ tactics 지연 작전. [파] **dil·a·tó·ri·ly** [-rili] *ad.* 꾸물거리며, 느릿느릿. **díl·a·tò·ri·ness** *n.* [U] 지연, 지체.

Di·laud·id [dailɔ́ːdid, di-] *n.* 〖약학〗 염산 히드로모르핀 약제《진통 · 진해(鎭咳)약; 상표명》.

Dil·bert [dílbərt] *n.* 딜버트《컴퓨터와 저질 경영자 때문에 문제가 많은 현대식 사무실에서 일하는 미국 연재 만화의 인물》.

dil·do, -doe [díldou] (*pl.* ~**s**) *n.* 《비어》 음경 모양의 자위(自慰)용 기구; 《미속어》 바보, 멍청이.

°**di·lem·ma** [dilémə] *n.* 진퇴 양난, 궁지, 딜레마; 〖논리〗 양도 논법. ***be in a ~ =be on the horns of a ~ =be put into a ~*** 딜레마〔진퇴유곡〕에 빠지다.

dil·em·mat·ic, -i·cal [dìləmǽtik], [-kəl] *a.* 딜레마의, 딜레마 같은, 진퇴양난이 된; 양도논법적인.

°**dil·et·tante** [dílətɑ̀ːnt, dìlitɑ́ːnt, -tǽnti/-tǽnti] (*pl.* ~**s, -ti** [-tiː]) *n.* 딜레탕트, (문학 · 예술 · 학술의) 아마추어 애호가, 《특히》 미술 애호가; 어설픈 지식의 사람. — *a.* 예술을 좋아하는; 전문가가 아닌; 수박 겉핥기식의. [파] ~·**ish, -tant·ish** [-tiiʃ], [-tiʃ] *a.* 취미삼아 하는, 딜레탕트적인.

dil·et·tant·ism, -tan·te·ism [dílitantizəm, -tǽn-/-tæn-], [-tiìzəm] *n.* [U] 딜레탕티슴, 아마추어 예술, 수박 겉핥기(의 지식).

*__dil·i·gence__[1] [dílədʒəns] *n.* [U] 근면, 부지런함; 노력, 공부: with ~ 근면하게.

dil·i·gence[2] [díləʒɑ̀ːns, -dʒəns] *n.* 《F.》 (프랑스 등에서 사용된) 승합 마차《장거리용》.

‡**dil·i·gent** [dílədʒənt] *a.* 근면한, 부지런한, 공부하는《*in*》; 애쓴, 공들인: be ~ *in* one's studies 열심히 공부하다 / a ~ search 정성들인 조사. [파] *~·**ly** *ad.* 부지런히, 열심히.

dill [dil] *n.* 〖식물〗 시라(蒔蘿)(의 열매 · 잎)《향미료》; =DILL PICKLE.

Díl·lon's Rúle [dílənz-] 〖미법률〗 딜런의 원칙《지방 자치제의 권한은 주(州)헌법 또는 법에 명기된 것에 한한다는 원칙》.

díll píckle 시라(蒔蘿)로 양념한 오이.

dil·ly [díli] *n.* 《속어》 훌륭한〔우수한, 놀랄 만한〕 것〔사람〕; 연인, 애인, 여자 친구: a ~ of a

movie 근사한 영화.
dílly bàg 《Austral.》 (짚 · 나무껍질 따위로 엮은) 바구니, 망태기.
dil·ly·dal·ly [dílidæ̀li, ˊ-ˊ-] *vi.* 꾸물[빈둥]거리다; 빈둥거리며 지내다.
di·lo·pho·sau·rus [dailòufəsɔ́:rəs] *n.* 〖고생물〗 딜로포사우루스《쥐라기 초기에 서식한 대형 두 발 보행 공룡; 머리에 두 개의 긴 볏이 있음》.
dil·u·ent [díljuənt] *a.* (혈액 따위를) 묽게 하는, 회석하는. **—** *n.* 희석액(液); 〖의학〗 (혈액의) 희석제(劑).
di·lute [dilú:t, dai-/dailú:t, di-, -ljú:t] *vt., vi.* **1** 물을 타다, 묽게 하다; 희박하게 하다[되다]; (빛깔을) 엷게 하다: ~ wine *with* water 포도주를 물로 희석하다. **2** (잡물을 섞어서) …의 힘을[효과 따위를] 약하게 하다[떨어뜨리다], 감쇄(減殺)하다; (노동력에) 비숙련공의 비율을 늘리다, 희석하다. **—** *a.* 묽게 한, 희석한; 묽은, 싱거운; 약한; 엷은. ◇ dilution *n.* ㊞ **~·ness** *n.* **di·lút·er, -lú·tor** *n.* **di·lú·tive** *a.* 희석하는; 주(株)당 수입을 줄이는.
di·lu·tee [dìlu:tí:, dài-/dàilu:-, di-, -lju:-] *n.* 〖노동〗 임시로 숙련공의 일을 하는 비숙련공《노동의 희석화》. cf. dilution 3.
di·lu·tion [dilú:ʃən, dai-/dailú:-, di-, -ljú:-] *n.* Ⓤ **1** 묽게 하기, 희석, 희박(稀薄); 〖화학〗 희석도; Ⓒ 희박해진 것, 희석액[물]. **2** (주식 등의) 실질적인 가치 저하. **3** 노동의 희석(~ of labor)《숙련공의 일을 분업화하여 임시로 비숙련공에게 분담시키는 일》. **4** (상표의) 희석화《등록 상표가 다용화하여 보통 명칭화함》. ◇ dilute *v.*
di·lu·via [dilú:viə/dai-, di] DILUVIUM의 복수.
di·lu·vi·al, -vi·an [dilú:viəl/dai-, di-], [-viən] *a.* 대홍수(大洪水)의, 대홍수로 생겨난 《특히 Noah의》; 〖지학〗 홍적(洪積)의, 홍적기[층]의.
di·lu·vi·al·ist [dəlú:viəlist/dai-, di-] *n.* 〖지학〗 홍수설(洪水說) 신봉자, 홍수론자.
dilúvial théory 〖지학〗 홍수설《노아의 홍수를 지구 역사상의 사실로 보며, 화석은 홍수에 의해 사멸된 생물의 유체로 봄》.
di·lu·vi·um [dilú:viəm/dai-, di-] (*pl.* ***-via*** [-viə], **~*s***) *n.* 〖지학〗 홍적층.
*__dim__ [dim] (***dím·mer; dím·mest***) *a.* **1** (빛이) 어둑한, 어스레한: a ~ room. **2** (사물의 형태가) 잘 안 보이는, 희미한, 흐릿한; (빛깔 · 광택이) 윤이 안 나는, 흐린(dull), 칙칙한(dusky); (기억 따위가) 희미한, 어렴풋한, 똑똑지 않은, 애매한: the ~ outline of a mountain 산의 흐릿한 윤곽 / as far as my ~ memory goes 나의 희미한 기억에 남아 있는 한에서는. **3** (눈 · 시력이) 희미해서 잘 안 보이는, 흐린, 침침한: eyes ~ with tears 눈물로 흐려진 눈. **4** (이해력 · 청력이) 둔한; 《구어》 (사람이) 우둔한(stupid); (사람이) 유명하지 않은, 돋뵈지 않는, 무명의. **5** 《구어》 가망성이 희박한, 실현될 것 같지 않은: His chances of survival are ~. 그의 생존 가능성은 희박하다. **~ *and distant*** 아주 먼 옛날의: in the ~ *and distant* past. ***take a ~ view of*** …을 의심스럽게[회의적으로] 보다.
— (***-mm-***) *vt.* **1** (…을) 어둑하게 하다, 흐리게 하다. **2** 《미》 (헤드라이트를) 근거리용(用)으로 바꾸다[감광(減光)하다]. **3** (기억 따위를) 희미하게 하다; (눈을) 흐리게[침침하게] 하다. **—** *vi.* 《~/+전+명》 어둑해지다, (눈이) 흐려지다, 침침해지다: ~ *with* tears (눈이) 눈물로 흐려지다. **~ *down*** [***up***] (조명을) 점차 약[강]하게 하다. **~ *out*** (등화관제로) 전등을 어둡게 하다.
— *n.* **1** (*pl.*) (자동차의) 감광(減光) 라이트《근거리용 또는 주차 표시용 등》. **2** 《고어 · 시어》 어스레함; 《미속어》 황혼, 밤.
㊞ **ˊ·ly** *ad.* 희미하게, 어슴푸레하게. **ˊ·ness** *n.* 어스름; 불명료.
dim. dimension; diminuendo; diminutive.
dím bùlb 《미속어》 얼간이, '형광등'.
*__dime__ [daim] *n.* **1** 10 센트 니켈 동전, 다임《미국 · 캐나다의; 생략: d.》. **2** (*pl.*) 《고어》 돈, 벌이. **3** 《미속어》 10 달러; 10 년형(刑). **4** (a ~) 〖부정문에서〗 《구어》 한 푼, 푼돈: We did*n't* earn a ~ from the transaction. 그 거래에서 한 푼도 못 벌었다. **5** 《미속어》 마약 10 달러분 상당이 든 봉지(=ˊ **bág**). ***a ~ a dozen*** 《구어》 싸구려의, 흔해빠진, 평범한. ***do not care a ~*** 조금도 개의치 않다. ***on a ~*** 《미》 좁은 곳에서; 곧, 즉각: stop *on a* ~ 갑자기 중지하다[멈추다].
díme nóvel 《미》 삼문(三文)[싸구려] 소설.
*__di·men·sion__ [diménʃən, dai-] *n.* **1** (길이 · 폭 · 두께의) 치수; 〖수학 · 물리 · 컴퓨터〗 차원(次元): of one ~ 1 차원의, 선(線)의 / of two ~*s* 2 차원의, 평면의 / of three ~*s* 3 차원의, 입체의 / ⇨ FOURTH DIMENSION. **2** (보통 *pl.*) 용적; 면적; 부피(bulk); 크기; (*pl.*) 규모, 범위; 중요성. **3** (문제 등의) 일면; 양상; 특질. **4** (*pl.*) 《구어》 (여성의) 버스트 · 웨이스트 · 히프의 사이즈; 《폐어》 몸매. ***of great*** [***vast***] **~*s*** 몹시 큰; 극히 중대한. **—** *a.* 특정한 치수로 자른《목재 · 석재 등》. **—** *vt.* 필요한 크기로 하다; (제도 등에) 크기를 나타내다.
di·men·sion·al [diménʃənəl] *a.* 치수의; …차(원)의: three-~ film [picture] 입체 영화(3-D picture) / four-~ space, 4 차원 공간. ㊞ **~·ly** *ad.*
di·mén·sion·less *a.* **1** (길이 · 폭 · 두께가 없는) 점의, 크기가 없는; 미소한, 하잘것없는. **2** 무한의, 막대한.
di·mer [dáimər] *n.* 〖화학〗 이합체(二合體).
di·mer·ic [daimérik] *a.* (염색체 따위가) 두 부분으로 된, 두 요소를 가진; 〖화학〗 이합체(二合體)의.
dim·er·ous [dímərəs] *a.* 두 부분으로 나뉘는[이루어지는]; (곤충이) 이절(二節)의; 〖식물〗 (꽃이) 이수성(二數性)의 기관을 가진: a ~ flower 이수화(二數花).
díme stòre **1** 《미》 =FIVE-AND-TEN(-CENT STORE). **2** 《볼링속어》 5 · 10 번 핀이 남은 split.
díme-stòre *a.* 《미》 값싼; 싸구려의, 값싼 물건인.
dim·e·ter [dímətər] *n.* 〖운율〗 이보격(二步格) 「(의 시(詩)).
di·meth·o·ate [daiméθouèit] *n.* 〖화학〗 디메토에이트《맹독 결정성 화합물; 살충제》.
di·meth·yl [daiméθəl] *a.* 〖화학〗 두 메틸기를 함유한, 디메틸….
dimèthyl·hýdrazine *n.* 〖화학〗 디메틸히드라진《가연성 · 맹독의 무색 액체; 로켓 연료용》.
dimèthyl·nitrósamine *n.* 〖화학〗 디메틸니트로사민《담배 연기 따위에 함유된 발암 물질》.
dimèthyl·sulfóxide *n.* 〖화학〗 디메틸설폭사이드《무색의 액체로 용제(溶劑); 진통 · 항(抗)염증제; 생략: DMSO》.
di·meth·yl·trypt·a·mine [daimèθəltríptəmì:n, -min] *n.* 〖화학〗 디메틸트립타민《환각제; 생략: DMT》.
di·met·ro·don [daimétrədàn/-dɔ̀n] *n.* 〖고생물〗 디메트로돈《페름기(紀)에 북미에서 번성했던 육식 파충류》.
di·mid·i·ate [dimídiət] *a.* 둘로 나눈, 절반의; 〖생물〗 반쪽만이 발달한. **—** [-dièit] *vt.* 《고어》 둘로 나누다; 반으로 줄이다.
dimin. diminuendo; diminutive.
*__di·min·ish__ [dimíniʃ] *vt.* **1** (수량 · 크기 · 정도 ·

중요성 따위를) 줄이다, 감소시키다, 작게 하다; (신용·명성 등을) 떨어뜨리게 하다. OPP. *increase*. ¶ Illness had seriously ~*ed* his strength. 병으로 그의 힘은 몹시 쇠약해졌다. **2** 〖음악〗 반음 낮추다: a ~*ed* fifth 감(減) 5도. **3** 〖건축〗 (기둥 따위의) 끝을 가늘어지게 하다. ── *vi*. **1** 《~/+전+명》 감소〔축소〕하다; 작아지다: The country has ~*ed in* population. 그 나라의 인구가 감소했다. **2** 〖건축〗 끝이 가늘어지다. ***law of ~ing returns*** 〖경제〗 (the ~) 수확 체감의 법칙. ㊕ **~·a·ble** *a*. ~할 수 있는. **~·ment** *n*.

di·min·ished [dimíniʃt] *a*. 감소〔감손〕된; 권위가〔위신이〕 떨어진; 〖음악〗 반음 낮춘, 낮춘 음정의. ***hide** one's **~ head*** 작아져 움츠러들다; 기운 없이 물러가다.

dimínished responsibílity 〔**capácity**〕 〖법률〗 한정 책임 능력《정신 장애 따위로 올바른 분별력이 현저히 감퇴한 상태; 감형 대상이 됨》.

dimínished séventh (**chórd**) 〖음악〗 감칠화음(減七和音).

di·mín·ish·ing *a*. 점감(漸減)하는. (***the law of***) ~ ***returns*** 〔***utility***〕 〖경제〗 수확〔효용〕 체감(의 법칙). ㊕ **~·ly** *ad*.

di·min·u·en·do [diminjuéndou] (*pl*. **~s**) *n*. 《It.》 〖음악〗 디미누엔도(의 악절). ── *a*., *ad*. 점점 약한〔약하게〕《부호 >》.

***dim·i·nu·tion** [dìmənjúːʃən/-njúː-] *n*. **1** Ⓤ 감소, 감손, 축소; 저감(低減); Ⓒ 감소액〔량, 분〕. **2** 〖건축〗 (기둥 등의) 끝이 가늘어지기; 〖음악〗 (주제의) 축소. [◂ **diminish**]

di·min·u·ti·val [dimìnjətáivəl] *a*. 〖문법〗 축소적(縮小的)인, 지소사(指小辭)의, 지소성(性)의. ── *n*. 지소형 어미.

***di·min·u·tive** [dimínjətiv] *a*. **1** 소형의, 작은; 자그마한, 《특히》 아주 작은: a man ~ *in* stature 몸집이 작은 사내. SYN. ⇨ SMALL. **2** 〖문법〗 지소(指小)의. ── *n*. **1** 작은 사람〔물건〕; 〖문장(紋章)〗 보통보다 작은 도형. **2** 축소형, 애칭, 통칭《Betsy, Kate, Tom 따위》. **3** 〖문법〗 지소(指小) (접미)사《gos*ling*, stream*let*, lamb*kin* 따위》, 지소어. ㊕ **~·ly** *ad*. 축소적으로, 작게; 지소사로서; 애칭으로. **~·ness** *n*.

dimínutive súffix 〖문법〗 지소(指小) 접미사 《drop*let* 의 let 따위》.

dim·is·so·ry [dímәsɔ̀ːri/-səri] *a*. 떠나게 하는, 쫓아내는; 전출(轉出) 허가의, 전임(轉任)의.

dímissory létter 〖교회〗 (감독이 주는) 목사의 전임 허가증, (타교구에의) 전출 허가증.

dim·i·ty [dímәti] *n*. Ⓤ 돋을(줄)무늬 무명《침대·커튼용》.

DIMM 〖컴퓨터〗 dual in-line memory module(이중 인라인 기억 모듈)《컴퓨터의 주기억 장치로 사용되는 RAM의 한 종류로 기판 위에 DRAM 칩을 장착한 것》.

dimmed [dimd] *a*. 〖컴퓨터〗 담색〔회색〕 표시의《선택 메뉴 중 그 시점에서는 항목이 실행될 수 없음을 나타냄》.

dím·mer *n*. 어둑하게 하는 사람〔물건〕; (무대조명·헤드라이트 따위의) 제광(制光) 장치, 조광기(調光器); (*pl*.) (자동차의) 주차 표시등(parking lights); 근거리용 헤드라이트; 《미속어》 전등.

dim·mish [dímiʃ] *a*. 어두컴컴한.

di·mor·phic, -phous [daimɔ́ːrfik], [-fəs] *a*. 〖식물·생물〗 두 형태의, 동종 이형(同種二形)의; 〖광물〗 동질 이상(同質二像)의: a ~ flower. ㊕ **-phism** [-fizəm] *n*.

dím·òut *n*. Ⓤ (등불을) 어둑하게 하기; Ⓒ (도시·선박 등의) 경계 등화관제. cf. blackout.

***dim·ple** [dímpəl] *n*. 보조개; (피부·땅·수면 등의) 움푹 들어간 곳; 잔물결. ── *vi*., *vt*. 보조개가 생기다, 보조개를 짓다; 움푹 들어가(게 하)다; 잔물결이 일다; …에 잔물결을 일으키다. ㊕ **dím·pled** *a*. 보조개가 생긴, 잔물결이 일고 있는.

dim·ply [dímpli] *a*. 보조개가 있는〔를 보이는〕; 움푹 들어간; 잔물결이 이는.

dím súm 고기·야채 따위를 밀가루 반죽에 싸서 찐 중국 요리.

di·mu·on [dáimjùːɑn/-ɔn] *n*. 〖물리〗 쌍(雙) 뮤온《고에너지하에서 중성미자(中性微子)의 상호작용에 의한 소립자의 붕괴 결과로 생긴다고 함》.

dím·wìt *n*. 《구어》 멍청이, 바보, 얼간이.

dím-wít·ted [-id] *a*. 《구어》 얼간이〔바보〕의.

◇**din** [din] *n*. Ⓤ 떠듦, 소음, (꽝꽝·쟁쟁하는) 시끄러운 소리: make (a) ~ 꽝꽝 소리를 내다. ── (**-nn-**) *vt*. 《+목+전+명》 (소음으로) 시끄럽게 하다, (귀를) 멍멍하게 하다; 큰 소리로 말하다〔되풀이하다〕; 고함지르다《*in*》: ~ one's ears *with* cries 큰 소리쳐서 귀를 멍멍케 하다. ~ (something) ***into*** a person 〔a person***'s ears***, a person***'s mind***〕 아무에게 (무엇을) 귀가 아프도록 되풀이해서 들려 주다. ── *vi*. (귀가 멍멍하도록) 울리다.

din- ⇨ DINO-.

DIN *Deutsche Industrie Normen* 《G.》 (=German Industry Standard). **din., Din.** dinar(s).

Di·na(h) [dáinə] *n*. 다이나《여자 이름》.

di·nar [dinɑ́ːr/díːnɑː-] *n*. 디나르《유고슬라비아·이란·이라크 등지의 화폐 단위》.

⁑**dine**[1] [dain] *vi*. 정찬을 들다《보통 have dinner 라고 함》, 《특히》 저녁 식사를 하다; 〖일반적〗 식사하다. ── *vt*. **1** (사람을) 정찬〔저녁 식사〕에 초대하다; …에게 저녁〔만찬〕을 베풀다. **2** (방·식탁 따위가) …분의 식사 설비를 갖추다: This table ~*s* ten. 이 식탁에서 열 사람이 먹을 수 있다. cf. dinner. ~ ***forth*** 식사하러 나가다. ~ ***in*** 집에서 식사하다. ~ ***on*** 〔***upon, off***〕 …을 식사로 들다. ~ ***out*** 밖에서 식사하다, 외식하다《특히, 레스토랑 등에서》. ~ ***out on ...*** (재미있는 이야기·경험 따위)의 덕분으로 여러 곳에서 식사에 초청받다〔향응을 받다〕. ~ ***with Duke Humphrey*** 《영고어》 식사〔끼니〕를 거르다. ── *n*. 《Sc.》 =DINNER.

dine[2] *n*. 《미속어》 =DYNAMITE.

◇**din·er** [dáinər] *n*. 식사하는 사람; 정찬〔만찬〕 손님; (기차의) 식당차(dining car); 《미》 식당차 모양의 간이 식당; 《미》 도로변의 식당; 《구어》 식당《방》.

díner-òut (*pl*. ***díners-òut***) *n*. (초대되어) 자주 밖에서 식사하는 사람.

Díners (**Cárd**) 다이너스 (카드)《미국 Diners Club의 국제적인 신용 카드》.

di·nette [dainét] *n*. (부엌 구석 등의) 약식 식당; 약식 식당 세트(=∠ **sèt**)《식탁과 의자의 세트》.

di·neu·tron [dainjúːtrɑn/-njúːtrɔn] *n*. 〖물리〗 「중(重)중성자.

ding [diŋ] *vi*. (종이) 땡땡 울리다; 계속하여 울리다; 《구어》 끈덕지게 이야기하다《*into*》. ── *vt*. (종을) 울리다; 《구어》 되풀이하여 일러주다 《*into*》. ── *n*. 종소리.

díng-a-lìng *n*. 《미구어》 괴짜, 미치광이.

Ding an sich [díŋɑːnzík/-ænsík] (*pl*. ***Dinge*** [díŋə-] ***an sich***) 《G.》 〖철학〗 물(物) 자체(thing-in-itself)《Kant의 철학 용어》.

díng·bàt *n*. **1** 〖인쇄〗 독자의 주의를 끄는 기호《단락(段落) 시작의 별표 따위》. **2** 《미구어》 = DINGUS; (돌·벽돌 등) 투척물이 되기 쉬운 것; 《미속어》 돈. **3** 《미속어》 바보, 미친 사람; 거지, 떠돌이; 여자(애). ***be*** 〔***have the***〕 **~s** 《Austral. 속어》 정신이 돌았다, 바보다, 이상하다. ***give*** a

person **the** ~**s** ⟪Austral. 속어⟫ 아무를 안달나게 하다.
ding-dang [díŋdæ̀ŋ] *vt.* ⟪미속어⟫ =DAMN.
ding·dong [díŋdɔ̀:ŋ, -dɑ̀ŋ/-dɔ̀ŋ] *n.* Ⓤ 땡땡 ⟪종소리 등⟫. **—** *a.* 땡땡 울리는; 막상막하의, 팽팽히 맞서는⟪경기 따위⟫: a ~ race 막상막하의 경주; 접전, 격전. **—** *ad.* 열심히, 부지런히⟪일하는 따위⟫: fall to work ~ 부지런히 일하기 시작하다. ***go*** 〔***be, hammer away***〕 ***at it*** ~ ⟪구어⟫ 열심히 일하다.
dinge [dindʒ] *n., a.* ⟪미속어⟫ 흑인(의).
ding·er [díŋər] *n.* ⟪미속어⟫ 결정적 요소, 결정타; 〖야구〗 홈런; 방랑자, 쓸모없는 인간; 아는 체하는 사람.
din·ghy [díŋgi] *n.* (인도의) 작은 배; 구명보트; (비행기의) 고무제 구명 뗏목; 경주용 소형 요트.

dinghy

din·gle [díŋgəl] *n.* 수목이 우거진 작은 협곡 (dell); ⟪속어⟫ 음경.
díngle-dàngle *ad.* 흔들흔들.
din·go [díŋgou] (*pl.* ~**es**) *n.* 딩고⟪붉은 갈색의 오스트레일리아 들개⟫; ⟪Austral.속어⟫ 비겁자, 배반자. **—** *vi., vt.* ⟪Austral.속어⟫ 비겁한 짓을 하다; 손을 빼다, 빠지다, (…을) 배신하다 ⟪*on* a person⟫.
din·gus [díŋgəs] *n.* **1** ⟪구어⟫ 장치, 고안; ('저…' 할 때처럼 이름을 알 수 없는) 것. **2** ⟪속어⟫ 음경.
din·gy [díndʒi] (**-gi·er; -gi·est**) *a.* **1** 거무스름한; 더러운. **2** 음침한; 평이 나쁜. **3** ⟪미학생속어⟫ 멍청한, 생기 없는. ㊞ **dín·gi·ly** *ad.* **-gi·ness** *n.*
din·ing [dáiniŋ] *n.* 정찬⟪오찬·만찬⟫; 식사.
díning càr 〖철도〗 식당차.
díning hàll 큰 식당⟪정찬용⟫.
díning ròom 식당⟪가정·호텔의 정식 식사의⟫.
díning tàble 식탁(dinner table).
di·ni·tro·ben·zene [dainàitroubénzi:n, -benzí:n] *n.* 〖화학〗 다이나이트로벤젠⟪매염제⟫.
dink[1] [diŋk] *n.* ⟪미⟫ (대학 1년생이 쓰는) 작은 모자; 모자; ⟪비어⟫ 음경; =DROP SHOT.
dink[2], **DINK, Dink** [diŋk] *n.* 딩크⟪아이 없는 맞벌이 부부의 한 쪽; 수준 높은 생활을 즐김⟫. **—** *a.* dink의. [◂ *D*ouble *I*ncome *N*o *K*ids]
din·key [díŋki] (*pl.* ~**s, dínk·ies**) *n.* 소형 기관차⟪구내 작업용⟫; 소형 전차; 자그마한 것.
din·kum [díŋkəm] ⟪Austral. 속어⟫ *n.* Ⓤ 정말임; 큰일, 노동(work, toil). **—** *a.* 진짜의(genuine); 훌륭한, 공평한. **—** *ad.* 정말로. ***fair*** ~ 공명정대한〔하게〕; 진짜의, 진정으로. 「는 진실.
dínkum óil (the ~) ⟪Austral. 속어⟫ 거짓 없
dinky [díŋki] (**dink·i·er; -i·est**) ⟪구어⟫ *a.* 자그마한, 하찮은; 산뜻한, 말쑥한. **—** *n.* **1** =DINKEY. **2** =DINGHY.
†**din·ner** [dínər] *n.* Ⓤ,Ⓒ **1** 정찬⟪하루 중 제일 주요한 식사, 원래는 오찬, 지금은 흔히 만찬⟫; 저녁 식사: an early 〔a late〕 ~ 오찬〔만찬〕/ask a person to ~ 아무를 정찬에 초대하다. **2** 공식 만찬〔오찬〕(회). **3** 정식(table d'hôte). **4** 〘형용사적〙 정찬(용)의: a ~ lift 식품 운반용 승강기/~ time 식사 시간/~ claret 〔sherry〕 정찬용 적〔백〕포도주/a ~ service 〔set〕 정찬용 식기

한 벌/the ~ hour 정찬 시각. ◇ dine *v.* ***at*** 〔***before, after***〕 ~ 식사 중〔전, 후〕. ~ ***without grace*** 결혼 전의 성교. ***entertain at*** ~ 향응하다. ***give a*** ~ ***in*** a person***'s honor*** 〔***in honor of*** a person〕 아무를 주빈으로〔아무를 위해〕 만찬〔오찬〕회를 열다. ***have had more ... than hot*** ~***s*** 할 일이 태산 같다. ***make a good*** 〔***poor***〕 ~ 충분한〔부족한〕 식사를 하다. ***more*** a thing 〔***often***〕 ***than*** a person ***has had hot*** ~***s*** 대단히 많은, 매우 빈번히⟪아는 체하는 것을 타이를 때 씀⟫.
dínner bèll 식사를 알리는 종(소리).
dínner càll 식사 시간의 알림〔신호〕.
dínner dànce 디너 댄스⟪식후에 댄스가 이어지는 정식 디너⟫.
dínner drèss 〔**gòwn**〕 여자용 약식 야회복 ⟪남자의 tuxedo에 해당⟫.
dínner fòrk 메인 코스용 포크.
dínner jàcket 약식 야회복 (tuxedo). 「이프.
dínner knìfe 메인 코스용 나
dínner làdy 학교 급식계 부인.
dínner-pàil *n.* Ⓒ ⟪미⟫ (직공 따위가 식사를 넣고 다니는 통 모양의) 도시락 상자.
dínner pàrty 만찬〔오찬〕회, 축하회. 「시.
dínner plàte (비교적 큰) 접
dínner sèrvice 〔**sèt**〕 정찬용 식기 한 벌.

dinner jacket

dínner tàble 식탁.
dínner thèater 극장식 식당.
dínner·tìme *n.* 정찬 시각, 디너 타임.
dínner wàgon (바퀴 달린) 이동 식기대.
dínner·wàre *n.* 식기류(한 벌).
di·no [dí:nou] *n.* ⟪미속어·경멸⟫ 이탈리아계 〔유럽 남부 출신〕 사람; ⟪미철도속어⟫(특히 다이너마이트를 쓰는) 철도 보선구〔건설 현장·굴착 공사〕의 작업인; ⟪속어⟫ 부랑인, 룸펜.
di·no- [dáinou, -nə] '무서운'이란 뜻의 결합사.
di·noc·er·as [dainásərəs] *n.* 〖고생물〗 공각수(恐角獸)⟪제 3 기의 포유 동물⟫.
di·no·saur [dáinəsɔ̀:r] *n.* 〖고생물〗 공룡. ㊞ **dì·no·sáu·ri·an** [-riən] *n., a.* 공룡(의).
dínosaur wìng ⟪미속어⟫ (the ~) (정당의) 최우익(最右翼).
di·no·there [dáinəθiər] *n.* 〖고생물〗 공수(恐獸)⟪코끼리 비슷한 제 3 기의 포유 동물⟫.
DINS 〖항공〗 digital inertial navigation system(디지털식 관성 항법 장치).
dint [dint] *n.* Ⓤ 힘, 폭력; Ⓒ 맞은 자국, 움푹 팬 곳; Ⓒ ⟪고어⟫ 타격. ***by*** ~ ***of*** …의 힘〔덕〕으로; …에 의하여. **—** *vt.* 두들겨서 자국을 내다, 움푹 패게 하다, 각인(刻印)하다.
di·nu·cle·o·tide [dainjú:kliətàid/-njú:-] *n.* 〖생화학〗 다이뉴클레오타이드⟪DNA 따위에서 두 뉴클레오타이드의 결합⟫.
Dioc. Diocesan; Diocese.
di·oc·e·san [daiásəsən/daiɔ́s-] *a.* diocese의. **—** *n.* 교구 주교.
di·o·cese [dáiəsis, -sì:z, -sì:s] *n.* 주교 관구.
di·ode [dáioud] *n.* 〖전자〗 이극(二極)(진공)관; 다이오드.
di·oe·cious [daií:ʃəs] *a.* 〖생물〗 자웅 이체(異體)〔이주(異株)〕의. ㊞ ~**·ly** *ad.* ~**·ness** *n.*
di·oe·cism [daií:sizəm] *n.* Ⓤ 〖생물〗 자웅 이체〔이주(異株)〕, 암수 딴몸.
di·oes·trum [daiéstrəm, -í:s-/-í:s-] *n.* 〖생물〗 (동물, 특히 암컷의) 발정기.

Di·og·e·nes [daiɑ́dʒənìːz/-ɔ́dʒ-] *n.* 디오게네스《그리스의 철학자; 412?-323 B.C.》.

Di·o·mede, Di·o·me·des [dáiəmiːd], [dàiəmíːdiːz] *n.* 〖그리스신화〗 디오메데스《트로이 전쟁에서의 그리스측의 용사》.

Di·o·ny·sia [dàiəníʃiə, -nís-/-níz-, -nís-] *n. pl.* Dionysus 제(祭), 주신제(酒神祭). ㊕ **-sian, -i·ac** [-ʃən, -siən/-ziən, -nis-], [-siæ̀k] *a.* Dionysus 의; 주신제의.

Di·o·ny·si·us [dàiəníʃiəs, -siəs] *n.* 디오니시우스《Syracuse 의 왕; 430?-367 B.C.》.

Di·o·ny·sus, -sos [dàiənáisəs] *n.* 〖그리스신화〗 디오니소스《주신(酒神); 로마 신화에서는 Bacchus》.

Di·o·phán·tine equátion [dàiəfǽntain-, -tiːn-/-tn-] 〖수학〗 디오판토스 방정식, 부정(不定) 방정식《수학자 Diophantus 에서》.

di·op·side [daiɑ́psaid, -sid/-ɔ́psaid] *n.* 〖광물〗 투휘석(透輝石)《준(準)보석》.

di·op·ter, 《영》 **-tre** [daiɑ́ptər/-ɔ́p-] *n.* 〖광학〗 디옵터《렌즈의 굴절률을 나타내는 단위; 생략: D., d.》. ㊕ **di·óp·tral** *a.*

di·op·tric, -tri·cal [daiɑ́ptrik/-ɔ́p-], [-əl] *a.* 굴절 광학의; 광선 굴절 응용의, 시력 교정용의《렌즈 따위》. ㊕ **-tri·cal·ly** *ad.* **-trics** *n. pl.* 〖단수취급〗 굴절 광학.

di·o·ra·ma [dàiərǽmə, -rɑ́ːmə/-rɑ́ːmə] *n.* 디오라마, 투시화(透視畫); (소형 모형) 실경(實景); 디오라마관(館); (큰 장면의) 축소 세트《영화 촬영용》. ㊕ **-ram·ic** [dàiərǽmik] *a.*

di·o·rite [dáiəràit] *n.* 〖광물〗 섬록암(閃綠岩).

Di·os·cu·ri [dàiəskjúərai] *n. pl.* (the ~) 〖그리스신화〗 디오스쿠로이《'Zeus 의 아들들' 의 뜻》 (CASTOR and Pollux).

di·os·gen·in [dàiɑzdʒénin, daiɑ́zdʒən-/-ɔ́zdʒénin] 디오스게닌《부신피질 호르몬 계통의 스테로이드의 원료》.

di·ox·ane [daiɑ́ksèin/-ɔ́k-] *n.* 〖화학〗 다이옥세인《지방 용제(溶劑)·화장품·탈취제에 쓰임》.

di·ox·ide [daiɑ́ksaid, -sid/-ɔ́ksaid] *n.* Ⓤ 〖화학〗 이산화물(二酸化物).

di·ox·in [daiɑ́ksin/-ɔ́k-] *n.* Ⓤ 〖화학〗 다이옥신《독성이 강한 유기염소 화합물; 제초제 등》.

DIP [dip] *n.* 〖컴퓨터〗 2 중 인라인 패키지, 딥《두 줄로 배열된 핀으로 회로 기판에 결합된 집적회로 모듈》. [◂ *d*ual *in*-line *p*ackage]

‡dip [dip] (*p., pp.* **~ped** 《드물게》 **~t; ∠·ping**) *vt.* **1** 《~+목/+목+전+명》 담그다, 적시다, 살짝 담그다: ~ the bread *in* 〔*into*〕 the milk 빵을 우유에 적시다. **2** …에게 침례를 베풀다. **3** (양(羊)을) 살충 약물에 넣어 씻다; (양초를) 만들다《녹은 초에 심지를 넣어서》; (옷감을) 담가서 염색하다. **4** (기 따위를) 잠깐 내렸다 곧 올리다《경례·신호 등을 위하여》; 가볍게 머리숙이다《인사하기 위하여》. **5** 《~+목/+목+전+명》 퍼〔떠〕내다《*out; up*》: ~ water *out of* a boat 보트에서 물을 퍼내다. **6** 《영구어》 〖보통 수동태〗 빚지게 하다: *be ~ped* 빚지고 있다. **7** 《고어》 (사건 등에) 말려들다. **—** *vi.* **1** 《+전+명》 (물 따위에) 잠겼다 나오다, 잠깐 잠기다《*into*》: He *~ped into* the pool. 그는 풀 속에 몸을 담궜다. **2** 《+전+명》 (무엇을 퍼〔꺼〕내려고) 손 따위를 디밀다〔집어넣다〕《*into*》: ~ *into* a bag 가방 속에 손을 넣다. **3** 가라앉다; 내려가다; 내리막이 되다, (아래쪽으로) 기울다. **4** 무릎을 약간 굽혀 인사하다. **5** 《+전+명》 띄엄띄엄 주워 읽다; 대충 조사하다《*into*》: ~ *into* a book 책을 대충 읽다/~ *into* the future 장래의 일을 헤아려 보다. **6** 《+전+명》 조금 손을 대다〔해보다〕《*into*》: ~ *into* astronomy 천문학을 조금 공부하다. **7** (비행기가) 급강하하다《상승 전에》. **8** 《비유》 (값 따위가 일시적으로) 떨어지다. **~ *into pocket*** 호주머니에 든 것을 소매치기하다. **~ *into* one's *pocket*** 〔***purse, money, savings***〕 (필요해서) 돈을 꺼내다; 저금에 손을 대다. **~ *out on ...*** 《Austral.속어》 …에 참가하지 않다, 이용하지 않다. **~ *the bill*** 〔***beak***〕 《미속어》 마시다.

— *n.* **1** 담그기, 잠그기; 잠깐 잠기기; 한번 멱감기: have 〔take〕 a ~ *in* the sea 해수욕을 한 차례 하다. **2** (한 번) 푸기〔떠내기〕; 잠깐 들여다봄, 약간의 연구. **3** Ⓤ 침액(浸液); (양의) 침세액(浸洗液)(sheep-~). **4** (실심지) 양초. **5** (도로의) 경사; (땅의) 우묵함; (지반의) 침하(沈下); 내리막길. **6** (값 따위의) 하락. **7** 〖항공〗 (상승 전의) 급강하. **8** (자침의) 복각(伏角); 〖측량〗 (지평선의) 안고차(眼高差), 눈높이; (전깃줄의) 수하도(垂下度). **9** 〖시학〗 (두운시(頭韻詩)의) 무강세(無強勢)의 음절. **10** 〖체조〗 (평행봉에 의한) 팔의 굴신 운동. **11** 《속어》 소매치기; 《미속어》 (남자의) 모자. **12** 《구어》 주정뱅이; 《미속어》 바보. ***at the*** **~** 〖해사〗 기(旗)가 조금 내려져《경례의 표시》.

Dip., dip. diploma. **Dip. A.D.** 《영》 Diploma in Art and Design.

díp-and-scárp [-ənd-] *a.* 〖지학〗 (지세가) 급경사면과 완만한 경사면이 번갈아 나타나는.

di·par·tite [daipɑ́ːrtait] *a.* 부분으로 나누어진〔갈라진〕.

díp cìrcle 복각계(伏角計).

di·pep·ti·dase [daipéptədèis, -dèiz] *n.* 〖생화학〗 디펩티다아제《디펩티드를 가수 분해하여 두 개의 아미노산을 생성하는 효소의 총칭》.

di·pep·tide [dipéptaid, dai-] *n.* 〖생화학〗 디펩티드. ⓒⓕ dipeptidase.

di·pet·al·ous [daipétələs] *a.* 〖식물〗 2 개의 꽃잎을 갖는.

di·phase, di·pha·sic [dáifèiz], [dàiféizik] *a.* 〖전기〗 이상성(二相性)의.

Di·phet·a·mine [daifétəmìːn] *n.* 〖약학〗 다이페타민《amphetamine 계 약물로 임상적으로는 정신과나 외과에서 쓰임》.

di·phos·gene [daifɑ́sdʒiːn/-fɔ́s-] *n.* 〖화학〗 디포스겐《휘발성의 액체; 제 1 차 대전에서 독가스로 씀》.

di·phos·phate [daifɑ́sfeit/-fɔ́s-] *n.* 〖화학〗 이인산염(二燐酸塩).

°diph·the·ria [difθíəriə, dip-] *n.* Ⓤ 〖의학〗 디프테리아. ㊕ **-ri·al, -ther·ic, -the·rit·ic** [-l], [-θérik, dip-], [dìfθərítik, dìp-] *a.*

diph·thong [dífθɔːŋ, -θɑŋ, díp-/-θɔŋ] *n.* **1** 〖음성〗 이중모음《[ai, au, ɔi, ou, ei, uə] 따위》. ⓞⓟⓟ *monophthong*. **2** (한 모음을 나타내는) 겹자(digraph)《eat 의 ea 따위》. **3** 모음의 연자(連字)〔합자(合字)〕(ligature)《æ, œ 등》. ㊕ **diph·thón·gal** [-ŋgəl-] *a.*

diph·thong·ize [dífθɔːŋgàiz, -θɑŋg-, díp-/-θɔŋ-] *vt.* (단모음을) 이중 모음화하다. ㊕ **dìph·thong·i·zá·tion** *n.*

di·phy·let·ic [dàifailétik] *a.* 〖생물〗 이계통(二系統) 발생의, 선조가 두 계통 있는, 이원적인《공룡 따위》.

di·phy·o·dont [dífiədɑ̀nt/-dɔ̀nt] *a., n.* 〖동물〗 일환치성(一換齒性)《이를 한 번 가는》 (동물).

dipl. diplomacy; diplomat; diplomatic.

di·ple·gia [daiplíːdʒə, -dʒiə] *n.* 〖의학〗 양측 마비.

di·plex [dáipleks] *a.* 이중 통신의, 이신(二信)의. ⓒⓕ duplex. ¶ ~ operation 단향 이로(單向二路) 통신/~ telegraphy 이신 전신(二信電信)/~ circuit 이신 회로.

dip·lo- [díplou, -lə], **dipl-** [dipl] '2 (중)…, 복(複)…' 이란 뜻의 결합사.

dip·lo·blas·tic [dìpləblǽstik] *a.* 〖동물〗 2 배엽(胚葉)(동물)의.

dip·lo·car·di·ac [dipləkáːrdiæ̀k] *a.* 2 심장의.
dip·lo·coc·cus [dìpləkákəs/-kɔ́k-] (*pl.* **-ci** [-káksai/-kɔ́ksai]) *n.* 〖생물〗 쌍구균(雙球菌).
di·plod·o·cus [diplάdəkəs/-plɔ́d-] *n.* 〖고생물〗 쥐라기(紀)의 거대한 초식성 공룡.
dip·loe, -loë [dípləuiː] *n.* 〖해부〗 (두개골 따위의) 판간층(板間層). ㊎ **di·plo·ic** [diplóuik], **di·plo·et·ic** [dìplouétik] *a.*
dip·loid [díplɔid] *a.* 이중의; 〖생물〗 이배성(二倍性)의, 배수(倍數)의. **—** *n.* 〖생물〗 배수 염색체; 〖결정〗 편방(偏方) 24 면체.
di·plo·ma** [diplóumə] (*pl.* **~s,** 《드물게》 **~·ta** [-tə]) *n.* **1** 졸업 증서, 학위 수여증; 면허장《*in*》; 상장, 포장; 훈기(勳記). **2** (*pl.*) (고고학상의) 고문서(古文書); 공〔관〕문서. ***get one***'s* ~** 대학을 졸업하다; 면허장을 따다. **—** (*p., pp.* **~ed, ~'d; ~·ing**) *vt.* (졸업 증서·상장·면허장 따위를) 수여하다.
***di·plo·ma·cy** [diplóuməsi] *n.* Ⓤ 외교; 외교술〔수완〕; 권모술수.
di·pló·ma·ìsm *n.* Ⓤ 학력주의, 학력 편중.
diplóma mìll 《미구어》 학위 남발 대학.
***dip·lo·mat** [dípləmæ̀t] *n.* 외교관; 외교가; 권모술수에 능한 사람.
diplóma tàx =EXIT TAX.
dip·lo·mate [dípləmèit] *n.* diploma를 수여받은 사람《의사·변호사·기사 등》, 《특히》 전문의(醫)(specialist).
***dip·lo·mat·ic** [dìpləmǽtik] *a.* **1** 외교의, 외교상의; 외교관의; 외교 수완이 있는, 책략에 능한(tactful): a ~ break 외교 단절. **2** 고문서 연구의. **3** 면허장의.
dip·lo·mat·i·cal·ly [dìpləmǽtikəli] *ad.* 외교상; 외교적으로.
diplomátic bág =DIPLOMATIC POUCH.
diplomátic còrps (the ~) (궁중·수도에 파견된) 외교단(=**diplomátic bòdy**).
diplomátic cóurier 외교 문서 운반자《재외 공관과 본국 정부 사이의 외교 연락 문서를 운반하는 대사관 직원》.
diplomátic immúnity 외교관 면책 특권《관세·체포·가택 수색 따위에 대한》.
diplomátic póuch 외교 행낭(行囊).
diplomátic relátions 외교 관계: establish 〔break off〕 ~ 외교 관계를 맺다〔끊다〕.
dìp·lo·mát·ics *n. pl.* 〖단수취급〗 고문서학「(學).
diplomátic sérvice 외교관 근무; 〖집합적〗 대사〔공사〕관원.
diplomátic shúttle (왕복 외교에 있어서의) 「왕복.
di·plo·ma·tist [diplóumətist] *n.* =DIPLOMAT.
di·plo·ma·tize [diplóumətàiz] *vi.* 외교 교섭을 하다; 외교술을 쓰다〔부리다〕.
dip·lont [díplant/-lɔnt] *n.* 〖생물〗 이배체(二倍體); 복상(複相) 생물.
díplo·phàse *n.* 〖생물〗 복상(複相)《생물의 생활사 중에서 이배체(二倍體)의 핵상(核相)을 갖는 세대》.
di·plo·pia [diplóupiə] *n.* 〖의학〗 복시(複視)「(증).
dip·lo-speak [díplɔspìːk] *n.* 외교 용어.
dip·lo·tene [díplətìːn] *n.* 〖생물〗 복사기(複絲期)《감수분열 전기의 후반 시기; 염색체 교차(chiasma)가 보임》.
díp 〔dípping〕 nèedle 부각 자침(俯角磁針); 복각계(伏角計).
díp nèt (작은 물고기를 건져 올리는) 사내끼, 산「대.
díp·nèt *vt.* 사내끼로 건져 올리다.
dip·no·an [dípnouən] *a., n.* 폐어류(肺魚類)의 (물고기).
di·po·lar [daipóulər] *a.* 이극(二極)이 있는, 이「극성의.
di·pole [dáipòul] *n.* 〖물리·화학〗 쌍극자(雙極子); 이극(二極) 안테나(=**∠ anténna**).
dípole móment 〖전기〗 쌍극자(雙極子) 모멘「트.
díp pèn (잉크를) 찍어 쓰는 펜.
◇**dip·per** [dípər] *n.* **1** 국자, 퍼〔떠〕내는 도구; (준설기 등의) 버킷, 디퍼; =DIPPER DREDGE. **2** 《속어》 소매치기(pickpocket); 《미속어》 =DIPPERMOUTH. **3** (the D-) 북두칠성(the Big Dipper) 《큰곰자리의 일곱 별》; 소북두성(the Little Dipper)《작은곰자리의 일곱 별》. ⓒⓕ Ursa Major 〔Minor〕. **4** 담그는 사람〔것〕; (D-) 〖기독교〗 침례교도(Baptist); 잠수하는 새《물총새·물까마귀 따위》. **5** 〖사진〗 현상액 그릇. [◂dip] ㊎ **~·ful** *n.* 국자 가득함.
dípper drèdge 〔shòvel〕 디퍼 준설선.
dípper-mòuth *n.* 《미속어》 입이 큰 사람, 하마「입.
dípping bàll 〖테니스〗 디핑볼《네트를 아슬아슬하게 넘어 상대 코트에 낮게 떨어지는 드롭샷》.
díp pìpe (가스 본관의) 봉관(封管)《가스 제조에서 석탄가스를 액체 속으로 배출하기 위한 끝이 아래로 굽은 파이프》.
dip·py [dípi] (***-pi·er; -pi·est***) 《속어》 *a.* 미친, 환장한《*about; for*》; 엉뚱한, 터무니없는: have a ~ notion that the moon is inhabited 달에 사람이 살고 있다는 엉뚱한 생각을 갖다. ㊎ **díp·pi·ly** *ad.* **díp·pi·ness** *n.*
di·pro·pel·lant [dàiprəpélənt] *n.* 〖우주〗 = BIPROPELLANT.
díp·shìt *n., a.* 바보(의), 인간 쓰레기(의), 빌어「먹을 놈(의).
dip·so [dípsou] (*pl.* **~s**) *n.* 《구어》 알코올 중독자(dipsomaniac), 대주가. **—** *a.* 알코올 중독의.
dip·so·ma·nia [dìpsəméiniə] *n.* Ⓤ 〖의학〗 갈주증(渴酒症), 음주광(狂), 알코올 중독. ㊎ **-ni·ac** [-niæ̀k] *a., n.* ~의 (사람).
díp·stìck *n.* (crankcase 안의 기름 따위를 재는) 계심(計深)〔계량〕봉(棒); =SNUFF STICK; 《미속어》 음경.
DÍP swìtch 〖컴퓨터〗 딥 스위치, 이중 인라인 패키지 스위치. ⓒⓕ DIP.
díp swìtch 《영》 (헤드라이트의) 딥 스위치.
dip·sy·doo·dle [dípsidúːdl] *n.* 《미속어》 상대방의 주의를 돌리기〔흘뜨리기〕 위한 행동〔동작〕; 수상쩍은 거래, 속임수.
dipt [dipt] DIP 의 과거·과거분사.
Dip·tera [díptərə] *n. pl.* 〖곤충〗 쌍시류(雙翅「類).
dip·ter·al, -ous [díptərəl], [-əs] *a.* 〖곤충〗 쌍시류의; 〖건축〗 이중 주랑(柱廊)이 있는.
dip·ter·an [díptərən] *a.* 〖곤충〗 쌍시류의.
dip·ter·os [díptəràs] (*pl.* **-oi** [-tərɔ̀i]) *n.* 〖건축〗 이중 주당(二重柱堂).
dip·tych [díptik] *n.* 〖고대로마〗 둘로 접는 기록판; 두 쪽〔폭〕으로 된 그림〔조각〕《제단 장식용》.
di·quat [dáikwat/-kwɔt] *n.* 〖화학〗 다이쿼트《백색 또는 황색의 결정; 제초제》.
Dir., dir. Director.
Di·rác cònstant [diræ̀k-] (양자역학에서) 디랙 상수《플랑크(Planck) 상수(h)를 2π로 나눈 것; 기호 $\hbar$》.
Dirác (délta) fùnction 〖물리·수학〗 =DELTAFUNCTION.
◇**dire** [daiər] (***dir·er*** [dáirər/dáiərər]; ***dir·est***) *a.* 무서운(terrible); 비참한(dismal), 음산한; 긴박한, 극단적인: ~ news 비보(悲報) / the ~ sisters 복수의 3 여신(the Furies). ㊎ **∠·ly** *ad.*
⁑**di·rect** [dirékt, dai-] *vt.* **1** 《+목+전+명》 (주의·노력·발걸음·시선 등을 어떤 방향으로) 돌리다, 향하게 하다《*against; at; to; toward*》: ~ one's attention *to* …에 주의를 돌리다 / ~ one's steps *toward* home 집으로 가다. **2** 《+목+전+명》 …에게 길을 가리켜 주다: Will you ~ me *to* the station? 정거장으로 가려면

어디로 갑니까. SYN. ⇨GUIDE. 3 《~+목/+목+전+명》 …에 겉봉을 쓰다, (편지 등을) …앞으로 내다(address): ~ a letter 편지에 겉봉을 쓰다 / ~ a parcel *to* a person's home address 소포를 아무의 집주소로 하다. **4** 지도하다(instruct); 관리하다; 감독하다(control). **5** 《~+목/+목+*to* do》 지시하다, 지휘하다, 명령하다(order); (영화 · 연극 따위를) 감독하다: ~ a play 극을 감독하다 / ~ a person *to* do 아무에게 …하도록 명령하다 / ~ the room *to* be put in order 방을 정리하라고 지시하다.

SYN. **direct** 명령하는 동시에 방법 따위를 지도하다, 지시하다. 사람의 상하 관계보다도 목적 수행의 의도가 강조됨. **order** 명령하는 사람의 입장이 상위임을 나타냄. **command** order 보다 형식적인 말; 명령을 받는 사람이 복수인 경우가 많음.

— *vi.* 지휘하다, 지도하다(give direction). ***a ~ing post*** 도표(道標). **~ one's remarks at** … 에 빗대어 말하다.

— (**~·er; ~·est**) *a.* **1** 똑바른; 직행〔직진〕의; 직계의(lineal): a ~ descendant 직계 비속(卑屬) / ~ rays 태양의 직사 광선 / a ~ train 직행 열차. **2** 직접의(immediate). OPP. *indirect.* ¶ a ~ hit 〔shot〕 직격(탄). **3** 솔직한; 노골적인; 명백한. **4** 진정한, 절대의: the ~ contrary 〔opposite〕 정반대(의 것). **5** 〖천문〗 (서에서 동으로) 순행하는. — *ad.* 똑바로; 직접(으로); 직행으로: go 〔fly〕 ~ to Paris 파리로 직행하다 / Answer me ~. 솔직히 대답하시오.

㊀ **~·ness** *n.* 똑바름; 직접(성); 솔직.

diréct áccess =RANDOM ACCESS.

diréct àccess stórage devìce 〖컴퓨터〗 직접 접근 기억 장치《생략: DASD》.

diréct áction (파업 등에 의한) 직접 행동〔작용〕.

diréct addréss 〖컴퓨터〗 직접 번지. cf. indirect address.

diréct bróadcasting by sátellite ⇨DBS.

diréct bróadcast(ing) sàtellite 〖TV〗 ⇨DBS.

diréct cóst 직접 경비.

diréct cóupling 〖전기〗 (전기 회로 간의) 직접 결합.

diréct cúrrent 〖전기〗 직류《생략: DC》. OPP. *alternating current.* ¶ a ~ dynamo 〔generator〕 직류 발전기 / a ~ motor 직류 전동기.

diréct débit 예금자를 대신하여 은행 계좌에서 하는 공납금 대리 납부.

diréct depósit (급여 따위의) 은행 계좌 입금(제도).

diréct-díal *a.* 다이얼 직통의: a ~ call 다이얼 직통 전화. — *vi., vt.* (교환원을 통하지 않고 원거리의) 다이얼 직통 전화를 하다.

diréct díscourse 〔**narrátion**〕 〖문법〗 직접 화법.

diréct dístance dìaling 《미》 구역외 직통 다이얼 전화《생략: DDD》.

di·réct·ed [-id] *a.* 유도된, 지시받은, 규제된: ~ economy 통제 경제.

diréctéd-énergy wèapon =BEAM WEAPON.

diréct eléctions 직접 선거.

diréct évidence 〖법률〗 (증인이 대는) 직접 증거. OPP. *circumstantial evidence.*

diréct examinátion 〖법률〗 직접 심문(examination in chief)《증인을 불러낸 당사자가 행하는 심문》.

diréct frée kíck 〖축구〗 직접 프리킥.

diréct gránt schòol 《영》 직접 보조 학교《정부의 직접 보조금으로 일정 수의 학생을 수업료 면제로 교육하는 사립학교》.

diréct-injéction *a.* (디젤 엔진이) 연료 직접 분사(식)의.

diréct ínput 〖컴퓨터〗 **1** (키보드 따위로 하는) 직접 입력. **2** =DIRECT INPUT DEVICE.

diréct ínput devìce 〖컴퓨터〗 (키보드 따위의) 직접 입력 장치.

‡**di·rec·tion** [dirékʃən, dai-] *n.* **1** 지도, 지휘; Ⓤ 감독; 관리; 〖영화 · 연극〗 감독; 연출: under the ~ *of* …의 지휘〔지도〕 아래. **2** (보통 *pl.*) 지시, 명령; 지시서, (사용법) 설명: ~*s for* use 사용법 / give ~*s* 지시하다. **3** (우편물의) 수령인 주소 성명(address). **4** Ⓒ,Ⓤ 방향, 방위; 방면: a ~ indicator 〖항공〗 방향 지시기 / angle of ~ 방위각 / a sense of ~ 방향 감각. **5** (행동 · 사상 등의) 방침; 경향, 추세: the ~ *of* contemporary thought 현대 사조 / new ~*s* in art 예술의 새로운 경향. ***Full ~s inside.*** 상세한 사용법은 안에 들어 있음《약갑의 표시문》. ***in all ~s*** =***in every ~*** 사방팔방으로. ***in*** 〔***from***〕 ***the ~ of*** …의 방향으로〔에서〕.

di·rec·tion·al [dirékʃənəl, dai-] *a.* 방향의; 〖통신〗 방향 탐지의, 지향성의: a ~ antenna 지향성 안테나 / a ~ arrow 〔marker, post〕 도표(道標), 안내 표지 / ~ light (자동차 따위의) 방향 지시등.

diréction àngle 〖수학〗 방향각.

diréction còsine 〖수학〗 방향 코사인.

diréction fìnder 〖통신〗 방향 탐지기, 방위 측정기.

diréction ìndicator 〖항공〗 정침의(定針儀)《항상 같은 방위를 나타내는 비행용 계기》; 방향 지시기, 방향계(計).

di·rec·tive [diréktiv, dai-] *a.* 지시하는; 지도〔지휘, 관리, 지배〕하는《*of*》; 〖통신〗 지향성의. — *n.* 지령(order); 작전 명령. ㊀ **~·ly** *ad.* **~·ness** *n.* 〖통신〗 지향성.

di·rec·tiv·i·ty [direktívəti, dài-] *n.* 방향성,

diréct lábor 직접 노동《생산에 직접 쓰이는 노동으로 비용 계산이 용이; 정부 등에 의한 직접 고용 노동》.

díréct líghting 직접 조명.

‡**di·rect·ly** [diréktli, dai-] *ad.* **1** 똑바로, 직접: The path leads ~ to the lake. 오솔길은 곧장 호수로 통하고 있다. **2** 곧, 즉시: Do that ~. 즉시 그것을 해라. **3** 이내, 머지않아, 이윽고: They will be here ~. 머지않아 그들이 나타날 것이다. **4** 바로: ~ opposite the store 가게의 바로 맞은쪽에. — *conj.* 《영구어》 …하자마자(as soon as): *Directly* he arrived, he mentioned the subject. 그는 오자마자 그 이야기를 꺼냈다.

diréct máil 디렉트 메일《직접 개인이나 가정으로 보내는 광고 우편물》.

diréct márketing =DIRECT SELLING.

diréct mémory àccess 〖컴퓨터〗 직접 메모리 접근《생략: DMA》.

diréct mèthod (the ~) 직접 교수법《외국어로만 교수하는 방법》.

diréct óbject 〖문법〗 직접 목적어.

Di·rec·toire [direktwɑ́ːr] *n.* 집정부(執政府)《프랑스 혁명 때의 내각; 1795-99》. — *a.* 집정부 시대풍의《복장 따위》.

‡**di·rec·tor** [diréktər, dai-] (*fem.* **-tress** [-tris]) *n.* **1** 지도자, …장; 관리자. **2** (고등학교의) 교장; (관청 등의) 장, 국장; (단체 등의) 이사; (회사의) 중역, 이사: the board of ~*s* 이사회. **3** 〖음악〗 지휘자; 〖영화〗 감독; 〖연극〗 연출가(《영》 producer). **4** (프랑스 혁명 정부의) 집정관. **5** 〖군사〗 (여러 문의 포화의 동시 발사용) 전기 조준기; 〖기계〗 지도자(指導子); 〖의학〗 유구 탐침(有溝探針). ***the Director of Public Prosecutions*** 《영》 공소국 장관. ㊀ **~·ship** *n.* Ⓤ ~의 직〔임기〕.

di·rec·tor·ate [diréktərət, dai-] *n.* director 의 직, 관리직; 중역회, 이사회(board of directors).

diréctor géneral 총재, 사장, 회장, 장관.
di·rec·to·ri·al [direktɔ́ːriəl, dàirek-] *a.* **1** 지휘상〔지도상〕의, 지휘(자)의, 관리자의. **2** (D-) 〚프랑스사〛 프랑스 집정 내각의.
diréctor's chàir (앉는 자리와 등받이에 캔버스를 댄) 접의자《영화감독들이 사용한 데서》.
diréctor's cút 〚영화〛 감독판(版)《일반 상영을 위한 수정이 가해지기 전에 감독이 편집한 영화》.
◇**di·rec·to·ry** [diréktəri, dai-] *n.* **1** 주소 성명록, 인명부; (빌딩의) 사용자 안내판: a business ~ 상공인 성명록. **2** 전화 번호부(telephone ~). **3** 지령〔훈령〕집, 규칙서; (교회의) 예배 규칙서. **4** 중역회, 이사회. **5** (the D-) (프랑스 혁명 때의) 집정부(Directoire). **6** 〚컴퓨터〛 자료방, 디렉터리《(1) 외부 기억 장치에 있는 파일 목록. (2) 특정 파일 특징의 기술서(記述書)》. **—** *a.* 지도〔지휘, 관리〕의; 〚법률〛 훈령적인.
diréctory assístance 《미》 (전화 회사의) 번호 안내 서비스(《영》 =**diréctory enquíries**).
diréct prímary 〚미정치〛 직접 예비 선거《정당원의 직접 투표에 의한 정당의 후보자 선출》.
diréct propórtion 〔**rátio**〕 〚수학〛 정비례〔정비(正比)〕.
diréct respónse 예상 손님으로부터 직접 주문을 얻기 위해 하는 광고의 일종《잡지 · 신문에 첨부한 쿠폰에 의한 주문이나 텔레비전 또는 직접 전화로 주문하도록 호소하는 광고 등》.
di·rec·trix [diréktriks, dai-] (*pl.* **~·es, *di·rec·tri·ces*** [-iz], [diréktrəsìːz, dai-]) *n.* **1** 《고어》 director인 여성(directress). **2** 〚수학〛 준선(準線). **3** 〚군사〛 주선(主線)《사계(射界)의 중심선》.
diréct rúle (중앙 정부에 의한) 직접 통치.
diréct sélling (중간 업자를 통하지 않고 행하는) 직접 판매, 직매, 직판 (=**diréct sále**).
diréct spéech 《영》 =DIRECT DISCOURSE.
diréct súm 〚수학〛 직합(直合).
diréct táx 직접세.
diréct taxátion (직접세에 의한) 직접 과세.
diréct variátion 〚수학〛 순변분(順變分). cf. inverse variation.
diréct-vísion spèctroscope 〚물리〛 직시 분광기(直視分光器).
diréct wáve 〚통신〛 직접파(直接波).
dire·ful [dáiərfəl] *a.* 무서운; 비참한; 불길한. ㊞ **~·ly** *ad.* **~·ness** *n.*
dirge [dəːrdʒ] *n.* 만가(輓歌), 애도가. ㊞ **~·ful** [-fəl] *a.* 장송의, 슬픔의.
dir·ham [diərhǽm, dirǽm, dírəm] *n.* 디르함《쿠웨이트 · 모로코 등지의 화폐 단위; 기호 DH》.
dir·i·gi·bil·i·ty [dìrədʒəbíləti, dirídʒə-] *n.* Ⓤ 조종 가능(성).
dir·i·gi·ble [dírədʒəbəl, dirídʒə-] 〚항공〛 *a.* 조종할 수 있는. **—** *n.* 비행선(airship).
di·ri·gisme [dìːriʒísəm, -zəm] *n.* 《F.》 〚경제〛 통제 경제 정책. ㊞ **-giste** [-dʒíst] *a.* 「는.
dir·i·ment [dírəmənt] *a.* (완전히) 무효로 하
díriment impédiment 〚법률〛 절대 장애《결혼을 처음부터 절대 무효로 하는 장애》.
dirk [dəːrk] *n.* (스코틀랜드 고지 사람 · 해군 사관후보생의) 단검, 비수. **—** *vt.* 단검으로 찌르다.
dirn·dl [də́ːrndl] *n.* 오스트리아 티롤 지방 농민의 소녀복; 그것을 모방한 여성복〔스커트(=~ **skirt**)〕.
⁑**dirt** [dəːrt] *n.* Ⓤ **1** 진흙(mud); 쓰레기, 먼지; 불결물, 오물. **2** 흙(soil); 〚광물〛 잔재; 《미》 정원용 흙: a ~ floor 봉당. **3** 불결〔비열〕한 언동; 욕; 뒷공론; 음담패설: talk ~ 추잡한 말〔음담패설〕을 하다. **4** 무가치한 것; 비열한 사람. **5** 《미속어》 금전: yellow ~ 《경멸》 돈. (**as**) ***cheap as*** ~ 《구어》 굉장히 싼(~-cheap). ***cast*** 〔***fling, throw***〕 ~ ***at*** 〔***on***〕 …을 매도하다, 욕을 하다. ***cut*** ~ 《미속어》 (급히) 도망치다; 뛰다. ***dig*** ~ =***dish the*** ~ 《미속어》 험담을 하다, 소문을 퍼뜨리다. ~ ***under*** one***'s feet*** 시시한 것. ***do*** 〔***play***〕 a person ~ 《구어》 아무에게 비열한 짓을 하다, 중상하다. ***eat*** ~ 굴욕을 당하다〔참다〕; 《미구어》 (치욕을 참고) 사과하다. ***hit the*** ~ 《미야구속어》 베이스에 미끄러져 들어가다; 달리는 차에서 뛰어내리다; (포탄을 피하려고) 엎드리다, 대피소로 뛰어들다. ***treat*** a person ***like*** (***a piece of***) ~ 아무를 함부로 다루다.
dírt-bàg, -bàll *n.* 《미속어》 쓰레기 청소인; 더러운〔추잡스러운〕 자식.
dírt bèd 〚지학〛 이토층(泥土層).
dírt·bìke *n.* (비포장 도로용) 오토바이.
dírt-chéap *a.*, *ad.* 《구어》 턱없이 싼, 싸구려의; 갯값으로.
dírt-èating *n.* Ⓤ (야만인의) 흙 먹는 풍습; 흙을 먹는 병, 토식증(土食症).
dírt fàrm (대농장에 대하여) 보통의 농장.
dírt fàrmer 《미구어》 (gentleman farmer에 대해서) 실제로 경작하는 농부, 자작농.
dírt póor 몹시 가난한, 찰가난의.
dírt róad 《미》 비포장 도로, 흙길.
dírt tràck 석탄재를〔진흙을〕 깐 경주로.
†**dirty** [də́ːrti] (***dirt·i·er; dirt·i·est***) *a.* **1** 더러운, 불결한; (손발이) 더러워지는《일 따위》. OPP. *clean.* **2** 흙투성이의; (길이) 진창인; (상처가) 곪은: a ~ wound 곪은 상처. **3** 음란한, 추잡한, 외설적인; 더러운, 비열한, 천한(base², mean²). **4** 《미구어》 돈 많은, 엄청난 이(利)를 본. **5** 불쾌한, 유감천만인. **6** 공정하지 못한, 교활한; 〚경기〛 난폭한 플레이나 반칙이 많은, 거친; (변동 환시세가) 정부의 개입을 받은: ⇨ DIRTY WORK / DIRTY FLOAT. **7** 심술궂은, 무례한《말 따위》; (눈치 등) 불쾌한 빛의, 적의에 찬; 날씨가 궂은(stormy): ⇨ DIRTY WORD / ~ weather 사나운 날씨. **8** (빛깔이) 우중충한, 칙칙한; (목소리 · 소리가) 쉰〔잠긴〕, 가락이 빗나간; 《속어》 삑삑하는〔새된, 귀에 거슬리는〕 소리의《나팔 따위》. **9** 《구어》 유선형이 아닌, (항공기가) 착륙 장치〔플랩 따위〕를 내린 채의. **10** (수폭 등) 방사성 강하물이 많은, 대기 오염률이 높은: a ~ bomb (방사능이 많은) 더러운 폭탄(OPP. *clean bomb*). **11** 《미속어》 마약 중독의, 마약을 갖고 있는. **12** 《속어》 대단한. ***a*** ~ ***weekend*** 《구어》 불륜을 계획한 주말: go for *a* ~ *weekend* 주말에 불륜을 저지르다. ***do the*** ~ ***on ...*** 《구어》 …에게 비열한〔부당한〕 짓을 하다. ***give*** a person ***a*** ~ ***look*** 아무를 화난〔비난의〕 눈초리로 보다. ***get the*** ~ ***end of the stick*** 《구어》 부당한 취급을 받다, 혹평당하다, 야단맞다, 싫은 일을 하게 되다.
— *ad.* **1** 더럽게, 부정하게, 비열하게: fight ~ 비열하게 싸우다. **2** 《영속어》 몹시. **—** *vt.* (손발, 인격, 명성 따위를) 더럽히다. **—** *vi.* 더러워지다.
㊞ **dírt·i·ly** *ad.* **-i·ness** *n.* 불결; 천함; 비열.
dírty bòmb 더러운 폭탄 《저준위 동위원소를 사용해 방사능 물질을 퍼뜨리는 테러용 폭탄》.
dírty flòat 〚경제〛 당국이 과도히 시장 개입하는 변동 시세제. 「어리석은 놈, 조롱거리.
dírty jóke 외설적인 농담; 《속어》 몹시 추한 놈,
dírty línen 집안의 수치, 창피스러운 일. ***wash*** one***'s*** ~ ***in public*** 남 앞에서 내분 상태를 보이다〔집안의 수치를 드러내다〕.
dírty-mínded [-id] *a.* 마음이 더러운, 상스럽게〔악의로〕 해석하는.
dírty móney 부정한 돈; 더러운 일에 대한 특별수당, 오염 수당, 위험 수당.
dírty-néck *n.* 《미속어》 노무자; 농사꾼; 이민.
dírty òld mán 《구어》 색골 영감, 색정광.

dírty póol 《미속어》 치사한 행위, 부정한 방법.
dírty sháme 극히 유감스러운 일, 정말이지 억울한〔불운한〕 상황.
dírty trick 비겁한 수법〔짓〕; (*pl.*) (선거 운동의 방해, 정부의 전복 등을 목적으로 한) 부정(不正) 공작.
dírty wórd **1** 외설스러운〔추잡한〕 말. **2** 금구(禁句), 해서는 안 될 말.
dírty wòrk 좋지 않은 더러운 일; 싫은 일; 《구어》 부정행위, 속임수, 야바위: ~ at the crossroads 《속어》 모략; 《속어》 성행위.
Dis [dis] *n.* **1** 〖로마신화〗 디스(저승의 신). ★ 그리스 신화의 Pluto. **2** 저승, 지옥(the lower world).
dis [dis] (**-ss-**) *vt.* 《미속어》 …을 경멸하다, 낮추보다(=**diss**). [◂ *dis*respect]
dis- [dis] *pref.* '비(非)…, 무…, 반대, 분리, 제거' 따위의 뜻을 나타내고, 또 부정의 뜻을 강조함: *dis*content, *dis*entangle.
dis. discharge; disciple; discipline; discount; distance; distribute.
°**dis·a·bil·i·ty** [dìsəbíləti] *n.* Ⓤ,Ⓒ 무력, 무능; 불구; Ⓤ 〖법률〗 무능력, 무자격: ~ insurance 신체 장애 보험.
disabílity clàuse 〖보험〗 폐질〔신체 장애〕 조항《피보험자가 불구가 된 경우 보험료 면제 따위를 규정》.
disabílity insùrance 〖보험〗 신체 장해 보험, 폐질 보험.
disabílity lèave 《미》 일시적 노동 불능 휴가.
***dis·a·ble** [diséibəl] *vt.* **1** 《~+목/+목+전+명》 쓸모없게 만들다, 무능〔무력〕하게 하다《*from* do*ing*; *for*》: people ~*d* by age 나이가 들어 쓸모없게 된 사람들 / ~ oneself *from* walk*ing* by a fall 넘어져서 걸을 수 없게 되다. **2** 불구로 만들다; 〖법률〗 무능력〔무자격〕하게 하다; (기계를) 고장나게 하다; (배를) 항행 불능케 하다: He was ~*d* in the war. 그는 전쟁으로 불구가 되었다. **3** 〖컴퓨터〗 불능케 하다 《(1) (하드웨어·소프트웨어 상의) 기능을 억지하다. (2) IC의 특정 핀에 전압을 가하여 출력 기능을 억지하다》. ⓜ **~·ment** *n.* Ⓤ 무력화; 무능; 폐질, 불구.
dis·á·bled *a.* 불구가〔무능력하게〕 된: a ~ list 〖야구〗 부상 결장(缺場) 선수 리스트 / a ~ soldier 상이병 / a ~ car 고장차, 폐차 / a ~ ship 폐선.
disábled lìst (야구 따위의) 유고자 명단《이 명단에 오르면 당분간 경기에 나가지 못함; 생략: DL》.
disáblement bènefit 《영》 (국민 보험 제도에서) 폐질급부〔장해 보상금〕.
dis·a·buse [dìsəbjúːz] *vt.* 《~+목/+목+전+명》 …의 어리석음을 깨우치다, (그릇된 관념·잘못 따위를) 깨닫게 하다《*of*》: ~ a person *of* superstition 아무를 미신에서 깨어나게 하다.
di·sac·cha·ride [daisǽkəràid, -rid] *n.* 〖화학〗 이당(류)(二糖(類))《sucrose, lactose, maltose 등》.
dis·ac·cord [dìsəkɔ́ːrd] *vi.* 일치하지 않다, 화합하지 않다, 다투다《*with*》. **—** *n.* Ⓤ 불일치, 불화, 충돌.
dis·ac·cred·it [dìsəkrédit] *vt.* …의 자격을 뺏다, …에 대한 인정을 취소하다.
dis·ac·cus·tom [dìsəkʌ́stəm] *vt.* …의 습관을 버리게 하다: In the country I was quickly ~*ed* of sleeping late. 시골에서 나는 늦잠자는 버릇을 곧 고쳤다.
****dis·ad·van·tage** [dìsədvǽntidʒ, -vɑ́ːn-] *n.* **1** Ⓒ 불리, 불이익; 불리한 사정〔입장, 조건〕, 핸디캡: under (great) ~*s* (크게) 불리한 상태〔처지〕에서 / be at a terrible ~ 크게 불리한 입장에 놓이다. **2** Ⓤ 손해, 손실, 불명예《*to*》: sell (goods) to ~ (물건을) 밑지고 팔다. ***take*** a person 〔***be taken***〕 ***at a*** **~** 아무의 약점을 이용하다〔당하다〕, 아무에게 불의의 타격을 가하다〔당하다〕. ***to*** a person***'s*** **~** =***to the*** **~** ***of*** a person 아무에게 불리한, 불리하도록: a rumor *to his* ~ 그에게 불리한 소문. **—** *vt.* (아무를) 불리한 처지에 놓이게 하다, …의 이익을 해치다.
dìs·ad·ván·taged *a.* **1** 불리한 조건에 놓인, 불우한: ~ children. **2** (the ~) 〖명사적; 복수 취급〗 불우한 사람들.
dis·ad·van·ta·geous [disæ̀dvəntéidʒəs, dìsæd-/-vɑːn-] *a.* 불리한, 손해되는; 형편상 나쁜, 불편한. ⓜ **~·ly** *ad.* **~·ness** *n.*
dis·af·fect [dìsəfékt] *vt.* …의 호의를 잃다; …에게 불평〔불만〕을 품게 하다; (특히 권력에서) 이반(離反)시키다(alienate). ⓜ **~·ed** [-id] *a.* 냉담해진; 불만을 품은, 불평이 있는; 모반심을 품은(disloyal): ~*ed to* 〔*toward*〕 the government 반(反)정부적인. **dìsaf·féc·tion** *n.* Ⓤ (특히 정부에 대한) 불만, 불평; (인심의) 이반; 모반심.
dis·af·fil·i·ate [dìsəfílièit] *vt., vi.* 절연(絶緣)〔탈퇴〕시키다〔하다〕.
dis·af·firm [dìsəfə́ːrm] *vt.* 〖법률〗 파기하다, 부인하다; (앞의 말을) 취소하다, 번복하다; 부정〔거부〕하다. ⓜ **~·ance** [-əns] **dìs·af·fir·má·tion** *n.* Ⓤ
dis·af·for·est [dìsəfɔ́ːrist] *vt.* **1** 〖영법률〗 폐림(廢林)하다《삼림법 적용을 해제하여 일반 토지로 함》. **2** …의 삼림을 개척하다, 다 벌채해 버리다. ⓜ **dìs·af·for·es·tá·tion** *n.* Ⓤ
dis·ag·gre·gate [disǽgrigèit] *vt., vi.* 성분으로〔구성 요소로〕 분해하다〔되다〕《집적물 따위》. **—** *a.* 낱낱의. ⓜ **dìs·ag·gre·gá·tion** *n.*
dis·ag·gre·ga·tive [disǽgrigèitiv] *a.* 구성 요소로 나뉘어진; 개별 단위의.
****dis·a·gree** [dìsəgríː] *vi.* **1** 《~/+전+명》 일치하지 않다, 다르다《*with*; *in*》: Your theory ~*s with* the facts. 당신의 설은 사실과 일치하지 않소. **2** 《~/+전+명》 의견이 다르다(differ), 다투다(quarrel)《*with*》: He ~*d with* me *on* every topic. 그는 어떤 문제에서나 나와 의견이 달랐다. **3** 《+전+명》 (기후·음식 등이) 적합하지 않다, 맞지 않다, 해가 〔독이〕 되다《*with*》: Excessive drinking ~*s with* health. 과음하면 건강을 해친다.
***dis·a·gree·a·ble** [dìsəgríːəbəl] *a.* 불유쾌한, 마음에 들지 않는, 싫은; 까다로운, 사귀기 힘든. opp. *agreeable*. **—** *n.* (보통 *pl.*) 불유쾌한〔싫은〕 일. ⓜ **-bly** *ad.* **~·ness** *n.*
***dis·a·gree·ment** [dìsəgríːmənt] *n.* Ⓤ 불일치, 의견의 상위(dissent); Ⓒ 논쟁, 불화; Ⓤ (체질에) 안 맞음, 부적합.
dis·al·low [dìsəláu] *vt.* 허가〔인정〕하지 않다, 금하다; 각하(却下)하다(reject); 부인하다. ⓜ **~·ance** [-əns] *n.* Ⓤ
dis·am·big·u·ate [dìsæmbígjuèit] *vt.* (문장·서술 따위의) 애매한 점을 없애다, 명확하게 하다. ⓜ **-am·big·u·á·tion** *n.*
dis·a·men·i·ty [dìsəménəti, -míːn-] *n.* 《영》 (장소·기후 따위의) 불쾌, 불편, 부적당; (*pl.*) 불쾌한 표정.
dis·an·nul [dìsənʌ́l] (**-ll-**) *vt.* (완전히) 취소하다, 무효로 하다. ⓜ **~·ment** *n.*
****dis·ap·pear** [dìsəpíər] *vi.* 《~/+전+명》 사라지다, 모습을 감추다《*from*》; 없어지다, 소실되다, 소멸되다; 실종하다. opp. *appear*. ¶ ~ *in* the crowd 군중 속으로 사라지다 / ~ *from* sight 〔view〕 보이지 않게 되다 / The problem may ~. 문제는 저절로 소멸될지도 모른다.

> **SYN.** **disappear** 보이던 것이 안 보이게 되다. **fade** 서서히 희미해지면서 사라지다, 흔적이 있기도 함→바래다. **vanish** 갑자기 또는 흔적도 없이 사라지다, 완전히 소멸되다.

◇**dis·ap·pear·ance** [dìsəpíərəns] *n.* Ⓤ 소실, 소멸; 실종: an unexplained ~ 행방불명/~ from home 가출.

disappéaring àct (말할 상대가) 갑자기 사라짐.

⁑**dis·ap·point** [dìsəpɔ́int] *vt.* **1** 실망시키다, 낙담시키다, …의 기대에 어긋나게 하다: The result ~*ed* us. 그 결과는 우리를 실망시켰다. **2** …의 실현을 방해하다; (계획 따위를) 좌절시키다 (upset): It ~*ed* my plans 〔hopes〕. 그 때문에 내 계획〔희망〕이 좌절되었다.

*__dis·ap·point·ed__ [dìsəpɔ́intid] *a.* **1** 실망한 《*about; in; with*》; 낙담한《*at* do*ing; to* do》: be ~ *about* the election result 선거 결과에 실망하다/be ~ *in* love 실연하다/I am ~ *in* 〔*with*〕 you. 네겐 실망했다/They are ~ *with* each other. 그들은 서로에게 실망을 느끼고 있다/I was very ~ *at* hear*ing* 〔*to* hear〕 the test result. 시험 결과를 듣고 몹시 낙담했다. **2** (계획·희망이) 수포로 돌아간, 기대에 어긋난. ***be agreeably*** ~ 기우로 끝나 기뻐하다. ***be*** ~ ***of one's purpose*** 기대가 어긋나다. ㊞ **~·ly** *ad.* 실망하여, 낙담하여.

dìs·ap·póint·ing *a.* 실망시키는, 기대에 어긋나는, 맥 풀리는, 하잘것없는. ㊞ **~·ly** *ad.* **~·ness** *n.*

*__dis·ap·point·ment__ [dìsəpɔ́intmənt] *n.* Ⓤ 실망, 기대에 어긋남; Ⓒ 실망시키는 것, 생각보다 시시한 일〔것, 사람〕: have 〔suffer〕 a great ~ 몹시 실망하다/To my ~, the picnic was cancelled. 실망스럽게도, 소풍은 취소되었다. ***to save*** ~ 뒤에 실망하지 않도록.

dis·ap·pro·ba·tion [dìsæprəbéiʃən] *n.* Ⓤ =DISAPPROVAL.

dis·ap·pro·ba·to·ry, dis·ap·pro·ba·tive [disǽprəbèitəri/-təri], [-tiv] *a.* 불가하다고 하는; 불만〔비난〕의 (뜻을 나타내는).

*__dis·ap·prov·al__ [dìsəprúːvəl] *n.* Ⓤ 안 된다고 하기; 불찬성; 반대 의견, 불만; 비난.

*__dis·ap·prove__ [dìsəprúːv] *vt.* …을 안 된다고 하다, 불가하다고 하다; 인가〔승인, 찬성〕하지 않다; 비난하다; 불만을 표시하다: ~ her rash conduct 그녀의 경솔한 행동을 비난하다. **—** *vi.* 《+전+명》 찬성하지 않다《*of*》: Christian ethics ~ *of* suicide. 기독교 윤리는 자살을 부정한다. OPP. *approve.* ㊞ **-próv·er** *n.*

dìs·ap·próv·ing·ly *ad.* 불가하다고 하여, 불찬성하여; 비난하여; 불만스러운 듯이, 비난하듯.

◇**dis·arm** [disáːrm] *vt.* **1** 《~+목/+목+전+명》 …의 무기를 거두다, 무장 해제하다: ~ a person *of* his weapons 아무에게서 무기를 빼앗다. **2** (폭탄·지뢰 등의 뇌관을) 제거하다; (…의) 공격〔방어〕 수단을 빼앗다. **3** (노여움을) 진정시키다, 가라앉히다; (적의·공포를) 없애다; 무해하게 하다: Religion ~*s* death *of* its terror. 종교를 믿으면 죽음이 두렵지 않게 된다. **—** *vi.* 무장을 해제하다; 군비를 축소〔철폐〕하다.

*__dis·ar·ma·ment__ [disáːrməmənt] *n.* Ⓤ **1** 무장 해제. **2** 군비 철폐〔축소〕. OPP. *armament.* ¶ a ~ conference 〔talk〕 군축 회의.

Disármament Commìssion 군축 위원회 《UN 기구의》.

dis·árm·er *n.* 비무장〔군축〕론자.

dis·árm·ing *a.* (적의·의혹 따위를) 가시게 하는, (상대방의) 경계심을 풀게 하는, 안심시키는; 천진한, 붙임성 있는: a ~ smile 붙임성 있는 상냥한 웃음. ㊞ **~·ly** *ad.*

dis·ar·range [dìsəréindʒ] *vt.* 어지럽히다, 혼란시키다: The wind ~*d* her hair. 바람에 그녀의 머리가 헝클어졌다. ㊞ **~·ment** *n.* Ⓤ,Ⓒ

dis·ar·ray [dìsəréi] *vt.* =DISARRANGE; 《고어·시어》 …의 옷을 벗기다, 벌거벗기다. **—** *n.* Ⓤ 무질서, 혼란, 난잡; 단정치 못한 복장〔모습〕.

dis·ar·tic·u·late [dìsɑːrtíkjəlèit] *vt., vi.* (관절 등이) 물러나〔퉁겨지〕(게 하)다; 해체하다〔되다〕. ㊞ **dìs·ar·tìc·u·lá·tion** *n.* Ⓤ,Ⓒ 관절 이탈.

dis·as·sem·ble [dìsəsémbəl] *vt.* 해체하다, 분해하다. ㊞ **-bly** *n.* Ⓤ 분해, 해체(된 상태).

dis·as·sem·bler [dìsəsémblər] *n.* 〖컴퓨터〗 역(逆)어셈블러.

dis·as·sim·i·late [dìsəsíməlèt] *vt.* 〖생리〗 분해〔이화(異化)〕하다. ㊞ **dìs·as·sim·i·lá·tion** *n.* 분해.

dis·as·so·ci·ate [dìsəsóuʃièit, -si-] *vt.* = DISSOCIATE. ㊞ **dìs·as·sò·ci·á·tion** *n.* =DISSOCIATION.

dis·assórtative máting 〖생물〗 이류교배(異類交配).

⁑**dis·as·ter** [dizǽstər, -záːs-/-záːs-] *n.* **1** 천재; 재해, 재난, 참사; 흉사: A nuclear war would be a ~. 핵전쟁은 참화를 불러올 것이다.

> **SYN.** **disaster** 개인이나 사회 전반의 큰 재해로 생명·재산 따위의 손실이 따름. **catastrophe** 비참한 결과를 가져오는 재해로 개인이나 특정 집단의 경우에 씀. **calamity** 큰 고통과 슬픔을 가져오는 재해나 불행으로서 catastrophe 보다 뜻은 약함.

2 큰실패: The party was a ~. 파티는 실패작이었다.

disáster àrea 《미》 (홍수·지진 따위의) 재해 지구《구조법의 적용 지구》.

disáster film 〔**mòvie**〕 패닉 영화《재해를 주제로 한 영화》.

*__dis·as·trous__ [dizǽstrəs, -áːs-/-áːs-] *a.* 비참한; 재난의, 재해의, 손해가 큰; 《고어》 불운한, 불길한. ㊞ **~·ly** *ad.* **~·ness** *n.*

dis·a·vow [dìsəváu] *vt.* 부인하다, 거부하다. ㊞ **~·al** [-əl] *n.* Ⓤ,Ⓒ 부인, 거부.

dis·bal·ance [disbǽləns] *n.* 불균형(imbalance).

dis·band [disbǽnd] *vt.* (군대 등을) 해산하다; (군인을) 제대시키다. **—** *vi.* 해산하다. ㊞ **~·ment** *n.* Ⓤ

dis·bar [disbáːr] (*-rr-*) *vt.* 〖법률〗 법조계에서 추방〔제명〕하다, …의 변호사 자격을 박탈하다. ㊞ **~·ment** *n.* Ⓤ

*__dis·be·lief__ [dìsbilíːf] *n.* Ⓤ 믿지 않음, 불신, 의혹《*in*》; 불신앙.

dis·be·lieve [dìsbilíːv] *vt., vi.* 믿지 않다; (진실성 등을) 의심하다《*in*》: ~ every word 한 마디도 믿지 않다. ㊞ **-liév·er** *n.* 믿지 않는 사람; 불신자, 신앙 부인자.

dis·bench [disbéntʃ] *vt.* 《영》 …의 법학원 이사(bencher)의 직〔자격〕을 박탈하다.

dis·ben·e·fit [disbénəfit] *n.* 불이익, 손실.

dis·bos·om [disbúzəm, -búːz-] *vt.* 심중을 털어놓다, 고백하다.

dis·bound [disbáund] *a.* 철(綴)한 것이 부실해서 책에서 떨어져 나간《인쇄물》.

dis·branch [disbrǽntʃ, -bráːntʃ/-bráːntʃ] *vt.* …의 가지를 치다; 잘라버리다(sever).

dis·bud [disbʌ́d] (*-dd-*) *vt.* (쓸데없는) 싹을 〔봉오리를〕 따내다.

dis·bur·den [disbə́ːrdn] *vt.* …에서 짐을 내리다; …에서 부담을 제거하다, 해방시키다; 무거운 짐을 풀다; (마음의) 무거운 짐을 벗다; (노여움·불만을) 털어놓다; (심중을) 토로하다. **—** *vi.* 무거운 짐을 내리다; 한시름 놓다, 안심하다:

He *~ed* himself *of* cares. 걱정거리를 털어버리고 안심했다 / ~ one's conscience by confession 고백하여 양심의 괴로움을 벗다. ~ one***self*** = ~ one***'s mind*** 마음의 무거운 짐을 벗다.

dis·burse [disbə́ːrs] *vt.* 지급[지출]하다. ㊕ **~·ment** *n.* [U] 지급, 지출; [C] 지급금.

◇**disc** ⇨ DISK.

disc- [dísk], **dis·ci-** [dísi, díski], **dis·co-** [dískou, -kə] *pref.* '원반 · 레코드'의 뜻.

disc. discount; discover(ed); discoverer.

dis·caire [diskέər] *n.* (디스코의) 레코드 담당.

dis·cal [dískəl] *a.* 평원(반) 모양의.

dis·calced, dis·cal·ce·ate [diskǽlst], [-kǽlsiət, -sièit] *a.* (수도사가) 맨발의.

dis·cant [dískænt] *vi.*, *n.* = DESCANT.

◇**dis·card** [diskáːrd] *vt.* **1** (불필요한 것을) 버리다, 처분[폐기]하다: The plans were *~ed.* 그 계획은 폐기되었다. **2** 〖카드놀이〗 (쓸데없는 패를) 버리다. **3** (아무를) 해고하다(discharge). **—** *vi.* 〖카드놀이〗 카드를 버리다. **—** [⌐–] *n.* [U] 버리기, 폐기; [C] 버림받은 것[사람]; [U] 〖카드놀이〗 패를 버리기, [C] 버리는 패: go [throw] into the ~ 버림받다, 폐기되다, 잊혀지다.

dis·car·nate [diskáːrnət, -neit] *a.* 육체가 없는, 무형의.

dis·cept [disépt] *vi.* 의논[논쟁]하다, 이의를 제기하다.

***dis·cern** [disə́ːrn, -zə́ːrn] *vt.* **1** 《~+[목]/+[목]+[전]+[명]》 분별하다, 식별하다: ~ good *and* [*from*] evil 선악을 분별하다. **2** 《~+[목]/+*that* [절]/+*wh.* [절]》 인식하다, 알다, 이해하다, 깨닫다; 발견하다: ~ a distant figure 멀리 있는 사람의 모습을 발견하다 / I *~ed that* he was plotting something. 그가 뭔가 음모를 꾸미고 있음을 알았다 / It's difficult to ~ *what* changes should be made in this case. 이 경우에 어떤 변경을 해야 할지 알아차리기가 힘들다. [SYN.] ⇨ NOTICE. **—** *vi.* 《+[전]+[명]》 다름을 깨닫다, 식별하다: ~ *between* the true and the false 참과 거짓을 식별하다. ㊕ **~·i·ble, ~·a·ble** *a.* 식별[판별, 분간]할 수 있는. **~·ment** *n.* [U] 식별(력), 안식, 통찰(력), 명민(明敏).

dis·cérn·ing *a.* 분별[식별]하는, 안식[보는 눈]이 있는. ㊕ **~·ly** *ad.*

dis·cerp·ti·ble [disə́ːrptəbəl, -zə́ːrp-] *a.* 분리할 수 있는.

dis·cerp·tion [disə́ːrpʃən] *n.* 분리[절단](편(片)).

***dis·charge** [distʃáːrdʒ] *vt.* **1 a** 《~+[목]/+[목]+[전]+[명]》 (배에서) 짐을 부리다, 내리다: ~ a cargo *from* a ship. **b** (차량의 짐 · 승객을) 내리다: The taxi *~d* its passenger *at* the station. 택시는 역에서 손님을 내렸다. **2** 《~+[목]/+[목]+[전]+[명]》 (속박 · 책임 · 의무로부터) 석방하다, 해방하다, 면제하다: ~ prisoners 죄수들을 석방하다 / ~ a person *of* an obligation 아무를 의무로부터 해방시키다. **3** (자기의 책임 · 약속 따위를) 이행[실행]하다; (부채를) 변제하다: ~ one's official duties 공무를 수행하다 / ~ one's responsibility 책임을 이행하다 / ~ a loan 빚을 갚다. **4** 《~+[목]/+[목]+[전]+[명]/+[목]+*as* [보]》 (아무를) 해임하다, 해고하다(dismiss)《*from*》; 제대시키다; (학교에서 학생을) 귀가시키다; (환자를) 퇴원시키다: ~ a housemaid 하녀를 내보내다 / He was *~d from* office *as* incompetent. 그는 회사에서 무능하다고 면직당했다 / He was *~d from* hospital. 그는 퇴원했다. **5** 《+[목]/+[목]+[전]+[명]》 **a** (저수지에서) 물을 방류시키다; (물 · 연기 등을) 방출하다, 뿜어내다; (고름 등을) 짜다: ~ smoke 연기를 뿜어내다 / ~ industrial waste *into* a river 폐수를 강으로 방류하다. **b** 〖~ oneself〗 (강물이) 흘러들다 《*into*》: Han river *~s* it*self into* West Sea. 한강은 서해로 흘러든다. **6** 《+[목]/+[목]+[전]+[명]》 (총포 · 화살을) 발포하다, 쏘다; 발사하다《*at; into*》: ~ a gun *at* a bird 새를 겨누어 쏘다. **7** (다이너마이트를) 폭파하다. **8** 〖전기〗 방전하다. **9** 〖염색〗 탈색하다. **10** 〖법률〗 (명령을) 취소하다. **11** 〖건축〗 (중력을) 고루 배분하다. **—** *vi.* **1** 짐을 내리다[부리다]. **2** 《+[전]+[명]》 (물이) 흘러나오다; (강이) 흘러들어가다《*into*》: The river *~s into* a lake. 강물은 호수로 흘러들어간다. **3** (눈물 · 콧물 · 고름 따위가) 나오다. **4** (총포가) 발사되다. **5** (전지가) 방전하다. **6** (천이) 바래다, 탈색되다; (빛깔이) 날다; (잉크 따위가) 번지다. **7** 해방되다, 방면(放免)되다.

— *n.* [U] **1** 양륙, 짐풀기. **2** [C,U] 발사, 발포; 〖전기〗 방전; 쏟아져나옴; 〖의학〗 객담; 방출, 유출; 배설물, (종기 따위의) 고름; 유출량[률]: a ~ *from* the ears [eyes, nose] 귀고름[눈곱, 콧물]. **3** 해방, 면제; 방면; 책임 해제; (채무 · 계약 등의) 소멸; 퇴원. **4** 제대; 해직, 면직, 해고; [C] 해임장; 제대증: a honorable ~ 명예 제대. **5** (의무의) 수행; (채무의) 이행, 상환. **6** 탈색; [C] 탈색제, 표백제. **7** 〖법률〗 (명령의) 취소.

㊕ **~·a·ble** *a.*

dis·charg·ee [dìstʃaːrdʒíː] *n.* discharge 된 사람.

díscharge làmp 방전 램프(수은등 따위).

dis·chárg·er *n.* **1** 짐을 부리는 사람; 방면자; 이행자; 사수(射手). **2** 배출[사출] 장치; 〖전기〗 방전자(放電子), 방전 장치; 〖염색〗 탈색제, 표백제.

díscharge tùbe 〖전기〗 방전관.

dísc hàrrow 원판 써레《트랙터용 쇄토기》.

dísc hìller 원판 배토기(圓板排土機)《(흙을) 북주는 농기구》.

disc harrow

disci- ⇨ DISC-.

***dis·ci·ple** [disáipəl] *n.* 제자, 문하생, 신봉자; 12사도(Apostles)의 한 사람, 예수의 제자; (D–) 디사이플 교회 신도. ㊕ **~·shìp** *n.* [U] 제자의 신분[기간].

dis·ci·plin·a·ble [dísəplìnəbəl] *a.* 훈련할 수 있는; 징계받을 만한.

dis·ci·pli·nal [dísəplənəl] *a.* 훈련의, 규율[풍기]상의, 징벌의.

dis·ci·plin·ant [dísəplinənt, -plìnənt] *n.* 수행자, 고행자; (D–) 《특히》 (중세 스페인의 엄격한 수도회의) 고행자.

dis·ci·pli·nar·i·an [dìsəplinέəriən] *n.* 훈련자; 규율가, 규율을 지키는 사람, 엄격한 교사. **—** *a.* = DISCIPLINARY.

dis·ci·pli·nary [dísəplənèri/-nəri] *a.* **1** 훈련(상)의. **2** 규율의; 훈계[징계]의: ~ punishment [measures] 징계 처분[수단] / a ~ committee 징계 위원(회). **3** 학과의; 학문 분야로서의.

dis·ci·pline** [dísəplin] *n.* **1** [U,C] 훈련, 훈육; 단련, 수양: military ~ 군사 훈련. **2** 규율, 풍기; 자제(自制). **3** 〖종교〗 고행(苦行); 종규(宗規), 계율. **4** 훈계, 징계, 처벌. **5** 학과, 교과, (학문의) 분야: scholars from various *~s* 여러 학문 분야의 학자들. ***be under ~ 규율이 엄하다, 훈련이 잘 돼 있다. ***keep*** (one's passions) ***under ~*** (정욕을) 억제하다. **—** *vt.* **1** 훈련[단련]하다. [SYN.] ⇨ TEACH. **2** 《~+[목]/+[목]+[전]+[명]》 훈계[징계]하다, 징벌하다: ~ a child *for* bad behavior 버릇이 나빠 아이를 벌주다. **3** (집단을) 통제하다, 질서를 정리하다. ㊕ **-plin·er** *n.*

dís·ci·plined *a.* 훈련[단련]된; 교육을 잘 받은, 규칙 바른.

dis·ci·pling [disáipliŋ] *n.* 수업(修業), 수행, 디사이플링《오순절교(五旬節教)에서 행해지고 있는 제도》.
dísc jòckey 디스크자키《생략: DJ, D.J.》.
dis·claim [diskléim] *vt., vi.* (권리 등을) 포기하다, 기권하다; (요구 등을) 거절하다; (책임 등을) 부인하다. ㊞ **~·er** *n.* (권리) 포기, 기권; 부인; 기권자; 부인〔거부〕자. **dìs·cla·má·tion** [dìskləméiʃən] *n.*
dis·cli·max [diskláimæks] *n.* Ⓤ 〖생태〗 방해극상(妨害極相)《사람이나 가축의 끊임없는 방해를 받아 생물 사회의 안정이 무너지는 일》.
*__dis·close__ [disklóuz] *vt.* **1** (숨겨진 것을) 나타내다; 드러내다. **2** (비밀을) 들추어내다, 폭로〔적발〕하다. SYN. ⇨ REVEAL. **3** 《+목+전+명/+*that* 절》 (비밀 따위를) 털어놓다; 밝히다, 발표하다: He ~*d* the secret *to* his friend. 그는 친구에게 비밀을 밝혔다 / He ~*d that* he had submitted his resignation. 그는 사표를 제출했음을 밝혔다. ㊞ **dis·clós·er** *n.*
◇**dis·clo·sure** [disklóuʒər] *n.* Ⓤ 발각, 드러남, 폭로; 발표; Ⓒ 드러난 일, 숨김없이 털어놓은 이야기; (특허 신청에 기술한) 명세; 기업내용 개시(開示)〔공개〕. ***make a ~ of*** …을 폭로하다.
dis·co [dískou] (*pl.* **~s**) *n.* 《구어》 디스코 (discotheque); Ⓤ 디스코 음악〔춤〕.
disco- ⇨ DISC-.
dis·cob·o·lus [diskábələs/-kɔ́b-] (*pl.* ***-li*** [-lài]) *n.* (고대의) 투원반 선수; (the D-) 투원반 선수상(像)《옛 그리스 Myron 작》.
dis·cog·ra·phy [diskágrəfi/-kɔ́g-] *n.* **1** 수집가가 하는 레코드 분류 (기재법). **2** 레코드 목록《특히 작곡가·연주가별》. **3** 레코드 음악사. ㊞ **-pher** *n.* 디스코그래피 작성자. **dìs·co·gráphi·cal, -gráph·ic** *a.*
dis·coid [dískɔid] *a.* (납작한) 원반 모양의. **—** *n.* 원반 모양의 것.
dis·coi·dal [diskɔ́idl] *a.* 원반 모양의; 〖패류〗 납작한 소용돌이 모양의《조가비》; 〖동물〗 원반 모양으로 융모(絨毛)가 난.
dísco jòckey 디스코 자키《디스코의 사회자·아나운서》.
dis·col·or [diskʌ́lər] *vt.* 변색〔퇴색〕시키다, 더럽히다. **—** *vi.* 변색〔퇴색〕하다, 더러워지다. ㊞ **~·ment** *n.*
dis·col·or·a·tion [diskʌ̀ləréiʃən] *n.* Ⓤ 변색, 퇴색; Ⓒ 얼룩.
dis·com·bob·u·late [dìskəmbábjəlèit/-bɔ́b-] *vt.* 《미구어》 혼란시키다.
dìs·com·bób·u·lat·ed [-id] *a.* 《구어》 어지러운, 허둥대는; 기묘한, 이상한; 《속어》 술에 취한.
dis·com·fit [diskʌ́mfit] *vt.* **1** (계획·목적을) 깨뜨리다, 좌절시키다, 의표를 찌르다. **2** 당황케 하다(disconcert), 쩔쩔매게 하다; 실망시키다. **3** 《고어》 쳐부수다, 패주시키다. ㊞ **-fi·ture** [-fətʃər] *n.* Ⓤ 계획 따위의 실패, 좌절; 당황, 당혹; Ⓤ,Ⓒ 패주(敗走), 패배.
◇**dis·com·fort** [diskʌ́mfərt] *n.* Ⓤ **1** 불쾌, 불안; Ⓒ 싫은〔불안한〕 일. **2** 불편, 곤란, 슬픔. **—** *vt.* 불쾌〔불안〕하게 하다, 괴롭히다. ㊞ **~·a·ble** *a.* 《고어》 =UNCOMFORTABLE.
discómfort ìndex 불쾌지수《생략: DI》.
dis·com·mode [dìskəmóud] *vt.* …에게 불편을 느끼게 하다, …에게 폐를 끼치다; 곤란하게 하다, 괴롭히다.
dis·com·mon [diskámən/-kɔ́m-] *vt.* 〖법률〗 (울타리를 둘러) 사유지로 하다《공유지를》; 《영대학》 (상인에게) 학생과의 거래를 금하다.
dis·com·pose [dìskəmpóuz] *vt.* …을 불안하게 하다, 뒤숭숭하게 하다, 괴롭히다. ㊞ **~d** *a.* 침착〔평정〕을 잃은. **-pós·ed·ly** [-idli] *ad.* 침착〔평정〕을 잃고, 마음을 졸여. **-pós·ing·ly** *ad.* 불안을 느끼게 할 정도로.
dis·com·po·sure [dìskəmpóuʒər] *n.* Ⓤ 뒤숭숭함, 심란, 불안; 당황, 혼란.
dis·con·cert [dìskənsə́ːrt] *vt.* …을 당황케 하다, 쩔쩔매게 하다; (계략 따위를) 깨뜨리다, 방해하다, 좌절시키다, 뒤엎다; 허를 찌르다. SYN. ⇨ CONFUSE. ㊞ **~·ment, -cér·tion** *n.*
dìs·con·cért·ed [-id] *a.* 당혹한, 당황한. ㊞ **~·ly** *ad.* **~·ness** *n.*
dìs·con·cért·ing *a.* 당황케 하는, 혼란케 하는; 불안을 느끼게 하는. ㊞ **~·ly** *ad.*
dis·con·firm [dìskənfə́ːrm] *vt.* …의 부당성을 증명하다; 명령을 거절하다. ㊞ **-fir·má·tion** *n.*
dis·con·form·a·ble [dìskənfɔ́ːrməbəl] *a.* 〖지학〗 비정합(非整合)의〔에 관한〕.
dis·con·form·i·ty [dìskənfɔ́ːrməti] *n.* Ⓤ **1** 〖지학〗 (지층의) 평행 부정합(不整合). **2** 《고어》 =NONCONFORMITY.
dis·con·nect [dìskənékt] *vt.* …의 연락〔접속〕을 끊다, 분리하다《*from; with*》; …의 전원을 끊다, (전화 등을) 끊다. **—** *vi.* 연락을 끊다; 떨어지다, 물러나다. **~ one*self from*** …와 관계를 끊다.
dìs·con·néct·ed [-id] *a.* 연락〔접속〕이 끊긴, 따로따로 떨어진, 끊어진; 앞뒤가 맞지 않는《말·문장 따위》. ㊞ **~·ly** *ad.* **~·ness** *n.*
dìs·con·néc·tion, 《영》 **-néx·ion** *n.* Ⓤ 단절, 분리, 절연; 〖전기〗 절단, 단선, 개방; 지리멸렬.
dis·con·sid·er [dìskənsídər] *vt.* …의 신용을 떨어뜨리다, 평판을 나쁘게 하다.
dis·con·so·late [diskánsələt/-kɔ́n-] *a.* 쓸쓸한, 위안이 없는, 수심에 잠긴, 슬픈. ㊞ **~·ly** *ad.* **~·ness** *n.* **dis·còn·so·lá·tion** *n.* 마음의 위안이 없는 상태.
*__dis·con·tent__ [dìskəntént] *n.* Ⓤ (욕구) 불만(의 근원), 불평; 〖법률〗 불복(不服); 불복인 사람, 불평 분자. **—** *a.* 불만〔불평〕인《*with*》. **—** *vt.* 불만〔불평〕을 품게 하다.
dìs·con·tént·ed [-id] *a.* 불만스러운, 불평스러운, 불만〔불평〕을 품고 있는《*with*》. ㊞ **~·ly** *ad.* **~·ness** *n.*
dis·con·tent·ment [dìskənténtmənt] *n.* Ⓤ 불평, 불만.
dis·con·tig·u·ous [dìskəntígjuəs] *a.* 접촉〔인접〕되어 있지 않은.
dis·con·tin·u·ance [dìskəntínjuəns] *n.* Ⓤ **1** 정지, 중지, 폐지; 단절. **2** 〖법률〗 소송의 철회〔취하〕, 점유의 중단.
dis·con·tin·u·a·tion [dìskəntìnjuéiʃən] *n.* Ⓤ =DISCONTINUANCE.
◇**dis·con·tin·ue** [dìskəntínjuː] *vt.* **1** 그만두다, 중지하다: ~ correspondence 편지 왕래를 그만두다. **2** …의 사용을 중단하다; (정기 간행물의) 구독〔발행〕을 중지하다. **3** 〖법률〗 (소송을) 철회〔취하〕하다(abandon). **—** *vi.* **1** 끝나다, 종결되다. **2** 중지되다, 한 때 중단되다; (잡지 등이) 폐간〔휴간〕되다.
dis·con·ti·nu·i·ty [dìskantənjúːəti/-kɔntinjúː-] *n.* Ⓤ 단절, 중절, 두절; 불연속(성); 〖수학〗 불연속점, 단속 함수.
discontinúity làyer **1** 〖지학〗 불연속층, 모호로비치치 불연속면(Mohorovičić discontinuity)《지각과 맨틀 사이의 불연속면》. **2** 변수층(變水層)(thermocline)《해수 따위의 온도가 급격히 떨어지는 불연속면》.
dis·con·tin·u·ous [dìskəntínjuəs] *a.* 끊어진, 중단의, 계속되지 않은; 〖수학〗 불연속의. ㊞ **~·ly** *ad.* **~·ness** *n.*
dis·co·phile [dískəfàil] *n.* 레코드의 수집〔연구〕가.

dis·cord** [dískɔːrd] *n.* **1** Ⓤ 불화, 불일치: be in ~ with …와 일치하지 않다. **2** Ⓤ,Ⓒ 내분, 알력. **3** Ⓤ,Ⓒ 〖음악〗 불협화음; Ⓤ 소음, 잡음. opp. *accord, harmony*. ***the apple of ~ 분쟁〔불화〕의 씨. — [diskɔ́ːrd] *vi.* 일치하지 않다; 사이가 나쁘다《*with; from*》; 〖음악〗 협화(協和)가 잘 되지 않다.

dis·cord·ance, -an·cy [diskɔ́ːrdəns], [-i] *n.* Ⓤ 부조화, 불일치; 〖음악〗 불협화; 〖지학〗 (지층의) 부정합(不整合).

dis·cord·ant [diskɔ́ːrdənt] *a.* 조화〔일치〕하지 않는, 각기 다른; 가락이 맞지 않는; 불협화음의; 시끄러운; 〖지학〗 부정합(不整合)의. ㊂ **~·ly** *ad.*

dis·co·theque [dískətèk, ⌐⌐⌐] *n.* 디스코텍.

díscotheque drèss 디스코 드레스.

dis·count** [dískaunt] *n.* **1** 할인(reduction); 〖상업〗 할인액; (어음 등의) 할인율; (빚의) 선불이자. **2** 참작, 작량(酌量): After all the ~*s* are taken, his story sounds phony. 아무리 에누리해서 듣는다 해도 그의 얘기는 허풍이다. ***accept (a story) ***with ~*** (이야기를) 에누리해서 듣다. ***at a ~*** ① 할인하여; 액면〔정가〕 이하로; 값이 내려. ② 경시되어, 인기가 떨어져. ***banker('s)*** 〔***cash***〕 ~ 은행〔현금〕 할인. ***give*** 〔***allow***〕 ***a ~*** 할인하다《*on*》.
— [⌐-, -⌐] *vt.* **1** 할인하다; (어음 등을) 할인하여 팔다〔사다〕: ~ bills at two percent 어음을 2% 할인하다 / They are ~*ing* butter at the store. 그 가게에서는 버터를 싸게 팔고 있다. **2** 에누리해서 듣다〔생각하다〕; 신용하지 않다; 무시하다, 고려에 넣지 않다: You must ~ what he tells you. 그의 말은 에누리해서 듣지 않으면 안 된다. **3** …의 가치를 떨어뜨리다;…의 효과를 감소시키다. — *vi.* 이자를 할인하여 대부하다. ㊂ **~·a·ble** [dískauntəbəl, -⌐əbəl] *a.* 할인〔차감〕할 수 있는.

díscount bònd 〖금융〗 할인 채권《표면 이율이 제로(0)로, 액면가(價)보다 낮은 가격으로 발행되는 채권》.

díscount bròker 어음 할인 중개인.

díscount càrd 할인 카드《할인 가격으로 물건을 사거나 서비스를 받을 수 있는》.

díscounted cásh flòw 〖경영〗 할인 캐시 플로법, 현금 수지 할인법.

***dis·coun·te·nance** [diskáuntənəns] *vt.* **1** 면목을 잃게 하다, 창피를 주다, 쩔쩔매게 하다. **2** (계획 따위에) 찬성하지 않다, …을 승인하지 않다. — *n.* Ⓤ 불찬성, 반대.

dís·count·er *n.* discount house의 경영자, 싸게 파는 사람.

díscount hòuse 《미》 염매점(廉賣店); 《영》 (환어음의) 할인 상점(bill broker).

díscount màrket 어음 할인 시장.

díscount ràte (어음) 할인율.

díscount stòre 〔**shòp**〕 《미》 싸구려 상점, 염가 판매점(discount house).

****dis·cour·age** [diskə́ːridʒ, -kʌ́r-/-kʌ́r-] *vt.* **1** 용기를 잃게 하다(deject), 실망〔낙담〕시키다: Don't be ~*d* at. 낙심하지 마라. **2** 《+목+전+명》 단념(斷念)시키다: We should ~ him *from* making the trip. 우리는 그가 여행을 안 가도록 설득해야 한다. **3** …에 불찬성의 뜻을 표하다: ~ the expression of enthusiasm 열의를 겉으로 드러내는 것에 찬성하지 않다. **4** (계획·사업 등을) 방해하다, 저지하다, 억제하다: Low prices ~ industry. 저물가가 산업에 지장이 된다. — *vi.* 낙심하다: I don't ~ easily. 나는 좀처럼 낙심하지 않는다. opp. *encourage*. ㊂ **~·a·ble** *a.* **-ag·er** *n.* °**~·ment** *n.* Ⓤ 실망, 낙담; 지장, 방해.

dis·cóur·aged *a.* 낙담한, 낙심한; 《미속어》 술에 취한.

dis·cóur·ag·ing *a.* 낙담시키는; 용기를 꺾는; 실망적인, 맥빠진; 비관적인; 지장이〔방해가〕 되는. ㊂ **~·ly** *ad.*

°**dis·course** [dískɔːrs, -⌐] *n.* **1** 강화(講話), 담론(談論), 강연, 설교; …론(論), 논문《*on, upon*》. **2** Ⓤ 이야기, 담화; 의견의 교환《*with*》. **3** 〖문법〗 화법(narration). — [-⌐] *vi.* **1** 말하다, 담화하다《*together*》. **2** 《+전+명》 강연〔설교〕하다; 논술하다《*on, upon; of*》: ~ *upon* international affairs 국제 문제에 대해 강연〔논술〕하다. — *vt.* (음악을) 연주하다.

díscourse anàlysis 〖언어〗 담화(談話) 분석《(1) 담화를 특징짓는 규칙이나 패턴의 연구. (2) 전달의 장(場)에 있어서의 언어 사용을 지배하는 규칙의 연구》.

díscourse màrker 〖언어〗 담화 표지《(1) 이야기의 전환이나 상대방의 말에 대한 반응을 나타내는 말; well, oh, OK 따위. (2) 문어에서 말을 이을 때 쓰는 말; however, furthermore 따위》.

dis·cour·te·ous [diskə́ːrtiəs] *a.* 무례한, 버릇없는. ㊂ **~·ly** *ad.* **~·ness** *n.*

dis·cour·te·sy [diskə́ːrtəsi] *n.* Ⓤ 무례, 버릇없음(rudeness); Ⓒ 무례한 언행.

****dis·cov·er** [diskʌ́vər] *vt.* **1** 《~+목/+목+*to be* 보/+(*that*) 절/+*wh.* 절》 발견하다; …을 알다, 깨닫다(realize): ~ an island 〔a mistake〕 섬〔잘못된 점〕을 발견하다 / His love was ~*ed to be* false. 그의 사랑은 거짓이었음을 알았다 / He ~*ed* (*that*) he was surrounded. 포위됐음을 알았다 / I never ~*ed where* he had died. 그가 어디서 죽었는지 끝내 알지 못했다. SYN. ⇨ FIND. **2** 《고어》 나타내다, 밝히다. ***be ~ed*** 〖연극〗 (막이 오를 때) 이미 무대에 등장해 있다. ***Discover America***. 《미》 미국을 발견하자《국내 관광 진흥책으로 쓰는 표어》. ~ ***check*** 〖체스〗 장군을 부르다. ~ one***self to*** …에게 자기 성명을 대다〔밝히다〕. ㊂ **~·a·ble** *a.* ***~·er** *n.* 발견자; (D-) 미국 초기의 극궤도형 정찰 위성의 하나.

dis·cov·er·ist [diskʌ́vərist] *a.* 발견 학습 추진파의. cf. discovery method.

dis·cov·ert [diskʌ́vərt] *a.* 〖법률〗 남편 없는 (not under coverture)《미혼〔이혼〕녀·과부등》.

****dis·cov·ery** [diskʌ́vəri] *n.* Ⓤ **1** 발견; Ⓒ 발견물, (유망한) 신인: make a ~ 발견하다. **2** (극·시 따위의 줄거리의) 전개. **3** 《고어》 발각, 폭로. **4** 〖법률〗 (사실·문서의) 발표. **5** (D-) (미국) 우주 왕복선의 제 3 호기. ◇ discover *v.*

Discóvery Dày (the ~) =COLUMBUS DAY.

discóvery mèthod 발견 학습법《학생 자신에게 자주적으로 지식 습득·문제 해결을 하도록 하는 교육 방식》.

discóvery procèdure 〖언어〗 발견의 절차《주어진 자료만으로 특정 언어의 올바른 문법을 기계적으로 법칙화해 나아가는 절차》.

dìs·creáte *vt.* 근절시키다, 끊다. ㊂ **dìs·creá·tion** *n.*

°**dis·cred·it** [diskrédit] *n.* **1** Ⓤ 불신, 불신감, 불신임; 의혹: meet with general ~ 일반의 불신을 사다. **2** Ⓒ,Ⓤ 불명예, 치욕, 수치; Ⓒ 망신거리, 불명예를 초래하는 인물: be a ~ to the family 가문에 수치가 되다. ***bring ~ on*** …의 명예를 더럽히다: *bring* ~ *on* oneself 신용을 잃다, 불신을 초래하다. ***fall*** 〔***bring***〕 ***into ~*** 평이 나빠지다. ***suffer ~*** 의혹을 받다〔사다〕. ***throw*** 〔***cast***〕 ***~ on*** 〔***upon***〕 …에 의혹을 품다, …을 의심하다. ***to the ~ of*** …의 수치가 되는〔되게〕.
— *vt.* **1** 믿지 않다, 의심하다. **2** 《~+목/+목

+[전]+[명]》 …의 신용을 해치다, …의 평판을 나쁘게 하다: The divorce ~*ed* them *with* the public. 이혼으로 세상에 대한 그들의 체면이 떨어졌다. **3** 믿을 수 없는 것으로 치다.

dis·créd·it·a·ble *a.* 신용을 떨어뜨리는, 불명예[수치]스러운. ㊕ **-bly** *ad.*

dis·creet** [diskríːt] *a.* 분별 있는, 생각이 깊은; 신중한《태도·행동 따위》. [SYN.] ⇨ CAREFUL. ◇ discretion *n.* ≒discrete. ***be ~ in …을 삼가다. ㊕ **~·ly** *ad.* **~·ness** *n.*

dis·crep·ance [diskrépəns] *n.* 《드물게》 = DISCREPANCY.

◇**dis·crep·an·cy** [diskrépənsi] *n.* [U] 상위, 불일치《*in*》; 어긋남, 모순《*between*》: a ~ *between* spelling and pronunciation 철자와 발음의 불일치.

dis·crep·ant [diskrépənt] *a.* 상위하는, 어긋나는, 모순된. ㊕ **~·ly** *ad.*

dis·crete [diskríːt] *a.* **1** 따로따로의, 별개의, 분리된; 구별된; 불연속의; 〖철학〗 추상적인; 〖의학〗 분리성의. **2** 〖수학〗 이산(離散)의: ~ distribution 이산 분포 / a ~ random distribution [variable] 이산 확률 분포[변수] / ~ variable 이산 변량(變量). **3** 〖물리〗 이산적(離散的)인. ── *n.* (시스템의 일부를 이루는) 독립된 장치, (스테레오의) 컴포넌트; 〖컴퓨터〗 불연속형. ㊕ **~·ly** *ad.* **~·ness** *n.* 분리성, 불연속, 비연관(非聯關).

dis·cre·tion** [diskréʃən] *n.* [U] **1** 신중, 분별, 사려; 《고어》 판단력, 명찰력: the age [years] of ~ 분별 연령《영미에서는 14 세》/ *Discretion* is the better part of valor. 《속담》 신중은 용기의 태반《종종 비겁한 행실의 구실》. **2** 판단[선택·행동]의 자유, 결정권, (자유) 재량, 참작; 〖법률〗 법정의 판결 결정권: leave to a person's ~ 아무의 재량에 맡기다 / It's within your ~ to settle the matter. 그 문제의 해결은 당신의 재량에 달려 있다. **3** 《고어》 분리. ◇ discreet *a.* ***at* ~** 마음대로, 임의로; 무조건으로《항복하다 등》. ***at the* ~ *of =***at*** one's ~ …의 재량으로, …의 생각대로, …의 임의로. ***leave to the* ~ *of*** …에게 일임하다. ***on*** **one's *own*** ~ 자기 생각대로, 적절히. ***use*** **one's** (***own***) ~ 분별있게 하다. ***with*** ~ 신중하게. ㊕ **~·al** [-əl] *a.* =DISCRETIONARY. **~·al·ly** *ad.*

dis·cre·tion·ary [diskréʃənèri/-əri] *a.* 임의(任意)의, 자유재량의, 무조건의: ~ fund 특정인이 자기 재량으로 사용하는 비밀 자금 / ~ power 자유재량의 권한 / a ~ order 〖상업〗 중매인에게 시세대로 매매하게 하는 주문 / ~ spending 재량(소비) 지출 / a ~ principle 독단주의.

discrétionary accóunt 〖금융〗 매매 일임 계정《증권[상품] 시장에서의 매매를 대리업자의 자유 재량에 일임하는 계정》.

discrétionary íncome 《미구어》 가계의 여유 있는 돈, 재량 소득.

discrétionary trúst 재량 신탁《신탁 재산의 관리·운용에 대하여 수탁자가 완전한 재량권을 갖는 신탁》. 「[하는 능력].

dis·crìm·i·na·bíl·i·ty *n.* 구별[식별]할 수 있음

dis·crim·i·na·ble [diskrímənəbəl] *a.* 구별[식별]할 수 있는. 「수단[방법].

dis·crim·i·nance [diskrímənəns] *n.* 판별

dis·crim·i·nant [diskrímənənt] *a.* =DISCRIMINATING. ── *n.* 〖수학〗 판별식.

discríminant análysis 〖통계〗 판별 해석《다변량 해석(multivariate analysis)에 있어서, 각 개체가 몇 개 그룹으로 분류된 때에, 어느 개체가 어느 그룹에서 추출되었는가를 판별하는 방법》. ★ 이 때의 1차 함수를 discriminant function이라고 함.

discríminant fùnction 〖통계〗 판별 함수. [cf.] discriminant analysis.

◇**dis·crim·i·nate** [diskrímənèit] *vt.* 《+[목]+[전]+[명]》 구별하다; 판별[식별]하다; …의 차이를 나타내다《*from*》: ~ good books *from* poor ones 양서와 쓸모없는 책을 구별하다. ── *vi.* 《+[전]+[명]》 **1** 식별(識別)하다; 구별하다: ~ *between* reality and ideals 현실과 이상과를 식별하다. **2** 차별 대우하다, (사람에 따라) 차별(差別)하다: ~ *against* women employees 여자 종업원을 차별 대우하다. ***~ against*** [***in favor of***] …을 냉대[우대]하다: import duties which ~ *in favor of* certain countries 특정 국가들에 대한 수입 관세 우대. ── [-mənət] *a.* 식별력이 있는, 판단력을 나타내는; 식별된; 구별이 있는, 차별적인; 《고어》 명확한. ㊕ **~·ly** *ad.*

dis·crím·i·nàt·ing *a.* **1** 식별하는; 식별력이 있는. **2** 차별적인《대우 따위》: ~ duties 차별 관세. ㊕ **~·ly** *ad.*

◇**dis·crìm·i·ná·tion** *n.* [U] **1** 구별; 식별(력), 판별(력), 안식《*in*》. **2** 《고어》 [C] 상위점. **3** 차별, 차별 대우: racial ~ 인종 차별 / without ~ 차별 없이, 평등하게. 「변별 학습.

discriminátion lèarning 〖교육〗 식별 학습,

discriminátion tìme = REACTION TIME.

dis·crim·i·na·tive [diskrímənèitiv, -nətiv] *a.* 식별력이 있는; 구별하는; 차별을 나타내는, 특이한; 차별적인. ㊕ **~·ly** *ad.* **~·ness** *n.*

dis·crim·i·na·tor [diskrímənèitər] *n.* 식별[차별]하는 사람; 〖전자〗 판별기[장치]《주파수·위상(位相)의 변화에 따라 진폭을 조절하는》.

dis·crim·i·na·to·ry [diskrímənətɔ̀ːri/-təri] *a.* =DISCRIMINATIVE, 《특히》 차별적인.

dis·crown [diskráun] *vt.* …의 왕관을 빼앗다, 퇴위시키다; 《비유》 …의 우월성[권위 등]을 빼앗다.

disct. discount.

dis·cur·sion [diskə́ːrʃən] *n.* 두서없는 이야기, 벗어난 이야기; 지리멸렬, 산만함.

dis·cur·sive [diskə́ːrsiv] *a.* 산만한, 만연한, 종잡을 수 없는; 광범위한; 논설적인; 〖철학〗 추론적인. ㊕ **~·ly** *ad.* **~·ness** *n.*

dis·cur·sus [diskə́ːrsəs] *n.* 이로정연(理路整然)한 토의[설명].

dis·cus [dískəs] (*pl.* **~·es, *dis·ci*** [dískai]) *n.* (경기용) 원반(圓盤); (the ~) =DISCUS THROW; 〖동물·식물〗 =DISK.

‡dis·cuss [diskʌ́s] *vt.* **1** 《~+[목]/+[목]+[전]+[명]/+*-ing*/+*wh. to* do/+*wh.* [절]》 토론[논의]하다(debate); …에 관하여 (서로) 이야기하다; 의논하다(talk over); 검토하다: ~ literature 문학을 논하다, 문학 이야기로 꽃을 피우다 / I ~*ed* politics *with* them. 정치에 대해 그들과 토론했다 / We ~*ed* join*ing* the club. 우리는 그 클럽 가입에 관해 이야기했다[검토했다] / ~ *how to* do it 그것을 어떻게 행할 것인지를 검토하다 / We ~*ed what* we should do after graduation. 우리는 졸업 후 무엇을 해야 할 것인지를 논했다. **2** 《우스개》 (술·음식 따위를) 맛있게 맛보다, 상미(賞味)하다(enjoy).

> [SYN.] **discuss** 이것저것 검토하면서 논하다, 화제로 하여 검토하다. **argue** 사람을 설득하기 위하여 조리있게 논하다. **debate** (공식 석상에서) 의견을 교환하고 토론하다: *debate* a proposed bill 제출된 법안을 토의하다. **dispute** 주로 반대하기 위해서 논하다, …에 이의를 제기하다.

㊕ **~·a·ble, ~·i·ble** *a.* 토론[논의]할 수 있는.

dis·cus·sant [diskʌ́sənt] *n.* (심포지엄·토론회 따위의) 토론 (참가)자.

****dis·cus·sion** [diskʌ́ʃən] *n.* Ⓤ,Ⓒ **1** 토론; 심의, 검토. **2** 논문《*on*》. **3** 《우스개》 상미(賞味). ***be down for*** ~ 토의에 제기되어 있다. ***beyond*** ~ 논할 여지도 없는. (a question) ***under*** ~ 심의중인 (문제). ㉺ **~·al** *a.*

discússion gròup 토론 집단《(1) 정기적으로 특정 주제에 관해 토론하는 집단. (2) 인터넷으로 특정 주제에 관해 토론하는 집단》.

díscus thròw (the ~) 원반 던지기.

díscus thròwer 원반 던지기 선수.

***dis·dain** [disdéin] *n.* Ⓤ 경멸(輕蔑), 모멸(의 태도); 오만. **—** *vt.* **1** 경멸하다, 멸시하다. **2** 《+*to* do/+*-ing*》 …할 가치가 없다고 생각하다, 떳떳지 않게 여기다: ~ *to* notice an insult 모욕을 무시해 버리다 / He ~*ed* shoot*ing* an unarmed enemy. 무장하지 않은 적을 쏘는 것을 떳떳지 않게 여겼다.

dis·dain·ful [disdéinfəl] *a.* 경멸적(輕蔑的)인 (scornful), 거드럭거리는(haughty), 오만한; 무시〔경멸〕하는: be ~ *of* …을 경멸〔무시〕하다. ㉺ **~·ly** *ad.* 경멸하여. **~·ness** *n.*

****dis·ease** [dizíːz] *n.* **1** Ⓤ,Ⓒ 병, 질병. cf. ailment, illness, malady. OPP *health.* ¶ catch 〔suffer from〕 an incurable ~ 불치의 병에 걸리다 / a serious ~ 중병 / a family 〔hereditary〕 ~ 유전병 / an inveterate 〔a confirmed〕 ~ 난치병, 고질. **2** Ⓤ (정신·도덕 따위의) 불건전, 퇴폐; 악폐. **3** Ⓤ (술의) 변질. **—** *vt.* 병들게 하다. ㉺ **~d** *a.* 병의, 병에 걸린; 병적인(morbid): the ~*d* part 환부 / a ~*d* mind 상처 입은 마음. SYN. ⇨ ILL.

diséase gèrm 병원균.

dis·ec·o·nom·ics [disèkənámiks, -ìːk-/-nɔ́m-] *n.* 마이너스 경제 정책, 불경제 성장, 부(負)의 경제학, 부(負)의 경제 요인.

dis·e·con·o·my [dìsikánəmi/-kɔ́n-] *n.* Ⓤ 불경제; 비용 증대(의 요인).

dis·edge [diséd3] *vt.* …의 모서리를 후리다, 무디게 하다(blunt).

díse-dràg [dáis-] *n.* 《미속어》 화차(貨車).

dis-eléction *n.* 낙선.

dis·em·bar·go [dìsembáːrgou, -im-/-im-] *vt.* (선박의) 구류를 해제하다; 출항〔입항〕 금지를 해제하다; 통상을 재개하다.

dis·em·bark [dìsembáːrk, -im-/-im-] *vt., vi.* 양륙하다, 상륙시키다〔하다〕(land)《*from*》. OPP *embark.* ㉺ **-bar·ka·tion** [-bɑrkéiʃən], **~·ment** *n.* Ⓤ 양륙(揚陸); 상륙.

dis·em·bar·rass [dìsembǽrəs, -im-/-im-] *vt.* (사람·물건을) 해방시키다(free), (걱정·무거운 짐 따위를) 덜어 주다, (곤경에서) 구해내다《*of*》; 안심시키다(relieve); (복잡하게 얽힌 사물 따위를) 풀다, 풀어헤치다《*from*》. ㉺ **~·ment** *n.* Ⓤ 해방, 이탈.

dis·em·bod·ied [dìsimbádid] *a.* 육체가 없는, 육체에서 분리된; 실체 없는, 현실에서 유리된.

dis·em·body [dìsembádi, -im-/-imbɔ́di] *vt.* **1** (영혼 따위를) 육체에서 이탈〔분리〕시키다. **2** 《고어》 (군대를) 해산하다(disband). ㉺ **-bód·i·ment** *n.*

dis·em·bogue [dìsembóug, -im-/-im-] (*p., pp.* ***~d; -bogu·ing***) *vi.* (강이 바다·호수로) 흘러들어가다《*into*》. **—** *vt.* (강이 물을 바다·호수로) 흘려보내다, 유출(流出)하다(discharge): The river ~*s* itself 〔its water〕 into the sea. 강은 바다로 흘러들어간다. ㉺ **~·ment** *n.* Ⓤ

dis·em·bos·om [dìsembúzəm, -búːz-, -im-/-imbúz-] *vt.* 밝히다, (비밀 등을) 털어놓다(reveal). ~ one***self of*** (a secret) (비밀)을 털어놓다.

dis·em·bow·el [dìsembáuəl, -im-/-im-] (***-l-,*** 《영》 ***-ll-***) *vt.* …의 창자를 빼내다; (창자를 빼내기 위해) 배를 가르다. ~ one***self*** 할복하다. ㉺ **~·ment** *n.* Ⓤ 창자를 꺼냄; 할복.

dis·em·broil [dìsembrɔ́il, -im-/-im-] *vt.* …의 얽힌 것을 풀다; …의 분쟁을 해결하다. 「리다.

dis·em·plane [dìsempléin] *vi.* 비행기에서 내

dis·em·ployed [dìsemplɔ́id, -im-/-im-] *a.* (특히 기술·교육이 부족하거나 없어서) 직업이 없는, 실업(失業) 중인.

dis·en·a·ble [dìsenéibəl, -in-/-in-] *vt.* …의 능력〔자격〕을 빼앗다, 무능하게 만들다; 불가능하게 하다.

dis·en·chant [dìsentʃǽnt, -tʃáːnt, -in-/-intʃáːnt-] *vt.* …을 미몽(迷夢)에서 깨어나게 하다; …의 마법을 풀다. ㉺ **~·ment** *n.* Ⓤ 각성, 눈뜸. **~·ed** [-id] *a.* 실망〔낙담〕한, 환멸을 느낀.

dis·en·cum·ber [dìsenkʌ́mbər] *vt.* 장애물〔괴로움〕을 제거하다, 귀찮은 것〔부담〕을 없애다《*from; of*》.

dis·en·dow [dìsendáu, -in-/-in-] *vt.* (특히 교회로부터) 기금〔기본 재산〕을 몰수하다. ㉺ **~·er** *n.* **~·ment** *n.*

dis·en·fran·chise [dìsenfrǽntʃaiz, -in-/-in-] *vt.* =DISFRANCHISE. ㉺ **~·ment** *n.*

dis·en·gage [dìsengéid3, -in-/-in-] *vt.* **1** 자유롭게 하다, (의무·속박 등에서) 해방하다《*from*》. **2** 풀다, 떼다, 벗다《*from*》; 〖화학〗 유리시키다. **3** (부대로 하여금) 전투를 중지케 하다. **—** *vi.* 떨어지다, 관계를 끊다《*from*》. ~ one***self from*** …에서 떨어지다. ㉺ **~d** *a.* **1** 풀린; 떨어진. **2** 약속〔예약〕이 없는, 비어 있는; 한가한, 용무가 없는.

dìs·en·gáge·ment *n.* Ⓤ 자유, 여가; 해방(상태), 이탈, 철퇴《*from*》; 해약; 《특히》 파혼.

disengáging áction 〖군사〗 자발적 퇴각.

dis·en·tail [dìsentéil, -in-/-in-] *vt.* 〖법률〗 (재산에 대해서) 한정(限定)〔한사(限嗣)〕 상속〔물권〕을 해제하다(free from entail).

dis·en·tan·gle [dìsentǽŋgəl, -in-/-in-] *vt.* …의 엉킨 것을 풀다; 풀어 놓다《*from*》; (분규를) 해결하다. **—** *vi.* 풀리다, 해결되다. ~ one***self from*** …와 인연을 끊다. ㉺ **~·ment** *n.* Ⓤ

dis·en·thral(l) [dìsenθrɔ́ːl, -in-/-in-] (***-ll-***) *vt.* (노예 상태 따위에서) 해방하다(set free), …의 속박을 풀다. ㉺ **~·ment** *n.* Ⓤ 해방.

dis·en·throne [dìsenθróun, -in-/-in-] *vt.* =DETHRONE.

dis·en·ti·tle [dìsentáitl, -in-/-in-] *vt.* …에게서 권리를〔자격을〕 박탈하다《*to*》.

dis·en·tomb [dìsentúːm, -in-/-in-] *vt.* 무덤을 파헤치다, 무덤에서 꺼내다; 파내다, 발굴하다(disinter). ㉺ **~·ment** *n.*

dis·en·trance [dìsentrǽns, -tráːns, -in-/-intráːns-] *vt.* 황홀 상태에서 깨어나게 하다. ㉺ **~·ment** *n.*

dis·en·twine [dìsentwáin, -in-/-in-] *vt., vi.* …의 꼬인 것을〔이〕 풀(리)다.

dis·e·qui·lib·ri·um [disìːkwəlíbriəm, dìsìːk-] (*pl.* ***~s, -ria*** [-riə]) *n.* Ⓤ,Ⓒ (경제상의) 불균형, 불안정.

dis·es·tab·lish [dìsistǽbliʃ] *vt.* …의 제도를 폐지〔파괴〕하다; …의 관직을 풀다; (교회의) 국교제(國敎制)를 폐지하다. ㉺ **~·ment** *n.* Ⓤ

dis·es·tab·lish·men·tar·i·an [dìsistæbliʃmentέəriən] *n.* (종종 D-) 국교(國敎) 제도 폐지론자. **—** *a.* 국교 제도 폐지론의.

dis·es·teem [dìsistíːm] *vt.* 얕〔깔〕보다; 경시하다. **—** *n.* Ⓤ 냉대; 경시; 마음에 안 듦.

di·seur [dizə́ːr] (*pl.* **~s** [—]) *n.* 《F.》 (연예의) 낭음(朗吟)자.
di·seuse [*F.* dizœz] (*pl.* **~s** [—]) *n.* 《F.》 DISEUR의 여성형.
dis·fa·vor [disféivər] *n.* Ⓤ 싫어함, 마음에 안 듦; 냉대; 인기〔인망〕 없음. ***be* 〔*live*〕 *in* ~** 인기가 없다. ***fall* 〔*come*〕 *into* ~** 인기를 잃다; 미움을 사다. ***in* ~ *with*** a person 아무의 눈밖에 나서, 인기가 없어. ***to* 〔*in*〕 *the* ~ *of*** …에 불리하게. **—** *vt.* 소홀히 하다, 냉대하다; 싫어하다, 못마땅해 하다.
dis·fea·ture [disfíːtʃər] *vt.* …의 용모를 손상하다. ㊞ **~·ment** *n.*
dis·fig·ure [disfígjər/-fígər] *vt.* …의 모양을 손상하다, 추하게 하다, 볼꼴 사납게 하다, …의 가치를 손상시키다. ㊞ **~·ment, dis·fig·ur·á·tion** *n.* Ⓤ,Ⓒ 미관 손상, 볼꼴 사나움; 보기 싫게 하기; 결함, 상처(*to*).
dis·flu·en·cy [disflúːənsi] *n.* 눌변; 말더듬.
dis·fran·chise [disfrǽntʃaiz] *vt.* …의 공민〔선거〕권을 빼앗다; (지구(地區)에서) 국회 의원 선출권을 빼앗다; 권리를〔특권을〕 빼앗다. ㊞ **~·ment** *n.* Ⓤ
dis·frock [disfrák/-frɔ́k] *vt.* …의 성직(聖職)을 박탈하다(unfrock).
dis·func·tion [disfʌ́ŋkʃən] *n.* =DYSFUNCTION.
dis·fur·nish [disfə́ːrniʃ] *vt.* (남의 소유물을) 빼앗다, (설비를 건물로부터) 떼어내다《*of*》. ㊞ **~·ment** *n.*
dis·gorge [disgɔ́ːrdʒ] *vt., vi.* 토해 내다; (강이) 흘러들다; 세차게 배출하다; (탈것이)(사람을) 일시에 토해내다; (화산이) 분출하다; 《비유》 (훔친 것·부당 이득 따위를) 게워 내다.
*__dis·grace__ [disgréis] *n.* **1** Ⓤ 창피, 불명예, 치욕; Ⓒ 망신거리: bring ~ on 〔upon〕 …에게 불명예를 가져오다, …의 면목을 손상시키다. ⓒⓕ dishonor, shame. **2** Ⓤ 눈밖에 남; 인기 없음. ***be a* ~ *to*** …의 망신〔명예 손상〕이다. ***fall into* ~** 망신당하다; 총애를 잃다《*with*》. ***in* ~** 비위를 거슬러; 면목을 잃어. **—** *vt.* …을 망신시키다, 면목을 잃게 하다; 총애를 잃게 하다; (지위에서) 물러나게 하다. **~ one*self*** 창피를 당하다.
dis·grace·ful [disgréisfəl] *a.* 면목 없는, 수치스러운(shameful), 불명예스러운. ㊞ **~·ly** *ad.* **~·ness** *n.*
dis·grunt [disgrʌ́nt] *vt.* 내뱉듯이 말하다.
dis·grun·tle [disgrʌ́ntl] *vt.* 기분 상하게 하다, …에게 불만을 품게 하다. ㊞ **~d** *a.* 불만스러운; 기분 상한, 시무룩한. **~·ment** *n.*
*__dis·guise__ [disgáiz] *n.* **1** Ⓤ,Ⓒ 변장, 가장, 위장; 분장; 가장복: in ~ 변장한〔하고〕/Noble words can be the ~ of base intentions. 고상한 말은 야비한 의도의 위장이 되기도 한다. **2** Ⓤ 겉치레; 기만; Ⓒ 구실(口實): make no ~ of one's feelings 감정을 그대로 드러내다/without ~ 숨김없이. ***in* 〔*under*〕 *the* ~ *of*** …이라 속이고, …을 구실로. ***throw off* one's ~** 가면을 벗다, 정체를 드러내다. **—** *vt.* 《~+목/+목+전+명/+목+*as* 보》 **1** 변장〔가장〕하다: ~ oneself *with* a wig 가발로 변장하다/~ oneself *as* a beggar 거지로 변장하다. **2** 겉모습을 바꾸어 속이다: ~ one's voice 자기의 목소리를 바꾸다, 남의 목소리를 흉내내다/horseflesh ~*d as* beef 쇠고기로 꾸며 속인 말고기. **3** (사실 등을) 꾸미다, 숨기다; (의도·감정 따위를) 감추다, 속이다: ~ one's sorrow *beneath* a careless manner 아무렇지 않은 듯한 태도로 슬픔을 감추다. **~*d in* 〔*with*〕 *drink*** 취기를 빌려서, 술김에. ㊞ **~d** *a.* **1** 변장한, 속이는, 눈비음의. **2** 《미속어》 취한; 기뻐서 어쩔 줄 모르는. **~·ment** *n.*
*__dis·gust__ [disgʌ́st] *n.* Ⓤ (심한) 싫증, 혐오《*at; for; toward*(*s*); *against*》; 구역질: in ~ 싫어져서, 정떨어져. ***fall into* ~ *of*** …이 아주 싫어지다. ***to* one's ~** (정말) 불쾌한 것은; 유감스럽게도. **—** *vt.* 싫어지게〔정떨어지게; 넌더리나게〕 하다; 메스껍게 하다. ***be* 〔*feel*〕 ~*ed at* 〔*by, with*〕** …이 싫어지다, …에 넌더리나다.
dis·gúst·ed [-id] *a.* 정떨어진, 욕지기나는, 싫증난; 화나는, 분개한《*at; with; by*》. ㊞ **~·ly** *ad.* **~·ness** *n.*
dis·gust·ful [disgʌ́stfəl] *a.* 진저리〔구역질〕나는, 정떨어지는. ㊞ **~·ly** *ad.*
*__dis·gust·ing__ [disgʌ́stiŋ] *a.* 구역질나는, 정말 싫은, 정떨어지는, 지겨운. ㊞ **~·ly** *ad.* 지겹게; 《속어》 터무니없이.
†**dish** [diʃ] *n.* **1** (우묵한) 접시, 큰 접시《금속·사기·나무 제품》, 푼주; (*pl.*) 식기류: do the ~*es* 접시를 닦다.

> SYN. **dish** 도자기, 금속, 유리 등으로 된 요리를 담아 내놓기 위한 좀 깊은 듯한 큰 접시. **plate** dish로부터 요리를 덜어놓기 위한 밑이 얕은 접시. **saucer** 커피잔 따위의 얕은 받침 접시를 말함.

2 한 접시(의 요리); (접시에 담은) 음식물; 〘일반적〙 요리, 음식물: a cold ~ 차게 한 요리/a ~ *of* meat 고기 요리 한 접시/a nice ~ 맛있는 요리/one's favorite ~ 좋아하는 요리. **3** 주발 모양의 것; (차바퀴 따위 중심부가 접시 모양으로) 우묵히 들어간 곳; 〖전자〗 포물면 반사기(反射器). **4** 《구어》 매력 있는〔귀여운〕 여자; (one's ~) 《구어》 자신이 좋아하는〔장기로 하는〕 것(ⓒⓕ CUP of tea.) **5** 《야구속어》 홈베이스. **6** 《구어》 =DISH ANTENNA. ***a* ~ *of gossip* 〔*chat*〕** 한 동안의 잡담. ***a standing* ~** 늘 같은 요리; 틀에 박힌 화제. ***made* ~*es*** (고기·야채 그밖의 여러 가지를) 섞어 조리한 요리.
— *vt.* **1** 《~+목/+목+부/+목+전+명》 접시에 담다, (요리를) 접시에 담아 내놓다《*up; out*》; 접시꼴로 하다: ~ the dinner *up* 접시에 저녁 식사를 담아 내놓다/~ food *onto* plates 접시에 음식을 담다. **2** 《구어》 (상대를) 지우다, 골탕을 먹이다, 해내다, 속이다; 파산시키다, 꺾뒤지르다. **—** *vi.* 접시꼴로 움푹해지다; 《속어》 잡담하다. **~ *it out*** 《구어》 몹시 꾸짖다, 벌하다. **~ *out*** (각자 접시에) 덜어내다; 《구어》 분배하다; (뉴스·정보 등을) 주다; 《속어》 줄줄 진술하다. **~ *up*** ① ⇨ *vt.* 1. ② 《비유》 (이야기 따위를) 그럴듯하게 꺼내다, 관심을 끌도록 꾸며 말하다: He ~*ed up* the story in a humorous way. 그는 그 이야기를 유머러스하게 꾸며 말했다.
dis·habilitate [dishəbílətèit] *vt.* =DISQUALIFY.
dis·ha·bille [dìsəbíːl, -bíː/-sæbíːl] *n.* Ⓤ **1** 실내복, 약복, 평복. **2** 해이한 정신 상태, 생각 따위의 혼란. ***in* ~** 약복으로, 평복 차림으로. ★ deshabille로도 씀.
dis·ha·bit·u·ate [dìshəbítʃuèit] *vt.* …에게 습관을 버리게 하다.
dis·hal·low [dishǽlou] *vt.* …의 신성(神聖)을 더럽히다, 모독하다(profane).
dísh anténna 〖통신〗 접시형 안테나(=**dísh refléctor**)《공중(空中) 경계 관제기(AWACS)의 레이더 수신용; DBS전파 수신용》.
dis·har·mo·ni·ous [dìshaːrmóuniəs] *a.* 부조화의, 화합이 안 되는; 불협화의.
dis·har·mo·nize [dishάːrmənàiz] *vt., vi.* …의 조화를 깨뜨리다, 조화를 잃게 하다; 조화가 〔화합이〕 깨지다.
dis·har·mo·ny [dishάːrməni] *n.* Ⓤ 부조화, 불일치; 불협화(음), 가락에 맞지 않음.

dísh·clòth *n.* 접시 닦는 헝겊, 《영》 행주(《미》 dish towel).
díshcloth góurd 〖식물〗 수세미외. 「ㄷ온용」.
dísh còver 접시 덮개《사기·금속제로 요리 보온용》.
dis·heart·en [dishɑ́ːrtn] *vt.* 낙담시키다, …에게 용기를〔자신을〕 잃게 하다, 실망케 하다: feel ~*ed at* …을 보고〔듣고〕 낙심하다. ㊞ **~·ing** *a.* 낙심시키는, 기를 꺾는. **~·ing·ly** *ad.* 낙담하게〔할 만큼〕. **~·ment** *n.* 낙담.
dished [diʃt] *a.* **1** 오목한: a ~ face 주걱턱 얼굴. **2** 《속어》 소모된, 몹시 피곤한.
di·shev·el [diʃévəl] (*-l-,* 《영》 *-ll-*) *vt.* (머리·복장)을 흩뜨리다, …의 머리를〔복장을〕 흩뜨리다. ㊞ **~·ment** *n.* [U]
di·shév·eled, 《영》 **-elled** [diʃévəld] *a.* 흩어진, 헝클어진; 봉두난발의; 단정치 못한.
dish·ful [díʃfùl] *n.* 접시에 하나 가득(한 양) 《*of*》.
dísh gràvy 고깃국물.
*__dis·hon·est__ [disɑ́nist/-ɔ́n-] *a.* **1** 부정직한, 불성실한. **2** 눈속이는, 부정한: It was ~ *of* you 〔You were ~〕 not to say so. 그렇게 말하지 않았다니 자네는 정직하지 못했군. ㊞ **~·ly** *ad.* *__-es·ty__ [-əsti] *n.* [U] 부정직, 불성실; [C] 부정(행위), 사기; 거짓말.
*__dis·hon·or,__ 《영》 **-our** [disɑ́nər/-ɔ́n-] *n.* **1** 불명예; 치욕, 굴욕(shame), 모욕(insult). **2** 불명예스러운 일, 치욕이 되는 일, 망신거리: do a person a ~ 아무를 모욕하다/live in ~ 굴욕적 생활을 하다/be a ~ *to* (one's family) (집안)의 망신거리이다. [cf.] disgrace, shame. **3** 〖상업〗 (어음의) 지급〔인수〕 거절, 부도(不渡). ― *vt.* **1** …에게 굴욕을 주다; …의 이름을 더럽히다: ~ oneself 불명예를 초래하다. **2** (약속 등을) 어기다; 〖상업〗 (어음 등의) 지급을〔인수를〕 거절하다, 부도내다([opp.] *accept*): a ~*ed* bill 〔check〕 부도 어음〔수표〕. **3** (여자를) 범하다. ㊞ ◇**~·a·ble** *a.* 불명예스러운, 수치스러운, 천한; 비열한. **~·a·bly** *ad.*
dishónorable díscharge 불명예 제대.
dísh·pàn *n.* 개수통.
díshpan hánds 집안 일로 거칠어진 손.
dísh·ràg *n.* =DISHCLOTH.
dísh tòwel 《미》 행주《접시 닦기용》.
dísh·wàre *n.* 접시류, 식기류.
dísh·wàsh *n.* 《고어》 =DISHWATER.
dísh·wàsher *n.* 접시 닦는 사람〔기계〕; 〖조류〗 할미새.
dísh-wàshing lìquid 《미》 식기 세척용 액체 세제(《영》 washing-up liquid).
dísh·wàter *n.* [U] 개숫물; 《구어》 멀건 수프〔커피〕, 싱거운 음료; 《구어》 내용 없는 얘기: (as) dull as ~ 몹시 지루한.
díshwater blónd 《미구어》 칙칙한 엷은 갈색 머리의 (사람). 「매력적인.
dishy [díʃi] (*dish·i·er; -i·est*) *a.* 《속어》 예쁜,
◇**dis·il·lu·sion** [dìsilúːʒən] *n.* [U] 미몽을 깨우치기, 각성; 환멸. ― *vt.* …의 미몽을 깨우치다, 각성시키다; …에게 환멸을 느끼게 하다: be 〔get〕 ~*ed* at 〔about, with〕 …에 환멸을 느끼다. ㊞ **~·ize** [-àiz] *vt.* =disillusion. **~·ment** *n.* 환멸.
dis·il·lu·sive [dìsilúːsiv] *a.* 환멸적인.
dis·im·pas·sioned [dìsimpǽʃənd] *a.* 냉정〔침착〕한.
dis·im·pris·on [dìsimprízən] *vt.* (감금에서) 석방하다, 출감시키다. ㊞ **~·ment** *n.* [U] 석방.
dis·in·cen·tive [dìsinséntiv] *a., n.* 활동을 방해〔억제〕하는 (것), 의욕을 꺾는 (것), 《특히》 경제 성장〔생산성 향상〕을 저해하는 (것).
dis·in·cli·na·tion [disìnklənéiʃən, dìsin-] *n.* [U] 기분이 내키지 않음, 싫음《*for; to* do》.
◇**dis·in·cline** [dìsinkláin] *vt., vi.* 싫증나게 하다; …할 마음이 내키지 않다《*for; to* do》.
dìs·in·clíned *a.* …하고 싶지 않은, 내키지 않는 (reluctant)《*for; to; to* do》: be ~ *to* work 일할 마음이 내키지 않다.
dis·in·cor·po·rate [dìsinkɔ́ːrpərèit] *vt.* **1** …의 법인 조직을 해체하다〔소멸시키다〕. **2** (단체에서) 떠나다, 이탈하다.
dis·in·fect [dìsinfékt] *vt.* 소독〔살균〕하다. ㊞ **-féc·tor** [-ər] *n.* 소독〔살균〕자〔기구, 제〕.
dis·in·fect·ant [dìsinféktənt] *a.* 소독력이 있는, 살균성의. ― *n.* 소독제, 살균제.
dìs·in·féc·tion *n.* [U] 소독(법), 살균 (작용).
dis·in·fest [dìsinfést] *vt.* (집·배 등에서) 해충을〔쥐 (따위)를〕 잡아 없애다. ㊞ **dìs·in·fes·tá·tion** [-festéiʃən] *n.* [U] 해충 구제.
dìs·inféstant *n.* 해충〔쥐〕 구제제.
dis·in·flate [dìsinfléit] *vt.* (물가의) 인플레이션을 완화〔억제〕하다.
dìs·in·flá·tion *n.* [U] 디스인플레이션《인플레이션의 완화》. ㊞ **~·ary** [-èri/-əri] *a.* 인플레 완화에 도움이 되는; 디스인플레이션의. 「TION.
dis·in·fo [disínfou] *n.* 《구어》 =DISINFORMA-
dis·in·form [dìsinfɔ́ːrm] *vt.* …에게 허위〔역〕 정보를 흘리다.
dis·in·for·ma·tion [disìnfərméiʃən, dìsin-] *n.* [U] 그릇된 정보《특히 적의 간첩을 속이기 위한》, 역(逆)정보.
dis·in·gen·u·ous [dìsindʒénjuːəs] *a.* 부정직한, 불성실한, 표리가 있는(dishonest). ㊞ **~·ly** *ad.* **~·ness** *n.*
dis·in·her·it [dìsinhérit] 〖법률〗 *vt.* …의 상속권을 박탈하다, 폐적(廢嫡)하다, 자식과 의절하다; …의 자연권〔인권〕을 무시하다. ㊞ **~·ance** [-əns] *n.* [U] 폐적, 상속권 박탈.
dis·in·hi·bi·tion [disìnhəbíʃən, dìsin-] *n.* 〖정신의학〗 탈(脫)억제, 탈(脫)제지.
dis·in·sect·i·za·tion, dis·in·sec·tion [dìsinsèktizéiʃən], [dìsinsékʃən] *n.* (비행기 등에서 하는) 곤충〔해충〕 구제(驅除), 구충(驅蟲).
dis·in·te·gra·ble [disíntəgrəbəl] *a.* 붕괴〔분해〕할 수 있는. 「분해 물질, 붕괴제.
dis·in·te·grant [disíntəgrənt] *n.* 정제(錠劑)
◇**dis·in·te·grate** [disíntəgrèit] *vt.* 분해시키다, 허물다; 〖물리〗 붕괴시키다. ― *vi.* 분해하다, 허물어지다, 붕괴하다《*into*》. ㊞ **-grà·tive** *a.*
dis·ìn·te·grá·tion *n.* [U,C] 분해; 분열; [U] 〖물리〗 (방사성 원소의) 붕괴; 〖지학〗 (암석 따위의) 풍화 (작용).
disintegrátion cònstant 〖물리〗 붕괴 정수(定數)(=**decáy cònstant**).
dis·in·te·gra·tor [disíntəgrèitər] *n.* 분해〔붕괴〕시키는 것, 붕괴제(劑); (원료 따위의) 분쇄기.
dis·in·ter [dìsintə́ːr] (*-rr-*) *vt.* (시체 따위를) 파내다, 발굴하다; (숨겨진 곳에서) 드러내다, 햇빛을 보게 하다. ㊞ **~·ment** *n.* [U] 발굴; 발굴물.
dis·in·ter·est [disíntərist] *n.* [U] 이해관계가 없음; 공평무사, 무욕; 무관심. ― *vt.* …에 무관심하게 하다. ~ one*self from* …와 손을 끊다, …에서 손을 떼다.
*__dis·in·ter·est·ed__ [disíntərèstid, -rìst-] *a.* 사욕이 없는, 청렴〔공평〕한; 《미구어》 무관심한, 흥미를 갖지 않는. ㊞ **~·ly** *ad.* **~·ness** *n.*
dis·in·ter·me·di·ate [dìsintərmíːdièit] *vi.* 《미》 (금융 기관의 중개를 거치지 않고) 증권 시장에 직접 투자하다; (증권에의 직접 투자를 위해) 은행 예금을 인출하다. ㊞ **-mè·di·á·tion** *n.* (증권 시장에의 직접 투자를 위한) 은행 예금에서의 고액 인출.
dis·in·tox·i·cate [dìsintɑ́ksikèit/-tɔ́k-] *vt.*

술을 깨게 하다; (마약·알코올 중독자의) 중독 증상을 고치다, 의존 상태에서 벗어나게 하다. [파] **-in·tòx·i·cá·tion** *n.*

dis·in·vest [dìsinvést] *vt., vi.* 〖경제〗 (자본재 등에 대한) 투자를 중지하다; (해외) 투자를 회수〔철수〕하다. [파] **~·ment** *n.*

dis·in·vite [dìsinváit] *vt.* 초대를 취소하다.

dis·ject [disdʒékt] *vt.* …을 산란케 하다, 이산시키다; (손발을) 잘라내다(tear apart).

dis·jec·ta mem·bra [disdʒéktə-mémbrə] 《L.》 (문학 작품 등의 흐트러진) 단편(斷片)(fragments); 단편적인 인용.

dis·join [disdʒɔ́in] *vt., vi.* 떼다, 분리시키다

dis·joint [disdʒɔ́int] *vt.* …의 관절을 삐게 하다, 탈구(脫臼)시키다; 뿔뿔이 흩뜨리다, (기계 따위를) 해체하다; 토막토막으로 만들다, 순서를 어지럽히다. **—** *vi.* 뿔뿔이 흩어지다; (관절 따위가) 삐다.

dis·jóint·ed [-id] *a.* 관절을 삔; 뿔뿔이 된; 뒤죽박죽의, 체계가 서지 않은〔지리멸렬한〕《사상·문체·이야기 따위》. [파] **~·ly** *ad.* **~·ness** *n.*

dis·junct [disdʒʌ́ŋkt] *a.* 분리된(disconnected); 〖음악〗 도약의; 〖곤충〗 (머리·가슴·배의 3부분이) 분리된, 분획(分劃)된. **—** *n.* 〖논리〗 선언지(選言肢); 〖문법〗 이접사(離接詞).

dis·júnc·tion *n.* [U,C] 분리, 분열, 괴리, 분단; 〖논리〗 선언(選言), 이접(離接).

dis·junc·tive [disdʒʌ́ŋktiv] *a.* 나누는, 떼는; 분리적인; 〖논리〗 선언적(選言的)인, 이접적(離接的)인. **—** *n.* 〖문법〗 이접적 접속사《but, yet, (either ...) or 따위》; 〖논리〗 선언 명제. [파] **~·ly** *ad.*

***disk, disc** [disk] *n.* **1** 평원반 (모양의 것); (아이스하키의) 퍽(puck); 《고어》 (경기용) 원반. **2** (흔히 disc) 디스크, 레코드; (사식기의) 원형 격자; 〖컴퓨터〗 저장판, 디스크《자기(磁氣) 디스크 기억 장치》. **3** 〖식물〗 원반상 조직, 화반(花盤); 〖해부·동물〗 평평하고 둥근 조직, 《특히》 추간 연골: ~ herniation 추간 연골 헤르니아. **4** 평원형(形) 표면: the sun's 〔moon's〕 ~ 태양〔달〕 표면. **5** (터빈의) 날개 바퀴; (주차한 차 안의) 주차 시간 표시판(parking ~); =DISK BRAKE. **—** *vt.* 평원형〔상(狀)〕으로 만들다; 원판(圓板) 가래로 갈다; (흔히 disc) 레코드에 취입하다, 녹음하다.

dísk àccess 〖컴퓨터〗 디스크 접근.

dísk BASIC [-béisik, -zik] 〖컴퓨터〗 디스크 베이식《디스크에 기억된 베이식 언어》. [cf.] DOS.

dísk bràke (자동차 등의) 원판 브레이크.

dísk càche 〖컴퓨터〗 (저장)판 시렁《주기억 장치와 자기 디스크 사이의 완충 기억 장치》.

dísk càmera 디스크 카메라《디스크 모양의 필름 카트리지를 가진 소형 카메라》.

dísk capàcity 〖컴퓨터〗 디스크 용량.

dísk comprèssion prògram 〖컴퓨터〗 디스크 압축 프로그램《디스크 내의 데이터를 압축하여 공간을 늘리는 프로그램》.

dísk contròller 〖컴퓨터〗 디스크 제어기.

dísk cràsh 〖컴퓨터〗 디스크 크래시; =HEAD CRASH.

dísk drìve 〖컴퓨터〗 디스크 드라이브《디스크에 정보를 기입하거나 읽어 내는 장치》.

disk·ette [diskét] *n.* 〖컴퓨터〗 (저장)판, 디스켓(floppy disk)《재킷에 수록된 레코드판 모양의 기억 매체(記憶媒體)》.

dísk flòwer 〖식물〗 중심화(中心花).

dísk hàrrow =DISC HARROW.

dísk jòckey =DISC JOCKEY.

dísk·less *a.* 〖컴퓨터〗 (특히 local area network에 접속된 컴퓨터·워크스테이션이) 자신의 디스크를 갖지 않는: a ~ workstation 〔PC〕.

dísk magazìne 〖컴퓨터〗 디스크 매거진《종래의 종이 대신에 무른〔연성〕 (저장)판(floppy disk)을 매체로 한 잡지》.

dísk òperating sỳstem 〖컴퓨터〗 =DOS.

dísk pàck 〖컴퓨터〗 디스크 팩《자기 디스크 기억 장치에 장착·분리가 가능한 한 벌의 자기(磁氣) 디스크》.

dísk pàrking 디스크 주차제(駐車制)《각 자동차의 주차 시각 및 발착 시각을 나타내는 원판의 게시를 의무화시킨 제도》.

dísk sèctor 〖컴퓨터〗 디스크 섹터《디스크를 방사상으로 나눈 구획》.

dísk sỳstem 〖컴퓨터〗 디스크 시스템《기억 장치에 테이프 따위를 쓰지 않고 디스크를 쓰는 방식》.

dísk ùnit 〖컴퓨터〗 디스크 유닛; =DISK DRIVE.

dísk whèel (자동차의) 원판 바퀴.

****dis·like** [disláik] *vt.* 《~+[목]/+-*ing*/+[목]+*to* do》 싫어〔미워〕하다: get oneself ~*d* 남에게 미움을 사다 / I ~ (his) do*ing* it. 나는 (그가) 그것을 하는 것이 싫다 / I ~ him *to* drink so much. 나는 그가 그렇게 많이 마시는 것이 싫다. **—** *n.* [U,C] 싫음, 혐오, 반감《*for; of*》: one's likes and ~*s* 호불호(好不好) / I have a ~ *of* 〔*for*〕 alcoholic drinks. 나는 주류가 싫다. ★ 동사 dislike는 detest, hate 보다 뜻이 약하고, do not like 보다 강함. ***take a ~ to*** …을 싫어하게 되다.

dis·lík(e)·a·ble *a.* 싫은 (느낌이 드는).

dis·lo·cate [dísloukèit, -ˊ-ˋ/dísləkèit] *vt.* 관절을 삐게 하다, 탈구시키다; …을 뒤죽박죽으로 만들다; 〖지학〗 단층이 지게 하다. [파] **dìs·lo·cá·tion** *n.* [U,C] 탈구; 전위(轉位), 혼란; 〖지학〗 변위(變位), 단층.

dis·lodge [dislάdʒ/-lɔ́dʒ] *vt.* 《~+[목]/+[목]+[전]+[명]》 (어떤 장소에서) 움직이다, 이동시키다(remove); 제거하다; 몰아〔쫓아〕내다; (적을 진지로부터) 구축〔격퇴〕하다(drive)《*from*》: They ~*d* the enemy *from* the hill. 그들은 적을 언덕에서 퇴각시켰다. **—** *vi.* 숙소에서 나오다. [파] **dis·lódg(e)·ment** *n.*

°**dis·loy·al** [dislɔ́iəl] *a.* 불충한, 불성실한, 불신의《*to*》. [파] **~·ist** *n.* 불충자. **~·ly** *ad.* **~·ty** *n.* [U] 불충, 불실; 불신.

dis·mal** [dízməl] *a.* **1** 음울한; 황량한, 쓸쓸한, 적적한; 우울한. **2** (기량·재미 등이 없어) 차마 들을〔볼〕 수 없는, 매우 서투른, 몰골스러운. **3** 《폐어》 재난〔불행〕을 가져오는, 비참한, 무서운; 재수 없는, 불길한. **—** *n.* **1** (the ~s) 우울, 우울한 것. **2** 《미남부속어》(해안에 연한) 소택지. **3** (*pl.*) 《폐어》 상복. ***be in the ~s 울적해 있다, '저기압이다'. [파] **~·ly** *ad.* **~·ness** *n.*

dísmal scíence (the ~) 《우스개》 음울한 학문〔과학〕《Carlyle이 경제학을 가리켜 한 말》.

Dísmal Swámp (the ~) 디즈멀 대습지(Great ~)《미국 남부 대서양 연안의》.

dis·man·tle [dismǽntl] *vt.* **1** (건물·배에서) 설비를〔기구·장비·방비 등을〕 제거하다. **2** 부수다; (기계 등을) 분해하다; (제도 등을)(서서히) 폐지하다. **3** …에게서 (옷·덮개 등을) 벗기다, 발가벗기다《*of*》. [파] **~·ment** *n.*

dis·mask [dismǽsk/-mάː(ː)sk] *vt.* 《고어》 =UNMASK.

dis·mast [dismǽst, -mάːst/-mάːst] *vt.* (폭풍 따위가) 돛대를 앗아가다, 돛대를 부러뜨리다.

dis·may** [disméi] *n.* [U] 당황, 경악; 낙담: with ~ 당황〔낙담〕하여. ***be struck with ~ (at) (…을 듣고) 당황하다, 어쩔줄 모르다. ***in utter ~*** 허둥지둥, 당황하여. **—** *vt.* 당황케 하다; 실망〔낙담〕시키다: He was ~*ed* to learn the truth. 그는 진상을 알고 당황했다.

dis·mem·ber [dismémbər] *vt.* …의 손발을 자르다; 해체하다; (국토 따위를) 분할하다. ㊕ **~·ment** *n.*

⁑**dis·miss** [dismís] *vt.* **1** 떠나게 하다, 가게 하다; (집회·대열 등을) 해산시키다. **2** ((~+목/+목+전+명)) 해고[면직]하다((*from*)): ~ a student *from* school 학생을 퇴교시키다/He was ~*ed* for drunkenness. 그는 술버릇이 나빠서 해고당했다. **3** ((~+목/+목+전+명/+목+*as* 보)) (생각 따위를) 염두에서 사라지게 하다, 깨끗이 잊어버리다((*from*)); 버리다, 멀리하다: ~ an idea *from* one's mind 어떤 생각을 버리다/~ the thought *as* utterly incredible 전혀 믿을 수 없는 생각이라고 멀리하다. **4** (토의 중의 문제 따위를) 간단히 처리하다, 결말을 내리다; 〖법률〗 각하[기각]하다. **5** 〖크리켓〗 (타자·팀을 …점으로) 아웃시키다((*for* ten runs)). **—** *vi.* 해산[분산]하다(disperse). ***Dismiss!*** ((구령)) 해산! ㊕ **~·i·ble** *a.* 해고할 수 있는; 해고를 면치 못할.

*__dis·miss·al__ [dismísəl] *n.* Ⓤ 면직, 해고; 해고 통지; 퇴거; 해산; 추방; (소송의) 각하, (상소의) 기각. ~ ***from school*** 퇴학 처분.

dis·mís·sion *n.* =DISMISSAL.

dis·mis·sive [dismísiv] *a.* 퇴거시키는, 그만두게 하는; 거부하는; 건방진, 경멸적인.

dis·mis·so·ry [dismísəri] *a.* 해고 통지의.

◇**dis·mount** [dismáunt] *vt.* **1** (말·자전거 따위에서) 내리다; (적 따위를) 말에서 떨어뜨리다. **2** (대좌(臺座) 따위에서) 떼내다, 내리다; (대포를) 포차에서 내리다. **3** (그림 따위를) 틀에서 떼다; (기계 따위를) 분해하다, 해체하다. **—** *vi.* (말·자전거 따위에서) 내리다((*from*)). **—** *n.* 하마(下馬), 하차; 분해. ㊕ **~·a·ble** *a.*

dis·na·ture [disnéitʃər] *vt.* 부자연스럽게 하다, 고유의 특징[외관]을 없애다. ㊕ **-ná·tured** *a.*

Dis·ney [dízni] *n.* **Walt**(**er E.**) ~ 디즈니((미국의 (만화) 영화 제작자; 1901-66)).

Dis·ney·esque [dìzniésk] *a.* 디즈니의 만화 영화 같은, 디즈니의 만화 영화풍의.

Dísney·lànd *n.* 디즈니랜드((1955 년에 W. Disney 가 Los Angeles 에 만든 유원지)); 공상적인 장소, 동화의 세계.

Dísneyland dáddy ((속어)) 디즈니랜드 아빠((이혼[별거] 후에 면회권을 활용하여 가끔 자녀를 만나 유원지, 동물원, 백화점에 데리고 가서 즐거워하는 아빠)).

Dísney Wórld 디즈니 월드((미국 Florida 주의 대유원지)).

◇**dis·o·be·di·ence** [dìsəbíːdiəns] *n.* Ⓤ 불순종; 불복종; 불효((*to*)); (규칙의) 위반, 반칙((*to*)). ◇ disobey *v.*

*__dis·o·be·di·ent__ [dìsəbíːdiənt] *a.* 순종치 않는; 불효의((*to*)); 위반하는((*to*)). SYN. ⇨ WILLFUL. ㊕ **~·ly** *ad.*

*__dis·o·bey__ [dìsəbéi] *vt., vi.* (어버이 등의) 말을 듣지 않다; (…에) 따르지 않다, (명령·규칙을) 위반하다, 어기다; 반항하다. ◇ disobedience *n.* ㊕ **~·er** *n.*

dis·o·blige [dìsəbláidʒ] *vt.* …에게 불친절하게 하다; (아무의) 뜻을 거스르다; …를 노하게 하다; …에게 폐를 끼치다.

◇**dìs·o·blíg·ing** *a.* 불친절한, 인정이 없는, 무뚝뚝한; 무례한; 폐가 되는. ㊕ **~·ly** *ad.*

di·só·di·um phósphate [disóudiəm-] 〖화학〗 인산(수소 2)나트륨((분석 시약, 첨가제, 매염제, 의약용)).

di·so·mic [daisóumik] *a.* 〖생물〗 2 염색체적인.

dis·op·er·a·tion [disɑ̀pəréiʃən/-ɔ̀p-] *n.* 〖생태〗 (생체 사이의) 상해(相害) 작용.

*__dis·or·der__ [disɔ́ːrdər] *n.* **1** Ⓤ 무질서, 어지러움, 혼란: be in ~ 혼란하다/fall [throw] into ~ 혼란에 빠지다[빠지게 하다]. **2** (*pl.*) 소요(騷擾), 불온. **3** Ⓒ (심신의) 부조(不調), 장애, 질환, 이상. **—** *vt.* **1** 어지럽히다, 혼란시키다. **2** 건강을 해치게 하다((심신의)), 병들게 하다. **—** *vi.* 혼란에 빠지다, 장애를 일으키다, (심신의) 정상(正常)을 잃다. ㊕ **~ed** *a.* 혼란된, 난잡한; 순조롭지 못한; 병에 걸린.

dis·ór·der·li·ness *n.* Ⓤ **1** 무질서, 혼란. **2** 〖법률〗 공안 방해; 난폭; 난맥.

◇**dis·ór·der·ly** *a.* 무질서한, 난잡한; 난폭한, 무법의; 안녕을 해치는; 풍기를 문란케 하는; 〖법률〗 공안 방해의.

disórderly cónduct 〖법률〗 치안[풍기] 문란 행위((경범죄)).

disórderly hóuse (불법) 매음굴; 도박장.

disórderly pérson 〖법률〗 치안 문란자.

dis·or·gan·i·za·tion [disɔ̀ːrgənizéiʃən/-naiz-] *n.* Ⓤ 해체, 분해, 분열; 혼란, 무질서.

◇**dis·or·gan·ize** [disɔ́ːrgənàiz] *vt.* …의 조직을 파괴하다; 질서를 문란케 하다; 혼란시키다. ㊕ **-ga·nìzed** *a.* 무질서한, 지리멸렬의. **-ì·zer** *n.*

dis·o·ri·ent [disɔ́ːrièntl] *vt.* **1** …에게 방향을 잃게 하다; (낯선 환경 등에 세워 놓아) 어리둥절케 하다; (교회의) 본당을 동향(東向)이 아니게 짓다. **2** 혼란시키다, 분별을 잃게 하다; 〖정신의학〗 (시간·장소·관계 등의) 식별력을 잃게 하다.

dis·o·ri·en·tate [disɔ́ːriəntèit] *vt.* =DISORIENT.

dis·ò·ri·en·tá·tion *n.* Ⓤ 방향 감각의 상실; 혼미.

dis·own [disóun] *vt.* 제 것[책임]이 아니라고 말하다, …에 관계가 없다고 말하다; 자식과 의절하다; …의 합법성을[권위를] 인정치 않다. ㊕ **~·er** *n.* **~·ment** *n.*

disp. dispensary.

dis·par·age [dispǽridʒ] *vt.* 깔보다, 얕보다; 헐뜯다, 비방[비난]하다, 나쁘게 말하다; 명예를 해치다. ㊕ **~·ment** *n.* Ⓤ **-ag·er** *n.*

dis·pár·ag·ing *a.* 깔보는 (듯한); 비난하는 (듯한). ㊕ **~·ly** *ad.*

dis·pa·rate [díspərət, dispǽr-/díspə-] *a.* (본질적으로) 다른, 공통점이 없는, (완전히) 다른 종류의; 갖가지 요소를 내포하는[로 된]: a ~ concept 〖논리〗 이격(離隔) 개념, 괴리 개념. **—** *n.* (*pl.*) 전혀 비교할 수 없는 것((언어 개념 등)), 여러 종류의 사람들. ㊕ **~·ly** *ad.* **~·ness** *n.*

dis·par·i·ty [dispǽrəti] *n.* Ⓤ,Ⓒ 부동(不同), 부등(不等), 불균형, 불일치; 상위: ~ in years 나이 차.

dis·park [dispɑ́ːrk] *vt.* (개인의 정원·사냥터를) 개방하다.

dis·part [dispɑ́ːrt] *vt., vi.* ((고어)) 분열[분리]하다, 분할하다[되다].

dis·pas·sion [dispǽʃən] *n.* Ⓤ 냉정, 평정(平靜); 공평 무사.

dis·pas·sion·ate [dispǽʃənət] *a.* 감정에 움직이지 않는, 침착한, 냉정한; 공평무사한. ㊕ **~·ly** *ad.* **~·ness** *n.*

*__dis·patch, des-__ [dispǽtʃ] *vt.* **1** (편지·사자 등을) 급송하다; 급파[특파]하다; 파병하다. **2** (일 따위를) 급히 해치우다, 신속히 처리하다; ((구어)) (식사를) 빨리 마치다. **3** 죽이다(kill); (죄수를) 신속히 처형하다. **4** ((드물게)) (회견 후에) 돌려보내다. **—** *vi.* ((고어)) 서두르다; ((폐어)) 처리하다. **—** *n.* **1** Ⓤ 급파, 특파, 급송. **2** Ⓒ 속달편; 급송 공문서; 〖신문〗 급보, 특전; 전보. **3** Ⓤ 재빠른 처리; 신속한 조치: with ~ 지급으로, 신속히. SYN. ⇨ HASTE. **4** Ⓤ,Ⓒ 죽음에 의한 해결, 살해. **5** Ⓒ (급행) 운송 대리점. ***be mentioned in ~es*** 〖영군사〗 수훈(殊勳) 보고서에 이름이 오르다.

dispátch bòat (옛날의) 공문서 송달용 배.

dispátch bòx 〔**càse**〕 (공문서) 송달함; 서류 케이스〔가방〕.

dis·pátch·er, des- *n.* **1** 발송자〔원〕, 급파하는 사람; (철도·버스 따위의) 운전 조차(操車)원, 배차원; (항공기의) 운항 관리자; 《미》 (자치제〔도시〕 경찰의) 통신 지령원; 운전 조차 지시기(器). **2** (*pl.*) 《미속어》 조작해 놓은 주사위.

dispátch nòte (국제 우편 소화물에 다는) 꼬리표.

dispátch rìder 〖군사〗 급사(急使); 전령.

dis·peace [dispíːs] *n.* 불화, 불안, 동요.

***dis·pel** [dispél] (*-ll-*) *vt.* 일소하다, 쫓아버리다; (근심 등을) 없애다(disperse): ~ fear 공포심을 떨쳐버리다. **—** *vi.* 흩어지다. ㊕ **~·la·ble** *a.* **~·ler** *n.*

dis·pen·sa·ble [dispénsəbəl] *a.* 없어도 좋은, 중요치 않은; 분배할 수 있는, 베풀 수 있는; 〖가톨릭〗 관면(寬免)할 수 있는《죄》; 적용 면제할 수 있는, 구속력이 없는. ㊕ **dis·pèn·sa·bíl·i·ty** *n.* Ⓤ 없어도 됨; 〖가톨릭〗 관면 가능성. **~·ness** *n.*

dis·pen·sa·ry [dispénsəri] *n.* 시약소(施藥所); (공장·학교 등의) 의무실; (병원 등의) 약국.

dis·pen·sa·tion [dìspənséiʃən, -pen-] *n.* Ⓤ **1** 분배, 시여(施與). **2** Ⓒ (신의) 섭리, 하늘의 배려; 하늘이 준 것. **3** 지배, 통치, 관리, 처리; 제도. **4** Ⓒ 처방 조제. **5** 〖종교〗 율법(시대): the old Mosaic ~ 모세의 옛 율법(시대). **6** 〖법률〗 (법 적용의) 완화, 면제; Ⓤ,Ⓒ 〖가톨릭〗 관면(장). ◇ dispense *v.* ㊕ **~·al** [-ʃənəl] *a.*

dis·pen·sa·tor [díspənsèitər, -pen-] 《고어》 *n.* 분배하는 사람(distributor); 지배자(manager); dispense 하는 사람.

dis·pen·sa·to·ry [dispénsətɔ̀ːri/-təri] *n.* 약품 해설(서), 약전 주해(서); 《고어》 약국.

dis·pense** [dispéns] *vt.* **1** 《~+목/+목+전+명》 분배하다, 나누어 주다; 베풀다: ~ food and clothing *to* the poor 빈민에게 의복과 식량을 분배하다. **2** 조제하다, 시약〔투약〕하다. **3** (법률 등을) 실시〔시행〕하다. **4** 《+목+전+명》 …에게 면제하다(exempt)《*from*》: ~ a soldier *from* all fatigues 병사에게 모든 사역을 면제하다. **5** 〖가톨릭〗 …을 관면(寬免)하다. **—** *vi.* 조제하다; 면제하다; 〖가톨릭〗 관면하다. ~ ***with ① …을 필요없게 하다, …할 수고〔절차〕를 덜다; 〔흔히 can ~〕 …없이 때우다(do without): The new method ~*s with* much labor. 새 방식으로 일손이 크게 덜어진다 / ~ *with* a person's services 아무를 해고하다 / I *can*not ~ *with* this dictionary. 이 사전 없이는 해낼 수 없다. ② …을 특히 면제하다, 적용을 면제하다.

dis·péns·er *n.* **1** 약사, 조제사; 분배자, 시여자(施與者). **2** 디스펜서《종이컵·휴지·향수·정제 등을 필요량만큼 내는 장치》; 자동판매기.

dispénsing chémist 《영》 조제 약제사.

dispénsing optícian 안경사《안경·콘택트렌즈를 만들 뿐 아니라 처방도 할 수 있는 자격이 있음》.

dis·peo·ple [dispíːpəl] *vt.* …의 주민을 절멸시키다, …의 인구를 감소시키다(depopulate). ㊕ **~·ment** *n.*

dis·per·sal [dispə́ːrsəl] *n.* Ⓤ 〖생물〗 (개체의) 분산(分散), 전파; 분산 (작용)(dispersion), (인구의) 소개; 해산.

dispérsal príson 가장 엄중한 경비를 요하는 수형자를 수용하는 교도소.

dis·per·sant [dispə́ːrsənt] *n.* 분산제(分散劑). **—** *a.* 분산성의.

***dis·perse** [dispə́ːrs] *vt.* **1** 흩뜨리다, 흩어지게 하다, 뿔뿔이 헤어지게 하다(scatter); 해산시키다; 분산시키다; (적 따위를) 쫓아 버리다(rout), 패주시키다. SYN. ⇨ SCATTER. **2** (병·지식 등을) 퍼뜨리다, 전파시키다(diffuse). **3** (구름·안개 등을) 흩어 없어지게 하다; (환영 등을) 쫓아버리다. **4** 〖물리·화학〗 분산시키다. **—** *vi.* 흩어지다, 헤어지다, 해산하다; 흩어져 없어지다. **—** *a.* 〖물리·화학〗 분산한. ㊕ **~d** [-t] *a.* **dis·pérs·ed·ly** [-idli, -st-] *ad.* 분산하여, 흩어져, 뿔뿔이. **-pérs·er** *n.* **-pérs·i·ble** *a.*

dis·per·sion [dispə́ːrʒən, -ʃən/-ʃən] *n.* Ⓤ **1** 분산; 산란(散亂), 이산. **2** 〖물리·화학〗 분산; 〖광학〗 분산, 분광; 〖전자〗 산란, 산포〔분산〕도; 〖통계〗 (평균값 따위와의) 편차; 〖군사〗 (폭탄 등의) 탄착 산포 패턴; 〖항공〗 디스퍼전《미사일 등의 예정로(路)에서의 편차》; 〖의학〗 (염증 따위의) 소산(消散). **3** (the D-) 유대인의 이산 (Diaspora).

dispérsion mèdium 〖물리·화학〗 분산매(分散媒)《분산계(系)의 매질(媒質)이 되는 물질》.

dis·per·sive [dispə́ːrsiv] *a.* 흩뜨리는, 분산하는; 소산하는; 산포성의, 전파성의. ㊕ **~·ly** *ad.* **~·ness** *n.*

dis·per·soid [dispə́ːrsɔid] *n.* 〖물리·화학〗 「분산질(質).

di·spir·it [dispírit] *vt.* …의 기력을〔의기를〕 꺾다; 낙담시키다.

di·spír·it·ed [-id] *a.* 기운 없는, 기가 죽은, 의기소침한(disheartened). ㊕ **~·ly** *ad.* **~·ness** *n.*

dis·pit·e·ous [dispítiəs] *a.* 《고어》 무자비한.

***dis·place** [displéis] *vt.* **1** 바꾸어 놓다, 옮기다. **2** …에 대신 들어서다. **3** 제거하다, 쫓아내다; 추방하다. **4** 면직〔해직〕하다. **5** 〖해사〗 배수〔배기〕량이 …톤이다. **6** 〖화학〗 치환하다. ㊕ **~·a·ble** *a.*

dis·placed [-t] *a.* 고향〔고국〕이 없는; (원래의 장소에서) 쫓겨난. **—** *n.* (the ~) 〔복수취급〕 난민, 유민.

displáced hómemaker 《미》 (이혼·별거·남편의 사망·무능력 따위로) 생활 수단을 잃은 주부.

displáced pérson 유민(流民), 강제 추방자 《특히, 나치 정권에 의한; 생략: D.P.》.

dis·pláce·ment *n.* **1** Ⓤ 환치(換置), 전위; 이동; 〖화학〗 치환; 〖제약〗 여과; 〖물리·전기〗 변위(變位); 〖지학〗 (단층면에 연한) 이동, 전이; 〖정신의학〗 감정 전위(轉位); 〖천문〗 (천체의) 시(視)운동. **2** Ⓤ 배제; 해직; 퇴거. **3** Ⓤ,Ⓒ 〖유체역학〗 배제량; (보통 군함의) 배수량〔톤〕; 〖기계〗 배기량: a ship of 3,000 tons ~ 배수량 3천톤의 배.

displácement actìvity 〖심리·비교생물〗 전위(轉位) 행동〔활동〕.

displácement cùrrent 변위 전류.

displácement hùll 〖해사〗 배수형(型) 선체.

displácement tòn 〖해사〗 배수(排水) 톤.

displácement tònnage 〖해사〗 배수 톤수.

dis·plác·er *n.* (조제용) 여과기 (percolator); 배제자〔물〕; 〖건축〗 = PLUM[1].

****dis·play** [displéi] *vt.* **1** 보이다, 나타내다; 전시〔진열〕하다: ~ a sign 간판을 내걸다 / ~ goods for sale 상품을 전시하다. SYN. ⇨ SHOW. **2** (기 따위를) 펼치다, 달다, 게양하다; (날개 따위를) 펴다. **3** 밖에 나타내다, 드러내다; (능력 등을) 발휘하다; (지식 등을) 과시하다, 주적거리다: ~ fear 공포의 빛을 나타내다 / ~ bravery 용기를 과시하다. **4** 〖인쇄〗 (어떤 말을 특수 활자로) 눈에 띄게 하다. **—** *vi.* 전시〔과시〕하다; (번식기의 새 따위가) 디스플레이를 하다. ~ one*self* (*in*) (…으로) 나타나다. **—** *n.* **1** Ⓤ,Ⓒ 표시, 표명; (감정 등의) 표현. **2** 진열; 전시〔전람〕(회); 전시〔진열〕물: on ~ 전시〔진열〕하여. **3** Ⓤ,Ⓒ 자랑삼아 보임, 과시; 발휘; (새 따위의) 디스플레이: a ~ of courage 용기의 발휘 / make a ~ *of* …을 과시하다 / out of ~ 보아란 듯이. **4** 〖인쇄〗 특별히 눈에 띄는 조판(에 의한 인쇄물), 디스플레이. **5** 〖컴퓨터〗 화면 표시기《출력 표시 장치》. **6** 펼침, 게양함: the ~ of fireworks 불꽃 놀이 / the ~ of national flags 국기 게양. **—** *a.* (표제 · 광고용) 대활자의, 디스플레이의. ㊕ **~·er** *n.*

displáy àd 〔**àdvertising**〕 (신문 · 잡지의) 대형 광고. 「너, 특별 광고 고안자.

displáy àrtist 쇼윈도 장식〔실내 전시〕 디자이

displáy càse 〔**càbinet**〕 진열 상자〔장〕.

dis·pláyed *a.* 〖문장(紋章)〗 (새가) 날개와 다리를 벌린 (모양의): an eagle ~.

displáy·man [-mən, -mæ̀n] (*pl.* **-men** [-mən, -mèn]) *n.* =DISPLAY ARTIST.

displáy tỳpe 디스플레이 타이프《표제용〔광고용〕 활자》.

displáy wìndow (상점의) 정면 전시창(窓).

***dis·please** [displíːz] *vt.* …을 불쾌하게 하다; 노하게 하다: ~ one's senior 윗사람 기분을 상하게 하다.

dis·pléased *a.* **1** 불쾌한: a ~ look 불쾌한 표정. **2** (아무에 대하여) 불만스러운, 화를 낸《*with*》; (언동에 대하여) 못마땅한, 역정을 낸《*at*》: She's ~ *with* you. 그녀는 자네에게 화를 내고 있다 / He was ~ *at* his son's behavior. 그는 아들의 행실이 못마땅했다.

dis·pléas·ing *a.* 불쾌한, 마땅찮은, 화나는. ㊕ **~·ly** *ad.* 불유쾌하게. **~·ness** *n.*

◇**dis·pleas·ure** [displéʒər] *n.* Ⓤ 불쾌; 불만; 골; Ⓒ 《고어》 불쾌한 일, 불만의 원인. ***incur the ~ of*** …의 노염을 사다; …을 화나게 하다. ***with ~*** 화를 내어; 불만스러운 듯이. **—** *vt.* 《고어》 = DISPLEASE.

dis·plume [displúːm] *vt.* =DEPLUME.

dis·port [dispɔ́ːrt] *vi., vt.* 놀다, 장난치다; 즐기게 하다; 과시하다: ~ oneself 장난치며〔흥겹게〕 놀다. **—** *n.* U,C 놀이, 즐거움.

dis·pós·a·ble *a.* 처치〔처분〕할 수 있는; 마음대로 되는; 사용 후 버릴 수 있는: ~ chopsticks 〔diapers, syringes〕 일회용 젓가락〔기저귀, 주사기〕. **—** *n.* 사용 후 버리는 물건, 일회용 물품《종이컵 따위》. ㊕ **dis·pòs·a·bíl·i·ty** *n.*

dispósable góods 비(非)내구 소비재.

dispósable íncome (급료의) 실(實)수입 (take-home pay); 가처분 소득.

◇**dis·pos·al** [dispóuzəl] *n.* Ⓤ **1** 처분, 처리; (재산 따위의) 양도, 매각: ~ *by* sale 매각 처분. **2** 처분의 자유; 처분권: left *at* his ~ 그의 재량에 맡겨져 있는. **3** 배치, 배열(配列). **4** 디스포저 (disposer). ◇ dispose *v.* ***at*** 〔***in***〕 ***a person's ~*** 아무의 뜻〔마음〕대로 되는: I am completely *at* 〔*in*〕 your ~. 전적으로 당신 뜻에 따르겠습니다. ***have ~ of*** …을 관리하다. ***put*** 〔***leave***〕 something ***at*** a ***person's ~*** 무엇을 아무의 재량에 맡기다. 「물처리 주머니.

dispósal bàg (비행기 · 호텔 등에 비치된) 오

dispósal cènter 쓰레기 처리장.

dis·pose** [dispóuz] *vt.* **1** 《~+목 / +목+전+명》 배치하다, 배열하다: ~ battleships *for* (a) battle 전투에 대비하여 전함을 배치하다. **2** 적소에 배치하다; (어떤 용도에) 충당하다; (사무 · 문제 등을) 처리하다, …의 결말을 짓다. **3** 《+목+*to* do / +목+전+명》 (…할) 마음이 내키게 하다; …에게 자칫 …하게 하다, …하는 경향이 있다: Her poverty ~*d* me *to* help her. 가난한 것을 보니 그녀를 도울 생각이 났다 / She was ~*d to* colds. 그녀는 감기에 자주 걸렸다. **4** 《고어》 준비하다, 처리하다. **—** *vi.* 처분하다《*of*》; 형세를 정하다《*of*》: Man proposes, God ~*s*. 《속담》 일은 사람이 꾸미되, 성패는 하늘에 달렸다. **~ *of ① …을 처분〔양도〕하다, …을 팔아 버리다, 버리다; …의 결말을 짓다, …을 해결〔처리〕하다: That ~*s of* your point. 그것으로 네 주장이 해결된다. ② (승부에서) …을 패배시키다; …을 죽이다. ③ …을 다 먹어〔마셔〕 버리다. **~ *of* oneself** 태도를 정하다, 처신하다; 자력으로 생계를 세우다.

dis·pósed *a.* **1** 배치된. **2** …할 마음이 있는, …하고 싶어하는, …의 기질〔경향〕을 지닌: Are you ~ *for* a walk? 산책하고 싶습니까. **3** 《복합어》 …한 기분의, …한 성질의: well-~ 호의를 가지고 있는; 성품이 좋은 / ill-~ 악의를 품고 있는; 성품이 나쁜. ***be ~ to*** do …하고 싶은 마음이 들다; …하는 경향이 있다: He *is* ~ *to* take offence at trifles. 하찮은 일에 화를 잘 낸다.

dis·pós·er *n.* 디스포저《부엌 찌꺼기 분쇄 처리기》; 《고어》 감독자; 《고어》 =DISPENSER.

dis·po·si·tion** [dìspəzíʃən] *n.* **1** U,C 성벽(性癖), 성질, 기질; 경향; Ⓤ 의향: have a ~ to the drink 음주벽이 있다 / a man *of* a social ~ 사교성이 있는 사람 / She has a natural ~ *to* catch cold. 그녀는 원래 감기에 걸리기 쉬운 체질이다. SYN. ⇨ MOOD. **2** U,C 배열, 배치; (*pl.*) 작전 계획: the ~ *of* troops 군대의 배치 / make one's ~*s* 만반의 준비를 하다. **3** Ⓤ 처분, 정리; 〖법률〗 양도, 증여; 처분〔재량〕권. **4** Ⓒ 〖의학〗 소인(素因). **5** 하늘의 배려: a ~ *of* Providence 하늘의 뜻, 신의 섭리. ◇ dispose *v.* ***at 〔***in***〕 a person***'s ~*** 아무의 멋대로, 자유로. ***God has the supreme ~ of all things***. 신은 만물의 최고 지배권을 갖는다.

dis·pos·i·tive [dispázətiv/-pɔ́z-] *a.* (사건 · 문제 등의) 방향을 결정하는.

dis·pos·sess [dìspəzés] *vt.* …의 소유권〔재산〕을 박탈하다, 빼앗다, …에게 명도를 청구하다《*of*》; 쫓아내다(oust)《*of*》: ~ a person *of* his property. ㊕ **-sés·sor** *n.* (토지) 침탈자.

dìs·pos·séssed [-t] *a.* **1** 쫓겨난. **2** 재산을〔지위를〕 빼앗긴. **3** 좌절〔소외〕된.

dìs·pos·sés·sion *n.* Ⓤ 내쫓음, 명도 신청; 강탈, 탈취; 〖법률〗 부동산 불법 점유.

dis·praise [dispréiz] *vt.* 트집잡다, 헐뜯다, 비난하다. **—** *n.* Ⓤ 트집; U,C 비난. ***speak in ~ of*** …을 헐뜯다. ㊕ **dis·práis·er** *n.* **-práis·ing·ly** *ad.* 헐뜯어, (사실보다) 나쁘게.

di·spread [dispréd] *vt., vi.* 펼치다(spread out). ㊕ **~·er** *n.*

dis·prod·uct [disprádʌkt, -dəkt/-prɔ́d-] *n.* 유해(有害) 제품. 「(물건).

dis·proof [disprúːf] *n.* U,C 반박, 논박, 반증

dis·pro·por·tion [dìsprəpɔ́ːrʃən] *n.* Ⓤ 불균형, 불균등, 비평균. **—** *vt.* 균형을 잃게 하다, 어울리지 않게 하다(mismatch).

dis·pro·por·tion·al [dìsprəpɔ́ːrʃənəl] *a.* 어울리지 않는, 불균형의. ㊕ **~·ly** *ad.*

dis·pro·por·tion·ate [dìsprəpɔ́ːrʃənət] *a.* 불균형의, 어울리지 않는《*to*》. **—** [-èit] *vt., vi.* 〖화학〗 (…에) 불균화(不均化)를 일으키(게 하)다. ㊕ **~·ly** *ad.* **~·ness** *n.*

dis·pro·por·tion·a·tion [dìsprəpɔ̀ːrʃənéiʃən] *n.* 〖화학〗 불균등화.

◇**dis·prove** [disprúːv] *vt.* …의 반증을 들다, …의 그릇됨을 증명하다, 논박하다(refute). ㊕ **-próv·a·ble** *a.* 「확실치 않은 일.

dis·pùt·a·bíl·i·ty *n.* Ⓤ 의논의 여지가 있는 일,

dis·put·a·ble [dispjúːtəbəl] *a.* 논의할〔의문의〕 여지가 있는; 진위가 의심스러운, 확실치 않은. ㊕ **-bly** *ad.* **~·ness** *n.*

dis·pu·tant [dispjúːtənt] *n.* 논쟁자, 논객.

— *a.* 논쟁 중의(disputing).

dis·pu·ta·tion [dìspjutéiʃən] *n.* Ⓤ,Ⓒ 논쟁, 논의, 토론, 반박. ◇ dispute *v.*

dis·pu·ta·tious [dìspjutéiʃəs] *a.* 논쟁적인, 논의를 좋아하는; 논쟁의 대상이 되는. ㊎ **~·ly** *ad.* **~·ness** *n.*

dis·put·a·tive [dispjúːtətiv] *a.* =DISPUTATIOUS.

dis·pute [dispjúːt] *vi.* **1** 《~/+전+명》 논쟁하다《*with; against*》; 논의하다《*about; on*》: We *~d with* them *about* the subject. 우리는 그 문제에 관해 그들과 논의했다. **2** 말다툼하다.
— *vt.* **1** 《~+목/+*wh.* 절/+*wh. to* do》 논하다, 논의하다(discuss): ~ the case 그 건에 대해 논하다/We *~d whether* we would adopt the proposal. 우리는 그 제안의 채택 여부에 대해 논의했다/We *~d what to* do next. 우리는 다음에 무엇을 할까에 대해 논의했다. SYN. ⇨ DISCUSS. **2** 논박하다, 반론하다. **3** 의문시하다, 문제삼다: The fact cannot be *~d*. 그 사실은 의심할 여지가 없다. **4** …에 항쟁〔저항〕하다; 저지하다(oppose): ~ the enemy's advance 적의 전진을 저지하다. **5** 《~+목/+목+전+명》 (얻으〔잃지 않으〕려고) 다투다, 경쟁하다(contend for): ~ every inch of ground 한치의 땅을 다투다/~ a prize *with* a person 아무와 상을 놓고 다투다. **6** 《+목+전+명/+목+부》 논의하여 …하게 하다: ~ a person *into* agreement 논의하여 아무를 동의하게 하다/~ a person *down* 아무를 논파하다. ◇ disputation *n.*
— *n.* Ⓤ **1** 토론, 논의. **2** 논박, 반론. **3** Ⓒ 논쟁, 말다툼, 싸움(quarrel). ***beyond*** 〔***out of, past, without***〕 ~ 논의할 여지 없이, 분명히; 최종 결정을 본, 해결된. ~ a person ***out of*** 논쟁하여 아무에게 …을 그만두게 하다. ***in*** 〔***under***〕 ~ 논쟁 중의, 미해결로〔의〕: a point *in* ~ 논쟁점.
㊎ **-pút·ed** [-id] *a.* **-pút·er** *n.* 논쟁자.

dispúted térritory (두 나라 이상이 영유권을 주장하는) 분쟁〔계쟁〕 지역.

dis·qual·i·fi·ca·tion [diskwɑ̀ləfikéiʃən/-kwɔ̀l-] *n.* **1** Ⓤ 자격 박탈, 실격; 무자격, 결격. **2** 실격 사유, 결격 조항.

dis·qual·i·fied [diskwɑ́ləfàid/-kwɔ́l-] *a.* 자격을 빼앗긴, 실격된.

dis·qual·i·fy [diskwɑ́ləfài/-kwɔ́l-] *vt.* …의 자격을 박탈하다; 실격시키다; 적임이 아니라고 판정하다; (병 등이) 무능자로 만들다; 〖경기〗 출전 자격을 박탈〔취소〕하다: be *disqualified for* 〔*from*〕 …의 자격이 없다; (병 따위로) …못하다; …의 법률상의 자격을 잃다. ㊎ **-fi·a·ble** *a.*

dis·qui·et [diskwáiət] *vt.* 불안〔동요〕하게 하다, 걱정시키다: ~ oneself 조바심하다. — *n.* Ⓤ 불안; 불온, 동요; 걱정. ㊎ **~·ing** *a.* 불안한, 걱정되는. **~·ing·ly** *ad.*

dis·qui·e·tude [diskwáiətjùːd/-tjùːd] *n.* Ⓤ =DISQUIET.

dis·qui·si·tion [dìskwəzíʃən] *n.* **1** 긴〔공들인〕 논문, 논고, 강연《*on*》. **2** Ⓤ 《고어》 (조직적인) 연구, 탐구《*into*》.

Dis·rae·li [dizréili] *n.* **Benjamin** ~ 디즈레일리《영국의 정치가·소설가; 1804–81》.

dis·rate [disréit] *vt.* 〖해사〗 (사람·배의) 등급〔계급〕을 낮추다; 격하〔강등〕시키다.

dis·re·gard [dìsrigɑ́ːrd] *vt.* 무시하다, 문제시하지 않다; 경시하다(ignore). SYN. ⇨ NEGLECT.
— *n.* Ⓤ (또는 a ~) 무시, 등한; 경시(ignoring)《*for; of*》: have a ~ *for* 〔*of*〕 …을 무시〔등한시〕하다. ***with*** ~ ***to*** …을 조금도 고려하지 않고. ㊎ **~·ful** [-fəl] *a.* 무시하는; 경시하는.

dis·re·lat·ed [dìsriléitid] *a.* 관계가 없는.

dìs·relátion *n.* 상응하는 관계가 없는 것.

dis·rel·ish [disréliʃ] *n.* 싫어함, 혐오《*for*》. — *vt.* 혐오하다, 싫어하다(dislike).

dis·re·mem·ber [dìsrimémbər] *vt., vi.* 《방언·구어》 잊다(forget), 생각이 나지 않다.

dis·re·pair [dìsripέər] *n.* Ⓤ (수리·손질 부족에 의한) 파손 (상태), 황폐: fall into ~ 상하다, 파손하다, 황폐해지다/in ~ (집 등이) 파손되어; 수리를 요하는.

dis·rep·u·ta·ble [disrépjətəbəl] *a.* 평판이 나쁜, 남우세스러운, 창피한; 보기 흉한, 추레한.
— *n.* 평판이 나쁜 사람. ㊎ **-bly** *ad.* **-rèp·u·ta·bíl·i·ty** *n.* 악평. **~·ness** *n.*

dis·re·pute [dìsripjúːt] *n.* Ⓤ 불평, 악평, 평판이 나쁨; 불명예. ***be in*** ~ 평이 나쁘다. ***bring*** a person ***into*** ~ 아무의 평판을 떨어뜨리다. ***fall into*** ~ 평판이 나빠지다.

dis·re·spect [dìsrispékt] *n.* Ⓤ 불경, 실례, 무례《*to; for*》. — *vt.* 경시〔경멸〕하다.

dìs·re·spéct·a·ble *a.* 존경할 가치가 없는. ㊎ **-bly** *ad.* **~·ness** *n.* **dìs·re·spèct·a·bíl·i·ty** *n.*

dis·re·spect·ful [dìsrispéktfəl] *a.* 실례되는; 경시한《*of*》. ㊎ **~·ly** *ad.* 실례되게〔무례하게〕(도); 경멸하여. **~·ness** *n.*

dis·robe [disróub] *vt., vi.* …의 옷〔제복〕을 벗기다〔벗다〕; …에서 제거하다(strip), …의 지위〔권위〕를 박탈하다《*of*》.

dis·root [disrúːt, -rút/-rúːt] *vt.* 뿌리째 뽑다(uproot); 제거하다, 근절시키다.

dis·rupt [disrʌ́pt] *vt.* **1** 찢어 발기다, 째다; 부수다. **2** (국가·제도·동맹 따위를) 붕괴〔분열〕시키다; 분쇄하다. **3** (회의 등을) 혼란케 하다; (교통·통신 등을) 일시 불통케 하다, 방해하다, 중단시키다. — *vi.* 《드물게》 부서지다. — *a.* 분열한, 분쇄〔붕괴〕된.

dis·rúp·tion *n.* Ⓤ 분열; (특히 국가·제도의) 붕괴, 와해; 혼란, 방해; 환경 파괴(environmental ~); (the D–) 스코틀랜드 교회 분열《1843년 국교(國教)에서 독립해 자유교회를 조직함》.

dis·rup·tive [disrʌ́ptiv] *a.* 분열〔붕괴〕시키는, 파괴적인; 파열〔붕괴〕로 생긴. ㊎ **~·ly** *ad.* **~·ness** *n.*

disrúptive díscharge 〖전기〗 파열 방전.

dis·rup·ture [disrʌ́ptʃər] *n.* = DISRUPTION. — *vt.* =DISRUPT.

diss. dissertation.

dis·sat·is·fac·tion [dissæ̀tisfǽkʃən] *n.* Ⓤ 불만(족), 불평; Ⓒ 불만의 원인《*at; with*》: many *~s with* the plan 그 계획에 대한 많은 불만 사항들.

dis·sat·is·fac·to·ry [dissæ̀tisfǽktəri] *a.* 마음에 안 차는, 만족〔탐탁〕스럽지 않은《*to*》.

dis·sat·is·fied [dissǽtisfàid] *a.* 불만스러운, (마음에) 차지 않는; 불만을 나타내는: a ~ look 불만스러운 듯한 표정.

dis·sat·is·fy [dissǽtisfài] *vt.* 만족시키지 않다; 불만을 느끼게 하다, 불쾌하게 하다: be *dissatisfied with* 〔*at*〕 …을 불만으로 여기다, …이 불만이다.

dis·save [disséiv] *vi.* (예금·자본금을 빼내) 수입 이상의 돈을 쓰다. ㊎ **-ser** *n.* **-sáv·ing** *n.*

dis·seat [dissíːt] *vt.* 《고어》 =UNSEAT.

dis·sect [disékt, dai-] *vt.* **1** 해부〔절개(切開)〕하다. **2** 분석하다, 자세히 조사〔비평〕하다. — *vi.* 해부하다. ~ ***out*** (기관·환부를) 잘라내다. ㊎ **dis·séct·ed** [-id] *a.* 해부〔절개〕한; 〖식물〗 전열(全裂)의(잎); 〖지학〗 개석(開析)된. **~·ing** *a.* 절개용의: a *~ing* room 해부실.

dis·séc·tion *n.* Ⓤ 해부, 절개, 해체; Ⓒ 해부체〔모형〕; Ⓤ 분석, 정밀 검사〔조사〕; (상품의) 분류; 〖지학〗 개석(開析). ㊎ **-tive** *a.*

dis·sec·tor [diséktər, dai-] *n.* 해부(학)자; 해부서; 해부 기구.
disséctor tùbe 〖전자〗 =IMAGE DISSECTOR.
dis·seise, -seize [dissíːz] *vt.* 〖법률〗 …에게서 (부동산 점유권 따위를) 불법으로 빼앗다, 침탈하다《*of*》.
dis·seis·ee, -seiz- [dìssiːzíː] *n.* 〖법률〗 (부동산 점유) 피침탈자.
dis·sei·sin, -zin [dissíːzin] *n.* 〖법률〗 (부동 「산) 점유 침탈.
dis·sei·sor, -zor [dissíːzər] *n.* 〖법률〗 (부동산 점유) 침탈자.
dis·sem·blance[1] [disémbləns] *n.* Ⓤ,Ⓒ 《고어》 닮지 않음, 상이(相異).
dis·sem·blance[2] *n.* Ⓤ 《고어》 시치미뗌, 속임, 위장(dissimulation).
dis·sem·ble [disémbəl] *vt.* (감정 · 사상 · 목적 등을) 숨기다, 감추다, 속이다; 꾸미다, …인 체하다(feign); 《고어》 못 본 체하다, 무시하다. **—** *vi.* 본심을 속이다, 시치미 떼다. ㊕ **-bler** *n.* 위선자, 가면 쓴 사람. **-bling·ly** *ad.* 속이어, 딴청을 부려.
dis·sem·i·nate [disémənèit] *vt.* (씨를) 흩뿌리다; 널리 퍼뜨리다, 선전하다; (사상 따위를) 유포하다, 보급시키다. **—** *vi.* 널리 흩어지다, 퍼지다. ㊕ **dis·sèm·i·ná·tion** *n.* Ⓤ 흩뿌림, 파종; 〖의학〗 전이(轉移); 보급, 선전; 살포. **dis·sém·i·nà·tor** *n.* 파종자; 선전자; 살포기. **-nà·tive** *a.* 파종성의.
dis·sém·i·nàt·ed [-id] *a.* 〖의학〗 파종성(播種性)의, 산재(散在)(성)의.
dis·sen·sion, -tion [disénʃən] *n.* Ⓤ 의견 차이; Ⓒ 불화(의 씨); (*pl.*) 알력, 분쟁. ◇ dissent *v.*
dis·sen·sus [disénsəs] *n.* 의견 불일치, 합의의 결여(ⓒⓕ consensus).
°**dis·sent** [disént] *vi.* **1** 《~/+전+명》 (아무와) 의견을 달리하다, 이의를 말하다《*from*》. OPP *assent*. ¶ ~ *from* the opinion 그 의견에 불찬성이다. **2** 영국 국교에 반대하다《*from*》. ***without a ~ing voice*** 단 한 사람의 이의도 없이. **—** *n.* Ⓤ 불찬성, 이의《*from*》; 〖법률〗 =DISSENTING OPINION; 영국 국교 반대; 〔집합적〕 비국교도. ㊕ **~·er** *n.* 불찬성자, 반대자; (보통 D–) 《영》 비국교도, 국교 반대자.
dis·sen·tient [disénʃənt/-ʃiənt] *a., n.* 의견을 달리하는 (사람), (다수 의견에) 반대하는 (사람). ㊕ **-tience** *n.* **~·ly** *ad.*
dis·sént·ing *a.* **1** 의견을 달리하는, 이의를 말하는, 반대하는. **2** (종종 D–) (영국) 국교에 반대하는. ㊕ **~·ly** *ad.*
dissénting opínion 〖법률〗 (다수의견으로 정한 판결에 덧붙이는 소수의견 판사의) 반대 의견.
dis·sen·tious [disénʃəs] *a.* 싸움을 좋아하는, 당파 싸움을 일삼는. ㊕ **~·ly** *ad.*
dis·sep·i·ment [disépəmənt] *n.* 〖식물 · 동물〗 격막, 격벽; 〖식물〗 자방벽(子房壁). ㊕ **dis·sèp·i·mén·tal** [-méntl] *a.*
dis·sert, dis·ser·tate [disə́ːrt], [dísərtèit] *vi.* 논하다, 논술하다.
dis·ser·ta·tion [dìsərtéiʃən] *n.* 논설; 《특히》 학위 논문(treatise)《생략: diss.》, 연구 보고: a doctoral ~ 박사 논문. ㊕ **~·al** *a.*
dis·ser·ta·tor [dísərtèitər] *n.* 논(설)자(論 「說)者).
dis·serve [dissə́ːrv] *vt.* …을 학대하다; …에게 해(害)를 주다, 상처를 입히다.
dis·serv·ice [dissə́ːrvis] *n.* 해, 손해, 폐; 불친절한 행위, 학대, 구박: do a person a ~ 아무에게 모질게 굴다. ◇ disserve *v.*
dis·sev·er [disévər] *vt., vi.* 분리〔분할〕하다; 잘라 버리다, 끊어〔떼어〕 버리다. ㊕ **~·ance** [-sévərəns] *n.* Ⓤ 분리. **~·ment** *n.* Ⓤ
dis·si·dence [dísədəns] *n.* Ⓤ (의견 · 성격 등의) 상위(相違), 불일치; 부동의(不同意), 이의.
dis·si·dent [dísədənt] *a.* 의견을 달리하는, 동의〔일치〕하지 않는《*from*》; (일반의 의견에) 불찬성의. **—** *n.* 의견을 달리하는 사람, 불찬성자; 반체제 인사, 비국교도. ㊕ **~·ly** *ad.*
dis·sim·i·lar [dissímələr] *a.* 닮지 않은, 다른《*to*; *from*》. ㊕ **~·ly** *ad.* **dis·sim·i·lar·i·ty** [dissìməlǽrəti] *n.* Ⓤ 부동(不同)(성), 차이; Ⓒ 차이점(difference).
dis·sim·i·late [disíməlèit] *vt.* 부동화(不同化)시키다; 〖음성〗 이화(異化)시키다《한 낱말 중의 같은 2음을 서로 다른 음으로 전화(轉化)시킴》. OPP *assimilate*. **—** *vi.* 부동화하다. ㊕ **dis·sìm·i·lá·tion** *n.* Ⓤ,Ⓒ 이화(異化); 〖생물〗 이화(작용); 〖음성〗 이화. **dis·sím·i·là·tive** [-lèitiv, -lət-] *a.*
dis·si·mil·i·tude [dìssimílətjùːd/-tjùːd] *n.* Ⓤ 부동(不同), 상위(相違), 같지 않음; Ⓒ 차이(점); Ⓤ 〖수사학〗 대비(對比).
dis·sim·u·late [disímjəlèit] *vt., vi.* (감정 · 의사 따위를) 숨기다; 모르는 체하다, 시치미 떼다: ~ fear 무섭지 않은 체하다. ㊕ **dis·sìm·u·lá·tion** *n.* Ⓤ,Ⓒ (감정을) 감춤; 시치미 뗌; 위선; 〖정신의학〗 질환(疾患) 은폐. **dis·sím·u·là·tor** *n.*
°**dis·si·pate** [dísəpèit] *vt.* **1** (안개 · 구름 따위를) 흩뜨리다; (군중 따위를) 쫓아 흩어버리다; (열 따위를) 방산하다. **2** (의심 · 공포 따위를) 일소하다. SYN. ⇨SCATTER. **3** (재산 따위를) 낭비하다, 다 써 버리다(waste). **—** *vi.* **1** 사라지다, 흩어져 없어지다《구름 따위가》. **2** (음주 · 도박 등으로) 낭비〔탕진〕하다, 유흥에 빠지다.
dís·si·pàt·ed [-id] *a.* 난봉피우는, 방탕한; 소산(消散)된; 낭비된: lead a ~ life 방탕한 생활을 하다. ㊕ **~·ly** *ad.* **~·ness** *n.*
dís·si·pàt·er, -pà·tor *n.* 낭비자; 방탕자.
dìs·si·pá·tion *n.* Ⓤ **1** 소산(消散), 소실《*of*》. **2** 낭비《*of*》. **3** Ⓤ,Ⓒ 방탕, 난봉, 유흥. **4** Ⓤ,Ⓒ 기분 전환, 위안. **5** 〖물리〗 (에너지의) 흩어지기. ◇ dissipate *v.*
dissipátion tràil 〖항공〗 소산항적(消散航跡).
dis·si·pa·tive [dísəpèitiv] *a.* **1** 소산(消散)하는, 산일성(散逸性)의. **2** 방탕한. **3** 〖물리〗 에너지가 흩어지는.
dis·so·ci·a·ble [disóuʃiəbəl] *a.* **1** 분리〔구별〕할 수 있는. **2** 조화되지 않는, 적합하지 않은. **3** [-ʃəbəl] 비사교적인(unsociable). ㊕ **dis·sò·ci·a·bíl·i·ty** *n.* **~·ness** *n.*
dis·so·cial [disóuʃəl] *a.* 비사교적인, 교제를 싫어하는; 멋대로 구는, 편벽된; 반사회적인.
dis·so·cial·ize [disóuʃəlàiz] *vt.* 비사교적〔이기적〕으로 하다, 교제를 싫어하게 하다.
dis·so·ci·ate [disóuʃièit] *vt.* 분리하다, 떼어 놓다《*from*》; 떼어서 생각하다; 〖화학〗 해리(解離)하다; 〖정신의학〗 (의식을) 분열시키다. **—** *vi.* 교제를〔연합을〕 그만두다; 분리〔해리〕하다; 〖생물〗 (박테리아가) 해리하다. ~ one***self from*** …와의 관계를 끊다〔부인하다〕. **—** *a.* 분리〔분열〕한. OPP *associate*. ㊕ **dis·só·ci·à·tive** [-ʃièitiv, -si-] *a.*
dissóciated personálity 〖정신의학〗 분열 「(分裂) 인격.
dis·so·ci·a·tion [disòusiéiʃən/-ʃi-] *n.* Ⓤ 분해, 분리 (작용); 〖화학〗 해리(解離); 〖정신의학〗 (의식 · 인격의) 분열; 〖생물〗 (박테리아의) 해리.
dissóciative hystéria 〖정신의학〗 해리(解離) 히스테리.
dis·sol·u·ble [disáljəbəl/-sɔ́l-] *a.* 용해〔분해〕할 수 있는; 해소할 수 있는《결혼 등》; 해산할 수 있는《단체 등》. ㊕ **-bly** *ad.* **~·ness** *n.* **dis·sòl·u·bíl·i·ty** *n.* Ⓤ

dis·so·lute [dísəlùːt] *a.* 방종한, 홀게늦은; 방탕한, 난봉 피우는. [파] **~·ly** *ad.* **~·ness** *n.*

◇**dis·so·lu·tion** [dìsəlúːʃən] *n.* [U,C] **1** 용해; 분해; 분리. **2** (의회 · 단체 등의) 해산. **3** (결혼 · 계약 등의) 해소(*of*), 취소. **4** 붕괴; 소멸; 사멸; 죽음. **5** 〖화학〗 용해. ◇ dissolve *v.*

⁑**dis·solve** [dizálv/-zɔ́lv] *vt.* **1** 《~+[목]/+[목]+[전]+[명]》 녹이다, 용해시키다; 분해〔분리〕시키다: Water ~*s* salt. 물은 소금을 녹인다/~ salt *in* water 소금을 물에 풀다. **2** (의회 · 모임을) 해산시키다; 해체하다. **3** 풀다, 해제하다(undo); (관계 등을) 결말짓다; (결혼 등을) 해소시키다; 취소하다. **4** (구름을) 헤치다; (의혹을) 풀다; (환영(幻影)을) 쫓아버리다; (마력을) 잃게 하다. **5** 〖영화 · TV〗 (화면을) 디졸브〔오버랩〕시키다. **—** *vi.* **1** 《~/+[전]+[명]》 녹다, 분리〔분해〕하다: Salt ~*s in* water. 소금은 물에 녹는다. **2** 해산하다. **3** 힘을 잃다. **4** (환영 · 공포 따위가) 점점 사라지다〔희미해지다〕(fade out). **5** 《+[부]》 〖영화 · TV〗 (화면이) 디졸브〔오버랩〕하다: ~ *in* 〔*out*〕 (화면이) 용명〔용암〕이 되다. **6** 《+[전]+[명]》 감정적으로 약해지다, 정신이 뒤집히다(*in; into*): ~ *in* 〔*into*〕 tears 목놓아〔하염없이〕 울다. ◇ dissolution *n.* ***~ into ...*** …으로 분해〔분리〕하다; 분해〔분리〕하여 …이 되다: ~ A *into* B. A를 B로 분해〔분리〕하다; A를 녹여〔분해하여, 분리하여〕 B로 만들다. ***dissolving views*** 디졸브 화면. **—** *n.* [U] 〖영화 · TV〗 디졸브, 오버랩(lap ~). [파] **-sólv·a·ble** *a.* **-sólv·er** *n.*

dissólved gás 유용성(油溶性) 가스《원유 속에 용해되어 있는 천연가스》.

dissólved óxygen (물속의) 용존(溶存) 산소량《물의 오염도를 표시, 단위는 ppm.; 생략: DO》.

「이 있는; 용해제.

dis·sol·vent [dizálvənt/-zɔ́l-] *a.*, *n.* 용해력

dis·so·nance, -nan·cy [dísənəns], [-i] *n.* **1** [U,C] 듣기 싫은〔불쾌한〕 소리; 〖음악〗 불협화(음) ([opp] *consonance*). **2** [U] 〖물리〗 비공명(非共鳴). **3** [U] 불일치, 부조화, 불화(discord).

dis·so·nant [dísənənt] *a.* 〖음악〗 불협화(음)의, 귀에 거슬리는; 부조화의, 동조〔일치〕하지 않는. [파] **~·ly** *ad.* 불협화적으로; 조화 없이.

◇**dis·suade** [diswéid] *vt.* …에게 (설득하여) 단념시키다(*from*). [opp] *persuade.* ¶ ~ a person *from* doing 아무를 설득하여 …하는 것을 단념시키다. [파] **-suád·er** *n.*

dis·sua·sion [diswéiʒən] *n.* 마음을 돌리게 함, 간(諫)하여 말림.

dis·sua·sive [diswéisiv] *a.* 마음을 돌리게 하는〔하기 위한〕; 말리는《충고 · 몸짓 등》. [파] **~·ly** *ad.* **~·ness** *n.*

dissyllable, etc. ⇨ DISYLLABLE, etc.

dis·sym·me·try [dissímətri] *n.* [U] 비대칭; 반대〔좌우〕 대칭; 불균형. [파] **dis·sym·mét·ric, -ri·cal** *a.* **-ri·cal·ly** *ad.*

dist. distance; distant; distilled; district; distinguish(ed).

dis·taff [dístæf, -tɑːf/-tɑːf] (*pl.* **~s** [-fs, -vz]) *n.* **1** 실톳대《실 잣는 데 씀》, 실 감는 막대; (물레의) 가락. **2** (the ~) 물레질; 여자의 일〔분야〕. **3** (the ~) 《집합적》 여성. **4** 어머니 쪽; 여성 상속인. **—** *a.* 여성의, 《특히》 모계의: the ~ line 모계.

distaff 1
1. distaff 2. spindle

dístaff sìde (the ~) 모계(母系), 외가. [opp] *spear side.* ¶ on the ~ 어머니쪽의.

dis·tain [distéin] 《고어》 *vt.* 변색시키다, 더럽히다; 명예를 손상시키다〔더럽히다〕.

dis·tal [dístl] *a.* 〖해부 · 식물〗 **1** 원위(遠位)〔말단〕의. [opp] *proximal.* **2** 〖해부〗 원심(遠心)의. [opp] *mesial.* [파] **~·ly** *ad.*

⁑**dis·tance** [dístəns] *n.* [C,U] **1** 거리, 간격. **2** 원거리, 먼데; (그림 등의) 원경(遠景): at a ~ 얼마간 떨어져서/from a ~ 멀리서/be some 〔no〕 ~ 약간 멀리〔바로 가까이〕 있다/a good 〔great〕 ~ *away* 〔*off*〕 상당히 떨어져서. **3** (시일의) 동안, 사이, 경과: at this ~ *of* time 시일이 지난 지금에 와서. **4** (신분 따위의) 현저한 차이, 현격(*between*). **5** (기분 · 태도의) 격의, 서먹서먹함, 사양: keep a person at a ~ 아무를 멀리하다, 쌀쌀하게 대하다/keep at a respectful ~ 경원하다/keep one's ~ 거리를 두다, 친하게 굴지 않다. **6** 〖미경마〗 주정(走程) 거리; 〖영경마〗 골의 240야드 전방 지점; 〖경기〗 장거리. **7** 구역, 넓이; 〖경기〗 주로(走路). **8** 〖음악〗 음정. ***at ~ of*** …의 거리를 두고. ***go*** 〔***last***〕 ***the*** (***full***) ***~*** 끝까지 해내다; 〖권투〗 마지막 라운드까지 싸워 내다; 〖야구〗 완투(完投)하다; 〖미식축구〗 터치다운하다. ***know*** one***'s ~*** 분수를 알다. ***out of ~*** 너무 멀리 떨어져서. ***take ~*** 《미구어》 멀리 가다. ***to a ~*** 먼 곳으로. ***within ... ~*** …의 거리 내에: *within* jumping 〔easy〕 ~ 엎어지면 코 닿을 데에. **—** *vt.* **1** (…에서) 떼어 놓다, 멀리하다(*from*): ~ oneself *from* …에서 멀어지다. **2** (경주 · 경쟁에서) 앞지르다; 훨씬 앞서다, 능가하다. **3** 《드물게》 멀리〔먼 데 있는 것처럼〕 보이게 하다.

dístance lèarning 통신 교육, 방송 교육.

dístance méasuring equìpment = DME.

「(走程標).

dístance pòle 〔《영》 **pòst**〕 〖경마〗 주정표

dístance rùnner 중〔장〕거리 주자.

dístance rùnning 중〔장〕거리 경주.

⁑**dis·tant** [dístənt] *a.* **1** (거리적으로) 먼, 떨어진(*from*): a ~ view 원경/5 miles ~ *from* here 여기서 5마일 떨어진 곳에. **2** (시간적으로) 먼《시대》: ~ ages 먼 옛날/a ~ memory 먼 옛날의 기억. **3** 먼 친척의; (닮은 정도 등이) 희미한(faint): a ~ relative of mine 나의 먼 친척/a ~ accordance 어렴풋한 일치. **4** (태도 따위가) 소원(疏遠)한, 쌀쌀한, 냉담한: a ~ air 냉랭한 태도. **5** 황홀한, 꿈꾸는 듯한《표정 등》. ***at no ~ date*** 머지 않아, 가까운 장래에. ***be ~ to*** 〔***with***〕 …에게 서먹서먹하게〔쌀쌀맞게〕 대하다. ***have a ~ view of*** …을 멀리서 바라보다. [파] **~·ness** *n.*

Dístant Early Wárning ⇨ DEW².

Dístant Early Wárning líne ⇨ DEW LINE.

dis·tan·ti·ate [distǽnʃièit] *vt.* (감정적 · 지적으로) 멀리하다, …에 거리를 두다. [파] **dis·tàn·ti·á·tion** *n.*

◇**dís·tant·ly** *ad.* 멀리, 떨어져서; 냉담하게; 간접적으로: ~ related 먼 친척이 되는.

dístant sìgnal 〖철도〗 원거리 신호기; (케이블 TV에서) 다른 지방국 신호〔프로그램〕.

dis·taste [distéist] *n.* [U] (음식물에 대한) 싫음, 혐오(disrelish); [C] 《일반적》 싫증, 염증(dislike): have a ~ *for* (music) (음악)을 싫어하다.

dis·taste·ful [distéistfəl] *a.* 맛없는; 싫은(disagreeable)(*to*); 불쾌한, 혐오를〔불쾌감을〕 나타낸: Work is ~ *to* him. 그는 일을 싫어한다. [파] **~·ly** *ad.* **~·ness** *n.*

Dist. Atty. district attorney.

dis·tem·per¹ [distémpər] *n.* [U] **1** 디스템퍼《(1) 강아지의 전염병. (2) 말의 선역(腺疫)(strangles)). 2 병, (심신의) 이상; 언짢은 기분, 불만. 3 사회적 불안, 혼란. ― *vt.* 《고어》 앓게 하다; 《고어》 언짢게 하다《주로 과거분사로》: a ~*ed* fancy 병적 공상, 망상 / a ~*ed* mind 어지러운 마음.

dis·tem·per² *n.* Ⓤ **1** 디스템퍼《물과 노른자위 또는 아교로 갠 채료; 벽화·무대 배경화용》. **2** 디스템퍼 화법. **3** Ⓒ 템페라 그림(tempera). ― *vt.* **1** …을 섞어 디스템퍼를 만들다; 디스템퍼로 그리다. **2** 《폐어》 희석하다, 액체에 담그다〔로 녹이다〕.

dis·tem·per·a·ture [distémpərətʃər] *n.* (심신의) 부조(不調); 《고어》 절제〔중용〕의 결여.

dis·tend [disténd] *vt., vi.* 넓히다, 넓어지다, 부풀리다, 부풀다, 팽창시키다, 팽창하다; 과장하다. ㊞ **~·er** *n.* **~·ed** [-id] *a.*

dis·ten·si·ble [disténsəbəl] *a.* 넓어지는, 넓혀지는, 부푸는, 팽창성의. ㊞ **dis·tèn·si·bíl·i·ty** *n.* Ⓤ 팽창성. 「확대.

dis·ten·sion, -tion [disténʃən] *n.* Ⓤ 팽창,

dis·tich [dístik] *n.* 〖운율〗 대구(對句), 이행 연구 (二行聯句).

dis·ti·chous [dístikəs] *a.* 〖식물〗 마주나기〔대생(對生)〕의; 〖동물〗 2 분(二分)한. ㊞ **~·ly** *ad.*

*__dis·till,__ 《영》 **-til** [distíl] (**-ll-**) *vt.* **1** 《~+목/+목+전+명》 증류하다; (위스키 등을) 증류하여 만들다. cf. brew. ¶ ~ fresh water *from* sea water 바닷물을 증류하여 담수로 만들다. **2** 《+목+부》 (불순물 따위를) 증류하여 제거하다 《*off; out*》: ~ *out* 〔*off*〕 impurities 증류하여 불순물을 제거하다. **3** (문체 따위를) 다듬다, 순화하다; 추출(抽出)하다, …의 정수(精粹)를 뽑다. **4** (방울방울) 듣게 하다; (향기 따위를) 뽑다, 방산하다. ― *vi.* 증류되다; 방울져 떨어지다〔듣다〕; (좋은 것·본질이) 서서히 드러나다; 스며나오다. ㊞ **-till·a·ble** *a.* 증류할 수 있는.

dis·til·land [dístəlæ̀nd] *n.* 증류물.

dis·til·late [dístələt, -lèit, distílət] *n.* Ⓤ 증류액; Ⓒ 추출된 것, 정수(精粹).

°**dis·til·la·tion** [dìstəléiʃən] *n.* Ⓤ 증류(법); Ⓤ,Ⓒ 추출된 것, 증류물, 정수(精粹); 석유 제품: ⇨ DRY DISTILLATION.

dis·til·la·to·ry [distílətɔ̀ːri/-təri] *a.* 증류(용)의. ― *n.* 증류기.

dis·tílled *a.* 증류하여 얻은.

distílled líquor 증류주(hard liquor).

distílled wáter 증류수.

dis·tíll·er *n.* 증류자; 증류주 제조업자; 증류기; (증류 장치의) 응결기. ㊞ **~y** [-ri] *n.* 증류소; 증류주 제조장.

distílling flàsk 증류(용) 플라스크.

*__dis·tinct__ [distíŋkt] (**~·er; ~·est**) *a.* **1** 별개의, 다른(separate)《*from*》; 독특한(individual): Mules are ~ *from* donkeys. 노새는 당나귀하고는 다르다. SYN. ⇨ DIFFERENT. **2** 뚜렷한, 명백한; 명확한, 틀림없는. OPP. *vague*. SYN. ⇨ CLEAR. **3** 드문, 진귀한. **4** 《시어》 꾸며진(decorated), 변화가 많은. ***as ~ from*** …와는 다른〔다르게〕. ***keep ~*** 구별하다, 혼동하지 않다. ㊞ *__~·ly__ *ad.* 명료〔뚜렷〕하게. **~·ness** *n.*

*__dis·tinc·tion__ [distíŋkʃən] *n.* Ⓤ **1** 구별, 차별; Ⓒ 구별 짓기: a ~ *without* a difference 차이 없는〔쓸데없는〕 구별. **2** 대조, 대비; (TV의) 선명도; 품등, 등급. **3** Ⓤ,Ⓒ 상위, 다름; 차이(점)(difference). **4** (차이를 나타내는) 특성, 특질, 특징: lack ~ 위엄〔무게, 개성〕이 없는. **5** 탁월(성), 우수(성); 고귀, 저명: a writer of ~ 저명한 작가 / gain 〔win〕 ~ 이름을 떨치다 / rise to ~ 이름을 떨치다. **6** (문체의) 특징, 개성, 기품이 높음; 기품 있는 풍채〔태도〕; 눈에 띄는 외관. **7** Ⓤ,Ⓒ 수훈; 영예, 명예(honor); 영예의 표시《칭호·학위·작위·훈장·포상 따위》; (어떤 종류의 시험의) 최고급, 우등: gain 〔win〕 a ~ 훈장을 받다 / with ~ 훌륭한 성적으로, 공훈을 세워서. **8** 《고어》 분할한 일부분. ◇ distinct *a.* distinguish *v.* ***in ~ from*** 〔***to***〕 …와 구별하여. ***make no ~s*** (***between, of***) (…의 사이에) 구별짓지 않다, 동등하게 취급하다: Law *makes no* ~*s of* persons. 법은 사람을 차별하지 않는다. ***without ~ of rank*** 신분의 상하 구별 없이. ㊞ **~·less** *a.*

*__dis·tinc·tive__ [distíŋktiv] *a.* 독특한, 특이한, 구별이 분명한; 차이를〔차별을〕 나타내는: His accent is ~ *of* a New Yorker. 그의 말투는 뉴욕 사람 특유의 것이다. ㊞ *__~·ly__ *ad.* 특수〔독특〕하게. **~·ness** *n.*

distínctive féature 〖언어〗 변별(辨別) 특징.

dis·tin·gué [dìstæŋgéi, -ˊ-ˋ] (*fem.* **-guée** [―]) *a.* 《F.》 우수한, 뛰어난; 고귀한, 점잖은.

‡**dis·tin·guish** [distíŋgwiʃ] *vt.* 《~+목/+목+전+명》 **1** 구별하다, 분별〔식별〕하다《*from; by*》; 분류하다《*into*》: ~ right *from* wrong 정사(正邪)를 분별하다 / ~ mankind *into* races 인류를 인종으로 분류하다 / I can ~ them *by* their uniforms. 그들의 제복으로 그들을 식별할 수 있다. **2** 《~+목/+목+전+명》 …을 특징지우다; …의 차이를 나타내다《*from*》: It is his Italian accent that ~*es* him. 그의 특징은 이탈리아어 어투이다 / His style is ~*ed* by verbiage. 장황한 것이 그의 문체의 특징이다 / Reason ~*es* man *from* the other animals. 인간은 이성이 있어 다른 동물과 구별된다. **3** 《+목+전+명/+목+*as* 보》〔보통 ~ oneself〕 눈에 띄게 하다, 두드러지게 하다《*by; in; for*》: Tom ~*ed himself in* the examination. 톰은 시험에서 성적이 두드러졌다 / He ~*ed himself as* a novelist. 그는 소설가로서 이름을 떨쳤다. ― *vi.* 《+전+명》 구별〔식별〕하다: ~ *between* good and evil 선악을 구별하다. ◇ distinction *n.* ***be ~ed for*** … 으로 유명하다, …에 탁월하다. ㊞ **~·a·ble** *a.* **~·a·bly** *ad.*

*__dis·tin·guished__ [distíŋgwiʃt] *a.* **1** 눈에 띄는, 현저한(eminent). **2** 출중한, 탁월한, 빼어난; 수훈(殊勳)이 있는: ~ services 수훈. **3** 유명한, 고귀한(distingué): ~ visitors 귀빈 / a ~ family 명문(名門). SYN. ⇨ FAMOUS.

Distínguished Cónduct Mèdal 〖영육군〗 공로장《부사관 이하에게 줌; 생략: D.C.M.》.

Distínguished Flýing Cròss 〖공군〗 공군 무공〔수훈〕 십자 훈장《생략: D.F.C.》.

Distínguished Sérvice Cròss 〖미육공군·영군사〗 청동무공 십자 훈장《생략: D.S.C.》.

Distínguished Sérvice Mèdal 〖미군사〗 전시 공로 훈장; 〖영해군〗 수훈장(殊勳章)《생략: D.S.M.》.

Distínguished Sérvice Òrder 〖영군사〗 무공 훈장《장교에게 줌; 생략: D.S.O.》.

dis·tín·guish·ing *a.* 특징적인, 특징〔특색〕 짓는, 특징을 이루는.

distn. distillation. 「(fluke).

dis·to·ma [dístəmə] *n.* 〖동물〗 디스토마

di·stome [dáistoum] *a., n.* 〖동물〗 이생류(二生類)의 (흡충), 디스토마.

di·sto·mi·a·sis [dìstəmáiəsis] *n.* Ⓤ (간장의) 디스토마 병.

*__dis·tort__ [distɔ́ːrt] *vt.* **1** (얼굴 따위를) 찡그리다, 비틀다: ~ one's face 얼굴을 찡그리다. **2** (사실을) 곱새기다, 왜곡하다. **3** (라디오·텔레비전 등이 소리·화상을) 일그러뜨리다. ㊞ **~·er** *n.*

dis·tórt·ed [-id] *a.* 일그러진, 비틀어진: a ~

views 편견/~ vision 난시(亂視). ㊕ **~·ly** *ad.* 곡해하여. **~·ness** *n.*

dis·tór·tion *n.* **1** Ⓤ 일그러뜨림; Ⓤ,Ⓒ 비뚤어진〔왜곡된〕 상태〔부분, 말〕, (얼굴·손발 따위의) 비틀어짐; 〖물리〗 (상의) 일그러짐; 일그러진 모양〔상〕; 〖의학〗 골격 만곡; 염좌(捻挫). **2** Ⓤ (사실·뉴스 내용 등의) 왜곡; 곡해, 견강부회(牽强附會). ㊕ **~·al** [-ʃənəl] *a.* **~·less** *a.*

distr. distribute; distribution; distributor.

dis·tract** [distrǽkt] *vt.* 《~+목/+목+전+명》 **1** (마음·주의 등을) 빗가게 하다, 흩뜨리다, (딴 데로) 돌리다(divert). opp. *attract.* ¶ Reading ~*s* the mind *from* grief. 독서는 슬픔을 가시게 한다. **2** 《보통 수동태》 미혹게 하다, 괴롭히다《*with*》; (정신을) 혼란하게 하다(perplex), 미치게 하다《*with; by; at; over*》: He *was ~ed between* duty and humanity. 그는 직무와 인정 사이에서 갈피를 못 잡았다. **3** …을 재미있어 하게 하다; 즐겁게 하다. **4** …을 사이를 갈라놓다, 싸워 헤어지게 하다. ◇distraction *n.* ***drive a person ***~ed*** 아무를 미치게 하다, 아무의 마음을 어수선하게 하다. **—** *a.* 《고어》 = DISTRACTED. ㊕ **~·er, -trác·tor** *n.* ~하는 사람; (선다형의) 틀린 선택지. **~·i·ble** *a.* **-tràct·i·bíl·i·ty** *n.*

dis·tráct·ed [-id] *a.* 괴로운, 마음이 산란한; 미친 (듯한). ㊕ **~·ly** *ad.* **~·ness** *n.*

dis·tráct·ing *a.* 마음이 산란한; 미칠 듯한; 마음에 걸리는. ㊕ **~·ly** *ad.*

°**dis·trác·tion** *n.* **1** Ⓤ 정신이 흐트러짐; 주의 산만, 방심. **2** Ⓒ 기분 전환, 오락. **3** Ⓤ 심란, 정신 착란(madness); Ⓒ 혼란, 불화, 소동(disorder): drive a person to ~ 아무를 미치게 하다/to ~ 미친 듯이; 열광적으로. ◇distract *v.* ㊕ **dis·trác·tive** *a.* 미치게 하는 (듯한).

dis·train [distréin] *vt., vi.* 〖법률〗 (동산을) 압류하다《*on, upon*》. ~ ***for*** …을 징수하기 위해 압류하다. ㊕ **~·a·ble** *a.* **dis·train·ee** [distreiníː] *n.* 〖법률〗 피압류인. **~·er, -trái·nor** *n.* 〖법률〗 (동산) 압류인. **~·ment** *n.* Ⓤ,Ⓒ

dis·traint [distréint] *n.* Ⓤ 〖법률〗 동산 압류.

dis·trait [distréi] (*fem.* ***dis·traite*** [-tréit]) *a.* 《F.》 멍한, 방심한, 건성의(absent-minded).

dis·traught [distrɔ́ːt] *a.* =DISTRACTED. ㊕ **~·ly** *ad.*

dis·tress** [distrés] *n.* Ⓤ **1** 심통(心痛), 비탄(grief), 고민, 걱정(worry); Ⓒ 걱정거리. SYN. ⇨SORROW. **2** 고통(pain); Ⓒ 피로. SYN. ⇨SUFFERING. **3** 가난, 곤궁; 고난, 재난, 불행; (배·비행기의) 조난. **4** 〖법률〗 동산 압류; 압류물. ***in ~ ① 곤란받고 (있는): *in ~ for* money 돈에 쪼들려. ② (배가) 조난당하고 있는: a ship *in ~* 조난선. **—** *a.* 출혈 판매의; 투매품이 있는. **—** *vt.* 《~+목/+목+전+명》 **1** 괴롭히다, 고민케 하다; 슬프게 하다; 괴롭혀서 …시키다, 강제하다《*into*》: I am *~ed at* the news. =The news *~es* me. 그 뉴스를 듣고 슬픔을 못 견디겠다/~ a person *into* committing suicide 아무를 자살하게 만들다/Don't ~ yourself *about* it. 그런 일로 끙끙 앓지 마라. **2** 《종종 수동태》 쇠약하게 하다, 지치게 하다(exhaust): *be ~ed* by excessive work 과로로 피로해지다. **3** 궁핍게 하다. **4** 〖법률〗 압류하다《*for*》. **5** (옛것으로 보이려고 가구·목재 등)에 흠을 내다, 때를 묻히다.

distréss càll =SOS《조난 호출》.

dis·tréssed [-t] *a.* 고뇌에 지친; 가난한; 투매(投賣)의; 흠을 내어 옛날 물건 티를 낸《가구 등》: a ~ area 《미》 재해 지구; 《영》 빈민 지구/a ~ situation 어려운 상태.

distréss flàg 〖해사〗 조난 신호기(旗).

distréss frèquency 조난 신호 주파수.

dis·tréss·ful [distrésfəl] *a.* 고민이 많은, 비참한, 고통스러운; 곤궁에 처한. ㊕ **~·ly** *ad.* 괴롭게, 비참하게. **~·ness** *n.*

distréss gòods 〔《미》 **mèrchandise**〕 덤핑 상품.

distréss gùn 〖해사〗 조난 신호포(砲).

dis·tréss·ing *a.* 괴롭히는, 비참한. ㊕ **~·ly** *ad.* 비참하리만큼, 참혹하게(도).

distréss ròcket 〖해사〗 조난 신호용 불꽃.

distréss sàle 〔**sèlling**〕 출혈 판매, 투매.

distréss sìgnal 조난 신호.

distréss wàrrant 〖법률〗 압류 영장.

dis·trib·u·ta·ry [distríbjətèri/-təri] *n.* 분류(分流), 지류(支流).

*****dis·trib·ute** [distríbjuːt] *vt.* **1** 《~+목/+목+전+명》 분배하다, 배포하다, 도르다, 배급하다《*among; to*》: ~ clothes *to* 〔*among*〕 the sufferers 이재민에게 의류를 도르다. **2** 《+목+전+명》 살포하다《*at*》, 분포시키다, (골고루) 퍼뜨리다, 뿌리다《*over; through*》: ~ ashes *over* a field 재를 온 밭에 뿌리다. SYN. ⇨SCATTER. **3** 《~+목/+목+전+명》 분류하다, 구분하다, 분할하다《*into*》: ~ mail 우편물을 분류하다/The plants are ~*d into* 30 classes. 그 식물은 30종으로 분류된다. **4** 〖논리〗 확충시키다, 주연(周延)하다; 〖인쇄〗 해판하다《생략: dis.》; 분해하다. **5** 《고어》 (정의를) 베풀다, 시행하다. **—** *vi.* 분배〔배포〕를 행하다. ㊕ **-ut·a·ble** *a.* 분배〔구분〕할 수 있는.

dis·tríb·ut·ed [-id] *a.* 〖통계〗 …의 분포(分布)를 한.

distríbuted arráy pròcessor 〖컴퓨터〗 분산 배열 처리기《복수의 처리기를 일원화하여 하나의 문제를 처리하는 시스템; 생략: DAP》.

distríbuted dáta pròcessing 〖컴퓨터〗 분산 데이터 처리《중앙의 대형 컴퓨터와 소형 컴퓨터나 단말기를 병용하여 시스템 전체의 효율과 데이터 처리 능력의 향상을 도모한 시스템; 생략: DDP》.

distríbuted intélligence 〖컴퓨터〗 분산 지능《서로 액세스할 수 있는 몇 대의 대형 컴퓨터의 데이터베이스와 데이터 처리 능력을 통합한 것》.

distríbuted lógic 〖컴퓨터〗 분산 논리 회로.

distríbuted práctice 〖심리·교육〗 분산 학습《학습 사이에 시간 공백을 두는 것》. cf. massed practice.

distríbuted prócessing 〖컴퓨터〗 분산 처리.

distríbuted térm 〖논리〗 확충명사.

dis·trib·u·tee [distrìbjutíː] *n.* 〖법률〗 (유언 없는 사망자의) 유산 상속권자.

dis·tríb·ut·ing *a.* 분배의, 배급의, 분포의: a ~ center 〔station〕 집산지〔배전소(配電所), 배급소〕.

***dis·tri·bu·tion** [dìstrəbjúːʃən] *n.* Ⓤ,Ⓒ **1** 분배, 배분; 배포, 배당, 배급(물); 〖법률〗 (유산의) 분배: the ~ *of* posts 배역. **2** 살포. **3** 분포; 분포 구역; 〖통계〗 (도수) 분포. **4** 분류; (우편의) 구분; 배치. **5** 〖논리〗 주연(周延); 〖수학〗 분포; 〖인쇄〗 해판(解版); 〖기계〗 배수, 배전, 배기. **6** 〖경제〗 분배; (상품의) 판매, 유통; 유통 기구: a ~ effect 분배 효과/the ~ structure 유통 기구. ◇distribute *v.* ㊕ **~·al** [-ʃənəl] *a.* 〖동물·식물〗 분포상의: a ~*al* map 분포도.

distribútion chánnel 유통 경로.

distribútion coefficient 〔**ràtio**〕 〖화학〗 분배〔분포〕 계수.

distribútion còst 유통〔판매〕 경비.

distribútion cùrve 〖통계〗 분포 곡선.

distribútion fùnction 〖통계〗 분포 함수.

dis·trib·u·tism [distríbjətìzəm] *n.* 사유 재산

분배론, 토지 균분론(agrarianism). ㊄ **dis·tríb·ut·ist** *n.*, *a.*
dis·trib·u·tive [distríbjətiv] *a.* 배포의, 분배의; 분배하는; 〖문법〗 배분(配分)의; 〖논리〗 주연적(周延的)인; 〖수학〗 분배의: the ~ principle 〔law〕 〖수학·물리〗 분배 법칙. ── *n.* 〖문법〗 배분사(配分詞)《each, every 등》. ㊄ **~·ly** *ad.* 분배적으로; 따로따로, 제각기. **dis·trìb·u·tív·i·ty** *n.*
distríbutive educátion 산학(產學) 협동 교육《생략: D & E》.
*__dis·trib·u·tor, -ut·er__ [distríbjətər] *n.* 분배〔배포, 배달〕자; 도매 상인, 배급업자, 판매 대리점; 〖인쇄〗 해판공; (Linotype의) 자동 해판 장치; 〖전기〗 배전기《내연 기관용》; (하수 처리의) 살수(撒水) 장치.
dis·tríb·u·tor·ship [-ʃip] *n.* 독점 판매권(을 갖는 상사〔영업소〕).
*__dis·trict__ [dístrikt] *n.* **1** 지역; 지구《행정·사법·선거·교육 등을 위해 나눈》; 《미》 선거구; 《영》 분교구《큰 교구(parish)를 나눈 한 구역》; 《영》 주(州)자치구《county를 세분한 행정구로 council을 갖는 것》, 《Sc.》 주구(州區)《region의 하위 구분》. **2** 〔일반적〕 지방: ⇨ LAKE DISTRICT. **3** (관청 따위의) 부국(部局), 국, 부. ***the District of Columbia*** ⇨ COLUMBIA. ── *vt.* 지구〔관구〕로 나누다.
dístrict attórney 《미》 지방 검사《생략: D.A.》.
dístrict cóuncil 《영》 지구(地區) 의회.
dístrict cóurt 《미》 연방 지방 법원《연방 제 1 심법원》; (각 주의) 지방 법원.
dístrict héating 지역 난방.
dístrict jùdge 《미》 지방 법원 판사.
dístrict léader 《미》 (정당의) 지구당 책임자.
dístrict màn 특종 기사 취재 기자. cf. legman.
dístrict núrse 《영》 지구 간호사, 보건원《특정 지구에서 환자의 가정을 방문하는》. 「감독(자).
dístrict superintĕndent (감리교회의) 교구
dístrict vísitor 《영》 분교구 전도사《여성》.
dis·trin·gas [distríŋgəs, -gæs] *n.* 〖법률〗 간접 강제적 압류 영장《이전에 sheriff에게 개인 소유물을 압류하도록 명하는》; 〖영국사〗 (주 장관에 의한) 동산 압류장; =STOP ORDER.
°**dis·trust** [distrʌ́st] *n.* Ⓤ 불신; 의혹, 사추(邪推). SYN. ⇨ DOUBT. ── *vt.* 믿지 않다, 신용하지 않다; 의심하다, 의아스럽게 여기다: ~ one's own eyes 자신의 눈을 의심하다. ㊄ **~·er** *n.*
dis·trust·ful [distrʌ́stfəl] *a.* 의심 많은, (좀처럼) 믿지 않는, 회의적인《*of*》; 《고어》 의심스러운 (doubtful). ㊄ **~·ly** *ad.* 의심스럽게, 수상히 여겨. **~·ness** *n.*
⁑**dis·turb** [distə́ːrb] *vt.* **1** (휴식·일·생각 중인 사람을) 방해하다; …에게 폐를 끼치다: I hope I'm not ~*ing* you. 폐가 안 되겠습니까. **2** …의 마음을 어지럽게 하다; 불안하게 하다. **3** 《~+목/+목+전+명》 (행위·상태를) 저해하다, 막다: ~ plant growth 식물의 성장을 저해하다/ ~ a person *in* his work 아무의 일을 방해하다. **4** 혼란시키다; 휘저어 놓다: ~ the country 〔the water〕. **5** (평화·질서·휴식을) 어지럽히다, 교란하다: ~ the peace 평화를 깨뜨리다; (밤에) 소음을 내다. **6** (권리를) 침해하다. ── *vi.* 어지럽히다; (휴식·수면 등을) 방해하다. ***Don't ~.*** 《게시》 출입 금지, 면회 사절《회의실 등에서》, 깨우지 마시오《호텔 객실 문에 거는 팻말의 문구》. ***Don't ~ yourself.*** 그대로 계십시오《일어나지 마시오; 일을 계속하시오》. ㊄ **~·er** *n.*
*__dis·turb·ance__ [distə́ːrbəns] *n.* Ⓤ,Ⓒ **1** 소동, 평화〔질서〕를 어지럽히기: the ~ *of* public peace 치안 방해 / make 〔cause, raise〕 a ~ 소동을 일으키다. **2** 방해, 교란; 〖의학〗 장애. **3** 혼란, 동요. **4** 폐, 귀찮음; 불안. **5** 〖법률〗 (권리 등의) 침해; 〖지학〗 요란(擾亂); 〖기상〗 (바람의) 요란, 《특히》 저기압. ◇ disturb *v.* ***make much*** 〔***great***〕 ***~ about*** …에 대하여 흥분하다, 화내다.
dis·túrbed *a.* 정신〔정서〕 장애(자)의; 불안한, 동요한《마음 등》; 어지러운, 소연한: a ~ personality 신경증 증세가 있는 사람.
dis·túrb·ing *a.* 교란시키는, 불온한. ㊄ **~·ly** *ad.*
dis·tyle [dístail, dáis-] *a.*, *n.* 〖건축〗 이주(二柱)식의 (앞 현관).
di·sub·sti·tut·ed [daisʌ́bstətjùːtid, -tjùːt-] *a.* 〖화학〗 (한 분자 안에) 두 개의 치환기를 가진.
di·sul·fate [daisʌ́lfeit] 〖화학〗 *n.* 이황산염; =BISULFATE.
di·sul·fide, 《영》 **-phide** [daisʌ́lfaid, -fid/ -faid] *n.* 〖화학〗 이황화물(二黄化物).
di·sul·fir·am [dàisʌlfíərəm] *n.* 〖약학〗 디술피람《알코올 중독 치료제》.
di·sul·fo·ton [daisʌ́lfətàn/-tɔ̀n] *n.* 〖화학〗 디술포톤《황색을 띤 맹독 액상 화합물; 살충제》.
dis·un·ion [disjúːnjən] *n.* 분리, 분열; Ⓤ 불통일; Ⓤ 불화, 내분, 알력. ㊄ **~·ìsm** *n.* Ⓤ 분리주의. **~·ist** *n.* 분열〔분파〕주의자; 〖미국사〗 (남북 전쟁 당시의) 분리주의자.
dis·unite [dìsjuːnáit] *vt.*, *vi.* 분리〔분열〕시키다〔하다〕; 불화하게 하다〔되다〕.
dis·u·ni·ty [disjúːnəti] *n.* Ⓤ 불통일(disunion); 불일치, 부조화; 분열, 불화.
°**dis·use** [disjúːs] *n.* Ⓤ 쓰이지 않음; 폐지: fall 〔come〕 into ~ 쓰이지 않게 되다, 버려지다. ── [disjúːz] *vt.* 폐지〔폐기〕하다. 「된, 퇴락한.
dis·used [-júːzd] *a.* 쓰이고 있지 않는, 폐지
dis·u·til·i·ty [dìsjuːtíləti] *n.* Ⓤ 비(非)효용; 해를〔불편을, 불쾌를, 고통을〕 일으키는 성질.
dis·val·ue [disvǽljuː] *n.* 경시, 무시; 부정적 가치. ── *vt.* 경시하다, 깔보다.
di·syl·la·ble, dis·syl- [dáisiləbəl, daisíl-, disíl-] *n.* 2 음절어(語). ㊄ **dì·syl·láb·ic, dìs·syl-** [dàisilǽbik, dìs-] *a.* 「dah².
dit [dit] *n.* 〖통신〗 (모스 부호의) 단음(短音). cf.
di·ta [díːtə] *n.* 〖식물〗 디타나무《협죽도과(科)로, 동아시아산》.
*__ditch__ [ditʃ] *n.* **1** 도랑; 개천, 해자, 호(濠); (천연의) 수로; 시궁창, 배수구: the Big *Ditch* 《미구어》 파나마 운하. **2** (the D-) 《영공군속어》 영국 해협; 북해. ***be driven to the last ~*** 궁지에 몰리다. ***die in a ~*** 객사하다. ***die in the last ~*** 끝까지 버티다가 쓰러지다. ***fight to the last ~*** 끝까지 싸우다. ***in the ~*** 《미속어》 곤드레만드레 취하여. ***under ~*** 관개 수로가 설치되어 있는.
── *vt.* **1** 《+목+부》 …에 도랑을 파다; …에 해자를 두르다: ~ a city *around* 〔*about*〕 도시를 해자로 두르다. **2** (탈것을) 도랑에 빠뜨리다; 《미》 (열차 따위를) 탈선시키다, (차를) 도로에서 벗어나게 하다; 《속어》 (비행기를) 불시 착수(不時着水)시키다; 몰락게 하다. **3** 《속어》 (곤경에 있는 동료를) 버리다, 저버리다; (고장난 비행기를) 버리고 가다; (일·책임에서) 꽁무니 빼다, (학교 따위를) 꾀부려 빠지다(get away from); 숨기다; (사람을) 따돌리다. ── *vi.* **1** 도랑을 파다; 도랑을 치다. **2** 《미》 도랑에 빠지다; 《미》 탈선하다; 〖항공〗 불시 착수하다. ***be ~ed*** 《영구어》 어찌할 바를 모르다. ***hedging and ~ing*** 산울타리나 도랑의 손질.
dítch·dìgger *n.* **1** 도랑 파는 인부〔모군꾼〕, 도랑 파는 기계(ditcher). **2** (특히 단순한 일의) 육체 노동자.
dítch·er *n.* 도랑 파는 사람〔기계〕.
dítch·wàter *n.* Ⓤ 도랑에 괸 물. (***as***) ***dull as***

~ 침체될 대로 침체되어, 실로 형편없는. (*as*) *clear as* ~ 조금도 분명〔확실〕하지 않은.
dít-da àrtist 〔**jòckey, mònkey**〕 [dítdɑ̀ː-] 《미속어》 단파 무선 오퍼레이터.
di·ter·pene [daitə́ːrpiːn] *n.* 〖화학〗 디테르펜 《탄소수 20인 테르펜의 총칭》.
di·ter·pe·noid [daitə́ːrpənɔ̀id, daitəːrpíːnɔid] *n.* 〖화학〗 디테르페노이드《디테르펜의 유도체》.
di·the·ism [dáiθiìzəm] *n.* Ⓤ 선악 이신론(善惡二神論). ㊕ **-ist** *n.* **dì·the·ís·tic** *a.*
dith·er [díðər] *vi.* 우유부단하게 행하다, 망설이다, 벌벌 떨다; 재잘거리다. ― *n.* 벌벌 떪; 《구어》 (걱정·흥분 때문의) 당황, 어쩔 줄 모르는 〔안절부절못하는〕 상태, 혼란: all of a ~ 《구어》 벌벌 떨며 / have the ~*s* 《구어》 벌벌 떨다, 어쩔 줄 모르다. ㊕ **~y** [-ri] *a.*
díth·ered *a.* 당황한, 어찔 줄 몰라 하는.
díth·er·ing *n.* 〖컴퓨터〗 디더(링)《중간색(조)의 표현을 기정색(조)의 pixel과 짜맞추어 실현하는 기법》.
di·thi·ol [daiθáiɔːl, -oul/-ɔl] *a.* 〖화학〗 (황화수소로 된) 메르캅토기 2개를 포함하는.
di·thi·ón·ic ácid [dàiθaiánik-, dìθi-/-ɔ́n-] 〖화학〗 디티온산. 「티온산염.
di·thi·o·nite [daiθáiənàit] *n.* 〖화학〗 아(亞)디
dith·y·ramb [díθəræ̀m] (*pl.* **~s** [-ræ̀mz]) *n.* 주신(Bacchus) 찬가; 열광적인 시〔연설, 문장〕. ㊕ **dith·y·ram·bic** [dìθəræ̀mbik] *a.* 주신 찬가의; 열광적인. **-bi·cal·ly** *ad.*
di·tran·si·tive [daitræ̀nsətiv, -træ̀nz-] *a.* 〖언어〗 직접 목적어와 간접 목적어를 취하는《동사》.
dit·sy, dit·zy [dítsi] *a.* 《미속어》 머리가 좀 이상한, 좀 별난, 보통이 아닌. 「박하의 일종.
dit·ta·ny [dítəni] *n.* 〖식물〗 백선속(屬)의 식물;
dit·tied [dítid] *a.* ditty로 작곡된〔노래 불리는〕.
dit·to [dítou] (*pl.* **~s** [-z]) *n.* **1** Ⓤ 동상(同上), 위와〔앞과〕 같음(the same)《생략: d°, do.; 일람표 등에서는 〃(ditto mark)나 ―를 씀》. **2** 동상 부호. **3** 《구어》 같은 것; 꼭 닮은 것(close copy); 복제(複製)(duplicate); 아래위를 갖춘 옷(suit of ~*s*, ~ suit). ***say ~ to*** 《구어》 …에 전적으로 동의를 표하다. ― *a.* 동상(同上)의, 같은, 전기(前記)의. ― *ad.* 전과 같이, 같게. ― *vt., vi.* 복제〔복사〕하다; 〃표로 반복을 나타내다; 반복하다.
dit·to·graph [dítəgræ̀f, -grɑ̀ːf] *n.* (실수로 인한) 중복 문자〔문구〕, 중복 어구.
dit·tog·ra·phy [ditágrəfi/-tɔ́g-] *n.* 중복 오사(誤寫)《보기: literature를 literarature로 쓰는 따위》. ㊕ **dit·to·graph·ic** [dìtəgræ̀fik] *a.*
dítto machìne 복사기.
dítto màrk 동상(同上) 부호(〃). 「(folksong).
dit·ty [díti] *n.* 소가곡(小歌曲), 소곡; 민요
dítty bàg 〔**bòx**〕 (선원이 바늘·실·세면 도구 등을 넣는) 작은 주머니〔손궤〕.
ditz, dit·zo [dits], [dítsou] *n.* 《속어》 경망스러운 사람, 얼간이, 바보.
di·u·re·sis [dàiəríːsis, -jur-/dàijuər-] *n.* Ⓤ 〖의학〗 이뇨(利尿); 배뇨 과다증.
di·u·ret·ic [dàiərétik] *n.* 이뇨제. ― *a.* 이뇨의. ㊕ **-i·cal·ly** *ad.*
di·ur·nal [daiə́ːrnl] *a.* **1** 주간〔낮〕의; 〖식물〗 낮에 피는; 〖동물〗 낮에 활동하는. OPP *nocturnal.* **2** 매일의(daily); 1 주야의, 일주(日周)적인; 〖식물〗 하루만의; 〖천문〗 일주(日周)의. ― *n.* 주간(晝間) 성무 일과서《시간마다의 기도문을 쓴 기도서》; 《고어》 일기, 일간 신문. ㊕ **~·ly** *ad.* 매일, 날마다; 주간에.
diúrnal párallax 〖천문〗 일주 시차(日周時差).
di·u·ron [dáiəràn, djur-/djúərɔ̀n] *n.* 〖화학〗 디우론《독 있는 지효성(遲效性) 제초제》.
div 〖수학〗 divergence. **div.** diversion; divide(d); dividend; divine; divinity; division; divisor; divorce(d).
di·va [díːvə, -vɑː/-və] (*pl.* **~s, -ve** [-ve]) *n.* 《It.》 프리마돈나(prima donna); 탁월한 여가수.
di·va·gate [dáivəgèit] 《문어》 *vi.* 헤매다, 방황하다; (얘기가) 빗나가다, 탈선하다《*from*》. ㊕ **dì·va·gá·tion** *n.* 「(二價).
di·va·lence [daivéiləns] *n.* Ⓤ 〖화학〗 이가
di·va·lent [daivéilənt] *a.* 〖화학〗 이가(二價)의.
Divali ⇨ DIWALI.
di·van [divǽn, -vɑ́ːn/-vǽn] *n.* **1** [dáivæn] 낮고 긴 의자의 일종《벽 옆에 놓음》; 〖일반적〗 긴 의자, 소파. **2** (터키 등의) 추밀원; (근동 지방의) 의사실(議事室); 법정; 알현실; 회의(council). **3** (담배 가게에 딸린) 흡연실; 끽다실(喫茶室). **4** (한 시인의) 작품집《특히 아라비아·페르시아의》; (이슬람법(法)에서) 회계부.
di·var·i·cate [daivǽrəkèit, di-] *vi.* 두 갈래로 갈라지다, 분기되다. ― [daivǽrəkət, -kèit, di-] *a.* 〖생물〗 분기된; 〖식물〗 갈라져 나온; (날개가) 펼쳐진. ㊕ **~·ly** *ad.* **di·vàr·i·cá·tion** *n.* Ⓤ,Ⓒ 분기(점); 의견의 차이; 손발을 뻗쳐 벌림.
‡**dive**[1] [daiv] (***dived,*** 《미》 ***dove*** [douv]; ***dived***) *vi.* 《~/+전+명》 **1** (물속에 머리부터) 뛰어들다; (물속으로) 잠기다; (잠수함 등이) 급히 잠수하다: ~ *into* a river 강에 뛰어들다. **2** (높은 데서) 뛰어내리다, 돌진하다《*into*》; 달려들다: ~ *into* a doorway 출입구로 돌진하다. **3** (무엇을 끄집어 내려고) 손을 쑤셔 넣다: ~ *into* one's purse 지갑 속에 손을 지르다. **4** 급속히 저하하다; 〖항공〗 급강하하다. **5** 탐구하다《*into*》; 전념〔몰두〕하다《*into*》: ~ *into* a mystery 신비를 파고들다. **6** 급히 모습을 감추다, (덤불 등에) 숨다: ~ *into* the bushes 수풀 속으로 사라지다. ― *vt.* (잠수함 등을) 잠수시키다; (손 따위를) 쑤셔 넣다; (비행기 등을) 급강하시키다.
― *n.* **1** 뛰어듦, 다이빙, 잠수: a fancy ~ 곡예 다이빙. **2** (높은 데서) 뛰어내리기; 〖항공〗 급강하 (nose ~); 돌진. **3** 몰두, 전념; 탐구. **4** (음식점 등의) 특수품을 파는 지하층; 《구어》 (지하실 따위가 있는) 비정상적인 술집, 무허가 술집, 은신처, 사창굴, 도박장《따위》: an opium-smoking ~ 아편굴. **5** 《권투속어》 짜고 하는 녹아웃: take a ~. **6** 〖미식축구〗 =DIVE PLAY. ***make a ~ for*** …을 잡으려고 돌진하다. ***take a ~ into*** …에 뛰어들다; …에 몰두하다.
di·ve[2] [díːve] DIVA의 복수.
díve-bòmb *vt., vi.* 급강하 폭격하다. ㊕ **~·ing** *n.*
díve bòmber 급강하 폭격기.
díve bràke =AIR BRAKE.
díve plày 〖미식축구〗 다이브 플레이《러닝백이 라인 중앙부로 빠르게 전진하는 공격 플레이》.
°**div·er** [dáivər] *n.* (물에) 뛰어드는 사람, 다이빙 선수; 잠수업자, 잠수부, 해녀; 〖조류〗 무자맥질하는 새《아비(loon) 따위》; (문제 등의) 탐구자《*into*》; 《속어》 잠수함; 〖항공〗 급강하 폭격기; 《영속어》 소매치기.
°**di·verge** [divə́ːrdʒ, dai-] *vi.* **1** 《~/+전+명》 갈리다, 분기하다《*from*》. **2** 《~/+전+명》 빗나가다, (진로 등을) 벗어나다《*from*》: ~ *from* the beaten track 상도(常道)에서 벗어나다. **3** 《+전+명》 (의견 등이) 갈라지다, 다르다《*from*》. **4** 〖수학〗 (급수 등이) 발산하다. OPP *converge.* ― *vt.* 빗나가게 하다.
di·ver·gence [divə́ːrdʒəns, dai-] *n.* **1** 분기; 일탈; 상이: a ~ of opinion 의견의 상이 /

~ *from* the normal 상태(常態)에서의 일탈. **2** 〖기상·물리〗 발산(량), 발산비(比); 〖수학〗 발산, 발산량을 구하는 조작; 〖기상〗 (특정 지역으로부터의 대기류의) 발산; 〖심리〗 확산; 〖식물〗 (잎차례의) 개도(開度); 〖생물〗 분기; 〖의학〗 (사시·탈구 따위에서의) 개산(開散); 방산〔발산〕성. ㊕ **-gen·cy** *n.*

°**di·ver·gent** [divə́:rdʒənt, dai-] *a.* 분기하는 (OPP. *convergent*); 서로 다른; 규준에서 벗어난; 〖수학·물리〗 발산(성)의; 〖의학〗 개산(開散)성의《사시(斜視)·탈구 따위》: ~ opinions 이론(異論). ㊕ **~·ly** *ad.*

divérgent thínking 〖심리〗 확장〔확산〕적 사고.

di·vérg·er *n.* diverge 하는 사람〔것〕; 〖심리〗 확산적 사고형의 사람《상상력이 풍부한 사람》.

di·vérg·ing *a.* =DIVERGENT.

divérging léns 〖광학〗 발산(發散)〔산광(散光)〕 렌즈. cf. converging lens.

di·vers [dáivə:rz] *a.* 몇몇의, 약간의; 여러 가지의. ── *pron.* 〖복수취급〗 몇 개〔사람〕.

*__di·verse__ [divə́:rs, dai-, dáivə:rs] *a.* 다양한, 가지각색의, 여러 가지의; 다른, 딴: at ~ times 때때로. SYN. ⇨ DIFFERENT. ◇ diversify *v.* ***be of a ~ nature from*** …와 다른 성질을 갖다. ㊕ **~·ly** *ad.* **~·ness** *n.*

di·ver·si·fi·ca·tion [divə̀:rsəfikéiʃən, dai-] *n.* Ⓤ 다양화; 다양성, 잡다함; Ⓒ 변화, 변형; Ⓤ (투자 대상의) 분산, (사업의) 다각화.

di·ver·si·fied [divə́:rsəfàid, dai-] *a.* 변화 많은, 다양한, 다채로운, 다각적인.

di·ver·si·form [divə́:rsəfɔ̀:rm, dai-] *a.* 다양한〔갖가지〕 형상의, 여러 모양의.

°**di·ver·si·fy** [divə́:rsəfài, dai-] *vt.* 다양화하다, 다채롭게 하다; …의 단조로움을 깨뜨리다; (투자 대상을) 분산시키다; (사업을) 다각화하다. ── *vi.* 다양한 것을 만들다, 《특히》 다양한 작물〔제품〕을 만들다, 사업을 다각화하다. ㊕ **di·vér·si·fi·a·ble** *a.* **-fi·er** *n.*

°**di·ver·sion** [divə́:rʒən, -ʃən, dai-] *n.* **1** Ⓤ 딴 데로 돌림, 전환; (자금의) 유용. **2** Ⓒ 소창(消暢), 기분 전환, 오락; 유희. **3** Ⓤ 〖군사〗 견제〔양동(陽動)〕 (작전). **4** 《영》 (통행 금지 때의) 우회로. **5** 〖항공〗 항공기가 어떤 일로 예정 비행장을 바꾸어 대체 비행장에 착륙함. ◇ divert *v.* ㊕ **~·ary** [divə́:rʒənèri, -ʃən-, dai-/-nəri] *a.* 주의를 딴 데로 쏠리게 하는; 〖군사〗 견제적인.

di·vér·sion·ist *n.* **1** (정치적인) 편향자, (공산주의자들이 말하는) 파괴 활동가, 반(反)정부 활동가. **2** 양동(陽動) 작전을 쓰는 사람.

*__di·ver·si·ty__ [divə́:rsəti, dai-] *n.* Ⓤ 동일하지 않음, 차이(점); 변화(variety), 다양성, 분기도.

‡**di·vert** [divə́:rt, dai-] *vt.* 《~+목/+목+전+명》 **1** (딴 데로) 돌리다, (물길 따위를) 전환하다 《*from; to*》: ~ a river *from* its course 강의 흐름을 바꾸다. **2** 전용〔유용〕하다: ~ funds *to* … 에 자금을 전용〔유용〕하다. **3** (주의·관심을) 돌리다《*from; to*》; …의 기분을 풀다, 위로하다, 즐겁게 하다: ~ a person *from* his cares 아무를 기분 전환시켜 걱정거리를 잊게 하다 / ~ children *by* tell*ing* stories 이야기를 하여 아이들을 즐겁게 하다. ◇ diversion *n.*

divertícular diséase 〖의학〗 게실성(憩室性) 「질환.

di·ver·tic·u·li·tis [dàivərtìkjəláitis] *n.* 〖의학〗 게실염(憩室炎).

di·ver·tic·u·lo·sis [dàivərtìkjəlóusis] *n.* 「〖의학〗 게실증(憩室症).

di·ver·tic·u·lum [dàivərtíkjələm] (*pl.* **-la** [-lə]) *n.* 〖해부〗 게실(憩室). ㊕ **-lar** *a.*

di·ver·ti·men·to [divə̀:rtəméntou] (*pl.* **-men·ti** [-ménti:]) *n.* 《It.》 〖음악〗 디베르티멘토, 희유곡(嬉遊曲).

di·vért·ing *a.* 기분 전환〔풀이〕의, 재미나는 (amusing). ㊕ **~·ly** *ad.* 기분 전환으로〔풀이로〕, 즐겁게. **~·ness** *n.*

di·ver·tisse·ment [divə́:rtismənt] *n.* 《F.》 **1** 〖음악〗 **a** 디베르티스망《(1) 막간의 짧은 발레 따위. (2) 접속곡. (3) 오페라 등에 삽입되는 짧은 기악곡》. **b** =DIVERTIMENTO. **2** 기분 전환, 오락.

Di·ves [dáivi:z] *n.* 〖성서〗 큰 부자, 부호《누가복음 XVI: 19-31》.

di·vest [divést, dai-] *vt.* 《+목+전+명》 (옷을) 벗기다, …에게 벗게 하다《*of*》; (지위·권리 등을) 빼앗다(deprive)《*of*》; (주체스러운 것을) …에게서 제거하다(rid)《*of*》; 〖법률〗 (권리·재산 등을) 박탈하다. ★ 법률 용어로서는 devest로 씀. ¶ be ~*ed of* …을 빼앗기다, 상실하다 / ~ a person *of* his office 아무의 지위를 박탈하다. ~ one***self of*** …을 벗어버리다; (부(富) 따위)를 내던지다. ㊕ **di·vés·ti·ble** *a.* ~할 수 있는. **~·ment** *n.* =DIVESTITURE.

di·ves·ti·ture [divéstətʃər, dai-] *n.* **1** 박탈〔빼앗긴〕 상태; 박탈된 물건. **2** (또는 **di·ves·ture** [divéstʃər, dai-]) 〖금융〗 **a** 자회사의 매각; 기업 분할, (불채산 부문 등의) 분리. **b** 투자의 철수.

divi ⇨ DIVVY.

‡**di·vide** [diváid] *vt.* **1** 《~+목/+목+전+명/+목+부》 나누다, 분할하다, 쪼개다(split up); 가르다, 분계〔구획〕하다; 분류하다《*into*》. OPP. *unite.* ¶ ~ a pie *into* two 파이를 둘로 나누다 / ~ one's hair *in* the middle 가르마를 가운데로 타다 / How did they ~ the profits *up?* 그들은 이익을 어떻게 분할했는가. SYN. ⇨ SEPARATE. **2** 《+목+전+명》 〖수학〗 (어떤 수를 다른 수로) 나누다《*by*》; (어떤 수로 다른 수를) 나누다《*into*》: *Divide* 8 *by* 2 〔*Divide* 2 *into* 8〕, and you get 4. =8 ~*d by* 2 is 4. 8÷2=4. **3** 《~+목/+목+전+명》 (의견·관계 등을) 분열시키다; …의 사이를 갈라놓다, 대립시키다: A small matter ~*d* the friends. 작은 일로 그 친구들 사이가 나빠졌다 / They were ~*d in* opinion. 그들은 의견을 달리했다. **4** 《~+목/+목+전+명》 《영》 두 패로 나눠 찬부를 결정하다《*on*》: ~ the House *on* the point 그 항목을 의회 표결에 묻다. **5** 《+목+전+명》 분배하다(distribute) 《*among; between*》, (아무와) 나누다(share) 《*with*》: ~ profits *with* workmen 이익을 노동자와 분배하다. **6** 《+목+전+명》 분리〔격리〕하다 《*from*》: ~ the sick *from* the others 환자를 격리하다. **7** 〖기계〗 …에 눈금을 긋다. ── *vi.* **1** 《~/+부/+전+명》 나뉘다, 쪼개지다; (길·설이) 둘로 나뉘다《*into*》: The students ~*d* (*up*) *into* small groups. 학생들은 작은 그룹으로 나뉘었다. **2** 《~/+부/+전+명》 분배하다《*up; with*》. **3** 《+전+명》 찬부의 채결을 하다《*on*》. **4** 《+전+명》 (어떤 수가 다른 수로) 나누어지다《*by*》; (어떤 수가 다른 수를) 나누다《*into*》: 36 ~*s by* 9 =9 ~*s into* 36. 36은 9로 나누어진다. ***be ~d against itself*** (단체 등에) 내분이 있다. ~ ***and rule*** 〔***conquer***〕 분할 통치〔정복〕하다. ***Divide! Divide!*** 표결이다 표결.

── *n.* **1** 분계, 분수계(界), 분수령(cf. Great Divide); 분할점〔선〕; 《비유》 경계선, 분기점. **2** 분배; 나눗셈; 《고어》 분할, 구분. ***cross*** 〔***go over***〕 ***the*** (***great***) ~ 《미구어》 죽다. ~ ***and rule*** 〔***govern***〕 분할 통치. ㊕ **di·víd·a·ble** *a.* =DIVISIBLE.

di·víd·ed [-id] *a.* 분할된; 분리된; 분배한; (의견 등이) 제각각인, 분열한; 〖식물〗 (잎이) 째진: ~ ownership (토지의) 분할 소유 / ~ payments 분할 지급. ㊕ **~·ly** *ad.*

divíded híghway 《미》 중앙 분리대가 있는 「(고속)도로.

divíded skírt 치마 바지.
divíded úsage 분할어법《동일 레벨의 언어에 다른 철자·발음·구문 등이있는 경우》.
div·i·dend [dívədènd, -dənd] *n.* **1** 〖수학〗 피제수(被除數). ⓒⓕ divisor. **2** 배당금, 이익 배당; (파산 청산의) 분배금, 배당; (상호저축 은행의) 예금이자; (공제 조합의) 이익 환급금. **3** 몫; 특별한 덤〔이익〕. ***declare a*** ~ 배당지급을 고시하다. ~ ***off*** 배당락(落)(ex ~). ~ ***on*** 배당부(附)(cum ~). ***pass a*** ~ 무배당으로 하다. ***pay*** ~***s*** 《비유》 (투자·노력 따위가) 효과를 발휘하다.
dívidend accòunt 배당금 계정.
dívidend-cápture *n.* 배당 취득《당기(當期) 배당금 결정 직전에 주식을 매입하여, 그 배당 취득 때까지 그 주식을 보유하는 것》.
dívidend còverage (《영》 **còver**) 배당 배율.
dívidend strìpping 배당금 공제.
dívidend wàrrant 배당금 지급증.
dívidend yìeld 배당 이율.
di·víd·er *n.* **1** 분할자, 분배자; 분열의 씨; 이간자. **2** 분할기; 〖(a pair of) ~s〗 양각기, 디바이더. **3** (*pl.*) (노트 등에서 색도 인쇄한) 가름쪽; (상자 따위의) 칸막이; (방의) 칸막이.
di·víd·ing *a.* 나누는, 구분적인; 〖기계〗 눈금용의: ~ bars 창살/a ~ ridge 분수령. ── *n.* 〖기계〗 (계기 따위의) 눈금.
divíding lìne 분할선, 구분 짓는 것《*between*》.
di·vi·di·vi [dìvidívi] (*pl.* ~(**s**)) *n.* 디비디비《열대 아메리카산 콩과의 상록 교목(의 꼬투리); 가죽 무두질·염색용》.
di·vid·u·al [divídʒuəl] *a.* 《고어》 분리한, 분할할 수 있는; 분배된. ⓟ ~**·ly** *ad.*
Di·vi·na Com·me·dia [*It.* diviːnakommέːdja] 《It.》 (La ~) (=The Divine Comedy) 신곡(神曲) 《Dante 작》.
div·i·na·tion [dìvənéiʃən] *n.* **1** Ⓤ 점(占). **2** (종종 *pl.*) 예측, 예지; 예언; 조짐. ⓟ **di·vin·a·to·ry** [divínətɔ̀ːri/-təri] *a.*
°**di·vine** [diváin] *a.* **1** 신의; 신성(神性)의: the ~ Being 〔Father〕 신, 하느님. **2** 신성한(holy); 신수(神授)의, 하늘이 준: ~ grace 신의 은총. **3** 신에게 바친, 종교적인. **4** 성스러운, 거룩한. **5** 신묘한, 비범한; 《구어》 아주 멋진: ~ weather 멋진 날씨. ── *n.* 성직자, 목사; 신학자; (the D–) 신; (the D–, 때로 the d–) 인간의 신적인 측면. ── *vt.* **1** 《~+*wh.* 절/+*wh.*+*to* do》 (직관·점으로) 예언하다, 점치다: None of us could have ~*d what* would happen next. 다음에 어떤 일이 일어날지 우리의 누구도 예언할 수 없었다. **2** 점지팡이로 (수맥·광맥 등을) 발견하다, 점으로 탐사하다. **3** 바르게 예측하다, 맞히다, (사람의 의지 등을) 간파하다; 《고어》 …의 전조가 되다: ~ one's intention 아무의 의도를 간파하다. ── *vi.* **1** 점을 치다. **2** 《~/+전+명》 점지팡이로 (지하의 수맥·광맥 등을) 찾아다니다《*for*》. ⓟ ~**·ly** *ad.* 신(의 힘·덕)에 의하여; 신과 같이; 《구어》 아주 멋지게. ~**·ness** *n.* 신성(神性); 신성함; 거룩함.
Divíne Cómedy =DIVINA COMMEDIA.
Divíne Mínd 〖크리스천 사이언스〗 신(Mind).
divíne óffice (때로 D– O–)〖가톨릭〗 성무일도서의 내용《상급 성직자 모두가 매일 외우는 성서·시편에서 발췌한 낭송 및 기도》.
di·vín·er *n.* 점치는 사람, 점쟁이; 예언자; =DIVINING ROD; WATERFINDER.
divíne ríght 〖역사〗 신(神)이 준 왕권(=**divíne ríght of kíngs**); 〔일반적〕 신(神)이 준 권리.
divíne sérvice 예배식.
div·ing [dáiviŋ] *n.* Ⓤ 잠수; 〖수영〗 다이빙. ── *a.* 물속에 들어가는; 잠수용〔성〕의; 강하용〔침하용〕의.
díving bèetle 〖곤충〗 물방개.

diving bell

díving bèll 〖해사〗 (종 모양의) 잠수기(器).
díving bòard 다이빙대.
díving bòat 다이빙〔잠수 작업〕용 보트.
díving hèlmet 잠수모.
díving rèflex 〖생리〗 잠수 반사《사람·포유동물에서 볼 수 있는 생리적 반응》.
díving sáucer 잠수 원반《해양 조사용의 받침접시 모양을 한 잠수정》.
díving símulator 잠수 시뮬레이터《육상에 설치한 모의(模擬) 심해 잠수 장치》.
díving sùit 〔**drèss**〕 잠수복.
di·vín·ing *n.* 점, 예언.
divíning ròd 점지팡이《수맥이나 광맥 탐지에 쓰는 끝이 갈라진 개암나무 지팡이》.
°**di·vin·i·ty** [divínəti] *n.* **1** Ⓤ 신성(神性), 신격; Ⓒ (the D–) 신, 상제; (a ~) (이교의) 신; 천사, 거룩한 사람. **2** Ⓤ 신학; (대학의) 신학부: a Doctor of *Divinity* 명예 신학박사《생략: D.D.》. **3** Ⓤ,Ⓒ 크림 과자의 일종(=∠ **fùdge**).
divínity càlf 암갈색의 송아지 가죽《원래 신학책 표지용》.
divínity cìrcuit (**bìnding**) 〖제본〗 야프 제본 (=**círcuit** 〔**yápp**〕 **bìnding**)《표지의 부드러운 가장자리가 접혀서 책을 감싸듯이 된 제본양식》.
divínity schòol 신학교.
div·i·nize [dívənàiz] *vt.* 신성화하다; 신으로 숭배하다. ⓟ **dìv·i·ni·zá·tion** *n.*
di·vi·nyl·ben·zene [daivàinəlbénziːn, -benzíːn] *n.* 〖화학〗 다이비닐벤젠《합성 고무·이온 교환 수지 제조용》.
di·vi·si [divíːzi] *a.* 〖음악〗 디비시의, 분주(分奏)의《동일 악기의 연주자를 둘 이상의 그룹으로 나누어 각각 다른 성부(聲部)를 연주하게 하는 지시; 생략: div》.
di·vìs·i·bíl·i·ty *n.* Ⓤ **1** 분할할 수 있음, 가분성(可分性). **2** 〖수학〗 나누어 떨어짐.
di·vis·i·ble [divízəbəl] *a.* 나눌〔분할할〕 수 있는; 〖수학〗 나누어 떨어지는《*by*》: a ~ contract 〔offense〕 가분(可分) 계약〔범죄〕/10 is ~ *by* 2. ⓟ **-bly** *ad.*
⁑**di·vi·sion** [divíʒən] *n.* **1** Ⓤ,Ⓒ 분할; 분배; 구획, 배당; 분열. **2** Ⓤ 〖원예〗 포기나누기. **3** Ⓤ,Ⓒ 〖수학〗 나눗셈, 제법. ⓞⓟⓟ *multiplication.* **4** 구분, 부분; 구(區), 부(部), 단(段), 절(節). **5** 경계(선); 칸막이, 격벽; (저울 따위의) 눈금. **6** Ⓤ,Ⓒ 분류; Ⓒ 〖생물〗 (유(類), 과(科), 속(屬) 따위의) 부문; 〖식물〗 문(門). **7** 〖육군〗 사단; 〖해군〗 분함대 《보통 4척》; 〖미공군〗 (항공) 사단(air ~). **8** Ⓤ,Ⓒ 불일치, 불화, (의견 따위의) 분열. **9** (찬부 양파로 갈라지는) 표결. **10** (학교·감옥 등의) 반, 조(組)(class); 〖스포츠〗 급(級); 〖야구〗 리그내의 지구별 그룹: 1st 〔2nd, 3rd〕 ~ 《영》 교도소의 미죄(微罪)〔경죄, 중죄〕의 조/*Division* I 〔II, III〕 《미》 (대학 스포츠의) 1〔2, 3〕부 리그. **11** 《미》 (관청의) …국, …과. **12** 《영》 (선거구로서의) 주〔자치 도시〕의 일부(《미》 district). ◇ divide *v.* ~ ***of labor*** 분업. ~ ***of powers*** 삼권분립; 〖미정치〗 (연방과 주(州)의) 주권(主權) 분립. ***go to a*** ~ 표결하다. ***without a*** ~ 무투표로.
di·vi·sion·al [divíʒənəl] *a.* **1** 분할상의, 구분을 나타내는; 부분적인; (화폐가) 본위 화폐를 보조하는. **2** 〖군사〗 지구별의, 사단의, 전대(戰隊)의: a ~ commander 사단장. **3** 〖수학〗 나눗셈의; 약수를 이루는. ⓟ ~**·ly** *ad.* 분할적으로, 구분적〔부분적]으로; 나눗셈으로.

divísion àlgebra 〖수학〗 다원체(多元體).

divísion àlgorithm 〖수학〗 제법의 알고리듬.

di·vi·sion·ary [divíʒənèri/-əri] *a.* =DIVISIONAL.

divísion bèll 표결 실시를 알리는 벨.

di·ví·sion·ìsm *n.* (종종 D-) 〖미술〗 (신인상주의의) 분할 묘사법. ⓒⓕ pointillism. ㊥ **-ist** *n., a.*

divísion lòbby 〖영의회〗 투표 대기 복도.

divísion rìng 〖수학〗 (비가환(非可換)) 체(體).

divísion sìgn 〔**màrk**〕 나눗셈표(÷); 분수(分數)를 나타내는 사선(斜線)(/).

di·vi·sive [diváisiv] *a.* 불화를〔분열을〕 일으키는; 《고어》 구분이 된, 구분하는, 분석적인. ㊥ **~·ly** *ad.* **~·ness** *n.* 대립, 분열.

di·vi·sor [diváizər] *n.* 〖수학〗 제수(除數)(ⓞⓟⓟ dividend); 약수: ⇨ COMMON DIVISOR.

‡**di·vorce** [divɔ́ːrs] *n.* **1** Ⓤ,Ⓒ 이혼, 이연(離緣); 별거(limited ~): get 〔obtain〕 a ~ 이혼하다. **2** Ⓤ 분리, 절연, 분열《*between; from*》. ── *vt.* 《~+목/+목+전+명》 **1** 이혼하다〔시키다〕; 이연하다〔시키다〕: He *was* ~*d* 〔~*d* himself〕 *from* his wife. 그는 처와 이혼했다. **2** 분리〔절연〕하다《*from*》: ~ church and state 교회와 국가를 분리하다 / ~ education *from* religion 교육과 종교를 분리하다. ── *vi.* 이혼하다. ㊥ **~·ment** *n.* Ⓤ,Ⓒ 이혼; 분리. **~·a·ble** *a.*

di·vor·cé [divɔːrséi, -ˊ-] (*fem.* **-cée, -cee** [divɔːrséi, -síː, -ˊ-]) *n.* 《F.》 이혼한 남자.

divórce còurt 이혼 법정.

divórce mìll 《구어》 (특히, 법률상 이혼 조건이 까다롭지 않은 주나 국가의) 이혼 법정.

div·ot [dívət] *n.* 《Sc.》 뗏장; 〖골프〗 (타구봉 헤드에 맞아 뜯긴) 잔디 조각.

di·vul·gate [divʌ́lgeit] *vt.* 《고어》 =DIVULGE. ㊥ **di·vul·ga·tion** [dìvəlgéiʃən] *n.* Ⓤ 비밀 누설; 폭로; 공표.

di·vulge [divʌ́ldʒ, dai-] *vt.* (비밀 따위를) 누설하다, 밝히다; 폭로하다, 들춰내다; 공표하다. ⓈⓎⓃ ⇨ REVEAL. ㊥ **~·ment, di·vúl·gence** *n.* Ⓤ,Ⓒ **divúlg·er** *n.*

di·vul·sion [divʌ́lʃən, dai-] *n.* Ⓤ 잡아찢음; 〖외과〗 열개(裂開).

div·vy, divi [dívi] 《구어》 *vt., vi.* 나누다, 분배하다 《*up*》. ── *n.* 분할, 분배; 배당. [◂ *divi*dend]

Di·wa·li, -va·li [dəwɑ́ːli, -vɑ́ː-] *n.* 〖힌두교〗 등의 축제, 디왈리(Feast of Lanterns)《10월이나 11월에 5일간 행해지는 부의 여신에 대한 축제》.

di·wan [diwɑ́ːn, -wɔ́ːn] *n.* =DEWAN.

Dix [diks] *n.* 《미속어》 10달러 지폐.

Dix·i·can [díksikən] *n.* 《미》 남부의 공화당원. [◂ *Dix*ie+Republi*can*]

Dix·ie [díksi] *n.* **1** 미국 남부 여러 주의 속칭(~ Land). **2** 딕시《남북 전쟁 때 유행한, 남부를 찬양한 노래; 1859년 D. D. Emmett 작》. **3** 《미속어》 =NEW ORLEANS; 딕시랜드 음악. ── *a.* 미국 남부 여러 주의.

dix·ie, dixy [díksi] *n.* (야영용의) 큰 냄비; 반합(飯盒).

Dix·ie·crat [díksikræ̀t] *n.* (Truman의 공민강령(公民綱領)에 반대한) 미국 남부의 민주당 이반파(離反派)(의 사람). ㊥ **Dìx·ie·crát·ic** *a.*

Díxie Cùp 종이컵《상표명》.

Díxie Lànd =DIXIE 1.

Dix·ie·land [díksilæ̀nd] *n.* **1** Ⓤ 딕시랜드《재즈 음악의 일종》. **2** =DIXIE 1.

dix·it [díksit] *n.* 《L.》 (어느 특정인의) 말, 《특히》 독단적인 말, 단언.

dixy ⇨ DIXIE.

D.I.Y., d.i.y. 《주로 영》 do-it-yourself.

D-I-Yer, D-I-Y'er [dìːáiwáiər] do-it-yourselfer.

di·zen [dáizn, dízn/dáizn] *vt.* 《고어》 치장하다.

di·zy·got·ic, -gous [dàizaigɑ́tik/-gɔ́t-], [-ˊgəs] *a.* (쌍생아가) 이란성인.

dizz·brain [dízbrèin] *n.* 《미속어》 얼간이, 바보.

__diz·zy__ [dízi] (-zi·er; -zi·est*) *a.* **1** 현기증 나는; 머리가 어찔어찔하는, 핑핑 도는; 아찔한: a ~ height 아찔하게 높은 곳. **2** 《구어》 철딱서니 없는, 바보의. ── *vt.* 현기증 나게 하다; 핑핑 돌게 하다. ㊥ **-zi·ly** [-zili] *ad.* 현기증 나게; 어지럽게. **-zi·ness** *n.* 현기증.

díz·zy·ing *a.* 현기증 나게 하는, 어지럽게 하는. ㊥ **~·ly** *ad.*

DJ [díːdʒèi] *n.* 디스크자키, DJ. ── (*p., pp.* ***DJed; DJ·ing***) *vi.* DJ로서 일하다. [◂ *d*isc *j*ockey]

DJ, D.J. district judge; *Doctor Juris* 《L.》 (=Doctor of Law). **DJ, D.J., d.j.** 《영》 dinner jacket; dust jacket.

Dja·kar·ta [dʒəkɑ́ːrtə] *n.* =JAKARTA.

djel·la·ba(h) [dʒəlɑ́ːbə] *n.* 젤라바《아랍인의 긴 겉옷; 소매가 넓고 후드가 있음》.

DJIA Dow-Jones Industrial Average.

Dji·bou·ti, Ji·b(o)u- [dʒibúːti] *n.* 지부티《동아프리카의 공화국; 수도 Djibouti》. ㊥ **~·an** *a., n.*

djin(n), djin·ni [dʒin], [dʒíni] *n.* =JINN.

dk. dark; deck; dock. **D.K.** don't-know. **dl, dl.** deciliter(s). **D.L.** Deputy Lieutenant; Doctor of Law. **D/L** 〖컴퓨터〗 data link; demand loan. **DLA** 《미》 Defense Logistics Agency(방위 군수국).

D làyer D층(層)《전리층의 최하층》.

D.L.F. 《미》 Development Loan Fund《1961년 AID에 흡수》. **D. Lit., D. Litt.** Doctor of Literature 〔Letters〕. **DLL** 〖컴퓨터〗 dynamic link library《윈도용 라이브러리 파일》. **DLM** 〖음악〗 double long meter.

D-lòck *n.* D자형의 자전거 바퀴 자물쇠.

DLO submérsible 다이버 로크아웃 잠수선《보통 잠수선의 기능 외에 잠수부가 밖으로 나가 작업을 하기 위한 감압실 설비가 되어 있는 것》. [◂ *d*iver *l*ock*o*ut submersible]

dlr. dealer. **dlvy.** delivery. **dm, dm.** decameter(s); decimeter(s). **DM** 〖군사〗 adamsite. **DM, D-mark** Deutschemark. **D.M.** Daily Mail; Doctor of Mathematics; Doctor of Medicine. **D.M.,d.m.** 〖음악〗 destra mano. **DMA** 〖컴퓨터〗 direct memory access(직접 기억 장치 접근); designated market area. **DMB** digital multimedia broadcasting(디지털 멀티미디어 방송). **D.M.D.** 《L.》 *Dentariae Medicinae Doctor* (=Doctor of Dental Medicine). **DME** 〖항공〗 distance measuring equipment (거리 측정 장치).

D mèson 〖물리〗 D중간자《참(charm) +1 또는 −1, 기묘도(strangeness) 0, 하전 스핀(isotopic spin) 1/2을 가진 중간자》. ★D particle 이라고도 함.

DMK *Dravida Munnetra Kazgham* 《Ind.》 (드라비다 진보 연맹)《인도 Tamil Nadu주의 정당》.

DML 〖컴퓨터〗 data manipulation language (데이터(베이스) 조작 언어). **DMMA** Direct Mail Marketing Association. **DMN(A)** dimethylnitrosamine. **DMOS** double diffused metal oxide semiconductor (이중 확산 금속 산화물 반도체). **D.M.S.** 《영》 Diploma in Management Studies; Doctor of Medical Science(s). **DMSO** dimethylsulfoxide. **DMSP** Defense Meteorological Satellite Program(방위 기상 위성 계획). **DMT** dimethyltryptamine. **dmu** 《영》 diesel multiple unit.

D. Mus. Doctor of Music. **DMV** 《미》 Department of Motor Vehicles. **DMZ** demilitarized zone. **DN., D/N** debit note. **D.N.** Daily News. **dn** down.

d—n [di:n, dæm] =DAMN. ★ damn이란 말을 넌지시 표현할 때 쓰임.

DNA [di:ènéi] *n.* 〖생화학〗 =DEOXYRIBONUCLEIC ACID.

DNÁ fíngerprints 〔**prófile**〕 DNA〔유전자〕 지문《DNA의 구조에 따라 개인을 식별함》.

DNÁ fíngerprìnting 〔**prófiling**〕 DNA〔유전자〕 지문 (감정)법(genetic fingerprinting).

DNÁ pólymerase DNA 폴리메라아제《DNA 합성 반응에 관여하는 효소의 총칭》.

DNÁ próbe 〖생화학〗 DNA프로브《화학적으로 합성한, 사슬 길이 10 내지 20의 특정 염기 배열을 갖는 한 줄 사슬 올리고머》.

DN·ase, DNA·ase [di:éneis, -z], [dì:énéièis, -z] *n.* 〖생화학〗 DN(A)아제(deoxyribonuclease).

DNÁ sỳnthesizer 〖생화학〗 DNA 합성기《DNA의 올리고머를 자동 내지 반자동적으로 화학 합성하는 연구용 기기》.

DNÁ tést 〔**tésting**〕 DNA 시험.

DNÁ vèctor 〖유전〗 =VECTOR.

DNÁ vírus DNA 바이러스《DNA를 가진 바이러스》.

DNB, D.N.B. Dictionary of National Biography(영국 인명 사전). **DNC** 〖컴퓨터〗 direct numerical control(직접 수치 제어). **DNF** did not finish.

Dnie·per [ní:pər] *n.* (the ~) 드네프르 강《러시아의 서부 흑해로 흘러들어가는 강》.

D́ nòtice 《영》 D 통고《기밀 보전을 위해 보도 금지를 요청하는 정부 통고》.

DNR 〖의학〗 do not resuscitate (소생 불요).

†**do**[1] ⇨《p. 734》 DO[1].

do[2] [dou] (*pl.* **~s, ~'s**) *n.* 〖음악〗 도《장음계의 제1음》, 주음조(主音調).

DO dissolved oxygen. **DO, D.O.** defense order. **do., d°** [dítou] ditto. **D/O, d.o.** delivery order.

DOA [dí:òuéi] *a.* **1** (병원에) 도착하기 전에 사망한. **2** (흔히 시간 부족으로) 이루지〔성공하지〕 못한: Congressional leaders declared the president's budget ~. 의회 수뇌부는 대통령 예산안이 회기내 처리 불능이라고 발표했다. [◂ *d*ead *o*n *a*rrival]

do·a·ble [dú:əbəl] *a.* 할〔행할〕 수 있는.

dó-àll *n.* 잡역부(factotum).

doat [dout] *vi.* =DOTE. ㊞ **~·er** *n.*

DOB, d.o.b. date of birth.

dob [dɑb/dɔb] (**-*bb*-**) *vi.* 《Austral.속어》 배신하다, 밀고하다《*in*》. ~ ***in*** 헌금하다.

dob·ber [dábər/dɔ́bər] *n.* 《미방언》 낚시찌(bob), 부표(浮標); 《Austral.속어》 =DOBBER-IN.

dóbber-ìn *n.* 《Austral.속어》 밀고자, 배신자.

dob·bin [dábin/dɔ́bin] *n.* **1** 말, 《특히》 순하고 일 잘하는 (농사)말; 복마(卜馬), 짐말. **2** 18 세기의 술잔《약 0.14 *l* 들이》.

dob·by [dábi/dɔ́-] *n.* 《방언》 (가정에 나타나는) 소요정(小妖精); 《영방언》 얼간이; 〖방직〗 도비《직기의 개구(開口) 장치》; 도비직(=∠ **wèave**).

do·be, do·bie, do·by [dóubi] *n.* 《미구어》 =ADOBE.

Do·ber·man(n) (pin·scher) [dóubərmən (pínʃər)] 도베르만《테리어 개의 일종》.

Do·bro [dóubrou] (*pl.* **~s**) *n.* 도브로《금속 반향판이 붙은 어쿠스틱 기타; 상표명》.

dob·son [dábsən/dɔ́b-] *n.* =HELLGRAMMITE.

dóbson·flỳ *n.* 〖곤충〗 뱀잠자리《총칭》.

doc[1] [dɑk/dɔk] *n.* 《구어》 =DOCTOR; (보통 D-) 선생 《의사나 이름을 모르는 사람의 호칭》.

doc[2] *n.* 《속어》 =DOCUMENT.

DOC 〖생화학〗 deoxycorticosterone. **Doc.** Doctor. **doc.** document(s).

do·cent [dóusnt, dousént] *n.* 《미》 (대학의) 강사; (미술관·박물관 등의) 안내인. ㊞ **~·ship** [-ʃip] *n.* Ⓤ ~의 자격〔직무〕.

doch-an-dor·rach, -dor·ris [dáxəndá:rəx/dɔ́xəndɔ́r-], [dáxəndáris/dɔ́xəndɔ́r-] *n.* 《Sc., Ir.》 이별의 잔(stirrup cup).

◇**doc·ile** [dásəl/dóusail] *a.* 가르치기 쉬운《학생》; 유순한, 다루기 쉬운. ㊞ **~·ly** *ad.* **do·cil·i·ty** [dɑsíləti, dou-/dou-] *n.* Ⓤ

dock**[1] [dɑk/dɔk] *n.* **1** 독, 선거(船渠): a dry 〔graving〕 ~ 건선거(乾船渠) / a floating ~ 부선거(浮船渠) / a wet ~ 계선거(繫船渠). **2** 선창, 선착장, 부두, 안벽, 잔교(pier); 《영》 계선장(繫船場)《선창·부두에 연해 있는 계선 수역》; (종종 *pl.*) 계선거(渠). **3** 《미》 (트럭·화차 따위의) 짐 부리는 장소. **4** (보통 *pl.*) 조선소(dockyard). **5** 〖항공〗 기체 검사〔정비, 수리〕장; 격납고. **6** (극장의) 무대 장치 창고(scene ~). ***in ~ 수리 공장〔독〕에 들어가; 《영구어》 입원중(인). ***in dry*** ~ 《속어》 실직하여. **—** *vt., vi.* **1** 독〔선거〕에 넣다〔들어가다〕. **2** (…에) 독을 설비하다; 독으로 두르다. **3** (두 우주선을〔이〕) 결합〔도킹〕시키다〔하다〕.

dock[2] *n.* (형사 법정의) 피고석. ***be in the*** ~ 피고인석에 앉아 있다, 재판을 받고 있다; 《비유》 심판을 받고 있다.

dock[3] *n.* 〖식물〗 참소리쟁이속(屬)의 식물 《수영·소리쟁이 따위》.

dock[4] *n.* **1** (짐승의) 꼬리심《털 부분과 구별하여》; 짧게 자른 꼬리; 짐승의 볼기. **2** (급료의) 감액(액수). **—** *vt.* **1** (동물의 꼬리 따위를) 짧게 자르다. **2** (결근·지각 등의 벌로서) 급료의 일부를 떼다; (임금을) 삭감〔감액〕하다: If your boss ~*s* your pay... 만일 당신의 고용주가 급여의 일부를 뗀다면. **3** (아무)로부터 …을 빼앗다; …에서 일부를 깎다.

dock·age[1] [dákidʒ/dɔ́k-] *n.* Ⓤ 독〔선거〕 사용료, 입거료(入渠料)(=∠ **chàrges** 〔**dùes**〕); 입거; 선거(船渠) 설비.

dock·age[2] *n.* **1** Ⓤ 절약; 삭감, 감액. **2** (씻어서 쉽게 제거될 수 있는) 곡물 중의 반지기〔이물(異物)〕.

dock·er[1] [dákər/dɔ́k-] *n.* 부두 노동자, 독 작업원.

dóck·er[2] *n.* 바짝 줄이는 사람〔물건〕; (가축의) 꼬리 자르는 사람〔장치〕.

dock·et [dákit/dɔ́k-] *n.* **1** 〖미법률〗 소송 사건 일람표, 사건 등록서, (법원의) 소송인 명부; 《미》 심리 예정표, 의사 예정표, 회의 사항; 《미》 처리 예정 사항표. **2** 〖영법률〗 판결 요록; 내용 적요록, 비망록. **3** 《영》 (서류에 붙이는) 각서, 부전; (화물의) 꼬리표. **4** 《영》 관세 지급 증명서. ***on the*** ~ 《미속어》 고려 중인; 수행〔실시〕되어. **—** *vt.* (문서·판결 등)의 적요를 만들다; 요약하여 장부〔등재부〕에 기입하다; (문서 등)의 뒤에 내용 적요를 기록하다; (소포 등)에 ~을 붙이다.

dóck·glàss *n.* 큰 잔《포도주 시음용》.

dóck·hànd *n.* 항만〔부두〕 근로자(dock laborer).

dóck·ing *n., a.* Ⓤ 입거(入渠)(의); 〖우주〗 두 우주선의 결합(의).

dócking adàpter 도킹 어댑터《도킹한 두 우주선을 잇는 통로》.

dócking stàtion 〖컴퓨터〗 도킹스테이션《노트북 컴퓨터의 저부(底部)·후부(後部)에 장착하는 확장 키트(kit)》.

dock·ize [dákaiz/dɔ́k-] *vt.* 독〔선거〕 시설을 하다.

dóck·lànd *n.* 《영》 선창가 지역; 그 인근의 쇠락한 주택지.

dóck·màster *n.* 〖해사〗 선거(船渠) 현장 주임.

dock·o·min·i·um [dàkəmíniəm/dɔ̀k-] *n.*

do¹

(1) 조동사, (2) 대동사, (3) 본동사 '하다·행하다'의 세 가지 중요한 용법이 있으며, 3인칭 단수 직설법 현재형 does, 과거형 did의 변화는 모두 공통이다.

(1) 조동사로서는 be 동사 따위와 같이 변칙동사(anomalous verb)의 하나이며, 주어와의 직접 도치로 의문문을, not와의 직접 결합으로 부정문을 만든다: *Do* you know?, He *does not* 〔*doesn't*〕 come. 본동사 have에 대하여 미국에서는 그 뜻은 어떻든 *Do* you have ...?, He *does* not have .... 의 형식이 지배적이지만, 영국에서는 종래 have의 뜻에 따라, 위의 형식과 Have you ...?, He has not .... 의 형식을 구분하여 쓰는 습관이 있다(⇨ 아래 1,2의 용례 및 have). dare, need에 대해서는, 이들의 본동사·조동사로서의 용법에 따라 두 가지의 형식이 있다(⇨dare, need). 조동사로서의 do는, 강조의 용도를 포함하여, 변화형은 과거와 현재뿐이다.

(2) 대동사는 이미 나온 동사를 대신하는 것이며, 본동사와 같은 변화형을 가진다.

(3) 본동사 '하다'는 구문상으로는 일반동사와 마찬가지임(《사체(斜體)는 본동사, 사체가 아닌 것은 조동사》): What do (did) you *do*?, Have you *done* it yet? 본동사와 앞서 말한 대동사는 다음의 변화 형태를 취한다: 현재형·과거형·부정사·과거분사·현재분사〔동명사〕.

변화형은, 아래의 현대형 외에, 다음과 같은 고형(古形)이 있다: 2인칭 단수 현재형(thou) **do·est** [dúːist], **dost** [dʌst, 약 dəst]; 3인칭 단수 현재형 **do·eth** [dúːiθ], **doth** [dʌθ, 약 dəθ]; 2인칭 단수 과거형 (thou) **didst** [didst].

do [duː; 약 du, də] (현재 ***do***, 직설법 현재 3인칭 단수 ***does*** [dʌz, 약 dəz]; 과거 ***did***) *aux. v.* **1** 〘긍정의문문〙《일반 동사·have 동사와 함께 do의 여러 형태는 약하게 발음되는 때가 많음》: *Do* you hear me? 내 말이 들리는가 / *Does* he know? 그는 알고 있나 / Where *did* she go? 그녀는 어디 갔습니까 / When *do* you have tea? 당신은 차를 언제 드십니까《have가 '동작·경과'의 뜻일 때 영·미 공통》/ *Do* you have any brothers? 형제분이 있습니까《have가 '소유·상태'의 뜻일 때 종래 영국에서는 Have you ...? 이었음》/ Who *do* you think came? 누가 왔다고 생각하느냐《비교: Who came? 누가 왔느냐》. **2** 〘부정문(평서·명령·의문)〙(간약형: do not → ***don't*** [dount]; does not → ***does·n't*** [dʌ́znt]; did not → ***did·n't*** [didnt]): I *don't* think so. 난 그렇게는 생각하지 않는다 / They *didn't* have coffee. 그들은 커피를 마시지 않았다 / *Don't* worry. 걱정하지 마라 / *Don't* yóu touch me. 내 몸을 건드리지 마라《Don't touch me! 보다 비난의 정도가 강함; (외칠 때) 주어가 있는 문장에서는 Do not... 은 쓸 수 없음》/ *Don't* ánybody move! 아무도 움직이지 마라 / *Didn't* 〔*Did not*〕 your father come? 자네 아버지는 안 오셨나 (《〔 〕 안은 극히 문어적》) / *Don't* be afraid. 두려워하지 마라《명령문에 한해서 be의 부정에 do가 쓰임》.

> **NOTE** (1) 분사나 부정사의 부정에는 do를 쓰지 않음: I asked him not [×do not] to make a noise. 그에게 떠들지 말도록 요청했다.
> (2) do의 부정에는 not를 쓰며, never, hardly 따위의 부사는 거의 쓰지 않음: I *do not* [×*do never*] drink wine. 나는 포도주는 안 마신다. 다만, 강조의 do를 사용해서 I *never do* drink wine.은 가능함.
> (3) 흔히 문어는 비간약형을, 구어는 간약형을 쓰는데, 평서문에서 특히 부정을 강조할 때에는 구어에서도 비간약형을 쓸 때가 있음: I *dó nót* agree. 아무래도 찬동할 수 없소.

3 〘강조문〙 정말, 꼭, 확실히, 역시. **a** 〘긍정의 뜻의 강조〙《일반 동사·have 동사와 함께 쓰이며, do에 강세를 둠》: I *do* know. 나는 정말 알고 있다 / So I *did* see you! 역시 만났군요 / *Do* come again! 꼭 또 오십시오 / Why didn't you come yesterday? — But I *did* come. 어제 왜 오지 않았나 — 아냐 갔었어. **b** 〘긍정 명령문의 강조〙《(1) 일반동사·have 동사·be 동사와 함께 쓰임. (2) 간청이나 친근감이 담긴 강한 권고 따위에 쓰임》: *Do* come in! 어서 들어 오세요 / Sit down. Please *do* sit down. 앉으시지요, 자 앉아주세요 / *Do* be quiet! 조용히 하라니까 / Tell me, *do*. 말씀해 주세요, 제발 부탁이에요《do가 뒤에 올 때도 있음》.

4 〘도치법〙《부사(구)가 문두에 나올 때》: Little *did* she eat. 그녀는 거의 먹지 않았다 / Never *did* I dream of seeing you again. 자넬 다시 만나리라고는 꿈에도 생각 못했네 / Well *do* I remember it. 잘 기억하고 있다네 / Not only *did* he understand it, but he remembered it. 그는 그것을 이해했을 뿐 아니라 기억하기도 했다.

— (***did***; ***done*** [dʌn]; ***do·ing*** [dúːiŋ]; 직설법 현재 3인칭 단수 ***does***) *pro-verb* (대동사)《be, have 이외의 동사의 되풀이를 피하기 위해 쓰이며, 흔히 세게 발음됨》.

1 a 〘동사(구)의 반복을 피하여〙: I think as you *do*(=think). 나는 당신이 생각하는 것처럼 생각합니다 / If you want to see him, *do* it now. 그를 만나고 싶으면 지금 만나라 / I speak French as well as she *does* (=speaks French). 그 여자만큼 나도 프랑스어를 할 수 있다 / I want to enjoy reading as I used to (*do*). 전처럼 독서를 즐기고 싶다. **b** 〘do so, do it, do that, which ... do 따위의 형태로〙《do it, do that은 수동형이 가능함》: I wanted to go to bed, and I *did so* 〔*so I did*〕 immediately. 나는 자고 싶었다. 그래서 곧 잤다 / Does she play tennis? — Yes, I've seen her *doing so* 〔*that*〕. 그녀는 테니스를 치나 — 응, 치는 것을 본 적이 있어.

2 〘의문문에 대한 대답 중에서〙《흔히 do에 강세》: Do you like music? — Yes, I *do*. 〔No, I *don't*.〕 음악을 좋아하십니까 — 네, 좋아합니다 〔아뇨, 좋아하지 않습니다〕 / Did you go there? — (Yes,) I *did*. 자네 거기 갔었나 — (응) 갔었어《I did go there. 로 하면 강조가 됨》/ Who saw it? — I *did*. 누가 그것을 보았나 — 내가요《I에 강세》.

3 〘부가의문문 중에서〙 …이죠(그렇죠), …라던데요《확인의문일 때에는 내림조, 반복의문일 때에는 올림조》: He works in a bank, *doesn't* he? 그는 은행에 근무하죠 / You didn't read that book, *did* you? 자넨 그 책을 읽지 않았지(안 그래) / The store sells clothes, *doesn't it* 〔*don't they*〕? 그 가게에서는 의류를 팔고 있죠《가게를 의식하면 doesn't it? 점원을 의식할 때면 don't they?》. ★ 흔히 종속절은 주절이 긍정이면 don't, doesn't, didn't를 쓰며 주절이 부정이면 do, does, did가 옴.

4 〘상대의 말에 맞장구를 칠 때〙 (아) 그렇습니까: I bought a car. — Oh, *did* you? 차를 샀습니

다—아 그러십니까 / I don't like coffee. — *Don't* you? 커피는 싫다—그러니.
5 〖-ing as+주어+do〗 …하므로: *Living as* I *do* in a rural area, I rarely have visitors. 시골에 살고 있어 좀처럼 방문객이 없다(=Since I live in a rural area, ...).
— (*did; done; do·ing; does*) 《보통 세게 발음》 *vt.* **1 a** 하다, 행하다: *do* a good deed 선행을 하다 / *do* repairs 수리를 하다 / *do* something wrong 무언가 나쁜 짓을 하다 / *do* research on history 역사 연구를 하다 / What are you *doing?* 무엇을 하고 있는가 / What does he *do?*(그는 무엇을 하나→) 그의 직업은 무엇인가 / What can I *do* for you? (점원이 손님에게) (무엇을 도와드릴까요 →)어서 오십시오, 무엇을 드릴까요. **b** (일·의무 따위를) 다하다, 수행〔실행, 이행〕하다: *do* one's best 〔utmost〕 자신의 최선을 다하다 / *Do* your duty. 본분을〔의무를〕 다해라 / *do* one's military service 군대에 복무하다 / *do* business with ... …와 거래하다 / You *did* the right 〔proper〕 thing. 자넨 옳은〔타당한〕 일을 했네. **c** 〖보통 the, any, some, one's, much를 수반하는 -ing를 목적어로 하여〗 (…행위를) 하다: *do the* wash*ing* 〔shop*ping*〕 빨래를〔쇼핑을〕 하다《'쇼핑(하러) 가다'는 'go shopping'이며 the가 붙지 않음》/ I'll *do* some read*ing* today. 오늘은 책을 읽겠다 / I wanted to *do* some telephon*ing*. 잠깐 전화를 좀 하고 싶었다. **d** 《+do*ing*》(직업으로서) …을 하다: *do* lectur*ing* 강의를 하다 / *do* teach*ing* 교사를 하다. ★ 끝의 예에서와 같이 do에는 writing(저술), reviewing(논평), charring (집안일), packing (짐꾸리기) 등의 동명사가 뒤에 올 때가 많음. **e** 〖흔히 have *done*, be *done*의 형태로〗 …을 끝내다, (다)해버리다: I *have done* my work. 나는 일을 다 마쳤다《구어에서는 have가 생략될 때가 있음》/ *Have* 〔*Are*〕 you *done* reading? 다 읽으셨습니까 / The work *is done*. 일이 끝났다. ★ 주로 결과로서의 상태를 나타내며, The work *has been done*.은 완료를 강조.
2 《+목+목 / +목+전+명》 주다. **a** (…에게) (이익·(손)해 따위를) 주다(inflict), 가져오다《*to*》, 가하다, 끼치다: Too much drinking will *do* you harm. 과음은 몸에 해롭다 / The medicine will *do* you good. 그 약을 복용하시면 좋아질 겁니다 / Your conduct *does* you honor 〔*does* honor *to* you〕. 당신의 행동은 당신의 명예가 됩니다. **b** (…에게) (명예·경의·호의·옳은 평가 따위를) 표하다, 베풀다, 주다《*to*》: *do* a person a service 아무의 시중을 들다〔돌보아주다〕 / *do* a person a kindness 아무에게 친절하게 하다 / *do* homage *to* the King 왕에게 경의를 표하다 / *do* honor *to* a person =do a person HONOR / *do* justice *to* a person =do a person 〔thing〕 JUSTICE. **c** (아무에게) (은혜 따위를) 베풀다, (부탁·소원 등을) 들어주다《*for*》: Will you *do* me a favor? =Will you *do* a favor *for* me? (부탁 좀 들어주겠나→) 부탁이 있는데.
3 (어떤 방법으로든) 처리하다《목적어에 따라 여러 가지 뜻이 됨. cf. 관용구 do up》. **a** (답장을 써서) (편지의) 처리를 하다: *do* one's correspondence 편지 답장을 쓰다. **b** (방·침대 등을) 치우다, 청소하다, 정리하다, (접시 따위를) 닦다, (이를) 닦다: *do* the room 방을 청소하다 / *do* one's teeth 이를 닦다 / I'll *do* the dishes. (먹고 난) 접시 설거지는 내가 하겠다. **c** 꾸미다, 손질하다, 꽃꽂이하다, (머리를) 매만지다, (얼굴을) 화장하다, (식사·침구를) 제공하다, 준비하다: *do* one's hair 머리를 빗다〔감다〕 / *do* the garden 정원〔뜰〕을 손질하다 / *do* the room in blue 방의 벽을 청색으로 칠하다 / She *did* the flowers. 그녀는 꽃꽂이를 했다 / She usually spends two hours *doing* her face. 그녀는 보통 화장을 하는 데 두 시간은 소비한다 / The restaurant doesn't *do* lunch. 그 음식점에서는 점심은 팔지 않는다. **d** (학과를) 공부〔전공·준비〕하다: *do* one's lessons 예습을 하다 / He is *doing* electronics. 그는 전자 공학을 전공하고 있다. **e** (문제·계산을) 풀다(solve): *do* a problem 문제를 풀다 / Will you *do* this sum for me? 이 계산 좀 해 주시겠습니까. **f** (작품 따위를) 만들다, (책을) 쓰다, (그림을) 그리다, (영화를) 제작하다: *do* a lovely oil portrait 훌륭한 유화 초상화를 그리다 / *do* a movie 영화를 제작하다. **g** 《(+목)+목 / +목+전+명》 (남을 위해)(복사·리포트 따위를) 만들다, 번역하다《*for*》, (책 따위를 다른 형식으로) 바꾸다《*into*》: *do* two copies of it 그것의 복사를 2부 만들다 / We asked her to *do* us a translation. =We asked her to *do* a translation *for* us. 그녀에게 번역을 해달라고 했다.
4 a (고기·야채 따위를) 요리하다; (요리를) 만들다: *do* the salad 〔dessert〕 샐러드〔디저트〕를 만들다 / They *do* fish very well here. 이 집은 생선 요리를 잘 한다. **b** 《+목+보》 (고기 등을 …하게) 요리하다, 굽다(cf. well-done, overdone, underdone): a steak *done* medium rare 중간 정도로 설구워진 스테이크 / *do* meat brown 고기를 갈색으로 굽다 / This meat is *done* to a turn. 이 고기는 알맞게 구워졌다 / Mind you *do* the beef thoroughly. 고기를 바싹 구워라.
5 〖will과 함께〗 (아무에게) 도움이 되다, 쓸 만하다, 소용에 닿다, 충분하다(serve, suffice for) 《수동형은 불가능》: This will *do* us for the present. 당분간 이것이면 된다 / Will fifty dollars *do* you?—That will *do* me very well. 50 달러면 되겠느냐?—그것이면 충분하다.
6 《구어》 두루 돌아보다, 구경〔참관〕하다: *do* the sights 명승지를 구경하다 / You can't *do* Korea in a week. 한 주일로는 한국을 구경할 수 없다 / Have you *done* the Louvre yet? 루브르 박물관 구경은 벌써 마치셨습니까.
7 a (어느 거리를) 답파(踏破)하다(traverse), (나아)가다, 여행하다 (cover, travel): We *do* twenty miles a day on foot. 우리는 도보로 하루 20 마일 걷는다. **b** (…의 속도로) 나아가다 (travel at the rate of): This car *does* 120 m.p.h. 이 차는 시속 120 마일로 달린다 / The wind is *doing* ninety miles an hour.
8 a 《영구어》 (아무에게) 서비스를 제공하다《보통 수동형은 불가능》: I'll *do* you next, sir. 다음 손님 앉으십쇼《이발소 등에서》. **b** 〖보통 well 따위와 함께〗 (아무를) (잘) 대접하다, 대(우)하다《보통 수동형·진행형으로는 불가능》: They *do* you very *well* at that hotel. 저 호텔에서는 서비스가 아주 좋다. **c** 〖~ oneself로; well 따위와 함께〗 사치를 하다〔부리다〕《수동형은 불가능》: *do* one*self well* 호화롭게 살다, 사치한 생활을 하다.
9 《구어》 **a** (아무를) 속이다, 야바위치다(cheat): I've been *done*. 감쪽같이 당했다. **b** 《+목+전+명》(아무에게서 …을) 속여 빼앗다, 사취하다《*out of*》: *do* a person *out of* his inheritance 〔job〕 아무에게서 유산〔일〕을 빼앗다.
10 (극을) 상연하다(produce): We *did* Hamlet. 햄릿을 상연했다.
11 a (…의) 역(役)을 하다, 연기하다: *do* Polonius 폴로니우스 역을 하다 / She *did* the leading in several comedies. 그녀는 몇 개의 희극에서 주역을 맡아 했다. **b** 〖do a ...로〗 (…처럼) 행동하다, (…인) 체하다, (…)연하다, (…을) 흉

내내다: *do a* Chaplin 채플린처럼 행동하다 / Can you *do* a frog? 너 개구리 흉내를 낼 줄 아느냐. **c** 〖the+형용사를 목적어로 하여〗《영구어》 (…)하게 굴다: *do* the amiable 붙임성(이) 있게 굴다 / *do* the grand 잘난 듯이 굴다.

12 《구어》 (형기를) 살다, 복역하다: *do* time (in prison) 복역하다 / He *did* five years *for* robbery. 강도죄로 5년형을 살았다. ★ 미국에서는 다른 '임기'에 관해서도 쓰임: He is *doing* another year *as* chairman. 그는 1년 더 의장직을 맡고 있다.

13 《영구어》 (아무를) 혼내주다, 뜨끔한 맛을 뵈다 (punish), (아무를) 죽이다.

14 《구어》 (여행 · 운동 등이) 지치게 하다(wear out, exhaust): The last round *did* me. 마지막 회에서 난 녹초가 됐다 / The long journey has *done* him. 긴 여행으로 그는 완전히 지쳤다.

15 《영속어》 (아무를) 기소(起訴)〔고소〕하다; (아무에게) 유죄를 선고하다.

16 《미속어》 (성행위를) 하다; (마약을) 쓰다.

17 《영속어》 (점포 따위에) 침입하다, …을 털다 (rob).

— *vi.* 1 하다. **a** 행하다, 활동하다(act): Don't talk. Only *do*.=*Do*, don't talk. 말은 그만두고 실행하라 / Let us be up and *doing*. 자 정신 차려서 하자. **b** 〖well, right 따위 양태를 나타내는 부사(절)과 함께〗 행동(을)하다, 처신하다 (behave): *do* like a gentleman 신사답게 행동하다 / You would *do* well to refuse. 자넨 거절하는 게 좋을 거다 / You've only to *do as* you are told. 자넨 그저 시키는 대로 하기만 하면 된다 / *Do* in Rome *as* the Romans *do*. 《속담》 로마에 가면 로마의 풍습을 따르라.

2 《+副/+前+名》 〖well, badly, how 따위를 수반하여〗 **a** (생활 · 건강 상태 · 성적 등이) (…한) 상태이다, …하다, 지내다; (일이)(잘, 잘 안)되다, (해)나가다(get along): *do* wisely 현명하게 일을 (잘) 해나가다 / *do* without an automobile 자동차 없이 지내다 / Our company is *doing* very well. 우리 회사 실적은 아주 좋다 / Mother and child are both *doing* well. 모자 모두 건강하다 / How did you *do* in the examination? 시험성적은 어땠나 / How are you *doing* these days? 《주로 미구어》 요즘 건강은〔경기는〕 어떤가. **b** (식물이) 자라다(grow): Wheat *does* best in this soil. 이 땅에서는 밀이 잘 된다.

3 〖보통 will, won't 와 함께〗 **a** 《+前+名》(…에) 도움이 되다, 쓸 만하다, 족(足)하다, 충분하다 《*for*》: This box *will do for* a seat. 이 상자는 의자로 십상이다 / This sum *will do* for the present. 이 돈이면 당분간 충분하다. **b** 《+前+名+*to* do》 (아무가 …하는 데) 충분하다: These shoes *won't do for* us *to* mountaineer(=*for* mountaineering). 이 신으로는 등산하기에 무리다. **c** 좋다, (…면, …으로) 되다: *Will* this *do?* 이거면 되겠나 / That *will do*. 그것으로 충분하다; 이제 됐으니 그만둬 / This car *won't do*. 이 차는 안 되겠다〔못 쓰겠다〕 / It *won't* 〔*doesn't*〕 *do* to eat too much. 과식은 좋지 않다.

4 〖완료형으로〗 (아무가) (행동 · 일 따위를) 끝내다, 마치다(finish)(cf. 관용구 have done with): *Have done!* 그만 둬라〔해라〕 / When he *was done*, I asked him a question. 그가 말을 끝냈을 때 나는 그에게 질문했다.

5 〖현재분사의 형태로서〗 일어나(고 있)다(happen, take place): What's *doing* here? 이거 어찌된 일이야 / Anything *doing* tonight? 오늘 밤 뭐가 있느냐. ***be done with*** =have done with. ***be to do with*** …에 관계가〔관련이〕 있다. ***do a foreigner*** 직무 외의(부정한) 아르바이트를 하다. ***do again*** (물건을) 재생하다. ***do as*** =do for ②. ***do a ton*** 시속 100 마일로 차〔오토바이〕를 달리다. ***do away with*** 《수동형 가능》 ① …을 없애다, …을 폐지〔제거〕하다: We should *do away with* these old rules. 이 낡은 규칙들은 폐지해야 한다. ② …을 죽이다: *do away with* oneself 자살하다. ***do badly for*** 《구어》 …의 여축이 없다; …을 조금밖에 입수 못하다. ***do brown*** ⇨ BROWN. ***do by*** 〖흔히 well, badly 등과 함께; 수동태 가능〗 《구어》 (아무를) …하게 대하다〔대우해 주다〕: He *does well by* his friends. 그는 친구들에게 잘 한다. ***do down*** 속이다, 부정한 수단으로 지게 하다, 해치우다; 부끄럽게 하다; (자리에 없는 사람의) 험담을 하다, 헐뜯다. ***do for*** ① ⇨ *vi.* 3 a. ② …의 대용이 되다: This rock will *do for* a hammer. 이 돌은 망치의 대용이 된다. ③ 《영구어》 (아무)를 위해 살림을〔신변을〕 돌보다, 주부 대신 노릇을 하다: Jane *does for* her father and brother. 제인은 아버지와 오빠를 위해 살림을 돌보고 있다. ④ 《구어》 〖흔히 be done〗 (아무가) 살해되다. ⑤ 〖종종 be done〗 《구어》 (아무를) 몹시 지치게 하다, 지게 하다, 파멸시키다; (사물을) 못쓰게 만들다: I'm afraid these gloves are *done for*. 아무래도 이 장갑은 못 쓰게 된 것 같다 / I'm *done for*. 이제 틀렸어〔글렀어〕, 두 손 들었어, 기진맥진이다. ⑥ 〖what, 《영》 how 로 시작되는 의문문에서〗 (…을) 어떻게든 손에 넣다, 입수하다: *How* shall we *do for* food during the flood? 홍수 기간 동안 식량을 어떻게 입수〔조달〕합니까. ***do in*** ① 《구어》 (아무를) 녹초가 되게〔지치게〕 하다(wear out, exhaust): I'm really *done in*. 완전히 지쳤다. ② (아무를) 파멸시키다, 망하게 하다; (사물을) 못 쓰게 만들다, 망가뜨리다: *do* one's car *in* 차를 부수다〔못쓰게 만들다〕. ③ 《속어》 (아무를)죽이다: *do* oneself *in* 자살하다. ④ (아무를) 속이다. ***do it*** ① 효과를 나타내다, 주효하다《형용사 · 부사가 주어(主語)로 됨》: Steady *does it*. 착실히 하는 게 좋다. ② 《구어》 성교하다. ***do it all*** 《속어》 종신형을 살다. ***do it for*** one***self*** 《속어》 (택시미터를 켜지 않고) 요금을 삥땅하다. ***do it on*** one***'s dick*** 〔***head, prick***〕 《미속어》 (형벌 등을) 참고 견디다. ***do it up*** 〔***right***〕 《속어》 잘〔훌륭히〕하다. ***do much*** 크게 도움이 되다〔공헌하다〕《*for*》. ***do off*** 《고어》 벗다; 《드물게》 그리다; 《미구어》 꾸며내다; 몸치장을 하다; 《미구어》 구획을 짓다. ***do or die*** 죽을 각오로 하다, 필사적으로 노력하다(cf. do-or-die). ***do out*** 《구어》 (방 등을) 쓸어내다, 청소하다; (서랍 따위를) 치우다〔정리하다〕; (방 따위를) 개장(改裝)하다, …의 페인트를 다시 칠하다. ***do*** a person ***out of…*** ① ⇨ *vt.* 9 b. ② 아무를 …에서 쫓아내다(oust). ***do over*** (방 · 벽 등을) 덧칠〔다시 칠〕하다, 개장(改裝)하다; 《미》 …을 되풀이하다, …을 다시 하다; 《속어》 (아무를) 혼내다, 때려눕히다. ***do*** one***'s homework*** 숙제를 하다; 《구어》 (문제를) 숙고하다, (사실을) 알다. ***do … to*** ① …하게 대해 주다 (do … by). ② ⇨ *vt.* 2 a, b. ③ (손 따위에) …상처를 입다〔내다〕. ***do … to death*** ⇨ DEATH. ***do up*** ① (…을) 수리하다, 손보다: This house must be *done up*. 이 집은 손 좀 봐야겠다. ② (머리를) 매만져 다듬다〔손질하다〕, 머리를 땋다: *do up* one's hair 머리 손질을 하다, 땋다. ③ 〖do oneself up 으로〗 멋부려 치장하다, 화장하다, 옷을 차려 입다. ④ (…을) 싸다, 꾸리다, 포장하다: *do up* a parcel 소포를 꾸리다〔만들다〕. ⑤ (…의) 단추〔호크 (따위)〕를 채우다〔끼우다〕, (끈 따위를) 매다; (옷 따위가) 단추〔호크, 지퍼〕로 채워지다(opp. *undo*): He *did up* the zip on his dress. 그는 옷의 지퍼를 잠갔다. ⑥ 《구어》 (아무를) 녹초가 되게 하다, 지치게 하

다《흔히 수동형으로 쓰임》: He *was* quite *done up*. 그는 완전히 지쳐버렸다. ⑦ (…을) 세탁하여 다림질을 하다: *do up* one's shirts 셔츠를 빨아 다리다. ⑧《영속어》(아무를) 지게 하다, 해내다. ⑨ (음식 따위를) 보존하다. ***do well*** ⇨ WELL². ***do with ...*** 《*vt.*+전》〖의문대명사 what를 목적어로 하여〗 ① …을 처치〔처분〕하다, …을 다루다(deal with): *What* did you *do with* my bag? 내 백을 어떻게 하셨죠/I don't know *what* to *do with* her. 그녀를 어떻게 상대해야〔다루어야〕 할지 모르겠다. ②〖be doing의 꼴로〗 …을 갖고 있다: *What are* you *doing with* a knife? 나이프 따위를 손에 들고 어떻게 된 거야. ③〖what (to) do with oneself〗 어떻게 (때를) 보내다, 어떻게 행동하다《진행형은 불가능》: *What* did you *do with* your*self* during your vacation? 휴가를 어떻게 보내셨습니까. ━《*vi.*+전》 ④〖can, could와 함께; 부정·의문문에서〗 …을 참고 견디다; (불만이지만) …한 대로 참다: I *can't do with* the way he speaks. 녀석의 말하는 태도엔 참을 수가 없다. ⑤〖가정법 could를 수반하여〗《구어》 …했으면 좋을성싶다, …하고 싶다: I *could do with* some milk. 우유를 마시고 싶다. ***do without*** 《*vi.*+전》 ① …없이 때우다〔지내다〕(dispense with): I can't *do without* this dictionary. 이 사전 없이는 해나갈 수가 없다. ②〖could 〔can〕 do without〗《때로 패사스럽게》(비평·간섭 따위가) 없어도 된다, 필요 없다: I can *do without* your advice. 자네의 충고가 없어도 되네. ━《*vi.*+부》 ③ 없는 대로 해나가다: The store hasn't any; so you will have to *do without*. 가게에서 팔지 않으니 없는 대로 지내야 한다. ***have done it*** ①《구어》 실수〔실패〕했다: Now you'*ve done it*. 봐라 실패했지. ② (어떤 일을) 해내다. ***have done with ...*** (일 따위를) 끝내다, 마치다; …에서 손을 떼다, 그만두다; …와 관계를 끊다: I *have* 〔*am*〕 *done with* the book. 그 책은 다 읽었다/I *have done with* smoking. 담배를 끊었다. ***have*** (***got***) ***to do*** 일이 있다; 관계가 있다. ***have something*** 〔***nothing, little, etc.***〕 ***to do with*** …와(는) 좀 관계가 있다〔전연, 거의 (따위) 관계가 없다〕: He *has something* 〔*nothing*〕 *to do with* the firm. 그는 그 회사와 무언가 관계가 있다〔아무런 관계도 없다〕. ***have to do with ...*** …와 관계가 있다; …을 다루다. ***make do and mend*** (새것을 사지 않고) 헌것을 수리해 쓰다. ***not do a thing with*** 《미구어》 …을 호되게 벌하다. ***Sure do!*** 《구어》 물론이지, 당연하지. ***That does it!*** 《구어》 그건 너무하다, 이제 됐다〔그만〕, 더는 참을 수 없다. ***That's done it!*** ① 이젠 글렀다, 만사 끝장이다, 아뿔싸. ② 해냈다, (잘)됐다. ***to do with ...*** 〖흔히 something, nothing, anything 따위 뒤에 와서〗 (…에) 관계하는, 관계가 있는: I want *nothing to do with* him. 그와 상관하고 싶지 않다. (***Well,***) ***did you ever!*** 《구어》 이거 놀라운데, 뜻밖인데. (***Well,***) ***I never did!*** 《구어》 이거 놀라운데, 설마. ***Well done!*** 잘 했다, 용하다. ***What*** 〔《영》 ***How***〕 ***will you do for ...?*** …의 준비는 어떻게 하나: *What will you do for* food while you're climbing the mountain? 등산 중 식량 준비는 어떻게 하지. ***Will do!*** 《영구어》〖대답에서〗 좋아(Certainly).

━ [duː] (*pl.* **~s, ~'s**) *n.* Ⓒ **1** 《영구어》 사기, 협잡: It's all a *do*. 순전한 협잡이다. **2** 전투; 《영구어》 축연, 파티: There is a big *do* on. 큰 잔치판이 벌어지고 있다. **3** 의무, 책무; (*pl.*) 지켜야 할 일, 명령〔희망〕 사항: *do's* and *don'ts* 지켜야 할 사항들과 하지말아야 할 사항들. **4** (*pl.*) 몫: fair *do's* 공평한 분배〔취급〕. **5** 《때로 익살》 행위, 활동(activities); 법석, 대소동(commotion, fuss). **6** 《Austral.》 성공(go, success): make a *do* of it 그것을 잘 하다; 제것으로 만들다, 목적을 달성하다, 성공하다. **7** 《미속어》 머리형(型)(hairdo). **8** 《속어》 배설물, 똥. ***do one's do*** 할 일을 다하다, 본분〔직분〕을 다하다. ***Fair dos*** 〔***do's***〕***!*** 《영속어》 공평〔공정〕히 하세.

《미》 분양 보트 계류장; 전용 보트 계류장이 있는 분양 맨션.

dóck·sìde *n., a.* 부둣가(근처)(의).

dóck-tàiled *a.* 꼬리를 자른.

dóck-wàlloper *n.* 《미속어》 부두 임시 근로자〔부랑자〕; 하역 종사자.

dóck·wòrker *n.* 항만 노동자.

dóck·yàrd *n.* 조선소; 《영》 해군 공창(《미》 navy yard).

Doc Mar·tens [dɑ̀kmɑ́ːrtnz/dɔ̀k-] 바닥이 두껍고 굽이 없는 신발《상표명》.

doc·o·sa·hex·a·e·nó·ic ácid [dɑ̀kəsəhèksəinóuik-/dɔ̀k-] 〖생화학〗 =DHA.

doc·o·sa·no·ic [dɑ́kəsənóuik/dɔ́k-] *a.* 〖화학〗 =BEHENIC.

docosanóic ácid 〖화학〗 도코산산(酸)《베헨산(behenic acid)의 조직 이름》.

†**doc·tor** [dɑ́ktər/dɔ́k-] *n.* **1** 박사; 의학 박사《생략: D., Dr.》; 박사 칭호: a *Doctor* of Law 〔Divinity, Theology, Medicine〕 법학〔명예 신학, 신학, 의학〕 박사. **2 a** 의사《《미》에서 surgeon, dentist, veterinarian, osteopath에도 쓰이나 《영》에서는 보통 physician을 가리킴》: see a ~ 의사의 진찰을 받다/send for a ~ 의사를 부르러 보내다/the ~ in charge 주치의. **b** 주술사(medicine man).

> SYN. **doctor** '의사'의 총칭을 나타내는 일반어. **physician** 주로 내과의(醫)를 가리킴. **surgeon** 주로 외과의를 가리킴. **general practitioner** 일반적으로 내과·외과의 개업의를 말함. **medical man** 널리 의학·의업에 종사하는 사람을 말함.

3 (D-) 선생《호칭》. **4** 《고어》 학자; 교사; =DOCTOR OF THE CHURCH. **5** 《속어》 (배·야영의) 쿡, 주방장; 《속어》 거근(巨根) 소유자. **6 a** 《구어》 수리하는 사람. **b** (응급 수리를 위한 임시적) 조절〔보정(補正)〕기(器); 보조 엔진; 덧칠 따위를 펴는〔벗겨내는〕 나이프(=∠ **blàde**). **c** 식품 첨가물. **d** 《고속어》 (특정 숫자가 나오도록) 조작한 주사위. **7** 연어낚시용의 색깔이 선명한 제물낚시. **8** 〖기상〗 독터《열대의 서늘한 해풍》. ***be under the*** **~** 의사의 치료를 받고 있다. ***go for the*** **~** 《Austral.속어》 크게 분발하다, (경마에서) 맹렬히 달리다. (***just***) ***what the*** **~** ***ordered*** 《구어》 (바로) 필요한 것, (마침) 바라던 것. ***play*** **~** 의사놀이하다. ***You're the*** **~.** 《구어》 당신에게 달렸습니다.

━ *vt.* **1** 《~+목/+목+부》 진료하다, 치료하다: We'll ~ him *up*. 그의 치료를 마칩시다. **2** (기계 따위)의 손질〔수선〕을 하다(mend); 손을 보다, 고치다: ~ an old clock 낡은 시계를 수리하다. **3** 《+목+부》 (음식물에) 섞음질을 하다, (음료에) 알코올을 타다《*up*》. **4** (계산 따위를) 속이다, (문서·증거 따위를) 조작하다: ~ the accounts 계산서〔장부〕를 속이다. **5** 《영》 …에게 박사 학위를 주다; …를 Doctor로 호칭하다. **6** 《구어·완곡어》 (짐승)에 불임수술을 하다, 단종(斷種)하다. ━ 《구어》 *vi.* **1** 의사 노릇을 하다. **2** 약을 먹다, (의사의) 치료를 받다. ~ one*self* 손수 치료하다.

㊕ **~·hòod** *n.* **~·less** *a.* **~·ship** [-ʃip] *n.* 박사 학위; ~임.

doc·tor·al [dɑ́ktərəl/dɔ́k-] *a.* 박사의; 학자

의; 학위가 있는; 학술적인; 권위 있는(authoritative): a ~ dissertation 〔thesis〕 (박사) 학위 논문. ㊕ ~·ly *ad.* 「위.

doc·tor·ate [dáktərət/dɔ́k-] *n.* 박사 학위; 학

dóctor bòok 가정용 의학서.

Dóctor of Philósophy 박사 학위《법학·의학·신학을 제외한 학문의 최고 학위》; (이를 취득한) 박사《생략: Ph. D., D. Phil.》.

Dóctor of the Chúrch 교회 박사《초기 기독교의 학덕이 높은 교부의 칭호》.

doc·tor's [-z] (*pl.* ~) *n.* =DOCTOR'S DEGREE.

Dóctors' Cómmons 《영》 민법 박사 회관《옛날 런던에 있던, 유언·결혼·이혼을 처리한》; 그것의 소재지.

dóctor's degrèe (명예) 박사 학위.

dóctor's órders 남의 충고, (엄한) 지시, 시달.

dóctor's stùff 《경멸》 약.

doc·tri·naire [dàktrinέər/dɔ̀k-] *n.* 공론가(空論家), 순이론가, 교조(敎條)주의자. ── *a.* 공론적인, 순리파(純理派)의, 교조주의의. ㊕ **-náir·ism** *n.* Ⓤ 교조주의; 공리 공론.

doc·tri·nal [dáktrinl/dɔktrái-, -dɔ́ktri-] *a.* 교의의, 교리의; 학리상의. ㊕ ~·**ly** *ad.* 교의상; 학리적으로.

doc·tri·nar·i·an [dàktrinέəriən/dɔ̀k-] *n.* =DOCTRINAIRE.

***doc·trine** [dáktrin/dɔ́k-] *n.* **1** 교의, 교리. **2** 주의, (정치·종교·학문상의) 신조, 학설; 공식(외교)정책: the Monroe *Doctrine* 먼로주의. SYN. ⇨THEORY. **3** 《고어》 가르침, 교훈. ㊕ **-trin·ìsm** *n.* Ⓤ 교의 신봉, 교의 지상주의. **-trin·ist** *n.*

doc·u·dra·ma [dákjədrɑ̀:mə, -dræ̀mə/dɔ́kjədrɑ̀:mə] *n.* 사실을 바탕으로 한 텔레비전 드라마, 다큐멘터리 드라마. [◀*docu*mentary+*drama*] ㊕ ~·**tist** *n.*=DOCUMENTARIAN.

****doc·u·ment** [dákjəmənt/dɔ́k-] *n.* **1** 문서, 서류, 기록, 증거 자료, 조서; 기록 영화. **2** 증서, 증권; 【상업】 (무역·상거래에 필요한) 서류: a ~ *of* annuity〔obligation〕 연금〔채권〕 증서. ***a human*** ~ 인간 기록. ***classified ~s*** 【군사】 기밀 서류. ── [-mènt] *vt.* **1** ~로 증명하다; (저서·논문 등)에 (각주 등으로) 전거를 보이다: a highly-~*ed* theory 자료에 의해 전거된 이론. **2** (…에게) 문서〔증서〕를 교부〔제공〕하다; (선박)에 선적 서류를 주다. **3** (상세히) 보도〔기록〕하다; (작품을) 사실관계를 상세히 재현하는 수법으로 구성〔제작〕하다. ㊕ **doc·u·men·tal** [dàkjəméntl/dɔ̀k-] *a.* = DOCUMENTARY.

doc·u·men·tar·i·an [dàkjəmentέəriən, -mən-/dɔ̀k-] *n.* 다큐멘터리적 수법의 주창자《특히 사진·영화 따위에서》; 다큐멘터리 작가〔프로듀서, 감독〕(=**dòc·u·mén·ta·rist**).

***doc·u·men·ta·ry** [dàkjəméntəri/dɔ̀k-] *a.* **1** 문서의, 서류〔증서〕의, 기록 자료가 되는〔에 있는, 에 의한〕: a ~ stamp 증권용 수입인지. **2** 사실을 기록한《영화·텔레비전 따위》, 기록적인: a ~ film 기록영화. ── *n.* 기록영화, 다큐멘터리(=~ **film**); (라디오·텔레비전 등의) 기록물. ㊕ **dòc·u·men·tár·i·ly** [-məntérili, -men-/dɔ̀kjəméntərili] *ad.*

documéntary bíll 〔**dráft**〕 화환(貨換) 어음.

documéntary crédit 화환 신용장.

doc·u·men·ta·tion [dàkjəmentéiʃən, -mən-/dɔ̀k-] *n.* Ⓤ **1** 증서 교부; 문서〔증거 서류〕 제시, 문서〔문헌, 기록〕 조사; (각주(脚註) 등에 의한) 전거(典據)의 명시, 증거〔기록〕 자료에 의한 입증, 방증; 고증; 전거〔증거〕로서 든 자료. **2** 문서 자료의 분류 정리, 문서화, 도큐멘테이션; 문서 분류 시스템. **3** (선박의) 선적 서류 비치. **4** 【컴퓨터】 문서화《소프트웨어의 사용·조작·보수·설비에 관해 기록한 입문서·표·그림, 그외 hard〔soft〕 copy로 쓰인 도형화된 자료》. ㊕ ~·**al** *a.*

doc·u·men·ta·tive [dɑ̀kjəméntətiv/dɔ̀k-] *a.* 증거 서류를 쓴〔제공하는〕.

dócument pròcessing 【컴퓨터】 도큐먼트 프로세싱, 문서 처리.

dócument rèader 【컴퓨터】 문서 판독기.

doc·u·soap [dákjəsòup/dɔ́k-] *n.* 도큐소프《특정 직업〔장소〕의 사람들을 일정 기간 추적한 다큐멘터리 프로그램》.

doc·u·tain·ment [dɑ̀kjətéinmənt/dɔ̀k-] *n.* 오락성 있는 다큐멘터리 프로그램.

DOD 《미》 Department of Defense(국방부).

do·dad [dú:dæ̀d] *n.* =DOODAD.

dod·der[1] [dádər/dɔ́d-] *vi.* (중풍이나 노령으로) 떨다, 휘청거리다, 비실비실하다. ㊕ ~·**ing** *a.* 비실비실하는, 휘청휘청하는. ~·**er** *n.* **-dered** *a.* 늙어빠진; (고목 등의) 가지 끝이 말라 떨어진.

dod·der[2] *n.* 【식물】 새삼속(屬)의 식물.

dod·dery [dádəri/dɔ́d-] *a.* =DODDERING; DOODDERED.

dod·dle [dádl/dɔ́-] *n.* 《영구어》 손쉬운 일, 식은 죽 먹기.

do·dec·(a)- [doudék(ə)/dóudek(ə), -ˊ(-)] '12'의 뜻의 결합사.

do·dec·a·gon [doudékəgɑ̀n, -gən/-gən] *n.* 12 각형, 12 변형. ㊕ **do·de·cag·o·nal** [dòudəkǽgənəl] *a.*

do·dec·a·he·dron [doudèkəhí:drən, dòudek-/dòudek-] *n.* 【수학·결정】 12 면체.

do·dec·a·pho·nism [doudékəfənìzəm, dòudikǽfə-/dòudekəfóunizəm] *n.* 【음악】 12 음 기법. ㊕ **-nist** *n.* 12 음 기법의 작곡자〔연주자〕.

do·dec·a·pho·ny [doudékəfòuni, dòudikǽfə-/dòudekəfóuni] *n.* 12 음 음악. ㊕ **-phon·ic** [dòudekəfánik, dòudekəfɔ́n-] *a.*

do·dec·a·syl·la·ble [doudèkəsíləbəl, dòudek-/dòudek-] *n.* 【운율】 12 음절구(句).

Dodge [dadʒ/dɔdʒ] *n.* 도지《미국 Chrysler사 Dodge 사업부가 제조하는 중급 승용차의 총칭》.

dodge** [dadʒ/dɔdʒ] *vi.* **1** 《~/+副/+前+名》 홱 몸을 피하다, 살짝 비키다《*about; between; into; round; under*》: He ~*d into* a doorway to escape the rain. 그는 비를 피하기 위해 잽싸게 출입구쪽으로 들어섰다. **2** 잡기 힘들다. **3** 교묘하게 둘러대다, 속이다. ── *vt.* **1** (타격 등을) 홱 피하다, 날쌔게 비키다(avoid). **2** (책임 따위를) 요령 있게 빠지다, (질문 따위를) 교묘히 얼버무려 넘기다, 교묘히 속이다〔둘러대다〕. **3** 【사진】 (인화할 때에) 그늘을 지게 하다, 도지하다. ~ ***about 요리조리 피하다. ~ ***behind*** …뒤에 숨다. ── *n.* **1** 살짝 몸을 피하기. **2** 《구어》 속임수, 발뺌. **3** 묘안, 명안, 꾀《*for*》; 새 취향, 신안 기구. **4** 《미속어》 부정한 돈벌이, 사기: tax ~ 탈세/ make a ~ 몸을 비키다. ***on the*** ~ 《속어》 경찰의 눈을 피해, 속임수를 써서.

dódge bàll 도지볼, 피구(避球).

Dódge Cíty 싸움이 많고 경찰의 통제가 미치지 못하는 곳《미국 캔자스 주의 도시 이름에서》.

dodg·em [dádʒəm/dɔ́-] *n.* 소형 자동차의 충돌 놀이 시설《유원지 따위에 있는》.

Dodg·'em [dádʒəm/dɔ́dʒ-] *n.* (종종 (the) ~s) 도젬《bumper car의 상표명》.

dódg·er *n.* **1** 홱 몸을 피하는 사람, 책임을 회피하는 사람; 보통 수로는 안 되는 사람; 사기꾼. **2** (배 bridge의) 파도막이 벽. **3** 《미·Austral.》 작은 전단, 광고 쪽지. **4** 《미남부》 =CORN DODGER. **5** 《속어·방언》 샌드위치, 빵, 음식. **6** (the D-s) 미국 National League의 구단 the Los Angeles

Dodgers의 애칭. — *a.* 《속어》 좋은, 멋진.

dodg·ery [dádʒəri/dɔ́-] *n.* (책임 따위의) 회피, 변명, 발뺌, 속임수.

dodgy [dádʒi/dɔ́dʒi] (*dodg·i·er; -i·est*) *a.* 몸을 (살짝) 피하는, 교묘하게 빠져나가는; 《영구어》 속임수가 능한, 교활한, 다루기 힘든; 교묘한; 위험한, 위태로운; 《해커속어》 고장이 나기 쉬운.

do·do [dóudou] (*pl.* **~s, ~es**) *n.* **1** 도도(지금은 멸종한 날지 못하는 큰 새의 이름). **2** 《구어》 시대에 뒤떨어진 사람, 얼간이.

dodo 1

DOE 《미》 Department of Energy(에너지부); 《영》 Department of the Environment(환경부).

Doe [dou] *n.* =JOHN DOE.

doe [dou] (*pl.* **~s, ~**) *n.* (사슴 · 토끼 등의) 암컷; 《미속어》 (파티 등에서) 남자 파트너가 없는 여자. cf. buck¹.

dóe·èyed *a.* (암사슴처럼) 천진난만한 눈을 가진.

doek [duk] *n.* 《S.Afr.구어》 즈크(여자가 머리에 쓰는 사각 천).

do·er** [dú:ər] *n.* 행위자; 실행가; 발육하는 동물〔식물〕: an evil ~ 못된 짓을 하는 사람 / a good 〔bad〕 ~ 발육이 좋은〔나쁜〕 동물〔초목〕. ***a hard ~ 《Austral.》 괴짜.

does [강 dʌz, 보통은 약 dəz] DO¹의 3인칭 · 단수 · 직설법 · 현재형.

doe·skin [dóuskìn] *n.* Ⓤ 암사슴 가죽; 암사슴〔양〕의 무두질한 가죽; 그와 비슷한 나사(羅紗); (*pl.*) 양피 장갑.

does·n't [dʌ́znt] does not의 간약형.

do·est [dú:ist] 《고어》 DO¹(동사)의 2인칭 · 단수 · 직설법 · 현재형(주어가 thou일 때).

do·eth [dú:iθ] 《고어》 DO¹(동사)의 3인칭 · 단수 · 직설법 · 현재형: he ~=he does.

doff [daf, dɔ:f/dɔf] 《고어》 *vt.* (모자 · 옷 따위를) 벗다; (나쁜 습관 따위를) 버리다, 폐지하다. opp. *don²*. [◀do+off]

do·fun·ny, doo- [dú:fʌ̀ni] *n.* 《미구어》 부속품, 기계 장치(doodad, gadget).

†**dog** [dɔ:g, dag/dɔg] *n.* **1 a** 개; 수캐; 수컷: a ~ wolf 수이리 / Every ~ has his 〔its〕 day. 《속담》 쥐구멍에도 볕들 날이 있다 / Give a ~ a bad name and hang him. 《속담》 한번 낙인 찍히면 벗어나기 힘들다 / Let sleeping ~s lie. 《속담》 긁어 부스럼 만들지 마라 / Love me, love my ~. 《속담》 내가 고우면 개도 고와해라, '아내가 귀여우면 처갓집 말뚝 보고 절한다.' ★ hound는 사냥개, cur는 들개, bitch는 암캐, puppy 또는 whelp는 강아지. **b** 갯과의 동물(이리 · 승냥이 따위). **c** (the D-) 《미속어》 그레이하운드 버스(the Hound). **2 a** 너절한〔비겁한〕 사내, 망나니; 〖애칭〗 놈; 《미 · Austral.속어》 밀고자, 배반자, 개; 《미속어》 매력〔인기〕 없는 여자, 추녀; 《속어》 창녀; 개새끼《욕》. **b** 《미속어》 (대학의) 신입생, 풋내기 노동자; 자동차 점검원: a dirty ~ 깡패 / a lucky ~ 운 좋은 놈. **3 a** 《속어》 적수가 안 되는 약한 상대; 가격만큼 가치가 없는 주식〔채권〕; 약속 어음; 《구어》 허세. **b** 《미속어》 시시한 것〔일〕, 팔다 남은 상품; 실패작; (학업 성적의) D. **4** 〖천문〗 (the D-) **a** 큰개자리, 작은개자리. **b** 시리우스, 천랑성(天狼星). **5 a** 무집게, 쇠갈고리; (*pl.*) (벽난로의) 장작 받침. **b** (*pl.*) 《속어》 발. **6** (*pl.*) 《미구어》 핫도그. **7** (the ~s) 《영구어》 개 경주. **8** 〖기상〗 환일(幻日), 안개 무지개(fogbow).

a dead ~ 무용지물; 《미속어》 하찮은 사람. ***a ~ in a blanket*** (잼을 넣은) 푸딩. ***a ~ in the manger*** 심술쟁이(《이솝 우화에서》). ***a ~'s age*** ⇨ DOG'S AGE. ***blush like a black ~*** 전혀 얼굴을 붉히지〔부끄러워하지〕 않다. ***die a ~'s death*** =***die the death of a ~*** 비참한〔개〕 죽음을 당하다. **~ *tied up*** 《Austral. 속어》 밀린 계산서. ***eat ~*** 《미》 굴욕을 참다(eat dirt). ***go to the ~s*** 《구어》 파멸〔타락, 영락〕하다. ***help a*** (***lame***) **~ *over a stile*** 곤경에 처해 있는 사람을 도와주다. ***keep a ~ and bark*** oneself 《구어》 (남은 놀려 두고) 남이 할 일까지 전부 자기가 해치우다〔해치워야 할 입장이 되다〕. ***lead a ~'s life*** 비참한 생활을 하다. ***let slip the ~s of war*** 전화(戰禍)를 〔혼란을〕 야기하다; 강권을 발동하다, 최후 수단을 쓰다. ***let the ~ see the rabbit*** 〖명령적〗 《구어》 보여달라〔줘라〕, 비켜달라〔줘라〕, 하게 해 달라〔줘라〕. ***like a ~ with two tails*** 매우 기뻐서. ***not fit to turn a ~ out*** (날씨가) 사나워질 것 같은. ***put on*** (***the***) **~** 《미구어》 으스대다, 허세부리다. ***see a man about a ~*** 《구어》 좀 볼일이 있다《결석하거나 자리를 뜰 때의 핑계》. ***take a hair of the ~ that bit you*** 해장술을 마시다. ***teach an old ~ new tricks*** 《비유》 노인에게 새로운 방법〔사상〕을 가르치다《새삼스레 그렇게는 안 된다》. ***That ~ don't*** 〔***won't***〕 ***hunt.*** 《구어》 그런 건 믿어지지 않는다. ***the ~s of war*** 《비유》 전쟁의 참화. ***throw*** 〔***give***〕 ***to the ~s*** 버리다, 희생시키다. ***try it on the ~*** (독이 있는지 없는지) 개에게 먹여 보다; 타격이〔피해가〕 적은 것으로 실험해보다. ***turn ~ on*** 《미속어》 …을 배반하다. ***work like a ~*** 《구어》 악착같이 일하다.

— (**-gg-**) *vt.* **1** 미행하다(shadow); 개로 추적하다. **2** (재난 · 불행 따위가) …에 붙어다니다, 괴롭히다. **3** 〖기계〗 갈고리로 걸다. **~ *it*** 《구어》 일을 겉날리다, 게으름피우다; 《미속어》 허세부리다; 도망치다; 《미속어》 방종한 생활을 하다. **~ *out*** 〔***up***〕 《미속어》 몸치장하다, 멋을 부리다. **~** a person***'s step*** 아무를 미행하다.

— *ad.* 〖복합어로〗 아주(utterly): ~-tired.

dóg and póny shòw 겉만 요란한 선전 〔PR〕; 《미속어》 시시한 서커스.

dóg àpe =BABOON.

dóg·bàne *n.* 〖식물〗 개정향풀속(屬)의 식물.

dóg·bèrry *n.* 〖식물〗 말채 나무(열매).

dóg bìscuit 개먹이 비스킷; 《미속어》 건빵.

dóg bòx 〖영철도〗 개 수송용 화차.

dóg·càrt *n.* **1** 개수레. **2** 등을 맞대게 된 좌석이 있는 2륜〔4륜〕 마차《옛날 좌석 밑에 사냥개를 태웠음》.

dóg·càtcher *n.* 들개 포획인.

dóg-chéap *a., ad.* 《미》 갯값의〔으로〕.

dóg clùtch 〖기계〗 맞물리는 클러치.

dóg còllar **1** 개 목걸이. **2** 《구어》 (목사 등의) 세운 칼라.

dóg dàys 복중, 삼복(7월초부터 8월 중순경까지의 무더운 때); 침체〔정체 · 부진〕기; (여자의) 생리 기간.

doge [doudʒ] *n.* 〖역사〗 (옛 Venice 및 Genoa의) 공화정 총독.

dóg·èar *n., vt.* =DOG'S-EAR.

dóg·èared *a.* =DOG'S-EARED.

dóg-eat-dóg *a.* 사리사욕에 눈이 먼, 앞을 다투는, 자제심〔도의심〕이 없는. — *n.* 냉혹한 사리사욕 추구, 앞을 다투는 경쟁, 동족 상잔.

doge·ship [dóudʒʃìp] *n.* Ⓤ doge임〔의 신분〕.

dóg·fàce *n.* 《미속어》 보병; 인기 없는 사내(unpopular fellow).

dóg-fàced [-t] *a.* 얼굴이 개같이 생긴.

dóg fàncier 애견가; 개장수.

dóg fènnel 〖식물〗 **1** 국화과의 로마 카밀레속(屬)의 월년초. **2** 국화과의 등골나물속(屬)의 하나.

dóg·fight *n.* 난전(亂戰), 난투; 〖군사〗 전투기의 공중전〔접근전〕. — *vt., vi.* 난투하다; 공중전

을 벌이다.

dóg·fish *n.* 〖어류〗 돔발상어류의 일종.

dóg fòx 수여우.

◇**dóg·ged** [-id] *a.* 완강한; 집요한, 끈질긴: It's ~ (that) does it. 《격언》 끈기는 성공의 비결. ⓟ **~·ly** *ad.* **~·ness** *n.*

dog·ger [dɔ́:gər, dág-/dɔ́g-] *n.* (북해의) 쌍돛대의 네덜란드 어선.

Dógger Bànk (the ~) 영국과 네덜란드 사이의 북해 중앙의 얕은 바다《유명한 대(大)어장》.

dog·ger·el [dɔ́:gərəl, dág-/dɔ́g-] *n.* Ⓤ (운(韻)이 안 맞는) 서투른 시(very poor poetry); 졸렬한 글귀; 광시(狂詩). **—** *a.* 우스꽝스러운(comic); (시 따위가) 서투른.

dog·gery [dɔ́:gəri, dág-/dɔ́g-] *n.* **1** Ⓤ (개처럼) 비열한 행동. **2** 〔집합적〕 개(들); 하층민(rabble). **3** 《미속어》 대폿집.

doggie ⇨ DOGGY.

dóggie bàg 먹다 남은 음식을 넣어 갖고 가는 봉지《개에게 주는 데서》.

dog·gi·ness [dɔ́:ginis, dág-/dɔ́g-] *n.* Ⓤ 개 같은 성질; 개를 좋아함; 개 냄새.

dog·gish [dɔ́:giʃ, dág-/dɔ́g-] *a.* 개 같은; 비열한; 심술궂은; 으드등거리는; 《구어》 멋진, 화려한.

dog·go [dɔ́:gou, dág-/dɔ́g-] *ad.* 《속어》 가만히 숨어서, 꼼짝하지 않고. ***lie*** **~** 꼼짝하지 않고 기다리다, 숨어 있다; 딴전피우다.

dog·gone [dɔ́:ggɔ́:n, -gán, dág-/dɔ́gɔn] 《미속어》 *a.* 저주할, 지긋지긋한. **—** *ad.* 되게, 몹시. **—** *int.* 제기랄, 빌어먹을, 어렵쇼. **—** *vt.* 저주하다(damn): *Doggone* him! 빌어먹을 놈의 새끼 / I'll be ~*d* if I'll go! (빌어먹을) 내가 가나 봐라. **—** *n.* =DAMN.

dóg·góned *a., ad.* 《미속어》 =DOGGONE.

dóg gràss 갯보리의 일종.

dog·gy, -gie [dɔ́:gi, dági / dɔ́gi] (***-gi·er; -gi·est***) *a.* 개 같은; 개를 좋아하는; 《미속어》 화려한, 멋(들어)진. **—** *n.* 강아지; 《소아어》 멍멍.

dóggy bàg =DOGGIE BAG.

dóggy pàddle 개헤엄(dog paddle).

dóggy-pàddle *vi.* 개헤엄치다(dog-paddle).

dóg hàndler 개를 훈련시키고 부리는 경찰관.

dog·hole [dɔ́:ghòul, dág-/dɔ́g-] *n.* 개구멍; 누추한 방; 《미속어》 (탄광 등의) 작은 구멍.

dóg·hòuse *n.* **1** 개집; =DOGHOLE. **2** (요트의) 상자 모양의 작은 선실; 《미속어》 승무원차(caboose); (미사일 · 로켓 따위의 과학기기를 넣는) 돌출부; 《속어》 =CONTRABASS. ***in the*** **~** 《구어》 면목을 잃고, 노여움을 사서. 「잃은 송아지.

do·gie, -gy [dóugi] *n.* 《미서부》 (목장의) 어미

dóg ìron **1** (난로의) 장작 받침. **2** (매다는) 걸쇠.

dóg Làtin 변칙〔파격〕 라틴어; 라틴어 비슷한

dóg lèad [-lì:d] 개줄〔사슬〕. ⌊은어〔전문어〕.

dóg·lèg *n.* 개 뒷다리같이 구부러진 것, '<' 모양으로 된 것; (도로 따위의) 급커브; 비행기 코스〔방향〕의 급변; 비꼬임(kink); 《미》 하치 담배: make a ~ 멀리 돌아가다. **—** *a.* (개의 뒷다리처럼) 구부러진(crooked). **—** *vi.* 지그재그로 나아가다. ⓟ **~·ged** [-*i*d] *a.*

dóg-lètter *n.* =DOG'S LETTER.

dóg·lìke *a.* 개 같은; 충실한.

***dog·ma** [dɔ́:gmə, dág-/dɔ́g-] (*pl.* **~s, ~·ta** [-mətə]) *n.* 교의, 교리(doctrine); 교조, 신조; 독단적 주장〔견해〕; 정설(定說), 정리: substructure of ~ 교의의 기초.

dóg·man [-mən] (*pl.* ***-men*** [-mən]) *n.* 애견가; 《Austral.》 크레인 작업 지휘자.

◇**dog·mat·ic, -i·cal** [dɔ:gmǽtik, dag-/dɔg-], [-əl] *a.* **1** 독단적인; 고압적인. **2** 〖철학〗 독단주의의. **3** 교의의, 교리의. **—** *n.* 독단가. ⓟ **-i·cally** *ad.* **-i·cal·ness** *n.*

dog·mát·ics *n. pl.* 〔단 · 복수취급〕 〖기독교〗 교리론〔신학〕, 교의학.

dogmátic theólogy =DOGMATICS.

***dog·ma·tism** [dɔ́:gmətìzəm, dág-/dɔ́g-] *n.* Ⓤ 〖철학〗 독단(론); 독단주의; 독단적인 태도; 교조(敎條)주의: a hasty ~ 속단. ⓟ **-tist** *n.* 독단가; 독단론가; 교의학자.

dog·ma·tize [dɔ́:gmətàiz, dág-/dɔ́g-] *vi., vt.* 독단적으로 단정하다〔말하다〕, 교의화하다. ⓟ **dòg·ma·ti·zá·tion** *n.* Ⓤ **dóg·ma·tìz·er** *n.*

dóg·nàp *vt.* 《속어》 (의학 연구실 등에 팔기 위해) 개를 훔치다. **—** *n.* 선잠; 개를 훔침. ⓟ **dóg·nàp·(p)er** *n.*

dó-gòod *a.* 공상적 사회개량주의의. ⓟ **~·er** *n.* 공상적 사회개량주의자. **~·ism** *n.* **~·ing** *n., a.*

do·good·ery [dú:gúdəri] *n.* 선행.

dóg pàddle (the ~) 개헤엄.

dóg-pàddle *vi.* 개헤엄치다.

dóg-póor *a.* 몹시 가난한. 「경주.

dóg ràcing 〔**ràce**〕 (보통 greyhound의) 개

dóg ròse 〖식물〗 찔레나무의 일종.

dóg's àge 《구어》 장기간.

dóg's-bàne *n.* =DOGBANE.

dógs·bòdy *n.* 《영해사속어》 하급 사관; 졸자, 힘드는 일을 맡은 사람. 「ner).

dóg's bréakfast 《구어》 엉망진창(dog's din-

dóg's chánce 《구어》 〔흔히 부정으로〕 아주 희박한 가망성. ***not stand*** 〔***have***〕 ***a*** **~** 도저히 가망이 없다. 「DOG.

dóg's dèath 비참한 최후〔죽음〕: ***die a*** **~** ⇨

dóg's dìnner 《구어》 먹다 남은 밥, 남은 것; 엉망진창(mess). ***like a*** **~** (종종 경멸적으로) 멋지게, 화려하게: be dressed 〔done up〕 *like a* ~ 야하게 차려입다.

dóg's-èar *n., vt.* 책장 모서리의 접힘; 책장 모서리를 접다. ⓟ **-èared** *a.* 책장 모서리가 접힌.

dóg's gràss =DOG GRASS. 「선체를 떠받침》.

dóg·shòre *n.* 〖조선〗 버팀기둥《진수 직전까지

dóg shòw 개 전시회; 《미군대속어》 보병 검열.

dóg-sick *a.* (병으로 상태가) 몹시 나쁜 (very sick).

dóg·skìn *n.* Ⓤ 개가죽; 개의 무두질한 가죽.

dóg slèd 개썰매(=**dóg slèdge**).

dóg·slèep *n.* Ⓤ 겉잠, 풋잠; 《고어》 꾀잠.

dóg's lètter r 자의 속칭《r 음이 개가 으르렁거리는 소리와 비슷한 데서》.

dóg's lìfe 비참하고 단조로운 생활. 「스러기》.

dóg's mèat 개에게 주는 고기《말고기 · 고기 부

dóg's nòse 맥주와 진의 혼합주.

dóg spìke (철도 레일 고정용) 대못, 큰 못.

dóg's·tàil (gráss) *n.* 〖식물〗 왕바랭이《국화과》.

Dóg Stàr (the ~) **1** =SIRIUS. **2** =PROCYON.

dóg·stìck *n.* 바퀴멈추개(sprag).

dóg's-tòngue *n.* 〖식물〗 =HOUND'S TONGUE.

dóg's-tooth víolet 〖식물〗 얼레지.

dóg tàg 개패; 《군대속어》 인식표.

dóg·tàil *n.* **1** =DOG'STAIL **2** 《미》 주형공(鑄型工)이 쓰는 하트형의 작은 인두(=**∠ trówel**).

dóg tìck 개진드기.

dóg-tíred *a.* 《구어》 녹초가 된, 몹시 지친.

dóg·tòoth (*pl.* ***-tèeth***) *n., vt.* 송곳니; 〖건축〗 송곳니 장식(으로 꾸미다).

dógtooth víolet 〖식물〗 =DOG'S-TOOTH VIO-

dóg tòur 〖연극〗 지방 순회공연. ⌊LET.

dóg tràin 《Can.》 개썰매.

dóg·tròt *n.* 종종걸음; 《미》 (가옥 따위의 두 부분을 잇는) 복도, 통로. **—** *vi.* 종종걸음 치다.

dóg wàgon 전차〔버스〕를 개조한 식당.

dóg wàlker 개를 산책시키는 사람.

dóg wàrden 들개 포획자(dogcatcher).
dóg·wàtch *n.* 〖해사〗 절반 당직《오후 4-6시와 6-8시의 두 시간 교대》.
dóg-wéary *a.* 몹시 지친.
dóg whìp 개 채찍.
dóg·wòod *n.* 〖식물〗 말채나무.
dógy ⇨ DOGIE.
dóg yèar 도그 이어《정보화 사회의 변화의 신속함을 나타낸 말》.
DOH Department of Health.
d'oh [dou] *int.* 아뿔싸.
Do·ha [dóuhɑː] *n.* 도하《카타르의 수도·해항》.
DOHC 〖자동차〗 double overhead camshaft.
doi·ly [dɔ́ili] *n.* **1** 《고어》 소형 장식 냅킨. **2** 도일리《리넨 따위로 만들며, 꽃병 따위의 밑에 깖》.
do·ing [dúːiŋ] *n.* 함, 행함, 실행, 노력; (*pl.*) 행실, 행동, 몸가짐; 소행; (*pl.*) 사건, 행사; 《구어》 꾸짖음, 질책; (*pl.*) 《영속어》 무어라 하는 것, 저것; (*pl.*) 《미방언》 요리(의 재료). ***be of*** a person***'s*** ~ 아무의 탓이다. ***take*** 〔***want***〕 ***some*** 〔***a lot of***〕 ~ 꽤 어렵다.
doit [dɔit] *n.* 《고어》 네덜란드의 옛 동전; 얼마 안되는 돈: not worth a ~ 한 푼의 가치도 없는 / I don't care a ~. 조금도 개의〔상관〕치 않는다.
doit·ed [dɔ́itid, -tit] *a.* 《Sc.》 노망한; 멍청한, 바보 같은.
dò-it-yoursélf *n.* 손수 함《일요목수 따위》. ── *a.* 손수하는, 일요 목수용의: a ~ kit 조립 재료 일습. ㊞ **~·er** *n.* 자작 취미가 있는 사람. **~·ery** *n.* 일요 목수일. **~·ìsm** *n.*
dol. (*pl.* ***dols.***) dollar.
Dol·by [dóulbi, dɔ́ːl-] *a.* 돌비 방식〔녹음〕의: ~ noise reduction 돌비식 잡음 제거 / the ~ sound 돌비 사운드《돌비식에 의한 재생음》. ── *n.* 《구어》 = DOLBY SYSTEM《상표명》.
Dol·by·ize [dɔ́ːlbiàiz, dóul-] *vt.* 돌비 (방식으로) 녹음하다.
Dólby Sỳstem 돌비 방식《테이프 리코더로 재생할 때의 잡음을 줄이는 방식; 상표명》.
dol·ce [dóultʃei/dɔ́ltʃi] *a.* 《It.》 〖음악〗 돌체, 달콤한, 감미로운, 부드러운.
dol·ce far ni·en·te [*It.* dòltʃefarnjénte] 《It.》 무위(無爲)의 즐거움, 안일.
dol·ce vi·ta [dóultʃeivíːtə/dɔ́ltʃi-] 《It.》 (흔히 the 〔la〕 ~) 나태하고 방종한 생활, 달콤한 생활 (sweet life).
dol·drums [dóuldrəmz, dál-, dɔ́ːl-/dɔ́l-] *n. pl.* 우울, 의기 소침; 침체, 정체 상태〔기간〕; (the ~) 〖해사〗 (적도 부근의) 무풍대. ***be in the*** ~ 침울해 있다; (배가) 무풍대에 들어 있다.
dole[1] [doul] *n.* **1** 시주; 시여(施與), 분배; 의연품; 얼마 안 되는 몫. **2** (the ~) 《영구어》 실업 수당. **3** Ⓤ 《고어》 운명: Happy man may be his ~! 그에게 행복이 있기를. ***go on*** 〔***draw***〕 ***the*** ~ 실업 수당을 받다. ── *vt.* 《+목+부》 (조금씩) 베풀어〔나누어〕 주다 《*out*》: The small meal was ~*d out* to the hungry crew. 아주 적은 식사가 굶주린 승무원에게 조금씩 분배되었다.
dole[2] 《고어·시어》 *n.* Ⓤ 비애(woe), 비탄. ***make*** one***'s*** ~ 비탄에 빠지다. ── *vi.* 비탄하다.
dóle-dràwer *n.* 실업 수당을 받는 사람.
dole·ful [dóulfəl] *a.* 슬픈, 쓸쓸한; 음울한. ㊞ **~·ly** *ad.* **~·ness** *n.*
dóle quèue (the ~) 《영》 실업 수당 수급자의 열; 《비유》 실업자(총수).
dol·er·ite [dálərὰit/dɔ́l-] *n.* 〖광물〗 조립(粗粒) 현무암; 《영》 휘록암(輝綠岩). ㊞ **dol·er·it·ic** [dὰlərítik/dɔ̀l-] *a.*
doles·man [dóulzmən] (*pl.* ***-men; fem. -woman***) *n.* 시여를 받는 사람.
dole·some [dóulsəm] *a.* = DOLEFUL.

dol·i·cho·ce·phal·ic [dὰlikousəfǽlik/dɔ̀l-] *a.* 〖해부〗 장두(長頭)의. OPP. ***brachycephalic.***
do·li·ne, -na [dəlíːnə] *n.* 〖지학〗 돌리네《석회암 지역의 구덩이》.
do·lit·tle [dúːlìtl] *a., n.* 《구어》 게으른 (사람), 나태한 (사람).
Doll [dɑl/dɔl] *n.* 돌《여자 이름; Dorothy의 「애칭」》.
doll [dɑl/dɔl] *n.* **1** 인형. **2** 백치미의 여자; 매력적인 소녀〔여자〕; 매력 있는 소년〔남자〕. **3** 《속어》 깜찍한 것《여자》. **4** 《미속어》 고마운 사람: You're a ~ for letting me know. 알려 주어서 참으로 고맙군요. **5** 《미속어》 정제(錠劑)의 마약. ***cutting out*** (***paper***) **~s** 〔***dollies***〕 《속어》 미친, 정신이 나간. ── *vt.* 《+목+부 / +목+전+명》 〔~ oneself 또는 수동태로〕 《구어》 화려하게 차려입다《*up*》: ~ one*self up* 예쁘게 차려입다 / She *was* all ~*ed up in* furs and jewels. 그녀는 모피와 보석으로 화려하게 차려입고 있었다. ── *vi.* 《+부》 《구어》 한껏 모양내다《*up*》.
†**dol·lar** [dálər/dɔ́lər] *n.* **1** 달러, 불(弗)《미국·캐나다 등지의 화폐 단위; 100 센트; 기호 $, $》; = BRITISH DOLLAR; 달러화(폐). **2** 《영속어》 5실링 은화(crown). **3** (the ~s) 금전, 부(富); = BOTTOM DOLLAR. **4** 〖원자〗 달러《원자로의 반응도의 차》. ***as sound as a*** ~ 《미》 아주 건전한. ***bet*** one***'s bottom*** ~ ⇨ BET. **~*s to doughnuts*** 《구어》 ① 천양지차(天壤之差). ② 확실한. (***like***) ***a million*** **~s** ⇨ MILLION.
dóllar àrea 〖경제〗 달러 (유통) 지역.
dóllar-a-yéar màn [dálər-] 《미》 사실상 무보수로 연방정부에서 일하는 민간인.
dóllar (còst) àveraging 〖증권〗 정액 정기 매입《시세에 관계없이 정기적으로 일정한 총액의 증권을 매입하는 투자법》.
dóllar crìsis 〖경제〗 (수입 초과로 인한) 달러 「위기.
dóllar dày 1 달러 균일 특매일; (넓은 뜻에서) 염가 특매일.
dóllar diplòmacy 달러〔금력〕 외교.
dóllar·fish *n.* = BUTTERFISH.
dóllar gàp 달러 부족.
dóllar impèrialism 달러 제국주의《달러 구매력에 의한 외국에의 지배력 확장》.
dol·lar·i·za·tion [dὰlərizéiʃən/dɔ̀lərai-] *n.* 달러화 (현상)《자국 통화에 신뢰성이 없으므로 자산을 달러로 전환하는 현상》.
dóllar-óver·hàng *n.* 〖경제〗 (국제 금융시장에서의) 달러 과잉 상태.
dóllars-and-cénts [-ənd-] *a.* 금전적 측면 「만을 고려한.
dóllar sìgn 〔**màrk**〕 달러 기호《$ 또는 $》.
dóllar spòt 〖식물〗 달러스폿《갈색 부분이 서서히 퍼져가는 잔디의 병》.
dóllar·wìse *ad.* **1** 달러로, 달러로 환산하여: How much does a million won amount to, ~? 100만 원은 몇 달러가 되느냐. **2** 금전적으로, 재정적으로 (보아).
dóllar-wìse *a.* 돈 쓰는 법을 알고 있는, 허비하지 않는, 검약(儉約)하는. ── *ad.* = DOLLARWISE.
dóll·hòuse *n.* 인형의〔장난감〕 집; 작은 주택 (《영》 doll's house).
doll·ish [dáliʃ/dɔ́l-] *a.* 인형 같은, 새침떠는; 예쁘나 지능이 낮은.
dol·lop [dáləp/dɔ́l-] 《구어》 *n.* (치즈·버터 따위의) 덩어리(lump); 〖일반적〗 소량, 조금.
dóll's hòuse 《영》 = DOLLHOUSE.
Dol·ly [dáli/dɔ́li] *n.* 돌리. **1** 여자 이름《Dorothy의 애칭》. **2** 1997년 영국 Roslin연구소에서 발표한 복제 양의 이름.
dol·ly *n.* **1** 《소아어》 인형, 각시; 《영구어》 매력적인〔귀여운〕 처녀(= ∠ **bird**); 《구어》 여자. **2**

《미방언·영》(세탁용의) 젓는 막대기, (광석용) 교반기(攪拌機). **3** 〖기계〗(대갈못 박을 때 쓰는) 받침판; (무거운 것을 나르는) 낮고 작은 바퀴 달린 손수레; 〖영화·TV〗 카메라 이동대차(臺車), 돌리. **4** 《미속어》(암페타민·메타돈 따위의) 정제. **—** *a.* 매력적인, 귀여운. **—** *vt., vi.* 〖영화·TV〗 돌리로 이동하다.

dólly dàncer 《미군대속어》 장교에 빌붙어 편하게 지내는 사병.

dólly shòp 뱃사람 상대의 고물상 겸 전당포《간판이 검은 인형인 데서》.

dólly shòt 〖영화·TV〗 이동하는 dolly에서의 「촬영(화면).

Dólly Vár·den [-vá:rdn] (19세기의) 꽃무늬 사라사의 여성 모자 또는 여성복의 일종.

dol·man [dóulmən, dál-/dɔ́l-] (*pl.* **~s**) *n.* 여성용 망토의 일종《케이프처럼 늘어뜨리는》; 터키인의 소매 달린 긴 겉옷의 일종; 경기병(hussar)의 망토식 겉옷〔재킷〕.

dólman sléeve 진동이 넓고 소맷부리 쪽으로 차츰 좁아지는 여자옷의 소매.

dol·men [dóulmen, dálmən/dɔ́l-] *n.* 〖고고학〗 돌멘, 고인돌. cf. cromlech.

dolmen

do·lo·mite [dóulə-màit, dálə-/dɔ́lə-] *n.* **1** Ⓤ 〖광물〗 돌로마이트, 백운암(白雲岩). **2** (the ~s) (이탈리아 북동부) 백운암 산맥. ㊞ **dol·o·mit·ic** [dàləmítik/dɔ̀lə-] *a.*

do·lo·mit·ize [dóuləmaitàiz, -mət-, dál-/dɔ́l-] *vt.* 〖지학〗(석회석을) 백운석화(白雲石化)하다. ㊞ **dò·lo·mìt·i·zá·tion** *n.*

do·lor, 《영》 **-lour** [dóulər] *n.* Ⓤ 《시어》 비애, 「상심(grief).

Do·lo·res [dəlɔ́:ris] *n.* 돌로레스《여자 이름》.

do·lo·rim·e·ter [dòulərímətər] *n.* 〖의학〗 통각계(痛覺計).

do·lo·rim·e·try [dòulərímətri, dàl-/dɔ̀l-] *n.* 〖의학〗 통각 측정.

do·lo·rol·o·gy [dòulərálədʒi/-rɔ́l-] *n.* Ⓤ 〖의학〗 통각학, 동통학.

dol·or·ous [dálərəs, dóulə-/dɔ́l-] 《시어》 *a.* 슬픈, 마음 아픈; 괴로운.

do·los·se [dəlásə/-lɔ́-] (*pl.* **~s, ~**) *n.* = 「TETRAPOD.

dol·phin [dálfin, dɔ́:l-/dɔ́l-] *n.* **1** 〖동물〗 돌고래; 〖어류〗 =DORADO. **2** (문장(紋章)·조각 등의) 돌고래 무늬. **3** 계선주(繫船柱); 계선 부표(浮標). **4** (the D-) 〖천문〗 돌고래자리(Delphinus).

dol·phi·nar·i·um [dàlfinέəriəm, dɔ̀:l-/dɔ̀l-] *n.* 돌고래 쇼를 보이는 수족관.

dólphin kíck 돌핀킥《버터플라이의 발 놀림》.

dólphin strìker 〖선박〗 연목(椽木)《돛단배의 이물쪽 사장(斜檣) 밑에 붙인 창 모양의 둥근 나무》.

dols. dollars.

dolt [doult] *n.* 바보, 멍청이. ㊞ **~·ish** *a.*

DOM [dì:òuém] *n.* 〖약학〗 환각제의 일종. [◂ *d*imethoxy+*m*ethyl]

Dom [dam/dɔm] *n.* **1** Benedictine파 수도사 등의 존칭. **2** 예전에 포르투갈·브라질의 귀족·고위 성직자 이름 앞에 붙이던 존칭.

-dom [dəm] *suf.* **1** '지위, 권력, 영지, 나라'의 뜻: earl*dom*, king*dom*. **2** '추상적 관념'을 나타냄: free*dom*. **3** 집합적으로 '…계(界), …사회, …기질' 따위의 뜻: official*dom*.

dom. domain; domestic; dominion.

°**do·main** [douméin] *n.* **1** 영토, 영역; 세력 범위, 판도: aerial ~ 영공(領空) / in the ~ of (science, literature) (과학, 문학)의 영역에서 / be out of one's ~ 전문 밖이다, 영역이 다르다. **2** (개인의) 소유지; 〖법률〗(완전) 토지 소유권: (right of) Eminent *Domain* 토지 수용권 / ~ of use 지상권(地上權). **3** (활동·연구 등의) 분야, …계, 범위(sphere). **4** 〖수학〗 변역(變域); 〖논리〗 영역; 〖물리〗 자구(磁區). ㊞ **do·má·ni·al** [-niəl] *a.* 영지의; 소유지의.

domáin áddress 〖컴퓨터〗 도메인 네임(domain name)《인터넷에 접속되어 있는 서버 컴퓨터의 인터넷 주소》.

do·maine [dəméin] *n.* 포도밭.

domáin nàme sèrver 도메인명(名) 서버《인터넷에서, 개개의 컴퓨터를 나타내는 문자열(列)과 프로토콜이 인식하는 IP address를 매개하는 시스템》.

dom·al [dóuməl] *a.* =CACUMINAL; DOMIC.

do·ma·ni·al [douméiniəl] *a.* 영지의, 토지의.

****dome** [doum] *n.* **1** 둥근 천장; 둥근 지붕. **2** 반구형의 덮개; 하늘; (야산 등의) 둥근 마루터기. **3** 〖결정〗 비면(庇面); 〖기계〗 돔. **4** 《속어》 머리. **5** 《시어》 고루(高樓), 저택. ◇ domy *a.* **—** *vt., vi.* …에 둥근 지붕을 올리다; 반구형으로 하다〔되다〕, 반구형으로 부풀다. ㊞ **~d** *a.* 둥근 지붕〔천장〕의; 반구형의: a *~d* forehead 툇박이마, 짱구머리.

dome 1
1. lantern 2. dome 3. drum

dóme càr 〖철도〗 전망차《천장에 돔이 있는 객차》.

dóme lìght (자동차 따위의) 차내등.

dóme·lìner 전망열차(dome car).

domes·day [dú:mzdèi, dóumz-/dú:mz-] *n.* 《고어》 =DOOMSDAY; (D-) =DOMESDAY BOOK.

Dómesday Bòok (the ~) 〖영국사〗 (William 1세가 1086년 제작게 한) 토지 대장.

****do·mes·tic** [dəméstik] *a.* **1** 가정의, 가사상의: ~ affairs 가사 / ~ industry 가내 공업 / ~ dramas 가정극, 홈드라마. **2** 가사에 충실한, 가정적인; 나다니기 싫어하는. **3** (동물이) 사육되어 길든(tame). opp. *wild.* **4** 국내의, 자국의. opp. *foreign.* ¶ ~ mail 《미》 국내 우편 / a ~ airline 국내 항공(로). **5** 국산의, 자가제의(homemade). **—** *n.* **1** (가정의) 하인, 종, 하녀. **2** (*pl.*) 국산품; 자가 제품; 가정용 리넨류, 수직물(手織物); 《미》(리넨과 구별하여) 목면, 면포; 《미속어》 효력이 약하거나 중급인 미국산 마리화나. ㊞ **-ti·ca·ble** *a.* 길들이기 쉬운; 가정에 쉬이 정을 붙이는. **-ti·cal·ly** *ad.* 가정적으로; 국내적으로, 국내(실정)에 알맞게.

doméstic ánimal 가축.

°**do·mes·ti·cate** [dəméstəkèit] *vt.* **1** (동물 따위를) 길들이다; (식물·이민 등을) 토지에 순화(馴化)시키다; (외국의 습관·말 따위를) 자기 집〔나라〕에 받아들이다; (야만인을) 교화하다. **2** 가정에 익숙하게 하다; 가정적으로 되게 하다. **—** *vi.* 《고어》 **1** 함께 살다. **2** 가정에 익숙해지다; 주거를 정하다. ㊞ **do·mès·ti·cá·tion** *n.* Ⓤ

doméstic-content bíll 《미》 국내 부품 조달 「법안.

doméstic fówl 가금(家禽), 《특히》 닭.

do·mes·tic·i·ty [dòumestísəti] *n.* Ⓤ 가정적임; 가정에의 애착; 가정 생활; (*pl.*) 가사.

doméstic pártner **1** 현지국의 동업자〔합작사〕《특히 발전도상국에서 국제 기업과 공동 사업을 하는 국내 법인〔기업〕》. **2** 동서(同棲)의 상대.

doméstic pártnership 동서(同棲) 관계, 내연 관계.

doméstic prélate 〖가톨릭〗 명예 고위 성직자.

doméstic relátions còurt 가정 법원.

doméstic scíence 가정학.
doméstic sérvice 고용살이.
doméstic sỳstem 가내 공업 제도. cf. factory system. 「따위》.
doméstic víolence 가정내 폭력《아동 학대
do·mes·tique [doumestíːk] *n.* (자전거 경주에서) 팀 리더의 보좌역《페이스메이커·식료품 보급계 따위의 역할을 함》. 「〔천장〕식의.
dom·ic, -i·cal [dóumik], [-əl] *a.* 둥근 지붕
dom·i·cile [dáməsàil, -səl, dóum-/dɔ́m-] *n.* 〖법률〗 주소, 주거(abode), 거주지, 집; 〖상업〗 어음 지급 장소. one's ~ ***of choice*** 〔***origin***〕 〖법률〗 기류〔본적〕지. **—** *vt., vi.* …의 주소를 정하다, 살다《*in; at*》; (어음)의 지급 장소를 지정하다. ~ one***self in*** 〔***at***〕 …에 주소를 정하다. ⓜ **~d** *a.* 거주하는《*at; in*》; 〖법률〗 지급 장소 지정의: a ~*d* bill 지급지 지정 어음.
dom·i·cil·i·ary [dàməsílièri/dɔ̀misíliəri] *a.* 주소의, 주택의; 〖상업〗 어음 지급지의: a ~ nurse 가정 방문 간호사.
domicíliary cáre 〔**sérvices**〕 재택(在宅) 간호〔서비스〕《간호사의 가정 방문 간호 따위》.
domicíliary règister 호적. 「방문〕.
domicíliary vísit 가택수색; 의사의 왕진〔가정
dom·i·cil·i·ate [dàməsílièit/dɔ̀m-] *vt., vi.* (…의) 거처를 정하다, 정주하(게 하)다. ⓜ **dòm·i·cìl·i·á·tion** *n.* Ⓤ
dom·i·nance, -nan·cy [dámənəns/dɔ́m-], [-i] *n.* Ⓤ 우세, 우월; 지배; 〖생태〗 (식물 군락(群落)에 있어서) 우점도(優占度), (동물 개체 간에서의) 우위; 〖유전〗 우성(優性).
***dom·i·nant** [dámənənt/dɔ́m-] *a.* **1** 지배적인; 유력한, 우세한; 우위를 차지하고 있는, 현저한, 주(主)된.

> SYN. **dominant** 남을 지배하는 강력한 힘을 갖고 있음: the *dominant* party 제 1 당. **predominant** 세력에 있어서 남보다 뛰어나 있음.

2 〖생태〗 우점(優占)하는; 〖유전〗 우성의. opp. *recessive.* ¶ a ~ character 우성 형질 / a ~ gene 우성 유전자. **3** 우뚝 솟은: a ~ cliff 우뚝 솟은 벼랑. **4** 〖음악〗 딸림음의. **—** *n.* **1** 우세한 것. **2** 우성 유전성; 〖생태〗 (식물의) 우점권, (동물 개체 간의) 우위자. **3** 〖음악〗 딸림음《음계의 제 5 음》. ⓜ **~·ly** *ad.*
dóminant ténement 〔**estáte**〕 〖법률〗 요역지(要役地)(지역권을 가진 토지). 「장(主波長).
dóminant wávelength 〖물리〗 (색의) 주파
***dom·i·nate** [dámənèit/dɔ́m-] *vt.* **1** 지배〔통치〕하다, 위압하다; (격정 따위를) 억제하다; …보다 우위를 점하다, 좌우하다, …에 보급하다, 특색지우다. **2** (봉우리가) … 위에 우뚝 솟다, …을 내려다보다; 〖언어·수학〗 지배하다. **—** *vi.* **1** 《+전 +명》 권세를 부리다, 위압하다《*over*》; 우세하다: The strong ~ *over* the weak. 강자는 약자를 지배한다. **2** 우뚝 솟다, 두드러지다 《*over*》. ⓜ **-na·tive** [-nèitiv] *a.* 지배하는. **-na·tor** [-nèitər] *n.* 지배자〔력〕.
°**dòm·i·ná·tion** *n.* **1** Ⓤ 지배; 권세; 우월. **2** (*pl.*) 주품(主品) 천사《천사의 제 4 계급》.
dom·i·neer [dàməníər/dɔ̀m-] *vi.* **1** 권력을 휘두르다, 뽐내다《*over*》. **2** 우뚝 솟다(tower) 《*over; above*》. **—** *vt.* …에게 뽐내다, 좌지우지하다; …위에 솟다, 내려다보다.
dòm·i·néer·ing *a.* 권력을 휘두르는, 오만한 (arrogant), 횡포한, 위압적인. ⓜ **~·ly** *ad.*
Dom·i·nic [dámənik/dɔ́m-] *n.* **1** 도미니크《남자 이름》. **2 Saint** ~ 성(聖)도미니크《스페인의 수사로 도미니크회(會)의 개조; 1170-1221》.
Dom·i·ni·ca [dàməníːkə, dəmínikə / dɔ̀miníːkə] *n.* **1** 도미니카《여자 이름》. **2** 도미니카 (연방)《서인도 제도 남동부의 섬; 영연방에 속한 독립국》.
do·min·i·cal [dəmínikəl] *a.* 주(主)의, 예수의; 주일의, 일요일의: the ~ day 주일, 일요일.
domínical létter 주일 문자《교회력(敎會曆)에서 그 해의 일요일을 표시하는 데 쓰는 A, B, C, D, E, F, G 중의 한 자》.
domínical yéar 서력(the Christian era).
Do·min·i·can [dəmínikən] *a.* **1** Saint Dominic의; 도미니크회(會)의: the ~ Order 도미니크회. **2** 도미니카 공화국의. **—** *n.* **1** 도미니크회 수사(Black Friar), 도미니크 수녀회 수녀. **2** 도미니카 (공화국) 사람.
Domínican Repúblic (the ~) 도미니카 공화국《서인도 제도의 Hispaniola 섬의 동쪽에 있음; 수도 Santo Domingo》.
dom·i·nie [dáməni, dóum-/dɔ́m-] *n.* 《Sc.》 교사, 선생; 《미방언》 성직자, 목사; 《미》 네덜란드 개혁파 교회의 목사.
do·min·ion** [dəmínjən] *n.* **1** Ⓤ 지배〔통치〕권〔력〕, 주권: exercise ~ *over* …에 통치권을 행사하다. **2** Ⓤ,Ⓒ 지배, 통제《*over*》; 〖영법률〗 소유〔영유〕권. **3** Ⓤ,Ⓒ (종종 *pl.*) 영토, 영지. **4** (the D-) Ⓒ (영연방의) 자치령; Ⓤ =CANADA. **5** (*pl.*) 주품(主品) 천사(dominations). ***the Dominion (***of Canada***) 캐나다 자치령. ***the Old Dominion*** 《미》 =VIRGINIA 1.
Domínion Dày 캐나다 자치령 창설 기념일《7월 1일》; 뉴질랜드 자치령 창설 기념일《9월 26일》. 「《여자 이름》.
Dom·i·nique [dàməníːk/dɔ̀m-] *n.* 도미니크
dom·i·no [dámənòu/dɔ́m-] (*pl.* ~(***e***)***s***) *n.* **1** 후드가 붙은 겉옷《가장무도회 따위에서 입음》; 그것을 입은 사람; 반가면(을 쓴 사람). **2** (*pl.*) 〔단수취급〕 도미노 놀이《28 매의 패로 하는 점수 맞추기》; 도미노 놀이에 쓰는 패《장방형의 나무·뼈·상아 따위로 된》: fall like ~*es* 잇따라 넘어지다; 연쇄 반응적으로 굴복하다《*to*》. **3** 《속어》 타도의 일격, 최종적 행위〔순간〕. **4** 《미속어》 흑인, 깜둥이; (*pl.*) 《미속어》 이, (도미노패 모양의) 각설탕, 주사위; (*pl.*) 《속어》 피아노 건반; 《구어》 (연주 중의) 실수. ***It's all ~ with*** (him). 《영속어》 (그는) 이제 다 글렀다, 끝장났다.
dómino effèct 도미노 효과《하나의 사건이 다른 일련의 사건을 야기시키는 연쇄적 효과》.
dómino pàper 대리석 무늬 종이.
dómino thèory (the ~) 도미노 이론《한 지역이 적화되면, 그 인접 지역도 차례로 적화된다는》.
Dom·sat [dóumsæ̀t, dám-] *n.* (때로 d-) 〖로켓〗 국내 통신(용) 인공위성《발사국이 이용의 전유권을 갖는》. [◀ *dom*estic *sat*ellite]
domy [dóumi] *a.* 돔(dome)(모양)의.
Don [dan/dɔn] *n.* **1** 돈《남자 이름》. **2** (the ~) 돈 강《러시아 중부에서 발원함》.
don[1] [dan/dɔn] *n.* 《Sp.》 **1** (D-) 스페인에서 남자 이름 앞에 붙이는 경칭《옛날에는 귀인의 존칭》: *Don* Quixote. **2** 스페인 신사〔사람〕. **3** 거물, 명사; 《구어》 명인《*at*》. **4** 《미속어》 (Mafia 따위의) 두목, 보스. **5** 〖영대학〗 (college 에 사는) 학감·연구원·지도 교관 (등).
don[2] (***-nn-***) *vt.* (옷·모자 따위를) 걸치다, 입다, 쓰다. opp. *doff.* [◀ do+on]
do·na [dóunə] *n.* 《Port.》 =DOÑA.
do·ña [dóunjə] *n.* 《Sp.》 귀부인; (D-) …부인 (Madam).
do·na(h) [dóunə] *n.* 《영속어》 여자; 애인.
Don·ald [dánld/dɔ́n-] *n.* 도널드《남자 이름》.
Dónald Dúck 도널드 덕《Disney 만화 영화 중

의 주인공인 오리》.

Dónald Dúck effèct 〖우주〗 도널드 덕 효과《우주 비행 중에 생기는 음성의 고음화 현상》.

Dónald Dúck vóice (테이프리코더를 빨리 돌릴 때의 소리 같은) 외되고 일그러진 소리.

◇**do·nate** [dóuneit, dounéit] *vt.* 《~+目/+目+前+名》 (자선 사업 등에) 기증〔기부〕하다; 주다(give): ~ blood 헌혈하다 / He ~*d* his library *to* his university. 그는 모교인 대학에 장서를 기증했다.

do·na·tio mor·tis cau·sa [douná:tiou-mɔ́:rtəs-káusɑ:, -kɔ́:zə] 《L.》 〖법률〗 사인증여(死因贈與)《죽음이 임박한 사람이 재산을 미리 특정인에게 넘겨준 후, 사망에 의하여 재산권을 완전히 증여하는 것. 일종의 정지 조건부 증여》.

◇**do·ná·tion** *n.* **1** Ⓤ 증여, 기증, 기부. **2** Ⓒ 기증품, 기부금, 의연금.

donátion pàrty 손님이 선물을 주는 파티.

do·na·tive [dánətiv, dóun-/dóun-] *a.* 증여의, 기증한. ── *n.* 기증물; 기부금.

do·na·tor [dóuneitər, -´-/-´-] *n.* 기부자, 기증자; 〖화학〗 =DONOR. 「《Sc.》 =DONEE.

do·na·to·ry [dánətɔ̀:ri, dóun-/dóunətəri] *n.*

†**done** [dʌn] DO¹의 과거분사. ── *a.* **1** 끝난, 다된: It's ~. 끝났다, 됐다. **2** (아무가) 일을 끝낸〔마친〕: When you are ~, we will go out. 네 일이 끝나면 나가자. **3** (음식이) 익은, 구워진. ★ 보통 합성어로 쓰임: half-~ 설구워진〔익은〕/ over-~ 너무 구워진〔익은〕. **4** 《구어》 녹초가 된; 다 써 버린. **5** 망쳐진; 속은. **6** 관례〔예의, 좋은 취미〕에 맞는: It isn't ~. 그런 짓을 해서는 안 된 다. **7** 《속어》 유행하고, 널리 퍼져. (***all***) ~ ***and dusted*** 《구어》 완전히 준비를 마치고. ***badly ~ by*** 〔***to***〕 =hard ~ by. ***be ~ for*** 《구어》 못 쓰게 되다, 결딴나다; 지쳐 있다; 죽은 것 같다: I *am* ~ *for*. 나는 이제 다 글렀다. ***Done!*** (내기에 맞서) 자, 하자. ~ ***brown*** 엷은 갈색으로 알맞게 구워져; 감쪽같이 속아. ~ ***in*** 《구어》 피곤해서. ~ ***out*** 《구어》 속아서, 속아 빼앗기어 《*of*》. ~ ***to a turn*** 잘 요리된. ~ ***up*** 《구어》 몹시 지쳐; 완료하고. ~ ***with*** 완료되어, 끝나, 정리되어. ***hard ~ by*** 화나; 냉대받아, 부당히 취급받아. ***Well ~!*** 잘했다, 훌륭하다. ── *ad.* 《방언》 전연, 아주: I've ~ made up my mind. 단단히 결심했다. ㊞ **´·ness** *n.* (음식이) 알맞게 요리된 상태, (요리가) 다 된 모양.

do·nee [douní:] *n.* 기증받는 사람, 수증자(受贈者); 〖법률〗 지정권자(指定權者)《어떤 사람으로부터 그 재산의 수취인을 지명할 권한을 부여받은 사람》; 〖의학〗 (장기 따위의) 피(被)제공자, 《특히》 수혈자(受血者). cf. donor.

dong [dɔ:ŋ, daŋ/dɔŋ] *n.* (큰 종이) 웅숭깊게 울리는 소리; 《미비어》 음경, 자지.

don·ga [dáŋgə, dɔ́:ŋ-/dɔ́ŋ-] *n.* 《S.Afr.》 협곡(ravine, gully); 《파푸아뉴기니의》 집, 오두막.

don·gle [dáŋgəl/dɔ́ŋ-] *n.* 〖컴퓨터〗 동글《소프트웨어 보호 장치의 하나》. 「(內城).

don·jon [dʌ́ndʒən, dán-/dɔ́n-] *n.* 아성, 내성

Don Ju·an [danhwá:n, -dʒú:ən/dɔndʒú:ən] 돈후안《방탕하게 세월을 보낸 스페인의 전설적 귀족》; 방탕아, 난봉꾼, 엽색꾼. 「tyriasis).

Dòn Juán·ism 〖정신의학〗 돈후안증(症)(sa-

*__don·key__ [dáŋki, dɔ́:ŋ-, dʌ́ŋ-/dɔ́ŋ-] (*pl.* ~*s*) *n.* **1** 당나귀《ass의 속칭》. ★ 미국에서는 이것을 만화화하여 민주당의 상징으로 함. cf. elephant. **2** 바보, 얼뜨기; 고집쟁이. **3** =DONKEY ENGINE. **4** 《CB속어》 뒤쪽. ── *a.* 〖기계〗 보조의.

dónkey bòiler 보조 보일러.

dónkey èngine 보조 기관《뱃짐을 부리거나 할 때 쓰는 휴대용 소형 엔진》; 소형 기관차《전철용(轉轍用) 따위》.

dónkey jàcket (노동자용의 방한·방수용의) 두꺼운 재킷; =REEFER¹. 「안.

dónkey's yèars 〔**èars**〕 《구어》 매우 오랜 동

dónkey wòrk 《영구어》 지루하고 고된 일.

don·na [dɔ́:nə, dánə/dɔ́nə] (*pl.* ***-ne*** [-nei]) *n.* 《It.》 숙녀, 귀부인; (D-) …부인《이탈리아에서 귀부인의 이름 앞에 붙이는 존칭》.

don·née [danéi/dɔ-] *n.* 《F.》 **1** (예술·문학상의) 일련의 전제〔가정〕, 기본 전제, (소설 따위의) 상황 설정. **2** 테마, 주제.

don·nish [dániʃ/dɔ́n-] *a.* college의 학감(don¹) 같은; 위엄을 부리는. ㊞ **~·ness** *n.*

don·ny·brook [dánibrùk/dɔ́n-] *n.* (종종 D-) 떠들썩한 말다툼, 드잡이, 난투.

Dónnybrook Fáir 옛 아일랜드의 Donnybrook에서 매년 열린 장; 대소동, 야단법석.

do·nor [dóunər] *n.* **1** 기증자, 시주(施主). cf. donee. **2** 〖법률〗 지정권 부여자《자기 재산의 수취인 지명권을 타인에게 주는 사람》; 〖의학〗 (혈액·장기 등의) 제공자. **3** 〖화학〗 공여체(供與體), 주개; 〖전자〗 도너《반도체에 혼입되어 자유전자를 증가시키는 불순물》. opp. *acceptor*.

dónor càrd 장기 제공자 카드.

dó-nòthing *a.* 무위 도식하는, 게으른(idle); 현상 변경에 소극적인, 전향적으로 행동하지 않는. ── *n.* 게으름뱅이, 현상 변경에 소극적인 사람. ㊞ **~·ìsm** *n.* Ⓤ 무위도식주의. **~·er** 무위무책주의자.

Don Quix·o·te [dànkihóuti, -kwíksət/dɔnkwíksət] 돈키호테《스페인 작가 Cervantes의 소설 및 그 주인공》.

†**don't** [dount] do not의 간약형. ★ 구어에서는 doesn't 대신 쓰일 때가 있음: He 〔She〕 ~ mean it. 본심으로 하는 말이 아니다. ── (*pl.* ~*s*) 《우스개》 *n.* 금지; (*pl.*) '금지 조항' 집(集).

dón't-càre *n.* 부주의〔무관심〕한 사람.

dón't-knów *n.* 태도 보류자; (설문 조사에서) '모른다' 고 회답하는 사람, 선거전에 태도를 결정하지 않은 사람.

don·to·pe·dal·o·gy [dàntoupedǽlədʒi/dɔ̀n-] *n.* 《우스개》 되는대로〔엉터리로〕 말하는 재주《그리스 어근(語根)을 이용한 Prince Philip의 조어》. cf. put one's FOOT in one's mouth.

do·nut [dóunət, -nʌt/-nʌt] *n.* =DOUGHNUT.

doo·bie [dú:bi] *n.* 《미속어》 마리화나 담배.

doo·dad [dú:dæd] *n.* 《구어》 **1** 장식품; 작은 〔싸구려〕 장식물. **2** (그 뭔가 하는) 물건, 장치, 도구.

doo·da(h) [dú:də] *n.* 《속어》 흥분, 당혹; =DOODAD. ***all of a ~*** 당황하여, 흥분하여.

doo·dle [dú:dl] *vi., vt.* **1** (회의 등에서 딴생각하며) 낙서하다. **2** 《미》 하는 일 없이 지내다. **3** 《구어》 음악을 멋대로 연주하다. ── *n.* (멋대로의) 낙서; 얼간이, 바보.

dóodle·bùg *n.* **1** 《미》 개미귀신(의 유충). **2** 《미》 =DIVINING ROD. **3** 《구어》 =BUZZ BOMB. **4** 《미구어》 초소형(超小型) 경주용 자동차.

dóo·dler *n.* 멍하니 낙서하는 사람, 시간을 허비하는 사람. 「어》 응가.

doo·doo, -die, -dy [dú:dú:], [-di] *n.* 《소아

doofunny ⇨ DOFUNNY. 「학생속어》 별난.

doo·fus [dú:fəs] *n.* 《미속어》 바보. ── *a.* 《미

doo·hick·ey [dú:hiki] (*pl.* ~*s*) *n.* 《미구어》 **1** =DOODAD. **2** 여드름.

doo·jee [dú:dʒi:] *n.* 《미속어》 헤로인(heroin).

doo·lie¹ [dú:li] *n.* 《미》 공군 사관학교 1 년생.

doo·lie², **-ly** *n.* 《영·Ind.》 가마.

*__doom__ [du:m] *n.* Ⓤ **1** 운명《보통, 악운》, 숙명; 불운; 파멸; 죽음. **2** (불리한) 판결. **3** (신이 내리

는) 최후의 심판: the day of ~ =DOOMSDAY. **4** 〖역사〗 법령. ***meet*** 〔***go to***〕 one***'s*** **~** 망하다, 죽다. ***the crack of*** **~** ⇨CRACK. **—** *vt.* **1** 《~+[목]/+[목]+[전]+[명]/+[목]+*to* do》 …의 운명을 정하다, 운명짓다《보통 좋지 않게》: an attempt ~*ed to* failure 〔*to* fail〕 애초부터 실패하게 되어 있는 시도. **2** 《+[목]+[전]+[명]/+[목]+*to* do》 …에게 판결을 내리다; 형〔사형〕을 선고하다: ~ a person *to* death 〔*to* die〕 사형을 선고하다. **3** 《+[목]+[전]+[명]》 운명〔형〕으로서 정하다: a decree which ~*ed* the whole city *to* destruction 전 도시를 파괴하겠다는 취지의 포고. [파] **~ed** *a.* 운이 다한, 불운의.

doom·ful [dú:mfəl] *a.* 운명을 안고 있는, 숙명적인(fateful). 「회화.

dóom pàinting 최후의 심판을 묘사한 중세의

dóom·sàyer *n.* 재액(災厄)〔불운(不運)〕 예언자. [파] **-sàying** *a.*, *n.*

dooms·day [dú:mzdèi] *n.* 최후의 심판일, 세계의 마지막 날; 판결일, 운명이 정해지는 날: *Doomsday* plane (핵전쟁에 대비한 미국 대통령의) 비상용 지령기(指令機). ***till*** **~** 영구히.

Dóomsday Bòok (the ~) =DOMESDAY BOOK.

dóoms·dày·er *n.* =DOOMSAYER.

Dóomsday Machìne 종말 병기《피아(彼我) 없이 전 세계를 자동 파괴하는 가상의 장치》.

dóomsday scenário 〖군사〗 지구 최후의 날의 시나리오《미국과 옛 소련의 군부가 핵전쟁 발생을 상정하여 입안한 핵전쟁 계획》.

doom·ster [dú:mstər] *n.* 불길한 예언자.

dóom trèe 교수형에 쓰이는 나무.

dóom·wàtch *n.* [U] (특히 환경의) 현재 상황과 그 미래에 대한 비관론, 환경 멸망론; 환경 파괴 방지를 위한 감시. [파] **~·er** *n.* 이 세상의 현재·미래를 비관하는 사람. **~·ing** *n.*

doomy [dú:mi] *a.* =DOOMFUL. [파] **dóom·i·ly** *ad.*

†**door** [dɔ:r] *n.* **1** 문, 방문, 문짝. **2** (출)입구, 문간, 현관(doorway): answer 〔go to〕 the ~ 손님을 응대하러 현관으로 나가다 / see a person to the ~ 아무를 현관까지 배웅하다. **3** 《비유》 문호, (…에 이르는) 길〔관문〕: the ~*s to* learning 학문으로의 관문〔기회〕. **4** 한 집, 일호(一戶); (*pl.*) 집: in ~*s* 집 안에(서)/ out of ~*s* 집 밖에서 / next ~ 이웃집(에) / next ~ but one 한 집 건너집(에). He lives three ~*s* away. 그는 세 집 건너서 살고 있다. ***at death's*** **~** ⇨ DEATH. ***behind closed*** 〔***locked***〕 **~*s*** 비밀히, 비공개로. ***blow*** a person***'s*** **~*s in*** 《CB속어》 다른 운전사를 추월하다. ***by*** 〔***through***〕 ***the back*** 〔***side***〕 **~** 정식 절차를 거치지 않고, 뒷구멍으로. ***close*** 〔***shut***〕 ***the*** **~ *on*** 〔***to***〕 …에 대하여 문호를 닫다; (문을 닫고) …을 들이지 않다; …을 고려치 않다. ***darken*** a person***'s*** **~*(s)*** ⇨DARKEN. ***from*** **~ *to*** **~**; **~ *to*** **~** ① 한 집 한 집. ② 문에서 문까지, 출발점에서 도착점까지. ***lay … at*** 〔***to***〕 a person***'s*** **~; *lay … at*** 〔***to***〕 ***the*** **~ *of*** a person …을 아무의 탓으로 하다, …의 일로 아무를 힐책하다. ***leave the*** **~ *open*** 가능성을 남겨두다. ***lie at*** 〔***to***〕 a person***'s*** **~; *lie at*** 〔***to***〕 ***the*** **~ *of*** a person (죄(罪)·과실의) 책임이 아무에게 있다. ***next*** **~ *to*** …의 이웃에, 거의 …에 가까이. ***open a*** **~ *to*** 〔***for***〕 …에 문호를 개방하다, …에게 기회를 주다.

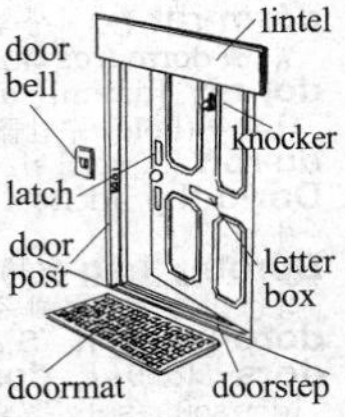

door 1

packed to the **~** 꽉 차서. ***put*** a person ***to the*** **~** 아무를 내쫓다. ***show*** a person ***the*** **~** 아무를 내쫓다. ***shut*** 〔***slam***〕 ***the*** **~ *in*** a person***'s face*** 아무의 의견〔제안〕을 들어주지 않다, 아무를 상대하지 않다. ***within*** 〔***without***〕 **~*s*** 집 안〔밖〕에. ***with open*** **~*s*** 공공연히, 공개하여.

°**dóor·bèll** *n.* 현관 벨.

dóor·càse *n.* 문틀, 문얼굴.

dóor chàin 문사슬, 도어 체인《방범용의 5-6cm만 문짝이 열리도록 된 장치》.

dóor chèck 〔**clòser**〕 도어 체크《문을 천천히 닫히게 하는 장치》. 「명을 건 시도.

dó-or-díe *a.* 필사의, 위기의: a ~ attempt 생

dóor·fràme *n.* =DOORCASE.

dóor hàndle 《영》 =DOORKNOB.

dóor·jàmb *n.* 문설주.

dóor·kèeper *n.* 문지기, 수위.

dóor-key chìld 부모가 맞벌이하는 집 아이《열쇠를 갖고 밖에서 노는 데서》.

dóor·knòb *n.* 문 손잡이.

dóor·knòcker *n.* (문 두드리는) 노커.

dóor·lòck *n.* 문 자물쇠.

dóor·man [-mæ̀n, -mən] (*pl.* ***-men*** [-mèn, -mən]) *n.* (호텔·백화점 따위의) 문 열어 주는 사람, 문지기.

dóor·màt *n.* (현관의) 매트, 신발 흙털개; 《구어·비유》 학대받고도 잠자코 있는 사람.

dóor mòney 입장료.

dóor·nàil *n.* (옛날 문에 박은) 대갈못《장식·보강용》. (***as***) ***dead*** 〔***deaf***〕 ***as a*** **~** 아주 죽어서〔귀머거리가 되어〕.

dóor òpener (잠긴) 문을 여는 기구; 《구어》 외판원이 집에 들어가기 위해 주는 선물.

dóor·plàte *n.* (놋쇠로 만든) 문패.

dóor·pòst *n.* 문설주, 문기둥.

dóor prìze 참가자에게 추첨으로 주는 상품.

dóor·scràper *n.* (출입구에 놓는) 신발 흙털개.

dóor·sìll *n.* 문지방(threshold).

dóor·stèp** *n.* **1** 현관의 계단. **2** 《속어》 두껍게 썬 빵. ***on one***'s*** 〔***the***〕 **~** (집) 바로 가까이에, 근처에. **—** *a.* 《영》 호별 방문의. **—** *vi.* 《영》 호별 방문하다; (망보려고) 문 근처 층계에서 기다리다.

dóor·stèpping *n.* (선거 운동 따위의) 호별 방문; 〖신문〗 (인터뷰 대상자의 집이나 사무실 앞에서) 기다리며 지킴(ambushing). [파] **dóor·stèpper** *n.*

dóor·stòne *n.* (현관의) 섬돌. 「멈추개.

dóor·stòp(per) *n.* 문 버팀쇠; 문틀의 돌출된

dóor-to-dóor *ad.*, *a.* 집집마다(의), 호별의; 집집마다 배달해 주는: visit ~.

****dóor·wày** *n.* 문간, 출입구; 《비유》 (…에 이르는) 길, 관문: a ~ *to* success 성공에의 지름길.

dóorway státe 〖물리〗 (핵반응의 단순한 것에서 복잡한 것으로 이행시의 이론상의) 중간 상태.

dóor·yàrd *n.* 《미》 (현관의) 앞뜰; 집 주위 뜰.

doo-wop [dú:wɑ̀p/-wɔ̀p] *n.* 〖음악〗 두왑《흑인의 리듬앤드블루스의 코러스의 한 형태》.

doo·zer [dú:zər], **-zy, -sy, -zie** [-zi] *n.* 《미속어》 출중한 것. 「인화지).

D.O.P. 〖사진〗 developing-out paper (현상지,

do·pa [dóupə] *n.* 〖생화학〗 도파《아미노산의 하나》. [◂ *d*ihydr*o*xy*p*henyl*a*lanine]

do·pa·mine [dóupəmì:n] *n.* [U] 도파민《부신에서 만들어지는 뇌에 필요한 호르몬》.

do·pa·mi·ner·gic [dòupəminə́:rdʒik] *a.* 〖생화학〗 도파민 작용성의.

dop·ant [dóupənt] *n.* 〖물리〗 doping을 위해 반도체에 첨가하는 소량의 화학적 불순물.

°**dope** [doup] *n.* [U] **1** 진한〔죽 모양의〕 액체; (다

이너마이트에 배합하는) 도프(흡수제); 기계 기름; 가솔린의 첨가제(앤티노크제 따위); 〖사진〗 현상액; 도프 도료(특히 항공기의 익포(翼布) 따위에 칠하는 도료). **2** 《속어》 마약(아편·모르핀 따위). **3** Ⓒ 《속어》 마약 (중독) 환자; 《구어》 어리보기, 바보. **4** 《속어》 (운동선수·경마 말 등에게 먹이는) 흥분제; 《미속어》 커피; 궐련; 각성제. **5** 《속어》 (경마에 관한) 내보(內報), 정보; 예상; 〖일반적〗 비밀 정보: spill the ~ 정보를 흘리다.

— *a.* 《미속어》 멍청한(stupid); 《미속어》 훌륭한.

— *vt., vi.* **1** 진한 액체로 처리하다; …에 도프 도료를 칠하다; 〖전자〗 (반도체 따위)에 불순물을 첨가하다. **2** 《속어》 (…에) 마약을〔흥분제를〕 먹이다〔먹다〕; 마약 중독이 되다. **3** 《속어》 (결과를) 예상하다. **4** (그럴 듯한 거짓말로) 속이다. ~ ***off*** 실책을 범하다. ~ ***out*** 《속어》 추측하다, 알아내다, 날조하다; (경마 따위를) 예상하다. ~ ***the ponies*** 《속어》 경마의 우승말을 예상하다.

㊞ **dóp·er** *n.* 마약 상용자.

doped [doupt] *a.* 《속어》 마약 중독인, 마약의 효과가 나타나고 있는.

dópe fiend 《속어》 마약 상용자(drug addict).

dópe hèad *n.* 《속어》 마약 상용자〔중독자〕. ㊞ ~·ed [-id] *a.* 「자.

dópe pùsher 〔**pèddler**〕 《속어》 마약 밀매

dópe·shèet *n.* 《속어》 경마 신문, (경마 등의) 예상지(紙); 《방송속어》 도프시트(촬영을 위한 상세한 지시서).

dope·ster [dóupstər] *n.* 《미속어》 (선거·경마에 대한) 예상가, 정보에 밝은 사람.

dópe stòry (신문의) 시사 해설물, 칼럼; 의도적인 누설 기사.

dop·ey, dopy [dóupi] (***dop·i·er; -i·est***) *a.* 《속어》 (마약·술을 먹고) 멍한; 어리석은. — *n.* 게으름뱅이; 얼뜨기.

dop·ing [dóupiŋ] *n.* **1** 도핑(운동선수 등이 흥분제 따위를 복용하는 일). **2** 〖물리〗 도핑(반도체 안에 소량의 불순물을 첨가하여 필요한 전기적 특성을 얻는 일).

Dop·pel·gäng·er, -gang- [dápəlgæŋər/dɔ́p-] *n.* 《G.》 살아 있는 사람의 유령. 「러 효과.

Dóp·pler effèct [dáplər-/dɔ́p-] 〖물리〗 도플

Dóppler Lídar Sỳstem 도플러 효과를 이용한 광학식 속도계(상표명).

Dóppler rádar 도플러 레이더(도플러 효과를 이용하여 목표의 속도를 측정하는): ~ navigation system 도플러 레이더 항법 장치.

Dóppler-shìft, Dóppler·shìft *vt.* 〖물리〗 (주파수 따위)에 도플러 이동을 일으키다. 「충.

dor [dɔːr] *n.* 〖곤충〗 붕붕 소리를 내며 나는 갑

Do·ra [dɔ́ːrə] *n.* 도라(여자 이름; Dorothy, Theodora의 애칭).

do·ra·do [dərɑ́ːdou] (*pl.* **~s**) *n.* 〖어류〗 만새기, 황새치; (D-) 〖천문〗 황새치자리.

DORAN [dɔ́ːræn] *n.* 도란(도플러 효과(Doppler effect)의 원리를 이용하여 거리를 측정하는 항행용의 전자 장치). [◂ *Doppler range*]

dor·bee·tle [dɔ́ːrbìːtl] *n.* =DOR.

Dór·cas socìety [dɔ́ːrkəs-] 도르카스회(빈민에게 줄 옷을 만드는 자선 부인회).

Dor·ches·ter [dɔ́ːrtʃèstər, -tʃis-] *n.* 도체스터(잉글랜드 Dorset 주의 주도(州都)).

do-re-mi [dóuréimíː] *n.* 《미속어》 돈.

Do·ri·an [dɔ́ːriən] *a.* 옛 그리스의 Doris 지방의; Doris 사람의. — *n.* Doris 사람.

Dórian Gráy 도리언 그레이(Oscar Wilde의 소설 *The Picture of Dorian Gray*의 주인공인 젊은 미남자; 쾌락을 좇아 온갖 못된 짓을 다함).

Dor·ic [dɔ́ːrik, dár-/dɔ́r-] *a.* Doris (사람)의; 〖건축〗 도리스식(Doric order)의; Doris 방언의. — *n.* **1** Ⓤ (그리스 말의) Doris 방언. **2** (영어의) 스코틀랜드 방언; 시골 사투리: in broad ~ 순 시골 사투리로. **3** 〖건축〗 도리스 양식; 〖인쇄〗 =SANS SERIF.

Dor·is [dɔ́ːris, dár-/dɔ́r-] *n.* 도리스. **1** 여자 이름. **2** 옛 그리스의 중부 지방.

dork [dɔːrk] *n.* 《미비어》 음경, 자지; 《미속어》 유행에 뒤진〔촌스러운〕 사람; 바보, 얼간이.

Dor·king [dɔ́ːrkiŋ] *n.* 육용 닭의 일종.

dorm [dɔːrm] *n.* 《구어》 =DORMITORY 1.

dor·man·cy [dɔ́ːrmənsi] *n.* Ⓤ 수면; 동면; 잠복; 정지 (상태), 휴지.

°**dor·mant** [dɔ́ːrmənt] *a.* 잠자는; 동면의; 잠복의; 정지한, 휴지한; 부동(不動)의, 고정적인, (자금 따위가) 놀고 있는, (권리 따위가) 미발동의: a ~ volcano 휴화산. ***lie*** ~ 휴지하고 있다; 잠복해 있다; 동면하고 있다.

dórmant accóunt 장기간 예금의 인출·예입이 없는 예금 계좌.

dórmant pártner =SLEEPING PARTNER.

dórmant wíndow =DORMER (WINDOW).

dór·mer ròom [dɔ́ːrmər-] 지붕창이 있는 집.

dórmer (**wíndow**) 〖건축〗 지붕창, 천창.

dor·meuse [dɔːrmə́ːz] *n.* 《F.》 《영》 침대차.

dor·mice [dɔ́ːrmàis] DORMOUSE의 복수.

dor·mie [dɔ́ːrmi] *a.* 〖골프〗 =DORMY.

°**dor·mi·to·ry** [dɔ́ːrmətɔ̀ːri/-təri] *n.* **1** 《미》 (대학 따위의) 기숙사; 큰 공동 침실. **2** 《영》 교외 주택지, 단지. **3** 《영》 =DORMITORY SUBURB.

dórmitory sùburb 〔**tòwn**〕 주택 도시(낮에는 대도시로 통근하기 때문에 야간 인구가 많은 중소 도시).

dor·mouse [dɔ́ːrmàus] (*pl.* ***-mice*** [-màis]) *n.* 〖동물〗 산쥐류(類); 《비유》 잠꾸러기.

dórm ràt 《미학생속어》 기숙사 생활을 하는 학생. ★ dorm frog라고도 함.

dor·my [dɔ́ːrmi] *a.* 〖골프〗 (매치 플레이에서) 남은 홀(hole) 수만큼 이긴(dormie).

do·ron [dɔ́ːrɑn] *n.* 유리 섬유제 방탄복.

Dor·o·thy [dɔ́ːrəθi, dár-/dɔ́r-] *n.* 도로시(여자 이름).

Dórothy bàg 《영》 (아가리를 끈으로 죄는) 여성용 손가방(손목에 걺).

dorp [dɔːrp] *n.* 《S.Afr.》 촌락.

dors- [dɔːrs], **dor·si-** [dɔ́ːrsə], **dor·so-** [dɔ́ːrsou, -sə] '등'의 뜻의 결합사.

Dors. Dorset(shire). 「〔으로〕(dorsally).

dor·sad [dɔ́ːrsæd] *ad.* 〖해부·동물〗 등쪽에

dor·sal [dɔ́ːrsəl] *a.* 〖동물〗 등(쪽)의. — *n.* 등지느러미; 척추. ㊞ **~·ly** *ad.*

dórsal fín 〖동물〗 등지느러미.

dórsal róot 〖해부〗 (척추 신경의) 배근(背根).

Dor·set(**·shire**) [dɔ́ːrsit(ʃiər, -ʃər)] *n.* 도싯(셔)(영국 남부의 주; 주도는 Dorchester).

dorsi-, dorso- ⇨ DORS-.

dórsi·flèxor 〖해부〗 배굴근(背屈筋).

dòrso·lúmbar 〖해부〗 등과 허리 부분의, 등·허리 부분과 관계있는.

dor·sum [dɔ́ːrsəm] (*pl.* ***-sa*** [-sə]) *n.* 〖해부·동물〗 등, 배부(背部); 〖음성〗 후설면(後舌面); (교회 제단의) 뒷막.

dor·ter, dor·tour [dɔ́ːrtər] *n.* 〖역사〗 (수도원 등의) 합숙소, 공동 침실.

do·ry[1] [dɔ́ːri] *n.* 밑이 평평한 작은 어선.

do·ry[2] *n.* 〖어류〗 달고기류(John Dory).

DOS [dɔːs, dɑs/dɔs] 〖컴퓨터〗 도스, 디스크 운영 체제. [◂ *disk operating system*]

dos-à-dos [dóusidóu, -ziː-] *ad.* 《F.》 등을

맞대고. ── (*pl.* ~) *n.* 등을 맞대고 앉는 좌석(이 있는 마차); =DO-SI-DO. ── *vt.*, *vi.* =DO-SI-DO.

dos·age [dóusidʒ] *n.* **1** Ⓤ 투약, 조제. **2** Ⓒ,Ⓤ (약의 1 회분) 복용〔투약〕량; (엑스선 따위의) 조사(照射) 적량. **3** Ⓤ (술 따위에의) 향료의 첨가〔혼합〕, 첨가 향료.

dósage compensàtion 〖생물〗 유전자량(量) 보정〔보상〕《자웅이 각각 유전자량이 다른데도 반성(伴性) 유전자의 표현형이 같도록 조절되어 있는 것》.

°**dose** [dous] *n.* **1** (약의) 1 회분, (1 회의) 복용량, 한 첩: Take one ~ *of* the medicine at bedtime. 취침시에 이 약 1 회분을 복용하시오. **2** 《비유》 약(이 되는 것), (특히) 쓴 약; 쓴〔불쾌한〕 경험: a ~ *of* flattery 약간의 아첨. **3** (샴페인 제조 중에 섞는) 향료. **4** (방사능의) 조사량(照射量). **5** 《속어》 성병, 《특히》 임질. **6** 《미속어》 많음, 듬뿍: have a regular ~ *of* …을 듬뿍 마시다. ***like a ~ of salts*** ⇨ SALT.
── *vt.* **1** 《~+목/+목+전+명/+목+부》 투약하다, 복용시키다《*with*》: The doctor ~*d* the girl *with* antibiotics. 의사는 소녀에게 항생제를 복용시켰다 / ~ pyridine *to* a person 아무에게 피리딘을 먹이다 / ~ *up* a person 아무에게 여러 가지 약을 먹이다. **2** 《~+목/+목+부/+목+전+명》 …에게 약을 지어 주다, 조제하다, 1 회분씩 나누어 짓다: ~ *out* aspirin *to* patients 환자들에게 아스피린을 지어 주다. **3** 《+목+전+명》 (향료를) 술에 섞다《*with*》: ~ champagne *with* sugar 샴페인에 설탕을 넣다. ── *vi.* 약을 먹다. ~ one***self with*** …을 복용하다.

dóse equìvalent 〖물리〗 선량 당량(線量當量)《생체에 흡수된 전리성 방사선의 생물학적 효과를 나타내는 양; 단위는 sievert 또는 rem》.

do-si-do, do-se-do [dóusi:dóu] (*pl.* ~*s*) *n.* 도시도《등을 맞대고 돌며 추는 스퀘어댄스》; 《미속어》 (링 위에서 빙빙 돌기만 하는) 시시한 권투 경기. ── *vt.* (상대방)의 주위를 등을 맞대고 돌다. ── *vi.* 도시도를 추다.

do·sim·e·ter, dose·me·ter [dousímətər] [dóusmì:tər] *n.* 물약 계량기, 약량계(藥量計); 〖물리〗 방사선량계(放射線量計). ㊕ **-try** [-tri] *n.* Ⓤ 약량(藥量) 측정〔법〕; (엑스선 따위의) 방사선량 측정.

DÓS pròmpt 〖컴퓨터〗 도스 프롬프트《DOS 운영 체제가 다음 명령을 입력받기 위해 대기할 때 화면에 나타내는 기호》.

doss [dɑs/dɔs] 《영속어》 *n.* 잠자리, 침대《값싼 여인숙의》; 잠. ── *vi.* ~에서 자다; 아무데나 적당한 곳에서 자다: ~ out 노숙하다.

dos·sal, dos·sel [dásəl/dɔ́s-] *n.* (제단 뒤의) 휘장, 포장.

dos·ser[1] [dásər/dɔ́s-] *n.* (등에 메는) 짐 바구니, (말 등에 걸치는) 옹구(pannier).

dos·ser[2] *n.* 《영속어》 값싼 여인숙에 자면서 방랑하는 사람; =DOSS HOUSE; 《영방언》 게으름뱅이.

dóss hòuse 《영구어》 싸구려 여인숙.

dos·si·er [dásièi, -siər, dɔ́:si-/dɔ́s-] *n.* 《F.》 (한 사건·한 개인에 관한) 일건 서류; 사건 기록.

dos·sy [dási/dɔ́si] *a.* 《영구어》 멋있는.

dost [dʌst, dəst] 《고어·시어》 DO[1]의 2 인칭·단수·직설법·현재《주어가 thou 일 때》.

Dos·to·ev·ski [dàstəjéfski, dʌ́s-/dɔ̀stɔiéf-] *n.* **Feodor M.** ~ 도스토옙스키《러시아의 소설가; *Crime and Punishment* 의 저자; 1821-81》.

Dot [dɑt/dɔt] *n.* 도트《여자의 이름; Dorothea, Dorothy 의 애칭》.

dot**[1] [dɑt/dɔt] *n.* **1** 점, 작은 점; 도트《i나 j의 점》; (*pl.*) 점선; 〖음악〗 부점(符點); (모스 부호의) 점. ㉢ dash. **2** 소량; 점 같은 것; 꼬마, 아이; 《구어》 규정 시간〔양〕: a mere ~ *of* a child 꼬마 아이. **3** 〖복식〗 물방울 무늬. ***off** one's* ~ 《영속어》 얼이 빠져; 미쳐서. ***on the ~ 《구어》 정각에, 제시간에. ***put ~s on*** a person 《영속어》 아무를 지루하게 하다. ***the year*** ~ ⇨ YEAR. ***to a*** ~ 《구어》 정확하게, 완전히. ***to the ~ of an i*** (어디까지나) 완전히.
── (*-tt-*) *vt.* **1** …에 점을 찍다; 점점으로 표시하다: ~ a j, j에 점을 찍다. **2** 《+목+부》 써 두다《*down*》: He ~*ted down* what I said. 그는 내가 말한 것을 적어 두었다. **3** …에 점재(點在)시키다: a field ~*ted* with horses 〔sheep〕 말〔양〕이 점점이 흩어져 있는 들판. **4** 《영속어》 …을 치다, 때리다. ── *vi.* 점을 찍다. ~ ***and carry one*** (덧셈에서 10이상이 되면) 점을 찍어 한 자리 올리다; 착실히 하다; 절름거리다. ~ ***and go one*** 《고어》 절름거림〔거리는〕; 절름거리다. ~ *one's **i's*** 하는 일에 신중하다. ~ ***the i's and cross the t's***, i에 점을 찍고 t에 가로선을 긋다; 매우 세밀하다, 상세히 설명하다. 「물.

dot[2] *n.* 〖법률〗 처의 혼인 지참금(dowry), 지참

DOT 《미》 Department of Transportation; 《미》 Department of the Treasury. **DoT** 《영·Can.》 Department of Transport.

dot·age [dóutidʒ] *n.* Ⓤ 망령, 노망(senility); 익애(溺愛). ***in** one's* ~ 노망하여. [◂ dote]

do·tal [dóutl] *a.* 지참금의〔에 관한〕.

dót-and-dásh [-ən-] *a.* 〖통신〗 모스(Morse)식 부호의.

dot·ard [dóutərd] *n.* 노망든 사람; 익애자.

do·ta·tion [doutéiʃən] *n.* 기부; 신부가 신랑에게 결혼자금을 주는 것.

dót còm 〖컴퓨터〗 닷 컴《인터넷에서 사용하는 영역 이름(특정 회사의 e-mail 과 web address)의 뒷부분에 붙는 것(정확하게는 .com)》.

°**dote, doat** [dout] *vi.* **1** 노망나다, 망령들다. **2** (입목·재목이) 썩어가다. **3** 《+전+명》 …에 홀딱 빠지다, 맹목적으로 사랑하다《*on, upon*》: ~ *on* one's children 아이를 덮어놓고 귀여워하다. ── *n.* (입목·재목의) 썩음.

doth [dʌθ, dəθ] 《고어·시어》 DO[1]의 3 인칭·단수·직설법·현재. 「㊕ ~**·ly** *ad.*

dot·ing [dóutiŋ] *a.* 망령든; 지나치게 사랑하는.

dót mátrix 〖컴퓨터〗 점행렬《도트의 집합에 의하여 희망하는 문자나 도형을 형성하는 방법》.

dót mátrix prìnter, dót prínter 〖컴퓨터〗 점행렬 프린터《점을 짜 맞추어 글자를 표현하는 인쇄 장치》. 「dpi》.

dòt per ínch 〖컴퓨터〗 인치당 도트 수《생략:

dót pìtch 〖컴퓨터〗 점문자 밀도《화면 표시 스크린 위의 인접하는 그림낱〔화소(畫素)〕(pixel) 간의 거리; 0.2-0.4 mm 정도》.

dót pròduct 〖수학〗 =INNER PRODUCT.

dót-sequéntial *a.* 〖TV〗 점순차(點順次) 방식의: ~ system 점순차 방식.

dót·ted [-id] *a.* 점(선)이 있는: a ~ crotchet 〖음악〗 점 4 분음표.

dótted líne 점선; (the ~) (서명할 자리를 표시하는) 점선; (the ~) 예정 코스. ***sign on the*** ~ 문서에 서명하다; (서명하여) 정식으로 승낙하다, 지시에 따르다.

dót·ter *n.* 점선구, 점묘(點描) 기구; (조준 연습용) 점적기(點的器).

dot·ter·el, -trel [dátərəl/dɔ́t-] *n.* 〖조류〗 떼새의 일종; 《영방언》 바보, 천치.

dot·tle, dot·tel [dátl/dɔ́tl] *n.* (골통대 안의) 피우다 남은 담배 찌꺼기.

Dot·ty [dáti/dɔ́ti] *n.* 도티《여자 이름; Dorothea, Dorothy 의 애칭》.

dot·ty [dáti/dɔ́ti] (***-ti·er; -ti·est***) *a.* 점이 많은;

《구어》 머리가 돈; 《구어》 휘청대는, 흔들리는.
doty [dóuti] *a.* (목재가) 썩어가는.
dou·ane [*F.* dwan] *n.* 《F.》 (국경의) 세관.
Dóu·ay Bíble 〔**Vérsion**〕 [dú:ei-] 두에이 성서《17 세기 초 프랑스 북부의 도시 Douay에서 발행되어 가톨릭 교회에서 사용한 라틴어 Vulgate 성서의 영역》.
dou·ble [dʌ́bəl] *a.* **1** 두 배의, 갑절의: 〖정관사·소유형용사 앞〗 두 배의 크기〔강도·성능·가치 따위〕가 있는: a ~ portion 두 배의 몫/~ the number 두 배의 수/I am ~ your age. 난 너보다 갑절 나이가 위다. **2** 이중의, 두 겹의, 겹친; 둘로 접은; 두 번 거듭한; 이중으로 칠한: a ~ blanket 두 장을 잇댄 담요/a ~ hit 〖야구〗 2루타/a ~ suicide 정사/~ coating 겹〔이중〕칠/give a ~ knock 똑똑 두 번 노크하다. **3** 쌍의, 복(식)의; 2인용의; 1인 2역의. **4** 두 가지 뜻으로 해석되는, 애매한. **5** 두 마음을 품은, 표리가 있는, 내숭한: ~ personality 이중 인격/wear a ~ face 표리가 있다. **6** 〖식물〗 겹꽃의, 중판(重瓣)의: a ~ flower 겹꽃, 중판화. **7** 〖음악〗 1옥타브 낮은 음을 내는; 2박자의. ***do*** 〔***get***〕 ***a*** ~ ***take*** ⇨ DOUBLE TAKE. ***work*** ~ ***tides*** 〔***shifts***〕 밤낮으로 일하다.
— *ad.* **1** 두 배〔갑절〕로, 이중으로, 두 가지로: ~ as dear 배나 비싼 값으로/play ~ 두 가지 행동을 취하다; 속이다/see ~ (취하거나 해서) 물건이 둘로 보이다. **2** 짝을 지어, 함께: ride ~ 함께 타다/sleep ~ 두 사람이 한 침대에서 자다.
— *n.* **1** 두 배, 배; (크기·양·힘 따위가) 두 배 되는 것; 《구어》 (위스키 등의) 더블; 〖상업〗 장척(長尺)의 피륙. **2** 이중, 겹. **3** 접친 것, 주름; 〖인쇄〗 이중쇄; 〖야구〗 2루타; (야구 따위의) 더블헤더; 〖경마〗 (마권의) 복식; 〖볼링〗 더블스《스트라이크의 2회 연속》. **4** (*pl.*) 〖단수취급〗 (테니스 등의) 더블스, 복식 (경기)(cf. singles); 〖테니스〗 (서비스의) 더블 폴트; (동일 팀의 또는 동일 경기에서의) 2 연승. **5** 꼭 닮은〔빼쏜〕 사람〔물건〕; 산 사람의 원령(怨靈); 〖영화〗 대역; 1인 2역을 하는 배우. **6** 《구어》 2인용 방. **7** (쫓기는 짐승의) 급회전; 역주(逆走). **8** 〖군사〗 속보(速步). **9** (의논 따위의) 책략, 함정. **10** 〖음악〗 변주곡. **11** 〖가톨릭〗 복송(復誦)의 축일. ***be*** a person***'s*** ~ 아무를 꼭 닮다, 빼쏘다. ~ ***or nothing*** 〔***quits***〕 빚을 진 쪽이 지면 빚이 두 배로 되고 이기면 빚이 없어지는 내기; 이를 모방한 놀음. ***make a*** ~ (2연발 총으로) 두 마리를 한꺼번에 잡다; (육상·경영(競泳)에서) 두 종목에 우승하다. ***on*** 〔***at***〕 ***the*** ~ 《구어》 속보로; 급히, 곧. ***split a*** ~ 〖야구〗 (더블헤더에서) 서로 승패를 주고받다.
— *vt.* **1** 두 배로 하다, 배로 늘리다; …의 갑절이다: ~ a sum 총계를 두 배하다/~ itself 배가 되다. **2** 《~+목/+목+부》 겹치다, 포개다, 이중으로 하다; (실 따위를) 두 올로 드리다; 둘로 접다《*up; over*》: I ~*d over* a leaf. 나는 책장을 접었다. **3** (두 가지 역을) 혼자서 하다〔겸하다〕; …의 대역(代役)도 겸하다: ~ the part of the mother. **4** 《~+목/+목+부/+목+전+명》 한 방에 같이 넣다: ~ (*up*) a passenger *with* another 승객을 다른 사람과 같은 칸에 동승시키다. **5** (경기자 등을) 2인조로 하다. **6** 〖음악〗 (성부)에 한 옥타브 위〔아래〕의 성부를 겹치다. **7** 〖해사〗 (갑(岬) 따위를) 회항(回航)하다. **8** 〖야구〗 (주자를) 2루타로 진루시키다, 2루타로 득점시키다《*in*》; (주자를) 더블플레이의 두 번째 아웃되게 하다; 〖당구〗 되튀어 돌아오게 하다; 〖브리지〗 (상대방이 건 것을) 배로 하다; (상대방의) 두 배를 걸다. **9** (주먹을) 쥐다: ~ one's fists.
— *vi.* **1** 두 배가 되다, 배로 늘다. **2** 힘〔노력, 내깃돈〕을 배가하다. **3** 《+부》 둘로 접히다, 겹쳐지다; (고통 따위로) 몸을 구부리다《*up; over*》: He ~*d over* 〔*up*〕 with pain. 아파서 몸을 구부렸다. **4** 《~/+전+명/+부》 (쫓기는 짐승 등이) 급각도로 몸을 돌리다, 갑자기 되돌아 뛰다《*back*》: ~ *upon* one's steps 오던 방향으로 되돌아가다/~ *upon* the enemy 갑자기 되돌아 적에게 달려들다/The fox ~*d back*. 여우는 급회전했다. **5** 〖군사〗 속보로 걷다. **6** 〖야구〗 2루타를 치다. **7** 《~/+*as* 보》 1인 2역을 하다; 겸용하다: ~ *as* secretary and receptionist 비서와 접수계의 1인 2역을 하다/The living room ~*s as* a dining area. 거실이 식사하는 장소를 겸하고 있다. **8** 〖당구〗 되튀어 돌아오다. **9** 《미속어》 =DOUBLE-DATE.
~ ***back*** 접어 젖히다; 되돌리다; 갑자기 되돌아 뛰다. ~ ***for*** 《미속어》 …의 대용(역)을 하다. ~ ***in*** (안쪽으로) 접어 넣다. ~ ***in brass*** 《미속어》 아르바이트를 해서 이중으로 수입을 올리다; 다른 역을 겸하다. ~ ***the parts of*** …의 두 가지 역을 (맡아)하다. ~ ***up*** 《*vt.*+부》 ① 둘로 접다. ② (고통 따위가) 몸을 구부리게 하다. **—** 《*vi.*+부》 ③ (고통 따위로) 몸을 구부리다《*with*》(⇨ *vi.* 3). ④ 한 집에 두 가족이 살다; 남과 한방을 쓰다《*with*》: She's *doubling up with* a friend. 그녀는 친구와 한방을 쓰고 있다.
dóuble-àct *n.* 공연(共演)하는 두 배우〔코미디언〕, 두 사람이 하는 만담.
dóuble-ácting *a.* 복동(複動)(식)의; 복동〔복식〕 작용의. opp. *single-acting.* ¶ a ~ engine 복동 기관.
dóuble ágent 이중 간첩.
dóuble áx(e) 양날 도끼.
dóuble-bágger *n.* 《야구속어》 2루타; 《미속어》 얼굴이 못생긴 사람.
dóuble-bánk *vi., vt.* =DOUBLE-PARK 《Austral.》 (말·자전거에) 같이 타다.
dóuble-bánked [-t] *a.* (보트가) 쌍좌(雙座)인; (frigate가) 이단식(二段式)인.
dóuble bár 〖음악〗 겹세로줄, 복종선(複縱線).
dóuble-bárrel *n.* 쌍발총.
dóuble-bárreled, 《영》 **-relled** *a.* (쌍안경 따위가) 통(筒)이 두 개인; (연발총 따위가) 쌍총열의, 쌍발식의; 이중 목적의; 모호한; (성(姓) 따위가) 둘 겹친《보기: Lowry-Corry》.
dóuble báss 〖음악〗 더블베이스, 콘트라베이스.
dóuble bassóon 〖음악〗 더블바순《보통 바순보다 한 옥타브 낮은 최저음 목관 악기》.
dóuble béd 2인용 침대.
dóuble-bédded [-id] *a.* 침대가 둘 있는; 2인용 침대가 있는.
dóuble bíll (영화·연극의) 두 편 동시 상연.
dóuble bínd 〖정신의학〗 이중 구속〔속박〕《유년기에, 특히 부모로부터 서로 배반되는 두 개의 명제를 동시에 계속적으로 받을 경우에 생기는 심리적 위기 상황; 분열증의 소지가 됨》; 딜레마.
dóuble-blínd *a.* 〖의학〗 이중맹검(二重盲檢)의 《의료 효과 조사를 위하여 투약이나 치료 등을 누가 받는지를 피실험자나 연구자에게 알리지 않고 하는 방법》. **—** *n.* 이중맹검법(~ test).
dóuble blóck 〖기계〗 겹도르래.
dóuble blúff 상대방에게 거짓이라고 생각하도록 만들고는 사실을 말하는 것; 상대의 음모를 간파하고 미리 상대방의 허를 찌르는〔상대방을 앞지르는〕 행동을 하는 것.
dóuble-bógey 〖골프〗 *n.* 더블보기《표준 타수(par)보다 2타 더 치는 일》. **—** *vt.* (홀을) 더블보기로 하다.
dóuble bóiler 《미》 이중 가마〔냄비〕.
dóuble bónd 〖화학〗 이중 결합.
dóuble-bóok *vt.* (한 방)에 이중으로 예약을 받다《호텔에서 예약 취소에 대비하여》.

dóuble bòttom (배 · 상자 등의) 이중 바닥; 《CB속어》 트랙터트레일러.
dóuble bránd 더블 브랜드《하나의 상품에 메이커와 판매업자 쌍방의 상표가 사용되는 일》.
dóuble-bréasted [-id] *a.* (상의가) 더블인.
dóuble-bréasting *n.* 평행 운영술(平行運營術)《회사측이 비조합원으로 구성된 자회사를 설립하고 하도급 일을 서서히 그 회사로 빼돌리는 것; 노동조합의 closed shop을 타파하려는 책략》.
dóuble búrden 〖사회〗 이중 부담《여자가 가사와 직장 일을 동시에 부담하는 것》.
dóuble cháracter 이중인격.
dóuble-chéck *vt., vi.* 다시 한 번 확인하다, 재확인하다.
dóuble chín 이중 턱.
dóuble-chínned *a.* 이중 턱의.
dóuble-clíck *vt.* 〖컴퓨터〗 딸깍딸깍하다《마우스나 (저장)테의 단추를 두 번 눌러 고르는 일》.
dóuble clóth 겹으로 짠 피륙, 이중직(織).
dóuble-clútch *vi.* 《미》 더블클러치를 밟다.
dóuble-cóncave léns 양면 오목렌즈.
dóuble concérto 〖음악〗 이중 협주곡.
dóuble cónsonant 〖음성〗 이중 자음.
dóuble-cónvex léns 양면 볼록렌즈.
dóuble cóunterpoint 〖음악〗 이중 대위법(對位法).
dóuble-cóver *vt.* =DOUBLE-TEAM.
dóuble créam 《영》 더블 크림《유지방 농도가 높은 크림》.
dóuble-cróp *vi., vt.* (땅에서) 이모작(二毛作)하다.
dóuble cróss **1** 《구어》 배반, 간에 붙었다 쓸개에 붙었다 하기. **2** 《구어》 (내기에서) 져주겠다고 약속해 놓고 이기기. **3** 〖유전〗 염색체의 이중 교차.
dóuble-cróss *vt.* 《구어》 **1** 기만하다, 배반하다, 감쪽같이 속이다. **2** …에게 져 주겠다고 약속해 놓고 이기다. ㊕ **~·er** *n.* 배신자.
dóuble dágger 〖인쇄〗 이중 칼표(‡).
dóuble-dáre *vt.* 용기를 배가하고 대항〔도전〕하다.
dóuble dáte 《미구어》 남녀 두 쌍의 합동 데이트.
dóuble-dáte *vi., vt.* 《미구어》 (…와) 더블 데이트를 하다.
dóuble-déal *vi.* 속이다.
dóuble-déaler *n.* 표리 있는 사람.
dóuble-déaling *a., n.* 두 마음이〔표리가〕 있는 (언행).
dóuble-déck *a.* 이층식의, 이층으로 되어 있는: a ~ bus 〔sandwich〕.
dóuble-décker *n.* **1** 이층 버스〔전차 · 여객기〕; 이중 갑판선, 이층 배; 이단 침대. **2** 《미구어》 이중 샌드위치. **3** =DOUBLEHEADER 2.
dóuble-declútch *vi.* 《영》 =DOUBLE-CLUTCH.
dóuble decomposítion 〖화학〗 복(複)분해.
dóuble-dénsity dìsk 〖컴퓨터〗 배밀도 디스크《배밀도로 기록할 수 있는 플로피 디스크》.
dóuble-dígit *a.* 《미》 두 자릿수의: ~ inflation.
dóuble díghts 《미》 두 자릿수.
dóuble-díp *vi.* 《미구어》 연금과 급료를 이중으로 받다《퇴역 군인 · 퇴직 공무원이 연금을 받으면서 다른 정부 기관에서 일을 하여 급료도 받는 일》. ㊕ **~·per** *n.* **~·ping** *n.*
dóuble dòme 《미속어》 지식인(egghead).
dóuble dóor 양쪽으로 여닫는 문.
dóuble-dòoring *n.* (호텔에서의) 무전(無錢) 숙박《정문으로 들어와 체크인하여 묵고 뒷문으로 도망침》.
dóuble dríbble 〖농구〗 더블 드리블《반칙》.
dóuble Dútch 〔**dútch**〕 《구어》 통 알아들을 수 없는 말.
dóuble-dúty *a.* 두 가지 역할〔기능〕을 가진.
dóuble·dýed *a.* 두 번 물들인; 《비유》 (악당 따위가) 악에 깊이 물든, 딱지 붙은.
dóuble éagle 〖문장(紋章)〗 쌍두(雙頭)의 독수리; 《미》 옛 20 달러짜리 금화; 〖골프〗 기준 타수보다 3 타수 적은 홀인.
dóuble-édged *a.* 양날의; (적과 자기편) 양쪽을 다 노린《의논 따위》; 이중 목적〔효과〕의; 두 가지로 해석할 수 있는, 애매한.
dóuble-edged swórd (긍정과 부정의) 양면성을 지닌 상황〔결정〕.
dóuble élephant (장부 용지의) 엘러펀트 배형(倍型) 종이《27×40 인치》.
dóuble-énded [-id] *a.* 두 결과로 끝난; 양득(兩得)의; 양끝이 닮은, 앞뒤가 없는《전차 · 나룻배 따위》, 양쪽으로 사용할 수 있는.
dóuble énder 앞뒤가 없는 것, 양쪽으로 다 사용할 수 있는 것; 앞뒤가 없는 기관차〔배〕.
double en·ten·dre [dʌ́bla:ntá:ndrə, -tá:nd] 《F.》 은연중 야비한 뜻이 담긴 어구(의 사용); 이중 뜻.
dóuble éntry 〖부기〗 복식 부기; 복식 기입.
dóuble envélopment 〖군사〗 양익(兩翼) 포위〔공격〕《적의 양 측면을 동시에 공격하는 것》.
dóuble expósure 〖사진〗 이중 노출.
dóuble-fáced [-t] *a.* 두 마음이 있는, 위선의; 양면이 있는; 안팎으로 쓸 수 있게 만든《직물 따위》.
dóuble fáult 〖테니스〗 더블 폴트《두 번 계속된 서브 실패; 1점을 잃음》.
dóuble féature (영화 등의) 두 편 계속 상영.
dóuble fertilizátion 〖식물〗 중복 수정.
dóuble-fígure *a.* 《영》 두 자릿수의.
dóuble fígures 《영》 두 자릿수.
dóuble fírst 〖영대학〗 두 과목 수석: He took a ~. 그는 두 과목에서 수석을 하였다.
dóuble flát 〖음악〗 겹내림표(♭♭).
dòuble·gánger *n.* 산 사람의 유령.
dòuble-glázed *a.* 《영》 이중 유리의《창 · 문》.
dóuble glázing 《영》 이중 유리《단열 · 방음용》.
dóuble hárness **1** 쌍두마차(용 마구(馬具)). **2** 협력; 결혼 생활(matrimony). ***in*** **~** 둘이 협력하여; 결혼하여: work 〔run〕 *in* ~ 부부가 맞벌이하다. ***trot in*** **~** ⇨ TROT.
dóuble·héader *n.* **1** 기관차를 둘 단 열차. **2** 《미》 (야구 시합 따위의) 더블 헤더. **3** 《미속어》 동시에 같은 상품을 두 개 이상 사는 고객.
dóuble-héarted [-id] *a.* 두 마음이〔표리가〕 있는.
dóuble-hélical *a.* 〖생화학〗 이중 나선(二重螺旋)의.
dóuble hélix 〖유전〗 (DNA의) 이중 나선 구조.
dóuble-húng *a.* (창문이) 내리닫이인.
dóuble ímage 이중상《한 화상이 동시에 다른 화상으로도 보이는 일; 산이 자고 있는 사자로 보이는 따위》.
dóuble indémnity 〖보험〗 재해 배액 지불 특약《사고에 의한 사망의 경우》.
dóuble insúrance 중복 보험.
dóuble jéopardy 〖법률〗 이중 위험《동일 범죄로 피고를 재차 재판에 회부하는 일》: prohibition against ~ 일사부재리.
dóuble-jóbber *n.* 《영》 (정규의 급료 보전(補塡)을 위해) 부업을 하는 사람. ㊕ **-jóbbing** *n.*
dóuble-jóinted [-id] *a.* 2 중 관절이 있는《손가락 · 발 따위》.
dóuble knít 겹으로 뜬 편물.
dóuble-léaded [-lédid] *a.* 〖인쇄〗 (인테르를 끼워) 행간을 2 배로 넓힌.
dóuble létter 〖인쇄〗 합자(合字)《æ, fi 따위》.
dóuble lífe 이중생활, 표리 있는 생활: lead 〔live, have, follow〕 a ~ 이중생활을 하다.
dóuble-lóck *vt.* 이중으로 자물쇠를 채우다; 문단속을 엄중히 하다.
dóuble méaning 두 뜻, 양의(兩意).
dóuble-mínded [-id] *a.* 두 마음을 가진; 결

심을 못 하는.

dóuble négative 〖문법〗 이중 부정.

> NOTE 부정이 겹쳐서 긍정이 되는 때와, 강한 부정이 될 때가 있음: 〔긍정〕 *not impossible* (=**possible**). 〔강조한 부정〕 I *don't* know *nothing.* (=**I know nothing.**)《후자는 일반적으로 교양 없는 용법》.

dou·ble·ness [dʌ́blnis] *n.* Ⓤ 중복성; 이중; 2배 크기; (행동의) 표리.

dóuble níckel 《CB속어》 시속 55 마일《1973년 이래 시행되고 있는 간선도로의 제한 속도》.

dóuble nóte 〖음악〗 배온음표.

dóuble-ó, dóuble-Ó (*pl.* ~*s*) *n.* 《미속어》 엄밀한 검사; 시찰 여행. [◀ *o*nce-*o*ver]

dóuble óption 〖증권〗 복합 옵션. 「(0).

dóuble or nóthing 〔**quíts**〕 2배 혹은 제로

dóuble-párk *vt., vi.* 이중〔병렬〕 주차하다《보통 주차 위반》. ㊞ ~·**ing** *n.*

dóuble pláy 〖야구〗 더블 플레이, 병살(倂殺).

dóuble pneumónia 〖의학〗 양측 폐렴.

dóuble posséssive 〖문법〗 이중 소유격《a friend of father's 의 of father's 따위》.

dóuble·póstal càrd 〔**póstcard**〕 왕복엽서 (a return post card).

dóuble precísion 〖컴퓨터〗 배정도《하나의 수(數)를 나타내기 위하여 컴퓨터의 두 개의 워드를 사용하는 일》.

dóuble prínting 〖사진 · 영화〗 이중 인화《2개 이상의 네거에서 1매의 프린트를 만드는 것》.

dóuble púrchase 〖해사〗 gun tackle(한가닥의 로프로 2개의 단활자를 연결한 활차 장치).

dóuble-quíck *n.* Ⓤ,Ⓒ 속보(速步). ── *a.* 속보의, 매우 급한. ── *ad.* 속보로, 매우 급하게. ── *vi.* 속보로 행진하다.

dóuble quótes 큰 따옴표(" ").

dóuble réed 〖음악〗 더블리드《오보에 · 바순 따위의 두 개의 혀》; 더블리드 악기.

dóuble-réed *a.* (오보에 · 바순처럼) 리드(reed)가 두 개 있는. 「다.

dóuble-refíne *vt.* 〖야금〗 다시 정련(精錬)하

dóuble refráction 〖광학〗 복(複)굴절.

dóuble rhýme 〖운율〗 이중 압운(押韻)《행 끝 두 음절의 압운: *numbers*: *slumbers*》.

dóuble rhýthm 〖운율〗 약음부가 양음부(揚音部)의 2배 길이의 음률.

dóuble-ríng *a.* 반지 교환의: a ~ ceremony.

dóuble-rípper, -rúnner *n.* 《미》 =BOBSLED.

dóuble róle 〖영화〗 1인 2역.

dóuble róom 더블베드가 있는 2인용 방.

dóuble-rúle *vt.* 〖회계〗 (수지 계정)에 이중 밑줄〔종료선〕을 긋다.

dóuble sált 〖화학〗 복염(複塩).

dóuble shárp 〖음악〗 겹올림표(𝄪).

dóuble shíft (공장 · 학교 등의) 2교대제로 근무하거나 공부하는 그룹.

dóuble shúffle 좌우의 발을 2도(度) 정도 빠르게 질질 끌 듯하는 스텝; 《속어》 애매하게 말하는 화술; 어수선한〔갈피를 잡을 수 없는〕 회견; 도주, 도피; 기만(欺瞞); 《속어》 사기.

dóuble-síded *a.* 양면이 있는, 양면성의, 양면을 갖는; (겉과 안의) 양쪽 마무리의: a ~ disk 〖컴퓨터〗 양면 플로피 디스크.

dóuble-spáce *vi., vt.* 한 줄 띄어서 타자하다.

dóuble·spèak *n.* 거짓말, 속임수. ── *vi.* 거짓말하다, 속이다; 본의와는 반대의 뜻으로 말하다.

dóuble-speed dríve 〖컴퓨터〗 배속(倍速) 드라이브《데이터의 전송 속도를 매초 300킬로바이트(KB)까지 높인 CD-ROM 드라이브》.

dóuble spréad (신문 등의) 2페이지 크기의 광고, 양면 광고.

dóuble stándard 이중 표준《남성에게 여성보다 관대하도록 설정한 성도덕 기준》; 〖경제〗 =BIMETALLISM. Ⓒf. single standard.

dóuble stár 〖천문〗 이중성(星), 쌍성(雙星)《접근해 있으므로 육안으로는 하나같이 보임》.

dóuble stéal 〖야구〗 더블 스틸, 중도(重盜).

dóuble-stóp 〖음악〗 *vt., vi.* (둘 이상의 현을 동시에 켜서) 중음(重音)을 내다. ── *n.* 중음.

dóuble súgar 〖화학〗 이당(二糖)(disaccharide).

dóuble-sýstem sóund recòrding 《영화》 (촬영과 동시에 별도의 테이프로 녹음하는) 이중 방식.

dou·blet [dʌ́blit] *n.* **1** 몸에 꼭 끼는 상의《르네상스 당시의 남자용》. **2** 쌍〔짝〕의 한쪽, 아주 비슷한 것의 한쪽; (*pl.*) 쌍둥이. **3** 한 쌍의 것 (couple). **4** 〖언어〗 이중어(二重語)《같은 어원에서 갈린 두 말; 예를 들면 bench와 bank, fragile과 frail》. **5** (흔히 *pl.*) 두 개의 주사위를 던져서 나온 같은 수; 〖도미노〗 양쪽 면에 동수의 점이 있는 패. **6** 〖인쇄〗 착오로 두 번 식자한 단어; (*pl.*) 〖사냥〗 쌍발총으로 쏘아 떨어뜨린 두 마리의 새. **7** (현미경 등의) 이중 렌즈; 〖물리〗 (스펙트럼의) 이중항(二重項), 이중선(線); 〖통신〗 이극 안테나 (dipole antenna). **8** 다른 종류의 것을 접합해 만든 모조 보석; 《미속어》 가짜, 모조품.

dóuble táckle 이중 도르래.

dóuble táke 1 예기치 않은 상황 · 말 등에 대한 늦은 반응. **2** (희극에서) 멍하니 듣다가 뒤늦게 깜짝 놀라는 체하는 연기; 다시 보기. ***do a*** ~ 멍하니 있다가 갑자기 깨닫다.

dóuble-tàlk 《구어》 *n.* **1** 애매한 이야기; 속 다르고 겉 다른 말. **2** 보통 말에 무의미한 음성을 규칙적으로 넣어서 말하는 방법. ── *vi., vt.* 속 다르고 겉 다른 말을 하다〔로 속이다〕.

dóuble tápe (자기 테이프의) 양면에 자성 물질을 도포한 테이프.

dóuble-téam *vt.* (축구 · 농구 따위에서) 동시에 두 선수로 방해〔방어〕하다.

Dóuble Tén 〔**Ténth**〕 (the ~) (타이완의) 쌍십절(雙十節)《정부수립 기념일; 10월 10일》.

dóuble·thìnk *n.* Ⓤ 이중 사고(思考). ── *vi.* 이중 사고를 하다. 「(agger).

dóuble tíde 〖해사〗 1일 2회조, 이중 조수

dóuble tìme 1 〖군사〗 속보(double-quick)《구보 다음 가는 보행 속도》. **2** (휴일 노동 등의) 임금 배액 지급.

dóuble-tìme *a.* 속보(速步)의(double-quick). ── *vt., vi.* 속보로 행진하(게 하)다.

dou·ble·ton [dʌ́bəltən] *n.* 〖카드놀이〗 손에 있는 두 장의 짝맞는 패. Ⓒf. singleton.

dóuble-tòngue *vi., vt.* 〖음악〗 (취주 악기로 빠른 템포의 스타카토 악절을) 복절법(複切法)으로 연주하다. ㊞ **-tòngu·ing** *n.* 복절법.

dóuble-tóngued *a.* 일구이언하는, 거짓말하는; 위선적인.

dóuble tráck 〖철도〗 복선; 〖항공〗 한 노선에 복수의 항공 회사가 경합하여 행하는 운항.

dóuble-tráck *vt.* 〖철도〗 복선으로 하다; 〖항공〗 한 노선을 복수의 항공 회사가 경합 운항하다.

dóuble·trèe *n.* 수레의 가로대《말 두 필이 나란히 끌 때 여기에 singletree를 연결함》. Ⓒf. singletree, whiffletree.

dóuble-tróuble *n., a.* 《미》 더블트러블《농장의 흑인 노동자 사이에서 시작된 댄스 스텝》; 《미속어》 매우 귀찮은 (일), 몹시 곤란한 (일), 아주 번거로운 (일). 「사).

dóuble trúck (신문 등의) 좌우 양면 광고〔기

dóuble vísion 〖의학〗 복시(複視) =DIPLOPIA.

dóuble wédding 두 쌍의 합동 결혼식.
dóuble whámmy 1 이중고, 더블 펀치; 이중의 불운. **2** 저주.
dóuble-wíde *a.* 폭이 2배의, 2배폭의, 통상보다 2배 넓은. **—** [ㅅ̀ㅅ́] *n.* 2대 연결의 이동 주택.
dóuble wìng formátion 〖미식축구〗 양익(兩翼) 공격 대형《좌우에 wing back을 배치한 진형》.
dóuble yèllow líne 이중 황색선. **1** 《미》 도로의 중앙 분리선. **2** 《영》 도로 가의 주차 금지선.
dóu·bling *n.* Ⓤ 배가, 배증(倍增); 접어 겹치기; 이중으로 댐; 주름 (잡기); (*pl.*) (의복 따위의) 안; 〖방직〗 두 가닥 (이상)으로 실을 드림, 합사(合絲); (추적을 벗어나기 위한) 급회전; 회항, 주항(周航); 재(再)증류(한 술); 〖생물〗 계대(繼代)《세포를 연속적으로 배양하여 대를 겹침》.
dou·bloon [dʌblúːn] *n.* 옛 스페인의 금화(金貨) 이름; (*pl.*) 《속어》 돈(money).
°**dóu·bly** *ad.* 두 배로; 이중으로; 둘로 접어서; 《폐어》 일구이언으로.
⁑**doubt** [daut] *n.* **1** Ⓤ 의심, 의혹, 의구심, 회의, 불신: There is some ~ (*as to*) *whether* he will be elected. 그가 당선될지 좀 의문이다.

> SYN. **doubt** '…이 사실이 아닌지도 모른다, (무엇인가가) 없지는 않은지' 하는 의심, 의혹: have *doubt* about report 보고에 의혹을 품다. **suspicion** '배후에 …을 숨기고 있는 것은 아닌지, (무엇인가) 있지는 않은지' 하는 의심, 용의, 혐의: I have a *suspicion* that he told me a lie. 그가 나에게 거짓말을 한 것은 아닐까. **distrust** 원인이 doubt 이건 suspicion 이건 상대방을 믿지 않는 일, 불신.

2 Ⓒ 불확실함, 의심스러움: No one could have ~*s as to* his success. 아무도 그의 성공이 의심스럽다는 사람은 없을 것이다. **3** 피해, 결점, 곤란. ***beyond*** 〔***out of***〕 (***all***) ~ = ***beyond*** (***the shadow of***) ***a*** ~ =***beyond a shadow of*** ~ 의심할 여지 없이, 물론. ***give*** a person ***the benefit of the*** ~ 아무에 대해서 미심한 점을 선의(善意)로 해석하다. ***have*** one's ~***s about*** 〔***whether***〕 …인지 어떤지 미심쩍게 여기다. ***in*** ~ 의심하여, 망설이고. ***make*** 〔***have***〕 ***no*** ~ ***of*** 〔***that***〕 …을 전혀 의심하지 않다, …을 확신하다. ***no*** ~ ① 의심할 바 없이, 확실히. ② 아마, 다분히(probably). ***throw*** ~ ***on*** 〔***upon***〕 …에 의심을 품다. ***without*** (***a***) ~ 의심할 여지 없이; 틀림없이, 꼭.
— *vt.* **1** 《~+목/+*wh.* 절/+*that* 절/+*-ing*》 의심하다, (진실성·가능성 따위에) 의혹을 품다, …을 미심쩍게 여기다: I ~ it. (그런데) 그게 정말일까/We ~ *whether* 〔*if*〕 he deserves the prize. 그가 그 상에 합당한지 의심스럽다/I don't ~ (*but*) *that* he will pass. 그는 꼭 합격하리라고 생각한다/We don't ~ its be*ing* true. 그것이 사실임을 의심치 않는다. **2** …의 신빙성을 의심하다: I ~*ed* my own eyes. 내 눈을 의심하지 않을 수 없었다. **3** 《고어》 …이 아닐까 하고 걱정하다〔생각하다〕.

> NOTE (1) 긍정 구문에서는 doubt whether 〔if〕, doubt that가 되고, 부정·의문 구문에서는 don't doubt that, don't doubt but (that), don't doubt but what가 됨: I *doubt whether* it is true. 그것이 사실인지 어떤지 미심스럽다/I don't *doubt that* he will come. 그가 오리라고 믿어 의심치 않는다.
> (2) doubt는 '…이 아니라고 생각하다, …임을 확신할 수 없다'는 뜻의 의심을 나타냄: I *doubt* that he is innocent. 그 사람은 죄가 없지 않다는 생각이 든다. 이와 반대로 '…이라고 생각하다, …인 것 같다고 의심하다'의 뜻으로는 suspect를 씀: We *suspect* he is a spy. 그는 스파이가 아닌지 모르겠다.

— *vi.* 《+전+명》 의심하다, 의혹을 품다; 미심쩍게 여기다; 불안하게〔확실치 않다고〕 생각하다 《*about; of*》: He ~*s about* everything. 그는 모든 것을 의심한다/I never ~*ed of* his success. 그는 꼭 성공할 것으로 믿고있었다.
㊞ **ㅅ́·a·ble** *a.* 의심의 여지가 있는; 불확실한. **ㅅ́·er** *n.* 의혹을 품는 사람.
⁑**doubt·ful** [dáutfəl] *a.* **1** 의심〔의혹〕을 품고 있는, 확신을 못 하는; (마음이) 정해지지 않은: I am ~ *of* his success. 나는 그가 (꼭) 성공한다고는 확신할 수 없다/I am still ~ *about* speaking to him. 나는 그에게 말을 할 것인가에 대해서는 아직 결심을 하지 못하고 있다. **2** 의심스러운, 의문의 여지가 있는; 확정되지 않은, 확실치 않은: It is ~ *whether* he will come or not. 그가 올지 안 올지는 모른다/The result remains ~. 결말을 아직 예상할 수 없다. **3** 모호한, 미덥지 못한; 수상한, 미심쩍은: a ~ character 수상쩍은 인물/in ~ taste 야비하게. ㊞ **~·ness** *n.*
*__dóubt·ful·ly__ [dáutfəli] *ad.* **1** 의심스럽게; 수상쩍게. **2** 의심을 품고, 망설이며, 마음을 정하지 못하고; 못 미더운 듯이. **3** 막연히, 어렴풋이.
dóubt·ing·ly *ad.* 의심하여, 주저하여.
dóubting Thómas 의심 많은 사람.
*__doubt·less__ [dáutlis] *a.* **1** 의심할 바 없는, 확실한. **2** 의심하지 않는, 확신하고 있는. **—** *ad.* **1** 의심할 바 없이, 확실히; 틀림없이, 꼭, 물론. **2** 아마도, 필시: I shall ~ see you tomorrow. 아마 내일 만나 뵐 수 있겠지요. ㊞ **~·ly** *ad.* =doubtless. **~·ness** *n.*
douce [duːs] *a.* 《주로 Sc.》 침착한; 성실한; 상냥한. ㊞ **ㅅ́·ly** *ad.*
dou·ceur [duːsə́ːr] *n.* 《F.》 행하, 팁; 뇌물.
dou·ceur de vivre [duːsəːrdə viːvrə] 《F.》 인생의 즐거움.
douche [duːʃ] *n.* 《F.》 〖의학〗 관주법(灌注法), 주수법(注水法); 주수〔관주〕기(器). **—** *vt., vi.* (…에) 관주법〔주수법〕을 행하다.
dóuche bàg ① 질(膣) 세정기(의 세정하는 물을 넣은 자루 부분). ② 《미속어》 얼간이, 지겨운 녀석, 마음에 들지 않는 여자. 「칭).
Doug [dʌg] *n.* 더그《남자 이름; Douglas의 애
°**dough** [dou] *n.* Ⓤ 굽지 않은 빵, 가루 반죽; 반죽 덩어리《도토(陶土) 따위》; 《미속어》 돈, 현금; 《미구어》 보병(doughboy). ***My cake is*** ~. 계획은 실패다.
dóugh·bòy *n.* 《영구어》 찐〔삶은〕 경단〔만두〕; 《미구어》 보병(infantryman).
dóugh·fàce *n.* **1** 가면(mask). **2 a** 〖미국사〗 남북 전쟁 때 남부에 찬성한 북부 사람. **b** 《미구어》 물컹이, 물렁팥죽《사람》. 「(步兵).
dóugh·fòot (*pl.* ***~s, -feet***) *n.* 《미구어》 보병
°**dóugh·nùt** *n.* **1** 도넛《과자》. **2** 고리 모양의 물건. **3** 《미》 자동차 타이어.
dough·ty [dáuti] (***-ti·er; -ti·est***) *a.* 《고어·우스개》 강한, 용감한, 굳세고 용맹스러운. ㊞ **dóugh·ti·ly** *ad.* **-ti·ness** *n.*
doughy [dóui] (***dough·i·er; -i·est***) *a.* 가루 반죽〔굽지 않은 빵〕 같은, 물렁한; 날짜의, 설구운(half-baked); 창백한; (머리가) 둔한; (소리가) 둔하고 또렷하지 않은; (문체가) 긴장미가 없는. ㊞ **dóugh·i·ness** *n.* 「칭 Doug).
Doug·las [dʌ́gləs] *n.* 더글러스《남자 이름; 애
Dóuglas bág 더글러스 백《호흡 가스 측정을

위한 호기(呼氣) 채집 주머니》.
Dóuglas fír 〔**píne, sprúce**〕 『식물』 더글러스전나무, 미송(美松)《미국 서부에 많음》.
Dou·kho·bor, Du- [dú:kəbɔ̀:r] *n.* 두호보르, 영혼의 전사(戰士)《18세기 후반 남러시아의 무정부주의적 · 무교회적 분파의 그리스도 교도》.
Dou·ma [dú:mə] *n.* =DUMA.
dóum (**pàlm**) [dú:m(-)] 이집트의 종려나무 (=**dóom pàlm**).
dour [duər, dauər/duə] *a.* 뚱한, 음침한; 《Sc.》 엄한(stern), 고집이 센, 완고한(stubborn). ㊕ **∠·ly** *ad.* **∠·ness** *n.*
dou·ro(u)·cou·li [dùərəkú:li/dù:ru:-] *n.* 『동물』 올빼미원숭이《열대 아메리카산의 야행성》.
douse[1], **dowse** [daus] *vt.* 물에 처넣다《*in*》; …에 물을 끼얹다. — *vi.* 물에 떨어지다〔잠기다〕; 미역감다. — *n.* 억수; 흠뻑 젖음.
douse[2] [daus] *vt.* **1** 《구어》 (촛불 · 칸델라 따위를) 끄다. **2** 《구어》 벗다, 제거하다. **3** 『해사』 (돛을) 급히 내리다; (밧줄을) 늦추다; 현창(舷窓)을 닫다. ~ ***the glim*** 등불을 끄다. — [du:s/daus] *n.* 《영방언》 일격(一擊).
doux [du:] *a.* (샴페인이) 단맛이 가장 많이 도는《당 함유량이 7% 이상》.
DOVAP [dóuvæ̀p] *n.* 『전자』 목표물에서 반사된 전파에 의한 도플러 효과를 이용하여 미사일 따위의 궤도를 측정하는 레이더 시스템. [◂ *D*oppler *V*elocity *a*nd *P*osition]
‡dove[1] [dʌv] *n.* **1** 비둘기《평화 · 온순 · 순결의 상징》. ⓒⓕ pigeon. ¶ a ~ *of* peace 평화의 (상징으로서의) 비둘기. **2** =DOVE GRAY. **3** 유순〔순결, 순진〕한 사람; 귀여운 사람: my ~ 사랑하는 그대여 (my darling)《애칭》. **4** (외교 정책 따위에서의) 비둘기파〔온건파, 화평파〕의 사람, 반전론자. OPP *hawk.* **5** (D-) 성령(聖靈). **6** (the D-) 『천문』 비둘기자리(=**Co·lúm·ba**). ㊕ **~·ish** [dʌ́viʃ] *a.* =DOVISH.
dove[2] [douv] 《미》 DIVE[1] 의 과거.
dóve còlor [dʌ́v-] 담홍회색.
dóve-còlored *a.* 담홍회색의.
dóve·còt, -còte *n.* 비둘기장. ***flutter*** 〔***cause a flutter in***〕 ***the dovecotes*** 평지풍파를 일으키다.
dóve-éyed *a.* 눈매가 부드러운.
dóve gráy 보라색이 도는 회색, 담홍회색.
dóve·hòuse *n.* 비둘기장.
dóve·let [-lit] *n.* 작은〔새끼〕 비둘기.
dóve·lìke *a.* 비둘기 같은; 유순한, 상냥한.
Do·ver [dóuvər] *n.* 도버《영국 남동부의 항구 도시》. ***the Strait***(***s***) ***of*** ~ 도버 해협.
Dóver's pówder 『약학』 도버산(散), 아편 토근산(吐根散)《진통 · 발한제》.
dóve·tàil *n.* 『건축』 열장이음; 열장장부촉. — *vt., vi.* 열장장부촉으로 잇다, 열장이음으로 하다; (사실 · 지식 등을) 긴밀히 들어맞추다; 꼭 들어맞다 《*in; into; to*》.

dovetails

dóvetail jóint 『건축』 열장이음.
dov·ish [dʌ́viʃ] *a.* 비둘기 같은; 비둘기파적(的)인. ㊕ **~·ness** *n.* 비둘기파적인 성격.
Dow [dau] *n.* =DOW-JONES AVERAGE.
dow ⇨ DHOW.
DOW 『미군사』 died of wounds (전사).
DOW., dow. dowager.
dów·a·ble *a.* 『법률』 과부재산권에 따르는; 과부재산을 받을 자격이 있는.
dow·a·ger [dáuədʒər] *n., a.* 『법률』 귀족 미망인(의)《망부(亡夫)의 재산 · 칭호를 이어받은 과부》, 《특히》 왕후(王侯)의 미망인, 후실; 《구어》 기품 있는 귀부인: a ~ duchess (영국의) 공작 미망인 / a queen ~ (왕국의) 태후 / an empress ~ (제국의) 황태후.
dow·dy [dáudi] (***-di·er; -di·est***) *a.* (복장이) 초라한, 단정치 못한; 촌스러운, 시대에 뒤진. — *n.* 초라한 차림의 여자; 《미》 = PANDOWDY. ㊕ **-di·ly** *ad.* **-di·ness** *n.* **~·ish** [-diiʃ] *a.*
dow·el [dáuəl] *n.* 『기계』 은못; 『건축』 장부촉. — (***-l-***, 《영》 ***-ll-***) *vt.* 은못으로 잇다.
dow·er [dáuər] *n.* ⓊⒸ 『영법률』 미망인의 상속몫《망부의 유산 중에서 그 미망인이 받는 몫》; 《고어 · 시어》 =DOWRY; 천부의 재능. — *vt.* …망부의 유산 일부를 그 미망인에게 주다; (재능을) 부여하다《*with*》.
dówer hòuse 과부의 주거《과부재산의 일부로서 죽은 남편의 토지에 있는 가옥》; (옛날 country house가 있던 토지 안의) 작은 가옥.
dow·itch·er [dáuitʃər] *n.* 『조류』 큰부리도요《북아메리카 · 아시아산(産)》.
Dów Jónes àverage 〔**ìndex**〕 [dáudʒóunz-] (the ~) 『증권』 다우존스 평균 (주가) 〔지수〕.
Dów Jónes indústrial àverage (the ~) 『증권』 다우존스 공업주(工業株) 평균 주가《생략: D.J.I.A.》.
dow·las [dáuləs] *n.* Ⓤ 리넨(용 무명).
†down[1] ⇨《p. 753》 DOWN[1].
down[2] [daun] *n.* Ⓤ 솜털, 부등깃털《깃이불에 넣는》; 배내털; 『식물』 (민들레 따위의) 관모(冠毛); (복숭아 따위의) 부드러운 털.
down[3] *n.* **1** (흔히 *pl.*) (넓은) 고원지; 《고어》 작은 사구(砂丘)(dune); 나무 없는 고원, 구릉지. **2** (D-) 다운스(Downs) 지방 원산의 양.
dówn-and-dírty [-ən-] *a.* (성(性) · 정치 문제 따위가) 타락하고 더러운, 부도덕한.
dówn-and-óut [-ənd-] *a., n.* 아주 영락〔쇠약〕한 (사람); 호되게 얻어맞은 (권투 선수); 『미식축구』 다운앤드아웃《리시버가 곧장 다운필드를 달리는 듯하다가, 갑자기 사이드라인 쪽으로 돌아서 패스를 받는 플레이》. ㊕ **~·er** *n.*
dówn-at-(the-)héel(s) *a.* 허술한, 보잘것없는, 가난한. — *n.* 빈민.
dówn·bèat *n.* **1** 『음악』 (지휘봉을 위에서 아래로 내려 지시하는) 하박(下拍), 강박(強拍). **2** ⓊⒸ 쇠미, 감퇴. — *a.* 《구어》 **1** 우울한, 불행한, 비관적인. **2** 온화한.
dówn·bùrst *n.* (적란운으로부터의) 강한 하강기류《때로 심한 뇌우를 수반》.
dówn cálver 출산이 가까워진 암소.
dówn·càst *a.* (눈이) 아래로 향한; 기가 꺾인, 풀죽은. — *n.* 눈을 내리깔기; 우울한 표정; 파멸, 멸망; 『광물』 공기갱(을 흐르는 공기); 『지학』 =DOWNTHROW.
dówn·còmer *n.* 물건을 아래쪽으로 보내는 파이프.
dówn·convèrter *n.* 『전자』 신호를 낮은 주파수로 바꾸는 장치. ㊕ **-convèrsion** *n.*
dówn·cóurt *ad., a.* 『농구』 상대 코트의 엔드라인 쪽으로〔의〕.
dówn·cỳcle *n.* (경제 따위의) 하강 사이클.
dówn·dràft, 《영》 **-dràught** *n.* (굴뚝 등의) 하향 통풍; 하강 기류; (경기 따위의) 감퇴.
dówn-drìft *n.* 하향추세, 점차적 감퇴.
dówn éast (종종 D- E-) 《미》 미국 동부《New England, 특히 Maine 주》의〔로〕.
dówn éaster 《미》 **1** (종종 D- E-) 뉴잉글랜드 사람《특히 Maine 주 사람》. **2** (19세기에) 동

down[1]

반의어(反義語) up 과 상대되는 중요한 전치사적 부사(prepositional adverb)의 하나로서, 주로 전치사와 부사로 쓰이며, break, get, put, set, take 따위 여러 동사와 결합하여 많은 중요 동사구를 만든다.

예컨대: The car *broke down*. 차가 고장났다. *Put* your pen *down*. 펜을 놓아라. 이들에 대해서는 각기 그 동사의 항을 참조할 것. 여기에서는 형용사적 용법 및 기타 용법도 포함하여 이 중요 단어 자체의 말뜻을 풀이하기로 한다.

down [daun] *ad.* (최상급 ***down·most*** [dáunmòust]) OPP. *up*. 《be 동사와 함께 쓴 경우는 형용사로 보기도 함》 **1 a** (높은 곳에서) 아래(쪽으)로; (밑으로) 내려; (위에서) 지면에; 바닥으로; (해 따위가) 져, 저물어: sit ~ 앉다/look ~ 내려다보다/pull the blind ~ 창문의 차양을 내리다/get ~ from the bus 버스에서 내리다/The sun goes 〔is〕 ~. 해가 저문다〔저물었다〕. **b** (위층에서) 아래층으로: come ~ 아래(층으)로 내려오다/He's not ~ yet. 그는 아직 (위층 침실에서) 내려오지 않고 있다. **c** (먹은 것을) 삼키어: swallow a pill ~ 알약을 삼키다. **d** (가격·율·지위·인기 따위가) 내리어; 떨어져; (수량·액이) 줄어져; (바람 따위가) 약해져; 고요〔조용〕해져; 가라앉아: bring ~ the price 값을 내리다/Prices are ~. 물가가 내렸다/The wind died 〔has gone〕 ~. 바람이 가라앉았다/The sea is ~. 바다가 잔잔〔고요〕해졌다. **e** 누워(서); (건강이) 쇠약해져; (아무가) 의기소침하여: lie ~ 눕다/He is ~ in health. 그는 건강이 나빠져 있다/I felt a bit ~ about my failure. 나는 실패한 일로 다소 의기소침했다.

2 a (북에서) 남(쪽)으로〔에〕: go ~ to London from Edinburgh 에든버러에서 런던으로 내려가다/~ South 《미》 남부 여러 주(州)로.

> NOTE 《미》에서는 대도시를 중심으로 up, down을 쓰지 않으며 대서양 연안 지방의 저지(低地) 및 남방에는 down을, 북방에는 up을 붙임. 다만, 《영》에서도 근래에는 미국식 용법이 점차 일반화되고 있음.

b (내륙에서) 연안으로; (강물이) 하류로; 〖해사〗 바람(이) 불어가는 쪽으로: They advanced 5 miles further ~ into the country. 그들은 다시 5마일 아래〔연안·하류·남쪽으〕로 더 나아갔다. **c** (주택 지역에서) 시내〔도심 상업 지역으〕로; 《영》 (수도·중심되는 지역에서) 지방으로; 시골로: take the train from London ~ to Brighton 《영》 런던발(發) 브라이턴행(行) 열차를 타다. ★ 잉글랜드에서는 런던으로 향하는 것을 up, 떠나는 것을 down이라고 함.

3 a (특정한 장소·말하는 사람이 있는 곳에서) 떨어져; 떠나(서): go ~ to the station 정거장〔역〕까지 가다/go ~ to one's office in the city 시내의 회사로 가다. **b** 《영》 (대학에서) 떠나, 졸업〔퇴학, 귀성〕하여: I went ~ in 1980. 나는 1980년 대학을 졸업했다《주로 옥스퍼드·케임브리지 대학을 가리킴》/He was sent ~. 그는 (대학에서) 퇴학당했다.

4 a (위는 …로부터) 아래는 —에 이르기까지: from King ~ to cobbler 위로는 임금님으로부터 밑으로 구두 수선공에 이르기까지. **b** (그 전시기(前時期)로부터) 후기로; (후대로) 내리, 죽; (…) 이래: ~ through the 〔many〕 years 예부터 지금까지/from the 17th century ~ *to* the present 17세기부터 현재까지.

5 〖동사를 생략한 명령문으로서〗: *Down*, Rova! (개를 향해서) 앉아(라), 로버(야)!

6 〖종종 be 따위의 보어로〗 (세력·기운 따위가) 떨어져; 줄어: slow ~ 속도를 줄이다〔떨어뜨리다〕/The fire is ~. 불이 다 타서 꺼지려 하고 있다.

7 a 〖tie, fix, stick 따위 동사에 수반되어〗 단단히; 꽉: fix a thing ~ 물건을 꽉 고정하다/tie ~ the lid of the box 상자 뚜껑을 단단히 매다. **b** 충분히; 철저하게; 완전히: wash ~ a car 차를 깨끗이 세차하다/I am loaded ~ with work. 일이 꽉 차 있다.

8 (종이·문서에) 적어; 써; 기록〔기재〕되어《*in; on*》: write ~ the address 주소를 적어 놓다/I have it ~ somewhere. 그건 어디엔가 메모해 두었다/Please take ~ this letter. 이 편지의 구술(口述)을 받아 써 주시오/Put my name ~ for $10. 10달러를 내 앞으로 기재해 두시오.

9 (회합 따위가) 예정되어; (아무가) …하기로 되어 있어《*to do; for*》; (경기·학교에) 출전자〔입학 지원자〕의 리스트에 올라 있어《*for*》: be ~ *for* a consideration (의안 따위가) 재고에 돌려져/He is ~ to speak 〔*for* a speech〕 at the meeting. 그는 그 모임에서 연설을 하기로 되어 있다.

10 현금으로; 계약금으로: We paid $30 ~ and $10 a month. 30달러는 현금으로 나머지는 10달러씩 월부로 지급했다/No money ~! 계약금 없는 후불(後拂)/pay thirty dollars ~, 30달러를 계약금으로 지불하다.

11 《구어》 (재고·잔고 등이) 부족하여; 모자라; 손해를 보고; …밖에 남지 않아; (…뿐이) 되어《*to*》: I was ten dollars ~ for it. 그걸 사는 데 10달러가 모자랐다/I was ~ *to* my last dollar. 나는 마지막 1달러밖에 남지 않았다.

12 a 완료〔종료〕되어; 끝나: Two problems ~, one to go. 문제의 둘은 끝나고 나머지가 하나. **b** 〖야구〗 아웃돼어; 〖미식축구〗 (볼이) 다운돼어.

13 (억)눌러; 진압하여; 물리쳐; 각하하여: put ~ the rebellion 반란을 진압하다/turn ~ the proposal 그 제안을 거부하다.

14 줄여서; 응축(凝縮)하여, 압축하여; 잘게: grind ~ corn 곡물을 갈아서 잘게 바수다〔으깨다〕/cut ~ expense 지출을 줄이다/turn the radio ~ 라디오의 볼륨을 낮추다/get the report ~ to fifty pages 리포트를 50페이지로 줄이다.

15 〖중지〗 멈춘〔정지〕 상태로〔에〕: argue him ~ 논박하여 그를 침묵시키다/shut ~ the factory 공장을 폐쇄하다/They have settled ~ near Boston. 그들은 보스턴 근처에 정착했다/That little shop has closed ~. 저 작은 가게는 거덜나고 말았다.

16 〖be의 보어로〗 〖경기〗 져; (노름에서) 잃어: Our team is two goals ~. 우리 팀은 두 골 지고 있다/He is ~ (*by*) 5 dollars. 그는 5달러 잃었다.

17 열심히; 진지하게; 본격적〔적극적〕으로: get ~ to work 본격적으로 일에 착수하다.

be ~ on 〔***upon***〕 ***...*** …에 덤벼〔대〕들다; 호통치다; …에 반대하다; (잘못 등을) 호되게 지적하다; …에 원한을 품고 있다; …을 싫어〔비난〕하다; (지불 등을) 무리하게 요구하다《*for*》: He *is* very ~ *on* me. 그는 내게 매우 악감정을 품고 있다. ***~ and out*** =DOWN-AND-OUT. ***~ in the dumps*** 〔***mouth***〕 《구어》 슬픈 표정으로, 기가〔풀이〕 죽어; 우울하여.

~ *to the wire* ⇨ WIRE. ~ *under* ⇨ DOWN UNDER. *Down with* (the tyrant, your money)! (폭군)을 타도하자; (가진 돈)을 내놔라. *up and* ~ ⇨ UP.

— *prep.* **1** 〔이동〕 **a** (높은 곳에서) …의 아래(쪽으)로; …을 내려가; 내리어: ski ~ the slope 비탈을 스키로 미끄러져 내려가다 / fall ~ the stairs 계단에서 굴러 떨어지다. **b** (어떤 지점에서) …을 따라〔지나서〕; …을 내려간 곳에: drive 〔ride, walk〕 ~ a street 거리를 차로〔말을 타고, 걸어서〕 지나다 / There is a station two miles ~ the line. 이 철길을 따라서 2마일 더 내려가면 정거장이 있다. ★ down은 (1) 반드시 '아래, 내려가다'를 뜻하지는 않음. (2) 흔히, 말하는 이〔문제의 장소〕로부터 멀어질 때에 씀. **c** (흐름·바람)을 따라; …방향으로; 내려가; …을 남하하여: ~ (the) wind 바람 불어가는 곳〔방향〕에 / ~ the Thames 템스강 하류에 / sail ~ the East Sea 동해를 남하하다.
2 《구어·방언》 …에(서): ~ home 집에서.
3 〔지배되는 명사는 관사 없이〕 …쪽으로 (내려가)(~ to a 〔the〕): He has gone ~ town. 그는 중심가로 갔다 / Father has gone ~ cellar for a bottle of wine. 아버지는 포도주를 꺼내러 지하실로 내려가셨다.
4 〔때를 나타내어〕 …이래(로 죽): ~ the ages 〔years〕 태고 이래.

— (최상급 ***down·most*** [dáunmòust]) *a.* **1 a** 아래(쪽으)로의; 밑으로의: a ~ leap 뛰어내림. **b** 내려가는; 내리받이의: a ~ elevator 내려가는 승강기 / a ~ slope 내리받이 비탈 / be on the ~ grade 내리받이에 있다. **2** 〖철도〗 (열차 따위가) 남쪽으로 가는; 《영》 하행의; 하행선의; (시의) 도심으로 〔중심부로〕 향하는: a ~ train 《미》 남행 열차; 《영》 하행 열차 / a ~ platform 《미》 남행선 승강장; 《영》 하행선 승강장. **3** 누인, 눕혀진: ~ timber 벌채 끝난 목재. **4** 《속어》 의기소침한, 풀죽은, 기가 죽은, 우울〔음울〕한; 병약한. **5** 계약금의; 현금의: a ~ payment 계약금 지불. **6** 끝낸; 마친(finished). **7** 《구어》 옥중의; 《미속어》 완강한. **8** (바람이) 가라앉은; 고요한. ~ ***and dirty*** 《속어》 (하는 짓이) 더러운.

— *vt.* **1** (…을) 내려놓다; 내리다. **2** (아무를) 지게 하다; 쓰러뜨리다; 쳐부수다; 굴복시키다《수동형 불가능》. **3** (비행기 등을) 격추시키다. **4 a** 《구어》 (…을) 쭉 들이켜다; 마시다: He ~*ed* the medicine at one swallow. 그는 그 약을 단숨에 들이켰다. **b** 급히 먹다; 걸신들린 듯 먹다; 탐식하다. **c** 《영》 술을 먹고 잊어버리다(drink ~): ~ one's sorrow. **5** 《영구어》 (아무를) 깎아내리다; 헐뜯다. **6** 〖미식축구〗 (볼을) 다운하다: ~ the ball on the 20-yard line, 20야드 라인에 볼을 다운하다. — *vi.* 《드물게》 내리다; 내려오다(come ~); (개 따위가) 앉다; 《속어》 진정제를 먹다. ~ ***tools*** 《영》 파업에 들어가다; 일을 (일시) 그치다〔안 하다〕. ~ ***with it*** 《속어》 이해하다, 알다.

— *n.* **1** 내림; 하강(下降). **2** (*pl.*) 불운; 쇠운(衰運); 영락: the ups and ~*s* of life 인생의 부침(浮沈). **3 a** 〖미식축구〗 다운《한 번의 공격권을 구성하는 4번의 공격의 하나》. **b** (레슬링 등에서) 상대를 다운시키기. **4** (a ~) 《구어》 원한; 증오. **5** 《속어》 진정제. **6** 〖컴퓨터〗 고장. ***have a ~ on*** a person 《속어》 아무를 싫어하다; 미워하다; …에게 화를 내다; 반감을 품다.

dówn·er *n.* 《속어》 진정제.

dówn·fàll *n.* **1** (비·눈 따위가) 쏟아짐. **2** U,C 낙하, 추락, 전락(물). **3** 몰락, 멸망, 붕괴; 실각. **4** 몰락〔실패〕의 원인; (정신적) 타락. **5** (추(錘)가 사냥감에 떨어지는) 덫.

dówn·fàllen *a.* 쓰러진, 넘어진; 추락된; 몰락〔실각〕한, 멸망한.

dówn-fàulted [-id] *a.* 〖지학〗 (지형이) 단층작용에 의해 내려간.

dówn·fíeld *ad., a.* 〖미식축구〗 다운필드《공격측이 향하고 있는 방향》에〔의〕.

dówn·flòw *n.* 낮은 곳으로 흐르는 것〔일〕; 하강기류.

dówn·gàuge *vt.* (플라스틱 필름의) 두께를 줄이다.

dówn·gràde *n., a., ad.* 내리받이(의 〔로〕), 내리막(의〔으로〕); 몰락(의〔으로〕). ***on the ~*** 몰락해〔망해〕 가는. — *vt.* **1** …의 품질을〔지위를〕 떨어뜨리다. **2** (싼 임금의 직책으로) 좌천시키다, 강등〔격하〕시키다; (서류)의 비밀 등급을 낮추다. opp. *upgrade.*

dówn·hàul *n.* 〖해사〗 다운홀, 내림밧줄.

dówn·héarted [-id] *a.* 낙담한, 기운 없는, 기가 죽은: Are we ~? 《속어》 지칠까 보냐. 파 ~**·ly** *ad.* ~**·ness** *n.*

°**dówn·híll** *n.* 내리받이; 〖스키〗 활강: the ~ (side) of life 인생의 내리막길《만년》; 《미속어》 (형기·군복무의) 후반기. — *a.* 내리막의; 영락해 가는, 한층 나빠진; 〖스키〗 활강의〔에 적당한〕; 쉬운, 편한《일 등》. — [ˊˊ] *ad.* 비탈을 내려서; 아래쪽으로. ***go*** ~ 비탈을 내려가다; 내리막이 되다, 영락해 가다.

dówn·híller *n.* 〖스키〗 활강 선수.

dówn·hòld *n., vt.* 《미》 삭감(하다).

dówn-hòle *ad.* 땅속으로, 파내려가.

dówn-hóme *a.* 《미구어》 남부의, 남부적인, 남부 특유의; 시골풍의; 상냥한, 붙임성 있는.

down·ie [dáuni] *n.* 《속어》 진정제, 《특히》 바르비투르산(酸)(downer); 《속어》 불쾌한 환각; 《속어》 우울하게 하는〔불쾌한〕 경험〔상황, 사람〕, 혐오감.

Dówn·ing Strèet [dáuniŋ-] **1** 다우닝가(街)《런던의 거리 이름; 수상 관저·외무성 등이 있음》. **2** 영국 정부〔내각〕: find favor in ~ 영국 정부의 평판이 좋다. ***No. 10*** ~ 영국 수상 관저.

dówn-in-the-móuth *a.* 풀이〔기가〕 죽은, 맥이 풀린.

dówn jàcket 다운 재킷《깃털을 넣고 누빈 재킷》.

dówn-lèad [-lìːd] *n.* (안테나의) 옥내 도입선.

dówn·lìnk [dáunlìŋk] *n.* (우주선·위성으로부터) 지상으로의 데이터 송신.

dównlink dáta 〖로켓〗 우주선·탐사기에서 지구로 송신해 오는 정보.

dówn·lòad *vt.* 〖컴퓨터〗 다운로드하다《상위의 컴퓨터에서 하위의 컴퓨터로 데이터를 전송하다》. — *n.* 〖컴퓨터〗 다운로드.

dówn·lóadable *a.* 〖컴퓨터〗 데이터를 큰 시스템에서 작은 시스템으로 전송(傳送) 가능한.

dówn·lòoking *a.* (레이더가) 아래쪽으로 전파를 보내는《저공 비행기나 미사일 대책》.

dówn-màrket 《영》 *a.* 저소득자〔대중〕 상대의; 싸구려의, 조악한. — *ad.* 대중 상대로; 싸구려로.

dówn·mòst *a., ad.* 가장 낮은〔낮게〕.

dówn páyment (선불) 계약금.

dówn·pìpe *n.* 《영》 수직 홈통.

dówn·plày *vt.* 《미구어》 …을 중시하지 않다, 경시하다.

dówn·pòur *n.* 억수, 호우: a ~ of rain 호우.

dówn·prèss *vt.* 억압하다, 종속 상태에 두다.

dówn quàrk 〖물리〗 다운 쿼크《소립자를 구성한다고 생각되는 기본 입자 쿼크의 일종》.

dówn·ránge *ad., a.* (미사일 따위가) 예정 비행 경로를 따라서〔따른〕: a ~ station 미사일 관측소.

dówn·ràte *vt.* 중시하지 않다, 얕보다.

°**dówn·rìght** *a.* 명백한; 솔직한, 노골적인; 완전한; 《고어》 바로 아래로 향한; 곧바른: a ~ lie

부 연안 지방에서 만든 범선; Maine 주에서 출범하는 배.

새빨간 거짓말/a ~ sort of man 솔직한 성질의 사람. — *ad.* 철저히, 완전히; 솔직히. ㊎ ~·**ly** *ad.* ~·**ness** *n.* 「(으로).

dówn·ríver *a., ad.* 하구(河口) 쪽(하류 쪽)의

Downs [daunz] *n. pl.* (the ~) 다운스. **1** 잉글랜드 남부 및 남동부의 구릉지대. **2** 잉글랜드 Kent 주 동해안의 정박지.

dówn·scàle *a.* 가난한, 저(低)소득의, 저소득층에 속하는. — *n.* 저소득층, 하층 그룹. — *vt.* …의 규모를 축소하다. 「하지 않은).

dówn·sèxed [-t] *a.* 성적 매력을 억제한(강조

dówns hèad 《속어》 진정제(마약)에 지나치게 의존하는 사람(=**dówns frèak**).

dówn·shìft *vt., vi., n.* (자동차 운전에서) 저속 기어로 바꾸다(바꿈).

dówn·side *n.* 아래쪽; (그래프 따위의) 하강 부분: on the ~ 아래쪽에; 내림세에/~ up 거꾸로 되어, 뒤집혀서. — *a.* 아래쪽의; 하강의.

dówn·sìze 《미》 *vt.* …을 축소하다, (차 따위를) 소형화하다. — *a., n.* 소형(의).

dówn·sizing *n.* **1** (비대화·관료화한 기업 조직의) 군살 빼기《조기 퇴직, 인원 감축 등》. **2** (자동차·기계 설비 등의) 소형화, 축소. **3** 〖컴퓨터〗 대형 컴퓨터를 고성능의 소형 워크스테이션이나 퍼스널 컴퓨터로 대치하는 움직임.

dówn·slìde *n.* 저하, 하락. 「받이로.

dówn·slòpe *n., a.* 내리받이(의). — *ad.* 내리

dówn·spìn *n.* (가격 등의) 급강하, 하락, 가속도적인 쇠퇴, 조락(凋落).

dówn·spòut *n.* 세로 홈통; 《영》 전당포.

Dówn's sýndrome 다운 증후군(症候群), 몽골증(Mongolism). [◂John L. H. *Down* 영국의 의사; 1828-96]

dówn·stáge 〖연극〗 *ad.* 무대 앞쪽에(서), (영화) 카메라를 향하여. — *a.* 무대 앞쪽의. — [⌐] *n.* 무대 앞쪽.

dówn·stàir *a.* =DOWNSTAIRS.

⁑**dówn·stáirs** *ad.* 아래층에(으로, 에서); 계단을 내려가서: go ~/kick ~ ⇨ KICK[1]. — *n. pl.* **1** 《단·복수취급》 아래층(의 방); 《미》 (극장의) 일층. **2** (한 집의) 고용인들. — [⌐] *a.* 아래층의: ~ rooms. 「으로).

dówn·státe *n., a., ad.* 《미》 주(州) 남쪽(의,

°**dówn·stréam** *ad.* 하류로, 강 아래로. — *a.* 하류의. **opp** *upstream.* — *n.* (석유 산업의) 하류 부문《탐광·개발·채유를 upstream이라 하고 수송·정제·판매를 downstream이라 함》.

dówn·stròke *n.* 위에서 아래로의 움직임, 하향의 운필(運筆).

dówn·swèep *vt., vi.* 아래로 구부리다(굽다), 아래쪽으로 휘게 하다(휘다).

dówn·swìng *n.* **1** 〖골프〗 다운 스윙. **2** (펜으로 쓸 때의) 내리긋는 두툼한 선; (경기·매상·출생률 등의) 하강 (경향).

Dówn sỳndrome =DOWN'S SYNDROME.

dówn·tèmpo *n.* 우울한 노래.

dówn-the-líne *a., ad.* 전면적인(으로), 철저한(히): support a friend ~ 친구를 끝까지 지지하다.

dówn·thròw *n.* 〖지학〗 (단층 한쪽의) 지반(地盤)의 저하, 함몰; 투하; 타도, 전복, 전도(轉倒); 패배. 「래.

dówn·tìck *n.* 〖증권〗 전날 종가(終價)보다 싼 거

dówn·tìme *n.* (기계·공장 등의) 비가동 시간; 〖컴퓨터〗 고장 시간.

dówn-to-éarth *a.* 실제(현실)적인, 진실의; 철저한; 솔직한. ㊎ ~·**ness** *n.*

*__dówn·tówn__ *n.* 《미》 도심지; 중심가, 상가. — *ad.* 도심지에(에서, 로); 중심가(상가)에(에서, 로). — [⌐] *a.* 도심지의; 중심가(상가)의: ~ Chicago 시카고의 번화가. **opp** *uptown.*

㊎ ~·**er** *n.*

dówn·trènd *n.* 하강 경향; 〖경제〗 하락세(勢).

dówn tríp 《속어》 (LSD 등에 의한) 불쾌한 환각; 《속어》 불쾌한 경험, 기분을 잡치게 하는 것

dówn·tròd *a.* 《고어》 =DOWNTRODDEN. 「(일).

dówn·tròdden *a.* 짓밟힌, 유린된; 억압된.

dówn·tùrn *n.* (경기 등의) 내림세, 하락, 후퇴; 침체.

dówn únder 《구어》 **1** 《부사적》 지구의 반대쪽에(으로), 오스트레일리아(뉴질랜드)에(로). **2** (때로 D- U-) 대척지(對蹠地)(antipode); 오스트레일리아, 뉴질랜드; 오스트레일리아·뉴질랜드 지역. cf. down[1].

⁑**dówn·ward** [dáunwərd] *a.* **1** 내려가는, 내리받이의; 아래쪽으로의, 아래로 향한. **2** 저하하는, 쇠미의; (시세 따위가) 하락하는, 내림세의: start on the ~ path 하락(타락)하기 시작하다. **3** 기원(시조)부터의. **4** …이후의. — *ad.* **1** 아래쪽으로; 아래로 향해: face ~ 엎드려(서). **2** 쇠퇴(타락)하여. **3** 이래, 이후. ㊎ ~·**ly** *ad.* ~·**ness** *n.*

dównwardly móbile 《우스개》 (사회·경제적 지위의) 하향 경향의. **opp** *upwardly mobile.*

dównward mobílity 〖사회〗 =VERTICAL MOBILITY.

dówn·wards [-wərdz] *ad.* =DOWNWARD.

dówn·wàrp *n.* Ⓤ 〖지학〗 향사(向斜).

dówn·wàsh *n.* **1** 〖항공〗 (비행 중) 날개가 밑으로 밀어젖히는 공기, 다운워시, 세류(洗流). **2** 밀려 내려가는 것《토사(土砂) 등》.

dówn·wínd *ad., a.* 바람 불어가는 쪽으로(움직이는), 순풍의(leeward).

*__dow·ny__[1] [dáuni] (*__down·i·er; -i·est__*) *a.* 솜털의; 배내털의; 솜털 같은, 폭신폭신한, 포근한; 부드러운; 온화한; 《속어》 교활한, 빈틈없는, 방심하지 않는. — *n.* 《속어》 침대: do the ~ 자고 있다. ㊎ **dówn·i·ness** *n.*

downy[2] *a.* 구릉(성)의, (땅이) 기복이 많은.

dówny míldew 〖식물·세균〗 노균(露菌)(병).

dówn·zòne *vt.* (조밀화(稠密化) 억제를 위해) 지역 지정을 바꾸다.

dow·ry [dáuəri] *n.* **1** 신부의 혼인 지참금. **2** 천부(天賦)의 재능. **3** 《폐어》 과부산(寡婦産) (widow's dower).

dówry dèath 《Ind.》 지참금 살인《신부측의 지참금 지급 불이행을 이유로 행해지는, 남편 또는 그 가족에 의한 신부 살해》.

dowse[1] ⇨ DOUSE[1].

dowse[2] [dauz] *vi.* 점지팡이로 수맥(광맥)을 찾다. ㊎ **dóws·er** *n.*

dówsing ròd =DIVINING ROD.

Dów thèory [dáu-] 다우 이론《시장의 가격 변동에 의거한 주식 시세의 예상법》.

dox·ol·o·gy [dɑksɑ́lədʒi/dɔksɔ́l-] *n.* 〖기독교〗 신을 찬미하는 시, 영광의 찬가; (예배 끝의) 찬송가, 송영(頌詠). ㊎ **dox·o·log·i·cal** [dɑ̀ksəlɑ́dʒikəl/dɔ̀ksəlɔ́dʒ-] *a.*

dox·o·ru·bi·cin [dɑ́ksərúːbəsin/dɔ́k-] *n.* 〖약학〗 독소루비신《토양균에서 추출되는 항생 물질; 항암제로 쓰임》.

doxy[1], **dox·ie** [dɑ́ksi/dɔ́k-] *n.* 《구어》 (특히 종교상의) 설, 교의, 의견.

doxy[2] 《고속어》 *n.* 행실이 나쁜 여자, 《특히》 매춘부; 정부(情婦).

dox·y·cy·cline [dɑ̀ksəsáikliːn, -klin/dɔ̀k-] *n.* 〖약학〗 독시사이클린《기관지염·임질 치료제》.

doy·en [dɔién, dɔ́iən/dɔ́iən] *n.* 《F.》 고참자, 장로; (단체의) 수석; (전문 분야의) 일인자.

doy·enne [dɔién] *n.* 《F.》 DOYEN의 여성형.

Doyle [dɔil] *n.* Sir **Arthur Conan** ~ 도일《영국의 추리소설가(1859-1930); *Sherlock Holmes*

를 창조》.

doy·ley [dɔ́ili] *n.* =DOILY.

doz. dozen(s).

°**doze**[1] [douz] *vi.* 《~/+副/+前+名》 졸다, 꾸벅꾸벅 졸다, 겉잠 들다《*off; over*》: ~ *off* 꾸벅꾸벅 졸다 / ~ *over* one's work 일하면서 꾸벅꾸벅 졸다. SYN. ⇨SLEEP. **—** *vt.* 《+目+副》 (시간을) 졸면서 보내다《*away*》: ~ *away* one's time. **—** *n.* **1** 졸기, 겉잠: fall 〔go off〕 into a ~ 꾸벅꾸벅 졸다. **2** (목재가) 썩음(dote).

doze[2] *vt.* 《구어》 =BULLDOZE.

‡**doz·en** [dʌ́zn] (*pl.* ~(*s*)) *n.* **1** 1다스, 1타(打), 12(개)《생략: doz., dz》; 〔형용사적〕 1다스의, 12(개)의.

> NOTE 수사(數詞) 또는 some 이외의 수사 상당어(several, many 따위)의 뒤에 형용사적으로나 명사로 쓰일 때에는 보통 단·복수 동형임: five *dozen* eggs 달걀 5타 / three *dozen* of these eggs 이 달걀 3타 / some *dozens* of eggs 달걀 몇 타.

2 (the ~s) 《미속어》 상대방 모친(母親)에 대한 욕을 서로 하는 게임《특히 흑인의 게임》.
a baker's* 〔*devil's, long, printer's*〕 ~** 13개. ***a round* 〔*full*〕 ~** 에누리 없는 한 타. ***by the* ~(*s*)** 수십(개)씩. **~*s of 수십의, 많은: ~*s of* times 여러 번, 몇 십 회 / ~*s of* people 몇 십 명 / I've ~*s of* things to do. 할 일이 산더미처럼 많다. ***in* ~*s*** 1 다스로, 1 타씩. ***talk* 〔*go, run, wag*〕 *thirteen* 〔*nineteen*〕 *to the* ~** 《영》 쉴 새 없이 지껄여대다.

doz·enth [dʌ́znθ] *a.* 제12〔12 째〕의(twelfth).

doz·er [dóuzər] *n.* **1** 《구어》 =BULLDOZER. **2** 《미속어》 주먹 한 방; 《미속어》 화려한 것.

dozy [dóuzi] (*doz·i·er; -i·est*) *a.* 졸리는, 졸음이 오는; (목재가) 썩은, 썩어가는; 《영구어》 바보의. ㊔ **dóz·i·ly** *ad.* **-i·ness** *n.*

DP, D.P. [dì:pí:] (*pl.* **~'s, ~s**) *n.* =DISPLACED PERSON.

DP, D.P. 〖컴퓨터〗 data processing; 〖화학〗 degree of polymerization (중합도(重合度)); double play; durable press. **D.P., D/P** 〖상업〗 documents against 〔for〕 payment. **DPA** *Deutsche Presse-Agentur* 《G.》 (독일의 통신사). **D.P.E.** Doctor of Physical Education. **DPH, D.P.H.** Diploma of Public Health; Doctor of Public Health. **D.Ph(il).** Doctor of Philosophy. **DPI** Disabled Persons International(장애인 인터내셔널)《1981년 결성》. **dpi** 〖컴퓨터〗 dots per inch《프린터의 해상도(解像度)의 척도》. **D.P.I.** Director of Public Instruction. **dpm** 〖물리〗 disintegrations per minute. **DPRK** the Democratic People's Republic of Korea(조선 민주주의 인민공화국). **DPT** 〖의학〗 diphtheria, pertussis, and tetanus《디프테리아 · 백일해 · 파상풍 백신》. **dpt.** department; deponent. **D.P.W.** Department of Public Works.

d̓ quàrk 〖물리〗 =DOWN QUARK.

‡**Dr, Dr.** debit; debtor; Doctor. **Dr.** Drive. **dr.** debit; debtor; drachma(s); dram(s); drawer. **D.R., D/R, d.r.** dead reckoning; deposit receipt.

drab[1] [dræb] (*dráb·ber; ~·best*) *a.* 충충한 갈색의; 단조로운, 재미없는, 멋없는, 생기 없는.
— *n.* Ⓤ 드래브《충충한 갈색 천》; 진흙색; 단조로움. ㊔ **∠·ly** *ad.* **∠·ness** *n.*

drab[2] *n.* 단정치 못한 여자; 행실 나쁜 여자; 창녀. **—** (*-bb-*) *vi.* 매춘부와 관계하다.

drab[3] *n.* 소량(少量).

drab·bet [drǽbət] *n.* 《영》 갈색 즈크《베》.

drab·ble [drǽbəl] *vt.* (옷자락 따위를) 질질 끌어 더럽히다, 흙투성이로 만들다. **—** *vi.* 흙탕물을 튀기며 가다《*along*》; 흙탕물에 젖다. 「엽 식물》.

dra·cae·na [drəsí:nə] *n.* 〖식물〗 드라세나《관

drachm [dræm] *n.* =DRACHMA; DRAM.

drach·ma [drǽkmə, drá:k-/drǽk-] (*pl.* **~s, -mae** [-mi:]) *n.* **1** 드라크마《(1) 옛 그리스의 은화. (2) 옛 그리스의 무게 단위. (3) 현대 그리스의 화폐 단위; 기호 Dr, DRX》. **2** =DRAM 1.

Dra·co[1] [dréikou] *n.* **1** 〖천문〗 용(龍)자리(the Dragon). **2** (d-) 〖동물〗 날도마뱀속(屬). cf. dragon 5.

Dra·co[2], **Dra·con** [dréikɑn/-kɔn] *n.* 드라콘《기원전 7세기 말의 Athens의 입법가(立法家); 그의 형법은 매우 가혹했음》.

Dra·co·ni·an [dreikóuniən, drə-] *a.* Draco[2]의; (또는 d-) 엄중한, 가혹한. ㊔ **~·ìsm** *n.* Ⓤ 엄벌주의.

Dra·con·ic [dreikɑ́nik, drə-/-kɔ́n-] *a.* **1** =DRACONIAN. **2** 〖천문〗 용자리의.

Drac·u·la [drǽkjələ] *n.* 드라큘라《B. Stoker의 소설명 및 주인공 이름; 백작으로 흡혈귀임》.

draff [dræf] *n.* **1** 찌꺼기, 지게미《특히 맥주의》. **2** (돼지 먹이는) 밥찌꺼기. ㊔ **∠y** *a.* 찌꺼기의, 폐물의; 무가치한.

*__draft,__ 《영》 **draught** [dræft, drɑ:ft/drɑ:ft] *n.* **1** Ⓒ 도안, 밑그림, 설계도. **2** Ⓒ 〖석공〗 초벌 새김. **3** Ⓒ 초안, 초고; 〖컴퓨터〗 초안: make out a ~ of.... **4** Ⓒ (저축 · 예금 등을) 찾기. **5** Ⓤ 《미》 징병, 징모(conscription); 〖스포츠〗 신인 선수 선발 제도, 드래프트제(制). **6** (보통 draught) Ⓤ (그릇에서) 따르기; (술을) 통에서 따라 내기; Ⓒ (담배 · 공기 · 액체의) 한 모금, 한 입, 한 번 마시기, (물약의) 1 회분: have a ~ *of* beer 맥주를 한 잔 하다 / drink at 〔in〕 a ~ 단숨에 마시다. **7** Ⓤ,Ⓒ 통풍; 외풍; Ⓒ 통풍 장치〔구멍〕. **8** Ⓒ 분견대, 특파대. **9** Ⓤ (수레 등을) 끌기; 견인량(牽引量); 견인력. **10** Ⓤ 〖상업〗 어음 발행, 환취결(換就結); Ⓒ 환어음, (특히 은행 지점에서 다른 지점 앞으로 보내는) 수표, 지급 명령서: a ~ on demand 요구불 환어음. **11** Ⓤ 〖해사〗 (배의) 흘수(吃水). **12** Ⓒ (보통 draught) 한 그물의 어획고. **13** Ⓒ 강요《*on*》. **14** (draughts) 〔단수취급〕 《영》 체커(checkers) 《서양 장기의 일종》. ★ 《영》 에서도 3, 8, 10의 뜻으로는 보통 draft를 씀. ***a beast of* ~** 짐수레 끄는 소〔말〕. ***feel a* ~** 《미속어》 냉대〔미움〕받고 있다고 느끼다, (흑인이) 자기에 대한 인종적 편견을 느끼다. ***feel the* ~** 《구어》 돈에 궁하다. ***make a* ~ *on*** ① (은행)에서 예금을 인출하다. ② 《비유》 (신뢰 · 우정 따위)를 강요하다. ***on* ~** 직접 통에서 따른〔따라〕; 직접 통에서 따를 수 있게 한: beer *on* ~ 생맥주.
— *a.* **1** 견인용의: a ~ animal 견인용 동물《말 · 소 따위》, 역축(役畜). **2** 통에서 따른《맥주 따위》. **3** 기초된(drafted), 초안의: a ~ bill (법안의) 초안.
— *vt.* **1** …의 밑그림을 그리다, …의 설계도를 그리다. **2** …을 기초〔입안〕하다. **3** 잡아당기다, 뽑다. **4** 《~+目/+目+前+名》 선발〔분견〕하다; (어떤 임무를 위해) 특파하다; 《미》 징집〔징병〕하다《*into*》: ~ a person *to* a post 아무를 어떤 지위에 발탁하다 / ~ young men *for* war 전쟁 때문에 젊은이들을 징모하다 / be ~*ed into* the army 육군에 징집되다. **5** 〖석공〗 초벌 새김을 하다. **—** *vi.* 제도공으로서 기술을 연마하다; (자동차 경주에서, 바람을 적게 받기 위하여) 앞차의 바로 뒤를 달리다.

dráft·a·ble *a.* 끌 수 있는; 징병 자격이 있는.

dráft bàit 《속어》 징병이 임박한 사람.

dráft bèer 생〔통〕맥주.
dráft bòard 《미》 (시 · 군 등의) 징병 위원회.
dráft càrd 《미》 징병 카드. 「의자.
dráft chàir (뒷바람을 막아 주는) 일종의 안락
dráft dòdger 《미》 징병 기피자.
draft·ee [dræftíː, drɑːftíː/drɑːf-] *n.* 《미》 응소병(應召兵).
dráft èngine 배수 기관. 「(畫工); 짐수레말.
dráft·er *n.* 기초자, 입안자, 밑그림 그리는 화공
dráft hòrse 복마(卜馬), 짐수레말.
dráft·ing *n.* **1** [U,C] 입안, 기초: a ~ committee 기초위원. **2** [U] 제도(製圖); 본뜨기. **3** [U] 《미》 (징병의) 선발. **4** (자동차 레이스에서) 바로 앞 차의 뒤를 달림.
drafting bòard 화판, 제도판(drawing board).
dráft nèt 예인망.
dráft propòsal 국제 규격 원안《ISO(국제 표준화 기구)의 용어》.
dráfts·man [-mən] (*pl.* ***-men*** [-mən, -mèn]) *n.* 기초자, 입안자; 데생(에 뛰어난) 화가; 도안공, 제도가〔공〕. [파] **~·ship** [-ʃìp] *n.* 제도공〔기안자〕의 기술〔솜씨〕.
dráfts·pèrson *n.* 제도사《draftsman 에 수반하는 성차별을 피한 표현》.
dráft tùbe (물 터빈의) 흡출관(吸出管).
drafty, 《영》 **draughty** [drǽfti, dráːfti/dráːfti] (***drafti·er; -i·est***) *a.* **1** 통풍이 잘 되는; 바람이 틈으로 들어오는. **2** (몸집이) 짐말에 알맞은. [파] **dráft·i·ly** *ad.* 바람과 같이; 바람을 일으키듯. **-i·ness** *n.*
⁑**drag** [dræg] (**-gg-**) *vt.* **1** 《~+[목]/+[목]+[부]》 (무거운 것을) 끌다, 질질 끌다; 끌어당기다, 끌고 가다: The ship *~ged* its 〔her〕 anchor all night. 배는 밤새도록 닻을 끌고 달렸다. [SYN.] ⇨ PULL. **2** 《+[목]+[부]/+[목]+[전]+[명]》 (발 따위를) 질질 끌다; 《구어》 (사람을) 끌어내다《*to*》; 《미속어》 파티에 여자를 데리고 가다: She *~ged* herself *along.* 그녀는 다리를 질질 끌며 갔다 / ~ a shy person *out to* a party 수줍어하는 사람을 억지로 파티에 끌어내다. **3** 《~+[목]/+[목]+[전]+[명]》 (강바닥 따위를 그물 · 갈고리 따위로) 훑다, 뒤지다: ~ a pond *for* fish 물고기를 잡기 위해 못을 훑다. **4** (논밭을) 써레로 갈다〔고르다〕, 써레질하다. **5** (차 바퀴에) 브레이크를 걸다. **6** 《+[목]+[부]/+[목]+[전]+[명]》 (관계없는 일을) 끄집어내다〔대다〕, 초들다; 오래 끌다; 《비유》 (사람을) 끌어들이다《*into*》: He always *~s* his Ph. D. *into* a discussion. 그는 어떤 논의에서든 자신의 박사 칭호를 들먹인다 / His stubbornness *~ged* the discussion *out* for hours. 그의 완고함 때문에 토론을 몇 시간이나 질질 끌었다. **7** 《미속어》 …을 몹시 싫증나게 하다. **8** 〚야구〛 드래그 번트를 하다; 《미속어》 (담배를 깊이) 빨다, 피우다. **—***vi.* **1** 끌리다, 끌려가다, 질질 끌리다. **2** 발을 질질 끌며〔느쭹느쭹〕 가다《*along*》: walk with *~ging* feet 발을 질질 끌며 느리게 걷다. **3** 《구어》 (때 · 사람 · 일 등이) 느릿느릿 진행되다〔나가다〕《*by*》; (행사 등이) 질질 끌다《*on; along*》: The parade *~ged by* endlessly. 행렬이 길게 끝없이 이어졌다. **4** (물 밑을) 치다, 훑다《*for*》. **5** 〚음악〛 저음으로 길게 뽑다. **6** 《속어》 담배를 피우다《*on; at*》; 《미속어》 동반해서 파티에 가다; 《미속어》 drag race 에 참가하다.
~ behind 《*vi.*+[부]》 ① 시간이 걸려 (남보다) 늦어지다. **—**《*vi.*+[전]》 ② 꾸물대어 (남보다) 늦어지다. ***~ down*** ① (…을) 끌어내리다. ② (병 등이 사람을) 쇠약하게 하다. ③ (사람을) 영락〔타락〕시키다. ***~ged out*** 《미구어》 몹시 지쳐서. ***~ in by the head and shoulders*** (쓸데없는 일을) 억지로 끌어들이다. ***~ in*** (***to***) 억지로 끌어들이다. ***~ in your rope*** 〖명령형〗 닥쳐, 조용히 해. ***~ it*** 《미속어》 (일 · 얘기 따위를) 그만두다, 중단하다; 《미속어》 교제를 끊다. ***~ one's feet*** 〔***heels***〕 일부러 꾸물거리다. ***~ through*** 겨우 끝내다. ***~ up*** ① 끌어올리다; (나무 따위를) 뽑아내다. ② 《구어》 (싫은 일을) 다시 문제삼다, 쑤셔내다. ③ 《영구어》 (아이를) 되는 대로 기르다.
—*n.* **1** 견인(력), 끌기; 끌리는 물건; 장애물《*to; on*》. **2** 예인망(dragnet); 큰 써레; (네 가닥난) 닻; (차바퀴의) 브레이크. **3** 썰매의 일종; 4륜 마차; 《미속어》 열차, 화차; 《속어》 자동차. **4** 〚사냥〛 (여우 따위의) 냄새 자취; (사냥개 훈련용) 가짜 취적(臭跡). **5** 《미속어》 사람을 움직이는 힘; 두둔, 끌어줌: He has a ~ with his master. 그는 주인의 마음에 들었다. **6** =DRAG RACE. **7** 《속어》 담배 한 모금. **8** 꾸물거림, 시간이 걸림, 지체. **9** 《속어》 싫증나는〔진력나는〕 사람〔물건〕. **10** 《미속어》 가로, 도로(street, road). **11** 《미속어》 (동반한) 여자 친구; 이성의 복장, (특히 호모의) 여장(女裝); 여장(女裝) 파티; 《미》 댄스 파티; 〖일반적〗 의복: in ~ 여장하여《특히 복장 도착(倒錯)으로》. **12** 〚물리〛 저항; 〚항공〛 항력(抗力). **13** 〚컴퓨터〛 끌기《마우스 버튼을 누른 상태에서 마우스를 끌고 다니는 것》.
—*ad.* 여성을 데리고.
—*a.* 《구어》 이성(異性) 동반의; 《속어》 복장 도착(倒錯)의, 남자가 여장한, 여자가 남장한.
drág ànchor =SEA ANCHOR.
drág-and-dróp [-ən-] *n.* 〚컴퓨터〛 화면에서 어느 대상(Icon)을 drag 하여 다른 위치로 가지고 가서 마우스의 버튼을 놓는 조작.
drág búnt 〚야구〛 드래그 번트《타자가 1 루에 살아 나아가기 위해 하는 번트》.
drág chàin **1** (차량의) 연결 사슬. **2** 바퀴멈추개 사슬. **3** (석유류 운반차의) 대전(帶電) 방지 사슬. **4** 《비유》 장애물. 「coefficient of drag.
drág coefficient 〚물리〛 (유체의) 저항계수 =
dra·gée [dræʒéi] *n.* 《F.》 설탕〔초콜릿〕으로 싼 과자; 당과(糖菓); (케이크의 위에 뿌리는) 은색의 작은 알갱이; 〚약학〛 당의정.
drág·ger *n.* 끄는 것; 예인선(曳引船); 트롤선.
drág·ging *a.* 매우 지친, 느릿느릿한, 전혀 진전이 없는; 끌어당기기 위한. **—***n.* 《미속어》 drag race를 하는 일. [파] **~·ly** *ad.*
drag·gle [drǽgəl] *vt.* 질질 끌어 더럽히다〔적시다〕. **—***vi.* 질질 끌다; 느릿느릿 따라가다, 뒤떨어지다. [파] **~d** *a.* 더러운; 질질 끌린.
drággle·tàil *n.* (자락을 질질 끄는) 칠칠치 못한 여자; (*pl.*) 질질 끌리는 긴 치마. [파] **~ed** *a.* 옷자락을 질질 끌어 더럽힌, 칠칠치 못한.
drag·gy [drǽgi] (***-gi·er; -gi·est***) *a.* 느릿느릿한, 지루한, 활기없는. 「사냥(클럽).
drág hùnt 의사(擬似) 취적(臭跡)을 사용하는
drág·lìne *n.* 드래그라인《토사(土砂)를 그러모으는 버킷 달린 굴착기》; =DRAGROPE. 「대량 검거.
drág·nèt *n.* **1** 저인망. **2** 《비유》 (경찰) 수사망;
drag·o·man [drǽgəmən/-mən, -mæ̀n] (*pl.* ***~s, -men*** [-mən]) *n.* (근동 나라들의) 통역(겸 안내원).
***drag·on** [drǽgən] *n.*
1 (날개 · 발톱을 지닌 불을 토하는 전설상의) 용; 《고어》 큰 뱀. **2** 성미가 팔팔한〔사나운〕 사람; (특히 젊은 여성의) 엄중한 여자 감시인, 시중드는 부인(chaperon). **3** (the D–) 〚천문〛 용자리. **4** 〚문장(紋章)〛 용문(龍紋); 용문기(龍紋旗).

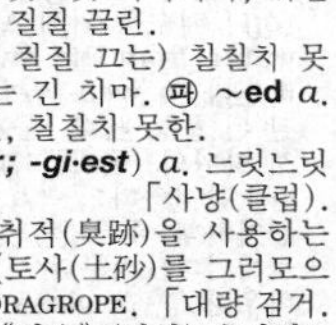
dragon 1

5 〖동물〗 날도마뱀. 6 (16-17 세기의) 용기총(龍騎銃); 용기병(兵)(dragoon). 7 《군대속어》 장갑 트랙터. 8 (the (old) D-) 마왕(Satan). 9 동아시아의 신흥 공업국(《한국·대만·싱가포르》). ***chase the*** ~ 아편〔헤로인〕을 쓰다. ㊞ **~·ish** *a.*

drag·on·et [drǽgənét, drӕ̀gənit/drǽgənit] *n.* 1 용의 새끼; 작은 용. 2 〖어류〗 동갈양탯과의 물고기. 3 도마뱀의 일종(《남아메리카산(産)》).

*__drágon·flỳ__ *n.* 잠자리.

drágon làdy (종종 D- L-) 《구어》 (동양의) 맹렬 여성.

drag·on·nade [drӕ̀gənéid] *n.* 무력 박해(persecution); 〖프랑스사〗 (보통 *pl.*) (Louis 14 세가 용기병으로 신교도에게 가한) 신교도 박해. ── *vt.* 무력으로 박해하다.

drágon's blòod 기린갈(麒麟竭)(《dragon tree 의 열매에서 얻는 적색 수지(樹脂); 예전엔 약용, 지금은 니스 등의 착색제》).

drágon's tèeth 1 분쟁의 씨〔원인〕: sow ~ 분쟁의 씨를 뿌리다. 2 (쐐기 모양의 콘크리트 구조의) 대(對)전차용 장애물.

drágon·tòot *n.* =JACK-IN-THE-PULPIT.

drágon trèe 〖식물〗 용혈수(龍血樹).

dra·goon [drəgúːn] *n.* 〖역사〗 용기병(龍騎兵); 《영》 기병; 매우 흉악하고 사나운 사람; 〖조류〗 집비둘기의 일종. ── *vt.* 《+목+전+명》 무력으로 박해〔탄압〕하다: ~ a person *into* doing 아무를 압박〔탄압〕하여 …하게 하다.

drág-òut *n.* 오래 끎, 길게 계속됨; 《미구어》 댄스 파티.

drág pàrachute 착륙용〔감속〕 낙하산.

drág quèen 《미속어》 (여장(女裝)을 좋아하는) 호모.

drág ràce 드래그 레이스(《특히 hot rod 에 의한 가속 경주》). ㊞ **drág ràcer** *n.*

drág·ròpe *n.* (기구·포차(砲車) 등의) 끄는 줄; (기구의) 유도삭(誘導索).

drag·ster [drǽgstər] *n.* 드래그 레이스용(으로 개조한) 자동차; 《미속어》 드래그 레이스 참가자.

drág strìp 드래그 레이스용 직선 코스.

drags·ville [drǽgzvil] *n.* 《속어》 지루한 것.

drail [dreil] *n.* (낚시용의) 굴림낚시; 쟁기의 자루에 나와 있는 쇠로 된 돌기(《거기에 끌 말을 맴》). ── *vi.* 굴림낚시로 낚다.

drain [drein] *vt.* 1 《~+목/+목+부/+목+전+명》 …에서 배수〔방수〕하다(《off》), …의 물을 빼내다, …을 배출하다(《away; off; out》); …에 배수 설비를 하다: dig a trench to ~ water *away* 〔*off*〕 배수를 위해 도랑을 파다/That ditch ~*s* water *from* the swamp. 그 수로로 늪의 물이 빠진다/a well-~*ed* playing field 배수 시설이 잘 된 운동장. 2 (물기를) 빼다, 없애다; (닦은 접시 따위의) 물기를 없애다. 3 《+목+전+명》 (땅을) 간척하다: ~ a swamp *of* water 늪지대를 간척하다. 4 《+목+보/+목+전+명》 (잔을) 쭉 들이켜다; 비우다: ~ a jug dry 주전자의 물을 비우다/~ a glass *of* its contents 컵에 든 것을 다 마셔 버리다. 5 〖의학〗 (고름을) 짜내다. 6 《+목+전+명/+목+보》 (자산 등을) 다 써 버리다, (정력을) 소모시키다(《from》); …에서 다 짜내 버리다, 고갈시키다(《of》): ~ a country *of* its resources 일국의 자원을 고갈시키다/That ~*ed* him dry. 그것 때문에 그는 정력을 다 소모했다. 7 《+목+부/+목+전+명》 (재화·인재를) 국외로 유출시키다(《away; off》): ~ *away* the best brains *to* America 미국으로 가장 우수한 두뇌들을 유출시키다. 8 여과(濾過)하다. ── *vi.* 《+전+명/+부》 1 뚝뚝 떨어지다, 흘러 없어지다(《away; off》): The water ~*ed through* a small hole. 작은 구멍에서 물이 줄줄 흘러나왔다. 2 배수하다(《into》); 말라버리다, (늪 따위가) 말라 붙다: This land ~*s into* the Han River. 이 지방의 물은 모두 한강으로 빠진다/This field ~*s* quickly. 이 땅은 물이 빨리 빠진다. 3 (핏기 따위가 얼굴에서) 가시다(《*from; out of*》): see the color 〔blood〕 ~ *from* one's face 얼굴에서 핏기가 가시는 것을 볼 수 있다. 4 (재화·인재가) 외국으로 유출되다(《*away; off*》): Most of our gold reserves have ~*ed away to* foreign countries. 우리나라 금준비의 대부분이 해외로 유출되었다. ***be*** **~*ed of*** …이 다하다: a mood ~*ed of* confidence 전혀 자신 없는 기분. **~ *away*** (물이) 빠지다; (목숨이) 서서히 쇠진하다. **~ (...) *dry*** …의 물기를 빼서 말리다, (물기가 빠져) 마르다; (잔을) 마셔서 비우다; …에게서 활력〔감정〕을 몽땅 빼앗다.

── *n.* 1 배수, 방수(放水); 유출. 2 배수관; 배수 도랑, 하수구(sewer); (*pl.*) 하수 (시설); 〖의학〗 배액관(排液管), 배농관(排膿管). 3 〖전자〗 드레인(《전기장(場) 효과 트랜지스터》). 4 고갈, 낭비, 소모(《on》). 5 《속어》 (술의) 한 모금(《of》); (*pl.*) (잔 속의) 마시다 남은 것, 찌끼(dregs). ***down the*** ~ 《구어》 낭비되어, 헛것이 되어, 수포로 돌아가. ***laugh like a*** ~ 《구어》 크게 웃다, 큰 소리로〔천하게〕 웃다.

◇**drain·age** [dréinidʒ] *n.* Ⓤ 1 배수(draining), 배수 방법; 배수로; 하수로; 배수 구역; (하천의) 유역: ~ work 배수 공사. 2 배출된 물, 하수, 오수(汚水)(sewage). 3 하수도〔시설〕; 배수 장치. 4 〖의학〗 배농(排膿)(법).

dráinage bàsin 〔**àrea**〕 (하천의) 유역, 집수역(集水域).

dráin·bòard *n.* 《미》 (설거지대(臺) 옆의) 물기 빼는 널〔대〕(《영》 draining board); (고무로 된) 물기 없애는 매트.

dráined wèight 고형물(固形物) 중량(《통조림의 정미(正味) 중량에서 물·기름의 중량을 뺀 것》).

dráin·er *n.* 1 배수 도랑, 하수구; 배액기(排液器). 2 하수도〔배수관〕 공사자. 3 물기 빼는 기구.

dráining bòard 《영》 =DRAINBOARD.

dráin·less *a.* 배수 시설이 없는; 《시어》 한량 없는.

dráin·pìpe *n.* 1 배수관, 하수관; (빗물용) 세로 홈통. 2 (*pl.*) 《구어》 =DRAINPIPE TROUSERS. ── *a.* 《구어》 몹시 좁은.

dráinpipe tròusers 아랫단이 좁은 바지.

dráin·spòut *n.* (빗물의) 수직 낙수 홈통(down spout).

Dráize (éye) tèst [dréiz-] 드레이즈 시험(《피부용 약물·화장품·샴푸 등의 자극성 시험; 토끼의 눈이나 피부에 당해물질을 투여하여 점검함》).

drake[1] [dreik] *n.* 수오리(male duck). ⓒⓕ duck[1]

drake[2] *n.* 〖곤충〗 하루살이류(mayfly)(《낚싯밥》); 〖역사〗 옛날의 작은 대포; 《고어》 용.

Dráke equàtion 〖천문〗 드레이크 방정식(《은하계 안의 지적 문명을 가진 행성의 수를 추정하는 공식; 미국의 천문학자 Frank Drake(1930-)의 이름에서》).

dráke flỳ 하루살이의 일종; 제물낚시.

DRAM [díːrӕm] *n.* 〖컴퓨터〗 디램, 동적(動的) 램(《기억 보존 동작을 필요로 하는 수시 기입과 읽기를 하는 메모리》). [◂ *d*ynamic *r*andom *a*ccess *m*emory]

dram [drӕm] *n.* 1 드램(《무게의 단위; 보통은 1.772 g, 약량(藥量)은 3.8879 g》). 2 (위스키 따위의) 미량, 한 모금; 〔일반적〕 조금, 약간(a bit); 음주(drinking): have not one ~ of learning 배운 것이 전혀 없다. ***be fond of a*** ~ 술을 즐기다.

dram. dramatic; dramatist.

dra·ma [dráːmə, drǽmə/dráːmə] *n.* 1 (종종 the ~) Ⓤ,Ⓒ 극, 연극, 극예술: the silent ~ 무언극/a historical ~ 사극. 2 Ⓤ 극작법, 연출법. 3 Ⓒ 희곡, 극시; 각본. 4 Ⓤ 극적 효과; 극적 성질〔요소〕. 5 Ⓒ 극적 사건.

dra·ma·logue [drá:məlɔ̀:g, -lɑ̀g, drǽ-/drá:məlɔ̀g] *n.* (관객에 대하여) 극의 낭독.
Dram·a·mine [drǽməmi:n] *n.* 드라마민《멀미 예방약; 상표명》.
dráma quèen 허겁떠는 사람.
*__dra·mat·ic__ [drəmǽtik] *a.* **1** 극의, 연극의; 희곡의; 무대상의, 무대용의; 흥행의: a ~ piece 한 편의 희곡, 각본 / ~ presentation (reproduction) 상연 / ~ right 흥행권 / ~ performance 연예. **2** 극적인, 연극 같은; 인상적인: a ~ event 극적인 사건. ㊞ *-i·cal·ly *ad.* 극적으로, 눈부시게.
dramátic írony 〖연극〗 극적 아이러니《관객은 알지만 등장인물은 모르고 있는 것처럼 되어 있는 미묘한 상황》.
dramátic mónologue 〖시학〗 극적 독백《관계인물 중의 한 사람이 말로 상황을 연극적으로 제시하는 기법》.
dra·mát·ics *n. pl.* 〖단수취급〗 연출법; 〖복수취급〗 아마추어극, 학교극; 〖단수취급〗 연극조의 행동〔표정〕, 연기.
dra·mat·i·cule [drəmǽtikjù:l] 소 연극, 이류「(二流)의 극.
dramátic únities (the ~) 〖연극〗 (시간·장소·행동의) 3 일치《특히 프랑스 고전파 구성법으로서, 연극에서 시간은 24 시간을 넘지 않고, 장소는 한 곳에 한하고, 하나만의 줄거리를 관철해야 한다고 함》.
drám·a·tìsm *n.* 연극적 성격, 연극적인 방법; 극화(된 작품), 각색(된 것).
dram·a·tis per·so·nae [drǽmətis-pərsóuni:, drá:mə-/drá:mətis-pə:sóunai, drǽmə-] 《L.》 〖복수취급〗 등장인물; 〖단수취급〗 배역표《생략: dram. pers.》; (사건 등의) 주된 관계자.
°**dram·a·tist** [drǽmətist, drá:mə-/drǽmə-] *n.* 극작가.
dràm·a·ti·zá·tion *n.* Ⓤ,Ⓒ 각색, 극화, 희곡화; 극화〔희곡화〕한 것.
°**drám·a·tìze** *vt.* 극화〔각색〕하다; 극적으로 표현하다, 과장하다. **—** *vi.* 극이 되다, 각색되다; 연기하다. ㊞ **-tiz·able** *a.*
dram·a·turge [drǽmətə̀:rdʒ, drá:mə-/drǽmə-] *n.* =DRAMATIST.
dram·a·tur·gic, -gi·cal [drǽmətə́:rdʒik], [-əl] *a.* 극작의; 연출의, 희곡 연출상의. ㊞ **-gi·cal·ly** *ad.*
dram·a·tur·gy [drǽmətə̀:rdʒi, drá:mə-/drǽmə-] *n.* Ⓤ 극작법; 연출(법). ㊞ **-gist** [-dʒist] *n.* 극작가.
drám drìnker 술을 홀짝홀짝 마시는 사람.
drame à thèse [*F.* dRamatɛ:z] 《F.》 테제 극《사상·이론 등을 설명하기 위하여 지은 드라마》.
dram·e·dy, dram·a·dy [drá:mədi, drǽm-/drá:m-] *n.* 《구어》 (텔레비전의) 코미디 드라마.
dram. pers. dramatis personae.
drám·shòp *n.* 《고어》 술집, 목로주점(barroom).
drank [dræŋk] DRINK의 과거.
°**drape** [dreip] *vt.* **1** 《~+목/+목+전+명》 주름을 잡아 예쁘게 덮다〔꾸미다〕《*with; in*》, …에 예쁘게 걸치다《*over;* (*a*)*round*》; (팔·다리 등을) 축 놓다〔늘어뜨리다〕《*over;* (*a*)*round*》: The hall is ~*d with* rich tapestries. 홀은 호화로운 태피스트리로 꾸며져 있다 / ~ a robe *around* a person's shoulders 겉옷을 아무의 어깨에 걸쳐 주다. **2** (커튼 따위를) 주름을 잡아 예쁘게 달다. **3** 〖~ oneself 또는 수동태〗 싸다(enfold)《*in*》; The child *was* ~*d in* expensive linens. 아이는 값비싼 리넨천에 싸여 있었다. **—** *vi.* 주름이 잡혀 예쁘게 드리워지다. ~ one***self*** 천〔헐거운 옷〕을 걸치다. **—** *n.* **1** (종종 *pl.*) (주름이 잡혀 드리워진) 포장, 휘장. **2** (스커트 따위의) 드레이프, 늘어진 모양. **3** (*pl.*) 커튼. **4** 《속어》 웃옷 이긴 슈트(를 입은 남자); 《속어》 슈트. ㊞ **dráp·a·ble, ∠·a·ble** *a.*
drap·er [dréipər] *n.* 《주로 영》 포목상, 직물상: a woolen 〔linen〕 ~ 모직물〔리넨〕 장수 / a ~'s (shop) 《영》 포목점(《미》 dry goods store).
°**drap·ery** [dréipəri] *n.* **1 a** (종종 *pl.*) (휘장·막 등의) 부드러운 직물의 우미한 주름. **b** Ⓤ,Ⓒ 주름이 진 휘장〔막, 옷 따위〕; (*pl.*) 《미》 두툼한 천의 커튼류(類). **2 a** Ⓤ 의류, 옷감, 《영》 직물·포목류(類)(《미》 dry goods). **b** Ⓤ,Ⓒ 《영》 포목업; 포목점(draper's shop). **3** Ⓤ (회화·조각의 인물의) 착의(着衣); 그 미술적 수법. **4** (*pl.*) 사실 등을 은폐하는 것.
°**dras·tic** [drǽstik] *a.* (치료·변화 따위가) 격렬한, 맹렬한, 강렬한; (수단 따위가) 과감한, 철저한: a ~ measure 발본책(拔本策) / ~ remedies 거친〔무지스러운〕 치료《독한 하제(下劑) 등》. **—** *n.* 극약, 《특히》 하제. ㊞ **-ti·cal·ly** *ad.*
drat [dræt] (*-tt-*) *vt.* 《속어》 저주하다, 야단치다《여성 용어》. ***Drat it!*** 제기랄, 빌어먹을. ***Drat the child!*** 귀찮게도 군다, 성가신 애로군. ***Drat you!*** 귀찮다. **—** *int.* 쳇. ㊞ **∠·ted** [-id] *a.* 《구어·방언》 지겨운, 부아가 나는.
*__draught__ ⇨ DRAFT.
dráught·bòard *n.* 《영》 =CHECKERBOARD.
draughts [dræfts, drɑ:fts/drɑ:fts] *n. pl.* 〖단수취급〗 《영》 체커(checkers).
dráughts·man [-mən] (*pl.* ***-men***) *n.* 《영》 =DRAFTSMAN; 체커의 말.
draughty ⇨ DRAFTY.
drave [dreiv] 《고어》 DRIVE의 과거.
Dra·vid·i·an [drəvídiən] *a.* 드라비다 사람〔어족(語族)〕의. **—** *n.* 드라비다 사람《인도 남부나 Ceylon섬에 사는 비(非)아리안계 종족》; Ⓤ 드라비다어(語).
Dra·vid·ic [drəvídik] *a.* =DRAVIDIAN.
†**draw** [drɔ:] (***drew*** [dru:]; ***drawn*** [drɔ:n]) *vt.* **1** 《~+목/+목+부/+목+전+명》 끌다, 당기다, 끌어당기다; 끌어당겨서 …하다: ~ a cart 짐수레를 끌다 / ~ a sail 돛을 올리다 / ~ a belt tight 벨트를 세게 죄다 / ~ a curtain *over* a window 창에 커튼을 치다. SYN. ⇨ PULL.
2 《~+목/+목+전+명/+목+*to* do》 (마음을) 끌다; 꾀어들이다; (사람을 …에) 끌어들이다; (사람의 주의를) 끌다《*to; into; from*》; 꾀어서 …시키다: ~ interest 흥미를 끌다 / ~ a person *into* conversation 〔a room〕 아무를 대화〔방〕에 끌어들이다 / feel *drawn to* …에 마음이 끌리다 / ~ a person's attention *to* 아무의 주의를 …로 돌리게 하다 / endeavor to ~ one's child *to* study 아이에게 공부시키려고 애쓰다.
3 빨아들이다; (자석 따위가) 당기다; (금속이 열 따위를) 흡수하다; (결과 따위를) 초래하다; (이자 따위를) 생기게 하다: ~ one's own ruin 파멸을 자초하다.
4 《~+목/+목+부》 (숨을) 들이쉬다《*in*》, (한 숨을) 쉬다: ~ *in* a (deep) breath 심호흡하다 / ~ a long sigh 긴 한숨을 쉬다.
5 《~+목/+목+전+명》 가지다, (급료·지급품 따위를) 얻다, 받아들이다: ~ (one's) pay 〔salary〕 급료를 받다 / ~ money *from* a bank 은행에서 돈을 인출하다.
6 《~+목/+목+전+명》 끌어내다; (결론 따위를) 내다; (교훈을) 얻다; (물을) 퍼 올리다; (피를) 나오게 하다; (눈물을) 자아내다; (차를) 달이다, 끓이다: ~ a conclusion *from* 결론을 내다 / ~ a moral *from* the story 이 이야기에서 교훈을 얻다 / ~ water *from* a well 우물에서 물을 퍼올리다 / No blood has been *drawn* yet.

아직 한 방울의 피도 나지 않았다 / Her sad news *drew* tears *from* us. 그녀의 슬픈 소식은 우리의 눈물을 자아내게 했다.

7 《~+목/+목+전+명》 잡아 뽑다, 빼다, 뽑아내다《*from; out of*》; (카드패 · 제비 따위를) 뽑다, 뽑아 맞히다: ~ the winner 당첨하다 / ~ a cork *from* the bottle 병마개를 빼다.

8 《~+목/+목+목/+목+전+명》 (줄〔선〕을) 긋다; (도면 따위를) 그리다, 베끼다; …의 그림을 그리다; 묘사하다; (…에게 …을) 그려 주다《*for*》. cf. write. ¶ ~ animals *from* life 동물을 사생하다 / I'll ~ you a rough map. =I'll ~ a rough map *for* you. 내가 당신에게 약도를 그려 드리겠습니다.

9 《~+목/+목+전+명》 (서류를) 작성하다; (어음을) 발행하다《*on*》, (환을) 취결(就結)하다: ~ a bill of exchange 환어음을 발행하다 / ~ a bill *on* a person 아무에게 어음을 발행하다.

10 잡아늘이다(stretch); (철사를) 만들다《금속을 늘여》; (실을) 뽑다: ~ wire 철사를 만들다.

11 오므리다; (얼굴을) 찡그리다(distort): a *drawn* look 찡그린 얼굴.

12 (경기를) 비기게 하다: The game was *drawn*. 그 경기는 비겼다.

13 …의 창자를 빼다: ~ a chicken.

14 (굴 속의 여우 등을) 몰이해 내다: ~ a covert for a fox 덤불에서 여우를 몰이해 내다.

15 (배가 …피트) 흘수(吃水)가 되다: She ~s six feet. 저 배는 흘수 6 피트이다.

16 〖의학〗 빨아내다, …이 곪는 것을 촉진하다.

17 《~+목/+목+전+명》 (구획선을) 긋다, (구별을) 짓다: ~ a distinction 구별하다 / ~ a comparison *between* A and B. A와 B를 비교하다.

18 〖골프〗 (공을) 너무 왼쪽으로 가게 하다.

19 〖당구〗 끌어당기다.

— *vi.* **1** 《~/+부》 끌다; (돛 따위가) 펴지다: The horses *drew abreast*. 말들은 한 줄로 나란히 서서 끌었다.

2 끌려 움직이다.

3 《+부/+전+명》 접근하다, 가까이 가다《*to; toward*》; 모여들다《*together*》; (때가) 가까워지다: Christmas is ~*ing near*. 크리스마스가 다가온다 / Like ~*s to* like. 유유상종 / ~ *together* for warmth 온기를 찾아서 모여들다.

4 《+전+명》 칼 따위를 뽑다, 권총을 빼다《*on*》: He *drew on* me. 그는 느닷없이 나를 향해 총을 빼들었다.

5 《+전+명》 제비를 뽑다《*for*》: Let's ~ *for* partners. 상대를 제비로 정하자.

6 (이가) 빠지다.

7 《~/+전+명》 그리다, 줄〔선〕을 긋다, 제도하다《*with*》: ~ *with* colored pencils 색연필로 그림을 그리다.

8 《+부》 (파이프 · 굴뚝 따위가) 바람을 통하다, 연기가 통하다: The chimney ~*s well*. 그 굴뚝은 연기가 잘 빠진다.

9 《+부》 (차가) 우러나다: This tea ~*s well*. 이 차는 잘 우러난다.

10 《~/+전+명》 어음을 발행하다; (예금 · 사람에게서) 돈을 찾다《*on, upon*》: ~ *on* one's savings 예금을 찾다.

11 《+부》 주의〔인기〕를 끌다: The show ~*s well*. 그 쇼는 인기가 있다.

12 줄어들다: My shoes *drew*. 내 신이 작아졌다.

13 (경기가) 비기다.

14 (배가) 흘수(吃水)하다.

15 (사냥개가) 냄새를 맡고 사냥감을 쫓다; 조용히 다가가다.

16 (로프 따위가 당겨져서) 팽팽해지다, (피부가) 옥죄이다, 오므라들다.

~ ***a blank*** ⇨ BLANK. ~ ***a bow at a venture*** 우연히 알아맞히다. ~ ***ahead*** (…을) 추월하다, (경쟁자) 앞으로 나서다《*of*》; (바람이) 더욱 맞바람이 되다. ~ ***alongside*** (…)의 곁에《뒤에서 와서》 나란히 서다. ~ ***and quarter*** 〖중세역사〗 죄수의 사지를 찢어 처형하다. ~ ***an inside straight*** 《속어》 불가능한 일을 기대하다, (포커 게임 등에서) 요행을 바라고 걸다. ~ ***apart*** (***from***) (물리적 · 심리적으로 …에서) 떨어져 가다, 소원해지다. ~ ***at*** (파이프로) 담배를 피우다, (파이프를) 피우다. ~ ***away*** 《*vt.*+부》 ① (내밀었던 손 따위를) 빼다. — 《*vi.*+부》 ② (…에서) 몸을 떼어놓다《*from*》. ③ 《구어》 (경주 등에서) …의 선두에 나서다, 떨어뜨리다. ~ ***back*** 《*vt.*+부》 ① 되돌리다. — 《*vi.*+부》 ② 물러서다, 주춤하다. ③ (기획 따위에서) 손을 떼다. ~ ***bit*** 〔***bridle***〕 고삐를 당겨 말을 멈추다; 삼가다. ~ ***down*** ① (막 따위를) 내리다. ② (분노 따위를) 초래하다. ③ (찌개를) 조리다. ④ (저축 따위를) 소모하다. ~ ***in*** 《*vt.*+부》 ① (고삐를) 죄다. ② 비용을 줄이다. ③ 빨아들이다; 끌어들이다. ④ (뿔 · 발톱 따위를) 감추다: ~ *in* one's HORNS. ⑤ (계획 따위의) 원안을 만들다. — 《*vi.*+부》 ⑥ (열차 따위가) 들어오다, 도착하다; (차가) 길가에 서다. ⑦ (해가) 짧아지다, (하루가) 저물다. ~ ***into ...*** 《*vi.*+부》 ① (열차 따위가) …에 도착하다. — 《*vt.*+부》 ② (싸움)에 말려들다. ~ ***it fine*** 까다롭게 따지다. ~ ***it mild*** 《구어》 온건하게 말하다, 과장해서 말하지 않다. ~ ***level*** (***with***) (…와) 대등하게 되다, (…에) 따라 미치다《경주에서》. ~ ***near*** 접근하다. ~ ***off*** 《*vt.*+부》 ① (물 따위를) 빼내다, 빼다. ② (주의를) 딴 데로 돌리다. ③ (군대를) 철퇴하다〔시키다〕. ④ (증류해서) 뽑다. ⑤ (장갑 · 양말 따위를) 벗다(cf. ~ on). — 《*vi.*+부》 ⑥ (군대가) 철수하다. ⑦ (물 따위가) 빠지다. ~ ***on*** 《*vt.*+부》 ① (장갑 · 양말 따위를) 끼다, 신다(cf. ~ off): ~ *on* one's white gloves. ② …을 꾀어들이다, (…하도록) 격려하다《*to* do》; (기대감 따위가) …에게 행동을 계속하게 하다; (일을) 일으키다, 야기하다. ③ (어음을) …앞으로 발행하다. — 《*vi.*+부》 ④ …에 가까워지다, …이 다가오다. ⑤ (근원을) …에 의존하다, …에 의하여 얻다; …을 이용하다; …에게 요구하다. ~ ***one*** 《미속어》 생맥주를 따르다《술집 등에서 주문하는 말로서 쓰임》. ~ ***out*** 《*vt.*+부》 ① 꺼내다, 뽑아내다《*from*》. ② (계획을) 세우다, (서류를) 작성하다. ③ (군대를) 정렬시키다; 숙영지에서 출발시키다, 파견하다. ④ …을 꾀어서 말하게 하다, …에게서 알아내다. ⑤ (예금을) 찾아내다. ⑥ 잡아늘이다, (금속을) 두들겨 늘이다; 오래 끌게 하다. — 《*vi.*+부》 ⑦ (해가) 길어지다. ⑧ (열차가 역에서) 떠나가다《*of; from*》; (배가) 떠나다《*from*》; (군대가) 숙영지에서 출발하다. ~ ***round*** …의 주위에 모여들다. ~ one***self up*** 꼿꼿이 서다; 앉음새를 고치다. ~ ***the crabs*** 《Austral.구어》 적포화를 받다; 반감을 사다, 반문받다. ~ ***to*** (커튼 등을) 닫다, 치다. ~ ***up*** 《*vt.*+부》 ① 끌어올리다. ② 정렬시키다. ③ (문서를) 작성하다; (계획 따위를) 입안(立案)하다. ④ (차를) 세우다. — 《*vi.*+부》 ⑤ 정렬하다. ⑥ (차 · 마차가) 멈추다. ⑦ 바싹 다가가다《*to*》, 따라 잡다《*with*》. ~ ***up sharp***(***ly***) (말소리 따위가 사람을) 깜짝 놀라 멈춰 서게〔생각에 잠기게〕 하다.

— *n.* **1** 끌기, 당김, 뽑아냄; 《미》 담배〔파이프〕의 한 모금. **2** (승부의) 비김: end in a ~ 무승부로 끝나다. **3** 사람을 끄는 것, 인기 있는 것, 이목을 끄는 것. **4** 제비, 추첨, 복권 판매; 당첨. **5** 《미》 (도개교(跳開橋)의) 개폐부. **6** 〖골프〗 왼쪽으로 구부러져 가는 공; 〖당구〗 끎, 끌어당기는

공. 7 (the ~) 우위, 강점. 8 《미》 『지학』 마른 골짜기. ***beat to the*** ~ 앞지르다, 선수치다. ***be quick*** 〔***slow***〕 ***on the*** ~ 권총을 빼는 솜씨가 날쌔다〔서투르다〕; 《비유》 반응이 빠르다〔더디다〕.

DRAW 『전자』 direct-read-after-write《재생 전용이었던 종래의 video disc에 대하여 녹화〔써넣기〕도 가능한 비디오디스크 방식》.

ᐤ**dráw·bàck** *n.* **1** [C] 결점, 약점, 불리한 점《*in*》. **2** [C] 장애, 고장《*to*》. **3** [U] 환부금, 환불 세금, 관세 환급(還給): ~ cargo 관세 환급 화물. **4** [U,C] 공제《*from*》. **5** 철거, 철회(withdrawal).

dráwback lòck =NIGHT LATCH.

dráw·bàr *n.* 견인(牽引) 막대《기관차나 차량의 연결봉; 트랙터의 연결봉》.

dráw·brìdge *n.* 도개교(跳開橋); (성 따위의 해자(垓字)에 걸친) 적교(吊橋).

drawbridge

Draw·can·sir [drɔːkǽnsər] *n.* **1** 드로캔서《G. Villiers작의 희극 *The Rehearsal*에 나오는 인물; 최후에 적·자기편 모두를 죽임》. **2** 허세부리는 난폭자; 적이나 자기편 모두에게 만만찮은 사람.

dráw·càrd *n.* =DRAWING CARD.

dráw·còrd *n.* =DRAWSTRING.

dráw cùrtain (극장의) 가로닫이 막.

dráw·dòwn *n.* **1** (저수지 따위의) 수위 저하; 소모, 고갈; 《미》 삭감, 축소. **2** 『인쇄』 잉크의 색을 정하기 위해 종이 위에 잉크를 한 방울 떨어뜨리고 주걱으로 퍼뜨리는 일.

draw·ee [drɔːíː] *n.* 『상업』 어음 수신인《수표·약속어음에서는 수취인; 환어음에서는 지급인》. [cf.] payee, drawer.

***draw·er** [drɔ́ːər] *n.* **1** 제도사(製圖士). **2** 『상업』 어음 발행인([cf.] drawee). **3** 《고어》 (술집의) 사환. **4** [drɔːr] 서랍; (*pl.*) 장롱: ⇨ CHEST OF DRAWERS. **5** (*pl.*) [drɔːrz] 드로어즈, 속옷; 팬츠; 속바지. [cf.] bottom drawer; top drawer. [파] **~·ful** [-fùl] *n.* 서랍 하나 가득의 분량.

dráw·gàte *n.* (운하의 수량을 조절하기 위해) 끌어올리는 수문.

dráw gèar (철도 차량 따위의) 견인(牽引) 장치, 연결기.

draw·ing** [drɔ́ːiŋ] *n.* **1** [C] (연필·펜·크레용·목탄 따위로 그린) 그림, 도화; 선화(線畫), 스케치, 데생; 『컴퓨터』 그림, 그리기: a ~ in pen 펜화/lineal 〔line〕 ~ 선화/make a ~ 그림을 그리다; 도면을 뜨다〔그리다〕. [SYN.] ⇨ PICTURE. **2** [U] 제도; [C] 도면. **3** [U] 제비뽑기, 추첨; 『카드놀이』 (카드) 뽑기. **4** [U] (금전의) 인출(引出); (어음의) 발행. **5** (*pl.*) 《영》 매상고. **6** [U] 칼을 빼기. **7** [C] (차 따위를) 달여내기. **8** [U] (철사 따위를) 잡아늘이기. ~ ***in (은행권 등의) 회수. ~ ***in blank*** (어음의) 백지 발행. ***in*** ~ 정확히 그려져. ***mechanical*** ~ 용기화(用器畫), 제도, 도면. ***out of*** ~ 잘못 그려서, 화법에 어긋나서, 부조화하게. ***satire in*** ~ 풍자화. ***watercolor*** ~ 수채화(~ in watercolor).

dráwing accòunt 『상업』 인출금 계정; (세일즈 맨을 위한) 경비·급료 등 가(假)지급액을 기입하는 계정; 《미》 =CURRENT ACCOUNT.

dráwing blòck (떼어 쓰게 된) 도화지 첩.

dráwing bòard 화판, 제도판. ***go back to the*** ~ 《구어》 (사업 따위가 실패하여) 최초〔계획〕 단계로 되돌아오다, 처음부터 다시 시작하다. ***on the*** ~(***s***) 계획〔구상, 청사진〕 단계에서〔의〕.

dráwing càrd 《미》 인기 프로, 인기 있는 것; 인기 있는 연예인〔강연자〕, 인기 배우; 이목을 끄는 광고.

dráwing pàper 도화지; 제도 용지.

dráwing pìn 《영》 =THUMBTACK.

dráwing ròom **1** 응접실, 객실. **2** 〔집합적〕 손님들. **3** 《영》 (특히 궁정에서의 정식) 접견, 회견, 인견. **4** 『미철도』 (침대·화장실이 딸린) 특별 전용실. **5** [drɔ́ːiŋru(ː)m] 《영》 제도실(《미》 drafting room). ***hold a*** ~ 공식 회견을 하다.

dráwing-ròom *a.* **1** 객실(식)의: a ~ car 《미》 (drawing room이 있는) 특별 객차. **2** 상류 사회에 적합한〔를 다룬〕, 고상한.

dráwing tàble 제도용 테이블.

dráw·knìfe (*pl.* ***-knìves***) *n.* 앞으로 당겨 깎는 칼《양쪽에 손잡이가 있음》.

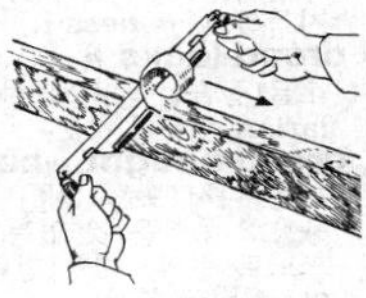
drawknife

drawl [drɔːl] *vt.*, *vi.* (내키지 않는 듯이) 느리게 말하다, 점잔빼며 천천히 말하다〔발음하다〕《종종 *out*》: ~ a prayer. **—** *n.* 느린 말투: Southern ~ 《미》 남부 사람 특유의 느린 말투. [파] **∠·er** *n.* **∠·y** *a.*

dráwl·ing *a.* (말투·발음이) 느릿느릿한; 내키지 않는 듯한. [파] **~·ly** *ad.* **~·ness** *n.*

drawn [drɔːn] DRAW의 과거분사. **—** *a.* **1** (칼집 따위에서) 빼낸, 뽑은. **2** 그어진《선 등》. **3** 잡아늘인. **4** 찡그린, 일그러진《얼굴 등》. **5** 내장〔속〕을 빼낸《생선·새 등》. **6** 끌린. **7** 비긴, 무승부의: a ~ game.

dráwn bútter (소스용의) 녹인 버터.

dráw nèt (눈이 성긴) 새그물; 예망(曳網).

dráwn gláss 압연(壓延)한 판유리.

dráwn-óut *a.* (기다랗게) 잡아늘인, 지루한.

dráwn-thréad *a.* 올을 뽑아 얽은.

dráwn wòrk 올을 뽑아 얽어 만든 레이스의 일종(=**dráwn-thréad wòrk**).

dráw·plàte *n.* (철사 뽑아내는) 다이스 철판.

dráw plày 『미식축구』 드로플레이《패스하는 척하고 후퇴하여, 직진(直進)하는 자기편 백(back)에게 공을 건네주는 플레이》.

dráw·shàve *n.* =DRAWKNIFE.

dráw·shèet *n.* 환자가 누워 있어도 쉽게 빼낼 수 있는 폭이 좁은 시트.

dráw shòt 『당구』 드로 샷《목표로 한 공을 맞히고 자기 앞으로 되돌아오도록 큐볼(cueball)의 밑 부분을 치는 일》.

dráw·spàn *n.* (도개교(跳開橋)의) 개폐부.

dráw·strìng *n.* (주머니의 아가리나 옷의 끝 등을) 졸라매는 끈.

dráw·tùbe *n.* (현미경 등의) 신축이 자유로운 통, 뽑아내는 관(管).

dráw wèll 두레 우물.

dráw wòrks 〔단수취급〕 유정(油井)의 굴착 장치의 주체를 이루는 자아틀.

dray [drei] *n.* (바닥이 낮은 4 륜의) 짐마차; 화물 자동차; 운반용 썰매. **—** *vt.*, *vi.* ~로 나르다; ~를 끌다. [파] **∠·age** [dréiidʒ] *n.* [U] 짐마차〔트럭〕 운반(삯).

dráy hòrse 짐마차 말.

dráy·man [-mən] (*pl.* ***-men***) *n.* 짐마차꾼.

***dread** [dred] *vt.* 《~+[목]/+*to* do/+-*ing*/+*that* [절]》 (대단히) 두려워하다, 무서워하다; 염려〔걱정〕하다: ~ death 죽음을 두려워하다/~ *to* go 가는 것을 매우 두려워하다/She ~*s* go*ing* out at night. 그녀는 밤에 외출하는 것을 무척 무서워한다/They ~ *that* the volcano may erupt again. 그들은 화산이 다시 폭발하지

않을까 걱정하고 있다. **—** *vi.* 몹시 두려워하다; 걱정하다(feel dread). **—** *n.* **1** Ⓤ 공포, 불안, 외경(畏敬): have a ~ *of*…을 두려워하고 있다/They are 〔live〕 in daily ~ *of* earthquakes. 그들은 매일 지진을 두려워하며 살고 있다. SYN. ⇨ FEAR. **2** Ⓒ 무서운 것, 공포〔두려움〕의 대상. **—** *a.* **1** 무서운. **2** 경외할 만한, 두려운. ㊀ **∠·a·ble** *a.* **∠·ly** *ad.*

***dread·ful** [drédfəl] *a.* **1** 무서운, 두려운, 무시무시한: a ~ storm 무시무시한 폭풍우. **2** 《구어》 몹시 불쾌한, 아주 지독한: ~ cooking 지독한 요리. **—** *n.* 《영》 (싸구려) 스릴러 (소설), 선정적인 소설〔잡지〕(penny ~). ㊀ ***~·ly** *ad.* **1** 무섭게, 무시무시하게; 겁에 질려. **2** 《구어》 몹시, 지독하게. **~·ness** *n.*

dréad·lòcks *n. pl.* 머리털을 가늘게 따서 오글오글〔곱슬곱슬〕하게 한 헤어스타일《원래 Rastafarian 특유의 것》.

dréad·nòught, -nàught *n.* **1** Ⓤ 일종의 두꺼운 나사(羅紗); Ⓒ 그것으로 만든 외투《방한용》. **2** 무서운 것 없는 사람. **3** (D–) 《영》 (드레드노트 형의) 대형 전함, 노급함(弩級艦). **4** 《속어》 헤비급 복서.

†**dream** [dri:m] *n.* **1** 꿈; (비몽사몽간의) 잠: a hideous 〔bad〕 ~ 악몽/Sweet ~*s!* 안녕히 주무세요/read a ~ 해몽하다. **2** 황홀한 기분, 꿈결 같음; 몽상, 환상: a waking ~ 백일몽, 공상/be 〔live, go about〕 in a ~ 꿈결같이 지내다. **3** 희망, 꿈: a ~ come true 실현된 꿈/realize all one's ~*s of* youth 청춘의 꿈을 모두 실현시키다. **4** 〘형용사적〙 꿈인가 싶을 정도의; 이상적인; 환상의: one's ~ house 이상적인 집/He lives in a ~ world. 그는 몽상〔환상〕의 세계에 살고 있다. ***a ~ of*** (a hat) 멋진 (모자). ***go to*** one***'s ~s*** 《시어》 꿈나라로 들어가다, 자다. ***like a ~*** ① 용이하게, 쉽게: This car drives *like a* ~. 이 차는 운전이 참 쉽다. ② 완전하게, 더할 나위 없게. ***the land of ~s*** 《시어》 꿈나라, 잠.

— (*p., pp.* ***dreamed*** [dri:md, dremt], ***dreamt*** [dremt]) *vi.* 《~/+전+명》 **1** 꿈꾸다, 꿈에 보다《*of; about*》; 〘부정적〙 …을 꿈에도 생각하지 않다《*of*》《★ ~ *of* 다음에는 보통 ~*ing* 이 오는 경우가 많음》: I ~*ed of* my friend last night. 어젯밤 친구의 꿈을 꾸었다/I should*n't* ~ *of* do*ing* such a thing. 그런 일을 할 생각은 꿈에도 없다. **2** 꿈결 같은 심경이 되다; 몽상하다《*of*》: ~ *of* honors 영달을 꿈꾸다. **—** *vt.* **1** 꿈꾸다, 꿈에 보다; 〘동족목적어를 수반해〙 …한 꿈을 꾸다, 몽상하다: ~ a dreadful dream 무서운 꿈을 꾸다. **2** 《~+목/+*that* 절》 《비유》 꿈속에 그리다〔생각하다〕; 〘부정문에 과거형으로〙 …을 꿈에도 생각지 않다: He always ~*s that* he will be a statesman. 그는 언제나 정치가가 되기를 꿈꾸고 있다/I *never* ~*ed that* I should have offended her. 그녀의 감정을 해쳤다고는 꿈에도 생각하지 않았다. **3** 《+목+부》 (때를) 헛되이〔멍하니, 꿈결같이〕 보내다《*away; out*》: ~ *away* one's life 일생을 헛되이〔멍하니, 꿈결같이〕 보내다. ~ ***away*** 〔***out***〕 ⇨ *vt.* 3. ~ ***up*** 《구어》 《종종 경멸》 몽상에서 만들어내다, 창작하다, 퍼뜩 생각이 들다.

dréam àllegory 몽상을 비유한 시.

dréam anàlysis 〘정신의학〙 꿈 분석.

dréam bàit 《미속어》 매력적인 이성(異性), 알맞은 데이트 상대.

dréam·bòat *n.* 《미속어》 **1** 매력〔이상〕적인 것〔연인〕; =DREAM BAIT. **2** 공상(속의 것).

dréam bòok 해몽(解夢) 책.

dréam càr 드림 카《새로운 생각이나 장치를 추가한 시험 제작차》.

dréam·er *n.* 꿈꾸는 사람; 몽상가.

dréam fàctory 영화 스튜디오; 영화 산업.

dréam·ful [drí:mfəl] *a.* 꿈많은. ㊀ **~·ly** *ad.* **~·ness** *n.*

dréam·lànd *n.* Ⓤ,Ⓒ 꿈나라, 이상향, 유토피아 (never-never land); Ⓤ 잠.

dréam·less *a.* 꿈이 없는; 꿈꾸지 않는. ㊀ **~·ly** *ad.* **~·ness** *n.*

dréam machìne 텔레비전 방송 산업.

dréam·scàpe *n.* 꿈과 같은〔초현실적인〕 정경(의 그림).

dréam-stìck *n.* 《미속어》 아편정(阿片錠).

dreamt [dremt] DREAM 의 과거·과거분사.

dréam tèam (최고의 선수로 구성된) 최강팀, 드림팀.

dréam tìcket (정·부 대통령 후보 등에서) 가장 이상적인 2 인조, 최강〔꿈〕의 콤비; 다시 없는 기회.

dréam·tìme *n.* 꿈의 시대(alcheringa)《호주 원주민의 신화; 인류의 조상이 창조한 가장 복(福)된 시대》.

dréam·wòrk *n.* 〘정신분석〙 꿈의 일(=**dréam wòrk**)《잠재 의식을 꿈의 내용으로 변환시키는 과정》.

dréam·wòrld *n.* =DREAMLAND; 꿈〔공상, 환상〕의 세계.

◇**dreamy** [drí:mi] (***dream·i·er; -i·est***) *a.* **1** 꿈같은; 어렴풋한; 덧없는. **2** 꿈많은; 환상〔공상〕에 잠기는: a ~ person 몽상가. **3** 《구어》 멋진, 훌륭한《젊은 여성들이 흔히 씀》: a ~ car. ㊀ **dréam·i·ly** *ad.* **-i·ness** *n.*

drear [driər] *a.* 《시어》 =DREARY.

drear·i·some [dríərisəm] *a.* =DREARY.

dreary** [dríəri] (drear·i·er; -i·est***) *a.* **1** 황량한; 처량한; 음산한. **2** 울적한, 따분한, 지루한. **3** 《고어》 서글픈, 비참한. **—** *n.* 따분〔불쾌〕한 인물. **—** *vt.* 따분〔지루〕하게 하다, 재미없게 하다. ㊀ **dréar·i·ly** *ad.* **-i·ness** *n.*

dreck, drek [drek] 《속어》 *n.* 똥, 대변(excrement); 쓰레기, 잡동사니; 넝마; 〘감탄사적〙 빌어먹을, 시시해.

◇**dredge**[1] [dredʒ] *n.* 준설기〔선〕, 준설 삼태기; 저인망(底引網)의 일종《물 밑으로 끌어 굴 따위를 땀》. **—** *vt.* (항만·강을) 준설하다; ~로 제거하다《*away; out*》; …을 저인망으로 훑어 잡다《*up*》. **—** *vi.* ~를 쓰다〔쓰는 것같이 하여 탐색을 하다〕《*for*》; 물밑을 훑다; 저인망으로 잡다. **~ *up*** (과거 일을) 상기하게 하다, 들추어내다.

dredge[2] *vt.* (요리에) 밀가루를 뿌리다《*over*》; (밀가루 따위를) 뒤바르다《*with*》.

dredg·er[1] [drédʒər] *n.* 준설하는 사람; 《주로 영》 준설기, 준설선; (굴 따위의) 채취선(採取船); 굴 따는 어부.

dredg·er[2] *n.* (조미료 등의) 가루 뿌리는 통.

drédg·ing [drédʒiŋ] *n.* 준설.

drédging machìne 준설기(dredge).

Dréd Scótt Decìsion 드레드 스콧 판결《흑인 노예 Dred Scott 이 자유주(州)에 이주한 것을 이유로 해방을 요구·제소했으나 1857 년 미국 연방 최고 재판소는 노예는 소유물이지 시민이 아니라고 각하함; 이 사건으로 남북 전쟁 발발을 앞당김》.

dree [dri:] *vt., vi.* 《고어·Sc.》 참다. ~ ***one's weird*** 운명을 달게 받다. **—** *a.* =DREICH.

dreep [dri:p] *n.* 《구어》 따분한〔투미한〕 사람(drip).

dreg [dreg] *n.* **1** (보통 *pl.*) 찌끼, (물 밑에 가라앉은) 앙금; 《비유》 지질한 것, 지스러기: the ~*s* of humanity 인간 쓰레기. **2** 미량(微量). ***drain*** 〔***drink***〕 ***to the ~s*** 한 방울도 남기지 않고 마시다; (쾌락·고생 등을) 다 맛보다. ***not a ~*** 조금도 …없다.

dreg·gy [drégi] (***-gi·er; -gi·est***) *a.* 찌끼가 있는; 탁한, 더러운.

D règion [díː-] 〚물리〛 (전리층(電離層)의) D 영역(領域), (때로) D 층(D layer)《최저층》.

dreich, dreigh [driːx] 《Sc.》 *a.* 쓸쓸한, 음울한; 오래 끄는, 시간이 걸리는, 지루한; (빚 갚기에) 태만한.

Drei·ser [dráisər, -zər] *n.* **Theodore** (**Herman Albert**) ~ 드라이저《미국의 소설가; 대표작 *Sister Carrie*(1900), *An American Tragedy*(1925) 등; 1871-1945》.

drek ⇨ DRECK.

◦**drench** [drentʃ] *vt.* **1** 흠뻑 젖게 하다〔적시다〕; (물·피 따위에) 담그다; 완전히 채우다〔덮다, 싸다〕. [SYN.] ⇨WET. **2** (마소에) 물약을 먹이다; 《고어》 마시게 하다. ***be ~ed to the skin*** 흠뻑 젖다. **—*n.*** **1** 흠뻑 젖음. **2** 억수(같이 퍼부음): a ~ of rain 억수 같은 비. **3** (마소에 먹이는) 물약. **4** 흠뻑 마심. **5** (가죽을 담그기 위한) 밀기울 발효액. [파] **∠·er** *n.* **1** 《구어》 호우, 억수. **2** (말·가축용) 물약 투여기.

drénch·ing *n.* 흠뻑 젖음: get a (good) ~ 흠뻑 젖다. **—*a.*** 흠뻑 적시는, 억수로 쏟아지는: a ~ rain 억수로 쏟아지는 비. [파] **~·ly** *ad.*

Dres·den [drézdən] *n.* **1** 드레스덴《독일 동부의 도시》. **2** =DRESDEN CHINA. **—*a.*** 드레스덴 도자기풍의, 화사한 아름다움의.

Drésden chìna 〔**pòrcelain, wàre**〕 드레스덴 도자기.

†**dress** [dres] (*p.*, *pp.* ***~ed*** [-t], 《고어·시어》 ***drest*** [-t]) *vt.* **1** 《~+[목]/+[목]+[전]+[명]》 …에 옷을 입히다《*in*》; 정장시키다; 옷을 만들어 주다: ~ a child 어린이에게 옷을 입히다 / She is *~ed in* white 〔*in* her Sunday best〕. 흰〔나들이〕 옷을 입고 있다 / Get *~ed.* 몸단장을 해라 / She's *~ed by* Pierre Cardin. 그녀는 피에르 카르덴이 디자인한 옷을 입고 있다. **2** 《~+[목]/+[목]+[부]/+[목]+[전]+[명]》 …을 장식하다《*up*》, (진열장 따위를) 아름답게 꾸미다(adorn)《*with*》: ~ *up* a shopwindow 가게 진열장을 (상품으로) 꾸미다 / ~ one's hair *with* flowers 머리를 꽃으로 꾸미다. **3** 《~+[목]/+[목]+[전]+[명]》 정돈하다, 마무르다; (말의) 털을 빗겨 주다, (가죽을) 무두질하다; (석재·목재 따위를) 다듬다; (수목 따위를) 가지 치다; (새·짐승을) 조리하기 위하여 대강 준비하다《털·내장 따위를 빼내어》: ~ leather 가죽을 무두질하다 / ~ a chicken (팔기에 적당하게) 닭을 준비하다 / ~ food *for* the table 식탁에 내도록 음식을 조리하다. **4** (머리카락을) 손질하다, 매만지다. **5** (상처를) 치료하다. **6** (광석을) 가려내다; 선광하다. **7** 《+[목]+[전]+[명]》 (군대를) 정렬시키다: ~ troops *in* line 군대를 정렬시키다. **8** (배를) 온통 장식하다. **9** (땅을) 갈다, …에 비료를 주다. **10** 《구어》 꾸짖다《*down*》. **—*vi.*** **1** 《~/+[부]》 옷을 입다: ~ *well* 〔*badly*〕 옷차림이 좋다〔나쁘다〕. **2** 《+[전]+[명]/+[부]》 정장하다, 야회복을 입다《*for*》: ~ *for* the opera 오페라에 가기 위해 정장하다. **3** 성장(盛裝)하다; 분장(扮裝)하다《*up*》. **4** 〚군사〛 정렬하다: ~ back 〔up〕 정렬하기 위해 뒤로 물러나다〔앞으로 나오다〕 / Right ~! 《구령》 우로 나란히 / ~ to 〔by〕 the right 〔left〕 오른쪽〔왼쪽〕으로 정렬하다. ***be ~ed to kill*** 《구어》 홀딱 반할 만한 옷차림을 하고 있다. ***be ~ed up*** 옷을 잘 차려 입고 있다: You *are ~ed up.* 잘 차려입었군요. ~ ***down*** 《*vt.*+[부]》 ① (말의) 털을 빗겨 주다. ② 《구어》 호되게 꾸짖다(scold), 채찍질하다. **—**《*vi.*+[부]》 ③ (장소에 맞추어) 수수한 옷차림을 하다, 평상복을 입다. ~ ***for dinner*** 정찬(正餐)을 위해 야회복을 입다. ~ ***in*** 《미속어》 투옥하다. ~ ***out*** ① 몸치장을 하다〔시키다〕. ② (상처를) 치료하다. ~ ***oneself*** 옷을 입다, 몸치장〔성장〕하다. ~ ***up*** 《*vi.*+[부]》 ① 정장하다. ② (연극 등에서) 특수 복장을 하다, 분장하다. **—**《*vt.*+[부]》 ③ 성장시키다. ④ 〘~ oneself〙 성장하다. ⑤ 꾸미다, 실제보다 아름답게 보이게 하다. ⑥ (군대를) 정렬시키다.
—*n.* **1** [U] 의복, 복장. [SYN.] ⇨CLOTHES. **2** [U] 정장, 예복: ⇨EVENING DRESS, FULL DRESS, MORNING DRSS. **3** [C] (원피스의) 여성복 드레스(gown, frock); (원피스의) 아동복. **4** [U] (새 따위의) 겉의 깃털. **5** 외관, 외견. **6** 〘형용사적〙 의복용의; 성장용의; 예복을 착용해야 할; 성장이 허용되는: ~ affair 《속어》 예복을 필요로 하는 모임《따위》. ***"No ~"*** '정장은 안 해도 좋습니다' 《초대장 따위에 적는 말》.

dres·sage [drəsáːʒ, drésaːʒ] *n.* 《F.》 [U] (말의) 조교(調敎), 조마(調馬); 마장 마술(馬場馬術).

dréss círcle 《미》 극장의 특등석《2층 정면; 원래 야회복을 입는 관례가 있었음》.

dréss cóat 예복, 연미복(tail coat).

dréss còde (학교·군대·상황 따위의) 복장 규정: a military ~ 군복 규정.

dréss-down Fríday 드레스다운〔캐주얼〕 프라이데이《회사 전체 직원이 캐주얼한 복장으로 출근하는 금요일》.

dressed [drest] DRESS의 과거·과거분사. **—*a.*** **1** 옷을 입은; 정장한. **2** 화장한: (a) ~ brick 화장 벽돌《건물의 외장용》. **3** 손질한: a ~ skin 무두질한 가죽. **4** (닭·생선 등) 언제라도 요리할 수 있게 준비된. ~ ***up*** 정장한; 치장한.

dréssed lúmber 화장재(化粧材).

◦**dress·er**¹ [drésər] *n.* **1** (극장 등의) 의상 담당자; (쇼윈도) 장식가(家). **2** 《영》 외과 수술 조수; 조정자. **3** 끝손질〔마무르는〕 직공; 마무리용의 기구. **4** 〘보통 형용사를 수반해〙 (특별한) 옷차림을 한 사람, 잘 차려입는 사람: a smart ~ 멋쟁이, 맵시꾼.

dress·er² *n.* 조리대(調理臺); 찬장; 화장대, 경대; 《폐어》 찬장이 붙은 조리대.

drésser sèt 화장용구 한 벌《빗·솔 따위》.

dréss fòrm (양재(洋裁)에서) 몸체의 모형.

dréss gòods (여성·아동용) 옷감.

dréss guàrd (여성용 자전거 등의) 의복 보호 장치.

dréss impròver (스커트를 퍼지게 하는) 허리받이(bustle).

dress·i·ness [drésinis] *n.* [U] 복장이 멋짐.

◦**dréss·ing** *n.* **1** [U,C] 마무리; (직물의) 끝손질하는 풀; (도로포장) 마무리 손질용 재료; 〚건축〛 화장 석재(石材); 〚광물〛 선광: The new building was finished with stone *~s.* 새 빌딩은 화장 석재로 마무리 되었다. **2** [U,C] 〚요리〛 드레싱, (샐러드·고기·생선 등에 치는) 소스·마요네즈류; (새 요리의) 속(stuffing): oyster ~ 굴 요리용 소스. **3** [U,C] (상처 등 외상 치료용의) 의약 재료, 《특히》 붕대 (감는 법): change a ~ (상처에 감은) 붕대를 갈다 / sterile ~ 소독된 붕대. **4** [U] 비료(manure), 시비(施肥). **5** [U] 옷 매무새; 의복(dress); 복장; 옷치장, [U,C] 화장, 몸단장; 머리 손질; (장식적인) 손질. **6** [C] 《구어》 구타(thrashing), 꾸지람(~-down).

dréssing bàg 〔**càse**〕 (여행용) 화장품 주머니〔통, 가방〕.

dréssing bèll 〔**gòng**〕 (만찬에 참석하기 위해) 몸차림할 것을 알리는 벨.

dréssing-dówn *n.* 《구어》 **1** 호되게 꾸짖음, 질책. **2** 때림, 구타. ***give*** a person ***a good ~*** 아무를 몹시 꾸짖다〔때리다〕.

dréssing glàss 경대 거울.

dréssing gòwn 〔**ròbe**〕 화장옷, 실내복.

dréssing jàcket 《영》 =DRESSING SACK.

dréssing màid 화장을 맡아보는 시녀.

dréssing ròom **1** (극장의) 분장실. **2** (흔히, 침실 옆에 있는) 화장실, 옷갈아입는 방.

dréssing sàck〔**sàcque**〕 《미》 여성용의 짧은 화장옷〔실내복〕.

dréssing stàtion 〖군사〗 응급 치료소.

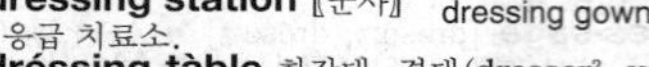

dressing gowns

dréssing tàble 화장대, 경대(dresser², vanity); 《영》 (lowboy 비슷한) 보조 탁자.

dréssing-ùp *n.* (어린이의) 변장(變裝) 놀이: play at ~.

dréss lèngth (드레스) 한 벌분의 천; 옷길이.

◇**dréss·màker** [drésmèikər] *n.* 양재사, 양장점. ⓒⓕ tailor. **—** *a.* (여성복이) 모양 있고 공을 들인. ⓒⓕ tailor-made.

dréss·màking *n.* [U] 여성·아동복 제조(업); 양재: a ~ school 양재 학교.

dréss·òff *n.* 《속어》 베스트 드레서(best dresser) 콘테스트. 「2 패션쇼.

dréss paràde **1** 〖군사〗 예장 열병식, 사열식.

dréss presèrver =DRESS SHIELD.

dréss rehéarsal 〖연극〗 (의상을 입고 조명·장치 등을 써서 하는) 총연습.

dréss sènse 복장의 센스: have a good ~.

dréss shìeld (드레스 겨드랑이에 대는) 땀받이.

dréss shírt 예장용 와이셔츠; (스포츠 셔츠에 대하여 비즈니스용 따위의) 와이셔츠.

dréss súit (남자의) 야회복, 예복.

dréss swórd 예장용 대검(court sword).

dréss tíe 예장용 넥타이.

dréss úniform 〖군사〗 정장용 군복; 〖미해군〗 (추울 때 착용하는) 감색 제복.

dréss-ùp *a.* 성장을 요하는, 정식의《식사 따위》.

dressy [drési] (***dress·i·er; -i·est***) 《구어》 *a.* 옷치장을 좋아하는, 복장에 마음을 쓰는, 잘 차려입는; 화려한, 멋진, 맵시 있는. (파) **dréss·i·ly** *ad.*

drest [drest] 《고어·시어》 DRESS의 과거·과거분사(dressed).

Drew [druː] *n.* 드루《남자 이름; Andrew의 애칭》.

drew [druː] DRAW의 과거.

drey, dray [drei] *n.* 다람쥐 집.

Dréy·fus affàir [dréifəs-, drái-] (the ~) 드레퓌스 사건《1894년 프랑스에서 유대계 대위 Alfred Dreyfus가 기밀 누설 혐의로 종신 금고형을 선고 받아 국론이 갈라질 만큼 사회 문제가 되었으나 결국 무죄가 된 사건》.

Drey·fu·sard [dráifəsàːrd, -zàːrd, dréi-, ∸-∸] *n.* 드레퓌스파《Alfred Dreyfus 옹호〔지지〕자》.

Dr. Féelgood 각성제를 정기적으로 처방하여 환자를 기분 좋게 만드는 의사.

DRG *n.* 포괄 수가제《미국의 노인 건강 보험 제도에서, 실제 치료비와는 상관없이 진료받은 병명에 따라서 보험료가 병원에 지급되는 제도》. [◂ *D*iagnostic *R*elated *G*rouping]

drib [drib] (***-bb-***) *vi.* 듣다(dribble). **—** *n.* (보통 *pl.*) (액체의) 한 방울; 소량; 단편. **~*s* and drabs** 《구어》 소량, 소액: in 〔by〕 ~*s and drabs* 조금씩.

◇**drib·ble** [dríbəl] *vi., vt.* **1** (물방울 따위가) 똑똑 떨어지다, 듣다; 똑똑 떨어뜨리다; 침을 질질 흘리다; (돈·정력 등을) 조금씩 내다《*out*》, 질질 허비하다《*away*》. **2** (축구·농구 등에서 공을) 드리블하다; 〖당구〗 공이 포켓에 굴러들다; (공을) 포켓에 굴려 넣다. **—** *n.* **1** 똑똑 떨어짐, 물방울; 소량; 가랑비. **2** 〖구기〗 드리블. (파) **dríb·bler** *n.* 드리블하는 사람〔선수〕.

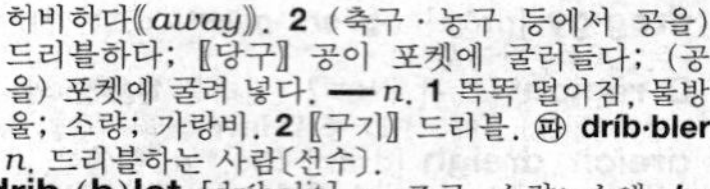

drib·(b)let [dríbəlit] *n.* 조금, 소량; 소액. ***by* 〔*in*〕 ~*s*** 찔끔찔끔, 조금씩.

dried [draid] DRY의 과거·과거분사. **—** *a.* 말린, 건조한: ~ eggs 말린 달걀, 달걀가루 / ~ goods 말린 식품, 《특히》 건어물.

dríed mílk 분유(powdered milk).

dríed-óut *a.* 《속어》 마약을 완전히 끊은.

dríed-úp *a.* (바짝) 마른; (늙어서) 쭈글쭈글한; (감정 따위가) 고갈된.

dri·er [dráiər] *n.* =DRYER.

⁑**drift** [drift] *n.* **1** [U,C] 표류(drifting), 떠내려감. **2** 표류물; 〖지학〗 표적물(漂積物): a ~ *of* ice 유빙. **3** 밀어 보냄, 미는 힘, 추진력. **4** (눈·비·토사 등이) 바람에 밀려 쌓인 것. **5** [U,C] (사건·국면 따위의) 동향, 경향, 흐름, 대세; [U] 추세에 맡기기: ~ *of* public opinion 여론의 대세〔흐름〕. **6** [U,C] (논의의) 경향, 취지, 주의(主意). **7** 〖해사〗 편류(偏流)《조류 따위로 인해 침로를 벗어나는 일》; 〖항공〗 편류(偏流); (탄환의) 탄도 편차(偏差); (조류·기류의) 이동률: the ~ *of* a current 유속(流速). **8** 〖광물〗 갱도; (두 터널 사이를 연결하는) 연락 갱도; 〖기계〗 (금속에 구멍을 뚫는) 천공기. **9** 《S.Afr.》 여울(ford). **10** (임자를 결정하기 위해 방목 가축을) 몰아 한데 모으기. **11** (the D-) =DILUVIUM. **12** =DRIFT NET. **13** 〖전자〗 드리프트《어떤 원인에 의한 특성의 변화》; 〖물리〗 드리프트《전장내(電場內)의 하전(荷電) 입자의 이동》; 〖언어〗 정향(定向)변화. ***Get the* ~?** 《미속어》 (내가 하는 말을) 알아들었는가. ***on the* ~** 《미서부·Austral.구어》 방랑하여. **—** *vt.* **1** 《~+[목]/+[목]+[전]+[명]/+[목]+[부]》 떠내려 보내다, 표류시키다; (어떤 상황에) 몰아넣다: be ~*ed into* war 전쟁에 휘말려 들다 / The boat was ~*ed away*. 보트는 떠내려가 버렸다. **2** 《비유》 (정처없이) 떠돌게〔헤매게〕 하다. **3** 《~+[목]/+[목]+[전]+[명]》 (바람이) 날려 보내다, 불어서 쌓이게 하다; (물의 작용이) 퇴적시키다: the back garden ~*ed with* fallen leaves 낙엽이 휘날려 쌓인 뒤뜰. **4** (구멍을 천공기로) 뚫다, 넓히다. **—** *vi.* **1** 《~/+[부]/+[전]+[명]》 표류하다, 떠돌다: ~ *about* at the mercy of the wind 바람 부는 대로 떠돌다 / ~ *with* the current 흐르는 대로 떠돌다. **2** 바람에 날려〔밀려〕 쌓이다: ~*ing* sand 바람에 날려 쌓이는 모래. **3** 《~/+[전]+[명]》 《비유》 (정처 없이) 떠돌다, 헤매다; (악습 등에) 부지중에 빠지다《*to; toward*》: be merely ~*ing* 무작정으로 지내다 / ~ *toward* ruin 서서히 파멸로 향하다. **4** 《미속어》 출발하다. **~ (*along*) *through life*** 일생을 줏대없이 살다. **~ *apart*** 표류하여 뿔뿔이 흩어지다; 소원해지다. ***let things* ~** 사태를 추세에 맡기다.

(파) **∠·age** [-idʒ] *n.* [U] **1** 표류 (작용); [C] 표류물. **2** 〖해사〗 표류 편차《바람·물 흐름에 의한 규정 진로에서 벗어난 정도》. **3** (탄환의) 편차.

dríft ànchor =SEA ANCHOR.

dríft àngle 〖해사·항공〗 편류각(偏流角), 편각(偏角), 편차각; 편항차(偏航差)각.

dríft bòat =DRIFTER 2.

dríft·er *n.* **1** 표류자〔물〕, 떠돌이. **2** 유자망 어선〔어부〕. **3** 대형 착암기.

dríft fènce (미국 서부 지방에서 볼 수 있는) 목장을 둘러싼 울타리.

dríft ìce 유빙, 성엣장. 「편류 측정기.

dríft ìndicator 〖항공〗 편류계(偏流計), 항로

drífting míne 부류(浮流) 기뢰.

dríft mèter =DRIFT INDICATOR.

dríft nèt 유(자)망(流(刺)網).
dríft sànd (파도 따위에 의한) 표사(漂砂).
dríft·wày *n.* 〖해사〗 조류나 풍력에 의한 배의 편류(偏流); 〖광산〗 갱도; 《미에서는 방언》 가축을 모는 길.
dríft·wòod *n.* [U] 유목(流木), 부목(浮木); 부랑민(浮浪民).
drifty [drífti] (*drift·i·er; -i·est*) *a.* 떠내려가는, 표류성의; 표적물(漂積物)의; (눈·바람 따위에) 불려 쌓인.
⁑**drill**[1] [dril] *n.* **1** 송곳, 천공기, 착암기, 드릴《기계 전체》. **2** [U,C] (엄격한) 훈련, 반복 연습; 〖군사〗 교련(敎練), 훈련, 드릴: soldiers at ~ 훈련 중인 병사. **3** 《속어》 교련 교관; 체육 교사. **4** 〖패류〗 두드러고둥의 일종. **5** (the ~) 《영구어》 올바른 방법〔수순〕. **—** *vt.* **1** 《~+[목]/+[목]+[부]》 (송곳 따위로) 꿰뚫다; 구멍을 뚫다: ~ a board 판자에 구멍을 뚫다/~ *up* a road 드릴로 도로에 구멍을 내어 표층 부분을 들어내다. **2** 〖군사〗 교련〔훈련〕하다. **3** 《+[목]+[전]+[명]》 (…에게 …을) 반복하여 가르치다《*in*》: ~ a boy *in* French 소년에게 프랑스어를 철저히 가르치다. **4** 《미구어》 (공을) 강타하다, 라이너를 치다; 《미속어》 총알로 꿰뚫다, 쏴 죽이다. **—** *vi.* **1** 송곳으로 구멍을 뚫다《*through*》. **2** 교련을 받다, 훈련하다; 연습하다. **3** 《미속어》 쏘다, (총알·공 따위가) 똑바로 빠른 속도로 날아가다. [SYN.] ⇨PRACTICE. [파] **∠·a·ble** *a.* **∠·er**[1] *n.*
drill[2] *n.* 조파기(條播機)《골을 쳐서 씨를 뿌린 다음 흙을 덮음》; 파종골, 이랑; 한 이랑의 작물: ~ husbandry 조파(법). **—** *vt.* (씨를) 조파기로 뿌리다. [파] **∠·er**[2] *n.*
drill[3] *n.* [U] 능직(綾織) 무명, 능직 리넨《따위》.
drill[4] *n.* 〖동물〗 비비(狒狒)의 일종《서아프리카산》. [cf.] mandrill.
dríll bìt 〖기계〗 드릴에 끼우는 날.
dríll còrps 〖군사〗 =DRILL TEAM.
dríll·ing[1] *n.* [U] **1** 훈련, 교련; 연습. **2** 송곳으로 구멍뚫기, 천공(穿孔); (보통 *pl.*) 송곳밥.
drill·ing[2] *n.* [U] (씨앗의) 조파(법)(條播(法)), 줄뿌림.
dril·ling[3] *n.* =DRILL[3].
drílling mùd 〖석유〗 착정 이수(泥水)《유정(油井) 시추 때 드릴 구멍에 흘려 넣는 현탁액》.
dríll(ing) rìg 해양 유정 굴착 장치.
dril·lion [dríljən] *n., a.* 《미속어》 막대한 수(의).
dríll·màster *n.* 엄하게 훈련시키는 사람, (군대식) 체육 교사; 교련 교관.
dríll prèss 〖기계〗 보르반(盤).
dríll sèrgeant 훈련 조교.
dríll·shìp *n.* 해저 굴착선, (원유) 시추선.
dríll tèam 〖군사〗 시범 부대.
drily ⇨DRYLY.
drin·a·myl [drínəmìl] *n.* 〖약학〗 드리나밀《각성제; 일반적으로 purple heart, French blue 로 알려짐》.
D́ rìng D자형 고리(=**D́-rìng**)《등산화·의복 따위에 씀》.
†**drink** [driŋk] (***drank*** [dræŋk]; ***drunk*** [drʌŋk], 〖형용사적〗 《시어》 ***drunk·en*** [drʌ́ŋkən]) *vt.* **1** 《~+[목]/+[목]+[전]+[명]》 마시다, 다 마시다 (empty): ~ a glass of milk 우유를 한 잔 마시다/~ wine *out of* a glass 잔으로 포도주를 마시다. **2** 《~+[목]/+[목]+[부]》 (수분을) 빨아들이다, 흡수하다(absorb)《보통 *up; in*》: ~ water like a sponge 스펀지처럼 물을 빨아들이다/Plants ~ *up* water. 식물은 물을 빨아들인다. **3** 《~+[목]/+[목]+[전]+[명]》(공기를) 깊이 들이쉬다 (breathe in): ~ air (*into* one's lungs) 공기를 (폐속) 깊이 들이마시다. **4** 황홀하게 〔넋을 잃고〕 듣다〔보다〕. **5** 《~+[목]/+[목]+[부]》 (급료 따위를) 술을 마셔 없애 버리다, 술에 소비하다: He ~*s* all his earnings. 그는 수입 전부를 술을 마셔 없애 버린다/He drank *up* his paycheck. 그는 급료를 술을 마셔 없앴다. **6** 《+[목]+[부]》 술을 마셔 시간을 보내다; 술로 괴로움을 잊다: They *drank* the night *away*. 그들은 밤새껏 술을 마셨다/~ one's troubles *away* 술로 심란한 마음을 달래다. **7** 《~+[목]/+[목]+[전]+[명]》 …을 위해서 축배하다《*to*》: We *drank* a toast *to* the bride and groom. 신부와 신랑을 위해 우리는 건배하였다. **8** 《+[목]+[보]/+[목]+[전]+[명]》 〔주로 ~ oneself〕 마시어 …이 되다; 마시어 …에 이르다《*to; into*》; 마시어 …을 잃다: He *drank* him*self* asleep. 그는 술을 마시고 잠이 들었다/He *drank* him*self to* death 〔*into* a stupor〕. 그는 과음으로 죽었다〔인사불성이 되었다〕. **—** *vi.* **1** 《~/+[전]+[명]》 마시다; 《특히》 술을 마시다: eat and ~ 먹고 마시다/~ *out of* a jug 주전자로 물을 마시다. **2** 《~/+[부]》 술을 많이 마시다; 몹시 취하다: I'm sure he ~*s*. 그는 틀림없이 술꾼이다/~ *heavily*〔*hard*〕 말술을 마시다/He ~*s* too much. 그는 술을 지나치게 마신다. **3** 《+[전]+[명]》 축배하다《*to*》: Let's ~ *to* his health 〔success〕. 그의 건강〔성공〕을 위해 건배합시다. **4** 《+[보]/+[부]》 마시면 …한 맛이 나다(taste): This beer ~*s* flat. 이 맥주는 맛이 없다〔김이 빠져 있다〕/This cocktail ~*s* sweet. 이 칵테일은 달콤하다.
~ ***deep of*** …을 흠뻑 마시다; (문화 따위를) 충분히 흡수하다. ~ ***down*** ① (괴로움·슬픔 따위)를 술로 잊다. ② (술 마시기를 겨루어 상대방을) 취해 곤드라지게 하다. ③ (단숨에 죽) 들이켜다. ~ ***in*** ① 흡수하다. ② …을 황홀하게 보다〔듣다〕. ~ ***it*** 《속어》 실컷 마시다. ~ ***off*** (한 입에) …을 마셔 버리다. ~ one***'s beer*** 《미속어》 침묵하다. ~ ***the cup of joy*** 〔***agony, pain, sorrow***〕 환희〔고민, 고통, 슬픔〕의 잔을 들다. ~ ***to*** ① ⇨*vt.* 7. ② ⇨ *vi.* 3. ~ a person ***under the table*** (상대방인) 아무를 취해 곤드라지게 하다(~ down). ~ ***up*** 다 마셔 버리다; 빨아올리다. ***I could ~ the sea dry.*** 몹시 목이 마르다. ***I'll ~ to that.*** 《속어》 동감, 찬성, 옳소.
— *n.* **1** [U,C] 마실 것, 음료, 술, 주류: ⇨SOFT DRINK, STRONG DRINK/food and ~ 음식물. **2** [C] 한 잔, 한 모금: have a ~ 한 잔 마시다. **3** [U] 과음, 대주(大酒): be in ~ 술에 취하여/be given to ~ 술에 빠져 있다/take to ~ 술 마시는 버릇이 생기다. **4** (the ~) 《구어》 큰 강, 《특히》 바다, 대양: go in 〔into〕 the ~ 《속어》 바다에 불시착하다, 헤엄치다. ***be on the ~*** 늘 술을 마시고 있다. ***drive*** a person ***to ~*** 《구어》 《보통 우스개》 (일이) 아무로 하여금 울분을 풀기 위해 술을 찾게 하다. ***take a ~*** 술 마시는 버릇이 생기다; 《야구속어》 삼진당하다.
drínk·a·ble *a.* 마실 수 있는, 마셔도 좋은. **—** *n.* (보통 *pl.*) 음료. ***eatables and ~s*** 음식물. [파] **-bly** *ad.*
drínk-dríving *n.* =DRUNK DRIVING.
◇**drínk·er** *n.* **1** 마시는 사람; 술꾼: a hard ~ 주호. **2** (가축용) 급수기.
Drín·ker réspirator [drínkər-] 〖의학〗 드링커(인공) 호흡기.
drink·ery [dríŋkəri] *n.* 《구어》 술집.
drínk·ing *n.* [U] 마시기; 음주; 주연; 《영속어》 (정규 식사 사이에 먹는) 가벼운 식사. **—** *a.* 마시는, 음주의, 마실 수 있는: a ~ party 연회/~ drivers 음주 운전자.
drínking fòuntain (분수식) 물마시는 곳.
drínking sòng 술 마실 때 부르는 노래.
drínking-úp tìme 《영》 (폐점 시간 후의 법적으로 허용돼 있는) 남은 술을 다 마시기 위한 짧은 영업 연장 시간.
drínking wàter 음료수.

drínk òffering 제주(祭酒).
drínks machìne 음료 자동판매기.
drínks pàrty 칵테일 파티(cocktail party).
drínk tàlking 한잔 하면서 하는 얘기: be just the ~ 그저 술김에 한 말이다.

*__drip__ [drip] (*p.*, *pp.* ***dripped, dript*** [-t]; ***dríp·ping***) *vi.* **1** 《~/+전+명》 (액체가) 듣다, 똑똑 떨어지다《*from*》: Dew ~*ped from* the trees. 이슬이 나무에서 똑똑 떨어졌다. **2** 《~/+전+명》 (젖어) 물방울이 떨어지다, 흠뻑 젖다, 넘칠 정도이다《*with*》: Your hat is ~*ping with* rain. 모자가 비에 흠뻑 젖었구나. **3** 《비유》 (음악 등이) 조용히 흐르다. **—** *vt.* **1** (액체를) 듣게 하다; 똑똑 떨어뜨리다. **2** 《비유》 대량으로 발하다. **—** *n.* Ⓤ,Ⓒ **1** (듣는) 물방울; 방울져 떨어짐, 적하(滴下). **2** Ⓤ 똑똑 (떨어지는 소리), 듣는 물방울 소리; (종종 *pl.*) 듣는 물방울〔고깃국물, 기름방울〕. **3** 〚건축〛 (문·창문 위 따위의) 빗물받이돌(dripstone); 〚의학〛 점적(제)(點滴(劑)). **4** 《속어》 따분한 사람; 불평; 실없는 말, 간살부리는 말. ***in a*** ~ 젖어서. ***in ~s*** 물방울이 되어, 방울져.

dríp còffee 드립커피《드립식 커피끓이개(drip pot)로 만든 커피》.
dríp-drìp, dríp-dròp *n.* 그치지 않고 똑똑 떨어짐; 낙숫물.
dríp-drỳ *a.* (세탁 후에) 다림질이 필요 없는《천·옷 따위》. Ⓒⓕ rough-dry. ¶a ~ shirt. **—** [ㅅㅅ, ㅅㅅ] *vi.*, *vt.* 젖은 채로 널어 구김살 없이 마르(게 하)다《나일론 등이》. **—** *n.* 드립드라이의 옷.
dríp·fèed *n.*, *a.* 《영》 점적(點滴)(의), 점적 주입(注入)(의). **—** *vt.* (환자)에게 점적 주입하다.
dríp grìnd (드립커피용의) 곱게 간 커피콩.
dríp irrigàtion =TRICKLE IRRIGATION.
dríp màt 컵 받침.
dríp pàinting 그림물감을 흘리거나 튀기거나 하여 그리는 그림《행동 회화의 일종》.
dríp pàn **1** (폐액·폐유 따위를) 받는 그릇. **2** =DRIPPING PAN.
dríp·ping *n.* **1** Ⓤ 적하(滴下), 듣음. **2** (종종 *pl.*) 똑똑 떨어지는 것, 물방울. **3** (종종 *pl.*) (기계 따위의) 떨어지는 기름; (불고기에서) 떨어지는 국물. **—** *a.* **1** 똑똑 떨어지는. **2** 흠뻑 젖은. **—** *ad.* 물방울이 떨어질〔흠뻑 젖을〕 만큼, 철저하게. ***be ~ wet*** 흠뻑 젖어 있다. 「받이.
drípping pàn **1** =DRIP PAN. **2** (불고기의) 기름
drípping róast (a ~) (노력을 하지 않고) 언제까지라도 이익을 얻는 것, 마르는 일이 없는 근원〔수원(水源)〕.
dríp pòt 드립식 커피포트〔끓이개〕.
drip·py [drípi] (***-pi·er; -pi·est***) *a.* **1** 물방울이 떨어지는. **2** 궂은 날씨의. **3** 《구어》 눈물을 자아내게 하는, 감상적인(corny).
dríp·stòne *n.* Ⓤ 〚건축〛 (문·창 위 따위의) 빗물받이돌; 점적석(點滴石)《종유석이나 석순 모양의 탄산칼슘》.
dript [dript] DRIP의 과거·과거분사.

†**drive** [draiv] (***drove*** [drouv], 《고어》 ***drave*** [dreiv]; ***driv·en*** [drívən]) *vt.* **1** 《~+목/+목+전+명/+목+부》 (소·말 등을) 몰다, 쫓다; (새·짐승 따위를) 몰아내다; 몰아치다; (펜 따위를) 휘두르다: ~ a pen 펜을 빨리 놀려서 쓰다/~ cattle *to* pasture 소를 목초지로 몰아넣다/*Drive* the dog *away*. 개를 쫓아 버려라. SYN. ⇨ URGE. ★ 보통 *away, back, down, in, off, on, out, through, up* 등의 각종 부사가 따름. **2** 《~+목/+목+전+명/+목+부》 (적 따위를) 쫓아 버리다; 물리치다; (바람·파도가 배 따위를) 밀어치다; (눈·비를) 몰아 보내다: Clouds are *driven* by the wind. 구름이 바람에 흩날린다/~ a person *out of* a country 아무를 국외로 추방하다/~ *away* the enemy 적을 내몰다. **3** (마차·자동차를) 몰다, 운전〔조종〕하다, 드라이브하다: ~ a taxi 택시를 몰다. **4** 《+목+부/+목+전+명》 차(車)로 운반하다〔보내다〕: ~a person *home* 아무를 차 태워 보내다/They drove the injured people *to* the hospital. 그들은 부상자를 병원까지 차로 날랐다. **5** 〖보통 수동태〗 (동력 따위가) 기계를 움직이다, 가동시키다: an engine *driven* by steam 증기로 움직이는 기관. **6** 《+목+부》 (아무를) 마구 부리다, 혹사하다: ~ a person *hard* 아무를 혹사하다. **7** 《+목+보/+목+전+명/+목+*to* do》 (아무를) …한 상태로 만들다; 무리하게 …시키다(compel): The pain nearly *drove* her mad. 고통으로 그녀는 미칠 것 같았다/That noise is *driving* me *out of* my mind. 저 소음이 나를 미치게 만든다/Poverty and hunger *drove* them to steal. 가난과 굶주림이 그들로 하여금 도둑질하게 했다. **8** 해 나가다, 경영하다, 부지런히 하다, (거래·계약 따위를) 억지로 성립시키다, 수행하다: ~ a brisk export trade 활발하게 수출업을 경영하다. **9** 《+목+전+명》 (못·말뚝 따위를) 쳐박다; (머리에) 주입시키다; (우물·터널 등을) 파다, 뚫다; (돌 따위를 겨냥해) …에 던지다, …을 부딪치다; (철도를) 부설하다: ~ a nail *into* wood 못을 나무에 박다/~ one's head against the wall 머리를 벽에 부딪뜨리다. **10** 《~+목/+목+전+명》 (공을) 던지다, 치다; 〚테니스〛 드라이브를 넣다; 〚골프〛 (공을) 티(tee)에서 멀리 쳐보내다; 〚야구〛 (안타나 희생타로 러너를) 진루시키다, (…점을) 득점시키다: The batter *drove* the ball *into* the bleachers. 타자는 공을 외야 관람석까지 날려 보냈다. **11** 《+목+전+명》 (시간적으로) 물리다, 연기하다: ~ the departure *to* the last moment 출발을 마지막 시간까지 끌다. **12** 《+목+부/+목+전+명》 〚인쇄〛 (단어·행(行) 따위를) 넘기다: ~ a line *over* to the next page, 1 행을 다음 면으로 넘기다. **—** *vi.* **1** 《~/+전+명》 차를 몰다, 운전하다; 차로 가다, 드라이브하다, 마차〔자동차 따위〕로 여행하다: He ~*s* to work *with* me. 그는 나와 동승하여 일터로 간다/~ *in* a taxi 택시로 가다. **2** 《+전+명》 (차·배 따위가) 질주〔돌진〕하다; 격돌하다《*against*》; (구름이) 날아가다: The ship *drove on* the rocks. 배는 암초에 걸렸다/The clouds *drove before* the wind. 바람에 쫓겨 구름의 흐름이 매우 빨랐다/The wind *drove against* the door. 바람이 세차게 문에 불어닥쳤다. **3** 《+전+명》 《구어》 (…을) 의도하다, 꾀하다, 노리다, (…을 할〔말할〕) 작정이다《*at*》: What is he *driving at?* (결국) 그가 노리는〔의도하는〕 것은 무엇인가. ★ 진행형으로 씀. **4** 《구어》 열심히 일하다; 《속어》 (재즈·스윙 따위를) 맹렬하게 연주하다. **5** 공을 세게 치다, 투구하다.
~ ***at*** ⇨ *vi.* 3. ~ ***away*** ① (근심 따위를) 몰아내다. ② 차를 타고 가버리다. ~ ***away at*** 《구어》 …을 부지런히 하다. ~ ***back*** ① 되쫓아 버리다; 물리치다. ② 차를 타고 돌아오다. ~ a person ***back on ...*** (없앤 습관 등을) 아무가 다시 시작〔사용〕하게 하다, 아무를 부득이 …에 의지하게 하다: He was *driven back on* his pipe. 그는 부득이 또 파이프를 쓰기 시작했다. ~ ***home*** ① (못 따위를) 쳐서 박다. ② (생각·견해 따위를) …에 납득시키다《*to*》; 차로 보내 주다. ~ ***in*** 몰아〔밀어〕넣다; 쳐서 박다; 차를 몰고 들어가다; 〚야구〛 히트를 쳐서 (주자를) 홈인시키다〔(타점을) 올리다〕; 〚자동차〛 (보초 등을) 부득이 철수시키다. ~ ***into*** …으로 몰아넣다; (바람이 눈 따위를) 불어 쌓이게 하다; (과업 따위를) 주입시키다. ~

off 《*vt.*+부》 ① 쫓아 버리다, 물리치다, 격퇴시키다. ―《*vi.*+부》 ② 차를 몰고 떠나 버리다. ③ 〖골프〗 티샷을 〔제 1 타를〕 치다. ~ ***on the horn*** 《구어》 (자동차) 운전 중 쓸데없이 경적을 울리다. ~ ***out*** ① 추방하다, 몰아내다, 배격하다. ② 차로 외출하다. ~ ***the porcelain bus*** 《미학생속어》 토하다, 게우다. ~ a person ***to despair*** 아무를 절망에 빠뜨리다. ~ ***under*** 억압하다. ~ ***up*** ① (탈것으로) …에 대다《*to* the door》; (길을) 달려오다, 전진해 오다. ② (값을) 올리다. ***let*** ~ ① 날리다. ② 겨누어 쏘다〔던지다〕《*at*》: He *let* ~ *at* me with a book. 그 녀석이 나를 향해 책을 던졌다.

― *n.* **1** Ⓤ 몰아냄, 몰기, 쫓기, 몰이. **2** Ⓒ 드라이브; Ⓤ 차를 모는 일; Ⓒ (자동차 따위로 가는) 노정(路程): an hour's ~ 자동차로 한 시간 걸리는 거리 / take a person for a ~ 아무를 드라이브에 데리고 가다. **3** Ⓒ 드라이브길; 《영》 (큰 저택의 대문에서 현관의 차 대는 곳까지의) 차도 (《미》 driveway); (공원이나 삼림속의) 차도. **4** Ⓒ 몰을 당하는 것《가축 따위》; 떼, 뗏목. **5** Ⓤ 〖심리〗 충동, 본능적 욕구: the sex ~ 성적 충동. **6** Ⓤ 정력, 의욕, 박력, 추진력: a man of ~ 〔with great ~〕 정력가. **7** Ⓒ 돌진, 맹공격. **8** Ⓤ 대선전, 대대적인 판매; Ⓒ (기부·모집 등의) (조직적인) 운동: a Red Cross ~ 적십자 모금 운동. **9** Ⓤ 시세, 추세, 경향. **10** Ⓤ,Ⓒ 드라이브《〖골프〗 드라이버로 침, 티샷; 〖테니스〗 라이너성(性) 볼을 치는 타법; 〖크리켓〗 강타; 〖야구〗 라인드라이브 (liner)》. **11** Ⓤ,Ⓒ (자동차의) 구동(驅動) 장치; 〖기계〗 (동력의) 전동(傳動); 〖컴퓨터〗 드라이브《자기 테이프·자기 디스크 등의 대체 가능한 자기 기억 매체를 작동시키는 장치》: This car has (a) front-wheel ~. 이 차는 전륜(前輪) 구동이다 / a gear ~ 톱니바퀴〔기어〕 전동. **12** Ⓤ (자동 변속차에서 변속 레버의) 드라이브〔주행〕의 위치 《생략: D》. **13** 《미속어》 (특히 마약을 써서) 기분 좋은 상태, 쾌감, 약동감. ***full*** ~ 전속력으로.

― *a.* 구동(장치)의.

drìv(e)·a·bíl·i·ty *n.* (자동차의) 운전 용이도 「(容易度).

dríve·awày *n.* (자동차 구입자에게) 자동차 배송; (자동차의) 발진.

dríveaway càr 여행지 등에 배송된 자가용차.

dríve bày 〖컴퓨터〗 드라이브 자리《개인용 컴퓨터의 케이스에 디스크 드라이브를 넣을 수 있는 자리》.

dríve-bỳ (*pl.* ***-bỳs***) *n.* **1** (특별한 지역이나 목적 등으로) 드라이브하는 일. **2** 《미》 주행 중인 차에서의 발사《~ shooting이라고도 함》. ― *a.* **1** 을 위한; 주행 중인 차에서의.

dríve-bỳ delívery =DRIVE-THROUGH DELIVERY.

dríve-ìn *a.* 《미》 차를 탄 채로 들어가게 된《식당·휴게소·영화관 등》: a ~ theater 〔bank〕 드라이브인 극장〔은행〕. ― *n.* 드라이브인《차를 탄 채로 들어가는 식당, 휴게소, 극장, 은행, 상점》. cf fly-in.

driv·el [drívəl] (***-l-***, 《영》 ***-ll-***) *vi.* 침을 흘리다, 콧물을 흘리다; (침이) 흐르다; 침처럼 흐르다; 철없는 소리를 하다. ― *vt.* 어린애〔바보〕 같은 소리를 하다; (시간 등을) 낭비하다, 헛되게 쓰다: ~ away (시간을) 허비하다. ― *n.* Ⓤ 《드물게》 침, 콧물; 철없는 소리. 파 **~·er,** 《영》 **~·ler** *n.*

dríve·lìne *n.* 〖자동차〗 동력 전달 장치.

driv·en [drívən] DRIVE의 과거분사. ― *a.* **1** 바람에 날린: ~ snow 눈보라; 바람에 날려 쌓인 눈. **2** 매우 노력한 흔적이 있는. **3** (감정이) 극에 「달한.

dríven wèll 깊이 판 우물.

dríve-òff *a.* 〖무역〗 (운전사가 운전을 해서) 자동차를 싣거나 부리는 방식의《자동차 전용 수송선에서의 자동차 하역 방식》.

dríve-òn *a.* (배가) 자동차 수송이 가능한, 차를 탄 채로 들어가는.

⁑driv·er [dráivər] *n.* **1** (자동차를) 운전하는 사람, 모는 사람; (전차·버스 따위의) 운전사; 《미군대속어》 (군용기의) 파일럿; 《영》 (기차의) 기관사; 마부: ⇨ OWNER-DRIVER / a careful ~ 조심스럽게 운전하는 사람. **2** 짐승을 모는 사람, 소〔말〕 몰이꾼. **3** (노동자 따위의) 감독, 십장. **4** 〖기계〗 (기관차·동력차의) 동륜(動輪), 구동륜(驅動輪) (driving wheel); 동력 전달부(傳達部); 〖컴퓨터〗 드라이버〔돌리개〕《컴퓨터와 주변 장치 사이의 사이틀을 제어하는 하드웨어 또는 소프트웨어》. **5** 〖골프〗 공 치는 부분이 나무로 된 골프채《1번 우드》. **6** (말뚝 따위를) 박는 기계; 드라이버, 나사 돌리개. **7** 〖전기〗 드라이버《송수신기의 증폭기의 하나》. ***a hit-and-run*** ~ (사람을 친) 뺑소니 운전사. 파 **~·less** *a.*

dríver ànt 〖곤충〗 =ARMY ANT《특히 아프리카·「아시아 열대산》.

dríver's lìcense 《미》 운전면허(증)(《영》 driving licence).

dríver's sèat 운전석. ***in the*** ~ 지배적 지위〔입장〕에 있는, 권좌(權座)에 있는. 「動軸).

dríve shàft 〖기계〗 구동축(驅動軸), 원동축(原

dríve-thròugh *a.* 차에 탄 채 구경할 수 있게 된: a ~ zoo.

dríve-through delívery (출산 후 단시일 안에 퇴원해 버리는) 속성 출산.

dríve 〔**dríving**〕 **tìme** **1** (두 지점 간의) 드라이브 소요 시간. **2** 드라이브 타임《러시아워에 통근자가 라디오를 사용하므로 라디오 청취율이 상승하는 시간대》.

dríve·tràin *n.* 〖자동차〗 (엔진과 구동륜(驅動輪) 사이의) 회전력 전달 장치.

dríve-up wìndow 《미》 승차한 채로 서비스를 받을 수 있는 창구: ~*s* at the bank.

°dríve·wày *n.* **1** (대문에서 현관까지의) 차도, (자택 차고에서 집앞의 도로까지의) 자동찻길 (《영》 drive); 가축을 모는 길. **2** 《Can.》 드라이브길, 경관이 좋은 간선 도로《양쪽에 가로수나 꽃을 심은 시가지의 도로》.

driv·ing [dráiviŋ] *a.* **1** 추진하는, 움직이게 하는, 동력 전달의, 구동(驅動)의: ~ force 추진력. **2** (사람을) 혹사하는. **3** 《미》 정력적인(energetic), 일을 추진하는: a ~ personality 정력가. **4** 질주하는, 맹렬한, 세찬; (눈 따위가) 휘몰아치는: a ~ rain 휘몰아치는 비. ― *n.* Ⓤ **1** (자동차 따위의) 운전, 조종. **2** 추진; (차바퀴의) 전동력(傳動力), 구동(驅動). **3** 몰기; 쫓기. **4** (말뚝 따위를) 두드려 박기. **5** 〖골프〗 티(tee)에서 멀리 치기.

dríving ìron 〖골프〗 낮은 장타용(長打用)의 아이언 클럽, 1 번 아이언 (클럽).

dríving lìcence 《영》 운전 면허(증).

dríving rànge 골프 연습장.

dríving schòol (자동차) 운전 학원.

dríving tèst 운전면허 시험.

dríving whèel 〖기계〗 동륜, 원(동)차; (자동차 따위의) 구동륜(驅動輪), (기관차의) 동륜.

driz·zle [drízəl] *n.* 이슬비, 보슬비, 가랑비; 《미속어》 =DRIZZLE PUSS. ― *vi.* 이슬비가 내리다. ― *vt.* 이슬비같이 내리다, 잔 물방울로 적시다. 파 **dríz·zling·ly** *ad.* **dríz·zly** *a.* 이슬비의; 이슬비 오는; 보슬비가 올 것 같은.

drízzle pùss 《미속어》 따분한〔하찮은〕 사람.

dro·gher [dróugər] *n.* 드로거《서인도 제도의 느린 돛배의 일종; 그와 비슷한 배》.

drogue [droug] *n.* **1** 〖포경〗 작살줄에 단 부표. **2** (공항의) 풍향 기드림(wind sock). **3** =SEA ANCHOR. **4** =DROGUE PARACHUTE. **5** 〖공군〗 예인 표적《공대공 사격 연습용으로 비행기가 끄는 기드

림)). 6 〖항공〗 드로그((공중 급유기에서 나오는 호스 끝에 있는 깔때기 모양의 급유구(給油口))).

drógue párachute 〖항공〗 보조 낙하산((착륙시 감속용(減速用)의)).

droid [drɔid] *n.* ((구어)) 인조인간(android); ((미속어)) 명령에 따라 움직이는 로봇과 같은 사람, 융통성 없는 바보.

droit [drɔit; *F.* dʀwa] *n.* ((F.)) 〖법률〗 권리; 소유권; 권리의 대상; 법률; (*pl.*) 세금(dues), 관세(customs duties).

droit du sei·gneur [*F.* dʀwadysεɲœːʀ] ((F.)) **1** (신하의 신부에 대한) 영주(領主)의 초야권(初夜權). **2** ((비유)) 강력〔불합리〕한 권리.

droll [droul] *a.* 우스운, 익살스러운. **—** *n.* 익살맞은 사람; 익살. **—** *vi.* 익살떨다; 우스운 짓을 하다((*with; at; on*)); 단조롭게 얘기하다. ㊕ **∠·ness** *n.* **dról·ly** *ad.*

droll·ery [dróuləri] *n.* Ⓤ,Ⓒ 익살스러운 짓(waggishness); 익살맞은 이야기; 익살, 해학; 만화, 희화(戲畫); 소극(笑劇), 촌극, 인형극.

drome [droum] *n.* ((구어)) 비행장, 공항(airport).

-drome [drὸum] '경주로, 광대한 시설; 달리는, 달리는 장소' 란 뜻의 결합사: air*drome*, hippo*drome*.

drom·e·dary [drάmədèri, drʌ́m-/drɔ́m-] *n.* 〖동물〗 (승용의) 단봉(單峯) 낙타(Arabian camel) ((아라비아산)). ⓒⓕ Bactrian camel. 「방랑벽.

drom·o·ma·nia [drὰməméiniə, drɔ́m-] *n.*

drom·ond, drom·on [drάmənd, drʌ́m-/drɔ́m-], [drάmən, drʌ́m-/drɔ́m-] *n.* (중세에 주로 지중해에서 사용되었던) 노가 달린 고속의 대형 목조 범선(帆船).

◇**drone** [droun] *n.* **1** (꿀벌의) 수벌. ⓒⓕ worker. **2** 게으름뱅이(idler). **3** Ⓤ 윙윙하는 소리; 단조로운 소리; 〖음악〗 지속 저음; 백파이프(bagpipe)의 저음(관). **4** 〖항공〗 (무선 조종) 무인 비행기〔선박〕, 미사일. **5** 단조롭게 얘기하는 사람. **—** *vt., vi.* **1** (벌·기계 등이) 윙윙거리다; 청승맞은 소리로 말하다〔노래하다〕, 단조롭게 말하다. **2** 게으름 피우다, 빈둥거리다(idle)((*away*)). **~ *on*** 〔***away***〕 (진절머리가 날 정도로) 단조롭게 말을 계속하다((*about*)); (모임 따위가) 질질 오래 끌다. ㊕ **drón·er** *n.*

drón·ing·ly *ad.* **1** 웅얼웅얼, 붕붕, (낮은 소리로) 단조롭게. **2** 시름없이. **3** 빈둥빈둥.

droob [druːb] *n.* ((Austral.속어)) 감상적인 사람, 불쌍한 사람.

droog [druːg] *n.* 갱(gang)의 일원.

droog·ie [drúːgi] *n.* 갱소년, 비행 소년.

drool [druːl] *vi.* 침을 흘리다; (침이) 흐르다; ((구어)) 시시한 말을 하다; ((속어·우스개)) (여자나 새 차 따위를 보고) 군침을 흘리다, 함부로 좋아하다. **—** *vt.* (침 따위를) 입에서 흘리다; 감상적인〔과장된〕 어조로 말하다. **~ *over*** …을 무턱대고〔바보처럼〕 기뻐하다〔소중히 하다〕, …에 열중하다. **—** *n.* Ⓤ 침; ((구어)) 허튼〔바보 같은〕 소리; ((속어)) 인기가 없는 남자. ㊕ **∠·er** *n.* ((미속어)) (사회자·아나운서 가운데) 두서없이 말을 하는 사람; 〖야구〗 =SPITBALL. **∠·ing** *n.* 침을 흘림; 〖의학〗 유연증(流涎症).

dróoly (***drool·i·er; -i·est***) *a.* **1** 침을 흘리는. **2** ((미속어)) 매우 매력적인, 인기가 있는, 멋진; (옷·차 따위가) 군침이 날 정도의, 굉장한. **—** *n.* ((미속어)) 매력적으로 인기가 있는 남자.

***droop** [druːp] *vi.* **1** 수그러지다, 숙어지다. **2** ((~/+전+명)) (초목이) 시들다; (가지가) 축 처지다; (눈이) 내리뜨이다, 눈을 내리깔다; (기력이) 쇠하다; (의기)소침하다: ~ *with* sorrow 슬픔으로 의기소침하다 / Plants ~ *from* drought. 식물이 가뭄으로 시들다. **3** ((시어)) (해 따위가) 지다, 기울다; (날·한 해가) 저물다. **—** *vt.* (머리 따위를) 수그리다, 숙이다; (눈을) 내리깔다. **—** *n.* Ⓤ **1** 숙임, 수그러짐. **2** 풀이 죽음, 의기소침. **3** (가락의) 늘어짐, 처짐(fall). **4** (가지 따위의) 축 늘어짐. **5** (종종 the ~) ((속어)) 따분하고 인기 없는 녀석. 「없는. ㊕ **~·ly** *ad.*

dróop·ing *a.* 수그러져 있는, 고개 숙이는, 힘

dróop nòse 〖항공〗 드루프 스누트((착륙시 시야를 넓히기 위해 숙일 수 있는 기수(機首))).

dróop snòot 〖항공〗 =DROOP NOSE(의 비행기).

droopy [drúːpi] (***droop·i·er; -i·est***) *a.* 숙인, 수그러진; 의기소침한.

†**drop** [drαp/drɔp] *n.* **1** 방울, 물방울; 한 방울; 미량(微量), 소량; (*pl.*) 점적(點滴)약, ((특히)) 점안약(點眼藥): a ~ *of* rain 빗방울 / a ~ *of* fever 미열(微熱). **2** (액체의) 소량; 소량의 술: drink a ~ *of* tea 홍차를 조금 마시다. **3** 물방울 모양의 것; 늘어뜨린 장식; 귀걸이(eardrop); 〖건축〗 단대공(pendant); 〖과자〗 드롭스. **4** 듣기, 똑똑 떨어짐. **5** 낙하; (온도 따위의) 강하; (가격 따위의) 하락; (낙하산에 의한) 공중 투하; 낙하산 강하; 낙하산 부대; 낙하 거리, 낙차: a ~ *in* price 물가의 하락. **6** 영락(零落), 몰락. **7** 떨어지게 만든 장치; (교수대의) 발판; 중앙 집배소; (우체통의) 넣는 구멍; (문·서랍 따위의) 열쇠 구멍 덮개; =TRAP DOOR; (무대의) 현수막(~ curtain), 배경막(backdrop). **8** 〖축구〗 드롭킥(drop kick); 〖야구〗 드롭; 〖골프〗 드롭((플레이 중에 인공 장애물을 만났을 때 규칙에 따라 공을 어깨 높이로 들어 올려 딴 위치로 떨굼)). **9** 가파른 비탈. **10** 낙하물; ((속어)) 회뢰(賄賂); (동물의) 낳은 새끼; ((속어)) 기아(棄兒); ((미속어)) 택시 손님. **11** ((미속어)) (불법 물품의) 암거래소; ((속어)) 스파이·마약 판매인의 비밀 정보 은닉 장소. **12** 〖식물〗 (야채의) 균핵병(菌核病). ***a ~ in the*** 〔***a***〕 ***bucket*** =***a ~ in the ocean*** ⇨ BUCKET. ***at the ~ of a hat*** 신호가 있으면; 즉시. **~ *by* ~** 한방울씩, 조금씩. ***have a ~ in*** one's 〔***the***〕 ***eye*** 얼굴에 취기가 돌다, 거나하다. ***have had a ~ too much*** (과음하여) 취해 있다. ***have*** 〔***get***〕 ***the ~ in*** ((구어)) 상대방보다 날쌔게 권총을 들이대다; …의 기선을 제하다. ***in ~s*** 한 방울씩; 천천히. ***not*** (***even***) ***a ~ of*** (mercy) 추호의 (자비)도 없는. ***take a ~*** 한잔하다: *take a* ~ too much 취하다.

— (*p., pp.* ***dropped*** [-t], ***dropt; dróp·ping***) *vt.* **1** ((~+목/+목+전+명)) 듣게 하다, 똑똑 떨어뜨리다, 흘리다; ~ sweat 땀을 흘리다 / ~ tears *over* a matter 어떤 일에 눈물을 흘리다. **2** ((~+목/+목+전+명)) (물건을) 떨어뜨리다((*on*)); 낙하〔투하〕시키다, 내리다; (시선 따위를) 떨어뜨리다; (소리를) 낮추다; (가치·정도 따위를) 떨어뜨리다, 하락시키다: I ~*ped* my handkerchief. 손수건을 떨어뜨렸다 / ~ one's voice 목소리를 낮추다 / ~ one's head 고개를 떨어뜨리다 / ~ bombs on a fortress 요새에 폭탄을 투하하다. **3** ((~+목/+목+전+명)) ((속어)) (게임을) 지다; (돈을) 잃다, 없애다((도박·투기 등으로)); (h 나 ng의 g 또는 어미의 철자 따위를) 빠뜨리고 발음하다, (문자 따위를) 생략하다(omit); 버리다: ~ a letter 한 자를 생략하다 / ~ money *over* a transaction 거래에서 손해 보다. **4** (소·말·양 따위가 새끼를) 낳다. **5** (말을) 무심코 입밖에 내다, 얼결에 말하다; 넌지시 비추다: ~ a sigh 한숨쉬다 / I ~*ped* him a hint. 나는 그에게 넌지시 말해 주었다. **6** ((+목+목/+목+전+명)) 투함하다, 우체통에 넣다; (짧은 편지를) 써서 보내다: *Drop* me a line. =*Drop* a line *to* me. 한 자(字) 써 보내 주십시오 / ~ a letter *into* a mailbox 편지를 투함하다. **7** 《+목+전+명》 (사람을) 차에서 내리다; (어느 장소에) 남기다; 버리고 떠나다: *Drop* me *before* the shop. 가게 앞에서 내려 주시오. **8** (습관·계획 따위를) 버리다(give up), 그만두다, 중지하다; …와 관계를 끊다, 절교하다: ~ the idea of going abroad 해외여행의 생각을 버리다. **9** 《속어》 죽이다, 해치우다, 쓰러뜨리다; 쏘아 떨어뜨리다. **10** 《+목+전+명》 《미》 해고〔퇴학, 탈회, 제명〕시키다《*from*》: He'll be *~ped from* the club. 그는 그 모임에서 제명될 것이다. **11** 《미》 (달걀을) 끓는 물에 넣어서 요리하다(poach). **12** 〖축구〗 드롭킥하다; 〖골프〗 드롭하다. **13** 《미속어》 (마약을) 복용하다. **14** 〖해사〗 넘어서 가다, …이 안 보이는 곳까지 오다. **—** *vi.* **1** 《~/+전+명》 듣다, (물방울이) 똑똑 떨어지다: Tears *~ped from* her eyes. 그녀의 눈에서 눈물이 흘러내렸다. **2** 《~/+전+명》 (물건이) 떨어지다, 낙하하다(fall); (꽃이) 지다; (막 따위가) 내리다; (가격·음조·온도 따위가) 내려가다, (생산고가) 떨어지다; (해가) 지다: The temperature *~ped*. 기온이 내려갔다 / The book *~ped from* his hand. 그의 손에서 책이 떨어졌다 / An apple *~ped from* the tree. 사과 한 개가 나무에서 떨어졌다 / The curtain *~ped* (at the end of the play). (연극이 끝나고) 막이 내렸다 / The sun was *~ping toward* the west. 태양이 서쪽으로 기울고 있었다. **3** (바람이) 그치다; (교통이) 끊어지다; (일이) 중단되다; (시야에서) 사라지다. **4** 《~/+전+명》 (푹) 쓰러지다, 지쳐서 쓰러지다, 녹초가 되다; 죽다; (사냥개가) 사냥감을 보고 웅크리다: ~ *with* fatigue 피로로 쓰러지다. **5** 《+부/+전+명》 《구어》 (경주·사회 등에서) 낙오〔탈락〕되다; 탈퇴하다《*from; out of*》; (하위로) 내려가다, 후퇴하다《*to*》: ~ *from* a game 게임을 기권하다 / He *~ped to* the bottom of the class. 그는 학급에서 꼴찌가 되었다. **6** 《+부/+전+명》 (사람이) 훌쩍 내리다, 뛰어내리다《*from; to; into*》; (언덕·개천 따위를) 내려가다: ~ *from* the window *to* the ground 창문에서 훌쩍 땅으로 뛰어내리다 / The boat *~ped down* the river. 보트는 강을 내려갔다. **7** (동물이) 태어나다. **8** 《+부/+전+명》 잠깐 들르다《*by; in; over; around; up / on; at; into*》; 우연히 만나다: ~ *in at* 〔*on*〕 his party 그의 파티에 잠깐 얼굴을 내밀다. **9** 《+보/+전+명》 (저절로 어떤 상태에) 빠지다, 되다《*into*》: ~ short of money 돈이 부족하다 / He *~ped into* the habit of smoking. 그는 담배 피우는 습관이 붙었다 / He soon *~ped* asleep. 그는 바로 잠들었다. **10** 《+전+명》 (말 따위가) 불쑥 새어나오다: A sigh *~ped from* his lips. 그의 입에서 불쑥 한숨이 새어나왔다. **11** 《속어》 체포되다, 붙잡히다.

~ *across* ① 사람을 우연히 만나다; (물건)을 우연히 발견하다. ② …을 꾸짖다, 벌주다(~ on). **~ *around*** 〔***by***〕 불시에 들르다. **~ *away*** ① 하나 둘 가버리다, 어느 사인가 가버리다; 적어지다(~ off). ② 방울져 떨어지다, 듣다. **~ *back*** (때로 일부러) 뒤(떨어)지다, 낙오하다; 후퇴〔퇴각〕하다; 〖미식축구〗 드롭 백《쿼터백이 패스하기 위해 바로 뒤로 물러나는 일》; (생산고가) 떨어지다. **~ *behind*** 《*vi.*+전》 ① …에서 낙오되다, 뒤지다: The youngest boy *~ped behind* the other hikers. 가장 나이 어린 소년이 하이커 일행보다 뒤졌다. **—** 《*vi.*+부》 ② 낙오되다, 뒤지다. **~ *dead*** 《구어》 급사하다, 뻗다; 〔명령형〕 《속어》 저리 가, 썩 꺼져; 죽어〔뒈져〕 버려. **~ *down*** 쓰러지다; (바람 따위가) 그치다. **~ *from sight*** 〔***notice***〕 안 보이게 되다, 빠뜨리고 보다, 못 보고 빠뜨리다. **~ *in*** 《*vi.*+부》 ① 잠깐 들르다; 불시에 방문하다《*on; at*》. ② 우연히 만나다《*across; on; with*》: ~ *in with* a friend 불시에 친구를 만나다. ③ (한 사람씩) 들어오다. **—** 《*vt.*+부》 ④ (물건을) 속에 넣다, 떨어뜨리다: He *~ped in* some coins and dialed. 그는 전화기에 동전을 몇 개 넣고 다이얼을 돌렸다. **~ *a person in it*** 《속어》 아무에게 폐를 끼치다. **~ *into*** ① …에 들르다〔기항하다〕. ② (습관·상태)에 빠지다. **~ *in with*** …와 협조하다. ***Drop it!*** 《구어》 그만둬, 집어치워. **~ *off*** 《*vi.*+부》 ① (손잡이 등이) 떨어지다, 빠지다. ② (점점) 사라지다(disappear), 안 보이게 되다; 적어지다, 줄어들다. ③ 잠들다(fall asleep); 꾸벅꾸벅 졸다(doze); 쇠약해져 …이 되다; 죽다. ④ (승객이〔을〕) 내리다. **—** 《*vt.*+부》 ⑤ (차에서) 내려 주다. ⑥ …을 편승시키다. **~ *on*** ① =~ across ②. ② 사소한 행운을 만나다. ③ (여럿 가운데에서 한 사람을 골라) 불쾌한 임무를 맡기다. ④ …을 갑자기 방문하다. **~ *out*** ① 탈락하다, 생략되다, 없어지다. ② (선수가) 결장하다; (단체에) 참가하지 않다, 빠지다. ③ 낙오하다, 중퇴하다: ~ *out* in one's junior year 대학 3학년에서 중퇴하다. **~ *out of*** ① …에서 (넘쳐) 떨어지다. ② …에서 손을 떼다, …을 탈퇴하다, …에서 낙오〔중퇴〕하다. **~ *over*** 《구어》 =~ in. **~ *short*** ① 부족하다《*of*》. ② 《속어》 급사하다. **~ *through*** 아주 못쓰게 되다. **~ *to ...*** 《속어》 …을 깨닫다. **~ *up*** =~ by 〔in〕. ***let* ~** =let FALL. ***ready*** 〔***fit***〕 ***to* ~** 《구어》 녹초가 되어.

dróp-bòx *n.* 《미》 드롭박스《사무실이 문을 닫았을 때 우편물·서류 따위를 담아 두는 상자》.

dróp-bỳ *n.* 《미》 (정치가·의원 등이 모임 따위에 잠시 들러) 얼굴을 보이기〔내밀기〕.

dróp càke 〔**còoky, còokie**〕 반죽을 스푼으로 번철에 떨어뜨려 구운 과자.

dróp clòth (페인트칠을 할 때 바닥·가구 등이 더러워지는 것을 막기 위하여) 까는〔덮는〕 천〔시트, 종이 따위〕.

dróp cùrtain (무대의) 현수막.

dróp-dèad *a.* 깜짝 놀라게 하는, 넋을 잃게 하는.

dróp-dead górgeous 《구어》 아주 매력적인.

dróp-déad list 《미구어》 (해고·퇴학 따위의) 대상자 명단.

dróp-down mènu 〖컴퓨터〗 드롭다운 메뉴《메뉴 바에서 아래로 펼쳐지는 메뉴 표시 형식》.

dróp fòrge 낙하(落下) 단조(鍛造) 장치(drop hammer).

dróp-fòrge *vt.* 〖야금〗 낙하 단조로 성형(成形)하다.

dróp fòrger 낙하 단조공.

dróp fòrging 〖야금〗 낙하 단조.

dróp frónt 여닫게 된 서가(書架) 뚜껑《책상 겸용》. ㊕ **dróp-frònt** *a.*

dróp góal 〖미식축구·럭비〗 드롭 골《dropkick에 의한 골》.

dróp hàmmer 〖기계·건축〗 낙하메〔해머〕.

dróp·hèad *n.* **1** 《영》 (젔다 거뒀다 할 수 있는 자동차의) 포장(convertible). **2** 집어넣게 된 재봉틀〔타자기〕의 대(臺)《틀을 집어넣으면 테이블이 됨》.

dróp-ìn *n.* **1** 불쑥 들른 사람〔장소〕; 《속어》 집합소; 예고 없이 손님이 찾아오는 딱딱하지 않은 파티. **2** 체제에서 이탈한 사고방식·생활을 지닌 채 체제에 되돌아온 사람. **—** *a.* 삽입식의.

dróp-in cènter 10대의 젊은이들을 위한 레크리에이션·교육·카운슬링 시설이 있는 센터.

dróp·kìck *n.* **1** 〖미식축구·럭비〗 드롭킥《공을 땅에 떨어뜨려 튀어오를 때 차기》. ⓒⓕ place kick. **2** (프로 레슬링에서) 뛰어 차기〔드롭킥〕.

dróp-kíck *vi., vt.* 드롭킥하다; 드롭킥으로 …점 득점하다. ㊕ **dróp-kíck·er** *n.*

dróp lèaf 현수판(懸垂板)《책상 옆에 경첩으로 매달아 접어 내리게 된 판》.
dróp-lèaf *a.* (테이블 따위가) 현수판식의.
dróp·let [-lit] *n.* 작은 물방울, 비말(飛沫).
dróplet inféction 〖의학〗 비말(飛沫) 감염.
dróp lètter 《미》 접수 우체국에 수취인이 찾으러 오는 우편물; 《Can.》 접수 우체국 배달 구역 내 우편물.
dróp·lìght *n.* (이동식) 현수등(懸垂燈).
dróp lìne (낚싯대를 사용하지 않는) 손낚싯줄.
dróp mèter (물약의) 계량계(計量計)(dosimeter).
dróp-òff *n.* **1** =DROPOUT 1. **2** 급경사면, 낭떠러지; (매상 · 가격 등의) 감소, 하락; 《구어》 인도(引渡).
dróp-off pòint **1** 배달품 전달 장소. **2** (유괴 사건 등에서) 몸값을 놓아두는 장소.
dróp oùt 〖컴퓨터〗 드롭아웃《녹음 테이프 · 자기 디스크의 신호의 일부가 표면에 낀 먼지나 자성체(磁性體)의 결함 등으로 결락(缺落)되는 일》.
dróp·òut *n.* **1** 낙후(落後), 탈락; (기성 사회로부터의) 탈락자《과격파 · 히피 등》. **2** 옛 소련에서 출국하여 이스라엘로는 가지 않고 미국 등지로 이주하던 유대계 이민. **3** 〖럭비〗 드롭아웃《터치다운 후 25 야드선 안에서의 드롭킥》. **4** 〖컴퓨터〗 드롭아웃, (녹음〔녹화〕 테이프의) 소리가〔화상이〕 지워진 부분; 〖인쇄〗 하이라이트판(版).
dróp·page [-idʒ] *n.* (익기 전의 과실의) 낙하량; (사용 중 · 수송 도중 따위의) 감량(減量).
dróp pàss 〖아이스하키〗 드롭패스《드리블한 퍽(puck)을 놔두고 전진하여 뒤쪽 자기편에게 패스하는 것》.
drópped égg 수란(poached egg).
drópped séat 앉는 부분이 약간 오목한 의자.
dróp(ped) shóulder 〖복식〗 드롭 숄더《어깨의 선을 팔 쪽으로 처지게 한 진동》.
dróp(ped) wáist 〖복식〗 드롭 웨이스트《솔기가 허리에 있지 않고 히프에 있는 스타일》.
dróp·per *n.* 떨어뜨리는 사람〔물건〕; (안약 따위의) 점적기(點滴器).
drópper-ín *n.* 불쑥 나타나는 방문객(drop-in).
dróp·ping *n.* 듣기, 똑똑 떨어짐; 낙하, 강하; (*pl.*) 듣는 것, 낙하물, 촛농, 낙모(落毛), (새 · 짐승의) 똥(dung).
drópping gròund 〔**zòne**〕 =DROP ZONE.
dróp prèss =DROP HAMMER.
dróp scène (배경을 그린) 현수막; 〖연극〗 최후의 장면; 《비유》 인생의 마지막 (장면), 대단원(finale).
dróp scòne 《영》 드롭케이크, 핫케이크(griddle cake).
dróp sèat (차의) 보조 의자.
dróp shìpment 〖상업〗 생산자〔산지〕 직송(直送)《서점에서 주문한 책을 출판사가 직접 손님에게 송부(送付)하고, 청구는 서점에 대하여 행하는 것; 단지 주문한 사람과 송부한 곳이 다른 경우에도 쓰임》.
dróp shòt 〖테니스〗 드롭 샷《네트를 넘자마자 공이 떨어지게 하는 타법》.
drop·si·cal [drápsikəl/drɔ́p-] *a.* 수종(水腫)의, 수종 비슷한; 수종에 걸린. ㊕ **~·ly** *ad.* 수종 비슷하게. **~·ness** *n.*
dróp·sònde *n.* 〖기상〗 투하(投下)〔낙하〕 존데《비행기에서 낙하산으로 투하하는 라디오존데》.
dróp-súlfur, 《영》 **dróp-súlphur** *n.* (녹여서 물속에 떨어뜨려 작은 알맹이가 된) 낟알 모양의 황(黃).
drop·sy [drápsi/drɔ́p-] *n.* **1** Ⓤ 〖의학〗 수종(水腫)〔부종(浮腫)〕(증), 《특히》 전신 수종〔부종〕. **2** 《속어》 팁, 뇌물; 《속어 · 우스개》 물건을 잘 떨어뜨림.
dropt [drapt/drɔpt] DROP의 과거 · 과거분사.
dróp tàble (열차 객석 따위의) 접어 내리게 된 테이블.
dróp tànk 〖항공〗 낙하 탱크《뗐다 붙였다 할 수 있는 기체 밖의 보조 연료 탱크》.
dróp vòlley 〖테니스〗 발리에 의한 드롭 샷.
dróp wìndow 내리닫이(창)《기차 따위의 아래위로 여닫는 창》.
dróp·wòrt *n.* 〖식물〗 독미나리; 터리풀류(類).
dróp zòne (낙하산에 의한) 투하〔강하〕 지대.
drosh·ky, dros·ky [dráʃki, drɔ́ʃ-], [dráski/drɔ́s-] *n.* (러시아의) 무개 4 륜 마차; 〔일반적〕 2 륜〔4 륜〕 역마차, 승합 마차.
dro·som·e·ter [drousámətər/-sɔ́m-] *n.* 노량계(露量計), 이슬량계《표면의 이슬량을 측정》.
dro·soph·i·la [drousáfələ, drə-/-sɔ́f-] (*pl.* **~s, -lae** [-lìː]) *n.* 〖곤충〗 초파리.
dross [drɔːs, dras/drɔs] *n.* Ⓤ 〖야금〗 (녹은 금속의) 뜬 찌끼, 불순물; 《비유》 부스러기, 찌꺼기(rubbish), 쓸모없는 것. ㊕ **∸y** *a.*
drought, drouth** [draut], [drauθ] *n.* **1** 가뭄, 한발. **2** 《비유》 (장기간에 걸친) 부족, 결핍. **3** Ⓤ 《고어》 건조; 《고어 · 방언》 목이 탐, 갈증. ***financial **~** 재정 궁핍.
droughty [dráuti] (***drought·i·er; -i·est***) *a.* 한발〔가뭄〕의, 갈수(渴水) 상태의; 건조한; 《방언》 목마른, 갈증 나는. ㊕ **dróught·i·ness** *n.*
drouthy [dráuθi] *a.* =DROUGHTY.
drove[1] [drouv] DRIVE의 과거.
drove[2] *n.* (어슬렁어슬렁 걸어가는) 가축의 떼; 인파; 〖석공〗 건목정(=**∸ chisel**); (돌의) 거칠게 다듬은 면(=**∸ wòrk**). ***in* ~*s*** 떼를 지어, 어슬렁어슬렁: They are emigrating *in ~s*. 그들은 떼지어 이주하고 있다. **—** 《영》 *vt.* (가축의 무리를) 몰고 가다; 건목정으로 가공하다. **—** *vi.* drover로서 일하다. ㊕ **dróv·ing** *n.*
dro·ver [dróuvər] *n.* (소 · 양 따위) 가축의 무리를 시장까지 몰고 가는 사람; 가축상(商); 《고어》 유자망(流刺網) 어선(drifter).
dróve ròad 〔**wày**〕 《Sc.》 가축 모는 길.
****drown** [draun] *vt.* **1** 《~+목/+목+전+명》 〔보통 ~ oneself 또는 수동태로〕 물에 빠뜨리다, 익사시키다: *be ~ed* 익사하다 / *~ oneself in* a river 강에 몸을 던지다. **2** 《~+목/+목+전+명》 흠뻑 젖게 하다; (물에) 잠그다: eyes *~ed in* tears 눈물 어린 눈. **3** 《+목+전+명》 〔~ oneself 또는 수동태로〕 탐닉하게〔빠지게〕 하다; (슬픔 · 시름 등을) 달래다, 잊다《*in*》: *be ~ed in* sleep 잠에 깊이 빠지다 / ~ one*self in* drink 술에 빠지다 / ~ one's sorrows *in* drink 술로 슬픔을 달래다. **4** 《~+목/+목+부》 (센 소리가 약한 소리 등을) 들리지 않게 하다《*out*》; 압도하다: The roar of the wind *~ed* (*out*) his voice. 윙윙거리는 바람소리에 그의 목소리는 들리지 않았다. **—** *vi.* 물에 빠지다, 익사하다: A *~ing* man will catch 〔clutch〕 at a straw. 《속담》 물에 빠진 자는 지푸라기라도 잡는다. **~ *out*** ① 〔보통 수동태〕 (홍수가 사람을) 떠내려 보내다, 몰아내다: The villagers *were ~ed out*. 마을 사람들은 홍수로 대피했다. ② ⇨*vt.* 4. ***like*** 〔***as wet as***〕 ***a ~ed rat*** 물에 빠진 생쥐같이 되어.
drówn·pròofing *n.* 익사 방지법《자연 부력과 특별 호흡법에 의한》.
drowse [drauz] *vi.* **1** 꾸벅꾸벅 졸다, 졸다(doze)《*off*》; 활발하지 못하다, 잔 듯하다. SYN. ⇨SLEEP. **2** 멍하니 있다. **—** *vt.* 꾸벅꾸벅 졸게 하다; 흐리멍덩하게 보내다《*away*》. **—** *n.* Ⓤ 겉잠, 졸음(sleepiness).
drow·si·head, -hood [dráuzihèd], [-hùd] *n.* 《고어》 =DROWSINESS.
drow·sy** [dráuzi] (-si·er; -si·est***) *a.* **1** 졸음이

오는, 졸리게 하는(lulling). **2** 졸리는, 꾸벅꾸벅 조는, 졸린 듯한: feel ~ 졸음이 오다/look ~ 졸리게 보이다. **3** (거리 따위가) 활기 없는, 조는 듯 한; (동작 따위가) 완만한, 둔한. [파] **-si·ly** *ad.* 졸린 듯이, 꾸벅꾸벅. **-si·ness** *n.* 졸음, 깨나른함; 〖의학〗 기면(嗜眠) 상태. 「잠꾸러기.
drówsy-héad *n.* 졸리는〔깨나른한〕 듯한 사람;
Dr. Strangelove ⇨STRANGELOVE.
drub [drʌb] (*-bb-*) *vt.* (몽둥이 따위로) 치다, 때리다(beat); 구르다; (적 · 경쟁 상대를) 쳐부수다, 패배시키다; (비평 따위에서) 때리다, 깎아내리다; (생각을) 주입시키다《*into*》; (생각을) 억지로 버리게 하다《*out of*》. **—** *vi.* 쳐서 소리를 내다, 발을 구르다. [파] **∠·ber, ∠·bing** *n.*
drudge [drʌdʒ] *vi.* (고된 일에) 꾸준히 정진하다(toil)《*at*》. **—** *vt.* …에게 단조롭고 힘드는 일을 시키다. **—** *n.* (단조롭고 힘드는 일을) 꾸준히〔열심히〕 하는 사람.
drúdg·er *n.* =DRUDGE. 「고된 일.
°**drúdg·ery** [drʌ́dʒəri] *n.* [U] 고된 일, 단조롭고
drúdg·ing·ly *ad.* 꾸준히 일하여; 고되게, 노예처럼; 단조롭게.
⁑**drug** [drʌg] *n.* **1** 약, 약품, 약제; (*pl.*) 《미》 위생 약품《치약 따위》. **2** 마취약, 마약(narcotic). **3** 《폐어》 (염색 · 화학 등에서 쓰는) 약품. **~ *on* 〔*in*〕 *the market*** 흔해서 팔리지 않게 된 상품; 체화(滯貨); 《미속어》 호감을 못 받는 녀석, 그 자리에 있어 주기를 원치 않는〔재미없는〕 인물. **—** (*-gg-*) *vt.* **1** …에 약품을 섞다; (음식물에) 독물을〔마취제를〕 타다〔넣다〕. **2** …에게 마취제를 먹이다; …을 마취〔마비〕시키다. **3** 물리게〔싫증나게〕 하다(cloy)《*with*》; 매스껍게 하다. **—** *vi.* 마취제를〔마약을〕 상용하다.
drúg abùse 마약 남용.
drúg àddict 〔**fiend**〕 마약 상용자(《미》 dope
drúg bàron =DRUG LORD. ⌊fiend).
drúg búster 《미》 마약 단속자.
drúg czàr 마약 거래 단속관.
drúg dròp 마약을 주고받는 곳.
Drúg Enfórcement Administràtion ⇨DEA.
drúg-fàst *a.* 약품에 강한〔견디는〕. 「는〕.
drúgged-óut *a.* 《구어》 마약에 빠진〔취해 있
drug·get [drʌ́git] *n.* [U,C] (인도산의) 거칠게 짠 모포, 거친 융단.
°**drug·gist** [drʌ́gist] *n.* 《미》 약제사(《영》 chemist); 《미 · Sc.》 약종상; drugstore의 주인. [cf] pharmacist.
drug·gy [drʌ́gi] *n.* 《미구어》 마약 상용자. **—** *a.* 마약(사용)의.
drúg·hèad *n.* 《속어》 마약 상용자〔중독자〕.
drúg lòrd 마약 밀매단의 유력자. 「위한 뇌물.
drug·o·la [drəgóulə] *n.* 《미속어》 마약 판매를
drúg·pùsher *n.* 《구어》 마약 밀매자(pusher).
drúg rehabilitátion 약물〔마약〕 중독으로부터의 회복.
drúg rùnner (국가간의) 마약 운반책.
drúg squàd (경찰의) 마약 단속반.
drug·ster [drʌ́gstər] *n.* 마약 상용자.
°**drug·store** [drʌ́gstɔ̀ːr] *n.* 《미》 약방(《영》 chemist's shop).

> [NOTE] 미국에서는 약품류 외에도 일용 잡화 · 화장품 · 담배 · 잡지 · 문구류와 소다수 · 커피 따위 음료를 팔았는데 지금은 supermarket이나 fast food 점(店)에 밀려 전과 같지는 않음.

drúgstore cówboy 《미속어》 옷차림만의 카우보이; drugstore 따위를 배회하는 건달.
drúg wàr 마약과의 전쟁.
dru·id [drúːid] *n.* **1** (종종 D-) 드루이드 성직자《기독교로 개종 전의 Gaul, Britain의 고대 Celt 족의 성직자로, 예언자 · 재판관 · 시인 · 마술사 등을 포함함》. **2** (D-)(런던의) 드루이드 공제 조합의 회원. **3** (Wales의) 시인 대회(eisteddfod)의 임원. [cf] eisteddfod. [파] **dru·íd·ic, -i·cal** [-ik], [-əl] *a.* **~·ism** *n.* [U] 드루이드교(敎).
⁑**drum**[1] [drʌm] *n.* **1** 북, 드럼; (*pl.*) (관현악단이나 악대의) 드럼부(部); 〖군사〗 고수(鼓手)(drummer): a bass 〔side〕 ~ 큰〔작은〕 북/(as) tight as a ~ 《속어》 만취해서/with ~*s* beating and colors flying 북을 치고 기를 휘날리며. **2** 북소리; 북소리 비슷한 소리《조류 · 곤충의 우는 소리 · 날개 치는 소리》; (the ~) 《Austral.》 정보, 예상: give a person the ~. **3** 북 모양의 것; 《특히》 드럼통; 〖기계〗 고동(鼓胴), 고형부(鼓形部), 몸통; 〖해부〗 중이(中耳)(middle ear), 고실(鼓室) (tympanum), 고막(eardrum); 〖건축〗 고상부(鼓狀部). **4** 〖컴퓨터〗 =MAGNETIC DRUM. **5** 《속어》 집, 나이트 클럽, 매춘굴; 유치장(prison). **6** 《폐어》 대야회(大夜會). ***beat the ~*(*s*)** =***bang the ~*** 《구어》 대대적으로 선전〔지지〕하다《*for*》.
— (*-mm-*) *vi.* **1** 《~/+[전]+[명]》 북을 치다; 둥둥 두드리다, 쿵쿵 치다, 쾅쾅 발을 구르다《*with; on; at*》: ~ *at* the door 문을 쾅쾅 치다/~ *on* a table *with* one's fingers 손가락으로 테이블을 통통 두드리다. **2** (새 · 곤충이) 파닥파닥〔붕붕〕 날개를 치다. **3** 《+[전]+[명]》 북을 쳐서 모집하다; 선전하다《*for*》: ~ *for* a new model 신제품을 선전하다/~ *for* new subscribers 신규 구독자 모집을 위해 돌아다니다. **—** *vt.* **1** 《+[목]+[전]+[명]》 (곡을) 북으로 연주하다; 북을 치며 환송하다: ~ the captain *off* a ship 북을 치며 함장을 환송하다. **2** 《+[목]+[전]+[명]》 둥둥〔똑똑〕 치다: ~ one's fingers *on* the table 〔the table *with* one's fingers〕 손가락으로 테이블을 똑똑 치다. **3** 북을 쳐서 모으다. **4** 《+[목]+[전]+[명]》 (귀가 아프도록) 되풀이해 주입시키다《*into*》; 《미구어》 알리다, 선전하다: ~ a person *into* apathy 아무에게 앙알앙알하여 무신경하게 하다/These facts had been ~*med into* him. 그는 이 사실들을 귀에 못이 박히도록 들었다. **5** (살 사람을) 불러 모으다, 구하다; (거래할 곳을) 찾다; 개척하다《*up*》. ***a ~ming in the ears*** 이명(耳鳴), 귀울림. **~ *down*** 침묵시키다. **~** a person ***out of*** 아무를 …로부터 추방〔제명〕하다: He was ~*med out of* school. 그는 퇴학당했다. **~ *up*** 북을 쳐서 …을 모으다; 《미구어》 선전하다.
drum[2] *n.* **1** 《Sc. · Ir.》 폭이 좁고 긴 언덕〔지붕〕. **2** 〖지학〗 =DRUMLIN.
drúm·bèat *n.* 북소리; 요란한 주의〔주장〕: ~ away 북소리가 들리는 곳에, 가까이에.
drúm·bèater 《구어》 *n.* **1** 북 치는 사람. **2** 선전〔광고〕자(advertiser); (주의 · 정책 등의) 요란한 창도자; (라디오 · 텔레비전의) 광고를 읽는 아나운서; 열성〔골수〕 분자. 「광고.
drúm·bèating *n.* 요란하게 주창하는 일; 선전,
drúm bràke 원통형 브레이크.
drúm còrps 고수대(鼓手隊), 군악대.
drúm·fire *n.* [U] 〖군사〗 연속 집중 포화; [C] (질문 · 비판 따위의) 집중 공세.
drúm·fish (*pl.* ~(·*es*)) *n.* (북소리 같은 소리를 내는) 민어과의 물고기《미국산》.
drúm·hèad *n.* 북가죽; 〖해부〗 고막(tympanic membrane); 〖기계〗 캡스턴(capstan)의 머리. **—** *a.* 약식의.
drúmhead cóurt-martial 〖군사〗 전지(戰地) (임시) 군법회의. 「춘」 타악기 세트.
drúm kìt 〔**sèt**〕 〖음악〗 (드럼 · 심벌즈 등을 갖
drum·lin [drʌ́mlin] *n.* 〖지학〗 드럼린, 빙퇴구

(氷堆丘)《타원형의 빙하 퇴적물 언덕》.

drúm machìne 드럼〔리듬〕 머신《드럼 따위의 타악기 소리를 내는 신시사이저》.

drúm màjor 군악대장, 악장; 《고어》 (연대의) 고수장(鼓手長); (학교 따위의) 밴드 리더.

drúm majorètte =MAJORETTE.

drúm mèmory 〖컴퓨터〗 드럼 기억 장치.

°**drúm·mer** *n.* 고수(鼓手), (악대의) 북 연주자, 드러머; 《미구어》 지방 순회 판매원(commercial traveller), 출장〔방문〕 판매원; 《속어》 도둑. ***march to*** 〔***hear***〕 ***a different*** ~ 《미》 (남과) 보조를 맞추지 않다.

drúm 'n' báss [-ən] 드럼언베이스《주로 전자 악기에 의한 드럼과 베이스의 비트를 기조로 연주하는 댄스 음악의 하나》.

drúm prìnter 〖컴퓨터〗 드럼식 인쇄 장치.

drúm prìnting 드럼 프린팅《따로 감긴 날실 등을 드럼이 회전하여 나가며 날염하는 방법》.

drúm·ròll *n.* 〖음악〗 드럼롤《드럼의 트레몰로(tremolo)》.

drúm·stìck *n.* 북채; (요리한) 닭〔칠면조·오리 「따위〕의 다리.

drúm tàble 회전식 서랍이 달린 원탁.

drúm·tìght *a.* 물샐틈없는.

*__drunk__ [drʌŋk] DRINK의 과거분사. ― *a.* **1** 술 취한(intoxicated): be ~ 취해 있다 / get ~ 취하다. **2** 《비유》 (기쁨 등에) 취한, 도취된: be ~ *with* power 권력에 도취해 있다. (***as***) ~ ***as a fiddler*** 〔***lord, fish***〕 곤드레만드레 취하여. ***beastly*** 〔***blind, dead***〕 ~ 정신없이 취하여. ~ ***out of mind*** 완전히 취하여. ★ drunk는 주로 서술적. cf. drunken. ― *n.* 《구어》 주정뱅이; 주연(酒宴); 주정 사고.

°**drunk·ard** [drʌ́ŋkərd] *n.* 술고래, 모주꾼. ***play the*** ~ 술꾼 흉내를 내다. 「음주 검문소.

drúnk drìver 〖법률〗 음주 운전자: a ~ trap

drúnk dríving 〖법률〗 음주 운전.

*__drunk·en__ [drʌ́ŋkən] DRINK의 과거분사. ― *a.* **1** 술취한. OPP. *sober.* ¶ a ~ sot 모주꾼 / ~ driving 음주 운전. **2** 술고래의; 음주벽의. **3** 술로 인한: a ~ quarrel 취한 끝에 하는 싸움. ★ drunken은 주로 부가어적. cf. drunk. ㊐ **~·ly** *ad.* 취하여, 술로 인해서. **~·ness** *n.* 대취; 술에 젖음; 취태(醉態); 《미》 주정죄.

drunk·om·e·ter [drʌŋkámətər/-kɔ́m-] *n.* 《미》 주기(酒氣) 검지기(breathalyser).

drúnk tànk 《속어》 (경찰의) 취객 보호실.

dru·pa·ceous [druːpéiʃəs] 〖식물〗 *a.* 핵과성(核果性)의; 핵과를 맺는.

drupe [druːp] *n.* 〖식물〗 핵과(核果)(stone fruit)《plum, cherry, peach 따위》.

dru·pel, drupe·let [drúːpəl], [-lit] *n.* 〖식물〗 소핵과(小核果).

Drú·ry Láne (Théatre) [drúəri-] (the ~) 런던의 유명한 극장《17 세기에 창립》.

Druse, Druze [druːz] *n.* 드루즈파《이슬람교 시아파 내의 과격파의 한 종파》. ㊐ **Drú·si·an, -zi-, -se-, -ze-** *a.*

Dru·sil·la [druːsílə] *n.* 여자 이름.

druth·ers [drʌ́ðərz] *n.* 《방언·구어》 좋아함, 자유 선택. [◂I'd rather]

†**dry** [drai] (***dri·er; dri·est***) *a.* **1** 마른, 건조한, 물기가 없는; 건성〔건식〕의. OPP. *wet.* ¶ a ~ cough 마른 기침 / get ~ 마르다 / keep ~ 말려서〔젖지 않게〕 놓아 두다. **2** 비가 안 오는〔적은〕; 가뭄이 계속되는; 물이 말라붙은. OPP. *wet.* ¶ a ~ spell 한천(旱天). **3** 젖이 안 나오는. **4** 버터(따위)를 바르지 않은《토스트 따위》. **5** 눈물을 안 흘리는, 인정미 없는: with ~ eyes 눈물을 흘리지 않고, 태연히. **6** 목마른; 목이 타는: feel ~ 목이 마르다〔타다〕 / ~ work 목이 타는 일. **7** 《구어》 술을 마시지 않는《사람》, 술이 나오지 않는《파티 따위》, 금주법 실시〔찬성〕의《지역 따위》. OPP. *wet.* ¶ a ~ state 금주법 시행주(州). **8** 무미건조한; 하찮은: a ~ subject. **9** 명백한, 꾸밈없는, 노골적인: ~ facts. **10** 천연스럽게〔시치미 떼고〕 말하는《유머·풍자 따위》: ~ humor 〔sarcasm〕 시치미 떼고〔모르는 체하고〕 말하는 농담〔비꼼〕. **11** 냉담한, 쌀쌀한: a ~ answer 쌀쌀맞은 대답 / ~ thanks 의리상 하는 감사〔인사〕. **12** (술이) 쓴, 씁쓸한: ~ wine. **13** (상품이) 고체의; 건질(乾質)〔건성(乾性)〕의. cf. liquid. ¶ ~ provisions 건조 식품《밀가루 등》. **14** 《미속어》 돈이 없는, 몹시 가난한. **15** 얻는 것이 없는: a ~ press conference 수확이 없는 기자회견. **16** 《고어》 (지급이) 현금인: ~ money 현금. **17** 《군대속어》 실탄을 사용하지 않는, 연습의. ***die a*** ~ ***death*** (익사나 유혈사(死)가 아닌) 자연사를 하다, 제명에 죽다. ~ ***as a bone*** 〔***as a chip, as tinder***〕 바싹 말라(붙어). ***go*** ~ 금주법을 펴다; 술을 그만두다. ***not*** ~ ***behind the ears*** 《구어》 미숙한; 천진난만한. ***run*** ~ 말라 버리다; 물〔젖〕이 안 나오게 되다; (비축 따위가) 부족〔고갈〕하다. ***vote*** ~ 금주법에 찬성 투표를 하다.

― *vt.* **1** 《~+목/+목+전+명》 말리다, 건조시키다; 닦아내다: ~ oneself 몸을 말리다 / *Dry* your hands *on* this towel. 이 수건으로 손을 닦으시오. **2** (늪 따위를) 말라붙게 하다. ― *vi.* **1** 마르다, 바싹 마르다, (늪 따위가) 말라붙다. **2** 시들다. ~ ***off*** (*vt.*+부) ① 바싹 말리다. ―(*vi.*+부) ② 바싹 마르다. ~ one's ***eyes*** 〔***tears***〕 ① 눈물을 씻다. ② 한탄하기를 그치다. ~ ***out*** (*vi.*+부) ① 마르다. ② (마약·알코올 중독 환자가) 금단 요법을 받다. ―(*vt.*+부) ③ (햇빛·바람 따위가) …을 바싹 말리다. ④ (마약·알코올 중독 환자에게) 금단 요법을 실시하다. ~ ***up*** (*vi.*+부) ① 바싹 마르다, (우물이) 말라붙다. ② (사상이) 고갈하다; (자금이) 바닥나다. ③ 《구어》 이야기를 그치다, 입을 다물다: *Dry up!* 입 다물어. ④ 《영》 (식후에) 접시닦기를 하다. ⑤ 〖연극〗 대사를 잊다. ―(*vt.*+부) ⑥ 말라붙게 하다; 바싹 말리다. ⑦ 입을 열지 못하게 하다. ⑧ (식후에 접시를) 행주로 닦다.

― *n.* **1** (*pl.* ***dries***) 가뭄, 한발(drought); 건조 상태(dryness); (보통 *pl.*) 〖기상〗 건조기(期). **2** (*pl.* **~s**) 《미구어》 금주(법 찬성)론자. **3** 《미속어》 샴페인. ***in the*** ~ 젖지 않고; 육상〔뭍〕에서. ㊐ **∠·a·ble** *a.*

dry·ad [dráiəd, -æd] (*pl.* **~s, -a·des** [-ədìːz]) *n.* 〖그리스신화〗 드리아데스《숲〔나무〕의 요정》. ㊐ **~·ic** [draiǽdik] *a.*

drý·as·dùst [-əz-] *n.* (종종 D-) (너무나 학구적·현학적이어서 재미가 없는) 학자《고고학자·통계학자 따위》; 무미건조한 사람. ― *a.* 무미건조한, 지루한, 몰취미한. [◂dry as dust]

drý ávalanche (지진·사태 따위로 인한) 토석류(土石流), 암설류(岩屑流), 산사태.

drý bàttery 〔**cèll**〕 건전지《여러 개를 결합한》.

drý béer 드라이 비어《라거 비어보다 약간 독하고 쌉쌀한 맛이 돎》.

drý-bòb *n.* 《영속어》 (Eton 교(校)의) 크리켓 〔럭비〕 부원. cf. wet bob.

drý-bùlb thermómeter 건구(乾球) 온도계.

drý cèll 〖전기〗 건전지.

drý-cléan *vt.* 드라이클리닝하다. ㊐ **~·able** *a.*

drý cléaner 드라이클리닝 업자; 드라이클리닝 약품《벤진·나프타 따위》.

drý cléaner's 세탁소.

drý cléaning 드라이클리닝(한 세탁물).

drý-cléanse *vt.* =DRY-CLEAN.

drý-cúre *vt.* (어육 따위를) 소금에 절여서 말리다(dry-salt), 건물(乾物)로 만들다: ~*d* foods 《미》 건물류(類).
drý cúring 건염법(乾塩法).
Dry·den [dráidn] *n.* **John** ~ 드라이든《영국의 시인·비평가·극작가; 1631-1700》.
drý distillátion 건류(乾溜)(destructive distillation).
drý dòck 드라이 독《보통 말하는 독》, 건선거(乾船渠). ***in*** ~ 《영구어》 실업하여; 입원하여.
drý-dòck *vt., vi.* 드라이 독에 넣다〔들어가다〕.
drý dýeing (섬유의) 건식(乾式) 염색.
◇**drý·er** *n.* 말리는 사람; 드라이어, 건조기; (페인트·니스의) 건조 촉진제.
drý-èyed *a.* 울지 않는; 냉정한.
drý-fàrm *vt.* …을 건지 농법으로 경작하다. — *vi.* 건지 농법을 행하다.
drý fármer 건지 농법을 행하는 사람〔농가〕.
drý fárming 건지 농업《수리(水利)가 좋지 않거나 비가 적은 토지의 경작법》.
drý fóg 〖기상〗 실안개; 건무(乾霧)《낮은 습도에서 먼지·연기로 생기는 안개》.
drý fùck 《비어》 (옷 입은 그대로 행하는) 성교 동작의 흉내, 모의 성교(=**drý húmp**).
drý gángrene 〖의학〗 건성 괴저(壞疽).
drý gás 건성〔드라이〕 가스《메탄·에탄 등》.
drý gínger 드라이 진저《생강 맛이 나는 음료》.
drý gòods 1 직물, 의류. **2** 《영》 곡류; 건물류(乾物類). **3** 《미속어》 의복, 드레스, 코트: a ~ store 《미》 포목상(《영》 draper's (shop)). **4** 《미속어》 여자 (아이).
drý-gùlch *vt.* **1** 《미》 (죽이기 위해) 숨어 기다리다. **2** 《미구어》 (갑자기 태도를 바꿔) 배반하다.
drý hígh 《속어》 마리화나, 칸나비스, 홍분〔도취〕상태를 일으키는 비(非)알코올성 물질.
drý hóle 〖석유〗 무산출정(無產出井), 공정(空井).
drý íce 드라이아이스《고형(固形) 이산화탄소; 냉각제》.
drý·ing *n.* Ⓤ 건조, 말림. ***summer*** ~ 볕에 말려 충해를 막기(summer airing). — *a.* 건조(乾燥)성의; 건조용의: a ~ breeze 〔wind〕 빨래가 잘 마르는 바람/a ~ house 〔machine〕 건조실〔기〕.
drýing òil 건성유.
drý kìln (목재의) 건조 가마, 건조실.
drý lànd 건조 지역; 육지(terra firma)《바다에 대해서》.
drý làw 《미》 금주법, 주류 판매 금지법.
◇**drý·ly, drí·ly** *ad.* 냉담하게; 비꼬아서; 무미건조하게; 감정에 사로잡히지 않고, 공정히.
drý másonry (담을 시멘트·모르타르를 쓰지 않고) 돌로만 쌓기.
drý méasure 건량(乾量)《곡물의 계량》. cf. liquid measure.
drý mílk 분유(powdered milk).
drý mòp 자루〔대〕 걸레(dust mop).
drý·ness *n.* Ⓤ **1** 건조 (상태). **2** 냉담, 인정미 없음. **3** 무미건조. **4** 〖미술〗 고담(枯淡).
drý nùrse (젖을 먹이지 않는) 보모(cf. wet nurse); (경험이 부족한 상관의) 보좌역.
drý-nùrse *vt.* 유아를 돌보다; (경험 부족의 상관을) 보좌하다.
drý pàinting =SAND PAINTING.
drý plàte 〖사진〗 건판.
drý·pòint *n.* 〖미〗 드라이포인트 동판(기법·화).
drý rehéarsal 카메라 없이 하는 총연습.
drý ríser 연결 송수관《화재시에 지상에서 상층 취수구에 소화용수를 보냄》.
drý-róasted [-id] *a.* 기름 없이 오븐에 구운.
drý rót (목재가) 균에 의하여 썩음; 건조 부패; (식물의) 건식병(乾蝕病); (사회·도덕적) 퇴폐, 부패《*in*》.
drý-rót *vt., vi.* 부패〔타락〕시키다〔하다〕.
drý rún 〖군사〗 실탄 없이 하는 사격〔폭탄 투하〕 연습; 《구어》〖일반적〗 예행 연습, 모의 시험, 리허설; 《비어》 피임구를 쓰고 하는 성교. — *vt.* 《구어》 …의 예행연습을 하다.
drý-sàlt *vt.* =DRY-CURE.
drý·sàlter *n.* 《영》 자반 장수, 건물상(乾物商); 화학 제품상《약품·물감·고무류, 때로는 기름·통조림을 팖》. ㊞ **~y** [-təri] *n.* 《영》 건물상(《미》 grocery); 건물류(《미》 dry-cured foods).
drý shampóo (물을 쓰지 않는) 드라이 샴푸.
drý-shòd *a., ad.* 신〔발〕을 적시지 않는〔않고〕. ***go*** ~ 발을 적시지 않고 가다.
drý-skí *a.* 실내〔인공 설면(雪面)〕에서 타는 스키의.
drý-skìd *vi.* (자동차 등이) 건조한 도로면에서 미끄러지다.
drý slòpe 옥내 스키장, 인공 설면(雪面) 스키장(=**drý-skì slópe**).
drý-snàp *vt.* (권총을) 공포로 쏘다; 탄창을 비운 채로 방아쇠를 당기다.
drý spèll 한발의 지속 기간; 생산〔수입·활동〕이 없거나 적은 시기.
drý stéam 〖화학〗 건조 증기.
drý-stone wáll (회반죽을 쓰지 않고 쌓은) 돌담.
drý stóve 〖원예〗 건조 온실《선인장 따위의 건조 식물을 보존하기 위한》.
drý sùit (스쿠버 다이버가 입는) 겹으로 된 잠수복《따뜻한 공기를 넣어 체온을 유지하고, 잠수 중 기압을 일정하게 함》.
drý wàll 1 건성쌓기 돌벽. **2** 《미》 건식 벽체(壁體)《회반죽을 쓰지 않은 벽》.
drý·wàll *a.* 건식 벽체의.
drý wàsh (다림질하기 전의) 마른 세탁물.
DS 〖화학〗 dysprosium. **Ds** data set. **D/S, d.s.** 〖상업〗 days after sight. **D.S.** 〖음악〗 dal segno; detached service; dental surgeon; 〖증권〗 depositary shares (예탁 주식〔증권〕); disseminated sclerosis; document signed; Doctor of Science; drop siding. **d.s.** daylight saving. **DSA** 〖의학〗 digital subtraction angiography. **D. Sc.** Doctor of Science. **D.S.C.** 〖군사〗 Distinguished Service Cross. **DSCS** 〖군사〗 Defense Satellite Communications System. **DSL** deep scattering layer. **D.S.M.** 〖군사〗 Distinguished Service Medal. **DSN** 〖우주〗 deep space network. **D.S.O.** 〖영군사〗 Distinguished Service Order. **DSP** 《미》 Defense Support Program(방위 지원 계획); 〖컴퓨터〗 Digital Signal Processor(수치형〔디지털 신호〕 처리기). **DSR** 〖의학〗 dynamic spatial reconstructor(동적 공간적 재구성 장치; 체내의 심장·폐 등의 장기를 입체 표시하는 장치). **DSRV** Deep Submergence Rescue Vehicle (심해 구조 잠수정(艇)). **DSS** 〖컴퓨터〗 decision support system((의사) 결정 지원 시스템). **D.S.T.** Daylight Saving Time.
'dst [dst] HADST, WOULDST의 간약형.
D́-stàte *n.* 〖물리〗 D 상태《원자 안의 전자가 그 궤도에서 2단위의 각(角) 운동량을 갖는 에너지 상태; 기호 D》.
D.T. the Daily Telegraph; delirium tremens. **d.t.** diethyl toluamide. **DTE** data terminal equipment(데이터 단말(端末) 장치). **D.Th., D. Theol.** Doctor of Theology. **DTP** desk-top publishing.
DTs, D.T.'s, d.t.'s [díːtíːz] *n.* (the ~) = DELIRIUM TREMENS.
DU depleted uranium(감손 우라늄; 원자로 연료의 우라늄이 핵분열을 마치고 남은 것). **Du.** Duke; Dutch.

du·ad [djúːæd/djúː-] *n.* 두 개로 한 쌍이 되는 것(pair); 〖화학〗 =DYAD.

◇**du·al** [djúːəl/djúː-] *a.* 둘의; 이중의(double, twofold); 이체(二體)의; 이원적인; 〖문법〗 양수(兩數)의: ~ flying 동승 비행 / a ~ pump 복식 펌프. **—** *n.* 〖문법〗 양수(형)《옛 영어의 wit(=we two) 따위》. **—** *vt.* (도로를) 왕복이 분리된 도로로 하다. [파] **~·ly** *ad.* 이중 자격으로; 두 가지 형태로.

dúal-caréer cóuple 중요한 직업에 종사하는 맞벌이 부부.

dúal cárriageway 《영》 왕복 분리 도로《중앙 분리대로 갈라진》.

dúal cítizenship 이중 시민권; 이중 국적(dual nationality).

dúal displácement èngine 2단 배기량 엔진.

dúal fúnd 이중 목적 펀드《가격 인상에 따르는 차익을 목적으로 하는 것과 이자·배당 수입을 목적으로 하는 것 중, 어느 것이나 택할 수 있는 투자신탁》.

dúal híghway 《미》 =DIVIDED HIGHWAY.

du·al·in, -ine [djúːələn], [-liːn, -lin] *n.* (니트로글리세린·초석·톱밥을 원료로 하는) 폭발물의 일종.

dúal ín-lìne pàckage 〖컴퓨터〗 ⇨ DIP.

dú·al·ìsm *n.* [U] 이중성, 이원성; 〖철학·종교·신학〗 이원론([cf.] monism, pluralism); 이신교. [파] **-ist** *n.* 이원론자.

du·al·is·tic [djùːəlístik/djùː-] *a.* 이원(二元)의, 이원적인; 이원론적인: the ~ theory 이원설; (화학 결합상의) 양성설(兩性說). [파] **-ti·cal·ly** *ad.*

du·al·i·ty [djuːǽləti/djuː-] *n.* [U,C] 〖물리〗 이중성; 이원성; 〖수학〗 쌍대(성)(雙對(性)).

duálity prìnciple 〖수학〗 쌍대(雙對) 원리(principle of duality).

du·al·ize [djúːəlàiz/djúː-] *vt.* 이중으로 하다; 겹치다, 이원적으로 간주하다.

dúal méet (수영·레슬링 등의) 두 팀 간에 행하는 단체전.

Dúal Mónarchy (the ~) 〖역사〗 이중 군주국《오스트리아·헝가리 제국(1867-1919)》.

dúal nationálity 이중 국적.

du·a·logue [djúːəlɔ̀ːg, -làg/djúːəlɔ̀g] *n.* 대화, 문답(dialogue).

dúal personálity 〔**cháracter**〕 〖심리〗 이중(二重)인격.

dúal-púrpose *a.* 이중 목적의; 일석이조의: ~ breed 겸용종(兼用種)《육우(肉牛) 겸 젖소 따위》.

dúal slálom =PARALLEL SLALOM.

dúal spáce 〖수학〗 쌍대(雙對) 공간.

dúal sỳstem 〖컴퓨터〗 듀얼 시스템《컴퓨터 고장에 대비하여 하나의 시스템에 두 개의 CPU가 사용되는 형태》.

dub[1] [dʌb] (*-bb-*) *vt.* **1** 《+[목]+[보]》 (왕이 칼로 가볍게 어깨를 두들기고) 나이트 작위를 주다(accolade): The King *~bed* his son a Knight. 국왕은 그 아들을 나이트에 서작하였다. **2** (새 이름·별명을) 주다〔붙이다〕, …라고 칭하다, …라는 별명으로 부르다: He was *~bed* "Pimple Tom." '여드름쟁이 톰'이라는 별명이 붙었다. **3** 찌르다, 쪼다; (북을) 둥하고 치다. **4** (두들기거나 문지르거나 다듬어서) 마무르다; 《영》 (제물낚시를) 만들어 내다. **5** (가죽에) 기름칠을 하다. **6** 《골프속어》 서투르게 치다. **7** 〖일반적〗 실수하다. **—** *vi.* 찌르다, 쪼다《*at*》; 《속어》 실수하다. **~ *out*** (나뭇조각·슬레이트 등 울퉁불퉁한 면을) 반반하게〔매끈하게〕 다듬다.

— *n.* **1** 둥하고 울리는 소리; 둔탁한 소리를 수반한 찌름. **2** 《속어》 서투른〔똘똘치 못한〕 녀석, 신참(duffer). ***flub the*** **~** 《미속어》 태업하다; 느릿느릿하다, 우물쭈물하다; 실수하다, 망치다. [파] **dúb·ber**[1] *n.*

◇**dub**[2] (*-bb-*) *vt.* 〖영화〗 **1** (필름에) 새로이 녹음하다; (필름·테이프에 음향 효과를) 넣다《*in*》. **2** 다른 나라 말로 재녹음하다, 재취입하다; (테이프에) 재녹음하다. **3** (복수의 사운드 트랙을) 합성하다. **—** *vi.* 새로 녹음하다. **—** *n.* 더빙. [파] **dúb·ber**[2] *n.*

dub[3] *vi.* 《속어》 〖다음의 관용구로〗 **~ *in*** 〔***up***〕 지급하다, 돈을 내다.

dub[4] 《주로 Sc.》 *n.* 물웅덩이(puddle); 못(pool).

dub[5] *n.* 〖음악〗 더브《록이나 punk에 쓰이는 사운드의 일종》.

Dub. Dublin. **dub.** dubious.

dúb-a-dùb *n.* =RUB-A-DUB.

Du·bai [duːbái] *n.* 두바이《아랍 에미리트 연방 구성국의 하나; 수도 Dubai》.

dub·bin [dʌ́bin] *n.* [U] 가죽에 바르는 방수유. **—** *vt.* (구두 따위에) …을 바르다.

dúb·bing[1] *n.* **1** 나이트 작위 수여. **2** =DUBBIN.

dúb·bing[2] *n.* 〖영화〗 더빙, 재녹음.

du·bi·e·ty [djuːbáiəti/djuː-] *n.* [U] 의심스러움, 의혹; [C] 의심스러운 것〔일〕.

◇**du·bi·ous** [djúːbiəs/djúː-] *a.* **1** 의심스러운, 수상한; 결정키 어려운, (운명 따위가) 미결정의; (수단 따위가) 의아스러운: a ~ character 수상한 인물 / a ~ reputation 좋지 않은 평판. [SYN.] ⇨ UNCERTAIN. **2** (사람이) 미심쩍어 하는, 반신반의의《*of; about*》. **3** 모호한. **4** (결과 따위가) 미덥지 않은, 불안한. [파] **~·ly** *ad.* **~·ness** *n.*

du·bi·ta·ble [djúːbətəbəl/djúː-] *a.* 의심스러운; 불확실한. [파] **-bly** *ad.*

du·bi·ta·tion [djùːbətéiʃən/djúːbi-] *n.* [U,C] 의혹, 반신반의.

du·bi·ta·tive [djúːbətèitiv/djúːbitət-] *a.* 의심을 품고 있는; 망설이는; 의심스러운. [파] **~·ly** *ad.*

Dub·lin [dʌ́blin] *n.* 더블린《아일랜드의 수도》.

dub·ni·um [dúːbniəm] *n.* 〖화학〗 더브늄《인공 방사성 원소; 기호 Db; 번호 105》.

du·cal [djúːkəl/djúː-] *a.* 공작(duke)의; 공작다운; 공작령(領)(dukedom)의, 공국(公國)의. [파] **~·ly** *ad.*

duc·at [dʌ́kət] *n.* **1** (옛 유럽 각국의) 금화, 은화; 경화(硬貨); (*pl.*) 현찰. **2** 《미속어》 표(票), 입장권; 조합원증(union card).

du·ce [dúːtʃei/-tʃi, -tʃei] *n.* 《It.》 수령(chief). ***il Duce*** 총통《Benito Mussolini 의 칭호》.

Du·chénne dỳstrophy [duːʃén-] 〖의학〗 뒤셴형 근(筋)위축증.

◇**duch·ess** [dʌ́tʃis] *n.* **1** 공작(duke) 부인〔미망인〕; 여공작, (공국의) 여공. [cf.] duke. **2** 《속어》 늘씬한〔기품 있는〕 여성; 《미속어》 거만한 소녀. **3** 《영속어》 행상인의 아내. **4** 《미》 (조직 따위의) 사정을 아는 여자, 갱단의 여자.

duchy [dʌ́tʃi] *n.* 공국(公國), 공작령(公爵領)《duke 또는 duchess 의 영지》; (영국 왕실의) 직할 영지《Cornwall과 Lancaster》.

***duck**[1] [dʌk] (*pl.* **~s,** 〖집합적〗 **~**) *n.* **1** (집)오리; 암오리, 암집오리.

> [NOTE] 들오리는 wild duck, 오리〔집오리〕의 수컷은 drake, 집오리는 domestic duck, 새끼오리, 집오리의 새끼는 duckling, 우는 소리는 quack.

2 오리〔집오리〕의 고기. **3** 《구어》 사랑하는 사람, 귀여운 사람《특히 호칭》. **4** 《미속어》 녀석, (이상한) 놈: a weird ~ 괴짜. **5** =LAME DUCK. **6** 〖크리켓〗 =DUCK('S) EGG: break one's ~ 최초로 1점 얻다 / make a ~ 득점 없이 아웃되다. ***a ~ on a rock*** 〔***on rocks***〕 돌 떨어뜨리기《바위에 얹은 상대방의 돌을 던져 떨어뜨리는 놀이》. ***a fine***

day for (***young***) **~*s*** 비 내리는 날. **~**(***s***) ***and drake***(***s***) 물수제비 뜨기. ***get*** one***'s*** **~** ***in a row*** 《구어》 준비 완료하다. ***in two shakes of a ~'s tail*** ⇨SHAKE. ***like a ~ to water*** 저절로, 아무 힘 안 들이고. ***like a*** (***dying***) **~** ***in a thunderstorm*** 눈이 휘둥그레져서, 어리둥절〔당황〕하여. ***like water off a ~'s back*** 아무 효과〔감동〕도 없이, 마이동풍격으로. ***make ~s and drakes of money*** =***play ~s and drakes with money*** 돈을 물쓰듯하다. ***take to ... like a ~ to water*** 〔***the millpond***〕 매우 자연스럽게 …을 따르다〔좋아하다〕.

duck[2] *vi., vt.* **1** (물새 따위가) 물속에 쑥 잠기다, 무자맥질하다; 물속에 쑥 잠겼다가 곧 머리를 내밀다. **2** (맞지〔보이지〕 않으려고) 홱 머리를 숙이다, 홱 몸을 굽히다. **3** 《구어》 (책임·위험 등을) 피하다《*out* (*of*)》. **—** *n.* 쑥 물속에 잠김; 홱 머리를〔몸을〕 숙임.

duck[3] *n.* Ⓤ 즈크(황마로 짠 두꺼운 천)의 일종, 범포(帆布); (*pl.*) 《구어》 즈크 바지.

duck[4] *n.* 《미해군속어》 수륙 양용 트럭《제2차 세계 대전 때 사용; 암호 DUKW에서》.

dúck·bìll *n.* **1** 〖동물〗 오리너구리(platypus). **2** 〖어류〗 용상어의 일종; 〖식물〗 밀의 일종《영국산》. ㊞ **~ed** *a.* 오리너구리 같은 주둥이가 있는.

duckbill 1

dúck·bòard *n.* (보통 *pl.*) (진창에 건너질러 깐) 판자 길.

dúck còurse 《미학생속어》 학점을 쉽게 딸 수 있는 대학의 수업 과목.

dúck-egg blúe 담녹청색.

dúck·er *n.* **1** 잠수자; 잠수조(鳥)《특히 농병아리 따위》. **2** 집오리를 기르는 사람; 오리 사냥꾼.

dúck hàwk 〖조류〗 《미》 매; 《영》 개구리매.

dúck hòok 〖골프〗 코스에서 크게 벗어나는 훅.

dúck·ing *n.* **1** 물속에 처넣음〔잠금〕; 홱 머리를〔몸을〕 숙임. **2** 〖권투〗 밑으로 빠져나오기, 더킹. **3** 오리 사냥. ***get a good ~*** 흠뻑 젖다. ***give*** a person ***a ~*** 아무를 물속에 처넣다; 흠뻑 젖게 하다.

dúcking stòol 무자맥질 의자《행실이 좋지 않은 여자, 거짓말쟁이 상인 따위를 징계하던》.

dúck-lég·ged [-id/-d] *a.* 다리가 짧은, (짧은 다리로) 아장아장 걷는.

duck·ling [dʌ́kliŋ] *n.* **1** 오리 새끼《때로는 경멸적》. **2** 오리 새끼 고기. **3** 어두운 청록색.

dúck·mòle *n.* 〖동물〗 =DUCKBILL.

dúck·pìns *n. pl.* 〔단수취급〕 십주희(十柱戲)(tenpins)의 일종.

dúck('s) àrse 〔**àss**〕 《속어》 =DUCKTAIL.

dúck's diséase 《우스개》 짧은 다리.

dúck('s) ègg 《영구어》 〖크리켓〗 (타자의) 영점, 제로(duck, duck egg, 《미》 goose egg).

dúck shòt 오리 사냥의 탄알.

dúck sóup 《미속어》 **1** 힘들지 않는 일, 쉬운 일; 난센스. **2** 만만한 상대, 얼간이.

dúck·tàil *n.* 덕테일《10대 소년들이 양쪽 옆머리를 길게 길러 오리 꼬리처럼 뒤로 합친 머리》.

dúck·wèed *n.* 〖식물〗 좀개구리밥《오리 먹이》.

ducky [dʌ́ki] (***duck·i·er; -i·est***) 《구어》 *a.* 아주 훌륭한, 매우 기쁜; 사랑스러운(cute). **—** *n.* 새끼 오리; 《영》 =DARLING 《호칭》.

duct [dʌkt] *n.* 관, 도관(導管); 〖해부〗 관, 수송관, 맥관; 〖전기〗 선거(線渠); 〖건축〗 암거(暗渠).

-duct [dʌkt] '…관(管), …로(路)'의 뜻의 결합사: aque*duct*, via*duct*.

duc·tile [dʌ́ktəl] *a.* (금속이) 잡아늘이기 쉬운, 연성(延性)〔전성(展性)〕이 있는《점토(粘土) 따위》, 유연한; 가르치기 쉬운《사람·성질 따위》, 고분고분한, 유순한. ㊞ **~·ly** *ad.* **duc·til·i·ty** [dʌktíləti] *n.* Ⓤ 연성(延性), 전성(展性); 유연성, 탄력성.

dúct·less *a.* (도)관이 없는. 「따위」.

dúctless glánd 〖해부〗 내분비선(腺)《갑상선

dúct tàpe 덕트 테이프《강력한 점착성을 가진 헝겊 테이프; 파이프 따위의 균열이나 구멍을 막는 데 씀》. 「管」.

duc·tule [dʌ́ktjuːl/-tjuːl] *n.* 〖해부〗 소관(小

duc·tus [dʌ́ktəs] (*pl.* **~**) *n.* 〖해부〗 =DUCT; 필적(筆跡).

dúctus ar·te·ri·ó·sus [-ɑːrtìərióusis] 〖해부〗 동맥관《태아의 폐동맥과 대동맥을 잇는 짧은 혈관》.

dud [dʌd] 《구어》 *n.* **1** (*pl.*) 옷, 의류; (*pl.*) 누더기 옷(rags); 소지품(belongings). **2** 결딴난 것, 실패; 폐인, 버린 사람; 불발탄. **3** 《미속어》 진저리나는 것〔녀석〕. **—** *a.* 가짜의(counterfeit); 그르친; 잘못된: ~ coin 《미》 위조 경화.

dude [djuːd/-djuːd] *n.* **1** 《미속어》 멋쟁이, 맵시꾼(dandy). **2** 《미서부》 도회지 사람, (특히 동부에서 온) 관광객. **3** 《미속어》 버스 여행자. **4** 《미속어》 사내, 놈, 녀석(guy). **—** *vi.* 《구어》 맵시 내다《*up*》.

dúde rànch 《미》 관광 목장《휴가이용 관광객의 숙박 시설이 있는 미국 서부의 관광 목장〔농장〕》.

dudg·eon[1] [dʌ́dʒən] *n.* Ⓤ 성냄, 화냄. ***in*** (***a***) ***high*** 〔***great, deep***〕 **~** 몹시 성나서.

dudg·eon[2] *n.* 《고어》 (회양목 따위의) 나무 자루가 달린 단도(短刀); 《폐어》 그 목재〔자루〕.

‡**due** [djuː/djuː] *a.* **1** 지급 기일이 된, 만기(滿期)가 된. ⓒⓕ overdue. ¶This bill is ~. 이 어음은 만기가 되었다 / a bill ~ next month 다음 달이 만기인 어음 / fall 〔come〕 ~ (어음 따위가) 만기가 되다, 지급 기일이 되다. **2** (열차·비행기 따위가) 도착 예정인: The train is ~ (in) at two. 기차는 2시에 도착할 예정이다. **3** 〖~ *to* do 의 형태로〗 …할 예정인, …하기로 되어 있는: They are ~ *to* arrive here soon. 그들은 곧 여기에 오기로 되어 있다. **4** (돈·보수·고려 따위가) 응당 치러져야 할: This money is ~ *to* you. 이 돈은 네가 받을 돈이다 / consideration ~ *to* the poor 가난한 사람들에게 베풀어야 할 동정. **5** 마땅한, 적당한, 당연한, 합당한. ⓞⓟⓟ *undue*. ¶in ~ form 정식으로, 형식대로 / in ~ (course of) time 때가 오면; 머지않아, 불원간 / a ~ margin for delay 늦어도 지장 없는 충분한 여유 / ~ care 당연한 배려. **6** 〖~ to 의 형식으로〗 …에 기인하는, …의 탓으로 돌려야 할: a delay ~ *to* an accident 사고로 인한 지연 / The failure is ~ *to* his ignorance. 그 실패는 그의 무지의 탓이다. ★ due to 는 '…때문에, …로 인하여(because of)'의 뜻으로 전치사구로 쓰임; 단 형식적인 문장에는 owing to 가 즐겨 쓰임: The event was canceled ~ *to* bad weather. 경기는 악천후로 인하여 취소됐다. ***in ~ course*** ⇨COURSE.

— *n.* **1** 마땅히 받아야 할 것, 정당한 보수, 당연한 권리. **2** (보통 *pl.*) 지급금, 부과금, 세금; 조합비, 회비, 요금, 수수료, 임금; 빚돈: club ~*s* 클럽의 회비 / harbor ~*s* 입항세 / membership ~*s* 회비. ***by*** 〔***of***〕 **~** 《고어·시어》 응당, 마땅히. ***for a full ~*** 〖해사〗 충분히, 완전하게. ***give*** a person his **~** ① 아무를 정당〔공평〕하게 대우하다. ② 미운 놈에게도 인정할 것은 인정하다 (=***give the devil his ~***). ***pay ~s*** 《미속어》 보답을 받다. ***pay*** one***'s ~s*** 《미속어》 ① (근면·희생 등으로) 존경을〔지위·권리를〕 얻다; 천한 일

을 확실히 경험하다. ② (과실·부주의 등의) 갚음을 받다. ③ 형기를 무사히 다 마치다.
— *ad.* (방위가) 정(正)…, 바로(exactly): a ~ north wind 정북풍/go ~ south 정남으로 가다.
dúe bìll 《미》〖상업〗 차용 증서《약속 어음과 같은 지명식이 아닌》, 외상.
dúe cáre 〖법률〗 상당한 주의《통상의 사려 분별력을 가진 개인이 할 수 있는 정도의 주의》.
dúe dàte (어음의) 지급 기일, 만기일.
dúe díligence =DUE CARE.
◇**du·el** [djúːəl/djúː-] *n.* **1** 결투; (the ~) 결투 규칙: fight a ~ with a person 아무와 결투하다. **2** (양자 간의) 싸움, 투쟁; 《미》 운동 경기, 시합: a ~ of wits 재치 겨루기. **—** (*-l-*, 《영》 *-ll-*) *vi.*, *vt.* (…와) 결투하다《*with*》. ㊕ **dú·el·(l)er, dú·el·(l)ist** *n.* 결투자. **dú·el·(l)ing** *n.* Ⓤ 결투.
dúel pìstol (총신이 긴) 결투용 피스톨.
du·en·de [duːéndei] *n.* 《Sp.》 불가사의한 매력, 마력(魔力).
du·en·na [djuːénə/djuː-] *n.* 《Sp.·Port.》 소녀 감독부《가정에 입주하여 소녀를 지도하는 나이 지긋한 부인》; 〔일반적〕 입주 여자 가정교사. ㊕ **~·shìp** *n.*
dúe prócess 〔**cóurse**〕 (**of láw**) 정당한 법의 절차《개인의 권리·자유를 지키기 위한, 행정권에 대한 제한》.
dúes-pàying *a.* (괴로운) 경험을 쌓는, 괴로운 길의: spend one's ~ years 괴로운 세월을 보내다. **—** *n.* 쓴 경험을 쌓음.
du·et [djuét/djuː-] *n.* **1** 〖음악〗 이중창, 이중주(곡); 〖댄스〗 듀엣 무곡. **2** 《비유》 두 사람만의 대화(dialogue). **3** 한 쌍(pair). **—** *vi.* ~을 연주〔연기〕하다. ㊕ **du·ét·tist** *n.*
du·et·to [djuːétou/djuː-] (*pl.* **~*s*, *-ti*** [-ti]) *n.* 《It.》 =DUET.
duff[1] [dʌf] *n.* **1** Ⓒ 푸딩(pudding)의 일종. **2** Ⓤ 《영방언》 밀가루 반죽(dough); 〖생태〗 (산림지의) 썩은 낙엽 더미(forest ~); 분탄(coal dust), 석탄 가루. ***up the*** **~** 《주로 Austral.》 임신하여.
duff[2] *n.* 《속어》 엉덩이(buttocks).
duff[3] 《속어》 *vt.* 새것같이 보이게 하다(fake up); 《Austral.》 (가축을) 훔쳐서 그 찍힌 낙인을 고치다; 속이다; 〖골프〗 타봉이 공을 헛치다; 실패하다; 《영》 후려갈기다《*up*》. **—** *n.*, *a.* 하찮은 (것), 가짜(의).
duf·fel, duf·fle [dʌ́fəl] *n.* **1** Ⓤ 성긴 나사(羅紗)의 일종. **2** 《미》 캠프 용품.
dúffel 〔**dúffle**〕 **bàg** (군대용·캠프용의) 즈크제의 원통형 잡낭(雜囊).
duf·fer [dʌ́fər] *n.* 《구어》 바보, 우둔한 사람; 《속어》 가짜, 가짜돈, 위조물; 《속어》 싸구려〔엉터리〕 행상인, 가짜를 파는 도붓장수; 《Austral.》 소도둑.
dúffle 〔**dúffel**〕 **còat** 후드가 달린 무릎까지 내려오는 방한(防寒) 코트.
Du Fu [dúːfúː] *n.* =TU FU.
Du·fy [djuːfíː/djuː-] *n.* **Raoul** ~ 뒤피《프랑스의 화가; 1877-1953》.
dug[1] [dʌg] DIG의 과거·과거분사.
dug[2] *n.* (어미 짐승의) 젖꼭지(teat); 젖통이(udder)《사람에 대해 쓰게 되면 경멸적 표현》.
du·gong [dúːgaŋ, -gɔːŋ/-gɔŋ] *n.* 〖동물〗 듀공(sea cow)《태평양·인도양에서 사는 바다소목(目); 소위 '인어(人魚)'》.

duffle coat

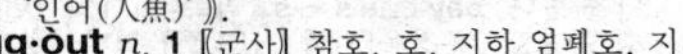

dúg·òut *n.* **1** 〖군사〗 참호, 호, 지하 엄폐호, 지하호; 방공〔대피〕호; 〖야구〗 더그아웃. **2** 마상이(canoe); 《미속어》 냉장고. **3** 《영속어》 응소한 예비역 장교.
DUI, D.U.I. 《미》 driving under the influence(음주·약물 복용 운전).
dui·ker(·bok), -buck [dáikər(bàk/bɔ̀k)], [-bʌ̀k] *n.* 〖동물〗 작은 영양(羚羊)의 일종.
du jour [dəʒúər, -djúː-/-djúː-] 《F.》 **1** 어느 특정일을 위한; 오늘 메뉴의. **2** 오늘의, 지금 유행하는.
Du·ka [dúːkə] *n.* (케냐·아프리카 동부의) 소매점, 가게.
Du·ka·wal·lah [dúːkəwɑ̀lə/-wɔ̀lə] *n.* (케냐·아프리카 동부의) 가게 주인.
Duke [djuːk/djuːk] *n.* 듀크《남자 이름》.
duke** *n.* **1** 《영》 공작(公爵)《여성형(形)은 duchess》: a royal ~ 왕족의 공작. **2** (유럽의 공국(duchy) 또는 소국의) 군주, 공(公), 대공. **3** 〖식물〗 버찌(=⁓ **chèrry**). **4** (보통 *pl.*) 《미속어》 손(hands), 주먹(fists); 《미속어》 승리의 결정《레프리가 손을 들어 주는 데에서》. ***Put up your ~s. 《구어》 (싸우기 위해) 대비해라. **—** 《미구어》 *vi.*, *vt.* 때리다; 건네주다; 악수하다. **~ *it out*** 《미속어》 심하게 때리다. ㊕ **⁓·dom** [-dəm] *n.* 공작령, 공국(duchy); Ⓤ 공작의 지위〔신분〕.
Dukhobor ⇨ DOUKHOBOR.
DUKW, Dukw [dʌk] (*pl.* **~*s***) *n.* 〖미군사〗 =DUCK[4].
dulce [dʌls] *n.* 〖식물〗 =DULSE.
dul·cet [dʌ́lsit] *a.* 《문어》 듣기〔보기〕에 상쾌한(pleasing); (특히 음색이) 아름다운, 감미로운(sweet); 《고어》 맛이 좋은(luscious). ㊕ **~·ly** *ad.*
Dul·cie [dʌ́lsi] *n.* 덜시《여자 이름》.
dul·ci·fy [dʌ́lsəfài] *vt.* (맛 따위를) 달게〔감미롭게〕 하다; (기분 따위를) 유쾌하게 하다; 부드럽게〔평온하게〕 하다, 누그러뜨리다(mollify). ㊕ **dul·ci·fi·ca·tion** [⁓-fikéiʃən] *n.* Ⓤ
dul·ci·mer [dʌ́lsəmər] *n.* 〖악기〗 금속현(金屬弦)을 때려 소리내는 악기의 일종《피아노의 원형》.

dulcimer

dul·cin·ea [dʌ̀lsiníə, dʌlsíniə] *n.* (이상적인) 연인, 이상(理想)의 여성(상(像))《Don Quixote가 이상적인 여성으로 사모한 시골 처녀의 이름에서》.
dul·ci·tol [dʌ́lsətɔ̀ːl, -tàl/-tɔ̀l] *n.* 〖화학〗 둘시톨(=**dul·cite** [dʌ́lsait])《인공 감미료》.
dul·ci·tone [dʌ́lsətòun] *n.* 〖악기〗 덜시톤《음차를 해머로 쳐서 소리를 내는 건반 악기》.
du·lia [djuːláiə/djuː-] *n.* Ⓤ 〖가톨릭〗 성인(聖人) 숭배, 성인에 대한 예배.
****dull** [dʌl] *a.* **1** (날 따위가) 무딘, 둔한. opp *keen*, *sharp*. ¶ a ~ knife. **2** 둔감한, 우둔한, 투미한, 굼뜬: a ~ pupil / ~ *of* mind 머리가 둔한. **3** 활기 없는, 활발치 못한; (시황 따위가) 부진한, 한산한, 침체한(slack). opp *brisk*. ¶ Trade is ~. 불경기다. **4** (이야기·책 따위가) 지루한, 따분한, 재미 없는: a ~ party. **5** (아픔 따위가) 무지근한, 격렬하지 않은; (색·소리·빛 따위가) 또렷〔산뜻〕하지 않은, 흐릿한(dim): a ~ pain 〔ache〕 둔통(鈍痛). **6** (날씨가) 흐린(cloudy), 찌푸린(gloomy). **7** (상품·재고품이) 팔리지 않는. **~ *of hearing*** 귀가 어두운(《미》 hard of hearing). ***never a ~ moment*** 지루한 시간이 전혀 없는〔없이〕; 늘 무척 바쁜.
— *vt.*, *vi.* **1** 둔하게〔무디게〕 하다, 무디어〔둔해〕지다. **2** (고통 따위를) 완화시키다, (고통 따위가)

덜해지다. **3** 활발치 못하게 하다〔되다〕. **4** 흐리게 하다, 흐릿해지다. **5** (지능·시력 따위) 둔하게 하다〔둔해지다〕. ~ ***the edge of*** …의 날을 무디게 하다; …의 감도를 덜하게 하다; …의 흥미를 떨어뜨리다.
[파] **∠·ish** *a.* 좀 무딘; 약간 둔한〔둔감한〕; 침체한 듯한. **dúl(l)·ness** *n.*

dull·ard [dʌ́lərd] *n.* 둔한〔투미한〕 사람, 멍청이. **―** *a.* 둔(감)한.

dúll-bràined *a.* 머리가 둔한.

dúll-èyed *a.* 눈이 흐릿한.

dulls·ville [dʌ́lzvil] 《미속어》 *n.* [U] (종종 D-) 매우 지루한 것〔일, 장소, 상태〕. **―** *a.* 매우 지루한.

dúll-wìt·ted [-id] *a.* =SLOW-WITTED.

dul·ly [dʌ́li] *ad.* **1** 둔하게. **2** 느리게; 멍청하게 (stupidly). **3** 활발치 못하게; 멋대가리 없게. **4** 우중충하게; 흐려서.

dulse [dʌls] *n.* 〖식물〗 덜스《홍조류(紅藻類)의 일종; 식용》.

◇**du·ly** [djú:li/djú:-] *ad.* **1** 정식으로, 정당하게, 당연히; 적당하게. **2** 충분히(sufficiently). **3** 제시간에, 지체없이, 시간대로(punctually); 때에 알맞게. ~ ***to hand*** 〖상용문에서〗 틀림없이 받음. [◄ due]

Du·ma [dú:mə] *n.* **1** (the ~) 제정(帝政) 시대의 러시아 국회《1905년 Nicholas 2세에 비롯되어 1917년 볼셰비키에 의해 폐지》. **2** (1917년 이전의) 대의원회, 의회. **3** (d-) 《미속어》 운동(통제) 위원회.

Du·mas [dju:mɑ́:/djú:mɑ:] *n.* **Alexandre** ~ 뒤마《프랑스의 소설가·극작가 부자(父子), 1802-70; 1824-95》.

dumb** [dʌm] *a.* **1** 벙어리의, 말을 못 하는. [cf.] mute. ¶ deaf and ~ 농아자 / the ~ millions (정치적 발언권이 없는) 말없는 대중, 민중. **2** 말을 갖지 않은: ~ creatures 말 못 하는 짐승 / ~ with astonishment 놀라서 말도 못 하는. **3** 말을 하지 않는, 잠자코 있는(taciturn). **4** 말을 쓰지 않는, 무언의《연극 따위》. **5** 소리 안 나는〔없는〕. **6** (감정·생각 따위) 말로는 나타낼 수 없는; (놀람 따위로) 이루 말할 수 없는 (정도의): ~ grief 무언의 슬픔 / ~ despair 말로 나타낼 수 없을 정도의 절망. **7** (보통의 성질·특질이) 결여된; (탈것에) 엔진·돛 따위가 없는: a ~ chamber 출구가 없는 방. **8** 《미구어》 우둔한, 얼간이의(stupid). ***strike a person ~ 아무를 깜짝 놀라게 하다. **―** *vt.* 침묵시키다; 《구어》 (머리를) 둔하게 하다. **―** *vi.* 침묵하다《*up*》. **―** *n.* 《구어》 바보; 《구어》 어처구니없는 실수. [파] **∠·ly** *ad.* **∠·ness** *n.* 벙어리임(muteness); 무언, 침묵(silence).

dúmb áct (보드빌에서) 대화가 없는 막(幕).

dúmb ánimal 말 못 하는 동물《특히 동물 보호를 강조할 때 씀》.

dúmb-àss *a.* 《미·경멸》 어리석은(stupid).

dúmb bárge 《영》 돛 없는 배, 무동력선.

dúmb·bèll *n.* 아령; 《속어》 바보, 얼간이(dummy).

dúmb blónde 멍청한 금발의 미인.

dúmb búnny 《속어》 좀 모자라는 사람.

dúmb càrd 덤 카드《기억용 자기대(帶)만을 지닌 표준적인 카드; smart card 처럼 컴퓨터 칩을 내장한 카드에 대응한 것》.

dúmb clúck 《구어》 얼간이, 멍청이.

dúmb cráft 《영》 =DUMB BARGE.

dúmb·er *n.* 《미속어》 바보.

dùmb·fóund, -fóunder *vt.* …을 어이없어 말도 못 하게 하다, 아연케 하다: be ~*ed* at … 에 어이없어 다음 말을 잇지 못하다. [◄ *dumb*+con*found*]

dúmb·hèad *n.* 《미속어·Sc.속어》 =BLOCKHEAD.

dúmb ìron 〖기계〗 (자동차의) 스프링 받침.

dúmb lúck 《미구어》 뜻밖의 행운.

dum·bo [dʌ́mbou] (*pl.* **~s**) *n.* 《미속어》 바보, 얼간이; 어리석은 잘못, 실수.

dúmb óx 《구어》 (몸집이 큰) 바보, 얼간이.

dúmb piáno 무음 피아노《운지(運指) 연습을 위한 휴대용 건반》.

dúmb rábies 〖의학〗 함묵성 광견병《병 초기부터 마비 증상이 강한 광견병》.

dúmb shòw 무언극; 무언의 손짓발짓〔몸짓〕.

dúmb·sìze *vi.* 《미구어》 (회사가) 효율이 악화될 정도로 인원을 감축하다. ★ downsize의 빗댄 말.

dúmb·strùck, -strìcken *a.* 놀라서〔어이없어〕 말도 못 하는.

dùmb términal 〖컴퓨터〗 단순 단말기《입출력 기능이나 고정 기능만 있는》.

dúmb·wàiter *n.* **1** 식품·식기용 엘리베이터, 소화물용 엘리베이터. **2** 《영》 =LAZY SUSAN.

dum·dum [dʌ́mdʌ̀m] *n.* **1** 덤덤탄(彈)(=∠ **bùllet**)《명중하면 퍼져서 상처가 커짐》. **2** 《미속어》 얼간이.

du·met [dú:met] *n.* 진공관이나 백열등의 필라멘트에 쓰이는 구리 피막선(被膜線)《철과 니켈의 합금》.

dùm·fóund *vt.* =DUMBFOUND.

◇**dum·my** [dʌ́mi] *n.* **1** 마네킹, (양복점의) 동체(胴體) 모형, 장식 인형. **2** 바꿔친 것〔사람〕; (영화의) 대역 인형. **3** (사격·권투·미식 축구 따위의) 연습용 인형, 표적 인형. **4** 모조품, 가짜; (젖먹이의) 고무 젖꼭지(《미》 pacifier); 〖제본〗 부피의 견본(pattern volume); 레이아웃 견본. **5** 명의뿐인 사람(figurehead), 간판 인물, 로봇, 꼭두각시, 앞잡이. **6** 〖카드놀이〗 자기 패를 까놓을 차례가 된 사람; 빈 자리. **7** 《구어》 바보, 멍청이; 《속어》 벙어리; 《속어》 모조 헤로인. **8** 《미》 (옛날의) 무음(無音) 기관차. **9** 〖컴퓨터〗 의사(擬似), 가상, 더미《어떤 사상(事象)과 외관은 같으나 기능은 다른 것》. ***beat*** 〔***flog***〕 ***the*** ~ 《미비어》 (남자가) 자위(自慰)를 하다. ***double*** ~ 〖카드놀이〗 2인 공석의 whist. ***sell*** 〔***give***〕 ***the*** 〔***a***〕 ~ 〖럭비〗 공을 패스하는 체하여 적을 속이다.
― *a.* 가짜의(sham), 모조의; 앞잡이의; 가장한; 명의(名義)상의; 가공(架空)의; 〖카드놀이〗 더미의: ~ foods (진열용의) 견본 요리 / a ~ company 유령 회사 / a ~ horse 목마 / a ~ director 명의(名義)뿐인 중역〔이사〕 / a ~ cartridge 공포(空包).
― *vt.* 〖제본〗 부피 견본을 만들다《*up*》; 모조품으로 보이다《*in*》. **―** *vi.* 《속어》 입을 (꽉) 다물다《*up*》.

dúmmy-hèad torpédo 의제 어뢰《폭약을 제거한 훈련용》.

dúmmy lòad 〖전기〗 의사(擬似) 부하.

dúmmy rún 공격〔상륙〕 연습; 시연(試演), 예행연습.

dúmmy váriable 〖수학〗 임시 변수.

***dump**¹ [dʌmp] *vt.* **1 a** 《~+[목]/+[목]+[부]/+[목]+[전]+[명]》 털썩 내려뜨리다; (쓰레기 따위를) 내버리다, 부리다; (짐을) 싹 내리다, 쿵하고 떨구다《*away; down; into; out*》; (그릇을) 비우다: The truck ~*ed* the coal *on* the sidewalk. 트럭이 석탄을 보도에 부려 놓았다. **b** 《Austral.》 (파도가 유영자·서퍼를) 메어치다; 〖미식축구〗 (공을 패스하기 전에 적 쿼터백을) 태클하여 넘어뜨리다. **c** (탄약 등을) 쌓아 남겨두다. **2** 〖상업〗 투매하다《특히 해외 시장에》; (과잉 인구를 외국으로) 내보내다. **3 a** 《+[목]+[전]+[명]》 (…에서) 내어쫓다, 목자르다; (정치가 등을 관직에서) 끌어내리다《*from; out of*》. **b** (영화를) 광고·시사(試寫) 없이 개봉하다; 짬짜미 시합을 하다. **c** 《속어》 녹다운하다, 때려눕히다, 죽이다. **4** 《+[목]+[전]+[명]》 (책임 따위를) 전가하다: Don't ~ your problems *on* me! 너의 문제를 나에게 넘겨 씌우지 마라. **5** 〖컴퓨터〗 덤프하다《내부 기억 장치의

내용을 인쇄, 자기 디스크 등의 외부 매체상으로 출력〔인쇄〕하다》. 6 《야구속어》 번트하다. — *vi.* 1 털썩 떨어지다. 2 쓰레기를 내던져 버리다; 쿵 하고 내던지다. 3 〖상업〗 투매하다. 4 《미속어》 (결점을 들어) 비방하다, (…을) 흠뜯다, (…을) 지분거리다《*on*》. **~ *on*** 《미속어》 (연사 등을) 야유로 연설을 방해하다, 질문 공세를 하다.

— *n.* 1 (석탄·쓰레기 따위의) 더미; 쓰레기 버리는 곳. 2 《구어》 초라한 집〔거리, 장소〕; 《널리》 건물; 《속어》 교도소, 유치장(prison). 3 〖광물〗 (저품위 광석 등을 버리는) 경사로; 버력 더미. 4 〖군사〗 (탄약 등의) 임시 집적장. 5 털썩 떨굼; 털썩, 퉁(thud), 철썩《소리》; 《비어》 배변(排便): take a ~ 똥누다. 6 덤프차(dump truck). 7 〖컴퓨터〗 떠붓기, 덤프《컴퓨터가 기억하고 있는 내용을 외부 매체에 출력〔인쇄〕한 것》. 8 《미속어》 뇌물을 받고 져 주는 시합. ***do not care a ~*** 《영속어》 조금도 개의치 않다. ***not worth a ~*** 《영속어》 아무 가치도 없는.

dump² *n.* (*pl.*) 《구어》 우울, 침울(depression). (***down***) ***in the ~s*** 맥없이, 울적하여, 우울하여.

dúmp bìn 바겐세일품을 산더미처럼 쌓아 놓은 전시 케이스.

dúmp càr 〖철도〗 경사대가 딸린 화차.

dúmp·càrt *n.* 《미》 경사식으로 된 쓰레기 버리는 수레.

dumpcart

dúmp·er *n.* 쓰레기 버리는 인부, 청소부; 싸게 파는〔투매하는〕 사람; (차의) 덤퍼《현가(懸架) 장치의 진동 감쇠기》; =DUMP CAR; =DUMPCART; =DUMPTRUCK; 《Austral·S.Afr.》 서퍼〔유영자(游泳者)〕를 메어꽂는 파도.

dúmp·ing *n.* Ⓤ 1 (쓰레기 따위를) 쏟아버림, 내쏟음. 2 〖상업〗 투매, 덤핑. 3 《속어》 깎아내림, 헐뜯음.

dúmping gróund 쓰레기 처리장.

dump·ish [dʌ́mpiʃ] *a.* 우울한, 침울한; 《폐어》 어리석은, 투미한. ㊎ **~·ly** *ad.* **~·ness** *n.*

dump·ling [dʌ́mpliŋ] *n.* Ⓤ 가루반죽 푸딩, 경단; Ⓒ 뚱뚱보.

dúmp òrbit (소용없게 된 위성을 다른 위성과 충돌하지 않게 하기 위한) 투기(投棄) 궤도.

dump·ster [dʌ́mpstər] *n.* 대형 쓰레기 수납기.

dúmp trùck 덤프 트럭.

dumpy [dʌ́mpi] (***dump·i·er; -i·est***) *a.* 1 땅딸막한, 뭉뚝한. 2 《속어》 볼품없는, 추한. 3 뚱한, 침울한(dumpish). — *n.* 다리 짧은 닭《스코틀랜드산》; (*pl.*) 《영》 경기병 제 19 연대. ㊎ **dúmp·i·ly** *ad.* **dúmp·i·ness** *n.*

dúmpy lèvel 〖측량〗 망원경 달린 수준기(水準器).

dun¹ [dʌn] *n.* 1 독촉하는 사람; 빚 독촉자. 2 빚 독촉; 독촉장. — (*-nn-*) *vt.* …에게 몹시〔성가시게〕 재촉하다; 괴롭히다.

dun² *a.* 암갈색의(dull grayish brown); 어둠침침한. — *n.* 1 Ⓤ 암갈색; Ⓒ 암갈색의 말. 2 =DUN FLY. 3 =MAYFLY. — *vt.* 암갈색으로 하다; 어둡게 하다. ㊎ **∠·ness** *n.*

dun³ *n.* (특히, 성이 있는) 언덕.

Dun·can [dʌ́ŋkən] *n.* 덩컨《남자 이름》.

dunce [dʌns] *n.* 열등생, 저능아; 바보. ㊎ **dún·ci·cal** *a.*

dúnce('s) càp (예전에) 공부 못 하는 생도에게 벌로 씌우던 원추형의 종이 모자.

dun·der·head, -pate [dʌ́ndərhèd], [-pèit] *n.* 바보, 멍청이. ㊎ **-head·ed** [-id] *a.*

dun·drea·ries [dʌndríəriz] *n. pl.* (종종 D-) 긴 구레나룻《Tom Taylor 의 희극 주인공에서》.

dun·dréary whískers [dʌndríəri-] (종종 D-) =DUNDREARIES.

dune [djuːn/djuːn] *n.* (해변의) 모래 언덕, 사구(沙丘).

dúne bùggy 모래 언덕이나 해변의 모래밭을 달리게 설계된 소형 자동차(beach buggy).

dune·mo·bile [djùːnmóubəl] =DUNE BUGGY.

dún flý 거무스름한 제물낚시의 털바늘.

dung [dʌŋ] *n.* Ⓤ 똥(excrement); 거름, 비료(manure). — *vt.* (땅에) 비료를 주다.

dun·ga·ree [dʌ̀ŋgəríː] *n.* Ⓤ 올이 굵은 무명의 일종《동인도산》; (*pl.*) 위의 천으로 만든 바지·노동복《따위》.

dúng bèetle 〔**chàfer**〕 〖곤충〗 말(쇠)똥구리.

dúng càrt 분뇨차.

°**dun·geon** [dʌ́ndʒən] *n.* 토굴 감옥, 지하 감옥; 아성(牙城)(donjon). — *vt.* 지하 감옥에 가두다《*up*》.

Dúngeons and Drágons 던전과 드래건《중고교생 대상의 모의 게임의 일종; 현재는 전자오락으로도 되어 있음》.

dúng flỳ 〖곤충〗 똥파리.

dúng fòrk (거름용) 쇠스랑.

dúng·hìll *n.* 똥더미, 퇴비; 누추한 집, 지저분한 장소; 비천한 사람. ***a cock on his*** 〔***its***〕 ***own ~*** 제집에서 활개치는 사람, 같잖은 무리 중에서 뽐내는 자.

dungy [dʌ́ŋi] *a.* 똥(dung) 같은; 더러운.

du·ni(e)·was·sal [dùːniwɑ́səl/-wɔ́s-] *n.* 《Sc.》 (고지의) 신사, 중류 향사(鄕士); 명문의 차남 이하의 아들.

dunk [dʌŋk] *vt.* (빵 따위를 음료에) 적시다, 〖일반적〗 담그다(dip)《액체(液體)에》《*in; into*》; (농구에서 공을) 덩크슛하다. — *vi.* 액체에 담그다; 물에 잠그다; 덩크슛을 하다. — *n.* 담금; =DUNK SHOT.

Dun·kirk, -kerque [dʌ́nkəːrk/-∠] *n.* 1 됭케르크《도버 해협에 임한 프랑스의 도시; 1940 년 영국군이 독일군 포위 아래 여기서 필사의 철수를 했음》. 2 필사의 철퇴《첩첩이 포위당한 속에서의》; 위기, 긴급 사태. — *vi.* 필사적으로 철퇴하다.

Dúnkirk spírit (the ~) 됭케르크 정신《위기에서의 불굴의 정신》.

dúnk shòt 〖농구〗 덩크슛《점프하여 바스켓 위에서 공을 내리꽂듯 하는 샷》.

dun·lin [dʌ́nlin] (*pl.* ~(**s**)) *n.* 〖조류〗 민물도요.

Dun·lop [dʌnlɑ́p, ∠-/dʌnlɔp] *n.* 1 던롭 타이어 (=∠ **týre**)《상표명》. 2 던롭치즈(=∠ **chèese**) 《스코틀랜드 Dunlop 지방 원산》.

dun·nage [dʌ́nidʒ] *n.* Ⓤ 수화물(baggage), 소지품; 〖해사〗 짐밑 깔개《뱃짐 사이에 끼우거나 밑에 까는》.

dun·ner [dʌ́nər] *n.* =DUN¹ 1.

dun·nite [dʌ́nait] *n.* 고성능 폭약의 일종, D 폭약.

dun·no [dənóu] *n.* 《구어》 =DON'T-KNOW.

dun·nock [dʌ́nək] *n.* 〖조류〗 =HEDGE SPARROW.

dun·ny [dʌ́ni] *n.* 《영방언 따위》 (옥외) 변소; 《Sc.》 (낡은 아파트의) 지하 통로, 지하실.

dúnny càrt 《Austral.》 분뇨차(night cart).

dunt [dʌnt] *n.* 《Sc.》 1 쾅 때리기〔치기〕; 그 상처. 2 〖항공〗 수직 기류와의 격돌로 인한 충격.

duo [djúːou/djuː-] (*pl.* ***dú·os, dui*** [djúːi]) *n.* 《It.》 1 〖음악〗 2 중창, 2 중주(곡)(duet). 2 (연예인의) 2 인조; 한쌍: a comedy ~. 「사.

du·o- [djúːou, djúːə/djúː-] '둘' 의 뜻의 결합

dùo·decíllion *n.* 《미》 10의 39 제곱수; 《영·독·프》 10의 72 제곱수.

du·o·dec·i·mal [djùːədésəməl/djùː-] *a.* 12 를 단위로 하는, 12 분의 1 의, 12 진법의: the ~ system (of notation) 12 진법. — *n.* (*pl.*) 12

진법; 12분의 1. [파] ~·ly *ad.*

du·o·dec·i·mo [djùːədésəmòu] (*pl.* ~***s***) *n.* **1** [U] 12절판(折判)(twelvemo)《대략 4·6판, B6판에 해당》; [C] 12절판의 책. **2** 《고어》 작은 것〔사람〕, 꼬마. **3** 『음악』 12도(度)(twelfth). **—** *a.* 12절판의.

du·o·den·al [djùːədíːnl, djuːádnl/djùːə-díːnl] *a.* 『해부』 십이지장의〔에 관한〕.

duodénal úlcer 『의학』 십이지장 궤양.

du·o·den·a·ry [djùːədénəri, -díːn-] *a.* (한 단위가) 12의; 12배의; 12진(進)의(duodecimal).

du·o·de·ni·tis [djùːoudináitis, djuːàdənáitis/djùːoudi-] *n.* [U] 『의학』 십이지장염.

du·o·de·num [djùːədíːnəm, djuːádənəm/djùːədíːn-] (*pl.* ***-na*** [-nə]) *n.* 『해부』 십이지장. [파] **dù·o·dé·nal** *a.*

dúo·dràma *n.* 듀오드라마《두 연기자만의 대화에 기악 연주가 곁든 극》.

du·o·graph [djúːəgræf, -gràːf/-gràːf] *n.* 『인쇄』 「=DUOTONE.

du·o·logue [djúːəlɔ̀ːg, -làg/djúːəlɔ̀g] *n.* (두 사람만의) 대화(dialogue); (등장인물 둘의) 대화극. [cf.] monologue.

duo·mo [dwóumou] (*pl.* ~***s, -mi*** [-mi]) *n.* 《It.》 (이탈리아의) 대교회당, 대성당(cathedral).

dùo-piánist *n.* 피아노 이중 연주자.

du·op·o·ly [djuːápəli/djuːɔ́p-] *n.* [U] 『경제』 복점(複占)《두 회사에 의한 판매 시장의 독점》; 2대 강국에 의한 패권(覇權).

du·op·so·ny [djuːápsəni/djuːɔ́p-] *n.* 수요〔구매자〕 복점(複占). [cf.] monopsony, oligopsony.

du·o·rail [djúːourèil/djúː-] *n.* 이궤(二軌) 철도《모노레일에 대해 일반 철도를 가리킴》.

du·o·tone [djúːətòun/djúː-] *n.* 『인쇄』 2색 그림; 2색 망판(網版), 더블톤 인쇄물; 그라비어 인쇄물. **—** *a.* 2색의.

dup. duplicate.

dup·a·ble [djúːpəbəl/djúː-] *a.* 속기 쉬운.

◇**dupe** [djuːp/djúːp] *n.* 잘 속는 사람, '봉', 얼뜨기, 얼간이(gull); 괴뢰. ***make a*** ~ ***of*** a person 아무를 속이다, 바보 취급하다. **—** *vt.* 《~+[목]/+[목]+[전]+[명]》 속이다: ~ a person *into doing* 아무를 속여서 …하게 하다.

dup·ery [djúːpəri/djúː-] *n.* [U,C] 속이기, 기만당함, 사기.

du·ple [djúːpəl/djúː-] *a.* 배(倍)의, 이중의; 「『음악』 2박자의.

du·plet [djúːplit/djúː-] *n.* 『음악』 둘잇단음표; 『화학』 (두 원자가 공유(共有)하는) 원자쌍(雙).

dúple tìme 『음악』 2박자.

du·plex [djúːpleks/djúː-] *a.* 중복의, 이중의, 두 배의, 이연식(二連式)의; 『기계』 복식의; 『통신』 이중 통신 방식의, 동시 송수신 방식의: a ~ hammer 양면 망치 / a ~ lamp 쌍심지 램프 / ~ telegraphy (양쪽에서 동시에 송수신되는) 이중 전신. **—** *n.* =DUPLEX APARTMENT; =DUPLEX HOUSE; 『음악』 2중 음표(音標); 양면의 색이〔마무리가〕 다른 종이; 『생물』 2사슬 DNA〔RNA〕 분자; 『유전』 (DNA의) 중복 부위(部位); 『통신』 이중 통신; 『컴퓨터』 양방(兩方). **—** *vt.* 이중으로 하다. [파] ~·**er** *n.* 『전자』 송수신 전환기; 송수신 전환 자동 스위치. **du·pléx·i·ty** *n.*

dúplex apártment 복식〔복층〕 아파트《상하 층을 한 가구가 쓰게 된》.

dúplex hóuse 2세대용 주택.

dúplex prìnting 『인쇄』 양면 인쇄.

dúplex sỳstem 『컴퓨터』 설치한 2대의 컴퓨터 중 하나는 예비용으로 하는 시스템.

du·pli·ca·ble [djúːplikəbəl/djúː-], **du·pli·cat·a·ble** [djúːplikèitəbəl/djúː-] *a.* 이중으로 할 수 있는; 복제할 수 있는.

◇**du·pli·cate** [djúːplikət/djúː-] *a.* 이중의, 중복의, 한 쌍의; 부(副)의, 복사의; 두 배의: a ~ key 여벌 열쇠([cf.] passkey) / a ~ ratio 『수학』 제곱비 / ~ copy 부본(副本); (회화의) 복제(품). **—** *n.* **1** (동일물의) 2통 중 하나; (그림·사진 따위의) 복제. **2** 등본, 사본, 부본; 복사, 베낌, 여벌. **3** 보관표; 전당표. **4** 동의어(synonym). ***made*** 〔***done***〕 ***in*** ~ 정부(正副) 두 통으로 작성된. **—** [-kèit] *vt.* 이중으로 하다, 두 배로 하다; (둘로) 접다, 포개다; (증서 따위를) 두 통 만들다; 사본하다, 복사하다(reproduce); …와 같은 것을 만들다; (실패 등을) 되풀이하다; 『컴퓨터』 복제〔복사〕하다; 필적〔비견〕하다. **—** *vi.* 『생물』 (염색체가) 둘로 분열하다. [파] **dú·pli·cà·tive** *a.*

dúplicating machìne 〔**pàper**〕 복사기〔복사지〕.

***du·pli·ca·tion** [djùːplikéiʃən/djùː-] *n.* **1** [U] 이중, 중복; 겹침, 둘로 접음. **2** [U] 복제, 복사; [C] 복제〔복사〕물. **3** 『생물』 (염색체의) 중복; 『식물』 양기(兩岐).

du·pli·ca·tor [djúːplikèitər/djúː-] *n.* 복사기; 복제〔복사〕하는 사람.

du·plic·i·tous [djuːplísətəs/djuː-] *a.* 일구이언의. [파] ~·**ly** *ad.*

du·plic·i·ty [djuːplísəti/djuː-] *n.* [U] 표리부동, 불성실; 사기; 이중성, 중복.

Du Pont [djuːpánt, ´-/djúːpɔnt] *n.* **1** **Eleuthère Irénée** ~ 듀폰《프랑스 태생의 미국 실업가》. **2** 듀폰《1이 창업한 미국 최대의 종합 화학 제조 회사》. **3** 《미군대속어》 폭약. 「내구력.

dù·ra·bíl·i·ty *n.* [U] 오래 견딤; 내구성, 영속성;

◇**du·ra·ble** [djúərəbəl/djúər-] *a.* 오래 견디는, 튼튼한; 영속성이 있는, 내구력이 있는, 항구적인: (a) ~ peace 항구적 평화. **—** *n.* (*pl.*) =DURABLE GOODS. [opp] *nondurables.* [파] **-bly** *ad.* ~·**ness** *n.*

dúrable góods 내구(소비)재《주택·차·가구 따위》. [opp] *nondurable goods.*

dúrable préss DP가공《화공 약품으로 의류의 주름 따위를 영구 가공하는 방법》.

du·ral[1] [djúərəl/djúər-] *n.* =DURALUMIN.

du·ral[2] *a.* 『해부』 경뇌막(硬腦膜)의.

du·ral·u·min [djurǽljəmin/djuə-] *n.* 두랄루민《가볍고 강한 알루미늄 경합금의 일종; 비행기·차 따위의 자재》.

dú·ra máter [djúrə-] 《L.》 『해부』 경뇌막(硬腦膜). [opp] *pia mater.*

du·ra·men [djuréimin/djuəréimen] *n.* [U] 『식물』 심재(心材), 적목질(赤木質), 목심(木心).

du·rance [djúərəns/djúər-] *n.* [U] 《고어·문어》 금고(禁錮), 감금. ***in*** ~ (***vile***) (부당) 감금되어.

◇**du·ra·tion** [djuréiʃən/djuər-] *n.* [U] 내구(耐久), 지속, 계속; 계속〔지속〕 기간; 존속 (기간): ~ of flight 『항공』 체공(滯空)〔항속(航續)〕 시간 / of long 〔short〕 ~ 장기〔단기〕의, 오래 계속하는〔계속하지 않는〕. ***for the*** ~ ***of***... …의 기간 중에. ***for the*** ~ 전쟁이 끝날 때까지, 전쟁 기간 중; 《비유》 (굉장히) 오랜 동안.

dur·a·tive [djúərətiv/djúər-] *a.* 계속 중의, 미완의; 『문법』 계속상(相)의《keep, love, remain, go on 따위처럼 동작이나 상태가 얼마 동안 계속됨을 나타내는 동사의 상(相) (aspect)》. **—** *n.* 『문법』 계속상(의 동사).

dur·bar [də́ːrbaːr] 《Ind.》 *n.* (인도 제후(諸侯)의) 궁전; (인도 제후·총독의) 공식 접견(실).

du·ress [djuərés, djúəris/djuərés] *n.* [U] 구속, 속박, 감금; 『법률』 강박. ~ ***of imprisonment*** 감금하겠다는 협박. ***in*** ~ 감금당하여. ***under*** ~ 협박〔강제〕당하여.

Dur·ga [dúərgɑː] *n.* 《Hind.》 두르가(《싸움의 여신; 시바 신의 배우신》).

Dur·ham [dəːrəm, dʌ́r-/dʌ́r-] *n.* 잉글랜드 북부의 주(《생략: Dur(h).》); 그 주도(州都); 더럼종(種)의 육우(肉牛).

Dúrham Rúle 〖미법률〗 더럼의 법칙(《범행시에 범행자가 심신상실 또는 심신미약 상태에 있었을 때에는 그의 형사책임은 묻지 않는다는 법칙》).

du·ri·an, -on [dúəriən, -ɑ̀ːn/djúəriən] *n.* 〖식물〗 두리안(《Malay 반도산 과실》); 그 나무.

†**dur·ing** [djúəriŋ/djúər-] *prep.* **1** …동안 (내내): ~ life 〔the winter〕 일생〔겨울〕 동안 (내내). **2** …사이에: killed ~ a brawl 싸우다가 피살된.

> NOTE during 다음에는 때를 나타내는 명사가 오지만, for 다음에는 수사(數詞)를 동반한 명사가 흔히 옴: *during* his stay in London *for* four years, 4년 동안 런던 체재 중.

dur·mast [dəːrmæ̀st, -mɑ̀ːst/-mɑ̀ːst] *n.* 〖식물〗 유럽산(産) 참나무의 일종(sessileoak)(= ∠ **òak**)(《건축재로서 진귀》).

durn [dəːrn] *vt., vi., n.* 《미구어》 =DAMN.

Du·roc(-Jer·sey) [djúərɑk(dʒəːrzi)/djúərɔk(-)] *n.* 두록(저지)(《미국산의 암적색 돼지; 성장이 빠르고 강대함》).

du·rom·e·ter [djuərɑ́mətər/djuərɔ́m-] *n.* 경도계(硬度計).

dur·ra [dúərə] *n.* 〖식물〗 수수의 일종.

durst [dəːrst] DARE의 과거.

du·rum [djúərəm/djúər-] *n.* Ⓤ 밀의 일종(= ∠ **whèat**)(《마카로니 따위의 원료》).

◇**dusk** [dʌsk] *n.* Ⓤ **1** 어둑어둑함, 박명. **2** 땅거미, 황혼(twilight)(《darkness가 되기 전》), 어스름: at ~ 해질 무렵에. **3** (숲·방 등의) 어두컴컴함: in the ~ 어두컴컴한 데서. **—** *a.* 《시어》 =DUSKY. **—** *vt., vi.* 《시어》 어두컴컴하게 하다〔되다〕; 저물어가다. ㊞ **∠·ish** *a.* 좀 어두운.

***dusky** [dʌ́ski] (**dusk·i·er; -i·est**) *a.* **1** 어스레한, 희미한. SYN. ⇨DARK. **2** (빛·피부색이) 거무스름한. cf. swarthy. **3** 음침한, 우울한(sad, gloomy). ㊞ **dúsk·i·ly** *ad.* **-i·ness** *n.*

Düs·sel·dorf [djúsəldɔ̀ːrf/dúsl-] *n.* 뒤셀도르프(《독일 라인 강변의 항구 도시》).

⁑**dust** [dʌst] *n.* Ⓤ **1** 먼지, 티끌; (a ~) (일어나는) 먼지, 사진(沙塵); (광산에서의) 진폐증(塵肺症); 《문어》 흙(earth); 지면(ground): a cloud of ~ 자욱한 먼지 / laid in the ~ 흙속에 매장되어. **2** (the ~) 시체(dead body), 유해; (티끌이 될) 육체, 인간: the honored ~ 영예로운 유해. **3** 가루, 분말; 가루차(= ∠ **tèa**); 꽃가루(pollen); 금가루(gold ~); 사금 가루; 입자. **4** 《영》 쓰레기(refuse), 재; 석탄재(ashes). **5** 하찮은 것. **6** 굴욕. **7** 소란, 혼란. **8** 《미속어》 현금, 돈. **9** 《미속어》 담배(《씹는 담배·코담배 포함》); 흰 가루(《분말 마약》), 코카인; PCP(《마약으로 쓰이는》). **10** 〖천문〗 더스트(《혜성에 함유돼 있는 고체 미립자》). ***after*** 〔***when***〕 ***the ~ settles*** 소동이 진정된 다음에. (***as***) ***dry as ~*** 무미건조한. ***bite*** 〔***eat***〕 ***the ~*** 《구어》 살해되다; 《특히》 전사하다; 실패하다; 굴욕을 당하다. ***Down with the ~!*** 《속어》 돈을 내놔. ***~ and ashes*** 먼지와 재(《실망스러운 것, 하찮은 것》): turn to ~ *and ashes* (희망이) 사라지다. ***Dust thou art, and unto ~ shalt thou return.*** 〖성서〗 너는 흙이니 흙으로 돌아갈 것이니라. ***humbled in*** 〔***to***〕 ***the ~*** 굴욕을 받고. ***in ~ and ashes*** ⇨in SACKCLOTH and ashes. ***in the ~*** 죽어서; 모욕을 받고. ***lay the ~*** (비가) 먼지를 가라앉히다. ***leave ... in the ~*** (경쟁 상대·비의욕적인 자 등을) 압도하다. ***lick the ~*** ① 굽실거리다. ② =bite the ~. ***out of ~*** 먼지 속에서; 굴욕의 처지에서. ***raise*** 〔***kick up, make***〕 ***a ~*** 《구어》 소동을 일으키다. ***return to the ~*** 흙으로 돌아가다, 죽다. ***shake the ~ off*** 〔***from***〕 ***one's feet*** 〔***shoes***〕 =***shake off the ~ of one's feet*** 〖성서〗 자리를 박차고 (분연히) 떠나다(《마태복음 X: 14》). ***throw ~ in*** 〔***into***〕 ***a person's eyes*** (아무의) 눈을 속이다, 속이다.

— *vt.* **1** (《~+목/+목+부》) …의 먼지를 떨다; 청소하다(《*off; down*》): ~ a table 책상의 먼지를 닦다 / ~ oneself *down* 〔*off*〕 (자기 몸의) 먼지를 떨다 / ~ *off* the table cloth 책상보의 먼지를 떨다. **2** 더럽히다, 먼지투성이로 만들다(《*with*》). **3** (《+목+전+명》) …에 (가루 등을) 흩뿌리다〔끼얹다〕(sprinkle)(《*with*》); 《미속어》 공중살포하다: ~ a cake *with* sugar 케이크에 설탕을 뿌리다.

— *vi.* **1** 청소를 하다. **2** (《+전+명》) (식물 등에 가루를) 흩뿌리다; (새가) 사욕(砂浴)을 하다(《*with*》): ~ *with* insecticide 살충제를 뿌리다. **3** 먼지투성이가 되다. **4** 〖종종 ~ it〗 《미속어》 (먼지를 떨고) 급히 떠나다. **~ *back*** 〖야구〗 (타자를) 흠칫 몸을 젖히게 하다. **~ *off*** 먼지를 떨다; 《구어》 (간수해 둔 것을) 꺼내 오다; 《미속어》 (아무를) 때리다; 《야구속어》 타자의 몸에 스칠락말락하게 투구하다. **~ *a person's jacket*** 〔***coat***〕 (***for*** him) 아무를 두들겨 패다. **~ *a person's pants*** 〔***trousers***〕 어린이의 궁둥이를 (넙다) 때리다. **~ *the eyes of*** (a person) (아무를) 속이다. **~ *up*** 《구어》 공격하다, 혼내 주다. ***hair ~ed with gray*** 희끗희끗한 머리.

㊞ **∠·like** *a.* **∠·less** *a.*

dúst bàg (전기 청소기의) 먼지 주머니.

dúst bàth (새의) 사욕(砂浴).

dúst·bìn *n.* 《영》 쓰레기통(《미》 ash 〔trash〕 can).

dústbin·man [-mən] *n.* 청소원; 청소업자.

dúst bòwl **1** 황진(黃塵) 지대(《모래 강풍(dust storm)이 부는 지역》). **2** (the D- B-) 미국 Rocky 산맥 동쪽 기슭의 대초원 지대(《1930년대에 모래 강풍이 내습하였던 지역》). ㊞ **dúst bòwl·er** 황진 지대 주민.

dúst·brànd *n.* 〖식물〗 (보리의) 깜부깃병(smut).

dúst bùnny (침대 밑 같은 데서 그러모은) 먼지 덩어리.

dúst càrt 《영》 쓰레기 운반차(《미》 garbage truck).

dúst chàmber 집진기(集塵器).

dúst chìldren 동남아 여성과 미국인 병사 사이의 혼혈아.

dúst·clòth *n.* (가구 따위에 씌우는) 먼지 막는 천(dust cover); 먼지 닦는 헝겊.

dúst clòud 〖천문〗 우주진운(宇宙塵雲).

dúst-còat *n.* 《영》 =DUSTER.

dúst còlor 엷은 다갈색(dull brown).

dúst còunter 계진기(計塵器).

dúst còver (가구·비품 따위의) 먼지 방지용 커버; =DUST JACKET.

dúst dèvil (열대 사막 따위의) 회오리바람.

dúst disèase 《구어》 =PNEUMOCONIOSIS.

dúst·er *n.* **1** 먼지 떠는〔청소하는〕 사람; 청소 도구(《먼지떨이·총채·행주·걸레 따위》). **2** 《미》 먼지 방지 외투(《영》 dust coat); (여성의) 가벼운 가정복; 여성용의 낙낙한 여름옷. **3** (설탕·후춧가루·살충제 따위의) 가루 뿌리는 기구. **4** 비행기로 약을 뿌리는 사람. **5** 《영해군속어》 군함기(旗) (ensign). **6** 〖야구〗 타자 몸 가까이 지나는 속구. **7** 《미구어》 =DUST STORM. **8** 《미》 물이 마른 우물(dry hole).

dúst explósion 분진(粉塵) 폭발.

dúst hèad 《미속어》 합성 헤로인(angel dust) 상용자.

dúst·hèap *n.* 쓰레기더미; 망각, 세상에 알려지지 않은 것; 무시, 폐기: the ~ of history 망각의 피안.

dúst hòle 《영》 쓰레기 구덩이.

dust·i·ly [dʌ́stili] *ad.* 먼지〔쓰레기〕투성이가

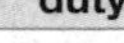

되어. [파] **-i·ness** *n.* 먼지투성이; 무미건조.
dúst·ing *n.* **1** [U] 청소. **2** 《속어》 때리기, 지우기: give a good ~ 되게 혼내 주다. **3** [U,C] 〖해사〗 폭풍우(때의 배의 동요). **4** [U] 가루 뿌리기, 살포; (화약의) 체질; 소량. **5** 《CB속어》 (고속도로 등에서의) 갓길 운전.
dústing pòwder (땀띠 등 소독용) 살포제.
dúst jàcket 책 커버(book jacket).
dúst·man [-mæ̀n, -mən/mən] (*pl.* ***-men*** [-mèn, -mən]) *n.* 《영》 쓰레기 청소부(《미》 ashman, garbageman, garbage collector); 〖동화·전설〗 졸음의 요정(妖精)(sandman); 졸음; 〖해사〗 화부: The ~ is coming. 아이 졸려.
dúst mòp =DRY MOP.
dúst·òff *n.* 《미군대속어》 =MEDEVAC.
du·stoor, -stour [dəstúər] *n.* 《Ind.》 **1** [U] 관례, 습관. **2** 수수료. **3** Parsi 교(教)의 고승.
dúst·pàn *n.* 쓰레받기.
dúst·pròof *a.* 먼지가 묻지 않는; 먼지를 막는.
dúst shèet 먼지 방지용 천. ⌊방진(防塵)의.
dúst shòt 아주 작은 산탄(霰彈).
dúst stòrm (건조지의) 모래 강풍; 〖일반적〗 사진(沙塵)을 일으키는 강풍.
dúst tàil 〖천문〗 (혜성의) 먼지 꼬리.
dúst tràp 먼지가 꾀는 곳. 「~ 문학 논쟁.
dúst·ùp *n.* 《구어》 법석, 소동, 싸움: a literary
dúst wràpper 책의 커버(dust jacket).
dusty** [dʌ́sti] (dust·i·er; -i·est***) *a.* **1** 먼지투성이의, 먼지 많은. **2** 먼지 같은 빛깔의, 회색의(gray); (술이) 탁한. **3** 티끌 같은; 분말의(powdery); 부스러지기 쉬운. **4** 먼지와 같이 메마른, 무미건조한; 하찮은; 모호한: a ~ answer 만족할 수 없는 대답, 애매한 대답, 건성으로 하는 대답; 쌀쌀한 거절. ***not*** 〔***none***〕 ***so*** ~ 《영구어》 과히〔아주〕 나쁜〔버릴〕 정도의 것은 아닌, (건강 상태가) 그저 그만한, 그다지 나쁘지 않은.
dústy míller 〖식물〗 앵초(櫻草)의 일종; 제물낚시의 일종; 《미》 〖곤충〗 나방의 일종.
Dutch** [dʌtʃ] *a.* **1** 네덜란드의; 네덜란드령(領)의; 네덜란드 사람의. **2** 네덜란드식〔제(製)〕의. **3** 《미속어·영고어》 독일 사람의, 독일어의. **4** 《경멸》 네덜란드식의. ***go ~ 《구어》 각추렴하다, 비용을 각자 부담하다《*with*》(cf. Dutch treat): Let's *go* ~. 비용은 각자가 부담하자. ★ Let's go fifty-fifty. 따위로도 말함. **—** *n.* **1** (the ~) 네덜란드 사람《한 사람은 a Dutchman》. **2** [U] 네덜란드어. cf. double Dutch. **3** 《미속어·영고어》 독일어〔사람〕. cf. Pennsylvania Dutch. ***beat the*** ~ 《미구어》 남을 깜짝 놀라게 하다, 경탄시키다. ***in*** ~ 《속어》 기분을 상하게 하여, 창피를 당해서; 《속어》 면목을 잃어, 곤란해서: get *in* ~ 난처한 입장이 되다, 창피당하다; (남에게) 호감을 주지 못하다《*with*》. ***double*** ~ 《미속어》 뜻을 알 수 없는 말, 《특히》 어려운 전문 용어. [파] **∠·ly** *ad.*
dutch [dʌtʃ] *n.* 《속어》 (흔히 행상인의) 아내, 마누라: my old ~ 우리 마누라.
Dútch áct 《미속어》 (the) ~ 자살 (행위): do the ~ 자살하다.
Dútch áuction 값을 깎아 내려가는 경매.
Dútch bárgain 술 좌석에서 맺은 계약.
Dútch bárn (벽 없는) 건초 곳간.
Dútch cáp **1** 좌우에 늘어진 테가 달린 여성 모자. **2** 페서리의 일종.
dútch chéese 네덜란드 치즈《탈지유로 만들며 둥글고 연함》; =COTTAGE CHEESE.
Dútch clóver 〖식물〗 토끼풀, 클로버.
Dútch cómfort 〔**consolátion**〕 이 이상 더 나쁘지 않은 것만도 다행이라는 위안.
Dútch cóurage **1** 《구어》 술김에 내는 용기. **2** 술. **3** 《미속어》 마약.
Dútch dóll 이음매가 있는 나무 인형.
Dútch dóor **1** 상하 2단으로 된 문《따로따로 여닫게 된》. **2** (잡지 속의) 접어 넣은 광고.
Dútch Éast Índies (the ~) 네덜란드령 동인도 제도《오늘의 인도네시아 공화국》.
Dútch élm disèase 〖식물〗 자낭균(子囊菌)에 의한 느릅나무병.
Dútch góld 〔**fóil, léaf, métal**〕 모조 금박《구리와 아연의 합금》.
Dútch hóe 괭이의 일종.
Dútch léave 《미》 =FRENCH LEAVE.
Dútch líquid 2 염화 에틸렌.
Dútch lúnch 비용을 각자 부담하는 점심 회식.
◇**Dútch·man** [-mən] (*pl.* ***-men*** [-mən]) *n.* **1** 네덜란드 사람(Netherlander, Hollander); 《미속어》 독일 사람《때로 경멸적》. **2** 〖해사〗 네덜란드 배; =FLYING DUTCHMAN. **3** (d–) 틈 메우는 나무, 나무 패킹. ***I'm a*** **~.** 《구어》 목을 내놓겠다《단언할 때 쓰는 말》: *I'm a* ~ if it is true. 그게 사실이라면 내 목을 자르겠다/It is true, or *I'm a* ~. 거짓말이면 내 목을 잘라라.
Dútchman's-bréeches (*pl.* ~) *n.* 〖식물〗 금낭화류(類)의 풀.
Dútch óven 불고기용 냄비〔기구〕.
Dútch rúsh 〖식물〗 속새.
Dútch súpper 비용 자기 부담의 저녁 식사.
Dútch tréat 〔**párty**〕 《구어》 비용을 각자 부담하는 회식〔오락〕, 각추렴의 파티.

Dutch oven

Dútch úncle 엄하게 꾸짖는 사람, 잔소리꾼: talk like a ~ 엄하게 꾸짖다〔타이르다〕.
Dútch wífe 죽부인(竹夫人).
du·te·ous [djúːtiəs/djúː-] *a.* 《문어》 의무 관념이 강한; 충절의, 순종하는(dutiful); 정절의; 의리가 있는. [파] **~·ly** *ad.* **~·ness** *n.*
du·ti·a·ble [djúːtiəbəl/djúː-] *a.* 관세를 물어야 할《수입품 따위》, 세금이 붙는. OPP *duty-free.* ¶ ~ goods 과세품.
◇**du·ti·ful** [djúːtifəl/djúː-] *a.* 충실한, 충순한《*to*》; 의무 관념이 강한, 본분을 지키는; 공손한, 성실한: ~ respect 정중한 존경, 공순(恭順). [파] **~·ly** *ad.* **~·ness** *n.* 성실, 충실.
⁑**du·ty** [djúːti/djúː-] *n.* **1** [U] 의무, 본분; 의무감, 의리: act out of ~ 의무감으로 행동하다/a strong sense of ~ 강한 의무감/pay a ~ call 〔visit〕 의리상의 방문을 하다/I feel it my ~ to do that. 그것을 하는 것이 내 의무라고 생각한다.

SYN. **duty** 양심상·윤리상의 요청에서 해야 하는 것: one's *duty* to raise children properly 자식들을 바르게 기를 의무. **obligation** 법률상·사회 관습상의 요청에서 해야 하는 것: This entails no *obligation* on posterity. 이것 때문에 자손이 (변상 등의) 의무를 지게는 안 된다. **responsibility** …에 응할〔…을 인수할〕 의무.

2 (종종 *pl.*) 임무, 직무, 직책; 〖군사〗 군무: hours of ~ 근무 시간/night 〔day〕 ~ 야근〔일근〕/a ~ officer 당직 장교. **3** [C] (교회의) 종무(宗務), 예배의 집전. **4** [U] (손윗사람에 대한) 충순(忠順), 순종; 존경, 경의《*to*》. **5** (*pl.*) 조세; 관세(customs duties): excise *duties* (국내) 소비세, 물품세/export 〔import〕 *duties* 수출〔수입〕세/a ~ *on* a camera 카메라세(稅). **6** [U] 〖기계〗 (기관·펌프 따위의) 총효율(總效率); 〖농업〗 관개율: the ~ of water, 1 에이커의 관개에 필요한 물의 양. **7** 《구어》 [U] (특히 갓난아기의) 똥누기.

as in ~ bound 의무상. be (in) ~ bound to do 의무로서 …해야 하다. do ~ for 〔as〕 …의 대용이 되다, …의 역을 하다. do 〔perform〕 one's ~ 의무를 다하다. fail in one's ~ 본분을〔의무를, 직무를〕 소홀히 하다. in (the) line of ~ 직무 범위 내에〔의〕. off 〔on〕 ~ 비번〔당번〕으로, 근무 (시간)외〔중〕에. pay 〔send, present〕 one's ~ to …에게 경의를 표하다. take on a person's ~ 아무의 일을 대신하다.

dúty-bóund *a.* 도덕적인 의무가 있는, 도덕적〔법적〕으로 하지 않을 수 없는《*to* do》.

dúty-frée *a.* 세금 없는, 면세의.

dúty-frée shóp 면세점. 「의무.

dúty of disclósure 〖보험〗 (계약자의) 고지

dúty-páid *a., ad.* 납세 완료한〔하여〕, 납세필의〔로〕.

dúty ròster 〖군사〗 (위병 등의) 근무표.

du·um·vir [djuːʌ́mvər/djuː-] (*pl.* **~s** [-z], **-vi·ri** [-vəràiː]) *n.* 〖고대로마〗 2인 연대직(連帶職)의 두 관리 중의 하나; 양두(兩頭) 정치가 중의 한 사람. ㊕ **du·um·vi·rate** [djuːʌ́mvərit] *n.* Ⓤ 2인 연대의 직; 양두 정치.

DUV data-undervoice.

du·vay [djuːvéi/djúːvei] *n.* 《영》 깃털 이불.

du·vet [djuːvéi/djúːvəi] *n.* 《F.》 새털 이불《quilt 따위》.

du·ve·tyn(e), -tine [djúːvətiːn/djúː-] *n.* 《F.》 Ⓤ 비단실〔무명실〕을 섞어 짠 모직물의 일종.

D.V. *Deo volente* 《L.》 (=God willing); Douay Version (of the Bible). **DVD** digital versatile disc 〔videodisc〕《CD의 기록 용량을 비약적으로 증대시킨 광(光)디스크 규격》. **DVI** Digital Video Interactive (대화식 디지털 비디오). **D.V.M.(S.)** Doctor of Veterinary Medicine (and Surgery).

Dvo·řák [dvɔ́ːrʒɑːk, -ʒæk] *n.* **Anton ~** 드보르자크《체코슬로바키아의 작곡가; 1841-1904》.

DVT deep vein thrombosis. **D.W., d.w.** distilled water; dust wrapper.

dwale [dweil] *n.* 〖식물〗 =BELLADONNA.

***dwarf** [dwɔːrf] (*pl.* **~s, dwarves** [-vz]) *n.* **1** 난쟁이, 꼬마둥이(pygmy). ⓒⓕ midget. ¶ a ~ of a man 난쟁이 같은 사람. **2** 〖북유럽신화〗 난쟁이《땅속에 살며 금속 세공을 잘함》. **3** 왜소 동물〔식물〕, 좀생이. **4** 〖천문〗 =DWARF STAR. **—** *a.* 왜소한; 소형의(ⓞⓟⓟ *giant*); (식물이) 왜성인; 지지러진. **—** *vt., vi.* **1** 작게 하다, 작아지다; 작아 보이(게 하)다. **2** …의 발육〔성장, 발달〕을 방해하다, 지지러지(게 하)다: a ~(*ed*) tree 분재(盆栽). ㊕ **~·ness** *n.*

dwarf·ish [dwɔ́ːrfiʃ] *a.* 난쟁이 같은, 왜소한, 자그마한(pygmyish); 지지러든(stunted); 지능이 발달하지 않은. ㊕ **~·ly** *ad.* **~·ness** *n.*

dwárf·ìsm *n.* Ⓤ 위축; (동식물의) 왜소성; 〖의학〗 왜소 발육증.

dwárf stár 〖천문〗 왜성(矮星).

dweeb [dwiːb] *n.* 《미속어》 싫은〔촌스러운〕 녀석, 굼뜬 녀석; 착실한 학생, 공부벌레. ㊕ **∠·ish** *a.* **∠·y, ∠·ie** *a.*

***dwell** [dwel] (*p., pp.* **dwelt** [-t], **dwelled** [-d, -t]) *vi.* **1** 《+전+명》 살다, 거주하다(live) 《*at; in; near; on; among*》: ~ *at* home 국내에 거주하다 / ~ *in* a city 도시 생활을 하다. ★ 지금은 live가 보통. **2** 《+전+명》 (어떤 상태에) 머무르다, 체재하다: ~ *in* one's mind 마음에 남다 / Her memory ~*s with* me. 그녀의 추억은 언제까지나 내 마음속에 깃들여 있다. **3** (말이) 발을 드는 것이 더디다, 울타리를 넘기 전에 잠깐 서다〔머뭇거리다〕. **~ on** 〔**upon**〕 ① …을 곰곰〔깊이〕 생각하다. ② …을 길게 논하다〔쓰다〕, …을 강조하다. ③ 꾸물거리다; …을 천천히 하다; …을 길게 빼어 발음하다: She ~*s* too much *upon* her past. 그녀는 자신의 과거를 너무 깊이 생각한다. **—** *n.* Ⓤ,Ⓒ (기계의) 일시 운전 정지; (말의 도약 전의) 주저, 망설임.

°**dwéll·er** *n.* **1** 거주자, 주민: a town ~ 도시 주민. **2** (장애물을 건너 뛸 때) 머뭇거리는 말.

***dwell·ing** [dwéliŋ] *n.* **1** 집, 주거, 주소. ⓈⓎⓃ. ⇨HOUSE. **2** Ⓤ 거주.

dwélling hòuse 살림집, 주택.

dwélling plàce 주소, 거처.

dwelt [dwelt] DWELL의 과거 · 과거분사.

D.W.I. driving while intoxicated(음주 운전).

Dwight [dwait] *n.* 드와이트《남자 이름》.

DWIM 《해커속어》 Do what I mean《이용자의 실수를 자동 보충하는 컴퓨터 명령》.

°**dwin·dle** [dwíndl] *vi.* **1** 《~/+부/+전+명》 줄다, 작아지다, 축소〔감소〕되다(diminish): ~ *in* size 〔numbers〕 크기〔수〕가 줄어들다 / ~ *away to* nothing 점점 줄어서 없어지다 / ~ *down to* 줄어서〔쇠하여〕 …이 되다 / the island's *dwindling* population 섬의 줄어드는 인구 / The airplane ~*d to* a speck. 비행기는 점점 작아져서 이내 하나의 점으로 되었다. **2** (명성 따위가) 쇠하다, 못 쓰게 되다, (품질이) 저하되다, 하락하다《*away; down*》: Her hopes gradually ~*d away*. 그녀의 희망은 점차 사라졌다. **—** *vt.* 《~+목/+목+전+명》 …을 작게〔적게〕 하다, 축소〔감소〕시키다: The failure ~*d* his reputation *to* nothing. 그 실패는 그의 명성을 무로 돌려 버렸다. ㊕ **dwín·dler** *n.* (영양 부족으로) 발육〔성장〕이 나쁜 사람〔동물〕.

DWT deadweight tonnage. **dwt.** *denarius weight* 《L.》 (=pennyweight).

DX, D.X. [díːéks] *n., a.* 〖통신〗 장거리(의) (distance, distant); (해외 방송 따위의) 장거리 수신(의)(long distance reception). **—** *vi.* 상업 방송을 듣다.

DXer [dìːéksər] *n.* 해외 방송 수신인〔애호가〕.

Dy 〖화학〗 dysprosium; delivery. **dy.** delivery; deputy; duty.

d'ya [djə] 〖발음철자〗《구어》 do you의 간약형.

dy·ad [dáiæd] *n.* (한 단위로서의) 2, 한 쌍〔짝〕, 이원 일위(二元一位); 〖화학〗 이가(二價)원소; 〖생물〗 이분(二分) 염색체; 〖수학〗 다이애드《두 벡터 a와 b의 내적(內積)을 나타내는 기호 a · b; 기브스의 기호》; 〖사회〗 양자 관계; 두 사람〔단체〕 사이의 뜻깊은 대화〔모임〕. ⓒⓕ triad. ㊕ **dy·ad·ic** [daiǽdik] *a.*

dy·ar·chy [dáiɑːrki] *n.* Ⓤ,Ⓒ =DIARCHY.

dyb·buk, dib- [díbək] *n.* 《Heb.》 (사람에게 붙는) 죽은 사람의 혼.

***dye** [dai] *n.* Ⓤ,Ⓒ **1** 물감, 염료. **2** 색깔, 색조, 물(든 색). **of (the) deepest** 〔**blackest**〕 **~** 제일류〔1급〕의; 가장 악질의, 극악한: an intellectual *of the deepest* ~ 제 1급의 지식인 / a crime 〔scoundrel〕 *of the blackest* 〔*deepest*〕 ~ 극악한 범죄〔악당〕. **mordant** 〔**synthetic**〕 **~s** 매염(媒染)〔합성〕 염료.

— (*p., pp.* **dyed; dýe·ing**) *vt.* 《~+목/+목+전+명/+목+보》 물들이다; 염색〔착색〕하다: have a cloth ~*d* 천을 염색시키다 / ~ a green *over* a white 흰 바탕에 녹색을 물들이다 / ~ a cloth red 천을 붉게 물들이다. **—** *vi.* 《+부》 **1** 물들다: Silk ~*s well* with acid dyes. 비단은 산성 염료에 잘 물든다. **2** 물을 들이다: This dyestuff ~*s well* 〔*badly*〕. 이 물감은 착색성이 좋다〔좋지 않다〕. ★ 철자에 주의: dye≠die; dyeing≠dying. **~ in (the) grain** 〔**in the wool**〕 (짜기 전) 실에 물들이다; 《비유》 (사상 등

을) 철저히 침투시키다. ㊕ **∼·a·ble** *a.* **∼·a·bíl·i·ty** *n.*
dyed *a.* 염색한, 물들인.
dýed-in-the-wóol *a.* (사상적으로) 인이 박인, 철저한, 변함없는; 순수한; (짜기 전에) 실을 물들인: a ∼ communist.
dýe·ing *n.* Ⓤ 염색(법); 염색업; 염색소, 색소(色素); Ⓒ 염색한 빛깔〔것〕.
dýe làser 색소(色素) 레이저.
dy·er [dáiər] *n.* 염색하는 사람, 염색공; 염색집〔소(所)〕.
dýer's bròom 〖염색〗 녹황색.
dýer's-bròom *n.* 〖식물〗 금작화의 일종.
dýer's bùgloss 〖식물〗 우설초(牛舌草).
dýer's-wèed *n.* 염료 식물.
dýe·stùff, -wàre *n.* 물감, 색소(dye).
dýe·wòod *n.* Ⓤ 물감이 되는 각종 목재.
dy·ing** [dáiiŋ] *a.* **1** 죽어 가는, 빈사(瀕死)의; 임종(시)의: a ∼ swan 빈사의 백조《죽을 때 비로소 노래를 부른다고 함》. **2** 죽을 운명의(mortal), 멸망해야 할(perishable). **3** (날·한 해가) 저물어 가는; 사라지려는, 꺼져 가는, 멸망에 직면한. **4** 《구어》 간절히 …하고 싶어하는, (…을) 애타게 그리는《*to* do; *for*》: She is ∼ *to* see him. 그녀는 그를 몹시 만나고 싶어한다. ◇ die *v.* **one's ∼ *bed 〔***wish, words***〕 임종 때의 자리〔소원, 유언〕. ***to*** 〔***till***〕 **one's ∼ *day*** 죽는 날까지, 언제까지나. **—** *n.* Ⓤ 임종, 죽음(death).
dyke [daik] *n.* 《속어》 레즈비언, 그 남자역. ㊕ **dýk·ey** *a.*
Dyl·an [dílən] *n.* **Bob ∼** 딜런《미국의 포크 록 가수·작사·작곡가; 1941-》.
dyn 〖물리〗 dyne(s).
dy·na·graph [dáinəgræ̀f, -grɑ̀ːf] *n.* 〖철도〗 궤도 시험기(器).
dyn(am). dynamics.
dy·nam·e·ter [dainǽmətər] *n.* 〖광학〗 (망원경의) 배율계.
◇**dy·nam·ic** [dainǽmik] *a.* **1** 동력의; 동적인. opp. *static.* ¶ ∼ density (인구 등의) 동적 밀도 / ∼ range 동적 범위《증폭기 따위의 받아들일 수 있는 음의 최강·최약 사이의 폭》. **2** 〖컴퓨터〗 (메모리가) 동적인《내용을 정기적으로 갱신할 필요가 있는》. opp. *static.* ¶ ∼ memory 동적(動的) 기억 장치《기억 내용을 정기적으로 충전할 필요가 있는》. **3** 역학상의: ∼ psychology 역동 심리학 / ∼ engineering 기계 공학. **4** 동태의, 동세적(動勢的)인; 에너지를〔원동력을, 활동력을〕 낳게 하는: ∼ economics 동태 경제학. **5** 힘있는; 활기 있는, 힘센, 정력〔활동〕적인: a ∼ person 활동적인 사람. **6** 〖의학〗 기능상의(functional); 〖철학〗 역본설(力本說)의, 물력론(物力論)의: a ∼ disorder 기능성 질환. **7** 〖음악〗 강약법(強弱法)의. **—** *n.* 힘; 원동력; 변천〔발달〕의 형(dynamics). ㊕ **-i·cal** [-əl] *a.* =dynamic. **-i·cal·ly** *ad.*
dynámic allocàtion 〖컴퓨터〗 동적 할당.
dynámical stabílity 〖선박〗 동적 복원력.
dynámic dàta exchánge 〖컴퓨터〗 동적 자료 교환《마이크로소프트의 윈도에서 응용 프로그램 사이에 원활한 정보 교환을 위해 쓰는 방법》.
dynámic electrícity 〖전기〗 동전기, 전류.
dynámic línk 〖컴퓨터〗 동적 연결, 다이내믹 링크《application 간의 데이터를 서로 연관 짓는 것으로, 한쪽 application 에서의 데이터의 갱신이 다른 쪽 application 에 반영되게 하는 것》.
dynámic meteorólogy 기상 역학.
dynámic píckup 〖오디오〗 마그넷을 고정시켜, 바늘이 코일로 움직이는 픽업.
dynámic posítioning 〖해사〗 (컴퓨터에 의한) 자동 위치 제어〔정점(定點) 유지〕.
dynámic préssure 〖유체역학〗 동압(動壓) 《로켓이 대기 중을 날 때에 받는 압력》.
dynámic RÁM 〖전자〗 동적 램《콘덴서에 전하를 축적함으로써 정보를 기억하는 IC 회로; 주기억 장치로 널리 사용됨》.
dynámic ránge 〖음향〗 동적 범위《증폭기가 표현할 수 있는 음의 최대와 최소 간의 폭》.
***dy·nam·ics** [dainǽmiks] *n. pl.* **1** Ⓤ 〖물리〗 역학, 동역학; 〖일반적〗 역학: rigid ∼ 강체(剛體) 역학 / the ∼ of a power struggle 권력 투쟁의 역학. **2** 〖복수취급〗 (원)동력, 〖일반적〗 힘, 활력, 정신 역학. **3** 〖복수취급〗 (사회 문화적인) 변천〔발달〕의 형(pattern), 동학(動學): social ∼ 사회 동학. **4** 〖복수취급〗 **a** (색·소리·춤 등에서) 강약에 의한 가락의 변화. **b** 〖음악〗 강약법.
dynámic scáttering 〖전기〗 (투명한 액정의) 대전(帶電)에 의한 빛의 산란《특히 컴퓨터의 표시 장치에 이용함》.
dynámic similárity 역학적 상사성.
dynámic spátial reconstrúctor 〖의학〗 동적 입체 영상 구성 장치, 초고속 CT《생략: DSR》.
dynámic stréngth 동적 강도《지진 때처럼 갑자기 가해지는 하중(荷重)에 대한 구조물의 저항력》.
dynámic viscósity 〖물리〗 =COEFFICIENT of viscosity.
dy·na·mism [dáinəmìzəm] *n.* Ⓤ **1** 〖철학〗 물력론(物力論), 역본설(力本說), 역동설《모든 현상은 자연력의 작용으로 말미암음》; 주력(呪力). **2** 활력, 패기, 세력, 박력. ㊕ **-mist** [-mist] *n.* 역본론자. **dỳ·na·mís·tic** *a.*
dy·na·mi·tard [dáinəmitɑ̀ːrd] *n.* (특히 폭력적·혁명적인) 다이너마이트 사용자.
***dy·na·mite** [dáinəmàit] *n.* Ⓤ **1** 다이너마이트《폭약명》. **2** 《구어》 격렬한 성격의 사람〔물건〕, 대단한 것〔사람〕; 《속어》 (양질의) 헤로인, 마리화나(담배). **3** 일촉즉발의 위험, 대단한 위기. **—** *a.* 《속어》 최고의, 굉장한, 강력한; 《미구어》 스캔들이 될 만한(scandalous). **—** *vt.* 다이너마이트로〔를〕 폭파〔장치〕하다; 전멸시키다. **—** *int.* 굉장하구나! 최고다! ㊕ **-mìt·er** *n.* =DYNAMITARD; 《미》 적극적인 야심가; 《미속어》 과속 트럭 운전사.
dy·na·mit·ic [dàinəmítik] *a.* 다이너마이트성(性)의, 다이너마이트적인.
dy·na·mize [dáinəmàiz] *vt.* **1** 활성화하다, 활기를 돋우다. **2** (연금의) 가치를 높이다《연금 산출 기준이 되는 퇴직 직전의 급료 산정에서 인플레분을 기준에 넣는 것》. ㊕ **dỳ·na·mi·zá·tion** *n.*
DYNAMO [dáinəmòu] *n.* 〖컴퓨터〗 다이너모 《시뮬레이터의 일종》. [◂ *dynamic models*]
◇**dy·na·mo** [dáinəmòu] (*pl.* **∼s**) *n.* 발전기; 《구어》 정력가, 근면〔활동〕가: an alternating 〔a direct〕 current ∼ 교류〔직류〕 발전기.
dy·na·mo- [dáinəmou, -mə], **dy·nam-** [dáinəm] '힘, 동력'의 뜻의 결합사.
dỳnamo·eléctric, -trical *a.* 기계-전기 결합계(系)의《역학적(力學的) 에너지와 전기적 에너지를 서로 변환하는》.
dy·na·mo·graph [dáinəmougræ̀f, -grɑ̀ːf] *n.* 동력〔역량〕 기록계.
dy·na·mom·e·ter [dàinəmɑ́mətər/-mɔ́m-] *n.* 동력계; 검력계(檢力計); 역량계(力量計); 악력계(握力計); 액압계(液壓計); 《영》 (망원경의) 배율계(倍率計). ㊕ **-try** *n.* Ⓤ 동력 측정법. **-mo·mét·ric** *a.*
dy·na·mo·tor [dáinəmòutər] *n.* 발전동기(發電動機)《발전기와 전동기를 겸함》.
dy·nap·o·lis [dainǽpəlis] *n.* 간선 도로를 따라 발전하도록 계획된 도시.
dy·nast [dáinæst, -nəst/dínəst] *n.* (왕조의) 군주, (세습적) 주권자; 왕자, 제일인자.
dy·nas·tic, -ti·cal [dainǽstik/di-], [-əl] *a.* 왕조〔왕가〕의. ㊕ **-ti·cal·ly** *ad.* (역대) 왕조에 의하여〔관하여〕.

°**dy·nas·ty** [dáinəsti/dí-, dái-] *n.* **1** (역대) 왕조: the Tudor ~ 튜더 왕조. **2** (어떤 분야의) 명가(名家), 명문; 〚야구〛 (리그 우승을 여러 해 계속하는 등의) 강호 팀.

dy·na·tron [dáinətràn/-trɔ̀n] *n.* 〚전자〛 다이너트론《2차 방전을 이용하는 4극 진공관》; 〚물리〛 중간자(meson).

dýnatron òscillator 〚전자〛 다이너트론 발진기(發振器).

dyne [dain] *n.* 〚물리〛 다인《힘의 단위; 질량 1g의 물체에 작용하여 1cm/sec² 의 가속도를 생기게 하는 힘》.

dyne·in [dáinən] *n.* 〚생화학〛 다이닌《섬모나 편모의 운동에 관여하는 APT 분해 효소》.

Dy·nel [dainél] *n.* Ⓤ 다이넬《털 모양의 화학 섬유; 상표명》.

dy·node [dáinoud] *n.* 〚전자〛 다이노드《진공관 안의 이차 전자 방출을 위한 전극》.

dyp·so [dípsou] *n.*, *a.* =DIPSO.

dys- [dis] '악화, 불량, 곤란 등' 의 뜻의 결합사.

dys·bar·ism [dísba:rìzəm] *n.* Ⓤ 〚의학〛 감압증(減壓症), 잠함병(潛函病)《기압의 급격한 저하로 인한 인체의 증상》.

dys·en·tery [dísəntèri/-tri] *n.* Ⓤ 〚의학〛 이질, 적리; 《구어》 설사병. ⓟ **dỳs·en·tér·ic** *a.*

dys·func·tion [disfʌ́ŋkʃən] *n.* Ⓤ,Ⓒ 〚사회〛 역(逆)기능(disfunction)《사회의 전체적 통합화 에의》; 〚의학〛 기능 장애〔이상, 부전(不全)〕. ── *vi.* 기능 장애를 일으키다. ⓟ ~**·al** *a.*

dys·gen·ic [disdʒénik] *a.* 열생학(劣生學)의, 열생학적인, 비(非)우생학적인; 역도태(逆陶汰)의. OPP *eugenic*.

dys·gén·ics *n. pl.* 〚생물〛 〘단수취급〙 열생학(劣生學), 역도태(逆淘汰)(=**càc·o·gén·ics**).

dys·graph·ia [disgrǽfiə] *n.* Ⓤ 〚의학〛 필기(筆記) 불능(증).

dys·ki·ne·sia [dìskiní:ʒə, -ziə, diskài-] *n.* 〚의학〛 운동 이상(증)(異常(症)). ⓟ **dys·ki·net·ic** [dìskainétik] *a.*

dys·lex·ia [disléksiə] *n.* Ⓤ 〚의학〛 난독증(難讀症), 독서 장애. ⓟ **-léx·ic** *a.*, *n.* 실독증(失讀症)의 (사람).

dys·lo·gia [dislóudʒə, -dʒiə] 〚의학〛 사고(思考)장애, 논리 장애, 언어 장애.

dys·lo·gis·tic [dìslədʒístik] *a.* 비난의, 욕하는. OPP *eulogistic*. ⓟ **-ti·cal·ly** *ad.*

dys·me·lia [dismí:liə] *n.* 〚의학〛 이상지(異常肢)기형.

dys·men·or·rhea [dìsmenərí:ə] *n.* Ⓤ 〚의학〛 월경통. ⓟ **-rhé·al, -rhé·ic** *a.*

dys·met·ri·a [dìsmétriə] *n.* 〚의학〛 측정 장애.

dys·mor·pho·lo·gy [dìsmɔ:rfálədʒi/-fɔ́-] *n.* 〚의학〛 기형학(畸形學).

dys·pa·thy [díspəθi] *n.* 동정심의 결여, 반감, 악감정.

dys·pep·sia, -sy [dispépʃə, -siə], [-si] *n.* Ⓤ 〚의학〛 소화 불량(증). OPP *eupepsia*, *-sy*.

dys·pep·tic [dispéptik] *a.* 소화 불량의; 위병에 걸린; 소화 불량에서 생긴; 우울한. ── *n.* 소화 불량인 사람. ⓟ **-ti·cal·ly** *ad.*

dys·pha·sia [disféiʒiə, -ziə] *n.* 〚의학〛 부전실어(증)(不全失語(症)).

dys·phe·mism [dísfəmìzəm] *n.* 〚수사학〛 위악(僞惡) 어법《짐짓 불쾌한 표현으로 나타내는 것; butter 대신 axle grease 라고 하는 따위》.

dys·pho·nia, -ny [disfóuniə], [dísfəni] *n.* Ⓤ 〚의학〛 발음 곤란, 언어〔발성〕 장애. ⓟ **-phon·ic** [-fán-/-fɔ́n-] *a.*

dys·pho·ria [disfɔ́:riə] *n.* 〚의학〛 불쾌(감). ⓟ **dys·phor·ic** [disfɔ́:rik, -fár-/-fɔ́r-] *a.*

dys·pla·sia [displéiʒiə, -ziə] *n.* 〚의학〛 형성 장애(증), 이(異)형성(증). ⓟ **-plas·tic** [-plǽstik] *a.*

dysp·nea, -noea [dispní:ə] *n.* 〚의학〛 호흡곤란〔장애〕.

dysp·ne·ic, -noe·ic [dispní:ik] *a.* 호흡 곤란성의. ── *n.* Ⓤ 천식.

dys·prax·ia [dispræ̀ksiə] *n.* 〚의학〛 통합 운동 장애.

dys·pro·si·um [dispróusiəm, -ʃiəm/-ziəm, -siəm] *n.* Ⓤ 〚화학〛 디스프로슘《자성(磁性)이 강한 희토류(稀土類) 원소; 기호 Dy; 번호 66》.

dys·to·nia [distóuniə] *n.* 〚의학〛 (여러 가지 기관의) (근)실조((筋)失調)(증). ⓟ **dys·tón·ic** *a.*

dys·to·pia [distóupiə] *n.* (유토피아(utopia)에 대하여) 암흑향(暗黑鄕), 지옥향; 암흑향을 묘사한 작품. ⓟ **-pi·an** *a.*

dys·troph·ic [distráfik, -tróuf-/-trɔ́f-] *a.* 〚의학〛 영양실조에 의한〔관한〕; 〚생태〛 (호소·하천이) 부식 영양의.

dys·tro·phi·ca·tion [dìstrəfikéiʃən] *n.* 〚생태〛 (호소·하천의) 부식 영양화, 오염.

dys·tro·phy, -phia [dístrəfi], [distróufiə] *n.* Ⓤ 〚의학〛 영양실조(증), 영양 불량.

dys·u·ria [dìsjuəríə, disjúəriə/disjúəriə] *n.* Ⓤ 〚의학〛 배뇨 곤란〔장애〕.

dz. dozen(s).

Dzun·gar·ia [dzuŋgέəriə, zuŋ-] *n.* 중가리아, 준가얼 분지《중국 신장(新疆)웨이우얼 자치구 북부의 분지》.

E

E, e [iː] (*pl.* **E's, *Es*, e's, es** [-z]) **1** 이《영어 알파벳의 다섯째 글자》. **2** 〖음악〗 마음(音)《고정 도창법의 '미'》, 마조(調); 〖논리〗 전칭 부정(全稱否定). **3** (E) 《미》 (학업 성적의) 조건부 급제, 낙제, (때로) 우수(excellent); 《미》 (관청이 산업 단체에 주는) 표창기(旗). **4** 제 2 등급《Lloyd's 선급(船級) 협회의 선급 기호》. **5** E자 모양(의 것). **6** (때로 e) (중세 로마 숫자의) 250. **7** (연속하는 것의) 다섯 번째. **8** 〖컴퓨터〗 16진수의 E《10진법에서 14》. ***E for Edward,*** Edward의 E《국제 전화 통화 용어》.

e- [i, iː] *pref.* =EX-.

E, E. East; east(ern); Easter; English. **E.** Earl; Earth; Engineer; excellent. **e.** east(-ern); eldest; end; engineer(ing); 〖연극〗 entrance; 〖물리〗 erg; errors; 〖야구〗 error(s); export. **EA, E.A.** educational age; enemy aircraft. **ea.** each. **EAA** 《미》 Export Administration Act(수출 관리법). **EAB** 《미》 Ethics Advisory Board(윤리 권고 위원회). **EAC** East African Community.

†**each** ⇨ 《p. 786》 EACH.

*__èach óther__ 서로(를), 상호: We love ~. 우리는 서로 사랑한다 / They held ~'s hands. 그들은 서로 손을 잡았다 / We know ~'s minds very well. 우리는 서로의 마음을 아주 잘 안다.

> NOTE (1) 흔히 each other는 두 사람 사이, one another는 셋 이상일 때 쓰인다고 알려져 있으나, 거의 구별없이 쓰임. (2) each other가 하나의 주어로는 쓰이지 않음. each를 주어로 the other를 목적어로 씀: Each of them knows *the other*〔=They know ~〕. 그들은 서로 아는 사이다.

EAEC East African Economic Community (동아프리카 경제 공동체); European Atomic Energy Community.

⁑**ea·ger** [íːgər] *a.* **1** 〖서술적〗 열망하는, 간절히 바라는《*for; after*》: ~ *for* 〔*after*〕 knowledge 지식욕에 불타는.

> SYN. **eager** 목적을 달성하고자 열망함. **earnest** 목적을 달성하기 위해 열심히 하는 외에 정성스럽게 노력함. **enthusiastic** eager보다 더 열광적임. **keen** 강한 욕망으로, 어떤 목적을 위한 적극적인 행위를 나타냄. **anxious** 강한 희망을 품고는 있으나 그것이 달성될지 안 될지에 대한 불안감이 내포되어 있음.

2 〖서술적〗 간절히 하고 싶어하는《*to* do》: She is ~ *to* be alone. 그녀는 매우 혼자 있고 싶어 한다. **3** 열심인: ~ *in* one's study 공부에 열심인 / an ~ desire 간절한 욕망 / an ~ glance 뜨거운 눈길. **4** 《고어》 (한기 따위가) 살을 에는 듯한, 혹독한: the ~ morning air 살을 에는 듯한 아침의 찬 공기. ***in ~ pursuit*** 열심히 추구하여.
㊕ *~·ly *ad.* 열심히, 간절히.

éager béaver 《구어》 부지런한 사람, 일벌레, (승진을 노리는) 노력가. ㊕ **éager-béaver** *a.*

*__ea·ger·ness__ [íːgərnis] *n.* Ⓤ **1** 열심: with ~ 열심히. **2** 열망《*for; after; about; to* do》: one's ~ *for* fame 명예욕. ***be all ~ to*** do …하고 싶어서 못 견디다.

⁑**ea·gle** [íːgəl] *n.* **1** 〖조류〗 (독)수리. ★ 새끼(독)수리 eaglet; (독)수리 집 aerie. **2** (독)수리표; (독)수리표의 기《특히 고대 로마의》; (독)수리표의 문장(紋章); (*pl.*) 미육군의 대령 계급장. **3** 미국의 10달러짜리 금화《1933년 폐지》. **4** (the E-) 〖천문〗 독수리자리. **5** 〖골프〗 표준 타수보다 둘이 적은 타수. **6** 《학생속어》 (성적의) E. ***squeeze the ~*** 《미속어》 돈을 선선히 내놓으려 하지 않다. ***the day the ~ shits*** 《미군대속어》 급료일. **—** *vt.* 〖골프〗 (홀에서) 표준 타수보다 둘이 적은 이글을 치다.

éagle èye 날카로운 눈, 형안(炯眼); 눈이 날카로운 사람; 탐정. ***keep an ~ on*** …을 주의깊게 지켜보다.

éagle-èyed *a.* 눈이 날카로운; 형안의.

éagle frèak 《미속어·경멸》 자연 보호론자, 야생 동물 보호주의자.

éagle hàwk 〖조류〗 (남아메리카산의) 수리매.

éagle òwl 〖조류〗 수리부엉이.

éagle rày 〖어류〗 매가오리.

éagle scòut, E- S- 《미》 최상위의 보이스카우트《21개 이상의 공훈 배지를 받은 보이스카우트의 단원》.

ea·glet [íːglit] *n.* 〖조류〗 새끼 수리.

ea·gre, -ger[2] [íːgər, éi-/éi-] *n.* 해소(海嘯)《특히 영국 Humber, Trent, Severn 강 어귀에 밀려드는》.

EAL Eastern Air Lines.

Éa·ling cómedy [íːliŋ-] 일링 코미디《1950년대의 영국 코미디 영화 시리즈 중의 하나; 이 영화를 제작한 런던의 Ealing Studios의 이름에서》.

Éames chàir [íːmz-] (합판·플라스틱제의) 몸에 맞도록 디자인된 의자《미국의 디자이너 Charles Eames에서》.

EAN European article number. **E. & O. E.** errors and omissions excepted (오기(誤記)와 탈락은 제외함). **E. and P.** Extraordinary and Plenipotentiary(특명 전권의).

†**ear**[1] [iər] *n.* **1** 귀: the (external) ~ 외이(外耳) / the internal ~ 내이. **2** 청각, 청력; 음감(音感). **3** 경청, 주의. **4** 귀 모양의 물건; (냄비 등의) 손잡이. **5** (*pl.*) 《CB속어》 무선기. ***about*** 〔***around***〕 one***'s ~s*** (사물이 아무의) 주변에《일어나다》, 덮치듯이, (계획·희망 따위가) 소용없게〔불가능하게〕 되어《와해〔실패〕하다 등》. ★ fall (down), crumble 따위 동사와 함께 쓰임. ***A word in your ~.*** 잠깐〔은밀히〕 할 말이 있다. ***be all ~s*** 《구어》 열심히 귀 기울이다. ***bend an ~*** 귀 기울여 듣다. ***bend*** a person***'s ~*** 《속어》 남에게 진저리나게 지껄여대다. ***bow down*** 〔***incline***〕 one***'s ~s to*** …에 귀를 기울이다. ***bring a storm about*** one***'s ~s*** 주위로부터 떠들썩한 비난을 받다. ***bring*** a person ***down about*** his ***~s*** 와해〔실패〕시키다.

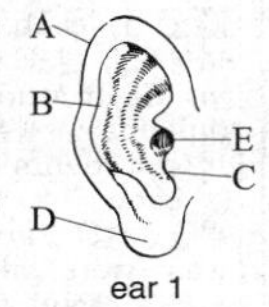

ear 1
A. helix
B. antihelix
C. tragus D. lobe
E. concha

E

burn a person*'s ~s* 《속어》 (욕설 등을 퍼부어) 낯이 붉어지게 하다. *by ~* 〖음악〗 악보를 안 보고: play *by* ~ 악보 없이 연주하다. *cannot believe* one*'s ~s* 자기의 귀를 의심하다, 사실이라고 믿어지지 않다. *catch* 〔*fall on, come to*〕 one*'s ~s* 귀에 들어오다, 듣다, 듣게 되다. *close* one*'s ~s to* …을 듣기를 거부하다. *easy on the ~* 《구어》 듣기 좋은. *fall* (*down*) *about* a person*'s ~s* (신변의 사항 · 계획 · 희망 따위가) 완전히 와해되다〔무너지다〕. *fall on deaf ~s* ⇨ DEAF. *from ~ to ~* 입을 크게 벌리고. *get* a person (*up*) *on his ~s* 아무를 분개시키다. *give ~ to*=*lend an ~ to* …에 귀를 기울이다. *give* one*'s ~s* 어떠한 희생도 치르다《*for*》; 어떻게든 하려고 하다《*to* do》. *go in* (*at*) *one ~ and out* (*at*) *the other* 한쪽 귀로 듣고 한쪽 귀로 흘려 버리다; 감명〔인상〕을 주지 못하다. *have an* 〔*no*〕 *~ for* (music) (음악 등을) 이해하다〔알지 못하다〕. *have* 〔*hold, keep*〕 *an* 〔one*'s*〕 *~ to the ground* 여론에 귀를 기울이다; 사태의 추이를 지켜보다. *have itching ~s* 별난 것을 듣고 싶어하다. *have* 〔*gain, win*〕 a person*'s ~* 아무에게 진정으로 받아들이게 하다, 아무의 주의를 끌다. *have* one*'s ~s on* 《CB 속어》 무전기를 수신 상태에 두다. *lay back* one*'s ~s* 《속어》 전속력으로 달리다 (sprint). *make a pig's ~* (*out*) *of …* 《구어》 …을 실패하다, 아주 망그러뜨리다. *meet the ~* 귀에 들려오다, 들리다. *on* one*'s ~* 《속어》 얻어맞고 넘어져, 엉덩방아를 찧고; 《속어》 노하여, 분개하여; 《속어》 술에 취해서. *out on* (one*'s*) *~* 《속어》 갑자기 직장〔학교, 조직〕에서 쫓겨나서: throw 〔kick〕 a person *out on his* ~. 아무를 갑자기 쫓아내다. *pin* a person*'s ~s back* 《속어》 남을 호되게 때리다, (완전히) 패배시키다. *play it by ~* 《구어》 임기응변으로 하다, 되어 가는 형편에 따라 하다. *pull down* one*'s house about* one*'s ~s* 자멸을 꾀하다. *set* persons *by the ~s* 사람들 사이에 싸움을 일으키다, 서로 등지게 하다; 사람을 깜짝 놀라게 하다. one*'s ~s burn* 귀가 따갑다《소문 따위로》. *set … on* one*'s ~* 《구어》 …을 흥분시키다, 충격을 주다, 놀래다. *smile from ~ to ~* 만면에 웃음을 띠다. *stop* one*'s ~s* …을 들으려고〔알려고〕 하지 않다. *tickle* a person*'s ~s* 아무에게 아첨을 떨다, 빌붙다. *to the ~s* 한도〔한계〕까지. *turn a deaf ~ to* …을 들으려 하지 않다, 마이동풍이다. *up to the* 〔one*'s*〕 *~s* =*over* (*head and*) *~s* (연애 따위에) 열중〔몰두〕하여, 홀딱 빠져; (빚에 쪼들려) 꼼짝 못할 정도로《*in*》. *warm a* person*'s ~* 《속어》 …에게 강한 어조로 지껄이다. *wet* 〔*not dry*〕 *behind the ~s* ⇨ DRY. *with ~s flapping* 《속어》 듣고

each

형용사 · 대명사 · 부사로 쓰인다. every 보다도 개별적인 뜻이 강하므로, 일정한 수에 대하여 쓰일 경우가 많다. 동격의 대명사적 용법과 부사적 용법과의 사이에는 밀접한 관계가 있다.

each [iːtʃ] *a.* 〖단수 명사를 수식하여〗 각각〔각기〕의, 각자의, 제각기의, 각 …: at 〔on〕 ~ side of the gate 문의 양쪽〔안팎〕에(=at 〔on〕 both sides of the gate) / ~ one of us 우리(들) 각자 / The teacher gave three books to ~ boy. 선생님은 각 소년들에게 책을 세 권씩 주셨다 / *Each* country has its own customs. 각(各) 나라에는 각기 특유한 풍습이 있다.

bet ~ way (경마에서) 연승식(連勝式)에 걸다. *~ and every* 《every의 강조》 어느 것이나〔어느 누구도〕 모두, 죄다: *Each and every* boy was present. 어느 학생이나 모두 출석해 있었다. *~ time* ① 언제나; 늘, 매번. ② …할 때마다《접속사적 용법》: *Each time* they come, they bring something. 올 때마다 그들은 무엇인가를 가지고 온다. *on ~ occasion* 그 때마다.

> NOTE (1) 'each+명사'는 단수 취급이 원칙이며, 대명사로 받을 때에는 he, his / they, their로 함: Each student has received his 〔their〕 diploma. 학생은 저마다 졸업 증서를 받았다《의미상 students이므로 their로도 받음》.
> (2) each 뒤에 명사가 둘 이상 연속되어도 단수 취급을 함: Each senator and congressman was 〔were〕 allocated two seats. 상하 양원 의원은 좌석이 두 개씩 할당돼 있었다.
> (3) each는 '개별적', all은 '포괄적', every는 each와 all의 뜻을 아울러 지님.
> (4) each의 앞에는 정관사나 소유대명사가 오지 않음. 특정한 것의 각각을 가리킬 때에는 each of the 〔his, these, those〕 books의 형식을 취함.

— *pron.* **1** 〖흔히, ~ of+(대)명사〗 저마다, 각각, (제)각기, 각자: *Each of* us *has* his 〔her〕 opinion. 우리는 제각기 자기의 의견을 갖고 있다《단수 취급을 원칙으로 하지만, 《구어》에서는 *Each of* us have our opinions. 처럼 복수 취급을 할 때도 있음》 / *Each of* the girls was 〔were〕 dressed neatly. 어떤 여자 아이나 말쑥한 복장을 하고 있었다《단수 동사가 원칙이지만 girls에 끌려 복수 동사를 쓸 때도 있음》. **2** 〖복수 (대)명사의 동격으로 쓰이어서〗 제각각: We ~ have our opinions. 우리는 각기 자기 의견을 갖고 있다《이때는 주어에 맞추어 복수 취급》 / We gave them ~ a suitable job. 우리는 그들 각자에게 각기 적당한 직업을 주었다. ★ we each, them each 의 each 는 we, them 과 동격. *~ and all* 각자 모두; 각기 모두. *~ other* ⇨ EACH OTHER. *~ to ~* 각기 서로: be equal ~ *to* ~ 각기 서로 같다. *~ to his own* 《옛투》 취향은 사람 나름.

★ 부정문에서는 each를 쓰지 않으며, neither, no one 등을 씀.

> NOTE (1) each는 보통, 직접 목적어의 뒤에는 오지 않음: I kissed ~ of them. (*I kissed them ~.) 다만, SVOO일 때는 가능함: I gave them an egg ~. 그들에게 달걀을 한 개씩 주었다.
> (2) 'A and B each'일 때는 복수 취급이 보통임: My brother and sister ~ *give* freely to charity.(나의 형님도 누님도 각자 아낌없이 자선 사업에 기부한다). 다만, A, B를 각기 개개의 것으로 보는 기분이 강할 때에는 단수로 취급함: The rural south and the industrial north ~ *has* its attraction for the tourist. 농촌 지대인 남부와 공업화된 북부는 각기 관광객을 끄는 매력을 갖추고 있다.

— *ad.* 각기; 각각; 한 개에 대해: They cost a dollar ~. 그것들은 한 개 1 달러이다 / The tickets are 500 won ~. 표는 한 장에 500 원이다 / The girls were ~ dressed neatly. 소녀들은 모두 말쑥하게 옷을 입고 있었다.

싫어 안달이 나서.
[파] ∠·less¹ *a.* 귀가 없는; 들리지 않는; 음치의. ∠·like *a.*

ear² *n.* (보리 등의) 이삭, (옥수수의) 열매: be in (the) ~ 이삭이 패어 있다/come into ~ 이삭이 나오다. [cf.] in the BLADE. **—** *vi.* 이삭이 패다《*up*》. [파] ∠·less² *a.* 이삭이 없는.

éar·àche *n.* [C,U] 귀앓이.

éar bànger 《속어》 아첨꾼, 떠버리, 제 자랑하는 사람.

éar-bìter *n.* 때없이 돈을 조르는 사람, 돈을 꾸는 사람.

éar-càtcher *n.* 귀를 솔깃하게 하는 것; 외기 쉬운 노래〔곡〕.

ear·con [íərkɑn/-kɔn] *n.* 〖컴퓨터〗 이어콘《컴퓨터가 발하는 음성 신호; 아이콘(icon)의 음성판에서 컴퓨터가 실행하고 있거나 실행할 수 있는 일을 소리로 나타내는 것》.

éar·dròp *n.* 귀고리, 《특히》 펜던트가 달린 귀고리; (*pl.*) 〖의학〗 점이약(點耳藥).

éar·drùm *n.* 중이(中耳)(tympanum); 고막, 귀청.

eared¹ *a.* 귀가 있는〔달린〕: an ~ owl 〔seal〕 (귀가 달린) 부엉이〔물개〕/long-~ 긴 귀의.

eared² *a.* 이삭이 있는〔팬〕: golden-~ 황금빛 이삭이 팬.

éar·flàp *n.* 〖해부〗 귓바퀴; (보통 *pl.*) 방한모의 귀덮개.

ear·ful [íərfùl] 《구어》 *n.* (보통 an ~) 흰소리, 허풍; 귀따가운 이야기, 잔소리; 중대한 뉴스, 놀라운 소문〔뉴스〕: get an ~ 귀가 따가울 정도로 듣다/give a person an ~ 아무를 꾸짖다; 아무에게 깜짝 놀랄 비밀을 가르쳐 주다.

éar hànger 《속어》 *n.* 자만가, 거드름 피우는 사람.

éar·hòle *n.* 귓구멍, 이도(耳道). ***on the*** ~ 《속어》 야바위〔사기〕를 쳐서. **—** *vt.* …을 듣다; 엿듣다: The little boy ~*d* the argument between his mother and father. 그 소년은 부모님이 말다툼하시는 것을 그만 엿듣고 말았다.

ear·ing [íəriŋ] *n.* 〖해사〗 돛 윗귀를 활대에 매는 가는 밧줄.

Earl [əːrl] *n.* 얼《남자 이름》.

◇**earl** *n.* 《영》 백작《그 부인은 countess》. ★ 유럽 대륙의 count에 해당하며 marquis (후작) 다음가는 작위. [파] ∠·ship *n.*

éar·làp *n.* 귓바퀴; 귓불; (보통 *pl.*) =EARFLAP.

earl·dom [ə́ːrldəm] *n.* [U] 백작의 신분〔지위〕; [C] 그 영지.

éar·lòbe *n.* 귓불.

†**ear·ly** [ə́ːrli] (***-li·er; -li·est***) *ad.* **1** 일찍이, 일찍부터, 일찌감치; 초기에, 어릴 적에. [opp] *late.* ¶ get up ~ 일찍 일어나다/~ in the year 연초에/Early to bed and ~ to rise makes a man healthy, wealthy and wise. 《격언》 일찍 자고 일찍 일어남은 건강, 부귀, 지혜의 근본.

> [SYN] **early** 어떤 정해진 시간보다 일찍 또는 어떤 기간의 초기란 뜻. **soon** 현재 또는 어떤 시점으로부터 '바로, 곧, 오래지 않아'의 뜻. **fast** 속도가 '빠르게'란 뜻.

2 (먼) 옛날에: Man learned ~ to use tools. 인간은 먼 옛날에 도구의 사용을 익혔다. **3** 시간 전에, (시간에) 늦지 않게: They came ~ and found their hosts still dressing. 그들이 약속 시간 전에 도착하였더니, 초대한 주인은 아직 옷치레를 하고 있었다. ***as ~ as*** (1850), (1850년)에는 이미. ~ ***and late*** 조석으로; 아침 일찍부터 밤 늦게까지. ~ ***on*** 일찍부터, 초기〔조기〕에, 이른 시기에, 시작하자 곧. [cf.] LATER on. ~ ***or late*** 조만간에. ***They got up a bit ~ for you.*** 《구어》 그들이 네겐 좀 힘겨울 게다.

— (***-li·er; -li·est***) *a.* **1** 이른; 빠른. [opp] *late.* ¶ an ~ habit 일찍 자고 일찍 일어나는 습관/~ spring 이른 봄/an ~ riser 일찍 일어나는 사람. **2** 초기의; 어릴 때의: an ~ death 요절(夭折)/in one's ~ twenties, 20대 초반에. **3** 정각보다 이른; 올되는; 만물의: an ~ supper 이른 저녁 식사/~ fruits 만물 과일. **4** 가까운 장래의: I look forward to an ~ reply. 조속한 회신을 기다리겠습니다. ***at an ~ date*** 머지않아. ***at** one's **earliest convenience*** 될 수 있는 대로 일찍이, 형편이 닿는 대로. ***at the earliest*** 빨라도. ~ ***days*** (***yet***) 시기상조인: It's ~ *days yet* to tell. 《주로 영》 입밖에 내기에는 아직 이르다. ***from ~ years*** 어릴 때부터. ***in** one's **~ days*** 젊을 때에. ***keep ~ hours*** 일찍 자고 일찍 일어나다. [파] **éar·li·ness** *n.* 이름, 빠름.

Éarly Américan (건축·가구 따위가) 미국의 영국 식민지 시대에 건축〔제작·사용〕된; 얼리 아메리칸 양식(의).

éarly bìrd 《구어》 일찍 일어나는 사람, 정각보다 빨리 오는 사람; (E- B-) 얼리 버드《북아메리카·유럽 간의 통신 위성; 상표명》; 첫 번째 열차: The ~ catches the worm. 《속담》 부지런한 새가 벌레를 더 먹는다《부지런해야 수가 난다》.

éarly-bìrd *a.* 《구어》 이른 아침의; 일찍 일어나는 사람의, 일찍 오는 사람을 위한.

Éarly Chrístian 초기 기독교 미술〔건축〕의.

éarly clósing 《영》 (일정한 요일의 오후에 실시하는) 조기 폐점(일)(=**éarly clósing dày**).

éarly dóor 《영》 특별 출입구《특별 요금으로 정각보다 빨리 입장시키는 문》.

Éarly Énglish (**stýle**) 영국 초기의 고딕 건축 양식.

éarly léaver (학교에서의) 중도 퇴학자, 낙오자 (dropout).

Éarly Módern Énglish 초기 근대 영어《1500–1750년경의》.

éarly músic 중세 르네상스 시대의 음악.

éarly retírement (정년 전의) 조기 퇴직.

éarly-Victórian *a.*, *n.* (작가 등이) 빅토리아 왕조 초기의 (사람); 시대에 뒤진(사람).

éarly wárning (방공(防空) 따위의) 조기 경계〔경보〕.

éarly-wárning ràdar 조기 경보 레이더.

éarly-wárning sỳstem (방공 등의) 조기 경보 조직.

éarly·wòod *n.* 춘재(春材) (springwood).

éar·màrk *n.* **1** 귀표《임자를 밝히기 위해 양 따위의 귀에 표시함》; 안표(眼標), 기호; 《비유》 소유주의 표시; 책장 모서리의 접힌 부분(dogear). **2** (종종 *pl.*) 특징: She has all the ~*s* of a superstar. 그녀는 슈퍼 스타로서의 특징을 모두 갖추고 있다. ***under ~*** (특정의 용도·사람의 것으로) 지정된, 배정된《*for*》. **—** *vt.* …에 귀표를 하다, 표(지)를 하다; (자금 따위를 특정한 용도에) 책정하다, 배당하다, 충당하다《*for*》; 책의 귀를 접다: A thousand dollars is ~*ed for* research. 1천 달러가 연구비로 책정되어 있다.

éar-mìnded [-id] *a.* 〖심리〗 청각형의《눈보다 귀로 주위의 상황을 지각함》. [cf.] eye-minded.

éar·mùff *n.* (보통 *pl.*) (방한·방음용) 귀덮개, 귀가리개: a pair of ~*s*.

earmuffs

⁑**earn** [əːrn] *vt.* **1** (생활비를) 벌다: ~ one's living 〔daily bread〕 생계비를 벌다. **2** 《~+[목]/+[목]+[전]+[명]》 (명성 등을) 획득하다, (지위 등을) 얻다; (비난 등을) 받다《*for*》: ~ *one's* medical degrees abroad 외국에서 의학박사 학위를 획득하다/~ a reputation *for* honesty 정직하다는 평판을 얻다. **3** 《~+[목]/+[목]+[목]/+[목]+[전]+[명]》 (이익 따위를) 나게 하다, (행위 따위가 명성·신용 등을) 가져오다(bring): Money well invested ~*s* good interest. 적절히 투자된 돈은 충분한 이익을 올린다/His conduct ~*ed* him universal praise. 그의 행위는 그에게 만인의 칭송을 가져다 주었다 / His diligence ~*ed* success *for* him. 그는 근면한 덕택으로 성공하였다. **4** (보수 따위를) 받을 만하다(deserve): receive more than one has ~*ed* 당연히 받아야 할 이상의 것을 받다. ~ one's ***way through college*** 고학으로 대학을 나오다. ⊕ **~·er** *n.*

éarned íncome 근로 소득.

éarned rún 〖야구〗 자책점《투수의 책임이 되는 안타, 4구, 도루 등에 의한 득점; 생략: ER》.

éarned rún àverage 〖야구〗 방어율《투수의 자책점을 투구 이닝 수로 나누고 9를 곱한 수; 생략: ERA, era》.

éarned súrplus 이익 잉여금.

‡**ear·nest**[1] [ə́ːrnist] *a.* **1** (인품이) 성실한, 진지한, 착실한, 열심인: an ~ worker 성실히 일하는 사람. SYN. ⇨EAGER. **2** (사태가) 중대한, 신중히 고려하여야 할. **—** *n.* Ⓤ 진지, 진심. ***in*** ~ 진지하게, 진심으로; 본격적으로 : It is raining *in* ~. 비가 본격적으로 내리고 있다. ***in good*** 〔***real, sober, sad, dead***〕 ~ 진지하게, 성실하게. ⊕ **~·ness** *n.*

ear·nest[2] *n.* **1** =EARNEST MONEY; 저당, 담보; 증거. **2** 조짐, 전조.

***ear·nest·ly** [ə́ːrnistli] *ad.* 열심히, 진심으로.

éarnest mòney 계약금, 증거금, 보증금.

***earn·ing** [ə́ːrniŋ] *n.* **1** (일해서) 벎, 획득: the ~ *of* one's honor 영예의 획득. **2** (*pl.*) 소득, 벌이; 임금; 이득; (투자에서 생기는) 배당 소득, 이자 소득: average ~*s* 평균 소득.

éarnings pèr sháre 〖증권〗 1 주당(株當) 이익《순이익을 발행된 보통 주식의 평균 주수(株數)로 나눈 것; 생략: EPS》.

éarning pòwer 〖경제〗 수익(능)력.

éarnings-reláted [-id] *a.* 소득에 비례하는; 소득에 따른〔알맞은, 어울리는〕.

éarnings yìeld 〖증권〗 이율《주당(株當) 수익을 주가로 나눈 수치》.

EAROM 〖컴퓨터〗 erasable and alterable read-only memory (소거(消去) 재기입 롬(ROM); 기억시킨 데이터를 전기적(電氣的)으로 개서(改書)할 수 있는 롬). cf. ROM.

Earp [əːrp] *n.* **Wyatt** (**Berry Stapp**) ~ 어프《미국 서부의 연방 보안관으로, 권총의 명수; 1848-1929》.

éar·phòne *n.* 이어폰, (라디오 등의) 리시버, 수신기, 수화기.

éar·pìck *n.* 귀이개.

éar·pìece *n.* 수화기; (보통 *pl.*) (방한모 따위의) 귀덮개; (보통 *pl.*) 안경다리; (청진기 따위의) 귀에 대는 부분.

éar-pìercing *a.* (비명 따위로) 귀청이 떨어질 정도의, 고막이 째지는 듯한.

éar·plùg *n.* 귀마개《소음 방지용》.

éar·rèach *n.* =EARSHOT.

***ear·ring** [íəriŋ] *n.* (종종 *pl.*) 이어링, 귀고리, 귀걸이.

éar ròt 〖식물〗 (옥수수 따위의) 깜부깃병, 흑수병.

éar shèll 〔**snàil**〕 전복(abalone).

éar·shòt *n.* Ⓤ 부르면 들리는 곳〔범위〕, 소리가 미치는 거리. ***within*** 〔***beyond, out of***〕 ~ 불러서 들리는〔들리지 않는〕 곳에(서).

éar·splìtting *a.* (소리·음성 따위가) 귀청이 떨어질 듯한, 지축을 울리는.

†**earth** [əːrθ] *n.* **1** (the ~) 지구. **2** Ⓤ 대지, 육지《바다에 대하여》, 지면《하늘에 대하여》: fall to ~ 지상에 떨어지다. **3** Ⓤ (암석에 대하여) 흙, 땅, (각종) 토양: ~ bags 〖군사〗 사낭(砂囊) / fill a hole with ~ 구멍을 흙으로 메우다 / a clayish ~ 점토질의 토양. SYN. ⇨LAND. **4** (the ~) 《집합적》 지구상의 사람들: The whole ~ was astonished. 온 세계 사람들이 놀랐다. **5** (간혹 the ~) Ⓤ (천국·지옥에 대하여) 이 세상, 현세(現世), 이승(this world); (the ~) 속세, 속세의 일, 속사(俗事). **6** Ⓤ,Ⓒ (여우 따위의) 굴(burrow). **7** (*pl.*) 〖화학〗 토류(土類). **8** Ⓒ,Ⓤ 《영》〖전기〗 접지, 어스(《미》 ground): an ~ antenna 〔circuit〕 접지 안테나〔회로〕. **9** (the ~) 《영구어》 막대한 양(量). ***bring*** a person ***back*** 〔***down***〕 ***to*** ~ (***with a bump***) (아무를) (꿈에서) 현실로 돌아오게 하다; 현실을 직시케 하다. ***come down*** 〔***back***〕 ***to*** ~ (꿈에서 깨어나) 현실로 돌아오다. ***down to*** ~ 실제적인, 현실적인; 《구어》 철저하게, 솔직히: speak *down to* ~. 솔직히 말하다. ***gone to*** ~ 《비유》 숨어서. ***on*** ~ ① 지상에(서), 이 세상의〔에〕: while he was *on* ~ 그의 재세(在世) 중에. ② 〖힘줌말〗 (도)대체《의문사와 같이 씀》: *Where on* ~ have you been? 대체 어디 갔었나. ③ 조금도, 전혀《부정어의 뒤에 씀》: It is *no* use *on* ~. 도무지 쓸모가 없다. ④ 세계에서: the greatest man *on* ~ 세계에서 가장 위대한 사람. ***pay*** 〔***cost***〕 ***the*** ~ 《구어》 아주 비싸게 먹히다: It *costs* me *the* ~. ***put to*** ~ 접지(接地)하다. ***run to*** ~ ① (여우 따위를) 굴로 몰아넣다, (여우 따위가) 굴 속으로 달아나다. ② (조사하여) 규명해 내다. ***wipe... off the face of the*** ~ …을 완전히 파괴하다, …을 지구상에서 말살하다.
— *vt.* **1** 《+목+부》 …에 흙을 덮다, 북주다; 흙 속에 파묻다(*up*): ~ *up* potatoes 감자에 북주다. **2** (여우 따위를) 굴 속으로 몰아넣다. **3** 《영》〖전기〗 어스〔접지〕시키다. **—** *vi.* (여우 따위가) 굴 속으로 달아나다.

éarth àrt 《미》 어스 아트(land art)《지형·경관 등을 소재로 하는 공간 예술》.

éarth·bòrn *a.* **1** 〖신화〗 땅에서 태어난; 인간으로 태어난, 인간의, 죽을 운명의: ~ creatures 지상의 생물. **2** 이 세상의, 세속적인《야심 따위》.

éarth·bòund *a.* **1** (뿌리 등이) 땅에 고착한; (동물·새 등이) 지표(地表)〔지상〕에서 떠날 수 없는, 행동 범위가 육지〔지구〕로 한정된: an ~ bird 날지 못하는 새. **2** 세속적인 (관심에 얽매인), 현세적인, 저속한; 상상력이 결여된, 산문적인, 평범한. **3** (우주선 등이) 지구로 향하는.

éarth clòset 《영》 **1** 토사(土砂) 살포식 변소. **2** (구덩이를 파 놓았을 뿐인) 노천 변소.

éarth cólor 〖복식〗 어스 컬러《흙빛 계통으로서, 붉은 것으로부터 다갈색 계통까지 광범위함》.

éarth-cóupled *a.* (파이프 등이) 지중(地中) 접속의.

éarth cùrrent 지전류(地電流).

Éarth Dày 지구의 날《환경 보호일, 4 월 22 일》.

éarth·dày *n.* 〖천문〗 지구일《다른 천체나 인공위성 등의 시간 환산에 쓰이는 지구상의 24 시간》.

earth·en [ə́ːrθən] *a.* 흙으로〔오지로〕 만든, 흙의; 도제(陶製)의; 세속적인(earthly).

éarthen·wàre *n.* Ⓤ 토기, 질그릇; 도기, 오지그릇; 도토(陶土).

éarth-frìendly *a.* =ECO-FRIENDLY.

éarth-gòd *n.* 대지의 신《식물·비옥의》.

éarth-gòddess *n.* 대지의 여신《식물·비옥의》.

éarth hòuse 흙집; 땅 밑에 있는 주거.

earth·i·an [ə́ːrθiən] *n.* (종종 E-) 지구인. **—** *a.* 지구의.

earth·i·ness [ə́ːrθinis] *n.* Ⓤ 토질, 토성(土性); 세속적임, 저속(低俗), 속악(俗惡); (문예작품·연극 등의) 현실주의적〔실질적〕인 성질; (포도주 따위의) 흙내 나는 이상한 맛.

éarth·lìght *n.* Ⓤ 지구의 반사광《상현(上弦)·하현(下弦)달의 암흑면에 비치는 희미한 빛》.

earth·ling [ə́ːrθliŋ] *n.* 인간, 지구인; 속인.

éarth·lùbber *n.* 지구 밖으로 나가 본〔우주 비행을 한〕 적이 없는 사람; (우주에서 본) 지상 생활

자; 우주 비행사가 아닌 사람. cf. landlubber.

earth·ly [ə́ːrθli] (-li·er; -li·est*) *a.* **1** 지구의, 지상의. **2** 이 세상의, 현세의, 속세의. **3** 세속적인 (worldly). OPP *heavenly, spiritual.* ¶ ~ pleasures 세속적인 쾌락. **4** 육욕(肉慾)의(carnal). **5** 《구어》 〖힘줌말〗 도대체《의문》; 하등의 《부정》: *What* ~ use does it have ? 도대체 무슨 쓸모가 있는가 / of *no* ~ use 전혀 쓸모없는. ***have not an* 〔*have no*〕 ~ *chance*** 《영속어》 조금도 가망이 없다. ㉥ **-li·ness** *n.* 현세적임, 세속적임, 덧없음.

éarthly-mínded [-id] *a.* 《고어》 = WORLDLY-MINDED.

éarth·man [-mæ̀n, -mən] (*pl.* ***-men*** [-mèn, -mən]) *n.* 지구의 주민, 지구인.

éarth mòther **1** (만물의 생명의 근원으로서의) 대지(mother earth). **2** 모성적인 여성; 육감적인 여성; 다산 여성.

éarth·mòver *n.* 대량의 흙을 움직이는 대형 기계, 땅 고르는 기계《불도저 등》.

éarth·nùt *n.* 〖식물〗 낙화생, 땅콩.

éarth-orbiting spáce stàtion 〖우주〗 지구 궤도 우주 정거장.

éarth pìllar 〖지학〗 흙기둥《그리 단단하지 못한 사력층(砂礫層)이 빗물의 침식을 받아서 생긴 것》.

éarth plàte 접지판(接地板)(ground plate).

*earth·quake [ə́ːrθkwèik] *n.* **1** 지진: a slight 〔weak, strong, violent〕 ~ 미(微)〔약(弱), 강(強), 열(烈)〕진(震). **2** 《비유》 (사회적인) 큰 변동, 동란.

éarthquake lìghts 〔lìghtning〕 〖지학〗 지진 때의 발광(發光) 현상.

éarthquake-pròof *a.* 내진(耐震)의: an ~ building.

éarthquake séa wàve 지진 해일(海溢).

Éarth Rèsources Technólogy Sàtellite 지구 자원 탐사 위성《생략: ERTS》(= **éarth resóurces sàtellite**).

éarth·rìse *n.* (우주 공간 · 달에서 본) 지구의 떠오름, 지구돋이. cf. moonrise.

éarth·scàpe *n.* 《미》 (우주선 등에서 본) 지구 모양〔모습〕.

éarth scìence 지학(地學), 지구과학《지질학 · 지리학 · 지형학 · 기상학 따위》.

éarth·sèt *n.* 〖천문〗 (우주 공간 · 달에서 본) 지구의 넘어감, 지구넘이. cf. earthrise.

éarth·shàker *n.* **1** 세계를 뒤흔드는 것. 대단히 중요한〔가치 있는〕 것. **2** (the E–) 〖그리스신화 · 로마신화〗 (지진을 일으키는 힘을 가진) Poseidon 〔Neptune〕의 별칭.

éarth·shàking *a.* (신념 따위를) 근본부터 흔드는; 세상을〔세계를〕 뒤흔드는〔떠들썩하게 하는〕, 극히 중대한: an ~ event 경천동지의 대사건. ㉥ **~·ly** *ad.*

éarth-shàttering *a.* = EARTH-SHAKING.

éarth-shèltered *a.* 일부가〔대부분이〕 지하에 세워진, 어스셸터 방식의.

éarth·shìne *n.* Ⓤ = EARTHLIGHT.

éarth·shòck *n.* 지변(地變); 천재지변.

éarth stàtion (우주 통신용의) 지상국(局).

éarth tàble 〖건축〗 근석(根石)《건물의 토대 중 지표 위에 나온 부분》.

éarth·tìme *n.* 지구 시간《지구 자전의 시간을 계측 기준으로 하는 시간; 천체 현상을 지구상에서 관측하는 데 쓰임》.

éarth trèmor 약한 지진.

earth·ward [ə́ːrθwərd] *a., ad.* 지면을〔지구를〕 향한〔향하여〕.

éarth·wards [-z] *ad.* = EARTHWARD.

Éarth·wàtch *n.* 지구 감시망《지구의 환경오염을 감시하기 위한》.

Éarth Wèek 지구 (보호) 주간 《환경 보호 주간, 1971 년 4 월 18-24 일에 처음으로 실시》. cf. Earth Day.

éarth·wòrk *n.* 〖군사〗 토루(土壘)《흙으로 만든 보루》; 토목 공사; (*pl.*) 대지 예술《흙 · 돌 · 얼음 · 바위 등을 소재로 함》.

◇**éarth·wòrm** *n.* 땅속에 사는 벌레, 《특히》 지렁이; 《고어》 비열한〔벌레 같은〕 인간.

earthy [ə́ːrθi] (***earth·i·er; -i·est***) *a.* **1** 흙의, 흙 같은, 토질의; 흙내 나는. **2** 세련되지 않은, 촌티가 나는, 조야(粗野)한, 야비한; 순박한, 소박한. **3** 현실적인, 실제적인; 《고어》 지상의, 세속의, 속악한. ***of the earth,*** ~ 〖성서〗 (사람은) 땅에서 나서 흙에 속하여《고린도전서 XV: 47》; 속취(俗臭)가 물씬물씬 나는.

éarth·yèar *n.* 지구년《지구의 365 일의 1년》.

éar trùmpet (나팔 모양의 옛) 보청기.

éar·wàx *n.* Ⓤ 귀지.

éar·wìg *n.* 집게벌레; 살짝 고자질하는 사람. — (*-gg-*) *vt.* …에 귀뜀〔훈수〕하다.

éar·wítness *n.* 남들끼리 하는 이야기를 듣는 사람; 자기가 들은 것에 관하여 보고〔증언〕하는 사람; 〖법률〗 전문(傳聞) 증인. cf. eyewitness.

‡**ease** [iːz] *n.* Ⓤ **1** 안락, 편안; 경제적으로 걱정이 없음; 여유: a life of ~ 안락한 생활. **2** 평정(平靜), 안심. **3** 한가, 태평. **4** 홀가분함, 쇄락(灑落). **5** 편함, 편안함, (아픔이) 가심, 경감(relief) 《*from* pain》. **6** 용이, 쉬움. **7** (의복 등의) 넉넉함, 여유. ***at*** (one***'s***) **~** 편하게, 마음 편히, 자유스럽게; 천천히: *At* ~ ! = Stand at ~ ! 《구령》 쉬어. ***be*** 〔***feel***〕 ***at* ~** 안심하다, 마음을 놓다: *be at* ~ about one's health 건강에 자신을 가지고 있다 / *be at* ~ in Zion 안일한 생활을 하다. ***ill at* ~** ⇨ ILL. ***march at* ~** 〖군사〗 제걸음으로 가다. ***set*** a person***'s mind at* ~** 아무를 안심시키다. ***take*** one***'s* ~** 쉬다. ***with* ~** 쉽게.

— *vt.* **1** (아픔 등을) 덜다, 완화하다: ~ pain. **2** 《~+목/+목+전+명》 안심시키다, (마음을) 편케 하다; (불안 등을) 제거하다: ~ a person's mind / ~ oneself *into* a bathtub 느긋하게 욕조에 몸을 잠그다 / ~ him *of* care 〔suffering〕 그의 걱정〔괴로움〕을 제거해 주다. **3** 《+목+전+명》 《우스개》 …로부터 뺏다〔훔치다〕《*of*》: ~ a person *of* his purse 아무로부터 지갑을 훔치다. **4** 《~+목/+목+부》 〖해사〗 (밧줄 등을) 늦추다; (혁대 등을) 헐겁게 하다, (속도 등을) 늦추다: ~ a belt / ~ down ⇨ 관용구. **5** 《+목+보/+목+부/+목+전+명》 (무거운 물건을) 조심해서 움직이다, 천천히 …하다: ~ the door open 문을 천천히 (움직여) 열다 / ~ the car *to* a stop 차를 천천히 정지시키다 / ~ a car *into* a narrow parking space 차를 좁은 주차 공간에 조심히 넣다. — *vi.* 《+부/+전+명》 편해지다, (고통 · 긴장 등이) 가벼워지다; 천천히 움직이다 《*along ; over,* etc.》: The pain has ~*d off.* 통증이 가벼워졌다 / He ~*d into* the car. 천천히 차에 탔다 / The car ~*d out of* the garage. 차는 서서히 차고에서 나왔다. ***Ease all !*** 〖해사〗 노젓기 그만. **~ *away*** ① 가벼워지다, 덜해지다; 가볍게 하다. ② 〖해사〗 늦추(어지)다《밧줄 따위》. **~ *back* (*on ...*)** (조종간 따위를) 찬찬히 앞으로 당기다. **~ *down*** (…의) 속도를 늦추다: ~ a car *down* 자동차의 속도를 떨어뜨리다. ***Ease her !*** 〖해사〗 (기관의) 속력 늦춰. **~ *in*** (신인 등을) 서서히 (일 따위에) 숙달시키다《*to*》. **~ *off*** 《*vi.* +부》 ① (긴장 · 아픔 · 비바람 등이) 누그러지다, 완화되다, 멎다. ② (사람이) 천천히 움직이다, 느긋해지다. ③ = ~ up ④. ④ (시세 · 매상 등이) 떨어지다. ⑤ (경사면이) 완만해지다. — 《*vt.* + 부》 ⑥ (차 등이 속도를) 늦추다. ⑦ (…을) 서서히 벗기다〔취하다〕; (팽팽한 것을) 늦추다. ⑧ (걱정 · 부담 · 노고 따위를) 제거하다. ⑨ (노력 · 긴장 따위를) 누그러뜨리다, 완화시키다. ⑩ …을

발포〔발사〕하다. ~ ***on*** 《속어》 떠나다, 가 버리다. ~ ***out*** (아무를) 교묘히 해고하다, 제거〔추방〕하다. ~ one***self*** 안심하다; 기분〔분심〕을 풀다; 배변(排便)하다. ~ ***the helm*** 〔***rudder***〕 〖해사〗 키를 늦추다〔되돌리다〕. ~ ***up*** 《*vi*.+副》 ① =~ off ①. ② (고통·근심 따위가) 가벼워지다, 편해지다. ③ (속도를) 떨어뜨리다; 일하는 손을 쉬다〔늦추다〕, 편하게 하다. ④ (아무에 대해) 엄한 태도를 누그러뜨리다《*on*》; (…을) 절제하다, 삼가다, (…하기를) 피하다《*on*》: ~ *up on* cigarettes 담배 피우기를 삼가다〔절제하다〕. ⑤ (공간을 내기 위해) 조이다, 좁히다. —《*vt*.+副》 ⑥ 《미구어》 (사람·마음에서) 근심〔고통〕을 덜다, 제거하다.

ease·ful [íːzfəl] *a*. 편안한, 태평스러운; 마음이 안정된; 안일한, 나태한. 㽞 **~·ly** *ad*. **~·less** *a*. 마음이 안정되지 않은; 불안한.

ea·sel [íːzəl] *n*. 이젤, 화가(畫架); 칠판걸이.

easel

éase·less *a*. 불안한, 마음이 편하지 않은.

éase·ment *n*. **1** Ⓤ 〖법률〗 지역권(地役權). **2** Ⓤ,Ⓒ (고통·무거운 짐 등의) 완화, 경감; 안도, 위안, 편의.

⁑**eas·i·ly** [íːzili] *ad*. **1** 용이하게, 쉽사리, 걸핏하면: You can get there ~. 그곳이면 쉽사리 갈 수 있다 / He ~ gets tired. 그는 걸핏하면 지친다. **2** 안락하게, 편하게, 한가롭게. **3** 순조롭게, 술술: fit ~ 낙낙하게 잘 맞다. **4** 문제없이, 여유 있게, 확실히, 단연: be ~ the first 단연 첫째이다 / He is ~ forty years old. 틀림없이 40 세는 넘었다. **5** 〖may를 수반〗 아무래도 (…할 것 같다), 자칫하면: He *may* ~ change his mind. 아무래도 그는 생각을 바꿀 것 같다 / The train *may* ~ be late. 그 기차는 자칫하면 늦을 것 같다.

eas·i·ness [íːzinis] *n*. Ⓤ **1** 수월함, 쉬움. **2** 편안, 안락. **3** 쇄락(灑落)함, 대범함, 차분한 태도; 평이함, (문제 등이) 까다롭지 않음.

†**east** [iːst] *n*. **1** (보통 the~) 동쪽, 동방: Too far ~ is west. 《속담》 극단은 상접한다. **2** (보통 the E-)(어떤 지역의) 동부 지역〔지방〕; (the E-) 동양, 아시아(the Orient) (cf. Far East, Middle East, Near East); (the E-) 《미》 동부 (지방); (the E-) 동유럽 제국〔옛 공산 국가들〕; (E-) 동로마 제국. **3** (교회당의) 동쪽 (끝), 제단 쪽. **4** 《시어》 동풍. ~ ***and south*** 《운율속어》 입(mouth). ~ ***by north*** 동미북(東微北)《생략: EbN》. ~ ***by south*** 동미남(東微南)《생략: EbS》. ***in*** 〔***on***〕 ***the*** ~ (***of***) (…의) 동부〔동단〕에. ***to the*** ~ (***of***) (…의) 동쪽에. — *a*. **1** 동쪽의, 동쪽에 있는; 동향의《방향이 좀 불명료한 때는 eastern을 씀》: an ~ window 동쪽의 창문. **2** (교회에서) 제단 쪽의. **3** (종종 E-) 동부의, 동쪽 나라의; 동부 주민의: the ~ coast 동해안. **4** (바람이) 동쪽으로부터의, 동쪽에서 부는: an ~ wind 동풍. — *ad*. 동(쪽)에〔으로〕, 동방〔동부〕에〔으로〕: due ~ 진동(眞東)에〔으로〕/ go ~ 동쪽으로 가다 / lie ~ and west 동서에 걸쳐 있다.

éast·abòut *ad*. =EASTWARD.

Éast Ánglia (Norfolk와 Suffolk를 포함한) 영국 동부 지방; 옛날 그 곳에 있었던 Anglo-Saxon 7 왕국의 하나.

Éast Berlín 동베를린《1990 년 10 월 독일 통일로 West Berlin과 통합됨》.

Éast Blòc 동유럽 블록《과거의 유럽 공산권》.

éast·bòund *a*. 동쪽으로 가는《여행 등》: an ~ train 동향(東向) 열차.

Éast Caribbéan dóllar 동카리브 달러《영령 서인도 제도에서 많이 사용되는 기본 통화 단위》.

Éast Chína Séa (the ~) 동(東)중국해.

Éast Cóast (the ~) (미국의) 동해안《대서양 연안; 때로는 Washington, D.C. 북부를 지칭함》.

Éast Énd (the ~) 이스트 엔드《런던 동부에 있는 비교적 하층의 근로자들이 많이 사는 상업 지구》. cf. WEST END. 㽞 **~·er** *n*.

⁑**East·er** [íːstər] *n*. 부활절〔주일〕《3 월 21 일 이후의 만월(滿月) 다음에 오는 첫 일요일; 이 부활 주일을 Easter Sunday 〔day〕 라고도 함》; =EASTER WEEK.

éast·er *n*. 동풍, 《특히》 동쪽에서 불어 오는 폭풍〔강풍〕.

Éaster bùnny (the ~) 부활절에 선물을 준다는 토끼.

Éaster càndle 부활절 축제에 쓰는 초.

Éaster càrd 부활절 카드《부활절의 greeting card; 흔히 토끼나 달걀 따위의 그림이 그려져 있음》.

Éaster dày =EASTER SUNDAY.

Éaster ègg 색칠한 달걀《부활절의 선물·장식용; 그리스도 부활의 상징》.

Éaster éve 〔**éven**〕 (the ~) 부활절 전야.

Éaster Ísland 이스터 섬《남태평양, Chile 서쪽의 외딴 섬; 칠레령; 거대한 상(像)이나 고고학상의 유물이 있음; 현지명은 Rapa Nui》.

Éaster lìly 《미》 부활절 장식용 백합.

east·er·ling [íːstərliŋ] *n*. 동쪽 나라 사람, 동방인.

éast·er·ly *a*. 동(쪽)의; 동(쪽)으로의; 동(쪽)으로부터의. — *ad*. 동(쪽)으로(부터). — *n*. 동풍, 샛바람; (*pl*.) 편동풍.

Éaster Mónday 부활 주일의 다음 날인 월요일《잉글랜드 등지에서는 법정 휴일》.

⁑**east·ern** [íːstərn] *a*. **1** 동(쪽)의; 동(쪽)으로의; 동(쪽)으로부터의: an ~ voyage 동으로의 항해 / an ~ wind 동풍. **2** (보통 E-) 동양(제국)의(Oriental), 동양풍의; (E-) 동방(정)교회의: the *Eastern* question 동방 문제. **3** (종종 E-) 《미》 동부 지방의, 동부의; (종종 E-) 동부 방언의: the *Eastern* States 동부 제주(諸州). — *n*. **1** (E-) 동양 사람; 동쪽의 주민. **2** (E-) 그리스〔동방〕 교회 신자. **3** (E-) 동부 방언.

Éastern blóc (the ~) (1989 년까지 소련의 지배하에 있던) 동유럽 블록《러시아·폴란드·동독·체코슬로바키아》.

Éastern Chúrch (the ~) 동방 교회.

Éastern Cónference (the ~) (미국 프로 농구의) 동부 연맹.

éastern dáylight tìme 《미》 동부 여름 시간《eastern time의 여름 시간; 생략 EDT》.

Éast·ern·er *n*. 동양(東洋) 사람; 《미》 동부 제주(諸州)의 주민〔출신자〕; (e-) 동부 〔동방〕 사람.

Éastern Estáblishment 동부 주류파《미국 동부의 명문교인, 하버드, 예일, 컬럼비아 따위의 출신으로 재계·정계의 중추를 이루는 인맥》.

Éastern Hémisphere (the ~) 동반구(東半球)《유럽·아시아·아프리카·오스트레일리아를 포함》.

éastern·mòst *a*. 가장 동쪽의, 최동단(最東端)의.

Éastern Órthodox Chúrch (the ~) 동방정교회(Orthodox Eastern Church).

Éastern Ríte Chúrch (the ~) 동방 전례(典禮) 교회《그리스·시리아 등지의 가톨릭 교회; 성직자가 가정을 가질 수 있음》.

Éastern Róman Émpire (the ~) 동로마 제국.

Éastern (**stándard**) **tìme** (미국·캐나다의) 동부 표준시간《GMT 보다 5 시간 뒤짐》.

Éaster Súnday 부활 주일. cf. Easter.

Éaster térm 〖영법률〗 4 월 15 일 이후 약 3 주

일 동안의 개정기(開廷期); 〖영대학〗 (원래는) 부활절 후 약 6 주간의 학기, 봄학기; 크리스마스부터 부활절까지의 학기.

Éaster·tìde *n.* 부활절 계절《부활 주일로부터 오순절(Whitsunday)까지의 50일간》; =EASTER WEEK.

Éaster wéek 부활 주간《Easter Sunday부터 「시작함》.

Éast Germánic 동부 게르만어(語)《Gothic와 없어진 Burgundian 및 Vandal어》.

Éast Gérmany 동독《1990년 독일 통일로 붕 「괴됨》.

Éast Índia Còmpany (the ~) 동인도 회사《동인도 무역을 위해 영국·네덜란드 등이 창립한 17-19세기의 상사 회사》.

Éast Índian *n.*《미·카리브》(서인도 제도에 사는) 동인도계〔아시아계〕의 이민; 동인도 (제도) 사람. **—** *a.* 동인도(도)의.

Éast Índies (the ~) 동인도《인도·인도차이나·타이·미얀마·말레이 군도 등의 총칭》.

éast·ing *n.* Ⓤ **1** 〖해사〗 동항(東航), 편동(偏東) 항행. **2** 동방위(東方位), 동진(東進). **3** 〖측량〗 편동(偏東) (거리).

Eást·man [-mən] *n.* **George ~** 이스트먼《미국의 발명가·실업가; Kodak 사진기와 roll film을 발명; 1854-1932》.

Éastman Kódak 이스트먼 코닥(사)(~ Co.)《세계 최대의 사진 용품 제조 회사; 합성 섬유·플라스틱·화학 약품·의약품 제조도 겸업》.

éast-northéast *n.* (the ~) 동북동《생략: ENE》. **—** *a.* 동북동의, 동북동으로(부터)의. **—** *ad.* 동북동에, 동북동으로부터.

Éast Ríver (the ~) New York시 Manhattan 섬과 Long Island 사이의 해협.

Éast Síde (the ~) New York시 Manhattan 섬의 동부《UN 본부 등이 있음》.

éast-sòuthéast *n.* (the ~) 동남동(東南東)《생략: ESE》. **—** *a.* 동남동의, 동남동으로(부터)의. **—** *ad.* 동남동에〔으로부터〕.

Éast Sússex 이스트 서식스《잉글랜드 남부의 주; 주도는 Lewes; 1974년 신설》.

Éast Tímor 동티모르《Timor섬 동부 및 북서안(岸) 지역의 나라; 1999년 독립; 수도 Dili》.

***east·ward** [í:stwərd] *a., ad.* 동쪽으로(의). **—** *n.* (the ~) 동쪽 (지점, 지역). ㊎ **~·ly** *ad., a.* 동쪽으로〔부터〕(의).

east·wards [í:stwərdz] *ad.* =EASTWARD.

†**easy** [í:zi] (***eas·i·er; -i·est***) *a.* **1** 쉬운, 힘들지 않은, 수월한, (말이나 설명 등이) 평이한; (살림 등이) 편한, 걱정 없는: a problem that is ~ *to* solve=an ~ problem to solve 쉽게 풀 수 있는 문제 / an ~ victory 낙승 / The exam should be ~ *for* you. 그 시험은 너에게는 쉬울 거다. **2** 안락한, 편안한; (의복 등이) 헐거운, 낙낙한; 거북하지 않은: ⇨ EASY CHAIR. **3** (조건·지급 따위가) 가혹하지 않은, 부담이 되지 않는: on ~ terms 〖상업〗 분할불로. **4** (심리·건강 상태가) 마음 편한, 염려〔걱정〕 없는, 느긋한; 쾌적한: Be ~. 마음을 느긋이 가져라 / Make your mind ~. 안심하십시오 / Please make yourself ~ *about* it. 그것에 관해서는 염려하지 마시오. **5** (성품 따위가) 태평한; 단정치 못한: a woman ~ *in* her morals 품행이 단정치 못한 여자. **6** 딱딱하지 않은, 부드러운: an ~ stance 편한 자세. **7** 관대한, 너그러운, 엄하지 않은: an ~ master 관대한 주인 / be ~ *with* a person 아무에 대해 관대하다. **8** (성질이) 얌전한, 유순한. **9** (걸음걸이 따위가) 여유 있는, 침착한, 느릿한; 심하지 않은: ~ rolling 유유히 흔들림. **10** (속도·움직임 따위가) 느릿한, 느린; (담화·문체 따위가) 매끈한, 부드러운; (경사가) 완만한: an ~ motion 느린 움직임 / be ~ *in* conversation 막힘이 없이 부드럽게 술술 이야기하다. **11** 〖상업〗 (거래가) 완만한, 한산한; (물자가) 풍부한; (물가가) 약세인, 떨어질 듯한. **12** 족히 …의: She looks an ~ 30. 그녀는 족히 30 세는 되어 보인다.

as ~ as ABC 〔***shelling peas, falling off a log, winking***〕 매우 쉬운. ***as ~ as kiss your hand*** 《영구어》=(as) ~ as PIE. ***be ~ to get on with*** 사귀기 쉽다. ***by*** 〔***in***〕 ***~ stages*** ⇨ STAGE. ***come in an ~ first*** 쉽게 1등 하다. ***~ on the eye***(***s***) 《구어》 보기에 좋은; (특히 여자가) 매력적인. ***feel ~*** 안심하다《***about***》. ***free and ~*** ⇨ FREE. ***I'm ~.*** 《구어》 너의 결정에 따르겠다; 나는 어느 쪽이라도 상관없다. ***in ~ circumstances*** 유복하여, 부족함 없이. ***on ~ terms*** 분할불로, 월부로. ***within ~ distance*** 〔***reach***〕 쉽게 갈 수 있는 거리에, 매우 가까이.

— *ad.* 《구어》 **1** 수월하게, 손쉽게: *Easy* come, ~ go. 《속담》 얻기 쉬운 것은 잃기도 쉽다 / It's *easier* 〔*Easier*〕 said than done. 《속담》 말하기는 쉬우나 행하기는 어렵다. **2** 유유히, 무사태평하게, 차분히, 편히, 자유로이. ***Easy all!*** 〖해사〗 노젓기 그만《구령》. ***Easy does it!*** 《구어》 서두르지 마라, 침착해라. ***get off ~*** 《구어》 가벼운 벌로〔그다지 꾸지람을 듣지 않고〕 끝나다. ***go ~*** =***take it*** 〔***things***〕 ***~*** 서두르지 않다, 태평하게〔여유 있게〕 마음먹다〔하다〕; 관대하게 다루다, 화내지 않다. ***go ~ on*** 《구어》 …을 적당히〔조심해서〕 하다: *Go ~ on* beer! 맥주 적당히 마시게나. ***Take it ~.*** 안녕《친한 사이에 씀》; 마음 놓고 해라, 걱정 마라, 서두르지 마라.

— *n.* 《영속어》 휴식, (노젓기 따위의) 잠깐 쉼.

㊎ **~·like** *ad.* 쉽게, 점잖게(gently), 신중히.

éasy-càre *a.* 손질하기 간단한.

éasy chàir 안락의자.

éasy gáme 《구어》 잘 속는 사람, 무골호인, 「봉(easy prey).

éasy·góing *a.* **1** 태평한, 게으른, 핀둥거리는; 안이한: ~ money 노력하지 않고 얻는 돈; 부정 수단으로 얻는 돈. **2** 느린 걸음의《말에 쓰임》. ㊎ **~·ness** *n.*

éasy lístening 경음악.

éasy máke 《속어》 **1** EASY MARK. **2** 몸가짐이 「헤픈 여자.

éasy márk 《구어》 잘 속는 사람, 봉, 얼간이.

éasy méat 《영구어》 **1** 속이기 쉬운 사람, 만만한 사람, 봉. **2** 쉬운 일, 손쉽게 손에 들어오는 것.

éasy móney 이자가 싼 자금; 수월하게 번 돈; 부당 이득: ~ policy 저금리 정책, 금융 완화 정책.

éasy rìder 《미속어》 기타(guitar); 연인《남「자》; 매춘부의 정부.

éasy strèet (종종 E- S-) 《구어》 유복한 처지〔환경〕. ***be on*** 〔***in***〕 ***~*** 유복하게 지내다.

éasy tárget 《구어》 잘 속는 사람, 얼간이, 봉.

éasy-to-úse *a.* 사용하기 편한〔쉬운〕.

éasy vírtue 몸가짐이 헤픔: a lady 〔woman〕 of ~ 방종한 여자, 《특히》 창녀.

†**eat**[1] [i:t] (***ate*** [eit/et], 《고어》 ~ [et, i:t]; ***~·en*** [í:tn], 《고어》 ~ [i:t, et]) *vt.* **1** 《~+목/+목+전+명/+목+보》 먹다, (수프 따위를) 마시다《소리 내어 홀짝이는 것이 아니라 숟가락으로 떠 마시는 것을 뜻함》: ~ a piece of bread 빵을 먹다 / ~ soup *from* a plate 접시의 수프를 (스푼으로) 떠먹다 / ~ fish raw 생선을 날로 먹다 / good to ~ 먹을 수 있는, 식용이 되는.

> **SYN.** **eat** '먹다'의 통속어. 품위 있는 뜻으로는 쓰이지 않음. **have** 보통 eat 대신에 쓰임: I *had* enough. 충분히 먹었어요. **take** have와 별로 다르지 않은 뜻으로 쓰임: *take* lunch 점심을 먹다. **dine** '정찬·만찬을 먹다'의 뜻: *dine* late 밤늦게 만찬을 들다. **feed** 보통 짐승 따위가 먹이를 '먹다'의 뜻.

2 (식사를) 하다; (…을) 상식하다: ~ good food 좋은 식사를 하다/Cattle ~ grass. 소는 풀을 상식한다. **3** 《~+목/+목+부/+목+보》 벌레 먹다, 부식(腐蝕)하다; 침식(浸蝕)하다《*out; away; up*》; 황폐케 하다, 파괴하다; 먹어서 (…상태로) 하다: Rust ~*s* iron. 녹이 나서 쇠가 삭는다/a forest ~*en* by fire 화재로 황폐된 산림/be ~*en away* with rust 녹이 나서 푸실푸실해지다/~ oneself sick 과식해서 탈이 나다. **4** (병·걱정 등이) …을 서서히 좀먹다; 소모시키다: An old car ~*s* oil. 낡은 차는 기름을 많이 소모시킨다. **5** (기숙사 등에서) …에게 식사를 제공하다. **6** 《구어》 (be ~ing) (사람을) 초조하게 하다, 괴롭히다: What's ~*ing* you? 무슨 걱정거리라도 있느냐. **7** 《영속어》 (관객이 장면에) 넋을 잃고 보다; 《비어》 …의 성기를 핥다. **—** *vi.* **1** 식사를 하다, 음식을 먹다: ~ and drink 먹고 마시다/~ well 잘 먹다/~ regularly 규칙적으로 식사하다/~ at home 집에서 식사하다. **2** 《+전+명》 먹어 들어가다; 부식〔침식(浸蝕)〕하다《*into; in; at; through*》: The insects have *eaten into* the wood. 벌레가 나무를 갉아 구멍을 내었다. **3** 《~/+부/+보》 먹을 수 있다, 맛이 나다, 맛이 있다: This fruit ~*s* like a tomato. 이 과일은 토마토 맛이 난다/Cheese ~*s well* with apples. 치즈는 사과하고 곁들이면 맛있다/This cake ~*s* crisp. 이 과자는 바삭바삭하다.

be ~en up with (만심·근심 등)에 사로잡히다, …에 열중케 하다; (빚으로) 움쭉도 못하다; (병으로) 몹시 쇠약해지다: *be ~en up with* hatred and jealousy 미움과 질투에 사로잡혀 있다. ***~ at* 〔*on*〕** 《미》 …을 괴롭히다. ~ a person ***alive*** 《구어》 (아무를) 지배〔착취〕할 수 있다. ***~ and run*** 식사를 마치고 곧 출발하다. ***~ away*** …에 파먹어 들어가다, 부식〔침식〕하다; 마구 먹다. ***~ crow*** 《미》 (마지못해) 하기 싫은 짓을 하다; 굴욕을 참다; 과오를〔잘못을〕 시인하다. ***~ dirt*** 굴욕을 당하다〔참다〕; 《미구어》 (치욕을 참고) 사과하다. ***~ high on the hog*** 《구어》 사치스레 살다, 호강하다. ***~ in*** 집에서 식사하다. ***~ into*** ⇨ *vi.* 2; (저금 따위를) 쓰다, 소비하다: ~ *into* one's capital 자금을 써 버리다. ***~ like a bird*** 적게 먹다, 소식하다. ***~ like a horse*** 많이 먹다, 대식하다. ***~ of*** (the repast) 《고어》 (음식) 대접을 받다, …의 일부를 먹다. ***~ out*** 다 먹어 버리다, 침식하다; 외식하다; 《속어》 질책하다. ~ a person ***out of house and home*** 아무의 재산을 먹어 없애다. ***~ out of*** a person***'s hand*** ⇨HAND. ***~ salt with*** a person 아무의 손님〔식객〕이 되다. ~ one***'s heart out*** 마음을 푹푹 썩이다, 남몰래 고민하다. ~ one***'s terms* 〔*dinners*〕** 법학을 공부하다. ~ one***'s words*** (어쩔 수 없이) 앞에 한 말을 취소하다《'식언'은 아님》. ***~ the ginger*** 《미속어》 가장 좋은 부분을〔노른자위를〕 취하다. ***~ the wind out of ...*** =***~ to windward of ...*** 〖해사〗 바람 부는 쪽으로 나아가 다른 배의 바람을 가로막다. ***~ to windward*** 〖해사〗 바람을 최대로 이용하기 위해 돛을 활짝 펴고 달리다. ***~ up*** 《*vt.*+부》 ① (음식을) 먹어 없애다, 단번에 먹어 치우다; (돈·시간 따위를) 다 써 버리다, 소비하다; 먹어 들어가다; 부식〔침식〕하다: ~ *up* the clock (미식축구에서) 시합 시간을 소비하다/Her savings were ~*en up* by medical expenses. 그녀의 저축은 의료비로 바닥이 났다. ② (…에) 열중〔열광〕하다, 몰두하다: ~ *up* old movies 옛날 영화에 열중하다. ③ 《속어》 (…을) 자진해서 받아들이다; (이야기 따위를) 그대로 믿다: ~ *up* everything she says 그녀가 말하는 것을 그대로 다 믿다. ④ (거리를) 단번에 달려 나아가다. **—** 《*vi.*+부》 ⑤ 먹어 버리다. ***~ ... (up) with a spoon*** 《미속어》 (젖먹이·어린아이를) 맹목적으로 귀여워하다. ***I'll ~ my hat* 〔*hands, boots*〕 *if ...*** 《구어》 만약 …라면 내 목을 주겠다. **—** *n.* (*pl.*) 《구어》 음식, 식사: Let's have some ~*s*. 무언가 식사를 좀 합시다.

eat² [iːt, et] 《고어》 EAT¹의 과거·과거분사.

éat·a·ble *a.* 먹을 수 있는, 식용에 적합한, 식용의(edible). **—** *n.* (보통 *pl.*) 음식, 식료품.

eat·en [íːtn] EAT의 과거분사.

éat·er *n.* **1** 먹는 사람: a big ~ 대식가. **2** 부식물(腐蝕物), 부식제(劑). **3** 먹을 수 있는 생열매.

eat·ery [íːtəri] *n.* 《구어》 간이식당; 음식점.

éat-ìn *n.* **1** 《미구어》 (1960 년대에) 흑인들이 인종 차별을 하는 식당에 몰려가서 식사를 한 항의 운동. **2** 《미구어》 (1980 년대에) 검소한 회식을 하고 그 회비의 일부를 좋은 일에 기부하는 운동. **3** 《미속어》 오럴 섹스를 하는 난잡한 파티.

eat·ing *n.* Ⓤ 먹기, 먹는 동작; 먹을 (수 있는) 것: be good 〔bad〕 ~ 먹어서 맛이 있다〔없다〕. **—** *a.* (근심 따위가) 마음을 썩이는, 부식성의; 식사용의, 식용에 알맞은: an ~ apple 생으로 먹을 수 있는 사과《요리용과 대비해서》/~ utensils 식기.

éating àpple 날로 먹는 사과. ★ 구워 먹는 사과는 baking apple.

éating disòrder 섭식 장애《거식(拒食)증, 과식증 따위; ⇨ ANOREXIA, BULIMIA》.

éating hòuse 〔plàce〕 음식점; 싸구려 식당.

Éa·ton àgent [íːtən-] 〖생물〗 이튼 인자(因子)《mycoplasma의 구칭》.

eau [ou] *n.* 《F.》 물(water).

èau de Colóɡne 《F.》 오드콜로뉴《Cologne 「원산의 향수」.

èau de toilétte 《F.》 오드투알레트(toilet water).

eau-de-vie [òudəvíː] *n.* 《F.》 브랜디.

*__eaves__ [iːvz] *n. pl.* 처마, 차양. ★ 단수로 eave를 쓰는 경우도 있음.

éaves·dròp *vi.* 《~/+전+명》 엿듣다, 도청하다《*on*》: ~ *on* a person 아무의 이야기를 엿듣다. **—** *vt.* (남의 이야기 따위를) 엿듣다: ~ a person 〔other people's conversation〕. **—** *n.* 낙숫물(이 떨어지는 지면). ㊎ **~·per** *n.* 엿듣는 사람. **~·ping** *n.*

Eb 〖화학〗 erbium《현재는 보통 Er로 씀》. **EB** eastbound. **E.B.** Encyclop(a)edia Britannica.

*__ebb__ [eb] *n.* **1** 썰물, 간조. ⓞⓟⓟ *flow*. **2** 쇠퇴(기), 감퇴. ***be at a low ~*** =***be at an ~*** 조수가 빠지고 있다; (사물이) 쇠퇴기에 있다. ***on the ~*** 쇠하여, 감퇴하여. ***the ~ and flow*** 조수의 간만; (사업·인생의) 성쇠. **—** *vi.* **1** (조수가) 빠다, 써다. **2** 《~/+부》 (열정·인생·정신·용기·불빛 따위가) 점점 쇠하다; 약해지다; (가산 따위가) 기울다: His life was slowly ~*ing away*. 그의 생명은 서서히 꺼져 가고 있었다. ***~ back*** 소생하다, 되찾다: His courage ~*ed back* again. 그는 용기를 되찾았다.

ébb tìde **1** (보통 the ~) 썰물, 간조: on the ~ 썰물을 타고. **2** 쇠퇴(기): civilization at its ~ 쇠퇴기의 문명.

EBC Educational Broadcasting Corporation (교육 방송사). **EBCDIC** 〖컴퓨터〗 extended binary coded decimal interchange code(확장 이진화(二進化) 십진(十進) 코드)《8비트로 한 문자를 나타내는 컴퓨터 부호의 하나》.

Eb·en·e·zer [èbəníːzər] *n.* 에벤에저《남자 이름》.

Eb·la·ite [ébləàit, íːb-] *n.* 에블라어(語)《시리아 북부의 고대 유적에서 출토된 설형(楔形)문자 문서에 기록된 고대의 셈어(語)》. **—** *a.* 에블라어〔왕국〕의.

Eb·lan [éblən, íːb-] *a.* =EBLAITE.

EBM electron beam melting. **EbN** east by

north (동미북).
É-bòat *n.* 《영》 (제 2 차 세계 대전 때 독일의) 쾌속 어뢰정. [◂ *enemy-boat*]
Ebó·la [ibóulə] *n.* =EBOLA VIRUS.
Ebóla fèver 에볼라 출혈열(出血熱)《고열 · 내출혈 · 간 장애 등을 수반하는 치명적인 바이러스성 전염병》.
Ebóla vìrus 에볼라 바이러스《고열과 내출혈을 일으키는 열대 전염병 바이러스》.
eb·on [ébən] *a.*, *n.* 《시어》 =EBONY.
Ebon·ics, e- [ibániks/ibɔ́-] *n.* 아프리카계 미국인이 쓰는 영어.
eb·on·ite [ébənàit] *n.* Ⓤ 에보나이트, 경화 고무(vulcanite).
eb·on·ize [ébənàiz] *vt.* 흑단색으로 하다; (가구의 나무 따위를) 검게 하다.
eb·ony [ébəni] *n.* Ⓤ 〖식물〗 흑단(黑檀); (E-) 에보니《아프리카계 미국인 대상의 월간지》.
— *a.* 흑단의; 흑단색의, 칠흑의: an ~ face.
é-bòok *n.* 〖컴퓨터〗 전자책.
EBR Experimental Breeder Reactor (실험용 증식로). **EBRD** European Bank for Reconstruction and Development (동유럽 지원을 위해 1991년 설립된 유럽 부흥 개발 은행). 「sist.
ÈB resìst 〖화학 · 전자〗 electron-beam re-
ebri·e·ty [i(:)bráiəti] *n.* 《드물게》 명정(酩酊) (drunkenness).
EbS east by south (동미남(東微南)).
ebul·lience, -cy [ibʌ́ljəns, ibúl-], [-si] *n.* 비등; (감정 · 기운 등의) 넘쳐 흐름, 내뻗침: the ~ of youth 넘쳐 흐르는 젊음.
ebul·lient [ibʌ́ljənt, ibúl-] *a.* 비등하는, 끓어 넘치는; 원기왕성한, 열광적인, (기운이) 내뻗는. ㊕ **~·ly** *ad.*
ebul·li·os·copy [ibʌ̀liáskəpi, ibùl-/-ɔ́s-] *n.* 〖화학〗 비점(沸點)(상승)법《용질의 분자량 측정법》.
eb·ul·lism [ébjəlìzəm] *n.* (급속한 기압 강하로 인한) 체액 비등(體液沸騰).
eb·ul·li·tion [èbəlíʃən] *n.* Ⓤ 비등, 끓어오름, 거품이 읾; (감정의) 격발, (전쟁의) 돌발; 발발.
ebur·na·tion [ì:bərnéiʃən] 〖의학〗 상아질화〔형성〕《뼈 · 연골 경화증》.
EBV Epstein-Barr virus.
ÉB vìrus EB 바이러스(Epstein-Barr virus).
ec [ek] *n.* Ⓤ 《속어》 경제학.
ec-[1] [ek, ik] *pref.* =EX-.
ec-[2] [í:k, ék] '세대, 경제, 서식지, 환경, 생태(학)'의 뜻의 결합사.
EC European Community(유럽 공동체). **E.C.** East Central 《London의 동(東) 중앙 우편구(區)》; Established Church 《영》 (영국 국교회). **ECA, E.C.A.** Economic Commission for Africa; 《미》 Economic Cooperation Administration《MSA의 구칭》.
ecad [í:kæd, ékæd] *n.* 〖생태〗 적응형(適應型)《환경에 적응해서 변화된 생물》.
ECAFE [ekǽfei, eká:-] Economic Commission for Asia and the Far East 《1974 년 ESCAP로 개칭》.
écar·té [èika:rtéi/-ˊ-] *n.* 《F.》 카드놀이의 일종《두 사람이 32 장의 카드로 하는》.
é-càsh *n.* =ELECTRONIC CASH.
ECB European Central Bank(유럽 중앙은행).
ec·bol·ic [ekbálik/-bɔ́l-] *a.* 〖의학〗 분만〔유산〕 촉진의. **—** *n.* (자궁의 수축을 촉진하는) 분만 촉진약, 낙태약.
ec·ce ho·mo [éksi-hóumou, ékei-] 《L.》 (=Behold the man!) 이 사람을 보라《Pilate가 가시 면류관을 쓴 예수를 가리키며 유대인에게 한 말; 요한복음 XIX: 5》; 가시 면류관을 쓴 예수의 초상화〔조각상〕.
*__ec·cen·tric__ [ikséntrik, ek-] *a.* **1** 보통과 다른, 상도(常道)를 벗어난, 괴상한, 괴짜인: an ~ person 괴짜, 기인(奇人). **2** 중심을 벗어난; 중심을 달리하는, 편심(偏心)의, 이심(離心)의. OPP *concentric*. **3** 〖기계〗 편심기(器)의, 편심륜(輪)의; 〖천문〗 (궤도가) 동그랗지 않은, 편심적인; (행성이) 편심 궤도를〔이심권(圈)을〕 그리며 이동하는. **—** *n.* **1** 괴짜, 기인. **2** 이심원(圓); 〖기계〗 편심기, 측심반(側心盤), 편심륜(輪); 〖천문〗 이심권(圈). ㊕ **-tri·cal·ly** [-kəli] *ad.*
ec·cen·tric·i·ty [èksəntrísəti, -sen-/-sen-] *n.* Ⓤ **1** (복장 · 행동 따위의) 이상야릇함, 엉뚱함, 기발; Ⓒ 기행(奇行), 기이한 버릇. **2** 편심(偏心); 〖기계〗 편심률, 편심 거리; 〖수학 · 천문〗 이심률(離心率).
ec·chy·mo·sis [èkəmóusis] (*pl.* **-ses** [-si:z]) *n.* (타박으로 인한 피하의) 반상(斑狀) 출혈.
Eccl., Eccles. 〖성서〗 Ecclesiastes. **eccl., eccles.** ecclesiastical(ly).
ec·cle·sia [iklí:ʒiə, -ziə/-ziə] (*pl.* ***-si·ae*** [-zii:]) *n.* 고대 아테네의 시민 회의; 〖기독교〗 (교회의) 회중(會衆), 교회; 교회당. ㊕ **ec·clé·si·al** [-əl] *a.* 교회의.
Ec·cle·si·as·tes [iklì:ziǽsti:z] *n.* 〖성서〗 전도서《구약 성서 중의 한 편》.
ec·cle·si·as·tic [iklì:ziǽstik] *n.*, *a.* 성직자(의), 목사(의); 교회(의).
*__ec·cle·si·as·ti·cal__ [iklì:ziǽstikəl] *a.* 교회의, 교회 조직의; 성직자의; 교회용의: an ~ court 종교 재판소 / ~ history 교회사. ㊕ **~·ly** *ad.* 교회의 입장에서; 교회법상.
ec·cle·si·as·ti·cism [iklì:ziǽstəsìzəm] *n.* Ⓤ 교회의 법규〔의식, 관행 등〕의 편중; 교회 만능〔중심〕주의.
Ec·cle·si·as·ti·cus [iklì:ziǽstikəs] *n.* 구약 외전(外典) 중의 한 편《생략: Ecclus.》.
ec·cle·si·ol·o·gy [iklì:ziálədʒi/-ɔ́l-] *n.* Ⓤ 교회학; 교회 건축학. ㊕ **-gist** *n.*
Ecclus. Ecclesiasticus. **ECCM** 〖군사〗 electronic counter-countermeasure (대전자(對電子) 대책; 전자 대책(ECM)에 대항하는 수단의 총칭).
ec·crine [ékrin, -rain, -ri:n] *a.* 〖생리〗 **1** 에크린의《전신에 분포되어 많은 수분을 분비하여 체온 조절에 관여하는 땀샘》: ~gland 에크린 땀(샘). **2** (분비물이) 에크린성의. **3** 외분비의.
ec·cri·nol·o·gy [èkrənálədʒi/-nɔ́l-] *n.* Ⓤ 〖의학〗 분비선학(分泌腺學).
ECCS Emergency Core Cooling System ((원자로의) 긴급 노심(爐心) 냉각 장치).
ec·dem·ic [ekdémik] *a.* 〖의학〗 이소성(異所性) 질환의, (질병이) 외래성의〔인〕.
ec·dys·i·ast [ekdíziæ̀st] *n.* =STRIPTEASTER.
ec·dy·sis [ékdəsis] (*pl.* **-ses** [-si:z]) *n.* 〖생물〗 (뱀 따위의) 탈피, 허물벗기; 탈바꿈; 허물.
ec·dy·sone [ékdəzòun, -sòun/ekdáisòun] *n.* 엑디손《곤충 따위의 탈피(脱皮)를 촉진하는 호르몬》.
ECE Economic Commission for Europe ((국제 연합) 유럽 경제 위원회). 「(establishment).
ece·sis [isí:sis] *n.* 〖동물 · 식물〗 토착
ECG 《영》 =EKG. **ech.** echelon.
echelle [eiʃél] *n.* 〖물리〗 에셸, 계단 격자《미세구조의 해상에 쓰는 회절(回折) 격자》.
ech·e·lon [éʃəlàn/-lɔ̀n] *n.* 〖군사〗 제형(梯形)〔사다리꼴〕 편성, 제대(梯隊), 제진(梯陣); (비행기의) 삼각 편대《제형 편대의 일종》; (지휘 계통 · 조직 등의) 단계; 계층; 특정 임무를 띤 부대: a supply

~ 보급 부대 / government officials in higher ~ 고급 관리 / people on every ~ 모든 계층의 사람들 / the upper ~*s* of the administration 행정부의 상층부. ***in*** ~ 사다리꼴의 대형을 이루어. **—** *vt., vi.* 사다리꼴로 배치하다, 제형을 이루다. ㊔ ~**·ment** *n.* 제형 진지.

echid·na [ikídnə] (*pl.* **~s, ~e** [-ni:]) *n.* 〖동물〗 바늘두더지(spiny anteater).

e·chin- [ikáin, ékən], **e·chi·no-** [ikáinou, -nə, ékə-] '가시, 성게'의 뜻의 결합사.

ech·i·nate [ikáineit, -nət, ékənèit, ékənət/ékinèit] *a.* 가시로 뒤덮인, 가시가 있는(spiny, prickly).

echi·no·coc·co·sis [ikàinəkakóusis, èkənə-/-kɔk-] *n.* 〖의학〗 포낭충증(胞囊蟲症), 에키노코쿠스증(症).

echi·no·derm [ikáinədə̀:rm, ékinə-] (*pl.* ***-der·ma·ta*** [-mətə]) *n.* 극피(棘皮)동물《불가사리·성게 따위》.

echi·noid [ikáinɔid, ékənɔ̀id] *a.* 성게류의 〔에 속하는〕; 성게 비슷한. **—** *n.* 성게(류).

echi·nus [ikáinəs] (*pl.* ***-ni*** [-nai]) *n.* 〖동물〗 성게(sea urchin); 〖건축〗 도리스식 건축의 기둥 머리의 접시판《만두형 쇠시리》.

⁑echo [ékou] (*pl.* **~es**) *n.* **1** 메아리, 반향; (레이더 등의) 반사파(波). **2** 흉내, (모방하여) 되풀이함, 모방(자); 부화뇌동(하는 사람). **3** (동조적인) 반응, (파급적) 영향; (여론 따위의) 반향, 공명; (옛것의) 흔적, 자취. **4** 〖운율〗 앞 행의 마지막 음절의 반복. **5** (E-) 〖그리스신화〗 숲의 요정《Narcissus에 대한 사랑이 이루어지지 않아 비탄에 젖은 나머지 소리만이 남아 메아리가 되었다고 함》; 산울림, 메아리. **6** 〖음향·전기〗 에코. **7** (E-) 문자 e를 나타내는 통신 용어. ***applaud*** 〔***cheer***〕 a person ***to the*** ~ 아무에게 대단한 갈채를 보내다. ***find an*** ~ ***in*** a person***'s heart*** 아무의 공명을 얻다. **—** (*p., pp.* **~ed; ~·ing**) *vt.* **1** 《~+목/+목+부》 (장소가 소리를) 메아리치게 하다, 반향시키다《*back*》: ~ the faintest sounds 아주 작은 소리도 메아리치게 하다 / ~ *back* a noise 소리를 반향시키다. **2** 《~+목/+목+전+명》 (남의 생각 등을) 그대로 흉내 내다〔되풀이하다〕, 뇌동하다; (감정을) 반영하다: ~ his opinion 그의 의견에 뇌동하다 / ~ a person *in* everything 무슨 일이나 남의 흉내를 내다 / ~ the opinions of his constituency 그의 선거 구민의 의견을 반영하다. **—** *vi.* 《~/+부/+전+명》 (소리가) 메아리치다, 반향하다; 울리다《*with*》: The sound of the cannon ~*ed around.* 대포 소리가 사방으로 울려 퍼졌다 / The room ~*ed with* laughter. 방 안에 웃음소리가 울려 퍼졌다 / Satisfaction ~*ed in* her voice. 그녀의 목소리에는 만족스러운 울림이 있었다.

Écho Bòom 《미》 에코 붐《1987년 미국의 제 2차 출산 붐》.

ècho·cárdiogràm *n.* 〖의학〗 초음파 심장 「진단도.

ècho·cárdiogràph *n.* 〖의학〗 초음파 심장 검사기.

ècho·càrdiográphy *n.* Ⓤ 〖의학〗 초음파 심 「장 검진(법).

écho chàmber 〖방송〗 반향실(反響室)《에코(효과를 내는 방)》.

écho effèct 메아리 효과, 반복 현상, 일시 지연 현상《어떤 사건이 뒤늦게 되풀이되거나, 그 결과가 늦게야 나타나는 현상》.

ècho·encéphalogram *n.* 〖의학〗 초음파 뇌 검사도.

ècho·encephalógraphy *n.* 〖의학〗 초음파 「뇌검사(법).

écho·gràm *n.* 〖해사〗 음향 측심(測深) 도표; 〖의학〗 초음파 종양 탐지도.

écho·gràph *n.* 음향 측심기(測深器); 〖의학〗 음파 검사기.

echog·ra·phy [ekágrəfi/ekɔ́g-] *n.* 초음파 검사〔진단〕법. ㊔ **èch·o·gráph·ic** *a.* **-i·cal·ly** *ad.*

echo·ic [ekóuik] *a.* **1** 반향(장치)의. **2** 〖언어〗 의음(擬音)〔의성(擬聲)〕의.

échoic mémory 〖심리〗 음향(적) 기억. 「IA.

ech·o·ism [ékouìzəm] *n.* Ⓤ,Ⓒ =ONOMATOPOE-

ech·o·la·lia [èkouléiliə] *n.* 〖심리〗 반향 언어《남의 말을 그대로 흉내 내는 행동》; 유아의 음성 모방. ㊔ **èch·o·lál·ic** [-lǽl-, -léil-] *a.*

ècho·locátion *n.* 반향 정위(定位)《박쥐 따위가 자기가 발사한 초음파의 반사를 잡아, 물체의 존재를 측정하는 능력》; 〖전자〗 반향 위치 결정법; 음파 탐지, 음향 탐지법. ㊔ **èch·o·ló·cate** *vt., vi.*

écho plàte 음향판《반향·잔향 효과음을 만들어 내는 전기 기계 장치》.

echo·prax·ia [èkoupræ̀ksiə] *n.* 〖심리〗 반향 동작(증), 동작 모방(증). ㊔ **-prac·tic** [-prǽk-tik] *a.* 반향 동작(증)의〔인〕.

écho rànging 반향 측거(測距)《음향 반향에 의한 거리 측정》.

écho sòunder 〖해사〗 음향 측심기(測深器).

écho sòunding 음향측심(測深).

écho vèrse 반향 반복 시《앞행의 끝의 음절을 다음 행에서 반복하는 시》.

ÉCHO vìrus, écho·vìrus *n.* 에코 바이러스《인간의 장내(腸內)에서 증식(增殖)하며, 수막염(髓膜炎)의 원인이 되기도 함》.

écho wòrd 〖언어〗 의음어(擬音語).

Eck·er·mann [ékərmɑ̀:n] *n.* **Johann Peter** ~ 에커만《독일의 저술가; Goethe의 만년의 비서로서 *Gespräche mit Goethe*(괴테와의 대화)를 저술; 1792-1854》.

ECL 〖전자〗 emitter coupled logic (이미터 결합 논리; bipolar digital IC의 한 형식으로, 고속 동작이 가능하기 때문에 대형 컴퓨터의 중앙 처리 장치(CPU)부(部)에 채용되고 있음).

ECLA Economic Commission for Latin America ((국제 연합) 라틴 아메리카 경제 위원회).

éclair [eikléər, ik-, éikléər/éikleə, ikléə] *n.* 《F.》 에클레어《가늘고 긴 슈크림에 초콜릿을 뿌린 것》.

éclair·cisse·ment [*F.* eklɛʀsismɑ̃] *n.* 《F.》 설명; 석명(釋明), 해명: come to an ~ *with* a person 아무와 서로 양해가 되다.

ec·lamp·sia [iklǽmpsiə] *n.* Ⓤ 〖의학〗 자간(子癎); (어린아이의) 경기.

éclat [eiklɑ́:, ⌐-] *n.* 《F.》 대성공; 명성, 평판; 대단한 갈채. ***with great*** ~ 대단한 갈채를 받아〔갈채 속에〕; 성대하게.

ec·lec·tic [ekléktik] *a.* 취사선택하는, 절충하는, 절충주의의; (하나의 입장에) 얽매이지 않는, (취미·의견 따위가) (폭)넓은. **—** *n.* 절충학파의 사람; 절충주의자. ㊔ **-ti·cal·ly** [-kəli] *ad.* 절충하여. **-ti·cìsm** *n.* Ⓤ 절충학파, 절충주의.

Ecléctic Schóol (the ~) 〖철학〗 절충학파; 〖미술〗 절충화파《16세기 말 이탈리아의 볼로냐 화파 또는 19세기 초 프랑스화의 일파》.

***eclipse** [iklíps] *n.* **1** 〖천문〗 (해·달의) 식(蝕); (별의) 엄폐: a solar ~ 일식 / a lunar ~ 월식 / a total 〔partial〕 ~ 개기〔부분〕식. **2** 빛의 상실〔소멸〕; (명성·영광의) 실추. **3** 〖조류〗 동우(冬羽) 상태; 〖의학〗 (세포 내 바이러스의) 음성기. **—** *vt.* **1** (천체가 딴 천체를) 가리다. **2** 빛을 잃게 하다, 어둡게 하다. **3** …의 명성·중요성 따위를 가리다, 무색하게 하다, 능가하다. **4** (전의 기록을) 웃돌다, 상회하다. 「성(蝕變光星).

eclípsing bínary 〔**váriable**〕 〖천문〗 식변광

eclip·sis [iklípsis] *n.* 〖언어〗 (문장 일부의) 생

략《드물게 ellipsis로 씀》; (선행어의 영향을 받은) 어두 자음의 음성 변화.

eclip·tic [iklíptik] 〖천문〗 *n.* 황도(黃道). — *a.* 식(蝕)의; 황도의. ㊀ **-ti·cal** [-əl] *a.* =ecliptic. **-ti·cal·ly** *ad.*

ec·lo·gite [éklədʒàit] *n.* 에클로자이트《녹색 휘석(輝石)과 적색 석류석으로 이루어진 입상(粒狀) 암석》.

ec·logue [éklɔːg, -lɑg/-lɔg] *n.* (대화체의) 목가, 전원시, 목가시(牧歌詩).

eclose [iklóuz] *vi.* (곤충이) 우화(羽化)하다.

eclo·sion [iklóuʒən] *n.* Ⓤ 〖곤충〗 우화(羽化); 부화(孵化).

ECLSS 〖우주〗 environmental control and life support system (환경 제어·생명 유지 시스템)《우주 왕복선 안에서 비행사의 생명 유지와 쾌적한 생활을 위한 시스템》. **ECM** 〖군사〗 electronic countermeasure (전자 대책)《적의 미사일 유도 장치를 혼란시켜서 미사일을 무효화하는 장치》; European Common Market. **ECNR** European Council of Nuclear Research.

Eco [ékou] *n.* **Umberto** ~ 에코《이탈리아의 미학자·기호론학자; 1932-2016》.

ec·o- [ékou, -kə, íːk-] '환경, 생태(학)'의 뜻의 결합사《모음 앞에 올 때는 보통 ec-가 됨》.

èco·áctivist *n.* 환경 보호 운동가.

èco·actívity *n.* 생태계 보전 활동, 환경오염 방지 운동.

èco·awáre *a.* 환경 의식이 있는.

èco·catástrophe *n.* (환경오염 등에 의한) 대규모의〔세계적인〕 생태계 이변(異變).

èco·céntric *a.* 환경 중심의〔중심적인〕.

ec·o·cide [ékəsàid, íːkə-] *n.* Ⓤ (환경오염에 의한) 환경 파괴, 생태계 파괴. ㊀ **èc·o·cí·dal** *a.*

éco·clìmate *n.* 생태 기후.

èco·devélopment *n.* 환경 보존과 조화를 유지하는 경제 개발〔발전〕.

èco·dóom *n.* Ⓤ 생태계의 대규모적인 파괴.

èco·dóomster *n.* ecodoom을 예언〔경고〕하는 사람.

éco·fàllow *n.* 〖농업〗 농지 휴한(休閑) 농법, 환경 순응 농법.

éco·frèak *n.* 《속어·경멸》 열광적인 자연보호론자, 자연보호광(狂).

èco-fríendly *a.* (지구) 환경에 친화적인.

èco·geográphical, -ic *a.* 생태 지리적인《환경의 생태적 지리적인 양면에 관련되는》. ㊀ **-ically** *ad.*

ecol. ecological; ecology.

èco·lábel *n.* (제품의) 환경 안전 라벨. ㊀ **~·ing** *n.* 환경 안전 표시.

école [F. ekɔl] *n.* 《F.》 학교; 학파.

E. co·li [iːkóulai] 대장균《학명 *Escherichia coli*》.

ec·o·log·ic, -i·cal [èkəlɑ́dʒik, ìːkə-/-lɔ́dʒ-], [-kəl] *a.* 생태학의〔적인〕. ㊀ **-i·cal·ly** *ad.*

ecológical állergy 〖의학〗 생태학적 알레르기《화학 물질 등 유기물이 원인이 되는》.

ecológical árt 환경 예술, 생태학적 예술《자연의 흙·모래 등을 소재로 한 예술》.

ecológical displácement 생태적 전위(轉位).

ecológical effíciency 〖생태〗 생태 효력, 생태적 효율《생태계에서 물질이나 에너지의 전이(轉移) 효율》.

ecológical níche 〖생태〗 생태학적 지위 (niche)《생물 사회에서 개체가 점하는 위치 또는 그 이루는 기능》.

ecológical pýramid 〖생태〗 생태적 피라미드.

ecológical succéssion 〖생태〗 생태 천이(遷移).

ecol·o·gy [ikɑ́lədʒi/ikɔ́l-] *n.* Ⓤ 생태학; 인류〔인간〕 생태학; Ⓤ,Ⓒ (생체와의 관계로 본) 생태 환경. ㊀ **-gist** *n.* 생태학자.

ecólogy frèak (종종《경멸》) 환경 문제에 지나칠 정도로 민감한 사람.

E-COM [íːkɑ̀m/-kɔ̀m] *n.* 《미》 전자 우편 서비스(Electronic Computer-Originated Mail).

è-cómmerce *n.* 전자 상거래.

ec·o·mone [íːkoumòun, ék-] *n.* (자연계의 조화·균형에 영향을 미치는) 생태 호르몬, 생태 환경 호르몬. [◂ *ecological*+*hormone*]

econ. economic(s); economical; economist; economy.

éco·nìche *n.* 생태적 지위.

econ·o·box [ikɑ́nəbɑ̀ks/ikɔ́nəbɔ̀ks] *n.* 경제차《연료 소비가 적은 상자형 소형차》.

econ·o·met·rics [ikɑ̀nəmétriks/ikɔ̀n-] *n.* *pl.* 〔단수취급〕 계량〔통계〕 경제학: ~ model 계량 경제학 모델. ㊀ **-ri·cal·ly** *ad.* **-me·trí·cian, -mét·rist** *n.*

‡ec·o·nom·ic [èkənɑ́mik, ìːk-/-nɔ́m-] *a.* **1** 경제(상)의, 재정상의: an ~ blockade 경제 봉쇄 / an ~ policy 〔crisis〕 경제 정책〔위기〕 / ~ powers 경제 대국 / ~ development (zone) 경제 개발(구(區)) / ~ geography 경제 지리학 / ~ growth 경제 성장 / ~ independence 경제 자립 / the *Economic* Report (미국 대통령이 연초에 의회에 보내는) 경제 보고. **2** 경제학의. **3** 경제적인, 실리적인, 실용상의(practical): ~ entomology 실용 곤충학 / ~ botany 실용 식물학. **4** 《영》 이익이 남는, 유리한; 《구어》 값이 싼. ***for ~ reasons*** 경제적인 이유로.

‡ec·o·nom·i·cal [èkənɑ́mikəl, ìːkə-/-nɔ́m-] *a.* **1** 경제적인; 실속 있는. **2** 절약하는, 검약한. OPP. *extravagant*. ¶ an ~ housewife 알뜰한 주부 / be ~ *with* 〔*of*〕 one's time 〔money〕 시간〔돈〕을 낭비하지 않다. **3** 경제상〔학〕의. ***~ with the truth*** 진실을 말하기 꺼려, 거짓말하여. ㊀ **~·ly** *ad.* 경제적으로; 경제적 견지에서.

Económic and Mónetary Union 경제 통화 동맹《EC의 경제·통화 정책의 협조와 통합을 추진; 생략: EMU, Emu》.

Económic and Sócial Cóuncil (the ~) (UN의) 경제 사회 이사회《생략: ECOSOC》.

económic críme 경제 범죄《공금 횡령·수회·부정 축재·밀수 따위; 특히 공산권·제 3 세계의 국가들에서 행해지는》.

económic cýcle 경제 순환.

económic detérminism 경제 결정론.

económic góod (흔히 *pl.*) 경제재(財)《교환 가치를 갖는 상품 또는 서비스》.

económic índicator 경제 지표.

económic mán 경제인《경제 원리에 맞추어 합리적 행동을 하는 사람》.

económic mígrant 경제적 이주자《경제적 생활 향상을 목적으로 이주하는 사람》.

económic módel 〖경제〗 경제 모델.

económic refugée 경제 난민《보다 질 높은 생활 수준을 찾아서 출국하는 난민》.

económic rént 〖경제〗 경제 지대(地代).

‡ec·o·nom·ics [èkənɑ́miks, ìːk-/-nɔ́m-] *n.* *pl.* **1** 〔보통 단수취급〕 경제학(political economy). **2** 〔보통 복수취급〕 (국가·기업 등의) 경제 (상태), 경제성, 경제적인 측면《*of*》.

económic sànctions 경제 제재.

económic zóne 경제 수역 (exclusive economic zone).

ecón·o·mìsm *n.* 경제(편중)주의.

***econ·o·mist** [ikɑ́nəmist/-kɔ́n-] *n.* 경제학자, 경제 전문가; 절약가; (금전의) 관리자, 가계(家計)를 맡아 보는 사람.

ecòn·o·mi·zá·tion *n.* Ⓤ 절약, 경제화(化), 경제적 사용.

econ·o·mize [ikɑ́nəmàiz/-kɔ́n-] *vt.* (…을) 경제적으로 쓰다, 절약하다; (노동력·시간·돈 따위를) 효율적으로 이용하다: ~ fuel consump-

tion 연료 소비를 절약하다. [SYN.] ⇨ SAVE. — *vi.* 절약을 하다, 낭비를 피하다, 검약하다《*on*》: ~ *on* fuel 연료를 절약하다 / try to ~ *on* electricity 전기 절약에 힘쓰다. 「절약 장치.
ecón·o·mìz·er *n.* 경제가, 절약가; (연료 등의)
‡**econ·o·my** [ikánəmi/-kɔ́n-] *n.* **1** 절약 (frugality), 절검(節儉); 효율적 사용; (*pl.*) 절검의 예(例): ~ *of* time and labor 시간과 노력의 절약 / with an ~ *of* words 불필요한 말을 생략하고, 간결히 / practice 〔use〕 ~ 절약하다. **2** 경제, (역사적) 경제 제도; 《고어》 가계(家計), 재정: ⇨ POLITICAL ECONOMY / domestic ~ 가정 경제 / viable ~ 자립 경제. **3** 경제학. **4** [C] (한 지방·국가 등의) 경제 기구(機構): a democratic ~ 민주주의적인 경제 기구. **5** 〖신학〗 (하늘의) 섭리, 경륜: the ~ *of* redemption 〔salvation〕 속죄〔구원〕의 섭리. **6** (자연계 따위의) 이법(理法), 질서; 유기적 조직: the ~ *of* nature 자연계의 질서, 자연의 유기적 연계. ~ ***of truth*** 〖신학〗 상대자를 보아서 적당하게 교의를 해설함; 진실을 그대로 말하지 않음. — *a.* 값싼, 경제적인, 값싸고 쓸모 있는; (여객기에서) 이코노미 클래스의: an ~ car (저연료비의) 경제차(車) / ~ passengers 이코노미 클래스의 승객들 / an ~ size bar of soap 덕용(德用) 사이즈의 비누. — *ad.* 이코노미 클래스로, 보통석으로: travel ~ 일반석으로 여행하다.
ecónomy clàss (열차·여객기 따위의) 이코노미 클래스, 보통〔일반〕석.
ecónomy clàss sỳndrome 《구어》 = DEEP VEIN THROMBOSIS.
ecónomy of scále 〖경제〗 규모의 경제《생산 규모 확대에 의한 제조 원가의 축소》.
ecónomy of scópe 〖경제〗 범위의 경제, 다양화의 경제《두 가지 이상의 제품 제조로 얻어지는 비용의 절약》.
ecónomy-sìze *a.* 이코노미 사이즈의, 덕용(德用) 사이즈의《대량 포장으로 값이 싼》. 「FREAK.
ec·o·nut [íːkounʌ̀t] *n.* 《속어·경멸》 = ECO-
éco-òffice *n.* 에코오피스《오염 물질 등 유해한 요소가 없는 환경면에서 안전한 사무실》.
èco·physiólogy *n.* 환경 생리학. ㊕ **-ológical** *a.* **-gist** *n.* 「책〕학.
èco·pólitics *n.* 경제 정치학; 환경 정치〔정
èco·pornógraphy *n.* 환경 문제에 대한 일반의 관심을 이용한 선전.
écor·ché [èikɔːrʃéi; *F.* ekɔʀʃe] *n.* 《F.》 (살갗을 벗긴 근육·골격 연구용의) 인체 표본 모형.
éco·spècies (*pl.* ~) *n.* 〖생물〗 생태종(種).
éco·sphère *n.* (우주의) 생물 생존권, (특히 지구상의) 생물권, 생태권. 「태계의 평형.
éco·sỳstem *n.* 생태계: equilibrium of ~ 생
ec·o·tage [ékətɑ̀ːʒ] *n.* 환경오염 반대 파업《환경오염 방지·자연보호를 위한》. 「공학.
èco·technólogy *n.* 환경 (보호) 기술, 환경
ec·o·tec·ture [ékətèktʃər] *n.* 환경 우선 건축 디자인《실용적인 요청보다 환경상의 요인에 중점을 두는 건축 디자인》.
èco·térrorism *n.* 환경 테러《(1) 환경 보호를 추진하기 위한 파괴 행위. (2) 적의 자연환경을 파괴하는 행위》. ㊕ **èco·térrorist** *n., a.* 「자.
ec·o·teur [èkətə́ːr, -tʃúər] *n.* ecotage 실행
ec·o·tone [ékətòun, íːkə-] *n.* 〖생태〗 추이대(推移帶)《인접하는 생물 군집(群集) 간의 이행부(移行部)》.
éco·tòurism *n.* 환경 (보호) 지향의 관광. ㊕ ⌊-ist *n.*
éco·tỳpe *n.* 〖생물〗 생태형(生態型).
ec·ru [ékruː, éi-] *n.* 《F.》 생마(生麻) 빛깔, 베이지색, 담갈색. — *a.* 담갈색〔베이지색〕의.

ECSC European Coal and Steel Community (유럽 석탄 철강 공동체).
ec·sta·size [ékstəsàiz] *vt., vi.* 황홀경에 이르게 하다; 무아경에 이르다, 황홀해지다.
***ec·sta·sy** [ékstəsi] *n.* [C,U] **1** 무아경, 황홀, 희열; (시인·예언자 등의) 망아(忘我), 법열(法悅); 미칠 듯한 기쁨, 환희의 절정: be in *ecstasies* over …에 정신없이 열중해〔도취되어〕 있다 / in an ~ of joy 미칠 듯이 기뻐하여.

> [SYN.] **ecstasy** 감각적으로 열중해 미칠 듯이 기뻐하는 상태. **rapture** 일반적인 말. 큰 기쁨에 마음이 젖어 있는 상태: go into *raptures* 기뻐 어쩔 줄을 모르다.

2 〖심리〗 의식 혼미 상태; 《고어》 실신 상태. **3** (종종 E-) 《속어》 엑스터시《강력한 암페타민계의 마약》. ***go*** 〔***get***〕 ***into ecstasies over*** = ***be thrown ecstasies over*** …에 황홀해지다.
ec·stat·ic [ekstǽtik] *a.* 열중〔몰두〕한, 무아경의; 황홀한. — *n.* 도취하는 사람; (~s) 무아경, 황홀경. ㊕ **-i·cal·ly** *ad.* 「충격 요법).
ECT, E.C.T. electroconvulsive therapy (전기
ect- [ékt], **ec·to-** [éktou, -tə] '외(부)'의 뜻의 결합사. [OPP.] *endo-*. 「胚葉).
ec·to·blast [éktəblæ̀st] *n.* 〖생물〗 외배엽(外
ec·to·crine [éktəkrìːn] *n.* 〖생물〗 엑토크린, 외부 대사(代謝) 산물; 〖생화학〗 외분비물.
ec·to·derm [éktədə̀ːrm] *n.* 〖생물〗 외배엽, 외(外)세포층《무장(無腸) 동물 등의》. 「외 효소.
ècto·énzyme *n.* 〖생화학〗 외생(外生) 효소, 체
ècto·génesis *n.* 체외 발생. ㊕ **-genétic** *a.*
ècto·hórmone *n.* 〖생화학〗 외분비〔엑토〕호르몬(pheromone). ㊕ **-hormónal** *a.* 「사람.
ec·to·morph [éktəmɔ̀ːrf] *n.* 마르고 키가 큰
ec·to·mor·phic [èktəmɔ́ːrfik] *a.* 〖생물〗 야윈형의; 허약한 체격의. [cf.] endomorphic, mesomorphic. ㊕ **éc·to·mòr·phy** *n.* 외배엽형(型).
-ec·to·my [éktəmi] '절제(수)술'의 뜻의 결합사.
ècto·párasite *n.* 〖동물〗 체외 기생충《진드기·벼룩 등》. 「소증(異所症).
ec·to·pia [ektóupiə] *n.* 〖의학〗 변위(變位), 이
ec·top·ic [ektápik/-tɔ́p-] *a.* 〖의학〗 정규 장소를 벗어난: ~ pregnancy 자궁외 임신.
ec·to·plasm [éktəplæ̀zəm] *n.* 〖생물〗 외형질(外形質)《세포 원형질의 바깥층》; 원생동물의 외피층; 〖심령술〗 (영매(靈媒)의 몸에서 발한다는) 영기(靈氣), 심령파(波).
ec·to·therm [éktəθə̀ːrm] *n.* 〖동물〗 변온〔냉혈〕 동물. ㊕ **èc·to·thér·mic** *a.* 변온성의. [OPP.] *endothermic.* 「(眼瞼外飜), 외번증(症).
ec·tro·pi·on [ektróupiən] *n.* 〖의학〗 안검외번
ec·type [éktaip] *n.* 복사〔모사〕한 것; 〖건축〗 돋을새김. ㊕ **ec·ty·pal** [éktaipəl, -tə-] *a.*
ECU 〖우주〗 electrical control unit(전자 제어 유닛); European Clearing Union (유럽 결제 동맹). **ecu, ECU** European Currency Unit (유럽 통화 단위, 에큐). **E.C.U.** English Church Union. **Ecua.** Ecuador.
Ec·ua·dor [ékwədɔ̀ːr] *n.* 에콰도르《라틴 아메리카의 공화국; 수도는 Quito》. ㊕ **Èc·ua·dó·ran, -dó·ri·an, -dór·e·an** *a., n.* 에콰도르의 (사람).
ec·u·ma·ni·ac [èkjəméiniæ̀k/ìːk-] *n.* 세계 교회주의(ecumenism)의 열광적 신자.
ec·u·men·ic, -i·cal [èkjəménik/ìːk-], [-əl] *a.* 전반적인, 보편적인, 세계적인; 전 기독교(회)의; ecumenism의. ㊕ **-i·cal·ly** *ad.*
ecuménical cóuncil 바티칸 공의회; 전교회 회의; 세계 교회 회의.
èc·u·mén·i·cal·ìsm *n.* [U] 〖기독교〗 (교파를 초월한) 세계 교회주의, 교회 일치주의〔운동〕.

ecuménical pátriarch (동방 정교회의) 총(總)대주교《최고위의 주교》.

ec·u·me·nism [ékjəmənìzəm, ikjú:-/-í:k-] *n.* [U] (교파를 초월한) 세계 교회주의〔운동〕; 전 종교간 협력〔상호 이해〕 추진주의〔운동〕. [파] **-nist** *n.*

ec·u·me·nop·o·lis [èkjəmənápəlis/-nɔ́p-] *n.* 세계 도시.

ec·ze·ma [éksəmə, égzə-, igzí:-/éksimə] *n.* [U] 〖의학〗 습진. [파] **-zem·a·tous** [igzémətəs, -zí:mə/eksém-] *a.*

Ed [ed] *n.* **1** 에드《남자 이름; Edgar, Edmond, Edmund, Edward, Edwin의 애칭》. **2** 《미속어》 시대에 뒤진 녀석.

⁑**-ed** [《d 이외의 유성음의 뒤》 d; 《t 이외의 무성음의 뒤》 t; 《t, d의 뒤》 id, əd] *suf.* **1** 규칙 동사의 과거·과거분사를 만듦: call*ed* [-d], talk*ed* [-t], want*ed* [-id]. **2** 명사에 붙여서 '…이 있는, …을 갖춘〔가진〕'의 뜻의 형용사를 만듦. ★ 형용사의 경우 [t, d] 이외의 음의 뒤라도 [id, əd]로 발음되는 것이 있음: ag*ed*, bless*ed*, (two-)legg*ed*.

ED environmental disruption(환경파괴); extra duty(할증세(割增稅)); 〖약학〗 effective dose(약의 유효량). **E.D.** exdividend. **ed.** edited; edition; editor; educated; education.

eda·cious [idéiʃəs] *a.* 게걸스레〔걸신들린 듯이〕 먹는, 대식〔탐식〕하는; 소모적인. [파] **~·ly** *ad.*

edac·i·ty [idǽsəti] *n.* [U] 왕성한 식욕, 탐식(貪食), 대식.

Édam (chèese) [í:dəm(-), -dæm(-)/-dæm(-)] 겉을 붉게 칠한 네덜란드산 치즈.

edaph·ic [idǽfik] *a.* 〖생태〗 토양(土壤)의〔에 관련된〕; (기후보다) 토양의 영향을 받는; 토착(土着)의(autochthonous). [파] **-i·cal·ly** *ad.*

edáphic clímax 〖생태〗 토양적 극상(極相).

É-Dày *n.* (영국의) EC 참가 기념일《1973 년 1월 1일》.

EDB 〖화학〗 ethylene dibromide (2 브롬화 에틸렌). **Ed. B.** 〔**D.**〕 Bachelor 〔Doctor〕 of Education.

ed·biz [édbìz] *n.* 《미속어》 교육 산업. [◂ *ed*ucation+*biz*ness]

EDC, E.D.C. European Defense Community 「(유럽 방위 공동체).

É/D̀ cárd 출입국 카드. [◂ *e*mbarkation and *d*isembarkation *card*]

ed. cit. the edition cited. **E.D.D.** English Dialect Dictionary.

Ed·da [édə] *n.* 에다《고대 아이슬란드의 신화 및 시집》. [cf] saga. ***the Elder*** 〔***Poetic***〕 ~ 구(舊)에다《약 1200 년경 고대 아이슬란드의 시집》. ***the Younger*** 〔***Prose***〕 ~ 신(新)에다《1230 년경에 펴낸 고대 아이슬란드 시집의 주석서》.

Ed·die [édi] *n.* =ED 1.

Éd·ding·ton('s) lìmit [édiŋtən(z)-] 〖천문〗 에딩턴 한계 광도(光度)《일정 질량의 천체가 낼 수 있는 최대한의 밝기》.

ed·dy [édi] *n.* 소용돌이, 화방수; 회오리(바람); 《비유》 (사건 등의) 소용돌이; (사상·정책 따위의) 반주류(反主流). **—** *vt., vi.* 소용돌이〔회오리〕치(게 하)다.

éddy cùrrent 〖전기〗 맴돌이전류.

edel·weiss [éidlvàis, -wàis/-vàis] *n.* 《G.》 〖식물〗 에델바이스《알프스산(產) 고산 식물; 스위스의 국화》, 왜솜다리의 일종.

ede·ma, oe·de- [idí:mə] (*pl.* **~s, ~·ta** [-tə]) *n.* 〖의학〗 부종(浮腫), 수종(水腫). 「*a.*
[파] **edem·a·tous** [idémətəs]

edelweiss

Eden [í:dn] *n.* **1** 〖성서〗 에덴 동산《Adam과 Eve가 처음 살았다는 낙원》; 낙원, 낙토. **2** 이든《여자 이름》.

eden·tate [i:dénteit] *a.* 이가 없는; 〖동물〗 빈치류(貧齒類)의. **—** *n.* 〖동물〗 빈치류《개미핥기·나무늘보·아르마딜로 따위》.

Ed·gar [édgər] *n.* **1** 에드거《남자 이름; 애칭은 Ed, Ned》. **2** 에드거 상(賞)《매년 우수한 추리소설에 주는 E. A. Poe의 소흉상(小胸像)》.

⁑**edge** [edʒ] *n.* **1** 끝머리, 테두리, 가장자리, 변두리, 모서리; 《비유》 (나라·시대의) 경계; (the ~) 위기, 위험한 경지; 〖컴퓨터〗 모서리: gilt ~*s* (책의) 금테두리/the water's ~ 물가/the ~ of a table 테이블의 가장자리/on the ~ *of* bankruptcy 파산 직전에.

> [SYN] **edge** 어느 몇 개의 표면이 교차하는 뾰족한 모나 선을 말함. **margin** 어떤 명확한 특징으로 그것이라고 뚜렷이 구별되는 경계를 이름. 따라서 공간적인 뜻만이 아님: the *margin* of consciousness 의식의 한계. **rim** 원형의 기구 등의 가장자리. **brim** rim 보다 한정되어, 컵이나 접시 등 그릇의 가장자리를 말함.

2 (칼 따위의) 날; (비평·욕망 따위의) 날카로움, 격렬함; 유효성, 효력, 위력: competitive ~ 경쟁력/the ~ *of* desire 〔sarcasm〕 격렬한 욕망〔날카로운 풍자〕/put an ~ *on* a knife 칼의 날을 세우다〔갈다〕/The knife has lost its ~. 이 칼은 날이 무뎌졌다. **3** 《특히 미》 (…에 대한) 우세, 강점(advantage)《*on; over*》: a decisive military ~ *over* the enemies 적에 대한 결정적인 군사적 우위/He gained 〔had, got〕 the 〔a〕 slight ~ *on* 〔*over*〕 his opponent. 그는 상대보다 약간 우세했다. **4** 《미속어》 거나하게 취함. ***be*** (***all***) ***on*** **~** ***to*** do …하고 싶어 못 견디다. ***by the*** **~** ***of the sword*** 검으로《죽이다》. ***do the inside*** 〔***outside***〕 **~** 〖스케이트〗 안〔바깥〕쪽 날로 지치다. ***give an*** **~** ***to*** (칼 등의) 날을 세우다; (식욕을) 돋우다. ***give*** a person ***the*** **~** ***of*** one***'s tongue*** 아무를 호되게 꾸짖다. ***have*** 〔***get***〕 ***an*** **~** ***on*** ① 《미속어》 거나한 기분이다. ② 《미》 …에 원한을 품(고 있)다. ***not to put too fine an*** **~** ***upon it*** 솔직하게〔노골적으로〕 말하면. ***on*** **~** ① 흥분하여, 안절부절못하여, 불안하여. ② 좁은 가장자리를 밑으로 세워: set a book *on* (its) ~ 책을 세우다. ***on the cutting*** **~** 최첨단의, 가장 현대적인. ***on the*** **~** ***of*** …의 가장자리에; 막 …하려는 참에, …에 임박하여. ***on the*** **~** ***of*** one***'s chair*** 〔《미》 ***seat***〕 《구어》 (이야기·영화 등에) 매료되어, (가슴이) 울렁거려〔조마조마하여〕. ***over*** 〔***off***〕 ***the*** **~** 《구어》 머리가 돌아, 미쳐서. ***set an*** **~** ***on*** 〔***to***〕 (식욕 따위)를 돋우다. ***set … on*** **~** 세우다; 날카롭게〔조조하게〕 하다; 안절부절못하게 하다: *set* a person's nerves *on* ~ 아무의 신경을 날카롭게 하다. ***set*** a person***'s teeth on*** **~** ⇨TOOTH. ***take the*** **~** ***off*** …의 기세를 꺾다, …을 무디게 하다: This medicine will *take the* ~ *off* the pain. 이 약을 먹으면 통증이 좀 가라앉을 것이다.

— *vt.* **1** 《+[목]+[보]》 (칼 따위에) 날을 세우다, 예리하게 하다: ~ a knife sharp 칼을 날카롭게 갈다. **2** 《~+[목]/+[목]+[전]+[명]》 테를 달다, 테두리를 두르다, 가장자리를 매만지다《*with*》: Hills ~ the village. 마을은 언덕에 둘러싸여 있다/~ a skirt *with* lace 스커트 자락에 레이스를 두르다. **3** 《+[목]+[전]+[명]/+[목]+[부]》 비스듬히〔천천히〕 움직이다, 조금씩 나아가다〔움직이다〕《*away; into; in; out; off; nearer*》: ~ one's way *through* the darkness 어둠 속을 더듬어 나아

가다 / I ~d my chair *nearer to* the fire. 나는 의자를 불 곁으로 조금씩 당겼다. **4** 《미》 …에 근소한 차로 이기다: The Giants ~d the Tigers. 자이언트 팀은 타이거스 팀에게 신승했다. **—** *vi.* 《+전+명》 비스듬히 나아가다; 옆으로 나아가다; 천천히〔조금씩〕 움직이다: ~ *through* a crowd 군중 속을 비집고 나아가다.

~ *away* 〔***off***〕 차츰차츰 떨어지다〔멀어지다〕. **~ *down upon*** = **~ *in with*** …에 한발 한발 접근하다〔다가서다〕. **~ *in*** 《*vt.*+부》 ① (한마디) 참견하다〔끼어들다〕, (말을) 끼어 넣다: He didn't let me ~ *in* a word. 그는 내게 한마디도 참견하지 못하게 했다. ② (마감 전에 …을) 밀어 넣다. **—** 《*vi.*+부》 ③ (아무에게) 조금씩 다가가다 《*on*》: He ~*d in on* his opponent. 그는 상대에게 조금씩 다가갔다. **~ *out*** 《*vi.*+부》 ① 《구어》 (조심해서) 조금씩 나아가다〔나오다〕. **—** 《*vt.* +부》 ② 《미》 근소한 차로 이기다, 신승하다: ~*d out* the team in an exciting finish 열전 끝에 그 팀에게 신승하다. ③ (지위에서 아무를) 서서히 밀어내다〔좇아내다〕 《*of*》: They ~*d* him *out of* the company. 그들은 그를 회사에서 좇아냈다. **~ *oneself into*** (틈바구니)에 비집고 끼어들다. **~ *up*** 조금씩 다가가다 《*to*; *on*》.

édge·bòne *n.* = AITCHBONE.

édge cìty 도시 외곽의 오피스텔 · 쇼핑센터 · 호텔 따위의 밀집 지역.

edged *a.* 날이 있는, 날을 세운; 날카로운; 《미속어》 거나한: an ~ tool 날붙이 / an ~ remark 날카로운 비평.

édge effèct 〖생태〗 (생물 군집의 추이대(ecotone) 등에서 볼 수 있는) 주변 효과.

édge·less *a.* **1** 날이 없는, 날이 무딘(blunt). **2** 모서리가 없는.

édge-of-the-séat *a.* 저도 모르게 자리에서 몸을 일으킬 정도의 《영화 · 광경 따위》: a typical ~ TV melodrama.

édg·er *n.* (양복 등의) 가두리 공그르는 사람〔기계〕; 테두리〔모서리〕를 자르는 톱.

édge spècies 〖생태〗 주변 종(種) 《초원과 삼림의 경계인 전이대(轉移帶)에 생식하는 동식물》.

édge tòol 칼붙이, 날붙이. ***play*** 〔***jest***〕 ***with ~s*** 위험한〔아슬아슬한〕 짓을 하다.

edge·ways, -wise [édʒwèiz], [-wàiz] *ad.* 날〔가장자리, 끝〕을 밖으로 대고; 끝에; 언저리를 따라; 끝과 끝을 맞대고. ***get a word in ~*** 말참견하다.

edg·ing [édʒiŋ] *n.* Ⓤ 테두리(하기), 선두름; Ⓒ 가장자리 장식, (화단 따위의) 가장자리(border); Ⓤ (조금씩) 다가서기. 파 **~·ly** *ad.* 조금씩, 서서히, 점차로.

édging shèars 잔디깎는 가위 《가장자리 손질용》.

edgy [édʒi] (***edg·i·er; -i·est***) *a.* 날〔가장자리, 끝〕이 날카로운; 가시 돋친; 신랄한; 〖회화〗 윤곽이 (지나치게) 뚜렷한; 안절부절못하는. 파 **édg·i·ly** *ad.* **édg·i·ness** *n.*

edh, eth [eð] *n.* ð의 글자 《고대 영어 자모의 하나》. cf. thorn.

EDI 〖컴퓨터〗 electronic data interchange (전자 데이터 교환).

èd·i·bíl·i·ty *n.* Ⓤ 식용에 적합함.

ed·i·ble [édəbəl] *a.* 식용에 적합한, 식용의 (opp. *inedible*): an ~ frog 식용 개구리 / an ~ snail 식용 달팽이 / ~ fat 〔oil〕 식용 지방〔기름〕. **—** *n.* (보통 *pl.*) 식품, 음식. 파 **~·ness** *n.*

édible bírd's nèst 해초와 깃털을 침으로 굳혀 만든 바다제비의 둥지 《중국 요리의 수프용 재료》.

edict [íːdikt] *n.* (옛날의) 칙령, 포고; 명령. 파 **edíc·tal** [idíktəl] *a.* **edíc·tal·ly** *ad.*

Édict of Nántes (the ~) 〖프랑스사〗 낭트 칙령 《1598년 Henry 4세가 신교도에 대해 신앙상 · 정치상의 자유 평등을 일부 보장한 칙령; 1685년 Louis 14세가 폐지》.

ed·i·fi·ca·tion [èdəfikéiʃən] *n.* Ⓤ (덕성 · 정신 따위의) 함양(uplift), 계몽, 교도, 교화, 계발; 훈도(薰陶). ◇ edify *v.* 파 **edif·i·ca·to·ry** [idífəkətɔ̀ːri, édəfəkèitəri/èdifikéitəri] *a.*

ed·i·fice [édəfis] *n.* (큰) 건축물, 건물, 전당; (추상적인) 구성물, 조직; (사상의) 체계: a holy ~ 대사원 / build the ~ of knowledge 지식의 체계를 구축하다.

édifice còmplex 거대 건축 지향(志向) 《행정 계획이나 건축가의 구상 등에서의》.

ed·i·fy [édəfài] *vt.* 교화〔훈도〕하다; …의 품성을 높이다, …의 지덕을 함양하다. ◇ edification *n.* 파 **éd·i·fi·er** *n.* **~·ing** *a.* 교훈이 되는, 유익한; 교훈적인. **~·ing·ly** *ad.*

edile [íːdail] *n.* 〖로마사〗 = AEDILE.

Ed·in·burgh [édnbə̀ːrou, -bʌrə/-bərə] *n.* 에든버러 《스코틀랜드의 수도》. ***Dúke of ~*** (the ~) 에든버러공(公) 《현 영국 여왕 Elizabeth 2세의 부군; 1921-2021》.

Édinburgh Féstival (the ~) 에든버러 축제 《에든버러에서 매년 열리는 연극 · 무용 · 음악의 축제》.

Ed·i·son [édəsən] *n.* **Thomas ~** 에디슨 《미국의 발명가; 1847-1931》.

°**ed·it** [édit] *vt.* **1** (책 따위의) 편집을 하다, 엮다; (원고를) 손질하다, 교정보다; 〖영화〗 (영화 · 녹음 테이프 따위를) 편집하다; (신문 · 잡지 따위를) 편집 발행하다; 〖전자〗 (데이터를) 편집하다, 입력〔처리〕하다. cf. compile. **2** 〖유전〗 (유전자의) 배열을 바꾸다. **~ *in*** (기사 따위를) 편집하여 삽입하다, 첨가하다. **~ *out*** (편집 단계에서 어구 등을) 생략하다, 삭제하다 《*of*》. **—** *n.* 편집; 〖신문〗 사설(社說), 논설. 파 **~·a·ble** *a.*

edit. edited; edition; editor.

Edith [íːdiθ] *n.* 에디스 《여자 이름》.

éditing tèrminal 편집 단말 장치 《텍스트 편집용으로 사용되는 컴퓨터의 입출력 장치(input / output device)》.

*__edi·tion__ [idíʃən] *n.* **1** (초판 · 재판의) 판(版), 간행; (같은 판의) 전 발행 부수: the first ~ 초판. **2** (같은 판 중의) 한 책; 《비유》 복제: The child is a small ~ of her mother. 저 애는 제 엄마를 꼭 닮았다. **3** (제본 양식 · 체재의) 판: a revised 〔an enlarged〕 ~ 개정〔증보〕판 / a cheap 〔a popular, a pocket〕 ~ 염가〔보급, 포켓〕판. ***go through ~s*** 판(版)을 거듭하다. ★ edition은 일반적으로 개정 · 증보판의 발행을 말하며, 중판(重版)은 흔히 impression임.

edi·tion·al·ize [idíʃənəlàiz] *vi.* (신문을 1판 · 2판 하는 식으로) 판(版)을 거듭해서 발행하다. 「사용함」.

edítion bìnding 미장(美裝) 제본 《종종 가죽을

edi·tio prin·ceps [idíʃiou-prínseps] 《L.》 (책의) 초판(first edition).

‡**ed·i·tor** [édətər] (*fem.* ***ed·i·tress*** [édətris]) *n.* 편집자, 엮은이; (신문의) 주필, 논설 위원; (신문 · 잡지의) 각부 책임자, 부장, 편집 발행인; (영화) 편집자; (필름 · 녹음 테이프용) 편집기(機); 〖컴퓨터〗 편집기 《컴퓨터의 데이터를 편집할 수 있도록 한 프로그램》: ⇨ CITY 〔GENERAL, MANAGING〕 EDITOR / a financial ~ 《미》 경제부장. ***a chief ~*** 편집장, 주필(editor in chief).

°**ed·i·to·ri·al** [èdətɔ́ːriəl] *n.* (신문의) 사설, 논설(《영》 leading article, leader): a strong ~ in *The Times* 타임스지(紙)의 강경한 사설. **—** *a.* **1** 편집의; 편집자에 관한: the ~ staff (member) 편집부(원) / an ~ office 편집실 / an ~ conference 편집 회의. **2** 사설의, 논설의:

an ~ writer 《미》 논설 위원 / an ~ page 사설란(欄). [파] **~·ly** *ad.* 사설〔논설〕로서; 편집상; 편집자로서, 주필〔편집장〕의 자격으로.

èd·i·tó·ri·al·ist *n.* (신문의) 사설(社說) 집필자, 논설 위원(editorial writer).

ed·i·tó·ri·al·ìze *vt., vi.* 사설로 쓰다〔다루다〕《*on; about*》; 보도에 개인적 견해를 넣다, (논쟁 따위에 관하여) 의견을 말하다《*on; about*》: ~ *on* social problems 사회 문제에 관하여 사설에 쓰다. [파] **-iz·er** *n.* **ed·i·tò·ri·al·i·zá·tion** *n.*

éditor in chíef 편집장, 편집 주임, 주필; (각부) 주임 기자. ★ 복수는 editors in chief.

éditor·shìp *n.* [U] 편집자〔주필〕의 지위〔직, 임기, 기능, 권위, 수완〕; 편집; 교정.

ed·i·tress [édətris] *n.* editor의 여성형.

édit sùite 비디오 편집실.

-ed·ly [-idli] *suf.* -ed로 끝나는 낱말을 부사로 만듦. ★ -ed를 [d], [t]로 발음하는 낱말에 -ly를 붙일 때, 그 앞의 음절에 강세가 있으면 대개 [id-, əd-]로 발음한다: deserv*edly* [dizə́ːr-vidli].

Edm. Edmond; Edmund. **Ed. M.** Master of Education. 「《남자 이름》.

Ed·mond, Ed·mund [édmənd] *n.* 에드먼드

Ed·na [édnə] *n.* 에드나《여자 이름》.

EDP, E.D.P., e.d.p. electronic data processing. **EDPM** 〖컴퓨터〗 electronic data processing machine(전자 정보 처리 기계). **EDPS** 〖컴퓨터〗 electronic data processing system (전자 자료처리 체계). **EDR** European Depository Receipt(유럽 예탁 증권). **E.D.S.** English Dialect Society. **eds.** editors; editions. **EdS** Specialist in Education (교육 전문가). **EDT, E.D.T.** 《미》 Eastern daylight (-saving) time(동부 여름 시간). **EDTA** ethylenediaminetetraacetic acid (에틸렌디아민테트라아세트산) 《킬레이트(chelate) 시약. 항응혈약(抗凝血藥); 납 중독에 씀》. **edu** [édʒə] 〖컴퓨터〗 educational institution. **educ.** educated; education; educational. 「冶性).

èd·u·ca·bíl·i·ty *n.* [U] 교육 가능성, 도야성(陶

ed·u·ca·ble [édʒəkəbəl/édju-] *a.* 교육〔훈련〕 가능한, 어느 정도의 학습 능력이 있는. **—** *n.* 지능이 약간 뒤진 사람.

ed·u·cand [édʒukæ̀nd] *n.* 피(被)교육자.

‡ed·u·cate [édʒəkèit/édju-] *vt.* **1** 《~+[목]/+[목]+*to* do/+[목]+[전]+[명]》 (사람을) 교육하다, 훈육하다; 육성하다: ~ a child 어린아이를 교육하다 / ~ a person *to* do a thing 아무가 어떤 일을 하도록 교육하다 / ~ a person *for* law 아무를 법률가로 교육하다 / be ~*d* at a college 대학에서 교육을 받다 / ~ oneself 독학〔수학〕하다. [SYN.] ⇨ TEACH. **2** 《+[목]+[전]+[명]》 학교에 보내다, …에게 교육을 받게 하다: He is ~*d in* law. 그는 법률 교육을 받는다. **3** 《+[목]+[전]+[명]》 견문을 넓히다; (예술적 능력·취미 등을) 기르다, 훈련하다《*in; to*》: ~ a person *in* art 아무를 훈련하여 예술적 재능을 키우다 / ~ one's taste *in* music 음악의 취미를 기르다 / ~ the eye *in* painting 그림을 보는 안목을 기르다. **4** 《+[목]+*to* do》 (동물을) 길들이다, 훈련하다: ~ a dog *to* jump through a hoop 둥근 고리를 점프해서 빠져나오도록 개를 훈련시키다. ◇ education *n.*

°éd·u·càt·ed [-id] *a.* 교육 받은, 교양 있는, 숙련된; 지식〔경험〕에 기초한, 근거가 있는: an ~ woman 교양이 있는 여성 / an ~ taste 교양이 있는 취미 / an ~ guess 경험에서 나온 추측. [파] **~·ly** *ad.* **~·ness** *n.*

‡ed·u·ca·tion [èdʒəkéiʃən/èdju-] *n.* [U] **1** 교육, 훈육, 훈도; 양성: commercial 〔technical〕 ~ 상업〔기술〕 교육 / moral 〔intellectual, physical〕 ~ 덕〔지, 체〕육 / get 〔receive, acquire〕 ~ 교육을 받다.

> [SYN.] **education** 사람이 습득한 전반적인 능력·지식 및 그 과정을 뜻하는 말. **training** 일정 기간에 걸쳐서 어떤 목적으로 행하여지는 특정 분야에서의 실제적인 교육. **instruction** 학교 따위에서 하는 조직적인 교육.

2 지식, 학력, 교양, 소양, 덕성: a man with a classical 〔legal〕 ~ 고전〔법률〕에 소양이 있는 사람 / deepen one's ~ 교양을 깊게 하다. **3** 교육학, 교수법: a college of ~ 《영》 교육 대학. **4** 사육, (꿀벌 등을) 치기, (세균의) 배양; (짐승 따위의) 길들이기, 훈련. ◇ educate *v.* ***the Ministry of Education*** 교육부.

°ed·u·ca·tion·al [èdʒəkéiʃənəl/èdju-] *a.* **1** 교육(상)의, 교육에 관한: an ~ institution 교육기관 / ~ expenses 학비 / an ~ age 교육 연령. **2** 교육적인: an ~ show on television 텔레비전 교육 프로그램 / an ~ film 교육 영화. [파] **~·ly** *ad.* 교육상〔적〕으로. 「(產學) 협동.

educátional-indústrial cómplex 산학

èd·u·cá·tion·al·ist *n.* = EDUCATIONIST.

educátion(al) pàrk 《미》 (학교를 대규모로 집중시켜 여러 가지 시설을 공용케 하는) 교육 공원〔단지〕, 학교 도시.

educátional psychólogy 교육 심리학.

educátional télevision 1 교육 방송. **2** 학습용 텔레비전《생략: ETV》.

ed·u·ca·tion·ese [èdʒəkeiʃəníːz/èdju-] *n.* (전문어 투성이인) 교육학자의 문체, 교육 용어.

èd·u·cá·tion·ist *n.* 《영》 교육자, 교육 전문가 (educator); 《미》《보통 경멸》 교육학자.

educátion tàx = DIPLOMA TAX.

ed·u·ca·tive [édʒəkèitiv/édjukə-] *a.* 교육(상)의; 교육적인.

ed·u·ca·tor [édʒəkèitər/édju-] *n.* 교육자, 교직자, 교육 전문가; 교육학자; 교육 행정 종사자.

ed·u·ca·to·ry [édʒəkətɔ̀ːri/édjukətəri] *a.* 교육에 도움이 되는, 교육적인; 교육(상)의.

educe [idjúːs/idjúːs] *vt.* **1** (잠재된 능력·성격을) 끌어〔끄집어〕내다, 발현시키다. **2** (자료·사실 등에서 결론 따위를) 이끌어내다, 추론〔추단〕하다, 연역하다; 〖화학〗 추출하다. [파] **edúc·i·ble** *a.* 끌어낼 수 있는; 추단할 수 있는, 연역되는; 추출되는. 「가, 교육 관료.

edu·crat [édʒəkræ̀t/édju-] *n.* 《미》 교육 행정

educt [íːdʌkt] *n.* 〖화학〗 유리체(遊離體), 추출물; 추단; 추론의 결과.

edúc·tion *n.* [U] 이끌어내기; 배출; (내연 기관의) 배기 행정(行程); 계발; 추론; 〖화학〗 추출; [C] 추출물. 「하는; 연역적인.

educ·tive [iːdʌ́ktiv] *a.* 끌어내는; 추론〔추단〕

edul·co·rate [idʌ́lkərèit] *vt.* 〖화학〗 산·염분 또는 다른 가용성 물질을 씻어 내다, 깨끗이 씻다; (아무)의 거친 성품을 누그러뜨리다. **—** *vi.* 쾌적하게〔시원하게〕 되다. [파] **edùl·co·rá·tion** *n.*

ed·u·tain·ment [èdʒətéinmənt/èdju-] *n.* 에듀테인먼트《특히 초등학교 학생을 위한, 교육 효과와 오락성을 함께 한 TV 프로그램·영화·책 〔등〕》.

Edw. Edward.

Ed·ward [édwərd] *n.* 에드워드《남자 이름》.

Ed·ward·i·an [edwɔ́ːrdiən, -wáːrd-/-wɔ́ː-] *a., n.* 〖영국사〗 에드워드《특히 7세》 시대의 (사람).

Édwards Áir Fórce Bàse 《미》 에드워드 공군 기지《캘리포니아 소재; 항공 테스트 센터가 있음》.

Ed·win [édwin] *n.* 에드윈《남자 이름》.
Ed·wi·na [edwí:nə] *n.* 에드위나《여자 이름》.
'ee [i:] *pron.* 《속어》 ye(=you)의 간약형(簡約形): Thank'*ee*. 고맙습니다.
-ee [í:, ì:] *suf.* **1** 동사의 어간이 뜻하는 동작을 받아 '…하게 되는 사람'의 뜻의 명사를 만듦: oblig*ee*, pay*ee*. **2** 어간이 뜻하는 동작을 하는 사람: refug*ee*. **3** 어간이 뜻하는 '…상태'에 있는 사람: absent*ee*. **4** 어간이 뜻하는 것을 보유하고 있는 사람: patent*ee*.
E.E. Early English; Electrical Engineer; electrical engineering; electric eye. **e.e.** errors excepted. **EEA** European Economic Area(유럽 경제 지역). **E.E. & M.P.** Envoy Extraordinary and Minister Plenipotentiary. **EEC** European Economic Community; electronic engine control 〖자동차〗 (전자 제어 기화기). **EEE** 구두의 폭이 가장 넓은 것을 나타내는 기호. **EEG** electroencephalogram; electroencephalograph. 「《생략: EJ》.
ee·jay [í:dʒèi, ╰╯] *n.* =ELECTRONIC JOURNALISM
eek [i:k] *int.* 이크, 아이쿠. [imit.]
*__eel__ [i:l] *n.* 뱀장어; 뱀장어 비슷한 물고기, 칠성장어; 초(醋) 따위에 생기는 선충류(線蟲類) (eelworm); 《비유》 미끈미끈한 것; 반들거리는 사람. (*as*) ***slippery as an*** ~ (뱀장어처럼) 미끈미끈한; 《비유》 붙잡기 어려운, 요령부득인.
éel bùck =EELPOT.
éel·gràss *n.* 〖식물〗 거머리말류(類)《북대서양 연안에 많은 해초의 일종》.
éel·pòt *n.* 뱀장어를 잡는 상자 모양의 통발.
éel·pòut *n.* 등가시칫과(科)의 바닷물고기.
éel·spèar *n.* 뱀장어 작살.
éel·wòrm *n.* 선충(線蟲)(류의 벌레).
éely [í:li] (***eel·i·er; -i·est***) *a.* 뱀장어 같은; 미끈미끈한; 붙잡을 수 없는, 요령부득의.
e'en [i:n] *ad., n.* 《시어》 =EVEN[1,2].
ee·nie, mee·nie, mi·nie, moe [í:ni, mì:ni, máini, mòu] 누구로〔어느 것으로〕 할까《본래 술래잡기에서 술래를 정할 때 쓰는 말》.
een·sy-ween·sy [í:nsi(:)wí:nsi(:)] *a.* 《소아어》 조금, 얼마 안 되는.
EENT eye, ear, nose and throat. **EEO** equal employment opportunity (평등 고용 기회). **EEOC** 《미》 Equal Employment Opportunity Commission (미연방 고용 기회 균등 위원회). **EEPROM** 〖컴퓨터〗 electrically erasable programmable read only memory(전기적 소거형 PROM). cf. PROM. **EER** energy efficiency ratio(에너지 효율비).
e'er [εər] *ad.* 《시어》 =EVER.
-eer [íər] *suf.* '관계자, 취급자, 제작자'의 뜻: auction*eer*, pamphlet*eer*.
ee·rie, ee·ry [íəri] (***-ri·er; -ri·est***) *a.* 섬뜩한, 무시무시한(weird); 기분 나쁜, 기괴한; 《Sc.》 (미신적으로) 두려워하는. ㊞ **ée·ri·ly** *ad.* **ée·ri·ness** *n.*
E.E.T.S. Early English Text Society(초기 영어 텍스트 협회). **EEZ** exclusive economic zone(배타적 경제 수역).
ef- [if, ef] *pref.* =EX-《f의 앞에 쓰임》. 「산).
EFA 〖생화학〗 essential fatty acid (필수 지방
eff [ef] 《속어》 *vt., vi.* (…와) 성교하다; 입에 못 담을 말을 하다. ~ ***and blind*** 줄곧 욕지거리를 하다, 더러운 입정을 놀리다. ~ ***off*** 없어지다, 사라지다. ~ ***up*** 엉망으로 만들다. ***Eff you!*** 개수작 마라.
eff. efficiency.
ef·fa·ble [éfəbəl] *a.* 말〔설명, 표현〕할 수 있는.
ef·face [iféis] *vt.* **1** 《~+목/+목+전+명》 지우다, 훔쳐〔씻어〕 내다; 말살〔삭제〕하다; (추억·인상 따위를) 지워 버리다〔없애다〕《*from*》: ~ one's unhappy memories 불행한 기억들을 지워 버리다/~ some lines *from* a book 책에서 몇 행을 삭제하다/He could not ~ the impression *from* his mind. 그는 그 인상을 마음에서 지워 없앨 수가 없었다. **2** (아무를) 눈에 띄지 않게 하다, 존재를 희미하게 만들다(eclipse): ~ oneself 눈에 띄지〔표면에 나타나지〕 않게 하다. ㊞ **~·a·ble** *a.* **~·ment** *n.* U,C 말소, 소멸. **ef·fác·er** *n.*
⁑**ef·fect** [ifékt] *n.* **1** C,U 결과(consequence): cause and ~ 원인과 결과, 인과(因果). SYN. ⇨ RESULT. **2** U,C 효과; (법률 등의) 효력; 영향; (약 등의) 효능; (*pl.*) 〖음악〗 의성음 발음기; (*pl.*) (극·영화·방송 등에서, 소리·빛 등의) 효과 (장치): an immediate ~ 즉효. **3** C (색채·모양의) 배합, 광경; 감명, 영향, 느낌, 인상. **4** U 겉모양, 외견, 체재: The big, expensive car was only for ~. 크고, 값비싼 차는 겉치레를 위함이었다. **5** U 취지, 의미(purport, meaning): the general ~ 대의(大意), 강령(綱領)/to the ~ that ⇨ 관용구/I received a letter to the following ~. 다음과 같은 취지의 편지를 받았다. **6** (*pl.*) 동산, 재산, 물건: household ~*s* 가재(家財)/personal ~*s* 휴대품; 사물. ◇ effectual *a.* ***come*** 〔***go***〕 ***into*** ~ (새 법률 등이) 실시되다, 발효하다. ***give*** ~ ***to*** (법률·규칙 등)을 실행〔실시〕하다. ***have an*** ~ ***on*** …에 영향을 미치다, 효과를 나타내다. ***in*** ~ ① 실제에 있어서는, 사실상. ② 요컨대. ③ (법률 등이) 실시〔시행〕되어, 효력을 가지고. ***no*** ~***s*** 무재산, 예금 없음《부도 수표에 기입하는 말; 생략: N/E》. ***of no*** ~ 무효의; 무익한. ***put*** 〔***carry, bring***〕 ***... into*** ~ …을 실행〔수행〕하다. ***take*** ~ 주효하다, 효험이 있다; (법률이) 효력을 발생하다. ***to no*** 〔***little***〕 ~ =***without*** ~ 무효로, 효험〔효과〕 없이, 무익하게. ***to the*** ~ ***that ...*** …이라는 뜻〔취지〕의〔(으)로〕: He said something *to the* ~ *that* he would resign. 그는 사직할 것이라는 취지의 말을 했다. ***to this*** 〔***that, the same***〕 ~ 이런〔그러한, 같은〕 취지의〔로〕: He wrote to her *to this* ~. 그는 그녀에게 이런 취지〔뜻〕의 말을 (편지에) 썼다. ***with*** ~ 유효하게, 효과적으로; 강력하게. ***with*** ~ ***from*** (ten) (10시)부터 유효.
—*vt.* **1** 《~+목/+목+전+명》 (변화 등을) 가져오다, 초래하다: ~ a cure (병을) 완치하다/~ a change *in* policy 정책에 변화를 가져오다. **2** 실행하다; (목적 따위를) 성취하다, 완수하다: ~ an escape 교묘하게 도망쳐 버리다/~ a purpose 목적을 달성하다/~ a reform 개혁을 완수하다. ~ ***an insurance*** 〔***a policy***〕 보험에 들다.
⁑**ef·fec·tive** [iféktiv] *a.* **1** 유효한, 효력이 있는: ~ steps toward peace 평화에로의 유효한 조처/~ demand 〖경제〗 유효 수요/The drug is ~ *in* the treatment of cancer. 이 약은 암 치료에 효력이 있다.

> SYN. **effective** 예상한 대로의 효과나 결과를 가져오게 함. 주로 물건에 대하여 말함. **effectual** 사물이 예측한 대로의 효과나 결과가 생기게 하는 힘을 가리킴. **efficient** 시간·노력을 낭비하지 않고 척척 일을 해내는 능력이 있음을 말하며 사람·사물에 두루 쓰임.

2 효과적인, 인상적인, 눈에 띄는: an ~ photograph/make an ~ speech 감명을 주는 연설을 하다. **3** 실제의, 사실상의(actual). cf. nominal. ¶ ~ coin 〔money〕 실제〔유효〕 화폐, 경화(硬貨)(cf. paper money)/the ~ leader of the country 나라의 실질적인 지도자. **4** 실전에

쓸 수 있는, (전투 등에) 동원할 수 있는: the ~ strength of an army 일개 군(軍)의 전투력. **5** 유력한, 유능한. ***become*** ~ 《미》 효력을 발생하다, 시행되다.

— *n*. **1** 〖군사〗 (보통 *pl.*) (실전(實戰)에 투입할 수 있는) 동원 가능한 병력, 실제 병력. **2** 유효한 것〔사람〕. ㊞ **~·ly** *ad*. 유효하게; 효과적으로; 유력하게; 실제상. **~·ness** *n*. **ef·fec·tiv·i·ty** [ifèktívəti] *n*.

ef·fec·tor [iféktər] *n*. **1** 실시〔수행〕하는 사람〔물건〕, 실행자. **2** 〖생리〗 효과기(效果器), 작동체 《신경 종말 기관》.

ef·fec·tu·al [iféktʃuəl] *a*. 효과적인, 효험 있는; (법적으로) 유효한, 적절한; 실제의, 실효적인; 유력한: ~ measures 유효한 수단/an ~ cure 효과적인 치료/~ demand 유효 수요. SYN. ⇨ EFFECTIVE. ㊞ **~·ly** *ad*. 효과적으로; 유효히; 완전히. **~·ness** *n*. **ef·fèc·tu·ál·i·ty** [-ǽləti] *n*.

ef·fec·tu·ate [iféktʃuèit] *vt*. 실현〔실시, 수행〕하다(effect); (법률 등을) 유효하게 하다, 발효시키다; (목적 따위를) 이루다. ㊞ **ef·fèc·tu·á·tion** *n*. Ⓤ 달성, 수행, 성취; (법률 따위의) 실시.

ef·fem·i·na·cy [ifémənəsi] *n*. Ⓤ 여성적임, 나약, 유약, 기력이 없음, 우유부단.

ef·fem·i·nate [ifémənət] *a*. 여자 같은, 여성적인, 사내답지 못한, 기력이 없는, 나약한, 유약한. — [-nèit] *vt., vi*. 유약〔나약〕하게 하다〔해지다〕. ㊞ **~·ly** *ad*. **~·ness** *n*.

ef·fem·i·nize [ifémənàiz] *vt*. 나약하게 하다.

ef·fen·di [eféndi] (*pl*. **~s**) *n*. 나리, 각하, 선생《터키에서 관리·학자·의사 등에게 쓰이던 경칭; Sir, Master 등에 해당》.

ef·fer·ent [éfərənt] *a*. 〖생리〗 수출성(輸出性)〔도출성(導出性)〕의《혈관 따위》; 배출하는; 원심성(遠心性)의《신경 따위》. — *n*. **1** 〖생리〗 수출관(管); 원심성 신경. **2** 못〔호수〕에서 흘러나오는 물줄기. ㊞ **~·ly** *ad*. **éf·fer·ence** [-əns] *n*.

ef·fer·vesce [èfərvés] *vi*. **1** (탄산수 따위가) 거품이 일다, 비등하다, (가스 따위가) 거품이 되어 나오다. **2** (사람이) 들뜨다, 활기를 띠다, 흥분하다《*with*》. ㊞ **èf·fer·vésc·ing·ly** *ad*.

ef·fer·ves·cence, -cen·cy [èfərvésəns], [-sənsi] *n*. Ⓤ 비등(沸騰), 거품이 남, 발포(發泡); 감격, 흥분, 활기.

ef·fer·ves·cent [èfərvésənt] *a*. 비등성의, 거품이 이는; 흥분한; 활기 있는, 열띤.

ef·fete [efi:t] *a*. **1** 정력이 다한〔빠진〕, 활력을 잃은, 지친; 퇴폐적인《사람·국가·문명》; 쇠약해진, 맥 빠진; 시대에 뒤진《제도·조직》. **2** (남자가) 여성적인, 나약한. **3** (토지·동식물 따위가) 재생산력〔생식력〕이 없는, 고갈된. ㊞ **~·ly** *ad*. **~·ness** *n*.

ef·fi·ca·cious [èfəkéiʃəs] *a*. 의도된 효과가 있는, (약·치료 따위가) 효험〔효능〕이 있는, (조처·수단 등이) 유효한; (…에 대해) 잘 듣는, 효능 있는《*against*》: ~ *against* fever 열에 잘 듣는. ㊞ **~·ly** *ad*. **~·ness** *n*.

ef·fi·ca·cy [éfəkəsi] *n*. Ⓤ 효험, 효력, 유효.

***ef·fi·cien·cy** [ifíʃənsi] *n*. Ⓤ **1** 능률, 능력, 유능, 유효성〔도〕: increase of ~ 능률 증진/~ wages 능률급. **2** 〖물리·기계〗 효율, 능률: an ~ test 효율 시험. **3** =EFFICIENCY APARTMENT.

efficiency apàrtment 《미》 간이 아파트《보통 작은 부엌과 거실 겸 침실에 화장실이 있음》.

efficiency bár 능률 바《급료가 일정액에 이르렀을 때, 일정한 능률 달성이 이루어질 때까지 급료를 못 박아 두는 것》.

effíciency èxpert 〔《미》 **engineèr**〕 경영 능률 기사〔전문가〕《기업 등의 작업 능률화·생산성 향상을 지도하는》.

****ef·fi·cient** [ifíʃənt] *a*. **1** 능률적인, 효과적인;

(수단·조처 따위가) 유효한: an ~ machine 〔factory〕 효율적인 기계〔공장〕. SYN. ⇨ EFFECTIVE. **2** (인물에 대해서) 유능한, 실력 있는; 민완한. **3** 결과〔효과〕를 발생하는. ㊞ **~·ly** *ad*. 능률적으로; 유효하게.

effícient cáuse 동인(動因); 〖철학〗 동력인(動力因), 작용인(作用因)《Aristotle의 운동의 4 원인의 하나》.

effícient márket hypòthesis 〖증권〗 효율적 시장 가설(假說)《주가(株價)는 항상 모든 정보가 완전히 수용(受容)된 상태이며, 새로운 정보의 주가에 대한 반응은 거의 동시적이라는 가설》.

Ef·fie [éfi] *n*. **1** 에피《여자 이름; Euphemia의 애칭》. **2** 《미》 에피상(賞)《미국 연간(年間) 우수 광고상》. 「형〕을 닮은.

ef·fig·ial [ifídʒiəl] *a*. 초상〔인형〕의, 초상〔인

ef·fi·gy [éfidʒi] *n*. 상(像), 초상, 우상, 인형, 제웅. ***burn*** 〔***hang***〕 a person ***in*** ~ 악한·미운 사람의 형상을 만들어 불에 태우다〔목매달다〕.

efflor. efflorescent.

ef·flo·resce [èflərés] *vi*. 꽃이 피다; (문화 등이) 개화하다, 번영하다; 〖화학〗 풍해(風解)〔풍화, 정화(晶化)〕하다; (벽 등이) 염분을 뿜다; 〖의학〗 발진하다.

ef·flo·res·cence [èflərésns] *n*. Ⓤ 개화(기); 절정, 전성(全盛), 융성기; 〖화학〗 풍해(風解), 풍화(물); 〖의학〗 발진.

ef·flores·cent [èflərésnt] *a*. 꽃피는; 풍화〔풍해〕성의; 〖의학〗 발진성의.

ef·flu·ence [éfluəns] *n*. Ⓤ (광선·전기·액체 따위의) 방출, 유출(outflow); Ⓒ 유출〔방출, 발산〕물.

ef·flu·ent [éfluənt] *a*. 유출〔방출〕하는. — *n*. 유출물; (호수 등에서) 흘러나오는 수류〔유수〕; (공장 등으로부터의) 폐수, 배출〔폐기〕물《특히 환경을 오염하는》; 하수, 오수(汚水).

ef·flu·vi·al [iflú:viəl, ef-/ef-] *a*. 악취의.

ef·flu·vi·um [iflú:viəm, ef-/ef-] (*pl*. ***-via*** [-iə], **~s**) *n*. 악취, 취기(臭氣); 발산, 증발; 〖물리〗 자기소(磁氣素); (폐기물로서의) 부산물.

ef·flux, ef·flux·ion [éflʌks], [iflʌ́kʃən] *n*. (액체·공기 등의) 유출; 유출〔방사〕물; 시일의 경과; 기일의 종료, 만기.

****ef·fort** [éfərt] *n*. **1** Ⓤ,Ⓒ 노력, 수고, 진력(盡力): spare no ~*s* 노력을 아끼지 않다/by ~*s* 노력으로/with (an) ~ 애써서, 힘써/with little ~ =without ~ 힘들이지 않고, 손쉽게/under combined ~ 협력에 의해. SYN. ⇨ EXERTION. **2** Ⓒ 노력의 결과; 역작, 노작(勞作): The painting is one of his finest ~*s*. 그 그림은 그의 걸작의 하나이다. **3** Ⓤ 〖기계〗 작용력(作用力). **4** (모금 따위의) 운동(drive). ***make an*** ~ =***make*** **~*s*** 노력하다, 애쓰다. ***make every*** ~ ***to*** do …하기 위해 갖은 노력을 다하다.

éffort bàrgain 노력 보수 협정《일정한 임금 및 임금 체계하에서 행해지는 노동을 시간 및 완수 작업량으로 평가할 것을 노사가 합의한 협정》.

ef·fort·ful [éfərtfəl] *a*. 노력한 (흔적이 보이는), 노력이 드는, 수고스러운: with an ~ smile 억지 웃음을 짓고. ㊞ **~·ly** *ad*.

éf·fort·less *a*. 노력하지 않은, 애쓴 흔적이 없는《문장·연기 따위》; 힘들이지 않은; 쉬운(easy): an ~ victory 낙승(樂勝). ㊞ **~·ly** *ad*. 손쉽게. **~·ness** *n*. 「neurosis).

éffort sỳndrome 〖의학〗 노력 증후군(cardiac

ef·fron·tery [ifrʌ́ntəri] *n*. Ⓤ 철면피, 파렴치, 뻔뻔함: have the ~ *to* do 뻔뻔스럽게도 …하다. 「찬연한 광채.

ef·ful·gence [ifʌ́ldʒəns] *n*. Ⓤ 눈부심, 광휘,

ef·ful·gent [ifʌ́ldʒənt] *a.* 빛나는, 광휘 있는, 눈부신. ⊕ **~·ly** *ad.*

ef·fuse [ifjúːz] *vt.* (액체·빛·향기 따위를) 발산〔유출〕시키다, 방출하다, 스며나오게 하다; (흥분해서) 마구 지껄이다, 토로하다. **—** *vi.* 발산〔유출〕하다, 흘러나오다. **—** [efjúːs] *a.* 〚식물〛 (지의(地衣) 등이) 불규칙꼴로 퍼진; (꽃이) 듬성듬성 퍼진.

ef·fu·sion [ifjúːʒən] *n.* **1** Ⓤ (기체·액체 따위의) 유출, 삼출(滲出), 스며나옴《*of*》; 유출물. **2** Ⓤ (감정·기쁨 등의) 토로, 발로; Ⓒ 감정을 그대로 드러낸 표현〔서투른 시문〕.

ef·fu·sive [ifjúːsiv] *a.* **1** 심정을 토로하는, 감정이 넘쳐나는 듯한; 과장된. **2** 〚지학〛 분출〔화산〕암의: ~ rocks 분출암, 화산암. **3** 《고어》 쏟아져〔용솟음쳐〕 나오는. ⊕ **~·ly** *ad.* 철철 넘쳐, 도도히. **~·ness** *n.*

E-fit [iːfit] *n.* 컴퓨터 얼굴 사진 작성. [◂ *E*lectronic *F*acial *I*dentification *T*echnique]

EFL English as a foreign language.

É-frée *a.* (식품이) 첨가하지 않은. ㊎ E number.

eft [eft] *n.* 〚동물〛 영원(蠑螈)(newt); 도롱뇽.

EFTA [éftə] European Free Trade Association (유럽 자유 무역 연합). ㊎ EEC, LAFTA.

EFTPOS, Eftpos, eft/pos [éftpɑs/-pɔs] *n.* 판매 시 전자 자금 이동《상품 판매 시에 구입자의 계좌에서 판매자의 계좌로 대금이 자동적으로 이체되는 시스템》. [◂ *e*lectronic *f*und *t*ransfer at the *p*oint *o*f *s*ale]

EFT(S) electronic funds transfer (system) (전자 자금 이체 (시스템)).

eft·soon(s) [eftsúːn(z)] *ad.* 《고어》 머지않아; 다시; 종종.

Eg. Egypt; Egyptian; Egyptology.

°**e.g.** [iːdʒiː, fərigzǽmpəl, -záːm-] 《L.》 예를 들면(for example). [◂ *exempli gratia*]

ÉGA cárd 〚컴퓨터〛 EGA 카드《graphics card 의 일종》. [◂ *E*nhanced *G*raphics *A*daptor *card*]

egad [i(ː)gǽd] *int.* 《영에서는 고어》 정말, 젠장, 당치도 않다, 뭐라고《가벼운 저주·놀람·감탄 따위》. [◂ Ah God]

É gàlaxy = ELLIPTICAL GALAXY.

egal·i·ta·ri·an [igæ̀lətέəriən] *a.*, *n.* 인류 평등주의의 (사람). ⊕ **~·ìsm** *n.* Ⓤ 인류 평등주의.

éga·li·té [èigæliːtéi] *n.* 《F.》 평등(equality).

Eg·bert [égbərt] *n.* 에그버트《남자 이름》.

EGD electrogasdynamics.

egest [i(ː)dʒést] *vt.* 배출〔배설〕하다. ㊍ ingest.

eges·ta [i(ː)dʒéstə] *n.* (*pl.*) 배출〔배설〕물《대소변·땀 따위》.

eges·tion [idʒéstʃən] *n.* 배출. ⊕ **eges·tive** [iːdʒéstiv] *a.*

EGF epidermal growth factor.

†**egg**[1] [eg] *n.* **1** (새의) 알; 달걀, 계란: a boiled ~ 삶은 달걀/a soft-boiled 〔hard-boiled〕 ~ 반숙〔완숙〕란/a raw ~ 날달걀/a fried ~ 프라이한 달걀/a poached ~ 수란/a scrambled ~ 스크램블드 에그《우유나 버터를 넣고 휘저어 익힌 달걀》/sit on ~*s* 알을 품다/hatch ~*s* 알을 부화시키다. **2** 〚동물〛 = EGG CELL. **3** 《속어》 〚good, bad, old, tough 따위를 수반하여〛 놈, 녀석(guy), 자식: Old ~ ! 《속어》 야, 이봐, 자네. **4** 달걀꼴의 물건; 《속어》 (투하) 폭탄(bomb), 수류탄, 기뢰(機雷)(mine). **5** 《영구어》 애송이, 풋내기. **6** 《속어》 시시한 농담〔연기〕; 물건, 일. **7** 《미속어》 헬리콥터.
a bad **~** 《속어》 ⇨ BAD EGG. ***as full as an*** **~** 꽉 찬. ***as sure as*** **~*s*** ***are*** 〔***is***〕 **~*s*** 《우스개》 확실히, 틀림없이. ***be full of meat as an*** **~** 영양〔교훈〕이 가득 들어 있다. ***break the*** **~** ***in the pocket of*** …의 계획을 못쓰게 만들다. ***bring*** one***'s*** **~*s*** ***to a bad market*** ⇨ MARKET. **~** ***and anchor*** 〔***dart, tongue***〕 〚건축〛 난촉(卵鏃) 장식《달걀 모양과 닻〔살촉, 혀〕 모양을 번갈아 배열한 장식》. **~** ***on*** 〔***all over***〕 one***'s face*** 《구어》 망신, 창피: have 〔get〕 ~ *on* one's *face* 창피〔망신〕당하다, 체면을 잃다. ***full as an*** **~** (속이) 꽉 차 있어; 만취하여. ***Go fry an*** **~ *!*** 《미구어》 저리 가, 꺼져. ***golden*** **~*s*** 큰(돈)벌이. ***Good*** **~ *!*** 좋다. ***have*** 〔***put***〕 ***all*** one***'s*** **~*s*** ***in one basket*** 한 가지 사업에 모든 것을 걸다. ***have an*** **~** ***from the oofbird*** 《구어》 유산을 상속받다. ***have*** **~*s*** ***on the spits*** 바빠서 일손이 안 나다. ***His*** **~** ***got shook***. 《미속어》 그는 만사가 서투르다. ***in the*** **~** 초기에, 미연에. ***lay an*** **~** ① 알을 낳다. ② 《구어》 (익살·흥행 등이) 실패하다. ③ 《미》 기초를 만들다, 창시하다. ***strong enough to float*** 〔***hold up***〕 ***an*** **~** 《미구어》 (커피가) 매우 진한. ***teach*** one***'s grandmother*** 〔***granny***〕 ***to suck*** **~*s*** ⇨ TEACH. ***tread*** 〔***walk***〕 ***upon*** **~*s*** 세심한 주의를 기울이다, 신중하게 거동〔처신〕하다.
— *vt.* **1** 〚요리〛 …에 달걀을 풀다. **2** 《구어》 …에게 달걀을 던지다. **—** *vi.* 들새 알을 채집하다. ⊕ **∠·less** *a.* **∠·y** *a.*

egg[2] *vt.* (아무를) 부추기다, 선동하다, 충동질하다《*on*》: ~ a person *on to* an act 〔*on to* do〕 아무를 부추기어 …을 시키다.

égg and spóon ràce 숟가락 위에 달걀을 올려놓고 달리는 경주, 스푼 레이스.

égg àpple = EGGPLANT.

égg·bèater *n.* **1** 달걀 거품기. **2** 《미구어》 헬리콥터; 《미속어》 모터가 밖에 달린 모터보트; 《미속어》 (비행기의) 프로펠러.

égg-bòund *a.* (새·물고기 따위가) 알을 품고 몸에서 떼지 못하는, 《영해군속어》 머리가 둔한.

égg cèll 난세포(卵細胞), 난자(卵子).

égg còzy (보온을 위한) 삶은 달걀 덮개.

égg·cràte *a.* (전등빛의 분산을 위해) 격자형의 비늘살 덮개판이 있는.

égg crèam 우유·초콜릿 시럽·소다수를 섞어 만든 음료.

égg·cùp *n.* (식탁에 놓는) 삶은 달걀 담는 그릇.

égg dànce 달걀을 흩어 놓고 그 사이에서 눈을 가리고 추는 춤, 난무(卵舞); 《비유》 어려운〔힘든〕 일.

eg·ger, eg·gar [égər] *n.* 〚곤충〛 배버들나방류(類)《유충은 나뭇잎을 먹음》.

égg flìp = EGGNOG.

égg fóo yóng 〔**yóung**〕 [égfúːjʌ́ŋ] 《미》 에그 푸양《양파·새우·돼지고기·야채 따위를 넣고 만든 중국식의 달걀 요리》.

égg·hèad *n.* **1** 《미속어》 대머리. **2** 《구어·종종 경멸》 지식인, 인텔리. ⊕ **~·ness** *n.*

égg·hèaded [-id] *a.* 《구어》 egghead 같은.

égg·hèadism *n.* 인텔리성(性), 이치(理致).

égg·nòg [-nɑ̀g, -nɔ̀(ː)g] *n.* 밀크와 설탕이 든 달걀술《술이 들지 않은 것도 있음》.

égg·plànt *n.* 〚식물〛 가지.

égg ròll 〚요리〛 《미》 에그 롤《중국 요리의 하나; 야채·해산물·고기 등을 잘게 다진 소를 넣고 기름에 튀긴 달걀말이》.

égg ròlling 부활절에 Easter eggs를 굴리는 놀이《깨지 않고 굴리는 자가 이김》.

égg sèparater 난황(卵黃) 분리기.

égg-shàped [-t] *a.* 난형의, 달걀꼴의.

égg·shèll *n.* 달걀 껍데기; 깨지기 쉬운 것. **—** *a.* 깨지기 쉬운.

éggshell chína 〔**pórcelain**〕 얇은 도자기.

égg slìce 오믈렛을 뜨는〔뒤집는〕 기구.

égg spòon 삶은 달걀을 먹는 작은 숟가락.

égg stànd 에그 스탠드《몇 개의 eggcup과 egg spoon으로 한 벌이 됨》.

「통 3 분간용》.

égg tìmer 달걀 삶는 시간을 재는 모래시계《보

égg tòoth 난치(卵齒)《새나 파충류 따위가 알을 깨고 나오는 데 쓰이는 주둥이 끝》.

égg trànsfer 〖의학〗 난자 이식 수술.

égg·wàlk *vi.* 《구어》 몹시 신중하게 움직이다.

égg whìsk 《영》 달걀 거품기(eggbeater).

égg whìte (알의) 흰자위. cf. yolk.

egis [íːdʒis] *n.* =AEGIS.

「ER.

eg·lan·tine [égləntàin, -tìːn] *n.* =SWEETBRI-

EGM extraordinary general meeting (임시 총회).

ego [íːgou, égou] (*pl.* **~s**) *n.* **1** 자기를 의식한 개인, 자기; 〖철학·심리〗 자아: absolute 〔pure〕 ~ 〖철학〗 절대〔순수〕아(我). **2** 지나친 자부심, 자만; 자존심(self-esteem): satisfy one's ~ 자존심을 만족시키다.

ego·cen·tric [ìːgouséntrik, ègou-] *a.* **1** 자기 중심의, 이기적인; 개인 중심의. **2** 〖철학〗 자아를 철학의 출발점으로 하는. **—** *n.* 개인〔자기〕 중심적인 사람. ㊕ **-tri·cal·ly** *ad.* **ègo·cen·tríc·i·ty** *n.*

ègo·céntrism *n.* egocentric 한 상태〔하기〕; 〖심리〗 (아이들의) 자기중심성.

égo-defénse *n.* 자아 방어, 자기 방어.

égo-dys·tón·ic [-distánik/-tɔ́n-] *a.* 〖정신의학〗 자기 소외의, 자아 비친화성의.

égo idèal 자아 이상(理想); 자기 인식.

égo·ìsm *n.* Ⓤ **1** 이기주의, 자기 본위, 자기중심적〔이기적〕인 성향; 〖철학·윤리〗 에고이즘, 이기설(說). opp *altruism.* **2** 자아 의식; 자만심, 자부심(selfishness).

égo·ist *n.* 이기주의자; 자기 본위의 사람, 자부심이 강한 사람; 〖철학·윤리〗 egoism의 신봉자, 주아론자.

ego·is·tic, -ti·cal [ìːgouístik, ègou-], [-əl] *a.* 주아의; 이기적인, 자기 본위의, 자부심이 강한: *egoistic* altruism 주아적 이타주의, 겸애설(兼愛說). ㊕ **-ti·cal·ly** *ad.* 이기적으로.

egoístic hédonism 〖윤리〗 개인적 쾌락설《행위를 결정하는 동기는 주관적 쾌락에 있다는 설》.

ego·ma·nia [ìːgouméiniə, ègou-] *n.* 병적인 자기중심 성향; 이상 자만.

ego·ma·ni·ac [ìːgouméiniæ̀k, égou-] *n.* 병적〔극단적〕으로 자기중심적인 사람; 극단적으로 자존심이 강한 사람.

égo prìcing 《속어》 (부동산 판매자 측의) 독단적〔일방적〕 가격 설정.

égo psychòlogy 자아 심리학.

égo·sphère *n.* 자아 영역.

égo·stàte *n.* 〖심리〗 자아 상태.

ègo-syntónic *a.* 〖정신분석〗 자아 친화적인.

ego·tism [íːgətìzəm, égə-] *n.* **1** 자기중심(주의), 자기중심벽(癖)《말하거나 글을 쓸 때 I, my, me를 지나치게 많이 쓰는 버릇》. **2** 자부, 자만; 자기 본위〔중심〕, 이기(利己), 제멋대로 함. cf. egoism.

ego·tist [íːgətìst, égə-] *n.* 자기 본위의 사람, 이기주의자(者). ㊕ **ègo·tís·tic, -ti·cal** *a.* 자기 본위〔중심〕의, 제멋대로의, 이기적인; 자부심이 강한. **-ti·cal·ly** *ad.*

「다, 자만하다.

ego·tize [íːgətàiz, égə-] *vi.* 자기 일만 말하

égo trìp 《구어》 자기중심적인〔방자한〕 행동, 자기만족을 위한 행동, 자기 선전.

égo-trìp *vi.* 《구어》 방자하게 굴다, 이기적〔자기중심적〕으로 행동하다, 자기만족〔선전〕을 하다. ㊕ **~·per** *n.*

「순환).

EGR exhaust-gas recirculation (배기 가스 재

egre·gious [igríːdʒəs, -dʒiəs] *a.* 엄청난, 터무니없는, 엉터리없는(flagrant), 언어도단의; 《고어》 뛰어난, 현저한: an ~ liar 소문난 거짓말쟁이 / an ~ mistake 엄청난 잘못. ㊕ **~·ly** *ad.* 터무니없이. **~·ness** *n.*

egress [íːgres] *n.* **1** 밖으로 나감; (우주선에서의) 탈출; 밖으로 나갈 권리; 〖천문〗 =EMERSION. opp *ingress.* **2** Ⓒ 출구(exit), 배출구. **—** [igrés] *vi.* 밖으로 나가다(go out); (우주선으로부터) 탈출하다. ㊕ **egres·sion** [i(ː)gréʃən] *n.* 외출, 나감; 〖천문〗 =EMERSION.

egret [íːgrit, ég-, iːgrét/íːgrit] *n.* **1** 〖조류〗 해오라기; 해오라기의 깃털. **2** 깃털 장식《여자 모자에 다는》; 《영》 (민들레 등의) 관모(冠毛).

egret 1

°**Egypt** [íːdʒipt] *n.* 이집트《공식명은 이집트 아랍 공화국(the Arab Republic of ~)》.

Egyp·tian [idʒípʃən] *a.* 이집트(사람, 말)의. **—** *n.* **1** 이집트 사람; 이집트 말. **2** 이집트 궐련〔담배〕. **3** 《드물게》 집시.

Egýptian cótton 〖식물〗 이집트 목화.

Egyp·tian·ize [idʒípʃənàiz] *vt.* 이집트화하다; (외국 재산을) 이집트의 소유로 하다. ㊕ **Egỳp·tian·i·zá·tion** *n.*

Egyp·tol·o·gy [ìːdʒiptɑ́lədʒi/-tɔ́l-] *n.* 이집트학(學). ㊕ **-gist** *n.* 이집트학자.

eh [ei] *int.* 뭐, 어, 그렇지《의문·놀람 등을 나타내거나, 동의를 구하는 소리》: Wasn't it lucky, *eh*? 운이 좋았구나, 그렇지. [imit.]

EHF, E.H.F., e.h.f. extremely high frequency(초고주파). **EHP, e.h.p.** electric horsepower (전기 마력); effective horsepower (유효 마력).

Ehr·lich [ɛ́ərlik] *n.* **Paul** ~ 에를리히《독일의 세균학자; 살바르산을 발견; 1854-1915》.

EHV extra high voltage. **E.I.** East India(n); East Indies. **EIB** European Investment Bank; Export-Import Bank.

ei·cos·a·noid [aikóusənɔ̀id] *n.* 〖생화학〗 아이코사노이드《아라키돈산(arachidonic acid)처럼 폴리 불포화산에서 형성된 화합물의 총칭》.

ei·co·sa·pen·ta·e·nó·ic ácid [àikousəpèntəinóuik-] 〖생화학〗 ⇨ EPA.

Eid ⇨ ID.

EIDE 〖컴퓨터〗 확장 IDE(Extended Integrated Device Electronics)《기존의 IDE가 갖고 있던 문제점을 해결하기 위해 등장한 인터페이스 규격》.

ei·der [áidər] *n.* (북유럽 연안의) 물오리의 일종(=∠ **dùck**); 그 솜털.

「이불.

éider·dòwn *n.* eider의 솜털; Ⓒ 그것을 넣은

ei·det·ic [aidétik] *a.* 〖심리〗 주관적 직관상(直觀像)의; 선명한. **—** *n.* 직관상을 보는 사람. ㊕ **-i·cal·ly** *ad.*

ei·do·lon [aidóulən/-lɔn] (*pl.* **~s, -la** [-lə]) *n.* 곡두, 환영(幻影), 유령, 허깨비(apparition, phantom); 이상적 인물. ㊕ **ei·dó·lic** *a.*

Éif·fel Tówer [áifəl-] (the ~) 에펠탑《A. G. Eiffel이 1889년 파리에 세운 철골탑; 높이 320미터》.

ei·gen- [áigən] '고유의'의 뜻의 결합사.

ei·gen·fre·quen·cy [áigənfrìːkwənsi] *n.* 〖물리〗 고유 진동수.

ei·gen·func·tion [áigənfʌ̀ŋkʃən] *n.* 〖수학〗 고유 함수(proper function).

ei·gen·val·ue [áigənvæ̀ljuː] *n.* 〖수학〗 고윳값.

ei·gen·vec·tor [áigənvèktər] *n.* 〖수학〗 고유 벡터(characteristic vector).

†**eight** [eit] *a.* 여덟의, 8의, 8개〔사람〕의; 8살인. **—** *n.* **1** 여덟, 8; 8개〔사람〕; 8살; 8시. **2**

8의 숫자〔기호〕, VIII; (카드놀이의) 8. **3** 〖스케이트〗 8자형 (활주 도형)(a figure of ~). **4** 8인승 보트; (8인의) 보트 선수; (the E-s) Oxford 대학이나 Cambridge 대학의 8인승 보트 레이스. ***have*** 〔***take, be***〕 ***one over the ~*** 《영속어》 얼근히 취하다.

éight bàll 《미》 〖당구〗 8자가 적힌 검은 당구알, 그 공을 중심으로 하는 공놀이; 바보; 《속어·경멸》 흑인; 《속어》 요령이 없는 녀석, 실수가 많은 군인, 얼빠진 놈, 바보; 〖전자〗 (검고 둥근) 무지향성(無指向性) 마이크. ***behind the ~*** 《미속어》 위험〔불리〕한 입장에(서).

†**eight·een** [éitíːn] *a.* 열여덟의, 18 의, 18 개의. **—** *n.* 열여덟, 18; 18 세; 18 개(의 물건); 18 의 기호; (사이즈의) 18번, 18번째의 것; 18명〔개〕 한 조: in the ~-fifties, 1850 년대에.

eight·een·mo [èitíːnmòu] (*pl.* **~s**) *n.* 18절(판)(octodecimo).

‡**eight·eenth** [éitíːnθ] *a.* 제 18 의, 18 (번)째의; 18 분의 1 의: three ~*s*, 18 분의 3. **—** *n.* 제 18, 18 (번)째; 18 분(分)의 1; (달의) 18 일. ***the Eighteenth Amendment*** 미국 헌법 수정 제 18 조《금주법; 1933 년 폐지》. ⊕ **~·ly** *ad.* 18 번째로.

éighteen-whéeler *n.* 트레일러 트럭.

éight·fòld *a., ad.* 8 배의〔로〕, 8 개의 부분〔면〕을 가진.

éightfold wáy (the ~) 〖원자〗 팔도설(八道說)《소립자 분류법의 하나》.

éight-fóur *a.* 〖미교육〗 8-4 제(制)의《초등학교 8 년, 중학교 4 년의》.

†**eighth** [eitθ] *a.* 8(번)째의, 제 8 의; 8 분의 1 의. **—** (*pl.* **~s** [-s]) *n.* 8(번)째, 제 8; 8 분의 1; (달의) 8 일; 〖음악〗 팔도(八度) 음정. ⊕ **~·ly** *ad.* 8 (번)째로.

éighth nòte 〖음악〗 8분음표(quaver).

éighth rèst 〖음악〗 8분쉼표.

800 number [éithʌ́ndrədnʌ̀] 《미》 (요금 수신인 부담의) 800 으로 시작되는 전화번호《장거리 전용》.

800 Sèrvice 《미》 800 번 서비스《기업·단체가 고객 서비스를 위해 가입한 요금 수신자 지불 장거리 전용 전화; WATS의 일종》.

‡**eight·i·eth** [éitiiθ] *n., a.* 제 80 (의), 80 번째(의); 80 분의 1 (의).

éight·pènny náil 《미》 길이 $2\,^1/_2$ 인치의 못.

eights [eits] *n. pl.* 《CB속어》 통화 끝(sign-off).

éight·scóre *n.* 160 《=8×20》. 「녹음테이프.

éight-tràck, 8-tràck *n.* 에이트트랙, 8 트랙

†**eighty** [éiti] *a.* 여든의, 80 의, 80 개의. **—** *n.* 여든, 80; 80 개(의 물건); 80 의 기호. one's 〔***the***〕 ***eighties*** 80 대〔80 년대〕.

éighty-éight *n.* 《미속어》 피아노《키가 88》.

éighty-síx, 86 *vt.* 《미속어》 (바·식당 등에서) 손님에게 식사 제공을 거절하다; (사람을) 배척하다, 거절〔무시〕하다.

éighty-twó, 82 *n.* 《미속어》 한 잔의 물.

ei·kon [áikɑn/-kɔn] *n.* =ICON.

E Ind. East Indian.

Ein·stein [áinstain] *n.* **Albert ~** 아인슈타인《독일 태생의 미국의 물리학자; 1879-1955》. **~('s) *theory*** 아인슈타인의 상대성 원리.

Ein·stein·i·an [ainstáiniən] *a.* 아인슈타인(류)의; 상대성 원리의.

ein·stein·i·um [ainstáiniəm] *n.* 〖화학〗 아인슈타이늄《방사성 원소; 기호 Es; 번호 99》.

Éinstein's equívalency prìnciple 〖물리〗 =EQUIVALENCE PRINCIPLE.

Ei·re [ɛ́ərə, áirə/ɛ́ərə] *n.* 에이레《아일랜드 공화국의 별칭·구칭》. 「중재의.

ei·ren·ic [airénik, -ríːn-] *a.* 평화를 촉진하는;

ei·ren·i·con, iren- [airénikɑ̀n/-ríːnikɔ̀n] *n.* (특히 종교적 분쟁에 관한) 평화〔중재〕 제의.

EIS Environmental Impact Statement (환경 영향 평가 보고서); Environmental Impact Survey (환경 영향 조사).

eis·ege·sis [àisədʒíːsis] (*pl.* **-ses** [-siːz]) *n.* (성서의) 자기 해석.

Ei·sen·how·er [áizənhàuər] *n.* **Dwight D. ~** 아이젠하워《미국 제 34 대 대통령; 1890-1969》.

eis·tedd·fod [aistéðvɑd, eis-/aistéðvɔd] (*pl.* **~s, -fod·au** [èisteðvádai, àis-/àisteðvɔ́dai]) *n.* (영국 Wales에서 해마다 개최되는) 시인 (낭송) 대회; (어떤 한 지방의) 음악 콩쿠르.

†**either** ⇨《p. 805》 EITHER.

éither-òr *a.* 양자택일의. **—** *n.* 양자택일; 서로 배타적인 두 종류에의 분류.

EJ electronic journalism 〔journalist〕.

ejac·u·late [idʒǽkjəlèit] *vt.* 액체를 사출하다; (특히 정액을) 사출하다; 갑자기 외치다 〔말하다〕. **—** *vi.* 갑자기 소리지르다; 별안간 뛰어나가다; (액체를) 사출하다; 《특히》 사정하다. **—** [-lət] *n.* (1회의) 사정액.

ejàc·u·lá·tion *n.* [U,C] 갑자기 지르는 소리 ; 〖생리〗 (체액의) 사출(射出), 《특히》 사정(射精); 사출액.

ejac·u·la·tor [idʒǽkjəlèitər] *n.* 갑자기 소리지르는 사람; 〖해부〗 사출근(筋).

ejac·u·la·to·ri·um [idʒæ̀kjələtɔ́ːriəm] *n.* (정자 은행의) 사정〔채정〕실.

ejac·u·la·to·ry [idʒǽkjələtɔ̀ːri/-təri] *a.* 사출하는; 절규하는; 사정(용)의, 사출성(性)의.

ejáculatory dúct 〖해부〗 사정관(管).

eject [idʒékt] *vt.* **1** 몰아내다, 쫓아내다(expel); 물리치다, 배척하다; 〖법률〗 퇴거시키다, 추방하다《*from*》; 〖야구〗 …을 퇴장시키다. **2** (연기 따위를) 내뿜다, 분출하다; 배설하다《*from*》. **—** *vi.* (비행기 등에서) 긴급 탈출하다.

ejec·ta [idʒéktə] *n. pl.* (화산 따위의) 분출물; 〖천문〗 (달 표면에 운석이 충돌하였을 때의) 산란물(散亂物).

ejéc·tion *n.* **1** [U,C] 쫓아냄, 방축(放逐), 배척; 〖법률〗 퇴거 요구. **2** [U,C] 방출; 분출; 배설; (고속 가스의) 배기(排氣). **3** [C] 분출물(ejecta); 배설물. 「출 캡슐.

ejéction cápsule (비행기·우주 로켓의) 사

ejéction sèat 〖항공〗 (긴급 탈출용) 사출 좌석.

ejec·tive [idʒéktiv] *a.* 방출하는; 내뿜는; 구축적인. **—** *n.* 〖음성〗 방출음《성문(聲門) 폐쇄를 수반함》. ⊕ **~·ly** *ad.*

ejéct·ment *n.* [U,C] 내쫓음, 몰아냄; 배출; [C] 〖법률〗 부동산 점유 회복 소송.

ejec·tor [idʒéktər] *n.* 쫓아내는 사람; 배출〔방출〕기(器), 배출관; 〖기계〗 이젝터, 배출 장치.

ejéctor sèat =EJECTION SEAT.

ek·a- [ékə, éikə] 〖물리·화학〗 (미지의 원소명에 붙여) '주기율표(週期律表)의 동족란(同族欄)에서 …의 빈 자리에 드는 원소'의 뜻의 결합사: *eka*element(에카 원소).

eke[1] [iːk] *vt.* 《고어》 (…을) 많게 하다, 늘리다, 크게 하다, 길게 하다, 잡아 늘리다. **~ *out*** ① 보충하다, …의 부족분을 채우다: ~ *out* one's salary with odd jobs 부업을 해서 봉급에 보태다. ② 절약하여 오래 계속시키다; 변통하여〔근근히〕 (생활을) 해나가다: ~ *out* a scanty livelihood 겨우 생계를 꾸려 나가다.

eke[2] 《고어》 *ad., conj.* 또, …도 역시; 더구나.

EKG 《미》 electrocardiogram ; electrocardiograph.

ekis·tics [ikístiks] *n. pl.* 〖단수취급〗 인간 거주학. ㊕ **-tic, -ti·cal** *a.* **èkis·tí·cian** *n.*

Ék·man drèdge [ékmən-] 에크만 드레지 《해저 표본 채취기》.

Ékman làyer 에크만 층(層) 《바람 방향에 직각으로 흐르는 해수층(海水層)》.

el [el] *n.* **1** L자; L자 모양의 물건. **2** 몸체에다 직각으로 지어 붙인 L자형의 건물(ell). **3** 《미구어》 고가 철도(elevated railway).

el- [el] *pref.* =EN- 《l- 의 앞》.

EL electronic learning; 〖전기〗 electroluminescence. **el.** elected; elevation; element.

☆elab·o·rate [ilǽbərèit] *vt.* **1** 정성들여 만들다, 힘들여 마무르다: ~ one's plans 계획을 정성들여 만들다. **2** (이론 · 문장을) 퇴고(推敲)하다, 힘들여 고치다. **3** 〖생리〗 (식물(食物) 등을) 동화하다. **—** *vi.* 《~/+전+명》 잘 다듬다; 상세히 설명하다《*on, upon*》: Don't ~. 너무 공들이지 마라 / ~ *upon* a theme 제목에 대해서 상술하다. **—** [ilǽbərət] *a.* 공들인, 정교한, 정치한,

either

세 가지 중요한 용법이 있다. (1)〖부정어와 함께〗 '…도 아니다〔않다〕'. (2) 둘 중의 어느 쪽인가. (3)〖or와 함께〗 상관접속사(correlative conjunction). (1)은 긍정의 too에, (3)은 부정의 neither ... nor — 에 대응한다. (2)는 전체로서는 '둘 중 어느 것도' 라는 both나 each와 대립되지만 이들에 가까워지는 수도 있다.

ei·ther [íːðər, áiðər/áiðə] (★ New England 지방 이외의 미국인에게는 [áiðər]는 거들먹거리는 투의 발음으로 들림) *ad.* **1** 〖부정문의 뒤에서〗 …도 또한(…아니다, 않다) 《(1) 긍정문에서 '…도 또한' 은 too, also. (2) not ... either로 neither와 같은 뜻이 되지만 전자가 보다 일반적임; 또, 이 구문에서는 either 앞에 콤마가 있어도 좋고 없어도 좋음》: I don't like eggs. I do*n't* like meat, ~. 나는 달걀을 좋아하지 않는다. 고기도 안 좋아한다《비교: I like eggs, I like meat, *too.* 나는 달걀이 좋다, 고기도 좋아한다》 / If you don't come, she wo*n't* ~. 자네가 아니 오면 그녀도 안 올 것이다 / "I can't do it!" "I ca*n't*, ~!" '난 그걸 할 수 없다' '나도 그렇다' (=*Neither* can I! 〔Me, *neither*!〕).
2 〖긍정문 뒤에서, 앞서 말한 부정의 내용을 추가적으로 수정 · 반복하여〗 그 위에; 게다가(moreover); …라고는 해도(— 은 아니다): It is a nice place, and *not* too far, ~. 그곳은 멋진 곳이고 게다가 멀지도 않다 / He is very clever and is *not* proud ~. 그는 아주 똑똑하며, 그렇다고 오만하지도 않다.
3 《구어》 〖의문 · 조건 · 부정문에서 강조로〗 게다가, 그런데다: He has *no* family, or friends ~. 그에게는 가족도 없고 친구도 없다 / Do you want that one ~? 당신은 그것도 원하십니까 / You know it. — I do*n't*, ~! 너 알고 있지 — 알게 뭐야. cf. too.
— *a.* 〖단수명사 앞에서〗 **1 a** 〖긍정문에서〗 (둘 중) 어느 한쪽의; 어느 쪽 …든《'both+복수명사'는, 둘〔두 개〕 다; 둘〔양자 모두〕의 뜻임》: *Either* day is OK. (양일 중) 어느 날이든 좋습니다 / Sit on ~ side. 어느 쪽에든 앉으시오 / *Either* pen will do. 어느 펜이든 좋다〔괜찮다〕. **b** 〖부정문에서〗 (둘 중) 어느 …도; 어느 쪽도: I do*n't* know ~ boy. (둘 중에서) 어느 소년도 모른다(=I know *neither* boy.) **c** 〖의문 · 조건문에서〗 (둘 중) 어느 한쪽의 …든〔라도〕: Did you see ~ boy? (두 소년 중) 어느 한쪽의 소년이든 만났는가.
2 〖흔히 side, end, hand와 함께〗 (둘 중) 양쪽의 《이 뜻으로는 both+복수명사, each+단수명사 형태를 더 많이 씀》: at ~ end of the table 테이블(의) 양쪽 끝에(=at *both* ends...) / on ~ side of the road 길 양쪽에(=on *both* sides ...). **~ *way*** (두 가지 중) 어느 것이든; 어떻든; 어느 쪽에도. ***in* ~ *case*** 어느 경우에든, 어느 쪽이든.
— *pron.* **1** 〖긍정문에 쓰이어〗 (둘 중의) 어느 한 쪽; 어느 쪽이든: *Either* will do. 어느 쪽이든 좋다 / *Either* (*one*) of you is right. 너희 둘 중 어느 한쪽이 옳다 / *Either* of them is 〔are〕 good enough. 그 둘 어느 쪽도 좋다《either는 단수 취급을 원칙으로 하지만 《구어》에서는, 특히 of 다음에 복수(대)명사가 계속될 때에는 복수로 취급될 때가 있음》.
2 〖부정문에 쓰이어〗 (둘 중) 어느 쪽〔것〕도 (…아니다, 않다); 둘 다(아니다, 않다): I do*n't* like ~ of them. (=I like *neither* of them). 그 어느 쪽도 마음에 들지 않는다 / I wo*n't* buy ~ of them. 그 둘 어느 것도 사지 않겠다.
3 〖의문 · 조건문에 쓰이어〗 (둘 중) 어느 쪽인가; 어느 쪽이든: Did you see ~ of the pictures? 그 영화 중 어느 것이든 보셨습니까 / If you have read ~ of the stories, tell me about it. 그 두 소설의 어느 한쪽이든 읽으셨으면, 그 이야기를 좀 해 주세요.

> NOTE (1) 셋〔3 자〕 이상에 관해서는 any, any one of ...을 씀: *any one* of us 우리들 중 누구든 한 사람. (2) 'either와 not의 위치' not는 either에 선행될 수 없음: Neither of them came. 둘 다 안 왔다.

— *conj.* 〖either... or — 의 형태로서〗 **1** …거나〔든가〕 또는 — 거나〔든가〕 (어느 하나가〔쪽인가가〕): *Either* you *or* I must go. 자네든 나든 어느 한 명은 가야(만) 하네 / You must ~ sing *or* dance. 너는 노래를 부르든가, 춤을 추든가 해야 한다.

> NOTE (1) either... or — 는 두 개의 어구를 잇는 것이 원칙이나 셋 이상의 어구를 이을 때도 있음: To succeed, you need ~ talent, (*or*) good luck, *or* money. 성공하는 데는 재능이든지, 행운이든지, 돈이 있지 않고서는 안 된다.
> (2) either... or — 가 주어일 때 동사의 인칭 · 수는 보통 뒤의 주어에 일치시킴: *Either* she *or* I am at fault. 그녀나 나 중에서 어느 쪽인가가 잘못돼 있다. 이 때 호응의 번거로움을 피하기 위해 *Either* she is at fault *or* I am. 으로 할 때도 있음.
> (3) either... or — 로 이어지는 두 말은 원칙적으로 문법상 기능이 같아야 함. 따라서 She went ~ to London *or* Paris. 는 적합하지가 못하며, She went to ~ London *or* Paris. 로 하든가, She went ~ to London *or* to Paris. 로 하는 것이 좋음.

2 〖부정을 수반하여〗 …도 — 도(아니다, 않다): He can*not* ~ read *or* write. 그는 읽지도 쓰지도 못 한다(=He can *neither* read *nor* write.)

정묘한; 노력을 아끼지 않은: an ~ design 정교한 의장(意匠). ㉫ ~·ly *ad.* ~·ness *n.*

elab·o·ra·tion [ilæ̀bəréiʃən] *n.* 공들여 함; 애써 마무름; 퇴고(推敲); 고심, 정성; 정교; Ⓒ 노작(勞作), 역작(力作); 〖생리〗 동화, 합성.

elab·o·ra·tive [ilǽbərèitiv, -rət-/-rət-] *a.* 정성을 들인, 정교한 (일을 할 수 있는).

elab·o·ra·tor, -rat·er [ilǽbərèitər] *n.* 공들여 만드는 사람, 퇴고(推敲)하는 사람.

EL AL (**Ísrael Áirlines**) [éláel(-)] 엘알 이스라엘 항공《이스라엘 항공 회사》. 「국》.

Elam [í:ləm] *n.* 엘람《이란에 있었던 고대 왕

Elam·ite [í:ləmàit] *n., a.* 엘람의, 엘람 사람(의), 엘람 말(의).

élan [eilɑ́:n, -lǽn] *n.* 《F.》 예기(銳氣), 활기; 열의, 열정; 약진.

eland [í:lənd] (*pl.* ~, ~*s*) *n.* 일런드《남아프리카산의 큰 영양(羚羊)》.

élan vi·tal [*F.* elɑ̃vital] 《F.》 〖철학〗 생의 약동, 창조적 생명력《베르그송의 용어》.

eland

elapse [ilǽps] *vi.* (때가) 경과하다: Days ~*d* while I remained undecided. 마음을 정하지 못하는 동안에 며칠이 지나갔다. — *n.* (시간의) 경과. 「간.

elápsed tíme (자동차 경주 따위에서) 소요 시

elas·mo·branch [ilǽsməbræ̀ŋk, ilǽz-] *n., a.* 〖동물〗 연골어(의), 《특히》 판새류(의).

elas·tase [ilǽsteis, -teiz] *n.* 〖생화학〗 엘라스타아제《엘라스틴 등의 단백기질(基質)의 가수 분해 반응을 촉매하는 췌장 프로테아제》.

elas·tic [ilǽstik] *a.* **1** 탄력(성) 있는, 팽창력 있는: an ~ cord 고무줄. **2** (정신·육체가) 부드러운, 유연한, 유순한; (규칙·사고방식 따위가) 융통성〔순응성〕 있는; ~ hours of work 융통성 있는 근무 시간. **3** 굴하지 않는, 쾌활한: an ~ mind 슬픔을 당해도 곧 이겨내는 마음. **4** 〖물리〗탄성이 있는, 탄성체의: ~ body 탄성체 / ~ after effect 탄성 여효(餘效) / ~ energy 탄성(위치) 에너지 / ~ fatigue 탄성 피로 / ~ force 탄력성 / ~ hysteresis 탄성 이력(履歷) / ~ stress 탄성 변형력 / ~ wave 탄성파. — *n.* U,C **1** 고무줄; 고무실이〔섬유가〕 든 천(으로 만든 끈〔양말 대님〕 등); 탄성 고무, 고무 고리. **2** 〖복식〗 일래스틱《자유자재로 신축(伸縮)하는 소재》.
㉫ **-ti·cal·ly** [-tikəli] *ad.* 탄력 있게; 신축자재하게; 유연하게; 경쾌하게.

elas·ti·cate [ilǽstəkèit] *vt.* (신축성 있는 실 따위를 짜 넣어) (옷감·옷 따위)에 신축성을 지니게 하다. ㉫ **-càt·ed** [-id] *a.*

elástic bánd 고무 밴드(rubber band).

elástic cláuse 〖미헌법〗 신축 조항《의회에의 위탁 권한에 대하여 헌법상의 근거를 부여하는

elástic collísion 〖물리〗 탄성 충돌. └조항》.

elástic deformátion 〖물리〗탄성 변형 (=**elástic stráin**).

elas·tic·i·ty [ilæstísəti, ì:læs-] *n.* 탄력, 신축력; 〖물리〗 탄성; 신축자재; 융통성; (불행 등에서) 곧 회복하는 힘; 순응성; 명랑, 쾌활.

elas·ti·cized [ilǽstəsàizd] *a.* 탄력 있는 (고무)실로 짠; 고무 넣은 천을 쓴.

elástic límit 〖물리〗 탄성 한계(limit of elasticity). 「elasticity).

elástic módulus 〖물리〗 탄성률(modulus of

elástic scáttering 〖물리〗 탄성 산란.

elástic sìdes 《영》 (예전의) 양쪽에 고무천을

elástic tíssue 〖해부〗 탄성 조직. └댄 부츠.

elástic wáve 〖물리〗 탄성파(彈性波)《음파·지진파 따위》.

elas·tin [ilǽstin] *n.* 〖생화학〗 엘라스틴, 탄력소《경(硬)단백질의 일종으로 탄력 조직의 기본적인 구성 물질》.

élas·tique [ilæstí:k] *n.* 《F.》 = ELASTIC 2.

elas·to·hy·dro·dy·nam·ics [ilæ̀stouhaidroudainǽmiks] *n. pl.* 〖단수취급〗 유체 탄성 역학, 가압(加壓) 액체 탄성학.

elas·to·mer [ilǽstəmər] *n.* 〖화학〗 탄성 중합체《실리콘 고무와 같은 합성 고무 따위》.

elas·tom·e·ter [ilæ̀stɑ́mətər/-tɔ́m-] *n.* 탄성률계, 탄력계.

elate [iléit] *a.* 《고어》 우쭐대는, 의기양양한. — *vt.* 기운을 돋우다; 의기양양하게 하다: be ~*d* by 〔with〕 …으로 의기양양해지다.

elát·ed [-id] *a.* 의기양양한, 우쭐대는《*at; by*》: an ~ look 의기양양한 얼굴. ㉫ ~·**ly** *ad.* ~·**ness** *n.* 「〖곤충〗 방아벌레.

el·a·ter [élətər] *n.* **1** 〖식물〗 탄사(彈絲). **2**

elá·tion *n.* 의기양양, 득의만면.

E làyer 〖기상〗 E층(層)《F layer 아래, 지상 95km 부근의 전리층》. 「배지(1814–15)》.

El·ba [élbə] *n.* 엘바 섬《나폴레옹 1세의 첫 유

El·be [elb; *G.* élbə] *n.* (the ~) 엘베 강《북해로 흘러들어가는 독일의 강》.

El·bert [élbərt] *n.* 엘버트《남자 이름》.

El·ber·ta [elbə́:rtə] *n.* 엘버타《여자 이름》.

⁑**el·bow** [élbou] *n.* **1** 팔꿈치; 팔꿈치 모양의 것. **2** 후미, (해안선·강 따위의) 급한 굽이, 굴곡; (의자의) 팔걸이; L자 모양의 관(管). **3** 〖건축〗 기역자 홈통, (창 등의) 초엽(草葉). **4** 《미속어》 경찰, 형사. ***at one's ~*** 바로 곁에. ***bend*** 〔***crook, lift, tip***〕 ***an*** 〔***one's***〕 ~ 폭음하다, 술마시러 나가다. ***get the ~*** 《구어》 퇴짜 맞다. ***give*** a person ***the ~*** 《구어》 아무와 인연을 끊다, 추방하다, 퇴짜 놓다. ***jog*** a person***'s ~*** 아무의 팔꿈치를 툭 치다《주의·경고 등을 위해》. ***More*** 〔***All***〕 ***power to your ~!*** ⇨ POWER. ***out at*** (***the***) ***~s*** (옷의) 팔꿈치에 구멍이 나서, 몹시 추레하게, 가난하여, 초라한 차림의; (경제적으로) 가난해져. ***raise*** 〔***lift***〕 ***the ~*** 《구어》 술을 즐기다. ***rub*** 〔***touch***〕 ***~s with*** ⇨ RUB. ***up to the ~s*** (in work) (일에) 몰두하여.
— *vt.* 《+목+부/+목+전+명》 팔꿈치로 밀다〔찌르다〕, 팔꿈치로 밀어제치고 나아가다; (몸을) 들이밀다: ~ oneself *in* 아무를 밀어제치고 들어가다 / ~ people *aside* 〔*off*〕 사람들을 밀어제치다 / ~ a person *out of* the way 방해가 안 되도록 아무를 밀어내다 / ~ oneself *into* a crowded train 사람들을 밀어제치고 혼잡한 열차를 타다. — *vi.* 팔꿈치로 밀어제치고 나아가다.

élbow-bènder *n.* 《미속어》 **1** 술 마시는 사람, 술꾼. **2** 사교적인 사람, 명랑한 사람.

élbow bènding 《미구어》 음주.

élbow-bènding *a.* 《미구어》 과음(過飮)하는.

élbow bòard (팔꿈치를 올려놓는) 창의 문

élbow chàir 《미》 팔걸이의자. └지방.

élbow grèase 《구어·우스개》 힘드는 육체노동; 애씀; 끈기.

élbow·ròom *n.* 팔꿈치를 움직일 수 있을 만한 여지; (충분한) 활동 범위: have no ~ 운신을 못하다.

el chea·po [eltʃí:pou] 《미속어》 값싼, 하찮은.

eld [eld] *n.* 《고어·시어》 노년; 옛날; 노인; 《영

eld. eldest. └방언》 연령, 나이.

⁑**eld·er** [éldər] *a.* 〔old의 비교급〕 **1** 손위의, 연장의. OPP *younger.* ¶ an 〔one's〕 ~ brother

〔sister〕 형〔누나〕. ★ elder는 형제자매 관계에 쓰며, 서술적으로는 be older than이라 함. **2** 고참의, 선배의, 원로(격)의: an ~ officer 상관 / the *Elder* Pitt 대(大)피트. **3** 옛날의, 초기의, 과거의. **—** *n.* **1** 연장자, 연상의 사람, 노인, 고로(古老). **2** (보통 one's ~s로) 선배, 손윗사람. **3** 선조, 조상. **4** 원로, 원로원 의원; (장로교회 등의) 장로.

el·der² *n.* 〖식물〗 양딱총나무.

élder àbuse 《미》 노인 학대.

élder·bèrry *n.* 양딱총나무의 열매; =ELDER².

élder bróther (*pl.* ***élder bréthren***) 《영》 수로 안내 협회(Trinity House)의 간부 회원.

élder·càre *n.* 《미》 (저(低)요금의) 노인 의료 계획; 노인 예방 진료 계획.

élder hánd =ELDEST HAND.

éld·er·ly *a.* 중년을 지난, 나이 지긋한, 초로(初老)의; 구식의; (the ~) 나이 지긋한 사람들. SYN. ⇨OLD. ㊕ **-li·ness** *n.* 상당한 연배, 초로.

élder·shìp *n.* 연장〔선배〕임; 〖교회〗 장로의 직〔지위〕; 장로회.

élder státesman 장로; 원로; 은퇴한 정치가.

****eld·est** [éldist] *a.* 〖old의 최상급〗 가장 나이 많은, 최연장의, 제일 손위의: an 〔one's〕 ~ son 〔daughter〕 맏아들〔맏딸〕.

éldest hánd 〖카드놀이〗 (패 도르는 사람 왼쪽의) 첫번째 사람.

ELDO, E.L.D.O., El·do [éldou] European Launcher Development Organization (유럽 우주 로켓 개발 기구).

El Do·ra·do, El·do·ra·do [èldərá:dou] 《Sp.》 엘도라도《(아마존 강변에 있다고 상상한) 황금의 나라; 보물산》.

El·dred [éldrid] *n.* 엘드리드《남자 이름》.

el·dritch [éldritʃ] *a.* 섬뜩한, 무시무시한.

El·ea·nor [élənər, -nɔ̀:r] *n.* 엘리너《여자 이름》.

El·e·a·no·ra [èliənɔ́:rə] *n.* 엘리어노라《여자 이름》.

El·e·at·ic [èliǽtik] *a.* 고대 그리스 도시 Elea의; Elea 학파(철학)의.

elec., elect. electric(al); electricity.

el·e·cam·pane [èlikæmpéin] *n.* 〖식물〗 금불초(草); 그 뿌리에서 뽑은 향료를 넣은 사탕.

elec-pow·ered [ilékpàuərd] *a.* 전동(電動)의. [◂*electrically*+*powered*]

****elect** [ilékt] *vt.* **1** 《~+목/+목+(*to be*) 보/+목+*as*보/+목+전+명》 (투표 따위로) 선거하다, 뽑다, 선임하다: ~ a person (*to be*) president 아무를 회장으로 선임하다 / ~ a person *as* chairman 아무를 의장으로 선출하다 / ~ a person *to* the presidency 아무를 총재〔회장, 대통령 따위〕로 뽑다 / He was ~*ed for* 〔*to*〕 Congress in 1994. 그는 1994 년에 국회의원으로 선출되었다. SYN. ⇨CHOOSE. **2** 《~+목/+*to* do》 …(하는 것)을 택하다, 결심하다: ~ suicide 자살을 택하다 / He ~*ed to* remain at home. 그는 집에 남아 있기로 정하였다. **3** (학과)를 선택하다: ~ French. **4** 〖신학〗 (보통 be ~ed로)(하느님이) 선택하다, 소명을 받다. **—** *vi.* 뽑다; 결정하다. ***the ~ed*** 당선자들.

— *a.* 당선된, 뽑힌, 선정된: the bride-~ 약혼자《여자》/ a governor-~ 차기(次期) 지사《당선 후 취임 전의 경우》. **—** *n.* 뽑힌 사람; (the ~) 뽑힌 사람들, (신의) 선민(God's ~); 엘리트 계층, 특권 계급.

eléct·a·ble *a.* 선출될 수 있는. ㊕ **elèct·a·bíl·i·ty** *n.*

elect·ee [ilektí:] *n.* 뽑힌 사람, 당선자.

****elec·tion** [ilékʃən] *n.* **1** U,C 선거; 선정; 선임: ~ expenses 선거비 / an ~ campaign 선거 운동 / a general ~ 총선거 / a special ~ 《미》 보궐 선거(《영》 by-~) / carry 〔win〕 an ~ 선거에 이기다, 당선되다 / off-year ~*s* 《미》 중간 선거 / run for ~ 입후보하다 / ~ fraud 선거위반. **2** 〖신학〗 신에 의한 선정. **3** 표결, 투표.

Eléction Dày 1 《미》 대통령 선거일《11월 첫 월요일 다음의 화요일》. **2** (e- d-) 선거일.

eléction dìstrict 선거구.

elec·tion·eer [ilèkʃəníər] *vi.*, *n.* 선거 운동을 하다; 선거 운동원. ㊕ **~·er** *n.* 선거 운동원. **~·ing** *n.*, *a.* 선거 운동(의): an ~*ing* agent 선거 운동원.

elec·tive [iléktiv] *a.* 선거하는; 선거에 의한, 선임의; 선거권이 있는; 《미》 (과목이) 수의(隨意) 선택의: an ~ body 선거 단체〔모체(母體)〕/ an ~ course 선택 과목 / an ~ office 민선 관직 / an ~ system 선택 과목 제도. **—** *n.* 《미》 선택 과목. ㊕ **~·ly** *ad.* **~·ness** *n.*

eléctive affínity 〖화학〗 선택 친화력(親和力).

elec·tor [iléktər] *n.* 선거인, 유권자; 《미》 정·부통령 선거 위원; (보통 E-) 〖역사〗 (신성 로마 제국의) 선거후(選擧侯).

elec·tor·al [iléktərəl] *a.* **1** 선거(인)의: an ~ district 선거구. **2** 선거권 있는. **3** 〖역사〗 선거후(侯)의: an ~ Prince 선거후(侯).

eléctoral cóllege (때로 E- C-) 《미》 (대통령·부통령을 선출하는) 선거인단.

eléctoral róll 〔**régister**〕 선거인 명부.

eléctoral vóte 《미》 대통령 선거인에 의한 투표《형식적인 것》.

elec·to·rate [iléktərət] *n.* 〖집합적〗 선거인, (한 선거구의) 유권자; 〖역사〗 선거후(侯)의 지위〔영토, 관할〕.

eléc·tor·shìp *n.* elector의 자격〔지위〕, 선거인 자격.

e·lectr- [iléktr-], **e·lec·tro-** [iléktrou, -trə] '전기, 전해(電解), 전자(電子)'의 뜻의 결합사.

Elec·tra [iléktrə] *n.* 〖그리스신화〗 엘렉트라《Agamemnon의 딸; 동생 Orestes를 설득하여 어머니 Clytemnestra와 그 정부를 죽이게 하여 아버지의 원수를 갚음》.

Eléctra còmplex 〖정신의학〗 엘렉트라 콤플렉스《딸이 아버지에 대해 무의식 중에 품는 성적인 사모》. cf. Oedipus complex.

elec·tress [iléktris] *n.* (선거의) 여성 유권자; (보통 E-) 〖역사〗 선거후(侯) 부인〔미망인〕.

elec·tret [iléktrit] *n.* 〖전기〗 일렉트렛《반영구적 분극(分極)을 가진 유전체(誘電體)》.

****elec·tric** [iléktrik] *a.* **1** 전기의, 전기를 띤; 발전하는, 발전용의; 전기 작용의, 전기로 움직이는: ~ appliances 〔apparatus〕 전기 기구 / an ~ bulb 전구 / an ~ car 전기 자동차 / an ~ circuit 전기 회로 / an ~ clock 전기 시계 / ~ conductivity 전기의 전도성 / ~ discharge 방전 / an ~ fan 선풍기 / an ~ iron 전기다리미 / an ~ lamp 전등 / an ~ motor 전동기 / an ~ railroad 〔railway〕 전기 철도 / an ~ range 전기 레인지 / an ~ refrigerator 전기냉장고 / an ~ sign 전광(電光) 간판 / an ~ spark 전기 불꽃 / an ~ washing machine 전기세탁기. **2** 전기와 같은, 전격적인, 자극적인, 감동적인(thrilling); (분위기 따위가) 긴장된: an ~ personality (전기와 같은) 강렬한 개성 / an ~ atmosphere 열광적인 분위기. **—** *n.* **1** 전기로 움직이는 것; (*pl.*) 전기 장치〔설비〕; 전차, 전동차; 전기(자동)차. **2** 《고어》 (호박·유리 따위의) 기전(起電) 물체; (흔히 *pl.*) 전등(의 불빛).

****elec·tri·cal** [iléktrikəl] *a.* **1** 전기의, 전기에 관한: an ~ consultant. **2** 전기와 같은, 전격적인, 강렬한. ㊕ **~·ly** *ad.*

eléctrical engineér 전기 (공학) 기사, 전기기술자.

eléctrical engineéring 전기 공학.

eléctrical stórm =ELECTRIC STORM.
eléctrical transcríption 녹음〔녹화〕(방송), 방송용 레코드.
eléctric-árc fùrnace 〖야금〗 전기 아크로(爐)《특히 제강용》.
eléctric blánket 전기 담요.
eléctric blúe 강청색(鋼靑色).
eléctric bóogie (robot, wave 등) 팬터마임풍(風) 춤의 총칭.
eléctric chàir (사형용) 전기의자; (흔히 the ~) 전기의자에 의한 사형: be sent to the ~ 전기의자에 의한 사형에 처해지다.
eléctric chárge 전하(電荷).
eléctric córd (실내용) 전기 코드(선).
eléctric cúrrent 전류(電流).
eléctric displácement 〖전기〗 전기 변위(變位)《기호 D》(=**eléctric flúx dènsity**).
eléctric éel 〖어류〗 전기뱀장어《남아메리카산》.
eléctric éye 광전관(光電管), 광전지(光電池); (라디오 따위의) 매직 아이(magic eye).
eléctric fénce 전기 울타리.
eléctric fíeld 전기장(電氣場), 전계(電界).
eléctric (field) inténsity 〖물리〗 전계(電界)강도.
eléctric fíre 전기 백열 히터.
eléctric fúrnace 전기로(爐).
eléctric guitár 전기 기타.
eléctric háre (개 경주에서 개로 하여금 쫓게 하는) 전동식 모형 토끼.
eléctric héater 전기난로.
elec·tri·cian [ilektríʃən, ìː-] *n.* 전기학자; 전기 기사; 전공; 전기 담당원.
⁑elec·tric·i·ty [ilektrísəti, ìː-] *n.* **1** 전기; 전기학; 전류: install ~ 전기를 끌다 / atmospheric ~ 공중 전기 / dynamic 〔galvanic〕 ~ 동(動)전기 / frictional ~ 마찰 전기 / magnetic ~ 자기(磁氣) 전기 / negative 〔positive〕 ~ 음〔양〕전기 / static ~ 정(靜)전기 / thermal ~ 열전기. **2** (사람에서 사람에게 전달되는) 강한 흥분, 열광.
eléctric líght 전광, 전등빛; 전등《백열등, 형광등 따위》.
eléctric néws tàpe 전광(電光) 뉴스.
eléctric órgan 〔piáno〕 전기 풍금〔피아노〕.
eléctric poténtial 전위(電位).
eléctric pówer 전력.
eléctric ráy 〖어류〗 시끈가오리.
eléctric rócket 〖로켓〗 전기 추진 로켓.
eléctric sháver 전기면도기.
eléctric shóck 전기 쇼크, 감전.
eléctric shóck thèrapy 〖의학〗 전기 쇼크 요법.
eléctric stéel 전기 정련강(精鍊鋼).
eléctric stórm 〖기상〗 심한 뇌우(雷雨).
eléctric stréngth 〖전기〗 절연내력(絶緣耐力).
eléctric tórch 《영》 (막대형) 휴대〔회중〕전등(《미》 flashlight).
eléctric tówel (화장실 등의 손 · 얼굴을 말리는) 전기 온풍기, 전기 타월.
eléctric wáve 전파, 전자파.
elec·tri·fi·ca·tion [ilèktrəfikéiʃən] *n.* 충전; 대전; 감전; (철도 등의) 전화(電化); 강한 흥분〔감동〕(을 주는 일).
elec·tri·fy [iléktrəfài] *vt.* **1** …에 전기를 통하다; 감전시키다; …에 충전하다; 전기를 띠게 하다; 전력을 공급하다; 전화(電化)하다: an *electrified* body 대전체(帶電體) / ~ a railroad system 철도를 전화하다. **2** (음악을) 전자 공학적으로 증폭하다. **3** …에 전기 쇼크를 주다; 《비유》 깜짝 놀라게 하다, 충격을 주다, 흥분시키다: ~ an audience 청중을 흥분시키다. ◇ electrification *n.* ㊕ **-fi·er** *n.* **-fi·a·ble** *a.*
eléc·trize *vt.* =ELECTRIFY.
elec·tro [iléktrou] (*pl.* **~s**) *vt.*, *n.* =ELECTROPLATE, ELECTROTYPE.
electro- ⇨ ELECTR-.
elèctro·acóustics *n. pl.* 《단수취급》 전기 음향학. ㊕ **-tic, -tical** [-tik(əl)] *a.*
elèctro·ácupùncture *n.* 전기 침술, 전기침요법.
elèctro·análysis *n.* Ⓤ 〖화학〗 전기 분석〔분해〕, 전해(電解).
elèctro·biólogy *n.* 전기 생물학. ㊕ **-biológical** *a.* **-biológically** *ad.* **-biólogist** *n.*
elèctro·cárdiogram *n.* 〖의학〗 심전도《생략: ECG, EKG》. ㊕ **-gràph** *n.* 〖의학〗 심전계.
elèctro·cáutery *n.* 〖의학〗 전기 메스; 전기 소작(燒灼)(=**elèctro·cauterizátion**).
elèctro·chémical *a.* 전기 화학의. ㊕ **~·ly** *ad.*
elèctro·chémistry *n.* 전기 화학. ㊕ **-chémist** *n.*
elec·tro·chrom·ism [ilèktrəkróumìzəm] *n.* 통전(通電) 변색(성)《특히 금속에서 볼 수 있는, 전기적 충격에 의해 색이 변하는 성질》. ㊕ **-chró·mic** *a.*
elèctro·convúlsive *a.* 〖의학〗 전기 경련의(electroshock): ~ therapy 전기 충격 요법《생략: ECT》.
electroconvúlsive thérapy 〖정신의학〗 전기 쇼크〔경련〕 요법(electroshock)《생략: ECT》.
elec·tro·cor·ti·co·gram [ilèktroukɔ́ːrtikəgræm] *n.* 〖의학〗 뇌파(腦波)(도).
elec·tro·cor·ti·cog·ra·phy [ilèktroukɔ̀ːrtikágrəfi/-kɔ́g-] *n.* (대뇌피질에 직접 전극을 접촉시켜서 하는) 뇌파 측정법.
elec·tro·cute [iléktrəkjùːt] *vt.* 전기의자로 처형하다; 전기 충격으로 죽이다, 감전시켜 죽이다.
elèc·tro·cú·tion *n.* 전기 사형; 감전사.
elec·trode [iléktroud] *n.* 전극(電極).
eléctrode efficiency 〖화학〗 전기 효율.
elec·tro·del·ic [ilèktrədélik] *a.* 전광(電光)으로 환각적 효과를 내는.
elèctro·depósit *vt.* 〖물리 · 화학〗 …을 전착(電着)시키다. **—** *n.* 전착물(物).
elèctro·deposítion *n.* 전착(電着).
eléctrode poténtial 〖화학〗 전극 전위.
elèctro·dérmal *a.* 피부의 전기적 성질에 관한, 피부 전기의.
elèctro·desiccátion *n.* 〖의학〗 전기 건조(乾燥) 요법(fulguration).
elèctro·diálysis *n.* 〖화학〗 전기 투석(透析). ㊕ **-dialýtic** *a.* **-díalyze** *vt.* **-díalyzer** *n.*
elèctro·dynámic *a.* 전기 역학의.
elèctro·dynámics *n. pl.* 《단수취급》 전기 역학.
elèctro·dynamómeter *n.* 전력계, 동력 전류계.
Elec·tro·dy·no·gram [ilèktrədáinəgræm] *n.* (the ~) 전기 동태계《발에 걸리는 힘을 전기적으로 측정 기록하는 장치; 상표명》.
elèctro·encéphalogram *n.* 〖의학〗 뇌파, 뇌전도. ㊕ **-encéphalograph** *n.* 뇌파 기록 장치.
elèctro·encephalógraphy *n.* 〖의학〗 뇌파 기록〔측정〕(법).
elèctro·físhing *n.* 전기 어로법《수중의 직류 전원(電源)의 집어(集魚) 효과를 이용》.
eléctro·fòrm *vt.* 전기 주조(鑄造)하다.
elèctro·gálvanìze *vt.* 전기 아연 도금하다.
elèctro·gàs·dynámics *n. pl.* 《단수취급》 전기 유체 역학. ㊕ **-dynámic** *a.*
elec·tro·gen [iléktrədʒèn] *n.* 전자 방출분자.
elèctro·génesis *n.* 〖생물 · 생리〗 생물 (조직) 발전(發電)《생체나 세포 조직에서의 발전》.
elèctro·génic *a.* 〖생물〗 (산 세포 · 조직이) 기전성(起電性)의, 전기를 낳는.

elec·tro·gram [iléktrəgræ̀m] *n.* 〚의학〛 전기 곡선〔기록〕도《심전도·뇌전도 따위》.
eléctro·gràph *n.* 전기〔전위〕 기록기; 전기 조각기(彫刻器); 사진 전송기; 전송 사진; 엑스선 사진. ㊕ **elèctro·gráphic** *a.* **elèctro·gráphically** *ad.*
elec·trog·ra·phy [ilèktrágrəfi/-trɔ́g-] *n.* 전기〔전위(電位)〕 기록술; 전기 조각〔전송 사진〕술(術).
elèctro·hydráulic *a.* 전기 수력학적인: an ~ governor 전기 속도 조절기.
elèctro·hydráulics *n. pl.* 〘단수취급〙 전기 수력학(水力學)적으로 충격파를 일으키는 일.
eléctro·jèt *n.* 〚지구물리〛 고층 전류《전리층에 존재하는 이온의 흐름; 오로라 현상을 일으킴》.
elèctro·kinétic *a.* 동전기(動電氣)의.
elèctro·kinétics *n. pl.* 〘단수취급〙 동전기학(動電氣學). cf. electrostatics.
elèctro·kýmogràph *n.* 〚의학〛 심장 동태 촬영 장치.
eléc·tro·less *a.* 〚화학〛 비전착성(非電着性) 금속 석출의〔에 의한〕.
elec·tro·lier [ilèktrəlíər] *n.* 꽃 전등, 전기 샹들리에.
elec·trol·o·gist [ilektrálədʒist/-trɔ́l-] *n.* 〚의학〛 전기 분해법(electrolysis)의 전문가.
elèctro·luminéscence *n.* (형광체의) 전자(電子) 발광.
elec·tro·lyse [iléktrəlàiz] *vt.* 《영》 =ELECTROLYZE.
elec·trol·y·sis [ilèktráləsis/-trɔ́l-] *n.* 전기 분해; 전해(電解); 〚의학〛 전기침(針)으로 잔털·기미 등을 없애는 수술; 전기 요법.
elec·tro·lyte [iléktrəlàit] *n.* 전해물(電解物); 전해질(質); 전해액(液).
elec·tro·lyt·ic [ilèktrəlítik] *a.* 전기 분해의, 전해질의. ㊕ **-i·cal·ly** *ad.* 전해에 의하여.
electrolýtic céll 〔**báth**〕 전해조(電解槽).
electrolýtic dissociátion 전리(電離).
elèc·tro·ly·zá·tion [ilèktrəlizéiʃən] *n.* 〚화학〛 전기 분해.
elec·tro·lyze [iléktrəlàiz] *vt.* 전기 분해하다. ㊕ **-lýz·er** *n.* 전해조(槽).
elèctro·mágnet *n.* 전자석(電磁石).
elèctro·magnétic *a.* 전자기(電磁氣)의; 전자석의: the ~ theory 전자기 이론. ㊕ **-ically** *ad.*
electromagnétic compatibílity 〚전자〛 전자(電磁) 환경 양립성(兩立性)《전자파 잡음 등으로 인한 전자 환경의 악화를 방지하는 조치; 생략: EMC》.
electromagnétic fíeld 〚물리〛 전자기장.
electromagnétic indúction 〚물리〛 전자기 유도.
electromagnétic interáction 〚물리〛 전자기적 상호 작용.
electromagnétic interférence 〚전자〛 전자파 장애《생략: EMI》.
electromagnétic oscillátion 〚물리〛 전자기적 진동.
electromagnétic pùlse 전자 펄스《지구 상공의 핵폭발에 의한 고농도의 전자 방사》.
electromagnétic radiátion 〚물리〛 전자기 복사(輻射).
electromagnétic spéctrum 〚물리〛 전자기파 스펙트럼.
electromagnétic únit 〚물리〛 전자기 단위《생략: emu》.
electromagnétic wáve 〚물리〛 전자기파.
elèctro·mágnetism *n.* 전자기(電磁氣); 전자기학.
elèctro·mechánical *a.* 전기 기계의. ㊕ **~·ly** *ad.*
elèctro·mechánics *n. pl.* 전기 기계 기술.
e·lec·tro·mer [iléktrəmər] *n.* 〚화학〛 전자 이성체(異性體)
elèctro·métallurgy *n.* Ⓤ 전기 야금(학).
elèctro·méteor *n.* 전기적 대기 현상, 대기 전기 현상《번개나 벼락 따위》.
elec·trom·e·ter [ilektrámətər, ìː-/-trɔ́m-] *n.* 전기계, 전위계(電位計).
elec·tro·mo·tive [ilèktrəmóutiv] *a.* 기전(起電)의. — *n.* 전기 기관차. cf. locomotive.
electromótive fórce 기전력《생략: E.M.F., e.m.f.》.
electromótive séries 〚화학·물리〛 (전극) 전위 서열, 이온화 서열.
elec·tro·myo·gram [ilèktroumáiəgræ̀m] *n.* 〚의학〛 근전도(筋電圖)《생략: EMG》.
elèctro·mýograph *n.* 〚의학〛 근전계(筋電計).
elec·tron [iléktran/-trɔn] *n.* 〚물리〛 전자, 일렉트론: ~ emission 전자 방출 / ~ mobility 전자 이동도 / ~ orbit 전자 궤도 / ~ specific charge 전자의 비전하(比電荷) / the ~ theory 전자설. [◂ *electric*+*on*]
eléctron affínity 전자 친화력〔도(度)〕.
eléctron bèam 전자 빔, 전자선(電子線).
eléctron béam mèlting 〚금속〛 전자빔 용해법《생략: EBM》.
eléctron-béam resìst 〚전자〛 전자빔 레지스트《전자선에 감응하여 화학적 성질이 바뀌어 기판(基板) 에칭 시의 보호막이 되는 내(耐)가공성 물질》.
eléctron clòud 〚물리〛 전자 구름.
elèctro·négative *a.* **1** 음전기의; 음전기를 띤; 음전성의. **2** 산성의. **3** 비금속의. — *n.* 〚화학〛 (전기) 음성 물질. OPP *electropositive*.
eléctron gàs 〚물리〛 전자 기체.
eléctron gùn 〚TV〛 (브라운관 따위의) 전자총.
elec·tron·ic [ilektránik, ìː-/-trɔ́n-] *a.* **1** 전자(학)의, 일렉트론의: ~ industry 전자 산업 / ~ engineering 전자 공학 / an ~ flash 〚사진〛 스트로보《발광 장치》/ an ~ calculator 〔computer〕 전자계산기. **2** 전기로 소리 내는《악기 따위》. ㊕ **-i·cal·ly** *ad.* 전자(공학)적으로.
electrónic árt 전자 예술.
electrónic bánking 전자화된 은행 업무.
electrónic bráin 전자두뇌, 전자계산기.
electrónic búlletin bòard 전자게시판《컴퓨터 통신을 통한 메시지의 송수신 시스템》.
electrónic cásh 전자 통화《지급시에 등록한 은행에서 지정한 암호화된 키워드를 사용하고, 수취인 측이 그것을 은행에 전송하면 결제되는 전자 네트워크상의 통화》.
electrónic cómmerce 전자 상거래《컴퓨터를 이용한 거래 형태》.
Electrónic Compúter-Oríginated Máil (**Sèrvice**) 《미》 컴퓨터 발신형 전자 우편.
electrónic cóp 《미속어》 전자 형사(刑事)《범죄 관계의 파일을 보관, 그 데이터를 이용하는 컴퓨터 시스템》.
electrónic cóttage 전자 가정 사무실《컴퓨터 통신을 이용한 재택 근무 시스템》.
electrónic cóuntermeasures 〚군사〛 (적의 레이더를 교란하는) 전자 대항 장치《생략: ECM》.
electrónic críme 컴퓨터 범죄.
electrónic dáta interchánge 〚컴퓨터〛 전자 자료 교환《통신망을 통하여 하나의 컴퓨터에서 다른 컴퓨터에 정보를 교환하는 능력》.
electrónic dáta prócessing 전자 정보 처리《생략: EDP》.
electrónic désk 컴퓨터화된 사무실〔워크스테이션〕.
electrónic engineéring 전자 공학. ㊕ **electrónic engineér**
electrónic flásh 〚사진〛 전자 플래시, 스트로브 라이트(strobe light).
electrónic fúnds trànsfer 전자 자금 이체《전기 신호로 자금을 다른 계정으로 이전하는 체계》.
electrónic gàme =VIDEO GAME.

electrónic ignítion 전자 점화 장치.
electrónic ímaging 전자 영상 시스템《영상 정보를 자기 테이프 따위에 저장하여, TV화면으로 보는 방식》.
electrónic intélligence ⇨ELINT.
elec·tron·i·cize [ilektrάnəsàiz/-rɔ́n-] *vt.* 전자 장치로 장비하다.
electrónic jóurnalism 《미》 텔레비전 보도.
electrónic léarning 전자 학습《컴퓨터를 이용한 학습; 생략: EL》.
electrónic màil =E-MAIL.
electrónic máilbox 〚컴퓨터〛 전자 메일박스, 전자 우편함.
electrónic móney 전자 통화(electronic cash).
electrónic mónitering 《미》 전자 감시《전자 장치로 사람의 소재를 감시하는 시스템》.
electrónic músic 전자 음악.
electrónic neutríno 〚물리〛 =ELECTRON NEUTRINO.
electrónic néws gàthering 전자(기기에 의한) 뉴스 취재《생략: ENG》.
electrónic órgan 전자 오르간.
electrónic órganizer 전자수첩.
electrónic póint of sále 전자 POS《생략: EPOS》.
electrónic públishing 전자 출판.
elèc·trón·ics *n. pl.* 〔단수취급〕 전자 공학.
electrónic smóg 전자 스모그《TV · 라디오 전파나 전기 기기의 전자파; 환경오염을 일으키고 인체에 해로움》.
electrónic spéech cìrcuit 음성 합성 회로《음성을 전기적으로 만들어 내는 회로》.
electrónic spréadsheet 〚컴퓨터〛 전자 스프레드시트《CRT 등에 시뮬레이트된 작업표를 사용자에게 제공하는 소프트웨어; 예산 따위에 적용》.
electrónic survéillance (도청 장치 등) 전자 기기를 이용한 정보 수집.
electrónic swéetening =LAUGH TRACK.
electrónic tág 〚컴퓨터〛 전자 태그(tag).
electrónic tágging 전자 추적 장치에 의한 감시〔모니터〕《이동을 제한하는 보석인(保釋人)의 손목이나 발목에 발신기를 부착함》.
electrónic tránsfer 전자식 금전 출납.
electrónic tùbe =ELECTRON TUBE.
electrónic vírus 〚컴퓨터〛 컴퓨터 바이러스.
electrónic vóice =SYNTHETIC SPEECH.
electrónic wárfare 〚군사〛 전자 전쟁《생략: EW》.
elec·tron·i·ture [ilektrάnitʃər/-trɔ́n-] *n.* 전자식 사무용 집기《컴퓨터 · 워드프로세서 등 전자 기기 사용에 편리하도록 제작된》.
eléctron lèns 전자 렌즈.
eléctron mìcroscope 전자 현미경.
eléctron mùltiplier 〚전자〛 전자 증배관(增倍管).
eléctron neutrìno 〚물리〛 전자(형) 뉴트리노(electronic neutrino)《약한 상호 작용에 있어서 전자와 상대되는 뉴트리노》.
elec·tron·o·graph [ilektrάnəgræ̀f, -grὰ:f/-rɔ́n-] *n.* 전자 사진.
eléctron òptics 전자 광학.
eléctron pròbe 〚화학〛 전자 프로브《전자 빔을 시료(試料)에 조사하여 고유 X선을 발생시키는 마이크로 프로브》.
eléctron spìn rèsonance 전자 스핀 공명(共鳴).
eléctron tèlescope 전자 망원경.
eléctron tránsport 〚생화학〛 (생체 산화 환원 반응에 있어서) 전자 전달: ~ chain 〔system〕 전자 전달 연쇄〔계〕.
eléctron tùbe 전자관《진공관의 일종》.
electro·núclear machíne 〚물리〛 입자가속기.
eléctron-vòlt *n.* 전자볼트(=**eléctron vòlt**) 《생략: EV, eV》.
elec·tro·oc·u·lo·gram [ilèktrouάkjələgræ̀m/-ɔ́k-] *n.* 〚의학〛 전기 안구도(眼球圖), 안전도(眼電圖).
elèctro·óptic *a.* 전기 광학의(=**elèctro-óptic**).
electroóptic devíce 〚전기〛 전기 광학 소자.
electroóptic efféct 〚전기〛 전기 광학 효과.
elèctro·óptics *n. pl.* 〔단수취급〕 전기 광학(=**elèctro-óptics**).
elèctro-pathólogy *n.* 전기 병리학.
elec·trop·a·thy [ilèktrάpəθi/-trɔ́p-] *n.* =ELECTROTHERAPY.
elec·tro·phile [iléktrəfàil] *n.* 〚화학〛 친전자체(親電子體)《분자 · 이온 · 족(族) · 기(基) 따위》.
eléctro·phòne *n.* 전기 보청기; 전자 악기.
elèctro·phónic *a.* 전기 발성의: ~ music 전자 음악.
elec·tro·pho·rese [ilèktroufəri:z] *vt.* 〚물리 · 화학〛 …에 전기 이동을 시키다.
elec·tro·pho·re·sis [ilèktroufərí:sis] *n.* 〚물리 · 화학〛 전기 이동(법)《단백질 분석법의 하나》.
elec·troph·o·rus [ilèktrάfərəs/-trɔ́f-] (*pl.* **-ri** [-rài]) *n.* 〚물리〛 전기 쟁반.
elèctro·phótograph *n.* 〚의학〛 전기 진단 사진술.
elèctro·photógraphy *n.* 전기 사진, 건식(乾式) 사진.
electro·phrénic respirátion 〚의학〛 전기 인공호흡(법).
elèctro·physiólogy *n.* 전기 생리학; 전기 생리 현상. ㊕ **-gist** *n.* **-physiológic, -cal** *a.* **-ically** *ad.*
eléctro·plàte *vt.* …에 전기 도금하다. ── *n.* 전기 도금한 것. ㊕ **-plàt·ing** *n.* 전기 도금(법).
elec·tro·ple·xy [iléktrəplèksi] *n.* 《영》 〚의학〛 전기 충격 요법.
elèctro·pólish *vt.* (금속을) 전해 연마하다.
elèctro·pollútion *n.* 전자파 오염《인체에 해로움》.
elec·tro·po·ra·tion [ilèktroupəréiʃən] *n.* 〚생물〛 전기 천공법(穿孔法)《전기 펄스로 세포막에 일시적으로 구멍을 내 세포 안으로 DNA를 도입하는 유전자 도입법》. ㊕ **elec·tro·po·rate** [iléktrəpərèit] *vt.*
elèctro·pósitive *a.* **1** 양전기의; 양전기를 띤; 양성의. **2** 염기성의(basic). **3** 금속의(metallic). ── *n.* 〚화학〛 (전기) 양성 물질. OPP *electronegative.*
elec·tro·ret·i·no·graph [ilèktrourétənəgræ̀f, -grὰ:f] *n.* 〚의학〛 망막 전기 측정기.
elec·tro·scope [iléktrəskòup] *n.* 검전기(檢電器). ㊕ **-scop·ic** [-skάpik/-skɔ́-] *a.*
elèctro·sénsitive *a.* 전기 감광(感光)(지)의.
elèctro·sènsitívity *n.* 〚생물〛 (동물의) 전기 지각 능력; (생체 일반의) 전기 감응력, 전기 반응.
eléctro·shòck *n.* 〚의학〛 전기 쇼크; 전기 쇼크 요법(=∠ **thèrapy** 〔**tréatment**〕).
elèctro·státic *a.* 정(靜)전기의; 정전기학의: an ~ generator 정전(靜電) 발생 장치.
electrostátic precipitátion 전기 집진(集塵)《연기 · 먼지 · 기름 등 속에 부유하는 고체나 액체 입자를 제거 · 채집함》.
electrostátic precípitator 전기 집진 장치.
elèctro·státics *n. pl.* 〔단수취급〕 정전기학.
elèctro·súrgery *n.* 전기 외과(술〔학〕). ㊕ **-súrgical** *a.*
elèctro·téchnics *n. pl.* 〔단수취급〕 전기 공학, 전기 공예(학).
elèctro·technólogy *n.* 전기 공학.
elèctro·thèrapéutic, -tical *a.* 전기 요법의.
elèctro·thèrapéutics *n. pl.* 〔단수취급〕 전기 요법.
elèctro·thérapist *n.* 전기 요법의(醫).

elèctro·thérapy *n.* 〖의학〗 전기 요법.
elèctro·thérmal *a.* 전열(電熱)의, 전기와 열의, 《특히》 전루에 의해 열이 발생하는.
elec·tro·tome [iléktroutòum] *n.* 자동 차단기.
elec·trot·o·nus [ilèktrátənəs/-trɔ́t-] *n.* 〖생리〗 전기 긴장《신경에 전류를 통하였을 때에 일어나는 생리적 긴장 상태》.
eléctro·tỳpe *n.* 〖인쇄〗 전기판(版) (제작법), 전기 제판. **—** *vt.* 전기판으로 뜨다. ㊞ **-tỳper** *n.*
eléctro·tỳpy *n.* 전기판 제작법, 전기 제판. ㊞ **-tỳpic** *a.*
elèctro·válence, -lency *n.* 〖화학〗 이온 원자가(價).
elèctro·wínning *n.* 〖광물·화학〗 (순수 금속의) 전해 채취, 전해 추출.
elec·trum [iléktrəm] *n.* 호박금(琥珀金)《금과 은의 합금》; 양은(洋銀).
elec·tu·ary [iléktʃuèri/-tjuəri] *n.* (벌꿀 또는 시럽을 섞은) 연약(煉藥); 핥아먹는 약《특히 동물에게 쓰이며, 이·혀·잇몸 등에 바름》.
el·e·doi·sin [èlədɔ́isən] *n.* 〖약학〗 엘레도이신 《문어 타액선에서 채취하는 혈관 확장제·강압제》.
el·ee·mos·y·nary [èlimásənèri, -máz-/èlii:mɔ́sinəri, -mɔ́z-] *a.* (은혜를) 베푸는, 자선의; 적선 받는, 자선에 의지하는.
°**el·e·gance, -gan·cy** [éligəns], [-i] (*pl.* ***-ganc·es; -cies***) *n.* **1** 우아, 고상, 기품. **2** 정확〔적확〕함, 간결함. **3** 우아함〔한 것〕, 고상한 말, 세련된 예절.
***el·e·gant** [éligənt] *a.* **1** (인품 등이) 기품 있는, 품위 있는(graceful); (취미·습관·문체 따위가) 우아한, 세련된: life of ~ ease 여유 있고 우아한 생활.

> SYN. **elegant** 후천적으로 사람의 품성이나 취미가 세련됨을 나타냄. **graceful** 선천적으로 잘 길러진 우아함·고상함을 나타냄.

2 (물건 따위가) 풍아한, 아취가 있는; (문체 따위가) 격조 높은: ~ furnishings 고상한 가구. **3** (과학적으로) 정밀한, 정연한. **4** 《구어》 멋있는, 훌륭한(fine, nice): an absolutely ~ wine 천하의 명주. **—** *n.* 취미나 태도가 까다로운 사람, (옷차림·태도가) 세련된 사람. ㊞ **~·ly** *ad.*
el·e·gi·ac, -a·cal [èlidʒáiək, ilí:dʒiæ̀k/èlidʒáiək], [-əkəl] *a.* 만가(挽歌)의, 애가(哀歌)의; 만가 형식의, 애가조(調)의; 구슬픈, 애수의. **—** *n.* (*pl.*) 만가〔애가〕 형식의 시가.
elegíac cóuplet 〔**dístich**〕 〖운율〗 만가체의 이연구(二聯句)《6 시각(六詩脚) 및 5 시각으로 이루어지는 강약약격(強弱弱格)의 대구(對句)》.
elegíac stánza 애가조의 연(聯)《약강조 5 보격(步格)의 abab 와 압운(押韻)되는 4 행 연구》.
el·e·gist [élədʒist] *n.* 애가(哀歌)의 작자〔시인〕.
ele·git [ilí:dʒit] *n.* 〖법률〗 강제 관리 영장《이에 의거해 판결 채무의 완전 변제까지 채권자가 채무자의 동산·부동산을 관리함》.
el·e·gize [élədʒàiz] *vt., vi.* 만가(挽歌)로 노래하다; 만가로 쓰다; 애가를 짓다《*upon*》.
el·e·gy [élədʒi] *n.* 비가(悲歌), 엘레지, 애가, 만가; 만가조의 시.
elem. element(s); elementary.
****el·e·ment** [éləmənt] *n.* **1** 요소, 성분; (구성) 분자: Love is an ~ of kindness. 사랑은 친절의 한 구성 요소이다.

> SYN. **element** 이루기 위한 기본적이며 불가결한 요소: Letters are the *elements* out of which all our words are formed. 문자는 모든 말을 구성하는 데 불가결한 요소이다. **component** 성분의 하나: Carbon is a *component* of steel. 탄소는 강철의 한 성분이다. **constituent** 구성 요소 전부를 가리키는 경우가 많음: Hydrogen and oxygen are the *constituents* of water. 수소(水素)와 산소가 물의 성분이다. **ingredient** 반드시 불가결하진 않은 요소: the *ingredients* of the cake 케이크의 재료. **factor** 사물의 성질을 결정하는 요소·요인.

2 〖화학〗 원소: reduced to its ~s 원소로 분해〔환원〕되어. **3** 사(四)원소《흙·물·불·바람》의 하나; (the ~s) 자연력, 《특히》 (폭)풍우: the fury of the ~s 자연력의 맹위 / exposed to the ~s 비바람에 씻기어. **4** (생물의) 고유의 환경; 활동 영역; (사람의) 본령, 천성; 적소. **5** (the ~s) (학문의) 원리; 초보, 첫걸음: the ~s *of* grammar 문법의 요강〔첫걸음〕. **6** 〖군사〗 분대; 〖미공군〗 전투기의 소편대《2-3 기》. **7** (E-s) 〖교회〗 성찬용의 빵과 포도주. **8** 〖전기〗 전지, 전극; 〖수학〗 원소(元素); 〖컴퓨터〗 요소. ***be in* one's ~** 본래의 활동 범위 내에 있다, 득의의 경지에 있다. ***be out of* one's ~** 자기에게 맞지 않는 환경 속에 있다. ***discontented ~s*** (of society) (사회의) 불평분자. ***the four ~s*** 〖철학〗 4 대 요소.
°**el·e·men·tal** [èləméntl] *a.* **1** 요소의; 원소의, 사(四)원소《흙, 물, 불, 바람》의. **2** 《미》 기본적인, 본질적인. **3** 원리의; 초보의《이 뜻으로는 지금은 보통 elementary를 씀》. **4** 자연력의; 절대의, 굉장한: ~ grandeur 자연의 웅대함 / ~ forces 자연력 / ~ tumults 폭풍우 / ~ worship 자연력 숭배. **5** (사람의 성격·감정이) 자연 그대로의, 소박한, 매우 단순한: ~ human nature 자연 그대로의 인간성. **—** *n.* **1** 4 원소의 정령의 하나. **2** (흔히 *pl.*) 기본 원리. ㊞ **~·ly** *ad.*
****el·e·men·ta·ry** [èləméntəri] *a.* **1** 기본의, 초보의, 초등 교육〔학교〕의; 〖수학〗 (함수가) 초등의: ~ education 초등 교육 / ~ knowledge 초보적 지식 / an ~ teacher. **2** 최소 단위를 이루는, 핵의; 원소의: ~ substance(s) 단체(單體). **3** 사(四)원소의; 자연력의. ㊞ **-ri·ly** [-tərili] *ad.* **-ri·ness** [-tərinis] *n.*
eleméntary fúnction 〖수학〗 초등 함수.
eleméntary párticle 〖물리〗 소립자(fundamental particle).
eleméntary schòol 《미》 초등학교《6년 또는 8년》; 《영》 primary school의 구칭.
el·e·mi [éləmi] *n.* 열대산 방향 수지(芳香樹脂).
El·e·na [élənə] *n.* 엘레나《여자 이름》.
elen·chus [iléŋkəs] (*pl.* ***-chi*** [-kai]) *n.* 〖논리〗 비난법(非難法); 논란, 논박. ***Socratic ~*** 짧은 대화로 진실을 찾는 방법. ㊞ **elenc·tic** [ilèŋktik] *a.* 논박의.
****el·e·phant** [éləfənt] *n.* **1** 코끼리. ★ 수컷은 bull ~; 암컷은 cow ~; 새끼는 calf ~; 울음소리는 trumpet; 코는 trunk라 함: ⇨ WHITE 〔PINK〕 ELEPHANT. **2** 《미》 공화당의 상징. ⓒⓕ donkey. **3** 《영》 도화지의 크기《71×58 센티》. **4** 처치곤란한 것. **5** 거대한 사람〔물건〕. **6** 《속어·우스개》 뚱뚱한 사람; 둔한 사람. **7** 합성 헤로인; 헤로인. **8** 미국 잡지 *Fortune*이 선정한 500 사(社)를 포함하는 대기업 및 준 대기업. ***be like an ~*** 매우 기억력이 좋다. **~ *humor*** 어울리지 않는 유머. **~ *movements*** 서투른 동작. ***see the ~*** = ***get a look at the ~*** 《미속어》 세상 구경을 하다, 인생을 경험하다.
el·e·phan·ta [èləfǽntə] *n.* 인도의 남서부 Malabar 연안에서 부는 강풍《9-10 월》.
élephant bìrd 〖고생물〗 융조(隆鳥)(aepyornis).
élephant èars 《구어》 미사일 외각의 두꺼운 금속판《마찰열의 분산과 궤도 이탈 방지용》.

el·e·phan·ti·a·sis [èləfəntáiəsis] *n.* [U] 〖의학〗 상피병(象皮病).
el·e·phan·tine [èləfǽntiːn, -tain/èlifǽntain] *a.* 코끼리의, 코끼리 같은; 거대한(huge); 볼꼴 사나운(clumsy): ~ steps 무거운 발걸음.
élephant sèal 〖동물〗 코끼리바다표범.
élephant's-èar *n.* 〖식물〗 =BEGONIA; =TARO.
El·eu·sin·i·an [èljusíniən] *a.*, *n.* (고대 그리스의) 엘레우시스(Eleusis) 시의 (주민).
Eleusínian mýsteries 엘레우시스 (대)밀의((大)密儀)《곡식의 신 Demeter를 받드는 신비적 의식》.
elev. elevation.
*__el·e·vate__ [éləvèit] *vt.* **1** (들어) 올리다, 높이다: ~ the voice 목소리를 높이다. [SYN.] ⇨RAISE. ★ 일반적으로 put up, lift, raise를 쓰는 것이 좋음. **2** 《+[목]+[전]+[명]》 승진시키다; 등용하다《*to*》: ~ a commoner *to* the peerage 평민을 귀족으로 끌어올리다. **3** (지적·정신적으로) 향상시키다, 고상하게 하다; 기분을 돋우다, 의기를 왕성케 하다: Reading good books ~s the mind. 양서를 읽는 것은 정신을 향상시킨다. **4** 《속어》 …에게 강도 짓을 하다(hold up). ◇ elevation *n.* ~ ***the Host*** 〖가톨릭〗 성체를 거양(擧揚)하다.
él·e·vàt·ed [-id] *a.* 높여진, 높은; 숭고〔고결〕한, 고상한; 쾌활한, 유쾌한; 《구어》 거나한, 얼근히 취한. ── *n.* 《미》 고가 철도. 「략: L, el》.
élevated ráilroad 〔**ráilway**〕 고가 철도《생
*__el·e·va·tion__ [èləvéiʃən] *n.* **1** (an ~) 높이, 고도, 해발(altitude); [C] 약간 높은 곳, 고지(height). **2** [U] 고귀〔숭고〕함, 고상. **3** [U] 올리기, 높이기; [C] 등용, 승진《*to*》; 향상. **4** 〖군사〗 (an ~) (대포의) 올려본각, 고각(高角). **5** [C] 〖건축〗 입면도, 정면도. ***the Elevation*** (***of the Host***) 〖가톨릭〗 (성체) 거양. ***to an ~ of*** …의 높이까지.
__el·e·va·tor__ [éləvèitər] *n.* **1 《미》 엘리베이터, 승강기(《영》 lift): an ~ operator 《미》 승강기 운전사(《영》 liftman) / an ~ shaft 승강기 통로. **2** 물건을 올리는 장치〔사람〕 (freight ~). **3** (비행기의) 승강타(舵); (건축 공사 등의) 기중기. **4** 양곡기(揚穀機), 양수기. **5** 대형 곡물 창고(grain ~)《양곡기를 갖춘》. **6** 〖해부〗 거근(擧筋). **7** 《미》 키가 커 보이게 만든 구두(~ shoes).
élevator mùsic 엘리베이터 음악《엘리베이터·식당·대기실 등에서 나오는 단조로운 음악》.
el·e·va·to·ry [éləvətɔ̀ːri/éliveìtəri] *a.* 올리는, 높이는.
†**elev·en** [ilévən] *n.* 11; 열 한 살; 11시(時); 11개(의 물건); 열 한 사람; 11의 기호; 11인조의 구단(球團)《축구 팀 따위》; (the E-) 예수의 11 사도《12 사도 중 Judas를 제외한》. ***be in the*** ~ (축구·크리켓의) 선수이다. ── *a.* 11의, 11개〔명〕의. [파] ~·**fòld** *a.*, *ad.* 11배의〔로〕.
eléven-plús (**examinátion**) 《영》 중등학교 진학 적성 시험.
elev·ens·es [ilévənziz] *n. pl.* 〖때로 단수취급〗 《영구어》 (오전 11 시경의) 간식, 차.
†**elev·enth** [ilévənθ] *a.* 열한(번)째의, 제 11의; 11분의 1의. ── *n.* 11번째, 제 11; (달의) 11일; 11분의 1. [파] ~·**ly** *ad.*
eléventh hóur 기한 막바지의 때, 최후의 순간. ***at the*** ~ 아슬아슬한 때〔데〕에, 막판에.
el·e·von [élavàn/-vɔ̀n] *n.* 〖항공〗 승강타 (겸용) 보조익(補助翼).
elf [elf] (*pl.* ***elves*** [elvz]) *n.* 꼬마 요정; 난쟁이, 꼬마; 《특히》 선머슴, 개구쟁이; 작은 짐승〔벌레〕. ***play the*** ~ 못된 장난을 하다.
ELF, Elf, elf 〖통신〗 extremely low frequency (초(超)저주파; 파장 100-1,000km 정도).
ELF Eritrean Liberation Front.
élf bòlt 〔**àrrow, dàrt**〕 (꼬마 요정의) 돌(화살촉).
élf chìld =CHANGELING.
elf·in [élfin] *a.* 꼬마 요정(妖精)의; 꼬마 요정 같은. ── *n.* 꼬마 요정; 난쟁이, 꼬마; 장난꾸러기 아이(urchin).
elf·ish [élfiʃ] *a.* 요정 같은; 못된 장난을 하는. [파] ~·**ly** *ad.* ~·**ness** *n.*
élf·lànd *n.* 꼬마 요정의 나라.
élf·lòck *n.* (보통 *pl.*) 헝클어진 머리카락, 난발.
el fol·do [elfóuldou] 〖다음 용법 뿐임〗 ***pull an*** ~ 《속어》 쇠약해지다, 힘을 잃다.
élf-strìcken, -strùck *a.* 귀신이 들린.
El·gar [élgər, -gɑːr] *n.* Sir **Edward** ~ 엘가《영국의 작곡가; *Pomp and Circumstance* '위풍당당' (1902)이 유명함; 1857-1934》.
Él·gin márbles [élgin-] (the ~) (대영 박물관 소장 고대 그리스의) 대리석 조상(彫像).
El Gi·za, El Gi·zeh [elgíːzə] 기자, 기제《이집트 북부의 도시; 부근에 Pyramid와 Sphinx가 있음》.
El Gre·co [elgrékou] 엘 그레코《그리스 태생의 스페인 화가; 1541-1614》.
el·hi [élhai] *a.* 초등학교에서 고등학교까지의. [◂ *el*ementary school+*hi*gh school]
Eli [íːlai] *n.* 엘리《남자 이름》.
Elia [íːliə] *n.* 엘리아《영국의 수필가 Charles Lamb의 필명》.
Eli·as [iláiəs] *n.* 엘리아스. **1** 남자 이름. **2** **Norbert** ~ [*G.* elíːas] 독일의 사회학자(1897-1990).
elic·it [ilísit] *vt.* (진리·사실 따위를 논리적으로) 이끌어 내다; 꾀어 내다, (대답·웃음 따위를) 유도해 내다: ~ a laugh *from* a person 아무를 (저도 모르게) 웃게 하다 / ~ a reply 어떻게든 해서 대답하게 하다. [파] **elic·i·ta·tion** [ilìsətéiʃən] *n.* [U]
elide [iláid] *vt.* 〖음성〗 (모음 또는 음절을) 생략하다; 무시〔묵살〕하다; 빠뜨리다(omit); 삭감〔단축〕하다.
èl·i·gi·bíl·i·ty *n.* [U] 피선거 자격; 적임, 적격성: ~ rule 자격 규정.
el·i·gi·ble [élidʒəbəl] *a.* 적격의, 피선거 자격이 있는; 적임의; 바람직한, (특히 결혼 상대로서) 적당한《*for*; *to* do》: an ~ young man *for* one's daughter 사윗감으로 알맞은 청년 / ~ *for* 〔*to*〕 membership 회원이 될 자격이 있는 / He's not ~ *to* vote. 그는 투표할 자격이 없다. ***a woman of ~ age*** 묘령의 여성. ── *n.* 유자격자, 적격자, 적임자. [파] **-bly** *ad.*
El·i·hu [éləhjùː, iláihjuː/iláihjuː] *n.* 남자 이름.
Eli·jah [iláidʒə] *n.* 〖성서〗 엘리야《히브리의 예언자》.
elim·i·na·ble [ilímənəbəl] *a.* 제거할 수 있는; 〖수학〗 소거할 수 있는.
elim·i·nant [ilímənənt] *n.* 〖수학〗 소거법(消去法); 〖의학〗 배설 촉진제.
*__elim·i·nate__ [ilímənèit] *vt.* **1** 《+[목]+[전]+[명]》 제거하다, 배제하다; 몰아내다《*from*》. [cf.] exclude. ¶ She ~*d* all errors *from* the typescript. 타이프 원고에서 틀린 걸 모두 없앴다. **2** 고려하지 않다, 무시하다; (예선 등에서) 실격시키다. **3** 《+[목]+[전]+[명]》 〖생리〗 …을 배출〔배설〕하다《*from*》: ~ waste matter *from* the system 노폐물을 몸에서 배설하다. **4** 〖수학〗 소거하다. **5** 《구어·완곡어》 없애다, 죽이다(kill). ◇ elimination *n.* [파] **-nà·tive** [-nèitiv/-nət-] *a.* ~할 수 있는.
elìm·i·ná·tion *n.* [U,C] 배제, 제거; 〖수학〗 소거(법); 〖경기〗 예선; (*pl.*) 배설물, 토해낸 물

건: an ~ contest 〔match, race〕 〚경기〛 예선 시합. ◇ eliminate *v.*

elim·i·na·tor [ilímənèitər] *n.* 제거하는 사람; 배제기(排除器); 〚전기〛 일리미네이터《교류에서 직류를 얻는 장치》; 교류 수신기의 전원부.

elim·i·na·to·ry [ilímənətɔ̀:ri/-təri] *a.* =ELIMINATIVE.

El·i·nor [élənər] *n.* 엘리너《여자 이름》.

ELINT, el·int [élint] *n.* (고성능 정찰 장비를 갖춘) 정보 수집선〔기(機)〕(spy ship 〔plane〕); 그에 의한 정보 수집 활동, 전자 정찰; 그 정보. [◂ *el*ectronic *int*elligence]

El·i·ot [éliət, -jət] *n.* 엘리엇. **1** 남자 이름. **2 George** ~ 영국 여류 소설가 Mary Ann Evans의 필명(1819-80). **3 T**(**homas**) **S**(**tearns**) ~ (미국 출생의) 영국 시인·평론가《노벨 문학상 수상(1948); 1888-1965》.

ELISA [iláizə, -sə] *n.* 〚의학〛 효소 결합 면역 흡착 검사(법)《특정 감염증, 즉 에이즈 따위의 혈청학적 진단법》. [◂ *e*nzyme-*l*inked *i*mmuno*s*orbent *a*ssay]

Elis·a·beth [ilízəbəθ] *n.* **1** 엘리자베스《여자 이름》. **2** 〚성서〛 엘리사벳《세례 요한의 모친》.

Elise [elí:z, ilí:s] *n.* 엘리스《여자 이름》.

Eli·sha [iláiʃə] *n.* **1** 남자 이름. **2** 〚성서〛 엘리사《히브리의 예언자로 Elijah의 후계자》.

eli·sion [ilíʒən] *n.* U,C 〚음성〛 모음〔음절〕 탈락. ◇ elide *v.*

elite [ilí:t, ei-] *n.* (보통 the ~) 〔집합적〕 엘리트, 선발된 것〔사람〕, 선량, 정예(精銳). ***the ~ of society*** 명사들, 선량들. **—** *a.* 엘리트의, 선발된, 정예의.

elit·ism [ilí:tizəm, ei-] *n.* 엘리트에 의한 지배, 엘리트 의식〔자존심〕, 엘리트주의, 정예주의.

elit·ist [ilí:tist, ei-] *n.* 엘리트주의자.

elix·ir [iliksər] *n.* 연금약액(鍊金藥液)《비금속을 황금으로 바꾼다는》; 불로장생의 약; 만병통치약(cure-all), 특효약; 〚약학〛 엘릭시르; 《드물게》 정수(精髓). ***the ~ of life*** 불로장수약.

Eli·za [iláizə] *n.* Elizabeth의 애칭.

Eliz·a·beth [ilízəbəθ] *n.* **1** 엘리자베스《여자 이름》. **2** 영국 여왕(女王). ~ **I** 엘리자베스 1세 (1533-1603). ~ **II** 엘리자베스 2세(1926-) 《현 여왕(1952-)》.

Eliz·a·be·than [ilìzəbí:θən] *a.* Elizabeth 1세 시대의; Elizabeth 여왕의. **—** *n.* Elizabeth 시대의 사람《특히 시인·극작가·정치가 등》.

Elizabéthan sónnet (Shakespeare 등의) 엘리자베스 1세 때의 시인들이 쓴 소네트.

elk [elk] (*pl.* **~s,** 〔집합적〕 ~) *n.* **1** 엘크《현존 사슴 중 가장 큼》. cf. moose. **2** =WAPITI. **3** U 무두질한 가죽의 일종. **4** (E-) 《미》 엘크스회의 일원. (***Benevolent and Protective***) ***Order of Elks*** 《미》 엘크스회《자선·사교·애국 단체; 생략: B.P.O.E.》.

ell[1] [el] *n.* 엘《옛 척도(尺度); 영국에서는 45 인치》: Give him an inch, and he'll take an ~. 《속담》 봉당을 빌려 주니 안방까지 달란다.

ell[2] *n.* L, l 자(字); L 모양의 것; 몸채에 직각으로 붙여 지은 건물; L자형 파이프.

el·lipse [ilíps] *n.* 〚수학〛 타원; =ELLIPSIS.

el·lip·sis [ilípsis] (*pl.* **-ses** [-si:z]) *n.* **1** U,C 〚문법〛 (말의) 생략《*of*》. **2** C 〚인쇄〛 생략 부호 《—, …, * * * 따위》; 〚수학〛 =ELLIPSE.

el·lip·so·graph [ilípsəgræ̀f, -grɑ̀:f] *n.* 타원 컴퍼스〔자〕. 「= ELLIPSOIDAL.

el·lip·soid [ilípsɔid] *n.* 〚수학〛 타원면. **—** *a.*

el·lip·soi·dal [ilipsɔ́idl, èlip-/èlip-] *a.* 타원체(모양)의: an ~ solid 타원체.

el·lip·tic, -ti·cal [ilíptik], [-əl] *a.* **1** 타원(형)의: ~ trammels 타원 컴퍼스. **2** 〚문법〛 생략의, 생략된: an ~ remark 에둘러 하는 표현. **—** *n.* =ELLIPTICAL GALAXY. ㊕ **-ti·cal·ly** *ad.* 타원형으로; 생략하고. 「하〕.

ellíptical gálaxy 〚천문〛 타원 성운(星雲)〔은

el·lip·tic·i·ty [ilìptísəti, èlip-] *n.* U,C 타원형〔율〕; 《특히》 지구 타원율.

El·lis [élis] *n.* 엘리스《남자 이름》.

Éllis Ísland 엘리스 섬《뉴욕 만 안의 작은 섬; 전에 이민 검역소(1892-1943)가 있었음》.

elm [elm] *n.* 느릅나무; U 느릅나무 재목.

El·mer [élmər] *n.* 엘머《남자 이름》.

El Ni·ño [elní:njou] **1** 엘니뇨, 엘니뇨 현상(~ phenomenon)《페루 앞바다 적도 부근의 중부 태평양 해역의 해면 온도가 급상승하여 연안의 농어업에 피해를 주고 발생년을 중심으로 지구 전체에 이상 현상(~ Effect)을 가져옴》. **2** 《구어》 (기호·유행·시류 등의) 설명할 수 없는 돌발적 변화, 이해할 수 없는 대변동.

el·o·cu·tion [èləkjú:ʃən] *n.* U 웅변술, 연설〔낭독·발성〕법; 연설조: theatrical ~ 무대 발성법. ㊕ **~·ary** [-èri/-əri] *a.* **~·ist** *n.* 웅변가; 연설법〔낭독법〕 교사.

Elo·him [elóuhim] *n.* 엘로힘《특히 구약성서에 나오는, 히브리인(人)의 신(神)》. 「이름》.

El·o·ise [èloui:z, ˌ-ˌ-ˈ-] *n.* 엘러위즈《여자

elon·gate [ilɔ́:ŋgeit/í:lɔŋgèit] *vt.* 길게 하다, (잡아) 늘이다, 연장하다. **—** *vi.* 길어지다, 뻗어〔늘어〕나다. **—** *a.* 뻗은; 〚식물·동물〛 가늘고 긴. ㊕ **-gat·ed** [-id] *a.* 가늘고 긴.

elon·ga·tion [ilɔ:ŋgéiʃən/i:lɔŋ-] *n.* 신장(伸張), 연장(선); 신장도(度); 〚천문〛 이각(離角)《지구에서 관측되는 천체와 천체 간의 각거리》.

elope [ilóup] *vi.* (남녀가) 눈이 맞아 달아나다, 가출(家出)하다《*with*》; 도망가다《*with* money》. ㊕ **~·ment** *n.* U,C 가출; 도망. **elóp·er** *n.*

*__el·o·quence__ [éləkwəns] *n.* U **1** 웅변, 능변: fiery ~ 열변. **2** 《고어》 웅변술, 수사법. **3** 《비유》 설득력, (말로) 마음을 움직이게 하는 힘. ***with ~*** 변설을 교묘하게, 달변으로.

*__el·o·quent__ [éləkwənt] *a.* **1** 웅변의, 능변인. **2** 설득력 있는; 감동적인: Eyes are more ~ than lips. 《속담》 눈은 입보다 더 능변이다《더 풍부하게 감정을 표현한다》. ***be ~ of...*** …을 생생하게 표현하다〔나타내다〕. ㊕ **~·ly** *ad.* 웅변으로.

El Paso [elpǽsou] 엘패소《미국 Texas주 서부의 상업 도시》.

El·sa [élsə] *n.* 엘사《여자 이름》.

El Sal·va·dor [elsǽlvədɔ̀:r] *n.* 엘살바도르 《중앙아메리카의 공화국; 수도 San Salvador》.

†**else** [els] *ad.* **1** 〔의문부사·-where로 끝나는 낱말 뒤에 붙여서〕 그 외에, 그 밖에, 달리, 그 위에: *How* ~ could I do it 〔say〕? 그렇게 할〔말할〕 도리밖에 없죠/*Where* ~ can I go? 그 밖에 어디로 갈 수 있을까/You had better go *somewhere* ~. 어딘가 다른 곳으로 가는 것이 좋겠다/She wanted to go home and *nowhere* ~. 그녀는 다른 곳이 아니라 집에만 가고 싶어했다/*How* ~ can you hope to get it? 그 방법 이외에 어떻게 그것을 손에 넣을 수 있기를 바라겠는가. **2** 〔보통 or 뒤에서〕 그렇지 않으면: You can go alone, *or* ~ with Tom. 혼자 가도 좋고, 톰과 같이 가도 좋다/Take care, *or* ~ you will fall. 조심하지 않으면 떨어져요. ★ or *else*의 뒤를 생략할 경우가 있음: Do as I say, *or else*. 내가 하라는 대로 해라, 안 그러면《나중에 좋지 않다는 위협》.

— *a.* 〔부정대명사·의문대명사의 뒤에 붙여서〕 그 밖의, 다른: *someone* ~ 누군가 다른 사람/Is there *anything* ~ ? 그 밖의 필요하신 것이

또 있습니까/There's *no one* ~ to come. 더 이상 올 사람은 없다/*Who* ~ can I trust? 당신 말고 다른 누구를 신용할 수 있겠는가/I did *nothing* ~ but watch TV. 나는 TV를 보는 것 이외에 아무것도 하지 않았다/If you can't find my umbrella, *anyone* ~*s* will do. 만일 내 우산을 찾을 수 없으면 다른 아무의 것이라도 상관없다. ★「부정〔의문〕대명사+else」의 소유격은 else에 's를 붙여 만듦. 단, whose else는 가능함: someone *else's* book 누군가 딴 사람의 책/It's *no one else's* business. 다른 사람에게 관계없는 일이다.

else·where [élshwὲər/èlswέə] *ad.* **1** (어딘가) 다른 곳에(서)〔으로〕: look ~ 다른 곳을 찾다. **2** 다른 경우에. ***here as*** ~ 딴 경우와 마찬가지로 이 경우에도.

else·whith·er [élshwìðər/èlswíðə] *ad.* =ELSEWHERE.

El·sie [élsi] *n.* 엘시《여자 이름; Alice, Elizabeth, Elsa의 애칭》.

ELSS 〖우주〗 extravehicular life support system (선외(船外) 생명 유지 장치). **ELT** 〖항공〗 emergency landing transmitter (불시착 발신 장치); English Language Teaching.

El Tor [eltɔ́:r] 〖세균〗 엘토르 콜레라균《처음 발견된 시나이 반도의 이집트 검역소 이름에서》.

el·u·ant [éljuənt] *n.* 〖화학〗 용리제(溶離劑).

el·u·ate [éljuət, -èit] *n.* 〖화학〗 용출액(溶出液), 용리액(溶離液).

elu·ci·date [ilú:sədèit] *vt.* (문제 등을) 밝히다, 명료하게 하다, 설명하다(explain). [파] **elù·ci·dá·tion** *n.* [U,C] 설명, 해명, 해설. **elúci·da·tive** [-dèitiv/-dətiv] *a.* 밝히는, 설명적인. **elú·ci·dà·tor** *n.* 해설자. **elú·ci·da·to·ry** [-dətɔ̀:ri/-təri] *a.* =elucidative.

elu·cu·brate [ilú:kjəbrèit] *vt.* (특히 문예 작품 등을) 각고정려 끝에 완성하다. [파] **elù·cu·brá·tion** *n.*

elude [ilú:d] *vt.* (추적·벌·책임 따위를) 교묘히 피하다, 회피하다(evade); 면하다, 빠져나오다, 벗어나다; 곤란하게 하다; 이해〔파악〕하기 어렵게 하다: ~ the law 법망을 뚫다/~ payment 〔taxation〕 지불을〔납세를〕 면하다/The meaning ~*s* me. 뜻을 모르겠다/~ one's grasp (잡으려 해도) 잡히지 않다.

elu·sion [ilú:ʒən] *n.* [U] 피함, 회피, 도피; 속임수, 핑계, 발뺌.

elu·sive [ilú:siv] *a.* **1** (뜻·성격 등이) 파악하기 어려운, 알기 어려운; 표현〔정의〕하기 어려운. **2** (사람·동물 등이) 교묘히 잘 빠지는, 도망가기 쉬운. **3** 남의 눈을 피하는, 고독을 좋아하는. [파] **~·ly** *ad.* **~·ness** *n.*

elu·so·ry [ilú:səri] *a.* =ELUSIVE.

elute [i(:)lú:t] *vt.* 뽑다, 추출하다; 〖화학〗 용리(溶離)하다. [파] **elú·tion** *n.* 〖화학〗 용리.

elu·tri·ate [ilú:trièit] *vt.* 〖의학〗 깨끗이 씻다; 〖화학〗 씻어 갈라 내다; 〖광산〗 세광(洗鑛)하다, 걸러내다. [파] **elù·tri·á·tion** *n.*

elu·vi·al [ilú:viəl] *a.* (토양 따위가) 용탈(溶脫)의, 씻겨 내려가는; 〖지학〗 잔적층(殘積層)의.

elu·vi·ate [ilú:vièit] *vi.* 용탈(溶脫)하다《빗물 따위로 암석·토양 속의 물질이 씻겨 내려가다》.

elu·vi·a·tion [ilù:viéiʃən] *n.* 용탈. 「류물.

elu·vi·um [ilú:viəm] *n.* 〖지학〗 풍화(風化) 잔

el·van [élvən] *n.* 〖광물〗 맥반암(脈斑岩)《영국 Cornwall산(産)》; 맥반암의 큰 암맥.

el·ver [élvər] *n.* (바다에서 오른) 새끼 뱀장어.

elves [elvz] ELF의 복수.

El·vi·ra [elváirə/-váiərə] *n.* 여자 이름.

El·vis [élvis] *n.* 엘비스. **1** 남자 이름《Elwin의 별칭》. **2** ⇨ PRESLEY.

elv·ish [élviʃ] *a.* =ELFISH

Élvis sìghting 《미》 (죽은) 엘비스(Elvis Presley)를 보았다는 이야기, 엘비스 목격담.

El·win [élwin] *n.* 엘윈(=**Élvin, Élwyn**)《남자 이름》.

Ely [í:li] *n.* 일리《잉글랜드 동부 Isle of Ely 군의 도시; 유명한 Cathedral이 있음》.

Ély·sée [eili:zéi] *n.* 《F.》 (the ~) 엘리제(궁)《파리의 프랑스 대통령 관저》; (the ~) 프랑스 정부.

Ely·sian [ilíʒən/-ziən] *a.* Elysium 같은: ~ joy 극락〔무상〕의 기쁨.

Elýsian fíelds =ELYSIUM(⇨CHAMPS ÉLYSÉES).

Ely·si·um [ilí(:)ʒiəm, -ziəm/ilíziəm] (*pl.* **~s, -sia** [-iə]) *n.* 〖그리스신화〗 엘리시움《영웅·선인(善人)이 사후에 가는 낙원》; 이상향; [U] 최상의 행복.

Ely·tis [élətis] *n.* **Odysseus** ~ 엘리티스《그리스의 시인; 노벨 문학상 수상(1979); 1911-96》.

el·y·tron, -trum [élətrɑ̀n/-trɔ̀n], [-trəm] (*pl.* ***-tra*** [-trə]) *n.* 〖곤충〗 시초(翅鞘).

El·ze·vir [élzəviər] *a.* 네덜란드의 인쇄업자 Elzevir가(家)에서 출판한. **—** *n.* Elzevir판(의 책); Elzevir 활자체. 「(全角). [cf] en.

em [em] (*pl.* ***ems***) *n.* M자(字); 〖인쇄〗 전각

'em [əm] *pron. pl.* 《구어》 =THEM. 「*em*balm.

em- [im, em] *pref.* =EN- 《b, p, m, ph 앞》;

EM enlisted man 〔men〕; electron microscope; educational manual. **Em.** 〖화학〗 emanation. **EMA** 〖경제〗 European Monetary Agreement (유럽 통화 협정).

ema·ci·ate [iméiʃièit] *vt.* 여위게〔쇠약하게〕 하다; (땅을) 메마르게 하다. [파] **-àt·ed** [-id] *a.* 여윈, 쇠약해진; (땅이) 메마른.

emà·ci·á·tion *n.* [U] 여윔, 쇠약, 초췌.

E-mail, e-mail, email [í:méil] *n.* 전자 메일(electronic mail). **—** *vt.* …에게 ~을 보내다; …을 ~로 보내다.

É-mail addrèss 〖컴퓨터〗 (인터넷상의) 전자 우편 어드레스, E-메일 어드레스《전자 우편을 주고받을 주소로, 기본적으로는 '사용자명(ID) @가입 업체의 도메인명'의 순서로 적음》.

em·a·nate [émənèit] *vi.* (냄새·빛·소리·증기·열 따위가) 나다, 방사〔발산·유출〕하다 《*from*》; (생각·명령 등이) 나오다, 퍼지다. **—** *vt.* 발산시키다.

èm·a·ná·tion *n.* [U] 방사, 발산; [C] 방사물, 발산하는 것; 감화력, 영향; 〖화학〗 에머네이션, 가스 모양의 방사성 물질. 「성〔발산성〕의.

em·a·na·tive [émənèitiv] *a.* 유출적인, 방사

eman·ci·pate [imǽnsəpèit] *vt.* **1** (노예 등을) 해방하다; 이탈시키다 《*from*》; 〖로마법〗 (아이를) 부권(父權)으로부터 해방시키다. **2** 〖~ oneself〗 (…에서) 자유롭게 되다; (…을) 끊다 《*from*》: ~ one*self from* one's smoking habit 담배를 끊다. [파] **-pàt·ed** [-id] *a.* **1** 해방〔석방〕된, 자유의. **2** 자유사상의; (인습에) 구애되지 않는. **-pà·tive** [-tiv] *a.*

emàn·ci·pá·tion *n.* [U,C] (노예) 해방; 이탈; 〖로마법〗 부권(父權)에서의 해방. [파] **~·ist** *n.* (노예) 해방론자.

Emancipátion Proclamátion (the ~) 〖미국사〗 노예 해방령《1862년 9월에 Lincoln 대통령이 선언, 1863년 1월 1일 발효》.

eman·ci·pa·tor [imǽnsəpèitər] *n.* (노예) 해방자: the Great *Emancipator* 위대한 해방자 《Abraham Lincoln》.

eman·ci·pa·to·ry [imǽnsəpətɔ̀:ri/-təri] *a.*

해방의〔을 위한〕. 「름》.

Eman·u·el [imǽnjuəl] *n.* 에마뉴엘《남자 이

emar·gi·nate, -nat·ed [imá:rdʒənèit, -nət], [-nèitid] *a.* 〖식물·동물〗 가장자리가 깔쭉깔쭉한.

emas·cu·late [imǽskjəlèit] *vt.* 불까다, 거세하다(castrate); (남성적인) 활력〔기력〕을 빼앗다, (나)약하게 하다(weaken); (문장 따위의) 골자를 빼 버리다: a novel ~*d* by censorship 검열에서 알맹이가 빠져 버린 소설. ― [imǽskjulit, -lèit] *a.* 거세된; 유약한; 힘없는; (문장 따위의) 골자가 빠진. ㊀ **-làt·ed** [-id] *a.* **emàs·cu·lá·tion** *n.* Ⓤ 거세(된 상태); 무력화(無力化). **emás·cu·là·tive** [-tiv] *a.* 거세하는; 골자를 빼 버리는; 무기력하게 하는. **emás·cu·là·tor** *n.* **-la·to·ry** [-lətɔ̀:ri/ -təri] *a.* =emasculative.

em·balm [imbá:m] *vt.* (시체를) 방부 처리하다, 미라로 만들다《옛날에는 향료·향유를 썼고, 지금은 방부·살균제를 씀》; …에 향기를 채우다; 《비유》 오래 기억해 두다. ㊀ ~**ed** *a.* 《미속어》 (술에) 취한. ~**·ment** *n.* Ⓤ 시체 보존, 미라로 만듦; Ⓒ 시체 방부제. 「위스키.

embálming flúid 《속어》 진한 커피, 독한

em·bank [imbǽŋk] *vt.* (하천 따위를) 둑으로 둘러막다, 제방을 (둘러)쌓다.

em·bánk·ment *n.* Ⓤ 제방쌓기; Ⓒ 둑, 제방; Ⓤ 축제(築堤).

em·bar·ca·de·ro [embɑ̀:rkədέərou] (*pl.* **~s**) 《미서부》 선창; 방파제.

embarcation ⇨ EMBARKATION.

em·bar·go [imbá:rgou, em-] *vt.* (선박의) 출항〔입항〕을 금지하다; 수출을 금지하다; (통상을) 금지하다; (상품·선박을) 압수〔징발〕하다. ― (*pl.* **~es**) *n.* 출항〔입항〕 금지, 선박 억류; 통상〔수출〕 금지; 〖일반적〗 금지(령(令)), 제한, 금지《*on*》; 〖신문〗 (뉴스의) 발표 시간 제한, 보도 자제: a gold ~ 금 수출 금지 / an ~ *on* the supply of arms 무기 공급 금지. ***lay*** 〔***put, place***〕 ***an ~ on*** = ***lay ... under an ~*** …의 수출을 금지하다; …의 출항을 금지하다; …을 금지〔방해, 억압〕하다: *lay an ~ upon* free speech 언론의 자유를 억압하다. ***lift*** 〔***raise, take off, remove***〕 ***an ~ on*** (a ship) (배)의 수출〔출항〕 금지를 해제하다; 〖일반적〗 해금하다. ***under an ~*** 수출〔출항〕 금지 중.

***em·bark** [imbá:rk, em-] *vi.* **1** 《(+전+명)》 배를 타다; 비행기에 탑승하다; 출항하다《*for*》. opp. *disembark.* ¶ ~ at New York *for* Seoul 뉴욕에서 서울행 배〔비행기〕를 타다. **2** 《(+전+명)》 (사업에) 착수하다, 종사하다, 관계하다《*in; on, upon*》: ~ *on* a new enterprise 새로운 사업을 시작하다 / ~ *in* 〔*on*〕 matrimony 결혼 생활로 들어가다. ― *vt.* **1** 배〔비행기〕에 태우다〔싣다〕: ~ the contraband goods under cover of night 야음을 틈타 금제품을 배에 싣다. **2** 《+목+전+명》 (사업 따위에) 관계〔종사〕시키다, (자금을) 투자하다: ~ much money *in* trade 상업에 많은 돈을 투자하다.

em·bar·ka·tion, -ca- [èmbɑ:rkéiʃən] *n.* Ⓤ 승선; 비행기에 탑승하기; 출항; 신기, 적재; (사업 등에) 관계〔착수〕함; Ⓒ 탑재물.

embarkátion càrd 출국 카드. opp. *disembarkation card.*

em·bárk·ment *n.* =EMBARKATION.

***em·bar·rass** [imbǽrəs, em-] *vt.* **1** 《~+목/+목+전+명》 당혹〔당황〕하게 하다, 난처케 하다, 쩔쩔매게 하다: ~ a person *with* questions / The revelation ~*ed* the administration. 그 폭로는 정부를 당혹게 하였다. SYN. ⇨ CONFUSE. **2** 《고어》 방해하다. **3** 〔보통 수동태〕 곤경에 빠뜨리다; (재정상) 곤란에 빠뜨리다, …로 하여금 빚을 지게 하다: They *are* ~*ed* in their affairs. 그들은 재정난에 빠져 있다. **4** (문제 따위를) 번거롭게 하다, 혼란시키다: ~ a case 사건을 번거롭게 하다. ― *vi.* 당황하다, 쩔쩔매다. ㊀ ~**·ing** *a.* 난처하게 하는, 성가신, 곤란한. ~**·ing·ly** *ad.* 난처〔곤란〕하게.

em·bár·rassed [-t] *a.* **1** 거북〔무안〕한, 당혹〔쑥〕스러운, 난처한; 쩔쩔매는: an ~ smile 당혹스런 웃음 / I was 〔felt〕 very ~. 나는 매우 당혹스러웠다〔쑥스러웠다〕 / I was ~ *by* 〔*at*〕 her unexpected question. 나는 그녀의 뜻밖의 질문에 쩔쩔맸다. **2** (금전적으로) 어려운, 빚을 진: He's financially ~. 그는 재정상 어려움에 빠져 있다. ㊀ ~**·ly** *ad.*

em·bár·rass·ment *n.* Ⓤ **1** 당황, 곤혹, 거북함; 어줍음. **2** (보통 *pl.*) 재정 곤란. **3** 방해(가 되는 것), 장애, 골칫거리: an ~ *to* one's parents. **4** 너무 많음, 혼합. **5** (심장·폐 등의) 기능 장애.

em·bas·sa·dor [embǽsədər] *n.* =AMBASSADOR.

em·bas·sage [émbəsidʒ] *n.* 대사의 임무〔사명〕; 《고어》 =EMBASSY.

em·bas·sy** [émbəsi] *n.* **1** 대사관: the Korean *Embassy* in Paris 파리 주재 한국 대사관. **2** 〔집합적〕 대사관원, 대사 및 수행원; 사절단. **3** Ⓤ 대사의 임무〔사명〕(mission). **4** (외국 정부에 파견되는) 사절(단). **5** 〖일반적〗 중요한〔공적(公的)〕 사명〔임무〕. ***attached to an ~ 대사관부(附). ***be sent on an ~ to*** …에 파견되다. ***go on an ~*** 사절로 가다.

em·bat·tle[1] [imbǽtl, em-] *vt.* 진을 치다, 포진하다, (군대의) 진용을 정비하다〔가다듬다〕; …을 방비하다. 「설치하다.

em·bat·tle[2] *vt.* 총안(銃眼) 달린 성의 흉벽을

em·bát·tled *a.* **1** 진용을 정비한, 싸울 준비가 된, 요새화된; 전쟁 따위에 휘말린; 공격에 노출된, 적에게 포위된. **2** 흉벽꼴의 요철(凸凹)이 있는; (성벽 따위가) 총안 달린 흉벽이 있는.

em·bát·tle·ment *n.* =BATTLEMENT.

em·bay [imbéi, em-] *vt.* (배를) 만에 넣다〔대피시키다, 몰아넣다〕; (해안 따위를) 만 모양으로 하다〔둘러싸다〕; 에워싸다; 가두(어 넣)다.

em·báy·ment *n.* Ⓤ,Ⓒ 만(모양의 것); 만을 이룸, 만입(灣入).

em·bed [imbéd, em-] (**-dd-**) *vt.* (물건을) 끼워 넣다, 묻다; (마음·기억 등에) 깊이 새겨 두다: a thorn ~*ded* in the finger 손가락에 박힌 가시.

em·bel·lish [imbéliʃ, em-] *vt.* 아름답게 하다, 꾸미다《*with*》; 윤색하다, (과장을 섞어) 재미있게 하다《이야기 등을》《*with*》.

em·bél·lish·ment *n.* Ⓤ 장식; 수식, (이야기 등의) 윤색; Ⓒ 장식물〔품〕.

em·ber [émbər] *n.* (보통 *pl.*) 타다 남은 것, 깜부기불, 여신(餘燼). cf. cinder. ¶ rake (up) hot ~*s* 잿불을 긁어모으다.

Ember dàys 〖가톨릭〗 사계 대재(四季大齋).

Ember wèek 〖가톨릭〗 사계 대재(四季大齋)가 낀 주간.

em·bez·zle [imbézəl, em-] *vt.* 유용〔착복〕하다, (위탁금 등을) 횡령하다. ㊀ ~**·ment** *n.* Ⓒ,Ⓤ 착복, 유용, 〖법률〗 횡령(죄). ~**r** *n.* 횡령 범인, (공금) 소비〔착복〕자.

em·bit·ter [imbítər, em-] *vt.* (약 따위를) 더 쓰게 하다; 몹시 기분나쁘게 하다; 한층 더 비참하게〔나쁘게〕 하다; 분격(憤激)〔실망〕시키다. ㊀ ~**·ment** *n.*

em·bla·zon [imbléizən, em-] *vt.* (문장(紋

章)을) 그리다《*on*》; (방패를) 문장으로 꾸미다《*with*》; 화려하게 그리다〔꾸미다〕; …을 극구 칭찬하다. ㊞ **~·er** *n.* **~·ment** *n.* (흔히 *pl.*) Ⓤ 문장; 문장 화법(畫法); 화려한 장식; 칭찬. **~·ry** [-ri] *n.* **1** 〖집합적〗 문장. **2** Ⓤ 문장 화법〔장식〕. **3** Ⓒ 아름다운 장식.

em·blem [émbləm] *n.* 상징, 표상(symbol)《*of*》; 기장(記章), 문장, 표장(標章); 전형(典型); 우의화(寓意畫). **—** *vt.* 《드물게》 상징하다; 기장〔문장〕으로 나타내다.

em·blem·at·ic, -i·cal [èmbləmǽtik], [-əl] *a.* 상징의, 상징적인; 표시가 되는, 상징하는《*of*》. ㊞ **-i·cal·ly** *ad.* 상징적으로.

em·blem·a·tist [emblémətist] *n.* 표장〔기장〕의 고안〔제작·사용〕자; 우화(寓話) 작가.

em·blem·a·tize [emblémətàiz] *vt.* 상징하다(symbolize), …의 표시가 되다; 상징〔기장〕으로 나타내다.

émblem bòok 우의화집(寓意畫集).

em·ble·ments [émbləmənts] *n. pl.* 〖법률〗 인공 경작물, (심어 놓은) 미분리(未分離) 경작물; 그 수익권; 근로 과실(勤勞果實).

em·bod·i·ment [imbádimənt, em-/-bɔ́d-] *n.* **1** Ⓤ 형체를 부여하기, 구체화, 구상화(具象化), 체현(體現). **2** Ⓒ (종종 the ~) (미덕의) 권화(權化), 화신(化身)(incarnation)《*of*》; (사상·주의의) 구체적 표현.

em·body [imbádi, em-/-bɔ́di] *vt.* **1** (사상·감정 따위를) 구체화하다, 유형화하다. **2** 《+목+전+명》 (작품·언어 따위로 사상을) 구체적으로 표현하다《*in*》: ~ democratic ideas *in* the speech 민주주의 사상을 연설로써 구체적으로 나타내다. **3** (주의 등을) 구현하다, 실현하다; (관념·사상을) 스스로 체현하다. **4** 일체화하다, 합병〔통합〕하다. **5** 수록하다, 포함하다: The book *embodies* all the rules. 그 책에는 모든 규칙이 수록되어 있다.

em·bóg *vt.* 진구렁에 빠뜨리다(mire), 꼼짝〔움쭉〕 못하게 하다.

em·bold·en [imbóuldən, em-] *vt.* 대담하게 하다, (아무에게) 용기를 주다《*to* do》.

em·bol·ic [embálik/-bɔ́l-] *a.* 〖의학〗 색전(성)(塞栓(性))의; 〖발생〗 함입(기)(陷入(期))의.

em·bo·lism [émbəlìzəm] *n.* **1** (달력에) 윤년〔윤달·윤일〕을 넣기; 윤년, 윤달, 윤일. **2** Ⓤ 〖의학〗 색전증(塞栓症)《혈전(血栓)·공기의 기포 따위로 혈관이 막힘》.

em·bo·lus [émbələs] (*pl.* **-li** [-lài]) *n.* 〖의학〗 색전(塞栓)《혈액 속의 다른 물질·기포 따위》; 《고어》 삽입물; (주사기의) 피스톤.

em·bon·point [*F.* ɑ̃bɔ̃pwɛ̃] *n.* 《F.》 《완곡어》 (주로 여성의) 비만(plumpness).

em·bos·om [imbú(:)zəm, em-/-búz-] 《문어》 *vt.* **1** 품에 안다, 품다(embrace). **2** 소중히 하다, 애지중지하다. **3** 〖보통 수동태〗 (감싸듯) 둘러싸다(surround) : a house *~ed with* 〔*in*〕 trees 나무로 둘러싸인 집.

em·boss [imbɔ́:s, -bás, em-/-bɔ́s] *vt.* **1** 《~+목/+목+전+명》 (도안 등을) 돋을새김으로 하다; 돋을새김으로 꾸미다; (금속 뒷면을 눌러서) 도드라진 무늬를 내다; 도드라지게 새기다: ~ a head *on* a coin = ~ a coin *with* a head 경화에 두상을 눌러 도드라지게 새기다 / The gold cup is *~ed with* a design of flowers. 금배에는 꽃무늬가 돋을새김으로 되어 있다. **2** (판금을) 엠보스 가공하다. **3** 부풀리다(inflate); 융기시키다. ㊞ **~·a·ble, ~ed** [-t] *a.* **~·ment** *n.*

em·bou·chure [ɑ̀:ŋbuʃúər/ɔ̀m-] *n.* 《F.》 하구(河口); 골짜기 어귀; 〖음악〗 관악기의 주둥이; 입을 대어 부는 곳; (그 곳에) 입을 대는 법.

em·bour·geoise·ment [ɑ:mbùərʒwɑ:zmɑ́:ŋ; *F.* ɑ̃buʀʒwazmɑ̃] *n.* 중산 계급화.

em·bow·el [imbáuəl, em-] (**-l-,** 《영》 **-ll-**) *vt.* = DISEMBOWEL.

em·bow·er [imbáuər, em-] *vt.* 수목 사이에 숨기다; 수목으로 둘러싸다〔가리다〕《*in; with*》.

*__em·brace__[1] [imbréis, em-] *vt.* **1** 얼싸안다, 껴안다 (hug), 포옹하다. **2** (산·언덕이) 둘러〔에워〕싸다. **3** 《~+목/+목+전+명》 품다, 포함〔포괄〕하다《*in*》: ~ every field of science 과학의 전 분야를 포괄하다 / A broad range of subjects are *~d in* an encyclopedia. 백과사전에는 광범위한 제목들이 포함되어 있다. **4** (기꺼이) 맞이하다, 환영하다; (기회를) 붙잡다, (신청 따위를) 받아들이다, 직업에 종사하다; (주의·신앙 따위를) 채택하다, 신봉하다(adopt): ~ a new life 새로운 생활로 들어가다 / ~ Buddhism 불교에 귀의하다. **5** 바라보다; 보고 알아채다, 깨닫다: ~ the whole village 마을 전체를 한눈에 바라보다 / ~ a situation 사태를 대관하다. **—** *vi.* 서로 껴안다. **—** *n.* **1** 포옹. **2** (종종 *pl.*) 《완곡어》 성교. **3** 에워쌈, 포위. **4** (주의 등의) 채용, 용인.

em·brace[2] *vt.* 〖법률〗 (법관·배심원 등을) 매수하다, 포섭하다.

em·bráce·ment *n.* Ⓤ 포옹; 수락, 감수.

em·brác·er, -bráce·or *n.* 포옹하는 사람; 〖법률〗 (법관·배심원 등을) 매수하는 사람.

em·brac·ery [imbréisəri, em-] *n.* Ⓤ 〖법률〗 배심원 매수죄.

em·brac·ive [imbréisiv, em-] *a.* 포옹(을 좋아)하는; 포괄적인.

em·branch·ment [imbrǽntʃmənt, -brɑ́:ntʃ-, em-/-brɑ́:ntʃ-] *n.* Ⓤ,Ⓒ 분지(分枝), 분기(分岐); (강의) 분류(分流); 〖동물〗 문(門).

em·bran·gle [imbrǽŋgl, em-] *vt.* 엉클어지게 하다, 혼란〔당혹〕시키다(entangle).

em·bra·sure [imbréiʒər, em-] *n.* **1** 〖축성(築城)〗 (쐐기 모양의) 총안(銃眼). **2** 〖건축〗 (문 또는 창 주위가) 비스듬히 벌어진 부분.

1 2

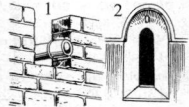

embrasure

em·brit·tle [imbrítl, em-] *vt., vi.* …을 무르게 하다〔되다〕.

em·bro·cate [émbrəkèit] *vt.* 〖의학〗 (환부)에 물약을 바르다, 찜질하다《*with*》.

èm·bro·cá·tion *n.* Ⓤ,Ⓒ 물약의 도찰(塗擦), 찜질; 도찰제(劑)〔액〕.

embroglio ⇨ IMBROGLIO.

°**em·broi·der** [imbrɔ́idər, em-] *vt.* **1** 《~+목/+목+전+명》 (…에) 자수하다, 수를 놓다: a scarf *~ed in* red thread / She *~ed* her initials *on* the handkerchief. = She *~ed* the handkerchief *with* her initials. 그녀는 손수건에 자기(이름)의 머리글자를 수놓았다. **2** 꾸미다, 분식(粉飾)하다, (이야기 따위를) 윤색하다《*with*》. **—** *vi.* 수놓다; 과장하다. ㊞ **~·er** *n.* 수놓는 사람.

°**em·broi·dery** [imbrɔ́idəri, em-] *n.* Ⓤ **1** 자수, 수(놓기); Ⓒ 자수품. **2** (이야기 따위의) 윤색, 과장.

em·broil [imbrɔ́il, em-] *vt.* (문제·사태 따위를) 혼란케 하다, 번거롭게 하다; (분쟁에) 관련시키다, 끌려들게 하다, (사건 따위에) 휩쓸어 넣다《*in*》; (아무를) 불화케 하다, 다투게 하다《*with*》. ㊞ **~·ment** *n.* Ⓤ,Ⓒ 혼란, 분규, 분쟁; 휘말림, 연루(連累).

em·brown, im- [imbráun, em-] *vt., vi.* 갈색으로 하다〔되다〕, 거무스름하게 하다〔되다〕.
embrue ⇨ IMBRUE.
embrute ⇨ IMBRUTE.
◇**em·bryo** [émbriòu] (*pl.* **~s**) *n.* 〖식물·동물〗 태아《사람의 경우 보통 임신 8주까지의》; 배(胚), 눈; 싹, 움; 유충; (발달의) 초기. ***in* ~** 미발달의, 초기의; 준비 중인. **—** *a.* = EMBRYONIC.
em·bry·o- [émbriou, -briə] embryo를 뜻하는 결합사《모음 앞에서는 embry-》.
émbryo frèezing 수정란의 동결 보존《액체 질소로 냉동 보존》.
em·bry·og·e·ny [èmbriádʒəni/-ɔ́dʒ-] *n.* 〖생물〗 배(胚)형성(= **èmbryo·génesis**). [파] **-gén·ic, -ge·nét·ic** *a.*
em·bry·oid [émbriɔ̀id] *n.* 〖생물〗 배상체(胚狀體). **—** *a.* 배상체의.
embryol. embryology.
em·bry·o·log·ic, -i·cal [èmbriəládʒik/-lɔ́dʒ-], [-əl] *a.* 발생학상〔태생학상〕의.
em·bry·ol·o·gist [èmbriálədʒist/-ɔ́l-] *n.* 태생학자, 발생학자.
em·bry·ol·o·gy [èmbriálədʒi/-ɔ́l-] *n.* [U] 태생학, 발생학.
em·bry·o·nal [émbriənl, èmbrióunl] *a.* 배(胚)의; 태아(胎兒)의. [파] **~·ly** *ad.*
em·bry·o·nat·ed [émbriənèitid] *a.* embryo를 가진.
em·bry·on·ic [èmbriánik/-ɔ́n-] *a.* 배(胚)의; 태아의; 유충의; 미발달의, 유치한.
embryónic dísk 〖생물〗 배반(胚盤); 배엽(胚葉)(blastoderm).
em·bry·o·phyte [émbriəfàit] *n.* 〖식물〗 유배(有胚) 식물.
émbryo sàc 〖식물〗 배낭(胚囊).
émbryo trànsfer 〔trànsplant〕 〖의학〗 배이식(胚移植)《분열 초기의 수정란(受精卵)을 자궁이나 난관에 옮겨 넣는 일》. [cf.] egg transfer.
embue ⇨ IMBUE.
em·bus [imbʌ́s, em-] (**-ss-**) *vt., vi.* 〖군사〗 버스〔트럭〕에 태우다〔타다〕.
em·bus·qué [*F.* ɑ̃byske] *n.* 《F.》 (관직에 있으면서) 병역을 기피하는 사람.
EMC electromagnetic compatibility.
em·cee [émsíː] 《구어》 *n.* 사회자《M.C.라고도 씀》. **—** (*p., pp.* **~d; ~·ing**) *vt., vi.* 사회하다. [◂ master of ceremonies]
EMCF European Monetary Cooperation Fund (유럽 통화 협력 기금).
ém dàsh 〖인쇄〗 엠 대시, 전각 대시(= **ém rùle**)《m 한 자 길이의 대시》.
emeer [imíər, ei-/emíə] *n.* = EMIR.
Em·e·line [éməliːn] *n.* 에멀린《여자 이름》.
emend [iménd] *vt.* (문서·잘못 따위를) 교정〔수정〕하다. [파] **~·a·ble** *a.*
emen·date [íːməndèit, émən-, iméndeit/íːmendèit] *vt.* (문서 등을) 교정〔수정〕하다.
èmen·dá·tion *n.* [U] 교정, 수정; (종종 *pl.*) 교정〔수정〕 개소(個所)〔어구〕.
emen·da·tor [íːməndèitər, émən-, iméndeit-/íːmendèit-] *n.* 교정자, 수정자. [파] **emend·a·to·ry** [iméndətɔ̀ːri/iméndətəri] *a.* 교정의, 수정의.
em·er·ald [émərəld] *n.* 〖광물〗 에메랄드, 취옥(翠玉); [U] 선녹색(= **∠ gréen**); 《영》 〖인쇄〗 에메랄드 활자체《약 6.5 포인트》. **—** *a.* 에메랄드(제)의; 에메랄드색〔선녹색〕의.
Émerald Ísle (the ~) 아일랜드의 별칭.
émerald wédding 에메랄드혼식(婚式)《결혼 55 주년 기념》.
***emerge** [imə́ːrdʒ] *vi.* **1** 《~/+[전]+[명]》 (물속·어둠 속 따위에서) 나오다, 나타나다(appear) 《*from*》. [opp] *submerge*. ¶ As the clouds drifted away the sun *~d*. 구름이 흘러가고 해가 나왔다 / The full moon will soon ~ *from* behind the clouds. 보름달이 곧 구름 속에서 모습을 나타낼 것이다. **2** 《+[전]+[명]/+(*as*) [보]》 (빈곤, 낮은 신분 등에서) 벗어〔헤어〕나다, 빠져나오다(come out)《*from*》: ~ *from* obscurity 유명해지다 / He *~d as* the leading candidate. 그는 주요한 후보자로 부상했다. **3** 〖생물〗 (창발적(創發的) 진화에서) 출현〔발생〕하다. **4** 《+[전]+[명]》 (새로운 사실이) 알려지다, 분명해지다, 드러나다; (곤란·문제 따위가) 생기다《*from; out of*》: New evidence *~d from* the investigation. 조사 결과 새로운 증거가 드러났다.
emer·gence [imə́ːrdʒəns] *n.* [U] 출현; 탈출; 발생; (해저) 상승; 〖식물〗 모상체(毛狀體).
⁑**emer·gen·cy** [imə́ːrdʒənsi] *n.* [U,C] 비상〔돌발〕 사태, 위급, 위급한 경우: an ~ act 〔ordinance〕 긴급 법령 / an ~ man 보결 선수 / ~ ration 〖군사〗 비상 휴대 식량 / ~ measures 응급조치 / ~ stairs 비상계단 / a national ~ 국가 비상시 / in an ~ = in case of ~ 위급한〔만일의〕 경우에, 비상시에.
emérgency bràke (차의) 사이드 브레이크.
emérgency còrd 《미》 (승객이 잡아당겨 열차를 세울 수 있는) 비상 줄.
emérgency dòor 〔èxit〕 비상구.
emérgency lánding (fìeld) 긴급 착륙(장).
emérgency (médical) technìcian ⇨ EMT.
emérgency ròom (병원의) 응급 치료실《생략: ER》.
emérgency sèrvices 비상 기관《화재·범죄·사고·상해 따위를 취급하는 기관; 경찰·소방서 따위》.
emer·gent [imə́ːrdʒənt] *a.* **1** (물속에서) 떠오르는, 불시에 나타나는. **2** 뜻밖의, 의외의; 긴급한, 응급의. **3** (나라 등이) 새로 독립한, 신흥〔신생〕의: the ~ nations of Africa 아프리카의 신흥 국가들. **—** *n.* 〖생태〗 추수(抽水)〔정수(挺水)〕 식물《잎·줄기의 일부 또는 대부분이 공중으로 뻗어 있는 수생 식물》.
emérgent evolútion 〖철학·생물〗 창발적 진화《기존 요소의 예상 밖의 재편성으로, 진화의 어느 단계에서 전혀 새로운 생물이나 행동 양식·의식 등이 출현한다는 설》.
emer·gi·cen·ter [imə́ːrdʒəsèntər] *n.* 《미》 응급 진료소, 응급실《예약 없이 간단한 응급처치를 싼값으로 해 줌》.
emerg·ing [imə́ːrdʒiŋ] *a.* 최근 만들어진〔생겨난〕; 새로 독립국이 된: an ~ industry 신흥 산업 / ~ countries.
emer·i·ta [imérətə] *a.* (여성이) 명예퇴직한. **—** (*pl.* **-tae** [-tìː]) *n.* 여성의 명예퇴직자. ★ emeritus의 여성형.
emer·i·tus [imérətəs] *a.* 명예퇴직의: an ~ professor = a professor ~ 명예 교수. **—** (*pl.* **-ti** [-tài, -tìː]) *n.* 퇴직 전의 칭호를 그대로 써도 되는 사람《명예 교수 등》.
emersed [imə́ːrst] *a.* 〖식물〗 (물속에서) 나온, 나타난.
emer·sion [imə́ːrʒən, -ʃən/-ʃən] *n.* 재현(再現); 탈출; 〖천문〗 (일식·월식 또는 엄폐(掩蔽) 후의 천체의) 재현(reappearance).
Em·er·son [émərsən] *n.* **Ralph Waldo ~** 에머슨《미국의 사상가·시인; 1803-82》.
Em·er·so·ni·an [èmərsóuniən] *a.* 에머슨의; 에머슨풍의. **—** *n.* 에머슨 숭배자. [파] **~·ism** *n.* [U] 〖철학〗 에머슨주의, 초절주의(超絶主義).
Em·ery [éməri] *n.* 에머리《남자 이름》.
em·ery *n.* [U] 금강사(金剛砂).
émery bòard 손톱줄《매니큐어용》.
émery clòth (금강사로 된) 사포《연마용》.

émery pàper (금강사로 만든) 사지(砂紙).
émery whèel 회전식 금강사 숫돌.
em·e·sis [éməsis] (*pl.* **-ses** [-sì:z]) 〖의학〗 구토(vomiting).
É-mèter *n.* 피부의 전기 저항의 변화를 측정하는 전위계《거짓말 탐지기》. [◂ Electro*meter*]
emet·ic [imétik] 〖의학〗 *a.* 토하게 하는, 게우게 하는; 《비유》 구역질나는. **—** *n.* 구토제(嘔吐劑).
emeu [í:mju:] *n.* =EMU.
émeute [eimə́:t] *n.* 《F.》 폭동, 반란(riot).
EMF European Monetary Fund (유럽 통화 기금). **EMF, emf** electromotive force. **EMG** 〖의학〗 electromyogram; electromyograph.
EMI electromagnetic interference.
-e·mia, -ae·mia [í:miə], **-he·mia, -hae·mia** [hí:miə] *suf.* '…한 혈액을 가진 상태, 혈액 중에 …이 있는 상태'의 뜻: septic*emia* 패혈증.
emic [í:mik] *a.* 〖언어〗 이믹《음소론적인 연구 태도》의. ⓒⓕ etic. [◂ phon*emic*]
***em·i·grant** [éməgrənt] *a.* (타국·외지로) 이주하는, 이민의. ⓒⓕ immigrant. **—** *n.* (타국·타향으로의) 이민, 이주민: Korean ~*s to* Brazil 브라질로 간 한국인 이주자 / ~*s from* Ireland to America 아일랜드에서 미국으로 간 이주민.
em·i·grate [éməgrèit] *vi.* 《+전+명》 **1** (타국으로) 이주하다《*from*... *to*》: ~ *from* Korea *to* Hawaii 한국에서 하와이로 이주하다. **2** 《영구어》 전거(轉居)하다, 이사하다. **—** *vt.* (국외로) 이주시키다.
èm·i·grá·tion *n.* **1** Ⓤ (타국으로의) 이주; 《구어》 전거, 이사. **2** 〔집합적〕 이민(단) (emigrants).
emigrátion tàx =EXIT TAX.
em·i·gra·to·ry [émigrətɔ̀:ri/-təri] *a.* 이주의; 이주하는; 떠돌아다니는(migratory).
émi·gré [émigrèi; *F.* emigʀe] *n.* 《F.》 이민, 이주자; 망명한 왕당원《특히, 1789 년 프랑스 혁명 당시의》; 정치적 망명자; 망명 (백계) 러시아인.
Emile [eimí:l] *n.* 에밀《남자 이름》.
Emi·lia [imíljə, -liə], **Em·i·lie, Em·i·ly** [éməli] *n.* 에밀리아, 에밀리《여자 이름》.
em·i·nence [émənəns] *n.* **1** Ⓤ (지위·신분 따위의) 고위, 높음, 고귀; 탁월《*in*》: a man of social ~ 사회적 지위가 높은 사람 / rise to a position of ~ 출세하여 높은 지위에 오르다. **2** (E-) 〖가톨릭〗 예하(猊下)《cardinal에 대한 존칭》. **3** 고명, 명성: win 〔reach〕 ~ as an artist 화가로서 유명해지다 / attain ~ in the field of science 과학계에서 고명해지다. **4** 《문어》 높은 곳, 언덕, 대지. **5** 〖의학〗 (뼈 등의) 돌기, 융기.
émi·nence grise [*F.* eminɑ̃sgʀi:z] 《F.》 심복인 앞잡이, 밀정; 흑막, 배후 인물〔세력〕.
***em·i·nent** [émənənt] *a.* **1** 저명한, 유명한《*for; as*》: be ~ *as* a painter 화가로서 명성이 있다 / He was ~ *for* his oriental paintings. 그는 동양화에서 유명했다. SYN. ⇨ FAMOUS. **2** 신분이〔지위가〕 높은. **3** (성질·행위 따위가) 뛰어난, 탁월한: a man of ~ honor 매우 도의심이 강한 사람. **4** 현저한, 두드러진; (산·건물 등이) 높이 솟은, 솟아오른: an ~ nose 두드러지게 높은 코. ⓟ °**~·ly** *ad.* 뛰어나게; 현저하게.
éminent domáin 〖법률〗 토지 수용권.
em·i·o·cy·to·sis [èmi:ousaitóusis] *n.* 〖생물〗 (세포의) 배출 작용, 배출 과정의 하나. ⓟ **-tót·ic** [-tát-/-tɔ́t-] *a.*
emir, amir [əmíər] *n.* (아라비아·아프리카의) 족장(族長), 대공(大公), 토후(土侯); Mohammed의 자손《칭호》.
emir·ate [imíərət/emíərət] *n.* emir의 관할권; 토후국.
em·is·sary [éməsèri/-səri] *n.* 사자(使者) (messenger); 밀사; 간첩(spy). **—** *a.* 사자의, 밀사〔첩자〕의.
emis·sion [imíʃən] *n.* Ⓤ,Ⓒ **1** (빛·열·향기 따위의) 방사, 발산; 방사물. **2** (지폐·주권(株券) 따위의) 발행(고). **3** 〖전자〗 (일렉트론의) 방출. **4** 〖의학〗 누정(漏精), 배설(액). **5** (차 엔진 따위의) 배기(排氣): an ~ factor 대기 오염 물질 배출 계수. ◇ emit *v.*
emíssion lìne 〖물리〗 (스펙트럼의) 휘선(輝線).
emíssion spèctrum 방출 스펙트럼.
emíssion stàndard (오염 물질의) 배출 기준.
emis·sive [imísiv] *a.* 발사〔방사〕(성)의.
em·is·siv·i·ty [èməsívəti] *n.* 〖물리〗 방사율.
emit [imít] (**-tt-**) *vt.* **1** (빛·열·냄새·소리 따위를) 내다, 발하다, 방출하다, 방사하다; (신호를) 보내다. **2** (용암·액체·가스 따위를) 분출하다, 내뿜다. **3** (의견 따위를) 토로하다, 말하다; (명령을) 발하다. **4** (지폐·어음 등을) 발행하다; (법령을) 발포하다.
emit·tance [imítns] *n.* 〖광학〗 발산도(發散度)《단위 면적당 빛 따위의 전방사량》.
emít·ter *n.* 〖물리〗 방사체; (법령 따위의) 발포자; (지폐 따위의) 발행인; 〖전자〗 (트랜지스터의) 전극, 이미터.
Em·ma [émə] *n.* 에마《여자 이름》.
Em·man·u·el [imǽnjuəl] *n.* 에마뉴엘《남자 이름》.
Em·me·line [éməli:n] *n.* 에멀린《여자 이름》.
em·men·a·gog·ic [əmènəgádʒik, əmì:nə-/-gɔ́dʒ-] *a.* 월경을 촉진하는, 월경 유발성의.
em·men·a·gogue [əménəgɔ̀:g, -gàg, əmí:n-/-gɔ̀g] *n.* 〖약학〗 월경 촉진제, 통경제.
em·met [émit] *n.* 《고어·방언》 개미(ant).
em·me·tro·pia [èmətróupiə] *n.* Ⓤ 정시안(正視眼)《astigmatism, myopia 따위에 대한》.
Em·my [émi] *n.* 에미《여자 이름: Emily, Emilia의 애칭》.
Émmy Awárd 에미상(賞)《미국의 텔레비전의 우수 프로·연기자·기술자 등에게 해마다 주어지는 상》. ⓒⓕ Grammy.
em·o·din [émədin] *n.* 〖화학〗 에모딘《주황색 침상(針狀) 결정; 하제(下劑)용》.
emol·lient [imáljənt/imɔ́l-] *a.* 부드럽게〔연하게〕 하는 (힘이 있는). **—** *n.* (피부) 연화제(軟化劑); 완화제.
emol·u·ment [imáljəmənt/imɔ́l-] *n.* (보통 *pl.*) 급료, 봉급, 수당; 보수; 이득(profit)《*of*》.
é-mòney *n.* =E-CASH.
emote [imóut] 《구어》 *vi.* 허풍 떨다; 감정을 과장해서 나타내다; 과장된 연기를 하다.
emo·ti·con [imóutikən] *n.* 이모티콘《전자 우편 등에서 감정을 표현하는 데 사용하는, 문자를 조합하여 만든 사람 표정의 그림》.
⁑**emo·tion** [imóuʃən] *n.* Ⓤ **1** 감동, 감격, 흥분. **2** 감정, (희로애락의) 정. SYN. ⇨ FEELING. **3** (종종 *pl.*) 〖심리〗 정동(情動). ***betray*** **one's ~** 감정을 드러내다. ***with*** **~** 감동〔감격〕해서.
***emo·tion·al** [imóuʃənəl] *a.* **1** 감정의, 희로애락의, 정서의: ~ quotient 감성 지수. **2** 감정적인, 감동하기 쉬운, 다감한; 감동시키는, 감정에 호소하는, 정에 약한: an ~ actor 감정 표현이 능숙한 배우. ⓟ **~·ly** *ad.* 정서적〔감정적〕으로.
emótional bláckmail 감정적 공갈《죄책감을 느끼게 하여 뜻을 이루려는 공갈》.
emótional crípple 《경멸》 정서 장애자.
emó·tion·al·ìsm *n.* Ⓤ 감격성; 감동하기 쉬움; 주정설(主情說).
emó·tion·al·ist *n.* 감정가.
emo·tion·al·i·ty [imòuʃənǽləti] *n.* Ⓤ 감동성; 감격성, 정서적임.
emo·tion·al·ize [imóuʃənəlàiz] *vt.* 정서적〔감

정적]으로 하다; 감정적으로 다루다. — *vi.* 감정적인[이성 없는] 언동을 하다.

emó·tion·less *a.* 무감동의, 무표정의. ㊕ **~·ly** *ad.* **~·ness** *n.*

emo·tive [imóutiv] *a.* 감동시키는; 감정적인; 감동을 나타내는; 감정을 일으키는. ㊕ **~·ly** *ad.* **~·ness** *n.* **emo·tiv·i·ty** [ì:moutívəti] *n.* Ⓤ 감동성.

EMP electromagnetic pulse. **Emp.** Emperor; Empire; Empress.

em·pa·na·da [èmpəná:də] *n.* 〖요리〗 엠파나다《저민 고기·야채·과일 등을 넣은 라틴 아메리카의 파이; 흔히 굽거나 튀김》.

em·pan·el [impǽnl, em-] *vt.* =IMPANEL.

em·paque·tage [ɑ:ŋpɑ:ktá:ʒ; *F.* ɑ̃paktaːʒ] *n.* 《F.》 패키지 (예술) 작품《캔버스나 큰 보자기 등에 물체를 싸서 만들어 내는 개념 예술 (conceptual art) 작품》.

em·pa·thet·ic [èmpəθétik] *a.* (다른 사람과) 공감할 수 있는, 감정 이입의[이 특징적인].

em·path·ic [empǽθik] *a.* 〖심리〗 감정 이입의[에 의한]. ㊕ **-i·cal·ly** *ad.*

em·pa·thize [émpəθàiz] *vt., vi.* 감정 이입(感情移入)을 하다, 공감하다《*with*》.

em·pa·thy [émpəθi] *n.* Ⓤ 〖심리〗 감정 이입, 「공감.

em·pen·nage [ɑ̀:mpəná:ʒ, èm-] *n.* 〖항공〗 (비행기[선]의) 미부(尾部), 미익(尾翼), 보조익 (tail assembly).

em·per·or** [émpərər] (*fem.* ***ém·press) *n.* **1** 황제, 제왕. ⓒⓕ empire. ¶ ~ system 황제 제도/~ worship 황제 숭배/His Majesty [H.M.] the *Emperor* 황제 폐하. ★ 고유명사와 더불어 쓸 때에도 보통 the를 붙임: the *Emperor* Gojong 고종 황제. **2** 〖역사〗 동[서]로마 황제. **3** 큰 나비의 이름 (=∼ **bùtterfly**): an ~ moth 천잠나비, 산누에나방. ㊕ **~·ship** [-ʃip] *n.* 제위(帝位), 황제 통치권.

émperor pénguin (남극 대륙의 큰) 황제펭귄.

em·pery [émpəri] *n.* Ⓤ 《시어》 황제의 영토 [통치권]; 광대한 영토[권력].

****em·pha·sis** [émfəsis] (*pl.* **-ses** [-sì:z]) *n.* Ⓤ,Ⓒ **1** 강조; (윤곽 따위를) 두드러지게 하기. ⇨ 《부록》 EMPHASIS. **2** 〖수사학〗 강세(법); 〖음성〗 강세(accent)《*on*》; 〖미술〗 (빛깔·모양 따위의) 강조. **3** 역설, 중요시; 중요성: dwell on a subject *with* ~ 되풀이 강조하다. ***lay*** [***place, put***] (***great***) **~ *on*** [***upon***] …에 (큰) 비중을 두다; …을 (크게) 역설[강조]하다. ***lend* ~ *to*** …을 보다 중요하게 보이다, …에 도움을 주다. ***speak with*** **~** 힘을 주어 이야기하다.

****em·pha·size** [émfəsàiz] *vt.* **1** 《~+목/+*that* 절》 강조하다; 역설하다: ~ the importance of …/The author ~*s that* many of the figures quoted are merely [just] estimates. 저자는 인용된 대부분의 숫자는 단지 어림잡은 것임을 강조하고 있다. **2** 〖음성〗 …에 강세를 두다, (어구를) 힘주어 말하다. **3** 〖미술〗 (선·빛깔 등을) 강조하다.

°**em·phat·ic** [imfǽtik, em-] *a.* 어조가 강한; 힘준, 강조한; 뚜렷한, 눈에 띄는, 명확한; 단호한, 절대적인《부정 따위》: an ~ denial 단호한 부정/He was ~ *about* the importance of being punctual. 그는 시간 엄수의 중요성을 역설했다/He was ~ *that* nuclear arms should be banned. 그는 핵무기는 금지시켜야 한다고 역설했다. ㊕ °**-i·cal·ly** *ad.*

em·phy·se·ma [èmfəsí:mə] *n.* Ⓤ 〖의학〗 기종(氣腫), 《특히》 폐기종(=**púlmonary** ∼).

****em·pire** [émpaiər] *n.* **1** 제국(帝國). **2** Ⓤ (제왕의) 통치(권), 제정(帝政); 절대 지배권. **3** (the E-) 대영 제국(the British Empire); 신성 로마 제국; 프랑스 제1 제정《특히 나폴레옹 치하의》. — *a.* **1** (E-) 제국의. **2** (가구·복장 따위가) 제정[나폴레옹] 시대풍의.

émpire bùilder 분수없이 세력[영토] 확장을 꾀하는 사람.

Émpire Cíty (the ~) New York City의 별칭.

Émpire Dày (the ~) Commonwealth Day의 구칭.

émpire lìne 〖복식〗 엠파이어 라인《목둘레를 넓게 파고 하이 웨이스트가 특징인 여성복 스타일》.

Émpire Stàte (the ~) New York 주의 별칭.

Émpire Stàte Bùilding (the ~) 뉴욕 시의 고층 빌딩《102 층, 381 m; 1931년 완성; 1950년 그 위에 67.7 m의 텔레비전 탑을 설치》.

em·pir·ic [impírik, em-] *n.* 경험주의자; 《고어》 (학리를 경시하고) 경험에 의존하는 의사; 돌팔이 의사(quack). — *a.* =EMPIRICAL.

em·pir·i·cal [impírikəl, em-] *a.* 경험의, 경험적인; (이론보다도) 실험·관찰에 의한; 경험주의의《의사 등》: ~ philosophy 경험 철학. ㊕ **~·ly** *ad.*

empírical fórmula 〖화학〗 실험식.

empírical probabílity 〖통계〗 경험적 확률《어떤 사상(事象)의 일어난 횟수와 모든 시행 횟수의 비》.

em·pir·i·cism [impírəsìzəm, em-] *n.* Ⓤ 경험주의; (의학상의) 경험 의존주의; 경험적[비과학적] 치료법; 〖철학〗 경험론. ㊕ **-cist** *n.* 경험주의자; 〖철학〗 경험론자.

em·place [impléis, em-] *vt.* 설치하다《특히 포상(砲床)을》.

em·pláce·ment *n.* **1** Ⓤ 설치, 고정시키기, 정치(定置); 위치, 장소. **2** Ⓒ 〖군사〗 포좌, 포상(砲床), 총좌(銃座); (포·미사일·레이더 등 설치용) 대좌(臺座).

em·plane [impléin, em-] *vt., vi.* 비행기에 타다[태우다]; 비행기에 싣다. ⓄⓅⓅ *deplane.*

****em·ploy** [implɔ́i, em-] *vt.* **1** 《~+목/+목+*as* 보》 (사람을) 쓰다, 고용하다; (아무에게) 일을 주다: He is ~*ed as* a clerk.=They ~ him *as* a clerk. 그는 사무원으로 근무하고 있다/He is ~*ed* in a bank. 그는 은행에 근무하고 있다/the ~*ed* 피고용자, 노동자, 종업원/This work will ~ 60 men. 이 일에는 60 명이 필요하다.

> SYN. **employ** 고용인을 '부리고 있다'는 점이 강조됨. **engage** 고용인을 '계약으로 묶어 놓았다'는 점이 강조됨《호텔 방이나 물건을 계약할 때에도 씀》. **hire** '돈을 지불하고 그 서비스를 독점한다'는 점이 강조됨《목적어가 사람 이외인 경우도 있음》: *hire* a hall for a convention 집회를 위해 홀을 빌리다.

2 《+목+전+명》 [보통 수동태 또는 ~ oneself] …에 종사하다, …에 헌신하다: He *was* ~*ed* [~*ed* him*self*] *in* clipping the hedge. 그는 산울타리의 가지치기를 하였다. **3** 《+목+*as* 보/+목+*to* do》 (물건·수단을) 쓰다, 사용하다(use): ~ alcohol *as* a solvent 알코올을 용제로 쓰다/~ a new method *to* solve the problem 그 문제를 해결하기 위해 새 방법을 쓰다. SYN. ⇨USE. **4** 《+목+전+명》 (시간·정력 따위를) 소비하다, 쓰다(spend)《*in*》: ~ one's spare time *in* reading 여가를 독서에 충당하다. — *n.* Ⓤ 고용; 사용, 근무, 일: be in Government ~ 공무원이다/be in the ~ of a person =be in a person's ~ 아무에게 고용되어 있다/enter a person's ~ 아무에게 고용되다/in [out of] ~ 취직[실직]하여/take a person into one's ~ 아무를 고용하다.

[파] **~·a·ble** *a.* 고용할 수 있는, 고용 조건에 맞는. **em·ploy·a·bil·i·ty** [implɔ̀iəbíləti] *n.*

*__em·ploy·ee,__ 《미》 **-ploye** [implɔ́iiː, èmplɔiíː] *n.* 고용인, 사용인, 종업원. [opp] *employer*. ★ 보통 employee를 씀.

employée associàtion 직원 조합.

em·plóy·er *n.* 고용주, 사용자. 「용주〕단체.

emplóyer's associátion 사용자〔경영자, 고

*__em·ploy·ment__ [implɔ́imənt, em-] *n.* [U] **1** 사용, 고용; 사역: full ~ 완전 고용. **2** 직(職), 직업, 일(work, occupation): get 〔lose〕 ~ 취직〔실직〕하다 / a public ~ stabilization office 공공 직업 안정소 / seek ~ 구직하다. ***in the ~ of*** …에게 고용되어. ***out of ~*** 실직하여. ***take*** a person ***into ~*** 아무를 채용하다. ***throw*** a person ***out of ~*** 아무를 해고하다.

Emplóyment Àct (the ~) 고용법《(1) 《미》 1946년 제정된 연방법; 고용 기회의 창출과 유지, 경제 성장의 지속, 통화 구매력의 안정을 위해 연방 정부가 노력할 것을 규정한 법. (2) 《영》 1989년 제정된 법률; 고용에 관련된 남녀 차별을 금지한 법》.

emplóyment àgency (민간의) 직업 소개소.

emplóyment bùreau **1** = EMPLOYMENT AGENCY. **2** (학교의) 취직 담당 부서, 취직 상담소.

emplóyment exchànge 《영》 = LABOUR EXCHANGE.

emplóyment òffice 《영》 직업 소개소.

Emplóyment Sèrvice Àgency (the ~) 《영》 직업 안내소〔안정소〕.

Emplóyment Tráining 《영》 직업 훈련 제도 《실업자에 대해 취업에 필요한 훈련 지도를 하는 한편 수당도 지급함》.

em·poi·son [impɔ́izən, em-] *vt.* 격앙〔분격〕시키다 《*against*》; 《고어》 …에 독을 넣다; 부패〔타락〕시키다; 더럽히다; (마음을) 상하게 하다. [파] **~·ment** *n.*

em·po·ri·um [impɔ́ːriəm, em-/em-] (*pl.* **~s, *-ria*** [-riə]) *n.* **1** 중앙 시장(mart), 상업 중심지. **2** 큰 상점, 백화점.

em·pow·er [impáuər, em-] *vt.* 《+[목]+*to* do》 …에게 권력〔권한〕을 주다(authorize), …에게 능력〔자격〕을 주다; (…을) 할 수 있게 하다 (enable): Science ~*s* men *to* control natural force. 과학은 인간에게 자연의 힘을 제어하는 능력을 준다. [파] **~·ment** *n.*

*__em·press__ [émpris] *n.* **1** 왕비, 황후: an ~ dowager 황태후. **2** 여왕, 여제. **3** 《비유》 절대적 권세를 가진 여자. ***Her Majesty*** 〔***H.M.***〕 ***the Empress*** 여왕 폐하; 황후 폐하.

em·presse·ment [*F.* ɑ̃ːpʀésmɑ̃ː] *n.* 《F.》 (환영 등의) 열의, 열성; 은근.

em·prise, -prize [empráiz] 《고어》 *n.* 기사도적 모험; 장한 거사; 용감한 기도; 모험.

‡__emp·ty__ [émpti] (***-ti·er; -ti·est***) *a.* **1** 빈, 공허한, 비어 있는. [SYN.] ⇨ VACANT. **2** (…이) 없는, 결여된 《*of*》: a room ~ *of* furniture 가구가 없는 방 / a head ~ *of* ideas 석두, 바보. **3** 헛된; 무의미한, 쓸데없는, (마음·표정 등) 허탈한: feel ~ 허무한 생각이 들다 / ~ promises 말뿐인 약속, 공수표 / have an ~ sound 무의미하게 들리다. **4** 《구어》 속이 빈, 배고픈, 공복의. **5** 빈 짐의, 아무것도 싣지 않는. **6** 사람이 살지 않는. ***~ cupboards*** 《비유》 음식물의 결핍(lack of food). ***pay*** a person ***in ~ words*** 아무에게 말뿐인 약속을 하다. ***return ~*** 헛되이 돌아오다. ***send away*** a person ~ 아무를 빈손으로 돌려보내다.

— *n.* **1** 빈 그릇《상자·통·자루·병 따위》. **2** 빈집〔방〕. **3** 빈 차, 빈 마차〔트럭〕.

— *vt.* **1** 《~+[목]/+[목]+[전]+[명]/+[목]+[부]》 (그릇 따위를) 비우다, 내다: ~ a bucket 양동이를 비우다 / ~ a box *of* its contents 상자 안의 것을 비우다 / I had to ~ *out* the drawer to find the papers. 나는 그 서류를 찾기 위해 서랍을 비우고 뒤져보아야만 했다. **2** 《~ oneself》 (강이) …로 흘러 들어가다 《*into*》: The Mississippi *empties* its*elf into* the Gulf of Mexico. 미시시피 강은 멕시코 만으로 흘러든다. **3** 《+[목]+[전]+[명]》 (내용물을) 비우다, (딴 그릇에) 옮기다; (액체를) 쏟다: ~ grain *from* a sack *into* a box 곡식을 자루에서 상자로 옮기다. **—** *vi.* **1** 비다: The hall *emptied* quickly. 홀은 순식간에 비었다. **2** 《+[전]+[명]》 (강이) 흘러 들어가다: The Han River *empties into* the Yellow Sea. 한강은 황해로 흘러 들어간다. ★ itself를 넣으면 empty는 *vt.* **~ *out*** 모조리 비우다〔털어내다〕.

[파] **-ti·ly** *ad.* 헛되이, 공허하게. **-ti·ness** *n.* (텅) 빔; (사상·마음의) 공허; 덧없음; 무가치; 공복; 무지; 무의미. 「는 식물 칼로리.

émpty cálorie 단백질·무기질·비타민이 없

émpty-hánded [-id] *a.* 빈손〔맨손〕의.

émpty-héaded [-id] *a.* 머리가 빈, 무지한, 바보 같은. [파] **~·ness** *n.*

émpty nést (자식들이 자라서 집을 떠나) 부모들만이 남아 있는 집.

émpty néster 《구어》 자식이 없는 부부, (자식들이 자라서 집을 떠나) 둘만 남은 허전한 부부.

émpty nést sỳndrome 자식들이 떠난 노부부들에게 나타나는 우울증을 수반한 허탈감.

émpty sét 〖수학〗 공집합.

em·pur·ple [impə́ːrpl, em-] *vt.* 자줏빛으로 하다〔물들이다〕. [파] **~d** *a.* 자줏빛으로 된.

em·py·e·ma [èmpiíːmə, -pai-/-pai-] *n.* 〖의학〗 축농(증), 《특히》 농흉(膿胸).

em·py·re·al [empíriəl, -pái-/èmpairíːəl, -pi-] *a.* 최고천(最高天)의, 천상계(天上界)의; 정화(淨化)로 이루어진; 높은 하늘의.

em·py·re·an [èmpəríːən, -pai-/èmpaiíːən, -pi-] *n.* 최고천(最高天)《불과 빛의 세계로, 나중에는 신이 사는 곳으로 믿음》; 높은 하늘(sky). **—** *a.* = EMPYREAL. 「능한 지진아).

EMR educable mentally retarded (교육이 가

EMS [íːèmés] *n.* 〖컴퓨터〗 이엠에스《DOS에서 통상의 1MB를 넘는 메모리를 쓰기 위한 규격》. [◂ *E*xpanded *M*emory *S*pecification]

EMS European Monetary System ((EC의) 유럽 통화 제도). **EMT** emergency medical technician (구급 의료 기사).

emu [íːmjuː] *n.* 〖조류〗 에뮤《타조 비슷한, 오스트레일리아산의 날지 못하는 큰 새》.

emu

EMU [íːèmjúː, íːmju] economic and monetary union ((EC의) 경제 통화 동맹; 초기에는 European Monetary Union). **E.M.U., e.m.u., emu** electromagnetic unit(s).

em·u·late [émjəlèit] *vt.* …와 (우열을) 다투다, 겨루다, 서로 지지 않으려고 애쓰다; 열심히 배우다, 흉내 내다; …와 동격이다, …에 필적하다; 〖컴퓨터〗 에뮬레이션〔모방〕하다.

èm·u·lá·tion *n.* [U] 경쟁〔대항〕(심), 겨룸; 〖컴퓨터〗 에뮬레이션, 모방《다른 컴퓨터의 기계어 명령대로 실행할 수 있는 기능》.

em·u·la·tive [émjəlèitiv] *a.* 따라잡으려는, 지

기 싫어하는. ㊕ **-la·tive·ly** *ad.*
em·u·la·tor [émjəlèitər] *n.* 경쟁자; 〖컴퓨터〗 에뮬레이터《emulation을 하는 장치·프로그램》.
em·u·lous [émjələs] *a.* 경쟁적인, 경쟁심이 강한; 명성을 얻고자 하는; 열망하는(desirous); 《폐어》 샘이〔질투가〕 많은. ***be* ~ *of*** (남)에게 지지 않으려고 애쓰다; (명예·명성 등)을 열망하다. ㊕ **~·ly** *ad.* 다투어, 경쟁적으로. **~·ness** *n.*
emul·si·fi·er [imʌ́lsəfàiər] *n.* 유화제(劑).
emul·si·fy [imʌ́lsəfài] *vt.* 유제화(乳劑化)하다, 유화(乳化)하다. ㊕ **emùl·si·fi·cá·tion** [-fikéiʃən] *n.* Ⓤ 유화 (작용).
emul·sion [imʌ́lʃən] *n.* 유상액(乳狀液); 〖화학·약학〗 유화, 유탁(乳濁); 〖사진〗 감광 유제(感光乳劑). **—** *vt.* ~ paint로 바르다.
emúlsion pàint 에멀션 페인트〔도료〕《바르면 윤이 없어짐》.
emul·sive [imʌ́lsiv] *a.* 유제질(質)의; 유상화(乳狀化)의〔할 수 있는〕.
emunc·to·ry [imʌ́ŋktəri] *n.* 배설기(관)《피부·신장·폐 등》. **—** *a.* 배설의.
en [en] *n.* N자; 〖인쇄〗 반각, 이분(二分)《em의 절반》. cf. em.
en [*F.* ɑ̃] *prep.* 《F.》 …에 있어서; …으로서; …의 속에(in, at, to, into).
en- [in, en], *pref.* **1** 〖명사에 붙어서〗 '…안에 넣다, …위에 놓다'의 뜻을 나타내는 동사를 만듦: *en*gulf, *en*tomb. **2** 〖명사 또는 형용사에 붙어〗 '…으로〔하게〕 하다, …이 되게 하다'의 뜻을 나타내는 동사를 만듦: *en*slave, *en*rich. ★ 이런 경우 접미사 -en이 덧붙을 때가 있음: *em*bold*en*, *en*light*en*. **3** 〖동사에 붙어서〗 '…속〔안〕에'의 뜻을 첨가함: *en*fold.
-en [ən] *suf.* **1** 〖형용사·명사에 붙여〗 '…하게 하다, …이〔하게〕 되다'의 뜻을 나타내는 동사를 만듦: moist*en*, deep*en*, strength*en*. **2** 〖물질명사에 붙여〗 '…의〔로 된〕, …제(製)의'란 뜻을 나타내는 형용사를 만듦: wood*en*, gold*en*. **3** 〖불규칙동사에 붙여〗 과거분사형을 만듦: fall*en*. **4** 지소(指小)명사를 만듦: chick*en*, maid*en*. **5** 복수를 만듦: childr*en*, brethr*en*.
****en·a·ble** [inéibəl, en-] *vt.* 《~+목/+목+*to* do》 …에게 힘〔능력〕을 주다, …에게 가능성을 주다; …에게 권한〔자격〕을 주다; 가능〔용이〕하게 하다; 〖컴퓨터〗 …을 가능케 하다: Rockets have ~*d* space travel. 로켓 덕분으로 우주여행이 가능해졌다/The settlement ~*d* the work *to* be resumed. 협정이 이루어져 일의 재개가 가능케 됐다.
en·á·bling *a.* 〖법률〗 권능을 부여하는. 「조례.
Enábling Áct 〔**Státute**〕 〖법률〗 권능 부여
enábling legislátion 《미》 새로운 주(州)의 합중국 가맹을 인정하는 법률.
en·act [inǽkt, en-] *vt.* **1** 〖종종 수동태로〗 법령〔법제〕화하다; (법령으로) 규정하다; (법률을) 제정하다; (법률이) …라고 규정하다《*that*》: as by law ~*ed* 법률이 규정하는 바와 같이/Be it further ~*ed that*.... 다음과 같이 법률로 정한다《enacting clause 서두 문구》/It *was* ~*ed that* no wheat should be imported. 소맥의 수입이 법률로 금지되었다. **2** (극 따위를) 공연하다; (…의 역(役))을 연기하다: ~ a play 연극을 공연하다.
enácting cláuse 〖법률〗 제정(制定) 조항《법률안·제정법의 서문》.
en·ác·tion *n.* =ENACTMENT.
en·ac·tive [inǽktiv, en-] *a.* 법률 제정권이 있는. ≒inactive.
en·áct·ment *n.* Ⓤ (법률의) 제정; Ⓒ 법규, 조례, 법령; 공연함, 연기(演技).
en·ac·to·ry [inǽktəri, en-] *a.* 〖법률〗 (새로운 권리·의무를 창설하는) 법률에 관한, 법률을 제정하는.
enam·el [inǽməl] *n.* **1** Ⓤ,Ⓒ 법랑(琺瑯); (도기의) 잿물, 유약. **2** Ⓒ 법랑 세공품, 법랑을 바른 그릇. **3** Ⓤ,Ⓒ 에나멜; 광택제(劑)《매니큐어용 따위의》: ~ paint 에나멜〔광택〕 도료. **4** Ⓤ 〖치과〗 법랑질(質). **—** (**-l-,** 《영》 **-ll-**) *vt.* …에 에나멜〔유약〕을 입히다; 에나멜로 광택을 내다; 오색으로 물들이다: ~*ed* glass 에나멜칠한 유리/~*ed* leather 에나멜 가죽.
enámel·wàre *n.* Ⓤ 양재기, 법랑 철기(鐵器).
en·a·mine [énəmiːn, enǽmiːn] *n.* 〖화학〗 에나민《2중 결합 탄소를 가진 아민》.
en·am·or, 《영》 **-our** [inǽmər] *vt.* 〖주로 수동태〗 …에 반하게 하다, 호리다, 매혹하다: He *is* ~*ed* of the girl. 그는 그 소녀에 반해 있다. ㊕ **~ed** *a.* 사랑에 빠진; 매혹된, 반한.
en·an·ti·o·mer [inǽntiəmər] *n.* 〖화학〗 거울상(像) 이성체(異性體); 대장체(對掌體).
en·an·ti·o·morph [inǽntiəmɔ̀ːrf] *n.* 〖화학〗 좌우상(左右像)《좌우 대칭의 결정》.
en·ar·thro·sis [ìnɑːrθróusis] (*pl.* **-ses** [-siːz]) *n.* 〖해부〗 구와(球窩)〔구상(球狀)〕 관절.
enat·ic [inǽtik] *a.* 모계(母系)의.
en at·ten·dant [*F.* ɑ̃natɑ̃dɑ̃] 《F.》 기다리는 사이에(while waiting); 그 사이에.
en bloc [*F.* ɑ̃blɔk] 《F.》 총괄하여, 일괄하여: resign ~ 총사직하다.
enc. enclosed; enclosure.
en·cae·nia [ensíːnjə] *n. pl.* (도시·교회의) 창립 기념 축전〔잔치〕; (E-) (특히 Oxford 대학) 창립 기념 축전.
en·cage [inkéidʒ, en-] *vt.* 둥우리에 넣다; 가두다(cage).
en·camp [inkǽmp] *vi.*, *vt.* 〖군사〗 진을 치다, 야영하다〔시키다〕, 주둔시키다.
en·cámp·ment *n.* Ⓤ 진을 침; Ⓒ 야영(지); 〖집합적〗 야영자.
en·cap·si·date [inkǽpsədèit, en-] *vt.* 〖생화학〗 (세포 안에서, 바이러스 입자를) 단백질 막으로 싸다〔고정시키다〕. ㊕ **en·càp·si·dá·tion** *n.*
en·cap·su·late [inkǽpsəlèit/-sju-] *vt.* **1** 캡슐로 싸다〔에 넣다〕; 소중히 보호하다; 〖생물〗 피포(被包)하다. **2** (사실·정보 따위를) 간약하게 하다, 요약하다. **3** 분리하다. **—** *vi.* 캡슐에 싸이다; 소중히 보호되다(=**incápsulate**). ㊕ **en·càp·su·lá·tion** *n.* Ⓤ 캡슐에 넣기.
en·case [inkéis, en-] *vt.* =INCASE. ㊕ **~·ment** *n.*
en·cash [inkǽʃ, en-] *vt.* 《영》 (수표 따위를) 현금화하다; 현금으로 받다. ㊕ **~·ment** *n.*
en·caus·tic [inkɔ́ːstik, en-] *a.* (색을) 달구어 넣은; 소작화(燒灼畫)의, 낙화(烙畫)의; 납화(법)(蠟畫(法))의: ~ brick 〔tile〕 채색 벽돌〔기와〕. **—** *n.* Ⓤ 납화법; Ⓒ 납화.
-ence [əns] *suf.* -ent를 어미로 갖는 형용사에 대한 명사 어미: depend*ence*, abs*ence*.
en·ceinte [enséint, ɑːnsǽnt] 《F.》 *a.* 임신한. **—** *n.* 〖축성(築城)〗 (성·도시를 둘러싼) 방벽, 위곽(圍郭); 구내, 경내.
en·ceph·al- [inséfəl, en-/enkéf-, in-, -séf-], **en·ceph·a·lo-** [-lou, -lə] '뇌'란 뜻의 결합사.
en·ce·phal·ic [ènsəfǽlik] *a.* 뇌의; 뇌수의.
en·ceph·a·lit·ic [ensèfəlítik] *a.* 뇌염의.
en·ceph·a·li·tis [ensèfəláitis] *n.* Ⓤ 〖의학〗 뇌염: ~ epidemia 유행성 뇌염.
encephalítis le·thár·gi·ca [-liθɑ́ːrdʒikə] 〖의학〗 기면성(嗜眠性) 뇌염.
en·ceph·a·li·to·gen [ensèfəláitədʒen] *n.*

뇌염 유발 물질. ㊕ **-li·to·gén·ic** *a.*

en·ceph·a·li·za·tion [ensèfəlizéiʃən] *n.* 〖생물〗 대뇌화(大腦化) 《피질 중추에서 피질(皮質)로의 기능의 이동》.

encephalizátion quòtient 〖생물〗 뇌중량비(比), 대뇌화(大腦化) 지수《체중과 뇌중량과의 관계 지수》.

en·ceph·a·lo·gram, -graph [enséfələgræ̀m], [-græ̀f, -grɑ̀:f] *n.* 대뇌 촬영도.

en·ceph·a·log·ra·phy [ensèfəlágrəfi/-lɔ́g-] *n.* Ⓤ 뇌의 뢴트겐 촬영법.

en·ceph·a·lo·ma [ensèfəlóumə] (*pl.* ***-ma·ta*** [-tə], **~*s***) *n.* 〖의학〗 뇌종류(腦腫瘤).

en·cèph·a·lo·ma·lá·cia [-məléiʃiə] *n.* 〖의학〗 뇌연화(증)(腦軟化(症)).

encèphalo·myelítis *n.* 〖의학〗 뇌척수염(腦脊髓炎).

encèphalo·myocardítis *n.* 〖의학〗 뇌심근염(腦心筋炎).

en·ceph·a·lon [enséfəlɑ̀n/-lɔ̀n] (*pl.* ***-la*** [-lə]) *n.* 〖해부〗 뇌, 뇌수(brain).

en·ceph·a·lop·a·thy [ensèfəlápəθi/-kèfəlɔ́p-, -sèf-] *n.* 〖의학〗 뇌장애, 뇌증(腦症). ㊕ **en·cèph·a·lo·páthic** *a.*

en·ceph·a·lot·o·my [ensèfəlátəmi/-lɔ́t-] *n.* 뇌절제(술).

en·chain [intʃéin, en-] *vt.* 사슬로 매다; 속박하다; (주의 등을) 세게 끌다. ㊕ **~·ment** *n.*

en·chant [intʃǽnt, en-, -tʃɑ́:nt/-tʃɑ́:nt] *vt.* **1** 매혹하다, 황홀케 하다, …의 마음을 호리다. **2** …이 몹시 마음에 들다, 매우 기쁘게 하다. **3** …에 마법을 걸다. ***be* ~*ed with* 〔*by*〕** …에 홀리다, …에 황홀해지다; …을 매우 기뻐하다. ㊕ **~·ed** [-id] *a.* 매혹된, 마술에 걸린: ~*ed* land 마경(魔境).

en·chánt·er *n.* **1** 마법사. **2** 매혹시키는〔매력 있는〕 사람〔것〕.

enchánter's níghtshade 〖식물〗 털이슬.

°**en·chánt·ing** *a.* 매혹적인, 황홀케 하는, 혼을 빼앗는: an ~ smile. ㊕ **~·ly** *ad.* **~·ness** *n.*

en·chánt·ment *n.* **1** Ⓤ,Ⓒ 매혹, 매력. **2** Ⓤ,Ⓒ 황홀 (상태). **3** Ⓒ 매혹하는 것, 황홀케 하는 것. **4** Ⓤ 마법, 마술; 마법을 걸기; 마법에 걸린 상태. ***lay an* ~ *on*** …에 마법을 걸다.

en·chant·ress [intʃǽntris, -tʃɑ́:nt-/-tʃɑ́:nt-] *n.* **1** 여마법사. **2** 매력 있는 여자, 요부.

en·chase [intʃéis, en-] *vt.* 아로새기다, (이름 따위를) 새겨 넣다; (보석 따위를) 박다; 돋을새김으로 장식하다; 상감(象嵌)하다: ~ diamonds *in* gold = ~ gold *with* diamonds 금에 다이아몬드를 박아 넣다.

en·chi·la·da [èntʃəlɑ́:də] *n.* 고추로 양념한 멕시코 요리의 일종. ***the whole* ~** 《미속어》 일〔문제〕 전체, 관심사 전체.

en·chi·rid·i·on [ènkaiərídiən] (*pl.* **~*s, -rid·ia*** [-rídiə]) *n.* 편람(서)(handbook).

en·cho·ri·al [enkɔ́:riəl], **en·cho·ric** [-rik] *a.* **1** 그 나라〔지방〕 특유의; 토착민의, 민중의. **2** 고대 이집트 민중 문자의.

en·ci·na [insí:nə] *n.* 〖식물〗 =LIVE OAK.

en·ci·pher [insáifər, en-] *vt.* (통신문 따위를) 암호로 하다, 암호화하다. OPP *decipher.* ㊕ **~·er** *n.*

en·cir·cle [insə́:rkl, en-] *vt.* **1** 에워〔둘러〕싸다(surround)《*by; with*》. **2** 일주하다: ~ the globe 지구를 일주하다. ***be* ~*d by* 〔*with*〕** …에 둘러싸여 있다. ㊕ **~·ment** *n.* Ⓤ 둘러쌈, 포위, 포위 정책; 일주.

encl. enclosed; enclosure.

en clair [F. ɑ̃klɛ:ʀ] 《F.》 (전보·공보 등을 암호 아닌) 보통 말로.

en·clasp [inklǽsp, en-, -klɑ́:sp/-klɑ́:sp] *vt.* 걸쇠로 죄다; (꽉) 껴안다(embrace); 움켜쥐다.

en·clave [énkleiv] *n.* 《F.》 **1** 타국 영토로 둘러싸인 지역〔영토〕. cf. exclave. **2** 고립된 장소: an ~ strategy 〖군사〗 전략 요지의 중점 방어 전략. **3** (타민족 속에 고립된) 소수 민족 집단. **4** (특정 문화권에 고립된) 이종(異種) 문화권. **5** 〖생태〗 (대군락(大群落) 속에 고립된) 작은 식물군락. **6** 언어의 섬(=**linguístic ísland**)《한 지역의 언어가 그 주위의 언어와 고립된 지역》.

en·clit·ic [inklítik, en-] 〖문법〗 *a.* 전접(前接)의《자체의 악센트가 없어서 바로 앞말의 일부처럼 발음되는》. **—** *n.* 전접어(前接語)《I'll의 *'ll*, He's의 *'s* 따위》. OPP *proclitic.* ㊕ **-i·cal·ly** *ad.*

***en·close** [inklóuz, en-] *vt.* **1** 《~+목/+목+전+명》 둘러싸다, 에워싸다, …에 울을 하다: A fence ~*s* the land. 울타리가 토지를 둘러싸고 있다 / ~ a letter *with* a circle 글자에 동그라미를 치다 / The pond *is* ~*d by* trees. 연못은 나무로 둘러싸여 있다. SYN. ⇨SURROUND. **2** 《~+목/+목+전+명》 (상자 따위에) 넣다; (틀에) 끼워 넣다, 뚜껑을 하다: an ~*d* cockpit 밀폐된 조종실 / ~ a jewel *in* a casket 보석을 작은 상자에 넣다. **3** 《~+목/+목+전+명》 (편지 따위에) 동봉하다, 봉해 넣다: *Enclosed* please find a check for 100 dollars. 100 달러 수표를 동봉하니 받아 주시오 / ~ a check *with* a letter 편지에 수표를 동봉하다. **4** (공유지를 사유지로 하기 위해) 둘러막다. ◇enclosure *n.*

en·clo·sure [inklóuʒər] *n.* **1** Ⓤ 울을 함, (특히 공유지를 사유지로 하기 위해) 울을 둘러치는 일. **2** 봉입(물)(封入(物)); 동봉한 것. **3** 울로 둘러막은 땅; 구내, 경내(境內); 울, 담, 울타리.

en·clothe [inklóuð, en-] *vt.* =CLOTHE.

en·code [inkóud, en-] *vt., vi.* (보통문을) 암호로 고쳐 쓰다; 암호화〔기호화〕하다; 〖컴퓨터〗 부호화하다.

en·cód·er *n.* 암호기; 〖컴퓨터〗 부호기(coder), 인코더.

en·co·mi·ast [enkóumiæ̀st] *n.* 찬사를 올리는 사람, 예찬자; 아첨꾼. ㊕ **en·cò·mi·ás·tic** *a.* 찬미의; 추종하는, 빌붙는; 칭찬하는.

en·co·mi·um [enkóumiəm] (*pl.* **~*s, -mia*** [-miə]) *n.* 찬사, 칭찬, 찬미.

en·com·pass [inkʌ́mpəs, en-] *vt.* **1** 〔종종 수동태로〕 둘러〔에워〕싸다, 포위하다(surround). **2** 품다, 싸다, 포함하다. **3** 달성하다, 완수하다. ㊕ **~·ment** *n.* 둘러쌈, 포위; 망라.

en·co·pre·sis [ènkəprí:sis] (*pl.* ***-ses*** [-si:z]) *n.* 〖정신의학〗 유분(遺糞), 시실금(屎失禁).

en·core [ɑ́ŋkɔ:r, ɑ́:n-/ɔ́ŋ-] *n.* 《F.》 재청, 앙코르; 재연주(의 곡): get an ~ 앙코르를 요청받다. **—** *int.* 재청이오! ★ 프랑스에서는 encore 라고 외치지 않고, bis [bis] 라고 외침. **—** *vt.* 재청하다.

***en·coun·ter** [inkáuntər, en-] *n.* **1** (우연히) 만남, 조우《*with*》; 〖로켓〗 우주선과 다른 천체와의 만남: have an ~ *with* …와 우연히 만나다. SYN. ⇨MEET. **2** 조우전(遭遇戰), 회전(會戰), 충돌; 대결; 《미구어》 시합. SYN. ⇨FIGHT. **—** *vt.* **1** …와 우연히 만나다, 마주치다, 조우하다: ~ a classmate unexpectedly 우연히 반 친구를 만나다 / ~ an old friend on the street 거리에서 옛 친구를 우연히 만나다. **2** (적과) 교전하다, …와 맞서다, …에 대항하다: ~ an enemy force 적군과 대전하다. **3** (곤란·반대·위험 등에) 부닥치다. **—** *vi.* 《~/+전+명》 **1** 해후하다, 만나다《*with*》: ~ *with* danger 위험에 부닥치다. **2** (적과) 조우하다, 회전하다《*with*》: ~ *with* enemy 적과 조우하다.

encóunter gròup 〖정신의학〗 집단 감수성 훈련 그룹. ㊎ **encóunter gròuper** 〔**gròupie**〕 집단 감수성 훈련 그룹의 참가자.

en·cour·age [inkə́ːridʒ, en-/-kʌ́r-] *vt.* **1** 《~+목/+목+*to* do/+목+전+명》 용기를 돋우다, 격려하다, 고무하다; 권하다: Your success ~*d* me very much. 자네 성공은 나를 크게 고무시켰네/~ a person *to* write essays 아무에게 수필을 쓰도록 권하다/The professor ~*d* me *in* my studies. 교수는 나의 연구를 격려해 주었다. **2** 장려하다, 조장하다, 촉진하다. OPP *discourage*. ¶ ~ agriculture 농업을 장려하다. ㊎ *~·**ment** *n.* U **1** 용기를 돋움, 격려; 장려, 촉진, 조장; 자극(stimulus): grants for the ~*ment* of research 연구 장려금/He gave us ~*ment* to carry out the plan. 그는 우리들이 그 계획을 수행할 수 있도록 격려해 주었다. **2** 장려가 되는 것.

◇**en·cóur·ag·ing** *a.* 장려〔고무〕하는; 격려되는; 유망한: ~ news 쾌보. ㊎ **~·ly** *ad.* 고무적으로.

en·crim·son [inkrímzn, en-] *vt.* 심홍색으로 물들이다, 새빨갛게 하다.

en·cri·nite [énkrənàit] *n.* 〖동물〗 갯나리(의 「화석).

en·croach [inkróutʃ, en-] *vi.* 《+전+명》 (서서히) 침입하다, 잠식〔침해〕하다《*on, upon*》; (바닷물이) 침식하다; (남의 재산·권리 등을) 침해하다, (남의 시간을) 빼앗다《*on, upon*》: ~ *on* another's rights 남의 권리를 침해하다/The sea has ~*ed upon* the land. 바다가 육지를 침식하고 있다. ㊎ **~·er** *n.* **~·ment** *n.* U,C 침입, 침해, 잠식; 침략물〔지〕(物〔地〕); 불법 확장.

en·crust [inkrʌ́st, en-] *vt.* 《보통 수동태로》 …의 표면에 껍데기를 만들다〔아로새기다〕; 덮다《*with*》: a crown ~*ed with* jewels 보석으로 뒤덮인 왕관. ― *vi.* 외피〔껍데기〕를 형성하다.

en·crus·ta·tion [ènkrʌstéiʃən] *n.* =INCRUSTATION.

en·crypt [inkrípt, en-] *vt., vi.* =ENCODE. ㊎ **en·crýp·tion** *n.* 부호 매김. **en·crýp·tor** *n.* 부호 매김하는 사람.

encrýption àlgorithm 〖컴퓨터〗 부호 매김 풀이법《정보 해독 불능에 대비해 수학적으로 기술된 법칙의 모음》.

en·cul·tu·rate [inkʌ́ltʃərèit, en-] *vt.* (소속 사회의) 일반적 문화(유형)에 적응시키다; 내면화시키다.

en·cul·tu·ra·tion [inkʌ̀ltʃəréiʃən, en-] *n.* U 〖사회〗 문화화(化), 문화 적응.

en·cum·ber [inkʌ́mbər, en-] *vt.* 《~+목/+목+전+명》 방해하다, 거치적거리게 하다; (빚·의무 등을) 지우다; (장애물로 장소를) 막다《*with*》: ~ a place *with* chairs/ Heavy armor ~*ed* him in the water. 수중에서 중장비가 거치적거렸다/be ~*ed* with cares 걱정거리로 번민하게 되다. **~*ed estates*** 저당잡힌 부동산. [◂ cumber]

en·cum·brance [inkʌ́mbrəns, en-] *n.* 방해물, 장애물; 걸리는 것, 두통거리; 《특히》 (거추장스러운) 아이; 〖법률〗 부동산에 대한 부담《저당권 등》: an estate freed from all ~*s* 전혀 저당이 잡혀 있지 않은 땅. ***without*** ~ 달린 것이〔아이가〕 없는. 「권자(抵當權者).

en·cúm·branc·er *n.* 〖법률〗 (부동산의) 저당

-en·cy [ənsi] *suf.* '성질·상태'의 뜻을 나타내는 명사를 만듦: depend*ency*.

ency., encyc., encycl. encyclopedia.

en·cyc·lic, -li·cal [insíklik, -sáik-/-sík-], [-əl] *n.* 회칙(回勅), 동문 통달(同文通達)《특히 로마 교황이 모든 성직자에게 보내는 회칙》. ― *a.* 회칙의, 회람의.

*__en·cy·clo·pe·dia, -pae-__ [insàikləpíːdiə, en-] *n.* **1** 백과사전: the *Encyclopaedia* Britannica 대영 백과사전. **2** 전문 사전: ~ of gardening 원예 사전. **3** (the E-) 프랑스 백과전서《18세기 Diderot와 d'Alembert가 공편》. ㊎ **-dic, -di·cal** [-píːdik], [-əl] *a.* 백과사전의; 지식이 광범한, 박학한: *encyclopedic* knowledge. **-dism** [-dizəm] *n.* 백과사전적 지식, 박식. **-dist** [-dist] *n.* **1** 백과사전 편집자〔집필자〕; (E-) '백과전서'의 편집자, '백과전서'파. **2** 박식한 사람.

en·cyst [insíst, en-] *vt., vi.* 〖생물〗 포낭(包囊)으로 싸다〔싸이다〕. ㊎ **èn·cys·tá·tion, en·cýst·ment** *n.* 〖생물〗 포낭 형성.

†**end** [end] *n.* **1** 끝《*of* a day》; (이야기 따위의) 결말, 끝맺음; 결과: And there is the ~ (of the matter). 그것으로 끝이다. **2** 종지; 멸망; 최후, 죽음; 죽음〔파멸, 멸망〕의 근원; (세상의) 종말: near one's ~ 임종이 가까워/The ~ makes all equal. 《속담》 죽으면 모두가 평등하다. **3** 끝단, 말단; (가로 따위의) 변두리; (방 따위의) 막다른 곳; (막대기 등의) 앞 끝; (편지·책 따위의) 말미; (세계의) 끝; 〖미식축구〗 엔드《전위 양 끝의 선수》: no problem at my ~ 이쪽으로서는 문제 없음. **4** (흔히 *pl.*) 지스러기, 나부랑이; 궁둥이(buttocks); 《미속어》 신(shoes). **5** 한도, 제한, 한(限)(limit); (the (absolute) ~) 《구어》 인내의 한계, 모진 것: at the ~ of stores 〔endurance〕 저축〔인내력〕이 다해. **6** (the (very 〔living〕) ~) 《미속어》 최고(의 것). **7** 목적(aim): a means to an ~ 목적에 이르는 수단/gain〔attain〕 one's ~(*s*) 목적을 이루다/The ~ justifies the means. 《속담》 목적은 수단을 정당화한다. **8** 《미구어》 (노략품 따위의) 몫(share); (*pl.*) 《미속어》 돈(money). **9** 《미》 부분, 방면, (사업 등의) 부문, 면. ◇final, terminal, ultimate *a.* ***all ~s up*** 완전히, 철저하게: beat a person *all ~s up* 아무를 심하게 때리다. ***at a loose ~*** =***at loose ~s*** ⇨LOOSE END. ***at an ~*** 다하여, 끝나고: be *at an* ~ 끝나다, 다하다. ***at one's wit's*** 〔***wits'***〕 ~ 곤경에 빠져, 어찌해야 할지 난처하여. ***at the deep ~*** (일 따위의) 가장 곤란한 곳에. ***at the ~*** 최후에는, 끝내는. ***be at*** 〔***come to***〕 ***the ~ of one's rope*** ⇨ROPE. ***begin*** 〔***start***〕 ***at the wrong ~*** 첫머리부터 잘못하다. ***be near one's ~*** 죽어 가고 있다. ***bring*** a thing ***to an ~*** 〔***a close, a stop***〕 …을 끝내다, 끝마치다. ***come to*** 〔***meet***〕 ***a bad*** 〔***no good, nasty, sticky***〕 ~ 《구어》 좋지 않은 일을 당하다, 불행한 최후를 마치다. ***come to an ~*** 끝나다, 마치다. ***~ for ~*** 양 끝을 거꾸로, 반대로. ***~ of the road*** 〔***line***〕 《비유》 막다른 곳, 궁지, 최후, 죽음. ***~ on*** (선단을) 앞〔이쪽〕으로 향하게; 정면으로. ***~ on ~*** 나란히. ***~ over ~*** 빙글빙글 (회전하여). ***~ to ~*** 끝과 끝을 이어서. ***~ up*** 한 끝을 위로 하여, 직립하여. ***from ~ to ~*** 끝에서 끝까지. ***get one's ~ away*** 《영속어》 《종종 우스개》 (남성이) (오랜만에) 성교하다. ***get the better ~ of*** …보다 낫다, 이기다. ***get the dirty ~ of the stick*** 《구어》 싫은 일을 하게 되다, 부당한 취급을 받다. ***get the short ~*** 손해 보는 역할이 되다, 변변치 못한 것을 잡다. ***go off*** (***at***) ***the deep ~*** 《구어》 풀의 깊은 곳으로 뛰어들다; 분별없이 일을 시작하다, 턱없는 짓을 하다; 《주로 영구어》 자제력을 잃다, 욱하다. ***have an ~*** 종말을 고하다. ***have an ~ in view*** 계획〔계략〕을 품다. ***in the ~*** 마침내, 결국은. ***jump off*** 〔***in at***〕 ***the deep ~*** 《구어》 (경험도 없이) 갑자기 어려운 일에 뛰어들다. ***keep***

〔**hold**〕 one's ~ **up**=**keep**〔**hold**〕**up** one's ~ 자기가 맡은 일은 십분 다하다; (곤란에 직면해도) 꺾이지 않다. ***make an ~ of*** …을 끝내다〔그만두다〕, …을 다하다, …을 해치우다. ***make*** (***both, two***) ***~s meet*** 수지를 맞추다, 빚 안 지고 살아가다. ***meet*** one's ~ 최후를 마치다, 숨을 거두다. ***never hear the ~ of*** …에 대해 끝없이 듣다. ***no ~*** 《구어》 ① 듬뿍, 많이, 몹시: She was powdered *no* ~. 그녀는 짙은 화장을 했다/I'm *no* ~ glad. 몹시 기쁘다. ② 거의 그침이 없이, 계속: The baby cried *no* ~. 아기는 계속 울어 댔다. ***no ~ of***〔***to***〕 ①《구어》 매우 많은, 끝이 없는: I met *no* ~ *of* people. 나는 여러 사람을 만났다. ② 굉장한, 훌륭한; 심한: *no* ~ *of* a fool 큰 바보. ***not know***〔***tell***〕 ***one ~ of a***〔***an***〕 ***... from the other*** …에 대해서는 아무것도 모르다. ***on ~*** ① 똑바로 서서, 가로로 서서. ② 계속하여, 연달아: for hours *on* ~ 여러 시간 계속하여. ***plunge in at the deep ~*** 《구어》 (일 따위를) 갑자기 어려운 곳부터 시작하다. ***put an ~ to*** …를 끝내다, …에 종지부를 찍다(stop); …을 폐하다〔죽이다〕. (***reach***) ***the ~ of the line*** 파국(破局)(에 이르다). ***right***〔***straight***〕 ***on ~*** 《구어》 계속하여; 곧바로, 즉시. ***see an ~ of***〔***to***〕 (싫은 것, 싸움 따위가) 끝나는 것을 지켜보다. ***serve*** a person's ~ 뜻대로 되다. ***stand on ~*** 바로 서다, 꼿꼿이 서다: His hair *stood on* ~. 그의 머리털이 곤두섰다. ***throw*** a person ***in at the deep ~*** 《구어》 …를 갑자기 어려운 일을 하게 하다. ***to no ~*** 무익하게, 헛되이(vain): I labored *to no* ~. 헛일을 했다. ***to the ~***=《구어》 ***to the ~ of the chapter*** 끝까지, 영구히: *to the* ~ of time 언제까지나. ***to the ~s of the earth*** 땅끝까지《찾아 헤매다 따위》. ***to the ~ that ...*** …하기 위하여, …의 목적으로(in order that). ***to this***〔***that, what***〕 ~ 이것〔그것, 무엇〕 때문에. ***turn ~ for ~*** (홀렁) 뒤집다. ***without ~*** 끝없이, 영구히.

— *a.* 최후의, 최종적인; 《미속어》 일번〔베스트, 최고〕의.

— *vt.* **1** 끝내다, 마치다: We ~*ed* the negotiation. 우리는 교섭을 마쳤다/~ a war 전쟁을 끝내다. **2** …의 끝 부분을 이루다: the promontory that ~*s* the land 땅끝을 이루는 해각(海角). **3** 멸망시키다, 죽이다. **4** (길·정도 등에서) …을 웃돌다: You just committed the blunder to ~ all blunders. 터무니없는 실수를 했구나. — *vi.* **1** 《~/+전+명》 끝나다, 끝마치다, 종말을 고하다《*with*》: Here our journey ~*s*. 여기가 우리의 목적지다/The concert ~*ed with* a Bach piece. 음악회는 바흐의 작품으로 끝을 맺었다.

> SYN. **end** begin의 반의어로서 사물의 종료를 객관적으로 알림: The vacation *ended*. 휴가가 끝났다. **close** open의 반의어로서 '닫다 ⇨마감되다' 라는 어감이 있음: The play *closed* after two weeks. 2주 후에 연극은 막을 내렸다〔닫았다〕. **finish** 결말을〔마무리를〕 보아 끝나다: They *finished* by singing the National Anthem. 그들은 마지막에 국가를 불렀다. **conclude** 형식에 치우친 표현으로, 연설의 종료, 결론을 제출할 때 따위에 흔히 씀: to *conclude*... 마지막 결론으로서 말씀드리자면…. **terminate** 지금까지 계속되던 것에 종지부가 찍힘, 기한이 다 됨: Our contract will *terminate* on the 2nd next month. 계약은 내달 2일에 끝난다.

2 《~/+전+명》 …으로 끝나다, 결국 …이 되다《*in*》: The novel ~*s in* catastrophe. 그 소설은 비극적 종말로 끝난다. **3** 이야기를 끝마치다. **4** 《드물게》 죽다(die).

~ by doing 결국〔마지막으로〕 …하다, …하는 것으로 끝나다: I ~, as I began, *by* thank*ing* you. 마지막으로 재삼 감사의 뜻을 표합니다. ***~ in*** …로 끝나다, 결국 …이 되다, …에 귀결되다: ~ *in* a failure 실패로 끝나다. ***~ in smoke*** (계획 따위가) 수포로 돌아가다〔끝나다〕, 헛되이 되다. ***~ it*** (***all***) 《구어》 자살하다. ***~ off*** (연설 따위를) 결론짓다, 끝내다. ***~ up*** 끝내다; 결국에는 …이 되다《*in*》: ~ *up* (*as*) head of a firm 마지막에 회사의 사장이 되다. ***~ with*** …로 끝나다, …로 그만두다: ~ the dinner *with* fruit and coffee 식사는 과일과 커피로 끝나다. ***the***〔***a, an***〕 ***thing to ~ all*** things〔***them all***〕 《구어·흔히 드물게》 정평 있는 …: *a* novel *to* ~ *all* novels 소설 중의 소설.

end- [énd], **en·do-** [éndou, -də] **1** '내(부)…' 란 뜻의 결합사. OPP. *ect-, exo-*. **2** '흡수' 란 뜻의 결합사. **3** '환(環)의 내부의 2원자 사이에 다리를 형성하고 있는' 이란 뜻의 결합사.

END European Nuclear Disarmament.

énd-àll *n.* 종결, 대단원; 만사의 결말; 궁극의 목적으로 이끄는 것. ***be-all and ~*** 모든 것이자 또한 궁극적인 것: To him money is *be-all and* ~. 저놈은 돈, 돈밖에 모른다.

en·dam·age [indǽmidʒ, en-] *vt.* =DAMAGE. 파 **~·ment** *n.*

en·da·m(o)e·ba [èndəmí:bə] (*pl.* **-bae** [-bi:], **~s**) *n.* 엔드아메바《적리(赤痢)의 병원체》.

en·dan·ger [indéindʒər, en-] *vt.* 위태롭게 하다, 위험에 빠뜨리다: ~ a person's life 아무의 생명을 위태롭게 하다. 파 **~ed** *a.* (동식물이) 절멸 위기에 처한: ~*ed* species 멸종 위기에 있는 종(種). **~·ment** *n.*

énd aróund revèrse 〖미식축구〗 엔드가 라인의 뒤를 돌아 다른 백의 공을 받아 돌진하는 공격 플레이.

end·ar·ter·ec·to·my [endà:rtəréktəmi] *n.* 〖의학〗 동맥 내막(內膜) 절제(술).

énd àrticle 최종 제품(=**énd ìtem**).

én dàsh 〖인쇄〗 엔 대시, 2분 대시(=**én rùle**) 《n 한 자 길이의 대시》.

énd-blòwn *a.* 입을 대고 부는 주둥이가 세로로 달린《클라리넷 등》: an ~ instrument.

énd·bràin *n.* 〖의학〗 종뇌(終腦)(telencephalon).

énd brùsh 〖생물〗 종말 신경총《신경 돌기 말단부의 술 모양의 분지(分枝)》.

énd consùmer 최종 소비자(end user).

en·dear [indíər, en-] *vt.* 《+목+전+명》 애정을 느끼게〔그립게〕 하다; 〖~ oneself〗 (남에게) 사랑받다: His humor ~*ed* him *to* all.=He ~*ed* him*self to* all by his humor. 유머가 있어 그는 모든 사람에게 사랑받았다/The sweet temper of the child ~*ed* him *to* all. 그 애는 마음씨가 고와서 모든 사람의 귀염을 받았다.

en·déar·ing *a.* 애정을 느끼게 하는, 귀여운, 사랑스러운, 그리운: an ~ smile 귀여운〔사랑스러운〕 미소. 파 **~·ly** *ad.*

en·déar·ment *n.* U 친애 (표시); 총애, 애무; 사랑스러움, 매력: a term of ~ 애칭《Elizabeth에 대한 Beth; 또는 darling, dear의 호칭》.

***en·deav·or,** 《영》 **-our** [indévər, en-] *vt.* 《+*to* do》 …하려고 노력하다, 애쓰다, …을 시도하다: ~ *to* soothe her 그녀를 달래려고 애쓰다. SYN. ⇨TRY. — *vi.* **1** 《~/+전+명》 노력하다, 애쓰다《*at* do*ing*; *after*》: Anyhow, he is ~*ing*. 여하튼 그는 노력하고 있다/~ *after* happiness 행복을 얻으려고 노력하다. **2** 《드물게》

(…을 얻으려고) 시도하다. ── *n.* 노력, 진력; 시도. [SYN.] ⇨ EXERTION. ***do*** 〔***make***〕 ***one's best ~s*** = ***make*** 〔***use***〕 ***every ~*** 갖은 노력을 다하다.

en·dem·ic [endémik] *a.* **1** (병이) 한 지방에 특유한, 풍토성의: an ~ disease 풍토병 / a fever ~ *to* 〔*in*〕 the tropics 열대 특유의 열병. **2** (동식물 등이) 특정 지방에 한정된; 특정 민족〔국가〕에 고유한. ── *n.* 풍토병, 지방병; 〖생물〗 고유종(固有種). [파] **-i·cal** [-kəl] *a.* = ENDEMIC. **-i·cal·ly** *ad.*

en·de·mic·i·ty [èndəmísəti] *n.* = ENDEMISM.

en·de·mism [éndəmìzəm] *n.* [U] 지방의 특성, 지방적임; 풍토성.

en·den·i·zen [indénəzən, en-] *vt.* …에 시민권을 부여하다, 귀화시키다.

end·er·gon·ic [èndərgánik/-gɔ́n-] *a.* 〖생화학〗 에너지 흡수성의.

en·der·mic [endə́ːrmik] *a.* 〖의학〗 피부에 침투하여 작용하는, 피부에 바르는: ~ method 피하(皮下)요법 / ~ injection 피하 주사 / ~ liniment 도포제(塗布劑).

en dés·ha·bil·lé [*F.* ɑ̃dezabije] 《F.》 평복으로〔의〕.

énd gàme (체스 따위의) 종반(전); (전쟁 등의) 막판; 〖군사〗 엔드게임《적의 탄도 미사일 방위(BMD) 시스템을 기만하는 한 수단》(= **énd-gàme**).

énd·gàte *n.* (트럭) 적재함의 뒷문.

énd·ing *n.* **1** 결말, 종료, 종국: a film with a happy ~ 해피 엔딩의 영화. **2** 인생의 끝, 죽음. **3** 〖문법〗 (활용) 어미《books의 *-s* 따위》: plural ~*s* 복수 어미.

en·disked [indískt, en-] *a.* 레코드에 녹음된.

en·dis·tance [indístəns, en-] *vt.* (연극 따위가 관객에게) 거리감을 갖게 하다, (관객을) 이화(異化)하다.

en·dive [éndaiv; *F.* ɑ̃diːv] *n.* 〖식물〗 꽃상추의 일종(escarole)《chicory의 일종; 샐러드용》.

énd kèy 〖컴퓨터〗 엔드키《커서를 문서나 페이지 끝으로 이동시키는》.

énd lèaf *n.* = END PAPER.

***end·less** [éndlis] *a.* **1** 끝없는, 무한한: an ~ desert 광막한 사막 / an ~ sermon 장황한 설교. **2** 끊임없는, 부단한: ~ argument 끝없는 논의 / an ~ stream of cars 끝없이 계속되는 자동차 물결. **3** 〖기계〗 순환하는: an ~ belt 〔chain〕 (이음매가 없는) 순환 피대〔사슬〕/ an ~ saw 띠톱. [파] **~·ly** *ad.* 끝없이, 계속적으로. **~·ness** *n.*

éndless scréw 〖기계〗 웜《나사 모양의 톱니바퀴》. [cf.] worm gear.

énd lìne 〖경기〗 엔드 라인.

énd·lòng *ad.* 《고어》 세로로, 똑바로.

énd màn 줄 끝의 사람; 《미》 흑인(분장을 한) 재즈 밴드 양 끝에 있는 광대역의 악사.

énd màtter = BACK MATTER.

end·most [éndmòust] *a.* 말단의〔에 가까운〕.

énd·nòte *n.* (책의) 말미의 주석.

en·do [éndou] *n.* 오토바이의 뒷바퀴를 들고 앞바퀴만으로 달리는 일. [cf.] wheelie.

endo- ⇨ END-.

èndo·biótic *a.* 〖생물〗 숙주의 조직 내에 기생하는, 생물체 내생의.

en·do·blast [éndəblæ̀st] *n.* 〖생물〗 = ENDODERM; HYPOBLAST. [파] **èn·do·blás·tic** *a.*

en·do·car·di·al [èndoukáːrdiəl] *a.* 심장 내의; 심장 내막에 관한.

en·do·car·di·tis [èndoukɑːrdáitis] *n.* [U] 〖의학〗 심장 내막염.

en·do·car·di·um [èndoukáːrdiəm] (*pl.* ***-dia*** [-diə]) *n.* 〖해부〗 심장 내막.

en·do·carp [éndəkɑ̀ːrp] *n.* 〖식물〗 내과피(內果皮).

én·do·càst *n.* 두개강(頭蓋腔) 따위의 내부 모양을 나타내는 형(型)〔인상〕.

en·do·cen·tric [èndouséntrik] *a.* 〖언어〗 내심적(內心的)인. [OPP] *exocentric.* ¶ an ~ construction 내심적 구조.

èndo·chóndral *a.* 〖의학〗 연골 내의.

en·do·com·men·sal [èndoukəménsəl] *n.* 〖생물〗 내부 기생 생물《회충 따위》.

èndo·cránial *a.* 〖해부〗 두개(頭蓋) 내의.

endocránial cást 〖고고학〗 두개 내 주형(頭蓋內鑄型)《화석 두개골 따위의 안쪽을 뜬 주형》.

en·do·crine [éndəkrin, -kràin, -krìːn] *a.* 〖생리〗 내분비(선(腺))의, 내분비선 같은, 호르몬의. ── *n.* 내분비물; 내분비선(= ∼ **glànd**).

éndocrine disrùpter 〖화학〗 내분비 교란 물질(environmental hormone).

en·do·crin·ic, -cri·nous [èndəkrínik], [endákrənəs/-dɔ́k-] *a.* 내분비선의.

en·do·cri·nol·o·gy [èndoukrənálədʒi, -krai-/-nɔ́l-] *n.* [U] 내분비학. [파] **-gist** *n.* 내분비학자.

en·do·cy·tose [èndousaitóus, -tóuz] *vt.* 〖생물〗 (세포가 이물(異物)을) 흡수하다, 이물과 일체화(一體化)하다.

en·do·cy·to·sis [èndousaitóusis] *n.* 〖생물〗 엔도시토시스《세포막의 함입으로 외계로부터 물질을 들이는 작용》. [파] **en·do·cyt·ic, -cy·tot·ic** [èndousítik], [-saitátik/-tɔ́tik] *a.* 〖생물〗 세포 이물 흡수의.

en·do·derm [éndədə̀ːrm] *n.* 〖생물〗 내배엽(內胚葉); 〖식물〗 내피층. [cf.] ectoderm.

en·do·der·mis [èndoudə́ːrmis] *n.* [U] 〖식물〗 내피(內皮).

en·do·don·tia, -don·tics [èndoudánʃiə/-dɔ́n-], [-dántiks/-dɔ́n-] *n.* 〖치과〗 근관(根管) 치료학; 무수치(無髓齒) 과학.

èndo·énzyme *n.* 〖생화학〗 내생(內生) 효소.

en·do·er·gic [endouə́ːrdʒik] *a.* 〖물리·화학〗 에너지를 흡수하는, 흡열의: an ~ reaction 흡열(吸熱) 반응.

end-of-dáy glàss 다색(多色) 유리《장식용》.

énd-of-fíle *n.* 〖컴퓨터〗 ⇨ EOF.

énd-of-tápe màrker 〖전자〗 테이프 끝의 표시《자기(磁氣) 테이프 끝을 나타내는 표시》.

en·dog·a·mous [endágəməs/-dɔ́g-] *a.* 동족 결혼에 의한〔관한〕.

en·dog·a·my [endágəmi/-dɔ́g-] *n.* **1** 동족 결혼, 족내혼(族內婚). [OPP] *exogamy.* **2** 〖식물〗 동주 타가 수분(同株他家受粉).

en·do·gen [éndədʒin, -dʒèn] *n.* 내생(內生) 식물《외떡잎식물(monocotyledon)의 구칭》.

en·do·gen·ic [èndoudʒénik] *a.* = ENDOGENOUS; 〖지학〗 내인성(內因性)의.

en·dog·e·nous [endádʒənəs/-dɔ́dʒ-] *a.* 〖생물·식물〗 내생(內生)의; 〖지학·생화학〗 내인성(內因性)의; 내부로부터 성장하는, 내부적 원인에 의한.

en·dog·e·ny [endádʒəni/-dɔ́dʒ-] *n.* 〖생물〗 (아포(芽胞) 등의) 내생, 내부 생장, 내부적 세포 형성.

éndo·lỳmph *n.* 〖해부〗 (귀의) 미로(迷路) 림프, 내(內)림프(액).

en·do·me·tri·o·sis [èndoumìːtrióusis] *n.* 〖의학〗 자궁 내막증(症), 엔도메트리오시스.

en·do·me·tri·tis [èndoumitráitis] *n.* [U] 〖의학〗 자궁 내막염.

en·do·me·tri·um [-míːtriəm] (*pl.* ***-tria*** [-triə]) *n.* 〖해부〗 자궁 내막. [파] **-mé·tri·al** *a.*

èndo·mitósis *n.* [U,C] 〖생물〗 핵내 유사 분열.

éndo·mòrph *n.* 〖광물〗 내포(內包) 광물; 땅딸막한 사람; 〖심리〗 내배엽형(內胚葉型)의 사람.

èndo·mórphic *a.* 〖광물〗 내포 광물의; 〖광물〗 내변(內變)의; 〖심리〗 내배엽형의. ㊐ **én·do·mòr·phy** *n.* 내배엽형.

èndo·mórphism *n.* 〖광물〗 혼성(混成) (작용), 내변(內變)《병입(迸入) 화성암 속에서 일어나는 변화》; 〖수학〗 자기 준동형(自己準同形).

èndo·núclease *n.* 〖생화학〗 엔도뉴클레아제《뉴클레오티드 사슬을 말단에 인접하지 않은 부위에서 분해하여 둘 이상의 짧은 사슬로 절단하는 효소; 핵산 중간 분해 효소》. cf. exonuclease.

en·do·nu·cle·o·lyt·ic [èndounjù:klioulítik/-njù:-] *a.* 〖생화학〗 뉴클레오티드 사슬 분해성의.

èndo·párasite *n.* 〖동물〗 체내 기생충《회충 따위》.

èndo·péptidase *n.* 〖생화학〗 엔도펩티다아제《펩티드의 가수(加水) 분해를 촉매하는 효소》.

èndo·peróxide *n.* 〖생화학〗 엔도페록시드《prostaglandin의 합성 원료인 고산화(高酸化) 화합물의 총칭》.

en·doph·a·gous [endáfəgəs/-dɔ́f-] *a.* 〖생물〗 내식성(內食性)의《먹이 내부에 들어가 먹는》.

en·do·phil·ic [èndəfílik] *a.* 〖생태〗 인간(환경)과 관계가 있는.

en·do·phyte [éndəfàit] *n.* Ⓤ 내부 기생「식물.

en·do·plasm [éndəplæ̀zəm] *n.* 〖생물〗 (세포 원형질의) 내질(內質), 내부 원형질. ㊐ **èn·do·plás·mic** [-plǽzmik] *a.*

endoplásmic retículum 〖생물〗 세포질 망상(網狀) 구조, 소포체(小胞體).

en·do·proct [éndəpràkt/-prɔ̀kt] *n.* 〖동물〗 내「항(內肛) 동물.

énd òrgan 〖생리〗 종말 기관(終末器官).

en·dor·phin [endɔ́:rfin] *n.* 〖생화학〗 엔도르핀《척추동물의 뇌 등에서 생성되는 내인성(內因性) 모르핀 같은 펩티드; 진통 작용이 있음》.

en·dorse, in- [indɔ́:rs, en-], [in-] *vt.* (어음 따위에) 배서(背書)하다; (서류 뒷면에) 설명·메모 따위를 기입하다; (계획 등을) 승인〔확인·시인〕하다, 찬성하다; 《구어》 (유명인이 상품 광고에) 보증 선전하다; 〖흔히 수동태로〗 (자동차·술집의 면허장) 뒤에 위반 사항 등을 적어 넣다: His driving licence had *been* ~*d.* 그의 운전면허증에는 위반 사항이 기입되어 있었다. ***be ~d out*** (흑인이 당국에 의하여) 신분증명서를 갖추지 못하여 시가지에서 추방당하다. **~ ... off** (수표의 뒷면에, 금액을) 써서 일부 영수를 증명하다. **~ over** (a bill) **to** (어음)에 배서하여 …에게 양도하다. ㊐ **en·dórs·er, en·dór·sor** *n.* 배서(양도)인.

en·dor·see [indɔ̀:rsí:, èndɔ:rsí:] *n.* 피(被)배서(양수)인《배서에 의한 어음의 양수인》.

en·dórse·ment *n.* **1** 배서: ~ in blank 〔in full〕 무기명〔기명〕 배서. **2** Ⓤ 보증, 시인, 승인; 《구어》 (유명인의 텔레비전 등에서의 상품) 보증 선전. **3** 운전면허증에 기입된 교통 위반 기록.

en·do·sarc [éndəsà:rk] *n.* =ENDOPLASM.

en·do·scope [éndəskòup] *n.* 〖의학〗 (직장·요도(尿道) 등의) 내시경(內視鏡).

en·dos·co·py [endáskəpi/-dɔ́s-] *n.* Ⓤ 〖의학〗 내시경 검사(법).

èndo·skéleton *n.* 〖해부〗 내골격(內骨格).

en·dos·mo·sis [èndazmóusis, -das-/-dɔs-, -dɔz-] *n.* Ⓤ (내)침투, 침입.

éndo·spèrm *n.* 〖식물〗 내유(內乳), 내배유「(內胚乳).

éndo·spòre *n.* 〖생물〗 내생(內生) 포자.

en·dos·te·um [endástiəm/-dɔ́s-] *n.* 골내막(骨內膜).

en·do·the·li·al [èndouθí:liəl] *a.* 〖해부〗 내피「(內皮)의.

en·do·the·li·o·ma [èndouθì:lióumə] (*pl.* ***-ma·ta*** [-tə], **~s**) *n.* 〖의학〗 내피종(內皮腫).

en·do·the·li·um [èndouθí:liəm] (*pl.* ***-lia*** [-liə]) *n.* 〖해부〗 내피 세포층, (심장·혈관 등의) 내복(內覆) 조직; 〖식물〗 내종피(內種皮).

en·do·therm [éndəθə̀:rm] *n.* 〖동물〗 온혈 동「물.

en·do·ther·mic [èndouθə́:rmik] *a.* 〖물리·화학〗 흡열(吸熱)의, 흡열을 수반하는〔에 의한〕; 〖동물〗 온혈성의.

èndo·tóxin *n.* 〖생화학〗 균체(菌體) 내(內) 독소. OPP. *exotoxin.* ㊐ **èndo·tóxic** *a.*

èndo·trácheal *a.* 〖의학〗 기관 내(氣管內)의: ~ anesthesia 기관 내 마취(법).

***en·dow** [indáu, en-] *vt.* **1** 《~+목/+목+전+명》 (능력·자질 등을) …에게 주다, …에게 부여하다《*with*》; 〖보통 수동태로〗 타고난 (재능이) 있다《*with*》: Nature has ~*ed* him *with* great ability. 그에게는 위대한 천부적 재능이 있다 / She *is* ~*ed* (by nature) *with* beauty. 그녀에게는 타고난 미모가 있다. **2** 《~+목/+목+전+명》 (병원·학교 등에) 기금을 기부〔증여〕하다: an ~*ed* school 기본 재산을 가진 학교, 재단 법인 조직의 학교 / ~ a college 대학에 기금을 기부하다 / ~ a hospital *with* a large sum of money 병원에 많은 돈을 기부하다. **3** 《고어》 (여자에게) 지참금을 주다. ㊐ **~·er** *n.*

en·dów·ment *n.* **1** Ⓤ 기증, (기금의) 기부, 유증(遺贈); Ⓒ 기부금; Ⓒ (기부된) 기본 재산: The college received a large ~ from Mr. Smith. 대학은 스미스씨로부터 많은 기부를 받았다. **2** (보통 *pl.*) 천부의 재주, 타고난 재능: natural ~s 천부의 재질.

endówment insùrance 〔《영》 **assùrance**〕 양로 보험.

endówment pòlicy 양로 보험 (증권).

énd pàper (책의) 면지(=**énd shèet**).

énd plàte 끝이 넓적한 널〔구조〕; 〖생물〗 엔드 플레이트, (운동 신경 섬유의) 종판(終板), 단판(端板).

énd·plày 〖카드놀이〗 *n.* 엔드플레이《콘트랙트 브리지 끝쯤에서 쓰는 수》. **—** *vt.* (상대를) 엔드플레이로 빠뜨리다.

énd pòint 종료점(終了點), 종점; 〖화학〗 (적정(滴定)의) 종말점; =ENDPOINT.

énd·pòint *n.* 〖수학〗 끝점《선분이나 사선(射線)의 끝을 나타내는 점》.

énd pròduct (일련의 변화, 화학 반응의) 최종 결과, 완제품; 〖원자물리〗 최종 생성물.

énd resúlt 최종 결과.

énd rhỳme 〖운율〗 각운(脚韻).

en·drin [éndrən] *n.* 〖약학〗 엔드린《살충제》.

énd rùn 〖미식축구〗 공을 갖고서 상대편의 측면을 돌아 후방으로 나감; 《구어》 회피책.

énd-rùn *vt., vi.* 《미구어》 잘 피해서 지나가다, 교묘히 피하다; …을 꽉뒤지르다, (중간을) 건너뛰고 일을 진척시키다.

énd-stòpped [-t] *a.* 〖운율〗 행말을 맺는; (발레 등의 동작의 끝을) 포즈로 인상짓는, (동작이) 끝난. cf. run-on.

Ends·vil·le [éndzvil] *a., n.* 《미속어》 최고의 (것) (=**Éndville**) 《약간 고풍스러운 말투》: New York is ~. 뉴욕은 최고다.

énd tàble (소파 곁에 붙여 놓는) 작은 탁자.

énd-to-énd [-tu-] *a., ad.* 끝과 끝을 접한〔접하여〕; 철저한, 샅샅이.

en·due [indjú:, en-/-djú:] *vt.* **1** 《+목+전+명》 〖보통 수동태로〗 (능력·천성 따위를) 부여하다, 주다《*with*》: a man ~*d with* virtue 덕을 겸비한 사람 / ~ a person *with* the full right of citizen 아무에게 모든 시민권을 주다. **2** (옷을) 입다 (put on). **3** 《+목+전+명》 (아무)에게 입히다《*with*》: ~ a person *with* the short robe 아무에게 군복을 입히다. cf. indue.

en·dur·a·ble [indjúərəbəl, en-/-djúər-] *a.* 견딜〔참을〕 수 있는; 감내할 수 있는: His insults were not ~. 그의 모욕에는 참을 수 없었다. ㊞ **-bly** *ad.* 견딜 수 있도록.

en·dur·ance** [indjúərəns, en-/-djúər-] *n.* Ⓤ **1** 인내, 감내. SYN. ⇨PATIENCE. **2** 인내력, 지구력, 내구력. **3** 〖항공〗 항속 시간; 《드물게》 곤란, 노고. ***beyond 〔***past***〕 ~ 참을〔견딜〕 수 없게.

endúrance lìmit =FATIGUE LIMIT.

****en·dure** [indjúər, en-/-djúə] *vt.* **1** 《~+目/+-*ing*/+*to* do》 (사람·물건이) 견디다, 인내하다; 〔주로 부정문〕 …을 참다: ~ pain(s) 고통을 견디다 / can*not* ~ the sight 차마 볼 수 없다 / That dike will *not* ~ the rising water. 저 제방은 이 증수(增水)에는 견디지 못할 것이다 / I can*not* ~ be*ing* 〔*to* be〕 disturbed. 방해당해서는 참을 수 없다. SYN. ⇨BEAR. **2** (고난 따위를) 경험하다, 받다. **3** (해석 따위를) 허용하다, 인정하다. ── *vi.* **1** 지탱하다, 지속하다: as long as life ~*s* 목숨이 지속하는 한. **2** 참다: ~ to the last 최후까지 참고 견디다.

†**en·dur·ing** [indjúəriŋ, en-/-djúər-] *a.* 지속하는, 영속적인; 내구성이 있는; 참을성이 강한: an ~ fame 불후의 명성 / ~ peace 항구적 평화. ㊞ **~·ly** *ad.* **~·ness** *n.*

en·duro [indjúərou, en-/-djúər-] (*pl.* **~s**) *n.* 《미》 (자동차 등의) 장거리 내구(耐久) 경주.

énd ùse 〖경제〗 (생산물의) 최종 용도.

énd ùser 1 〖컴퓨터〗 최종 사용자. **2** =END CONSUMER. **3** (공공복지 계획의) 최종 수익자.

énd·wàys, énd·wìse *ad.* 끝을 앞쪽으로〔위로〕 하고, 앞을 향하여; 세로로, 똑바로; (이을 때) 두 끝을 맞대고.

En·dym·i·on [endímiən] *n.* 〖그리스신화〗 엔디미온《달의 여신 셀레네(Selene)의 사랑을 받은 목동》.

énd zòne 〖미식축구〗 엔드 존《골라인과 엔드라인 사이의 구역》.

-ene [iːn] '불포화 탄화수소'란 뜻의 결합사: acetyl*ene*, benz*ene*.

ENE, E.N.E., e.n.e. east-northeast (동북동).

en·e·ma [énəmə] (*pl.* **~s, ~·ta** [-tə]) *n.* 〖의학〗 관장(제)(灌腸(劑)), 관장기.

énemies lìst 적대 인물 일람표, 정적 리스트.

†**en·e·my** [énəmi] *n.* **1** 적, 원수; 적수, 경쟁 상대. OPP. *friend.* ¶ make many *enemies* 많은 적을 만들다 / make ~ of …을 적으로 돌리다, …의 반감을 사다.

> SYN. **enemy** 일반적으로 쓰이는 말. 자기에게 반대하거나 해가 되거나 하는 사람. **foe** 문어적인 말로서 시에 쓰이는 경우가 많음. 보다 강한 적대자를 말함.

2 적병, 적함; 〔집합적〕 (the ~) 적군, 적함대, 적국. ★ the enemy의 의미가 집합적인 경우에도 종종 he로 받아 단수로 취급. ¶ The ~ was driven back. 적(군)은 격퇴되었다. **3** (the (old) E–) 악마(the Devil). **4** 해를 끼치는 것, 유해물. ***be an ~ to*** …에게〔을〕 적대(시)하다, …을 미워하다, …에게 해를 끼치다. ***go over to the ~*** 적군에 넘어가다〔붙다〕. ***How goes the ~ ?*** 《구어》 지금 몇 시냐. ***the ~ at the gate***(***s***) 바싹 다가온 적. ***the ~ within the gate***(***s***) 배신자. ── *a.* 〔한정적〕 적군〔적국〕에 속하는; 적대하는: an ~ plane 적기(敵機) / ~ property 적국인 자산.

énemy álien 적성(敵性) 외국인.

***en·er·get·ic, -i·cal** [ènərdʒétik], [-ikəl] *a.* **1** 정력적인, 원기왕성한, 활동적인: an ~ person 정력가. **2** 강력한, 효과적인: ~ laws 〔measures〕 효과적인 법률〔방책〕. ㊞ **-i·cal·ly** *ad.*

èn·er·gét·ics *n. pl.* 〔단수취급〕 에너지학〔론〕.

en·er·gid [énərdʒid] *n.* 〖생물〗 에너지드《한 개의 핵과 그 작용 범위 내의 세포질》.

en·er·gism [énərdʒìzəm] *n.* Ⓤ 〖윤리〗 정력〔활동〕주의.

en·er·gize [énərdʒàiz] *vt.* 정력을〔에너지를〕 주입하다, 활기를 돋우다; 〖전기〗 …에 전압을 가하다. ── *vi.* 정력을 내다, 기운을 내어 일하다. ㊞ **-gìz·er** *n.* ~하는 사람〔물건〕; 《특히》 활력제, 항울제(抗鬱劑).

en·er·gu·men [ènəːrgjúːmin] *n.* 귀신 들린 사람; 광신자; 열광자.

****en·er·gy** [énərdʒi] *n.* Ⓤ **1** 정력, 활기, 원기: physical 〔spiritual〕 ~ 체력〔기력〕 / full of ~ 정력이 왕성하여. **2** (말·동작 따위의) 힘: act 〔speak〕 with ~ 기운차게 행동〔말〕하다. SYN. ⇨POWER. **3** (종종 *pl.*) (개인의) 활동력, 행동력: brace one's *energies* 힘을 내다 / My *energies* are low these days. 요즈음 일에 힘이 나지 않는다. **4** 〖물리〗 에너지: kinetic 〔active, motive〕 ~ 운동 에너지 / atomic ~ 원자력 / ~ conversion 에너지 전환 / ~ resources 에너지 자원 / ~ source 에너지원(源) / ~ equipartition law 에너지 등분배 법칙 / the law of ~ conservation 에너지 보존의 법칙. ***devote*** 〔***apply***〕 ***one's energies to*** …에 정력을 기울이다. ***~ alternative*** 〔***substitute***〕 대체 에너지. ***~ efficiency*** 에너지 효율.

énergy àudit (가정·공장 등의) 에너지 감사, 에너지 효율 진단, 에너지 사용량 진단. ㊞ **énergy àuditor**

énergy bùdget 생태계의 에너지 수지(收支).

énergy bùsh 에너지원(源) 삼림(森林).

énergy crìsis 에너지 위기《특히 석유 등의 공급 부족으로 인한》.

énergy-effícient *a.* **1** (차량·엔진 등이) 연료 효율이 좋은, 연비가 좋은. **2** (재료가) 생산〔제조〕에 에너지를 많이 요하지 않는.

énergy gàp 〖물리〗 에너지 간격; 에너지 위기.

énergy-inténsive *a.* 생산에 많은 에너지를 소비하는, 에너지 집약적〔형〕인.

énergy lèvel 〖물리〗 에너지 준위(準位).

énergy pàrk 에너지 단지, 에너지 자원 공동 이용지《에너지 절감을 위해 여러 에너지 생산 설비를 1 개소에 통합한》.

énergy plantàtion 에너지가 되는 식물(植物)을 키우는 에너지 대농장 제도《식물에서 에너지를 얻으려는 구상》.

en·er·vate [énərvèit] *vt.* 기력을 빼앗다, 힘을 약화시키다. ── [inə́ːrvit] *a.* 기운〔힘〕 없는, 힘이 빠진, 박력 없는. ㊞ **-vàt·ed** [-vèitid] *a.* 힘없는, 연약한. **èn·er·vá·tion** *n.* Ⓤ 활력을 빼앗음; 쇠약, 나약, 허약; 무기력.

é-neutrìno (*pl.* **~s**) *n.* 〖물리〗 =ELECTRON NEUTRINO.

en·face [inféis, en-] *vt.* 《영》 (어음·증권 등의) 표면에 기입〔인쇄, 날인〕하다. ㊞ **~·ment** *n.*

en fa·mille [*F.* ɑ̃famij] 《F.》 가족이 다 모여, 가족적으로, 집안끼리; 허물〔격의〕없이.

en·fant ché·ri [*F.* ɑ̃fɑ̃ʃeʀi] 《비유》 총아(寵兒), 애지중지하는 아이.

enfant gâ·té [*F.*-gɑte] 응석둥이; 버릇없는 사람; 부추김을 받은 사람.

enfant ter·ri·ble [*F.* -tɛʀibl] 《F.》 무서운 아이《어른이 당황할 만한 말이나 질문을 하는 아이》; (남에게 폐가 되는 것을 고려하지 않는) 무책임한〔분별없는〕 사람.

en·fee·ble [infíːbəl, en-] *vt.* 〔종종 수동태로〕 약하게 하다: *be* ~*d* by illness 병으로 심신이 쇠약해져 있다. ㊞ **~·ment** *n.* Ⓤ 약하게 하기, 쇠약.

en·feoff [inféf, -fíːf, en-] *vt.* 세습지〔영지, 봉토〕를 주다; 《고어》 (몸을) …에게 맡기다. ㊕ **~·ment** *n.* Ⓤ 영지 수여; Ⓒ 영지 하사장(狀); 봉록(俸祿), 봉토, 영지.

en fête [*F.* ɑ̃fɛt] 《F.》 떠들썩하게; 외출복으로 차려입고; 축제 기분으로.

en·fet·ter [infétər, en-] *vt.* …에게 차꼬를 채우다; 속박하다; 노예로 만들다.

en·fe·ver [infíːvər, en-] *vt.* 열광〔홍분〕시키다.

Én·field rífle [énfiːld-] 엔필드 총. **1** 0.577 인치 구경의 앞장전식 총《크림 전쟁 시 영국이, 남북 전쟁에서 양 진영이 사용》. **2** 영국이 사용한 0.303 인치 구경의 후장전식 총. **3** 0.303 인치의 라이플《1 차 대전에서 미군이 사용》.

en·fi·lade [énfəlèid, ˌ-ˈ-/ènfiléid, ˈ-ˌ-] 〖군사〗 *n.* 종사(縱射)(를 받을 위치). **—** *vt.* 《미》 종사를 퍼붓다.

en·fold [infóuld, en-] *vt.* 싸다《*in; with*》; 안다, 포옹하다; 접다, …에 주름을 달다.

***en·force** [infɔ́ːrs, en-] *vt.* **1** (법률 등을) 실시〔시행〕하다, 집행하다: ~ a law 법을 (실제로) 지키게 하다. **2** 《~+목/+목+전+명》 (지불·복종 등을) 강요〔강제〕하다, 억지로 시키다; 강행하다: ~ a blockade 봉쇄를 강행하다 / ~ obedience 복종을 강요하다 / ~ peace *on* the defeated 패자에게 강화를 강요하다. **3** (요구·의견 등을) 강경하게 주장하다, 역설〔강조〕하다. ㊕ **~·a·ble** *a.* ~할 수 있는. **~·a·bíl·i·ty** *n.* **~·ment** *n.* Ⓤ 시행, 실시; 강제.

en·fórced [-t] *a.* 강제적인, 강요된: ~ education 의무 교육 / ~ insurance 강제 보험. ㊕ **en·fór·ced·ly** [-sidli] *ad.*

enfórcement nòtice 〖영법률〗 (개발·건축 따위 위반 사항에 대한) 시정 통보.

enfórcement òfficer 《미》 (법률 등의) 시행관.

en·fórc·er *n.* enforce하는 사람; 〖아이스하키〗 상대 팀에게 겁을 주는 거친 플레이를 하는 선수; 《미속어》 암흑가의 관례를 강요하는 악한.

en·frame [infréim, en-] *vt.* (그림 따위를) 액자에 끼우다.

en·fran·chise [infræ̃ntʃaiz, en-] *vt.* **1** 선거권〔공민권〕을 주다. **2** (도시에) 자치권을 주다. **3** 석방하다, (노예 따위를) 해방하다, 자유롭게 하다, 자유민이 되게 하다. ㊕ **~·ment** *n.* Ⓤ 선거권〔공민권·자치권〕의 부여; 해방, 석방.

eng [eŋ] *n.* 〖음성〗 엥《발음 기호 [ŋ]의 명칭》.

ENG electronic news gathering (비디오에 의한 뉴스 취재). **Eng.** England; English. **eng.** engine; engineer(ing); engraved; engraver; engraving.

⁑**en·gage** [ingéidʒ, en-] *vt.* **1** 《+목+*to* do/+*to* do/+*that* 절》 약속하다(SYN. ⇨PROMISE); (맹세·약속 따위로) 속박하다; 보증하다, 맡다: He ~*d* himself *to* pay the money by the end of the month. 그는 월말까지는 돈을 지불하겠다고 약속했다 / She ~*d to* visit you tomorrow. 그녀는 내일 당신을 방문한다고 약속했다 / Can you ~ *that* everything is all right? 만사 잘 되어 있다고 보증할 수 있나. **2** 〖수동태로〗 약속〔예약〕이 있다: I'*m* ~*d* for tomorrow. 내일은 약속〔예약〕이 있다. **3** 《~+목/+목+전+명》 〖흔히 수동태〗 약혼시키다《*to*》: We *became* ~*d* this month. 이 달에 약혼했다 / I *am* ~*d to* Nancy. 낸시와 약혼 중이다. **4** 《~+목/+목+*as* 보》 (아무를) 고용하다(SYN. ⇨EMPLOY), 계약하다; (좌석·호텔방·차 따위를) 예약하다, 빌리다: ~ two seats at a theater 극장 좌석 두 개를 예약하다 / ~ a servant 심부름꾼을 고용하다 / ~ a person *as* a secretary 아무를 비서로 고용하다. **5** 《~+목/+목+전+명》 (시간을) 투입〔충당〕하다, 쓰다; (전화선을) 사용하다: have one's time fully ~*d with* work 일로 시간이 꽉 차 틈이 없다 / ~ the line for ten minutes, 10 분간 전화로 이야기를 하다. **6** 《~+목/+목+전+명》 〖수동태로〗 종사하다《*in*》, 바쁘다: He will see you if he *is* not ~*d*. 바쁘지 않으면 만날 겁니다 / *be* ~*d in* (do*ing*) a thing 어떤 일에 종사하고 있다 / *be* ~*d on* preparations 준비에 바쁘다. **7** 《~+목/+목+전+명》 (사람을 이야기 따위에) 끌어들이다; (홍미·주의 따위를) 끌다: ~ a person's attention 아무의 주의를 끌다 / He boldly ~*d* the girls *in* conversation. 그는 대담하게도 소녀들을 이야기에 끌어들였다. **8** …의 마음을 〔호의를〕 끌다: His good nature ~*s* everybody (to him). 사람이 착해서 모두 그를 좋아하게 된다. **9** (부대 등을) 교전시키다; …와 교전하다: Our army ~*d* the enemy. 아군은 적과 교전했다. **10** (톱니바퀴를) 맞물리게 하다. **11** 〖펜싱〗 (검을) 상대의 검과 교차시키다. **12** 〖건축〗 (기둥을) 벽 속에 묻히게 세우다〔벽에 붙이다〕. **—** *vi.* **1** 《+전+명》 종사하다, 관계하다: After graduating from college, he ~*d in* business. 대학을 졸업한 후 그는 사업에 종사했다. **2** 《+전+명》 고용되다, 근무하다: That year I ~*d* with a trading company. 그 해 나는 한 상사에 취직했다. **3** 《+전+명》 보증하다, 맹세하다, 약속하다, 책임지다《*for*》: That's what I can ~ *for*. 그것은 내가 책임질 수 있는 것이다. **4** 〖펜싱〗 검을 교차하다. **5** 《+전+명》 교전하다《*with*》; 참전하다: ~ *with* the enemy 적과 교전하다. **6** 《+전+명》 (톱니바퀴가) 맞물다, 연동하다《*with*》: The two wheels ~. =One wheel ~*s with* the other. 두 톱니바퀴는〔한 톱니바퀴는 다른 톱니바퀴와〕 맞물린다. ***~ in*** ① ⇨*vi.* 1. ② (일·사업)에 착수하다, …을 시작하다. ③ (경기 등에) 참가하다. ***~ oneself in*** …에 종사하다: She ~*d herself in* knitt*ing*. 그녀는 부지런히 뜨개질을 하기 시작했다. ***~ oneself to*** ① …을 약속하다. ② …와 약혼하다. ③ …에게 고용되다.

en·ga·gé [*F.* ɑ̃gaʒe] (*fem* ***-gée*** [—]) *a.* (작가 등이) 정치〔사회〕 문제에 적극적으로 관여하고 있는, 참가의.

⁑**en·gaged** [ingéidʒd, en-] *a.* **1** 약속이 있는, 예약된: an ~ seat 예약된 좌석. **2** 예정이 있는; 활동 중인, 틈이 없는; 바쁜. **3** 약혼 중인: an ~ couple 약혼한 남녀. **4** 종사하고 있는, 관계하는. **5** (전화·변소가) 사용 중인, 비어 있지 않은: ⇨ ENGAGED TONE. **6** 교전 중인: ~ troops 교전 중인 부대. **7** 〖기계〗 기어가 걸린; 연동의. **8** (부재(部材)가 벽 따위에) 묻힌, 붙은.

engáged tòne 《영》 (전화의) 통화 중 신호(busy signal).

⁑**en·gage·ment** [ingéidʒmənt, en-] *n.* **1** 약속, 맹세; 계약; 예약, 면회의 약속, 사교상의 예약〔예정〕; 일의 예정, 용무: a previous ~ 선약. SYN. ⇨PROMISE. **2** 약혼. **3** (*pl.*) 채무. **4** 일, 일자리, 용무, 직업; 고용 (기간), 초빙. **5** 〖기계〗 맞물기, 연동 상태. **6** 〖철학〗 연대성; (정치 문제 따위에의) 참가. **7** 싸움, 교전: a military ~ 무력 충돌. SYN. ⇨FIGHT. ***a public ~*** (강연 따위의) 결정, 약속. ***a social ~*** (면회·초대 등의) 예정, 예약. ***break off an*** 〔one's〕 ***~*** 해약〔파혼〕하다. ***make an ~ with*** …와 약속〔계약〕하다. ***meet*** one's ***~s*** 채무를 갚다. ***under an ~*** 계약이 있는.

engágement càlendar 예정표, 일정표.

engágement rìng 약혼반지.

en·gág·ing *a.* 마음을 끄는, 매력적인, 애교 있는. ★ 반어(反語)로도 씀. ¶an ~ smile 매력적

인 미소. ⊞ ~·ly ad. ~·ness n.
en garçon [F. ãgarsɔ̃] 《F.》 (남자가) 독신으로; 남자 아이처럼.
en·gar·land [ingá:rlənd, en-] vt. 화환으로 〔꽃다발로〕 꾸미다《with》.
Eng. D. Doctor of Engineering.
Eng·el [éŋgəl] n. **Ernst** ~ 엥겔《독일의 통계학자; 1821-96》. ~**'s coefficient** 엥겔 계수. ~**'s law** 〖경제〗 엥겔의 법칙.
Eng·els [éŋgəlz] n. **Friedrich** ~ 엥겔스《독일의 사회주의자, Marx의 협력자; 1820-95》.
en·gen·der [indʒéndər, en-] vt. (상태 등을) 발생시키다, 야기시키다, (애정·미움 따위를) 일으키다(produce); 아버지가 자식을 보다 〔얻다〕: Sympathy often ~s love. 동정에서 흔히 사랑이 싹튼다. — vi. 생기다, 일어나다. ⊞ ~·ment n. Ⓤ 초래, 야기.
en·gild [ingíld, en-] vt. 《고어》 도금(鍍金)하다; 닦다.
engin. engineer; engineering.
en·gine [éndʒin] n. **1** 엔진, 발동기, 기관: a steam ~ 증기 기관 / start the ~ 엔진에 시동을 걸다. **2** 기관차; 소방차(fire ~). **3** 기계 (장치). **4** 《고어》 무기. **5** 《고어》 수단, 도구; 장치. — vt. …에 (증기) 기관을 설치하다.
éngine blòck = CYLINDER BLOCK.
éngine còmpany 소방 분서(分署); (소방서의) 소방차대(隊).
éngine drìver 《영》 (철도의) 기관사.
en·gi·neer [èndʒiníər] n. **1** 기사, 기술자; 공학자; 토목 기사(civil ~). **2** (상선의) 기관사, 《미》 (철도의) 기관사(《영》 engine driver); 《영》 기계공(工)(mechanic): a chief ~ (배의) 기관장 / a first ~ 1등 기관사. **3** (육군의) 공병; (해군의) 기관 장교. **4** 솜씨 있게 일처리하는 사람; 인간 공학의 전문가; 추진자; 《폐어》 계략가. — vt. **1** (기사로서 공사를) 감독〔설계, 건조〕하다: a well ~ed bridge 공학적으로 잘 설계된 다리. **2** 《~+목/+목+전+명》 공작하다, 꾀하다; 교묘하게 계획〔실행〕하다《through》: ~ a plot 계략을 꾸미다 / ~ a bill through Congress (교묘하게) 법안의 의회 통과를 꾀하다. — vi. 기사로서 일하다; 교묘하게 처리하다.
enginéered fòod 강화 (보존) 식품.
en·gi·neer·ese [èndʒiniərí:z] n. 기술 용어, 전문 용어.
en·gi·neer·ing [èndʒiníəriŋ] n. Ⓤ **1** 공학, 기관학, 기술: civil 〔electrical, mechanical〕 ~ 토목〔전기, 기계〕 공학 / military ~ 공병학 / an ~ college 공과 대학 / a doctor of ~ 공학 박사. **2** 공학 기술; (토목·건축의) 공사. **3** 책략, '공작'; (교묘한) 처리, 계획, 관리.
enginéering brìck 반침투성의 고강도 벽돌.
enginéering geólogy 토목지질학.
enginéering scìence 기초 공학《물리적·수학적 기초에 관한 공학 부문》.
éngine·hòuse n. (소방차·기관차 등의) 차고.
éngine·man [-mæ̀n, -mən] (pl. **-men** [-mən]) n. 기관 조종〔감독, 정비〕자; 기관사.
éngine ròom (선박 등의) 기관실.
en·gine·ry [éndʒənri] n. 기관〔기계〕류; 〖집합적〗 병기; 《드물게》 계략, 모략.
éngine tùrning 로제트 무늬《시계의 측면 금속에 기계로 새긴 줄무늬》.
en·gird, en·gir·dle [ingə́:rd, en-], [-l] vt. 띠로 감다; 에워싸다, 둘러싸다.
Eng·land [íŋglənd] n. **1** 〖좁은 뜻으로〗 잉글랜드《Great Britain에서 Scotland 및 Wales를 제외한 부분》. **2** 〖넓은 뜻으로〗 영국(Great Britain). ⊞ ~·**er** 《영》 n. = LITTLE ENGLANDER; 《드물게》 잉글랜드 사람; 영국 사람.
Eng·lish [íŋgliʃ] a. **1** 영국의; 영국 사람의. **2** 잉글랜드의; 잉글랜드 사람의. **3** 영어의. — n. **1** Ⓤ 〖관사 없이〗 영어(the ~ language); (the ~) 영어의 단어〔표현〕; (the ~) (영어의) 원문: What is the ~ for…? …에 해당되는 영어는 무엇입니까 / not ~ 정식의 영어식 표현이 아닌. **2** (the ~) 〖복수취급〗 영국인, 영국민; 영국군: The ~ are a conservative people. 영국인은 보수적인 국민이다. **3** (종종 e-) 《미》 〖당구〗 틀어치기; 몸을 틀기(body ~). **4** 〖인쇄〗 잉글리시 활자체《14 포인트에 해당》. ~ **as she is spoke** 〔**broke**〕 파격(破格) 영어. **Give me the ~ of it.** 쉬운 말로 말해 주게. **in plain** 〔**simple**〕 ~ 쉬운 영어로; 분명히〔솔직하게〕 말하면. — vt. (or e-) **1** 《영에서는 고어》 영역하다, 영어로 번역하다. **2** 영국식〔풍〕으로 하다《철자·발음 등을》. **3** 《미》 〖당구〗 틀어 치다.
Énglish bréakfast 영국식 아침 식사《bacon and eggs, 마멀레이드를 곁들인 토스트와 홍차 등》. ⓒⓕ continental breakfast.
Énglish Canádian 1 영국계 캐나다 사람. **2** 영어를 사용하는 캐나다 사람.
Énglish Chánnel (the ~) 영국 해협.
Énglish Chúrch (the ~) 영국 국교회.
Énglish Cívil Wár (the ~) 〖영국사〗 대내란, 퓨리턴 혁명《Charles 1세가 이끄는 국왕군과 의회군과의 무력 항쟁; 1642-49》.
Énglish dáisy 〖식물〗 《미》 데이지.
Énglish diséase (the ~) 영국병《영국의 노동 관리상의 문제와 경제의 정체》; 《고어》 구루병, 기관지염.
Éng·lish·er n. 영국 국민; 외국어를 영어로 번역하는 사람.
Énglish flúte 〖악기〗 (옛날) 플루트의 일종(recorder).
Énglish gálingale 〖식물〗 금방동사니.
Énglish hórn 잉글리시 호른《oboe 계통의 목관 악기》.
Éng·lish·ìsm n. Ⓤ **1** 영국풍, 영국식; 영국주의. **2** 영국 어법(語法).
Énglish ívy 〖식물〗 상춘등(常春藤)의 일종.
Eng·lish·man [íŋgliʃmən] (pl. **-men** [-mən]) n. **1** 잉글랜드 사람, 영국인. **2** 영국선(船). ★ [ʃ, tʃ]로 끝나는 국민(English, French, Irish, etc.)의 경우, 국민 전체는 the English《etc.》, 개인은 an Englishman, some Englishmen《etc.》.
Éng·lish·ment n. 영어역(譯), 영역판(版).
Énglish múffin 《미》 영국식 머핀《이스트가 든 납작한 머핀》.
Éng·lish·ness n. 영국(인)적 특징, 영국(인)다움.
Énglish plántain 〖식물〗 참질경이.
Énglish Revolútion (the ~) 〖영국사〗 영국 혁명, 명예〔무혈〕 혁명《1688-89》.
Eng·lish·ry [íŋgliʃri] n. 영국 태생임; 영국풍; 〖집합적〗 영국계 사람《특히 아일랜드의》.
Énglish sétter 영국종의 세터《사냥개》.
Énglish síckness = ENGLISH DISEASE.
Énglish sónnet 〖시학〗 = ELIZABETHAN SONNET.
Énglish spárrow (유럽산) 참새의 일종.
Énglish wálnut 영국산 호두. ★ 호두는 Persian walnut이라 하며, 아시아 원산임.
Eng·lish·wom·an [íŋgliʃwùmən] (pl. **-wòm·en**) n. 잉글랜드 여자; 영국 여성.
Eng. Lit. [íŋlít] English Literature.
en·gorge [ingɔ́:rdʒ, en-] vt., vi. 게걸스럽게 먹다; 포식하다; 〖의학〗 충혈시키다; (흡혈 동물이) 피를 배불리〔흠뻑〕 빨다. ⊞ ~·**ment** n. Ⓤ 탐식, 포식; 충혈, 울혈.
engr. engineer; engineering; engraved; engraver; engraving.
en·graft [ingrǽft, -grá:ft, en-/-grá:ft] vt.

《+[목]+[전]+[명]》 접붙이다, 접목하다《*into; upon*》; 〚의학〛 (조직을) 심다《*into; on*》; (사상 등을) 주입하다, 명기시키다《*in*》; 혼입하다《*into*》; 가하다《*upon*》: ~ a peach *on* a plum 서양자두나무에 복숭아를 접목하다 / ~ patriotism *into* a person's soul 아무에게 애국심을 심어 주다. [파] **~·ment** *n.*

en·grail [ingréil, en-] *vt.* (문장(紋章)의) 가장자리를 물결 모양으로 하다; (주화 따위의 가를) 깔쭉깔쭉하게 하다, 가장자리를 톱날같이 하다; 《시어》 꾸미다.

en·grain [ingréin, en-] *vt.* =INGRAIN.

en·gráined *a.* =INGRAINED.

en·gram [éngræm] *n.* 〚심리〛 기억의 흔적《신경 세포에 생긴다고 생각되는》; 〚생리〛 인상(印象).

en grande te·nue [F. ɑ̃:gRɑ̃:dtəny] 《F.》 정장(正裝)을 하고.

***en·grave** [ingréiv, en-] *vt.* 《~+[목]/+[목]+[전]+[명]》 **1** (금속·나무·돌 따위에) 조각하다《*with*》; (문자·도형 등을) 새기다《*on*》: ~ a stone *with* designs 돌에 무늬를 새기다 / ~ an inscription *on* a tablet 액자에 명(銘)을 새기다. **2** 명심하다, 새겨 두다: His mother's face is ~*d on* his memory. 어머니의 얼굴이 그의 뇌리에 새겨져 있다. **3** (사진판·동판 따위를) 파다; 판 동판〔목판〕으로 인쇄하다. [파] **en·gráv·er** *n.* 조각사; 조판공(彫版工).

engráved invitátion 〚다음 용법뿐임〛 ***Do you want an ~?*** 초대장을 보내 주어야만 되겠는가, (체면 차리지 말고) 부담 없이 오게.

en·gráv·ing *n.* **1** [U] 조각; 조각술, 조판술(彫版術). **2** [C] (동판·목판 따위에 의한) 판화(版畫).

en·gross [ingróus, en-] *vt.* **1** 《~+[목]/+[목]+[전]+[명]》 (마음을) 빼앗다, 몰두시키다, 열중시키다: Their discussion ~*ed* his attention. 그들의 토론에 그는 주의를 쏟게 되었다 / I was ~*ed with* other matters. 다른 일로 머리가 꽉 찼었다. **2** (공문서 따위를) 큰 글자로 정서하다; 정식으로 쓰다, 정서하다. **3** (주의·시간을) 빼앗다; (권력·시장을) 독점하다, (상품을) 매점하다: ~ the conversation (혼자 도맡아 지껄여) 남이 말을 못 하게 하다. ***be ~ed in*** …에 열중해 있다: He *was* ~*ed in* thought. 그는 깊은 생각에 잠겨 있었다. [파] **~·er** *n.*

en·gróss·ing *a.* 마음을 빼앗는, 몰두시키는: an ~ story. [파] **~·ly** *ad.*

en·gróss·ment *n.* [U] **1** 큰 글자로 쓰기; 정식으로 쓴 것; 정서물(淨書物). **2** 전심(專心), 열중, 몰두. **3** [U,C] 독점, 매점; (공유지 따위의) 점유.

engrs. engineers.

en·gulf [ingʌ́lf, en-] *vt.* (늪·깊은 속·파도 등의 속으로) 삼켜 버리다; (…을 물속으로) 가라앉히다《*in; into*》; 몰두케 하다《*in; into*》: The boat was ~*ed by* 〔*in*〕 waves. 보트는 파도에 휩쓸려 들어갔다 / He ~*ed* himself *in* his studies. 그는 연구에 몰두했다. [파] **~·ment** *n.*

en·hance [inhǽns, en-, -hɑ́:ns/-hɑ́:ns] *vt.* 향상하다; (가치·능력·매력 따위를) 높이다, 늘리다, 더하다; (정신을) 앙양하다; (컴퓨터를 써서 사진·영상의) 질을 높이다. **—** *vi.* 높아지다, 늘다; 앙양되다. [파] **~·ment** *n.* 증대, 증강; 등귀; 고양.

enhánced radiátion 〚물리〛 고방사능《중성자탄의 고에너지에 의한; 생략: ER》: ~ weapon 고방사능 무기《중성자 폭탄 따위; 생략: ERW》.

enhánced recóvery =TERTIARY RECOVERY.

en·hánc·er *n.* 높이는 것, 향상〔증가〕시키는 것; 〚유전〛 인핸서《DNA 고리상의 특정한 mRNA 합성만을 촉진하는 신호(일정한 염기 배열)》.

en·har·mon·ic [ènhɑ:rmɑ́nik/-mɔ́n-] *a.* 〚음악〛 반음 이하 음정의; (조(調) 바꿈에 의한) 이명동음(異名同音)의. 「다.

en·heart·en [inhɑ́:rtn, en-] *vt.* 용기를 돋우

ENIAC, en·i·ac [éniæ̀k] *n.* 에니악《미국에서 만든 최초의 본격적 컴퓨터; 상표명》. [◂ *E*lectronic *N*umerical *I*ntegrator *a*nd *C*omputer]

Enid [í:nid] *n.* 에니드《여자 이름》.

enig·ma [ənígmə] (*pl.* **~s, ~·ta** [-tə]) *n.* 수수께끼(riddle)(의 인물); 불가해한 사물.

enig·mat·ic, -i·cal [ènigmǽtik], [-əl] *a.* 수수께끼 같은, 불가해한, 정체 모를. [파] **-i·cal·ly** *ad.*

enig·ma·tize [inígmətàiz] *vi.* 수수께끼같이 말하다. **—** *vt.* 수수께끼로 만들다; 이해할 수 없게 하다.

en·isle, in- [ináil, en-], [in-] 《문어》 *vt.* 섬으로 만들다; 섬에 두다; 고립〔격리〕시키다.

En·i·we·tok [ènəwí:tɑk/èniwí:tɔk] *n.* 에니웨톡 환초(環礁)《Marshall 군도 북서부의 환초; 미국의 원수폭 실험지(1947-52)》.

en·jamb·ment, -jambe- [indʒǽmbmənt, en-] *n.* [U] 〚사학〛 뜻이 다음 행 또는 연구(連句)에 계속되는 일.

en·join [indʒɔ́in, en-] *vt.* **1** 《~+[목]/+[목]+[전]+[명]/+[목]+*to* do/+*that* [절]》 …에게 명령하다, (침묵·순종 따위를) 요구하다(demand); (행동 따위를) 강요하다《*on, upon*》: ~ obedience 〔silence〕 순종〔침묵〕을 명하다 / ~ diligence *on* pupils = ~ pupils *to* be diligent 열심히 공부하도록 학생들에게 명(命)하다 / Christianity ~*s that* we love our neighbors. 우리들에게 이웃을 사랑하라고 기독교는 요구한다. **2** 《~+[목]/+[목]+[전]+[명]》 〚법률〛 …을 금하다, …에게 ―하는 것을 금하다(prohibit)《*from*》: ~ a demonstration 데모를 금하다 / ~ a company *from* using the dazzling advertisements 회사에 대해 과대광고를 금지하다.

†**en·joy** [indʒɔ́i, en-] *vt.* **1 a** 《~+[목]/+-*ing*》 즐기다, (즐겁게) 맛보다, 향락하다, 재미보다: ~ life 인생을 즐기다, 즐겁게 살아가다 / ~ one's dinner 맛있게 식사를 하다 / I've ~*ed* talk*ing* to you about old times. 옛〔지난〕 이야기를 할 수 있어 즐거웠습니다 / How did you ~ your vacation? 휴가는 즐거웠습니까. **b** 〖~ oneself〗 즐기다, 즐겁게 지내다: We ~*ed* our*selves* at the party. 우리는 파티에서 즐겁게 지냈다. **2** 받다, 누리다, (이익 등을) 얻다: ~ popularity 인기를 누리다. **3** (건강·재산 등을) 가지고 있다; 《우스개》 (나쁜 것을) 가지고 있다: ~ good health 건강이 좋다 / ~ a bad reputation 나쁜 평판을 얻고 있다.

en·jóy·a·ble *a.* 즐거운, 재미있는, 유쾌한; 즐길 수 있는: have an ~ time 즐거운 시간을 갖다. [SYN.] ⇨ PLEASANT. [파] **-bly** *ad.* **~·ness** *n.*

****en·joy·ment** [indʒɔ́imənt, en-] *n.* **1** [C] 즐거움, 기쁨; 유쾌. **2** [U] 향락; 향유, 향수(享受). ***take ~ in*** …을 즐기다.

en·keph·a·lin [enkéfəlin] *n.* 엔케팔린《뇌하수체에서 만드는, 진통 작용을 하는 물질》.

en·kin·dle [inkíndl, en-] *vt.* (불을) 붙이다, 점화하다; 태우다, (정열·정욕 등을) 타오르게 하다; (전쟁 등을) 일으키다; (작품 등에) 광채를 더하다.

enl. enlarge(d); enlisted.

en·lace [inléis, en-] *vt.* …을 레이스로 감다〔휘감다〕, 두르다; 짜(맞추)다, 얽(히게 하)다. [파] **~·ment** *n.*

***en·large** [inlɑ́:rdʒ, en-] *vt.* **1** 크게 하다, 확대〔증대〕하다; (건물 등을) 넓히다, (책을) 증보하

다. [SYN.] ⇨ INCREASE. **2** …의 범위를 넓히다; (마음·견해 따위를) 넓게 하다; (사업 따위를) 확장하다: ~ one's views by reading 독서로 견식(見識)을 넓히다 / Knowledge ~*s* the mind. 지식은 마음을 넓힌다. **3** 〖사진〗 확대하다. **4** 《고어》 방면하다(release). **—** *vi.* **1** 넓어지다, 커지다. **2** (사진이) 확대되다. **3** 《(+[전]+[명])》 …에 대해 상술하다《*on, upon*》: ~ *on* one's favorite subject 자기가 좋아하는 문제에 대해 자세히 말하다. [파] **~·a·ble** *a.* **~d** *a.* 커진; 확대한: an ~*d* heart 비대해진 심장 / an ~*d* edition 증보판 / an ~*d* photo 확대한 사진. **~·ment** *n.* **1** [U] 확대, 증대, 확장. **2** [C] 증축, 증보; 〖사진〗 확대. **enlárg·er** *n.* 확대기.

***en·light·en** [inláitn, en-] *vt.* **1** 《~+[목]/+[목]+[전]+[명]》 계몽하다, 계발〔교화〕하다; …에게 가르치다, 알리다, 분명하게 하다《*about; on*》: ~ ignorant inhabitants 무지한 주민을 계몽하다 / ~ the heathen 이교도를 교화하다 / ~ a person *on* the subject 그 문제에 대해서 아무에게 가르치다 / ~ a person *about* what happened 일어난 사태에 관해 아무에게 설명하다. **2** 《고어·시어》 비추다, 빛나게 하다; (아무에게) 영적 통찰력을 주다. [파] **~·er** *n.* **~·ing** *a.* 계몽적인; 분명히 하는: an ~*ing* lecture 계몽적인 강의.

en·líght·ened *a.* **1** 계발된; 견식 있는. **2** 문명화한; 진보한: the ~ world 개화된 세상. **3** (일에) 밝은, 사리를 잘 아는: be thoroughly ~ *upon* the question 그 문제에 관해 잘 알고 있다. [파] **~·ly** *ad.*

en·líght·en·ment *n.* **1** [U] 계발, 계몽; 교화. **2** 문명, 개화. **3** (the E-) 계몽 운동《18 세기 유럽의 합리주의 운동》.

en·link [inlíŋk, en-] *vt.* 연결하다《*with; to*》.

en·list [inlíst, en-] *vt.* **1** 《~+[목]/+[목]+[전]+[명]》 병적에 편입하다; (군인을) 징모하다《*for; in*》: ~ a recruit 신병을 뽑다 / ~ a person *for* military service 아무를 병적에 편입하다 / ~ a person *in* the army 아무를 육군에 입대시키다. **2** 《(+[목]+[전]+[명])》 협력을 얻다〔구하다〕, 도움을 얻다: ~ a person *in* an enterprise 아무를 사업에 참가시키다. **—** *vi.* 《~/+[전]+[명]/+*as* [보]》 입대하다, (징병에) 응하다; 적극적으로 협력〔참가〕하다《*in*》: ~ *in* the army 육군에 입대하다 / He ~*ed as* a volunteer *in* the army. 그는 지원병으로 입대했다. [파] **~·ed** [-id] *a.*

enlísted màn 사병(士兵)(《영》 private soldier)《생략: E.M.》.

en·list·ee [inlìstíː, en-] *n.* 지원병, 사병.

en·líst·er *n.* 징병관, 모병관.

en·líst·ment *n.* [U] (지원에 의한) 병적 편입 (기간); (병사의) 모병; 응모, 입대.

en·liv·en [inláivən, en-] *vt.* **1** 활기를 띠게 하다, 기운을 돋우다, 생기를 주다. **2** (광경·담화 따위를) 활기차게 하다《*with*》. **3** (장사 따위에) 활기를 불어넣다. [파] **~·ment** *n.* [U]

en masse [aːŋmǽs, en-; *F.* ɑ̃mas] 《F.》 한꺼번에, 일괄하여; 떼를 지어, 집단으로; 전반적으로.

en·mesh [inméʃ, en-] *vt.* 《~+[목]/+[목]+[전]+[명]》〔보통 수동태로〕 그물로 잡다, 망에 걸리게 하다; (곤란 따위에) 빠뜨리다《*in*》: ~ a person *in* a net 아무를 함정에 빠뜨리다 / *be* ~*ed in* difficulties 곤란에 말려들다. [파] **~·ment** *n.* [U]

en·mi·ty [énməti] *n.* [U] 증오, 적의; 불화, 반목: have 〔harbor〕 ~ *against* …에게 적의를 품다. ***at ~ with*** …와 반목하여, …에게 적의를 품고.

en·ne·ad [éniæ̀d] *n.* **1** 9개 한 조(組)를〔한 벌을〕 이루는 것《책·시 등》, 9인 한 조. **2** (E-) (이집트 신화의) 구신(九神)《Osiris 등》.

en·ne·a·gon [éniəgɑ̀n/-gən] *n.* 9각형, 9변형.

en·ne·a·he·dron [èniəhíːdrən] *n.* 9면체.

en·no·ble [inóubəl, en-] *vt.* 품위 있게 하다, 고상하게 하다; 귀족으로 만들다, 작위를 주다; 〖화학〗 귀금속〔부식하지 않는 금속〕으로 만들다. [파] **~·ment** *n.* 고상하게 함; 수작(授爵). 「지루함.

en·nui [ɑ́ːnwiː, -ˊ; *F.* ɑ̃nɥi] *n.* 《F.》 [U] 권태,

en·nuyé [*F.* ɑ̃nɥije] *a., n.* 《F.》 권태를 느끼는 (사람), 지루해 하는 (사람).

ENO English National Opera.

Enoch [íːnək/-nɔk] *n.* 에녹. **1** 남자 이름. **2** 〖성서〗 Cain의 장남; 〖성서〗 Methuselah의 아버지.

enol [íːnɔːl, -nɑl/-nɔl] *n.* 〖화학〗 에놀. [파] **enolic** [inóulik, -nɑ́l-/-nɔ́l-] *a.*

Eno·la Gay [enóuləgèi] 에놀라 게이《1945년 8월 6일 최초의 원폭을 투하한 미국 B-29의 애칭》.

eno·lase [íːnəlèis, -lèiz] *n.* 〖생화학〗 에놀라아제《글루코오스 분해에 중요 구실을 하는 효소》.

enol·o·gy, oe·nol- [iːnɑ́lədʒi/-nɔ́l-] *n.* 포도주(양조)학〔연구〕. [파] **(o)èno·lóg·i·cal** *a.*

enor·mi·ty [inɔ́ːrməti] *n.* **1** [U] 무법; 《특히》 극악(極惡); [C] 중대한 범죄, 큰 죄, 흉악한 짓. **2** 《구어》 (문제·일 등의) 거대, 광대.

***enor·mous** [inɔ́ːrməs] *a.* **1** 거대한, 막대한, 매우 큰(immense): an ~ sum of money 거액의 돈 / an ~ difference 매우 큰 차이. **2** 《고어》 극악한, 무도한: the most ~ crime 악독한 범죄. [파] **~·ly** *ad.* 터무니없이, 대단히, 매우, 막대하게. **~·ness** *n.*

en·o·sis [i(ː)nóusis/énou-] *n.* [U] 병합(union); 동맹; [C] 《특히》 그리스·키프로스 병합 운동.

†**enough** [inʌ́f] *a.* 충분한, 넉넉한; …하기에 족한, …할 만큼의: ~ money 〔money ~〕 *to* buy a house 집을 사기에 충분한 돈 / I've had ~ trouble. 지긋지긋하게 고생했다 / food ~ *for* a week 일주일분의 식량 / There's ~ room *for* eight people *to* sit at the table. 식탁에는 8명이 앉기에 족한 자리가 있다 / Thank you, that's ~. 고맙습니다, 그것으로 충분합니다. ★ 명사 앞에 붙이는 편이 뜻이 강함.

> [SYN.] **enough, sufficient** 서로 대치 가능한 말이나 enough는 명사 뒤에 오는 일이 많음. 또 sufficient는 '매우 만족하나 이 이상 더 있어도 나쁘지 않다'의 뜻. enough는 '이 이상 필요 없다'고 할 경우에 쓰이는 일도 있음: *sufficient* income 충분한 수입. *enough* trouble 지긋지긋한 고생. **adequate** 어떤 목적·요구에 충분하다. 따라서 '양' 이외에 '능력' 따위에도 쓰임.

be ~ to make a saint swear = ***be ~ to try the patience of a saint*** 〔***Job***〕 = ***be ~ to provoke a saint*** 《구어》 아무리 참을성 있는 사람도 화나게 할 만하다. ***be ~ to make the angels weep*** 《구어》 너무 어이없어〔지나쳐〕 말할 거리도 안 되다. ***~ and to spare*** ⇨ SPARE.

— *n.* 충분(한 양(量)·수), 많음(too much): *Enough* has been said. 말할 것은 다 말했다 / *Enough* is as good as a feast. 《속담》 배부름은 진수성찬이나 다름없다, 부족하지 않으면 충분한 것으로 알아라 / We have had ~ of everything. 이것저것 잔뜩 먹었습니다 / *Enough* of that! (그것은) 이제 충분하다, 이제 그만해라. ***Cry ' ~ '!*** 항복했다고 말해라. ***Enough is ~.*** 이제 그만. ***Enough said.*** 잘 알았다, 더 말 안 해

도 알겠다. ***have ~ of*** …을 충분히 가지고 있다, …은 이제 질색이다. ***have ~ to*** do …하는 것이 고작이다. ***more than ~*** 충분히, 십이분: I took *more than* ~. 많이 먹었습니다. ***That's ~.*** 이제 충분하다〔그만해라〕.

— *ad.* **1** 〖통상 형용사·부사의 뒤에 붙임〗 충분히, 필요한 만큼, (…하기에) 족할 만큼《*for; to* do》: This is good ~. 이것으로 족하다/noisy ~ *to* wake the dead 죽은 사람이 깨어날 정도로 시끄러운/I was foolish 〔fool〕 ~ *to* think so. 어리석게도 그렇게 생각했다/I'm not good ~ *for* it. 나에게는 그것이 무리다/It was warm ~ *for* me *to* go out in a T-shirt. 날씨가 T셔츠로 외출할 수 있을 만큼 따뜻했다. **2** 상당히, 꽤; 어지간히, 그런대로: It's bad ~. 꽤 나쁘다〔심하다〕. **3** 〖강조적〗 아주, 모두: I know well ~ what he is up to. 그가 무엇을 꾀하고 있는지 잘 알고 있다. ***be old ~ to*** do …하여도 좋은 나이이다. ***cannot*** 〔***can never***〕 do ~ 아무리 …하여도 부족하다: I *can never* thank you ~. 무엇이라 감사의 말씀을 드려야 할지 모르겠습니다. ***strange*** 〔***curious(ly), oddly***〕 ~ 기묘하게, 참 이상하게도. ***well*** ~ 어지간히 잘, 참 훌륭하게: She speaks English *well* ~. 그녀는 꽤 영어를 잘한다.

— *int.* 이제 그만(No more !).

enounce [ináuns] *vt.* 선언〔발표, 성명〕하다; 명쾌하게〔논리적으로〕 말하다; (말을 확실히) 발음하다. ㊕ **~·ment** *n.*

enow [ináu] *a., n., ad.* 《고어·시어》 = ENOUGH.

en pan·tou·fles [*F.* ɑ̃pɑ̃tufl] 《F.》 슬리퍼를 신고; 마음 편히.

en pas·sant [àːmpæsáːnt; *F.* ɑ̃pɑsɑ̃] 《F.》 …하는 김에.

en pen·sion [*F.* ɑ̃pɑ̃sjɔ̃] 《F.》 (식사를 제공하는) 하숙집식으로; (일정한) 하숙비를 내고 (있는); 방값·식비 포함으로〔의〕: live ~ 하숙 생활을 하다.

en·plane [inpléin, en-] *vi.* 비행기에 타다. OPP *deplane.*

en plein [*F.* ɑ̃plɛ] 《F.》 (룰렛 등에서) 한 수(數) 따위에 전부 걸고〔건〕.

en plein air [*F.* ɑ̃plɛnɛːʀ] 《F.》 집 밖에서, 야외에서.

en plein jour [*F.* ɑ̃plɛ̃ːʒúːʀ] 《F.》 대낮에〔의〕.

en pointe [*F.* ɑ̃pwɛ̃ːt] 《F.》 〖발레〗 발끝으로 서서〔선〕.

en poste [*F.* ɑ̃pɔst] 《F.》 (외교관이) 부임〔주재〕하여.

enquête [*F.* ɑ̃kɛt] *n.* 《F.》 앙케트, 여론 조사.

enquire, etc. = INQUIRE, etc.

en·rage [inréidʒ, en-] *vt.* 노하게 하다, 분격시키다: His remarks ~*d* me. 그의 말로 나는 분격했다/He was ~*d to* hear the news. 그는 그 소식을 듣고 몹시 화를 냈다. ***be ~d at*** 〔***by, with***〕 …에 몹시 화내다: He *was ~ed at* the insult. 그는 그 모욕에 몹시 화냈다/He *was ~ed with* me. 그는 나에게 몹시 화를 냈다. ㊕ **~·ment** *n.*

en rapport [ɑŋræpɔ́ːr; *F.* ɑ̃ʀapɔːʀ] 《F.》 일치〔조화〕하여〔한〕, 마음이 맞아〔맞는〕, 공명(共鳴)하여〔하고 있는〕《*with*》.

en·rapt [inrǽpt, en-] *a.* = ENRAPTURED.

en·rap·ture [inrǽptʃər, en-] *vt.* 황홀케 하다, 도취시키다. ***be ~d over*** 〔***at***〕 …이 좋아서 어쩔 줄 모르다. ㊕ **~d** *a.* 도취된, 황홀해진.

en·rav·ish [inrǽviʃ, en-] *vt.* (기쁨으로) 어쩔 줄 모르게 하다.

en·reg·is·ter [inrédʒistər, en-] *vt.* …을 등기〔등록, 기록〕하다(register, record).

en·reg·i·ment [inrédʒəmənt, en-] *vt.* 연대(聯隊)로 편성하다; 훈련하다.

en règle [*F.* ɑʀɛgl] 《F.》 규칙에 맞는〔따라서〕; 정연한〔하게〕.

en·rich** [inrítʃ, en-] *vt.* **1** 부유하게 만들다, 유복하게 하다: ~ a country. **2** 넉넉하게〔풍부하게〕 하다: ~ experience 경험을 넓히다. **3** 《~+목/+목+전+명》 (토지를) 비옥하게 하다: ~ soil *with* manure 비료로 땅을 비옥하게 하다/Fertilizer ~*es* the soil. 비료는 토양을 비옥하게 한다. **4** 《+목+전+명》 (내용·빛깔·맛 등을) 높이다, 진하게 하다, 짙게 하다; (음식의) 영양가를 높이다: ~ a book *with* notes 주석으로 책 내용을 보강하다. **5** (교육을) 보족(補足)하다《시청각 교재 따위로》. **6** 《+목+전+명》 꾸미다, 장식하다《*with*》: ~ a room *with* flowers 방을 꽃으로 장식하다. ~ oneself*** (by trade) (장사로) 재산을 모으다. ㊕ **~·er** *n.* **~·ing·ly** *ad.*

en·ríched [-t] *a.* 〖생물〗 (실험 환경 따위가 생체에 대하여) 많은 자극을 주는.

enríched uránium 〖물리〗 농축 우라늄.

en·rích·ment *n.* **1** Ⓤ 부유하게 하기. **2** Ⓤ 부유, 질의 향상, 비옥. **3** Ⓒ 장식물, 보족(물), 첨가물.

en·robe [inróub, en-] *vt.* 옷을 입히다.

en·roll, -rol [inróul, en-] (*-ll-*) *vt.* **1** 《~+목/+목+전+명》 등록하다, 명부에 기재하다; 입회〔입학〕시키다《*in*》; 병적에 올리다: ~ a voter 선거인을 등록하다/~ a student *in* a college 학생을 대학의 학적에 올리다/~ men *for* the army 남자들을 군적에 넣다. **2** 기록하다; 《미》 (가결한 의회 법안을) 정서하다: ~*ed* bill 등록 법안. **3** (증서 따위를) 법원 기록으로서 보관하다. **4** 《드물게》 싸다, 감다: fruits ~*ed* in paper 종이로 싼 과일. **—** *vi.* 《+전+명》 입회〔입학, 입대〕하다《*at; in*》; 등록하다《*in; for*》: ~ *in* the army 육군에 입대하다.

en·roll·ee [inroulíː] *n.* 입학자, 입회자, 입대자.

en·ról(l)·ment *n.* U,C **1** 기재; 등록, 입대, 입학. **2** 등록부, 등록자 명부; 등록자 수.

en·root [inrúːt, en-] *vt.* 〖보통 수동태로〗 뿌리 내리게 하다; 단단히 고정시키다〔설치하다〕; (마음에) 깊이 새기다.

en route [ɑːnrúːt, en-] 《F.》 도중에《*to; for*》; 도중의; 〖항공〗 항공로상의.

ens [enz] (*pl.* ***en·tia*** [énʃiə]) *n.* 〖철학〗 존재(자), 유(有)(being).

Ens, Ens. Ensign.

en·sam·ple [insǽmpl, en-/ensáːm-] *n.* 《고어》 = EXAMPLE.

en·san·guine [insǽŋgwin, en-] *vt.* 피투성이가 되게 하다, 피로 물들게 하다; 진홍색으로 하다. ㊕ **~d** *a.* 《문어》 피투성이가 된, 피로 물든.

en·sconce [inskáns, en-/-skɔ́ns] *vt.* 몸을 편히 앉히다, 안치하다; 숨기다, 감추다. ~ one***self in*** (소파 등)에 자리잡고〔편히〕 앉다.

en se·condes noces [*F.* ɑ̃səgɔ̃ːdnɔs] 《F.》 재혼으로.

en·sem·ble [ɑːnsáːmbəl] *n.* 《F.》 **1** 총체(總體)《예술 작품 따위의》; 종합적 효과. **2** 〖복식〗 전체적 조화; 갖춘 한 벌의 여성 복장, (가구 따위의) 갖춘 한 세트, 앙상블. **3** 〖음악〗 앙상블《(1) 2부 이상으로 된 합창〔합주〕곡(의 연주자들). (2) 연주자·가수·무용수의 일단; 그 연주·연기의 통일성》; 〖연극〗 (주역 이외의) 공연자단; = CORPS de ballet. **—** *ad.* 함께; 동시에, 일제히.

ensémble ácting 〔**pláying**〕 〖연극〗 앙상블 연출(법).

en·shrine [inʃráin, en-] *vt.* 《~+목/+목+전+명》 **1** 〖종종 수동태로〗 (성당에) 모시다, 안치하다; 신성한 것으로 소중히 하다, (마음에) 간직하다《*in*》: ~ the nation's ideals 국가의 이상을 소중히 하다/His love for her *is* ~*d* forever *in* his poetry. 그녀에 대한 그의 사랑은 그의 시에 영원히 간직되어 있다. **2** (상자에 유품 등을 넣어) 성체로서 수납하다: The casket ~*s* his relics. 작은 상자에는 그의 유품이 들어 있다. **3** 〔보통 수동태로〕 (공식 문서 등에) 정식으로 기술하다《*in; among*》: Human rights *are* ~*d in* our Constitution. 인권은 우리 헌법에 명문화 되어 있다. ㊞ **~·ment** *n.* 사당에 모심; 비장.

en·shroud [inʃráud, en-] *vt.* 수의를 입히다; 가리다, 덮다.

en·si·form [énsəfɔ̀:rm] *a.* 〖생물〗 칼 모양의, 검상 돌기(劍狀突起)의.

énsiform cártilage 〖생물〗 검상(劍狀) 돌기 (xiphisternum).

en·sign [énsain, 〖군사〗 énsn] *n.* **1** (선박 · 비행기의 국적을 나타내는) 기; 국기: ⇨ BLUE 〔RED, WHITE〕 ENSIGN / a national ~ 국기. **2** 기장; 상징, 표장. **3** 《미》 해군 소위; 《영고어》 기수(旗手). ㊞ **~·cy, ~·ship** [énsainsi], [-ʃip] *n.* Ⓤ 기수의 지위〔역할〕.

en·si·lage [énsəlidʒ] *n.* 엔실리지《사일로(silo)에 생(生)목초 등을 신선하게 보존하는 방법》; 그 보존된 생목초. **—** *vt.* =ENSILE.

en·sile [insáil, en-] *vt.* (목초를) 사일로(silo)에 저장하다.

en·sky [inskái, en-] *vt.* 크게 칭찬하다, 비행기 태우다, 천국에 있는 듯한 기분을 갖게 하다; 하늘까지 올리다.

en·slave [insléiv, en-] *vt.* 《~+목/+목+전+명》 노예로〔포로로〕 하다, 예속시키다: be ~*d* by one's passions 격정에 사로잡히다 / ~ a person *to* superstition 아무를 미신의 노예가 되게 하다 / Her beauty ~*d* him. 그는 그녀의 아름다움에 사로잡혔다. ㊞ **~·ment** *n.* Ⓤ 노예로 함; 노예 상태. **en·sláv·er** *n.* 노예로 삼는 사람; 남자를 매혹하는 여성.

en·snare [insnέər, en-] *vt.* 올가미에 걸다, 함정에 빠뜨리다《*in*》; 유혹하다. ㊞ **~·ment** *n.* Ⓤ **-snár·er** *n.* **-snár·ing** *a.*

en·snarl [insnɑ́:rl, en-] *vt.* 얽히게 하다, 혼란시키다.

en·sor·cell, -cel [insɔ́:rsəl, en-] (*-ll-, -l-*) *vt.* …에 마법을 걸다; 매료(魅了)하다.

en·soul [insóul, en-] *vt.* 영혼을 불어넣다; 마음에 담아 두다.

en·sphere [insfíər, en-] *vt.* **1** …을 구(球) 속에 싸다, 에워싸다(encircle). **2** …을 구형으로 하다.

en·sue [insú:, en-] *vi.* **1** 계속해서〔잇따라〕 일어나다. **2** 《~/+전+명》 결과로서 일어나다 《*from*》: Heated discussions ~*d*. 격론이 벌어졌다 / What will ~ *on* 〔*from*〕 this? 이제부터 무엇이 일어날까. ***as the days ~d*** 날이 감에 따라. **—** *vt.* 《고어》 …의 실현〔달성〕을 위해 노력하다.

en·sú·ing *a.* 다음의, 계속되는; 잇따라 일어나는, 결과로서 계속되는: during the ~ months 그 후 몇 달 동안 / in the ~ year 그 다음해에.

en suite [ɑnswí:t *F.* ɑ̃sɥit] 《F.》 계속해서〔된〕, 연속적으로〔인〕; 한 조〔벌〕로〔의〕.

***en·sure** [inʃúər, en-/-ʃɔ́:, -ʃúə] *vt.* **1** 《~+목/+목+ 목/+목+전+명/+*that* 절》 …을 책임지다, 보장〔보증〕하다, (성공 등을) 확실하게 하다; (지위 등을) 확보하다: ~ the freedom of the press 출판〔보도〕의 자유를 보장하다 / It will ~ you success. 그것으로 성공은 확실하다 / ~ a post *to* 〔*for*〕 a person 아무에게 지위를 보증하다 / I can not ~ *that* he will keep his word. 그가 약속을 지킬는지 보증할 수 없다. **2** 《+목+전+명》 …을 안전하게 하다, 지키다《*from; against*》: ~ a person *against* danger 위험으로부터 아무를 지키다.

en·swathe [enswɑ́ð, en-, -swéið/-swéið] *vt.* (붕대로) 싸다, 감다.

-ent [ənt] *suf.* **1** 동사에 붙여 형용사를 만듦: insist*ent*. **2** 동사에 붙여 행위자를 나타내는 명사를 만듦: superintend*ent*. ★ -ent는 본디 라틴어 현재분사의 어미.

E.N.T. ear, nose, and throat(이비인후(과)).

en·tab·la·ture [entǽblətʃùər, -tʃər/-tʃə] *n.* 〖건축〗 기둥(columns) 위에 건너지른 수평부(部)《위로부터 cornice, frieze, architrave 의 세 부분으로 됨》.

1
2
3

entablature

1. cornice
2. frieze
3. architrave

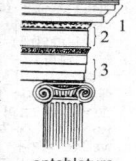

en·ta·ble·ment [entéiblmənt] *n.* 〖건축〗 조상대(彫像臺), 대좌《base와 dado 위의》.

en·tail [intéil, en-] *vt.* **1** 《~+목/+목+전+명》 (필연적 결과로서) 일으키다, 남기다, 수반하다: Liberty ~*s* responsibility. 자유는 책임을 수반한다 / The loss ~*ed* no regret *on* 〔*upon*〕 him. 그는 손실을 걱정하지 않았다. **2** …을 필요로 하다; (노력 · 비용 등을) 들게 하다, 과(課)하다: Success ~*s* hard work. 성공에는 노력이 필요하다. **3** 《+목+전+명》 〖법률〗 (부동산의) 상속인을 한정하다: ~ one's property *on* one's eldest son 장남을 재산 상속인으로 삼다. **4** 〖논리〗 함의(含意)하다, 내함(內含)하다. **—** *n.* **1** Ⓤ 〖법률〗 한사(限嗣) 상속; Ⓒ 한사 부동산권; (관직 등의) 계승 예정 순위. **2** 필연적인 결과; 논리적인 귀결. ***cut off the ~*** 한사 상속의 제한을 해제하다. ㊞ **~·ment** *n.* **1** Ⓤ 〖법률〗 (부동산의) 상속인 한정; Ⓒ 세습 재산. **2** 〖논리〗 함의; 내함(內含).

ent·amoe·ba [èntəmí:bə] *n.* 〖생물 · 의학〗 체내 기생성 아메바.

en·tan·gle** [intǽŋgəl, en-] *vt.* **1** 《~+목/+목+전+명》 〔종종 수동태로〕 엉클어지게 하다, 얽히게 하다《*in*》: get ~*d in* bushes 덤불에 걸리다 / A long thread *is* easily ~*d*. 긴 실은 얽히기 쉽다 / My foot ~*d* itself *in* the net. 한쪽 발이 그물에 얽혔다. **2** 《~+목/+목+전+명》 〔종종 수동태로〕 (함정 · 곤란 따위에) 빠뜨리다, 휩쓸려〔말려〕들게 하다《*in; with*》: *be ~d in* an affair 〔a plot〕 사건〔음모〕에 말려들다 / ~ a person *in* a conspiracy 〔an evil scheme〕 아무를 음모에 끌어넣다〔간계에 빠뜨리다〕 / *be ~d with* a woman 여자 일에 얽혀 들다〔관련되다〕. **3** 뒤얽히게 하다, 분규를 일으키게 하다, 혼란시키다; 곤란케 하다. **~ one*self (*in* debt) (부채로) 꼼짝 못하게 되다〔궁지에 빠지다〕. ㊞ **~·ment** *n.* Ⓤ 얽힘, 얽히게 함, 분규, 연루(連累); 얽힌 남녀 관계; Ⓒ (*pl.*) 〖군사〗 철조망. **en·tán·gler** *n.*

en·ta·sia [entéiʒə] *n.* 〖생리〗 긴장성〔강직성〕 경련.

en·ta·sis [éntəsis] (*pl.* ***-ses*** [-si:z]) *n.* 〖건축〗 엔타시스《원기둥 중앙의 조금 불룩한 부분》, 흘림.

En·teb·be [entébə, -tébi] *n.* 엔테베《우간다 중남부 Victoria 호에 임한 도시; 국제공항이 있음; 1976 년 팔레스타인 게릴라에 의한 납치기(機)의 인질을 이스라엘군이 구출에 성공한 곳》.

en·tel·e·chy [entéləki] *n.* Ⓤ 〖철학〗 엔텔레키《질료(質料)가 형상(形相)을 얻어 완성하는 현실》; (생기론(生氣論)의) 생명력, 활력.

en·tel·lus [entéləs] *n.* (인도산) 긴꼬리원숭이

의 일종(langur)《원주민은 신성시함》.

en·tente [ɑːntɑ́ːnt] *n.* 《F.》 (정부 간의) 협정, 협상; 합의; 〔집합적〕 협상국.

entente cor·diale [⌐kɔːrdjɑ́ːl] 《F.》 (두 나라 사이의) 화친 협상, 상호 이해.

†**en·ter** [éntər] *vt.* **1** …에 들어가다; 〖법률〗 불법 침입하다: ~ a room 〔house〕 방〔집〕에 들어가다. **2** (가시·탄환 등이) …에 박히다: The bullets ~*ed* the wall. 총탄이 벽에 박혔다. **3** (새로운 생활 따위를) 시작하다, (새 시대에) 들어가다; 첫발을 디디다: ~ the church 목사가 되다 / ~ a new era 새로운 시대로 접어들다. **4** (단체 따위에) 가입〔참가〕하다; …에 입회〔입학, 입대〕하다: ~ a school / ~ the army 군인이 되다 / ~ (《미》 the) hospital 입원하다. **5** (마음에) 떠오르다: The idea never ~*ed* his head. 그 생각은 그의 머리에 전혀 떠오르지 않았다. **6** 《~+목/+목+전+명》 넣다, 박다: ~ a wedge 쐐기를 박다 / ~ a nail *in* a pillar 기둥에 못을 박다. **7** 《+목+전+명》 가입〔참가〕시키다; 입회〔입학〕시키다: ~ students *for* the examination 학생에게 시험을 치르게 하다 / ~ one's son *at* college 〔*in* school〕 자식을 대학〔학교〕에 입학시키다. **8** 《~+목/+목+전+명》 (이름·날짜 등을) 기재〔기입〕하다; 등기하다, 등록하다; (세관에) 신고〔보고〕하다: ~ a name 이름을 기입하다 / ~ the sum *in* a ledger 〔book〕 대장〔장부〕에 그 금액을 기입하다. **9** 《~+목/+목+전+명》 〖법률〗 (소송을) 제기하다; 《미》 (공유지)의 소유권을 청구하다; 〔일반적〕 (항의 따위를) 제기하다: ~ an objection 반대를 제기하다 / ~ an action *against* a person 아무를 고소하다. **10** 〖컴퓨터〗 (정보·기록·자료를) 넣다, 입력하다. **—** *vi.* **1** 《~/+전+명》 들다, 들어가다: ~ *at* 〔*by*〕 the door 문으로 들어가다 / May I ~? 들어가도 좋습니까. **2** (E-) 〖연극〗 (무대에) 등장하다. OPP. *exit.* ¶ *Enter* Hamlet. 햄릿 등장《3인칭 명령법으로, 무대 지시》. **3** 《~/+전+명》 (경기 따위에) 신청하다, 등록하다《*for; in*》: Some contestants ~*ed*. 몇 명의 경기자가 참가를 신청했다 / ~ *for* an examination 수험을 신청하다. ◇entrance *n.*

~ *by* (특별한 입구)로 들어가다: ~ *by* a secret door 비밀문으로 들어가다. **~ *for*** 참가하다: ~ *for* a race 경주에 출전하다. **~ *into*** ① (관계 따위를) 맺다, …에 들어가다: ~ *into* business 실업계에 들어가다 / ~ *into* relations 관계를 맺다 《*with*》 / ~ *into* a contract 계약을 맺다《*with*》. ② (일·담화·교섭 등)을 시작하다, 개시하다: ~ *into* explanations 설명을 시작하다 / ~ *into* service 근무를 시작하다, 근무하다. ③ …의 일부가 되다, 일부를 이루다, …의 요소가〔성원이〕 되다: subjects that do not ~ *into* the question 이 문제와는 관계없는 사항. ④ (남의 마음·기분)에 공감〔동정〕하다, 관여하다; (분위기·재미 등)을 맛보다, …을 이해하다: She ~*ed into* his feelings. / ~ *into* the spirit of ... (행사 따위의) 분위기에 동화되다. ⑤ (세세한 점까지) 깊이 파고들다, 조사하다: ~ *into* detail 세부에까지 미치다〔조사하다〕. **~ *into* a person's *labor*** 남의 노력의 성과를 거두어들이다. **~ *into an agreement* (*to* do)** (…하는 것을) 승낙하다; 떠맡다. **~ *on* 〔*upon*〕** ① (일 따위)에 착수하다, …을 시작하다: ~ *upon* one's duties 취임하다. ② (문제·주제 따위)에 손을 대다, 시작하다. ③ (교섭·전쟁 따위)에 앞장서다, …을 개시하다. ④ (새로운 생활 따위)에 들어가다: ~ *on* one's fiftieth year, 50세에 접어들다. ⑤ 〖법률〗 …을 취득하다, …의 소유권을 얻다: ~ *on* one's inheritance 유산을 상속하다. **~ one*self for*** …에의 참가를 신청하다, …에 응모하다. **~ *religion*** 수도원 생활로 들어가다. **~ *up*** 정식으로 기입하다; 〖법률〗 재판 기록에 올리다.

㊕ **~·a·ble** *a.* 참가 등록의 자격이 있는; (장부에) 기장(記帳)할 수 있는.

en·ter- [éntər], **en·ter·o-** [éntərou, -tərə] '장(腸)'의 뜻의 결합사.

en·ter·ic [entérik] *a.* 장(腸)의, 창자의; 장용성(腸溶性)의: an ~ capsule 장용 캡슐. **—** *n.* U =ENTERIC FEVER.

entéric féver 장티푸스《typhoid fever의 구칭》.

en·ter·i·tis [èntəráitis] *n.* U 〖의학〗 장염(腸炎).

énter kèy 〖컴퓨터〗 엔터 키.

èntero·bactérium *n.* 장내세균. ㊕ **-bac·térial** *a.* **-bacteriólogist** *n.*

èntero·bí·a·sis [èntəroubáiəsis] (*pl.* **-ses** [-siːz]) *n.* 〖의학〗 요충증(症).

èntero·cóccus *n.* 장구균(腸球菌).

en·ter·o·gas·trone [èntərougǽstroun] *n.* 〖생화학〗 엔테로가스트론《위액(胃液) 분비를 억제하는 호르몬》.

èntero·kínase *n.* U 엔테로키나아제《장내 효소의 일종》.

en·ter·on [éntərɑ̀n/-rɔ̀n] (*pl.* **-tera** [-tərə], **~s**) *n.* 〖동물·해부〗 (특히 배(胚)·태아의) 소화관(消化管), 장관(腸管).

èntero·pathogénic *a.* 〖병리〗 장질환 발현성(性)의.

en·ter·op·a·thy [èntərɑ́pəθi/-rɔ́p-] *n.* 〖병리〗 장질환.

en·ter·ot·o·my [èntərɑ́təmi/-rɔ́t-] *n.* 〖외과〗 장(腸)절개(술).

èntero·tóxin *n.* 장독소(腸毒素)《식중독의 원인이 됨》.

èntero·vírus *n.* 장내(腸內) 바이러스, 장균(腸菌).

***en·ter·prise** [éntərpràiz] *n.* **1** 기획, 계획《특히 모험적인》. **2** U,C 기업(체), 사업; 기업 경영: a government 〔private〕 ~ 공〔민간〕 기업(체) / small-to-medium-sized ~*s* 중소기업. **3** U 진취적인 정신, 기업심〔열〕; 모험심: a man of ~ 진취성 있는〔적극적인〕 사람 / a spirit of ~ 기업심, 진취적인 기상. **4** (E-) 엔터프라이즈호. **a** 1961년 취역한 미국 최초의 원자력 추진 항공 모함. **b** 미국 최초의 우주 왕복선《실험용》. **c** 텔레비전 드라마 *Star Trek*에 등장하는 우주선. ㊕ **-pris·er** *n.* 기업가, 사업가.

énterprise cùlture (진취·독립 정신이 넘치는) 기업가 정신, 흥업(興業)의 기운, 기업가 사회(의 풍토), 기업심 문화.

énterprise zòne 기획 사업 지대《불황 지역으로서 세법상의 특별 조처 등이 있음》.

én·ter·prìs·ing *a.* 기업심〔모험심〕이 왕성한; (매우) 진취적인, 모험적인: It was ~ *of* him to go by himself. 혼자 가다니 그도 어지간히 모험을 좋아하는군. ㊕ **~·ly** *ad.*

en·ter·tain** [èntərtéin] *vt.* **1** 《~+목/+목+전+명》 대접〔환대〕하다《*with*》; 《특히》 식사에 초대하다《*at; to*》: ~ a person *at* 〔《영》 *to*〕 dinner 아무를 식사에 초대하다 / ~ guests *with* refreshments 다과를 내놓고 손님을 대접하다. **2** 《~+목/+목+전+명》 즐겁게 하다, 위로하다 《*with*》: The movie will ~ you very much. 그 영화는 매우 재미있을 것이다 / ~ the company *with* 〔*by*〕 tricks 요술로 일동을 즐겁게 하다. **3** 마음에 품다, 생각하다: ~ a doubt 의문을 품다. **4** (신청 등을) 받아들이다, …에 응하다. **5** 〖경기〗 (상대 팀을) 자기 고장에 맞아 경기하다. **—** *vi.* 대접〔환대〕하다. **~ *angels unawares 〖성서〗 고귀한 분인 줄 모르고 대접하다《히브리서 XIII: 2》. ㊕ **~·er** *n.* 환대자; 재미있는 사람; 《특히》 예능인; 요술사; 접대하는 사람. **~·ing** *a.* 유쾌한, 재미있는. **~·ing·ly** *ad.*

en·ter·tain·ment [èntərtéinmənt] *n.* **1** 대접, 환대; (식사에의) 초대: ~ expenses 접대비, 사교비 / give ~*s to* …을 대접〔환대〕하다. **2** 연회, 주연, 파티. **3** Ⓤ 위로, 오락: find ~ *in* reading 독서를 즐거움으로 하다 / a place 〔house〕 of ~ 오락장. **4** 연예, 여흥: theatrical ~*s* 연극 / a musical ~ 음악회. ***much to*** **one's** ~ 매우 재미가 있었던 것은.

entertáinment búsiness 위락 산업.

entertáinment compùter 오락용 컴퓨터.

entertáinment tàx 《영》 흥행세.

en·thal·pi·met·ry [ènθælpəmétri] *n.* 【화학】 엔탈피 계측(법); 총열량(總熱量) 측정법.

en·thal·py [énθælpi, -ˊ-] *n.* 【물리】 엔탈피 《열역학 특성 함수의 일종; 기호 H.》.

en·thrall, -thral [inθrɔ́:l, en-] (*-ll-*) *vt.* 매혹하다, 마음을 빼앗다; 사로잡다, 노예(상태)로 하다(enslave). ㊎ **~·ment** *n.* Ⓤ 노예화〔상태〕; 마음을 빼앗음, 매혹.

en·throne [inθróun, en-] *vt.* **1** 왕좌〔왕위〕에 앉히다, 즉위시키다; 【교회】 bishop의 자리에 임명하다. **2** 《~+목/+목+전+명》 받들다, 깊이 존경〔경애〕하다: Washington was ~*d in* the hearts of his countrymen. 워싱턴은 국민의 경애의 대상이었다. ㊎ **~·ment, en·thròn·i·zá·tion** *n.* 즉위(식); 성직 취임(식); 숭배.

en·thuse [inθú:z, en-/-θjú:z] *vt., vi.* 《구어》 열광〔열중〕시키다〔하다〕; 감격시키다〔하다〕 《*about; over*》.

en·thu·si·asm [inθú:ziæ̀zəm, en-/-θjú:-] *n.* Ⓤ **1** 열심, 열중, 열광, 의욕, 열의《*for; about*》; 감격. **2** 열심의 대상, 열중시키는 것. **3** 《고어》 (종교적) 열광, 광신. SYN. ⇨ PASSION. ~ ***for*** (music) (음악)열.

en·thu·si·ast [inθú:ziæ̀st, en-/-θjú:-] *n.* 열광자, 팬, …광(狂) 《*for*》; 《고어》 광신자.

en·thu·si·as·tic, -ti·cal [inθù:ziǽstik, en-/-θjù:-], [-əl] *a.* **1** 열심인 《*for*》; 열광적인 《*about; over*》: an ~ baseball fan 열광적인 야구팬. **2** 열성적인, 열렬한: an ~ welcome 열렬한 환영 SYN. ⇨ EAGER. ㊎ **-ti·cal·ly** *ad.*

en·thy·meme [énθimì:m] *n.* Ⓤ 【논리】 생략 삼단 논법.

en·tice [intáis, en-] *vt.* 《~+목/+목+전+명/+목+부/+목+*to* do》 꾀다, 유혹하다; 부추기다; (아무를) 부추겨 …시키다《*to* do》: be ~*d* by dreams of success 성공의 꿈에 이끌리다 / ~ a girl *away* from home 소녀를 집에서 꾀어내다 / The smell of fish ~*d* the cat *into* the kitchen. 생선 냄새에 이끌려 고양이가 부엌으로 들어왔다 / ~ a person *with* …으로 아무를 유혹하다 / She ~*d* her husband *into* buying 〔*to* buy〕 her a diamond ring. 그녀는 남편을 부추겨 다이어몬드 반지를 사게 했다. ㊎ **~·ment** *n.* Ⓤ 유혹, 유인; Ⓒ 유혹물, 마음을 끄는 것, 미끼(allurement); Ⓤ 매력.

en·tíc·ing *a.* 마음을 끄는, 유혹적인; 매혹적인. ㊎ **~·ly** *ad.*

en·tire [intáiər, en-] *a.* **1** 전체〔전부〕의: the ~ city 시 전체 / an ~ day 꼬박 하루 / clean the ~ room 방을 구석구석 청소하다.

> SYN. **entire** 부분·각 요소 따위에 빠지는 것이 없이 '전체의'라는 뜻. **whole** entire보다 뜻이 좁으며, 분할되는 것이 없이 각 분단 등이 갖추어진 '전체의' 뜻을 나타냄.

2 완전한: ~ freedom 완전한 자유 / You have my ~ confidence. 자네를 전폭적으로 신뢰하고 있네. SYN. ⇨ COMPLETE. **3** 흠 없는, 온전한. **4** 거세하지 않은 《말 따위》: an ~ horse. **5** 【식물】 (잎이) 전연(全緣)의. **—** *n.* **1** 전체, 완전. **2** 거세하지 않은 말, 종마. **3** 순수한 것; 《영고어》 흑맥주의 일종. ㊎ **~·ness** *n.* 완전(무결), 순수.

en·tire·ly [intáiərli, en-] *ad.* 아주, 완전히; 오로지: I am not ~ satisfied with the result. 결과에 전적으로 만족하고 있는 것은 아니다.

en·tíre·ty [-ti] *n.* **1** Ⓤ 완전, 모두 그대로임〔의 상태〕. **2** (the ~) 전체, 전액. ***in its*** ~ 전체로서; 완전히; 온전히 그대로: Hamlet in its ~ '햄릿' 전막 상연. ***possession by entireties*** 【법률】 불가분적(不可分的) 소유.

En·ti·sol [éntisɔ̀:l, -sàl/-sɔ̀l] *n.* 【지학】 엔티솔《분명한 토양 층위(層位)가 결여된 토양층군》.

en·ti·tle [intáitl, en-] *vt.* **1** 《+목+보》 …에 제목을 붙이다, …에게 명칭을 부여하다: a book ~*d* "Gulliver's Travels" '걸리버 여행기'라는 제목의 책. **2** 《+목+보》 …라고 칭하다, …라고 이름 붙이다: ~ oneself a baron 남작이라고 자칭하다. **3** 《+목+전+명/+목+*to* do》 …에게 권리를〔자격을〕 주다: be ~*ed to* enter the laboratory 연구실에 들어갈 권리가 주어져 있다 / This ticket ~*s* you *to* free drinks. 이 표가 있으면 무료로 음료를 마실 수 있다. ㊎ **~·ment** *n.*

entítlement prògram 《미》 (노인·환자·실업자를 위한) 사회 보장 계획.

en·ti·ty [éntəti] *n.* **1** Ⓤ 실재, 존재. **2** (an ~) 실재물(物), 존재물; 【철학】 존재자: a legal ~ 법인. **3** 자주적〔독립적〕인 것; 통일체: a political ~ 국가. **4** 자주〔독자〕성. **5** (속성에 대하여) 본질; 실체.

en·to- [éntou, -tə], **ent-** [ent] '안의, 내부의'란 뜻의 결합사. 「胚葉).

en·to·blast [éntəblæ̀st] *n.* 【생물】 내배엽(內

en·to·derm [éntədə̀:rm] *n.* =ENDODERM.

entom. entomological; entomology.

en·tomb [intú:m, en-] *vt.* …을 무덤에 묻다, 매장〔매몰〕하다(bury); …의 무덤이 되다. ㊎ **~·ment** *n.* Ⓤ 매장; 매몰.

en·tom·ic [intámik, en-/-tɔ́m-] *a.* 곤충의, 곤충에 관한.

en·to·mo- [éntəmou, -mə], **en·tom-** [éntəm] '곤충'을 뜻하는 결합사.

èntomo·fáuna *n.* 【생태】 (한 지역의) 곤충상(相) 《곤충의 생김새》.

en·to·mo·log·ic, -i·cal [èntəməládʒik/-lɔ́dʒ-], [-əl] *a.* 곤충학(상)의. ㊎ **-i·cal·ly** *ad.*

en·to·mol·o·gize [èntəmálədʒàiz/-mɔ́l-] *vi.* 곤충학을 연구하다; 곤충을 채집하다.

en·to·mol·o·gy [èntəmálədʒi/-mɔ́l-] *n.* Ⓤ 곤충학. ㊎ **-gist** *n.* 곤충학자.

en·to·moph·a·gous [èntəmáfəgəs/-mɔ́f-] *a.* 【동물】 식충성(食蟲性)의, 곤충을 먹이로 하는.

en·to·moph·i·lous [èntəmáfələs/-mɔ́f-] *a.* 【식물】 충매(蟲媒)의. cf. anemophilous.

en·to·pia [entóupiə] *n.* 실현할 수 있는 장소, 실현 가능한 계획지(地) 《인간 거주학(人間居住學)(=**ex·ís·tics**)의 용어》.

en·to·proct [éntəpràkt/-prɔ̀kt] 【동물】 *n.* 내항(內肛)동물. **—** *a.* 내항동물의. ㊎ **èn·to·próc·tous** *a.* 「내시성(內視性)의.

ent·op·tic [entáptik/-tɔ́p-] *a.* (시각 현상이)

en·tou·rage [à:nturá:ʒ/ɔ̀n-] *n.* 《F.》 주위, 환경; 《집합적》 주위 사람들, 측근자, 수행원; 《집합적》 동료, 한동아리.

en-tout-cas [ɑ̃:tu:ká:] *n.* 《F.》 **1** 청우(晴雨) 겸용 양산. **2** (En-Tout-Cas) 앙투카《배수가 용이하게 되는 벽돌 가루 등으로 포장(鋪裝)한 전천후 테니스 코트; 상표명》.

en·to·zoa [èntəzóuə] (*sing.* **-zo·on** [-zóuan/

-ɔn]) *n. pl.* 〖동물〗 (종종 E-) 체내 기생충류.

en·tr'acte [ɑːntrǽkt, ⌐-/ɔ́ntrækt] *n.* 《F.》 막간; 막간극〔무용〕, 간주곡.

en·trails [éntreilz] *n. pl.* 내장; 장, 창자; 〖일반적〗 내부.

en·train[1] [intréin, en-] *vt., vi.* (특히 군대를) 열차에 태우다; 열차에 올라타다, 승차시키다〔하다〕. OPP. *detrain.* ⓟ **~·ment**[1] *n.*

en·train[2] *vt.* **1** 끌고 가다; 〖화학〗 (유체(流體)가 작은 물방울·입자 따위를) 부유시켜 운반하다, 비말동반(飛沫同伴)하다: *~ed* air 연행(連行) 기포(氣泡). **2** (미세한 기포를) 콘크리트 속에 혼입시키다. **3** …의 단계〔주기〕를 결정〔한정〕하다; 〖생물〗 (생체의 주기(周期) 리듬을) 다른 일주(日周) 주기에 동조시키다. ⓟ **~·er** *n.* **~·ment**[2] *n.* 〖화학〗 비말동반; 〖생물〗 동조화(同調化).

en·train[3] [*F.* ɑ̃trɛ̃] *n.* 활기, 열심.

en·tram·mel [intrǽməl, en-] (**-l-,** 《영》 **-ll-**) *vt.* 그물로 잡다; 속박하다, 방해하다.

⁑**en·trance**[1] [éntrəns] *n.* **1** Ⓒ 입구, 출입구, 현관《*to*》: the ~ *to* a schoolhouse 〔a tunnel〕. **2** U,C 들어감; 입장, 입회, 입학, 입사; 입항; (배우의) 등장: an ~ examination 입학〔입사〕 시험 / America's ~ *into* war 미국의 참전. SYN. ⇨ ADMISSION. **3** Ⓤ 취임, 취업《*into* office; *upon* one's duties》. **4** U,C 들어갈 기회; 입장권(權). **5** Ⓤ 입장료; 입회금, 입학금: an ~ fee 〔money〕 입장료, 입회금(《미》 initiation fee). **6** 〖세관〗 입항 절차. **7** 〖컴퓨터〗 어귀, 입구. ◇ enter *v.* ***Entrance free.*** 입장 자유〔무료〕《게시》. ***find*** 〔***gain, obtain, secure***〕 ~ 들어가다《*into*》. ***force an ~ into*** 밀고 들어가다, 강제로 들어가다. ***have free ~ to*** …에 자유롭게 출입이 허용되다. ***NO ~.*** 입장 사절, 출입 금지《게시》.

en·trance[2] [intrǽns, -trɑ́ːns, en-/-trɑ́ːns] *vt.* **1** (기쁨·경탄 등으로) 황홀하게 하다, 도취시키다, 광희케 하다 《*with*》: be *~d* at 〔by〕…에 완전히 매료되다. **2** 실신〔혼수〕시키다.

en·tránce·ment *n.* Ⓤ 신바람난 상태, 기뻐 어쩔 줄 모름, 광희; 실신 상태; Ⓒ 황홀케 하는 것.

éntrance·wày *n.* 입구(의 통로).

en·tránc·ing *a.* 넋〔정신〕을 빼앗는, 황홀케 하는, 매혹적인: an ~ little girl. ⓟ **~·ly** *ad.*

en·trant [éntrənt] *n.* 들어가는〔오는〕 사람; 신입(생), 신가입자, 신입 회원, 신참; (경기) 참가자《*for*》: an illegal ~ 불법 입국자.

en·trap [intrǽp, en-] (**-pp-**) *vt.* 《~+목/+목+전+명》 올가미에 걸다; 속여서 빠져들게 하다, 함정에 빠뜨리다《*to*》; 속여 …시키다《*into* do*ing*》: ~ a person *to* destruction 아무를 함정에 빠뜨리어 파멸로 이끌다 / He *~ped* her *into* making confession. 그는 그녀를 유도하여 자백시켰다 / He was *~ped into* undertak*ing* the work. 그는 속아서 그 일을 떠맡았다. ⓟ **~·ment** *n.* 함정 수사.

*__en·treat__ [intríːt, en-] *vt.* 《+목+전+명 / +목+*to* do》 **1** …에게 탄원하다《*for*》: ~ a person *for* mercy 〔*to* have mercy〕 아무에게 간절히 자비를 간청하다 / I ~ you *to* let me go. 제발 가게 해 주십시오. SYN. ⇨ BEG. **2** 《~+목/+목+전+명》 원하다, 간청〔부탁〕하다: Stop yelling, I ~ you. 소리치지 마라, 제발 부탁한다 / He *~ed* help in his homework. 숙제를 도와 달라고 부탁했다 / I ~ this favor *of* you. 제발 이 소원을 들어 주십시오. **—** *vi.* 간절히 원하다. ⓟ **~·ing** *a.* 간원하는 (듯한), 탄원하는 (듯한). **~·ing·ly** *ad.* 간원〔애원〕하듯이, 간절하게.

en·treaty [intríti, en-] *n.* U,C 간절한 부탁, 애원, 탄원, 간청.

en·tre·chat [*F.* ɑ̃trəʃa] *n.* 《F.》 〖발레〗 앙트르샤《뛰어오른 동안에 다리를 교차시키고, 때로는 발뒤꿈치를 부딪치는 동작》.

en·tre·côte [*F.* ɑ̃trəkoːt] *n.* 《F.》 〖요리〗 양쪽 갈비뼈 사이의 스테이크용 고기.

en·trée, en·tree [ɑ́ːntrei/ɔ́n-] *n.* 《F.》 **1** U,C 출장(出場), 입장 (허가); 입장권(權): have the ~ of a house 집에 자유로이 출입할 수 있다. **2** 〖요리〗 앙트레 (《영》 생선이 나온 다음 구운 고기가 나오기 전에 나오는 요리; 《미》 주요 요리). **3** 〖음악〗 (행진곡·무도곡의) 전주곡, 서곡(prelude). ***have ~*** 입장〔입회〕의 권리를 갖다; 자유로이 접근할 수 있다.

en·tre·mets [ɑ́ːntrəmèi/ɔ́n-] (*pl.* ~ [-z]) *n.* 《F.》 곁들여 내는 요리《야채 요리 따위》.

en·trench [intréntʃ, en-] *vt.* **1** 〖보통 수동태〗 참호로 에워싸다〔지키다〕: The enemy *were ~ed* beyond the hill. 적은 언덕 너머에 참호를 구축하고 있었다. **2** 〖수동태 또는 ~ oneself〗 지반을 굳히다, 확립하다; 정착시키다《*in*》: ~ one*self* 자기 입장을 견고히 하다 / *be ~ed in* one's beliefs 확고한 신념을 가지다. **—** *vi.* 참호를 파다; 참호에 몸을 숨기다; 침해하다《*on, upon*》. ⓟ **~·ment** *n.* Ⓤ 참호 구축 작업; Ⓒ 참호; Ⓤ (권리의) 침해.

en·trénched [-t] *a.* 참호로 방비된; 《경멸》 (권리·습관·생각 따위가) 확립된, 굳어 버린.

en·tre nous [ɑ̀ːntrənúː/ɔ́n-] 《F.》 우리끼리의 〔비밀〕 얘기지만(between ourselves).

en·tre·pôt [ɑ́ːntrəpòu/ɔ́n-] *n.* 《F.》 창고, (세관의) 보세 창고; (항구의) 물자 집산지, 중앙 시장, 중계(무역)항. ~ ***trade*** 중계 무역.

en·tre·pre·neur [ɑ̀ːntrəprənə́ːr] *n.* 《F.》 실업가, 기업가, 사업주, 전문 경영자; (연극의) 흥행주; 청부인; 중개자. ★ 특정한 사업의 기획·실행자는 undertaker. ⓟ **~·i·al** *a.* **~·ship** [-ʃip] *n.* Ⓤ 기업가 정신.

en·tre·sol [éntərsàl, ɑ́ːntrə-/ɔ́ntrəsɔ̀l] *n.* 《F.》 〖건축〗 중(中)2층(mezzanine).

en·tro·pi·on [entróupiàn, -piən/-piɔ̀n] *n.* 〖의학〗 (안검(眼瞼)) 내번(內飜).

en·tro·py [éntrəpi] *n.* **1** 엔트로피. **a** 〖물리〗 물체의 열역학적 상태를 나타내는 양. **b** 〖정보이론〗 정보 전달의 효율을 나타내는 양. **2** 균질성.

◇**en·trust** [intrʌ́st, en-] *vt.* 《+목+전+명》 맡기다, 기탁〔위탁〕하다, 위임하다《*to*》: ~ a person *with* a task = ~ a task *to* a person 임무를 아무에게 위임하다 / ~ a person *with* a secret 아무를 신용하여 비밀을 밝히다 / ~ a large sum of money *to* a person 큰돈을 아무에게 맡기다.

⁑**en·try** [éntri] *n.* **1** 들어감, 입장; (배우의) 등장; 들어가는 자유〔권리, 특권〕. **2** 참가, 가입: a developing nation's ~ *into* the UN 발전도상국의 UN 가입. **3** 들어가는 길; 입구, 현관; 강어귀; (건물 사이의) 통로. **4** 기입, 기재; 〖부기〗 기장(記帳); 등기, 제출; 기입 사항: an ~ *in* the family register 입적(入籍) / ⇨ DOUBLE 〔SINGLE〕 ENTRY. **5** (사전 따위의) 표제어(= ⌐ **wòrd**): author 〔subject〕 *entries* (도서관의) 저자명〔건명〕 목록. **6** (경기 따위에의) 참가, 출전; 참가자; 출품물《*for*》; 〖집합적〗 총출장자〔출품물〕(수, 명부): an ~ *for* a speech contest 웅변대회에의 참가 / The *entries from* one school are limited to five players. 한 학교의 참가 선수 수는 5명에 한한다. **7** 〖법률〗 (토지·가옥의) 침입, 점유: an illegal ~ 불법 침입. **8** (세관에서의) 배〔선하(船荷)〕의 등록; (선하의) 통관(通關). **9** 〖컴퓨터〗 어귀, 입구. ***force an ~*** 강제로 들어가다. ***make an ~*** 들어가다, 입장하다; 기입〔등록〕하

다《in》. **no ~** 출입〔진입〕 금지. ***sign and seal an ~*** 기재 사항에 서명 날인하다.
éntry fòrm (경기 따위의) 참가 등록 용지.
éntry·ìsm *n.* (정책·목적의 변경을 노리고 정치 조직에) 가입하기, 잠입 (활동). ㊕ **-ist** *n.*
éntry-lèvel *a.* 초보적인.
éntry pèrmit 입국 허가.
éntry phòne *n.* (현관의) 인터폰.
éntry·wày *n.* (건물 안으로의) 통로, 입구.
éntry wòrd (사전 따위의) 표제어(headword).
Ent. Sta. Hall Entered at Stationers' Hall (판권 등록필).
en·twine [intwáin, en-] *vt.* 얽히게〔엉클리게〕 하다《*about; around; with*》; 휘감다; (화환(花環) 등을) 엮다, 짜다. **—** *vi.* 얽히다, 엉키다, 휘감기다.
en·twist [intwíst, en-] *vt.* 꼬아서 합치다, 꼬다.
enu·cle·ate [injú:klièit/injú:-] *vt.* **1** 명백히 하다, 설명하다. **2** 〖생물〗 …에서 세포핵을 제거하다; 〖의학〗 (종양 따위를) 떼어 내다, 적출(摘出)하다. ㊕ **enù·cle·á·tion** *n.* 〖생물〗 탈핵(脫核), 세포핵의 제거; 〖의학〗 적출(술).
É nùmber E넘버《EC의 규정에 따른 식품 첨가물의 인가 번호》; 〔일반적〕 첨가제, 식품 첨가물. [◀ *Europe*+*number*]
°**enu·mer·ate** [in*j*ú:mərèit/injú:-] *vt.* 일일이 들다〔세다〕, 열거〔매거〕하다; 세다. ㊕ **enù·mer·á·tion** *n.* Ⓤ 계산, 일일이 셈〔듦〕, 열거, 매거; Ⓒ 세목(細目), 목록; 일람표. **enú·merative** [-rèitiv, -rət-] *a.* 계수(計數)상의, 열거의〔하는〕. **-à·tive·ly** *ad.* **-à·tor** [-ər] *n.* 계수자(者), 《특히》 국세(國勢) 조사원, 호별(戶別) 조사원; 《Can.》 선거인 명부 작성원.
enun·ci·ate [inʌ́nsièit, -ʃi-] *vt., vi.* **1** (학설 따위를) 발표하다; (이론·제안 따위를) 선언하다. **2** (똑똑하게) 발음하다. ㊕ **enún·ci·a·ble** *a.* 발음할 수 있는. **enùn·ci·á·tion** *n.* **1** Ⓤ 발음 (방법); 똑똑한 말투. **2** 조직적 기술; 공표, 선언, 언명. **enún·ci·àtive** [-tiv] *a.* 언명〔선언〕적인; 발음상의. **-à·tive·ly** *ad.* **-à·tor** *n.* **enún·ci·a·to·ry** [-siətɔ̀:ri/-təri] *a.* =ENUNCIATIVE.
en·ure [in*j*úər, en-/injúə] *vt., vi.* =INURE.
en·u·re·sis [ènjuəríːsis] *n.* Ⓤ 〖의학〗 유뇨(遺尿)(증): nocturnal ~ 야뇨증.
env. envelope; envoy.
°**en·vel·op** [invéləp, en-] (*p., pp.* **~ed; ~ing**) *vt.* **1** 《~+목/+목+전+명》 싸다, 봉하다; 덮(어 가리)다《*in*》: The long cape ~*ed* the baby completely. 긴 케이프로 아기를 폭 쌌다 / be ~*ed in* mystery 수수께끼에 싸여 있다 / ~ one*self in* a blanket 모포를 두르다. **2** 〖군사〗 포위하다, (적의) 측면을 공격하다. **—** *n.* =ENVELOPE. ㊕ **~·er** *n.* **~·ment** *n.* Ⓤ 쌈, 봉하기; 〖군사〗 포위; Ⓒ 싸개, 포장지, 덮개.
***en·ve·lope** [énvəlòup, ɑ́:n-/én-, ɔ́n-] *n.* **1** 봉투. **2** 싸개; 덮개, 가리개; 〖식물〗 외피(外皮); (비행선·기구 등의) 기낭(氣囊); 〖천문〗 혜성을 싸는 가스체; 〖컴퓨터〗 덧붙임. **3** 《속어》 콘돔.
en·ven·om [invénəm, en-] *vt.* **1** (…에) 독을 넣다, 독을 바르다. **2** …에 독기〔적의(敵意), 증오〕를 띠게 하다: ~*ed* words 독설.
en·ven·om·ate [invénəmèit, en-] *vt.* (독사 따위가) 독물〔독액〕을 주입하다. ㊕ **en·vèn·om·á·tion** *n.* (독사 따위의) 독물 주입.
en·ven·om·i·za·tion [invènəmizéiʃən, en-] *n.* 독사·독충의 자상(刺傷)으로 생기는 중독.
Env. Extr. Envoy Extraordinary.
en·vi·a·ble [énviəbəl] *a.* 부러운, 탐나는, 바람직한. ㊕ **~·ness** *n.* **-bly** *ad.* 부럽게.
en·vi·er [éniər] *n.* 부러워하는〔시샘하는〕 사람.

***en·vi·ous** [énviəs] *a.* …을 샘〔부러워〕하는, 질투심이 강한: be ~ *of* a person's success 아무의 성공을 (시)샘하다 / ~ looks 부러운 듯한 표정. ◇envy *v.* ㊕ **~·ly** *ad.* 부러운 듯이, 시기하여.
en·vi·ro [enváirou] *n.* 《미속어》 =TREE HUGGER. [◀ *environ*mentalist lobbying on Capitol Hill]
envíro-fríendly *a.* =ENVIRONMENT-FRIENDLY.
en·vi·ron [inváiərən, en-] *vt.* 《~+목/+목+전+명》 〔종종 수동태〕 둘러〔에워〕싸다, 포위하다《*by; with*》: a town ~*ed by*〔*with*〕 forests 숲으로 둘러싸인 도시 / *be ~ed by* hills 언덕으로 둘러싸여 있다. SYN. ⇨SURROUND.
en·vi·ron·ics [invaiərɑ́niks, en-/-rɔ́n-] *n.* 환경 관리학.
***en·vi·ron·ment** [inváiərənmənt, en-] *n.* **1** Ⓤ 주위를 에워싸는 것〔사정, 정황〕; (생태학적·사회적·문화적인) 환경; (the ~) 자연환경: social ~ 사회적 환경 / one's home ~ 가정환경. **2** Ⓤ,Ⓒ 《드물게》 포위; 둘러쌈. **3** 환경 예술의 작품. **4** 〖컴퓨터〗 환경《하드웨어나 소프트웨어의 구성 또는 조작법》.
en·vi·ron·men·tal [invàiərənméntl, en-] *a.* 주위의; 환경의; 환경 예술의: ~ disruption 환경 파괴 / ~ preservation 환경 보전 / ~ audit 환경 감사. ㊕ **~·ly** *ad.*
environméntal árt 환경 예술《관객을 포함하는 종합 예술》.
environméntal asséssment 환경 사전 조사, 환경 영향 평가.
environméntal biólogy 환경 생물학, 생태학(ecology)《생물과 환경의 상호관계를 연구함》.
environméntal desígn (도시〔지역〕 계획 따위를 종합적으로 고려한 대규모의) 환경 설계.
environméntal engineéring 환경 공학.
Environméntal Héalth Óffìcer 《영》 환경 위생 감시관, 공해 방지 관리관.
environméntal hórmone 〖화학〗 환경 호르몬《환경 속에 방출·축적되어, 생체 호르몬의 균형을 깨뜨리는 화학 물질의 총칭》.
environméntal ímpact stàtement 환경 영향 평가 보고; 환경 변화 예상 보고.
en·vì·ron·mén·tal·ìsm *n.* Ⓤ 환경론; 환경 보전주의〔오염 반대 운동〕.
en·vì·ron·mén·tal·ist *n.* 환경(보호)론자, 환경 문제 전문가; 환경 예술가.
envíronmentally fríendly 환경 친화적인.
envíronmentally sènsitive área 환경이 훼손되기 쉬운 지역.
environméntal pollútant 환경오염 물질.
environméntal pollútion 환경오염.
Environméntal Protéction Ágency (the ~) 《미》 환경 보호국《생략: EPA》.
environméntal scíence 환경 과학.
environméntal tobácco smòke 간접흡연《생략: ETS》.
envíronment-fríendly *a.* 환경 친화적인.
en·vi·ron·men·tol·o·gy [invàiərənmentɑ́lədʒi, en-/-tɔ́l-] *n.* Ⓤ 환경(위생)학, 환경 문제 연구.
envíronment vàriable 〖컴퓨터〗 환경 변수《Microsoft disk operating system에서 환경 영역에 저장되는 문자열 변수》.
envíron·pòlitics *n.* 환경 (보전) 정책.
en·vi·rons [inváiərənz, en-, énvərənz] *n. pl.* 주변(의 지역), (도시의) 근교, 교외(郊外): Seoul and its ~ 서울과 그 근교.
en·vis·age [invízidʒ, en-] *vt.* (미래의 일·상황 따위를) 마음속에 그리다, 상상하다, 예견

〔구상〕하다; …의 얼굴을 응시하다; 《고어》 (사실 따위를) 직시하다, (위험에) 직면하다. ㊞ **~·ment** *n.* Ⓤ

en·vi·sion [invíʒən, en-] *vt.* (미래의 일을) 상상〔구상〕하다; 마음속에 그리다; 계획〔기대〕하다.

en·voi [énvɔi, ɑ́:n-/én-] *n.* =ENVOY².

en·voy¹ [énvɔi, ɑ́:n-/én-] *n.* (외교) 사절, 특사(特使); 특명 전권 공사: an *Envoy* Extraordinary (and Minister Plenipotentiary) 특명 전권 공사 / an Imperial ~ 칙사 / a peace ~ 평화 사절.

en·voy² *n.* (시의) 결구(結句); 발문(跋文).

***en·vy** [énvi] *n.* Ⓤ 질투, 부러움, 시기, 샘, 시샘; (the ~) 선망의 대상, 부러운 것: be green with ~ (얼굴색이 변할 정도로) 몹시 부러워하다 / be in ~ *at* 〔*of*〕 …을 샘〔부러워〕하다 / feel ~ *at* 〔*of*〕 …을 부러워하다 / out of ~ 부러운 나머지, 질투가 원인이 되어. ◇enviable, envious *a.* — *vt.* 《~+目/+目+目/+目+전+명/+-*ing*》 부러워하다, 샘하다, 질투하다《*for*》. ★ envy 바로 뒤에는 *that*-clause를 쓰지 않음. ¶ He *envied* my success. 그는 나의 성공을 부러워했다 / I ~ you your beautiful wife. 나는 자네의 아름다운 부인이 부럽다 / I ~ him *for* his good fortune. 그의 행운이 부럽다 / I do not ~ you the task. 너의 그 일이 내 일이 아니어서 기쁘다 / I ~ him 〔his〕 go*ing* abroad. 나는 그의 외국행을 부럽게 생각한다.

en·weave [inwí:v, en-] *vt.* =INWEAVE.

en·wind [inwáind, en-] (***en·wound*** [-wáund]) *vt.* …에 감기다, …에 얽히다(wind about).

en·womb [inwú:m, en-] *vt.* 두르다, 싸다; 깊이 묻다〔감추다〕; …을 (태내(胎內)에) 배다.

en·wrap [inrǽp, en-] (*-pp-*) *vt.* 싸다, 두르다; 휩싸다; 열중시키다, …의 마음을 빼앗다.

en·wreathe [inrí:ð, en-] *vt.* 《문어》 …에 화환을 두르다, (화환처럼) 두르다; 얽히게 하다.

En·zed [énzéd] *n.* 《Austral.구어》 =NEW ZEALAND(ER).

en·zo·ot·ic [ènzouɑ́tik/-ɔ́t-] *n., a.* 동물의 지방(地方)〔풍토〕병(의). ㊞ **-i·cal·ly** *ad.*

en·zy·mat·ic, -zy·mic [ènzaimǽtik, -zi-], [-záimik, -zí-] *a.* 효소(酵素)의. ㊞ **-mat·i·cal·ly, -mi·cal·ly** *ad.*

en·zyme [énzaim] *n.* 【화학】 효소(酵素).

énzyme detèrgent 효소 세제(洗劑).

énzyme engineering 효소 공학《효소(작용)의 농공업에의 응용》; (농업·공업 등에서) 효소를 이용한 처리 기술.

en·zy·mol·o·gy [ènzaimɑ́lədʒi, -zi-/-mɔ́l-] *n.* Ⓤ 효소학. ㊞ **-gist** *n.* 효소학자.

en·zy·mol·y·sis [ènzaimɑ́ləsis, -zi-/-mɔ́l-] *n.* 【생화학】 효소성 분해《효소를 촉매로 한 화합물의 분해》.

EO, E.O. Education officer; Executive Order. **e.o.** ex officio. **EOC** 《영》 Equal Opportunities Commission (기회균등 위원회).

Eo·cene [í:əsì:n] 【지학】 *a.* (제 3 기의) 에오세(世)의. — *n.* (the ~) 에오세.

EOD explosive ordnance disposal(폭발물 처리). **EOE** 《미》 equal opportunity employer. **EOF** 【컴퓨터】 end-of-file《파일 끝에 붙이는 표시》.

eo·hip·pus [ì:ouhípəs] *n.* 【고생물】 에오히푸스《미국 서부의 에오세(世) 전기(前期)의 지층에서 발견된 가장 원시적인 몸집이 작은 말의 화석》.

Eo·li·an [i:óuliən/-ɔ́l-] *a.* =AEOLIAN; (e-) 【지학】 풍성(風成)의. — *n.* =AEOLIAN.

Eol·ic [i:ɑ́lik/-ɔ́l-] *a.* =AEOLIC; (e-) =EOLIAN. ¶ an *eolic* deposit 풍성층(層). — *n.* =AEOLIC.

eo·lith [í:əliθ] *n.* 【고고학】 원시 석기(石器).

Eo·lith·ic [ì:əlíθik] *a.* (종종 e-) 【지학·고고학】 원시 석기 시대의.

E.O.M., e.o.m. 【주로 상업】 end of (the) month.

eon ⇨ AEON.

E111 [í:wʌ̀nilévən] EU 내의 어느 국가에서나 무료 진료를 받을 수 있는 증서.

eo·ni·an [i:óuniən] *a.* =AEONIAN.

eon·ism [í:ənìzəm] *n.* =TRANSVESTISM.

eons-old [í:ənzòuld] *a.* 아주 옛날부터의, 아주 오래 된.

EOR explosive ordnance reconnaissance (폭발물 수색).

EOS [í:ɑs/-ɔs] *n.* (미항공 우주국(NASA)의 위성에 의한) 지구 관측 시스템. [◂ *E*arth *O*bserving *S*ystem]

Eos [í:ɑs/-ɔs] *n.* 【그리스신화】 에오스《새벽의 여신》.

eo·sin, -sine [í:əsin], [-sin, -si:n] *n.* 【화학】 에오신《선홍색의 산성 색소·분석 시약; 세포질의 염색 따위에 쓰임》.

eo·sin·o·phil, -phile [ì:əsínəfil], [-fàil] *n.* 【생물】 호산구(好酸球).

EOT 【컴퓨터】 end of tape 〔task, text, transmission〕.

-e·ous [iəs] *suf.* 형용사 어미 -ous의 변형: beaut*eous*.

Eo·zo·ic [ì:əzóuik] *n., a.* 【지학】 Precambrian의 구칭.

EP [í:pí:] *n.* 이피판〔도넛판〕 레코드《1 분간 45 회전》. ㊟ LP, SP. — *a.* 이피판의: ~ records. [◂ *e*xtended *p*lay (record)]

ep- [ep, ip] *pref.* =EPI-《모음 및 h 앞에 올 때의 꼴》.

EP, E.P. electroplate; European plan. **Ep.** Epistle. **EPA** eicosa pentaenoic acid; 《미》 Environmental Protection Agency.

epact [í:pækt] *n.* 【천문】 **1** 음양력 연차(陰陽曆年差)《태양년의 1년이 태음년의 1년을 초과하는 일 수; 보통 11일》. **2** 세수 월령(歲首月齡)《1월 1일의 월령(月齡)》.

ep·arch [épɑ:rk] *n.* (옛 그리스의) 주지사; (근대 그리스의) 군장(郡長); (그리스 정교의) 대주교, 주교. ㊞ **ep·ar·chy** [épɑ:rki] *n.* (옛 그리스의) 주(州); (근대 그리스의) 군(郡); (그리스 정교의) 주교구(主教區), 대교구.

ep·au·let(te) [épəlèt, ˌ-ˈ] *n.* 【군사】 (장교 정복의) 견장; (여성복의) 어깨 장식. ***win* one's ~** (부사관이) 장교로 승진하다.

epaulet

E.P.B. 《영》 Environmental Protection Board.

Ép·cot Cènter [épkɑt-] 《미》 (Florida 소재의 제 2 디즈니랜드의) 미래 도시. [◂ *E*xperimental *P*rototype *C*ommunity *o*f *T*omorrow]

E.P.D. Excess Profits Duty (초과 이득세).

épée, epee [eipéi, épei] *n.* 《F.》 【펜싱】 에페《끝이 뾰족한 경기용 칼; 이 칼로써 겨루는 경기》. ㊞ **~·ist** *n.* 에페 경기자.

ep·ei·rog·e·ny [èpairɑ́dʒəni/-rɔ́dʒ-] *n.* 【지학】 조륙(造陸) 운동(작용).

ep·en·the·sis [əpénθəsis, ep-/ep-] (*pl.* **-ses** [-sì:z]) 【언어】 *n.* 삽입 문자; 삽입음(音)《elm [éləm]의 [ə] 같은 것》. ㊞ **-thet·ic** [èpenθétik] *a.*

epergne [ipə́:rn] *n.* (과일·꽃 등을 놓는) 식탁 중앙의 장식대.

ep·ex·e·ge·sis [epèksədʒí:sis] (*pl.* **-ses** [-si:z]) *n.* 【수사학】 설명적 보족(어).

eph- [ef, if] *pref.* h로 시작되는 말 앞에서의

epi-의 변형《h는 다음 말의 어두음》. [cf] EP-.
Eph. 〖성서〗 Ephesians; Ephraim.
epha(h) [íːfə] *n.* 고대 히브리의 용량 단위.
ephed·rine, -rin [ifédrin, éfədrìːn], [ifédrin] *n.* [U] 〖약학〗 에페드린《감기·천식약》.
ephem·era [ifémərə] (*pl.* ***-er·as, -er·ae*** [-ərìː]) *n.* 아주 단명한 것, 덧없는 것; 〖곤충〗 하루살이 (ephemerid).
ephem·er·al [ifémərəl] *a.* 하루밖에 못 가는 〔사는〕《곤충·꽃 따위》; 단명한, 덧없는. **—** *n.* 극히 단명한 것〔생물〕; (며칠 동안 생장·개화·고사하는) 단명한 식물. [파] **~·ly** *ad.* **~·ness** *n.*
ephem·er·al·i·ty [ifèmərǽləti] *n.* [U] 덧없음, 짧은 목숨; (*pl.*) 덧없는 사물.
ephem·er·al·i·za·tion [ifèmərəlizéiʃən/-lai-] *n.* 단명한 상품의 생산, (상품의) 단명화.
ephem·er·id [ifémərid] *n.* 〖곤충〗 하루살이.
ephem·er·is [ifémәris] (*pl.* ***eph·e·mer·i·des*** [èfəmérədìːz]) *n.* 〖천문·해사〗 천체력(曆)《각 월 각일의 천체 위치의 조견표; 이를 포함하는 천문력》; 《고어》 달력; 《고어》 일지(日誌); =EPHEMERAL.
ephémeris tìme 〖천문〗 역표시(歷表時)《지구·달·행성의 공전운동을 기준으로 하는 시계(時系)》.
ephem·er·on [ifémərɑ̀n, -rən/-rɔ̀n] (*pl.* ***~s, -era*** [-ərə]) *n.* =EPHEMERA.
Ephe·sian [ifíːʒən] *n.* (the ~*s*) 〖성서〗 에베소서(書)《신약성서 중 한 편; 생략: Eph., Ephes.》; Ephesus사람〔말〕. **—** *a.* Ephesus의.
Eph·e·sus [éfəsəs] *n.* 에베소《소아시아의 옛 도읍; Artemis〔Diana〕 신전이 있음》.
eph·od [éfɑd, íː-/íːfɔd] *n.* 유대 고위 성직자의 「법의(法衣).
eph·or [éfɔːr, éfər/éfɔː] (*pl.* ***~s, -o·ri*** [-ràì]) *n.* 민선 장관(民選長官)《옛 그리스 Sparta의 5장관(five chief magistrates) 중의 하나》; (근대 그리스의) 감독관; 정부의 관리.
Ephra·im [íːfriəm, -rəm/-freiim] *n.* **1** 에프라임《남자 이름》. **2** 〖성서〗 에브라임《Joseph의 차남, 창세기 XLI: 52》. **3** 에브라임 족(族)《이스라엘 부족의 하나》. **4** 〖역사〗 이스라엘(북)왕국((北)王國).
epi- [épi, épə] *pref.* '위, 그 위, 외(外)'의 뜻.
ep·i·blast [épəblæ̀st] *n.* 〖생물〗 낭배(囊胚)의 외피(外皮), 외배엽.
epib·o·ly [ipíbəli] *n.* 〖생물〗 피포(被包), 피복(被覆)《배(胚) 표면의 일부가 발달하여 다른 부분을 덮는 일》. [파] **ep·i·bol·ic** [èpəbɑ́lik/-bɔ́l-] *a.*
ep·ic [épik] *n.* **1** 서사시, 사시(史詩)《영웅의 업적·민족의 역사 등을 노래한 장시(長詩)》; 서사시적 이야기〔사건〕. **2** (영화·소설 등의) 대작: a Hollywood ~ 할리우드의 (초)대작. [cf] lyric. ***a national*** ~ 국민시. **—** *a.* 서사시의, 사시(史詩)의; 웅장한, 영웅적인, 장중한: an ~ poet.
ep·i·cal [épikəl] *a.* =EPIC. [파] **~·ly** *ad.* 서사시적으로; 서사체로. 「상 총포(蕚狀總苞).
ep·i·ca·lyx [èpikéiliks, -kǽl-] *n.* 〖식물〗 악
ep·i·car·di·um [èpikɑ́ːrdiəm] (*pl.* ***-dia*** [-diə]) *n.* 〖해부〗 심장 외막(外膜). 「皮).
ep·i·carp [épəkɑ̀ːrp] *n.* 〖식물〗 외과피(外果
épic dráma 에픽 드라마(=**épic théater**)《관객의 이성에 호소하여 사회 문제에 대한 비판적 사고를 촉구하는 서사극》.
ep·i·cede, ep·i·ce·di·um [épəsìːd], [èpəsíːdiəm] (*pl.* ***-ce·des, -dia*** [èpəsìːdiːz], [èpəsíːdiə]) *n.* 애가(哀歌), 만가.
ep·i·cene [épəsìːn] *a.* (그리스·라틴 문법에서) 양성(兩性) 통용어의; 남녀 양성을 갖춘, 《특히》 계집애 같은, 유약한. **—** *n.* **1** 남녀추니, 어지자지, 남녀 양성을 갖춘 사람. **2** 〖문법〗 통성어(通性語).

ep·i·cen·ter, 《영》 **-tre** [épəsèntər] *n.* 〖지학〗 진앙(震央), 진원지(震源地)《진원의 바로 위의 지점》; 《미》 (권력 등의) 중심; 중핵. [파] **ep·i·cen·tral** [èpəséntrəl] *a.* 진앙의.
ep·i·cen·trum [èpəséntrəm] (*pl.* ***-s, -tra*** [-trə]) *n.* =EPICENTER.
ep·i·cist [épəsist] *n.* 서사시인.
ep·i·cle·sis, -kle- [èpəklíːsis] (*pl.* ***-ses*** [-siːz]) *n.* 〖그리스정교〗 성령강림(聖靈降臨)을 희구하는 기도.
ep·i·con·dyle [èpikɑ́ndail, -dl/-kɔ́ndil, -dail] *n.* 〖해부〗 상과(上顆)《상완골·대퇴골의 하단 안팎의 융기》.
ep·i·con·dy·li·tis [èpikɑ̀ndailáitis, -dəlái-/-kɔ̀n-] *n.* 〖의학〗 상과염(上顆炎).
èpi·continéntal *a.* 대륙〔대륙붕〕의 위에 있는.
ep·i·cot·yl [èpəkɑ́təl] *n.* 〖식물〗 상배축(上胚軸).
epic·ri·sis [ipíkrəsis] *n.* (특히 병력(病歷)의) 비판적〔분석적〕 연구〔평가〕.
epi·crit·ic [èpəkrítik] *a.* 〖생리〗 (피부 감각 등의) (정밀) 식별〔판별〕성의.
épic símile 서사시적 비유《주제의 웅대함에 알맞은 느낌을 내기 위해 쓰이는 비유》.
ep·i·cure [épikjùər] *n.* 미식가, 식도락가, 식통(食通); 《고어》 쾌락주의자.
Ep·i·cu·re·an [èpikjuəríːən, -kjúəri-] *a.* Epicurus의; 에피쿠로스학파(學派)의; (e-) 쾌락주의의; (e-) 식도락의. **—** *n.* Epicurus설(說) 신봉자; (e-) 쾌락주의자; (e-) 미식가(美食家). [파] **~·ism** *n.* [U] Epicurus의 철학; (e-) 쾌락주의; 식도락. 「CUREANISM.
Ep·i·cur·ism [épikjuərìzəm] *n.* 《고어》 =EPI-
Ep·i·cu·rus [èpikjúərəs] *n.* 에피쿠로스《쾌락을 인생 최대의 선(善)이라 한 고대 그리스의 철학자; 341-270 B.C.》.
ep·i·cy·cle [épəsàikl] *n.* 〖수학〗 주전원(周轉圓)《그 중심이 다른 큰 원의 둘레 위를 회전하는 작은 원》. [파] **èpi·cý·clic** *a.*
ep·i·cy·cloid [èpəsáiklɔid] *n.* 〖수학〗 에피사이클로이드, 외파선(外擺線). [파] **-cloi·dal** [èpəsai- klɔ́idəl] *a.*
°**ep·i·dem·ic** [èpədémik] *n.* 유행병, 전염병, 돌림병; (사상·전염병 따위의) 유행: There is an ~ *of* cholera reported. 콜레라가 돈다는 보도가 나왔다 / an ~ *of* terrorism 다발(多發)하는 테러 행위. **—** *a.* **1** 유행병〔전염병〕의. [cf] endemic. **2** 유행하고 있는《사상 따위》; 통폐(通弊)의. [파] **-i·cal** *a.* =EPIDEMIC. **-i·cal·ly** *ad.*
epidémic encephalítis 〖의학〗 유행성 뇌염.
epidémic meningítis 〖의학〗 유행성 수막염(髓膜炎).
epidémic parotítis 〖의학〗 유행성 이하선염(耳下腺炎), 항아리손님(mumps).
ep·i·de·mi·ol·o·gy [èpədiːmiɑ́lədʒi, -dèmi-] *n.* 역학(疫學), 의생태학(醫生態學), 유행병학. [파] **-gist** *n.* 역학자. **èp·i·dè·mi·o·lóg·ic, -i·cal** *a.* **-i·cal·ly** *ad.*
ep·i·der·mal, -mic [èpədə́ːrməl], [-mik] *a.* 표피의, 외피의: ~ tissue 표피 조직.
epidérmal grówth fàctor 〖의학〗 표피 성장인자, 상피증식인자《상피 세포의 증식을 조절하는 일종의 호르몬; 상처의 치유나 암의 발생에 관여; 생략 EGF》.
ep·i·der·min [èpədə́ːrmin] *n.* 에피더민《동식물 표피의 주성분인 섬유상 단백질》.
ep·i·der·mis [èpədə́ːrmis] *n.* 〖해부·식물·동물〗 표피, 외피(外皮); 세포성 외피; 각(殼).
ep·i·der·moid, -moi·dal [èpədə́ːrmɔid],

[-dərmɔ́idl] *a.* 〖해부·식물·동물〗 표피 같은.
ep·i·di·a·scope [èpədáiəskòup] *n.* (투명체·불투명체 양용의) 환등기; =EPISCOPE.
ep·i·did·y·mis [èpədídəmis] (*pl.* ***-di·dymi·des*** [-dədímədìːz]) *n.* 〖해부〗 정소 상체(精巢上體), 부고환(副睾丸).
ep·i·dote [épədòut] *n.* 녹렴석(綠簾石).
ep·i·dú·ral anesthésia [epidjúərəl-/-djúə-] 〖의학〗 경막외(硬膜外) 마취.
èpi·fócal *a.* 〖지학〗 진앙(震央)의(epicentral).
ep·i·gas·tric [èpəgǽstrik] *a.* 〖해부〗 상복부(上腹部)의. 「상복부.
ep·i·gas·tri·um [èpəgǽstriəm] *n.* 〖해부〗
ep·i·ge·al, -ge·an [èpədʒíːəl], [-dʒíːən] *a.* 〖식물〗 지표상의〔에 생기는〕; 〖곤충〗 지표 (가까이)에 사는: ~ stems 지상경(地上莖).
ep·i·gene [épədʒìːn] *a.* 〖지학〗 (암석이) 지표 가까이에 생성된, 외력적(外力的)인; (결정(結晶)이 형성된 후) 화학적으로 변질한.
ep·i·gen·e·sis [èpədʒénəsis] *n.* **1** 〖생물〗 후성(後成); 후성설(說)《생물의 발생은 점차적인 분화(分化)에 의한다고 하는 학설》. ⓒⓕ preformation. **2** 〖지학〗 (암석의) 후생(後生), 변성(變成) 작용. **3** 〖의학〗 부대 증후(附帶症侯). ㊕ **-sist** *n.* 후성론자.
ep·i·ge·net·ic [èpədʒənétik] *a.* 〖생물〗 후성의, 후성적인; 〖지학〗 (광상(鑛床)·구조가) 후생적인; =EPIGENE: ~ deposits 후생 광상.
epig·e·nous [ipídʒənəs] *a.* 〖식물〗 표면에 생기는, 《특히》 잎의 표면에 생기는.
ep·i·glot·tis [èpəglátis/-glɔ́t-] *n.* 〖해부〗 후두개 (喉頭蓋), 후두개 연골(軟骨); 〖곤충〗 상인두(上咽頭). ㊕ **-glót·tal, -glót·tic** *a.*
ep·i·gone, -gon [épəgòun], [-gàn/-gɔ̀n] *n.* **1** (조상보다 못한) 자손. **2** (문예·사상 따위의) 아류(亞流), 모방자. ㊕ **ep·i·gon·ic, epig·o·nous** [èpəgánik/-gɔ́n-], [ipígənəs, e-] *a.* **epig·o·nism** [ipígənìzəm, e-/e-] *n.*
ep·i·gram [épəgræ̀m] *n.* 경구(警句); (짧은) 풍자시. ⓒⓕ aphorism. SYN. ⇨SAYING.
ep·i·gram·mat·ic, -i·cal [èpəgrəmǽtik], [-əl] *a.* 경구(警句)의; 풍자(시)의; 경구투의. ㊕ **-i·cal·ly** *ad.* 경구투로.
ep·i·grám·ma·tism [èpəgrǽmətìzəm] *n.* 경구적 표현〔문체〕; 풍자성(性).
èp·i·grám·ma·tist *n.* 경구가(家); 풍자 시인.
ep·i·gram·ma·tize [èpigrǽmətàiz] *vi.* 경구투로 쓰다〔이야기하다〕, 풍자시를 짓다. ── *vt.* 풍자적으로 표현하다〔다루다〕. ㊕ **-tiz·er** *n.* EPIGRAMMATIST.
ep·i·graph [épəgræ̀f, -grɑ̀ːf] *n.* (묘비·동상 따위의) 비문, 비명; (서책 등의) 제사(題詞).
epíg·ra·pher *n.* =EPIGRAPHIST.
ep·i·graph·ic, -i·cal [èpəgrǽfik], [-əl] *a.* epigraph의, epigraphy의.
epíg·ra·phist *n.* 금석학(金石學)의 전문가.
epig·ra·phy [epígrəfi] *n.* 〖집합적〗 비문, 비명(碑銘); Ⓤ 비명 연구, 금석학(金石學).
epig·y·nous [ipídʒənəs] *a.* 〖식물〗 (수술·꽃잎·꽃받침이) 씨방(房) 위의, (꽃이) 씨방 아래의.
epil. epilepsy; epileptic; epilog(ue).
ep·i·late [épəlèit] *vt.* …에서 탈모(脫毛)하다, 털을 제거하다(depilate). ㊕ **èp·i·lá·tion, ép·i·là·tor** *n.* 「fit of ~ 간질 발작.
ep·i·lep·sy [épəlèpsi] *n.* Ⓤ 간질, 지랄병: a
ep·i·lep·tic [èpəléptik] *a.* 지랄병의, 간질의. ── *n.* 지랄병 환자. ㊕ **-ti·cal·ly** *ad.*
ep·i·lep·toid [èpəléptɔid] *a.* 〖의학〗 간질 비슷한, 간질 같은(=**ep·i·lep·ti·form** [èpəléptəfɔ̀ːrm]).
ep·i·log, -logue [épəlɔ̀ːg, -lɑ́g/-lɔ̀g] *n.* **1** (문학 작품의) 발문(跋文), 결어(結語), 발시(跋詩); 〖연극〗 끝맺음말(을 하는 배우); 종막(終幕), 에필로그. OPP. *prologue.* **2** 〖음악〗 종곡(終曲), 후주(後奏).
epil·o·gist [ipílədʒist] *n.* (극의) 끝맺음말의 작자〔낭독자〕.
ep·i·mer [épəmər] *n.* 〖화학〗 에피머, 에피 이성체(=**epim·er·ide** [əpímərὰid]). ㊕ **~·ic** [èpəmérik] *a.* **epím·er·ìsm** *n.* 에피 이성.
epim·er·ase [ipímərèis, ep-, -rèiz] *n.* 〖화학〗 에피머라아제《에피화(化) 효소》. 「(化)하다.
ep·i·mer·ize [épəmərὰiz] *vt.* 〖화학〗 에피머화
ep·i·neph·rine [èpənéfrin, -riːn] *n.* Ⓤ 〖생화학〗 에피네프린《부신에서 분비되는 호르몬》; 〖약학〗 아드레날린제(劑).
Epiph. Epiphany.
Epiph·a·ny [ipífəni] *n.* **1** 〖가톨릭〗 (the ~) 예수 공현(公顯)《특히 예수가 이방인인 세 동방박사를 통하여 메시아임을 드러낸 일》. **2** 공현 축일(祝日)(Twelfth Day)《1월 6일》. **3** (e-) (신·초자연물의) 출현, 현현(顯現); 본질(적 의미)의 돌연한 현현〔지각〕; 직관적인 진실 파악.
èpi·phenómenon (*pl.* ***-na***) *n.* 부수 현상; 〖의학〗 부대(附帶) 징후; 〖심리〗 수반 현상.
epiph·o·ra [ipífərə] *n.* 〖의학〗 유루(流淚), 누루(淚漏); 〖수사학〗 =EPISTROPHE.
ep·i·phyte [épəfàit] *n.* 〖식물〗 착생(着生)식물(air plant, aerophyte). ㊕ **ep·i·phyt·ic** [èpəfítik], **-phýt·al** *a.* 착생의. **-i·cal·ly** *ad.*
ep·i·phy·tol·o·gy [èpəfaitálədʒi/-tɔ́l-] *n.* Ⓤ 식물 기생병학(寄生病學).
EPIRB emergency position-indicating radio beacon (긴급 위치 지시 무선 표지).
Epi·rus, Epei- [ipaíərəs] *n.* 에피루스《그리스 북서부 지역; 그 지역과 현재의 알바니아 남부에 걸쳐 있던 고대 국가》.
Epis(c). Episcopal; Episcopalian.
epis·co·pa·cy [ipískəpəsi] *n.* Ⓤ 감독〔주교〕제도《bishop, priest, deacon의 세 직을 포함하는 교회 정치 형태》; 감독〔주교〕의 직〔임기〕; (the ~) 〖집합적〗 감독〔주교〕단.
epis·co·pal [ipískəpəl] *a.* 감독〔주교〕(제도)의; episcopacy를 주창하는; (E-) 감독파(派)의. ── *n.* (E-) =EPISCOPALIAN. ㊕ **~·ly** *ad.*
Epíscopal Chúrch (the ~) 영국 성공회(聖公會); 미국 성공회. ***the Protestant ~*** 미국 성공회의 구칭.
Epis·co·pa·lian [ipìskəpéiljən] *a.* 감독〔주교〕(제도)의; =EPISCOPAL. ── *n.* 감독파의 사람, 감독 교회원; (e-) 감독제(制)〔주교제〕주의자. ㊕ **~·ìsm** *n.* Ⓤ (교회의) 감독제주의.
epíscopal vícar 〖가톨릭〗 사교(司教) 대리.
epis·co·pate [ipískəpit, -pèit] *n.* Ⓤ bishop의 지위〔계급, 임기〕; (감독·주교의) 전교구(全敎區); (the ~) 감독〔주교〕단.
ep·i·scope [épəskòup] *n.* 반사 투영기(反射投映機)《불투명체의 화상(畫像)을 스크린에 영사하는 환등 장치》.
èpi·sémeme *n.* 문법 의미소(素).
°**ep·i·sode** [épəsòud, -zòud/-sòud] *n.* **1** (소설·극 따위 속의) 삽화(揷話), 에피소드. **2** (사람의 일생 또는 경험 중의) 일련의 삽화적인 사건. **3** (고대 그리스 비극에서 합창과 합창을 연결하는) 대화(對話)의 부분〔장면〕. **4** 〖음악〗 삽입곡(曲). **5** 〖TV·라디오〗 연속물의 1 회분. **6** 〖의학〗 (재발성 질환의) 증상 발현(發現).
ep·i·sod·ic, -i·cal [èpəsádik, -zád-/-sɔ́d-], [-əl] *a.* 에피소드적인; 삽화로 이루어진; 일시적인; 우연적인. ㊕ **-i·cal·ly** *ad.* 「자부체(副體).
ep·i·some [épəsòum] *n.* 〖생물〗 에피솜; 유전

ep·i·spas·tic [èpəspǽstik] 〖의학〗 *a.* 발포(發疱)성의, 피부 자극성의. **—** *n.* 발포제(劑)(vesicant), 피부 자극약.
Epis(t). Epistle(s).
ep·i·stax·is [èpəstǽksis] *n.* (*pl.* **-stax·es** [-stǽksi:z]) Ⓤ 〖의학〗 비(鼻)출혈, 코피(nosebleed).
ep·i·ste·me [èpəstí:mi:] *n.* 지식, 인식, 에피스테메.
ep·i·ste·mic [èpəstí:mik, -stém-] *a.* 지식의〔에 관한〕, 인식(론)의〔에 관한〕.
epis·te·mo·log·i·cal [ipìstəməlɑ́dʒikəl/-lɔ́dʒ-] *a.* 인식론(상)의. ⊞ **~·ly** *ad.*
epis·te·mol·o·gy [ipìstəmɑ́lədʒi/-mɔ́l-] *n.* Ⓤ 인식론. ⊞ **-gist** *n.* 인식론 학자.
epis·tle [ipísəl] *n.* 《우스개》 (특히 형식적인) 편지, 서한; 서한체의 시(詩); (the E-) (신약성서 중의) 사도 서간(使徒書簡); (the E-) 서간경(書簡經)《성체 성사에서 낭독하는 사도 서간의 발췌》: the *Epistle* of Paul to the Romans 로마서(書). ⊞ **-tler** *n.* 서간〔편지〕의 필자; (흔히 E-) 〖성서〗 사도 서간의 필자; (성체 성사에서) 사도 서간의 낭독자. ⓒⓕ gospeler.
epístle sìde (the ~, 종종 the E-) 〖가톨릭〗 제단의 남쪽, 제단을 향해서 오른쪽《사도 서간을 낭독하는 쪽》.
epis·to·lary [ipístəlèri/-ləri] *a.* 편지〔신서(信書), 서간〕의〔에 의한〕; 서한체의: an ~ novel 서한체 소설.
epis·to·ler [ipístələr] *n.* = EPISTLER.
epis·tro·phe [ipístrəfi] *n.* Ⓤ 〖수사학〗 결구(結句) 반복《시문의 각 절의 후렴 되풀이》; 〖음악〗 반복.
ep·i·style [épəstàil] *n.* = ARCHITRAVE.
ep·i·taph [épitæ̀f, -tɑ̀:f] *n.* 비명(碑銘), 비문, 묘비명; 비문체의 시〔산문〕; 최종적 판단. **—** *vt.* …에 비명을 바치다; …을 비명으로 기념하다. ⊞ **~·ist** *n.* **-taph·ial** [èpitǽfiəl], **-taph·ic** *a.*
ep·i·taxy [épətæ̀ksi] *n.* 〖물리〗 에피택시《어떤 결정(結晶)이 다른 결정 표면에서, 특정 방위 관계를 가지면서 성장하는 일》.
ep·i·tha·la·mi·on [èpəθəléimiən] (*pl.* **-mia** [-miə]) *n.* = EPITHALAMIUM.
ep·i·tha·la·mi·um [èpəθəléimiəm] (*pl.* **~s, -mia** [-miə]) *n.* 결혼 축시〔축가〕.
ep·i·the·li·al [èpəθí:liəl] *a.* 상피(上皮)의〔에 관한〕: ~ tissue 상피 조직.
ep·i·the·li·oid [èpəθí:liɔ̀id] *a.* 상피와 비슷한.
ep·i·the·li·o·ma [èpəθi:lióumə] (*pl.* **-ma·ta** [-tə], **~s**) *n.* 〖의학·수의〗 상피종(腫).
ep·i·the·li·um [èpəθí:liəm] (*pl.* **-lia** [-liə], **~s**) *n.* 〖해부〗 상피(上皮) (세포); 〖식물〗 신피(新皮). ⓒⓕ endothelium.
ep·i·the·lize [èpəθí:laiz] *vt.* 상피(上皮)로 덮다, 상피화(化)하다.
ep·i·thet [épəθèt] *n.* 성질을 나타내는 형용사〔형용어구〕; 별명, 통칭, 통명《보기: the *crafty* Ulysses, Richard the *Lion-Hearted*》; 모멸적인 말. **—** *vt.* …을 형용하여 …라고 하다.
ep·i·thet·ic, -i·cal [èpəθétik], [-əl] *a.* 형용어구의; 별명의. ⊞ **-i·cal·ly** *ad.*
epit·o·me [ipítəmi] *n.* 개략, 대요, 요약, 초록(抄錄); 발췌; 《비유》 축도(縮圖), 전형: man, the world's ~ 세계의 축도인 인간. ***in*** **~** 요약한 형으로.
epit·o·mist [ipítəmist] *n.* 요약자.
epit·o·mize [ipítəmàiz] *vt.* **1** …을 집약적으로 보이다, …의 축도〔전형〕이다. **2** …을 요약하다.
ep·i·tope [épətòup] *n.* 〖면역〗 에피토프《항원(抗原) 결정기(基)》.
ep·i·zo·ic [èpəzóuik] *a.* 〖동물·식물〗 동물 체표(體表)에 나는; 체외 기생(충)의. ⊞ **-zó·ite** [-ait] *n.* 동물 체표 생물.
ep·i·zo·on [èpəzóuɑn, -ən/-ɔn] (*pl.* **-zoa** [-zóuə]) *n.* 〖생물〗 체외 기생 동물〔충, 균〕.
ep·i·zo·ot·ic [èpəzouɑ́tik/-ɔ́t-] *a.* 가축〔동물〕에 유행하는. **—** *n.* 가축의 유행병.
ep·i·zo·o·ti·ol·o·gy [èpəzouòutiɑ́lədʒi/-ɔ́l-] *n.* 동물 역학(疫學); 동물병 발생 요인.
e plu·ri·bus unum [í:-plúərəbəs-jú:nəm] 《L.》 (=one out of many) 다수로 이루어진 하나《미합중국의 표어》.
EPMA electron probe microanalysis 《물질에 전자선을 쬐어 원자를 들뜨게 하여 발생하는 특성 엑스선을 분석함으로써 물질의 정량 원소 분석을 하는 방법》.
EPN [ì:pì:én] *n.* 이피엔《유기인제(有機燐劑)》. [◂ *e*thyl *p*ara-*n*itrophenyl]
EPNdB effective perceived noise decibels (실효(實效) 감각 소음 데시벨; 소음 불쾌도를 나타냄). **EPNL** effective perceived noise level (실효 감각 소음 레벨; 소음 강도, 특성 등과 인간의 반응을 고려한 소음 측정법). **E.P.N.S.** electroplated nickel silver(전기 도금 양은).
***ep·och** [épək, épɑk/í:pɔk] *n.* **1** (중요한 사건이 일어났던) 시대; (특색 있는) 획기적 시대. ⓈⓎⓃ. ⇨ PERIOD. **2** (역사·정치 등의) 신기원, 새 시대: make 〔mark, form〕 an ~ 신기원을 이루다. **3** 〖지학〗 세(世)《연대 구분의 하나로 period(기(紀))보다 작고 age(기(期))보다 큼》. **4** 획기적인 사건, 중요한 사건. ⊞ **ep·och·al** [épəkəl/épɔk-] *a.* 신기원의; 획기적인; 전대미문의.
épochmàking *a.* 획기적인, 신기원을 이루는(epochal).
ep·ode [époud] *n.* 〖시학〗 (길고 짧은 행이 번갈아 있는) 고대의 서정시형(形); (고대 그리스의) 가요(lyric code)의 제 3 단(段)《종결부》.
ep·o·nym [épənìm] *n.* 이름의 시조《인종·토지·시대 따위의 이름의 유래가 되는 인물; Rome의 유래가 된 Romulus 따위》. ⊞ **ep·on·y·mous** [ipɑ́nəməs/ipɔ́n-] *a.* 이름의 시조가 되는; 시조의 이름을 붙인.
ep·o·pee, ep·o·pe(i)a [épəpì:, ⌐-⌐/épouрì:], [èpəpí:ə] *n.* (한 편의) 서사시, 사시(史詩).
ep·os [épɑs/épɔs] *n.* 초기의 원시적 구전(口傳) 서사시; 서사시.
EPOS electronic point of sale.
ep·ox·ide [ipɑ́ksaid, ep-/ipɔ́k-, ep-] *n.* 〖화학〗 에폭시드《에폭시 화합물》.
ep·ox·i·dize [ipɑ́ksədàiz, ep-/ipɔ́k-, ep-] *vt.* 〖화학〗 (화합물을) 에폭시화(化)하다.
ep·oxy [epɑ́ksi/epɔ́k-] *a.* 〖화학〗 에폭시의《산소 원자가 동일 분자 내의 2 원자의 탄소와 결합하고 있는 구조의 기(基)를 가진》; 에폭시 수지(樹脂)의. **—** *n.* = EPOXY RESIN. **—** *vt.* 에폭시 수지로 접착하다.
epóxy rèsin 〖화학〗 에폭시 수지(樹脂).
E-prime [í:pràim] *n.* be동사를 쓰지 않는 영어. [◂ English-*prime*]
épris [eiprí:] *a.* 《F.》 …에 반한(enamored) 《*with; of*》.
EPROM [í:prɑm/-rɔm] 〖컴퓨터〗 erasable programmable read-only memory(이피롬; PROM의 일종으로 일단 기억시킨 내용을 소거(消去)하고 다른 데이터를 기억시킬 수 있는 LSI).
EPS, eps 〖증권〗 earnings per share (주당 이익).
ep·si·lon [épsəlɑ̀n, -lən/epsáilən] *n.* **1** 그리스어 알파벳의 다섯째 글자《*E*, ε; 로마자의 E, e 에 해당함》. **2** 미량(微量). ***within* ~ *of ...*** (…에) 매우 가까운. **—** *a.* 미소한.
Ep·som [épsəm] *n.* 영국 Surrey주의 도시《Epsom 경마장이 유명함》.

Épsom sàlt(s) 황산마그네슘《하제용(下劑用)》.

Ép·stein-Bárr vìrus [épstainbɑ́ːr-] 엡스타인바 바이러스, E-B 바이러스《인간의 갖가지 암에 관계된다고 생각됨》.

ept [ept] *a.* 적성이 있는, 솜씨 있는, 효율적인, 유능한. [파] **ep·ti·tude** [éptətjùːd] *n.*

E.P.T. early pregnancy test (초기 임신 검사구; 상표명); Excess Profits Tax. **E.P.U.** European Payment Union (유럽 결제 동맹). **EQ** educational quotient (교육 지수; [cf.] IQ.); emotional quotient; encephalization quotient. **eq.** equal; equation; equator; equivalent.

eq·ua·ble [ékwəbəl, íːk-] *a.* **1** 균등한, 한결같은. **2** (기온·온도 등이) 변화가 없는(적은): an ~ climate 온화한 기후. **3** (마음이) 고요한, 평온한: an ~ disposition 온화한 성격. [파] **-bly** *ad.* **~·ness** *n.* =EQUABILITY. **èq·ua·bíl·i·ty** *n.* [U] 균등성, 한결같음; (기분·마음의) 평정, 침착.

equal [íːkwəl] *a.* **1** 같은《*to*》; 동등한《*with*》, (힘이) 호각의: Twice 2 is ~ *to* 4. 2 의 2 배는 4; 2×2=4. [SYN.] ⇨ SAME. **2** (임무 따위에) 적당한, 감당할 수 있는, (충분한) 역량이 있는《*to*》: He is ~ *to* the task. 그는 충분히 그 일을 할 수 있다 / ~ *to* the occasion 일을 당하여 흔들리지 않는. **3** (양·정도가) 충분한《*to*》: The supply is ~ *to* the demand. 수요에 응할 만큼의 공급이 있다. **4** 평등[균등, 대등]한, 한결같은: receive ~ shares 균등한 몫을 받다 / All men are ~. 모든 사람은 평등하다. **5** 《고어》 평평한, 평탄한: an ~ plain 평원(平原). **6** 《고어》 (마음이) 평온한. **7** 《고어》 올바른, 공평한. **~ *to the honor*** 그 영예에 어울리다. ***feel* ~ *to* do*ing*** …할 수 있는 생각이 들다. ***other things being* ~** 다른 조건이 같다면.

— *n.* **1** 동등자, 대등한 사람, 동배(同輩): mix with one's ~*s* 같은 또래와 교제하다. **2** 동등한 것, 필적하는 것, 유례: She has no ~ *in* cooking. 요리에 있어서는 그 여자를 따를 사람이 없다. ***be the* ~ *of* one's *word*** 약속을 지키다. ***without* (*an*) ~** 필적할 사람이 없는, 출중하여.

— (*-l-*, 《영》 *-ll-*) *vt.* **1** 《~+[목]/+[목]+[전]+[명]》 …과 같다; …에 필적하다, …에 못지않다《*as*》: Four times six ~*s* twenty-four. 4×6은 24 / Few can ~ him *in* intelligence. 총명함에 있어서는 그에게 필적할 자가 별로 없다 / Nobody can ~ him *as* a marathon runner. 마라톤 주자로서 그에게 필적할 사람은 아무도 없다. **2** 《고어》 균등하게 하다, 같게 하다.

équal-àrea *a.* (지도(地圖)가) 등적(等積)의, 정적 도법(正積圖法)의.

équal-caréer còuple =DUAL-CAREER COUPLE.

Équal Emplóyment Opportúnity Commìssion 《미》 공정 고용 기회 위원회.

equal·i·tar·i·an [ikwɑ̀litɛ́əriən/-kwɔ̀l-] *a., n.* 평등주의의; 평등주의자. [파] **~·ìsm** *n.* 인류 평등주의.

equal·i·ty [ikwɑ́ləti/-kwɔ́l-] *n.* [U] 같음; 동등; 대등; 평등; 균등, 한결같음; 〖수학〗 상등(相等)(관계); 등식(equation). ***on an* ~ *with*** …와 대등한 입장에서.

equálity sìgn =EQUAL SIGN.

Equálity Stàte (the ~) 《미》 Wyoming주의 속칭《여성 참정권을 최초로 인정함》.

equal·ize [íːkwəlàiz] *vt.* 같게 하다; 평등[동등]하게 하다; 한결같이 하다《*to; with*》; 《특히》 균등히 분배하다; 평준화하다; 〖전자〗 (신호를) 등화(等化)하다: ~ tax burdens 세부담을 균등하게 하다. — *vi.* 《+[전]+[명]》 동등해[같아]지다; 《영》 (경기에서) 동점이 되다《*with*》: Our team ~*d with* theirs. 우리 팀은 그들의 팀과 동점이 되었다. [파] **èqual·i·zá·tion** *n.* [U] 평등[균일]화; 〖전자〗 등화(等化).

équal·ìz·er *n.* 평등하게 하는 사람[것]; 〖항공〗 (보조익의) 평형 장치; 〖기계〗 (견인력·제동력 등의) 평형 장치; 〖전기〗 균압선(均壓線); 《속어》 권총, 흉기; 〖경기〗 동점을 이루는 득점, 동점골; 〖전자〗 이퀄라이저, 등화기(等化器).

equal·ly [íːkwəli] *ad.* **1** 같게, 동등하게: They are ~ good. 어느 것[쪽]도 다 좋아 우열을 매길 수 없다. **2** 평등하게: treat ~ 차별 없이 다루다. **3** 《앞 문장과 대립 관념을 나타내는 문 중에서》 동시에, 또.

équal opportúnity (고용의) 기회균등: ~ employer 기회균등 고용주《인종·종교·성·국적에 의한 차별 대우를 하지 않는》.

Équal Páy Àct (the ~) 《미》 동일 임금법《1963 년의 연방법》.

Équal Ríghts Amèndment 《미》 남녀평등 헌법 수정안《생략: ERA》.

équal(s) sìgn 등호《=》.

équal tìme 《미》 (정견 방송에서) 균등한 방송 시간 배정; 평등한 발언 기회: ~ provisions 《미》 균등 시간 법조항(=**équal tìme rúle**).

equa·nim·i·ty [ìːkwəníməti, èk-] *n.* [U] **1** (마음의) 평정(平靜); 침착; 냉정; 체념, 운명의 감수: with ~ 침착하게, 태연히. **2** 안정된 배열, 평형, 균형.

equan·i·mous [ikwǽnəməs] *a.* 평정한, 냉정한, 침착한.

equate [ikwéit] *vt.* **1** 같게 하다; 평균 수준에 맞도록 가감[보정]하다. **2** 《~+[목]/+[목]+[전]+[명]》 같다고 표시하다, 같다고 (생각)하다《*to; with*》; 〖수학〗 등식화하다, 방정식으로 나타내다: ~ religion *with* churchgoing 신앙과 교회에 가는 것을 동일시하다 / Can we ~ theft and robbery? 절도와 강도를 같다고 생각할 수 있느냐. — *vi.* 필적하다, 같다《*with*》. [파] **equát·a·ble** *a.*

equa·tion [ikwéiʒən, -ʃən] *n.* **1** [U] 같게 함, 균등화; 평균; 균분. **2** 평형 상태. **3** [C] 〖수학〗 방정식; 〖화학〗 방정식, 반응식: a chemical ~ 화학 방정식 / an ~ of the first [second] degree 1차[2차] 방정식. **4** 〖천문〗 오차, 균차(均差): PERSONAL EQUATION / the ~ of the equinoxes 평균 분점과 진분점과의 차.

e·qua·tion·al [ikwéiʒənəl, -ʃənəl] *a.* **1** 방정식의; 균분의. **2** 〖문법〗 등식형[병치형]의. **3** 〖생물〗 2차 세포 분열의. [파] **~·ly** *ad.*

equátion of mótion 〖물리〗 운동 방정식.

equátion of státe 〖화학〗 상태(방정)식《압력·온도와 기체[액체]의 비체적(比體積) 관계를 나타내는 방정식》.

equátion of tíme 〖천문〗 (평균 태양시와 진(眞)태양시와의) (균)시차((均)時差).

equa·tor [ikwéitər] *n.* (the ~) **1** 적도: right on the ~ 적도 직하에서[의]. **2** 주야 평분선(平分線). [파] **~·ward** *ad.*

eq·ua·to·ri·al [ìːkwətɔ́ːriəl, èk-] *a.* 적도의, 적도 부근의; 〖천문〗 적도의(赤道儀)식의; 〖화학〗 적도 결합의: ~ air mass 적도 기단 / ~ coordinates 적도 좌표 / ~ front 적도 전선 / ~ low 적도 저압대 / ~ orbit 적도 궤도 / ~ undercurrent 적도 잠류(潛流). — *n.* 〖천문〗 적도의(=~ **télescope**). [파] **~·ly** *ad.*

equatórial clímate 적도기후《고온다습한 기후》.

Equatórial Cóuntercurrent 적도 역류(逆流).

Equatórial Cúrrent 적도 해류.

Equatórial Guínea (the ~) 적도 기니《적도 아프리카 중서부의 공화국; 수도 Malabo》.

equatórial pláne 〖천문〗 (특히 지구의) 적도면; 〖생물〗 적도면《세포의 양극에서 등거리의 면》.
equatórial pláte 〖생물〗 적도판(板)《핵분열 중 기에 방추체(紡錘體) 내의 염색체가 적도면에 모여서 생기는 평면》; =EQUATORIAL PLANE.
eq·uer·ry [ékwəri, ikwéri] *n.* (왕실·귀족의) 말을 관리하던 관리; (영국 왕실의) 시종무관.
eques [ékwes, í:kwi:z] (*pl.* ***eq·ui·tes*** [ékwəti:z]) *n.* 〖로마사〗 기사(騎士).
eques·tri·an [ikwéstriən] *a.* 마술가(馬術家)의; 마술의; 마상(馬上)의, 기마〔승마〕의: ~ events 마술 경기 / an ~ statue 승마상(像). **—** *n.* (*fem.* ***-tri·enne*** [ikwèstrién]) 말 타는 사람; 마술가, 기수(騎手); 곡마사. ㊞ **~·ìsm** *n.* Ⓤ 승마술; 곡마술.
equéstrian dirèctor (서커스 등의) 흥행 주임, 연기 주임.
equi- [í:kwi, ék-] '같은'의 뜻의 결합사: *equi*distant.
èqui·ángular *a.* 등각(等角)의.
èqui·calóric *a.* 〖생물〗 (신진대사에서) 같은 양의 에너지를 내는, 등열량(等熱量)의.
èqui·dístance *n.* Ⓤ 같은 거리, 등거리.
èqui·dístant *a.* 등(等)거리의《*from*》; 〖지도〗 등거(等距)(투영)의, 정거(正距)(도법)의: ~ conic 〔cylindrical〕 projection 정거 원뿔〔원통(圓筒)〕 도법. ㊞ **~·ly** *ad.*
equidístant diplòmacy 등거리 외교.
èqui·láteral *a.* 등변의: an ~ triangle 〔polygon〕 등변 삼각형〔다각형〕. **—** *n.* 등변; 등변형. ㊞ **~·ly** *ad.*
equiláteral hypérbola =RECTANGULAR HYPERBOLA.
equil·i·brant [ikwíləbrənt] *n.* 〖물리〗 평형력.
equil·i·brate [ikwíləbrèit, ì:kwəláibreit] *vt., vi.* 평형시키다〔되다〕, 균형잡히게 하다〔잡히다〕. ㊞ **equi·li·bra·tion** [ikwìləbréiʃən, ì:kwələ-/ì:kwilai-, ikwìli-] *n.* Ⓤ 평형, 균형, 평균 (상태). **equi·li·bra·tor** [ikwíləbrèitər, ì:kwəláibreitər] *n.* 평형을 유지시키는 것; 평형 장치; 〖항공〗 안정 장치. **equil·i·bra·to·ry** [ikwíləbrətɔ̀:ri/-təri] *a.*
equil·i·brist [ikwíləbrist, èk-] *n.* 줄타기 광대(ropewalker), (공타기 따위의) 곡예사(acrobat) ㊞ **equìl·i·brís·tic** *a.*
equi·lib·ri·um [ì:kwəlíbriəm, èk-] *n.* Ⓤ **1** 평형 상태, 균형; (마음의) 평정, 지적 불편(知的不偏). **2** (동물체의) 자세의 안정, 체위를 정상으로 유지하는 능력. **3** 〖물리·화학〗 평형(balance): ~ point 평형점 / ~ state 평형 상태 / ~ of force 힘의 평형 / ~ concentration 평형 농도 / ~ constant 평형 상수(常數) / ~ internuclear distance 평형 원자핵 간 거리. ***find an ~ between*** …간에 균형을 찾다.
èqui·mólar *a.* 〖화학〗 등(等)몰(농도)의.
èqui·molécular *a.* 〖물리〗 등(等)분자〔몰〕의.
equine [í:kwain, ék-] *n., a.* 말(horse)(의 〔같은〕); 말에 관한; 〖동물〗 말과(科)의 (동물).
equi·noc·tial [ì:kwənákʃəl, ék-/-nɔ́k-] *a.* 주야 평분(平分)(시(時))의, 춘분·추분의; 적도(부근)의; 〖식물〗 정시(定時)에 개화하는. **—** *n.* (the ~) 주야 평분선; (종종 *pl.*) 춘분·추분 무렵의 폭풍(=**∠ stórm** 〔**gáles**〕).
equinóctial círcle 〔**líne**〕 (the ~) 주야 평분선; 천구 적도(天球赤道).
equinóctial póint (the ~) 주야 평분점, 분점(分點). ***the vernal*** 〔***autumnal***〕 **~** 춘분〔추분〕점.
equinóctial yéar =TROPICAL YEAR.
equi·nox [í:kwənàks, ék-/-nɔ̀ks] *n.* 주야 평분시, 춘〔추〕분; 〖천문〗 분점(分點): the autumnal 〔vernal, spring〕 ~ 추분〔춘분〕(점).
equip** [ikwíp] (-pp-***) *vt.* **1** 《~+목/+목+전+명/+목+*as*보》 (…에 필요물을) 갖추다, …에 설비하다, 장비하다《*with*》; (배를) 의장(艤裝)하다: ~ an army 군대에 장비를 갖추다 / ~ a ship *for* a voyage 출항 준비를 하다 / a building ~*ped as* a hospital 병원으로서의 설비를 갖춘 건물. SYN. ⇨ SUPPLY. **2** 《+목+전+명/+목+*to* do》 …에게 가르쳐 주다, …에게 갖추게 하다《*with*》: ~ a person *with* learning 아무에게 지식〔학문〕을 가르쳐 주다 / Experience has ~*ped* him *to* deal with the task. 경험을 쌓은 덕택에 그는 그 일을 처리할 수가 있다. **3** 《+목+전+명》〔보통 ~ oneself 또는 수동태로〕 (…을 위해) 채비를 하다, 몸차림을 하다《*for*》; (옷·장비 따위를) 갖추다, 입다《*with*》: She ~*ped* her*self for* the trip. 그녀는 여행 채비를 끝냈다 / He *was* ~*ped with* mountain climbing gear. 그는 등산 장비를 갖추고 있었다. **4** 《+목+전+명》 …할 소양〔능력〕을 기르다; 〔보통 수동태〕 …할 능력이 있다《*for*》: He *is* well ~*ped for* the job. 그에게는 그 일을 할 능력이 충분히 있다. ㊞ **equípped** *a.* **equíp·per** *n.*
equip. equipment.
eq·ui·page [ékwəpidʒ] *n.* **1** 마차; 마차와 거기에 딸린 말구종 일체. **2** 《고어》 수행원(retinue). **3** (군대·선박·탐험대 등의) 장비품, 필요품 (일습). **4** 《고어》 가정용구 (일습); 한벌의 개인용품〔장신구〕: a dressing ~ 화장 도구 일습 / a tea ~ 다구(茶具) 한 세트.
equi·par·tí·tion (**of énergy**) [ì:kwəpɑ:rtíʃən(-), èkwə-] 〖물리〗 에너지 등분배(等分配)(의 정리).
equipe [eikí:p] *n.* 스포츠의 팀과〔동료와〕 장비〔설비〕.
***equip·ment** [ikwípmənt] *n.* **1** (종종 *pl.*) 〔집합적〕 장비, 설비, 비품; 의장(艤裝)(품); 〖컴퓨터〗 장비: a factory with modern ~ 최신 설비를 갖춘 공장 / heating ~ 난방 설비. **2** Ⓤ 준비, 채비; 여장: with elaborate ~ 공들여〔면밀히〕 준비하여. **3** Ⓤ (일에 필요한) 능력, 자질, 소질, 소양, 지식, 기술《*for*》: linguistic ~ 어학 소양. **4** 〖철도〗 차량. **5** 병기, 군장(軍裝).
eq·ui·poise [í:kwəpɔ̀iz, ék-] *n.* **1** Ⓤ 평형(상태); 균형; 평형력. **2** Ⓒ 평형추. **—** *vt.* …와 균형이 잡히게 하다; 균형을 잡다; (마음을) 불안정하게 하다.
equi·pol·lence, -len·cy [ì:kwəpáləns, èk-/-pɔ́l-], [-lənsi] *n.* Ⓤ 힘〔세력, 효력, 중량〕의 균등; (효과·결과·의미의) 등가치; 〖논리〗 (개념·명제의) 동치(同値).
equi·pol·lent [ì:kwəpálənt, èk-/-pɔ́l-] *a., n.* 힘〔세력, 효력, 중량〕이 같은 (것); 효과〔결과, 의미〕가 같은 (것); 〖논리〗 동치의 (명제). ㊞ **~·ly** *ad.*
equi·pon·der·ant [ì:kwəpándərənt, èk-/-pɔ́n-] *a., n.* 무게가〔세력, 권력이〕 같은 (것)《*with; to*》; 균형이 잡힌 (것). ㊞ **-ance, -an·cy** *n.* Ⓤ 평형, 균형. **-ate** [-rèit] *vt.* …의 무게를 같게 하다, 평균〔균형〕되게 하다.
èqui·poténtial *a.* 같은 힘〔잠재 능력〕을 가진; 〖물리〗 등위(等位)의; 〖전기〗 등전위(等電位)의: ~ line 〖전기〗 등전위선, 등(等)퍼텐셜선(線) / ~ surface 〖전기〗 등전위면, 등(等)퍼텐셜면(面). **—** *n.* 〖물리〗 등(等)퍼텐셜선〔면〕; 〖전기〗 등전위선〔면〕.
èqui·próbable *a.* 〖논리〗 가능성이 같은, 공산(公算)이 같은.
eq·ui·se·tum [èkwəsí:təm] (*pl.* **~*s***, ***-ta*** [-tə]) *n.* 〖식물〗 속새류(類).
eq·ui·ta·ble [ékwətəbəl] *a.* 공정〔공평〕한, 정당한; 〖법률〗 형평법(衡平法)상의, 형평법상

유효한. ⓟ **-bly** *ad.* **~·ness** *n.* 공평, 정당.

eq·ui·ta·tion [èkwətéiʃən] *n.* Ⓤ 승마; 마술(馬術).

eq·ui·tes [ékwətiːz] *n.* EQUES의 복수; 〖로마사〗 기사단(騎士團).

eq·ui·ty [ékwəti] *n.* **1** 공평, 공정; 정당. **2** 〖법률〗 형평법(衡平法)《공평과 정의면에서 common law의 미비점을 보완한 법률》; 《널리》 정의 형평법; 형평법에 의거한 재판〔구제 재정〕; 형평법상의 권리. **3** 재산〔저당〕 물건의 순수 가격《담보·세금 등을 뺀》, (주식회사의) 지분; 주주 소유권; (*pl.*) 보통주. **4** (E-) 배우 조합. **5** 광고주가 계속 광고하여 확립한 이미지.

équity càpital 〖경제〗 납입〔자기〕 자본 (venture capital).

équity fínancing 〖경제〗 주식 금융.

équity-lìnked pólicy 〖보험〗 주식 연쇄형 보험《보험료의 일부 또는 전부를 보통주에 투자하여 그 운용 이익을 당해 보험 계약자에 이익 환원하는 방식의 보험》.

équity mórtgage 〖경제〗 지분 저당《융자받는 자가 가옥 매각 때 얻는 이익의 일정률을 지급키로 하고 동률의 금리를 경감받는 가옥 저당 계약》.

équity of redémption 〖법률〗 형평법(衡平法)상의 환수권, 상환권, 담보물 상환 청구권.

équity stòck 〖증권〗 주식《보통주·우선주를 포함》.

equiv. equivalency; equivalent.

equiv·a·lence, -len·cy [ikwívələns], [-i] *n.* Ⓤ 같음; 등가(等價); 등치(等値); 균력(均力); 등량(等量); 동의의(同意義); 〖수학〗 동치(同値); 〖화학〗 (원자의) 등가(等價), 당량(當量).

equívalence clàss 〖수학〗 동치류(同値類).

equívalence prìnciple 〖물리〗 등가 원리.

equívalence relàtion 동치(同値) 관계.

***equiv·a·lent** [ikwívələnt] *a.* **1** 동등한, 같은; (가치·힘 따위가) 대등한; (말·표현이) 같은 뜻의《*to*》: ~ *to* an insult 모욕과 같은. SYN. ⇨ SAME. **2** (역할 따위가) …에 상당하는, 같은《*to*》. **3** 〖화학〗 당량(當量)의, 등가의; 등적(等積)의, 동치(同値)의. **—** *n.* **1** 동등한 것, 등가〔등량〕물; 상당하는 것《*of*》: the Korean ~ *of* "thank you", "thank you"에 상당하는 한국말. **2** 〖문법〗 상당 어구: a noun ~ 명사 상당 어구. **3** 〖물리〗 등가; 〖화학〗 당량. **4** 〖수학〗 동치(同値); 등적(等積). ⓟ **~·ly** *ad.*

equívalent círcuit 〖전기〗 등가 회로(等價回路).

equívalent wéight 〖화학〗 당량(當量).

equiv·o·cal [ikwívəkəl] *a.* **1** 두 가지 (이상의) 뜻으로 해석할 수 있는, (뜻이) 애매〔모호〕한, 다의적인. **2** 확실치 않은; 어정쩡한, 미지근한; 의심스러운; 수상한《행동》: an ~ answer 〔attitude〕 분명치 않은 대답〔태도〕. ⓟ **~·ly** *ad.* **~·ness** *n.*

equívocal generátion (동식물의) 우연 발생.

equiv·o·cal·i·ty [ikwìvəkǽləti] *n.* Ⓤ 양의성(兩義性), 다의(多義)성, 애매함; 의심스러움; =EQUIVOQUE.

equiv·o·cate [ikwívəkèit] *vi.* 두 가지 뜻으로 취할 수 있는 말을 쓰다, 모호한 말을 쓰다; 얼버무리다, 속이다. ⓟ **-càt·ing·ly** *ad.* **equív·o·cà·tor** *n.*

equìv·o·cá·tion *n.* 애매함, 다의(多義)성, 《특히》 양의성; 다의적〔양의적〕인 말로 말함〔속임, 확언을 피함〕; 〖논리〗 다의의 허위.

eq·ui·voque, -voke [ékwəvòuk, íːk-] *n.* Ⓤ,Ⓒ 애매한 말(투); (말의) 다의성; 신소리, 재담, 곁말.

er [əːr] *int.* 에에, 저어《망설이거나 말이 막혔을 때에 내는 소리》: I — *er* — don't know. 나는 — 에에 — 모르겠는데. ★ 미국에서는 uh로 쓰기도 함.

-er[1] [ər] *suf.* **1** '…하는 사람〔것〕'의 뜻: admir*er*, burn*er*. **2** '…거주자'의 뜻: London*er*, villag*er*. **3** '…제작자·관계자'의 뜻: hatt*er*, geograph*er*. **4** '…을 가진 사람〔것〕'의 뜻: six-foot*er*, three-mast*er*. **5** 딴 어미를 가진 명사의 간략화: rugg*er*, socc*er*.

-er[2] *suf.* **1** 단음절 또는 -y, -ly, -er, -ow 따위로 끝나는 2 음절의 형용사에 붙여 비교급을 만듦: poor*er*, dri*er*. **2** 어미에 -ly가 붙지 않는 부사도 이 형태를 취하는 것이 많음.

-er[3] *suf.* 〖동사에 붙여〗 '빈번히〔반복적으로〕 …하다'의 뜻: flick*er*, patt*er*.

ER 〖야구〗 earned run; en route; 〖물리〗 enhanced radiation; 〖의학〗 emergency room(응급 치료실). **Er** 〖화학〗 erbium. **E.R.** *Elizabeth Regina* 《L.》 (=Queen Elizabeth).

***era** [íərə, érə/íərə] *n.* **1** (연호의) 기원; 연대, (역사상의 중요한) 시대, 시기(epoch): the Christian ~ 서력 기원 / the cold war ~ 냉전시대. SYN. ⇨ PERIOD. **2** (역사의 신시대를 구획하는) 중요한 날짜(월, 해); 중대 사건: The year 1492 marks an ~ in world history. 1492 년은 세계 역사상 획기적인 해이다. **3** 〖지학〗 …대(代), …기(紀).

ERA Emergency Relief Administration; 〖야구〗 earned run average. **ERA, E.R.A.** 《미》 Equal Rights Amendment.

era·di·ate [iréidièit] *vt.* (빛·열을) 방사하다. ⓟ **erà·di·á·tion** *n.* Ⓤ 방사, 발광, 발열.

erad·i·ca·ble [irǽdəkəbəl] *a.* 근절할 수 있는. ⓟ **-bly** *ad.*

erad·i·cate [irǽdəkèit] *vt.* 뿌리째 뽑다(root up); 근절하다(root out), 박멸하다: ~ crime 범죄를 뿌리 뽑다. ⓟ **eràd·i·cá·tion** *n.* Ⓤ 뿌리째 뽑음; 근절; 박멸. **erád·i·cà·tive** [-kèitiv/-kə-] *a.* 근절〔근치〕하는: an ~ medicine 근치약. **erád·i·cà·tor** *n.* 근절하는 사람〔것〕, 제초기; 《특히》 얼룩 빼는 약, 잉크 지우개.

eras·a·ble [iréisəbəl/iréiz-] *a.* 지울〔말살할〕 수 있는; 〖컴퓨터〗 소거할 수 있는.

°**erase** [iréis/iréiz] *vt.* **1** 《~+목/+목+전+명》 …을 지우다; 말소〔말살, 삭제〕하다; (테이프 녹음·컴퓨터 기억 정보 등에서) 지우다《*from*》: ~ a penciled remark 연필로 쓴 소견을 지우다 / ~ a problem *from* the blackboard 흑판의 문제를 지우다. **2** 《+목+전+명》 (마음에서) 없애다, 잊어버리다《*from*》: ~ a hope *from* one's mind 희망을 버리다. **3** …의 효과를〔효력을〕 무로 돌리다. **4** 《속어》 죽이다, 없애다(kill); 패배시키다. ⓟ **~d** *a.* **eràs·a·bíl·i·ty** *n.*

***eras·er** [iréisər/iréizə] *n.* 지우는 사람; 지우개; 고무〔잉크, 칠판〕 지우개; 《권투속어》 녹아웃.

era·sion [iréiʒən] *n.* 말소, 삭제(erasure); 〖외과〗 (환부 조직의) 절제, (태아의) 제거.

Eras·mus [irǽzməs] *n.* **Desiderius ~** 에라스뮈스《네덜란드의 인문주의자·신학자; 1466?-1536》.

Eras·tian [irǽstʃən, -tiən/-tiən] *a.* Erastus (주의)의. **—** *n.* Erastus의 설을 신봉하는 사람, 국가 만능론자. ⓟ **~·ism** *n.* Ⓤ 국가 만능론.

Eras·tus [irǽstəs] *n.* **Thomas ~** 에라스투스《스위스의 의사·신학자; 종교는 국가에 종속되어야 한다고 주장함; 1524-83》.

era·sure [iréiʃər/-ʒə] *n.* **1** Ⓤ 지워 없앰; 말소, 삭제. **2** Ⓒ 삭제한 어구(語句); 말살 부분, 지운 자국.

Er·a·to [érətòu] *n.* 〖그리스신화〗 에라토《서정시·연애시를 맡은 여신; the Muses의 하나》.

Er·a·tos·the·nes [èrətásθəniːz/-tɔ́s-] *n.* 에라토스테네스《그리스의 지리학자·천문학자·수학자; 276?-?194 B.C.》.

er·bi·um [ə́ːrbiəm] *n.* Ⓤ 〖화학〗 어븀, 르븀《희토류(稀土類) 원소; 기호 Er; 번호 68》.

ere [εər] *prep.* 《시어·고어》 …의 전에, …에 앞서(before). ~ ***long*** 오래지 않아, 머지 않아(before long). **—** *conj.* …하기 전에(before); 《시어·고어》 …보다는 차라리(rather than): I would die ~ I would consent. 승낙하느니 차라리 죽는 편이 낫다.

Er·e·bus [érəbəs] *n.* 〖그리스신화〗 이승과 저승 사이에 있는 암흑계: (as) dark as ~ 캄캄한.

⁑**erect** [irékt] *a.* **1** 똑바로 선, 직립(直立)의: stand ~ 똑바로 서다. **2** (머리카락 등이) 곤두선; 〖광학〗 (상(像)이) 정립한. **3** 〖생리〗 발기한. **4** (동작·태도 따위가) 경직된. **5** 《고어》 의기양양한. **—** *vt.* **1** (몸·기둥 따위를) 똑바로 세우다, 직립시키다; (머리·귀·꼬리 따위를) 곤두세우다; 〖광학〗 (상을) 정립시키다: ~ a flag pole 깃대를 똑바로 세우다. **2** (기계를) 조립하다, (건조물을) 건설〔건립〕하다: ~ a monument in the park 공원에 기념비를 건립하다. **3** 《~+목/+목+*as* 보》 (제도·기관·학교 따위를) 창설하다, 설립하다; 수립하다: ~ a dynasty 왕조를 수립하다/He ~*ed* the college *as* a monument to his father. 그는 부친을 기리어 그 대학을 설립했다. **4** 《미》 《+목+ 전+명》 격상〔승격〕시키다《*into*》: ~ a territory *into* a state 준주(準州)를 독립주로 격상시키다. **5** 〖생리〗 발기시키다. **—** *vi.* 직립하다; 〖생리〗 발기하다. ~ one***self*** 몸을 일으키다. ㊞ **~·a·ble** *a.* **~·er** *n.* **~·ly** *ad.* 똑바로, 꼿꼿이 (서서), 수직으로. **~·ness** *n.* 직립하는 힘, 수직성.

erec·tile [iréktil, -tail/-tail] *a.* 꼿꼿이 세울 수 있는; 〖해부〗 (조직이) 발기성의. ㊞ **erec·til·i·ty** [irèktíləti] *n.*

eréc·tion *n.* Ⓤ **1** erect 함〔한 것〕; 직립. **2** 건설; 조립; 설정; 설립. **3** Ⓒ 건조물. **4** 〖생리〗 발기; 발기한 음경.

erec·tive [iréktiv] *a.* 직립성〔기립성〕의.

erec·tor [iréktər] *n.* erect 하는 사람〔것〕; 창설자, 설립자; 〖해부〗 발기근.

Eréctor Sèt 《미》 이렉터 세트《금속〔플라스틱〕 부품으로 된 조립 세트의 일종; 상표명》.

É règion E 층《(1) 지상 약 65-145 km에 나타나는 전리층으로 주간의 E layer나 스포래딕 E layer를 포함하는 층. (2) =E LAYER》.

ère·lóng *ad.* 《고어·시어》 미구에, 머지않아.

er·e·mite [érəmàit] *n.* (특히 기독교의) 은자(隱者). ㊞ **èr·e·mít·ic, -i·cal** [-mít-] *a.* **ér·e·mit·ism** *n.*

「〖식물〗 사막 식물.

er·e·mo·phyte [érəmoufàit, iríːmə-] *n.*

erep·sin [irépsin] *n.* 〖생화학〗 에렙신《장액 중의 단백 분해 효소; 펩티다아제의 혼합물》.

er·e·thism [érəθìzəm] *n.* 〖의학〗 (기관·조직·기분 등의) 과민(증). ㊞ **ère·thís·mic** *a.*

ere·whíle(s) 《고어·시어》 *ad.* 조금 전에; 이전에는.

erg[1] [əːrg] *n.* 〖물리〗 에르그《일의 cgs 단위: 1 dyne의 힘이 작용하여 그 방향으로 물체를 1 cm 이동시키는 일의 양; 기호 e》.

erg[2] (*pl.* **~*s*, *areg*** [ərèg]) *n.* 〖지학〗 모래 사막, 에르그《사구(砂丘)가 파상으로 이어지는 광대한 사막; 암석 사막과 구별하여 이름》. 「결합사.

erg- [ə́ːrg], **er·go-** [ə́ːrgou, -gə] '일'의 뜻의

ERG electroretinogram; electroretinograph.

er·gas·tic [əːrgǽstik] *a.* 〖생물〗 (세포 간 분비물·침착물이) 잠재 에너지를 갖는.

er·gas·to·plasm [əːrgǽstəplæ̀zəm] *n.* 〖생물〗 에르가스토플라즘《호(好)염기성 세포질, 특히 소포체(小胞體)》.

er·gate [ə́ːrgeit] *n.* 〖곤충〗 일개미.

er·ga·toc·ra·cy [ə̀ːrgətákrəsi/-tɔ́k-] *n.* Ⓤ 노동자 정치.

er·go [ə́ːrgou] *ad.* 《L.》 《우스개》 그러므로.

er·god·ic [əːrgádik/-gɔ́d-] *a.* 〖수학·통계〗 에르고드적인, 측도 가천적(測度可遷的)인: the ~ hypothesis 에르고드 가설. ㊞ **er·go·dic·i·ty** [ə̀ːrgədísəti] *n.*

er·go·graph [ə́ːrgəgræ̀f, -grὰːf] *n.* 작업 기록기《근육의 작업 능력·피로도 등의 계측 기록기》.

er·gom·e·ter [əːrgámətər/-gɔ́m-] *n.* (기계적 힘을 재는) 측력계(測力計), 에르그 측정기. ㊞ **er·góm·e·try** *n.* **èr·go·mét·ric** *a.*

er·go·nom·ics [ə̀ːrgənámiks/-nɔ́m-] *n. pl.* 〖단·복수취급〗 인간 공학; =BIOTECHNOLOGY. ㊞ **èr·go·nóm·ic, -i·cal** *a.* **er·gon·o·mist** [əːrgánəmist/-gɔ́n-] *n.*

er·go·sphere [ə́ːrgəsfìər] 〖우주〗 작용권《블랙홀을 둘러싸고 있다는 고(高)에너지 영역》.

er·gos·ter·ol [əːrgástərɔ̀ːl, -ròul, -rɑ̀l/-gɔ́stərɔ̀l] *n.* Ⓤ 〖생화학〗 에르고스테롤《자외선을 쬐면 비타민 D_2로 변화함》.

er·got [ə́ːrgət] *n.* Ⓤ 맥각(麥角)《독성의 균류》; 〖식물〗 맥각병; 〖약학〗 맥각《자궁 수축 촉진, 산후의 자궁 지혈제》; 맥각 알칼로이드《교감신경 차단 작용이 있음》. ㊞ **er·got·ic** [əːrgátik/-gɔ́t-] *a.* **~·ism** *n.* Ⓤ 〖의학〗 맥각 중독, 에르고트 중독(Saint Anthony's fire).

Er·ic [érik] *n.* 에릭《남자 이름》. 「center.

ERIC educational resources information

Er·i·ca [érikə] *n.* 에리카《여자 이름》.

er·i·ca *n.* 〖식물〗 에리카《히스(heath)의 일종》.

er·i·ca·ceous [èrəkéiʃəs] *a.* 〖식물〗 철쭉과의.

Er·ics·son mèthod [éríksən-] (the ~) 에릭슨법《인공 수정법의 하나》.

Er·ie [íəri] *n.* **Lake ~** 이리 호(湖)《미국 동부의 5 대호의 하나》. ***on the*** ~ 《속어》 귀기울여〔조심해서〕 듣는, 곁에서 듣고; 숨어서.

Er·ik·son [ériksən] *n.* **Erik H(omburger)** ~ 에릭슨《독일 태생의 미국의 정신분석 학자; identity crisis(정체성 위기) 개념을 제시; 1902-94》.

Er·in [érin/íər-] *n.* 《고어》 아일랜드《옛 이름》.

Erin·y·es [iríniìːz] (*sing.* ***Erin·ys*** [irínis, irái-]) *n. pl.* 〖그리스신화〗 에리니에스(Furies).

ERIS [éris] *n.* 대기권 밖에서의 재돌입체 요격 시스템. [◂ *e*xoatmospheric *r*eentry vehicle *i*nterceptor *s*ystem] 「《불화(不和)의 여신》.

Eris [íəris, éris/éris] *n.* 〖그리스신화〗 에리스

ERISA [ərísə] *n.* 〖미법률〗 종업원 퇴직 소득 보장법. [◂ *E*mployee *R*etirement *I*ncome *S*ecurity *A*ct of 1974]

er·is·tic [erístik] *a.* 논쟁의, 논쟁을 좋아하는. **—** *n.* 논쟁가, 논객; Ⓤ 논쟁술, 논증법; 논쟁. ㊞ **-ti·cal·ly** *ad.*

Er·i·trea [èritríːə/-tréiə] *n.* 에리트레아《1993 년 에티오피아로부터 독립한 홍해에 임한 공화국; 수도 Asmara》. ㊞ **Èr·i·tré·an** *a.*, *n.*

erk, irk [əːrk] 《영속어》 *n.* 수병(水兵), 신병; 얼간이; 미움 받는 자.

Er·lang [ə́ːrlæŋ] *n.* 〖통신〗 얼랑(=∠ **ùnit**)《전화 제도에서의 통화량의 단위》.

erl·king [ə́ːrlkìŋ] *n.* 〖북유럽신화〗 요정의 왕《어린이를 해친다고 함》.

ERM exchange rate mechanism.

er·mine [ə́ːrmin] *n.* **1** (*pl.* **~, ~*s***) 산족제비; 어민, (흰)담비. **2** Ⓤ 담비의 흰 모피. **3** 담비 모피

ermine 1

의 가운(외투)《왕후·귀족·법관용》; (the ~) 법관의 지위(신분): wear (assume) the ~ 법관직에 앉다. 4《시어》 순결·공평의 상징. 5 〖문장(紋章)〗 흰 바탕에 검은 점을 흩뜨린 무늬《카드의 킹(king)의 깃에서 볼 수 있는 따위》. **—** *a.* 어민의; 어민 모피의; 《시어》 순백의.

ér·mined *a.* 담비털로 가를 두른(안을 댄); 담비털옷을 입은; 왕후가(귀족이, 법관이) 된.

-ern [ərn] *suf.* '…쪽의'의 뜻: east*ern*.

erne, ern [əːrn] *n.* 〖조류〗 흰꼬리수리.

Er·nest [ə́ːrnist] *n.* 어니스트《남자 이름》.

Er·nes·tine [ə́ːrnəstìːn] *n.* 어니스틴《여자 이름》.

Er·nie [ə́ːrni] *n.* 어니《남자 이름; Ernest의 「애칭」》.

erode [iróud] *vt.* (암 등이 …을) 좀먹다, (산(酸) 따위가 …을) 부식하다; (물이 땅·암석을) 침식하다; 〖의학〗 (궤양 형성에 의해) 짓무르다, 미란(糜爛)케 하다; 쇠퇴케 하다, 좀먹다. **—** *vi.* 부식하다, 썩다; 침식되다; 감퇴하다. ㊞ **eród·i·ble** *a.* **eròd·i·bíl·i·ty** *n.* 「(부식)시키는.

erod·ent [iróudnt] *a.* 침식(부식)성의, 침식

erog·e·nous, ero·gen·ic [irάdʒənəs/irɔ́dʒ-], [èrədʒénik] *a.* 〖의학〗 성욕을 자극하는, 발정의; 성적 만족을 주는; 성적 자극에 민감한: ~ zones 성감대(帶). ㊞ **erog·e·ne·i·ty** [irὰdʒəníːəti/irɔ̀-] *n.*

Eros [íəras, éras/íərɔs, érɔs] *n.* **1** 〖그리스신화〗 에로스《Aphrodite의 아들이며 사랑의 신》. ⓒⓕ Cupid. **2** 〖정신분석〗 생의 본능. **3** (종종 e-) 성애(性愛), 성적 욕구; 열망, 갈망. **4** 〖천문〗 에로스《태양에 가까운 소행성》.

erose [iróus] *a.* (물어뜯어 놓은 것처럼) 모양이 불규칙한; 〖식물〗 들쭉날쭉한《잎 따위》. ㊞ **~·ly** *ad.* 「되는.

ero·si·ble [iróuzəbəl, -sə-] *a.* 침식(부식)

ero·sion [iróuʒən] *n.* Ⓤ,Ⓒ **1** 부식; 침식, 침식 작용: wind ~ 풍식 작용. **2** 〖의학〗 미란(糜爛), 짓무름. ㊞ **~·al** *a.* **~·al·ly** *ad.*

ero·sive [iróusiv] *a.* 부식(침식)성의; 〖의학〗 미란성의. ㊞ **~·ness** *n.* **ero·siv·i·ty** [irousívəti] *n.*

erot·ic [irάtik/irɔ́t-] *a.* **1** 성애의, 애욕의. **2** 색정적인; 성애를 다룬. **3** (사람이) 색을 좋아하는 (=**erót·i·cal**). **—** *n.* 호색가; 연애시(론). ㊞ **-i·cal·ly** *ad.* 성애적으로.

erot·i·ca [irάtikə/irɔ́t-] *n. pl.* 성애를 다룬 문학(예술 작품, 책); 춘화.

erot·i·cism [irάtəsìzəm/irɔ́t-] *n.* Ⓤ 성애적 경향, 호색, 에로티시즘; 성적 흥분(충동), 성욕; 이상 성욕 항진. ㊞ **erót·i·cist** *n.* 《영》 성욕이 강한 사람; 에로 작가(배우).

erot·i·cize [irάtəsàiz/irɔ́t-] *vt.* (책·그림을) 도색화하다, 에로틱하게 하다; 성적으로 자극하다. ㊞ **eròt·i·ci·zá·tion** *n.*

er·o·tism [érətìzəm] *n.* =EROTICISM.

er·o·tize [érətàiz] *vt.* …에 성적인 느낌을 주다, …을 에로틱하게 만들다(다루다). ㊞ **èro·ti·zá·tion** *n.*

ero·to- [iróutou, -tə, irάt-/iróutou, -tə, irɔ́t-] '성욕'이란 뜻의 결합사.

eròto·génic *a.* 성감 발생의; =EROGENOUS.

ero·tol·o·gy [èrətάlədʒi/-tɔ́l-] *n.* Ⓤ 호색 문학(예술). ㊞ **-gist** *n.* **èr·o·to·lóg·i·cal** *a.* 「이상.

eròto·mánia *n.* 〖의학〗 색정광(色情狂); 성욕

ero·to·pho·bia [iròtəfóubiə/irɔ̀t-] *n.* 〖의학〗 색정 공포증. ㊞ **-phó·bic** *a.* 성애 표현을(행위를) 기피하는, 색정 공포(증)의.

ERP European Recovery Program.

°**err** [əːr, εər/əː] *vi.* **1** 《~/+전+명》 정도(正道)에서 벗어나다, 헤매다 《*from*》: ~ *from* the right path 옳은 길에서 벗어나다 **2** 《+전+명》 잘못(실수)하다, 틀리다; 그르치다, 길을 잘못 들다《*in*》: ~ *in* one's judgment 판단을 그르치다. **3** 도덕(종교의 신조)에 어긋나다, 죄를 범하다: To ~ is human, to forgive divine. 《격언》 잘못은 인지상사요, 용서는 신의 본성이다《영국 시인 A. Pope의 말》. ◇ error, errancy *n.* erroneous *a.* ~ ***on the right*** (***safe***) ***side*** 잘못을 저질러도 중대한 과오는 피하(도록 하)다. ~ ***on the side of*** …에 너무 치우치다, 지나치게 …하다: ~ *on the side of* generosity (severity) 지나치게 관대(엄격)하다.

er·ran·cy [éransi, ə́ːr-/ér-] *n.* Ⓤ,Ⓒ 잘못된 상태; 실수(하기 쉬움); 〖기독교〗 교의에 반대 견해를 지님, 오류. ◇ err *v.*

er·rand** [érənd] *n.* **1** 심부름: send a person on an ~ 아무를 심부름 보내다. **2** (심부름의) 용건, 볼일; (여행 따위의) 목적; 《고어》 사명: go on an ~ of …사명을 띠고(용건이 있어서) 가다. ***go (***on***) **~*s*** =***run*** **~*s*** 심부름 가다. ***go on a fool's*** (***a gawk's***) ~ 헛걸음하다, 헛수고하다.

érrand bòy (*fem.* ***érrand girl***) (상점·회사의) 심부름꾼 (소년), 사동.

er·rant [érənt] *a.* **1** (모험을 찾아) 편력하는, 무예 수업을 하는. ⓒⓕ knight-errant. **2** 길을 잘못 든; 정도를(궤범을) 벗어난, (사상·행위가) 잘못된. **3** (바람 따위가) 방향이 불규칙한; 《폐어》 =ARRANT. **—** *n.* 무술 편력자. ㊞ **~·ly** *ad.*

er·rant·ry [éræntri] *n.* 방랑, 유력(遊歷); 방랑성, 방랑 생활; 《특히》 무사의 수업 편력; 기사도(정신).

er·ra·ta [irάːtə, iréi-/erάː-] *n.* **1** ERRATUM의 복수. **2** (*pl.* **~*s***) 《단수취급》 정오(正誤)표(corrigenda).

er·rat·ic [irǽtik] *a.* **1** 일정하지 않은, 변하기 쉬운, 불규칙적인; 변덕스러운; 궤도(진로)가 정해지지 않은. **2** 별난, 야릇한, 상궤(常軌)를 벗어난. **3** 〖지학〗 이동하는: ~ boulder (block) 표석(漂石). **4** 〖의학〗 (증상이) 미주성(迷走性)인, 수반성(隨伴性)인. **—** *n.* 괴짜; 변덕쟁이; (보통 *pl.*) 〖지학〗 표석. ㊞ **-i·cal** *a.* **-i·cal·ly** [-ikəli] *ad.* **er·rat·i·cism** [irǽtəsìzəm] *n.*

er·ra·tum [irάːtəm, iréi-/erάː-] (*pl.* **-ta** [-tə]) *n.* 잘못, 틀림; 오사(誤寫), 오자, 오식; (*pl.*) 정오표(a list of errata).

err·ing [ə́ːriŋ] *a.* 잘못에 빠진, 몸을 그르친; 죄를 범한; 《특히》 밀통한, 부정한: an ~ wife 부정한 아내. ㊞ **~·ly** *ad.*

er·ro·ne·ous [iróuniəs, er-] *a.* 잘못된, 틀린. ㊞ **~·ly** *ad.* 잘못되어, 틀리어. **~·ness** *n.*

‡**er·ror** [érər] *n.* **1** 잘못, 실수, 틀림《*in; of*》: make (commit) an ~ 잘못을 범하다(저지르다)/correct ~*s* 잘못을 고치다/catch a person in ~ 아무의 잘못을 찾아내다/a CLERICAL ~/⇨ PRINTER'S ERROR.

> SYN. **error** 무의식 중에 저지르는 실수: *errors* in (of) spelling 철자의 틀림. **mistake** 원칙·규칙 등에 대한 무지, 판단의 잘못, 오해 따위로 일어나는 잘못: take a wrong train by *mistake* (시간표나 행선지를 보지 않아) 열차를 잘못 타다. **blunder** 큰 실수, 바보짓. **slip** (사소한) 잘못, 과실: a *slip* of tongue 실언(失言).

2 Ⓤ 잘못된 생각, 잘못되어 있음, 오신(誤信)(delusion): fall into ~ 잘못 생각하다, 잘못하다/lead a person into ~ 아무를 잘못 생각게 하다. **3** 소행의 실수: ~*s* of youth 젊은 혈기의 실수. **4** 과실, 실책, 죄. **5** 〖수학·물리〗 오차; 〖법률〗 오류, 하자, 오심: a personal ~ 개인(오)차/an ~ *of* measurement 측정 오차/a writ of ~ 재심 명령. 6 〖야구〗 에러, 실책. 7 〖컴퓨터〗 착오, 틀림, 오차, 에러《프로그램상의〔하드웨어의〕 오류》. 8 〖우편〗 에러《도안, 문자 등이 잘못된 우표》. ◇err *v.* (He's a fool) ***and no ~.*** (그는) 틀림없이 (바보다). ***be*** 〔***stand***〕 ***in ~*** 잘못되어 있다, 오신하고 있다: You *are in* ~. 자넨 잘못되어 있네. **~*s of commission and omission*** 과실과 태만 죄. ***see the ~ of*** one's ***ways*** 전비(前非)를 뉘우치다. ㊎ **~·less** *a.*

érror bàr 〖물리〗 에러 바《그래프에서 측정점 따위의 오차 범위를 나타내는 막대》.

érror bòx 〖물리〗 에러 박스《종횡으로 실험값 따위를 표시한 그래프에서 오차 범위를 나타내는 네모꼴》. cf. error bar.

érror catàstrophe 〖생화학〗 노화 현상 이론의 하나《결함 단백질 증가에 의한 세포 기능 쇠퇴로 노화한다는 설》.

érror corrèction 〖컴퓨터〗 오류 정정, 오류 「(자동) 수정.

érror mèssage 〖컴퓨터〗 오류 메시지《프로그램에 오류가 있을 때 출력되는 메시지》.

érror of clósure 〖측량〗 폐색〔폐합〕 오차(= closing error).

érror tràpping 〖컴퓨터〗 오류 트래핑《프로그램의 동작 중에 일어난 오류를 검출하여 대처하는 것》. 「급 무선).

ERS 《CB속어》 Emergency Radio Service (긴

er·satz [érzɑːts, -sɑːts] *a.* 《G.》 대용(代用)의; 모의〔모조〕의: ~ coffee 대용 커피. **—** *n.* 대용품(substitute).

Erse [əːrs] *n.* 어스 말《스코틀랜드 및 아일랜드의 고대 켈트어(語); 특히 전자를 이름》. **—** *a.* 어스 말의.

erst [əːrst] *ad.* 《고어》 이전에, 옛날에; 최초에.

érst·whìle 《고어》 *ad.* =ERST. **—** *a.* 이전의, 옛날의.

ERTS [əːrts] Earth Resources Technology Satellite《후에 Landsat로 개칭》.

er·u·bes·cent [èrubésnt] *a.* 붉어진, 붉은 빛이 도는. ㊎ **-cence, -cen·cy** *n.* Ⓤ

erú·cic ácid [irúːsik-] 〖화학〗 에루크산(酸).

eruct, eruc·tate [irʌ́kt], [-teit] *vt., vi.* 트림하다; …을 분출(噴出)하다. ㊎ **erùc·tá·tion** *n.* Ⓤ,Ⓒ 트림(belching); (화산의) 분출; 분출물. **erúc·ta·tive** [-tətiv] *a.* 트림이 나는; (화산의) 분출의〔에 관한〕.

er·u·dite [érjədàit/éruː-] *a.* 박식한, 학식이 있는. ㊎ **~·ly** *ad.* 박학하게. **~·ness** *n.* **èru·dí·tion** *n.* Ⓤ (특히 문학·역사 등의) 박학, 박식; 학식. SYN. ⇨ LEARNING.

erum·pent [irʌ́mpənt] *a.* 뚫고 나오는; 〖식물〗 (포자·자실체가) 표피를 뚫고 나오는.

***erupt** [irʌ́pt] *vi.* **1** (화산재·간헐천 등이) 분출하다; (화산 등이) 분화하다; (이가) 잇몸을 뚫고 나오다, 나다; 발진(發疹)하다; (폭동 등이) 발발하다. **2** 《+전+명》 (노여움 따위가) 폭발하다 《*with; in*》; 갑자기 (…로) 되다《*into*》: ~ *in* 〔*with*〕 anger 노여움이 폭발하다 / ~ *into* wild cheers 일제히 열광적으로 갈채하다. **—** *vt.* (용암·화산재 따위를) 내뿜다, 분출하다; (명령 따위를) 갑자기 폭발적으로 발하다; (울분 따위를) 와락 터뜨리다. ㊎ **~·i·ble** *a.*

°**erúp·tion** *n.* Ⓤ,Ⓒ **1** (화산의) 폭발, 분화; (용암·간헐천의) 분출: ~ cycle 〖지학〗 분화 윤회. **2** (화산의) 분출물. **3** (감정의) 폭발; (사건의) 돌발. **4** (이가) 남; (피부의) 부스럼, 발진. ㊎ **~·al** [-əl] *a.*

erup·tive [irʌ́ptiv] *a.* **1** 분출하는; 폭발하는; 폭발하기 쉬운; 화산 폭발의, 분화에 의한: ~ rocks 분출암. **2** 〖의학〗 발진성의: ~ fever 발진열. **—** *n.* 분출암, 화성암(igneous rock). ㊎ **~·ly** *ad.* **~·ness** *n.* **erup·tiv·i·ty** [irʌptívəti] *n.*

E.R.V. English Revised Version. **ERW.** 〖군사〗 enhanced radiation weapon.

ÉR wéapon ⇨ ERW.

Er·win [ə́ːrwin] *n.* 어윈《남자 이름》.

-ery [əri] *suf.* =-RY: fool*ery*.

er·y·sip·e·las [èrəsípələs, ìər-/èr-] *n.* Ⓤ 〖의학〗 단독(丹毒)(St. Anthony's fire).

er·y·the·ma [èrəθíːmə] (*pl.* **~·ta** [-tə]) *n.* 〖의학〗 홍반. ㊎ **èr·y·thém·a·tous, -thé·mic** [-θémətəs, -θíːm-], [-θíːmik] *a.* 홍반(성)의.

er·y·thor·bate [èrəθɔ́ːrbeit] *n.* 〖화학〗 에리토르브산염〔에스테르〕《식품 첨가용 항산화제》.

er·y·thór·bic ácid [èrəθɔ́ːrbik-] 〖화학〗 에리토르브산(酸).

e·rythr- [iríθr], **e·ryth·ro-** [iríθrou, -rə] '적(赤), 적혈구'의 뜻의 결합사. 「학〗 적혈병.

er·y·thre·mia, -thrae- [èrəθríːmiə] *n.* 〖의

eryth·ri·tol [iríθritɔ̀ːl, -tɑ̀l/-tɔ̀l] *n.* 〖화학〗 에리트리톨《무색 주상(柱狀) 결정의 4가 알코올; 혈관 확장용》.

eryth·ro·blast [iríθrəblæ̀st] *n.* 〖해부〗 적아(赤芽) 세포. ㊎ **erỳth·ro·blás·tic** *a.*

e·ryth·ro·blas·to·sis fe·tal·is [iríθroublæstóusis fitǽlis] 〖의학〗 신생아 용혈(溶血)성 질환, 태아 적아구증(赤芽球症).

eryth·ro·cyte [iríθrəsàit] *n.* Ⓤ 〖해부〗 적혈구. ㊎ **erỳth·ro·cýt·ic** [-sít-] *a.*

eryth·ro·cy·tom·e·ter [irìθrousaitɑ́mətər/-tɔ́m-] *n.* 〖의학〗 적혈구계(計).

erỳthro·génic *a.* 〖의학〗 홍반(紅班) 유발성의.

er·y·throid [iríθrɔid, érəθrɔ̀id] *a.* 〖해부〗 적혈구의; 붉은, 불그레한.

eryth·ro·leu·ke·mia [irìθroulu:kíːmiə/-lju:-] *n.* 〖의학〗 적백혈병(赤白血病).

eryth·ro·my·cin [irìθrəmáisn/-sìn] *n.* Ⓤ 〖약학〗 에리트로마이신《항생 물질》.

er·y·thron [érəθrɑ̀n/-rɔ̀n] *n.* 〖생리〗 에리트론《골수 내의 적혈구와 그 전신》.

eryth·ro·pho·bia [irìθrəfóubiə] *n.* 〖정신의학〗 적색 공포(증); 적면(赤面) 공포(증).

eryth·ro·poi·e·sis [irìθroupoiíːsis] *n.* 〖생리〗 적혈구 생성〔조혈〕. ㊎ **-poi·et·ic** [-étik] *a.*

eryth·ro·poi·e·tin [irìθroupɔ́iətn/-tin] *n.* 〖생화학〗 적혈구 생성 촉진 인자, 에리트로포이에틴《체액성(體液性) 조혈 인자》.

-es [(s, z, ʃ, ʒ, tʃ, dʒ의 뒤) iz, əz; (기타의 유성음의 뒤) z; (기타의 무성음의 뒤) s] **1** 명사 복수형을 만드는 어미: box*es*. **2** 동사 3인칭·단수·현재형의 어미: do*es*, go*es*.

Es 〖화학〗 einsteinium. **E.S.** engine-sized.

ESA European Space Agency.

Esau [íːsɔː] *n.* 〖성서〗 에서《Isaac의 장남; 창세기 XXV: 21-34》. 「기 자극).

ESB electrical stimulation of the brain (뇌전

es·bat [ésbæt] *n.* 마녀의 집회.

ESC Economic and Social Council ((유엔) 경제 사회 이사회); 〖컴퓨터〗 escape(탈출); escape character (확장 문자). **Esc** 《Port.》 escudo(s).

es·ca·drille [èskədríl, ⌐-⌐] *n.* 《F.》 비행대《프랑스 등의 공군에서 보통 6대로 편성한 것》; 소함대《보통 8척 편성》.

es·ca·lade [èskəléid] *n.* 기어오르기; 〖군사〗 (사닥다리로) 성벽 오르기; (벨트컨베이어식의) 움직이는 보도(travelator). **—** *vt.* 사닥다리로 오르다. ㊎ **és·ca·làd·er** *n.*

es·ca·late [éskəlèit] *vt., vi.* **1** (…을) 단계적으로 확대〔증대, 강화, 상승〕시키다〔하다〕; 에스컬레이트시키다〔하다〕: a time when prices ~

물가가 상승하는 시기 / ~ a war 전쟁을 단계적으로 확대하다. **2** 에스컬레이터로 상승〔하강〕시키다〔하다〕; (임금 · 가격 따위를) 에스컬레이트 방식으로 증감시키다〔하다〕.

ès·ca·lá·tion *n.* (수 · 양 · 금액의) 점증, (규모 · 범위 · 강도의) 단계적 확대; (전쟁 규모의) 에스컬레이션; 〖경제〗 에스컬레이트 방식에 의한 매매 가격〔임금 따위〕의 수정. [opp] *de-escalation.*

es·ca·la·tor [éskəlèitər] *n.* **1** 에스컬레이터, 자동식 계단(moving staircase). **2** (에스컬레이터 같은) 단계적 상승〔하강〕길; 《미》 (안락한) 출세 코스. **3** =ESCALATOR CLAUSE. [◂ *escalade*+*elevator*] [파] **~ed** *a.* 에스컬레이터 장비의.

éscalator clàuse 신축(伸縮)〔에스컬레이터〕 조항《노동 협약 중에서 경제 사정의 변화에 따라 임금의 증감을 인정하는 조항》.

es·ca·la·to·ry [éskələtɔ̀ːri/-təri] *a.* (특히 전쟁의) 규모 확대에 연관된.

es·cal·(l)op [eskáləp, -kǽl-/-kɔ́l-, -kǽl-] *n.*, *vt.* =SCALLOP; 〖문장(紋章)〗 가리비; 〖요리〗 =SCALLOPINI.

ESCAP [éskæ̀p] Economic and Social Commission for Asia and the Pacific ((유엔) 아시아 태평양 경제 사회 위원회)《종래의 ECAFE를 1974 년에 개칭》.

es·cáp·a·ble *a.* 도망칠〔피할〕 수 있는.

es·ca·pade [éskəpèid, ⌐-⌐] *n.* 멋대로 구는 짓; 엉뚱한 짓, 모험; 탈선(적 행위); 장난; 《고어》 도피, 탈출.

***es·cape** [iskéip, es-] *vi.* 《~ / +[전]+[명]》 **1** 달아나다, 내빼다, 탈출〔도망〕하다《*from; out of*》: Two were killed, but he *~d.* 두 사람은 죽었으나 그는 탈출했다 / ~ *from* (a) prison 탈옥하다. **2** (액체 · 가스 등이) 새다; (한숨 등이) 무심코 나오다; (재배 식물이) 야생으로 돌아가다. **3** (기억 등이) 사라지다, 흐려지다《*from*》: The words *~d from* memory. 그 말은 기억에서 사라졌다. **4** 죄를 면하다, (위험 · 병 등에서) 헤어나다: ~ *from* pursuers 추적자들로부터 헤어나다〔벗어나다〕. **—** *vt.* **1** 《~+[목] / +*-ing*》 …에서 달아나다, (모)면하다, …에게 잡히는〔만나는〕 일을 모면하다: ~ prison 교도소행을 면하다 / He narrowly *~d* death 〔be*ing* killed〕. 그는 구사일생으로 살아났다.

> [SYN] **escape** 위험이나 위해 따위를 피하여 달아나는 일. **avoid** 위험을 무릅쓰고 싶지 않다거나 위험하다고 생각되는 것에 가까이 가지 않는다는 뜻에서 escape보다는 소극적인 말임. **flee** 급히 달아나다. **abscond** 자취를 감추다: *abscond* with the office money 회사의 돈을 갖고 잠적하다.

2 (아무의 관심 · 주의에서) 벗어나다, 기억에 남지 않다; …의 주의를 끌지 못하다, …의 마음에 떠오르지 않다: ~ notice 눈치채이지 않다, 눈에 띄지 않다 / Her name *~s* me 〔my memory〕. 그녀의 이름이 생각나지 않는다. **3** (탄식 · 말 · 미소 등이) …로부터 (새어)나오다: A lament *~d* him 〔his lips〕. 저도 모르게 탄식이 그의 입에서 흘러나왔다. **4** 〖보통 부정문에서〗 (생각 따위를) 피하다: I can*not* ~ the feeling that their ideas are basically the same. 나는 그들의 생각이 기본적으로 같다는 느낌을 떨칠 수 없다.

— *n.* [C,U] **1** 탈출, 도망《*from; out of*》; (죄 · 재난 · 역병 등을) 면함, 벗어남《*from*》. **2** 벗어나는 수단; 도망갈 길, 피난 장치; 배기〔배수〕관, 비상구; =ESCAPE VALVE: a fire ~ 화재 비상구. **3** (가스 따위의) 샘, 누출. **4** 현실 도피. **5** 〖식물〗 야생화한 재배 식물. **6** 〖경제〗 부채 조항. **7** 〖컴퓨터〗 이스케이프, 탈출《명령을 중단하거나 프로그램의 어떤 부분에서 다른 쪽으로 변경하는 기능에 사용됨》. ***a narrow* 〔*a hairbreadth*〕 ~** 구사일생. ***have* one's ~ *cut off*** 퇴로가 끊기다. ***make* (*good*) one's ~ =*effect* one's ~** 무사히 도망치다. ***There is no ~.*** 피할 길이 없다, 꼼짝 없다.

— *a.* 현실 도피의; 면책의.

[파] **es·cáp·a·ble** *a.* **~·less** *a.* **es·cáp·er** *n.* **es·cáp·ing·ly** *ad.*

escápe àrtist 바구니를 빠져나가는 곡예사; 탈옥의 명수.

escápe chàracter 〖컴퓨터〗 이스케이프 문자.

escápe clàuse 면책〔면제〕 조항.

es·cáped [-t] *a.* 도망친: an ~ convict 〔fugitive〕 도망범.

es·ca·pee [iskeipíː, es-] *n.* 도망〔도피〕자, 탈옥수.

escápe hàtch (배 · 비행기 · 엘리베이터 따위의) 긴급 피난구; 〖일반적〗 (곤란 따위에서의) 도피구〔수단〕.

escápe kèy 〖컴퓨터〗 이스케이프 키《이스케이프 문자를 입력하기 위한 키; 때때로 프로그램을 중단시키거나 강제로 마감하는 데 쓰기도 함》.

escápe mèchanism 〖심리〗 도피기제(機制); 〖일반적〗 위험 회피 방법〔수단〕.

es·cápe·ment *n.* 도피구; 〖기계〗 (시계 톱니바퀴의) 지동 기구(止動機構); (타자기의) 문자 이동 장치; 〖해부〗 도피 (수단).

escápe ròad 긴급 피난 도로《제어 불능이 된 자동차를 정지시키기 위하여 흙을 쌓아 올린 것》.

escápe ròutine 〖컴퓨터〗 탈출 루틴《하나의 프로그램의 명령열이 끝나기 전에, 여기에서 빠져나와 또 다른 명령열을 시작하기 위한 루틴》.

escápe shàft (광산의) 피난용 수갱(竪坑), 비상용 수갱.

escápe vàlve 〔**còck**〕 〖기계〗 일종의 안전판.

escápe velòcity 〖물리〗 탈출 속도《로켓 등의 행성 중력장 탈출을 위한 최저 속도》.

escápe·wày *n.* 탈출구, 도망갈 길.

escápe whèel 이스케이프 휠《간헐 운동을 하는 시계 장치의 부품》.

es·cap·ism [iskéipìzəm] *n.* [U] 현실 도피(벽(癖)), 도피주의. [파] **es·cáp·ist** *a.*, *n.* 도피주의의 (사람).

es·ca·pol·o·gy [iskèipálədʒi, èskei-/-pɔ́l-] *n.* 《영》 둔주술(遁走術); 탈출술. [파] **-gist** *n.* 《영》 포박 탈출 곡예사; 탈출의 명인; 현실 도피주의자.

es·car·got [èskaːrgóu] (*pl.* **~s** [-z]) *n.* 《F.》 (식용)달팽이.

es·ca·role [éskəròul] *n.* 〖식물〗 꽃상추의 일종(endive)《샐러드용》.

es·carp [iskáːrp] *n.*, *vt.* =SCARP.

es·cárp·ment *n.* (성의 방루 전면의) 가파른 경사지; 〖지학〗 단층애(斷層崖); 해저애(海底崖); 〖일반적〗 급사면.

-esce [és] *suf.* '…하기 시작하다, …이 되다, …으로 화하다' 의 뜻을 나타내는 동사를 만듦: coal*esce*, efferv*esce*.

-es·cence [ésns] *suf.* '작용, 과정, 변화, 상태' 의 뜻을 나타내는 명사를 만듦: conval*escence*, lumin*escence*.

-es·cent [ésnt] *suf.* '…하기 시작한, …되기 시작한, …성(性)의' 의 뜻을 나타내는 형용사를 만듦: adol*escent*, conval*escent*.

esch·a·lot [éʃəlɑ̀t/-lɔ̀t] *n.* =SHALLOT.

es·cha·tol·o·gy [èskətálədʒi/-tɔ́l-] *n.* [U] 〖신학〗 종말론, 내세론, 말세론. [파] **-gist** *n.* **ès-**

cha·to·lóg·i·cal *a.* -i·cal·ly *ad.*

es·cheat [istʃíːt] *n.* 〖법률〗 복귀(復歸), 몰수 《상속인이 없는 토지·재산 따위가 국왕·영주에게 귀속되는 일》; 복귀 재산; (부동산) 복귀권《재산을 몰수하는》. ── *vt.* (재산을) 복귀시키다《*to; into*》, 복귀에 의해 몰수하다. ── *vi.* (재산이) 복귀하다《*to*》. [파] ~·a·ble *a.*

es·cheat·age [istʃíːtidʒ] *n.* [U] 〖법률〗 (부동산) 복귀권(escheat).

es·chea·tor [istʃíːtər] *n.* 몰수지〔복귀지〕 관리관.

Esch·er [éʃər] *n.* **M**(aurice) **C**(ornelis) ~ 에스허르《네덜란드의 판화가; 기하학을 응용한 착각을 이용하여 속임수 그림 수법으로 있을 수 없는 세계를 사실적으로 그려냄; 1898-1972》.

Esch·e·rich·ia [èʃəríːkiə] *n.* 〖세균〗 대장균속 《독일 의사 T. Escherich (1857-1911)의 이름에서》. [cf] E. coli. 「[-əl] *n.*

es·chew [istʃúː] *vt.* 피하다, 삼가다. [파] ~·al

esch·scholt·zia [eʃóultsiə/iskɔ́lʃə] *n.* 〖식물〗 금영화(金英花), 캘리포니아 양귀비(California poppy).

Es·co·ri·al [eskɔ́ːriəl/èskɔriáːl] *n.* (the ~) 에스코리알《Madrid 북서쪽에 있는 유명한 건축물》.

es·cort** [éskɔːrt] *n.* **1** 호송자〔대〕, 호위자(들): an ~ of servants. **2** 호위 부대; 호위함〔선〕; 호위기(機)(대). **3** (사람·함선·항공기 등에 의한) 호위, 호송. **4** (여성에 대한) 동반 남성; (연회에서의) 여성의 파트너, 상대자. ***under the ~ of …의 호위하(下)에. ── [iskɔ́ːrt] *vt.* 《~+[목]/+[목]+[부]/+[목]+[전]+[명]》 호위하다, 호송하다; (여성의) 파트너〔상대자〕 노릇을 하다: May I ~ you home? 댁까지 바래다 드릴까요/ He ~*ed* her to the station. 그는 그녀를 역까지 바래다 주었다. [SYN.] ⇨ ACCOMPANY.

éscort càrrier (소형) 호위 항공모함《주로 대(對)잠수함용》.

éscort fighter (폭격기의) 호위 전투기.

escribe [eskráib] *vt.* 〖수학〗 (원을) 방접(傍接)시키다.

es·cri·toire [èskritwáːr] *n.* 《F.》 서랍이 달리고 뚜껑을 접어 넣는 책상.

es·crow [éskrou, iskróu] *n.* 〖법률〗 조건부 날인 증서, 에스크로《어떤 조건이 실행되기까지 제삼자가 보관해 두는 증서》; 제삼자 기탁금. ***in ~*** (증서·금전 등이) 에스크로로서 제삼자에게 보관〔기탁〕되어 (있는). ── *vt.* 에스크로로서 제삼자에게 기탁하다《*with*》.

es·cu·do [eskúːdou] (*pl.* **~s**) *n.* 포르투갈〔옛날 칠레 등〕의 화폐 단위; 그 화폐.

es·cu·lent [éskjələnt] *a., n.* =EDIBLE; 야채.

es·cutch·eon [iskʌ́tʃən] *n.* **1** 가문(家紋)이 붙은 방패; 방패 모양의 가문 바탕; (열쇠구멍·문의 손잡이 등 주위의) 방패꼴 가두리 장식판. **2** 〖선박〗 선명(船名)을 붙인 고물 중앙부. **3** 〖건축〗 열쇠구멍 가리개(=∠ **plàte**). ***a blot on*** one's (***the***) ~ 오명, 불명예.

Esd. Esdras.

Es·dras [ézdrəs/-dræs] *n.* 에스드라스서《(1) 경외(經外) 성서(Apocrypha)의 맨 처음 2 편 중의 하나. (2) 구약성서의 에스라서(Ezra)와 느헤미야서(Nehemiah) 중의 하나》.

-ese [íːz, íːs/íːz] *suf.* 영국 이외의 국명·지명 또는 특수한 작가 이름 등에 붙여서 그 형용사와 '…말, …사람' 등의 뜻을 나타내는 명사를 만듦: Chin*ese*, Portugu*ese*.

ESE, E.S.E., e.s.e. east-southeast.

es·er·ine [ésəriːn, -rin] *n.* 〖생화학〗 에세린 (physostigmine).

Esk. Eskimo.

es·ker, -kar [éskər] *n.* 〖지학〗 에스커《자갈·모래가 퇴적하여 생긴 길고 구불구불한 지형》.

Es·ki·mo [éskəmòu] (*pl.* **~s,** ~) *n.* 에스키모인; 에스키모종의 개; [U] 에스키모 말. ── *a.* 에스키모의. [파] **~·an** *a.* 에스키모(사람·말)의.

Éskimo dòg 에스키모 개; 《흔히》 미국 원산의 썰매 개.

éskimo pìe 《속어》 냉감증〔불감증〕 여성.

Éskimo ròll 〖카누〗 에스키모롤《뒤집혔다 바로 서는 완전한 일회전》.

ESL [ésəl] English as a second language.

ESN educationally subnormal. **ESO** electrical spinal orthosis (전기 척추 교정). **ESOL** [ésəl] 《미·Can.》 English for Speakers of Other Languages.

ESOP [íːsɑp, ìːèsòupíː] *n.* 종업원 지주(持株) 제도. [◂ *E*mployee *S*tock *O*wnership *P*lan]

esoph·ag- [i(ː)sɑ́fəg/i(ː)sɔ́f-], **esoph·a·go-** [i(ː)sɑ́fəgou, -gə/i(ː)sɔ́f-] '식도(食道)(esophagus)'의 뜻의 결합사.

esóphago·scòpe *n.* 〖의학〗 식도경.

esoph·a·gos·co·py [i(ː)sɑ̀fəgɑ́skəpi/i(ː)sɔ̀fəgɔ́s-] *n.* 식도경 검사(법).

esoph·a·gus [i(ː)sɑ́fəgəs/i(ː)sɔ́f-] (*pl.* **-gi** [-dʒài]) *n.* 〖해부〗 식도(食道). [파] **esoph·a·geal** [-dʒíːəl] *a.*

es·o·ter·ic, -i·cal [èsətérik], [-əl] *a.* 비교적(秘教的)인([opp.] *exoteric*), 비법의, 비전(秘傳)의; 비법을 이어받은; 비밀의, 내밀한(secret). ── *n.* 비법을 전수받은 사람; (*pl.*) 비전(秘傳). [파] **-i·cal·ly** *ad.*

es·o·ter·i·ca [èsətérikə] *n. pl.* 비사(秘事); 비전, 비법; =PORNOGRAPHY.

es·o·ter·i·cism [èsətérəsìzəm] *n.* 비교(秘教), 밀교(密教); 비전(秘傳); 난해한 것. [파] **-cist** *n.*

ESP English for Special Purposes; electrostatic precipitator; extrasensory perception. **esp.** especially.

es·pa·drille [éspədrìl] *n.* 에스파드리유《끈을 발목에 매는 즈크제의 샌들화》.

es·pal·ier [ispǽljər, -jei] 〖원예〗 *n.* 과수(果樹)를 받치는 시렁; 과수 시렁으로 받친 나무. ── *vt.* 과수 시렁을 만들다. 「페인어명).

Es·pa·ña [espáːnjə] *n.* 에스파냐《SPAIN의 스

es·pa·ñol [èspɑnjɔ́ːl] (*pl.* **-ño·les** [-njɔ́ːleis]) *n.* 《Sp.》 스페인인; 스페인어. ── *a.* 스페인(인〔어〕)의.

es·par·to [ispáːrtou/es-] *n.* 《Sp.》 〖식물〗 아프리카나래새(=∠ **gràss**)《밧줄·바구니·베·종이 따위의 원료; 스페인·북아메리카산》.

◇**es·pe·cial** [ispéʃəl, es-] *a.* **1** 특별한, 각별한; 현저한: a thing of ~ importance 특히 중요한 일/ an ~ friend 각별한 친구. **2** 특수한, 독특한, 특유한: your ~ case 당신의 특별한 경우. ★ 구어에서는 special을 씀. ***for the ~ benefit of*** 특히 …때문에〔을 위해〕. ***in ~*** 특히, 그 중에서도.

⁑**es·pe·cial·ly** [ispéʃəli, es-] *ad.* 특히, 각별히, 특별히: Be ~ watchful. 각별히 경계를 잘 하라. ★ 구어에서는 specially를 씀.

> [SYN.] **especially, particularly** '각별히'. 이 두 낱말은 대치가 가능하나 전자에는 '특히 잘·몹시 (따위)', 후자에는 '여러 가지 있는 것 중에서 특히 지적한다면'이라는 어감이 있음: Corn grows well in the Middle West, *particularly* in Iowa. 옥수수는 중서부, 그 중에서도 Iowa 주에서 잘 자란다. **specially** special의 파생어로서 '특별히·모처럼·오로

지'의 뜻이 강함: a subject *specially* studied 전공한 과목.

Es·pe·ran·tist [èspərá:ntist, -rǽn-/-rǽn-] *n.* 에스페란토어 사용자〔학자〕. ㊞ **-tism** *n.* 에스페란토어 사용〔채용〕.

Es·pe·ran·to [èspərá:ntou, -rǽn-/-rǽn-] *n.* Ⓤ 에스페란토《폴란드의 언어학자 L. L. Zamenhof (1859-1917)가 창안한 국제 보조어》; Ⓤ,Ⓒ (때로 e-) (인공) 국제어〔기호〕.

es·pi·al [ispáiəl] *n.* Ⓤ 정찰; 탐정 행위, 탐색; 감시, 관찰; 발견; 스파이 활동. ◇espy *v.*

es·piè·gle [*F.* ɛspjɛgl] *a.* 《F.》 익살맞은, 장난을 좋아하는, 장난꾸러기의.

es·pi·o·nage [éspiənà:ʒ, -niʒ, ⌐--ná:ʒ] *n.* Ⓤ 간첩〔탐정〕 행위; 정찰; (국가·기업 등의) 스파이에 의한 첩보 활동.

es·pla·nade [èsplənà:d, -nèid, ⌐-⌐/⌐-⌐] *n.* (특히 해안·호안의 조망이 트인) 산책〔드라이브〕 길《원래는 성채(城砦)와 시가 사이의 공터》.

ESPN Entertainment and Sports Programming Network《미국의 오락·스포츠 전문의 유료 유선 텔레비전망》.

es·pous·al [ispáuzəl, -səl/-zəl] *n.* **1** Ⓤ (주의·설 등의) 지지, 옹호《*of*》. **2** 《영에서는 고어》 (종종 *pl.*) 약혼(식); 결혼(식).

es·pouse [ispáuz, -páus/-páuz] *vt.* **1** 《영에서는 고어》 아내로 삼다, 장가들다; 시집 보내다. **2** (주의·설을) 지지〔신봉〕하다, (사회 문제 등)에 경도하다; 주의로〔방침으로〕 채택하다. ◇espousal *n.* ㊞ **-póus·er** *n.* Ⓤ

es·pres·si·vo [èspresí:vou] *a.*, *ad.* 〖음악〗 에스프레시보, 표정〔감정〕을 살린〔살려〕.

es·pres·so [esprésou] (*pl.* **~s**) *n.* 《It.》 Ⓤ 에스프레소《커피의 일종; 검게 구운 커피; 가루에 스팀을 쐬어 진하게 만듦》; Ⓒ 에스프레소를 만드는 기구; 에스프레소 커피를 파는 가게《일종의 사교장》.

es·prit [esprí:] *n.* Ⓤ 《F.》 정신; 재치, 재기, 기지; (E-) 에스프리《남자 이름》.

ESPRIT [esprí:] European Strategic Program for Research and Development in Information Technology (유럽 정보 기술 연구 개발 전략 계획).

esprit de corps [-dəkɔ́:r] 《F.》 단체정신, 단결심《애당〔애교〕심 등》.

esprit fort [*F.* ɛspʀifɔ:ʀ] 《F.》 의지가 강한 사람, 자유 사상가.

es·py [espái] *vt.* (보통 먼 곳의 잘 안 보이는 것을) 찾아내다; (결점 등을) 발견하다, …을 알아채다; 정찰〔관찰〕하다. ◇espial *n.*

Esq., Esqr. Esquire.

-esque [ésk] *suf.* '…식의, …모양의, …와 같은'의 뜻을 나타내는 형용사를 만듦: Dant*esque*, Roman*esque*, arab*esque*.

Es·qui·mau [éskəmòu] (*pl.* **~x** [-mòuz]) *n.* =ESKIMO.

es·quire [eskwáiər, éskwaiər] *n.* **1** 《영》 향사(鄕士)《기사 바로 밑의 신분》; 《고어》 =SQUIRE. **2** 〖영국사〗 (방패잡이로서 중세 기사의 종자를 한) 기사 지원자. **3** 《드물게》 (여성을) 동반하는 남자. **4** (E-) 《영》 님, 귀하《경칭; 특히 편지에서 Esq.로 약하여 성명 다음에 씀》. ★ 미국에선 변호사에 한해 쓰는 일이 있음.

ESR electron spin resonance (전자 스핀 공명); electroslag remelting. **ESRANGE** [esréindʒ] European Sounding Rocket Launching Range (스웨덴의 Kiruna에 있는 유럽 국가들의 관측 로켓 발사장). **ESRO** [ésrou] European Space Research Organization (유럽 우주 연구 기구).

ess [es] (*pl.* **~·es** [ésiz]) *n.* S자(字); S자 꼴의 것.

-ess [is] *suf.* **1** 여성 명사를 만듦: tigr*ess*, poet*ess*. **2** 형용사를 추상명사로 만듦: larg*ess*, dur*ess*.

ESSA [ésə] Environmental Science Services Administration (《미》 환경 과학 업무국); environmental survey satellite.

*__es·say__ [ései] *n.* **1** 수필, (문예상의) 소론(小論), 시론(詩論); 평론. **2** [+eséi] 시도, 시험 《*at; in*》; 시도의 노력《*to*(do); *at*》: make an ~ *to* assist a friend 친구를 도우려 하다. **3** 채택이 안 된 수표·지폐 도안의 시험쇄. ── [eséi] *vt.* 《~+목/+*to* do》 시도하다; 해보다; 시험하다, 시금(試金)하다(assay): He ~*ed* escape. 도주를 시도했다/I ~*ed to* speak. 말해 보려고 했다. SYN. ⇨ TRY. ㊞ **~·er** *n.*

éssay examinátion =ESSAY TEST.

°**es·say·ist** [éseiist] *n.* 수필가, 평론가.

es·say·is·tic [èseiístik] *a.* 에세이〔에세이스트〕의; 수필적인; 설명적인; 형식에 구애되지 않는, 개인적 색채가 짙은.

éssay quéstion 논문식 문제〔설문〕.

éssay tést 논문〔문장〕 테스트(essay examination).

es·se [ési] *n.* 《L.》 〖철학〗 존재, 실재; 실체; 본질. ***in*** **~** 실재하여. cf. in posse.

*__es·sence__ [ésns] *n.* **1** Ⓤ 본질, 진수, 정수; 핵심, 요체: the ~ of democracy/in its ~ 요컨대. **2** Ⓤ,Ⓒ 에센스, 엑스, 정(精); 정유(精油); 정유의 알코올 용액; 향수: ~ of mint 박하유. **3** Ⓒ 〖철학〗 실재, 실체; 《특히》 영적인 실재: God is an ~. 신은 실재이다. ◇essential *a.* ***in*** **~** 본질〔근본〕적으로; 진짜로는: For all his bluster, he is *in* ~ a shy person. 그가 저렇게 큰소리를 치고 있지만, 진짜로는 매우 소심한 사람이다. ***of the*** **~** 불가결의, 가장 중요한.

Es·sene [ési:n, -⌐] *n.* 에세네파의 신도《고대 유대의 금욕·신비주의의 한 파》. ㊞ **Es·se·ni·an, Es·sen·ic** [esí:niən], [esénik] *a.* **Es·sen·ism** [ési:nizəm, esí:nizəm] *n.*

*__es·sen·tial__ [isénʃəl, es-] *a.* **1** 근본적인, 필수의, 불가결한, 가장 중요한《*to; for*》: Oxygen is ~ *to* life 〔*for* the maintenance of life〕. 산소는 생명〔생명 유지〕에 불가결한 것이다. SYN. ⇨ NECESSARY. **2** 본질적인, 본질의: ~ qualities 본질/an ~ proposition 〖논리〗 본질적 명제. **3** 정수의, 정수를 모은. **4** 〖음악〗 악곡의 화성 진행 구성에 필요한, 주되는: an ~ note 으뜸음/~ harmonies 〖음악〗 주요 화음. **5** 완전한, 순수한: ~ happiness 이상적 행복. **6** 〖의학〗 본태성의: ~ anemia 본태성 빈혈. ◇essence *n.* ── *n.* (보통 *pl.*) 본질적인 것〔요소〕; 필수의 것〔요소〕, 불가결한 것〔요소〕; 〖음악〗 으뜸음: ~*s* to success 성공에 불가결한 것/It is the same in ~(*s*). 요점은 같다. ㊞ **~·ness** *n.*

esséntial amíno ácid 〖화학〗 필수 아미노산.

esséntial drúg 〖약학〗 필수 약물〔약품〕.

esséntial fátty ácid 〖화학〗 필수 지방산.

esséntial hypertension 본태성 고혈압.

es·sén·tial·ism *n.* **1** 〖미교육〗 본질주의(cf. progressivism). **2** 〖철학〗 실재론; 본질주의(cf. existentialism). ㊞ **~·ist** *n.*

es·sen·ti·al·i·ty [isènʃiǽləti, es-] *n.* **1** Ⓤ 본성, 본질; 불가결성. **2** (*pl.*) 요점, 요건, 골자.

es·sén·tial·ize *vt.* …의 본질을〔정수를〕 나타내다〔말하다〕; …에서 진액을 추출하다; 진수(眞髓)를 최고로 높이다.

°**es·sén·tial·ly** *ad.* 본질적으로, 본질상(in essence); 본래.

esséntial óil 〖화학〗 정유(精油)《방향(芳香)이

있는 휘발성유》. OPP. *fixed oil.* 「내는.

es·sen·tic [eséntik] *a.* 감정을 밖으로 드러

Es·sex [ésiks] *n.* 에식스《(1) 잉글랜드 남동부의 주. (2) 잉글랜드 동부에 있었던 Anglo-Saxon 시대의 옛 왕국》.

Es·sie [ési] *n.* 에시《여자 이름; Esther의 애칭》.

est [est] *n.* Erhard식 세미나 훈련, 심신 통일 훈련, 에스트《자기 발견과 자기실현을 위한 체계적 방법》. [◂ *E*rhard *S*eminars *T*raining]

-est[1] [ist] *suf.* 형용사·부사의 최상급의 어미: cold*est*. cf. -er[2].

-est[2], **-st** [ist], [st] *suf.* 《고어》 thou[1]에 따르는 동사《제2인칭 단수·현재 및 과거》를 만듦: thou sing*est*, did*st*.

EST, E.S.T., e.s.t. 《미》 Eastern Standard Time; electroshock therapy〔treatment〕. **est.** established; estate; estimate(d); estuary.

estab. established.

es·tab·lish [istǽbliʃ] *vt.* **1** 《~+목/+목+전+명》 (학교·회사 따위를) 설립하다, 창립하다; (국가·정부 따위를) 수립하다; (관계 따위를) 확립하다《*with; between*》, (제도·법률 등을) 제정하다: ~ a university / ~ a law 법률을 제정하다 / ~ friendly relations *with* the country 그 나라와 우호 관계를 확립하다. **2** 《~+목/+목+전+명》 (선례·습관·소신·요구·명성 등을) 확립하다, 확고히 굳히다, (일반에게) …라고 인정시키다《*in; as*》: ~ (one's) credit 신용(의 초석)을 굳히다 / He ~*ed* his fame *in* business 〔*as* an actor〕. 그는 실업계에서〔배우로서의〕 명성을 확립했다. **3** 《~+목/+*that* 절》 (사실·이론 등을) 확증〔입증〕하다: The plaintiff ~*ed* his case. 원고는 자기가 한 말을 입증했다 / The police ~*ed that* she was innocent. 경찰은 그녀가 무죄임을 입증했다. **4** 《+목+전+명/+목+*as* 보》 몸을 안정케 하다《결혼·취직 따위로》, 자리잡게 하다, 취직시키다; 안정시키다: I ~*ed* my son *in* business. 나는 내 자식을 업무에 종사케 했다 / ~ a person *as* governor 아무를 지사로 취임시키다. **5** (교회를) 국교회로 하다. **6** 〖카드놀이〗 (어떤 종류의 패를) 꼭 딸 수 있도록 하다. **~ one*self*** ① 안정되다, 자리잡다: ~ one*self in* a new house. ② (…로서) 입신〔개업〕하다: ~ one*self as* a physician.
㊞ **~·a·ble** *a.*

es·táb·lished [-t] *a.* **1** 확실한, 확립된, 확인〔확증〕된, 기정(旣定)의: an ~ fact 기정 사실 / an old and ~ shop 노포(老鋪). **2** 설립〔제정〕된, 인정된: a person of ~ reputation 정평 있는 인물. **3** (교회가) 국교인: the ~ religion 국교(國敎). **4** 만성의: an ~ invalid 불치병자. **5** 상비(常備)의, 장기 고용의; 안정된, 정착한: Our firm is now fully ~ *in* Korea. 우리 회사는 이제 완전히 한국에 정착했다.

Estáblished Chúrch (the ~) 영국 국교(회)(the Church of England)《생략: E.C.》; (e- c-) 국립 교회.

es·tab·lish·ment [istǽbliʃmənt] *n.* **1** Ⓤ 설립, 창립; 설치. **2** Ⓒ (사회) 시설《학교·병원·상점·회사·여관 따위》, (공공 또는 사설의) 시설물. **3** Ⓤ (관청·육해군 등의) 편성, 편제, 상비 병력〔인원〕, 조직, 정원: war ~ 전시 편제. **4** Ⓤ (질서 따위의) 확립, 확정; (법령 따위의) 제정; (사실 따위의) 인정, 확인. **5** (the E-) (현존의) 권력 기구, (행정 제도로서의) 관청, 체제; 주류파; 《영》 (교회·왕실·부호의) 권력 복합체. **6** 세대, 가정; 주거, 집; Ⓤ 《드물게》 (결혼 따위로) 몸을 굳힘; 생활〔생계〕 (정도). **7** 〖식물·동물〗 정착, 토착(ecesis). **8** Ⓤ (교회의) 국립, 국정; (the E-) = ESTABLISHED CHURCH; (the E-) (스코틀랜드의) 장로교회. **9** 《고어》 고정 수입(fixed income). **be on the ~** 고용되어 있다, 고용인이다. **keep a large ~** 대가족을 거느리고 있다; 큰 회사를〔공장을〕 가지고 있다. **keep a second** 〔**separate**〕 **~** 《완곡어》 첩살림을 차리다.

es·tab·lish·men·tar·i·an [istæ̀bliʃməntɛ́əriən] *a.* (영국) 국교주의의; 체제 지지(자)의. ── *n.* (영국) 국교주의 지지자, 국교 신봉자; 기성 체제 소속자, 체제 지지자. ㊞ **~·ism** *n.*

es·ta·mi·net [*F.* ɛstamine] (*pl.* **~s** [*F.* —]) *n.* 《F.》 작은 술집(bar).

es·tate [istéit] *n.* **1** Ⓒ 토지, (별장·정원 등이 있는) 사유지(landed property); (고무·차·포도 등의) 재배지: have an ~ in the country 시골에 토지가 있다. **2** Ⓤ 재산, 유산; 재산권: personal ~ 동산 / real ~ 부동산. **3** Ⓒ (정치·사회상의) 계급(~ of the realm), (특히 중세 유럽의) 세 신분의 하나(cf. Three Estates). **4** Ⓤ (사회적) 지위〔신분〕, 《특히》 높은 지위〔신분〕. **5** Ⓤ (생애의 한) 시기; (생존의) 상태, 정황: He came to man's ~ *at* the age of 21. 그는 21세로 성인이 되었다. **6** 《고어》 화려, 호화. **7** 《영》 단지(團地): a housing 〔an industrial〕 ~ 주택〔공장〕 단지. **8** 《영》 = STATION WAGON (= ⌐ càr). ***leave an ~ of*** (… 액수의) 재산을 남기다. ***reach*** 〔***arrive at, attain to***〕 ***man's*** 〔***woman's***〕 **~** 성년에 달하다. ***suffer in* one's ~** 살림살이가 곤궁하다. ***the fourth* ~** 《우스개》 제 4 계급, 신문 (기자들). ***the third* ~** 제 3 계급, 평민. ***wind up an* ~** 죽은 자〔파산자〕의 재산을 정리하다. ── *vt.* …에게 재산을 주다.
㊞ **es·tát·ed** [-id] *a.* 재산이 있는.

estáte àgent 《영》 부동산 관리인; 부동산 중개업자, 토지 브로커.

estáte dùty 《영》 = DEATH DUTY.

estáte of the réalm (정치·사회상의) 계급.

Estátes Géneral (the ~) 〖역사〗 3부회(States-General)《혁명 전의 프랑스 국회》.

estáte tàx 〖미법률〗 유산세. cf. inheritance tax.

es·teem [istíːm] *vt.* **1** 《~+목/+목+전+명》 〖종종 수동태로〗 존경하다(respect), 존중하다: ~ a person (*for* his honesty) 아무(의 정직성)을 높이 평가하다 / He *is* highly ~*ed* in business circles. 그는 실업계에서 높이 존경받고 있다. SYN. ⇨ REGARD, RESPECT. **2** 《+목+*to be* 보/+목+(*as*) 보》 …으로 간주하다, …으로 생각하다(consider): ~ a person *to be* happy 아무가 행복하다고 생각하다 / I should ~ it (*as*) a favor if you could do so. 그렇게 해 주시면 고맙겠습니다. **3** 《+목+부》 《고어》 평가하다: ~ a thing lightly 무엇을 경시하다. ◇ estimable *a.* ── *n.* **1** Ⓤ 존중, 존경, 경의: feel no ~ *for* a person 아무에 대하여 존경의 마음이 일지 않다 / hold a person in (high) ~ 아무를 존경하다 / win the ~ of one's friends 친구들로부터 존경을 받다. **2** 《고어》 의견, 평가, 감정, 판단: in my ~ 나의 생각으로는.

es·ter [éstər] *n.* Ⓤ 〖화학〗 에스테르.

éster gùm 〖화학〗 에스테르 고무《천연수지와 다가 알코올을 가열하여 만든 수지; 도료용》.

es·ter·i·fy [estérəfài] *vt., vi.* 〖화학〗 에스테르화하다. ㊞ **es·tèr·i·fi·cá·tion** *n.* 에스테르화.

Esth. 〖성서〗 Esther; Esthonia.

Es·ther [éstər] *n.* **1** 에스터《여자 이름》. **2** 〖성서〗 에스더《유대인으로 페르시아의 왕비; 자국민을 학살로부터 구함》; (구약의) 에스더서(書) (= **The Bóok of** ⌐) 《생략: Esth.》.

es·the·sia, aes- [esθíːʒiə, -ziə] *n.* Ⓤ 감각, 지각(력), 감수성.

es·the·sio·phys·i·ol·o·gy [esθì:ziəfiziálədʒi/-ɔ́l-] *n.* 감각 생리학.

esthete, esthetic, etc. ⇨ AESTHETE, AESTHETIC, etc.

Esthonia(n) ⇨ ESTONIA(N).

est·ie [ésti(:)] *n.* 심신 통일 훈련을 받는 사람.

es·ti·ma·ble [éstəməbəl] *a.* 존중할 만한; 존경할 만한; 평가할 수 있는, 어림할 수 있는. ◇esteem *v.* ⊞ **-bly** *ad.* **~·ness** *n.*

‡**es·ti·mate** [éstəmèit] *vt.* **1** 《~+목/+목+전+명/+*that* 절/+목+*to be*》 어림잡다, 견적하다, 산정하다; 판단〔추단〕하다; 통계적으로 예측하다: ~ the value of a person's property 아무의 재산 가치를 견적하다 / ~ the cost *at* 10,000 dollars 비용을 1만 달러로 어림하다 / We ~ *that* it would take three months to do the work. 완성까지 3개월로 어림잡고 있다 / I ~ the room *to be* about 30 feet long. 그 방은 길이가 30 피트는 된다고 나는 어림〔판단〕한다. **2** 《+목+부》 …의 가치〔의의 등〕에 대하여 판단하다: ~ a person's character very *highly* 아무의 인격을 매우 높이 평가하다. — *vi.* 《+전+명》 견적하다; 견적서를 만들다: ~ *for* the repair 수리비를 견적하다.
— [éstəmit, -mèit] *n.* **1** 평가, 견적, 개산(槪算): exceed ~ 예산을 초과하다. **2** 판단, 의견. **3** (종종 *pl.*) 견적서; (the E-s) 《영》 세출 세입 예산. ***at a moderate*** **~** 줄잡아 어림하여. ***a written*** **~** 견적서. ***make* 〔*form*〕 *an* ~ *of*** …의 견적을 내다, …을 평가〔어림〕하다.
⊞ **-màt·ed** [-id] *a.* **1** 평가상의, 견적〔개산〕의: an *estimated* sum 견적액. **2** 존중되는, 호평의.

ès·ti·má·tion *n.* Ⓤ **1** 의견, 판단, 평가: in my ~ 내가 보건대는 / in the ~ of the law 법률상의 견해로는. **2** (때로 an ~) 개산, 견적 추정; 평가 가치, 견적액, 추정치, 측정 규모: careful ~ of the risks 위험에 대한 신중한 추정 / make an ~ of... …을 어림잡다 / fall 〔rise〕 in a person's ~ 아무에게 낮게〔높이〕 평가되다. **3** 〖수학〗 추정. **4** 《고어》 (…에 대한) 존경, 존중(尊重)(respect) 《*for*》: be (held) in (high) ~ (매우) 존중되고 있다. ***in the* ~ *of*** (most people) (대다수)의 생각으로는. ***stand high in public* ~** 세평(世評)이 높다.

es·ti·ma·tive [éstəmèitiv/-mət-] *a.* 평가할 수 있는; 평가의; 어림잡는, 개산의.

es·ti·ma·tor [éstəmèitər] *n.* 평가〔견적〕인, 감정인; 추정량.

estival ⇨ AESTIVAL.

estivate ⇨ AESTIVATE.

Es·to·nia, -tho- [estóuniə], [-tóu-, -θóu-] *n.* 에스토니아《발트해 연안에 있는 공화국; 1991년 소련의 붕괴로 독립》. ⊞ **-ni·an** *a.* 에스토니아(인)의. — *n.* 에스토니아인; Ⓤ 에스토니아어.

es·top [estáp/istɔ́p] (*-pp-*) *vt.* 〖법률〗 금반언(禁反言)에 의하여 금지하다《*from*》(cf. estoppel); 《드물게》 금지하다; 《고어》 (구멍 등을) 막다. ⊞ **es·tóp·page** [-idʒ] *n.* 금지, 저지.

es·top·pel [estápəl/istɔ́p-] *n.* 〖법률〗 금반언(禁反言); 금지, 방지.

es·to·vers [estóuvərz] *n. pl.* 〖법률〗 필요물《차지인(借地人)이 차지에서 베어 내어도 좋은 장작이나 수선용의 재목 등》; 별거〔이혼〕 부조금(alimony).

es·trade [estrá:d] *n.* 《F.》 대(臺), 단, 연단.

es·tra·di·ol, oes- [èstrədáiɔ:l, -ɑl/i:strədáiɔl] *n.* 〖생화학〗 에스트라디올《estrogen의 일종》.

és·tral cỳcle [éstrəl-] = ESTROUS CYCLE.

es·trange [istréindʒ, es-] *vt.* 《~+목/+목+전+명》 …의 사이를 나쁘게 하다, 이간하다; 멀리하다, 떼다《*from*》; …의 애정에 찬물을 끼얹다: be ~*d from* one's friends 친구들로부터 소원해지다 / His impolite behavior ~*d* his friends. 그의 무례한 행동 때문에 그의 친구들은 떨어져 나갔다 / The dispute ~*d* him *from* his wife. 그 말다툼으로 그는 아내와의 사이가 나빠졌다. ⊞ **~·ment** *n.* Ⓤ,Ⓒ 이간, 버성김, 소원, 소외.

ès·tránged *a.* (표정 등이) 쌀쌀한; (심정적으로) 멀어진, 소원해진. ⊞ **~·ness** *n.*

es·tráng·er *n.* 낯선 사람.

es·tray [istréi, es-] *n.* 헤매고 있는 사람〔물건〕; 〖법률〗 (임자를 알 수 없는) 길 잃은 가축. — *a.* 나가서 길을 잃은; 벗어난. — *vi.* 《고어》 (길을) 헤매다(stray).

es·treat [estrí:t, es-] *n.* 〖법률〗 (벌금·과태료·서약 보증금 등에 대한 부분을 베낀) 재판 기록 초본; (초본에 의한 벌금 등의) 징수〔몰수〕 집행. — *vt.* 재판 기록 초본을 보내어 (벌금·과태료 등의) 징수〔몰수〕를 집행케 하다; 《널리》 (벌금 등을) 징수〔몰수〕하다.

es·tri·ol, oes- [éstriɔ:l, -ɑl, -trai-/í:striɔ̀l] *n.* 〖생화학〗 에스트리올《성(性)호르몬의 일종》.

es·tro·gen, oes- [éstrədʒən] *n.* 에스트로겐《여성 발정(發情) 호르몬 물질》.

es·tro·gen·ic [èstrədʒénik] *a.* 발정(發情)을 촉진하는, 발정성(性)의; 에스트로겐의〔과 같은〕.

es·trone, oes- [éstroun] *n.* 에스트론《발정(發情) 호르몬의 일종》.

es·trop·i·at·ed [istrápièitid/-trɔ́p-] *a.* 지체가 부자유스러운, 지체에 장애가 있는, 불구의.

es·trous, oes- [éstrəs] *a.* 발정(기)(發情(期))의, 발정을 수반하는.

éstrous cỳcle 〖동물〗 성주기(性週期)(reproductive cycle).

es·trum, oes- [éstrəm], **es·trus, oes-** [éstrəs] *n.* (암컷의) 발정(發情), 암내피움; 발정기; = ESTROUS CYCLE.

es·tu·a·ry [éstʃuèri/-əri] *n.* (간만의 차가 있는) 큰 강의 어귀; 내포, 후미.

Éstuary Énglish 《영》 에스추에리 잉글리시 《London을 중심으로 잉글랜드 남동부에 걸쳐 사용되는 발음 양식; 표준 발음과 런던 사투리(cockney)의 두 특징을 가짐》.

ESU, esu electrostatic units (정전(靜電) 단위).

esu·ri·ent [isúəriənt/isjúər-] *a.* 《고어》 굶주린, 걸신들린. ⊞ **~·ly** *ad.* **-ence, -en·cy** *n.* 탐욕.

ESV earth satellite vehicle; experimental safety vehicle (안전 실험차). **ESWL** 〖의학〗 extracorporeal shock wave lithotripter (체외 충격파 쇄석기)《신장에서 결석을 파괴하는 기계》.

ET 〖우주〗 external tank; extraterrestrial.

ET, E.T. Eastern Time; Easter term; elapsed time. **Et** 〖화학〗 ethyl.

-et [it] *suf.* 명사에 붙여 '작은'의 뜻의 축소사(縮小辭).

ETA [étə] *n.* 에타, 조국 바스크와 자유《Basque 지방의 분리 독립을 지향하여 1959년 결성된 스페인의 과격파 민족주의 조직》. [◂ *Euzukadi Ta Azkatasuna* = Basque Homeland and Liberty]

eta [éitə, í:-/í:-] *n.* 그리스어 알파벳의 일곱째 글자《H, η; 영어의 E, e에 해당》.

ETA, E.T.A. estimated time of arrival (도착 예정 시각). **ETACCS** European Theater Air Command and Control Study (유럽 전역(戰域) 항공 지휘·통제 연구).

et al. [et-ǽl, -á:l, -ɔ́:l] 《L.》 *et alibi* (= and elsewhere); *et alii* (= and others). ★ '기타'는 사람은 et al. 물건은 etc.를 씀.

eta·lon [éitəlàn/-lɔ̀n] *n.* 〖광학〗 에탈론《두 장의 반사경을 마주보게 한 고분해능(高分解能) 간섭계(干涉計)》.

éta méson 〖원자물리〗 에타(η) 중간자.
etat·ism [eitáːtizəm] *n.* ＝STATE SOCIALISM.
*__etc., & c.__ [etsétərə, ənsóufɔ̀ːrθ] ＝ET CETERA. ★ 상용문(商用文)이나 참조에 주로 쓰이며, 앞에 comma를 찍음《명사가 하나일 때는 예외》.
et cet·era [et-sétərə/it-sétrə] 《L.》 기타, … 따위, 등등《생략: etc., &c.; 보통 약자를 씀》.
et·cet·era [etsétərə/itsétrə] *n.* (그 밖의) 갖가지의 것〔사람〕; (*pl.*) 잡동사니, 잡품.
◇**etch** [etʃ] *vt.* …에 식각(蝕刻)〔에칭〕하다; 에칭으로 (그림·무늬를) 새기다; 선명하게 그리다〔인상 짓게 하다〕. ~ ***in*** (펜·연필 등으로 배경·세부 등을) 써넣다. ── *n.* 부식 작용〔효과〕, 식각; 부식액, 에칭액. [파] **∠·er** *n.* 에칭〔부식 동판〕 제작자.
etch·ant [étʃənt] *n.* 부식액(腐蝕液).
◇**étch·ing** *n.* [U] **1** 식각법, 부식 동판술, 에칭. **2** [C] 에칭판; 에칭(판)화; 스케치화; 인상기. **3** 〖치과〗 부식《에나멜질이 파괴된 상태》.
étching nèedle 〔**pòint**〕 에칭 바늘.
étch pit 〖천문〗 에치피트《화성 표면의 작은 웅덩이》.
ETD, E.T.D. estimated time of departure (출발〔출항〕 예정 시각).
Ete·o·cles [itíːəklìːz] *n.* 〖그리스신화〗 에테오클레스《Oedipus와 Jocasta의 아들; 아우 Polynices와 Thebes 왕위를 다투다 모두 죽음》.
*__eter·nal__ [itə́ːrnl] *a.* **1** 영구〔영원〕한, 영원히 변치 않는, 불멸의: ~ life 영원한 생명, 영생. **2** 《구어》 끝없는; 끊임없는(incessant); 변함없는(immutable): ~ quarreling 끝없는 말다툼. **3** 《고어》 〘강조적〙 젠장맞을(infernal). [SYN.] ⇨EVERLASTING. ── *n.* 영원한 것; (the E-) 하느님(God). [파] ◇**~·ly** *ad.* 영원히; 언제나; 끊임없이. **~·ness** *n.*
etérnal chéckout (the ~) 《속어》 죽음.
Etérnal Cíty (the ~) 영원한 도시《Rome의 별칭》.
eter·nal·ize [itə́ːrnəlàiz] *vt.* ＝ETERNIZE.
etérnal recúrrence 〖철학〗 (니체 철학의) 영원 회귀(永遠回歸).
etérnal tríangle (the ~) (어느 세대에나 있는) 남녀의 삼각관계.
eterne [itə́ːrn] *a.* 《고어·시어》 ＝ETERNAL.
◇**eter·ni·ty** [itə́ːrnəti] *n.* [U] 영원, 무궁; 불사, 불멸; 영원성; (사후의) 영세, 내세; (the eternities) 영원한 진리〔사실〕; (*pl.*) 영원한 세월(ages); (an ~) (끝이 없게 여겨지는) 긴 시간: It seemed to me an ~. 길고 긴 시간으로 여겨졌다. ***through all ~*** 영원무궁토록. ***to all ~*** 영구히, 언제까지나.
etérnity rìng 이터니티 링《보석을 돌아가며 틈없이 박은 반지; 영원을 상징》.
eter·nize [itə́ːrnaiz] *vt.* 영원한 것으로 하다, 불후(不朽)하게 하다; 영원토록 전하다. [파] **etèr·ni·zá·tion** *n.*
ete·sian [itíːʒən] *a.* (종종 E-) (지중해 동부의 바람이) 예년의, 계절적으로 부는. ── *n.* (종종 E-; 흔히 *pl.*) 에테지안(＝∠ **wínds**)《지중해 동부에서 매년 약 40일간 부는 건조한 북서풍》.
etext [íːtèkst] *n.* 〖컴퓨터〗 전자 텍스트《기계적으로 읽어낼 수 있는 텍스트》. [◂ electronic text]
ETF electronic transfer of funds.
eth [eð] *n.* ＝EDH.
eth- [eθ], **eth·o-** [éθou, éθə] 〖화학〗 '에틸'이란 뜻의 결합사.
-eth [iθ] *suf.* ⇨-TH².
Eth. Ethiopia. **eth.** ethical; ethics.
eth·a·crýn·ic ácid [èθəkrínik-] 〖약학〗 에타크린산《수종(水腫) 치료용 이뇨약》.
eth·ám·bu·tol (hydrochlóride) [eθǽmbjətɔ̀ːl(-), -tàl(-)/-tɔ̀l(-)] 〖약학〗 에탐부톨《합성 항결핵약》.
eth·an·am·ide [iθǽnəmàid] *n.* 〖화학〗 ＝ACETAMIDE.
eth·ane [éθein] *n.* [U] 〖화학〗 에탄《석유에서 나는 무색·무취·가연성 가스》.
eth·ane·di·ol [éθeindàiɑl, íːθ-] *n.* 〖화학〗 에탄디올(ethylene glycol).
eth·an·o·ate [eθǽnoueit] *n.* 〖화학〗 ＝ACETATE.
eth·a·nó·ic ácid [èθənóuik-] 〖화학〗 에탄산(酸)(acetic acid).
eth·a·nol [éθənɔ̀ːl, -nɑ̀l/-nɔ̀l] *n.* 〖화학〗 에탄올(alcohol)《IUPAC의 용어》.
eth·a·nol·amine [èθənɑ́ləmìːn, -nóu-/-nɔ́l-] *n.* 〖화학〗 에탄올아민《탄산가스 따위의 흡수제·페놀 추출 용제》.
Eth·el [éθəl] *n.* **1** 에셀《여자 이름》. **2** 《미속어》 기개 없는〔연약한〕 사내.
Eth·el·bert [éθəlbəːrt] *n.* 에셀버트《남자 이름》.
eth·ene [éθiːn] *n.* 〖화학〗 ＝ETHYLENE.
eth·e·phon [éθəfɑ̀n/-fɔ̀n] *n.* 〖농업〗 에테폰《식물 생장 조정제》.
ether, ae·ther [íːθər] *n.* [U] **1** (the ~) (옛 사람들이 상상한) 대기 밖의 공간(에 차 있는 정기(精氣)〔영기(靈氣)〕); 《시어》 창공; 《드물게》 공기; 〖물리〗 에테르《빛·열·전자기 복사 현상의 가상적 매체》. **2** 〖화학〗 에테르, 《특히》 에틸에테르《용매(溶媒)·마취약》. **3** (the ~) 《구어》 라디오. [파] **~·ish** *a.*
◇**ethe·re·al, -ri·al, ae·the-** [iθíəriəl] *a.* **1** 가뿐한; 공기 같은. **2** 《시어》 천상의, 하늘의; 이 세상 것이 아닌, 정신계〔심령계〕의: ~ messengers 천사. **3** 무형의, 촉지할 수 없는; 우미한, 영묘한. **4** 〖물리·화학〗 에테르의〔같은〕, 에테르를 함유한. [파] **~·ly** *ad.* **~·ness** *n.* **ethe·re·al·i·ty** [iθìəriǽləti] *n.* [U] 영묘함.
ethéreal bódy 에테르체《단순한 물질적 형태로서의 육체에 생명을 부여하는 생명체》.
ethe·re·al·ize [iθíəriəlàiz] *vt.* 영화(靈化)하다, 기화(氣化)하다, 영묘하게 하다; …에 에테르를 가하다; 에테르(모양으)로 하다. [파] **ethè·re·al·i·zá·tion** *n.* [U]
ethéreal óil 정유(精油)(essential oil).
éther èxtract 〖화학〗 에테르 추출물.
ethe·ri·al [iθíəriəl] *a.* ＝ETHEREAL.
ether·i·fy [iθérəfài, íːθər-] *vt.* 〖화학〗 (알코올 등을) 에테르화(化)하다. [파] **ethèr·i·fi·cá·tion** *n.* [U] 에테르화(化).
èther·i·zá·tion *n.* [U] 에테르 마취(법); 에테르로 변화함.
ether·ize [íːθəràiz] *vt.* 에테르로 처리하다; 〖의학〗 …을 에테르로 마취시키다; 무감각하게 하다; 〖화학〗 ＝ETHERIFY. [파] **-ìz·er** [-àizər] *n.* 에테르 마취 장치.
Ether·net [íːθərnèt] *n.* 이서넷《미국에서 개발한 버스 구조의 LAN; 상표명》.
eth·ic [éθik] *a.* ＝ETHICAL. ── *n.* 《드물게》 ＝ETHICS.
*__eth·i·cal__ [éθikəl] *a.* **1** 도덕상의, 윤리적인; 윤리(학)의; 윤리에 타당한; 직업상〔소속 집단〕의 윤리에 맞는: an ~ movement 윤리화 운동. **2** (의약이) 의사의 처방 없이 매매할 수 없는; (약품이) 인정 기준을 좇는. [파] **~·ly** *ad.* **~·ness** *n.* **eth·i·cal·i·ty** [èθəkǽləti] *n.* 윤리성.
Éthical cúlture 1876년 Felix Adler가 종교와는 별도로 윤리 행위의 중요성을 강조한 운동.
éthical dátive 〖문법〗 심성 여격(心性與格)《Knock *me* at the door.의 me와 같이 간접으로 관계하는 사람을 나타내는 여격》.
èthical invéstment 〖금융〗 사회적·윤리적으로 합당한 기업에만 한정하는 증권 투자《예를 들어 핵무기 생산 기업이나 공해 발생 업체는 제외》.
eth·i·cist, ethi·cian [éθəsist], [eθíʃən] *n.* 도덕가.

eth·i·cize [éθəsàiz] *vt.* 윤리적으로 …하다〔이라고 생각하다〕; …에 윤리성을 부여하다.

***eth·ics** [éθiks] *n. pl.* **1** 〖보통 단수취급〗 윤리학, 도덕론; 윤리학서: practical ~ 실천 윤리학. **2** 〖보통 복수취급〗 (개인 · 어느 사회 · 직업에서 지켜지는) 도의, 도덕, 윤리(관); 윤리성: medical 〔professional〕 ~ 의사의 〔직업〕 윤리 / His ~ are abominable. 그의 도덕 관념은 형편없다.

ethíd·i·um brómide [eθídiəm-] 〖생화학〗 브롬화 에티듐《DNA의 염색 따위에 쓰이는 색소》.

eth·i·on [éθiàn/-ɔ̀n] *n.* 〖약학〗 에티온《살충제, 특히 진드기 구충제》.

eth·i·on·a·mide [èθiánəmàid/-ɔ́n-] *n.* 〖약학〗 에디오나미드《항결핵제의 하나》.

Ethi·op, -ope [í:θiàp/-ɔ̀p], [-òup] *n., a.* 《고어 · 시어》 = ETHIOPIAN.

Ethi·o·pia [ì:θióupiə] *n.* 에티오피아《옛 이름: Abyssinia; 수도는 Addis Ababa》. **—** *a.* 에티오피아의. ⊕ **Ethi·ó·pian** [-n] *a.* 에티오피아(사람 · 어)의; 《고어》 흑인의; 〖생물지리〗 에티오피아 아구(亞區)의; 〖기독교〗 에티오피아 정교(正教)의. **—** *n.* 에티오피아인〔어〕; 《특히》 암하라어(Amharic) 《고어》 흑인(Negro).

Ethiópian Órthodox Chúrch (the ~) 〖기독교〗 에티오피아 정교회《4 세기에 설립》.

Ethi·op·ic [ì:θiápik/-ɔ́p-] *a.* = ETHIOPIAN; (고대) 에티오피아(어)의. **—** *n.* Ⓤ (고대) 에티오피아어; 에티오피아 어군.

eth·moid [éθmɔid] *n., a.* 〖해부〗 사골(篩骨)(의〔에 인접한〕). ⊕ **eth·moi·dal** [eθmɔ́idl] *a.*

eth·narch [éθnɑ:rk] *n.* 〖역사〗 (비잔틴 제국 등의 한 지방〔민족〕의) 지배자, 지도자. ⊕ **-nar·chy** [-i] *n.* ~의 통치〔직, 지위, 직권〕.

eth·nic, -ni·cal [éθnik], [-əl] *a.* **1** 인종의, 민족의; 민족 특유의: an *ethnic* nation 부족적 국민 / *ethnic* society 종족적 사회. **2** (-nical) 인종〔민족〕학(상)의. **3** 특정 (소수) 인종〔민족〕의 《문화에 유래하는》; (의상 등이) 민족 고유의. **4** 《미구어》 이국(풍)의; 《드물게》 이방인의, 이교도의. ★ ethnical은 언어 · 습관, racial은 피부나 눈의 빛깔 · 골격 따위에 관한 경우에 씀. **—** *n.* (-nic) Ⓒ 소수 민족의 일원; (*pl.*) 민족적 배경. ⊕ **éth·nical·ly** *ad.* **eth·nic·i·ty** [eθnísəti] *n.* Ⓤ 민족성.

éthnic cléansing 민족 정화《(소수) 이민족을 조직적으로 박해하여 자기들 국가 · 지배 지역에서 추방하는 것》.

éthnic gróup 〖사회〗 종족, 민족, 인종 집단.

eth·ni·cism [éθnəsìzəm] *n.* 민족성 중시주의, 민족 분리주의; 《고어》 이교적 특징.

éthnic lóok 〖복식〗 에스닉 룩《민족 의상의 특색을 살려 세련된 색채를 쓴 의상 스타일》.

éthnic minórity 소수 민족《문화와 전통이 서로 다른 사람들이 사는 지역 내에서 같은 문화와 전통을 가진 사람들의 집단》.

eth·ni·con [éθnəkàn/-kɔ̀n] (*pl.* ***-ca*** [-kə]) *n.* 종족〔종족적 집단 · 민족 · 국민〕의 명칭《Hopi, Ethiopian 등》.

éthnic púrity 《미》 민족적〔문화적, 인종적〕 동질성; (인종 차별로 이어지는) 인종적 순수성.

éth·nics *n.* = ETHNOLOGY; 《미》 소수파 민족계 시민(의 총칭).

eth·no [éθnou] *n.* 〖음악〗 에스노《아시아 · 아프리카 등의 민족 음악 요소를 채용한 록의 총칭》.

eth·no- [éθnou, -nə] '인종, 민족' 이란 뜻의 결합사.

èthno·archeólogy *n.* 민족 고고학《특정 민족「문화를 연구」》.

èthno·biólogy *n.* 민족 생물학《미개 민족의 생활 방식과 그 생물 환경과의 관계를 연구》.

eth·no·cen·tric [èθnouséntrik] *a.* 민족 중심적인; 자민족 중심주의의. ⊕ **-tri·cal·ly** *ad.* **èth·no·cen·tríc·i·ty** *n.*

eth·no·cen·trism [èθnouséntrizəm] *n.* Ⓤ 자기 민족 중심주의《다른 민족을 멸시하는》. ㏇ nationalism, chauvinism.

eth·no·cide [éθnəsàid] *n.* (특정 민족의 문화를 근절하는) 문화 동화 정책, 문화 말살.

èthno·cúltural *a.* 민족 문화의; (어떤 사회 내의) 특정 민족 집단의〔에 관한〕.

eth·no·gen·e·sis [èθnədʒénəsis] *n.* 〖사회〗 민족 문화의 형성〔발생, 발전〕.

eth·no·ge·net·ic [èθnədʒənétik] *a.* 민족 문화 발생의〔를 형성하는〕; 민족 문화에 특징적인.

eth·nog·e·ny [eθnádʒəni/-nɔ́dʒ-] *n.* Ⓤ 인종〔민족〕 기원학(起源學).

eth·nog·ra·phy [eθnágrəfi/-nɔ́g-] *n.* Ⓤ 민족지학(誌學), 기술적(記述的) 인종학. ⊕ **-pher, -phist** *n.* 민족지학자. **eth·no·graph·ic, -i·cal** [èθnəgrǽfik], [-əl] *a.* 민족지(誌)적인, 민족지학상의. **-i·cal·ly** *ad.*

èthno·hístory *n.* 민족 역사학《민족의 역사적 해명을 위한 조사 · 연구》. ⊕ **-histórian** *n.* **-histó ric, -ical** *a.*

ethnol. ethnologic(al); ethnology.

èthno·linguístics *n.* Ⓤ 〖단수취급〗 민족 언「어학.

eth·no·log·ic, -i·cal [èθnəládʒik/-lɔ́dʒ-], [-əl] *a.* 민족학상의, 인종학의. ⊕ **-i·cal·ly** *ad.* 민족학적으로.

eth·nol·o·gy [eθnálədʒi/-nɔ́l-] *n.* Ⓤ 민족학, 인종학. ⊕ **-gist** *n.* 민족학〔인종학〕자.

èthno·methodólogy *n.* 〖사회〗 민족 방법론《사회 구조에 대한 일반인의 상식적 이해를 다룸》. ⊕ **-gist** *n.*

èthno·musicólogy *n.* 민족 음악학.

eth·no·nym [éθnounìm] *n.* 부족명, 종족명, 「민족명.

èthno·pharmacólogy *n.* 민족 약물학.

èthno·psychólogy *n.* Ⓤ 민족 심리학.

eth·nos [éθnas/-nɔs] *n.* 민족(ethnic group).

èthno·scíence *n.* 민족 과학, 민족지(誌)학. ⊕ **-scíentist** *n.* **-scientífic** *a.*

etho·gram [éθəgræ̀m] *n.* 에소그램, 동물 행동 생태 기록.

ethol·o·gy [i(:)θálədʒi/-θɔ́l-] *n.* Ⓤ (동물) 행동학, 행동 생물학; 인성학(人性學); 품성론. ⊕ **-gist** *n.* **etho·log·i·cal** [ì:θəládʒikəl/-lɔ́dʒ-] *a.* **-i·cal·ly** *ad.*

°**ethos** [í:θas/-θɔs] *n.* **1** 민족정신, 사회 사조, 윤리성. ㏇ pathos. **2** 기풍, 풍조.

eth·ox·ide [i:θáksaid/-θɔ́k-] *n.* 〖화학〗 에톡시드, 에틸레이트(ethylate)《에틸알코올의 수산기의 수소를 금속으로 치환한 화합물》.

eth·ox·yl [eθáksil/-θɔ́k-] *n.* 〖화학〗 에톡실기「(基).

eth·yl [éθəl] *n.* 〖화학〗 에틸(기)(= ∠ **ràdical** 〔**gròup**〕); (E-) 4 에틸납 앤티노크(를 섞은 휘발유)《상표명》. ⊕ **eth·yl·ic** [eθílik] *a.*

éthyl ácetate 〖화학〗 아세트산 에틸.

éthyl álcohol 에틸알코올《보통 알코올》.

eth·yl·ate [éθəlèit] 〖화학〗 *n.* 에틸레이트 (ethoxide). **—** *vt., vi.* (화합물)에 에틸기(基)를 도입하다, 에틸화하다. ⊕ **èth·y·lá·tion** *n.* 에틸화.

eth·yl·ene [éθəli:n] *n.* Ⓤ 〖화학〗 에틸렌.

éthylene di·bró·mide [-daibróumaid, -mid] 〖화학〗 2브롬화 에틸렌(= **éthylene brómide**)《발암 물질; 생략: EDB》.

éthylene glýcol 〖화학〗 에틸렌 글리콜《부동액에 쓰임》.

éthylene gròup 〖화학〗 에틸렌기(基).

ethy·nyl, ethi- [eθáinl] *n.* 〖화학〗 에티닐(기) (= ∠ **ràdical** 〔**gròup**〕).

ethýnyl estradíol 〖생화학〗 에티닐에스트라

디올《강력한 활성 합성 에스트로겐; 경구 투여》.
et·ic [étik] *a.* 〖언어〗 에틱한《언어·행동의 기술(記述)에서 기능면을 문제 삼지 않는 관점을 일컬음》. cf. emic. [◂ phon*etic*]
eti·o·late [í:tiəlèit] *vt.* 누렇게 뜨게 하다, 황화(黃化)시키다《식물이 햇빛을 못 보게 해》; (얼굴 등을) 병색이 나게 하다; (사랑의) 기운을〔활기를〕 빼앗다. — *vi.* 병색이 나다; 황화하다. ㊕ **-làt·ed** [-id] *a.* **èti·o·lá·tion** *n.* 〖식물〗 황화.
eti·ol·o·gy, ae·ti- [ì:tiálədʒi/-ɔ́l-] *n.* Ⓤ 원인론; 〖의학〗 병인학(病因學); 원인의 추구. ㊕ **-ó·log·ic, -i·cal** *a.* **-i·cal·ly** *ad.*
etio·path·o·gen·e·sis [ì:tioupæθədʒénəsis] *n.* 〖의학〗 원인 병리론.
***et·i·quette** [étikit, -kèt/étikèt] *n.* Ⓤ 에티켓, 예절, 예법; (동업자 사이의) 불문율, 예의: a breach of ~ 예의에 벗어남.
Et·na, Aet·na [étnə] *n.* **1 Mount ~** 에트나산《이탈리아 Sicily섬의 유럽 최대의 활화산》. **2** (e-) 알코올로 물을 끓이는 기구.
Eton [í:tn] *n.* **1** 이튼《영국 Berkshire 남부의 도시, Eton 교의 소재지》. **2** 이튼교(~ College); (*pl.*) 이튼교의 제복(= ~ **clóthes**).
Éton blúe 청록색《이튼교의 교색(校色)》.
Éton cóllar 이튼 칼라《상의의 깃에 덧대는 폭이 넓은 칼라》.
Éton Cóllege 이튼 칼리지《public school로 1440년 창설》.
Eto·ni·an [i:tóuniən] *n.* 이튼교의 학생; 이튼교 출신자. — *a.* Eton의.
Éton jácket 〔**cóat**〕 **1** 이튼 재킷《이튼식의 깃이 넓고 길이가 짧은 소년용 상의》. **2** 여자용의 짧은 저고리.

Eton jacket 1

etor·phine [itɔ́:rfin] *n.* 〖약학〗 에토르핀《모르핀 비슷한 마약성 진통제》.
étri·er [èitriéi; *F.* etʀje] *n.* 《F.》 〖등산〗 에트리에《등반용 짧은 줄사닥다리》.
Etru·ria [itrúəriə] *n.* 에트루리아《이탈리아 서부에 있던 옛 나라》. ㊕ **~n** *a., n.* =ETRUSCAN.
Etrus·can [itrʌ́skən] *a.* 에트루리아(인〔어〕)의. — *n.* 에트루리아인〔어〕.
ETS[1] [ì:tì:és] 《미군대속어》 만기 제대하다. [◂ *E*stimated *T*ime of *S*eparation]
ETS[2] 《미》 Educational Testing Service.
et seq., et sq. *et sequens* 《L.》 (=and the following '…이하 참조'). **et seqq., et sqq.** *et sequentes; et sequentia* 《L.》 (=and those following '…이하 참조《복수》').
-ette [ét] *suf.* '작은, 여성, 모조(模造), 집단'의 뜻: cigar*ette*; leather*ette*; oct*ette*.
étude [eitjú:d/eitjú:d] *n.* 《F.》 연습; (그림·조각 등의) 습작; 〖음악〗 소곡; 연습곡.
etui, etwee [eitwí:, étwi/etwí:] *n.* 《F.》 손그릇, 작은 상자《바늘·화장품 따위를 넣는》.
ETV Educational Television. **ETX** 〖컴퓨터〗 end of text (텍스트 종결 (문자)).
ety., etym., etymol. etymological; etymology.
et·y·mo·log·ic, -i·cal [ètəməládʒik/-lɔ́dʒ-], [-əl] *a.* 어원(語源)의; 어원학의. ㊕ **-i·cal·ly** *ad.* 어원상; 어원적으로.
ety·mo·log·i·con [ètəməládʒikàn, -kən/-lɔ́dʒikɔ̀n] *n.* 어원 사전.
et·y·mol·o·gize [ètəmálədʒàiz/-mɔ́l-] *vt., vi.* (…의) 어원을 조사〔연구, 정의〕하다. ㊕ **-gìz·a·ble** *a.*
◇**et·y·mol·o·gy** [ètəmálədʒi/-mɔ́l-] *n.* **1** Ⓤ 어원; 어원학; 어원론. **2** (어떤 낱말의) 어원의 추정〔설명〕. ㊕ **-gist** *n.* 어원학자.

et·y·mon [étəmàn/-mɔ̀n] (*pl.* **~s, -ma** [-mə]) *n.* (말의) 원형, 본뜻; 외래어의 원어; 복합어〔파생어〕의 형성 요소.
eu- [ju:] *pref.* '선(善), 양(良), 미, 우(優)'의 뜻. OPP. *dys-*.
EU European Union; enriched uranium (농축 우라늄). **Eu** 〖화학〗 europium.
eu·caine [ju:kéin] *n.* Ⓤ 오이카인《국부 마취제》.
eu·ca·lyp·tus [jù:kəlíptəs] (*pl.* **~·es, -ti** [-tai]) *n.* 〖식물〗 유칼립투스, 유칼리《오스트레일리아 원산의 교목》: ~ oil 유칼리유(油).
eu·cary·ote, -kary- [ju:kǽriòut] *n.* 〖생물〗 진핵(眞核) 생물. ㊕ **eu·càry·ót·ic** [-át-/-ɔ́t-] *a.*
eucaryótic cèll 〖생물〗 진핵 세포.
Eu·cha·rist [jú:kərist] *n.* (the ~) 〖가톨릭〗 성체(聖體), 성체 성사, 성찬식; 성체용〔성찬용〕 빵과 포도주; 〖기독교〗 성찬; (e-) 감사 (기도). ㊕ **Eù·cha·rís·tic,** 《고어》 **-ti·cal** [-tik], [-əl] *a.* **-ti·cal·ly** *ad.*
eu·chlo·rine, -rin [ju:klɔ́:ri:n], [-rin] *n.* 〖화학〗 유클로린《염소와 2산화염소의 폭발성 혼합 기체》.
eu·chre [jú:kər] *n.* 유커《카드놀이의 일종》; euchre 함〔당함〕. — *vt.* 유커에서 상대자의 실수를 이용하여 이기다; 《구어》《비유》 지우다, 이기다, (속임수로) 앞지르다《*out*》.
eu·chro·ma·tin [ju:króumətin] *n.* 〖유전〗 진정 염색질. cf. heterochromatin. ㊕ **èu·chro·mát·ic** *a.*
eu·chro·mo·some [ju:króuməsòum] *n.* 진정 염색체(autosome).
Eu·clid [jú:klid] *n.* 유클리드《고대 그리스의 수학자》; 유클리드 기하학; 《속어》 기하학. ㊕ **Eu·clid·e·an, -i·an** [ju:klídiən] *a.*
Euclídean álgorithm 〖수학〗 호제법(互除法).
Euclídean geómetry 유클리드 기하학.
Euclídean spáce 〖수학〗 유클리드 공간.
eu·d(a)e·mo·nia, -dai- [jù:dimóuniə], [-dai-] *n.* 행복.
eu·d(a)e·mon·ics [jù:dimániks/-mɔ́n-] *n.* **1** Ⓤ 행복론. **2** =EUD(A)EMONISM.
eu·d(a)e·mon·ism, -dai- [ju:dí:mənìzəm], [-dái-] *n.* Ⓤ 〖철학·윤리〗 행복설, 행복주의. ㊕ **-nist** *n.* **eu·dàe·mo·nís·tic** *a.*
eu·di·om·e·ter [jù:diámətər/-ɔ́m-] *n.* 〖화학〗 유디오미터《가스 성분 측정기》. ㊕ **eu·dio·met·ric, -ri·cal** [jù:diəmétrik], [-kəl] *a.*
Eu·gene, Eu·gène [ju:dʒí:n/-ʒéin], [ju:dʒí:n/-dʒéin] *n.* 유진《남자 이름; 애칭 Gene》.
eu·gen·ic, -i·cal [ju:dʒénik], [-əl] *a.* 우생(학)의; 우생학적으로 우수한. ㊕ **-i·cal·ly** *ad.* 우생학적으로.
eu·gen·i·cist, eu·gen·ist [ju:dʒénəsist], [jú:dʒənist] *n.* 우생학자; 우생학 추진론자, 인종 개량론자.
eu·gén·ics *n. pl.* 〔단수취급〕 우생학.
eu·gle·na [ju:glí:nə] *n.* 유글레나, 연두벌레.
eu·gle·noid [ju:glí:nɔid] *n., a.* 〖생물〗 유글레나 종류의 (각종 편모충).
eu·he·dral [ju:hí:drəl] *a.* 〖광물〗 =IDIOMORPHIC.
Eu·ler [ɔ́ilər] *n.* **Leonhard ~** 오일러《스위스의 수학자·물리학자; 1707-83》.
Éuler's fórmula 〖수학·역학〗 오일러의 공식.
eu·lo·gist [jú:lədʒist] *n.* 예찬자, 칭찬자.
eu·lo·gis·tic, -ti·cal [jù:lədʒístik], [-əl] *a.* 찬사의, 찬미의. ㊕ **-ti·cal·ly** *ad.*
eu·lo·gi·um [ju:lóudʒiəm] (*pl.* **~s, -gia** [-dʒiə]) *n.* =EULOGY.

eu·lo·gize [jú:lədʒàiz] *vt., vi.* 칭찬〔칭송〕하다, 기리다, 찬사를 드리다. ⓟ **-gìz·er** *n.*

eu·lo·gy [jú:lədʒi] *n.* Ⓒ 찬사; 송덕문(頌德文); Ⓤ 칭송, 칭찬, 찬미: pronounce a person's ~ =pronounce a ~ *on* a person 아무의 덕을 기리다〔칭송하다〕.

Eu·men·i·des [ju:ménidì:z] *n. pl.* 〖그리스신화〗 에우메니데스《복수의 여신들》.

Eu·nice [jú:nis] *n.* 유니스《여자 이름》.

eu·nuch [jú:nək] *n.* 거세된 남자, 고자(鼓子); 환관, 내시, 유약한 사내. ⓟ **~·ìsm** 환관임; 유약; 환관증.

eu·pep·sia [ju:pépʃə, -siə/-siə] *n.* Ⓤ 〖의학〗 정상 소화. opp. *dyspepsia.*

eu·pep·tic [ju:péptik] *a.* 정상 소화의; 명랑한, 낙천적인. ⓟ **-ti·cal·ly** *ad.*

euphem. euphemism; euphemistic(ally).

Eu·phe·mia [ju:fí:miə] *n.* 유피미아《여자 이름》.

eu·phe·mism [jú:fəmìzəm] *n.* Ⓤ 〖수사학〗 완곡어법; Ⓒ 완곡 어구《die 대신에 pass away 라고 하는 따위》. ⓟ **-mist** *n.* 완곡한 말 사용자.

eu·phe·mis·tic, -ti·cal [jù:fəmístik], [-əl] *a.* 완곡 어법의; 완곡한. ⓟ **-ti·cal·ly** *ad.* 완곡하게.

eu·phe·mize [jú:fəmàiz] *vt., vi.* 완곡하게 표현하다〔말하다〕. ⓟ **-mìz·er** *n.*

eu·phe·nics [ju:féniks] *n. pl.* 〔단수취급〕 인간 개조학《장기 이식·보철(補綴) 공학 등에 의한》.

eu·pho·bia [ju:fóubiə] *n.* 《폐어》 길보〔낭보〕 공포《뒤에 나쁜 소식이 이어진다 하여》.

eu·phon·ic, -i·cal [ju:fánik/-fɔ́n-], [-əl] *a.* 어조(語調)〔음조〕가 좋은; 음편(音便)의. ⓟ **-i·cal·ly** *ad.* 음조가 좋게.

eu·pho·nious [ju:fóuniəs] *a.* 음조가 좋은, 듣기 좋은; 조화된. ⓟ **~·ly** *ad.* **~·ness** *n.*

eu·pho·nium [ju:fóuniəm] *n.* 〖악기〗 유포니움《튜바(tuba)의 일종》.

eu·pho·nize [jú:fənàiz] *vt.* …의 어조〔음조〕를 좋게 하다.

eu·pho·ny [jú:fəni] *n.* Ⓤ 기분 좋은 소리〔음조〕, 《특히》 듣기 좋은 일련의 말(opp. *cacophony*); 〖언어〗 쾌음조.

eu·phor·bia [ju:fɔ́:rbiə] *n.* 〖식물〗 대극과(大戟科)의 식물.

eu·pho·ria [ju:fɔ́:riə] *n.* Ⓤ **1** 행복감. **2** 〖심리〗 도취(증)(陶醉(症)), 병적 쾌감; 《속어》 (마약에 의한) 도취(감). ⓟ **eu·phór·ic** [-rik] *a.* **-i·cal·ly** *ad.*

eu·pho·ri·ant [ju:fɔ́:riənt] *a.* 도취(증)의, 도취감을 주는. — *n.* 〖의학〗 도취약.

eu·pho·ri·gen·ic [ju:fɔ̀:rədʒénik] *a.* 도취감을 일으키는.

eu·pho·ry [jú:fəri] *n.* =EUPHORIA.

eu·phra·sy [jú:frəsi] *n.* 〖식물〗 좁쌀풀.

Eu·phra·tes [ju:fréiti:z] *n.* (the ~) 유프라테스 강《Mesopotamia 지방의 강》.

Eu·phros·y·ne [ju:frásəni:/-frɔ́z-] *n.* 〖그리스신화〗 기쁨의 여신《Graces의 한 여신》.

eu·phu·ism [jú:fju:ìzəm] *n.* Ⓤ 〖수사학〗 과식체(誇飾體); 미사여구, 아름다운 말과 화려한 문구〔문체〕. ⓟ **-ist** *n.* 미사여구를 좋아하는 작가〔사람〕. **èu·phu·ís·tic, -ti·cal** [-ístik], [-əl] *a.* 미사여구를 좋아하는; 과식적인. **-ti·cal·ly** *ad.*

eu·ploid [jú:plɔid] 〖생물〗 *a.* 정배수성(正倍數性)의. — *n.* 정배수체. ⓟ **eu·ploi·dy** *n.*

eup·nea, -noea [ju:pní:ə] *n.* 〖의학〗 정상 호흡.

eu·po·tam·ic [jù:pətǽmik] *a.* 〖생태〗 (동식물의) 민물〔담수(淡水)〕 속에서 번식하는.

Eur- [júər/júər], **Eu·ro-** [júərou, -rə, jɔ́:r-/júər-] '유럽'이란 뜻의 결합사.

Eur. Europe; European.

Eur·af·ri·can [juərǽfrikən/juər-] *a.* 유럽과 아프리카의; 유럽 사람과 아프리카 사람의 혼혈의; 〖생물지리〗 유라프리카 구(區)의. — *n.* 유럽인과 아프리카인의 혼혈아.

Eu·rail·pass [juəréilpæ̀s, -pɑ̀:s/júəreilpɑ̀:s] *n.* 유레일 패스《유럽 철도 통용의 관광 정기권》.

Eur·a·mer·i·can [jùərəmérikən] *a.* 구미(공통)의.

Eur·a·sia [juəréiʒə, -ʃə/juər-] *n.* 유라시아, 구아주(歐亞洲).

Eur·a·sian [juəréiʒən, -ʃən/juər-] *a.* 구아(歐亞)의, 유라시아의; 유라시아 혼혈의: the ~ Continent 유라시아 대륙. — *n.* 유라시아 혼혈인《인도에서 는 종종 멸칭》; 유라시아인.

Eurásian Pláte 〖지학〗 유라시아판(板)《판 구조론에서 지구를 에워싸는 주요 플레이트의 하나; 주로 유럽·아시아 대륙 및 몇 개의 부수적인 해역으로 되는 지역을 포함함》.

Eu·rat·om [juərǽtəm/juər-] *n.* 유럽 원자력 공동체. [◂ *Eur*opean *Atom*ic Energy Community]

EURCO [júərəkòu] European Composite Unit (유럽 계산 단위).

Eu·re·ka [juərí:kə/juər-] *n.* 유럽 공동 기술 개발 기구. [◂ European Research Coordination Agency]

eu·re·ka *int.* 《Gr.》 (=I have found it!) 알았다, 됐다. ★아르키메데스가 왕관의 순금도를 재는 방법을 발견했을 때에 지른 소리; California주의 표어.

eurhythmics ⇨ EURYTHMICS.

eurhythmy ⇨ EURYTHMY.

Eu·rip·i·des [juərípidi:z/juər-] *n.* 에우리피데스《그리스의 비극시인; 480?-406? B.C.》. ⓟ **Eu·rìp·i·dé·an** *a.*

Eu·ro [júərou/júər-] *a.* 유럽의. — *n.* 유럽 사람; (e-) 유로 화폐 단위《유럽 공통 화폐 단위; 기호 €》.

eu·ro (*pl.* ~**s**) *n.* 〖동물〗 왈라루(wallaroo)《캥거루의 일종》.

Éuro-Américan *a.* =EURAMERICAN.

Éuro·bànk (보통 *pl.*) *n.* 유러뱅크《유럽 공동 시장에서 금융 거래를 하는 유럽의 은행업 기관》.

Éuro·bànker *n.* 유러뱅크 은행가; 유러뱅크 은행.

Éuro·bònd *n.* 유러채(債).

Eu·ro·cen·tric [jùərəséntrik/jùər-] *a.* 유럽(인) 중심의.

Éuro·clèar *n.* 유럽 공동 시장의 어음 교환소.

Éuro·cómmunism *n.* Ⓤ 유러코뮤니즘《옛 소련에서 독립하여 유연한 노선을 취하는 서유럽 제국의 공산주의의 한 형태》.

Éuro·còrps [-kɔ̀:rz] *n. pl.* 유럽 방위군.

Eu·roc·ra·cy [juərákrəsi/juərɔ́k-] *n.* 〔집합적〕 유럽 공동체의 행정관(Eurocrats).

Eu·ro·crat [júərəkræ̀t/júər-] *n.* 유럽 공동 시장 행정관. ⓟ **Èu·ro·crát·ic** *a.* 유럽 공동 시장 행정의.

Éuro·crèdit *n.* 유러크레디트《유러뱅크에 의한 대출》.

Éuro·cùrrency *n.* 유러머니《유럽에서 쓰이는 각국의 통화》.

Éuro·dòllar *n.* 유러달러《유럽에서 국제 결제에 쓰이는 미국 dollar》.

Éuro·fighter *n.* 유럽 공동 개발 전투기《영국·독일·이탈리아·스페인 4국의 국제 공동 개발에 의한 차기 전투기; 생략: EFA》.

Éuro·gròup *n.* 유러 그룹《프랑스·아이슬란드를 제외한 유럽의 NATO 가맹국 국방장관 그룹》.

eu·ro·ky, -ry·o- [juəróuki/juər-], [jùəriόuki/juər-] *n.* 〖생태〗 광환경성(廣環境性)《생물체가 광범한 환경 변화에도 생존 가능한 성질》. opp.

stenoky.

Éuro·lànd *n.* 유로랜드《EU 가맹국 중 euro를 공통 통화로 도입한 국가들로 형성된 통화권》.

Éuro-lòan *n.* =EUROBOND.

Éuro·màrket, Éuro·màrt *n.* =EUROPEAN COMMON MARKET.

Éuro·mìssile *n.* 유러 미사일《옛 소련의 SS-20 중거리 탄도 미사일 배치에 대항, 미국이 NATO 각국에 배치한 전역(戰域) 핵미사일의 총칭》.

Éuro·mòney *n.* Ⓤ =EUROCURRENCY.

Éuro-MP *n.* 유럽 의회 의원.

Éuro·nèt *n.* 유러넷《EC가 관리하는 컴퓨터에 의한 과학·공업에 관한 정보 교환망》.

Eu·ro·pa [juəróupə/juər-] *n.* **1** 〖그리스신화〗 에우로페, 유로파《Phoenicia 왕녀로 Zeus의 사랑을 받음》. **2** 〖천문〗 유로파《목성 위성의 하나》.

Eu·ro·pa·bus [juəróupəbʌ̀s/juər-] *n.* 유로파버스《서유럽 각국 국철의 공동 운영에 의한 장거리 버스 노선》.

Éuro·pàtent *n.* 유럽 특허《전 유럽 내에서 유효한 특허》.

†**Eu·rope** [júərəp/júər-] *n.* 유럽(주).

†**Eu·ro·pe·an** [jùərəpíːən/jùər-] *a.* 유럽의; 유럽 사람의. — *n.* 유럽 사람.

Européan Atómic Énergy Commùnity (the ~) =EURATOM.

Européan Commìssion =COMMISSION OF THE EUROPEAN COMMUNITY.

Européan Cómmon Márket (the ~) 유럽 공동 시장《European Economic Community의 별칭; 생략: ECM》.

Européan Commúnity (the ~) 유럽 공동체《생략: EC》.

Européan Cónference for Secúrity and Cooperátion 전 유럽 안보 협력 회의《1975년 헬싱키에서 알바니아를 제외한 동서 유럽 제국과 미국·캐나다의 35개국 수뇌가 조인함; 일명 **Helsínki Cònference**》.

Européan Cóuncil 〖경제〗 유럽 이사회《EC 가맹국 수뇌 회의》.

Européan Cúrrency Ùnit 유럽 통화 단위《생략: ECU》.

Européan Económic Commúnity (the ~) 유럽 경제 공동체《생략: EEC; 1967년 EC로 통합》.

Européan Frée Tráde Associàtion (the ~) 유럽 자유 무역 연합《생략: EFTA》.

Èu·ro·pé·an·ìsm *n.* Ⓤ 유럽주의〔정신, 풍, 식〕. ㊕ **-ist** *n.*

Eu·ro·pe·an·ize [jùərəpíːənàiz/jùər-] *vt.* 유럽식으로 하다, 유럽화(化)하다. ㊕ **Èu·ro·pè·an·i·zá·tion** *n.* Ⓤ 유럽화.

Européan Mónetary Sỳstem (the ~) 유럽 통화 제도《생략: EMS》.

Européan Párliament 유럽 의회《EC 가맹국 국민의 직접 선거로 의원을 선출함》.

Européan plàn (the ~) 유럽 방식《투숙비와 식비를 따로 계산하는 호텔 요금제》. cf. American plan.

Européan Recóvery Prògram (the ~) 유럽 부흥계획《생략: ERP; 통칭 Marshall Plan》.

Européan Secúrity and Disármament Cònference (the ~) 유럽 군축회의《1984년 스톡홀름에서 제1회 회의 개최》.

Européan Spáce Ágency 유럽 우주 기관《프랑스·독일·이탈리아·네덜란드·스위스·영국 등의 11개국이 참가; 생략: ESA》.

Européan Únion 유럽 연합《1993년 유럽 연합 조약 발효로 EC를 개칭한 것; 생략: EU》.

eu·ro·pi·um [juəróupiəm/juər-] *n.* Ⓤ 〖화학〗 유로퓸《희토류(稀土類) 원소; 기호 Eu; 번호 63》.

Éuro·plùg *n.* 〖전기〗 유러플러그《유럽 제국의 각종 소켓에 공용되는》.

Eu·ro·po·cen·tric [juəròupəséntrik] *a.* 유럽 중심(주의)의. ㊕ **-cén·trism** *n.*

Éuro-pòll *n.* Euro-election의 투표.

Éuro·pòrt *n.* 유러포트《유럽 공동체의 수출입항》.

Éuro-skèptic, 《영》 **-scèp-** *n., a.* 유럽 통합에 소극적인 (사람); 《특히》 영국의 유럽 통합 참가에 소극적인 사람《Margaret Thatcher로 대표됨》.

Eu·ro·star [júəroustɑ̀ːr/júər-] *n.* 유러스타《해협 터널(Channel Tunnel)을 통해 영국·프랑스·벨기에를 왕래하는 고속 열차; 상표명》.

EUROTRA [juəróutrə/juər-] *n.* 유러트라《EC에서 실시하고 있던 기계 번역 연구 개발 프로젝트》. cf. machine translation.

Éuro·tràsh *n.* 《속어》 유럽의 초유한족(超有閑族)《세계 각지를 순방하며 놀고 지내는》.

Eu·ryd·i·ce [juərídəsìː/juə-] *n.* 〖그리스신화〗 에우리디케《Orpheus의 아내》.

eu·ryth·mic, -rhyth-, -mi·cal [juːríðmik], [-kəl] *a.* 조화와 균형이 잡힌; (음악·댄스가) 기분 좋은 리듬을 지닌, 율동적인; =EURYTHMICS 의; =EURYTHMY의.

eu·rýth·mics, -rhyth- *n.* 〖단·복수취급〗 유리드믹스《음악 리듬을 몸놀림으로 표현하는 리듬 교육법》.

eu·ryth·my, -rhyth- [juəríðmi] *n.* 율동적 운동, 조화가 잡힌 움직임; 균제(均齊); 오이리트미《리듬에 맞춘 신체 표현으로 육체적 결합을 극복케 하려는 치료적 성격의 교육법》.

eu·sol [júːsɔːl, -sɑl/-sɔl] *n.* 〖약학〗 유솔《표백분·붕산의 용액; 살균 방부제》.

Eus·tace [júːstəs] *n.* 유스터스《남자 이름》.

Eu·stá·chian tùbe [juːstéiʃən-, -kiən] 〖해부〗 유스타키오관(管)《중이(中耳)에서 인후로 통함》.

eu·sta·cy [júːstəsi] *n.* 〖지학〗 세계적 규모의 해수면 변동. ㊕ **eu·stat·ic** [juːstǽtik] *a.*

eu·stele [júːstiːl, justíːli/juːstíːl(:)] *n.* 〖식물〗 진정 중심주(眞正中心柱).

eu·stress [júːstrès] *n.* 〖심리〗 유스트레스《힘차게 살기 위한 원동력, 자신의 최적(最適) 목표를 향한 노력 등의 상쾌한 스트레스》. ★ 불쾌한 스트레스는 distress라 함.

eu·taxy [júːtæksi] *n.* 정돈, 질서. opp. *ataxy*.

eu·tec·tic [juːtéktik] 〖화학〗 *a.* (합금·용액이) 극소 녹는점을 갖는, 공융(共融)의; 공정(共晶)의: a ~ mixture 공융 혼합물 / the ~ point 〔temperature〕 공융〔공정〕점〔온도〕. — *n.* 공정《공융 혼합물》; 공융점.

Eu·ter·pe [juːtə́ːrpi] *n.* 〖그리스신화〗 에우테르페《음악·서정시의 여신; Nine Muses의 하나》. ㊕ **~·an** [-ən] *a.* ~의; 음악의.

eu·tha·na·sia [jùːθənéiʒiə, -ziə] *n.* Ⓤ 안락사, 안사술(安死術). ㊕ **èu·tha·ná·sic** [-néizik] *a.*

eu·tha·nize [júːθənàiz] *vt.* 안락사시키다.

eu·then·ics [juːθéniks] *n. pl.* 〖단·복수취급〗 우경학(優境學), 환경 우생학, 생활 개선학. ㊕ **eu·then·ist** [juːθénist, júːθə-] *n.*

eu·troph·ic [juːtráfik/-trɔ́f-] *a.* 〖생태〗 (하천·호수가) 부영양(富營養)의.

eu·troph·i·cate [juːtráfikèit/-trɔ́f-] *vi.* 〖생태〗 (호수 등이) 부영양화(富營養化)하다, (처리 폐수 등으로) 영양오염하다. ㊕ **eu·tròph·i·cá·tion** *n.* 부영양화, 영양오염; 부영양수(水).

eu·tro·phied [júːtrəfid] *a.* 부영양화(富營養化)한, 영양오염된《호수·강》.

eu·tro·phy [júːtrəfi] *n.* Ⓤ (호수의) 부영양(富營養) 상태.

E.V. English Version (of the Bible). **EV, eV, ev, e.v.** electron volt.

Eva [íːvə] *n.* 에바《여자 이름》.

EVA 『화학』 ethylene vinylacetate copolymer (에틸렌 아세트산 비닐 공중합체(共重合體)); extravehicular activity. **evac.** evacuation.

evac·u·ant [ivǽkjuənt] *a.* 비우는; 『의학』 배설(설사) 촉진의. **—** *n.* 설사약, 하제(下劑).

◇**evac·u·ate** [ivǽkjuèit] *vt.* 《~+목/+목+전+명》 **1** (사람을) 피난〔소개(疏開)〕시키다, (군대를) 철수시키다《*from; to*》; (집 등에서) 물러나다: Police ~*d* the theater. 경찰은 사람들을 극장에서 피난시켰다/~ a building 건물에서 물러나다/~ children *from* town *to* the country 아이들을 도시에서 시골로 소개시키다. **2** (용기 · 장(腸) 따위를) 비우다, 대소변을 누다, 공기〔가스, 물 따위〕를 빼다《*of*》; (내용물 등을) 제거하다, 빼다, 배출하다, 배설하다《*of*》: ~ the bowels 배변하다/~ a vessel *of* air =~ air *from* a vessel 용기를 진공으로 만들다. **—** *vi.* 피난〔철수〕하다; 배설하다, 《특히》 배변하다. ㊎ **-à·tor** *n.* **-a·tive** [-èitiv] *a.*

◇**evàc·u·á·tion** *n.* U,C **1** 비움, 배출, 배기; (말 등의) 공허화; 배설, 《특히》 배변(排便); C 배설물. **2** 소개(疏開), 피난; 물러남; 『군사』 철수, 철군. 「者)《*from; to*》.

evac·u·ee [ivæ̀kjuíː] *n.* 피난민, 소개자(疏開

***evade** [ivéid] *vt.* **1** (적 · 공격 등을 교묘히) 피하다, 비키다, 면하다, 벗어나다: ~ one's pursuer 추적자를 따돌리다/~ a blow 타격을 피하다. **2** (질문 따위를) 비키다, 얼버무려 넘기다 (duck): ~ a question 질문을 얼버무려 넘기다. **3** 《~+목/+-*ing*》 (의무 · 지급 등의 이행을) 회피하다, 《특히》 (세금)의 탈세를 하다; (법 · 규칙을) 빠져나가다: ~ one's duties 자기 의무를 회피하다/~ (pay*ing*) taxes 탈세하다/~ meet*ing* one's debtors 채권자 만나기를 회피하다. **4** (사물 따위가) 벅차다, 힘에 겹다; (설명 · 이해 · 해결 따위가) …하기 어렵다: The problem ~*s* me. 그 문제는 내게 벅차다/This taste ~*s* explanation. 이 맛은 설명하기 어렵다. **—** *vi.* 교묘히 회피하다《*from*》; 《드물게》 도망치다, 몰래 떠나가다. ◇ evasion *n.* ㊎ **evád·a·ble** *a.* **evád·er** *n.*

◇**eval·u·ate** [ivǽljuèit] *vt.* 평가하다, 사정(査定) 가치를 어림하다; 『수학』 …의 값을 구하다: ~ the cost of the damage 손해액을 사정하다. **—** *vi.* 평가를 하다. ㊎ **evál·u·à·tive** [-èitiv] *a.* **evàl·u·á·tion** *n.* U 평가(액); 값을 구함. **-à·tor** *n.*

Ev·an [évən] *n.* 에번《남자 이름》.

ev·a·nesce [èvənés, ⌐–⌐/ìːvənés] *vi.* 자태가 점차 사라져 가다, (김처럼) 소산(消散)하다, 스르르 사라지다.

eva·nes·cent [èvənésənt/ìːv-] *a.* (김처럼) 사라지는; 순간의, 덧없는; 섬세한; 『식물』 쉬이 시들어 떨어지는; 『수학』 무한소(無限小)의. ㊎ **~·ly** *ad.* 덧없이. **-cence** [-səns] *n.* U 소실; 덧없음.

evang. evangelical.

evan·gel [ivǽndʒəl/-dʒel] *n.* **1** 복음(福音); (보통 E-) (성서의) 복음서; (the E-s) 4 복음서 《Matthew, Mark, Luke, John》. cf. gospel. **2** (복음 같은) 길보, 낭보. **3** (정치 등의) 기본적 지도 원리, 요체. **4** =EVANGELIST.

evan·gel·ic [ìːvændʒélik, èvən-/ìːvæn-] *a., n.* =EVANGELICAL.

◇**evan·gel·i·cal** [ìːvændʒélikəl, èvən-/ìːvæn-] *a.* **1** 복음(서)의, 복음 전도의. **2** (종종 E-) 복음주의의《영국에서는 저(低)교회파를, 미국에서는 신교 정통파를 이름》; (E-) 독일 복음주의 교회의; (종종 E-) 근본주의(fundamentalism)의; 신교의. **3** 복음(주의)적인; (주의에 대해) 열렬한, 열광적인. ***the Evangelical Church*** 복음교회《미국 개신교의 한 파》. **—** *n.* (E-) 복음주의자, 복음파의 사람, 복음주의 교회의 신도. ㊎ **-i·cal·ly** *ad.* 복음에 의하여. **-i·cal·ism** *n.* U 복음주의.

Evangélical Fríends Allíance 복음주의 프렌드 동맹《퀘이커 교도의 뜻》. 「이름》.

Evan·ge·line [ivǽndʒəliːn] *n.* 에반젤린《여자

eván·ge·lìsm *n.* U 복음 전도; (주의 등을 위한) 전도자적 열의; 복음주의. ㊎ ◇**-ist** *n.* 복음 전도자; 열렬한 창도자; (E-) 복음사가(史家), 신약 복음서 기록자.

evan·ge·lis·tic [ivæ̀ndʒəlístik] *a.* 복음사가(史家)의; 복음 전도자의〔에 의한〕, 전도적인. ㊎ **-ti·cal·ly** *ad.*

evan·gel·ize [ivǽndʒəlàiz] *vt.* 복음을 전하다; 기독교에 귀의시키다. **—** *vi.* 복음을 전하다; 전도하다. ㊎ **-lìz·er** *n.* **evàn·ge·li·zá·tion** *n.* U 복음 전도(설교).

evan·ish [ivǽniʃ] *vi.* 《문어 · 시어》 소실(소멸)하다, 죽다. ㊎ **~·ment** *n.* U 소실, 소멸.

evap·o·ra·ble [ivǽpərəbəl] *a.* 증발성의, 증발하기 쉬운; 기화(氣化)되는. ㊎ **evàp·o·ra·bíl·i·ty** *n.*

***evap·o·rate** [ivǽpərèit] *vi.* 증발하다; 소산(消散)하다; 소실하다; 《구어》 (사람이) 자취를 감추다; 《속어》 죽다. **—** *vt.* 증발시키다; (과일 따위의) 수분을 빼다, 탈수하다, 농축하다; (필름 · 금속에) 증착(蒸着)시키다. ◇ evaporation *n.*

eváporated mílk 무당 연유(無糖煉乳), 농축우유. 「접시.

eváporating dìsh 〔**bàsin**〕 『화학』 증발

◇**evàp·o·rá·tion** *n.* U,C 증발 (작용), (수분의) 발산; (증발에 의한) 탈수(법); 증발 건조〔농축〕; 《고어》 증기, 증발기(氣); (희망 따위의) 소산. ◇ evaporate *v.*

evap·o·ra·tive [ivǽpərèitiv, -rətiv] *a.* 증기화의; 증발시키는〔에 의한〕. ㊎ **~·ly** *ad.*

evap·o·ra·tiv·i·ty [ivæ̀pərətívəti] *n.* 증발성; 증발도(율).

evap·o·ra·tor [ivǽpərèitər] *n.* 증발(농축)기; 탈수기; 건조시키는 사람; (도기의) 증발 건조요(窯). 「(atmometer).

evap·o·rim·e·ter [ivæ̀pərímətər] *n.* 증발계

evap·o·rite [ivǽpəràit] *n.* 『지학』 증발암(岩).

evap·o·tran·spi·ra·tion [ivæ̀poutræ̀nspəréiʃən] *n.* 『기상』 증발산; 증발산량《지구에서 대기로 환원되는 수분의 총량》.

◇**eva·sion** [ivéiʒən] *n.* U,C (책임 · 의무 등의) 회피, (법률을) 빠져나감, 《특히》 탈세; (질문에 대해) 얼버무림, 어물쩍거려 넘김; 둘러댐, 핑계, 둔사(遁辭); 탈출(의 수단): take shelter in ~*s* 핑계를 대고 빠져나가다. ◇ evade *v.* ㊎ **~·al** *a.*

eva·sive [ivéisiv] *a.* **1** (회)피〔도피〕하는; 둘러대는; 포착하기 어려운, 분명치 않은: an ~ answer 둔사(遁辭). **2** (눈초리 등이 상대를) 정면으로 보려하지 않는; 교활한. ㊎ **~·ly** *ad.* 도피적〔회피적〕으로. **~·ness** *n.*

Eve [iːv] *n.* **1** 이브《여자 이름》. **2** 이브, 하와 《아담의 아내; 하느님이 창조한 최초의 여자》. ***a daughter of ~*** (이브의 약점을 이어받아 호기심이 강한) 여자.

eve** [iːv] *n.* **1** (종종 E-) 전야, 전일《축제의》: Christmas *Eve*. **2** (사건 따위의) 직전, '전야'. **3** 《고어 · 시어》 저녁, 해질녘, 밤(evening). ***New Year's Eve 섣달 그믐날. ***on the ~ of*** …의 전야〔전일〕에; …의 직전에, …에 임박하여.

evec·tion [ivékʃən] *n.* U 『천문』 출차(出差)《태양의 인력이 달의 운행에 불규칙을 가져오는 것》. ㊎ **~·al** [-ʃənəl] *a.*

Ev·e·li·na [èvəláinə, -líː-] *n.* 에벌라이나 《여자 이름》.
Eve·line [évəlàin, -lìːn/íːvlin] *n.* 에벌라인 《여자 이름》.
Eve·lyn [íːvlin, ev-] *n.* 에블린 《여자 이름; 《영》 남자 이름》.

†**even**[1] ⇨ 《아래》 EVEN[1].

even[2] [íːvən] *n.* 《고어 · 시어 · 방언》 저녁, 밤 「(evening).

even[1]

even은 *ad.*, *a.*, *v.*로서 쓰이지만, 특히 *ad.* '…조차'의 용법이 중요하다. 이 경우 보통 수식하는 말 앞에 놓이지만, 전치사나 보통의 부사와는 달라서, 글 속의 여러 요소(품사 · 격의 여하를 불문)와 결합할 수 있다. 구문 기타 여러 가지 점에서 특히 only와 공통점이 많다.

even [íːvən] *ad.* **1 a** 〖예외적인 일을 강조하여서〗 …조차(도), …라도, …까지 《수식받는 말(이하 이탤릭체 부분)에 강세가 옴》: *Even now* it's not too late. 지금이라도 늦지는 않다 / She doesn't ~ *open* the letter. 그 편지를 (읽기는 커녕) 펴 보지도 않는다 / *Even the slightest noise* disturbs him. 아무리 작은 소리라도 그의 기분을 어지럽힌다 / God cares *for the sparrows* ~, and feed them. 신은 참새까지도 보살피시며, 먹이를 주신다. **b** 〖좀 더 강조하여〗 (그 정도가 아니라) 정말이지; 실로(indeed): I am willing, ~ eager, to help. 기꺼이, 아니 꼭 힘이 되어 드리겠습니다 / I was happy, ~ joyous. 행복하고, 정말이지 기쁘기까지 했다.
2 〖비교급을 강조하여〗 한층 (더); 더욱; (ㅡ 보다) …할 정도다: This dictionary is ~ *more useful* than that. 이 사전은 저 사전보다 더욱 유익하다.
3 〖동일성 · 동시성을 강조하여〗 《고어》 **a** 막, 바로 (할 때에)(⇨ ~ as). **b** 바로; 꼭; 정확히(just); 곧, 즉(that is): It's ~ so. 바로 그렇지요; 정확히 맞습니다 / This is Our Master, ~ Christ. 이 분이 우리의 주, 곧 그리스도이시니라. **c** 내내; 아주(fully): He was in good spirits ~ to his death. 그는 죽을 때까지 내내 의기 왕성했다.
4 원활하게; 한결같이; 호각(互角)으로; 대등하게: The motor ran ~. 모터는 원활하게 작동했다 / The two horses ran ~. 두 마리 말은 막상막하로 달렸다.
~ *as …* 《고어》 마침〔바로〕 …할 때에 《현대어에서는 보통 just as》. **~ *if*** = **~ *though …*** 비록 …할지라도, 비록 …라(고) 하더라도: *Even if* I were to fail again, I would not despair. 만일 또다시 실패하는 일이 있다 하더라도 나는 절망하지 않을 것이다. ★ 위에 보인 even은 종종 생략됨. **~ *so*** ① (비록) 그렇다(고) 하더라도: He has some faults; ~ *so* he is a good man. 결점은 있지만, (비록) 그렇다 하더라도 그는 선인(善人)이다. ② 《고어》 정확히 그러하여; 바로 맞아. **~ *then*** 그 때조차도, 그 경우라도; 그래도; 그(것으)로도: I could withdraw my savings, but ~ *then* we'd not have enough. 저금을 찾을 수도 있으나 그래도 우리는 부족할 것이다.

NOTE even은 보통 수식되는 어구의 직전에 놓이어 그 어구를 강조함. 또한 같은 형태의 문장이라도 문강세(文強勢)의 위치에 따라 그 뜻을 판단해야 할 때가 있음: He *even* gáve me his camera. 그는 자기 카메라를 나에게 주기까지 했다 《'빌려 주었을 뿐 아니라' 따위의 뜻을 내포》. ≒He *even* gave me his cámera. 그는 나에게 카메라도 주었다(=He gave me *even* his cámera).

— (*more ~, most ~; ~·er, ~·est*) *a.* **1 a** (표면 · 판자 따위가) 평평한; 평탄한, 반반한; 수평(水平)의(OPP *uneven*): a rough but ~ surface 껄끄럽지만 평평한 표면 / She has ~ teeth. 그 여자는 잇바디가 곱다. **b** (선(線) · 해안선 따위가) 울퉁불퉁하지 않은; 들쭉날쭉하지 않은; 끊어진 데가 없는: an ~ coastline 굴곡 없는 〔쭉 뻗은〕 해안선.
2 〖서술적〗 (…와) 같은 높이인; 동일면〔선〕상의 《*with*》; 평행의, 수평의: houses ~ *with* each other 같은 높이의 집들 / The snow was ~ *with* the window. 눈은 창 높이까지 쌓여 있었다.
3 a (행동 · 동작이) 규칙바른; 한결같은; 정연한; (음(音) · 생활 따위가) 단조로운; 평범한: a strong, ~ pulse 힘차고 규칙적인 맥박 / an ~ tenor of life 단조로운 나날의 생활 / His work is very ~. 그의 일하는 태도는 한결같다. **b** (색깔 등이) 채지지 않은, 한결같은; 고른: an ~ color 채진 데 없는 고른 색깔. **c** (마음 · 기질 따위가) 침착한, 차분한; 고요한(calm): an ~ temper 침착한 기질.
4 a 균형이 잡힌; (…와) 대등〔동등〕한; 호각의(equal); 반반의 《*with*》: an ~ fight 호각의 싸움 / on ~ ground *with*… …와 대등하여〔하게〕 / have an ~ chance 승산은 반반이다 / stand ~ 호각지세이다 / The odds are ~. 가능성은 반반이다 / We are ~ now. (대갚음 따위를 하고 나서) 이제 우리는 피차 비긴 셈이다. **b** (수량 · 득점 따위가) 같은; 동일한: an ~ score 동점 / ~ share 균등한 몫 / of ~ date (서면 따위가) 같은 날짜의. **c** (거래 · 교환 · 판가름 따위가) 공평한; 공정한(fair): an ~ bargain (대등한 이득을 보는) 공평한 거래 / an ~ decision 공평한 결정.
5 청산(清算)이 끝난; (…와) 대차(貸借)가 없는; 손득(損得)이 없는 《*with*》: an ~ exchange 득실 없는 교환 / This will make (us) all ~. 이로써 (우리는) 대차 관계가 없어진다 / *Even* reckoning makes long friends. 《속담》 대차가 없으면 교우는 오래 간다.
6 a 짝수의, 우수(偶數)의; 짝수번(番)의: an ~ number 짝수 / an ~ point 〖수학〗 짝수점 / an ~ page 짝수 페이지. OPP *odd*. **b** (돈 · 시간 따위가) 우수리 없는; 꼭; 딱: an ~ mile 꼭 1마일 / an ~ 5 seconds 꼭 5초(=5 seconds ~) 《even이 뒤에 오면 부사로 볼 수 있음》.
be* 〔*get*〕 *~ with a person 아무에게 대갚음하다; 《미》 아무에게 빚이 없다〔없게 되다〕: I'll *get* ~ *with* you. 앙갚음〔보복〕을 해 줄 테다.
— *vt.* 《+목(+부)》 **1** (…을) 평평하게〔반반하게〕 하다, 고르다(smooth) 《*out; off*》: ~ (*out*) the ground 땅을 고르다. **2** …을 평등〔균일〕하게 하다 《*up; out*》; …을 청산하다; 균형을 맞추다 《*up; out*》; …의 변동〔고르지 못함〕을 없애다: ~ *out* the trade imbalance 무역 불균형 문제를 바로잡다 / ~ *up* accounts 셈을 청산하다 / That will ~ things *up*. 그것으로써 일이 안정될 것이다.
— *vi.* 《~/+부》 **1** 평평해지다 《*out; off; up*》; (물가 따위가) 안정되다 《*out*》; 평형이 유지되다; 균형이 잡히다 《*up; off*》: Things will ~ *out* in the end. 결국 만사가 안정될 것이다. **2** 동등해지다; (승산 등이) 반반이다 〔반반이되다〕 《*between*》. **~ *up on* 〔*with*〕 …** (아무의 친절 · 호의)에 보답하다; 대갚음하다.

éven·áged *a.* (삼림 따위가) 수령(樹齡)이 (거의) 같은 수목으로 이루어진, 동령(同齡)의: an ~ forest 동령림(林).
événe·ment [F. evɛnmɑ̃] *n.* 《F.》 사건, 《특히》 사회적·정치적 대사건.
éven·fàll *n.* Ⓤ 《시어》 해질녘, 황혼.
éven fúnction 〖수학〗 짝함수, 우함수(偶函數).
éven·hánded [-id] *a.* 공평한, 공정한(impartial). ㊕ **~·ly** *ad.* **~·ness** *n.*
†**eve·ning** [íːvniŋ] *n.* **1** 저녁, 해질녘; 밤《해가 진 뒤부터 잘 때까지》: in the ~ 저녁〔밤〕에 / on Monday ~ 월요일 밤에 / a musical ~ 음악의 밤 / ~ *by* ~ 매일 밤 / Good ~! 안녕하십니까《저녁 인사》. **2** 《비유》 만년, 말기, 쇠퇴기. **3** 《미남부·영방언》 오후《정오부터 일몰까지》. ***make an ~ of it*** 하룻밤 즐겁게 (술을 마시며) 지내다. ***of an ~*** 《고어》 저녁에 흔히. ***toward ~*** 저녁 무렵에. **—** *a.* 밤의, 저녁의; 밤에 일어나는〔볼 수 있는〕.
évening clàss (보통 성인을 대상으로 하는) 야간반, 야간 수업.
évening drèss 〔**clòthes**〕 야회복.
évening gòwn (여성용) 야회복.
évening práyer 저녁 기도(evensong).
évening prímrose 〖식물〗 (금)달맞이꽃, 월견초.
éve·nings *ad.* 《미》 저녁이면 반드시, 밤이면 언제나, 매일 저녁. ***mornings and ~*** 아침 저녁; 매일 아침 매일 밤.
évening schòol 야학교(night school).
évening stár 개밥바라기, 금성(Venus)《저녁에 서쪽에서 반짝이는》.
°**éven·ly** *ad.* 평평〔평탄〕하게; 평등하게; 공평하게; 대등하게; 고르게, 균일하게; 평정하게.
éven-mínded [-id] *a.* 마음이 편안한, 차분한(calm). ㊕ **~·ness** *n.*
éven móney (도박에) 태우는 같은 액수의〔대등한〕 돈; 태우는 돈과 동액의 배당금.
éven·ness *n.* 평평함, 고름; 평등; 공평; 침착.
éven ódds 50%〔반반〕의 승률〔가능성〕: It's ~ that he'll be late. 그가 늦을 확률은 반반이다.
éven permutátion 〖수학〗 짝순열.
evens [íːvənz] *ad., a.* 《영》 (도박에서) 평등히〔한〕, 균등히〔한〕, 동액 배당으로〔의〕. **—** *n.* 〖단수취급〗 =EVEN MONEY.
éven·sòng *n.* **1** (종종 E-) 〖영국교〗 만도(晩禱); 〖가톨릭〗 저녁기도(vespers). **2** 《고어》 저녁, 황혼.
éven-stéphen, -stéven *a.* (종종 e-S-) 《구어》 기회가 동등한; 동점인, 타이의.
‡**event** [ivént] *n.* **1** 사건, 대사건, 사변: It was quite an ~. 그것은 대단한 소동〔사건〕이었다 / Coming ~*s* cast their shadows before. 《속담》 일엽지추(一葉知秋)《일이 생기려면 조짐이 있는 법》. SYN. ⇨ ACCIDENT. **2** (원자로·발전소 따위의) 사고, 고장. **3** 결과(outcome); 경과(result): have no successful ~ 성공을 이루지 못하다. **4** (…한) 경우: ⇨ *in* either ~ / *in* that ~. **5** 〖경기〗 종목, 승부, 시합: the main ~ 주종목, 메인이벤트 / a big ~ 큰〔주된〕 시합. **6** 〖원자물리〗 다른 물질을 충돌시켜 핵물질을 만드는 일; 〖수학〗 사건; 〖물리〗 사상(事象); 〖컴퓨터〗 사건. ***at all ~s*** =***in any ~*** 좌우간, 여하튼간에. ***in either ~*** 여하튼간에, 하여튼. ***in that ~*** 그 경우에는, 그렇게 되면. ***in the ~*** 결과로서. ***in the ~ of*** (rain) (비)가 올 경우에는. ***in the ~ (that) ...*** 《미》 (만일) …일 경우에는: *in the ~* he does not come 그가 안 오는 경우에는. ★ if, in case쪽이 더 일반적임.
éven-témpered *a.* 마음이 평정한, 냉정한, 사물에 동하지 않는.
evént·er *n.* 종합 승마(eventing)에 참가하는 사람.
°**event·ful** [ivéntfəl] *a.* 사건이 많은, 파란 많은; 중대한: an ~ affair 중대 사건. ㊕ **~·ly** *ad.* **~·ness** *n.*
evént horìzon 〖천문〗 사상(事象)의 지평선《black hole의 가장자리》.
éven·tìde *n.* Ⓤ 《고어·시어》 저녁 무렵〔때〕.
evént·ing *n.* 《영》 〖승마〗 종합 마술《마장(馬場) 마술, 내구(耐久) 경기, 장애물 넘기의 3 종목을 통상 사흘간 행하는 승마 경기》.
evént·less *a.* 평온한, 평범한, 사건이 없는.
evént trèe (장치·계통의) 사고〔고장〕 결과 예상 계통도. cf. fault tree.
*__even·tu·al__ [ivéntʃuəl] *a.* **1** 종국의, 최후의, 결과로서〔언젠가〕 일어나는: His efforts led to his ~ success. 노력이 열매를 맺어 드디어 성공했다. **2** 《고어》 (경우에 따라서는) 일어날 수도 있는, 있을 수 있는, 우발적인.
even·tu·al·i·ty [ivèntʃuǽləti] *n.* 우발성, 일어날 수 있는 사태〔결과〕; 궁극, 결말.
°**evén·tu·al·ly** *ad.* 최후에(는), 드디어, 결국(은), 언젠가는.
even·tu·ate [ivéntʃuːèit] *vi.* **1** 《+부/+전+명》 결국 …이 되다; …의 결과가 되다《*in*》: ~ *well* 〔*ill*〕 좋은〔나쁜〕 결과로 끝나다 / ~ *in* a failure 실패로 끝나다. **2** 《+전+명》 (우발적으로) 일어나다, 생기다《*from*》: Unexpected results ~*d from* this decision. 예상 못한 결과가 이 결정으로 인해 생겼다.
†**ever** ⇨ 《p. 861》 EVER.
ever- '늘'이란 뜻의 결합사: *ever*lasting.
éver-chánging *a.* 변전무쌍한.
Ev·er·est [évərist] *n.* **Mount ~** 에베레스트산《세계 최고봉; 해발 8,848m》.
Ev·er·ett [évərit] *n.* 에버렛《남자 이름》.
éver·glàde *n.* **1** (보통 *pl.*) 저습지, 소택지. **2** (the E-s) 에버글레이즈《미국 Florida주 남부의 대(大)소택지; 남서부는 국립공원을 이룸》.
Éverglade Stàte (the ~) 미국 Florida주의 속칭.
°**éver·grèen** *a.* 상록의; 불후의《작품》. **—** *n.* 상록수〔식물〕; (*pl.*) (장식용의) 상록수의 가지; 항상 신선한 것《명작 따위》; 《속어》 상용 기삿감《언제나 쓸 수 있는 기사》; 《구어》 정다운 옛노래.
*__ev·er·last·ing__ [èvərlǽstiŋ, -láːst-/-láːst-] *a.* **1** 영구한, 불후의: ~ glory 불후의 영광.

> SYN. **everlasting** 현재에서 무한한 미래로 계속되는 영원한 뜻의 강한 말: *everlasting* fame 영원한 명성. **eternal** '과거부터 미래에 걸치는 영원한'의 뜻. **permanent**는 '변하지 않는'의 뜻으로 temporary(일시적)에 대한 '항구적'의 뜻. cf. lasting.

2 끝없는, 끊임없는, 지루한, 진력나는(tiresome): ~ grumbles 끊임없는 불평. **3** 내구성〔영속성〕의. **—** *n.* **1** Ⓤ 영구, 영원(eternity). **2** 〖식물〗 =EVERLASTING FLOWER. **3** Ⓤ 튼튼한 나사(羅紗)의 일종. **4** (the E-) (영원한) 신. ***for ~*** 미래영겁(未來永劫)으로, 앞으로 영원히. ***from ~ to ~*** 영원히, 영원무궁토록. ㊕ **~·ly** *ad.* 영구히, 끝없이. **~·ness** *n.*
everlásting flówer 〖식물〗 영구화《말라도 빛깔·모양이 오래 변치 않는 꽃을 내는 보릿짚국화·떡쑥 따위》.
èver·móre *ad.* 늘, 항상, 언제나; 영구히; 《고어·시어》 장차는. ***for ~*** 영구히; 항상(forevermore).
éver·prèsent *a.* 항상 존재하는, 그침이 없는.
éver-réady *a., n.* 언제라도 마련되어〔쓸 수〕

있는, 항상 대기하고 있는 (사람〔것〕), 상비의 (대원). 「있는.

ever·si·ble [ivə́:rsəbəl] *a.* (밖으로) 뒤집을 수

ever·sion [ivə́:rʒən, -ʃən/-ʃən] *n.* Ⓤ (눈꺼풀 등을) 밖으로 뒤집음, (기관의) 외번(外翻).

evert [ivə́:rt] *vt.* 〖의학〗 (눈꺼풀·내장 따위를) 뒤집다, (기관을) 외번(外翻)시키다.

ever·tor [ivə́:rtər] *n.* 〖해부〗 외전근(外轉筋).

†**every** ⇨《p. 862》 EVERY.

†**eve·ry·body** [évribàdi, -bʌ̀di/-bɔ̀di] *pron.* 각자 모두, 누구나, 모두: *Everybody* has a way of their own. 누구에게나 버릇은 있다. ★ 문법적으로 단수취급. 구어에서는 복수대명사로 받는 일이 많음: *Everybody* 〔Everyone〕 has the right to speak *his* 〔*their*〕 mind. ***not*** ~ 〖부분부정〗 모두가 …하는〔인〕 것은 아니다: *Not* ~ (↗) can be a poet. 모든 사람이 시인이 될 수 있는 것은 아니다《이 not는 문장 전체를 부정하나 Do*n't* ~(↘) listen to him! (누구도 그의 말을 듣지 마라)에서는 *Everybody*, don't listen to him.의 뜻으로서 not는 do에 걸리고 everybody 에 걸리지 않음》.

⁑**eve·ry·day** [évridèi] *a.* **1** 매일의: one's ~ routine 일과. **2** 일상의, 습관적인; 예사로운, 평범한: an ~ occurrence 〔matter〕 대수롭지 않은 일〔사항〕/ ~ affairs 일상적인〔사소한〕 일 / ~ wear 〔clothes〕 평상복 / ~ shoes 평상화 / ~ words 일상어. **—** *n.* 평소의 하루, 일상생활: for 〔of〕 ~ 일상용으로〔일상의〕. ★ '매일'은 every day.

évery·màn [-mæ̀n] *pron.* = EVERYBODY. **—** *n.* (E-) 보통 사람《15세기 영국의 권선징악극 *Everyman*의 주인공》; (종종 E-) 보통 사람, 통상인: Mr. ~ 보통 사람. 「누구나, 모두.

†**eve·ry·one** [évriwʌ̀n, -wən] *pron.* 모든 사람,

> SYN. **everyone**은 셋 이상의 사람을 모두 포괄적으로 가리키는 말. **everybody**는 everyone과 같은 뜻으로 평범한 일상어. 항상 한 낱말로 씀. **every one**은 셋 이상의 사람을 개별적으로 가리키고 있는 말로서 each one과 같은 뜻.

ever

ever는 in any way, at all; at any time 따위와 거의 같은 뜻으로, 행위의 유무《하는가 안 하는가》에 대해서 말하는 부사이며, 물건의 유무《있는가 없는가》에 대해서 말하는 형용사·(대)명사의 any에 대응한다. 의문·조건·부정 따위를 나타내는 글 속에서 쓰이는 경우가 많다.

ev·er [évər] *ad.* **1** 〖의문문에서〗 일찍이; 이제〔지금〕까지; 언젠가 (전에); 도대체: *Have* you ~ *been* to Seoul 〔in New York〕? 서울에 가 본〔뉴욕에 사신〕 적이 있습니까《이 말의 응답에는 ever를 사용할 수 없음: Yes, I have (once). 또는 No, I have not. / No, I never have.》/ How can I ~ thank you (enough)? 정말이지 감사의 말씀 이루 다 드릴 수가 없습니다. ★ 상대를 비난하고 따질 때 종종 쓰임: Do your trains ~ run on time? 대체 당신네 열차가 제 시간대로 운행된 적이 있는가. **2** 〖조건문에서〗 …(하는) 일이 있으면〔있다고 하더라도〕; 언젠가; 어쨌든: Come and see me if you are ~ in Busan. 부산에 오시는 일이 있으면 들러 주십시오 / He seldom, if ~, goes to the movies. 그는, 설사 영화구경을 간다 하더라도, 좀처럼 가지 않는다《if he *ever* goes there가 생략된 것임》/ He was a great musician if ~ there was one. 그 사람이야말로 확실히 대음악가였다. **3** 〖비교급·최상급 뒤에서 이를 강조하여〗 이제까지〔껏〕; 지금까지; 일찍이 (없을 만큼): It is raining *harder than* ~. 일찍이 없었던 큰 호우다 / This is *the best* beer (that) I have ~ tasted. 이렇게 맛 좋은 맥주는 마셔 본 일이 없다《관계사절은 과거형도 좋으나 완료형이 보통임》/ It is *the biggest* ~. 그것은 일찍이 없었던 큰 것이다.

4 〖부정문에서〗 이제까지 (한 번도 …않다); 결코 (…않다): I have*n't* ~ been there. 거기에 한 번도 가 본 일〔적〕이 없다《I've *never* been there. 가 보통》/ I do*n't* think I shall ~ see him again. 이제 두 번 다시 그를 볼 수 있으리라곤 생각지 않는다 / *Nobody* ~ comes to this part of the country. 이 지방에는 아무도 오는 사람이 없다.

5 a 〖긍정문에 쓰이어서〗 언제나; 늘; 항상《as ever, ever since, ever after 따위의 관용구 외에는《고어》; 오늘날에는 always가 더 일반적이며, 평서문의 현재완료형에는 쓰지 않음》: He ~ repeated the same words. 그는 늘 같은 말을 되풀이했다 / He is ~ quick to respond. 그는 언제나 응답이 빠르다. **b** 〖복합어를 이루어〗 언제나, 늘: *ever*-active 항상 활동적인 / *an ever*-present danger 늘 존재하는 위험.

6 〖강조어로 쓰이어〗 **a** 〖as... as를 강조하여〗 될 수 있는 대로〔한〕…; 가급적…: *as* much 〔little〕 *as* ~ I can 될 수 있는 대로 많이〔적게〕/ Be *as* quick *as* ~ you can! 될 수 있는 대로〔한〕 서둘러라. **b** 〖so (much), such를 강조하여〗 대단히; 매우: ~ *such* a nice man 정말이지 좋은 사람 / The patient is ~ *so much* better. 환자는 용태가 매우 좋다. **c** 〖wh. 따위 의문사를 강조하여〗 (도)대체; 대관절: *What* ~ do you think you're doing? 도대체 당신은 자신이 하고 있는 일을 알고 있는가 / *Which* ~ way did he go? 《구어》 대관절 그는 어느 쪽으로 갔나요 / *Why* ~ did you say so? 대관절 당신은 왜 그런 말을 했나요. **d** 〖의문 형식의 감탄문에서〗 《미구어》 매우; 무척(이나); 정말이지: Is this ~ beautiful! 이건 정말(이지) 아름답지 않은가 / Is 〔Isn't〕 he ~ mad! 그 사람 정말이지 돌았군(=How mad he is!). ***as*** ~ 변함〔다름〕없이; 전과 같이. ***As if ...*** ~ ***!*** 설마 …은 않을 테지: *As if* he would ~ do such a thing! 그 사람이 그런 일을 할 리는 없지. ***Did you*** ~ ***(...)!*** 《구어》 그것은 금시초문이다; 이거 정말 놀랐다《*Did you ever* hear 〔see〕 the like?의 단축》. ~ ***after*** 〔***afterwards***〕 그 후 내내《과거시제에 씀》. ~ ***and again*** 〔《시어》 ***anon***〕 이따금, 가끔(sometimes). ~ ***since*** ⇨ SINCE *ad.* 1 b, *prep.* 1 a, *conj.* 1 a. ~ ***so*** ① 《영구어》 매우; 대단히 (⇨6). ② 〖양보절에서〗 비록 아무리 (…하더라도): Home is home, be it ~ *so* humble. 비록 아무리 초라해도 내 집만한 곳은 없다. ~ ***such*** 《영구어》 매우〔무척〕 …한: ~ *such* an honest man 매우 정직한 사람. ***Ever yours*** 언제나 (변함없는) 그대의 벗(Yours ever)《편지의 맺음말》. ***for*** ~ ① 영원히; 길이(=《미》 forever): I am *for* ~ indebted to you. 은혜는 한평생 잊지 않겠습니다. ② 언제나; 늘(=forever): He is *for* ~ losing his umbrella. 그는 항상 우산을 잃어버린다. ***for*** ~ ***and*** ~ =***for*** ~ ***and a day*** 《영》 영원히, 언제까지나. ***Yours*** ~ = Ever yours.

év·ery·plàce *ad.* 《미》 = EVERYWHERE.

†**eve·ry·thing** [évriθìŋ] *pron.* **1** 〖단수취급〗 모든 것, 무엇이나 다, 만사: ~ in one's power 힘이 미치는 한의 모든 것. **2** 〖not를 수반하여 부분부정으로 쓰여〗 모두가〔무엇이나〕 다 …은 아니다: You can*not* have ~. 모든 것을 다 손에 넣을 수는 없다. **—** *n.* Ⓤ 〖보어로 쓰여〗 가장 중요한 일〔귀중한 것〕: This news means 〔is〕 ~ to us. 이 소식은 우리에게 중요한 뜻을 지닌다 / Money is ~. 만사는 돈이다 / Career isn't ~. 출세가 전부는 아니다. ***above*** 〔***before***〕 ~ (***else***) 무엇보다도 (먼저). ***and*** ~ 《구어》 그 밖에 이것저것. ***like*** ~ 《미구어》 전력으로, 맹렬〔격렬〕히, 급속히, 매우.

év·ery·wày *ad.* 어디로 보나, 어느 점으로 보나; 모든 방법으로, 모든 면〔점〕에서.

†**eve·ry·where** [évri*h*wɛ̀ər/-wɛ̀ə] *ad.* **1** 어디에나, 도처에; 《구어》 많은 곳에서: I've looked ~ for it. 나는 구석구석 그것을 찾아보았다. **2** 〖접속사적으로 써서〗 어디로 …하여도, 어디에 …라도: *Everywhere* we go, people are much the same. 어디를 가나 사람은 별 차이 없다.

éverywhere-dénse *a.* 〚수학〛 (위상 공간의 집합이) 조밀한.

Évery·wòman *n.* 전형적인 여성, 여성의 본보기. ⓒⓕ Everyman.

Éve's púdding 《영》 제일 밑이 과일의 켜로 된 스펀지 케이크.

evg. evening.

evict [ivíkt] *vt.* 《~+목/+목+전+명》 〚법률〛 (가옥 · 토지에서) 퇴거시키다, 쫓아내다 《*from*》 《법 절차에 따라》; (토지 · 물권을) 되찾다 《법 절차에 따라》; 〖일반적〗 내쫓다: ~ a person *from* a house 아무를 집에서 퇴거시키다 / ~ the enemy *from* the town 도시에서 적을 쫓아내다. ㊕ **evíc·tion** *n.* Ⓤ,Ⓒ 〚법률〛 퇴거시킴, 쫓아냄; 도로 찾음. **evíc·tor** *n.* 쫓아내는 사람.

evict·ee [iviktíː] *n.* 내쫓긴 사람.

***ev·i·dence** [évədəns] *n.* **1** Ⓤ 증거 《*of; for*》; 〚법률〛 증언: a piece of ~ 하나의 증거 / give 〔offer〕 ~ 증언하다 / give false ~ 위증하다 / take ~ 증언을 듣다; 증언을 조사하다, 증거를 모으다 / look for ~ *to* prove his innocence 그의 결백을 증명할 증거를 찾다 / Is there any ~ *of* 〔*for*〕 this? 이것에는 어떤 증거가 있느냐 /

---

every

each와 every의 비교: (1) 둘 다 단수로서, 그 점에서 all과 대비된다. (2) 둘 다 집단의 각 구성 요소를 긍정하지만 each는 2개 이상의 요소에, every는 3개 이상의 요소에 쓰이며, 또 후자는 '하나 남김없이, 모두'라는 포괄적인 함축이 강하다. (3) each에는 형용사(形容詞) · 대명사(代名詞)의 두 용법이 있으나 every에는 형용사의 용법밖에 없다.

eve·ry [évriː] *a.* **1** 〖단수형의 셀 수 있는 명사와 더불어 관사 없이〗 **a** 어느 …이나 다; 각 …마다 다; 온갖: *Every* word of it *is* false. 그 말 하나하나가 모두 거짓이다 / *Every* boy loves their school. 어느 소년이나 저희 학교를 사랑한다 《구어에서는 복수대명사로 받는 일이 있음》 / *Every* man, woman, and child has 〔×have〕 been evacuated. 남자도 여자도, 어린이도 모두 다 피난했다 《every 뒤에 명사가 둘 이상 계속되어도 단수취급을 함》 / They listened to his ~ word. 그들은 그의 말 하나하나에 귀를 기울였다 《every의 앞에는 관사가 붙지 않지만 소유격 대명사는 쓸 수 있음》. **b** 〖not과 함께 부분부정을 나타내어〗 모두가 …라고는 할 수 없다: *Not* ~ man can be a genius. 누구나 다 천재가 될 수 있다고는 할 수 없다(= *Every* man can*not* be a genius.) / Such things do *not* happen ~ day. 이런 일이 언제나 일어난다고는 할 수 없다.

2 〖추상명사를 수반하여〗 가능한 한의; 온갖 …; 충분한 《뒤에 이어지는 명사는 intention, reason, kindness, sympathy 따위 추상명사임》: There is 〔We have〕 ~ reason to believe that …. …하다는 것을 믿을 만한 충분한 이유가 있다 / He showed me ~ kindness. 그는 나에게 정말 여러 가지로 친절을 다 보였다 / I have ~ confidence in him. 나는 전폭적으로 그를 신뢰하고 있다.

3 〖수사 · other · few구의 앞에서〗 …마다; 〖day, week 따위의 앞에 와서 부사구를 이루어〗 매(每)…: ~ day 〔week, year〕 매일〔매주, 매년〕 / ~ morning 〔afternoon, night〕 아침〔오후, 밤〕마다 / ~ *few* years 몇 해마다 / ~ four days = ~ fourth day, 4일마다 / *Every* third man has a car. 세 사람에 한 대씩 차를 갖고 있다.

> NOTE (1) every는 낱낱의 것을 통해서 전체를 보임. 즉 "each and all" '각기 모두'란 뜻으로, each나 all 보다도 뜻이 강함.
> (2) **not every**와 **not any** 전자는 부분부정, 후자는 전체부정임: He has *not* read *every* book in the library. 그는 도서관의 모든 책을 다 읽은 것은 아니다 《즉 얼마쯤은 읽었다》. He has *not* read *any* book in the library. 그는 도서관의 어떤 책도 읽은 적이 없다.

at ~ step 한 발짝〔걸음〕마다, 끊임없이. ***~ after*** 〔***second***〕 하나 걸러의. ***~ bit*** 어디까지나, 어느 모로나; 아주: He is ~ *bit* a scholar. 그는 어디까지나 학자다 / This is ~ *bit as* good *as* that. 정말이지 이것은 저것만큼 좋다. ***~ inch*** = ~ bit. ***~ last ...*** 마지막〔최후의〕 …: spend ~ *last* penny 마지막 1페니까지〔있는 돈 전부를〕 다 써 버리다. ***~ last man*** = ***~ man Jack*** (***of them*** 〔***us***〕) (그들〔우리들〕) 누구나 다, 모두. ***~ last*** 〔***single***〕 ***one*** (***of...***) (…의) 어느 것이나 모두; 남김없이 《every one의 강조(強調)》. ***~ mother's son of them*** 한 사람 남(기)지 않고, 모두. ***~ now and again*** 〔***then***〕 때때로, 가끔. ***~ once in a while*** 〔***way***〕 = ~ now and again. ***~ one*** ① [évriwʌ̀n/ˊ-ˋ-] 누구나 모두, 모든 사람. ★ 보통 everyone과 같이 한 말로 씀. ② [évriwʌ́n] 남김없이 모두 다; 모조리: They were killed ~ *one* of them. 그들은 모조리 살해되었다. ***~ other*** ① 하나 걸러(서): ~ *other* day 하루 걸러(서), 격일로 / ~ *other* line 1행 걸러. ② 그 밖의 모든: *Every other* boy was present. 그 밖의 다른 학생은 모두가 출석했다. ***~ so often*** 때때로, 이따금. ***~ time*** 언제고, 언제라도; 〖접속사적으로〗 (…할) 때마다: *Every time* I go to his house, he's out. 내가 그의 집을 찾아갈 때면 언제나 그는 외출하고 없다. ***~ time one turns around*** 늘, 언제나: She says something ~ *time* I *turn around*. 내가 나타나면 그녀는 언제나 불평을 한다. ***~ which way*** 《미구어》 사방(팔방)으로; 뿔뿔이 흩어져, 어수선하게: The cards were scattered ~ *which way*. 카드는 어지럽게 흩어져 있었다. (***in***) ***~ way*** 모든 면에 있어(서), 아주. ***nearly ~*** 대개의, 대부분의.

There's no ~ *that* he is guilty. 그가 유죄라는 증거는 아무것도 없다.

> SYN. **evidence** 진실함을 증명하는 모든 종류의 것을 뜻하는 말. proof 보다는 품위가 있는 말로 정신적·지적인 것에 많이 쓰임. **proof** 사실이나 문서의 내용 따위에 관한 증거를 가리키는데, evidence 보다는 뜻이 강함. **testimony** 증인이 선서 절차를 거친 후에 하는 증언을 뜻하는 법률 용어이나 보통의 일에도 쓰이는 경우가 있음.

2 형적, 흔적(sign)《*of; for*》: There were ~s *of* foul play. 범죄가 행해진 흔적이 있었다. **3** 〖법률〗 증거물; 증인.
call** a person **in** ~* 아무를 증인으로 소환하다. ***give 〔***bear, show***〕 ***~ of*** …의 형적을 나타내다. ***in ~*** 눈에 띄는, 분명히 보이는〔느껴지는〕; 증거로서, 증인으로서: Children were not much *in* ~. 아이는 별로 눈에 띄지 않았다 / He produced it *in* ~. 그는 증거로서 그것을 제출하였다. ***on ~*** 증거가 있어서, 증거에 입각하여. ***the ~ of Christianity*** 기독교 증험론. ***turn King's*** 〔***Queen's,*** 《미》 ***State's***〕 ***~*** (공범자가) 딴 공범자에게 불리한 증언을 하다.
— *vt.* **1** 증언하다. **2** 입증하다; …의 증거가 되다. **3** 명시하다; (감정 등을) 겉으로 나타내다.

***ev·i·dent** [évədənt] *a.* 분명한, 뻔한, 명백한, 뚜렷한; 분명히 (그것임을) 알 수 있는; 〖의학〗 현성(顯性)의: an ~ mistake 분명한 실수〔잘못〕/ with ~ satisfaction 〔pride〕 자못 만족스레〔자랑스레〕/ It's ~ (to all) *that* he has failed. 그가 실패했다는 것은 (누구나) 분명히 알 수 있다. SYN. ⇨ CLEAR. ㊞ **~·ness** *n.*

> SYN. **evident** 사실·증거·상황 따위에 비추어 분명한. **apparent** 외견상으로 봐서 분명한: an *apparent* effort 옆에서 보아도 곧 알 수 있는 노력. **obvious** 누가 보아도 알 수 있는, 의문의 여지가 없는. **manifest** apparent와 obvious의 양 뜻을 포함하는 좀 형식적인 말. **patent** 감출〔숨길〕 수 없는, 눈에 띄어서 곤란한 것에 씀: a *patent* error. **conspicuous** 사람의 눈을 끄는, 눈에 띄는.

ev·i·den·tial [èvədénʃəl] *a.* 증거의; 증거가 되는; 증거에 의거한. ㊞ **~·ly** *ad.* 증거로서, 증거에 의하여.

ev·i·den·tia·ry [èvədénʃəri] *a.* = EVIDENTIAL.

***ev·i·dent·ly** [évədəntli, -dènt-, èvədént-] *ad.* 분명하게〔히〕, 의심 없이; 보기에는, 아마도.

evil** [íːvəl] (more ~; most ~;*** 때로 ***evil(l)er; -(l)est***) *a.* **1** 나쁜, 사악한, 흉악한: ~ conduct 비행 / an ~ tongue 독설; 중상자(中傷者). SYN. ⇨ BAD. **2** 불길한, 불운한, 징조가 나쁜: ~ news 흉한 소식. **3** 싫은, 불쾌한: an ~ smell 〔taste〕 역겨운 냄새〔맛〕. **4** (성질 따위가) 화를 잘 내는, 성마른: ~ disposition 성마른 성격. **5** 《미속어》 멋진, 짜릿짜릿한. ***fall on ~ days*** 불운을 당하다. ***put off the ~ day*** 〔***hour***〕 싫은 일을 뒤로 미루다.
— *n.* **1** Ⓤ 악, 사악: return good for ~ 악을 선으로 갚다. **2** Ⓒ 해악, 악폐; 재해(disaster); 불운, 불행(ill luck); 병, 악질(惡疾), 《특히》 연주창: a necessary ~ 어쩔 수 없는 폐해, 필요악 / ⇨ the KING'S EVIL; the SOCIAL EVIL. ***do ~*** 해를 끼치다, 해가 되다: *do* more ~ than good 유해(有害)무익하게 되다. ***good and ~*** 선악.
— *ad.* 《고어》 나쁘게(ill): speak ~ of others 남의 험담을 하다 / It went ~ *with* him. 그는 혼쭐이 났다.
㊞ **~·ly** [íːvəli] *ad.* **~·ness** *n.*

évil·dòer *n.* 악행을 저지르는 자, 악인.

évil·dòing *n.* Ⓤ 못된 짓, 악행.

évil éye 흉안(凶眼)(을 가진 사람)《그 시선(視線)이 닿게 되면 재난이 닥친다고 함》; 증오〔적의〕에 찬 눈초리; (the ~) 흉안의 마력, 불운.

évil-éyed *a.* 악마의 눈을 가진, 눈초리가 독살스러운〔무서운〕.

évil-mínded [-id] *a.* 악의에 찬, 뱃속이 검은; (말을) 악의로 해석하는; 《구어·우스개》 호색적인, 외설스러운. ㊞ **~·ly** *ad.* **~·ness** *n.*

Évil Óne (the ~) 마왕(the Devil, Satan).

évil-témpered *a.* 기분이 언짢은.

evince [ivíns] *vt.* (감정 따위를) 분명히 나타내다, 명시하다; 증명하다; (반응 따위를) 일으키다. ㊞ **evín·ci·ble** *a.* 표명〔증명〕할 수 있는(demonstrable). **evín·cive** [-siv] *a.* 표시하는, 증명하는《*of*》.

evi·rate [évərèit, íːv-] *vt.* 거세하다(castrate), 연약하게 하다(emasculate).

evis·cer·ate [ivísərèit] *vt.* 창자를 끄집어내다; 골자를〔긴요한 부분을〕 빼 버리다; 〖외과〗 (안구 등 기관)의 내용을 적출(摘出)〔제거〕하다; (환자)의 내장을 적출하다. — *vi.* (내장이) 절개구에서 튀어나오다. — *a.* 창자를 뺀; 내장을 적출한. ㊞ **evìs·cer·á·tion** *n.* Ⓤ 창자빼기; 〖의학〗 내장 적출(술); 내장이 튀어나옴; 주요 골자를 뺌.

ev·i·ta·ble [évətəbəl] *a.* 피할 수 있는.

ev·o·ca·ble [évəkəbəl] *a.* evoke 할 수 있는.

ev·o·ca·tion [èvəkéiʃən, ìːvou-] *n.* Ⓤ,Ⓒ evoke 함; (기억·감정 등을) 불러일으킴, 환기(喚起); (공수·신접(神接)을 위해 영혼 따위를) 불러냄; 〖발생〗 환기 인자(因子)의 작용; 〖법률〗 소송 이송. ◇ evoke *vt.*

evoc·a·tive [ivákətiv, ivóuk-/ivɔ́k-] *a.* (…을) 불러내는; 환기하는《*of*》. ㊞ **~·ly** *ad.* **~·ness** *n.*

ev·o·ca·tor [évəkèitər, íːvou-] *n.* evoke 하는 사람〔것〕; 죽은 사람의 혼을 불러내는 사람, 강신자(降神者); 〖발생〗 환기인자(喚起因子).

***evoke** [ivóuk] *vt.* **1** (기억·감정을) 불러일으키다, 환기하다; (웃음·갈채 따위를) 자아내다; (영혼 따위를) 불러내다. **2** 〖법률〗 (소송을) 상급 법원에 이송하다. ◇ evocation *n.*

evóked poténtial 〖생리〗 (감각 기관의 자극에 의해 뇌피질에 일어나는) 전기적 유발.

ev·o·lute [évəlùːt/íːv-, év-] 〖수학〗 *n.* 축폐선(縮閉線); 〖건축〗 (frieze의) 점축선(漸縮線) 장식. — *a.* 축폐한; 〖식물〗 뒤로 휜, 열린. — *vi., vt.* 진화〔발전〕하다〔시키다〕.

***ev·o·lu·tion** [èvəlúːʃən, ìːvə-] *n.* **1** Ⓤ 전개, 발전, 진전, (사회적·정치적·경제적인) 점진적 변화: the ~ of a drama 극의 전개. **2** Ⓒ 발전〔진화〕의 산물〔결과〕. **3** Ⓤ 〖생물〗 진화(론); 〖천문〗 (은하의) 진화: the theory 〔doctrine〕 of ~ 진화론(cf. creationism). **4** Ⓤ (열·빛 등의) 방출, 방산(放散). **5** Ⓒ (부대·함선의) 기동 연습, 전개. **6** Ⓒ (댄스 등의) 선회, 전개 동작; (기계의) 선회. **7** Ⓤ 고안, 안출; 〖수학〗 거듭제곱근풀이. cf. involution. ◇ evolve *v.* ㊞ **~·al·ly** *ad.*

ev·o·lu·tion·al [èvəlúːʃənəl, ìːvə-] *a.* = EVOLUTIONARY.

ev·o·lu·tion·ary [èvəlúːʃənèri, ìːv-] *a.* 발달의, 발전의; 진화의; 진화론에 의한; 전개의; 연습의: ~ cosmology 진화 우주론 / ~ paleontology 진화 고생물학. — *n.* (사회) 진화론자. ㊞ **-àr·i·ly** *ad.*

èv·o·lú·tion·ism *n.* Ⓤ 진화론(cf. creationism); 사회 진화론; (사회) 진화론 신봉.

èv·o·lú·tion·ist *n.* 진화론자. ㊞ **èv·o·lù·tion·ís·tic** [-ístik] *a.* 진화론(자)의.

ev·o·lu·tive [évəlùːtiv, íːv-/ivɔ́ljutiv, ìːvəlúːt-] *a.* 진화의〔하는〕, 진화적 경향의.

◇**evolve** [iválv/ivɔ́lv] *vt.* **1** 《~+목/+목+전+명》 (이론·의견·계획 따위를) 서서히 발전〔전개〕시키다, 안출〔개발〕하다; (결론·법칙 따위를) 도출하다, 끄집어내다; (이야기 따위의 줄거리를) 진전시키다: ~ a new theory 새 학설을 발전시키다/~ a new system for running the company 회사 운영의 새 방식을 안출하다/The whole idea was ~*d from* a casual remark. 우연한 말이 계기가 되어 이 모든 아이디어가 개발되었다. **2** 〚생물〛 진화시키다. **3** (열·빛 등을) 방출하다. ── *vi.* 《~/+전+명》 서서히 발전〔전개〕하다; 점진적으로 변화하다; 진화하다《*from; out of; into*》: Man ~*d from* the ape. 인간은 유인원(類人猿)에서 진화했다. ◇evolution *n.* ㊞ **evólv·a·ble** [-əbəl] *a.* **~·ment** *n.* Ⓤ 전개; 진화; 진전.

EVP executive vice president (전무 이사).

EVR Electronic Video Recorder 〔Recording〕.

evul·sion [ivʌ́lʃən] *n.* Ⓤ (뿌리째) 뽑아냄, 빼냄, 뽑음.

ev·zone [évzoun] *n.* (그리스군의) 정예 보병 부대원《스커트를 입음》.

EW electronic warfare; 〚의학〛 emergency ward (응급 치료실); enlisted woman 〔women〕.

ewe [juː] *n.* 암양. **one's ~ *lamb*** (가난한 사람의) 가장 소중히 여기는 것《사무엘하 XII: 3》.

éwe-nècked [-t] *a.* 목이 잘록하고 가늘게 생긴《말·개 등》.

ew·er [júːər] *n.* 물병; (특히 침실용의) 주둥이 넓은 물단지.

ewer

ewig·keit [éivikkàit; *G.* éːviçkait] *n.* 《G.》 영원. ***into* 〔*in*〕 *the* ~** 《우스개》 흔적도 없이, 허공으로.

E.W.O. Essential Work Order (주요 근무령).

ex[1] [eks] *n.* (알파벳의) X; X 모양의 것; 《미속어》 독점 판매권.

ex[2] 《구어》 *a.* 이전〔본디〕의; 시대에 뒤진. ── *n.* 전에 어떤 지위〔신분〕에 있던 자; 전처, 전남편.

ex[3] *prep.* 《L.》 **1** …로부터; …에 의해서, …으로써; …때문에, …한 이유로; 〚상업〛 …인도(引渡)로: ~ ship 본선 인도/~ bond 보세 창고 인도. **2** 《미》 …년도 중퇴의: ~ '90, 90 년도 중퇴한. **3** 〚증권〛 …낙(落)으로〔의〕, 없이, 없는: ~ interest 이자락(落)으로〔의〕.

ex- [iks, eks] *pref.* **1** '…에서 (밖으로), 밖으로'의 뜻: *ex*clude; *ex*port. **2** '아주, 전적으로'의 뜻: *ex*terminate. **3** 《보통 하이픈을 붙여서》 '전(前)의, 전…'의 뜻: *ex*-president.

Ex., Exod. Exodus. **ex.** examination; examined; example; except; exception; exchange; excursion; executed; executive; exempt; exercise; exhibit; exit; export; express; extra; extract; extremely.

ex·a- [éksə, égzə] '엑사(=10^{18}; 기호 E)'의 결합사: *exa*meter.

ex·ac·er·bate [igzǽsərbèit, eksǽs-] *vt.* (고통·병·노여움 따위를) 악화시키다, 더하게 하다; (사람을) 노하게 하다, 격분시키다. ㊞ **ex·àc·er·bá·tion** *n.* (감정 따위의) 악화, 격화; 격분; 〚의학〛 (병세의) 악화, (병상) 재연.

⁑**ex·act** [igzǽkt] *a.* **1** 정확한, 적확한(accurate): the ~ date and time 정확한 일시. SYN. ⇨CORRECT. **2** 정밀한, 엄밀한(precise): ~ sciences 정밀 과학/~ instruments 정밀 기계. **3** 꼼꼼한(strict); 엄격한, 가혹한(severe, rigorous): an ~ thinker (매우) 꼼꼼한 사람/~ directions 엄격한 지시. **~ *to the letter*** 대단히 정확한. **~ *to the life*** 실물 그대로의. ***to be* ~** 엄밀히 말하면. ── *vt.* 《~+목/+목+전+명》 **1** …을 (요)구하다《*from; of*》; (일 따위가 노력 등을) 필요로 하다: ~ respect *from* one's children 아이들에게 존경을 요구하다/A hard piece of work ~*s* effort and patience. 어려운 일은 노력과 인내를 필요로 한다. **2** (지급·항복·실행 따위를) 강요〔강제〕하다; …을 (…에게서) 거두다《*from; of*》: ~ sacrifice *from* the people 국민에게 희생을 강요하다/~ money *from* 〔*of*〕 a person 아무에게서 돈을 거두다. ㊞ **~·a·ble** *a.* 강요할 수 있는, 강제로 거두어들일 수 있는. **~·er** *n.* =EXACTOR. **~·ness** *n.* 정확, 정밀(exactitude).

ex·ac·ta [igzǽktə] *n.* 《미》 연승 단식《경마의 1·2 착을 도착 순서대로 맞히는 내기》.

exáct differéntial 〚수학〛 완전미분.

ex·áct·ing *a.* 엄한, 강요하는; 착취적인, 가혹한; 쓰라린, 힘든《일》: an ~ teacher 엄한 선생/an ~ job 힘든 일. ㊞ **~·ly** *ad.* **~·ness** *n.*

ex·ác·tion *n.* **1** Ⓤ 강요, 강탈; 부당한 요구. **2** Ⓒ 가혹한 세금, 강제 징수금. **3** 〚법률〛 불법 보수(報酬) 청구죄.

ex·ac·ti·tude [igzǽktətjùːd/-tjùːd] *n.* Ⓤ,Ⓒ 정확, 엄밀; 정밀(도); 꼼꼼함, 엄정: with scientific ~ 과학적 정밀성으로. ◇exact *a.*

⁑**ex·act·ly** [igzǽktli] *ad.* **1** 정확하게, 엄밀히, 정밀하게, 꼼꼼하게: ~ at five 정각 5 시에/Repeat ~ what he said. 그가 한 말을 그대로 되풀이해 보아라. **2** 정확히 말해서: He is not ~ a gentleman. 그는 엄밀히 말해서 신사는 아니다. **3** 틀림없이, 바로, 꼭(just, quite): *Exactly* (so)! 그렇소, 바로 그렇다. ***Not* ~.** 반드시〔꼭〕 그렇지는 않다; 좀 다르다; 《반어적》 전혀 …않다〔아니다〕.

ex·ac·tor [igzǽktər] *n.* 강요자《특히 권력으로 강요하는 사람》; 강제 징수자; 징세리(徵稅吏).

exáct scíence 정밀 과학《수학·물리학 등 정량적(定量的)인 과학》.

*****ex·ag·ger·ate** [igzǽdʒərèit] *vt.* **1** 과장하다, 침소봉대하다, 과대하게 보이다; 지나치게 강조하다: It is impossible to ~ the fact. 그 사실은 아무리 강조해도 지나치지 않다/Those shoes ~ the size of my feet. 이 구두를 신으면 발이 매우 커 보인다. **2** …을 과대시(視)하다, 과장해서 생각하다: You ~ the difficulties. 곤란을 너무 과장하고 있다. **3** 《보통 수동태》 (병·상태를) 악화〔격화〕시키다. ── *vi.* 과장해서 말하다, 과대시하다《*on*》: Don't ~. 허풍 떨지 마라.

◇**ex·ág·ger·àt·ed** [-id] *a.* 떠벌린, 과장된, 지나친; 과대시된; 부자연스러운; (몸의 기관 따위가) 이상 비대한. ㊞ **~·ly** *ad.* 과장되게; 과대하게; 과도하게.

◇**ex·àg·ger·á·tion** *n.* **1** Ⓤ 과장, 과대시: ~ factor 〔gene〕 〚의학·발생〛 강조〔과장〕 인자〔유전자〕. **2** Ⓒ 과장된 표현, 과장된 이야기: It is no ~ to say that…. …이라고 해도 과언은 아니다. ◇exaggerate *v.*

ex·ag·ger·a·tive [igzǽdʒərèitiv, -rət-] *a.* 과장된, 과대한. ㊞ **~·ly** *ad.* 과장하여.

ex·ag·ger·a·tor [igzǽdʒərèitər] *n.* 과장(해서 말)하는 사람; 과장된 것.

éx-áll *ad.* (주권 등이) 이자 배당·신주 인수권·그밖의 모든 수익권이 상실되어.

◇**ex·alt** [igzɔ́ːlt] *vt.* 《~+목/+목+전+명》 (명예·품위 따위를) 높이다; (관직·신분 따위를)

올리다, 승진시키다《*to*》; 칭찬하다, 찬양하다; 몹시 기쁘게 하다, 의기양양케 하다; (어조·색조 따위를) 강하게 하다, 짙게 하다; …의 활동을〔효과를〕 강화하다: ~ the imagination 상상력을 높이다 / ~ a person *to* a high office 아무를 높은 관직으로 승진시키다. ◇exaltation *n.* ~ a person ***to the skies*** 아무를 격찬하다. ㊕ **~·er** *n.*

◇**ex·al·ta·tion** [ègzɔːltéiʃən] *n.* Ⓤ,Ⓒ **1** 높임; 고양(高揚)(elevation); 승진(promotion); 칭찬, 찬양; 우쭐함, 의기양양; 광희(狂喜), 흥분; 〖의학〗 (기능) 항진(亢進), 심적(心的) 고양. **2** 《영》 (날아다니는) 종다리 떼; 〖점성〗 최고 성위(星位).

ex·al·té [*F.* ɛgzalte] (*fem.* ***-tée*** [—]) *a.*, *n.* 《F.》 흥분〔득의만면, 의기양양〕한 (사람).

ex·ált·ed [-id] *a.* 고귀한, 지위가〔신분이〕 높은, 고위의; 고상한, 고원(高遠)한《목적 따위》; 숭고한; 우쭐한, 의기양양한; 신바람난; 〔종종 부정문에서〕 과대한: an ~ personage 고위 인사, 귀인 / ~ aims 숭고한 뜻. ㊕ **~·ly** *ad.* **~·ness** *n.*

ex·am [igzǽm] *n.* 《구어》 시험. [◂ *examination*]

exam. examination; examined; examinee; examiner.

ex·a·men [igzéimən/-men] *n.* 〖가톨릭〗 《구어》 규문(糾問); 검토, 심사, 조사, 심리; 비평〔분석〕적 연구.

ex·am·i·nant [igzǽmənənt] *n.* =EXAMINER; 심사〔신문〕 받는 사람《증인 등》.

⁑**ex·am·i·na·tion** [igzæ̀mənéiʃən] *n.* Ⓤ,Ⓒ **1** 시험, (성적) 고사《*in; on*》: an ~ *in* English 영어 시험 / entrance ~*s* 입학시험 / a written 〔an oral〕 ~ 필기〔구두〕시험 / pass 〔fail in〕 an ~ 시험에 합격〔불합격〕하다 / give an English ~ *to*... …에게 영어 시험을 치르게 하다 / cheat *in* 〔*at, on*〕 an ~ 시험에서 커닝을 하다 / take 〔do, 《영》 sit (for)〕 an ~ *in* English 영어시험을 보다 / go in for one's ~ 시험을 치르다. **2** 시험문제: ~ papers 시험문제(지); 답안지. **3** (사건·사고 따위의) 조사, 검사, 심사《*of; into*》; (학설·문제 등의) 고찰, 검토, 음미: make an ~ of …을 검사〔심사〕하다 / on ~ 조사〔검사〕해 보고; 조사해 보니 / under ~ 검사〔조사〕 중인. **4** (의사가 행하는) 검사, 진찰: a clinical ~ 임상검사(법) / a mass ~ 집단검진 / a medical ~ 건강진단 / a physical ~ 신체검사. **5** 〖법률〗 신문, 심문; 심리: a preliminary ~ 예비 심문 / the ~ *of* a witness 증인 신문. ◇examine *v.* ㊕ **~·al** *a.* 시험〔심문〕의; 검사〔심리〕상의.

examinátion in chíef 〖법률〗 직접〔주(主)〕신문(direct examination).

examinátion pàper (인쇄된) 시험 문제; 시험 답안.

ex·am·i·na·to·ri·al [igzæ̀mənətɔ́ːriəl] *a.* examiner의; examination의.

⁑**ex·am·ine** [igzǽmin] *vt.* **1** 《~+목/+목+전+명》 시험하다《*in; on, upon*》: ~ pupils *in* grammar 학생들에게 문법시험을 보이다 / He ~*d* students *on* their knowledge of history. 그는 학생들의 역사지식을 테스트했다. SYN. ⇨ TEST. **2** 《~+목/+*wh.* 절》 검사하다, 조사〔심사〕하다(inspect, investigate); 고찰〔검토, 음미〕하다: ~ old records 오래된 기록을 조사하다 / ~ oneself 반성하다 / ~ *how* the accident happened 어떻게 사고가 일어났는가를 조사하다 / He ~*d* by touch *whether* the kettle was hot or not. 그는 주전자가 뜨거운지 어떤지 손을 대 보았다. **3** 〖의학〗 진찰하다, 검사〔검진〕하다. **4** 〖법률〗 신문〔심문〕하다; 심리하다: ~ a witness 증인을 신문하다. **—** *vi.* 《~/+전+명》 조사〔심리, 음미〕하다《*into*》: ~ *into* details 상세한 것을 조사하다. ◇examination *n.* ~ one***'s own conscience*** 자성(自省)하다. ㊕ **ex·ám·in·a·ble** *a.*

ex·am·i·nee [igzæ̀məníː] *n.* 수험자; 검사〔신문, 심리〕를 받는 사람.

exámine-in-chíef *vt.* 〖법률〗 …에게 주(主)신문〔직접신문〕하다.

ex·ám·in·er *n.* 시험관, 시험위원, 심사관, 검사관, 조사관; (증인) 신문관.

⁑**ex·am·ple** [igzǽmpəl, -záːm-/-záːm-] *n.* **1** 예, 보기, 실례, 예증; 전례(precedent): give an ~ 예를 들다. SYN. ⇨ INSTANCE. **2** 견본, 표본(specimen, sample): an ~ of his work 그의 작품의 한 예. **3** (수학의) 예제: an ~ *in* arithmetic 산수의 예제. **4** 모범, 본보기(model). **5** 본때(로 벌받은 사람), 훈계(warning): Let this be an ~ *to* you. 이것을 너의 교훈으로 삼아라. ***as an*** ~ = ***by way of*** ~ 한 예(例)를 들면, 예로서. ***beyond*** 〔***without***〕 ~ 공전의, 전례 없는. ***follow the*** ~ ***of*** a person =***follow*** a person***'s*** ~ 아무를 본받다. ***for*** ~ 예를 들자면, 예컨대(for instance). ***make an*** ~ ***of*** …을 본보기로 징계하다. ***set*** 〔***give***〕 ***an*** ~ ***to*** …에게 좋은 모범을 보이다. ***take*** ~ ***by*** …을 본보기로 하다, …의 예에 따르다. ***to cite an*** ~ 일례를 들면. **—** *vt.* 〔보통 수동태〕 예시하다, 전형으로서 보이다, …의 실례가 되다.

ex·an·i·mate [egzǽnəmət, -mèit] *a.* 죽은, 생명이 없는; 활기〔기운〕 없는, 낙담한.

ex ani·mo [eks-ǽnəmòu] 《L.》 마음으로부터(의); 성심성의껏.

ex an·te [eks-ǽnti] 《L.》 〖경제〗 사전(事前)의. OPP. *ex post.* ¶ ~ saving 사전 저축.

ex·an·them [egzǽnθəm, eks-/eks-] *n.* 〖의학〗 발진; 피진(皮疹); 발진성 열병.

ex·an·the·ma [ègzænθíːmə, èks-/èks-] (*pl.* **~*s,*** ***-thém·a·ta*** [-θémətə, -θíː-]) *n.* =EXANTHEM.

ex·arch [éksɑːrk] *n.* (비잔틴 제국의) 태수(太守), 총독; (그리스 정교의) 총주교 (대리); 주교. ㊕ **éx·ar·chàte, éx·ar·chy** [-kèit, -ˊ-ˋ], [-ki] *n.* Ⓤ ~의 직위〔권한〕; Ⓒ ~의 관구(管區).

◇**ex·as·per·ate** [igzǽspərèit] *vt.* **1** 《~+목/+목+전+명》 〔종종 수동태〕 노하게 하다, 몹시 약오르게〔불쾌하게〕 하다, 격앙〔분격〕시키다《*against; at; by*》: be ~*d against* a person 아무에 대하여 노하다 / be ~*d by* 〔*at*〕 a person's dishonesty 아무의 부정직에 화를 내다 / His slowness often ~*s* her. 그녀는 그의 느린 동작에 자주 화를 낸다. SYN. ⇨ IRRITATE. **2** 《+목+전+명/+목+*to* do》 성내어 …하게 하다《*to*》: be ~*d to* anger 참을 수가 없어 화를 내다 / ~ him *to* grow desperate 화내어 그를 자포자기케 하다. **3** 《고어》 (병·감정 따위를) 악화〔격화〕시키다, 더하게 하다. **—** [-pərit] *a.* 〖식물〗 (잎 따위가) 꺼칠꺼칠〔울퉁불퉁〕한; 단단한 돌기로 덮인; 화가 난. ㊕ **-àt·ed·ly** [-idli] *ad.* (무슨 일을 저지를지도 모를 정도로) 격노〔격분〕하여, 홧김에. **-àt·er** *n.* 격노〔격앙〕시키는 사람.

ex·ás·per·àt·ing *a.* 화나(게 하)는, 분통 터지는. ㊕ **~·ly** *ad.* 화가 날 정도로, 분통 터지게.

ex·às·per·á·tion *n.* Ⓤ 격분, 격노, 격앙; 〖의학〗 (질병의) 악화: in ~ 격분하여.

Exc. Excellency. **exc.** excellent; exciter; except(ed); exception; exchange; *excudit* 《L.》 (=he 〔she〕 engraved (it)); excursion.

Ex·cal·i·bur [ekskǽləbər] *n.* 엑스캘리버. **1** 〖전설〗 Arthur 왕의 명검(名劍). **2** 미국제의 고전형(古典型) 스포츠 카.

ex·car·di·na·tion [ekskɑ̀ːrdənéiʃən] *n.* (성직자의) 교구 제적〔이전〕.

ex ca·the·dra [éks-kəθíːdrə] ⟪L.⟫ *ad.*, *a.* 권위로써; 명령적으로; 권위 있는; 〖가톨릭〗 성좌(聖座)선언의. **—** *n.* 〖가톨릭〗 (교황의) 성좌선언.

ex·cau·date [ekskɔ́ːdeit] *a.* 〖동물〗 꼬리가 없는, 미상융기(尾狀隆起)가 없는.

°**ex·ca·vate** [ékskəvèit] *vt.* …에 구멍〔굴〕을 파다〔뚫다〕; (터널 · 지하 저장고 등을) 파다, 굴착하다; (광석 · 토사 등을) 파내다; 발굴하다: ~ a tunnel 터널을 파다.

èx·ca·vá·tion *n.* **1** Ⓤ (구멍 · 굴 · 구덩이를) 팜, 굴착, 개착; (기초공사의) 땅파기; 〖고고학〗 발굴. **2** 구멍, 구덩이, 굴, 동굴; 산 · 언덕 · 땅을 파서 낸 길; 〖치과〗 함요(陷凹); 〖해부〗 와(窩). **3** 〖고고학〗 발굴물, 출토품; (개착 · 굴착공사 때) 파낸 토사〔암석〕. ㊕ **~·al** *a.*

ex·ca·va·tor [ékskəvèitər] *n.* 구멍〔굴〕을 파는 사람〔동물〕; 굴착하는 사람〔도구〕; 굴착기 발굴자; 〖치과〗 엑스커베이터⟪긁어내는 기구⟫.

*__ex·ceed__ [iksíːd] *vt.* **1** ⟪~+목/+목+전+명⟫ (수량 · 정도 · 한도 · 범위를) 넘다, 초과하다; 상회하다; …보다 많다〔크다〕: ~ the speed limit 속도제한을 어기다/~ one's authority 월권행위를 하다/~ anticipation 예상을 상회하다/His expenses ~ his income. 그의 지출은 수입을 상회한다/Imports ~*ed* exports *by* $27 billion. 수입액이 수출액을 270 억 달러 초과했다. **2** ⟪~+목/+목+전+명⟫ ⟪규모 · 수준 · 역량 따위에서⟫ …보다 뛰어나다, …보다 낫다, 능가하다⟪*in*⟫: results ~*ing* all my expectations 모든 나의 예상을 능가하는 결과/~ a person *in* strength 〔height〕 아무보다 힘이 세다〔키가 크다〕/The new model ~*s* last year's *in* all respects. 새 모델은 작년 모델에 비해 모든 면에서 뛰어나다. **—** *vi.* ⟪~/+전+명⟫ **1** 도를 넘다; 폭음폭식하다⟪*in*⟫: ~ *in* eating 과식하다. **2** 남보다 뛰어나다⟪*in*⟫: ~ *in* beauty 한층 아름답다/They ~*ed in* number. 그들은 수적으로 우세했다. ◇excess *n.* **~ one's powers** 힘에 겹다, 감당할 수 없다. **~ one's commission** 〔***authority***〕 월권행위를 하다. **~ one's instructions** 〔***orders***〕 지시를〔명령을〕 벗어난 짓을 하다.

°**ex·céed·ing** *a.* 대단한, 지나친, 굉장한: a scene of ~ beauty 매우 아름다운 경치. **—** *ad.* ⟪고어⟫ =EXCEEDINGLY.

*__ex·ceed·ing·ly__ [iksíːdiŋli] *ad.* 대단히, 매우, 몹시: ~ difficult 대단히 어려운.

EXCEL [iksél] *n.* 엑셀⟪Microsoft사의 스프레드시트 소프트웨어; 상표명⟫.

__ex·cel__ [iksél] (-ll-*) *vt.* ⟪~+목/+목+전+명⟫ (남을) 능가하다, …보다 낫다, …보다 탁월하다⟪*in; at*⟫: ~ oneself 이전보다 잘하다/~ all other poets of the day 당대의 시인 중에서 가장 뛰어나다/~ others *in* speaking English 〔*at* sports〕 남보다 영어회화가 낫다〔스포츠에 뛰어나다〕. **—** *vi.* ⟪+전+명/+*as* 보⟫ 뛰어나다, 출중하다, 탁월하다⟪*in; at*⟫: ~ *in* fencing/~ *at* a game/~ *as* a painter 화가로서 탁월하다. ◇excellence, excellency *n.*

> SYN. **excel** 단연 남보다 뛰어나다: He *excels* in mathematics. 그는 수학이 우수하다. **surpass** 남에 비해 훌륭하다: Mary *surpasses* her sister in history. 메리는 언니보다 역사를 잘한다. **outdo** 지금까지 이룬 것보다 훌륭하다: The runner *outdid* his previous record for the race. 그 주자는 경주에서 이전 기록을 경신하였다.

*__ex·cel·lence__ [éksələns] *n.* **1** Ⓤ 우수, 탁월(성), 뛰어남⟪*at; in*⟫: receive a prize for ~ *in* the arts 인문과학의 성적이 우수하여 상을 받다. **2** Ⓒ 뛰어난 소질〔솜씨〕, 미점, 장점, 미덕: a moral ~ 도덕상의 미점. **3** ⟪경칭⟫ =EXCELLENCY. ◇excel *v.*

°**ex·cel·len·cy** [éksələnsi] *n.* **1** (E-) 각하⟪장관 · 대사 · 총독 · 지사 기타 고관 및 그 부인과 주교 · 대주교에 대한 경칭; 생략: Exc.⟫. ★ Your *Excellency* ⟪직접 호칭⟫ 각하 (부인). His 〔Her〕 *Excellency* ⟪간접으로⟫ 각하〔각하 부인〕. 복수일 때에는 Your 〔Their〕 *Excellencies*. **2** =EXCELLENCE, ⟪특히⟫ (보통 *pl.*) 두드러진 특성, 장점. ◇excel *v.*

*__ex·cel·lent__ [éksələnt] *a.* **1** 우수한, 일류의, 훌륭한, 뛰어난⟪*in; at*⟫: an ~ teacher/~ weather/He is ~ *in* English. 그는 영어를 썩 잘한다/She is ~ *at* her job. 그녀는 일을 솜씨 있게 잘한다. **2** ⟪고어⟫ 남보다 우수한, 남을 웃도는. ◇excel *v.* **—** *int.* (E-) (찬성 · 만족을 나타내어) 훌륭해! 잘했어! ㊕ °**~·ly** *ad.* 아주 잘〔훌륭하게, 멋있게〕; 매우.

ex·cel·si·or [iksélsiɔ̀ːr, ek-/ek-] *int.* ⟪L.⟫ 보다 높은 것을 목표로, 보다 높이(higher)⟪미국 New York주의 표어⟫. **—** *n.* ⟪미⟫ 고운 대팻밥⟪포장 속에 넣는 파손 방지용⟫; 〖인쇄〗 3 포인트의 활자. (**as**) ***dry as*** ~ 바싹 건조되어. 「의 속칭.

Excélsior Státe (the ~) 미국 New York주

ex·cen·ter [ékséntər] *n.* 〖수학〗 방심(傍心), 방접원(傍接圓)의 중심.

ex·cen·tric [ikséntrik] *a.* =ECCENTRIC, ⟪특히⟫ 편심(偏心)의.

‡**ex·cept** [iksépt] *prep.* **1** …을 제외하고, …외에는(but)⟪생략: exc.⟫: We are all ready ~ you. 너 말고는 우린 모두 준비가 돼 있다/There was little I could do ~ wait. 기다리는 것 외엔 별 도리가 없었다/He won't work ~ when he is pleased. 그는 마음이 내킬 때가 아니면 일을 하려고 하지 않는다.

2 〖부사(구 · 절)을 수반하여〗 …경우 이외에는; …이 아니면: The weather is good everywhere today, ~ here. 이곳 외에는 어디나 오늘은 날씨가 좋다/~ by agreement 협정에 의한 것이 아니면/We work everyday ~ on Sunday. 우리는 일요일 외엔 매일 일한다/He cannot have done it ~ for his children. 그는 애들을 위한 것 외에 (딴 목적으로) 그것을 했다고는 생각할 수 없다/He's everywhere ~ where he ought to be. 그는 어디고 얼굴을 내밀지만, 꼭 있어야 할 곳에는 없다.

3 〖동사 원형 또는 to do를 수반하여〗 …하는 이외는〔경우 아니고는〕: He never came *to* visit ~ *to* borrow something. 그는 무엇을 빌리기 위한 경우 아니고는 절대로 오지 않았다.

~ *for* ① …을 제외하고는, …말고는, …외에는: The dress was ready ~ *for* its buttons. 단추 다는 일 말고는 옷은 다 되었다. ② …이 없었더라면(but for): We should have died ~ *for* him. 그가 없었더라면 죽을 뻔했다.

> SYN. **except** 제외의 뜻이 강한 어휘임: All went *except* him. 그를 제외하고는 모두 갔다(그만이 가지 않았다). **save** except와 같은 뜻으로 예스러운 아어(雅語)이나 미국에서는 현재 쓰이고 있음. **besides** 제외의 뜻은 없고 '부가'의 뜻: All went *besides* him. 그 외에도 모든 사람이 갔다.

— *vt.* ⟪~+목/+목+전+명⟫ …을 빼다, 제외하다⟪*from*⟫: nobody ~*ed* 한 사람의 예외도 없이/the present company ~*ed* 여기에 계신 분은 제외〔예외로〕 하고/~ a person *from* a group 아무를 그룹에서 빼다. — *vi.* 《고어·드물게》《+전+명》 반대하다, 기피하다, 이의를 말하다(object)《*against; to*》.

— *conj.* **1** …을 제외하고는; (…라는 것(사실)) 이외에는: We know nothing ~ that he did not come home that night. 우리는 그가 그날 밤 돌아오지 않았다는 것 외에는 아무것도 모릅니다/I know nothing, ~ that he was there. 나는 그가 거기에 있었다는 것 이외에는 아무것도 모른다. **2** 《구어》 …한 일이 없었으면: I would buy this watch, ~ (that) it's too expensive. 이 시계를 사고 싶지만 너무 비싸다. **3** 《구어》 …하지만, 단: I would go, ~ it's too far. 가고 싶기는 한데, 다만 너무 멀다.

°**ex·cépt·ing** *prep.* 《문장의 앞, 또는 not, without 뒤에 써서》 …을 빼고, …을 제외(생략)하고: *Excepting* the mayor, all were present. 시장 이외에는 모두 참석했다 / *not* (*without*) ~ …도 예외가 아니고/Everyone, *not* ~ myself, agreed to the plan. 나 자신을 포함해서 모두가 그 안건에 찬성했다. ***always ~ ...*** ① 【법률】 다만 …은 그러하지 아니하다(이에 해당되지 않는다). ② 《영》 …을 제외하고(는). — *conj.* = EXCEPT.

*__ex·cep·tion__ [iksépʃən] *n.* **1** 예외, 제외: The ~ proves the rule. 《속담》 예외가 있음은 규칙이 있다는 증거다/There is no rule but has some ~*s*. 《속담》 예외 없는 법칙은 없다. **2** 제외례(例), 예외의 사람(물건), 이례(異例); 【법률】 예외조항: an ~ *to* the rule 규칙의 예외 / You are no ~. 너도 예외는 아니다. **3** Ⓤ 이의, 이론(異論); 【법률】 (구두·문서로의) 항의, 이의신청, 불복. ***above*** (***beyond***) ~ 비판(비난)의 여지가 없는. ***be liable*** (***subject***) ***to ~*** 이의 신청의 여지가 있다. ***by way of ~*** 예외로서. ***make an ~*** (***of***) (…은) 예외로 하다, 특별 취급하다. ***make no ~(s)*** 어떠한 특별(예외)취급도 하지 않다. ***take ~*** ① 이의를 제기(신청)하다《*to; against*》. ② 성내다《*at*》. ***without ~*** 예외 없이(없는), 남김 없이. ***with the ~ of*** (***that***) …은 예외로 하고, …을 제외하고, …외에. ㊞ **~·less** *a.*

ex·cép·tion·a·ble *a.* 반대(비난)할 수 있는(할 만한), 이의를 말할 수 있는; 바람직하지 않은; = EXCEPTIONAL. ㊞ **-bly** *ad.*

*__ex·cep·tion·al__ [iksépʃənəl] *a.* 예외적인, 이례의, 특별한, 보통이 아닌, 드문, 희한한; 특별히 뛰어난, 빼어난, 비범한: an ~ promotion 이례(파격)적인 승진. SYN. ⇨ IRREGULAR. ㊞ *~·**ly** [-nəli] *ad.* 예외적으로, 특별히, 대단히. **~·ness** *n.* **ex·cèp·tion·ál·i·ty** *n.*

excéptional chíld 【교육】 특수 아동《능력 우수·심신 장애 따위로 특별한 교육을 요하는》.

ex·cép·tion·al·ism *n.* 예외적 상황; (국가·지역 등에 관해서의) 예외론.

ex·cep·tive [ikséptiv] *a.* 예외의; 예외를 포함(구성)하는; 【문법】 예외를 도입하는; 《고어》 반대를 잘하는, 트집 잡기(비난하기) 좋아하는: an ~ clause 예외조항 / ~ conjunctions 제외의 접속사《unless 등》.

ex·cerpt [éksəːrpt] (*pl.* **~s, -cerp·ta** [-tə]) *n.* 발췌(拔萃), 초록(抄錄); 인용(구·문); (논문 등의) 발췌 인쇄(물); 발췌곡. — [iksə́ːrpt, éksəːrpt] *vt.* 발췌하다, 인용하다《*from*》. — *vi.* 발췌를(초록을) 만들다. ㊞ **ex·cérpt·er, ex·cérp·tor** *n.* **ex·cérpt·i·ble** *a.* **ex·cérp·tion** *n.* Ⓤ,Ⓒ 발췌, 초록.

*__ex·cess__ [iksés, ékses] *n.* **1** Ⓤ 과다; 과잉, 잉여: ~ *of* fat 지방 과다. **2** Ⓒ 초과, 초과량(액), 초과분; 여분: an ~ *of* imports (*over* exports) 수입초과. **3** Ⓤ 과도; 월권, 지나침: the ~ *of* liberty 지나친 자유. **4** Ⓤ 부절제《*in*》; (종종 *pl.*) 폭음, 폭식; (보통 *pl.*) 지나친 행위, 난폭(무도, 잔학)한 행위: His ~*es* shortened his life. 폭음 폭식이 그의 목숨을 단축(短縮)시켰다. ***carry*** a thing ***to ~*** …을 지나치게 하다: Don't *carry* modesty *to* ~. 지나치게 겸손해 하지 마라. ***go*** (***run***) ***to ~*** 지나치다, 극단으로 흐르다. ***in*** (***to***) ***~*** 과도하게, 지나치게: drink *to* ~ 과음하다. ***in ~ of*** …을 초과하여, …보다 많이(많은): an annual income *in* ~ *of* $300,000, 30만 달러 이상의 연수입. — [ékses, iksés] *a.* 제한 초과의, 여분의: ~ deaths 과잉 사망《평소의 사망자 수를 초과한 사망자 수를 나타냄》. — [iksés] *vt.* 《미》 (종업원·공무원을) 휴직(해고)시키다.

éxcess bággage (무료 수송 중량의) 제한 초과 수화물; 《구어》 필요치 않은 무거운 짐: an ~ charge 수화물 초과요금.

éxcess chàrge 주차시간 초과요금.

éxcess-demánd inflàtion 수요(需要) 인플레이션.

éxcess fàre (철도의) 거리초과 요금; (위 등급 차로) 갈아탈 때의 추가요금.

*__ex·ces·sive__ [iksésiv] *a.* **1** 과도한, 과대한, 과다한: ~ charges 과도한 요금. **2** 지나친, 심한, 엄청난; 무절제한. ㊞ **~·ly** *ad.* **~·ness** *n.*

éxcess lúggage 제한 초과 수화물(excess baggage).

éxcess pòstage (우표) 부족요금.

éxcess-prófits tàx 초과 이득세.

exch. exchange(d); exchequer.

‡**ex·change** [ikstʃéindʒ] *vt.* **1** 《~+목/+목+전+명》 교환하다, 바꾸다; 교역하다: ~ prisoners 포로를 교환하다 / ~ goods *with* foreign countries 외국과 물자를 교역하다 / ~ tea *for* sugar 차와 설탕을 교역하다 / We can ~ no fruit. 과일은 바꿔 드릴 수 없습니다.

> SYN. **exchange** 다른 것과 교환하다: In most stores the purchaser may *exchange* goods. 대개의 상점에선 산 상품을 딴 상품과 교환할 수 있다. **interchange** (두 개의 것을 서로) 대치(치환)하다: The twins *interchanged* clothes frequently. 쌍둥이는 자주 옷을 바꿔 입었다. **barter** 물물교환하다: *barter* jewels for food 보석을 식료품과 교환하다.

2 《~+목/+목+전+명》 서로 바꾸다, 주고받다: ~ gifts 선물을 서로 교환하다 / ~ letters (views) *with* another 남과 편지를(의견을) 교환하다 / have not ~*d* more than a few (half a dozen) words *with*... …와 별로 말을 주고받은 적이 없다. **3** 《+목+전+명》 환전(換錢)하다: ~ pounds *for* dollars 파운드화를 달러와 교환하다 / ~ Korean money *into* American 한화(韓貨)를 미화(美貨)로 바꾸다. **4** 《+목+전+명》 …을 버리다, …을 버리고 …을 취하다《*for*》: ~ honor *for* wealth 명예를 버리고 부(富)를 취하다. **5** 【체스】 (말을) 맞바꾸다《같은 급의 말과》. — *vi.* 《~/+전+명》 교환하다; 교역하다; 교체(교대)하다; (물건이) 교환되다《*for*》; 환전되다《*for*》: ~ *into* another regiment 다른 연대로 전출(轉出)하다 / American dollar ~*s* well. 미국 달러는 거래가 많다 / A dollar ~*s for* more than 1,200 won. 1달러는 1,200원 이상으로 환전된다. ~ (***angry***) ***words*** 말다툼을 하다. ~ ***blows*** 서로 때리다, 서로 주먹을 주고받다. ~ ***contracts*** 《영》 가옥의 매매계약을 맺다.

— *n.* **1** Ⓤ,Ⓒ 교환, 주고받기; 언쟁, 논쟁: an ~ *of* gifts 선물의 교환 / ~ *of* gold *for* silver 금과 은의 교환 / make an ~ 교환하다. **2** 교환물: a good ~ 이로운 교환물. **3** Ⓤ 환전; 환(시세);

환전 수수료; (종종 *pl.*) 어음 교환고(高): a bill of ~ 환어음/the rate of ~ 환시세, 환율/an ~ bank 외환은행/the ~ quotation 외환 시세표. **4** (보통 E-) 거래소: the Stock *Exchange* 증권 거래소. **5** (전화의) 교환국(《미》 central): a telephone ~. **6** 〖물리〗 (두 개의 입자 간 위치의) 교환; 〖전기〗 교환기. **7** 〖체스〗 (같은 급의) 말의 교환. **8** 《영》 직업 안정소. **9** (릴레이의) 배턴 터치. ***domestic*** 〔***internal***〕 **~** 내국환. ***Exchange is no robbery***. 교환은 강탈이 아니다 《부당한 교환을 할 때의 변명》. ***in ~ for*** 〔***of***〕 … 대신; …와 교환으로. ***par of ~*** (환의) 법정평가. ***win*** 〔***lose***〕 ***the ~*** 〖체스〗 말을 교환하여 득을〔손해를〕 보다, 비숍 또는 나이트와 교환으로 루크(rook)를 따먹다〔먹히다〕.

ex·chánge·a·ble *a.* 교환〔교역〕할 수 있는, 태환할 수 있는, 바꿀 수 있는. **~ *value*** 교환 가치. [파] **ex·chànge·a·bíl·i·ty** *n.* [U]

exchánge contròl 환(換)관리.

ex·chang·ee [èkstʃeindʒíː, iks-ˊ, iksˊ-] *n.* (학생·포로 등의) 피(被)교환자, 《특히》 교환 학생〔교수〕.

exchánge equalizátion fùnd 외국환 평형 기금.

exchánge òrder 항공권 교환증《항공 회사나 그 대리점이 발행함; 생략: XO》.

exchánge profèssor 교환 교수.

ex·cháng·er *n.* 교환을 맡은 것〔사람, 장치〕; 환전상(商); 〖물리〗 교환기, 이온 교환체, 열(熱) 교환기.

exchánge ràte 환율, 외환 시세.

exchánge ràte mèchanism 환율 메커니즘《각국의 통화 당국이 시장 개입에 의해 외환 시세를 조정하는 제도; 생략: ERM》.

exchánge stùdent 교환 (유)학생.

exchánge tèacher 교환 교사.

exchánge tìcket (뉴욕 증권 거래소의 주식 중매인 사이에 교환되는) 매매 주문 확인표.

ex·cheq·uer [ékstʃekər, ikstʃékər/ikstʃékə] *n.* **1** 국고(國庫) (national treasury); (개인·회사 등의) 재원, 재력, 자력; (종종 the E-) (영국의) 국고금, 국고 예금: My ~ is low. 나의 재정 형편은 어렵다. **2** (the E-) 《영》 재무부: the Chancellor of the *Exchequer* 재무장관. **3** (the E-) 〖영국사〗 재정법원(=the **Cóurt of Exchéquer**) 《옛날의 상급 법원》.

ex·ci·mer [éksəmər] *n.* 〖화학〗 엑시머《들뜬 상태에서 존재하는 이량체(二量體)》.

éxcimer làser 〖광학〗 엑시머 레이저《들뜬 상태에서 존재하는 레이저; 진공 자외역(紫外域)의 단파장(短波長) 레이저는 고효율·고출력》.

ex·cis·a·ble¹ [éksaizəbəl, iksái-] *a.* 소비세〔물품세〕를 부과할 수 있는, 소비세의 대상이 되는.

ex·cis·a·ble² *a.* 잘라〔떼어〕낼 수 있는.

ex·cise¹ [éksaiz] *n.* **1** (술·담배 따위의 생산·판매·소비에 대한) 물품세, (국내) 소비세, (오락·영업 등에 대한) 면허세(=ˊ~ **tàx**): There is an ~ *on* tobacco. 담배에는 소비세(稅)가 붙어 있다. **2** (the E-) 《영》 간접 세무국《지금은 the Board of Customs and E-라고 함》. **—** [iksáiz] *vt.* …에 물품세〔소비세〕를 부과하다; 《고어·방언》 …에 엄청난 대금을 청구하다, …로부터 폭리를 취하다.

ex·cise² [iksáiz] *vt.* (어구·문장을) 삭제하다; (종기 따위를) 잘라내다, 절제하다; (보통 *pp.*) 도려내다.

éxcise làws 소비세법; (the ~) 《미》 주류 제조 판매 규제법.

éxcise·man [-mən/-mæn] (*pl.* ***-men*** [-mən]) *n.* 《영》 (옛날의) 소비세 징수관《소비세의 과세·징수·세법 위반 방지를 담당》.

ex·ci·sion [eksíʒən] *n.* [U] 삭제; 적출, 절제; 〖교회〗 파문. ◇ excise² *v.*

ex·ci·sion·ase [eksíʒənèis, -z] *n.* 〖생화학〗 제거 효소《바이러스 효소의 하나》.

excísion repàir 〖생화학〗 절제 수복(切除修復)《DNA의 이중 나선 구조 중 손상되거나 돌연변이한 부분을 절제하고 올바른 것으로 교체하는 일》. [cf.] recombinational repair.

◇**ex·cít·a·ble** *a.* 격하기 쉬운; 〖생리〗 피(被)자극성이 있는, 흥분성의. [파] **-bly** *ad.* 흥분하도록. **ex·cìt·a·bíl·i·ty** *n.* [U] 흥분성.

ex·cit·ant [iksáitənt, éksətənt] *a.* 자극성의, 흥분시키는. **—** *n.* 자극물; 흥분제, 《특히》 각성제.

ex·ci·ta·tion [èksaitéiʃən, -sə-/-si-] *n.* [U] 자극; 흥분(의 원인); 〖전기〗 여자(勵磁), 여호(勵弧); 〖물리〗 여기(勵起); 〖전자〗 여진(勵振).

ex·cit·a·tive, ex·cit·a·to·ry [iksáitətiv], [-tɔ̀ːri/-təri] *a.* 흥분시키는, 흥분성의, 자극적인; 도발적인; 〖전기〗 여자적(勵磁的)인.

⁑**ex·cite** [iksáit] *vt.* **1** 《~+[목]/+[목]+[전]+[명]》 흥분시키다, 자극하다(stimulate); 성적으로 흥분시키다: ~ oneself 흥분하다/become 〔get〕 ~*d* 흥분하다/Don't get ~*d!* 화내지 마라, 침착해라/~ a person *to* anger 아무를 노하게 하다. **2** 《~+[목]/+[목]+[전]+[명]》 (감정 등을) 일으키다, 불지르다; (호기심·흥미를) 돋우다, 자아내다, (주의를) 환기하다: ~ jealousy 질투심을 일으키다/The news ~*d* envy *in* him. =The news ~*d* him *to* envy. 그 소식은 그로 하여금 선망을 일으키게 하였다. **3** 격려하다, 고무하다. **4** 《~+[목]/+[목]+[전]+[명]/+[목]+*to* do》 (폭동 등을) 선동하다, 일으키다(bring about)《*to*》: ~ rebellion 반란을 일으키다/~ the people *to* rebellion 민중에게 반란을 선동하다/~ the people *to* rebel against the government 민중을 선동하여 정부에 대해 반란을 일으키게 하다. **5** 〖전기〗 (장치를) 여자(勵磁)하다, (전류를) 일으키다; 〖물리〗 (분자·원자 등을) 들뜨게 하다. **—** *vi.* 흥분하다. ***be ~d at*** 〔***over***〕 …으로 흥분해 있다, …에 애태우고 있다.

*__ex·cit·ed__ [iksáitid] *a.* **1** 흥분한; 활발한; 성적으로 흥분한; 〖물리〗 들뜬 상태의: an ~ mob 흥분한 폭도/an ~ buying and selling of stocks 활기를 띤 주식의 매매. **2** (…에) 흥분한《*at; about; by*》, (…하여) 흥분한: get 〔become〕 ~ *at* …에 흥분하다/I was very ~ *by* the news. 나는 그 뉴스에 매우 흥분했었다/She was ~ *to* hear the news. 그녀는 그 소식을 듣고 흥분했다. [파] **~·ly** *ad.* **~·ness** *n.*

excíted státe 〖물리〗 들뜬 상태.

⁑**ex·cite·ment** [iksáitmənt] *n.* **1** [U] 흥분 (상태), 자극받음, 격앙: flushed *with* ~ 흥분으로 얼굴이 상기되어. **2** [U,C] (경사의) 소동, (인심의) 동요: cause great ~ 큰 소동을 일으키다. **3** [C] 자극(적인 것), 흥분시키는 것: a life *without* ~*s* 자극 없는 생활. ***in ~*** 흥분하여, 기를 쓰고: cry *in* ~ 흥분하여 외치다.

ex·cít·er *n.* 자극하는〔흥분시키는〕 사람〔것〕; 〖물리〗 여기자(勵起子); 〖전기〗 여자기(勵磁機); 〖전자〗 여진기(勵振器); 〖의학〗 자극제, 흥분제.

⁑**ex·cit·ing** [iksáitiŋ] *a.* **1** 흥분시키는, 자극적인, 몹시 흥취를 자극하는; 오싹오싹〔조마조마〕하게 하는; 활기찬: an ~ game 손에 땀을 쥐게 하는 경기. **2** 〖전기〗 여자(勵磁)시키는; 〖물리〗 들뜨게 하는: ~ coil 여자(勵磁) 코일. [파] **~·ly** *ad.*

ex·ci·ton [éksitàn/-tɔ̀n] *n.* 〖물리〗 엑시톤, 여기자(勵起子).

ex·ci·tor [iksáitər, -tɔr] *n.* 〖생리〗 흥분〔자극〕신경; 《고어》 =EXCITER.

excl. exclamation; exclamatory; excluded;

excluding; exclusive(ly).

ex·claim [ikskléim] *vt.* 《~+목/+*that* 절/+*wh.*절》 (감탄적으로) 외치다; 큰 소리로 말하다〔주장하다〕: "You fool!", he ~*ed*. '바보야' 하고 그는 외쳤다 / He ~*ed that* he would rather die. 차라리 죽겠다고 소리쳤다 / She ~*ed what* a beautiful lake it was. 그 여자는 참 아름다운 호수군요 하며 탄성을 질렀다. — *vi.* 《~/+전+명》 외치다, 고함을 지르다《*in; at; on*》; 큰 소리로 비난하다《*against*》: ~ *in* excitement 흥분해서 소리지르다 / ~ *at* 〔*on, upon*〕 the wickedness of the policy 수법의 사악함에 큰 소리로 항의하다 / ~ *against* the government's corruptions 정부의 부패를 큰 소리로 비난하다. SYN. ⇨ CRY.

exclam. exclamation; exclamatory.

ex·cla·ma·tion [èkskləméiʃən] *n.* **1** Ⓤ 외침, 절규, 감탄. **2** Ⓒ 외치는 소리; 세찬 항의〔불만〕의 소리; 감탄의 말. **3** Ⓒ 〖문법〗 감탄사; 감탄문; 느낌표(mark 〔note〕 of ~)《!》. **4** Ⓤ 〖수사학〗 영탄(詠歎)법. 「표《!》.

exclamátion màrk 〔**pòint**〕 감탄부호, 느낌

ex·clam·a·to·ry [iksklǽmətɔ̀:ri/-təri] *a.* 감탄의; 감탄을 나타내는; 감탄조〔영탄조〕의: an ~ sentence 〖문법〗 감탄문. ◇exclaim *v.*

ex·claus·tra·tion [éksklɔ:stréiʃən] *n.* 환속(還俗).

ex·clave [ékskleiv] *n.* 본국에서 떨어져 다른 나라 영토에 둘러싸인 영토. cf. enclave.

ex·clo·sure [iksklóuʒər] *n.* 울타리 친 땅《동물 따위의 침입을 막는》.

ex·clude [iksklú:d] *vt.* **1** 《~+목/+목+전+명》 못 들어오게 하다, 배척하다, 제외〔배제〕하다 (OPP. *include*); 몰아내다, 추방하다; (특히 출산이나 부화 때에) 방출하다; 빼다(omit)《*from*》: Shutters ~ light. 셔터는 빛을 차단한다 / ~ foreign ships *from* a port 외국선을 입항(入港)시키지 않다 / ~ a person *from* 〔*out of*〕 a club 아무를 클럽에서 제명〔추방〕하다. **2** 《~+목/+목+전+명》 고려하지 않다, 무시하다《*from*》; (증거 따위를) 받아들이지 않다, 물리치다, 기각하다; (의문 따위를) 전혀 허락하지 않다, …의 여지를 주지 않다; (가능성 따위를) 부정〔배제〕하다: ~ the problem *from* consideration 그 문제를 고려하지 않기로 하다 / Absolute indifference ~*s* the conception of will. 아주 무관심하면 의지가 있다고 생각할 수 없다. ◇exclusion *n.*

ex·clúd·er *n.* 배척하는〔배제하는, 내쫓는〕 사람〔것, 장치〕; 《영》 두꺼운 고무로 된 덧신. 「*ing.*

ex·clúd·ing *prep.* …을 제외하고. OPP. *includ-*

ex·clu·sion [iksklú:ʒən] *n.* Ⓤ,Ⓒ 제외, 배제, 배척; 거절; 축출; (이민 등에 대한) 입국 거부; 제외〔배제〕된 것: the ~ *of* women *from* some jobs 몇몇 직업에서의 여성의 배제 / demand the ~ *of* the country *from* the U.N. 유엔으로부터 그 나라의 제명을 요구하다. ◇exclude *v.* ***to the* ~ *of*** …을 제외하도록〔하고, 할 만큼〕. ㊞ **~·a·ry** [-nèri/-nəri] *a.* 배타적인. **~·ism** *n.* Ⓤ 배타주의. **~·ist** *a.*, *n.* 배타적인 (사람); 배타주의자.

exclúsionary rúle (the ~) 〖미법률〗 (위법수집 증거) 배제의 원칙. 「조항.

exclúsion clàuse (보험에서의) 단서〔면책〕

exclúsion òrder 〖법률〗 (테러 활동을 하는 자의 입국을 금지하는) 입국 거부 명령.

exclúsion prìnciple 〖물리〗 (파울리의) 배타원리(Pauli ~). 「된) 제한 구역.

exclúsion zòne (특정 활동이나 출입이 금지

ex·clu·sive [iksklú:siv, -ziv] *a.* **1** 배타적〔제외적〕인; 양립할 수 없는. OPP. *inclusive*. ¶ mutually ~ ideas 서로 용납되지 않는 생각. **2** 독점적인; 한정적인, 한정된; 딴곳에(서 구할 수) 없는: an ~ agency 특약점, 총대리점 / an ~ story 특종 기사(記事) / an ~ right (to publish a novel) (소설 출판의) 독점권 / an ~ use 전용(專用) / ~ information 독점적〔자기만이 아는〕 정보 / be ~ *to* 〔*in*〕... …에 밖에 없다. **3** 오로지하는, 전일(專一)의; 전면적인: give ~ attention to business 사업에 전념하다. **4** 유일한: the ~ means of transport 유일한 교통수단. **5** 전문적인: ~ studies 전문적 연구. **6** 회원〔고객〕을 엄선하는; 상류층용〔상대〕의, 고급의, 일류의; 멋있는(stylish): an ~ shop 고급 상점. **7** 양끝〔양극〕을 제외한; …을 제외한: from 10 to 20 ~, 10과 20은 제외하고 10에서 20까지 / the price ~ of tax 세금 뺀 가격. **~ *of*** … 을 제외하고, …을 넣지 않고: There are 26 days in this month, ~ *of* Sundays. 이 달은 일요일을 빼고 26일이다.
— *n.* **1** 배타적인 사람. **2** 〖신문〗 보도 독점권, 독점기사, 특종; 독점적인 권리《전매권 등》.
㊞ **~·ness** *n.*

exclúsive disjúnction 〖논리〗 배타적 선언(選言)《보통 *p*+*q*로 나타내고, 명제 *p* 또는 *q*의 어느 한쪽이란 뜻》. 「타적〕 유통.

exclúsive distribútion 〖마케팅〗 독점적〔배

exclúsive económic zòne 배타적 경제수역(economic zone)《생략: EEZ》.

exclúsive físhing zòne 어로 전관수역.

exclúsive lìne (전화의) 전용 회선.

ex·clú·sive·ly *ad.* 배타적으로; 독점적으로; 오로지 …만(solely, only): The car is ~ for her use. 그 차는 그녀 전용이다.

exclúsive ór 〖논리〗 배타적 「또는」(exclusive disjunction).

exclúsive ÓR cìrcuit 〔**gàte**〕 〖컴퓨터〗 배타적 논리합 회로〔게이트〕.

ex·clú·siv·ìsm *n.* Ⓤ 배타〔배외(排外), 당파, 고립〕주의. ㊞ **-ist** *n.*, *a.*

ex·clu·siv·i·ty [èksklu:sívəti] *n.* exclusive 한 것〔성질, 상태〕; 배타성, 당파성, 고립주의; 독점적인 여러 권리.

ex·clu·so·ry [iksklú:səri] *a.* 배제할 수 있는; 배제하는, 배타적인.

ex·cog·i·tate [ekskɑ́dʒətèit/-kɔ́dʒ-] *vt.* 숙고하다; 생각해 내다, 고안하다. — *vi.* 숙고하다 (cogitate). ㊞ **ex·còg·i·tá·tion** *n.* Ⓤ 숙고; 안출, 고안, 연구; Ⓒ 고안물.

ex·com·mu·ni·cant [èkskəmjú:nikənt] *n.* 파문된 사람.

ex·com·mu·ni·cate [èkskəmjú:nəkèit] *vt.* 〖교회〗 파문하다; 제명〔축출〕하다. — [-kət, -kèit] *a.*, *n.* 파문〔제명, 축출〕당한 (사람). ㊞ **-cà·tor** [-tər] *n.* 파문하는 사람.

èx·com·mù·ni·cá·tion *n.* Ⓤ,Ⓒ 〖교회〗 파문(선고); 파문장; 제명, 축출: major ~ 〖가톨릭〗 대(大)파문, 정식 파문《교회에서 추방함》/ minor ~ 〖가톨릭〗 소(小)파문《성찬 참가 정지 등》.

ex·com·mu·ni·ca·tive [èkskəmjú:nəkèitiv, -kətiv] *a.* 파문(선고)의.

ex·com·mu·ni·ca·to·ry [èkskəmjú:nəkətɔ̀:ri/-təri] *a.* 파문(선고)의; 파문의 원인이 되는.

éx-cón, éx-cónvict *n.* 전과자.

ex con·trac·tu [èks-kəntrǽktju:/-tju:] 《L.》 (= upon 〔from〕 contract) 〖법률〗 계약상의, 계약으로부터.

ex·co·ri·ate [ikskɔ́:rièit] *vt.* (사람)의 피부를 벗기다; …의 가죽〔껍질〕을 벗기다; 《비유》 통렬히 비난하다, 지독한 욕을 퍼붓다. — [-riəit,

-riit] *a.* (피부가) 까진; (피복(被覆)이) 벗겨진. ㊞ **ex·cò·ri·á·tion** *n.* Ⓤ 피부를 벗김〔깜〕; Ⓒ 피부가 까진 자리, 찰과상; Ⓤ 통렬한 비난.

ex·cre·ment [ékskrəmənt] *n.* Ⓤ 배설물; (보통 *pl.*) 대변(feces). cf. excretion. ㊞ **èx·cre·mén·tal, -men·tí·tious** [-méntl], [-mentíʃəs] *a.* 배설물의; 대변의.

ex·cres·cence, -cy [ikskrésns], [-si] *n.* (동식물체의) 이상〔병적〕 생성물《군살·혹·사마귀 따위》; 《비유》 무용지물; 《드물게》 자연적인 성장물《손톱·머리털 따위》; 파생(된 것).

ex·cres·cent [ikskrésnt] *a.* 이상적(異常的)〔병적〕으로 생성된〔증식하는〕; 군, 쓸데없는; 〖음성〗 군 음의《어원적으로는 불필요하나 음을 부드럽게 내기 위해 첨가된 것》.

ex·cres·cen·tial [èkskrəsénʃəl] *a.* (병적) 증식물의〔인〕; 필요〔쓸데〕없는.

ex·cre·ta [ikskríːtə] *n. pl.* 배설물《소변·대변·땀 등》, 선(腺)분비물. ㊞ **-tal** [-tl] *a.*

ex·crete [ikskríːt] *vt.* **1** 배설하다; 분비하다. **2** (사용이 끝난 것, 불필요한 것을) 방출하다. ㊞ **ex·cré·tive** [-tiv] *a.* 배설하는, 분비하는; 배설을 촉진하는.

ex·cre·tion [ikskríːʃən] *n.* 〖생물·생리〗 Ⓤ 배출, 《특히》 배설 (작용); U,C 배출물《대소변·땀 따위》(cf. excrement); 《널리》 배설물.

ex·cre·to·ry [ékskritɔ̀ːri/ikskríːtəri] *a.* 배설의: ~ organs 배설 기관《사람의 경우에는 특히 비뇨기》. **—** *n.* 배설 기관.

ex·cru·ci·ate [ikskrúːʃièit] *vt.* 몹시 고통을 주다, 고문하다; 괴롭히다.

ex·crú·ci·àt·ing *a.* 몹시 고통스러운, 참기 어려운; 몹시 괴롭히는; (종종 원뜻을 벗어나서) 대단한, 이만저만이 아닌. ㊞ **~·ly** *ad.*

ex·crù·ci·á·tion *n.* Ⓤ 몹시 괴롭힘, 고문; 격심한 고통〔고뇌〕.

ex·cul·pate [ékskʌlpèit, ikskʌ́-] *vt.* 《~+목/+목+전+명》 무죄로 하다; …의 무죄를 증명하다, (증거 따위가) 죄를 벗어나게 하다, 의심을 풀다《*from*》: ~ a person *from* a charge 아무의 억울한 죄〔혐의〕를 벗겨 주다. ~ one*self* 자신의 결백을 증명하다《*from*》. ㊞ **èx·cul·pá·tion** *n.* U,C 무죄로 함; 무죄의 증명; 변명, 변호. **ex·cúl·pa·tò·ry** [-pətɔ̀ːri/-təri] *a.* 무죄를 증명하는, 무죄 변명의; 변명의, 해명적인.

ex·cur·rent [ekskə́ːrənt, -kʌ́r-/-kʌ́r-] *a.* 유출하는, 유출성의; (동맥혈이) 심장에서 흘러나오는; 〖동물〗 유출구(流出口)가 되는; 〖식물〗 외줄기의《삼목(杉木) 등의》; (잎 주맥(主脈)이) 연장하여 뻗어나온: an ~ canal 유출관.

ex·curse [ikskə́ːrs] *vi.* 《비유》 옆길로 새다; 소풍가다, 단거리 유람 여행을 하다.

°**ex·cur·sion** [ikskə́ːrʒən, -ʃən/-ʃən] *n.* **1** 회유(回遊), 소풍, 유람, 수학여행; (열차·버스·배 따위에 의한) 할인 왕복〔회유〕 여행. **2** 《집합적》 여행〔소풍, 유람〕 단체. **3** 답사(踏査): a scientific ~. **4** (이야기·생각 따위의) 일탈, 탈선, 주제를 벗어남(digression). **5** 〖기계〗 왕복 운동의 행정(行程), 진폭(振幅); 왕복 운동. **6** 《고어》 출격, 습격. **7** 〖물리〗 편위(偏位), 편위 운동; 〖원자〗 고속 증식로 안에서의 무제한 핵분열 연쇄 반응, (원자로의) 폭주(暴走)《출력이 사고로 급격히 증대하는 일》; 〖천문〗 (궤도로부터의) 편의(偏倚). ◇excurse *v.* **go on** 〔**for**〕 **an ~** 소풍가다. ***make*** 〔***take***〕 ***an ~ to*** (the seashore) 〔***into*** (the country)〕 (해변)으로〔(시골)로〕 소풍가다. **—** *vi.* 소풍가다, 여행하다. **—** *a.* 회유〔유람〕의. ㊞ **~·ist** *n.* ~하는 사람.

excúrsion tìcket (휴양지·행사 등의) 할인 유람권(券)〔회유권〕.

excúrsion tràin 유람〔회유〕 열차.

ex·cur·sive [ikskə́ːrsiv] *a.* **1** 지엽적인, 본제(本題)를 벗어난. **2** 두서없는, 산만한《독서 따위》: ~ reading 남독(濫讀). **3** 방랑적인, 배회하는. ㊞ **~·ly** *ad.* **~·ness** *n.*

ex·cur·sus [ekskə́ːrsəs] (*pl.* **~, ~·es**) *n.* (권말의) 부기(附記), 추기(追記)《본문 중의 논점에 관한 상설》; 〖일반적〗 여담.

ex·cús·a·ble *a.* 변명이 서는; 용서할〔받을〕 수 있는. ㊞ **-bly** *ad.* 「명의.

ex·cus·a·to·ry [ikskjúːzətɔ̀ːri/-təri] *a.* 변

‡**ex·cuse** [ikskjúːz] *vt.* **1** 《~+목/+목+전+명》 용서하다(forgive), 너그러이 봐주다. OPP. *accuse.* ¶ ~ a fault 〔a person *for* his fault〕 과실〔아무의 과실〕을 용서하다 / *Excuse* me *for* not having answered your letter sooner. 답장이 늦어져서 죄송합니다.

> SYN. **excuse** 고의는 아니라고 인정하여 비교적 가벼운 잘못을 용서할 경우에 씀: *excuse* a person's coming late 아무의 지각을 용서하다. **forgive** 좀 무거운 죄를〔잘못을〕 용서〔사면〕함과 동시에 가해자에게 원한을 품지 않았다는 뜻으로 사용: *forgive* and forget 용서하고 깨끗이 잊다. **pardon** 윗사람이 아랫사람〔죄인〕의 비교적 큰 잘못이나 죄를 용서〔사면〕할 때 씀. 따라서 약간 점잔을 빼는 사교적 표현에 쓰임: *Pardon* the liberty I am taking. 저의 실례를 용서하여 주십시오. **condone** 도덕이나 법을 위배한 행위를 사정에 의해 너그러이 봐주는 뜻으로 씀.

2 《~+목/+목+전+명》 …을 면하다, …을 면제하다: We will ~ your attendance. 너의 출석은 면제해 주겠다 / ~ a person *from* attendance 〔a debt〕 아무의 출석을〔채무를〕 면제하다 / You are ~*d* now. 이젠 돌아가도 좋다 / May I be ~*d*? 《완곡어》 (특히 수업 중에 학생이) 화장실에 가도 좋습니까. **3** 《~+목/+목+전+명》 변명하다, 핑계 대다: ~ one's mistake 자기의 잘못을 변명하다 / ~ one's absence *by* saying that one is ill 병이라고 결석의 구실을 대다. **4** (사정 등이) …의 변명〔구실〕이 되다: Ignorance of the law ~*s* no man. 법을 몰랐다고 해서 죄를 면할 수는 없다 / Sickness ~*d* his absence. 그의 결석은 병 때문이었다. **—** *vi.* 용서를 빌다〔해 주다〕; 변명이 되다. ***Excuse me.*** 〔종종 skjúːzmiː〕 ① 실례합니다〔했습니다〕《모르는 사람에게 말을 걸 때, 사람 앞을 통과할 때, 자리를 뜰 때 등에》: *Excuse me*, (but)... 죄송하지만…. ② 《미》 (발을 밟거나 하여) 미안합니다. ***Excuse me?*** 다시 한번 말씀해 주세요. ~ one*self* ① 변명하다, 사과하다《*for*》: He ~*d* him*self for* his rudeness. 그는 자신의 무례를 사과했다 / I want to ~ my*self for* my conduct. 나의 행동에 대한 변명〔해명〕을 하고 싶다. ② 사양하다《*from*》: He ~*d* him*self from* attendance 〔be*ing* present〕. 그는 참석을 사절했다. ③ 한 마디 양해를 구하고 자리를 뜨다: ~ one*self from* the table 실례합니다 하고 식사 도중에 자리를 뜨다. ***You're ~d.*** 《구어》 ① 좋다, 괜찮다. ★(도중에) 자리를 뜬다는 뜻의 May I *be ~d?*에 대하여, 주로 윗사람이 하는 말. ② 이제 가 봐라. ★상대를 꾸짖고 난 다음에 끝으로 하는 말. ③ 괜찮아요, 개의치 않아요. ★실례되는 짓을 사과하는 상대에게 하는 말.

— [ikskjúːs] *n.* C,U **1** 변명, 해명; 사과: an adequate ~ 충분한 해명 / make one's ~ (*for*...) (…의) 변명을 하다 / I have no ~ *for* com*ing* late. 늦게 와서 미안합니다. **2** (과실 등의) 이유; 구실, 핑계, 발뺌: a poor 〔good〕 ~

(*for*) (…의) 선부른〔그럴싸한〕 구실 / invent ~*s* 구실을 만들다 / offer an ~ *for* …의 구실을〔핑계를〕 대다, 변명을 하다 / on the ~ *of* …을 구실로. **3** 용서. **4** 명목〔이름〕뿐인 것, 빈약한 예《*for*》: a poor 〔bad〕 ~ *for* a house 명색뿐인 볼품없는 집. ***in ~ of*** …의 변명으로서, …의 구실로서. ***no ~*** 이유가 되지 않는: That 〔Ignorance〕 is *no* ~ for your conduct. 그것으로〔몰랐다고 해서〕 자네 행위가 정당화되는 것은 아니다. ***without ~*** 이유 없이《결석하다 등》. ★명사와 동사의 발음 차이에 주의.

excúse-me (**dánce**) 남의 파트너와 춤을 추어도 되는 댄스.

ex·cús·er *n.* 용서하는 사람; 변명자.

ex de·lic·to [èks-dəlíktou] 《L.》 불법의; 불법 행위에 의해.

èx-diréctory *a.* 《영》 전화번호부에 올라 있지 않은(unlisted): go ~ 전화번호부에 전화번호를 올리지 않(고 두)다.

èx dívidend 〖증권〗 배당락(配當落)《생략: ex div. 또는 X.D.》. OPP. *cum dividend.*

Ex. Doc. executive document (행정 문서).

ex·e·at [éksiæ̀t] *n.* 《L.》《영》 (학교 · 수도원의) 단기휴가의 허가, 외박허가; (성직자의) 교구 이전 허가서.

EXEC 〖컴퓨터〗 executive control program 《다른 프로그램의 수행을 제어하는 운영체제〔프로그램〕》.

ex·ec [igzék] *n.* 《구어》 = EXECUTIVE (OFFICER).

exec. executed; execution; executive; executor.

ex·e·cra·ble [éksikrəbəl] *a.* 저주할, 밉살스러운, 지겨운; 몹시 나쁜. ㊔ **-bly** *ad.* **~·ness** *n.*

ex·e·crate [éksəkrèit] *vt.* 입정사납게 욕하다, 통렬히 비난하다; 혐오〔증오〕하다; 저주하다. ― *vi.* 입에 담지 못할 말〔욕〕을 하다, 저주(詛呪)하다(curse). ㊔ **éx·e·crà·tive** [-tiv], **éx·e·cra·to·ry** [-krətɔ̀ːri/-krèitəri] *a.* 저주의. **éx·e·crà·tor** [-tər] *n.*

èx·e·crá·tion *n.* 매도, 통렬한 비난; 혐오; 저주(하는 말), 욕설; 저주〔혐오〕의 대상. 「있는.

éx·e·cùt·a·ble *a.* 실행〔집행, 수행(遂行)〕할 수

ex·ec·u·tant [igzékjətənt] *n.* 실행자, 집행자; 연기자, 〖음악〗 연주자, 명연주가《*on* a piano》. ― *a.* 연주하는; 연주자의.

***ex·e·cute** [éksikjùːt] *vt.* **1** (계획 따위를) 실행하다, 실시하다; (목적 · 직무 따위를) 수행〔달성, 완수〕하다: ~ a plan 〔one's duty〕 / ~ an order 주문에 응하다; 명령을 수행하다. SYN. ⇨ PERFORM. **2** 시공(施工)하다; (미술품 따위를) 완성하다, 제작하다: ~ a statue in bronze 청동상(像)을 만들다. **3** (배우가 배역을) 연기하다; (음악을) 연주하다. **4** 〖법률〗 **a** (계약서 · 증서 등을) 작성하다; (법률 · 유언 등을) 집행〔이행, 시행〕하다. **b** 《영》 (재산을) 양도하다. **5** 《~+목/+목+전+명/+목+*as* 보》 (죄인)의 사형을 집행하다, 처형하다: ~ a person *for* murder 〔*as* a murderer〕 아무를 살인죄로〔살인자로서〕 처형하다. **6** 〖컴퓨터〗 (프로그램의 명령을) 실행하다.

◇**ex·e·cu·tion** [èksikjúːʃən] *n.* U **1** 실행, 실시; 수행, 달성: in (the) ~ *of* one's duties 직무수행 중에. **2** 시공(施工); (예술작품의) 제작, 완성된 모양, 솜씨, 수법; (음악의) 연주 (솜씨); (배우의) 연기. **3** 〔do의 목적어로서〕 (무기 따위의) 파괴적인 위력, 효과: One atomic bomb *did* great ~. 한 발의 핵폭탄이 큰 위력을 발휘했다. **4** (직무 · 재판 처분 · 유언 등의) 집행, 〖법률〗 강제집행 (영장); (증서의) 작성 (완료): forcible ~ 강제집행. **5** U,C 사형 집행, 처형: ~ *by* hanging 교수형. **6** 〖컴퓨터〗 실행. ◇ execute *v.* ***carry ... into*** 〔***put ... into, put ... in***〕 ~ …을 실행〔실시〕하다. ㊔ **~·al** *a.*

èx·e·cú·tion·er *n.* 실행〔집행〕자, 《특히》 사형 집행인, (정치 · 범죄 조직이 보내는) 암살자.

◇**ex·ec·u·tive** [igzékjətiv] *a.* **1** 실행〔수행, 집행〕의; 실행상의, 실행 가능한, 실시에 적합한; 실행적인; 사무 처리의 (능력 있는): ~ ability 실무의 재능 / an ~ 〔a non-~〕 branch (군함의) 전투〔비전투〕부. **2** 집행권을 갖는; 법률 집행의〔에 관한〕; 관리직의, 이사〔중역, 임원〕의; 행정(상)의; 행정부에 속하는: an ~ committee 〔commission〕 실행〔집행〕 위원회 / an ~ director 전무 이사 / the ~ branch 〔department〕 행정 부문〔각 부〕. **3** 중역용의; 중역〔경영자, 행정기관의 장〕에 어울리는; 호화로운; 취미가 세련된: an ~ airplane 중역 전용기. ― *n.* **1** (관공서의) 행정관; (the E-) 《미》 행정장관《대통령 · 주지사 · 시장 따위》; (the ~) (정부의) 행정부; (단체의) 집행위원회, 집행부: the Chief *Executive* 《미》 대통령. **2** (사장 · 중역 · 지배인 등) 간부, 관리직, 경영진, 임원. ㊔ **~·ly** *ad.* 행정적으로.

exécutive agréement 《미》 행정협정《타국 정부와의》.

exécutive clémency 《미》 (대통령 · 주지사 등에 의한) 감형, 특별 사면(권).

Exécutive Mánsion (the ~) 《미》 대통령 관저(the White House); 주지사 관저.

exécutive ófficer 행정관; 집행관; (사단 · 여단 등의) 고위 참모; (중대 등의) 부관, 선임장교; (군함의) 부장; (단체의) 임원.

exécutive órder 행정명령; (보통 E- O-) 《미》 대통령령.

exécutive prívilege 《미》 (기밀 유지에 관한) 행정부 특권, 대통령 특권.

exécutive sécretary 사무국장, 사무총장.

exécutive séssion 《미》 (의회(지도자)의) 비밀회의.

◇**ex·ec·u·tor** [igzékjətər] *n.* **1** (*fem.* ***-trix*** [-triks]) 〖법률〗 지정 유언 집행자. **2** [éksikjùːtər] 실행〔수행, 이행, 집행〕자. **3** (미술품 등의) 제작자; (역의) 연기자; (곡 · 악기의) 연주자. ㊔ **~·ship** *n.* U 유언집행자의 자격〔직무〕.

ex·ec·u·to·ri·al [igzèkjətɔ́ːriəl] *a.* (지정 유언) 집행자의; 집행상의.

ex·ec·u·to·ry [igzékjətɔ̀ːri/-təri] *a.* **1** 행정(상)의, 집행상의(executive). **2** 〖법률〗 미제(未濟)의, 미이행〔미완성〕의, 장래의, 장래에 효력이 발생하는: an ~ contract 미이행의 계약.

ex·ec·u·trix [igzékjətriks] (*pl.* ***-tri·ces*** [igzèkjətráisiːz], **~·*es***) *n.* 〖법률〗 여자 지정 유언 집행자.

ex·e·ge·sis [èksidʒíːsis] (*pl.* ***-ses*** [-siːz]) *n.* 설명, 해설, 석의(釋義), 해석, (특히 성서 · 경전의) 주석.

ex·e·gete, ex·e·get·ist [éksədʒìːt], [èksidʒétist] *n.* (성서) 석의(釋義)학자.

ex·e·get·ic, -i·cal [èksədʒétik], [-əl] *a.* 주석의, 해석상의. ㊔ **-i·cal·ly** *ad.*

èx·e·gét·ics *n. pl.* 〖단수취급〗 (성서 · 경전) 해석학, 성서 석의학.

ex·em·plar [igzémplər, -plɑːr] *n.* 모범, 본보기; 전형, 견본, 표본; 실례, 유례; 사본, 등본.

ex·em·pla·ry [igzémpləri] *a.* 모범적인; 칭찬할 만한, 훌륭한; 본보기의; 징계적인; 전형적〔예시적〕인: an ~ punishment 징계벌. ***be ~ of*** …의 전형이다, …의 좋은 예이다. ㊔ **-ri·ly** [-rili] *ad.* 모범적으로, 본보기로. **-ri·ness** *n.* **ex·èm·plár·i·ty** *n.*

exémplary dámages 〖법률〗 (실제 손해액 이상으로 과하는) 징계 손해 배상금.

ex·em·pli·fi·ca·tion [igzèmpləfikéiʃən] *n.* **1** Ⓤ 예증(例證), 예시(例示); 모범. **2** 〖법률〗 인증(認證) 등본. **3** 표본, 적례.

ex·em·pli·fy [igzémpləfài] *vt.* **1** 예증〔예시〕하다; (일이) …의 모범이 되다, …의 좋은 예가 되다; 체현〔구현〕하다. **2** 복사하다; 〖법률〗 …의 (인증(認證)) 등본을 만들다. ㊞ **ex·ém·pli·fi·cà·tive** [-fikèitiv] *a.* 예증이〔범례가〕 되는.

ex·em·pli gra·tia [egzémplai-gréiʃiə, -grá:tià:, -zémpli:-] 《L.》 (=for example) 예컨대, 예를 들면《생략: e.g. 또는 ex.g(r).》.

ex·em·plum [igzémpləm] (*pl.* ***-pla*** [-plə]) *n.* **1** 예, 모범, 사례(事例). **2** (중세 설교에 쓰인) 도덕적〔교훈적〕 이야기, 훈화.

°**ex·empt** [igzémpt] *vt.* 《+목+전+명》 (책임·의무 따위에서) 면제하다, 면하게 하다; (고통 따위를) 제거해 주다《*from*》: ~ a person *from* taxes 아무의 조세를 면제하다. ━ *a.* 면제된; 면세의; 면역의《*from*》; 〖교회〗 (수도원이) 주교구 등에 속하지 않은; 《고어》 제외된: goods ~ *from* taxes 면세품/~ income 비과세 소득. ━ *n.* (의무·법의 적용 등을) 면제받은 사람〔것〕, 《특히》 면세자. ㊞ **~·i·ble** *a.*

ex·emp·tion [igzémpʃən] *n.* Ⓤ,Ⓒ (의무 등의) 면제《*from*》; 면제되는 사람〔것〕; (소득) 공제.

ex·e·qua·tur [èksəkwéitər] *n.* 인가장《주재국 정부가 타국 영사·상무관 등에게 줌》.

ex·e·quy [éksəkwi] *n.* (보통 *pl.*) 장례(식), 《때로》 장례행렬.

⁑**ex·er·cise** [éksərsàiz] *n.* **1** Ⓤ,Ⓒ (신체의) 운동; 체조: take 〔get〕 (more) ~ 운동을 (더) 하다/gymnastic 〔physical〕 ~*s* 체조/outdoor ~ 옥외운동/lack of ~ 운동 부족. **2** Ⓒ,Ⓤ (육체적·정신적인) 연습, 실습, 훈련, 수련: ~*s for* the violin 바이올린 연습/an ~ *in* articulation 발음연습/spelling ~ 철자연습. SYN. ⇨ PRACTICE. **3** Ⓒ 연습 문제〔교재, 곡〕, 과제; (*pl.*) (학위 신청에 필요한) 수업과정: a Latin ~ 라틴어의 연습문제/~*s in* English grammar 영문법 연습문제. **4** (*pl.*) (군대의) 교련, 연습(演習): military ~*s* 군사훈련/an ~ head 〖군사〗 연습용 탄두. **5** Ⓤ (주의력·의지력·능력 등의) 행사, 발동, 발휘, 활용: the ~ *of* caution 조심함, 주의함. **6** Ⓤ (권력·직권 따위의) 행사; (미덕·직분 등의) 이행, 실행: free ~ *of* (one's) religion 신앙의 자유. **7** Ⓒ 예배(~*s* of devotion); 행사. **8** (*pl.*) 《미》 식(式), 식순, 의식: graduation ~*s* 졸업식/opening ~*s* 개회식. **9** 〖미군〗 레이더 양동(陽動) 관측《거짓 전파를 발사하여 그 반응을 관측함》. ***do* one's ~** (학생이) 연습을 하다, 연습문제를 풀다, 학과를 공부하다; 체조를〔운동을〕 하다. ***in the* ~ *of* one's *duty*** 직권으로써.

━ *vt.* **1** 《~+목/+목+전+명》 (신체·정신을) 활동시키다, 훈련하다, 단련하다; (손발을) 움직이다; (군대·동물 따위를) 훈련시키다, 운동시키다, 길들이다: ~ a horse 〔troops〕 말을〔군대를〕 훈련시키다/~ a person *in* swimming 아무에게 수영연습을 시키다. **2** 《~+목/+목+*to* do》 (체력·능력을) 발휘하다, 쓰다; (권력을) 발동하다, 행사하다: ~ one's intelligence 〔patience〕 지력〔인내력〕을 발휘하다/~ one's right *to* refuse 거부권을 행사하다. **3** (의무를) 실행하다, 다하다; (좋은 일 등을) 하다: ~ the duties of one's office 임무를 수행하다. **4** 《~+목/+목+전+명》 〔보통 수동태〕 …의 주의를 끌다, 《특히》 (마음·사람을) 괴롭히다, 번민〔걱정〕하게 하다《*about; over*》: He *is* greatly ~*d about* his future. 그는 장래에 대해 몹시 걱정하고 있다. **5** 《+목+전+명》 (영향·감화 등을) 미치다 《*on; over*》: ~ great influence *on* a person 아무에게 큰 영향을 미치다. ━ *vi.* 운동을〔체조를〕 하다; 연습하다. ***be* ~*d in*** …에 숙달되어 있다. **~ one*self*** 운동을 하다, 몸을 움직이다. **~ one*self in*** …의 연습을 하다. **~ one*self over*** …의 일로 골치를 썩이다, 괴로워하다.

㊞ **éx·er·cìs·a·ble** *a.* **-cis·er** *n.* 운동 〔연습〕하는 사람; 운동 기구〔장치〕; (말) 조련사.

éxercise bìke 실내용 자전거《운동 기구》.

éxercise bòok 공책; 연습장.

éxercise prìce 옵션 권리 행사 가격《옵션 거래시, 소정 기간 내에 옵션의 매수자가 권리를 행사할 때 지급하는 대상 물건의 매수〔매도〕가격》.

éxercise yàrd (교도소 안의) 운동장.

ex·er·ci·ta·tion [egzə̀:rsətéiʃən] *n.* 《고어》 실습, 연습; 문장〔연설〕 연습; 논문, 토론; 예배.

Ex·er·cy·cle [éksərsàikəl] *n.* 엑서사이클《단련용 실내 고정 자전거; 상표명》.

ex·er·gon·ic [èksərgánik/-gɔ́n-] *a.* 〖생화학〗 (생화학 반응이) 에너지 방출성(放出性)의. cf. endergonic.

ex·ergue [igzə́:rg, éksə:rg/éksə:g] *n.* (화폐·메달의) 각명부(刻銘部)《보통 뒷면 의장(意匠)의 밑〔주변〕에 연월일·주조소명 등을 적은 부분》; 그 부분의 각명(刻銘).

°**ex·ert** [igzə́:rt] *vt.* **1** 《~+목/+목+*to* do/+목+전+명》 (힘·지력 따위를) 발휘하다, 쓰다; 〖~ oneself〗 노력〔진력〕하다《*for*》: ~ every effort 전력을 다하다/He ~*ed* him*self to* finish the work. 그는 그 일을 끝내기 위해 노력했다/He ~*ed* him*self for* the achievement of his dream. 그는 그의 꿈을 실현키 위해 진력했다. **2** 《+목+전+명》 (권력을) 휘두르다, (영향력·압력 등을) 장기에 걸쳐 지속적으로 행사하다, 가하다, 미치다《*on; over*》: ~ a favorable influence *on* a person 아무에게 좋은 영향을 미치다/~ control *over* one's emotions 자기의 감정을 억제하다.

°**ex·er·tion** [igzə́:rʃən] *n.* Ⓤ,Ⓒ 노력, 전력, 분발(endeavor); (힘의) 발휘, 행사《*of*》; 힘든 작업〔운동〕; 수고: use 〔make, put forth〕 ~*s* 진력〔노력〕하다/make a great ~ to help others 남을 돕기 위해 대단한 노력을 하다. ◇ exert *v.*

> SYN. **exertion** 일정한 목적과는 관계없이 행해지는 격심한 계속적인 노력. **effort** 일정한 목적을 이루기 위해 하는 노력으로서 보통 1회의 행위를 가리킴. **endeavor** 훌륭한 목적을 달성하기 위하여 하는 조직적이고 영속적인 노력의 뜻으로 effort보다도 격식을 갖춘 말임. **pains** 힘이 드는, 또는 마음을 졸이면서 하는 노력.

ex·er·tive [igzə́:rtiv] *a.* 힘을 발휘하는; 노력〔진력〕하는.

Ex·e·ter [éksitər] *n.* 잉글랜드 Devon주의 주도(州都).

ex·e·unt [éksiənt, -ʌnt] *vi.* 《L.》 〖연극〗 퇴장하다(they go out). cf. exit. ¶ *Exeunt* John and Bill. 존과 빌 퇴장《극본(劇本)에서의 지시》.

éxeunt óm·nes [-ámni:z/-ɔ́m-] 《L.》 〖연극〗 일동 퇴장(하다)(they all go out).

ex·fil·trate [eksfíltreit] *vt., vi.* (적진에서) 몰래 탈출하다〔시키다〕. ㊞ **èx·fil·trá·tion** *n.*

ex·fo·li·ate [eksfóulièit] *vi.* (나무껍질·암석의 표피·피부 등이) 벗어지다, 벗겨져 떨어지다, 박리(剝離)하다. ━ *vt.* 벗기다, 박리시키다. ㊞ **ex·fò·li·á·tion** *n.* 벗겨져 떨어짐, 박리, 박락(剝落); Ⓒ 박리〔박락〕물(物).

ex·fó·li·àt·or *n.* 피부 마찰재, 박리포(布)《새로

운 세포의 발생을 촉진하는 화장품》.

ex. g(r). *exempli gratia.*

ex gra·tia [eks-gréiʃiə] 《L.》 호의로서(의), 친절에서(의)(out of goodwill).

ex·hal·ant, -ent [ekshéilənt] *a.* 토해 내는, 방출〔배출〕하는. ― *n.* (연체동물의) 출수관(出水管).

ex·ha·la·tion [èkshəléiʃən] *n.* [U,C] 숨을 내쉬기, 날숨; 내뿜기; 발산; 증발; 호기(呼氣); 증발기《수증기·안개 등》; 발산물; (분노 등의) 폭발《*of*》.

ex·hale [ekshéil] *vt.* **1** (숨을) 내쉬다, (말을) 내뱉다, (공기·가스 등을) 내뿜다([OPP.] *inhale*); (냄새 등을) 발산시키다; 《고어》 증발시키다. **2** 《고어》 (분노 등을) 폭발시키다. ― *vi.* (가스·냄새 등이) 발산하다, 증발하다《*from; out of*》; 소산(消散)하다; 숨을 내쉬다.

***ex·haust** [igzɔ́ːst] *vt.* **1** 다 써 버리다(use up); (자원·지력 따위를) 고갈시키다; (체력·인내력 따위를) 소모하다(consume); (국력을) 피폐시키다: ~ a fortune in gambling 노름으로 재산을 탕진하다. **2** (사람을) 지쳐 빠지게 하다, 피로(疲勞)하게 하다(tire out); 〔~ oneself〕 지쳐 빠지다, 녹초가 되다: I have ~*ed* my*self* walking. 걸어서 지쳐 버렸다. **3** (문제 따위를) 힘껏 연구하다, 자세히 구명(究明)하다, 남김 없이 논〔이야기〕하다. **4** 《+[목]+[전]+[명]》 (그릇 따위를) 비우다(empty)《*of*》, 진공으로 만들다; (공기·물·가스 따위를) 완전히 빼다; 배출〔배기〕하다《*from*》: ~ a cask *of* liquor 술통을 비우다 / ~ a tube *of* air = ~ air *from* a tube 튜브〔관〕에서 공기를 빼다. **5** (용매로 약 성분 따위를) 다 뽑아내다. ― *vi.* (엔진이) 배기하다; (가스·증기 등이) 배출되다. ― *n.* (엔진의) 배기가스; (기체의) 배출, 배기; 배기관, 배기 장치; 부분적 진공화(化): auto ~*s* 자동차의 배기가스 / ~ control 배출물 규제.

◇**ex·háust·ed** [-id] *a.* **1** 다 써 버린, 소모된; 고갈된; 기운이〔향기가〕 빠진: his ~ means 다 써버린 재산 / an ~ well 고갈된 우물 / ~ tea 너무 끓여서 맛이 빠진 차. **2** 지쳐 빠진: feel quite ~ (*with*...) (…으로) 몹시 지치다 / I am ~. 녹초가 되었다. [SYN.] ⇨ TIRED.

ex·háust·er *n.* 배기 장치〔배기기(機)〕(를 조작하는 사람); (통조림 식품의) 탈기(脫氣) 담당자.

exháust fàn 배기 선풍기, 배기〔환기〕팬.

exháust fùmes 배기가스, 매연.

exháust gàs 배기가스.

ex·háust·i·ble *a.* 다 써 버릴 수 있는. ㊞ **ex·hàust·i·bíl·i·ty** *n.* [U]

ex·háust·ing *a.* 소모적인; (심신을) 지치게 하는. ㊞ **~·ly** *ad.*

***ex·haus·tion** [igzɔ́ːstʃən] *n.* **1** [U] 다 써 버림, 소모, 고갈《*of* wealth, resources》. **2** 극도의 피로, 기진맥진; (과도한 긴장·피로에 의한) 노이로제: faint *with* 〔*from*〕 ~ 기진맥진하여 실신하다. **3** (문제 따위의) 철저한 검토. **4** 〖기계〗 배기(排氣). ◇exhaust *v.*

***ex·haus·tive** [igzɔ́ːstiv] *a.* **1** (조사 따위가) 철저한(thorough), 남김없는, 총망라한, 완전한, 포괄적인: an ~ study 철저한 연구. **2** (자원·정력 따위를) 고갈시키는, 소모적인. ㊞ **~·ly** *ad.* **~·ness** *n.*

exháust·less *a.* 무진장의, 무궁무진한; 지칠 줄 모르는. ㊞ **~·ly** *ad.* **~·ness** *n.*

exháust mànifold 〖기계〗 (내연기관의) 배기 매니폴드.

exháust pìpe (엔진의) 배기관.

exháust stròke 〖기계〗 (엔진의) 배기 행정(行程).

exháust vàlve 배기 밸브, 배기판(瓣).

exháust velòcity 〖로켓〗 배기 속도.

exhbn. exhibition.

***ex·hib·it** [igzíbit] *vt.* **1** 《~+[목]/+[목]+[전]+[명]》

전람〔전시〕하다, 출품하다, 진열하다《*at; in*》; 공개하다; 과시하다: ~ the latest models of cars 최신 모델의 차를 전시하다 / ~ goods *in* a show window 진열장에 물건을 전시하다. [SYN.] ⇨ SHOW. **2** (징후·감정 등을) 나타내다, 보이다, 드러내다, 표시하다: ~ anger 얼굴에 노기를 띠다 / ~ courage 용기를 보이다. **3** 〖법률〗 (서류 등을) 제시하다《증거물로서 법정에》; (탄원서·청구서 등을) 제출하다. **4** 《고어》 투약하다. ― *vi.* 전람회를 열다; 전시회에 출품〔전시〕하다. ― *n.* **1** 공시, 전람, 전시, 진열; 《미》 전시회, 전람회. **2** 전시품, 진열품: Do not touch the ~*s*. 전시품에 손대지 마시오. **3** 〖법률〗 증거 서류, 증거물; 중요 증거물〔증인〕: ~ A, 증거물 A〔제 1호〕. **4** (*pl.*) 《영》 성직자 착임(着任) 보고. ***on*** **~** 진열〔전시〕되어(있는). ㊞ **~·a·ble** *a.* **~·er** *n.* = EXHIBITOR.

ex·hi·bi·tion** [èksəbíʃən] *n.* **1** [U,C] 전람, 전시, 진열; 공개: the ~ *of* a cultural film 문화영화의 공개. **2** 전람회, 전시회, 박람회, 품평회. [cf.] exposition. ¶ a competitive ~ 경진회 / an industrial ~ 산업 박람회. **3** 전시품, 진열품. **4** [U,C] (학식 등의) 과시, 발휘; (의견의) 개진. **5** 《미》 학예회. **6** [U,C] 〖법률〗 (증거 서류·증거물의) 제시, 제출. **7** 《영》 장학금. **8** [U] 투약, 시약. **9** 공개〔시범〕 연기; 시범 경기(= **∽ gàme** 〔**màtch**〕). ◇exhibit *v.* ***make an 〔***a regular***〕 **~ *of*** one***self*** (바보짓을 하여) 웃음거리가 되다, 창피를 당하다. ***on*** **~** = on EXHIBIT. ***put something on*** **~** 물건을 전람시키다, 진열〔전시〕하다. ㊞ **~·er** *n.* 《영》 장학생; = EXHIBITOR.

èx·hi·bí·tion·ism *n.* [U] 자기 현시〔과시〕(경향); 자기 선전벽(癖); 노출증, 노출 행위. ㊞ **-ist** *n.*, *a.*

ex·hib·i·tive [igzíbitiv] *a.* (…을) 표시하는, 나타내는《*of*》.

ex·hib·i·tor [igzíbitər] *n.* 출품자; 《미》 영화 상영자, 영화관 경영자〔지배인〕; 〖법률〗 증거물 제출자.

ex·hib·i·to·ry [igzíbitɔ̀ːri/-təri] *a.* 전시(용)의, 전람의.

ex·hil·a·rant [igzílərənt] *a.* = EXHILARATING. ― *n.* 기분을 돋우어 주는〔상쾌하게 하는〕 것, 흥분제.

◇**ex·hil·a·rate** [igzílərèit] *vt.* 원기를〔기분을〕 돋우다, 유쾌〔상쾌〕하게 하다; …에게 자극〔활력〕을 주다. ★ 주로 수동태로 쓰임. ㊞ **-ràt·ed** [-id] *a.* (기분이) 들뜬, 기운찬, 한잔 마신 기분인.

ex·híl·a·ràt·ing *a.* 기분을 돋우어 주는, 유쾌하게 하는; 상쾌한: an ~ drink 술. ㊞ **~·ly** *ad.*

ex·hìl·a·rá·tion *n.* [U] 기분을 돋우어 줌; 들뜬 기분, 유쾌, 상쾌, 흥분.

ex·hil·a·ra·tive [igzílərèitiv, -rətiv] *a.* 기운〔기분〕나게 하는, 유쾌하게 하는.

ex·hort [igzɔ́ːrt] *vt.* 《+[목]+[전]+[명]/+[목]+*to* do》 …에게 열심히 타이르다〔권하다〕; …에게 권고하다〔충고, 경고, 훈계〕하다; (개혁 등을) 창도하다: ~ the students *to* responsible freedom 학생들에게 책임 있는 자유를 행사하도록 훈계하다 / ~ a person *to* enter college 아무에게 대학에 가도록 간곡히 권하다. [SYN.] ⇨ URGE. ― *vi.* 권고〔경고, 훈계〕를 하다; 간곡히 타이르다〔호소하다〕. ㊞ **~·er** [-ər] *n.*

ex·hor·ta·tion [ègzɔːrtéiʃən, èks-] *n.* [U,C] 간곡한 권유, 권고, 충고, 경고, 훈계; 권고〔격려, 훈계〕하는 말.

ex·hor·ta·tive, -ta·to·ry [igzɔ́ːrtətiv], [-tɔ̀ːri/-təri] *a.* 권고의; 타이르는, 훈계적인.

ex·hu·ma·tion [èkshjuːméiʃən, ègzjuː-] *n.* [U,C] 발굴, 《특히》 시체 발굴.

ex·hume [igzjúːm, ekshjúːm] *vt.* 파내다, (특

히 시체를) 발굴하다; (숨은 인재·명작 등을) 찾아내다, 발굴하다; 침식하여 노출시키다. ⓟ **ex·húm·er** *n.*

ex·i·gen·cy, -gence [éksədʒənsi], [-dʒəns] *n.* 긴급성, 급박, 위급, 긴급한 경우, 긴급 사태; (보통 *pl.*) 절박〔급박〕한 사정, 초미지급(焦眉之急): meet the *exigencies* of the moment 급박한 정세에 대처하다. ***in this*** ~ 이 위급한 때에.

ex·i·gent [éksədʒənt] *a.* **1** 절박한, 급박한(pressing), 긴급한, 위급한(critical). **2** 지나친 요구를 하는, 가혹한; 자꾸만〔몹시〕 요구하는《*of* rest》. ⓟ ~**·ly** *ad.*

ex·i·gi·ble [éksədʒəbəl] *a.* 요구〔강요〕할 수 있는《*from; against*》.

ex·i·gu·i·ty [èksigjúːəti] *n.* Ⓤ 근소; 미소(微小).

ex·ig·u·ous [igzígjuəs, iksíg-] *a.* 근소한, 적은, 미소한, 빈약한, 작은, 소규모의. ⓟ ~**·ly** *ad.* ~**·ness** *n.*

ex·ile** [égzail, éks-] *n.* Ⓤ **1** (자의에 의한) 망명, 국외 생활〔유랑〕, 타향살이. **2** (자국·마을·집으로부터의) 추방, 유형, 유배: a place of ~ 유배지/go into ~ 망명하다; 추방〔유랑〕의 몸이 되다/live in ~ 귀양살이〔망명 생활, 타향살이〕를 하다. **3** Ⓒ 망명자, 추방된 사람, 유배자; 타향 생활자, 유랑자. **4** (the E-) 바빌론 유수(幽囚)(the Babylonian captivity). ― *vt.* 《~+목/+목+전+명》 추방하다, 귀양 보내다: ~a person *from* his country 아무를 고국에서 추방하다. ~ oneself*** 망명하다, 유랑하다. ⓟ **ex·il·i·an, ex·il·ic** [egzíliən, eks-], [egzílik, eks-] *a.* 추방의, 추방 중인, 《특히》 유대인의 바빌론 유수의〔에 관한〕.

Ex-Im (Bank), Ex·im·bank [éksímbæ̀ŋk] *n.* 미합중국 수출입 은행. [◂ *Export-Import Bank*]

ex int. 〖증권〗 ex interest(이자락(落)).

èx ínterest, èx-ínterest 〖증권〗 이자락(落).

⁑**ex·ist** [igzíst] *vi.* **1** 존재하다, 실재하다, 현존하다: God ~*s.* 신은 존재한다. **2** 《+전+명》 (특수한 조건·장소·상태에) 있다, 나타나다(be, occur) 《*in; on*》: Salt ~*s in* the sea. 소금은 바닷물 속에 있다/Such things ~ only *in* cities. 그러한 일들은 도시에서만 나타난다〔일어난다〕. **3** 《+전+명》 생존하다, 존속하다, (특히 역경에) 살고 있다, 살아가다: ~ *on* a meager salary 박봉으로 생활하다. **4** 〖철학〗 실존하다. ◇existence *n.* ~ ***as*** …로서〔의 형태로〕 존재하다.

⁑**ex·ist·ence** [igzístəns] *n.* **1** Ⓤ 존재, 실재, 현존; 〖철학〗 실존: I believe in the ~ *of* ghosts. 유령의 존재를 믿고 있다. **2** Ⓤ 생존, 생활; (an ~) 존재 양식, 생활 방식: the struggle for ~ 생존 경쟁/lead a peaceful 〔dangerous〕 ~ 평화로운〔위험한〕 생활을 하다. **3** Ⓤ,Ⓒ 존재자, 존재물; 실체. ◇exist *v.* ***begin*** one***'s*** ~ 이 세상에 태어나다. ***call*** 〔***bring***〕 ***into*** ~ 생기게 하다, 낳다; 성립시키다. ***come into*** ~ 생기다, 태어나다, 성립하다. ***go out of*** ~ 소멸하다, 없어지다. ***in*** ~ 현존의, 존재하는(existing): ruins *in* ~ 현존하는 유적. ***put ... out of*** ~ …을 절멸시키다, 죽이다.

exístence thèorum 〖수학〗 존재 정리.

◦**ex·ist·ent** [igzístənt] *a.* 존재하는, 실재하는; 생존하는; 현존하는(existing); 목하(目下)의, 현행(現行)의(current): the ~ circumstances 현재의 사정. ― *n.* 존재하는 것〔사람〕; 〖철학〗 실존자.

ex·is·ten·tial [ègzisténʃəl, èks-/ègz] *a.* 존재에 관한, 실존의; 〖논리〗 존재상의, 실체론상의; 〖철학〗 실존주의의. ⓟ ~**·ism** *n.* Ⓤ 〖철학〗 실존주의. ~**·ist** *n., a.* 실존주의자; 실존주의(자)의.

existéntial psychólogy 실존심리학.

existéntial quántifier 〔**óperator**〕 〖논리〗 존재 기호《ヨ》.

ex·íst·ing *a.* 현존하는, 현재의: under the ~ circumstances 현상태로는.

⁑**ex·it**[1] [égzit, éksit] *n.* **1** 출구(《영》 way out); 《미》 (고속도로 등의) 출구(opp. *access*). **2** 나감; 퇴출, 퇴거, 출국; (배우의) 퇴장; (정치가 등의) 퇴진; 사망(death): illegal ~ 불법 출국/make one's ~ 퇴장〔퇴거, 퇴출〕하다; 죽다/give ~ *to* a person 아무를 퇴출시키다. ― *vi.* 나가다, 떠나다; 죽다; 〖컴퓨터〗 (시스템·프로그램에서) 나가다.

ex·it[2] *vi.* 《L.》 〖연극〗 퇴장하다(he 〔she〕 goes out). cf. exeunt. opp. *enter.* ¶ *Exit* Hamlet. 햄릿 퇴장.

éxit ìnterview 퇴직자 면접.

éxit pèrmit 출국 허가(증).

éxit pòll 출구 조사《선거 결과에 대한 예상을 위해 투표를 끝내고 투표소에서 나오는 사람에 대해 실시하는 앙케트 조사》.

éxit stràtegy 자유 탈퇴식.

éxit sùrvey =EXIT POLL; (회사·점포·공항·역 따위에서의) 출구 앙케트.

éxit tàx (옛 소련에서) 국외 이주세《국내에서 교육을 받은 국민이 국외로 이주하는 경우에 부과되는 세》.

éxit vìsa 출국 사증.

ex li·bris [eks-líːbris, -láib-] (*pl.* ~) *n.* 《L.》 장서표(藏書票)《from the books of... 의 뜻에서; 생략: ex lib.》. ― *ad., a.* …의 장서에서(의).

ex-li·brist [ekslíːbrist, -lái-] *n.* 장서표 수집자.

èx néw 〖증권〗 신주락(新株落)으로〔의〕《생략: ex n., x.n.》.

ex ni·hi·lo [eks-níːhilòu] 《L.》 무(無)에서(의)(from nothing).

ex·o- [éksou, -sə] '외(外), 외부'의 뜻의 결합사: *exo*skeleton. opp. *endo-*.

èxo·átmosphere *n.* 외기권(exosphere). ⓟ **-atmosphéric** *a.*

èxo·biólogy *n.* Ⓤ 우주 생물학, 천체 생물학. ⓟ **-gist** *n.*

èxo·bióta *n.* 우주〔지구외〕 생물(extraterrestrial life).

ex·o·carp [éksoukɑ̀ːrp] *n.* =EPICARP.

ex·o·cen·tric [èksouséntrik] *a.* 〖언어〗 외심적(外心的)인, 외심 구조의《절 또는 구 전체의 통어적(統語的) 기능이 그것을 구성하는 직접 구성소(構成素)의 기능과 다른 것. 즉 in the garden이란 구는 그 직접 구성소인 in 및 the garden과 다른 기능을 가진 외심 구조임》. opp. *endocentric.* ¶ an ~ construction 〖문법〗 외심 구조.

Ex·o·cet [ègzousét; *F.* ɛgzɔsɛ] *n.* 《F.》 엑조세《프랑스제(製) 대함(對艦) 미사일; 상표명》.

ex·o·crine [éksəkrin, -kràin] *a.* 〖생리〗 외분비(샘)의: the ~ gland 외분비샘. ― *n.* 외분비샘; 외분비물.

ex·o·cri·nol·o·gy [èksəkrənɑ́lədʒi, -krai-/-nɔ́l-] *n.* 외분비학.

èxo-cýclic *a.* 〖화학〗 고리 밖에 위치하는, 환외(環外)의.

ex·o·cy·to·sis [èksousaitóusis] (*pl.* **-ses** [-siːz]) *n.* 〖생리〗 세포의 유출, 배출 작용《세포의 소포체 안의 물질을 소포체막과 형질막의 융합에 의하여 배출하는 작용》. ⓟ **-tot·ic** [-tɑ́tik/-tɔ́t-] *a.*

Exod. Exodus.

ex·o·der·mis [èksədə́ːrmis] *n.* 〖식물〗 외피.

ex·o·don·tia, -tics [èksədɑ́nʃiə/-dɔ́n-], [-tiks] *n.* Ⓤ 〖치과〗 발치(술)(拔齒(術)). ⓟ **-tist** [-tist] *n.*

ex·o·dus [éksədəs] *n.* 집단적 (대)이동〔이

주〕; (the E–) 이스라엘 국민의 이집트 탈출; (E–) 『성서』 출애굽기《구약성서 중의 한 편; 생략: Ex., Exod.》.

èxo·énzyme *n.* 『생화학』 세포외 효소.

ex·o·er·gic [èksouə́ːrdʒik] *a.* 『물리·화학』 (반응이) 에너지를 방출하는, 방열(放熱)의.

ex of·fi·cio [èks-əfíʃiòu] 《L.》 직권에 의하여〔의한〕, 직권상(의), 직권상 겸(무)하는《생략: e.o., ex off.》: be an ~ chairman 직권상 의장을 겸무하다.

ex·og·a·mous, -o·gam·ic [eksɑ́gəməs/-sɔ́g-], [èksəgǽmik] *a.* 이족(異族) 결혼의, (족)외혼의; 『생물』 이계 교배의.

ex·og·a·my [eksɑ́gəmi/-sɔ́g-] *n.* 외혼 (제도), 족외혼(族外婚) (opp. *endogamy*); 『생물』 이계(異系) 교배.

ex·o·gen [éksədʒən] *n.* 『식물』 외생(外生) 식물《쌍자엽식물(dicotyledon)의 구칭》.

ex·o·gen·ic [èksədʒénik] *a.* 『지학』 외성(外成)의《지표에서 생성된》.

ex·og·e·nous [eksɑ́dʒənəs/-sɔ́dʒ-] *a.* 밖으로부터 생긴, 외부적 원인에 의한; 『생리·생물』 외인(外因)〔외래〕(성)의《비만·감염 따위》; 『식물』 외생(外生)의《포자 따위》; 『지학』 (암석이) 외성(外成)의. opp. *endogenous*. ㊀ **~·ly** *ad.*

ex·on [éksɑn/-ɔn] *n.* 『생화학』 엑손《진핵(眞核) 생물의 mRNA의 정보 배열》.

ex·on·er·ate [igzɑ́nərèit/-zɔ́n-] *vt.* 《~+목/+목+전+명》 (아무)의 결백을〔무죄를〕 증명하다; (아무)의 혐의를 벗겨 주다; (아무를 의무·책임·곤란 따위에서) 면제〔해제〕하다, 해방하다: be ~*d from* the charge of murder 살인 혐의가 풀리다 / ~ a person *from* payment 지불을 면제하다. ㊀ **ex·òn·er·á·tion** *n.* Ⓤ 무고〔결백〕함을 입증함; 면죄; (의무의) 면제, 책임 해제, 면책. **ex·ón·er·à·tive** [-rèitiv, -nərət-] *a.* 면죄의; 면제의, 면책의.

èxo·núclease *n.* 『생화학』 엑소뉴클레이스. cf. endonuclease.

ex·o·nu·mia [èksənjúːmiə/-njúː-] *n. pl.* 화폐·지폐 이외의 메달·레터르·쿠폰류(類)(의 수집품).

ex·o·nu·mist [-njúːmist/-njúː-] *n.* exonumia 전문가〔수집자〕.

ex·o·nym [éksənìm] *n.* 외국어 지명《한 지명에 대해 각국에서 부르는 다른 이름》.

ex·o·phil·ic [èksəfílik] *a.* 생태적으로 인간의 환경에서 독립한, 외친성(外親性)의.

ex·oph·thal·mia, -mos, -mus [èksɑfθǽlmiə/-sɔf-], [-məs, -mɑs/-mɔs], [-məs] *n.* Ⓤ 『의학』 안구(眼球) 돌출(증).

ex·o·plasm [éksouplæ̀zəm] *n.* 『생물』 외층, 외부 원형질《세포층의 가장 바깥층》.

ex·or·bi·tance, 《고어》 **-tan·cy** [igzɔ́ːrbətəns], [-i] *n.* Ⓤ 과대, 과도, 부당.

ex·or·bi·tant [igzɔ́ːrbətənt] *a.* (욕망·요구·가격 따위가) 터무니없는, 과대한, 부당한, 엄청난. ㊀ **~·ly** *ad.*

ex·or·cise, -cize [éksɔːrsàiz] *vt.* 《~+목/+목+전+명》 (기도·주문을 외워 악령을) 쫓아내다, 몰아내다《*from*; *out of*》; (사람·장소를) 정(淨)하게 하다; (나쁜 생각·기억 등을) 몰아내다, 떨쳐버리다; 《드물게》 (악령을) 불러내다: ~ a demon *from* 〔*out of*〕 a house = ~ a house of a demon 악귀를 집에서 몰아내다 / ~ the memory of the accident 그 사고의 기억을 떨쳐버리다.

ex·or·cism [éksɔːrsìzəm] *n.* Ⓤ 귀신물리기, 액막이, 불제(祓除); Ⓒ 불제 기도〔주문, 의식〕, 굿. ㊀ **-cist** *n.* 엑소시스트, 귀신 물리는 사람, 무당, 불제 기도사, 액막이하는 사람.

ex·or·di·al [igzɔ́ːrdiəl, iksɔ́ːr-/eksɔ́ː-] *a.* 서설〔서론〕의, 모두(冒頭)의, 발단의.

ex·or·di·um [igzɔ́ːrdiəm, iksɔ́ːr-/eksɔ́ː-] (*pl.* **~s, -dia** [-diə]) *n.* 첫머리, 서두; (강연·논문 등의) 서설, 서론.

exor(s). executor(s).

èxo·skéleton *n.* 『동물』 외골격《굴껍질·새우의 겉껍질 따위》. ㊀ **-tal** [-tl] *a.*

ex·o·sphere [éksousfìər] *n.* 외기권, 일탈권(逸脫圈).

ex·o·ter·ic [èksətérik] *a.* **1** (문외한에게) 개방적인; 공개적인; 통속적인, 대중적인; 평범한; 『종교·철학』 공교(公敎)〔현교(顯敎)〕적인 (opp. *esoteric*). **2** 외적인; 밖의, 외부〔외면〕의(external). **—** *n.* 풋내기, 문외한, 부외자(部外者); (*pl.*) 일반 대중〔문외한〕에게도 알기 쉬운 교리〔설교, 논문〕. ㊀ **-i·cal** *a.* **-i·cal·ly** *ad.*

èxo·thérmic *a.* 『화학』 발열(성)의. opp. *endothermic*.

°**ex·ot·ic** [igzɑ́tik/-zɔ́t-] *a.* **1** 외래의, 외국산의; 이국적인, 이국풍의, 이국 취미〔정서〕의; 색다른; 스트립쇼의. **2** (연료·금속 등) 신종(新種)의, 신형의. **—** *n.* 이국적인〔이국풍의, 색다른〕 것〔사람〕; 외래품, 외래 식물, 외래 취미, 외래어《따위》; =EXOTIC DANCER. ㊀ **-i·cal·ly** *ad.*

ex·ot·i·ca [igzɑ́tikə/-zɔ́t-] *n. pl.* 이국적인〔진기한〕 것; 이국 취미의 문학〔미술〕 작품; 기습(奇習).

exótic dáncer 스트립쇼·벨리 댄스의 무희.

ex·ot·i·cism [igzɑ́təsìzəm/-zɔ́t-] *n.* Ⓤ 이국 취미〔정서〕; Ⓒ 외국식 표현, 외래어.

èxo·tóxin *n.* 『생화학』 (균체(菌體)) 외독소(外毒素).

exp. expense(s); experiment(al); expired; exponential; exportation; exported; export(er); express.

***ex·pand** [ikspǽnd] *vt.* **1** 펴다, 펼치다; 넓히다, 확장〔확대〕하다: ~ wings 날개를 펴다 / ~ a business 사업을 확장하다. **2** 팽창시키다, 부풀게 하다: Heat ~*s* metal. 열은 금속을 팽창시킨다. **3** 《+목+전+명》 (관념 등을) 발전〔전개, 진전〕시키다(develop); (요지·초고 등을) 상술〔부연, 확충〕하다, 늘이다《*into*》: ~ a jotting *into* a news story 메모를 확충하여 신문 기사로 하다. **4** 『수학』 전개하다. **5** (마음을) 넓게 하다. ◇ expanse, expansion *n.* **—** *vi.* **1** 퍼지다, 넓어〔커〕지다. **2** 《~/+전+명》 부풀어오르다, 팽창하다: Metal ~*s* when heated. 가열하면 금속은 팽창한다 / This metal scarcely ~*s with* heat. 이 금속은 거의 열팽창을 하지 않는다. **3** 《+전+명》 성장하다, 발전하다; 발전하여 …이 되다《*into*》: The small college has ~*ed into* a big university. 그 작은 단과대학이 발전하여 지금은 커다란 종합대학이 되었다. **4** (꽃이) 피다. **5** 《+전+명》 파안(破顔)이 되다: Her face ~*ed in* a smile of welcome. 그녀의 얼굴은 환영의 미소로 가득했다. **6** (가슴·마음이) 트이다, 넓어지다, 부풀다; (사람이) 마음을 터놓다, 쾌활해지다. **7** 《+전+명》 상술〔부연〕하다《*on, upon*》: ~ *on* one's opinion 자기 의견을 더 자세히 말하다.

> SYN. **expand** 내부 및 외부 어느 쪽의 힘으로든 길이·너비·깊이를 더한다는 뜻의 일반적인 말. **swell** 내부의 힘에 의하여 보통 크기 이상으로 부푼다는 뜻.

㊀ **~·a·ble, ~·i·ble** *a.* =EXPANSIBLE. **~·ed** [-id] *a.* 확대〔팽창〕한; 『인쇄』 (활자가) 평체(平體)인; 발포(發泡)시킨《플라스틱》.

expánded cínema =INTERMEDIA.

expánded mémory 『컴퓨터』 확장 메모리

《상위 메모리 영역의 페이지 프레임을 통하여 시스템 메모리와 연결되는 특수 메모리》.

expánded métal 망상 금속판(網狀金屬板) 《휴지통 · 모르타르 벽 등의 바탕용》.

expánded plástic 발포(發泡) 플라스틱.

expánded ténse 〖문법〗 확충 시제, 진행형.

◇**ex·pánd·er** *n.* 확대〔확장〕시키는 사람〔물건, 장치〕, 확포기(擴布機); 〖전자〗 신장기(伸張器); 〖의학〗 증량제(增量劑); (운동 기구의) 익스팬더.

expánding úniverse 〖천문〗 팽창하는 우주.

expánding úniverse thèory 〖천문〗 팽창 우주론.

***ex·panse** [ikspǽns] *n.* **1** (바다 · 대지 등의) 광활한 공간, 넓디넓은 장소〔구역〕; 넓은 하늘: the boundless ~ *of* the ocean 망망대해 / the blue ~ (*of* heaven) 넓고 푸른 하늘, 창공(蒼空). **2** 팽창, 확대, 확장(expansion).

ex·pán·si·ble *a.* 팽창〔신장, 전개〕할 수 있는; 팽창성의; 발전성 있는. ㊎ **ex·pàn·si·bíl·i·ty** *n.* Ⓤ 신장력(伸張力), 신장성; 발전성; 팽창력; 〖물리 · 화학〗 팽창성.

ex·pan·sile [ikspǽnsil, -sail/-sail] *a.* 확장〔확대〕할 수 있는; 팽창성의; 확대〔확장〕의.

◇**ex·pan·sion** [ikspǽnʃən] *n.* Ⓤ,Ⓒ **1** 팽창, 신장: an ~ coefficient 팽창계수 / the ~ *of* the currency 통화의 팽창 / the rate of ~ 팽창률. **2** 확장, 확대: the ~ *of* armaments 군비 확장. **3** (토지 · 수면의) 퍼짐, 넓게 퍼진〔펼쳐진〕 모양〔정도, 범위〕; 널따란 표면. **4** (거래의) 확장; (사업의) 발전; (수량의) 증가. **5** 부연(한 것), 상술(한 것); (축약하지 않은) 완전 표기; 〖수학 · 논리〗 전개(식). **6** 〖스포츠〗 리그 확장, 〘형용사적〙 리그 확장에 의한〔수반되는〕《팀 · 선수 선발》. ◇expand *v.* ㊎ **~·ism** *n.* Ⓤ (상거래 · 통화 등의) 팽창주의, 팽창론; (영토 등의) 확장주의〔정책〕. **~·ist** *n., a.*

ex·pan·sion·ary [-èri/-əri] *a.* 확대성의, 팽창성의: an ~ economy 팽창 경제.

expánsion càrd 〔**bòard**〕 〖컴퓨터〗 확장 카드〔기판〕《주 기판의 확장 슬롯에 꽂는 회로기판》. ★ 간단히 card라고도 함.

expánsion jòint 〖건축 · 기계〗 수축〔팽창〕 이음, (골조(骨組) 따위의) 익스팬션 조인트.

expánsion slòt 〖컴퓨터〗 확장 슬롯.

expánsion wàve 팽창파(膨脹波). ⓒⓕ compression wave.

ex·pan·sive [ikspǽnsiv] *a.* **1** 신장력이 있는, 팽창력이 있는, 팽창성의; 확장적인; 전개적인; 확대〔팽창〕주의의; 〖기계〗 팽창〔신장〕을 응용하는: ~ force 팽창력. **2** 넓디넓은, 광대한. **3** 포용력 있는; 마음이 넓은; 거리낌없는, 개방적인, 대범한; 유유한, 여유 있는, 느긋한; 〖의학〗 과대망상적인. ◇expand *v.* ㊎ **~·ly** *ad.* **~·ness** *n.*

ex·pan·siv·i·ty [èkspænsívəti] *n.* expansive 한 성질〔상태〕; 팽창〔신장〕력; 〖물리〗 팽창계수.

ex par·te [eks-pάːrti] 《L.》 〖법률〗 당사자의 한쪽에 치우쳐〔치우친〕; 일방적으로〔인〕.

ex·pat [èkspéit/-pǽt] *n.* 《구어》 = EXPATRIATE.

ex·pa·ti·ate [ikspéiʃièit] *vi.* 상세히 설명하다, 부연하다《*on, upon*》; 《드물게》 어슬렁거리다. ㊎ **ex·pà·ti·á·tion** *n.* Ⓤ,Ⓒ 상세한 설명, 부연, 상술. **ex·pá·ti·a·tò·ry** [-ʃiətɔ̀ːri/-təri] *a.* 설명이 상세한; 장황한; 부연적인.

ex·pa·tri·ate [ekspéitrièit/-pǽt-] *vt.* 국외로 추방하다; (…에게서) 국적을 빼앗다. **—** *vi.* 고국을 떠나다; 국적을 버리다〔이탈하다〕. **~ one*self*** 해외로 이주하다; 국적을 버리다. **—** [-triət, -trièit] *a., n.* 국외로 추방된〔이주한〕 (사람), 국적을 상실한 (사람). ㊎ **ex·pà·tri·á·tion** *n.* Ⓤ,Ⓒ 국외 추방; 국외 이주; 〖법률〗 국적 이탈: the right of *expatriation* 국적 이탈권.

ex·pa·tri·a·tism [ekspéitriətìzəm/-pǽt-] *n.* 외국재주(在住); 국적 이탈.

⁑**ex·pect** [ikspékt] *vt.* **1** 《~+목/+*to* do/+목+*to* do/+*that* 절/+목+부》 기대〔예기, 예상〕하다; 기다리다; …할 작정이다: I will ~ you (next week). (내주에) 기다리고 있겠습니다 / I ~ *to* do it. 그것을 할 작정이다 / I ~*ed* him *to* come. = I ~*ed that* he would come. 그가 오리라고 생각했었다 / What time do you ~ him *home*? 그는 몇시에 귀가하느냐. ★ 나쁜 경우에도 씀: I ~*ed* something worse. 더 나쁜 일을 각오하고 있었다.

> SYN. **expect** 어떤 일이 일어날 것을 상당한 확신을 갖고 기대함. **anticipate** 어떤 일을 대비하고 기다리는 뜻으로 그것을 마음에 그려보는 일도 있음: *anticipate* seeing a play 연극 볼 것을 즐거움으로 삼고 있다. **hope** 어떤 바람직한 일의 실현을 확신하고 대망함.

2 〘수동태〙 예정되어 있다, …하기로 되어 있다; …하도록 요청되어 있다, 〘완곡히〙 …하지 않으면 안 되다: A new edition *is* ~*ed* (*to* come out) next month. 신판이 내달 나오기로 되어 있다 / The students *are* ~*ed to* be present at the lecture. 학생들은 그 강의에 출석하지 않으면 안 된다. **3** 《~+목/+목+*to* do/+목+전+명》 (당연한 일로) …을 요구하다, 기대하다, 바라다: We cannot ~ your obedience. =We cannot ~ you *to* obey. 우리는 너의 복종을 기대할 수 없다 / I ~ nothing *from* such people. 그런 사람들로부터는 아무것도 기대하지 않는다 / Don't ~ much *of* me. 나에게서 너무 많은 것을 바라지 마시오 / That must *be* ~*ed*. 그것은 당연한 일이다. **4** 《+*that* 절》 《구어》 …라고 생각하다, 추측하다: I ~ (*that*) you have been to Europe. 유럽에 갔다 오신 적이 있지요 / Will he come today? — Yes, I ~ so. 그가 오늘 올까요 — 예, 올 거예요. ★ 이 때의 so는 앞글의 내용을 받아 주는 것으로 that 절의 대용임. **5** (아기를) 출산할 예정이다: Paul and Sylvia ~ their second right after Christmas. 폴과 실비아 사이에는 크리스마스 직후에 둘째 아이가 태어나게 된다. ◇expectance, expectation *n.* **—** *vi.* 《구어》 (아마 그럴 것이라고) 생각하다《★ I *expect* so. 에서 so가 생략된 형》; 〘진행형〙 임신하고 있다; 출산 예정이다: His wife *is* ~*ing* next month. 그의 아내는 다음 달 출산 예정이다. ***as might be ~ed*** 예기되는 바와 같이, 역시, 과연: *As might be* ~*ed* of a gentleman, he was as good as his word. 과연 신사답게 그는 약속을 잘 지켰다. ***as was*** 〔***had been***〕 ***~ed*** 예기한 대로. ***be*** (***only***) ***to be ~ed*** 예상했던 대로이다; 당연하다. ***Expect me when you see me.*** 언제 돌아올지 모르겠소. ㊎ **~·a·ble** *a.* **~·a·bly** *ad.* **~·ed·ly** *ad.* **~·ed·ness** *n.*

◇**ex·pect·an·cy, -ance** [ikspéktənsi], [-əns] *n.* Ⓤ,Ⓒ 기다림, 예기, 기대, 대망(待望); 기대〔예상〕되는 것; 가망; 〖법률〗 장래 재산권; (통계에 의거한) 예측 수량. ◇expect *v.* ***life expectancy*** = the EXPECTATION of life.

◇**ex·pect·ant** [ikspéktənt] *a.* **1** 기다리고 있는, 기대〔예기〕하고 있는《*of*》; 출산을 앞두고 있는, 임신 중인; 〖법률〗 추정(상속)의, 장래에 손에 넣을 수 있는, 기대의: be ~ *of* praise 칭찬을 기대하고 있다 / an ~ father 머지않아 아버지가 될 사람 / an ~ mother 임신부 / an ~ heir 추정 상속인. **2** 형세를 관망하는: an ~ treatment 〔method〕 〖의학〗 기대 요법, 대증(對症)〔자연〕 요법 / an ~ attitude 방관적인 태도 / an ~ policy

기회주의적 정책. ―*n*. 예기〔기대, 대망(待望)〕하는 사람; (관직 등의) 지망자, 채용 예정자; 〚법률〛 추정 상속인; 임신부. ㊕ **~·ly** *ad.* 기다려서, 기대하여.

*__ex·pec·ta·tion__ [èkspektéiʃən] *n.* **1** Ⓤ (종종 ~s) 예상, 예기; 기대, 대망: wait in ~ 기대하다 / fall short of a person's ~*s* 아무의 기대에 어긋나게 되다, 예상을 밑돌다. **2** (종종 *pl.*) 예상되는 일, 《특히》 예상되는 유산 상속: have brilliant ~*s* 멋진 일이 있을 것 같다 / have great ~*s* 큰 유산이 굴러들 것 같다. **3** 가능성, 공산, 확률, (특히 통계에 의한) 예측 수량; 〚통계〛 기댓값: There is little ~ *of* 〔*that*〕... …의〔일〕 가능성은 거의 없다. ◇expect *v.* ***according to*** ~ 예상대로. ***against*** 〔***contrary to***〕 (***all***) ~(***s***) 예기한 바와는 달리. ***beyond*** (***all***) ~(***s***) 예상 이상으로. ***in*** ~ 가망이 있는, 예상되는. ***in*** ~ ***of*** …을 기대하여, 내다보고. ***meet*** 〔***come up to***〕 a person***'s*** ~***s*** 아무의 기대〔예상〕대로 되다. ***the*** ~ ***of life*** 〚보험〛 평균 여명(餘命).

ex·pect·a·tive [ikspéktətiv] *a.* 대망의, 기대의 (대상인). ―*n.* 기대되는 것.

expécted utílity 〚통계〛 기대 효용.

expécted válue 〚통계〛 기댓값.

ex·pec·to·rant [ikspéktərənt] 〚의학〛 *a.* 가래를 나오게 하는. ―*n.* 거담제(祛痰劑).

ex·pec·to·rate [ikspéktərèit] *vt., vi.* (가래·혈담 등을) 기침을 하여 뱉다, 뱉어 내다; 가래를〔침을〕 뱉다: ~ on the walk 보도에 가래를 뱉다. ㊕ **ex·pèc·to·rá·tion** *n.* Ⓤ 가래를〔침을〕 뱉음, 객담(喀痰); Ⓒ 뱉어 낸 것, 객출물(喀出物).

ex·pe·di·en·cy, -ence [ikspíːdiənsi], [-əns] *n.* **1** Ⓤ 편의, 형편 좋음; (타산적인) 편의주의; (악랄한) 사리(私利) 추구. **2** Ⓒ 방편, 편법. ***by*** ~ 편의상.

◇__ex·pe·di·ent__ [ikspíːdiənt] *a.* **1** 편리한, 편의의; 마땅한, 유리한, 상책인: It is ~ *that* he should go. 그가 가는 편이 상책이다. **2** 편의주의의, 방편적인, 정략적인(politic); 사리(私利)를 추구하는. ―*n.* 수단, 방편, 편법, 임기(응변)의 조처: resort to an ~ 편법을 강구하다. ㊕ **~·ly** *ad.* **ex·pè·di·én·tial** [-énʃəl] *a.* 편의상의, 편의주의의, 방편적인.

ex·pe·dite [ékspədàit] *vt.* (계획 따위를) 진척시키다, 촉진하다; (일을) 신속히 처리하다; (군대 따위를) 파견하다, (짐·문서 따위를) 발송〔급송〕하다; (정보 따위를) 공식적으로 발표하다. ―《고어》 *a.* 방해〔장애〕가 없는; 급속〔신속〕한 (rapid). ㊕ **-dìt·er, -dì·tor** *n.* 원료 공급〔생산물 반출〕 담당자; 공보 발표원; 공급자; (공사·일 등의) 촉진자.

éxpedite bággage 〚항공〛 급송 수화물(rush baggage).

*__ex·pe·di·tion__ [èkspədíʃən] *n.* **1** (탐험·전투 등 명확한 목적을 위한) 긴 여행(항해), 탐험 (여행), 원정, 장정; 파견: an antarctic ~ 남극 탐험 / an exploring ~ 탐험 여행 / military ~*s* (*in*)*to* Egypt 군대의 이집트 원정: go 〔start〕 on an ~ 원정길에 오르다〔나서다〕 / make an ~ into …을 탐험〔원정〕하다. **2** 탐험〔원정, 토벌〕대, 원정 함대〔선단〕. **3** 유람 여행. **4** Ⓤ 신속, 기민, 민활. SYN. ⇨HASTE. ***use*** ~ 후딱 해치우다. ***with*** (***all possible***) ~ (가능한 한) 빨리, 신속히. ㊕ **~·ary** [-nèri/-nəri] *a.* 원정〔탐험〕의; (군대가) 해외에 파견된: an ~*ary* force 파견군; 원정군.

ex·pe·di·tious [èkspədíʃəs] *a.* 날쌘, 신속한, 급속한: ~ measures 응급처치. ㊕ **~·ly** *ad.* **~·ness** *n.*

__ex·pel__ [ikspél] (-ll-*) *vt.* 《~+목/+목+전+명》 **1** 쫓아내다, 물리치다, 구축하다(drive out); (해충 등을) 구제하다《*from*》: ~ an invader *from* a country 침입자를 국외로 내쫓다. **2** 추방〔제명〕하다, 면직시키다(dismiss)《*from*》: He was ~*led* (*from*) the school. 그는 퇴학당하였다. **3** (세차게) 방출〔배출〕하다, (숨 등을) 내쉬다; (가스 등을) 분출하다; (탄환을) 발사하다《*from*》: ~ one's breath *in* a long sigh 후― 하고 깊은 한숨을 내쉬다. ㊕ **~·la·ble** *a.*

ex·pel·lant, -lent [ikspélənt] *a.* 내쫓는 힘이 있는; 구제력(驅除力) 있는. ―*n.* 구제약.

ex·pel·lee [èkspelíː] *n.* 추방당한 사람; 국외 추방자.

ex·pél·ler *n.* 내쫓는 사람〔물건〕; 착유기(搾油機); (~s)(콩류의) 깻묵《사료용》.

◇__ex·pend__ [ikspénd] *vt.* 《~+목/+목+전+명》 **1** (시간·노력 따위를) 들이다, 쓰다, 소비하다; 다 써 버리다(use up): ~ time and energy *on* 〔*in*〕 something 어떤 일에 시간과 정력을 소비하다 / ~ one's energy *in* do*ing* it 그것을 하는 데 정력을 소비하다 / He ~*ed* all his fuel. 그는 모든 연료를 써 버렸다. **2** (금전을) 지출하다, 쓰다. ★ 단순히 돈을 쓰는 경우 spend가 보통임. ¶ ~ all one's income *for* food and clothing 수입을 몽땅 먹는 것과 옷에 쓰다. **3** 〚해사〛 (예비의 밧줄을) 둥근 기둥 따위에 감다. ―*vi.* 《드물게》 돈을 쓰다. ◇expenditure, expense *n.* expensive *a.* ㊕ **~·er** *n.*

ex·pénd·a·ble *a.* 소비〔소모〕해도 좋은, 소모용의; 보존 가치가 없는; 〚군사〛 (전략상) 소모할〔버릴〕 수 있는, 희생시켜도 좋은《병력·자재 등》. ―*n.* (보통 *pl.*) 소모품; (작전상의) 희생물《병력·물자 등》. ㊕ **ex·pènd·a·bíl·i·ty** *n.*

*__ex·pend·i·ture__ [ikspénditʃər] *n.* Ⓤ,Ⓒ 지출; 소비; 출비, 경비, 비용, 지출액; 소비량; 소비 시간: annual ~ 세출 / current ~ 경상비 / extraordinary ~ 임시비 / revenue and ~ 수지, 세입과 세출 / ~ *on* armaments 군사비.

⁑__ex·pense__ [ikspéns] *n.* **1** Ⓤ (*or* an ~)(돈·시간 등을) 들임, 소비함; 지출, 비용, 출비: at public ~ 공비〔관비〕로 / at an ~ *of* $55, 55달러를 들여서 / spare no ~ 비용을 아끼지 않다 / Blow the ~ ! 《속어》 비용 같은 건 상관할 것 없다. **2** (보통 *pl.*) 지출금, 제(諸)경비, 소요 경비, …비; 수당: meet 〔cut down〕 ~*s* 경비를 치르다〔절감하다〕 / receive a salary and ~*s* 월급과 수당을 받다 / school ~*s* 학비 / social ~*s* 교제비. **3** (an ~) 돈이 드는 것〔일〕: Repairing a house is an ~. 집 수리에는 돈이 든다. **4** Ⓤ,Ⓒ 손실; 폐, 희생. ◇expend *v.* ***at a great*** ~ 막대한 비용을 들여서. ***at any*** ~ 아무리 비용이 들더라도; 여하한 희생을 치르더라도. ***at*** one***'s*** (***own***) ~ 자비로; 자기를 희생하여. ***at the*** ~ ***of***=***at*** a person***'s*** ~ …의 비용〔돈〕으로; …을 희생하여; …에게 폐를 끼치고; (아무를) 상처 주고: He did it *at the* ~ *of* his health. 건강을 희생하여 그것을 해냈다. ***be a great*** ~ ***to*** a person 아무에게 많은 비용을 부담시키다, 아무의 무거운 부담이 되다. ***free of*** ~ 무료로. ***go to any*** ~ 비용을〔시간과 수고를〕 아끼지 않다. ***go to*** ~ ***to*** do=***go to the*** ~ ***of*** do*ing* …하는 데 돈을 쓰다, 비용을 들이다. ***put*** a person ***to*** ~ 아무에게 돈을 쓰게 하다, 비용을 부담시키다.
―*vt.* 필요 경비로 청구하다; 비용 계정에 올리다. ―*vi.* 필요 경비로 지출되다.

expénse accòunt 비용 계정; 그 돈, 교제비.

expénse-accòunt *a.* 비용 계정의, (기업체 등의) 교제비의.

⁑__ex·pen·sive__ [ikspénsiv] *a.* 돈이 드는, 값비싼; 사치스러운: ~ clothes 값비싼 옷. ◇expend *v.* ***come*** ~ 비싸게 먹히다.

SYN. **expensive** 같은 종류의 물건으로서 싼 것도 있으나 그 중에서 비싼, 고급의: an *expensive* car 고급차. **costly** 막대한 금액을 요하는. 원래 비싼 것으로서 같은 종류의 것에 싼 것은 별로 없는: *costly* jewels 고가의 보석. **dear, high-priced** 값비싼. dear는 영국에서 흔히 씀.

㊥ **~·ly** *ad.* 비용을 들여, 비싸게. **~·ness** *n.*

ex·pe·ri·ence [ikspíəriəns] *n.* **1** Ⓤ 경험, 체험, 견문; 경력; 경험 내용《경험으로 얻은 지식·능력·기능》: a man of ~ 경험가 / I speak *from* ~. 나의 경험에 바탕을 두고 말하는 것이다 / *Experience* teaches. 사람은 경험을 통해서 영리해진다 / *Experience* keeps a dear school. 《격언》 경험이란 학교는 수업료가 비싸다《쓰라린 경험을 통해서 현명해진다》/ gain one's ~ 경험을 쌓다 / ~ *in* teaching = teaching ~ 교직 경험. **2** Ⓒ 체험한 사물; (*pl.*) 경험담; (*pl.*) 종교적 체험; 《속어》 마약의 효과; 이상한 일: have an interesting [a painful] ~ 재미있는[고통스러운] 경험을 하다 / religious ~*s* 종교적 체험. ― *vt.* 경험[체험]하다; (위험 따위에) 부닥치다; …을 경험하여 알다《*how; that*》: ~ nausea 구역질나다 / ~ difficulties 곤란을 겪다. ***be ~d in*** …에 경험이 있다. **~ *religion*** ⇨ RELIGION. ㊥ **~·a·ble** *a.* **~·less** *a.*

ex·pé·ri·enced [-t] *a.* 경험 있는[많은], 숙련된, 노련한; 체험된: have an ~ eye 안목이 있다, 안식이 높다 / a man ~ *in* teaching 교직 경험이 있는 사람.

expérience mèeting 〖교회〗 신앙 좌담회.

expérience tàble 〖보험〗 경험표, 사망표.

ex·pe·ri·en·tial [ikspìəriénʃəl] *a.* 경험(상)의; 경험에 의거한; 경험적인: ~ philosophy 경험철학. ㊥ **~·ly** *ad.*

ex·pe·ri·én·tial·ìsm *n.* Ⓤ 〖철학〗 (인식론의) 경험주의. ㊥ **-ist** *n., a.*

ex·per·i·ment [ikspérəmənt] *n.* **1** (과학상의) 실험; (실지의) 시험, 시도(test): a new ~ *in* education 교육상의 새로운 시도 / a chemical ~ 화학 실험 / prove *by* ~ 실험으로 증명하다 / make [carry out] an ~ *on* [*in, with*] … 에 관하여 실험하다. SYN. ⇨ TRIAL. **2** 실험 장치. ― [-mènt] *vi.* 《+전+명》 실험하다, 시험[시도]하다《*on; with; in*》: ~ *on* [*with*] mice (약 등의 효과를 알기 위해) 생쥐로 실험하다 / ~ *on* animals *with* a new medicine 신약으로 동물 실험을 하다.

ex·per·i·men·tal [ikspèrəméntl] *a.* **1** 실험의; 실험용의; 실험에 의거한: an ~ rocket 실험용 로켓 / an ~ theater 실험 극장 / an ~ science 실험 과학 / ~ philosophy 실험[경험]철학 / ~ psychology 실험 심리학. **2** 경험상의, 경험에 의거한: ~ knowledge 경험적 지식. **3** 시험적인, 실험적인, 시도의: ~ flights 시험 비행. ㊥ **~·ism** *n.* Ⓤ 실험주의; 경험주의, 《특히》 = INSTRUMENTALISM; 실험해 보기를 좋아함, 무엇이건 해보는 주의. **~·ist** *n., a.* **~·ize** [-təlàiz] *vi.* 실험을 하다. **~·ly** *ad.* 실험[시험]적으로.

ex·per·i·men·ta·tion [ikspèrəmentéiʃən] *n.* Ⓤ 실험, 실험법, 시험; 실지 훈련.

ex·pér·i·mènt·er, -mèn·tor *n.* 실험자.

expérimenter effèct 〖심리〗 실험자 효과《실험자의 속성·예견 등이 결과에 미치는 영향》.

expériment sègment 〖우주〗 (space lab의) 기밀 실험실.

expériment stàtion 농업 시험장, 생물 실험장, (각종의) 실험[시험]장.

ex·pert [ékspəːrt] *n.* **1** 전문가, 숙달자, 숙련가, 달인, 명인《*at; in; on*》: a linguistic ~ 어학의 전문가 / a mining ~ 광산기사 / an ~ *at* skiing 스키의 명수 / an ~ *in* economics 경제학의 전문가. **2** 〖미군사〗 특급 사수(射手). ― *vt.* **1** …을 위해서 전문적인 조언을[지도를] 하다; …을 전문으로 하다. **2** (…을) 전문가로서 연구[조사]하다: ~ their business 그들의 사업을 전문가로서 조사하다. ― *vi.* (…의) 전문가[권위자]이다, 전문가로서 활동하다《*at; on*》: He ~*s* *on* Russia. 그는 러시아 문제의 전문가이다.
― [ékspəːrt, ikspə́ːrt] *a.* **1** 숙달된, 노련한, 교묘한《*at; in; on; with*》: be ~ *in* [*at*] driving a car 자동차 운전을 잘하다 / an ~ carpenter 솜씨 좋은 목수. **2** 숙달자의, 전문가의, 전문가로부터[로서]의, 전문적인: ~ work 전문적인 일 / ~ advice 전문가의 조언 / ~ evidence 감정인의 증언 / in an ~ capacity 전문가의 자격으로.

SYN. **expert** 훈련과 경험으로 아주 숙달된 능력을 갖고 있는 경우를 가리킴. **proficient** 특히 훈련의 결과 고도로 숙달되어 있는 경우를 뜻함. **skilled** 실습에 의하여 세밀한 점까지 정통해 있다는 뜻으로 기예(技藝) 등에 잘 쓰임. **skillful** 지식이 있고 숙련된 경우에 쓰임.

㊥ **~·ly** *ad.* 잘, 능숙[노련]하게, 교묘하게. **~·ness** *n.* Ⓤ 숙달.

ex·per·tise[1] [èkspərtíːz] *n.* 《F.》 (골동품·자료·미술품 등에 관한) 전문가의 의견[감정(서), 보고]; 전문적 기술[지식], 노하우(know-how).

éx·pert·ìsm *n.* Ⓤ (실제적인) 전문 기술[지식]; 숙달.

ex·pert·ize, -ise[2] [ékspərtàiz] *vt., vi.* (…을) 감정하다; 전문으로 연구하다: ~ (on) the work of art 그 미술품을 감정하다.

éxpert sýstem 〖컴퓨터〗 전문가 시스템《의사·변호사·기술자 등의 전문가가 가지고 있는 전문 지식을 컴퓨터에 입력하면 그들의 역할을 컴퓨터가 대행하는 소프트웨어》.

éxpert wítness 〖법률〗 감정(증)인《법정 심리에서 전문가 입장에서 감정·증언하는 사람; 검시의(檢視醫) 따위》.

ex·pi·a·ble [ékspiəbəl] *a.* 속죄[보상]할 수 있는.

ex·pi·ate [ékspièit] *vt.* 속죄하다, 속(贖)바치다, 보상하다; …에 대한 벌금을 물다[벌을 받다]. **~ one*self*** 속죄하다. ㊥ **-a·tor** [-èitər] *n.* 속죄[보상]하는 사람.

èx·pi·á·tion *n.* Ⓤ 속죄, 죄를 씻음, 보상; 속죄[보상] 방법. ◇ expiate *v.* ***in ~ of*** …의 속죄로서, …의 보상으로.

ex·pi·a·to·ry [ékspiətɔ̀ːri/-təri] *a.* 속죄의; 보상의; 보상으로서 유효한.

éx píer 〖상업〗 부두 인도.

ex·pi·ra·tion [èkspəréiʃən] *n.* Ⓤ **1** 종결, 만료, 만기, (권리 등의) 실효: the ~ of a contract 계약의 만기. **2** 숨을 내쉼, 호기(呼氣) (작용); 호기음(音). OPP. *inspiration*. **3** 《고어》 숨을 거둠, 사망. ◇ expire *v.* ***at*** [***on***] ***the ~ of*** …의 만기와 동시에, …의 만료 때에.

expirátion dàte (약·식품 등의) 유효 기한 《라벨·용기 등에 표시함》.

ex·pir·a·to·ry [ikspáiərətɔ̀ːri/-təri] *a.* 숨을 내쉬는, 호기(呼氣)의.

ex·pire [ikspáiər] *vi.* **1** (기간 따위가) 끝나다, 만기가 되다, 종료[만료]되다; (권리 따위가) 실효(失效)하다. **2** 숨을 내쉬다. OPP. *inspire*. **3** 《문어》 숨을 거두다, 죽다. SYN. ⇨ DIE. **4** (불 따위가) 꺼지다; 소멸하다, 없어지다. ― *vt.* (숨을) 내쉬다; 배출하다; 《고어》 소멸시키다. ◇ expiration *n.* expiratory *a.* ㊥ **ex·pír·er** *n.*

ex·pír·ing *a.* 만료[종료]의; 숨을 거두려 하는

《사람·동물》, 임종 때의《말》, 꺼져〔스러져〕 가는《불꽃》; 숨을 내쉬는. ㊍ ~·ly *ad.* 거의 숨이 끊어져 가는 사람처럼.

ex·pi·ry [ikspáiəri, ékspəri/ikspáiəri] *n.* Ⓤ **1** 소멸; 종료, (기간의) 만료, 만기: at 〔on〕 the ~ of the term 만기 때에. **2** 《고어》 임종, 죽음. **3** 호기(呼氣) 작용. ── *a.* 만료〔만기〕의: the ~ date 유효 기간 만료일.

ex·plain [ikspléin] *vt.* **1** 《~+목/+목+*as* 보》 분명〔명백〕하게 하다, 알기 쉽게 하다; 해석하다: ~ an obscure point 애매한 점을 분명하게 하다/~ a person's silence *as* consent 아무의 침묵을 동의로 해석하다. **2** 《~+목/+목+전+명/+*wh. to* do/(+전+명)+*that* 절》 (상세히) …을 설명하다; …의 이유를 말하다, 변명〔해명〕하다: ~ a process of making paper 종이의 제조법을 설명하다/That ~s his absence. 그것으로 그가 결석한 이유를 알겠다/~ one's conduct *to* others 남에게 자기의 행위를 변명하다/~ *where to* begin and *how to* do something 무엇을 어디에서 시작하고 어떻게 하는지 설명하다/He ~*ed* (*to* me) *that* they should go right away. 그들은 곧 가야 한다고, 그는 (나에게) 설명하였다. ── *vi.* 설명〔해석, 해명, 변명〕하다. ◇explanation *n.* ~ ***away*** (곤란한 입장·실언·실수 등을) 잘 설명〔해명〕하다, 교묘히 변명하여 발뺌하다; (의심·난점 등을) 잘 설명하여 해결해 주다〔제거하다〕. ~ ***oneself*** 자신이 하는 말의 뜻을 분명히 하다; 자신의 행위(의 동기)를 변명〔해명〕하다. ㊍ ~**·a·ble** *a.* 설명〔해석〕할 수 있는. ~**·er** *n.*

ex·pla·na·tion [èksplənéiʃən] *n.* **1** Ⓤ,Ⓒ 설명, 해설; 해석; 석명, 해명, 변명; (사건 따위의 설명이 되는) 사실〔사정〕; 진상, 원인; 배경《*for, of*》: give an ~ *for* one's delay 지연된 이유를 말하다/give full ~ *to* …에게 충분한 설명을 하다/That made a complete ~. 그것으로 완전한 진상이 파악되었다. **2** (오해·견해차를 풀기 위한) 대화; 화해. ◇explain *v.* ***by way of*** ~ 설명으로서. ***come to an*** ~ ***with*** …와 양해가 되다. ***in*** ~ ***of*** …의 설명〔변명〕으로서.

ex·plan·a·tive [iksplǽnətiv] *a.* =EXPLANATORY. ㊍ ~**·ly** *ad.*

ex·plan·a·to·ry [iksplǽnətɔ̀ːri/-təri] *a.* 설명의, 설명을 위한, 설명적인; 해석의; 변명적인; 설명하고 싶어하는; 설명에 도움이 되는《*of*》: ~ remarks 〔notes〕 주석(注釋)/an ~ title (영화의) 자막. ***be*** ~ ***of*** …의 설명에 도움이 되다. ㊍ **-ri·ly** [-li] *ad.*

ex·plant [eksplǽnt, -plάːnt/-plάːnt] *vt.* 〖생물〗 …을 외식(外植)〔체외 배양(體外培養)〕하다. ── [스] *n.* 외식체(體)〔편(片)〕. ㊍ **èx·plan·tá·tion** *n.* 외식, 체외 배양.

ex·ple·tive [éksplətiv/ikspliːt-, eks-] *a.* **1** 부가적인, 덧붙이기의; 군더더기의, 사족의. **2** 욕설〔저주〕의 감탄사가 많은〔자주 나오는〕. ── *n.* 〖문법〗 허사(虛辭)《문장 구조상 필요하지만 일정한 의미가 없는 어구: There is a book on the table. 의 there》; 무의미한 감탄사〔욕설〕, 비속〔외설〕하며 감탄사적인 어구〔표현〕《Damn!, My goodness! 따위》.

éxpletive deléted 《미》 비어〔외설어〕 삭제《인쇄물 따위의 외설한 어구가 삭제되었음을 나타냄》. ── *a., ad.* 《미속어》 젠장맞을, 빌어먹을 (fucking).

ex·ple·to·ry [éksplətɔ̀ːri/ikspliːtəri] *a.* =EXPLETIVE.

ex·pli·ca·ble [éksplikəbəl, iksplík-] *a.* 설명〔납득〕할 수 있는. ㊍ **-bly** *ad.*

ex·pli·cate [éksplәkèit] *vt.* 상설(詳說)하다, (원리 따위를) 해설하다; 해명하다; 해석하다; (가설 등을) 전개하다. ㊍ **èx·pli·cá·tion** *n.* Ⓤ,Ⓒ 해설; 설명; 상설; 해석; 논리적 분석. **ex·pli·ca·tive, -to·ry** [éksplikèitiv/eksplíkət-], [éksplikətɔ̀ːri/eksplíkətəri] *a.* 해설하는; 설명적인.

ex·plic·it [iksplísit] *a.* **1** (진술 따위가) 뚜렷한, 명백한, 분명한, 애매한 점이 없는: Be ~. 분명히 말해다오. OPP *implicit.* **2** (영화·보도 따위가) 노골적인, 있는 그대로의; (아무의 표현 등이) 솔직한, 숨김없는, 기탄없는; (생각 따위가) 명확히 전개된, 계통이 선: a man ~ *in* his statement 솔직〔분명〕히 말하는 사람/~ knowledge 계통이 선 지식. **3** 명시적인; 직접 지불을 요하는: ~ cost 명시적 비용《급료·재료비·세금 등 직접 지불해야 할 것 따위》. ~ ***faith*** 〔***belief***〕 (교리 내용을 이해한 뒤의) 명시적 신앙. ㊍ ~**·ly** *ad.* 명백〔명쾌〕히. ~**·ness** *n.*

ex·pli·cit [éksplәkìt] *n.* 《L.》 (=Here ends.) 끝, 완(完)《고서(古書) 끝에 쓴 말》.

explícit fúnction 〖수학〗 양함수(陽函數). OPP *implicit function.*

ex·plode [iksplóud] *vt.* **1** 폭발시키다, 파열시키다. **2** (학설·사상 따위를) 논파하다; (미신 등을) 타파하다: ~ a theory 학설의 잘못을 논파하다. **3** 〖음성〗 …을 파열음으로 발음하다. ── *vi.* **1** 폭발하다, 작렬하다; 파열하다. cf. implode.¶ At last his anger ~*d.* **2** 《+전+명》 분격하다, 호통치다; (감정이) 격발하다《*with*》: ~ *with* anger 〔laughter〕 버럭 화를 내다〔웃음을 터뜨리다〕. **3** 급격히 양상을 바꾸다; (인구 등이) 급격히〔폭발적으로〕 불어나다; 〖음성〗 파열음으로 발음되다. ◇explosion *n.* ㊍ **ex·plód·a·ble** *a.*

ex·plód·ed [-id] *a.* 폭발〔파열〕된; (이론·미신 등이) 논파〔타파〕된; 분해한 부분의 상호 관계를 나타내는: an ~ view 〔diagram〕 (기계 등의) 분해(조립)도(圖).

ex·plód·er *n.* 폭발시키는 사람〔물건〕; 뇌관, 폭발〔기폭, 점화〕 장치: magneto ~ 휴대용 전기 폭발 장치.

ex·ploit[1] [éksplɔit] *n.* Ⓤ (큰) 공, 공훈, 공적, 위업.

ex·ploit[2] [iksplɔ́it] *vt.* **1** (자원 등을) 개발〔개척〕하다, 채굴〔벌채〕하다; (특색 등을) 살리다, 활용하다; 〖광고〗 (제품·상품의) 시장성을 개발하다〔높이다〕, 선전하다: ~ a mine 광산을 개발하다. **2** (이기적인 목적으로) 이용하다, 미끼 삼다; (남의 노동력 등을) 착취하다: The boss ~*ed* his men (for his own ends). 두목은 부하들을 (자신의 목적을 위해) 이용해 먹었다. ◇exploitation *n.* ㊍ ~**·a·ble** *a.* 개발〔개척〕할 수 있는; 이용할 수 있는. ~**·age** [-idʒ] *n.* (자원 등의) 이용, 개발; 이기적인 이용, 착취. ~**·er** *n.* (나쁜 뜻으로) 이용자, 착취자.

ex·ploi·ta·tion [èksplɔitéiʃən] *n.* Ⓤ **1** 이용; 개발; 개척; 채굴, 벌채. **2** 사리를 위한 이용, 불법 이용; 착취. ◇exploit[2] *v.*

ex·ploit·a·tive, -ploit·ive [iksplɔ́itətiv], [-plɔ́itiv] *a.* 자원 개발의; 착취적인. ㊍ ~**·ly** *ad.*

ex·plo·ra·tion [èkspləréiʃən] *n.* Ⓤ,Ⓒ 실지 답사, 탐험, 탐사; (우주의) 개발; (문제 등의) 탐구, 조사; 〖의학〗 검사, 검진.

ex·plor·a·tive [iksplɔ́ːrətiv] *a.* 탐험(상)의, 답사의; 탐구의. ◇explore *v.* ㊍ ~**·ly** *ad.*

ex·plor·a·to·ry [iksplɔ́ːrətɔ̀ːri/-təri] *a.* (실지) 답사의; 탐험〔탐사〕의; 조사〔연구〕를 위한; 예비적인, 입문적인.

ex·plore [iksplɔ́ːr] *vt., vi.* **1** (미지의 땅·바다 등을) 탐험하다, 답사하다; (우주를) 개발〔탐사〕하다: ~ the Antarctic Continent 남극대륙을 탐험하다. **2** (문제·사건 등을) 탐구하다, 조사하다. **3** 〖의학〗 (상처를) 찾다: ~ a wound for bullet 상처를 더듬어 탄환을 찾아내다.

*__ex·plor·er__ [iksplɔ́:rər] *n.* **1** 탐험가. **2** 탐구자. **3** 탐사 기구; 〖의학〗 소식자(消息子), 탐침(探針). **4** (E-) 익스플로러《미국 초기의 과학위성》.

ex·plo·si·ble [iksplóuzəbəl, -sə-] *a.* 폭발시킬 수 있는, 폭발성의. ㊐ **ex·plò·si·bíl·i·ty** *n.*

*__ex·plo·sion__ [iksplóuʒən] *n.* U,C **1** 폭발, 폭파, 파열; 폭발음. **2** (노여움·웃음 등의) 폭발. **3** 급격한〔폭발적〕 증가: a population ~ 인구의 급증. **4** 〖음성〗 (폐쇄자음의) 파열. cf. implosion. ◇ explode *v.*

explósion shòt 〖골프〗 벙커(bunker)에서 공을 빼낼 때의 대표적인 샷.

◇__ex·plo·sive__ [iksplóusiv] *a.* **1** 폭발하기 쉬운, 폭발성의, 폭발의: an ~ substance 폭발성 물질. **2** 감정이 격하기 쉬운, 격정적인. **3** (문제 등이) 논쟁을 일으키는, 말썽을 이는. **4** 〖음성〗 파열음의. cf. implosive. **—** *n.* **1** 폭약; 폭발성 물질: a high ~ 고성능 폭약. **2** 〖음성〗 파열음《p, b, t, d 따위》. ◇ explode *v.* ㊐ **~·ly** *ad.* 폭발적으로. **~·ness** *n.* U 폭발성.

explósive evolútion 〖생물〗 폭발적 진화《어떤 유(類)에서 단기간에 폭발적으로 다수의 유가 생기는 진화 현상》.

Ex·po, ex·po [ékspou] *n.* 박람회. [◂ *exposition*]

ex·po·nent [ikspóunənt] *n.* **1** (학설·의견 등의) 설명자, 해설자; (사상·수법 등의) 옹호〔창도〕자; 연주자. **2** (전형적인) 대표자, 대표적 인물, 전형; 상징: Lincoln is an ~ *of* American democracy. 링컨은 미국 민주주의의 상징이다. **3** 표시물; 〖수학〗 지수, 멱(冪)지수; 〖컴퓨터〗 지수. **—** *a.* 설명의, 해석적인(explaining).

ex·po·nen·tial [èkspounénʃəl] *a.* **1** 설명〔해설〕자의; 대표적 인물의, 전형의. **2** 〖수학〗 지수(指數)의: an ~ equation 지수 방정식. **3** (증가율 등이) 기하급수적인, 급격한: increase at an ~ rate 기하급수적으로 증가하다. ㊐ **~·ly** *ad.*

exponéntial distribútion 〖통계〗 지수 분포《수명 일람표 따위에 쓰는 일차원 절대 연속 분포》.

ex·po·nen·ti·a·tion [èkspounènʃiéiʃən, -pə-] *n.* 〖수학〗 거듭제곱(법), 누승법(累乘法). ㊐ **éx·po·nèn·ti·àte** *vt.* 거듭제곱〔누승〕하다.

ex·po·ni·ble [ikspóunəbəl] *a.* 설명할 수 있는, 설명 가능한; 명제(命題)가 설명을 요하는. **—** *n.* 〖논리〗 설명이 필요한 명제.

*__ex·port__ [ikspɔ́:rt, ekspɔ́:rt] *vt.* 《~+목/+목+전+명》 수출하다《*to*》; (사상 등을) 외국으로 전하다. OPP. *import*. ¶ ~ computers *to* Western countries 컴퓨터를 서양 여러 나라에 수출하다. **—** *vi.* 수출하다. ◇ exportation *n.* **—** [ékspɔ:rt] *n.* **1** U 수출. **2** 수출품; (*pl.*) 수출액: an ~ *of* Korea 한국의 수출품 / Korea's ~*s* in 1994, 1994 년의 한국의 수출액. **3** 〔형용사적〕 수출(용)의: an ~ bounty 수출 장려금 / ~ trade 수출 무역 / an ~ bill 수출 환(換)어음 / an ~ duty 수출세. **4** 〖컴퓨터〗 보내기. ***the point of gold*** **~** 정금(正金) 수송점, 정화(正貨) 현송점. ㊐ **~·a·ble** *a.* 수출할 수 있는. ◇**èx·por·tá·tion** *n.* U 수출; C 《미》 수출품. OPP. *importation*. **~·er** *n.* 수출업자.

éxport-ímport bànk 수출입 은행; (E-I-B-(of the United States)) 미국 수출입 은행.

éxport rèject 〖경제〗 수출 기준 불합격품《수출 기준에 미달되어 제조국에서 파는 상품》.

*__ex·pose__ [ikspóuz] *vt.* **1** 《+목+전+명》 (햇볕·바람·비 따위에) 쐬다, 맞히다, 노출시키다《*to*》; (공격·위험 따위에) 몸을 드러내다《*to*》; (환경 따위에) 접하게 하다《*to*》: ~ soldiers *to* gunfire 병사들을 포화에 노출시키다 / be ~*d to* actual spoken English 실제의 영어 회화에 접하게 되다. **2** (죄·비밀 따위를) 폭로하다, 까발리다(disclose), …의 가면을 벗기다(unmask); 적발하다: ~ a secret 비밀을 폭로하다 / ~ a crime 범죄를 적발하다. **3** 보이다; 진열하다, 팔려고 내놓다. SYN. ⇨ SHOW. **4** (계획·의도 따위를) 표시하다, 발표하다, 밝히다. **5** 〖역사〗 (어린애 등을) 집 밖에 버리다. **6** 〖사진〗 (필름을) 노출하다, 감광시키다. **7** 《+목+전+명》 세상의 웃음거리가 되게 하다: His foolish action ~*d* him *to* ridicule. 그의 우행은 웃음거리가 되었다. **8** 〖카드놀이〗 (종종 룰에 반하여 패를) 까놓다. ◇ exposure, exposition *n.* ***be ~d to*** (danger) (위험)에 노출되다. **~ one*self*** 몸을 드러내다; (노출증 환자가 성기를) 내놓다, 노출하다. ㊐ **ex·pós·er** *n.*

ex·po·sé [èkspouzéi/-ˊ-ˊ] *n.* 《F.》 (추한 사실 등의) 폭로, 적발, 들추어냄; 제시, 논술.

ex·posed *a.* **1** 드러난, (위험 따위에) 노출된, 비바람을 맞는: ~ goods 팔리지 않고 묵은 상품. **2** 〖사진〗 노출한. **3** 〖카드놀이〗 (패가) 까놓인.

ex·po·si·tion [èkspəzíʃən] *n.* **1** C 박람회, 전람회; (성유물(聖遺物) 등의) 공개. **2** U,C 상설(詳說); 설명, 해설. **3** 제시, 개진; 폭로. **4** C 〖연극〗 서설적 설명부; 〖음악〗 제시부. **5** 〖의학〗 (장기 등의 병균 등에 대한) 노출; (젖먹이의) 유기(遺棄). ◇ expose, expound *v.* ㊐ **~·al** *a.*

ex·pos·i·tive [ikspázətiv/-pɔ́z-] *a.* 설명의, 해설의; 설명적인.

ex·pos·i·tor [ikspázitər/-pɔ́z-] *n.* 설명자, 해설자.

ex·pos·i·to·ry [ikspázətɔ̀:ri/-pɔ́zitəri] *a.* = EXPOSITIVE: ~ writing 해설문.

ex post [eks-póust] 《L.》 〖경제〗 사후의, 실제의. OPP. *ex ante*.

ex post fac·to [éks-pòust-fǽktou] 《L.》 〖법률〗 사후(事後)의〔에〕; 과거로 소급하여: an ~ law 소급 처벌법.

ex·pos·tu·late [ikspástʃulèit/-pɔ́s-] *vi.* 《~/+전+명》 간(諫)하다, 충고하다, 타이르다; 훈계하다《*with; on; about*》: His father ~*d with* him *about* the evils of gambling. 그의 부친은 도박의 폐해에 대하여 그에게 타일렀다. ㊐ **ex·pòs·tu·lá·tion** *n.* U (종종 *pl.*) 간언, 충고, 설유; 훈계. **ex·pós·tu·là·tor** [-ər] *n.* 간하는 사람, 충고자. **-la·to·ry** [-lətɔ̀:ri/-təri] *a.* 충고의; 훈계의.

*__ex·po·sure__ [ikspóuʒər] *n.* U **1** 노출, 쬠, 맞힘: ~ *to* nuclear radiation 핵방사에 쬠. **2** U,C (비리·나쁜 일 등의) 노현(露顯), 발각; 적발, 탄로, 폭로. **3** U (TV·라디오 등을 통하여) 사람 앞에 (빈번히) 나타남; (음악 등의) 상연. **4** U 사람에게 보이도록 함, 공개; (상품 등의) 진열; 〖카드놀이〗 패를 보이기. **5** C (집·방 등의) 방위, 방향: a house with a southern ~ 남향집. **6** (암석의) 노출면. **7** U,C 〖사진〗 노출 (시간); (필름 등의) 한 장; (한 장의) 노광량; 조사(照射)(선량(線量)). **8** (어린애 등의) 유기(遺棄). **9** 〖경제〗 익스포저《경제적 위험 정도, 융자자나 투자자가 위험에 놓일 정도, 손실의 가능성 따위》. ◇ expose *v.*

expósure dòse 〖물리〗 조사선량(照射線量).

expósure ìndex 〖사진〗 노출 지수.

expósure mèter 〖사진〗 노출계(計).

ex·pound [ikspáund] *vt.* 상술하다, 해설하다. ㊐ **~·er** *n.* 해설자, 해설서.

èx-président *n.* 전(직) 대통령.

*__ex·press__ [iksprés] *vt.* **1** 《~+목/+*wh.* 절》 표현하다, 나타내다《표정·몸짓·그림·음악 따위로》; 말로 나타내다: Words can not ~ it. 말로써는 표현할 수 없다 / I can not ~ *what* I mean. 내가 말하고 싶은 것을 표현할 수 없다 /

Her face ~*ed how* happy she was. 그녀의 얼굴을 보아 그녀가 얼마나 행복한지 알 수 있었다. **2** 《~+목/+목+*as*보》 (기호·숫자 따위로) 표시하다, …의 표〔상징〕이다: The sign + ~*es* addition. +기호는 덧셈을 나타낸다 / ~ water *as* H_2O. 물을 H_2O로 나타내다. **3** 《+목+전+명》 (과즙 따위를) 짜내다: ~ the juice *from* 〔*out of*〕 oranges 오렌지의 즙을 짜내다 / ~ grapes *for* juice 주스용으로 포도를 짜다. **4** (냄새 등을) 풍기다. **5** 속달〔지급〕편으로 보내다, 급송하다. **6** 〖유전〗〔보통 수동태 또는 ~ oneself〕 (유전자의 활동에 의해 형질을) 표현〔발현〕시키다. ◇expression *n.* **~ one*self*** 생각하는 바를 말하다, 의중을 털어놓다: ~ one*self* (as) satisfied 만족의 뜻을 나타내다. **~ one's *sympathy*** 〔***regret***〕 동정〔유감〕의 뜻을 나타내다.

— *a.* **1** 명시된, 명백한, 명확한, 분명한: an ~ provision (법률의) 명문(明文). **2** 특수한, 특별한, 특별히 맞춘: for the ~ purpose of... 특히 …의 목적으로. **3** 꼭 그대로의, 정확한: He is the ~ image of his father. 그는 아버지를 꼭 닮았다. **4** 지급의; 급행의; 지급〔속달〕편의: an ~ bus 〔train〕 급행버스〔열차〕/ ~ highway 〔route〕 고속도로 / ~ cargo 급행 화물.

— *n.* **1** U,C (기차·버스·승강기 등의) 급행편, 직통편; =EXPRESS TRAIN; (the... E-) …급행《열차명》: travel by ~ 급행으로 가다《보통 train은 약함》/ the 8:00 ~ *to* London, 8시의 런던행 급행(열차). **2** U (화물의) 지급편, 속달편, (돈의) 지급송; 지급편 화물, 급송금(急送金). **3** C 《미》 지급편 통운 회사(~ company). **4** 급보(急報), 급신; (the... E-) … 익스프레스(지) 《신문명》; 급사(急使), 특파; 《영》 속달우편(배달인).

— *ad.* **1** 급행으로, 급행열차로; 《영》 속달(우편)으로(by ~): travel ~ 급행으로 여행하다. **2** 《고어》 특별히.

㊊ **~·age** [-idʒ] *n.* **1** U 속달 운송료〔업무〕, 특별 배달료. **2** C (일반적으로) 지급 배달물.

expréss càr 지급 화물용 화차.

expréss delívery 《영》 속달편(《미》 special delivery); 《미》 (통운 회사의) 배달편.

ex·préss·i·ble, -a·ble *a.* 표현할 수 있는; (과즙 따위를) 짜낼 수 있는.

⁑**ex·pres·sion** [ikspréʃən] *n.* **1** U (사상·감정의) 표현, 표시. **2** 표현법. **3** 말씨, 어법, 말투, 어구: an idiomatic ~ 관용적인 표현 / a vulgar ~ 상스러운 말투. **4** 표정; U (소리의) 가락, 음조; 〖음악〗 발상(發想): a face that lacks ~ 표정이 없는 얼굴. **5** 〖수학〗 식; 〖컴퓨터〗 식. **6** 짜냄. **7** 〖유전〗 유전자 단백질 합성 (과정). ◇express *v.* ***beyond*** 〔***past***〕 **~** 표현할 수 없는, 필설로 다할 수 없는. ***find* ~ (*in*)** (…에) 나타나다, (…에) 표현되다. ***give* ~ *to*** …을 표명하다, (감정을) 나타내다. ㊊ **~·al** [-əl] *a.* 표현상의, 표정의: ~*al* arts 표현 예술.

ex·prés·sion·ìsm *n.* U 〖미술〗 (종종 E-) 표현주의, 표현파《주관을 극도로 강조하는 유파》. ㊊ **-ist** *a.*, *n.* 〖미술〗 표현파의 (작가). **ex·près·sion·ís·tic** [-ístik] *a.*

◇**ex·prés·sion·less** *a.* 무표정한, 표정이 없는; (목소리가) 감정이 담기지 않은.

expréssion màrk 〖음악〗 나타냄표(標), 발상「기호.

◇**ex·pres·sive** [iksprésiv] *a.* **1** (…을) 표현하는, (…을) 나타내는《*of*》: a song ~ *of* joy 기쁨을 나타내는 노래. **2** 표정〔표현〕이 풍부한; 뜻이 있는, 의미가 있는 듯한《표정·말 따위》: an ~ look 표정이 풍부한 얼굴 모습. ㊊ ◇**~·ly** *ad.* **~·ness** *n.* U

ex·pres·siv·i·ty [èkspresívəti] *n.* U 표현〔표정〕이 풍부함; (유전자의) 표현도(度).

expréss làne =FAST LANE.

expréss lètter 《영》 속달(《미》 special delivery letter).

ex·préss·ly *ad.* 명백〔분명〕히; 일부러, 특별히.

Expréss Màil 《미》 익스프레스 메일《미국 우편 공사의 속달편〔택배편(宅配便)〕 서비스》.

expréss·man [-mən, -mæ̀n/-mæ̀n] (*pl.* **-men** [-mèn, -mən]) *n.* 《미》 지급편 운송 회사원; 《특히》 급행편 트럭 운전사.

Expréss·pòst *n.* 《영》익스프레스포스트《Royal Mail(영국 우정(郵政)) 메신저에 의한 당일 시내 집배편》.

expréss rìfle 속사총(速射銃)《근거리용 엽총「의 일종》.

expréss tráin 급행열차.

◇**expréss·wày** *n.* (인터체인지가 완비된) 고속도로(express highway).

ex·pro·pri·ate [ekspróuprièit] *vt.* 《+목+전+명》 (토지·재산 등을) 빼앗다, (토지를) 수용하다; 소유권을 빼앗다; (미국에서는 특히 수용권에 의거하여) 공용 징수하다: ~ a person *from* the estate 아무의 토지를 빼앗다〔몰수하다〕. ㊊ **ex·prò·pri·á·tion** *n.* (토지 등의) 몰수; 수용, 징수. **-à·tor** *n.*

expt(.) experiment; expert; export. **exptl(.)** experimental.

ex·pugn·a·ble [ekspjú:nəbəl, -pʌ́gn-/-pʌ́gn-] *a.* 정복할 수 있는, (공격 등에) 쉽게 정복되는.

ex·pul·sion [ikspʌ́lʃən] *n.* U,C 추방; 배제, 구제(驅除); 제명, 제적《*from*》: ~ *from* school 퇴교. ◇expel *v.*

expúlsion òrder (외국인에 대한) 국외 퇴거「명령.

ex·pul·sive [ikspʌ́lsiv] *a.* 추방력〔구축력〕 있는; 배제성〔구제성〕의.

ex·punc·tion [ikspʌ́ŋkʃən] *n.* U 말소, 삭제.

ex·punge [ikspʌ́ndʒ] *vt.* 지우다, 삭제하다, 말살하다《*from*》.

ex·pur·gate [ékspərgèit] *vt.* (책의 불온한 대목을) 삭제하다; 《고어》 정화하다. ㊊ **èx·pur·gá·tion** *n.* U,C 깎아버림, 삭제. **éxpur·gà·tor** [-tər] *n.* 삭제자. **ex·pùr·ga·tó·ri·al** *a.* 삭제(자)에 관한; 삭제적인. **ex·púr·ga·tò·ry** [-tɔ̀:ri/-təri] *a.* 삭제(정정)의.

expy(.) expressway.

*****ex·qui·site** [ikskwízit, ékskwi-] *a.* **1** 절묘한, 절미한《조망·아름다움 등》; 정교한, 썩 훌륭한《세공·연주 등》; 극상의, 맛나는《음식·와인 등》: an ~ day 참으로 멋진 하루 / a dancer of ~ skill 절묘한 기량을 지닌 무용수. **2** 예민한; 세련된, 세세히 마음 쓰는, 섬세한: an ~ critic 날카로운 비평가 / a man of ~ taste 세련된 감각의 사람. SYN. ⇨DELICATE. **3** 격렬한《쾌감·고통 등》: ~ pain 격심한 아픔. **4** (감각 등이) 예민한: an ~ sensibility 예민한 감수성. **5** (취미·태도가) 고상한, 우아한. **—** *n.* 까다로운 취미가 있는 사람, 멋쟁이. ㊊ **~·ly** *ad.* 절묘하게; 정교하게; 멋지게, 심하게. **~·ness** *n.* U

exr(.) executor.

éx rìghts 〖증권〗 권리락(落).

exrx(.) executrix. **exs.** examples.

ex·san·gui·nate [ekssǽŋgwənèit] *vt.* …에게서 피를 빼다, 방혈(放血)하다, 빈혈이 되게 하다. **—** *vi.* 출혈로 죽다. ㊊ **ex·sàn·gui·ná·tion** *n.* 방혈, 전채혈(全採血).

ex·san·guine [ekssǽŋgwin] *a.* 핏기 없는; 피가 모자라는, 빈혈증의. ㊊ **èx·san·guín·i·ty** [-nəti] *n.* U 빈혈.

ex·scind [eksínd] *vt.* 잘라 내다, 절단하다; 《비유》 근절하다.

ex·sect [eksékt] *vt.* 절제(切除)하다. ㊥ **ex·séc·tion** *n.* Ⓤ 절제.

ex·sert [eksə́:rt] *vt.* (벌의 침이나 꽃의 수꽃술 등을) 내밀다, 돌출하게 하다. **—** *a.* 돌출한, 내뻗은, 드러낸(=~·ed). ㊥ **ex·sér·tile** [-tɪl] *a.* 내어민, 내뻗쳐지는. **ex·sér·tion** *n.* Ⓤ 돌출.

èx-sérvice *a.* 《영》 전에 군에 속해 있던, 군 불하(拂下)의《물자》, 퇴역의《군인》.

èx-sérviceman [-mæ̀n] (*pl.* **-mèn** [-mèn]) *n.* 《영》 퇴역 군인(《미》 veteran).

ex·sic·cate [éksikèit] *vt.* 말리다, 건조시키다; …의 물기를 빼다. ㊌ desiccate. **—** *vi.* 마르다. ㊥ **éx·sic·cant** *n.* 건조제. **éx·sic·cà·tor** *n.* 건조제〔기〕. **èx·sic·cá·tion** *n.*

ex·sic·ca·tive [éksikèitiv/-kət-] *a.* 마르는, 건조시키는. **—** *n.* 건조제.

ex si·len·tio [èks-silénʃiòu] 《L.》 반증이 없어서〔없음으로 인한〕.

ex·so·lu·tion [èkssəlú:ʃən] *n.* 〖광물〗 용리「(溶離).

ex·solve [ekssálv/-sɔ́lv] *vi.* 〖광물〗 (두 종의 광물이) 용리(溶離)하다.

ex·stip·u·late [eksstípjələt, -lèit] *a.* 〖식물〗 턱잎이 없는.

éx stóre 〖상업〗 점두(店頭)〔창고〕 인도(引渡)로「〔의〕.

ext. extension; external(ly); extinct; extra; extract.

ex·tant [ékstənt, ikstǽnt/ekstǽnt] *a.* (문서·기록 따위가) 현존하는, 잔존하는.

ex·tem·po·ral [ikstémpərəl] *a.* 《고어》 =EXTEMPORANEOUS. ㊥ **~·ly** *ad.*

ex·tem·po·ra·ne·ous [ekstèmpəréiniəs] *a.* **1** 준비 없는, 즉흥적인, 즉석의《연설 등》: an ~ speech 즉흥 연설. **2** 일시적인, 임시변통의: an ~ shelter against a storm 급조한 폭풍우 대피소. ㊥ **~·ly** *ad.*

ex·tem·po·rary [ikstémpərèri/-pərəri] *a.* 즉석의, 즉흥적인. ㊥ **-rar·i·ly** *ad.*

ex·tem·po·re [ikstémpəri] *ad., a.* 즉석에서〔의〕, 즉흥적으로〔인〕, 그 자리에서, 준비 없이〔하는〕: speak ~ 즉흥 연설을 하다.

ex·tèm·po·ri·zá·tion *n.* Ⓤ 즉석에서 만듦; Ⓒ 즉흥작, 즉석에서 지은 글, 즉석연설, 즉흥 연주.

ex·tem·po·rize [ikstémpəràiz] *vi., vt.* 즉석에서 연설하다; 즉흥적으로 연주〔노래〕하다; 임시변통으로 만들다, 급조(急造)하다.

ex·ten·ci·sor [eksténsaizər] *n.* 손가락·손목 강화 기구, 악력(握力) 강화기.

ex·tend [iksténd] *vt.* **1** 《~+목/+목+전+명》 (손·발 따위를) 뻗다, 펴다, 내밀다《*to*》: ~ one's right arm 오른팔을 뻗다〔펴다〕/ ~ one's hand *to* a person (악수하려고) 아무에게 손을 내밀다. ◇extension *n.*

> SYN. **extend** 길이·너비를 늘리는 뜻과, 비유적으로 활동 범위·세력·의미 등의 확장을 나타내는 뜻을 가짐. **lengthen** 공간적·시간적으로 길게 하는 뜻뿐이며, 비유적으로는 쓰이지 않음. **prolong** 시간을 보통 생각되고 있는 것보다 길게 하는 뜻을 지님.

2 《+목+전+명》 (선 따위를) 긋다; (쇠줄·밧줄 따위를) 치다, 건너 치다: ~ a rope *from* tree *to* tree 나무에서 나무로 밧줄을 건너 치다. **3** 《~+목/+목+전+명》 (선·거리·기간 따위를) 연장하다, 늘이다; …의 기한을 연장하다, 연기하다: ~ one's visit 방문을 뒤로 미루다 / ~ a road *to* the next city 다음 시까지 도로를 연장하다. **4** (영토 등을) 확장하다, 확대하다; (세력 따위를) 펴다, 미치다; 〖컴퓨터〗 확장하다: ~ one's influence 세력을 확장하다. **5** 《+목+전+명》 (은혜·친절·원조 따위를) 베풀다, 주다; (환영·감사의) 뜻을 표하다: ~ a warm welcome *to* a person 아무를 따뜻이 맞이하다. **6** (속기 문자를) 보통 문자로 고쳐 쓰다. **7** 〖군사〗 (병력을) 산개(散開)하다; 〖요리〗 (비싼 식품의) 양을 섞음질하여 불리다. **8** 〖법률〗 (토지 따위를) 압류하다; 평가하다. **9** 〔보통 수동태 또는 ~ oneself〕 (경마에서 말에게) 전력을 다해 달리게 하다; 〔일반적〕 힘껏 노력하게 하다: *be* ~*ed* (in ...) (…에) 온 힘을 내다 / ~ *oneself* to meet the deadline 마감 시간에 대기 위해 전력을 다하다. **—** *vi.* **1** 늘어나다, 퍼지다, 넓어지다, 연장되다. **2** 《+전+명》 달하다, 미치다; 걸치다, 계속되다《*to; into*》: His absence ~*s to* five days. 그의 결석 일수는 닷새나 된다.

㊥ **~·i·ble, ~·a·ble** *a.* **ex·tènd·i·bíl·i·ty** *n.*

ex·ténd·ed [-id] *a.* **1** 한껏 뻗친〔펼친〕; 〖경마〗 (보조가) 발을 충분히 뻗고서의: ~ dislocation 확장 이전. **2** 〖인쇄〗 (활자·자체가) 평체의《표준보다 자폭이 넓음》. **3** (기간을) 연장한; 장기의: an ~ vacation. **4** 광대한, 광범위한, 더욱 자세한, 증보한; (어의 따위가) 파생적인, 2차적인. **5** 온 힘을 다한; (학습 과정 등) 집중적인 (intensive). ***in ~ order*** 〖군사〗 전개하여. ㊥ **~·ly** *ad.* **~·ness** *n.*

exténded cóverage 〖보험〗 확장 담보《보험 계약의 담보 범위를 확장하는 추가 약관을 이름》.

exténded fámily 확대 가족《근친을 포함한》. ㊌ nuclear family.

exténded fórecast 〖기상〗 연장 예보《1주일 내지 10 일 앞 일기의 예보》.

exténded mémory 〖컴퓨터〗 연장 기억 장치《Disk operating system (DOS)을 운영 체제로 하는 컴퓨터에서 DOS가 서포트하는 1 mega bit 보다 높은 어드레스의 기억 장치》.

exténded pláy (45 회전의) 도넛판 레코드《생략: EP》.

exténded precísion 〖컴퓨터〗 확장 정도(精度)《계산기가 본래 다루는 자릿수의 2 배 이상의 자릿수를 다룸》.

ex·ténd·er *n.* **1** 제품에 첨부하는 경품. **2** 《영》 대학 공개 강좌의 강사. **3** 체질 안료(體質顔料); 연장 부분. **4** 증량제(增量劑)《육류 가공품에 부피를 늘리고 단가를 낮추기 위해 첨가하는 물질》.

ex·ten·si·ble [iksténsəbəl] *a.* 넓힐〔펼〕 수 있는; 늘일 수 있는; 연장〔확장〕할 수 있는. ㊥ **~·ness** *n.* **ex·tèn·si·bíl·i·ty** *n.* Ⓤ

ex·ten·sile [eksténsəl, -sail/-sail] *a.* 내밀 수있는《동물의 발톱 따위》; =EXTENSIBLE.

ex·ten·sim·e·ter [èkstensímətər] *n.* =EXTENSOMETER.

ex·ten·sion [iksténʃən] *n.* Ⓤ **1** 신장(伸張)(㊌ flexion), 연장, 늘임; Ⓒ 연기; 확대, 확장, 넓힘, 진전. **2** Ⓒ 증축, 증설; 부가(물); (철도 따위의) 연장선; 〖전화〗 내선(內線): an ~ *to* one's house 가옥의 증축 / Give me ~ 120, please. 내선 120 번을 부탁합니다. **3** 펼쳐짐, 넓이, 범위. **4** (어구 등의) 부연(敷衍). **5** Ⓒ 〖상업〗 반환금 연체 승인서. **6** 〖물리〗 전충성(塡充性); 〖논리〗 외연(外延). OPP. *intension.* **7** 〖의학〗 (구부러진 수족을) 폄; 탈구(脫臼) 교정; 신장량(量)〔도〕, 신장력. **8** 〖컴퓨터〗 확장자. **—** *a.* 이어 대는, 신축자재의, 확장하는. ◇extend *v.* ㊥ **~·al** *a.*

exténsion àgent 농업 상담원《증산·해충 구제 따위에 관한 기술 지도를 하는 지방 자치 단체의 직원》. ㊌ county agent.「코드.

exténsion còrd (전기 기구의) 연장 〔이음〕

exténsion còurses 특별〔공개〕 강좌《대학의 야간 강좌·통신 강좌에 의한 성인 교육》.

exténsion field 〖수학〗 확대체(擴大體).

exténsion làdder 신축(伸縮)식 사닥다리.

exténsion lèad ((영)) =EXTENSION CORD.
exténsion lècture 대학 공개 강의.
ex·ten·si·ty [iksténsəti] *n.* Ⓤ 넓이, 크기; 확장성, 신장성; 〖심리〗 공간성(空間性).
***ex·ten·sive** [iksténsiv] *a.* **1** 광대한, 넓은: an ~ area. **2** 광범위하게 미치는; 다방면에 걸치는, (지식 따위가) 해박한: an ~ influence 광범위한 영향력. **3** 〖논리〗 외연(外延)의. **4** 〖농업〗 조방(粗放)의. OPP *intensive.* ¶ ~ agriculture 조방 농업. ㊞ **~·ly** *ad.* 넓게, 광범위하게. **~·ness** *n.*
ex·ten·som·e·ter [èkstensámətər/-sɔ́m-] *n.* 〖기계〗 신장계(伸長計)((신축·왜곡을 측정함)).
ex·ten·sor [iksténsər] *n.* 〖해부〗 신근(伸筋) (=∠ **mùscle**).
exténsor tóne 〖의학〗 신전(伸展) 상태.
ex·tent** [ikstént] *n.* **1** Ⓤ 넓이, 크기, 길이. **2** 광활한 지역: a vast ~ *of* land 광대한 토지. **3** Ⓒ 정도; 범위, 한계, 한도: sing at the full ~ *of* one's lungs 목청껏 노래하다. **4** 〖논리〗 외연(外延). **5** 〖미법률〗 압류 영장; 〖영국사〗 토지 평가; ((미)) 〖고법률〗 압류 영장(에 의한 재산 압류〔신병 구속〕(권)). ***to a great 〔***large***〕 **~** 대부분은, 크게. ***to some*** 〔***a certain***〕 **~** 어느 정도까지, 다소. ***to the* ~ *of*** 〔***that***〕 ... …의 한도까지, …까지, …만큼. ***to the utmost*** 〔***full***〕 **~ *of* one's *power*** 힘이 미치는 한, 힘껏, 극도로.
ex·ten·u·ate [iksténjuːèit] *vt.* **1** (범죄·결점을) 가벼이 보다, 경감하다, (정상을) 참작하다: Nothing can ~ his guilt. 그의 죄상은 참작할 여지가 없다. **2** …에 대하여 구실이 되다, 변명하다. **3** …을 과소평가하다, 얕보다. **4** ((고어)) …을 마르게〔쇠약하게〕 하다; (액체·기체 등을) 희박하게 하다; ((드물게)) (법령 등)의 힘〔효력〕을 약화하다. ㊞ **-àt·ing·ly** *ad.* **-à·tor** [-tər] *n.*
ex·tén·u·à·ting *a.* 죄를 가볍게 하는, 참작할 수 있는: ~ circumstances 〖법률〗 참작할 정상, 경감 사유.
ex·ten·u·a·tion [ikstènjuːéiʃən] *n.* Ⓤ 가벼이 봄, (죄의) 경감, 정상 참작; 참작할 만한 정상: in ~ of …의 사정〔정상〕을 참작하여.
ex·ten·u·a·tive, -a·to·ry [iksténjuèitiv], [-ətɔ̀ːri/-təri] *a.* (죄책을) 경감하는, 정상 참작적인.
***ex·te·ri·or** [ikstíəriər] *a.* **1** 바깥쪽의, 외부의; 외면(상)(外面(上))의, 표면의, 겉의. OPP *interior*. **2** 외부로부터의; 대외적인, 해외의: an ~ policy 대외 정책 / ~ help 외부로부터의 원조. **3** 〖약학〗 (내복용에 대해) 외부용의; (건축 자재가) 외장용의. **4** (…와) 떨어져 있는, 관계없는((*to*)): an object ~ *to* a man 사람과 관계없는 사물.
— *n.* **1** 외부, 외면, 표면; 외형, (보통 *pl.*) 외모, 외관: a man of fine ~ 외모가 멋진 사람. **2** (the ~s) 외적 상황〔특징〕. **3** 〖영화·TV·연극〗 야외〔옥외〕 풍경((촬영용 세트·무대용 배경)); (밖에서 촬영하는) 야외〔옥외〕 장면(의 필름). **4** 〖수학〗 외부. ㊞ **~·ly** *ad.*
extérior ángle 〖수학〗 외각.
ex·te·ri·or·i·ty [ikstìəriɔ́ːrəti, -ár-/-ɔ́r-] *n.* =EXTERNALITY.
ex·te·ri·or·ize [ikstíəriəràiz] *vt.* 외면화하다; (관념을) 구체화〔객관화〕하다; 〖의학〗 (수술을 위해 기관(器官)을) 복부에서 끄집어내다. ㊞ **ex·tè·ri·or·i·zá·tion** *n.* 「할 수 있는.
ex·ter·mi·na·ble [ikstə́ːrmənəbəl] *a.* 근절
***ex·ter·mi·nate** [ikstə́ːrmənèit] *vt.* (병·사상·신앙·잡초·해충 등을) 근절하다, 절멸〔박멸〕시키다, 몰살하다. ㊞ **ex·tèr·mi·ná·tion** *n.* U,C 근절, 박멸, 몰살. **ex·tér·mi·nà·tor** *n.* 박멸하는〔몰살시키는〕 사람〔것〕; 해충〔해수(害獸)〕 구제자〔약〕. **ex·tér·mi·nà·tive** *a.* =EXTERMINATORY.
exterminátion càmp (특히 나치스가 대량 살인을 위해 세운) 죽음의 수용소.
ex·ter·mi·na·to·ry [ikstə́ːrmənətɔ̀ːri/-təri] *a.* 근절적인, 절멸적인, 박멸하는.
ex·tern [ékstəːrn] *n.* **1** (병원의) 통근 의사, 통근 의학 연구생. cf. intern. **2** 통학생; 외래 환자; (금역 밖에 사는) 섭외 수녀.
‡**ex·ter·nal** [ikstə́ːrnl] *a.* **1** 외부의, 밖의; 외면의; …의 외측〔외면〕에 있는((*to*)). OPP *internal.* ¶ ~ evidence 외적 증거 / The engine is ~ *to* the boat. 엔진은 배의 바깥쪽에 있다. SYN. ⇨OUTSIDE. **2** 표면의, 외관의; 겉의, 형식적인: ~ acts of worship 형식적인 예배. **3** 〖약학〗 외부용의: For ~ use 〔application〕 only. 외용(外用), '먹으면 안 됨'. **4** 대외적인, 국제적인; 외래의, 외국의: ~ accounts 국제 수지 / ~ bonds 외채(外債) / ~ deficit 〔surplus〕 국제 수지의 적자 〔흑자〕 / ~ reserves 외화 준비(액) / ~ trade 대외 무역. **5** 밖으로부터의: an ~ force 〔cause〕 외부 압력〔원인〕. **6** 〖철학〗 외계의, 현상〔객관〕계의; 우연〔부대〕적인, 비본질의; 〖기독교〗 형식상의, 외면적 행위의: ~ objects 외물((외계에 존재하는 사물)) / the ~ world 외계((객관적 세계)). **7 a** (학생이) 학외에서 학습하고 시험만 보는; (학위가) 학외 학습자에게 수여되는: an ~ student 〔degree〕. **b** ((영)) (시험관이) 학외의; (시험이) 학외자의 출제와 채점에 의한.
— *n.* **1** 바깥쪽, 외부, 외면. **2** (*pl.*) 외관, 외형, 외모; 외부 사정: judge people by ~*s* 풍채로 사람을 판단하다. **3** Ⓤ (종교의) 외적 형식((의식 따위)); 표면성. **4** 본질적이 아닌 것, 부대 사항.
㊞ **~·ly** *ad.* 외부적으로, 외부에서, 외면상, 외견적으로(는); 학외에서((연구하다 따위)).
extérnal-combústion *a.* 〖기계〗 외연(外燃)의. OPP *internal-combustion.* ¶ an ~ engine 외연기관.
extérnal éar 〖해부〗 외이(外耳). 「인간의)).
extérnal fertilizátion 〖의학〗 체외수정((특히
extérnal gálaxy 〖천문〗 은하계외 성운(星雲).
ex·tér·nal·ism *n.* Ⓤ 형식주의, (특히 종교에서) 극단적인 형식 존중주의; 〖철학〗 현상론. ㊞ **-ist** *n.*
ex·ter·nal·i·ty [èkstəːrnǽləti] *n.* **1** Ⓤ 외부적임, 피상(皮相). **2** Ⓒ 외관, 외형; 외계. **3** Ⓤ 형식주의, 외형 존중.
ex·tèr·nal·i·zá·tion *n.* U,C **1** 외적 표현, 구체화, 객관화. **2** ((미)) 〖증권〗 거래소 경유의 주식 거래.
ex·ter·nal·ize [ekstə́ːrnəlàiz] *vt.* (내부적인 것을) 외면화〔객관화〕하다; (생각 따위를) 구체화하다, 체현하다; …을 외재(外在)하는 것으로 생각하다; (성격 따위를) 사교적〔적극적, 외향적〕이 되게 하다; 〖심리〗 (실패 따위를) 외적 원인으로 돌리다. 「모집되는 공채)).
extérnal lóan 외채(外債)((외국 자본 시장에서
extérnal respirátion 〖생물〗 외(外)호흡.
extérnal scréw 〖기계〗 수나사(male screw).
extérnal stórage 〖컴퓨터〗 외부 기억 장치. cf. auxiliary storage.
éxtern·shìp *n.* (교직·기술 계통 과목 학생들의) 학외(學外)〔교외〕 연수.
ex·ter·o·cep·tive [èkstərəséptiv] *a.* 〖생리〗 외(外) 수용성의, 외부 감수성의.
ex·ter·o·cep·tor [èkstərəséptər] *n.* 〖생리〗 외수용기(外受容器)((눈·귀·코·피부 따위)). cf. interoceptor.
ex·ter·ri·to·ri·al [èksteritɔ́ːriəl] *a.* =EXTRATERRITORIAL. ㊞ **ex·ter·ri·to·ri·al·i·ty** [ekstèritɔ̀ːriǽləti] *n.* Ⓤ 치외법권(extraterritoriality). **~·ly** *ad.*

extg. extracting.

◇**ex·tinct** [ikstíŋkt] *a.* **1** (불이) 꺼진, (화산 따위가) 활동을 그친(cf. active); 사멸한; (희망·정열·생명력이) 끊어진, 다한, 끝난: an ~ volcano 사화산, 《비유》 이전의 활력을 잃은 사람. **2** (인종·동식물 따위가) 절멸(絶滅)한, 멸종한; (가문·작위 따위가) 단절된: an ~ species 〖생물〗 절멸종. **3** (언어 풍습·법률 따위가) 스러진; (제도·관직 따위가) 폐지된: an ~ language 사어(死語).

◇**ex·tínc·tion** *n.* U,C **1** 사멸, 절멸; (가계(家系)의) 폐절; 〖법률〗 (권리·의무·부채 등의) 소멸; 〖심리〗 (조건 반사에 있어서의 반사의) 소거(消去). **2** 불을 끔, 소등; 〖물리〗 소광(消光) 《(1) 빛 에너지의 감쇠. (2) 매질(媒質)의 간섭에 의한 빛의 감쇠》; 〖화학〗 (용액의) 흡광도; 〖천문〗 (지구 대기에 의한 천체로부터의 빛의) 감광.

ex·tínction coefficient 〖광학〗 소광(消光)〔흡광(吸光)〕 계수.

ex·tinc·tive [ikstíŋktiv] *a.* 소멸시키는: ~ prescription 〖법률〗 (형의) 소멸 시효.

◇**ex·tin·guish** [ikstíŋgwiʃ] *vt.* **1** (빛·불 따위를) 끄다; (화재를) 진화하다: ~ a candle 촛불을 끄다. **2** (희망·정열 따위를) 소멸시키다, 잃게 하다; (기계 등을) 단절시키다; (생명 따위를) 절멸시키다. **3** 〖법률〗 (부채 따위를) 상각하다; (권리·법안 따위를) 무효로 하다; (관습·관직 등을) 폐지하다. **4** (반대자 등을) 제압하다, 침묵시키다, 무색하게 하다; 〖심리〗 (조건 반사를) 소거하다. ㊕ **~·a·ble** [-əbəl] *a.* 끌 수가 있는, 절멸시킬 수 있는. **~·ment** *n.* U

ex·tin·guish·ant [ikstíŋgwiʃənt] *n.* 소화물(消火物)《물·소화제(消火劑) 따위》.

ex·tín·guish·er *n.* 불을 끄는 사람〔물건〕; 촛불 끄개; 소화기(消火器); 음침한 사람: a chemical ~ 화학 소화기.

ex·tir·pate [ékstərpèit] *vt.* 근절시키다, 박멸하다, 구제(驅除)하다, 일소하다; (잡초 따위를) 뿌리째 뽑아 버리다; (종족 따위를) 절멸시키다; 〖의학〗 적출하다, 제거하다. ㊕ **èx·tir·pá·tion** *n.* U,C. **éx·tir·pà·tive** [-tiv] *a.* 근절하는(힘이 있는). **éx·tir·pà·tor** [-tər] *n.* 근절자.

ex·tol, 《미》 **-toll** [ikstóul] (*-ll-*) *vt.* 칭찬〔상찬·격찬〕하다. ~ a person ***to the skies*** 아무를 극구 칭찬〔칭송〕하다. ㊕ **ex·tól·ler** *n.* **ex·tól(l)·ment** *n.* 《고어》 격찬.

ex·tort [ikstɔ́:rt] *vt.* 《+목+전+명》 **1** (돈 따위를) 억지로 빼앗다, 강탈하다, 강청〔강요〕하다 《*from*》: ~ money 〔a bribe〕 *from* a reluctant person 달갑잖게 여기는 사람에게 돈〔뇌물〕을 강요하다. **2** (특히 공무원이 직권을 이용해서) …을 불법 입수하다, 부당하게 취득하다. **3** (뜻 따위를) 억지로 갖다 붙이다《*from*》: ~ a meaning *from* a word 한 단어에 억지로 뜻을 갖다 붙이다. **—** *vi.* 《고어》 강탈〔강요〕하다. ㊕ **~·er** *n.* 강요자, 강탈자. **ex·tór·tive** *a.* 강요〔강탈, 착취〕하는.

◇**ex·tór·tion** *n.* **1** U 억지로 입수함〔끄집어냄〕, 강요; (특히 금전·재물의) 강탈; 빼앗음; C 강탈당한〔빼앗긴〕 것. **2** 부당 가격 청구; 〖법률〗 (특히 공무원의) 금품 강요 행위. ㊕ **~·a·ry** [-èri/-əri] *a.* 강요의, 강청의; 착취적인; 강탈적인. **~·ate** [-it] *a.* **1** = EXTORTIONARY. **2** (가격·요구 등이) 터무니없는, 과대한. **~·ate·ly** *ad.* **~·er, ~·ist** *n.* 강탈자, 착취자.

***ex·tra** [ékstrə] *a.* **1** 여분의, 임시의, 특별한: ~ time 여분의 시간 / ~ pay 임시 급여 / an ~ edition 특별호, 임시 증간호 / an ~ inning game (야구 등의) 연장전 / an ~ train 〔bus〕 증발〔임시〕 열차〔버스〕. **2** 추가 요금으로의, 별도 계정에 의한: Dinner costs $ 5, and wine (is) ~. 식사 5 달러에 와인은 별도 (계산) / ~ freight 할증 운임. **3** 극상의; 특대의: ~ binding 특별 장정 / ~ whiteness (윤이 나는) 극상의 백(白) / ~ octavo 특대 8 절판. **—** *n.* **1** 여분의 것, 특별한 것; 경품; 특별 프로〔순서〕, 순서외; (신문의) 호외; 특별호; (종종 *pl.*) 추가 요금; 추가〔별도〕 요금을 낼 필요가 있는 것; 〖크리켓〗 타구에 의하지 않은 득점. **2** 임시 고용 노동자; 〖영화〗 보조 출연자. **3** 극상품. **—** *ad.* **1** 특별히, 대단히: ~ fine 〔good〕 특별히 좋은 / ~ large 특대의 / ~ special edition 《영》 석간의 최종판. **2** 여분으로.

ex·tra- [èkstrə] *pref.* '…외의, 범위 밖의, … 이외의, 특별한〔히〕'의 뜻. opp *intra-*.

èxtra-atmosphéric *a.* 대기권 밖의.

éxtra-báse hít 〖야구〗 롱 히트; 장타《2 루타·3 루타·홈런》. 「㊕ **~·ly** *ad.*

èxtra·céllular *a.* 〖생물〗 세포 밖의〔밖에서의〕.

èxtra·chromosómal *a.* 〖유전〗 염색체 외의, 비염색체의: ~ inheritance 염색체외 유전.

èxtra·corpóreal *a.* 몸밖의: medicine for ~ application 외용약.

èxtra·cránial *a.* 〖의학〗 두개외(頭蓋外)의.

***ex·tract** [ikstrǽkt, eks-] *vt.* **1** 《~+목/+목+전+명》 뽑아내다, 빼어내다, 캐내다, 잘라내다: ~ a tooth 이를 뽑다 / ~ the cork *from* a bottle 병마개를 따다. **2** 《+목+전+명》 (진액 따위를 …에서) 추출하다, 증류해서 추출하다, 짜내다, 달여내다, (금속·광물·광석을) 추출〔채취〕하다: oil *~ed from* olives 올리브에서 짜낸 기름. **3** 《+목+전+명》 발췌하다, 인용하다 《*from*》, (공문서)의 초본을 만들다: ~ a passage *from* a book 책에서 1절을 발췌하다. **4** 《~+목/+목+전+명》 (정보·금전 등을 억지로) 끄집어내다, (겨우) 손에 넣다; (기쁨 등을 …에서) 얻다: ~ a promise 약속을 성립시키다 / ~ a confession 자백을 얻어내다 / ~ pleasure *from* toil 괴로움 속에서 즐거움을 얻다. **5** 《+목+전+명》 (학설·이론 등을) 도출하다, 이끌어내다: ~ some moral lessons *from* religious formularies 종교 의식서에서 몇 가지 도덕적 교훈을 이끌어내다. **6** 〖수학〗 근(根)을 구하다. ◇extraction *n.* **—** [ékstrækt] *n.* **1** U,C 추출물, (정분을 내어 농축한) 진액; 달여낸 즙. **2** 초록, 인용; 발췌; 초본. ㊕ **~·a·ble, ~·i·ble** *a.* **ex·tràct·a·bíl·i·ty** *n.*

ex·tract·ant [ikstrǽktənt, eks-] *n.* 〖화학〗 용액(溶液)에서의 용질 제거약.

ex·trác·tion *n.* **1** U,C 뽑아냄; 빼어냄, 적출(법); 〖치과〗 뽑아냄, 뽑아낸 이. **2** U 〖화학〗 추출; (즙·기름 등의) 짜냄; (약물 등의) 달여냄; 〖광물·야금〗 채취(採取). **3** C 뽑아낸 것; 발췌; 진액; 인용구, 초록; (*pl.*) (콩 종류의) 기름 뺀 찌끼《사료용》. **4** U 혈통, 태생: an American of Korean ~ 한국계 미국인. **5** 〖수학〗 (근의) 거듭제곱근풀이.

ex·trac·tive [ikstrǽktiv, eks-] *a.* 끌어낼 수 있는; 뽑아내는; 달일 수 있는《약초 따위》; 짜낼 수 있는; 진액성(性)의; 발췌의: ~ industries 채취 산업《광업 등》. **—** *n.* 추출물; 진액; (진액으로) 추출할 수 있는 것; 진액 같은 것; 달인 즙.

ex·trac·tor [ikstrǽktər, eks-] *n.* **1** 추출자, 발췌자. **2** 추출 장치〔기(器)〕; (과즙 등의) 착즙기; 환기〔추기(抽氣)〕 장치; 환기팬(= ∠ fàn). **3** 〖치과〗 이 뽑이 겸자(鉗子), 발치용 기계; (후장총(後裝銃)의) 약실 추출 장치.

èxtra·cúrricular, -lum *a.* 과외(課外)의, 정규 과목 이외의; 정규 직무를 벗어난, 일과 외의; 권한을 넘어선, 입장상 있을 수 없는. **—** *n.* (-lar) 과외 활동.

extracurrícular actívity **1** 과외 활동. **2** 《속

어》 부정〔부도덕〕 행위; 불륜, 정사, 바람기.
éx·tra·dìt·a·ble *a.* (도망범으로 본국에) 인도해야 할; 인도 처분에 처해야 할.
ex·tra·dite [ékstrədàit] *vt.* (해외 도망범을 관할국에) 인도〔송환〕하다 《*to*》; (…의) 인도를 받다 《*from*》. ㊕ **èx·tra·dí·tion** [-díʃən] *n.* [U] 〖법률〗 (국제 간의) 도망범 인도, 망명자 소환; 〖심리〗 감각의 사출(射出).
éxtra dívidend 특별 배당금.
ex·tra·dos [ékstrədàs, ekstréidɑs/eks-tréidɔs] *n.* 〖건축〗 홍예의 외만곡면(外灣曲面), 아치의 외호면(外弧面). [opp] *intrados.*
éxtra drý (음료가) 거의〔전혀〕 달지 않은.
èxtra·embryónic *a.* 〖생물〗 배외(胚外)의.
èxtra·galáctic *a.* 〖천문〗 은하계 밖의.
éxtra-hígh-dénsity dìsk 〖컴퓨터〗 초(超)고밀도 디스크 《양면에 2.88 mega bit의 자료를 기록할 수 있는 특수한 자기(磁氣) 디스크》.
èxtra-íllustrate *vt.* (서적 등에) 다른 자료의 그림〔사진〕을 이용하다.
èxtra·judícial *a.* 재판 사항 이외의, 법정 밖의, 사법 관할 외의.
extrajudícial opínion 〖법률〗 소송 행위 외의 의견, 불필요한 의견, 방론(傍論).
èxtra·légal *a.* 법률의 지배를 받지 않는, 법의 범위 외의. ㊕ **~·ly** *ad.*
ex·tra·lim·it·al [èkstrəlímitl] *a.* (어떤 종의 생물이) 당해 지역에는 없는.
èxtra·linguístic *a.* 언어(학) 영역 밖의. ㊕ **-tically** *ad.*
ex·tral·i·ty [ekstrǽləti] *n.* 《구어》 = EXTRATERRITORIALITY.
èxtra·lúnar *a.* 달 밖의〔에 있는〕.
èxtra·márital *a.* 결혼외 성교섭의, 혼외정사의, 간통〔불륜〕의.
éxtra mòney 《CB속어》 속도 위반 티켓.
èxtra·múndane *a.* 현세외(外)의, 물질계 밖의; 우주〔지구〕 밖의.
èxtra·múral *a.* **1** 성벽 밖의, 교외의. **2** 대학 외부로부터의 《강사·강의 따위》; 《미》 (대학 간의) 비공식 대항의 《경기 따위》: ~ classes 대학 공개 강좌. [opp] *intramural.* ㊕ **~·ly** *ad.*
ex·tra·ne·ous [ikstréiniəs] *a.* 외부로부터의, 밖의; 무관계한, 연고 없는: ~ *to* the subject 이 제목에 관계가 없는. ㊕ **~·ly** *ad.* **~·ness** *n.*
èxtra·nét *n.* 〖컴퓨터〗 엑스트라넷 《intranet을 한정된 부서 이외의 사람에게도 액세스할 수 있게 한 것》.
èxtra·núclear *a.* 원자핵 밖의.
ex·tra·or·di·naire [F. ɛkstʀaɔʀdinɛ:ʀ] *a.* 《F.》 극히 이례적인, 뛰어난, 비범한.
***ex·traor·di·nar·i·ly** [ikstrɔ̀:rdənérəli, èkstrəɔ́:r-] *ad.* 대단히, 엄청나게, 이례적으로, 특별히, 터무니없이.
***ex·traor·di·nary** [ikstrɔ́:rdənèri, èkstrəɔ́:r-/-nəri] *a.* **1** 대단한, 비상한, 보통이 아닌, 비범한, 엄청난: a man of ~ genius 비범한 천재.

> [SYN] **extraordinary** 보통과는 다른, 예외적인 → 비상한: *extraordinary* powers given to the President in wartime 전시 중 대통령에게 부여되는 특별한 권한. **remarkable** 주목할 만한, 눈에 띄는 → 보통이 아닌: a *remarkable* change 현저한 변화. **unusual** 보통(일)이 아닌: There was something *unusual* in the atmosphere. 분위기가 심상치 않았다.

2 터무니없는, 놀라운, 의외의; 이상한: an ~ man 괴짜 / ~ weather 이상한 날씨 / an ~ event 의외의 사건. **3** 특별한, 임시의: ~ expenditure 〔revenue〕 임시 세출〔세입〕/ an ~ general meeting 임시 총회 / an ~ session 임시 국회. **4** 특명〔특파〕의; 특별 임용의: an ~ ambassador =an ambassador ~ 특명 대사 / a physician ~ (왕실의) 특별 임용의(醫).
— *n.* (*pl.*) 《고어》 〖영군사〗 특별 수당.
㊕ **-nàr·i·ness** *n.* 비상함, 대단함; 비범.
extraórdinary ràу 〖광학·결정〗 이상 광선.
éxtra póint 〖미식축구〗 터치다운 후의 추가점.
ex·trap·o·late [ikstrǽpəlèit] *vt., vi.* 〖통계〗 보외(補外)하다, 외삽(外挿)하다, 미지의 사실을 기지의 사실로부터 추정하다. ㊕ **ex·tráp·o·là·tive** *a.* **ex·tràp·o·la·bíl·i·ty** *n.*
ex·tràp·o·lá·tion *n.* 〖통계〗 외삽(外挿)〔보외(補外)〕(법); 추정; 연장; 부연.
èxtra·posítion *n.* 바깥쪽에 놓음; 〖문법〗 외치(外置) 변형.
éxtra séc (샴페인이) 쌉쌀한 《1.5-3%의 당분을 함유한》.
èxtra·sénsory *a.* 정상 감각 밖의, 초감각적인.
extrasénsory percéption 초감각적 지각 《천리안·투시·정신 감응 등; 생략: ESP》.
èxtra·sólar *a.* 태양계 밖의.
èxtra·somátic *a.* 인간 개체 밖의; 체외의.
èxtra·terréstrial *a.* 지구 밖의, 우주의: ~ life. **—** *n.* 지구 이외의 행성〔생물〕; 우주인.
èxtra·territórial *a.* 치외 법권의: ~ right 치외법권. ㊕ **-territoriálity** [-əti] *n.* [U] 치외 법권.
èxtra·téxtual *a.* 본문〔원문〕 외의.
éxtra tíme 《영》 (경기의) 연장 시간 《로스 타임을 보충하는》.
extratrópical cýclone 〖기상〗 온대저기압.
èxtra·úterine *a.* 자궁 외의: ~ pregnancy 자궁외 임신.
°**ex·trav·a·gance, -cy** [ikstrǽvigəns, -və-], [-i] *n.* **1** [U] (돈의) 낭비, 사치; 무절제, 방종: ~ *with* the public purse 국고의 낭비 / eat up one's fortune through ~ 낭비로 재산을 다 써 버리다. **2** [C] 낭비 행위, 사치품. **3** [U] 과도; 터무니없음; [C] 지나친〔방종한〕 언행; 터무니없는 생각.
***ex·trav·a·gant** [ikstrǽvigənt -və-] *a.* **1** 돈을 함부로 쓰는, 낭비벽이 있는; 사치한: She is ~ *with* her money. 그녀는 돈의 씀씀이가 심하다. **2** 터무니없는, 지나친, 엄청난, 엉뚱한: an ~ price 엄청난 가격. ㊕ **~·ly** *ad.* 낭비적으로; 엄청나게, 엉뚱하게.
ex·trav·a·gan·za [ikstræ̀vəgǽnzə] *n.* [U,C] **1** 광시문(狂詩文), 광상곡, 광상극. **2** 익스트래버갠자 《호화현란한 연예물, 특히 19세기 미국의 뮤지컬 쇼〔영화〕》. **3** 광기 낀 언동〔말〕, 광태.
ex·trav·a·sate [ikstrǽvəsèit] *vt.* (혈액·림프액 등을) 관외로 일출(溢出)시키다, (용암 등을) 분출하다. **—** *vi.* (혈액 등이) (혈)관 밖으로 일출하다; (용암이) 분출하다. **—** *n.* 일출물, 분출물 《혈액·용암 등》. ㊕ **ex·tràv·a·sá·tion** *n.* [U]
èxtra·vehícular *a.* 우주선(船) 밖의: ~ activity (우주인의) 우주 유영; 선외 활동; 《특히》 월면(月面) 활동 《생략: EVA》/ ~ space suits 선외 우주복.
extravehícular mobílity ùnit 〖우주〗 우주선 밖 활동용 우주복.
èxtra·vérsion *n.* 〖심리〗 =EXTROVERSION.
ex·tra·vert [ékstrəvə̀:rt] *n.* =EXTROVERT.
éxtra vírgin 최상질의 《올리브유》.
ex·treme [ikstrí:m] *a.* **1** 극도의, 심한; 최대의, 최고의(maximum): ~ cold 극도의 추위 / ~ joy 대단한 기쁨 / ~ poverty 극도의 빈곤 / an ~ case 극단의 예〔경우〕/ the ~ penalty 극형, 사형. **2** (시책 등이) 매우 엄한〔거친, 대담한〕; (사상·행동·사람이) 극단적인, 과격한: ~ measures 강경책 / the ~ Left 〔Right〕 극좌파〔극우파〕/ ~ ideas 과격 사상. **3** 맨끝의, 말단의. **4** 《고어》 최후의. **—** *n.* **1** 극단; 극도, 극치; (보

통 *pl.*) 극단적인〔과격한〕 행위〔수단, 조처〕; 극단의 상태: *Extremes* meet. 《속담》 양극단은 일치한다. **2** 끝단에 있는 것, 처음〔끝〕의 것; (*pl.*) 양극단을 이루는 사물; 〖수학〗 외항(外項); 〖논리〗 (명제의) 주사(主辭) 또는 빈사(賓辭); (삼단논법의) 판단의 양 끝《대(大)명사 또는 소(小)명사》. ◇extremity *n.* ***go*** 〔***run***〕 ***to ~s*** 극단으로 치닫다, 극단의 말〔짓〕을 하다. ***go to the other*** 〔***opposite***〕 ~ 반대의 극으로 달리다, (그때까지와) 정반대의 행동을 취하다. ***in the*** 〔***to an***〕 ~ 극단으로, 극도로. — *ad.* 《고어》 =EXTREMELY. [파] ~·**ness** *n.*

ex·treme·ly [ikstríːmli] *ad.* **1 극단(적)으로, 극도로. **2** 아주, 대단히, 몹시.

extrémely hígh fréquency 〖전기〗 초고주파 (30-300기가 hertz; 생략: EHF, ehf).

extrémely lów fréquency 〖통신〗 초(超)저주파《30-300 hertz; 생략: ELF, elf》.

extréme spòrt 극한 스포츠《번지 점프·급류타기·스노보드 따위》.

extréme únction (종종 E- U-) 〖가톨릭〗 병자성사(病者聖事).

extréme válue 〖수학〗 극(極)값(extremum).

ex·trem·ism [ikstríːmizəm] *n.* [U] 극단적인 경향; 극단론; 과격주의. [파] **-ist** [-ist] *n.*, *a.* 극단론자, 과격론자; 극단론〔과격론〕의: a student *extremist* 과격파 학생.

◇**ex·trem·i·ty** [ikstréməti] *n.* **1** 끝, 말단: at the eastern ~ of …의 동쪽 끝에. **2** (보통 *pl.*) 사지, 수족: lower 〔upper〕 *extremities* 사람의 하지〔상지〕. **3** (아픔·감정 등의) 극한, 극도《*of*》: an ~ *of* joy 〔misfortune〕 환희〔비운〕의 극. **4** 지극히 위험한 상태, 다급한 상태, 궁경, 난국, 궁지: be driven 〔reduced〕 to (the last) ~ (막바지) 궁지로 몰리다/be in a dire ~ 비참한 궁경에 있다. **5** 파멸〔붕괴〕의 직전; 임종: to the last ~ 최후까지; 죽기까지. **6** (보통 *pl.*) 비상수단, 강경 수단, 궁여지책: proceed 〔go, resort〕 to *extremities* 최후 수단을 쓰다. ◇extreme *a.*

ex·tre·mum [ikstríːməm] *n.* 〖수학〗 극(極)값. [파] **-tré·mal** *a.*

ex·tri·ca·ble [ékstrikəbəl] *a.* 구출〔해방〕할 수 있는.

ex·tri·cate [ékstrəkèit] *vt.* **1** 《+[목]+[전]+[명]》 (위험·곤경에서) 구출하다, 탈출시키다, 해방하다《*from*》: ~ a person *from* 〔*out of*〕 dangers 아무를 위험에서 구출하다. **2** 식별하다, 구별하다. **3** 〖화학〗 (가스 따위를) 유리시키다. ~ one***self from*** …을 벗어나다〔뿌리치다〕. [파] **èx·tri·cá·tion** *n.* [U] 구출, 해방; 〖화학〗 유리.

ex·trin·sic, -si·cal [ekstrínsik, -zik], [-əl] *a.* 고유(固有)의 것이 아닌, 비본질적인; 외부의; 외부로부터의; 부대적(附帶的)인《*to*》. [opp] *intrinsic*. [파] **-si·cal·ly** *ad.*

extrínsic fáctor 〖생화학〗 외(성)인자《항빈혈 인자로 내인자와 결합하는 비타민 B_{12}》.

ex·tro- [ékstrou, -trə] '바깥으로'의 뜻의 결합사. [opp] *intro-*.

ex·trorse [ekstrɔ́ːrs] *a.* 〖식물〗 (꽃밥이) 바깥쪽으로 향한. [opp] *introrse*. [파] ~·**ly** *ad.*

ex·tro·spec·tion [èkstrəspékʃən] *n.* 외부〔외계〕 관찰. [opp] *introspection*.

ex·tro·ver·sion [èkstrəvə́ːrʒən, -ʃən] *n.* [U] 〖의학〗 외번(外翻)《눈꺼풀·방광 등의》, 외전(外轉); 〖심리〗 외향성(extraversion).

ex·tro·vert [ékstrəvə̀ːrt] *n.* 사교적인 사람; 〖심리〗 외향적인 사람(extravert). — *vt.* 외향적이게 하다; 〖심리〗 (흥미·관심 따위를 자기 이외의 것)에 향하게 하다; 《고어》 바깥쪽으로 향하게 하다〔밀다〕. — *a.* =EXTROVERTED. [opp] *introvert*. [파] ~·**ed** [-id] *a.* 외향성이 강한, 외향형인.

ex·trude [ikstrúːd] *vt.* 밀어내다, 내밀다; (범죄인 따위를) 쫓아내다; (금속·수지·고무를) 사출 성형하다. — *vi.* 밀려〔쫓겨〕나다, 내밀리다; 사출 성형되다; 돌출하다; 〖지학〗 (용암 등이) 분출하다. [파] **ex·trúd·er** *n.* ~하는 것〔사람〕, 사출 성형기. **ex·trúd·a·ble** *a.* **ex·trùd·a·bíl·i·ty** *n.*

ex·tru·sile [ikstrúːsàil, -səl] *a.* = EXTRUSIVE.

ex·tru·sion [ikstrúːʒən] *n.* [U] 밀어냄, 내밂, 쫓아냄, 추방; 돌기; 사출 성형(의 제품); 〖지학〗 (용암 등의) 분출(물).

ex·tru·sive [ikstrúːsiv] *a.* 밀어내는 (작용이 있는), 내미는; 〖지학〗 (화산에서) 분출한: ~ rocks 분출암(噴出岩).

ex·u·ber·ance, -an·cy [igzúːbərəns/-zjúː-], [-i] *n.* 풍부, 충일(充溢); 무성: an ~ of joy 넘치는 기쁨/an ~ of foliage 무성한 가지와 잎.

ex·u·ber·ant [igzúːbərənt/-zjúː-] *a.* **1** (정애·기쁨·활력 등이) 넘치는; 열광적인, 열의가 넘치는; 원기왕성한. **2** (부(富)·비축이) 풍부한; (상상력·재능 등이) 넘치게 풍부한. **3** 무성한; (털이) 더부룩한. [파] ~·**ly** *ad.*

ex·u·ber·ate [igzúːbərèit/-zjúː-] *vi.* 넘쳐흐르다, 충일하다; 무성하다; 탐닉하다《*in*》.

ex·u·date [éksjudèit] *n.* 삼출물(滲出物)〔액〕.

ex·u·da·tion [èksjuːdéiʃən] *n.* 삼출(滲出), 분비; [C] 삼출물, 분비물.

ex·ude [igzúːd, iksúːd/igjúːd] *vt.* 삼출〔발산〕 시키다. — *vi.* 스며나오다; 유출하다.

◇**ex·ult** [igzʌ́lt] *vi.* 《~/+[전]+[명]/+*to* do》 크게 기뻐하다, 기뻐 날뛰다《*at; in; over*》; 승리하여 의기양양해하다, 승리를 뽐내다《*over*》: ~ *at* 〔*in*〕 one's victory 승리에 광희하다/~ *over* (winning) the grand prize 그랑프리를 획득하여 미친듯이 기뻐하다/~ *to* hear the news of his success 그의 성공 소식을 듣고 크게 기뻐하다. ◇exultation *n.* [파] ~·**ance,** ~·**an·cy** [-əns], [-ənsi] *n.* =EXULTATION.

◇**ex·ult·ant** [igzʌ́ltənt] *a.* 몹시 기뻐하는; 승리를 뽐내는, 의기양양한. [파] ~·**ly** *ad.*

◇**ex·ul·ta·tion** [ègzʌltéiʃən, èksʌl-] *n.* [U] 몹시 기뻐함, 광희(狂喜), 환희.

ex·últ·ing·ly *ad.* 기뻐 날뛰어.

ex·urb [éksəːrb] *n.* 준교외(準郊外)《교외에서 더 떨어진 지역》. [파] **ex·úr·ban** *a.*

ex·ur·ban·ite [eksə́ːrbənàit] *n.* 준교외 거주자.

ex·ur·bia [eksə́ːrbiə] *n.* [U] 〔집합적〕 준(準)교외 지역.

ex·u·vi·ae [igzúːviìː] *n. pl.* (뱀·매미 따위의) 허물, 탈피각(殼); 《비유》 잔해(殘骸). [파] **ex·ú·vi·al** [-viəl] *a.* 허물의, 탈피각의.

ex·u·vi·ate [igzúːvièit/igzjúː-] *vi.*, *vt.* (허물·껍질을) 벗다, 탈피하다. [파] **ex·ù·vi·á·tion** *n.* [U] 〖동물〗 탈피; 허물.

ex vo·to [eks-vóutou] 《L.》 기원한 대로; 봉헌물(奉獻物)《소원 성취를 위하여 바치는》.

éx-wòrks *a.* 《영》 공장도(값으)로.

exx. examples; executrix.

-ey[1] [i] *suf.* =-Y[1]: clay*ey*; glu*ey*.

-ey[2] *suf.* =-Y[3]: Charl*ey*.

ey·as, ey·ess [áiəs] *n.* (둥지의) 새끼 새; (특히 매사냥을 가르치려고 둥지에서 꺼낸) 새끼 매.

†**eye** [ai] *n.* **1** 눈; 동공, 눈동자: brown 〔blue〕 ~*s* 갈색〔푸른〕 눈동자/heavy ~*s* 졸린 듯한 눈/dry one's ~*s* 눈(물)을 닦다. **2** 눈언저리, 눈가: give a black ~ 때려서

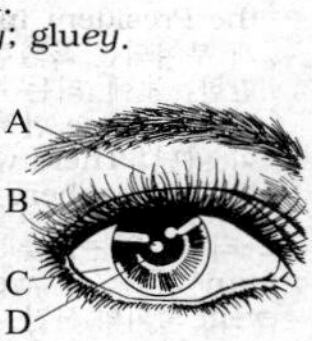

eye 1
A. eyelid B. eyelash
C. iris D. pupil

눈을 멍들게 하다. **3** (종종 *pl.*) 시력, 시각(視覺): have good 〔weak〕 ~*s* 시력이 좋다〔나쁘다〕/ lose one's ~*s* 시력을 잃다. **4** 관찰력, 보는 눈, 감상〔판단〕력; 안목: the ~ *of* a painter 화가의 보는 눈/have an ~ *for* a horse 말을 볼 줄 알다. **5** 시선, 눈길: cast an ~ 시선을 보내다, 눈길을 주다《*on*》/a friendly ~ 호의적인 시선. **6** (종종 *pl.*) 주시, 주목, 주의: draw the ~*s* of … 의 눈을 끌다/All ~*s* were on 〔upon〕 her. 모든 사람이 그녀를 주시〔주목〕했다. **7** 목표, 기도: have an ~ *to* one's advantage 사리(私利)를 도모하다. **8** (종종 *pl.*) 견해, 의견, 해석: in my ~*s* 내가 보기에는/through the ~*s* of … 의 관점에서. **9** (표적의) 중심; 〖기상〗 (태풍의) 눈, 중심. **10** 눈 모양의 것; 작은 구멍; (바늘의) 귀; 닻고리; (밧줄을 꿰는) 고리(loop); 갈고랑이의 끝; (호크 단추의) 구멍; (커튼의) 미끄럼 고리; (감자 따위의) 싹, 눈; (노끈 등의) 고달이: the ~ of a needle 바늘귀/the ~ of a potato 감자의 싹〔눈〕. **11** 작은 원(圓); 과녁의 흑점(bull's-eye); (공작 날개의) 둥근 무늬; 광(光)전지(electric ~); 안경알; 원창(圓窓); 《미군대속어》 레이더 수상(受像) 장치. **12** 《속어》 탐정: a private ~ 사립 탐정. **13** (*pl.*) 《미속어》 젖통이; 젖꼭지.

a false 〔***an artificial***〕 ~ 의안(義眼). ***All my ~*** (***and Betty Martin***)***!*** 《구어》 말도 안 돼, 같잖아. ***an ~ for an ~*** 〖성서〗 눈에는 눈으로《같은 수단에 의한 보복; 출애굽기 XXI: 24》. ***a sight for sore ~s*** 보기에도 즐거운 것, 《특히》 진객(珍客). ***be all ~s*** 눈을 똑바로 뜨고 보다, 온 정신을 집중하여 주시하다. ***before*** one***'s very ~s*** 바로 눈앞에; 드러내놓고. ***be in the public ~*** 세상의 주목을 받고 있다. ***believe*** one***'s ~s*** 〖부정문·의문문·조건문〗 자기 눈을 의심치 않다; 목격한 것을 믿다: I could*n't believe* my ~*s* when the scoreboard showed we had won. 스코어보드를 보고 우리의 승리를 알았지만, 나는 내 눈을 믿을 수 없었다. ***be up to the ~ in*** (debt) (빚)에 묶여 있다. ***by the ~*** 눈어림으로. ***cast a*** (critical) ~ ***on*** …을 (비판적)인 눈으로 보다. ***cast an*** 〔one***'s***〕 ~ ***over*** =run an ~ over. ***cast*** 〔***make***〕 ***sheep's ~s at …*** …에게 추파를 던지다. ***catch*** a person***'s*** ~(***s***) 아무의 눈을 끌다〔눈에 띄다〕; 아무와 시선이 마주치다. ***catch the Speaker's ~*** ⇨CATCH. ***clap*** 〔***set, lay***〕 ~***s on*** 《구어》 ⇨CLAP. ***close*** 〔***shut***〕 one***'s ~s to*** …에 눈을 감다, …을 보려〔주의하려〕고 하지 않다; 무시하다, 보고도 못 본 체하다; (과오 등)을 묵인하다, 눈감아 주다. ***cry*** one***'s ~s out*** 하염없이 울다, 울어서 눈이 붓게 하다. ***do*** a person ***in the ~*** 《구어》 아무를 속이다. ***drop*** one***'s ~s*** (자기 행위가 부끄러워) 눈을 내리깔다. ***easy on the ~s*** (사람·물건이) 보기에 괜찮은, 매력적인. ***~s and no ~s*** (사물을) 보는 눈과 못 보는 눈《자연 과학서의 타이틀로서 쓰임》; 눈이 있어도 깨닫지 못하는 사람. ***Eyes down!*** 주목《bingo의 출발 신호에서》. ***Eyes front!*** 바로《구령》. ***Eyes left*** 〔***right***〕***!*** 좌로 〔우로〕 봐《구령》. ***~s on stalks*** 《구어》 (놀람 따위로) 눈이 튀어나올 정도로. ***~s to cool it*** 《속어》 한가로워지고 싶은 마음. ***feast*** one***'s ~s on*** 《우스개》 …을 즐겁게〔감탄하면서〕 바라보다. ***fix*** one***'s*** ~(***s***) ***on*** …에서 눈을 떼지 않고 지켜보다. ***for your ~s only*** ⇨EYES-ONLY. ***get*** one***'s ~s in*** 보는 눈을 기르다; 〖크리켓·테니스 등〗 공을 눈에 익히다; 〖사격·볼링 등〗 거리감을 익히다. ***get the ~*** 《구어》 주목받다, 차가운 눈초리를〔시선을〕 받다. ***give an ~ to*** …을 주시하다, …을 돌보다, …을 주의하다〔지키다〕. ***give*** one***'s ~s for*** …을 위해서라면 눈이라도 빼 주다. ***give the big*** 〔***glad***〕 ~ ***to*** a person 아무에게 추파를 던지다. ***give*** a person ***the ~*** 《구어》 아무를 감탄의 눈으로 보다, 아무에게 추파를 던지다; 아무를 흘끗 보다. ***give with the ~*** 《미속어》 눈으로 말하다; 뚫어지게 바라보다. ***have all*** one***'s ~s about*** one 빈틈없이 경계하다. ***have an ~ for*** …에 대한 안목이 있다. ***have an ~ in*** one***'s head*** 안목이 있다; 빈틈이 없다. ***have an*** 〔one***'s***〕 ~ ***on*** ① …을 감시하다. ② …을 눈여겨보다, 원하고 있다. ***have an ~ to*** ① …에 주목하다; …을 안중에 두다; …에 야심을 갖다: *have an ~ to* business 사업에 야심이 있다. ② …에 주의하다, …을 돌보다. ***have an ~ to everything*** 매사에 빈틈이 없다. ***have ~s at*** 〔***in***〕 ***the back of*** one***'s head*** 사방팔방으로 살피다, 대단히〔끊임없이〕 경계하고 있다; 《구어》 무엇이든 꿰뚫어 보고 있다. ***have ~s for*** …에 흥미가〔관심이〕 있다. ***have ~s only for*** …밖에 안 보다〔바라지 않다〕. ***have … in*** one***'s ~*** …을 염두에 두고 있다, 마음속에 그리다; …을 꾀하다. ***have*** 〔***keep***〕 ***one ~ on*** (어떤 일에 전념하는 한편) …에도 주의를 게을리 하지 않다, 관심을 소홀히 하지 않다. ***have*** one***'s ~ in a sling*** 《구어》 기가 꺾여 있다; 곤경에 있다. ***have*** one***'s ~s well in*** 목측하는 재간이 있다. ***hit*** a person ***between the ~s*** 《구어》 강렬한 인상을 주다, 크게 놀래다. ***hit*** a person ***in the ~*** 눈에 한 대 먹이다; (아무의) 시선을 끌다; (아무에게) 일목요연하다. ***if*** a person ***had half an ~*** 《구어》 아무가 좀 더 영리하다면. ***in a*** 〔***the***〕 ***pig's ~*** ⇨PIG. ***in the ~ of the wind*** 〖해사〗 맞바람을 안고. ***in the ~s of*** …이 본 바로는: *in the ~s of* common sense 상식에서 보면. ***in the*** 〔one***'s***〕 ***mind's ~*** 마음속으로, 상상으로. ***keep an*** 〔one***'s***〕 ~ ***on*** …에서 눈을 떼지 않다, …를 감시하다, … 에 마음을 쓰고 있다. ***keep*** one***'s ~ on the ball*** ① (스포츠에서) 볼에서 눈을 떼지 않다. ② 《구어》 방심하지 않다, 기회를 놓치지 않도록 주의하다. ***keep*** 〔***have***〕 ***an*** 〔one***'s***〕 ~ ***open*** =《구어》 ***keep*** 〔***have***〕 ***both*** 〔one***'s***〕 ~***s*** (***wide***) ***open*** 〔***skinned, peeled***〕 방심 않고 경계하고 있다. ***keep an ~ out for*** …을 감시하고 있다. ***keep*** one***'s ~ in*** (연습을 계속하여 공 따위를 보는 눈을) 둔화시키지 않다. ***keep*** one***'s ~s off*** …을 안 보고 있다; 〖보통 can't의 부정문으로〗 …에게 매혹되다: The boy *couldn't keep* his ~*s off* the shiny, red bike. 소년은 반짝이는 빨간 자전거를 넋을 잃고 보고 있었다. ***knock*** a person***'s ~s out*** 《미속어》 아무의 눈이 휘둥그레지게 하다, 깜짝 놀라게 하다. ***lay ~s on*** …에 시선을 던지다, …에 시선을 고정시키다. ***leap*** 〔***jump***〕 ***to the*** ~(***s***) 금세 눈에 띄다, 탓할 데 없이 명백하다. ***look on with dry ~s*** 매정한〔무뚝뚝한〕 눈으로 쳐다보다. ***look*** a person (***straight*** 〔***right***〕) ***in the*** ~(***s***) (켕김이나 흥분 등을 보이지 않고) 아무를 똑바로 쳐다보다. ***make*** a person ***open*** his ~***s*** (아무를) 깜짝 놀라게 하다. ***meet*** a person***'s*** ~(***s***) 상대를 똑바로 보다, 정시〔직시〕하다. ***meet the*** 〔a person***'s***〕 ~ (경치 따위가) 눈에 들어오다〔보이다, 띄다〕. ***Mind your ~!*** 《속어》 잘 봐! 조심해! ***more than meets the ~*** 눈으로 본 것 이상의 것《숨겨져 있는 자질·곤란·사정 따위》. ***Oh my ~!*** =***My*** ~(***s***)***!*** 《구어》 믿기 어려운데, 무슨 소리, 싫구먼, 말도 안 돼; 맙소사, 놀랍군. ***one in the ~ for*** 《구어》 …에게 실망〔징계, 타격〕을 주는 것, 사람을 당황케 하는 것. ***open*** (***up***) a person***'s ~s*** =***open*** (***up***) ***the ~s of*** a person (놀라움 등으로) 아무의 눈을 크게 뜨게 하다; (도리를) 깨닫게 하다, 아무의 그릇된 생각

을 제거하다《*to*》: *open* a person's ~*s to* the truth 아무에게 사실을 깨닫게 하다. ***out of the public*** ~ 세상 눈에 띄지 않게 되어; 세상에서 잊혀져. ***pass*** one'***s*** ~ ***over*** …을 일별하다〔훑어보다〕. ***pipe*** one'***s*** ~ =***put*** one'***s finger in*** one'***s*** ~ 울다. ***put out*** a person'***s*** ~***s*** 아무의 눈을 후벼 빼다; 장님으로 만들다. ***raise*** one'***s*** ~***s*** 올려다보다. ***run an*** 〔one'***s***〕 ~ ***over*** 〔***through***〕 …을 대강 훑어보다. ***see*** ~ ***to*** ~ ***with*** a person (***about*** 〔***on, over***〕 a thing) (…에 대해) 아무와 견해가 완전히 일치하다. ***see … in*** one'***s mind's*** ~ …을 마음의 눈으로 보다〔상상으로 그리다〕. ***see*** a thing ***with half an*** ~ 흘끗 보다; 쉬이 보이다, 일견하여 알다. ***set*** ~***s on*** =lay ~*s* on. one'***s*** ~***s are bigger than*** one'***s stomach*** 〔***belly***〕《구어》 먹지도 못할 것을 탐을 내다, 게걸이 들다. a person'***s*** ~***s nearly*** 〔***almost, practically***〕 ***pop out of*** his ***head*** =a person'***s*** ~***s stand out of*** his ***head*** =a person'***s*** ~***s stick out like organstop*** 〔***chapel hatpegs***〕《구어》 (놀라움 · 공포 등으로) 눈알이 튀어나올 듯이 되다. ***show the whites of*** one'***s*** ~***s*** 눈을 허옇게 뜨다; 놀라다; 기절하다. ***shut*** one'***s*** ~***s to*** ⇨close one's ~*s* to. ***spit in*** a person'***s*** ~ 《구어》 아무의 얼굴에 침을 뱉다, 아무를 모욕하다. ***strike the*** ~ 눈에 띄다. ***take*** one'***s*** ~***s off*** 〖보통 부정문으로〗 …에서 눈을 떼다: be unable to *take* one's ~*s off* …에서 눈을 떼지 못하다《매료 · 감탄하여 바라보기 따위》. ***That's all my*** ~ (***and Betty Martin***)***!*** 농담은 집어치워라, 쓸데없는 소리 마라. ***the*** ~ ***of the day*** 〔***the morning, heaven***〕《시어》 태양. ***the*** ~***s of night*** 〔***heaven***〕《시어》 별. ***the naked*** ~***s*** 육안. ***There is more to*** 〔***in***〕 ***… than meets the*** ~. 보기보다 더한 것이 …에게 있다. ***through*** a person'***s*** ~***s*** =***through the*** ~***s of*** a person 아무의 눈을 통하여, 아무의 시각에서〔사고방식으로〕. ***to the*** ~ 본 바로는, 표면상은. ***turn a blind*** ~ 보고도 못 본 체하다, 간과하다, 눈을 감다《*to* 〔*on*〕 a thing》. ***under*** one'***s*** (***very***) ~***s*** ⇨before one's very ~*s*. ***under the*** ~ ***of*** …의 감시 아래서; …의 보는 앞에서. ***up to the*** 〔one'***s***〕 ~***s*** 《구어》 몰두하여, 열중하여; 깊이 빠져. ***wipe*** a person'***s*** ~ =***wipe the*** ~ ***of*** a person 아무를 꼭뒤질러 깜짝 놀라게 하다《사냥에서 남이 빗맞힌 사냥감을 맞혀 잡은 데서》. ***with an*** ~ ***for*** …에 안목이 있어. ***with an*** ~ ***to*** …을 목표로〔염두에 두고〕: *with an* ~ *to* winning favor 마음에 들게 하려고. ***with dry*** ~***s*** 눈물 한 방울 흘리지 않고, 태연히, 천연덕스레. ***with half an*** ~ 언뜻 보아, 쉽사리. ***with one*** ~ ***on …*** 한 눈으로 …을 보면서. ***with*** one'***s*** ~***s closed*** 〔***shut***〕 눈을 감은 채로(도), 사정도 잘 모르면서, 손쉽게. ***with*** one'***s*** ~***s open*** (결점 · 위험 따위를) 다 알고서, 잘 분별하여. ***with*** one'***s*** ~***s starting out of*** one'***s head*** 눈알이 튀어나올 만큼 몹시 놀라서.

— (*p., pp.* ~***d; éy·ing,*** ~***·ing***) *vt.* **1** 보다; 노려보다; 잘〔자세히〕 보다, 주시하다: ~ a person askance 아무를 흘겨보다. **2** (바늘귀 등의) 구멍을 뚫다; (감자의) 눈을 따다.

éye appèal 《미구어》 매력; 아름다움.

éye·bàll *n.* 눈알, 안구. ~ ***to*** ~ 《구어》 …와 얼굴을 맞대고. ***up to the*** ~***s*** 《구어》 (빚 · 어려움 · 일 따위로) 꼼짝할 수 없게 되어. — *vt.* 《미속어》 지그시〔날카로이〕 보다.

éyeball-to-éyeball *a.* 《구어》《우스개》 =FACE-TO-FACE《*with*》: an ~ confrontation 정면 대립〔대결〕.

éye bànk 안구〔각막〕 은행.

éye·bàr *n.* 〖기계 · 건축〗 아이바《끝에 구멍 뚫린 강철봉 따위》.

éye bàth 《영》 =EYECUP.

éye·bèam *n.* 시선, 일별(一瞥).

éye·blàck *n.* 마스카라.

éye·bòlt *n.* 〖기계〗 아이볼트.

éye·brìght *n.* 〖식물〗 좁쌀풀.

eye·brow** [áibràu] *n.* **1** 눈썹: knit the ~*s* 눈살을 찌푸리다. **2** 〖건축〗 (눈썹꼴의) 지붕창. ***hang 〔***hold***〕 ***on by*** one'***s*** 〔***the***〕 ~***s*** =hang 〔hold〕 on by one's EYELASHes. ***raise*** ~***s*** 사람들을 놀라게 하다, 사람들의 경멸〔비난〕을 초래하다. ***raise*** one'***s*** ~***s*** (경멸 · 놀람 · 의심 등으로) 눈살을 치키다. ***up to the*** ~***s*** 몰두하여《*in*》.

éyebrow pèncil 눈썹 연필.

éye càndy 《구어》 (보기는 재미있으나 생각할 것이 없는) 시각(視覺) 영상; 《속어》 겉보기만 매력적인 사람〔것〕(cf. arm candy).

éye-càtcher *n.* 사람 눈을 끄는 것; 젊고 매력적인 여자.

éye-càtching *a.* 남의 눈을 끄는.

éye chàrt 시력 검사표. cf. test types.

éye cóntact (서로의) 시선이 마주침, (친근한 표시로) 서로 지그시 쳐다봄; (겁을 주는 수단으로서의) 서로 노려보기.

éye·cùp *n.* 《미》 세안용(洗眼用) 컵.

(-)eyed [aid] *a.* **1** 〖복합어〗 (…의) 눈을 한〔가진〕, 눈이 …과 같은: blue-~ 푸른 눈의 / eagle-~ 독수리 같은 날카로운 눈을 가진. **2** 구멍이〔귀가〕 있는《바늘 따위》; 눈 모양의 무늬가 있는.

éye dìalect 〖언어〗 시각(視覺) 방언《문학 작품 등에서 철자를 표준 표기가 아닌 형태로 바꾼 문장 표현상의 한 수법. women을 *wimmin*, says를 *sez*라 쓰는 따위》.

éyed·ness *n.* (단안 현미경 따위를 쓸 때) 어느 한쪽 눈만 쓰는 경향.

éye dòctor 안과 의사.

éye·dròp *n.* 눈물(tear).

éye·dròpper *n.* 《미》 점안기(點眼器), 점안병(瓶)(dropper).

éye dròps 눈약, 안약.

éye-fìlling *a.* 눈이 휘둥그레질 정도의, 굉장한.

éye-fùck 《비어》 시간(視姦)하다, 음탕한 눈으로 뚫어지게 보다.

eye·ful [áifùl] *n.* **1** 눈에 들어오는 물질《물 · 먼지 따위》. **2** 한눈에 볼 수 있는 정도의 것. **3** 《구어》 남의 눈을 끄는 사람〔사물〕, 《특히》 굉장한 미인.

éye·glàss *n.* **1** 안경알; 외알 안경; (*pl.*) 안경, 코안경. **2** 접안렌즈《망원경의》. **3** =EYECUP.

éye·hòle *n.* 안와(眼窩); 들여다보는 구멍; (바늘 등의) 귀; 《비어》 요도구(尿道口).

éye in the ský 《CB속어》 경찰 헬리콥터.

éye-in-the-ský (*pl.* ***éyes-***) *n.* (인공위성 · 항공기의) 공중 정찰 장치.

°**éye·làsh** *n.* 속눈썹; 《비유》 =HAIRBREADTH. ***by an*** ~ 근소한 차로. ***flutter*** one'***s*** ~***es at*** (여성이) …에게 윙크하다. ***hang*** 〔***hold***〕 ***on by*** one'***s*** 〔***the***〕 ~***es*** 《영속어》 간신히 곤경을 견디어〔이겨〕내다.

éye lèns 대안(對眼)렌즈.

éye·less *a.* 눈 없는, 소경의; 맹목적인; (바늘 따위의) 귀가 없는.

éyeless síght 무안(無眼) 시각, 촉(觸)시각《손가락에 의한 색 · 문자의 판별 능력》.

eye·let [áilit] *n.* 작은 구멍; (구두 따위의) 끈 구멍; (금속의) 작은 고리; 들여다보는 구멍; (자수의) 장식 구멍, 아일릿; 총안(銃眼). — *vt.* …에 끈〔장식〕 구멍을 내다. ㊞ **èye·le·téer** [-íər] *n.* 끈 구멍을 뚫는 송곳.

éye-lèvel *n.* 눈 높이: at ~ 눈 높이인 곳에.

eye·lid** [áilìd] *n.* **1** 눈꺼풀: the upper 〔lower〕 ~ 윗〔아랫〕눈꺼풀. **2** 〖항공〗 클램셸(clamshell) 《제트 엔진의 추력 역전 장치》. ***hang 〔***hold***〕 ***on***

by one**'*s*** 〔***the***〕 **~*s*** 《영속어》 =hang on by one's EYELASHes. ***in the batting*** 〔***the bat***〕 ***of an*** ~ 눈 깜짝할 사이에. ***not*** 〔***never***〕 ***bat an*** ~ 《구어》 눈도 깜짝 안 한다, (이상 사태에도) 태연하다.

éye·lìft *n*. (눈꼬리 부분의 주름을 펴는) 눈주름 수술(=**éye tùck**).

éye·lìner *n*. 아이라이너《(1) 눈의 윤곽을 돋우는 화장품. (2) 이를 칠하는 붓》.

éye-mínded [-id] *a*. 〖심리〗 (사고 · 기억 따위에 있어서) 시각형(視覺型)의.

éye-òpener *n*. **1** 《구어》 눈이 휘둥그레지게 하는 것, 놀랄 만한 일〔사건, 행위, 이야기〕, 대단한 미인; 눈이 번쩍 띄게 하는 것, 폭로〔계발〕적인 새 사실; 사실〔사정〕을 밝히는 사람. **2** 《미구어》 해장술. **3** 《속어》=AMPHETAMINE. **4** (마약 중독자의) 그날의 첫 주사.

éye-òpening *a*. 눈이 휘둥그레질 만한, 놀라운: ~ events 〔news〕 놀라운 사건〔뉴스〕.

éye·pàtch *n*. 안대(眼帶).

éye·pìece *n*. 접안렌즈, 접안경.

éye·pìt *n*. 〖해부〗 안와(眼窩), 눈구멍.

éye-pòpper *n*. 《미구어》 굉장한〔놀라운〕 것.

éye-pòpping *a*. 눈이 휘둥그레질 만한, 깜짝 놀라게 하는, 놀라운.

éye·prìnt *n*. 안문(眼紋)《망막의 혈관 패턴; 사람마다 다르므로 개인 식별에 쓸 수 있음》.

éye rhỳme 〖시학〗 시각운(視覺韻)《모음의 발음이 달라도, 철자상으로는 답운(踏韻)한 것처럼 보이는 것; 보기: move, love》.

éye·sèrvant *n*. 《옛투》 표리부동한 고용인.

éye·shàde *n*. 보안용 챙《테니스 · 독서할 때 등에 씀》; =EYE SHADOW.

éye shàdow 아이 섀도.

éye·shòt *n*. Ⓤ 눈길이 닿는 곳, 시계(視界): beyond 〔out of〕 ~ 안 보이는 곳에/in 〔within〕 ~ 보이는 곳에.

***eye·sight** [áisàit] *n*. Ⓤ **1** 시력, 시각: He lost his ~. 그는 실명했다. **2** 《고어》 시계(視界), 시야.

éye sòcket 눈구멍, 안와(眼窩).

éye·some *a*. 《고어》 (보기에) 아름다운.

éyes-ònly *a*. 《미》 (정보 · 문서가) 최고 기밀의 《메모 · 복사 따위가 금지된》. ★ 영국 작가 Ian Fleming의 스파이 소설 *For Your Eyes Only* (1960)에서.

éye·sòre *n*. 눈의 아픔; 《미》 눈에 거슬리는 것 〔사람〕.

éye splìce 〖해사〗 삭안(索眼)《밧줄 끝을 고리 모양으로 한 것》.

éye·spòt *n*. **1** 〖동물〗 (하등 동물의) 시각 기관, 안점(眼點). **2** (공작 날개 따위에 있는) 눈 모양의 반점.

éye·stàlk *n*. 〖동물〗 (새우 · 게 따위의) 눈자루.

éye·stràin *n*. Ⓤ 눈의 피로(감), 안정(眼睛) 피로.

éye·strìngs *n*. *pl*. 《고어》 안근(眼筋).

éye·tòoth (*pl*. ***-teeth*** [-tìːθ]) *n*. 송곳니《특히 윗니의》; (*pl*.) 아주 귀중한 것. ***cut*** one**'*s eyeteeth*** 《구어》 어른이 되다《철들다》. ***give*** one**'*s eyeteeth for*** …을 위해 소중한 것을 바치다〔어떤 대가라도 치르다〕.

éye vìew =POINT OF VIEW.

éye·wàll *n*. 〖기상〗 태풍의 눈 주위의 깔때기 모양의 난층운(亂層雲)의 벽(wall cloud).

°**éye·wàsh** *n*. **1** Ⓤ 안약, 세안수(洗眼水). **2** 《구어》 속임수, 사기.

éye·wàter *n*. Ⓤ **1** 안약. **2** 눈물. **3** 〖의학〗 (안구의) 수양액(水樣液).

éye·wèar *n*. 안경류.

éye·wìnk *n*. 윙크, 눈짓; 순간; 《폐어》 일별(一瞥).

éye·wìnker *n*. 속눈썹; 눈에 들어간 이물.

éye·wìtness *n*. 목격자; 실지 증인. **—***vt*. 목격하다.

ey·ot [éiət, eit/eit] *n*. 《영》 =AIT.

EYP Electronic Yellow Pages.

eyre [ɛər] *n*. 〖영국사〗 (재판관의) 순회(circuit); 순회 재판(소): justices in ~ 순회 재판관.

ey·rie, ey·ry [ɛ́əri, íəri/áiəri, íəri] *n*. = AERIE.

ey·rir [éiriər] (*pl*. ***au·rar*** [ɔ́irɑːr]) *n*. 에이리르《아이슬란드의 경화(硬貨)로 화폐 단위 1크로나(krona)의 1/100》.

EZ., Ezr. 〖성서〗 Ezra. **Ezek.** 〖성서〗 Ezekiel.

Eze·ki·el [izíːkiəl] *n*. 〖성서〗 에스겔《유대의 예언자》; 에스겔서《구약성서 중의 한 편》.

e-zine [íːzìn] *n*. 전자 잡지.

Ez·ra [èzrə] *n*. 〖성서〗 에스라《유대의 예언자》; 에스라서(書)《구약성서의 한 편》.

F

F, f [ef] (*pl.* **F's, *Fs*, f's, *fs*** [efs]) **1** 에프《영어 알파벳의 여섯째 글자》. **2** 〖음악〗 바음《고정도 창법의 '파'》, 바조(調): *F* sharp 올림바조《F #》. **3** F자 모양의 것. **4** (F) 《미》 (학업 성적의) 불가, 낙제점(failure), 《때로》 가(可)(fair). **5** 여섯 번째(의 것)《연속된 것의》. **6** 〖컴퓨터〗 (16진수의) F《10진법의 15》. **7** 《우스개》 벼룩.

F 〖수학〗 field; fine 《연필의 심이 가는; 잔글씨용》; 〖화학〗 fluorine; Folio 《F_1=First Folio; F_2=Second Folio》; 〖자동차 국적표시〗 France. **f** 〖물리〗 femto-; 〖유전〗 filial generation (후대(後代)). **F.** Fahrenheit; Father; February; Fellow; France; French; Friday. **f.** 〖전기〗 farad; farthing; 〖시계〗 fast; fathom; 〖야구〗 foul(s); feet; female; feminine; filly; florin; folio(s); following; foot; forte; franc(s); function(of). **F/, f/, f:, *f.*, F** 〖사진〗 f-number. **F-** 〖미군사〗 fighter (plane) 《전투기의 약칭; F-15 등》.

fa, fah [fɑː] *n.* 〖음악〗 파《장음계의 넷째 소리》.

FA factory automation. **FA, F.A.** Field Artillery; 〖야구〗 fielding average; Fine Arts; Football Association; 〖축산〗 forage acre; Frame Aerial. **F.A.A., FAA** 《미》 Federal Aviation Administration《미국의 연방 항공국》; 〖해상보험〗 free of all average (전손(全損)에 한한 담보). **F.A.A. A.S.** Fellow of the American Academy of Arts and Sciences (미국 예술 과학 협회 회원); Fellow of the American Association for the Advancement of Science (미국 과학 진흥회 회원).

fab[1] [fæb] *a.* 《영구어》 믿을 수 없는, 굉장한, 놀랄 만한. [◂ *fab*ulous]

fab[2] *n.* (특히 반도체 산업의) 제조 (공장). [◂ *fab*rication]

Fa·bi·an [féibiən] *a.* 고대 로마 장군 Fabius식(전략)의《지구전으로 적의 자멸을 기다림》, 지구적인; 점진적인; (영국) 페이비언 협회의: a ~ policy 지구책 / ~ tactics 지구 전법. **—** *n.* **1** 페이비언 협회원〔주의자〕. **2** 페이비언《남자 이름》. ㊞ **~·ism** *n.* Ⓤ 페이비언주의. **~·ist** *n.*

Fábian Society (the ~) 페이비언 협회《1884년 Sidney Webb, Bernard Shaw 등이 설립한 점진적 사회주의 단체》.

*__fa·ble__ [féibəl] *n.* **1** 우화, 교훈적 이야기: Aesop's *Fables* 이솝 이야기. **2** 〖집합적〗 신화, 전설, 설화. **3** 꾸며 낸 이야기, 꾸며 낸 일, 거짓말: He regarded it as a mere ~. 그는 그것을 단지 꾸며낸 것으로 생각했다. **4** 객쩍은 이야기. **5** 《고어》 (서사시 · 연극 등의) 줄거리(plot). ◇ fabulous *a.* **—** *vi.* 《고어》 우화를 만들다〔이야기하다〕; 꾸며낸 얘기를 하다, 거짓말을 하다(lie). **—** *vt.* 이야기로 꾸미다(invent). ㊞ **~·bler** *n.* 우화 작가; 거짓말쟁이. **fá·bled** *a.* 우화의〔에 나오는〕, 우화〔전설〕로 알려진; 가공의(fictitious).

fáb·less *a.* 공장을 갖지 않은《제조 회사가 대규모 제조 시설을 갖지 않은》.

fab·li·au [fǽbliòu] (*pl.* **~*x*** [-z]) *n.* (중세 프랑스의) 우화시《익살맞은 풍자 이야기》.

Fa·bre [fɑ́ːbər] *n.* **Jean Henri ~** 파브르《프랑스의 곤충학자; 1823-1915》.

*__fab·ric__ [fǽbrik] *n.* **1** Ⓒ,Ⓤ 직물, 천, 편물; (직물의) 짜임새, 바탕(texture): woolen ~*s* 모직물. **2** Ⓤ 구조; 조직, 구성; 구축, (교회당의) 건설, (교회당 따위) 건조물의 유지: the ~ of society 사회 조직. **3** Ⓒ 건조물(edifice), 건물; 건조법; 건재(建材).

fab·ri·ca·ble [fǽbrikəbəl] *a.* 만들〔구성할〕 수 있는. ㊞ **fàb·ri·ca·bíl·i·ty** *n.*

fab·ri·cant [fǽbrikənt] *n.* 《고어》 제조(업)자.

°**fab·ri·cate** [fǽbrikèit] *vt.* 제조하다; 조립하다; (부품을) 규격대로 만들다; (원료를) 가공품으로 만들어 내다; (이야기 · 거짓말 따위를) 꾸며〔만들어〕 내다(invent), 날조〔조작〕하다; (문서 따위를) 위조하다(forge): ~ an engine 엔진을 조립하다 / a ~*d* account of adventures 꾸며낸 모험담. SYN. ⇨ MAKE. ㊞ **-cà·tor** [-ər] *n.*

fábricated fóod 합성 가공 식품.

fàb·ri·cá·tion *n.* **1** Ⓤ 제작, 구성; 위조; 조립. **2** Ⓒ 꾸밈, 날조, 거짓(말); 위조물〔문서〕; 조립 부품: a pure 〔total〕 ~ 새빨간 거짓말.

fábric scúlpture 섬유 조각《여러 가지 직물을 소재로 한 입체 예술》.

fábric sòftener 직물 유연제(柔軟劑)《세탁한 천 · 옷 따위를 부드럽고 폭신하게 하는 약품》.

Fab·ri·koid [fǽbrikɔ̀id] *n.* 방수 모조 피혁〔직물〕의 일종《제본 · 가구용; 상표명》.

Fá·bry's disèase [fɑ́ːbriz-] 〖의학〗 파브리병《유전성 지질(脂質) 대사 이상증》.

fab·u·lar [fǽbjələr] *a.* 우화의〔에 관한〕, 우화〔소설, 전설〕적인.

fab·u·la·tion [fæ̀bjəléiʃən] *n.* Ⓤ 우화 비슷하게 환상적 요소를 가미한 소설 작풍(作風). [◂ *fable*+*-tion*]

fab·u·la·tor [fǽbjəlèitər] *n.* fabulation의 경향을 지닌 작가.

fab·u·list [fǽbjəlist] *n.* 우화(寓話) 작가, 우화를 들려주는 사람; 거짓말쟁이.

fab·u·los·i·ty [fæ̀bjəlɑ́səti/-lɔ́s-] *n.* Ⓤ 전설적〔우화적〕 성질, 가공성; 《고어》 꾸민 이야기〔일〕.

°**fab·u·lous** [fǽbjələs] *a.* **1** 전설적인(mythical); 전설 · 신화 등에 나오는(legendary). **2** 황당무계한, 믿을 수 없는; 터무니없는, 엄청난; 《구어》 매우 멋진, 굉장한(superb): a ~ party 〔idea〕 멋진 파티〔착상〕. ◇ fable *n.* ㊞ **~·ly** *ad.* 믿어지지 않을 만큼, 엄청나게, 터무니없이. **~·ness** *n.*

FAC 〖군사〗 Fast Attack Craft(대형의 PT boat); forward air controller (전방 공중 정찰자(者) 〔기(機)〕). **fac.** factor; factory. **fac., facsim.** facsimile.

fa·çade, -cade [fəsɑ́ːd, fæ-] *n.* 《F.》 〖건축〗 (건물의) 정면(front); (사물의) 겉, 외관: a hotel with a classical ~ 정면이 고전적인 호텔 / ~ of political calm 겉보기의 정치적 평온. ***put up a*** ~ 외관을 바로잡다.

†**face** [feis] *n.* **1** 얼굴, 낯, 얼굴 모습(look); 얼굴 표정, 안색: ⇨ LONG FACE. **2** (종종 *pl.*) 찡그린 얼굴(grimace). **3** Ⓤ 면목, 체면(dignity): ⇨ FACE-SAVING. **4** Ⓤ 《구어》 (보통 the ~) 태연한 얼굴, 뻔뻔스러움(effrontery) 《*to* do》: He had the ~ *to* oppose me. 그는 건방지게도 내게 반대하

였다. **5** 면, 표면: A cube has six ~*s*. 정육면체는 6면이다. **6** (시계·화폐 따위의) 표면, 겉면, 문자반; (기구의) 사용면; 〖인쇄〗 (활자의) 자면(字面); 〖인쇄〗 서체, 자체(字體); (망치·골프 클럽 따위의) 치는 면; (건물 따위의) 정면(front); 〖항공·선박〗 프로펠러의 압력면; (시멘트 포장지로 만든) 가면. **7** 외관, 외견, 겉모습; 형세, 국면. **8** 지형, 지세(地勢)(topography). **9** (문서 따위에서) 문자 그대로의 뜻, 문면: on the ~ of a document 서류의 문면상으로는. **10** 〖상업〗 액면(~ value). **11** 〖채광〗 막장, 채벽; (암석의) 노출면. **12** 《속어》 놈, 녀석, 사람; 저명한 인사; 《흑인속어》 백인. ***at*** 〔***in, on***〕 ***the first*** ~ 언뜻 보기에는. ***before*** a ***person's*** ~ 아무의 면전에서. ***chew*** 〔***suck***〕 ~ 《미속어》 (껴안고) 키스하다. ***do*** one***'s*** ~ 화장(化粧)하다. ~ ***and fill*** (야채·과일 따위를) 외관만 보기 좋게 담기. ~ ***down*** 〔***up***〕 얼굴을 숙이고〔들고〕; 겉을 밑으로〔위로〕 하고: lay a book ~ *down* 책을 엎어 놓다. ~ ***on*** 얼굴을 그쪽으로 향하여; 엎어져《쓰러지는 따위》. ~ ***to*** ~ 정면으로, 마주 대하여; (문제 등에) 직면하여《*with*》. ***fall*** (***flat***) ***on*** one***'s*** ~ 엎드러지다, 꼴사납게 넘어지다〔실패하다〕; 면목을 잃다. ***in*** a ***person's*** ~ 정면으로; 면전에서, 공공연하게: laugh *in* a person's ~ ⇨ LAUGH. ***in*** (***the***) ~ ***of*** …의 앞에서; …에 거슬러, …에도 아랑곳없이〔불구하고〕(in spite of): *in the ~ of* the world 체면 불구하고 / *in the ~ of* day 〔the sun〕 공공연하게, 드러내 놓고. ***keep*** one***'s*** ~ (***straight***) =***keep a straight*** ~ ⇨ STRAIGHT. ***lie on its*** ~ (카드 따위가) 뒤집혀져 있다. ***look*** a person ***in the*** ~ =***look in*** a person***'s*** ~ 얼굴을 똑바로〔거리낌 없이〕 바라보다. ***lose*** (one***'s***) ~ 체면을 잃다, 낯 깎이다. ***make*** 〔***pull***〕 ~***s*** 〔***a*** ~〕 묘한〔싫어하는〕 표정을 짓다, 얼굴을 찌푸리다《*at* a person》. ***not be just a pretty*** ~ =***be more than*** (***just***) ***a pretty*** ~ 《구어·우스개》 (사람이) 보기보다 능력〔지성〕이 있다, 얼굴만 예쁜 것이 아니다. ***on*** one***'s*** ~ 엎드려서. ***on the*** (***mere***) ~ ***of it*** 본 바(로는), 표면상으로; 분명하게(obviously). ***open*** 〔***shut***〕 one***'s*** ~ 《미속어》 말하다〔입 다물다〕. ***pull*** 〔***make, wear***〕 ***a long*** ~ 슬픈〔심각한〕 얼굴을 하다, 탐탁지 않은〔싫은〕 얼굴을 하다. ***put a bad*** ~ ***on*** …으로 허둥지둥〔당황〕하다. ***put a bold*** 〔***brave, good***〕 ~ (***on***) …을 태연한 얼굴로〔대담하게〕 해치우다; 시치미떼다; (난국을) 꾹 참아 견디어내다. ***put a new*** ~ ***on*** …의 국면〔면목, 외관〕을 일신하다. ***put*** one***'s*** ~ ***on*** 《구어》 (얼굴에) 화장〔메이크업〕을 하다. ***set*** 〔***put***〕 one***'s*** ~ ***against*** …에 단호하게 반항〔반대〕하다. ***set*** one***'s*** ~ ***to*** 〔***toward***〕 …쪽으로 향하다; …에 착수하다; …에 뜻을 두다. ***show*** one***'s*** ~ 얼굴을 내밀다, 모습을 나타내다. ***smash*** 〔***put***〕 a ***person's*** ~ ***in*** 《구어》 아무를 호되게 후려 갈기다. ***throw*** 〔***fling, cast***〕 ***...*** (***back***) ***in*** a ***person's*** ~〔***teeth***〕 ⇨ TOOTH. ***to*** a ***person's*** ~ 아무에게 정면으로; 공공연히; 뻔뻔스럽게도. [OPP] *behind* a person's *back*. ***turn*** ~ ***about*** 홱 돌아다보다; 방향 전환을 하다; (형세 따위가) 역전하다.

— *vt.* **1** …에 면하다, …을 향하다: My house ~*s* (the) south. 내 집은 남향이다. **2** 〖종종 수동태〗 …에(게) 용감하게 맞서다(brave); (상대방과) 대전하다; …에 대항하다(confront); (사실·사정 등을) 직시(直視)하다, …에 직면하다《*with, by*》: ~ death bravely 용감하게 죽음과 맞서다 / Let's ~ it. 《구어》 현실을 직시하자 / be ~*d with* 〔*by*〕 a problem 문제에 직면하다. **3** 향하게 하다; 〖군사〗 (대열을) 방향 전환시키다; (카드를) 까놓다. **4** 《+[목]+[전]+[명]》 …의 면을 반반하게 하다, (돌 따위를) 반반하게 깎다; …의 겉에 칠하다〔바르다, 대다〕: The wall is ~*d with* tiles. 그 벽은 겉에 타일을 붙였다. **5** (값싼 녹차 등)에 착색하다; 외관을 보기 좋게 하다. **6** 《+[목]+[전]+[명]》 (옷 따위)에 장식을〔레이스를〕 붙이다, 선두르다: The tailor ~*d* a uniform *with* gold braid. 재단사는 제복에 금몰을 달았다. **7** 〖아이스하키〗 (심판이 puck을) 마주선 두 경기자 사이에 떨어뜨리다〔놓다〕(~ off) 《경기 시작이 됨》; 〖골프〗 (공을) 클럽 타구(打球)면 복판으로 치다. **—** *vi.* **1** 《+[부]/+[전]+[명]》 면하다, 향하다《*on; to; toward*》: His house ~*s north* 〔*to* the north〕. 그의 집은 북향이다. **2** 〖군사〗 방향 전환을 하다. **3** 〖아이스하키〗 Face off에 의해 경기를 개시〔재개〕하다(~ off). ***About*** ~***!*** 《미》 뒤로 돌아. ~ ***about*** 방향을 바꾸다, 돌게 하다; 〖군사〗 방향 전환시키다, 뒤로 돌다. ~ ***away*** 외면하다; (건물 등의) 방향이 …에서 빗나가다《*from*》. ~ ***down*** 무섭게 으르다, 위압하다; (반론 따위를) 못 나오게 하다. ~ ***off*** ① 〘명령형〙 (아이스하키 등에서) 경기 개시. ② (⇨ *vt.* 7, *vi.* 3). ③ 《미》 (적과) 대결하다. ~ (***it***) ***out*** 대담하게 밀어붙이다, (비판 등에) 지지 않고 밀고 나가다; 끝까지 견뎌내다. ~ ***up*** (안료 따위를 배합해서) 착색하다; 보기좋게 꾸미다. ~ ***up to*** …에 직면하다; …에 감연히 맞서다: reluctant to ~ *up to* sensitive foreign policy issues 미묘한 외교 문제에 적극적으로 나서길 꺼리는. ***Left*** 〔***Right***〕 ~ ***!*** 좌향좌〔우향우〕.

fáce-àche *n.* 안면 신경통; 《영속어》 몹시 추한 「〔슬픈 얼굴을 한〕 사람.

fáce àngle 〖기하〗 면각(面角).

Face·book [féisbùk] *n.* 페이스북 《미국 소셜 네트워크 사이트의 하나》.

fáce brìck 외장(外裝)〔치장〕 벽돌.

fáce càrd 《미》 (카드의) 그림패(《영》 court card) 《킹·퀸·잭》; 《미속어》 중요 인물.

fáce-cèntered *a.* 〖결정〗 (결정 구조가) 면심 격자(面心格子)의.

fáce·clòth *n.* 수건(《미》 washcloth); 시체의 얼굴을 덮는 천; 표면에 광택 처리가 된 나사(羅紗).

fáce creàm 화장용 크림.

faced [-t] *a.* **1** 얼굴〔면〕을 가진; 표면을 덮은〔긁어낸〕. **2** 〖복합어로〗 …의 얼굴을 한, …개의 면이 있는, 표면이 …한: sad-~ 슬픈 얼굴을 한 / two-~ 양면이 있는 / rough-~ 표면이 거친.

fáce·dówn *ad.* 얼굴을 숙이고; 겉을 밑으로 하여, 엎어서. **—** [ㅅ´] *n.* 《미》 대결. [cf.] show-down.

fáce flànnel 《영》 수건(《미》 washcloth).

fáce flỳ 〖곤충〗 가축의 얼굴에 꾀는 집파리속(屬)의 일종.

fáce fùngus 《구어·우스개》 수염(beard, mustache).

fáce guàrd (용접용의) 안면 보호구; (미식축구용의) 헬멧; (펜싱용의) 마스크.

fáce-hàrden *vt.* (강철 등에) 표면 경화 처리를 하다.

face·ism [féisizəm] *n.* 용모에 대한 차별.

fáce·less *a.* **1** 얼굴이 없는; 정체불명의: a ~ kidnap(p)er 정체불명의 유괴범. **2** (화폐 따위의) 면이 닳아 없어진. **3** 개성〔주체성〕이 없는. **4** 익명의. [파] ~**·ness** *n.*

fáce-lìft *vt.* …에 face-lifting을 하다. **—** *n.* 「=FACE-LIFTING.

fáce-lìfting *n.* [U,C] **1** 얼굴 주름살 펴는 성형수술. **2** 개장(改裝); (자동차 등의) 소규모적인 모델 변경.

fáce·man [-mən] (*pl.* **-men** [-mən]) *n.* (탄광의) 막장 작업원(face-worker).

fáce màsk **1** 〖스포츠〗 페이스 마스크《야구 포수나 하키 골키퍼의 안면 방호 용구》. **2** 〖일반적〗 안면 보호용 마스크.

fáce·màsking *n.* 〖미식축구〗 상대방의 마스크를 잡는 반칙.

fáce-òff *n.* (하키의) 경기 개시; 회담; 《미》 대결.

fáce pàck (안면용의) 미용 팩.

fáce pàint 화려한 색의 화장품《얼굴 장식을 위한》. ⓟ **fáce-pàinter** *n.* **fáce-pàinting** *n.*

fáce·plàte *n.* 〖기계〗 (선반(旋盤)의) 면판(面板); 브라운관의 앞면 유리; (잠수원 등의) 안면 보호용 금속〔유리〕판; (스위치 등의) 보호용 덮개.

fáce pòwder (얼굴 화장용) 분.

fac·er [féisər] *n.* (권투 등의) 안면 펀치, 얼굴 치기; 당황(케)하는 것〔말, 일〕, 뜻밖의 장애; 겉을 꾸미는 물건〔사람〕; 〖기계〗 facing 공구《공작물을 선반(旋盤)의 회전축과 수직으로 고정하는》.

fáce-sàver *n.* 체면(體面)을 세워 주는 수단〔것〕.

fáce-sàving *a., n.* Ⓤ 낯〔체면〕을 깎이지 않는〔않음〕, 면목을 세우는〔세움〕.

fac·et [fǽsit] *n.* (결정체·보석의) 작은 면, 깎은 면, 마면(磨面), (컷 글라스의) 각면(刻面); 〖건축〗 (기둥에 새긴 홈과 홈 사이의) 턱, (일의) 일면, 양상, 국면(phase); 〖곤충〗 홑눈. SYN. ⇨ PHASE. ── (*-t-*, 《영》 *-tt-*) *vt.* …에 작은 면을 내다〔깎다〕. ⓟ **~·ed,** 《영》 **~·ted** *a.* 작은〔깎은〕 면이 있는.

fa·ce·ti·ae [fəsíːʃiìː] *n. pl.* 해학(諧謔), 익살(witticisms); 익살맞은 내용의 책, (추잡스러운) 외설책, 염본(艶本).

fáce tìme (텔레비전에) 단시간 출연하는 것, 잠시 나타나는 것; (단시간의) 대면, 면담, 상면. 〖컴퓨터〗 《속어》 대면 시간, (전자 메일에 의한 교제가 아니라) 직접 만나서 교제하는 시간.

fa·ce·tious [fəsíːʃəs] *a.* 익살맞은, 우스운, 괘사스러운; 농담의, 농담 삼아서 한《말》; 유쾌한. ⓟ **~·ly** *ad.* **~·ness** *n.*

fáce-to-fáce *a.* 정면으로 마주보는; 맞부딪치는: a ~ confrontation 정면 대결/~ negotiations 직접 교섭. ── *ad.* 정면으로 맞서서; 직면하여《*with*》: stand ~ 정면으로 맞서다. 「하여.

fáce tòwel 세수수건.

fáce·úp *ad.* (얼굴을) 위로 향하고; 겉을 위로

fáce valídity 〖심리〗 (학력·능력 테스트의) 표면적 타당성; 외견상의 타당성.

fáce válue 〖상업〗 액면 가격; 《비유》 표면상의 가치, 문자 그대로의 뜻. ***take** a person**'s promise at** (**its**) ~* 아무의 약속을 액면대로 믿다.

fáce·wòrk *n.* 외장(facing).

fáce-wòrker *n.* 탄광의 막장 작업원.

facia ⇨ FASCIA.

°**fa·cial** [féiʃəl] *a.* 얼굴의, 안면의; 표면(상)의: ~ expression (얼굴의) 표정. ── *n.* Ⓤ,Ⓒ 미안술, 안면 마사지. ⓟ **~·ly** *ad.* 「(面角).

fácial àngle 〖인류〗 안면각; 〖수학·결정〗 면각

fácial índex (the ~) 안면 지수《얼굴의 폭과 길이와의 백분비》.

fácial nèrve 〖해부〗 안면 신경.

fácial neurálgia 〖의학〗 안면 신경통.

fácial tíssue (흡습성의) 고급 화장지.

-fa·cient [féiʃənt] '…화(化)하는, …작용을 일으키는, …성(性)의'의 뜻을 지니는 형용사를 만드는 결합사: lique*facient*.

fa·ci·es [féiʃiìːz, -ʃiːz/-ʃiìːz] (*pl.* ~) *n.* **1** 〖생태〗 (동식물군(群) 따위의) 외관, 외견; 〖식물〗 페이시스《종자의 양적(量的) 차이에 의한 식물 군락의 하위(下位) 단위》. **2** 〖지학〗 상(相)《퇴적층의 전체적 특색》. **3** 〖의학〗 어떤 병 특유의 얼굴 표정.

fac·ile [fǽsil/fǽsail] *a.* **1** 손쉬운, 용이한(easy): a ~ victory 낙승(樂勝). **2** 간편한, 쓰기 쉬운. **3** 경묘한; (입·손 따위가) 날랜, 잘 움직이는; 유창한(fluent): wield a ~ pen 줄줄 써 내리다/a ~ style 알기 쉬운 문체. **4** 친하기〔다루기〕 쉬운, 상냥한; 《고어》 고분고분한. ◇ facility *n.* ⓟ **~·ly** *ad.* **~·ness** *n.*

fa·ci·le prin·ceps [fǽsəli-prínseps] 《L.》 (=easily first) 발군의, 쉽사리 제 1 위가 된 (사람); 탁월한 (지도자).

°**fa·cil·i·tate** [fəsílətèit] *vt.* **1** (손)쉽게 하다. **2** (행위 등을) 돕다; 촉진〔조장〕하다. ⓟ **-tà·tive** *a.*

fa·cìl·i·tá·tion *n.* Ⓤ 용이〔편리, 간편〕하게 함; 도움, 촉진; 〖생리〗 촉진, 소통.

fa·cil·i·ta·tor [fəsílətèitər] *n.* 쉽게 하는 사람〔물건〕, 촉진자〔물〕; (그룹 따위의) 관리자.

fa·cil·i·ty [fəsíləti] *n.* Ⓤ,Ⓒ **1** 쉬움, 평이〔용이〕함: with ~ 수월하게. **2** (쉽게 배우고 부리는) 솜씨, 재주(dexterity), 능숙(skill), 유창(fluency); 재능: Practice gives ~. 연습을 쌓으면 솜씨가 는다/~ *in* cooking 음식〔요리〕 솜씨. **3** 다루기 쉬움, (부탁받으면 무엇이나 거절 못 하는) 사람 좋음, 고분고분함. **4** (문체 등의) 유려함. **5** (*pl.*) 편의(를 도모하는 것), 편리; 시설, 설비; 〖컴퓨터〗 설비; 〖군사〗 (보급) 기지; 《완곡어》 변소: transportation 〔monetary〕 *facilities* 교통 시설〔금융 기관〕/*facilities* of civilization 문명의 이기(利器). ◇ facile *a.* ***give*** 〔***afford, offer***〕 ***every ~ for*** …에게 모든 편의를 제공하다. ***have a ~ for*** …의 재능이 있다.

facílity mánagement 〖컴퓨터〗 컴퓨터는 자사에서 소유하고, 그 시스템 개발·관리 운영은 외부 전문 회사에 위탁하는 일《생략: FM》.

facílity trìp 《영》 (공무원의) 관비 (조사) 여행.

facílity vìsit (기업의 PR용) 초대 취재〔방문〕.

fác·ing *n.* **1** Ⓤ 면함, 향함, (집의) 향(向). **2 a** (의복의) 가선 두르기; 깃의 꺾은 부분. **b** (*pl.*) 〖군사〗 (병과를 나타내는) 깃, 소매의 표지. **3** Ⓒ 〖건축〗 마무리 치장한 면, 겉단장, 외장(外裝); 외장재(材), 치장재. **4** Ⓤ (차(茶) 따위의) 착색(着色); 〖기계〗 단면(端面) 절삭; 〖군사〗 (구령에 따라 행하는) 방향 전환. ***go through*** one***'s ~s*** 《고어》 (솜씨·능력 따위를) 시험받다. ***put*** a person ***through*** his ***~s*** 《고어》 아무의 능력을〔솜씨를〕 시험하다.

facings 2a

fácing brìck =FACE BRICK.

fack [fæk] *vi.* 진실〔사실〕을 말하다.

F.A.C.P. Fellow of the American College of Physicians. **F.A.C.S.** Fellow of the American College of Surgeons.

facsim. facsimile.

°**fac·sim·i·le** [fæksíməli] *n.* (책·필적·그림 따위의) 모사(模寫), 복사(exact copy), 영인본(影印本); 팩시밀리; 복사 전송 장치; 사진 전송, 전송 사진: make a ~ of …을 모사〔복사〕하다. ***in ~*** 〖관사없이〗 복사로; 실물 그대로. ── *vt., vi.* 모사〔복사〕하다; …을 팩시밀리로 보내다. ── *a.* ~의; 실물 그대로의: a ~ edition (of a manuscript) 복사판.

facsímile transmìssion 팩시밀리 전송(fax).

†**fact** [fækt] *n.* **1** Ⓒ (발생한〔발생하고 있는〕) 사실, 실제(의 일), 진실, 진상(眞相)(reality): It is a ~. 그것은 사실이다《지어 낸 이야기나 억측이 아니다》/an accepted ~ 용인된 사실. **2** Ⓒ (보통 the ~) …이라는 사실; 현실《*of; that*》: *That*'s the 〔a〕 ~. 정말이야. **3** Ⓤ (이론·의견·상상 등에 대한) 사실, 현실, 실제: *Fact* is more curious than fiction. 사실은 소설보다 기이하다. **4** 〖법률〗 (the ~) (범죄 등의) 사실, 범행, 현행: confess the ~ 범행을 자백하다. **5** Ⓒ 〖법률〗 (종종 *pl.*) 진술한 사실: His ~s are false. 그의 진술은 거짓이다. ***after*** 〔***before***〕 ***the ~*** 범행 후〔전〕에, 사후(事後)〔사전〕에. ***as a matter of ~*** 사실은, 사실상; (앞의 말을 정정하여) 실제

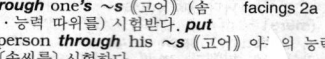

는, 실(實)은. ★ 구어에서는 흔히 (a) matter of ~, matter-of-factly 로 씀. **~s and figures** 정확한 정보, 상세함(details). **for a ~** 사실로서. **in** (**actual**) **~=in point of ~** (예상 · 겉보기 등에 대해) 실제로; (명목 · 약속 등에 대해) 실제로는, 사실상; 실은. **the ~** (**of the matter**) **is ...** (that) 사실〔진상〕은 …이다.

fáct finder 진상 조사(위)원, 조정자, 중재자.

fáct-finding *a.*, *n.* [U] 진상 조사(의): a ~ committee 진상 조사 위원회.

◇**fac·tic·i·ty** [fæktísəti] *n.* 사실임, 사실성.

◇**fac·tion**[1] [fǽkʃən] *n.* [C] 도당, 당파, (정당 · 정부 · 기관 등의) 파벌; [U] 파벌 싸움, 당쟁, 내분(dissension); 당파심: an extremist ~ 과격파 / ~ fighting 파벌 투쟁.

fac·tion[2] *n.* 실록 소설, 실화 소설. [◂ *fact*+fic*tion*]

-fac·tion [fǽkʃən] *suf.* -fy 의 어미를 갖는 동사에서 그 명사를 만듦: satis*faction*.

fác·tion·al *a.* 도당의, 당파적인; 이기적인. [파] **~·ism** *n.* [U] 파벌주의, 당파심, 당파 근성〔싸움〕. **~·ist** *n.* 파벌주의자, 도당을 꾸미는 사람. **~·ize** *vt.* 《미》 분파시키다, 당파적으로 하다. **~·ly** *ad.*

fac·tious [fǽkʃəs] *a.* 당파적인, 당파상의; 당쟁을 일삼는, 당파심이 강한, 당파 본위의. [파] **~·ly** *ad.* **~·ness** *n.*

fac·ti·tious [fæktíʃəs] *a.* **1** 인위적인, 인공적인(artificial), 부자연한. [opp] *natural*. **2** 만들어〔꾸며〕 낸, 허울뿐인, 가짜의(sham). [opp] *genuine*. [파] **~·ly** *ad.* **~·ness** *n.*

fac·ti·tive [fǽktətiv] *a.* 〖문법〗 작위(作爲)적인: ~ verbs 작위 동사(《[목]+[보] 형의 make, cause, think, call 등》). **—** *n.* 작위 동사. [파] **~·ly** *ad.*

fac·tive [fǽktiv] *a.* 〖문법〗 사실적: a ~ verb 사실성(事實性) 전제 동사《regret, surprise 등》/ a ~ clause 사실절. **—** *n.* 사실성 전제 동사《종속절이 사실임을 전제로 하는》.

fáct of lífe 1 (a ~) 인생의 피할 수 없는 사실; 현실. **2** (the facts of life) 성 · 생식에 관한 사실: teach children *the facts of life* 어린이에게 성교육을 하다.

fac·toid [fǽktɔid] *n.* (인쇄 · 발간되어) 사실처럼 인정되고 있는 일〔이야기〕; 의사(擬似) 사실, 유(類)사실. [파] **-toi·dal** [-dəl] *a.*

⁑**fac·tor** [fǽktər] *n.* **1** 요인, 인자, 요소《*of; in*》: a ~ *of* happiness 행복의 요인 / the principal ~ 주인(主因). [SYN.] ⇨ELEMENT. **2** 〖수학〗 인자(因子), 인수, 약수: a common ~ 공통 인자, 공약수 / resolution into ~*s* 인수 분해. **3** 〖기계〗 계수, 율: the ~ *of* safety 안전율(safety ~). **4** 〖생물〗 인자(gene), 《특히》 유전 인자; 〖화학〗 역가(力價). **5** (수금(收金)) 대리업자, 도매상, 중매인; 채권 금융업(자〔회사〕); 《Sc.》 마름, 토지 관리인(steward): a corn ~ 곡물 도매상. **~** 〔**agent**〕 **of production** 〖경제〗 생산 요소. **—** *vt.* 〖수학〗 인수 분해하다《*into*》. **—** *vi.* ~로서 행동하다; 외상 매출 채권을 매입하다. **~ in** 〔**into**〕 (예상 · 계획에서) …을 계산에 넣다. **~ out** (요소의 한 부분을) 제거하다; 추출하다. [파] **~·a·ble** *a.*

fac·tor·age [fǽktəridʒ] *n.* [U] (수금) 대리업, 도매업; 중개 수수료; 구문, 도매 구전.

fáctor anàlysis 〖통계〗 인자 분석(법).

fáctor còst 〖경제〗 요소〔요인〕 비용.

fáctor VIII [-éit] 〖생화학〗 항혈우병(抗血友病) 인자(=**antihemophílic fàctor**).

fáctor V [-fáiv] ⇨ACCELERATOR GLOBULIN.

fáctor gròup 〖수학〗 인자군(因子群)(quotient group).

fac·to·ri·al [fæktɔ́ːriəl] *a.* 〖수학〗 인수(因數)의; 계승(階乘)의; (수금) 대리업의; 공장〔제조소〕의. **—** *n.* 〖수학〗 순차곱셈, 계승. [파] **~·ly** *ad.*

fác·tor·ing *n.* 〖수학〗 인수 분해; 〖상업〗 수금 대리업, 채권(債權) 매수업.

fàc·tor·i·zá·tion *n.* [U] 〖수학〗 인수 분해; 〖법률〗 채권(債權) 압류 통고.

fac·tor·ize [fǽktəràiz] *vt.* **1** 〖수학〗 …을 인수분해하다. **2** 〖법률〗 …에게 채권(債權) 압류의 통지를 하다(garnishee).

fac·tor·ship [fǽktərʃip] *n.* [U] 도매업, 대리업.

⁑**fac·to·ry** [fǽktəri] *n.* **1** 공장, 제조소(所)(works); =FACTORY SHIP: a shoe ~ 제화 공장. ★ 소규모의 것은 workshop. **2** 〔형용사적〕 공장의: a ~ girl 여공, 여직공 / a ~ price 공장도 가격. **3** 《비유》 (물건 · 자격 등 획일적인 것의) 제조 장소《학교 등》; 해외 대리점; 《본디》 재외 상관(商館). **4** 《속어》 교도소, 경찰서. **~ of the future** 미래의 공장《컴퓨터 · 로봇의 조작에 의한 완전 무인(無人)화 공장》.

Fáctory Àcts (the ~) 〖영국사〗 공장법《근로자 보호를 위해 노동 조건을 정한 일련의 법률》.

fáctory automàtion 공장 자동화《생략: FA》.

fáctory fàrm(ing) 공장화된 축산 농장.

fáctory flòor (관리직에 대한) 직공, 평공원(平工員).

fáctory hànd 직공, 공원.

fáctory òutlet 메이커 직영점, 메이커 상품 직매점.

fáctory prìce 공장도 가격.

fáctory shìp 모선(母船)《삼치 모선 따위》; 공작함(艦)〔선(船)〕.

fáctory sỳstem 공장 제도《대량 생산의 산업 제도》.

fac·to·tum [fæktóutəm] *n.* 허드렛일꾼, 잡역부, 막일꾼; 하인의 우두머리.

fáct shèet 데이터표(表); (특정 문제에 관한 사실을 간결하게 정리한) 개황 보고서.

fac·tu·al [fǽktʃuəl] *a.* 사실의, 사실에 입각한; 실제의(actual). [파] **~·ly** *ad.* **~·ness** *n.* **fàc·tu·ál·i·ty** [-ǽləti] *n.*

fac·tu·al·ism [fǽktʃuəlìzəm] *n.* 사실 존중(주의). [파] **-ist** *n.* **fàc·tu·al·ís·tic** [-ístik] *a.*

fac·tum [fǽktəm] (*pl.* ***fac·ta*** [-tə]) *n.* 《L.》 **1** 〖법률〗 행위(fact). **2** 사실 (문제), 사실의 진술서. **3** 유언장 작성.

fac·ture [fǽktʃər] *n.* [U] 제작(법), 수법; [C] 제작물; 작품; [U] (작품의) 질, 솜씨; 〖미술〗 캔버스 위에 칠한 그림물감의 층의 형태〔구조〕; [C] 〖상업〗 송장(invoice).

fac·u·la [fǽkjələ] (*pl.* ***-lae*** [-lìː]) *n.* 〖천문〗 (태양의) 백반(白斑). [cf.] macula. [파] **-lar** [-lər] *a.* **-lous** [-ləs] *a.*

fac·ul·ta·tive [fǽkəltèitiv] *a.* 허용적인(permissive), 특권〔권한〕을 주는; 임의의(optional); 우발적인; 능력의, 기능의; 〖생태〗 (기생충 등이) 여러 다른 환경에서도 생존할 수 있는([opp] *obligate*): a ~ enactment 권한을 주는 법규 / ~ course 선택 과목 / a ~ parasite 임의 기생균. [파] **~·ly** *ad.*

⁑**fac·ul·ty** [fǽkəlti] *n.* **1** [C] (기관 · 정신의) 능력, 기능(function), 재능《*for, of*》: the ~ *of* speech 언어 능력 / mental ~ 정신 능력, 지능 / reasoning ~ 추리력 / the ~ *of* hearing 청각 기능. **2** 수완; 재력(財力), 재산; 지불 능력《*for*》: a ~ *for* management 경영 수완 / a ~ *for* making friends 친구를 사귀는 재주. [SYN.] ⇨TALENT. **3** (대학의) 학부 (department), 분과(分科): the ~ *of* law 법학부. **4** (학부의) 교수단, 교수회; 《미》〔집합적〕 (대학 · 고교의) 교원, 교직원: a ~ meeting (학부) 교수회. **5** (의사 · 변호사 등의) 동업자 단체; (the ~) 《영구어》 의사들《전체》. **6** [U] 〖영국교회〗 허가《특히 교회에 대한》. ***the four faculties*** (중세 대학의) 4 학부《신학 · 법학 · 의학 · 문학》.

FÀ Cúp (the ~) FA컵《매년 Football Association 소속 팀이 잉글랜드와 웨일스에서 여는 축구 경기》.

fad [fæd] *n.* 일시적 유행〔열광〕(craze); 변덕; 도락, 취미(hobby); 《영》 (특히 식성의) 까다로움: have a ~ for …에 열중하다〔빠지다〕/the latest ~*s* 최신 유행/go in ~*s* (일시적으로) 유행하다. [파] **~·dy** *a.* **1** =FADDISH. **2** 《영구어》 식성이 까다로운, 좋고 싫어하는 것이 많은.

FAD 〖화학〗 flavin adenine dinucleotide.

fad·a·yee [fædəjíː] (*pl.* **-yeen** [-jíːn]) *n.* =FEDAYEE.

fad·dish [fǽdiʃ] *a.* 변덕스러운, 일시 열중하는; 일시적인 유행을 좇는. [파] **~·ly** *ad.* **~·ness** *n.*

fad·dism [fǽdizəm] *n.* [U] 변덕, 호기심, 일시적 유행에 열중함. [파] **fád·dist** *n.* 변덕쟁이, 호기심이 많은 사람; 《영》 식성이 까다로운 사람. **fad·dís·tic** [-tik] *a.*

fade[1] [feid] *vi.* **1** 《~/+[부]/+[전]+[명]》 (빛·소리·색이) 흐릿해지다, 희미〔아련〕해지다, 꺼져〔사라져〕 가다; (빛이) 흐려져 가다; 광택을 잃다, (색깔이) 바래다: The light has ~*d*. 빛이 흐려졌다/The sound ~*d away* little by little. 소리가 점점 희미해져 갔다/The colors soon ~*d out of* the fabric. 천의 색깔이 금방 바랬다/His shout ~*d into* the stillness of the night. 그의 고함 소리는 밤의 정적 속으로 사라져 갔다. [SYN.] ⇨DISAPPEAR. **2** 《~/+[부]/+[전]+[명]》 (기억·인상 따위가) 어렴풋해지다 《*away; out*》; (정열 따위가) 식다; (브레이크가) 차츰 안 듣다《*away; out*》: His first intense impression ~*d away* (*from* her mind). 그의 강렬한 첫인상도 (그녀의 마음속에서) 어렴풋해졌다. **3** 《~/+[부]》 (꽃 등이) 시들다, 이울다(wither); (젊음·아름다움·기력 따위가) 쇠퇴하다: She became ill and slowly ~*d away*. 그녀는 병이 나서 차츰 쇠약해졌다. **4** 《+[부]》 (습관이) 쇠퇴하다; (서서히) 안 보이게 되다, 자취를 감추다, 사라지다: All hope of success soon ~*d away*. 모든 희망이 곧 사라졌다. **5** (골프공 등이) 커브를 틀다, 코스를 벗어나다; 〖미식축구〗 (쿼터백이) 패스하기 위해 후퇴하다; 〖통신〗 (신호의 세기가) 변동하다. ── *vt.* 바래게〔시들게, 쇠하게〕 하다; 〖골프·볼링〗 페이드시키다《오른손잡이는 오른쪽으로 구부러지게 하다》([opp] *hook*); 《속어》 (주사위 도박에서) …의 내기에 응하다, …와 같은 액수를 걸다. ~ ***back*** 〖미식축구〗 전방 패스에 대비하여 후퇴하다. ~ ***in*** 〔***out***〕 〖영화·방송〗 《*vi.*+[부]》 ① (화면·음향이) 점차 똑똑해지다〔희미해지다〕. ── 《*vt.*+[부]》 ② (화면·음향을) 점차 뚜렷하게〔희미하게〕 하다; 용명(溶明)〔용암(溶暗)〕하다. ~ ***up*** =~ in. ── *n.* **1** =FADE-IN; =FADE-OUT; 〖영화·TV〗 영상의 점이(漸移); (마모·과열로 인한) 자동차 제동력의 감퇴. **2** 사라져 가는 것. **3** 《미흑인속어》 백인(을 좋아하는 사람). ***do a*** ~ 《속어》 자취를 감추다, 없어지다(depart).

fade[2] *a.* 맥〔김〕빠진, 지루한, 재미없는.

fáde·away *n.* [U,C] **1** 소실(消失). **2** 〖야구〗 =SCREWBALL; =HOOK SLIDE.

fad·ed [féidid] *a.* 시든, (색이) 바랜; 쇠퇴한. [파] **~·ly** *ad.* **~·ness** *n.*

fáde-ìn *n.* 〖영화·방송〗 용명(溶明)《음량·영상이 차차 분명해지기》, 페이드인.

fáde·less *a.* 색이 날지 않는; 시들지 않는; 쇠하지 않는; 불변의. [파] **~·ly** *ad.*

fáde-òut *n.* 〖영화·방송〗 용암(溶暗)《음량·영상·신호가 차차 희미해지기》, 페이드아웃: take ~*s* 자취를 감추다.

fád·er *n.* 〖영화〗 (토키의) 음량 조절기; 〖전자〗 (음성〔영상〕 신호 등의) 출력 레벨 조절기; (필름 현상의) 광량(光量) 조절기.

fád·ing *n.* [U] (용모·기력 등의) 쇠퇴; 퇴색; 〖영화〗 화면의 용명(溶明)이나 용암(溶暗); 〖통신〗 페이딩《전파의 강도가 시간적으로 변동하는 현상》.

FAdm, F. Adm., FADM 《미》 Fleet Admiral (해군 원수).

fa·do [fáːdou; *Port.* fádu] (*pl.* **~s**) *n.* 파두《포르투갈의 대표적인 민요·춤; 보통 기타로 반주함》.

FAE fuel air explosive.

fae·cal [fíːkəl], **-ces** [fíːsiːz], **etc.** =FECAL, FECES, etc.

fa·e·na [fɑːéinə] *n.* 〖투우〗 파에나《투우사의 기량을 과시하기 위해서 죽기 직전의 소를 계속 찌르기》.

fa·er·ie, fa·ery [féiəri, fέəri] 《고어·시어》 *n.* 요정(妖精)의 나라(fairyland), 선경(仙境), 몽환경(夢幻境); 《집합적》 선녀들; =FAIRY; 매혹. ── *a.* 요정의〔과 같은〕; 몽환적(夢幻的)인.

Fáerie Quéene [-kwíːn] (The ~) 요정의 여왕《Edmund Spenser의 기사 이야기 시(詩)》.

Fá(e)r·oe Íslands, Fa(e)r·oes [fέərou-], [-z] (the ~) 페로스 제도《영국과 아이슬란드 사이에 있는 21개의 화산 군도; 덴마크령》.

faff [fæf] *n.*, *vi.* 《영구어》 공연한 소란(을 피우다); 빈둥빈둥 지내다, 종잡을 수 없게 행동하다.

Faf·nir [fáːvniər, fɔ́ːv-/fǽfniə, fǽv-] *n.* 〖북유럽신화〗 파브니르《황금의 보물을 지킨 용; Sigurd에 살해됨》.

fag[1] [fæg] (**-gg-**) *vi.* 열심히 일〔공부〕하다 (drudge) 《*at; away*》; (열심히 일해서) 지치다; 혹사당하다; 《영》 (public school에서 하급생이) 상급생의 잔심부름을 하다; (밧줄 끝이) 풀리다. ── *vt.* (일 따위로) 지치게 하다《*out*》; 혹사하다; 《영》 (상급생이 하급생에게) 잔일을 시키다, 종처럼 부리다; 〖크리켓〗 …에게 외야수(手)를 시키다; (밧줄 끝을) 풀다: be ~*ged out* 기진맥진하다. ~ ***along*** 《미속어》 말을 달리다《카우보이 용어》. ~ ***out*** ⇨ *vt.*; 〖크리켓〗 외야수를 맡다 (field). ~ ***oneself to death*** 분골쇄신하다. ── *n.* **1** [U] 《영》 시시한〔힘든〕 일(을 지멸있게 하는 사람): It is too much (of a) ~. 정말 뼈빠지는 일이다. **2** 《영》 (public school에서) 상급생의 잔심부름하는 하급생. [파] **~·ging** *n.* **~ged** *a.* 지쳐 버린.

fag[2] *n.* 《구어》 싸구려 궐련; =FAG END.

fag[3] *n.*, *a.* 《속어》 남자 동성애자(의), 호모(의).

fa·ga·ceous [fəgéiʃəs] *a.* 〖식물〗 너도밤나뭇과의.

fág ènd **1** (피륙의) 토끝; 밧줄의 풀린 끄트머리. **2** 끄트머리, 끄트러기. **3** 찌꺼기; 《영구어》 담배꽁초; 《구어》 하찮은〔손해 본〕 결말.

fag·got[1] [fǽgət] *n.* 《영》 =FAGOT.

fag·got[2] *n.* 《미속어·경멸》 남성 동성애자; 매춘부, 매음.

fag·got·ry [fǽgətri] *n.* 남성 동성애, 호모.

fag·goty, fag·got·ty [fǽgəti], **fag·gy** [fǽgi] *a.* 《속어》 남자답지 않은, 여성적인, 연약한; 호모의.

fág hàg 《미속어》 동성애 남자만 사귀는 여자, 호모를 좋아하는 여자(=**fággot's mòll**).

Fa·gin [féigin] *n.* 늙은 악한《어린이를 소매치기나 도둑질의 앞잡이로 씀; Dickens의 *Oliver Twist*에서》.

fag·ot [fǽgət] *n.* **1** 장작뭇〔단〕, 섶〔나무〕단. **2** (가공용) 쇠막대 다발; 지금(地金) 뭉치; (수집물의) 한 뭉치. **3** 《영》 (보통 *pl.*) 돼지간(肝) 요리《경단 모양 또는 롤》; 파슬리·타임(thyme) 등 요리용 향초(香草)의 한 다발. **4** =FAGOT VOTE. **5** 지겨운 여자, 할멈. ── *vt.*, *vi.* 다발 짓다, 묶다; (피륙을) 파고팅하여 꾸미다〔연결하다〕.

fág·ot·ing, 《영》 **fág·got-** *n.* U,C 파고팅《천의 씨실을 뽑아내고 날실을 얽거나 매는 자수; 또, 두 천을 새발뜨기로 연결하는 일》.

fa·got·to [fəgɑ́tou/-gɔ́t-] (*pl.* ***-got·ti*** [-tiː]) *n.* 《It.》 『악기』 =BASSOON.

fágot vòte 『영국사』 긁어모은 투표《재산의 일시적 양여로 선거 자격을 얻은 사람의》.

F.A.G.S. Fellow of the American Geographical Society. **Fah., Fahr.** Fahrenheit (thermometer).

◇**Fahr·en·heit** [fǽrənhàit] *n., a.* 화씨(온도계)(~ thermometer)(의)《생략: F., Fah(r).》; 화씨 온도; 화씨 눈금(=∠ **scàle**). cf. centigrade. ¶ 32° *F.*=thirty-two degrees ~ 화씨 32 도. ★ 미·영에서 특히 아무 표시가 없는 경우의 온도는 F.임.

FAI 《F.》 Fédération Aéronautique Internationale(국제 항공 연맹). **F.A.I.A.** Fellow of the American Institute of Architects; Fellow of the Association of International Accountants.

fa·ience, -ïence [faiɑ́ːns, fei-] *n.* 《F.》 U 파양스 도자기《광택이 나는 고급 채색의》.

‡**fail** [feil] *vi.* **1** 《~/+전+명》 실패하다, 실수하다. OPP. *succeed.* ¶ The scheme ~*ed.* 계획은 실패로 끝났다 / I ~*ed in* persuading him. 나는 그를 설득시키지 못하였다 / ~ *in* business 장사에 실패하다. **2** 《+*to* do》 **a** …을 (하지) 못하다; …하기를 게을리하다〔잊다〕(neglect); 끝내 …하지 않고 말다《*to*》: He ~*ed to* appear. 끝내 모습을 나타내지 않았다. **b** 〔not 와 함께 써서〕 반드시 (…)하다: Don't ~ *to* let me know. 꼭 알려 다오. **3** 《+전+명》 (…에) 달하지 않다, (…을) 이루지 못하다《*of*》: ~ *of* success 성공을 못하다. **4** (공급 등이) 부족하다, 달리다, 동나다, 결핍되다, 없어지다: Water often ~*s* in the dry season. 가물 때는 종종 물이 달리게 된다. **5** 《+전+명》 (덕성·의무 등이) 없다, 모자라다《*in*》: ~ *in* respect 존경하는 마음이 없다 / ~ *in* one's duty 의무를 게을리하다. **6** 《~/+전+명》 낙제하다; 『법률』 패소하다; (회사·은행 따위가) 파산하다; (시험·학과에) 떨어지다《*in*》: a ~*ing* mark 낙제점 / ~ *in* one's exams 시험에 떨어지다. **7** (힘·시력·건강·미모 등이) 쇠하다, 약해지다; (바람이) 자다: His health ~*ed.* 건강이 쇠해졌다 / The wind ~*ed.* 바람이 약해졌다. **8** (기계류가) 고장나다, 작용〔작동〕하지 않다; (호흡 등이) 멈추다: My heart is ~*ing.* 심장이 멈출 것 같다. **—** *vt.* **1** …의 기대를 어기다, (요긴(要緊)할 때에) …의 도움이 되지 않다, …을 저버리다(desert), 실망시키다(disappoint); …할 수 없다: He ~*ed* me at the last minute. 마지막 순간에 와서〔급할 때에〕 그는 나를 버렸다 / Words ~*ed* me. 나는 (감동하여) 말이 안 나왔다 / His heart ~*ed* him. 그의 심장이 멎었다. **2** (학생을) 낙제시키다; …에서 낙제점을 따다: The professor ~*ed* him *in* history. 교수는 그를 역사 시험에서 낙제점을 주었다 / He ~*ed* history. 그는 역사 시험에서 낙제했다. **3** …이 없다(lack): I ~ words to express my thanks. 뭐라고 감사드려야 할지 모르겠습니다. ◇ failure *n.* **~ *safe*** (실수·고장에 대비하여) 안전장치를 하다, (고장 시에) 안전한 쪽으로 작동하다.
— *n.* **1** 실패(failure); 《미》 (매매된 주식의) 인도(引渡) 인수 불이행: ~ *to* deliver 인도 불이행 / ~ *to* receive 인수 불이행. **2** (시험에서의) 낙제; 실패. ***without*** **~** 틀림〔어김〕없이, 반드시.

fáil·ing *n.* **1** U 실패(failure). **2** C 불이행, 태만. **3** U,C 부족, 결여. **4** C 결점, 약점, 단점(fault, weakness). **5** U,C 약화, 쇠퇴. **6** C 파산. **—** *a.* 약해 가는, 쇠한. **—** [∠-, ∠-] *prep.* **1** …이 없을 때〔경우〕에는(in default of): *Failing* payment, we shall attach your property. 지불 못 하면 재산을 압류하겠다. **2** …이 없어서(lacking). **~ *all else*** 별 방법 없이; 백계(百計)가 다하여 할 수 없이. ***whom*** **~** =**~ *whom*** 당사자가 지장이 있을〔부재일〕 경우에는. 파 **~·ly** *ad.* 점점 쇠퇴하여〔희미하여, 사라져〕; 실패〔실수〕하여.

faille [fail, feil] *n.* U,C 《F.》 파유《물결 무늬진 비단》.

fáil-operátional *a.* 시스템에서 어느 한 곳에 고장이 생겨도 전체적인 피해를 막게 된 방식의.

fáil-sàfe *a.* **1** 『전자』 (조기 경보 시스템·원자로 등의 고장에 대비한) 안전 보장 장치의, 이중 안전장치의. **2** (때로 F-) (핵장비 폭격기의 오폭에 대비한) 제어 조직의. **3** 전혀 문제가 없는, 절대 안전한: ~ business 안전한〔틀림없는〕 사업. **—** *n.* **1** (그릇된 동작·조작에 대한) 자동 안전장치; (때로 F-) 폭격기의 진행 제한 지점; (핵병기의) 기폭 안전장치. **2** (Fail-Safe) '페일세이프' 《Eugene Burdick 와 Harrey Wheeler 공저의 미·소 핵공격에 관한 소설(1962); 1964 년 *Fail-Safe* 로서 영화화》. **—** *vi., vt.* 자동〔이중〕 안전장치가 작동하다〔를 작동시키다〕.

fáil sòft 『컴퓨터』 페일 소프트《고장이나 일부 기능이 저하되어도 주기능을 유지시켜 작동하도록 짠 프로그램》. cf. fallback.

fáil spòt 〔**plàce**〕 삼림(森林)의 재생이 이루어지지 못한 장소.

‡**fail·ure** [féiljər] *n.* **1** U 실패: *Failure* teaches success. 《속담》 실패는 성공을 가르친다. **2** C 불이행, 태만(neglect)《*in; to* do》: a ~ *in* duty 직무 태만 / a ~ *to* promise 약속 불이행. **3** U,C 부족, 결핍: a ~ *of* crops 흉작. **4** U,C 쇠약, 감퇴(decay); 『의학』 기능 부전(不全): (a) heart ~ 심장 쇠약. **5** C 파산(bankruptcy), 지급 정지〔불능〕, 도산, 파산. **6** C 실패자, 낙오자: a social ~ 사회의 낙오자. **7** 『교육』 U 낙제; C 낙제점, 낙제생〔자〕. **8** 『기계』 고장; 정지; 파손: (a) power ~ 정전(停電). ◇ fail *v.* ***end in*** 〔***meet with***〕 **~** 실패로 끝나다. **~ *of issue*** 혈연자가〔자식이〕 없음.

fáilure-pròne *a.* (기계 따위가) 고장나기 쉬운, (사람이) 실패하기 쉬운.

fain[1] [fein] 《고어·시어》 *a.* 〔서술적; 뒤에 to+부정사를 수반하여〕 **1** 기꺼이〔자진해서〕 …하는, …하고 싶어하는 (willing): They were ~ *to* go. 그들은 기꺼이 갔다. **2** 부득이 …하는, …하지 않을 수 없는(obliged): He was ~ *to* acknowledge it. 그것을 인정하지 않을 수 없었다. **3** …하기를 간절히 바라서, 몹시 …하고 싶어하여(eager). **—** *ad.* 〔would 와 함께〕 기꺼이, 자진하여: I *would* ~ help you. 기꺼이 돕고 싶다(만).

fain[2]**, fains** [fein], [feinz], **fen(s)** [fen(z)] *vt.* 〔Fain(s) I, Fain it 등의 꼴로〕 《영속어》 … 따위는 싫어: *Fain(s) I* keeping goal. 골키퍼 따위는 싫어.

fai·né·ant [féiniənt] *n., a.* 《F.》 게으름뱅이(의), 빈둥거리는 사람(의).

‡**faint** [feint] *a.* **1** 어렴풋한(dim), (빛이) 희미한, (색이) 엷은, (소리가) 약한, (목소리가) 가냘픈; (희망이) 실낱 같은: a ~ light / a ~ sound. **2** (기력·체력이) 약한(weak), 부족한. **3** 힘없는, 무기력한(halfhearted); 겁많은(timid), 나약한, 용기〔활기〕 없는, 마음이 내키지 않는: a ~ resistance 무기력한 저항 / a ~ heart 겁 많은 마음, 겁쟁이 / a ~ effort 내키지 않는 노력. **4** 〔서술적〕 (피로·공복·병 따위로) 기절할 것 같은, 실신한, 어찔한《*with; for*》; 《고어》 (공기·

냄새 등이) 숨이 막힐 듯한(oppressive): feel ~ 어지럽다/I am ~ *with* hunger. 배고파서 쓰러질 지경이다. (I) ***have not the ~est idea.*** (난) 전혀 모른다. —*n.* 기절, 졸도, 실신(swoon). ***fall into a ~*** 기절하다. ***in a dead ~*** 기절하여. —*vi.* **1** 《~+副/+前+名》 실신하다, 졸도하다, 기절하다, 혼절(昏絶)하다(swoon) 《*away; from; with*》: She ~*ed* (*away*) *from* the heat. 그녀는 더위로 졸도했다. **2** 《고어·시어》 약해지다, 기운을〔용기를〕 잃다. **3** 《고어》 빛〔힘〕을 잃다, 생기를 잃다. 派 **⁀·ness** *n.*

fáint·hèart *n.* 겁쟁이(coward). —*a.* =FAINTHEARTED.

fáint·héarted [-id] *a.* 나약〔겁약〕한, 겁 많은(timid), 무기력한; 주눅 들린. 派 **~·ly** *ad.* **~·ness** *n.*

fáint·ing *n.* Ⓤ 까무러침, 기절, 졸도, 실신; 주눅, 의기소침. —*a.* 졸도〔기절〕하는. 派 **~·ly** *ad.* 까무러쳐; 소심하게.

faint·ish [féintiʃ] *a.* 까무러칠 것 같은; (극히) 희미한. 派 **~·ness** *n.*

***faint·ly** [féintli] *ad.* **1** 희미하게, 어렴풋이. **2** 힘없이(feebly), 소심하게(timidly).

fáint-rúled *a.* (용지 따위에) 엷은 괘선이 쳐 있는.

faints [feints] *n. pl.* 약하고 불순한 알코올《위스키 증류를 전후해서 생기는》.

⁑**fair**[1] [fɛər] *a.* **1** 공평한, 공정한, 올바른, 공명정대한(just), 정당한(reasonable); 정정당당한; (임금·가격 등이) 적정한, 온당한; 〖서술적〗 공평하게 《*to; with; toward*》. OPP *foul.* ¶ a ~ decision 정당한 결정/~ wages 적정한 임금/He's ~ even *to* people he dislikes. 그는 싫어하는 사람에게조차도 공평히 대한다.

> SYN. **fair** '공평한'을 뜻하는 일반적인 말로 자신의 감정에 따르는 불공평한 일을 하지 않음. **just** 정의·진실·합법의 표준을 굳게 지킴.

2 〖경기〗 규칙에 맞는(legitimate)(OPP *foul*); 〖야구〗 (타구가) 페어의: a ~ hit (야구의) 페어. **3** (양·크기가) 꽤 많은, 상당한; 〖강조적〗 대단한; 《구어》 철저한, 완전한: a ~ income 〔heritage〕 상당한 수입〔유산〕/a ~ number of 상당수의…/a ~ swindle 굉장한 사기. **4** 그저 그런, 어지간한, 무던한: merely ~ 그저 그런 정도. **5** (하늘이) 맑게 갠, 맑은(clear). OPP *foul.* ¶ ~ or foul weather 청우(晴雨)에 관계없이. SYN. ⇨FINE. **6** 〖해사〗 (바람·조류가) 순조로운, 알맞은(favorable): a ~ wind 순풍. **7** 살이 흰(light-colored), 금발의(blond); 살갗이 희고 금발의. OPP *dark.* ¶ ~ hair 금발/a ~ man 살결이 흰 남자. **8** 여성의: a ~ visitor 여자 손님/the ~ readers 여성 독자. **9** 《문어·시어》 (여성이) 아름다운, 고운, 예쁜; 매력적인: a ~ woman 〔one〕 미인. SYN. ⇨BEAUTIFUL. **10** 깨끗한, 더럼이 없는; (필적·인쇄가) 읽기 쉬운, 똑똑한(neat): a ~ name 명성. **11** 《고어》 (시야가) 넓은; (길 따위가) 탁 트인, 다니기 쉬운; (표면 등이) 탄탄한, 평평하고 넓은: a ~ view 탁 트인 전망. **12** 당연한, 순조로운, 유망한(promising): His prospects of future promotion are tolerably ~. 그의 승진 전망은 꽤 유망하다. **13** 그럴듯한, 솔깃한(plausible): ~ words 감언/a ~ promise 그럴듯한 약속. **14** (말이) 정중한; 《고어》 인정이 많은; 친절한. **15** (성적의 5단계 평가에서) 미(美)의, C의. ***be ~ with*** …에게 공평하다. ***be in a ~ way to*** do …할 가망이 충분히 있다. **~ *and square*** 공정한〔하게〕, 올바른〔르게〕, 당당한〔하게〕; 정확하게, 꼭 맞게, 정면으로. **~ *do's*** 〔***dos***〕 《영구어·우스개》 ① 공평한 몫〔취급〕. ② 〖감탄사적〗 공평하게 하자; 그건 부당하다〔오해다〕. ***Fair enough !*** 《구어》 (제안 등에 대하여) 좋아, 됐어. **~ *to middling*** 《미》 그저 그만한, 어지간한; 좋지도 나쁘지도 않은(so-so). ***if it's a ~ question*** 이런 것을 여쭤 봐도 괜찮으시다면. ***It is only ~ to*** do …하는 것은 아주 당연하다. ***keep ~ with*** …와 사이좋게 지내다. ***stand ~ with*** …에 대하여 평판이 좋다.

—*ad.* **1** 공명정대히, 정정당당히: play 〔fight〕 ~ 정정당당하게 행동하다〔싸우다〕. **2** 정중히: speak ~ 정중하게 이야기하다. **3** 깨끗하게: copy 〔write out〕 ~ 정서(淨書)하다. **4** 유망하게: promise ~ 유망하다. **5** 똑바로, 정면으로; 《Austral.》 실로, 아주, 완전히: ~ in the trap 완전히 함정에 걸리어. **~ *and soft*(*ly*)** 정중하고 온화하게; '아 그리 서두르지 말고'《남에게 주의 주는 말》: *Fair and soft*(*ly*) goes far (in a day). 《속담》 정중하고 온화하게 하는 것이 목적 달성에는 긴요하다. **~ *and square*** ⇨ *a.* (관용구). **~, *fat and forty*** (여자가) 중년이 되어 살쪄서.

—*n.* **1** (the ~) 여성; (a ~) 《고어》 미인; 연인, 애인. **2** 《고어》 좋은 물건, 행운. ***Fair's ~.*** 《구어》 (서로) 공평하게 하자, 서로 원망하지 말기로 하자. ***for ~*** 《미구어》 아주, 완전히, 대대적으로; (구슬치기놀이에서) 딴 것을 나중에 돌려주기로 하고. ***no ~*** 규정에 위반하는 일; 부정행위; 〖감탄사적〗 사기, 교활하다, 추잡하다.

—*vt.* (문서를) 정서하다; (선박·항공기를) 정형(整形)하다《유선형 따위로》《*up; off*》; 딱맞게 연결하다; (재목 등을) 반반하게 하다. —*vi.* 《미에서는 방언》 (날씨가) 개다(clear), 호전하다 《*up; off*》: The weather has ~*ed off* 〔*up*〕. 날씨가 개었다.

⁑**fair**[2] [fɛər] *n.* **1** (정기적으로 열리는) 장, 정기시(市). **2** 자선시(bazaar)《여흥이 포함됨》. **3** 박람회, 공진〔품평〕회; 견본시, 전시회; 《영》 (이동) 유원지: an agricultural 〔industrial〕 ~ 농산물 공진회〔산업 박람회〕/an international trade ~ 국제 견본시/a world's ~ 만국 박람회. **4** (대학 진학·취직 등의) 설명회(festival): ⇨COLLEGE FAIR, JOB FAIR. (***a day***) ***after the ~*** =***behind the ~*** (이미) 때늦음, 사후 약방문.

fáir báll 〖야구〗 페어볼. OPP *foul ball.*

fáir cátch 〖미식축구·럭비〗 페어캐치《찬 공을 상대방이 잡는 일》.

fáir cópy 정서(淨書), 정정필(訂正畢) 사본; 정확한 사본.

Fáir Déal (the ~) 공정 정책《1949년 Truman 미국 대통령이 제창한 불황 예방 정책》. cf. New Deal.

fáir emplóyment 《미》 (인종·종교·성별 따위에 차별을 두지 않는) 공평 고용.

Fáir Emplóyment Pràctices 《미》 공평〔공정〕 고용 관행《공평 고용에 관한 연방법 및 주법(州法)》.

fáir-fáced [-t] *a.* 살결이 흰, 미모의; 외견만 좋은, 그럴싸한; 《영》 (벽돌 벽이) 회반죽을 바르지 않은.

fáir gáme (허가된) 엽조수(獵鳥獸)《금렵이 해제된 사냥감》; (조소·공격의) 목표, 《비유》 '봉' 《*for*》.

fáir grèen 《고어》 〖골프〗 =FAIRWAY.

fáir·gròund *n.* (종종 *pl.*) 박람회·장·서커스 따위가 열리는 곳.

fáir-háired *a.* 금발의, 머리가 아름다운; 마음에 드는(favorite).

fáir-háired bóy 《미》 (윗사람의) 마음에 드는 〔총애받는〕 남자(《영》 blue-eyed boy), 후임자로 지목된 청년: the ~ of the family 그 집안의 귀염둥이 아들.

fáir hóusing 《미》 공정 주택 거래(open housing).

fair·i·ly [féərəli] *ad.* 요정같이.

fair·ing[1] [féəriŋ] *n.* Ⓤ (비행기·선박 따위 표면의) 정형(整形)《유선형으로 하기》; Ⓒ 유선형 덮개〔구조〕.

fair·ing² *n.* **1** 《영》 (시장에서 산) 토산물, 과자류; 선물. **2** 《Sc.》 당연한 보답〔보수, 벌〕.
fair·ish [fɛ́əriʃ] *a.* 어지간한, 상당한; 금발에 가까운. [파] **~·ly** *ad.*
Fáir Ísle 페어 섬《Shetland 군도(群島) 중의 섬》; 페어 아일《페어 섬에서 시작한, 여러 색의 기하학적 무늬로 된 편물》: ~ sweater 〔pullover〕 페어 아일식 스웨터.
fáir·lèad *n.* 페어리드, 페어리더(=**fáir·lèader**)《(1) 〖해사〗 도삭기(導索器). (2) 〖항공〗 안테나를 기체 안으로 이끄는 절연 부품. (3) 〖항공〗 조종삭(操縱索)의 마모 방지 부품; 〖해사〗 밧줄이 뻗어 나가는 방향〔경로〕》.
fáir·lìght *n.* 《영》 =TRANSOM WINDOW.
***fair·ly** [fɛ́ərli] *ad.* **1** 공평히(justly), 공명정대하게, 정정당당히: I felt they hadn't treated me ~. 그들이 나를 공평하게 대우하지 않았음을 알았다 / fight ~ 정정당당히 싸우다. **2** 올바르게: It may be ~ asserted that.... …라고 단언해도 괜찮다. **3** 똑똑히, 깨끗하게(clearly), 적절하게, 어울리게: a table ~ set 정갈하게 차린 식탁 / ~ priced stocks 적정 가격의 (재고) 상품 / be ~ visible 똑똑히 보이다. **4** 〖정도를 나타내어〗 꽤, 어지간히, 상당히(tolerably); 그저 그런(moderately): ~ good 꽤〔그만하면〕 좋은. **5** 아주, 완전히, 감쪽같이(completely); 실제로, 정말로: be ~ exhausted 녹초가 되다. 「가격.
fáir márket prìce 〔**vàlue**〕 적정〔공정〕 시장
fáir-mínded [-id] *a.* 공평한, 공정한(just), 편견〔기탄〕 없는. [파] **~·ness** *n.*
fáir·ness *n.* [U] **1** 공평함: in ~ to … 에 대해 공평히 말하자면. **2** 아름다움; 흰 살결; (두발의) 금빛. **3** 《고어》 순조, (날씨의) 맑음. ***in all*** ~ 《미구어》 공평하게 말하자면.
fáirness dòctrine 〖미방송〗 (사회적으로 중요한 문제에 관한 여러 가지 견해를 표명하는 방송의) 기회 공평의 원칙. 「동, 페어플레이.
fáir pláy 정정당당한 경기 태도; 공명정대한 행
fáir séx (the ~) 〖집합적〗 여성.
fáir sháke 《미구어》 공평한 취급〔기회〕: give him a ~ 그를 공평하게 다루다.
fáir-sízed *a.* 어지간히 큰, 상당수의.
fáir-spóken *a.* (말씨가) 정중한, 은근한(polite); 붙임성 있는; 말솜씨 좋은, 그럴듯한. [파] **~·ness** *n.* 「그런, 웬만한.
fáir-to-míddling *a.* 평균보다 조금 나은, 그저
fáir tráde 〖경제〗 공정 무역, 공정 거래, 호혜 무역 (거래); 협정 가격 판매; 《속어》 밀수.
fáir-tráde *a.* 협정 가격 판매의, 공정 거래〔무역〕의. **—** *vt.* 협정 가격으로 팔다, 공정 거래〔호혜 무역, 공정 무역〕 협정에 따라 팔다.
fáir-tráde agrèement 〖경제〗 공정 거래〔호혜 무역, 공정 무역〕 협정.
fáir tráder 호혜 무역〔공정 거래, 공정 무역〕 업자, 호혜 무역주의자.
fáir wàter *n.* 〖해사〗 페어워터《선체의 물의 저항을 줄이기 위한 유선형 구조》.
fáir·wày *n.* 방해받지 않는 통로; (강·항구 따위의) 항로; 〖골프〗 tee 와 putting green 중간의 잔디 구역. [cf.] rough.
fáir-wèather *a.* 날씨가 좋을 때만의; 유리한〔순조로운〕 때만의: a ~ craft 폭풍 시에는 쓸 수 없는 배 / a ~ friend 다급할 때에 믿을 수 없는 친구.
***fairy** [fɛ́əri] *n.* **1** 요정(妖精). **2** 《속어》 (여자역의) 동성애 남자, 면(catamite)《남색의 상대》, 여성적인 남자; =FAIRY GREEN. **—** *a.* **1** 요정의〔같은〕(fairylike), 뛰어나게 아름다운, 경쾌한: a ~ shape 아름다운 모양. **2** 상상의(imaginary), 가공적인(fictitious).
fáiry-càke *n.* 《영》 (사탕을 덧입힌) 작은 스펀지케이크(=**fáiry càke**).
fáiry cìrcle =FAIRY RING; 요정의 춤.
fáiry cỳcle 어린이용 자전거.
fair·y·dom [fɛ́əridəm] *n.* [U] =FAIRYLAND.
fáiry gódfather 《미방송속어·미연극속어》 (좋은) 스폰서.
fáiry gódmother (one's ~) (동화에서 주인공을 돕는) 요정; (곤란할 때 갑자기 나타나는) 친절한 사람〔아주머니〕.
fáiry grèen 황록색(fairy).
fair·y·hood [fɛ́ərihùd] *n.* [U] 마성(魔性), 요정임, 요정다움; 〖집합적〗 요정.
fair·y·ism [fɛ́əriìzəm] *n.* 요정 같은 성질, 《고어》 마력, 마성(魔性); 요정 실재설(實在說).
fáiry làdy 《속어》 여자역의 레즈비언.
fáiry làmp 〔**lìght**〕 꼬마 전구〔전등〕《장식용》.
◇fáiry·lànd *n.* [U] 요정〔동화〕의 나라; [C] 선경(仙境), 도원경; 더없이 아름다운 곳, 불가사의한 세계.
fáiry mòney 요정에게 받은 돈; 주운 돈.
fáiry rìng 요정의 고리《잔디밭에 환상(環狀)으로 균류(菌類)가 나서 생긴 짙은 녹색을 띤 부분; 요정들이 춤추던 곳으로 여겼음》.
fáiry tàle 〔**stòry**〕 동화, 옛날 이야기; 꾸민 이야기. 「꾸며 낸 듯한.
fai·san·dé [fèizɑːndéi/⌐-⌐] *a.* 《F.》 젠체하는,
fait ac·com·pli [*F.* fɛtakɔ̃pli] 《F.》 기정 사실(accomplished fact).
faites vos jeux [*F.* fɛtvoʒø] 《F.》 돈을 거십시오《룰렛 따위에서 croupier 가 도박하는 사람에게 하는 말》.
faith** [feiθ] *n.* [U] **1** 신념(belief); [C] 신조(信條); 확신《*in; that*》: have ~ *in* one's (own) future 자기의 장래를 확신하다 / He had ~ *that* I was in the right. 그는 내가 옳았다고 확신했다. **2** 신앙(심), 믿음《*in*》; (the ~) 참된 신앙, 기독교(의 신앙). **3** [C] 종지(宗旨), 교의(敎義)(creed); …교(敎): the Catholic 〔Jewish〕 ~ 가톨릭교〔유대교〕. **4** 신뢰, 신용(trust, confidence)《*in*》: ~ *in* another's ability 남의 능력에 대한 신뢰. [SYN.] ⇨ BELIEF. **5** 신의, 성실(honesty), 충실(fidelity): bad ~ 불신, 배신 / good ~ 성심, 성실. **6** 약속, 서약(promise). ***an act of ~ 신앙심〔신뢰하는 마음〕에서 나온 행위. ***be of the same*** ~ ***in*** …에 관해 신념을 같이하다《*with*》. ***break*** one'***s*** ~ 맹세를〔약속을〕 깨뜨리다. ***by my*** ~ =***in*** ~ =~ 《고어》 맹세코, 결단코, 실로, 참으로. ***by the*** ~ ***of*** …앞에 맹세코. ~***, hope, and charity*** 믿음, 소망, 사랑《기독교의 삼대덕(三大德)》. ***give*** ~ 믿다 《*to*》. ***give*** 〔***engage, pledge***〕 one'***s*** ~ 약속하다, 서약(誓約)하다. ***in good*** ~ 선의(善意)로〔의〕. ***keep*** ~ ***with*** …와의 약속을 지키다; (신념 등을) 충실히 지키다. ***keep*** one'***s*** ~ 맹세를〔약속을〕 지키다. ***keep the*** ~ 《구어》 신념을 끝까지 지키다; 《미속어》 〖감탄사적〗 힘을 내라, 정신 차려라. ***lose*** ~ ***in*** …을 신뢰하는 마음을 잃다, …을 신용할 수 없게 되다. ***on*** ~ 신용하여, 의심하지 않고: take 〔receive〕 a person's story on ~ 아무의 이야기를 그대로 믿다. ***on the*** ~ ***of*** …을 신용하여; …의 보증으로. ***put*** ~ ***in*** …을 신용하다. ***show good*** ~ 선의를 보이다〔나타내다〕.
— *int.* 정말로!, 참으로!
fáith cùre 신앙 요법《기도에 의한》.
fáith cùrer 신앙 요법을 베푸는 사람.
***faith·ful** [féiθfəl] *a.* **1** 충실한, 성실한, 믿을 수 있는(reliable)《*to*》: a ~ wife 정숙한 아내. [SYN.] ⇨ SINCERE. **2** (약속 따위를) 지키는《*to*》. **3** 정확한(accurate), (사실·원본 따위에) 충실한

(true): a ~ copy 원본에 충실한 사본. **4** 《폐어》 믿음〔신앙〕이 굳은. ***be* 〔*stand*〕 ~ *to*** …에 충실〔성실〕하다. **—** *n.* (the ~) 충실한 신자들《특히 기독교도·이슬람교도》; 충실한 지지자. ㊕ °~·**ness** *n.*

*__faith·ful·ly__ [féiθfəli] *ad.* **1** 성실하게, 충실히; 정숙하게. **2** 성의를 다하여, 굳게: promise ~ 《구어》 굳게 약속하다. **3** 정확히. ***deal* ~ *with*** …을 충실히 다루다; …을 엄히 다루다, 벌하다; …에게 숨김없이 말하다, 바른말하다, …에게 고언(苦言)을 하다. ***Yours* ~** =***Faithfully yours*** 여불비례(餘不備禮)《편지 맺음말》.

fáith hèaler =FAITH CURER.

fáith hèaling =FAITH CURE.

fáith·less *a.* 신의 없는, 불충실한, 부정(不貞)한; 믿음〔신앙심〕 없는; 믿을 수 없는. ㊕ ~·**ly** *ad.* ~·**ness** *n.*

faits di·vers [féidivέər; *F.* fɛdivɛːʀ] 《F.》 신문 기삿거리; 잡보; 사소한 사건.

°**fake**[1] [feik] *vt.* **1** (겉보기 좋게) 만들어 내다, 외양(外樣)을 꾸며 잘 보이게 하다. **2** 《~+목+부》 위조하다(counterfeit); 꾸며〔조작해〕 내다(fabricate)《*up*》: ~ (*up*) news 기사를 날조하다. **3** 속이다; …을 가장하다(pretend): ~ illness 꾀병 부리다. **4** 〖스포츠〗 (상대방에게) feint를 걸다《*out*》, (경기를) 하는 것처럼 보이다. **5** (슬쩍) 훔치다. **6** 〖재즈〗 즉흥적으로 연주〔노래〕하다(improvise). **—** *vi.* 속이다(deceive); 날조하다; 〖스포츠〗 feint 하다; 꾀병 부리다; 〖재즈〗 즉흥으로 연주하다. **~ *it*** 아는〔할 수 있는〕 체하다, 허세 부리다; 즉흥적으로 연주하다. **~ *off*** 《미속어》 게으름 피우다. **~ (*...*) *out*** 속이다; (의표를 찔러) 놀라게 하다. **—** *n.* **1** 위조품〔물〕, 가짜(sham); 꾸며 낸 일; 허위 보도. **2** 사기꾼(swindler). **—** *a.* 가짜의, 위조〔모조〕의: ~ money 위조지폐〔화폐〕/a ~ picture 가짜 그림/~ pearls 모조 진주.

fake[2] 〖해사〗 *n.* (사려 놓은) 밧줄의 한 사리. **—** *vt.* (밧줄을) 사리다《*down*》.

fáke bòok 《미》 판권 없이〔무단(無斷)히〕 만든 팝송 악보집.

fa·keer [fəkíər] *n.* =FAKIR[1].

fáke·ment *n.* Ⓤ 사기, 협잡; 가짜.

fak·er [féikər] *n.* **1** 날조자; 협잡꾼, 야바위꾼(frauder). **2** 《미》 (엉터리 물건을 파는) 행상인(pedlar), 노점상인.

fak·ery [féikəri] *n.* 속임수; 가짜.

fa·kir[1]**, -quir, -qir** [fəkíər, féikər/féikiə, fəkíə] *n.* (회교·힌두교의) 탁발승(mendicant), 행자(行者), 수도승(dervish).

fa·kir[2] [féikər] *n.* =FAKER.

fa·la·fel, fe- [fəlάːfəl] (*pl.* ~) *n.* 이스라엘·아랍 여러 나라의 야채 샌드위치〔평(平)롤빵〕; 잠두를 으깨어 만든 경단을 튀긴 식품.

Fa·lange [féilændʒ/fəlǽndʒ, fǽlændʒ] *n.* 《Sp.》 (the ~) 팔랑헤당《스페인의 우익 정당; 레바논의 기독교 우파 정당》. ㊕ **Fa·lan·gism** [fəlǽndʒìzəm] *n.*

Fa·lan·gist [fəlǽndʒist] *n.* 팔랑헤당원.

Fa·la·sha [fɑːlάːʃə/fəlǽʃə] (*pl.* ~, ~**s**) *n.* 팔라샤인《에티오피아에 사는 유대교를 신봉하는 햄(Ham)족》.

fal·ba·la [fǽlbələ] *n.* (여성복의) 옷단 장식, 옷단 주름(flounce[1]).

fal·cate [fǽlkeit] *a.* 〖해부·식물·동물〗 낫 모양의(sickle-shaped), 갈고리 모양의; 〖천문〗 (달·수성·금성이) 초승달 모양의.

fal·cat·ed [fǽlkeitid] *a.* =FALCATE.

fal·chion [fɔ́ːltʃən, -ʃən] *n.* 언월도(偃月刀)《중세의 초승달 모양의 칼》; 《고어·시어》 칼, 검.

fal·ci·form [fǽlsəfɔ̀ːrm] *a.* =FALCATE.

fal·con [fɔ́ːlkən, fǽl-, fɔ́ːkən/fɔ́ːlkən, fɔ́ːkən] *n.* **1** 송골매《특히 암컷》; (사냥용) 매; (as) swift as a ~ 매우 빠른. **2** 〖역사〗 (15-17 세기의) 경포(輕砲); (F-) 〖미공군〗 공대공 미사일의 일종. ㊕ ~·**er** *n.* 매부리.

falcon 1

fal·co·net [fɔ́ːlkənèt, fǽl-, fɔ́ːk-/fɔ́ːlkənèt, fɔ́ːk-] *n.* 〖조류〗 작은 매; 〖역사〗 (15-17세기의) 소형 경포(輕砲).

fálcon-géntle *n.* 매(falcon) 암컷(=**fálcon-géntil**).

fal·con·ry [fɔ́ːlkənri, fǽl-, fɔ́ːk-/fɔ́ːlk-, fɔ́ːk-] *n.* 매 부리는 법, 매 훈련법〔술〕; 매사냥.

fal·de·ral, -rol [fǽldərӕl], [-rὰl/-rɔ̀l] *n.* Ⓒ 겉만 번드레한 싸구려, 굴퉁이, 하찮은 물건(gewgaw); Ⓤ 허튼수작, 부질없는 생각; (옛 노래의) 무의미한 후렴(refrain).

fald·stool [fɔ́ːldstùːl] *n.* **1** (bishop 용의) 등받이 없는 의자. **2** 예배용 접의자; (영국 국교회의) 연도대(連禱臺)(litany stool).

Fa·ler·ni·an [fələ́ːrniən] *n.* Ⓤ 백포도주의 일종《이탈리아 Falerno 산》.

Fálk·land Íslands [fɔ́ːklənd-] (the ~) 포클랜드 제도《아르헨티나 남동방 남대서양에 있는 영령 군도; 1982 년 영국과 아르헨티나 사이에 포클랜드 전쟁(Fa-War)이 있었음》.

†**fall** [fɔːl] (***fell*** [fel]; ***fall·en*** [fɔ́ːlən]) *vi.* **1** 《~/+전+명》 떨어지다, 낙하하다; (꽃·잎이) 지다, (머리털이) 빠지다: ~ *to* the ground with a thud 털썩 땅바닥에 떨어지다/Ripe apples *fell off* the tree. 익은 사과가 나무에서 떨어졌다. **2** (비·눈·서리 따위가) 내리다. **3** 《~/+전+명》 (말·목소리가) 새다, 나오다: Not a word *fell from* his lips. 그는 한 마디도 하지 않았다. **4** 《~/+전+명》 (물가·수은주 따위가) 하락하다, 내리다, (수량 따위가) 감소하다; (인기 따위가) 떨어지다; (목소리가) 낮아지다: The temperature *fell* 5° 〔*to* zero〕. 온도가 5도〔0도까지〕 내려갔다/Their voices *fell to* a whisper. 그들의 음성이 낮아져서 속삭임으로 바뀌었다. **5** 《+전+명》 (땅이) 경사지다(slope); 내려앉다; (강이) 흘러들다(issue): The land ~*s to* the river. 그 땅은 강쪽으로 경사져 있다. **6** 《~/+전+명》 (머리털·의복 등이) 늘어지다; (휘장·커튼 등이) 처지다, 드리워지다(droop); (어둠 따위가) 내려 깔리다, 깃들다: Evening is ~*ing* fast. 밤이 빨리 어두워지고 있다/Her hair ~*s* loosely *to* her shoulders. 그녀 머리는 어깨까지 늘어져 있다. **7** 《~/+전+명》 넘어지다, 자빠지다, 뒹굴다; 엎드리다; 〖크리켓〗 (타자가) 아웃되다; 《미속어》 강도질하려다 실패하다: The old man stumbled and *fell*. 노인은 걸려 넘어졌다/~ *at* a person's feet 아무의 발 아래에 엎드리다. **8** 《~/+전+명》 (부상하여) 쓰러지다, (전투 등에서) 죽다, …의 손에 죽다《*to*》; 《속어》 체포되다, 금고형을 받다: ~ *in* battle 전사하다/~ *on* one's sword 칼로 자결하다/~ dead 죽어 넘어지다. **9** 《~/+전+명/+부》 실각하다; (국가·정부 따위가) 무너지다, 붕괴하다; 함락하다; 와해하다: The fort *fell*. 요새가 함락됐다/The city *fell to* the enemy. 그 시는 적의 수중에 떨어졌다/The building *fell asunder*. 그 건물은 산산이 무너졌다. **10** 《~/+전+명》 (유혹 따위에) 굴하다, 타락하다; 《고어》 (여자가) 순결

을 잃다; 《미속어》 (홀딱) 반하다; 《고어·방언》 임신하다; 나빠지다, 악화하다: ~ *into* temptation 유혹에 빠지다. **11** (기운 따위가) 쇠하다(decline); (얼굴 표정이) 침울해지다; (눈·시선이) 밑을 향하다: His face *fell*. 안색이 침울해〔어두워〕졌다 / Her eyes *fell*. 그녀는 눈을 내리깔았다. **12**(바람·불기운 따위가) 약해지다, 자다(subside); (대화가) 중단되다; (홍수·물이) 삐다, 나가다, (조수가) 써다(ebb): The wind *fell* during the night. 밤새 바람이 잠잠해졌다. **13** 《+전+명》 (졸음·공포가) 엄습하다, 덮치다; (광선·시선 따위가) 향하다, 쏠리다, 머물다(settle)《*on*》: Tragedy *fell upon* him. 비극이 그를 덮쳤다 / The sound *fell on* his ears. 그 소리가 그의 귀에 들어왔다 / His eyes *fell on* me. 그의 시선이 나에게 쏠렸다. **14** 《+전+명》 (적·도적 등이) 습격하다: The enemy *fell on* them suddenly from the rear. 적은 갑자기 배후에서 습격해 왔다. **15** 《+전+명》 (재산 따위가) …의 손으로 넘어가다《*to*》; (추첨에서) 당첨되다《*on; to*》; (부담 따위가) …에게 과해지다《*on; to*》; 〔it 를 가주어로〕 …의 임무가〔책임이〕 되다, …하게끔 되다: The expenses *fell on* 〔*to*〕 me. 경비는 나의 부담이 되었다 / All the responsibility will ~ *on* you. 모든 책임은 너에게 있다. **16** 《+보/+전+명》 (어떤 상태에) 빠지다; …이 되다(become): ~ *in* love with …와 사랑에 빠지다 / ~ *asleep* 잠들어 버리다 / ~ ill 병이 나다 / ~ *into* disuse 안 쓰이게 되다 / ~ due 지불 기일이〔만기가〕 되다. **17** 《+전+명》 (우연히) 일어나다, 생기다(happen); 오다, 되다(arrive)《특정한 어느 날·계절이》; (악센트가) …에 있다《*on*》: A handsome fortune *fell in* my way. 상당한 유산이 손에 들어왔다 / Christmas ~*s on* Tuesday this year. 올해 크리스마스는 화요일이다 / The accent ~*s on* the last syllable. 악센트는 마지막 음절에 있다〔온다〕. **18** 《+전+명》 (…을) 만나다, (…와) 조우하다, (…와) 상종〔관계〕하기 시작하다《*into; among; in; to; with*》: ~ *into* conversation with …와 이야기하기 시작하다. **19** 《+전+명》 분류되다, 나뉘다《*into; under; within*》: ~ *into* two headings 2개의 항목으로 나뉘다. **20** 《+전+명》 (특정한 장소를) 차지하다, (…로) 오다: This one ~*s to* the right of the line. 이것은 선(線)의 오른쪽에 온다. **21** (새끼 양 따위가) 태어나다. **22** 〖카드놀이〗 (패가) 죽다(drop). — *vt.* **1** 《영에서는 고어》 베어 넘기다, 벌채하다; 《N. Zeal.·Austral.》 (관목을) 베어 내다; (짐승을) 죽이다. **2** 《고어》 (눈물을) 흘리다; (무기를) 버리다. **3** 《폐어》 (지분·배당을) 받다. **4** (새끼를) 낳다. **5** (수선(垂線)을) 내리다. ~ ***aboard*** 싸우다, 말다툼하다《*with*》; (다른 배의) 뱃전에 충돌하다; 공격하다. ~ ***about*** 《구어》 우스워서 데굴데굴 구르다; (병·취기로) 비틀거리다: ~ *about* laughing 〔with laughter〕 포복절도하다. ~ ***across*** …을 만나다, …와 조우하다. ~ ***all over*** …의 일로 열심이다, …에게 잘 보이려고 아부하다; 지나칠 정도로 애정을〔감사를〕 표현하다. ~ ***among*** 우연히 … 속에 들어가다; (도둑 따위)를 만나다. ~ ***apart*** 〔***to pieces***〕 산산조각이 나다; 붕괴되다; 깨어지다; 사이가 나빠지다; 실패로 끝나다. ~ ***asleep at the switch*** 〔***wheel***〕 (예정된) 일을 태만히 하다, 약속을 이행치 않다. ~ ***astern*** ⇨ ASTERN. ~ ***away*** ① (장소를) 떠나다; (부분이 본체에서) 떨어져 나가다; 변절하다, 배반하다, (지지자 등이) …을 저버리다《*from*》; (배가) 침로에서 벗어나다. ② (인원수·수요·생산 따위가) …까지 감소하다, 뚝 떨어지다, 줄다《*to*》; 사라지다《*to; into*》; (계속되는 것이) 끊어지다. ③ (지면이) 갑자기 꺼지다

〔내려앉다〕; (땅이) …쪽으로 (급)경사져 있다《*to*》. ④ 여위다; (질이) 저하(低下)하다: ~ *away* in flesh 살이 빠지다. ⑤ 죽다. ~ ***back*** ① 벌렁 자빠지다. ② 후퇴하다; 뒷걸음치다, 주춤하다; 약속을 지키지 않다; (물 따위가) 줄어들다(recede). ~ ***back on*** 〔***upon***〕 …을〔에〕 의지하다; 〖군사〗 후퇴하여 …을 거점으로 하다. ~ ***behind*** 〔***behindhand***〕 뒤지다, (…에) 뒤떨어지다; (일·지불 등이) 늦어지다, …을 체납하다《*with; in*》. ~ ***below*** (생산 따위가 기준) 이하가 되다, …을 밑돌다, …에 미치지 못하다. ~ ***beneath*** (차·물건 따위)의 밑에 깔리다; (사람·사상 따위)의 영향을〔감화를〕 받다. ~ ***between the cracks*** (정부·회사 등의 문제가) 아무도 책임지지 않는 상태에 있다. ~ ***by*** 《미속어》 (예고 없이) 방문하다, 찾아오다(~ down ⑤). ~ ***by the wayside*** ⇨ WAYSIDE. ~ ***calm*** (바람이) 자다, 가라앉다. ~ ***down*** ① 땅에 엎드리다; (땅에) 넘어지다; 병으로 쓰러지다. ② (계획·주장 따위가) 실패하다, 좌절되다. ③ 흘러 내려가다. ④ …에서 굴러 떨어지다: ~ *down* a cliff 절벽에서 떨어지다. ⑤ 《미속어》 방문하다, 찾아오다. ~ ***down and go boom*** 《미속어》 푹 쓰러지다; 완전히 실패하다. ~ ***down*** (***on...***) 《구어》 (일에) 실패하다, (스케줄을) 못 지키게 되다: ~ *down on* it 〔the job〕 (어떤 일을) 잘 할 수 없다. ~ ***flat*** ⇨ FLAT. ~ (***flat***) ***on*** ***one's ass*** 《미속어》 ① 완전히 실패하다, 꼴사납게 실패하다. ② 《미항공속어》 (공항 날씨가) 운항 못 하도록 궂다. ~ ***for*** … 《구어》 믿어 버리다; …에게 속다; 《구어》 …에(게) 반하다, 매혹되다: ~ *for* … in a big way …에게 홀딱 반하다. ~ ***foul of*** ⇨ FOUL. ~ ***from*** …을 배반하다. ~ ***home*** (목재·뱃전이) 안쪽으로 휘다. ~ ***in*** 《*vi.*+부》 ① (지붕·벽 따위가) 내려〔주저〕앉다; (지반이) 함몰하다, (눈·볼 따위가) 꺼지다, 우묵 들어가다. ② (부채·계약 등) 기한이 되다, (토지의 임대 기한이 차서) 소유자의 것이 되다, 이용할 수 있게 되다. ③ 우연히 만나다. ④ 동의하다《*with*》. ⑤ 〖군사〗 정렬하다, 대열을 짓다: 《구령》 집합, 정렬! ⑥ 《미속어》 방문하다, 찾아오다(~ down). ⑦ 《Austral.》 잘못을 저지르다, 실패하다. — 《*vt.*+부》 ⑧ (병사를) 정렬시키다. ⑨ (할 수 없이) 동의하다. ~ ***in alongside*** 〔***beside***〕 (걸어가는 사람의) 옆에서 걷다. ~ ***in for*** (몫으로서) …을 받다; (비난·동정 따위)를 받다. ~ ***in one's way*** 입수(入手)하다; 경험하다. ~ ***into*** ① …에 빠져 들어가다; …에 빠지다, (못된 습관 따위)에 물들다〔빠지다〕; (대화 등을) 시작하다(begin), …을 하다. ② …으로 구분〔분류〕되다. ~ ***into line*** (대)열에 들다〔끼다〕; 행동을 같이하다《*with*》. ~ ***into step*** …와 보조를 맞추어 걷기 시작하다, …에 동조하다《*with*》. ~ ***into the hands of*** …의 수중에 들어가다. ~ ***in with*** …와 우연히 만나다; …에 동의하다; …에 참가하다; …와 조화〔일치〕하다, …에 적응하다; (점·때가) …와 부합하다. ~ ***off*** ① (이탈하여) 떨어지다: ~ *off* a ladder 사닥다리에서 떨어지다. ② (친구 따위와) 소원해〔멀어〕지다, 이반(離反)하다(revolt)《*from*》. ③ (이익·출석자·매상고 등이) 줄다; (건강·활력·아름다움 따위가) 쇠퇴하다; (스피드·인기 따위가) 떨어지다. ④ 〖해사〗 (배가) 침로(針路)에서 벗어나다. ~ ***on*** 〔***upon***〕 ① 서둘러〔힘차게〕 …을 시작하다, …에 착수하다; …을(게걸스레) 먹기 시작하다. ② …와 마주치다; …을 우연히 발견하다; …을 문득 생각해내다. ③ (축제일 따위가) 바로 …날이다; (어떤 음절)에 오다《악센트가》. ④ (몸에) 닥치다《불행 따위가》; …을 습격하다(attack); (졸음 따위가)

엄습하다; …의 의무가〔책임이〕 되다. ~ ***on hard times*** 〔***evil days***〕 불운〔불황〕을 만나다, 영락하다. ~ ***on*** one***'s feet*** 〔***legs***〕 ⇨ LEG. ~ ***out*** 《*vi.*+㊞》 ① (모발 따위가) 빠지다. ② (사이가) 틀어지다, 불화하다, 다투다《*with*》. ③ 일어나다, 생기다; …으로 판명되다, …의 결과가 되다《*that* …; *to be* …》: Things *fell out* well. 결과는 아주 좋았다 / It *fell out that* we met by chance weeks later. 몇 주일 후 우리는 우연히 얼굴을 대하게 되었다. ④ 〖군사〗 대열에서 이탈하다, 낙오하다, (부대를) 해산하다; 옥외에 나와서 정렬하다. ⑤ 《미속어》 감정을 자극시키다, 놀라다. ⑥ 《미속어》 죽다, 잠들다. ⑦ 《미속어》 방문하다, 찾아오다(~ down). ── 《*vt.*+㊞》 ⑧ (부대를) 해산시키다. ~ ***out of*** (습관을) 버리다. ~ ***out of bed*** 침대에서 떨어지다〔벌떡 일어나다〕; (물가 따위가) 갑자기 떨어지다. ~ ***over*** ① 벌렁 나자빠지다. ② …의 위에 떨어지다. ③ …에 부딪쳐서〔앞으로 쓰러져〕 구르다. ④ (머리카락이) 아래로 늘어지다. ⑤ 《Sc.》 잠들다(sleep). ~ ***overboard*** 배에서 물속으로 떨어지다. ~ ***over one another*** 〔***each other***〕 《미구어》 (…을 얻기 위하여) 서로 경쟁하다《*for*》. ~ ***over*** one***self*** 〔***backward***〕 ⇨ BACKWARD. ~ ***short*** 결핍〔부족〕하다; 미달이다, (화살·탄환 등이) 미치지 못하다《*of*》. ~ ***through*** 실패하다, 그르치다, 실현되지 않다. ~ ***to*** ① …을 시작하다, …에 착수하다: ~ *to* work 일을 시작하다 / They *fell to* and soon finished off the entire turkey. 칠면조를 먹는가 했더니, 게눈 감추듯 했다. ② (문이) 저절로〔멋대로〕 닫히다. ~ ***together*** 똑같게 되다, (음이) 일치하다. ~ ***under*** 〔***within***〕 (부류 따위)에 들다, …에 해당하다; (주목·영향 등을) 받다: ~ *under* a person's notice 아무의 눈에 띄다. ~ ***up*** 《미속어》 방문하다, 찾아오다. ~ ***wide of*** 빗나가다. ***let*** ~ 떨어뜨리다; 쓰러뜨리다; (가진 것을) 떨어뜨리다; (닻 따위를) 내리다; (일부러) 누설(漏泄)하다.

── *n.* Ⓒ **1** 낙하(落下), 떨어짐, 흩어짐, 추락, (갑자기) 쓰러짐: a ~ *from* a horse 낙마(落馬). **2** (온도 따위의) 하강, (물가 따위의) 하락(depreciation); 강하(降下), 침강; (강 따위의) 흘러듦. **3** 강우(량), 강설(량); (물체의) 낙하량: a heavy ~ *of* snow 대설(大雪). **4** (보통 *pl.*) 폭포(waterfall): the Niagara *Falls* 나이아가라 폭포《고유명사의 경우는 단수 취급》/ The ~s are 30 ft. high. 그 폭포의 높이는 30 피트이다. **5** 《미》 가을(autumn): in the ~ 가을에 / the ~ term 〔semester〕 가을 학기. **6** 전도(轉倒), 쓰러짐, 도괴(倒壞). **7** 함락; 무너짐, 와해, 붕괴; 멸망: the rise and ~ of the Roman Empire 로마 제국의 성쇠〔흥망〕. **8** Ⓤ 타락; 악화; (the F-) 인간〔아담과 이브〕의 타락(the Fall of Man). **9** 쇠퇴, 감퇴(decline). **10** 경사; 낙차(落差). **11** (염소 새끼 따위의) 출산; 한배의 새끼. **12** Ⓤ 목재의 벌채량. **13** (여자용) 베일〔면사포〕의 일종. **14** 드리워짐; 드리워진 것〔털〕; 아래로 늘어진 주름장식; 장발의 가발; =FALLING BAND. **15** 마땅히 있어야 할 곳〔위치〕: the ~ *of* an accent 악센트가 있어야 할 곳. **16** 〖레슬링〗 폴; 한판 (승부)(bout). **17** 《미속어》 체포(arrest), 형기(刑期); 강도질의 실패. **18** (활차의) 고팻줄. **19** 〖사냥〗 함정(fall-trap). **20** 《Sc.》 숙명, 운명. ***at the*** ~ ***of day*** 해질 녘에. ***go over the*** ~***s*** 《미속어》 〖서핑〗 컬(curl)을 타다. ***have*** 〔***get***〕 ***a*** ~ 넘어지다, 쓰러지다. ***ride*** 〔***head***〕 ***for a*** ~ ⇨ RIDE. ***take a*** ~ 《미속어》 ① 유죄 판결을 받다. ② 〖권투〗 녹다운 당한 체하다. ***take a*** ~ ***out of*** a person 《구어》 아무를 이기다. ***the*** ~ ***of life*** 만년(晩年). ***the*** ~ ***of the year*** 연말; 《문어》 낙엽이 질 무렵. ***try a*** ~ 〖레슬링〗 폴을 시도하다; 한판 해보다; 싸우다, 승부〔솜씨〕를 겨루다《*with*》.

── *a.* 가을의; 가을에 파종하는, 가을에 여무는; 가을용의: brisk ~ days 상쾌한 가을의 나날 / ~ goods 가을 용품.

fal·la·cious [fəléiʃəs] *a.* 불합리한, 틀린, 그른; 거짓의; (사람을) 현혹시키는, 믿을 수 없는. ㊞ ~**·ly** *ad.* ~**·ness** *n.*

°**fal·la·cy** [fǽləsi] *n.* **1** Ⓒ 잘못된 생각〔의견, 신념, 신앙〕. **2** Ⓤ 궤변(sophism); 잘못된 추론; Ⓒ 이론〔추론〕상의 잘못. **3** Ⓤ 〖논리〗 허위; 오류.

fal-lal, fal·lal [fællǽl] *n.* (주로 *pl.*) 값싸고 야한 장신구, 겉만 번드르르한 것.

fal·lal·(l)ery [fællǽləri] *n.* Ⓤ 《집합적》 값싸고 야한 장식품; 겉만 번드르르한 것.

fáll·awày *a.* 〖농구〗 바스켓에서 뒤로 물러서면서 행하는. ── *n.* 뒤로 물러서면서 하는 점프 슛.

fáll·bàck *n.* (필요한 때에) 의지가 되는 것, 준비품〔금〕(reserve); 후퇴, 뒤짐; 〖컴퓨터〗 대체 시스템(cf. fail-soft).

fáll-bàck *a.* 일 없을 때 지불되는 최저의《임금》; 만일의 경우에 대응할 수 있는, 대체 보좌의.

*__fall·en__ [fɔ́ːlən] FALL의 과거분사.

── *a.* **1** 떨어진(dropped): ~ leaves 낙엽. **2** 타락한, 영락한(degraded): a ~ woman 타락한 여자, 《속어》 창녀 / a ~ angel (천국에서 쫓겨난) 타락한 천사. **3** 쓰러진, 죽은: the ~ 전사자들. **4** 파멸된, 파괴된; 함락된; 전복한.

fállen árch 편평족(扁平足).

fáll·er *n.* 벌목인, 벌채자; 넘어지는 사람; 낙하물; (신앙으로부터의) 탈락자; 낙하 작용을 하는 장치《절굿공이·해머 따위》.

fáll·fish (*pl.* ~, ~**·es**) *n.* 〖어류〗 잉엇과(科)의 큰 담수어《북아메리카 동부산》.

fáll gùy 《구어》 희생되는 사람, 대신, 대역(scapegoat), (남의) '봉', '밥', 잘 속는 사람.

fal·li·bil·i·ty [fæ̀ləbíləti] *n.* Ⓤ 틀리기 쉬운 것.

fal·li·ble [fǽləbəl] *a.* 틀리기 쉬운, 틀리지 않을 수 없는; (사람이) 속기 쉬운. ㊞ **-bly** *ad.* ~**·ness** *n.*

fáll-in *n.* Ⓤ (원자력 평화 이용의 결과로 생기는) 방사성 폐기물. cf. fallout.

fáll·ing *n.* Ⓤ 낙하, 추락; (물가 따위의) 하락; 하강; 전복; 함락; (암석의) 붕락(崩落); 타락; 벌목. ── *a.* 떨어지는; 처지는, 드리워지는; 하락하는; 감퇴하는; 말끝을 낮추는《어조》; 《미방언》 (금방) 비가〔눈이〕 올 것 같은《날씨》: a ~ body 낙하체 / a ~ market 떨어지는 시황(市況).

fálling bànd 17세기 때의 남자용의 폭넓고 호화로운 옷깃(fall).

fálling díphthong 〖음성〗 하강(下降) 이중모음《제 1 요소가 제 2 요소보다 강한 [ái], [áu], [ɔ́i] 같은 이중모음》.

fálling dóor =FLAP DOOR.

fálling léaf (ròll) 〖항공〗 낙엽〔잎떨이〕 비행술.

fálling-óff *n.* 감소, 저하, 쇠퇴.

fálling-óut (*pl.* ***fáll·ings-óut,*** ~**s**) *n.* (친밀했던 사람과의) 불화, 다툼.

fálling sìckness 《고어》 간질(epilepsy).

fálling stár 유성(流星), 별똥별(meteor).

fáll lìne **1** 폭포선《대지(臺地)가 시작됨을 나타내는 선》. **2** 《미》 (F- L-) Piedmont 평원과 해안 평야와의 경계선. **3** 〖스키〗 최대 경사선.

fáll·òff *n.* (양적·질적인) 저하, 감소, 쇠퇴.

Fal·ló·pi·an tùbe [fəlóupiən-] 〖해부〗 나팔관, (수)란관((輸)卵管)(oviduct).

fáll·òut *n.* **1** Ⓤ 방사능 물질의 낙진, '죽음의 재'; (방사성 물질 등의) 강하. cf. fall-in. **2** 부산물, 부수적인 결과〔사상(事象)〕.

fállout shèlter 방사능 낙진 대피소, 핵 셸터.

fal·low[1] [fǽlou] *a.* 묵히고 있는《밭 따위》, 휴한(休閑) 중인; 미개간의; (이용 가치가 있는데도) 사용하지 않는; 수양을 쌓지 않은, 교양 없는; (암퇘지가) 새끼를 배지 않은: lie ~ (밭 따위가) 묵고 있다. **—** *n.* [U] 놀리는 땅, 휴경〔휴한〕지; 휴한(休閑), 휴작(休作): land in ~ 휴한지. **—** *vt.* (땅을) 갈아만 놓고 놀리다, (농토를) 묵히다. [파] **~·ness** *n.*

fal·low[2] *a.* 담황갈색의. **—** *n.* [U] 담황갈색.

fállow déer 담황갈색에 흰 반점이 있는 사슴《유럽산》.

fáll-sówn *a.* 《미》 가을 파종의: ~ crops 가을 파종 작물.

fáll-tràp *n.* 〖사냥〗 함정(fall).

fáll wébworm 아메리카박나방《해충》.

FALN, F.A.L.N. 《Sp.》 *Fuerzas Armadas de Liberación Nacional* (푸에르토리코 민족 해방군).

false [fɔːls] *a.* **1** 그릇된, 틀린, 부정확한, 잘못된; 부정(不正)한, 불법적인: a ~ judgment 그릇된 판단, 오판 / ~ pride 그릇된 긍지 / a ~ balance 불량 저울. **2** 거짓〔허위〕의, 가장된: bear ~ witness 위증하다 / a ~ attack 양동(陽動) 공격 / a ~ charge 〖법률〗 무고 / a ~ report 허보. **3** 성실치 않은; 부실〔부정(不貞)〕한; 〖서술적〗 …을 배신하여, 부실하여《*to*》: a ~ friend 미덥지 못한 친구 / a ~ wife 부정한 아내 / He was ~ to his word. 그는 약속을 지키지 않았다. **4** 부당한, 적절치 않은; 경솔한: ~ move 어리석은 행동. **5** 위조의, 가짜의: a ~ signature 가짜 서명. **6** 인조의, 인공의; 대용의, 임시의, 일시적인; 보조의(subsidiary): a ~ eye 의안(義眼) / ~ hair 가발. **7** 〖음악〗 가락이 안 맞는; 반음 감소한; 위종지(僞終止)의: a ~ note 가락이 맞지 않는 음. **8** 〖식물〗 의사(擬似)의; 〖의학〗 위성(僞性)〔의사〕의: a ~ cholera 의사 콜레라. ***be ~ of heart*** 불성실하다. ***be ~ to*** …을 배반하다, …에 대해 불성실〔부정〕하다. ***make a ~ move*** (긴요한 때에) 작전〔일〕을 그르치다.
— *ad.* 부정하게, 잘못되어; 거짓으로, 배신하여, 부실하게; 가락이 맞지 않게. ***play*** a person **~** 아무를 속이다(cheat); 배반하다(betray): Events *played* him ~. 일의 추세는 그의 기대를 어겼다 / My memory never *plays* me ~. 내 기억은 절대 틀림없다. ***ring ~*** (이야기가) 정말같지 않다, 거짓말로 들리다.
[파] **∠·ly** *ad.* **∠·ness** *n.*

fálse acácia 아카시아(의 일종)(locust).

fálse accóunting 《영》 분식 회계.

fálse alárm (화재 경보기 등의) 잘못된〔장난〕 경보, 가짜 경보; 소란, 기대에 어긋남.

fálse arrést 〖법률〗 불법 체포〔구류〕.

fálse bóttom (상자·트렁크 등의) 덧댄 바닥, (비밀의) 이중 바닥.

fálse cárd 〖카드놀이〗 속임패《브리지에서 수를 속이기 위해서 내는》.

fálse cléavers 〖식물〗 갈퀴덩굴.

fálse cóin 가짜 돈〔물건〕.

fálse cólor 적외선 사진 (촬영), 의사(擬似) 색채법. [파] **fálse-cólor** *a.*

fálse cólors 가짜 국기; 정체를 속이는 것, 위선 행위, 가짜 이름. ***sail under ~*** ⇨ COLOR.

fálse cóncord 〖문법〗 (성·수·격의) 불일치.

fálse dáwn 빗나간 길조(吉兆); 이른 새벽의 미광; 일시적인 성공; 헛된 희망〔기대〕.

fálse ecónomy 겉보기〔잘못된〕 절약〔경제성〕《실제에는 보다 큰 비용으로 이어지는》.

fálse fáce 가면《특히 우스꽝스러운》.

fálse-flàg *a.* 위장한.

fálse-héarted [-id] *a.* (마음이) 불성실한, 배신의. [파] **~·ly** *ad.* **~·ness** *n.*

false·hood [fɔ́ːlshùd] *n.* **1** [C] 거짓말(lie), 허언: tell a ~ 거짓말하다. **2** [U] 허위(성), 거짓, 기만.

fálse horízon 의사(擬似) 수평《고도 측정용 평면경·수은의 표면 등》.

fálse imprísonment 〖법률〗 불법 감금.

fálse kéel 〖선박〗 붙임 용골(龍骨).

fálse-mémory sỳndrome 〖정신의학〗 허위 기억 증후군《실제에는 없던 사항을 기억에 있는 것처럼 믿어 버리는 상태》.

fálse móve (남에 대한) 위협〔공격〕적인 동작; 잘못, 실수, 실책(miss).

fálse posítion 오해받기 쉬운 입장, 귀찮은〔자기 의도에 반대되는〕 입장: put a person in a ~ 아무를 오해받기 쉬운 입장에 빠뜨리다.

fálse prégnancy 〖의학〗 거짓〔상상〕 임신.

fálse preténses 〔《영》 **preténces**〕 〖법률〗 기망(欺罔), 사기 취재(取財), 사취죄(罪); 〖일반적〗 허위의 표시: obtain money under ~ 금전을 사취하다.

fálse quántity 〖운율〗 (낭독·작시(作詩)에서) 모음 장단의 틀림, 음량의 잘못.

fálse relátion 〖음악〗 대사(對斜)(=**cróss relátion**).

fálse ríb 〖해부〗 가늑골(假肋骨).

fálse stárt (경주의) 부정 스타트; 잘못된 첫발〔출발〕: make a ~ 플라잉 스타트를 하다.

fálse stép 헛디딤; 실책, 차질: make 〔take〕 a ~ 발을 헛디디다; 실수하다.

fálse téeth 의치, 《특히》 틀니.

fal·set·tist [fɔːlsétist] *n.* 가성(假聲)을 쓰는 가수〔이야기꾼〕.

fal·set·to [fɔːlsétou] (*pl.* **~s**) 〖음악〗 *n.* 가성(假聲); 꾸민 목소리《특히 남성의》; 가성을 쓰는 가수. **—** *a., ad.* 가성의〔으로〕.

fálse·wòrk *n.* [U] 〖건축〗 비계, 가설물, 발판.

fals·ies [fɔ́ːlsiz] *n. pl.* 《구어》 **1** 여성용 가슴받이《유방을 크게 보이기 위한》, 유방 패드. **2** (남자의) 가짜 수염; 모조품.

fal·si·fi·ca·tion [fɔ̀ːlsəfikéiʃən] *n.* [U,C] **1** 위조, 변조. **2** (사실의) 왜곡; 곡해; 허위임을 밝히는 입증, 반증(反證), 논파(論破). **3** 〖법률〗 문서 변조〔위조〕; 〖법률〗 위증.

fal·si·fi·er [fɔ́ːlsəfàiər] *n.* **1** 위조자. **2** 거짓말쟁이; 곡필(曲筆)〔곡해〕자.

fal·si·fy [fɔ́ːlsəfài] *vt.* (서류 따위를) 위조〔변조〕하다(forge); 속이다; 왜곡하다; …의 거짓〔틀림〕을 입증하다; 논파하다; 배신하다, (기대 등을) 저버리다. **—** *vi.* 《미》 속이다.

fal·si·ty [fɔ́ːlsəti] *n.* [U,C] 허위(성), 기만성; 불신; 거짓말; 잘못.

Fal·staff [fɔ́ːlstæf, -stɑːf/-stɑːf] *n.* **1** Sir **John ~** 폴스타프《술을 좋아하고 기지가 있고 몸집이 큰 쾌남; Shakespeare의 희극에 등장하는 인물》. **2** 팔스타프《Verdi의 3막 오페라 (1893); 대본은 Arrigo Boito 작》. [파] **Fal·stáff·ian** [-iən] *a.*

falt·boat [fɑ́ːltbòut] *n.* 접게 된 보트(foldboat)《kayak 비슷하고 운반이 간편함》.

fal·ter [fɔ́ːltər] *vi.* **1** 비틀거리다, 발에 걸려 넘어지다(stumble), 비슬대다. **2** 《~/+[전]+[명]》 머뭇거리다(hesitate), 멈칫〔움찔〕하다; (용기가) 꺾이다: Never ~ *in* doing good. 선을 행하는 데 주저하지 마라. **3** 말을 더듬다(stammer): She ~*ed* in her speech. 그녀는 더듬으면서 말했다. **—** *vt.* 《+[목]+[부]》 더듬더듬〔우물우물〕 말하다《*out; forth*》: ~ *out* an excuse 더듬거리면서 변명하다. **—** *n.* **1** 비틀거림. **2** 머뭇거림, 움츠림(flinch). **3** 말더듬음, 더듬는 말; (목소리·음의) 떨림. [파] **~·er** *n.* **~·ing** *a.* **~·ing·ly** *ad.*

F.A.M. foreign airmail; Free and Accepted

Masons. **fam.** familiar; family; famous.

⁑fame [feim] *n.* Ⓤ **1** 명성, 명예, 성망. **2** 평판, 풍문; 《고어》 세평, 소문. ◇ famous *a.* ¶ good ~ 호평/ill ~ 오명, 악명. ***a house* 〔*woman*〕 *of ill* ~** ⇨ HOUSE. ***come to* ~ = *win* 〔*achieve*〕 ~** 유명해지다. **—** *vt.* 〔보통 수동태〕 유명하게 하다, …의 명성을 높이다《*for*》; 《고어》 …이라고 전하다, 평판하다《*to* be; *as*》: French cooking *is ~d* throughout the world. 프랑스 요리는 세계적으로 유명하다/He *is ~d as* 〔*to* be〕 a poet. 그는 시인으로서 평판이 나 있다. ㊞ **∠·less** *a.*

famed *a.* **1** 유명한, 이름 있는(famous): the world's most ~ garden 전 세계에서 가장 유명한 정원. **2** 〔서술적〕 …으로 유명하여《*for*》: He is ~ *for* his cruelty. 그는 잔인하기로 유명하다.

fa·mil·ial [fəmíljəl, -liəl] *a.* 가족〔일족〕의〔에 관한〕; (병이) 일족에 특유한.

famílial hýpercholèsterolémia 〖병리〗 가족성 고(高)콜레스테롤혈증《생략: FH》.

⁑fa·mil·iar [fəmíljər] *a.* **1** 친(밀)한, 가까운 《*with*》: I am ~ *with* him. 그와 친하다.

> SYN. **familiar** 자주 만나는, 잘 알고 있는: a *familiar* friend 일상의 벗. **intimate** 마음을 서로 잘 알고 애정·관심 따위를 서로 나눌 수 있는 극히 친한: an *intimate* friend 마음을 터놓은 벗. **confidential** 서로 믿는, 개인의 비밀까지도 털어놓는: a *confidential* friend 친우. **friendly** 친구 같은, 우호적인, 붙임성 있게 구는: a *friendly* state 우호국.

2 잘〔익히〕 알고 있는, 익숙한, 환한, 정통한 《*with*》: He is ~ *with* French. 그는 프랑스 말에 익숙하다. **3** 잘 알려진, 낯〔귀〕익은《*to*》: a ~ voice 귀에 익은 목소리. **4** 흔한, 보통〔일상〕의, 통속적인. SYN. ⇨ COMMON. **5** 편한, 거북〔딱딱〕하지 않은. **6** 무간한, 무람〔스스럼〕없는《*with*》: He is too ~ *with* me. 그는 나에게 너무 버릇없이 군다. **7** (동물이) 잘 길든(domesticated). **8** (성적인) 관계가 있는《*with*》. **9** 가족의, 가족이 자주 방문하는. ◇ familiarity *n.* ***be on* ~ *terms with*** …와 친숙하다. ***make* oneself ~ *with*** …와 친해지다; …에 정통하다; …에 허물없이 굴다. **—** *n.* **1** 친구. **2** 〖가톨릭〗 (교황 또는 주교의) 용무원(用務員), (종교 재판소의) 포리(捕吏). **3** = FAMILIAR SPIRIT. **4** (어떠한 일에) 정통한 사람, (어떤 곳을) 자주 방문하는 사람. ㊞ °**~·ly** *ad.* 친하게, 무람〔스스럼〕없이, 정답게. **~·ness** *n.*

⁑fa·mil·i·ar·i·ty [fəmìliǽrəti, -ljǽr-/-liǽr-] *n.* Ⓤ **1** 친밀, 친숙, 친교; 친밀한 사이. **2** 무간함, 허물없음; 스스럼〔무람〕없음; (보통 *pl.*) 무람〔허물〕없는 언행: *Familiarity* breeds contempt. 《속담》 너무 스스럼없이 굴면 멸시를 받는다. **3** 익히 앎, 정통《*with*》. **4** (*pl.*) 성적〔추잡한〕 관계; (*pl.*) 애무(愛撫) (caresses). ◇ familiar *a.* ***be on terms of* ~ *with*** …와 친한 사이이다.

fa·mìl·iar·i·zá·tion *n.* Ⓤ 익숙〔정통〕케 함, 일반〔통속〕화.

fa·mil·iar·ize [fəmíljəràiz] *vt.* 《+목+전+명》 친하게 하다; 익숙게 하다《*with*》; …에게 잘 알리다, (세상에) 퍼뜨리다, (사상 따위를) 통속화하다《*to*》: ~ a person *with* a job 아무를 일에 익숙게 하다. **—** *vi.* 《고어》 허물없이 굴다, 격의없이 사귀다. **~ one*self with*** …에 정통〔익숙〕하다.

famíliar spírit 부리는 마귀《마법사 또는 사람을 섬기는 마귀》; (죽은 이의) 영혼.

fam·i·lism [fǽməlìzəm] *n.* Ⓤ 가족주의; (종종 F-) familist 의 교리〔관행〕.

fam·i·list [fǽməlist] *n.* (종종 F-) 패밀리스트《16-17 세기 유럽에 있었던 신비주의적 기독교의 한 파인 the Family of Love (사랑의 벗, 사랑의 가족)의 교도》.

fa·mille jaune [*F.* famijʒoːn] 《F.》 노랑을 바탕으로 한 중국의 연채 자기(軟彩磁器).

†fam·i·ly [fǽməli] (*pl.* **-lies**) *n.* **1** Ⓒ 〔집합적〕 가족, 가정《부부와 그 자녀》, 가구(家口)《때로는 하인들도 포함》: a ~ *of* five, 5 인 가족/five *families*, 5 가구/He has a large ~ *to* support. 부양 가족이 많다/My ~ are all early risers. 우리 식구는 모두 일찍 일어난다. ★ family는 집합명사로서 단수 동사로 받지만, 가족의 한 사람 한 사람에 중점을 둘 때에는 복수 동사로 받음. **2** Ⓤ (또는 a ~) (한집의) 아이들, 자녀: raise a ~ 아이들을 기르다/Does he have any ~ ? 그는 애가 있느냐/Say hello to your wife and ~. 부인과 아이들에게 안부 전해 주시오. **3** 집안, 일족; 친족, 일가 친척. **4** Ⓤ 가문, 가계(家系); 《영》 명문(名門), 문벌: a man of (good) ~ 명문의 사람/a man of no ~ 이름 없는 가문의 사람. **5** 인종, 종족, 민족(race): the Arian ~ 아리안족. **6** 〖생물〗 과(科)《order 와 genus 의 중간》; 〖언어〗 어족; 〖화학〗 (원소의) 족(族); 〖수학〗 (집합의) 족(族); 곡선족, 집단《동종의》: the Indo-European ~ (*of* languages) 인도유럽 어족/the cat ~ 고양잇과(科)/the ~ *of* romantic poets 낭만파 시인들. **7** (가축 품종 중에서) 같은 혈통의 것; (어떤) 혈통을 잇고 있는 것. **8** (생각이 같은) 한동아리; 문도(門徒); (고관(高官)·사무소의) 스태프(staff); (정치〔종교〕적 이해를 같이하는) 그룹, 집단; 《미》 (마피아 등의) 활동 조직 단위. ***a happy* ~** 한 우리에 같이 사는 서로 다른 종류의 동물들. ***run in the* 〔one's〕 ~** ⇨ RUN. ***start a* ~** 첫 아이를 보다. **—** *a.* 가족(용)의, 가정의: ~ life 가정 생활/a ~ council 친족 회의/a ~ film 가족용 영화. ***in a* 〔*the*〕 ~ *way*** 정답게, 흉허물없이; 《구어》 임신하여(pregnant). ㊞ **~·ish** [-iʃ] *a.* 가족 간의 유대가 굳은; 가족적인.

fámily allówance 가족 수당; 모자(母子) 가족 수당; 《영》 child benefit 의 구칭.

fámily Bíble 가정용 성서《가족의 출생·결혼·사망 등을 기입할 여백이 있는 큰 성서》.

fámily brànd 〖마케팅〗 패밀리 브랜드, 통일 상표《같은 상표의 제품군(群)》.

fámily círcle 1 (보통 the ~) 〔집합적〕 한집안 (식구들). **2** (극장의) 가족석.

fámily còurt 가정 법원(court of domestic relations).

fámily crédit 《영》 육아 부양 수당《어린 자식이 있는 저소득층에게 지급》.

fámily dóctor 〔**physícian**〕 가정의, 단골 의사.

fámily frìend 가족 모두의 친구.

fámily gánging [-gǽŋiŋ] 《미》 환자의 가족까지 불필요한 진찰을 하여 의료 보험료를 청구하는 부정 진료 행위.

fam·i·ly·gram [fǽməligræ̀m] *n.* 《미》 (항해 중인 해군 병사에게 오는) 가족 전보.

fámily gróuping 패밀리 그루핑《여러 연령층의 어린이를 하나의 학습 집단에 편성하는 방식》.

fámily hotél 가족용 할인 호텔.

fámily hóur 〖미 TV〗 가족 시청 시간(대)《보통 오후 7-9 시》.

fámily íncome sùpplement 《영》 소득 보충 수당《일정 수입액 미만 세대에 국가가 지급하는 수당》.

fámily jéwels 《미·비어》 고환(testicles); 《속어》 집안의 수치스러운 비밀, 《특히》 CIA 의 비합법 활동.

fámily léave 육아·간호 휴가《출산·가족의 병 수발을 위한 무급의 휴가》.

fámily líkeness 육친〔혈족〕의 유사점.

fámily màn 가정을 가진 사람, 가정적인〔가정

중심의, 외출을 싫어하는〕 남자.

fámily médicine 가족 의료(community medicine).

‡**fámily náme** **1** 성(姓)(surname). cf. Christian name. **2** 어떤 가문에서 즐겨 쓰는 세례명.

fámily plàn (항공기 따위의) 가족 요금《이용자가 적을 때, 전액 지불 항공권을 가진 세대주가 가족을 동반할 경우 이용할 수 있는 특별 할인 요금》.

fámily plànning 가족 계획.

fámily práctice =FAMILY MEDICINE.

fámily practítioner =FAMILY DOCTOR; 일반 개업의(醫).

fámily rómance **1** 〖정신의학〗 가족 로맨스〔공상〕《자기는 양친의 실제 자식이 아니고 좀더 고귀한 집안에서 태어났다고 하는 망상》. **2** 일가족의 역사, 계보(系譜).

fámily ròom 《미》 거실, 가정의 오락실.

fámily-síze *a.* (가족 전체가 쓸 수 있는) 대형의, 덕용(德用)의: a ~ car.

fámily skéleton (남의 이목을 꺼리는) 집안 비밀(a skeleton in the closet).

fámily stỳle (음식을 각자가 떠먹을 수 있게) 큰 그릇에 담기〔담는〕, 가족 방식(의)〔으로〕.

fámily thérapy 〖정신의학〗 (환자 가족까지 포함한) 가족 요법. ㊔ **fámily thérapist**

fámily trée 가계도(家系圖), 계보, 족보; (언어의) 계통수(樹).

fámily-trée thèory (the ~) 〖언어〗 계통수(樹)설《각 언어는 조어(祖語)에서 분파한다는》.

fámily vàlues (전통적인) 가족 중심의 가치관.

***fam·ine** [fǽmin] *n.* **1** U,C 기근; 식량 부족. **2** U 굶주림, 배고픔, 기아(饑餓)(starvation): die of 〔suffer from〕 ~ 굶어 죽다〔기아로 고생하다〕. **3** C (물자) 결핍, 부족: a house 〔fuel〕 ~ =a ~ of house 〔fuel〕 주택〔연료〕 부족/water ~ 물 부족〔기근〕.

fámine príces (품귀 현상에 의한) 터무니없는 시세.

°**fam·ish** [fǽmiʃ] *vt.* 〔보통 수동태〕 굶주리게 하다(starve); 아사(餓死)시키다: *be ~ed* to death 굶어 죽다. **—** *vi.* 굶주리다; 아사하다: I am *~ing.* 《구어》 배고파 죽겠다. ㊔ **~·ed** *a.* 굶주린; 《구어》 배가 몹시 고픈; 결핍된. **~·ment** *n.* **~·ness** *n.*

†**fa·mous** [féiməs] *a.* **1** 유명한, 이름난, 잘 알려진(well-known) 《*for; as*》: ~ *for* scenic beauty 경치로 유명한/a ~ golfer 유명한 골퍼/London was once ~ *for* its fogs. 런던은 이전에 안개로 유명했다.

> SYN. **famous** 사람에게 잘 알려진: a *famous* tower 유명한 탑. **renowned** 평판이 높은, 명성 있는. famous 에는 실질(實質)이 따르지 않는 것도 있는데, renowned 는 실질도 훌륭하다고 볼 수 있음. **celebrated** 남달리 뛰어난 재능·업적 따위로 유명한: a *celebrated* writer 이름 높은 작가. **eminent, distinguished** 동료·동업자에 비해 한층 탁월한, 당대를 대표하는: a *distinguished* statesman 일류 정치가.

2 《구어》 굉장한, 멋진, 훌륭한(excellent): a ~ performance 훌륭한 연기〔연주〕/That's ~! 참 멋지다. **3** 《고어》 자자한, 소문난(notorious)《나쁜 뜻으로》. ◇ fame *n.*

㊔ **~·ly** *ad.* 유명하게; 《구어》 굉장〔훌륭〕히: He is getting on *~ly* with his work. 일이 매우 순조롭게 진척되고 있다. **~·ness** *n.*

fam·u·lus [fǽmjələs] (*pl.* **-li** [-lài]) *n.* 《L.》 (마술사·학자 등의) 부하, 조수, 제자.

‡**fan**[1] [fæn] *n.* **1** 부채; 선풍기, 송풍기: a folding ~ 접부채/a ventilation ~ 환풍기. **2** 부채꼴의 것《풍차·추진기 날개, 새의 꽁지깃 등》; 《속어》 (비행기의) 프로펠러, 엔진. **3** 키; 풍구(winnowing fan); 〖지학〗 선상지(扇狀地). ***hit the*** ~ 《미속어》 혼란 상태가 되다, 귀찮게 되다. ***turn on the*** ~ 《미》 급히 가다.

— (**-nn-**) *vt.* **1** 《~+목/+목+전+명》 부채로 부치다, …에 조용히〔살살〕 불어 주다: ~ one's face *with* a notebook 노트로 얼굴을 부채질하다. **2** (바람이) …에 불어치다. **3** 《+목+전+명》 선동하다, 부추기다: Bad treatment *~ned* their dislike *into* hate. 대우가 나빠서 그들의 혐오는 증오로 변했다. **4** (곡식 따위를) 까부르다《키로》, (풍구로) 가려내다. **5** 《+목+부》 부채꼴로 펴다: He *~ned out* the cards on the table. 그는 트럼프를 테이블 위에 부채꼴로 펼쳤다. **6** 《+전+명》 (파리 따위를) 부채로 쫓다《*away*》: ~ the flies *away* (*from* a baby) 부채질하여 (아기한테서) 파리를 쫓아 버리다. **7** 《속어》 손바닥으로 (찰싹) 때리다(spank); (총을) 연사(連射)하다; 《속어》 (찾기 위해서 옷·방 등을) 뒤지다; 《미속어》 (공중전화의 반환 레버를) 흔들다; 〖야구〗 삼진(三振)시키다. **—** *vi.* **1** 《+부》(부채꼴로) 펼쳐지다; (사람이) 사방팔방으로 흩어져 가다; 〖군사〗 부채꼴로 산개하다《*out*》: The forest fire *~ned out* in all directions. 산불이 온 방향에서 부채꼴로 퍼져갔다. **2** 가볍게 치다〔두드리다〕; (물건·생물이) 펄럭펄럭 흔들리다; 휙 움직이다〔달리다〕《*about; out*》. **3** 〖야구〗 삼진당하다. **4** 《미속어》 지껄이다. **~ *it*** 《미속어》 〖명령형으로〗 편하게, 천천히, 조용히. **~ one's *tail*** 달리다, 뛰다. **~ *the air*** 헛치다; 〖야구〗 삼진당하다. **~ *the flame*** 부채질하다; 《비유》 격정을 돋우다, 선동하다.

‡**fan**[2] *n.* (영화·스포츠·특정 취미의) 팬, 열렬한 애호가, …광(狂): a baseball ~ 야구광. [◂*fanatic*]

°**fa·nat·ic** [fənǽtik] *n.* 광신자, 열광자; 《구어》 =FAN². **—** *a.* 광신〔열광〕적인, 열중한.

fa·nat·i·cal [fənǽtikəl] *a.* =FANATIC. ㊔ **~·ly** *ad.* 광신(狂信)〔열광〕적으로. **~·ness** *n.*

fa·nat·i·cism [fənǽtəsìzəm] *n.* U 광신, 열광, 열중; C 광신적인 행위.

fa·nat·i·cize [fənǽtəsàiz] *vt., vi.* 광신시키다〔하다〕; 열광시키다〔하다〕.

fan·back [fǽnbæ̀k] *a.* (의자가) 부채꼴의 등이 있는.

fán bèlt (자동차의) 팬 벨트.

fan·ci·a·ble [fǽnsiəbəl] *a.* 《구어》 성적 매력이 있는; 꿈에 그리는.

fan·cied [fǽnsid] *a.* **1** 공상의, 가공의, 상상의: ~ grievances 근거 없는 불만. **2** 마음에 든, 호의적으로 봐주는. **3** 요망된, 기대되는, 이길〔잘될〕 듯한.

fan·ci·er [fǽnsiər] *n.* (음악·미술·꽃·새 등의) 애호가; (품종 개량을 목적으로 하는) 사육자, 재배자; 공상가(dreamer): a bird ~ 새 장수; 애조가.

°**fan·ci·ful** [fǽnsifəl] *a.* **1** 공상에 잠긴, 공상적인; 변덕스러운(whimsical). **2** 별난, 괴상한, 기발한: a ~ design. **3** 몽상의, 가공의: a ~ story. ㊔ **~·ly** *ad.* 공상적으로, 기발하게. **~·ness** *n.*

fan·ci·fy [fǽnsəfài] *vt.* 화려하게 꾸미다, 윤색하다. **—** *vi.* 공상에 잠기다.

fan·ci·less [fǽnsilis] *a.* 상상〔공상〕(력)이 없는; 무미건조한.

fan·ci·ly [fǽnsəli] *ad.* 공상〔상상〕을 자극하게 하여; 공들여, 화려하게 꾸미어.

fan·ci·ness [fǽnsinis] *n.* (과도한) 장식성《문체 등》.

fán clùb (가수·배우 등의) 후원회.

Fan·có·ni's anémia [fɑːnkóuniz-] 〖의학〗 판코니 빈혈《어린이의 체질성 빈혈》.

‡**fan·cy** [fǽnsi] *n.* **1** U,C (두서없이 자유로운)

공상; 공상력. 2 U,C 이미지; 환상, 기상(奇想); 망상. 3 U,C (근거 없는) 상상, 상상력, 추측, 예상: I have a ~ *that* he will not come. 그가 올 것 같지 않은 예감이 든다. 4 C 변덕(whim), 일시적인 생각: a passing ~ 일시적인 변덕〔생각〕. 5 C 좋아함, 애호; 연모(love); 취미, 기호, 도락(hobby)《*for; to*》: follow one's ~ 자기 하고 싶은 것을 하다. 6 (the ~)《드물게》 호사가들, 동호자;《특히》 권투〔동물〕 애호가들. 7 데커레이션케이크(~ cake); (동물의) 변종을 만들어 내는 기술. 8 심미안, 감상력. 9 권투: keen on the ~ 권투에 열중하여. 10 〚음악〛 팬시《16-17세기 영국의 대위법을 이용한 기악곡》. ***after*** 〔***to***〕 **a person's ~** 아무의 마음에 든, 아무의 뜻에 맞는. ***catch*** 〔***strike, please, suit, take***〕 ***the ~ of*** …의 마음에 들다, …의 흥미를 끌다. ***have a ~ for*** …을 좋아하다. ***have a ~ that ...*** …한 마음이 들다. ***take a ~ to*** 〔***for***〕 …을 좋아하게 되다, …에 반하다.

— (***-ci·er; -ci·est***) *a.* **1** 공상의, 상상의; 변덕의: a ~ picture 상상화. **2** 의장(意匠)에 공들인, 장식적인(OPP. *plain*); 화려한; 색색으로 물들인; (꽃이) 잡색의: a ~ button 장식 단추. **3** 변종(變種)의《동물 따위》, 애완〔감상〕용(품종)의, 진종(珍種)의: a ~ dog 진종의 개. **4** 의장에 공들인 물건을 취급하는, 특선품을 파는; 극상품의《과일 등》, 특선의《통조림 등》. **5** 고등 기술의, 곡예 기술의: ~ flying 곡예비행. **6** 엄청난, 터무니없는(extravagant): at a ~ price 〔rate〕 엄청난 값으로〔속도로〕. **7** 《미속어》 대단히 좋은, 멋진.

— *vt.* **1** 《~+목/+목+(*to be*) 보/+목+*as* 보/+목+*-ing*/+*-ing*》 공상〔상상〕하다; 마음에 그리다: ~ a life without electricity 전기 없는 생활을 상상하다/Can you ~ him *as* an actor? =Can you ~ him (*to be*) an actor? 배우인 그를 상상할 수 있겠는가/I cannot ~ their 〔them〕 speak*ing* ill of me. 그들이 나에 대해 악평을 한다고는 도무지 생각할 수 없어/I can't ~ your ever *saying* such a thing. =I can't ~ (that) you would ever say such a thing. 자네가 그런 말을 하다니 상상할 수 없군. **2** 《+*-ing*/+목+*-ing*》〘명령형〙 …을 상상해 봐; 저런 …라니《*doing*》《가벼운 놀람의 표현》: *Fancy* read*ing* all day long. 하루종일 책만 읽다니/*Fancy* meet*ing* you here! 이런 데서 자넬 만나다니/*Fancy* him *driving* a car. 그가 차 운전을 하다니, 생각해 보게. **3** 《+목+(*to be*) 보/+목+*as* 보》〘~ oneself〙 자만하다; …하다고 자부하다: She *fancies* her*self* (*to be*) beautiful. 그녀는 미인이라고 자부하고 있다/He *fancies* him*self as* a great scholar. 그는 자신을 훌륭한 학자라고 자만하고 있다. **4** 《+*that* 절/+목+(*to be*) 보》 (어쩐지) …라고 생각하다, …같은 생각이 들다, …이라고 믿다: I rather ~ (*that*) he is about forty. 그는 아무래도 40세 정도라고 여겼다/She *fancied* her husband (*to be*) a great lover. 그녀는 남편을 매력적인 남자라고 생각했다. **5** 《+목/+*-ing*》 좋아하다, …이 마음에 들다; 《영구어》 (육체적으로) …에게 끌리다, …에 마음이 있다: She *fancies* this yellow hat. 그녀는 이 노랑 모자를 마음에 들어한다/I don't ~ act*ing* as chairman. 의장 노릇은 하고 싶지 않다. **6** (진종(珍種)을) 기르다〔재배하다〕. **—** *vi.* 공상〔생각〕하다; 〘명령형으로〙 상상 좀 해 봐, 설마: Just 〔Only〕 ~! (=Fancy that!) 그런 일이 있다니, 정말 놀랐어, 기가 막혀; 이상한〔기쁜〕 얘기인데. ***~ up*** (새롭게 보이기 위해) …에 장식을 하다.

fáncy báll 가장무도회.

fáncy cáke 데커레이션케이크.

fáncy cút 다이아몬드 컷의 하나로, 삼각형·별 모양의 컷.

fáncy Dán 〔**dán**〕 《미속어》 멋쟁이; 펀치가 약한 기교파 권투 선수; 정부(情夫); 유객꾼.

fáncy díving 곡예 다이빙 경기. ㊞ **fáncy díver**

fáncy dréss 가장복; 가장무도회의 의상, 색다른 옷; 《미속어》 멋있는 옷.

fáncy drèss báll 가장무도회.

fáncy drèss párty 《영》 =COSTUME PARTY.

fáncy fáir 《영》 방물 자선시.

fáncy-frée *a.* 아직 사랑을 모르는, 순진한; 한 가지 일에 집착 안 하는, 자유분방한.

fáncy gòods 방물, 잡화, 장신구.

fáncy màn 《속어·우스개·경멸》 애인, 정부(情夫), (매춘부의) 기둥서방; 내기를 하는 사람, 《특히》 경마에 돈을 거는 사람.

fáncy pànts 《속어》 멋쟁이(dandy); 나약한 사내아이.

fáncy-pànts *a.* 《미속어》 점잖은 체하는, 거드름 피우는, 거드럭거리는, 간들거리는.

fáncy pìece 《속어》 =FANCY WOMAN.

fáncy·sìck *a.* 사랑으로 번민하는(lovesick).

fáncy wòman 〔**gìrl, làdy**〕 《속어·우스개·경멸》 정부(情婦), 첩; 갈보.

fáncy·wòrk *n.* U 수예(품), 편물, 자수.

F and A fore and aft (이물과 고물에).

fán dànce 부채를 사용하여 혼자 추는 누드 댄스. ㊞ **fán dàncer**

fan·dan·gle [fændǽŋgəl] *n.* 기발한 장식; 어리석은 일〔짓〕(nonsense); 《미구어》 기계 기구.

fan·dan·go [fændǽŋgou] (*pl.* **~(*e*)*s***) *n.* 3박자의 스페인 무용의 일종; 그 무곡; 《미》 무도회; (공공적으로 중대한 결과를 초래하는) 어리석은 것; 유치한〔하찮은〕 행위〔이야기, 강연, 질의응답 따위〕.

fán délta 〚지학〛 선상지(扇狀地) 삼각주〔델타〕.

F and F furniture and fixtures (비품과 붙박이 가구).

fan·dom [fǽndəm] *n.* (스포츠 따위의) 모든 팬.

fane [fein] *n.* 《고어·시어》 성당, 신전: a holy ~ 성당, 성전.

fan·fare [fǽnfɛər] *n.* 《F.》 U **1** 〚음악〛 (트럼펫 등의) 화려한 취주(吹奏), 팡파르. **2** 허세, 과시(showy display); 《구어》 선전; 허풍.

fan·fa·ron·ade [fæ̀nfərənéid/-nɑ́:d, -néid] *n.* 《F.》 U,C 흰소리; 허세; =FANFARE 1.

fan·fold [fǽnfòuld] *n.* 복사장(帳)《용지와 카본지를 번갈아 끼워서 철한 것》.

fang [fæŋ] *n.* **1** (육식 동물의) 엄니, 견치(canine tooth); (뱀의) 독아(毒牙). cf. tusk. **2** 이촉; 뾰족한 엄니 모양의 것; (창칼 등의) 슴베; (거미 독선(毒腺)의) 협각(莢角); (보통 *pl.*) 《구어》 이. ***the law of ~ and claw*** 정글의 법도, 힘의 지배. **—** *vt.* 엄니로 물다; (펌프)에 마중물을 붓다(prime). ㊞ **∠·less** *a.* **∠·lìke** *a.*

fan·gle [fǽŋgəl] *n.* 유행(fashion): new ~s of dress.

fán hèater 송풍식 전기난로.

fan·i·mal [fǽnəməl] *n.* 《속어·우스개》 경기장에서 날뛰는 스포츠 팬(fan). [◂*fan*+an*imal*]

fán-jèt *n.* 팬제트기, 터보팬.

fán lètter 팬레터. cf. fan mail.

fán·lìght *n.* (문이나 창 위의) 부채꼴 채광창(採光窓)(《미》 transom).

fanlight

fán magazìne 예능〔스포츠〕 잡지.

fán màil 〘집합적〙 팬레터(fan letters).

fán màrker 〖항공〗 부채꼴 위치 표지.
fan·ner [fǽnər] *n.* 부채질하는 사람; 선풍〔통풍, 송풍〕기; 풍구(winnowing fan); 《미속어》 = FAN DANCER; 《미속어》 몸의 지갑을 넣어 둔 곳을 알아내는 소매치기의 앞잡이; 《미속어》 동전을 꺼내기 위해 전화기의 반환 손잡이를 상습적으로 흔드는 자.
Fan·nie, Fan·ny [fǽni] *n.* Frances의 애칭.
Fánnie Máe 〔**Máy**〕 《미》 연방 저당권 협회 (Federal National Mortgage Association)의 통칭; (동 협회에서 발행하는) 저당 증권.
fan·ny[1] [fǽni] *n.* 《미구어》 《완곡어》 엉덩이 (buttocks); 《영비어》 여성의 성기(vagina); 〖영해사〗 (음료를 담는) 양철 그릇: Get off your ~. 일어서요. 「슬리다).
fan·ny[2] *n., vt.* 《속어》 그럴듯한 이야기(로 구
Fánny Ádams (종종 f- a-) 《해사속어》 통조림 고기, 스튜; (종종 Sweet ~, sweet f- a-) 《속어》 (전혀) 없음(nothing at all) 《생략: F. A.》.
fánny pàck 《미》 패니 팩 《허리에 차는 백》.
fán pàlm 잎이 부채꼴인 야자수 (=**fán lèaf pàlm**). cf. feather palm.
fán-shàped [-t] *a.* 원형(原形)의.
fan·tab·u·lous [fæntǽbjələs] *a.* 《속어》 믿을 수 없을 만큼 훌륭한.
fantad ⇨ FANTOD.
fán·tàil *n.* 부채꼴의 꼬리; 공작 비둘기 《집비둘기의 일종》; 〖목공〗 장부촉; 〖건축〗 부채꼴의 구조〔부재(部材)〕; 부채꼴의 불꽃을 만드는 가스 분사기; (풍차의) 작은 날개(fan); 〖해사〗 부채꼴의 선미(船尾); 《영》 부채꼴 모자(sou'wester).
fan-tan [fǽntæ̀n] *n.* Ⓤ 《Chin.》 **1** 카드놀이의 일종(sevens). **2** 중국 도박의 일종.
fan·ta·sia, fan·ta·sie [fæntéiʒiə, fæ̀ntəzíːə/fæntéiziə, fæ̀ntəzíə], [fæ̀ntəzíː, fɑn-] *n.* 《It.》 〖음악〗 환상곡; 접속곡 《유명한 곡의》; 환상적 문학 작품 《시·극 따위》; 기괴〔이상〕한 것.
fan·ta·sied [fǽntəsid] *a.* 상상〔공상, 가공〕의 (fancied); 꿈 같은, 동경하는.
fan·ta·sist [fǽntəsist, -zist] *n.* 환상곡〔환상적 작품〕을 쓰는 작곡가〔작가〕; 몽상가.
fan·ta·size, phan- [fǽntəsàiz] *vt.* 꿈에 그리다. — *vi.* 공상에 빠지다; 공상하다.
fan·tasm [fǽntæzəm] *n.* =PHANTASM.
fan·tas·mo [fæntǽzmou] *a.* 《구어》 매우 이상〔기발〕한; 기막히게 훌륭한〔빠른, 높은 등〕.
fan·tast, phan- [fǽntæst] *n.* 환상가, 몽상가(visionary); 별난 사람; =FANTASIST.
*****fan·tas·tic** [fæntǽstik] *a.* **1** 환상적인, 몽환〔공상〕적인, 기상천외의. **2** 《구어》 굉장한, 멋진. **3** 이상한, 야릇한. **4** 터무니없는, 엄청난: ~ sums of money 엄청나게 큰돈. **5** 이유 없는: ~ fears 근거 없는 두려움. **6** 변덕스러운, 일시적 기분의; 허황한, 두서없는. — *n.* 《고어》 공상가, 기상천외의 생각을 하는 사람, 기발한 인물.
fan·tas·ti·cal [fæntǽstikəl] *a.* =FANTASTIC. ㊕ **-ti·cal·ly** *ad.* **~·ness** *n.*
fan·tas·ti·cal·i·ty [fæntæ̀stikǽləti] *n.* **1** Ⓤ 환상성, 괴기성. **2** 기이한 것, 광상, 변덕.
fan·tas·ti·cate [fæntǽstikèit] *vt.* 환상적으로 하다. ㊕ **fan·tàs·ti·cá·tion** *n.*
fan·tas·ti·cism [fæntǽstəsìzəm] *n.* Ⓤ 기이함을 찾는 마음; 야릇함; (문학·예술에서) fantasy를 채용〔내포〕함.
fan·tas·ti·co [fæntǽstikou] (*pl.* **~es**) *n.* 여봐란 듯이 제멋대로 행동하는 사람, 터무니없이 멋대로 구는 사람.
*****fan·ta·sy, phan-** [fǽntəsi, -zi] *n.* Ⓤ,Ⓒ **1** 공상, 환상; 기상(奇想); 변덕, 야릇함; 〖심리〗 백일몽. **2** 환상적인 작품(fantasia) ; 공상〔기상(奇想)〕적 이야기 《때로 과학 소설》; 〖음악〗 환상곡 (fantasia). **3** 출처·목적이 수상쩍은 경화(硬貨), 《특히》 수집가용으로 발행되는 경화. — *vt.* 마음속에 그리다, 상상하다. — *vi.* 공상에 잠기다; 백일몽을 꾸다; 환상곡을 연주하다; 즉흥적으로 연주하다.
fántasy fòotball 판타지 풋볼 《실제의 축구 선수 이름과 성적을 바탕으로 가상의 축구팀을 구성하여 즐기는 게임》.
Fan·ti, Fan·te [fǽnti, fɑ́ːn-] (*pl.* **~, ~s**) *n.* (아프리카 가나 지방의) 판티족(族). ***go*** **~** (유럽 사람이) 현지의 습관에 적응하다.
fan·toc·ci·ni [fæ̀ntətʃíːni] *n. pl.* 《It.》 (실·기계로 놀리는) 꼭두각시; 인형극.
fan·tod, -tad [fǽntɑd/-tɔd], [-tæd] *n.* (보통 *pl.*) 걱정, 고뇌, 고통; (뚜렷하지 않은 만성의) 육체적〔정신적〕 장애; (the ~s) 애태우는 상태.
fan·tom [fǽntəm] *n.* =PHANTOM.
fán tràcery 부채꼴 천장의 장식 격자.
fán wìndow 부채꼴 창.
fan·wise [fǽnwàiz] *ad., a.* 부채를 펼친 것처럼〔과 같은〕, 부채꼴로〔의〕: hold cards ~ 카드를 부채꼴로 펴들다.
F.A.N.Y. 《영》 First Aid Nursing Yeomanry (응급 간호사 부대). 「대상 잡지.
fan·zine [fænzíːn, ⌐-/⌐⌐] *n.* (SF 따위의) 팬
FAO, F.A.O. Food and Agriculture Organization. **F.A.P.** first aid post. **FAQ, F.A.Q., f.a.q.** fair average quality (중등품(中等品)). **FAQ** 〖컴퓨터〗 Frequently Asked Question 《게시판 등에서 사람들이 일반적으로 흔히 하는 질문들》.
F.a.q.s. fair average quality of the season (당(當)계절 중등품). 「=FAKIR[1].
fa·quir, fa·qir [fəkíər, féikər/féikiə] *n.*
†**far** [fɑːr] (***far·ther*** [fɑ́ːrðər], ***fur·ther*** [fə́ːrðər]; ***far·thest*** [fɑ́ːrðist], ***fur·thest*** [fə́ːrðist]) *ad.* **1** 〔장소·거리〕 멀리(에), 아득히(at a great distance), 먼 곳으로(to a great distance). opp. *near.* ¶ ~ ahead 〔back〕 멀리 앞쪽〔뒤쪽〕에 / ~ apart 멀리 떨어져서 / He lives ~ from here. 그의 집은 여기에서 멀다. ★ 구어에서는 의문문·부정문에 단독으로 쓰이며, 긍정문에서는 보통 부사 또는 전치사구를 수반함: How ~ is it to your house? / Don't go too ~. 너무 멀리 가지 마라. **2** 〔시간〕 멀리, 이슥도록 《*into*》: ~ *into* the future 먼 장래에 / ~ *into* the night 밤늦게까지. **3** 〔정도〕 훨씬, 매우, 크게(in 〔to〕 a great degree), 단연: ~ better 훨씬 나은 / ~ different 크게 달라서 / ~ distant 《문어》 아득히〔훨씬〕 먼. **4** 〔명사적〕 먼 곳: from ~ 먼 곳에서, 멀리(에)서. ★ farther, farthest는 주로 공간적인 뜻, further, furthest는 주로 비유적인 뜻. ***as*** 〔***so***〕 **~** ***as*** ① 〔전치사적〕 (어떤 장소)까지 《부정문에서는 보통 so ~ as를 씀》: go *as* ~ *as* Ireland 아일랜드까지 가다. ② 《구어》 …에 관하여 (말하면) (as for); 〔접속사적〕 …하는 한(에서는); …하는 한 멀리까지: *so* 〔*as*〕 ~ *as* (I am) concerned ⇨ CONCERN / *as* ~ *as* I know 내가 아는 한에서는 / *as* ~ *as* eye can reach 눈이 미치는 한에는 / Let's swim as ~ as we can. 가능한 한 멀리까지 헤엄치자. ***by*** **~** ① 훨씬, 단연 《최상급, 때로 비교급을 수식함》: *by* ~ the best 단연 최고. ② 매우, 대단히: too easy *by* ~ 아주 쉬운. **~ *and away*** 훨씬, 단연 《far의 강조형; 비교급·최상급과 함께 씀》: He is ~ *and away* the best writer of today. 그는 단연 당대 제일의 작가이다. **~ *and near*** 〔***nigh***〕 여기저기에, 도처에. **~ *away*** 아득히 저쪽에〔으로〕; 먼 옛날에. ***Far be it from me to*** do

…하려는 생각 따위는 조금도 없다: *Far be it from me to* consent. 내가 승낙하다니 말도 안 되지. ~ ***from*** ① …에서 멀리: The station is ~ *from* here. 역은 여기서 멀다. ② 조금도 …하지 않다(not at all): It is ~ *from* the truth [true]. 그것은 전연 사실과 다르다. ~ [***so*** ~] ***from*** do*ing* …하기는커녕. ***Far from it!*** 그런 일은 결코 없다, 전혀 그렇지 않다, 당치도 않다. ~ ***gone*** =FAR-GONE. ~ ***off*** 멀리 떨어져서(~ away). ~ ***out*** 《미》 멀리 밖에; 《속어》 보통이 아닌, 엉뚱한; =FAR-OUT. ***from*** ~ ⇨ *ad.* 4. ***from*** ~ ***and near*** 원근[도처]에서. ***go*** ~ ① 성공하다, 유명해지다. ② 쓸모 있다, 크게 효과가 있다, 공헌하는 바가 많다(《*toward*(*s*); *to*; *in*》). ***go too*** ~ 지나치다, 너무하다, 과장하다. ***how*** ~ 얼마만큼, 어느 정도, 어디까지: I cannot say *how* ~ it is true. 어디까지 진실인지 알 수 없다. ***in so*** ~ ***as*** …하는 한에서는. ***so*** ~ ① 이[그] 점까지는; 지금[그때]까지(로)는: *So* ~ so good. 거기[여기]까지는 좋다; 지금까지는 잘 돼 가고 있다. ② '이만큼 해둡시다' 《이야기를 중단할 때의》. ***take ... too*** ~ =***carry ... too*** ~ ⇨ CARRY. ***this*** ~ =***thus*** ~ 여기[이제]까지는.
— *a.* **1** 《거리·시간적으로》 먼, 멀리(떨어진): a ~ country 먼 나라 / the ~ future 먼 장래. **2** 먼 길의, 먼 곳의[으로부터의]: a ~ traveler 멀리 여행하는 사람. **3** 먼 쪽의, 저쪽의: the ~ side of the room 방의 저쪽 끝 / sit at the ~ end of the table 테이블의 저쪽 끝에 앉다 / the ~ end of the line (전화의) 상대방. **4** (정치적으로) 극단적인: the ~ right 극우. ***be a*** ~ ***cry from*** …와 멀리 떨어져 있다; …와 현격한 차이가 있다. (***few and***) ~ ***between*** ⇨FEW.

FAR 《미》 Federal Aviation Regulation (연방 항공 규칙); 〖미군사〗 Federal Acquisition Regulation (연방 조달 규정). **far.** farad; farriery; farthing. **F.A.R.** Federation of Arab Republics.

far·ad [fǽrəd, -æd] *n.* 패럿《전기 용량의 실용 단위; 기호 F》. [◂ *Faraday*]

Far·a·day [fǽrədi, -dèi] *n.* **1** **Michael** ~ 패러데이《영국의 물리학자·화학자; 1791-1867》. **2** (보통 f-) 패러데이(상수(常數))(=∠('s) **cón·stant**)《전기 분해에 사용되는 전기량의 단위; 기호 F》.

Fáraday càge 〖물리〗 패러데이 상자《외부 정전계(靜電界)의 영향을 차단하는》.

Fáraday cùp 〖물리〗 패러데이컵《하전(荷電)입자를 포착, 그 종류·하전량·방향을 결정하는 장치》.

Fáraday effèct 〖물리〗 패러데이 효과.

fa·rad·ic, far·a·da·ic [fərǽdik], [fæ̀rədéiik] *a.* 〖전기〗 유도[패러데이] 전류의.

far·a·dism [fǽrədizəm] *n.* Ⓤ 〖전기〗 유도[패러데이] 전류(의 응용); 〖의학〗 유도 전기 요법.

fàr·a·di·zá·tion *n.* Ⓤ 〖의학〗 유도 전기 요법을 행하기; 〖전기〗 =FARADISM.

far·a·dize [fǽrədàiz] *vt.* 〖의학〗 …에 유도 전기 요법을 쓰다. ㊞ **-dìz·er** *n.*

°**fár·away** *a.* **1** 먼, 멀리의: a ~ cousin 먼 친척. **2** 먼 옛날의. **3** (얼굴 표정·눈길 따위가) 꿈꾸는듯한(dreamy), 멍한: a ~ look 멍한 표정.

fár-betwéen *a.* **1** (사이가) 멀리 떨어진. **2** 극히 드문.

far·blon·(d)jet [fa:rblɔ́:ndʒit] *a.* 《미속어》 혼미[혼란]한.

farce [fa:rs] *n.* Ⓤ,Ⓒ 소극(笑劇), 어릿광대극, 익살극; Ⓤ 익살, 우스개; Ⓒ 시시한[어처구니없는] 일; Ⓒ 바보 같은 흉내 내기, '연극'; =FORCEMEAT. — *vt.* **1** 《+목+전+명》 익살을 섞다, 흥미를 돋우다: ~ a speech *with* wit 익살을 섞어 이야기의 흥미를 돋우다. **2** 《폐어》 (거위 따위에 다진 고기·향미료 등으로) 소를 넣다.

far·ceur [fa:rsə́:r; *F.* farsœ:r] (*fem.* **-ceuse** [*F.* -sœ:z]) *n.* 《F.》 어릿광대; 유머 작가; 익살꾼.

far·ci·cal [fá:rsikəl] *a.* 어릿광대극의, 익살극의; 익살맞은, 웃기는, 무익한, 시시한; 터무니없는, 있을 법하지 않은: a ~ play 소극(笑劇). ㊞ ~**·ly** *ad.* ~**·ness** *n.*

far·ci·cal·i·ty [fà:rsikǽləti] *n.* Ⓤ 익살맞음, 터무니없음.

far·cy [fá:rsi] *n.* Ⓤ (말의) 마비저(馬鼻疽); (소의) 치명적 만성 방선균증(放腺菌症).

far·del [fá:rdl] 《고어》 *n.* 다발; 무거운 짐, 불운.

fare** [fɛər] *n.* **1** Ⓒ 운임, 찻삯, 뱃삯; 통행료: a single [a double] ~ 편도[왕복] 운임 / a railway [taxi] ~ 철도 운임[택시 요금]. SYN. ⇨PRICE. **2** Ⓒ (기차·버스·택시 등의) 승객(passenger). **3** Ⓤ 음식, 요리, 식사: good ~ 성찬, 맛있는 음식 / coarse ~ 변변찮은 음식, 조식(粗食). **4** (극장 등의) 상연물, 상연 작품; (TV 등의) 프로 내용. **5** 《고어》 되어감, 추세, 운명; 상태, 사태. ***a bill of ~ 식단표, 메뉴. — *vi.* **1** 《영에서는 고어》 음식을 먹다. **2** 《+부》 지내다, 살아가다(get on): He ~*s well* in his new position. 그는 새로운 직책에서 잘하고 있다. **3** 《+부》 〔it 을 주어로〕 《고어》 일이 되어 가다, 진척되다(turn out): How ~*s it* with you? 어떻게 지내나; 별고 없나 / *It* ~*s* well with me. 잘 지냅니다; 무고합니다 / *It* has ~*d* ill with him. 그는 일이 여의치 않았다. **4** 《~/+부》 《고어·문어》 가다(go), 여행하다: ~ *forth* on one's journey 여행을 떠나다. ~ ***well*** [***ill, badly***] ① 맛있는[맛없는] 것을 먹다. ② 운이 좋다[나쁘다]. ③ 편히 [고되게] 살아가다. ④ 순조롭게[나쁘게] 되어 가다. ***Fare you well!*** 《고어》 =FAREWELL.

Fár Éast (the ~) 극동《한국·중국·일본·타이완·홍콩·러시아 동부; 인도차이나·필리핀·오스트레일리아·몽골 등지를 포함하기도 함; 본디 영국에서 본 것임》.

Far Éastern 극동의.

fáre·bòx *n.* 《미》 (지하철·버스 따위의) 요금함.

fáre dòdger (요금을 내지 않고 버스·전동차 등에 타는) 부정 승객, 무임 승차객.

far·er [fɛ́ərər] *n.* 〔보통 복합어로〕 나그네, 여행자: sea*farer*, way*farer*.

fáre stàge 《영》 (버스 등의) 동일 요금 구간(의 종점).

fáre-thee-wéll, fáre-you-wéll, -ye- *n.* 《구어》 완전(한 상태), 완벽; 최고도《보통 다음 관용구로》. ***to a*** ~ 완전히, 완벽하게, 최고도로; 철저하게; 끝까지.

fare·well** [fɛ̀ərwél, ∠∠] *int.* 안녕! (Goodbye!) 《오랫동안 헤어질 때 씀》. — *a.* 결별의, 고별[송별]의: a ~ address 고별사 / a ~ dinner [party] 송별연[회] / a ~ present 전별품 / a ~ performance 고별 공연. — *n.* 작별, 고별; 고별사, 작별 인사; (여행 가는 사람·퇴직자 등을 위한) 송별회: *A Farewell* to Arms! 무기여 안녕, 전쟁은 이제 그만. ***bid [***say***] ~ ***to*** ... =***take*** one's ~ ***of*** ... …에게 작별을 고하다. ***make*** one's ~***s*** 작별 인사를 하다《*to*》. — *vt., vi.* …에게 작별을 고하다; 《Austral.》 …을 위해 송별회를 베풀다.

fár-fámed *a.* 널리 이름이 알려진.

fár-fétched [-t] *a.* **1** 에두른, 빙 둘러서 말하는; 무리한(forced); 부자연스러운, 억지의《해석·비교·비유·변명·알리바이 등》: a ~ joke 부자연스러운 익살. **2** 《고어》 먼 곳으로부터의, 이전부터의. ㊞ ~**·ness** *n.*

fár-flúng *a.* 널리 퍼진, 광범위한; 멀리 떨어진, 먼 곳의: the ~ mountain ranges of the West 서부의 광대한 산맥.

fár-fórth *ad.* 아득히 멀리; 단연.

fár-góne *a.* (병 등이) 꽤 진전〔진행〕된; 〖서술적〗 몹시 취하여, 빚을 많이 져서 《*in*》; (옷 · 구두가) 낡아 빠진; (밤이) 이슥한: be ~ *in* debt 빚이 밀려 있다.
fa·ri·na [fəríːnə] *n.* Ⓤ (옥수수 따위의) 곡분; 분말, 가루(powder); 《영》 (특히 감자의) 전분, 녹말(starch); 《영》 화분(花粉), 꽃가루(pollen).
far·i·na·ceous [fæ̀rənéiʃəs] *a.* 곡분의; 〖식물 · 곤충〗 겉이 가루〔곡분〕 모양의; 녹말을 내는; 전분질의. ㊕ **~·ly** *ad.*
Fa·ri·nel·li [fæ̀rənéli; *It.* farinélli] *n.* 파리넬리 《이탈리아의 유명한 카스트라토; 본명은 Carlo Broschi; 1705-82》.
fár-infraréd *a.* 〖물리〗 원(遠)적외선의 《적외선 스펙트럼 중 파장이 긴, 특히 10-1000㎛의》.
far·i·nose [fǽrənòus] *a.* 가루 모양의; 곡분을 내는; 가루투성이의; 〖식물 · 곤충〗 흰 가루로 덮인. ㊕ **~·ly** *ad.*
far·kle·ber·ry [fáːrkəlbèri/-bəri] *n.* 〖식물〗 월귤 나무의 일종 《미국 남동부산》.
farl(e) [faːrl] *n.* 《Sc.》 얇게 구운 둥근 케이크의 일종 《귀리〔밀〕가루로 만듦》.
Fár Léft (the ~) 극좌.
†**farm** [faːrm] *n.* **1** 농장, 농지, 농원(ⓒⓕ plantation), 농가(farmhouse): run 〔keep〕 a ~ 농장을 경영하다 / work on a ~ 농장에서 일하다. **2** 양식장, 사육장: an oyster 〔a pearl〕 ~ 굴〔진주〕 양식장 / a poultry 〔chicken〕 ~ 양계장. **3** 〖역사〗 수세(收稅) 도급 제도; 그 하도급 지역; (징수금 중 일정액의) 상납금; 〖영국사〗 (차지(借地) 계약에 의한) 차지; (차지의) 지대(地代). **4** 탁아소(baby ~). **5** 〖미야구 · 아이스하키〗 대(大)리그 소속의 제2군 팀(~ team). **6** (기름 등의) 저장소〔시설〕; 《영비어》 (정신 병원 · 교도소 소속의) 진료소. ***buy the*** **~** 《미군대속어》 전사하다.
— *vt.* **1** 경작하다, 농지로 만들다(cultivate); 농장에서 (가축 등을) 사육하다. **2** (농지 · 노동력을) 임대차하다; 소작으로 내어주다, 소작하다. **3** 〖역사〗 (세금 징수 등을) 도급 맡다, 도급 맡기다. **4** 《~+목/+목+부》 (어린아이 · 빈민 등을) 돈을 받고 맡다〔돌봐주다〕: ~ a baby 어린아이를 맡다 / ~ *out* children to …에게 어린아이를 맡기다. **5** 〖야구〗 2 군에 소속시키다. **6** 〖크리켓〗 (공을) 받으려고 애쓰다. — *vi.* **1** 경작하다, 농업을 하다, 영농하다, 농사짓다, 축산을 하다. **2** 〖크리켓〗 공을 받으려고 애쓰다. **~ *out*** ① (토지 · 시설 등을) 임대하다. ② (일을) 하청 주다, 하도급시키다. ③ (어린아이 따위를) 돈을 내고 …에게 맡기다 《*to*》. ④ 〖야구〗 (선수를) 2군 팀에 맡기다. ⑤ 〖역사〗 (조세 · 요금 징수를) 도급 맡기다. ⑥ 〖농업〗 (연작(連作)하여 땅을) 황폐케 하다. ㊕ **∠·a·ble** *a.*
fárm bèlt (때로 F- B-) 곡창 지대 《미국 중서부 등지의》. 「파 단체》.
fárm blòc 농민 이익 대표단 《미국 하원의 초당
†**farm·er** [fáːrmər] *n.* **1** 농부, 농민, 농장주; 농업가(agriculturist). ⓒⓕ peasant. ¶ a landed 〔a tenant〕 ~ 자작〔소작〕농. **2** 수세(收稅) 도급인. **3** (돈을 받고) 어린아이를 맡아 돌보는 사람. **4** 촌뜨기, 농사꾼.
fármer chèese 파머 치즈(=**fárm chèese**) 《전유(全乳) 또는 일부 탈지한 고형 치즈》. ⓒⓕ cottage cheese.
farm·er·ette [fàːrmərét] *n.* 《미구어》 농장에서 일하는 여자. 「달력.
Fármer's Álmanac (the ~) 미국의 농사용
fármers(') coóperative 농업 협동조합.
fármer's lúng 〖의학〗 농부의 폐 《곰팡이가 핀 건초 먼지를 마셔서 생기는 급성 폐질환》.
fármers' màrket 농산물 직판장.
farm·ery [fáːrməri] *n.* 농장(시설) 《건물 따위를 포함한》. — *a.* 농장 같은.
farm·ette [fàːrmét] *n.* 소(小)농장 《구획된 땅에 농장이 딸린 주거》.
fárm-frèsh *a.* (농산물이) 농장〔산지〕 직송의.
fárm·hànd *n.* **1** 농장 노동자, 일꾼. **2** 〖야구〗 2군의 선수, 신인〔신출내기〕 선수(rookie).
***farm·house** [fáːrmhàus] *n.* 농가, 농장 안의 주택; 《영》 (생철의 틀로 구운) 큰 빵(=∠ lòaf).
°**fárm·ing** *a.* 농업(용)의: ~ implements 농기구 / ~ land 농지. — *n.* Ⓤ **1** 농업, 농장 경영; 사육, 양식(養殖). **2** 〖역사〗 (조세 따위의) 징수 도급. **3** 《영》 어린아이 맡기.
fárm làborer =FARMHAND 1.
fárm·lànd *n.* Ⓤ 경작지, 농지.
fárm mànagement 농업〔농장〕 경영.
fár·mòst *a.* 가장 먼(farthest).
fárm·òut *n.* (석유 · 가스 채굴권 등의) 임대, 리스; 임대 물건〔토지, 시설〕.
fárm pròduce 농산물. 「포함》.
fárm·stèad, -stèading *n.* 농장 《부속 건물
fárm sỳstem 1 〖야구〗 (대(大)리그 선수 양성을 위한) 2군 제도. **2** (신인 육성을 위한) 소규모 〔지방〕 연수 제도.
fárm tèam (야구 등의) 2군 팀.
fárm·wìfe *n.* farmer의 아내; 여성 농장주(主).
fárm·wòrker *n.* 농장 노동자(farmhand).
°**fárm·yàrd** *n.* 농장의 구내, 농가 주변의 뜰.
far·ne·sol [fáːrnəsɔ̀ːl] *n.* 〖화학〗 파네솔 《향수 원료》.
faro [fέərou] *n.* Ⓤ '은행' 《카드놀이의 일종》.
Fár·oe Íslands [fέərou-] =FAEROE ISLANDS.
far-off [fáːrɔ́(ː)f, -áf] *a.* (장소 · 시간이) 먼, 멀리 떨어진, 먼 장래의, 아득한 옛날의; 건성의 (abstracted). ㊕ **~·ness** *n.*
fa·rouche [fərúːʃ] *a.* 《F.》 뚱한(sullen), 시무룩한, 무뚝뚝한; 사교성이 없는, 수줍은; 거친, 사나운(wild); 잔인한. ㊕ **~·ly** *ad.* **~·ness** *n.*
far-out [fáːráut] *a.* **1** 《영》 멀리 떨어진. **2** 《구어》 현실을 떠난, 현실과는 동떨어진; 전위적인, 참신한 스타일의 《재즈 따위》; 극단적〔비정상적〕인; 멋진, 열중하게 하는; 〖far out 형태로 감탄사적〗 굉장하다, 멋지다. — [∠∠] *n.* far-out 한 것. ㊕ **~·er** *n.* 《구어》 인습에 구애되지 않는 사람, 파격적인 사람. **~·ness** *n.*
fár pòint 〖안과〗 원점(遠點) 《명시(明視)할 수 있는 최원점(最遠點)》. 「사니의.
far·rag·i·nous [fərǽdʒənəs] *a.* 잡다한, 잡동
far·ra·go [fərάːgou, -réi-] (*pl.* **~(*e*)*s***) *n.* 뒤범벅, 잡동사니(mixture) 《*of*》. 「에 걸친.
fár-ránging *a.* (조사 등이) 광범위한; 장거리
fár-réaching *a.* 멀리까지 미치는 《영향》; 광범위한; 원대한 《계획》. ㊕ **~·ly** *ad.* **~·ness** *n.*
fár-réd *a.* 〖물리〗 (적외 스펙트럼의) 원(遠)적외부의 《적색에서 가장 먼〔가까운〕》.
far·ri·er [fǽriər] *n.* 《영》 편자공(工); (말의) 수의(獸醫); 〖군사〗 기병대 군마(軍馬) 담당 부사관. ㊕ **~y** [-əri] *n.* **1** 《영》 Ⓤ 편자술(術); Ⓒ 편자 공장. **2** Ⓤ 《고어》 수의술(術).
Fár Ríght (the ~) 극우.
far·row[1] [fǽrou] *n.* 한배의 새끼 돼지; 돼지가 새끼를 낳음. — *vt.* (새끼 돼지를) 낳다. — *vi.* (돼지가) 새끼를 낳다 《*down*》.
far·row[2] *a.* (암소가) 새끼를 배지 않은.
far·ru·ca [fərúːkə] *n.* 《Sp.》 플라멩코의 일종.
fár·séeing *a.* 선견지명이 있는; 먼눈이 밝은 (far-sighted). ㊕ **~·ness** *n.*
far·shtin·ken·er [fáːrʃtìnkənər] *a.* 《Yid.》 역겨운, 참으로 지겨운, 불쾌한(stinking).
Far·si, Far·see [fáːrsi] *n.* (이란 언어로서의)

페르시아어; (*pl.* ~, ~**s**) 이란인. [《Per.》 *Fārs* Persia]

fár síde (the ~) 먼 쪽, 저편(쪽), 건너편, 뒤쪽. ***on the ~ of*** …의 저쪽에; …(살) 고개를 넘어(beyond)《나이에서》.

fár-síghted [-id] *a.* **1** 먼눈이 밝은; 〖의학〗 원시의. **2** 선견지명이 있는(farseeing), 분별 있는. opp *near-sighted.* ⊞ **~·ly** *ad.* **~·ness** *n.*

fart [fɑːrt] 《비어》 *n.* C,U 방귀; 등신 같은〔아무짝에도 못쓸, 지겨운〕 녀석; 〖부정형〗 조금도, 전혀: I do*n't* give 〔care〕 a ~ about it. 나는 그것을 개똥같이 여긴다《아무렇지도 않게 여긴다》. ***lay a ~*** 방귀 뀌다. **—** *vi.* 방귀 뀌다. ~ 〔종종 《영》 ***~·arse***〕 ***around*** 〔***about***〕 《비어》 어리석은 짓을 하다, 빈둥거리며 지내다.

far·ther** [fɑ́ːrðər] 〖far의 비교급〗 *ad.* **1** 더(욱) 멀리, 더 앞에, 더욱 앞으로: Let's discuss it no ~. 이 이상은 논하지 말기로 하세; 논의는 이쯤 해 두지/I can go no ~. 이 이상 더는 못 간다《비유적으로도》. **2** (보통 further) 다시 더, 더욱이, 또 게다가, 그 위에 (더). ~ ***back 좀더 뒤에〔로〕; 더 오래되어〔옛날〕. ~ ***on*** 더 앞〔뒤〕에: He is ~ *on* than you. 그는 당신보다 앞서 있다. ***go ~ and fare worse*** 너무 지나쳐 낭패보다. ***I'll see you ~*** 〔***further***〕 ***first***. 천만에, 딱 질색이다《farther=in hell》. ***No ~!*** 거기까지《그만》, 이제 됐어, 이제 그만〔알았어〕. ***wish ...*** ~ (아무가 또는 물건이) 그곳에 없으면 좋겠다고 생각하다.

— *a.* **1** 더 먼〔앞의〕: the ~ shore 대안(對岸). **2** (보통 further) 더 뒤의〔나중의〕(later), 더 나아간(more advanced): ~ news 후보(後報), 속보. **3** (보통 further) 그 위의, 그 이상의 (additional, more), 다시 그 밖의, 더 한층의: a ~ stage of development 더욱 발전된 단계/Have I anything ~ *to* do? 무언가 할 것이 더 있는가. ★ 정식으로는 farther는 '거리'에, further는 '정도 또는 양(量)'에 쓰지만 구어에서는 어느 경우건 further를 쓰는 경향이 있음.

fárther·mòst *a.* 가장 먼(farthest).

far·thest** [fɑ́ːrðist] 〖far의 최상급〗 *ad.* 가장 멀리(에)〔까지〕; 가장; 최대한으로; 대단히. **—** *a.* 가장 먼; 최대한의; 《드물게》 가장 긴. ***at (***the***) ~ ① 멀어야; 늦어도《미래에 관하여》. ② 고작.

far·thing [fɑ́ːrðiŋ] *n.* **1** 파딩《영국의 청동화(青銅貨)로 1/4 페니; 1961년 폐지》. **2** (a ~) 〖부정문〗 조금도: I don't care a ~. 조금도 개의〔상관〕치 않는다. ***be not worth a*** (***brass***) ~ 한푼의 값어치도 없다.

far·thin·gale [fɑ́ːrðiŋgèil] *n.* (고래수염 등으로 만든) 속버팀《16-17세기에 스커트를 부풀리는 데 썼음》; 그것으로 부풀린 스커트.

farthingale

fart·lek [fɑ́ːrtlek] *n.* 《Swed.》 (=speed play) 파틀렉(interval training)《자연환경에서 급주(急走)와 완주(緩走)를 반복하는 연습 방법》.

fár-ultravíolet *a.* 〖물리〗 원(遠)자외선의《자외선의 스펙트럼 파장이 아주 짧은, 특히 100-300 nm의; 살균 작용이 가장 큰 영역》.

Fár Wést (the ~)(북아메리카의) 극서부 지방《로키 산맥에서 태평양 연안까지; 본디 Mississippi 강 이서(以西)》. ⊞ **Fár Wéstern**

FAS 〖컴퓨터〗 flexible assembling system (플렉시블 조립 시스템; 소량 다품종 생산에 적합한 융통성 있는 자동 조립 시스템); fetal alcohol syndrome. **FAS, F.A.S.** first and second; Foreign Agricultural Service. **F.A.S., FAS, f.a.s.** 〖상업〗 free alongside ship (선측 인도). **fasc.** fascicle.

fas·ces [fǽsiːz] *n. pl.* (*sing.* ***fas·cis*** [fǽsis]) 〖종종 단수취급〗 《L.》 〖고대로마〗 속간(束桿)《막대기 다발 사이로 도끼를 끼운 집정관의 권위 표지; 후에 이탈리아 파시스트당의 상징이 됨》; 속간이 상징하는 관직〔직위〕.

Fa·sching [fɑ́ːʃiŋ] *n.* (특히 남부 독일·오스트리아의) 사육제 (주간), 카니발.

fas·cia, fa·cia [fǽʃiə/féiʃə] (*pl.* ***-ci·ae*** [-ʃiìː]) *n.* 《L.》 **1** 끈, 띠, 장식 띠, 리본; (보통 facia) (가게의) 간판; (보통 facia) 《드물게》 (자동차의) 계기판(=∠ **bòard**); 〖건축〗 띠 모양의 벽(壁)(=∠ **bòard**)《처마 밑의》; (이오니아·코린트 양식에서 architrave의) 막면(幕面). **2** 〖해부·동물〗 근막(筋膜); 〖의학〗 붕대; 〖동물·식물〗 색대(色帶). ⊞ **fas·ci·al, fa·ci·al** [fǽʃiəl] *a.*

fas·ci·ate, -at·ed [fǽʃièit], [-id] *a.* 띠〔끈, 붕대〕로 묶은, 동여맨; 〖식물〗 띠 모양의 이상 발육으로 납작해진《줄기·가지 등》; 〖동물〗 띠 모양의 무늬가 있는, 색대(色帶)가 있는.

fas·ci·a·tion [fæ̀ʃiéiʃən] *n.* U 붕대 감기; 〖식물〗 (이상 발육에 의한 줄기 등의) 대상합생(帶狀合生), 대화(帶化).

fas·ci·cle, -cule [fǽsikəl], [-kjùːl] *n.* **1** 작은 다발; 밀산(密繖) 꽃차례; (꽃·잎 등의) 총생(叢生). **2** (몇 회에 나뉘어 발행되는 서적의) 분책(分冊); 〖해부〗 신경〔근육〕 섬유 다발.

fas·cic·u·lar, -late, -lat·ed [fəsíkjələr], [-lət, -lèit], [-lèitid] *a.* 〖식물〗 군생의, 총생의; 〖의학〗 신경〔근육〕 섬유 다발(모양)의. ⊞ **fas·cíc·u·lar·ly** *ad.*

fas·cic·u·lus [fəsíkjələs] (*pl.* ***-li*** [-lài]) *n.* =FASCICLE 2.

fas·ci·i·tis [fæ̀ʃiáitis] *n.* 〖의학〗 근막염(筋膜炎).

fas·ci·nate** [fǽsənèit] *vt.* **1** 황홀케 하다, 매혹시키다(charm). **2** (뱀이 개구리·작은 새 등을) 노려보아 움츠리게 하다. **3** 《고어》 마력으로 꼼짝 못하게 하다. **—** *vi.* (남의) 흥미를 끌다, 주의를 끌다, 마음을 빼앗다. ***be ~d with 〔***by***〕 …에 홀리다, …에 얼을 빼앗기다. ⊞ **-nàt·ed·ly** *ad.*

***fas·ci·nat·ing** [fǽsənèitiŋ] *a.* 황홀케 하는, 호리는, 매혹적인. ⊞ **~·ly** *ad.*

°fàs·ci·ná·tion *n.* **1** U 매혹, 황홀케 함, 홀린 상태. **2** 매력, 마음을 끄는 힘; 매력 있는 것; 재미있음. **3** (뱀 따위가) 노려봄. **4** (최면술의) 감응. **5** 〖카드놀이〗 패시네이션《solitaire의 일종》.

fas·ci·na·tor [fǽsənèitər] *n.* 매혹하는〔호리는〕 사람〔물건〕; 마법사; 매혹적인 여자; (옛날 여성이 쓴) 코바늘뜨개의 스카프.

fas·cine [fæsíːn, fəs-] *n.* 《F.》 나뭇단(fagot)《참호의 벽·둑 따위의 흙이 흘러내리는 것을 막는》; 섶나무, 장작단. **—** *vt.* 나뭇단으로 보강하다〔덮다〕.

fas·ci·o·li·a·sis [fæ̀siːəláiəsis, -sài-] *n.* 〖수의〗 간질병(肝蛭病)《간흡충(肝吸蟲)이 간에 기생하여 생기는 병》.

fas·cism [fǽʃizəm] *n.* U (종종 F-) 파시즘《2차 대전 전의 이탈리아 파시스트당의 주의; 광범한 독재적 국가주의》. cf. Nazism.

fa·scis·mo [fɑːʃízmou] (*pl.* **~s**) *n.* (종종 F-) 《It.》 =FASCISM.

°fas·cist [fǽʃist] *n.* **1** 파시즘 신봉자. **2** (종종 F-) 파시스트 당원, 국수주의자, 파쇼. **3** 독재자. **—** *a.* **1** (종종 F-) 파시스트당(원)의. **2** 파시즘의, 파시즘을 신봉하는.

Fa·scis·ta [fəʃístə] (*pl.* ***-ti*** [-ti]) *n.* ⟪It.⟫ 파시스트당(원); (*pl.*) 파시스트당.

fa·scis·tic [fəʃístik] *a.* =FASCIST. ㊕ **-ti·cal·ly** *ad.*

fa·scìs·ti·zá·tion *n.* 파쇼화, 파시즘화. 「하다.

fa·scis·tize [fəʃístaiz] *vt.* 파쇼화〔파시즘화〕

FASE 〖컴퓨터〗 fundamentally analyzable simplified English (간이 영어).

fash [fæʃ] ⟪Sc.⟫ *vt.* 괴롭히다; 성나게 하다. ― *vi.* 괴로워하다. ~ one***self*** 괴로워하다; 흥분하다; 성내다. ― *n.* 괴로움, 고뇌, 걱정(trouble).

fash·ion [fǽʃən] *n.* Ⓤ **1** 하는 식〔투〕, 방식: in a leisurely ~ 한가히, 천천히. SYN. ⇨ METHOD. **2** (a ~, the ~) …식, …류(流), …풍(風)(manner, mode): the Korean ~ 한국식 / the ~ of speech 말투 / in this ~ 이런 식으로. **3** 양식, 형, 스타일(style, shape); 만듦새, 됨됨이; 종류: take up a new ~ 신형을 채택하다. **4** 관습, 습관, 버릇: He rose at seven, as was his ~. 그는 여느 때처럼 일곱 시에 일어났다. **5** Ⓒ.Ⓤ 유행(vogue), 패션; 유행의 형식, 시대의 기호(嗜好); 상류 사회의 습관; 풍조: be in (the) ~ 유행되고 있다 / in the latest ~ 최신형의 / follow (the) ~ 유행을 좇다. **6** (the ~) 유행을 좇는 사람, 유행물; 상류 사회 (사람들); 사교(계 사람들): It is the ~ to do.... …하는 것이 유행이다 / He is the ~. 그는 지금 인기를 얻고 있다. **7** 〘*n.*+~, 부사적〙 …류(流)〔식으〕로: walk crab-~ 게걸음치다, 모로 움직이다. ***after*** 〔***in***〕 ***a*** ~ 어느 정도, 그럭저럭: cook *after a* ~ 그럭저럭 요리가 되다. ***after*** one***'s usual*** ~ 평소의 방식으로. ***after the*** ~ ***of*** …에 따라서, …식〔풍〕으로. ***a man of*** ~ 멋쟁이; 시대의 인물; 상류〔사교계〕의 사람. ***be all the*** ~ (복장·행동 등이) 대단히 인기 있다, 유행하고 있다. ***bring*** 〔***come***〕 ***into*** ~ 유행시키다〔하기 시작하다〕. ***go out of*** ~ 유행하지 않게 되다, 한물 가다. (do something) ***in*** 〔***after***〕 one***'s own*** ~ 자기 식으로 (…하다) ***set*** 〔***lead***〕 ***the*** 〔***a***〕 ~ 유행을 만들어 내다. (***spend money***) ***like*** 〔***as if***〕 ***it's going out of*** ~ ⟪구어⟫ 분별없이〔마구〕 (돈을 쓰다).
― *vt.* **1** ⟪~+목/+목+전+명⟫ 모양 짓다(shape), 형성하다, 만들다⟪*to; into; out of*⟫; 변화시키다, 변형하다: ~ an image *out of* marble 대리석으로 상(像)을 만들어 내다 / ~ a pipe *from* clay 점토로 파이프를 만들다. SYN. ⇨ MAKE. **2** ⟪+목+전+명⟫ 맞추다, 적합〔적응〕시키다(fit) ⟪*to*⟫: ~ a theory *to* general understanding 모두 이해할 수 있도록 이론을 펴다. **3** ⟪폐어⟫ 연구〔계획〕하다, 처리하다(contrive).

fash·ion·a·ble [fǽʃənəbəl] *a.* **1** 유행의, 유행을 따른, 당세풍의: ~ clothes 유행하는 옷 / a ~ amusement 유행하는 오락 / ~ goods 유행품 / a ~ painter 요즘의 인기 화가. **2** 사교계의, 상류의; 상류 인사가 애호하는: ~ society 상류 사회 / a ~ resort 상류 인사들이 모이는 곳 / a ~ tailor 일류 양재사. ― *n.* (종종 *pl.*) 유행을 좇는 사람, 상류 사회의 사람. ㊕ **°-bly** *ad.* 최신 유행대로, 유행을 따라, 멋지게. **~·ness** *n.* **fàsh·ion·a·bíl·i·ty** *n.* 유행성.

fáshion bòok 모드 잡지, 패션 매거진.

fáshion-cònscious *a.* 유행에 민감한.

fáshion coòrdinator 패션 코디네이터⟪백화점 등에서 패션 관계 활동을 진행·조정하는 사람⟫.

fáshion desìgner 패션〔복식(服飾)〕 디자이너.

fásh·ioned *a.* 〘접미사적〙 …풍〔식〕의, …형의: old-~ 구식의, 낡은.

fásh·ion·er *n.* 형태를〔모양을〕 만드는 사람; 양재사, 재봉사(tailor).

fash·ion·ese [fæ̀ʃəníːz] *n.* 패션계의 말〔어법〕.

fáshion hòuse 고급 양장점.

fáshion·mònger *n.* 유행 연구가, 유행을 좇는 사람, 멋쟁이.

fáshion plàte (흔히 색도 인쇄로 된 큰 판의) 신형〔유행〕 복장 도판(圖版); ⟪구어⟫ 늘 최신 유행의 옷을 입는 사람.

fáshion shòw 패션쇼.

fáshion vìctim ⟪구어⟫ 유행만을 뒤쫓는 사람, 유행의 노예〔희생자〕; 유행이 어울리지 않는 사람.

fast[1] [fæst, fɑːst/fɑːst] *a.* **1** 빠른, 고속의, 급속한(OPP. *slow*): a ~ highway 고속도로.

> SYN. **fast, rapid** 서로 바꿔 쓸 수 있으나 fast에는 속도의 지속, rapid에는 '재빠른, 머뭇거리지 않는'의 어감이 있음: a *fast* train 급행열차. *rapid* progress 급속한 진전. **swift** '잽싼 속도여서 남이 붙잡을 수 없는'의 어감을 지님: as *swift* as lightning 번개같이 빨리, 눈 깜짝할 사이에. **quick** 민첩한, 즉석의. fast에 비하여 지속을 암시하지 않음: a *quick* reply 즉답. **speedy** fast와 뜻이 같지만, 운동 그 자체 외에, 절차·처리 따위에 관해서 형용할 때가 많음: need *speedy* reinforcement 조속히 증강할 필요가 있다.

2 (시계가) 더 가는: My watch is 5 minutes ~. 내 시계는 5분 빠르다. **3** 재빠른, 날쌘; 〖야구·크리켓〗 (투수가) 속구파의: a ~ reader 독서를 빨리 하는 사람 / a ~ pitcher 〔bowler〕 속구 투수. **4** 빨리 끝나는, 간단히 해치울 수 있는〔해치운〕; 단기간의: a ~ race 단거리 경주 / a ~ reading 속독 / a ~ trip 단기 여행 / ~ work 빠른 일솜씨 / a ~ worker 일손이〔진보가〕 빠른 사람⟪특히 정사(情事)에서⟫. **5** 단단한, 흔들리지 않는; 꽉 매어진〔닫힌, 잠긴〕. OPP. *loose*. ¶ a stake ~ in the ground 땅속에 단단히 때려 박은 말뚝 / take a ~ grip 꽉 쥐다. **6** 고정된: ~ in the mud 진창에 빠진. **7** (색이) 바래지 않는 (unfading), 오래 가는: a ~ color 불변색. **8** (우정 따위가) 변함없는(loyal, steadfast), 성실한: a ~ friend 친구 / ~ friendship 변함없는 우정. **9** (세균이) 저항력〔내성〕이 강한. **10** ⟪고어⟫ (잠이) 깊은: fall into a ~ sleep 숙면하다. **11** 공이 잘 튀는, 탄력이 있는⟪당구대·테니스장 따위⟫: a ~ tennis court 공이 잘 튀는 테니스 코트. **12** (사람 또는 생활이) 쾌락〔자극〕을 좇는, 방탕한, 몸가짐이 좋지 못한; (여자가) 몸가짐이 헤픈: a ~ woman / a ~ liver 난봉꾼, 방탕아 / lead a ~ life 방탕한 생활을 하다. **13** 〖사진〗 (필름이) 고감도의; (렌즈가) 고속 촬영의. **14** ⟪구어⟫ 구변이 좋은, 말뿐인: FAST TALKER. **15** ⟪미속어⟫ 손쉽게 얻은〔번〕. **~ *and furious*** (게임 등이) 백열화하여; (놀이가) 한참 무르익어. ***lay*** **~ *hold on ...*** ⇨ HOLD. ***make*** ~ (꽉) 죄다, 닫다, 매다, 붙들어 매다: *make* a door ~ 문을 굳게 닫다 / *make* a boat ~ (to a dock) (선창에) 배를 매 놓다. ***pull a*** **~ *one*** ⟪속어⟫ ⇨ FAST ONE.
― *ad.* **1** 빨리, 신속히: speak ~ 빨리 말하다. **2** 꽉, 굳게; 꼼짝도 않고: stand ~ 꿋꿋이 서다; 고수(固守)하다 / a door ~ shut 굳게 닫혀 있는 문 / be ~ bound by the feet 양다리가 꽉 묶여 있다 / hold ~ to a rail 난간에 매달리다 / *Fast* bind, ~ find. ⟪속담⟫ 문단속을 잘 하면 잃는 법이 없다. **3** 푹, 깊이⟪자다⟫: sleep ~ 깊이 잠들다. **4** 줄기차게, 끊이지 않고, (눈물이) 하염없이, 막: It is raining ~. 비가 줄기차게 내리고 있다. **5** 방탕하게. **6** ⟪고어·시어⟫ 가까이, 임박하여 ⟪*by; upon*⟫. ***lay*** a person ~ 아무를 속박하다. ***live*** ~ 정력을 빨리 소모하다; 굵고 짧게 살다; 방탕(한 생활)에 빠지다. ***Not so*** **~ *!*** 서두르지

마라, 침착해라. ***play ~ and loose*** 태도가 확고하지 못해 믿을 수 없다; 언행이 일치하지 않다; 농락하다《*with*》. ***thick and ~*** 끊임없이, 줄기차게, 막: It is snowing *thick and ~*. 눈이 펑펑 쏟아진다.

fast² *vi.* 단식〔절식〕하다(abstain from food), 정진(精進)하다《*on*》: ~ *on* bread and water 빵과 물만으로 정진 생활을 하다 / He had *~ed* forty days and forty nights. 예수가 40 주야를 단식하였느니라《마태복음 IV: 1-2》. ― *vt.* 단식시키다, (병을) 단식으로 고치다: ~ an illness *off* 단식으로 병을 고치다. ― *n.* 단식《특히 종교상의》; 금식; 단식일〔기간〕: go on a ~ of five days, 5일간의 단식을 시작하다. ***break one's ~*** 단식을 그치다; 조반을 들다. cf. breakfast.

fást-ácting *a.* 빨리 작용하는, 효과가 빠른《약 「따위》.

fást·bàck *n.* 패스트백(의 자동차)《뒷부분이 유선형으로 된》.

fást·bàll *n.* 〖야구〗 (변화가 없는) 속구(速球); 《Can.》 패스트볼《소프트볼의 일종》.

fást bàller 〖야구〗 속구 투수.

fást bréak 〖농구〗 속공.

fást-bréaking *a.* 재빨리 변화하는.

fást bréeder, fást-bréeder reàctor 〖물리〗 고속 증식로《생략: FBR》.

fást búck 《미속어·Austral.속어》 부정하게 모은〔번〕 돈, 손쉽게 벌리는 돈(quick buck); 폭리: make a ~ 재빨리 한밑천 벌다.

fást cóloureds *pl.* 《영》 (세탁했을 때) 색이 바래지〔빠지지〕 않는 옷.

fást dày 〖종교〗 단식일.

fas·ten** [fǽsn, fɑ́:sn/fɑ́:sn] *vt.* **1** 《~+목/+목+전+명》 묶다, 동이다, 붙들어 매다: ~ shoelaces 신끈을 꼭 매다 / ~ a boat *to* a tree by a rope 밧줄로 배를 나무에 붙들어 매다. SYN. ⇨ TIE. **2** 《~+목/+목+전+명/+목+부》 죄다, 잠그다, 채우다《지퍼·호크·단추·클립·핀 따위를》, 지르다《볼트·빗장 따위로》: ~ (*up*) the buttons on one's coat 코트의 단추를 채우다 / ~ a door *with* a bolt 문에 빗장을 지르다 / ~ *down* lifeboats on deck 구명보트를 갑판에 꼭 붙들어 매다. **3** 《+목+전+명》 고정하다; (눈·시선을) …에 멈추다, (주의를) 쏟다, (희망을) 걸다《*on, upon*》: The child *~ed* his eyes *on* the old man's beard. 아이는 그 노인의 수염을 꼼짝 않고 바라보았다 / ~ a person *with* a reproachful eye 비난의 눈초리로 아무를 노려보다. **4** 《+목+전+명》 (별명 따위를) 붙이다; (누명·죄 따위를) (들)씌우다; (비난을) 퍼붓다《*on, upon*》: ~ a nickname 〔crime, quarrel〕 *on* a person 아무에게 별명을 붙이다 〔죄를 씌우다, 싸움을 걸다〕. **5** 《+목+부》 (사람·동물 따위를) 가두어 넣다《*in; up*》: ~ a dog *in* 개를 가두다. **6** 《+목+전+명》 〖~ oneself〗 꽉 붙잡다, 매달리다: She *~ed* her*self to* 〔*on*〕 my arm. 그녀는 내 팔을 꽉 붙잡았다. ― *vi.* **1** (문 따위가) 닫히다, (자물쇠 등이) 잠기다: This door will not ~. 이 문은 도무지 안 닫힌다. **2** (지퍼·단추·호크 따위가) 채워지다, (볼트 따위가) 죄이다. **3** 《+전+명》 달라붙다, 꽉 붙잡다, 매달리다; (시선이) 쏠리다, 고정되다: Her gaze *~ed on* the jewels. 그녀의 시선이 그 보석에 멈추었다. ***~ down 눌러 고정시키다, 단단히 못박다, (상자 뚜껑 따위를) 단단히 붙박다; (의미 따위를) 확정하다(fix definitely); 결심시키다《*to*》. ***~ off*** 실을 걸어 매다《매듭을 짓거나 하여》. ***~ on*** 〔***upon***〕 ① ⇨ *vt.* 6. ② (구실 따위를) 잡다(seize upon), (생각 따위를) 받아들이다. ③ (주의 등을) 집중하다; …에 눈독을 들이다《공격 등을 위하여》. ~ one***self on*** …을 귀찮게 굴다.

°**fás·ten·er** *n.* 죄는 사람; 죔쇠, 잠그개《스냅·볼트·호크·지퍼·단추 등》; 서류를 철하는 기구, 파스너; 염색의 고착제(劑).

fás·ten·ing *n.* **1** Ⓤ 죔, 잠금, 닫음, 지름; 정착. **2** Ⓒ 죄는〔잠그는, 채우는〕 제구《볼트·지퍼·클립·핀·단추·호크·빗장 따위》.

fást fóod 《미》 간이〔즉석〕 식품《즉석에서 먹거나 갖고 갈 수 있는 햄버거·치킨 등》.

fást-fóod *a.* 《미》 (식당 등이) 간이 음식 전문의, 즉석 요리의: a ~ restaurant chain 간이 식품 레스토랑 계열망.

fást fórward (오디오·비디오 테이프의) 빨리 감기 (기능); 빨리 감기 버튼〔스위치〕《생략: FF, FFWD》.

fást-fórward *vi., vt.* (오디오·비디오 테이프「를) 빨리 감다.

°**fas·tid·i·ous** [fæstídiəs, fəs-] *a.* **1** 꾀까다로운, 선호에 까다로운, 가림이 심한: ~ *about* 〔*in*〕 one's food 〔clothes〕 음식〔옷〕에 까다로운. **2** 세심한 (주의를 요하는), 꼼꼼한, 공들이는. **3** 〖세균〗 배양 조건이 까다로운. ㊞ **~·ly** *ad.* **~·ness** *n.*

fas·tig·i·ate, -at·ed [fæstídʒiət, -dʒèit], [-èitid] *a.* **1** 원뿔처럼 뾰족한. **2** 〖동물〗 원추 속상(圓錐束狀)의. **3** 〖식물〗 (가지 등이) 평행으로 직립한; 원뿔 모양으로 직립한 가지를 지닌.

fas·tig·i·um [fæstídʒiəm] *n.* 〖의학〗 극기(極期)《증상이 가장 뚜렷해지는 시기》; 〖해부〗 (제 4 뇌실의) 뇌실정(腦室頂).

fást·ing *n.* Ⓤ 단식. ― *a.* 단식의: a ~ cure 「단식 요법.

fast·ish [fǽstiʃ, fɑ́:st-/fɑ́:st-] *a.* **1** 꽤 빠른 (fairly fast). **2** 방탕한: a ~ young man.

fást láne (도로의) 추월 차로, 고속 주행로. ***life in the ~*** 경쟁 사회, 먹느냐 먹히느냐의 사회(rat race).

fást mótion 〖영화〗 저속도 촬영에 의한 것을 정상 속도로 영사할 때의 움직임〔동작〕《실제보다 도 빠르게 보임》. OPP *slow motion.*

fást-móving *a.* 고속(高速)의; (연극·소설 등이) 전개가 빠른.

fást·ness *n.* Ⓤ **1** 견고, 튼튼함; 고정, 고착; (색의) 정착. **2** 신속, 빠름. **3** 방종, 방탕; 행실이 나쁨. **4** Ⓒ 요새, 성채(城砦). **5** 〖세균〗 내성(耐性).

fást néutron 〖물리〗 고속 중성자.

fást (néutron) reáctor 고속(중성자)로.

fást óne 《속어》 협잡, 사기, (경기 등에서의) 속임수. ***pull a ~*** 감쪽같이 속이다《*on; over*》.

fást-páced [-t] *a.* (여러 가지 일이) 급진전되「는.

fást reáctor 〖물리〗 =FAST-BREEDER REACTOR.

fást-tálk *vt., vi.* 《미구어》 허튼수작으로〔유창한 말로〕 구슬리다.

fást tálker 《미구어》 사기꾼, 말주변이 좋은 사람.

fást tìme 《미》 서머 타임.

fást tráck **1** 〖경마〗 마르고 단단한 경주로, 좋은 마장(馬場). **2** 〖철도〗 급행열차용 선로. **3** 《구어》 출세가도(出世街道).

fást-tráck *vi., vt.* 승진이 빠르다; (목표에 맞추어) …의 처리〔생산, 건설〕 속도를 높이다. ― *a.* 승진이 빠른; 신속한, 급행의; 〖건축〗 조기 착공의. ㊞ **~·er** *n.*

fást trácking 〖건축·토목〗 (설계 완료 전에 기초 공사 등을 착수하는) 조기 착공 (방식).

fas·tu·ous [fǽstʃuəs] *a.* 오만한; 허세 부리는.

fást-twìtch *a.* 〖생리〗 (근섬유가) 급격하게 수축하는《순발력을 내기 위해》(=**fást·twitch**). OPP *slow-twitch.*

FAT 〖컴퓨터〗 file allocation table《MS-DOS에서 디스크에 존재하는 파일의 정보가 저장되어 있는 섹터들을 찾아볼 수 있도록 정보를 저장하고 있는 특수 영역》.

†**fat** [fæt] (*-tt-*) *a.* **1** 살찐, 뚱뚱한, 비대한: a ~ man 뚱뚱한 남자 / get ~ 뚱뚱해지다 / Laugh and grow ~. 《속담》 소문만복래(笑門萬福來).

> SYN. **fat** 지방이 많아 '통통히 살찐'의 뜻, 사람에 대해서는 '살쪄서 맺힌 데가 없는'의 뜻이 됨. **stout** '살찌고 맺힌 데가 있는'의 뜻. **thick** 는 '살찐'의 뜻이지만 신체의 일부가 '굵은'의 뜻으로 많이 쓰임.

2 지방이 많은, 기름이 오른, (고기·요리 따위가) 기름기가 많은. OPP *lean*². ¶ ~ soup / a ~ diet 기름기 많은 식사. **3** (도살용으로) 살찌운(fatted): a ~ ox 〔sow〕 비육우(牛)〔돈(豚)〕. **4** (손가락 따위가) 굵은, 땅딸막한(stumpy); 두꺼운; 불룩한; 〖인쇄〗 획이 굵은《활자》: a ~ sheaf of bills 두툼한 돈다발. **5** 듬뿍 있는, 양이 많은: a ~ salary 고액의 봉급 / a ~ purse 〔pocketbook〕 돈이 가득 든 지갑. **6** 풍부한; (땅이) 비옥한(fertile); (일 등이) 수익이 많은, 벌이가 되는(profitable), 번성하는: a ~ year 풍년 / a ~ job 〔office〕 수입이 좋은 일〔직무〕. **7** (어떤 물질을) 다량으로 함유한, (목재가) 진이 많은: ~ pine 송진이 많은 소나무 / ~ clay 고(高)가소성 점토. **8** 얼빠진, 굼뜬, 우둔한: make a ~ mistake 얼빠진 실수를 저지르다. ***a ~ chance*** 《속어》 많은 기회; 《반어적》 미덥지 않은 기대〔전망〕, 희박한 가망성《*of*》. ***a ~ lot*** 《속어》 많이, 두둑히; 《반어적》 조금도 … (하지) 않다(not at all): *A ~ lot* you know about it! 조금도 모르면서. ***as ~ as a monk*** 〔***pig***〕 통통하게 살찐. ***cut it*** (***too***) ~ 《구어》 지나치다, 과시하다. ***cut up ~*** ⇨ CUT. ***get ~ on*** 《구어》 …로 부유하게〔편안히〕 지내다《주로 부정문에 쓰임》. ***grow ~*** 살찌다; 부자가 되다, 유복해지다. ***It's not over until the ~ lady sings.*** 아직 완전히 끝난 것은 아니다. ***sit ~*** 《미속어》 유력한 입장에 있다, (궤도에 올라) 순조롭다.

— *n.* U **1** 지방, 굳기름, 비계, 지방질; (요리용) 기름(cf. lard); 〖화학〗 유지(油脂): animal 〔vegetable〕 ~ 동물〔식물〕성 지방 / put on ~ 살찌다 / fry in deep ~ 기름에 푹 담가서 튀기다. **2** 비만; (보통 *pl.*) 뚱뚱한 사람(cf. fats). **3** (the ~) 가장 좋은〔양분이 많은〕 부분; 벌이가 되는 일. **4** 〖연극〗 자기 재능을 보여줄 수 있는 자신 있는 장면〔대사, 역〕. ***a bit of ~*** 《구어》 조그마한〔뜻밖의〕 행운. (***All***) ***the ~ is in the fire.*** 이젠 어찌할 수 없다; 큰일 나겠다; 엉뚱한 실수를 저질렀다. ***chew the ~*** ⇨ CHEW. ***live on one's*** (***own***) ***~*** 무위도식하다; 밑천을 잘라먹다. ***live on*** 〔***eat***〕 ***the ~ of the land*** 〖성서〗 호화로운 생활을 하다. ***run to ~*** 살이 너무 찌다.

— (*-tt-*) *vt.*, *vi.* 살찌게 하다, 살찌다(fatten). ***~ out*** 〔***up***〕 (짐승을) 살찌우다, 비육(肥育)하다. ***kill the ~ted calf*** ⇨ CALF¹.

Fa·tah [fɑːtáː] *n.* = AL FATAH.

*__fa·tal__ [féitl] *a.* **1** 치명적인《*to*》, 생명에 관계되는; 사활을 결단하는《*to*》: a ~ wound 치명상 / a ~ disease 불치병, 죽을 병 / Lack of oxygen is ~ *to* human. 산소 부족은 인간에게는 치명적이다. SYN. ⇨ DEADLY. **2** 파멸적인(destructive), 몸을 망치는; 돌이킬 수 없는《잘못 따위》, 중대한, 엄청난. **3** 운명의〔에 관한〕; 숙명적인(fateful), 피할 수 없는(inevitable): the ~ day 운명의 날. **4** 불길한, 섬뜩한: a ~ prophecy 불길한 예언 / a ~ look 소름 끼치는 얼굴 표정. **5** 흉악한, 악질의: ~ influence 악영향. ***prove ~*** 치명상이 되다. ***take the ~ step*** 〔***leap, plunge***〕 《미·우스개》 결혼하다. ***the ~ shears*** (인간의) 죽음《운명의 여신 중의 하나가 손에 든 가위에서》. ***the ~ sisters*** 운명의 세 여신(the Fates). ***the ~ thread of life*** 목숨, 수명. — *n.* U 치명적인 결과, 《특히》 사고사(死). 파 **~·ìsm** *n.* U 운명론, 숙명론. **~·ist** *n.* 운명〔숙명〕론자. **~·ness** *n.*

fa·tal·is·tic [fèitəlístik] *a.* 숙명적인; 숙명론(자)의. 파 **-ti·cal·ly** *ad.*

fa·tal·i·ty [feitǽləti, fə-] *n.* **1** U 불운, 불행(misfortune); C 재난, 참사(disaster). **2** C (사고·전쟁 따위로 인한) 죽음; (*pl.*) 사망자(수). **3** U (병 따위의) 치사성, 불치《*of*》: reduce the ~ *of* cancer 암에 의한 치사율을 줄이다. **4** U 숙명, 천명; 인연; 불가피성.

fatálity ràte 사망률.

°**fá·tal·ly** *ad.* 치명적으로; 숙명적으로, 불가피하게; 불운하게도.

Fa·ta Mor·ga·na [*It.* fáːtamorgáːna] 《It.》 〖중세전설〗 모르가나 요정(妖精)《Arthur 왕의 누이동생》; (f- m-) 신기루《특히 이탈리아 남단의 Messina 해협에 나타나는 것》.

fát·bàck *n.* 돼지의 옆구리 위쪽의 비곗살《보통 소금에 절여 말림》; 〖어류〗 = MENHADEN.

fát bòdy 〖생물〗 지방체(體)《지방 조직》.

fát-bráined *a.* 저능한, 어리석은.

fát cát 《미속어》 정치 자금을 많이 바치는 부자〔후보자〕; 특권 혜택을 입는 부자; = BIG SHOT; 무기력하고 욕심이 없는 사람.

fát-càt *a.* 《속어》 큰 부자의, 큰 부자 행세를 하는, 가난한 사람과는 인연이〔관계가〕 없는, 큰돈이 걸린〔든〕, 굉장히 비싼.

fát cèll 〖해부〗 지방 세포.

fát cíty 《미속어》 더할 나위 없는〔멋진〕 상태〔상황〕: I'm in ~. 나는 기분이 참 좋다.

fát-contròlled *a.* 기름기를 억제한《특별식 따위》: a ~ diet 저(低)지방 식이 요법.

⁑**fate** [feit] *n.* **1** U,C 운명, 숙명; 운(運), 비운(doom); 최종 결과, 인과. SYN. ⇨ FORTUNE. **2** C 죽음, 최후; 파멸. **3** (the F-s) 〖그리스신화·로마신화〗 운명을 맡은 세 여신《Clotho, Lachesis 및 Atropos》. ***a ~ worse than death*** 아주 지독한 재난; 《우스개》 처녀 상실, 폭행을 당함. ***as ~ would have it*** 운나쁘게도〔사납게도〕. (***as***) ***sure as ~*** 반드시, 틀림없이. ***decide*** 〔***fix, seal***〕 a person***'s ~*** 아무의 장래 운명을 결정하다. ***go to*** one***'s ~*** 죽다, 최후를 마치다. ***meet*** 〔***find***〕 one***'s ~*** 최후를 마치다; 《우스개》 장차 아내가 될 여성을 만나다. ***the will of Fate*** 운명의 장난.

— *vt.* 《보통 수동태》 운명지우다: He *was ~d* to be always left behind. 그는 언제나 뒤질 운명에 있었다 / It *was ~d* that he should meet her there. 그는 거기에서 그녀를 만나도록 운명 지워져 있었다.

fat·ed [féitid] *a.* 운명이 정해진, …할 운명인; 숙명적인; 운이 다한, 저주받은.

fate·ful [féitfəl] *a.* 운명을 결정하는, 결정적인, 중대한; 숙명적인; 치명〔파멸〕적인; 예언적인; 불길한. 파 **~·ly** *ad.* **~·ness** *n.*

fát fàrm 《미구어》 감량〔살을 빼기 위한〕 도장, 건강관리 클럽(health spa).

fát-frée *a.* 지방이 없는, 무지방의.

fath. fathom.

fát·hèad *n.* 《구어》 멍텅구리, 얼간이, 바보. 파 **~·ed** [-id] *a.* 어리석은(stupid).

†**fa·ther** [fáːðər] *n.* **1** 아버지, 부친; 의붓아버지, 양아버지, 시아버지, 장인: He is now a ~. 그도 아버지가 되었다 / The wish is ~ to the thought. 《속담》 그랬으면 하고 바라면 그렇다고 믿게 되는 법 / Like ~, like son. 《속담》 그 아비에 그 아들, 부전자전.

> SYN. **father** 자신이나 남의 '아버지'를 정식으로 말하는 경우에 쓰임. **dad** father 에 대한 아이들의 친근미 있는 말. **daddy** dad, father

에 대한 애칭. **papa** 보통 유유아기(乳幼兒期)의 어린이가 아버지를 부를 때 쓰나 지금은 dad, daddy 대신에 쓰는 일이 많음.

2 (보통 *pl.*) 선조, 조상(forefather). **3** (아버지와 같은) 옹호자, 후원자, 보호자: a ~ to the poor 빈민의 아버지. **4** (the F-) 하느님 아버지, 신. **5** 〖종교〗 신부, 대부(代父); 수도원장; 《호칭》… 신부님: *Father* Brown 브라운 신부. **6** (*pl.*) (시읍면 의회 등의) 최연장자; 장로, 원로, 그 길의 선배: the *Fathers* of the House (of Commons) 《영》 최고참 (하원) 의원들 / the ~*s* of a city 시의 장로들(city fathers). **7** 창시자, 창립〔설립〕자, 개조(founder). **8** 발안자, 발명자: the ~ of the atomic bomb 원자 폭탄의 아버지. **9** (the F-s) (기독교 초기의) 교부들; 《미》 미국 헌법 제정자. ***be a ~ to*** …에게 아버지처럼 행세를 하다. ***be gathered to*** one's ***~s*** =***sleep*** 〔***lie***〕 ***with*** one's ***~s*** 조상 묘에 묻히다, 죽다(die). ***how's your ~*** 《구어·우스개》 예(例)의 그 건(件), 그것《이름을 잊었다든가 입에 담기 뭣한 섹스·부정한 짓 등을 가리킬 때 씀》. ***the ~*** (***and mother***) ***of a ...*** 《구어》 몹시 큰〔엄한, 심한〕 …. ***the Father of English poetry*** =CHAUCER. ***the Father of His Country*** 《미》 =GEORGE WASHINGTON. ***the Father of History*** =HERODOTUS. ***the Father of lies*** 마왕, 악마(Satan). ***the Father of Medicine*** =HIPPOCRATES. ***the Father of the Constitution*** 《미》 =JAMES MADISON. ***the Father of the Faithful*** 〖성서〗 믿음의 조상《Abraham을 일컬음》; 〖이슬람〗 신도의 아버지《caliph의 칭호》. (***the***) ***Father of Waters*** 《미》 강, 《특히》 Mississippi 강.

— *vt.* **1** 《~+목/+목+전+명》 …의 아버지이다; …의 아버지가 되다; (자식을) 보다(beget): He ~*ed* three children. 그는 세 아이의 아버지가 되었다 / He ~*ed* two sons *by* two women. 그는 두 여인에게서 두 아들의 아버지가 되었다. **2** …의 작자〔발명가〕이다; 창시하다: He ~*ed* many inventions. 그는 많은 발명을 했다. **3** …에게 아버지로서 행세하다; (자식을) 인지(認知)하다. **4** …의 작자임을 자인하다; …의 책임을 지다. **5** 《+목+전+명》 …의 아버지〔작자, 책임자〕임을 인정하다: ~ a child 〔a book, a fault〕 *on* a person 아무를 아이의 아버지〔책의 저자, 과실의 책임자〕로 판정하다. — *vi.* 아버지로서 책임을 다하다, 아버지처럼 남을 돌보다.
㊀ **~·like** *a.*

Fáther Chrístmas 《영》 =SANTA CLAUS.

fáther conféssor 〖가톨릭〗 고해 신부(confessor); 신상 상담을 받아 주는 사람.

fáther figure 아버지 대신이 될 만한 사람, 신뢰할 만한 지도자.

fáther·hòod *n.* Ⓤ 아버지임; 아버지의 자격, 부권; 《집합적》 아버지.

fáther ìmage 이상적인 아버지 상(像); =FATHER FIGURE.

°**fáther-in-làw** (*pl.* ***-s-in-làw***) *n.* 장인, 빙장(聘丈), 시아버지; 《드물게》 =STEPFATHER.

fáther·lànd *n.* 조국; 조상의 땅.

fá·ther·less *a.* **1** 아버지가 없는, 아버지를 알 수 없는: a ~ child 아버지를 잃은 아이; 아버지를 알 수 없는 사생아. **2** 작자 불명의.

°**fá·ther·ly** *a.* 아버지의〔같은, 다운〕, 자애로운. ㊎ paternal. — *ad.* 아버지같이〔답게〕. ㊀ **-li·ness** *n.* 아버지다움; 아버지의 자애.

father of the chápel 《영》 출판〔인쇄〕 노동조합 대표《생략: FoC》.

Fáther's Dày 《미》 아버지날《6월의 제3 일요일》. ㊎ Mother's Day.

Fáther Tíme 《의인적》 때, 시간.

°**fath·om** [fǽðəm] (*pl.* **~s,** 《집합적》 **~**) *n.* 길《1m 83cm, 6제곱피트; 생략: f., fm., fath.》; 《영》 목재양(量)의 명칭《절단면이 6제곱피트의》. — *vt.* **1** …의 깊이를 재다(sound)《측심연으로》, 밑바닥을 탐색하다. **2** 헤아리다, 떠보다, 통찰하다《*out*》. **3** 《고어》 (길이를 재려고) 양팔에 껴안다. ㊀ **~·a·ble** *a.* 잴〔추측할〕 수 있는.

Fa·thom·e·ter [fæðámətər/fəðɔ́m-] *n.* 음향 측심기(sonic depth finder)《상표명》.

fáth·om·less *a.* (바닥을) 헤아릴 수 없는; 불가해한, 알 수 없는. ㊀ **~·ly** *ad.*

fáthom lìne 〖해사〗 측연선(測鉛線).

fa·tid·ic, -i·cal [feitídik, fə-], [-əl] *a.* 예언의, 예언적인(prophetic).

fat·i·ga·ble [fǽtigəbəl] *a.* 곧 피로해지는.

fa·tigue** [fətí:g] *n.* **1** Ⓤ 피로, 피곤. **2** Ⓤ (피로케 하는) 노동, 노고, 노역(toil). **3** Ⓒ 〖기계〗 (금속 재료의) 피로, 약화. **4** Ⓒ 〖군사〗 잡역(=∠ **dùty**); 작업반(=∠ **pàrty**); (*pl.*) 작업복(=∠ **clòthes**). ***on ~ 잡역 중. — *a.* 〖군사〗 잡역〔작업〕의: a ~ cap 작업모. — (*p.*, *pp.* ***~d; fa·tigu·ing***) *vt.* 지치게〔피로케〕 하다; 약화시키다: be ~*d* with labor 노역으로 지치다.

fa·tígued *a.* 피로한, 지친. SYN. ⇨ TIRED.

fatígue drèss (사병의) 작업복.

fatígue jàcket 〖미군사〗 잡역(雜役)용 재킷.

fa·tígue·less *a.* 피로하지 않은, 지칠 줄 모르는.

fatígue lìfe 〖기계〗 피로 수명.

fatígue lìmit 〖공학〗 (재료의) 피로〔내구(耐久)〕 한도(endurance limit).

fa·tígu·ing *a.* 지치게 하는; 고된.

fa·tígu·ing·ly *ad.* 피로를 오게 하는 것 같은 방법으로.

fát·less *a.* 지방이 없는, 살코기의.

fát líme 부석회(富石灰).

fat·ling [fǽtliŋ] *n.* 비육 가축《육용으로 살찌운 송아지·새끼 양·돼지 새끼 따위》.

fát líp 《속어》 (얻어맞아) 부어오른 입술.

fát·ly *ad.* **1** 뚱뚱보처럼; 서투르게, 데퉁스레. **2** 크게(largely).

Fát Màn 패트 맨《나가사키(長崎)에 투하된 원자 폭탄의 코드명; 그 모양이 굵고 둥근 데서》. ㊎ Little Boy.

fát-mòuth *vi.* 《미속어》 (행동은 하지 않고) 말만하다.

fát·ness *n.* Ⓤ **1** 비만. **2** 지방이 많음. **3** 비옥(fertility); 풍부함.

fats [fæts] *n.* **1** (F-) 《단수취급》 뚱뚱보《별명》. **2** 《복수취급》 살찌운 가축.

fat·so [fǽtsou] (*pl.* **~(*e*)*s***) *n.* 《속어·경멸》 뚱뚱보(fatty)《호칭》.

fát-sòluble *a.* 〖화학〗 (비타민 등이) 유지에 용해하는, 지용성(脂溶性)의.

fát·stòck *n.* 《영》 비육(肥育) 가축《육용(肉用)으로 시장에 내기 위해 사육하고 있는 가축》.

fát sùcking 〖의학〗 지방 흡인(吸引)《미국 등에서의 비만자에 대한 수술법; 턱·배 등에 가는 흡인관을 삽입하여 지방을 흡수함》.

fát·ted [-id] *a.* 살찌운.

fat·ten [fǽtn] *vt.* (도살하기 위하여) 살찌우다; (땅을) 기름지게 하다. — *vi.* 살찌다《*on*》; 비옥해지다. ㊀ **~·er** *n.* 비육 가축 사육자.

fát·ti·ness *n.* 지방질; 지방 과다(성).

fat·tish [fǽtiʃ] *a.* 약간 살이 찐, 좀 뚱뚱한. ㊀ **~·ness** *n.*

fát·tism *n.* 비만자 차별, 뚱보 학대.

fat·ty [fǽti] (***-ti·er; ti·est***) *a.* 지방질의; 지방이 많은, 기름진; 지방 과다(증)의; 〖화학〗 지방성(性)의. — *n.* 《구어》 뚱뚱이, 《호칭》 뚱뚱보. ㊀ **-ti·ly** *ad.*

fátty ácid 〖화학〗 지방산.

fátty degenerátion 〖의학〗 (세포의) 지방 변성(變性).

fátty líver 〖의학〗 지방간(肝).
fátty óil 〖화학〗 지방유(fixed oil).
fátty tíssue 〖동물〗 지방 조직(adipose tissue).
fátty túmor 〖의학〗 지방종(腫)(lipoma).
fa·tu·i·tous [fətjúːətəs] *a.* 어리석은, 우둔한.
fa·tu·i·ty [fətjúːəti/-tjúː-] *n.* [U] 어리석음, 우둔, 독선적인 어리석음.
fat·u·ous [fǽtʃuəs/-tju-] *a.* 얼빠진, 어리석은; 백치의, 바보의; 실체가 없는, 환영(幻影)의(illusory): a ~ fire 도깨비불. ㊉ **~·ly** *ad.* 멍청하게, 얼빠진 듯이. **~·ness** *n.*
fat·wa(h) [fǽtwɑː] *n.* 〖이슬람〗 파트와《종교상의 문제에 대해 유자격 법관이 내리는 재단》.
fát-wítted [-id] *a.* 우둔〔투미〕한, 얼빠진.
fau·bourg [fóubuər, -buərg/-buəg] *n.* 《F.》 교외(suburb), 근교《특히 파리의》; (도시의) 지구.
fau·cal [fɔ́ːkəl] *a.* 목구멍의, 인후(fauces)의; 〖음성〗 후두음의. **—** *n.* 후두음.
fau·ces [fɔ́ːsiːz] *n. pl.* 〖보통 단수취급〗 〖해부〗 목구멍, 인후, 후두.「이, 고동.
◇**fau·cet** [fɔ́ːsit] *n.* 《미》 (수도·통 따위의) 주둥
fau·cial [fɔ́ːʃəl] *a.* 〖해부〗 목구멍의, 구개(口蓋)의.
faugh [fɔː] *int.* 피, 체, 흥《혐오·경멸 따위를 나타냄》.
Faulk·ner [fɔ́ːknər] *n.* **William ~** 포크너《미국의 소설가; 1897–1962》.
*⁎***fault** [fɔːlt] *n.* [C] **1** 과실, 잘못(mistake), 허물, 실책《*in; of*》: commit a ~ 과실을 범하다/~*s of* 〔*in*〕 grammar 문법상의 오류. **2** 결점, 결함, 단점, 흠(defect). **3** [U] (보통 one's ~, the ~) (과실의) 책임, 죄(과)(culpability): It's my ~. =The ~ is mine. 그것은 내 탓〔죄〕이다; 내가 나쁘다. **4** 〖전기〗 누전(leakage), 장애; 〖컴퓨터〗 장애; 〖지학〗 단층: a ~ current 누전. **5** 〖구기〗 폴트《서브의 실패〔무효〕》. **6** 〖사냥〗 (사냥개가) 냄새 자취를 놓침. **7** 《고어》 결손, 부족. ***at* ~** ① 잘못하여; 당황하여, 어찌할 바를 몰라(puzzled). ② (사냥개가) 냄새 자취를 놓쳐. ***find* ~** 결점〔흠〕을 잡다《*in*》. ***find* ~ *with*** …의 흠〔탈〕을 잡다; …을 비난〔탓〕하다, 나무라다. ***for* (*the*) ~ *of*** 《고어》 …가 부족하기 때문에. ***in* ~** 잘못돼 있는, 비난할 만한: Who is *in* ~? 누구 잘못인가(Whose ~ is it?). ***to a* ~** 결점이라 해도 좋을 만큼; 극단으로, 너무나: He is kind 〔generous, austere〕 *to a* ~. 그는 너무나도 친절〔관대, 엄격〕하다. ***with all* ~*s*** 〖상업〗 일체 사는 이의 책임으로, 손상 보증 없이《표시 용어》. ***without* ~** 틀림없이, 확실히.
— *vt.* **1** 〖지학〗 …에 단층을 일으키다. **2** …의 흠을 잡다; 비난하다(blame)《*for*》. **—** *vi.* **1** 〖지학〗 단층이 생기다. **2** 〖구기〗 서브를 실패하다. **3** 잘못을 저지르다.
fáult blòck 〖지학〗 단층 지괴(斷層地塊).
fáult·finder *n.* **1** 까다로운 사람, 흠잡는〔탓하는〕 사람. **2** 〖전기〗 (회로 따위의) 장애점 측정기.
fáult·finding *n.* [U] 흠〔탈〕잡기, 헐뜯음. **—** *a.* 헐뜯는, 흠잡는; 까다로운.
◇**fáult·less** *a.* **1** 결점〔과실〕 없는; 흠(잡을 데) 없는, 완전무결한. **2** (테니스 등에서) 폴트가 없는. ㊉ **~·ly** *ad.* **~·ness** *n.*
fáult lìne 〖지학〗 단층선.
fáult plàne 〖지학〗 단층면.
fáult tòlerance 〖컴퓨터〗 고장 방지 능력《일부 회로가 고장나도 시스템 전체에는 영향을 주지 않도록 하는》.
fáult-tólerant *a.* 〖컴퓨터〗 고장 방지의《컴퓨터 부품이 고장나도 프로그램이나 시스템이 제대로 작동하는 상태를 이름》.
fáult trèe (핵처리 장치·발전 설비 등에서의) 사고〔고장〕 결과 예상 계통도(圖). [cf.] event tree.

faulty [fɔ́ːlti] (***fault·i·er; -i·est***) *a.* 과실 있는, 불완전한, (기계 장치 따위가) 결점〔결함〕이 많은; 그릇〔잘못〕된, 비난할 만한: ~ reasoning 그릇〔잘못〕된 추론(推論). ㊉ **fáult·i·ly** *ad.* 불완전하게, 잘못하여. **-i·ness** *n.*
faun [fɔːn] *n.* 〖로마신화〗 목신(牧神)《반은 사람, 반은 양의 모습을 한 신으로 음탕한 성질을 지님》. [cf.] satyr.

faun

fau·na [fɔ́ːnə] (*pl.* **~*s*, *-nae*** [-niː]) *n.* (보통 the ~) (일정한 지방·시대의) 동물군〔상(相)〕, 동물 구계(區系); (한 지방·시대의) 동물지(誌). [cf.] flora. ㊉ **fáu·nal** [-nəl] *a.* 동물지의. **-nal·ly** *ad.*
fau·nist [fɔ́ːnist] *n.* 동물상(相)〔구계(區系)〕 연구가. ㊉ **fau·nis·tic, -ti·cal** [fɔːnístik], [-tikəl] *a.* =FAUNAL.
Fau·nus [fɔ́ːnəs] *n.* 〖로마신화〗 파우누스《가축·수확의 수호신》. [cf.] Pan.
Fau·ré [fɔːréi, ⌐⌐] *n.* **Gabriel Urbain ~** 포레《프랑스의 작곡가·오르간 주자; 1845–1924》.
Faust [faust] *n.* 파우스트《(1) 전지전능을 바라며 혼을 악마(Mephistopheles)에게 판 독일 전설상의 인물. (2) Goethe의 대표적 희곡》: ~ legend 파우스트 전설. ㊉ **Fáus·ti·an** *a.* **1** 파우스트의〔적인, 에 관한〕. **2** 만족을 모르는 정신의, (권력·지식·부 등을 얻기 위해) 영혼을 파는.
faute de mieux [fóutdəmjɔ́ː] 《F.》 달리 더 좋은 것이 없어서 (채택된).
fau·teuil [fóutil, foutə́ːi/fóutəːi, -⌐] *n.* 《F.》 팔걸이〔안락〕의자; 《영》 (극장 일층의) 특별석(stall).
fauve [fouv] *n.* (종종 F-) 야수파 화가.
Fau·vism [fóuvizəm] *n.* (때로 f-) [U] 〖미술〗 야수파(野獸派). ㊉ **-vist** [-vist] *n.* 야수파 화가.
faux [fou] *a.* 《F.》 인조〔모조, 위조〕의, 가짜의.
faux bon·homme [fóubɔːnɔ́ːm] 《F.》 선량해 보이지만 교활한 사람, '은근짜'.
faux-na·ïf [fóunɑːíːf] *a.*, *n.* 《F.》 순진〔소박〕한 체하는 (사람), '새침데기'.
faux pas [fóupɑ́ː] (*pl.* **~** [-z]) 《F.》 실수, 과실, 실책; 비례(非禮); 방탕《특히 여자의》.
fá·va béan [fɑ́ːvə-] =BROAD BEAN.
fave [feiv] *n.* 《속어》 마음에 드는 사람《배우》.
fa·ve·la [fəvélə] *n.* 《Port.》 (브라질의) 슬럼가, 빈민가.
fa·ve·la·do [fɑ̀ːvəláːdou] (*pl.* **~*s***) *n.* 《Port.》 빈민가 사람.「胞)가 있는.
fa·ve·o·late [fəvíːəlèit] *a.* 벌집 모양의, 기포(氣
fáve ràve 《속어》 마음에 드는 것《노래·영화 등》; 인기 탤런트〔가수〕, 우상(의 연예인).
fav·ism [fɑ́ːvizəm] *n.* 〖의학〗 잠두(蠶豆) 중독증《잠두를 먹거나 그 꽃가루를 들이마셔 일어나는 급성 용혈성(溶血性) 빈혈》.
*⁎***fa·vor,** 《영》 **-vour** [féivər] *n.* **1** [U] 호의, 친절(good will). **2** [C] 친절한 행위, 은혜, 은고(恩顧); 부탁: ask a ~ of a person 아무에게 부탁하다/I have a ~ to ask (of) you. 부탁드릴 게 있습니다만. **3** [C,U] 총애, 애고(愛顧), 특별한 사랑〔돌봄〕; [U] 치우친 사랑, 편애(partiality); 정실. **4** [U] 조력, 지지(support); 찬성, 허가(leave). **5** [U] 이익, 유리함. **6** [C] 호의를 보이는 선물, 애정의 표시《리본·장미꽃 장식·기장(記章) 따위》. **7** (보통 *pl.*) 애정《여자가 몸을 허락하는》: bestow her ~*s* on her lover (여자가)

애인에게 몸을 허락하다. **8** [C] 《고어》 서한, 편지 《주로 상업상의》: I have received your ~. 주신 편지 받아 보았습니다. **9** [U] 《고어》 용모, 얼굴. ***ask no ~s*** 과감히 맞서다. ***ask the ~ of*** (an early reply 〔cooperation〕) (조속한 회답〔협력〕)을 요청하다. ***by ~*** 특별히 돌봐 줘서, 편파적으로. ***by*** 〔***with***〕 ***~ of*** …편에《봉투에 쓰는 말》. ***by your ~ =under ~*** 미안합〔실례입〕니다만. ***do*** a person ***a ~ =do a ~ for*** a person 아무에게 은혜를 베풀다, 힘〔애〕쓰다; 아무의 부탁을 들어주다: *Do* me *a* ~. 부탁합니다. ***Do me*** 〔***us***〕 ***~!*** 《속어》 사람을 그렇게 속이는 게 아냐, 바보 같은 소리 작작 해라. ***fall from*** 〔***out of***〕 ***~ with*** a person 아무의 총애〔인기〕를 잃다. ***find ~ with*** 〔***in the eyes of***〕 a person 아무의 총애를 받다, 아무의 마음에 들다. ***go in*** a person***'s ~*** (소송이) 아무에게 유리하게 판결되다. ***in ~ of*** ① …에 찬성〔지지〕하여, …에 편을 들어([opp.] *against*): I am *in* ~ *of* your proposal. 당신 제안에 찬성이요. ② …의 이익이 되도록, …을 위해. ③ …에게 지급하는《수표 따위》. ***in*** (***high***) ***~ with*** …의 마음에 (크게) 들어, 총애를 (많이) 받아. ***in*** a person***'s ~*** ① 아무의 마음에 들어, 아무에게 호감을 주어. ② 아무에게 유리(有利)하게: The present situation is strongly *in our* ~. 상황은 우리에게 매우 유리하다. ***look with ~ on*** a person 〔a plan〕 아무〔계획〕에 찬의를 표하다. ***lose ~ in*** a person***'s eyes =lose ~ with*** a person 아무의 총애를 잃다, 아무의 눈밖에 나다. ***May I ask you a little ~?*** 좀 부탁드려도 될까요. ***out of*** a person***'s ~ =out of ~ with*** a person 아무의 눈총을 맞아〔총애를 잃어〕, 아무에게 소원되어. ***stand*** 〔***be***〕 ***high in*** a person***'s ~*** 매우 아무의 마음에 들다: She *stands high in* his ~. 그녀는 매우 그의 마음에 들었다. ***under*** (***the***) ***~ of*** …을 이용하여, …의 도움을 받아, …의 지지를 얻어: *under the ~ of* the night 야음을 틈타. ***win*** a person***'s ~*** 아무의 마음에 들어.

— *vt.* **1** …에게 호의를 보이다, …에게 친절히 하다: Fortune ~*s* the brave. 용감한 자는 행운의 혜택을 받는다. **2** …에게 찬성하다, 지지하다: ~ a proposal 제안에 찬성하다. **3** (날씨·사정 등이) …에게 유리하게 되어 나가다〔유리하다〕; 촉진하다: The market ~*s* the buyers. 시황(市況)은 구매자에게 유리하다. **4** 《+[목]+[전]+[명]》 …에게 은혜를 베풀다, …에게 보내다〔주다〕, …에게 허락하다《*with*》: ~ a person *with* a smile 아무에게 미소 짓다 / ~ a person *with* an interview 아무에게 면회를 허락하다. **5** (사실이 이론 따위를) 뒷받침하다, 확증하다; …의 가능성을 예상케 하다: Every indication ~*s* rain. 아무래도 비가 올 것 같다. **6** 편애하다, 두둔하다: ~ one's eldest daughter 맏딸만을 편애하다. **7** (사람·몸을) 소중히 하다, 혹사하지 않고 아끼다: ~ a lame leg 부자유한 다리를 돌보다. **8** 《구어》 (혈족 등을) 닮다(look like): ~ one's father 아버지를 닮다. ***be ~ed with*** …의 혜택을 받다. ***~ed by*** (편지를) …편으로.

⁑fa·vor·a·ble [féivərəbəl] *a.* **1** 호의를 보이는, 찬성의(approving), 승낙의: a ~ answer 호의적인 대답 / a ~ comment 호평 / He's ~ *to* the scheme. 그는 그 계획에 찬성이다. **2** 유리한, 형편이 좋은(advantageous); 알맞은(suitable); (무역이) 수출 초과의: a ~ opportunity 호기(好機) / a ~ wind 순풍 / soil ~ *to* roses 장미에 맞는 땅 / The weather seemed ~ *for* a picnic. 날씨는 피크닉 가기에 꼭 알맞았다. ***take a ~ turn*** (사태 등이) 호전되다. [파] **ˊ-bly** *ad.* **1** 유리하게, 순조롭게. **2** 호의적으로: be *favorably* impressed by a person 아무에게서 좋은 인상을 받다. **~·ness** *n.*

(-)fá·vored *a.* **1** 호의를〔호감을〕 사고 있는; 편벽된 사랑을〔지지를〕 받는: a ~ star 인기 스타. **2** 혜택을 받은, 타고난, 재능이 있는; 특전이 부여된: the ~ few 혜택 받은 몇몇 사람 / the most ~ nation (treatment) 최혜국(대우). **3** 〖복합어로〗 얼굴이 …한: well-~ 얼굴이 잘생긴 / ill-~ 못생긴.

fá·vor·er [-rər] *n.* 애고자(愛顧者); 보호자, 보조자; 찬성자.

fá·vor·ing [-riŋ] *a.* 형편 좋은, 유리한, 순조로운. [파] **~·ly** *ad.*

⁑fa·vor·ite [féivərit] *n.* **1** 마음에 드는 것〔사람〕; 총신, 총아; 인기 있는 사람: a fortune's ~ 행운아. **2** 좋아하는 것〔물건〕. **3** (the ~) 인기〔우승 예상〕 말; (경기의) 인기 선수《우승 후보》; 〖상업〗 인기주. ***be a ~ with*** …의 총아이다, …에게 인기가 있다. **—** *a.* **1** 마음에 드는: one's ~ restaurant 단골 식당 / a ~ child 애지중지하는 아이 / a ~ girl 인기 아가씨. **2** 특히 잘하는, 좋아하는: one's ~ song 가장 잘하는 노래 / one's ~ book 애독서.

fávorite séntence 〖언어〗 애용문《어떤 언어에서 가장 즐겨 쓰이는 문형》.

fávorite són 사랑하는 아들; 《미》 인기 후보자《당의 대통령 후보 지명 대회에서 자기 주 출신 대의원의 지지를 받는》.

fá·vor·it·ìsm *n.* [U] 치우친 사랑, 편애, 정실.

fa·vus [féivəs] *n.* 〖의학〗 황선(黃癬), 기계충.

fawn[1] [fɔːn] *n.* [C] 새끼 사슴《한 살 이하의》; [U] 엷은 황갈색(=**ˊ bròwn**). ***in ~*** (사슴이) 새끼를 배어. **—** *a.* 엷은 황갈색의. **—** *vi.* (사슴이) 새끼를 낳다. [파] **ˊ·like** *a.*

fawn[2] *vi.* **1** (개가 꼬리를 치며) 해롱거리다. **2** 아양 부리다, 아첨하다《*on, upon*》. [파] **ˊ·er** *n.*

fáwn-còlored *a.* 엷은 황갈색의.

fáwn·ing *a.* 해롱거리는; 아양 부리는, 아첨하는. [파] **~·ly** *ad.*

fax[1] [fæks] *n.* 팩시밀리(facsimile), 모사 전송(기). **—** *a.* 팩시밀리의, 복사〔모사〕의. **—** *vt., vi.* (서류·사진 등을) 팩시밀리로 보내다.

fax[2] *n. pl.* 《구어》 사실, 정보(facts).

fáx machìne 팩시밀리 송수신 장치.

fáx módem 〖컴퓨터〗 팩스모뎀《컴퓨터로 팩스의 송수신을 할 수 있도록 하는 장치》.

fay[1] [fei] *n.* 《시어》 요정(fairy); (요정처럼) 예쁜 아이.

fay[2] *vt., vi.* 〖선박〗 밀착〔접착〕시키다〔하다〕.

fay[3] *n.* 《속어·경멸》 백인(ofay).

faze [feiz] *vt.* 《구어》 …의 마음을 혼란시키다(disturb), 괴롭히다(worry), 당황케 하다(disconcert). ★ 보통 부정적으로 씀.

fa·zen·da [fəzéndə] *n.* (브라질의) 대농장, 대농원(plantation)《특히 커피를 재배하는》.

f.b. 〖축구〗 fullback ; freight bill (운임 청구서).

F.B.A. Fellow of the British Academy (영국 학술원 회원). **F.B.E.** foreign bills of exchange. **FBI, F.B.I.** 《미》 Federal Bureau of Investigation. **FBM** foot board measure; fleet ballistic missile (잠수함 발사 탄도 미사일). **F.B.O.A.** Fellow of the British Optical Association. **FBR** fast-breeder reactor (고속 증식로(增殖爐)). **FBS** 〖의학〗 fasting blood sugar (공복 시 혈당(血糖)); 〖군사〗 forward-based system (전진 기지 조직). **F.C.** Football Club; Free Church. **f.c.** 〖야구〗 fielder's choice; fire control; 〖인쇄〗 follow copy. **FCA, F.C.A.** 《미》 Farm Credit Administration (농업 금융국(局)). **fcap., fcp.** foolscap. **FCC, F.C.C.** 《미》 Federal Communications Commission; first-class certificate; Food Control Committee. **F.C.I.I.** Fellow of the Chartered Insurance Institute. **FCIS, F.C.I.S.** Fellow of the Chartered Institute of Secretaries.

F́ clèf 〖음악〗 바음 기호《저음부(bass)기호》.

F.C.O. 《영》 Foreign and Commonwealth Office. **fcs** francs. **FCS** 〖군사〗 fire control system. **F.C.S.** 《영》 Fellow of the Chemical Society《현재는 F.R.S.C.》. **fcy.** fancy. **F.D.** *Fidei Defensor* 《L.》 (=Defender of the Faith); Fire Department. **FDA, F.D.A.** 《미》 Food and Drug Administration (식품 의약품국). **FDC** Fire Direction Center (사격 지휘소). **FDD** 〖컴퓨터〗 floppy disk drive《플로피 디스크에서 정보를 읽거나 플로피 디스크에 정보를 저장할 수 있도록 플로피 디스크를 구동시키는 장치》.

FDDI [éfdìːdìːái] *n.* 〖컴퓨터〗 FDDI《광케이블을 사용한 컴퓨터 네트워크의 규격》. [◂ *F*iber *D*istributed *D*ata *I*nterface]

FDF 〖우주〗 flight data file. **FDIC** 《미》 Federal Deposit Insurance Corporation(연방 예금 보험 공사).

F́-distribùtion *n.* 〖통계〗 F 분포(分布)《영국의 유전학자·통계학자 Sir Ronald Fisher(1890-1962)의 이름에서》.

FDR Flight Data Recorder(비행 자료 기록 장치). **F.D.R.** Franklin Delano Roosevelt. **FDX** 〖통신〗 full duplex. **Fe** 《L.》 〖화학〗 *ferrum.* **fe.** 《L.》 *fecit.* **FEAF** [fiːf] Far Eastern Air Force.

feal [fiːl] *a.* 《고어》 충실한, 성실한.

fe·al·ty [fíːəlti] *n.* Ⓤ 〖역사〗 충성《신하가 영주에 맹세하는》; 《시어》〖일반적〗 충실, 성실, 신의. ***do*** 〔***make, swear***〕 **~** 충성을 맹세하다.

*‡***fear** [fiər] *n.* **1** Ⓤ (*or* a ~) 두려움, 겁, 무서움, 공포: with ~ 두려워하며 / feel no ~ 무서움을 모르다, 눈 하나 까딱 않다 / scream out in ~ 무서워서 비명을 지르다 / He has a ~ of dogs. 그는 개를 무서워한다.

> SYN. **fear** 가장 일반적인 말로서 다음 말들에 비해서 지속되는 경우가 많으며, 비겁 또는 그 반대 행동의 원인이 되는 수가 있음: the human *fear* of death 인간의 죽음에 대한 공포. *Fear* often makes you insolent. 자신이 없으므로 해서 도리어 거만해지기 쉽다. **dread** 특정한 인물·사물에 접근할 때의 극도의 두려움 등에 씀: have a *dread* of water 물을 무척 무서워하다. **fright** 일시적인, 갑작스러운 공포. fear, dread에 비해 '자기의 약함'은 암시되지 않음: a face to inspire *fright* 사람을 두렵게 하는 얼굴. **alarm** 몸에 닥쳐오는 위험을 느낀 갑작스러운 불안.

2 Ⓤ,Ⓒ 근심, 걱정, 불안(anxiety) 《*of; that*》: There is not the slightest ~ *of* rain today. 오늘은 비 올 염려는 조금도 없다 / I have no ~ *that* she will die. 그녀가 죽을 거라고 걱정하지 않는다. **3** Ⓒ (보통 a ~) 걱정거리: Cancer is a common ~. 암은 누구에게나 걱정거리이다. **4** Ⓤ (신에 대한) 두려움, 외포(畏怖), 외경(畏敬)의 마음(awe): the ~ of God 경건한 마음. ***for* ~ *of*** …을 두려워하여; …을 하지 않도록, …이 없도록: *for* ~ *of* (mak*ing*) mistakes 실수할까봐 두려워. ***for* ~ *that*** 〔***lest***〕 one ***should*** do …하지 않도록, …할까 두려워. ***in* ~ *and trembling*** 무서워 떨면서. ***in* ~ *of*** ① …을 두려워하여: stand *in* ~ *of* dismissal 해고당할 것을 걱정하다. ② …을 잃을 것을 두려워하여, …을 걱정〔염려〕해: be *in* ~ *of* one's life 생명을 잃을까봐 두려워하다. ***No* ~!** 걱정 마라, 《구어》 문제없다. ***no* ~ *but*** 〔***that, what***〕 **...** 틀림없이 …하다, 아마도 …. ***no* ~ *of* ...** 《구어》 …따위는 결코 없다〔있을 리가 없다〕. ***put the* ~ *of God into*** 〔***in, up***〕 a person 아무를 몹시 겁주다〔위협하다〕. ***without* ~ *or favor*** 공평하게, 엄밀히.

— *vt.* **1** 《~+목/+*to* do/+-*ing*》 두려워하다, 무서워하다: ~ the unknown 미지의 것을 두려워하다 / Man ~*s to* die. 사람은 죽는 것을 두려워한다 / I ~ do*ing* it. 나는 그것을 하기가 두렵다. **2** 《+(*that*) 절》 근심〔걱정〕하다, 염려하다: I ~ (*that*) he will not come. 그가 오지 않을까 걱정이다 / You need not ~ but *that* he will get well. 그가 좋아질 것에 대해서는 걱정할 것 없다. **3** 《+*to* do》 망설이다, 머뭇거리다: I ~ *to* speak in his presence. 그분 앞에서는 주눅이 들어 말하기가 두렵다. **4** 《+목+(*to be*) 보/+목+*to* do》 (두렵게) 생각하다: They are ~*ed* (*to be*) dead. 그들은 죽은 것 같다 / The explosion is ~*ed to* have killed all the men. 그 폭발로 전원이 사망한 것으로 여겨진다. **5** 어려워〔경외〕하다: *Fear* God. 신을 경외하라. **6** 《고어》〖주어와 같은 대명사를 목적어로 하여〗 두려워하다; 걱정되다: I ~ me it's too late. 너무 늦지 않을까.

— *vi.* 《~/+전+명》 걱정하다, 염려하다 《*for*》: I ~*ed for* your safety. 나는 당신의 안부를 걱정하고 있었다. ***Never* ~!** =***Don't you* ~!** 걱정하지 마라.

***fear·ful** [fíərfəl] *a.* **1** 무서운, 무시무시한(terrible): a ~ railroad accident 무서운 철도 사고. **2** 무서워, 두려워, 걱정하여(afraid) 《*to* do; *of; that*》: He is ~ *to* go. 그는 가기를 두려워한다 / I am ~ *of* failure. 실패할까봐 두렵다 / She was ~ *that* in the end the prize should escape her. 그녀는 막판에 상을 놓칠까봐 걱정했다. **3** 두려워하는, 겁내는, 소심한(timorous). **4** 《구어》 대단한, 지독한, 굉장한: a ~ waste 지독한 낭비 / What a ~ mess! 되게 어질러 놓았군. **5** (신 등에) 경건한, 경외하는: be ~ *of* God 신에 대해서 경건하다. 파 °**~·ly** *ad.* **1** 무섭게; 벌벌 떨며. **2** 《구어》 몹시, 지독히: It's ~*ly* cold. 무척 춥다. **~·ness** *n.* 무서움, 공포(심).

fear·less** [fíərlis] *a.* 두려움을 모르는, 대담무쌍한 《*of*》. ***be* ~ *of …을 두려워하지 않다: He's ~ *of* danger. 그는 위험을 두려워하지 않는다. 파 **~·ly** *ad.* **~·ness** *n.*

féar·nòught, -nàught *n.* Ⓤ 투박한 모직물(dreadnought); Ⓒ 그것으로 지은 상의〔외투〕; 대담한 사람.

fear·some [fíərsəm] *a.* **1** (얼굴 등이) 무서운, 무시무시한(terrible). **2** 겁 많은, 소심한(timid). 파 **~·ly** *ad.* **~·ness** *n.*

fea·sance [fíːzəns] *n.* 〖법률〗 (의무·채무 등의) 이행; 작위(作爲), 행위. 「리; 그럴듯함.

fèa·si·bíl·i·ty *n.* Ⓤ 실행할 수 있음, 가능성; 편

°**fea·si·ble** [fíːzəbəl] *a.* **1** 실행할 수 있는, 가능한; 그럴듯한, 있을 법한(likely): a ~ scheme 실행 가능한 계획 / a ~ excuse 그럴듯한 구실. SYN. ⇨ POSSIBLE. **2** 적합한, 편리한 《*for*》: a bay ~ *for* yachting 요트 타기에 적합한 만(灣). 파 **-bly** *ad.* 실행할 수 있도록, 잘; 그럴듯하게. **~·ness** *n.*

*‡***feast** [fiːst] *n.* **1** 축제(일) 《주로 종교상의》: a movable ~ 이동 축제일《Easter 따위》/ an immovable ~ 고정 축제일《Christmas 따위》. **2** 축연(祝宴), 잔치, 향연(banquet): a wedding ~ 결혼 축연 / give 〔make〕 a ~ 잔치를 베풀다.

> SYN. **feast** 는 원래 기독교와 관계 있는 축연을 뜻하였으나 지금은 진수성찬을 차리는 '축연'을 뜻하는 일반적인 뜻의 '축연'. **fete** 는 특

히 문밖에서 행하는 화려한 축연. **festival**은 환락하는 것이 특색인 축연으로서 반드시 성찬을 안 차려도 좋음. **banquet**는 성찬을 풍부히 제공하는 호화롭고 사치한 연회(feast).

3 대접; 진수성찬. **4** (이목을) 즐겁게 하는 것, 즐거움《*for*》, 환락(gratification): a ~ *for* the eyes 눈을 즐겁게 해 주는 것, 눈요기. ***a ~ of reason*** 유익한 얘기, 명론탁설(名論卓說). ***a ~ or a famine*** 풍요로움이냐 결핍이냐, 대성공이냐 대실패냐. ***make a ~ of*** …을 맛있게 먹다; …을 즐기며 맛보다. ***make ~*** 《고어》 환락을 다하다; 음식을 맛있게 먹다.

— *vt.* **1** 《~+목/+목+전+명》 …을 위해 축연을 베풀다(regale); 대접하다《*on*》: ~one's guests 손님을 대접하다/~ a person *on* duck 아무를 오리 요리로 대접하다. **2** 《+목+부》 축연을 베풀어 (시간을) 보내다: ~ *away* a night 밤새도록 축연을 베풀다. **3** 《+목+전+명》 (눈·귀를) 기쁘게〔즐겁게〕 하다(delight)《*on; with*》: ~ one's eyes *on* a landscape 경치를 보며 즐기다/~ one's ears *with* music 〔Bach〕 음악을〔바흐를〕 들으며 즐기다. — *vi.* **1** 축연을 베풀다; 축연에 참석하다. **2** 대접을 받다; 진수성찬을 먹다. **3** 《+전+명》 마음껏 즐기다《*on*》: ~ *on* a novel 소설을 읽고 즐기다. ~ one***self on*** …을 크게 즐기다.

féast dày 축제일, 연회날.

féast·er *n.* 연회의 손님.

***feat**[1] [fiːt] *n.* **1** 위업(偉業); 공(적), 공훈(exploit): a ~ of arms 무훈. **2** 묘기, 재주, 곡예, 기술(奇術): ~*s* of horsemanship 곡마(曲馬).

feat[2] 《고어》 *a.* 교묘한; 능란한(skillful); 민첩한; (의상이) 우아한; 꼭 맞는.

†**feath·er** [féðər] *n.* **1** 깃털, 깃(plume, plumage). **2** (모자 따위의) 깃(털)장식; (보통 *pl.*) 《비유》 의상(attire); (개·말 따위의) 북슬북슬한 털, 푸하게 일어선 털: Fine ~*s* make fine birds. 《속담》 옷이 날개라. **3** 건강 상태, 기분, 원기. **4** 《집합적》 조류(鳥類), 엽조: fur and ~ 조수(鳥獸). **5** 살깃. **6** 깃 비슷한 것; 깃털처럼 가벼운 것; 아주 시시한〔하찮은〕 것(trifle). **7** (보석·유리의) 깃털 모양의 흠집. **8** 종류(kind); 같은 털 빛: Birds of a ~ flock together. ⇨ BIRD. **9** 물마루. **10** Ⓤ 『경조』 노깃을 수평으로 젓기. ***a ~ in*** one***'s cap*** 〔***hat***〕 자랑(거리), 명예, 공적. (***as***) ***light as a ~*** 아주 가벼운. ***be spitting ~s*** 《구어》 잔뜩 성나다. ***crop*** a person***'s ~s*** =***crop the ~s of*** a person 아무의 콧대를 꺾다; 아무에게 맛을 뵈 주다. ***cut a ~*** (배가) 물보라를 일으키며 나아가다; 《구어》 자기를 돋보이게 하려고 하다. ***fly*** 〔***show***〕 ***the white ~*** 겁에 질린 티를 보이다, 꽁무니 빼다, (시르)죽는 소리 하다. ***full ~*** (새끼 새가) 깃털이 다 난; (사람이) 성장(盛裝)하여; 《구어》 주머니가 부둣하여, 돈이 많아. ***get*** one***'s ~s*** 〔***tails***〕 ***up*** 《미방언》 성내다, 화내다. ***have not a ~ to fly with*** 빈털터리다. ***in ~*** 깃이 있는, 깃털로 덮인. ***in fine*** 〔***good, high***〕 ***~*** 기분이 좋아, 의기양양하여, 원기 왕성하여, 위세 좋게. ***make the ~s fly*** ⇨ FLY. ***not care a ~*** 조금도 상관〔개의〕하지 않다. ***not take*** 〔***knock***〕 ***a ~ out of*** a person 《Ir.》 아무에게는 아무것도 아니다: It did*n't take a ~ out of* him. 그 일에 그는 눈 하나 까딱하지 않았다. ***ruffle*** a person***'s ~s*** 아무를 괴롭히다, 귀찮게 하다. ***ruffle up the ~s*** ⇨ RUFFLE. ***smooth*** one***'s*** (***ruffled*** 〔***rumpled***〕) ***~s*** (흐트러진) 마음의 평정을 되찾다. ***the ~s fly*** 큰 소동이 일어나다. ***You could*** 〔***might***〕 ***have knocked me down with a ~.*** 깜짝 놀라 자빠질 뻔했다.

— *vt.* **1** …에 깃털을 달다, 깃으로 장식하다, 깃털로 덮다. **2** (화살에) 살깃을 달다. **3** (노깃을) 수평으로 젓다《공기 저항을 덜 받게》. **4** 『사냥』 (새를 죽이지 않고) 날개만 쏘아 떨어뜨리다. **5** (나무 모서리를) 후리다. **6** (사냥개로 하여금) 냄새 자취를 따르게 하다. — *vi.* **1** (새끼 새가) 깃털이 나다. **2** 《~/+전+명》 깃털 모양으로 되다; 깃처럼 움직이다; (밀 따위가) 바람에 나부끼다; (물결이) 흰 물마루를 일으키다: the wave of barley ~*ing to* a gentle breeze 산들바람에 나부껴 물결치는 보리 이삭. **3** 노깃을 수평으로 젓다. **4** (사냥개가) 냄새 자취를 따라가다. ***~ into*** 《미》 …를 격렬하게 공격하다; (일·문제 따위에) 정력적으로 몰두하다. ~ one***'s nest*** ⇨ NEST. ***~ out*** 《미》 (인플레가) 차츰 안정되다. ***~ up to ...*** 《미속어》 …에게 구애하다, …를 설득하다. 「위〔환경〕.

féather béd 깃털 침대〔요〕; 《비유》 안락한 지

féather·bèd (*-dd-*) *vi.* (노동조합의 실업 대책으로서) 과잉 고용을 요구하다〔생산 제한을 하다〕. — *vt.* …에 과잉 고용을 적용하다; (산업·경제 등을) 정부 보조금으로 원조하다; 응석을 받아 주다. — *a.* 과잉 고용의. 파 **~·ding** *n.* Ⓤ 과잉 고용 요구, 의식적 생산 제한《조합 규칙이나 안전 규정에 따라 고용자에게 과잉 고용이나 생산 제한을 요구하는 노동조합의 관행》.

féather bóa (예전의) 깃털 목도리《여성용》.

féather·bòne *n.* 깃뼈《깃가지로 만든 '고래수염(whalebone)' 대용품》.

féather·bràin *n.* 덤벙이, 바보. 파 **~ed** *a.* 경솔한, 덤벙대는, 어리석은.

féather·cùt *n.* 페더컷《컬을 깃털처럼 손질한 여성의 머리 스타일의 하나》.

féather dúster 깃털 총채.

féath·ered *a.* 깃이 있는; 깃을 단; 깃털로 장식된; 깃 모양을 한; 날개 있는, 새처럼 나는, 빠른. ***our ~ friends*** = ***the ~ tribes*** 조류(鳥類).

féather·èdge [-rèdʒ] *n.* 쉽게 꺾어지는 얇은 가장자리; 『건축』 얇게 후린 끝, 후림 끝. — *vt.* (판자의) 가장자리를 얇게 깎다〔후리다〕. 파 **~d** *a.* 가장자리를 얇게 후린.

féather-fòoted [-id], **-hèeled** *a.* 발에 깃털이 난; 걸음이 빠른. 「[-id] *a.*

féather·hèad *n.* =FEATHERBRAIN. 파 **~·ed**

féath·er·ing *n.* 깃털을 붙임〔댐〕; 《집합적》 깃털; 살깃; 깃 모양의 물건; (개 다리 따위의) 수북한 털; 『건축』 (창 장식의) 두 곡선이 만나는 돌출점; 『경조』 페더링《노깃을 수면과 평행이 되게 올림》; 『음악』 페더링《바이올린의 활을 가볍고 빠르게 구사하는 법》.

féather·líght *a.* 매우〔깃털처럼〕 가벼운.

féather mèrchant 《미속어》 책임 회피자; 병역 기피자(slacker); 게으름쟁이(loafer).

féather pàlm 잎이 깃 모양인 야자수.

féather·pàte *n.* =FEATHERHEAD. 파 **-pàt·ed** [-id] *a.*

féather stàr 『동물』 갯고사리(=**co·mát·u·lid**).

féather·stìtch *n.*, *vt.*, *vi.* 갈짓자 수놓기〔수를 놓다〕, 갈짓자 수(로 꾸미다).

féather·wèight *n.*, *a.* 매우 가벼운 (사람·물건); 하찮은 (사람·물건); 『경마』 최경량 핸디캡, 최경량 기수; 『권투·레슬링』 페더급의 (선수); =FEATHERBRAIN.

feath·ery [féðəri] *a.* 깃이 난; 깃으로 덮인; 깃털 같은《눈송이 따위》; 가벼운; 천박한. 파 **-er·i·ness** *n.* 깃털 모양; 깃털처럼 가벼움.

féat·ly *ad.* 적당히; 능란하게; 민첩하게; 말쑥하게. — *a.* 우아한, 품위 있는; 말쑥한.

***fea·ture** [fíːtʃər] *n.* **1** (이목구비 따위) 얼굴의 생김새; (*pl.*) 용모, 얼굴: Her eyes are her best ~. 그녀는 눈이 가장 예쁘다/a man of fine ~*s* 잘생긴 남자. **2** 특징, 특색; 두드러진 점《*of*》: a

significant ~ *of* our time 우리 시대의 두드러진 특징. **3** (신문·잡지 따위의) 특집 기사; 특집란 《뉴스 이외의 특별한 읽을거리·만화 따위》; (TV·라디오의) 특별 프로그램(=∠ **prógram**); (영화·쇼 등의) 인기물, 볼 만한 것; 〖영화〗 (단편·뉴스 영화에 대하여) 장편, 특(선)작 ; (바겐세일 따위의) 특별 제공〔염가〕품; 〖컴퓨터〗 기능, 특징. **4** (산천 등의) 지세, 지형. ***make a ~ of*** …으로 인기를 끌다, …을 특종〔특색〕으로 하다.
── *vt.* **1** 특색짓다; …의 특징을 이루다: a festival ~*d* by a big parade 대행렬로 인기를 끄는 축제. **2** …의 특색을 묘사하다. **3** 두드러지게 하다, 인기물로 하다; (사건 등을) 대서특필하다, 크게 다루다: a newspaper *featuring* the accident 그 사고를 크게 다룬 신문. **4** 〖영화〗 주연시키다; …의 역을 하다. **5** 《구어·방언》 (육친과) 얼굴이 비슷하다. **6** 《미구어》 상상하다, 마음에 그리다. ── *vi.* 《(+전+명)》 중요한 역할을 하다; (영화에) 주연하다: He didn't ~ *in* that movie. 그는 저 영화에서 주연을 하지 않았다.
(-)féa·tured *a.* 특색으로 하는, 인기를 끄는; 〔복합어〕 얼굴(모양)이 …한: a ~ article 특집 기사 / pleasant-~ 호감이 가는 얼굴의 / broad-~ 얼굴이 넓적한.
féature film (상영 프로그램 중에서) 중심이 되는 영화, 장편 극영화.
féature-léngth *a.* (영화나 잡지 기사 따위가) 장편의(full-length). 「격 변동이 없는.
féa·ture·less *a.* 특색 없는, 평범한, 〖경제〗 가
féature sìze 〖전자〗 (LSI 의) 최소 배선폭(配線幅) 《설계 및 제조의 기준이 되는 치수》.
féature stóry (신문·잡지 따위의) 인기 기사; (감동적 또는 유머러스한) 특집 기사.
fea·tur·ette [fìːtʃərét] *n.* 단편 특작 영화.
feaze[1] [fiːz] *vt., vi.* 〖해사〗 (밧줄 끝을〔이〕) 풀다〔풀리다〕.
feaze[2] [fiːz, feiz] *n., vt.* =FEEZE.
Feb. February. **FEBA** [fíːbə] 〖군사〗 Forward Edge of Battle Area((최)전선).
fe·bric·i·ty [fibrísəti] *n.* Ⓤ 열이 있음.
fe·brif·ic [fibrífik] *a.* 열이 나는〔있는〕.
feb·ri·fuge [fébrəfjùːdʒ] *n.* 해열제; 청량음료. ── *a.* 해열(성)의. ㊕ **fe·brif·u·gal** [fibrífjəgəl, fèbrəfjúːgəl] *a.* 해열(성)의.
fe·brile [fíːbril, -rail, féb-/fíːbrail] *a.* 열병(성)의; 열로 생기는; 열광적인. 「ishness).
fe·bril·i·ty [fiːbríləti] *n.* Ⓤ 발열 (상태)(fever-
†**Feb·ru·ar·y** [fébruèri, fébrju-/fébruəri] *n.* 2월《생략: Feb.》: ~ fair-maids 갈란투스(snowdrops).
Fébruary Revolútion (the ~) 2월 혁명 《1917년에 일어난 러시아 혁명》.
FEC Federal Election Commission; Freestanding Emergency Clinic (독립 단기(短期) 치료소). **fec.** *fecit.* 「기(dregs)의.
fe·cal, fae- [fíːkəl] *a.* 배설물의, 대변의; 찌꺼
fe·ces, fae- [fíːsiːz] *n. pl.* 배설물, 똥; 찌끼(dregs), 침전물.
fe·cit [fíːsit] *v.* 《L.》 (=he *or* she made (it)) (아무가) 그리다, (아무개) 작(作)《생략: fe., fec.》: John Jones ~. 존 존스 작. ★ 주어가 복수일 때는 ***fe·cer·unt*** [fiːsíːrənt]로 됨.
feck·less [féklis] *a.* 무기력한, 연약한; 쓸모없는; 사려 없는; 무책임한. ㊕ **~·ly** *ad.* **~·ness** *n.*
fec·u·la [fékjələ] (*pl.* **-lae** [-liː]) *n.* 녹말, 전분(澱粉); (곤충의) 똥; 〔일반적〕 오물.
fec·u·lence [fékjələns] *n.* Ⓤ 불결, 더러움; 오물(filth); 찌끼. 「새 나는.
fec·u·lent [fékjələnt] *a.* 탁한, 흐린; 더러운; 냄
fe·cund [fíːkənd, fék-] *a.* 다산의(prolific); (땅이) 비옥한, 기름진(fertile); 상상력〔창조력〕이 풍부한; 풍성한.
fe·cun·da·bil·i·ty [fikʌ̀ndəbíləti] *n.* 〖의학·동물〗 (일정 기간 내의) 수태 확률.
fe·cun·date [fíːkəndèit, fék-] *vt.* 다산하게 하다, 비옥〔풍요〕하게 하다; 〖생물〗 수태〔수정〕시키다(impregnate). ㊕ **fè·cun·dá·tion** *n.* Ⓤ 〖생물〗 수정, 수태 (작용).
fe·cun·di·ty [fiːkʌ́ndəti] *n.* Ⓤ 다산; 풍요, 비옥; 생식〔생산〕력; (상상력이) 풍부함: ~ of fancy 풍부한 상상력.
Fed [fed] *n.* **1** 《미구어》 연방 정부(의 관리). **2** (the ~) 연방 준비 제도(Federal Reserve System). **3** 연방 마약국의 수사관. **4** 《미속어》 연방 수사국(FBI)의 수사관; 경찰 직원.
fed [fed] FEED 의 과거·과거분사. ── *a.* (가축이 시장용으로) 비육된: ~ pigs 비육돈(豚).
fed. federal; federated; federation.
fe·da·yee, fed·ai [fedɑːjíː/fədɑ́ːjiː], [fèdɑːíː] (*pl.* ***fed·a·yeen, fed·a·yin*** [fedɑːjíːn/fədɑ́ːjiːn], [fèdɑːjíːn]) *n.* 《Ar.》 (이스라엘에 대한) 아랍 게릴라.
fed·er·a·cy [fédərəsi] *n.* Ⓤ,Ⓒ 동맹, 연합.
‡**fed·er·al** [fédərəl] *a.* **1** (국가 간의) 동맹의, 연합의; 연방(정부)의, 연방제의. **2** (보통 F-) 《미》 연방(정부)의, 합중국의: the *Federal* City 워싱턴시(市)《속칭》/ the *Federal* Constitution 미국 헌법 / the *Federal* Law 연방법. **3** (F-) 〖미국사〗 (남북 전쟁 시대의) 북부 연방주의자의, 연방당의(cf. Confederate): the *Federal* army 북군. **4** 〖신학〗 성약설(聖約說)의. ── *n.* 연방주의자(federalist); (F-) 〖미국사〗 북부 연방 지지자; 〖미국사〗 북군병(兵) (OPP. *Confederate*). ◇ federalize *v.*, federalization *n.* ㊕ **~·ly** *ad.* 연방 정부에 의하여: a ~*ly* funded program 연방 정부 자금에 의한 계획.
Féderal Aviátion Administràtion (the ~) 미국 연방 항공국(局)《생략: FAA》.
Féderal Búreau of Investigátion (the ~) 《미》 연방 수사국《생략: FBI》.
féderal cáse (때로 F- c-) 《미》 연방 법원〔연방법 집행 기관〕 관할 사건.
Féderal Communicátions Commìssion (the ~) 《미》 연방 통신 위원회《라디오·TV 방송, 전신·전화·위성 통신 등을 감시하는 연방 정부 기관; 생략: FCC》.
féderal cóurt 연방 법원.
Féderal Depósit Insúrance Corporàtion (the ~) 미국 연방 예금 보험 공사《1933년 은행법에 의해 설립; 생략: FDIC》. 「러 지폐.
féderal diplóma 《미구어》 연방 은행권, 미 달
Féderal Dístrict 연방구《연방 정부가 있는 특별 행정구로 특히 라틴 아메리카에서 쓰임》.
féderal dístrict cóurt 《미》 연방 지방 법원 《연방 법원 관할하에 있는》.
Féderal Énergy Régulatory Commìssion (the ~) 《미》 연방 에너지 규제 위원회《동력자원부의 한 국(局); 생략: FERC》.
Fe·de·ral·es [fèdərǽleiz] (*sing.* ***Fe·de·ral*** [fèdərǽl]) *n. pl.* 〔때로 단수취급〕 《Mex.·Sp.》 (멕시코의) 연방 정부군.
fed·er·al·ese [fèdərəlíːz, -líːs] *n.* 《미》 연방 정부 용어; 관리용어〔말〕.
Féderal Expréss 페더럴 익스프레스사(社) (~ Corp.) 《미국의 택배 회사》. 「준비금.
féderal fùnds 《미》 (연방 준비 제도의) 자유
féderal fùnds ráte 《미》 연방 자금 금리.
Féderal Góvernment (the ~) 《미》 연방 정부《각 주(州)의 state government 에 대한 중앙 정부》.

Féderal Hóusing Administràtion (the ~)《미》 연방 주택 관리국《생략; FHA》.
féd·er·al·ìsm *n.* Ⓤ 연방주의〔제도〕; (F-) 〖미국사〗 연방당(the Federal party)의 주의〔주장〕; (F-) 《미》 연방 정부에 의한 통제; (F-) 〖신학〗 성약설(聖約說).
féd·er·al·ist *n., a.* 연방주의자(의); (F-) 〖미국사〗 북부 연맹 지지자(의), 연방 당원(의). ㊎ **fèd·eral·ís·tic** *a.*
Féderalist pàrty 1 (the ~) 〖미국사〗 연방당. 「2 《널리》 연방(추진)파.
fèd·er·al·i·zá·tion *n.* Ⓤ 연방화.
fed·er·al·ize [fédərəlàiz] *vt.* 연방으로 하다; 연합〔동맹〕시키다.
féderal júg 《미속어》 연방 교도소.
Féderal Lánd Bànk (the ~) 《미》 연방 토지 은행《농장주에게 장기·저리 융자를 해 줌》.
féderal légal hólidays 《미》 연방 법정휴일.
Féderal Nátional Mórtgage Associàtion (the ~) 《미》 연방 국민 저당 협회《생략: FNMA》.
Féderal pàrty (the ~) =FEDERALIST PARTY.
Féderal Régister (the ~) 《미》 (연방 정부 발행의) 관보.
Féderal Repúblic of Gérmany (the ~) 독일 연방 공화국《구(舊) West Germany와 통일 후의 독일 공식명; 수도 Berlin》.
Féderal Resérve Bànk (the ~) 《미》 연방 준비 은행《생략: FRB》.
Féderal Resérve Bòard (the ~) 《미》 연방 준비 제도 이사회《생략: FRB》.
Féderal Resérve Sỳstem (the ~) 《미》 연방 준비 제도《생략: FRS》.
Féderal Státes (the ~) 연방 국가《남북 전쟁 때의 북부 제주(諸州)》. ⓒⓕ Confederate States of America.
féderal táx 《미》 연방세. 「theology).
féderal theólogy 계약 신학(神學)(covenant
Féderal Tráde Commìssion (the ~) 《미》 연방 거래 위원회《생략: FTC》.
fed·er·ate [fédərət] *a.* 동맹의, 연합의; 연방제의. ― [fédərèit] *vt., vi.* 연방제로 하다, 연합시키다; 동맹〔연합〕하다.
féderated chúrch 연합 교회《교파가 다른 두 개 이상의 신자들의 연합으로 이루어진 교회》.
°**fed·er·a·tion** [fèdəréiʃən] *n.* Ⓤ,Ⓒ 동맹, 연합, 연맹; 연방제(를 폄); 연방 (정부). ㊎ **~·ist** *n.* 연합주의자; 연방론자.
Federátion Cúp 〖테니스〗 1963년에 시작된 세계 여자 테니스 단체전.
fed·er·a·tive [fédərèitiv, fédərə- /fédərə-] *a.* 연합〔연맹〕의, 연방의. ㊎ **~·ly** *ad.*
fedl. federal. **fedn.** federation. 「중절모.
fe·do·ra [fidɔ́ːrə] *n.* 테가 휘어져 올라간 펠트제
Fed. Res. Bd. Federal Reserve Board.
Fed. Res. Bk. Federal Reserve Bank.
féd úp 《구어》 싫증이 난, 진력난, 지긋지긋한.
*****fee** [fiː] *n.* **1** Ⓒ 요금, 수수료, 수고비 ; 입회금, 입장료(admission ~); 수험료; 수업료(tuition ~); 공공요금; (축구 선수 등이 이적(移籍)할 때 무는) 이적료. SYN. ⇨PRICE. **2** Ⓒ 보수, 사례《의사·변호사 등에게 주는》; 봉급. SYN. ⇨PAY. **3** Ⓒ 축의금, 행하(行下), 팁. **4** Ⓤ 〖법률〗 봉토(封土), 영지; 세습지; 상속 재산《특히 부동산》; 소유권. ***at a pin's*** ~ 〖보통 부정적〗 한푼(의 가치)도. ***hold in*** ~ (***simple***) (토지를) 무조건 상속〔세습〕지로서 보유하다. ― (*p., pp.* ***~d, fee'd; ~·ing***) *vt.* **1** …에게 요금〔사례금〕을 지급하다. **2** 《Sc.》 고용하다. 「bie).
Feeb [fiːb] *n.* 《미속어》 FBI의 직원 (=Fée-
feeb *n.* 《미속어》 겁쟁이, 얼간이.
*****fee·ble** [fíːbəl] (***-bler; -blest***) *a.* **1** 연약한, 약한, 힘없는. SYN. ⇨WEAK. **2** 박약한, 나약한, 기력이 없는; 저능의: be ~ in mind 정신박약이다. **3** (빛·효과 따위가) 약한, 미약한, 희미한; (목소리가) 가냘픈. ㊎ **~·ness** *n.* 약함, 미약.
féeble-mínded [-id] *a.* **1** 정신박약의, 저능의. **2** 《고어》 의지가 약한. ㊎ **~·ly** *ad.* **~·ness** *n.*
fee·blish [fíːbəliʃ] *a.* 약한 듯한; 좀 허약한.
°**fee·bly** [fíːbəli] *ad.* 나약하게; 무기력하게.
*****feed** [fiːd] (*p., pp.* ***fed*** [fed]) *vt.* **1** 《~+목/+목+전+명/+목+목》 (사람·동물에게) 음식을〔먹이를〕 주다, (음식을) 먹이다; (어린애에게) 젖을 먹이다(suckle); (가축에게) 사료를〔풀을〕 주다, 목장에 방목하다(pasture): ~ the pigs 돼지에게 사료를 주다/Farmers ~ oats *to* their horses.=Farmers ~ their horses *on* 〔*with*〕 oats. 농부들은 말에게 귀리를 먹인다/*Feed* the chickens this grain. 이 곡식을 닭에게 주어라/Well *fed*, well bred. 《속담》 의식(衣食)이 족해야 예절을 안다. **2** 《~+목/+목+전+명》 (가족을) 부양하다; (가축을) 기르다, 사육하다: ~ a large family *on* a meager salary 박봉으로 대가족을 부양하다《with는 쓰지 않음》/~ a kitten *on* 〔*with*〕 milk 새끼 고양이를 우유로 기르다. **3** (토지 따위가) …에게 양식을 공급하다(supply); 수확을 낳다: a field that ~*s* three cows 소 세 마리를 기르기에 족한 땅. **4** 《~+목/+목+전+명》 …에 즐거움을 주다; 만족시키다(gratify); 힘을 북돋우다, 조장하다: ~ a person's eyes 눈을 즐겁게 하다/Praise *fed* her vanity. 칭찬은 그녀의 허영심을 만족시켰다/~ a person *with* hopes 아무에게 희망을 주어 힘을 북돋우다. **5** 《~+목/+목+전+명》 (연료·전력·재료 따위를) 공급하다《*to; into*》; (보일러에) 급수하다, (램프에) 기름을 넣다, (기계에) 연료·전력 따위를 공급하다, (시장에) 상품을 공급하다: ~ a motor 모터에 전력을〔연료를〕 공급하다/~ a computer *with* data =~ data *into* a computer 컴퓨터에 데이터를 입력하다. **6** (강·호수 등이) 물을 공급하다; …으로 흘러들다: the two streams that ~ the big river 큰 강으로 흘러드는 2개의 지류. **7** 《구어》 〖연극〗 (상대 배우에게) 대사 실마리를 주다(prompt); 〖경기〗 (골 앞에 있는 자기편에게) 패스하다. ◇food *n.* ― *vi.* **1** (동물이) 풀을 뜯어먹다, 사료를 먹다; 《구어·우스개》 (사람이) 식사하다. SYN. ⇨EAT. **2** 《+전+명》 (보통, 동물이 …을) 먹이로〔상식으로〕 하다《*on*》: The lion ~*s on* flesh. 사자는 고기를 상식한다. **3** 《+전+명》 (원료·연료 등이 기계로) 들어가다《*into*》: Bullets *fed into* a machine gun. 기관총에 탄환이 장전되었다. **4** 《+전+명》 (물이) …에 흘러들다: Three rivers ~ *into* this lake. 세 강이 이 호수로 흘러든다. ***be fed up with*** 〔***on***〕 《구어》 …에 물리다, 진저리〔넌더리〕 나다: I *am fed up with* that. 그것엔 신물이 난다. ~ ***a cold*** 감기 들었을 때 많이 먹어 이기다: *Feed a cold* and starve a fever. 《속담》 감기에는 많이 먹고 열에는 굶어라. ~ ***at the high table*** =~ ***high*** 〔***well***〕 미식(美食)하다. ~ ***back*** 〖보통 수동태로〗 〖전자〗 《*vt.*+부》 ① (출력·신호·정보 등을 …로) 피드백하다《*into; to*》. ― 《*vi.*+부》 ② (청중의 반응 따위가) 되돌아오다. ~ ***down*** …을 먹어 치우다. ~ ***off*** (목초를) 다 먹어 치우다; (…을) 정보〔식료, 연료〕원(源)으로 이용하다. ~ ***on*** 〔***upon***〕 …을 먹고 살다, (아무)를 희생하여 살아가다; (시선 등이) …에 쏠리다: ~ *on* hope 희망에 매달려 살다. ~ ***out of a person's hands*** ⇨HAND. ~ ***one's face*** 《속어》 잔뜩 먹다. ~ ***the bears*** 《미속어》 교통 위반 딱지를 받다, 교통

위반 범칙금을 물다. ～ ***the flame of anger*** 〔***jealousy***〕 부아를 돋우다〔질투심에 불지르다〕. ～ ***through*** (경제적) 효과를 가져오다, (…에) 파급되다《*in; into; to*》. ～ ***to the teeth*** 《속어》 신물〔넌더리〕 나게 하다. ～ ***up*** 맛있는 것을 흠씬 먹이다, (가축 따위를) 살찌우다, 물리도록 먹이다; 〖보통 수동태로〗《구어》 물리게 하다, 넌더리 나게 하다《*with*》.

— *n.* **1** [U] 기름, 키움, 사육; (아기의) 수유(授乳), 사양(飼養). **2** [U] 먹이, 사료, 마초, 꼴; 모이; [C] (말 따위에 주는) 1회분의 사료; [C] 《구어》 식사. **3** [C] 〚기계〛 (원료의) 급송(給送) (장치); [U] (보일러의) 급수(給水); 〚전자〛 급전(給電); [U] 공급 재료. **4** [C] 《영구어》 〚연극〛 대사의 계기를 주는 사람(feeder) 《특히 코미디언의 상대역》; 어떤 계기가 되는 대사. ***at one*** ～ 한 끼에. ***be off*** one's ～ 식욕이 없다; 《구어》 기분이 좋지 않다. ***be on the*** ～ (물고기가) 먹이를 찾고〔먹고〕 있다. ***be out at*** ～ (가축이) 목장에서 풀을 뜯고 있다. ***have a good*** ～ 《구어》 좋은 음식을 잔뜩 먹다.

fee'd [fi:d] FEE의 과거·과거분사.

°**féed·bàck** *n.* **1 a** 〚전자〛 귀환(歸還) 《출력 에너지의 일부를 입력 측으로 되돌리는 조작》. **b** 귀환되는 신호. **c** 피드백 《(1) 자동 제어 장치의 제어계(系) 요소의 출력 신호를 입력 측에 되돌림. (2) 생체(生體) 기구에 있어서 다른 환경에 대한 적응 기능》. **d** 〚컴퓨터〛 피드백 《잘못을 고치기 위해 output의 일부를 입력 측으로 되돌림》. **e** 〖형용사적〗 귀환〔피드백〕의. **2** 스피커 소리의 일부가 마이크로폰을 통하여 반복해서 증폭됨(으로 인한 찡하는 소리), 하울링. **3** (정보·질문·서비스 등을 받는 측의) 반응, 의견, 감상. 「害)〔억제〕.

féedback inhibìtion 〚생화〛 피드백 저해(沮

féed bàg (말의 목에 거는) 꼴망태; 《속어》 식사. ***put on the*** ～ 《속어》 식사하다.

féed·er *n.* **1** 가축 따위를 치는 사람, 사양자, 비육 가축 사육자; 선동자; 장려자. **2** 먹는 사람〔짐승〕: a large 〔quick〕 ～ 대식가(大食家)〔빨리 먹는 이〕. **3** (유아용) 젖병; 《영》 턱받이; 구유, 급이기(給餌器〔機〕). **4** 지류(支流); 급수로(路); 〚광산〛 지맥(支脈); 〚전기〛 급전〔송전〕선; =FEEDER LINE; 지선 도로(～ road). **5** 원료 공급 장치; 깔때기; 급유기(給油器); 급광기(給鑛器); 〚인쇄〛 (자동) 급지기(給紙機); 〚연극〛 =FEED.

féeder lìne (항공로·철도의) 지선.

féeder·lìner *n.* 지선 운항(용) 여객기.

féeder ròad (간선 도로에 통하는) 지선 도로.

féeder schòol 《영》 (상급 학교에 대하여) 하급 학교.

féed·fòrward *n.* 실행에 옮기기 전에 결함을 예측해 행하는 피드백 과정의 제어.

féed gràin 사료용 곡물. 「(給送)의.

féed-in *n.* 무료 급식 모임. — *a.* 〚기계〛 급송

féed·ing *n.* [U] 급식, 사양(飼養); 먹음; 〚기계〛 급송(給送); (보일러에) 급수; 송전; 목초지. — *a.* (비바람 따위가) 점점 거세어지는, 차츰 심해지는; 급식의, 사료를 주는; 음식을〔먹이를〕 섭취하는; 급송의: a ～ storm 거세지는 폭풍우.

féeding bòttle (유아용) 젖병(feeder).

féeding cùp (어린애·환자용) 음료를 마시는 기구(spout cup). 「도 경쟁.

féeding frènzy 각축전, 쟁탈전; (과열된) 보

féeding gròund (짐승의) 먹이 터.

féed·lòt *n.* (가축의) 사육장.

féed pìpe 〔**pùmp**〕 급수관〔펌프〕.

féed·stòck *n.* (기계에의) 공급 원료〔재료〕, 원료유(油).

féed·stòre *n.* 《미》 사료 가게.

féed·stùff *n.* (가축의) 사료.

féed tànk 급수 탱크; (음료용) 저수조(槽).

féed tròugh (증기 기관차의) 급수 탱크; 《미》 (가축의) 구유.

féed·wàter *n.* 탱크에서 보일러로 급수되는 물.

fee-faw-fum, -fo- [fí:fɔ̀:fʌ́m], [-fòu-] *int.* 잡아먹자《동화의 귀신이 지르는 소리》. — *n.* (어린애를 놀라게 할 때의) 위협의 말; 거인, 식인귀(鬼), 도깨비. 「의) 각 진료별 지불.

fée-for-sérvice *n.* 〖종종 형용사적〗 (의료비

†**feel** [fi:l] (*p., pp.* ***felt*** [felt]) *vt.* **1** 《～+[목]/+[목]+[전]+[명]/+*wh.* [절]》 만지다, 만져 보다; 손대(어 보)다(touch); 더듬다(search), 더듬어 가다(grope); (적정 따위를) 정찰하다: The doctor *felt* my pulse. 의사는 내 맥을 짚어 보았다/～ one's way (손으로) 더듬어 나아가다/He *felt* his way *to* the door in the dark. 그는 어둠 속에서 손으로 더듬어 문까지 갔다/*Feel whether* the water is deep or shallow. 물이 깊은지 얕은지 알아보아라. **2** 《～+[목]/+[목]+*do*/+[목]+*-ing*/+[목]+*done*》 (신체적으로) …을 느끼다, 감지하다, 지각하다: ～ pain 〔hunger〕 통증〔공복〕을 느끼다/～ the heat 더위를 느끼다/I *felt* something *creep* 〔creep*ing*〕 on the back. 등에 무언가 기어 가는 것을 느꼈다/I *felt* myself lifted up. 몸이 들려지는 것을 느꼈다. **3** (정신적으로) …을 느끼다; 통절히 느끼다, …에 감동하다: ～ anger 〔fear, joy, sorrow〕 노여움〔두려움, 기쁨, 슬픔〕을 느끼다/～ an insult 모욕을 느끼다/～ poetry 〔music〕 시〔음악〕에 감동하다. **4** 《+[목]+[전]+[명]/+[목]+(*to be*) [보]/+[목]+done/+*that* [절]》 …라고 생각하다, …라고 깨닫다, …이라는 생각〔느낌〕이 들다: What do you ～ *about* his suggestion? 그의 제안에 대하여 어떻게 생각하는가/I *felt* this (*to be*) 〔This was *felt to be*〕 necessary. 이것은 필요한 것이라고 생각했습니다/～ one*self praised* 칭찬받았다고 생각하다/I ～ *that* I ought to say no more at present. 나는 현재 이 이상 아무 말도 해서는 안 된다고 생각한다. **5** …의 영향을 받다, …에 의하여 타격을 받다, 톡톡히 맛보다: The whole island *felt* the earthquake. 섬 전체가 지진의 영향을 받았다/He shall ～ my vengeance. 이 원한은 톡톡히 갚겠다. **6** (무생물이) …의 작용을 받다, …에 느끼는 듯이 움직이다, …에 반응을 보이다: Industry was quick to ～ the effects of the energy crisis. 산업은 민감하게 에너지 위기의 영향을 받았다. — *vi.* **1** 《+[부]/+[전]+[명]》 손으로 더듬다, 찾다; 동정을 살피다《*after; for*》: ～ *around* 〔*about*〕 *for* the handle 손으로 더듬어서 핸들을 찾다/～ in one's pocket *for* one's key 주머니를 더듬어 열쇠를 찾다/～ *for* 〔*after*〕 an excuse 변명의 이유를 찾다. **2** 감각〔느낌〕이 있다, 느끼는 힘이 있다: Stone does not ～. 돌은 감각이 없다. **3** 《+[전]+[명]》 감동하다; 공명하다《*with*》; 불쌍히 여기다, 동정하다《*for*》: She ～*s for* 〔*with*〕 me. 그녀는 나에게 동정심을 품고 있다. **4** 《+[보]/+[전]+[명]》 (아무가) …한 생각이 들다, …하게 생각하다〔느끼다〕; …한 의견을 갖다: ～ hungry 〔cold, happy〕 배고프게〔춥게, 행복하게〕 느끼다/～ well 건강 상태가 좋다/How do you ～ *toward* your father now? 지금 너의 아버지에 대해서 어떻게 생각하니? **5** 《+[보]/+[전]+[명]》 (사물이) …의〔한〕 느낌〔감촉〕을 주다, …의〔한〕 느낌〔감촉〕이 있다; 〖～ as if〗 …처럼 느껴지다: Velvet ～*s* smooth. 벨벳은 보드랍다/This paper ～*s like* silk. 이 종이는 비단결 같다/It ～*s as if* it were the fur of a fox. 마치 여우털같이 느껴진다.

～ ***behind*** 허리 언저리를 쓰다듬다. ～ ***bound to*** …하지 않으면 안 될 것 같은 느낌이 들다: I don't ～ *bound to* accept this offer. 이 제의를 받아

들이지 않아도 되겠다는 생각이 든다. ~ ***certain*** …을 확신하다《*of; that*》. ~ ***equal to*** =~ up to. ~ ***for*** ① ⇨ *vi.* 1. ② …에게 동정하다, 생각해 주다. ③ …이 좋다, …하고 싶다. ~ ***free to*** do 〖보통 명령문으로〗 마음대로 …해도 좋다. ~ ***in one's bones*** ⇨ BONE. ~ ***like*** ① 아무래도 … 같다: It ~*s like* rain. 아무래도 비가 올 것 같다. ② …이 요망되다, …을 하고 싶다 《do*ing*》: I ~ *like* a cup of water. 물을 한 컵 마시고 싶다 / I *felt like* crying. 울고 싶은 심정이었다. ③ …같은 감촉이 들다. ④ 〖like를 as if 대용으로 써서〗 《미구어》 …이 된 〔…인 듯한〕 기분이다: He *felt like* he was a King. 그는 임금님이 된 기분이었다. ~ ***like a million*** (***dollars***) ⇨ MILLION. ~ (***like***) ***oneself*** =~ (***quite***) ***oneself*** 기분이 좋다, 건강하다: I don't ~ my*self* this morning. 오늘 아침은 기분이 좋지 못하다. ~ ***of*** 《미》 …을 손으로 만져 보다: ~ *of* the dress 그 드레스를 손으로 만져 보다. ~ a person ***out*** (아무의 의향 따위를) 넌지시 떠보다, 타진하다; …의 유효성을 조사하다. ~ ***out of it*** 〔***things***〕 (그 자리에 어울릴 수 없는) 소외감을 느끼다, 따돌림을 받는 것처럼 여겨지다. ~ ***one's legs*** 〔***feet, wings***〕 발판이 든든하다, 자신이 있다. ~ ***one's way around*** 신중히 나아가다. ~ ***sure*** …을 확신하다 《*of; that*》: I ~ *sure of* his success. 그의 성공을 확신한다. ~ ***the pulse of*** …의 맥을 짚다; 《비유》 …의 의향을 타진하다. ~ ***up*** 《속어》 (특히 여자의) 국부(언저리)에 손을 대다. ~ ***up to ...*** 〖보통 부정문·의문문·조건문에서〗 …을 견디어 내다〔감당하다〕, …을 해낼 수 있을 것 같은 마음이 들다: I do*n't* ~ *up* 〔*equal*〕 *to* the task. 일을 감당해 낼 수 있을 것 같지가 않다. ***make oneself*** 〔***one's presence, one's influence***〕 ***felt*** 남에게 존재를 인정받게 되다, 영향력을 미치게 되다: He has *made* him*self felt* in his class. 그는 반에서 두각을 나타냈다.

— *n.* **1** 느낌, 촉감, 감촉; 기미, 분위기: have a soft ~ 감촉이 부드럽다 / a ~ of a home 가정적인 분위기. **2** 만짐: Let me have a ~. 좀 만져 보게 해 줘, 좀 만져 보자. **3** 《구어》 직감, 육감, 센스 《*for*》: have a ~ *for* words 단어에 대한 센스가 있다. ***by the*** ~ (***of it***) 손으로 만져서, 감촉〔느낌〕으로 (판단하건대): You can tell it's silk *by the* ~. 감촉으로 비단임을 알 수 있다. ***get the*** ~ ***of*** …에 익숙해지다, …의 요령을 익히다, (사물의) 느낌을 파악하다. ***to the*** ~ 촉감에: The cloth is very soft *to the* ~. 이 천은 촉감이 썩 부드럽다.

°**féel·er** *n.* 만져〔더듬어〕 보는 사람; 타진, 떠봄; 〖동물〗 더듬이, 촉감, 촉모(觸毛), 촉수(觸鬚); 〖군사〗 척후; 《구어》 염탐꾼, 첩자. ***put*** 〔***throw***〕 ***out a*** ~ 속을 떠보다, 반응을 살피다.

féel·gòod *n.* 《경멸》 더없이 행복한 상태, 꿈꾸는 듯한 황홀한 기분; 〖일반적〗 아주 만족한 상태.

féelgood fàctor (the ~) 《주로 영》 (사람들이 느끼는) 행복감, 만족감; (시장·여론 따위에 대한) 낙관적 요소.

feel·ie [fíːli] *n.* 감각 예술품 《시각·촉각·후각·청각에 호소하는 예술 작품〔매체〕》.

‡feel·ing [fíːliŋ] *n.* **1** U,C 촉감, 감촉; 더듬음. **2** U,C 감각, 지각: no ~ in the arm 팔에 감각이 없는. SYN. ⇨ SENSE. **3** C,U 감정, 기분: (a) good ~ 호감, 호의 / (an) ill ~ 반감 / You have no thought *for* the ~*s* of others. 자넨 남의 기분을 전혀 생각 않는군.

> SYN. **feeling** 감각(sensation)에 대해서 마음이 받아들이는 느낌: hostile *feelings* toward strangers 외국인에 대해 품는 적대 의식. **affection** 호의적인 감정, 애착. **emotion** 마음 전체를 지배하는 강렬한 feeling, 감동, 육체적 변화(눈물·땀 따위)까지 수반하는 수가 있음. **sentiment** 사람의 의견을 형성하는 근본이 되는 감정: antislavery *sentiment* 노예 폐지를 바라는 마음. **passion** 이성을 잃은 격렬한 emotion을 뜻하며, 격노·성적 감정에 쓰임.

4 U 열의, 감동, 감격, 격정, 흥분: with ~ 열의 있게 / sing with ~ 감정을 넣어 노래하다 / a man of ~ 감상가. **5** (*pl.*) 감정, 정; U 동정, 동정심: have no ~*s* 감정이 없다, 무정하다. **6** C,U 감상; 감수성, 센스 《*for*》; 인상, 의견: a ~ *for* music 음악의 감상력 / I had a ~ *that*.... 나는 …한 인상을 받았다. **7** C 의식, 예감: a ~ of danger 위험이 절박했다는 의식 / have a ~ … 한 예감이 들다. ***enter into*** a person***'s*** ~***s*** 아무의 감정〔마음〕을 헤아리다, 기분을 짐작하다. ***give a*** ~ ***of*** 〔***that***〕 …라는 느낌을 주다. ***have mixed*** ~***s*** 희비가 엇갈리는 감정〔착잡한 기분〕을 품다. ***have no*** ~ ***for*** …에게 동정심이 없다, 냉담하다. ***hurt*** a person***'s*** ~***s*** 아무의 감정을 해치다. ***market*** ~ 시황, 경기. ***No hard*** ~***s!*** 나쁘게 생각 말게.

— *a.* **1** 감각이 있는. **2** 다감한, 감정적인; 인정 많은: a ~ heart 다정한 마음. **3** 감동시키는: a ~ story 감동적인 이야기. **4** 충심으로부터의. ***in a*** ~ ***way*** 감동적으로.

㊞ ~**·ly** *ad.* 감동하여; 다정하게, (뼈에) 사무치게, 실감나게; 동정하여. ~**·ness** *n.*

feel·thy [fíːlθi] *a.* 《속어》 외설한(filthy), 상스러운.

fée-pàying *a.* 수업료를 내고 있는《학생》; 수업료를 받는〔필요로 하는〕《학교》.

feep·er [fíːpər] *n.* 〖컴퓨터〗 《속어》 (단말기의) 버저(buzzer).

fée símple 〖법률〗 단순 봉토권(封土權); 무조건 상속 재산(권).

fée splìtting 요금의 일부 나눠 갖기《의사〔변호사〕가 환자를〔의뢰인을〕 소개한 동업자에게 줌》.

feet [fiːt] FOOT의 복수.

féet·fírst *ad.* 발부터 먼저, 《속어》 관에 넣어, 뻗어, 죽어. ***got home*** ~ 《속어》 죽다.

fée táil 〖법률〗 정사(定嗣) 상속 재산(권).

féet of cláy 숨겨진 결점, (윗사람의) 감춰진 약점.

féet pèople 도보(徒步) 난민《캄보디아나 엘살바도르, 니카라과 등에서 육로를 통하여 인접국으로 탈출하는》. cf. boat people.

fee-TV [fíːtìːvíː] *n.* 유료 텔레비전.

feeze [fiːz, feiz] *vt.* 《방언》 질책〔추방〕하다; 《미방언》 겁주다, 동요시키다. — *vi.* 《방언·구어》 안달하다, 조바심하다. — *n.* 《방언》 격돌; 《미구어·영방언》 놀람, 동요, 흥분.

fe·ge·lah, fey·ge·lah [fèigələ] *n.* 《속어》 남성 동성애자, 호모.

Féh·ling('s) solùtion [féiliŋ(z)-] 〖화학〗 펠링액(液) 《당(糖)의 검출·정량용(定量用) 시약(試藥); 독일의 화학자 Hermann Fehling (1812–85)의 이름에서》.

°**feign** [fein] *vt.* **1** 《~+목/+*to* do/+*that* 절/+목+(*to be*) 보》 …을 가장하다, 〖~ oneself〗 …인 체하다: ~ friendship 우정을 가장하다 / ~ indifference 무관심한 체하다 / ~ *to be* sick 앓는 체하다 / He ~*ed that* he was mad. = He ~*ed* him*self* (*to be*) mad. 그는 미치광이로 가장하였다. SYN. ⇨ ASSUME. **2** (구실 따위를) 꾸며대다, (문서를) 위조하다. **3** (속이기 위하여 목소리 등을) 흉내 내다. **4** 《고어》 상상하여 지어 내다. — *vi.* 속이다, 체하다; (작가가) 이야기를 지어내다. ㊞ ~**ed** *a.* 거짓의, 가장된: a ~*ed* illness 꾀병 / with ~*ed* surprise 놀란 체하고.

∠·er *n.* ∠·ed·ly [-idli] *ad.* 거짓으로, 가장하여.

°**feint**[1] [feint] *n.* **1** 거짓 꾸밈, …하는 체함, 가장: make a ~ *of* working 일하는 체하다. **2** 공격하는 시늉; 〖군사·펜싱·권투·배구〗 페인트, 양동 작전; (적을 속이기 위한) 견제 행동. — *vi.* **1** 속이다, …하는 체하다. **2** 거짓 공격을 하다《*at; on, upon; against*》.

feint[2] *a.* 〖인쇄〗 (괘선이) 가늘고 색이 엷은 (faint): a ~ line 엷은 괘선. ***ruled*** ~ = ~ ***ruled*** 엷은 괘선을 친. 「사람, 성마른 사람.

feist [faist] *n.* 《미방언》 잡종 강아지; 쓸모없는

feisty [fáisti] (***feist·i·er; -i·est***) *a.* 《미구어》 **1** 기운찬, 혈기왕성한, 의욕이 넘치는. **2** 성마른, 기분이 언짢은; 잘 싸우는, 공격적인. **3** 《미남부》 태깔부리는, 드러나 뵈려는, 사람〔남자〕의 눈길을 끌려고 하는. **4** 귀찮은, 곤란한. ㊞ **féist·i·ly** *ad.* **féist·i·ness** *n.*

felafel ⇨ FALAFEL. 「트《간질약; 상표명》.

fel·ba·mate [félbəmèit] *n.* 〖약학〗 펠버메이

feld·spar [féldspɑ̀ːr] *n.* 〖광물〗 장석(長石). ㊞ **feld·spath·ic, -spath·ose** [feldspǽθik], [féldspæθòus] *a.* 장석의〔을 함유한〕. 「름》.

Fe·li·cia [fəlíʃiə/fəlísiə] *n.* 펠리시아《여자 이

fe·li·cif·ic [fìːləsífik] *a.* 행복을 가져오는, 행복하게 하는; 행복을 가치 기준으로 하는.

fe·lic·i·tate [filísətèit] *vt.* 축하하다; 《고어》 행복하게 하다: ~ a friend *on* his success 친구의 성공을 축하하다. 「*upon*》.

fe·lìc·i·tá·tion *n.* (보통 *pl.*) 축하; 축사《*on,*

fe·lic·i·ta·tor [filísətèitər] *n.* 축사를 하는 사람, 하객.

fe·lic·i·tous [filísətəs] *a.* (표현 따위가) 교묘한, 알맞은; 《드물게》 경사스러운, 행복한. ㊞ **~·ly** *ad.* **~·ness** *n.*

fe·lic·i·ty [filísəti] *n.* Ⓒ 경사; Ⓤ 더없는 행복 (bliss); Ⓤ (표현의) 교묘함; Ⓒ 적절한 표현. ***with*** ~ 적절하게, 솜씨 있게.

felícity condìtion 〖언어〗 적절성 조건《표현의 목적 달성을 위해 충족되어야 하는 조건》.

fe·lid [fíːlid] *a., n.* 고양잇과(科)의 (동물).

fe·line [fíːlain] *a.* 고양이의; 고양잇과(科)의; 고양이 같은; 교활한(sly), 음험한(stealthy): ~ amenities 흉계를 품은 감언. — *n.* 고양잇과의 동물. ㊞ **~·ly** *ad.* **~·ness** *n.*

fe·lin·i·ty [filínəti] *n.* Ⓤ,Ⓒ 고양이 성질; 교활함; (고양이 같은) 음험함.

Fe·lix [fíːliks] *n.* 펠릭스《남자 이름》.

fell[1] [fel] FALL 의 과거.

fell[2] *vt.* **1** (나무를) 베어 넘어뜨리다; 쳐서 넘어뜨리다; 동댕이치다. **2** 공그르다. — *n.* (한 철의) 벌채량; 공그르기.

fell[3] *a.* 잔인한; 무서운(terrible), 사나운; 《고어·시어》 파괴적인, 치명적인: a ~ poison 맹독. ***at one*** ~ ***swoop*** ⇨ SWOOP. ㊞ ∠**·ness** *n.*

fell[4] *n.* 수피(獸皮)(hide), 모피(pelt); (사람의) 피부; 모발, 《특히》 엉클어진 머리. ***a*** ~ ***of hair*** 텁수룩한 머리털.

fell[5] *n.* 《Sc.》 **1** (바위가 많은) 고원 지대. **2** …산(山): Bow *Fell*, Bow 산. 「LOW.

fel·la, fel·lah[1] [félə] *n.* 《속어·방언》 =FEL-

féll·a·ble *a.* 벌채할 수 있는, 벌채에 적합한.

fel·lah[2] [félə] (*pl.* **~*s, fel·la·heen, fel·la·hin*** [fèləhíːn]) *n.* (이집트·시리아 등의) 농부 (peasant), 인부(laborer).

fel·late [fəléit, fe-] *vi., vt.* (…에) 펠라티오 (fellatio)하다. ㊞ **fel·lá·tor** *n.*

fel·la·tio [fəléiʃiòu, -láːtiòu, fe-/feléiʃiòu] *n.* Ⓤ (음경에 대한) 구강 성교.

féll·er[1] *n.* 벌목〔벌채〕꾼; 벌목기(機); (재봉틀의) 공그르는 부속 기구. 「melad 경박한 젊은이.

féll·er[2] *n.* 《속어·방언》 =FELLOW: a young ~-

Fel·li·ni [fəlíːni] *n.* **Federico** ~ 펠리니《이탈리아의 영화감독; 1920-93》.

féll·mònger 《영》 *n.* 모피의 털 뽑는 직공; 모피 상인; 《특히》 양피 상인. ㊞ **~·ing** *n.* **~y** *n.* 모피상〔업, 점〕.

fel·loe [félou] *n.* (차 바퀴의) 테, 겉테(felly).

*****fel·low** [félou] (★ 사람을 말할 때 구어로는 종종 [félə]) *n.* **1** 동무, 친구: a ~ in misery 가난한 때의 친구. **2** (보통 *pl.*) 동아리, 동료, 동배 (companion), 한패: ~*s* in arms 전우 / ~*s* in crime 범죄의 한패. **3** 동업자. **4** (보통 *pl.*) 같은 시대 사람(contemporaries): the ~*s* of Milton 밀턴과 같은 시대의 사람들. **5** 상대, 필적자, 경쟁자; (한 쌍의 것의) 한 쪽: the ~ of a shoe 〔glove〕 구두〔장갑〕의 다른 한 짝. **6** 《구어》 놈, 녀석: a stupid ~ 바보 같은 녀석. **7** 시시한 녀석, 하찮은 남자. **8** 《구어》 사람, 사내: a good 〔jolly〕 ~ 재미있는 사내. **9** 《구어》 (남성의) 연인, 애인: her young ~ 그녀의 젊은 정부. **10** (a ~) 〖일반적〗 인간(person), 누구든(one), 나(I): A ~ must eat. 인간은 먹지 않으면 살 수 없다 / Why can't you let a ~ alone? 나 혼자 있도록 내버려둘 수 없는가 / those painter ~*s* 저 화가들. **11** (특히 영국 대학의) 평의원; (대학의) 특별 연구원; 《영》 (대학의) 명예 교우(校友); (보통 F-) (학술 단체의) 특별 회원《보통 평회원(member)보다 높음》: a ~ *of* the British Academy 영국 학사원 특별 회원. ***be hail*** ~ ***well met*** 서로 배짱〔마음〕이 맞는 친구이다, 극히 다정한 사이이다《*with*》. ***my dear*** 〔***good, old***〕 ~ 여보게 자네 《허물없는 호칭》. — *a.* 동아리〔한패〕의, 동료의, 동업의: a ~ countryman 동포 / ~ students 학우, 동창생 / a ~ soldier 전우 / a ~ worker 동료 / ~ traders 동업자.

féllow créature 같은 인간, 동포; 동류(同類) (의 동물). 「이해, 동료 의식.

féllow féeling 동정(sympathy), 공감; 상호

fél·low·ly *a.* 사교적인, 우호적인, 친절한, 상냥한. — *ad.* 사교〔우호〕적으로; 허물없이.

féllow·mán [-mǽn] (*pl.* ***-mén*** [-mén]) *n.* 같은 인간, 동포. 「주 밑에서 일하는》.

féllow sérvant 〖법률〗 동료 고용인《같은 고용

*__fel·low·ship__ [félouʃìp] *n.* Ⓤ **1** 친구〔동료, 동아리〕임(companionship), 친구로서의 사귐, 교우(交友), 동료 의식. **2** 우정, 친교(comradeship). **3** Ⓤ (이해 등을) 같이하기, 공동(sharing), 협력(participation), 제휴: ~ in misfortune 불행을 같이하기. **4** Ⓒ (동지)회, 단체, 조합. **5** Ⓤ,Ⓒ 대학 평의원의 직; 학회 회원의 자격; (대학의) 특별 연구원의 지위〔신분〕; 특별 연구원 연구비. ***give*** 〔***offer***〕 a person ***the right hand of*** ~ 아무와 악수하여 동지〔친구〕의 약속을 나누다, 아무를 동지〔친구〕로서 받아들이다. — (*p., pp.* ~**(*p*)*ed;*** ~**·(*p*)*ing***) *vi., vt.* 《미》 (특히 종교 단체의) 회원이 되다〔으로 가입시키다〕.

féllow tráveler 길동무; 동조자《정치상 특히 공산주의의》.

fel·ly[1] [féli] *n.* =FELLOE.

fel·ly[2] *ad.* 《고어》 맹렬히, 잔인하게, 흉포하게.

fe·lo-de-se [féloudəsíː, -séi] (*pl.* ***fe·lo·nes-de-se*** [féləniːzdəsíː, -séi, fəlóuniːz-], ***fe·los-de-se*** [félouzdəsíː, -séi]) *n.* 《L.》 자살(자).

fel·on[1] [félən] *n.* **1** 〖법률〗 중죄인. **2** 《고어》 악당, 악한. — *a.* 《고어·시어》 잔인한, 흉악한.

fel·on[2] *n.* Ⓤ 〖의학〗 표저(瘭疽)(whitlow).

fe·lo·ni·ous [fəlóuniəs] *a.* 《고어·시어》 극악한, 흉악한; 〖법률〗 중죄(범)의: ~ homicide 살인죄. ㊞ **~·ly** *ad.* 범의를 품고; 흉악하게. **~·ness** *n.*

fel·on·ry [félənri] *n.* Ⓤ 〖집합적〗 중죄 범인

《본디 오스트레일리아의》; (유형지의) 죄수단.

fel·o·ny [féləni] *n.* U,C 〖법률〗 중죄(重罪). opp *misdemeanor.* ***compound the*** ~ (고소를 하지 않고) 중죄를 담합 처리하다《위법임》; 사태를 악화시키다.

félony múrder 〖법률〗 모살(謀殺), 중(重)살인《강도 등 중죄를 범하는 순간, 살의(殺意) 없이 범한 살인》.

fel·sic [félsik] *a.* 〖광물〗 (암석이) 규장질(珪長質)의.

fel·site [félsait] *n.* U 〖광물〗 규장석.

fel·spar [félspὰːr] *n.* 《영》 =FELDSPAR.

fel·spath·ic [felspǽθik] *a.* 《주로 영》 =FELDSPATHIC.

fel·stone [félstòun] *n.* 《영》 =FELSITE.

felt[1] [felt] FEEL의 과거·과거분사.
— *a.* (통절히) 느껴지는: a ~ want 절실한 요구〔결핍〕/ make oneself ~ (자기의) 존재를〔영향력을〕 뚜렷이 느끼게 하다, 두각을 나타내다.

felt[2] *n.* U 펠트, 모전(毛氈); 펠트 제품. — *a.* 펠트제(製)의: a ~ hat 펠트 모자, 중절모. — *vt., vi.* 펠트로 만들다〔되다〕; 펠트로 덮다〔씌우다〕. ⊕ **∠·ing** *n.* **1** U 펠트 제법. **2** 《집합적》 펠트감, 모전류; 펠트 제품. **∠y** *a.*

félt sìde 종이의 거죽면. opp *wire side.*

félt-tip(ped) pén 펠트펜(=**félt pén**〔**típ**〕).

felty [félti] (***felt·i·er; -i·est***) *a.* 펠트 비슷한〔모양의〕.

fe·luc·ca [fəlʌ́kə, felúːkə/felʌ́kə] *n.* 펠러커선(船)《지중해 연안의 세대박이 삼각돛의 작은 배》.

FeLV feline leukemia virus (고양이 백혈병 바이러스).

fem [fem] 《미속어》 *a.* 여자 같은, 여성적인; 여자〔여성〕의. — *n.* =FEMME.

fem. female; feminine. **FEMA** 《미》 Federal Emergency Management Agency (연방 긴급사태 관리청)《대통령 직할 조직으로 1979년 설치》.

‡**fe·male** [fíːmeil] *a.* **1** 여성의, 여자의: a ~ child 계집아이, 여아 / the ~ sex 여성 / ~ psychology 여성 심리. **2** 부인의, 여자다운〔같은〕(womanish). **3** 암(컷·놈)의; 〖식물〗 암의, 자성(雌性)의, 암술만 있는; 〖기계〗 암의: a ~ dog 암캐 / a ~ flower 암꽃 / a ~ gamete 〖생물〗 암배우자 / a ~ screw 암나사. **4** (보석이) 빛이 여린. — *n.* **1** 여자, 여성, 부인; 《경멸》 계집, 아녀자. **2** 〖동물·식물〗 암, 암컷〔놈〕; 암술, 자성 식물. opp *male.* ⊕ **~·ness** *n.*

fémale cháuvinism 여성 우월〔중심〕주의. opp *male chauvinism.* ⊕ **-ist** *n.* 「우월주의자.

fémale cháuvinist píg 《경멸·우스개》 여성

fémale circumcísion =CLITORIDECTOMY.

fémale cóndom 여성용 콘돔《질내에 삽입하는 얇은 고무 제품의 피임구》. 「裝) 남자.

fémale impérsonator (배우 등의) 여장(女

fémale scréw 〖기계〗 암나사.

fémale súffrage =WOMAN SUFFRAGE.

fem·cee [fémsíː] *n.* 여성 사회자《특히 라디오·텔레비전 프로의》. [◂ *female*+*emcee*]

feme [fem, fiːm] *n.* 〖법률〗 여자, 《특히》 아내: baron and ~ 〖법률〗 부부.

féme cóvert 〖법률〗 유부녀, 기혼 부인.

féme sóle 〖법률〗 독신녀《미혼녀, 과부, 이혼자》; (법률상 남편으로부터 독립한 재산을 갖고 있는) 독립 여성.

fem·i·cide [féməsàid] *n.* 여자 살해 (범인).

fem·i·na·cy [féminəsi] *n.* U 《드물게》 여자다운 성질, 여자다움, 여자 기질.

fem·i·nal [fémənl] *a.* 여자다운, 여성적인.

fem·i·nal·i·ty [fèmənǽləti] *n.* U 여자다움(femininity), 여자의 특성; (*pl.*) 여자의 소지품.

fem·i·nazi [fémənὰːtsi, -nætsi] *n.* 급진적〔전투적〕 페미니스트. 「자다움.

fem·i·ne·i·ty [fèməníːəti] *n.* U 여자의 특성; 여

*__fem·i·nine__ [fémənin] *a.* **1** 여자의, 여성〔부인〕의: ~ beauty 여성미. **2** 여자 같은, 연약한, 상냥한: ~ nature 여성다운 기질. **3** (남자가) 계집애〔여자〕 같은, 나약한(effeminate). **4** 〖문법〗 여성의《생략: f., fem.》: the ~ gender 여성. — *n.* 〖문법〗 (the ~) 여성(형). opp *masculine.* ⊕ **~·ly** *ad.* **~·ness** *n.*

féminine énding 〖운율〗 여성 행말(行末)《행 끝에서 무양음(無揚音)〔무강세〕의 음절이 하나 더 붙음》; 〖문법〗 여성 어미.

féminine rhýme 〖운율〗 여성운(韻).

fem·i·nin·ism [fémənìnizəm] *n.* 나약한 경향〔성질〕; 여자다운 말씨〔말투〕.

fem·i·nin·i·ty [fèmənínəti] *n.* U 여자임, 여자다움; 계집애 같음; 《집합적》 여성.

femininity tèst (스포츠에서) 성(性)검사.

fem·i·nism [fémənìzəm] *n.* U 여권주의, 남녀 동권주의; 여권 신장론(伸張論). ⊕ **-nist** *n.* 여권주의자, 남녀 동권론자, 여성 해방론자. **fèm·i·nís·tic** [-nístik] *a.*

fe·min·i·ty [fimínəti, fe-] *n.* =FEMININITY.

fèm·i·ni·zá·tion *n.* U 여성화; 〖생물〗 자성화(雌性化).

fem·i·nize [fémənàiz] *vt., vi.* 여성화하다, 여자답게 하다〔되다〕; 〖생물〗 자성화(雌性化)하다. opp *masculinize.*

Fem Lib, Fem·lib, fem lib, fem·lib [fémlìb] 《구어》 =WOMEN'S LIB.

femme [fem] *n.* 《F.》 여자(woman); 처(wife); 《미구어》 레즈비언의 아내역(opp *butch*); 남자 동성애의 여자역.

femme de cham·bre [*F.* famdəʃɑ̃ːbʀ] 《F.》 (귀부인의) 시녀; (호텔 방에 딸린) 하녀.

femme fa·tale [fèmfətǽl, fèi-, -tɑ́ːl] (*pl.* ***femmes fa·tales*** [-z]) 《F.》 요부(妖婦).

fem·o·ral [fémərəl] *a.* 〖해부〗 대퇴부의, 넓적다리의.

fémoral ártery 〖해부〗 대퇴 동맥. 「리의.

fem·to- [fémtou, -tə] '1,000 조(兆)분의 1'이란 뜻의 결합사《10^{-15}; 기호 f》.

fémto·mèter *n.* 펨토미터(=10^{-15} m).

fe·mur [fíːmər] (*pl.* **~s, *fem·o·ra*** [fémərə]) *n.* 《L.》 〖해부〗 대퇴골(thighbone); 넓적다리(thigh); 〖곤충〗 퇴절(腿節).

fen[1] [fen] *n.* 늪지, 소택지; (the F-s) 소택지대《잉글랜드의 Lincolnshire의 Wash만 부근의》.

fen[2] ⇨ FAIN[2].

fe·na·gle [finéigl] *vt., vi.* 《구어》 =FINAGLE.

fen·ber·ry [fénbèri/-bəri] *n.* =CRANBERRY.

‡**fence** [fens] *n.* C **1** 울타리, 담(enclosure, barrier); (마술 경기 등의) 장애물; 《고어》 방벽(defence, bulwark): put the horse at 〔to〕 the ~ 말에 박차를 가하여 장애물을 뛰어넘게 하다. **2** U 검술, 펜싱; 《비유》 U (반론에서) 능란하게 받아넘기는 답변 솜씨, 재치 있는 답변: a master of ~ 펜싱 사범; 논객(論客). **3** 장물 취득인〔아비〕, 장물 사들이는 곳. **4** 〖기계〗 유도(誘導) 장치(guide); (공작 기계의) 울. **5** (보통 *pl.*) 《미》 정치적 지반. ***be on*** a person***'s side of the*** ~ 《미구어》 아무의 편을 들다. ***come down*** 〔***descend***〕 ***on the right side of the*** ~ 이길 듯한 쪽에 붙다. ***mend*** 〔***look after***〕 one***'s*** **~s** ① 자기 입장을 강화하다. ② 《미》 선거구 지반을 다지다. ③ (남과) 화해하다, (…와의) 관계를 개선하다《*with*》. ***on the other side of the*** ~ 반대측에〔으로〕, 반대당에 참가하여. ***refuse*** one***'s*** **~s** 《영》 위험을 회피하다. ***ride*** (***the***) ~ ① 《미서부》 (카우보이 등이) 목책 주위를〔목장을〕 돌아보다. ② (유리한 쪽에 붙으려고) 관망하기로 하

다. ***rush*** one's ~s 《영구어》 경솔하게 행동하다. ***sit on*** 〔***stand on, straddle, walk***〕 ***the*** ~ 형세를 관망하다〔보아 거취를 정하다〕. ***stop to look at a*** ~ 장애〔곤란 등〕에 부딪쳐 주저하다. ***take the*** ~ ① 울을 두르다. ② 말하기 거북한 것을 마음먹고 말하다.

— *vi.* **1** 검술을 하다. **2** 《+전+명》 (질문 등을) 교묘히 얼버무려 넘기다, 재치 있게 받아넘기다 《*with*》: ~ *with* a question 질문을 재치 있게 받아넘기다. **3** (말이) 울타리를 뛰어넘다. **4** (장물을) 매매하다. — *vt.* **1** 《~+목/+목+부/+목+전+명》 …에 울타리로〔를〕 두르다: ~ the place 그 곳을 에두르다/The mountains ~ *in* the valley. 산들이 그 골짜기를 에워싸고 있다/~ a garden *from* children 어린이들이 들어가지 못하게 정원에 울타리를 두르다. **2** 《+목+전+명》 …을 막다, 방어하다: ~ one's house *from* the north wind 집을 북풍으로부터 막다. **3** (장물을) 매매하다, 장물아비에게 팔다. ~ ***about*** 〔***around, round***〕 ① (방호물(防護物) 따위로) 둘러막다《*with*》. ② (방비를) 단단히 하다, 지키다; (규제로) 제한하다. ~ ***... in*** = ~ ***in ...*** ① ⇨ *vt.* 1. ② 〔종종 수동태〕 가두다, 구속하다. ~ ***off*** 〔***out***〕 ① 물리치다, 받아넘기다. ② (울 따위로) 구획하다, 가르다. ~ ***up*** (울타리 따위로) 갈라 놓다, 구획하다. [◂de*fence*]

fénce bùster 《야구속어》 장(長)〔강(強)〕타자.

fénce-hànger *n.* 《속어》 우유부단한 사람, 미적지근한 사람; 소문.

fénce·less *a.* 울타리가〔담이〕 없는, 출입이 자유로운; 《고어·시어》 무방비의, 막을 수 없는.

fénce-mènding *n.* Ⓤ 《미구어》 (외국 등과의) 관계 회복, (의원의) 기반 굳히기. — *a.* 기반을 튼튼히 하는; 우호 증진을 위한.

fénce mònth 《영》 (사슴의) 금렵월(月)《6월 중순-7월 중순의 출산기》.

fénc·er *n.* 검객, 검술가(swordsman), 펜싱 선수; 담을 두르는〔수리하는〕 사람; 담을〔울타리를〕 뛰어넘는 말.

fénce sèason 〔**tìme**〕 《영》 금렵〔금어〕기.

fénce-sìtter *n.* 형세를 관망하는 사람, 기회주의자, 중립을 지키는 사람.

fénce-sìtting *n.* Ⓤ *a.* 형세 관망(의), 중립(의), 기회주의(의).

fénce-stràddler *n.* 《미구어》 (논쟁 등에서) 양쪽편을 다 드는 사람.

fen·ci·ble [fénsəbəl] *a.* 《Sc.》 막아낼〔방어할〕 수 있는. — *n.* (보통 *pl.*) 〖역사〗 국방병(兵).

°**fenc·ing** [fénsiŋ] *n.* **1** 펜싱, 검술: a ~ foil (연습용) 펜싱칼/a ~ master 펜싱 사범/a ~ school 펜싱 도장. **2** 〔집합적〕 담·울타리의 재료; 울타리, 울짱: an iron ~ 철책. **3** 장물 매매〔취득〕: a ~ shop 장물 매매점. **4** 교묘히 받아넘기는 답변.

fend [fend] *vt.* 받아넘기다, 피하다, 벗기다 《*off*》; 가까이 하지 못하게 하다《*away*》. — *vi.* (몸 등에) 갖추다, 돌보다《*for*》: ~ *for* one's children 아이를 기르다. ~ ***for*** one***self*** 혼자 힘으로 꾸려 나가다, 자활하다.

°**fénd·er** *n.* 방호물; 《미》 (자동차 등의) 바퀴 덮개, 흙받기(《영》 wing); (전동차 따위의) 완충판〔장치〕(cowcatcher); 《영》 (자동차의) 완충기, 범퍼(《미》 bumper); 난로 울, (벽로의) 불똥막이 울; (배의) 방현재(防舷材); (교각의) 방호물.

fénder bèam (뱃전에 매다는) 방현재(防舷材); (선로 끝의) 바퀴 멈추개.

fénder bènder 《미속어·Can. 속어》 (비교적 가벼운) 자동차 (접촉) 사고(에 관계된 운전사).

fénder stòol 《영》 (난로 울 앞의) 발판.

Fen·di [féndi(:)] *n.* (F 마크로 유명한) 로마의 가죽 제품점《고급 모피점으로서도 유명》.

fen·es·tel·la [fènəstélə] (*pl.* ***-lae*** [-téli:]) 〖건축〗 *n.* 작은 창; (제단 남쪽의) 작은 벽장.

fe·nes·tra [finéstrə] (*pl.* ***-trae*** [-tri:]) *n.* 〖해부〗 창(窓)《와우창(蝸牛窓) 또는 정원창(正圓窓)》; (내시경 등 외과용 기계의) 들여다보는 창 같은 구멍; 〖곤충〗 (나방·흰개미의 날개의) 명반(明斑). ㊞ **-tral** *a.*

fen·es·trate [finéstreit] *a.* 창(窓)이 있는; 〖동물·식물〗 창(窓) 모양의 구멍이 있는.

fen·es·tra·tion [fènəstréiʃən] *n.* Ⓤ 〖건축〗 창(窓)내기; 〖동물·식물〗 창(窓) 모양의 구멍이 있음; Ⓒ,Ⓤ 〖의학〗 천공(穿孔) 설치〔술〕.

fén fire 도깨비불(ignis fatuus).

fen·flu·ra·mine [fenflúərəmi:n] *n.* 〖약학〗 펜플루라민《비만 치료용 식욕 억제제》.

feng shui [fʌ́ŋʃwéi/féŋsú:i] *n.* 풍수지리(설).

Fe·ni·an [fí:niən, -njən] *n.* 페니아 회원《아일랜드의 독립을 목적으로, 주로 재미(在美) 아일랜드 사람들로 이루어진 비밀 결사》. — *a.* 페니아회(원)의; 페니아회주의의.

Fé·ni·an·ìsm *n.* Ⓤ 페니아회의 주의〔운동〕.

fe·nit·ro·thi·on [fənìtrouθáiən] *n.* 〖약학〗 페니트로티온《사과 등의 과수용 살충제》.

fenks [feŋks] *n. pl.* 고래 기름의 찌꺼기.

fén·lànd *n.* (보통 *pl.*) 늪지대, 소택지대.

fén·man [-mən] (*pl.* ***-men*** [-mən]) *n.* 소택지방의 주민.

fen·nec, fen·nek [fének] *n.* 〖동물〗 아프리카여우《여우를 닮은 귀가 크고 작은 짐승》.

fen·nel [fénl] *n.* 〖식물〗 회향풀(의 씨): ~ oil 회향유(油)《약용》.

fénnel·flòwer *n.* 〖식물〗 니겔라; 그 씨.

fen·ny [féni] *a.* 늪의; 소택지에 나는; 소택지 특유의.

fén rèeve 《영》 소택 지방 감독관.

Fen·rir [fénriər] *n.* 〖북유럽신화〗 큰 이리처럼 생긴 악마〔괴물〕.

fen(s) ⇨ FAIN[2].

fen·ta·nyl [féntənìl] *n.* 〖약학〗 펜타닐《진통제》.

fen·thi·on [fenθáiən] *n.* 〖약학〗 펜티온《유기린계(有機燐系)의 살충제》.

fen·u·greek [fénjəgrì:k] *n.* Ⓒ,Ⓤ 호로파《콩과(科)의 식물; 그 씨는 약용》.

feod [fju:d] *n.* 《고어》 = FEUD[2].

feoff [fef, fi:f] *n., vt.* 봉토, 영지(領地)(를 주다).

feoff·ee [féfi:, fi:fí:] *n.* 영지(領地) 수령자; 〖법률〗 공공 부동산 관리인.

féoff·er, féof·for *n.* 영지 수여자(授與者).

féoff·ment *n.* Ⓤ 영지 수여.

FEPA 《미》 Fair Employment Practices Act (공정 고용 실행법). **FEPC, F.E.P.C.** 《미》 Fair Employment Practices Committee (공정 고용 위원회). **FERA, F.E.R.A.** Federal Emergency Relief Administration.

fe·ra·cious [fəréiʃəs] *a.* 《드물게》 다산(多産)의, 수확이 많은.

fe·rac·i·ty [fərǽsəti] *n.* 《드물게》 비옥(肥沃), 다산.

fe·rae na·tu·rae [fíəri:-nətjúəri:/-tjúə-] 《L.》 〖법률〗 〔서술 용법 또는 명사 뒤에 와〕 야생(상태)의: animals ~ 야생 동물.

fe·ral [fíərəl] *a.* 야생의; 야생으로 돌아간; (사람이) 야성적인, 잔인〔흉포〕한(brutal): ~ animals 〔plants〕 야생 동물〔식물〕.

fer·ber·ite [fə́:rbəràit] *n.* Ⓤ 〖광물〗 철중석(鐵重石)《텅스텐 원광》.

FERC 《미》 Federal Energy Regulatory Commission.

fer-de-lance [fɛ̀ərdəlǽns, -lɑ́:ns] *n.* 《F.》 큰삼각머리독사《열대 아메리카산》.

Fer·di·nand [fə́:rdənæ̀nd] *n.* 퍼디낸드《남자 이름》.

fer·e·to·ry [férətɔ̀:ri/-təri] *n.* 성자의 유골함, 성(聖)유물함; (교회 안의) 성자 유골함 안치소;

《영》 관가(棺架)(bier).

Fer·gus [fə́ːrgəs] *n.* 퍼거스《남자 이름》.

fe·ria [fíəriə] (*pl.* ***fe·ri·as, fe·ri·ae*** [fíːriìː]) *n.* 〖종교〗 (축제일이나 단식일이 아닌) 평일; (*pl.*) (고대 로마의) 축제일.

fe·ri·al [fíəriəl] *a.* 〖종교〗 평일의; 《고어》 휴일의.

fe·rine [fíərain, -in] *a.* =FERAL.

Fe·rin·ghee, -gi [fəríŋgi] 《Ind.》 *n.* 《흔히 경멸》 유럽 사람; 구아(歐亞) 혼혈아(Eurasian), 《특히》 인도인과 혼혈인 포르투갈 사람.

fer·i·ty [férəti] *n.* 야생 (상태); 흉포.

Fer·man·agh [fəːrmǽnə] *n.* 퍼매너《북아일랜드 남서부의 주; 생략: Ferm.》.

Fer·mat [fɛərmáː] *n.* **Pierre de** ~ 페르마《프랑스의 수학자; 1601-65》.

fer·ma·ta [fɛərmáːtə] (*pl.* **~s, -te** [-ti]) *n.* 《It.》 〖음악〗 페르마타, 늘임표《기호 ⌣, ⌢》.

Fer·mát's lást théorem [fɛərmáːz-] 〖수학〗 페르마의 대정리《'*n*이 2보다 큰 자연수일 때 방정식 $X^n+Y^n=Z^n$을 만족시키는 정수 *X, Y, Z*는 존재하지 않는다' 라는 것》.

◇**fer·ment** [fə́ːrment] *n.* Ⓒ 효소(enzyme); Ⓤ 발효; Ⓤ 들끓는 소란, 동요(commotion), 흥분: in a ~ 대소동으로, 동요하여. — [fəːrmént] *vt.* 발효시키다; (감정 등을) 들끓게 하다; 큰 법석을 일으키게 하다. — *vi.* 발효하다; 큰 법석을 떨다; 격동〔동요〕하다. ㊕ **~·a·ble** *a.* 발효성의. **~·er** *n.* 발효(를 일으키는 물질); 발효조(槽).

fer·men·ta·tion [fə̀ːrmentéiʃən] *n.* Ⓤ 발효(작용); 소동, 동요, 흥분.

fermentátion lòck 발효밸브《와인이 발효할 때 가스 배출을 위해 발효조(槽)에 설치한 밸브》.

fer·ment·a·tive [fərméntətiv] *a.* 발효성의, 발효력이 있는, 발효에 의한. ㊕ **~·ness** *n.*

Fer·mi [fə́ːrmi, féərmi] *n.* **Enrico** ~ 페르미《이탈리아 태생의 미국 원자 물리학자; 1938년 노벨 물리학상 수상; 1901-54》.

fer·mi *n.* 〖물리〗 페르미《10조(兆)분의 1cm》.

Fer·mi·ol·o·gy [fə̀ːrmiálədʒi, fɛ̀ər-/-ɔ́l-] *n.* 〖물리〗 페르미올로지《양자 역학과 Enrico Fermi의 이론에 기초하여 물리 현상을 연구하는 분야》.

fer·mi·on [fə́ːrmiàn, féər-/-ɔ̀n] *n.* 〖물리〗 페르미 입자, 페르미온《스핀(spin)이 반기수(半奇數)인 소립자 · 복합 입자》.

fer·mi·um [fə́ːrmiəm, féər-] *n.* 〖화학〗 페르뮴《인공 방사성 원소; 기호 Fm; 번호 100》.

◇**fern** [fəːrn] *n.* Ⓤ,Ⓒ 〖식물〗 양치류(類). ***the royal*** ~ 〖식물〗 고비. ㊕ **~·like** *a.*

Fer·nan·da [fəːrnǽndə] *n.* 여자 이름.

Fer·nan·dez [fɛərnǽndez] *n.* **Juan** ~ 페르난데스《스페인의 항해가 · 탐험가; 1536?-1604》.

férn bàr 《미속어》 펀 바《갖가지 식물을 드리운》.

férn·bràcken, -bràke *n.* 고사리; 양치식물의 덤불.

fern·ery [fə́ːrnəri] *n.* 양치식물의 숲; 양치식물의 재배지; 양치식물 재배 케이스《장식용》.

férn gréen 탁한 황록색.

férn òwl 〖조류〗 쏙독새.

férn sèed 양치류 포자《옛날 이것을 지니고 있으면 그 모습이 남에게 보이지 않는다고 믿었음》.

ferny [fə́ːrni] *a.* 양치식물의〔같은〕; 양치식물이 우거진.

◇**fe·ro·cious** [fəróuʃəs] *a.* 사나운, 잔인한; 모진, 지독한: a ~ appetite 굉장한 식욕. ㊕ **~·ly** *ad.* **~·ness** *n.*

◇**fe·roc·i·ty** [fərásəti/-rɔ́s-] *n.* Ⓤ 사나움, 잔인성(fierceness); Ⓒ 광포한 행동, 만행.

-fer·ous [fərəs] '…을 나르는, …을 함유한, …을 내는' 이란 뜻의 결합사: auri*ferous*.

fer·ox [féraks/-ɔks] *n.* 《영》 〖어류〗 스코틀랜드 호수산(産)의 큰 송어(=~ tròut).

Fer·ra·ri [fəráːri] *n.* 페라리. **1** 이탈리아의 고급 스포츠카 제조 회사. **2** 동사제(同社製) 자동차의 총칭《Ferrari BB512 따위》.

fer·rate [féreit] *n.* Ⓒ,Ⓤ 〖화학〗 철산염(鐵酸塩).

fer·re·dox·in [fèrədáksin/-dɔ́k-] *n.* 〖생화학〗 페레독신《철분을 함유한 식물성(性) 단백질》.

fer·re·ous [fériəs] *a.* 〖화학〗 쇠〔철〕의, 쇠를〔철분을〕 함유하는.

Fer·ret [férit] *n.* 〖군사〗 페릿 위성《전자파 정보를 수집하는 군사 정찰 위성의 총칭》.

fer·ret[1] *n.* 흰족제비《구서(驅鼠) · 토끼 사냥에 이용》; 수색자, 탐정. — *vt.* **1** 흰족제비로 사냥하다. **2** 《+목+부》 (범인 등을) 찾아내다; 수색하다《*out*》: ~ *out* a criminal 범인을 수색하다. **3** …을 괴롭히다. — *vi.* **1** 흰족제비를 이용하여 사냥하다. **2** 《+부》 찾아다니다《*about*》: ~ *about* in the drawers 서랍 속을 여기저기 뒤지다. ~ ***for*** …을 찾다.

fer·ret[2], **-ret·ing** *n.* (무명 또는 비단으로 만든) 가는 끈, 납작한 끈.

fer·ri- [férai, -ri] 〖화학〗 '제2철의' 라는 뜻의 결합사.

fer·ri·age, 《미》 **-ry-** [fériidʒ] *n.* Ⓤ,Ⓒ 도선(渡船)(업); 도선료(料), 나룻삯. [◂ ferry]

fer·ric [férik] *a.* 철분이 있는; 〖화학〗 제2철의: ~ oxide〔chloride, sulfate〕 산화〔염화, 황산〕 제2철《적색 안료 · 수렴제 · 매염제(媒染劑) 등》.

férric chlóride 〖화학〗 염화(제이)철, 염화철(Ⅲ)《수렴제(收斂劑) · 오수(汚水) 처리용》.

férric hydróxide 〖화학〗 수산화철(Ⅲ), 수산화제이철《비소 해독제》.

férric óxide 〖화학〗 산화철(Ⅲ), 산화제이철《적색 안료 · 유리 연마용》.

férric súlfate 〖화학〗 황산제이철, 황산철(Ⅲ)《매염제 · 응고제 · 의약품 등에 이용》.

fer·rif·er·ous [fərífərəs] *a.* 철이 나는, 철을 함유하는.

fèrri·mágnetism *n.* 〖물리〗 페리 자성(磁性).

Fér·ris whèel [féris-] (유원지의) 대회전식 관람차.

Ferris wheel

fer·rite [férait] *n.* Ⓤ 〖화학〗 아철산염(亞鐵酸塩), 페라이트.

fer·ri·tin [férətən] *n.* 〖생화학〗 페리틴《비장 · 간장에 존재하는 철을 함유한 복합 단백질》.

fer·ro- [férou, -rə] '철의, 철을 함유한' 이란 뜻의 결합사.

fèrro·álloy *n.* 〖야금〗 합금철.

fèrro-cemént *n.* 〖건축〗 페로 시멘트《얇은 시멘트판 내부에 철망으로 보강한 건축재》.

fer·ro·cene [férousìːn] *n.* 〖화학〗 페로신《제트 연료 · 휘발유의 앤티노크제(劑)》.

férro·chròme *n.* Ⓤ 페로크롬, 크롬철.

fèrro·chrómium *n.* 철과 크롬의 합금.

fèrro·cóncrete *n., a.* Ⓤ 철근 콘크리트(제(製)의).

fèrro·eléctric 〖물리〗 *a.* 강유전성(強誘電性)의. — *n.* 강유전체.

férro·flùid *n.* 강자성 유체(強磁性流體)《강자성 미립자를 지닌 액체》.

fèrro·magnésian *a., n.* 〖광물〗 철과 마그네슘을 함유하는 (광물), 철 고토질(苦土質)의 (광물).

fèrro·mágnet *n.* 〖물리〗 강자성체(強磁性體).

fèrro·magnétic *a.* 〖물리〗 강자성(強磁性)의. — *n.* 강자성체.

fèrro·mágnetism *n.* Ⓤ 〖물리〗 강자성(強磁性).

fèrro·mánganese *n.* 〖야금〗 Ⓤ 페로망간, 망간철(鐵).

fèrro·psèudo·bróokite *n.* 철위판(鐵僞板) 티탄석(石)《달의 암석의 하나》.

fèrro·sílicon *n.* 〖야금〗 페로실리콘, 규소철.
fèrro·túngsten *n.* Ⓤ 텅스텐철《텅스텐 80% 이상을 함유》.
fer·ro·type [férətàip] 〖사진〗 *n.* 페로타이프《광택 인화법》; 광택 사진. — *vt.* …을 페로타이프판(板)에 걸다.
fer·rous [férəs] *a.* 쇠〔철〕의; 〖일반적〗 쇠를 함유하는; 〖화학〗 제 1 철의: ~ chloride 〔oxide, sulfate〕 염화〔산화, 황산〕 제 1 철. ~ ***and non-~ metals*** 철금속과 비(非)철금속.
fer·ru·gi·nous [fərú:dʒənəs] *a.* 쇠의; 철분을 함유하는; 쇠녹의; 쇠녹빛의, 적갈색의: a ~ spring 철분을 함유한 광천(鑛泉), 철천(鐵泉) / ~ quartz 〖광물〗 철석영.
fer·rule [férəl, -ru:l] *n.* (지팡이 따위의) 물미; 칼코등이; 〖기계〗 페룰《보일러관 접합부 보강을 위한 쇠테》. — *vt.* …에 ~을 달다〔대다〕. ㊞ **~d** *a.*
fer·rum [férəm] *n.* 《L.》 철(iron)《기호 Fe》.
⁑fer·ry [féri] *n.* **1** Ⓒ 나루터, 도선장: He rowed the traveler over the ~. 그는 배를 저어 여행자를 나루터로 날랐다. **2** Ⓒ 나룻배(ferryboat), 연락선. **3** Ⓤ 〖법률〗 나룻배〔도선〕 영업권. **4** Ⓤ 〖항공〗 (새로 만든 항공기의) 자력(自力) 현지 수송《공장에서 현지까지 가는》; (정기) 항공〔자동차〕편; 정기 항공기(의 발착장). — *vt.* **1** 《+목+전+명》 배로 건네다〔나르다〕: ~ people *across* a river 나룻배에 사람들을 싣고 강을 건네주다. **2** 〖항공〗 자력 수송하다; (정기적으로) 항공기〔자동차〕로 수송하다. — *vi.* 나룻배로 건너다《*across* 〔*over*〕 a river》; (작은 배가) 왕래하다.
ferryage ⇨ FERRIAGE.
°férry·bòat *n.* 나룻배, 연락선.
férry brìdge 열차 운반용 연락선; 도선교(渡船橋), 나룻배 승강용 배다리.
férry-hòuse *n.* 도선(渡船) 업자의 집; 페리발착장.
férry·man [-mən] (*pl.* ***-men*** [-mən]) *n.* 나룻배 사공, 도선업자.
férry pìlot 현지 수송 조종사《새로 만든 비행기의》.
férry ràck 연락선의 접안 유도 잔교(棧橋).
férry rànge 〖항공〗 페리 항속 거리《payload를 0으로 한 경우의 최대 안전 항속 거리》.
⁑fer·tile [fə́:rtl/-tail] *a.* **1** (땅이) 비옥한, 기름진《*in; of*》: ~ *in* 〔*of*〕 wheat 밀이 잘 되는. **2** (인간·동물이) 다산(多産)의, 자식을 많이 낳는. **3** 풍작을 가져오는; 풍작의. opp. *sterile*. ¶ ~ showers 단비 / a ~ year 풍년. **4** (상상력 등이) 풍부한; (마음이) 상상력〔창조력〕이 많은: He's ~ *in* creative ideas. 그는 창의력이 풍부하다. **5** 《비유》 다산의, (열매가) 많이 열리는《*in; of*》: The area is ~ *in* alpine plants. 그 지역은 고산 식물이 많다. **6** 〖생물〗 생식 능력이 있는; 수정〔수태〕된: a ~ egg 수정란. **7** 〖물리〗 핵분열 물질로 변환(變換)할 수 있는, 핵연료의 원료가 되는: ~ material 친(親)핵연료 물질. ㊞ **~·ly** *ad.* **~·ness** *n.*
Fértile Créscent (the ~) 비옥한 반원(半圓) 지역《팔레스타인에서 페르시아만까지의》.
°fer·til·i·ty [fərtíləti] *n.* **1** Ⓤ (토지가) 기름짐, 비옥. **2** 다산(多産), 풍부. **3** 독창성. **4** 산출력. **5** 〖동물〗 번식〔생식〕력, 수정〔수태〕 능력. opp. *sterility*. ◇ fertile *a.*
fertílity clòck 피임 시계《여성의 몸의 리듬을 측정하여, 임신 기간과 피임 기간을 삐 소리로 알려 주는 컴퓨터 측정기》.
fertílity cùlt (농경 사회의) 풍요·다산을 신에게 기원하는 의식; 이를 행하는 사람들〔집단〕.
fertílity drùg 임신〔배란〕 촉진제.
fertílity fàctor 〖생물〗 =F FACTOR.
fertílity pìll 배란 유발형(誘發型) 피임정(錠)《배란일을 조절함》.
fertílity sỳmbol 풍요신(神)의 상징《특히 남근(男根)》.

fér·ti·lìz·a·ble *a.* (땅이) 기름지게 할 수 있는; 수정〔수태〕할 수 있는.
fèr·ti·li·zá·tion *n.* Ⓤ (땅을) 기름지게 하기; 풍요롭게 하기; 수정〔수태〕 작용. ◇ fertile *a.*
fertilizátion mèmbrane 〖동물〗 수정막《수정 후 알의 주위에서 다른 정자의 침입을 막음》.
°fer·ti·lize [fə́:rtəlàiz] *vt.* (땅을) 기름지게 하다; (정신 등을) 풍부하게 하다; 〖생물〗 수정〔수태〕시키다. — *vi.* (땅에) 비료를 주다, 시비(施肥)하다. ◇ fertile *a.*
°fér·ti·lìz·er [fə́:rtəlàizər] *n.* Ⓤ,Ⓒ 거름, 비료(manure), 《특히》 화학 비료; Ⓒ 수정 매개물《벌·나비 따위》.
fer·u·la [férjulə] *n.* 《L.》 〖식물〗 아위(阿魏); 「= FERULE[1].
fer·ule[1] [férəl, -ru:l] *n.* (체벌용) 나무주걱, 막대기; 예의범절의 가르침, 엄격한 (학교) 교육: be under the ~ (학교에서) 엄격하게 교육받다. — *vt.* ~로 때려 징벌하다.
fer·ule[2] *n.* =FERRULE.
fer·ven·cy [fə́:rvənsi] *n.* Ⓤ 뜨거움; 열렬; 열정, 열성.
°fer·vent [fə́:rvənt] *a.* 뜨거운; 타는 듯한; 열심인, 열렬한, 격심한, 백열의. ◇ fervor *n.* ㊞ **~·ly** *ad.* **~·ness** *n.*
fer·vid [fə́:rvid] *a.* 《시어》 뜨거운; 열정적인, 열렬한(ardent). ㊞ **~·ly** *ad.* **~·ness** *n.*
fer·vid·i·ty [fərvídəti] *n.* Ⓤ 열렬, 열심.
°fer·vor, 《영》 **-vour** [fə́:rvər] *n.* Ⓤ 백열 (상태), 작열, 염열(炎熱)(intense heat); 열정, 열렬. SYN. ⇨ PASSION. ◇ fervent *a.*
fes·cue [féskju:] *n.* **1** 〖식물〗 김의털《볏과(科)의 다년초》. **2** 글(자) 짚는 막대기(teacher's pointer)《어린이에게 글을 가르칠 때 씀》.
fess[1], 'fess [fes] *vi.* 《구어》 깨끗이 자백하다《*up*》. [◂ con*fess*]
fess[2], fesse *n.* 〖문장(紋章)〗 중대(中帶)《방패꼴 무늬 바탕 중앙의 가로띠》. ***in*** ~ 가로띠 모양으로 (배치한).
féss pòint 〖문장(紋章)〗 (방패 모양의) 중심점.
fest [fest] *n.* =FESTIVAL.
-fest [fèst] 《미》 '축제, 집회'란 뜻의 결합사: song*fest*; slug*fest*; peace*fest*.
fes·ta [féstə] *n.* 《It.》 축일, 휴일, 잔치.
fes·tal [féstl] *a.* =FESTIVE. ㊞ **~·ly** *ad.*
fes·ter [féstər] *vi., vt.* (상처가) 곪다; 곪게 하다; 뜨끔뜨끔 쑤시(게 하)다; 괴로워하다; 괴롭히다; 짓무르다. ~ ***into*** (상처 따위가) 곪아 …이 되다. — *n.* 화농(化膿), 궤양; 짓무름.
fe·sti·na len·te [festáinə-léntei, festí:nə-] 《L.》 천천히 서둘러라; 급할수록 천천히.
fes·ti·nate [féstənèit, -nət] *a.* 《드물게》 급속한, 성급한. — [-nèit] *vi.* 빨라지다; (발걸음이) 병적으로 빨라지다. ㊞ **~·ly** *ad.*
fes·ti·na·tion [fèstənéiʃən] *n.* 빨라짐, 가속; 〖의학〗 (신경성 질환에 의한) 가속(加速) 보행.
⁑fes·ti·val [féstəvəl] *a.* **1** 잔치의, 축(제)일의. **2** (축제같이) 즐거운. — *n.* **1** Ⓤ,Ⓒ 잔치, 축전. **2** Ⓒ 축일, 축제일. **3** Ⓒ (축제의) 향연. **4** Ⓒ 정기적인 행사; 행사 시즌: a music ~ 음악제 / the Bach ~ 바흐 기념 축제. SYN. ⇨ FEAST. ***hold*** 〔***keep, make***〕 ***a*** ~ 향연을 베풀다.
féstival·gòer *n.* 축제에 가는〔참가하는〕 사람.
fes·tive [féstiv] *a.* 경축의; 축제의, 명절 기분의, 즐거운, 명랑한: a ~ mood 축제 기분 / a ~ season 명절, 축제 계절《Christmas 따위》. ㊞ **~·ly** *ad.* **~·ness** *n.*
fes·tiv·i·ty [festívəti] *n.* Ⓤ 축제, 잔치, 제전; 축제 기분; (*pl.*) 축제의 행사, 법석.
fes·ti·vous [féstəvəs] *a.* =FESTIVE.

fes·toon [festúːn] *n.* Ⓒ 꽃줄《꽃·잎·리본 등을 길게 이어 양끝을 질러 놓은 장식》. **—** *vt.* **1** 《~+목/+목+전+명》 꽃줄로 잇다, 꽃줄로 꾸미다《*with*》: ~ a Christmas tree *with* tinsel 크리스마스 트리를 금은의 몰로 장식하다. **2** …을 꽃줄로 만들다.

fes·toon·ery [festúːnəri] *n.* 〚건축·가구〛 꽃줄 (장식)(festoons).

Fest·schrift [féstʃrìft] (*pl.* **~en, ~s**) *n.* (종종 f-) 《G.》 (어떤 학자에게 바치는) 축하 논문집.

FET 〚전기〛 field-effect transistor.

féta (chèese) [fétə(-)] *n.* 페터 치즈《양이나 염소 젖으로 만든 그리스의 흰 치즈》.

fe·tal, foe- [fíːtl] *a.* 태아(fetus)의, 태아 단계〔상태〕의: ~ movements 태동(胎動).

fétal álcohol sỳndrome 〚의학〛 태아기 알코올 증후군《임부의 알코올 과음에 의한 신생아의 기형·기능 장애 등; 생략: FAS》. 「(血行).

fétal circulátion 〚생리〛 태아순환, 태아혈행

fétal hémoglobin 〚의학〛 태아성 혈색소, 태아성 헤모글로빈.

fétal posítion 〚정신의학〛 (어느 형(型)의 정신 퇴행(退行)에 나타나는) 태아형 자세.

fétal súrgery 〚의학〛 태아 외과. 「회임.

fe·ta·tion, foe- [fiːtéiʃən] *n.* 태아 형성; 임신,

‡**fetch**[1] [fetʃ] *vt.* **1** 《~+목/+목+목/+목+전+명/+목+부》 (가서) 가져오다, (가서) 데려〔불러〕오다. ㊀ take. ¶ *Fetch* a doctor at once. 곧 의사 좀 불러다 주게 / *Fetch* me my umbrella. =*Fetch* my umbrella *to* me. 내 우산을 갖다 주시오 / The stool is in the terrace; ~ it *in*. 의자가 테라스에 있네. 들여오게. SYN. ⇨ BRING. **2** 《~+목/+목+전+명》 (눈물·피 등을) 자아내다, 나오게 하다(derive): ~ a pump 펌프에 마중물을 부어서 물이 나오게 하다 / The gesture ~*ed* a laugh *from* the audience. 그 몸짓이 청중에게 웃음을 자아내게 했다. **3** (큰 소리·신음 소리를) 발하다, 내다; (한숨을) 짓다: ~ groan 신음 소리를 내다 / ~ a deep sigh 크게 탄식을 하다. **4** 《~+목/+목+목》 (상품 따위가) …에 팔리다; (…의 금액을) 호가하다: How much did the picture ~? 그 그림은 얼마에 팔렸는가 / This won't ~ (you) much. 대단한 값은 안 될거다. **5** 《+목+목》 (타격 등을) 가하다, 한대 먹이다(strike); 《비어》 죽이다: ~ a person a blow 〔box〕 on the head 〔nose〕 아무의 머리〔코〕에 일격을 가하다. **6** …의 마음을 사로잡다; 매혹하다(attract). **7** …의 의식을 회복시키다《*to; around*》; (아무를) 설득하다《*around*》. **8** 《드물게》 추론하다(infer). **9** (급격한 동작을) 해내다(perform): ~ a leap 도약하다. **10** 〚해사〛 …에 닿다(reach): ~ a port 항구에 닿다. **11** 〚컴퓨터〛 (명령을) 꺼내다. **—** *vi.* **1** 가서 (물건을) 가져오다; (사냥개가) 잡은 것을 물고 오다: Go ~! (사냥개에게) 물고 와. **2** 의식〔체력·체중〕을 회복하다《*up*》. **3** 〚해사〛 (어느 방향으로) 진로를 잡다, 항진하다; 진로를 바꾸다(veer): ~ headway 〔sternway〕 전진〔후진〕하다. ~ ***about*** 돌아서 가다; (돛배가) 진로를 바꾸다. ~ ***a compass*** 돌아서 가다, 우회하다. ~ ***along*** 가져오다. ~ ***and carry*** 심부름을 다니다; (소문 따위를) 퍼뜨리고 다니다; (아무를 위해) 잡일을 하다《 *for*》. ~ a person ***around*** 〔***round***〕 ⇨ *vt.* 7. ~ ***away*** 〔***way***〕 가져〔데려〕가다; 〚해사〛 (선반·갑판 위의 뱃짐·물건 따위가) 흔들려 움직이다〔뒹굴다, 쏠리다〕. ~ ***down*** 쏘아〔두들겨〕 떨어뜨리다; (시세 따위를) 떨어뜨리다. ~ ***in*** (한패로) 끌어넣다〔들이다〕; (이익 등이) 생기다. ~ ***much*** 대단한 값이 되다. ~ ***out*** 끌어〔끄집어〕 내다; (색깔·윤 등을) 내다. ~ ***over*** (사람을) 집으로 데리고 오다. ~ ***through*** (배가) 착항(着港)하다《폭풍·사고를 무릅쓰고》; 목적을 이루다. ~ ***to*** 제정신이 들게 하다, 소생시키다. ~ ***up*** 《*vi.*+부》 ① 《구어》 끝나다; (배·사람이) 갑자기 멈추어 서다. ② 《구어》 결국 (…으로) 끝나다. ③ (뜻밖의 곳에) 도착하다. ④ 구역질이 나다, 토하다. **—** 《*vt.*+부》 ⑤ 《방언》 (아이를) 기르다. ⑥ (음식물을) 토하다. ⑦ 갑자기 멈추어 서게 하다. ⑧ …을 생각해 내다; (의식·체력 등을) 회복하다. ⑨ 《구어》 …에 도착하다.

— *n.* **1** 팔을 쭉 뻗기; 가서 가져오기. **2** (가져오는) 거리, 길: a long ~. **3** (상상력 따위가) 미치는 범위, 도달 범위. **4** 노력: take a ~ 애쓰다. **5** 술책, 계략(trick): cast a ~ 계략을 쓰다. **6** 바람으로 파도가 이는 해역.

fetch[2] *n.* 생령(生靈); 닮은 것(counterpart).

fétch·er *n.* 가져오는 사람.

fétch·ing *a.* 사람의 눈을 끄는, 마음을 빼앗는; 매혹적인. ㊂ **~·ly** *ad.*

fete, fête [feit, fet/feit] *n.* 《F.》 **1** 축제, 축(제)일(~ day); 축연; 〚가톨릭〛 성명 축일(聖名祝日)《자기와 같은 이름의 성자의 축일》. **2** (특히 옥외에서, 모금 목적으로 베푸는) 향연, 축연: a garden 〔lawn〕 ~ 《미》 원유회(園遊會). **—** *vt.* 잔치를 베풀어 축하하다; 향응〔환대〕하다.

fête cham·pê·tre [*F.* fɛtʃɑ̃pɛtʀ] 《F.》 (= outdoor festival) 야외의 대원유회.

féte dày 축일, 축제일(=**féstival dày**).

fe·ti-, foe·ti- [fíːti, -tə], **fe·to-, foe·to-** [fíːtou, -tə] '태아(胎兒)(fetus)'란 뜻의 결합사.

fe·tial [fíːʃəl] *a.* 국제 문제를 다루는, 선전(宣戰)〔화평〕에 관한; 외교의.

fe·ti·cide, foe- [fíːtəsàid] *n.* 태아 살해, 낙태.

fet·id, foet- [fétid, fíːtid] *a.* 악취를 내(뿜)는, 고약한 냄새가 나는. ㊂ **~·ly** *ad.* **~·ness** *n.*

fe·tip·a·rous, foe- [fiːtípərəs] *a.* 덜 된 채로 새끼를 낳는 (동물의)《유대(有袋)동물 따위》.

fet·ish, fet·ich(e) [fétiʃ, fíːt-] *n.* 주물(呪物), 물신(物神)《야만인이 숭배하는 나뭇조각·동물 등》; 미신; 맹목적인 숭배의 대상; 〚심리〛 성적 감정을 불러일으키는 무성물(無性物)《이성의 구두·장갑 따위》. ***make a*** ~ ***of*** …을 맹목적으로 숭배하다, 열광하다.

fét·ish·ìsm, fét·ich·ìsm *n.* Ⓤ 주물(呪物)〔물신〕 숭배; 배물교(拜物敎); 〚정신의학〛 성욕 도착. ㊂ **-ist** *n.* 「숭배의; 미신적인.

fet·ish·is·tic [fètiʃístik, fiːt-] *a.* 주물〔물신〕

fet·ish·ize [fétiʃàiz] *vt.* 맹목적으로 숭배하다, 열광적으로 떠받들다.

fet·lock [fétlɑ̀k/-lɔ̀k] *n.* (말굽 뒤쪽의) 며느리 발톱 털; 구절(球節)《말굽 뒤쪽의 털난 곳》.

fe·tol·o·gy [fiːtɑ́lədʒi/-tɔ́l-] *n.* Ⓤ 태아학, 태아 치료학. ㊂ **-gist** *n.*

fe·to·pro·tein [fiːtəpróutiːn] *n.* 〚의학〛 태아 단백질《정상 태아의 혈청 중의 단백질》. 「臭).

fe·tor, foe- [fíːtər] *n.* 강한〔지독한〕 악취(惡

fe·to·scope [fíːtəskòup] *n.* 〚의학〛 태아경(鏡). ㊂ **fe·tos·co·py** [fiːtáskəpi/-tɔ́s-] *n.* (태아경에 의한) 태아의 직접 관찰〔검사〕(법).

°**fet·ter** [fétər] *n.* **1** (보통 *pl.*) Ⓒ 족쇄(shackle), 차꼬. ㊀ manacle. **2** (보통 *pl.*) 속박; 구속(물): in ~s 사로잡혀; 속박되어. **—** *vt.* 차꼬를 채우다; 속박〔구속〕하다: be ~*ed* by convention 인습에 사로잡혀 있다. ㊂ **~·er** *n.* **~·less** *a.* 족쇄가〔속박이〕 없는.

fétter·lòck *n.* (말의) D자형 족쇄(足鎖)(의 문장(紋章)); =FETLOCK.

fet·tle [fétl] *n.* (심신의) 상태. ***in good*** 〔***fine***〕 ~ 원기 왕성하여, 좋은 상태로.

fet·tuc·ci·ne, -tu·ci·ni [fètətʃíːni] *n.* 가죽끈

모양의 파스타; 이것을 주재료로 한 요리.
fettuccíne (àll') Al·fré·do [-(æl)ælfréidou] 〖요리〗 페투치니를 버터·치즈·크림에 버무려서 맛을 낸 요리.
fe·tus [fíːtəs] *n.* (포유동물, 특히 사람의 임신 3 개월이 넘은) 태아(foetus).
feu [fjuː] *n.* 《Sc.》 영대(永代) 조차(지), 봉토, 「영지(feud).
feud[1] [fjuːd] *n.* U,C (씨족 간 등의 여러 대에 걸친 유혈의) 불화, 숙원(宿怨); 〖일반적〗 싸움, 반목. ***at ~ with*** …와 불화〔반목〕하여. ***deadly ~*** 불구대천의 원한. **—** *vi.* 반목하다; 다투다《*with*》.
feud[2] *n.* C (봉건 시대의) 영지, 봉토(fee).
*** feu·dal** [fjúːdl] *a.* **1** 영지〔봉토〕의; 봉건 (제도)의; 봉건 시대의, 중세의: ~ estates 봉토/the ~ age 봉건 시대/the ~ system 봉건 제도. **2** 소수 특권 계급 중심의; 군웅 할거적인; 계약적·호혜적 관계를 특징으로 하는《봉토 급여에 대한 군무(軍務) 봉사의 제공 등과 같은》; 구식의, 반동적인; 호장(豪壯)한. ㊞ **~·ly** *n.* 봉건 제도하에, 봉건적으로.
°**feu·dal·ism** [fjúːdəlìzəm] *n.* U 봉건 제도. ㊞ **-ist** *n.* 봉건 제도 옹호자〔연구가〕.
feu·dal·is·tic [fjùːdəlístik] *a.* 봉건 제도의; 봉건적인: a ~ idea 봉건 사상.
feu·dal·i·ty [fjuːdǽləti] *n.* U 봉건 제도; 봉건성; C 봉토, 영지(fief).
fèu·dal·i·zá·tion *n.* U 봉건 제도화.
feu·dal·ize [fjúːdəlàiz] *vt.* 봉건제로 하다; 봉건화하다.
feu·da·to·ry [fjúːdətɔ̀ːri/-təri] *a.* 봉건의; 봉토를 받은, 봉토의; 가신(家臣)의, 군신〔주종〕관계의《*to*》, 종주권 아래에 있는. **—** *n.* (봉건) 가신(vassal), 봉토(封土)에 의해 땅을 소유한 자; 영지(feud[2]), 봉토.
feu de joie [*F.* fødəʒwa] 《F.》 (*pl.* ***feux de joie*** [—]) (=fire of joy) 축화(祝火); 축포.
feud·ist[1] [fjúːdist] *n.* 《미》 반목하여 다투는 사람.
feud·ist[2] *n.* 봉건법 학자.
feuil·le·ton [fə́iitn; *F.* fœjtɔ̃] *n.* 《F.》 (신문의) 문예란; 문예란의 기사《소설·비평·소품 따위》. ㊞ **~·ism** *n.* 문예란 집필. **~·ist** *n.* (신문의) 문예란 작가.
‡**fe·ver** [fíːvər] *n.* **1** U (또는 a ~) (병으로 인한) 열, 발열: have a slight 〔high〕 ~ 미열〔고열〕이 있다/run a ~ 발열하다. **2** U 열병. **3** (종종 a ~) 열중, 열광(craze), 흥분《*of*》: in a ~ *of* passionate love 열렬한 사랑에 들떠서. ***at ~ speed*** 초스피드로. ***intermittent ~*** 〖의학〗 간헐열(間歇熱). ***typhoid ~*** 장티푸스. **—** *vt., vi.* 발열시키다〔하다〕; 흥분시키다, 열광케 하다; 열망하다《*for*》; 열광적으로 활동하다.
féver blìster 〖의학〗 =COLD SORE.
fe·ver·few [fíːvərfjùː] *n.* 〖식물〗 흰꽃여름〔화란〕 국화《해열·두통용 약초》.
féver hèat 발열, (신)열《37℃ 이상의 병적인 높은 체온》; 열광.
*** fe·ver·ish** [fíːvəriʃ] *a.* **1** 열이 있는, 뜨거운; 열병의〔에 의한〕; 열병이 많은《지방 따위》; (기후가) 무더운. **2** 열광적인; 큰 소란을 피우는; (시세가) 불안정한: the ~ market 과열 장세. ㊞ **~·ly** *ad.* **~·ness** *n.*
fé·ver·less *a.* 열이 없는.
fe·ver·ous [fíːvərəs] *a.* =FEVERISH.
féver pítch 병적 흥분, 열광.
féver·ròot *n.* 〖식물〗 인동덩굴과의 약초《미국산》.
féver sòre =COLD SORE.
féver thèrapy 〖의학〗 발열 요법.
féver thermómeter 체온계(=clinical thermometer).
féver trée 해열 효과가 있다고 믿어진 수목《남아프리카 늪지에 많은 아까시나무의 일종》.
†**few** ⇨《p. 928》 FEW.

few·er [fjúːər] *a.* FEW의 비교급. **—** *pron.* 보다 적은 수의 사람〔물건〕: *Fewer* have come than we anticipated. 예상한 것보다 온 인원수가 적었다.
féw·ness *n.* U 근소, 약간.
fey [fei] *a.* **1** 《Sc.》 죽을 운명의; 빈사의, 임종의; 이상하게 흥분한《죽음의 전조라 했던》. **2** (사람·행동이) 이상한; 머리가 돈, 변덕스러운; 제 6 감이 있는, 천리안의. ㊞ **∠·ness** *n.*
Féyn·man dìagram [fáinmən-] 〖물리〗 파인만 도형《소립자(素粒子) 간의 상호 작용을 나타내는 그림》.
fez [fez] (*pl.* **∠·(z)es** [féziz]) *n.* 터키모(帽) 《붉은 색; 검은 술이 달렸음》.
FF front-engine front-drive (전치(前置) 엔진, 전륜 구동 방식(의 자동차)). **ff.** and the following (pages, verses, etc.); and what follows; folios. **ff, ff.** 〖음악〗 fortissimo. **F.F.A., f.f.a.** free from alongside (ship)(선측도(船側渡)).

fez

F fàctor 〖세균〗 F 인자. [◂ *f*ertility+*factor*]
FFAR 〖항공〗 folding-fin 〔free-flight〕 aircraft rocket (접는 날개식〔비유도형〕 항공기용 로켓).
FFC first flight cover; Foreign Funds Control(외자 통제).
FF ràte =FEDERAL FUNDS RATE.
F.G. Foot Guards. **FG, f.g.** fully good; finegrain; flat-grain. **f.g.** 〖농구·미식축구〗 field goal(s). **F.G.A.** 〖해상보험〗 free of general average (공동 해손 부담보). **FGM** field guided missile (야전 유도 미사일). **F.H.** fire hydrant. **FHA** 《미》 Farmer's Home Administration (농민 주택국); 《미》 Federal Housing Administration (연방 주택 관리국). **FHB, f.h.b.** family hold back (가족은 삼가서 먹을 것)《손님과 같이 하는 식탁에서의 예법》.
f-hòle *n.* 〖음악〗 (바이올린·첼로 따위 표면의) f 자 모양의 통기공(通氣孔).
f.h.p. friction horsepower (감마(減摩) 마력). **FHWA** 《미》 Federal Highway Administration. **f.i.** for instance. cf. E.G. **F.I.A.** 《F.》 Fédération Internationale de l'Automobile (국제 자동차 연맹).
fi·a·cre [fiάːkər] *n.* (프랑스의) 소형 사륜 역마차.
fi·an·cé [fìːɑːnséi, fiάːnsei/fiάːnsei] *n.* 《F.》 약혼자.
fi·an·cée [fìːɑːnséi, fiάːnsei/fiάːnsei] *n.* 《F.》 약혼녀.
fi·as·co [fiǽskou] (*pl.* **~(*e*)*s***) *n.* 《It.》 (연극·연주·야심적 기획 따위의) 큰 실수〔실패〕: The party was a ~ 〔ended in ~〕. 그 파티는 큰 실패였다〔로 끝났다〕.
Fi·at [fíːɑt, fíːæt, fíət/fíət] *n.* 피아트 회사(제 자동차).
fi·at [fíːɑt, fáiət, -æt/fáiæt, -ət] *n.* C (권위에 의한) 명령(command), 엄명(decree); U 인가(sanction), 허가. ***by ~*** (절대) 명령에 의해.
fíat mòney 《미》 법정 불환(不換) 지폐.
fib[1] [fib] *n.* 악의 없는 거짓말, 사소한 거짓말. **—** (**-*bb*-**) *vi.* 악의 없는 거짓말을 하다.
fib[2] (**-*bb*-**) *vt.* 《영속어》 (권투 등에서) 치다, 때리다(strike). **—** *n.* 침, 때림, 일격(blow).
F.I.B. Fellow of the Institute of Bankers. **FIBA** 《F.》 Fédération Internationale de Basketball Amateur (국제 아마추어 농구 연맹).
fib·ber [fíbər] *n.* (악의 없는) 거짓말쟁이.
*** fi·ber,** 《영》 **fi·bre** [fáibər] *n.* C,U **1** 섬유, 실.

2 (피륙의) 감(texture). **3** (근육) 섬유; 섬유 조직, 섬유질; (건강 증진을 위한) 섬유질 식품 (dietary fiber). **4** Ⓤ 소질, 기질, 성격(character); 근성: a man of coarse 〔fine〕 ~ 성격이 거친〔섬세한〕 사람. **5** Ⓤ 강도, 힘, 내구성, 견뢰성(堅牢性). **6** Ⓒ 〖식물〗 수염뿌리. ***feel in*** one***'s*** ~ (…이라고) 통감하다, 확신하다《*that*》. ***with every*** ~ ***of*** one***'s body*** 전신으로.

fíber àrt 파이버 아트《털실·합성 섬유 등의 소재를 활용하여 입체적인 구성물을 만드는 예술》.

fíber·bòard *n.* (건축용) 섬유판.

(-)fí·bered *a.* 섬유(질)의; 〖복합어〗 …섬유로 된; …의〔한〕 기질의: finely-~ 가는 섬유의; 섬세한 기질의.

fíber·fill *n.* Ⓤ 화섬면(化纖綿).

Fíber·glàs *n.* 섬유 유리《fiberglass의 상표명》.

fíber·glàss *n.* 섬유 유리.

fi·ber·ize [fáibəràiz] *vt.* 풀어서 섬유로 만들다; (고무 따위에) 섬유를 섞다. ㊞ **-ìz·er** *n.* **fi·ber·i·zá·tion** *n.*

fí·ber·less *a.* 섬유가 없는; 성격이 약한, 무골충의.

fíber òptics 〖단수취급〗 광학 섬유; 이에 수반하는 기술, 섬유 광학. ㊞ **fíber-òptic** *a.* 섬유 광학의〔을 이용한〕.

fíber·scòpe *n.* 파이버스코프《유리 섬유의 내시경》.

fíber-tip pén 펠트펜(felt-tipped pen).

Fi·bo·nac·ci [fiːbənáːtʃi] *n.* **Leonardo** ~ 피보나치《이탈리아의 수학자; 1170?-1240?》

fi·br- [fáibr], **fi·bro-** [fáibrou, -brə, fíb-/fáib-] '섬유(纖維), 섬유 조직, 섬유소, 섬유종(腫)'의 뜻의 결합사《모음 앞에서는 fibr-》.

fi·bri·form [fáibrəfɔ̀ːrm] *a.* 섬유상(狀)의.

fi·bril [fáibrəl, fíb-/fáib-] *n.* 가는 섬유; 〖식물〗 수염뿌리, 수근; 〖해부〗 (근육·신경의) 원(原)섬유. ㊞ **~·lar** [-ər] *a.* 소(小)섬유의; 〖식물〗 모근의.

fi·bril·lary [fáibrəlèri, fíb-/fáibriləri] *a.* 소

few

few는 '수가 적은'의 뜻이며 many에 대립되고, little은 '양이 적은'의 뜻으로 much에 대립된다. 다만, few에는 부사로서의 용법이 없으며 little보다는 문법적으로 단순하다. 여기에서 주로 문제되는 것은 few와 a few와의 구별 및 a few가 가리키는 수의 부정성(不定性)(반드시 '두 셋(의)'에 한하지 않음)이다.

few [fjuː] *a.* (***∠·er; ∠·est***)《셀 수 있는 명사에 붙어》 **1** 〖a가 붙지 않는 부정적 용법〗 거의 없는; 조금〔소수〕밖에 없는; 〖흔히 한정용법에서〗 극히 소수의(opp *many* cf. little): a man of ~ words 말이 적은 사람 / He had ~ friends and little 〔×few〕 money. 그는 친구도 돈도 거의 없었다 / *Few* tourists stop here. 이곳에 들르는 관광객은 거의 없다 / Children have ~*er* teeth *than* adults. 어린이는 어른보다 치아 수가 적다《fewer 대신 less를 쓸 때도 있음》. ★ 구어에서는 few보다 not many, hardly any를 많이 씀. 다만, 연어 very few는 구어에서도 많이 씀: He has very ~ friends. 그는 친구가 거의 없다.

2 (비교급 없음) 〖a ~ 형태로 긍정적 용법〗 조금〔약간〕은 있는; 얼마〔몇 개〕인가의; 조금의; 다소의(some)《구체적인 수(數)는 문맥 여하에 따름》 (opp *no, none*): He has *a* ~ friends. 그에겐 친구가 좀〔몇 사람〕 있다 / one of *the* ~ relatives (that) she has 몇 안 되는 그녀의 친척 중 하나《특정의 것을 가리킬 때엔 a가 the나 one's로 바뀜》.

— *n., pron.* 《복수취급》 **1** 〖a를 붙이지 않는 부정적인 용법〗 (수가) 소수〔조금〕(밖에 없다); 극히 …밖에 안 되는 것〔사람〕: Betty must have a lot of friends. — You are wrong. She has very ~. 베티는 친구가 많은 것 같다 — 그렇지 않아요. 그녀는 친구가 거의 없습니다《very ~ ones 라고는 할 수 없으며, friends를 되풀이하여 very ~ friends라고는 할 수 있음. 이때의 few는 형용사임》 / Very 〔Comparatively〕 ~ understand what he said. 그가 한 말을 이해하는 사람은 극히〔비교적〕 적다.

2 〖a ~의 형태로 긍정적 용법〗 소수의 사람〔것〕, 《구어》 몇 잔의 술: *A* ~ *of* them know it. 그들 중 그것을 알고 있는 자가 조금 있다 / Only *a* ~ came to help me. 나를 도우러 온 사람은 불과 몇 사람뿐이었다 / go into a pub, and have *a* ~ 술집에 들어가서 몇 잔 마시다.

3 (the ~) (다수에 대하여) 소수의 사람; 소수파(派); 엘리트《명사로도 볼 수가 있으며 이 때 few 앞에 형용사가 올 때가 있음》(opp *many*): for the ~ 소수를 위한 / to the happy ~ 행복한 소수에게 / the discriminating 〔wealthy〕 ~ 소수 특권〔부유〕 계급.

> NOTE (1) few는 수에 관하여 쓰고, 양에 관해서는 little을 씀. (2) few와 a few는 말하는 사람의 기분상의 차이이며, 실제 수의 많고 적음에 따라 구별되는 것은 아님. (3) 비교급 fewer는 수에, less는 양에 씀. 다만, 특정 수를 수반하면 흔히 less가 대용됨: There were less 〔not less〕 than ten applicants. 지원자는 열 명도 못 됐다〔열 명 이상이나 됐다〕. This means one less idler. 이것으로 태만자가 하나 줄어드는 셈이다.

a good ~ 《영구어》 =quite a ~. ***at*** (***the***) ~***est*** 적어도. ***but*** ~ 《문어》 단지 조금뿐(=only a ~). ***every*** ~ 〖복수 명사 앞에 쓰여〗 몇 …마다: *every* ~ hours 몇 시간마다. (~ ***and***) ***far between*** 극히 드물게〔적은〕: In Nevada the towns are ~ *and far between*. 네바다 주에는 읍이 적고 띄엄띄엄 있다. There are ~ ***or no*** doctors 〔~***, if any,*** doctors; ~ doctors, ***if any***〕 in those villages. 그 마을들에는 의사가 거의 없다〔있다 하더라도 극히 소수밖엔 없다〕《if any의 앞뒤 콤마는 생략할 때도 있음》. ***in*** ~ 《문어》 간단히 (말하면). ***not a*** ~ ① 적지 않은, 상당수의; 상당수《*of*》: *Not a* ~ (*of* the) members were present. 상당수의 회원이 참석했다. ② 《구어》 꽤, 상당히: That news interested me *not a* ~. 그 소식에 꽤 흥미를 느꼈다. There were ***no*** ~***er than*** a hundred applicants. 백 명이나 신청자가 있었다 ≒There were ***not*** ~***er than*** a hundred applicants. 백 명 이상의〔적어도 백 명의〕 신청자가 있었다. ***only a*** ~ 불과 얼마 안 되는, 극히 소수의; 조금밖에 없는; 아주 소수《*of*》: *Only a* ~ people came here. 불과 몇 사람밖엔 이곳에 오지(를) 않았다. ***precious*** ~ 《구어》 극히 소수(의). ***quite a*** ~ 《구어》 꽤〔상당히〕 많은 수의; 상당수《*of*》: He owns *quite a* ~ cows. 그는 젖소를 꽤 많이 갖고 있다. ***some*** ~ 소수의; 조금의; 다소의; 소수《*of*》(=a few): There were *some* ~ houses along the road. 길 연변에는 집이 약간 있었다 / *Some* ~ *of* them came here. 그들 중 몇 사람이 왔다. ***that*** ~ 그 소수의 사람들. ***the*** ~ ⇨ *n.* 3.

(小)섬유의; 근모(根毛)의; (근(筋))원섬유(성)의: ~ contraction 섬유성 수축.

fi·bril·late [fáibrəlèit] *a.* 가는 섬유가 있는. **—** *vi.* 가는〔원(原)〕섬유로 되다, (근육이) 섬유 연축(攣縮)하다. **—** *vt.* 가는〔원(原)〕섬유로 분해하다, (심장을) 세동(細動)시키다, (근육을) 섬유 연축시키다.

fi·bril·la·tion [fàibrəléiʃən, fìb-] *n.* 〖의학〗 (심장의) 세동(細動); (근육의) 섬유성 연축(攣縮).

fi·brin [fáibrin] *n.* U,C 〖생화학〗 섬유소(素); 〖식물〗 부질(麩質).

fi·brin·o·gen [faibrínədʒən] *n.* 피브리노겐, 섬유소원(原)《혈액을 엉기게 하는 단백질》.

fi·bri·noid [fáibrənɔ̀id, fíb-] 〖생화학〗 *a.* 섬유소 모양의. **—** *n.* 섬유소 모양의 균일 단백질.

fi·bri·nol·y·sin [fàibrənáləsin / -nɔ́l-] *n.* 〖생화학〗 섬유소 용해 효소.

fi·bri·nol·y·sis [fàibrənáləsis / -nɔ́l-] *n.* (*pl.* ***-ses*** [-sìːz]) 〖생화학〗 (특히 효소에 의한) 섬유소 용해 (현상). ㊞ **fi·bri·nol·yt·ic** [fàibrənoulítik, faibrìnəlít-] *a.*

fi·bri·no·pep·tide [fàibrənoupéptaid, fìb-] *n.* 〖생화학〗 피브리노펩티드《섬유소원을 구성하는 펩티드》.

fi·brin·ous [fáibrinəs] *a.* 섬유질의.

fi·bro- [fáibrou, -brə, fíb-/fáib-] '섬유' 란 뜻의 결합사: *fibro*lite.

fi·bro·blast [fáibrəblæ̀st] *n.* 〖해부〗 섬유 아세포(芽細胞), 결합 조직 형성 세포. ㊞ **fi·bro·blás·tic** *a.*

fibro-cemént *n.* 〖건축〗 석면 시멘트(asbestos cement).

fibro·cýstic *a.* 〖의학〗 섬유 낭포성(囊胞性)의.

fibrocýstic bréast disèase 〖의학〗 섬유 낭포성(纖維囊胞性) 유선증(乳腺症)《여성 생리 전에 유방에 멍울이 서는 증세》.

fi·bro·cyte [fáibrəsàit] *n.* 〖해부〗 =FIBROBLAST, 《특히》 섬유 세포《불활성형 섬유 아(芽)세포》. ㊞ **fi·bro·cýt·ic** [-sít-] *a.*

fibro·génesis *n.* 〖생물〗 섬유 성장.

fi·broid [fáibrɔid] *a.* 섬유성의, 섬유 모양의. **—** *n.* 〖의학〗 유섬유종(類纖維腫).

fi·bro·in [fáibrouin] *n.* 〖생화학〗 피브로인.

fi·bro·ma [faibróumə] (*pl.* ***~·ta*** [-tə], ***~s***) *n.* 〖의학〗 섬유종(腫).

fi·bro·nec·tin [fàibrənéktin] *n.* 〖생물〗 파이브로넥틴《콜라겐 · fibrin 그밖의 단백질 · 세포막에도 결합하는 섬유꼴 단백질; 조직의 연결 · 강화 작용을 함》.

fi·bro·pla·sia [fàibrəpléiʒə, -ʒiə, -ziə] *n.* 〖의학〗 섬유 증식(증), 섬유 조직 형성.

fibro·sarcóma *n.* 〖병리〗 섬유 육종(肉腫).

fi·bro·sis [faibróusis] (*pl.* ***-ses*** [-siːz]) *n.* 〖의학〗 섬유증(症); 섬유 형성.

fi·bro·si·tis [fàibrəsáitis] *n.* 〖의학〗 섬유염, 결합 조직염. ㊞ **fib·ro·sit·ic** [-sítik] *a.*

fi·brous [fáibrəs] *a.* 섬유(질)의, 섬유성〔상〕의, 섬유가 많은; 강한, 강인한.

fíbrous róot 〖식물〗 실뿌리, 수염뿌리.

fibro·váscular *a.* 〖식물〗 관다발의.

fib·ster [fíbstər] *n.* 《구어》 =FIBBER.

fib·u·la [fíbjələ] (*pl.* ***~s, -lae*** [-lìː]) *n.* 〖해부〗 종아리뼈, 비골(腓骨); 〖고고학〗 브로치, 거멀못. ㊞ **-lar** [-lər] *a.* 〖해부〗 비골(부)의.

-fic [ˊfik] '…로 하는, …화(化)하는' 의 뜻의 형용사를 만드는 결합사: terri*fic*.

F.I.C. Fellow of the Institute of Chemistry.

FICA Federal Insurance Contributions Act.

-fi·ca·tion [fikéiʃən] -fy의 어미를 가진 동사에서 '…로 함, …화(化)' 의 뜻의 명사를 만드는 결합사: identi*fication*; puri*fication*.

fiche [fiːʃ] *n.* 《F.》 피시《자료 정리용 카드 · 필름》; =MICROFICHE, ULTRAFICHE.

Fich·te [fíktə; *G.* fíçtə] *n.* **Johann Gottlieb ~** 피히테《칸트파의 독일 철학자; 1762-1814》.

fichu [fíʃuː, fiːʃuː] *n.* 《F.》 (삼각형) 숄.

°fick·le [fíkəl] *a.* 변하기 쉬운, 마음이 잘 변하는, 변덕스러운: a ~ woman 변덕스러운 여자 / a ~ lover 바람 피우는 애인 / Fortune's ~ wheel 변하기 쉬운 운명의 수레바퀴. (***as***) **~ *as fortune*** 몹시 변덕스러운, 자주 변하는. ㊞ **fíck·ly** *ad.* **~·ness** *n.*

fíckle-mínded [-id] *a.* 변덕쟁이의.

fict. fiction(al); fictitious.

fic·tile [fíktl/-tail] *a.* 모양 지을 수 있는, 가소성(可塑性)의; 점토제(粘土製)의, 도기의; (사람이) 부화뇌동하는, (의견 · 성격 등이) 확고하지 않은: ~ ware 도(자)기.

⁑fic·tion [fíkʃən] *n.* **1** U 《집합적》 소설; C 꾸민 이야기, 가공의 이야기: Fact 〔Truth〕 is stranger than ~. 《속담》 사실은 소설 보다 기이하다. SYN. ⇨ NOVEL.

> NOTE '소설' 의 뜻으로는 총괄적이며 보통 불가산(不可算)명사: read *fiction* 소설을 읽다. 비교: read *a novel* 〔*a short story*〕 장편〔단편〕 소설을 읽다《가산명사》.

2 U 꾸며 낸 일, 허구. **3** C 〖법률〗 (법률상) 의제(擬制), 가정, 가설. ◇ fictitious *a.*

fic·tion·al [fíkʃənəl] *a.* 꾸며 낸, 허구의; 소설적인. ㊞ **~·ly** *ad.*

fic·tion·al·ize [fíkʃənəlàiz] *vt.* (실화를) 소설로 만들다, 소설화하다, 각색〔윤색〕하다.

fic·tion·eer [fìkʃəníər] *n.* 다작〔양산〕하는 작가, 2류 작가. ㊞ **~·ing** *n.* 소설의 남작(濫作).

fíction exècutive (잡지사) 편집장.

fic·tion·ist [fíkʃənist] *n.* 창작자, (단편) 소설가.

fic·tion·ize [fíkʃənàiz] *vt.* =FICTIONALIZE. ㊞ **fic·tion·i·zá·tion** *n.*

fic·ti·tious [fiktíʃəs] *a.* **1** 허위〔거짓〕의, 허구의, 가짜의: a ~ name 가명 / a ~ price 더 얹어서 부르는 값, 에누리. **2** 가공의, 꾸민 이야기의 소설〔창작〕적인: a ~ character 가공 인물. **3** 〖법률 · 상업〗 의제적(擬制的)인: a ~ action 가장 소송 / a ~ party 의사(擬似) 당사자. ◇ fiction *n.* ㊞ **~·ly** *ad.* 허위로, 거짓으로. **~·ness** *n.*

fictítious constrúction pòint 〖항공〗 가공 여행 지점《항공 운임 계산 시에, 실제로는 여객이 경유하지 않는 지점(地點)에 공시된 운임을 연계시켜 싼 운임을 산출하기 위한 가공 여행 지점》.

fictítious pérson 〖법률〗 법인.

fic·tive [fíktiv] *a.* 가공의, 허위의, 허구의(fictitious); 상상적인; 소설의, 꾸며 낸: ~ tears 거짓 눈물.

fid [fid] *n.* 쐐기 모양의 꼭지, 고정재(材), 버팀대; 〖해사〗 돛대의 산지; 원뿔꼴의 큰 나무못, 피드《밧줄 매듭 푸는》; 《영》 (음식의) 두꺼운 조각.

FID 〖문예〗 free indirect discourse. **fid.** fidelity; fiduciary. **Fid. Def.** *Fidei Defensor* 《L.》 (=Defender of the Faith).

°fid·dle [fídl] *n.* **1** 《구어》 바이올린; 피들《비올속(屬)의 현악기》. **2** 〖해사〗 식기틀《식탁에서 식기가 떨어지는 것을 막는》. **3** 《영속어》 사기, 사취. **4** 하찮은〔사소한〕 일. (***as***) ***fit as a ~*** 건강〔튼튼〕하여. ***hang up one's ~*** 사업〔일〕을 그만두다, 은퇴하다. ***hang up one's ~ when one comes home*** 밖에서는 쾌활하고 집에선 뚱하다. ***have a face as long as a ~*** 《구어 · 우스개》 우울한 얼굴을 하고 있다. ***on the ~*** 《영속어》 속임수를 써서. ***play first*** 〔***second***〕 ***~*** (***to ...***) (관현악에서) 제 1〔2〕 바이올린을 켜다; (아무의) 위에

서다〔밑에 종속하다〕, (…에 대하여) 주역〔단역〕을 맡다. One*'s face is made of a* ~. 《구어》 얼굴이 매우 아름답다〔매혹적이다〕.
— *vi.* **1** 《구어》 바이올린을 켜다. **2** 《+전+명》 (…을) 만지작거리다; (남의 것을) 만지다《*about; around; with*》: He is *fiddling with* his cuffs. 그는 소매를 만지작거리고 있다. **3** 《+부/+전+명》 빈들빈들 시간을 보내다《*about; around*》: ~ *around* 빈둥거리다 / ~ *about* doing nothing 아무 일도 하지 않고 빈둥거리며 보내다 / ~ *over* one's work 빈둥빈둥 일을 하다. **4** 《영속어》 사기〔야바위〕 치다, 속이다. — *vt.* **1** 《구어》 (곡을) 바이올린으로 켜다. **2** 《+목+부》 (시간을) 빈들빈들 보내다《*away*》: ~ the day *away* 빈둥빈둥 하루를 보내다. **3** 《구어》 …을 속이다. ~ ***while Rome burns*** 안일을 탐하다《로마 황제 Nero가 로마가 불타는 동안 피들을 켰다는 데서》. — *int.* 시시해!, 어처구니없군!

fíddle·bàck *n.* 등이 바이올린 모양인 의자(= ~ **cháir**). — *a.* 바이올린 모양의; (합판 무늬가) 가는 줄이 있는.

fíddle bòw 바이올린 활(fiddlestick).

fid·dle-de-dee [fìdldidíː] *int.* 당찮은!, 부질없는!, 시시한! — *n.* Ⓤ 부질없는〔당찮은〕 일, 시시한 일. — *a.* 하찮은, 시시한.

fid·dle-fad·dle [fídlfӕdl] *n.* Ⓤ 부질없는 짓; (*pl.*) 부질없는〔시시한〕 일〔것〕; Ⓒ 빈들빈들 놀고 지내는 사람. — *a.* 시시한, 부질없는. — *int.* 시시하다!, 어이〔부질〕없다! — *vi.* 허튼수작을〔짓을〕 하다(trifle); 쓸데없는 일로 떠들다(fuss)《*with*》. 「는; 안절부절못하는.

fíddle-fòoted [-id] *a.* 《미구어》 방랑벽이 있

fíddle·hèad *n.* 〖해사〗 선수(船首) 장식.

fíddle pàttern (포크나 나이프 따위 손잡이의) 소용돌이꼴 장식.

fíd·dler *n.* 피들 주자, 《구어》 바이올리니스트, 제금가; 《영속어》 사기꾼, 악한; 《영속어》 프로 복서(prize-fighter); 〖동물〗 꽃발게(~ crab). (*as*) ***drunk as a*** ~ ⇨ DRUNK. ***pay the*** ~ 비용을 부담하다; (자기의 어리석은 행위에 대한) 대가를 감수하다.

fíddler cràb 꽃발게.

Fíddler's Gréen 〖해사〗 (여자 · 술 · 노래가 있는) 뱃사람의 낙원《뱃사람이 죽으면 간다고 함》.

fiddler crab

fíddle·stìck *n.* **1** 《구어》 바이올린 활(fiddle bow). **2** (보통 *pl.*) 《경멸》 부질없는〔시시한〕 일. **3** (보통 a ~) 〔부정어와 함께〕 조금: do *not* care a ~ 조금도 개의치 않다.

fíddle·stìcks *int.* 시시하다!, 뭐라고《불신 · 조소를 나타냄》.

fíddle strìng 《구어》 바이올린 줄.

fíddle·wòod *n.* Ⓤ (열대 아메리카산의) 무겁고 단단한 목재. 「사소한(petty).

fíd·dling *a.* 바이올린을 켜는; 쓸데없는, 하찮은,

fid·dly [fídli] *a.* 《구어》 서투른, 성가신.

Fi·dei De·fen·sor [fáidiài-difénsɔːr] 《L.》 신앙의 옹호자(Defender of the Faith)《영국왕의 칭호》.

fi·de·ism [fíːdeiìzəm] *n.* 신앙주의《종교적 진리는 이성이 아닌 신앙으로써만 파악할 수 있다는 입장》. ㊞ **-ist** *n.* **fì·de·ís·tic** [-ístik] *a.*

Fi·de·lio [fiːdéiljou] *n.* 피델리오《여자 이름》.

Fi·de·lis·mo, Fi·del·ism [fìːdelíːzmou], [fidélizəm] *n.* Ⓤ Fidel Castro 주의(운동)《피델 카스트로가 지도하는 쿠바 · 라틴 아메리카의 혁명 운동》.

Fi·de·lis·ta, Fi·del·ist [fiːdelístə], [fidélist] *n.* (종종 f-) 카스트로주의자. — *a.* 카스트로주의자의.

°**fi·del·i·ty** [fidéləti, fai-] *n.* Ⓤ **1** 충실, 충성, 성실《*to*》; (부부간의) 정절. **2** 원물(原物)과 똑같음, 박진성(迫眞性); (보고 따위의) 사실〔신빙〕성; 〖전자〗 충실도: reproduce with complete ~ 아주 원물〔원음〕 그대로 복제〔재생〕하다 / a high-~ receiver 고충실도〔하이파이〕 수신기. **3** 〖생태〗 (군락(群落) 따위로의) 적합도.

fidélity insùrance 〖보험〗 신용 보험《종업원의 불성실 행위 · 계약 불이행에 의한 사용자의 손해를 전보(塡補)함》.

fidg·et [fídʒit] *vi.* 《~/+부/+전+명》 안절부절못하다, 불안해〔초조해, 싱숭생숭해〕 하다, 들뜨다《*about*》; 애태우다, 마음을 졸이다; (안절부절못하며) 만지작거리다《*with*》: Don't ~ (*about*). 불안해하지 마라 / ~ *with* one's hat 초조해서 모자를 만지작대다. — *vt.* 애타게〔불안하게〕 하다, 안절부절못하게 하다: a pitcher ~*ed* by the constant movement of a batter 타자가 자꾸 움직여 짜증이 난 투수. — *n.* (종종 *pl.*) 싱숭생숭함, 마음을 졸임; 침착하지 못한 사람. ***be in a*** ~ 안절부절못하고 있다. ***give*** a person ***the*** ~***s*** 아무를 불안케〔조바심나게〕 하다. ***have the*** ~***s*** 안절부절못하다.

fidg·ety [fídʒiti] *a.* 《구어》 안절부절못하는, 침착성을 잃은, 안달하는, 조바심하는; 헛소동 부리는. ㊞ **-et·i·ness** [-tinis] *n.* 「종이 심지.

fid·i·bus [fídəbəs] *n.* (양초 따위에) 불붙이는

Fi·do[1], **FIDO** [fáidou] (*pl.* ~*s*) *n.* **1** 〖항공〗 파이도《활주로 양쪽에서 액체 연료를 태워 안개를 없애는 방법》. [◂ *F*og *I*nvestigation *D*ispersal *O*peration(s)] **2** 《미》 〖우주〗 우주선 조종사〔비행사〕. [◂ *f*light *d*ynamics *o*fficer]

Fi·do[2] *n.* **1** 개의 이름. **2** 《구어》 개, 강아지.

fi·do (*pl.* ~*s*) *n.* 주조상 결함이 있는 경화(硬貨), 결함 주화. [◂ *f*reak+*i*rregulars+*d*efects+*o*ddities]

fi·du·cial [fidjúːʃəl/-djúːʃiəl] *a.* **1** 〖천문 · 측량〗 기준의, 기점(起點)의: a ~ line 〔point〕 기준선〔점〕. **2** 신앙에 바탕을 둔, 믿는 마음이 두터운, 신탁(信託)의. ㊞ ~**ly** *ad.*

fi·du·ci·ary [fidjúːʃièri/-djúːʃiəl] *a.* **1** 〖법률〗 피신탁인(被信託人)의, 수탁자의; 신용상의; 신탁(信託)의; (화폐 따위가) 보증〔신용〕 발행의: a ~ institution 신용 기관《은행 따위》/ a ~ loan 신용 대부금 / ~ notes 〔paper currency〕 (무준비 발행의) 신용 지폐 / ~ relation 〖법률〗 신뢰 관계《회사 대표자와 주주, 의뢰인과 변호사, 은행과 예금자 등과의 관계》/ ~ property 신탁 재산 / ~ work 신탁 업무. **2** 〖물리〗 (광학 측정기의 망선(網線)상의) 기준의, 기준점의. — *n.* 〖법률〗 피신탁자, 수탁자(trustee). ㊞ **fi·dú·ci·àr·i·ly** *ad.* 피신탁인으로서.

fidúciary bònd 〖보험〗 수탁자 보증.

fidúciary ìssue (금(金) 준비 없는 은행권의) 보증 발행.

fi·dus A·cha·tes [fáidəs-əkéitiːz] 《L.》 충실한 아카테스(㊀ Achates).

fie [fai] *int.* 《고어 · 우스개》 저런, 에잇, 체《경멸 · 불쾌 따위를 나타냄》. ***Fie, for shame!*** 아이 보기 싫어《어린애를 꾸짖을 때》. ***Fie upon you!*** 이거, 기분 나쁜데 (자넨).

fief [fiːf] *n.* 봉토(封土), 영지(feud²); (어느 개인〔집단〕의 관할〔세력〕하에 있는) 지배지〔물〕; 《구어》 (정치가의) 절대적 지반.

FIEJ 《F.》 Fédération internationale des éditeurs de journaux et publications (국제 신

문 발행인 협회).

†**field** [fiːld] *n.* **1** (보통 *pl.*) 들(판), 벌판; 논, 밭, 목초지: in the ~*s* 벌판에서 / a wheat ~ 밀밭 / a rice ~ 논. **2** 〖보통 복합어〗 (바다·하늘·얼음·눈 따위의) 질펀하게 펼쳐진 곳: a ~ *of* clouds 운해(雲海) / an ice ~ 빙원(氷原). **3** 〖보통 복합어〗 (특정한 사용 목적을 지닌) 광장, 지면, …사용지, …장(場): landing ~ 비행장 / playing ~ 경기장, 운동장. **4** (광산물의) 산지, 매장 지대, 광상: a coal ~ 탄전 / an oil ~ 유전. **5** 싸움터(~ of honor); 전지(戰地)(battle ~); 싸움, 전투: a hard-fought ~ 격전(지) / a single ~, 1대 1의 싸움. **6** 경기장, 필드((track과 상대되는 말)); 야구장, 『야구』 내야, 외야 ; 야수(野手), 수비측; 『경마』 마장; 〖집합적〗 출장하는 말, ((특히)) 인기 있는 말 이외의 (전체) 출장마. **7** 〖집합적〗 경기 참가자 전체; 사냥 참가자. **8** (활동의) 분야, 활동 범위; (연구의) 방면: a new ~ *of* research 새로운 연구 분야. **9** (일·사업의) 현장, 현지; 경쟁의 장(場), 활약 무대. **10** 『물리』 장(場), 역(域), 계(界)((힘의 작용이 미치는 범위)); 시야, 시역(視域)((망원경 따위의)); 『TV』 영상면: a magnetic ~ 자기장(磁氣場) / the ~ *of* fire (총·대포의) 사계(射界) / ~ *of* vision 시야 / ~ *of* force 힘의 장. **11** 바탕((그림·기(旗) 따위의)), 바탕의 색; 『문장(紋章)』 무늬 바탕. **12** 『수학』 체(體), ((특히)) 가환체(可換體); 『컴퓨터』 필드, 기록란(欄); 『전기』 자기장(磁氣場).
a fair ~ and no favor (경기 등에서) 기회균등, 정실 없이 공정하게. ***a good ~*** 다수의 우수한 경기〔경쟁〕자. ***fresh ~s and pastures new*** ((구어)) 새로운 활동 무대, 신천지. ***have a clear ~ before*** one 마음껏 활약할 수 있다. ***have a ~ day*** ((미)) 대성공을 거두다. ***have the ~ to*** one***self*** 경쟁 상대가 없다, 독무대다. ***hold the ~*** 유리한 위치를 차지하다, 한 발짝도 물러서지 않다. ***in one's own ~*** 전문 분야에 있어서. ***in the ~*** ① 싸움터에; 출정〔종군〕 중에, 현역(現役)으로. ② 경기에 참가하여. ③ 『방송』 (기자가) 취재하러 나가(서). ④ 『야구』 수비를 맡고. ⑤ (기계 따위가) 실용되고, 현장에서 사용되고. ⑥ (학자가) 야외 조사 중에, 자료 수집 중에. ⑦ 전문 분야에(서). ***keep*** 〔***maintain***〕 ***the ~*** 작전〔활동〕을 계속하다; 진지를〔전선을〕 유지하다. ***lay ~ to ~*** 『성서』 차례로 잇달아 토지를〔재산을〕 늘리다. ***lead the ~*** 1등이 되다, 선두에 서다. ***leave ... in possession of the ~*** …에게 져 퇴각〔철수〕하다. ***leave the ~*** 경기장을〔싸움터를〕 떠나다; ((구어)) 전투를 그만두다; 경기에서 빠지다; 직업을 그만두다. ***leave the ~ open*** 간섭하지 않다. ***lose the ~*** 싸움터에서 패퇴하다. ***play against the ~*** 『경마』 인기말에 걸다. ***play the ~*** 『경마』 인기말 이외의 출장한 말 전부에 걸다; ((구어)) ((특히)) 많은 이성과 교제하다([OPP] *go steady*). ***sweep the ~*** 전승하다, 전 종목에 걸쳐 승리하다. ***take the ~*** 출진하다, 전투를 시작하다; 경기를 시작하다. ***take to the ~*** 전투를〔게임을〕 시작하다; 수비에 임하다〔를 맡다〕. ***win the ~*** 이기다. ***withdraw from the ~*** 싸움터에서 철수하다; ((구어)) 경쟁에서 물러나다.
— *vt.* **1** 전투 배치를 시키다; (선수·팀을) 수비에 세우다; 경기〔전투〕에 참가시키다. **2** (타구를) 받아서 던지다, 처리하다; ((비유)) (질문을) 적절히 받아넘기다; (입장 등을) 지키다. — *vi.* 『야구』 수비를 맡다.

field àrmy 야전군.

field artìllery 야포 (부대); (F- A-) 미군 야전 포병대.

field bàttery 야포대〔중대〕.

field bèd 야전용 침대.

field bòok 측량 노트; 채집 노트.

field bòot (보통 *pl.*) 무릎까지 오는 장화.

field càptain 『미식축구』 주장 선수.

field cènter 현지 조사 기지, 현지 조사 지원 센터.

field clùb 야외 자연 연구회.

field còil 『전기』 장자석(場磁石) 코일.

field còrn ((미)) (사료용) 옥수수.

field·cràft *n.* 전장(戰場)에 필요한 기술; 야생 동식물·야외 생활 따위에 관한 지식·기술.

field cròp (넓은 밭에서 수확하는) 농작물((건초·목화 따위)).

field dày 1 『군사』 (공개) 야외 훈련일. **2** 야외 집회일; 야외 연구일((생물 연구회 따위)). **3** (굉장한 일의) 행사일, 야외 경기일, 운동회 날, 유렵일(遊獵日); 굴레를 벗음, 마음대로 놂: have a ~ (야외에서) 마음껏 떠들며 즐기다.

field dràin 배수용 토관.

field drèssing ((영)) (전투 중의) 응급 치료.

field-effèct *a.* 『전자』 전기장(電氣場) 효과의〔를 이용한〕.

field-effect transìstor 『전자』 전기장 효과 트랜지스터((생략: FET)).

field emíssion 『물리』 전기장(電氣場) 방출.

field-emission mìcroscope 전계(電界)방출 현미경((생략 FEM)).

field·er *n.* 『크리켓』 야수(野手) (fieldsman); 『야구』 외야수.

fielder's chóice 『야구』 야수(野手) 선택, 야선(野選).

field evènt 필드경기((투창·원반던지기·장대높이뛰기 등)). [OPP] *track event*.

field èxercise 야외 훈련, 기동 연습.

field·fàre *n.* 『조류』 개똥지빠귀.

field glàss(es) 쌍안경; (망원경 등의) 렌즈.

field gòal 『구기』 필드에서의 득점.

field gràde 『육군』 영관급(領官級).

field guìde (조류·식물 등의) 휴대용 도감, 야외 관찰 도감.

field gùn 야포(fieldpiece). [파] **field gùnnery**

field hànd ((미)) 농장 일꾼(farm laborer).

field hòckey ((미)) 필드하키.

field hòspital 야전 병원.

field hòuse ((미)) 경기장의 부속 건물; 실내 경기장.

field ìce 얼음 벌판, 빙원.

field·ing *n.* 『야구』 수비.

fielding àverage 『야구』 (야수의) 수비율.

field intènsity =FIELD STRENGTH.

field-ion mìcroscope 『전자』 장(場)이온 현미경, 이온 방사 현미경.

field jùdge 1 『육상』 필드 심판관((투척·도약 따위의)). **2** 『미식축구』 필드 저지.

field kìtchen 『군사』 야외〔야전〕 취사장.

field lèngth 이착륙 활주 거리.

field lèns 대물 렌즈, 시야(視野) 렌즈.

field lìne 『물리』 힘의 선(=**líne of fórce**).

field màgnet 『전기』 장(場)자석.

field màrshal ((영)) 육군 원수((생략: F.M.)).

field mòuse 들쥐.

field mùsic 군악대(용 행진곡).

field nìght 중요 안건 토의(의 날), 중요 행사가 있는 밤((주로 의회에서의)).

field nòte 필드 노트((현지 조사로 얻은 데이터 개개의 기록)).

field òfficer 『군사』 영관(領官)((생략: F.O.)).

field of fíre 『군사』 사계(射界)((소정의 지점에서 화기의 사격 가능 범위)).

field of hónor 결투장, 전장, 싸움터.

field of vísion 시야(視野).

field·pìece *n.* =FIELD GUN.

field póst òffice 야전 우체국((생략 FPO)).

field pùnishment 『영군사』 전지(戰地) 형벌.

field rànk (육군의) 영관급.

field ràtion 〖미육군〗 (전투용) 휴대 식량.
field sècretary 《미》 외근 직원, 지방 연락원.
fields·man [fíːldzmən] (*pl.* ***-men*** [-mən]) *n.* 〖크리켓〗 야수(fielder).
field spàniel 필드 스패니얼《영국산(産) 스패니얼 개의 일종; 수렵용》.
field spòrts 1 야외 스포츠《사냥 · 사격 따위》. **2** 필드 경기《트랙 경기에 대해서》.
Fields prìze 〖수학〗 필즈상(賞)《수학 분야의 최고상; 4년에 한 번 열리는 국제 수학자 회의에서 두 사람의 젊은 수학자를 선정함》.
field·stòne *n.* 자연석, 건재용 성긴 돌《미가공의》.
field stòp 〖광학〗 시야(視野) 조리개.
field strèngth 〖물리〗 장(場)의 세기; 〖통신〗 전기장 강도(field intensity).
field-strìp *vt.* (총포를) 검사를 위해 보통 분해하다; (담배꽁초를) 비벼서 흩어 버리다.
field stùdy (사회학 등의) 현지 조사.
field tèlegraph (야전용) 휴대용 전신기.
field tèst 실지 시험.
field-tèst *vt.* (신제품 따위를) 실지 시험하다.
field thèory 〖물리 · 심리〗 장(場)의 이론.
field trìal (사냥개 등의) 야외 실지 시용(試用) (cf. bench show); (신제품의) 실지 시험.
field trìp 실지 연구〔견학〕 여행, (연구 조사를 위한) 야외 연구 조사 여행.
field·ward(s) [fíːldwərd(z)] *ad.* 《영》 들(판)쪽으로.
field·wòrk *n.* **1** (보통 *pl.*) 〖군사〗 (임시로 흙을 쌓아 구축한) 보루, 야보(野堡). **2** 야외 연구, 야외 채집; (인류학 · 사회학 등의) 현지〔실지〕 조사; 현장 방문. ⊞ **~·er** *n.* ~를 하는 학자 · 기술자 등.
fiend [fiːnd] *n.* 마귀, 악마(the Devil), 악령; 마귀〔악마〕처럼 잔인〔냉혹〕한 사람; 사물에 열광적인 사람, …광(狂); …중독자; 달인(達人)《*at; for*》: an opium ~ 아편쟁이 / a golf ~ 골프광 / a film ~ 영화광 / a cigarette ~ 지독한 골초 / a ~ *at* tennis 테니스의 명수. ⊞ **∠·like** *a.*
fiend·ish [fíːndiʃ] *a.* 귀신〔악마〕 같은, 마성(魔性)의; 극악한, 잔인한; (날씨 따위가) 아주 험악한. ⊞ **~·ly** *ad.* **~·ness** *n.*
*****fierce** [fiərs] (***fiérc·er; -est***) *a.* **1** 흉포한, 몹시 사나운(savage): a ~ tiger 맹호 / ~ animals 맹수 / ~ looks 사나운 표정. **2** (폭풍우 따위가) 사나운, 모진(raging). **3** 〔일반적〕 맹렬한, 격심한(intense): a ~ competition 격심한 경쟁. **4** 《구어》 지독한, 고약한: a ~ taste 지독한 악취미. ⊞ **°∠·ly** *ad.* 맹렬히, 지독히. **∠·ness** *n.*
fi·e·ri fa·ci·as [fáiərai-féiʃiæs] 《L.》 〖법률〗 강제 집행 영장, 압류 영장《생략: fi. fa.》.
*****fi·ery** [fáiəri] (***more ~, fi·er·i·er; most ~, -i·est***) *a.* **1** 불의, 불길의; 불타는. **2** 불같은, 불같이 뜨거운, 활활 타는 듯한; 빛나는, 번쩍이는: ~ eyes 노여움에 이글거리는 눈. **3** 열띤, 열렬한, 격렬한: a ~ speech 불꽃이 튀는 듯한 열띤 연설. **4** (성질이) 격하기 쉬운, 열화 같은; (말이) 사나운. **5** 인화하기〔불붙기〕 쉬운; 폭발하기 쉬운《가스 따위가》. **6** 염증을 일으킨(inflamed): a ~ tumor 염증을 일으킨 종기. **7** (맛 따위가) 짜릿한, 얼얼한: a ~ taste 얼얼한〔짜릿한〕 맛. ⊞ **fí·er·i·ly** [-ərəli] *ad.* 불같이; 격렬하게, 열렬히. **-i·ness** *n.* 격렬; 열렬.
fiery cróss 1 혈화(血火)의 십자가(fire cross) 《옛날에 스코틀랜드에서 모병을 위해 부락마다 들고 다니던 십자가》. **2** 《미》 불의 십자(가)《the Ku Klux Klan 따위의 표지》.
fi·es·ta [fiéstə] *n.* 《Sp.》 제례(祭禮), 성일(聖日) (saint's day); 휴일, 축제.
FIFA [fíːfə] 《F.》 Fédération Internationale de Football Association (국제 축구 연맹).
fi. fa. [fái-féi] 〖법률〗 fieri facias.
Fife [faif] *n.* 파이프《스코틀랜드 동부의 주(region); 주도는 Cupar》.
fife [faif] *n.* (고적대의) 저, 횡적(橫笛); 저를〔횡적을〕 부는 사람. ***a ~ and drum corps*** 고적대. **— *vi.*, *vt.*** 저를〔횡적을〕 불다. ⊞ **fíf·er** *n.*
fífe ràil 〖해사〗 (큰 돛대의) 밧줄 매는 난간.
Fi·fi [fíːfiː] *n.* 피피《여자 이름; Josephine의 별칭》.
FIFO, fi·fo [fáifou] *n.* 〖회계〗 Ⓤ 선입(先入) 선출(先出)법; 〖컴퓨터〗 처음 먼저내기. [◂*first-in, first-out*]
*****fif·teen** [fíftíːn] *a.* 열다섯의, 15의, 열다섯 개〔사람〕의; 열다섯 살의. **— *n.* 1** 열다섯, 15; 15개〔사람〕; 열다섯 살. **2** 〖럭비〗 15명으로 이루는 한 팀(team); 〖테니스〗 15점: ~ love 서브 측 15점 리시브 측 0점. **3** (the F-) 〖영국사〗 15년의 난(亂)《1715년 James 2세의 혈통을 왕으로 옹립하려던 Jacobites의 반란》. ⊞ **~·fòld** *a.*, *ad.* 15배의〔로〕.
fiftéen and twó 신문 광고 수수료《신문사가 광고 대리점에 지급하는 수수료; 요금의 15%인 매체 수수료와 2%의 선금 할인료가 지급됨》.
*****fif·teenth** [fíftíːnθ] *a.* 제 15의, 15번째의; 15분의 1의. **— *n.*** 제 15; 15분의 1; (달의) 15일; 〖음악〗 15도(음정). ⊞ **~·ly** *ad.*
†fifth [fifθ] *a.* **1** 다섯(번)째의, 제 5의. **2** 5분의 1의. **— *n.* 1** 다섯째, 제 5; (달의) 5일. **2** 5분의 1(a ~ part). **3** 〖음악〗 5도 (음정); (변속기의) 제 5단. **4** 5분의 1 갤런《알코올음료의 단위》. ***dig* 〔*hit*〕 *under the ~ rib*** 급소를 찌르다, 깜짝 놀라게 하다. ***take the Fifth*** 《미구어》 묵비권을 행사하다, (…에 대해) 증언을 거부하다(cf. Fifth Amendment): I'll *take the Fifth* on that. 나는 그것에 관해 말하고 싶지 않다. ***the ~ act*** 제 5막; 종막; 늘그막, 노경.
Fífth Améndment (the ~) 미국 헌법 수정 제 5조《자신에게 불리한 증언을 거부하는 것 등을 인정하는 조항》.
Fífth Ávenue (the ~) 5번가(街)《미국 New York의 번화가》.
fífth cólumn 제 5열《적과 내통하여 국내에서 파괴 행위를 하는 일단의 사람들》. cf. sixth column.
fífth cólumnist 제 5열 분자.
fífth diséase 〖의학〗 제 5병《전염성 홍반(紅斑), 주로 어린아이에게 생김》.
fífth estáte (the ~, 종종 the F- E-) 제 5계급《노동조합 따위》.
fífth generátion compúter (the ~) 〖컴퓨터〗 제 5세대 컴퓨터《초(超)LSI에 의한 제 4세대 컴퓨터 다음에 나타날 컴퓨터》.
fífth·ly *ad.* 다섯 번째로, 제 5위로.
Fífth Mónarchy (the ~) 〖성서〗 제 5왕국 《다니엘서 II: 44》.
Fífth Mónarchy Mèn 〖영국사〗 제 5왕국파 《Cromwell 시대 급진 행동을 취한 과격 좌파》.
Fífth Repúblic (the ~) (1958년 de Gaulle의 헌법 개정으로 성립된, 현) 프랑스 제 5공화국.
fífth whéel 〖기계〗 전향륜(轉向輪); (4륜차의) 예비 바퀴; 좀처럼 쓰지 않는 것〔사람〕, 무용지물.
*****fif·ti·eth** [fíftiiθ] *a.* 50번째의; 50분의 1의. **— *n.*** 50번째; 50분의 1.
†fif·ty [fífti] *a.* **1** 쉰의, 50의; 50개〔사람〕의, 50세의. **2** (막연히) 많은: I have ~ things to tell you. 이야기할 것이 많다. **— *n.*** 쉰, 50; 50개〔사람, 세〕: the fifties, 50 대《연령의》; 50년대 《세기의》.
fífty-dóllar làne 《CB속어》 추월선(=**pássing làne**).
fífty-fífty *a.*, *ad.* (절)반씩의; (절)반씩으로; 50 대 50의〔으로〕. ***go ~*** 반반으로 하다, 절반씩 나누다《*with*》. ***on a ~ basis*** 반반의 조건으로.

— *n.* 절반, 등분, 반반.
fífty·fòld *a., ad.* 50 배의〔로〕.
◇**fig**[1] [fig] *n.* **1** 무화과《열매 또는 나무》; 무화과 모양의 것: a green ~ 생무화과《말린 것에 대하여》. **2** 〖주로 부정〗 (a ~) 조금, 약간; 하찮은〔시시한〕 것《*for*》: I don't care a ~ *for* … …따위 아무래도 상관없다. **3** 상스러운 경멸적인 손짓《두 손가락 사이에 엄지손가락을 끼워 넣는 따위의》. ***A ~ for …!*** 시시하다, 체 …이 뭐야: *A ~ for* you! 너 따위가 뭐냐/*A ~ for* fame! 명예가 다 뭐야. ***not worth a ~*** 보잘것없는.
fig[2] 《구어》 *n.* Ⓤ 옷, 옷〔몸〕차림, 복장; 모양, 상태, 형편. ***in full ~*** 성장(盛裝)하고. ***in good ~*** 탈 없이, 아주 건강하게. — (**-gg-**) *vt.* 꾸미다, 장식하다. **~ *out*** 치장시키다, 성장시키다; =~ up. **~ *up*** (후추 따위로 말의) 기운을 북돋우다.
fig. figurative(ly); figure(s).
Fig·a·ro [fígəròu] *n.* 피가로《보마르셰의 '세비야의 이발사' 등에 나오는 재치 있는 이발사》; 재치 있는 거짓말쟁이; 《속어》 이발사; (Le ~) 르 피가로《파리에서 간행되는 일간 신문; 1826 년 창간》.
fig·eat·er [fígìːtər] *n.* 〖곤충〗 풍뎅이의 일종「《미국 남동부》.
†**fight** [fait] (*p., pp.* ***fought*** [fɔːt]) *vi.* **1** 《~/+전+명》 싸우다, 전투하다, 서로 치고받다, (논쟁·소송 따위로) 다투다; (우열을) 겨루다《*against; with*》: Two boys were ~*ing* on the street. 두 소년이 길에서 싸우고 있었다/~ *with* 〔*against*〕 an enemy 적군과 싸우다. **2** 《+전+명》 (일의 실현을 위해) 노력하다, 분투하다《*for; against*》: ~ *for* fame 명성을 얻으려고 애를 쓰다〔분투하다〕. **3** 《+전+명》 (유혹·곤란 따위에) 지지 않으려고 싸우다《*against*》: ~ *against* temptation 유혹과 싸우다. **4** 격론하다, 언쟁하다《*over; about*》. — *vt.* **1** …와 싸우다; …와 다투다; 겨루다《*for; over*》: ~ an enemy 적군과 싸우다/~ a person *over* 〔*for*〕 a girl 한 여자를 두고 아무와 겨루다. **2** 《+목+전+명》 〖~ one's way 로〗 분투하면서 진로를 뚫고 나가다: ~ one's *way against* the wind 〔*through* snowdrifts〕 바람을〔눈보라를〕 뚫고 나아가다. **3** 〖동족 목적어를 수반하여〗 일전을 벌이다; 결투하다, …와 권투 경기를 하다: ~ a heavy fight 〔battle〕 격전을 벌이다. **4** (주장·주의 따위를) 싸워 지키다, 싸워서 획득하다. **5** (닭·개 따위를) 싸움 붙이다. **6** (군대를) 지휘하다, 움직이다; (대포·함선 따위를) 지휘 조종하다. **~ *back*** 《*vi.*+부》 ① 저항〔저지, 반격〕하다. ② (병자 등이) 노력하여 원상태로 회복하다. — 《*vt.*+부》 ③ (감정 등을) 억제하다, 참다; (공격을) 저지하다. **~ *a bottle*** 《미속어》 (도를 넘게) 술을 마시다. **~ *down*** 싸워서 압도하다; (감정·재채기 따위를) 억제하다, 참다. **~ *for*** ① …을 위해 싸우다: ~ *for* one's country 조국을 위해 싸우다. ② …을 얻기 위하여 싸우다: ~ *for* liberty 자유를 얻기〔지키기〕 위해 싸우다. **~ *it out*** 승부가 날 때까지〔끝까지〕 싸우다, 자웅을 겨루다. **~ *off*** …을 격퇴하다, 퇴치하다; …을 피하려고 노력하다; …에서 손을 떼려고 애쓰다. **~ *on*** 계속해 싸우다. **~ *through*** 《*vi.*+부》 ① 끝까지 싸우다. — 《*vt.*+부》 ② (동의·제안 따위를) 얻으려고 애쓰다. **~ *tooth and nail*** 철저하게 싸우다. **~ *to the last*** 〔***to a finish***〕 최후까지〔한쪽이 쓰러질 때까지〕 싸우다. **~ *up against*** (우세한 것에) 대항하여 분투하다.
— *n.* **1** Ⓒ 싸움, 전투, 접전; 결투, 격투, 1 대 1 의 싸움, 권투 경기: ~*s* by land and sea 육해전/a running ~ 추격전/a free ~ 난투.

> SYN. **fight** 가장 일반적인 말로서, 흔히 군사 행동 이외의 뜻으로 쓰임: a *fight* for freedom 자유를 위한 전투. **battle** 일련의 교전 행위로 이루어지는 전투: the *Battle* of Waterloo 워털루의 전투. **war** 국가끼리 하는 조직적인 싸움. 일련의 battles (전투)로 이루어지는 '전쟁': the World *War* 세계 대전. **engagement, action** 공방(攻防), 교전, 작전 행동. **combat** 좁은 뜻에서의 전투. (보급 수송 따위를 포함하지 않는) 결전, 대결, 1 대 1 의 싸움 따위의 뜻을 내포함. **campaign** 규모가 큰 전략과 그것에 의거한 일련의 군사 행동. **encounter** 적과의 조우에 의한 기동적인 전투, 조우전. **skirmish** 전초전, 전위·척후끼리의 충격, 소규모의 싸움〔충돌〕, 비유적으로 '승강이'.

2 Ⓒ 투쟁《*for; against*》; 쟁패전, 승부, 경쟁; 논쟁: a ~ *for* higher wages 임금 인상 투쟁/a ~ *against* (a) disease 투병. **3** Ⓤ 전투력; 전의(戰意), 투지: He has plenty of ~ in him. 그는 투지 만만하다. **4** 논쟁, 격론《*with; over*》. **5** (사회) 운동(campaign): a ~ *for* lower taxes 감세(減稅) 운동. ***give*** 〔***make***〕 ***a ~*** 일전을 벌이다. ***put up a good*** 〔***poor***〕 ***~*** 선전〔고전〕 분투하다. ***stand-up ~*** 정정당당한 싸움. ***take all the ~ out of*** a person 아무에게서 완전히 투지를 빼앗다; 기를 죽이다. ***the ~ of one's life*** (강적과의) 고전.
fíght·bàck *n.* 《영》 반격, 반공(反攻).
◇**fíght·er** *n.* **1** 싸우는 사람, 투사; 전투원, 무인(武人). **2** 호전가; 싸움을 좋아하는 사람; (프로) 권투 선수. **3** 전투기(~ plane): ~ pilot 전투기 비행사.
fíghter-bómber *n.* 〖군사〗 전투 폭격기.
fíghter-intercépter *n.* 요격 전투기.
fíghter pìlot 전투기 비행사.
◇**fíght·ing** *n.* Ⓤ,Ⓒ 싸움, 전투, 투쟁; 서로 치고받는 싸움: a street ~ 시가전. — *a.* **1** 싸우는; 전투의, 교전 중인; 호전적인, 투지가 있는: a ~ spirit 투지/~ fields 전장(戰場), 싸움터. **2** 《구어》〖부사적〗: ~ drunk 〔tight〕 취하여 싸우려 들어/~ mad 격노하여/~ fit 전투에 알맞아; 몸의 컨디션이 매우 좋아.
fíghting chàir 《미》 갑판에 고정시킨 회전의자《큰 고기를 낚기 위한》.
fíghting chánce 노력 여하로 얻을 수 있는 승리〔성공〕의 가망; 성공할 수 있는 기회.
fíghting cóck 투계(鬪鷄)(gamecock); 싸움 좋아하는 사람: feel like a ~ 투지에 불타다. ***live like a ~*** 〔~***s***〕 《영구어》 호화롭게 살다.「칭.
Fíghting Fálcon 〖미군사〗 전투기 F-16 의 애
Fíghting Frénch 싸우는 프랑스인《제 2 차 세계 대전 중 드골 지휘 아래 런던에서 결성된 자유 프랑스를 위한 전투 부대》.
fíghting fùnd 군자금, 투쟁 자금.
fíghting tòp (군함의) 전투 장루(檣樓).
fíghting wòrds 〔**tàlk**〕 도전적인 말.
fíght or flíght reàction 〖심리〗 파이트 오어 플라이트 반응《방위 반응의 일종, 갑작스러운 자극에 자기의 행동 반응을 결정하지 못하는 상태》.
fíght sòng 응원가.
fíg lèaf 무화과나무 잎; (조각 등에서) 국부를 가리는 것; 《비유》 (흉한 것이나 수상한 것을) 감추는 것, 은폐물, 악취나는 것을 덮는 뚜껑.
fig·ment [fígmənt] *n.* 가공적(架空的)인 일, 허구(虛構); 꾸며 낸 일, 지어 낸 이야기: a ~ of one's imagination 상상의 산물.「키; 상표명》.
Fíg Nèwton 피그 뉴턴《무화과 열매가 든 쿠
fig·u·line [fígjəlàin] *n.* 《드물게》 도기(陶器), (점토제(製)의) 조상(彫像). — *a.* 점토의.
fi·gu·ra [figjúərə] *n.* (고도의 실재·이념을) 구현하는 사람〔존재〕, 상징적 행위.

fig·ur·al [fígjərəl] *a.* (인간이나 동물의) 상(像)〔형상, 그림〕으로 된, 묘사적인; 〚음악〛 수식적인.

fig·u·rant [fígjərɑ̀:nt] *n.* 《F.》 (발레의) 남자 무용수; (연극·영화에서 대사 없는) 뜨내기 역, 단역 (배우).

fig·u·rante [fígjərɑ̀:nt] (*pl.* **~s** [-s], ***-ran·ti*** [-ti:]) *n.* 《F.》 FIGURANT의 여성형.

fig·u·ra·tion [fìgjəréiʃən] *n.* Ⓤ 형체 부여; 성형; Ⓒ 형상, 형태, 외형; 상징(화); Ⓤ,Ⓒ 비유적 표현; Ⓒ 의장(意匠), (도형 등에 의한) 장식; 〚음악〛 장식《음·선율의》.

°**fig·u·ra·tive** [fígjərətiv] *a.* **1** 비유적인; 비유적 의미의, 비유적으로 쓰이는: a ~ use of a word 낱말의 비유적인 용법 / in the ~ sense 비유적인 의미로. **2** 수식이 많은, 화려한: a ~ style 미문체(美文體). **3** 상징적인; 구상적(具象的)인, 조형적인: the ~ arts 조형 미술《회화와 조각》. ㊞ **~·ly** *ad.* 비유적〔상징적〕으로. **~·ness** *n.*

‡**fig·ure** [fígjər/-gə] *n.* Ⓒ **1** 숫자; (숫자의) 자리; (*pl.*) 계수, 계산: an income of five ~s 다섯 자리(1만 이상 10만 달러〔원〕 미만)의 수입 / a number in three ~*s* 세 자리의 수 / be good 〔poor〕 at ~*s* 계산에 밝다〔어둡다〕 / significant ~*s* 유효 숫자. **2** 합계(수), 총계; 값: do ~*s* 계산하다 / sell goods at a high ~ 상품을 비싼 값에 팔다. **3** 모양, 형태, 형상: round in ~ 모양이 둥근 / a solid ~ 입체형 / a ~ of 8, 8자 모양; 〚스케이트〛 8자 활주(滑走). **4** 사람의 모습, 사람의 그림자: A tall ~ stood there. 키 큰 사람이 거기 서 있었다. **5** 몸매, 풍채, 자태, 외관, 눈에 띄는〔두드러진〕 모습, 이채(異彩): a slender ~ 날씬한 몸매 / a fine ~ of a man 훌륭한 체격의 남자 / have a good ~ 풍채〔자태〕가 훌륭하다. **6** 인물, 거물: a political ~ 정계 인사 / great ~*s* of the age 그 시대의 거물들. **7** (그림·조각 따위의) 인물, 초상, 화상(畫像), 조상(彫像). **8** 상징, 표상(emblem)《*of*》: The dove is a ~ *of* peace. 비둘기는 평화의 상징이다. **9** 도안, 디자인, 무늬; 〚수학〛 도형; 도해(diagram); (본문 따위를 위한) 그림, 삽화(illustration)《생략: fig.; *fig.* 2 둘째 그림》. **10** 〚수사학〛 비유, 비유적 표현(~ of speech)《직유(直喩)·은유(隱喩) 따위》, 문채(文彩). **11** 말 표현; 과장; 거짓말. **12** (댄스·스케이트의) 피겨; 〚음악〛 음형(音形). **13** 〚논리〛 (삼단논법의) 격(格), 도식(圖式). **14** 〚점성〛 천궁도(天宮圖). ***a man of*** **~** 지위가 있는 사람, 유명한 사람. ***cut*** 〔***make***〕 ***a*** (***brilliant, conspicuous, fine***) **~** 두각을 나타내다, 이채를 띠다. ***cut*** 〔***make***〕 ***a poor*** 〔***sorry***〕 **~** 초라한 모습을 드러내다. ***cut no*** **~** 축에 들지〔끼지〕 못하다: *cut no* ~ in the world 세상에 이름이 나지 않다, 세상에서 문제가 되지 않다. **~ *of fun*** 《구어》 재미있는〔익살맞은〕 사람. ***give*** 〔***cite***〕 **~s** 숫자를 들어 설명하다. ***go*** 〔***come***〕 ***the big*** **~** 《미속어》 크게 허세를 부리다. ***go the whole*** **~** 《미》 철저하게 하다, 열심히 하다. ***keep*** *one's* **~** (뚱뚱해지지 않고) 항상 몸이 날씬하다. ***miss a*** **~** 《미구어》 큰 실수를 하다, 잡치다. ***on the big*** **~** 《미》 대규모로, 어마어마하게. ***put a*** **~** ***on*** …의 정확한 수치를 말하다.

— *vt.* **1** 《~+목/+목+부》 숫자로 표시하다; 계산하다(compute); 어림하다; …의 가격을 사정〔평가〕하다《*up*》: ~ *up* a sum 총계를 내다. **2** 《~+목/+목+(*to be*) 보/+(*that*)절》 《미구어》 …하다고 생각하다, 판단하다, 보다: I ~ it like this. 나는 이렇게 생각한다 / I ~*d* him *to be* about fifty. =I ~*d that* he was about fifty. 그 사람을 50세쯤으로 보았다. **3** 그림으로 보이다; 그림〔조상〕으로 나타내다. **4** 상징〔표상〕하다; 비유로 나타내다. **5** 마음에 그리다, 상상하다: the most beautiful scene my imagination has ~*d* 내가 상상하던 가장 아름다운 경치. **6** …에 무늬를 넣다. **7** …한 태도를 취하다, …같이 행동하다. **8** 〚음악〛 …에 반주 화음을 넣다, 수식하다. **—** *vi.* **1** 계산하다. **2** 《+전+명》 《미구어》 기대하다, 예기하다(reckon), 고려하다, 믿고 의지하다《*on, upon*》: We ~*d on* their coming earlier. 그들이 좀더 일찍 올 것으로 생각하고 있었다 / You can always ~ *on* me. 언제든 나를 믿고 의지해도 좋다. **3** 꾀하다; 궁리〔계획〕하다《*on; for*》: I ~ *on* go*ing* abroad. 외국에 갈 계획을 하고 있다. **4** 《+*as* 보/+전+명》 (어떤 인물로서) 나타나다, 통하다; (…의) 역을 연기하다; 두드러지다, 두각을 나타내다《*in*》; (중요한) 자리를 차지하다: He ~*d as* a king in the play. 그 연극에서 그는 왕의 역을 하였다 / The name ~*s in* the history. 그 이름은 역사상 유명하다. **5** 《구어》 사리에 합당하다, 조리가 서다, (행위 등이) 당연한 것으로 여겨지다《주로 it 〔that〕 ~s의 꼴로》: *That* 〔*It*〕 ~*s*. 《미구어》 그것은 당연하다〔생각한 대로다〕. **6** 〚댄스·스케이트〛 피겨를 하다. **~ *as*** …의 역할을 하다; …로 통하다. **~ *for*** …의 대책을 세우다. **~ *in*** 《*vi.*+부》 ① 《미구어》 등장하다(appear); …에 가담하다, 관계하다. **—** 《*vt.*+부》 ② 계산에 넣다. **~ *out*** 《*vt.*+부》 ① 이해하다: I haven't ~*d out* what is happening. 무슨 일이 일어나고 있는지를 알지 못했다. ② (문제를) 풀다, 해결하다. ③ 계산하다, …의 합계를 내다. **—** 《*vi.*+부》 ④ 총계하여 (…으로) 되다《*at*》: All together it ~*s out at* $200. 전부 합하여 200 달러가 된다. **~ *to oneself*** 마음속에 그리다. **~ *up*** 합계하다. ㊞ **~·less** *a.* (정해진) 모양이 없는. **fig·ur·er** *n.* ~하는 사람; 본으로 도기에 무늬를 넣는 사람.

fíg·ured *a.* **1** 모양〔그림〕으로 표시한, 도시(圖示)된. **2** 숫자로 나타낸. **3** 무늬가〔의장(意匠)이〕 있는: a ~ mat 꽃자리 / ~ satin 무늬 공단. **4** 형용이 많은, 수식이 있는. **5** 〚음악〛 수식된, 화려한. ㊞ **~·ly** *ad.*

fígured báss 〚음악〛 통주(通奏) 저음(continuo), 《특히》 숫자표 저음.

fígure éight 8자 모양의 도형; 〚항공〛 8자형 비행; (로프의) 8자형 매듭.

fígure·hèad *n.* **1** 〚해사〛 이물 장식. **2** 《비유》 간판, 명색뿐인 수령. **3** 《우스개》 (사람의) 얼굴.

figurehead 1

fígure-of-éight knòt 〚해사〛 8자형 매듭.

fígure of mérit 1 〚항공〛 성능 계수《헬리콥터의 프로펠러 효율치(値)》. **2** 〚물리〛 감도 지수(感度指數).

fígure of spéech 비유적 표현.

fígure skàte 피겨 스케이트화(靴).

fígure skàter 피겨 스케이팅을 하는 사람.

fígure skàting 피겨 스케이팅.

fig·u·rine [fìgjəríːn/⌐-⌐] *n.* (금속·도기제의) 작은 상(像)(statuette).

fig·wort [fígwə̀:rt] *n.* 현삼속(玄蔘屬)의 식물.

Fi·ji [fíːdʒi] *n.* **1** 피지《남태평양의 섬나라; 1970년 독립》. **2** 피지(제도)의 주민.

Fi·ji·an [fíːdʒiən, fidʒíːən/fi(ː)dʒíːən] *a.* 피지(Fiji) 제도의. **—** *n.* 피지 사람; Ⓤ 피지 말.

Fíji Islands (the ~) 피지 제도《남태평양상의》.

fil·a·gree [fílәgrìː] *n., vt.* =FILIGREE.

fil·a·ment [fíləmənt] *n.* 가는 실, 홑 섬유《방

직 섬유); 〖식물〗 꽃실, (수술의) 화사(花絲); 〖전기〗 필라멘트; 〖의학〗 (염증액(炎症液)이나 오줌 속의) 사상체(絲狀體).

fil·a·men·ta·ry [filəméntəri] *a.* 섬유〔실〕의, 섬유 모양의; 〖식물〗 화사(花絲)의.

fíl·a·ment·ed [-id] *a.* 섬유가 있는.

fil·a·men·tous [filəméntəs] *a.* 섬유의, 섬유로 된; 실 같은: ~ virus 섬유상 바이러스.

fi·lar [fáilər] *a.* 실의, 실 같은; (시야 내에) 실선이 있는《망원경 따위》.

fi·lar·ia [filέəriə] (*pl.* **-ri·ae** [-rii:] *n.* 〖동물〗 필라리아, 사상충(絲狀蟲).

fi·lar·i·al [filέəriəl] *a.* 필라리아〔사상충〕의; 사상충에 감염된〔의한〕. ㊞ **~·ly** *ad.* **~·ness** *n.*

fil·a·ri·a·sis [filəráiəsis] (*pl.* **-ses** [-si:z]) *n.* Ⓤ,Ⓒ 〖의학〗 필라리아병. 「(絲狀蟲)(의).

fi·lar·i·id [filέəriid, 《미》 -lǽr-] *a.*, *n.* 사상충

fi·late [fáileit] *a.* 실의, 실로 된, 실 모양의.

fil·a·ture [filətʃər] *n.* Ⓤ 실뽑기《누에고치에서》; Ⓒ 물레(질); (생사(生絲)의) 제사장(製絲場): ~ silk 기계 생사.

fil·bert [filbərt] *n.* 〖식물〗 개암나무; 그 열매《식용》; 《미속어》 열중하고 있는 사람, …광(狂).

filch [filtʃ] *vt.* 훔치다, 좀도둑질〔들치기〕하다. ㊞ **∠·er** *n.* 좀도둑, 들치기. **∠·ing** *n.* 좀도둑질, 들치기《행위》.

file[1] [fail] *n.* **1** 서류꽂이, 서류철(綴) (표지), 서류 보관 케이스; 철하는 판〔쇠〕. **2** (서류·신문 등의) 철(綴), 파일; 철한 서류; (정리된) 자료, 기록: a ~ of 'the Times' 런던 타임스의 철. **3** 〖군사〗 종렬(縱列), 오(伍), 열; (*pl.*) 병졸. **4** 〖체스〗 세로줄《판의》. **5** 〖컴퓨터〗 파일《한 단위로서 취급되는 관련 기록》. ***a blank*** **~** 결오(缺伍). ***a ~ of men*** (어떤 임무로 파견된) 두 명의 병사. **~ *by*** **~** 줄줄이; 잇따라. ***in*** **~** 2열 종대로; 잇따라. ***in single*** 〔***Indian***〕 **~** 1렬 종대로. ***on*** **~** =***on*** 〔***in***〕 ***the*** 〔***one's***〕 **~*s*** (참조를 위해) 철해져서, 정리 보관되어; 기록에 올라: keep 〔place〕 *on* ~ 철하여 두다.

── *vt.* **1** 《~+목/+목+부》 (항목별로) 철(綴)하다, (철하여) 보관〔보존〕하다《*away*》: ~ letters *away* 편지를 정리 보존하다. **2** (원고 등을) 정리하다. **3** (기사 따위를) 보내다《전보·전화 따위로》. **4** 《~+목/+목+전+명》 (신청·항의 등을) 제출〔제기〕하다: ~ an application *with* …에 출원하다 / ~ suit *for* divorce 이혼을 제소하다. **5** 《+목+부》 종대로 나아가게 하다《*off*》: ~ the soldiers *off* 병사를 종대로 행진시키다.

── *vi.* **1** 《+전+명》 입후보〔응모〕의 등록을 하다, 신청하다《*for*》: ~ *for* a job. **2** 《+부/+전+명》 줄지어 행진하다《*with*》; 종렬로 나아가다: ~ *out* (*of* a building) 줄지어 (건물에서) 나가다. **~ *an information*** 고발하다. ***File left*** 〔***right***〕***!*** 《구령》 줄줄이 좌〔우〕로.

file[2] *n.* (쇠붙이·손톱 가는) 줄; (the ~) 손질, 연마, 다듬기, 닦기, (문장 등의) 퇴고; 《속어》 약은 사람, 약빠른 녀석《보통 old, deep 등의 형용사를 붙임》. ***a close*** **~** 구두쇠. ***an old*** 〔***a deep***〕 **~** 허투루 볼 수 없는 만만치 않은 녀석. ***bite*** 〔***gnaw***〕 ***a*** **~** 헛수고하다, 헛물켜다. ── *vt.* **1** 《~+목/+목+전+명/+목+부/+목+보》 …을 줄질〔손질〕하다, 갈다: ~ a saw 줄로 톱날을 세우다 / ~ an iron bar *in* two 줄로 철봉을 둘로 자르다 / ~ *away* 〔*off*〕 rust 녹을 문질러 벗기다 / ~ the surface smooth 표면을 매끄럽게 줄질하다. **2** (인격 등을) 도야하다; (문장 등을) 퇴고하다, 다듬다.

file[3] *vt.* 《고어·방언》 더럽히다(defile).

fíle áccess mèthod 〖컴퓨터〗 파일〔기록철〕 접근법《보조 기억 장치에 수용된 파일에서 목적하는 레코드를 읽어 내거나 써넣는 방법》.

fíle clèrk 문서 정리원(filer).

fíle extènsion 〖컴퓨터〗 파일 확장자《파일의 이름에서 파일명 뒤에 점을 찍고 확장자를 붙이는 부분》.

fíle·fish *n.* 〖어류〗 쥐치《총칭》.

fíle fòotage 〖TV〗 정리된 필름 피트 수; 자료 영상(映像)《군중·거리 풍경·축구 경기 따위의》.

fíle mànager 〖컴퓨터〗 파일 관리자《컴퓨터 시스템이 가지고 있는 여러 개의 파일을 관리하는 프로그램》.

file·mot [filəmɑ̀t/-mɔ̀t] *n.*, *a.* 《고어》 마른 잎 빛깔(의), 황갈색(의).

fíle nàme 〖컴퓨터〗 (기록)철〔파일〕 이름《식별을 위해 각 파일에 붙인 고유명》.

fíle phòto (신문사 따위의) 보관〔자료〕 사진.

fíle·pùnch *n.* (철할 때) 서류에 구멍 뚫는 기구, 파일용 펀치. 「자.

fil·er[1] [fáilər] *n.* 서류 정리원, 문서철(綴) 담당

fil·er[2] *n.* 줄질을 (업으로) 하는 사람.

fíle sèrver 〖컴퓨터〗 파일서버《네트워크에서 파일 관리를 하는 장치〔시스템〕》.

fi·let [filéi, ∠-/fílei, fílit] *n.* 《F.》 Ⓤ 그물눈 세공, 레이스; 〖요리〗 =FILLET.

filet mi·gnon [filéiminjɑ́n, -mínjɑn/fileimí:njən] 필레 살《소의 두꺼운 등심살》.

fil·i·al [filiəl] *a.* 자식(으로서)의; 효성스러운; 〖유전〗 부모로부터 …세대의: ~ duty 〔piety, obedience〕 효도 / the second ~ generation 잡종(雜種) 제 2 대(F_2). ㊞ **~·ly** *ad.*

fil·iale [filiɑ́:l] 《F.》 *n.* (프랑스 국내에 있는 외국의) 자회사(subsidiary company).

fílial generátion 〖유전〗 후대《교잡에 의한 자손; 기호: 제 1 대 F_1, 제 2 대 F_2》: first ~ 잡종 제 1 대(F_1).

fílial píety 효심, (특히 유교의) 효(孝).

fil·i·ate [filièit] *vt.* 〖고법률〗 =AFFILIATE.

fil·i·a·tion [filiéiʃən] *n.* Ⓤ **1** (어떤 사람의) 자식임; 부모 자식 관계, 부자(父子) 관계. **2** (언어·문화 등의) 파생, 분기, 분파, 파생 관계〔계통〕의 해명; 기원, 유래, 내력《*from*》. **3** 〖법률〗 사생아의 인지(認知)(affiliation).

fil·i·beg, fil·le·beg [filəbèg] *n.* =KILT.

fil·i·bus·ter [filəbʌ̀stər] *n.* Ⓒ 해적《17 세기 경의》; 불법 침입자《본국의 명령 없이 함부로 외국 영토를 침범하는》; 혁명〔폭동〕 선동자《19 세기 중엽의 라틴 아메리카에서의》; Ⓒ 《미》 의사(議事) 방해자; Ⓤ,Ⓒ 의사 방해. ── *vi.* 약탈하다; 외국 영토에 침입하다; (외국에서) 혁명〔폭동〕을 선동하다; 《미》 (법안 통과를 막고자) 의사를 방해하다(《영》 stonewall). ㊞ **~·er** *n.* 《미》 의사 진행 방해(연설)자; 불법 침입자.

fíl·i·bùs·ter·ism *n.* Ⓤ 《미》 의사 진행 방해(연설).

fil·i·cide [filəsàid] *n.* Ⓤ 자식 살해《범행》; Ⓒ 자식 살해자. ⓒⓕ parricide. ㊞ **fil·i·cid·al** [filəsáidl] *a.*

fi·lic·i·form [filísəfɔ̀:rm] *a.* 양치 모양의.

fil·i·form [filəfɔ̀:rm, fáil-] *a.* 실〔섬유(filament)〕 모양의.

fil·i·gree, fil·a- [filəgrì:] *n.* Ⓤ (금은 따위의) 가는 줄세공, 선조(線條) 세공, 섬새김 세공; 섬세한 장식물, 깨지기 쉬운 장식물. ── *a.* 가는 줄세공〔선조 세공〕의〔을 한〕. ── *vt.* 가는 줄세공〔선조 세공〕으로 (장식)하다. ㊞ **~d** *a.*

fil·ing[1] [fáiliŋ] *n.* Ⓤ 철하기, 서류 정리: a ~ clerk (사무소의) 문서 정리원.

fil·ing[2] *n.* Ⓤ,Ⓒ 줄질, 줄로 다듬기; (보통 *pl.*) 줄밥: iron ~*s* 쇠의 줄밥.

fíling càbinet 서류〔카드〕 정리 캐비닛.

fil·io·pi·e·tis·tic [filioupàiətístik] *a.* 지나치

게 조상〔전통〕을 숭배하는.

Fil·ipi·na [filəpíːnə] *n.* 필리핀 여성.

Fil·i·pine [filəpiːn, ⌐-⌐] *a.* =PHILIPPINE.

Fil·i·pi·no [filəpíːnou] (*pl.* **~s;** *fem.* **-na** [-nə]) *n.* 《Sp.》 필리핀 사람. **—** *a.* 필리핀 사람의.

†**fill** [fil] *vt.* **1** 《~+목/+목+목/+목+전+명》 가득하게 하다, 채우다; …에 (잔뜩) 채워 넣다; …에 내용을 채워 넣다〔주다〕: ~ a pipe 파이프에 담배를 채우다 / The audience ~*ed* the hall. 청중은 회관을 메웠다 / He ~*ed* me a glass. =He ~*ed* a glass *for* me. 그는 나에게 한 잔 가득 따라 주었다. **2** …에 충만하다, …에 그득하다, …에 널리 퍼지다〔미치다〕: The odor ~*ed* the air. 냄새가 공기 속에 충만하였다 / The scandal ~*ed* the world. 추문이 세상에 퍼졌다. **3** 《~+목/+목+전+명》 (구멍·공백을) 메우다, …의 구멍〔틈〕을 틀어막다; (결함을) 메우다: ~ a blank 빈 칸을 채우다 / ~ tooth 충치에 봉박다 / ~ an ear *with* cotton 귀를 솜으로 틀어막다. **4** …에 섞음질을 하다(adulterate): ~ soaps 비누에 증량제(增量劑)를 섞다. **5** (빈 자리를) 채우다, 보충하다, (지위를) 차지하다(hold); 〖야구〗 만루가 되게 하다: ~ a vacancy 공백을 메우다 / ~ a post 지위를 차지하다, 취임하다. **6** (요구·필요 따위를) 충족〔만족〕시키다, 응하다; (처방을) 조제하다: ~ a long-felt want 갈망하던 것을 충족시키다 / ~ an order 주문에 응하다. **7** (책임·의무를) 다하다, (약속을) 이행하다; (역할을) 맡(아 하)다. **8** 《~+목/+목+전+명》 (아무를) 배부르게 하다; 만족시키다, 흡족게 하다: The meal failed to ~ him. 그 식사로는 그의 식욕이 채워지지 않았다 / ~ one's guest *with* a good meal 좋은 음식으로 손님을 접대하다. **9** 《+목+전+명》 (마음을) 채우다: be ~*ed with* joy 기쁨으로 가슴이 뿌듯하다. **10** (콘크리트를) 부어 넣다. **11** …에 금 따위를 입히다; (땅에) 흙을 돋우다 《*with*》. **—** *vi.* 《~/+전+명》 **1** 그득 차다, 넘치다, 충만해지다, 그득〔뿌듯〕해지다《*with*》: The church ~*ed* soon. 교회는 대번에 가득 찼다 / Her eyes ~*ed with* tears. 그녀의 눈엔 눈물이 글썽거렸다. **2** 잔에 따르다, 마실 것을 대접하다. **3** (돛 따위가 바람에) 부풀다: The sails ~*ed with* wind. 돛은 바람으로 부풀었다. **4** 기압이 늘다; 저기압이 쇠약해지다.

~ and stand on =***~ away*** 〖해사〗 (활대를) 바람을 받도록 돌리다. ***~ in*** 《*vt.*+부》 ① (구멍·틈을) 메우다; (서류·빈 곳에) 써넣다, (필요사항 따위를) 적어 넣다: ~ *in* the time 여가 시간을 메우다 / *Fill in* this form, please. 이 서식에 필요 사항을 적어 넣으시오. ② 《구어》 자세한 지식을〔새로운 정보를〕 알리다; 가르치다《*on*》: *Fill* me *in on* it. 그것에 관해 자세히 알려 주시오. **—** 《*vi.*+부》 ③ …의 대리를〔대역을〕 하다 《*for*》. ***~ out*** 《*vt.*+부》 ① (돛 따위를 활짝) 부풀리다, 불룩하게 하다; (연설 따위를) 길게 늘이다〔하다〕, (이야기 등에) 살을 붙이다; (술 따위를) 가득 따르다. ② (서식·문서 등의) 빈 곳을 채우다, …에 써넣다: ~ *out* an application 신청서에 필요 사항을 써넣다. **—** 《*vi.*+부》 ③ 가득해지다; 부풀다, 커지다; 살찌다: The children are ~*ing out* visibly. 애들은 눈에 띄게 커 가고 있다. ***~ the bill*** 《미구어》 주문〔요구〕대로 하다; 요건을 채우다; 《영》 인기를 독차지하다, 인기〔주연〕 스타다. ***~ up*** 《*vt.*+부》 ① (빈 곳을) 채우다, 메우다; 보충하다; 써넣다. ② (자동차에 연료를) 가득 채우다: *Fill* it 〔her〕 *up!* 《구어》 (자동차의) 탱크에 기름을 가득 채우시오. **—** 《*vi.*+부》 ③ 가득 차다; 메워지다, 막히다; 바닥이 얕아지다.

— *n.* **1** (그릇에) 가득한 양, 충분한 양 《*of*》: a ~ *of* tobacco 파이프 담배 한 대. **2** (둑 따위의) 돋운 흙. **3** (도살한 뒤의) 위장 속의 잔존물. **4** (one's ~) 배불리, 잔뜩; 실컷, 마음껏: drink 〔eat〕 one's ~ 잔뜩 마시다〔먹다〕 / weep one's ~ 실컷 울다.

fill-dìke *n.* (폭우 또는 눈 녹은 물로) 도랑이 넘치는 시기, 눈 녹는 달《특히 2월(February ~)을 가리킴》.

fille [fíːjə; *F.* fij] *n.* 《F.》 소녀, 처녀; 하녀(maid); 독신녀; 매춘부.

fille de cham·bre [*F.* fijdəʃɑ̃bʀ] 《F.》 《고어》 몸종, 시녀.

fille de joie [*F.* fijdəʒwa] 《F.》 매춘부.

fílled góld 피복(被覆) 금《바탕은 놋쇠 따위로, 금을 최저 1/20 이상 함유》.

fílled mílk 치환유(置換乳)《탈지유에 식물성 지방을 가한 우유》.

fíll·er *n.* **1** 채우는〔채워 넣는〕 사람〔물건〕. **2** 주입기(器), 깔때기. **3** (음식물의) 소, 속, 충전물; 궐련의 속; (판자의 구멍 등을) 메우는 나무, 충전재(材), (벽의 틈 등을 메우는 도료의) 충전제(劑), 초벌칠. **4** (여백을 메우는) 단편 기사《신문·잡지 등의》; (무게·양을 늘리기 위한) 첨가물, 혼합물, 증량제(增量劑); 〖영화〗 시간을 채우기 위한 단편 영화; 〖컴퓨터〗 채움 문자.

fíller càp 연료 주입구의 뚜껑《자동차·항공기의》.

fil·let [fílit] *n.* **1** (머리용) 리본, 머리띠(headband), 테이프 모양의 물건, 가는 띠, 끈. **2** (*pl.*) 〖요리〗 필레 살《소·돼지의 연한 허리 고기; 양의 허벅지살》; (가시를 발라낸) 생선의 저민 고기; (*pl.*) (말 따위의) 허리 부분. **3** 〖건축〗 (두 쇠시리 사이의) 두둑; (두리기둥의 홈과 홈 사이의) 철조(凸彫); 〖제본〗 윤곽선, (책 표지의) 금박선; 〖해부〗 융대(絨帶), (띠 모양의) 섬유속(束). **—** *vt.* (머리를) 리본으로 동이다〔매다〕; 〖제본〗 …에 윤곽선을 넣다; (생선을) 저미다, 필레 살을 발라내다.

fillet 1

fíllet wéld 〖기계〗 필렛 용접《직각으로 교차하는 3면에서 90° 로 마주치는 내부의 각 두 면의 선을 따라 하는 용접》.

fil·li·beg [filibèg] *n.* =KILT.

fíll-ìn *n.* 대리, 보결, 빈 자리를 채우는 사람; 대용품, 보충물; (서식의) 기입; 《미구어》 개요 설명 〔보고〕. **—** *a.* 일시적인, 일시적으로 하는 일의.

fíll·ing *n.* 채움, 충전; 충전물, (음식물의) 소, 속, (치아의) 충전재; (길·둑의) 쌓아올린 흙; (직물의) 씨실(woof); 〖컴퓨터〗 채움, 채우기.

fílling stàtion 주유소; 《미속어》 아주 작은 도시; 《미흑인속어》 주점(酒店).

fil·lip, fil·ip [fíləp] *n.* 손가락으로 튀기기; 가벼운 자극《*to*》; 하찮은 것〔일〕: not worth a ~ 전혀 가치도 없는 / a ~ *to* the memory 기억을 불러일으키는 것. ***make a*** ~ 손가락으로 튀기다. **—** *vt.* 손가락으로 튀기다; 튀겨 날리다; 촉진시키다, 기운을 돋우다, 자극하다: ~ one's memory 기억을 불러일으키다. **—** *vi.* 손가락을 튀기다.

fil·lis [fíləs] *n.* 〖원예〗 (삼 따위를) 느슨하게 꼰 끈(=**phí·lis**).

fil·lis·ter [fíləstər] *n.* 개탕(대패), 변탕, 목귀대패(=**⌐ plàne**); 개탕으로 파낸 홈.

Fill·more [fílmɔːr] *n.* **Millard** ~ 필모어《미국 제 13 대 대통령; 1800-74》.

fíll-or-kíll órder 〖증권〗 즉시 집행 주문《즉시 실행할 수 없으면 자동적으로 취소되는 매매의 주문; 생략: f.o.k.》(=**fill or kill**).

fíll-ùp *n.* 가득 채우는 일〔것〕, (가솔린 따위를) 가득 채우는 것.

fil·ly [fíli] *n.* **1** 암망아지. cf. colt. **2** 《구어》 말괄량이, 매력 있는 젊은 아가씨.

film [film] *n.* **1** Ⓤ (또는 a ~) 얇은 껍질〔막·층〕, 얇은 잎, (표면에 생긴) 피막(被膜); 얇은 운모판《*of*》: There was a ~ *of* oil on the water. 수면에 유막(油膜)이 있었다 / a ~ *of* dust 엷게 내려앉은 먼지. **2** Ⓤ 〖사진〗 필름; (건판의) 감광막: a roll of ~ 필름 한 통. **3** Ⓒ (한 편의) 영화; (the ~s) 영화(movies); 영화 산업; 영화계: a ~ actor 영화배우 / a ~ projector 영사기 / a silent 〔sound〕 ~ 무성〔발성〕 영화 / shoot a ~ 영화를 촬영하다 / put a novel on the ~*s* 소설을 영화화하다. **4** Ⓒ 가는 실, 공중의〔에 하늘거리는〕 거미줄. **5** Ⓒ (눈의) 부염, 흐림; 엷은 안개, 흐린 기운: a ~ *of* twilight 땅거미.
— *vt.* **1** 《~+목/+목+전+명》 얇은 껍질로〔막으로〕 덮다: The pond was ~*ed with* algae. 연못은 이끼가 막처럼 덮여 있었다. **2** 필름에 찍다〔담다〕; 〖영화〗 촬영하다, (소설 등을) 영화화하다. — *vi.* **1** 《~/+부/+전+명》 얇은 막으로 덮이다; 얇게 덮이다; (눈물 등이) 어리다, 부예지다《*over; with*》: The water ~*ed over with* ice. 수면은 온통 살얼음으로 덮였다 / Her eyes ~*ed over*, and I thought she was going to cry. 그녀는 눈에 눈물이 어리어 곧 울 것만 같았다. **2** 《~/+부》 영화를 만들다; …이 촬영에 적합하다: ~ well 〔ill〕 영화에 맞다〔맞지 않다〕.
㊔ **∠·a·ble** *a.* (소설 등이) 영화화할 수 있는, 영화용으로 알맞은. **∠·er** *n.*

fílm bàdge 필름 배지《방사선 환경하의 작업원이 다는 간편한 피폭선량(被曝線量) 측정기(器)》.

fílm-básed [-t] *a.* 필름 기판상(基板上)의: a ~ solar battery 필름상에 형성한 태양 전지.

fílm·càrd *n.* =MICROFICHE.

fílm clìp 〖TV〗 필름 클립《방송용 영화 필름의 한 단편》.

film·dom [fílmdəm] *n.* Ⓤ,Ⓒ 영화계〔산업〕; 영화계의 사람들, 영화인.

fílm fèstival 영화 축전.

fílm·gòer *n.* 영화 구경 자주 가는 사람, 영화팬.

film·ic [fílmik] *a.* 영화의〔같은〕. ㊔ **-i·cal·ly** *ad.*

fílm·ing *n.* (영화) 촬영.

film·ize [fílmaiz] *vt.* 영화화하다(cinematize). ㊔ **film·i·zá·tion** *n.* 영화화(한 작품).

fílm·lànd *n.* =FILMDOM.

film·let [fílmlit] *n.* 단편 영화, (8 밀리 등의) 소형 영화.

fílm lìbrary 영화 도서관, 필름 대출소.

fílm-màker *n.* 영화 제작자(moviemaker).

fílm-màking *n.* Ⓤ 영화 제작.

film noir [*F.* filmnwa:R] 범죄 영화.

film·og·ra·phy [filmágrəfi/-mɔ́g-] *n.* Ⓤ,Ⓒ 영화 관계 문헌, (주제 등에 관한) 영화 작품 해설, 특정 배우〔감독〕의 작품 리스트.

fílm pàck 갑에 든 필름.

fílm premìère [스스] (신작 영화의) 특별 개봉.

fílm ràting 〖영화〗 관객 연령 제한 (표시).

fílm recòrder 영화용 녹음기.

fílm·scrìpt *n.* 영화 각본, 시나리오(screenplay).

fílm·sèt *a.* 〖인쇄〗 사진 식자의. — *vt.* 사진 식자하다. — *n.* 영화 촬영용 세트. ㊔ **-sèt·ter** *n.*

fílm·sètting *n.* 〖인쇄〗 사진 식자, 사식(寫植)(photocomposition).

fílm·slìde *n.* (환등용) 슬라이드.

fílm stòck 미(未)사용 영화 필름.

fílm·strìp *n.* (연속된 긴) 영사 슬라이드.

fílm-to-tápe trànsfer 〖TV〗 16mm 따위 영화 필름으로 촬영된 것을 비디오테이프로 옮기기.

filmy [fílmi] (*film·i·er; -i·est*) *a.* 얇은 껍질〔막〕의, 필름 같은; 얇은; 얇은 껍질로〔막으로〕 덮인〔싸인〕; 가는 실의; 흐린, 희미한: ~ ice 박빙(薄氷). ㊔ **fílm·i·ly** *ad.* **-i·ness** *n.*

FILO 〖컴퓨터〗 선입후출 방식《먼저 들어간 자료를 나중에 꺼내는 방식》. [◂ *first in, last out*]

Fi·lo·fax [fáiloufæ̀ks] 파일로팩스《루스리프식의 시스템 수첩; 상표명》.

fil·o·po·di·um [filəpóudiəm, fài-/fìl-] (*pl.* ***-dia*** [-diə]) *n.* 〖생물〗 실 모양의 허족.

fi·lose [fáilous] *a.* 실 같은(threadlike); 끝이 실같은.

fil·o·selle [filəsél, -zél] *n.* Ⓤ,Ⓒ 《F.》 명주실, 풀솜(floss silk); 명주실로 만든 자수실.

fil·o·vi·rus [fílouvàiərəs, fílə-] *n.* 〖의학〗 필로바이러스《중앙아프리카의 다우림에서 발견된 사상(絲狀) 바이러스의 일종》.

fils[1] [fi:s] *n.* 《F.》 아들《동명의 부자를 구별할 때》. cf. père. ¶ Dumas ~ 소(小)뒤마.

fils[2] [fils] (*pl.* ~) *n.* 필스. **1** 바레인·이라크·쿠웨이트·요르단의 화폐 단위《1/1000 dinar》. **2** 예멘의 화폐 단위《1/100 rial》.

fil·ter [fíltər] *n.* **1** 여과기; 여과판(板). **2** 〖전기〗 여파기(濾波器); 〖사진〗 필터, 여광기(濾光器); 〖컴퓨터〗 필터, 여과기. **3** 여과용 다공성 물질, 여과용 자재《필터·모래·숯 등》. **4** 《구어》 필터 담배. **5** 《영》 (교차점에서 특정 방향으로의 진행을 허락하는) 화살표 신호, 보조 신호. — *vt.* 《~+목/+목+부》 거르다, 여과하다; 여과하여 제거하다《*off; out*》: ~ *off* impurities 걸러서 불순물을 제거하다. — *vi.* **1** 《+전+명》 여과되다《*through*》; 스미다, 침투하다《*through; into*》; 《비유》 (소문 따위가) 새(어 나오)다《*into; out*》: Water ~*s through* the sandy soil. 물은 모래땅에 스며든다. **2** 《영》 (자동차가 교차점에서 직진 방향이 붉은 신호일 때) 녹색의 화살표 신호에 따라 좌〔우〕회전하다.

fil·ter·a·ble [fíltərəbəl] *a.* 거를 수 있는, 여과되는; 〖세균〗 여과성의. ㊔ **~·ness** *n.*

fílterable vírus 여과성 병원체〔바이러스〕.

fílter bèd (상하수도 등 물 처리용의) 여과지(池), 여상(濾床), 여수(濾水) 탱크.

fílter cènter 방공(防空) 정보를 선별 전송하는 대공(對空) 정보 본부〔검사소〕.

fílter cigarètte 필터 달린 담배〔궐련〕.

fílter clòth 여과포(布).

fílter fàctor 〖사진〗 필터계수《필터 사용 때의 노광배수(露光倍數)》.

fílter fèeder 〖동물〗 여과 섭식(攝食) 동물《수중의 미생물 따위를 몸의 일부를 여과기로 활용하여 섭취하는 동물》.

fílter pàper 여과지(紙), 거름종이.

fílter prèss 압착식 여과기; 생선 기름 짜는 기계, 필터 프레스.

fílter sìgn 《영》 ⇨ FILTER 5.

fílter tìp (담배의) 필터; 필터담배.

fílter-tìp(ped) *a.* (담배가) 필터 달린.

filth [filθ] *n.* Ⓤ 오물, 불결물, 쓰레기; 더러움, 불결; 외설; 추잡스러운 말〔생각〕; 추행; 부도덕; 《영방언》 악당, 매춘부.

filthy [fílθi] (***filth·i·er; -i·est***) *a.* 불결한, 더러운; 부정한; 추악한; 추잡한; 외설한, 상스러운; 《구어》 정말로 싫은, (날씨 따위가) 지독한; 《미속어》 돈이 썩을 만큼 많은. — *ad.* 《미속어》 대단히, 매우. — *n.* 《미속어》 돈. ㊔ **filth·i·ly** *ad.* **-i·ness** *n.*

fílthy lúcre 《구어》 부정 축재, 부정한 돈; 《우스개》 돈.

fil·tra·ble [fíltrəbəl] *a.* =FILTERABLE.

fil·trate [fíltreit] *vt., vi.* =FILTER. — [-trit, -treit] *n.* 여과액, 여과수(水). ㊔ **fil·tra·tion** [filtréiʃən] *n.* Ⓤ 여과(법); 여과 작용; 침투: a *filtration* plant 정수장(淨水場).

fi·lum [fáiləm] (*pl.* **-la** [-lə]) *n.* Ⓤ 섬사(纖絲) 조직, 섬조(纖條), 필라멘트.

FIM field intercepter missile (야전 방공 미사일); 〖항공〗 flight interruption manifest.

fim·bria [fímbriə] (*pl.* **-ae** [-briì]) *n.* (*pl.*) 〖동물·식물〗 술〔털〕 달린 가장자리.

fim·bri·ate, -at·ed [fímbriət, -brieìt], [-èitid] *a.* 〖식물·동물〗 술이 달린, 둘레에 털이 난; 〖문장(紋章)〗 (다른 색의) 가는 띠 모양의 선으로 가두리를 두른.

°**fin** [fin] *n.* **1** 지느러미; 〔집합적〕 어류(魚類), 어족; 지느러미 모양의 물건: an anal 〔dorsal, pectoral, ventral〕 ~ 꼬리〔등, 가슴, 배〕지느러미. **2** 《속어》 손(hand), 팔: Tip 〔Give〕 us your ~. 악수하세 / Hold up your ~*s*. 손들어. **3** (항공기의) 수직 안전판(板); (잠수함의) 수평타(舵); 주형(鑄型)의 지느러미 모양의 돌출 부분; (보통 *pl.*) (잠수부용의) 물갈퀴(flipper). **4** 《미속어》 5 달러짜리 지폐. **~, *fur and feather*(*s*)** 어류·수류(獸類)·조류, 물고기·짐승·새. [파] **~·less** *a.* **~·lìke** *a.*

Fin. Finland; Finnish. **fin.** *ad finem* 《L.》 (=at the end); finance; financial; finis; finished. 「할 수 있는.

fin·a·ble, fine- [fáinəbəl] *a.* 과료〔벌금〕에 처

fi·na·gle [finéigl] 《구어》 *vi.*, *vt.* 그럭저럭 잘 변통하다; 야바위치다, 속이다, 속여 빼앗다《*out of*》: ~ a person *out of* ... 아무에게서 …을 속여 빼앗다. [파] **-gler** *n.*

*__fi·nal__ [fáinl] *a.* **1** 마지막의, 최종의, 최후의; 종국의. [cf] initial. ¶ the ~ edition (신문의) 최종판 / the ~ round (경기의) 최종회, 결승전. [SYN] ⇨ LAST. **2** 최종적인, 확정적인, 결정적인(conclusive), 궁극적인: the ~ ballot 결선 투표 / a ~ decision 최종적인 결정 / the ~ aim 궁극적인 목표. **3** 〖문법〗 목적을 나타내는: a ~ clause 목적절. **4** 〖음성〗 말 끝의, 음절 끝의 《bit, bite 의 t 따위》. **—** *n.* **1** (보통 *pl.*) 〖경기〗 결승전, 파이널; (대학의) 학기말 시험. **2** (신문의) 최종판(版). **3** 종국, 최종〔최후〕의 것. ***run* 〔*play*〕 *in the ~s*** 결승전까지 올라가다. [파] **~·ìsm** *n.* 〖철학〗 궁극 원인론, 목적 원인론. **~·ist** *n.* 결승전 출장선수; 〖철학〗 목적 원인론자.

fínal cáuse 〖철학〗 목적인(因), 궁극인(因).

fínal cút 〖영화〗 (촬영 필름의) 최종〔마무리〕

fínal dríve (자동차의) 최종 구동 장치. └편집판.

fi·na·le [finǽli, -nɑ́:li/-nɑ́:li] *n.* 《It.》 피날레. **1** 〖음악〗 끝악장, 종악장(終樂章), 종곡. **2** 〖연극〗 최후의 막, 대미(大尾); 종국, 대단원.

°**fi·nal·i·ty** [fainǽləti] *n.* [U] 종국(終局), 결말(結末), 결착(結着), 완료; 최종적〔결정적〕인 것; [C] 최후의 판결·회답《따위》; 〖철학〗 궁극성, 합목적성: with an air of ~ 확고한 태도로 / speak with ~딱 잘라 말하다, 단언하다.

fí·nal·ìze *vt.*, *vi.* 끝손질〔마무리〕하다, 결말을 짓다〔내다〕, (계획 등을) 완성〔종료〕시키다; 최종적으로 승인하다.

*__fi·nal·ly__ [fáinəli] *ad.* **1** 최후로; 마지막에; 마침내, 결국(ultimately). **2** 최종적으로, 결정적으로(decisively).

Fínal Solútion (the ~) 최종적 해결《나치스 독일에 의한 유대인의 계획적인 말살》; (f- s-) 집단 학살, 민족 말살.

fínal stráw (the ~) =LAST STRAW.

*__fi·nance__ [finǽns, fáinæns] *n.* **1** [U] 재정, 재무: public ~국가 재정. **2** (*pl.*) 재원(funds), 재력, 자금; 자금 조달, 재원 확보; 세입, 소득(revenues). **3** [U] 재정학. **—** *vt.* **1** …에 자금을 공급〔융통〕하다, …에 융자하다: universities ~*d* by the Government 정부로부터 재정 지원을 받는 대학들 / ~ an enterprise 기업에 융자하다. **2** 《(+[목]+[전]+[명])》 …의 재정을 처리하다, 자금을 조달하다〔대다〕: ~ a daughter *at* 〔*through*〕 college 딸의 대학 학자금을 대다. **—** *vi.* 자금을 조달하다; 투자하다. ◇ financial *a.*

finánce bìll 재정 법안; 《미》 금융 어음.

finánce còmpany 〔《영》 **hòuse**〕 (할부) 금융 회사. 「당 부장.

finánce dirèctor 최고 재무 책임자, 재무 담

*__fi·nan·cial__ [finǽnʃəl, fai-] *a.* **1** 재정상의, 재무의; 재계의; 금융상의: ~ ability 재력 / ~ affairs 재무 (사정) / a ~ book 회계부 / ~ circles =the ~ world 재계 / ~ condition 재정 상태 / a ~ crisis 금융 공황 / ~ difficulties 재정난 / ~ operations 재정〔금융〕 조작 / a ~ report 회계 보고 / ~ resources 재원.

> [SYN] **financial** 일반적으로 '금융·재정에 관한' 것을, **fiscal** 정부·공공 시설·단체 등의 '재정 자금에 관한' 것을, **monetary** '금전에 관한' 것을 각각 뜻함.

2 (클럽·조합 등의) 회비를 내는([cf] honorary): a ~ member (명예 회원에 대해) 일반 회원《돈을 내는》. [파] **~·ly** *ad.* 재정적으로, 재정상(의 견지에서). 「부 보고 회계.

fináncial accóunting 〖회계〗 재무 회계, 외

fináncial áid (대학생에게 저리로 대부해 주는) 학자금. 「물 거래.

fináncial fútures còntract 〖금융〗 금융 선

fináncial innovátion 《미》 금융 혁신.

fináncial márket 〖금융〗 금융 시장《단기 금융 시장과 자본 시장의 총칭》.

fináncial sérvice 투자 정보 서비스 기관.

fináncial státement 재무제표.

Fináncial Tímes (the ~) 파이낸셜 타임스 《영국의 고급 경제지; 1888 년 창간; 생략: FT》.

fináncial yéar 《영》 회계 연도(《미》 fiscal year).

°**fi·nan·ci·er** [finənsíər, fài-/fainǽnsiə, fi-] *n.* 재정가; 《특히》 재무관; 금융업자; 자본가, 전주. **—** *vt.* **1** …에 융자하다(finance). **2** 《미》 (금전을) 사취(詐取)하다, 유용하다《*away*》, (…에게서, 돈을) 사취하다《*out of*》. **—** *vi.* (종종 비정하고 악착스러운 방법으로) 금융업을 하다.

fi·nanc·ing [finǽnsiŋ, fáinæn-] *n.* 자금 조달, 융자; 조달〔융자〕금.

fín·bàck *n.* 〖동물〗 긴수염고래(=**~ whàle**).

fin·ca [fíŋkə] *n.* 《Sp.》 대농원(大農園), 농장 (plantation)《스페인이나 스페인어권 아메리카 제국(諸國)의》.

finch [fintʃ] *n.* 〖조류〗 피리새류. [cf] goldfinch.

finch

†**find** [faind] (*p.*, *pp.* ***found*** [faund]) *vt.* 〔용법에 따라 목적어가 생략되는 수가 있음〕 **1** 《~+[목] / +[목]+[보] / +[목]+*done*》 (우연히) 찾아내다, (…임을) 발견하다; (…되어 있음을) 발견하다: ~ a treasure by accident 우연히 보물을 발견하다 / The boy was *found* dead 〔injured〕 in the woods. 소년은 숲속에서 죽어〔다쳐〕 있는 것이 발견되었다.

> [SYN] **find** 가장 일반적이며 특히 눈에 띄는 것을 '발견하다'의 뜻으로 자주 사용됨. **find out** 는 주로 사실을 규명한다는 뜻으로 쓰임. **discover** …에 관한 새 지식을 얻다: "*Discover* America" 미국 버스 회사의 전국 관광 할인권의 이름(전국을 돌아보며 여러 가지 새로운 지식·경험을 얻으라는 뜻). **detect** 숨어 있는 것을 찾아내다. 목적어로서 결함·범죄 등

'달갑지 않은 것'을 취하는 수가 많음: *detect* the leakage of gas 가스가 새는 곳을 찾아내다. **ascertain** 실재함을 명백히 확인하다.

2 ⟪~+목/+*wh.*절/+*wh.*+to do/+(*that*) 절⟫ (연구·조사·계산하여) 찾아내다; (해답 따위를) 알아내다; (…인지를) 조사하다, 생각해 내다; 조사하다, 발견하다: ~ an answer 〔a solution〕 to… …의 해결책을 찾아내다 / *Find* the cube root of 27. 27의 세제곱근을 구하여라 / Did you ~ *when* the next bus leaves? 다음 버스가 언제 출발하는지 알아보셨습니까 / The doctor *found that* she had cancer in her throat. 의사는 그녀의 목에 암이 있음을 발견했다. **3** ⟪~+목/+목+-*ing*/+목+목/+목+전+명/+목+부⟫ (애써) 찾아내다; (하고 있음을) 알아내다, 발견하다; 찾아 주다; 〖~ one's way〗 힘겹게 나아가다, 도착하다: ~ the right man for a job 일에 적임자를 찾아내다 / We *found* the missing girl wander*ing* about the woods. 행방불명된 소녀가 숲속을 헤매고 있는 것을 발견했다 / Will you ~ me my contact lens? =Will you ~ my contact lens *for* me? 내 콘택트 렌즈를 찾아 주겠니 / ~ one's *way home* alone 혼자서 집으로 돌아가다. **4** ⟪~+목/+목+보⟫ (찾으면) 발견된다, (볼 수) 있다; 〖수동태〗 (…에) 있다, 존재하다: You can ~ bears 〔Bears *are found*〕 in these woods. 이 부근의 숲에는 곰이 있다. **5** ⟪~+목/+목+전+명⟫ (필요한 것을) 얻다, 입수〔획득〕하다, (시간·돈 따위를) 찾아내다, 마련하다; (용기 등을) 내다: ~ the capital *for* a new business 새로운 사업을 시작할 자금을 마련하다 / ~ the courage to do …할 용기를 내다 / ~ a situation abroad 해외에 일자리를 얻다 / ~ favor *with* a person 아무의 호의를 얻다, 눈에 들다. **6** ⟪+목+(*to be*)보/+목+*to* do/+목+*do*/+*that*절/+*wh. to* do/+*wh.*절/+목+전+명⟫ …이 …임을 (경험을 통하여) 알다, 이해하다; 깨닫다, 느끼다: They *found* his claim (*to* be) reasonable. 그들은 그의 주장이 정당하다는 것을 알았다 / She *found* the box *to* contain nothing. 열어보니 상자엔 아무것도 들어 있지 않았다 / They *found* the business *pay*. 그 장사는 수지가 맞음을 알았다 / He *found that* he was mistaken. 그는 자신이 실수했음을 알았다 / Will you ~ *how to* get there? 그곳에 어떻게 가는지 알고 있습니까 / Can you ~ *where* he has gone? 그가 어디 갔는지 알고 있소 / I *found* a warm cooperation *in* him. 그는 친절한 협력자임을 알았다. **7** ⟪~+목/+목+보/+목+-*ing*/+목+*as*+보⟫ 〖~ oneself〗 (알고 보니, 어떤 상태에) 있음을 깨닫다, 알아차리다; (어떤 장소에) 있다; (자기의) 천성〔적성〕을 알다; (어떤) 기분이다: After a long illness, he *found* him*self* well again. 오랜 병환 끝에 그는 다시 건강해져 있었다 / *I found* my*self* ly*ing* in my bedroom. 깨어 보니 내 침실에 누워 있었다 / He finally *found* him*self as* a cook. 마침내 자기가 요리사의 적성이 있음을 알았다 / How do you ~ your*self* today? 오늘은 기분이 어떻습니까. **8** ⟪~+목/+목+보/+*that* 절⟫ 〖법률〗 (배심이 평결을) 내리다, …라고 평결하다: ~ a verdict of guilty 유죄 판결을 내리다 / ~ a person guilty 〔not guilty〕 아무를 유죄〔무죄〕로 판결하다 / The jury *found that* the man was innocent. 배심원은 그 사람을 무죄라고 평결하였다. **9** (기관(器官)의) 기능을 획득〔회복〕하다, …을 사용할 수 있게 되다: ~ one's tongue 〔voice〕 다시 말할 수 있게 되다 / ~ one's head 침착을 되찾다. **10** …에 도달하다; …이 자연히 …하게 흐르다〔되다〕: The arrow *found* its mark. 화살은 과녁에 맞았다 / Water ~*s* its own level. 물은 낮은

곳으로 흐른다 / Rivers ~ their way to the sea. 강물은 바다로 흘러 든다. **11** (분실물 따위를) 찾다, 찾아내다: I can't ~ my glasses. 안경을 찾을 수가 없네. **12** ⟪~+목/+목+전+명⟫ (의식(衣食) 따위를) …에게 제공하다, …에(게) 지급하다 ⟪*for; with; in*⟫: The hotel does not ~ breakfast. 그 호텔에서는 아침식사를 제공하지 않는다 / ~ a person *in* clothes 아무에게 의복을 지급하다.

— *vi.* **1** ⟪+전+명⟫ 〖법률〗 (배심원이) 평결 내리다 ⟪*for; against*⟫: The jury *found for* 〔*against*〕 the plaintiff. 배심원은 원고에게 유리〔불리〕한 평결을 내렸다. **2** 찾아내다, 발견하다; (사냥개가) 사냥감을 찾아내다: Seek, and ye shall ~. 〖성서〗 찾으라, 그러면 찾을 것이오 ⟪마태복음 VII: 7⟫. (***and***) ***all*** 〔***everything***〕 ***found*** (급료 외에 의식주 등) 일체를 지급받고: Wages $200 (*and*) *all found*. 급료 200 달러, 기타 의식주 일체 제공. ***be well found in*** …의 공급〔설비, 소양〕이 갖춰져 있다〔충분하다〕: *be well found in* classics 고전에 대한 교양이 많다. **~ *Christ*** 예수를 발견하다 ⟪그리스도교의 진리를 영적으로 깨닫다⟫. **~ *fault with*** ⇨ FAULT. **~ *it*** (경마에서) 이긴 말에 걸다. **~ *it in*** one***'s heart to*** do …할 마음이 나다, …하려고 마음먹다 ⟪주로 can, could 등과 함께 의문문·부정문에서⟫. **~ *it*** (***to***) ***pay*** =~ (***that***) ***it pays*** (해보니) 수지가 맞다. **~ *mercy in*** a person 아무에게서 동정을 얻다, 은혜를 입다. **~ *out*** ⟪*vt.*+부⟫ ① (조사하여) 발견하다, 찾아내다. ★ find out 는 조사·관찰한 결과 알아낸 것으로, 사람·물건 등을 찾아냈을 때는 쓰이지 않음. ¶ ~ *out* a person's address 아무의 주소를 조사하여 알아내다. ② (…임을) 알다, 알아내다; 발견하다 ⟪*wh.*절; *wh. to* do; *that*절⟫: We *found out where* he lives. 그가 어디에 사는지를 알아냈다 / I *found out that* there's going to be a sale next week. 내주에 세일이 있다는 것을 알아냈다. ③ (죄·범인 따위를) 폭로하다, 간파하다; 정체〔진의〕를 간파하다; (수수께끼를) 풀다. ④ (방책 따위를) 안출하다. **—** ⟪*vi.*+부⟫ ⑤ 찾아내다. ⑥ 사실〔진상〕을 알다 ⟪*about*⟫: I went to the library to ~ *out about* wine making. 포도주 제조법을 알아보려고 도서관에 갔다. **~** one***'s account in*** …으로 이익을 얻다. **~** one***'s feet*** ⇨ FOOT. **~ *what o'clock it is*** 진상을 간파하다. ***speak as*** one **~*s*** 자기가 본 그대로를 말하다〔평하다〕.

— *n.* **1** (재보·광천 따위의) 발견(discovery). **2** 발견물; 발굴해 낸 것(finding), 희한한 발견물, 횡재: Our cook was a ~. 우리 요리인은 희한한 존재였다. **3** ⟪영⟫ 〖사냥〗 사냥감의 발견 ⟪특히 여우 따위의⟫. **4** 〖컴퓨터〗 찾기. ***have*** 〔***make***〕 ***a great*** ~ 뜻밖에 희한한 물건을 얻다.

㊕ **∠·a·ble** *a.* 발견할 수 있는, 찾아낼 수 있는.

fínd and chánge [-ən-] 〖컴퓨터〗 검색과 치환 ⟪문자 편집기 또는 워드프로세서 등과 같은 프로그램에서 하나의 문자열을 찾아내어 다른 문자열로 바꾸는 작업; search and replace⟫.

°**fínd·er** *n.* **1** 발견자; (분실물 등의) 습득자: *Finders* (are) keepers. ⟪구어⟫ 발견한 사람이 주인이다. **2** (세관의) 밀수출입품 검사원. **3** (망원경·카메라의) 파인더(viewfinder); (방향·거리의) 탐지기; 측정기.

fínder's fèe 〖금융〗 중개(인) 수수료 ⟪특히 금융 거래의 중개인에게 지불되는 구전⟫.

fin de siè·cle [fæ̃ŋdəsjékl] ⟪F.⟫ (19)세기 말의, 데카당파의, 퇴폐파의; 현대적인, 진보적인 ⟪19 세기 말의 유행어⟫.

°**fínd·ing** *n.* 발견(discovery); (종종 *pl.*) 발견물, 습득물; (종종 *pl.*) 조사〔연구〕 결과; 소견; 〖법

률》 (법원의) 사실 인정; (배심원 등의) 평결, 답신; (*pl.*) (장인(匠人)이 쓰는) 자질구레한 도구들, 재료, 부속품. 「(점), 출토지(점).

fínd·spòt *n.* 〖고고학〗 (유물 따위의) 발견지

†**fine**[1] [fain] (**fín·er; fín·est**) *a.* **1** 훌륭한, 뛰어난; 좋은, 굉장한, 멋진: a ~ view 훌륭한 전망/a ~ idea 좋은 생각〔착상〕/have a ~ time 즐거운 시간을〔유쾌하게〕 보내다. **2** (날씨 따위가) 갠, 맑은; 활짝 갠, 구름 없는: ~ weather 쾌청, 좋은 날씨.

> SYN. **fine** 비교적 흐리지 않은, 또는 비나 눈이 내리고 있지 않음을 뜻함. **clear** 구름이나 안개가 없이 먼뎃 것이 분명하게 보이는 뜻. **fair** 구름은 있어도 비가 오지 않고 있는 뜻으로 보통 신문의 일기예보나 일기(日記) 등에 쓰임.

3 정제된, 순수한, 순도(純度) 높은; 순도 …의: ~ silver 순은(純銀)/gold 14 karats ~ 순도 14금의 금/~ sugar 정제당(糖). **4** (낟알 따위가) 자디잔(comminuted); (입자·올 등이) 미세한, 고운; 감촉이 좋은; (농도가) 엷은, 희박한: ~ sand 고운 모래/~ rain 이슬비, 가랑비/chop meat ~ 고기를 잘게 썰다/~ texture 올이 고운 직물/~ air 상쾌한 공기/~ gas 농도가 희박한 가스. **5** (실·끈 따위가) 가는; (손·발 따위가) 늘씬한; (펜촉이) 가느다란; (펜·연필이) 가는 글씨용의; 〖인쇄〗 가는 활자로 인쇄된: ~ wire 가느다란 철사/a ~ line (제도의) 세선(細線). **6** (날이) 얇은; 잘 드는, 예리한《칼 따위》: a ~ edge 예리한 날. **7** (감각이) 예민한, 민감한, 섬세한(delicate): a ~ ear 예민한〔밝은〕 귀/a ~ sense of humor 유머를 이해하는 섬세한 마음. **8** (차이 따위가) 미묘한, 미세한. **9** (일이) 정교한, 공들인: ~ workmanship 정교한 세공. **10** (사람이) 기술이〔솜씨가〕 뛰어난, 교묘한: a ~ worker 기술이 좋은 장색/a ~ athlete 기술이 뛰어난 운동가. **11** (사람·태도 따위가) 세련된(polished), 완성된, 고상한: ~ manners 세련된 몸가짐. **12** 〖반어적〗 뽐낸, 짐짓 점잔 빼는; 훌륭한, 대단한: You are a ~ fellow. 너는 대단한 놈이다. **13** (사람이) 아름다운 (handsome), 예쁜, (외관이) 훌륭한; (감정이) 고상한; (물건이) 상품(上品)의, 상질(上質)의: ~ clothes 아름다운 옷/You're looking very ~ today. 자네 오늘 아주 멋져 보이는데. **14** (…에) 적합한, 쾌적한, (건강 등에) 좋은《*for*》: This house is ~ *for* us. 이 집은 우리에게 매우 알맞은 집이다. **15** (사람이) 원기왕성한, 기분이 좋은: feel ~ 씽씽하다, 기분이 좋다/"How are you?" "*Fine*, thank you." '안녕하십니까' '예, 덕분에 건강합니다'. **16** 좋다, 좋아《대화 중의 대답으로서 주로 손윗사람이 손아랫사람에게》.

a ~ gentleman 〔***lady***〕 세련된 신사〔숙녀〕, 〖반어적〗 (근로를 천시하는) 멋쟁이 신사〔숙녀〕. ***all very ~ and large*** 그럴듯한, 정말 같은; 대단히 좋은. ***~ and*** 매우, 아주《뒤의 형용사를 강조하여》: Her floor exercise was ~ *and* beautiful. 그녀의 마루 운동은 참으로 아름다웠다. ***~ and dandy*** 《구어》〖종종 반어적으로〗 참으로 좋은, 뭐라고 말할 수 없는. ***~ thing*** 〖감탄사적〗 어휴, 지겹군, 어처구니없어서, 어허 참. ***not to put too ~ a point*** (***up***)***on it*** 노골적으로〔까놓고〕 말하면: He was — *not to put too ~ a point upon* 〔*on*〕 *it* — hard up. 사실대로 말한다면 그는 돈에 쪼들리고 있었다. ***one ~ day*** 〔***morning***〕 어느 날〔날 아침〕《이 때의 fine 에는 뜻이 없음》. ***one of these ~ days*** 머지않아, 조만간에. ***say ~ things*** 입발림말을 하다, 아첨하다《*about*》.

—*n.* 갠〔맑은〕 날씨: get home in the ~ 날이 개어 있을 때 귀가하다/(in) rain or ~ 비가 오든 안 오든 (관계없이).

—*ad.* **1** 《구어》 훌륭하게, 잘: talk ~ 제법 근사하게 말하다/work ~ (계획 따위가) 잘 되다/The hat will suit you ~. 그 모자는 잘 어울립니다. **2** 미세하게, 잘게; 〖당구〗 친 공이 맞힐 공을 겨우 스칠 정도로: cut the vegetable ~ 야채를 잘게 썰다. ***run*** 〔***cut***〕 ***it*** (***too***) ***~*** ① 마지막〔…하려는〕 순간에야 이루다; 간신히 성취하다. ② (시간을) 매우 절약하다; (값 등을) 바싹 깎다. ③ 《구어》 정확하게 구별하다. ***train an athlete too ~*** 운동선수의 훈련을 지나치게 하다.

—*vt.* **1** 순화(純化)하다, 정제〔정련〕하다(refine); (문장·계획 등을) 더욱 정확하게 하다; (술을) 맑게 하다《*down*》. **2** 잘게〔가늘게, 엷게〕 하다《*down*》. —*vi.* **1** 순수하게 되다; (액체가) 맑아지다. **2** 《+부》 잘게〔가늘게〕 되다, 엷어〔작아〕지다《*down*》: ~ *away* 〔*down, off*〕 점점 가늘어〔잘아·엷어·순수해〕지(게 하)다.

*__fine__[2] [fain] *n.* **1** 벌금, 과료; 〖영법률〗 상납금. **2** 《고어》 끝, 종말. ***in ~*** 결국; 요컨대. —(*p., pp.* ***fined; fín·ing***) *vt.* 《~+목/+목+목/+목+전+명》 …에게 벌금을 과하다, 과료에 처하다: The magistrate ~*d* him 30 pounds *for* drunkenness. 치안 판사는 음주로 그에게 30 파운드의 벌금을 부과했다.

fine[3] [fíːnei] *n.* 《It.》 〖음악〗 결미(結尾), 끝.

fíne árt 미술《그림·조각·건축 따위》; (the ~s) 예술《문학·음악·연극·무용을 포함한》.

fíne cerámics 파인 세라믹스《의료·전자(電磁)·광학 제품 따위에 사용되는 상질의 소성소재(燒成素材)》.

fine cham·pagne [*F.* finʃɑ̃paɲ] 《F.》 핀 샹파뉴《프랑스 Champagne 산의 고급 브랜디》.

fíne chémical 정제(精製) 약품, 정제 화학 제품《소량으로 쓰이며 순도가 높은 화학 약품》.

fíne chémistry 〖화학〗 파인 케미스트리《부가가치가 높은 fine chemical 을 다루는 화학》.

fíne-cómb *vt.* 샅샅이 뒤지다.

fíne cút 가늘게 썬 담배. 「cut.

fíne-cút *a.* 가늘게 썬《담배 따위》. OPP. *rough-*

fíne-dráw (**-dréw; -dráwn**) *vt.* **1** (솔기를 분간할 수 없도록) 솜씨 있게 꿰매다, 감쪽같이 잇대어 깁다. **2** (철사 등을) 가늘게 늘이다. **3** (의론 따위를) 미묘한 점에까지 끌고 가다.

fíne-dráwn *a.* **1** 감쪽같이 꿰맨. **2** 가늘게 늘인. **3** (의론·구별 등이) 미묘·정밀한; 섬세한. **4** 운동으로 체중이 준《선수 따위》. 「치 식품.

fíne fóod 파인 푸드, 정밀 식품, 고(高)부가 가

Fí·ne Gáel [fínə-] 통일 아일랜드당《아일랜드 공화국 2 대 정당의 하나》.

fíne-gráin *a.* 〖사진〗 미립자의. 「=FINEGRAIN.

fíne-gráined *a.* 나뭇결이 고운; 〖사진〗

°**fine·ly** [fáinli] *ad.* 곱게, 아름답게, 훌륭하게; 잘게, 가늘게; 엷게; 정교하게, 미세하게.

°**fíne·ness** *n.* Ⓤ **1** 고움, 아름다움, 훌륭함; (품질의) 우량. **2** 미세함, 가느다람; 분말도; 〖방적〗 섬도(纖度)《섬유의 굵기》; 정교함. **3** (금속의) 순도, (화폐의) 품위. **4** (때로 a ~) (정신·지능 따위의) 예민, 섬세, 미묘함, 명민함, 정밀함, 자세함.

fíne páper 〔**bíll**〕 우량 어음.

fíne print **1** 작은 활자. **2** 작은 글자 부분《계약서 등에서 본문보다 작은 활자로 인쇄된 주의 사항 따위》; 《비유》 (계약 등에) 숨겨진 불리한 조건.

fin·ery[1] [fáinəri] *n.* Ⓤ (아름다운) 장식; 장신구; 화려한 옷; 화려, 화미(華美): in one's best ~ 가장 멋진 옷을 차려입고.

fin·ery[2] *n.* 〖야금〗 정련소〔로(爐)〕(refinery).

fines [fainz] *n. pl.* 미세한 입자들, 고운 가루; 〖야금〗 미분(粉).

fíne·spún *a.* 아주 가늘게 자아낸; 섬세한; (이론 따위가) 지나치게 면밀한, 미묘한; 지나치게 정밀하여 실제적이 아닌.

fi·nesse [finés] *n.* 《F.》 **1** Ⓤ,Ⓒ 교묘한 처리〔기교〕, 솜씨: the ~ of love 사랑의 기교. **2** Ⓤ,Ⓒ 술책(stratagem), 책략(cunning), 흉계. **3** Ⓤ 〖카드놀이〗 피네스《브리지에서, 점수 높은 패가 있으면서도 낮은 패로 판에 깔린 패를 따려는 것》. **—** (*p., pp.* ***-néssed; -néss·ing***) *vi., vt.* 술책을 쓰다《*away; into*》; 책략으로 처리하다; 〖카드놀이〗 피네스를 쓰다《*for; against*》. 「경관.

fin·est [fáinist] *n.* 〚복수취급〛《미구어》 경찰,

fíne strùcture 〖생물·물리〗 (생물체의 현미경적인 또는 스펙트럼선의) 미세 구조.

fíne-tòoth-cómb *vt.* 철저〔면밀〕하게 조사〔음미〕하다.

fíne-tooth(ed) cómb 가늘고 촘촘한 빗, 참빗; 《비유》 철저〔면밀〕하게 조사〔음미〕하는 태도〔제도〕. ***go over*** 〔***through***〕 ***with a*** ~ 세밀히 조사〔음미, 수사〕하다.

fíne-tùne *vt.* **1** (라디오·TV를)(미(微))조정하다. **2** (소리·노래 등을) 음〔감정, 표현〕에 맞추다. **3** (바람직한 방향으로)(미)조정하다. **4** (세부에) 손보다. ㊞ **-tùn·er** *n.*

fíne tùning 〖경제〗 미(微)조정《보조적인 금융·재정 수단을 세밀히 활용하여 총수요 변동을 억제 하고 거시 경제 정책의 목표 달성에 노력함》.

fín·fish *n.* (지느러미가 있는) 물고기《shellfish 와 구별하여》. 「귀가 있는.

fin-foot·ed [fínfùtid] 〖조류〗 *a.* (발에) 물갈

†**fin·ger** [fíŋgər] *n.* **1** 손가락: the index 〔first〕 ~ 집게손가락(forefinger) / the little 〔small, fourth〕 ~ 새끼손가락(pinkie) / the middle 〔second〕 ~ 가운뎃손가락 / the ring 〔third〕 ~ 약손가락. ★ 흔히 엄지손가락(thumb)을 제외한 네 손가락을 말함. 발가락은 toe. **2** (장갑의) 손가락; (*pl.*) 일하는 손. **3** 지침(指針), 바늘《계량기 따위의》; 손가락 모양의 것; (기계 등의) 손가락 모양의 돌기; 지시물(指示物). **4** 손가락 폭《약 3/4 인치》; 가운뎃손가락의 길이《4 인치 반》. **5** 《속어》 밀고자(informer), 경찰관, 소매치기. **6** 〖컴퓨터〗 핑거《컴퓨터 시스템에 접속해 있는 사용자 정보를 알아내기 위해 사용되는 프로그램》. ***burn*** one***'s ~s*** ⇨ BURN¹. ***by a ~'s breadth*** 위기일발에서, 아슬아슬하게. ***by the ~ of God*** 거룩한 손길로〔힘으로〕. ***can count ... on*** one***'s ~s*** 《구어》 (수량이 아주 적어) …은 다섯손가락으로 셀 정도이다. ***crook*** one***'s*** (***little***) ~ 《구어》 (손가락을 구부려) 남의 주의를 끌다; 《속어》 (과도하게) 술을 마시다. ***cross*** one***'s ~s*** (액막이로 또는 행운을 빌어) 집게손가락 위에 가운뎃손가락을 포개다. ***have a ~ in the pie*** 몫에 참여하다; 관여하다, 쓸데없이 간섭하다. ***have ... at*** one***'s ~s' ends*** 〔***~ ends, ~ tips***〕 정통하다, 환하다. ***have*** one***'s ~s in the till*** 자신이 근무하는 가게 돈을 (장기간에 걸쳐) 후무리다, 슬쩍하다. ***have sticky ~s*** 《속어》 도벽이 있다; 〖미식축구〗 패스를 매우 잘 받다. ***His ~s are all thumbs.*** 그는 도무지 손재주가 없다. ***keep*** 〔***have***〕 one***'s ~s crossed*** (***that ...***) (…하도록) 행운을 빌다. ***lay a ~ on*** …에 상처를 주다, 때리다, 꾸짖다, 학대하다. ***lay*** 〔***put***〕 one***'s ~ on*** 〔***upon***〕 〚보통 부정문〛 ① (원인·해답 등을) 정확히 지적하다; …을 또렷이 생각해 내다: I know the name, but I can*'t put my* ~ *on* it. 이름은 알고 있지만, 도무지 생각이 나지 않는다. ② 밝혀내다, 알아내다. ③ 손가락을 대다; (여성·아이에게) 위해를 가하다. ***let ... slip through*** one***'s ~s*** …을 손에서 놓치다; (좋은 기회를) 놓치다. ***lift*** 〔***throw, turn up***〕 ***the little*** ~ 술을 잔뜩 마시다. ***look through*** one***'s ~s at*** …을 슬쩍 보다, …을 보고도 못 본 체하다. ***not lift*** 〔***raise, stir***〕 ***a*** ~ 손가락 하나 까딱 않다, 노력을 조금도 않다. ***point a*** 〔***the***〕 ***~ at ...*** (남을) 지명하여 비난하다. ***pull*** 〔***take***〕 one***'s ~ out*** 《영속어》 (태도를 바꿔 다시) 일을 시작하다, 발분하다, 서두르다. ***put the ~ on*** 《구어》 (경찰 등에) …을 밀고하다, 정보를 제공하다; 《속어》 (사람·장소)를 범행의 목표로 실행자에게 지시하다. one***'s ~s itch*** (***for, to*** do) (하지 말라는 것을) …하고 싶어 좀이 쑤시다. ***slip through*** a person***'s ~s*** ① (잡았던 것이) 손에서 빠져나가다. ② (기회·금전 등이) 사라지다, 없어지다. ***snap*** one***'s ~s at*** (손가락으로 딱 소리를 내어) 남(사환 등)의 주의를 끌다; …을 멸시하다. ***stick to*** a person***'s ~s*** 《구어》 (돈·물건을) 아무에게 착복〔횡령〕당하다, 도둑맞다. ***to the end of*** one***'s little*** ~ 새끼손가락의 끝까지, 완전히(to one's ~ tips). ***turn*** 〔***twist***〕 a person ***around*** 〔***round***〕 one***'s*** (***little***) ~ 아무를 마음대로 (조종)하다〔가지고 놀다〕, 농락하다. ***with a wet*** ~ 수월히, 손쉽게, 힘 안 들이고. ***work*** one***'s ~s to the bone*** 《구어》 몸을 아끼지 않고 열심히 일하다.

— *vt.* **1** …에 손가락을 대다, 만지다(handle): Please, don't ~ the goods. 상품에 손을 대지 마십시오. **2** (뇌물 따위를) 받다, 손을 내밀다; (남의 물건에) 손을 대다, 훔치다(purloin). **3** 손가락으로 하다〔만들다〕. **4** (바이올린 따위를) 손가락으로 켜다. **5** (악보에) 운지법(運指法)을 표시하다. **6** (…이라고) 지적하다《*as*》: Air pollution has been *~ed* as the cause of acid rain. 대기 오염이 산성 비의 원인이라고 지적되고 있다. **7** 《미속어》 밀고하다; 미행하다(shadow). **—** *vi.* **1** (손가락으로) 만지다, (손끝으로) 만지작거리다《*with*》; (손가락으로) 들추다, 뒤지다《*through*》: She *~ed through* the documents. 그녀는 서류를 이리저리 들추었다. **2** 악기를 손가락으로 켜다〔연주하다〕.

fínger àlphabet 지(指)문자(manual alphabet)《벙어리의》.

fínger bòard (바이올린 따위의) 지판(指板); (피아노 따위의) 건반(keyboard); (손가락 모양의) 길 안내 표지.

fínger bòwl (식후의) 손가락 씻는 그릇.

fínger·brèadth *n.* 손가락 넓이《약 3/4 인치》.

fínger bùffet (홍당무·오이·포테이토 칩과 같은 먹을 것이) 손으로 집어 먹을 정도의 가벼운 먹을 것이 나오는 뷔페 형식의 식당.

fínger-drỳ *vt., vi.* (드라이어를 사용하여) (머리를) 손가락으로 들어올려〔모양을 갖추어〕 말리다.

(-)fín·gered *a.* 손가락이 있는; 손가락이 …한; 〖식물〗 손가락 모양의; (잎이) 장상(掌狀)의; 〖음악〗 (악보에) 운지(運指) 기호가 표시된: light-~ gentry 《우스개》 소매치기 패거리 / five-~ 손가락이 다섯인.

fínger·físh *n.* 〖동물〗 불가사리(starfish).

fínger fòod 손으로 집어 먹는 음식《당근·셀러리 따위를 잘게 썰어 기름에 튀긴 것》.

fínger·fùck *vt., vi.* 《미비어》 (여성 성기를) 손가락으로 애무〔자극〕하다.

fínger glàss 유리제(製) finger bowl.

fínger·hòld *n.* 손가락으로 붙잡음〔지탱함〕; (몸을 지탱하기 위해서) 겨우 손가락을 거칠 수 있는 장소; 그러한 지탱, 지지.

fínger hòle 전화 다이얼의 글자 구멍; 볼링공의 손가락 구멍; 목관 악기의 바람 구멍.

fínger-in-every-pìe [-rin-] *n.* 문어발식 경영.

fín·ger·ing¹ [-riŋ] *n.* Ⓤ 손가락으로 만지작거림; 〖음악〗 운지법(運指法), 운지 기호.

fín·ger·ing² *n.* 가는 털실《뜨개질용》.

fínger lànguage (벙어리의) 지화법(指話法).
fínger·less *a.* 손가락이 없는; 손가락을 잃은.
fínger·lìck·in', -lìcking [-lìkiŋ] *ad.* 《구어》 (음식을 집은) 손가락을 빨고 싶을 정도로《맛이 있는 따위》. **—** *a.* 매우 맛있는, 맛이 기가 막힌.
fin·ger·ling [fíŋgərliŋ] *n.* 작은 물고기《특히 연어 따위의 새끼》; 극히 작은 것.
fínger màn 《속어》 밀고자; 《미속어》 살인〔도둑질〕의 대상을 실행자에게 지시하는 사람.
fínger màrk (때묻은) 손가락 자국. ㊞ **fínger-màrked** [-t] *a.* 손가락 자국이 있는.
fínger·màth *n.* 지산(指算)《손가락으로 하는 셈》.
fínger mòb 《속어》 밀고한 대가로 경찰의 보호하에 있는 범죄자 그룹.
fínger·nàil *n.* 손톱. ***to the ~s*** 아주, 완전히.
fínger nùt 〖기계〗 집게 너트, 나비나사.
fínger pàint 젤리 모양의 지두화용(指頭畫用) 그림물감.
fínger pàinting 지두화법(指頭畫法)(으로 그린 그림).
fínger·pèck *vt.* (원고 등을) 손가락으로 토닥토닥 타자치다.
fínger·pìcking *n.* 〖음악〗 핑거피킹《기타 따위 현악기의 줄을 손가락으로 튕겨 연주하는 법》.
fínger plàte 〖건축〗 지판(指板)《문의 손잡이 부분에 댄 금속판》.
fínger pòinter 《구어》 비난자; 조소자.
fínger-pòinting *n.* 《미속어》 (흔히 부당한) 고발, 지탄, 힐난, 비난.
fínger pòst (손가락 모양의) 도표(道標), 방향 표시 말뚝(guidepost); 안내서, 지침《*to*》.
fínger·prìnt *n.* 지문. **—** *vt.* …의 지문을 채취하다.
fínger rèading 점자 읽는 법. ⓒⓕ braille.
fínger rìng 반지, 가락지.
fínger-shàped [-t] *a.* 손가락 모양의.
fínger shìeld 골무.
fínger·spèlling *n.* 수화(手話)(dactylology).
fínger·stàll *n.* 손가락 싸개《수공예 작업용·상처 보호용》.
fínger-tíght *a.* 손으로 단단히 죈.
fínger·tìp *n.* 손가락 끝; 골무. ***have* 〔*keep*〕 *... at* one*'s ~s*** 즉시 이용할 수 있다; 곧 입수할 수 있다; 잘 알고 있다; 쉽게 처리할 수 있다. ***to the* 〔one*'s*〕 *~s*** 완전히(completely), 철저하게. **—** *a.* 언제라도 쓸 수 있는; 손가락 끝으로 간단히 조작할 수 있는.
fínger tróuble 〖컴퓨터〗 키를 잘못 눌러 생기는 장애.
fínger wàve 손가락 웨이브《기름을 바른 머리를 손가락으로 눌러서 만듦》.
fin·i·al [fíniəl, fáin-] *n.* 〖건축〗 용마루널 장식, 정식(頂飾)《뱃집·뾰족탑 등의 최상부 장식》; (램프 갓·침대 기둥의) 꼭대기 장식. ㊞ **~ed** *a.*
fin·i·cal [fínikəl] *a.* (옷 따위에) 몹시 신경을 쓰는, 까다로운《*about*》; 지나치게 공들인〔꾸민〕(fussy). ㊞ **~·ly** *ad.* 아주 까다롭게. **~·ness** *n.*
fin·ick·ing, fin·i·kin, fin·icky [fínikiŋ], [fínikin], [fíniki] *a.* =FINICAL.
fi·nis [fínis, fáinis/fínis] *n.* 《L.》 Ⓤ,Ⓒ 끝, 결미(結尾), 마지막, 종말; 죽음.
†**fin·ish**[1] [fíniʃ] *vt.* **1** 《~+목/+목+부》 끝내다, 마치다, 완성하다, 완료하다(complete): ~ one's life 일생을 마치다/~ *up* the work 일을 끝내다. **2** 《+-*ing*》 …하기를 끝내다: ~ speak*ing* 이야기를 끝마치다/~ read*ing* the book 책을 다 읽다/~ writ*ing* a report 리포트 쓰기를 끝마치다. **3** 《~+목/+목+부》 (물건을) 다 쓰다; (음식을) 다 먹어〔마셔〕 버리다《*off; up*》: We've *~ed off* the last of our fuel oil. 우리는 마지막 남은 연료 기름을 다 써 버렸다/We've *~ed up* every bit of liquor in the house. 우리는 집에 있는 술을 깡그리 다 마셔 버렸다. **4** 《~+목/+목+부》 《구어》 (상대를) 패배시키다, 파멸시키다, 없애 버리다, 죽이다(kill)《*off*》: My answer *~ed* him. 내 대답에 그는 두 손을 들었다/The heat *~ed* her *off*. 그녀는 더위에 지쳐 버렸다. **5** 《+목+부/+목+전+명》 마무르다, 만들어 내다; 다듬다, …의 마지막 손질을 하다《*off*》: ~ a picture finely 그림을 훌륭히 마무리하다/~ the edge *with* a file 가장자리를 줄로 다듬다. **6** 《~+목/+목+부》 …의 교육〔훈련〕을 끝내다, 졸업시키다; (과정·학교를) 수료〔졸업〕하다: She *~ed off* her education at Harvard. 그녀는 하버드 대학을 수료했다. **—** *vi.* **1** 《~/+전+명》 끝나다, 그치다: The training *~ed* before noon. 훈련은 오전 중에 끝났다/We *~ed by* singing 〔*~ed with*〕 the national anthem. 우리는 애국가를 부르고 마쳤다. ⓈⓎⓃ ⇨END. **2** 《+보》 (결승점에) 닿다, 골인하다: ~ second, 2등이 되다. **3** 《+전+명》 〔보통 완료형〕 (물건을) 다 써 버리다, (…의) 사용을 마치다: *Have* you *~ed with* this book? 이 책을 다 읽었니. **~ *by* do*ing*** 마침내〔끝내〕 …하다: You will ~ *by* break*ing* your neck. 끝내 목이 부러지고 말겠다. **~ *it off*** 《속어》 사정(射精)하다. **~ *up nowhere*** 헛되이 끝나다, 잘 되지 않다. **~ *with*** =***be ~ed with*** ① (일 따위)를 마치다. ② (사람·사물이) 쓸모없어지다, (일에) 흥미가 없어지다; 《구어》 절교하다, 헤어지다. ③ (시간이) …으로 끝나다. ***have ~ed with*** 이제 …은 그만〔마지막〕이다; 이제 …은 딱 질색이다; 이젠 …와는 관계없다〔절교다〕: I *have ~ed with* such foolishness. 이런 어리석은 짓은 이젠 안 한다.
— *n.* **1** 끝, 마지막, 종국; 마지막 단계; 멸망. **2** Ⓤ 마무리, 끝손질, 완성; (태도의) 세련. **3** 병 아가리《병 뚜껑과 접촉부 및 그 둘레》. **4** Ⓤ (또는 a ~) (벽·가구 따위의) 마무리 칠하기, 광내기: a plaster ~ 회반죽칠의 마무리. **5** (태도의) 때벗음, 세련, 교양. ***be in at the ~*** 마지막 단계에 참가〔입회〕하다《본디 여우 사냥 용어》.
fi·nish[2] [fáiniʃ] *a.* 우수한, 양질의; 매우 가는, 매우 섬세한.
fín·ished [-t] *a.* **1** 끝낸, 끝마친; 끝손 본, 완성된: ~ goods 완성품/~ manufacture 제조 공업 제품. **2** (교양 등이) 완전한, 더할 나위 없는, 때벗은, 세련된: ~ manners 세련된 몸가짐/a ~ gentleman 교양 있는 신사. **3** 죽어〔사라져〕 가는, 몰락한, 과거의 것이 되어 버린.
fín·ish·er *n.* 완성자; 마무리공(工); 마무리 기계; 《구어》 결정적 타격.
fín·ish·ing *a.* 최후의; 끝손질의, 마무리의: a ~ coat 마무리 칠, 겉칠/~ touches 마무리, (그림 따위의) 끝손(질)/a ~ school 교양〔신부〕 학교《젊은 여성에게 사교계에 나갈 준비 교육을 시키는》. **—** *n.* 맨 끝손질, 다듬질; (*pl.*) 〖건축〗 마무리 일, 건물의 설비품《전등·연관(鉛管) 따위》.
fínish lìne (racecourse의) 결승선.
fi·nite [fáinait] *a.* 한(限)이 있는, 한정〔제한〕되어 있는, 유한의; 〖문법〗 (동사가) 정형(定形)의. ⓄⓅⓅ *infinite*. **—** *n.* Ⓤ (the ~) 유한(성); 〔집합적〕 유한물. ㊞ **~·ly** *ad.* **~·ness** *n.* 유한성.
fínite vèrb 〖문법〗 정형(定形) 동사《수·인칭·시제·법에 의해 한정된 동사의 어형》.
fi·nit·ism [fáinaitìzəm] *n.* 〖철학〗 유한론(有限論), 유한주의.
fin·i·tude [fínətjù:d, fáin-/fáinitjù:d] *n.* Ⓤ 유한성(有限性), 한정.
fink [fiŋk] *n.* 《미속어》 스트라이크 파괴자, 배반자; 밀고자; 형사; 《경멸》 지겨운〔더러운〕 놈; 마음에 안 드는 녀석. **—** *vi.* ~ 노릇을 하다; (경찰에) 밀고하다. **~ *out*** (활동 등에서) 빠지다, 손을 떼다; 믿을 수 없게 되다, 완전히 실패하다.
fín kéel 〖해사〗 (요트의) 심용골(深龍骨).
fínk·òut *n.* 《미속어》 탈퇴, 발빼기, 배신.
Fin·land [fínlənd] *n.* 핀란드《수도 Helsinki》.
[파] ~·**er** *n.* 핀란드 사람.
Fìn·land·i·zá·tion *n.* [U] 핀란드화(化)《서유럽 나라들이 독자적인 사회·경제 체제를 유지하면서 외교면에서는 옛 소련에 기운 정책을 취한 일》.
Fin·land·ize [fínləndàiz] *vt.* (옛 소련이, 딴 나라들을) 핀란드화하다, 대소(對蘇) 우호 정책을 취하게 하다. [◂ Finlandization 에서]
Finn [fin] *n.* 핀 사람《핀란드 및 북서 러시아 부근의 민족》; 핀란드 사람.
Finn. Finnish.
fin·nan had·die, fin·nan had·dock [fínənhǽdi], [-hǽdək] 훈제(燻製)한 대구.
(-)finned [find] *a.* 지느러미가 있는; 〖복합어로〗 …의 지느러미가 있는.
fin·ner [fínər] *n.* =FINBACK.
finnes·ko [fíneskou] (*pl.* ~) *n.* 피네스코《겉이 모피로 되어 있는 순록 가죽 장화》.
Finn·ic [fínik] *a.* 핀족(族)의; 핀어(語)(족)의. **—** *n.* 핀어족.
Finn·ish [fíniʃ] *a.* **1** 핀란드의; 핀란드 사람〔말〕의. **2** =FINNIC. **—** *n.* [U] 핀란드 말, 핀어(語).
Fin·no-Ugri·an [fìnoujú:griən/-jú:-] *a.* 핀 사람과 우그리아 사람의. **—** *n.* =FINNO-UGRIC.
Fin·no-Ugric [fìnoujú:grik/-jú:-] *n.*, *a.* 피노우그리아 어족(語族)(의).
fin·ny [fíni] *a.* **1** 지느러미가 있는(finned); 지느러미 같은〔모양의〕. **2** 물고기의; 《시어》 물고기가 많은: the ~ tribe 어족(魚族).
fín ray 지느러미의 가시.
Fin. Sec., fin sec. financial secretary.
Fin·sen [fínsən] *n.* **Niels Ryberg** ~ 핀센(1860-1904)《덴마크의 의학자; 광선 요법의 창시자; 노벨 생리·의학상 수상(1903)》.
Fínsen lìght 핀센광〔램프〕《피부병 치료용》.
F. Inst. P. 《영》 Fellow of the Institute of Physics.
fín whàle =FINBACK.
FIO, F.I.O., f.i.o. 〖해운〗 free in and out.
fiord, fjord [fjɔ:rd] *n.* 〖지학〗 피오르, 협만《높은 단애 사이의 협강(峽江)》.
fip·ple [fípəl] *n.* 〖음악〗 관악기의 음향 조절 마개.
fípple flùte 〖음악〗 fipple 이 달린 종적(縱笛).
°**fir** [fə:r] *n.* (서양) 전나무; [U] 그 재목(cf. deal³): a ~ needle 전나무 잎/~ cone (솔방울 모양의) 전나무 열매.
FIR 〖항공〗 flight information region. **fir.** firkin(s).
fír balsàm =BALSAM FIR.
†**fire** [faiər] *n.* **1** [U] 불; 화염; 연소. **2** [C] 때는 불, 숯불, 화롯불; 《영》 난방기, 히터: a ~ shovel 부삽/sit by the ~ 난롯가에 앉다/strike ~ 불을 켜다《성냥 따위로》. **3** [C] 화재, 불: *Fire!* 불이야/insure a house against ~ 집을 화재 보험에 들다/⇨ FOREST FIRE. **4** [U] 불꽃(flame), 섬광, 번쩍임. **5** [U] (보석 따위의) 번쩍임, 광휘(luminosity): the ~ of a gem. **6** [U] 열, 정열, 정염(情炎); 발랄한 상상력, 시적(詩的) 영감; 활기(animation), 원기: speech lacking ~ 활기 없는 연설/~ in one's belly 야심, 열의, …할 마음. **7** (the ~) 불고문, 화형; (종종 *pl.*) 고난, 시련. **8** 열병, 염증(inflammation), 격통. **9** [U] (독한 음료로 인한) 홧홧함, 화끈함. **10** [U] 포화; 발포, 사격, 폭파; 《비유》 (비난·질문 따위를) 퍼붓기: random ~ 난사/running ~ (사격·욕설의) 연발/a line of ~ 탄도, 사격 방향/⇨ CROSS FIRE. **11** 《문어》 발광체: heavenly ~*s* 불타는 성신(星辰).
be destroyed by (***a***) ~ 〔***in the*** ~〕 소실되다. ***between two*** ~***s*** 《문어》 앞뒤에 포화를 받고, 협공당하여. ***catch*** (***on***) ~ 불이 붙다〔댕기다〕; 흥분하다; 열광적으로 환영받다. ***Cease*** 〔***Commence***〕 ~***!*** 사격 중지〔개시〕. ***draw*** a person***'s*** ~ 아무의 사격 표적이 되다; 비난〔말썽〕을 초래하다. ***false*** ~ 거짓 신호《적을 유인하기 위한》. ~ ***and brimstone*** 불과 유황, 천벌, 지옥의 모진 고문. ~ ***and fagot*** (이단자에 대한) 화형. ~ ***and sword*** 전화(戰禍). ***full of*** ~ 활기에 차서. ***go through*** ~ ***and water*** 물불을 가리지 않다, 온갖 위험을 무릅쓰다: Joe *went through* ~ *and water.* 조는 산전수전을 다 겪었다. ***hang*** ~ 좀처럼 발화하지 않다; 꾸물대다, 늑장 부리다. ***hold*** one***'s*** ~ 사실을 감추다〔말하지 않다〕. ***lay a*** ~ 불땔 준비를 하다. ***like*** ~ =***like a house on*** ~ 《속어》 급속히, 빨리. ***make*** 〔***build***〕 (***a***) ~ 불을 때다〔사르다〕. ***miss*** ~ (총포가) 불발로 끝나다; 실패하다. ***on*** ~ 화재가 나서, 불타는 (중에); 《비유》 흥분하여, 열중하여. ***on the*** ~ 《미속어》 고려 중인, 준비 중인. ***open*** ~ 사격을 개시하다, 포문을 열다; 시작하다. ***play with*** ~ ① 불장난을 하다, 위험한 짓을 하다. ② 중대한〔위험한〕 문제를 가볍게 다루다. ***pour*** 〔***throw***〕 ***oil on the*** ~ 《비유》 불에 기름을 붓다; 더욱 일을 크게 만들다. ***pull*** 〔***snatch***〕 ***... out of the*** ~ …을 어려운 상황에서 구해 내다, (질 듯한 승부를) 용케 승리로 이끌다. ***set*** ~ ***to*** =***set on*** ~ …에 불을 지르다, 불태우다; 흥분시키다, 격하게 하다. ***set the world*** 〔***river,*** 《영》 ***Thames***〕 ***on*** ~ 세상을 깜짝 놀라게 하다〔발끈 뒤집다〕; (눈부신 일로) 이름을 떨치다. ***take*** ~ =catch ~. ***under*** ~ ① 포화〔비난〕 세례를 받고. ② 비난을 받아.
— *vt.* **1** …에 불을 붙이다〔지르다〕. **2** (아무를) 고무하다, 분기시키다, (생명력을) 불어넣다. **3** 《~+[목]/+[목]+[전]+[명]》 (감정을) 격앙시키다, 불태우다, (상상력을) 북돋우다, 자극하다: The book ~*d* his imagination. 그 책은 그의 상상력을 불러일으켰다/~ a person *with* indignation 아무를 분격케 하다. **4** (다이너마이트 등에) 점화하다; 폭발시키다. **5** 《~+[목]/+[목]+[전]+[명]》 (화기·탄환을) 발사〔발포〕하다(discharge), 폭파하다《*off; at*》; (질문 따위를) 퍼붓다《*off*》: ~ a blank shot 공포를 쏘다/~ questions *at* a person 아무에게 질문을 퍼붓다. **6** (도자기 따위를) 구워 만들다, 굽다, 소성(燒成)하다: ~ bricks 벽돌을 굽다. **7** 불에 쬐어 그슬리다〔건조시키다〕; (차를) 볶다: ~ tea. **8** …의 불을 때다, …에 연료를 지피다: ~ a boiler 〔furnace〕. **9** 빛나게 하다. **10** 〖수의〗 (염증을 치료하기 위해) 불로 지지다; 낙인을 찍다(cauterize). **11** 《구어》 (돌 등을) 던지다: ~ a stone through the window. 유리창에 돌을 던지다. **12** 《~+[목]/+[목]+[전]+[명]/+[목]+[부]》 《미구어》 목 자르다, 내쫓다, 해고하다《*out; from*》: ~ a drunkard 취한을 내쫓다/He was ~*d from* his job. 그는 일자리에서 쫓겨났다. **—** *vi.* **1** 불이 붙다, (불)타다. **2** 새빨개지다, 빨갛게 빛나다. **3** 열을 띠다, 격해지다, 흥분하다. **4** 《~/+[전]+[명]》 발포하다, 사격하다, 포화를 퍼붓다《*at; on, upon*》; (총포·내연 기관이) 발화〔시동〕하다, 발사되다: The gun ~*d.*/The soldiers ~*d at* the fleeing enemy. 병사들은 도망치는 적에게 발포하였다.
~ ***a salute*** 예포를 쏘다. ~ ***away*** 《*vt.*+[부]》 ① 탄환을 마구 쏴 대어 다 써 버리다; 《구어》 (질문·일 등을) 지체 없이 척척 시작하다. **—** 《*vi.*+[부]》 ② 계속 발포하다; 질문을 계속하다《*at*》. ~ ***from the hip*** (권총을) 재빨리 쏘다; 느닷없이 공격하다. ~ ***off*** ① 발포하다, 폭발시키다; (말·비난 등을) 발하다, …에게 퍼붓다《*at*》. ② (벽로 등의) 불을 끄다. ③ (우편·전보 등을) 급송하다.

~ ***out*** 《미구어》 해고하다, 목 자르다. ~ one***self with anger*** 발끈 성내다, 격앙하다. ~ ***up*** 《*vt.*+[부]》 ① (난로·보일러 따위의) 불을 때다. — 《*vi.*+[부]》 ② 불끈하다, 욱하다.

fíre alárm 화재 경보; 화재경보기.

fíre-and-brímstone [-ənd] *a.* (설교 따위가) 지옥의 불을 연상케 하는.

fíre ànt 따갑게 쏘는 개미.

◇**fíre·àrm** *n.* (보통 *pl.*) 화기(火器); 소화기(小火器) 《rifle, pistol 등》.

fíre·bàck *n.* **1** (불기운을 반사시키기 위한) 벽로(壁爐)의 뒷벽. **2** 꿩의 일종 《남아시아산(產)》.

fíre·bàll *n.* **1** 불덩이; 번개; 〖천문〗 큰 별똥별, 태양. **2** 〖군사〗 화구(火球) 《핵폭발 때의》; (옛날의) 소이탄. **3** 〖야구〗 속구. **4** 《속어》 알약. **5** 《미구어》 정력적인 활동가. **6** 특급 열차. [파] ~·**er** *n.* 〖야구〗 속구 투수.

fíre ballòon **1** 화기(火氣) 풍선. **2** 불꽃 기구(氣球) 《일정한 높이에 이르면 제물로 폭발함》.

fíre·bàse *n.* 발사 기지, 중포(重砲) 진지.

fíre bàsket (화톳불을 피우는) 쇠 바구니.

fíre bèll 화재 경종.

fíre bèlt (도시 계획의) 방화대(防火帶).

fíre blànket 소화용 모포.

fíre blàst 〖식물〗 (홉 따위의) 시듦병.

fíre blìght 〖식물〗 (사과 등의) 고사병(枯死病).

fíre blòcks 〖군사〗 불에 의한 방색(防塞); 화재 방색판.

fíre·bòat *n.* 소방선(消防船).

fíre bòmb 소이탄(incendiary bomb).

fíre·bòmb *n.* 소이탄. — *vt.* 소이탄으로 공격하다.

fíre·bòx *n.* **1** 〖기계〗 (보일러·기차의) 화실(火室). **2** 화재경보기; 《폐어》 부싯상자.

fíre·brànd *n.* **1** 횃불; 관솔. **2** (스트라이크·반항 등의) 선동자; 대(大)정력가.

fíre·brèak *n.* (산불 따위의 확산을 막기 위한) 방화대(帶)〔선(線)〕; 〖군사〗 재래식 무기를 사용하는 전쟁에서 핵무기 사용 전쟁으로의 이행을 방지하는 억제〔경계〕선.

fíre-brèathing *a.* (말하는 품이나 태도가) 공갈적인, 공격적인 (느낌의). [파] **fíre-brèather** *n.*

fíre·brìck *n.* 내화(耐火) 벽돌.

fíre brigàde 소방단; 《영》 소방서.

fíre·bùg *n.* **1** 《미방언》 개똥벌레. **2** 《미구어》 방화범 (incendiary).

fíre càll =FIRE ALARM.

fíre chìef 소방서장, 소방대장.

fíre·clày *n.* [U] 내화 점토(粘土): a ~ brick 내화 벽돌.

fíre còmpany **1** 소방대. **2** 화재 보험 회사.

fíre contról **1** 〖군사〗 (군함 따위 범위가 넓은) 사격 지휘: a ~ radar 〖군사〗 사격 관제〔지휘〕 레이더 / a ~ system 〖군사〗 사격 통제〔지휘〕 장치 《생략: FCS》. **2** 방화〔소화(消火)〕 (활동).

◇**fíre·cràcker** *n.* **1** 딱총, 폭죽(爆竹). **2** 《미속어》 폭탄, 어뢰.

fíre cròss =FIERY CROSS 1.

fíre cùrtain =SAFETY CURTAIN.

fíre·dàmp *n.* [U] (탄갱 안의) 폭발성 메탄가스.

fíre depàrtment 《미》 소방서; 《집합적》 소방대(원).

fíre dirèction (단위 부대의) 사격 지휘.

fíre·dòg *n.* (벽로의) 장작 받침쇠(andiron).

fíre dòor (보일러 등의) 연료 주입구, 점화〔점검〕창; 방화(防火)문.

fíre·dràke, -dràgon *n.* 〖북유럽신화〗 불을 내뿜는 용.

fíre drìll 소방 연습, 방화 훈련; (학교·병원 따위의) 화재 피난 훈련.

fíred-úp *a.* 흥분한, 열광한; 격분한.

fíre-èater *n.* **1** 불을 먹는 요술쟁이. **2** 싸우기 좋아하는 사람, 팔팔한 사람. **3** 《미구어》 소방관.

fíre-èating *a.* 호전적인, 과격한. — *n.* 불을 먹는 요술.

fíre èngine 소방 펌프, 소방(자동)차.

fíre escàpe 비상구, 화재 피난 장치 《사닥다리·계단 등》.

fíre èxit (화재) 비상구.

fíre extìnguisher 소화기.

fíre-èyed *a.* 《고어·시어》 눈이 번쩍이는.

fíre·fìght *n.* 〖군사〗 포격전, 총격전 《육탄전에 대하여》.

fíre fìghter 소방관(fireman).

fíre fìghting 소방 (활동); 긴급 대응 조치.

◇**fíre·fly** *n.* 〖곤충〗 개똥벌레. [cf.] glowworm.

fíre gràte 난로의 쇠살대.

fíre·guàrd *n.* **1** 난로 울. **2** (산림·초원의) 방화대(帶)〔선(線)〕(firebreak). **3** 《미》 화재 감시원.

fíre hàll 《미·Can.》 =FIRE STATION.

fíre hòse 소화 호스.

◇**fíre·hòuse** *n.* 《미》 =FIRE STATION.

fíre hùnt 밤에 등불을 켜고 하는 사냥.

fíre hỳdrant 소화전(fireplug).

fíre insùrance 화재 보험.

fíre ìrons 난로용 제구 《부젓가락·부지깽이·부삽 등》.

fíre làdder 비상〔소방〕 사닥다리.

fíre·less *a.* **1** 불 없는: ~ cooker 불이 필요치 않은 풍로, 축열(蓄熱) 요리기. **2** 활기 없는.

fíre·lìght *n.* [U] (난로의) 불빛.

fíre·lìghter *n.* 《영》 불쏘시개.

fíre lìne (산림지의) 방화선 《나무를 베어 낸 지대》; (보통 ~s) (화재 현장의) 소방 비상선.

fíre·lòck *n.* 화승총.

fíre·man** [fáiərmən] (*pl.* ***-men [-mən]) *n.* **1** 소방관. **2** 화부 《기관·난로 따위의》. **3** 《야구속어》 구원 투수. **4** 《미속어》 스피드광(狂).

fíre·man·ic [fàiərmǽnik] *a.* 소방관의〔에 관한〕, 소방의.

fíre màrshal 《미》 (주(州)나 시(市)의) 소방부〔서〕장; (공장 등의) 방화 관리〔책임〕자.

fíre-néw *a.* 《고어》 신품(新品)의(brandnew).

fíre òffice 《영》 화재 보험 회사 (사무소).

fíre òpal 〖광물〗 화단백석(火蛋白石).

fíre pàn 《영》 부삽; 화로.

‡**fíre·place** [fáiərplèis] *n.* 난로, 벽로(壁爐).

fireplace

fíre·plùg *n.* 소화전(栓) 《생략: F.P.》.

fíre pòint (the ~) 〖물리〗 연소점.

fíre pòlicy 화재 보험 증서.

fíre pòt 화실(火室) 《난로의 연료가 타는 곳》.

fíre pòwer 〖군사〗 (부대·병기의) 화력; (팀의) 득점 능력〔행위〕; (활동) 능력; 《흑인속어》 체력, 육체적 능력.

fíre práctice 소방 연습, 방화 훈련(fire drill).

◇**fíre·pròof** *a.* 내화(耐火)의, 방화의; 불연성(不燃性)의. — *vt.* 내화성으로 만들다.

fíre·pròofing *n.* [U] 내화성화(化), 내화 시공; 내화재, 내화 재료.

fír·er *n.* 점화물; 점화 장치, 발화기; (특정형(型)의) 화기(火器), …총〔포〕; 발포자; 방화자; 화부(火夫): a single-~ 단발총 / a rapid-~ 속사포(砲).

fíre-ràising *n.* [U] 《영》 방화죄(arson).

fíre rèels 《Can.》 소방차.

fíre resìstance 내화력〔성(性)〕.

fíre-resìstant *a.* 내화성의, 내화 구조의.

fíre retàrdant 방화〔내화〕 재료.

fíre-retàrdant *a.* 화기를 둔화〔저지〕하는 성능을 갖춘, 방화 효력이 있는, 난연성(難燃性)의.

fíre-retàrded [-id] *a.* =FIREPROOF.

fíre rìsk 화재 위험, 화재의 원인이 될 수 있는 것.
fíre·ròom *n.* (기선의) 기관실, 보일러실.
fíre sàle 타다 남은 물품 특매; 처분 세일.
fíre scrèen (난로용) 화열(火熱) 방지 칸막이.
Fíre Sèrvice 《영》 소방서.
fíre shìp 〖역사〗 화공선(火攻船) 《적의 배나 교량을 불지르기 위해 연료·폭발물을 잔뜩 실은 배》.
*__fire·side__ [fáiərsàid] *n.* 난롯가, 노변; (모닥)불가; 가정(home); 한 가정의 단란. **—** *a.* 난롯가의, 노변의, 가정적인, 격의〔허물〕 없는: a ~ chat 노변 한담(閑談) 《미국 F. D. Roosevelt가 취한 정견 발표 형식》.
fíre·spòtter *n.* (공습 때의) 화재 감시원(fire-watcher).
fíre stàtion 소방서, 소방 대기소.
fíre stèp 〖군사〗 (참호 안의) 발사〔사격〕대〔발판〕.
fíre stìck (원시인의) 비벼 불을 일으키는 나무 막대〔공이〕; (~s) 부젓가락.
fíre stòne (난로용) 내화석(耐火石); 부싯돌.
fíre·stòp *n.* (건물의) 방화 칸막이〔충전재(充塡材)〕. **—** *vt.* …에 방화 칸막이를 설치하다.
fíre·stòrm *n.* 화재 폭풍 《소이탄·핵폭탄 등에 의한 대화재로 일어나는, 비를 동반한 강풍》; 《미》 (분노·항의 등의) 대폭발.
fíre tòngs 부집게, 부젓가락.
fíre tòwer 작은 등대; (보통 산 위 따위의) 화재 감시 망대.
fíre·tràp *n.* 비상구 따위가 없는 화재에 위험한 집; 불타기 쉬운 건물.
fíre trùck 소방차.
fíre wàlking 불 건너기 《종교 의식·재판에서 불에 달군 돌 위를 맨발로 걸어감》. ⊕ **fíre wàlker** *n.*
fíre wàll 〖건축〗 방화벽.
fíre·wàll 〖컴퓨터〗 방화벽 《컴퓨터 시스템에 대한 보안 처리 방법》.
fíre·wàrden *n.* (산림·도시·캠프의) 소방〔방화〕 감독관.
fíre·wàtcher *n.* (공습 때의) 화재 감시원.
fíre·wàter *n.* 화주(火酒) 《위스키·브랜디 따위 독한 술》.
fíre·wèed *n.* 불탄 자리에 나는 잡초; 《특히》 분홍바늘꽃.
fíre·wòman (*pl.* **-wòmen**) *n.* 여자 소방관.
°**fíre·wòod** *n.* Ⓤ 장작, 땔나무; 《영》 불쏘시개.
°**fíre·wòrk** *n.* (보통 *pl.*) 불꽃(놀이), 봉화; (보통 *pl.*) 재기〔정열〕의 번득임; 《구어》 감정〔정열〕의 격발; (정정(政情) 따위의) 활발한 움직임; (*pl.*) 《속어》 소동; (*pl.*) 《미속어》 흥분(시키는 것): let off ~*s* 불꽃을 쏘아 올리다.
fíre wòrship 배화(拜火), 배화교(敎).
fíre wòrshipper 배화교 신자.
fir·ing [fáiəriŋ] *n.* Ⓤ **1** 발포, 발사, 사격. **2** 불붙임, 점화; (난로·벽로 등의) 불때기. **3** (도자기 등의) 구워 내기; (차를) 볶기. **4** 장작, 석탄, 연료, 땔감.
fíring chàrge 〖군사〗 장약(裝藥), 발사약 《총탄·포탄을 발사하기 위한 화약》.
fíring ìron 소락침(燒烙針) 《수의(獸醫)용》.
fíring lìne 〖군사〗 사선(射線); 포열선(砲列線); (전투 따위의) 최전선; 일선 부대: on 〔《영》 in〕 the ~ 제 1 선에서.
fíring òrder (내연 기관의) 점화 순서.
fíring pìn (총포의) 공이, 격침(擊針).
fíring rànge 사격 훈련〔연습〕장.
fíring squàd 〔**pàrty**〕 (군대 장례의) 조총(弔銃) 사격 부대; 총살(형) 집행대.
fíring stèp = FIRE STEP.
fir·kin [fə́ːrkin] *n.* (버터 따위를 담는) 조그마한 나무통 《8-9 갤런들이》; 용량의 단위 《1 배럴의 1/4》.
__firm__[1] [fəːrm] (∠·*er*; ∠·*est*) *a.* **1** 굳은, 단단한, 튼튼한, 견고한: ~ ground 굳은 지면 / ~ muscles 단단한 근육 / ~ wood 단단한 재목.

SYN. **firm** 견고하여 '굳건한'. 내적인 강인성을 강조함: a *firm* foundation 견고한 기반. **hard** 물질이 딱딱한. 물질 이외에는 표면의 감촉이 딱딱함, 다루기 곤란함을 나타냄: *hard* rocks 딱딱한 암석 / a *hard* problem 다루기 힘든〔어려운〕 문제. **solid** fluid (액체의)의 반의어로서 거의 firm에 가까운 뜻이지만, 내용의 충실, 밀도가 암시됨: a *solid* company 내용이 충실한〔자산·채산이 견실한〕 회사.

2 (장소에) 고정된, 흔들리지 않는: a ~ foundation 흔들리지 않는 토대. **3** 《비유》 굳은, (신념·주의 등이) 변치 않는, 견실한; 단호한 《*with*》: ~ friendship 변치 않는 우정 / a ~ determination 굳은 결의 / be ~ *with* one's students 학생들에게 단호한 태도를 취하다. **4** 〖상업〗 변동이 적은, 안정된: a ~ price 〔market〕 변동 없는 가격〔시황〕. ***be ~ on one's legs*** 확고히 (자기 다리로)서 있다. **—** *ad.* 단단히, 굳게. ***hold ~ (to)*** (…을) 꽉 붙들고 놓치지 않다; (…을) 고수하다. ***stand*** 〔***remain***〕 ~ 확고한 태도로 양보치 않다; 확고히 서다. **—** *vt.* 《~+목/+목+부》 굳게〔단단하게〕 하다; (가격 등을) 안정시키다: ~ *up* one's hold on something …을 꽉 쥐다. **—** *vi.* 《~/+부》 굳다; (가격이) 안정되다.
*__firm__[2] [fəːrm] *n.* 상사(商社), 상회, 회사; 상회 이름, 옥호(屋號).
°**fir·ma·ment** [fə́ːrməmənt] *n.* 《문어》 (보통 the ~) 하늘, 창공(sky); 천계(天界)(heavens). ⊕ **fir·ma·mén·tal** [-əl] *a.* 하늘의, 창공의.
fir·man [fə́ːrmən, fərmáːn] (*pl.* **~s**) *n.* (옛 터키 황제의) 칙령; 면허장, 여행 허가장.
fírm bànking 펌 뱅킹 《기업과 은행의 컴퓨터를 통신 회선으로 연결, 기업이 앉아서 자금의 종합적 관리를 할 수 있는 시스템》.
fírm frìends 절친한 친구.
*__firm·ly__ [fə́ːrmli] *ad.* 굳게, 단단히, 견고하게; 단호하게.
°**fírm·ness** *n.* Ⓤ 견고; 견실; 확고부동, 강경.
fírm óffer 확정 매매가 제시.
fírm·wàre *n.* Ⓤ 〖컴퓨터〗 펌웨어 《hardware로 실행되는 software의 기능; 이를테면, ROM에 격납된 마이크로프로그램 등》.
firn [fiərn] *n.* 《G.》 (높은 산봉우리의) 만년설; (빙하의) 입상설(粒狀雪)(= ∠ **snòw**).
fír nèedle 전나무 잎.
fir·ry [fə́ːri] (**-ri·er; -ri·est**) *a.* 전나무(재목)의, 전나무가 많은.
†**first** [fəːrst] *a.* **1** (보통 the ~, one's ~) 첫(번)째의, 최초의, 맨처음〔먼저〕의, 시초의: the ~ edition 초판(본) / the ~ snow of the year 첫눈 / the ~ man to arrive 맨 먼저 도착한 사람 / King George the *First* 조지 1 세 / a ~ offender 초범자 / her ~ book 그녀의 처녀작 / the ~ ten days 처음 10 일간. **2** 으뜸의, 수위의, 제 1 급의, 일류의; 최상급의, 주요한: the ~ scholar of the day 당대 으뜸가는 학자. **3** (the ~) 〔부정문에서〕 조금의(…도 아니다): He has*n't* the ~ idea (of) what I mean. 그는 내 의도를 조금도 이해하지 못한다. ***at ~ hand*** 바로, 직접(으로). ***at ~ sight*** 〔***blush, view, glance***〕 첫눈에, 한 번 보아서; 언뜻 본 바로는〔보아서는〕. ***at the ~ opportunity*** 기회 닿는 대로. ***~ thing off the bat*** 곧바로, 즉시. ***~ thing you know, ...*** (되어 가는 대로 내버려두면) 금세〔곧, 이내〕 …라는 사태로 되어 버릴 게다. ***for the ~ time*** 처음으로. ***of the ~ water*** 최고급품의 《보석류》. ***(on) the ~ fine day*** 날씨가 드는 대로. ***(the) ~ thing*** 우선 첫째로, 맨 먼저: I'll call you (*the*) ~ *thing* when I arrive. 도착하는 대로 우선 전화하겠다. ***(the) ~ time*** 〖접속사적〗 처음

…했을 때는, …하자 우선《*that*》: *The ~ time* we met she told me *that* he was seriously ill. 내 얼굴을 보자마자 그녀는 그가 중병이라고 말하였다.
— *n.* **1** (보통 the ~) 첫째〔제 1〕(의 것〔사람〕), 최초, 처음. **2** 제 1 위, 수석; (*pl.*) 일등품, 일급품. **3** 초하루, 첫날: April (the) ~ =the ~ of April, 4 월 1 일. **4** (열차의) 1 등; 《영》(대학 시험의) 최우등; 〖음악〗(음정의) 제 1 도; (현악기의) 첫째 현; 제 1 소프라노; 제 1 바이올린. **5** 〖무관사〗(야구의) 1 루(~ base). **6** (자동차의) 저속〔1 단〕 기어(~ speed). ***at* (*the*) ~** 최초〔처음〕에는, 애초에는: He looked cold *at* ~, but soon he turned out to be a kind man. 처음에는 냉혹하게 보였지만 곧 친절한 사람임을 알았다《단순한 first와 비교. ⇨ *ad.*》. ***be the* ~ *to* do** 맨 먼저 …하다: He *was the* ~ *to* notice it. 그가 맨 먼저 그것을 알아차렸다. ***come in* ~** (경주에서) 1 착이 되다. ***from* ~ *to last*** 처음부터 끝까지, 시종, 내내. ***from the* ~** 처음부터. ***get*** 〔***take***〕 ***a* ~** 《영》(시험에서) 우등을 하다.
— *ad.* **1** 첫째로, 최초로, 우선, 맨 먼저: Who did it ~? 누가 맨 먼저 그것을 하였느냐/I must finish this work ~. 이 일부터 우선 해치워야겠다/First come, ~ served. 선착순. **2** 처음으로: when we ~ met him 그를 처음 만났을 때. **3** 〖would, will 과 함께〗 오히려 (…을 택하다); 차라리: She said she *would* die ~. 그녀는 차라리 죽어 버리고 싶다고 말했다. **~ *and foremost*** 맨 먼저, 우선 무엇보다도. **~ *and last*** 대체로, 전체로(보아), 결국. **~, *last, and all the time*** 《미》 시종일관하여; 변함없이. **~ *of all*** 우선 첫째(로), 무엇보다도. **~ *off*** 《구어》 첫째로, 곧. **~ *or last*** 조만간, 머지않아. **~ *things* ~** 중요 사항을 우선적으로. ***put ...* ~** (사람 · 사물)을 최우선〔가장 중요시〕하다. ***put the* ~ *thing* ~** 가장 중요한 일을 먼저 하다. ***rank* ~** 제 1 위에 있다. ***Safety* ~.** 안전제일. ***stand* ~** 선두에 서다.

fírst áid 〖의학〗 응급 치료〔처치〕.

fírst-áid *a.* 구급(용)의: a ~ case 〔kit〕 구급상자/a ~ treatment 응급 처치.

First Améndment (the ~) 《미》 헌법 수정 제 1 조《의회가 종교 · 집회 · 언론 · 청원 등의 자유에 간섭함을 금함; 1791 년 권리장전의 일부로서 성립》.

fírst báse 〖야구〗 1 루. ***get to*** 〔***reach, make***〕 **~** 1 루에 나가다; 《미구어》〖부정 · 의문문〗 제 1 단계를 성취하다, 약간 전진하다.

fírst báseman 〖야구〗 1 루수.

fírst blóod (권투 시합 따위에서) 최초로 출혈시키기; (상대에 대한) 초반의 우세. 「〔장녀〕(의).

fírst·bórn *a., n.* 맨 처음 태어난 (아이); 장남

fírst cáll 제 1 회 납입; (증권 시장의) 전장(前場); (집합 시간 전의) 제일 나팔; (무대나 리코딩의 연예인 선출 시) 제일 처음 호명되어 지정됨.

fírst cáuse 〖철학〗 제 1 원인; 원동력; (the F- C-) 조물주, 신(神)(the Creator).

fírst-cháir *a.* (관현악 각 파트의) 수석의《주자(奏者)》: a ~ violinist.

fírst-chóp *a.* 《Ind. · Chin.》 =FIRST-CLASS.

fírst cláss 일류, 최고급; 제 1 급; 1등; 제 1 종《우편물》.

***first-class** [fə́ːrstklǽs, -klɑ́ːs] *a.* **1** 제 1 급의, 최고급의; 일류의, 우수한; 《구어》 훌륭한: I feel ~. 아주 기분 좋다. **2** 1등의《기차 · 배 따위》; 제 1 종의《우편물》: a ~ ticket 일등 차표/the ~ mail 제 1 종 우편. — *ad.* **1** 1 등(승객)으로: travel ~, 1 등으로 여행하다. **2** 《구어》 굉장히, 훌륭하게, 멋지게. ㊕ **~·er** *n.* 《구어》 일류의 사람〔것〕.

fírst cóat (벽 · 페인트의) 애벌칠.

fírst·cómer *n.* 첫손님, 선착자.

First Cómmoner 《영》 제 1 평민《1919 년까지는 하원 의장(the Speaker), 지금은 추밀원 의장(Lord President of the Council)》.

fírst cóst 《영》 (구입) 원가(prime cost).

fírst cóusin 사촌; (…와) 밀접한 관계에 있는 〔유사한〕 것〔사람〕, 근친《*to*》.

First dày (Quaker 교도의) 일요일.

fírst dày cóver 〖우편〗 첫날 커버《붙인 우표에 발행 당일의 소인이 찍힌 봉투》.

fírst-degrée *a.* (화상 등이) 가장 낮은〔가벼운〕; (특히 죄상 따위가) 제 1 급의, 최고의: ~ burn 1 도 화상/~ murder 〖미법률〗 1 급 살인.

fírst divísion 《영》 상급 공무원; 〖야구〗 상위 〔A〕클래스; 《영》(프로 축구의) 제 1 부 리그. ⓒⓕ second division.

fírst dówn 〖미식축구〗 퍼스트〔제 1〕 다운《공격측 팀에게 주어지는 연속 4 회 공격의 첫번째 플레이; 새로 그 공격권을 얻는 것》.

First Émpire (the ~) 프랑스의 제 1 제정《Napoleon 1 세 치하(1804-14)》.

fírst estáte (종종 F- E-) 제 1 신분《중세 유럽의 3 신분(Three Estates) 중의 성직족》; (영국 상원의) 고급 성직(聖職) 의원.

fírst-éver *a.* 전례가 없는, (지금까지) 처음 있는, 일찍이 없었던.

fírst fámily (the ~) 최고위자의 가족; (종종 the F- F-) 《미》 대통령〔주지사〕의 가족; 《미》 (식민지 시대부터의) 명문, 구가(舊家).

fírst fínger 인지, 둘째손가락(forefinger).

fírst flóor 《미》 1 층; 《영》 2 층.

fírst-fóot *n.* 《Sc.》 설날의 첫 손님.

fírst frúits 만물, 신출, 첫 수확; 최초의 성과; 〖역사〗 (마름이 상납한) 초년도 수익.

fírst géar 1 단 기어.

fírst-generátion *a.* 《미》 (이민) 2 세의; 이민 1 세〔컴퓨터의 제 1 세대〕의: the ~ computer 제 1 세대 컴퓨터.

fírst hálf (1 년을 둘로 나눈) 상〔전〕반기; (운동 경기 등의) 전반(ⓞⓟⓟ *second half*).

***first·hand** [fə́ːrsthǽnd] *a.* 직접의(direct). — *ad.* 직접(적으로): hear the news ~ from her 그 소식을 그녀에게 직접 듣다.

fírst-ín, fírst-óut ⇨FIFO.

fírst lády 《미》 (종종 the F- L-) 대통령〔주지사〕 부인; 수상 부인; (여성의) 제 1 인자.

fírst lánguage 제 1 언어, 모국어.

fírst lieuténant 《미》 (육군 · 공군 · 해병대의) 중위.

fírst líght 새벽녘, 동트는 시각.

fírst-líne *a.* 전선(前線)의, 제 1 선의; 가장 중요한, 가장 우수한.

fírst·ling [fə́ːrstliŋ] *n.* (보통 *pl.*) 만배《가축의》; 만물, 신출, 첫 수확; 최초의 결과.

First Lórd 《영》 장관; 총재; 대신: the ~ of the Admiralty 해군 장관.

°**first·ly** *ad.* (우선) 첫째로, 최초로.

fírst máte 〖해사〗 1 등 항해사《부(副)선장격》.

fírst mórtgage 제 1 저당.

fírst nàme (성에 대하여) 이름(Christian name, given name).

fírst-nàme *vt.* …을 세례명으로 부르다. — *a.* 세례명〔이름〕의; (서로 이름을 부를 만큼) 친밀한: be on ~ terms with …와 극친한 사이이다. **~ *basis*** 서로 이름으로 부르는 가까운 사이.

fírst níght (연극의) 첫날; 첫날의 무대.

fírst-níghter *n.* 연극의 첫날 공연을 빼놓지 않고 보는 사람.

fírst offénder 〖법률〗 초범자.

fírst offénse 〖법률〗 초범(初犯).

fírst ófficer 1 =FIRST MATE. **2** 부조종사(copilot).

fírst pápers 《미구어》 제1서류《1952년 이전의, 미국 시민권 획득 의사 표시 서류》.

fírst-pàst-the-póst *a.* (선거 제도가) 비교 다수 득표주의의《다른 후보자와 비교하여 득표수가 많은 자를 순차 당선자로 하는》.

fírst pérson (the ~) 〖문법〗 제 1 인칭《I, we》: ~ story, 1 인칭 소설, 사소설.

fírst posítion 〖발레〗 퍼스트 포지션《두 발을 일직선으로 하여 발 뒤꿈치를 꼭 붙인 자세》.

fírst príncíples 〖철학〗 제 1 원리, 근본 가설.

fírst quárter 1 (1년을 4 등분한) 일사분기(一四分期). **2** 〖천문〗 (달의) 상현(上弦).

*__first-rate__ [fə́ːrstréit] *a.* **1** 일류의, 일급의, 최상〔최량〕의. **2** 《구어》 훌륭한, 멋진. **—** *ad.* 《구어》 굉장히 (잘), 대단히 좋아. **—** *n.* **1** (구식의) 1 등 전함. **2** 제 1 급의 사람〔것〕. ㊕ **-rát·er** *n.* 《미》 제 1 급의 사람〔것〕.

fírst réading 〖정치〗 제 1 독회.

fírst refúsal (가옥 · 상품 따위의) 제 1 선매권.

Fírst Réich (the ~) 신성 로마 제국(Holy Roman Empire) 《962-1806》.

Fírst Repúblic (the ~) (프랑스의) 제 1 공화국《1792-1804》.

fírst-rún *a.* 《미》 개봉(흥행)의《영화 · 영화관》. ㊕ **~·ner** *n.* 개봉관(館).

fírst sácker 〖야구〗 1 루수.

Fírst Séa Lórd 《영》 (해군 본부 위원회의) 제1 군사 위원《타국의 해군 참모 총장에 해당함》.

fírst sérgeant 《미》 (육군 · 해병대의) 선임 부사관, 상사. ⓒⓕ master sergeant. 「상급 장교.

fírst skírt 《미군대속어》 육군 여성 부대(WAC)

fírst-stríke *a.* (핵 공격에서) 선제의, 제일격의: ~ capability 제일격 능력. **—** *n.* (핵무기에 의한) 선제 공격, 제일격.

fírst-stríng *a.* 일류의, 일급의; 정규〔정식〕의, 일군(一軍)의《운동선수 등》. 「사람.

fírst-time búyer 처음으로 부동산을 사 보는

fírst-tímer *n.* 《구어》 처음 하는〔가는〕 사람.

fírst wáter (다이아몬드 따위의) 최고급; 〖반어적〗 최우수, 제 1 급《의 바보 등》. 「공업 제국.

Fírst Wórld (the ~) 제 1 세계, (서방측) 선진

Fírst Wórld Wár (the ~) =WORLD WAR I.

firth [fəːrθ] *n.* 협만(峽灣), 내포; 하구(河口) (estuary).

FIS 《영》 family income supplement (저소득 세대에 대한 보조(금)); Fédération Internationale de Ski (국제 스키 연맹); Foreign Industrial Standard (해외 공업 규격).

fisc, fisk [fisk] *n.* 《L.》 (옛 로마의) 국고(國庫); 로마 황제의 내탕금; 《드물게》 국고.

fis·cal [fískəl] *a.* 국고의; 재정(상)의, 회계의: ~ law 회계법. SYN. ⇨ FINANCIAL. **—** *n.* (유럽의) 검사(檢事); 수입 인지. ㊕ **~·ly** *ad.* 국고 수입상; 재정〔회계〕상. 「리인.

físcal ágent 〖금융〗 재무 대리 기관, 재무 대

físcal drág 〖경제〗 재정적 장애《세수 초과 등이 경제 성장에 미치는 억제 효과》.

fis·cal·i·ty [fiskǽləti] *n.* 재정 중시; 재정 정책; (*pl.*) 재정 문제.

físcal stámp 수입 인지(revenue stamp).

físcal yéar 《미》 회계 연도, (기업의) 사업 연도 (《영》 financial year).

†**fish**[1] [fiʃ] (*pl.* **~·es** [fíʃiz], 〖집합적〗 ~) *n.* **1** 물고기, 어류.

> NOTE (1) 분명히 개별적인 의미의 경우에도, 복수형은 보통 fishes보다 fish를 씀.
> (2) 종류를 말하는 경우에는 보통 three ~*es* 따위보다는 three kinds 〔varieties〕 of ~를 씀.

¶ All is ~ that comes to his net. 《속담》 자빠져도 빈손으로는〔그냥은〕 일어나지 않는다 / The best ~ smell when they are three days old. 《속담》 좋은 생선도 사흘이면 냄새난다; 귀한 손님도 사흘이면 귀찮다. **2** Ⓤ 어육(魚肉), 생선. ⓒⓕ meat. **3** 〖주로 복합어〗 수서(水棲) 동물, 어패류(魚貝類): jelly~ 해파리 / shell~ 조개; 갑각류. **4** 《구어》〖보통 수식어를 수반하여〗 사람, 놈, 녀석; 차가운 인간(人間); (카드놀이의) 서투른 상대, '봉': a queer ~ 묘한 놈 / a cool 〔poor〕 ~ 냉정한〔불쌍한〕 녀석. **5** 〖해사〗 양묘기(揚錨機). **6** (the Fish(es)) 〖천문〗 물고기자리, 쌍어궁(雙魚宮). **7** 《미속어》 달러. **8** 《해군속어》 어뢰. **9** 《미속어》 신참자; 로마 가톨릭교도; (레즈비언의 입장에서) 이성애(異性愛)의 여자. ***a big ~ in a little pond*** 우물 안 개구리. ***a nice*** 〔***pretty, fine, rare***〕 ***kettle of ~*** ⇨ KETTLE. (***as***) ***drunk as a ~*** ⇨ DRUNK. ***be not the only ~ in the sea*** =be not the only PEBBLE on the beach. ***cry stinking ~*** 자기를〔자기의 일을〕 자기가 헐뜯다. ***drink like a ~*** 술을 벌컥벌컥 들이켜다. ***feed the ~es*** ① 물고기 밥이 되다, 물에 빠져 죽다. ② 뱃멀미하다. ***have other ~ to fry*** 해야 할 다른 더 중요한 일이 남아 있다. ***land*** one's ***~*** 물고기를 낚아 올리다; 바라던 것을 손에 넣다. ***like a ~ out of water*** 뭍에 오른 물고기 같이《사정이 바뀌어 제 실력을 충분히 발휘 못함》. ***make ~ of one and flesh*** 〔***fowl***〕 ***of another*** 차별 대우하다. ***mute as a ~*** 잠자코 있는, 침묵을 지키는. ***neither ~, flesh, nor fowl*** 〔***nor good red herring***〕 전혀 정체 모를 물건. ***There are many*** 〔***plenty of***〕 ***other ~ in the sea.*** (잃은 사람〔것〕에 대해) 다른 좋은 사람이〔물건이 · 기회가〕 얼마든지 있어.

— *vi.* **1** (~/+전+명) 낚시질하다, 고기를 낚다, 고기잡이하다: go (out) ~*ing* 낚시하러 가다 / ~ *for* trout 송어 낚시를 하다. **2** (+전+명) (물 · 개펄 · 호주머니 속 따위를) 찾다, 뒤지다: ~ *for* pearls 진주 채취를 하다 / ~ *in* one's pocket *for* the key 호주머니를 뒤져 열쇠를 찾다. **3** (+전+명) 〖일반적〗 찾다, (사실 · 견해 따위를) 알아보다, 타진하다(elicit), 구하다《*for*》: ~ *for* information 정보를 탐지하려 하다. **4** (+부) (강 따위에서) 물고기가 낚이다: This stream ~*es well*. 이 개천은고기가 잘 낚인다. **—** *vt.* **1** (물고기를) 낚다, 잡다(catch)《그물 따위로》. **2** (~+목/+목+부/+목+전+명) (물 · 호주머니 따위에서) 끌어올리다, 꺼내다, 찾아내다《*up; out; from; out of*》: They ~*ed up* the dead man *from* the water. 물속에서 시체를 인양하였다 / He ~*ed* some cigarettes *out of* his shirt pocket. 그는 셔츠 주머니에서 담배를 몇 개 꺼냈다. **3** 《비유》 (사람의 생각 따위를) 알아보다, 탐색하다. **4** (강 따위에서) 고기잡이를 하다: ~ the river 강에서 낚시질을 하다. ***~ in muddy waters*** 《고어》 불쾌한〔골치 아픈〕 문제에 관계하다. ***~ in troubled waters*** ⇨ TROUBLED WATERS. ***~ or cut bait*** 거취를 분명히 하다《특히 계획 · 일에 참여할 것인지 안 할 것인지를》. ***~ out*** ① …의 물고기를 몽땅 잡아 버리다. ② (품속 등에서) 꺼내다; (비밀 등을) 탐지해 내다. ***~ the anchor*** 〖해사〗 닻을 뱃전으로 끌어올리다. ***~ up*** 물속에서 끌어올리다; 찾아내다.

fish[2] *n.* 〖해사〗 마스트〔활대〕 보강재; 〖건축〗 이음판《쇠나 나무로 만들어져 선로 · 들보의 접합부에 쓰임》. **—** *vi.* (마스트나 활대를) 보강재로 덧대다; (레일 · 들보 등을) 덧대어 잇다〔연결하다〕.

fish[3] *n.* (게임의) 산(算)가지《물고기 모양의》.

fish·a·ble *a.* 고기잡이에 알맞은; (물고기를) 낚을〔잡을〕 가능성이 많은; 어획〔낚시질〕이 인정된.

físh-and-chíps [-ən-] *n. pl.* 《영》 생선튀김에 감자튀김을 곁들인 것.
físh and chíp shòp 《영》 생선튀김과 감자튀김 가게. 「수렵 감시관.
Físh and Gáme Wárden 《미》 (주(州)의)
físh bàll 〔**càke**〕 어육(魚肉) 완자《요리》.
físh·bòlt *n.* (선로의) 이음짝 볼트.
físh·bòwl *n.* (유리) 어항; 사방에서 빤히 보이는 장소〔상태〕; 《미속어》 교도소; 구치소.
físh càrver =FISH SLICE.
físh cùlture 양어(법)(pisciculture).
físh dày 〖종교〗 육식(肉食) 금지일.
físh dùck =MERGANSER.
físh èagle 〖조류〗 물수리(osprey).
físh èater 1 물고기를 먹는 사람. **2** 《미속어》 로마 가톨릭교도. **3** 《영》 어육용 나이프와 포크.
Fish·er [fíʃər] *n.* 피셔. **1 Herbert Albert Laurens** ~ 영국의 역사가 · 교육자《영국의 공교육(公敎育) 체계를 재편성한 Fisher Act 를 성립시킴; 1865-1940》. **2 Roy** ~ 영국의 시인 · 재즈 피아니스트(1930-2017).
fish·er [fíʃər] *n.* **1** 물고기를 잡아먹는 동물; 〖동물〗 담비류(類)《북아메리카산》; Ⓤ 그 털가죽. **2** 《고어》 어부(fisherman). **3** 《고어》 어선. ***a ~ of men*** 〖성서〗 사람을 낚는 어부, 복음 전도자.
físher·fòlk *n. pl.* 어민.
fish·er·man** [fíʃərmən] (*pl.* ***-men [-mən]) *n.* 어부, 낚시꾼; 낚싯배, 고기잡이 배, 어선.
físherman's bénd 〖해사〗 닻줄 매듭.
°**fish·ery** [fíʃəri] *n.* **1** Ⓤ 어업, 수산업; (*pl.*) 수산학: ~ industry 어업 / ~ products 수산물. **2** 어장; 양어장: a pearl 〔oyster〕 ~ 진주〔굴〕 양식장. **3** 수산 회사; 수산업 종사자. **4** 〖법률〗 어업권: common ~ 공동 어업권.
físhery zòne 어업 수역.
físh·èye *n.* 물고기의 눈, 어안(魚眼); 월장석(月長石): a ~ lens 어안 렌즈.
físh fàrm 양어장.
físh fàrming 양어(법).
físh-fìght *n.* 《속어》 여자끼리의 싸움.
físh·fìnder *n.* 어군 탐지기.
físh fìnger 《영》 =FISH STICK.
físh flàke 《미 · Can.》 생선 말리는 덕〔시렁〕.
físh flòur 식용 정제(精製) 어분.
físh fòrk 어육용 포크.
físh frỳ 피시 프라이《물고기를 현장에서 기름에 튀겨 먹는 야외〔옥외〕 식사; 생선 튀김》.
físh·gìg *n.* (물고기 잡는) 작살.
físh glòbe (둥그런 유리제의) 어항.
físh glùe 부레풀, 어교(魚膠).
físh hàwk 〖조류〗 물수리(osprey).
físh hòok 〖미식축구〗 패스리시버의 코스.
físh·hòok *n.* 낚시; 〖해사〗 닻걸이; (*pl.*) 《미속어》 손가락《전체》. 「어장(集魚場).
físh·hòuse *n.* 선어(選魚) 출하소, 어업 조합 집
fish·i·fy [fíʃəfài] *vt.* (못 등)에 방어(放魚)하다.
fish·ing [fíʃiŋ] *n.* **1** Ⓤ 낚시질, 어업; Ⓤ 〖법률〗 어업권: go (out) ~ 낚시질 가다. **2** Ⓒ 어장, 낚시터. **3** Ⓤ 어획.
físhing bànks (얕은 여울의) 어초(漁礁).
físhing bòat 고기잡이 배, 낚싯배.
físhing bòundary 어업 전관 수역.
físhing expedìtion (유리한 정보 수집을 위한) 조사; (법정에서의) 심문.
físhing gròund 어장.
físhing lìne 낚싯줄.
físhing pòle 낚싯대《끝에 직접 줄을 단》.
físhing ròd (릴용) 낚싯대. 「어선.
físhing smàck (활어조(活魚槽)를 갖춘) 소형
físhing stòry =FISH STORY.
físhing tàckle 낚시 도구.
físhing wòrm =FISHWORM. 「판접합.
físh jòint 〖건축 · 토목〗 (두 부재(部材)의) 이음
físh kèttle 물고기를 통째로 넣고 끓이는 둥근〔장방형의〕 큰 냄비.
físh·kìll *n.* (수질 오염에 의한) 어류의 대량 폐사.
físh-kìss *vt., vi.* (…에) 입을 오므리고 키스하다. **—** *n.* 입을 오므리고 하는 키스.
físh knìfe 어육용 식탁 나이프.
físh làdder 어제(魚梯)《어류가 댐 등을 거슬러 오를 수 있도록 한 계단식 어도(魚道)》.
físh·lìne *n.* 《미》 낚싯줄.
físh lìps 《속어》 뾰족히 튀어나온 두꺼운 입술.
físh màrket 어시장(魚市場).
físh mèal 어분(魚粉)《비료 · 사료 등에 씀》.
físh·mònger *n.* 《영》 생선 장수.
físh·nèt *n.* 어망(漁網); 거친 그물식으로 짠 직물: ~ stockings. **—** *a.* 그물식으로 짠 직물의.
físh òil 어유(魚油).
físh·pàste *n.* 어육(魚肉) 페이스트《어묵 따위처럼 익혀서 만든 어육》.
físh·plàte *n.* 〖건축 · 토목〗 이음판. 「바다.
físh·pònd *n.* 양어지(養魚池), 양어못; 《우스개》
físh pòt 통발《뱀장어 · 새우 · 게 따위를 잡는 기구》.
físh·pòund *n.* 《미》 (물고기를 잡는) 어살(weir).
físh prótein cóncentrate 어육 농축 단백.
físh sàuce 어육(에 치는) 소스.
físh·skìn *n.* **1** 어피(魚皮), 상어 껍질《목재를 문지르는 데 씀》. **2** 〖의학〗 깔깔한 피부: ~ disease 어린선(魚鱗癬). **3** 《미속어》 달러 지폐.
físh slìce 1 《영》 (식탁용) 생선 나이프. **2** (요리용) 생선 뒤집개.
físh sòund (물고기의) 부레.
físh spèar (물고기 잡는) 작살.
físh stìck 《미》 피시 스틱《가늘고 긴 생선 토막에 빵가루를 묻혀 튀긴 것》.
físh stòry 《구어》 터무니없는 이야기, 허풍.
físh·tàil *a.* 물고기 꼬리 비슷한, 어미상(魚尾狀)의. **—** *vi., n.* (항공기가) 미익을 흔들어 속력을 늦추다; 그 조종법. 「바람.
físhtail wínd (사격의) 탄도를 틀어지게 하는
físh wàrden 《미》 어업〔어장〕 감독관.
físh·wày *n.* =FISH LADDER.
físh·wèir *n.* 어살(fishpound).
físh·wich [fíʃwìtʃ] *n.* 튀긴 생선 샌드위치.
físh·wìfe (*pl.* ***-wives*** [wàivz]) *n.* 여자 생선장수; 입이 건 여자; 《미속어》 호모 남자의 법률상의 아내.
físh·wòrm *n.* (낚시 미끼용) 지렁이.
físh-wràpper *n.* 《미속어》 신문.
fishy [fíʃi] (***fish·i·er; -i·est***) *a.* 물고기의〔같은〕; 물고기가 많은; 비린내 나는; 흐린《눈 따위》, 탁한《빛》; 《구어》 의심스러운, 수상한. ***be ~ about*** 〔***around***〕 ***the gills*** (병 · 공포로) 혈색〔안색〕이 나쁘다. ㊞ **físh·i·ly** *ad.* **-i·ness** *n.*
físhy·bàck *n.* 《미》 트럭트레일러〔철도 화차 · 컨테이너차〕의 선박 수송.
fisk ⇨ FISC.
fis·si- [físi, -sə] '분열, 열개' 란 뜻의 결합사.
fis·sile [fisəl/-sail] *a.* 쪼개지기〔갈라지기〕 쉬운; (원자핵 따위가) 분열성의. ㊞ **fis·sil·i·ty** [fisíləti] *n.* Ⓤ
fis·sion [fíʃən] *n.* **1** Ⓤ,Ⓒ 분열, 열개(裂開). **2** Ⓤ 〖물리〗 (원자의) 핵분열(nuclear ~). **3** Ⓤ 〖생물〗 분열, 분체(分體); 분체 생식.
fís·sion·a·ble *a.* 〖물리〗 핵분열성의, 핵분열하는. **—** *n.* (보통 *pl.*) 핵분열 물질.
físsion bòmb 핵분열 폭탄.
físsion pròduct 핵분열 생성물.
físsion-track dàting 〖물리〗 핵분열 트랙〔비

적(飛跡)〕 연대 측정법《지층의 형성 연대를 측정하는 방법》. 「식(성).

fis·si·par·i·ty [fìsəpǽrəti] *n.* 〖생물〗 분열 생

fis·sip·a·rous [fisípərəs] *a.* 분열 생식의.

fis·si·ped [físəpèd] *a.*〖동물〗 우제(偶蹄)의; 열각류(裂脚類)의. **—** *n.* 열각류의 동물《개·고양이·곰 따위》.

◇**fis·sure** [fíʃər] *n.* 터진〔갈라진〕 자리, 틈, 균열; 〖식물·해부〗 열구(裂溝); 〖지학〗 열하(裂罅)《암석 중의 갈라진 틈》. **—** *vt., vi.* 터지게〔갈라지게〕 하다; 터지다, 갈라지다; 쪼개다; 금이 가다. [파] **~·ness** *n.*

*__fist__ [fist] *n.* **1** (권) 주먹, 철권: clench the ~ 주먹을 쥐다. **2** 《구어》 손: Give us your ~. 악수하자. **3** (파) 움켜쥠, 파악(grasp). **4** 《구어》 필적: write a good ~ 글씨를 잘 쓰다. **5** 〖인쇄〗 손가락표(☞). ***make a good*** 〔***bad, poor***〕 **~** ***at*** 〔***of***〕 …에 성공〔실패〕하다; …을 잘〔서투르게〕 하다. ***shake*** one's **~** (분노의 표시로) 움켜쥔 주먹을 흔들다. **—** *vt.* **1** 주먹으로 때리다; 꽉〔움켜〕쥐다. **2** 〖해사〗 (돛 등을) 다루다, 조종하다.

-fist·ed [fístid] '주먹이 …한, …하게 쥔'이란 뜻의 결합사: close-~ 꽉 쥔; (사람이) 굳은, 인색한.

físt·fight *n.* 주먹 싸움.

fist·ful [fístfùl] *n.* 한 줌(의 분량).

fist·ic, -i·cal [fístik], [-kəl] *a.* 《우스개》 주먹다짐의, 권투의: *fistic* skill.

fist·i·cuff [fístikʌ̀f] *n.* (보통 *pl.*) 주먹다짐, 난투. ***come to ~s*** 주먹 싸움이 되다. [파] **~·er** *n.* (프로)복서.

físt làw 완력〔힘〕의 지배, 약육강식.

físt·nòte *n.* 손가락표(☞)로 표시된 주(註).

fis·tu·la [fístʃulə/-tju-] (*pl.* **~s, -lae** [-lìː]) *n.* 《L.》 (곤충 따위의) 관상(管狀) 기관; (고래의) 기공(氣孔); 〖의학〗 누관(瘻管), 누(瘻).

fis·tu·lar, fis·tu·lous [fístʃulər/-tju-], [-ləs] *a.* 관상(管狀)의, 속이 빈; 〖의학〗 누관(瘻管)의, 누성(瘻性)의.

FISU Fédération Internationale du Sport Universitaire (국제 대학 스포츠 연맹).

****fit**¹ [fit] (**-tt-**) *a.* **1** (꼭)맞는, 알맞은, 적당한(suitable); 어울리는, 적합한, 안성맞춤의《*for; to* do》: a ~ occasion 적당한 기회/I am hardly ~ *for* company. 나는 상대로서 적당치가 않다/I am not ~ *to* be seen. 이 꼴로는 남 앞에 나갈 수 없다/I have nothing ~ *to* wear. 나는 입을 만한 것이 없다/It is not ~ that you should say so. 네가 그런 말을 하는 것은 온당치 않다.

> [SYN.] **fit** 꼭 맞는→적당한: an occupation *fit* for a gentleman 신사에게 어울리는 직업. **suitable** 요구·필요조건 따위에 맞는: tracts of land *suitable* for vineyards 포도 재배에 적합한 땅. **proper** 본래 합당한, 무엇보다도 어울리는: The *proper* study of mankind is man. 인간 자체를 연구 대상으로 하는 것이 인간으로서 가장 자연스럽다. **appropriate** 어떤 특정한 목적에 맞는: be *appropriate* for school wear 교복으로 적당하다.

2 적격〔적임〕의(competent), …할 수 있는《*for; to* do》: He is ~ *for* nothing. 그는 능한 것이〔쓸모가〕 없다/Is he ~ *to* do the job? 그는 그 일에 적임인가. **3** 건강이 좋은, 튼튼한; (컨디션이) 좋은, 호조의《운동선수 등이》: feel ~ 몸 상태가 좋다/keep ~ 건강을〔몸의 호조를〕 유지하다. **4** 준비가 되어 있는; 곧 …할 것 같이 되어, …라도 할 것 같은; 〘부사적〙 …할 듯이《*for; to* do》: a ship ~ *for* an ocean voyage 대양으로의 항해를 갖춘 배/I felt ~ *to* drop. 곧 쓰러질 것 같았다. **5** 〘보통 부정문으로〙 온당한, 바른《*for; to* do》: It's *not* ~ *for* him *to* say that. 그가 그런 말을 하는 것은 온당치 않다. ***fighting*** **~** 더없이 몸 컨디션이 좋은, 아주 컨디션이 좋은. **~** ***to be tied*** 《구어》 흥분하여, 성을 내어. **~** ***to bust*** 〔***burst***〕 몹시, 크게. **~** ***to kill*** 《미구어》 극도로. ***not*** **~** ***to hold a candle to*** ⇨ CANDLE. ***think*** 〔***see***〕 **~** ***to*** (do) ⇨ THINK.

— (**-tt-**) *vt.* **1** …에 맞다, …에 적합하다, …에 어울리다(suit), 꼭 맞다: This hat does not ~ me. 이 모자는 내게 맞지 않는다《크기·모양·빛깔이》. **2** 《~+[목]/+[목]+[전]+[명]/+[목]+*to* do》 맞추다, 적응시키다, 적합하게 하다(adapt)《*to*》: ~ a garment *on* a person 옷을 아무의 치수에 맞추다/You should ~ your plan *to* suit others. 다른 사람들에게도 편리하도록 계획을 맞춰야 한다. **3** 《+[목]+[전]+[명]/+[목]+*to* do》 …에게 자격〔능력〕을 주다, …할 수 있게 하다; …에게 (입학) 준비를 시키다《*for*》: ~ oneself *for* a post 어떤 지위에 필요한 자격〔지식·기능〕을 얻다/The training ~*ted* us *to* swim across the river. 우리는 그 훈련 덕분으로 강을 헤엄쳐 건너갈 수 있게 되었다. **4** 《+[목]+[전]+[명]》 (적당한 것을) 설비하다, 달다, 공급하다《*with; to*》: ~ a door *with* a new handle 문에 새 손잡이를 달다. **5** 《~+[목]/+[목]+[전]+[명]》 짜 맞추다, 조립하다, 이어 맞추다; 만들어 내다; 꼭 끼워 넣다: ~ a machine 기계를 조립하다/~ a part *into* another 부분품을 짜 맞추다/He ~*ted* the key *in* the lock. 그는 자물쇠에 열쇠를 끼웠다. **—** *vi.* **1** 《~/+[전]+[명]》 맞다, 적합〔합치·일치〕하다; 꼭 맞다, 어울리다; 조화하다《*in; into; with*》: Your new dress ~*s* well. 당신의 새 드레스는 몸에 꼭 맞습니다/They ~*ted into* the new life without giving up the old ways. 그들은 옛 풍습을 버리지 않고 새로운 생활에 적응하였다. **2** 《미》 수험 준비를 하다《*for*》.

~ a person ***for*** a thing 아무에게 무엇의 준비를 시키다. **~** ***in*** 《*vi.*+[부]》 ① 잘 들어맞다, 딱 맞다, 적합하다《*with*》; 조화〔일치〕하다《*with*》: My plans do not ~ *in with* yours. 내 계획은 당신 계획과 일치하지 않습니다. **—**《*vt.*+[부]》 ② (형편·시간에) 맞추다: I'm busy but I can ~ you *in* at 4:30. 나는 바쁘지만 4시 반이라면 시간을 낼 수 있습니다. **~** ***on*** 《*vt.*+[부]》 ① (물건을) 달다; 잘 맞추다: ~ the handle *on* 손잡이를 달다. **—**《*vi.*+[부]》 ② 잘 맞다. **~** ***out*** 채비〔준비〕를 해 주다; 장비하다(equip); 〖해사〗 의장(艤裝)하다. **~** ***the cap on*** 빗댄 말을 자기의 일로 생각하다. **~** ***the case*** 그 경우에 (들어)맞다, 적례이다. **~** ***to a T*** 《구어》 꼭 맞다. **~** ***up*** 준비〔채비〕하다; …에 비치하다(furnish)《*with*》.

— *n.* **1** [U] 맞춤새, 적합(성)(adaptedness); [C] (옷의) 만듦새. **2** [C] (a ~, one's ~) 〘수식어를 수반하여〙 꼭 맞는 것《옷·신 따위》: This is a perfect 〔right〕 ~ *for* me. 이것은 내게 꼭 맞는다/This coat is just his ~. 이 상의는 그에게 잘 맞는다. **3** 〖기계〗 접합(부). **4** 《구어》 준비《*for*》. **5** 〖통계〗 적합도. **6** 《미속어》 마약 주사 기구 한 벌.

*__fit__² [fit] *n.* **1** (병의) 발작(paroxysm); 경련: a ~ of gastralgia 위경련. **2** (감정의) 격발〔폭발〕; 발작적 흥분, 졸도; 일시적 기분, 변덕(caprice): in a ~ of anger 홧김에. ***beat*** 〔***knock***〕 a person ***into ~s*** 아무를 여지없이 혼내 주다, 욱지르다. ***be in ~s of laughter*** 자지러지게 웃다, 웃음이 그치지 않다. ***by*** 〔***in***〕 **~*s*** (***and starts***) 발작적으로, 이따금 생각난 듯이. ***give*** a person ***a ~*** 아무를 깜짝 놀라게 하다; 아무를 성나게 하다. ***give*** a person **~*s*** 아무를 호되게 욱지르다; 《미속어》 호되게 꾸짖다. ***go into ~s*** 졸도〔기절〕하

다. **have** 〔**throw**〕 **a** ~ 경련〔발작〕을 일으키다, 까무러치다; 깜짝 놀라다; 불같이 노하다. **throw** a person **into** ~**s** 《구어》 아무를 섬뜩하게 하다. **when** 〔**if**〕 **the** ~ **is on** 〔**takes**〕 a person (아무가) 마음이 내키면. 「이야기.

fit³ n. 《고어》 시〔노래〕의 일절(canto); 노래;

fit·a·hol·ic [fitəhɔ́:lik, -hálik] n. 체력 단련 운동의 중독자《조깅·에어로빅 등의 운동을 하루라도 빠뜨리면 불안을 느끼는 증상의 사람》. [◂ *fitness*+-*aholic*]

fitch [fitʃ] n. 〖동물〗 Ⓒ 족제비의 일종《유럽산》; Ⓤ 그 모피; Ⓒ 그 털로 만든 화필(畫筆).

fitch·et, fitch·ew [fítʃit], [fítʃu:] n. =FITCH.

°**fit·ful** [fítfəl] a. 발작적인; 단속적인; 일정치 않은, 변덕스러운. ⊕ ~**·ly** ad. ~**·ness** n.

fít·ly ad. 적당하게, 정연하게; 알맞게.

fít·ment n. **1** 《영》 가구(家具), 비품. **2** (pl.) 내부 시설(품). **3** 〖기계〗 부속품.

°**fít·ness** n. Ⓤ 적당, 적절; 적합성, 타당성(propriety); 건강; 체력, 지구력. **the** (**eternal**) ~ **of things** 사물 본래의 합목적성, 사물의 합리성.

fítness cènter 운동 센터.

fít·òut n. 《구어》 (길 떠날) 채비, 준비.

fit·ted [fítid] a. 모양에 꼭 맞게 만들어진, 바닥 전면을 덮은《양탄자》, 끼우는 식의《가구》; 세간〔부속품〕이 갖추어진.

fit·ter [fítər] n. (의복의) 가봉을 하는 사람; (기계·부품 등을) 설치〔설비〕하는 사람, 조립공, 정비공; 장신구〔여행용품〕 장수.

*__fit·ting__ [fítiŋ] n. (가봉한 옷의) 입혀 보기; 조립(組立), 마무리 설치; (pl.) 용구(用具), 부속품, 내부 시설들. **—**a. 적당한, 어울리는, 꼭 맞는. ⊕ ~**·ly** ad. 적당하게, 어울리게. ~**·ness** n.

fítting ròom (양복점의) 가봉실.

fítting shòp (기계의) 조립 공장〔작업장〕.

fít-ùp 《영연극속어》 n. 임시〔가설·휴대용〕 무대(장치); 순회 극단(=∠ **còmpany**); 임시 극장.

Fitz- [fits] pref. 《F.》 (=the son of) …의 아들《보기: Fitzgerald》. cf. Mac-, O'.

Fitz·ger·ald [fitsdʒérəld] n. 피츠제럴드. **1** 남자 이름. **2 Edward** ~ 영국의 시인·번역가(1809-83). **3 George Francis** ~ 아일랜드의 물리학자(1851-1901).

†**five** [faiv] a. 다섯의, 5의, 5개〔명〕의; 5살의. **—**n. **1** 다섯, 5; 5개〔명〕; 5살; 5시. **2** 5개가〔명이〕 한 조를 이루는 것《농구팀 등》. **3** 〖카드놀이〗 5의 패; 〖크리켓〗 5점타; 《미구어》 5달러(지폐); 《영》 5파운드 지폐. **4** (pl.) 《구어》 5푼 이자가 붙는 것《채권 등》. **5** (pl.) 《속어》 다섯 손가락, 주먹, 싸움: use one's ~**s** 서로 치고받다. **a bunch of** ~**s** 《구어》 주먹; 손. **after** ~ (오후) 5시 이후, 일과 후. ~ **of clubs** 《미속어》 주먹. **take** ~ 《미구어》 5분간 쉬다.

fíve-alárm a. 《미구어》 큰 화재의; (고추 따위가) 지독히〔특별히〕 매운.

fíve-and-díme [-ən-] n. =FIVE-AND-TEN.

fíve-and-tén [-ən-] n. 《미구어》 싸구려 잡화점.

fíve-and-tén-cent stòre [-ən-] 《미구어》 = FIVE-AND-TEN. 「씩으로 경기하는》.

fíve-a-sìde n. 5인제(人制) 축구《각 팀 5사람

fíve-by-fíve a. 《미속어》 작고 똥똥한, 땅딸막

fíve-case nóte 《미속어》 5달러 지폐. ⌊한.

fíve-day wéek 주(週) 5일 노동제.

fíve-éighth(s) n. 〖럭비〗 하프백과 스리쿼터백 사이에 있는 경기자; 그 위치.

fíve-finger n. **1** 불가사리(starfish). **2** 다섯 손가락 모양의 잎이나 꽃자루를 가진 식물. **3** (보통 f- f-) 《미속어》 도둑; (pl.) 《미속어》 5년의 금고형. **give five fingers to** a person 《미속어》 엄지손가락을 코에 대고 다른 손가락을 남에게 향하게 하다《상대를 깔보는 짓》. **—**a. 다섯 손가락의: ~ exercises (피아노 등의) 다섯 손가락 연습; 《비유》 쉬운 일. 「기.

fíve-finger díscount 《미속어》 절도, 몽태치

5-fluoroúracil [fáiv-] n. 〖약학〗 pyrimidine 대사 길항제(代謝拮抗劑)《항암제의 하나; 생략: 5-Fu》.

fíve·fòld a., ad. 다섯 부분으로〔요소로〕 된; 5중〔다섯 겹〕의〔으로〕, 5배의〔로〕.

5-Fu 〖약학〗 =5-FLUOROURACIL.

Fíve Nátions (the ~) 〖미국사〗 북아메리카 원주민 Iroquois 족의 오족(五族) 연합.

fíve o'clock shádow (아침에 면도한 사람의) 오후에 약간 자란 수염; (오후) 5시의 그림자.

five·pence [fáivpəns, -pèns/fáifpəns, fáiv-] (pl. ~, **-penc·es**) n. 《영》 5펜스; 《미》 5센트(백통전)(nickel).

fíve·pènny a. 《영》 5펜스의.

fíve percénter 《미》 5퍼센트의 구문을 받고 정부〔관청〕 관계의 일〔용역〕을 알선하는 사람.

fíve póinter 《미속어》 우수한 학생〔성적〕.

fiv·er [fáivər] n. 《구어》 5달러〔파운드〕짜리 지폐; (게임의) 5점짜리 패; 5점 득점자; 〖크리켓〗 5점타(打); 《미》 5년의 금고형. 「비슷한 구기.

fives [faivz] n. pl. 〘단수취급〙 《영》 핸드볼과

fíve sénses (the ~) 오감(五感).

fíve-spèed a. 5단 기어〔변속〕의: a ~ bike, 5단 변속의 오토바이.

fíve-spòt n. 〖카드놀이〗 5의 패; (주사위의) 5의 면(面); 《속어》 5달러 지폐; 《속어》 5년의 금고형.

fíve-stàr a. **1** 별이 다섯인, 오성(五星)의: a ~ general 《미구어》 육군 원수(General of the Army). **2** 최고의, 제1급의.

fíve-stònes n. pl. 《영》 〘단수취급〙 다섯 개의 작은 돌을 사용하는 공기놀이.

†**fix** [fiks] (p., pp. **fixed,** 《고어》 **fixt**) vt. **1** 《~+목/+목+전+명》 고정〔고착〕시키다; 달다, 붙이다(fasten), 붙박다; 설치하다《in; on; to》: ~ a mosquito net 모기장을 치다/~ a shelf *to* the wall 선반을 벽에 붙박다. **2** 《+목+전+명》 (주거 따위를) 정하다; (장소·지위에) 정착하다, 자리잡다《in; at》: ~ one's residence *in* the suburbs 교외에 주거를 정하다. **3** 《~+목/+목+전+명》 (습관·제도·관념·견해 따위를) 고정시키다; (기억·마음에) 남기다, 새기다(implant); (결의·의견 등을) 확고히 하다; (의미·특징 등을) 명확히 하다: ~ standards for patent registrations 특허 등록의 기준을 정하다/*Fix* these words *in* your mind. 이 말을 꼭 마음에 새겨 두게. **4** 《~+목/+목+전+명》 찬찬히〔주의 깊게, 의심쩍게〕 보다《on, upon》; 응시하다; (눈길·주의를) 끌다(rivet): The matter ~*ed* his attention. 그 일이 그의 주목을 끌었다/His eyes were ~*ed* on the distant ship. 그의 눈길은 멀리 배를 지켜보고 있었다/He ~*ed* me *with* an accusing eye. 그는 꾸짖는 듯한 눈으로 나를 응시하였다. **5** 《+목+전+명》 (허물·죄 따위를) (덮어)씌우다, 돌리다(place)《on, upon》: ~ a blame *on* a person 아무에게 책임을 지우다〔돌리다〕. **6** 《~+목/+목+전+명/+wh.절/+*to* do/+wh.+*to* do》 (날짜·장소·가격 등을) 정하다, 결정하다; (…의 장소〔시기〕를) 확정하다: ~ the date 〔place〕 for 〔of〕 a wedding 결혼식 날짜〔장소〕를 정하다/The price has been ~*ed at* two dollars. 가격이 2달러로 정해졌다/Let's ~ *when* we will start. 우리가 언제 출발할지 정하자/Have you ~*ed where to* stay? 숙박할 곳을 정했습니까/I've ~*ed to* go to London next week. 나는

다음 주에 런던에 가기로 결정했다. **7** (표정·눈매 따위를) 굳히다, 경직시키다《*in; with*》: ~ one's jaw *in* determination 입을 꽉 다물어 결의를 나타내다. **8** (머리를) 다듬다; 화장하다: ~ one's face. **9** 《(+목+전+명)》 (염색을) 고착시키다: ~ dyes *by* mordant 매염제로 염색을 고착시키다. **10** (사진 영상을) 정착시키다; (휘발성 물질·액체를) 응고시키다(congeal), 불(不)휘발성으로 하다: ~ a negative (사진) 원판을 정착하다. **11** 고치다, 수리〔수선〕하다(repair), 조정하다: ~ the watch 시계를 고치다. SYN. ⇨ MEND. **12** 가지런히 정리하다, 정돈하다, 마련〔준비〕하다(arrange): ~ a room 방(房)을 정돈하다 / How are you ~*ed* for money? 돈은 마련됐나. **13** 《~+목/+목+목/+목+전+명》 (식사를) 준비하다, (요리를) 만들다(cook): ~ a salad 샐러드를 만들다 / She ~*ed* us a snack. =She ~*ed* a snack *for* us. 그녀는 우리에게 가벼운 식사를 해 주었다. **14** (사람을) 꼼짝 못하게 하다; 죽이다; 징벌하다. **15** 《구어》 (재판관 등을) 매수하다(square), 포섭하다; (경기·시합 등을) 미리 짜고 하다. **16** …에게 보복〔복수〕하다. **17** (가축을) 불까다, 거세하다(castrate). ── *vi.* **1** 고정〔고착〕되다, 굳어지다; 응고하다. **2** 자리잡다(settle), 거처를 정하다. **3** 《+전+명/+전+명+*to* do》 정하다(decide), 택하다《*on, upon*》: ~ *on* a date for a journey 여행 날짜를 정하다 / We ~*ed for* the meeting *to* be held on Saturday. 우리는 토요일에 모임을 갖기로 했다. **4** 《+*to* do》 《구어·방언》 〖주로 진행형〗 …할 예정이다; …할 것 같다: I *am* ~*ing to* go shooting on Monday. 나는 월요일에 사냥을 갈 예정이다 / It's ~*ing to* rain. 비가 올 것 같다.

~ ***it*** 《미구어》 매듭을 짓다, 처리하다. ~ ***off*** ① 만족시키다. ② 출발하다. ~ ***on*** 〔***upon***〕 (날짜·장소를) 정하다; …을 택하다. ~ ***out*** 《미속어》 의장(艤裝)하다; …에게 주다: ~ a person *out with* money 아무에게 돈을 주다. ~ ***over*** 《미구어》 (의복 따위를) 다시 고치다, 고쳐 짓다. ~ ***up*** 《미구어》 《*vi.*+부》 ① 차려입다, 정장하다. ── 《*vt.*+부》 ② (날짜·약속 등을) 정하다. ③ (…에게, …을) 마련해 주다, 구해 주다; 《미속어》 〖보통 수동태〗 (마)약을 1회분 얻다. ④ …을 수리하다; (오두막 등을) 재빨리〔날림으로〕 세우다, 만들다. ⑤ (분쟁 등을) 조정하다, 해결하다. ⑥ 《미속어》 〖~ oneself〗 차려입다. ⑦ 《구어》 병을 치료하다. ⑧ (방 등을) 정리하다, 설치하다. ⑨ (식사를) 준비하다.

── *n.* **1** 《구어》 (보통 a ~) 곤경(困境)(predicament), 궁지(dilemma): in a ~ for money 돈에 궁하여. **2** 《미》 (기계·심신의) 상태. **3** (기계에 의한) 위치 결정《선박·항공기의》. **4** 의상: her wonderful wedding ~ 시집갈 때 입을 그녀의 훌륭한 의상. **5** 《구어》 (시합의) 부정 공작; 뒷거래, 매수(될 수 있는 사람). **6** 《CB속어》 경관의 위치에 관한 보고. **7** 《구어》 늘 갈구하는 것. **8** 《속어》 마약 주사. ***be in a*** ~ 《속어》 임신하고 있다. ***be in a pretty*** 〔***nice***〕 ~ 곤경에 빠져 있다, 진퇴유곡이다. ***blow a*** ~ 《미속어》 마약 주사를 잘못 놓다. ***get a*** ~ ***on ...*** (레이더 따위로) …의 위치를 확인하다; …에 분명한 태도를 취하다, (…의 정체)를 알아내다. ***get*** 〔***give***〕 a person ***a*** ~ 《속어》 아무에게 마약 주사를 놓다. ***get oneself into a*** ~ 《구어》 곤경에 빠지다. ***out of*** ~ (기계·몸 따위의) 상태가 나빠.

fíx·a·ble *a.* 고정할 수 있는.

fix·ate [fíkseit] *vt., vi.* 고정〔정착〕하다〔시키다〕; 응시하다; 병적으로 집착하다〔시키다〕, 고착하다.

fíx·àt·ed [-id] *a.* (발달·적응 따위가) 정지된, 고정되어 있는; 〖정신분석〗 고착된《특히 정신·성적 발달의 단계에서 정지된》.

fix·á·tion *n.* Ⓤ 고착, 고정; 색이 바래지 않게 함; 〖사진〗 정착; 〖화학〗 응고; (질소 따위의) 고정; Ⓒ 〖정신의학〗 병적 애착〔집착〕(에 의한 성숙의 조기(早期) 정지).

fix·a·tive [fíksətiv] *a.* 고착(固着)하는, 고정하는; (색·영상을) 정착(定着)하는. ── *n.* 염착제(染着劑); 〖사진〗 정착액.

fixed** [fikst] *a.* **1** 고정된, 일정(불변)한(definite, permanent): a ~ salary 고정급. **2** (일정 장소에) 붙박아 놓은; 움직이지 않는. **3** (염색이) 정착한. **4** 정돈된; 채비〔준비〕가 된. **5** 〖화학〗 응고한; 불휘발성의《산·기름》; 화합물에 넣어진, 고정된《질소 따위》: ~ acid 불휘발산(酸). **6** 《구어》 짬짜미의《경마 등》; 뇌물을 받은. **7** 《미》 (애완 고양이 등이) 거세된. ***with a ~ ***look*** 뚫어지게 바라보며. ⊞ **fix·ed·ness** [fíksidnis, -st-] *n.*

fíxed ássets 〖상업〗 (유형) 고정 자산.

fíxed cápital 고정 자본.

fíxed chárge 고정 요금; 확정 부채.

fíxed cóst 고정비(용).

fíxed dísk 〖컴퓨터〗 고정 (자기) 디스크, 하드 디스크.

fíxed-dó sỳstem [-dóu-] 〖음악〗 고정 도(do)방식《조(調)의 변화에 관계없이 C를 언제나 도(do)로 하여 노래하는 창법》. cf. movable-do system.

fíxed idéa 고정관념.

fíxed íncome 고정 수입, 정액 소득.

fíxed-léngth rècord 〖컴퓨터〗 고정 길이 레코드.

fíxed liabílity 고정 부채(負債).

fix·ed·ly [fíksidli, -st-/fíksidli] *ad.* 고정〔정착〕하여; 불변적으로; 단호〔확고〕하게; 꼼짝 않고, 뚫어지게《보다 따위》.

fíxed ódds 고정 수익률《배당률이 미리 결정되어 있는 것》.

fíxed óil 〖화학〗 고정유《불휘발성유, 특히 fatty oil》. opp. *essential oil.*

fíxed póint 〖물리〗 정점(定點); 경찰관 파출소.

fíxed-póint *a.* 〖컴퓨터〗 고정 소수점의. cf. floating-point. ¶~ representation 고정 소수점 표시.

fixed-point aríthmetic 〖컴퓨터〗 고정 소수점 연산《소수점을 고정 위치에 두고 실행하는 산술 연산》.

fíxed príce 고정 가격, 정가(定價); 공정〔협정〕 가격.

fíxed-séquence róbot 고정 시퀀스 로봇《미리 설정된 순서·조건·위치에 따라 동작의 각 단계를 차례로 진행시키는 머니퓰레이터》.

fíxed stár 〖천문〗 항성. cf. planet.

fíxed trúst 한정 신탁. opp. *flexible trust.*

fíxed-wing aírplane 〖항공〗 고정익(翼) 항공기《헬리콥터 아닌》.

fíx·er *n.* 염착제; 〖사진〗 정착제; 《구어》 (사건을 매수 따위로) 쓱싹하는 사람; 악덕 변호사; 《미속어》 마약 밀매(密賣)자.

fíxer-úpper *n.* **1** 간단한 수리에 능한 사람, 무엇이나 쉽게 고치는 사람. **2** 헐값으로 내놓은 고옥〔폐가〕《수리하여 팔면 이익을 낼 수 있음》.

fíx·ing *n.* **1** Ⓤ 고착, 고정; 설치; 〖사진〗 정착: ~ solution 정착액. **2** 수선, 손질; 정리, 정돈. **3** (*pl.*) 《미구어》 (실내 따위의) 설비, 비품; 장구(裝具), 장신구; 장식(물).

fíx-it *a.* 《미구어》 간단한 수리의〔를 하는〕.

fix·i·ty [fíksəti] *n.* Ⓤ 정착, 고정; 영속성, 불변(성); 불(不)휘발성; 고정물.

fixt [fikst] 《고어》 FIX의 과거·과거분사.

***fix·ture** [fíkstʃər] *n.* **1** 정착물; 비품, 설비(물), 내부 시설(품); (*pl.*) 〖법률〗 (토지·건물에 부속한) 정착물; 〖상업〗 정기 대부(금). **2** (경기의) 개최일; (정기) 경기 대회. **3** (일정한 직업·장소에) 오래 붙박이는〔눌어붙는〕 사람.

fíx-ùp *n.* 《미속어》 마약 1 회분의 양.
fiz·gig [fízgìg] *n.* **1** 말괄량이, 여장부. **2** 꽃불의 일종. **3** 돌리는 장난감《팽이 따위》. **4** 작살(fish spear).
fizz, fiz [fiz] *n.* Ⓤ 쉬잇하는 소리; 거품이 이는 음료《샴페인 · 소다수 등》. ***full of*** ~ 《구어》 홍분한, 활발한. **—** *vi.* 쉬잇 소리를 내다, 쉬잇하고 거품이 일다.
fízz·er *n.* **1** 쉿하고 소리를 내는 것〔사람〕. **2** 《구어》 제1급의 것, 일급품. **3** 〖크리켓〗 쾌속구.
fízz·ing *a.* 《구어》 제 1 급의, 훌륭한, 아주 빠른.
fiz·zle [fízəl] *n.* 쉬잇하는 소리; 《구어》 실패. **—** *vi.* 쉬잇하고 소리 내다; 《구어》 실패하다. ~ ***out*** (불이) 쉬잇하고 꺼지다; 용두사미로 끝나다; 어이없이 끝나다.
fízz·wàter *n.* 소다수; 발포성 음료.
fizzy [fízi] (***fizz·i·er; -i·est***) *a.* 쉬잇하고 거품이 이는: ~ waters 소다〔탄산〕수.
fjord ⇨ FIORD.
F kèy 〖컴퓨터〗 function key.
FL 《미식축구》 flanker; Florida. **Fl** 〖화학〗 fluorine. ★지금은 F를 씀. **Fl.** Flanders; Flemish. **fl.** floor; florin(s); *floruit* 《L.》 (=flourished); flowers; fluid. **f.l.** *falsa lectio* 《L.》 (=false reading). **Fla., Flor.** Florida.
flab [flæb] *n.* (몸의 살이) 늘어짐; 《비유》 군살.
flab·ber·gast [flǽbərgæ̀st/-gɑ̀ːst] *vt.* 《구어》 소스라쳐 놀라게 하다, 당황하게 하다.
flab·by [flǽbi] (***-bi·er; -bi·est***) *a.* (근육 따위가) 흐늘흐늘하는, 축 늘어진, 연약한; 무기력한, 활기 없는, 맥없는. ㊕ **fláb·bi·ly** *ad.* **-bi·ness** *n.*
fla·bel·late, fla·bel·li·form [fləbélət, -lèit], [-ləfɔ̀ːrm] *a.* 〖동물 · 식물〗 부채꼴〔모양〕의.
fla·bel·lum [fləbéləm] (*pl.* ***-bel·la*** [-bélə]) *n.* **1** (의식용의) 성선(聖扇). **2** 〖동물 · 식물〗 선상(扇狀)부〔기관(器官)〕.
flac·cid [flǽksid] *a.* (근육 등이) 연약한, 흐늘흐늘한; 무기력한, 나약한. ㊕ **~·ly** *ad.* **~·ness** *n.* **flac·cid·i·ty** [flæksídəti] *n.* Ⓤ
flack[1] [flæk] *n.* 《미속어》 선전〔공보〕원(press agent); 선전. ㊕ **∼·ery** *n.* 선전, 광고, 홍보.
flack[2] *vi.* 《미속어》 〔다음의 관용구로〕 ~ ***out*** 잠들다; 의식을 잃다; 피곤해지다, 풀이 죽다, 죽다.
flack[3] ⇨ FLAK.
fla·con [flǽkən] *n.* 《F.》 (향수 따위의) 마개 있는 작은 병.
fladge [flædʒ] *n.* 《영속어》 (성적 도착 행위로서의) 채찍질.
⁑flag[1] [flæg] *n.* **1** 기(旗); 〖해사〗 기함기(旗艦旗), 사령기(司令旗): a national ~ 국기 / ⇨ BLACK 〔RED, WHITE, YELLOW〕 FLAG.

> SYN. **flag** '기'의 가장 일반적인 말. **banner** 주의 · 주장 등을 쓴 깃발. **pennant** 선박이 표지 · 신호용으로 쓰는 좁고 길며 끝이 뾰족한 기. **ensign** 선박이 국적을 나타내기 위해 게양하는 기. **standard** 의식용의 기 · 군기(軍旗).

2 기 모양의 것; (사슴 · 세터종(種) 개 따위의) 털이 북슬북슬한 꼬리; (새의) 날개; 작은 칼깃(secondaries); (매 따위의 발의) 긴 깃털. **3** 〖TV〗 카메라용 차광막(遮光幕). **4** (신문 · 잡지의) 발행인란. **5** (음표의) 꼬리. **6** 〖인쇄〗 (정정 · 가필 등의 행간에 끼우는) 종이; 〖일반적〗 (기억을 위한) 부전, 서표. **7** 《영》 (택시의) 빈차 표지. **8** (선박의) 국적, 선적. **9** 〖컴퓨터〗 깃발 ; 표시문자. **10** 《미속어》 위명(僞名), 가명. **11** 《미식축구》 플래그《(1) 경기장 구석 사이드가 엔드라인 및 골라인과 교차되는 8개 지점에 세우는 기(corner flag). (2) 반칙 인정 시 심판이 지면에 던지는 천. (3) 패스리시버의 코스의 하나》. ***a*** ~ ***of convenience*** 〔***necessity***〕 (편의상 게양하는) 선적 등록국의 국기《세금 등의 편의 때문에 선박을 등록한 타국의 국기》. ***a*** ~ ***of distress*** 구조를 구하는 신호; 하숙을 구하는 광고. ***a*** ~ ***of truce*** 휴전기《협상을 요청하는 백기》. ***dip the*** ~ 기를 조금 내려서 경의를 표하다《상선이 군함에 대해서》. ***hang out*** 〔***hoist***〕 ***a*** ~ ***half-mast high*** 〔《미》 ***at half-mast***〕 반기(半旗)를 올리다, 조의(弔意)를 표(表)하다. ***haul down*** one**'s** ~ =lower one's ~. ***hoist*** one**'s** ~ 〖해사〗 사령관기를 올리다; 사령관에 취임하다. ***hoist the*** ~ (신발견지 등의 영유를 주장하여) 기를 세우다. ***keep the*** ~ ***flying*** 항복하지 않다, 싸움〔저항〕을 계속하다; 주의를 계속 주장하다. ***lower*** one**'s** 〔***the***〕 ~ 기를 내리다《경의 · 항복의 표시로》; 항복하다. ***put*** 〔***hang***〕 ***the*** ~***(s) out*** 축하하다, 크게 환영하다. ***show the*** ~ 외국항(등)을 공식 방문하다; (무력〔실력〕을 배경으로) 요구를 들이밀다, 주장을 선명히 하다; 《구어》 (파티 등에) 일단 얼굴을 내밀다. ***strike*** one**'s** ~ ①=lower one's ~ ② 〖해사〗 사령관의 지위에서 물러나다. ***under the*** ~ ***of*** …의 깃발 아래 (모여들어). ***with*** ~***s flying*** 개가를 올리며, 위풍당당히.
— (***-gg-***) *vt.* **1** …에 기를 세우다, 기로 장식하다. **2** 《~+목/+목+부/+목+전+명》 기로 신호하다〔알리다〕: ~ *down* a train 열차를 신호로 정지시키다 / ~ a message *to* a nearby ship 가까운 배에 기로 통신하다. **3** (사냥감을) 기를 흔들어 유인하다. **4** (책 페이지에) 종이 쪽지를 붙이다《검색하기 위해》. ~ ***it*** 《미속어》 시험〔학과목〕에 떨어지게 하다.
flag[2] *n.* 판석(板石), 포석(鋪石) (flagstone); (*pl.*) 판석 포장도로. **—** (***-gg-***) *vt.* 판석〔포석〕을 깔다. ㊕ **∼·less** *a.*
flag[3] *n.* 〖식물〗 황창포, 창포; 창포꽃〔잎〕.
flag[4] (***-gg-***) *vi.* (돛 · 초목 등이) 축 늘어지다, 시들다; (기력이) 쇠(약)해지다; (이야기 따위가) 시시해지다, 시들해지다; (흥미가) 없어지다: revitalize the ~*ging* economy 침체되는 경제를 회복시키다.
flág-bèarer *n.* 기수(旗手).
flág bòat 기정(旗艇)《보트레이스의 목표 배》.
flág càptain 〖해군〗 기함의 함장.
flág càrrier 일국을 대표하는 항공〔선박〕 회사.
Flág Dày 1 《미》 국기 제정 기념일《6 월 14일; 1777년의 이날 성조기를 미국 국기로 제정》. **2** (f- d-) 《영》 기의 날(《미》 tag day)《길에서 자선 사업 기금을 모집하고자 작은 기를 파는 날》.
flag·el·lant [flǽdʒələnt] *n.* 매질〔채찍질〕하는 사람; (F-) 채찍질 고행자《스스로 채찍질하며 고행한 중세의 광신자》; 때리기〔매맞기〕를 바라는 변태 성욕자. **—** *a.* 매질〔채찍질〕하는, 스스로 매질하는; 혹평하는.
fla·gel·lar [flədʒélər, flǽdʒə-] *a.* 〖생물〗 편모(鞭毛)(모양)의.
flag·el·late [flǽdʒəlèit] *vt.* 매질〔채찍질〕하다. **—** *a.* 편신상(鞭身狀)의, 편삭상(鞭索狀)의; 〖생물〗 편모(鞭毛)가 있는; 〖식물〗 포복경(匍匐莖)이 있는. **—** *n.* 편모충. ㊕ **-làt·ed** [-id] *a.* =flagellate.
flàg·el·lá·tion *n.* Ⓤ,Ⓒ (특히 종교적 · 성적인) 매질, 채찍질; 〖생물〗 편모 발생(鞭毛發生).
flag·el·la·tor [flǽdʒəlèitər] *n.* =FLAGELLANT.
fla·gel·li·form [flədʒéləfɔ̀ːrm] *a.* 편모상(鞭毛狀)의; 휘청〔낭창〕거리는.
fla·gel·lin [flədʒélin] *n.* 〖생물〗 플라젤린《세균의 편모를 구성하는 알맹이 모양의 단백질》.
fla·gel·lum [flədʒéləm] (*pl.* ***-la*** [-lə], ~***s***) *n.* 〖생물〗 편모(鞭毛); 〖식물〗 포복경(匍匐莖); 《우스개》 매, 채찍(whip, lash).
flag·eo·let [flæ̀dʒəlét] *n.* 〖음악〗 플래절렛《구멍이 여섯 개인 피리》; (파이프 오르간의) 플래절렛 음전(音栓).

fla·geo·let [F. flaʒɔlɛ] *n.* 《F.》 강낭콩의 일종.
flág·fàll *n.* 기를 흔들어 내리기《스타트의 신호》; 《Austral.》 (택시의) 최저 요금.
flág fóotball 플래그 풋볼《미식축구의 변종으로 경기자는 볼을 가진 자가 몸에 부착한 기를 뽑음으로써 플레이를 중단시킴》.
flag·ger [flǽgər] *n.* =FLAGMAN.
flag·ging[1] [flǽgiŋ] *n.* [U] (판석을 깐) 포장(鋪裝); 판석류(板石類); [C] 판석 포장도로.
flag·ging[2] *a.* 처지는, 늘어지는; 쇠퇴〔감소〕 기미의. **—** *n.* 처짐, 늘어짐. ㊞ **~·ly** *ad.*
flag·gy[1] [flǽgi] *a.* 붓꽃이〔창포가〕 많은; 창포 모양의.
flag·gy[2] *a.* 처지는, 늘어지는; 무기력한, 흥미 없는.
flag·gy[3] *a.* 판석(板石) 모양의; 벗겨지기 쉬운.
fla·gi·tious [flədʒíʃəs] *a.* 파렴치한; 극악무도한, 잔인〔흉악〕한; 악명 높은. ㊞ **~·ly** *ad.* **~·ness** *n.*
flág lieuténant 〖해군〗 장관(將官)〔사령관〕 전속 부관〔참모〕.
flág lìst 〖영해군〗 현역 장성(將星) 명부.
flág·man [-mən] (*pl.* ***-men*** [-mən]) *n.* 신호 기수; (철도의) 신호수, 건널목지기.
flág òfficer 해군 장관(將官)《장관이 탄 군함에는 그 위계(位階)를 표시하는 장관기(旗)를 닮》; (함대) 사령관《생략: F.O.》.
flag·on [flǽgən] *n.* 식탁용 포도주 병《손잡이와 귀때·뚜껑이 있음》; (성찬용) 큰 병; 큰 병의 용량〔에 든 것〕.

flagon

flág·pòle *n.* 깃대. ***run it up the ~ and see who salutes*** 결과에 대한 예상은 서지 않더라도 새로운 것을 시도해 보다.
fla·grance, -gran·cy [fléigrəns], [-si] *n.* [U] 극악; 악명 (notoriety).
flág rànk 〖해군〗 장관(將官)급.
fla·grant [fléigrənt] *a.* 극악(무도)한, 악명 높은(notorious); 언어도단의(scandalous); 《고어》 (불)타는: a ~ offense 〔crime〕 대죄(大罪). ㊞ **~·ly** *ad.*
fla·gran·te de·lic·to [fləgrǽnti-diliktou] 《L.》 (=in the (open) act) 현행범으로.
flág·shìp *n.* 〖해사〗 기함; (일련의 것 중) 최고의 것; 본점, 본사, 본교.
flág·stàff (*pl.* **~*s, -staves***) *n.* 깃대(flagpole).
flág stàtion 〔**stòp**〕 신호 정착역《기 따위의 신호가 있을 때만 열차가 서는 역》.
flág·stìck *n.* 〖골프〗 홀에 세우는 깃대, 핀(pin).
flág·stòne *n.* **1** (포장용) 판석(板石), 포석(鋪石). **2** (*pl.*) 판석 포장도로.
flág-ùp *a.* 《미속어》 (요금 착복을 위해) 택시미터를 꺾지 않고 태우는.
flág-wàgging *n.* 《영구어》 **1** 〖해군〗 수기(手旗) 신호. **2** 광신적 애국 언동.
flág-wàver *n.* 선동가(agitator); 광적 애국주의자, 배타적 맹신자; 《CB속어》 도로 공사 노동자.
flág-wàving *n.* [U] 애국적〔애당적〕 선동. **—** *a.* 《경멸》 애국적인.
flail [fleil] *n.* 도리깨. **—** *vt.* (곡물을) 도리깨질하다; 연타하다, 때리다.
fláil tànk 대지뢰(對地雷) 전차.
flair [flɛər] *n.* [U] 날카로운 안식(眼識), 제 6 감; [C] 재주, 재능; 〖사냥〗 (예민한) 후각.
flak, flack [flæk] *n.* 〖군사〗 대공(對空) 포화, 고사포대(隊); 《비유》 잇따른〔격렬한〕 비난, 공격, 격렬한 논쟁.
flák-càtcher *n.* 《속어》 (관청 등의) 민원 처리계, (회사 등의) 불평〔고충〕 처리계.
flake**[1] [fleik] *n.* **1** 얇은 조각, 박편(薄片); 조각, 지저깨비(chip): a ~ of cloud 조각 구름/~*s* of snow 눈송이. **2** 불꽃, 불똥. **3** 《미속어》 묘한 개성(을 지닌 사람〔선수〕), 괴짜; 점수 따기를 〔목표 달성을〕 위한 체포; 《미속어》 코카인. **4** (페인트 따위의) 벗겨진 조각, 박편(剝片). **5** 플레이크《낟알을 얇게 으깬 식품》: corn ~*s* 콘플레이크. ***fall in ~s 엷은 조각이 되어 벗겨지다; (눈이) 펄펄 내리다. **—** *vt.* **1** 벗겨 박편으로 하다, 벗기다. **2** 펄펄〔팔랑팔랑〕 내리게 하다. **3** 《미속어》 …에게 누명을 씌우다, 날조한 혐의로 체포하다. **—** *vi.* 《~/+[부]》 벗겨져 떨어지다《*away; off*》; (박편이 되어) 떨어져 내리다; (눈 등이) 펄펄 내리다: The paint has ~*d* (*off*) in some places. 페인트가 군데군데 벗겨져 떨어졌다. **—** *a.* 《미속어》 괴팍한, 분방한, 파격적인. ㊞ **flák·er** *n.*
flake[2] *n.* 물고기 말리는 덕; 그물(로 된) 시렁; 〖해사〗 현측(舷側) 비계《작업용의》.
flake[3] *n.*, *vt.* 〖해사〗 =FAKE[2].
flake[4] *vi.* 《미속어》 (피곤하여·마약을 맞고) 잠들다, 선잠 자다, 졸다; 기절하다《*out*》.
flake[5] *n.* 《영》 (식용으로서의) 돔방상어(dogfish).
fláke·bòard *n.* 얇은 나뭇조각을 합성수지로 잇댄 나무판.
fláked-óut [fléikt-] *a.* 《구어》 녹초가 되어; (마약 중독으로) 의식을 잃은. **—** *n.* 완전한 실패, 실수, 그런 상태가 된 사람〔것〕.
fláke-òut *n.* 《미속어》 대실패, 바보짓.
flak·ers [fléikərz] *a.* 《속어》 지친, 기진맥진한.
fláke tòol 〖고고학〗 박편 석기(剝片石器).
fláke whíte 박편상(狀) 연백(鉛白)《안료》.
flak·ey [fléiki] *a.* 《미속어》 몹시 변한, 파격의; 미친; 태평스러운, 믿을 수 없는.
flák jàcket 〔**vèst**〕 공군용 방탄조끼.
fla·ko [fléikou] *a.* 《미속어》 술 취한.
flák sùit 〖미공군〗 방탄복.
flaky [fléiki] (***flak·i·er; -i·est***) *a.* 박편(薄片)의; 조각조각의; 벗겨지기 쉬운; 《미속어》 (프로그램 따위가) 미스가〔고장이〕 많은. ㊞ **flák·i·ly** *ad.* **-i·ness** *n.*
fláky pástry 얇게 켜를 이룬 과자의 일종.
flam [flæm] *n.* [C] 꾸민 이야기, 거짓말; [U] 야바위, 속임. **—** (***-mm-***) *vt.*, *vi.* 속이다.
flam·age [fləmáːdʒ] *n.* 엉터리, 허풍, 과장.
flam·bé [flɑːmbéi] *a.*, *n.* 《F.》 (고기·생선·과자에 브랜디를 붓고) 불을 붙여 눋게 한 (요리〔디저트〕).
flam·beau [flǽmbou] (*pl.* **~*s, -beaux*** [-bouz]) *n.* 《F.》 횃불; 장식용 큰 촛대.
flam·boy·ance, -an·cy [flæmbɔ́iəns], [-si] *n.* [U] 현란함, 화려함.
flam·boy·ant [flæmbɔ́iənt] *a.* 《F.》 현란한, 화려한; (색이) 혼란한, 극채색(極彩色)의; 타는 듯한; 〖건축〗 플랑부아양 양식《15-16 세기경 프랑스의 고딕 양식》의, 불길〔불꽃〕 모양의. **—** *n.* (타는 듯한) 붉은 꽃. ㊞ **~·ly** *ad.*
****flame** [fleim] *n.* [U,C] **1** (종종 *pl.*) 불길, 불꽃, 화염: in ~*s* 불붙어, 불길에 싸여서/burst into ~(*s*) 확 타오르다. **2** 불 같은 색채〔광휘〕: the ~*s* of sunset 붉게 물든 저녁놀. **3** 정염, 정열; 격정: a ~ of anger 불길 같은 노여움. **4** [C] 《우스개》 애인, 연인(sweetheart). **5** 《미속어》 전자우편의 성난 메시지. **6** 좋아하는 화제. **7** 하찮은 의논〔이야기〕. ***burn with a low*** (***blue***) ~ 《미속어》 억병으로 취하다. ***commit to the ~s*** 불속에 던지다, 태워 버리다, 불사르다. ***go up in ~s*** 타오르다; 꺼져〔사라져〕 없어지다. ***in a ~*** 흥분하여. ***shoot ... down in ~s*** 《구어》 …을 비판하다. **—** *vi.* **1** 《~/+[부]》 (불꽃을 올리며) 타오르다(blaze), 불꽃을 내다《*out; up*》: They poured oil on the fire and it ~*d out*. 그들이 불에다 기

름을 붓자 불꽃이 확 피어올랐다.

SYN. **flame** 밝게 갑자기 불꽃을 올리며 타다. **blaze** flame보다 크게, 뜨겁게, 밝게 불꽃을 올리며 타다.

2 《~/+보/+전+명》 (불꽃처럼) 타오르다, 빛나다; (얼굴 등이) 확 붉어지다(glow) 《*up*》; (태양이) 이글거리다: Her cheeks ~*d* (red). 그녀의 볼이 확 붉어졌다 / The hill ~*s with* azaleas. 언덕은 진달래로 불타는 듯하다. **3** 《+부/+전+명》 (정열 등이) 불타오르다; (노여움으로) 발끈하다 《*out; up*》: Her passion ~*d up*. 그녀의 정열이 불타올랐다 / He ~*d with* anger. 그는 발끈했다. **4** 불길처럼 너울거리다. **5** 《미속어》 지껄이다, 기염을 토하다. **—** *vt.* **1** (살균을 위해) 불에 쬐다; (요리를) 화주(火酒)로 살라서 마무르다. **2** (신호 따위를) 화염으로 전하다. **3** 《고어·시어》 (감정 따위를) 불태우다, 타오르게 하다. ~ ***out*** 갑자기 타오르다; 〖항공〗 (제트 엔진이〔을〕) 갑자기 연소 정지하다〔시키다〕.

㊉ ~·less *a.* ~·like *a.*

fláme cèll 〖동물〗 (디스토마 등의) 불꽃 세포.

fláme-còlored, 《영》 **-còloured** *a.* 주황색의.

fláme cùltivator 〖농업〗 화염(火焰) 컬티베이터《제초기》.

fláme gùn 〖농업〗 화염 제초기.

flame·let [fléimlit] *n.* 작은 불꽃.

fla·men [fléimen] (*pl.* **~s, flam·i·nes** [flǽmənìːz]) *n.* 〖고대로마〗 (특정한 신(神)을 섬기는) 사제(司祭).

fla·men·co [flɑːméŋkou, flə-/flə-] *n.* 《Sp.》 플라멩코《스페인의 집시의 춤》; 그 가곡; 스페인계 집시(의 풍속).

fláme·òut *n.* (제트 엔진의) 돌연 정지《비행 중, 특히 전투 중에》; 파괴, 소멸; 좌절한 사람, 매력을 잃은 것.

fláme photòmeter 염광(炎光) 광도계.

fláme projèctor 화염 방사기; 〖농업〗 화염 살충〔제초〕기; 《미속어》 제트기; =FLAMETHROWER.

fláme·pròof *a.* 내화성의; 불타지 않는; (전기 기구가) 방재(防災) 설계가 된.

flám·er *n.* **1** 《속어》 파렴치한 호모, 면. **2** 《미속어》 매우 예절 없음, 분명한 실수; 얼뜨기 녀석.

fláme-resìstant *a.* 내염성(耐炎性)의.

fláme-retàrdant *a.* 불이 잘 붙지 않는, 난연성(難燃性)의.

fláme stìtch 〖복식〗 불꽃무늬 자수 기법.

fláme·thròwer *n.* 화염 방사기; 〖농업〗 =FLAME CULTIVATOR; 《미속어》 제트기.

fláme tràp (버너의 노즐에 있는) 화염 역행(逆行) 인화(引火) 방지 장치.

flam·ing [fléimiŋ] *a.* 타오르는; 타는 듯한《색채 따위》; (기후 등이) 염열(炎熱)의, (태양 등이) 이글거리는; 욕정에 불타는, 열렬한《애국심 따위》; 과장된《그림·표현 따위》. ㊉ **~·ly** *ad.*

fla·min·go [fləmíŋgou] (*pl.* ~(*e*)*s*) *n.* 플라밍고, 홍학(紅鶴).

Fla·mín·i·an wáy [fləmíniən-] (the ~) 고대 로마의 도로《로마에서 아드리아 해안의 Ariminus(현재의 Rimini)까지》.

flàm·ma·bíl·i·ty *n.* Ⓤ 타기 쉬움; 가연성, 인화성(inflammability).

flam·ma·ble [flǽməbəl] *a.* =INFLAMMABLE.

flamy [fléimi] *a.* (불)타고 있는; 불꽃〔불길〕 같은.

flan [flæn] *n.* (치즈·과일 따위를 넣은) 파이의 일종; (찍어 내기만 한) 미(未)가공의 화폐〔메달〕; (도안에 대한) 화폐의 지금(地金).

Flan·a·gan [flǽnəgən] *n.* **Edward Joseph** ~ 플래너건(Father ~)《아일랜드 태생의 미국 가톨릭 성직자; 비행 소년을 위한 농촌 Boys Town을 미국 Nebraska주의 Omaha 부근에 창립; 1886-1948》.

Flan·ders [flǽndərz/flɑ́ːn-] *n.* 플랑드르《현재의 벨기에 서부·네덜란드 남서부·프랑스 북부를 포함한 북해에 면한 중세의 국가》.

Flánders póppy 〖식물〗 개양귀비(corn poppy); (휴전 기념일(Poppy Day)에 몸에 다는) 조화(造花)인 개양귀비.

flâ·ne·rie [flɑ̀ːnəríː] *n.* 《F.》 산책; 빈들거림, 나태함.

flâ·neur [flɑːnə́ːr] *n.* 《F.》 빈들빈들 노는 사람; 게으름뱅이.

flange [flændʒ] *n.* 〖기계〗 **1** 플랜지《관을 잇기 위해 덧붙인 날밑 모양의》. **2** (레일의) 발, (차 바퀴의) 불룩한 테두리. **—** *vi.* 플랜지를 붙이다.

㊉ ~·less *a.* 플랜지가 없는.

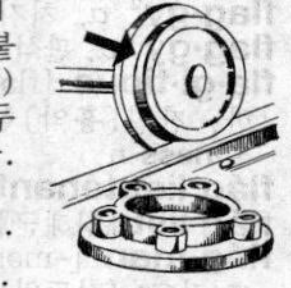

flange 2

fláng·er *n.* **1** 플랜지 제작기. **2** (철도의) 제설판(除雪板).

°**flank** [flæŋk] *n.* **1** 옆구리; 옆구리 살《쇠고기 따위의》. **2** (산·건물의) 측면(side); 〖군사〗 (좌우의) 익(翼)《부대·함대의》, 측면; 〖축성(築城)〗 측보(側堡): a ~ attack 측면 공격 / the right 〔left〕 ~ 우〔좌〕익. **3** 《미식축구》 =FLAT[1]. ***cover the ~s*** 측면을 지원〔엄호〕하다. ***in ~*** 측면에서. ***take in ~*** 측면을 공격하다. ***turn the enemy's ~*** 적의 측면을 돌아 후방으로 나오다. **—** *vt.* **1** …의 측면에 서다; …의 옆에 있다; …에 접하다. **2** 〖군사〗 …의 측면을 지키다; …의 측면을 우회〔공격〕하다. **—** *vi.* (측면을) 접하다, …에 임하다《*on*》.

flan·ken [flɑ́ːŋkən] *n. pl.* 〖요리〗 유대식 쇠갈비 요리의 일종.

flank·er [flǽŋkər] *n.* 측면에 위치한 사람〔것〕; 〖축성(築城)〗 측면 보루〔포대(砲臺)〕; 측보(側堡); (건물의) 옆물림; 〖군사〗 측병(側兵); (*pl.*) 측면 부대; 〖미식축구〗 플랭커(=~ **bàck**)《좌우 양끝에 있는 선수, 특히 halfback》; 《속어》 협잡. ***do*** 〔***work***〕 ***a*** ~ 《구어》 의표(意表)를 찌르다, 교묘히 앞지르다.

flánk spèed 〖해사〗 (배의) 최대 규정 속도.

°**flan·nel** [flǽnl] *n.* **1** Ⓤ 플란넬; 면(綿) 플란넬. **2** (*pl.*) 플란넬 의류《특히 운동 바지》. **3** Ⓒ 플란넬제의 때 미는 헝겊〔걸레〕. **4** 《영구어》 엄포, 허세; 아첨말. ***win*** 〔***get***〕 ***one's ~s*** 선수가 되다. **—** *a.* 플란넬제의. **—** (***-l-***, 《영》 ***-ll-***) *vt., vi.* **1** …에게 플란넬을 입히다, 플란넬로 싸다; 플란넬로 닦다〔문지르다〕. **2** 《영구어》 (…에게) 으름장을 놓다; 엉너리를 치다. ~ ***through*** 《구어》 (곤란 등을) 용케 둘러대어 헤어〔벗어〕나다.

flan·nel·et(te) [flæ̀nəlét] *n.* Ⓤ 면(綿)플란넬.

flan·nel·ly [flǽnəli] *a.* **1** 플란넬제의, 플란넬 같은. **2** (발음이) 맑지 않은.

flánnel·mòuth *n.* 《미》 아첨꾼, 허풍선이.

flánnel·mòuthed [-màuðd, -θt] *a.* 입에 발린 말을 잘하는.

*__flap__ [flæp] (***-pp-***) *vt.* **1** (날개 따위를) 퍼덕〔퍼드덕〕거리다(beat), 펄럭이게 하다, 아래위로 움직이다. **2** 탁 소리를 내며 꺾다〔던지다〕, 쾅〔탁〕 닫다. **3** 《+목+전+명》 (납작한 것으로) 딱 때리다, 손바닥으로 찰싹 때리다: ~ a person *on* the face 아무의 얼굴을 철썩 갈기다. **4** 《+목+부》 (파리 따위를) 날려 쫓아 버리다《*away; off*》; 가볍게 흔들어서 (불을) 끄다《*out*》: ~ flies *away* 파리를 날려 쫓아 버리다 / ~ *out* a candle 손을 흔들어서 촛불을 끄다. **5** 《미속어》 (자기(磁氣) 테이프를) 되감다. **—** *vi.* **1** 《~/+전+명》 퍼덕〔펄럭〕이다, 나부끼다, 휘날리다(flutter): The curtains were ~*ping against* the window.

커튼이 퍼득퍼득 창에 부딪고 있었다. **2** 《+副》 날개치다; 날개쳐 날다《*away; off*》: The bird ~*ped away*. 새가 날개치며 날아가 버렸다. **3** (넓적하고 휘어지는 것으로) 찰싹 때리다; 가볍게 때리다. **4** 축 늘어지다《*down*》. **5** 《구어》 당황하다, 흥분하다. **6** 《미구어》 엿듣다. **~ *about*** 쓸데없는 이야기를 하다, 필요이상으로 걱정하다. **~ *one's chops*** 〔***jowls, jaw, lip***〕 《미속어》 잡담하다, 수다 떨다, 언쟁하다.

— *n*. **1** 펄럭임, 나부낌; 찰싹 때리기. **2** (단수형, 보통 the ~) (날개·깃발의) 퍼덕거리는 소리; 찰싹 때리는 소리: the ~ of the oars on the water 물을 찰싹거리며 노젓는 소리. **3** 축 늘어진 것; 드림; (모자의) 귀덮개; (모자의) 넓은 테; (호주머니의) 뚜껑; (봉투의) 접어 젖힌 부분; (책 커버의) 꺾은 부분, 날개판(板)《경첩으로 접히는 책상·테이블의》; 물고기의 아감딱지; 경첩판(瓣); 〖항공〗 플랩, 보조익(翼); (개 등의) 처진 귀; (*pl.*) 《미속어》 (사람의) 귀; 파리채(flyflap); (버섯류의) 펼친 갓. **4** 〖의학〗 (피부) 조직판(瓣). **5** 《속어》 흥분 상태, 동요, 당황; 긴급 사태〔회의〕; 〖군사〗 공습(경보); 스캔들; 혼란, 소동; 다툼, 불화; 난투; (떠들썩한) 파티; 실패. **6** 단기간에 좁은 지역에서 UFO가 집중적으로 관측됨. ***in a*** **~** 안절부절못하여, 갈팡질팡하여, 흥분하여. ***let ~s down*** 《CB속어》 천천히 가시오. ***roll up*** **one's ~s** 《미속어》 수다를 그치다.

fláp·dòodle *n*. ⓤ,ⓒ 《구어》 허튼〔엉터리없는〕 이야기, 되지 않는 소리(nonsense).

fláp dóor (위로) 젖히는 문.

fláp·dràgon *n*. ⓤ 불붙인 브랜디 속에 든 건포도 등을 집어먹는 놀이(snapdragon).

fláp-èared *a*. 축 늘어진 귀의. 「팩트《화장용》.

fláp·jàck *n*. 핫케이크류의 과자(griddle cake); 콤

fláp·jàw *n*. 《미속어》 수다; 수다쟁이.

flap·pa·ble [flǽpəbəl] *a*. 《속어》 (위기에 처했을 때) 흥분〔동요〕하기 쉬운, 안절부절못하는, 갈팡질팡하는.

fláp·per *n*. **1** 퍼덕이는 것; 펄럭이는 것; 《속어》 손; (아직 날지 못하는) 새끼 새《오리 따위의》. **2** 파리채(flyflap); (새를 쫓는) 딱따기(clapper). **3** 경첩 달린 문짝; 폭 넓은 지느러미. **4** 《영속어》 (아직 사교계에 안 나온) 어린 아가씨; 《구어》 (1920년대의) 건달 아가씨, 왈가닥, 플래퍼. **5** 기억을 불러일으키는 물건〔사람〕. **6** 《CB속어》 귀; 안테나. **—** *vi*. 펄럭펄럭 움직이다; 불안해지다, 당황하다.

fláp·ping *n*. 〖항공〗 헬리콥터의 관절식 회전 날개의 상하 방향 회전 운동. 「죄어 있지 않은.

fláp·py *a*. 퍼드덕거리는; 느슨한, 축 처진, 꼭

fláp vàlve 〖기계〗 =CLACK VALVE.

flare** [flɛər] *n*. **1** ⓤ 너울거리는 불길, 흔들거리는 빛. **2** ⓤ 확 타오름; ⓒ (노여움 따위의) 격발. **3** ⓒ 섬광 신호, 조명탄(=∠ **bòmb**); 〖사진〗 광반(光斑), 플레어. **4** (스커트·트럼펫의 나팔꽃 모양으로) 벌어짐; 〖해사〗 뱃전의 불거짐. **5** 〖미식축구〗 =FLARE PASS. **—** *vi*. **1** 흔들리며 빛나다, 너울거리며 타다《*about; away; out*》. **2** 확 불붙다〔타오르다〕《*up*》; 번쩍번쩍 빛나다, 섬광을 발하다. **3** 나팔꽃 모양으로 벌어지다. **—** *vt*. **1** 확 타오르게〔불붙게〕 하다. **2** 불끈 성나게 하다. **3** 섬광 따위로 신호하다. **4** 과시하다(display). **5** 나팔꽃 모양으로 벌리다; (스커트에) 플레어를 달다. **~ *up 〔***out***〕 확 타오르다; 불끈 성내다.

fláre·bàck *n*. 후염(後炎)《발포 후에 포미에서 나오는》; 되들어가는 화염《용광로 등의》; 감정의 폭발, 격한 반론; (추위 따위의) 되닥침. 「(자세).

fláre-òut [flέər-] *n*. 〖항공〗 (착지 전의) 수평

fláre pàss 〖미식축구〗 패스리시버 코스의 하나《보통 러닝백이 바깥쪽으로 횡주(橫走)함》.

fláre pàth 조명로《비행기 이착륙 유도용의》.

fláre stàr 〖천문〗 섬광성(閃光星).

fláre·ùp [flέər-] *n*. **1** 확 타오름, 섬광. **2** 《구어》 (감정의) 격발, 격노; (병 따위의 돌연한) 재발; (문제 등의) 급격한 재연(再燃)〔표면화〕. **3** 벼락 인기; 야단법석.

flar·ing [flέəriŋ] *a*. 활활〔너울거리며〕 타는; 번쩍번쩍하는; 현란한; (뱃전이) 불룩한, 나팔꽃 모양의. ㊔ **~·ly** *ad*.

⁑**flash** [flæʃ] *vi*. **1** 《~/+前+名》 번쩍이다, 빛나다; 확 발화하다〔불붙다〕, 타오르다: a ~*ing* signal 발화 신호 / His eyes ~*ed with* anger 〔excitement〕. 그의 눈은 노염〔흥분〕으로 번득였다. **2** 《+副》 노하다, 발끈하다, (노하여) 퉁명스럽게 말하다《*out*》: He ~*ed out* at her rudeness. 그녀의 무례함에 그는 발끈했다. **3** 《+副/+前+名》 휙 지나치다, 스치듯 지나가다《*by; past*》; 갑자기 나타나다: The swallow ~*ed by*. 제비가 휙 날아갔다 / Color ~*ed into* his cheeks. 그의 볼에 붉은 빛이 확 돌았다. **4** 《+前+名》 (마음에) 번개처럼 스치다, (생각이) 문뜩 떠오르다: The idea ~*ed into* 〔*across, through*〕 his mind. 생각이 퍼뜩 그의 뇌리를 스쳤다 / A good idea ~*ed on* me. 좋은 생각이 머릿속에 문뜩 떠올랐다. **5** 갑자기 움직이다; 확〔휙〕 들어오다《*in*》; 확〔휙〕 나가다《*forth; out*》; (물이) 왈칵 흘러나오다; (녹은 유리재(材)가) 흘러나와 판(板)유리가 되다. **6** 삽시간에 퍼지다, (평판 등이) 널리 퍼지다《*over*》. **7** (사용 후) 수세식 변기의 배수 밸브를 확 틀다. **8** 《속어》 환각제의 효과를 느끼다. **9** 《속어》 (여자가 유방 따위를) 슬쩍 보이다. **—** *vt*. **1** (불·빛을) 번쩍 발하다《*out; forth*》: His eyes ~*ed* fire. 눈이 불빛처럼 번쩍였다. **2** (칼·보석·눈 따위를) 번뜩이다, 번쩍이다. **3** (화약 따위를) 발화〔폭파〕시키다. **4** 《+目+目/+目+前+名》 (눈길을) 돌리다, 쏟다; (미소 따위를) 언뜻 보이다: He ~*ed* her a smile. =He ~*ed* a smile *at* her. 그는 그녀에게 살짝 미소를 던졌다. **5** (영상 따위를) 투영하다, 영사하다; (거울 따위를) 비추다. **6** 《~+目/+目+副/+目+前+名》 (신호를) 급히 보내다; (뉴스를) 급보하다, 타전하다: ~ signals 급히 신호를 보내다, 〖야구〗 사인을 보내다 / ~ a message *over* the radio 무선으로 통신을 보내다. **7** 《구어》 과시하다, 자랑해 보이다: ~ one's diamonds. **8** …의 수량(水量)을 갑자기 붇게 하다. **9** 지붕에 구배 물받이를 하다. **10** (유리에) 색유리를 입히다; 불투명하게 하다. **11** (물을) 증기로 바꾸다《뜨거운 표면에 흘려》. **12** (카드 따위를) 언뜻 보이다《도를 때》.

~ *across* ① (생각 따위가) 번개처럼 떠오르다. ② (번개가) 하늘에서 번쩍하다. ③ (표정이) 금세 나타나다. **~ *and trash*** (TV에서) 섹스와 폭력을 보여 주다. **~ *back*** 《*vi*.+副》 ① 되쏘아 비추다, 반사하다. ② 불현듯 과거를 회상하다. **—** 《*vt*.+副》 ③ 반사시키다. ④ 되노려보다. **~ *crimson*** (얼굴이) 홍분으로 붉어지다. **~ *forward*** (영화에서) 앞으로 전개될 장면을 순간적으로 보여 주다. **~ *in the pan*** 《비유》 일시적인 성공으로〔용두사미로〕 끝나다. **~ *on*** (조명이) 반짝 켜지다. **~ *over*** 〖전기〗 섬락(閃絡)시키다. ***It ~ed on me that ...*** 문뜩 …라고 깨달았다〔생각이 들었다〕.

— *n*. **1** 섬광, 번득임, 확 터지는 발화; 〖사진〗 플래시〔섬광〕 (촬영), =FLASH BULB; 신호기〔등〕의 한 번 흔들기: a ~ *of* lightning 전광의 번득임, 번개. **2** 순간; 흘끗 봄; 미소; 〖영화〗 플래시《순간 장면》; 〖신문·라디오〗 (뉴스) 속보: a ~ *of* hope 한순간의 희망 / in a ~ =like a ~ 대번에, 즉시 / (as) quick as a ~ 즉시. **3** (감홍·기지 등의)

번득임; 생각남; 《미속어》 관심 있는 일; 《속어》 마약 사용 직후의 쾌감; 흥분. **4** 자랑해 보임, 과시, 《속어》 음부의 노출; (동물 등의) 눈에 확 띄는〔선명한〕 반점; 《미속어》 사람 눈을 끌기 위한 것〔상품〕. **5** 《구어》 민첩한 사람; 《고어》 몹시 과시하는 사람; 《미속어》 카리스마적인 매력, 품격. **6** 증발, 기화(氣化). **7** 〖해사〗 봇둑의 낙숫물; 낙하 장치의 보〔수문〕; 《영방언》 (땅이 가라앉아 생긴) 못. **8** 거푸집의 내민 돌기. **9** (럼주·브랜디 등의) 착색료; (벽돌·타일용의) 유약. **10** 〖영군사〗 착색기장《사단 따위의 구별 표지》. **11** 《폐어》 (도둑 사이의) 은어, 변말. ***a ~ in the pan*** 《비유》 일시적인〔1회만의〕 성공(자); 용두사미(의 노력, 로 끝나는 사람)《화승총이 화약만 타고 공포로 끝나는 일이 있으므로》.

— *a.* **1** 값싸고 번드르르한, 겉치장의, 야한; (사람이) 보란 듯 거드름 피우는. **2** 가짜의, 위조의(counterfeit): ~ notes 위조지폐. **3** 일류의, 말쑥한《여관 따위》, 스포티한《차》; 《속어》 재치 있는; 빈틈없는(smart), 야무진. **4** (폭풍우 따위가) 갑작스럽게 닥친, 순간적인. **5** 섬광에 의한《상해》; 섬광 방지용의. **6** 도둑〔불량〕 사회의: a ~ term 불량배 사이의 은어.

flásh·bàck *n.* U,C 〖영화〗 플래시백《과거의 회상 장면으로의 전환》; 그 장면; 〖의학〗 환각의 재현 (현상)《LSD 금단 증상의 하나》; 화염의 역류.

flásh·bòard *n.* (댐의) 수위를 높이기 위한 판자, 수문판(板).

flásh·bùlb *n.* 〖사진〗 섬광 전구.

flásh bùrn 섬광 화상(火傷)《원폭 따위의》.

flásh càrd 플래시 카드《잠깐 보여 글자를 읽게 하는 외국어 따위의 교수용 카드》.

flásh-còok *vt.* (적외선 등으로) 순간 살균〔조리〕하다《통조림 등》.

flásh·cùbe *n.* 〖사진〗 섬광 전구 4 개가 회전하면서 발광하는 장치.

flásh·er *n.* 섬광을 내는 것; (교통 신호·자동차 따위의) 점멸광(光); 자동 점멸 장치; 플래시 보일러(flash boiler); 《속어》 노출광(狂).

flásh flóod (호우가 지난 후) 갑자기 밀어닥치는 홍수.

flásh-fòrward *n.* 〖영화〗 미래 장면의 사전 삽입.

flásh-fréeze *vt., vi.* = QUICK-FREEZE.

flásh gùn 〖사진〗 카메라의 섬광 장치.

flash·i·ly [flǽʃili] *ad.* 몹시 번드르르하게, 야하게; 번쩍이어.

flásh·ing *n.* **1** 섬광; 〖토목〗 막아 놓은 물; 〖건축〗 (벽 아래 대는) 굽도리 널. **2** (하수 청소 때 등에) 물을 좍 부음. **3** 〖사진·영화〗 부노광(副露光)《노광 전에 미약한 빛을 잠시 쬠》. **4 a** 유리를 재가열하여 부드럽게 하기. **b** 투명 유리에 색유리 박막을 씌움. **5** 《속어》 (노출광이) 성기를 살짝 보임. **—** *a.* 번쩍이는: a ~ lamp 〔lantern〕 (야간용) 발광 신호등.

flásh làmp 〖사진〗 섬광등.

***flash·light** [flǽʃlàit] *n.* 섬광; (등대의) 섬광《회전등 따위에 의한》; 《미》 회중 전등; 〖사진〗 플래시 (장치); 플래시 촬영 사진.

flásh mèmory 〖컴퓨터〗 플래시 메모리《컴퓨터 내의 데이터를 소거하거나 써넣을 수 있는 형(型)의 EEPROM》.

flásh nùmber (경제 통계 등의) 속보 숫자《잠정적 단계의 내부 자료》.

flásh·òver *n.* 〖전기〗 섬락(閃絡).

flásh pàck 《영》 〖상업〗 (슈퍼마켓 등의) 할인 가격 표시 제품.

flásh photògraphy 섬광 전구〔플래시〕 사용 촬영 사진(술).

flásh photòlysis 〖물리·화학〗 섬광 광분해.

flásh pìcture 섬광 촬영 사진.

flásh pòint **1** 〖화학〗 발화〔인화〕점. **2** 일촉즉발의 위기, 폭발 직전의 상태.

flásh ròll 〔**mòney**〕 《속어》 (돈이 있다는 것을 보이기 위해) 슬쩍 내보이는 돈다발.

flásh sùit 방열복(防熱服).

flásh suppréssor 〖군사〗 소화기, 차광기(遮光器)《발포 시의 섬광을 가리기 위해 포구(砲口)에 설치한 장치》.

flásh·tùbe *n.* 〖사진〗 섬광 전구(strobe).

flashy [flǽʃi] (***flash·i·er; -i·est***) *a.* 번쩍이는, 섬광 같은; 순간적인; 번지르르한, 야한, 겉모양뿐인, 굴퉁이의. ㊞ **flásh·i·ness** *n.*

°**flask**[1] [flæsk, flɑːsk/flɑːsk] *n.* 플라스크, 병; (술 따위의) 휴대 용기(容器); (주물용) 모래 거푸집; (사냥용) 화약 담개.

flask[2] *n.* (대포의) 가미(架尾)의 장갑; 《폐어》 포상(砲床).

flask·et [flǽskit, flɑ́ːsk-] *n.* 작은 플라스크〔병〕; 《영》 (빨래 담는) 운두 낮은 긴 바구니.

†**flat**[1] [flæt] (**-tt-**) *a.* **1** 편평한, 납작한; 평탄한, 울퉁불퉁하지 않은(plain): ~ land 평지 / a ~ dish 운두가 얕은 접시. **2** 편, 펼친, 벌린《손바닥·지도 따위를》. **3** 〔서술적〕 **a** 길게 누운: He lies ~ on his face. 그는 길게 엎드려 자고 있다. **b** 바싹 붙어 있는: He stood ~ against the wall. 벽에 바싹 붙어 서 있었다. **c** (수목·건물이) 쓰러진, 도괴된: The village was laid ~ by the typhoon. 마을은 태풍으로 괴멸하였다. **4** (그림이) 평면적인, 단조로운, 깊이가 없는. **5** (빛깔이) 일매진, 한결같은, 두드러지지 않은, 광택이 없는. **6** (음식이) 맛없는; (맥주 따위가) 김빠진(stale). **7** (이야기·익살 등이) 동떨어진, 딱 들어맞지 않는, 얼빠진. **8** (시황(市況)이) 활기 없는, 부진한, 불경기의(depressed). **9** 《구어》 기운 없는(dejected); 주머니 사정이 좋지 않은, 한 푼 없는: feel ~ 따분하다, 의기소침하다. **10** (값 따위가) 일률적인, 균일의(uniform); 〖상업〗 배당락(落)의. **11** 전면적인, 절대의, 순전한: a ~ denial 전면적인 부정 / ~ nonsense 어이없는 잠꼬대. **12** 단호한, 쌀쌀한, 노골적인: a ~ refusal 딱 자르는 거절 / a ~ warning 엄중한 경고. **13** 〖음악〗 반음 내림의. OPP *sharp*. **14** 〖문법〗 어미 무음화(無音化) 파생의《형용사 slow를 그대로의 형태로 부사로 쓰는 따위》. **15** 〖음성〗 입술을 벌린《[a]의 변종으로서의 [æ] 따위》. **(*as*) *~ as a pancake*** 《구어》 (토지 따위가) 평탄한; (모자·가슴 따위가) 납작한; (이야기 따위가) 지루하고 무미건조한. ***be ~ out*** 《구어》 지쳐 빠지다, 녹초가 되다. ***be in a ~ spin*** 곤경에 처하다, 움쭉 못하다. ***fall ~*** ① 벌렁 넘어지다. ② (농담·흥행·기획 등이) 완전히 실패로〔기대에 어긋나게〕 끝나다; (아무도 …에서는) 전혀 통용되지〔받아들여지지〕 않다. ***fall*** (**~**) ***on one's face*** ⇨ FACE. **~ *on one's ass*** 《미속어·비어》 ① 엉덩방아를 찧은. ② 동전 한푼 없는. ③ (육군에서) 무능한; 쓸모없는. **~ *on the back*** (병 따위로) 몸져 누워. ***go ~*** (타이어가) 펑크 나다. ***in nothing ~*** 《구어》 눈 깜짝할 사이에, 순식간에. ***knock*** a person **~** 아무를 때려눕히다, 땅 위〔마룻바닥〕에 납작하게 쓰러뜨리다. ***lay*** a thing **~** 무엇을 폭삭 무너뜨리다. ***lie ~*** (납죽) 엎드리다, 옆으로 쓰러지다, (건물 따위가) 폭삭 무너지다. ***That's ~.*** 《구어》 바로 그대로다; 확실히 아뢥니다.

— *ad.* **1** 편평하게, 납작하게. **2** 딱 잘라, 단호히: He contradicted me ~. 그는 내 말을 단호히 부정했다. **3** 꼭, 정확히: ~ five seconds = five seconds ~, 5 초 플랫《경기 기록 따위에서》. **4** 아주, 완전히, 전혀: ~ broke 완전히 무일푼이 되어 / ~ aback 지독히 놀라. **5** 〖금융〗 무이자로: sell ~ 이자를 계산에 넣지 않고 팔다. **6** 〖음악〗 반음 내리어. **7** 〖해사〗 (돛을) 팽팽하게 켕기어. **~ *out*** 《구어》 ① 전속력으로: drive ~ *out* 전속력으로 운전하다. ② 솔직하게 터놓고, 노골적으로: speak ~ *out* 솔직하게 말하다. ③ 《미

구어》 완전히: be ~ *out* mad 정말로 화나 있다. ④ 《미구어》 녹초가 되어; 나아갈 수 없게 되어. ***leave*** a person ~ 《구어》 아무를 갑자기 버리다 〔못 본 체하다〕.

— *n.* **1 a** 평면, 편평한 부분《손바닥 따위》: the ~ *of* a hand. **b** 평면도, 회화: in 〔on〕 the ~ 종이〔화포〕에; 그림으로서. **2 a** 평지(plain); (시냇가의) 저습지(swamp), 소택지; (보통 *pl.*) 모래톱, 여울(shoal). **b** 〖광산〗 수평층, 수평 광맥. **3** 편평한〔납작한〕 것. **a** 운두가 얕은 바구니, (모기르는) 평상자. **b** 너벅선(船), 퍼레이드용 수레(float); =FLATCAR. **c** 《영》 맥고모자《여성용으로 평평함》; 힐이 없는〔낮은〕 신〔슬리퍼〕. **d** (*pl.*) 《미속어》 (사람의) 발; (harness racing에 대하여) 기수가 타는 경마. **e** 〖건축〗 평지붕; 〖해사〗 (함장실·장교실에서 나갈 수 있는) 평갑판; 〖연극〗 플랫《밀어들이거나 내는 무대 장치》. **f** 〖미식축구〗 플랫《공격 포메이션의 양 날개의 에어리어》; (the ~) =FLAT RACE (의 계절). **g** 바람이 빠진〔펑크 난〕 타이어: I've got a ~. 펑크 났다. **h** 《미속어》 가장자리가 납작해지고 일그러진 주사위. **4** 〖음악〗 반음 내린 음, 내림표《♭》: sharps and ~*s* (피아노의) 검은 건반. **5** 《속어》 잘 속는 사람, 얼간이(duffer); 《Austral.속어》 경관, 순경(flatfoot). **6** (어린이용) 대형 책: a juvenile ~. ***draw from the*** ~ 도면을 본떠서 베끼다. ***give the*** ~ 《구어》 (구혼자를) 딱 거절하다〔퇴짜 놓다〕. ***join the*** ~***s*** 동닿게 하다, 앞뒤를 맞추다. ***on the*** ~ 평면〔평지〕에. ***on the same*** ~ 동일 평면상〔수준〕에.

— (**-tt-**) *vt., vi.* **1** 편평하게 펴다; 편평〔납작〕해지다. **2** 〖음악〗 반음 내리다〔내려가다〕. **3** 단조롭게 하다〔되다〕; 김빠지다, 맥 풀리다. **4** (애인을) 차 버리다. ~ ***in*** 〖해사〗 돛을 활짝 펴서 평평하게 하다. ~ ***off*** 《미》 경사가 차차 평면이 되다. ~ ***out*** 《미》 점점 엷어지다; 용두사미로 끝나다; 《미속어》 전속력으로 달리게 하다〔달리다〕.

[파] **∠·ness** *n.*

flat² [flæt] *n.* 《영》 **1** 플랫식 주택《각층에 1가구가 살게 만든 아파트》; (*pl.*) 플랫식 공동 주택: cold-water ~ 《미구어》 (온수 공급 시설이 없는) 싸구려 아파트. **2** 《드물게》 (건물의) 층; 바닥. — *vi.* 《Austral.》 플랫에 살다 《*with*》.

flát ádverb 〖문법〗 단순형 부사《-ly가 붙지 않는 (go) *slow* 등의 부사》.

flát bàck 〖제본〗 등이 납작한 제본〔책〕.

flát·bàcker *n.* 《미속어》 매춘부.

flát bàg 서류 봉투《대형 서류 봉투》.

flát·bèd *a.* (트럭 등) 평상꼴의; (실린더 프레스가) 평반형인. — *n.* 평상꼴의 트레일러〔트럭〕; 평반 인쇄기(=∠ (**cýlinder**) **prèss**).

flátbed àircraft 〖항공〗 평저형 수송기《조종석 뒤에서 기미(機尾)에 걸쳐 평평한 화물 탑재용 동체를 설치한》.

flátbed scánner 평반 스캐너.

flát·bòat *n.* 너벅선(船).

flát·bóttomed *a.* 바닥이 편평한《배》.

flát cáp (종이의) 14×17인치판(判).

flát·càr *n.* 《미》 〖철도〗 (지붕도 측벽(側壁)도 없는) 무개화차, 목판차.

flát-chésted [-id] *a.* 《속어》 (여자가) 앞가슴이 편평한.

flát displày 〖컴퓨터〗 평면 화면 표시 장치《액정(LC)·평면 브라운관 등을 이용한》; 〖출판〗 평면 전시《신간의 표지가 위를 향하도록 진열대 위에 여러 권 겹쳐 쌓아 전시·판매하는 방법》.

flát-éarther *n.* 지구가 평평하다고 믿는〔생각하는〕 사람; 이미 잘못이 증명된 오래된 생각〔이론〕을 여전히 고집하는 사람.

flat·ette [flætét] *n.* 《속어》 작은 플랫 주택.

flát-fèlled séam 〖재봉〗 공그르기.

flát-file dátabase 〖컴퓨터〗 평면파일 데이터베이스《한 개의 데이터베이스가 단일 파일에 내장되는 데이터베이스 시스템》.

flát·fish (*pl.* ~, ~·**es**) *n.* 〖어류〗 넙치, 광어(廣魚)《가자미류의 총칭》.

flát·fòot *n.* **1** (*pl.* **-fèet**) 편평족. **2** (*pl.* 종종 ~**s**) 《속어》 경(찰)관, 순경.

flát·fóoted [-id] *a.* **1** 편평족의. **2** 《구어》 기탄없는(downright), 단호한(determined); 타협하지 않는. — ***ad.*** 《구어》 단호히; 《구어》 갑자기, 불의에; 《구어》 기습을 당하여; 직접. ***catch*** a person ~ 《구어》 아무를 불시에 덮치다, 아무에게 기습을 가하다; 아무를 현행범으로 체포하다. [파] ~·**ly** *ad.* ~·**ness** *n.*

flát-fòur *a.* (엔진이) 수평 4기통의.

flát-hàt *vi.* 무모하게 저공비행하다.

flát·hèad *a.* 머리가 납작한. — *n.* 납작머리뱀《북아메리카산》; 《속어》 얼간이; 《미속어》 순경; 사이드밸브형 엔진.

flát·ìron *n.* 다리미, 인두.

flát·lànd *n.* 평지, 평탄한 토지. [파] ~·**er** *n.*

flat·let [flǽtlit] *n.* 《영》 소(小)플랫《거실겸 침실과 목욕실·부엌이 한 칸에 다 있는 아파트》.

flát-lìne *vi.* 죽다; 끝장나다.

***flat·ly** [flǽtli] *ad.* 평평〔평탄〕하게; 단조롭게, 활기 없이, 굼뜨게; 딱 잘라, 단호히, 쌀쌀하게: refuse ~ 매정하게 거절하다.

flát·màte *n.* 《영》 flat²의 동거인.

flát-nósed *a.* 코가 납작한.

flát-óut *a.* 최고 속도의, 전속의; 전력을 기울인; 전적인《거짓말 따위》; 《방언》 솔직한, 숨김이 없는. — ***ad.*** 최고 속도로(at top speed). — *n.* 《미속어》 대실패.

flát·pàck *n.* 〖전자〗 얇은 4각판으로, 측면에 리드선이 있는 IC 용기(容器).

flát-pìcking *n.* 〖음악〗 플랫피킹《기타 따위에서 픽(pick)을 엄지손가락과 둘째손가락으로 쥐고 현을 튀기는 주법(奏法)》.

flát-pláte collèctor 평판식 태양열 집열기.

flát ràce (장애물 없는) 평지 경주〔경마〕.

flát-rate táx 《미》 (누진세에 대해) 일률 과세.

flát-róofed [-t] *a.* 지붕이 납작한, 평지붕의.

flát-scrèen *n., a.* 평판(平板) 스크린(의)《텔레비전》: a ~ TV 평판 스크린 텔레비전.

flát shàre 《영》 (여러 사람이 하나의 아파트를 같이 사용하는) 플랫 공유〔공주(共住)〕.

flát sìlver 《미》 식탁용 은제 식기류《나이프·포크 등》.

flát spìn (비행기의) 수평 나선 운동; 《구어》 동요, 당황, 불끈함. ***go into*** 〔***be in***〕 ***a*** ~ 《구어》 몹시 당황하(고 있)다, 자제심을 잃(고 있)다.

flát tàx 일률〔균등〕 소득세.

flat·ten** [flǽtn] *vt.* **1** 《~+[목]/+[목]+[부]/+[목]+[전]+[명]》 평평〔반반〕하게 하다, 고르다, 펴다(level): ~ crumpled paper 구겨진 종이를 펴다 / The cat ~*ed* himself *on* the ground. 고양이는 땅바닥에 납작 엎드렸다. **2** 쓰러뜨리다(prostrate); 완전히 압도하다; (권투 등에서) 때려눕히다, 녹아웃시키다. **3** 단조롭게 하다, 시시하게 하다; 무미하게 하다. **4** 〖음악〗 반음 내리다. — *vi.* **1** 평평〔반반〕해지다. **2** (맥주 따위가) 김빠지다, 맛이 없어지다. **3** 반음 낮아지다. ~ ***out 《*vt.*+[부]》 ① (두드려) 펴다; 반반〔편평〕하게 하다. ② 기가 죽게 하다. ③ 〖항공〗 강하〔상승〕에서 수평 비행으로 돌리다. — 《*vi.*+[부]》 ④ 펴지다; 반반〔편평〕해지다. ⑤ 기가 죽다. ⑥ 〖항공〗 강하〔상승〕에서 수평 비행으로 돌아가다.

flát·tened CRT 〖전자〗 편평형 음극선관〔브라운관〕.

***flat·ter¹** [flǽtər] *vt.* **1** …에게 발림말하다, …에게 아첨하다, 빌붙다(court): Don't ~ me. 아첨하지 마라. **2** 《~+[목]/+[목]+[전]+[명]》 우쭐하게〔의기양양하게〕 하다; 치켜세워 …시키다: You ~ me. 칭찬의 말씀 부끄럽습니다; 그렇지도 못합니

다/They ~*ed* him *into* contributing heavily to the foundation. 그를 치켜세워 재단에 많은 기부를 하게 했다. **3** 《+목+전+명/+목+*that* 절》《~ oneself》(제딴에는 …이라고) 우쭐해 하다: ~ one*self on* being clever 〔*on* one's cleverness〕 머리 좋은 체 우쭐해 하다/~ one*self with* hopes of success 〔*that* one will succeed〕 꼭 성공할 것같이 생각하다. **4** (사진이나 그림이) 실물 이상으로 잘 묘사되다, (옷 따위가 모습을) 돋보이게 하다: This portrait ~*s* her. 이 초상화는 실물보다 잘 되었다. **5** (감각을) 즐겁게 하다: music that ~*s* the ear 듣기 좋은 음악. ***feel*** (one***self highly***) **~*ed by*** …으로 (크게) 기뻐하다, 우쭐해지다: I *feel* ~*ed by* your invitation. 초청을 받아 영광으로 생각합니다.

flat·ter² *n.* 판판하게 펴는 망치.

flát·ter·a·ble [-rəbəl] *a.* 아부〔아첨〕에 약한, 발림말에 우쭐해 하는. 「하는」 사람.

flát·ter·er [-tərər] *n.* 아첨꾼, 빌붙는〔발림말

°**flát·ter·ing** [-təriŋ] *a.* 빌붙는, 아부〔아첨〕하는, 발림말하는; 기쁘게 하는; 유망하게 생각되는《가능성 따위》; 실제보다 좋아 보이는《초상 따위》. 파 **~·ly** *ad.*

***flat·tery** [flǽtəri] *n.* U,C 아첨, 치렛말, 빌붙음.

flat·tie [flǽti] *n.* **1** 《구어》 신 뒤축이 낮은〔없는〕 구두. **2** 평저선(船). **3** 《속어》 경관, 경찰.

flát tíme sèntence 《미》 〖법률〗 정기(定期) 금고형《형기가 법률에 고정되어 있어서 재판관의 재량이나 가석방에 의해 단축이 안 됨》.

flát·ting *n.* U 납작하게 하기; (금속의) 평연(平延); 무광〔광 지우기〕칠. 「창호.

flát tíre 펑크 난 타이어; 《미》 지겨운 사람, 벽

flat·tish [flǽtiʃ] *a.* 약간 편평한; 좀 단조로운.

flát·tòp *n.* 《구어》 항공모함.

flát túning 〖통신〗 (수신기의) 동조(同調) 불량.

flat·ty [flǽti] *n.* =FLATTIE.

flat·u·lence, flat·u·len·cy [flǽtʃələns], [-lənsi] *n.* U 위장에 가스가 참; 허세, 허영; 거만.

flat·u·lent [flǽtʃələnt] *a.* (가스로) 배가 부른; (말이) 허세를 부린, 공허한, 실없는; 자만하는. 파 **~·ly** *ad.*

fla·tus [fléitəs] *n.* 《L.》 한 번 내뿜는 숨, 기식(氣息); 일진의 바람; (위장 내의) 가스.

flát·wàre *n.* U 식탁용의 운두 얕은 식기《접시류》; 《미》 (은)식기류.

flát wáter 정수역(靜水域)《호수 등》.

flat·ways, -wise [flǽtwèiz], [-wàiz] *ad.* 편평하게, 납작하게, 평면으로.

flát·wòrk *n.* 다림질이 쉬운 판판한 빨랫감《시트·냅킨 따위》. 「蟲」(planarian).

flát·wòrm *n.* 〖동물〗 편형동물, 《특히》 와충(渦

flát-wòven *a.* 보풀이 일지 않도록 짠《카펫 따위》.

Flau·bert [floubéər] *n.* **Gustave ~** 플로베르《프랑스의 소설가; 1821-80》.

flaunt [flɔːnt] *vt.* **1** 자랑하다, 과시하다. SYN. ⇨SHOW. **2** (기 따위를) 나부끼게 하다. **3** 《미》 깔보다(flout). **—** *vi.* **1** 허영을 부리다; (화려한 옷을 입고) 뽐내며 걷다. **2** 휘날리다. **—** *n.* U 자랑, 과시. 파 **~·er** *n.* 「**~·ly** *ad.*

fláunt·ing *a.* 자랑하는, 눈부신; 나부끼는. 파

flaunty [flɔ́ːnti] *a.* 자랑 삼아 보이는, 과시하는.

flaut·ist [flɔ́ːtist] *n.* 피리 부는 사람, 플루트 주자(奏者)(flutist).

fla·va·none [fléivənòun] *n.* 〖생화학〗 플라바논《플라본(flavone)의 환원 생성물》.

fla·ves·cent [fləvésnt] *a.* 노래지는, 황색을 띤.

flávin ádenine dinúcleotide 〖생화학〗 플래빈 아데닌 디뉴클레오티드《산화 환원 효소 조효소(助酵素)의 일종; 생략: FAD》.

fla·vin(e) [fléivin] *n.* 〖생화학〗 플래빈《나무껍질 따위에서 채취되는 황색 유기성 염기(塩基); 황색 염료·방부제·구충제로 쓰임》.

flávin mononúcleotide 〖생화학〗 플래빈 모노뉴클레오티드《산화 환원 효소의 조효소의 일종; 생략: FMN》.

fla·vo·dox·in [flèivoudɑ́ksin/-dɔ́k-] *n.* 〖생화학〗 플라보독신《riboflavin을 함유한 단백질로서 박테리아 세포 내에서의 산화 환원 반응에 관계함》. cf. rubredoxin.

fla·vo·my·cin [flèivoumáisin] *n.* U 〖약학〗 플라보마이신《항생 물질의 일종》.

fla·vone [fléivoun] *n.* 〖생화학〗 플라본, 화황소(花黃素)《황색식물 색소의 기본물질 및 유도체》.

fla·vo·noid [fléivənɔ̀id] 〖생화학〗 *a.* 플라본의. **—** *n.* 플라보노이드《플라본의 탄소 골격을 가진 식물 색소의 총칭》.

fla·vo·nol [fléivənɔ̀ːl, -nɑ̀l/-nɔ̀l] *n.* 〖생화학〗 플라보놀《플라본 유도체(誘導體)》.

⁑**fla·vor,** 《영》 **-vour** [fléivər] *n.* **1** U (독특한) 맛, 풍미(savor), 향미. **2** C 조미료, 양념; 풍미 있는 것. **3** C 맛, 정취, 운치, 멋, 묘미: a story with a romantic ~ 낭만의 향기 높은 이야기. **4** U 《고어》 향기, 방향(aroma). **5** U 〖물리〗 플레이버《quark와 lepton의 타입과 종류를 식별하는 근원이 되는 성질》. **6** C 《미흑인속어》 성적 매력이 있는 여자. **—** *vt.* 《~+목/+목+전+명》 …에 맛을 내다, …에 풍미〔향기〕를 곁들이다(season); …에 멋을〔풍취를, 운치를〕 곁들이다: ~ soup *with* garlic 수프를 마늘로 양념하다/~ the evening *with* a poetry reading 야회(夜會)에서 시 낭송으로 운치를 더하게 하다. 파 **~ed** *a.* **1** 맛을 낸, 풍미를 곁들인. **2** 《복합어로서》 …의 맛이〔풍미가〕 있는. **~·ing** [-riŋ] *n.* U 조미, 맛내기; C 조미료, 양념. **~·less** *a.* **~·ous** [-rəs] *a.* 맛좋은, 풍미 있는, 향기 높은; 멋〔풍취〕 있는. **~·some** *a.* 향기 좋은, 풍미 있는; 풍취〔정취〕 있는.

flávor enhàncer 화학 조미료《monosodium glutamate의 통칭》.

fla·vor·ful [fléivərfəl] *a.* 풍미 있는, 맛 좋은; 《미속어》 즐거운; 여러 기능을 갖춘. 파 **~·ly** *ad.*

fla·vor·gen [fléivərdʒən] *n.* 풍미소(風味素)《가공 식품에 풍미를 내는 첨가물》.

flávor·ist *n.* 플레이보리스트《합성 식품의 향료를 만드는 전문가》. 「기로운.

fla·vory [fléivəri] *a.* 풍미 있는, (특히 차가) 향

°**flaw¹** [flɔː] *n.* **1** (성격 등의) 결점, 흠, 결함: a character ~ 성격상의 결함. **2** 〖법률〗 (법률 절차·문서 등의, 그것을 무효로 하는) 불비, 결함, 하자: There's a ~ *in* our new lease. 새 임대 계약에는 불비점이 하나 있다. **3** 금(간 곳), 흠(집) (crack). **—** *vt., vi.* …에 금가(게 하)다, 흠(집)을 내다; 결딴내다〔나다〕(mar); 무효로 하다(nullify): a ~*ed* gem 흠 있는 보석.

flaw² *n.* 돌풍(突風), 질풍; (눈·비를 동반한) 일진의 폭풍. 「*ad.* **~·ness** *n.*

fláw·less *a.* 흠 없는; 완벽〔완전〕한. 파 **~·ly**

flawy [flɔ́ːi] *a.* 돌풍의, 날씨가 험한.

flax [flæks] *n.* U 〖식물〗 아마(亞麻); 아마섬유; 《고어》 아마 천, 리넨(linen); 삼베, 마포; 담황갈

fláx bràke 삼훑이, 아마 쇄경기(碎茎機). 「색.

fláx còmb 삼을 다듬는 빗(hackle).

flax·en [flǽksən] *a.* 아마(제)의; 아마 같은; 담황갈색의. 「원산의 백합과 식물》.

fláx lìly 〔**bùsh**〕 〖식물〗 뉴질랜드삼《뉴질랜드

fláx plànt 아마(flax).

fláx·sèed *n.* U,C 아마인(linseed).

flaxy [flǽksi] *a.* 아마의, 아마 비슷한.

flay [flei] *vt.* (나무·짐승 따위의) 껍질〔가죽〕을 벗기다; …에게서 돈〔물건〕을 뜯어〔우려〕내다; …을 혹평하다, 깎아내리다. ~ ***a flint*** ⇨ FLINT.

F̍ làyer 〖통신〗 F 층(層)《최상층의 전리층; F_1 layer 와 F_2 layer 로 나뉨》. 「자.

fláy·flìnt *n.* 《고어》 지독한 구두쇠(miser); 착취

fld. field; fluid. **fl. dr.** fluidram(s).

◇**flea** [fli:] *n.* 벼룩; =FLEA BEETLE; 《미속어》 하찮은〔귀찮은〕 놈. ***a ~ in one's*** 〔***the***〕 ***ear*** 힐책; 빈정댐, (듣기) 싫은 소리; 귀따가운 말: send a person away 〔off〕 with *a ~ in his ear* 귀따가운 말을 하여 아무를 쫓아내다.

fléa·bàg *n.* 《속어》 침낭(寢囊); 《미속어》 싼 여인숙; 더러운 공공장소《영화관 따위》; 《속어》 (벼룩이 뀐) 동물; 구지레한 노파. 「히》봄망초.

fléa·bàne *n.* 〖식물〗 개망초속(屬)의 식물, 《특

fléa bèetle (벼룩처럼 잘 뛰는) 잎벌레의 일종.

fléa·bìte *n.* **1** 벼룩에 물린 자리; 《비유》 약간의 고통〔상처〕; 《비유》 사소한 비용〔일〕. **2** (말·개의) 갈색 얼룩.

fléa-bìtten *a.* 벼룩에 물린; (말의 털이) 흰 바탕에 갈색 반점이 있는. 「벼룩 잡는 목걸이.

fléa còllar (애완동물의 살충제가 들어 있는)

fléa-flìcker *n.* 〖미식축구〗 장거리 double pass로 적을 속이는 극적(劇的) 플레이.

fléa·hòpper *n.* 〖곤충〗 재배 식물을 망치는 각종 벼룩 모양의 해충.

fléa hòuse 《미속어》 싸구려 여인숙.

fléa·lòuse *n.* 배나무 해충의 일종.

fleam [fli:m] *n.* 〖수의〗 바소, 방혈침(放血針); 〖의학〗 랜싯(lancet), 피침(披針).

fléa màrket 〔**fàir**〕 도떼기〔고물, 벼룩〕 시장.

fléa·pìt *n.* 《영속어》 구지레한 건물〔방, 영화관〕.

fléa pòwder 《미속어》 질이 나쁜〔섞음질을 한〕 마약, 가짜 마약.

fléa tràp 《미속어》 =FLEA HOUSE. 「이의 일종.

fléa·wòrt *n.* 〖식물〗 금불초속(屬)의 일종; 질경

flèche [fleiʃ] *n.* 《F.》 화살; 〖축성(築城)〗 돌각보(突角堡); 〖건축〗 (고딕식 교회의) 작은 뾰족탑.

flé·chette [fleiʃét] *n.* 《F.》 〖군사〗 (제 1 차 세계대전 때 공중에서 투하된) 강철제 화살.

fleck [flek] *n.* (피부의) 반점, 주근깨(freckle), 기미; (색·광선의) 얼룩, 반문, 반점; 작은 조각. ── *vt.* …에 점점이 있다; 《수동태》 (…로) 얼룩덜룩해 있다《*with*》. ㊞ **~ed** [-t] *a.* ~이 있는.

fléck·er *vt.* =FLECK.

fléck·less *a.* 반점〔얼룩〕이 없는; 오점이 없는, 결백한. ㊞ **~·ly** *ad.*

flec·tion, 《영》 **flex·ion** [flékʃən] *n.* **1** Ⓤ 굴곡. **2** Ⓒ 굴곡부(curve). **3** Ⓤ 〖해부〗 (관절의) 굴곡 작용. cf. extension. **4** Ⓤ,Ⓒ 〖문법〗 굴절, 어미 변화(inflection). ㊞ **~·al** [-ʃənəl] *a.* **~·less** *a.* 어미 변화가 없는.

fled [fled] FLEE 의 과거·과거분사.

fledge [fledʒ] *vt.* (새 새끼를) 기르다《날 때까지》; (화살에) 깃을 달다; 털로〔깃으로〕 덮다. ── *vi.* 깃이 다 나다; 날 수 있게 되다. ㊞ **~d** [-d] *a.* 깃털이 다 난; 날 수 있게 된; 성인이 된. cf. full-fledged. **∠·less** *a.*

fledg·ling, 《영》 **fledge-** [flédʒliŋ] *n.* 겨우 부등깃이 난 새 새끼, 햇병아리; 풋내기, 애송이.

*__flee__ [fli:] (*p., pp.* ***fled*** [fled]; ***flée·ing***) *vi.* 《~/+전+명》 **1** 달아나다, 도망하다, 내빼다《*from*》; 피하다《*from*》: He *fled* at the sight of his enemy. 그는 적의 모습을 보자 도망쳤다 / ~ *from* temptation 유혹으로부터 피하다. SYN. ⇨ ESCAPE. **2** 〔과거·과거분사 또는 진행형〕 사라져 없어지다, 소산(消散)하다(vanish); 질주하다: Life had 〔was〕 *fled.* 숨은 이미 끊어져 있었다 / The fleeces are *~ing* before the wind. 흰 구름이 바람에 몰려간다 / The smile *fled from* his face. 그의 얼굴에서 미소가 사라졌다. ── *vt.* **1** …에서 도망치다, 떠나다(quit). **2** (유혹 따위를) 피하다(shun).

◇**fleece** [fli:s] *n.* 양털; 한 마리에서 한 번 깎는 양털; 〖문장(紋章)〗 플리스《허리께에 띠를 걸어 드리운 머리와 사지가 있는 양모 도형》; 양털 모양의 것; 흰구름; 흰눈; 더부룩한 백발; 보풀이 인 보드라운 직물. ── *vt.* **1** (양)털을 깎다. **2** 《~+목/+목+전+명》 …으로부터 빼앗다, 탈취하다《*of*》: be *~d* by sharpers 사기꾼에게 돈을 빼앗기다 / ~ a person *of* all his possessions 아무의 가진 것을 몽땅 빼앗다. **3** 《+목+전+명》 (양털·흰구름 따위로) 덮다: The sky was *~d with* clouds. 하늘은 흰구름으로 덮여 있었다.

fléece·a·ble *a.* 벗겨낼 수 있는; 속여 빼앗을 수 있는.

fleecy [flí:si] (***fleec·i·er; -i·est***) *a.* 양털로 (뒤)덮인; 양털 같은, 폭신폭신한; 양털로 만든. ㊞ **fléec·i·ly** *ad.* **fléec·i·ness** *n.*

fleer[1] [fliər] *vi., vt.* 조롱하다, 경멸〔우롱〕하다 (sneer) 《*at*》. ── *n.* 비웃음, 조롱, 우롱.

fle·er[2] [flí:ər] *n.* 도망자.

*__fleet__[1] [fli:t] *n.* **1** 함대; 선대(船隊)《상선·어선 따위의》: a combined ~ 연합 함대. **2** (항공기의) 기단(機團); (전차·수송 차 따위의) 대(隊); (택시 회사 등이 소유하는) 전 차량; 어망(漁網)의 줄: ~ cars 택시〔버스〕 회사에 일괄로 판매되는 차. **3** (the ~) 전(全) 함대, 해군(력). ***a ~ in being*** 현존(現存) 함대.

fleet[2] *vi.* **1** (시간·세월이) 어느덧 지나가다《*by*》; 날아가다, 빨리〔휙휙〕 지나가다《*away*》. **2** 〖해사〗 위치를 바꾸다(shift). ── *vt.* **1** (때를) 어느덧 지나치다. **2** 〖해사〗 …의 위치를 바꾸다. ── *a.* 《시어》 **1** 쾌속의(swift), 빠른《말 따위》: be ~ *of* foot 걸음이 빠르다. **2** 순식간에, 덧없는, 무상한. ㊞ **∠·ly** *ad.* 빠르게, 쾌속으로. **∠·ness** *n.*

fleet[3] *n.* 《폐어·영방언》 후미, 내포(內浦), 소만(小灣); (the F-) 플리트 강《Thames 강으로 흘러드는》. ***the Fleet*** (***Prison***) 〖영국사〗 옛날 Fleet 강가에 있었던 채무자를 수용하던 감옥.

Fléet Ádmiral 《미》 해군 원수. 「공대.

Fléet Áir Árm (the ~) (이전의) 영국 해군 항

fléet·fóoted [-id] *a.* 발이 빠른, 잰 발의.

fléet·ing *a.* 질주하는; 빨리 지나가는, 쏜살 같은; 덧없는, 무상한(transient). ㊞ **~·ly** *ad.* **~·ness** *n.*

Fléet párson 〔**cháplain**〕 《영》 플리트 감옥에서 비밀 결혼의 중매를 한 감옥 전속의 목사.

Fléet Strèet 플리트가(街)《런던의 신문사 거리》; 《비유》 런던의 신문계, 영국의 신문 기자들.

Flem. Flemish.

Flem·ing[1] [flémiŋ] *n.* Flanders 사람; Flanders 말을 쓰는 벨기에 사람.

Flem·ing[2] *n.* 플레밍. **1** Sir **Alexander** ~ 영국의 세균학자(1881–1955)《페니실린의 발명자》. **2** **Ian** (**Lancaster**) ~ 영국의 서스펜스 작가《007 시리즈의 원작자; 1908–64》. **3** Sir **John Ambrose** ~ 영국의 전기 기사(1849–1945)《플레밍의 법칙을 발견》.

Flem·ish [flémiʃ] *a.* Flanders (사람·말)의. ── *n.* Ⓤ Flanders 말; Flanders 사람.

Flémish schóol (the ~) 플랑드르파《15–17 세기에 Flanders에서 떨치던 화파(畫派)》.

flench, flense [flentʃ], [flens] *vt.* …의 지방〔가죽〕을 떼 내다《특히 고래·바다 표범의》.

__flesh__ [fleʃ] *n.* Ⓤ **1 살《뼈·가죽에 대하여》; (the ~) 육체(body)《영(靈)에 대하여》. cf. spirit. ¶ the ills of the ~ 육체적인 질환, 병 / after the ~ 세속적으로. **2** 살집(plumpness), 체중; 살결;

살성: a man of dark ~ 살갗이 거무스름한 사람/lose ~ 살이 빠지다, 마르다/gain 〔get, put on〕 ~ 살찌다. **3** (the ~) 육욕, 정욕: sins of the ~ 육욕의 죄, 부정(不貞). **4** 인간성; 인간미. **5** 인류(mankind), 생물: all ~ 모든 생물, 일체 중생. **6** 골육, 육친(kindred). **7** 식육(食肉), 수육(獸肉)《어육, 때로 새고기와 구별하여》: live on ~ 육식하다. ★ 지금은 일반적으로 meat를 씀. **8** (식물의) 과육(果肉), 엽육(葉肉). ***arm of*** ~ 물질의 힘. ***become*** 〔***be made***〕 ***one*** ~ (부부로서) 일심동체가 되다. ***be made*** ~ 육체로서 구현하다. ~ ***and fell*** 살도 가죽도, 전신; 〖부사적〗 온몸이, 죄다, 완전히(entirely). ***in*** ~ 살쪄서, 뚱뚱해져서: grow *in* ~ 살찌다. ***in*** ~ ***and blood*** (인간으로) 태어난 몸의; 본인, 당자, 자신. ***in the*** ~ 이승의 몸이 되어, 육체의 형태로, 살아서. ***press*** (***the***) ~ 《미》 악수하다. ***pound of*** ~ ⇨ POUND[1].

— *vt.* **1** (사냥개를) 살코기를 맛보여 자극(刺戟)하다. **2** 잔학 행위〔전쟁〕에 익숙게 하다. **3** (욕정을) 불러일으키다, 자극하다. **4** (칼을) 살에 찌르다, (칼을) 시험 삼아 써 보다; (재능 따위를) 실지로 시험하다. **5** (생가죽에서) 살을 발라내다《피혁 제조에서》. **6** 《+[목]+[부]》 살찌우다: ~ a steer *up* 식육용의 불깐 소를 살찌우다. **7** 《~+[목]/+[목]+[부]》 살을 붙이다; (각본가가 등장인물을) 구체화〔부각〕시키다《*out*》: build up a figure by ~*ing* a wire frame with clay 철사의 뼈대에 점토로 살을 붙여 소상(塑像)을 만들다/ ~ *out* a plan with statistics 통계 자료에 의거하여 계획을 한층 충실한 것으로 만들다. — *vi.* 《+[부]》 살찌다, 뚱뚱해지다《*out*; *up*》: He soon began to ~ *up*. 그는 곧 살찌기 시작했다.

flésh and blóod 1 (one's own ~) 자손; 육친; 피붙이. **2** (피가 통하는) 육체, 산 인간; 인정, 인간성. **3** 실질, 구체화.

flésh-and-blóod [-ənd-] *a.* 피붙이의; 인간의; 실체가 있는, 현실의.

flésh·brùsh *n.* 피부 마찰용 솔.

flésh-cólored, 《영》 **-oured** *a.* 살색의.

flésh èater 육식자; 육식 동물(carnivore).

flésh-èating *a.* 육식성의.

fleshed [-t] *a.* 둥글둥글한, 살집이 좋은; 무정한, 냉혈의; 〖결합사로〗 …한 살을 가진: thick-*fleshed*.

fléshed-òut *a.* 살이 붙여진, 확충된.

flésh·er *n.* **1** 살 발라내는 칼. **2** 《Sc.》 고기 장수(butcher).

flesh·ette [fleʃét] *n.* 작은 투시(投矢) 모양의 산탄자(散彈子)《베트남 전쟁에서 사용된 대인용(對人用) 무기》.

flésh flỳ 〖곤충〗 쉬파리.

flésh glòve 피부 마찰용 장갑《혈액 순환 촉진용》.

flésh·hòok *n.* (푸주의) 고기걸이.

flésh·ings *n. pl.* (몸에 착 붙는) 살색 속옷; 발라낸 살코기 조각.

flésh·less *a.* 살이 없는; 살이 빠진.

flésh·ly *a.* 육체의; 육욕의; 육욕에 탐닉하는, 육감적인(sensual); 이승의, 인간〔세속〕적인(worldly): the ~ envelope 육체. [파] **-li·ness** *n.*

flésh pèddler 《미속어》 **1** 매춘부, 갈보; 뚜쟁이; 여체로 손님을 끄는 흥행주. **2** (탤런트 등의) 알선〔소개〕업자.

flésh·pòt *n.* 고기 냄비; (the ~s) 〖성서〗 미식, 사치; (보통 *pl.*) 환락가.

flésh-prèsser *n.* 〖정치〗 (선거 운동에서) 정견 발표보다 주로 유권자와 악수를 하거나 등을 두드리는 정치가.

flésh-prìnting *n.* 어육(魚肉)의 단백질형(型)을 전자 공학적 방법으로 기록한 것《어류의 이주(移住) 조사용》.

flésh sìde 가죽의 안《즉, 털 없는 쪽》.

flésh tìghts (몸에 착 붙는) 살빛 속옷(fleshings).

flésh tìnt(s) 〖회화〗 인체의 살빛.

flésh wòrm 〖곤충〗 구더기.

flésh wòund 얕은 상처, 경상.

◇**fleshy** [fléʃi] (***flesh·i·er; -i·est***) *a.* 살의, 육체의; 살찐; 뚱뚱한; 살 같은; 육욕의; 〖식물〗 다육질(多肉質)의. [파] **flésh·i·ness** *n.*

fléshy frúit 다육과(多肉果).

fletch [fletʃ] *n.* (*pl.*) 살깃. — *vt.* (살에) 깃을 붙이다. [파] **∠·er** *n.* 살(깃) 제조인.

Fletch·er·ism [flétʃərizəm] *n.* [U] 음식을 잘 씹는 주의〔건강법〕.

flet·ton [flétn] *n.* (종종 F-) 플레튼 기와《반건조식 성형법으로 만든 영국의 벽돌》.

fleur·age [flə́:ridʒ] *n.* 꽃의 콜라주《갖가지 꽃잎을 모아 만드는 그림》.

fleur-de-lis [flə̀:rdəlí:s] (*pl.* ***fleurs-*** [-lí:z]) *n.* 《F.》 **1** 붓꽃속(屬)의 식물(iris). **2** 붓꽃의 무늬《속칭 백합 무늬: 1147년 이래 프랑스 왕실의 문장(紋章)》; 프랑스 왕실.

fleur-de-lis 2

fleur·et(te) [flə:rét, fluər-/flə:-] *n.* 작은 꽃 모양의 장식.

fleu·ron [flə́:ran, flúər-/flúərɔn, fə́:r-] *n.* 《F.》 (건축·화폐의) 꽃 모양 장식.

fleu·ry [flə́:ri, flúəri/flúəri, flə́:ri] *a.* 〖문장(紋章)〗 붓꽃 문장으로 장식한(flory).

flew [flu:] FLY[1]의 과거.

flews [flu:z] *n. pl.* (사냥개 등의) 처진 윗입술.

flex [fleks] *vt., vi.* (근육이 관절을) 구부리다; (관절이) 구부러지다; 〖지학〗 요곡(撓曲)하다. ~ *one's* ***muscle*** 《미구어》 (싸우려고) 몸을 도스르다; 위력을 보이다. — *n.* [U,C] 《영》 (전기의) 가요선(可撓線)(《미》 electric cord), 코드; 《영속어》 신축밴드《양말 대님 따위의》.

flex. flexible.

flex·a·gon [fléksəgàn/-gɔn] *n.* 플렉사곤《종이를 접어 만든 다면체; 다시 접기에 따라 여러 면이 생김》.

flex·i·bil·i·ty [flèksəbíləti] *n.* [U] 구부리기 쉬움, 유연성; 융통성, 신축성; (빛의) 굴절률.

***flex·i·ble** [fléksəbəl] *a.* **1** 구부리기 쉬운, 굴절성의. **2** 휘기 쉬운, 유연성이 있는(pliable). **3** 적응성이 있는(adaptable), 융통성 있는, 유순한: a ~ system 〔personality〕 융통성 있는 제도〔개성〕. [파] **-bly** *ad.* **~·ness** *n.*

fléxible exchánge ràte sỳstem 변동 환율 제도.

fléxible tíme 근무 시간 자유 선택제(flextime).

fléxible trúst 《영》 오픈형(型) 투자 신탁. [opp] *fixed trust.*

flex·ile [fléksəl/-sail] *a.* =FLEXIBLE.

flex·il·i·ty [fleksíləti] *n.* =FLEXIBILITY.

flexion ⇨ FLECTION.

flex·i·place [fléksəplèis] *n.* 재택(在宅) 근무자(telecommuter)의 근무 장소로서의 자택.

flex·i·time [fléksətàim] *n.* 《영》 =FLEXTIME.

flex·i·work [fléksəwə̀:rk] *n.* 신축자재의 일《일의 양이나 내용을 사람의 능력이나 형편에 맞추어 자유롭게 조절함》.

flex·i·year [fléksəjìər] *n.* 연간 자유 근무 시간 제도《회사의 사정과 종업원의 희망이 합치하는 것을 전제로, 최소 한도의 근무 시간을 미리 정해 두고, 연간 근무 일시를 자유롭게 선택하는 제도》.

flex·og·ra·phy [fleksɑ́grəfi/-sɔ́g-] *n.* 〖인쇄〗 플렉소 인쇄〔인쇄물〕《판재(版材)에 탄성 물질을 쓴 철판(凸版) 윤전 인쇄법》. [파] **flex·o·graph·ic** [flèksəgrǽfik] *a.*

flex·or [fléksər] *n.* 『해부』 굴근(屈筋)(=∠ múscle). cf. extensor.
fléxor tóne 『의학』 =EXTENSOR TONE.
fléx·tìme *n.* Ⓤ 근무 시간의 자유 선택 제도(flex-itime). [◂ *flexible time*]
flex·u·os·i·ty [flèkʃuásəti/-ɔ́s-] *n.* Ⓤ,Ⓒ 굴곡성, 만곡; (물결 모양의) 굽이침.
flex·u·ous, -ose [flékʃuəs], [-ous] *a.* 굴곡성의, 구불구불[굴곡]한; 물결 모양의, 굽이치는, 동요하는. ㊕ **~·ly** *ad.* 「『물리』 휨 강도.
flex·ur·al [flékʃərəl] *a.* 굴곡의: ~ strength
flex·ure [flékʃər] *n.* Ⓤ 굴곡, 만곡(bending); 『물리』 휨; 『수학』 왜곡도; Ⓒ 만곡한 것, 굴곡[만곡]부(bend); 『지학』 (지층의) 요곡(撓曲).
fléx·wìng *n.* 『항공』 플렉스윙《행글라이더 따위의 3 각천으로 된 날개》.
flib·ber·ti·gib·bet [flíbərtidʒìbit] *n.* 《고어》 수다쟁이(chatterbox)《특히 여자》; 경박한 사람; 허튼계집.
°**flick** [flik] *n.* **1** (매·채찍 따위로) 찰싹[탁] 때리기; (손가락 끝으로) 가볍게 튀기기: give a ~ 가볍게 때리다, 튀기다. **2** 튀겨 날림, 튀김; 갑작스러운 움직임, 홱 움직임(jerk): great ~s of spray and foam 큰 물보라. **3** 휙[탁, 찰싹] 하는 소리. **4** (the ~s) 《구어》 영화; 『군사』 탐조등. **—***vt.* **1** 찰싹[탁] 치다[튀기다]. **2** 《+목+부/+목+전+명》 가볍게 쳐서 털다, 털어버리다, 튀겨 날리다《*off; away*》: ~ *away* a crumb 빵부스러기를 튀겨 버리다 / ~ dust *from* one's coat 상의의 먼지를 털다. **3** 홱 흔들다; (잉크 따위를) 홱 흔들어 튀기다. **—***vi.* **1** 홱 움직이다; 훨훨 날다. **2** 《+전+명》 냅다 때리다: ~ *at* a fly 파리를 잽싸게 때리다. ~ ***out*** (동물의 혀 따위가[를]) 쑥 나오다[내밀다]. ~ ***through ...*** (페이지·카드 따위를) 훌훌 넘기다, (훌훌 넘기어 책 따위)를 대충 훑어보다.
*__flick·er__[1] [flíkər] *n.* 빛이 깜박임[어른거림], 명멸; 깜박이는[어른거리는] 빛; 전동(顫動); (나뭇잎의) 흔들림, 나풀거림; 급한 마음의 움직임, 흥분; 《구어》 영화(관); 『컴퓨터』 (표시 화면의) 흔들림: a ~ of hope 희망의 서광. **—***vi.* 명멸하다, 깜박이다; 흔들리다; (기 따위가) 휘날리다; 전동하다; (나뭇잎 따위가) 나풀거리다; 날개치다; 훨훨 날다. **—***vt.* 명멸시키다; 흔들리게 하다; 나풀거리게 하다. ~ ***out*** (성냥·촛불 따위가) 흔들거리며 꺼지다; 《비유》 (저항 따위가) 수그러져 진정되다. ㊕ **~·ing·ly** *ad.* 명멸하여, 흔들흔들; 훨훨, 나풀나풀. **~·less** *a.* **~y** *a.*
flick·er[2] *n.* 『조류』 (남·북아메리카산) 딱따구리의 일종《목 뒤쪽에 붉은 반점이 있음》.
flíck·er·ing [-riŋ] *n.* Ⓤ 깜박임, 명멸.
flíck-knìfe *n.* 《영》 플릭나이프(《미》 switch-blade (knife))《날이 자동적으로 튀어나오는》.
flíck ròll 『항공』 급횡전(急橫轉)(snap roll).
°**fli·er, fly·er** [fláiər] *n.* **1** 나는 것《새·곤충 등》; 비행사, 비행기; 쾌속정[선, 차, 마]; 《미》 급행열차, 급행버스. **2** 『기계』 플라이휠; (방적기의) 플라이어; (인쇄기의) 종이 집는 장치; (풍차의) 날개. **3** 『건축』 평단《곧은 계단의 한 단》; (*pl.*) 일직선의 계단. **4** 높이뛰기, 도약. **5** 《미구어》 투기, 재정적 모험(speculation). **6** 《미》 광고 쪽지, 전단, 삐라. ***take a*** ~ 『스키』 도약대에서 점프하다; 쾅하고 떨어지다; 《미구어》 투기하다, 요행수를 노리다《*at*》.
flight[1] [flait] *n.* **1** Ⓤ 날기, 비상(飛翔); Ⓒ 비행: a night ~ 야간 비행 / make [take] a ~ 비행하다, 날다 / take [wing] one's ~ 비행하다. **2** Ⓤ 비행력; Ⓒ 비행 거리. **3** Ⓒ 비행기 여행; (정기 항공로의) 편(便): *Flight* No. 7, 제 7 편. **4** Ⓤ,Ⓒ 날아오름; (항공기의) 이륙; (새·벌의) 집 떠나기, 둥지[보금자리] 뜨기. **5** Ⓒ (철새의) 이동(migration); (나는 새의) 떼: a ~ of wild geese 이동하는 기러기의 한 떼. **6** Ⓒ 『군사』 비행 편대. **7** Ⓤ (공상·야심 따위의) 비약, 고양(高揚); (재치의) 넘쳐흐름; (언행의) 분방(奔放), 벗어남. **8** Ⓤ 급히 지나감; (구름 등의) 질과(疾過); (시간의) 경과: the ~ *of* time 시간이 살처럼 빨리 지나감. **9** Ⓒ (층계의) 한 번 오르기; 층(계참)과 층(계참)을 잇는 계단; (허들의) 한 단열(段列): a ~ *of* stairs (층계참 사이의) 일련의 계단. **10** Ⓒ (가벼운) 화살(~ arrow); Ⓤ 원시 경사(遠矢競射) (~ shooting); 화살의 발사. **11** Ⓒ 일제 사격 (volley). ◇ fly *v.* ***in the first*** [***top***] ~ 《영》 앞장[선두에] 서서, 솔선하여; 주요한 지위를 차지하고. **—***vi.* (새가) 떼를 지어 날다. **—***vt.* (떼지어 날아가는 새를) 쏘다.

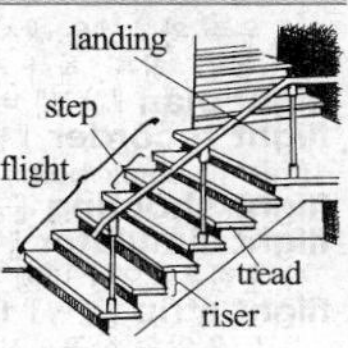

flight[1] 9

*__flight__[2] *n.* Ⓤ,Ⓒ 도주, 궤주(潰走), 패주; 탈출; 『경제』 자본(의) 도피(=~ of capital). cf. flee. ***put*** (the enemy) ***to*** ~ (적을) 패주시키다. ***take*** (***to***) ~ =***betake*** one***self to*** ~ 도망치다.
flíght àrrow 『궁술』 원시(遠矢).
flíght attèndant (여객기의) 접객 승무원《stewardess, hostess 등의 대용어로 성별을 피한 말》.
flíght bàg 항공 가방《여행용 가방 또는 숄더백》.
flíght càpital 『경제』 도피 자본(refugee capital).
flíght chàrt 항공도.
flíght clàss (여객기의) 좌석 등급《요금이 높은 순으로 first class, business class, economy class, tourist class 등이 있음》.
flíght contròl 『항공』 (이착륙) 관제(管制); 조종 장치[계통]; 항공 관제소: a ~ tower 관제탑.
flíght crèw =AIRCREW.
flíght dáta file 『우주』 비행 데이터 파일《우주선 승무원이 비행 시의 참고로 탑재하는 작업 스케줄이나 훈련 시의 데이터 등》.
flíght dáta prócessing sỳstem 『항공』 비행 계획 정보 처리 시스템.
flíght dáta recòrder 비행 기록 장치《생략: FDR》.
flíght dèck (항공모함의) 비행[발착] 갑판; (대형 비행기의) 조종실.
flíght engineèr 『항공』 (탑승하는) 항공 기관사.
flíght fèather 『조류』 날개깃, 칼깃.
flíght formàtion 『공군』 비행 대형[편대].
flíght ìndicator 『항공』 비행 지시기《인공 수평의 등》.
flíght informàtion règion 『항공』 비행 정보구(區)《생략: FIR》.
flíght interrúption mànifest 『항공』 일괄 운송 위탁 서류《항공편의 운항 불가능 시에 당해 항공 회사가 승객명·목적지·항공권 번호를 명기하여 대체편 항공권으로 바꾸는 일; 생략: FIM》.
flíght kìt 『우주』 비행용 키트《payload 에 갖가지 서비스를 하기 위한 하드웨어식》.
flíght·less *a.* (새가) 날지 못하는.
flíght lieutènant 《영》 공군 대위.
flíght lìne 『항공』 (격납고 주변의) 비행 대기선《주기(駐機)·정비(整備) 구역》; (비행기·철새의) 비행 경로.
flíght mànifest 『로켓』 적하(積荷) 목록《셔틀승무원용》.
flíght-nùmber *n.* (항공편의) 편(便) 번호.
flíght òfficer 《미》 공군 준위.
flíght pàth 『항공·우주』 비행 경로.
flíght pày 『미공군』 비행 수당.
flíght phàse 『항공·로켓』 비행 페이스《이를테면 우주 왕복선은 발사 전, 발사, 궤도 비행, 탈궤도, 돌입, 착륙, 착륙 후의 페이스로 나뉨》.

flíght plàn 〖항공〗 비행 계획(서).

flíght recòrder 〖항공〗 비행(飛行) 기록 장치 (《속어》 black box).

flíght shòoting 〖궁술〗 원시 경사(遠矢競射); 「나는 새 쏘기.

flíght sìmulator 〖항공·컴퓨터〗 (항공기 조종사 훈련용) 모의 비행 장치.

flíght strìp 〖항공〗 **1** 활주로(runway); 비상 활주로. **2** 연속 항공사진.

flíght sùit 비행복《군용기 탑승자가 착용하며, 내화성이 있음》. 「공 군의(軍醫).

flíght sùrgeon 〖미공군〗 항공 의관(醫官), 항

flíght-tèst *vt.* …의 비행 시험을 하다.

flíght tìme 플라이트 타임. **1** 이륙을 위해 항공기 바퀴가 활주로를 벗어나면서부터 착륙 시 접지하기까지의 시간. **2** 항공기가 출발을 위해 움직이기 시작한 시간(block time)부터 목적지의 주기장(駐機場)에 정지하기까지의 시간.

flíght·wòrthy *a.* 안전 비행 가능 상태의, 내공성(耐空性)의.

flighty [fláiti] (***flight·i·er; -i·est***) *a.* **1** 변덕스러운, 일시적 기분의, 엉뚱한. **2** 변하기 쉬운, 들뜬; 무책임한. **3** 경솔한; 머리가 좀 돈. ㊞ **flíght·i·ly** *ad.* **-i·ness** *n.*

flim·flam [flímflæ̀m] *n.* 엉터리, 허튼소리; 속임(수). ── (***-mm-***) *vt.* …에게 허튼소리하다; 속이다(cheat); 속여 빼앗다.

flímflam àrtist 《속어》 사기꾼.

°**flim·sy** [flímzi] (***-si·er; -si·est***) *a.* 무른, 취약한; (근거·논리가) 박약한(weak), 얄팍한, 천박한(shallow); 하찮은, 보잘것없는(paltry): a ~ structure 취약한 건물/a ~ excuse 빤히 들여다보이는 변명. ── *n.* 얇은 종이, 전사지(轉寫紙), 복사지; (신문 기자의) 얇은 원고지; 전보; 《속어》 지폐; (*pl.*) 《특히》 얇은 여자 속옷. ㊞ **-si·ly** *ad.* **-si·ness** *n.*

°**flinch**[1] [flintʃ] *vi.* 주춤〔움찔〕하다, 겁을 내다, 꽁무니 빼다《*from*》. ── *n.* 주춤〔움찔〕함, 꽁무니 뺌; 〖카드놀이〗 패를 숫자순으로 탁상에 쌓아 올리는 게임. ㊞ **∠·er** *n.* **∠·ing·ly** *ad.* 주춤하여, 기가 꺾여.

flinch[2] *vt.* =FLENCH.

flin·ders [flíndərz] *n. pl.* 파편, 부서진 조각. ***break*** 〔***fly***〕 ***into*** 〔***in***〕 **~** 산산조각이 나다〔으로 흩어지다〕.

*__fling__ [fliŋ] (*p., pp.* ***flung*** [flʌŋ]) *vt.* **1** 《~+목/+목+전+명/+목+부/+목+보》 던지다(throw), 내던지다(hurl) 《*about; aside; at; away; by; out; up*》: ~ a stone *at* a dog 개에게 돌을 던지다/~ a window open 〔shut〕 창을 거칠게 열다〔닫다〕. SYN. ⇨ THROW. **2** 메어치다, 내동댕이〔내팽개〕치다, 냅다 던지다. **3** 《+목+전+명》 던져 넣다, 집어〔처〕넣다《감옥 따위에》; 빠지게 하다: ~ a person *into* prison 아무를 투옥하다/~ the enemy *into* confusion 적을 혼란에 빠지게 하다. **4** 《+목+전+명/+목+부》 (팔 따위를) 갑자기 내뻗다, (머리 따위를) 흔들다(toss): ~ one's arms *round* a person's neck 아무의 목을 껴안다/~ the head *about* (말이) 목을 흔들다. **5** 《+목+전+명》 (군대를) 투입하다, 급파하다(dispatch); (무기를) 급송하다: ~ tanks *into* a battle 탱크를 전투에 투입하다. **6** 《+목+전+명》 《비유》 던지다: ~ an answer *at* the questioner 질문자에게 대답을 하다/~ a greeting *in* passing 지나치면서 가볍게 인사를 하다. **7** 《+목+전+명/+목+부》 (돈 따위를) 뿌리다, 낭비하다; 《시어》 (빛·냄새 따위를) 발산하다, 내다(emit), (그림자 따위를) 던지다: The sun ~*s* its warm rays *on* the soil. 태양이 따뜻한 빛을 대지에 비춘다/~ money *about* 돈을 뿌리다. **8** 《+목+전+명》 〖~ oneself〗 (성나서) 급히 …을 떠나게 하다; …의 몸을 던지게 하다; …에 매달리다, 끝까지 기대다〔의지하다〕《*on, upon*》; …을 몰두하게 하다: ~ one*self* angrily *from* the room 분연히 방에서 나가다/He *flung* him*self on* my generosity. 그는 나의 관대한 처분에 매달렸다/He *flung* him*self into* his work. 그는 자기 일에 몰두했다. ── *vi.* 《+부/+전+명》 **1** 돌진하다, 뛰어들다; 자리를 박차고 떠나다, 달려나가다《*away; off; out* (*of*)》: She *flung off* in anger. 그녀는 화가 나서 뛰쳐나갔다/He *flung into* the room. 방으로 뛰어들었다. **2** (말 따위가) 날뛰다《*about*》. **3** 비웃다, 비난하다《*out*》.

~ *about* 흩뿌리다; (망아지 따위가) 깡충거리다; (목을) 뒤흔들다. **~ *aside*** 던져 버리다; 무시하다(disregard); 물리치다(reject). **~ *away*** 《*vt.*+부》 ① ⇨ *vt.* 1. ② (기회 따위를) 헛되이 보내다, 놓치다: ~ *away* one's chances of promotion 승진의 기회를 놓치다. ── 《*vi.*+부》 ③ 뛰쳐나가다. **~ *back*** 되던지다; (적을) 격퇴하다. **~ *down*** (땅에) 메어치다; 넘어뜨리다(overthrow). **~ *in*** 던져 넣다; 덤으로 붙이다: one more article *flung in* 덤으로 하나 더. **~ *off*** 《*vt.*+부》 ① 떨어 버리다, (옷을) 홱 벗어던지다; (추적자를) 따돌리다. ── 《*vi.*+부》 ② 뛰어나가다. **~ *open*** (문 따위가〔를〕) 홱 열(리)다. **~ *out*** 《*vi.*+부》 ① (말·사람 등이) 날뛰다. ② 폭언〔욕〕을 하다. ── 《*vt.*+부》 ③ (양팔 따위를) 쭉 뻗다. ④ 폭언을 하다〔퍼붓다〕. **~ *over*** 버리다, 못 본 체하다. **~ *one's clothes on*** =~ one***self into*** one***'s clothes*** 옷을 걸치다, 서둘러 옷을 입다. **~** one***self about*** (in anger) (성이 나서) 펄쩍 뛰다. **~** one***self at*** a person***'s head*** (여자가 남자의) 환심을 사려고 꼬리치다. **~** one***self into*** (몸을 내던져) 뛰어들다; (안장 따위)에 훌쩍 올라타다; (의자 따위)에 털썩 앉다; (사업 등)에 투신〔몰두〕하다: ~ one*self into* a saddle 훌쩍 몸을 날려 안장에 올라타다. **~ *up*** (팔 따위를) 흔들어〔치켜〕 올리다; (발뒤꿈치를) 차 올리다; (흙더미를) 파 올리다; (하여야 할 일을) 방임하다, 단념〔포기〕하다.

── *n.* **1** (내)던지기, 투척. **2** (손발 따위를) 휘두르기, 뻗치기; (댄스의) 활발한 동작〔스텝〕, 《특히》 =HIGHLAND FLING; 《미》 댄스(파티). **3** 도약, 돌진; (말 따위의) 날뜀. **4** 기분〔멋〕대로 하기; (청년기의) 방자, 방종: have one's ~ 마음껏〔마음대로〕 하다, 실컷 놀다. **5** 욕, 악담, 비꼼(sarcasm); 비웃음, 놀림(gibe). **6** 격분, 격노. **7** 《구어》 시도, 시험. ***at one*** **~** 단김〔단숨〕에, 일격에. ***give a*** **~** 내던지다, (발로) 차다. ***have*** 〔***take***〕 ***a*** **~** ***at*** …을 공박〔매도〕하다; …을 시도〔시험〕하다. ***in a*** **~** 분연히. ***in*** 〔***at***〕 ***full*** **~** 쏜살같이, 척척 진척되어.

flíng·er *n.* 던지는 사람; 〖야구〗 투수.

°**flint** [flint] *n.* **1** U,C 부싯돌; 라이터돌; =FLINT GLASS: a ~ and steel 부싯돌과 부시, 부시 도구. **2** U 아주 단단한 물건; 냉혹〔무정〕한 것; =FLINT CORN: a heart of ~ 무정〔냉혹〕한 마음. (***as***) ***hard as*** (***a***) **~** 돌처럼 단단〔완고〕한. ***set*** one***'s face like a*** **~** 단단히 결심하다, 안색 하나 까딱 안 하다. ***skin*** 〔***flay***〕 ***a*** **~** 인색하게 굴다, 욕심 사납게 굴다. ***wring*** 〔***get***〕 ***water from a*** **~** 불가능한〔기적적인〕 일을 행하다. ── *vt.* (총 따위)에 부싯돌을 갖추다.

flínt còrn 알갱이가 딱딱한 옥수수의 일종.

flínt glàss 납유리, 플린트 유리(crystal glass) 《광학 기계·식기용의 고급 유리》.

flínt·hèad *n.* (부싯돌로 만든) 화살촉.

flínt·héarted [-id] *a.* 냉혹한.

flínt·lòck *n.* 부싯돌식 발화 장치(의 총); 수발총(燧發銃).
flinty [flínti] (***flint·i·er; -i·est***) *a.* 수석질(燧石質)의((토양 따위)); 부싯돌 같은; 매우 단단한; 완고한; 냉혹[무정]한, 피도 눈물도 없는. ㊞ **flínt·i·ly** *ad.* **-i·ness** *n.*
°**flip**[1] [flip] (***-pp-***) *vt., vi.* **1** (손톱·손가락으로) 튀기다, 홱 던지다. **2** 톡 치다, (재 따위를) 가볍게 털다((*off*)); 홱 움직이(게 하)다; (채찍 따위로) 찰싹 때리다((*at*)). **3** 뒤집다, 뒤엎다; 훌훌 넘기다((*through*)). **4** ((속어)) 정신이 돌다, 발끈하다, 흥분하다, 크게 웃다; (…에) 열중하다[케 하다] ((*over; for*)). **5** ((미속어)) (열차)에 뛰어오르다; 〚농구〛 득점하다. **6** ((속어)) (사람이) 반응을 보이다((흥분·기쁨 따위의)). ~ ***out*** ((속어)) 정신이 돌(게 하)다, 자제를 잃(게 하)다, 욱하(게 하)다; ((미속어)) (마약 기운으로) 이상(야릇)한 행동을 하다. ~ one's ***lid*** [***raspberry, stack, top, wig***] ⇨LID. ~ ***up*** (순번 따위를 정하기 위해) 동전을 튀겨 올리다. ―*n.* **1** 손가락으로 튀김, 가볍게 치기; 홱 움직이기. **2** 공중제비; ((영구어)) (비행기로) 훌쩍 날기(cf. spin); 〚미식축구〛 재빠른 패스. **3** ((미속어)) 호의; 크게 웃기는 것; 열광자, 팬. **4**((구어)) 약은 체하는 사람. ―(***∠·per; ∠·pest***) *a.* ((구어)) =FLIPPANT.
flip[2] *n.* 플립((맥주·브랜디에 향료·설탕·달걀을 넣어 달군 쇠막대로 저어 만든 음료)). 「선).
FLIP Floating Instrument Platform (해양 조사
flíp chàrt 플립 차트((강연 따위에서 쓰는 한 장씩 넘길 수 있게 된 도해용 카드)).
flíp chìp 〚전자〛 플립 칩((다른 부품에 붙일 수 있게 된 마이크로 회로편(回路片))).
flíp-flàp, -flòp *n.* **1** ((주로 구어)) (동향·소신·태도·방침 등의) 돌변, 급변, 표변. **2** 공중제비. **3** 꽃불, 폭죽. **4** (놀이터의) 회전 시소. **5** (-flop) 〚전자〛 플립플롭 회로(=∠ **cìrcuit**)((교호(交互) 접속식 회로)); 고무 샌들. ―*vi.* 퍼덕퍼덕하다; 재주넘기하다; (-flop) 방향[태도, 결정]을 바꾸다. ―*vt.* (-flop) …의 방향을 바꾸다. ―*a.* (-flop) (위치 따위를) 바꾸는, 전환식의. ―*ad.* 퍼덕퍼덕, 덜컥덜컥.
flíp-òut *n.* ((미속어)) 자제(自制)를 잃음, 엉뚱한 행위, 동요, 노여움, 열광; 놀랄 만한 체험.
flip·pan·cy [flípənsi] *n.* U,C **1** 경솔, 경박; 건방짐. **2** 경솔[경박]한 언행.
°**flip·pant** [flípənt] *a.* 경박한, 까부는; 건방진, 무례한; ((고어·방언)) 입이 싼, 말수가 많은. ㊞ **~·ly** *ad.* **~·ness** *n.*
flíp·per *n.* 지느러미 모양의 발, 물갈퀴((바다표범·펭귄 따위의)); (보통 *pl.*) 잠수용 고무 물갈퀴; ((속어)) 손, 팔; ((속어)) 고무줄 새총(slingshot).
flíp phòne 플립 핸드폰.
flíp·ping ((속어)) *a., ad.* 가혹한[하게], 지긋지긋한[하게]. ―*n.* ((미)) 이자에 이자를 붙이기((고리대금의 수법)).
flip·py [flípiː] *n.* 〚컴퓨터〛 mini floppy disk의 별칭. cf. floppy disk. 「유」 뒷면, 반대면.
flíp sìde (the ~) (레코드의) 뒷면[B면]; ((비
flíp-top cán 깡통의 일부가 경첩으로 고정되어 반대쪽을 밀어올리면 열려지는 깡통.
flíp-top tàble 뚜껑을 여닫는 식의 테이블.
FLIR 〚군사〛 forward-looking infrared radar (적외선 전방 감시 장치).
flirt [fləːrt] *vi.* ((~/+전+명)) **1** (남녀가) 새롱[시시덕]거리다, 농탕치다, '불장난' 하다((*with*)): She's always *~ing with* men. 그녀는 언제나 남자들과 새롱거린다. **2** 쫑긋쫑긋 움직이다, 훨훨 날아다니다: bees *~ing from* flower *to* flower 꽃에서 꽃으로 날아다니는 벌들. **3** (반 장난으로) 손을 내밀다, 농락하다, 가지고 놀다((*with*)); 〚야구〛 (투수가) 상대 팀을 쉽게 누르다: ~ *with* an idea 관념의 유희에 빠지다. ―*vt.* 튀기다(fillip), 홱 던지다; (새가 꼬리를) 활발히 (앞뒤로) 움직이다; (부채로) 확확 부치다. ―*n.* 바람난[불장난하는] 여자[남자](flirter); 홱 던지기; 활발하게 움직이기. ㊞ **∠·er** *n.* 흔드는[홱 던지는] 사람; 새롱거리는 사람.
flir·ta·tion [fləːrtéiʃən] *n.* U,C **1** (남녀의) 새롱거림((*with*)): have [carry on] a ~ *with* one's secretary 자기 비서와 희롱거리다. **2** 장난 삼아 하는 연애. **3** (생각 등의) 번롱, 우롱.
flir·ta·tious [fləːrtéiʃəs] *a.* 새롱거리는, 농탕치는(coquettish), '불장난'의, 들뜬, 경박한. ㊞ **~·ly** *ad.* **~·ness** *n.*
flírt·ing *a.* 새롱거리는, 시시덕거리는, 연애 유희적인, '불장난'적인. ㊞ **~·ly** *ad.* 「TIOUS.
flirty [fləːrti] (***flirt·i·er; -i·est***) *a.* =FLIRTA-
°**flit** [flit] (***-tt-***) *vi.* **1** ((~/+전+명)) (새 등이) 훌쩍 날다, 훨훨 날다: a butterfly *~ting from* flower *to* flower. **2** ((+전+명)) (사람이) 휙 지나가다, 오가다; (생각 따위가) 문뜩 (머릿속을) 스치다; (시간 따위가) 지나가다: Fancies ~ *through* his mind. 환상이 그의 마음속을 오간다. **3** ((N.Eng.)) 죽다; ((영구어)) (남녀가) 눈이 맞아 도망치다; ((Sc.)) (특히 몰래) 이사하다: moonlight *~ting* 야반도주. ―*vt.* ((Sc.)) 이전시키다. ―*n.* **1** 가벼운 움직임, 휙 날. **2** ((영구어)) (몰래 하는) 이사, 야반도주; ((미속어)) 비역쟁이, 면.
flitch [flitʃ] *n.* 소금에 절인[훈제(燻製)한] 돼지의 옆구리살, 베이컨의 한 조각; 핼리벗(halibut)의 저며낸 살; (네모지게 자른) 고래의 비계; 〚건축〛 죽데기(slab); 〚제재(製材)〛 (베니어로서의) 박판(薄板), 플리치((통나무를 세로로 켠 것)). ***the ~ of Dunmow*** 1년간 원만하게 지낸 부부에게 주는 소금에 절인 돼지고기의 한 조각((영국의 Essex주 Dunmow 마을에서)). ―*vt.* 얇게 저미다; (통나무를) 플리치로 켜다.
flítch(ed) bèam 〚건축〛 겹들보, 합량(合梁).
flítch·plàte *n.* 〚건축〛 flitch beam 사이에 넣는 보강 금속판.
flite, flyte [flait] ((Sc.)) *vi.* 말다툼[싸움]하다(quarrel)((*against; on; with*)); 욕하다, 매도하다(scold)((*at*)). ―*n.* 말다툼; 욕지거리, 매도.
Flíte Pád 플라이트 패드((간이 숙박용 캡슐 침대; 상표명)). 「니는 것).
flít·ter[1] [flítər] *vi., n.* 훨훨 날아다니다[날아다
flít·ter[2] *n.* (장식용) 작은 금속 조각.
flítter·mòuse (*pl.* ***-mìce***) *n.* 박쥐(bat).
flít·ting *a.* 훨훨 나는. ―*n.* 이사; 야반도주.
fliv [fliv] ((미속어)) *n.* 자동차. ―*vi.* 실패하다, 바보짓을 하다.
flív·ver [flívər] ((속어)) *n.* 값싼 물건, ((특히)) 싸구려 자동차; 소형 비행기((개인용)); 소형 구축함; 실패; 낭조. ―*vi.* 실패하다; (싸구려 자동차로) 여행하다.
flix [fliks] *n.* (the ~) 영화; 영화관.
float [flout] *vi.* **1** ((~/+부/+전+명)) 뜨다; 떠(돌아) 다니다, 표류하다(drift): ~ *in* the air 공중에 뜨다[떠다니다] / ~ *on* the water 물 위에 뜨다[떠다니다] / The canoe *~ed* downstream. 통나무 배는 강 아래로 둥둥 떠내려갔다. **2** ((~/+전+명)) (마음·눈앞에) 떠오르다((*before; in; into; through*)); (음악이) 흘러나오다[나가다]; (생각이) 흔들리다: Romantic vision *~ed before* my eyes. 로맨틱한 환상이 눈앞에 떠올랐다. **3** 〔보통 진행형〕((구어)) (사상·소문 따위가) 퍼지다, 유포하다((*about; around*)): A nasty rumor about him is *~ing around* town. 그에 관한 추문이 읍내에 퍼져 있다. **4** (회사 따위가) 설립되다; (어음이) 유통하다; (통화가) 변동 시세[환율]제로 되다((*against*)). **5** ((미속어)) (기

분이) 들뜨다. **—** *vt.* **1** 띄우다, 떠돌게〔감돌게〕 하다; (바람이 향기를) 풍기다, 나르다. **2** (소문을) 퍼뜨리다, 전하다. **3** (회사를) 설립하다. **4** (기금을) 모집하다, (채권을) 발행하다(market). **5** 물에 잠기게 하다; 관개하다. **6** (미장이가 벽을) 흙손으로 고르다. **7** …을 변동 시세〔환율〕제로 하다. ~ ***between*** …의 사이를 헤매다《마음·기분으로》. ~***ing on air*** 《미속어》 들떠서. ~***ing on*** (***the***) ***clouds*** 《속어》 ① 현실과 동떨어진 생각을 갖고. ② =~ing on air. ~ ***in*** one***'s cups*** 거나하게 취하다. ~ ***one*** 《미속어》 수표를 현금화하다, 돈을 빌리다.

— *n.* **1** 뜨는〔떠도는〕 것, 부유물; 부평초; 성엣장, 부빙(浮氷); 뗏목(raft). **2** (낚싯줄·어망 따위의) 찌; 부구(浮球)《물탱크의 수위를 조절하는》. **3** 구명대(袋), 구명구(具). **4** 뗏목; 부잔교(浮棧橋); (수상기의) 플로트, 부주(浮舟). **5** (물고기의) 부레. **6** (행렬 때의) 장식〔꽃〕 수레; (화물 운반용의) 대차(臺車). **7** (물레바퀴·외륜선(外輪船)의) 물갈퀴판(板). **8** (배달용의) 자동차; (가축·중량 화물용) 대차(臺車); 《Austral.》 마필 수송차. **9** (종종 *pl.*) 【연극】 각광(footlights). **10** (매수되기 쉬운) 부동 투표자; 뜨내기 노동자. **11** 【직물】 부사(浮絲)(로 짜기). **12** 흙손(trowel); 한쪽만 이가 있는 줄. **13 a** 《미》 【재정】 플로트《은행 간을 이동하고 있는 어음·수표의 총액》. **b** 《영》 점포나 상인이 하루의 일을 시작할 때 갖고 있는 잔돈; 예비금, 소액의 현금; 소액의 대부(금). **c** 변동 시세〔환율〕제. **14** 《미속어》 수업이 없는 시간, 자유 시간. **15** 【브레이크댄스】 플로트《몸을 마루와 수평되게 회전시키는 춤》. **16** (*pl.*) 《CB속어》 대형의 싱글타이어. ***on the*** ~ 《영》 떠서, 표류하여.

flóat·a·ble *a.* **1** 뜰 수 있는; 물에 뜨는. **2** 배·뗏목을 띄울 수 있는, 항해할 수 있는《강을 일컬음》; (광석이) 부유 선광에 적당한.

floatage ⇨ FLOTAGE.

floatation ⇨ FLOTATION.

flóat·bòard *n.* (물레바퀴의) 물갈퀴판.

flóat brídge 부교(浮橋), 배다리; 뗏목다리.

float·el [floutél] *n.* 수상(水上) 호텔.[◀ *floating* +*hotel*]

flóat·er *n.* **1** 뜨는 사람〔물건〕; 찌, 부표; 부척(浮尺); 해류병(drift bottle); 부유 시체, 익사자. **2** 【야구】 스핀을 주지 않은 슬로 볼; 【축구】 호(弧)를 그리는 느린 패스. **3** 《미》 부동 투표자, 부정〔이중〕 투표자; 이리저리 이전〔전직〕하는 사람, 뜨내기〔이동〕 노동자; 《미속어》 (경찰이 내리는) 도시로부터의 퇴거 명령. **4** (회사 설립의) 발기인; 《구어》 부동 증권; 【보험】 포괄 예정 보험 계약《종종 이동하는 물건의 도난·손상에 대한 보험》; 《미속어》 대부〔차입〕금. **5** 《속어》 잘못, 실수.

flóat físhing 하류(河流)에 배를 띄우고 하는 낚시; 《영》 찌낚시질.

flóat glàss 플로트 유리《플로트법으로 제조된 판유리》.

flóat gràss 부평초(floating grass).

flóat hòur 《미학생속어》 자유 시간, 수업이 없는 시간.

flóat·ing *n.* Ⓤ **1** 부유, 부동, 부양(浮揚). **2** (콘크리트 따위의) 흙손으로 고르기; 회벽칠의 중간칠. **—** *a.* **1** 떠 있는, 부동하는; 이동〔유동〕하는, 일정치 않은; (어디어디에) 있는《*about; around*》. **2** 【경제】 (자본 따위가) 고정되지 않은, 유동하고 있는; 【재정】 회계 연도 중에 지급해야 하는《공채 따위》; 변동 시세〔환율〕제의. **3** (뱃짐이) 해상에 있는, 양륙되지 않은: a ~ aerodrome 《영》 수상 비행장 / a ~ cargo 【상업】 미도착 화물. **4** 【의학】 유리된, 정상 위치에 없는. **5** 【전자】 (회로·장치가) 전원에 접속되지 않은. **6** 【기계】 부동(浮動)(지지)의, 진동 흡수 현가(懸架)의. **7** 《미속어》 (술·약에) 취한; 억세게 재수 좋은.

flóating ánchor 부묘(浮錨)(sea anchor).

flóating áxle 【기계】 부동축(軸). 「동 축전지.

flóating báttery 수상 포대(砲臺); 【전기】 부

flóating brídge 부교(浮橋), 배다리, 개폐교.

flóating cápital 【경제】 부동 자본(circulating capital).

flóating chárge 【경영】 부동(浮動) 담보, 기업 담보《특정 자산에 한정하지 않고 기업 전체 자산을 포괄하여 담보권을 설정하는 것》.

flóating cráne 기중기선(船).

flóating cúrrency 【경제】 변동 환(換)시세제 통화《시장의 수급에 따라 환율이 변하는 통화》.

flóating débt 【경제】 일시 차입금, 유동 부채.

flóating décimal póint 【컴퓨터】 부동십진(浮動十進) 소수점.

flóating (drý) dóck 부선거(浮船渠).

flóating exchánge ràte sỳstem 변동환율제.

flóating gráss 부평초.

flóating ísland 연못·늪 등의 부유물이 뭉쳐 섬처럼 된 것; 일종의 커스터드(custard).

flóating léver 【철도】 (차량의) 유동 레버.

flóating líght 등대선(lightship); 부표등.

flóating-pòint *a.* 【컴퓨터】 부동(浮動) 소수점식의. ⓒⓕ fixed-point. ¶ ~ representation 부동 소수점 표시.

flòating-point aríthmetic 【컴퓨터】 부동 소수점 연산《부동 소수점 수를 대상으로 하는 산술 연산》.

flóating ráte 플로팅 레이트《환시장의 자유 시세 또는 운임 시장의 자유 운임》.

flóating ráte nòte 【금융】 변동 이자부 채권《일정 기간마다 이율이 시장 실세 금리와 연동하여 변화하는 채권》.

flóating ríb 【해부】 유리(遊離) 늑골《흉골에 연결되지 않고 척추골에만 연결된》.

flóating stóck 【상업】 부동주(株). 「고량.

flóating supplý 【상업】 (증권·물품 등의) 재

flóating úpward 【경제】 (변동 시세제에 있어서의) 통화의 대외 가치 상승.

flóating vòte (the ~) (선거의) 부동표; 《집합적》 부동 투표층(層).

flóating vóter 부동성(浮動性) 투표자.

flóat·plàne *n.* (플로트를 단) 수상(비행)기.

flóat pròcess 플로트법《압연 성형된 고온의 대상(帶狀) 유리를 녹아 내린 주석 위로 통과시키는 판유리 제조법》. 「石).

flóat·stòne *n.* Ⓤ,Ⓒ 속돌, 경석(輕石), 부석(浮

flóat tànk =TRANQUILITY TANK.

flóat vàlve 【기계】 활동판(瓣), 플로트판《플로트의 오르내림에 따라 제어되는》.

floaty [flóuti] *a.* 뜨는, 부양성(浮揚性)의; (배가) 흘수선이 얕은.

floc [flak/flɔk] *n.* 면상(綿狀) 침전물. **—** (**-cc-**) *vt., vi.* 면상으로 굳히다〔굳어지다〕.

floc·ci·nau·ci·ni·hi·li·pi·li·fi·ca·tion [flàksənɔ̀ːsənàihiləpiləfikéiʃən/flɔ̀k-] *n.* 《우스개》 (부(富) 따위의) 경시(벽)(輕視(癖)).

floc·cose [flákous/flɔ́k-] *a.* 【식물】 수북이 털이 난〔로 덮인〕; 양털 모양의. 「集劑).

floc·cu·lant [flákjələnt / flɔ́k-] *n.* 응집제(凝

floc·cu·late [flákjəlèit/flɔ́k-] *vt., vi.* 솜처럼 뭉치다〔뭉쳐지다〕. ㊞ **-là·tor** *n.*

flòc·cu·lá·tion *n.* 면상(綿狀) 침전, 응집, 면상〔서상(絮狀)〕 반응.

floc·cule [flákjuːl/flɔ́k-] *n.* 한 뭉치의 양모(모양의 물질); 미세한 면상(綿狀) 침전물.

floc·cu·lence [flákjələns/flɔ́k-] *n.* 양모〔면〕상(狀).

floc·cu·lent [flákjələnt/flɔ́k-] *a.* 부드러운 털의; 북슬털 같은; 【동물】 솜털로 뒤덮인.

floc·cu·lus [flákjələs/flɔ́k-] (*pl.* **-li** [-lài]) *n.* 〚해부〛 (소뇌의) 소엽(小葉); 한 뭉치의 부드러운 털(floccule); 〚천문〛 (태양면 사진의) 양(모)반(斑).

floc·cus [flákəs/flɔ́k-] (*pl.* **-ci** [fláksai, -ksiː/flɔ́k-] *n.* (사자 따위의 꼬리 끝의) 터부룩한 털; (새 새끼의) 솜털; (식물체 표면의) 송이 모양의 털, 《특히》 균사(菌絲)의 뭉치; 〚기상〛 송이구름. **—** *a.* 〚기상〛 (구름이) 송이 모양의.

‡flock[1] [flɑk/flɔk] *n.* **1** (작은 새·양 따위의) 무리, 떼. cf. herd, drove, pack, flight, swarm, shoal. ¶ ~*s* and herds 양과 소. **2** (사람의) 떼(crowd), 일단(一團), (*pl.*) 군중(multitudes); 〔집합적〕 (예수에 대하여) 신도; (교회의) 회중(congregation); (한집안의) 자녀, (한 학교의) 학생들: the ~ of Christ 기독교 신자 / a mother with her ~ 아이들을 데리고 있는 어머니 / a teacher and his ~ 선생님과 학생들 / come in ~*s* 떼를 지어 오다. **3** 《드물게》 (물건의) 많음, 산더미. ***the flower of the*** **~** 군계일학(群鷄一鶴), (한집안의) 인물. **—** *vi.* 《+전+명/+부》 떼〔무리〕 짓다, 몰려들다, 모이다《*together*》; 떼 지어 몰려오다〔가다〕: Pilgrims ~ *to* Mecca every year. 순례자는 매년 메카에 떼를 지어 온다 / Birds of a feather ~ *together*. 유유상종(類類相從) / ~ *in* 〔*into*〕 (극장·경기장 따위에) 무리 지어 들어가다. **~ *after*** 열심히〔호기심으로〕 무리 지어 따라가다. 파 **∠·less** *a.*

flock[2] *n.* (양)털뭉치; (*pl.*) 털〔솜〕부스러기; (*pl.*) 〚화학〛 면상(綿狀) 침전물. **—** *vt.* (이불 등)에 털〔솜〕을 채워 넣다; (종이 따위)에 털〔솜〕 부스러기를 뿌리고 접착시켜 무늬를 만들다. 파 **∠·ing** *n.* 플로킹《착색한 털〔면〕부스러기·레이온 따위를 접착제 도포면에 뿌려 무늬를 낸 특수한 모양; 벽지 따위에 행해짐》. 「침대.

flóck béd 양털 부스러기를 넣은 매트리스를 깐

flóck·màster *n.* 목양(牧羊)업자; 양치는 사람.

flóck·pàper *n.* Ⓤ 나사지(羅紗紙).

flocky [fláki/flɔ́ki] (***flock·i·er; flock·i·est***) *a.* 양모〔털뭉치〕 같은, 솜 모양의.

floe [flou] *n.* 큰 성엣장, 부빙(ice ~); (해상에 떠 있는 넓은) 얼음벌, 빙원. cf. iceberg.

°flog [flɑg, flɔːg/flɔg] (***-gg-***) *vt.* **1** 《~+목/+목+부/+목+전+명》 매질하다, 채찍질하다(whip); 징계〔벌〕하여 …을 바로잡다〔가르치다〕; 혹사하다: ~ a donkey *along* 채찍질해서 당나귀를 가게 하다 / ~ Latin *into* a person 아무에게 라틴 말을 억지로 가르치다. **2** (수면에) 낚싯줄을 몇 번이고 고쳐 던지다(~ a stream). **3** 《속어》 지우다, 이기다(beat), …보다 낫다; 〚크리켓〛 마구 치다. **4** 혹평하다. **5** 《영속어》 (남의 것·공공 재산 따위를 불법으로) 팔아 치우다; 훔치다. **—** *vi.* (돛이) 바람에 펄럭이다; 애쓰며 나아가다. **~** (***a***) ***dead horse*** ⇨ DEAD HORSE. **~ *... to death*** 《구어》 (상품 선전·말을 되풀이하여) 진절머리나게 하다. 파 **∠·ger** *n.* 채찍질하는 사람.

flóg·ging *n.* Ⓤ 매질, 태형: give a person ~. 파 **~·ly** *ad.*

flógging chìsel 큰 끌.

flo·ka·ti [floukáːti] *n.* 〔단·복수취급〕 그리스 산의 수직 양탄자. 「〔원지〕.

flong [flɑŋ, flɔːŋ/flɔŋ] *n.* Ⓤ 지형(紙型) 용지

‡flood [flʌd] *n.* **1** (종종 *pl.*) 홍수, 큰물(inundation); (the F-) 〚성서〛 노아의 홍수(Noah's F-)《창세기 VII》: before the *Flood* 〔~〕 노아의 홍수 이전에, 아주 옛날에. **2** (a ~ 또는 *pl.*) 범람, 쇄도, 다량: a ~ *of* letters 쇄도하는 편지 / a ~ *of* tears 쏟아지는 눈물 / a ~ *of* words 도도한 변설 / a ~ *of* light 넘쳐 흐르는 빛 / ~*s of* rain 호우. **3** 밀물, 만조(~ tide): ebb and ~ 조수의 간만(干滿). **4** 《고어·시어》 양양한 물〔바다, 강〕. **5** =FLOODLIGHT. ***at the*** **~** 밀물〔만조〕 (때)에; 한창 좋은 시기에. **~ *and field*** 바다와 물. **~*s of ink*** 마구 써댐《논쟁 따위에서》. ***in*** **~** 홍수가 되어, (물이) 도도하게. ***in full*** **~** 활기〔힘〕에 넘쳐, 열중하여. ***open*** 〔***loose***〕 **~*-gates of*** (둑을 무너뜨리듯) 감정을 드러내다, 마음껏 …을 나타내다. ***reach*** **one's ~** 최고조에 달하다. ***take ... at the*** **~** …의 최고조를 이용하다, 최고조의 …에 편승하다.

— *vt.* **1** (물이) …에 넘치게 하다, 범람시키다, 잠기게 하다, …에 침수하다(inundate). **2** …에 물을 대다〔관개하다〕; …에 물을 많이 붓다〔쏟다〕; (엔진 따위)에 지나치게 연료를 주입하다; 《구어》 (위스키)에 다량의 물을 타다. **3** 《~+목/+목+전+명》 〔종종 수동태〕 (빛이) …에 넘쳐흐르다; 가득히 비추다《*with; by*》: Autumnal sunlight ~*ed the room*. =The room *was* ~*ed with* autumnal sunlight. 가을 햇빛이 방에 넘쳐흘렀다. **4** 《~+목/+목+전+명》 〔종종 수동태〕 …에 몰려〔밀려〕들다, 쇄도하다: The station *was* ~*ed with* refugees. 역에는 피난민들이 몰려들었다. **—** *vi.* **1** 《~/+부/+전+명》 (강이) 넘쳐흐르다, 물이 나다, 범람하다; 조수가 밀려오다; (엔진 따위가 시동이 걸리지 않을 만큼) 연료가 과다 주입되다; 빛이 휘황찬란하다; (사람·물건이) 몰려들다, 쇄도하다《*in; into; to*》: Fan letters ~*ed* in. 팬 레터가 밀려들었다 / Sunlight ~*ed into* the room. 햇빛이 방 안으로 환히 들이비쳤다. **2** 〚의학〛 대량 출혈하다《산후》. ***be ~ed out*** 홍수로 집을 잃다.

파 **∠·a·ble** *a.* **∠·like** *a.*

flóod contròl 홍수 조절《치수(治水)》.

flóod fàllowing 〚농업〛 관수 휴한법(冠水休閑法)《휴작(休作) 중 물을 채워 토양 매개의 병원균(病原菌)을 죽이는 법》.

flóod·gàte *n.* 수문(sluice), 방조문(防潮門); (종종 *pl.*) (분노 등의) 배출구.

flóod·ing *n.* Ⓤ 범람; 충만; 〚의학〛 (산후 또는 월경 과다의) 대량 출혈; 〚정신의학〛 정동(情動) 홍수법《공포증 환자를 계획적으로 공포의 원인에 직면시켜 치유하는》.

flóod làmp 투광(投光) 조명등(floodlight).

flóod·lìght *n.* Ⓤ 투광(投光) 조명; Ⓒ 투광 조명등(=∠ **projèctor**). **—** (*p.*, *pp.* **~·ed, -lit** [-lìt]) *vt.* 투광 조명등으로 비추다. 파 **~·ing** *n.* Ⓤ 투광 조명.

flóod·màrk *n.* 홍수 흔적(high-water mark); 만조표(滿潮標), 고수위표(高水位標).

flood·om·e·ter [flʌdámətər/-ɔ́m-] *n.* (밀물의) 수량 기록계, 만조〔홍수〕계(計).

flóod·plàin *n.* 〚지학〛 범람원(氾濫原).

flóod stàge 고(高)수위《이 수위를 넘으면 하천이 범람하는 수위》.

flóod tìde **1** 밀물. opp *ebb tide, neap tide*. **2** 최고조, 피크; 압도적인 양.

flóod·wàll *n.* 홍수 방벽, 방조벽(防潮壁), 제방.

flóod·wàter *n.* Ⓤ 홍수의 물.

flóod·wày *n.* (홍수 시의) 방수로(放水路).

flóod·wòod *n.* Ⓤ 유목(流木)(driftwood).

floo·ey, -ie [flúːi] *a.* 《미속어》 이상하게 된, 상태가 이상해진, (술에) 취한: go ~ 상태가 이상해지다, 잘못되다.

†floor [flɔːr] *n.* **1** 마루; 마루방; 지면, 노면; (평탄한) 작업장; (*pl.*) 마루청, 바닥재(材). **2** (건물의) 층(story): the first ~ 《미》 1층; 《영》 2층. ★ 영국에서는 ground *floor* 1층, first *floor* 2층, second *floor* 3층이 됨. **3** (the ~) 회의장, 의원석; (회의장에 있는) 의원, 회원; (의회에서의) 발언권; (연단에 대한) 회장(會場); 참가자:

from the ~ (연단이 아니라) 의원석으로부터 / get 〔obtain, be given〕 the ~ 발언권을 얻다. **4** (the ~) (거래소의) 입회장. **5** (동굴 등의) 밑바닥; 바다바닥, 해상(海床); 〖광산〗 광상(鑛床); 〖조선〗 뱃바닥, 선상(船床); (*pl.*) 밑바닥 늑재(肋材). **6** (양(量) 따위의) 최저; 바닥값, 최저 가격 (~ price). **7** 〖영화〗 스튜디오: on the ~ 영화 촬영 중. ***cross the ~*** (회의장에서) 반대당〔파〕에 찬성하다; 반대당으로 옮기다. ***fall through the ~*** 《구어》 깜짝 놀라다. ***get*** 〔***have, hold,*** etc.〕 ***the ~*** =take the ~ ①. ***go on the ~*** 《구어》 (영화가) 제작 단계에 들어가다. ***hold the ~*** 《구어》 청중의 마음을 끄는 말을 하다. ***keep ... off the ~*** 토의를 중지하다. ***mop*** (***up***) 〔***dust, sweep, wipe*** (***up***)〕 ***the ~ with ...*** 《구어》 …을 완전히 압도하다, …을 완패시키다. ***occupy the ~*** 《미》 (의회 연단에서) 발언 중이다. ***on the ~*** 의회에 참석하여; (영화) 제작 중에. ***put a ~ under*** …의 밑을 받치다, …을 지지하다; …을 안정시키다. ***take the ~*** ① (발언하려고) 일어서다, 토론에 참가하다. ② 춤추려고 (자리에서) 일어서다. ***put*** 〔***set***〕 ***a ~ under*** …의 최저 한도를 정하다. ***The ~ is yours.*** 좋습니다, 발언하세요《의장이 발언권을 요청한 사람에게》. ***walk*** 〔***pace***〕 ***the ~*** (고통 · 근심 따위로) 실내를 우왕좌왕하다.

— *vt.* **1** 《~+[목]/+[목]+[전]+[명]》 …에 마루청을 깔다〔대다〕; …에 돌을〔벽돌 등을〕 깔다: ~ a house 집에 마루청을 깔다 / The approach is ~*ed with* bricks. 현관으로의 통로에는 벽돌이 깔려 있다. **2** (상대를) 바닥에 때려눕히다, 때려서 기절시키다; 여지없이 해대다, 윽박지르다(defeat), 찍소리 못하게 하다(silence), (놀라게 하거나 쇼크로) 졸도시키다: He was ~*ed* by the problem. 그 문제에 두 손 들었다. **3** (음식 등을) 먹어 치우다. **4** 《영》 (벌로 학생을) 마룻바닥에 앉히다. **5** (일을) 완료하다, 해치우다; 《영학생속어》 (시험 문제를) 전부 풀다: I ~*ed* the paper. 문제를 전부 풀었다. **6** 《미속어》 (액셀러레이터를) 바닥에 닿을 때까지 밟다. **—** *vi.* 《미구어》 (액셀러레이터를 힘껏 밟아) 전속력으로 나아가다. ***get*** 〔***be***〕 ***~ed*** 여지없이 패배하다, 녹아웃되다; (논쟁에) 지다, 욱질리다; 낭패〔실패〕하다.

floor·age [flɔ́:ridʒ] *n.* 바닥〔마루〕 면적.

flóor·bòard *n.* 마루청〔널〕.

flóor bròker 《미》 플로 브로커《다른 회원을 위해 수수료를 받고 매매를 행하는 증권 거래소의 장내 중개인》.

flóor·clòth *n.* [U] 마룻바닥 깔개《리놀륨 · 유포(油布) 따위》; [C] 마룻걸레.

flóor-cròssing *n.* (영국 의회 따위에서) 반대당〔파〕에 던지는 찬성 투표. (파) **-cròss·er** *n.*

floored *a.* 마루를 깐; 《미구어》 몹시 놀란; 몹시 취한, 고주망태가 된.

floor·er [flɔ́:rər] *n.* **1** 마루청〔판〕 까는 사람. **2** 바닥에 때려눕히는 사람; (권투의) KO 펀치. **3** 《구어》 대타격; 꼼짝 못할 난제; (정신적 타격을 주는) 흉보, 찍소리도 못하게 하는 의론〔반박〕. **4** (skittles에서) 핀을 전부 쓰러뜨리는 투구.

flóor èxercise (체조 경기의) 마루 운동.

floor·ing [flɔ́:riŋ] *n.* [C] 마루, 바닥(floor); 바닥 깔기; [U] 마루청, 마루 까는 재료.

flóor làmp 《미》 마루 위에 놓는 램프〔스탠드〕.

flóor lèader 《미》 **1** (정당의) 원내 총무. [cf.] whip. **2** 특정 의안 심의를 마무르는 의원.

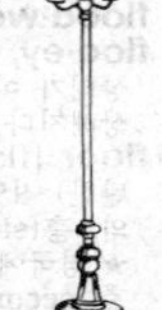

floor lamp

flóor-lèngth *a.* (마루) 바닥에 닿는 길이의《커튼 · 드레스 따위》.

flóor lìght 채광 바닥창.

flóor·man [-mən] (*pl.* ***-men***) *n.* =FLOORWALKER.

flóor mànager 《미》 (회의장의) 지휘자《특정 후보 또는 의안(議案)을 유리하게 이끌기 위해 막후 공작을 하는》; 텔레비전의 무대 매니저《감독의 지시에 따라 출연자를 지휘하는》.

flóor màt 플로어 매트《의자 바퀴에 의해 카펫이 훼손되는 것을 막기 위해 까는 매트》.

flóor mòdel 가게의 전시품《기구 따위》; (탁상형에 대해) 마루형, 콘솔형(console 型).

flóor pàrtner 《미》 플로파트너《주식 중매(仲買) 회사의 사원으로서, 증권 거래소 회원의 자격을 가지고 소속 회사를 위해 floor broker로 일하는 사람》.

flóor plàn 〖건축〗 평면도.

flóor prìce (수출) 최저 가격의 총칭.

flóor ròck 〖브레이크댄싱〗 마루 위에서 하는 춤.

flóor sàmple 견본 전시품《전시 후 할인 판매》.

flóor·shìft *n.* (자동차의) 바닥에 설치된 기어 전환 장치.

flóor shòw (나이트클럽 · 카바레 따위의) 여흥, 플로어쇼.

flóor spàce 〖건축〗 바닥 면적, (점포) 매장 면적.

flóor-thròugh *n.* 《미》 한 층 전체를 차지하는 아파트.

flóor tràder 《미》 플로 트레이더《자기의 계산으로 매매를 행하는 증권 거래소 회원》.

flóor·wàlker *n.* 《미》 (백화점 따위의) 매장 감독(《영》 shopwalker).

floo·zy, -sy, -sie [flú:zi] 《구어》 *n.* 칠칠치 못한 여자, 방탕한 여자〔아가씨〕; 매춘부; 지성이 모자란〔취미가 없는〕 여자.

*__flop__ [flap/flɔp] (***-pp-***) *vt.* **1** 《~+[목]/+[목]+[부]/+[목]+[전]+[명]》 툭〔털썩〕 던지다〔주저앉다〕, 탁 때리다, 쿵〔쾅〕 떨어뜨리다《*down*》: ~ oneself *down* 털썩 앉다 / ~ *down* a sack of corn 옥수수 자루를 털썩 내려놓다 / ~ one's book *on* the desk 책상에 책을 털썩 던지다. **2** (날개 따위를) 퍼덕거리다. **3** 《미속어》 협잡〔부정한 수법〕으로 잘 해내다. **—** *vi.* **1** 《+[부]》 픽 쓰러지다, 쿵〔쾅〕 떨어지다; 펄썩 (주저)앉다; 벌렁 드러눕다; 육중하게〔뚜벅 뚜벅〕 걷다《*down*》: ~ *down* on 〔into〕 the chair 의자에 털썩 앉다. **2** 《+[전]+[명]》 퍼덕〔펄럭〕이다: Fish were ~*ping on* the deck. 생선들이 갑판에서 퍼덕였다. **3** 《+[부]》 홱 변하다, 변절〔배신〕하다《*over*》: He ~*ped over* to the other party. 그는 갑자기 다른 당(黨)으로 변절했다. **4** 《구어》 (책 · 극 따위가) 실패로 끝나다. **5** 《속어》 잠자다; 《미속어》 하룻밤 묵다. ***~ along*** 《구어》 무거운 발걸음으로 걷다. ***~ out*** 《구어》 …을 때려눕히다.

— *n.* **1** 툭 떨어뜨림, 픽 쓰러짐; 퍼덕거림; 첨벙하는 소리; 배면(背面)뛰기(Fosbury flop). **2** 뚜벅뚜벅 걷기. **3** 《구어》 실패(자), (책 · 극 등의) 실패작; 《미속어》 속임(수). **4** 《미속어》 잠자리, 싸구려 여인숙; 엉성한 침대; 숙박, 하룻밤 묵음. ***go ~*** 실패하다. ***take a ~*** 넘어지다, 뒹굴다; (주가 등이) 급락(急落)하다.

— *ad.* 털썩, 툭: fall ~ 푹 쓰러지다, 털썩 떨어지다.

FLOP [flap/flɔp] 〖컴퓨터〗 floating-point operation(떠돌이 소수점 연산).

flóp-èared *a.* 귀가 축 늘어진《사냥개 따위》.

flóp·hòuse *n.* 《미》 간이 숙박소, 싸구려 여인숙《보통 남자 전용》.

flóp·òver *n.* 《미》 전복; 텔레비전 영상(映像)이 위아래로 흔들림.

flóp·per *n.* 새끼 물오리; 《미속어》 보험금을 노리고 사건을 날조하는 사람; 부랑자; 실업자, 룸펜; 변절자.

flop·py [flápi/flɔ́pi] (*-pi·er; -pi·est*) *a.* 퍼덕〔펄럭〕이는; (사람이) 느슨한, 야무지지 못한, 흘게늦은; (옷이) 헐렁헐렁한; 《구어》 약한. **—** *n.* =FLOPPY DISK. ㊕ **flóp·pi·ly** *ad.* **-pi·ness** *n.*

flóppy dísk 〖컴퓨터〗 플로피디스크《외부 기억용의 플라스틱제 자기(磁氣) 디스크》.

flóppy dísk drìve 〖컴퓨터〗 플로피디스크 드라이브《floppy disk를 회전시키는 기계 장치와 디스크에 자료를 기록하고 읽어내는 일을 수행하는 전자 회로 제어 장치로 구성됨》.

FLOPS, flops [flaps/flɔps] *n.* 〖컴퓨터〗 초당(秒當) 부동소수점 연산 횟수《과학 기술 계산에 있어서의 컴퓨터의 연산 속도의 단위》. [◂ *f*loating point *op*erations *p*er *s*econd]

flor. *floruit* 《L.》 (=he 〔she〕 flourished).

Flo·ra [flɔ́:rə] *n.* 플로라. **1** 여자 이름. **2** 〖로마신화〗 꽃의 여신.

flo·ra [flɔ́:rə] (*pl.* **~s, flo·rae** [-ri:]) *n.* (한 지방이나 한 시대 특유의) 식물상(相), 식물(군(群)), 식물구계(區系); 식물지(誌). ㏄ fauna.

flo·ral [flɔ́:rəl] *a.* 꽃의, 꽃 같은; 꽃무늬의; 식물(상)의; (F-) 꽃의 여신(Flora)의. ㊕ **~·ly** *ad.*

flóral émblem (나라 · 도시 따위를) 상징하는 [꽃.

flóral énvelope 〖식물〗 꽃뚜껑, 꽃덮이.

flóral léaf 〖식물〗 꽃잎; =BRACT.

flóral tríbute 헌화(獻花). 「기념》.

flóral wédding 화혼식(花婚式)《결혼 7주년

floreated ⇨ FLORIATED.

Flor·ence [flɔ́:rəns, flár-/flɔ́r-] *n.* 플로렌스. **1** 이탈리아 중부의 도시《이탈리아 이름은 Firenze》. **2** 여자 이름.

Flórence flàsk 넓적바닥 플라스크《실험용》.

Flor·en·tine [flɔ́:rəntì:n, -tàin, flár-/flɔ́rəntàin] *a.* Florence의; 〖요리〗 시금치를 사용한. **—** *n.* Florence 사람; (f-) Ⓤ 능직(綾織) 비단의 일종; 관상용으로 기르는 비둘기의 일종.

flo·res·cence [flɔ:résns] *n.* Ⓤ 개화(開花); 한창; 개화〔전성〕기, 번영기. 「창인.

flo·res·cent [flɔ:résnt] *a.* 꽃이 핀; 꽃이 한

flo·ret [flɔ́:rit] *n.* 작은 꽃; 〖식물〗 작은 통꽃《국화과(科) 식물의》.

flo·ri·at·ed, -re- [flɔ́:rièitid] *a.* 꽃으로 꾸며진, 꽃무늬의 (장식을 한).

flo·ri·bun·da [flɔ̀:rəbʌ́ndə] *n.* 〖식물〗 플로리분다《polyantha와 tea rose를 교배시킨 꽃송이가 큰 각종의 장미》.

flo·ri·cul·tur·al [flɔ̀:rəkʌ́ltʃərəl] *a.* 꽃가꾸기의.

flo·ri·cul·ture [flɔ́:rəkʌ̀ltʃər] *n.* Ⓤ 꽃가꾸기, 화훼 원예. ㊕ **flò·ri·cúl·tur·ist** [-tʃərist] *n.* 화초 재배자.

flor·id [flɔ́:rid, flár-/flɔ́r-] *a.* 불그레한, 혈색이 좋은《안색 따위》; 화려한, 찬란한, 현란한, 장식이 많은《문장 · 연설 · 건축 따위》. ㊕ **~·ly** *ad.* **~·ness** *n.* =FLORIDITY.

Flor·i·da [flɔ́:ridə, flár-/flɔ́r-] *n.* 플로리다《미국 대서양 해안 동남쪽에 있는 주; 생략: Fla., Flor., FL》. ***Straits of* ~** 플로리다 해협《멕시코만과 대서양을 이음》. ㊕ **-dan, Flo·rid·i·an** [-dən], [flərídiən] *a., n.* Florida의 (주민).

Flórida Kéys (the ~) 플로리다 키스 (제도)《Florida 반도 남쪽 끝의 산호섬들》.

Flórida wáter 플로리다수(水)《오드콜로뉴 비슷한 향수 · 화장수》. 「좋음; 화려함, 찬란.

flo·rid·i·ty [flɔ:rídəti] *n.* Ⓤ 색이 선명함; 혈색이

flo·rif·er·ous [flɔ:rífərəs] *a.* 꽃이 피는, 꽃이 많은. ㊕ **~·ly** *ad.* **~·ness** *n.*

flor·i·gen [flɔ́:rədʒən, flár-/flɔ́r-] *n.* 〖식물〗 화성소(花成素), 개화(開化) (촉진) 호르몬.

flo·ri·le·gi·um [flɔ̀:rəlí:dʒiəm] (*pl.* **-gia** [-dʒiə], **~s**) *n.* 화보(花譜); 사화집(詞華集), 명시선(名詩選).

°**flor·in** [flɔ́:rin, flár-/flɔ́r-] *n.* 플로린 화폐《(1) 1252년 Florence에서 발행한 금화. (2) Edward 3세 시대에 영국에서 유통된 3실링 및 6실링 금화. (3) 1849-1971년까지의 영국 2실링 은화. (4) (유럽 제국의) 플로린 금 · 은화》.

°**flo·rist** [flɔ́:rist, flár-/flɔ́r-] *n.* 꽃 가꾸는 사람, 화초 재배자; 꽃장수; 화초 연구가.

flo·ris·tic [flɔ:rístik] *a.* 꽃의, 꽃에 관한; 식물상(相)(연구)의, 식물지(誌)의. ㊕ **-ti·cal·ly** *ad.*

flo·rís·tics *n.* 식물상(相) 연구.

flórists' flówer 인공 교배로 키운 꽃.

-flo·rous [flɔ́:rəs] '…꽃이 피는'의 뜻을 갖는 결합사: uni*florous*.

Flor·rie [flɔ́:ri] *n.* 플로리《Florence의 애칭》.

flo·ru·it [flɔ́:rjuit, flá:r-/flɔ́:ruit] *n.* 《L.》 (연대 앞에 쓰이어) 활약기, 재세기(在世期)《특히 생몰 연월일이 불명한 사람에게 씀; 생략: fl., flor.: *fl.* A.D. 63-110》.

flo·ry [flɔ́:ri] *a.* 〖문장(紋章)〗 =FLEURY.

Flóry tèmperature 〖화학〗 플로리 온도《어느 고분자의 용액이 다른 고분자와 구별되는 특성을 나타내는 온도》.

flos·cu·lous, flos·cu·lar [fláskjələs/flɔ́s-], [-lər] *a.* 작은 꽃 모양의〔으로 된〕.

floss [flɔ:s, flas/flɔs] *n.* Ⓤ 명주솜, 누에솜; 풀솜; =FLOSS SILK; (옥수수의) 수염; 까끄라기; (타조) 몸털; 〖치과〗 =DENTAL 〔CANDY〕 **—** *vt., vi.* (이 사이를) dental floss를 써서 깨끗이 하다.

flóss silk 명주실《꼬지 않은 비단실; 자수용》.

flossy [flɔ́:si, flási/flɔ́si] (***floss·i·er; floss·i·est***) *a.* 풀솜 같은; 폭신폭신한; 야한.

FLOT [flat / flɔt] *n.* 아군(부대)의 최전선. [◂ *f*orward *l*ine of *o*wn *t*roops]

flo·ta [flóutə] *n.* 스페인 함대《식민지의 산물을 본국으로 수송하던》.

flo·tage, float·age [flóutidʒ] *n.* **1** 부유(浮遊), 부양(력), 부력(buoyancy). **2** 부유물, 표류물(flotsam); 《영》 표류물 습득권; (한 하천〔수역〕에 뜨는) 배 · 뗏목류; 건현(乾舷)《선체의 흘수선 위의 부분》.

flo·ta·tion, floa·ta- [floutéiʃən] *n.* **1** (회사의) 설립, 기업(起業); (신규 증권의) 모집; (공채의) 발행, 기채(起債): the ~ of a loan 기채. **2** 부양(력), 부력; 부체학(浮體學); 〖광산〗 부유 선광(浮遊選鑛), 부선(浮選); (나쁜 길 · 설면 등에 대한 타이어의) 침하(沈下) 저항력.

flotátion bàg 부동 주머니《착수한 우주선 · 미사일 등이 가라앉는 것을 막고, 물위에서 안정을 유지하도록 하는 공기주머니》.

flotátion còllar (우주선 등의 착수(着水) 직후에 장치하는) 환상(環狀) 부양 장치.

flotátion devìce 《구어》 =LIFE PRESERVER.

flotátion gèar 부양 장치《수상기 · 비행정의 부체(浮體), 불시 착수(着水) 때 기체(機體)나 인명의 수몰 방지구(防止具) 따위》.

flotátion tànk 플로테이션 탱크《소금물을 채우고 거기에 떠서 휴식을 취하게 만든 큰 탱크》.

flo·tel [floutél] *n.* =FLOATEL.

flo·til·la [floutílə] *n.* 소함대, 전대(戰隊); 소형선대(船隊), 정대(艇隊): a destroyer 〔torpedo boat〕 ~ 구축함대〔수뢰정대〕.

flot·sam [flátsəm/flɔ́t-] *n.* Ⓤ (난파선에서 나온) 표류 화물; 잡살뱅이; 〖집합적〗 깡패, 부랑자, 인간 쓰레기: ~ and jetsam 바닷물에 표류하거나 물가에 밀려온 화물; 잡동사니; 부랑자.

flounce[1] [flauns] *n.* (스커트에서 옆으로 여러 겹 댄) 주름 장식; Ⓤ 주름 재료. **—** *vt.* 주름 장식을 붙이다〔달다〕.

flounce[2] *vi.* **1** 《+뿌/+전+명》 (골이 나서) 홀쩍

자리를 뜨다〔박차다〕, 뛰어나가다〔들다〕 《*away; off; into*》: She ~*d about* like a mad woman. 그녀는 미친 여자처럼 뛰어 돌아다녔다/He ~*d out* (*of* the room) in anger. 그는 잔뜩 부아가 나서 (방에서) 뛰어나갔다/He ~*d into* the water. 그는 물속에 뛰어들었다. **2** 《+[부]》 몸부림〔발버둥〕치다, 버둥거리다; 과장되게 몸을 움직이다: She ~*d up* and *down*. 그녀는 몸부림쳤다. **—** *n.* 버둥거림, 몸부림; (성이 나서) 몸을 떪.

flóunc·ing *n.* [U] 주름 장식 재료; [C] 주름 장식.

◇**floun·der**[1] [fláundər] *vi.* 《~/+[전]+[명]/+[부]》 **1** (흙·진창 속에서) 버둥거리다, 몸부림치다; 허위적거리며 나아가다《*about; along; on; through*》: ~ *in through* the deep snow 깊은 눈 속에서 허위적거리며 나아가다. **2** 당황해하다; 실수를 하다; 떠듬거리며 나가다《*through*》: The question took him by surprise and he ~*ed* for a while. 그 질문에 놀라서 그는 잠시 당황하였다/~ *through* a song 떠듬떠듬 노래하다. **~ *about*** 〔***around***〕 (진창 따위의 속에서) 버둥거리다; 《비유》 (난관에 부닥쳐) 몸부림치다, 온갖 고생을 하다. **—** *n.* [U] 버둥거림, 몸부림; 허둥〔갈팡〕댐, 실수함. ㊕ **~·ing** *a.* **~·ing·ly** *ad.* 「류.

floun·der[2] (*pl.* **~s,** 〖집합적〗 ~) *n.* 〖어류〗 넙치

*⁎***flour** [flauər] *n.* 곡분, 《특히》 밀가루; 분말, 가루; 《미속어》 (화장)분. **—** *vt.* 〖요리〗 …에 가루를 뿌리다; (밀 따위를) 가루로 하다, 제분하다; (수은을) 가루 모양으로 하다. **—** *vi.* 분말로〔가루 모양으로〕 하다; (페인트가) 풍화하여 가루가 되다, 백악화하다(chalk). ◇ floury *a.*

flóur bèetle 밀가루에 꾀어드는 벌레.

flóur bòx =FLOURDREDGER.

flóur·drèdger *n.* (요리용의) 가루 뿌리는 기구.

*__flour·ish__ [fláːriʃ, flʌ́riʃ/flʌ́riʃ] *vi.* **1** 번영〔번성〕하다(thrive); (동·식물이) 잘 자라다, 우거지다. [SYN.] ⇨SUCCEED. **2** 《+[전]+[명]》 (어떤 시대에) 활약하다; 재세(在世)하다; 《종종 우스개》 건강하다《*in; at*》: Archimedes ~*ed in* the 3rd century B.C. 아르키메데스는 기원전 3세기의 사람이었다. **3** 칼을 휘두르다; 과장된 몸짓을 하다. **4** 화려하게 꾸며서〔멋부려〕 쓰다, 미사여구를 늘어놓다; 장식체로 쓰다. **5** 《드물게》 〖음악〗 화려하게 연주하다. **6** 자부하다, 자랑하다(boast), 과장하다. **7** 용돈을 많이 갖고 있다. **—** *vt.* **1** 꾸미다, 장식체를 쓰다. **2** 과시하다(display). **3** (칼·팔·지휘봉을) 휘두르다(brandish). **~ ... *in* a person's *face*** 아무의 면전에 자랑스럽게 내보이다. **~ *like a green* (*bay-*)*tree*** 무성해지다, 번영하다. **—** *n.* **1** 화려한 꾸밈. **2** (문장이) 화려함, 화려한 말. **3** (조각·인쇄 등의) 당초무늬, 장식 조각; 장식체로 쓰기, (도안 글자·서명 등의) 멋부려 쓰기. **4** (칼·팔·지휘봉 따위를) 뽐내어 휘두르기; 여봐란 듯한 태도; 과시: with a ~ 화려하게, 과장된 몸짓으로. **5** 〖음악〗 장식 악구(句); (나팔 등의) 화려한 취주(fanfare). **6** 전성기, 번영: in full ~ 전성〔융성〕하여, 한창인, 원기왕성하여. ***cut a*** **~** 〖음악〗 장식 악구를 연주하다. ㊕ **~·er** *n.* **~·ing** *a.* 무성한, 번영하는, 융성〔성대〕한. **~·ing·ly** *ad.* 「식 글씨의.

flour·ishy [fláːriʃi, flʌ́r-/flʌ́r-] *a.* 화려한; 장

flóur mìll 제분기〔소〕, 방앗간.

floury [fláuəri] *a.* 가루의; 가루가 많은; 가루 모양의; 가루투성이의; 가루로 하얀; (감자가) 바스러져 가루가 되기 쉬운. [◂flour]

flout [flaut] *vt., vi.* 비웃다, 조롱〔모욕〕하다, 놀리다《*at*》. ~ a person ***out of*** 아무를 비웃어 …을 그만두게 하다. **—** *n.* 조롱, 우롱, 경멸. ㊕ **∠·er** *n.* **∠·ing·ly** *ad.* 경멸하여.

*⁎***flow** [flou] *vi.* **1** 《~/+[부]/+[전]+[명]》 흐르다(stream); 흘러나오다; (세월이) 물 흐르듯 지나가다, 흘러가다: ~ *away* 흘러가다, (세월이) 경과하다/Rivers ~ *into* the ocean. 강은 바다로 흘러들어간다/The water is ~*ing out*. 물이 흘러나오고 있다/The oil ~*ed over* the rim of the drum. 기름은 드럼통을 넘쳐흘렀다. **2** 《+[부]/+[전]+[명]》 (인파·차량 따위가) 물결처럼 지나가다, 쇄도하다; 거침없는〔빠른〕 움직임을 보이다; (말이) 술술〔줄줄〕 나오다, (문장이) 거침없이 계속되다: His talk ~*ed on*. 그의 말은 술술 계속되었다/Traffic ~*s along* the street all day. 차량 행렬이 온종일 그치지 않는다. **3** 《+[전]+[명]》 (머리·옷 따위가) 멋지게 늘어지다; (깃발 등이) 나부끼다: Her long hair ~*ed down* her back. 그녀의 긴 머리가 등뒤로 늘어졌다/~ *in* the breeze 미풍에 나부끼다. **4** 《+[전]+[명]》 (근원에서) 발하다, 샘솟다, 나오다《*from*》; (명령·정보 따위가) 나오다; 일어나다: Love ~*s from* the heart. 사랑은 진심에서 나온다. **5** (조수가) 밀려오다, 밀물이 들어오다. **6** 《+[전]+[명]》 (피 따위가) 흐르다, 돌다(circulate); (전기 따위가) 통하다; 〖지학〗 (암석·얼음 따위가) 압력에 의해서 파괴되지 않고 변형하다, 유동하다: Royal blood ~*s in* his veins. 그의 몸엔 왕족의 피가 흐르고 있다. **7** 《+[전]+[명]》 범람하다; 잔뜩 있다, 충만하다《*with*》: a land ~*ing with* milk and honey 젖과 꿀이 충만한 땅. **8** 월경을 하다(menstruate). **—** *vt.* **1** 흘리다, 물을 쏟다; 물을 대다. **2** …에 범람케 하다. **3** (페인트 따위를) 듬뿍 칠하다. **~ *in*** 〔***into***〕 흘러들다; (주문 따위가) 쇄도하다. **~ *by*** 흘러 지나가다, 경과하다: Many years ~*ed by*. 많은 세월이 흘렀다. **~ *like water*** (술 따위가) 진탕으로 나오다. **~ *over*** 흘러넘치다; (소란·비난 따위가) …에 영향을 주지 못하다, …의 위를 지나쳐 가다.

— *n.* **1** (물·차량 따위의) 흐름, 유동.

> [SYN.] **flow** 액체가 끊임없이 흐른다는 뜻에서 연속적인 것의 비유로도 쓰임: a cheerful *flow* of conversation 막힘없이 계속되는 유쾌한 대화. **stream** 가늘지만 밀도가 있는 빠른 흐름: A continuous *stream* of messages came in. 전문(電文)이 계속 들어왔다. **current** 방향성을 가진 흐름: the *current* of air from the ventilator 환기 장치에서 들어온 공기의 흐름.

2 흐르는 물, 유출(량), 유입(량). **3** 용암의 흐름; (전기·가스의) 공급; 〖지학〗 (고체의) 비파괴적 변형, 유동; 월경; 〖컴퓨터〗 흐름. **4** (the ~) 밀물. [OPP] *ebb*. ¶ The tide was on 〔at〕 the ~. 조수가 밀려오고 있었다. **5** 범람(overflowing) 《특히 나일강의》. **6** 윤택, 풍부. **7** (말이) 거침없이 나옴, 유창함: a ~ of eloquence 도도한 변설/a ~ of joy 넘치는 기쁨. **8** (옷의) 멋진 늘어짐. **9** (축구 선수 따위의) 움직임(의 방향). **10** 《Sc.》 후미; 평평한 습지. ***go with the*** **~** 《미구어》 시세에 따르다. ***the*** **~ *of soul*** 교환(交歡), 환담. ***the*** **~ *of spirits*** 언제나 변함없는 쾌활함.

flow·age [flóuidʒ] *n.* [U] 유동; 유출(물); 범람; 〖역학〗 (점성(粘性) 물질의) 유동.

flów·bàck *n.* 환류(還流), 역류; 반환; 재분배.

flów·chàrt *n.* 작업 공정도(flow sheet); 〖컴퓨터〗 흐름도, 순서도.

flów cy·tóm·e·try [-saitámətri/-tɔ́m-] 〖생물·의학〗 유동 세포 분석법《유동 미량 형광 광도계로 세포를 하나하나 분석하는 방법》.

flów dìagram =FLOWCHART.

†**flow·er** [fláuər] *n.* **1** 꽃(blossom); 꽃을 피우는 식물, 《특히》 화초, 화훼(花卉); 관상식물: No ~*s*. 조화 사절《사망 공고 문구》/Say it with ~*s*. 꽃으로 말하라; 그대 품은 마음을 꽃으로 전

하시오《꽃집의 표어》.

> SYN. **flower** 일반적으로 '꽃'을 뜻하는 일상용어이나 blossom에 대해서는 관상용 꽃을 가리킴. **blossom** 과수의 꽃을 가리킴: The apple trees are in *blossom*. 사과나무는 꽃이 활짝 피었다. **bloom** 꽃의 가장 아름다운 상태를 뜻함: The roses are in *bloom*. 장미가 한창 피어나 있다.

2 개화(開花), 만발, 만개(bloom); (the ~) 청춘; 한창(때)(prime): in the ~ *of* one's age 한창 젊은 때에 / come into ~ 꽃피기 시작하다 / in full ~ 절정에. **3** (the ~) 정화(精華), 정수(pick, essence)《*of*》: the ~ *of* chivalry 기사도의 정화. **4** (*pl.*) 사화(詞華), 문식(文飾), 수사적인 말. **5** 〖복수형으로 단수취급〗〖화학〗 화(華); (발효로 생기는) 뜬 찌끼〔거품〕. **6** (인쇄물 따위의) 꽃무늬; 장식. **7** 《미속어》 동성애자, 호모. **8** 《속어》 마리화나의 싹. ***bring ... into ~*** …에 꽃을 피우다. **— *vt.* 1** 꽃으로〔꽃무늬로〕 장식하다. **2** …에 꽃을 피우다. **— *vi.* 1** 꽃이 피다. **2** 번영〔번창, 성숙〕하다.

flow·er·age [fláuəridʒ] *n.* 〖집합적〗 꽃; 꽃장식, 꽃무늬; 개화 (상태); 《드물게》 개화(기).

flówer arràngement 꽃꽂이.

flówer-bèaring *a.* 꽃이 피는〔달린〕.

flówer·bèd *n.* 화단.

flówer bònd 미 재무부 발행의 할인채(割引債)의 하나.

flówer bùd 꽃눈, 꽃망울, 꽃봉오리.

flówer chìld 〖일반적〗 히피; (*pl.*) 히피족; 비현실적인 사람.

flówer clòck 꽃시계.

flówer cùp (식물의) 꽃받침(calyx).

flówer-de-lúce [-dəlúːs] (*pl.* ***flówers-***) *n.* 《영에서는 고어》〖식물〗 붓꽃; 《고어》 나리, 《고어》〖문장(紋章)〗 =FLEUR-DE-LIS.

(-)flów·ered *a.* 꽃으로 뒤덮인; 꽃으로 꾸며진; 꽃무늬의; 〖복합어〗 꽃이 피는: single-〔double-〕 ~ 홑꽃〔겹꽃〕이 피는.

flów·er·er [-rər] *n.* 특정한 시기에〔방법으로〕 꽃이 피는 식물: an early 〔a late〕 ~ 빨리〔늦게〕 꽃이 피는 화초.

flów·er·et [-rit] *n.* 작은 꽃(floret).

flówer gìrl 꽃 파는 소녀; 《미》 결혼식에서 꽃을 들고가는 신부의 들러리 소녀.

flówer hèad 〖식물〗 두상화(頭狀花).

flów·er·ing [-riŋ] *a.* 꽃이 있는; 꽃이 피는, 꽃이 만발한; 꽃을 보기 위해 재배하는. **— *n.* 1** 꽃; 개화(開花); 개화기. **2** 꽃무늬, 꽃장식.

flówering dógwood 층층나무의 일종《북아메리카 원산의 낙엽 교목》.

flówering férn 〖식물〗 고비(osmund).

flówering plánt 〖식물〗 현화(顯花) 식물; 꽃을 감상하기 위한 식물, 화훼, 꽃나무.

flów·er·less *a.* 꽃이 없는, 꽃이 피지 않는. ㊞ **~·ness** *n.*

flow·er·let [fláuərlit] *n.* =FLORET.

flówer·lìke *a.* 꽃 같은; 아름다운.

flówer pèople 히피족(族)《꽃을 사랑·아름다움·평화의 상징으로 여기는 히피》.

flówer pìece 꽃그림; 꽃장식; 꽃꽂이.

flówer·pòt *n.* 화분.

flówer pòwer 사랑과 평화《히피족의 신조·생활 방식·정치 운동의 선전 문구》.

flówer shòp 꽃가게, 꽃집.

flówer shòw 1 화초 품평회. **2** (F- S-) 영국의 왕립 원예 협회가 주최하는 플라워 쇼《봄·가을 연 2회 행함》.

flówers of súlfur 〖화학〗 유황화(硫黃華)《살충·살균·피부병 치료용》.

flówers of zínc 〖화학〗 아연화(zinc oxide).

flówer stàlk 〖식물〗 꽃자루(peduncle).

°flow·ery [fláuəri] (***-er·i·er; -i·est***) *a.* **1** 꽃같은. **2** 꽃이 많은, 꽃으로 뒤덮인. **3** 꽃으로 장식한; 꽃무늬의. **4** (말·문체 등이) 화려한. ㊞ **-er·i·ly** *ad.* **-er·i·ness** *n.*

flów·ing *a.* **1** 흐르는; (조수가) 밀려오는: the ~ tide 밀물; 여론의 움직임 / swim with the ~ tide 우세한 쪽에 붙어 있다. **2** 흐르는 듯한, 미끈한. **3** 술술 이어지는; (말이) 유창한, 유려한. **4** (머리카락 등이) 치렁치렁한: ~ locks 늘어진〔물결치는〕 머리카락. **5** 풍부한, 넘칠 듯한《*with*》: a land ~ *with* milk and honey 젖과 꿀이 흐르는 땅, 풍요로운 생활의 양식이 있는 나라. ***the ~ bowl*** 《고어》 주류(酒類). ㊞ **~·ly** *ad.*

flów lìne =ASSEMBLY LINE; 〖지학〗 유동선(流動線), 유문(流紋)《화성암의 줄무늬 결》.

flów·mèter *n.* 유속계(流速計), 유량계(流量計); 유압계(油壓計).

flown[1] [floun] FLY[1]의 과거분사.

flown[2] *a.* 혼색(混色)으로 장식한; 《고어》 충만한《*with*》.

flów-òn *n.* 《Austral.》 (관련 부서와의) 조정〔연동〕 승급.

flów prodùction 일관 작업 (생산).

flów shèet =FLOWCHART.

flów·stòne *n.* 〖지학〗 흐르는 돌《석회암 동굴 속의 얕은 물이 흐르는 곳에 물의 증발로 생긴 칼슘 탄산염의 침전물》.

Floyd [flɔid] *n.* 플로이드《남자 이름; Lloyd의 별칭》.

fl. oz. fluidounce(s). **FLQ, F.L.Q.** Front de Libération du Québec (퀘벡 해방 전선). **F.L.S., FLS** 《영》 Fellow of the Linnean Society. **FLSA** 《미》 Fair Labor Standards Act (공정 노동 기준법). **flt.** flight. **Flt. Lt.** Flight Lieutenant. **Flt. Off.** Flight Officer. **FLTSATCOM** Fleet Satellite Communications System (함대 위성 통신 시스템). **Flt. Sgt.** Flight Sergeant.

***flu** [fluː] *n.* 《구어》 =INFLUENZA.

flub [flʌb] (***-bb-***) *vt., vi.* **1** 《미구어》 실패〔실수〕하다《*off; up*》. **2** 《속어》 (일을) 게을리하다. **— *n.*** 《미구어》 실수, 실패.

flúb·dùb *n.* U,C 《미》 체함, 뽐냄, 허식, 엉터리.

fluc·tu·ant [flʌ́ktʃuənt] *a.* 변동〔동요〕하는; 파동(波動)하는; 기복이 있는; 〖의학〗 중심이 무른 〔액상(液狀)인〕《종양 따위》.

°fluc·tu·ate [flʌ́ktʃuèit] *vi.* 《+전+명》 (물가·열 등이) 오르내리다, 변동〔동요〕하다; 파동하다: ~ *between* hopes and fears 일희일비(一喜一悲)하다. **— *vt.*** 변동〔동요〕시키다. ㊞ **-àt·ing** *a.* 변동이 있는: *fluctuating* market 변동이 심한 시황.

flùc·tu·á·tion *n.* U,C **1** 파동, 동요; 오르내림, 변동; (*pl.*) 성쇠, 흥망. **2** 〖유전〗 방황 변이(變異).

flu·dem·ic [fluːdémik] *n.* 악성 인플루엔자.

flue[1] [fluː] *n.* (굴뚝의) 연도(煙道); (냉난방·환기용의) 송기관(送氣管); (보일러의) 염관(焰管); (파이프 오르간의) 순관(脣管). ***in*** 〔***up the***〕 ~ 《영속어》 저당잡히어.

flue[2] *n.* U 보풀(nap), 털〔솜〕부스러기.

flue[3], **flew** *n.* 어망(漁網)의 일종, 《특히》 후릿그물.

flue[4] *n.* 깃털가지; 닻혀《닻가지의》; 미늘《작살·낚시 등의》.

flue[5] *n.* 《구어》 =FLU.

flue[6] *vt., vi.* 〖건축〗 (난로의 옆면 따위) 나팔꽃 모양으로 펴다〔펴지다〕.

flúe-cùred *a.* (담배가) 연기에 직접 닿지 않고 열기에 의해 건조 처리된.

flu·ence [flúːəns] *n.* =INFLUENCE: put the ~ on a person 아무에게 최면술 등을 걸다.

flu·en·cy [flúːənsi] *n.* U 유창; 능변; 거침없음: with ~ 술술, 줄줄, 유창하게.

*__flu·ent__ [flúːənt] *a.* **1** 유창한, 거침없는, 능변의. **2** (윤곽 · 커브 따위가) 민틋한, 완만한, (움직임 따위가) 부드러운, 우아한. **3** 융통성 있는; 변전자재(變轉自在)의. **4** 유동하는, 유동성의. — *n.* 〖수학〗 변수, 변량(變量). ㊐ °~·ly *ad.* 유창하게, 줄줄, 술술, 거침없이.

flúe pìpe 〖음악〗 (파이프 오르간의) 순관(脣管); 〖건축〗 (굴뚝의 연도에 연결된) 배기관.

flu·er·ic [fluːérik] *a.* =FLUIDIC.

flúe stòp 〖음악〗 순관 음전(音栓). 「管音栓).

flúe·wòrk *n.* Ⓤ 〖음악〗 《집합적》 순관 음전(脣

fluey [flúːi] *a.* 보풀[괴깔] 같은, 보풀이 있는.

fluff [flʌf] *n.* **1** Ⓤ (나사 따위의) 괴깔, 보풀; 솜털, 갓난 수염. **2** Ⓒ 푸한 것. **3** Ⓒ 사소한[시시한] 일[이야기]; 《미속어》 간단한 일; 《구어》 대실패; (연기 · 연주 따위에서의) 실수, 실책. ***a bit*** [***piece***] ***of*** ~ 《영속어》 (성적 매력이 있는) 아가씨. ***get the*** ~ 《미속어》 퇴박당하다. ***give*** a person ***the*** ~ 《미속어》 아무를 퇴박 놓다. — *vt.* **1** 《+目+副》 괴깔[보풀]이 일게 하다; 푸하게[부풀게] 하다, (털이불 등을) 푹신하게 하다 《*out; up*》: The bird ~*ed* itself *up.* 새는 부르르 떨며 몸[털]을 부풀렸다. **2** 《구어》 …에 실수[실패]하다; (대사를) 틀리다, 잊다. **3** 《미속어》 혹평하다. — *vi.* 괴깔이 일다, 푸해[푹신해]지다; 살짝 떨어지다; 《구어》 실수[실패]하다, (특히 배우 등이) 대사를 틀리다[잊다]. ~ ***off*** 《미속어》 (아무를) 퇴박 놓다, 경시하다; 책임을 회피하다, 빈둥거리다.

flúff·hèad *n.* 《속어》 경박한 처녀; 골빈 처녀.

flúff stàff 《CB · 속어》 눈(snow).

°**fluffy** [flʌ́fi] (***fluff·i·er; -i·est***) *a.* **1** 괴깔[보풀]의, 솜털의[같은]; 괴깔[보풀]이 인, 솜털로 덮인; 푸한, 푹신한. **2** 명확하지 않은, 애매한; 〖연극〗 《구어》 대사를 까먹는; 《영속어》 술 취해 비틀거리는. **3** 어리석은, 바보스러운. ㊐ **flúff·i·ly** *ad.* **-i·ness** *n.*

flü·gel·horn [flúːgəlhɔ̀ːrn] *n.* 《G.》 〖음악〗 플뤼겔호른(=**flú·gel·hòrn, flúe·gel·hòrn**) 《모양은 cornet, 음색은 French horn 비슷한 악기》.

*__flu·id__ [flúːid] *n.* Ⓤ,Ⓒ **1** 유동체, 유체(~ substance) 《액체 · 기체》. **2** 액체; (동물 · 식물의) 분비액. **3** 《미속어》 (진한) 커피, 위스키(=**embálming** ~). — *a.* **1** 유동체[성]의. ⓞⓟⓟ *solid.* **2** 유동적인, 불안정한, 변하기 쉬운; 용도 나름의; (자산이) 현금으로 바꿀 수 있는; 우아하고 부드러운《동작 따위》. **3** 유창한. ㊐ ~·**al** *a.* ~·**ly** *ad.* ~·**ness** *n.*

flúid cómpass 액체 컴퍼스[나침반].

flúid cóupling [**clútch**] 유체(流體) 커플링 「[클러치].

flúid drám [**dráchm**] =FLUIDRAM.

flúid dríve (자동차 따위의) 유체 구동(驅動) (장치); =FLUID COUPLING.

flúid dynámics 유체역학.

flúid·éxtract *n.* 〖약학〗 유동 엑스《알코올[에탄올]을 용제(溶劑)로 하는 식물 성분을 함유한 액상제제(液狀製劑)》.

flu·id·ic [fluːídik] *a.* 유체(공학)의.

flu·íd·ics *n. pl.* 《단수취급》 유체공학《유체 운동에 의한 정보 전달을 위해 유체 장치를 다루는 공학》. 「[되다].

flu·id·i·fy [fluːídəfài] *vt., vi.* 유체화(化)하다

flu·id·i·ty [fluːídəti] *n.* Ⓤ 유동성[률]; 유체.

flú·id·ìze *vt.* 유동화[유체화]하다. ㊐ **-iz·er** *n.* **flù·id·i·zá·tion** *n.* 유동화.

flú·id·ized béd 〖공학〗 유동상(床)[층].

flúid mechánics 유체역학.

flu·id·on·ics [flùːidániks/-ɔ́n-] *n.* =FLUIDICS.

flu·id·ounce, flúid óunce [flúːidáuns] *n.* 액량 온스《약제 등의 액량 단위, 미국은 1/16 파인트, 영국에서는 1/20 파인트》.

flúid préssure 〖물리 · 지학〗 유체 압력.

flu·i·dram, -drachm [flùːidrǽm] *n.* 액량 드램《=1/8 fluidounce; 생략: fl. dr.》.

fluke[1] [fluːk] *n.* 〖해사〗 닻혀; (*pl.*) 고래 꼬리; (창 · 작살 · 낚시의) 미늘(barb). ㊐ ∠·**less** *a.*

fluke[2] *n.* **1** 〖당구〗 플루크《우연히 들어맞음》; 어쩌다 들어맞음, 요행. **2** 《미속어》 실수; 겉치레의 것. (win) ***by a*** ~ 요행으로 (이기다). ***make a*** ~ 〖당구〗 서툴게 쳤는데 우연히 들어맞다. ***peak*** [***turn***] ***the*** ~***s*** (고래가) 바닷물 속에 잠기다. — *vt., vi.* 어쩌다 들어맞다[맞히다]; 요행수로 손에 넣다[득점하다]; 《미속어》 실수하다.

fluke[3] *n.* **1** 〖어류〗 가자미 · 넙치류(類). **2** 《영》 달걀 모양의 감자. **3** 〖동물〗 흡충(吸蟲)(trematode) 《양(羊) 따위의 간장에 기생하는 편충》.

flu·ki·cide [flúːkəsàid] *n.* 흡충 구충제.

fluky, fluk·ey [flúːki] (***fluk·i·er; -i·est***) *a.* 《구어》 우연히 들어맞은, 요행의; (바람이) 변덕스러운, 변하기 쉬운; 디스토마에 걸린. ㊐ **flúk·i·ly** *ad.*

flume [fluːm] *n.* **1 a** 홈통; 수로. **b** (목재 운반용의) 용수로. **c** (물레방아의) 방수구(放水溝). **2** 계류(溪流), 시내. ***go*** [***come, be***] ***up the*** ~ 《미속어》 망가지다; 혼나다. — *vt., vi.* 홈통을 놓다; 수로로 (물을) 끌다.

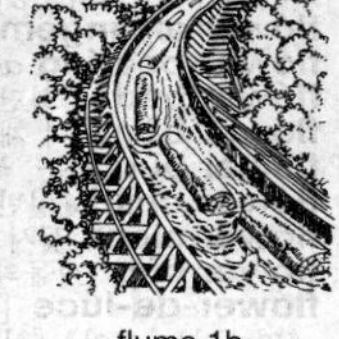
flume 1b

flum·mery [flʌ́məri] *n.* Ⓤ **1** 오트밀[밀가루]로 만든 죽; (우유 · 밀가루 · 달걀 따위로 만든) 푸딩. **2** (보통 *pl.*) 《구어》 겉치레 말, 아첨, 허튼소리. ***all*** ~ 겉치레뿐인 하찮은 것, 바보 같은 것.

flum·mox, -mux [flʌ́məks] *vt.* 《구어》 쩔쩔매게[당황하게] 하다, 혼내다. — *n.* 《속어》 (계획 등의) 실패.

flump [flʌmp] 《구어》 *n.* 철썩(하는 소리), 털썩 (떨어짐). — *vt., vi.* 털썩 떨어뜨리다; 털썩 떨어지다, 쿵 넘어지다《*down*》.

flung [flʌŋ] FLING의 과거 · 과거분사.

flunk [flʌŋk] 《미구어》 *n.* (시험 따위의) 실패, 낙제(점). — *vi., vt.* 실패하다; 낙제점을 받다[매기다]; 단념하다, 그만두다(give up), 손을 떼다. ~ ***out*** (성적 불량으로) 퇴학하다[시키다] 《*of*》. ㊐ ~·**ée** *n.* 퇴학자. ∠·**er** *n.* 낙제생, 퇴학자; 낙제시키는 교사.

flun·ky, flun·key [flʌ́ŋki] *n.* 제복 입은 고용인《사환 · 수위 따위》; 《미》 요리인, (식당의) 잔심부름꾼; 견습인; 《경멸》 아첨꾼, 추종자(toady, snob); 《미속어》 낙제생. ㊐ ~·**ish** *a.* 「자들.

flun·ky·dom [flʌ́ŋkidəm] *n.* 하인배들; 추종

flún·ky·ìsm *n.* Ⓤ 아첨[추종]주의; 하인 근성.

flu·o·cin·o·lone ac·e·to·nide [flùːəsínəlòunæsətóunaid] 〖화학〗 플루오시놀론 아세토니드《습진성 피부병 치료에 쓰임》.

flu·or [flúːɔːr, flúːər] *n.* =FLUORITE.

fluor- [flúər, flɔ́ːr/flúər], **flu·o·ro-** [flúərou, -rə, flɔ́ːr-] '플루오르성의, 플루오르화(化)…, 형광(螢光)의' 란 뜻의 결합사. 「미드《살충제》.

flùor·acétamide *n.* 〖약학〗 플루오르아세트아

fluo·resce [fluərés, flɔːr-] *vi.* 형광을 발하다.

fluo·res·ce·in(**e**) [fluərésiin, flɔːr-] *n.* 〖화학〗 플루오레세인《알칼리에 녹으면 강한 녹색 형광을 발함; 주로 흡착 지시약, 형광 지시약, 물 흐름의 속도 측정 등에 쓰임》. 「리] 형광(성).

fluo·res·cence [fluərésns, flɔːr-] *n.* Ⓤ 〖물

fluo·res·cent [fluərésnt, flɔːr-] *a.* 형광을 발하

는, 형광성의; (외양이) 산뜻한, 빛나는.

fluoréscent lámp 〔**túbe**〕 형광등〔램프〕, 형광 방전등.

fluoréscent líght 형광.

fluoréscent micróscope 형광 현미경.

fluoréscent scréen 〖전자〗 형광면〔판〕.

fluo·res·cer [fluərésər, flɔː-] *n.* 형광제(劑)〔물질〕.

flu·or·ic [fluːɔ́ːrik, -ár-/-ɔ́r-] *a.* 〖광물〗 형석(螢石)의; 〖화학〗 플루오르(성)의.

fluor·i·date [flúəridèit, flɔ́ːr-] *vt.* (음료수 따위에) 플루오르를 넣다《충치예방》. ㊇ **flùor·i·dá·tion** *n.* 플루오르 첨가.

fluor·ide, -id [flúəràid, flɔ́ːr-], [-rid] *n.* 〖화학〗 플루오르화물.

fluor·i·dize [flúərədàiz, flɔ́ːr-] *vt.* (치아 따위를) 플루오르화물로 처리하다. ㊇ **-dìz·er** *n.* 플루오르 처리제〔마무리제〕《특히 섬유 제품에 물이나 기름이 스미거나 배지 않게 하는 가공 처리》.

fluor·i·nate [flúərənèit, flɔ́ːr-] *vt.* 플루오르화하다; 플루오르로 처리하다.

fluor·ine, -in [flúəri(ː)n, flɔ́ːr-], [flúəri(ː)n, flɔ́ːr-] *n.* 〖화학〗 플루오르《비금속 원소; 기호 F; 번호 9》.

fluo·rite [flúəràit, flɔ́ːr-] *n.* Ⓤ 〖광물〗 형석(螢石).

fluoro- ⇨ FLUOR-.

flùoro·cárbon *n.* Ⓤ 탄화 플루오르.

fluor·o·chrome [flúərəkròum, flɔ́ːr-] *n.* Ⓤ 형광 색소《생물 염색용》.

flu·o·rog·ra·phy [fluərágrəfi, flɔ̀ː- / -rɔ́g-] *n.* =PHOTOFLUOROGRAPHY.

fluo·rom·e·ter, -rim- [fluərámətər, flɔːr-/ -rɔ́m-], [-rím-] *n.* 형광계(計).

flúoro·scòpe *n.* 형광(투시)경《엑스선의》.

flu·o·ro·scop·ic [flùərəskápik, flɔ̀ːr-/ -skɔ́p-] *a.* (X선) 형광 투시경의; 형광 투시법의. ㊇ **-i·cal·ly** *ad.*

fluo·ros·co·py [fluəráskəpi, flɔːr-/-rɔ́s-] *n.* Ⓤ (엑스선) 형광경 시험, 형광 투시법〔검사〕.

fluo·ro·sis [fluəróusis, flɔːr-] *n.* Ⓤ 〖의학〗 플루오르(침착)증((沈着)症).

flùoro·úracil *n.* 〖약학〗 플루오로유러실《암 치료약으로 쓰임》.

flúor·spàr *n.* =FLUORITE.

flu·ox·e·tine [fluːáksətiːn/-ɔ́ks-] *n.* 〖약학〗 플루옥세틴《항우울제》.

flu·phen·a·zine [fluːfénəziːn] *n.* 〖약학〗 플루페나진《안정제》.

flu·raz·e·pam [fluərǽzəpæ̀m] *n.* 〖약학〗 플루라제팜《진정제 · 최면제》.

flur·ried [flə́ːrid, flʌ́rid/flʌ́rid] *a.* 혼란〔동요, 당황〕한.

flur·ry [flə́ːri, flʌ́ri/flʌ́ri] *n.* Ⓤ **1** (비 · 눈 따위를 동반한) 질풍; 돌풍. **2** 당황, 낭패; (마음의) 동요; 혼란, 소동; (고래 따위의) 단말마; 〖증권〗 (시장의) 소(小)공황, 작은 파란. ***in a*** ~ 총총히, 후닥닥, 서둘러. ― *vt.* 당황케 하다. ― *vi.* 당황하다.

flush**[1] [flʌʃ] *vi.* **1** (물 따위가) 왈칵〔쏟아져〕 흐르다, 분출하다(spurt); 넘치다《*over*》. **2** 《~/+부/+전+명/+보》 (얼굴이) 붉어지다, 홍조를 띠다(blush), 상기하다, 얼굴이 화끈 달다; (하늘이) 붉게 물들다; (색 · 빛깔이) 빛나다: ~ *up* to the ears 귀까지 빨개지다 / He ~*ed into* rage. 그는 빨끈 화를 냈다 / Her face ~ed rose. 그녀의 얼굴은 장밋빛으로 물들었다. **3** (식물이) 싹트다. **4** 《미속어》 시험〔과목〕에 낙제하다, 집에 돌아가 자다. ― *vt.* **1** (물을) 왈칵 쏟아져 흐르게 하다; (연못 등의) 물을 빼다. **2** (밭 따위에) 물이 넘치게 하다, 물에 잠기게 하다(flood). **3** (수채 · 난방 파이프 · 수세식 변소 따위를) 물로 씻어 내리다. **4** 《+목+전+명》 〔보통 수동태〕 …의 얼굴〔볼〕에 홍조를 띠게 하다, 상기(上氣)시키다, …로 하여금 얼굴 붉히게 하다; (빛 따위가) 붉게 물들이다: *be* ~*ed with* anger 〔shame〕 노여움〔수치심〕으로 새빨개지다. **5** 《+목+전+명》 〔보통 수동태〕 활기를 띠게 하다(animate), 흥분시키다(excite), 우쭐하게 하다(elate): *be* ~*ed with* victory 승리로 의기양양해지다. **6** …의 싹을 나오게 하다. **7** 같은 높이로 하다, 고르다; 〖인쇄〗 (행)의 (왼쪽) 끝을 가지런히 하다; …에 모르타르〔시멘트〕를 흘러 들어가게 하다. **8** (양(羊))에 특별한 먹이를 주어 출산 준비를 시키다, 번식기를 맞아 먹이를 늘려 주다. **9** 《미속어》 (수업을) 빼먹다; (사람을) 무시하다. **10** 《미속어》 (불필요한 것을) 버리다, 소각하다; (…을) 좇아내다, 동아리에 넣지 않다. ~ ***it 《미속어》 (시험 · 과목 따위에) 낙제하다《*in*》.

― *n.* Ⓤ **1** 얼굴 붉힘, 홍조(blush): a ~ *of* embarrassment 부끄럼으로 인한 홍조. **2** 상기, 흥분, 의기양양(elation). **3** 《시어》 (하늘 · 구름의) 붉게 물든 빛. **4** 신선한 빛. **5** 싱싱함, 발랄함(freshness), 활기(vigor), 한창때: the ~ *of* youth 발랄한 젊음. **6** (풀의) 싹틈, 싹트는 시기; (싹튼) 어린잎: Young shoots are in full ~. 새싹이 한창 돋아나고 있다. **7** 고열이 남, 발열. **8** 밀려듦, 격증. **9** 증수(增水), 홍수. **10** (물의) 쏟아짐, 분출, 왈칵 흐름. **11** 물로 씻어 버림; (변소의) 수세(水洗). **12** 《미속어》 부자. ***in a*** ~ 《미속어》 혼란하여.

― *a.* **1** (강 따위가) 물이 그득 찬〔불은〕, 넘치는. **2** 많은, 풍부한(abundant); (돈을) 많이 가진 《*of*》: be ~ *of* money 돈을 많이 가지고 있다. **3** 활수(滑手)한, 손이 큰(lavish): He is ~ *with* (his) money. 그는 돈을 잘 쓴다. **4** (얼굴이) 붉어진(ruddy); 홍조 띤, 상기된. **5** 기운찬, 위세 좋은; 정력적인. **6** 동일 평면의, 같은 높이의(level) 《*with*》; 직접 접촉하고 있는; 〖인쇄〗 행의 (왼쪽) 끝을 가지런히 한: houses built ~ *with* the pavement 포장길과 같은 평면에 세운 집. **7** 정확한, 정통의《공격 등》.

― *ad.* **1** 같은 높이로, 평평하게(evenly)《*with*》. **2** 곧장; 정면으로, 바로, 꼭: ~ *against* the edge 끝에 꼭 접하여. ***come*** ~ ***on*** a person 아무를 뜻밖에 만나다.

°**flush**[2] *vi., vt.* 푸드덕 날아오르다; (새를) 날아가게 하다; 숨은 데서 몰아내다. ― *n.* Ⓤ 푸드덕 날아오름; 날아오르게 함; Ⓒ 날아오르는 새(떼).

flush[3] *n., a.* 〖카드놀이〗 그림이 같은 패 5장 모으기(의). ⓒⓕ royal flush. ***straight*** ~ 그림이 같은 패의 끗수순으로 5장.

flúsh·a·ble *a.* 화장실을 물로 흘려내릴 수 있는.

flúsh dèck 〖선박〗 평갑판.

flúsh dòor 플러시 도어《앞뒤에 합판을 대어 만든 문》.

flúsh·er *n.* (수채의) 유수(流水) 장치; 수채 청소부; (도로용) 살수차.

flúsh·ing *n., a.* 수세식(의); 홍조(를 띤).

flúsh·ness *n.* (금전적인) 풍부.

flúsh tòilet 수세식 변소.

flus·ter [flʌ́stər] *n.* 당황, 낭패, 혼란: be all in a ~ 몹시 당황하고 있다. ― *vt., vi.* 취(하게)하다; 당황(케)하다; 혼란(케)하다: ~ oneself 당황하다, 이성을 잃다.

flus·trate [flʌ́streit] *vt.* 《구어》 =FLUSTER. ㊇ **flùs·trá·tion** *n.* 당황, 혼란.

***flute** [fluːt] *n.* **1** 플루트, 저, 피리. **2** (오케스트라 따위의) 플루트 주자(奏者). **3** (오르간의) 음전의 일종(~ stop). **4** 〖건축〗 세로 홈, 둥근 홈; 홈 파기. **5** 길쭉한 프랑스 빵; 길쭉한 술잔; (여성복의) 둥근 홈 주름; 《속어》 음경(penis). ― *vi.* **1** 플루트〔피리〕를 불다. **2** 저〔피리〕 같은 소리를 내다. ― *vt.* **1** (곡을) 저〔피리〕로 불다. **2** 저〔피리〕 같은 소리를 내어 노래〔말〕하다. **3** …에 홈을

파다〔내다〕. ⓟ **flút·ed** [-id] *a.* 피리〔저〕 소리의; (기둥에) 세로 홈을 새긴, 홈이 있는. **flúte·lìke** *a.* 피리〔저〕 같은. **flút·er** *n.* Ⓒ 홈파개, 홈 파는 사람; 《고어》 =flutist. **flút·ist** *n.* 《미》 저〔피리〕 부는 사람, 플루트 주자(~ player).

flút·ing *n.* **1** Ⓤ 저〔피리〕불기. **2** Ⓒ 〖건축〗 (기둥 따위에) 홈 새기기; 세로 홈; (옷의) 홈 주름.

***flut·ter** [flʌ́tər] *vi.* **1** 퍼덕거리다, 날개치며 날다; (나비 따위가) 훨훨 날다; (깃발 따위가) 펄럭이다. **2** 《+전+명》 (지는 꽃잎이) 팔랑팔랑 떨어지다, (눈발이) 펄펄 날리다: A petal *~ed to* the ground. 꽃잎 하나가 지면에 하늘하늘 떨어졌다. **3** 떨리다, 실룩실룩하다: Her eyes *~ed* as she awoke. 잠에서 깨니 그녀의 눈시울이 실룩거렸다. **4** (심장·맥이) 불규칙하게 빨리 뛰다, 두근거리다: My heart *~ed* absurdly. 심장이 이상하게 두근거렸다. **5** 《+전+명》 조마조마해〔속달아〕 하다, 안절부절못하다; (공포·흥분으로) 떨다, 전율하다 : ~ *with* a new hope 새 희망으로 가슴 벅차하다. **6** 《+전+명》 정처 없이 거닐다, 배회〔방황〕하다: The boy *~ed about* the hall. 그 소년은 홀을 배회했다. **7** 《영구어》 투기를 하다, 내기하다. **—** *vt.* **1** (날개를) 퍼덕이다; 날개치다. **2** 흔들어 움직이다(agitate); 나부끼게〔휘날리게〕 하다. **3** (가슴을) 두근거리게 하다; 안절부절못하게〔갈팡질팡하게〕 하다(confuse). **4** 《영구어》 (도박·투기에서) 걸다.

— *n.* **1** (the ~, a ~) (날개의) 퍼덕거림; 나부낌, 펄럭임; 〖수영〗 (크롤 영법(泳法)의) 물장구(~ kick). **2** (a ~) 고동, 두근거림, 〖의학〗 경련. **3** 당황, (마음의) 동요; (세상의) 술렁거림, 큰 소동; (시장의) 작은 파란, (주식의) 동요; 술렁이는 무리《*of*》: make 〔cause〕 a (great) ~ 세상을 떠들썩하게 하다, 평판이 자자해지다 / put 〔throw〕 a person in 〔into〕 a ~ 아무를 애타게 하다. **4** 《영구어》 투기, 내기: do 〔have〕 a ~ 조금 걸다《*at; in*》. **5** 〖TV〗 (영상에 나타나는) 광도(光度)의 채《고르지 못함》; 〖오디오〗 불안정 재생채; (다리 따위가 파손되어) 흔들림; 〖항공〗 (비행기 날개 등의) 고르지 못한 진동. ***all of a ~*** 《구어》 벌벌 떨고, 흠칫거리고. ***be all on the ~*** 《구어》 몹시 흥분하다, 가슴을 두근거리다. ***fall into a ~*** 당황하다, 갈팡질팡하다. ***in a ~*** 두근거리며, 안절부절못하여.

ⓟ **~·ing·ly** *ad.* 퍼덕퍼덕; 안절부절못하여.

flútter·bòard *n.* 《미》 〖수영〗 수영 발놀림 연습 시에 붙잡는 판(=**kíck·bòard**).

flútter kìck 〖수영〗 물장구(치기).

flútter sléeve 플러터 슬리브《주름을 잡아 팔의 윗부분을 낙낙하게 감싸며 아래쪽으로 좁아지는 소매》.

flútter-tòngue *n.* 〖음악〗 flutter-tonguing에 의한 효과. ⌈떠는 취주법⌋.

flútter-tònguing *n.* 〖음악〗 플러터텅잉《혀를

flut·tery [flʌ́təri] *a.* 펄럭이는, 나부끼는.

fluty [flúːti] (***flut·i·er; -i·est***) *a.* 피리〔플루트〕 소리 같은; (소리가) 맑은, 맑고 부드러운.

flu·vi·al [flúːviəl] *a.* 강〔하천〕의; 강에 사는; 강에 나는; 하천에 의해 이룩된.

flu·vi·a·tile [flúːviətàil] *a.* =FLUVIAL.

flu·vi·ol·o·gy [flùːviálədʒi/-ɔ́l-] *n.* 하천학.

flu·vi·om·e·ter [flùːviámətər/-ɔ́m-] *n.* 하천 수량 기록계.

flux [flʌks] *n.* Ⓤ,Ⓒ **1** (물의) 흐름(flowing); (액체·기체 등의) 유동, 유출; 밀물. **2** 쏟아져 나옴, 도도히 흘러나옴, 다변(多辯). **3** 《비유》 유전(流轉), 끊임없는 변화. **4** 《영에서는 고어》 적리(赤痢), 이질(dysentery); 〖의학〗 (혈액·체액 따위의) 이상 〔병적〕 유출. **5** 〖화학·야금·요업(窯業)〗 용해; 용제. **6** 〖물리〗 선속(線束), 플럭스, 유량(流量); 〖수학〗 연접동(連接動). ***in a state of ~*** 유동 상태에 있어. ***the ~ and reflux*** (***of the tide***) 조수의 간만; (사물의) 변천; 소장(消長), 성쇠, 부침. **—** *vt.* 녹이다; 용제로 처리하다; 《폐어》 (하제(下劑)로) 설사시키다. **—** *vi.* (조수가) 밀려들다; 유출하다; 녹다; 변전(變轉)하다.

flúx dènsity 〖물리〗 선속(線束)〔플럭스〕 밀도.

flúx gàte 플럭스 게이트(=**flúx vàlve**)《지구 자장(磁場)의 방향과 세기를 나타내는 장치》.

flux·ion [flʌ́kʃən] *n.* Ⓤ 유동; 끊임없는 변화, 변전(變轉); 배출; 〖의학〗 (혈액 따위의) 유출, 충혈; 〖수학〗 유율(流率), 미분(몫), 도함수. ⓟ **~·al** [-ʃənəl], 《고어》 **~·ary** [-èri/-əri] *a.* 유동성의; 〖수학〗 미분(微分)의; 끊임없이 변화하는. ⌊**~·al·ly** *ad.*

flúx·mèter *n.* 〖물리〗 자속계.

flúx·oid quántum [flʌ́ksɔid-] 〖물리〗 자속 양자(磁束量子).

fly[1] [flai] (***flew*** [fluː]; ***flown*** [floun]) *vi.* **1** 《~/+부/+전+명》 (새·비행기 따위가) 날다: ~ *off* 날아가다 / a bird *~ing about in* the air 하늘을 날아다니고 있는 새. **2** 《+전+명》 (사람이) 비행하다, 공중을 가다, 비행기로 가다: ~ *to* Hongkong 공로(空路)로 홍콩에 가다. **3** 《~/+전+명/+부》 (나는 듯이) 급히 〔달려〕가다: ~ *for* a doctor 의사를 모시러 뛰어가다 / Time *flies* (like an arrow). 세월은 유수(流水) 같다 / He *flew upstairs*. 그는 이층으로 뛰어 올라갔다. **4** (매 따위가) 덤벼〔달려〕들다, 덮치다《*at; on, upon*》. **5** 《+전+명》 갑자기 어떤 상태로 되다: ~ *into* a rage 갑자기 불끈하다. **6** (시간·돈이) 나는 듯이 없어지다, 순식간에 사라지다: He's just making the money ~. 그는 큰돈을 아낌없이 쓰고 있다. **7** 《+부》 (바람에) 날아가 버리다; (불꽃이) 날아 흩어지다: My hat *flew off* in the wind. 바람에 모자가 날아갔다. **8** 《+전+명》 도망치다, 피하다(flee): ~ *from* the heat of the town 도시의 더위를 피하다. ★《영》에서는 흔히 flee 대신 fly를 씀. **9** 사라져 없어지다(vanish); 《속어》 도둑맞다. **10** (빛이) 바래다, 날다. **11** 《+전+명》 부서져 흩어지다, 산산조각이 나다: The glass *flew into* fragments. 컵은 산산조각이 났다. **12** 《~/+전+명》 (바람·공기 따위로) 둥실 떠오르다, (공중에) 뜨다; (깃발·머리털 따위가) 나부끼다, 펄럭이다《바람에》; (탄알 따위가) 나는 듯이 지나가다; (불꽃 따위가) 흩날리다: make sparks ~ 불똥을 튀기다 / Her tresses *flew in* the wind. 그녀의 탐스러운 머리카락이 바람에 나부꼈다. **13** (별이) 곧장 떠오르다. **14** 《+전+명》 (사냥감 따위에) 덤벼들다; (이상 따위를) 추구하다; …을 호되게 꾸짖다; …을 공격하다《*at*》: ~ *at* high game 큰 것을 노리다; 대망을 품다 / The cat *flew at* the dog. 고양이가 개에 덤벼들었다 / ~ *at* a person 아무에게 덤벼들다. **15** 〖야구〗 플라이〔비구〕를 치다. ★이 뜻으로 과거·과거분사는 flied. **16** 《+보》 (창문 따위가) 홱 열리다〔닫히다〕: The door *flew* open. 문이 홱 열렸다. **17** 《+전+명》 뛰어넘다, 도약하다, (물고기가) 뛰어오르다: ~ *over* a hedge 담을 뛰어넘다. **18** 《미속어》 마약을 주다, (마약 따위로) 기분이 좋아지다. **19** 《구어》 (연설·생각 등이) 성공하다, 설득력 있다, 받아들여지다, 실행할 수 있다. **—** *vt.* **1** 날리다; (새를) 날려〔풀어〕 주다; (연 따위를) 띄우다; (기를) 달다(hoist). **2** 《~+목/+목+전+명》 (비행기를) 조종하다; (사람·물건을) 비행기로 나르다; (특정한 항공 회사를) 이용하다: ~ Pan-Am / Doctors and nurses were *flown to* the scene of the disaster. 의사와 간호사들이 항공기로 재난 현장에 수송되었다. **3** (울타리 따위를) 뛰어넘다; 비행기로 날아 건너다: ~ the Atlantic 대서

양을 횡단 비행하다. **4** …에서 달아나다; 피하다: ~ the country 국외로 도망가다. **5** (새를) 매를 놓아〔풀어〕 잡다. **6** (배경을) 무대 천장으로 올리다; (배경을) 천장에 매달다. ★이 뜻으로 과거·과거분사는 flied.
be ~ing high 《미속어》 굉장히 기뻐하고 있다〔행복하다〕. ~ ***a bill*** 융통 어음을 발행하여 돈을 모으다. ~ ***about*** 날아다니다; (소문 따위가) 퍼지다; 흩어지다, 비산(飛散)하다. ~ ***all to pieces at*** 《미구어》 …에 대하여 분개하다. ~ ***blind*** 〖항공〗 맹목〔계기〕 비행하다. ~ ***high*** ⇨HIGH. ~ ***in*** (비행기·승객·화물을) 착륙시키다; (조종사가) 비행기를 착륙시키다, (비행기가) 착륙하다, (승객이) 비행기로 도착하다. ~ ***in the face*** 〔***teeth***〕 ***of*** …에 반항하다, …에게 정면으로 대들다〔반대하다〕. ~ ***light*** 《미속어》 식사를 거르다, 배를 주리고 있다. ~ ***low*** 낮게 날다; 크게 바라지 않다; 드러나는 일을 하지 않다, 세상을 꺼리다, 남의 눈을 기이다〔피하다〕. ~ ***off*** ① 날아가다, 도망치다. ② …에서 벗어나다. ③ 위약(違約)하다《*from*》. ④ 증발하다. ~ ***off*** one's ***jib*** 《미구어》 나이 들다, 기력이 약해지다. ~ ***off the handle*** ⇨HANDLE. ~ ***on*** 〔***at, upon***〕 ① ⇨*vi.* 4. ② …을 맹렬히 비난하다. ~ ***out*** ① 갑자기 뛰어나가다(rush out); 대들다《*at; against*》. ② 갑자기 소리치다. ③ 〖야구〗 플라이를〔뜬공을〕 쳐서 아웃되다. ~ ***past*** 분열 비행을 하다. cf. flypast. ~ ***right*** 《미속어》 정직하게 하다〔살다〕. ~ ***round*** (바퀴가) 뱅글뱅글 회전하다. ~ ***short of*** …에 이르지〔미치지〕 못하다. ~ ***to arms*** 급히 무기를 들다, 황급히 전투 준비를 하다. ***Go ~ a kite!*** 귀찮으니 저리 가. ***I must*** 〔***have to***〕 ~. 지금 당장 가야 한다. ***knock ... ~ing*** =send ... ~ing. ***let*** ~ (탄알 따위를) 쏘다《*at*》; 폭언을 하다《*at*》; (감정을) 분출시키다; 《미속어》 (침을) 뱉다. ***make the fur*** 〔***feathers, dust***〕 ~ (맹렬히 공격하여) 큰 소동〔싸움〕을 일으키다. ***send ... ~ing*** ① …을 흩날리다, 내동댕이치다. ② (…을) 내쫓다; 해고하다《*from*》.
— (*pl.* ***flies***) *n.* **1** 날기, 비상(飛翔), 비행(flight); 비행 거리. **2** (공 따위의) 날아가는 코스; 〖야구〗 플라이, 뜬공. **3** (양복의) 단추가림; 천막 입구의 드림(자락); 천막 위의 겹덮개; 깃발의 가장자리 끝; 깃발의 가로 폭. **4** 〖음악〗 (피아노·오르간의) 건반 덮는 뚜껑; =FLYLEAF. **5** (*pl.*) 〖연극〗 (무대 천장 속의) 무대 장치 조작부. **6** 〖기계〗 =FLYWHEEL; 《속어》 (바지의) 지퍼. **7** 〖인쇄〗 발채《인쇄된 종이를 넘기는 장치》. **8** (*pl.* flys) 《영》 한 마리가 끄는 세(貰)마차. ***give*** (***it***) ***a*** ~ 《Austral. 구어》 해보다, 시험해 보다. ***off the*** ~ 《속어》 아무것도 하지 않고, 쉬어서. ***on the*** ~ ① 비행 중에 있어, 날고 있는 (것을), (공 따위가) 땅에 떨어지기 전에. ② 《구어》 황급히, 몹시 분주히. ③ 《구어》 몰래, 꾀바르게. ④ 나가면서. ***up in the*** ~ 〖연극〗 잘 돼 가는.

⁑**fly**² (*pl.* ***flies***) *n.* **1** 파리, 《특히》 집파리; 날벌레《mayfly, firefly 따위》. **2** (동식물의) 해충; 충해; 《S.Afr.》 =FLY-BELT. **3** 날벌레 낚싯밥; 제물낚시. ***a ~ in amber*** 호박(琥珀) 속의 화석 파리; 원형대로 남아 있는 유물. ***a*** 〔***the***〕 ***~ in the ointment*** 《구어》 옥에 티; 홍 깨기. ***a ~ on the*** (***coach-***) ***wheel*** 자만〔자부〕하는 자. ***a ~ on the wall*** 몰래 사람을 감시하는 자. ***break*** 〔***crush***〕 ***a ~ on the wheel*** ⇨WHEEL. ***catch flies*** 《미속어》 지루하여 하품을 하다, 지루하고 따분하다. ***die like flies*** 픽픽 쓰러지다, 맥없이 죽어 가다. ***Don't let flies stick to your heels.*** 꾸물대지 마라. ***drink with the flies*** 《Austral. 속어》 (술을) 혼자 마시다. ***let that ~ stick in*** 〔***to***〕 ***the wall*** 《Sc.》 그 문제에 대해서는 더이상 할말이 없다. ***rise to the ~*** 속다, 사기당하다. ***run round*** 〔***around***〕 ***like a blue-arsed ~*** 《구어》 바쁘게 돌아다니다. ***There are no flies on*** 〔***about***〕 ***...*** 《구어》 빈틈없다, 결점이〔죄가〕 없다; (거래)에 꺼림칙한 점이 없다. ***would not hurt*** 〔***harm***〕 ***a ~*** (험악한 사람·짐승이 사실은) 아주 온순하다.

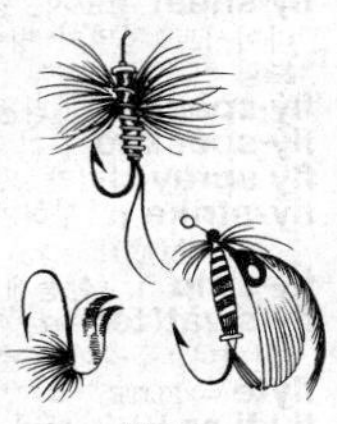
fly² 3

fly³ *a.* 《속어》 빈틈없는, 약삭빠른, 기민한; 매력적인, 멋진.

fly·a·ble *a.* (날씨가) 비행에 적합한; 비행 준비가 된.

flý ágaric 〔**amanita**〕 〖식물〗 광대버섯(=**flý mùshroom**)《독버섯; 옛날 이것에서 파리 잡는 종이에 바르는 독을 채취했음》.

flý ásh 플라이 애시《연소 가스 중, 혼입되는 석탄재; 음반·시멘트·기와 등의 제조에 이용함》.

flý·awày *a.* (옷·머리털이) 바람에 나부끼는〔펄럭이는〕; 마음이 들뜬, 촐싹거리는; (공장의 비행기가) 비행 준비가 된; (군수품이) 공수하도록 된. — *n.* 촐싹대는 사람; 엉뚱한〔변덕스러운〕 사람〔물건〕; (수송에 의하지 않고) 공장에서부터 나는 비행기.

flý-bàit *n.* 《미속어》 사체, 시체.

flý báll 1 〖야구〗 플라이. **2** 《미속어》 사복 경관, 형사(fly bob 〔bull, cop, dick, mug〕); 별난 놈, 괴짜; 동성애자.

flý·bàne *n.* 〖식물〗 파리 죽이는 풀《끈끈이제비꽃 따위》.

flý·bèlt *n.* 체체파리(tsetse fly)가 퍼져 있는 지대.

flý·blòw *n.* 쉬《파리의 알》, 구더기. — (**-blew; -blown**) *vt.* (파리가) …에 쉬를 슬다; 더럽히다.

flý·blòwn *a.* **1** 파리가 쉬를 슨; 구더기가 끓는. **2** 《구어》 불결한《호텔 따위》.

flý·bòat *n.* 쾌속 너벅선(船).

flý bòb 《속어》 사복 경찰(fly cop).

flý bòmb =FLYING BOMB.

flý bòok 제물낚시 쌈지.

flý·bòy *n.* 《미구어》 공군 비행사; 《CB 속어》 속도 위반자, 고속으로 차를 모는 사람.

flý·brìdge, flý brìdge *n.* 〖해사〗 =FLYING BRIDGE.

flý·bỳ *n.* (*pl.* **~s**) 〖항공·우주〗 (목표에 대한) 저공〔접근〕 비행; =FLYOVER.

flý-by-lìght *a.* 〖항공〗 광신호로 조종하는《광케이블을 써서 광신호로 항공기를 조종하는 방식》.

flý-by-nìght *a.* 믿을 수 없는, 무책임한《계산상》; 오래 못 가는. — *n.* 밤놀이하는 사람; (빚지고) 야반도주하는 사람; 신용할 수 없는 사람.

flý-by-wìre *a.* 〖항공〗 전자 장치로 조종하는《조종간·조종 페달의 움직임을 컴퓨터를 통하여 전기 신호로 동익(動翼)에 전하는 방식》.

flý-càst *vi., vt.* =FLY-FISH.

flý càsting 제물낚시 던지기.

flý·càtcher *n.* 파리 잡는 기구; 〖조류〗 딱새; 〖동물〗 파리잡이거미, 승호; 〖식물〗 파리풀.

flý·chìck *n.* 《속어》 현대적이며 멋진 아가씨.

flý còp 《미속어》 사복 경찰, 형사(fly bob).

flý-cruise *n., vi.* 비행기와 배로 하는 유람 여행(을 하다)《단체 여행 시 단일 요금의》.

flý dìck 《미속어》 사복 경찰, 형사(fly ball).

flý dòpe 제물낚시찌의 침수제; 방충제.

flý-drive *n., vi.* 비행기와 렌터카 여행(을 하다). ㊞ **-drìv·er** *n.*

°**flý·er** *n.* =FLIER.

flý-fish *vi., vt.* 제물낚시질을 하다〔로 낚다〕. ㊞ **~·er** *n.* **~·ing** *n.* U

flý·flàp *n.* 파리채.

flý frònt 플라이 프론트《코트·셔츠·바지 따위의 단추·파스너를 다는 앞부분을 이중으로 덮개를 만들어 보이지 않게 한 것》.

flý gàllery (**flòor**) 【연극】 무대 양옆의 조붓한 무대 장치 조작대.

flý·gìrl *n.* …광(狂)의 소녀; 《속어》 멋진 여자.

flý hálf 【럭비】 =STANDOFF HALF.

flý-ìn *n.* **1** 자가용 비행기를 타고 가서 볼 수 있도록 시설을 한 야외 극장. [cf] drive-in. **2** 자가용 비행기를 타고 가서 모이는 대회(집회).

flý·ing *a.* **1** 나는, 비행하는; 비행기의, 항공의. **2** (깃발·머리털 따위가) 나부끼는, 휘날리는, 펄럭이는. **3** 나는 듯이 빠른; 날쌔게 행동하는; 유격용의. **4** 몹시 급한, 허둥지둥하는: a ~ visit 황급한 방문. **5** 급작스레 마련한, 임시변통의, 일시적인. **6** 뛰면서(도움닫기를 하여) 행하는; 뛰어 도망치는. **7** 급송의, 급파의. **8** 《미속어》 (자기 고장에서 떨어진) 원격지에서 근무하는. **9** 공중에 뻗친; 【해사】 돛자락을 (원재(圓材)(spar)나 지삭(支索)(stay)에) 붙들어매지 않은. ***under*** (***with***) ***a ~ seal*** 개봉하여. **—** *n.* **1** [U] 날, 비행; 항공술; 비행기 여행; 질주: ~ *in* formation 편대 비행. **2** 날림; (새를) 놓아줌; (연을) 날리기, 비산(飛散). **3** (폭탄 등의) 파열, 터짐. **4** (*pl.*) 털(솜)부스러기, 털(솜)먼지.

flýing bédstead 【항공】 수직 이착륙 실험·비행기《구조가 노출되어 침대처럼 보임》.

flýing bòat 비행정(飛行艇). [cf] floatplane.

flýing bòmb 비행 폭탄, 로봇 폭탄(robot bomb) 《무인(無人) 비행기에 실은 폭탄》.

flýing bóxcar 《구어》 대형 수송기.

flýing brìdge 1 【선박】 (조타실 또는 주선실 위의) 작은 무개(無蓋) 갑판(flybridge). **2** 【건축】 = SKYBRIDGE. 「buttress).

flýing búttress 【건축】 플라잉 버트레스(arch

flýing círcus 공중 비행 쇼.

flýing cólors 휘날리는 기; 승리, (대)성공. ***with ~*** (***colors flying***) 깃발을 휘날리며; 공을 이루어; 당당히.

flýing còlumn 유격대, 별동대, 기동 부대.

flýing cráne 대형 헬리콥터(수송용).

flýing dèck (항공모함의) 비행 갑판.

flýing dísk =FLYING SAUCER.

flýing dóctor 비행기로 왕진하는 개업의(醫).

flýing drágon 【동물】 날도마뱀.

Flýing Dútchman (the ~) 희망봉 부근에 출몰한다는 유령선(의 선장).

flýing fatígue =AERONEUROSIS.

flýing field 소(小)비행장.

flýing fish 【어류】 날치.

Flýing Fórtress 《미》 하늘의 요새《제 2 차 세계 대전 때의 미 공군 B-17의 속칭》.

flýing fóx 【동물】 (얼굴이 여우 비슷한) 큰박쥐; 《Austral.》 케이블 운반 설비《지형이 험한 곳이나 산악 지대에서 사용하는》.

flýing fróg 【동물】 날개구리《인도산(産); 나무에서 나무로 활공해서 다님》.

flýing gúrnard 【어류】 죽지성대(=**flýing róbin**) 《발달한 꼬리지느러미를 가짐》.

flýing hándicap 【경기】 도움닫기 스타트의 핸디캡《flying start 가 허용되는 경기》.

flýing hórse =HIPPOGRIFF; (회전목마 등의) 말 모양의 좌석.

flýing jàcket 플라잉 재킷《따뜻한 안(옷깃)을 댄 짧은 가죽 점퍼》. 「각돛》.

flýing jíb 【선박】 플라잉 지브《앞 비듬돛대의 삼

flýing júmp (**léap**) 도움닫기 도약. 「아산》.

flýing lémur 【동물】 박쥐원숭이《필리핀·동남

flýing lízard 【동물】 날도마뱀.

flýing machìne (초기의) 항공기, 비행선.

flýing màn 비행가(airman).

flýing máre 【레슬링】 업어치기.

flýing-òff *n.* [U] 【항공】 이륙(take-off).

flýing òfficer 공군 장교; (F- O-) 《영》 공군 중위《생략: F.O.》.

flýing párty 유격대, 기동대.

flýing pìcket 지원(支援) 피켓(요원)《소속 회사 이외의 피켓에 참가하는 노동조합원》.

flýing rìng (체조용) 링, 조환(弔環).

flýing sáucer 비행접시; 《속어》 나팔꽃의 씨

flýing shéet =FLY SHEET. 「《환각제의 일종》.

flýing squàd 《영》 특별 기동대, 기동 경찰대.

flýing squàdron 유격 함대; 유격대.

flýing squírrel 【동물】 날다람쥐.

flýing stárt 도움닫기 스타트《출발점 앞에서부터 달리는》; 호조(好調)의 출발.

flýing stàtus 【군사】 항공기 탑승 신분. 「사용》.

flýing sùit (상하가 붙은) 비행복《군용기 조종

flýing táckle 플라잉 태클《뛰어서 다리를 붙잡고 넘어뜨리는》.

flýing trapèze (곡예·체조용) 그네.

flýing vísit 잠시 들름.

flýing wédge (선수·경찰관들의 이동 시) V자 형 대형; 《속어》 (유흥장 등의) 경비원(들).

flýing wíng 전익(全翼) 비행기《주익(主翼) 일부를 동체로 이용한 무미익기(無尾翼機)》.

flý·lèaf (*pl.* ***-lèaves***) *n.* 면지《책의 앞뒤 표지 뒷면에 붙어 있는 백지 또는 인쇄물》; (프로그램 따위의) 여백의 페이지. 「곳》.

flý lòft (무대의) 천장 속《무대 장치를 조작하는

flý·man [-mən] (*pl.* ***-men*** [-mən]) *n.* (무대의 천장 속에서) 무대 장치를 조작하는 담당자; 《영》 경마차의 마부.

flý nèt 파리막이망(網)《말의》; 방충망.

flý-òff *n.* 【항공】 성능 비교 비행.

flý·òver *n.* 《미》 저공 의례(儀禮) 비행, 공중 분열(分列) 비행; 《영》 (철도·도로의) 입체 교차(횡단교(橋)), 고가 횡단도로(《미》 overpass); 비행기가 머물지 않고 상공을 통과만 하는 소도시.

flý·pàper *n.* [U] 파리잡이 끈끈이.

flý·pàst *n.* 《영》 분열 비행. [cf] march-past.

flý pìtch 《영속어》 (무허가) 노점장소.

flý-pìtcher *n.* 《영속어》 무허가 노점상.

flý·pòst *vt.* 《영》 (전단을) 몰래 붙이다; …에 몰래 전단을 붙이다.

flý-pòst·er *n.* 《영》 flypost 하는 사람, 무허가 장소에 붙여진 선전 포스터.

flý ràil 버팀쇠《접이책상의 옆 판자를 받치는》.

flý ròd 제물낚싯대.

flysch [fliʃ] *n.* 【지학】 플리시《지향사(地向斜)에 퇴적된 주로 사암(砂岩)·혈암(頁岩)으로 이루어진 지층으로 Alps 지방에 많음》.

flý shèet 광고지, 광고용 전단; 취지서; 《미》 플라이시트《천막의 방수용 바깥 천》; 천막 입구의 드림 천. 「작은 얼룩을 묻히다.

flý·spèck *n.* 파리똥 자국; 작은 점. **—** *vt.* …에

flý·spècked [-t] *a.* 파리똥 (같은) 자국이 있

flý sprày 파리약 스프레이. 「는(flyblown).

flý-strìke *n.* 구더기의 발생(기생); (양의) 파리 구더기증(症). 「스틱 조각.

flý·strìp *n.* (살충제를 삽입시킨) 파리 잡기 플라

flý·swàt(ter) *n.* 파리채(swatter); 《야구속어》 (언제나) 플라이를 날리는 선수.

flyte ⇨ FLITE.

fly·ti·er [fláitàiər] *n.* 제물낚시 제작자.

flý-tìp (***-pp-***) *vt.* 《영》 (쓰레기를) 쓰레기장 아닌 곳에 버리다. [파] **flý-tìp·per** *n.*

flý·tràp *n.* 파리잡이 통; 【식물】 파리풀. 「(도로).

flý·ùnder *n.* 고가 철도(도로) 밑을 지나는 철도

flý·wày *n.* 철새의 통로.
flý·wèight *n.* 플라이급 (권투 선수)《체중 112 파운드 이하》.
flý·whèel *n.* 〖기계〗 플라이휠, 속도 조절 바퀴.
flý whìsk (말총 따위로 만든) 파리를 쫓는 채 《종종 지위·권위의 상징》.
FM, F.M. frequency modulation. **Fm** 〖화학〗 fermium. **fm., fm** fathom; from. **F.M.** Field Marshal; Foreign Mission. **FMC** 《미》 Federal Maritime Commission (연방 해상 위원회)《구칭 FMB》. **FMCS** 《미》 Federal Mediation and Conciliation Service (연방 조정 화해 기관). **FMF** 《미》 Fleet Marine Force(함대 해병 부대). **FMN** flavin mononucleotide. **FMS** 《미》 foreign military sales (대외 군사 판매); 〖컴퓨터〗 flexible manufacturing system《소량 다품종의 생산에 적합한 융통성 높은 자동화 생산 시스템》. **FMVSS** 《미》 Federal Motor-Vehicle Safety Standard (미연방 자동차 안전 기준). **fn., f.n.** footnote. **FNMA** 《미》 Federal National Mortgage Association.
f-nùmber *n.* =FOCAL RATIO.
fo. folio. **F.O.** field officer; 《영》 Flying Officer; 《영》 Foreign Office.
foal [foul] *n.* (말·나귀 따위의) 새끼. ***in*** 〔***with***〕 ~ (말 따위가) 새끼를 배어. **—** *vt., vi.* (말 따위가) 새끼를 낳다.
foam** [foum] *n.* Ⓤ,Ⓒ **1** 거품 (덩어리)(froth, bubble); 게거품. **2** (말 따위의) 비지땀; 소화기의 거품. **3** (the ~) 《시어》 거품이 이는 바다. **4** =FOAM RUBBER; EXPANDED PLASTIC. ***in a ~ 거품 덩어리가 되어; (말 따위가) 전신에 비지땀을 흘리고. **—** *vi.* 《~/+전+명/+부》 (바닷물·맥주 따위가) 거품이 일다; 거품을 일으키며 흐르다〔넘치다〕《*along; down; over*》; 거품이 되어 사라지다《*off; away*》; (말이) 비지땀을 흘리다; (사람이) 게거품을 뿜으며 성내다: ~ *with* rage 격노하다/The torrent roared and ~*ed along*. 급류는 요란한 소리를 내고 거품을 일으키며 흘렀다. **—** *vt.* 거품이 일게 하다. ***~ at the mouth*** 입에서 게거품을 뿜다; 《구어》 격노하다. ㊕ **∠-ing·ly** *ad.* **∠-less** *a.* **∠-like** *a.*
fóam blòck 폼블록《폼홈(foam home)을 만드는 폼재(材)의 블록》.
fóamed plástic 발포(發泡) 스티롤(expanded plastic).
fóam extínguisher 포말 소화기.
fóam glàss 발포(發泡) 유리.
fóam hòme 폼홈《폴리스티렌의 폼재(材)를 나무나 콘크리트와 맞추어 짓는 집》.
fóam-in-pláce páckaging 현장 발포 포장 《내용물과 외장 용기 사이에 플라스틱 발포물을 넣어 고화(固化)시키는 완충 포장의 일종》.
fóam rúbber 기포 고무, 발포(發泡) 고무.
foamy [fóumi] (***foam·i·er; -i·est***) *a.* 거품투성이의; 거품 이는, 거품 같은. ㊕ **fóam·i·ly** *ad.* **-i·ness** *n.*
FOB [fɑb/fɔb] *n.* 《미속어》 갓 도착한 입국자, 막 배에서 내린 이민. [◂ *fresh off the boat*]
fob[1] [fɑb/fɔb] *n.* (바지의) 시계 주머니; (사슬로 된) 시곗줄; 《미》 그 끝에 단 장식. **—** (***-bb-***) *vt.* (시계 등을) 시계 주머니에 넣다.
fob[2] (***-bb-***) *vt.* 《고어》 속이다. **~ *off*** 무시하다; (…로 아무를) 속이다, 용케 피하다: ~ a person *off* with empty promises 말뿐인 약속으로 사람을 속이다. ~ something ***off on*** 〔***onto***〕 a person =~ a person ***off with*** something 아무에게 (가짜 따위)를 안기다.
F.O.B., f.o.b. 〖상업〗 free on board.
fob·ber [fɑ́bər/fɔ́b-] *n.* 〖상업〗 본선 적재 인도까지 책임을 지는 자.
fób chàin (바지의 작은 주머니에 달린) 시곗줄〔사슬, 리본〕.
FOBS [fɑbz/fɔbz] Fractional Orbital Bombardment System (지구 선회 우주선의 부분 궤도 폭격 체제).
fób wàtch fob[1]에 넣는 시계.
F.O.C., f.o.c. 〖상업〗 free of charge.
fo·cal [fóukəl] *a.* 초점의, 초점에 있는. ㊕ **~·ly** *ad.*
fócal dìstance =FOCAL LENGTH.
fócal infèction 〖의학〗 병소(病巢) 감염.
fò·cal·i·zá·tion *n.* 초점 조정, 초점 집중; 〖의학〗 (감염의) 국부화.
fó·cal·ìze *vt.* (광선을) 초점에 모으다; (렌즈 등)의 초점을 맞추다; 〖의학〗 (감염을) 국부적으로 막다.
fócal lèngth 〖광학·사진〗 초점 거리.
fócal plàne 〖광학·사진〗 초점면.
fócal-plàne shùtter 〖사진〗 초점면〔포컬플레인〕 셔터.
fócal pòint 〖광학·사진〗 초점; 활동〔관심〕의 초점.
fócal ràtio 〖광학·사진〗 f 넘버, 밝기(f-number).
fo·ci [fóusai, -kai] FOCUS의 복수.
fo·co [fóukou] *n.* 게릴라 거점.
fo·com·e·ter [foukɑ́mətər/-kɔ́m-] *n.* 〖광학〗 초점 거리 측정기, 초점계.
fo'c's'le [fóuksəl] *n.* =FORECASTLE.
‡**fo·cus** [fóukəs] (*pl.* **~·es, *fo·ci*** [-sai, -kai]) *n.* **1** 〖물리·수학〗 초점; 초점 거리; 초점을 맞추기: a principal 〔real, virtual〕 ~ 주〔실, 허〕초점/bring ... into ~ (렌즈의) 초점을 맞추다; (피사체에) 초점을 맞추다; 분명히 하다, 표면화하다. **2** (흥미·주의 따위의) 중심(점), 집중점. **3** (폭풍우·분화·폭동 등의) 중심; (지진의) 진원(震源): the ~ of an earthquake 진원. **4** 〖의학〗 병소, (병의) 주(主)환부. ***come into*** **~** (현미경·표본 따위가 초점이 맞아) 똑똑히 보이다〔보이게 되다〕; 《비유》 (문제가) 명확해지다. ***in*** **~** 초점이〔핀트가〕 맞아; 뚜렷하여; 표면화되어. ***out of*** **~** 핀트를〔초점을〕 벗어나, 흐릿하여.
— (***-s-***, 《영》 ***-ss-***) *vt.* **1** (라이트의) 초점을 맞추다. **2** 《+목+전+명》 집중〔집속(集束)〕시키다, 모으다《*on*》: ~ one's attention *on* …에 주의를 집중시키다. **3** (기업을) 하나〔극소수〕의 사업으로 집중시키다, 단일화〔전문화〕하다, 통폐합하다.
— *vi.* 《~/+전+명》 초점이 맞다, 초점에 모이다; 집중〔집속〕하다: He was too short sighted to ~ *on* the object. 그는 너무 근시라 그 물체에 초점을 맞출 수가 없었다/His anger ~*ed on* me. 그의 노여움은 나에게 집중되었다.
㊕ **~·a·ble** *a.* **~·er** *n.*
fócus gròup 테스트할 상품에 관하여 토의하는 소비자 그룹.
fócusing clòth 〖사진〗 (초점 맞출 때) 써우는 보.
fócusing còil 〖전기〗 집속(集束) 코일.
fócus pùller 〖영화〗 카메라맨 조수《카메라의 핀트를 맞추거나 필름을 갈아끼우는 일 등을 함》.
°**fod·der** [fɑ́dər/fɔ́də] *n.* Ⓤ **1** 마초, 꼴, (가축의) 사료; 《우스개》 음식물. **2** 쉽게 쓰일 수 있으나 별 가치가 없는 무리〔물건〕: ⇨ CANNON FODDER. **3** (작품·예술의) 소재. **—** *vt.* (가축에) 꼴을 주다, 꼴을 키우다. ⓒⓕ feed.
***foe** [fou] *n.* 《시어·문어》 적, 원수; 적군, 적대자, 경쟁〔대항〕자(adversary); 장애, 손상하는 것: a foreign ~ 외적/a ~ *to* progress 진보의 적/friend and ~ 적과 아군.
FOE, FoE Friends of the Earth 《국제 환경 보호 단체》. **F.O.E., FOE** Fraternal Order of Eagles.
foehn [fein] *n.* 〖기상〗 =FÖHN.
fóe·man [-mən] (*pl.* ***-men*** [-mən]) *n.* 《고어·시어》 적(병): a ~ worthy of one's steel 호적수(好敵手).
foetal ⇨ FETAL.
foetation ⇨ FETATION.
foeticide ⇨ FETICIDE.
foetid ⇨ FETID.

foe·tus [fíːtəs] *n.* =FETUS.
fo·far·raw [fóufərɔ̀ː] *n.* 《미구어》 =FOOFARAW.
fog[1] [fɔːg, fɑg/fɔg] *n.* Ⓤ,Ⓒ **1** (짙은) 안개; 농무(濃霧)의 기간; 연무(煙霧). **2** 혼미(混迷), 당황(bewilderment). **3** Ⓒ,Ⓤ 〖사진〗 희끄무레함, 흐림; 〖물리·화학〗 포그《기체 중에 확산된 액체 입자의 혼합물》; 《미속어》 김, 수증기. ***(all) in a ~*** 어찌할 바를 몰라, 아주 당황하여, 오리무중에. ***the ~ of war*** 전운. ── **(-gg-)** *vt.* **1** 《~+목/+목+부》 안개로 덮다; 어둡게 하다(darken); (유리 따위를) 흐리게 하다(dim): They used dry ice to ~ the stage. 그들은 무대를 안개로 덮기 위해 드라이 아이스를 이용했다 / The steam *~ged* my glasses. 안경에 김이 서렸다. **2** 흐리다, 아리송하게 하다: ~ the issue with jokes 농담으로 문제점을 애매하게 하다. **3** 어찌할 바를 모르게 하다(confuse). **4** 〖사진〗 (인화·원판을) 부옇게 하다. **5** 《야구속어》 (강속구를) 던지다; 《미속어》 (때려) 죽이다. ── *vi.* **1** 《~/+부》 안개로 덮이다, 안개가 끼다《*up*》: The valley has *~ged up.* 골짜기에는 안개가 자욱했다. **2** 〖사진〗 부옇게 되다. **3** 《영》 (선로에) 농무 신호를 내다. **4** 《미방언》 담배를 피우다. ***~ it in*** 《야구속어》 속구를 던지다. ***~ off*** 습기로 시들어 죽다.
fog[2] *n.* 두 번째 나는 풀; 선 채로 말라 죽은 풀. ***leave*** (grass) ***under ~*** (풀)을 말라 죽은 채로 버려두다. ── **(-gg-)** *vt.* (땅을) 말라 죽은 풀로 뒤덮이게 놔두다; (가축)에게 두 번째로 돋은〔선 채 말라 죽은〕 풀을 먹이다.
fóg·bàll *n.* 〖야구〗 강속구.
fóg bànk 무제(霧堤)《해상에서 육지처럼 보이는 짙은 안개》.
fóg·bòund *a.* 짙은 안개로 항행(航行)〔이륙〕이 「불가능한.
fóg·bòw *n.* 흰 무지개《안개 속에 나타나는 희미한 무지개》.
fóg·bròom *n.* (도로·비행장의) 안개 소산(消「散) 장치.
fóg·dòg *n.* =FOGBOW.
fóg·èater *n.* **1** 안개를 뚫고 나타나는 보름달. **2** ⌊=FOGBOW.
fo·gey [fóugi] *n.* =FOGY.
fog·gy [fɔ́ːgi, fɑ́gi/fɔ́gi] **(-gi·er; -gi·est)** *a.* **1** 안개〔연무〕가 낀, 안개가 자욱한; 《구어》 머리가 흐리멍덩한, 흐린. **2** 당황한; 몽롱한. **3** 〖사진〗 뿌연, 흐린. ㊕ **-gi·ly** *ad.* 안개가 자욱이; 자욱하게; 어찌할 바를 몰라. **-gi·ness** *n.*
Fóggy Bóttom 미 국무부의 통칭.
fóg·hòrn *n.* 〖해사〗 무적(霧笛); 《비유》 크고 거친 소리. ***need a ~*** 《미속어》 갈피를 못 잡다, 알지 못하다.
fo·gle [fóugəl] *n.* 《속어》 명주 손수건〔네커치「프〕.
fógle hùnter 〔**hèister**〕 《속어》 소매치기.
fóg·less *a.* 안개가 없는.
fóg lèvel 〖사진〗 (현상된 필름의 뿌연 부분의) 미노출 농도.
fóg lìght 〔**làmp**〕 자동차용 안개등(燈), 포그램프《보통 황색》.
fóg sìgnal 《영》 〖철도〗 농무 신호《철로 위에 놓는 폭명(爆鳴) 장치》; 〖해사〗 무중(霧中) 신호.
fo·gy [fóugi] *n.* (보통 old ~) 시대에 뒤진 사람, 구식 사람, 구폐가(舊弊家). ㊕ **~·ish** [-iʃ] *a.* **~·ism** [-ìzəm] *n.* Ⓤ 구식.
foh [fɔː] *int.* =FAUGH.
föhn [fein] *n.* 《G.》 〖기상〗 푄《산맥을 넘어 불어 내리는 건조한 열풍》, 재넘이.
FOI freedom of information. **FOIA** 《미》 Freedom of Information Act.
foi·ble [fɔ́ibəl] *n.* **1** (애교 있는) 약점, 결점, 흠. **2** 무척 좋아하는 것. **3** 칼의 약한 부분《칼 가운데서 칼끝까지》. OPP *forte*[1].
foie gras [fwɑ́ːgrɑ́ː] 《F.》 《구어》 푸아그라《특별히 살찌운 집오리의 간(肝)요리; 진미》.
foil[1] [fɔil] *n.* Ⓤ **1** 박(箔), 포일: gold ~ 금박/ tin ~ 주석박. **2** 거울 뒷면의 박. **3** 보석 뒤쪽에 대는 금속의 박편《보석의 빛깔과 반짝임을 아름답게 보임》. **4** Ⓒ (대조되어) 남을 돋보이게 하는 사람〔물건〕. **5** Ⓒ 〖건축〗 잎새김 장식《고딕 양식에서 흔히 씀》. **6** 《미속어》 작은 마약 봉지. ── *vt.* …에 박을 입히다, (보석에) 박으로 뒤를 붙이다; 〖건축〗 …에 잎새김 장식을 붙이다; 《드물게》 대조함으로써 …을 돋보이게 하다: a *~ed* window 잎새김 장식이 있는 창.
foil[2] *n.* (끝을 둥글고 뭉툭하게 만든) 연습용 펜싱검(劍); (*pl.*) 펜싱 (연습).
foil[3] *vt.* 역(逆)을〔허를〕 찌르다, (계략 따위를) 좌절시키다, 미연에 방지하다; 피하다; 《고어》 (공격을) 격퇴〔저지〕하다; 〖사냥〗 (냄새 자취를) 감추다《짐승이 종횡으로 뛰어》; (사냥개를) 따돌리다. ***be ~ed in*** …에 실패하다. ── *n.* 짐승이 달아난 발자귀; 《고어》 격퇴. ***run*** (***upon***) ***the ~*** 짐승이 냄새 자취를 감추다. ㊕ **∠·a·ble** *a.*
fóil càpsule 고급 브랜디·와인 등의 병 주둥이 깊숙이까지 씌운 금속 포일.
fóil·ing[1] *n.* Ⓤ 〖건축〗 잎새김 장식.
fóil·ing[2] *n.* 〖사냥〗 (짐승의) 자취 냄새.
fóil lìdding 금속박의 뚜껑, 포일 뚜껑《요구르트 용기 따위의》.
foils·man [fɔ́ilzmən] (*pl.* **-men** [-mən]) *n.* 펜「싱의 명수.
foin [fɔin] 《고어》 *n.* (칼끝·창끝 따위로) 찌르기. ── *vi.* 찌르다.
foi·son [fɔ́izən] *n.* 《고어·시어》 풍부, 풍작; 「《Sc.》 체력, 정력.
foist [fɔist] *vt.* (부정한 사항을) 몰래 삽입하다〔써넣다〕, 혼란한 틈을 타서 집어넣다《*in; into*》; (가짜 따위를) 억지로 떠맡기다, (속여서) 사게 하다; (작품 따위를) 속여서〔잘못하여〕 …의 작(作)으로 하다《*on*》: ~ a book *on* a person 저작물을 아무의 작이라고 속이다. ~ something (***off***) ***on*** a person 아무에게 용케 무엇을 떠맡기다.
Fok·ker [fɑ́kər/fɔ́kər] *n.* 포커식 비행기《제 1차 세계 대전 때 활약한 독일 군용기》.
fol. folio; followed; following.
fol·a·cin [fɑ́ləsin/fɔ́l-] *n.* 폴라신, 폴산(folic「acid).
fo·late [fóuleit] *n., a.* 〖생화학〗 폴산(의); 폴산염〔에스테르〕.
fold[1] [fould] *n.* **1** 주름, 접은 자리; 층(層). **2** (실의) 한 타래; (뱀의) 서림. **3** (산이나 토지의) 우묵한 곳, (*pl.*) 중첩된 기복. **4** 〖지학〗 (지층의) 습곡(褶曲); 〖해부〗 습벽(褶襞). ── *vt.* **1** 《~+목/+목+부》 접다; 접어 포개다《*over; together*》, 꺾어 젖히다《*back*》; (소매 등을) 걷어 올리다《*up*》: ~ a letter 편지를 접다 / ~ *up* a map 지도를 접다 / ~ *back* the sleeves of one's shirt 셔츠 소매를 걷어붙이다. **2** (다리 따위를) 구부리다, 옴츠리다; (새가 날개를) 접다. **3** (팔을) 끼다: with *~ed* arms 팔짱을 끼고, 수수방관하여. **4** 《+목+전+명》 (양팔 따위로) 감다, (옷 따위를) 걸치다《*about; around*》: ~ one's arms *around* a person's neck 아무의 목을 껴안다 / He *~ed* his cloak *about* him. 외투를 걸쳤다. **5** 《+목+전+명》 안다, 포옹하다: ~ a person *in* one's arms 아무를 꼭 껴안다. **6** 《~+목/+목+전+명》 싸다; 푹 싸다; 덮다: Clouds *~ed* the hills. 구름이 산들을 덮었다 / ~ a thing *in* paper 물건을 종이로 싸다. **7** 〖요리〗 (아래위로 뒤집어) 섞다《*in*》. ── *vi.* 《~/+부》 **1** (병풍 등이) 접히다, 포개지다; 접어서 겹치다《*up; back*》; (지층에) 습곡이 생기게 하다: The doors ~ *back.* 그 문은 접어서 겹쳐진다. **2** 꺾이다, 손들다; (사업·흥행 등이) 실패하다, 망하다《*up*》; 〖카드놀이〗 카드를 엎어 게임을 포기하다. ***~ out*** (접힌 것이) 펴지다. ***~ one's ears*** 진지하게 충고〔강연〕하다.

fold[2] *n.* (양)우리; (the ~) (우리 안의) 양 떼; 《비유》 기독교 교회; (the ~) 교회의 신자들; (the ~) 〖일반적〗 가치관〔목적〕을 같이하는 사람들, 동료. ***receive*** 〔***welcome, take***〕 a person ***back to*** 〔***into***〕 ***the ~*** 아무를 다시 동료로〔회원으로〕 맞아들이다. ***return*** 〔***come back***〕 ***to the ~*** 옛 둥지〔신앙, 정당 따위〕로 돌아오다. **—** *vt.* (양을) 우리에 넣다; 양을 우리 안에서 키워서 (그 땅을) 기름지게 하다; (토지에) …을 두르다《양을 사육하기 위해》.

-fold [fòuld] *suf.* '…배(倍), …겹〔중(重)〕'의 뜻: three*fold*. 「a ~ bed.

fóld·awày *a.* 접어서 치울 수 있는, 접는 식의:

fóld·bòat *n.* 접는 보트(faltboat). 「는》.

fóld-dòwn *a.* 접이식의《접었다 폈다 할 수 있

fólded dípole 〖통신〗 접힌 다이폴 (안테나).

fólded hórn 〖오디오〗 폴디드 호른《저음용 호른형 스피커의 나팔; 접어서 짧게 되어 있음》.

◇**fóld·er** *n.* 접는 사람〔것〕; 접지기(摺紙機); 접책(摺冊), 접게 된 시간표〔지도〕; 종이 끼우개; (*pl.*) 접는 안경; 〖컴퓨터〗 폴더《컴퓨터의 저장 장치인 하드 디스크나 플로피 디스크의 공간을 하나 혹은 여러 개의 방으로 나누어서 파일을 저장하는 경우에 사용되는 방》.

fol·de·rol [fáldəràl/fɔ́ldərɔ̀l] *n.* =FALDERAL.

fold·ing [fóuldiŋ] *a.* 접는, 접을 수 있는: a ~ bed 접침대/a ~ chair 접의자/a ~ scale 〔rule〕 접자/a ~ screen 병풍.

fólding cámera 《CB 속어》 경찰차에 실린 휴대용 속도 측정 장치.

fólding dóor (종종 *pl.*) 접게 된 문; 두짝 문.

fólding gréen 《미속어》 지폐, 돈.

fólding móney 《미구어》 큰돈, 지폐.

fóld mòuntains 〖지학〗 습곡산맥.

fóld·òut *n.* (잡지의) 접어서 끼워 넣은 페이지.

fóld-ùp *a.* 접을 수 있는.

fo·ley [fóuli] *n., vi.* (때때로 F–) 〖영화〗 (촬영이 끝난 필름에) 효과음을 추가 녹음하다〔하는 기술자〕. 「국, FBI.

Fó·ley Squáre [fóuli-] 《미속어》 연방 수사

fo·lia [fóuliə] FOLIUM의 복수.

fo·li·a·ceous [fòuliéiʃəs] *a.* 〖식물〗 잎사귀 모양의(leaflike), 엽질(葉質)의; 잎의; 〖지학〗 얇은 조각〔층〕으로 된(laminated). ㊞ **~·ness** *n.*

*__fo·li·age__ [fóuliidʒ] *n.* **1** 〖집합적〗 잎; 잎의 무성함, 군엽(群葉). **2** 〖건축〗 (도안·조각 등의) 잎장식. ㊞ **~d** [-d] *a.* 잎이 무성한; 잎장식이 있는.

fóliage léaf 〖식물〗 본잎. ⓒⓕ floral leaf.

fóliage plánt 관엽(觀葉) 식물.

fo·li·ar [fóuliər] *a.* 잎(모양)의.

fóliar féeding 〔**spráy**〕 〖원예〗 분무기(spray)로 잎에 영양분을 주기.

fo·li·ate [fóulièit] *vt.* 잎사귀 모양으로 하다; 박(箔)으로 하다; 〖건축〗 잎장식으로 꾸미다; (책에 페이지 숫자가 아닌) 장수를 매기다: ~ a book 책에 장수를 매기다. **—** *vi.* 잎을 내다; 박(箔)이 되다. **—** [fóuliət, -èit] *a.* 〖식물〗 잎이 있는, …장(張)의 잎이 있는; 엽상(葉狀)의(leaflike); 박(箔)으로 한; 〖건축〗 잎장식이 있는. **—** *n.* 엽상암(葉狀岩). ㊞ **-at·ed** [-èitid] *a.* 엽상의, 잎 장식을 한; 〖결정〗 박층(薄層)으로 된.

fò·li·á·tion *n.* Ⓤ,Ⓒ 잎을 냄; 푸른 잎의 상태; 박(箔)으로 함, 제박(製箔); (거울 뒤쪽에) 박을 입힘; 〖건축〗 잎장식을 함, 당초(唐草)무늬 장식; 책의 장수매김. 「엽산(葉酸)《빈혈 특효약》.

fó·lic ácid [fóulik-, fál-/fɔ́l-] 〖생화학〗 폴산,

fo·lie de gran·deur [F. fɔlidəgRɑ̃dœːR] 《F.》 (=delusion of grandeur) 과대망상.

fo·lio [fóuliòu] (*pl.* **~s**) *n.* **1** 2절지(二折紙); 2절판(折判) 책《제일 큰 책; 보통 높이가 30 cm 이상》: in ~ (책이) 전지 2절판의〔인〕. **2** 〖인쇄〗 페이지 매기기, 장수; 〖부기〗 장부의 좌우 2페이지《같은 페이지로 매겨 있음》. **3** (겉에만 페이지를 매긴) 한 장《서류·원고의》. **4** 〖법률〗 문서의 길이를 세는 단위 어수(語數)《영국에서는 72 또는 90, 미국에서는 보통 100어》. **—** *a.* 2절의; 2절판의. **—** *vt.* **1** (인쇄본 따위의) 장수를 세다; …에 페이지 수를 매기다, …에 번호를 매기다. **2** 〖법률〗 (서류에) 단위 어수마다 표를 하다.

fo·li·o·late [fóuliəlèit] *a.* 〖식물〗 《종종 복합어로》 소엽(小葉)의, 소엽으로 된.

fo·li·ole [fóulìòul] *n.* 〖식물〗 작은 잎.

fólio pùblishing 종이에 인쇄하는 재래식 출판업. ⓒⓕ electronic publishing.

fo·li·um [fóuliəm] (*pl.* **-lia** [-liə]) *n.* 얇은 층(lamella); 〖기하〗 데카르트의 잎 꼴《곡선의 일부가 환상이고 양 끝점이 동일한 결절점인 부분》; (종이 등의) 한 장.

fo·li·vore [fóuləvɔ̀ːr] *n.* 〖동물〗 초식 동물.

fo·liv·o·rous [foulívərəs] *a.* 〖동물〗 초식성의.

*__folk__ [fouk] (*pl.* **~**(**s**)) *n.* **1** (*pl.*) 사람들(people). ★ 오늘날에는 보통 people을 쓰나, 미국에서는 허물없는 사이의 표현으로 흔히 씀: Good morning, *~s!* 안녕하십니까, 여러분. **2** (*pl.*) 《구어》 가족, 친척, 일족: the old ~s at home 우리 집 노인들; 그리운 고향 사람들. **3** (the ~) (*pl.*) 평민. **4** 《고어》 국민, 민족. **5** 《구어》 민속 음악. ***just*** (***plain***) ***~s*** 《구어》 소박〔수수〕한 사람들. **—** *a.* 서민의, 민중의, 민속의, 민간(전승)의; 민요(조)의, 민속 음악의. ㊞ **∠·ish** *a.*

fólk àrt 민중 예술, 민예. 「**∠·lìke** *a.*

fólk blúes 《미》 포크 블루스《19세기 중반 이후에 해방된 흑인 사이에서 불리던 민요적 블루스》.

fólk dànce 민속〔향토〕 무용; 그 곡. 「람〔것〕.

fólk dèvil 사회에 악영향을 끼친다고 생각되는 사

fólk etymólogy 민간 어원(설), 통속 어원.

fólk hèro 민간 영웅.

fol·kie [fóuki] *n.* 《속어》 포크 송〔민요〕 가수〔팬〕. **—** *a.* 포크 송의, 민요의.

fólk lífe 평민 생활 (연구).

◇**fólk·lòre** *n.* Ⓤ 민간 전승(傳承), 민속; 민속학. ㊞ **-lò·ric** *a.* **-lòr·ist** *n.* 민속학자.

folk·lor·ism [fóuklɔ̀ːrizəm] *n.* 민속 연구.

folk·lor·is·tic [fòuklɔːrístik] *a.* 민속학적〔민간전승적〕인. 「민속학.

fòlk·lor·ís·tics *n. pl.* 〖단수취급〗 민속 연구,

fólk màss (전통적인 예배용 음악 대신에) 민속 음악을 써서 행하는 미사.

fólk mèdicine 민간 요법. 「는 기억.

fólk mémory 한 민족〔집단〕의 성원이 공유하

fólk·mòot *n.* 〖영국사〗 민회(民會)《앵글로색슨 시대의 부족 따위의》.

fólk mùsic 민속〔향토〕 음악.

folk·nik [fóuknìk] *n.* 《속어》 민요 팬〔가수〕.

fólk-pòp *n.* 포크팝《민속 음악의 가락과 가사를 채용한 팝 음악》.

fólk psychólogy 민족 심리학(race psychology); 한 민족의 심리적 통성(通性).

fólk-ròck *n.* Ⓤ 포크록《민요풍의 록 음악》.

fólk·sày *n.* Ⓤ 속어적 표현, 통속어.

fólk sìnger 민요 가수(folkster).

fólk sòng 민요.

folk·ster [fóukstər] *n.* 《미》 =FOLK SINGER.

fólk stòry =FOLK TALE.

folk·sy [fóuksi] (**-si·er; -si·est**) *a.* 《때로 경멸》 탁 털어놓는(informal), 평민적인; 친하기 쉬운, 사교적인. ㊞ **-si·ness** *n.*

fólk tàle 민간 설화, 민화(民話), 구비(口碑).

fólk·wày *n.* (보통 *pl.*) 〖사회〗 민속, 습속, 사회적 관행.

fólk wèave 성기게 짜기〔짠 천〕.

folky [fóuki] *a.* 《구어》 =FOLKSY; 《구어》 흔한, 진부한; 《속어》 =FOLKIE. **—** *n.* 《속어》 =FOLKIE.

foll. following (words 〔pages, etc.〕).

fol·li·cle [fálikəl/fɔ́l-] *n.* 〖해부〗 소낭(小囊); 여포(濾胞), 난포(卵胞); 〖식물〗 골돌과(蓇葖果)《깍지의 일종》; 〖곤충〗 고치(cocoon). ***hair* ~** 〖해부〗 모낭(毛囊). [파] **fol·lic·u·lar** [fəlíkjələr] *a.* ~ (모양)의.

fóllicle-stìmulating hòrmone 〖생화학〗 여포〔난포〕 자극 호르몬 《생략: FSH》.

fol·lic·u·lin [fəlíkjəlin] *n.* 〖생화학〗 폴리큘린 《발정 호르몬, 특히 estrone》.

fol·lic·u·li·tis [fəlìkjəláitis] *n.* 〖병리〗 모낭염(毛囊炎) 《피부의 털구멍에 생기는 화농성 염증》.

†**fol·low** [fálou/fɔ́lou] *vt.* **1** 《~+[목]/+[목]+[전]+[명]/+[목]+[부]》 …을 좇다, 동행하다, …을 따라가다: ~ hounds (사냥개를 앞세워) 사냥을 하다 / The dog ~*ed* me *to* the house. 그 개는 나를 따라 집에까지 왔다 / ~ a person *in* 〔*out*〕 아무의 뒤를 따라 들어가다〔나오다〕. **2** 《~+[목]/+[목]+[전]+[명]》 (지도자 등을) 따르다; (선례를) 따르다, (세태·유행 따위를) 따라가다; (충고·가르침·주의 따위를) 좇다, 지키다, 신봉하다: ~ the rules of a game 경기의 규칙을 지키다 / ~ a person's advice 아무의 충고를 따르다 / ~ the example of a person 아무를 모범으로 삼다 / ~ Confucius 공자의 설을 신봉하다. **3** …에 계속하다, …의 다음에 오다, …의 뒤를 잇다: Night ~*s* day. 밤은 낮에 계속된다 / School children topped the list of the participants, ~*ed* by college students. 초등 학생이 참가자 수의 제 1 위를 차지하고 다음이 대학생이었다. **4** …의 뒤에 일어나다〔생기다〕, …의 결과로서 일어나다: Misery ~*s* war. 전쟁 때문에 비참한 일이 일어난다. **5** 뒤쫓다, 추적하다; (이상·명성 따위를) 추구하다, 구하다: ~ fame 명성을 추구하다 / They ~*ed* the enemy for miles. 그들은 수 마일이나 적을 추적했다. **6** 《~+[목]/+[목]+[전]+[명]》 (길을) 따라서 가다, …을 거쳐 가다; (철도 따위가) …을 끼고 달리다; (이론·설명·이야기의 줄거리를) 더듬다, 이해하다: ~ an argument 논조에 따라가다 / *Follow* this road *to* the corner. 길모퉁이가 나올 때까지 이 길을 죽 따라가시오. **7** (아무의) 말을 이해하다: Can you ~ me? 내 말을 이해하겠냐 / I don't quite ~ you 〔what you are saying〕. 무슨 말인지 잘 모르겠습니다. **8** (직업에) 종사하다(practice), …을 직업으로 하다: ~ the law 법률에 종사하다, 변호사를 업으로 하다. **9** 눈으로 좇다; 귀로 청취하다: ~ a bird in flight 나는 새를 눈으로 좇다. **10** (변화하는 세태·형세를) 따라가다; 지켜보다, …에 관심을 나타내다, …에 흥미를 갖다; (특정 팀 등을) 열심히 응원하다, …의 팬이다.
— *vi.* **1** 《~/+[전]+[명]》 (뒤)따르다, 좇아가다; 수행하다, 섬기다; 추적하다: He led, and we ~*ed.* 그가 이끌었고, 우리들은 따랐다 / The policeman ~*ed after* the man in question. 경찰관은 문제의 사나이 뒤를 밟았다. **2** 《~/+[전]+[명]》 다음〔뒤〕에 오다; 잇따라 일어나다(ensue): When a vowel ~*s*, 'a' becomes 'an'. 다음에 모음이 오면 a 가 an 이 된다 / I want to know if anything ~*ed after* it. 나는 그 후 어떤 일이 일어났는지 어떤지 알고 싶다. **3** 《+*that* [절]》 〔보통 it 을 주어로 하여〕 (논리적으로) 당연히 …이 되다, …이라는 결론이〔결과가〕 되다, …로 추정되다: *It* ~*s* from this *that*... 이 일로 당연히 …이 된다; 이 때문에 …로 추정된다.
as* ~*s 다음과 같이: They are *as* ~*s*. 그것들은 다음과 같다. ★ 이 구의 follows 는 비인칭동사이며, 언제나 s 가 붙음. **~ *about*** 〔(*a*)*round*〕 좇아다니다, …에 붙어다니다. **~ *after*** …의 뒤를 따르다; …을 추구하다; …의 뒤에 일어나다: ~ *after* him 그의 뒤를 따라가다 / *After* the earthquake an epidemic ~*ed*. 지진 뒤에 전염병이 유행하였다. ★ 타동사로서의 follow 와 거의 같은 뜻이지만, 약간 새로운 표현. **~ *home*** 철저히 추적하다, 끝까지 추구하다. **~ *in* a person*'s footsteps*** 〔***tracks***〕 아무의 예를 본받다; (흔히 친척 등의 직업을) 그대로 따르다. **~ *on*** 바로 뒤를 잇다, 계속 좇다; 바싹 뒤따라 나아가다; 계속 노력하다, (쉰 뒤에) 계속하다; (…에) 계속해서 일어나다, (…의) 결과로서 생기다; 〖축구〗 = ~ up. **~ *out*** (생각 등을) 철저히 추구〔분석, 규명〕하다, 철저히 하다; (계획 따위를) 성취하다. **~ *the stage*** 배우가 되다. **~ *through*** 《*vi.*+[부]》 ① (야구·테니스·골프에서) 배트〔채〕를 끝까지 휘두르다. ② 공격을 계속하다. ③ (계획 따위를) 속행하다 《*with*》; 마무리하다, 매듭짓다 《*with*》.
— 《*vt.*+[부]》 ④ (끝까지) 해내다. **~ *up*** 《*vi.*+[부]》 ① 계속하여 행하다 《*with*》. ② 철저히 구명(究明)하다, 적절한 처리를 하다 《*on*》. **—** 《*vt.*+[부]》 《구어》 ③ 끝까지 따라가다〔추적하다〕: ~ *up* a clue 실마리를 철저히 좇다. ④ (여세를 몰아) 한층 더 철저히 하다, …에 또 (…을) 추가하다, …뒤에 (…을) 계속하다 《*with*》: ~ *up* a blow 연타(連打)하다. ⑤ 〖축구〗 (공을 가진 자기편에) 가까이 가서 지키다〔돕다〕. ⑥ (의사가 환자와) 접촉을 갖다. ⑦ (신문이) 후보(後報)를 싣다. ⑧ 적절한 행동을 취하다. **~ *up with*** 《미》 …에 이어 행하다. **~ (...) *with* —** (…의) 뒤에 —을 덧붙이다, 추가하다; (…의) 뒤에 —을 계속하다. ***to* ~** 다음 요리로서.
— *n.* **1** 좇음, 추종. **2** 〖당구〗 밀어치기. **3** 《구어》 (요리의) 더 먹기 《보통량의 반 정도》.

***fol·low·er** [fálouər/fɔ́l-] *n.* **1** 수행자, 수행원, 종자(從者); 부하, 졸개. **2** (주의·학설의) 추종자, 신봉자; (학자의) 문하, 제자; (당파의) 당원; (종파·종교의) 신도; 열렬한 팬; 모방자, 아류(亞流) 《*of*》. **3** 추적자, 좇는 사람. **4** 《영고어》 여자를 좇아다니는 사내 《특히 가정부의 뒤를 좇는》. **5** 〖기계〗 종동부(從動部) 《캠(cam) 따위》.

fol·low·er·ship [fálouərʃìp/fɔ́l-] *n.* (한 무리의) 부하, 종자(從者), 추종자, 문하(門下), 제자; 피지휘자의 지위〔임무〕.

†**fol·low·ing** [fálouiŋ/fɔ́l-] *a.* **1** 다음의, 그 뒤에 오는: (on) the ~ day 그 다음 날 / in the ~ year 〔year ~〕 그 다음 해 / He made a statement to the ~ effect. 그는 다음과 같은 취지의 성명을 내었다. **2** 〖해사〗 순풍〔순류(順流)〕의. **—** *n.* **1** 종자(從者), 추종자, 신봉〔예찬〕자, 열렬한 지지자, 문하생(followers): a leader with a large ~ 많은 부하를 가진 지도자. **2** (the ~) 〔단·복수취급〕 다음에 말하는 것, 아래에 쓴 것: The ~ is his answer 〔are his words〕. 다음은 그의 답〔말〕이다 / The ~ has 〔have〕 been promoted. 아래에 적은 자는 승진하였다. **—** *prep.* [ˊ--, ˊ--] …에 이어, …의 뒤에: *Following* the lecture, the meeting was open to discussion. 강연에 이어서 모임은 자유 토론으로 들어갔다.

fóllow-ón *a.* 후속의: ~ products 후속의 제품. **—** *n.* 〖크리켓〗 속행 제 2 회전.

fóllow scène 〖영화〗 이동 촬영한 장면.

fóllow shòt 〖당구〗 밀어치기; 〖영화·TV〗 이동 촬영 《피사체의 움직임에 따라서 카메라를 이동시킴》.

fóllow-the-léader, -my- [-mə-] *n.* [U] 대장놀이 《대장이 하는 대로 흉내 내다가 틀리면 벌을 받는 놀이》.

fóllow-thròugh *n.* (테니스·골프 따위에서) 타구 후의 마무리 동작; (계획 따위의) 뒤따르는 행동, 최종 마무리, 수행; 《미속어》 결말.

fóllow-ùp *n.* 뒤쫓음, 뒤따름; 속행(續行); 〖상업〗 뒤미처 내는 권유장; (신문의) 신판, 속보(續報), 후보(後報); 〖의학〗 추적 검사(를 받는 환자); 《영속어》 결말. **—** *a.* 뒤쫓는, 뒤따르는, 계속하는: ~ survey 추적 조사 / a ~ letter 재차 내는 권유장 / ~ system 추구(追求) 판매법《몇 번이고 권유장을 내어 파는 방법》.

fol·ly** [fáli/fɔ́li] *n.* U,C **1** 어리석음, 우둔. **2** 어리석은 행위〔생각〕: youthful *follies* 젊은 기분의 난봉. **3** 큰돈을 처들인 무용(無用)의 대건축. **4** (follies) 〔단수취급〕 글래머러스한 여성이 등장하는 시사 풍자극《레뷔, 폴리스》; (follies) 시사 풍자극을 공연하는 여성들. **5** 《고어》 사악, 외설한 행동. ***to a **~** 어리석을 정도로.

Fol·som [fóulsəm] *a.* 폴섬 문화의《북아메리카 대륙 Rocky 산맥 동부의 선사 시대 문화》.

Fólsom màn 폴섬 사람.

Fólsom pòint 〖고고학〗 폴섬형(型) 첨두석기「(尖頭石器).

FOMC Federal Open Market Committee (미 연방 공개 시장 위원회).

fo·ment [foumént] *vt.* 찜질하다; (반란·불화 등을) 빚다, 조장하다(foster); 도발〔선동〕하다. ㊞ **~·er** *n.* 조장〔선동〕자; 탕파(湯婆).

fo·men·ta·tion [fòumentéiʃən] *n.* 찜질(약); U (불평 등의) 조장(助長), 유발.

fom·i·tes [fámitìːz, fóu-/fóu-] (*sing.* ***fo·mes*** [fóumiːz]) *n. pl.* 〖의학〗 (감염의) 매개물《의류·침구 따위》.

‡**fond**¹ [fand/fɔnd] *a.* **1** 〔서술적〕 좋아서(liking). SYN. ⇨ LIKE¹. **2** (사람이) 애정 있는, 다정한 (affectionate), 무른, 사랑에 빠진: a ~ husband 아내에게 무른 남편. **3** (눈치·표정 따위가) 애정을 표시하는, 호의에 넘치는. **4** 맹신적인, 분별없는. ***be ~ of*** …을 좋아하다, …가 좋다; 《구어》 …하는 나쁜 버릇이 있다: I *am* very ~ *of* music. / He *is* ~ *of going* out in the evening for pleasure. 밤에 놀러만 다닌다. ***get ~ of*** …이 좋아지다. 「(fund).

fond² *n.* (특히 레이스의) 바다천; 《폐어》 자금

fon·dant [fándənt/fɔ́n-] *n.* 《F.》 퐁당《입 안에서 스르르 녹는 사탕; 캔디 등의 주재료》.

fon·dle [fándl/fɔ́n-] *vt., vi.* 귀여워하다, 애무하다(caress); 장난치다《*with*》. ㊞ **~r** *n.* 귀여워하는 사람. 「완동물.

fon·dling [fándliŋ/fɔ́n-] *n.* 귀염받는 사람; 애

°**fónd·ly** *ad.* 애정을 담아, 다정하게; 맹신적으로, 분별없이, 단순히. ★ 친한 사이의 편지 맺음말.

°**fónd·ness** *n.* **1** U 다정함, 귀여워함. **2** U 맹목적인 사랑, 무턱대고 좋아함〔귀여워함〕; 맹신. **3** C 기호, 취미《*for*》. ***have a ~*** 애호하다《*for*》.

fon·du(e) [fandjúː, ˊ-/fɔ́ndjuː] *n.* 《F.》 퐁뒤《포도주에 버터·치즈를 녹여서 달걀을 풀어 만든 요리》.

F₁ làyer [éfwʌ́n-] *n.* 〖통신〗 F₁ 층《지상 약 200-300 km의 높이에 있는 전리층으로, 단파를 반사함》. cf. F₂ layer.

fon·fen [fánfèn/fɔ́n-] *n.* 《속어》 (사기꾼이 꾸민 돈벌이 이야기) 줄거리, 계획.

fons et ori·go [fánz-et-ɔːráigou/fɔ́nz-et-ɔrái-] 《L.》 원천, 본원 (source and origin).

font¹ 1

font¹ [fant/fɔnt] *n.* **1** 〖종교〗 세례반, 성수반(聖水盤). **2** (램프의) 석유통; 《고어·시어》 샘 (fountain), 원천, 본원.

font² *n.* 《미》 〖인쇄〗 동일형 활자의 한 벌(《영》 fount); 〖컴퓨터〗 글자체, 폰트. 「세례(洗禮)의.

Fon·taine·bleau [fántinblòu/fɔ́n-] *n.* 파리 근교의 도시《역대 프랑스 왕의 궁전과 숲으로 유명함》.

font·al [fántəl/fɔ́nt-] *a.* 샘의; 본원의, 원천의;

fon·ta·nel(le) [fàntnél/fɔ̀n-] *n.* 〖해부〗 숫구멍, 정문(頂門)《유아의 정수리 부분》.

fon·ti·na [fantíːnə/fɔn-] *n.* (이탈리아산(産) [의) 양젖 치즈.

fónt nàme 세례명.

fónt·wàre [fánt/fɔ́nt-] *n.* 〖컴퓨터〗 폰트웨어《특별한 자체(字體)를 사용하기 위한 소프트웨어》.

†**food** [fuːd] *n.* U **1** 식품, 식량; 영양물: ⇨ DOG 〔PLANT〕 FOOD. **2** 《비유》 정신적 양식; (사고·반성 따위의) 자료: mental ~ 마음의 양식 / ~ *for thought* 사고의 양식. ***be*** 〔***become***〕 ***~ for fishes*** 고기밥이 되다, 익사하다. **~ *and drink*** 음식물. **~ *for powder*** 총알받이, 병사들《탄환의 희생물》. **~ *for the squirrels*** 《미속어》 바보, 얼간이; 아주 어리석은 일. ***genetically modified ~*** 유전자 재조합 식품. ***That is ~ for thought.*** 그건 생각해 볼 일이다.

fóod àdditive 식품 첨가제.

food·a·hol·ic [fùːdəhɔ́ːlik, -hál-/-hɔ́l-] *n.* 과식증인 사람, 병적인 대식가.

fóod àid 식량 원조.

Fóod and Ágriculture Organizàtion (the ~) (UN의) 식량 농업 기구《생략: FAO》.

Fóod and Drúg Administràtion (the ~) 《미》 식품 의약품국《보건 후생부의 한 국(局); 생략: FDA》. 「배급소》.

fóod bànk 《미》 식량 은행《극빈자용 식량 저장

fóod chàin **1** 〖생태〗 먹이사슬, 식물(食物) 연쇄. **2** 식료품 연쇄점.

fóod còlor 식품용 물감, 착색제.

fóod còmplex 〖생태〗 =FOOD WEB.

fóod contròller 식량 관리관.

fóod còupon =FOOD STAMP.

fóod còurt (쇼핑몰 안의) 음식점 코너《가운데에 식사할 공간이 마련되어 있음》.

fóod cỳcle 〖생태〗 =FOOD WEB.

fóod-gàthering *a.* (수렵) 채집 생활의. ㊞ **fóod-gàtherer** *n.*

fóod hàll 《주로 영》 (백화점의) 식품 판매 구역.

food·ie [fúːdi] *n.* 식도락가. 「조사(照射).

fóod irradiátion (보존을 위한 감마선의) 식품

fóod làbeling (포장 식품에 붙이도록 의무화되어 있는) 식품 내용 표시 라벨.

fóod·less *a.* 음식이 없는.

fóod·lìft *n.* 식량의 긴급 공수.

fóod pòisoning 식중독.

fóod prècessor 식품 가공기《식품을 고속으로 썰고, 으깨고, 빻는 전동 기구》.

fóod pỳramid 〖생태〗 먹이 피라미드.

fóod scìence 식품 과학.

fóod stàmp 《미》 식량 카드《구호 대상자용》.

°**fóod·stùff** *n.* (종종 *pl.*) 식량, 식료품.

fóod vàlue 영양가(價).

fóod·wàys [-wèiz] *n. pl.* (어느 민족·지역·시대의) 식습관; 요리법.

fóod wèb 〖생태〗 먹이그물, 먹이망(網).

foo·ey [fúːi] *int.* 《구어》 =PHOOEY.

foo·fa·raw [fúːfərɔ̀ː] *n.* U,C 《미구어》 싸구려 장신구(裝身具); 사소한 일로 북새떨기.

‡**fool**¹ [fuːl] *n.* **1** 바보, 등신, 멍청이, 어리석은 사람; 《폐어》 백치. **2** 바보 취급당하는 사람, 만만한 사람. **3** 어릿광대《중세 귀족에게 고용됨》. **4** …광(狂): a ~ *for* wine 술에 미친 사람 / a dancing ~ 댄스광. ***act the ~*** =play the ~. ***be a***

~ for one's pains 〔((영)) to oneself〕 헛수고를 하다. be a ~ to ((고어)) …와는 비교가 안 되다. be ~ enough to do 어리석게도 …하다. be no 〔nobody's〕 ~ 바보는 아니다, 빈틈이 없다. form the ~ ((Carib 영)) 바보짓을 하다, 실떡거리다. make a ~ of a person 아무를 바보 취급하다, 기만하다. make a ~ of oneself 웃음거리가 되다, 창피를 당하다. play the ~ 바보짓을 하다; 어릿광대역을 맡아하다. play the ~ with … 을 속이다; …을 망치다. send a person on a ~'s errand 아무에게 헛걸음을 시키다. (the) more ~ you (그런 일을 하다니) 너도 바보로군.
— a. ((구어)) =FOOLISH.
— vt. 1 놀리다, 우롱하다. 2 ((~+목/+목+전+명)) 속이다; 속여 빼앗다, 속여서 …시키다: I ~ed myself. 나는 자신을 속였다. 3 ((+목+부)) (시간·돈·건강 따위를) 헛되이 쓰다, 낭비〔허비〕하다((away)): Don't ~ away your time. 우물쭈물하다가 시간을 헛되이 보내지 마라. — vi. 1 ((~/+전+명)) 바보짓을 하다; 희롱거리다, 장난치다; 농락하다((with)), 농담하다: I was only ~ing. 나는 농담을 하였을 뿐이다. 2 ((+부)) 빈둥거리다, 어슬렁거리다: Don't ~ around 〔about〕. 빈둥거리지 마라. ~ about 〔around〕 ① ⇨ vi. 2. ② 빈둥거리며 지내다, 시간을 허비하다. ③ (기계·칼 따위를) 이것저것〔조심성 없이〕 만지작거리다((with)); (이성을) 농락하다, 유혹해 보다, (…와) 바람피우다((with)). ~ along ((미)) 어슬렁어슬렁 가다. ~ away ⇨ vt. 3. ~ a person into doing 아무를 속여서 …시키다. ~ a person out of 아무를 속여서 …을 빼앗다. ~ with …을 갖고 놀다, …을 만지작거리다. ~ a person with 아무를 …로 속이다.

fool² n. 풀((과일을 짓찧어 우유·크림을 섞은 〔식품〕)).

fóol dùck ((미)) 홍(紅)오리.

fool·ery [fúːləri] n. U,C 어리석은 행위(짓); (pl.) 어리석은 언동.

fool·har·dy [fúːlhàːrdi] (-di·er; -di·est) a. 무작정한, 저돌적인, 무모한(rash). 파 -di·ly ad. -di·ness n.

fóol hèn ((미)) 뇌조(雷鳥)류의 새.

fóol·ing n. U 희롱거림, 우스개짓; 장난.

**fool·ish [fúːliʃ] a. 1 미련한, 어리석은. 2 바보 같은(ridiculous); 우스운; ((고어)) 하찮은.

> SYN. **foolish, senseless** 상식·판단력이 없음. 반드시 지능이 낮음에 있지 않음: a *foolish* 〔*senseless*〕 decision 어리석은 결정. **silly** foolish의 강한 뜻. 지능의 낮음이 암시됨. '얼빠진' 발언·농담 따위에도 씀: a *silly* statement. **stupid** 선천적으로 어리석은, 머리가 나쁜. 그러나 행위에 관해서는 foolish와 완전히 같은 뜻으로 쓰임: It is *stupid* to do such a thing.

파 *~·ly ad. ~·ness n.

fool·oc·ra·cy [fuːlɑ́krəsi/-lɔ́k-] n. U 우인(愚人) 정치.

fóol·pròof a. (기계 따위가) 아무라도 다룰 수 있는, 고장이 없는, 간단명료한; 실패 없는, 절대 안전〔확실〕한.

fools·cap [fúːlzkæ̀p] n. 대판 양지(大判洋紙)(($13\frac{1}{2}\times17$인치)).

fóol's càp (방울 따위가 달린 원뿔형의) 어릿광대 모자; 원뿔형의 종이 모자(dunce cap)((학생에게 벌로 쓰게 함)).

fóol's érrand 헛걸음, 헛수고: go on a ~ 헛수고를 하다/send a person on a ~ 아무에게 헛걸음을〔헛수고를〕 하게 하다.

fóol's góld 황철석, 황동석.

fóol's màte 〖체스〗 풀스 메이트((이길 것으로 놓은 수가 제 궁이 꼼짝 못하게 된 수)).

fóol's páradise 어리석은 자의 천국, 헛된 기대.

†**foot** [fut] (pl. **feet** [fiːt])

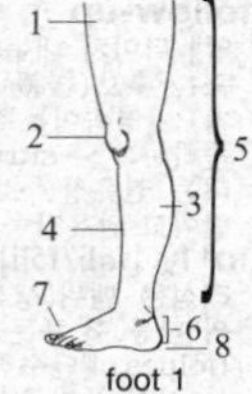

foot 1

1. thigh 2. knee
3. calf 4. shank
5. leg 6. foot
7. toe 8. heel

n. 1 발((복사뼈에서 밑부분을 말함)). cf. leg. 2 발 부분((양말의 발 부분 따위)); (연체동물의) 촉각(觸脚); 〖동물〗 (무척추동물의) 보행기(步行器)의 접지부(接地部); 〖식물〗 (선류(蘚類)의 자낭체의) 족부(足部); (화판의) 기부(基部). 3 (테이블 따위의) 다리; (침대·마루·무덤 따위의) 발치〔아래〕쪽. 4 (사물의) 밑부분, 기슭, 아래, 밑바닥, 최하부, 기부(基部): at the ~ of a hill 언덕의 기슭에. 5 말위(末位), 말석: at the ~ of a class 학급의 말석에. 6 피트((약 30cm; 발 길이에서 기인)); 〖음악〗 피트((오르간 음관(音管) 따위의 길이의 단위 및 음의 높이)): five ~ 〔feet〕 eleven inches, 5피트 11인치. 7 도보; 걸음, 걸음걸이(step): have a heavy ~ 걸음걸이가 무겁다. 8 〖복수취급〗((영고어)) 보병(infantry). 9 ((미속어)) 레이스카의 드라이버. 10 〖운율〗 운각, 시각(詩脚). 11 (pl. ~s) 앙금, 침전물; 조당(粗糖). 12 (pl. ~s) =FOOTLIGHTS.

at a ~'s pace 보행의 속도로, 보통 걸음으로. at a person's feet 아무의 발 아래에, 아무에게 복종하여〔매혹되어〕. at the ~ of (산)기슭에; (페이지) 밑부분에; …의 각부(脚部)에; (…씨의) 밑에서. begin (…) on the right 〔wrong〕 ~ = start (…) (off) on the right 〔wrong〕 ~. Best ~ forward! 힘 내라. carry a person off his feet ⇨CARRY. catch a person on the wrong ~ 아무의 형편이 나쁠 때에 하다, 아무의 허점을 찌르다. change ~ 〔feet, step〕 (행진 중에) 발을 바꿔 디디다. change one's feet ((구어)) 신발을 바꿔 신다. cubic 〔square〕 ~ 세제곱〔제곱〕 피트. dead on one's feet ((구어)) (서 있거나 걷지 못할 만큼) 몹시 지쳐. die on one's feet ⇨DIE¹. feet first 〔foremost〕 (관 속에 넣어져) 발부터 먼저; ((속어)) 관에 들어가, 죽어서. find 〔feel〕 one's feet 〔legs〕 ① (…에) 자신이 붙다, 기술이 늘다, (새 환경에) 익숙해지다((in; at)). ② 능력〔본래의 특색〕을 발휘하다; 독립하여 해나가다. ③ (아기 등이) 걷기 시작하다. find 〔get, have, know, take〕 the length of a person's ~ 남의 발밑을 보다, (남의) 약점을 잡다〔알다〕. ~ by ~, 1피트씩; 점차. get 〔have〕 a 〔one, one's〕 ~ in (the door) =get one's ~ 〔feet〕 in 〔under the table〕 ((구어)) (조직 따위에) 잘 파고 들어가다, 발붙일 데를 얻다, (거래할) 기회를 얻다. get (…) off on the right 〔wrong〕 ~ =start (…) (off) on the right 〔wrong〕 ~. get one's feet wet 참가하다, 손을 대다. give a person the ~ ((미속어)) 아무를 걷어차다. go home feet first ((속어)) 죽다, 뒈지다. have 〔keep〕 a ~ in both camps 신중히 양다리 걸치고 있다, 양 진영에 발을 디밀고 있다. have 〔keep〕 both 〔one's〕 feet (set 〔planted〕) (firmly) on the ground 현실적이다. have one ~ in the grave ⇨GRAVE. have leaden 〔heavy〕 feet 발걸음이 무겁다. jump 〔spring〕 to one's feet ⇨JUMP. keep one's ~ 〔feet〕 똑바로 서다〔서서 걷다〕; 발 밑을 조심하다; 신중하게 행동하다. kick with the wrong ~ ((Sc.·Ir.)) 말하는 사람과 종교〔종파〕를 달리하다. knock a person off his feet (놀라게 해서) 아

무를 어리둥절하게 하다. ***land*** 〔***drop, fall***〕 ***on*** one***'s feet*** =***land like a cat*** (고양이처럼) 떨어져서 사뿐히 서다; 《비유》 거뜬히 어려움을 면하다, 운이 좋다. ***measure another man's*** ~ ***by*** one***'s own last*** 자신의 입장에서 남의 일을 추측하다. ***miss*** one***'s*** ~ 〔***footing***〕 발을 헛디디다; 실족하다. ***My*** 〔***Your***〕 ~***!*** 《구어》 맙소사. ***off*** one***'s feet*** 발판을 잃고. ***on*** ~ ① 걸어서, 도보로. ② 발족하여, 착수되어. ***on*** one***'s feet*** 일어서서; (병후에) 원기를 회복하고; (경제적으로) 독립하여; 즉석에서. ***on the wrong*** 〔***right***〕 ~ 형편이 나쁘게〔좋게〕. ***put*** 〔***set***〕 ***a*** ~ ***wrong*** =***not put*** 〔***set***〕 ***a*** ~ ***right*** 《특히 영》 잘못 말하다; 실수하다. ***put*** 〔***set***〕 one***'s best*** ~ 〔***leg***〕 ***foremost*** 〔***forward***〕 ① 《영》 가능한 한 급히 가다; 전속력으로 달리다; 전력을 다하다. ② 되도록 좋은 인상을 주도록 하다; 좋은 곳을 보여주다. ***put*** 〔***get***〕 one***'s feet up*** (누워서〔앉아서〕) 잠시 쉬다. ***put*** one***'s*** ~ ***down*** 발을 꽉 디디고 서다; 굳게 결심하다; 《구어》 단호히 행동하다, 반대하다; 《영구어》 차를 가속시키다. ***put*** one***'s*** ~ ***in*** 〔***into***〕 ***it*** 〔one***'s mouth***〕 《구어》 (무심코 발을 들여놓아) 곤경에 빠지다, 실패하다; 《구어》 실언하다. ***put*** one***'s*** ~ ***on it*** 《구어》 차의 속력을 높이다. ***rise*** 〔***get***〕 ***to*** one***'s feet*** 일어서다. ***set*** ~ ***in*** 〔***on***〕 …에 들어가다〔도착하다〕. ***set*** ~ ***on the ground*** 대지를 밟다. ***set ... on*** ~ …을 개시〔착수〕하다. ***set*** 〔***put, have***〕 one***'s*** ~ ***on the neck of*** …을 완전히 누르다〔정복하다〕. ***sit at*** a person***'s feet*** 아무에게 사사하다, 아무를 칭찬하다. ***stamp*** one***'s*** ~ (화가 나서) 쾅쾅 발을 구르다. ***stand on*** one***'s own*** (***two***) ***feet*** 〔***legs***〕 자립해 있다, 자주적으로 생각〔행동〕하다. ***start*** (***...***) (***off***) 〔***begin*** (***...***), ***get*** (***...***) ***off***〕 ***on the right*** 〔***wrong***〕 ~ (인간관계 따위에서) (…을) 잘〔잘못〕 시작하다, 출발이 순조롭다〔순조롭지 않다〕. ***swift of*** ~ 발이 빠른. ***throw*** one***self at the feet of*** a person 〔a person***'s feet***〕 (공공연히) 아무에게 빌붙다, 아무의 동정을 구하다. ***throw*** one***'s feet*** 《미속어》 구걸하다, 구걸하여 먹을 것〔돈〕을 얻다, (임시의) 일을 찾다. ***to*** one***'s feet*** (발로) 일어서: come 〔get, rise〕 *to* one's *feet* 일어서다. ***under*** ~ ① 발밑에; 발밑이, 땅이, 마루가: trample *under* ~ =TREAD under ~/be damp *under* ~ 땅이 질다. ② 굴복하여. ***under*** a person***'s feet*** 아무를 방해하여; 아무의 발밑에, 복종하여, 아무의 뜻대로 되어. ***vote with*** one***'s feet*** 도망침으로써 이의 제기 의사를 나타내다. ***with a*** ~ ***in both camps*** 대립하는 양 진영에 속하여, 양다리 걸쳐. ***with both feet*** 단호히, 격심하게. ***with one*** ~ ***in the grave*** 《구어》 다 죽게 되어. ***with*** one***'s feet foremost*** 두 발을 내뻗고; 시체가 되어. ***with*** one***'s feet up*** (누워서〔앉아서〕) 잠시 쉬고. ***with*** one***'s*** ~ ***on the neck of*** …을 완전히 억눌러.
— *vi.* **1** 걷다, 걸어가다. **2** 스텝을 밟다, 춤추다. **3** (배가) 나아가다. — *vt.* **1** 걷다, …의 위를 밟고 걷다, 걸어서 횡단하다. **2** (댄스를) 추다. **3** (도정(道程)·거리를) 답파하다. **4** (양말 따위에) 발 부분을 붙이다, …의 발 부분을 수선하다; (매 따위가) 발톱으로 움켜잡다. **5** 《+목+부》 합계하다 《*up*》: ~ *up* an account 셈을 합계하다. **6** 《구어》 지급하다, …의 비용을 부담하다. **7** 《고어》 차다. **8** 장치해 놓다, 정착시키다. ~ ***it*** 걷다, 달리다, 답파하다; 도망치다; 춤추다. ~ ***up*** 총계가 (…이) 되다 《*to*》: ~ *up to* $150, 총계 150 달러가 되다.

foot·age [fútidʒ] *n.* Ⓤ,Ⓒ 피트 수(數) 《특히 영화 필름·목재의 길이》; (어떤 길이의) 영화 필름 《특히 장면의》; (영화의 연속된) 장면; 〖광산〗 채광 피트 수에 의한 지급(액).

fóot-and-móuth disèase [-ən-] 〖수의〗 구제역(口蹄疫) 《가축의 입·발굽에 걸리는 전염병》.

†**foot·ball** [fútbɔ̀:l] *n.* **1** Ⓤ 풋볼 《미국에서는 미식축구, 영국에서는 주로 축구 또는 럭비》: ⇨ ASSOCIATION 〔RUGBY〕 FOOTBALL. **2** Ⓒ 풋볼 공. **3** Ⓒ 《비유》 난폭하게〔소홀히〕 취급되는 사람〔물건〕; 목침돌림의 대상이 되는 물건〔문제〕. **4** Ⓒ 손님을 끌려고 싸게 파는 상품. **5** =ITALIAN FOOTBALL. — *vi.* ~을 하다. — *vt.* (손님을 끌려고) …을 밑지고 팔다. ㊕ **~·er** *n.* ~ 선수.

fóotball hóoligan (영국의) 폭력적 축구광.

Fóotball Lèague (the ~) 축구〔사커〕 연맹 《영국에 있는 프로 사커 팀의 통합 기관》.

fóotball pòols (the ~) 풋볼 도박.

fóot·bàth (*pl.* **~s** [-bæ̀ðz, -bɑ̀:ðz]) *n.* 발 씻기, 발 대야.

fóot-bìnding *n.* (옛날 중국에서 유행했던) 전족.

fóot·bòard *n.* (침대·기차 등의) 발판, 디딤판.

fóot·bòy *n.* 사환, 급사.

fóot bràke (자동차 따위의) 브레이크.

fóot·brìdge *n.* 인도교.

fóot-cándle *n.* 〖물리〗 피트 촉광 《조도(照度)의 단위》.

fóot·clòth (*pl.* **~s** [-ðz, -θs]) *n.* 깔개, 융단; 《고어》 말의 성장(盛裝)용으로 씌우는 피륙 《땅에 닿음》.

fóot·dràg·ger *n.* 《구어》 (일을) 꾸물거리고 있는 사람, 늑장부리는 자, 느림보.

fóot-dràgging *n.* 《미구어》 (고의로) 지체함, 억지로 함; 주저함.

fóot·ed [-id] *a.* **1** 발이 있는. **2** 〖복합어〗 …발 가진; 발이 …한: four-~ 네 발 가진, 네 발의/fleet-~ 걸음이 빠른.

fóot·er *n.* **1** 보행자. **2** 〖복합어로〗 키〔길이〕가 …인 사람〔물건〕: a six-~ 키가 6 피트인 사나이. **3** 《영구어》 럭비, 사커. **4** 〖컴퓨터〗 꼬리말.

°**fóot·fàll** *n.* 발소리; 걸음걸이.

fóot fàult 〖테니스〗 서브할 때에 라인을 밟는 반칙.

fóot frònt 《미》 =FRONT FOOT.

fóot·gèar *n.* Ⓤ 신는 것 《신발·양말 따위》.

Fóot Guàrds (the ~) 영국 근위 보병 (연대).

fóot·hìll *n.* (보통 *pl.*) 산기슭의 작은 언덕.

°**fóot·hòld** *n.* 발판; 기지.

foot·ie [fúti] *n.* 《미구어》 =FOOTSIE; FOOTY[2].

°**fóot·ing** *n.* **1** 발밑, 발판, 발디딤(foothold); 〖경마〗 주로〔코스〕의 상태, (마장의) 표층(表層): Mind your ~. 발밑을 조심하시오. **2** 발 붙일 데, 터전; (확고한) 기반; 지위, 신분: get 〔gain, obtain〕 a ~ *in* …에 발판을〔지위를〕 얻다/keep one's ~ 선 자리〔지위〕를 유지하다/lose one's ~ 발을 헛딛다; 설 자리를 잃다. **3** 입장, 사이, 관계(relationship): on an equal 〔the same〕 ~ with …와 동등한 자격으로〔관계로〕, 대등하게. **4** 합계, 총계, 합. **5** 걸음, 제자리걸음, 스텝 밟기. **6** (양말 따위의) 발 부분, 밑동(의 재료); 발을〔다리를〕 대기; 〖건축〗 토대, 기초(basis), 벽각(壁脚). **7** 입회(금), 입학(금) 《따위》: pay (for) one's ~ 입회금을 내다; 입회의 표시로 기부를〔한턱〕 내다. **8** 〖군사〗 편제, 체제: on a peace 〔war〕 ~ 평시〔전시〕 편제〔체제〕로.

fóot-in-móuth *a.* 《구어》 실언의, 걸핏하면 실언하는.

fóot-in-móuth disèase 《구어·우스개》 실언벽(癖).

fóot·làmbert *n.* 〖광학〗 풋램버트 《휘도(輝度)의 단위; 1 제곱 피트당 1 루멘의 광속(光束) 발산도를 가진 완전 확산면의 휘도; 기호: fL》.

foo·tle [fú:tl] 《구어》 *n.* Ⓤ 어리석은 짓, 허튼소리(twaddle). — *vi.* 어리석은 말〔허튼짓〕을 하다, 바보 같은 짓을 하다. ㊕ **~r** *n.*

fóot·less *a.* **1** 발이 없는; 실체〔근거〕가 없는; 터무니없는. **2** 《구어》 맵시〔쓸모〕 없는. **3** 《시어》 사람의 발길이 미치지 않은.
fóot·lìghts *n. pl.* **1** 〖연극〗 각광《무대의 전면 아래쪽에서 배우를 비추는 광선》, 풋라이트. **2** (the ~) 무대(stage); 배우업(俳優業). ***appear before the*** ~ 무대에 서다, 각광을 받으며 등장하다. ***behind the*** ~ 관람석에. ***get over*** 〔***across***〕 ***the*** ~ 관객에게 감명을 주다〔호평을 받다〕, 대성공을 거두다. ***smell of the*** ~ 연극 맛이 풍기다, 배우티가 나다. 「은, 분별없는.
foot·ling [fútliŋ, fú:t-/fú:t-] *a.* 《구어》 어리석
fóot·lòcker *n.* (군인의) 사물 트렁크《침대 밑에 둠》. 「로운.
fóot-lòose *a.* 가고 싶은 곳에 갈 수 있는, 자유
fóot·man [-mən] (*pl.* ***-men*** [-mən]) *n.* **1** (제복을 입은) 종복(從僕), 하인, 마부. **2** 보병; 《고어》 도보 여행자, 보행자. **3** 삼발이, 난로의 주전자 (올려놓는) 대.
fóot·màrk *n.* 발자국(footprint).
fóot·mùff *n.* (보온용) 발싸개. 「달다.
fóot·nòte *n.* 각주(脚注). — *vt.* …에 각주를
fóot·pàce *n.* 보통 걸음; 〖건축〗 (층계의) 층계참; (제단의) 상단(上段).
fóot·pàd *n.* **1** (도보의) 노상강도《highwayman은 보통 말 탄 강도》. **2** 우주선의 연착륙용의 납작한 각부(脚部).
fóot pàge 사환, 사동.
◇**fóot·pàth** (*pl.* ~***s*** [-pæðz, -pæθs, -pà:ðz, -pà:θs]) *n.* (보행자용의) 작은 길; 《영》 보도.
fóot·plàte *n.* 《영》 (기관차의) 기관사와 화부가 서는 곳; (탈것의) 승강용 발판. ㊎ ~**·man** *n.* 기관사, 화부.
fóot-póund (*pl.* ***-póunds***) *n.* 〖물리〗 피트파운드《1 파운드 무게의 물체를 1 피트 들어올리는 일의 양》.
fóot-póund-sécond *a.* 〖물리〗 피트·파운드·초단위계(秒單位系)의《생략: fps》.
◇**fóot·prìnt** *n.* **1** 발자국; 족문(足紋); 타이어의 자국. **2** (우주선·인공위성 등의) 착륙〔낙하〕 예상 지점; 비행 중인 항공기 소음 등의 영향이 미치
fóot ràce 도보 경주, 뜀박질 경주. 「는 지역.
fóot ràil (의자·책상 등의) 발걸이.
fóot·rèst *n.* (이발소 의자 등의) 발판.
fóot ròck 〖브레이크댄스〗 풋록《breaker가 마루춤으로 들어가기 전에 서서 춤출 때의 스텝의 총칭》. 「망)의 밑줄.
fóot·ròpe *n.* 〖해사〗 활대 아래의 디딤줄, 돛(어
fóot ròt (소·양 따위의) 발 전염병.
fóot rùle 피트 자; (판단의) 기준.
fóot·scàld *n.* Ⓤ (말의) 발바닥의 염증.
fóot·scràper *n.* 신발 흙털이.
foot·sie, -sy [fútsi] *n.* 《소아어》 걸음마, 발; 《구어》 (탁자 밑으로) 다리를 건드리며 새롱거리기: play ~(*s*) with …와 시룽대다; 《구어》 (…와) 몰래 정을 통하다〔부정한 거래를 하다〕.
foot·sie-woot·sie [fútsiwútsi] *n.* 《미속어》 = FOOTSIE.
fóot·slòg (***-gg-***) *vi.* (진창·먼 길을) 힘들게 걷다, 도보 행진을 하다. ㊎ ~**·ger** *n.* 보행자, 보병.
fóot sòldier 보병. 「~**·ging** *n., a.*
fóot·sòre *a.* 발병 난, 신발에 쓸려 상처가 난.
fóot·stàlk *n.* 〖식물〗 잎꼭지(petiole). 「rup).
fóot·stàll *n.* 주춧돌; (여자용 안장의) 등자(stir-
fóot stàmping 제자리걸음: ~ cold 가만히 견뎌낼 수 없는 추위.
⁑**foot·step** [fútstèp] *n.* **1** 걸음걸이, 보도(步度). **2** 발소리. **3** 발자국. **4** 보폭, 1 보. **5** 딛고 오르는 층계. ***follow*** 〔***tread, walk***〕 ***in a*** *person's* ~***s*** ⇨FOLLOW. ***hear*** ~***s*** 적이 있는 것을 알아채다.
fóotsteps èditor 〖영화〗 효과음 편집자.
fóot·stòne *n.* (무덤의) 대석(臺石); 〖건축〗 주춧
◇**fóot·stòol** *n.* 발판. 「돌.
fóot-sùre *a.* 발디딤이 확실한(sure-footed).
fóot-tón *n.* 〖물리〗 피트톤《1 톤 무게의 물체를 1 피트 들어올리는 일의 양》.
fóot vàlve 〖기계〗 풋 밸브《흡입관 끝부분에 달린 역류(逆流) 방지 밸브》.
fóot·wàll *n.* 〖광산〗 하반(下盤)《광맥·광상 아
fóot wàrmer 각로(脚爐), 탕파. 「래쪽 암층》.
fóot·wày *n.* = FOOTPATH.
fóot·wèar *n.* Ⓤ = FOOTGEAR.
fóot·wèll *n.* 자동차 앞자리의 발밑 공간.
fóot·wòrk *n.* Ⓤ (구기·복싱·춤 등의) 발놀림, 발재주; (기자의) 탐방 취재. 「닳은.
fóot·wòrn *a.* 걸어서 지친, 다리가 아픈; 밟아서
foo·ty[1] [fú:ti] *a., n.* 《방언·구어》 빈약한〔시시한〕 (사람〔물건〕).
foo·ty[2] *n.* = FOOTSIE; 《Austral. 구어》 축구.
foo·zle [fú:zəl] *vt., vi.* 그르치다, 실수하다; 〖골프〗 서투르게 공을 치다, 잘못 치다(bungle). — *n.* 그르침; 〖골프〗 (공을) 잘못 침; 《구어》 고루한 사람, 연장자; 《구어》 얼빠진〔속기 쉬운〕 사
fop [fɑp/fɔp] *n.* 맵시꾼 「람.
fop·ling [fɑ́pliŋ/fɔ́p-] *n.* …체하는 자, 뽐내는 자. 「레꾼.
fop·pery [fɑ́pəri/fɔ́p-] *n.* Ⓤ,Ⓒ 멋부림, 겉치
fop·pish [fɑ́piʃ/fɔ́p-] *a.* 멋부린, 모양을〔맵시를〕 낸. ㊎ ~**·ly** *ad.* ~**·ness** *n.*
†**for** ⇨《p. 983》 FOR.
for- [fɔ:r, fər] *pref.* '금지, 부정, 거부, 비난, 과도(過度), 배제, 생략' 등의 뜻: *for*bid, *for*bear.
F.O.R., f.o.r. 〖상업〗 free on rail. **for.** foreign; forestry.
for·age [fɔ́:ridʒ, fɑ́r-/fɔ́r-] *n.* Ⓤ 꼴, 마초, 말〔소〕먹이; Ⓤ,Ⓒ 마초 징발; 식량 구하기; 〖군사〗 침입, 습격. — *vi.* **1** 《+뛰/+전+명》 마초를 찾아다니다; 식량 징발에 나서다《*about; for*》: Cows are allowed to ~ *about for* food. 소는 꼴을 찾아 돌아다니게 되어 있다. **2** 《+뛰/+전+명》 《비유》 찾아다니다, 마구 뒤적여 찾다《*among; about; for*》: ~ *about* to find a book 여기저기 뒤져 책을 찾다/He ~*d in* the pockets of his coat. 그는 상의 주머니를 이리저리 뒤졌다. **3** 침입〔침략〕하다《*on, upon*》. — *vt.* …에게서 양식을〔마초를〕 징발하다; 약탈하다; (마소에) 마초를 주다. ***a foraging party*** 마초 징발대; 약탈자.
fórage càp (보병의) 작업모.
fór·ag·er *n.* 마초 징발대원; 약탈자.
fóraging ànt 떼로 먹이를 찾아다니는 개미.
fo·ra·men [fəréimən/fɔ-] (*pl.* ***-ram·i·na*** [-rǽmənə], ~***s***) *n.* 〖해부·동물·식물〗 소공(小孔).
forámen mágnum 〖해부〗 대후두공(後頭孔).
forámen ová·le [-ouvǽli, -véili, -vɑ́:-] 〖해부〗 난원공(卵圓孔). **1** 태아의 좌우 심방 격벽에 있는 구멍. **2** 접형골(蝶形骨) 큰 날개에 있는 구멍《신경·혈관의 통로》.
fo·ram·i·nate, -nat·ed [fərǽmənət/fɔrǽminèit], [-nèitid] *a.* 작은 구멍이 있는, 유공(有孔)의.
for·a·min·i·fer [fɔ̀:rəmínəfər, fɑ̀r-/fɔ̀r-] *n.* 〖동물〗 유공충(有孔蟲).
for·as·much [fɔ̀:rəzmʌ́tʃ] *conj.* 《문어》 〖법률〗 〔다음 형태로만 쓰임〕 ~ ***as*** …임을 보면, …인 까닭에(seeing that, since): ~ *as* the time is short 시간이 짧기 때문에.
for·ay [fɔ́:rei / fɔ́r-] *vt., vi.* 약탈〔침략〕하다. — *n.* 침략, 약탈(incursion); 본업 이외의 분야에의 진출《*into*》. ㊎ ~**·er** *n.* 침략자.

for

for는 전치사와 등위(等位)접속사로 쓰이는데 특히 전치사로서의 역할이 중요하다. 다른 많은 짧은 전치사와는 달리 부사로는 사용되지 않는다. 전치사가 문 중에서 대체로 약하게 발음되는 것은 물론이지만, 특히 for는 잘못해서 강하게 발음하면 four로 오해되기 쉽다.

for [fɔːr, 약 fər] *prep.* **1** 〖이익·영향〗…을 위해〔위한〕; …(에)게는: a great pleasure ~ me 내게는 큰 기쁨 / give one's life ~ one's country 나라를 위해 목숨을 바치다 / work ~ an oil company 석유 회사에 근무하다 / Can I do anything ~ you? 무어 시키실 일은 없으신지요 / Smoking is not good ~ your health. 담배는 몸에 좋지 않다 / It was fortunate ~ you that he was there. 그가 거기 있었던 것은 너에게 다행이었다.
2 〖방향·목적지〗…을 향하여; (열차 따위가) …행(行)의; …에 가기 위해〔위한〕; …에 입장하기 위해〔위한〕: start 〔leave〕 (Busan) ~ China 중국을 향해 (부산을) 떠나다 / the train ~ London 런던행(行) 열차 / The ship is bound ~ Busan. 그 배는 부산행(行)이다 / change ~ the better 〔worse〕 좋은〔나쁜〕 쪽으로 변하다; 호전〔악화〕되다 / Did you get the tickets ~ the game? 그 경기의 입장권은 구하셨습니까.
3 〖대리·대용·대표〗…대신(에, 의, 으로)《on behalf of는 딱딱한 표현임》; …을 위해, …을 나타내는; …을 대표하여: speak ~ another 남을 대신하여〔위해〕 말하다, 대변하다 / the member ~ Manchester 맨체스터 대표인 하원 의원 / substitute margarine ~ butter 마가린을 버터 대용품으로 쓰다 / What's the word ~ "ship" in Spanish? "ship"을 스페인 말로 뭐라고 합니까.
4 〖목적·목표·의향〗…을 위해〔위한〕; …을 목표로 하여; …을 할〔…이 될〕 작정으로: dress ~ dinner 만찬을 위하여 옷을 갈아입다 / go ~ a walk 〔swim〕 산책〔수영〕하러 가다 / go to the restaurant ~ a meal 식사하러 레스토랑으로 가다 / a house ~ rent 《미》 셋집 / just ~ fun 그저〔단지〕 재미로(서) / What do you work ~? 자네는 무슨 목적으로 일을 하는가.
5 〖획득·추구·기대의 대상〗…을 얻기 위해〔위한〕; …을 찾아〔구하여〕: an order ~ tea 차의 주문 / wait ~ an answer 회답을 기다리다 / cry ~ one's mother 엄마를 찾으며 울다 / Everyone wishes ~ happiness. 모두(가) 행복을 바란다 / We wrote to him ~ advice. 편지를 보내 그에게 조언을 구했다.
6 〖적합·용도·대상〗…에 적합한, …에 어울리는〔걸맞는〕; …목적〔필요〕에 맞는; …대상의; …용의〔에〕: books ~ children 어린이를 위한〔용〕 책 / a dress ~ the occasion 그 자리에 어울리는 옷 / It's time ~ action. 행동을 취할 때다 / What is this used ~? 이건 무엇에 쓰이는 것인가.
7 〖준비·보전·방지〗…에 대비하여; …을 위해; …을 보전하기〔고치기〕 위해〔위한〕: prepare ~ an exam 시험 준비를 하다 / get ready ~ supper 저녁 식사의 준비를 하다 / get ready ~ school 등교(의) 채비를 하다 / a good remedy ~ headaches 두통에 잘 듣는 약.
8 a 〖경의〗…을 기념하여; …을 위해; …에 경의(敬意)를 표하여(in honor of): give a party ~ a new ambassador 신임 대사를 위해 파티를 열다. **b** 〖모방·본뜸〗《미》 …에 관련지어; …의 이름을 따(라)서(《영》 after): The baby was named ~ his grandfather. 아기 이름은 할아버지의 이름을 따서 지었다.
9 〖이유·원인〗 **a** …이유로; …때문에; …으로 인하여〔인한〕: ~ fear of ... …을 두려워하여 / ~ many reasons 많은 이유로 / shout ~ joy 기쁜 나머지 큰 소리를 지르다《for는 pity, grief, sorrow 따위의 감정을 나타내는 명사와 함께 쓰임》 / a city known ~ its beauty 그 아름다움으로 알려져 있는 도시 / I can't see anything ~ the fog. 안개로 인해 아무것도 안 보인다 / be dismissed ~ neglecting one's duties 직무를 태만히 하여 해고되다. **b** 〖보통, the+비교급의 뒤에서〗 …결과(로서); …탓으로: He felt (*the*) *better* ~ having said it. 그는 그것을 말하고 나니 오히려 속이 시원했다 / ⇨ be the BETTER[1] for, be the worse ~ WEAR[1](관용구).
10 〖찬성·지지〗…에 찬성하여; …을 지지하여〔한〕; …을 위하여; …을 편들어(OPP *against*): vote ~ 〔against〕 a person 아무에게 찬성〔반대〕 투표하다 / stand up ~ women's rights 여성의 권리를 옹호하다 / Are you ~ or against the proposal? 그 제안에 찬성인가 아니면 반대인가《for or against는 목적어 생략이 가능》 / I'm ~ calling it a day. 오늘 일은 이것으로 마치자 / Three cheers ~ our team! 우리 팀을 위해 만세 삼창을.
11 〖감정·취미·적성 따위의 대상〗 **a** …에 대하여〔대한〕; …을 이해하는: a great affection ~ her 그녀에 대한 큰 사랑 / an eye ~ beauty 심미안(審美眼) / have a taste ~ music 음악을 좋아하다 / I'm sorry ~ you. 미안하게〔딱하게〕 여긴다. **b** 〖cause, reason, ground, motive 따위 뒤에 와서〗 …에 대해서의; …(해야) 할: You have no cause ~ worry. 걱정할 필요가 전혀 없다.
12 〖흔히 ~ all의 형태로〗…에도 불구하고, …한데도 (역시)(in spite of): ⇨ ~ all(관용구).
13 〖교환·대상(代償)·등가〗…와 상환(相換)으로; …에 대해; …의 금액〔값〕으로: He gave her his camera ~ her watch. 그는 자기 카메라를 그녀의 시계와 맞바꿨다 / I paid $50 ~ the camera. 그 카메라에 50달러를 지불했다 / The eggs are ₩3,000 ~ 10 〔10 ~ ₩3,000〕. 이 달걀은 10개에 3천원입니다 / We sold our car ~ 〔at〕 $1,000. 자동차를 천 달러에 팔았다《for는 '…와 상환으로', at은 '…의 값으로'를 나타냄》.
14 〖보상·보답·보복을 나타내어〗…에 대해, …의 보답으로서; …의 대갚음으로: five points ~ each correct answer 각 정답에는 5점 / make up ~ a loss 손실을 벌충하다〔메우다〕 / reward him ~ his services 그의 일에 대해 보수를 주다 / give blow ~ blow 주먹엔 주먹으로 맞서다 / an eye ~ an eye 〚성서〛 눈에는 눈으로《출애굽기 XXI: 24》 / Thank you ~ your kindness. 친절히 해 주셔서 감사드립니다 / He was fined ~ speeding. 그는 과속으로 벌금이 부과되었다.
15 〖시간·거리〗…동안 (죽); (예정 기간으로서의) …간(間): ~ hours 〔days, years〕 몇 시간이〔며칠이, 몇 해〕나 되는 동안 / ~ the last ten years 지난 10년 동안 / ~ days (and days) on end 날이면 날마다 (끝없이) / imprisonment ~ life 종신〔무기〕 징역 / *For* miles and miles there was nothing but sand. 몇 마일이나 계속해서 오직 모래뿐이었다 / The forest stretches ~ a long way. 숲이 멀리 잇따라 뻗쳐 있다 /

The road runs ~ five miles. 길은 5마일이나 뻗쳐 있다 / He didn't work ~ (very) long. 그는 (그다지) 오랫동안 일하지 않았다《곧 그만두었다》.

NOTE (1) **for** 의 생략: 계속 · 상태를 나타내는 동사 뒤에 와서, 특정한 시간 · 거리를 나타낼 경우에는 생략할 수가 있음: We stayed there (*for*) two 〔several〕 weeks. 단, 수사(數詞)가 없을 때에는 생략할 수가 없음: The rain lasted *for* hours 〔days〕.
(2) 특정한 기간을 가리킬 경우 for는 쓸 수 없음: *during* [ˣfor] the six weeks (그 6주일간). 단, '(어느 특정한) 기간을 지내기 위해' 의 문맥(文脈)에서는 쓸 수 있음: We camped there ~ 〔*throughout, in, during*〕 the summer. 우리는 여름 동안 그곳에 캠프를 했다(throughout는 '처음부터 끝까지' 의 뜻을 강조, in은 '여름철 어느 시기에' 의 뜻임. during은 문맥에 따라 어떤 의미로도 됨).

16 〖받을 사람 · 보낼 곳〗 …에게 주기 위해〔위한〕; …앞으로(의): a present ~ you 당신을 위한 선물 / I've got some good news ~ you. 네게 좋은 소식이 있다 / Who is it ~? 누구에게 줄 것입니까 / Bill, there's a call ~ you. 빌, 너에게 전화다 / She bought a new tie ~ Tom. 그녀는 톰에게 새 넥타이를 사 주었다(=She bought Tom a new tie.).

NOTE for는 이익을 받는 대상을 나타냄. 불이익의 대상에는 종종 on: She shut the door *on* me. 그녀는 내 앞에서 문을 쾅하고 닫았다. cf. She opened the door *for* me. 그녀는 나에게 문을 열어 주었다.

17 〖지정된 때 · 경우〗 (어떤 정한 일시)에; (어떤 행사가 있는 경우)에; …을 축하하기 위해: make an appointment ~ five o'clock 5시로 약속하다 / wear black ~ funerals 장례식에 검은 상복을 입다 / hold special services ~ Christmas 크리스마스에 특별 예배를 드리다 / The wedding has been fixed ~ April 6th. 결혼식 날짜는 4월 6일로 정해졌다 / She was Miss Korea ~ 1990. 그녀는 1990년의 미스 코리아였다.
18 〖자격 · 속성〗 …로(서)(as)《이 용법으로는 종종 뒤에 형용사나 분사가 따름》: take ... ~ granted …을 당연한 것으로 여기다 / I know it ~ a fact. 그것을 사실로 알고 있다 / Do you take me ~ a fool? 자넨 나를 바보로 아는가 / They chose him ~ 〔as, to be〕 their leader. 그들은 그를 지도자로 택했다 / He was given up ~ lost 〔dead〕. 그는 죽었다고 모두가 체념했다.
19 a 〖to 부정사의 의미상의 주어를 나타내어〗 …이(—하다): It is important ~ you *to* go at once. 네가 곧 가는 것이 중요하다(=It is important that you (should) go at once.) / It's time ~ me *to* go. 이제 갈 시간이다(=It's time I went.) / There's no need ~ us *to* hurry. 우린 서두를 필요가 없다(=We need not hurry.) / They arranged ~ her *to* come here. 그들은 그녀가 이 곳에 올 수 있도록 마련했다《이같은 구문을 취하는 동사에 ask, call, long, plan, wait 따위가 있음》. **b** 〖보통 It is ~ a person to do의 꼴로〗 (…하는 것은) …가 해야 할 일이다, …에게 걸맞다: *It's* ~ *you to* decide. 그것은 네가 결정해야 할 일이다 / *It's* not ~ *me to* say how you should do it. 네가 그것을 어떻게 해야 하는가는 내가 말할 것이 못된다.
20 〖수량 · 금액〗 …만큼(의); …까지: a check ~ $20, 20달러의 수표 / Put me down ~ $30. 내 몫〔앞〕으로 30달러만 기입해 주시오.
21 〖관련〗 …에 관해서(는); …에 대해서; …점에서는: ~ my part 나로서는(=as for me) / ~ this time 〔once〕 이번만은 / ~ that matter 그 일에 관해서 말하면 / be hard up 〔all right〕 ~ money 돈이 없어 곤란하다〔돈은 충분하다〕 / He has no equal ~ speech. 화술에 관해선 그 사람을 따를 자가 없다 / *For* the use of far, see p. 450. far의 용법에 관해서는 450 페이지를 보라.
22 〖기준 · 관점〗 …로서는, …치고는; …에 비해서는: It is cool ~ July. 7월치고는 선선하다 / He is young ~ his age. 그는 나이에 비해서 젊다 / *For* a learner, he swims well. 그는 초심자로서는 수영을 잘 한다.
23 〖주로 too+형용사 · 부사+~, enough+~의 형태로〗 …에 있어서(는); …하기에는: It's too early ~ supper. 저녁 먹기에는 너무 이르다 / That hat is too small ~ me. 그 모자가 내게는 너무 작다 / There was *enough* food ~ us all. 우리 모두에게 충분하리만큼의 음식이 있었다.
24 〖대비 · 비율〗 **a** 〖each, every나 수사 앞에서〗 …에 대해(—꼴로): There is one Korean passenger ~ *every* five English. 승객은 영국인 5명에 한국 사람 1명 꼴이다 / Use four cups of water ~ *one* cup of dry beans. 마른 콩 한 컵에 4컵의(비율로) 물을 사용하시오 / *For every* mistake you make I will deduct 5 points. 틀린 것 하나마다 5점 감점합니다. **b** 〖앞뒤에 같은 명사를 써서〗 …와 —을 비교해 (볼 때): Dollar ~ dollar, you get more value at this store than at the other one. 같은 1달러로, 그쪽보다 이쪽 가게에서 물건을 더 살 수(가) 있다 / ⇨ MAN for man, POINT for point, WORD for word (관용구).
as **~** ⇨ AS[1]. ***be*** **~** ***it*** 《영구어》 반드시 벌을 받게〔야단맞게〕 돼 있다: You'll *be* ~ *it* when your mother comes home! 어머니가 돌아오시면 꾸중 듣는다. **~** ***all ...*** ① …에도 불구하고, …한데도: ~ *all* that 그럼에도 불구하고 / *For all* his riches he is not happy. 그렇게 부자인데도 그는 행복하지가 않다. ② 〖종종 that와 함께 접속사적〗 《영 · 드물게》 …는 (했)지만, …는데도: *For all* (*that*) he said he would come, he didn't. 그는 오겠다고 말하고서 오지를 않았다. ③ …(이 대수롭지 않은 것)을 고려하여 (보면): *For all* the good it has done, I might just as well not have bought this medicine. 효능면에서 보아 이 약은 사지 않아도 되었었다. **~** ***all*** 〔***aught***〕 ***I care*** ⇨ CARE. **~** ***all*** 〔***aught***〕 ***I know*** 아마 (…일 게다): He may be a good man ~ *all I know*. 아마 좋은 사람일지도 모른다. **~** ***it*** 그것에 대처할《it은 막연히 사태를 가리킴》: There was nothing ~ *it* but to run. 달아나는 길 외〔밖〕엔 방도가 없었다. **~** ***oneself*** ⇨ ONESELF. ***if it had not been*** **~** ⇨ IF. ***if it were not*** **~** ⇨ IF. ***Now*** **~** ***it!*** 자, 이제부터다. ***O*** **~** ***...!*** 아아 …가 있었으면 (좋을 것을)! ***So much*** **~** (the place, and) ***now*** **~** (the date). (장소는) 그곳으로 됐다치고, 이번엔 (날짜)다. ***That's ...*** **~** ***you.*** 〖상대의 주의를 환기하여〗 ① 거 봐(라)〔어때〕 …이〔하〕지: *That's* a big fish ~ *you*. 자 봐라 큰 고기지. ② 그런 일이 …에겐 흔히 있는 일〔어려운 점〕이다: *That's* life ~ *you*. 인생이란 그런 것이다. ***That's what ... is*** **~.** 그런 일은 …이라면 당연하다: *That's what* friends *are* ~. 그런건 친구라면 당연하지 않습니까. ***There's ...*** **~** ***you.*** 〖상대의 주의를 환기하여〗 ① 보세요 …하지요: *There's* a fine rose ~ *you*. 자 보세요, 멋진 장미죠. ② 《경멸》 …라니 기가 차군: *There's* gratitude ~ *you*. 그게 (소위) 감사라는 건가.
— *conj.* 〖앞말에 대한 부가적 설명이나 이유를 나

타내어》《문어》 왜냐하면 …하니까; …한 걸 보니 —《보통 앞에 콤머나 세미콜론을 찍음》: Let me stay, ~ I am tired. 여기(에) 있게 해 주시오, 지쳤으니까요 / She must be very happy, ~ she is dancing. 춤추고 있는 것을 보니 그녀는 무척 기쁜 모양이다. SYN. ⇨ BECAUSE.

forb [fɔːrb] *n.* 활엽 초본〔식물〕.

for·bade, -bad [fərbǽd, -béid], [-bǽd] FORBID 의 과거.

◇**for·bear**[1] [fɔːrbέər] (*-bore* [-bɔ́ːr]; *-borne* [-bɔ́ːrn]) *vt.* **1** 《~+목/+-*ing*/+*to* do》 억제하다, 삼가다, 참다: ~ angry feelings 노여움을 참다 / ~ reproach*ing* a person 아무를 비난하지 않다 / ~ *to* drink wine 술을 마시지 않도록 하다. **2** (…의 사용을) 아끼다, 삼가다: ~ wine 술을 마시지 않다. **—** *vi.* **1** 《~/+전+명》 (몸을) 사리다, 멀리하다, 삼가다, 그만두다《*from*》: I wanted to punch him, but I *forbore*. 그를 때려 주고 싶었지만 그만두었다 / ~ *from* drink*ing* 음주를 삼가다. **2** 참다《*with*》; 관용하다《*with*》. ***bear and*** ~ 잘 참고 견디다. ㊥ **~·er** *n.* 삼가는〔참는〕 사람.

forbear[2] ⇨FOREBEAR.

◇**for·bear·ance** [fɔːrbέərəns] *n.* Ⓤ 삼감, 자제(심)(self-control); 인내, 참음(patience); 관용(寬容); 〖법률〗 (권리 행사의) 보류.

for·béar·ing [-bέəriŋ] *a.* 참을성 있는(patient); 관대한(lenient). ㊥ **~·ly** *ad.*

*⁂***for·bid** [fərbíd, fɔːr-] (*-bade* [-bǽd, -béid], *-bad* [-bǽd]; *-bid·den* [-bídn]; *-bid·ding* [-bídiŋ]) *vt.* **1** 금하다, 허락하지 않다: Fishing is *forbidden*. 낚시 금지 / My health ~*s* my coming. 건강이 좋지 않아 가지 못하겠습니다. **2** 《+목+목/+목+*to* do》 (…을) 금지하다, 허용치 않다; (…의) 사용〔출입〕을 금하다: ~ a person wine 아무에게 술을 금하다 / ~ a person *to* smoke 아무에게 금연시키다 / I ~ you (*to* enter) my house. 너에게 내 집 출입을 금한다 / The law ~*s* shops to sell alcoholic drinks to minors. 미성년자에게 주류를 판매하는 것은 법으로 금지돼 있다. **3** 《~+목/+목+*to* do》 (사정 등이) 불가능하게 하다, 방해하다: A river *forbade* the approach of the army. 강이 군대의 접근을 막았다 / The storm ~*s* us *to* proceed. 폭풍 때문에 우리들은 전진하지 못한다. **4** 《+*that* 절》 〖*God* 〔Heaven〕을 주어로 하여 가정법을 써서〗 절대로 있을 수 없도록: *God* ~ *that* war *should* break out. 신이여, 전쟁이 일어나는 일이 절대로 없도록. ***God*** 〔***Heaven, The Lord, The Saints***〕 ***~!*** 결코 그런 일 없도록; 그럴 리가 있나, 당치 않다. ***Heaven ~ that I should do such a thing!*** 도대체 그런 일을 할 리 있겠습니까. ㊥ **~·dance** [-bídəns] *n.* 금지(행위)(prohibition).

for·bid·den [fərbídn, fɔːr-] FORBID 의 과거분사. **—** *a.* 금지된, 금단의.

forbídden bánd 〖물리〗 금지띠.

Forbídden Cíty (the ~) 금단의 도시《티베트의 Lhasa, 베이징(北京)의 자금성(紫禁城)》.

forbídden degrée 〖법률〗 금혼(禁婚) 촌수.

forbídden frúit 1 〖성서〗 금단의 열매; 금지되어 있기 때문에 더 갖고 싶은 것; 《특히》 불의의 쾌락. **2** 〖식물〗 주란(朱蘭)의 일종.

forbídden gróund 〔**térritory**〕 출입 금지 구역; 금지된 화제.

forbídden líne 〖물리〗 (스펙트럼의) 금제선(禁制線).

for·bíd·der *n.* 금하는 사람, 금지자.

for·bíd·ding *a.* 싫은(repellent); 가까이하기 어려운: a ~ countenance 무서운 얼굴. ㊥ **~·ly** *ad.* **~·ness** *n.*

for·bore [fɔːrbɔ́ːr] FORBEAR[1]의 과거.

for·borne [fɔːrbɔ́ːrn] FORBEAR[1]의 과거분사.

for·by(e) [fɔːrbái] 《고어 · Sc.》 *prep.* …의 가까이에; …이외에; …은 말할 것도 없이. **—** *ad.* 곁에; 그 위에.

*⁂***force**[1] [fɔːrs] *n.* **1** Ⓤ 힘, 세력, 에너지, 기세(impetus): the ~ of nature 자연의 힘 / the ~ of gravity 중력. ★ 물리학 용어로서는 force '힘'; power '일률(率), 공률(工率)'; energy '에너지'. SYN. ⇨POWER. **2** Ⓤ 폭력(violence), 완력, 강압: resort to ~ 폭력에 호소하다. **3** Ⓤ 정신력, 박력, (개성 따위의) 강렬함. **4** Ⓤ 영향(력), 지배력; 설득력: the ~ of an argument 논의의 설득력. **5** Ⓤ 효과; (법률상의) 효력(validity). **6** Ⓒ (사회적) 권력, 세력, 유력한 인물. **7** Ⓒ 무력, 병력; (종종 *pl.*) 군대, 부대; 경찰(대); (*pl.* 종종 the F-s) (한 나라의) 육 · 해 · 공군, 전군: the air ~ 공군 / the police ~ 경찰. **8** Ⓒ (공동 활동의) 대(隊), 집단; 〖집합적〗 성원(成員), 부원: office ~ 사무소원. **9** Ⓤ (말의) 뜻, 의의. ◇ forceful, forcible *a.* ***by*** 〔***with***〕 ***~ and arms*** 〖법률〗 폭력에 의하여. ***by*** (***main***) ~ 우격다짐으로, 강제력으로. ***by*** (***the***) ~ ***of*** …의 힘으로, …에 의하여: *by* ~ *of* habit 습관의 힘으로. ***come into*** ~ (법률 · 규정 따위가) 유효해지다, 실시되다. ***in*** ~ ① 유효하여, 실시 중으로: This rule is no longer *in* ~. 이 규칙은 이미 효력을 잃고 있다. ② 〖군사〗 대거하여. ***in full*** ~ (경찰 등이) 전력을 기울여. ***in great*** ~ ① 〖군사〗 대규모로. ② 원기 왕성하여. ***join ~s with*** …와 협력하다. ***of no*** ~ 무효로. ***put in*** 〔***into***〕 ~ (법령 따위를) 시행〔실시〕하다. ***the third*** ~ 〖정치〗 중립 정당, 제 3 세력. ***with all*** one***'s*** ~ 전력을 다하여. ***with much*** ~ 힘세게; 강한 설득력으로.

— *vt.* **1** 《+목+*to* do/+목+전+명》 …에게 강제하다, 우격으로 …시키다, 억지로 …시키다: We ~*d* him *to* sign the paper. 우리들은 그에게 억지로 그 서류에 서명하게 했다 / Poverty ~*d* her *into* a crime. 가난 때문에 그녀는 범죄를 저질렀다 / He ~*d* himself *to* swallow the medicine. 그는 억지로 약을 삼켰다. SYN. ⇨COMPEL. **2** 《~+목/+목+전+명/+목+보》 …에게 폭력을 가하다; (여자에게) 폭행하다(violate); (문 · 금고 따위를) 비집고 열다; (진지를) 강행 돌파하다; (힘 · 우격으로) 얻다, 빼앗다, 강탈하다: ~ one's way *into*... …에 밀고 들어가다 / I ~*d* the gun *from* his hand. 그의 손에서 총을 빼앗았다 / The door was ~*d* open. 문이 억지로 열렸다. **3** 《+목+전+명/+목+부》 밀어넣다; (억지로) 떠맡기다, 강매하다: ~ one's idea *upon* another 자기 생각을 남에게 강요하다 / ~ food *down* a person's throat 아무에게 음식을 억지로 먹이다 / ~ *back* a current 흐름을 역류시키다. **4** 《~+목/+목+전+명》 (억지로) 밀어내다, 끌어내다: ~ a smile 억지웃음을 짓다 / ~ a promise *from* a person 억지로 약속시키다. **5** …에 무리를 가하다; 억지로 일〔공부〕시키다: ~ the pace 스피드를 올리다 / ~ a motor 모터를 과열시키다. **6** 〖카드놀이〗 (패를) 억지로 내게〔버리게〕 하다: ~ trumps 으뜸패를 내지 않을 수 없게 하다. **7** 〖야구〗 봉살하다《*out*》; (만루에서) …에게 밀어내기 득점을 허용하다《*in*》. **8** 〖원예〗 촉성 재배하다: ~ a plant. cf. forward. **—** *vi.* 밀고 나아가다; 강행군하다. ~ ***a word*** 말에 억지로 …의 뜻을 붙이다《*into*》. ~ ***down*** 누르다; (비행기를) 강제 착륙시키다. ~ a person***'s hand*** ⇨HAND. ~ ***in*** 〖야구〗 밀어내기 득점을 허

용하다. ~ one's **way through** 억지로 헤치며 나아가다. ~ **the bidding** (경매에서) 입찰 가격을 자꾸 올리다. ~ **the game** 〖크리켓〗 빨리 득점하기 위하여 무리를 하다. ~ **the running** 〔**pace**〕 (경주에서) 상대가 빨리 피로해지도록 무리하게 속도를 빨리하다. ~ **up** (가격·요금 등을) 올리다.

force² *n.* 《미방언·N.Eng.》 폭포.

fórce·a·ble *a.* =FORCIBLE.

fórce cùp (하수관을 뚫는) 막대 달린 고무 빨판.

forced [-t] *a.* 강요된, 강제적인(compulsory); 무리한, 억지의, 부자연한(unnatural): a ~ draft 강제 통풍《노(爐)에 대한》/ ~ labor 강제 노동 / a ~ smile 억지 웃음 / ~ quotations 조작된〔인위적인〕 시세 / ~ interpretation 억지 해석, 곡해. ㊞ **for·ced·ly** [fɔ́:rsidli] *ad.*

fórced-chóice *a.* (설문이) 강제 선택의, 양자 택일의: ~ technique 강제 선택법《심리 테스트의 한 기법》.

force de frappe [*F.* fɔʀsdəfʀap] 《F.》 핵무기에 의한 공격력; 핵 억제력(=**fórce de dissuasíon**), 《특히》 (프랑스의) 핵 무장군.

fórced lánding 〖항공〗 불시착.

fórced márch 〖군사〗 강행군.

fórced sále (집달관의) 공매(公賣).

fórce féed 〖기계〗 (내연 기관 등에) 연료의 강제 주입, 윤활유의 강제 순환.

fòrce-féed (*p., pp.* **-fed** [-féd]) *vt.* (동물 따위에게) 강제로 먹이를 먹이다; 《비유적》 (습관·생각 따위를) 억지로 주입하다〔받아들이게 하다〕《*on*》: They were *force-fed* a military attitude. 그들은 군인으로서의 태도를 주입 교육당했다.

fórce field 〖물리〗 힘의 장(field of force); (SF 따위에 나오는) 눈에 보이지 않는 힘이 작용하는 장애 구역.

°**force·ful** [fɔ́:rsfəl] *a.* 힘이 있는; 힘이 든, 힘센; 격심한; 효과적인; 설득력 있는. ㊞ ~·**ly** *ad.* ~·**ness** *n.* 「급 착륙하다〔시키다〕.

fòrce(-)lánd *vi., vt.* 불시착하다〔시키다〕, 긴

fórce·less *a.* 힘 없는, 무력한.

force ma·jeure [*F.* fɔʀsmaʒœ:ʀ] 《F.》 〖법률〗 불가항력《계약 불이행이 허용될 만한》; (강대국의 약소국에 대한) 강압적인 힘, 압도적인 힘.

fórce·mèat *n.* Ⓤ (소로 쓰이는) 양념하여 다진 고기. 「〔by〕 ~ 타성으로.

fórce of hábit 습관의 힘, 타성, 습성: from

fórce-òut *n.* 〖야구〗 봉살(封殺), 포스아웃.

fórce plày 〖야구〗 포스플레이《주자가 병살되는 플레이》.

for·ceps [fɔ́:rsəps, -seps] (*pl.* ~, ~·**es**, ***for·ci·pes*** [-səpì:z]) *n.* 핀셋, 겸자(鉗子), 족집게(pincers); 〖해부·동물〗 겸자 모양의 기관.

fórce pùmp 밀펌프, 압상(押上) 펌프.

fórc·er *n.* **1** 강제자. **2** 밀펌프의 피스톤.

fórce-rìpe *a.* **1** (과일이) 열을 주어 익게 한. **2** (특히 성적으로) 조숙한. ── *vt.* (과일을) 열을 주어 익게 하다.

°**for·ci·ble** [fɔ́:rsəbəl] *a.* **1** 억지로 시키는, 강제적인. **2** 힘찬, 힘 있는, 세찬, 강력한; 유력한, 설득력이 있는(convincing): a ~ speaker 열변가. ***a ~ entrance*** 〔***entry***〕 ***into a house*** 〖법률〗 가택 침입. ㊞ ~·**ness** *n.* **fòrc·i·bíl·i·ty** *n.*

fórcible-féeble *a.* 허울만 센, 속빈 으름장의.

°**for·ci·bly** [fɔ́:rsəbli] *ad.* **1** 강제적으로. **2** 강력히, 세차게, 힘차게.

fórc·ing *n., a.* **1** 강제(의); 탈취(적). **2** 촉성 재배(의): plants for ~ 촉성 재배용 식물 / ~ culture 촉성 재배.

fórcing bèd (촉성 재배용) 온상(hotbed).

fórcing hòuse (촉성 재배용) 온실.

fórcing pùmp =FORCE PUMP.

for·ci·pate, -pat·ed [fɔ́:rsəpèit], [-id] *a.* 〖식물·동물〗 겸자(鉗子) 모양의.

for·cite [fɔ́:rsàit] *n.* (발파용) 다이너마이트.

Ford [fɔ:rd] *n.* 포드. **1 Henry** ~ 미국의 자동차 제조업자(1863-1947). **2** Ford 회사제(製)의 자동차: a 1996 ~, 1996년형 포드차. **3 Gerald R(udolph, Jr.)** ~ 미국 제38대 대통령(1913-2006). **4 John** ~ 영국의 극작가(1586?-1640). **5 John** ~ 미국의 영화감독(1895-1973). **6 Harrison** ~ 미국의 영화배우(1942-).

ford *vt., vi.* (개울·여울목을) 걸어서 건너다. ── *n.* (개울 따위의) 걸어서 건널 수 있는 곳, 얕은 여울. ㊞ ~·**a·ble** *a.*

Fórd·ism *n.* 포드 방식〔주의〕《Henry Ford가 자동차 생산에서 행했던 것처럼, 작업 공정을 세분화해서 조립 라인을 낮은 비용으로 대량 생산을 할 수 있도록 하려는 방식》.

ford·ize [fɔ́:rdaiz] *vt.* **1** 표준화〔규격화〕하다. **2** 조직하다, 통제하다, 개성을 빼앗다.

Fórd Mótor 포드 모터(사) (~ Co.)《미국의 자동차 제조 회사; 1903년 설립》.

for·do [fɔ:rdú:] (**-did** [-díd]; **-done** [-dʌ́n]) *vt.* 《고어》 죽이다, 멸망시키다; 지치게 하다.

for·done [fɔ:rdʌ́n] FORDO의 과거분사. ── *a.* 《고어》 지쳐빠진, 녹초가 된.

fore** [fɔ:r] *a.* 앞의, 전방의; (시간적으로) 전의. ── *ad.* 앞에, 전방에; 〖해사〗 선수〔이물〕(쪽)에: ~ and aft 이물에서 고물까지; 배 안 어디에나; 배의 전후 방향으로. ── *prep.* 《방언·고어》 …의 앞에. ***Fore George! (성(聖)조지 앞에) 맹세코. ── *int.* 〖골프〗 공 간다! 《위험을 환기시키는 소리》. ── *n.* 전부(前部), 전면(front). ***at the*** ~ 〖해사〗 앞돛대 머리에; (배의) 맨 앞에. ***come to the*** ~ 지도적 위치에 서다; 유명해지다; (문제 따위가) 크게 부상하다, 표면화하다. ***to the*** ~ 전면에; 눈에 띄는 곳에; 소용되어; 활동하여; 살아서.

'fore [fɔ:r] *prep.* 〖시어〗 =BEFORE.

fore- [fɔ:r] *pref.* '먼저, 앞, 전, 미리'의 뜻: *fore*runner, *fore*cast.

fóre-and-áft [fɔ́:rən-] 〖해사〗 *a.* 이물에서 고물까지의; 세로의. 「한 배《schooner 등》.

fóre-and-áfter *n.* 〖해사〗 종범(縱帆)을 장치

fore·arm¹ [fɔ́:rɑ̀:rm] *n.* 〖해부〗 전완(前腕), 전박(前膊), 하박(下膊), 팔뚝.

fore·arm² [fɔ:rɑ́:rm] *vt.* 《보통 수동태》 미리 무장〔준비〕하다; 대비하다.

fóre·bày *n.* 〖토목〗 물레방아·터빈 따위에 흐르는 물의 양을 일정하게 하기 위한 저수지.

fóre·bèar, fór- *n.* (보통 *pl.*) 선조(先祖).

fore·bóde, for- *vt., vi.* (좋지 않은 일을) 미리 슬쩍 비추다, (…의) 전조〔징조〕가 되다(portend); 예시하다; (불길한 일 따위의) 예감이 들다; 예언하다(predict): clouds that ~ a storm 폭풍을 예고하는 구름. ㊞ **-bód·er** *n.* 예언자; 전조.

fore·bód·ing *n.* Ⓤ,Ⓒ (불길한) 예감, 전조, 조짐, 육감; 예언. ── *a.* 전조가 되는, 불길한. ㊞ ~·**ly** *ad.* 전조로서.

fóre·bràin *n.* 〖해부〗 전뇌(前腦). 「실》.

fóre·càbin *n.* (객선의) 앞쪽 선실《보통 2등 객

fóre·càddie *n.* 〖골프〗 공의 낙하 위치를 보여 주는 캐디.

***fore·cast** [fɔ́:rkæ̀st, -kɑ̀:st/-kɑ̀:st] *n.* **1** 예상, 예측: a business ~ 경기 예측. **2** 예보: a 〔the〕 weather ~ 일기 예보. ── (*p., pp.* **-cast,** ~·**ed**) *vt., vi.* **1** 예상〔예측〕하다: ~ the future 미래를 예측하다. **2** (날씨를) 예보하다(predict): It rained as was ~. 예보대로 비가 왔다. **3** 예고〔전조〕가 되다. **4** 미리 계획하다. ㊞ ~·**er** *n.*

fore·cas·tle [fóuksəl, fɔ́ːrkæ̀sl/fóuksəl] *n.* (군함의) 앞 갑판; (상선의) 앞 갑판 밑 선원실; 선수루(船首樓). ★ 발음대로 fo'c's'le로도 씀.

forecastle

fóre·chèck *vi.* 〖아이스하키〗 상대의 공격을 상대 진영 안에서 저지하다, 방어하다.

fóre·cìted [-id] *a.* 전에 인용한.

fore·clos·a·ble [fɔːrklóuzəbl/fóuksəl] *a.* **1** 제외할 수 있는. **2** 〖법률〗 (저당이) 유질(流質)될 수 있는.

fore·close [fɔːrklóuz] *vt., vi.* **1** 따돌리다, 제외〔배제〕하다《*of*》. **2** (문제·토론 따위를) 끝맺다; 미리 처리하다. **3** 〖법률〗 …에게 저당물 찾는 권리를 상실하게 하다, 유질(流質)시키다. ㊕ **fore·clo·sure** [-klóuʒər] *n.* 〖법률〗 저당물을 찾는 권리의 상실, 유질.

fóre·cònscious *n.* Ⓤ 전의식(前意識).

fóre·còurt *n.* 앞마당; (테니스 따위의) 포코트; 《영》 (주유소의) 급유장.

fore·dáted [-id] *a.* 선일자(先日字)의: a ~ check 연수표.

fóre·dèck *n.* 〖해사〗 앞갑판.

fore·do [fɔːrdúː] *vt.* =FORDO.

fore·done [fɔːrdʌ́n] *a.* =FORDONE.

fore·doom [fɔːrdúːm] *vt.* …의 운명을 미리 정하다: a project *~ed* to failure 처음부터 실패할 것이 뻔한 계획. ― *n.* 《고어》 예정된 운명.

fóre èdge (책의) 앞 가장자리《등의 반대쪽》.

fóre-ènd [-rènd] *n.* (물건의) 앞쪽, 앞 끝; (총상(銃床)의) 전상(前床).

fóre·fàce *n.* 앞면《네발짐승의 눈 아래〔앞〕 부분》.

***fore·fa·ther** [fɔ́ːrfàːðər] *n.* (보통 *pl.*) 조상, 선조(ancestor).

Fórefathers' Dày 《미》 (1620년의) Pilgrim Fathers의 미국 상륙 기념일《본디 12월 21일, 지금은 22일》.

fore·feel [fɔ̀ːrfíːl] (*p., pp.* **-felt** [-félt]) *vt.* 예감〔예지〕하다. ― [스] *n.* 예감, 예지.

fore·fend [fɔːrfénd] *vt.* =FORFEND.

◇**fóre·fìnger** *n.* 집게손가락(first 〔index〕 finger).

fóre·fòot (*pl.* **-fèet**) *n.* (짐승·곤충의) 앞다리; 〖선박〗 용골의 전단부.

fóre·frònt *n.* (the ~) 최전부, 최전선; (흥미·여론·활동 따위의) 중심; 가장 중요한 위치〔지위〕: the ~ of technological development 기술 개발의 최선단(最先端). ***in the ~ of ...*** (전투 등)의 최전방에서; …의 선두가〔중심이〕 되어.

fore·gáther *vi.* =FORGATHER.

fóre·gìft *n.* 〖영법률〗 (임대차 계약의) 권리금, 보증금, 증거금(premium), 전도금.

fore·go[1] [fɔːrgóu] (**-went; -gone**) *vt., vi.* 앞에 가다, 선행하다, 앞서다(go before).

◇**fore·go**[2] *vt.* =FORGO.

fore·gó·er *n.* 선인, 선배, 조상; 선례.

fore·go·ing** [fɔːrgóuiŋ] *a.* (보통 the ~) 앞의(preceding), 먼저의, 전술한: from the ~ examples 전술한 여러 보기로 보아. ***the ~ 《명사적》 전기〔상술〕한 것.

◇**fore·góne** FOREGO[1,2]의 과거분사. ― *a.* 이전의, 기왕의; 이미 아는; 기정의, 과거의. ㊕ **~·ness** *n.*

foregóne conclúsion **1** 처음부터 뻔한 결론: Defeat is a ~. 질 것은 뻔하다. **2** 필연적 결론〔결과〕; 확실한 일; 예단(豫斷).

fóre·gròund *n.* **1** (그림의) 전경(前景). OPP *background*. **2** 최전면, 가장 잘 드러나는 위치. **3** 〖컴퓨터〗 다중 프로그래밍·프로세서 등과 같이 동시에 몇 개의 프로그램이 실행될 때 높은 우선도의 프로그램이 실행되는 상태〔환경〕.

fóre·gùt *n.* 〖생물〗 척추동물 소화 기관의 전방부분《인후·식도·위·십이지장에 이르는》; 절족·환형동물 소화 기관의 전방 부분. cf. midgut.

fóre·hànd *n.* **1** 말의 앞몸뚱이. **2** 〖테니스〗 포핸드, 정타(正打), 전타(前打). OPP *backhand*. **3** 《고어》 우위, 전위, 상위. ― *a.* **1** 전방의; 가장 앞부분의, 선두의. **2** 〖테니스〗 포핸드의.

fóre·hánded [-id] *a.* 《미》 시기 적절한(timely); 《미》 장래에 대비한, 알뜰한; 저축이 있는; (생활이) 편한; 〖테니스〗 포핸드의. ㊕ **~·ness** *n.*

***fore·head** [fɔ́ːrid, fɑ́r-, fɔ́ːrhèd/fɔ́rid, fɔ́ːhèd] *n.* **1** 이마, 앞머리. **2** (물건의) 앞부분, 앞쪽.

fóre·hòck *n.* 돼지 앞다리 고기.

fóre·hòof *n.* (동물의) 앞다리 발굽.

for·eign** [fɔ́ːrən, fɑ́r-/fɔ́r-] *a.* **1** 외국의; 외국산의; 외국풍〔외래〕의. OPP *domestic*. ¶ a ~ accent 외국 말투 / a ~ country 외국 / ~ goods 외래품 / a ~ language 외국어. **2** 외국에 있어서의, 재외의. **3** 외국과의; 대외적; 외국 상대의: ~ mail 외국 우편 / a ~ deposit 재외 예금 / ~ trade 외국 무역 / ~ negotiations 외교 교섭 / a ~ settlement 외국인 거류지. **4** (국내의) 타지방의, 타향의; 타회사의. **5** 관계없는《*to*》; 성질에 맞지 않는(inappropriate); (물질이) 이질의: ~ *to* the question 문제와 관계가 없는 / ~ matter 〔a ~ substance〕 in the eye 눈에 들어간 이물(異物). **6** 낯선, 눈에 익지 않은; 기묘한. ***go ~ 〖해사〗 외국 배를 타다. ***sell ~*** 〖해사〗 (배를) 외국 회사에 팔다. ㊕ **~·ness** *n.* 외국풍; 외래성.

fóreign affáirs 외교 문제, 외무, 국제 관계.

fóreign áid (패전국·발전도상국 등에의) 대외 원조.

Fóreign and Cómmonwealth Òffice (the ~) 《영》 외무 연방부《영국의 대외 관계 부처의 통합 재편성으로 1968년 Foreign Office와 Commonwealth Office가 합친 것》.

fóreign bíll (of exchánge) 외국환 어음.

fóreign bódy 〖의학〗 (체내에 들어간) 이물(異物); 어떤 것 속에 들어간 바람직하지 않은 것.

fóreign·bórn *a.* 외국 태생의.

fóreign correspóndent (신문·잡지의) 해외〔외국〕 특파원, 외국 통신원.

fóreign dráft =FOREIGN BILL.

***for·eign·er** [fɔ́(ː)rinər, fɑ́r-] *n.* **1** 외국인(alien), 외인. **2** 타관 사람. **3** 외국 제품, 외래품; 외래 동식물. **4** 외국선.

fóreign exchánge 외국환; 외화(外貨); 외국환 거래, 국제 신용 거래.

fóreign-flàg *a.* (비행기·선박이) 외국 국적의.

fóreign-gòing *a.* 외국행의, 외항(선)의.

fór·eign·ism *n.* Ⓤ 외국풍 (모방); Ⓒ 외국어 습관〔어법〕.

fóreign légion 외인 부대; (F- L-) (북아프리카의 프랑스군의) 외인 부대.

Fóreign Mínister (영미 이외의) 외무 장관, 외상(the Minister for 〔of〕 Foreign Affairs).

fóreign mínistry (보통 the F- M-) 외무부. ★ 미국에서는 국무부가 외무를 담당.

fóreign míssion (기독교의) 외국 전도; 외국 파견 사절단.

fóreign pólicy 외교 정책〔방침〕.

fóreign relátion (*pl.*) 외교 관계; 외교 문제.

Fóreign Relátions Commìttee 《미》 상원 외교 위원회《생략: FRC》.

Fóreign Sécretary (the ~) 《영》 외상(外相).

fóreign sérvice (군대의) 해외〔외지〕 근무; 〚집합적〛 (외무부의) 외무 직원; 《미》 (종종 F-S-) 외교국《국무부의 재외 공관을 통괄하는 기관》.

fóreign-tráde zòne 《미》 외국 무역 지대(free port).

fore·judge, for·judge [fɔːrdʒʌ́dʒ] *vt.* 지레〔미리〕 판단하다, 예단(豫斷)하다《*from; of*》.

fore·know [fɔːrnóu] (**-knew** [-njúː]; **-known** [-nóun]) *vt.* 미리 알다, 예지하다. ㊞ **~·a·ble** *a.*

fore·knowledge [ˊ-ˋ-, ˋˊ-] *n.* Ⓤ 예지, 선견(지명), 통찰.

for·el, for·rel [fɔ́ːrəl, fɑ́r-/fɔ́r-] *n.* 책 표지용 양피지《회계 장부 따위에 쓰는》.

fóre·làdy *n.* 《미》 여자 감독〔십장〕.

fore·land [fɔ́ːrlæ̀nd] *n.* **1** 곶, 갑(headland); 해안지. OPP *hinterland*. **2** 〚군사〛 전면지(前面地)《성채(城砦)의 해자와 방벽 사이》.

fóre·lìmb *n.* (척추동물의) 앞다리; (앞다리에 해당하는) 앞날개, 앞지느러미.

fóre·lèg *n.* (짐승·곤충·의자의) 앞다리.

fóre·lòck *n.* 앞머리, (특히 말의) 이마 갈기; 〚기계〛 쐐기. ***take*** 〔***seize***〕 ***time*** 〔***an occasion, an opportunity***〕 ***by the*** **~** 기회를 놓치지 않다, 기회를 타다〔이용하다〕. ***touch*** 〔***pull, tug***〕 ***one's*** **~** 《구어》 (필요 이상으로) 정중히 인사하다, 굽실굽실하다. **—** *vt.* 쐐기로 고정시키다.

fore·man [fɔ́ːrmən] (*pl.* **-men** [-mən]) *n.* (노동자의) 십장(什長), 직장(職長), 공장장, 감독; 배심장(陪審長). ㊞ **~·shìp** *n.* ~의 지위.

fore·mast [fɔ́ːrmæ̀st, -mɑ̀ːst/fɔ́ːmɑːst] *n.* 〚해사〛 앞돛대.

foremast·man [-mən-] (*pl.* **-men** [-mən]) *n.* 〚해사〛 앞돛대 선원; 평선원, 수병.

fóre·méntioned *a.* 상술한, 전술한.

fóre·mìlk *n.* (산부의) 초유(初乳)(colostrum); (소의) 짜기 시작한 우유《세균 수가 많음》.

fore·most** [fɔ́ːrmòust] *a.* **1** 맨 먼저의, 최초의. **2** 수위(首位)의, 일류의, 주요한: the world's ~ authority on the subject 그 문제에 관해서 세계 일류의 권위. **—** *ad.* 맨 먼저, 선두에. ***first and **~** 맨 먼저, 맨 첫번째로. ***head*** **~** 곤두박이로.

fóre·mòther *n.* 여자 조상. cf. forefather.

fóre·nàme *n.* (성(姓)에 대하여) 이름(first name). ★ 격식 차린 말씨.

fóre·námed *a.* 앞에 말한.

◇**fore·noon** [fɔ̀ːrnúːn/ˊˋ] *n.*, *a.* 오전(의).

fóre·nòtice *n.* (사전의) 예고.

fo·ren·sic [fərénsik] *a.* **1** 법정의〔에 쓰이는〕. **2** (범죄의) 과학 수사의, 법의학의. **3** 변론〔토론〕에 적합한; (의논 등이) 수사적인. **—** *n.* **1** (~s) 〚단·복수취급〛 변론〔토론〕술. **2** 《미》 토론 연습〔훈련〕. ㊞ **-si·cal·ly** *ad.*

forénsic anthropólogy 법(法) 인류학.

forénsic évidence 법의학적 증거.

forénsic médicine 법의학.

forénsic scíence 법과학《법률 문제에 과학의 성과를 응용하는 학문 분야》.

fòre·ordáin [fɔ̀ːr-] *vt.* …의 운명을 미리 정하다.

fòre·ordinátion [fɔ̀ːr-] *n.* Ⓤ,Ⓒ 숙명, 예정된 운명(predestination).

fóre·pàrt *n.* (최)전부(前部); 첫부분.

fore·pássed [-t] *a.* 과거의, 옛날의(=**fore-pást**).

fóre·pàw *n.* (개·고양이 따위의) 앞발.

fóre·pèak *n.* 〚선박〛 이물의 선창(船倉).

fóre·plàne *n.* 〚목공〛 막대패.

fóre·plày *n.* Ⓤ 전희(前戲).

fóre·quàrter *n.* (소·양·돼지 옆구리살의) 전사반부(前四半部).

fóre·réach 〚해사〛 *vi.* (다른 배에) 따라붙다《*on*》; (배가) 타성으로 나아가다. **—** *vt.* (다른 배에) 바싹 따르다《*on, upon*》, 앞지르다; …에 앞서다, …보다 낫다; (배의) 속력이 나다.

fóre·rìb *n.* 포리브《등심 바로 앞에 있는 안심을 포함하는 로스트용 쇠고기》.

fore·run [fɔːrrʌ́n] (**-ran; -run; -run·ning**) *vt.* …의 선구자가 되다, …에 앞서다(outrun); 예시〔예보〕하다(foreshadow).

◇**fore·run·ner** [fɔ́ːrrʌ̀nər, -ˊ-] *n.* 전구(前驅)(herald), 선구자, 선인(predecessor); 선조; (스키 경기의) 시주자(試走者); 전조, 예고; (the F-) 세례자 요한(John the Baptist): Black clouds are ~*s* of a storm. 검은 구름은 폭풍의 전조이다.

fóre·sàid *a.* 전술한.

fóre·sàil [fɔ́ːrsèil; 《해사》 -səl] *n.* 앞돛.

***fore·see** [fɔːrsíː] (**-saw; -seen**) *vt.* 예견하다, 앞일을 내다보다, 미리 알다. **—** *vi.* 선견지명이 있다. ㊞ **~·a·ble** *a.* 예지〔예측〕할 수 있는: in the ~*able* future 가까운 장래에(는). **-sèe·a·bíl·i·ty** *n.* 예견 가능성.

fore·séeing *a.* 선견지명을 가지고, 선견지명이 있는. ㊞ **~·ly** *ad.*

fore·séer *n.* 선견지명이 있는 사람.

fore·shádow *vt.* …의 전조가 되다; 슬쩍 비추다, 예시하다.

fóre·shànk *n.* (쇠고기의) 앞다리 위쪽 살.

fóre·shèet *n.* 앞돛의 아래 구석 끈; (*pl.*) (보트의) 이물 자리.

fóre·shòck *n.* (지진의) 초기 미동(微動), 전진(前震).

fóre·shòre *n.* (만조선과 간조선 중간의) 물가, 바닷가(beach).

fore·shórten *vt.* 〚회화〛 원근을 넣어〔원근법으로〕 그리다; 〚일반적〛 줄이다.

fore·show [fɔːrʃóu] (**-showed; -shown** [-ʃóun]) *vt.* 조짐을 보이다, 전조를 나타내다; 예언하다, 예시하다(foreshadow).

fóre·sìde *n.* **1** 전면(前面), 전부(前部); 상부(上部). **2** 《미》 연안〔임해〕 지대.

***fore·sight** [fɔ́ːrsàit] *n.* **1** Ⓤ 선견, 예지, 예측. **2** Ⓤ 선견지명(prescience); 심려(深慮), 조심. OPP *aftersight, hindsight*. **3** Ⓒ 총포의 가늠쇠. **4** Ⓒ 〚측량〛 전시(前視). ㊞ **-sìght·ed** [-id] *a.* 선견지명이 있는; 조심성 있는. **-sìght·ed·ness** *n.*

fóre·skìn *n.* 〚해부〛 (남근의) 포피(包皮), 우멍거지(prepuce).

fore·spéak *vt.* 예언하다; 예약하다.

****for·est** [fɔ́ːrist, fɑ́r-/fɔ́r-] *n.* **1** Ⓤ,Ⓒ 숲, 산림, 삼림: cut down a ~ 산림을 벌채하다. SYN. ⇨ WOOD. **2** (어느 정도 개간된) 임야. **3** 〚집합적〛 삼림의 수목. **4** Ⓒ **a** (a ~) 숲처럼 늘어선 것: a ~ *of* chimneys 〔TV antennas〕 임립(林立)한 굴뚝〔TV 안테나〕. **b** 많음, 허다: a ~ *of* questions. **5** 〚영국사〛 (왕실 등의) 사냥터, 금렵지. ***not see the*** **~** ***for the trees*** = not see the WOOD(s) for the trees 나무를 보고 숲을 보지 못하다. **—** *vt.* …에 식림하다; 조림하다.

for·est·age[1] [fɔ́ːristidʒ, fɑ́r-/fɔ́r-] *n.* 〚역사〛 산림세(稅); 산림 거주민의 부역; 입목(立木) 벌채권.

fore·stage[2] [fɔ́ːrstèidʒ] *n.* 앞무대(apron).

for·est·al [fɔ́ːristəl, fɑ́r-/fɔ́r-] *a.* 산림(지대)의.

◇**fore·stall** [fɔːrstɔ́ːl] *vt.* …을 앞지르다, 앞질러 방해하다, …의 기선을 제압하다(anticipate); (이익을 위해) 매점하다(buy up). ㊞ **~·ment** *n.* Ⓤ 기선을 제압함, 앞지름, 매점.

for·es·ta·tion [fɔ̀ːrəstéiʃən, fɑ̀r-/fɔ̀r-] *n.* Ⓤ 조림, 식림, 영림(營林).

fóre·stày *n.* 〚해사〛 앞당김 줄.

◇**fór·est·er** *n.* **1** 산림에 사는 사람; 삼림 관리인, 임정관; 사냥터지기. **2** 삼림학 전문가. **3** 숲에 사는 동물.

fórest fire 산불, 산림 화재.

fórest flòor 〚생태〛 임상(林床)《산림 지표면의

토양과 유기 퇴적물의 층》.
fórest gréen 짙은 황록색, 암녹색.
fórest·lànd *n.* 삼림대(森林帶).
fórest ránger 《미》 산림 경비원.
fórest resèrve 보호림(=**fórest presèrve**).
for·est·ry [fɔ́(:)ristri, fɑ́r-] *n.* Ⓤ 임학, 임업; 산림 관리; 삼림지.
Fórestry Commìssion (the ~) 《영》 삼림 위원회《국유림을 관리하는 정부 기관; 생략: FC》.
Fórest Sèrvice (the ~) 《미》 산림청《국유 삼림이나 초원을 보호·육성함; 1905년 창설》.
fórest trèe (과수(果樹)·정원수 등에 대하여) 산림수, 임목(林木).
foreswear, foresworn ⇨ FORSWEAR.
fore·taste [fɔːrtéist] *vt.* (고락(苦樂) 따위를) 미리 맛보다[경험하다]. ── [∸∸] *n.* (장차의 고락을) 미리 맛봄; 예기(anticipation); 전조《*of*》; 시식(試食).
*__fore·tell__ [fɔːrtél] (*p., pp.* ***-told*** [-tóuld]) *vt.* **1** 《~+목/+*that*절/+*wh.*절》 예언하다(prophesy); 예고하다: ~ a person's future 아무의 장래를 예언하다/He *foretold that* an accident would happen. 사고가 일어날 것이라고 예언했다/Nobody can ~ *what* will happen tomorrow. 내일 무슨 일이 일어날지 아무도 모른다. **2** …을 예시하다, …의 전조(前兆)가 되다. ── *vi.* 예언[예고]하다. ㊞ **~·er** *n.* 예고[예언]자.
fore·thought [fɔ́ːrθɔ̀ːt] *n.* Ⓤ 사전의 고려, (장래에 대한) 심려; 원려(遠慮); 선견, 예상.
fore·thought·ful [fɔːrθɔ́ːtfəl] *a.* (장래에 대한) 깊은 생각이 있는, 선견지명이 있는; 미리 생각하는.
fore·time [fɔ́ːrtàim] *n.* 옛날, 지난날.
fore·to·ken [fɔ́ːrtòukən] *n.* 전조, 조짐(omen). ── [-∸-] *vt.* …의 전조가 되다, 예시(豫示)하다.
fore·told [fɔːrtóuld] FORETELL의 과거·과거분사.
fóre·tòoth (*pl.* ***-teeth*** [-tiːθ]) *n.* 앞니, 문치(門齒)(incisor).
fore·top [fɔ́ːrtɑ̀p/-tɔ̀p; 《해사》 -təp] *n.* (말의) 이마 갈기; 〖해사〗 앞돛대의 망루; 《고어》 (사람의) 앞머리.
fòre-topgállant *a.* 〖해사〗 앞돛대 최상부 돛대의.
fóre·tòp·man (*pl.* ***-men*** [-mən]) *n.* 〖해사〗 앞돛대의 망꾼.
fòre-tópmast *n.* 앞돛대의 중간 돛대.
fòre-tópsail *n.* 앞돛대의 중간 돛대에 단 돛《가로돛》.
fóre·triàngle *n.* 〖해사〗 선수 삼각형《범선의 뱃머리쪽 돛대·갑판·뱃머리 돛대 앞쪽 지삭(支索)으로 이루어지는 삼각의 구역》.
fore·type [fɔ́ːrtàip] *n.* (다가올 것의) 예표(豫表), 예시, 선시적(先示的) 현상(antetype).
‡**for·ev·er** [fɔːrévər, fər-] *ad.* 영구히; 끊임없이, 언제나. ★ 영국에서는 for ever로 갈라 씀. ***~ and a day*** = ***~ and ever*** 영구히, 언제까지나. ── *n.* (the ~) 영원, 영겁.
for·ev·er·more [fɔːrèvərmɔ́ːr, fər-] *ad.* 영구히, 언제까지나. ★ forever의 힘줌말.
for·év·er·ness *n.* 영원, 무궁.
fore·warn [fɔːrwɔ́ːrn] *vt.* 《~+목/+목+*to* do/+목+*that*절/+목+전+명》 …에게 미리 주의[경고]하다; …에게 미리 알리다; 예고하다: I shall not ~ you again. 두 번 다시 경고하지 않을 겁니다/He ~*ed* me not *to* go there. 그는 나에게 거기에 가지 말라고 주의했다/They ~*ed* us *that* there were pickpockets on the train. 그들은 열차 안에 소매치기가 있다고 알려 주었다/I was ~*ed against* climbing the mountain. 나는 그 산에 오르지 말라는 경고를 받았다/*Forewarned* is forearmed. 《격언》 유비무환. ㊞ **~·er** *n.*

fore·wént FOREGO[1,2]의 과거.
fóre·wìnd *n.* 〖해사〗 순풍(順風).
fóre·wòman (*pl.* ***-wòmen***) *n.* 여직장(女職長), 여공장(長); 여배심장. ★ foreman의 여성형.
fóre·wòrd *n.* 머리말, 서문《특히 저자 아닌 남이 쓴 것》. cf. preface.
for·ex [fɔ́ːreks] *n.* 외국환, 외환. [◂ *foreign exchange*]
fóre·yàrd *n.* 앞돛대 최하부의 활대.
for·fait·ing [fɔ́ːrfèitiŋ] *n.* 〖무역·금융〗 수출 금융 방식《수출 장기 연불 어음의 비소급적 할인 매입 금융》.
†**for·feit** [fɔ́ːrfit] *vt.* (죄·과실 등에 의하여 지위·재산·권리를) 상실하다; 몰수당하다: ~ one's property 재산을 몰수당하다. ── *n.* Ⓤ,Ⓒ 벌금, 과료(fine); 추징금; 몰수물; Ⓤ (권리·명예 따위의) 상실, 박탈; (벌금놀이에) 거는 것, (*pl.*) 벌금놀이: His life was the ~ *for* his carelessness. 그는 부주의로 인하여 목숨을 잃었다/the [a] ~ *of* one's civil rights 시민권의 박탈. ── *a.* 잃은, 몰수된, 몰수당한. ㊞ **~·a·ble** *a.* 몰수되어야 할, 상실당할 만한. **~·er** *n.* 권리[재산]의 상실자; 몰수 집행자.
fórfeited gáme 〖스포츠〗 몰수 게임.
for·fei·ture [fɔ́ːrfitʃər] *n.* Ⓤ (죄·과실 등에 의한 지위·재산·권리 따위의) 상실, 몰수; (계약 등의) 실효《*of*》; Ⓒ 몰수물; 벌금, 과료.
for·fend [fɔːrfénd] *vt.* 《고어》 피하다(avert), 방지하다(prevent); 《미》 방호[방위]하다(protect). ***God ~!*** (그런 일이) 결코 없기를, 당치도 않다(God forbid!).
for·gath·er [fɔːrgǽðər] *vi.* 모이다; (우연히) 만나다; 사귀다, 친하게 지내다《*with*》.
for·gave [fərgéiv] FORGIVE의 과거.
◇**forge**[1] [fɔːrdʒ] *n.* **1** 용광로. **2** 제철소; 대장간(smithy), 철공장. **3** (사상·계획 따위를) 연마하는 곳. ── *vt.* **1** (쇠를) 불리다; 단조(鍛造)하다. **2** (말·거짓말 따위를) 꾸며 내다. **3** (문서 따위를) 위조하다(counterfeit). **4** (계획 등을) 안출하다, 세우다. ── *vi.* **1** 날조[위조, 모조]하다. **2** 철공장에서 일하다.
forge[2] *vi.* 서서히 나아가다; (차 따위가) 갑자기 스피드를 내다: ~ ahead (배가) 점진(漸進)하다; (주자(走者)가) 서서히 선두에 나서다.
forg·er [fɔ́ːrdʒər] *n.* 위조자[범], 날조자; 단련공; 거짓말쟁이.
forg·ery [fɔ́ːrdʒəri] *n.* Ⓤ (문서·화폐 따위의) 위조; 위조죄; Ⓒ 위조품[문서]; 위폐.
‡**for·get** [fərgét] (***-got*** [-gɑ́t/-gɔ́t]; ***-got·ten*** [-gɑ́tn/-gɔ́tn], ***-got; -get·ting***) *vt.* **1** 《~+목/+*wh.* to do/+*that*절/+*wh.*절》 잊다, 망각하다, 생각이 안 나다: I shall never ~ your kindness. 친절은 결코 잊지 않을 겁니다/I've *forgotten how to* do it. 어떻게 하는지 잊어버렸다/Did you ~ *that* I was coming? 내가 온다는 걸 잊었습니까/I ~ *whether* she said August or September. 그녀가 8월이라고 했는지 9월이라고 했는지 기억이 안 난다. ★ I *forget*는 종종 '잊어버리고 말았다' (I have *forgotten*; I am unable to recall)를 뜻한다. **2** 《+*to* do/+*-ing*》 (…하는 것을) 잊다, 깜박 잊다: Don't ~ *to* attend the meeting. 꼭 모임에 참석해 주시오《미래의 일》/I will never ~ see*ing* her at the party. 파티에서 그녀를 만난 것을 잊지 못할 것이다《과거의 일》. **3** (소지품 따위를) 놓아 두고 잊다, 잊고 오다[가다]. **4** 《+목+전+명》 말하는[쓰는] 것을 빠뜨리다, 빠뜨리고 보다: Don't ~ me *to* your family. 가족에게 안부 전해 주시오. **5** 게을리 하다, 소홀히 하다, 무시하다. ── *vi.* 《~/+전+명》 잊다: I *forgot about* the holiday tomorrow. 내일

이 휴일이라는 것을 잊고 있었다. ***before I*** **~** 잊어버리기 전에; 잊기 전에 말해 두겠는데: *Before I* ~, they expect you this evening. 잊기 전에 말해 두지만 그들은 네가 오늘 저녁 오는 것으로 알고 있다. ***Forget about it !*** =Forget it ②. ~ ***and forgive*** =***forgive and*** ~ (과거의 원한 따위를) 죄다 흘려버리다. ***Forget it !*** ① 아무것도 아니야《한 말을 되풀이하기 싫을 때》. ②(치사·사죄에 대해) 괜찮아, 됐어요, 웬걸요. ③(거부하여) 말도 안 돼, 그럴 것 없어. ④ 더 말하지〔시키지〕 마. ~ one***self*** ① 자기를 잊다, 자신의 일을〔이해를〕 생각지 않다. ② 분수를 잊다, 삼가는 것을 잊다. ③ 침착〔제정신〕을 잃다. ④ 멍하다, 깜빡 주의를 잊다: I *forgot* my*self*. 깜빡 (잊고) 말해 버렸다〔하고 말았다〕. ⑤ 몰두해 버리다, 마음을 빼앗기다《*with*》. ~ ***you*** 《미속어》 싫어, 말도 안 돼.

*__for·get·ful__ [fərgétfəl/fəgétful] *a.* 잘 잊는; 잊어버리는, 등한히 하여《*of*》; 부주의한; 《시어》 잊게 하는: be ~ *of* others 남의 일을 생각지 않다. [파] **~·ly** *ad.* 잘 잊어서; 부주의하게. **~·ness** *n.* 건망증; 부주의, 태만.

forgét-me-nòt *n.* 〖식물〗 물망초(勿忘草).

forget-me-not

for·gét·ta·ble *a.* 잊기 쉬운; 잊어도 좋은.

forg·ing [fɔ́ːrdʒiŋ] *n.* [U,C] 단조(鍛造)(물); 위조(품)(forgery), 날조.

for·gív·a·ble *a.* 용서할 수 있는, 용서해도 좋은.

‡**for·give** [fərgív] (***-gave*** [-géiv]; ***-giv·en*** [-gívən]) *vt.* **1** 《~+[목]/+[목]+[전]+[명]/+[목]+[목]》 (사람·죄를) 용서하다: Am I *forgiven?* 저를 용서해 주셨습니까 / ~ a person *for* being rude 〔his rudeness〕 아무의 무례함을 용서하다 / *Forgive* us our trespasses. 우리의 죄를 용서하소서. [SYN] ⇨ EXCUSE. **2** 《+[목]+[목]》 (빚 따위를) 탕감하다: Will you ~ me the debt? 빚을 탕감해 주시겠습니까. **—** *vi.* 용서하다.

for·giv·en [fərgívən] FORGIVE의 과거분사.

for·give·ness *n.* [U] 용서; 관대함.

for·gív·er *n.* **1** 용서하는 사람. **2** 면제자.

for·gív·ing *a.* 관대한, 책망하지 않는; 인정 많은: a ~ nature 너그러운 성미. [파] **~·ly** *ad.* **~·ness** *n.*

°**for·gó** (***-went*** [-wént]; ***-gone*** [-gɔ́ːn, -gán/-gɔ́n]) *vt.* …없이 때우다(do without); 보류하다, 그만두다(give up); 버리다.

for·got [fərgát/-gɔ́t] FORGET의 과거·과거분사.

for·got·ten [fərgátn/-gɔ́tn] FORGET의 과거분사.

forgótten mán 〖미정치〗 (부당하게) 망각된 사람《중산층 또는 노동자 계급을 지칭》.

for-híre *a.* (자동차 등) 임대하는; (탐정 등) 돈으로 고용되는.

for-ínstance [fəri-] *n.* 《미구어》 예, 실례: to give you a ~ 한 예를 들면. 「F, Ft).

fo·rint [fɔ́ːrint] *n.* 헝가리의 화폐 단위《기호:

forjudge ⇨FOREJUDGE.

†**fork** [fɔːrk] *n.* **1** (식탁용의) 포크, 삼지창: a knife and ~ (한 벌의) 나이프와 포크. **2** 갈퀴, 쇠스랑. **3** 가랑이진 모양의 것; (나무·가지 따위의) 갈래; (강·길 따위의) 분기(점); 《비유》 갈림길: take the left ~ at a crossroads 네거리에서 왼쪽 길로 가시오 / come to a ~ in a road 도로의 분기점에 접어들다. **4** 두 갈래 길 중의 하나; 《미》 (주요한) 지류. **5** 〖음악〗 소리굽쇠 (tuning ~). **6** 차상 전광(叉狀電光). **7** 〖체스〗 겹장. **8** 《미속어》 소매치기. **—** *a.* 〔한정적〕 서서 먹는, 입식(立食)의, 나이프를 사용치 않는: a ~ supper 〔lunch〕.

— *vt.* **1** 두 갈래 지게 하다, 분기(分岐)시키다. **2** (쇠스랑·갈퀴 따위로) 긁어〔떠서〕 올리다〔던지다, 나르다, 일으키다〕: ~ hay into a wagon 건초를 쇠스랑으로 떠서 짐마차에 던져 넣다. **3** 포크로 찍다. **4** …에 겹장을 부르다《체스에서》.

— *vi.* 분기하다, 갈라지다; (갈림길에서 어떤 방향으로) 가다: ~ left. **~** ***out*** 〔***over, up***〕 《구어》 《*vt.*+[부]》 ① (마지못해) 내주다, 지불하다《*for; on*》: He ~*ed out* a pile to buy the house. 그는 그 집을 사기 위해 큰돈을 마지못해 치렀다. **—** 《*vi.*+[부]》 ② (마지못해) 돈을 내다, 지불하다 《*for; on*》.

fórk·bàll *n.* 〖야구〗 포크볼.

forked [fɔːrkt, fɔ́ːrkid] *a.* 갈래 진, 갈래 진 모양의; 지그재그의; 〔복합어〕 …갈래의: three-~ 세 갈래의. 「가진 차).

fórked-éight *n.* 《미속어》 V형 8기통 엔진(을

fórked líghtning 차상 전광(叉狀電光).

fórked tòngue 일구이언(一口二言): speak with a ~ 일구이언하다.

fork·ful [fɔ́ːrkfùl] (*pl.* ***~s, fórks·fùl***) *n.* 포크〔쇠스랑〕 가득, 한 포크〔쇠스랑〕분.

fork·hand·er [fɔ́ːrkhændər] 《미속어》 〖야구〗 좌완투수(southpaw).

fórk·lìft *n.* 포크리프트《짐을 들어올리는 장치》; 지게차(=~ **trùck**).

fórk lùncheon =DÉJEUNER À LA FOURCHETTE.

fórk sùpper 포크만으로 먹는 저녁.

fórk-tàiled *a.* 꼬리가 두 갈래 진.

fórk-ténder *a.* (고기가) 포크로 쉽게 찍어 먹거나 자를 수 있을 만큼 연한. 「차).

fórk trùck 지게차《포크리프트가 장치된 운반

forky [fɔ́ːrki] (***fork·i·er; fork·i·est***) *a.* 두 갈래 진 모양의.

°**for·lorn** [fərlɔ́ːrn] *a.* **1** 버려진, 버림받은《*of*》. **2** 고독한, 쓸쓸한(desolate), 의지가지 없는: a ~ child 의지가지 없는 아이. **3** 희망 없는, 절망적인. [파] **~·ly** *ad.* 쓸쓸히, 의지가지 없이.

forlórn hópe 성공할 가망이 없는 행동〔기도〕; 결사적 행동; 《고어》 결사대: the ~ of seeing her dead child again 죽은 아이라도 다시 한 번 보고 싶다는 허망한 소원.

‡**form** [fɔːrm] *n.* **1** [U] 모양, 형상, 외형, 윤곽; (사람의) 모습, (인체의) 모양: in the ~ of …의 모양〔모습〕을 따서 / take ~ and shape 모양을 이루다; 구체화하다 / take the ~ of …의 모양을 취하다; …로서 나타나다. [SYN] ⇨ PATTERN. **2** [U] (존재) 형식, 형태; [C] 종류: in book ~ 책 모양으로〔으로서〕, 단행본으로 / in due 〔proper〕 ~ 정식으로, 형식대로 / Heat is a ~ *of* energy. 열은 에너지의 일종이다. **3** [U] (구성) 형식, 형태, 조직; (표현) 형식. **4** [U] (형식의) 갖춤, 아름다움. **5** [U] (경기자 등의) 폼; 심신의 상태, 몸의 컨디션; 〔일반적〕 원기, 좋은 컨디션: on 〔off〕 ~ =in 〔out of〕 ~ 상태가 좋은〔나쁜〕 / in good 〔great, top〕 ~ 매우 원기 충만하여. **6** [C] 하는 식, 방식; [U] 관례; 예절: an established ~ 정해진 방식. **7** [C] 모형, 서식 (견본); (기입) 용지: a telegraph ~ 전보 용지 / fill in 〔out〕 the ~ 서식에 기입하다(《미》 fill out the blank) / after the ~ of …의 서식대로. **8** [U] 외견, 외관, (단순한) 형식(formality): go through the outward ~*s* of a religious wedding 외형만 종교적인 결혼 형태를 취하다. **9** [C] 《영》 (등널 없는) 긴의자. **10** [C] 《영》 (public school 등의) 학년《first

~에서 sixth ~까지》: the sixth ~ 6 학년. **11** Ⓒ 〖문법〗 형태, 어형. **12** Ⓤ 〖철학·논리〗 형식. OPP *matter*. **13** Ⓒ 주형(mould), 거푸집. **14** Ⓒ 〖인쇄〗 조판(《영》 forme); 〖컴퓨터〗 틀, 형식. **15** Ⓒ (토끼의) 굴. **16** (말·선수의) 과거 성적, 전적(戰績); 《영속어》 전과(前科), 범죄 기록. ***as a matter of*** ~ 형식상, 의례상. ***for*** ~***'s sake*** 형식상. ~ ***of address*** (구두나 서면상의) 호칭, 경칭, 직함. ***good*** ~ 예의; 훌륭한 태도. ***go through the*** ~ ***of** doing* 형식만 …하다. ***in full*** 〔***great***〕 ~ 형식을 갖추어서. ***in one*** ~ ***or another*** 어떠한 형태로든. ***out of*** ~ ① (사람·말 등이 경기 따위에서) 저조하게. ② 예의에 벗어나서. ***true to*** ~ (특히, 나쁜 행동에 대하여) 언제나처럼, 여전히: run *true to* ~ (행실이) 늘 그 식이다.

— *vt.* **1** 《~+목/+목+전+명》 형성하다(shape): ~ a figure *out of* clay 점토로 상(像)을 만들다. SYN. ⇨ MAKE. **2** 구성하다, 조직하다: ~ a cabinet 조각하다. **3** (인물·능력 등을) 만들어〔가르쳐〕 내다, 훈련하다. **4** (교제·동맹 등을) 맺다; (습관 따위에) 익숙해지다, 젖다: ~ a good habit 좋은 습관을 들이다. **5** (의견·사상 따위를) 형성하다, 품다(conceive); (의심을) 품다, 느끼다. **6** 〖문법〗 (말·문장을) 만들다 (construct). **7** (말·음성 등을) 똑똑히 발음하다. **8** 《~+목/+목+부/+목+전+명》 〖군사〗 (대형을) 만들다, 정렬시키다《*up*》: ~ a column 종대를 만들다 / ~ the soldiers *into* a line 병사를 횡대로 정렬시키다. **—** *vi.* **1** 모양을 이루다, 생기다: Ice is ~*ing* on the window. 창에 점점 성에가 끼어 간다. **2** (신념·희망 따위가) 생겨나다 (arise). **3** 《+부/+전+명》 〖군사〗 정렬하다, 대형을 짓다: ~(*up*) *into* a column 종대가 되다. **4** (토끼가) 굴에 뛰어 들어가다, 웅크리다. ◇ formation *n.* ~ ***part of*** …의 일부를 이루다; …의 요소(要素)가 되다. ~ ***oneself into*** …의 모양이 되다: The cloud ~*ed* it*self into* a camel. 구름은 낙타의 모양이 되었다. ~ ***the words*** 말을 하다. ~ ***... to oneself*** …을 마음에 그리다.

-form [fɔ̀ːrm] *suf.* '…형의, …모양의, …상(狀)의' 라는 뜻: cruci*form*, multi*form*.

for·ma [fɔ́ːrmə] *n.* 〖식물〗 품종(form).

‡**for·mal** [fɔ́ːrməl] *a.* **1** 모양의, 형식의, 외형의: ~ resemblance 외형의 유사. **2** 정식의, 형식에 맞는: a ~ contract 정식 계약. **3** 정연한, 질서정연한. **4** 공식의; 의례상의, 예식의: a ~ call 〔visit〕 의례적 방문. **5** 형식적인, 표면적인, 외견상의, 겉수작뿐인: ~ obedience 표면적인 복종. **6** (태도·문체 등이) 형식에 치우친, 딱딱한, 격식적인: ~ expression 딱딱한〔격식적인〕 표현. **7** 〖논리〗 형식(상)의. OPP *material*. **8** (정원·도형 등) 좌우 대칭의, 기하학적인: a ~ garden. **—** *n.* 《미》 야회복으로 참석하는 정식 무도회; 야회복. **—** *ad.* 《미구어》 성장하고, 야회복으로: go ~ 야회복을 입고 가다. 파 ~**·ness** *n.*

fórmal cáuse 〖철학〗 형상인(形相因) 《Aristotle 의 운동의 4 원인(原因) 중의 하나》.

form·al·de·hyde [fɔːrmǽldəhàid, fər-/fɔː-] *n.* 〖화학〗 포름알데히드《방부·소독제》.

for·ma·lin [fɔ́ːrməlin] *n.* 〖화학〗 포르말린《포름알데히드 수용액; 살균·방부제》.

fór·mal·ìsm *n.* Ⓤ (종교·예술상의) 형식주의, 형식론(論)(OPP *idealism*); Ⓤ,Ⓒ 극단적 형식주의, 허례.

fór·mal·ist *n.* 형식주의〔론〕자; 딱딱한 사람.

for·mal·is·tic [fɔ̀ːrməlístik] *a.* 형식주의의, 형식 존중의; 딱딱한.

*__for·mal·i·ty__ [fɔːrmǽləti] *n.* Ⓤ 형식에 구애됨; 딱딱함(stiffness); 격식을 차림; 예식; 정식, 상례(conventionality); (*pl.*) 정식 절차: legal *formalities* 법률상의 정식 절차. ***go through due formalities*** 정규의 절차를 거치다. ***without*** ~ 형식〔격식〕을 차리지 않고.

fòr·mal·i·zá·tion *n.* Ⓤ 형식화; 의례화.

for·mal·ize [fɔ́ːrməlàiz] *vt., vi.* 정식의 것으로 하다; 공인〔승인〕하다; 모양을 갖추다〔가다듬다〕, 형식화(化)하다; 격식을 차리다: ~ an understanding by drawing up a legal contract 법정 계약서를 작성하여 양해 사항을 정식의 것으로 하다 / ~ a plan 〔a proposal〕 계획〔제안〕을 승인하다. 파 **-iz·a·ble** *a.*

fórmal lógic 〖철학〗 형식 논리학.

°**fór·mal·ly** *ad.* 정식으로, 공식으로; 형식적으로; 격식을 차려(ceremoniously); 딱딱하게.

fórmal univérsal 〖언어〗 보편적 언어 형식.

for·mant [fɔ́ːrmənt] *n.* 〖음성〗 포르만트《모음의 구성 음소(音素)》; 〖언어〗 어간 형성사(determinative); 파생 접사(接辭); 〖음성〗 포먼트《스펙트로 그램(spectrogram) 중에서 특히 울림이 강한 주파수대(帶)》.

for·mat [fɔ́ːrmæt] *n.* 《F.》 **1** (서적 따위의) 체제, 형(型), 판형《folio, foolscap 등》. **2** (라디오·텔레비전 프로 따위의) 전체 구성, 체재. **3** 〖컴퓨터〗 틀잡기, 포맷, 형식, 서식. **—** *vt.* (**-tt-**) 형식에 따라 배열하다〔만들다〕; 〖컴퓨터〗 포맷에 넣다.

for·mate¹ [fɔ́ːrmeit] *n.* 〖화학〗 포름산염(酸鹽).

for·mate² *vi.* (비행기가) 편대를 짜다, 편대 비행을 하다.

°**for·ma·tion** [fɔːrméiʃən] *n.* **1** Ⓤ 형성; 성립; 설립; 편제: the ~ of a Cabinet 조각(組閣). **2** Ⓤ 구성, 조직, 구조(structure); Ⓒ 형성물, 구성물. **3** Ⓤ,Ⓒ 〖군사〗 대형(隊形), 진형, 편대: a fighting 〔battle〕 ~ 전투 대형 / ~ flying 〔flight〕 편대 비행. **4** Ⓒ 〖지학〗 (지층의) 계통, 층(層). **5** 〖생태〗 (식물의) 군계(群系). 파 ~**·al** *a.* 형식〔구성, 편제〕상의, 형태상의.

formátion dànce 포메이션 댄스《2인 1조의 남녀 그룹이 모두 일정한 모양의 동작을 하는 춤》.

form·a·tive [fɔ́ːrmətiv] *a.* 모양을〔형태를〕 이루는, 형성〔구성〕하는; 〖생물〗 신세포를〔조직을〕 형성하는; 〖문법〗 형성적(形成的)인, 성어적(成語的)인: the ~ arts 조형 미술 / the ~ years 〔period〕 형성기. **—** *n.* =FORMATIVE ELEMENT. 파 ~**·ly** *ad.*

fórmative èlement 〖문법〗 낱말 형성 요소 《접두사·접미사 등》.

fórmative evaluátion 〖교육〗 형성적 평가 《프로그램 등이 개발·실시되고 있는 단계에서 행해지는 평가》.

fórm·bòard *n.* (콘크리트 구조를 만드는) 거푸집, 형틀.

fórm·bòok *n.* 《영》 (경주마의 이력을 적은) 경마 안내서; 《구어》 (경주마·운동선수의 전력에 의한) 예상.

fórm clàss 〖언어〗 형태류(形態類)《하나 또는 그 이상의 형태적·통어적 특징을 공유하는 일군(一群)의 말; 낱말 수준에서는 품사와 같으나 분류 기준은 형식(form)》.

fórm crìticism (성서 등의) 양식 비평학, 양식사적(樣式史的) 연구.

fórm dràg 〖물리〗 형상 항력(抗力); 형체 저항.

forme [fɔːrm] *n.* 《영》 〖인쇄〗 조판(form).

‡**for·mer**¹ [fɔ́ːrmər] *a.* **1** (시간적으로) 전의, 앞의(earlier): in ~ times 〔days〕 옛날엔. **2** 이전의(previous), 기왕의: a ~ minister 전직 장관 / one's ~ self 본디〔건강했을 때〕의 자기 / ~ flame 《구어》 옛 애인. **3** (the ~) 〘종종 대명사적〙 (양자 중) 전자(의)(OPP *the latter*), (후자에 대한) 먼저의: in the ~ case 전자의 경우는.

form·er² *n.* 형성〔구성〕자; 창립자; 〖기계〗 형(型), 본, 모형, 성형구(成形具); 〖전기〗 코일틀.

for·mer·ly [fɔ́ːrmərli] *ad.* 이전에는, 원래는, 옛날에는.

fórm fèed 〖컴퓨터〗 서식 이송《용지의 지정 부분을 인쇄 위치로 전송하는 것》.

fórm·fitting *a.* (옷 따위가) 몸에 꼭 맞는(close-fitting).

form·ful [fɔ́ːrmfəl] *a.* 폼이 좋은〔멋진, 볼만한〕.

fórm gènus 〖생물〗 형태속(屬).

for·mic [fɔ́ːrmik] *a.* 개미의; 〖화학〗 포름산(酸)의.

For·mi·ca [fɔːrmáikə] *n.* Ⓤ 포마이카《내열(耐熱)·내약 품성의 합성수지 도료; 가구 등에 씀; 상표명》.

fórmic ácid 〖화학〗 포름산(酸).

for·mi·cary [fɔ́ːrməkèri/-kəri] *n.* 개미집, 개미탑(ant hill).

for·mi·cate [fɔ́ːrməkèit] *vi.* 개미처럼 기어 돌아다니다〔우글거리다〕.

fòr·mi·cá·tion *n.* Ⓤ 〖의학〗 의주감(蟻走感)《피부에 개미가 기는 느낌》.

for·mi·da·ble [fɔ́ːrmidəbəl] *a.* **1** 무서운, 만만찮은, 얕잡을 수 없는: a ~ enemy 강적 / a ~ danger 가공할 위험. **2** 매우 어려운, 감당할 수 없는; (장대함·위대함·힘 따위가) 경이적인, 매우 뛰어난: a ~ question 아주 어려운 문제 / his ~ accomplishments in business 실업계에서의 경이적인 업적. **3** 굉장히 많은〔큰〕; 굉장한: a ~ helping of pudding 아주 푸짐한 푸딩. ㊞ **-bly** *ad.* **~·ness** *n.*

fórm·less *a.* 모양 없는; 모양이 확실〔일정〕치 않은, 무정형의. ㊞ **~·ly** *ad.* 확실한 모양이 없이; 축 (처져서). **~·ness** *n.*

fórm lètter (인쇄·복사한) 동문(同文) 편지《날짜·수신인을 개별적으로 기입》.

fórm màster (*fem.* ***fórm mistress***) 《영》 학급 담임 (선생).

For·mo·sa [fɔːrmóusə] *n.* 타이완(Taiwan)의 구칭: the ~ Strait 대만 해협《대만과 중국 본토 사이》. ㊞ **~n** *a.*, *n.* 타이완(인)의; 타이완인; Ⓤ 타이완 말.

fórm·room *n.* 《영》 교실.

fórm shèet (경마의) 예상지(紙), 경마 전문지; 〖일반적〗 (후보자·경기자에 대한) 상세한 기록.

fórm tèacher 학급 담임 선생〔교사〕.

for·mu·la [fɔ́ːrmjələ] (*pl.* **~s, *-lae*** [-lìː]) *n.* **1** 식; 〖수학〗 공식; 〖화학〗 식 《*for*》: a binomial ~ 〖수학〗 이항식(二項式) / a molecular ~ 〖화학〗 분자식 / a structural ~ 구조식. **2** (식사·편지 등의) 정해진 말씨〔문구〕, 관용 표현: a conversation ~ 대화의 관용 표현. **3** 〖기독교〗 신앙 형식, 신앙 고백문, 신조. **4** (일정한) 방식; 정칙(定則); 방법《*for*》; 《종종 경멸》 판에 박힌 방식〔절차〕《*for*》. **5** 제조법; (약 따위의) 처방(전); (요리의) 조리법: a ~ *for* making soap 비누 제조법. **6** 《미》 유아용 조유(調乳). **7** 포뮬러, 공식 규격《주로, 엔진 배기량에 따른 경주차(車)의 분류》. **—** *a.* (경주차가) 포뮬러에 따른. ㊞ **fòr·mu·lá·ic** [-léiik] *a.*

for·mu·la·ble [fɔ́ːrmjələbəl] *a.* 공식화 할 수 있는.

fórmula invésting 〖경제〗 포뮬러 플랜 투자《일정한 계획에 따라 행하는 증권 투자》.

Fórmula Óne 〔**1**〕 포뮬러 원《경주용차(車) 분류에서 규정상 최고 범주로 침; 그 차》.

fórmula plán 〖경제〗 포뮬러 플랜《formula investing에 있어서의 일정한 투자 계획》.

for·mu·lar [fɔ́ːrmjələr] *a.* 정식(定式)의, 법식상의.

for·mu·lar·ize [fɔ́ːrmjələràiz] *vt.* = FORMULATE.

for·mu·la·ry [fɔ́ːrmjəlèri/-ləri] *n.* 공식집; (약품의) 처방집; 제문집(祭文集); 의식서(儀式書); 정해진 말, 상투어. **—** *a.* 규정의(prescribed), 공식의; 처방의; 의식상의.

for·mu·late [fɔ́ːrmjəlèit] *vt.* **1** 형식〔공식〕으로 나타내다, 공식화하다; 명확하게〔계통을 세워〕 말하다. **2** 처방하다, 처방대로 조제하다. ㊞ **fór·mu·là·tor** [-tər] *n.*

fòr·mu·lá·tion *n.* Ⓒ 간명하게 말함; Ⓤ 형식〔공식〕화(化); 계통적인 조직화.

fórmula wèight 〖화학〗 (이온 결정(結晶) 따위의) 식량(式量)(molecular weight).

for·mu·lism [fɔ́ːrmjəlìzəm] *n.* Ⓤ 형식〔공식〕주의. ㊞ **-list** *n.* 형식〔공식〕주의자. **fòr·mu·lís·tic** *a.* 공식주의의.

for·mu·lize [fɔ́ːrmjəlàiz] *vt.* = FORMULATE. ㊞ **-lìz·er** *n.* = FORMULATOR.

fórm wòrd 〖문법〗 = FUNCTION WORD.

fórm wòrk (콘크리트 공사의) 거푸집 (공사).

for·myl [fɔ́ːrmil] *n.* 〖화학〗 포르밀《포름산에서 유도되는 일가(一價)의 아실기》.

for·ni·cate [fɔ́ːrnəkèit] *vi.* 간통〔간음〕하다.

fòr·ni·cá·tion *n.* Ⓤ **1** 간통, 화간(和姦). cf. adultery. **2** 〖성서〗 간음; 우상 숭배.

for·ni·ca·tor [fɔ́ːrnəkèitər] (*fem.* ***for·ni·ca·trix*** [⌐-kéitriks]; *fem. pl.* ***for·ni·ca·tri·ces*** [⌐-kətráisiːz]) *n.* 간통자, 간음자, 화간자.

for·nix [fɔ́ːrniks] (*pl.* ***-ni·ces*** [-nəsìːz]) *n.* 〖해부〗 (결막·인후 따위의) 원개(圓蓋); 뇌궁(腦弓).

for-prófit *a.* (회사·사업이) 영리 목적의, 이익 추구의.

for·rad·er, for·rard·er [fɔ́ːrədər, fár-/fɔ́r-] *ad.* 《영구어》 (보다) 앞(쪽)으로. ***get no*** **~** 조금도 나아가지 않다.

forrel ⇨ FOREL.

for·sake [fərséik] (***-sook*** [-súk]; ***-sak·en*** [-séikən]) *vt.* **1** (벗 등을) 버리고 돌보지 않다(desert), 내버리다. **2** (습관·신앙 등을) 버리다(give up), 떠나다, 포기하다. SYN. ⇨ ABANDON.

for·sak·en [fərséikən] FORSAKE의 과거분사. **—** *a.* 버려진; 의지가지 없는, 고독한. ㊞ **~·ly** *ad.* **~·ness** *n.*

for·sook [fərsúk] FORSAKE의 과거.

for·sooth [fərsúːθ] *ad.* 《고어》 참으로, 확실히, 정말이지. ★ 현재는 '…이라는 데는 참말로 어이가 없다' 등의 반어적인 뜻으로 쓰임.

for·spent [fɔːrspént] *a.* 《고어·시어》 지쳐 버린.

For·ster [fɔ́ːrstər] *n.* **Edward Morgan** ~ 포스터《영국의 소설가·비평가; 1879-1970》.

for·swear, fore- [fɔːrswέər] (***-swore*** [-swɔ́ːr]; ***-sworn*** [-swɔ́ːrn]) *vt.* (나쁜 습관 등을) 맹세코 그만두다; 맹세코 부인하다. **—** *vi.* 거짓 맹세〔위증〕하다. ~ one***self*** 맹세를 저버리다; 거짓 맹세〔위증〕하다.

for·sworn, fore- [fɔːrswɔ́ːrn] FORSWEAR의 과거분사. **—** *a.* 맹세를 지키지 않는, 거짓 맹세의; 위증죄를 범한(perjured).

for·syth·ia [fərsíθiə, -sáiθ-/-sáiθ-] *n.* 개나리속(屬)의 식물.

fort [fɔːrt] *n.* **1** 성채, 보루, 요새. **2** 《미》 (북아메리카 변경의) 교역 시장《옛날 성채가 있었던 데서》; 〖미육군〗 상설 주둔지. ***hold the*** **~** (공격·비판에 대해) 자기 입장을 고수하다, 양보치 않다; 세력을 유지하다; (남 대신) 직무를 수행하다; 긴급 사태에 대처하다.

fort. fortification; fortified.

for·ta·lice [fɔ́ːrtəlis] 《고어》 *n.* 작은 요새; 요새(fortress).

forte[1] [fɔːrt] *n.* 장점; 특기, 장기; 칼의 가장 강한 부분《자루에서 중간까지》. OPP. *foible*.

for·te[2] [fɔ́ːrtei, -ti] 《It.》 〖음악〗 *a.* 포르테의, 강성의, 강음의(loud). OPP. *piano*. **—** *ad.* 강한 음성으로, 세게《생략: f.》.

for·te·pi·a·no [fɔːrtəpjáːnou] *n.* 〖음악〗 포르테피아노《18-19세기 처음 등장한 초기의 피아노》.

for·te-pia·no [fɔ̀ːrteipiáːnou/-ti-] *ad.*, *a.*

《It.》〖음악〗 세게 (하고) 곧 여리게 (하는)《생략: fp., f.p.》.

*****forth** [fɔːrθ] *ad.* **1** 앞으로(forward); 전방으로: stretch ~ one's hand 손을 내밀다. **2** 밖으로, 외부로: go ~ 외출하다, 출발하다 / send ~ shoots (새)싹을 내밀다. **3** (시간적으로) 이후(onward): from this day ~ 오늘 이후에는, 앞으로는. ★ 동사와의 결합에 의한 관용구는 해당 동사를 참조. ***and so*** ~ …등등, …운운(and so on). ***back and*** ~ ⇨ BACK[1]. ***right*** ~ 곧. ***so far*** ~ 그 정도까지는, 그만큼은. ***so far*** ~ ***as*** …의 정도까지는. ── *prep.* 《고어》 …에서 밖으로(out of): He went ~ the house. 그는 외출하였다.

°**forth·com·ing** [fɔːrθkʌ́miŋ] *a.* **1** 곧 나오려고〔나타나려고〕 하는, 다가오는, 이번의: ~ books 근간 서적 / the ~ holidays 이번 휴가. **2** 〔종종 부정문〕 곧 (필요한 때에) 얻을 수 있는, 소용에 닿는; (기꺼이) 도와주는: *None* of them were ~. 누구 하나 도우려 들지 않았다. ── *n.* 출현; 접근.

fórth·rìght *ad.* 똑바로; 곧바로; 곧, 즉시. ── *a.* 똑바른; 털어놓는; 솔직한. ── *n.* 《고어》 똑바른 길, 곧은 길. ㊞ **~·ly** *ad.* **~·ness** *n.*

fòrth·wíth *ad.* 곧, 즉시, 당장. ── *n.* 《미속어》 당장 실행해야 할 명령.

*****for·ti·eth** [fɔ́ːrtiiθ] *n., a.* 제 40(의), 40 번째(의); 40 분의 1(의).

for·ti·fi·ca·tion [fɔ̀ːrtəfikéiʃən] *n.* **1** Ⓒ (도시 등의) 요새화(化); Ⓤ 축성(술); Ⓒ (보통 *pl.*) 방어 공사, 요새. **2** Ⓤ (포도주의) 알코올분 강화; (음식의) 영양가의 강화. 「탄).

fórtified wíne 강화〔보강〕 포도주《브랜디 등을

for·ti·fi·er [fɔ́ːrtəfàiər] *n.* 견고히 하는 사람〔물건〕; 강화물; 축성가(築城家); 《우스개》 (원기를 북돋우는) 술, 강장제.

°**for·ti·fy** [fɔ́ːrtəfài] *vt.* **1** 《~+목/+목+전+명》 요새화〔방어 공사를〕하다: ~ a city *against* the enemy 적의 공격에 대비하여 도시를 요새화하다. **2** 《~+목/+목+전+명》 강하게 하다, (육체적·정신적으로) 튼튼히 하다: *Fortified* by his initial successes he determined to carry out his plan. 최초의 성공에 힘입어 그는 계획을 실행하기로 결심했다 / ~ oneself *against* illness 병에 걸리지 않도록 몸을 튼튼히 하다. **3** (진술 등을) 뒷받침〔확증〕하다. **4** (포도주 등에) 알코올을 넣어 독하게 하다. **5** (비타민 등으로 음식의) 영양가를 높이다(enrich). ── *vi.* 요새를 쌓다, 축성하다. ㊞ **fór·ti·fi·a·ble** *a.* ~할 수 있는.

for·tis [fɔ́ːrtis] (*pl.* **-tes** [-tiːz]) *n.* 〖음성〗 경음(硬音)《'p, t, k' 따위》. ── *a.* 경음의.

for·tis·si·mo [fɔːrtísəmòu] *ad., a.* 《It.》 〖음악〗 매우〔아주〕 세게, 포르티시모로〔의〕《생략: ff》. ── *n.* (*pl.* **-mi** [-mìː], **~s**) 포르티시모의 악구(樂句)〔음〕. OPP. *pianissimo.*

for·ti·tude [fɔ́ːrtətjùːd/-tjùːd] *n.* Ⓤ 용기, 불굴의 정신, 강한 참을성, 인내: with ~ 의연하게, 결연히.

for·ti·tu·di·nous [fɔ̀ːrtətjúːdənəs/-tjúː-] *a.* 불굴의 정신이 있는〔을 가진〕(courageous).

Fort Knox [fɔ̀ːrtnáks/-nɔ́ks] **1** 포트 녹스《켄터키 주에 있는 미군 기지; 여기에 미국 정부 금이 보관되어 있음》. **2** (침범이 거의 불가능한) 철통 같은 곳.

*****fort·night** [fɔ́ːrtnàit] *n.* 《영》 2 주일간. cf. sennight. ¶ a ~'s holiday, 2 주간의 휴가 / in a ~'s time, 2 주일 후에 / a ~ ago yesterday, 2 주 전의 어제 / Monday ~, 2 주일 후〔전〕의 월요일 / today 〔this day〕 ~ = a ~ (from) today 내내〔전전〕주의 오늘.

fórt·nìght·ly *a.* 2 주에 한 번의, 격주 발행의. ── *n.* 격주 간행물. ── *ad.* 격주로, 2 주에 한 번.

FORTRAN, For·tran [fɔ́ːrtræn] *n.* Ⓤ 〖컴퓨터〗 포트란《과학 기술 계산용의 프로그램 언어》. [◀ *for*mula *tran*slation]

*****for·tress** [fɔ́ːrtris] *n.* **1** 요새(지); 성채. **2** 〔일반적〕 안전 견고한 곳. ── *vt.* 요새로 방비하다, …의 방비를 튼튼히 하다.

for·tu·i·tism [fɔːrtjúːətìzəm/-tjúː-] *n.* Ⓤ 〖철학〗 우연설. cf. teleology. ㊞ **-tist** *n.* 우연론자.

for·tu·i·tous [fɔːrtjúːətəs/-tjúː-] *a.* 우연의, 예기치 않은, 뜻밖의. ◇ fortuity *n.* ㊞ **~·ly** *ad.* **~·ness** *n.*

for·tu·i·ty [fɔːrtjúːəti/-tjúː-] *n.* Ⓤ 우연; Ⓒ 뜻밖의 (돌발) 사건; Ⓤ 우연성. ◇ fortuitous *a.* ***by some*** ~ 우연히, 공교롭게.

******for·tu·nate** [fɔ́ːrtʃənət] *a.* **1** 운이 좋은, 행운의; 복받은. SYN. ⇨ LUCKY. **2** 상서로운, 재수가 좋은. **3** (the ~) 〔명사적〕 행운의 사람들. ◇ fortune *n., v.* 「좋게(도).

******for·tu·nate·ly** [fɔ́ːrtʃənətli] *ad.* 다행히(도), 운

†**for·tune** [fɔ́ːrtʃən] *n.* **1** Ⓤ 운, 우연: good ~ 행운 / ill ~ 악운 / by good 〔bad〕 ~ 운좋게도〔나쁘게도〕 / try one's ~ 운명을 시험해 보다; 모험을 하다. **2** Ⓒ 운명, 숙명, 운수; (종종 *pl.*) 인생의 부침, 성쇠: vicissitudes of ~ 운명의 부침(浮沈) / tell 〔read〕 a person's ~ 아무의 운수를 점치다 / have one's ~ told 점쟁이에게 운수를 보다. **3** (F-) 운명의 여신: *Fortune* favors the bold 〔brave〕. 운명의 여신은 용감한 자의 편이다. **4** Ⓒ 행운, 행복; 번영: have ~ on one's side 운이 트이다 / I had the ~ *to* obtain his services. 나는 다행히 그의 힘을 빌릴 수 있었다.

> SYN. **fortune** 우연을 지배하는 힘에 의해 만나게 되는 '운', luck 보다 좀 격식차린 말. 선악 어느쪽으로도 쓰이며, 자주 의인화하여 씀: the *fortune* of war 무운(武運) / *Fortune* smiled on her. 운명의 여신이 그녀에게 미소지었다. **luck** 우연히 다가오는 '운'을 뜻하는 구어적인 말. 선악 어느쪽으로도 두루 쓰임: good 〔bad〕 *luck* 행〔불〕운. **lot** 제비로 정하는 따위의 우연한 '운'으로서, 자기 생애에 주어진〔할당된〕 운명이란 뜻이 내포됨. **fate** 인력으로는 피할 수 없는 숙명을 뜻하며 주로 죽음·파멸 등의 뜻이 있음.

5 Ⓒ 재산, Ⓤ 부; (종종 *pl.*) 큰 재산: a man of ~ 재산가 / inherit a ~ 재산을 물려받다 / make one's ~ 입신출세하다; 한재산 모으다 / make a ~ 재산을 모으다, 부자가 되다 / come into a ~ (유산 상속 따위로) 재산을 손에 넣다. **6** Ⓒ 《고어》 자산가《여성》. ◇ fortunate *a.* ***a small*** ~ (비용·대가가) 상당한 금액, 대금: lose *a small* ~ in bad investment 잘못 투자하여 한재산을 잃다. **~'s wheel** 운명의 수레바퀴, 영고성쇠. ***marry a*** ~ 《고어》 돈 많은 여자와 결혼하다, 재산을 노리고 결혼하다. ***seek*** one'***s*** ~ (집을 떠나) 입신출세의 길을 찾다. ***share*** a person'***s*** ~***s*** 아무와 운명〔고락〕을 같이하다.

── *vi.* 《고어·시어》 **1** 우연히 일어나다. **2** 우연히 만나다《*upon*》. ── *vt.* 《고어》 (아무)에게 재산을 주다. ***It*** ~***d that ...*** 우연히 …하게 되었다.

fórtune còokie 〔**còoky**〕 《미》 (중국 요릿집 등에서 내는) 점괘 과자.

Fórtune 500 [-fáivhʌ́ndrid] 《미》 (경제지 *Fortune*이 매년 게재하는) 매상 규모 상위 500 개 사(社)《대기업의 대명사로서도 쓰임》.

fórtune hùnter 재산을 노리는 구혼자.

fórtune-hùnting *a., n.* 재산을 노리는 (구혼).

fórtune·less *a.* 운이 없는, 불운한; 재산이 없는.

fórtune·tèller *n.* 점쟁이.

fórtune·tèlling *n.* Ⓤ 점(을 치기).

†**for·ty** [fɔ́:rti] *a.* 40 의, 40 개〔명〕의; 40세의. **—** *n.* **1** 40, 40개〔명〕; 40세. **2 a** (the Forties) 스코틀랜드 북동 해안과 노르웨이 남서안 사이의 바다《깊이가 40길 이상인데서》: ⇨ ROARING FORTIES. **b** (the forties) (세기의) 40년대. **c** (one's forties) (나이의) 40대. **3**〖테니스〗3점(의 득점). **~ ways for** 〔*from, to*〕 **Sunday** 《미속어》 사방팔방에, 어지러이. **like ~** 《미구어》 대단한 기세로.

fórty-éight·mo [-éitmou] (*pl.* **~s**) *n.* 48절판의 책〔종이, 페이지〕《48 mo, 48° 로도 씀》. ⓒⓕ folio.

fórty-fíve *n., a.* **1** 45(의). **2** (the F-)〖영국사〗1745년의 반란《James 2세 일파의》. **3** 45회전 레코드. **4** 《미》 45구경 권총.

fórty-fóurs *n. pl.* 아이들.

for·ty·ish [fɔ́:rtiiʃ] *a.* 40대의, 40세쯤 된.

fórty-níner *n.*〖미국사〗(때로 Forty-Niner) 1849년의 gold rush에 들떠 California로 몰려간 사람; 《널리》 새로 발견된 금광 등에 쇄도하는 사람.

fórty-óver *int.* 《CB속어》 신호는 크고 명료하다.

fórty·sòmething *a.* 40대의.

fórty wínks 〖단·복수취급〗《구어》 (식사 후의)졸음(nap); 낮잠.

°**fo·rum** [fɔ́:rəm] (*pl.* **~s, -ra** [-rə]) *n.* 《L.》 **1** (때로 the F-) (고대 로마의) 공회(公會)용의 광장, 포럼. **2** 재판소, 법정. **3** (여론 등의) 비판; 판가름; 공개 토론회(의 회장); (TV·라디오의) 토론 프로, (신문 등의) 토론란: the ~ of conscience 양심의 심판.

⁑**for·ward** [fɔ́:rwərd] *ad.* **1** 앞으로, 전방으로〔에〕. ⓞⓟⓟ *backward.* ¶ run ~ 앞으로 달리다 / *Forward !* 〖군사〗앞으로가! / rush ~ 돌진하다. **2** 밖으로, 표면으로 나와: bring ~ 제출하다, 꺼내다. **3** 장래, 금후: look ~ 장래를 생각하다 / from this time ~ 금후 / date a check ~ 수표를 선일자(先日字)로 하다. **4** 배의 전방에, 이물쪽으로. **5** (예정·기일 등을) 앞당겨. ★ 동사와의 결합에 의한 관용구는 해당 동사를 참조. ***can't get any ~er*** 조금도 나아가지 못하다. ***look ~ to*** …을 기대하다; …을 즐거움으로 기다리다. ***send ~*** 미리〔앞서〕 보내다.

— *a.* **1** 전방(으로)의; 앞(부분)의; 전진의, (배의) 앞부분의: a ~ march 전진 / a ~ movement 전진 운동. **2** 진보적인, 진보한, 새로운; 급진적인: a ~ opinion 진보적인 의견 / a ~ party 진보적 정당 / ~ measures 과격한 수단. **3** (일·준비 등이) 나아간, 진행된, 진척된《*with*》: be ~ *in* 〔*with*〕 one's work 일이 진척되어 있다. **4** 주제넘은, 뻔뻔스러운, 건방진: a ~ girl 〔manner〕 건방진 소녀〔태도〕. **5** 감히〔자진하여〕 …하는《*to* do; *with*》: We were ~ *to* help him. 자진하여 그를 도왔다 / He was ~ *with* his answer. 그는 자진하여 대답했다. **6** 계절에 앞선, 올된: a ~ child 숙성한 아이 / The child is ~ *at* walking. 이 애는 걸음마가 이르다. **7**〖상업〗장래를 내다본, 선물(先物)의; (정책 등이) 진보적인.

— *n.*〖구기〗전위, 포워드《생략: F.W.》; (*pl.*) 선봉, 전위적 분자.

— *vt.* **1** 나아가게 하다, 촉진하다; 진척시키다; (식물 따위의) 성장을 빠르게 하다(ⓒⓕ force 8): ~ a plan 계획을 촉진하다 / ~ flowers 빨리 꽃피게 하다. **2** 《~+목/+목+목/+목+전+명》 (편지 따위를) 회송하다, 전송(轉送)하다; 보내다《*to; from*》; 〖상업〗 (짐을) 발송하다《*to*》: Please ~. (목적어를 생략) 전송 바람《봉투의 왼쪽 위에 씀》/ ~ a letter *to* a new address 새 주소로 편지를 회송하다 / ~ goods *by* passenger train 화물을 객차편으로 부치다 / We will ~ you our new catalogue. 우리 회사의 새 카탈로그를 보내겠습니다. **3**〖제본〗앞 장정을 하다. ★ 마무리 장정은 finish.

㊕ **~·ly** *ad.* 주제넘게, 오지랖 넓게; 《영》 앞쪽으로; 열심히, 흔쾌히. **~·ness** *n.* Ⓤ 진보의 빠름; 조숙성; 재빠름; 의욕, 열심; 주제넘음, 건방짐.

fórward-bàsed [-t] *a.*〖군사〗(미사일 등이) 전방 기지 배치의, 단거리의《생략: FB》.

fórward bías〖전자〗순(順)방향 바이어스《반도체 소자〔회로〕에 전류가 흐르는 방향으로 거는 바이어스》.

fórward cóntract 선물(先物) 계약.

fórward delívery〖상업〗선도(先渡).

fór·ward·er *n.* 촉진〔조성〕자; 회송자(回送者), 운송업자.

fórward exchánge〖상업〗선물환(換).

fór·ward·ing *n.* **1** 촉진, 조성. **2** 운송(업), 회송, 발송: the ~ business 운송(주선)업 / a ~ station 발송역. **3**〖제본〗앞 장정.

fórwarding addrèss (우편물의) 전송선, 회송선.

fórwarding ágent 운수업자, 화물 취급인.

fórward-lòoking *a.* 앞으로 향한, 적극적인: a ~ attitude 〔posture〕 전향적인 자세.

fórward márgin (외국환의) 직물(直物) 시세 (short rate)와 선물 시세와의 차(=**fórward spréad**).

fórward márket〖상업〗선물 시장.

fórward mutàtion〖유전〗전진 돌연변이. ⓞⓟⓟ *back mutation.*

fórward páss〖미식축구·럭비〗공을 상대방 골 방향으로 패스하기《럭비에서는 반칙》.

fórward prógress〖미식축구〗ballcarrier의 전진이 막히고 공이 데드가 됨; 또, 그 지점(=**fórward mótion**).

fórward ráte (외국환의) 선물 시세.

for·wards [fɔ́:rwərdz] *ad.* =FORWARD.

fórward scátter〖통신〗(대류권·전리층에서의 전파의) 전방 산란.

fórward slàsh 포워드 슬래시《/》.

fórward-thìnking *a.* 장래를 고려한; 장래에 대비한.

fórward wáll〖미식축구〗공격 측 라인의 양 끝 선수를 제외한 안쪽의 5인.

for·wear·ied, for·worn [fərwí:rid], [fɔ:rwɔ́:rn] *a.* 《고어》 지친, 기진한.

for·went [fərwént] FORGO의 과거.

for·zan·do [fɔ:rtsá:ndou, -tsǽn-] *ad., a., n.* 〖음악〗《It.》 =SFORZANDO《생략: forz, fz.》.

F.O.S., f.o.s.〖상업〗free on steamer.

Fós·bury (flòp) [fázbəri(-)/fɔ́z-]〖경기〗(높이뛰기에서) 포스베리〔배면(背面)〕 뛰기(flop).
— *vi.* 배면 뛰기를 하다.

FOSDIC〖컴퓨터〗film optical scanning device for input to computers (광학적 필름 판독 장치).

fos·sa [fásə/fɔ́sə] (*pl.* **-sae** [-si:]) *n.*〖해부〗(뼈 따위의) 와(窩), 구(溝).

fosse, foss [fas, fɔ:s/fɔs] *n.*〖건축〗해자(垓字); 호(濠); 운하;〖해부〗와(窩).

fos·sette [fasét/fɔ-] *n.* 약간 우묵한 곳; 보조개(dimple).

Fósse Wáy (the ~)〖역사〗포스 가도《로마군에 의하여 영국 내에 건설된 양쪽에 fosse가 있는 군용 도로》.

fos·sick [fásik/fɔ́s-] *vi.* 《Austral.》 폐광(廢鑛) 등을 파서 금을 찾다; (돈벌이 등을) 찾아다니다《*for*》. ㊕ **~·er** *n.* 폐광을 찾아다님〔찾아다니는 사람〕.

°**fos·sil** [fásəl/fɔ́sl] *n.* **1** 화석(~ remains). **2** (흔히 old ~로) 《구어》 시대에 뒤진 사람〔물건〕, 구제도; 화석어《*hue* and cry의 hue, *a*loft의 a 따위》. **3** 《구어》 연장자, 어버이; 선배. **—** *a.*

1 화석의, 화석이 된. 2 시대에 뒤진, 진보(변화) 가 없는. [파] ~·like a. 화석 같은.
fóssil fùel 화석 연료《석탄·석유·천연가스 등》.
fos·sil·if·er·ous [fɑ̀səlífərəs/fɔ̀s-] a. 화석을 함유한.
fóssil ìvory 화석 아이보리《장기간 땅속에 있어서, 황색으로 변색된 상아》.
fòs·sil·i·zá·tion n. [U] 화석화 (작용); 시대에 「뒤짐.
fos·sil·ize [fɑ́səlàiz/fɔ́s-] vt., vi. 화석화하다, 화석이 되다; 시대에 뒤지(게 하)다; 《구어》 화석을 찾다.
fos·so·ri·al [fɑsɔ́ːriəl/fɔs-] a. 〖동물〗 구멍을 파는; 구멍 파기에 알맞은.
Fos·ter [fɔ́ːstər, fɑ́s-/fɔ́s-] n. **Stephen Collins** ~ 포스터《미국의 작곡가; 1826-64》.
*__fos·ter__ [fɔ́ːstər, fɑ́s-/fɔ́s-] vt. 1 (양자 등으로) 기르다, 양육하다; 수양 자식으로 주다; …을 돌보다: ~ the sick 병구완하다. 2 육성〔촉진, 조장〕하다. 3 (사상·감정·희망 따위를) 마음에 품다(cherish). 4 (노염·기억 따위를) 불러일으키다. — a. 양육하는, 기르는, 양〔수양〕…: a ~ parent 수양아버지〔어머니〕/ a ~ brother 〔sister〕 젖형제〔자매〕/ a ~ child 양아들〔딸〕.
fos·ter·age [fɔ́ːstəridʒ, fɑ́s-/fɔ́s-] n. [U] 양육; 수양아들〔딸〕임; 수양자〔녀〕로 보냄; 육성.
fóster bróther 같은 수양부모 밑에서 자란 남자 형제.
fóster cáre (수양 아이의) 양육.
fóster dáughter 양녀. 「재배자.
fós·ter·er n. [U] 수양 어버이; 양육자; 육성자,
fóster fáther 양부.
fóster hóme 수양 아이를 맡아 기르는 집.
fos·ter·ling [fɔ́ːstərliŋ, fɑ́s-/fɔ́s-] n. 수양아들〔딸〕(foster child). 「(incubator).
fóster móther 양모(養母), 유모; 《영》 보육기
fóster-móther vt. 부모를 대신하여 기르다.
fóster núrse (수양 아이의) 양육자《여자》, 유모.
fóster són 양자.
F.O.T., f.o.t. 〖상업〗 free on truck(화차〔철도〕 인도(의)). 「맨(photographer).
fo·tog [fətɑ́g/-tɔ́g] n. 《미구어》 사진가, 카메라
fou [fuː] a. 《Sc.》 취한(drunk).
Fou·cault [fuːkóu] n. 푸코. 1 **Jean Bernard Léon** ~ 프랑스의 실험 물리학자(1819-68). 2 **Michel** ~ 프랑스의 철학자; 구조주의의 대표자(1926-84).
fou·droy·ant [fuːdrɔ́iənt] a. 《F.》 전격적인; 깜짝 놀라게 할: ~ paralysis 급성 마비.
fought [fɔːt] FIGHT의 과거·과거분사.
__foul__ [faul] a. 1 (감각적으로) 더러운, 불결한; 냄새 나는: ~ air 오염된 공기 / ~ water 오수(汚水), 구정물 / ~ smell 〔odor〕 악취, 구린내. 2 (품위상) 더러운, 천한: a ~ talk 음담 / ~ language 천한 말. 3 (성격·행위 등이) 비열한, 음험한; 못된: a ~ murder 무참한 살인. 4 (행위가) 부정한, 반칙적인([opp] *fair*); 〖야구〗 파울의([opp] *fair*): play a ~ game / a ~ blow 반칙의 타격. 5 《구어》 아주 불쾌한, 시시한, 하찮은: be a ~ dancer 춤이 엉망이다. 6 (날씨가) 몹시 나쁜, 잔뜩 찌푸린; (바람이) 역풍의; (도로가) 진창인; (물길이) 위험한: ~ weather 악천후 / ~ wind 역풍 / a ~ coast 〔ground〕 〖해사〗 암초가 있는 위험한 해안〔해저〕. 7 (굴뚝·하수 따위가) 막힌; (밧줄이) 엉클어진, (닻이) 걸린; (배 밑에) 부착물이 엉겨 붙은; (차바퀴 따위에) 진흙이 묻은: a ~ bottom 〖해사〗 해초·조가비 등이 들러붙은 배 밑. 8 충돌한; 충돌할 위험이 있는: a ship ~ *of* a rock 바위에 부딪친 배. 9 (원고·교정쇄가) 오기가〔오식이〕 많은, 정정(訂正)이 많은: ~ copy 지저분한 원고. ***a ~ bill* (***of health***) 이환(罹患) 건강 증서. [cf.] BILL of health. ***go*** 〔***fall, run***〕 ~ ***of*** …와 충돌하다〔다투다〕. ***make ~ water*** (얕은 곳에 온 배가) 물을 흐리다. — *ad.* 부정하게; 반칙적으로. ***by fair means or ~*** 수단의 좋고 나쁨을 가리지 않고, 어쨌든. ***hit ~*** 〖권투〗 부정하게 치다; 비열한 수를 쓰다. ***play*** a person ~ 아무에게 반칙 행위를 하다, (몰래) 더러운 짓을 하다; 배신하다.
— *n.* 1 (경기 따위에서) 반칙; 〖야구〗 파울. 2 〖해사〗 (보트·노 따위의) 충돌; (밧줄 따위의) 엉킴, 얽힘. 3 악천후(~ weather). ***claim a ~*** (상대의) 반칙을 주장하다. ***cry ~*** 상대방을 비난하다. ***through ~ and fair*** = ***through fair and*** (***through***) ~ 좋든 궂든, 운명을 같이하여, 어떠한 경우라도.
— *vt.* 1 더럽히다; (명성 따위를) 더럽히다: ~ a person's name 아무를 헐뜯다 / ~ one's hands with …에 관여하여 몸을 더럽히다〔체면을 잃다〕. 2 (밧줄 따위를) 얽히게〔엉키게〕 하다. 3 (굴뚝·총 따위를) 막히게 하다; (교통·노선을) 막다. 4 (해초 따위가 배 밑에) 부착하다. 5 …에 충돌하다; (사건 따위에) 관계하다. 6 〖경기〗 반칙으로 방해하다; 〖야구〗 (공을) 파울로 하다. — *vi.* 1 더러워지다, 오염되다. 2 (밧줄 등이) 얽히다, 엉클어지다. ★ 종종 수동형으로 쓰임. 3 (굴뚝·총 따위가) 막히다. 4 충돌하다, 서로 부딪다. 5 〖경기〗 반칙을 하다; 〖야구〗 파울을 치다. ~ ***out*** 〖야구〗 파울공이 잡혀 아웃이 되다; 〖농구〗 (5회) 반칙으로 퇴장하다. ~ ***up*** 《*vi.*+[부]》 ① 엉클어지다. ② 실수를 하다; 타락하다. —《*vt.*+[부]》 ③ 혼란시키다, 엉클다. ④ (실수로) 망쳐놓다.
fóul ánchor (닻줄이) 얽힌 닻.
fou·lard [fuːlɑ́ːrd, fə-/fúːlɑː, -lɑːd] n. 《F.》 [U,C] 일종의 얇은 비단 또는 화학 섬유의 천; 그 천으로 만든 손수건.
fóul báll 〖야구〗 파울볼([opp] *fair ball*); 《미속어》 무능한〔불우한, 별난〕 놈; 《미속어》 실패로 끝난 시도.
fóul bíll of láding 〖상업〗 고장부 선하 증권 《선적할 때 발견된 화물의 부족·손상이 기록된 선하증권》. 「병(腐蛆病).
fóul·bròod n. (세균에 의한 꿀벌 유충의) 부저
fou·le [fuːléi] n. 《F.》 [U,C] 가벼운 모직 옷감.
fóuled-ùp a. 《구어》 잘못 다룬, 망가뜨려진; 혼란된, 뒤얽혀 엉망인, 엉망진창인.
fóul fíend (the ~) 악마(the devil).
foul·ing [fáuliŋ] n. (배 밑바닥 따위의) 부착물.
fóul lìne 〖야구·농구〗 파울 라인.
foul·ly [fáulli] ad. 더럽게, 불결하게; 불쾌하게; 부정하게. 「람.
fóul·mòuth n. 《구어》 입정 사나운〔입이 건〕 사
fóul·móuthed [-máuðd, -θt] a. 입정 사나운, 잡스러운 말을 쓰는.
fóul·ness n. [U] 불결, 입이 더러움; [C] 불결물; [U] 부정; 악랄; (날씨의) 험악.
fóul pápers 초고(草稿).
fóul pláy (경기의) 반칙; 부정행위, 비겁한 수법 ([cf.] fair play); 폭력; 범죄, 살인.
fóul próof 〖인쇄〗 교정을 본 교정쇄.
fóul shòt 〖농구〗 (상대의 반칙에 의해서 주어지는) 프리 스로(free throw).
fóul-spòken a. =FOULMOUTHED.
fóul strìke 〖야구〗 strike로 카운트되는 파울볼.
fóul típ 〖야구〗 파울 팁. 「운〕 말을 하는.
fóul·tóngued a. 입정 사나운, 상스러운〔잡스러
fóul·ùp n. [C] 혼란; (기계의) 고장; 덜된 것, 엉망; 《미속어》 얼간이, 멍청이.
fou·mart [fúːmərt, -mɑːrt] n. [U] 유럽산(産) 족제비의 일종; 야비한 녀석.
__found__¹ [faund] (*p., pp.* **~·ed; ~·ing) *vt.* 1 《+[목]+[전]+[명]》 …의 기초를 놓다〔세우다〕; …의

근거를 두다《*on, upon*》: ~ a house *on* a rock 집을 반석 위에 짓다 / ~ a story *on* facts 사실에 입각하여 이야기를 만들다. **2** (단체·회사 따위를) 설립하다; 창시하다; (학파·학설을) 세우다. **3** …의 근거를 이루다: These facts are enough to ~ my opinion. 이런 사실은 내 견해를 충분히 뒷받침한다. **—** *vi.* (…에) 근거하다《*on, upon*》: ~ *on* justice 정의에 기초하다. ◇ foundation *n.* ***be well*** 〔***ill***〕 ***~ed*** 근거가 충분〔박약〕하다.

found² *vt.* (금속을) 녹여 붓다, 주조하다; (유리 원료를) 녹이다; (유리를) 만들다.

found³ FIND의 과거·과거분사. **—** *a.* **1** (방·선박 등) 설비가 갖추어진, 지식·교양이 있는; (급료 외에) 침식 제공의. **2** (예술품 소재 등) 자연을 이용한. **—** *n.* (고용 조건으로 제공되는) 숙식; (*pl.*) 습득물 광고: losts and ~*s* 유실 및 습득물 광고(란).

⁑**foun·da·tion** [faundéiʃən] *n.* **1** Ⓤ 창설, 창립, 건설; (기금에 의한) 설립. **2** Ⓒ (종종 *pl.*) 기초, 토대: lay 〔build up〕 the ~ 기초를 쌓다. SYN. ⇨ BASE. **3** Ⓤ 근거: a rumor without ~. **4** Ⓒ (재단 등의) 기본금, 유지 기금. **5** Ⓒ 재단, 협회, 사회 사업단: the Carnegie *Foundation* 카네기 재단. **6** Ⓒ (의복의) 심; 보강 재료: ~ muslin 안감으로 쓰는 모슬린《고무를 입혀 빳빳함》/ ~ net 안감 망사《고무를 입혔음》. **7** Ⓤ,Ⓒ 기초 화장품, 파운데이션; 그림의 바탕칠 물감. **8** Ⓒ 몸매를 고르기 위한 속옷(~ garment)《코르셋 등》. ◇ found¹ *v.* ***be on the ~*** 《영》 기금으로 경영되고 있다; 재단에서 장학금을 받고 있다. ***shake*** a person ***to the*** 〔his〕 ***~s*** 깜짝 놀라게 하다, 쇼크를 주다. ***to the ~s*** 밑바닥〔뿌리〕까지, 밑바닥에서부터. ㊞ **~·al** [-əl] *a.* 기본의, 기초적인. **~·less** *a.* 기초〔토대, 근거〕가 없는.

foundátion còurse 《영》 (대학 1학년의) 일반 교양 과정, 기초 과정.

foundátion crèam 크림 모양의 파운데이션.

Foundátion Dày 오스트레일리아 건국 기념일 《1월 26일》.

foun·dá·tion·er *n.* 《영》 장학생.

foundátion gàrment (몸매를 고르기 위한) 여자 속옷《코르셋·거들 따위》.

foundátion stòne 주춧돌(기념사 등을 새긴), 기석(基石)(cf. cornerstone); 기초적 사실; 기본 원리.

found·er¹ [fáundər] *n.* 주조자, 주물공(工).

found·er² (*fem.* ***found·ress*** [fáundris]) *n.* 창립〔설립〕자, 발기인; 기금 기부자; (학파·종파 등의) 창시자.

found·er³ *vi., vt.* **1** 〚해사〛 (배 따위) 침수〔침몰〕하다〔시키다〕; (계획·사업 등) 틀어지다, 실패하(게 하)다. **2** (땅·건물 등) 꺼지(게 하)다, 무너지(게 하)다. **3** 말이 절름거리다, 쓰러지(게 하)다; (가축 등) 너무 먹어 병이 나다. **4** 〚골프〛 (공을) 땅에 처박다. **—** *n.* (말의) 제엽염(蹄葉炎).

fóunder effèct 〚생물〛 창시자〔선구자〕 효과 《소수의 개체가 이전의 집단에서 격리되어 증식하는 시기에 새로운 소집단에는 이전의 집단의 유전적 변이의 극히 일부 밖에 존재하지 않는 것》.

fóunder mémber 《영》 =CHARTER MEMBER.

fóunder's kín (the ~) 설립자〔기금 기부자〕의 근친《여러 특권이 있음》.

fóunders' shàres (회사의) 발기인주(株).

fóunding fáther (국가·제도·시설·운동의) 창립〔창시〕자: (F- F-s) 〚미국사〛 (1789년의) 미합중국 헌법 제정자들.

found·ling [fáundliŋ] *n.* 기아(棄兒), 주운〔버린〕 아이: a ~ hospital 고아원, 기아 보호소.

fóund póem 변형시《신문·광고 등의 글을 풀어서 리드미컬한 시 형식으로 재편집한 것》.

found·ress [fáundris] *n.* FOUNDER²의 여성형.

found·ry [fáundri] *n.* Ⓤ 주조; 주물류; Ⓒ 주조장(鑄造場), 주물〔주조〕 공장; 유리 공장; 《미속어》 회사.

fóundry íron 〔**píg**〕 주철, 무쇠.

fóundry pròof 〚인쇄〛 제판 직전의 최종 교정쇄.

fount¹ [faunt] *n.* 《시어·문어》 샘; 원천.

fount² *n.* 《영》 〚인쇄〛 =FONT².

⁑**foun·tain** [fáuntən] *n.* **1 a** 분수; 분수지, 분수반, 분수탑〔기〕. **b** (불꽃·용암 등의) 분류, 흐름. **c** =DRINKING FOUNTAIN; SODA FOUNTAIN. **2 a** 샘; 수원(水源). **b** 원천, 근원: a ~ *of* wisdom 지혜의 원천. **3** (만년필·인쇄기 따위의) 잉크통; 램프의 기름통. ***the Fountain of Youth*** 청춘의 샘 《청춘을 되찾을 수 있다는 전설적인 샘》. **—** *vi., vt.* 분출하다〔시키다〕.

fóuntain·hèad *n.* Ⓤ (하천의) 수원(水源), 원천; 근원, 출처.

fóuntain pèn 만년필.

†**four** [fɔːr] *a.* 4의, 4개의; 4살의: ~ figures 네 자리 숫자 / ~ balls 〚야구〛 4구. ***~ or five*** 소수의(a few). ***~ wide ones*** 《미야구속어》 사구(四球). ***to the ~ winds*** 사방(팔방)으로. **—** *n.* **1** 4; 네 개〔사람〕; 네 살, 네 시. **2** 4인조, 네 필의 말; 4기통 엔진〔차〕: a carriage 〔coach〕 and ~, 4두 마차. **3** 기호의 4; (카드·주사위의) 네 끗; 〚크리켓〛 4점타. **4** (*pl.*) 4푼변의 공채(公債). **5** 노가 넷인 보트; 그 승무원; (*pl.*) 4인승 보트레이스. **6** (*pl.*) 〚군사〛 4열 종대. **7** (*pl.*) 4절판의 책. ***all ~s*** =SEVEN-UP. ***~ and one*** 《미속어》 금요일《주(週)의 5일째》; 급료일. ***in ~s*** 넷씩의 조(組)가 되어서. ***make up a ~*** (at bridge) (브리지를 할 수 있게) 네 사람째로 들어가다. ***on all ~s*** 네 발로 기어서; …와 꼭 일치하여《*with*》.

fóur ále 《영고어》 1 quart 4펜스짜리 (싼) 맥주.

fóur-ále bàr [fɔ́ːréil-] 싸구려 맥줏집; 《구어》 〚일반적〛 술집.

fóur-bágger *n.* 《미야구속어》 홈런.

fóur-báll (mátch) 〚골프〛 4구(球)《4사람이 하는 골프 경기》. cf. foursome.

fóur-bánger *n.* 《속어》 4기통 엔진, 4기통 차.

fóur-bìt *a.* 《미구어》 50센트의.

fóur bíts 《미구어》 50센트. cf. two bits.

fóur-by-fóur *n.* 《미속어》 4단변속 4륜 구동 트럭.

fóur-by-twó *n.* 《운율속어》 유대인(Jew).

fóur-chànnel *a.* =QUADRAPHONIC.

four·ché [fuərʃéi] *a.* 〚문장(紋章)〛 (십자(十字)의) 끝이 V자형으로 갈라진(=**four·chée** [—]).

fóur-còlor *a.* 〚인쇄〛 (황·청·적·흑의) 4색에 의한: the ~ process, 4색 인쇄법.

fóur-cólor pròblem 〔**conjècture**〕 〚수학〛 4색(色) 문제〔가설〕《지도의 나라별 색도 분류는 4색으로 가능하다는 19세기 중엽부터의 문제〔가설〕; 1976년 긍정적으로 증명됨》.

fóur-córnered *a.* **1** 4각의. **2** 네 사람이 하는.

fóur córners 네 구석; 전(全)영역; 〔단수취급〕 네거리; (어떤 일이 행해지는) 무대: the ~ of the document 서류의 내용〔범위〕. ***the ~ of the earth*** 〚성서〛 지구의 구석구석〔끝〕.

fóur-cýcle *a.* 〚기계〛 (엔진이) 4사이클의.

fóur-diménsional, -diménsioned *a.* 4차원의.

fóur-èyed [fɔ́ːr-] *a.* 네눈박이의; 《구어》 안경을 쓴.

fóur-èyes [fɔ́ːr-] (*pl.* ~) *n.* 〚어류〛 네눈박이 물고기; 《구어·우스개》 안경 쓴 사람, 안경쟁이.

4-F [fɔ́ːréf] (*pl.* ***4-F's***) *n.* 《미》 (징병 선발 기준에서) 불합격자, 병역 면제자《신체·정신·윤리면에서 군무에 부적격자》.

fóur-flùsh *vi.* 《미》 (포커에서) 같은 종류의 패 넉 장으로 다섯 장 가진 체하다; 《미구어》 허세를 부리다.

fóur-flùsher *n.* 《미구어》 허세를 부리는 사람 「(bluffer); 가짜.

fóur·fòld *a., ad.* 4중(重)의〔으로〕, 네 겹의〔으로〕, 4배의〔로〕; 4절(折)의〔로〕. **—** *n.* 4배, 네 겹, 4중.
fóur-fóoted [-id] *a.* 네발(짐승)의.
fóur fréedoms (the ~) 4개의 자유《1941년 1월 미국 대통령 F. D. Roosevelt가 선언한 인류의 기본적 4대 자유: freedom of speech and expression, freedom of worship, freedom from want, freedom from fear 언론·신앙의 자유, 가난·공포로부터의 자유》.
four·gon [fuərgɔ́ːŋ] (*pl.* **~s** [—, -z]) *n.* 《F.》 (화물·소화물 따위를 나르는) 유개차《군수품 운송용》; 여객 열차에 연결된 화물차.
fóur-hánded [-id] *a.* 네 손 가진; 넷이 하는 《게임 등》, 4인조의; 〖음악〗 두 사람 연탄(聯彈)의《피아노 연주에서》.
Fóur-H 〔4-H〕 clùb [fɔ́ːréitʃ-] 4-H 클럽《*h*ead, *h*ands, *h*eart, *h*ealth를 모토로 하는 농촌 청년 교육 기관》.
4-H'er [fɔ́ːréitʃər] *n.* 4-H 클럽 회원.
Fóur Hórsemen (of the Apócalypse) (the ~) 인간 세상의 네 가지 큰 재해《전쟁·기근·질병·죽음》의 상징으로서의 네 기사(騎士).
Fóur Húndred, 400 (the ~) 《미》 (한 도시의) 사교계의 명사들, 상류 특권 계급.
Fou·ri·er [fúərièi, -riər] *n.* **Charles ~** 푸리에《프랑스의 사회주의자; 1772-1837》. [파] **~·ism** [fúəriərìzəm] *n.* [U] 푸리에주의. [cf.] Phalanstery. **~·ist, ~·ite** [-ràit] *n.*
Fóurier anàlysis 〖물리·수학〗 푸리에 해석〔분해〕《프랑스의 물리학자·수학자 J.B.J. Fourier (1768-1830)의 이름에서》.
Fóurier sèries 〖수학〗 푸리에 급수(級數).
Fóurier's thèorem 〖수학〗 푸리에 정리(定理).
Fóurier trànsform 〖수학〗 푸리에 변환. [cf.] Laplace transform.
fóur-in-hànd [fɔ́ːrin-] *n.* 4두 마차; 《미》 매듭 넥타이.
Fóur Lást Thíngs (the ~) 〖신화〗 사말(四末)《사망·심판·천국·지옥》.
fóur-lèaf 〔lèaved〕 clóver 네 잎 클로버《행운의 표시》.
fóur-lègged [-id] *a.* 네 발의〔가진〕.
fóur lètter mán 《미속어》 **1** 바보《dumb의 4자에서》. **2** 지겨운 놈《shit의 4자에서》.
fóur-lètter wórd 네 글자 말《추잡한 말: fuck, cunt, shit 등》.
fóur-màsted [-id] *a.* 〖해사〗 4돛박이의.
fóur-mínute míle 〖경기〗 4분 이내로 주파하는 1마일 경주.
four-o [fɔ́ːròu] *a.* 《미해군속어》 완벽한(perfect).
fóur-o'clòck [fɔ́ːrə-] *n.* 〖식물〗 분꽃; 〖조류〗 밀식조(蜜食鳥)《오스트레일리아산》.
four of a kínd 〖카드놀이〗 포카드《포커에서 같은 숫자 패가 4장 갖추어진 수(手)》.
fóur-pàrt *a.* 〖음악〗 4부 합창〔합주〕의.
fóur·pence [-pəns] *n.* (영국의) 4펜스; (예전의) 4펜스 은화.
fóur·pèn·ny [-pèni, -pə-/-pəni] *a.* **1** (못이) 3.8〔3.5〕cm 길이의, 그 길이 못의. **2** 《영》 4펜스 (값)의. **~ *one*** 《영구어》 구타, 주먹. **—** *n.* (옛) 4펜스 은화(=**∠ pìece** 〔**bìt**〕); 4펜스의 것《버스 승차권》.
fóur·plèx [-plèks] *a., n.* =QUADPLEX.
four pòinter 《미속어》 (성적 평가의) A, 수(秀); 우수한 학생《평점 A가 4점인 데서》.
fóur-póster *n.* **1** 사주식(四柱式) 침대(~ bed). **2** 4돛박이 배.

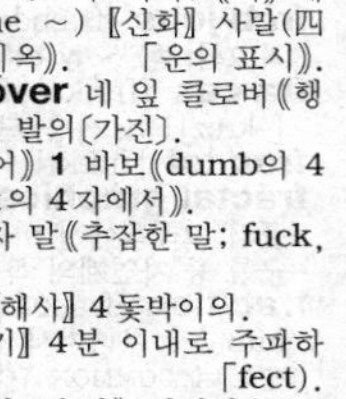
four-poster 1

fóur·póunder *n.* 4파운드 포(砲)《4파운드의 포탄을 발사》; 무게 4파운드의 물건《빵 덩어리 따위》.
fóur·scóre *a.* 80(개)의, 20의 4배의. **—** *n.* 80; 80개; 80살.
fóur séas (the ~) (영국을 에워싼) 사해(四海): within the ~ 영본국 영토 안에.
fóur-séater *n.* (자동차 등의) 4인승.
fóur·some [-səm] *n.* 《구어》 네 사람 한 패〔조〕, 4인조; 〖골프·테니스〗 포섬《네 사람이 두 패로 갈려 하는 경기》; 그 경기자들. **—** *a.* 4사람이 하는; 넷으로 된〔이루어진〕; 4인용의.
fóur·squáre *n., a., ad.* 정사각형(의, 으로); 솔직한〔하게〕; 견고한〔하게〕.
fóur-stàr *a.* 《미》 **1** (호텔 따위가) 우수한. **2** 사성(四星)의: a ~ general 《구어》 사성장군, 육군대장.
fóur-stríper *n.* 《미구어》 해군대령.
fóur-stròke *a.* (내연 기관이) 4 사이클〔행정〕의; 4사이클 엔진의. **—** *n.* 4 사이클 엔진(의 차).
†**four·teen** [fɔ́ːrtíːn] *a.* 14의; 열네 살의. **—** *n.* 14; 14세; 14개의 물건〔것〕; 14명; 14의 글자〔기호〕.
four·teen·er [fɔ̀ːrtíːnər] *n.* **1** 〖운율〗 (특히 약강격의) 14음절로 이루어진 시행(詩行). **2** 해발 14,000 피트 이상의 산.
⁑**four·teenth** [fɔ́ːrtíːnθ] *a.* 열네(번)째의, 제14의; 14분의 1의. **—** *n.* 제14, 14(번)째; 14분의 1; (달의) 14일. [파] **~·ly** *ad.*
Fóurteenth Améndment (the ~) 《미》 헌법 수정 제14조《시민권의 평등한 보장과 법에 의한 시민의 평등한 보호 등에 관한 조항; 1868년 성립》.
†**fourth** [fɔːrθ] *a.* **1** 제4의; 네(번)째의. **2** 4분의 1의. **—** *n.* **1** 제4; 네(번)째; (달의) 4일. **2** 4분의 1. **3** 〖음악〗 4도(음정). **4** (*pl.*) 〖상업〗 4급품. ***the Fourth of July*** (7월 4일의) 미국 독립기념일(Independence Day).
fóurth cláss 네번째 등급, 4등; 〖미우편〗 제4종 우편물.
fóurth-cláss *a., ad.* 〖미우편〗 제4종의〔으로〕.
fóurth diménsion (the ~) 제4차원.
fóurth estáte (the ~; 종종 the F- E-) 제4계급《신문·신문 기자단》; 언론계.
fóurth generátion compùter (the ~) 〖컴퓨터〗 제4세대 컴퓨터.
fóurth-generátion lànguage 〖컴퓨터〗 제4세대 언어《사무처리 프로그램이나 데이터베이스를 다루는 작업을 비절차적으로 기술하는 언어의 총칭; 기계어(제1세대), 어셈블리 언어(제2세대), 컴파일러 언어(제3세대) 다음 세대의 언어란 뜻; 생략: 4GL》.
fóurth·ly *ad.* 네(번)째로.
fóurth márket 《미》 〖증권〗 장외 시장《비(非)상장 주를 기관 투자가끼리 직접 매매하는 거래 시장》. [cf.] third market.
fóurth posítion (the ~) 〖발레〗 제4포지션《양발을 몸의 방향과 직각으로 놓고, 발끝을 밖으로 향하고 왼발을 앞으로 내놓은 자세》.
Fóurth Repúblic (the ~) (프랑스) 제4공화국(1946-58).
Fóurth Revolútion 제4교육 혁명《학교 교육에의 컴퓨터 도입》.
fóurth wáll 〖연극〗 제4의 벽《무대와 관객을 나누는 위치에 설정한 가상적인 4각의 수직 공간면; 사실(寫實)주의 연극의 용어》.
Fóurth Wórld (the ~) 제4세계.
fóur-wàll *vt.* 《미》 영화관을 세내어 자주적으로 흥행〔상영〕하다.

fóur-wày *a.* 사방으로 통하는; 네 사람이 하는: a ~ talk, 4자 회담.

4WD =FOUR-WHEEL DRIVE. 「《생략: 4WD》.

fóur-whèel dríve (자동차의) 4륜 구동(차)

fóur-whéel(ed) *a.* 4륜의.

fóur-whéeler *n.* 4륜차; 《CB속어》 승용차; 《영》 4륜 합승 마차.

fo·vea [fóuviə] (*pl.* ***-ve·ae*** [-viìː, -viàiː]) *n.* 【해부·동물】 와(窩), 《특히》 (망막의) 중심와.

fo·ve·ate [fóuviət, -vièit] *a.* 【해부】 와(foveae)가 있는(pitted); 와상(窩狀)의. 「on wagon.

f. o. w. 【해사】 first open water; 【무역】 free

***fowl** [faul] (*pl.* **~s,** 〖집합적〗 **~**) *n.* **1** 닭, 가금: domestic ~*s* 가금 / keep ~*s* 닭을 치다. **2** Ⓤ 닭고기; 새고기: fish, flesh, and ~ 어육·수육·새고기. **3** 〖지금은 앞에 한정어를 붙여〗 …새: game ~ 엽조(獵鳥) / water ~ 물새. **4** 《고어·시어》 새: the ~*s of* the air 【성서】 하늘의 새. **—** *vi.* 들새를 잡다〔쏘다〕, 들새 사냥을 하다.

fówl chòlera 가금 콜레라(chicken cholera) 《닭의 전염병》.

Fow·ler [fáulər] *n.* **William Alfred ~** 파울러 《미국의 천체 물리학자; Subrahmanyan Chandrasekhar와 함께 Nobel 물리학상 수상(1983); 1911-95》.

fowl·er [fáulər] *n.* 들새 사냥꾼.

Fówler fláp 【항공】 주익(主翼)의 뒤쪽 아래 부분을 내림으로써 양력(揚力)을 증대시키는 장치.

fówl·ing *n.* Ⓤ 들새〔새〕 사냥: a ~ net.

fówling pìece 새총《들새 사냥용의 엽총》.

fówl plàgue 가금 페스트.

fówl-rùn *n.* 《영》 양계장.

****fox** [fɑks/fɔks] (*pl.* **~·es,** 〖집합적〗 **~**) *n.* **1** 여우, 수여우. ★ 암여우는 vixen. **2** Ⓤ 여우 모피. **3** 교활한 사람: an old ~ 교활한 사람. **4** 《미속어》 (대학의) 신입생. **5** 《미속어》 아주 멋진 젊은 여자〔젊은이〕; 【성서】 거짓 예언자. ***a ~'s sleep*** 자는 체함, 꾀잠, 거짓 무관심. ***crazy like*** 〔***as***〕 ***a ~*** 《미속어》 여우처럼 교활한, 빈틈없는. ***~ and geese*** 여우와 거위놀이《고누 비슷한》. ***~ and hounds*** 여우 사냥놀이. ***play the ~*** 교활하게 굴다. ***set the ~ to keep the geese*** 빤히 알면서 잘못이나 위험을 초래하다, 고양이 보고 반찬가게 지키라는 격이다. **—** *vt.* **1** (종이 따위를) 갈색으로 변색시키다. **2** (맥주 따위를) 시게 하다. **3** 속이다. **4** 취하게 하다; 당황케 하다. **5** (구두의) 앞끝을 수선하다. **—** *vi.* 교활한 짓을 하다; 갈색으로 변하다; (맥주 따위가) 시어지다. ~ a person ***into*** do***ing*** 아무를 속여서 …시키다.

fóx brùsh 여우 꼬리《여우 사냥의 기념품》.

fóx èarth 여우 굴(fox burrow).

foxed [fɑkst/fɔkst] *a.* 변색된; 갈색 반점이 생긴; 시어버린《맥주 등》; 수선한《구두 등》.

fóx fìre 인광《썩은 나무에 기생한 균이 발하는》.

fóx·glòve *n.* 【식물】 디기탈리스(digitalis).

fóx gràpe 【식물】 메포도《북아메리카산 시거나 사향 냄새가 나는》. 「소, 은신처.

fóx·hòle *n.* 【군사】 1인용 참호; 《비유》 피난 장

fóx·hòund *n.* 폭스하운드《여우 사냥개》.

fóx hùnter 여우 사냥꾼.

fóx-hùnting *n.* 여우 사냥. 「변색.

fóx·ing *n.* **1** (구두의) 수선용 윗가죽. **2** (종이의)

fóx màrk (고서(古書)의) 갈색 얼룩.

fóx squìrrel 【동물】 여우다람쥐《북아메리카산》.

fóx·tàil *n.* 여우 꼬리; 【식물】 뚝새풀, 강아지풀, 보리《따위》.

fóxtail míllet 조《식물》. 「보리《따위》.

fóx térrier 폭스테리어《애완용 개》.

fóx tròt 1 【승마】 Ⓒ 완만한 속보(速步)의 하나 《trot에서 walk로, 또 그 반대로 옮길 때의 잰 걸음》. **2** Ⓒ 【댄스】 급조(急調) 스텝, 폭스트롯; 그 곡. **3** (F-) 글자 f를 나타내는 통신 용어.

fóx-tròt (*-tt-*) *vi.* 폭스트롯을 추다.

foxy [fɑ́ksi/fɔ́ksi] (***fox·i·er; -i·est***) *a.* 여우 같은; 교활한 (표정을 짓는); 적갈색의; 【회화】 (색채가) 너무 짙은; 변색한《책 따위》; (맛이) 신, 산패(酸敗)한《맥주 따위》; 《미속어》 매력적인, 섹시한. **—** *n.* 《Austral.속어》 =FOX TERRIER. ㊞

fóx·i·ly *ad.* **-i·ness** *n.*

foy·er [fɔ́iər, fɔ́iei] *n.* 《F.》 (극장·호텔 따위의) 휴게실, 로비(lobby); 《미》 현관의 홀.

fp., f.p. foot-pound(s); former pupil(s); *forte-piano*; freezing point. **F.P.** 【영군사】 field punishment; fireplug; 【보험】 fire policy; fully paid. **F.P.A., f.p.a.** 【해상보험】 free of 〔《영》 from〕 particular average. **F.P.A., FPA** 《영》 Family Planning Association; Foreign Press Association. **FPB** Fast Patrol Boat. **FPC** 《미》 Federal Power Commission; fish protein concentrate; Friends Peace Committee. **FPLA** Fair Packing and Labelling Act (적정 포장(표시)법). **fpm., f.p.m., ft/min** feet per minute. **FPO** Field Post Office; 《미해군》 Fleet Post Office. **fps, f.p.s.** feet per second; foot-pound-second; 【사진】 frames per second. **F.P.S.** 《영》 Fellow of the Pharmaceutical Society; 《영》 Fellow of the Philosophical Society. **FPU** 【컴퓨터】 floating-point unit (부동 소수점 장치). **Fr** 【화학】 francium. **Fr.** Father; France; Frau; French; Friar; Friday. **fr.** fragment; franc(s); frequent; from. **FR** freight release.

Fra, fra [frɑː] *n.* 《It.》 【가톨릭】 …사(師) 《수사(修士)(friar)의 칭호로서 이름 앞에 붙임》: ~ Giovanni 조반니(수)사.

frab·jous [frǽbdʒəs] *a.* 《구어》 훌륭한, 멋진, 최고의. ㊞ **~·ly** *ad.*

fra·cas [fréikəs/frǽkɑː] (*pl.* **~·es,** 《영》 ~ [-kɑːz]) *n.* 싸움(판), 소동. 「裂) 도형.

frac·tal [frǽktl] *n.* 【수학】 차원 분열(次元分

fráctal gràphics 【컴퓨터】 프랙털 그래픽《컴퓨터 그래픽에서 아름다운 무늬 모양이나 해안선, 구름 등 자연계의 복잡한 모양을 나타내는 기법》.

frac·tion** [frǽkʃən] *n.* **1** 파편, 단편: crumble into ~*s* 무너져서 산산조각이 나다. **2** 【수학】 분수: ⇨ COMMON 〔COMPLEX, DECIMAL, PROPER, IMPROPER〕 FRACTION. ㉥ integer. **3** 우수리, 끝수. **4** 아주 조금, 소량: I got only a ~ *of* what I wanted. 바라던 것의 극히 일부밖에 손에 넣지 못했다 / in a ~ (*of* a) second 수분의 1초에, 순식간에. **5** 【교회】 (미사·성찬식에서) 빵을 뗌. **6** 【화학】 (증류의) 분류(分溜). (not***) ***by a ~*** 조금도 (…않다). **—** *vt.* 세분하다.

frac·tion·al [frǽkʃənəl] *a.* 단편의; 얼마 안 되는; 【수학】 분수의; 끝수의, 우수리의; 【증권】 매매 단위에 차지 않는, 단주(端株)의; 【화학】 분류의: a ~ expression 분수식. ㊞ **~·ly** *ad.*

fráctional cúrrency 소액〔보조〕 화폐.

fráctional distillátion 【화학】 분류(分溜), 분별 증류.

frac·tion·al·ize [frǽkʃənəlàiz] *vt.* (기구·조직 따위를) 분할하다, 나누다. ㊞ **fràc·tion·al·i·zá·tion** *n.*

fráctional órbital bombárdment sỳstem 【군사】 부분 궤도 폭격 체제, 궤도 폭탄.

frac·tion·ary [frǽkʃənèri/-əri] *a.* 분수(分數)의; 얼마 안 되는; 단편적인.

frac·tion·ate [frǽkʃənèit] *vt.* 【화학】 (혼합물을) 분별〔분류(分溜)〕하다; 세분(細分)하다; (분수 등으로) 나누다. ㊞ **fràc·tion·á·tion** *n.* 【화학】

분별(법), 분류법; 분할.

frac·tion·ize [frǽkʃənàiz] *vt., vi.* 분수로 나누다; 세분하다.

frac·tious [frǽkʃəs] *a.* 성마른, 성 잘내는, 까다로운; 다루기 힘든. ㊞ **~·ly** *ad.* **~·ness** *n.*

frac·tur·al [frǽktʃərəl] *a.* 분쇄성의; 골절의: a ~ injury 좌상(挫傷).

◇**frac·ture** [frǽktʃər] *n.* **1** Ⓤ 부숨, 분쇄, 좌절; 분열. **2** Ⓒ 【의학】 골절, 좌상(挫傷): suffer a ~ 뼈가 부러지다 / ⇨ COMPOUND 〔SIMPLE〕 FRACTURE. **3** Ⓒ 갈라진 금, 터진 데(crack); 【광산】 단구(斷口). **4** Ⓤ 【음성】 소리의 분열《단모음의 이중모음화》. ── *vt.* **1** 부수다; (뼈 따위를) 부러뜨리다: ~ one's arm. **2** 금 가게 하다. **3** (규칙 등을) 무시하다, 어기다. **4** 《미속어》 아주 즐겁게 하다, 폭소하게 하다; 압도하다; 《미속어》 흥분시키다; 〔반어적〕 슬프게 하다; 화나게 하다. ── *vi.* 부서지다, 부러지다; 금 가다. ㊞ **~d** *a.* 《미구어》 (언어가) 문법·의미 등의 관용을 무시하고 쓰인, 파격의; 《미속어》 술 취한.

frácture zòne 【지학】 단열대(斷裂帶)《심해저(深海底)의》.

frae [frei] *prep., ad.* 《Sc.》 =FROM; FRO.

fraenum ⇨ FRENUM.

frag [fræg] (*-gg-*) *vt.* 《미군대속어》 (파편 수류탄으로 상관·동료를) 고의로 살상하다. ── *n.* 파편 수류탄.

***frag·ile** [frǽdʒəl/-dʒail] *a.* **1** (물체 등이) 망가지기 쉬운(brittle), (신념 등이) 무너지기 쉬운; 무른(frail). **2** (체질이) 허약한. SYN. ⇨ WEAK. **3** 덧없는; (향기 등이) 곧 사라지는, 미묘한; 《우스개》 기운이 없는, 상태가 나쁜. ◇ fragility *n.* ㊞ **~·ly** *ad.* **~·ness** *n.*

fra·gil·i·ty [frədʒíləti] *n.* Ⓤ **1** 부서지기 쉬움, 무름. **2** 허약. ◇ fragile *a.*

***frag·ment** [frǽgmənt] *n.* Ⓒ **1** 파편, 조각, 단편; 나머지, 부스러기: in ~*s* 단편으로 되어; 단편적으로 / in(to) ~*s* 산산조각으로, 단편적으로. **2** 단장(斷章); 미완성 유고(遺稿). ◇ fraction *n.* ── [-ment] *vt., vi.* 파편이 되다〔되게 하다〕, 분해하다《*into*》.

frag·men·tal [frægméntl] *a.* **1** =FRAGMENTARY. **2** 【지학】 쇄설질(碎屑質)의: ~ rocks 쇄설암. ㊞ **~·ly** *ad.*

frag·men·tary [frǽgməntèri/-təri] *a.* 파편의; 단편적(斷片的)인, 조각난; 부스러기의; 미완성의; 【지학】 쇄설상(碎屑狀)의. ㊞ **-tàr·i·ly** *ad.* 단편적으로, 조각조각.

frag·men·tate [frǽgməntèit] *vt., vi.* 파편이 되게 하다〔되다〕, 부수다, 부서지다.

fràg·men·tá·tion *n.* Ⓤ (폭탄 따위의) 분열; 파쇄; 【생물】 (핵의) 무사(無絲) 분열; 분단, 절단; (사고·행동·사회적 관계 규범의) 붕괴, 분열; 【컴퓨터】 분편화《주기억 장치상에서 프로그램에 의해 사용되지 않고 낭비되는 부분적인 기억공간》.

fragmentátion bòmb 파쇄(성) 폭탄; 파편 폭탄.

fragmentátion grenàde 파쇄성 수류탄, 파편 수류탄.

frág·ment·ìze *vt.* 파편으로 하다, 파쇄시키다. ── *vi.* 파쇄되다, 가루가 되다. ㊞ **-ì·zer** *n.*

***fra·grance, -gran·cy** [fréigrəns], [-si] *n.* Ⓤ 향기, 방향(芳香).

⁑**fra·grant** [fréigrənt] *a.* **1** 냄새 좋은, 향기로운, 방향성의. **2** 유쾌한: ~ memories 즐거운 추억. ㊞ **~·ly** *ad.* **~·ness** *n.*

fráidy càt, fráid càt [fréidi-], [fréid-] 《구어·소아어》 겁쟁이.

***frail**[1] [freil] *a.* **1** 무른, 부서지기 쉬운; (체질이) 약한. SYN. ⇨ WEAK. **2** 덧없는: Life is ~. **3** 의지가 약한, 유혹에 약한; 《완곡어》 (여자가) 부정한. **4** 《구어》 구제할〔어찌해 볼〕 길 없는. ── *n.* 《미속어》 여자, 소녀. ㊞ **∠·ly** *ad.* **∠·ness** *n.*

frail[2] *n.* (무화과·건포도 따위를 담는) 골풀바구니; 한 바구니의 양《약 75 파운드》.

fráil jòb 《속어》 섹시한 여자(와의 섹스).

frail·ty [fréilti] *n.* Ⓤ 무름, 약함; 덧없음; 박지약행(薄志弱行); 유혹에 약함; Ⓒ 약점, 단점; 과실. ***Frailty, thy name is woman.*** 약한 자여 그대 이름은 여자이니라.

fraise[1] [freiz] *n.* 【축성(築城)】 와책(臥柵).

fraise[2] *n.* 【기계】 (시계 톱니바퀴의) 톱니 깎는 도구, 소형 프레이즈반(盤); 【석공】 프레이즈반, (석재(石材)의) 구멍을 넓히는 송곳〔정〕.

F.R.A.M. Fellow of the Royal Academy of Music.

frám·a·ble =FRAMEABLE.

fram·be·sia, -boe- [fræmbíːʒiə] *n.* 【의학】 인도 마마, 딸기종(腫)(yaws)《흑인의 전염병》.

⁑**frame** [freim] *n.* **1** (건물·선박·비행기 따위의) 뼈대, 구조; (제도의) 조직, 기구, 구성, 체제: the ~ *of* government 정치 기구. **2** (인간·동물의) 체격, 골격: a man of fragile 〔robust〕 ~ 몸이 가냘픈〔튼튼한〕 사람. **3** 기분: be in a bad ~ *of* mind 기분이 언짢다. **4** 틀; 테; 창틀; 틀형(型)〔대(臺)〕《자수틀·식자대·선광반·방적기·식물 재배용 프레임》; 《미속어》 주머니, 지갑; (*pl.*) 안경테; 액자; 배경, 환경. **5** 영화〔텔레비전〕의 한 화면, 구도; 【TV】 프레임《주사선의 연속으로 보내지는 한 완성된 영상》; 《미구어》 야구의 1 이닝〔한 경기〕; 【권투】 라운드, 회; 당구의 1 회분 게임; (볼링·투구의) 번, 회; 【컴퓨터】 짜임, 프레임《(1) 스크린 등에 수시로 일정 시간 표시되는 정보〔화상〕. (2) 컴퓨터 구성 단위》. **6** 《미》 목조 가옥(~ house). **7** 《미속어》 =FRAME-UP. ***in*** **~** (선체가) 골조로 된. ***in the*** **~** 《속어》 범죄의 용의자가 된.

── *vt.* **1** …의 뼈대를 만들다, 짜 맞추다(shape), 건설하다(construct): ~ a roof 지붕의 뼈대를 짜다 / a house ~*d* to resist typhoon 태풍에 견디게끔 만들어진 집. **2 a** …의 구성〔조직〕을 만들다, 고안하다, 짜 넣다: ~ a sentence 문장을 짓다 / ~ an idea 생각을 정리하다. **b** (시·법률 등을) 짓다; (계획·이론 등을) 세우다, 짜다; 《고어》 마음에 그리다: ~ ... to oneself 상상하다. **3** 《+목+부》 《미구어》 (못된 계략·계획 등을) 꾸미다; (이야기·사건 등을) 날조〔조작〕하다《*up*》; 《구어》 (경기를) 짬짜미로 끝내다《*up*》. **4** 《+목+전+명》 (틀에 따라) 만들다, 모양 짓다: ~ a statue *from* marble 대리석으로 상을 만들다. **5** 《+목+전+명》 (사람을) 함정에 빠뜨리다; …에게 무실한 죄를 씌우다《*on*》: ~ a murder *on* a person 아무에게 살인의 누명을 씌우다. **6** 《~+목/+목+전+명》 …에 테를 씌우다; 테를 두르다, 달다, 틀에 넣다; 둘러싸다; …의 배경이 되다〔을 이루다〕: ~ a picture 그림을 액자에 넣다 / a lake ~*d in* woods 숲에 둘러싸인 호수. **7** 《+목+전+명/+목+*to* do》 (무엇을) …에 맞추다, 적합시키다《*to; into*》; (아무를 어떤 목적에) 돌리다, 꾀다《*for; to*》: They were not ~*d for* oppressions. 그들은 박해에 견딜 만한 체력이 없었다 / This shelter is ~*d to* resist any storm. 이 피난소는 어떤 폭풍우에도 견딜 수 있게 만들어져 있다. **8** (어떤 행동을) 취하다. **9** (말·문장 따위로) 나타내다, 말하다. **10** 《미속어》 (기계를) 가동되는 상태로 해 두다. ── *vi.* **1** 《고어》 (…를 향하여) 가다; 《폐어》 (계획 등) 진행하다, 뒤직하다. **2** 《폐어·방언》 **a** 〔흔히 ~ well 로〕 (사람이) 유망하다, 능력이 있다: He is *framing well.* 그는 유망한 사람이다. **b** 〔흔히 명령형〕 노력하다. ㊞ **~d** *a.* 틀에 끼운. **∠·less** *a.*

fráme·a·ble *a.* 짜 맞출 수 있는; 편제할 수 있

는; 고안해 낼 수 있는.
fráme àerial 〔**antènna**〕 프레임형 안테나 〔공중선〕. 「란 아가씨.
fráme-dàme *n.* 《미속어》 섹시하지만 좀 모자
frámed buílding 골조식 (구조) 건축물.
fráme hóuse 《미》 목조 가옥, 판잣집. 「막선.
fráme lìne 테두리 선; (영화 필름의) 검은 토
fráme of mínd 사고방식; 기분: in a sad ~ 슬픈 기분으로.
fráme of réference 평가 기준계, 준거 기준 《행동·판단 등을 지배하는》; 〖수학·물리〗 (준거) 좌표계; 견해, 이론.
fráme of spáce and tíme 〖물리〗 (상대성 이론에서 4차원의) 시공간 좌표《공간 좌표와 시간 좌표로 이루어짐》. 「장이.
frám·er *n.* 구성자, 짜는 사람; (액자 등의) 틀
fráme sàw 틀톱.
fráme·shìft 〖유전〗 *a.* 구조 이동의《DNA상의 염기의 1 또는 2개의 삽입 혹은 결실에 의한 원염기 배열의 어긋남에 의한》. **—** *n.* 구조 이동 돌연변이(=~ **mutátion**).
fráme-ùp *n.* 《구어》 음모, 흉계, 조작; 《구어》 계획적 부정 경기; 《미속어》 (상품의) 진열.
***frame·work** [fréimwə̀ːrk] *n.* **1** (구조물·이론·계획·이야기 따위의) 뼈대, 얼거리, 하부〔기초〕 구조, 골조(骨組); 구성, 체제. **2** 틀자수. **3** 〖원예〗 주지(主枝).
fram·ing [fréimiŋ] *n.* **1** Ⓤ 구성, 조립; 구상; 획책. **2** Ⓒ 뼈대; 얼개테, 틀.
◇**franc** [fræŋk] *n.* 프랑《프랑스·벨기에·스위스 등지의 화폐 단위; 기호 Fr, F》; 1 프랑 화폐.
****France** [fræns, frɑːns/frɑːns] *n.* **1** 프랑스. **2** **Anatole** ~ 프랑스《프랑스의 소설가·비평가; 1921년 노벨 문학상 수상; 1844-1924》.
Fran·ces·ca [frænt∫éskə, frɑːn-] *n.* 프란체스카《여자 이름》.
◇**fran·chise** [frǽnt∫aiz] *n.* **1** Ⓒ 선거권, 참정권 (suffrage); 특권, 특허; 특별 면제; 《미》 특권 행사 허가 지구; 《일반적》 관할권. **2** (보통 the ~) 공민권, 시민권(citizenship). **3** 《미》 (제품의) 독점 판매권; 총판권; 《미》 (직업 야구 리그 등의) 가맹권, 가맹 자격; (스포츠 경기의) 방송〔방영〕권. **4** 〖보험〗 면책률. **—** *vt.* …에 사용권〔총판권, 특권〕을 허가하다; 참정권〔선거권〕을 주다.
fran·chi·see [frænt∫aizíː] *n.* 총판권을 가진 사람, 가맹점.
fránchise tàx 면허세, 영업세.
fran·chi·sor [frǽnt∫aizər/frænt∫aizɔ́ː] *n.* franchise를 주는 사람〔기업〕.
fran·ci·cize [frǽnsəsàiz] *vt.* 《Can.》 (상업 활동 등을) 프랑스어로 하다〔전환하다〕; (영어 사용인에게) 프랑스 말을 쓰게 하다. ⊞ **fràn·ci·zá·tion** *n.*
Fran·cis [frǽnsis/frɑ́ːn-] *n.* 프랜시스. **1** 남자 이름. **2** **Sam** ~ 미국의 추상 화가(1923-94).
Fran·cis·can [frænsískən] *a.* St. Francis의; 프란체스코 수도회의. ***the ~ order*** = ***the ~s*** 프란체스코 수도회. **—** *n.* 프란체스코 수도회의 수사.
fran·ci·um [frǽnsiəm] *n.* 〖화학〗 프랑슘《방사성 원소의 하나; 기호 Fr; 번호 87》.
Fran·co [frǽŋkou] *n.* **Francisco** ~ 프랑코 《스페인의 총통; 1892-1975》.
Fran·co- [frǽŋkou, -kə] '프랑스'란 뜻의 결합사: the *Franco*-Prussian War 프로이센 프랑스 전쟁.
Fránco-Américan *a.* 미국·프랑스 간의.
Frán·co·ìsm *n.* 프랑코주의《Francisco Franco의 정책〔독재 체제〕》. 「일종.
fran·co·lin [frǽŋkəlin] *n.* 〖조류〗 자고새의
Fran·co·phile, -phil [frǽŋkəfàil], [-fìl] *a.*, *n.* 친(親)프랑스파의 (사람).
Fran·co·phobe [frǽŋkəfòub] *a.*, *n.* 프랑스인을 무서워하는〔싫어하는〕 (사람).
Fran·co·phone [frǽŋkəfòun] *n.* (둘 이상의 공용어가 있는 나라에서) 프랑스어를 쓰는 주민. **—** *a.* 프랑스어를 말하는(=**Fràn·co·phón·ic**).
franc-ti·reur [F. frɑ̃tirœːr] *n.* 《F.》 (프랑스의) 게릴라병, 비정규병(兵), 저격병.
fran·gi·ble [frǽndʒəbəl] *a.* 무른, 단단치 못한, 부서지기 쉬운. ⊞ **fràn·gi·bíl·i·ty** *n.* Ⓤ
fran·gi·pane [frǽndʒəpèin] *n.* 《F.》 **1** = FRANGIPANI. **2** 편도(扁桃)·재스민 향료·크림을 넣은 과자.
fran·gi·pani, -pan·ni [frændʒəpǽni], [-pɑ́ː-ni] (*pl.* **~, *-pán·(n)is***) *n.* 〖식물〗 열대 아메리카산 협죽도과(科)의 관목《재스민의 일종》; Ⓤ 그 꽃에서 얻은 향수. 「어화된 영어.
Fran·glais [frɑːŋgléi] *n.* Ⓤ (종종 f-) 프랑스
fran·gli·fi·ca·tion [fræ̀ŋgləfikéi∫ən] *n.* 영어 단어〔표현〕의 프랑스어로의 이입(移入).
Frang·lish [frǽŋgli∫] *n.* = FRENGLISH.
Frank [fræŋk] *n.* **1** 프랭크《남자 이름; Francis의 애칭》. **2** 프랑크 사람《Gaul 사람을 정복하여 프랑스 왕국을 세운》; 서유럽인《근동 지방에서의 용어》; 《시어》 프랑스 사람.
****frank**[1] [fræŋk] *a.* **1** 솔직한, 숨김없는: He's ~ *with* me *about* everything. 그는 나에게 모든 것을 숨김없이 털어놓는다. **2** 명백한, 공공연한. ***to be ~ with you*** 까놓고 말하면, 사실은.
frank[2] *n.* 무료 송달의 서명(署名)〔도장〕; 무료 송달 우편물; 우편 요금 납부필의 표시〔스탬프, 봉투〕; (미국 의원 등에 부여되는) 무료 송달 특전. **—** *vt.* **1** 무료 송달의 서명을 하다, 무료로 보내다. **2** …에게 출입〔통행〕의 자유를 주다《*to*》; (사람을) 무료로 나르다. **3** 면제하다《*from; against*》. ⊞ **~·er** *n.*
frank[3] *n.* 《미구어》 = FRANKFURTER.
Frank·en·stein [frǽŋkənstàin] *n.* **1** 프랑켄슈타인《M. W. Shelley의 소설 *Frankenstein* (1818) 속의 주인공; 자기가 만든 괴물에 의해 파멸됨》. **2** 자기를 파멸시키는 물건을 만드는 사람.
Fránkenstein('s) mònster (Frankenstein의) 인조인간; 자기가 만들어 낸 저주의 씨, 창조자에의 위협.
Fránkenstein sỳndrome 〖유전〗 프랑켄슈타인 증후군(症候群)《특히 유전자 변환 실험으로 엉뚱한 병원체가 나타날지도 모른다는 두려움》.
Frank·fort [frǽŋkfərt] *n.* **1** 프랑크푸르트《독일 남서부의 도시; 독일어명 Frankfurt》. **2** 프랭크퍼트《미국 Kentucky 주의 주도(州都)》.
frank·furt(·er), -fort(·er) [frǽŋkfərt(ər)] *n.* 《미》 프랑크푸르트 소시지(=**fránkfurt** 〔**fránk-fort**〕 **sáusage**)《쇠고기·돼지고기를 섞은 소시지; 종종 이어져 있음》.
fran·kin·cense [frǽŋkinsèns] *n.* Ⓤ 유향(乳香)《동아프리카·아라비아산 감람의 일종; 이스라엘 민족이 제례에 쓰던 고급 향료》.
fránking machìne 《영》 = POSTAGE METER.
Frank·ish [frǽŋki∫] *a.* 프랑크족의; 서유럽인의. **—** *n.* Ⓤ 프랑크 말.
Frank·lin [frǽŋklin] *n.* 프랭클린. **1** 남자 이름 《애칭 Frank》. **2** **Benjamin** ~ 미국의 정치가·과학자(1706-90).
frank·lin [frǽŋklin] *n.* 〖영국사〗 (14-15세기의) 소(小)지주, 향사(鄕士)《gentry와 yeoman의 중간 계급》.
****frank·ly** [frǽŋkli] *ad.* 솔직히, 숨김없이. ~ ***speaking*** 솔직히 말하면.

◇**frank·ness** [frǽŋknis] *n.* [U] 솔직함.
fránk·plèdge *n.* 《영》 〖고법률〗 10인조(組) 《성인 남자 10인 한 조로, 개개인의 행위에 연대 책임을 지는 제도》; 10인조의 한 사람.
Fran·quis·ta [frænkístə] *n.* 《Sp.》 프랑코 지지〔주의〕자.
*__fran·tic__ [frǽntik] *a.* 미친 듯 날뛰는, 광란의; 필사적인; 《미속어》 굉장한, 멋진; 《미속어》 세속적인; 《영구어》 대단한, 대단히 큰〔많은〕. [파] **~·ly** *ad.* =FRANTICALLY. **~·ness** *n.*
fran·ti·cal·ly [frǽntikəli] *ad.* 미친 듯이, 광포하게, 광란하여.
frap [fræp] (*-pp-*) *vt.* 〖해사〗 (사슬·밧줄로) 단단히 죄(어 매)다.
frap·pé [fræpéi/ ⌐-] *a.* 《F.》 (얼음으로) 차게 한. **—** *n.* 《미》 프라페《살짝 얼린 과즙, 술을 친 빙수 따위》.
F.R.A.S. Fellow of the Royal Astronomical Society.
frass [fræs] *n.* [C] (곤충의) 유충의 똥; (나무 파먹는 벌레가 판 구멍의) 나무 부스러기.
frat [fræt] *n.* **1** 《미속어》 =FRATERNITY 3. **2** 《미학생속어》 딱딱하고 융통성 없는 남학생.
fratch [frætʃ] *vi.* 다투다, 논쟁하다. **—** *n.* 논쟁, 다툼, 불화.
fra·ter[1] [fréitər] *n.* 〖역사〗 (수도원의) 식당 (refectory).
fra·ter[2] *n.* 동포, 형제.
◇**fra·ter·nal** [frətə́ːrnl] *a.* 형제의; 형제 같은〔다운〕, 우애의. [파] **~·ism** *n.* [U] 우애; 우애조합주의. **~·ly** *ad.* 형제같이.
fratérnal órders 〔**socíety**〕 《미》 공제〔우애〕조합.
fratérnal twíns 이란성(二卵性) 쌍둥이. [cf.] identical twins.
◇**fra·ter·ni·ty** [frətə́ːrnəti] *n.* **1** [U] 형제임, 형제의 사이〔정〕; 동포애, 우애. **2** [C] 우애〔종교〕 단체, 공제 조합; 〖집합적〗 동업자들. **3** [C] 《미》 (대학의) 남학생 사교 클럽. ★여학생 사교 클럽은 sorority.
fratérnity hòuse (대학·고등학교의) 남학생 클럽하우스〔회관〕.
fràt·er·ni·zá·tion *n.* [U] 친교를 맺음, 친목.
frat·er·nize [frǽtərnàiz] *vi.* 형제로서 교제를 하다; 친하게 사귀다《*with; together*》; 《구어》 (군인이 점령지의 국민과) 친하게 사귀다; 피점령국의 여성과 관계하다《*with*》. **—** *vt.* 《드물게》 형제처럼 사귀게 하다. [파] **-nìz·er** *n.* 형제처럼 사귀는 사람.
fra·t(e)ry [fréitəri] *n.* =FRATER[1].
frat·ri·cid·al [frætrəsáidl] *a.* 형제〔자매〕를 죽이는; (내란 등에서의) 동족상잔의; 동포끼리 서로 죽이는.
frat·ri·cide [frǽtrəsàid] *n.* 형제〔자매〕 살해(죄); 형제〔자매〕 살해자; 〖군사〗 선착 핵탄두의 폭발 충격에 의한 후속 탄두의 파괴.
Frau [frau] (*pl.* **~s, ~·en** [fráuən]) *n.* 《G.》 …부인《Mrs., Madam에 상당하는 경칭; 생략: Fr.》; (f-) 기혼 여성, 아내, 독일 부인.
*__fraud__ [frɔːd] *n.* **1** [U] 사기, 협잡; [C] 사기 행위, 부정 수단: a pious ~ (종교상 방편으로서의) 거짓말. **2** [C] 《구어》 협잡꾼, 사기꾼; 가짜. ***in ~ of*** =***to the ~ of*** 〖법률〗 …을 사기하려고.
Fráud Squàd (the ~) 《영》 (경찰의) 사기 전담반.
fraud·ster [frɔ́ːdstər] *n.* 사기꾼.
fraud·u·lence, -len·cy [frɔ́ːdʒələns], [-lənsi] *n.* [U] 사기, 부정.
◇**fraud·u·lent** [frɔ́ːdʒələnt] *a.* 사기의, 부정한, 속이는; 속여서 손에 넣은: ~ gains 부정 이득. [파] **~·ly** *ad.* **~·ness** *n.*
fraught [frɔːt] *a.* …을 내포한, …이 따르는, …으로 가득 찬《*with*》; 《시어》 실은, 적재한 (laden) 《*with*》; 《영속어》 위험한(risky). **—** *n.* 《Sc.·폐어》 짐, 선하(船荷).
Fräu·lein [frɔ́ilain] (*pl.* **~s**) *n.* 《G.》 영양(令孃), …양(孃) 《영어의 Miss에 해당》; 처녀, 미혼 여자, 독일의 미혼녀; (영국인 가정의 독일 여자) 가정교사.
Fráun·ho·fer lìnes [fráunhòufər-] 〖광학〗 프라운호퍼선(線) 《태양 스펙트럼에 나타나는 암선군(暗線群)》.
frax·i·nel·la [frӕksənélə] *n.* 〖식물〗 백선(白鮮)의 일종, 박하 무리(dittany).
◇**fray**[1] [frei] *vt.* **1** (옷·끈 등을) 닳아 떨어지게〔풀어지게〕 하다; …을 비벼 닳리다, 해지게 하다. **2** (행위 등이) (신경·감정 등을) 긁어내리다, 긴장시키다; 어찔 줄 모르게 하다. **3** …을 비비다; (사슴이 뿔을) 나무에 대고 비비다. **—** *vi.* **1** (신경이) 곤두서다, 긁어내리다. **2** 《~/+[부]》 (옷 등이) 해지다《*out*》; 풀리다; 닳아 문드러지다. **3** 《+[전]+[명]》 비벼지다《*against*》. [파] **⌐·ing** *n.* (탈피한) 사슴뿔의 껍질.
fray[2] *n.* 소동, 싸움; 시끄러운 언쟁, 논쟁. ***be eager for the ~*** (무슨) 일이 일어나길 고대하다. ***the thick of the ~*** 전투가 가장 치열한 곳.
fra·zil [fréizəl/fréizil] *n.* [U] 《미·Can.》 (물살이 센 곳에 생기는) 침상(針狀) 결빙.
fraz·zle [frǽzəl] 《미구어》 *vt., vi.* 닳아 해지(게 하)다; 무지러지(게 하)다; 너덜너덜해지다, 풀리다; 지쳐 빠지(게 하)다. **—** *n.* 풀림, 해짐, 너덜너덜함; 기진맥진한 상태. ***to a ~*** 너덜너덜하게; 기진맥진하게《지치다》; 늘씬하게《얻어맞다》.
fráz·zled *a.* 《구어》 닳아 떨어진; 《구어》 지친, 녹초가 된; 《미속어》 술에 취한; 《미속어》 신경질이 난.
FRB, F.R.B. 《미》 Federal Reserve Bank; Federal Reserve Board. **FRC, F.R.C.** 《미》 Federal Radio Commission; Foreign Relations Committee. **F.R.C.P.** Fellow of the Royal College of Physicians, London. **FRCS** 〖우주〗 forward reaction control system(앞 부분 반동 자세 제어 장치). **F.R.C.S.** Fellow of the Royal College of Surgeons. **FRCVS** Fellow of the Royal College of Veterinary Surgeons.
◇**freak**[1] [friːk] *n.* [C] **1** 변덕(스러운 마음), 일시적 기분(caprice); 변덕스러운 짓; 장난; 기형, 변종; 《속어》 기형의 인간: out of mere ~ 일시적 기분〔변덕〕에서. **2** 《속어》 열중한 사람, …광(狂); 히피족; 마약 중독자; 《미속어》 색골《여자》: a baseball ~ 야구광. **—** *a.* 야릇한, 별난: a ~ epidemic 별난〔특이한〕 유행병. **—** *vi.* 《미속어》 **1** 마약으로 흥분하다. **2** 색다른 짓을 하다. **3** 흥분하다. **—** *vt.* 《미속어》 흥분시키다. **~ *out*** 《구어》 《*vi.*+[부]》 ① 환각제를 먹다; 마비되다; 히피족이 되다; 색다른 흉내를 내다〔복장을 하다〕. **—** 《*vt.*+[부]》 ② (아무를) 환각 상태로 이끌다.
freak[2] *n., vt.* 《시어》 줄무늬(지게 하다), 얼룩(지게 하다). [파] **~ed** [-t] *a.* 얼룩진.
freak·ish [fríːkiʃ] *a.* 변덕스러운; 야릇한; 기형의, 병신의. [파] **~·ly** *ad.* **~·ness** *n.*
fréak of náture 자연의 장난〔이상 현상〕《기형적이거나 거대한 것 등》.
fréak-òut *n.* 《속어》 환각제로 마비됨〔된 사람〕; 환각제 파티.
fréak shòw (곡마단 등에서의) 기형인〔동물〕의 흥행; 익살스러운〔기괴한〕 행사〔의식·행위〕; 서커스와 비슷한 색다른 흥행물.
freaky [fríːki] *a.* (***freak·i·er; freak·i·est***) **1** =FREAKISH. **2** 마약으로 비트적거리는; 히피와 같은. **—** *n.* 《속어》 마약 중독자; 히피.
◇**freck·le** [frékəl] *n.* 주근깨; (피부의) 반점, 기미; (*pl.*) 〖의학〗 하일반(夏日斑). **—** *vt.* …에 ~이 생기게 하다. **—** *vi.* ~이 생기다. [파] **~d** *a.* 주근깨〔기미〕가 있는. **fréck·ly** *a.* 주근깨〔기미〕투성이의.

Fred, Fred·dy [fred], [frédi] *n.* 프레드, 프레디《남자 이름; Frederic(k)의 애칭》.

Fre·da [fríːdə] *n.* 프리다《여자 이름; Winifred의 애칭》.

Fred·er·ick [frédərik] *n.* 프레더릭. **1** 남자 이름《Fred, Freddy, Freddie, Frivtz의 애칭》. ★ 독일어명 Friedrich의 영어명으로도 쓰임. **2** ~ **I** 프리드리히 1세《신성 로마 황제; 통칭 ~ **Bar·ba·ros·sa** [bɑ̀ːrbərɑ́sə, -rɔ́ː-] (붉은 수염왕)》.

†**free** [friː] (**fre·er** [fríːər]; **fre·est** [fríːist]) *a.* **1** 자유로운; 속박 없는: ~ speech 자유로운 언론, 언론의 자유. **2** 자유주의의: the ~ world 자유 세계. **3** 자주적인, 자주 독립의. **4** (권위·전통 따위에) 얽매이지 않는, 편견 없는. **5** (규칙 등에) 구애되지〔얽매이지〕 않는. **6** 사양 없는: Please feel ~ *to* call me. 사양 마시고 전화해 주십시오. **7** (태도 따위가) 대범한, 여유 있는. **8** 활수한, 손〔통〕이 큰, 아낌없는: ~ *with* one's money 돈을 잘 쓰는. **9** 사치스러운: ~ living 사치스러운 생활. **10** 방종한, 단정치 못한. **11** 구속 없는, 마음대로의: the ~ play of the mind 정신의 자유로운 활동. **12** 해방돼 있는, 면제된; 시달리지 않는, 면한: ~ *of* taxes 면세의 / ~ *from* disease 병에 걸릴 염려가 없는 / ~ *from* charges 비난을 받지 않는. **13** 선약(先約)이 없는, 한가한, 볼일 없는: Are you ~ this evening? 오늘 저녁 시간이 있으십니까. **14** 비어 있는, 쓸 수 있는: a ~ room 빈 방. **15** 마음대로 출입할 수 있는, 개방된: a ~ port 자유항. **16** 자유로 통행할 수 있는, 장애 없는. **17** 누구나 참가할 수 있는; 모두가 참가하는: ~ competition 자유 경쟁. **18** 무료의, 입장 무료의; 세금 없는: a ~ patient 무료 진료 환자 / ~ imports 비과세(稅) 수입품 / ~ medicine 무료 의료. **19** (사람이) 자유로이 출입할 수 있는: be ~ *of* a friend's house 친구의 집을 내 집처럼 드나들다. **20** (사람들의) 마음대로의 행동이 허용된: You are ~ *to* stay as long as you like. 원하신다면 언제까지고 마음대로 계셔도 좋습니다 / It is ~ *for* 〔*to*〕 her to do so. 그렇게 하는 것은 그녀의 자유다. **21** 자진해서 …하는; 너무〔지나치게〕 …하는: I am ~ *to* confess. 자진해서 자백하겠습니다 / You are very ~ *in* blam*ing* others. 남을 비난하는 것이 지나치군요. **22** 고정되어 있지 않은, 느슨한; 〖화학〗 유리된: the ~ end of a rope 밧줄의 매듭을 짓지 않은 끝. **23** 〖해사〗 순풍의: a ~ wind 순풍. ◇freedom *n.* (**as**) ~ **as a bird** 〔**air, the wind**〕 《구어》 (새처럼) 자유로운, 아무 구속이 없는, 자유분방한. **for ~** 《구어》 무료로. **~ alongside ship** ⇨ FREE ALONGSIDE SHIP. **Free and Accepted Masons** 프리메이슨단. cf. freemason. **~ and clear** 〖법률〗 부채 없는, (재산이) 저당 잡혀 있지 않은. **~ and easy** 스스럼없는, 터놓은, 개의치 않는; 자유롭게 담배 피울 수 있는 음악회, 격의 없는 모임. **~ from** ① …을 면한, …염려가 없는: ~ *from* reproach 비난받을 데가 없는. ② …이 없는: ~ *from* care 걱정 없는 / a day ~ *from* wind 바람 없는 날. **~ in and out** 〖상업〗 하역비 선주 무부담《화주가 적하비만 부담할 때는 free in, 양륙비만 부담할 때는 free out 라고 함; 생략: F.I.O.》. **~ of** ① …이 부과되지 않는, …이 면제된; …이 없는: ~ *of* charge 무료인 / sea ~ *of* ice 얼음이 없는 바다. ② …에 자유로이 드나들 수 있는: be ~ *of* a library 도서관에 마음대로 드나들 수 있다. ③ …을 아끼지 않는: be ~ *of* advice 충고를 아끼지 않다. ④ …을 떠나서. **~ on board** ⇨ FREE ON BOARD. **get ~** 자유의 몸이 되다, 석방되다; …을 벗어나다《*of*》. **give** 〔**have, get**〕 **a ~ hand** 행동의 자유를 주다〔갖다〕. **have one's hands ~** 손이 비어 있다, 한가하다; 자유로이 행동할 수 있다. **make** a person **~ of** 아무에게 …을 마음대로 쓰게 하다; …에 자유로운 출입을 허용하다. **make ~ with** …을 마음대로 쓰다; …에게 허물없이 굴다. **set ~** 해방하다, 석방하다. **with a ~ hand** 아낌없이, 활수하게.

— *ad.* **1** 자유롭게; 방해를 받지 않고. **2** 무료로, 거저. **3** 〖해사〗 (돛배가) 순풍〔옆바람〕을 받고; 돛을 활짝 펴지 않고. **fall ~** 자유 낙하를 하다.

— (*p.*, *pp.* **freed; frée·ing**) *vt.* **1** (〈~+목/+목+전+명〉) (…로부터) 자유롭게 하다, 해방하다《*from*》; (곤란 등에서) 구하다(deliver): ~ a person *from* want 아무를 궁핍에서 구하다. **2** 《+목+전+명》 …에게 면제하다, …로 하여금 면하게 하다, …에서 제거하다《*of*》: ~ a person *of* his duty 아무를 해임하다 / ~ a person *of* his obligations 아무에게 의무를 면제하다 / ~ a room *of* clutter 방에서 잡동사니를 없애다. **~ up** (제한 따위에서) 해방시키다; …의 뒤엉킴을 풀다: ~ *up* the traffic jam 교통 체증을 해소하다.

-free [friː, friː] '…로부터 자유로운, …을 면한, …이 없는' 이란 뜻의 결합사: trouble-*free*.

frée ágent 자유적인 행위자; 자유 계약 선수〔배우〕.

frée aír 〖기상〗 **1** = FREE ATMOSPHERE. **2** 자유 공기《국지적 영향을 받지 않는 공기》.

frée-àir *a.* 야외의; 《미》 (도시 아동을 위한) 교외 산책〔소풍〕의: a ~ movement 교외 산책 운동.

frée alóngside shíp 〔**véssel**〕 〖상업〗 선측도 (船側渡)《생략: f.a.s.》.

frée árts 문예《중세의 문학·어학·역사·철학 따위의 교양 학과》. 「하다.

frèe-assóciate *vi.* 자유 연상(自由聯想)을

frée associátion 〖정신의학〗 자유 연상(聯想).

frée átmosphere 〖기상〗 자유 대기《지표 마찰의 영향을 받지 않는 대기; 고도 약 1km보다 높은 대기》. 「중량.

frée bággage allòwance 무료 수화물 허용

frée·bàse *vt.*, *vi.* 코카인을 순화하다; (순화한 코카인을) 맞다. — *n.* 순화한 코카인. ㊎ **-bàs·ing** *n.* 마약 순화〔법〕.

frée béach 전라(全裸)가 허용된 해변.

free·bie, -bee, -by [fríːbi] *n.* 《미속어》 공으로 얻는 것, 경품(景品): a ~ card 무료 초대권. — *a.* 무료의.

frée·bòard *n.* 〖선박〗 건현(乾舷)《흘수선에서 상갑판까지의 현측(舷側)》.

frée·bòot *vi.* 약탈하다, 해적질을 하다. ㊎ **~·er** *n.* 해적. **~·ing** *n.*

frée·bòrn *a.* (노예 아닌) 자유의 몸으로 태어난; 자유민다운. 「본.

frée cápital 자유 자본; (투자 가능한) 유휴 자

Frée Chúrch (국교에서 분리한) 독립 교회; 《영》 비국교파 교회.

frée cíty 자유시《독립 국가를 이룬 도시》.

frée clímbing 〖등산〗 자유 등반《하켄·자일 등의 등반 용구를 사용하지 않음》.

frée cóinage 자유 주조《개인이 화폐 적격 금속을 주조소에서 주조할 수 있는 권리》.

frée compánion (중세의) 용병단의 일원.

frée cómpany (중세의) 용병단, 용병.

frée dìving 《영》 = SKIN DIVING. ㊎ **frée dìver**

freed·man [fríːdmən, -mæ̀n] (*pl.* **-men** [-mən, -mèn]) *n.* (노예 신분에서 해방된) 자유민; 《미》 (남북 전쟁 후의) 해방 노예.

Fréedmen's Bùreau 〖미국사〗 해방 흑인국《해방 노예의 구제, 토지 소유, 취직, 교육 면의 원조를 목적으로 1865년 설립》.

‡**free·dom** [fríːdəm] *n.* Ⓤ **1** 자유; 자주독립: ~ *of* speech 〔the press〕 언론〔출판〕의 자유. **2**

해방, 탈각; 면제, 해제; (의무·공포·부담·결점 등의) 전혀 없음《*from*》: ~ *from* fear 공포에서 해방; 공포가 없음. **3** (행동의) 거침새 없음, 자유스러운 태도; 스스럼〔허물〕없음《*of; to* do》: speak with ~ 마음대로〔자유로이〕 이야기하다 / take 〔use〕 ~*s with* …에게 허물없이 굴다 / I have (the) ~ here *to* do as I wish. 나는 여기에서 무엇이든 하고 싶은 것을 할 수 있다. **4** 출입의 자유; 사용의 자유: have the ~ *of* …에 자유로이 출입할 수 있다; …을 자유로이 이용할 수 있다.

fréedom fighter 자유의 투사.

fréedom màrch 《미》 자유 행진《인종 차별 반대의 시위 행진》.

fréedom of cónscience 양심의 자유.

fréedom of expréssion 표현의 자유.

fréedom of informátion 정보의 자유《특히 정부에 대한 정보 공개 청구에 관한; 생략: F.O.I.》.

Fréedom of Informátion Áct (the ~) 《미》 정보의 자유법《정부 정보의 원칙적 공개를 규정한; 생략: F.O.I.A.》.

fréedom of the cíty (the ~) 명예 시민권.

fréedom of the séas (the ~) 〖국제법〗 공해(公海)의 자유《특히 전시(戰時)의 중립국 선박의 공해 자유 항행권》.

fréedom rìde (종종 F- R-) 《미》 (인종 차별 반대를 위한) 남부 지방에의 버스 여행.

fréedom rìder (종종 F- R-) 《미》 자유의 기사 《freedom ride 참가자》.

Fréedom Schòol 《미》 프리덤 스쿨《차별받는 10대 흑인을 위한 특별 학교》.

Fréedom 7 [-sévən] 프리덤 세븐《1961년 Mercury 계획에서 미국 최초의 15분간의 지구 부분 주회(周回) 비행을 한 유인 위성》.

fréedom wálk 《미》 =FREEDOM MARCH.

freed·woman [fríːdwùmən] (*pl.* **-wòmen**) *n.* (노예에서 해방된) 여자 자유민.

frée ecónomy 자유(주의) 경제.

frée eléctron 〖물리〗 자유 전자: ~ laser 자유 전자 레이저.

frée énergy 〖물리〗 자유 에너지《하나의 열역학계의 전(全) 에너지 중에서 일로 변환할 수 있는 에너지가 차지하는 비율을 나타내는 양》.

frée énterprise 〖경제〗 자유 기업 (제도).

frée énterpriser 자유 기업론자, 경제 활동 규제 반대론자; 자유 기업 실행자.

frée expánsion 〖물리〗 자유 팽창.

frée-fáll *n.* 자유 낙하《물체의 중력만에 의한 낙하, 특히 낙하산이 펴질 때까지의 강하; 우주선의 관성 비행》; 가치나 위신의 급속한 하락.

frée fíght 난투, 난전(亂戰).

frée-fíre zòne 〖군사〗 무차별 포격 지대.

frée flíght (동력 정지 후의 로켓이나 로프에서 풀린 글라이더 등의) 자유 비행.

frée-flóating *a.* 자유로이 움직이는, 부동성의; 자유로운 입장에 있는; (불안 등이) 왠지 모르게 느껴지는.

frée-flówing *a.* 움직임이 자유자재한, 거침없는; 문체가 유창한.

Free·fone, -phone [fríːfòun] 프리폰 《British Telecom에 의한 전화 서비스의 하나; 기업·단체로의 전화 요금을 수신자가 부담하는 것으로 프리다이얼과 비슷함; 상표명》.

frée-for-àll [-fərɔ̀ːl] *a.* 입장 자유의, 무료의; 누구나 참가할 수 있는. **—** *n.* 누구나 참가할 수 있는 경기〔토론〕; 난투.

frée fórm 〖문법〗 자유 형식《다른 말의 일부로서가 아닌 그것 자체가 독립하여 사용할 수 있는 언어 형식; child, children, invitation 따위 일반적인 단어》(cf. bound form); 〖미술〗 자유 조형.

frée-fórm *a.* 〖미술〗 자유 형식〔조형〕의, 전통적인 형태에 구애되지 않는: a ~ bowl.

frée-frée *a.* 〖물리〗 고도로 이온화된 기체 중 자유전자의 운동에 의한, 자유자유의: ~ transition 자유자유 전이(轉移).

Frée Frénch (the ~) 자유 프랑스군《제2차 세계 대전 중 독일 점령군에 저항한 단체》.

frée gíft (판매 촉진을 위한) 경품.

frée góld 1 《미》 무구속(無拘束) 금괴《금화 증권 등의 상환에 충당되어 있지 않은 것》. **2** 〖광물〗 유리금(遊離金).

frée góods 1 비과세품. **2** 〖경제〗 자유재.

frée hánd 자유재량, 자유행동〔판단〕: give a person a ~ 아무의 자유재량에 맡기다 / get a ~ 행동의 자유를 얻다.

frée·hànd *a.* (기구를 쓰지 않고) 손으로 그린, 자유 묘사의: ~ drawings 자재화(自在畫). **—** *n.* 자재화〔조각〕(법).

frée·hánded [-id] *a.* 아낌없이 쓰는, 활수한; 손이 빈; =FREEHAND.

frée-héarted [-id] *a.* (마음이) 맺힌 데가 없는, 개방적인, 솔직한; 대범한. ㊎ **~·ly** *ad.*

frée·hòld *n.* 〖법률〗 (부동산·관직 따위의) 자유 보유(권); 자유 보유 부동산. ㊎ **~·er** *n.* 자유 부동산 보유자.

frée hòuse 《영》 (특정 회사와의 제휴 없이 각종의 술을 취급하는) 술집. cf. tied house.

frée jázz 프리 재즈《전위 재즈의 한 형식》.

frée kíck 〖축구〗 프리킥《상대방의 반칙에 대한 벌로서 허용되는 킥》.

frée lábor 자유민의 노동; 비조합원의 노동. ㊎ **frée láborer**

frée·lánce 1 자유로운 입장에 있는 사람; 자유 논객〔기고가〕, 무소속 기자; (특별 계약 없는) 자유 작가〔배우〕. **2** (보통 free lance) (중세의) 용병(傭兵); 무소속의 무사. **—** *a.* 자유 계약의, 독자적으로 행동하는; 조직으로부터 지원받지 않는. **—** *vi.* 자유 계약으로 일하다. **—** *vt.* (작품 따위를) 자유 계약으로 제공〔제작〕하다. ㊎ **frée·lànc·er** *n.* 프리랜서, 자유롭게 행동하는 사람.

frée líbrary 《영》 (무료) 공립 도서관.

frée lìst 우대자 명부; (잡지 등의) 기증자 명부; 〖상업〗 (관세의) 면세 품목표.

frée líver 식도락가; 멋대로 사는 사람.

frée líving 식도락.

frée-líving *a.* 식도락의.

frée·lòad 《구어》 *vi.* 음식물 등을 공짜로 얻어먹다; 남의 소유물·설비 등을 돈 내지 않고 쓰다. **—** *n.* 공짜 식사〔음식〕.

frée·lòader *n.* 《구어》 (공짜로 먹으려고) 끼어드는 자; 공짜로 술을 마시는 손님.

frée lóve 자유연애.

frée lúnch (술집 등에서 손님을 끌기 위해 내놓는) 대금을 받지 않는 식사; 공짜처럼 보이나 실은 그렇지 않은 것, 결국엔 비싸게 먹히는 공짜.

‡free·ly [fríːli] *ad.* **1** 자유로이; 마음대로. **2** 거리낌 없이, 마음 가벼이. **3** 아낌없이; 활수하게. **4** 무료〔공짜〕로.

frée·man [-mən] (*pl.* **-men** [-mən]) *n.* (노예가 아닌) 자유민; 공민.

frée márket 자유 시장《자유 경쟁에 의해 가격이 결정되는》.

frée-marketéer *n.* 자유 시장 경제의 옹호자〔지지자, 제창자〕.

frée-màrketry *n.* 자유 시장 원리 (행위), 자유 시장 (참가) 원칙.

free·mar·tin [fríːmàːrtən] *n.* (이성 쌍태(異性雙胎)로 난) 생식 기능 없는 암송아지.

Free·ma·son [fríːmèisn] *n.* **1** 프리메이슨《공제(共濟)·우애(友愛)를 목적으로 하는 비밀 결사인 프리메이슨단(Free and Accepted Masons)의 조합원》. **2** (f-) 중세 석공(石工)의 숙련공 조

합원. ㊣ **frèe·ma·són·ic** [-məsánik/-sɔ́n-] *a.*
Free·ma·son·ry [fríːmèisnri] *n.* Ⓤ 프리메이슨주의(제도); (f-) 우애적 이해, 암암리의 양해.
frée média (선거 운동에서) 텔레비전의 뉴스 보도에 따른 무료 선전.
frée móney 〖경제〗 자유 화폐.
free·ness [fríːnis] *n.* 거리낌 없음, 허물없음; 대범(소탈)함.
frée on bóard 〖상업〗 본선 (적재) 인도(引渡); ⦅미⦆ (화차) 적재 인도⦅생략: F.O.B.⦆.
frée on ráil (**trúck**) ⦅영⦆ 〖상업〗 화차 인도 ⦅생략: F.O.R. (F.O.T.)⦆.
frée páper ⦅영⦆ (주간의) 무료 지방 신문⦅발행 비용을 광고에서 조달하는⦆.
frée párdon 〖법률〗 특사(特赦), 은사.
frée páss 무임승차(권).
frée períod (하루 중) 수업이 없는 시간, 자유 시간.
frée pórt 자유 무역항.
Frée·pòst *n.* (때로 f-) 〖영우편〗 요금 수취인 부담 (제도).
frée préss 출판의 자유; 〔집합적〕 (정부의 검열을 받지 않는) 자유 출판물.
frée rádical 〖화학〗 자유 라디칼, 유리기(遊離基).
frée-ránge *a.* ⦅영⦆ (가금(家禽)을) 놓아 기르는; 놓아 기르는 닭의⦅달걀⦆.
frée recáll 〖심리〗 자유 회상(법), 자유 재생(법).
frée réed 〖악기〗 프리 리드⦅하모니카 · 아코디언 따위에 씀⦆. ⓒⓕ beating reed.
frée réin (행동 · 결정의) 무제한의 자유, 완전한 자유재량.
frée-retúrn tràjectory 〖우주〗 자동 귀환 궤도.
frée ríde 무임승차; 힘들이지 않고 얻은 이익(갈채, 즐거움), 공짜; ⦅미구어⦆ 신주 발행 전의 공매수(空買受).
frée ríder 무임 승객; 불로 소득자; ⦅특히⦆ 비조합원.
frée-ríding *n.* 〖증권〗 프리라이딩, 무임승차 행위⦅(1) 증권 회사가 가격 상승 이후에 매각하기 위해, 인수한 신주(新株)의 일부를 보유하는 것. (2) 현금 거래가 없는 공(空)매매⦆.
frée sáfety 〖미식축구〗 프리 세이프티⦅마크할 특정 상대 없이 필요에 따라 수비를 돕는 백⦆.
frée schóol 무료 학교; 자유 학교⦅전통적 교수법에 구애받지 않고 학생이 흥미 있는 과목을 자유로이 배우는⦆.
frée·shèet *n.* 무료 신문.
free·sia [fríːʒiə, -ziə] *n.* 〖식물〗 프리지어.
frée sílver 은화의 자유 주조.
frée sóil 〖미국사〗 (노예 금지의) 자유 지역.
frée-sóil *a.* 〖미국사〗 (노예 금지의) 자유 지역의.
frée spáce 〖전기 · 물리〗 자유 공간⦅중력 · 전자장(電磁場)이 없는 절대 영도(零度)의 공간⦆.
frée spéech 언론의 자유(freedom of speech).
frée spéecher ⦅미⦆ 언론의 자유 옹호의 선동 연설을 하는 학생.
Frée Spéech Mòvement 자유 언론 운동 ⦅1964년 California 대학(Berkeley)에서 일어난 반체제 운동의 효시⦆.
frée spírit 자유 분방한 사람.
frée-spóken *a.* 기탄없이 말하는, 숨김없이 말하는, 솔직한.
frée·stánding *a.* (담 · 계단 · 조각 등 외적 지지 구조를 갖지 않고) 그 자체의 독립 구조로 서 있는.
fréestánding ínsert (신문의) 별쇄 광고판(版)⦅일요판에 많음⦆.
Frée Státe 1 ⦅미⦆ (남북전쟁 전에 노예를 쓰지 않았던) 자유주(州). **2** =IRISH FREE STATE.
frée·stòne *a., n.* **1** 특별한 돌의 결이 없고 자유롭게 끊어낼 수 있는 (돌)⦅사암 · 석회석 따위⦆. **2** 씨가 잘 빠지는 (과실).
frée·stỳle *n., a.* (수영 · 스키 · 스케이트 · 레슬링에서) 자유형(의). ㊣ **frée·stỳler** *n.* 자유형 선수.
frée súrface 〖물리〗 자유 표면(수면).
frée-swímming *a.* 〖동물〗 자유 유영성(遊泳性)의.
frée-swínging *a.* 저돌적인, 앞뒤 따지지 않은; 구속받지 않은.
frée·thínker *n.* 자유사상가⦅특히 종교 문제를 합리적으로 고찰하며 교회의 권위를 무시하는⦆. ㊣ **-thínking** *n., a.* 자유사상(의).
frée thóught (특히 종교상의) 자유사상.
frée thrów 〖농구〗 자유투; 프리 스로⦅득점 1점⦆.
frée thrów làne 〖농구〗 프리 스로 레인.
frée tícket 무료 입장권; ⦅야구속어⦆ 4구.
Frée·town *n.* 프리타운⦅Sierra Leóne의 수도 · 항구 도시⦆.
frée tráde 자유 무역. OPP *protection.*
frée tráder 자유 무역주의자.
frée únion (남녀의) 동서(同棲).
frée univérsity (대학 내의) 자주(自主) 강좌, 자유 대학.
frée vérse 자유시(詩).
frée vóte 〖영의회〗 (당의 결정에 구속받지 않는) 자유 투표.
frée·wàre *n.* 〖컴퓨터〗 프리웨어⦅컴퓨터 통신망 등에서 배포되는 누구나 쓸 수 있는 소프트웨어⦆.
frée·wày *n.* **1** 프리웨이⦅교차로는 입체 교차로 로 하고 출입 제한이 된 다차선식(多車線式) 고속 도로⦆. **2** ⦅미⦆ 무료 간선 도로.
frée·whéel *n.* 자유륜(輪)⦅페달이나 동축(動軸)을 멈춰도 회전하는 자전거의 뒷바퀴⦆; (자동차의) 자유 회전 장치. ── *vi.* (동력을 멈추고) 타성으로 달리다; 자유롭게 행동하다. ── *a.* 자유륜의(을 사용하는); ⦅구어⦆ (사람이) 자유분방한; ⦅구어⦆ 제멋대로 지껄이는, 무책임한⦅언동⦆. ㊣ **~·er** ⦅미속어⦆ *n.* (독립독행의) 자유인; 낭비가.
frée·whéeling *a.* freewheel의(을 쓴); (구속 · 책임 등에) 구속당하지 않는, 자유분방한; ⦅미속어⦆ 활수하게 돈을 쓰는. ── *n.* freewheel 의 사용. ㊣ **~·ness** *n.*
frée wíll 자유 의지; 〖철학〗 자유 의지설.
frée·wíll *a.* 자유 의지의; 임의의, 자발적인.
frée·wòman (*pl.* **-wòmen**) *n.* freeman의 여성형.
Frée Wórld (the ~) 자유 세계, 자유 진영.
freeze [friːz] (**froze** [frouz]; **fro·zen** [fróuzən]) *vi.* **1** ⦅+副/+前+名⦆ 얼다, 동결(빙결)하다⦅*over*⦆; (물건 따위에) 얼어붙다⦅*to*⦆: The pond has *frozen over.* 연못은 온통 얼어붙었다/The automobile tires *froze to* the ground. 자동차 타이어가 지면에 얼어붙었다. **2** 〔비인칭의 it를 주어로〕 얼듯이 추워지다, 몹시 차지다; 얼어붙다: *It* is *freezing* tonight. 오늘 저녁은 굉장히 춥다. **3** ⦅~/+前+名⦆ (사람 · 동식물이) 얼어 죽다; (몸이) 어는 듯이 춥게 느끼다: I'm *freezing.* 추워서 몸이 얼어붙을 것 같다/~ *to* death 얼어 죽다. **4** 간담이 서늘하다, 등골이 오싹하다; 그 자리에서 꼼짝 못하게 되다: *Freeze!* You're under arrest! 꼼짝 마라, 너희를 체포한다. **5** 냉담해지다; (정열이) 식다. **6** ⦅+前+名⦆ (표정 등이) 굳다: His face *froze with* terror. 그의 얼굴은 공포로 굳어졌다. ── *vt.* **1** ⦅~+目/+目+副⦆ 얼게 하다, 빙결시키다; 얼어붙게 하다⦅*over*⦆: The river was *frozen over.* 강이 온통 얼어붙었다 **2** ⦅+目+前+名/+目+補⦆ 동상에 걸리게 하다; 얼려 죽이다: He was *frozen* dead. 그는 얼어 죽었다/The dog was *frozen to* death. 개는 얼어 죽었다. **3** …의 몸에 추위가 들게 하다. **4** …의 간담을 서늘케 하다, 오싹하게 하다. **5** ⦅+目+前+名⦆ (공포 따위로) 꼭 매달리게 하다: Fear *froze* her *to* (*onto*) the steering wheel. 공포로 그녀는 핸들에 꼭 매달렸다. **6** (고기 따위를) 냉동시키다. **7** (외국 자산 따위를) 동결하다, (은행 예금 따위를) 봉쇄하다; (물가 · 임금 따위를) 동결하다,

고정시키다; (자재의) 민간 사용을 제한하다; …의 제조〔사용·판매〕를 중지하다; 〖영화〗 (영상을) 한 장면에서 멈추다. **8** 〖의학〗 (신체의 일부를) 인공 동결법으로 무감각하게 하다. **9** 〖스포츠〗 약간의 리드를 지키기 위하여 추가 득점을 하려고는 않고 계속 유지하다.
~ ***out*** 《*vi.*+副》 ① (식물이 냉해로) 괴멸하다. ── 《*vt.*+副》 ② (몸이) 추위로 얼게 하다. ③ 《구어》 (냉대 등으로) 몰아내다《*of*》; 너무 추워 나가게 하다. ④ 《주로 미》 〔보통 수동태〕 (일을) 추위로 중지케 하다. ⑤ (아무를) 짐짓 무시하다. ~ ***over*** 《*vi.*+副》 ① 전면에 얼음이 얼다. ── 《*vt.*+副》 ② 전면에 얼음이 얼게 하다. ~ a person***'s blood*** 아무의 간담을 서늘케 하다. ~ (***on***) ***to*** 〔***onto***〕 《구어》 …에 꼭 매달리다; (생각 등에) 집착하다. ~ ***the balls off a brass monkey*** 《미속어·비어》 오라지게 춥다. ~ ***up*** 《*vt.*+副》 빙결시키다. ── 《*vi.*+副》 냉담해지다. ~ ***up on*** (진상 따위를) 숨기다. ~ a person ***with a frown*** 얼굴을 찡그려 아무의 기분을 망치다. (a port) ***frozen in*** 얼음에 갇힌 (항구). ***till*** 〔***until***〕 ***hell*** ~***s over*** 《속어》 언제까지나, 영원히.
── *n.* **1** 결빙(기), 서리 내림; 빙점하의 기상 상태, 엄한. **2** (자산·물가·임금 따위의) 동결, 붙박아 놓음. **3** (제조·판매 따위의) 정지. **4** 〖TV〗 프리즈《비디오테이프의 회전을 멈추고 한 영상을 화면에 고정시킴》. **5** 〖브레이크댄싱〗 프리즈《춤의 끝이나 구분 표시로 정지하는 자세》.

fréeze-drý *vt.* 동결 건조시키다.

fréeze-ètching *n.* 시료(試料)의 동결·절단에 의한 전자 현미경용 표본 작성법.

fréeze-fráctura *vt., vi.* (전자 현미경 표본 작성을 위해 시료(試料)를) 동결 파단(破斷)하다.

fréeze-fràme *n.* 〖영화〗 (움직이는 영상을 정지시키는) 스톱 모션; 〖TV〗 정지 화면.

fréeze-òut *n.* **1** 《미구어》 (냉대하여) 쫓아내기. **2** 〖카드놀이〗 포커의 일종《밑천이 떨어지면 차례대로 빠짐》.

◇**freez·er** [fríːzər] *n.* 결빙시키는 사람〔것〕; 아이스크림 제조기; 냉동 장치〔실·기·차〕, 프리저; 《미속어》 구치소, 교도소.

fréezer bàg 냉동용 폴리에틸렌 주머니.

fréezer bùrn 동결 변색《표면 수분 상실로 냉동식품에 나타나는 엷은 반점》.

fréeze-ùp *n.* 서리가 많이 내리는 기간, 엄한기(嚴寒期); 《미·Can.》 (겨울을 알리는 최초의) 결빙 (기간).

freez·ing [fríːziŋ] *a.* **1** 어는; 몹시 추운: a ~ rain 진눈깨비. **2** 냉동용의. **3** 냉담한; 등골이 오싹한 (듯한). ── *n.* 결빙, 냉동; 빙점. ── *ad.* 얼어붙듯: ~ cold. ㊀ ~**·ly** *ad.* 얼어붙듯; 차갑게.

fréezing drìzzle 언 이슬비.

fréezing pòint 어는점. OPP *boiling point.*

fréezing wòrks 《Austral.》 도살 냉동 공장.

frée zòne 자유항 지역.

F̍ règion 〖기상〗 (전리층의) F층.

⁑**freight** [freit] *n.* U **1** 화물, 선하(船荷). **2** 화물 운송: by ~ 보통 화물편으로. ★ 영국에서는 주로 수상·공중 운송을 말하며, 미국에서는 항공·육상·수상을 불문함. **3** 운송〔용선〕료: advanced ~ 운임 선불 / ~ forward 운임 선불로 / paid 〔prepaid〕 ~ 운임 지급필〔선불〕 / ~ free 운임 무료로. **4** C 컨테이너 화물 열차; 《미·Can.》 화물 열차(~ train). **5** 용선(傭船). **6** 무거운 짐, 부담; 비용. ── *vt.* **1** 《~+目/+目+前+名》 …에 화물을 싣다《*with*》: ~ a ship *with* coal 배에 석탄을 싣다. **2** 《+目+前+名》 출하하다; 수송하다: ~ goods *to* New York 뉴욕으로 화물을 보내다. **3** (운송선을) 빌리다. **4** (중책 따위를) …에게 지우다《*with*》. ㊀ ~**·age** [-idʒ] *n.* U = FREIGHT 1-3.

fréight càr 《미》 화차(《영》 goods waggon).

fréight èngine 《미》 화물 기관차.

fréight·er *n.* **1** 화물선, 수송기. **2** 화물 취급인; 운송업자. **3** 《미》 화차.

fréight fòrwarder 운송〔화물〕 취급인(人) (forwarder, forwarding agent).

fréight hòuse (철도의) 화물 창고.

fréight·lìner *n.* 《영》 컨테이너 열차.

fréight páss-through (출판사에서 서점에 주어지는) 서적 운송비 수당《서적의 가격에 포함되는 경우 소비자에 전가됨》.

fréight ràte 화물 운임률.

fréight tòn 〔**tònnage**〕 용적톤〔톤수〕.

fréight tràin 컨테이너 화물 열차; 《미》 화물 열차(《영》 goods train).

frem·i·tus [frémitəs] (*pl.* 《미》 ~***es,*** 《영》 ~) *n.* 〖의학〗 진탕음(震盪音).

⁑**French** [frentʃ] *a.* **1** 프랑스의; 프랑스인의; 프랑스풍의, 프랑스어의. **2** 프랑스인적인《특히 교양이 있는 점, 또는 약간 음란한 점》; 《비어》 구강성교의. ── *n.* **1** U 프랑스어. **2** 《완곡어》 심한〔천한〕 말《특히 excuse 〔pardon〕 my ~로서 쓰임》. **3** (the ~) 〔집합적〕 프랑스인〔국민·군〕. **4** 《속어》 펠라티오, 〔일반적〕 구강성교. ── *vt.* **1** (종종 f-) (갈비에서) 고기를 발라내다, 잘게 자르다. **2** 《속어》 (…에게) fellatio 〔cunnilingus〕를 하다. ㊀ ~**·ness** *n.*

Frénch Acádemy (the ~) 프랑스 학술원《1635년 프랑스어를 통제하고 그 순수성을 지키기 위하여 창립되어 40명의 학자·문필가들로 이루어져 있음》.

Frénch béan 《영》 강낭콩(kidney bean).

Frénch bóot 《미》 (주차 위반 차의 바퀴에 설치하여 발차 못 하게 하는) 바퀴 고정구.

Frénch bréad 바게트, 프랑스 빵《보통 가늘고 긺》.

Frénch Canádian 프랑스계 캐나다인.

Frénch chálk 활석 분필《재단용 초크》.

Frénch Commúnity (the ~) 프랑스 공동체《프랑스 본국을 중심으로 하여 해외의 구식민지를 포함한 연합체》. cf. French Union.

Frénch crícket 타자의 양다리를 기둥으로 삼는 약식 크리켓.

Frénch cúff 셔츠의 꺾어 접는 커프스.

Frénch cúrve 운형(雲形)자.

Frénch dóors = FRENCH WINDOWS.

Frénch dréssing 프렌치드레싱《올리브유·식초·소금·향료 따위로 만든 샐러드용 소스》.

Frénch fáct 《Can.》 Quebec 주에서의 프랑스어·프랑스 문화의 우위.

Frénch Fóreign Légion = FOREIGN LEGION.

Frénch frìed potátoes = FRENCH FRIES.

Frénch fríes 《미》 감자튀김《성냥개비처럼 썬》.

Frénch-frỳ *vt.* 많은 기름에 푹 담가 튀기다.

Frénch gráy 녹색을 띤 밝은 회색.

Frénch Guiána 프랑스령 기아나.

Frénch héel 프렌치 힐(굽이 휜 하이힐).

Frénch hórn 〖악기〗 프렌치 호른.

Frénch íce crèam 크림과 노른자위로 만든 커스터드.

French·i·fy [fréntʃəfài] *vt.* 프랑스풍으로 하다, 프랑스화하다; 프랑스 말투로 하다. ㊀ **Frènch·i·fi·cá·tion** *n.*

Frénch kíss 혀를 맞대고 깊숙이 하는 키스 (deep kiss).

Frénch kníckers 프랑스풍(風)의 니커보커스 바지.

Frénch knót 프렌치 매듭《바늘에 2회 이상 실을 감아 원래 구멍으로 뽑아 만든 장식 매듭》.

Frénch léave 인사 없이 떠나기; (빚 등을 안 고) 증발해 버리기: take ~ 살짝 자리를 뜨다.

Frénch létter 《영구어》 콘돔(condom).

Frénch lóaf =FRENCH BREAD.

*__French·man__ [fréntʃmən] (*pl.* ***-men*** [-mən]) *n.* **1** 프랑스인, 프랑스 남자. **2** 프랑스어를 하는 사람: be a good 〔bad〕 ~ 프랑스어를 잘하다〔서툴다〕. **3** 프랑스 배〔선박〕.

Frénch mústard 《영》 식초를 친 겨자.

Frénch pástry 프랑스풍 페이스트리《진한 크림이나 설탕 절임의 과일 등을 넣은 페이스트리》.

Frénch pólish 프랑스 니스, 셸락 니스칠《나무 부분을 광내는 데 씀》.

Frénch-pólish *vt.* 프랑스 니스를 칠하다.

Frénch Revolútion (the ~) 프랑스 혁명 《1789-99》.

Frénch Revolútionary cálendar 프랑스 혁명력(曆), 공화력.

Frénch róll 프랑스식 롤빵.

Frénch róof 프랑스식 지붕《이중 물매로 되어 「있음》.

Frénch séam 통솔《천의 솔기를 뒤집어 기워서 천의 끝이 보이지 않게 한 바느질》.

Frénch sỳstem 〖방적〗 프렌치 시스템(continental system)《소모사용(梳毛絲用)의 짧은 섬유를 다루는 방적법》.

Frénch télephone =HANDSET.

Frénch tíckler 《속어》 여성의 성감 자극을 위한 돌기물 등이 붙은 콘돔.

Frénch tóast 프렌치토스트《달걀과 우유를 섞은 것에 담가 살짝 구운 빵》.

Frénch Únion (the ~) 프랑스 연합(1946-58) 《French Community의 전신》.

Frénch wíndows 프랑스식 창《뜰·발코니로 통하는 좌우 여닫이의 유리창》.

◇**Frénch·wòman** (*pl.* ***-wòmen***) *n.* 프랑스 여 「자〔부인〕.

Frenchy [fréntʃi] (***French·i·er; -i·est***) 《구어》 *a.* 프랑스인〔풍〕의. **—** *n.* 프랑스 사람.

fre·net·ic [frənétik] *a.* 발광한; 열광적인(phrenetic). **—** *n.* 발광자. ㊞ **-i·cal** *a.* =frenetic. **-i·cal·ly** *ad.*

Freng·lish [fréŋgliʃ] *n., a.* 프랑스어가 섞인 영 「어(의).

fren·u·lum, frae·nu·lum [frénjələm], [frí:njə-] (*pl.* ***-la*** [-lə]) *n.* 〖해부〗 (음핵·포피·혀 등의) 소대(小帶); 〖동물〗 (해파리의 갓 등의) 계대(繫帶); 〖곤충〗 포자(抱刺)《나방 등의 앞·뒷날개의 연결 장치》.

fre·num, frae- [frí:nəm] (*pl.* **~*s*** [-z], ***-na*** [-nə]) *n.* 〖해부〗 =FRENULUM: a ~ of tongue 설소대(舌小帶).

fren·zied [frénzid] *a.* 열광한, 격앙한; 격노한.

◇**fren·zy** [frénzi] *vt.* (보통 *pp.*) 격앙시키다; 격노시키다: be *frenzied* with joy 기뻐 날뛰다. **—** *n.* Ⓤ 격앙, 난심(亂心), 광포; 열광. cf. fury, rage. ¶ drive a person *to* 〔*into*〕 ~ 아무를 격분시키다 / in the ~ of the moment 일시적인 격분에 의하여 / work oneself into a ~ 점차로 광란 상태가 되다.

Fre·on [frí:ɑn/-ɔn] *n.* 프레온(가스)《냉장고·에어컨의 냉매나 스프레이의 분무제 등에 씀; 상표명》. cf. chlorofluorocarbon.

freq. frequency; frequent(ly); frequentative.

fre·quence [frí:kwəns] *n.* 빈번, 빈발.

‡fre·quen·cy [frí:kwənsi] *n.* Ⓤ 자주 일어남, 빈번; Ⓒ (맥박 등의) 횟수, 도수, 빈도(수); 〖물리〗 진동수, 주파수; 〖수학·통계〗 도수: high 〔low〕 ~ 고〔저〕주파.

fréquency bànd 〖통신〗 주파수대(帶).

fréquency chàrt 〖미식축구〗 상대 팀의 전법 경향을 장면마다 종합한 표.

fréquency convèrter 〔**chànger**〕 「변환기. 주파수

fréquency dìscount 〖광고〗 (출고(出稿) 횟수에 의한) 요금 할인.

fréquency distribùtion 〖통계〗 도수분포.

fréquency modulátion 〖전자〗 주파수 변조 (방송)《생략: FM》. cf. amplitude modulation.

fréquency respònse 〖전자·공학〗 주파수 「응답〔특성〕.

‡fre·quent [frí:kwənt] *a.* **1** 자주 일어나는, 빈번한, 잦은, 횟수를 거듭하는, 여러 번의: ~ trips 잦은 여행 / a ~ occurrence 흔히 일어나는〔있는〕 일. **2** 상습적인, 언제나의: a ~ customer 단골 손님. **3** 신변에 몇 개라도 있는; 수많은. **4** 《영》 (맥박이) 빠른. **—** [frikwént, frí:kwənt] *vt.* **1** 종종 방문하다, …에 늘 출입하다: Tourists ~ the district. 관광객들이 항상 그 지방을 찾는다. **2** …에 항상 모이다: Frogs ~ the pond. 그 못에는 개구리가 많다. **3** …와 교제하다: I ~*ed* him in my youth. 젊어서는 그와 가깝게 사귀었다. ㊞ **fre·quen·ta·tion** [frì:kwentéiʃən] *n.* Ⓤ 빈번한 방문〔출입〕, 교제; 습관〔조직〕적 독서. **fre·quen·ta·tive** [fri:kwéntətiv] *n., a.* 〖문법〗 반복 동사(의). **fre·quent·er** [frikwéntər] *n.* 자주 가는 사람; 단골손님.

fréquent flíer (항공 회사의) 마일리지 서비스에 등록된 승객《탑승 거리의 누적 계산으로 무료 항공권의 제공이나 좌석의 그레이드업 등의 특전을 받음》.

fréquent-flíer prògram 상급 고객 보상 계획《항공사가 일정 비행 거리를 넘은 단골 고객에게 보상하는 제도》.

*__fre·quent·ly__ [frí:kwəntli] *ad.* 종종, 때때로, 빈번히. SYN. ⇨ OFTEN.

frère [frɛər] (*pl.* **~*s*** [—]) *n.* 《F.》 형제, 동포; (한 단체의) 단원, 동료; 수사(修士)(friar).

fres·co [fréskou] (*pl.* **~(*e*)*s***) *n.* Ⓤ 프레스코 화법《갓 바른 회벽 위에 수채로 그리는 화법》; Ⓒ 프레스코화. ***in*** **~** 프레스코 화법으로. **—** *vt.* 프레스코화로 그리다.

†**fresh** [freʃ] *a.* **1** 새로운, 갓 만들어진; (가지 등이) 갓 생긴, 싱싱한: ~ shoots 어린싹. SYN. ⇨ NEW. **2** 신선한; (공기가) 맑은, (시원하고) 상쾌한; (빛깔이) 선명한; (기억이) 생생한: ~ air 맑은 공기 / ~ paint 갓 칠한 페인트 / in the ~ air 집 밖에서. **3** 생기 있는, 기운찬, 건강한, 윤기 흐르는: a ~ complexion 생기 넘치는 안색 / be ~ *for* action 행동 개시에 있어서 의기 왕성하다. **4** 이제까지 없는, 신기한. **5** 새(로운), 신규의: put on ~ makeup 화장을 고쳐 하다 / make a ~ start 처음부터 새로 하다. **6** 새로 가입된, 추가의: ~ supplies 신입하(新入荷). **7** (최근) 갓 나온: a girl ~ *from* the country 시골에서 갓 올라온 소녀 / a young man ~ *from* 〔*out of*〕 college 대학을 갓 나온 청년. **8** 경험 없는: a ~ hand 풋〔신출〕내기 / green and ~ 애송이의, 풋내기의. **9** 소금기 없는: ~ water 맹물, 담수 / ~ butter 소금기 없는 버터. **10** 날, 생: ~ milk 생우유 / ~ meat 날고기 / ~ juice 생주스. **11** 《구어》 얼근한, 주기를 띤. **12** 《미속어》 건방진, 뻔뻔스러운《*with*》. **13** (암소가 새끼를 낳아) 젖이 나오게 된. **14** 〖기상〗 (바람이) 꽤 센, 질풍의. (***as***) **~ *as paint*** 〔***a rose***〕 = **~ *and fair*** 원기 왕성한. ***break*** **~ *ground*** 새 분야를 개척하다. ***Fresh paint !*** 《게시》 페인트칠 주의(Wet paint!). ***throw*** **~ *light on*** (a subject) (문제)에 새로운 해석을 내리다.

— *ad.* 《주로 복합어로》 새로, 새로이: ~-picked 갓 딴 / ~-caught 갓 잡은. **~ *out of*** 《미구어》 …이 동이 나서: ~ *out of* tomatoes 〔fund〕 토마토가 품절된〔자금이 동난〕 판에.

— *n.* **1** 초기《날·해·인생 등의》: in the ~ of the morning 이른 아침의 상쾌한 기분에. **2** 민물의 못〔샘, 시내〕. **3** 불어난 물, 증수. **4** 돌풍: a ~ of wind. **5** 《미구어》 신입생 (freshman).

— *vt., vi.* ~하게 하다〔되다〕《*up*》: back to the hotel to ~ oneself *up* 원기를 회복하러〔좀 쉬러〕 호텔로 돌아가다.

frésh áir *a.* (공기가 신선한) 집 밖의, 야외의; 속세를 떠난.

frésh·blówn *a.* 막 피어난.

frésh bréeze 시원한 산들바람; 〖해사·기상〗 흔들바람, 질풍《초속 9 m 내외》.

fresh·en [fréʃən] *vt., vi.* **1** 새롭게 하다〔되다〕. **2** 원기 왕성케 하다〔해지다〕《*up*》. **3** …의 염분을 빼다; 염분이 빠지다. **4** 〖해사〗 (바람이) 강해지다《*up*》. **5** 《미》 (소가) 젖이 또 나오게 되다, 새끼를 배다.

frésh·er *n.* 《영》 =FRESHMAN.

fresh·et [fréʃit] *n.* (큰비·눈 녹은 물로 인한) 큰물, 홍수; (바다로 흘러드는) 민물의 흐름.

frèsh-fáced [-t] *a.* (얼굴이) 젊고 생기 찬.

frésh gále 〖기상〗 큰바람, 질강풍(疾強風).

°**frésh·ly** *ad.* **1** 새로이. **2** 요즈음. **3** 상쾌하게. **4** 생생하게; (바람 따위가) 상당히 세게. **5** 《미속어》 뻔뻔스럽게.

***fresh·man** [fréʃmən] (*pl.* **-men** [-mən]) *n.* **1** (대학·《미》 고교의) 1년생; 신입생. [cf] sophomore, junior, senior. **2** 신입자, 신입 사원; 신출내기, 초심자. — *a.* ~의: ~ courses 1년생의 교과/This is my ~ year with the company. 회사에 취직하여 아직 1년이 안 됐다.

fréshman wèek (대학) 신입생의 예비 교육 주간.

***fresh·ness** [fréʃnis] *n.* [U] 새로움, 신선함, 발랄; 상쾌; 생생함.

frésh-rùn *a.* (연어 등이) 바다에서 강으로 갓 올라온.

frésh·wàter *a.* **1** 민물의, 민물산(産)의. **2** (민물 항행에만 익숙하고) 바다에 익숙하지 못한; 신출내기의, 미숙한. **3** 《미》 시골의; 이름 없는.

fréshwater péarl 담수(淡水) 진주.

Fres·nél mírrors [frənél-] 〖광학〗 프레넬 복경(複鏡)《빛의 간섭의 실험용》.

***fret**¹ [fret] (**-tt-**) *vt.* **1** 《~+[목]/+[목]+[전]+[명]/+[목]+[부]》 **a** 초조하게 하다, 안달나게 하다, 괴롭히다: His remarks ~*ted* her *to* irritation. 그의 말은 그녀를 초조하게 했다. **b** 〖~ oneself〗 초조해 하다, 괴로워하다《*about; over*》: You need not ~ your*self about* that. 그걸 가지고 끙끙 앓을 필요 없다. **c** (평생 등을) 안달복달하며 살다《*away; out*》: Don't ~ *away* your life. 안달복달하며 살아서는 안 된다. **2** (바람·비가) 침식하다, (녹이) 부식하다, (벌레가) …에 먹어 들어가다. **3** 《+[목]+[부]》 (심신·건강을) 해치다: ~ one's health *away* 건강을 해치다. **4** (바람이 수면에) 물결을 일으키다, 어지럽히다. — *vi.* **1** 《~/+[전]+[명]》 초조하다, 안달이 나다, 괴로워하다《*about*》; 슬퍼하다: Since her husband's death she has continually *been* ~*ting*. 남편의 사망 후 그녀는 줄곧 슬퍼했다/have nothing to ~ *about* 괴로워할 일은 아무것도 없다. **2** 《+[전]+[명]/+[부]》 부식하다〔되다〕, 침식하다〔되다〕; 물다, 깨물어 구멍을 내다: The horse ~*ted at* the bit. 말이 재갈을 물었다/Limestone slowly ~*s away*. 석회석은 서서히 침식된다. **3** 물결이 일다.

— *n.* **1** 안달, 초조, 불쾌; 번민: ~ of mind 마음의 초조/the ~ and fume of life 인생의 고뇌/in a 〔=on the〕 ~ 안달〔짜증〕이 나서. **2** 부식, 침식, 마멸.

[파] **frét·ter** *n.*

fret² 〖건축〗 *n.* **1** 돌림무늬, 뇌문(雷紋)(Greek ~). **2** 격자〔창살 모양〕 세공. — (**-tt-**) *vt.* 번개무늬로 장식하다; 격자로 〔창살 모양으로〕 하다.

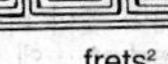

frets² 1

fret³ *n.* 〖악기〗 프렛《현악기의 지판을 구획하는 금속제의 돌기》; 기러기발, 금휘(琴徽). — (**-tt-**) *vt., vi.* …에 프렛을 달다; (악기의 현을) 프렛을 향하여 내리누르다.

°**fret·ful** [frétfəl] *a.* 초조한; 까다로운, 성마른, 불평이 많은; 물결 이는; (바람이) 돌풍성(性)인. [파] ~·**ly** *ad.* ~·**ness** *n.*

frét sàw 실톱.

frét·ted¹ [-id] *a.* 안달이 난; 부식된.

frét·ted² *a.* 돌림무늬〔세공〕의: a ~ ceiling 우물 천장.

frét·ted³ *a.* 기러기발이 있는《악기 따위》.

fret·ty¹ [fréti] (**-ti·er; -ti·est**) *a.* =FRETFUL.

fret·ty² *a.* 돌림무늬 모양의.

frét·wòrk *n.* [U] 돌림무늬 장식〔세공〕; (실톱 따위로) 도려내는 세공《완자무늬를》; 투조(透彫).

Freud [frɔid] *n.* **Sigmund** ~ 프로이트《오스트리아의 정신 분석학자·의학자; 1856–1939》.

Freud·i·an [frɔ́idiən] *a.* 프로이트의; 프로이트 학설의. — *n.* 프로이트 학설 신봉자.

Fréud·i·an·ìsm *n.* =FREUDISM.

Fréudian slìp 프로이트적(的) 실언(失言)《얼결에 본심을 나타낸 실언》.

Fréud·ism *n.* [U] 프로이트 학설.

Frey, Freyr [frei], [fréiər, fráiər] *n.* 〖북유럽신화〗 프레이르《평화·부(富)·결혼의 신》.

Freya, Frey·ja [fréiə], [fréijɑː] *n.* 〖북유럽신화〗 프레이야《사랑·미·결실의 여신》.

FRF 〖우주〗 flight readiness firing (예비 연소(燃燒)). **FRG** Federal Republic of Germany.

F.R.G.S. Fellow of the Royal Geographical Society. **Fri.** Friday.

frì·a·bil·i·ty *n.* [U] 부서지기 쉬움, 무름, 파쇄성(破碎性)(friableness).

fri·a·ble [fráiəbəl] *a.* 부서지기〔깨지기〕 쉬운, 가루가 되기 쉬운, 무른, 약한. [파] ~·**ness** *n.*

fri·ar [fráiər] *n.* 탁발 수사; 수사(修士); 〖인쇄〗 잉크가 잘 묻지 않아 희미한 곳. ***Austin*** 〔***Black, Gray, White***〕 ***Friars*** 아우구스티누스〔도미니코, 프란체스코, 카르멜〕 수도회의 수사(=Augustinians 〔Dominicans, Franciscans, Carmelites〕)《옷의 색깔로 구별》.

Fríar Mínor (*pl.* ***Fríars Mínor***) 〖가톨릭〗 프란체스코회 수사(Franciscan).

fríar's bálsam 안식향(安息香) 팅크.

fríar's lántern 도깨비불(ignis fatuus).

fri·ary [fráiəri] *n.* 수도원; 수사(修士) 단체. — *a.* 수사의; 수도원의.

F.R.I.B.A. Fellow of the Royal Institute of British Architects.

frib·ble [fríbəl] *a., n.* 쓸데없는 (짓을 하는 사람); 부질없는 (행위, 생각). — *vi.* 경망하게 굴다, 쓸데없는 짓을 하다. — *vt.* 《+[목]+[부]》 (시간 따위를) 허비하다《*away*》: ~ *away* one's money 돈을 낭비하다.

F.R.I.C. Fellow of the Royal Institute of Chemistry.

fric·an·deau, -do [fríkəndòu, ˋ-ˊ/ˊ-ˋ] (*pl.* **~s, ~x, -does** [-z]) *n.* 《F.》 프리캉도《삶은 송아지·칠면조 따위의 고기에 그 국물을 친 요리》.

fric·as·see [fríkəsìː] *n.* 《F.》 프리카세《닭·송아지 고기를 잘게 썰어 삶은 것에 그 국물을 친 요리》. — *vt.* 프리카세로 하다〔만들다〕.

fri·ca·tion [frikéiʃən] *n.* 〖음성〗 (마찰음·파찰(破擦)음 및 어두(語頭)의 파열음에 수반하는) 협착적인 기음(氣音).

fric·a·tive [fríkətiv] 〖음성〗 *a.* 마찰로 생기는, 마찰음의. — *n.* 마찰음(~ consonant)《[f, ʃ, θ, ʒ] 따위》.

F.R.I.C.S. Fellow of the Royal Institution of Chartered Surveyors.

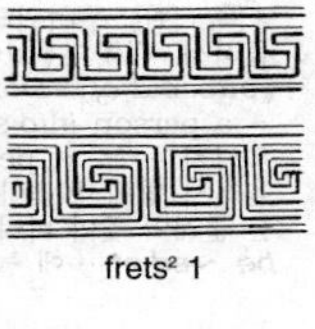

*__fric·tion__ [fríkʃən] *n.* Ⓤ **1** (두 물체의) 마찰. **2** 알력(軋轢), 불화. ㊐ **~·al** [-əl] *a.* 마찰의, 마찰로 움직이는, 마찰로 생기는: *~al* electricity 마찰 전기. **~·less** *a.* **~·less·ly** *ad.*

fríctional unemplóyment 마찰적 실업(《노동 시장이 불완전하여 생기는 일시적 실업》).

fríction clùtch 〖기계〗 마찰 클러치.

fríction còupling 〖기계〗 마찰 접합. 「(傳動).

fríction dríve 〖기계〗 마찰 구동(驅動), 마찰 전동

fríction gèaring 〖기계〗 마찰 전동 장치.

fric·tion·ize [fríkʃənàiz] *vt.* …에 마찰이 생기게 하다.

fríction màtch 딱성냥.

fríction tàpe 《미》 절연·보호용 점착 테이프 (《영》 insulating tape).

†__Fri·day__ [fráidei, -di] *n.* **1** 금요일(《생략: Fri.》). ⓒⓕ Black Friday, Good Friday. **2** 충실한 종(man ~)(《Robinson Crusoe의 충실한 종의 이름에서》). **—** *ad.* 《구어》 금요일에(on Friday). 「언제나」(on Fridays).

Fri·days [fráideiz, -diz] *ad.* 금요일마다〔에는

fridge [fridʒ] *n.* 《구어》 =REFRIGERATOR.

frídge-fréezer *n.* 냉동 냉장고.

fried [fraid] FRY[1]의 과거·과거분사. **—** *a.* **1** FRY[1] 된. **2** 《속어》 술 취한; 마약으로 멍해진. **3** 《미속어》 (기계가) 고장난; (사람이) 몹시 지친.

fríed·càke *n.* 《미》 Ⓤ,Ⓒ 튀김과자; 도넛.

fríed dóg 《미》 군만두(potsticker). 「통.

fríed égg 《미속어》 일본 국기; (*pl.*) 《속어》 젖

Fried·man [fríːdmən] *n.* **Milton ~** 프리드먼(《미국의 경제학자; 노벨 경제학상 수상(1976); 1912–2006》).

Fried·man·ite [fríːdmənàit] *n.* 프리드먼 이론 신봉자(《정부가 직접 통화 공급량을 조절함으로써 경제를 조정할 수 있다는》).

Fríed·mann ùniverse [fríːdmən-] 〖천문〗 프리드먼 우주(《big bang 우주 모델의 하나; 팽창이 극대에 이른 후 수축으로 옮김》).

†__friend__ [frend] *n.* **1** 벗, 친구, 동무: We are great 〔good〕 *~s.* 우리는 좋은 친구다/He is a ~ of mine. 그는 나의 친구다.

> SYN. **friend** 본래는 서로 알며 친근한 사이인 사람인데 때로는 약간 안면 있는 사람에게도 쓰임. **comrade** 학우·전우와 같이 개인적인 선택에 의하지 않는 '친구'이며 companion 보다는 친밀함이 강함. **companion** 항상 남과 동행하는 사람을 가리키나 우정은 내포되어 있지 않음. **pal**은 a pen pal처럼 '친구'의 속어. **associate** 일로 서로 맺어진 '벗'.

2 지지자, 후원자, 친절히 해주는 사람: He is no ~ *to* 〔*of*〕 peace. 그는 평화의 지지자가 아니다/He has been no ~ *to* me. 그는 나에게 친절히 해준 일이 없다. **3** 자기〔우리〕편, 아군(我軍). OPP *enemy, foe.* **4** 의지할 수 있는 것, 도움이 되는 것. **5** 동반자, 동행자; 시중드는 사람, 종자(從者). **6** (*pl.*) 근친, 육친. **7** (F-) 프렌드파 교도(Quaker). ***a ~ at*** 〔***in***〕 ***court*** 좋은 지위에 있는 친구, 좋은 연줄. ***be ~s with*** …와 친구다〔친하다〕. ***keep ~s with*** …와 친하게 지내고 있다. ***make a ~ of*** a person 아무와 친해지다, 친구가 되다. ***make ~s again*** 화해〔사화〕하다. ***make ~s of*** …을 자기편으로 삼다. ***make ~s with*** …와 친해지다. ***my*** (***good***) ***~*** 《호칭》 (여보게) 자네. ***my honorable ~*** 《영》 영국 하원 의원끼리 서로 부르는 호칭. ***my learned ~*** 법정에서 변호사 상호간에 부르는 호칭. ***the Society of Friends*** 프렌드 교회, 퀘이커파(Quakers).
— *vt.* 《고어·시어》 …을 돕다, 원조하다.

fríend·less *a.* 벗이 없는, 친지가 없는. ㊐ **~·ness** *n.* 「호의, 친밀.

friend·li·ness [fréndlinis] *n.* Ⓤ 우정, 친절,

‡__friend·ly__ [fréndli] *a.* **1** 친한, 우호적인: a ~ nation 우호 국가/a ~ game 〔match〕 친선 경기. SYN. ⇨FAMILIAR. **2** 친절한, 상냥한, 붙임성 있는: in a ~ way 호의적으로. **3** 지지하는, 도움이 되는; 자기 편의: a ~ force 우군/be on ~ terms with …와의 사이가 좋다. **4** 마음에 드는, 안성맞춤의, 쓸모 있는: ~ showers 단비. **—** *ad.* 친구처럼, 친절하게. **—** *n.* 우호적인 사람; 아군〔자기 편〕의 병사〔선박·비행기〕. ㊐ **fríend·li·ly** *ad.* 친구답게, 친절히; 우호적으로.

fríendly áction 〖법률〗 합의상의 소송.

fríendly fíre 〖군사〗 아군의 폭격〔포격, 사격〕, 아군에 대한 오발.

Fríendly Íslands (the ~) 프랜들리 제도.

fríendly léad (인보(隣保) 사업의) 공제 위안회(《빈민 구제 자금 모집을 목적으로 모임》).

Fríendly Socíety 《영》 공제 조합, 상호 부조회(benefit society).

fríend of the cóurt 〖법률〗 법정의 조언자.

Fríends of the Éarth 정부와 기업체에 환경보호를 권유하는 국제적인 기구.

‡__friend·ship__ [fréndʃip] *n.* Ⓤ,Ⓒ **1** 친구로서의 사귐, 우호; 친목, 친선. **2** 우정, 우호; 호의. **3** 교우 관계. ***form ~ with*** …와 친교를 맺다. ***Friendship 7*** 우정 7호(《미국 최초로 유인 궤도 비행을 한 인공위성; 1962년 2월 2일 Glenn, Jr. 중령이 탔음》). ***in ~*** 사이좋게.

fríendship prìce 우호가격(《석유·곡물 등 주요 물자에 대해 우호적으로 제공되는 할인 가격》).

frier ⇨FRYER. 「=FRISIAN.

Frie·sian, Frie·sic [fríːʒən], [-zik] *n., a.*

Fries·land [fríːzlənd] *n.* 프리슬란트(《네덜란드 북부의 주》).

frieze[1] [friːz] *n.* 〖건축〗 프리즈, 소벽(小壁)(《처마 복공과 평방(平枋) 사이의》); 띠 모양의 조각(을 한 부분); (관광객 등의) 행렬.

frieze[2] *n.* 두껍고 거친 외투용 모직물(《보통 한 쪽에만 털〔괴깔〕이 있음》). **—** *vt.* 괴깔을 세우다.

frig[1] [frig] (*-gg-*) *vi.* 《비어》 (여성과) 성교하다 (copulate) (《*with*》); =MASTURBATE. **—** *vt.* 야바위치다; =FUCK; =MASTURBATE. ***~ around*** 〔***about***〕 목적 없이 배회하다; 빈둥빈둥 시간을 보내다. ***~ off*** 가 버리다. 「TOR.

frig[2]**, frige** [fridʒ] *n.* 《영구어》 =REFRIGERA-

frig·ate [frígət] *n.* 프리깃함(艦)(《1750–1850 년경의 상중(上中) 두 갑판에 포를 장비한 목조 쾌속 범선》); 《영·Can.》 대잠(對潛)용 해상 호위함; 《미》 5,000–9,000톤급의 군함.

frígate bìrd 군함새(《열대산의 큰 바닷새》).

Frigg, Frig·ga [frig], [frígə] *n.* 〖북유럽신화〗 프리가(《하늘·구름·결혼과 가정의 여신》).

frig·ging [frígin, -giŋ] *a.* 《비어》 =FUCKING, DAMNED.

*__fright__ [frait] *n.* **1** Ⓤ,Ⓒ (심한) 공포, 경악: in a ~ 간담이 서늘하여, 깜짝 놀라/take ~ at …에 겁을 먹고 있다, …에 흠칫하다/give a person a ~ 사람을 몹시 놀라게 하다/have 〔get〕 a ~ 두려워하다. SYN. ⇨FEAR. **2** Ⓒ 기이하게 생긴 물건〔사람, 얼굴, 모양〕: She is a perfect ~. 그 여자는 꼭 도깨비 같다. **—** *vt.* 《시어》 =FRIGHTEN.

‡__fright·en__ [fráitn] *vt.* 《~+목/+목+전+명/+목+부》 두려워하게 하다, 흠칫 놀라게 하다; 을러서 내쫓다(《*away; off*》); 을러서 …시키다(《*into; out of*》): Don't ~ me. 놀라게 하지 마라/~ a person *into* submission 아무를 을러서 굴복시키다/~ a person *out of* a room 아무를 을러서 방에서 쫓아내다/~ a cat *away* 고양이를 놀래어 쫓아 버리다. **—** *vi.* 갑자기 무서워지다. ***be ~ed at*** …에 놀라다, …을 보고 기겁을 하다.

be ~ed of …을 무서워하다: Don't *be ~ed* (*of* the dog) — he won't bite. (개를) 무서워 마라 — 물지 않는다. ***be ~ed to death*** 놀라서 까무러칠 정도이다. [파] ***~ed*** *a.* 깜짝 놀란, 겁이 난; 무서워하는. [SYN.] ⇨ AFRAID.

fríght·en·er *n.* 《구어》 공갈 전문 깡패, 공갈꾼. ***put the ~s on*** a person 아무를 협박하다, 아무의 입을 봉하게 하다.

fríght·en·ing *a.* 무서운, 굉장한, 놀라운. [파] 「**~·ly** *ad.*

◇**fright·ful** [fráitfəl] *a.* **1** 무서운, 소름끼치는: a ~ sight 무서운 광경. **2** 굉장한, 대단한; 기괴한: a ~ bore 몹시 따분한 녀석. **3** 《구어》 불쾌한: have a ~ time 정말 불쾌하다. [파] **~·ly** *ad.* 무섭게, 몹시: *~ly* cold. **~·ness** *n.*

fríght wìg (배우나 광대가 쓰는) 깜짝 놀란 모양을 나타내기 위해 머리털을 세운 가발, 깜짝 가발; 《구어》 그와 비슷한 머리 모양.

◇**frig·id** [frídʒid] *a.* **1** 추운, 극한의, 혹한의. [cf.] temperate, torrid. **2** 냉담한, 쌀쌀한, 냉랭한: a ~ manner 냉정한 태도. **3** 형식적인; 무뚝뚝한, 딱딱한. **4** (여성이) 불감증인. [파] **~·ly** *ad.* 춥게, 차갑게; 냉담하게. **~·ness** *n.*

frig·i·dar·i·um [fridʒədέəriəm] (*pl.* ***-ia*** [-iə]) *n.* 【고대로마】 냉욕장(場). [cf.] caldarium.

fri·gid·i·ty [fridʒídəti] *n.* [U] 한랭; 냉담; 무기력, 활기 없음; (여성의) 불감증.

Frígid Zòne (the ~) 한대(寒帶).

frig·o·rif·ic [frìgərífik] *a.* 【물리】 냉각하는.

fri·jol, fri·jo·le [fríːhoul, -ˊ], [friːhóuli] (*pl.* ***fri·jo·les*** [fríːhoulz, friːhóuliz]) *n.* 《미남서부》 강낭콩의 일종《멕시코 요리에 쓰는》.

◇**frill** [fril] *n.* **1** 주름 달린 가두리 장식; 주름 장식. **2** (새·짐승의) 목털. **3** (*pl.*) 젠체함; 싸구려 장식품; 겉치레, 허식: put on (one's) ~*s* 잘난 체하다. **4** 【사진】 (화면 주변의) 주름. ***No ~s*** 첨가물 없음, 순수함《상품의 표시》. — *vi.* 주름지다; 가장자리에 주름이 지다; 【사진】 (화면 주변에) 주름이 지다. — *vt.* …에 가두리 장식을 달다; 가장자리에 장식을 달다. [파] **~ed** *a.* ~이 달린.

frill·ery [fríləri] *n.* [U,C] 주름잡기〔장식〕.

frill·ies [fríliz] *n. pl.* 《구어》 주름 장식이 달린 스커트〔페티코트〕.

frill·ing [fríliŋ] *n.* [U,C] =FRILL 1, 4.

frilly [fríli] (***frill·i·er; frill·i·est***) *a.* 주름 장식이 달린; 하찮은.

***fringe** [frindʒ] *n.* **1** 술; (스카프·숄 따위의) 술 장식. **2** 가장자리, 가, 외변. **3** (여성의) 이마에 드린 앞머리; (동식물의) 터부룩한 털. **4** (학문 등의) 초보적인 지식; (문제 따위의) 일단. **5** (경제·사회·정치 등의) 과격파 그룹, 주류 일탈파(主流逸脫派): ⇨LUNATIC FRINGE. **6** =FRINGE BENEFIT. **7** 【광학】 (빛의) 줄무늬《회절(回折) 따위로 인한》. — *vt.* …에 술을 달다; 테를 두르다. — *vi.* 술이 되다.

frínge àrea (도시) 주변 지역; 프린지 에어리어 《라디오·텔레비전의 시청 불량 지역》.

frínge bènefit 【노동】 부가 급부(給付)《본급 외의 유급 휴가·건강 보험·연금 따위》.

fringed *a.* 술 장식이 있는; 술 모양의 것이 있는.

frínge·lànd *n.* 변경(邊境), 외곽 지대.

fríng·er *n.* 《구어》 (정당·조직 내의) 과격론자, (사회에서의) 일탈자.

frínge ràting 주변 시간대 시청률.

frínge thèatre (**thèater**) 《영》 실험 극장〔연극〕.

frínge tíme 【TV】 골든 아워(prime time) 전후의 방송 시간대《미국에서는 오후 5-7시, 오후 11시-오전 1시》.

fríng·ing *n.* [U,C] 술 달기〔장식〕. — *a.* (술 모양으로) 테가 둘린.

frínging réef 거초(裾礁)《큰 바다의 섬이나 대륙 언저리의 얕은 바다에 발달한 산호초》.

fringy [fríndʒi] *a.* 술 (장식)이 있는; 술과 같은.

frip·pery [frípəri] *n.* [C] 값싸고 번지르르한 옷〔장식품, 물건〕; [U] (문장의) 허식; 시시한 수식문자; 겉치레, 점잔 빼.

Fris. Frisia; Frisian.

Fris·bee [frízbi] *n.* (원반던지기 놀이의) 플라스틱 원반《상표명》.

Fris·co [frískou] *n.* 《구어》 =SAN FRANCISCO.

fri·sé [frizéi] *n.* 프리제직(織)《일종의 융단지로 보풀을 자르지 않고 고리 모양으로 한 것》.

fri·sette, -zette [frizét] *n.* 《F.》 (여자의) 컬(curl)한 앞머리.

Fri·sian [fríːʒən] *a.* 프리슬란트(Friesland)의; 프리슬란트 사람〔말〕의. — *n.* 프리슬란트 사람〔말〕.

frisk [frisk] *vi.* 껑충껑충 뛰어 돌아다니다, 뛰놀다; 장난치다, 까불어 대다. — *vt.* 가볍게 흔들다; (몸을 더듬어) 소지품 검사를 하다; 《구어》 (옷 위로 몸을 더듬어) 물건을 훔치다. — *n.* 뛰어 돌아다님; 까붊; (옷 위로 몸을 더듬는) 몸수색. [파] **ˊ·er** *n.*

fris·ket [frískit] *n.* (인쇄기의) 종이 집게〔누르개〕; (사진판 등을 수정할 때 쓰는) 마스크.

frisky [fríski] (***frisk·i·er; -i·est***) *a.* 뛰어 돌아다니는; 장난치는, 까부는; 쾌활한; (말이) 놀라기 잘하는. [파] **frísk·i·ly** *ad.* **frísk·i·ness** *n.*

fris·son [friːsɔ̃ːŋ] (*pl.* **~s** [-z]) *n.* 《F.》 두근두근하는 것, 전율, 스릴.

frit, fritt [frit] *n.* 유리 원료의 혼합물; 유리질 도자기 원료. — (***-tt-***) *vt.* (유리 원료를) 녹이다; 유리 원료로 화(化)하다.

frít flỳ 일종의 작은 파리《밀의 해충》.

frith [friθ] *n.* 좁은 내포(內浦); 강어귀(firth).

frit·il·lary [frítəlèri/fritíləri] *n.* 【식물】 패모속(貝母屬)의 식물; 【곤충】 표범나비.

frit·ter[1] [frítər] *vt.* **1** (시간·정력 등을) 조금씩 허비하다, 찔끔찔끔 낭비하다《*away*》. **2** 잘게 자르다〔찢다〕, 산산조각내다. — *n.* 가는 조각, 단편(斷片).

frit·ter[2] *n.* (보통 *pl.*) 살코기·과일 등을 넣은 일종의 튀김: apple ~*s* 사과 튀김 / oyster ~*s* 굴 튀김.

Fritz [frits] *n.* **1** 프리츠《남자 이름; Friedrich의 애칭》. **2** 《경멸》 독일 사람〔병정〕《영국 사람은 John Bull》.

fritz *n.* 〔다음의 관용구로〕 ***on the ~*** 《미속어》 고장이 나서. — *vt.* 《미속어》 고장 내다. — *vi.* 《미속어》 고장 나다《*out*》.

friv·ol [frívəl] (***-l-,*** 《영》 ***-ll-***) 《구어》 *vt.* 헛되게 하다, 낭비하다《*away*》. — *vi.* 부질없이 지내다, 허송세월하다; 쓸데없는 짓을 하다.

◇**fri·vol·i·ty** [friváləti/-vɔ́l-] *n.* [U] 천박, 경솔; [C] 쓸데없는 일; 부질없는 행위〔생각〕.

***friv·o·lous** [frívələs] *a.* 경솔한, 들뜬; 하찮은, 보잘것없는, 시시한; 바보 같은. [파] **~·ly** *ad.* **~·ness** *n.*

frizette ⇨FRISETTE.

frizz[1], **friz** [friz] (*pl.* ***fríz·(z)es***) *n.* 곱슬곱슬한 것〔털〕, 고수머리. — *vt., vi.* 곱슬곱슬하게 하다, (머리를) 지지다; 곱슬곱슬해지다; 보풀을 일으키다, 괴깔을 세우다.

frizz[2] *vi.* 지글거리다《기름에 튀길 때》.

friz·zle[1] [frízl] *n.* 고수머리, 지진 머리, 곱슬곱슬한 털, 컬. — *vt., vi.* 지지다, 곱슬곱슬하게 하다; 곱슬곱슬해지다《*up*》.

friz·zle[2] *vt.* (고기 등을) 지글지글 소리 내며 기름에 튀기다〔굽다〕, (베이컨 등을) 바삭바삭하도록 튀기다〔볶다〕. — *vi.* (고기·베이컨 등이) 지글지글 소리 내며 튀겨지다.

fríz·zling *a.* 지글지글 타는; 염열의.

friz·zly, friz·zy [frízli], [frízi] *a.* 곱슬곱슬한 (털의); 곱슬머리의.

Frl. *Fräulein* 《G.》 (=Miss). **FRM** fiber reinforced metal (섬유 강화 금속). **FRN** floating rate note.

Fro [frou] *n.* 《미》 =AFRO.

fro *ad.* 저쪽으로. 〖다음의 관용구로〗 ***to and*** ~ 이리저리(로), 앞뒤로.

'fro [frou] (*pl.* ***'fros***) *ad., n.* 《구어》 =AFRO.

°**frock** [frak/frɔk] *n.* **1** 여성복《상하가 붙은 원피스》, 드레스; (실내용) 아동복. **2** 성직자의 옷; (the ~) 성직. **3** (농부·노동자 등의) 일옷, 작업복. **4** 프록코트; 프록코트형 군복. — *vt.* **1** …에 프록을 입히다. **2** 성직에 취임케 하다. 「자용 예복」.

frock coat

fróck còat 프록코트《남

froe [frou] *n.* 끌의 일종 《쐐기 모양의 날과 자루가 직각을 이룸》.

Froe·bel, Frö- [fréibəl, frə́ː-] *n.* **Friedrich** ~ 프뢰벨《독일 교육가; 유치원 창시자; 1782-1852》. [파] **~·ism** *n.*

Fróebel sỳstem 프뢰벨식 교육법《유치원을 활용하는 방식》.

*__frog__[1] [frɔːg, frag/frɔg] *n.* **1** 개구리: an edible ~ 식용 개구리. **2** (F-) 《구어·경멸》 프랑스인 《개구리를 식용으로 함을 경멸하여》; 《미속어》 불쾌한〔같잖은〕 녀석, 지겨운〔고루한〕 녀석. **3** (말의) 제차(蹄叉)《개구리 모양을 닮은 말굽 중앙의 연갑(軟甲)》. **4** 〖철도〗 (교차점의) 철차(轍叉)《발가락을 벌린 개구리의 뒷발을 닮았음》. **5** (꽃꽂이의) 침봉(針峰). **6** 《미속어》 1 달러 지폐 (frogskin). **7** 《구어》 쉰 목소리. **8** 《미속어》 **a** (컴퓨터 프로그램 등에 대해) 흠이 있는 것, 산뜻하지 못한 것. **b** (사람이) 맹추 같은 놈. **9** 《금융속어》 발행인에게 돌아온 어음. ***a big ~ in a small pond*** 《구어》 작은 집단〔조직〕 속의 큰 인물. ***a little*** 〔***a small***〕 ***~ in a big pond*** 대조직〔집단〕 속의 초라한 개인. ***have a ~ in the*** 〔**one's**〕 ***throat*** 《구어》 목이 쉬었다; 목에 가래가 끓고 있다. — (***-gg-***) *vi.* 개구리를 잡다〔찾다〕. [파] **~·lìke** *a.*

frog[2] *n.* **1** (군복·여성복 따위의 가슴팍의 장식끈을 채우는) 장식 단추, 옷의 가슴 장식; (군복의) 늑골(肋骨) 모양의 장식. **2** 칼꽂이, (혁대의) 고리. [파] **~ged** *a.* 프로그가 달린, 장식 단추로 채운.

frog² 1

fróg·èye *n.* 〖식물〗 (병으로 인한) 이파리의 반점.

fróg·fish *n.* 〖어류〗 아귀류.

frog·gy [frɔ́ːgi, frági/frɔ́gi] (***-gi·er; -gi·est***) *a.* 개구리의〔가 많은〕; 차가운, 냉담한; (F-) 《경멸》 프랑스(인)의; 《미속어》 불만스러운. — *n.* 《소아어》 개구리; (F-) 《경멸》 프랑스인.

fróg hàir 《미속어》 정치 자금〔헌금〕.

fróg·hòpper *n.* 〖곤충〗 (좀매밋과(科)의) 곤충.

fróg kìck 〖수영〗 개구리차기.

fróg·man [-mæ̀n, -mən] (*pl.* ***-men*** [-mèn, -mən]) *n.* 잠수부, 잠수 공작원〔병〕.

fróg-màrch, fróg's- *vt., n.* 저항하는 포로·죄수 등을 엎어놓고 네 사람이 팔다리를 붙들고 나르다〔나르기〕; 뒤로 결박하고 걷게 하다〔함〕; 《일반적》 억지로 걷게 하다〔함〕.

fróg·skìn *n.* 《미속어》 1 달러 지폐.

fróg spàwn 개구리 알; 〖식물〗 민물말.

fróg spìt 〔**spìttle**〕 〖곤충〗 (거품벌레가 만든) 거품(cuckoo spit); 〖식물〗 (민물에 덩어리로 뜬) 녹조류의 말.

frol·ic [frálik/frɔ́l-] (***-ck-***) *vi.* 들떠서 떠들다, 야단법석 떨다; 장난치다. — *n.* 장난(침), 들떠서 떠들어 댐, 야단법석; 유쾌한 모임. — *a.* 《고어·시어》 =frolicsome. [파] **~·some** [-səm] *a.* 장난치는, 들뜬 기분의, 신바람난.

†**from** ⇨ 《p. 1011》 FROM.

fro·mage [frɔːmáːʒ/frɔ-] *n.* 《F.》 치즈 「(cheese).

fro·men·ty [fróumənti] *n.* =FRUMENTY.

Fromm [fram/frɔm] *n.* **Erich** ~ 프롬《독일 태생의 미국의 정신 분석학자; 1900-80》.

frond [frand/frɔnd] *n.* (양치(羊齒)·해초 등의) 잎; 〖식물〗 엽상체(葉狀體). [파] **∠·age** [-idʒ] *n.* 〖집합적〗 (양치류의) 잎. **∠·ed** *a.*

fron·des·cence [frandésns/frɔn-] *n.* 발엽(發葉) 상태〔시기〕. [파] **fron·dés·cent** *a.*

fron·dose [frándous/frɔ́n-] *a.* 엽상(체)의.

†**front** [frʌnt] *n.* **1** (the ~) 앞, 정면, 앞면; (문제 따위의) 표면; (건물의) 정면, 앞쪽: the west ~ of a building 건물의 서쪽면 / sit in 〔at〕 the ~ of the class 클래스의 맨 앞자리에 앉다. **2** 바다〔호수, 강, 도로 등〕에 면한 장소; (the ~) 바닷가〔호숫가〕의 산책길. **3** 앞 부분에 붙인 것; (여자의) 앞머리 가발, (와이셔츠의) 가슴판, 넥타이. **4** 이마; 얼굴, 용모. **5** (a ~) 태도; 침착함, 뻔뻔함: a cool ~ 침착한 태도 / show 〔present, put on〕 a bold ~ on …에 대담한 태도를 보이다. **6** 《구어》 겉치레; 뒤넘스러움; 풍채, 모양새: put on a ~ 겉치레하다 / keep up a ~ 체면을 유지하다. **7** 《구어》 표면상의 간판, 명목상의 두목, 미끼. **8** 〖군사〗 전선(前線), 전선(戰線); (대열의) 방향: go to the ~ 전선에 나가다 / form a united ~ against …에 대해 공동 전선을 펴다. **9** 〖기상〗 전선(前線); 〖정치〗 전선(戰線): a cold ~ 한랭 전선 / the popular ~ 인민 전선. **10** 〖연극〗 (the ~) (극장의) 객석. **11** (위장한) 대기소, 은신처. ***at the*** ~ 싸움터에 가 있는, 출정 중의; (문제 따위가) 표면에 나타나서. ***change*** ~ 〖군사〗 방향을 바꾸다; 방침을 바꾸다. ***come to the*** ~ 정면에 나타나다, 뚜렷해지다. ~ ***and rear*** 〖부사적〗 앞뒤를, 앞뒤 양면에서. ~ ***of*** 《속어》 =in ~ of. ***get in ~ of oneself*** 《미구어》 서두르다. ***have the ~ to*** do 뻔뻔스럽게도 …하다. ***head and*** ~ 주요부. ***in*** ~ 전방에; 사람 눈에 띄는 곳에: Sit down, you *in ~!* 앞쪽에 있는 친구, 앉아. ***in ~ of*** ① …의 앞에. [opp] *at the* BACK *of.* ¶ She stood just *in ~ of* me. 그녀는 내 바로 앞에 섰다. ② 입구 밖에서. ③ …의 면전에서. (be attacked) ***in the ~ and in the rear*** 앞뒤로부터《공격을 받다》. ***out*** ~ ① 청중〔관객〕 중에. ② (다른 경쟁자에) 앞서. ③ 앞에, 현관 앞에. ***up*** ~ 〖군사〗 전선에; 《구어》 활동 전선에(서), 〖명사적〗 (기업의) 관리 부문; 《미구어》 미리, 《특히》 선금으로; 《미구어》 솔직히; 《구어》 〖경기〗 전위(前衛)에서, 상대방 코트에; 《미구어》 드러나.

— *a.* **1** 정면의, 전면의: a ~ wheel 앞바퀴 / the ~ hall 《미》 현관의 홀, (호텔의) 프런트. **2** 맨 앞의. **3** 중요한, 현저한. **4** 〖음성〗 전설(前舌)(음)의. **5** 〖골프〗 전반의《처음의 9홀》. ★ 비교급은 때로 fronter.

— *ad.* 정면에〔으로〕.

— *vi.* 《+[전]+[명]/+[부]》 면하다; 〖군사〗 정면으로 향하다: The house *~s on* the sea. 집은 바다로 향해 있다 / *Front round* and stand still. 돌아서 정면을 바라보고 움직이지 마시오. — *vt.* **1**

from

전적으로 전치사로 쓰인다. 다른 전치사들처럼 부사로도 쓰이는 일이 없다. 특히 부사 또는 다른 전치사가 이끄는 부사구 앞에 올 수 있다는 점은 주목할 만한 특징이다(⇨ 14).

from [frʌm, frɑm, 약 frəm/frɔm, 약 frəm] *prep.* …에서, …로부터; …로. **1** 〖기점〗 **a** 〖출발·행동·이동의〗: jump down ~ a wall 담(장)에서 뛰어내리다 / travel ~ Seoul to New York 서울에서 뉴욕까지 여행하다 / Bees fly ~ flower to flower. 꿀벌은 꽃에서 꽃으로 날아다닌다 《to의 앞뒤가 같은 명사 또는 밀접히 관련된 명사일 때에는, 보통 관사를 안 붙임. 같은 예: *from time to time, from person to person, from head to foot*》. **b** 〖변화·추이의〗: translate ~ English *to* Korean 영어에서 한국어로 번역하다 / He changed ~ a shy person into quite a politician. 그는 수줍은 인간에서 어엿한 정치가로 변신했다 / Things are going ~ bad to worse. 사태는 점점 악화되어 가고 있다 / *From* (be*ing*) boys they became men. 그들은 소년에서 어른으로 변했다. **c** 〖때·시간·공간의〗: ~ childhood 〔a child〕 어릴 적부터 / ~ Monday to Saturday 월요일부터 토요일까지 《《미》에서는 종종 from을 생략하고 Monday through Saturday라고 함》 / We stayed there ~ May to 〔till, until〕 July. 우리는 5월부터 7월까지 그곳에 머물렀다 / I'll be on holiday ~ August 1 (onward). 8월 1일부터 휴가입니다 / The shop will be open ~ 9 o'clock. 그 가게는 아홉 시에 개점한다(start, begin, commence 따위 '시작'의 뜻인 동사에서는 from은 쓸 수 없음: School begins at 〔ˣfrom〕 9 o'clock. 수업은 9시에〔부터〕 시작된다) / The Rocky Mountains extend ~ the United States into Canada. 로키산맥은 미합중국에서 캐나다까지 뻗쳐 있다 / How far is it ~ here to the station? 여기서 정거장까지 얼마나 됩니까.

2 〖떨어져 있음·없음·쉼〗: rest ~ work 일손을 쉬다 / live apart ~ one's family 가족과 별거하다 / He is away ~ home. 그는 집에 없다 / The town is ten miles (away) ~ the coast. 그 시는 해안에서 10마일 떨어져〔되는 곳에〕 있다 / The house is back ~ the road. 집은 길에서 들어간 곳에 있다 / I am far ~ blaming you. 자네를 비난할 마음 따위는 추호도 없네.

3 〖분리·제거·방어·방지·제지〗: expel an invader ~ a country 침입자를 국외로 쫓아 버리다 / be free ~ care 걱정이 없다 / save a child ~ drowning 아이가 물에 빠진 것을 구하다 / take the knife (away) ~ the boy 소년에게서 칼을 빼앗다 / keep a secret ~ others 비밀을 남에게 말하지 않다 / If you take 〔subtract〕 3 ~ 10, 7 remains. =3 ~ 10 is 〔leaves〕 7. 10에서 3을 빼면 7(이 남는다).

4 〖격리·해방·면제〗: release a person ~ prison 아무를 교도소에서 석방하다 / We are safe ~ the rain here. 여기면 비에 젖지 않는다 / be excused ~ jury duty 배심원의 의무가 면제되다.

5 〖제한·억제〗 〖do*ing*을 수반하여〗: I can't refrain 〔keep (myself)〕 ~ laugh*ing*. 웃지 않을 수 없다 / What hindered 〔prevented, stopped〕 you ~ com*ing*? (무엇에 걸려 못 왔는가 →) 무엇 때문에 못 왔는가.

6 〖수량·가격·종류〗: Count ~ 1 to 10. 1에서 10까지 세시오 / We have cheese(s) ~ $3 per pound. 당점(當店)에서는 치즈는 파운드당 3달러인 것부터 있습니다 / There were ~ 50 to 60 present. 50명에서 60명 가량이 참석해 있었다 / The journey should take us ~ two to three hours. 여행은 2-3시간 걸릴 게다(이처럼 from ... to — 전체가 하나의 수사처럼 취급되어 명사를 수식할 때가 있음).

7 〖보내〔오〕는 사람·발송인〗: a letter ~ Bill to his wife 빌로부터 아내 앞으로 보낸 편지 / We had a visit ~ our aunt yesterday. 어제 숙모의 방문이 있었다.

8 〖출처·기원·유래〗: light ~ the sun 태양광선 / passages (quoted) ~ Shakespeare 셰익스피어로부터의 인용구 / draw a conclusion ~ the facts 사실로부터 결론을 끌어내다 / They obtained rock samples ~ the moon. 암석 표본을 달에서 채집해 왔다 / Where are you ~?— I'm ~ Gwangju. 어디 출신입니까 — 광주 출신입니다 / Where do you come ~? 어디 출신입니까 《비교: Where did you come ~? '어디서 왔는가'의 뜻》 / These grapes come 〔are〕 ~ France. 이 포도는 프랑스산이다.

9 〖모범·본뜸〗: Did you paint the picture ~ nature? 이 그림은 사생(寫生)한 것입니까 / The portrait has been painted ~ life. 초상화는 실물을 모델로 해서 그려졌다.

10 〖관점·근거〗: ~ the political point of view 정치적(인) 견지에서 (보아) / speak ~ experience 〔memory〕 경험에 의해서〔기억을 더듬어〕 이야기하다 / *From* 〔Judging ~〕 the evidence, he must be guilty. 그 증거로 보아 그는 유죄임에 틀림없다 / *From* what I heard, he is to blame. 들어 보니 그가 나쁘다.

11 〖원인·이유·동기〗: shiver ~ cold 추위로 떨다 / suffer ~ gout 통풍을 앓다 / act ~ a sense of duty 의무감에서 행동하다 / die ~ a wound 부상으로 죽다 / I did that ~ necessity. 필요해서 그걸 했다.

12 〖구별·차이〗: know 〔tell〕 right ~ wrong 옳고 그름을 판별하다 / be of an opinion different ~ one's father's 부친의 의견과 다르다 / Taste differs 〔varies〕 ~ person to person. 취미〔기호(嗜好)〕는 각인각양.

13 〖원료·재료〗: make chemical fibers ~ petroleum 석유에서 화학 섬유를 만들다 / Wine is made ~ grapes. 포도주는 포도로 만들어진다.

> NOTE **be made from**과 **be made of** (1) 전자는 원료가 그 형태나 질이 바뀌어 제품으로 된 것이지만, 후자에선 재료가 그대로의 형태로 제품 중에 쓰인 것일 때: That bridge is made *of* steel. 저 다리는 강철로 돼 있다. (2) 일부의 재료는 **with**로 나타낼 때도 있음: You make a cake *with* eggs. 달걀로 케이크를 만든다.

14 〖부사(구)의 앞에서〗: ~ below 아래쪽에서 / ~ within 내부로부터 / ~ far and near 원근 각처에서 / ~ thence 〔hence〕 《시어》 거기〔여기〕서부터 / come ~ beyond the mountains 산을 넘어서 오다 / speak ~ under the bedclothes 잠자리에서 이야기하다 / message ~ over the sea 해외로부터의 통신 / ~ above 〔below, afar〕 위〔아래, 멀리〕로부터 / ~ behind the door 문 뒤에서 / Choose a book ~ among these. 이 중에서 책 한 권을 골라라.

across (—) ~ ..., (—을 격하여) …의 저편(저쪽)에: I sat *across* (the table) ~ him. 나는 (테이블을 끼고) 그의 맞은편에 앉았다. ★ the table 따위가 없을 때에는 문맥으로 보아 사이에 끼어 있는 것이 시사됨. ***as*** ~ ⇨AS¹. ~ ***off ...*** 《아어》 …부터(from). ~ ***one day*** 〔***minute, hour,*** etc.〕 ***to another*** 〔***the next***〕 그때그때에 따라《어찌 될지 모름》. ~ ***out*** (***of***) …로부터《out of의 강조형》. ***... week***(***s***) 〔***month***(***s***), ***year***(***s***)〕 ~ ***today*** 〔***tomorrow,*** etc.〕 오늘〔내일 (등)〕부터 …주간〔개월, 해〕 지난 때에; …주일〔개월, 년〕 후의 오늘〔내일 (등)〕: I'll see you three *weeks* 〔*months*〕 ~ *tomorrow*. 3주일〔3개월〕 후의 내일 만나뵙지요/He'll be a Father 5 years ~ now. 그는 5년 뒤에나 신부가 될 것이다. ~ ***under*** 《미구어》 궁지〔역경〕에서: get ~ *under* 궁지를 벗어나다.

…에 면하다: The villa ~*s* the lake. 별장은 호수 쪽을 향하고 있다. **2** …에 대치〔대항〕하다. **3** 《~+목/+목+전+명》 …에 앞면을 붙이다〔대다〕《*with*》: ~ a building *with* marble 건물 전면에 대리석을 붙이다. **4** …의 정면〔전면〕이 되다.

front. frontispiece.

front·age [frʌ́ntidʒ] *n.* **1** 집의 정면; 전면(前面)의 폭, 횡간(橫間); (건물의) 방향; 전망. **2** 길·하천 등에 면한 공지; 집 앞의 빈터, 정면 공지(正面空地)《길·하천 따위와 집의 앞면 사이의 땅》. **3** (군대의) 숙영 용지.

fróntage ròad 《미》 측면 도로(service road)《고속도로 등과 평행하게 만든 연락 도로》.

fron·tal [frʌ́ntl] *a.* 앞(쪽)의, 정면의; 이마의, 앞이마 부분의; 〖기상〗 전선(前線)의: a ~ assault 〖군사〗 정면 공격. **—** *n.* (앞)이마뼈; 이마에 대는 물건; 제단 전면의 휘장; 〖건축〗 (집의) 정면.

fróntal bóne 〖해부〗 전두골(前頭骨).

fron·tal·i·ty [frʌntǽləti] *n.* 정면성(正面性)《(1) 조각의 경우, 상(像)이 정면을 향하고 수직 중심선을 축으로 좌우가 대칭적으로 원근법 없이 표현되는 것. (2) 회화에서는 대상이 속하는 평면이 화면과 평행하도록 묘사하는 것》.

fróntal lóbe 〖해부〗 (대뇌의) 전두엽(前頭葉).

fróntal lobótomy 〖외과〗 전두엽 절제술.

fróntal sýstem 〖기상〗 전선계(前線系)《천기도에 나타난 일련의 전선 형태·종류》.

frónt-back cháin 〖브레이크댄스〗 기차놀이처럼 뒤에서 앞사람의 팔굽을 잡고 움직이는 춤.

frónt bénch (the ~) 《영》 하원의 정면석《여당 및 제1야당 간부의 좌석》.

frónt·béncher 《영》 front bench에 앉는 여당 또는 야당의 간부.

frónt búrner 레인지의 앞의 버너〔화구〕. ***on the*** 〔one's〕 ~ 최우선 사항으로, 최대 관심사로.

frónt còurt 〖농구〗 프런트 코트《상대방 코트》.

frónt désk (호텔 등의) 접수대, 프런트.

frónt dóor 정면 현관의 입구《길에 면하지 않은》; 합법적 수단, 정규 절차; 《미속어》 〖집합적〗 (서커스 연기자에 대하여) 사무〔관리〕 담당 직원; 《CB속어》 개인용 주파수대 라디오를 장비한 행렬의 선두 차.

frónt édge =FORE EDGE.

frónt énd 〖전자〗 프런트 엔드《안테나로부터의 전파를 선택 증폭하여 중간 주파수로 바꾸는 부분으로, 고주파 증폭 회로, 동조 회로, 국부 발신 회로, 믹서를 총칭한 통칭》.

frónt-ènd *a.* 기획 실행 단계에서 준비되는, 선불(先拂)용의; 《미속어》 (카니발 회장(會場) 등에서) 중앙 통로의 정면 입구에서 가까운 곳의; 〖전자〗 앞 공정(工程)의.

frónt-end bónus 촉망되는 사람의 스카우트 방지를 위해 특별히 지급되는 보너스.

frónt-end lóad (증권의) 먼저 떼는 수수료.

frónt-énd pròcessor 〖컴퓨터〗 전위 처리기.

fron·ten·is [frʌnténis, frɑn-/frʌn-] *n.* 3벽면 코트에서 하는 멕시코 기원의 일종의 테니스.

frónt fòot (피트로 잰 땅의) 정면의 폭(foot front).

frónt fóur 〖미식축구〗 프런트 포《좌우의 tackle과 end가 이루는 수비 라인의 최전선》.

frónt gróup (세인을 속이기 위한) 표면상의 조직〔단체〕.

‡fron·tier [frʌntíər, frɑn-, ´-/frʌ́ntiə] *n.* **1** 국경, 국경 지방; (*pl.*) 국내, 영역(내). SYN. ⇨BORDER. **2** 《미》 변경《개척지와 미개척지와의 경계 지방》. **3** (지식·학문 등의) 미개척 영역: the ~*s* of science 과학의 미개척 분야. **—** *a.* 국경의, 변경의.

fróntier ìndustry =PIONEERING INDUSTRY.

fróntier órbital thèory 〖화학〗 프런티어(경계) 전자 궤도 이론.

fron·tiers·man [frʌntíərzmən, frɑn-/frʌ́ntiəz-] (*pl.* ***-men*** [-mən]) *n.* 국경 지방의 주민; 《미》 변경 개척자.

frontíer spírit 개척자 정신《미국 국민성의 한 특성》.

fron·tis·piece [frʌ́ntispiːs] *n.* **1** 권두(卷頭) 그림; (책의) 속표지. **2** 〖건축〗 정면; 장식을 한 (정면의 입구); 입구 상부의 합각(合閣) 머리. **3** 정면; 《권투속어》 얼굴, 안면. **—** *vt.* …에 권두 그림을 넣다《*with*》.

frónt·làsh *n.* 《미》 정치적인 반동에 대항하는 반작용.

frónt·less *a.* 정면이 없는; 《고어》 낯이 두꺼운.

front·let [frʌ́ntlit] *n.* **1** (리본 따위의) 이마 장식, 머리띠; (유대인의) 이마에 붙이는 부적. **2** (짐승의) 이마. **3** 제단 전면 휘장의 위쪽에 드리운 조붓한 헝겊.

frónt líne 최전선; 최첨단.

frónt-líne *a.* 〖군사〗 전선(용)의; 비우호국〔분쟁 지역〕에 인접한, 최전선의; 최첨단의; 우수한, 제1선의: ~ states 전선 제국(諸國)《특히 남아프리카 공화국이나 이스라엘에 인접한 여러 나라》.

frónt-lòad *vt.* (계약·사업 계획 등의) 초기 단계에 비용〔이익〕을 배분하다; (비디오테이프 등을 기계의) 전면(前面)에서 넣다.

frónt lòader 앞에서 꺼내고 넣을 수 있는 기기《세탁기》; 앞에 shovel이 달린 로더(loader).

frónt màn 간판, (부정행위의) 앞잡이; 표면에 내세우는 인물; 마피아의 고문 변호사.

frónt màtter 책의 본문 앞의 부분《속표지·머리말·차례 등》. cf. back matter.

frónt mòney 《미》 착수 자금, 전도금.

frónt náme 《속어》 (성(姓)에 대한) 이름, 세례명(given name).

frónt níne 〖골프〗 18홀 플레이의 전반 9홀; 일반적으로 오전의 하프.

frónt òffice (회사 등의) 본부; 수뇌부; 《미속어·우스개》 (결정권을 가진) 남편, 아내.

frónt of (**the**) **hóuse** 〔the ~〕 (극장 등의) 관람자 업무 담당자의 관리 구역《관객석 등》.

fron·to·gen·e·sis [frʌntoudʒénəsis] *n.* 〖기상〗 전선의 발생〔발달〕.

front·ol·y·sis [frʌntɑ́ləsis/-tɔ́l-] *n.* 〖기상〗 전선의 쇠약〔소멸〕.

fron·ton [frɑ́ntɑn, -´/frɔ́ntɔn] *n.* 하이알라이(jai alai) 구기장(球技場); 《구어》 =JAI ALAI.

frónt-pàge *a.* (신문의) 제1면에 적합한, 중요한. **—** *vt.* (뉴스를) 제1면에 싣다〔보도하다〕.

frónt-ránk *a.* 1급〔1류〕의, 가장 높은〔좋은〕; 맨 앞의. 파 ~·***er*** *n.* 주요 인물.

frónt róom 건물의 앞부분에 있는 방, 거실(living room).

frónt-rúnner *n.* 선두를 달리는 선수; 남을 앞선 사람.

frónt-rúnning *a.* 선두를 달리는.

fronts·man [frʌ́ntsmən] (*pl.* ***-men*** [-mən]) *n.* 《영》 가게 앞에 서서 파는 점원.

frónt vówel 〖음성〗 전(설)모음《[i, e, ε, æ] 따위》.

front·ward [frʌ́ntwərd] *a.* 전방의, 정면으로 향한. **—** *ad.* 정면쪽으로.
front·wards [frʌ́ntwərdz] *ad.* =FRONTWARD.
frónt-whèel *a.* (차 따위의) 앞바퀴에 작용하는.
frónt yàrd (집의) 앞뜰.
frore [frɔːr] 《고어·시어》 *a.* 결빙한; 혹한의.
frosh [fraʃ/frɔʃ] *n., a.* 《미구어》 (대학의) 신입생(의).
*⁎***frost** [frɔːst/frɔst] *n.* Ⓤ,Ⓒ **1** 서리: Jack *Frost* 서리의 요정; 〔의인적〕 혹한, 동장군(冬將軍) / The ground is covered with ~. 지면은 서리로 덮여 있다. **2** 강상(降霜): hard 〔sharp〕 ~ 혹한; 모진 서리 / There was a heavy ~. 된서리가 내렸다. **3** 얼어붙는 추위, 추운 날씨; 〔... degrees of frost로〕 《영》 빙점하의 온도: two *degrees of* ~ 영하 2도. **4** 냉담; 음산. **5** (출판물·행사·연극 등의) 실패: The party turned out a ~. 파티는 실패로 끝났다. ***hoar*** 〔***white***〕 ~ 흰 서리《수증기가 많고 온도가 비교적 낮지 않을 때》. **—** *vt.* **1** 서리로 덮다. **2** (식물을) 서리로 해치다, 서리로 얼리다; 《비유》 …의 기운을 꺾다. **3** (머리를) 희게 하다, (케이크에) 희게 설탕을 입히다. **4** (유리·금속의) 광택을 지우다, 서리처럼 희게 하다. **5** (편자에) 미끄럼을 막는 못을 박다. **—** *vi.* 〔it을 주어로 하여〕 서리가 앉다〔내리다〕, 얼다: *It* ~*s.* 서리가 내린다.
Frost *n.* **Robert** (**Lee**) ~ 프로스트《미국의 시인; 1874-1963》. ㊕ **∠·ian** *a.*
Fróst·bèlt *n.* 강상(降霜) 지대(Snowbelt).
fróst·bìte *n.* Ⓤ 동상(凍傷). **—** *vt.* 동상을 일으키게 하다.
fróstbite bóating 《미》 한중 범주(寒中帆走) 「(경기).
fróst·bìter *n.* 한중 범주용 요트; 한중 범주를 하 「는 사람.
fróst·bìting =FROSTBITE BOATING.
fróst·bìtten *a.* 동상에 걸린; 냉담한.
fróst·bòund *a.* 동결(凍結)한; (관계가) 냉랭한.
fróst·ed [-id] *a.* **1** 서리로 (뒤)덮인; 동결된; 상해(霜害)를 입은; 동상에 걸린. **2** 서리처럼 희어진; 설탕을 입힌〔뿌린〕; 광택을 지운.
fróst·fish *n.* 〖어류〗 New England 연안에 서리 내릴 무렵 나타나는 대구속(屬)의 작은 대구.
fróst·flòwer *n.* Aster 속(屬)의 식물《들국화·탱알 따위》.
fróst-frée *a.* 자동 서리 제거 장치가 달린; 서리가 끼지 않는.
fróst hèave 땅이 얼어 지면을 밀어올리는 것, 「동상(凍上).
fróst·ing *n.* Ⓤ (과자의) 당의(糖衣); (유리) 광택을 지움; (세공용) 굵은 유리 가루 재료. ***the ~ on the cake*** 광채를 더해 주는 것. 「하다).
fróst·nìp *n., vt.* 가벼운 동상(凍傷)(에 걸리게
fróst pòint 〖물리〗 (the ~) 서릿점.
fróst·wòrk *n.* Ⓤ,Ⓒ (유리창 따위에 생기는) 서리의 꽃, 성에; 서리무늬 장식.
°**frosty** [frɔ́ːsti/frɔ́sti] (***frost·i·er; -i·est***) *a.* **1** 서리가 내리는; 혹한의; 서리로 (뒤)덮인; 서리처럼 흰; (머리가) 반백인; 늙은: a ~ head 반백의 머리. **2** 냉담한, 쌀쌀한: a ~ smile 쌀쌀한 미소, 냉소. ㊕ **fróst·i·ly** *ad.* 서리가 내린 듯이; 냉담하게. **-i·ness** *n.*
°**froth** [frɔːθ/frɔθ] Ⓤ *n.* (맥주 등의) 거품; 시시한〔하찮은〕 것; 객담(客談). **—** *vt., vi.* 거품을 일으키다; 거품투성이로 하다; 거품이 일다, 거품을 뿜다. ~ ***at the mouth*** 입에 거품을 뿜다; 입가에 게거품을 내다. 「家).
fróth·blòwer *n.* 《영우스개》 맥주 애음가(愛飮
fróth·spìt *n.* Ⓤ (좀매미가 뿜는) 거품.
frothy [frɔ́ːθi/frɔ́θi] (***froth·i·er; -i·est***) *a.* 거품투성이의; 거품 같은; 공허한, 천박한. ㊕ **fróth·i·ly** *ad.* **-i·ness** *n.*
frot·tage [frɔːtáːʒ/frɔ-] *n.* 프로타주《(1) 〖미술〗 우둘투둘한 대상물 위에 종이를 놓고 연필 등으로 문질러 형상을 박아 내는 기법; 그 기법에 의한 작품. (2) 〖심리〗 옷을 입은 채 몸을 남의 몸이나 물건에 문질러 성적 쾌감을 얻는 이상 성욕》.
frot·teur [frɔːtə́ːr/frɔ-] *n.* 〖심리〗 프로타주하는 사람.
Fróude nùmber [frúːd-] 〖선박〗 프라우드 수(數)《유속(流速)과 중력파(重力波)의 속도의 비(比)에 상당하는 무차원수; 영국의 수학자 William Froude (1810-79)의 이름에서》.
frou·frou [frúːfrùː] *n.* Ⓤ (비단이 스치는) 버스럭 소리; 《미구어》 고상한 체함.
frounce [frauns] *n.* 《고어》 태깔부림, 허식. **—** *vt.* 《고어》 …에 주름을 잡다; …의 머리를 컬(curl)하다.
fróu·zy *a.* =FROWZY.
frow[1] [frau] *n.* 네덜란드〔독일〕 여자; 여자; 아내, 주부.
frow[2] *n.* =FROE.
fro·ward [fróuwərd/fróuəd] *a.* 완고한, 고집 센; 심술궂은. ㊕ **~·ly** *ad.* **~·ness** *n.*
*⁎***frown** [fraun] *vi.* **1** 《~/+전+명》 눈살을 찌푸리다, 얼굴을 찡그리다, 뚱한 표정을 짓다; 불쾌한 얼굴을 하다, 기분 나쁜 모양을 하다《*at; on, upon*》. OPP. *smile.* ¶ She ~*ed* in the bright sunlight. 눈부신 햇빛을 받아 그녀는 얼굴을 찌푸렸다 / He ~*ed at* me for laughing at him. 내가 그를 보고 웃었기 때문에 그는 불쾌한 얼굴을 했다. **2** 《+전+명》 난색을 표시하다, 불찬성의 뜻을 나타내다《*on, upon*》: ~ *upon* a scheme 계획에 난색을 표시하다. **3** (사물이) 신통치 않은 형세를 보이다. **—** *vt.* **1** 눈살을 찌푸려 …의 감정을 나타내다. **2** 《+목+전+명/+목+부》 언짢은 얼굴을 하여 …시키다《*off; away; down; into*》: ~ a person *into* silence 언짢은〔무서운〕 얼굴을 하여 아무를 침묵게 하다 / ~ a person *away* 〔*off*〕 언짢은 얼굴을 하여 아무를 쫓아 버리다. **—** *n.* **1** 찡그린 얼굴, 우거지상. **2** 불쾌함; 불찬성(의 표정). ***wear a ~*** 얼굴을 찡그리다.
frówn·ing *a.* 언짢은, 찌푸린 얼굴의; (절벽 따위의) 험한, 위압하는 듯한. ㊕ **~·ly** *ad.*
frowst [fraust] *n.* 《영구어》 사람의 훈김에 숨막힘, (실내의) 퀴퀴한 공기, 후텁지근함. **—** *vi.* 후텁지근한 곳에 있다; 집 안에서 빈둥빈둥 지내다. ㊕ **∠y** *a.* 퀴퀴한, 숨막히는《실내 따위》.
frow·zy, frow·sy [fráuzi] (***-zi·er; -zi·est***) *a.* 곰팡이가 슨, 곰팡내나는; 숨막히는; 더러운; 추레한, 흘게늦은. ㊕ **-zi·ly** *ad.* **-zi·ness** *n.*
fro-yo [fróujou] 《미구어》 얼린 요구르트《아이스크림 대용》.
froze [frouz] FREEZE의 과거.
*⁎***fro·zen** [fróuzn] FREEZE의 과거분사.
— *a.* **1** 언, 곱은; 동상에 걸린. **2** 결빙한, 냉동한: ~ meat 냉동한 고기. **3** 극한의: the ~ zones 한대. **4** 차가운, 냉혹한, 냉담한: a ~ glance 차가운 일별. **5** (공포·놀라움 따위로) 움츠린. **6** 〖경제〗 (자금 따위가) 동결(凍結)된; (물가나 상품 따위가) 고정된: ~ assets 동결 자산 / ~ loans 〔credit〕 회수 불능 대금(貸金). **7** 〖당구〗 (공이 다른 공과) 닿은. **8** (볼트·너트 따위로) 고정된, 움직이지 않게 한. ㊕ **~·ly** *ad.* **~·ness** *n.*
frózen cústard 냉동 커스터드《아이스크림 비슷한 말랑한 음식물》.
frózen fóod 냉동식품.
frózen fráme =FREEZE-FRAME.
frózen límit (the ~) 《영구어》 (참을 수 있는) 최대의 한도: He is the ~. 그는 정말 참을 수 없는 놈이다.
frózen shóulder 〖병리〗 견비통(肩臂痛).
FRP fiberglass reinforced plastics (유리 섬유 강화 플라스틱). **F.R.P.S.** Fellow of the Royal Photographic Society. **FRS** 《미》 Federal Reserve System. **frs.** francs. **F.R.S.** Fellow of

the Royal Society. **F.R.S.A.** Fellow of the Royal Society of Arts. **F.R.S.C.** Fellow of the Royal Society of Canada. **F.R.S.E.** Fellow of the Royal Society of Edinburgh. **F.R.S.G.S.** Fellow of the Royal Scottish Geographical Society. **F.R.S.H.** Fellow of the Royal Society of Health. **FRSI** 〖우주〗 flexible reusable surface insulation (유연성 내열재). **F.R.S.L.** Fellow of the Royal Society of Literature. **F.R.S.M.** Fellow of the Royal Society of Medicine. **F.R.S.S.** Fellow of the Royal Statistical Society. **frt.** freight.

fruc·tif·er·ous [frʌktífərəs] *a.* 열매를 맺는.

fruc·ti·fi·ca·tion [frʌ̀ktəfikéiʃən] *n.* Ⓤ 결실(結實); Ⓒ 〖식물〗 과실(果實); 〖집합적〗 (고사리 따위의) 결실 기관(器官).

fruc·ti·fy [frʌ́ktəfài] *vt.* …에 열매를 맺게 하다; (토지를) 비옥하게 하다. — *vi.* 결실을〔결과를〕 맺다; 비옥해지다. ㊎ **-fi·er** *n.*

fruc·tose [frʌ́ktous] *n.* Ⓤ 〖화학〗 과당(果糖).

fruc·tu·ous [frʌ́ktʃuəs] *a.* 과실(果實)이 많은, 과실을 내는, 열매 맺는; 다산(多産)적인.

frug [fru:g] *n.* (the ~) 프루그《트위스트에서 파생된 춤》. — *vi.* 프루그를 추다.

***fru·gal** [frú:gəl] *a.* 검약한, 소박〔질박〕한, 조리차한《특히 음식에 관하여》. ㉢ thrifty. ¶ **be ~ of** …을 절약하다, …을 조리차하다. ㊎ **~·ly** *ad.* **~·ness** *n.*

fru·gal·i·ty [fru:gǽləti] *n.* Ⓤ,Ⓒ 검약, 질소(質素).

fru·gi·vore [frú:dʒəvɔ̀:r] *n.* 〖동물〗 (특히 영장류의) 과식수(果食獸)〔동물〕.

fru·giv·o·rous [fru:dʒívərəs] *a.* 〖동물〗 과실을 상식(常食)하는.

†**fruit** [fru:t] *n.* **1** 과일, 실과: *Fruit* is good for the health. 과일은 건강에 좋다/Do you like 〔eat much〕 ~? 과일을 좋아하십니까〔많이 잡수십니까〕/An apple is a ~ with firm juicy flesh. 사과는 단단하며 즙이 많은 과육을 가진 과일이다/Apples and oranges are familiar ~*s*. 사과와 귤은 흔한 과일이다. ★ 보통 단수 무관사로 집합적인 뜻을 가지고 있으며, 불(不)가산적으로 쓰임《처음 두 가지 보기》. 가산적 용법은 주로 종류를 나타내는 경우에 한정됨《나중의 두 가지 보기》. **2** (*pl.*) (농작의) 수확(물); (보통 *pl.*) 생산물, 소산: the ~*s of* the earth 〔ground〕 지상의 농작물. **3** 성과, 효과, 결과; 수익; 보수: ~*s of* industry 근면의 보수, 노력의 결정/the ~*s of* one's labors 〔hard work〕 고생〔근면〕의 결과〔성과〕. SYN. ⇨ RESULT. **4** 〖성서〗 자손. **5** 《속어》 동성연애하는 남자; 별난 사람, 광인(狂人). **6** 《미속어》 얼간이. ***bear ~*** 열매를 맺다; 효과를 낳다. ***in ~*** 열매를 맺은. ***the ~ of the body*** 〔***womb***〕 〖성서〗 자녀. — *vi.* 열매를 맺다. — *vt.* …에 열매를 맺게 하다. ㊎ **∠·age** [-idʒ] *n.* Ⓤ 결실; 〖집합적〗 과일; 성과. **∠·ed** [-id] *a.* 과실이 맺은(결실한); 과실을 가공한.

fruit·ar·i·an [fru:téəriən] *n.* 과실을 상식(常食)하는 사람, 과식(果食)주의자.

frúit bàt 큰박쥐(flying fox).

frúit bùd 열매가 될 싹, 과아(果芽).

frúit·càke *n.* 프루트케이크; 《속어》 광인, 이상한 사람; 《속어》 호모인 남자, 여성적인 남자: (as) nutty as a ~ 《속어》 미친, 바보 천치의.

frúit cócktail 프루트칵테일《여러 가지 과일을 잘게 잘라 만든 식품》.

frúit cùp 프루트컵《컵에 넣은 프루트펀치류》.

frúit dròp 낙과(落果)《과일이 익기 전에 나무에서 떨어지는 것》; 과일 맛이 나는 드롭스(drops).

frúit·er *n.* 열매가 열리는 나무; 과수 재배자; 과일 운반선.

fruit·er·er [frú:tərər] (*fem.* ***frúit·er·ess***) *n.* 과일 장수, 과일상; 과일 운반선. 「어」 =FAG HAG.

frúit flỳ 〖곤충〗 과실파리《과실의 해충》; 《미속어》

***fruit·ful** [frú:tfəl] *a.* **1** 열매가 많이 열리는, 열매를 잘 맺는; 다산의, 비옥한; 풍작을 가져오는: ~ soil 비옥한 땅/a ~ vine 자식이 많은 여인《시편 CXXVIII: 3》/~ showers 자우(慈雨), 단비. **2** 《비유》 결실이 풍부한, 효과적인; 수익이 많은: a ~ occupation 실수입이 많은 직업. ㊎ **~·ly** *ad.* **~·ness** *n.*

frúiting bòdy 〖식물〗 (균류의) 자실체(子實體).

fru·i·tion [fru:íʃən] *n.* Ⓤ 결실; 성취, 실현, 성과; 향수(享受), (소유·실현의) 기쁨. ***come*** 〔***be brought***〕 ***to ~*** (계획 등이) 열매를 맺다.

frúit jàr 과일병(瓶)《유리제》.

frúit knìfe 과도.

***fruit·less** [frú:tlis] *a.* 열매를 맺지 않는, 열매가 없는; 자식 없는; 효과 없는, 무익한《*of*》. ㊎ **~·ly** *ad.* **~·ness** *n.*

fruit·let [frú:tlit] *n.* 작은 과실, 씨.

frúit machìne 《영》 슬롯머신《도박·게임용》.

frúit pìece 과일 정물화(靜物畫).

frúit rànch 《미》 (큰) 과수원.

frúit sàlad 프루트〔과일〕 샐러드; 《군대속어》 군복 위에 줄지어 단 장식끈과 훈장; 《미속어》 진정제·진통제·바르비투르산염·암페타민 등 약의 혼합물《청소년들이 fruit salad party에서 몰래 먹음》.

frúit sùgar 〖화학〗 과당(fructose).

frúit trèe 과수.

frúit·wòod *n.* 과수 재목《가구용》.

fruity [frú:ti] (***fruit·i·er; -i·est***) *a.* **1** 과일의, 과일 같은; 과일 맛이 나는, (포도주가) 포도의 풍미(風味)가 있는: ~ wine 포도맛이 강한 포도주. **2** (음성 따위가) 풍부한, 낭랑한. **3** 《구어》 흥미진진한, 재미있는《이야기 따위》. **4** 《속어》 미친. **5** 《미속어》 동성애의. **6** 《구어》 아슬아슬한, 노골적인, 도발적인. ㊎ **frúit·i·ness** *n.*

fru·men·ta·ceous [frù:məntéiʃəs] *a.* 곡물의; 곡물과 비슷한; 곡물로 만든.

fru·men·ty, fur·me·ty [frú:mənti], [fə́:rməti] *n.* 밀에 우유·설탕·향료를 넣어 쑨 죽.

frump [frʌmp] *n.* 추레하고 심술궂은 여자; 초라한 구식 복장을 한 여자. ㊎ **∠·ish** [-iʃ] *a.* = FRUMPY.

frumpy [frʌ́mpi] (***frump·i·er; -i·est***) *a.* 심사가 사나운; 유행에 뒤진, 초라한 몸차림의. ㊎ **frúmp·i·ly** *ad.* **-i·ness** *n.*

***frus·trate** [frʌ́streit] *vt.* **1** (적 따위를) 쳐부수다, 꺾다. **2** (계획 따위를) 헛되게 하다, 실패하게 하다: ~ a plan 계획을 좌절시키다. **3** (~+目/+目+前+名) (사람을) 실망시키다: He was ~*d* by the gloomy prospects. 그는 암담한 전망에 실망하였다/be ~*d in* one's ambition 야망이 좌절되다. **4** 〖심리〗 …에 욕구 불만을 일으키게 하다. — *vi.* 실망하다. — [frʌ́strit] *a.* 《고어》 무익한; 기가 꺾인; 좌절된. ㊎ **-tra·tive** *a.*

frús·trat·ed [-id] *a.* 실망한, 욕구 불만의; 좌절된: ~ exports 수출 체화(滯貨).

frús·trat·ing *a.* 좌절감을 낳게 하는, 초조하게 〔애타게〕 하는. ㊎ **~·ly** *ad.*

frus·trá·tion *n.* Ⓤ,Ⓒ 좌절, 차질, 실패; (적의 습격 따위의) 타파; 〖법률〗 계약의 불이행; 〖심리〗 욕구 불만, 좌절감.

frustrátion tòlerance 〖심리〗 욕구 불만 내성(耐性).

frus·tule [frʌ́stʃu:l] *n.* 규조(硅藻)(diatom)의 세포막《쪼개진 두 쪽의 한 쪽》.

frus·tum [frʌ́stəm] (*pl.* **~*s*, *-ta*** [-tə]) *n.* 〖수학〗 절두체(截頭體)《원뿔〔각뿔〕의 상부를 밑면에 평행으로 잘라 낸 나머지; 두 개의 평면으로 잘라 낸 부분》, 원뿔〔각뿔〕대; 〖건축〗 기둥몸.

fru·tes·cent, fru·ti·cose [fruːtésnt], [frúːtikòus] *a.* 〚식물〛 관목(성)(灌木(性))의.

frwy. freeway.

fry[1] [frai] (*p., pp.* ***fried; frý·ing***) *vt., vi.* **1** (기름으로) 튀기다, 프라이로 하다〔가 되다〕; (기름으로) 볶(아 조리하)다; 프라이팬으로 데우다 《*up*》; 《폐어》 굶다: *fried* eggs 에그 프라이. **2** 《구어》 몹시 덥다, 볕에 타다. **3** 《미속어》 전기의자로 처형하다〔되다〕, 혼나다〔혼나게 하다〕. **4** 《미흑인속어》 고수머리를 헤어아이론으로 펴다. ~ ***in one's own grease*** 〔***fat***〕 《구어》 자신의 어리석은 행동의 대가를 받다; 자업자득으로 괴로움을 겪다. ~ ***the fat out of*** 《미》〚정치〛 (실업가 등)에게 헌금시키다〔돈을 짜내다〕. ***other fish to*** ~ ⇨ FISH[1]. **—** (*pl.* **fries**) *n.* **1** 프라이, 튀김. **2** 《영》 프라이용의 내장. **3** 《미》 (야외에서 하는) 프라이 회식. **4** 고뇌; 흥분.

fry[2] (*pl.* ~) *n.* (막 부화된) 치어(稚魚); 연어의 2년생; 〖집합적〗 작은 물고기 떼; 아이들; 작은 동물. ***small*** 〔***lesser, young***〕 ~ 아이들, 조무래기들; 잡고기; 시시한 녀석들〔물건〕.

Frýe bòot [frái-] 프라이 부츠《장딴지까지 오는 튼튼한 가죽 부츠; 상표명》.

frý·er, frí·er *n.* 프라이 요리인; 프라이팬; 프라이용 재료《닭고기 따위》.

frý(ing) pàn 프라이팬. ***leap*** 〔***jump***〕 ***out of the frying pan into the fire*** 작은 난을 피하여 큰 재난에 빠지다; 갈수록 태산.

frý-ùp *n.* 《영구어》 (먹다 남은 것으로 만드는 즉석) 볶은 음식.

FS filmstrip. **fs** femtosecond. **F.S.** Field Service; Fleet Surgeon. **f.s.** foot-second. **F.S.A.** Fellow of the Society of Arts 〔Antiquaries〕. **F.S.E.** 《영》 Fellow of the Society of Engineers. **F.S.F.** Fellow of the Institute of Shipping and Forwarding Agents. **FSH** 〚생화학〛 follicle-stimulating hormone. **FSK** 〚컴퓨터〛 frequency shift keying. **FSLIC** 《미》 Federal Savings and Loan Insurance Corporation (연방 저축 대부 보험 공사). **FSO** foreign service officer. **F.S.R.** Field Service Regulations. **F.S.S.** Fellow of the Royal Statistical Society. **F.S.S.U.** Federated Superannuation Scheme for Universities. **FST** flat screen television.

f-stòp *n.* 〚사진〛 F 넘버 표시 조리개, F스톱.

Ft forint(s). **ft.** feet; foot; fort; fortification. **FTA** Free Trade Agreement (자유 무역 협정). **FTC, F.T.C.** 《미》 Federal Trade Commission (연방 무역 위원회); Fair Trade Commission (공정 거래 위원회). **FTE, f.t.e.** full-time equivalent. **fth., fthm.** fathom. **ft-lb** foot-pound(s).

FTP [èftìːpíː] 《미속어》 *n.* **1** ARPANET 통신 네트워크의 파일 전송을 위한 기술적인 제반 결정. **2** 〚컴퓨터〛 파일 전송 프로그램. **—** *vt.* (파일을) 전송(傳送)하다. [◂ *F*ile *T*ransfer *P*rotocol]

F_2 làyer 〚통신〛 F_2층(層)《지상 250-500 km에 존재, 전파를 반사하는 전리층; ⓒⓕ F layer》.

fu·bar [fjúːbaːr] *a.* 《미속어》 (어찌할 수 없을 정도로) 혼란된, 엉망인. **—** *n.* =SNAFU.

fub·sy [fʌ́bzi] (***-si·er; -si·est***) *a.* 《영》 뚱뚱한, 땅딸막한. 「의 관상용 관목》.

fuch·sia [fjúːʃə] *n.* 〚식물〛 푸크시아《바늘꽃과

fuch·sine, -sin [fúːksin, -siːn, fjúːk-/fúːk-], [-sin] *n.* Ⓤ 〚화학〛 푹신《자홍색 아닐린 염료의 일종》, 당홍(唐紅).

fuck [fʌk] 《비어》 *vt., vi.* **1** 성교하다; 가혹한 취급을 하다; 실수하다; 못쓰게 만들다《*up*》. **2** damn 따위 대신에 쓰는 강조어. ~ ***around*** 성교하다, 《특히》 난교(亂交)하다. ~ ***away*** 《속어》 가 버리다: *Fuck away!* 꺼져. ***Fuck it!*** 《속어》 체, 우라질, 엿먹어라. ***Fuck me!*** 《속어》 이거 놀랍군. ~ ***off*** 가 버리다, 도망치다; =MASTURBATE. ***Fuck on you!*** 《속어》 바보 같으니; 저리 가, 꺼져 버려. ~ ***over*** (부당하게) 이용하다, 희생물로 삼다. ~ one***self*** 《속어》 수음하다. ~ ***up*** 성교하다; 실수하다, 실패하다, 못쓰게 하다. **—** *n.* 성교; 성교의 상대; 얼간이; (the ~) 도대체《hell 따위 대신에 쓰는 강조어》: What the ~ is it? 도대체 그게 뭐냐. ***not care*** 〔***give***〕 ***a*** (***flying***) ~ 전연 상관없다, 알 바 아니다. ㊎ **~·a·ble** *a.* 《비어》 성적 충동을 일으키는. **~·er** 《비어》 *n.* 성교하는 사람; 《경멸》 바보자식, 멍청이. 「고물의.

fúcked-óut [-t-] *a.* 《비어》 지친; 늙어빠진,

fúck·fàce *n.* 《비어》 바보 같은 자식, 얼빠진 놈.

fúck film 《비어》 포르노 영화.

fúck·hèad *n.* 《비어》 바보, 멍청이.

fúck·ing *a., ad.* 《비어》 우라질, 젠장칠; 지독한; 지독하게《강조어》. 「것, 망침.

fúck·ùp 《비어》 *n.* 바보짓을 하는 사람; 엉망인

fu·cose [fjúːkous, -kouz] *n.* 〚화학〛 푸코스《해조(海藻)·혈액형 다당류에 함유돼 있는 메틸(methyl) 당(糖)》.

fu·co·xan·thin [fjùːkouzǽnθin] *n.* 〚생화학〛 푸코크산틴《갈색 식물에 함유돼 있는 갈색 색소》.

fu·cus [fjúːkəs] (*pl.* ***-ci*** [-sai], **~·es**) *n.* 〚식물〛 푸쿠스속(屬)의 해초.

fud·dle [fʌ́dl] *vt.* 취하게 하다, 곤드레만드레되게 하다; (술로) 제정신이 없게 만들다, 혼미하게 만들다. **—** *vi.* 대음(大飮)하다, 곤드레만드레 취하다. ~ ***away*** 만취하여 (시간을) 보내다. ~ one***'s cap*** 〔***nose***〕 취하다. **—** *n.* Ⓤ,Ⓒ 곤드레만드레 취함, 혼미. ***on the*** ~ 만취하여.

fud·dy-dud·dy [fʌ́didʌ̀di] 《구어》 *n.* 시대에 뒤진〔완고한〕 사람; 곰상스러운 사람; 하찮은 일로 투덜대는 사람, 불평가. **—** *a.* 시대에 뒤진, 진부한; 귀찮은, 까다로운.

fudge[1] [fʌdʒ] *n.* Ⓤ **1** (초콜릿·버터·밀크·설탕 따위로 만든) 연한〔무른〕 캔디. **2** 꾸며 낸 이야기; 허튼소리; 〖감탄사적〗 당치 않은, 무슨 소릴. **—** *vi.* 못난 소리를 하다.

fudge[2] *vi.* **1** 속임수를 쓰다, 부정을 하다; (채무·의무·약속 등을) 이행치 않다, 지키지 않다 《*on*》. **2** (문제·논의 등에) 맞부딪치기〔대처하기〕를 피하다《*on*》; (꼬투리를 잡히지 않도록) 애매한 태도를 취하다, 얼버무리다《*off*》. **3** (비용 등을) 불려서 말〔청구〕하다; 과장하다. **4** 추가 기사를 빠듯이 대어 넣다. **—** *vt.* **1** (문제·논의 등을) 맞서 대하기를 피하다, 피하다, 속이다; 과장하다; (윤곽 등을) 바림하다. **2** 임시변통으로 늘어놓다; (비밀 등을) 날조하다《*up*》. **3** 빠듯이 밀어넣다, (추가 기사를) 넣다. **4** 《속어》 실수하다; (아무를) 손으로 오르가슴에 오르게 하다. ~ one***'s pants*** 〔***undies***〕 《미속어》 벌벌 떨다, (소변을) 지리게 되다. **—** *n.* **1** 날조, 꾸민 일, 속임. **2** (신문 인쇄에서) 추가 기사용의 스테레오판 또는 여러 행의 활자; (종종 색도쇄의) 바꿔 낀 인쇄기사; 추가 기사 인쇄기〔장치〕. ~ ***and mudge*** (특히 정치가가 하는) 얼버무림, 애매한 말(로 얼버무리다), (일시모면을 위한) 속임(으로 피하다), 허튼소리(를 하다).

fúdge fáctor 《미구어》 오차 (범위), 실패를 예상하고 여유를 두는 일《큰 공사에서 재료를 절단할 때 따위에》.

Fu·e·gi·an [fjuːíːdʒiən] *a.* 푸에고 군도(Tierra del Fuego)의, 푸에고 군도 사람의. **—** *n.* 푸에고 군도 사람.

Fueh·rer [fjúərər] *n.* 《G.》 =FÜHRER.

fu·el [fjú(:)əl] *n.* Ⓤ 연료, 땔감; 신탄(薪炭), 장작: ~ capacity 연료 적재력〔저장량〕. ***add ~ to the fire*** 〔***flames***〕 불에 기름을 붓다; 격정을 부추기다. ── (*-l-,* 《영》 *-ll-*) *vt.* …에 연료를 공급〔보급〕하다, …에 연료를 적재하다; …에 장작을 지피다. ── *vi.* 연료를 얻다; (배 · 비행기 따위가) 연료를 적재하다〔보급받다〕.

fúel àir explòsive 기화 폭탄《기화 연료를 여기저기 뿌려서 광범위하게 폭발을 일으키는 폭탄》.

fúel cèll 〖화학〗 연료 전지.

fúel-effícient *a.* 연료 효율이 좋은: a ~ car 「연료 절약차.

fú·el·er, -ler *n.* 연료 공급자〔장치〕.

fúel gàuge 〖기계〗 (자동차 등의) 연료계(燃料計) (《미》 gas gauge).

fúel-gùzzling *a.* 연료를 많이 잡아먹는.

fú·el·ing, 《영》 **-el·ling** *n.* Ⓤ 연료; 연료 공급〔보급〕: a ~ station 연료 보급소.

fúel-injècted [-id] *a.* (엔진이) 연료 분사식의.

fúel injèction 연료 분사.

fu·el·ish [fjú(:)əliʃ] *a.* 《미 · Can.》 연료를 낭비하는. ㊇ **~·ly** *ad.*

fúel-mìser *n.* 《미》 연료 소비가 적은 차.

fúel òil 연료유; 중유.

fúel ròd (원자로의) 연료봉.

fúel vàlue 연료가(價)《연료의 에너지량》.

fúel·wòod *n.* 장작, 땔나무(firewood).

fug [fʌg] *n.* 실내에 차 있는 공기, 퀴퀴한 공기; 방 구석 등의 먼지. ── (*-gg-*) *vi.* (공기가 탁한) 방에 처박히다; 《미속어》 fuck의 완곡어.

fu·ga·cious [fju:géiʃəs] *a.* 〖식물〗 조락성(早落性)의(OPP. *persistent*); 덧없는, 변하기 쉬운, 붙잡기 어려운. ㊇ **~·ly** *ad.* **~·ness** *n.* **fu·gac·i·ty** [fju:gǽsəti] *n.* Ⓤ 도망치기 쉬움, 덧없음; 〖화학〗 일산성(逸散性).

fu·gal [fjú:gəl] *a.* 〖음악〗 푸가(fugue)의, 둔주곡(曲)의. ㊇ **~·ly** [-gəli] *ad.* 둔주곡풍으로.

-fuge [fjù:dʒ] '구축(驅逐)하는 (것)'이란 뜻의 결합사: febri*fuge*(열+구축하는 것 →) 해열제.

fug·gy [fʌ́gi] (*-gi·er; -gi·est*) *a.* 《구어》 **1** (방 따위가) 후끈한, 숨이 막힐 듯한. **2** (외출 않고) 집에만 처박혀 있는. ㊇ **-gi·ly** *ad.*

fu·gi·tive [fjú:dʒətiv] *a.* 도망치는; 탈주한; 망명의; 고정되지 않은, 변하기 쉬운; 일시적인, 덧없는; 그때뿐인; 즉흥적인《수필 따위》: a ~ soldier 탈주병 / a ~ color 바래기 쉬운 색. ── *n.* 도망자, 탈주자; 망명자; 붙잡기 어려운 것; 날아가는 것: a ~ *from* justice 도망친 범인. ㊇ **~·ly** *ad.* **~·ness** *n.*

fúgitive wàrrant 지명 수배.

fu·gle [fjú:gəl] *vi.* 모범이 되다, 향도(嚮導)(fugleman) 노릇을 하다; 지도하다.

fúgle·man [-mən] (*pl.* ***-men*** [-mən]) *n.* 〖군사〗 모범 병사, 향도(嚮導); 지도자; 대변자.

fugue [fju:g] *n.* 《F.》 〖음악〗 푸가, 둔주곡; 〖의학〗 몽롱 상태, 기억 상실증. ── *vi.* 푸가를 작곡〔연주〕하다.

fúgue·lìke *a.* 푸가풍의.

fugu·ist [fjú:gist] *n.* 〖음악〗 푸가 작자〔연주자〕.

Füh·rer [fjúərər] *n.* 《G.》 지도자; 총통《Adolf Hitler의 칭호》; (f-) 독재자.

-ful *suf.* **1** [fəl] 명사에 붙어서 '…의 성질을 가진, …을 내포하는, …이 많은'이란 뜻의 형용사를 만듦: beauti*ful*, care*ful*. **2** [fəl] 동사 · 형용사에 붙어서 '…하기 쉬운'이란 뜻의 형용사를 만듦: forget*ful*, dire*ful*. **3** [fùl] 명사에 붙어서 '…에 가득(찬 양)'이란 뜻의 명사를 만듦: cup*ful*, hand*ful*, mouth*ful*.

Ful·bright [fúlbràit] *n.* **1** **J**(ames) **William** ~ 풀브라이트《미국의 정치가; 1905-95》. **2** 풀브라이트 장학금(~ scholarship)《1946년에 제정된 풀브라이트법(=∠ **Àct**)에 의한 장학금》: a ~ professor 풀브라이트(법에 의한 교환) 교수. ㊇ **~·er** *n.* 《구어》 풀브라이트 장학생.

ful·crum [fúlkrəm, fʌ́l-] (*pl.* ***~s, -cra*** [-krə]) *n.* **1 a** 〖기계〗 지레의 받침점, 받침대. **b** 행동 능력을 부여해 주는 사람; 지주가 되는 것. **2** 〖동물〗 동물체 속에서 다른 부분을 받치는 부분의 총칭.

ful·fill, 《영》 **-fil** [fulfíl] (*-ll-*) *vt.* **1** (약속 · 의무 따위를) 이행하다, 다하다, 완수하다. **2** (일을) 완료하다, 성취하다. **3** (기한을) 만료하다, 마치다. **4** (조건에) 적합하다, 맞다. **5** (희망 · 기대 따위를) 충족시키다; (예언 · 기원을) 실현시키다: ~ a person's expectations 아무의 기대를 충족시키다. **6** 〖~ oneself〗 (자기 자신의) 힘을 완전히 발휘하다: ~ one*self in* …에 자신의 힘을 충분히 발휘하다. ㊇ **-fíll·er** *n.* **-fíll·ment** *n.* Ⓤ 이행, 수행; 완료, 성취; 달성; 실현; 〖출판〗 (예약 구독자 이름의) 유지 관리.

ful·gent [fʌ́ldʒənt] *a.* 《시어》 광휘 있는, 빛나는, 찬란한(brilliant). ㊇ **~·ly** *ad.*

ful·gid [fʌ́ldʒid] *a.* 《고어 · 시어》 광휘 있는.

ful·gu·rant [fʌ́lgjərənt] *a.* (번개처럼) 번쩍이는. ㊇ **~·ly** *ad.*

ful·gu·rate [fʌ́lgjərèit] *vi.* (전광처럼) 번쩍이다; 전광〔섬광〕을 발하다. ── *vt.* 〖의학〗 (부스럼 따위를) 전기 치료하다. ㊇ **fùl·gu·rá·tion** *n.* 〖의학〗 고주파 요법.

fúl·gu·ràt·ing *a.* 전광 같은; 〖의학〗 (통증이) 전격성의; 〖의학〗 고주파 요법의.

ful·gu·rite [fʌ́lgjəràit] *n.* Ⓤ 〖지학〗 섬전암(閃電岩)《천둥과 번개의 작용으로 모래 또는 바위 속에 생긴 유리질의 통》.

ful·gu·rous [fʌ́lgjərəs] *a.* 전광 같은.

fu·lig·i·nous [fju:lídʒənəs] *a.* 검댕의, 검댕과 같은, 그을음이 낀; 검댕빛의, 거무스름한 (dusky). ㊇ **~·ly** *ad.*

full[1] [ful] *a.* **1** 찬, 가득한; 가득 채워진, 충만한: a glass ~ *of* water 물이 가득 담긴 컵 / a ~ stomach 만복, 배부름 / a ~ house 입장 대만원. **2** 가득 밀어닥친: a ~ audience 만장의 청중. **3** (사람의) 가슴이 벅찬, 머릿속이 꽉 찬, 열중한; 배부른: She is ~ *of* her own affairs. 그녀는 자신의 일에 몰두하고 있다 / a man ~ *of* himself 자기 일만 생각하는 사람 / He was ~ *of* the news. 《구어》 그는 그 소식을 몹시 입 밖에 내고 싶어했다. **4** 충분한, 풍부〔완전〕한, 결여됨이 없는; 정규의; 정식의: a ~ supply 충분한 공급 / a ~ hour 꼬박 한 시간 / a ~ mark 만점 / ~ size 실물 크기 / a ~ member 정회원 / in ~ view 환히 다 보이는 곳에, 전체가 보이는. SYN. ⇨ COMPLETE. **5** 한도껏, 최고의, 최대한의; 한창의; 본격적인: in ~ activity 〔swing〕 최고조로, 한창으로 / ~ speed 전속력 / ~ bloom 만발 / ~ summer 한여름. **6** (풍부하게) 충실한; (성량이) 풍부한; (맛이) 짙은; (빛 따위가) 찬란하게 빛나는, 강렬한; (빛깔이) 짙은: a ~ man (정신적으로) 충실한 사람. **7** (풍부하게) 여유 있는; (옷이) 낙낙한; (모습 · 모양이) 통통한, 불룩한: a ~ figure 통통한 몸집. **8** 같은 부모의. **9** 〖야구〗 풀카운트의; 만루의: a ~ base 만루. ***eat as ~ as*** one ***can hold*** 배불리 먹다. ***~ of years and honors*** 천수(天壽)를 다하고 공명도 떨쳐. ***~ to overflowing*** 넘칠 정도로 가득 찬. ***~ up*** 가득하여, 만원으로; 싫증 나서. ***turn*** a thing ***to ~ account*** 무엇을 철저히 이용하다.

── *n.* **1** 전부: I cannot tell you the ~ of it. 나는 너에게 전부 이야기할 수는 없다. **2** 충분, 완전. **3** 한창때, 절정, 《특히》 만월: The moon is past the ~. 달은 만월을 지났다. ***at the ~*** 한창 때에, 절정에: The moon is *at the* ~. 만월이다. ***in ~*** (성명 등을) 생략하지 않고, 자세히; (지

급 등의) 전부, 전액: a receipt *in* ~ 전액 수령증/payment *in* ~ 전액 지급. ***to the*** ~ 철저하게, 마음껏.
— *ad.* **1** 충분히, 완전히, 꼬박 …: ~ two hours. **2** 꼭, 정면으로: hit him ~ on the nose 코를 정통으로 치다. **3** 필요 이상으로: The chair is ~ high. 그 의자는 너무 높다. **4** 대단히, 아주《주로 시문에》: ~ soon 즉시/~ many a ... 대단히 많은 …, 갖가지의 …/~ well 충분히 잘. ~ ***as useful as*** …와 똑같이 유용하게.
— *vt.* 낙낙하게 하다; 주름 잡다. **—** *vi.* 《미》 (달이) 차다.

full[2] *vt., vi.* (천을) 축융(縮絨)하다; (빨거나 삶아서) 천의 올을 배게 하다.
fùll ádder 〖컴퓨터〗 전가산기《2 진수를 덧셈하기 위해 사용되는 논리 회로》.
fúll áge 성년.
fúll·bàck *n.* 〖축구〗 풀백, 후위.
fúll bínding 가죽 제본.
fúll blást 《구어》 전조업(全操業)(으로), 풀가동(으로); 전능력(으로).
fúll blòod 순혈종의 사람〔동물〕; 같은 양친에게서 피를 받았음.
fúll-blóoded [-id] *a.* **1** 순종의; 순수한. **2** 다혈질의; 원기 왕성한. ㊕ **~·ness** *n.*
fúll-blówn *a.* 만발한; 완전히 성숙한; (돛 따위가) 바람을 가득 안은; 전부 갖춘. 「박.
fúll bóard (호텔 등에서) 세 끼 식사가 딸린 숙
fúll-bód·ied [-bádid/-bɔ́did] *a.* (술 따위가) 깊은 맛이 있는, 향기 있고 맛좋은, 짙은; (사람이) 튼실한, 살찐.
fúll-bòre 《구어》 *a.* 최고속〔최강력〕으로 움직이는〔작동하는〕. **—** *ad.* 최대한으로, 최고속〔최강력〕으로.
fúll-bósomed *a.* (여자가) 가슴이 풍만한.
fúll-bóttomed *a.* (가발이) 끝이 퍼진; (배가) 밑바닥이 넓은, 다량으로 실을 수 있는.
fúll-bóund *a.* (책이) 가죽 제본〔표지〕의, 총혁제(總革製)의.
full bróther 부모가 같은 형제, 본처에게서 난 형제. cf. half brother.
full círcle 일주(一周)하여.
full cóck (총의) 격철을 완전히 당긴 상태《언제라도 발포 가능》; 《구어》 준비가 된 상태.
full-cóurt prèss 《미》 전력 수비, 총력 방어, 필사적《농구 전법에서 온 말》. 「전유제의.
full-crèam *a.* (탈지하지 않은) 전유(全乳)의,
full-cústom *a.* (제품이) 특별 주문의.
full-cút *a.* (보석이) 브릴리언트컷의, 58면체로
full dréss 정장, 예장. 」깎인.
full-drèss *a.* 정장〔예장〕의; 본격적인: a ~ rehearsal 본무대 연습/a ~ debate (의회의) 본회의; 철저한 토론.
full dúplex 〖통신〗 전(全)양방《양쪽 방향으로 동시에 통신할 수 있는 전송 방식》.
full emplóyment 완전 고용, 완전 취업.
full·er[1] [fúlər] *n.* 축융업자(縮絨業者); 마전장이, 빨랫집. 「파다).
full·er[2] *n., vt.* 둥근 홈을 파는 연모; 둥근 홈(을
ful·ler·ene [fùləríːn] *n.* 〖화학〗 풀러렌《(1) 탄소 원자 60개로 구성된 공 모양의 분자로 된 물질(buckminsterfullerene). (2) 탄소의 속이 빈 공 모양 분자로 이루어진 물질》.
fúller's èarth 백토(白土), 표토(漂土).
full·fáce *n.* 불룩한 얼굴; 정면의 얼굴; 〖인쇄〗 =BOLDFACE. **—** *a., ad.* 정면의〔으로〕.
full-fáced [-t] *a.* 둥근 얼굴의, 둥실둥실한 (얼굴의); 정면을 향한; 〖인쇄〗 (활자가) 굵은.
full-fáshioned *a.* 풀패션의《스웨터·스타킹 등을 몸·발에 꼭 맞도록 짠》. 「살찐.
full-fígured *a.* (특히 여자가) 체격이 풍만한,

fúll-flédged *a.* 깃털이 다 난; 제몫을 하게 된, 자격이 충분한; 어엿한, 훌륭한. opp. *unfledged.*
fúll fórward 《Austral.》 〖축구〗 센터 포워드(의 위치·선수).
fúll fróntal 《구어》 (성기가) 그대로 드러난 (누드 사진); 《비유》 세세하게 전부 드러난.
fúll gáiner 〖다이빙〗 =GAINER.
fúll-grówn *a.* 충분히 성장〔발육〕한, 성숙한.
fúll hánd 〖포커〗 같은 점수의 패 3장과 2장을 갖추기.
fúll-héarted [-id] *a.* 정성들인; 용기〔자신〕에 찬; 감개무량한, 가슴이 벅찬.
fúll hóuse (의회·극장 등의) 만원; 〖포커〗 =FULL HAND; (빙고 따위에서) 이기게 되는 수의 짜맞춤; 《속어》 매독과 임질(의 양쪽에 감염됨).
fúll·ing *n.* Ⓤ (모직물의) 축융; 마전.
fúll-léngth *a.* 등신(等身)의, 전신대(全身大)의; 장편의; 생략이 없는, 원작 그대로의《소설 따위》; (치수를 짧게 하지 않은) 표준형의: a ~ portrait 전신상(像). **—** *ad.* 몸을 쭉 펴고《눕다》(cf. at full LENGTH). 「《비유》 절찬, 상찬.
fúll márks 《영》 (성적·평가 따위의) 만점;
fúll méasure 넉넉한 계량〔치수〕.
fùll món·ty [-mánti/-mɔ́n-] **1** 《영속어》 (the ~) (필요한) 모든 것(full amount). **2** 《속어》
fúll móon 만월, 보름달. 」홀딱 벗음.
fúll-móuthed *a.* 목소리가 큰〔울려퍼지는〕; (말·소 등의) 잇바디가 완전한.
fúll náme 풀 네임《first name, middle name, last name을 통틀어 이르는 말》.
fúll nélson 〖레슬링〗 풀넬슨《목누르기의 일종》.
full·ness, ful- [fúlnis] *n.* Ⓤ (가득) 참, 충만; 풍부, 푸짐, 충실; 만족; 비만; 때가 됨〔참〕: in its ~ 충분〔완전〕히/in the ~ of one's heart 기쁜 나머지, 감격하여/in the ~ of time 때가 되어〔차서〕, 예정한 때에. 「놓은; 완전한.
fúll-ón *a.* (수도꼭지 따위를) 전부 열어〔틀어〕
full·optimizátion *n.* 〖경영〗 종합 최적화(最
fúll-órbed *a.* 《시어》 보름달의. 」適化).
fúll-òut *a.* **1** (영문 타자에서) 행 첫머리를 가지런히 한. **2** 전면적인, 총력을 기울인, 본격적인.
fúll-pàge *a.* 전면의, 페이지 전체의.
fúll pítch 〖크리켓〗 바운드하지 않고 직접 삼주문(三柱門)에 던진 공.
fúll póint =FULL STOP.
fúll proféssor 《미》 정교수《정식 칭호는 그냥 professor '교수'이지만, 특히 associate professor '부교수', assistant professor '조교수'와 구별할 때 편의상의 호칭》.
fúll-rígged *a.* 〖해사〗 의장(艤裝)이 완전한; (돛배 따위가) 완전 장비의.
fúll sáil 만범(滿帆); 돛을 다 올리고, 전력으로.
fúll-sáiled *a.* 돛을 모두 올린. 「적인.
fúll-scále *a.* **1** 실물 크기의. **2** 전면적인; 본격
fúll scóre 〖음악〗 총보(總譜)《전 성부(全聲部), 전 악기의 part보를 기록한 악보》.
fúll scréen 〖컴퓨터〗 전체 화면《모니터 화면에 꽉 차도록 가장 큰 크기의 창으로 프로그램이 표시된 전체 화면 상태》.
fúll-scréen mòde 〖컴퓨터〗 전 화면 방식〔모드〕《화면 전체를 사용하는 형태로 application이 실행되는 방식》. 「**sérve**).
fúll-sérvice *a.* 포괄적 업무를 제공하는(=**full-**
fúll-sérvice bànk 《미》 정규 은행《nonbank bank에 대해》.
fúll síster 부모가 같은 자매, 본처의 배에서 난 자매. cf. half sister.
fúll-size, -sìzed *a.* 보통〔표준〕 사이즈의; 완전히 성장한; 등신대의; 본격적인 규모의; 《미》

(침대가) 풀사이즈인《54×75인치》(cf. king-size): ~ sheet 더블베드용 시트.

fúll stóp 단락점(段落點), 종지부(period).

fúll swíng 대활약, 전력(全力).

fúll-térm *a.* **1** 산월(産月)의; (아기가) 달수를 채우고 태어난. **2** 임기 만료까지 근무하는.

fúll tílt 《구어》 전력을 기울여; 전속력으로: The factory is now going ~. 공장은 지금 완전 가동 중이다.

fúll tíme (일정 기간 내의) 기준 노동 시간; 〖축구〗 풀 타임《시합 종료 시》.

fúll-tíme *a.* 전시간(제)의; 전임의. cf. half-time, part-time. ¶ a ~ teacher 전임 교사. ── *ad.* 전임으로서.

fúll-tímer *n.* 상근자(常勤者), 《영》 전(全) 수업 시간에 출석하는 학생〔어린이〕. cf. half-timer.

fúll tóss =FULL PITCH.

fúll tréatment (the ~) 《구어》 특정한 사람 등을 접대하는 정식화된 방법; 충분한〔정성들인〕 접대; 《우스개》 정성 없는 환영, 조잡한 대접: give a ball the ~ 공을 힘껏 치다.

fúll-turn kéy 〖상업〗 완전 일괄 수주(受注)《플랜트 수출 계약의 한 방식》.

fúll-wéight *a.* 정량의.

⁑ful·ly [fúli] *ad.* **1** 충분히, 완전히; 전혀. **2** 〖수사 앞에서〗 꼬박…: for ~ three days.

fúlly fáshioned =FULL-FASHIONED.

fúlly flédged 《영》 =FULL-FLEDGED.

fúlly grówn 《영》 =FULL-GROWN.

ful·mar [fúlmər] *n.* 〖조류〗 섬샛과(科) 물새의 일종.

ful·mi·nant [fʌ́lmənənt] *a.* 폭명성(爆鳴性)의, 울려퍼지는; 〖의학〗 극발성〔돌발성〕의.

ful·mi·nate [fʌ́lmənèit] *vt.* 폭발시키다; 호통치다, (비난 따위를) 맹렬히 퍼붓다. ── *vi.* **1** 번쩍 빛나다; 천둥치다, 와르릉 울리다. **2** 폭발하다. **3** 《+전+명》 호통치다, 맹렬히 비난하다《*against*》: ~ *against* a person. **4** 〖의학〗 갑자기 발병하다. ── *n.* 〖화학〗 뇌산염(雷酸塩); 뇌분(雷粉): ~ of mercury 뇌산 수은, 뇌홍(雷汞). ㊞ **-nà·tor** *n.* 호통치는 사람, 엄한 비난자.

fúlminating pòwder 〖화학〗 폭약분(粉); 뇌분(雷粉); 뇌산염.

fùl·mi·ná·tion *n.* U,C **1** 방전, 뇌명(雷鳴), 굉음(轟音), 폭발. **2** 맹렬한 비난.

ful·mi·na·to·ry [fʌ́lmənətɔ̀:ri, fúl-/-nèitəri] *a.* **1** 폭발성의; 뇌명(雷鳴)의. **2** 맹렬히 비난하는.

ful·mine [fʌ́lmin] *vt., vi.* 《시어》 =FULMINATE.

ful·min·ic [fʌlmínik, ful-] *a.* 〖화학〗 폭발성의; 뇌산의: ~ acid 〖화학〗 뇌산(雷酸).

ful·mi·nous [fʌ́lmənəs, fúl-] *a.* 뇌전성(雷電性)의.

fulness ⇨ FULLNESS.

ful·some [fúlsəm, fʌ́l-/fúl-] *a.* **1** 억척스러운, 신물나는, 집요한; 아첨이 철철 넘치는; 《고어》 역겹게 하는, 구역질나게 하는. **2** 전체에 걸친, 완전한. ㊞ **~·ly** *ad.* **~·ness** *n.*

Ful·ton [fúltən] *n.* **Robert** ~ 풀턴《미국의 기계 기사 · 증기선 발명자; 1765-1815》.

ful·ves·cent [fʌlvésnt] *a.* 짙은 황갈색의.

ful·vous [fʌ́lvəs] *a.* 황갈색의, 납빛의.

Fù Man·chú mùstache [fù:mæntʃú:-] 양끝이 턱쪽으로 늘어진 긴 콧수염《Fu Manchu는 Sax Rohmer 작품에 나오는 중국인 악당》.

fu·ma·rase [fjú:mərèis, -rèiz] *n.* 〖생화학〗 푸마라제《푸마르산과 사과산의 상호 전환 반응 촉매 효소》.

fu·ma·rate [fjú:mərèit] *n.* 〖생화학〗 푸마르산염.

fu·már·ic ácid [fju:mǽrik-] 〖화학〗 푸마르산.

fu·ma·role [fjú:məròul] *n.* (화산의) 분기공.

fu·ma·to·ri·um [fjù:mətɔ́:riəm] (*pl.* **-ria** [-riə], **~s**) *n.* 훈증소(燻蒸所); 훈증 소독실.

fu·ma·to·ry [fjú:mətɔ̀:ri] *n.* 훈증소(燻蒸所). ── *a.* 훈연(燻煙)의, 훈증(용)의.

°fum·ble [fʌ́mbəl] *vi.* **1** 《+전+명/+부》 더듬(어 찾)다《*for; after*》; 만지작거리다, 주무르다《*at; with*》: ~ *for* 〔*after*〕 a key 열쇠를 더듬어 찾다 / He ~*d about* trying to find his lighter in the dark. 그는 어둠 속에서 라이터를 찾으려고 더듬거렸다. **2** 분명찮게 이야기하다, 말을 더듬다. **3** 〖구기〗 펌블하다. ── *vt.* 서투르게 다루다; 실수하다; 더듬어 …하다; 〖구기〗 펌블하다, (공을) 헛잡다. ── *n.* 더듬질; 서투른 취급, 실책; 〖구기〗 펌블, (공을) 헛잡음; 펌블한 공. ㊞ **-bler** *n.* **-bling** *a.* **-bling·ly** *ad.*

fúmble-fingered *a.* 《구어》 서툰, 솜씨 없는.

°fume [fju:m] *n.* (보통 *pl.*) 증기, 가스, 연무; (자극성의) 발연(發煙); 향기, 훈연(燻煙); (술 따위의) 독기; (발작적인) 노여움, 흥분, 발끈함: the ~*s* of wine 〔spirit〕 술의 독기 / be in a ~ 노발대발하고 있다, 성나서 씩씩거리다. ── *vt.* 그을리다; 불김을 쐬다; (암모니아 따위의) 증기에 쐬다; 증발〔발산〕시키다; …에게 향을 피우다. ── *vi.* **1** 연기가 나다, 그을다, 불김에 쐬다; 증발하다《*away*》. **2** 《~/+전+명》 노발대발하다, 씨근거리다: He ~*d* because she did not appear. 그는 그녀가 나타나지 않아서 노발대발했다 / I sometimes ~ *at* the waiter. 나는 가끔 그 웨이터가 못마땅할 때가 있다.

fúme cùpboard 유독 가스 배출 장치가 있는 약품 수납장〔실험 용기〕.

fumed *a.* (목재가) 암모니아로 훈증한: ~ oak 암모니아가스에 쐰 오크재(材).

fúme hòod 환기 후드《실험에서 발생하는 유해 증기를 배출하기 위한 장치》.

fu·mi·gant [fjú:migənt] *n.* 훈증〔훈연〕제《소독 · 살충용》.

fu·mi·gate [fjú:məgèit] *vt.* 그을리다, 그슬리다, 불김에 쐬다; 훈증 소독하다; 《고어》 향을 피우다, 향내 나게 하다. ㊞ **fù·mi·gá·tion** *n.* U 훈증. **fú·mi·gà·tor** [-tər] *n.* 훈증(소독)자〔기〕. **fu·miga·to·ry** [fjú:migətɔ̀:ri, -gèitəri/-gətəri, -gèit-] *a.*

fúm·ing *a.* 연기를 내는; 노여움으로 욱하는, 격분하는.

fu·mi·to·ry [fjú:mətɔ̀:ri/-təri] *n.* 〖식물〗 서양현호색과의 식물《본디 약제용》.

fumy [fjú:mi] (***fum·i·er; -i·est***) *a.* 연기〔가스 · 증기 · 연무〕가 많은〔로 가득 찬〕; 증기 모양의.

†fun [fʌn] *n.* U **1** 즐거운 생각〔경험〕, 재미있는 경험, 즐거움: We had a lot of ~ at the picnic. 피크닉은 대단히 재미있었다〔즐거웠다〕/ Boating was great ~. 보트 놀이는 대단히 재미있었다. **2** 장난, 놀이: It was for ~ that they did it. 그들은 장난으로 그것을 하였다. **3** 재미, 우스움: I can't see the ~ of it. 왜 재미있는지 알 수 없다. **4** 재미있는 사람: He is great ~. ***for*** 〔***in***〕 ***~*** 농담으로, 반장난으로: Try it just *for* ~. 장난 삼아 그것을 해보아라. ***for the ~ of it*** 〔***the thing***〕 그것이 재미있어서, 반장난으로. ***full of ~*** 즐거워서. ***~ and games*** 기분 전환, 즐거움; 《구어》 극히 간단함; 지독히 어려움; 《구어》 성애 행위, 성교. ***have ~*** 재미있게 놀다, 흥겨워하다. ***It's poor ~ to*** do …하는 것은 도무지 재미가 없다. ***like ~*** ① 기운차게; 한창, 크게《팔리는 등》; 신속히. ② 《속어》 〖부정을 강조하거나, 의문을 나타내어〗 결코 …않다, 조금도 …이 아니다(by no means). ***make ~ of*** =***poke ~ at*** …을 놀려대다: You're always *making* ~ *of* 〔*poking* ~ *at*〕 me! 자네는 항상 나를 놀리는군. ***out of ~*** 장난으로, 재미로. ***What ~!*** 참 재미있는데, 거 참 좋다.

── (**-nn-**) *vi.* 《구어》 농담을 하다(joke), 장난치

다. ── *a*. 유쾌한, 재미있는; 농담의.

fún·abòut *n*. 오락 · 스포츠용의 각종 소형 자동차.

fu·nam·bu·lism [fjuːnǽmbjəlìzəm] *n*. Ⓤ 줄타기.

fu·nam·bu·list [fjuːnǽmbjəlist] *n*. 줄타기 곡예사.

‡**func·tion** [fʌ́ŋkʃən] *n*. **1** 기능, 구실, 작용, 효용. **2** 직무, 임무; 직능; 역할. **3** 의식, 행사; 제전, 축전; 공식 회합. **4** 〚수학〛 함수: trigonometric ~ 삼각 함수. **5** 〚문법〛 기능; 〚컴퓨터〛 기능《컴퓨터의 기본적 조작(操作)〔명령〕》. ── *vi*. 《~/+副/+*as* 補》 작용하다, 구실을 하다; (기계가) 움직이다; 역할〔직분〕을 다하다: The engine failed to ~. 엔진은 작동하지 않았다 / My new typewriter doesn't ~ very *well*. 새 타자기는 상태가 그다지 좋지 않다 / He ~*ed as* boss. 그는 두목 노릇을 했다. ㊞ **~·less** *a*.

func·tion·al [fʌ́ŋkʃənəl] *a*. **1** 기능의, 작용의; 직무(상)의; 기능〔작용〕을 가진. OPP. *organic*. ¶ a ~ disease 기능적 질환. **2** 기능〔실용〕 본위의: ~ furniture (실제로 써서) 편리한 가구. **3** 함수의. ── *n*. 〚수학〛 범함수(汎函數). ㊞ **~·ly** *ad*.

fúnctional análysis 기능 분석; 〚수학〛 함수 해석, 위상(位相) 해석.

fúnctional cálculus =PREDICATE CALCULUS.

fúnctional fòod 기능성 식품《식물(食物) 섬유 · 철분 따위의 건강 증진 작용〔성분〕을 강화하는 일종의 건강 식품》.

fúnctional gròup 〚화학〛 관능기(官能基).

fúnctional illíterate (읽기 · 쓰기의 능력 부족으로) 사회생활에 지장이 있는 사람.

fúnc·tion·al·ìsm *n*. Ⓤ 기능 심리학; (건축 따위의) 기능주의; 실용 제일주의.

func·tion·al·i·ty [fʌ̀ŋkʃənǽləti] *n*. 기능성; 상관관계, 상관성.

fúnc·tion·al·ìze *vt*. …을 기능적으로 하다, 기능적인 것으로 하다; 어느 직무에 앉히다; 업무를 기능별로 할당하다, 직능화하다.

fúnctional shíft 〔**chánge**〕 〚문법〛 기능 전환《형태상의 변경 없이 말〔품사〕로서 기능》.

func·tion·ary [fʌ́ŋkʃənèri/-nəri] *n*. 직원, 《특히》 공무원, 관리: a public ~ 공무원. ── *a*. 기능(상)의; 작용의; 직무(상)의.

func·tion·ate [fʌ́ŋkʃənèit] *vi*. 기능을〔직무를〕 다하다(function), 작용하다.

fúnction kèy 〚컴퓨터〛 기능(글)쇠《어떤 특정 기능을 갖는 키보드상의 키》.

fúnction wòrd 〚문법〛 기능어《전치사 · 접속사 · 조동사 · 관계사 따위》.

func·tor [fʌ́ŋktər] *n*. 기능을 다하는 것, 작용하는 것; 〚논리〛 함수 기호.

‡**fund** [fʌnd] *n*. **1** 자금, 기금, 기본금: a reserve ~ 적립금 / a scholarship ~ 장학 기금. **2** (*pl*.) 재원; 소지금: public ~*s* 공금 / in 〔out of〕 ~*s* 자금을 갖고〔이 떨어져서〕. **3** (the ~s) 《영》 공채, 국채. **4** (지식 · 재능 따위의) 축적, 온축(蘊蓄): a ~ *of* knowledge 지식의 축적. ── *vt*. **1** (공채에) 투자하다. **2** (단기 차입금을) 장기 공채로 바꾸어서 빌리다. **3** 자금으로 돌려 넣다, 적립하다: ⇨ FUNDED DEBT. ㊞ **∠·less** *a*.

fund. fundamental.

fun·da·ment [fʌ́ndəmənt] *n*. 둔부(臀部), 궁둥이; 〚해부〛 항문; 〚지학〛 지세, 입지 조건.

***fun·da·men·tal** [fʌ̀ndəméntl] *a*. **1** 기초의, 기본의, 근본적인, 중요〔주요〕한, 필수의: ~ human rights 기본적 인권 / a ~ law 근본 법칙, 기본법; 헌법 / ~ colors 원색. **2** 〚음악〛 바탕음의: ~ chords 주요 삼화음. ── *n*. **1** (보통 *pl*.) 원리, 원칙; 근본, 기본, 기초. **2** 〚음악〛 바탕음(~ tone), 밑음(=∠ **nóte**); 〚물리〛 기본 진동수〔파〕 (first harmonic)(=∠ **fréquency**)《최저 진동수(의 파)》. **3** (*pl*.) 〚경제〛 **a** 국민 경제나 기업의 기본적 실력을 보이는 모든 요인. **b** 통화의 대외적 가치를 결정하는 기초적 조건. ㊞ **~·ness** *n*.

fundaméntal bàss 〚음악〛 (화음을 구성하는) 기초 저음.

fundaméntal interáction 〚물리〛 기본적 상호 작용.

fun·da·men·tal·ism [fʌ̀ndəméntəlìzəm] *n*. Ⓤ (종종 F-) 근본주의, 정통파 기독교 (운동)《성경을 그대로 믿어 진화론 따위를 배격》; 원리주의. cf. modernism. ㊞ **-ist** *n*. 근본주의자, 정통파 기독교 신자.

fun·da·men·tal·i·ty [fʌ̀ndəmentǽləti] *n*. Ⓤ 근본〔기본〕성, 간요(肝要)함.

°**fun·da·men·tal·ly** [fʌ̀ndəméntəli] *ad*. 본질적〔근본적〕으로.

fundaméntal párticle 〚화학〛 소립자; 〚물리〛 기본 입자.

fundaméntal séquence 〚수학〛 기본 수열.

fundaméntal théorem of álgebra 〚수학〛 대수(代數)학의 기본 정리.

fundaméntal únit 〚물리〛 기본 단위.

fúnded débt 고정부채, 《특히》 =BONDED DEBT.

fúnd·hòlder *n*. 《영》 공채 소유자〔투자가〕.

fun·di [fúndi(ː)] *n*. (동 · 남아프리카에서) 숙련자, 전문가.

fun·dic [fʌ́ndik] *a*. fundus 의〔에 관한〕.

fund·ie, fun·dy [fʌ́ndi] *n*. 근본주의자; 독일 녹색당 급진 분자.

fúnd·ing *n*. 자금 조달, 《영》 (장기 국채로의) 차환(借換).

fúnd mànager 자금 운용 담당자.

fúnd-ràising *n*., *a*. 자금 조달(의): a ~ party 자금 모금 파티, 정경(政經) 파티, 자선 파티. ㊞ **fúnd-ràiser** *n*. 기금 조성자; 《미》 기금 조달을 위한 모임.

fun·dus [fʌ́ndəs] (*pl*. **-di** [-dai]) *n*. 〚해부〛 《L.》 (위 · 눈 등의) 기저, (밑)바닥; 저부(base).

‡**fu·ner·al** [fjúːnərəl] *n*. **1** 장례식, 장례: attend a ~ 장례식에 참석하다 / a public 〔state, national〕 ~ 공장(公葬)〔국장〕. **2** 장례 행렬. **3** 《구어》 …에게만 관계되는 (싫은) 일: none of my 〔your〕 ~ 내〔네〕 알 바 아니다 / That's your ~. 《구어》 그것은 네 문제이다. ── *a*. 장례식의; 장례식용의: a ~ ceremony 〔service〕 장례식 / a ~ oration 조사(弔辭) / a ~ march 장송(葬送) 행진곡 / a ~ procession 〔train〕 장의 행렬 / a ~ pile 〔pyre〕 화장용 장작더미 / a ~ urn 납골 단지.

fúneral chàpel 영안실; =FUNERAL HOME.

fúneral dirèctor 장의사.

fúneral hòme 〔**pàrlor**〕 장례 회관《유체 안치장 · 방부 처리장 · 화장장 · 장의장 등을 갖춘》.

fu·ner·ary [fjúːnərèri/-nərəri] *a*. 장례식의, 매장의.

fu·ne·re·al [fjuːníəriəl] *a*. 장송의; 장례식에 어울리는; 슬픈, 음울한(gloomy). ㊞ **~·ly** *ad*.

fún fàir 《주로 영》 유원지(amusement park).

fún fùr 싼 모조 모피 옷.

fun·gal [fʌ́ŋgəl] *a*. =FUNGOUS. ── *n*. =FUNGUS.

fun·gi [fʌ́ndʒai, fʌ́ŋgai] FUNGUS의 복수.

fun·gi- [fʌ́ndʒə, fʌ́ŋgə] '균류'란 뜻의 결합사.

fun·gi·ble [fʌ́ndʒəbəl] *a*. 대용〔대체〕할 수 있는, 대체 가능한. ── *n*. 대체 가능물.

fun·gi·cid·al [fʌ̀ndʒəsáidl, fʌ̀ŋgə-] *a*. 살균성의. ㊞ **~·ly** *ad*.

fun·gi·cide [fʌ́ndʒəsàid] *n*. 살균제.

fun·gi·form [fʌ́ndʒəfɔ̀ːrm] *a*. 균상(菌狀)의, 버섯 모양의.

fun·gi·stat [fʌ́ndʒəstæ̀t, fʌ́ŋgə-] *n*. 정진균제(靜眞菌劑)《균류(菌類)의 번식을 방해 · 방지하는 화합물》.

fun·gi·stat·ic [fʌ̀ndʒəstǽtik, fʌ̀ŋgə-] *a.* (약제가) 정진균성의.
fun·giv·or·ous [fʌndʒívərəs] *a.* 〖동물〗 균식성(菌食性)의.
fun·go [fʌ́ŋgou] (*pl.* **~es**) *n.* 〖야구〗 연습 플라이《외야수의 수비 연습을 위한》; 노크배트, 연습 배트(=~ **bàt** 〔**stìck**〕); 《미속어》 실패, 실수, 〖일반적〗 보상 없는 행위. — *vi.* (연습을 위한) 비구(飛球)를 쳐올리다; 《미속어》 실패하다.
fun·goid [fʌ́ŋgɔid] *a.* 버섯과 비슷한; 균상종(菌狀腫)이 있는; 균류(菌類) 비슷한; 균성의. — *n.* 균상종. 「(菌類學).
fun·gol·o·gy [fʌŋgáləd͡ʒi/-gɔ́l-] *n.* Ⓤ 균류학
fun·gous [fʌ́ŋgəs] *a.* 버섯의; 버섯 비슷한; 해면상(海綿狀)의; 균에 의하여 생긴; 갑자기 생기는, 일시적인, 덧없는; 〖의학〗 버섯 모양의.
◇**fun·gus** [fʌ́ŋgəs] (*pl.* **-gi** [fʌ́ndʒai, fʌ́ŋgai], **~·es**) *n.* 《L.》 **1** 버섯, 균류(菌類)《mushroom, toadstool 따위》. **2** 〖의학〗 균상종(菌狀腫), 해면종; 물고기의 피부병. **3** 갑작스러운 (불쾌한) 것, 일시적 현상; 《속어》 턱수염. — *a.* =FUNGOUS.
fún hòuse (유원지의) 유령의 집《도깨비집, 일그러진 거울, 괴상한 조명 장치 따위가 있어 익살스럽게 관람객을 놀라게 함》.
fu·ni·cle [fjú:nikəl] *n.* =FUNICULUS.
fu·nic·u·lar [fju:níkjələr] *a.* 밧줄〔케이블〕의; 밧줄의 긴장력에 의한; 케이블에 의해 움직이는; 〖해부〗 탯줄의. — *n.* 케이블카(=~ **ráilway**).
fu·nic·u·lus [fju:níkjələs] (*pl.* **-li** [-lài]) *n.* 〖식물〗 배주병(胚珠柄)(funicle); 〖의학〗 탯줄; 삭조(索條).
funk[1] [fʌŋk] 《구어》 *n.* **1** 움츠림, 두려움, 겁, 공포, 공황. **2** 겁쟁이. ***in a ~ of*** …을 두려워하여. — *vi.* 움츠리다, 겁내(어 떨)다. — *vt.* 겁내(어 떨)게 하다; 두려워하게 하다; (일을) 회피하다.
funk[2] *n.* **1** 《미》 (퀴퀴한) 악취. **2** funky[2]한 재즈, 펑크; funky[2]한 것〔상태〕. **3** =FUNK ART. — *vt.* …에 연기〔취기(臭氣)〕를 뿜다; (담배를) 피우다. — *vi.* **1** 연기〔취기〕를 뿜다. **2** 펑키 재즈를 연주하다〔에 스윙하다〕.
fúnk àrt 별스러운 대중 예술.
fúnk hòle 〖군사〗 참호, 대피호; 병역 면제〔회피〕의 구실이 되는 직무.
fúnk mòney =HOT MONEY.
fúnk mùsic 펑크 뮤직(funk[2]). 「리는, 겁 많은.
funky[1] [fʌ́ŋki] (**funk·i·er; -i·est**) *a.* 《구어》 움츠
funky[2] *a.* **1** 《구어》 퀴퀴한, 악취 나는, 코를 찌르는. **2** 〖재즈〗 소박한 블루스풍의, 펑키한. **3** 《속어》 섹시한; 파격적인, 멋진. **4** 《미속어》 우울한, 의기소침케 하는; 감정적인. **5** 《미흑인속어》 (사람·연기·물건이) 뒤지는, 불쾌한. ㊞ **fúnk·i·ness** *n.*
fun·nel [fʌ́nl] *n.* 깔때기; (깔때기 모양의) 통풍통(通風筒), 채광 구멍; (기선·기관차의) 굴뚝; 〖해부·동물〗 깔때기꼴 기관; =FUNNEL CLOUD. — (**-l-**, 《영》 **-ll-**) *vt.* **1** 깔때기 모양이 되게 하다; 좁은 통로로 흐르게 하다. **2** 《+목+전+명》 (정력 따위를) 집중하다〔시키다〕, 쏟다: ~ all one's energy *into* one's job 온 정력을 일에 집중하다. **3** (정보 따위를) 흘리다. — *vi.* 깔때기 모양이 되다; 중심에 모이다, 중심에서 분산하다; 깔때기〔좁은 통로〕를 통과하다. ㊞ (**-**)**~**(**l**)**ed** *a.* 깔때기가 달린〔붙은〕; 깔때기 모양의; (…개의) 굴뚝이 있는: a two-~(*l*)*ed* steamer, 2개의 굴뚝이 있는 기선.
fúnnel clòud 〖기상〗 (tornado의) 깔때기 구름
fúnnel·fòrm *a.* 깔때기 모양의. 「(tuba).
fun·ni·ly [fʌ́nili] *ad.* 재미있게, 우습게, 익살스럽게. ~ ***enough*** 매우 기묘한 일이지만.
fun·ni·ment [fʌ́nimənt] *n.* Ⓤ 농담; 익살.
fun·ni·ness [fʌ́ninis] *n.* Ⓤ 이상함, 우스움.
fun·ni·os·i·ty [fʌ̀niásəti / -ɔ́s-] *n.* 익살, 우스움; 우스운〔재미있는〕 사람.
†**fun·ny**[1] [fʌ́ni] (**-ni·er; -ni·est**) *a.* **1** 익살맞은, 우스운, 재미있는. SYN. ⇨ INTERESTING. **2** 《구어》 기묘한, 괴상한, 별스러운, 진기한, 묘한: a ~ fellow 별스러운 놈. **3** 수상한, 의심스러운: That's ~. 이건 이상한데; 묘하군 《2,3의 양쪽에 걸침》. **4** 《미》 만화란의. ***feel ~*** =***go all ~*** 기분이 나빠지다; 상태가 심상치 않다《예삿일이 아니다》. ***get ~ with ...*** 《구어》 …에게 뻔뻔스러운 태도를 취하다. — *n.* (보통 the funnies) 연재만화(comic strips); =FUNNY PAPER; 《구어》 농담: make a ~ 농담하다. — *ad.* 우습게, 기묘하게.
fun·ny[2] *n.* 《영》 일종의 1인용 소형 보트.
fúnny bòne (팔꿈치의) 척골(尺骨)의 끝《치면 찌릿함》; 유머 (감각); 재빠른 반응.
fúnny bòok 만화책.
fúnny bùsiness 《구어》 우스운 행동, 장난, 농담; 기묘한 일, 수상한 행동.
fúnny càr 《미속어》 겉보기에는 일반차처럼 보이지만 강력한 엔진을 달아 개조한 차.
fúnny cigarétte 《미속어》 마리화나 담배.
fúnny fàrm 《우스개》 정신 병원.
fun·ny-ha-ha [fʌ́nihà:há:] *a.* 《구어》 재미있는, 우스운, 익살스러운. 「올〕 중독자 요양소.
fúnny hòuse 《미속어》 정신 병원; 마약〔알코
fúnny-lòoking *a.* 우습게 보이는.
fúnny·man [-mən] (*pl.* **-men** [-mən]) *n.* 익살스러운 사람, 만담가, 코미디언.
fúnny mìrror (유원지의) 요철경(凹凸鏡).
fúnny mòney 《구어》 가짜 돈; 인플레가 된 화폐, 불안정한 돈; 수상쩍은 돈《정치 자금 등》.
fúnny pàper 신문의 만화란. 「신이 돈.
fúnny-pecúliar *a.* 《구어》 기묘한, 이상한; 정
fún rùn 아마추어 마라톤 대회《기록보다는 참가에 뜻을 두거나, 자선 자금을 모금하기 위한》.
fun·ster [fʌ́nstər] *n.* 익살꾼; 코미디언.
fún·wàre *n.* 〖컴퓨터〗 펀웨어《비디오 게임용 firmware》. 「명의 발열).
FUO 〖의학〗 fever of unknown origin (원인 불
fu·o·ro [fju:ɔ́:rou] *a.* 〖천문〗 초신성(超新星)의〔에 관한〕; 초신성 폭발 활동의〔에 의한〕. [◂ *FU Orionis*]
‡**fur** [fə:r] *n.* **1** Ⓒ 모피; (보통 *pl.*) 모피 제품《목도리 따위》: a lady in ~s 모피 코트를 입은 숙녀. **2** 〔집합적〕 모피 동물: ~ and feather 수류(獸類)와 조류 / hunt ~ 산토끼 사냥을 하다. **3** Ⓤ 부드러운 털. **4** Ⓤ 솜털 모양의 것; 물때, 백태(白苔); (포도주 표면에 생기는) 골마지; 《비어》 (여성의) 거웃; 질, 외음부. ◇ furry *a.* ***make the ~ fly*** ⇨ FLY[1]. ***stroke*** a person***'s ~ the wrong way*** 아무를 화〔성〕나게 하다. ***the ~ fly*** 대소동이 일어난 모양, 난장판. — (**-rr-**) *vt.* **1** 모피로 덮다; …에 모피를 달다; …에 모피 안〔가두리 장식〕을 대다. **2** …에 물때가 끼게 하다; 오염물〔침전물〕로 덮이게 하다; …에 백태가 끼게 하다. **3** 〖건축〗 …에 나뭇조각을 끼우다《마루 따위를 판판하게 하기 위하여》. — *vi.* 물때〔백태〕가 끼다. — *a.* 모피(제)의, 부드러운 털의.
fur. furlong(s); furnished; further.
fu·ran, -rane [fjúəræn, -ˊ], [fjúərein, -ˊ] *n.* 〖화학〗 푸란.
fu·ra·nose [fjúərənòus, -nòuz] *n.* 〖화학〗 푸라노우스《단당(單糖)의 고리 모양 이성체(異性體)의 하나》.
fu·ran·o·side [fjuərǽnəsàid] *n.* 〖화학〗 푸라노시드《당 부분이 푸라노우스 구조 배당체(配糖體)의 총칭》.
fu·ra·zol·i·done [fjùərəzálidòun/-zɔ́l-] *n.*

〖약학〗 푸라졸리돈《가금 기생충 예방약》. 「동물.

fúr·bèar·er *n.* 부드러운 털을 가진 동물, 모피

fur·be·low [fə́ːrbəlòu] *n.* (여자 옷의) 옷단 장식; (보통 *pl.*) 현란〔화려〕한 장식. — *vt.* …에 ~를 달다; 화려하게 꾸미다.

fur·bish [fə́ːrbiʃ] *vt.* 《~+[목]/+[목]+[부]》 문지르다, 갈다, 닦다《*up*》; 새롭게 하다, 갱생시키다: ~ *up* old furniture 헌 가구를 닦다.

Fúrbish lòusewort 〖식물〗 퍼비시송이풀《절멸에 가까운 송이풀의 일종》. 「성기, 질, 음부.

fur·burg·er [fə́ːrbəːrgər] *n.* 《속어》 (여성의)

fur·cate [fə́ːrkeit, -kət] *a.* 포크형으로 된, 분기(分岐)된, (끝이) 갈라진. — [-keit] *vi.* 포크형으로 갈라지다, 분기하다. [파] **~·ly** *ad.*

fúr·cat·ed [-keitid] *a.* =furcate.

fur·cá·tion *n.* [U,C] 분기(分岐).

fur·fu·ra·ceous [fə̀ːrfjəréiʃəs] *a.* 비듬 모양의, 겨 같은; 비듬투성이의.

fur·fur·al [fə́ːrfjəræ̀l, -fə-] *n.* 〖화학〗 푸르푸랄《방향성 무색의 유상(油狀) 액체로 합성수지〔섬유〕 제조에 이용》.

Fu·ries [fjúəriz] *n. pl.* (the ~) 〖그리스신화·로마신화〗 복수의 여신들《Alecto, Megaera, Tisiphone의 세 자매》. [cf.] fury 5.

fu·ri·o·so [fjùərióusou] 〖음악〗 *a.*, *ad.* (연주 지시에서) 격렬한〔하게〕, 푸리오소. — *n.* 푸리오소로 연주되는 악구(樂句)·악곡(樂曲).

fu·ri·ous** [fjúəriəs] *a.* **1** 성난, 격노한, 화가 치민; 광포한, 무서운. **2** (바람·폭풍우 따위가) 사납게 몰아치는, 격렬한. **3** 맹렬한, 모진: ~ speed. ◇ fury *n.* ***grow fast and ~ ⇨FAST¹. [파] **~·ly** *ad.* **~·ness** *n.*

furl [fəːrl] *vt.*, *vi.* (돛·기 따위를) 감아〔말아〕 걷다; 개키다, (우산 따위를) 접다; (커튼을) 걷다; 감겨 오르다, 접히다《*up*》. — *n.* 감아서〔말아서〕 걷음, 감아올림; 감은〔만〕 것.

fur·long [fə́ːrlɔːŋ, -lɑŋ/-lɔŋ] *n.* 펄롱《길이의 단위; 1마일의 1/8, 약 201.17m; 생략: fur.》.

fur·lough [fə́ːrlou] *n.* [U,C] (군인 등의) 휴가; (조업(操業) 단축 등에 의한) 일시 해고. ***on*** ~ 휴가 중에. — *vt.* **1** 휴가를 주다. **2** (보통, 일시적으로) 해고하다.

furme(n)ty ⇨FRUMENTY.

°**fur·nace** [fə́ːrnis] *n.* **1** 노(爐); 아궁이, 화덕. **2** 난방로. **3** 용광로. **4** 혹서(酷暑)의 땅. **5** 혹독한 시련: be tried in the ~ 혹독한 시련을 겪다. — *vt.* 〖야금〗 …을 가열하다.

‡**fur·nish** [fə́ːrniʃ] *vt.* **1** 《~+[목]/+[목]+[전]+[명]/+[목]+[목]》 (필요한 물건을) 공급하다, 제공하다, 주다: The sun ~*es* heat. 태양은 열을 제공한다/He ~*ed* the hungry *with* food. =He ~*ed* food *to* the hungry. 그는 굶주린 사람들에게 먹을 것을 주었다/I ~*ed* him food. 그에게 먹을 것을 주었다. **2** 《~+[목]/+[목]+[부]/+[목]+[전]+[명]》 …에 (필수품, 특히 가구를) 비치하다, 갖추다, 설비하다: ~ a house *with* furniture 집에 가구를 비치하다/This house is *well* ~*ed*. 이 집은 가구가 잘 갖추어져 있다/~ a room *with* an air conditioner 방에 냉난방 장치를 설치하다. — *vi.* 가구를 비치하다〔갖추다〕. ~ ***out*** 충분히 준비하다; (필요품을) 공급하다.

fúr·nished [-t] *a.* **1** 가구가 있는: a ~ apartment 가구가 딸린 아파트. **2** 재고가 …한: a well-~ store 재고가 풍부한 가게.

fúr·nish·er *n.* 공급자; 가구상.

fúr·nish·ing *n.* [U] 가구의 비치; (*pl.*) 비품, 가구; 《미》 복식품(服飾品); 액세서리: men's ~*s* 남자용 복식품.

‡**fur·ni·ture** [fə́ːrnitʃər] *n.* [U] **1** 가구, 세간: a set of ~ 가구 한 벌/all the ~ of the room 방 안의 가구 전부.

> [NOTE] 집합명사이며 단수 취급, 셀 때는 a piece 〔an article〕 of ~ '가구 한 점', a few sticks of ~ '가구 몇 점' 처럼 하며, 또 양적으로 취급하여 some ~, much ~, a lot of ~ 따위로 함.

2 부속품, 부속 쇠붙이, 필요 비품; 마구; 선구(船具); 〖인쇄〗 활자 사이에 끼우는 쐐기. **3** 내용, 알맹이: the ~ of a bookshelf 서적/the ~ of one's pocket 포켓 안에 든 것, 금전/the ~ of one's mind 교양, 지식. ***a nice little piece of*** ~ 《미속어》 성적 매력이 있는 여자.

fu·ror [fjúərɔːr, -rər/-rɔː] *n.* [U,C] 벅찬 감격〔흥분〕(의 상태), 격정; 열광적인 유행〔칭찬〕, …열; (일시적인) 열중, 열광, 대소동.

fúror col·li·gén·di [-kɑ̀lədʒéndai/-kɔ̀l-] 《L.》 수집광.

fu·rore [fjúərɔːr/fjuərɔ́ːri] *n.* 《It.》 **1** =FUROR. **2** 〖음악〗 격정, 열정. ***make*** 〔***create***〕 ***a*** ~ 열광시키다.

fúror lo·quén·di [-lɔːkwéndi] 변설〔변론〕광.

fúror po·é·ti·cus [-pɔːéitikus] 시광(詩狂), 작시광(作詩狂).

fu·ro·se·mide [fjuəróusəmàid] *n.* 〖약학〗 푸로세미드《부종 치료용 강력 이뇨제》.

fur·phy [fə́ːrfi] *n.* 《Austral. 속어》 허보(虛報), 엉터리 소문; 시시한 이야기.

furred [fəːrd] *a.* 부드러운 털로 덮인; 모피제의, 털가죽을 댄; 털가죽을 쓴〔입은〕; 물때가 앉은〔낀〕; 〖의학〗 백태가 낀; 〖건축〗 바탕 재료를 붙인.

fur·ri·er [fə́ːriər/fʌ́riər] *n.* 모피상; 모피공.

fur·ri·ery [fə́ːriəri/fʌ́r-] *n.* 〘집합적〙 모피(류); 모피 장사; 모피 가공.

fur·ring [fə́ːriŋ] *n.* 털가죽 (대기); 물때(가 앉음); 〖건축〗 바탕 재료〔뼈대〕; 〖의학〗 백태.

°**fur·row** [fə́ːrou/fʌ́rou] *n.* **1** 밭고랑; 보습 자리. **2** 《시어》 밭, 경지. **3** 바퀴자국; 항적(航跡). **4** (얼굴의) 깊은 주름. **5** 《영속어》 (여성의) 외음(부), 음문. ***draw a straight*** ~ 정직하게 살아가다. ***have a hard*** ~ ***to plow*** 어려운 일에 직면하다. ***plow a lonely*** ~ 묵묵히 혼자 일해 가다; 독자적인 길을 걷다; 《특히》 정치상의 동지와 헤어지다; 고독한 생활을 보내다. — *vt.* **1** 갈다, 경작하다; (밭에) 고랑을 만들다, 이랑을 짓다. **2** 《시어》 (배가 파도를) 헤치고 나아가다. **3** …에 주름살을 짓다. — *vi.* 고랑이 지다, 주름이 지다. [파] **~·ing** *n.* [U] 이랑을 지어서 하는 경작; 주름잡기; (산 따위에 의한) 금속의 부식법. **~·less** *a.* **~y** [-i] *a.* 고랑이 진; 주름이 많은.

fur·ry [fə́ːri] (*-ri·er; -ri·est*) *a.* 모피(제)의; 모피로 덮인, 모피를 걸친; 모피와 비슷한; 모피 안〔깃〕을 댄; 물때가 앉은; 설태(舌苔)가 낀; 《미속어》 무서운. ◇ fur *n.*

fúr sèal 〖동물〗 물개.

‡**fur·ther** [fə́ːrðər] *ad.* 〘far의 비교급〙 **1** 그 위에, 게다가, 더욱이, 더 나아가서: inquire ~ into the problem 더 깊이 문제의 조사를 진행시키다/until you hear ~ from me 추후 알려드릴 때까지는. **2** 더욱 멀리〔앞으로〕. ~ ***on*** 더 앞에: The village is two miles ~ *on*. 그 동네는 이제 2마일 남았다. ~ ***to ...*** …에 덧붙여 말하자면《상용문에서》. ***go*** ~ 게다가〔그 이상으로〕 …하다. ***I'll see you*** ~ ***first.*** (그런 일은) 딱 질색이다《이 경우의 further는 '저승에서' '지옥에서'의 뜻》. ***wish*** a person ~ 아무가 거기에 없었으면 하다. — *a.* 그 위의, 그 이상의: ~ news 후보, 뒷소식, 속보/on the ~ side (of the road) (길) 저쪽에/till ~ notice 추후 알려 줄〔소식·통지가 있을〕 때까지/for ~ details 〔particulars〕 그 이상 상세한 것은.

[NOTE] farther의 철자는 오늘날엔 거리의 뜻을 포함하는 경우에만 쓰이며, '더욱이'라는 뜻으로는 further가 사용됨. 그러나 이 구별도 점차 흐려져 further의 어형만이 남는 경향임.

— *vt.* 진전시키다, 조장(촉진)하다.
[파] **~·ance** [-ðərəns] *n.* [U] 조장, 촉진, 증진.

fúrther educátion (영국의) 성인 교육《대학생이 아닌 일반인을 대상으로 하는》.

***fur·ther·more** [fə́ːrðərmɔ̀ːr] *ad.* 더군다나, 그 위에, 더구나, 다시금.

fúrther·mòst *a.* 가장(제일) 먼(곳의).

◇**fur·thest** [fə́ːrðist] *a.* 《far의 최상급》 가장 먼(멀리 떨어진). — *ad.* 가장 멀리; 《미》 가장. ***at*** **~** 아무리 늦어도(멀어도); 고작.

fur·tive [fə́ːrtiv] *a.* 은밀한, 내밀한, 남몰래 하는; 넌지시 하는, 사람의 눈을 속인; 교활한; 수상한: a ~ glance 슬쩍 엿봄/a ~ look 몰래 살피는 표정. [파] **~·ly** *ad.* 몰래, 슬그머니, 슬쩍, 은밀히.

Furt·wäng·ler [*G.* fúrtvɛŋlər] *n.* **Wilhelm ~** 푸르트벵글러《독일의 지휘자·작곡가; 1886–1954》.

fu·run·cle [fjúərʌŋkəl] *n.* 【의학】 절종(癤腫), 부스럼. [파] **fu·run·cul·ar, -rún·cu·lous** [fjuərʌ́ŋkjələr], [-kjələs] *a.*

fu·run·cu·lo·sis [fjuərʌ̀ŋkjəlóusis] (*pl.* ***-ses*** [-siːz]) *n.* 【의학】 절종증; 【어류】 박테리아에 의한 연어·송어의 병.

fu·ry** [fjúəri] *n.* [U,C] **1** 격노, 격분: fly into a ~ 격노하다/in a ~ 열화처럼 노하여, 분노에 이끌리어. [SYN.] ⇨ ANGER. **2** 격정; 열광. **3** 광포(성). **4** (병·날씨·전쟁 따위의) 격심함, 맹렬함. **5** (F-) (보통 *pl.*) 【그리스신화·로마신화】 복수의 여신; (*pl.*) 원령(怨靈). **6** 난폭한 사람; 《특히》 한부(悍婦), 표독한 여자. ◇ furious *a.* ***like **~** 《구어》 맹렬히; 재빨리; 열중하여.

furze [fəːrz] *n.* [U] 【식물】 바늘금작화(金雀花). [파] **fúrzy** [-i] *a.* 바늘금작화의(같은); 바늘금작화가 무성한.

fu·sain [fjuːzéin, ⌐⌐] *n.* (데생용) 목탄; 목탄화.

fu·sár·i·um wilt [fjuːzɛ́əriəm-] 담배 시듦병.

fus·cous [fʌ́skəs] *a.* 【생물】 암갈색의, 거무스름한(somber).

fuse**[1] [fjuːz] *n.* **1** (폭뢰·포탄 따위의) 신관(信管), (폭파 따위에 쓰는) 도화선. **2** 【전기】 퓨즈. ***blow a **~** 퓨즈를 튀게 하다; 《구어》 몹시 화내다. ***have a short*** **~** 《미》 와락 흥분하다(골내다). — *vt.* …에 신관(퓨즈·도화선)을 달다. — *vi.* 퓨즈가 튀다.

***fuse**[2] *vt., vi.* 녹이다; 녹다; 녹여 합금을 만들다; 융합시키다; 융합하다.

fúse bòx 【전기】 퓨즈 상자(=**fúse càbinet**); 《미속어》 머리.

fu·see [fjuːzíː] *n.* 내풍(耐風) 성냥의 일종; (철도 따위에서 사용하는) (적색) 섬광 신호; 【기계】 퓨지, 원뿔 활차《구식 시계 등의》; (말의 정강이뼈에 나는) 골종(骨腫); 신관.

fu·se·lage [fjúːsəlàːʒ, -lidʒ, -zə-/fjúːzilàːʒ] *n.* (비행기의) 동체(胴體), 기체(機體).

fú·sel (óil) [fjúːzəl(-), -səl(-)/-zəl(-)] 【화학】 퓨젤유(油).

fúse wire 도화선.

fù·si·bíl·i·ty *n.* [U] 가용성; 용도(溶度).

fu·si·ble [fjúːzəbəl] *a.* 녹기 쉬운, 가용성의.

fu·si·form [fjúːzəfɔ̀ːrm] *a.* 【생물】 방추상(紡錘狀)의, 가운데가 굵고 양 끝이 가는. 「銃).

fu·sil[1] [fjúːzəl, -sil/-zil] *n.* 【역사】 수발총(燧發

fu·sil[2], **-sile** [fjúːzəl, -sil/-zil], [-zəl, -sil, -sail/-sail] *a.* 녹여서 만든, 주조한; 녹은, 녹는.

fu·si·lier, -leer [fjùːzəlíər] *n.* 수발총병(燧發銃兵); (보통 *pl.*) (영국의) 퓨질리어 연대(의 병사)《옛날 수발총을 사용하였음》.

fu·sil·lade [fjúːsəlèid, -làːd, -zə-/fjùːziléid] *n.* 《F.》 【군사】 일제(연속) 사격, 맹사(猛射); (야구에서) 맹타 연발, 집중 안타; (질문 등의) 연발. — *vt.* …에게 일제 사격하다.

fús·ing pòint [fjúːziŋ-] =MELTING POINT.

◇**fu·sion** [fjúːʒən] *n.* **1** [U] 용해, 융해; [C] 용해(융해)물. **2** 《미》 [U] (정당 등의) 합동, 연합, 합병; [C] 연합체: a ~ administration 《미》 연립내각(《영》 coalition cabinet). **3** [U] 【물리】 핵융합. [cf.] fission. **4** 【음악】 퓨전《재즈에 록 등이 섞인 음악》. ◇ fuse² *v.*

fúsion bòmb 핵융합 폭탄, 《특히》 =HYDROGEN BOMB.

fú·sion·ìsm *n.* [U] (정당의) 합병론, 합동(연합)주의. [파] **-ist** *n.* 합병론자.

fúsion pòint 녹는점.

fúsion reàction 핵융합 반응.

fúsion reàctor 핵융합로.

fuss** [fʌs] *n.* **1** 공연한 소란; 안달(함): What's all this ~ about? 대체 무슨 일로 이리 소란하냐/kick up a ~=make a ~ 《*about*》 크게 떠들어대다/make a great ~ 《*over*》 떠들썩하게 칭찬하다/get into a ~ 안달복달하다. **2** 《구어》 (쓸데없는 일에) 떠들어대는 사람, 시끄러운 사람. **3** 싸움; 말다툼. **~ *and feathers 《구어》 대소동, 공연한 법석; 불평. — *vi.* 《~/+[부]/+[전]+[명]》 안달(복달)하다; 떠들어대다; 안달하여 돌아다니다《*about*》: ~ *up* and *down* 성급히 돌아다니다; 떠들며 돌아다니다/~ *about* (*over*) a person's trifling mistakes 아무의 사소한 잘못을 크게 떠들어대다. — *vt.* (하찮은 일로) …을 소란케 하다, 괴롭히다《*about*》; 안달나게 하다; 《미속어》 (여자)와 데이트하다. ◇ fussy *a.* ***not be ~ed about*** 《영구어》 …에 대하여는 상관 않다, 개의치 않다. [파] **~·er** *n.*

fúss·bùdget *n.* 《구어》 하찮은 일에 떠들어대는 사람; 공연히 떠드는 사람. [파] **fúss·bùdgety** *a.*

fus·sock [fúsək, fʌ́s-] 《미방언》 *n.* 나귀; 바보; 뚱뚱하고 메부수수한 여인.

fúss·pòt *n.* 《영구어》 =FUSSBUDGET.

◇**fussy** [fʌ́si] (***fuss·i·er; -i·est***) *a.* **1** 떠들기 좋아하는; 성가신, 까다로운. **2** 장식이 많은; 공(들여 만)든; 세밀한, 손(노력)이 많이 드는. [파] **fúss·i·ly** *ad.* **-i·ness** *n.*

fust [fʌst] *a.* 《방언》 =FIRST.

fus·ta·nel·la [fʌ̀stənélə] *n.* (알바니아 등지에서 남자가 입는) 흰 무명 스커트(=**fus·ti·nél·la**).

fus·tian [fʌ́stʃən/-tiən] *n.* [U] 퍼스티언 천《중세의 복지로 능직 무명의 일종; 지금의 코르덴·벨벳 종류》; 과장된 언사, 호언; (문장·말의) 과장. — *a.* 퍼스티언 천의; 야단스러운, 풍을 치는, 과장된; 시시한, 쓸모없는.

fus·tic [fʌ́stik] *n.* 퍼스틱《개해나무류(類)(의 목재)》; 그것에서 채취한 황색 염료.

fus·ti·gate [fʌ́stigèit] *vt.* 《우스개》 곤봉으로 때리다; 혹평하다. [파] **fùs·ti·gá·tion** *n.* 곤봉으로 때림; 혹평.

fus·ty [fʌ́sti] (***-ti·er; -ti·est***) *a.* 곰팡내 나는(musty); 진부한, 낡아빠진; 완미(頑迷)한, 시대에 뒤진. [파] **-ti·ly** *ad.* **-ti·ness** *n.*

fut [fʌt] *int.* =PHUT.

fut. future.

fu·thark, fu·thorc [fúːθɑːrk], [-θɔːrk] *n.* [U] 룬 자모(문자)(runic alphabet).

◇**fu·tile** [fjúːtl, -tail/-tail] *a.* **1** 쓸데없는, 무익한. [SYN.] ⇨ VAIN. **2** 하찮은, 변변찮은. [파] **~·ly** [-li] *ad.* **~·ness** *n.*

fu·til·i·tar·i·an [fju:tìlətέəriən] *a., n.* 인간의 노력의 무익함을 믿는 (사람), 비관주의의 (사람).
fu·til·i·ty [fju:tíləti] *n.* Ⓤ 쓸데없음, 무익〔무용〕(임); Ⓒ 하찮은 일〔것〕; Ⓒ 경망한 언동.
fu·ton [fjú:tɑn/-tɔn] *n.* 《Jap.》 요, 이부자리.
fut·tock [fʌ́tək] *n.* 〖해사〗 목선(木船)의 (중간) 늑재(肋材).
fúttock shròud 〖해사〗 가운데 돛대의 밧줄 밑끝을 버티는 쇠고리〔쇠막대〕.
fu·tu·ra·ma [fjù:tʃərǽ:mə, -rɑ́:mə/-rɑ́:mə] *n.* 미래상(未來像).
fu·ture [fjú:tʃər] *n.* **1** 미래, 장래, 장차; (the F-) 내세: for the ~ =in (the) ~ 장래, 미래에, 금후(는) / in the distant 〔far〕 ~ 먼 장래에 / in the near 〔in no distant〕 ~ 머지않아, 가까운 장래에. **2** 장래성, 전도, 앞날: have no ~ 장래성이 없다. **3** 〖문법〗 미래, 미래 시제〔형〕. **4** (*pl.*) 〖상업〗 선물(先物), 선물 계약: deal in ~s 선물(先物) 매매를 하다. **5** 《속어》 약혼자. ***in ~ ages*** 후세에. ***There is no ~ in it.*** 가망이 없다; 헛일이다. ***with ~*** 유망한. **—** *a.* **1** 미래〔장래〕의: ~ generations 후대 사람들. **2** 내세의. **3** 〖문법〗 미래(시제)의: the ~ perfect 미래 완료(시제) / the ~ tense 미래 시제. ㊉ **~·less** *a.* 장래성이 없는, 미래가 없는; 가망이 없는.
fúture lífe 〔**státe**〕 저 세상, 내세, 영계.
fúture pérfect (the ~) 〖문법〗 미래 완료.
fúture-pròof *a.* (제품이) 쓸모없게 안 되는, 미래가 보장된.
fútures còntract 〖상업〗 선물(先物) 거래.
fúture shòck 미래 쇼크《눈부신 사회 변화·기술 혁신이 초래하는 쇼크; 미국의 Alvin Toffler 의 조어》.
fútures màrket 선물(先物) 시장.
fútures transáction 〖상업〗 선물 (시장) 거래, 선물 (거래소) 거래.
fúture ténse (the ~) 〖문법〗 미래 시제.
fu·tur·ism [fjú:tʃərìzəm] *n.* Ⓤ 미래파《인습을 타파하고 새로운 국면을 개척하려고 1910년경 이탈리아에서 일어난 미술·음악·문학의 유파》. ㊉ **-ist** *n.* 미래파 화가〔예술가〕; 〖신학〗 미래 신자《신약 성서 계시록의 예언의 성취를 믿는》; 미래학자. **fù·tur·ís·tic** [-rístik] *a.* 미래(파)의.
fù·tur·ís·tics *n. pl.* 〔단수취급〕 미래학(futurology).
fu·tu·ri·ty [fju:tjúərəti, -tʃúər-/-tjúər-] *n.* Ⓤ 미래, 장래, 후세; 장래성; 내세(來世); 후세의 사람들; (*pl.*) 장래에 일어날 일; =FUTURITY RACE.
futúrity ràce 《미》 〖경마〗 출장하는 말이 결정된 후 오래 있다 하는 (두습 말의) 경마.
futúrity stákes futurity race(에 거는 돈).
fu·tu·rol·o·gy [fjù:tʃərɑ́lədʒi/-rɔ́l-] *n.* Ⓤ 미래학(未來學). ㊉ **-gist** *n.* **fù·tu·ro·lóg·i·cal** *a.*
fuze [fju:z] *n.* **1** =FUSE[1]. **2** 《미》 (지뢰·폭탄 따위의) 기폭(起爆) 장치. **—** *vt.* =FUSE[1].
fu·zee [fju:zí:] *n.* =FUSEE.
fuzz [fʌz] *n.* Ⓤ 괴깔; 미모(微毛), 잔털, 솜털; 《속어》 Ⓒ 순경, 경관, 형사. **—** *vi., vt.* 보풀보풀 날아 흩어지다; 폭신폭신해지다〔하게 하다〕; 보풀〔괴깔〕이 일다; 보풀을 일으키다.
fúzz·bàll *n.* 〖식물〗 말불버섯; 《미속어·경멸》 경관.
fúzz bòx 일렉트릭 기타의 소리를 흐리게 하는 장치.
fúzz·bùster *n.* 《미속어》 (속도위반 단속용 레이더의 소재를 알려 주는) 레이더 탐지 장치.
fúzz màn *n.* 《미속어》 경관, 교도관, 형사.
fúzz·nùtted [-id] *a.* 《미속어》 애송이〔풋내기〕 같은, 미숙한, 코흘리개의, 돼먹지 않은.
fúzz tòne fuzz box 로 내는 탁한 음.
fuzzy [fʌ́zi] (***fuzz·i·er; -i·est***) *a.* **1** 보풀 같은, 솜털 모양의; 보풀이 인, 솜털로 덮인. **2** (윤곽·사고 등이) 희미한, 분명치 않은; 탁한《소리》. **3** 《미속어》 술에 취한: She was ~ to drive home. 그녀는 너무 취하여 집으로 차를 몰고 갈 수 없었다. **—** *n.* 《미속어》 (특히 근면한) 경관; (내기에서) 확실한 것, (경마의) 우승 후보; =FUZZY-WUZZY. ㊉ **fúzz·i·ly** *ad.* **-i·ness** *n.*
fúzzy·hèaded [-id] *a.* 머리가 멍한, 멍청한; 머리가 아찔한.
fúzzy lógic 〖전자〗 애매모호한 논리, 퍼지 논리; ⇨ FUZZY THEORY.
fúzzy mátching 〖컴퓨터〗 퍼지 매칭《두 가지 것을 비교하여 맞추어 볼 때 엄밀히 동일한지가 아니고 비슷한지 어떤지로 판단하는 수법》.
fúzzy sét 〖수학〗 모호 집합《명확하게 정의된 경계를 갖지 않는 집합》.
fúzzy théory 퍼지 이론《논리값이 참(0)인가 거짓(1)인가의 양자택일이 아니라 0과 1로 나뉠 수 없는 중간적 애매한 요소를 가한 논리로 짜여진 수학 이론》.
fuzz·y-wuz·zy [fʌ́ziwʌ́zi] *n.* 《구어》 수단 지방의 주민.
f.v. *folio verso* 《L.》 (=on the back of the page).
f-vàlue *n.* =F-NUMBER.
FVC 〖의학〗 forced vital capacity (강제 폐활량). **FW** 〖럭비〗 forward. **FWA, F.W.A.** 《미》 Federal Works Agency (연방 사업 관리 총국). **FWD, f.w.d.** four-wheel drive; front-wheel drive. **fwd.** forward. **FWIW** for what it's worth (가치에 상관없이) 《이메일·문자 메시지에서》.
f-wòrd *n.* (the ~) 《완곡어》 =FUCK.
FWPCA 《미》 Federal Water Pollution Control Administration(연방 수질 오탁 방지국). **fwy** 《미》 freeway. **FX** fighter experimental (차세대 전투기); foreign exchange; special effect.
fy, fye [fai] *int.* =FIE.
-fy [´fài] *suf.* '…로 하다, …화하다, …이 되다'란 뜻을 가진 동사를 만듦: magni*fy*.
FY, f.y. fiscal year.
fyce [fais] *n.* =FEIST.
FYI 〖군사〗 for your information (참고로). ★ 메모 따위에서 씀.
fyke [faik] *n.* 《미》 긴 자루 모양의 어망(魚網).
fyl·fot [fílfɑt/-fɔt] *n.* 그리스 만자《卍 꼴의 무늬》, 갈고리 십자(형)(swastika).
Fyn [fin] 핀 섬《덴마크 남부의 섬》. ★ 독일어명은 Fünen.
fyrd [fəːrd] *n.* 〖영국사〗 퓌르드《노르만 정복 이전의 영국에서 자유 농민의 부족군(部族軍); 퓌르드에 참여할 의무》.
fytte [fit] *n.* 《고어》 =FIT[3].
fz. 〖음악〗 forzando. **FZDZ** 〖기상〗 freezing drizzle. **F.Z.S.** Fellow of the Zoological Society.

G

G, g [dʒiː] (*pl.* **G's, Gs, g's, gs** [-z]) **1** 지《영어 알파벳의 일곱째 글자》. **2** 〖음악〗 사음(音)《고정 도창법의 '솔'》, 사조(調). **3** G자 모양의 것. **4** 《미속어》 천 달러(grand): ten *G's*, 1만 달러. **5** 7 번째의 것. **6** 〖물리〗 중력의 상수(常數); 〖항공〗 G (=grav)《가속도의 단위; 중력의 가속도를 1G로 함》. **7** 로마 숫자의 400. **8** (학업 성적에서) 우, 양(good). ***the hard g,*** [g]로 발음하는 g. ***the soft g,*** [dʒ]로 발음하는 g. [U].

G [dʒiː] *a.* 《미》 일반용 영화(general)의(《영》

G. George; German(y); Gertrude; Graduate; Grand; Gulf. **g.** gauge; gender; genitive; going back to; gold; grain(s); gram(s); (acceleration of) gravity (=dyne) ; 〖스포츠〗 guard; guide; guinea(s). **Ga** 〖화학〗 gallium. **Ga.** Gallic; Georgia. **ga.** gauge. **GA, G.A.** General Agent; General American; General Assembly; General of the Army. **G.A., G/A, g.a.** general average. **GaAs** 〖화학〗 gallium arsenide (갈륨 비소, 비소화(砒素化) 갈륨). **GaAs FET** gallium arsenide field-effect transistor (갈륨 비소 전기장(場) 효과 트랜지스터). **GaAs IC** gallium arsenide integrated circuit (비소화 갈륨 집적 회로). **GAB** General Arrangements to Borrow (IMF의 일반 차입 협정).

gab[1] [gæb] 《구어》 *n.* 수다, 잡담; 말 많음. ***the gift of*** (***the***) ~ 말재주; 다변(多辯), 수다스러움. ***Stop*** 〔《속어》 ***Stow***〕 ***your*** ~***!*** 닥쳐. **—** (**-bb-**) *vi.* 쓸데없는 말을 하다; 수다 떨다.

gab[2] *n.* 〖기계〗 갈고랑쇠(hook).

GABA [gǽbə] *n.* 〖생화학〗 감마아미노 부티르산(酸)《포유류의 중추 신경에 많은 아미노산의 일종》. [◂ *g*amma-*a*mino*b*utyric *a*cid]

Ga·bar [gɑ́ːbər] *n.* (이란의) 조로아스터 교도; 이교도.

°**gab·ar·dine, gab·er·dine** [gǽbərdiːn, ˋ-ˊ] *n.* [U] 능직(綾織)의 방수복지, 개버딘; [C] 개버딘제의 옷, (특히 중세 유대인의) 헐거운 긴 웃옷.

gab·ber [gǽbər] *n.* 《구어》 수다쟁이; 《미속어》 (라디오의) 시사 해설자.

gab·ble [gǽbəl] *vi.* 빨리 지껄이다, 재잘〔종알〕거리다(chatter) 《*away; on*》; (거위 따위가) 꽥꽥 울다. **—** *vt.* 《~+[목]/+[목]+[보]》 빠르게 말하다, (잘 알아듣지 못할 정도로) 지껄여대다《*out*》: ~ one's prayers 기도의 말을 빠른 어조로 외다/You ~ me crazy. 수다스러워 미칠 것 같다. **—** *n.* 빨리 지껄여 알아듣기 어려운 말; 허튼소리. [파] **-bler** *n.* 수다쟁이(chatterer).

gab·bro [gǽbrou] (*pl.* **~s**) *n.* [U,C] 반려암(斑糲岩)《화성암의 일종》. [파] **gab·bró·ic** *a.*

gab·by [gǽbi] (**-bi·er; -bi·est**) *a.* 《구어》 수다스러운(talkative). **—** *n.* 《속어》 발성(發聲) 영화(talkie).

ga·belle [gəbél] *n.* 세금(tax), 소비세; 《특히》 〖프랑스사〗 염세(塩稅)《1790년 폐지》.

gaberdine ⇨ GABARDINE.

gab·er·lun·zie [gæ̀bərlʌ́nzi] 《Sc.》 *n.* 떠돌이 거지; 공인(公認) 거지; 동냥자루.

Ga·be·ro·nes [gɑ̀ːbəróunes] *n.* 가베로네스《Botswana의 수도 Gaborone의 옛 이름》.

gab·fest [gǽbfèst] *n.* 《미구어》 긴 사설〔잡담〕; 그 모임.

ga·bi·on [géibiən] *n.* 〖축성(築城)〗 보람(堡藍)《원통의 바구니에 흙·돌을 담은 것》; 〖토목〗 (축제(築堤) 공사 기초에 쓰이는 금속제의) 돌 담은 통. [파] **~·ade** [gèibiənéid] *n.* 보람장(堡藍墻); ~으로 쌓은 제방, 흙섬으로 쌓은 둑.

ga·ble [géibəl] *n.* 〖건축〗 박공(膊栱), 박풍(膊風); 박공벽. [파] **~d** *a.* 박공 있는, 박풍을 낸.

gáble ènd 〖건축〗 박공벽.

gáble ròof 〖건축〗 맞배지붕.

gable

gáble-róofed [-t] *a.* 〖건축〗 맞배지붕의.

ga·blet [géiblit] *n.* 〖건축〗 (창 위의) 작은 박공.

gáble-top cárton (우유·과일즙 등을 넣는) 맞배지붕 모양의 종이 용기.

gáble wíndow 〖건축〗 박공창《박공벽에 있는》; 박풍식 창.

Ga·bon [gæbɔ́ːŋ] *n.* 가봉《아프리카 중서부의 공화국; 수도 Libreville》.

Gab·o·nese [gæ̀bəníːz] *a.* 가봉 (사람)의. **—** (*pl.* ~) *n.* 가봉 사람.

ga·boon, go·boon, gob·boon [gəbúːn] *n.* 《속어·방언》 타구(唾具)(spittoon).

Ga·bo·ro·ne [gɑ̀ːbəróuni] *n.* 가보로네《Botswana의 수도; 구칭 Gaberones》.

Ga·bri·el [géibriəl] *n.* **1** 남자 이름. **2** 〖성서〗 천사 가브리엘《처녀 마리아에게 예수 그리스도의 강탄(降誕)을 예고한 대천사》. **3** 《미속어》 트럼펫 주자.

Ga·bri·elle [gèibriél, gæ̀b-] *n.* 여자 이름.

ga·by [géibi] *n.* 《구어》 얼간이, 바보(fool).

gad[1] [gæd] (**-dd-**) *vi.* 《~/+[부]》 어슬렁거리다, 돌아다니다《*about*》; (초목이) 퍼지다, 우거지다: The girl ~*s about* at her pleasure. 그 소녀는 마음내키는 대로 돌아다닌다. **—** *n.* 나돌아다니기. ***on*** 〔***upon***〕 ***the*** ~ 어정거리고. [파] **gád·der** *n.*

gad[2] *n.* 화살촉, 창끝, (가축을 모는) 찌름 막대기(goad); 끌, 정《석공이나 광산에서 쓰는》. **—** (**-dd-**) *vt.* 정으로 부수다.

Gad[1], **gad**[3] *int.* 《고어》 아이고!, 당치 않은! 《가벼운 저주·놀람 따위를 나타냄》. ***by Gad*** =by GOD. [◂ God]

Gad[2] *n.* **1** 〖성서〗 갓《Zilpah의 아들로 Jacob의 일곱째 아들》; 갓 인(人)《Gad을 조상으로 하는 이스라엘 12지족의 하나》. **2** 갓《David 시대의 예언자》.

gád·abòut *a., n.* 《구어》 (일 없이) 어정거리는 (사람), 놀러다니는 (사람).

Gad·da·fi, Gad·ha·fi [gədɑ́ːfi] *n.* **Muʻammar** (**Muhammad**) **al-~** 카다피《리비아의 군인·정치가; 1969년 쿠데타로 정권 장악, 국가 원수; 1942-2011》.

gád·flỳ *n.* (소·말에 꾀는) 등에, 쇠파리; 귀찮은 사람; 《영》 격렬한 충동.

◇**gad·get** [gǽdʒit] *n.* **1** 《구어》 (기계의) 간단한 장치; 도구, 부속품; 묘안, 신안, 고안: kitchen ~*s* 재치 있는 부엌용 소품/electronic ~ 전자 장치/~ commercial 〖TV〗 (인형이나 로봇을 써서 말하게 하는) 상업 광고. **2** 《미속어》 공군 사관 후보생; 《미속어》 시시한〔하찮은〕 녀석; 《비어》 남근(男根). ㊕ **gad·ge·teer** [gæ̀dʒitíər] *n.* 기계 만지기를 좋아하는 사람. **gad·get·ry** [gǽdʒətri] *n.* Ⓤ 〔집합적〕 (간단한) 기계 장치; 실용 신안(實用新案). **gad·gety** [gǽdʒiti] *a.* 기계의; 장치가 된; 기계 만지기를 좋아하는.

Ga·dhel·ic [gədélik, gæ-] *a., n.* =GOIDELIC.

ga·did, ga·doid [géidid], [géidɔid] *a., n.* 대구속(屬)의 (물고기).

gad·o·lin·ite [gǽdələnàit] *n.* 〖광물〗 가돌린석(石).

gad·o·lin·i·um [gæ̀dəlíniəm] *n.* Ⓤ 〖화학〗 가돌리늄《희토류 원소; 기호 Gd; 번호 64》.

ga·droon [gədrúːn] *n.* (보통 *pl.*) 휜 주름 새김, 둥근 주름 장식《은그릇 따위의 가장자리 장식 · 건축용》. ㊕ **~·ing** *n.*

gad·wall [gǽdwɔ̀ːl] (*pl.* **~s,** ~) *n.* 〖조류〗 알락오리.

Gaea [dʒíːə] *n.* 〖그리스신화〗 가이아, 게《대지의 여신》.

Gael [geil] *n.* 게일인(人)《스코틀랜드 고지의 주민, (드물게) 아일랜드의 켈트(Celt)인》.

Gael. Gaelic.

Gael·ic [géilik] *n., a.* Ⓤ 게일어(語)(의); 게일인(의).

Gáelic fóotball 게일식 축구《주로 아일랜드에서 행해지는 선수 15 명씩의 두 팀간의 축구 비슷한 구기》.

gaff[1] [gæf] *n.* 작살; 갈고리《물고기를 물에서 끌어올리는》; 〖해사〗 개프, 사형(斜桁)《종범(縱帆)의 위 끝에 댄 활대》; 싸움닭의 며느리발톱에 대는 쇠발톱; 《미》 심한 대우; 곤란한 처지; Ⓤ (지나친) 수다; 엉터리; 《속어》 속임수, 트릭. ***blow the*** ~ 《영구어》 비밀〔계획〕을 누설하다. ***get*** 〔***give***〕 ***the*** ~ 가장 지독한 취급〔비판〕을 받다〔하다〕. ***stand the*** ~ 《미구어》 괴로움을 꾹 참다, 비난을 감수하다. ***throw a*** ~ ***into*** ... 《미속어》 (계획 등을) 망쳐 놓다, 분쇄하다. ── *vt.* 작살로 잡다; 갈고리로 끌어올리다; (싸움닭)에 쇠발톱을 달다; 《속어》 속이다(cheat); 《속어》 …에게 속임수를 쓰다; 《미속어》 호되게 꾸짖다.

gaff[2] *n.* 《영속어》 **1** 삼류 극장, (싸구려) 연예장(《영》 penny ~). **2** 집, 아파트, 가게, 매춘 여인숙. ── *vi.* (동전을 던져) 내기를 하다.

gaffe [gæf] *n.* 《F.》 과실, 실수, 실언《특히 사교 · 외교상의》.

gaf·fer [gǽfər] *n.* **1** 시골 영감《이름 앞에 붙여서도 씀; 종종 경멸적 · 희언적(戱言的)》. ⓒⓕ gammer. ¶ *Gaffer* Johnson 존슨 영감. **2** 《영》 (노동자의) 십장, 감독(foreman). **3** 《속어》 부친; 《영속어》 (술집 · 여인숙의) 주인 영감; 《미속어》 (서커스의) 지배인; 《미속어》 〖영화 · TV〗 전기〔조명〕 주임.

gáffer tàpe (전기 공사용의) 강력 접착 테이프.

gáff-rìgged *a.* 〖해사〗 gaff sail로 범장(帆裝)한, 개프 범장의.

gáff sàil 〖해사〗 개프에 단 세로돛.

gáff tópsail 〖해사〗 gaff sail 바로 위로 친 삼각돛; 〖동물〗 바다메기.

gag[1] [gæg] *n.* **1** 하무, 재갈. **2** 발언 금지; 언론 탄압; 〖영의회〗 토론 종결; 《미속어》 금고형. **3** 〖의학〗 개구기(開口器). ── (**-gg-**) *vt.* **1** …에 재갈을 물리다. **2** 입다물게 하다; …의 언론〔발표〕의 자유를 억압하다. **3** 개구기로 열다. **4** 게우게 하다, 구역질나게〔메스껍게〕 하다. ── *vi.* **1** 웩웩거리다, 속이 메슥거리다. **2** …에 견디지 못하다 《*at*》.

gag[2] *n.* **1** 〖연극〗 개그《배우가 임기응변으로 넣는 대사나 익살, 우스운 몸짓》; 농담: for a ~ 농담으로. ⓈⓎⓃ ⇨ JOKE. **2** 《구어》 사기, 거짓말; 《구어》 빤한 변명〔구실〕. ── (**-gg-**) *vt.* 《구어》 **1** 개그를 넣다《*up*》. **2** 속이다, 거짓말하다. ── *vi.* **1** 개그〔즉흥 대사〕를 넣다. **2** 속이다.

ga·ga [gáːgàː] *a.* 《속어》 어리석은, 얼빠진, 무분별한, 망령들린; 열광한(crazy).

Ga·ga·rin [gaːgáːrin, gə-] *n.* **Yuri Alekseyevich** ~ 가가린《옛 소련의 세계 최초의 우주 비행사; 1934-68》.

gág·bìt *n.* (조마(調馬)용) 재갈.

◇**gage**[1] [geidʒ] *n.* 담보(물), 저당물; 도전의 표시로서 던지는 장갑 · 모자 따위; 도전. ***get*** one's ~ ***up*** 《미속어》 골내다; 술취하다. ***in*** ~ ***of*** …의 저당으로서. ***throw down a*** 〔***the***〕 ~ 도전하다. ── *vt.* 《고어》 **1** 저당잡히다. **2** …에게 언질을 주다, 걸다(stake). **3** (책임을 지고) 단언하다, 장담하다.

gage[2] ⇨ GAUGE.

gage[3] *n.* =GREENGAGE.

gaged *a.* 《미속어》 취한.

gager ⇨ GAUGER.

ga·gers [géidʒərz] *n. pl.* 《미속어》 눈알.

gag·ger[1] [gǽgər] *n.* **1** 언론을 탄압하는 사람〔것〕. **2** 〖주물〗 거푸집을 보강하기 위한 L자형 철편(鐵片).

gag·ger[2] *n.* 개그 작가; 개그맨.

gag·gle [gǽgəl] *vi.* 꽥꽥 울다; 잘 지껄이다〔웃다〕. ── *n.* 거위 떼; 꽥꽥《우는 소리》; 《경멸》 시끄럽게 떠드는 여자들; (일반적으로 시끄럽게 떠드는) 패거리, 일단.

gág làw 1 언론 억제법(령). **2** =GAG RULE.

gág·màn [-mæ̀n] (*pl.* **-mèn** [-mèn]) *n.* 개그 작가; 개그맨, 개그에 능한 희극 배우.

gág òrder 〖미법률〗 (법정에서 심리 중인 사안에 관한) 보도〔공표〕 금지령, 함구령.

gág rèin (말의 재갈에 연결하는) 고삐《조마용》.

gág·ròot *n.* 〖식물〗 로벨리아(Indian tobacco).

gág rùle (어떤 문제의) 토론 금지령, 함구령.

gag·ster [gǽgstər] *n.* **1** =GAGMAN. **2** 《미속어》 장난꾸러기, 익살꾼.

gág strìp (연속된 스토리가 없는) 개그 만화.

gahn·ite [gáːnait] *n.* Ⓤ 〖광물〗 가나이트, 아연첨정석(亞鉛尖晶石)(zinc spinel).

***gai·e·ty, gay·e·ty** [géiəti] *n.* **1** Ⓤ 유쾌, 쾌활, 명랑: the ~ of nations 대중의 즐거움, 명랑한 풍조〔분위기〕. **2** (주로 *pl.*) 환락, 법석. **3** Ⓤ (복장 등의) 화려함.

Gail [geil] *n.* 게일. **1** 여자 이름《Abigail의 애칭》. **2** 남자 이름.

gail·lar·dia [geiláːrdiə] *n.* 〖식물〗 천인국(天人菊)《천인국속(屬) 초본의 총칭; 북아메리카 원산》.

***gai·ly, gay·ly** [géili] *ad.* **1** 쾌활〔유쾌〕하게. **2** 화려하게, 호사스럽게: a ~ dressed girl 화려하게 차려입은 소녀.

†**gain**[1] [gein] *vt.* **1** (노력하여) 얻다, 획득하다, (상 · 승리 등을) 쟁취하다: ~ information 정보를 입수하다/~ one's end(s) 목적을 달성하다/~ a reputation 명성을 얻다/~ a victory 승리를 거두다. ⓈⓎⓃ ⇨ GET. **2** 《+목+목/+목+전+명》 (노력 · 착한 행위 등이) 가져다 주다, 얻게 하다《*for*》: His kindness ~*ed* him popularity.=His kindness ~*ed* popularity *for* him. 그는 친절하였기 때문에 인망을 얻었다. **3** 벌다(earn). ⓄⓅⓅ *lose*. ¶ ~ one's living 생활비를 벌다/~ a lot by a deal 거래에서 크게 벌다. **4** (무게 · 속도 등을) 늘리다: I've ~*ed* three pounds. 몸무게가 3 파운드 늘었다/~ strength (병후) 힘이 늘다, 건강해지다. **5** (시계가) 더 가다. ⓄⓅⓅ *lose*. ¶ ~ five minutes a day 하루에 5분 더 가다. **6** (노력의 결과) …에 도달하다: ~

G H

the other side 맞은편에 이르다/~ the summit 정상에 다다르다. 7 《+目+副》 설득하다; 자기편으로 붙이다《*over*》: ~ a person *over* =~ *over* a person 아무를 자기편으로 끌어들이다.
— *vi.* 1 《~/+前+名》 (건강·체중·인기 따위가) 증대하다, 증진하다, 향상되다《*in*》: The patient ~*ed* daily. 환자의 건강은 날이 갈수록 좋아졌다/~ *in* health 건강이 좋아지다. 2 《+前+名》 이익을 얻다, 득을 보다《*by; from*》: ~ *by* an enterprise 사업으로 이익을 얻다/~ *from* an experience 경험에 의하여 배우다. 3 시계가 빠르다. **~ *face*** 널리 알려지다, 세력을 가지다. **~ *headway*** 전진하다. **~ *on* 〔*upon*〕** ① …을 능가하다: ~ *on* a competitor 경쟁 상대를 떼어놓다. ② …에 접근하다; 따라붙다: ~ *on* a ship 배에 다가가다. ③ (바다가 육지를) 침식하다. ④ 차차 …의 마음에 들게 되다, …의 환심을 사다: ~ *on* another's heart 아무의 마음에 들다. ⑤ …을 사로잡다: A bad habit ~*s on* me. 나는 못된 습관에 빠져들고 있다. **~ *over*** ⇨ *vt.* 7. **~ *one's* 〔*a*〕 *point*** 자기의 의견을 관철하다. **~ *the day* 〔*battle*〕** 승리를 거두다. **~ *the ear of*** (…로 하여금) 이야기를 경청하게 하다. **~ *the upper hand on* 〔*over*〕** 보다 우세하다; 이기다《*of*》.
— *n.* 1 Ⓒ 이익, 이득; (종종 *pl.*) 수익, 수익금. OPP *loss*. ¶ Ill-gotten ~*s* seldom prosper. 부정 이득은 오래가지 않는다/No ~*s* without pains. 《속담》 수고 없이 소득 없다. 2 Ⓤ 돈벌이; 상금; 보수: blinded by the love of ~ 이욕에 눈이 멀어. 3 Ⓒ (가치·무게 등의) 증가, 증대(increase), (건강의) 증진; 부가물, 부가분: a ~ *in* weight 체중 증가/a ~ *to* knowledge 지식의 증진. 4 Ⓤ 〖전자〗 이득(利得)《수신기·증폭기 등의 입력(入力)에 대한 출력의 비율》. ***on the* ~** 잘 되어. ***ride* (*the*) ~** 〖TV·라디오〗 (송신에 알맞도록) 음량을 수동(手動)으로 조정하다.

gain² *n.* 새긴 눈금, 홈, 장붓구멍. — *vt.* …에 눈금〔홈, 장붓구멍〕을 내다; 홈〔장붓구멍〕으로 접합하다. 「있는.

gáin·a·ble *a.* 얻을〔구할〕 수 있는; 달(성)할 수

gáin contròl 〖전자〗 (수신기·증폭기의) 이득 제어(制御)〔조절〕.

gáin·er *n.* 1 획득자; 이득자; 승자. OPP *loser*. 2 뒤로 재주넘기《다이빙의 일종》. ***come off a* ~** 벌다; 이기다.

gain·ful [géinfəl] *a.* 이익이 있는, 유리한, 수지맞는(paying); 《미》 수입이 있는, 유급의(paid); 돈벌이에 열중한: ~ employment 유급직(職). 파 **~·ly** *ad.* **~·ness** *n.*

gáin·ings *n. pl.* 소득(액), 이익, 수입, 수익; 상금; 내기에서 딴 돈.

gáin·less *a.* 이익〔보람〕이 없는. 파 **~·ness** *n.*

gáin·ly 《방언》 *a.* (태도·동작이) 아름다운; 경쾌한, 민활한.

gain·say [gèinséi] (*p., pp.* ***-said*** [-séid, -séd], ***-sayed*** [-séid]) *vt.* 《~+目/+*that* 節》 부정하다, 반박(反駁)〔반대〕하다(contradict); 논쟁하다: There is no ~*ing* his honesty. 그가 정직함은 부인할 수 없다. — *n.* 부인, 부정; 반박, 반대, 반론. 파 **~·er** *n.* 「AGAINST.

(')gainst [genst/geinst] *prep.* 《시어》 =

°**gait** [geit] *n.* 걷는 모양, 걸음걸이; 진행; 《미》 보속(步速), (말의) 보조. ***go one's* (*own*) ~** 자기 방식대로 하다. — *vt.* (말에게) 바른 걸음걸이를 가르치다; (품평회에서 개)를 심사원 앞에서 걷게 하다; (일의) 준비를 하다.

gáit·ed [-id] *a.* 〔보통 복합어를 이루어〕 …한 걸음걸이의: heavy-~ 무거운 발걸음의.

gai·ter [géitər] *n.* 1 (보통 a pair of ~s) a 각반(脚絆). b 《미》 반장화《고무줄이 든 천을 양쪽에 댄》. 2 (기계의 일부를 덮는) 보호 커버. ***ready to the last* ~ *button*** 모든 준비가 되어. 파 **~ed** *a.* 각반을 친.

gaiters 1a

gaiter 1b

Gait·skell [géitskəl] *n.* **Hugh Todd Naylor ~** 게이츠켈《영국의 정치가; 노동당 당수(1955-63); 1903-63》.

gal¹ [gæl] *n.* 《구어》 =GIRL.

gal² *n.* 갤《가속도 단위; 1~ =1cm/sec²》.

Gal. Galatians. **gal.** gallon(s).

ga·la [géilə, gǽlə/gá:lə] *n.* 축제(祝祭), 제례; 축하; 나들이옷; 《영》 (운동의) 경기회, 대회. — *a.* 축제의, 축제 기분의, 유쾌한(festive); 화려한: a ~ day 축일, 축제일. ***in* ~** 나들이옷으로 차려입고.

ga·lact- [gəlǽkt], **ga·lac·to-** [-tou, -tə] 'milk'를 뜻하는 결합사.

ga·lac·ta·gogue [gəlǽktəgɔ̀:g, -gàg/-gɔ̀g] *a.* 젖분비를 촉진하는, 최유(催乳)(성)의. — *n.* 최유제(약).

ga·lac·tan [gəlǽktən] *n.* 〖생화학〗 갈락탄.

ga·lac·tic [gəlǽktik] *a.* 젖의, 젖 분비를 촉진하는; 〖천문〗 은하의; 거대한. 「도.

galáctic círcle 〔**equátor**〕 〖천문〗 은하 적

galáctic nóise 〖천문〗 은하 잡음(cosmic noise).

galáctic pláne 〖천문〗 은하면(銀河面).

galáctic póle 〖천문〗 은하극(銀河極).

gal·ac·tom·e·ter [gæ̀ləktámətər/-tɔ́m-] *n.* 검유기(檢乳器)(lactometer)《우유 등의 농도·비중을 측정》.

ga·lac·tos·a·mine [gəlæ̀któusəmì:n, -min, -tás-/-tóu-] *n.* 〖생화학〗 갈락토사민《갈락토오스의 아미노 유도체》. 「오스《젖당 성분》.

ga·lac·tose [gəlǽktous] *n.* Ⓤ 〖화학〗 갈락토

ga·lac·to·si·dase [gəlæ̀któusədèis, -zədèiz/-sidèis] *n.* 〖생화학〗 갈락토시다아제《갈락토시드를 가수 분해하는 효소》.

ga·lac·to·side [gəlǽktəsàid] *n.* 〖생화학〗 갈락토시드《가수 분해하여 갈락토오스를 생성하는 글리코시드》.

ga·lac·to·syl [gəlǽktəsil] *n.* 〖생화학〗 갈락토실《갈락토오스에서 유도된 글리코실기(基)》.

ga·lact·u·rón·ic ácid [gəlæktjuːránik-/-tjuərɔ̀n-] *n.* 〖생화학〗 갈락투론산(酸)《펙틴의 주성분》.

ga·lah [gəlá:] *n.* 〖조류〗 연분홍잉꼬《오스트레일리아 원산》; 《Austral. 속어》 바보, 멍청이.

Gal·a·had [gǽləhæ̀d] *n.* 1 (Sir ~) 아서 왕(King Arthur)의 원탁기사의 한 사람. 2 고결한 남자. 「간.

galáh sèssion 《Austral.》 주절대는〔잡담〕 시

ga·lant [gəlá:nt; *F.* galã] *a.* (음악이) 경쾌하고 우아한.

gal·an·tine [gǽləntì:n] *n.* 갤런틴《송아지·닭 등의 뼈바른 고기로 만든 냉육 요리》.

ga·lán·ty shòw [gəlǽnti-] 그림자로 하는 무언극, 그림자 놀이; 겉만 화려한 구경거리.

Ga·lá·pa·gos Íslands [gəlá:pəgous-/-lǽpəgəs-] (the ~) 갈라파고스 제도《에콰도르 서쪽 동태평양 적도 직하의 화산성 제도; 진귀한 동물

의 보고(寶庫)).

Gal·a·tea [gæ̀lətíːə] *n.* 〚그리스신화〛 갈라테이아《키프로스 왕 Pygmalion이 만든 상아의 처녀상(像); Pygmalion은 이 상을 매우 사랑하여 Aphrodite 에게 그 상(像)에게 생명을 줄 것을 기원하여 이를 부여받았음》.

gal·a·tea [gæ̀lətíːə/-tíə] *n.* Ⓤ 갈라테아《흰 바탕에 줄무늬가 있는 고급 무명; 여성·어린이용》.

Ga·la·tia [gəléiʃə, -ʃiə] *n.* 갈라티아《옛 소아시아의 왕국》.

Ga·la·tian [gəléiʃən, -ʃiən] *a.* 갈라티아 (사람)의. **—** *n.* 갈라티아 사람; (the ~s) 〚성서〛 갈라디아서《신약성서 중의 한 편; 생략: Gal.》.

gal·a·vant *vi.* =GALLIVANT.

gal·axy [gǽləksi] *n.* **1** (the G-) 〚천문〛 은하, 은하수(the Milky Way); 은하계(Milky Way galaxy (system)). **2** 은하, 은하계외 성운(星雲), 소(小)우주. **3** (귀인·고관·미인·재자(才子) 등의) 화려한 모임〔무리〕, 기라성: a ~ *of* film stars 기라성 같은 영화 스타들.

gal·ba·num [gǽlbənəm] *n.* Ⓤ 갈바눔《고무질(質) 수지; 의약·향료용》, 풍지향(楓脂香), 아위(阿魏).

Gal·braith [gǽlbreiθ] *n.* **John Kenneth ~** 갤브레이스《캐나다 태생의 미국의 경제학자·외교관; 1908–2006》.

***gale**[1] [geil] *n.* **1** 질풍, 강풍; 〚해사〛 폭풍; 〚기상〛 초속 13.9–28.4m의 바람: a moderate ~ 센바람/a fresh ~ 큰바람/a strong ~ 큰센바람/a whole ~ 노대바람. SYN. ⇨STORM, WIND. **2** 《고어·시어》 미풍, 실바람. **3** (종종 *pl.*) (감정·웃음 등의) 폭발, 돌발적인 소리: go into ~*s of* laughter. **4** 《미구어》 흥분〔환희〕의 도가니.

gale[2] *n.* 〚식물〛 =SWEET GALE.

gale[3] *n.* 《영》 (집세·이자 따위의) 정기 지급. ***hanging*** ~ 연체 차지료(借地料).

ga·lea [géiliə] (*pl.* **-le·ae** [-liiː], **~s**) *n.* 〚동물·식물〛 도상체(兜狀體), 투구 모양의 돌기(突起).

ga·le·ate, -at·ed [géilièit], [-èitid] *a.* 헬멧을 쓴; 투구 모양의 (돌기가 있는).

gále-fòrce *a.* 강풍의.

ga·le·i·form [gəlíːəfɔ̀ːrm] *a.* 투구 모양의, 투구 비슷한, 철갑상어 모양의.

Ga·len [géilən] *n.* **Claudius ~** 갈레노스《그리스의 의사; 130–200》; 《우스개》 의사.

ga·le·na [gəlíːnə] *n.* 〚광물〛 방연석(方鉛石).

Ga·len·ic [geilénik, gə-] *a.* 갈레노스(Galen)의, 갈레노스파(派) 의술의; (g-) 본초약(本草藥)〔생약〕의.

ga·len·i·cal [geilénikəl, gə-] *n.* 본초약(本草藥), 생약(生藥). **—** *a.* **1** (보통 G-) 갈레노스(파)의. **2** 본초약〔생약〕의.

ga·le·nite [gəlíːnait] *n.* =GALENA.

ga·lère [gæléər] *n.* 《F.》 (달갑잖은) 패거리; 뜻밖의 상태, 난처한 입장, 곤란한 처지.

Ga·li·ci·an [gəlíʃiən, -ʃən] *a.* 갈리시아(인(人)·어)의. **—** *n.* 갈리시아인; Ⓤ 갈리시아어.

Gal·i·le·an[1] [gæ̀ləlíːən] *a.* Galilee (사람)의. **—** *n.* 갈릴리 사람; 기독교도; (the ~) 예수 그리스도.

Gal·i·le·an[2] *a.* Galileo의: a ~ telescope 갈릴레이 망원경.

Galiléan sátellites 〚천문〛 (the ~) 갈릴레이 위성《목성의 가장 큰 4개의 위성 Io, Europa, Ganymede, Callisto》.

Gal·i·lee [gǽləlìː] *n.* **1** 갈릴리《Palestine 북부의 옛 로마의 주》. **2** (보통 g-) 〚건축〛 (영국, 중세기 이래의 교회당의) 현관(porch), 소(小)예배실. ***the man of*** **~** 갈릴리 사람《예수 그리스도》. ***the Sea of*** **~** 갈릴리 호수.

Gal·i·lei [gæ̀ləléiiː, -líːou] *n.* **1 Galileo ~** 갈릴레이《이탈리아의 천문학자(天文學者)·물리학

자; 1564–1642》. **2** 〚우주〛 갈릴레오 위성《미국의 목성 탐사용》.

gal·i·ma·ti·as [gæ̀ləméiʃiəs, -mǽtiəs] *n.* 종잡을 수 없는 말, 횡설수설(nonsense).

gal·in·gale [gǽlingèil] *n.* 생강과(科) 식물의 뿌리; 금방동사니의 일종《영국산》.

gal·i·ot [gǽliət] *n.* **1** 돛과 노로 움직이는 쾌속의 작은 갤리배《옛날 지중해의》. cf. galley 1. **2** 네덜란드의 돛을 단 작은 상선〔어선〕.

gal·i·pot [gǽləpɑ̀t/-pɔ̀t] *n.* Ⓤ 송진의 일종.

◇**gall**[1] [gɔːl] *n.* Ⓤ **1** (동물의) 담즙, 쓸개즙《'인간의 담즙'을 말할 때는 bile을 씀》; 쓸개, 담낭. **2** 쓴 것, 쓴맛. **3** 불쾌, 지겨움; 증오, (원래 *pl.*로) 원한. **4** 《미구어》 뻔뻔스러움, 철면피, 강심장. **5** 〚미술〛 수채화용의 투명액《황소의 쓸개 즙에서 얻음》. **(*as*) *bitter as* ~** 대단히 쓴; 몹시 불쾌하게〔못마땅하게〕 생각하여. ***dip one's* (*the*) *pen in* ~** =***write in* ~** 독필을 휘두르다《비평문 따위에서》. **~ *and wormwood*** 몹시 지겨운 것. ***have the* ~ *to* do** 뻔뻔스럽게도 …하다. ***in the* ~ *of bitterness*** (신을 무시하다가) 고통스러운 경우를 당하여.

gall[2] *vt.* …을 비벼서 쑤시게 하다; 몹시 문질러 벗기다; 애〔속〕태우다, 초조하게 하다, 성나게 하다. **—** *vi.* 문질리어 벗겨지다; (열 따위로) 딱 들러붙다; 화나는 말을 하다. **—** *n.* **1** 물집, (피부의) 찰과상; (특히 말의) 까진 상처《마구·안장 등에 의한》. **2** 근심, 고민(거리); 흠집, 결점.

gall[3] *n.* 충영(蟲癭), (식물의) 혹, 오배자(五倍子), 몰식자(沒食子)(gallnut) 《잎·줄기에 생기는》. **—** *vt.* 오배자액에 담그다.

gall. gallon(s).

◇**gal·lant** [gǽlənt] *a.* **1** 씩씩한, 용감한, 호협(豪俠)한. **2** (배·말 따위) 당당한, 훌륭한, 아름답게 꾸민. **3** 《영에서는 고어》 화려한, 호사스러운, 꾸며 놓은. **4** [gəlǽnt, gǽlənt] (특히 여성에게) 친절한, 정중한; 연애의, 정사(情事)의(amorous). ***the honourable and* ~ *member*** 〚영의회〛 …각하《군출신 의원에의 경칭》. **—** [gəlǽnt, -lɑ́ːnt, gǽlənt/gǽlənt] *n.* **1** 씩씩한 사람, 호협한 사람. **2** 멋쟁이, 활량. **3** 여성에게 친절한 남자; 호남자. **4** 정부(情夫)(lover). ***play the* ~** 호남자인 체하다; 여성에게 구애하다. **—** [gəlǽnt, -lɑ́ːnt/gəlǽnt] *vt.* (여성에게) 친절히 하다, 구애하다; (여성과) 해롱거리다. **—** *vi.* 호남자인 체하다; (여성에게) 치근거리다, (여자와) 농탕치다 《*with*》. ㊕ **~·ly** *ad.* **1** [gǽləntli] 용감하게, 씩씩하게. **2** [gəlǽntli, gǽlənt-] (여성에게) 정중히, 친절히, 상냥하게. **~·ness** *n.*

◇**gal·lant·ry** [gǽləntri] *n.* Ⓤ,Ⓒ **1** 용감, 용기, 의협; 용감한 행위; 무공. **2** 부녀자에게 친절함; 정중한 말〔행위〕; 여성에 대한 헌신. **3** 정사(情事), 염사(艶事). **4** 《고어》 화려.

gal·late [gǽleit, gɔ́ːl-] *n.* 〚화학〛 갈산염, 갈산에스테르.

gáll·blàdder *n.* 〚해부〛 쓸개, 담낭(=**gáll bládder**).

gal·le·ass [gǽliæ̀s] *n.* (16–17세기 지중해의) 세대박이 군함《보통, 대포 20문을 실은》.

gal·le·on [gǽliən] *n.* 15–18세기초 스페인·지중해의 큰 돛배《3〔4〕층 갑판의 군함·상선》.

gal·le·on·ic [gæ̀liɑ́nik] *a.* 위풍당당한, 정정당당한 싸움을 좋아하는.

gal·ler·ied [gǽlərid] *a.* gallery가 있는.

***gal·lery** [gǽləri] *n.* **1** 화랑, 미술관(picture ~); 미술품 전시실(《미》 경매장); 〔집합적〕 전시 미술품: the National *Gallery* (런던의) 국립 미술관. **2** 회랑, 주랑(柱廊), 복도. **3** (기둥으로 떠받친) 발코니; 《미》 베란다(verandah). **4** (교회·홀 등의 벽면에서 쑥 내민) 계랑(階廊), 특별석;

(국회 · 법정 등의) 방청석: Stranger's *Gallery* 《영》(의회의) 방청석. **5** 〖연극〗 맨 위층 관람석 《극장의 가장 싼 자리》; (the ~) 〖집합적〗 맨 위층 관람석 손님, (일반) 관객; 저속한 취미. **6** 조붓하고 길쭉한 방; 사진 촬영소; 사격 연습장: a shooting ~ 실내 사격 연습장. **7** 〖집합적〗 (골프 경기 등의) 관중, 구경꾼; (의회 등의) 방청인. **8** 〖해사〗 (옛 배의) 고물 전망대. **9** 〖축성(築城)〗 지하도; (두더지 따위의) 지하 통로; 〖광산〗 갱도. **10** 램프의 등피받이; 선반, 진열대의 난간. ***bring down the*** ~ 관중의 갈채를 받다. ***play to the*** ~ 일반 관중이 좋아하게 연기하다, 속된 취미에 영합하다, 스탠드 플레이를 하다. ― *vt.* …에 회랑을〔관람석을, 지하도를〕 설치하다.

gállery fòrest 사바나(savanna) 등의 강을 따라 생긴 대상림(帶狀林).

gállery gòd (극장의) 맨 위층 관람석의 관객.

gállery·gòer [-gòuər] *n.* 자주 미술관에 가는 사람.

gállery gràve 〖고고학〗 회랑묘(回廊墓)《한쪽 끝이 판석(板石)으로 막혀 있는 통로 모양의, 석실묘(石室墓)》.

gállery hìt 〔**shòt, stròke**〕 인기 끌기 (위한 연기), 스탠드 플레이.

gal·lery·ite [gǽləriàit] *n.* 《구어》 극장의 맨 위층 관람석의 구경꾼; (운동 경기의) 팬.

gal·let, 《미》 **gal·et** [gǽlit] *vt.* 〖건축〗 (석축 공사의 줄눈에) 돌멩이 조각을 끼우다. ― *n.* 쇄석(碎石) 조각.

◇**gal·ley** [gǽli] *n.* **1** 갤리선 《옛날 노예나 죄수들에게 젓게 한 돛배》; (옛 그리스 · 로마의) 군함. **2** 대형 보트; 함장이 타는 보트, 배〔항공기〕 안의 주방(kitchen). **3** 〖인쇄〗 = GALLEY PROOF.

galley 1

gálley pròof 〖인쇄〗 교정쇄.

gálley rèading 〖인쇄〗 가(假)조판 교정.

gálley slàve 갤리선을 젓는 노예〔죄수〕; 고역을 맡은 사람.

gálley-wèst *ad.* 《미구어》 철저하게(thoroughly): He knocked his opponent ~. 그는 적수를 여지없이 혼내주었다.

gálley·wòrm *n.* 〖동물〗 노래기.

gáll·flỳ *n.* 〖곤충〗 몰식자(沒食子)벌.

gal·li·am·bic [gæ̀liǽmbik] *a.* 〖운율〗 갤리앰버스격(格)의, 단단장장격(短短長長格)의. ― *n.* (보통 *pl.*) 갤리앰버스격의 시.

gal·liard [gǽljərd] *n.* 경쾌한 3박자의 춤(곡) 《16-17세기에 유행》. ― *a.* 《고어》 쾌활한. ㉺ **~·ly** *ad.*

Gal·lic [gǽlik] *a.* 골(Gaul)의; 골 사람의; 《우스개》 프랑스 (사람)의.

gal·lic[1] *a.* 오배자의, 몰식자성(沒食子性)의.

gal·lic[2] *a.* 〖화학〗 갈륨(gallium)의.

gállic ácid 〖화학〗 갈산(酸), 몰식자산(沒食子酸)《무두질 · 잉크 · 염료용》.

Gal·li·can [gǽlikən] *a.* 골〔옛 프랑스〕 교회의; 〖종교〗 (프랑스의) 교황권 제한주의파(派)의. [opp] *ultramontane.* ― *n.* 〖종교〗 교황권 제한주의자. ㉺ **~·ìsm** *n.* 교황권 제한주의. **~·ist** *n.* 교황권 제한주의자.

Gal·li·ce [gǽləsìː, -si] *ad.* 프랑스 말로(는).

Gal·li·cism [gǽləsizəm] *n.* (또는 g-) 프랑스 어법《표현 등의》; 관용(慣用) 프랑스 말; 프랑스풍의 습관〔사고방식〕.

Gal·li·cize [gǽləsàiz] *vt., vi.* (또는 g-) 프랑스풍으로〔말투로〕 하다〔되다〕(Frenchify). ㉺ **gàl·li·ci·zá·tion** *n.*

gal·li·gas·kins [gæ̀ligǽskinz] *n. pl.* **1** (16-17세기의) 통이 넓은 짧은 바지; 《우스개》 〖일반적〗 헐렁한 바지. **2** 《영방언》 가죽 각반.

gal·li·mau·fry [gæ̀ləmɔ́ːfri] *n.* 주워모은 것, 뒤범벅; 고기 스튜.

gal·li·na·cean [gæ̀lənéiʃən] *n.* 〖조류〗 닭목(目)〔순계류(鶉鷄類)〕의 새《닭 · 꿩 · 뇌조 따위》.

gal·li·na·ceous [gæ̀lənéiʃəs] *a.* 닭목(目)의, 순계류(鶉鷄類)의; 가금(家禽)의.

gáll·ing *a.* 짜증나게 하는, 괴롭히는. ― *n.* (금속 부품 · 가죽 따위의) 마손(摩損). ㉺ **~·ly** *ad.*

gal·li·nip·per [gǽlinìpər] *n.* 《미구어》 사람을 무는〔쏘는〕 벌레, 《특히》 큰 모기; 그와 비슷한 물지〔쏘지〕 않는 벌레《꾸정모기 등》.

gal·li·nule [gǽlənjùːl/-njùːl] *n.* 〖조류〗 쇠물닭.

Gal·lio [gǽliòu] *n.* 〖성서〗 직무 외의 책임을 회피하는 사람〔관리〕《사도행전 XVIII : 12-17》.

Gal·li·on·ic [gæ̀liɑ́nik/-ɔ́n-] *a.* 남의 일에 냉담〔무책임〕한.

gal·li·ot [gǽliət] *n.* =GALIOT.

gal·li·pot [gǽləpɑ̀t/-pɔ̀t] *n.* (약을 담는) 작은 단지, 약단지; 《고어》 약종상(druggist).

gal·li·um [gǽliəm] *n.* [U] 〖화학〗 갈륨《희금속 원소; 기호 Ga; 번호 31》.

gállium ársenide 〖화학〗 비소화(砒素化)갈륨, 갈륨비소(砒素)《반도체 재료로 tunnel diode · 반도체 레이저 등에 쓰임; 기호 GaAs》.

gal·li·vant [gǽləvæ̀nt, ⌐-⌐] *vi.* (보통 ~ing) 이성의 꽁무니를 따라다니다, (이성과) 건들건들 돌아다니다(gadabout); 놀며 다니다《*about; around*》. ㉺ **~·er** *n.*

gáll·nùt *n.* 몰식자, 오배자(gall).

Gal·lo- [gǽlou, -lə] '프랑스(의)'의 뜻의 결합사: a *Gallo*-Briton 프랑스계〔친프랑스〕 영국인.

Gàllo·mánia *n.* [U] 프랑스 심취〔광(狂)〕. ㉺ **-ni·àc** *n.* 프랑스 심취자.

***gal·lon** [gǽlən] *n.* **1** 갤런《용량의 단위로 4 quarts; 생략: gal., gall.》; 1갤런들이 용기: imperial ~ 영국 갤런《4.546 *l*》/ wine ~ 미국 갤런《3.7853 *l*》. **2** (보통 *pl.*) 《구어》 대량, 다수. ㉺ **~·age** [-idʒ] *n.* 갤런량(量).

gal·loon [gəlúːn] *n.* 가는 끈《특히 금실 · 은실을 짜 넣은 무명 · 비단 · 털의》. ㉺ **~ed** *a.*

gal·lop** [gǽləp] *n.* **1** 갤럽《말 따위의 최대 속도의 구보》; 갤럽으로 말을 몰기, 질구(疾驅). ★ walk, amble, trot, canter, gallop의 차례로 빨라짐. **2** 《비유》 재빠른 행동, 급속한 진행. (at***) ***full*** ~ =***at a*** ~ 구보로, 전속력으로. ― *vi.* **1** 《+[전]+[명]/+[부]》 (말을 타고) 갤럽〔전속력〕으로 달리다, 질주하다: He *~ed across* the field. 그는 말을 달려 들판을 가로질렀다 / They *~ed off* to meet their friends. 그들은 친구를 맞으려고 말을 달렸다. **2** 《+[전]+[명]》 빨리〔급히〕 말하다 《*away*》; 급히 읽다《*over; through*》: I *~ed through* my work. 서둘러서 일했다. **3** (병세 · 시간 등이) 급속히 진행하다, 급히 가다〔지나가다, 나아가다〕. ― *vt.* (말을) 갤럽으로 달리게 하다; 급히 운반하다.

gal·lo·pade [gæ̀ləpéid] *n.* 활발한 춤의 일종 《원래 헝가리에서 시작》; 그 무곡.

gál·lop·er *n.* **1** gallop 하는 사람〔말〕. **2** 〖군사〗 (장성의) 부관, 연락 장교; (도보 또는 말탄) 전령. **3** (옛날 영국 연대에서 쓴) 경야포(輕野砲)(를 싣는 2륜 포차).

Gal·lo·phile [gǽləfàil] *a., n.* 프랑스를 좋아하는 (사람), 친(親)프랑스가(家), 친(親)프랑스의.

Gal·lo·phobe [gǽləfòub] *a., n.* 프랑스를 싫어하는 (사람)(Francophobe).

Gal·lo·pho·bia [gæ̀ləfóubiə] *n.* Ⓤ 프랑스를 싫어함(Francophobia).
gál·lop·ing *a.* (병세·인플레·부패 등의) 급속 진행성의: ~ consumption 급성〔분마성(奔馬性)〕 폐결핵.
gálloping dóminoes 〔**ívories**〕 《미속어》 (특히 craps의) 주사위(dice).
gálloping inflátion 급성 인플레이션. cf. creeping inflation.
gal·lous [gǽləs] *a.* 〖화학〗 제 1 갈륨의, 2 가(價)의 갈륨을 함유한.
Gal·lo·way [gǽləwèi] *n.* (또는 g-) 갤러웨이 말〔소〕《스코틀랜드 Galloway 원산》; 작은 말.
◇**gal·lows** [gǽlouz] (*pl.* **~·es** [-ziz], ~) *n.* 〖보통 단수취급〗 **1** 교수대《2개의 기둥에 지름대를 건너지른 것》, 교수대 모양의 것. **2** (the ~) 교수형: come to 〔die on, go to, be sent to〕 the ~ 교수형을 당하다. **3** (~es) 《미방언》 바지 멜빵(suspenders). **4** =GALLOWS BIRD. ***cheat the*** **~** (자살 등에 의해서) 용케 교수형을 모면하다. ***have a*** **~** ***look*** =***have the*** **~** ***in*** **one's** ***face*** 교수형을 받을 것 같은〔흉악한〕 인상을 하고 있다. **—** *a.* 《고어·속어》 교수형에 처할, 흉악한; 장난이 심한, 고집이 센《어린이》; 매우 좋은. **—** *ad.* 《방언·속어》 매우, 아주.
gállows bìrd 《구어》 교수형에 처해 마땅한 악인, 교수형을 당한 악인, 극악인(極惡人).
gállows hùmor 위험을 눈앞에 두고 하는 풍자의 유머; 블랙 유머.
gállow(s) trèe 교수대(gallows).
gáll·stòne *n.* 〖의학〗 담석(膽石).
Gál·lup pòll [gǽləp-] 《미》 갤럽 (여론) 조사 《G.H. Gallup이 창설》.
gal·lused [gǽləst] *a.* 《방언·미구어》 바지 멜빵을 한.
gal·lus·es [gǽləsiz] *n. pl.* 《방언·미구어》 바지 멜빵(gallows).
gáll wàsp 혹벌《혹벌과(科) 곤충의 총칭; 유충은 식물에 따라 특유의 혹을 만듦》.
Ga·lóis thèory [gælwáː-] 〖수학〗 갈루아 이론《대수·방정식의 해법에 군(群)의 개념을 적용한 이론; 프랑스 수학자 E. Galois가 창안》.
ga·loot [gəlúːt] *n.* 《구어》 얼빠진 남자, 어리보기.
gal·op [gǽləp] *n.* 《F.》 갤럽《2/4 박자의 경쾌한 춤》; 그 곡. **—** *vi.* 갤럽을 추다.
ga·lore [gəlɔ́ːr] *a.* 〖명사 뒤에 와서〗 풍부〔푸짐〕한: beef and ale ~ 성찬, 주지육림.
ga·losh [gəlɑ́ʃ/-lɔ́ʃ] *n.* (보통 *pl.*) 오버슈즈(overshoes), 고무 덧신. ㊞ **~ed** [-t] *a.* ~를 신은.
gals. gallons.
Gals·wor·thy [gɔ́ːlzwəːrði, gǽlz-] *n.* **John** ~ 골즈워디《영국의 소설가·극작가; 노벨 문학상 수상(1932); 1867-1933》.
ga·lumph [gəlʌ́mf] *vi.* 《구어》 의기양양하게 걷다, 신이 나서 달리다.
galv. galvanic; galvanism; galvanized.
Gal·va·ni [gaːlváːni] *n.* **Luigi** ~ 갈바니《이탈리아의 물리학자·생리학자; 1737-98》.
gal·van·ic, -i·cal [gælvǽnik], [-ikəl] *a.* **1** 갈바니 전기의, 동(動)〔직류〕전기의; 전류의〔에 의하여 생기는〕; 화학 반응으로 전류를 일으키는: ~ current 갈바니 전류(direct current) / a ~ belt (의료용) 전기 띠. **2** 《비유》 경련적인《웃음 따위》, 발작적인; 충격적인: ~ effect 충격적인 효과. ㊞ **-i·cal·ly** *ad.* 동전기에 의해; 경련적으로.
galvánic báttery 〖전기〗 갈바니 전지(電池)(voltaic battery).
galvánic céll 〖전기〗 갈바니 전지(voltaic cell).
galvánic electrícity 〖전기〗 동(動)전기, 갈바니 전기.
galvánic píle =VOLTAIC PILE.
galvánic skín respònse 〖생리〗 전기 피부 반응《거짓말 탐지기 따위에 응용; 생략: GSR》.

gal·va·nism [gǽlvənìzəm] *n.* Ⓤ **1** 동〔직류〕 전기《화학 반응으로 일어나는 전기》; 동전기학(學). **2** 〖의학〗 직류(直流) 전기 요법. **3** 힘찬 활동. ㊞ **-nist** *n.* 동전기 학자.
gàl·va·ni·zá·tion *n.* Ⓤ 직류 전기를 통함; 〖의학〗 직류 전기 치료; 아연 도금.
gal·va·nize [gǽlvənàiz] *vt.* **1** …에 직류 전기를 통하다; 《우스개》 (전기라도 통한 듯이) 갑자기 활기를 띠게 하다. **2** 아연 도금을 하다. ~ **a person** ***in*** 〔***into***〕 ***life*** 아무를 소생시키다; 활기를 북돋우다.
gálvanized íron 아연 철판《생철 따위》.
gal·va·no- [gǽlvənou, gælvǽn-, -nə] '직류(전기)'의 뜻의 결합사.
gàlvano·acupúncture *n.* =ELECTROACUPUNCTURE.
gal·va·no·graph [gælvǽnəgræ̀f, -grɑ̀ːf] *n.* 전기판(電氣版) (인쇄물). ㊞ **gal·va·nog·ra·phy** [gæ̀lvənɑ́grəfi/-nɔ́g-] *n.* Ⓤ 전기 제판술.
gal·va·nom·e·ter [gæ̀lvənɑ́mətər/-nɔ́m-] *n.* 〖전기〗 검류계(檢流計).
gal·va·no·met·ric, -ri·cal [gæ̀lvənoumétrik], [-rikəl] *a.* 검류계의, 검류계로 잰.
gal·va·nom·e·try [gæ̀lvənɑ́mətri/-nɔ́m-] *n.* Ⓤ 전류 측정(법).
gal·va·no·plas·ty, -plas·tics [gǽlvənouplæ̀sti, gælvǽnə-], [-tiks] *n.* Ⓤ 전주법(電鑄法); 전기 제판술. ㊞ **gàl·va·no·plás·tic** *a.* ~의.
gal·va·no·scope [gǽlvənəskòup, gælvǽnə-] *n.* 〖전기〗 검류기(檢流器).
gal·va·not·ro·pism [gæ̀lvənɑ́trəpìzm] *n.* 〖식물〗 굴전성(屈電性), 전기굴성.
Gal·we·gian [gælwíːdʒən] *a.* 스코틀랜드 Galloway 지방의. **—** *n.* Galloway인(人).
gam[1] [gæm] *n.* 고래 떼; 〖해사〗 《미방언》 (포경선 간의) 사교적 방문, 교환(交歡); 《미속어》 모임, 회합, 논의. **—** (***-mm-***) *vt., vi.* (고래 떼처럼) 모이다〔모으다〕; (포경선의 선원이) 사교적 방문을 하다, …와 교환하다; 《미속어》 자랑하다.
gam[2] *n.* 《미속어》 다리《특히 여성의 날씬한》.
gam- [gǽm], **gam·o-** [gǽmou, -mə] '합체(合體)한·유성(有性)의'란 뜻의 결합사. ★ 모음 앞에서 gam-.
gam. gamut.
Ga·ma [gǽmə, gáːmə/gáːmə] *n.* **Vasco da** ~ 가마《포르투갈의 항해가; 1460?-1524》.
gamb [gæmb] *n.* 〖문장(紋章)〗 맹수의 다리.
gam·ba [gǽmbə] *n.* 〖음악〗 **1** =VIOLA DA GAMBA. **2** (오르간의) 감바 음전(音栓)(=∠ **stòp**) 《현악기의 음을 냄》.
gam·bade [gæmbéid] *n.* =GAMBADO 1.
gam·ba·do [gæmbéidou] (*pl.* **~(e)s**) *n.* **1** 말의 도약; 뛰놀기; 짓궂은 장난. **2** 등자 대신에 안장에 붙인 보호용 장화〔각반〕; 긴 각반.
gambe [gæmb] *n.* =GAMB.
Gam·bia [gǽmbiə] *n.* **1** (the ~) 감비아《서아프리카의 공화국; 수도 Banjul》. **2** (the ~) 감비아 강《서아프리카를 흘러 대서양으로 들어감》.
Gam·bi·an [gǽmbiən] *a.* 감비아 (사람)의. **—** *n.* 감비아 사람.
gam·bi·er [gǽmbiər] *n.* Ⓤ 아선약(阿仙藥)《지혈·수렴제(收斂劑); 무두질·염료용》.
gam·bit [gǽmbit] *n.* 〖체스〗 (졸 따위를 희생하고 두는) 첫 수; (행동·거래 등의) 시작; (얘기의) 실마리; 화제(話題); (유리한 입장에 서기 위한) 책략, (선수 치는) 작전.
***gam·ble** [gǽmbəl] *vi.* 《~/+전+명》 도박을 하다, 내기를 하다《*at; on*》; 투기하다; 홍망을 건 모험을 하다《*with*》: Don't ~ *with* your future. 장래를 거는 무모한 모험은 마라 / ~ *at* cards 내

기 카드놀이를 하다 / ~ *on* …에 걸다; ((속어)) …을 의지하다, 신용〔확신〕하다. **—** *vt.* ((+목+부/+목+전+명/+*that*절)) 도박해서 잃다((*away*)); (…에) 내기하다, 걸다((*on; that*)): He ~*d away* his savings. 그는 도박으로 돈을 잃었다. / ~ one's savings *on* the stock market 주식에 저금한 돈을 걸다 / I'm *gambling that* our new store will be a success. 새로 연 가게는 반드시 성공할 것이다. **—** *n.* 도박, 노름; ((구어)) 투기; 모험. ***go on the*** ~ 도박〔노름〕을 하다. ㊞ °~**r** *n.* 도박꾼, 노름꾼; 투기꾼.

gámbler's fàllacy 도박꾼의 착각〔오신(誤信)〕((같은 사상(事象)이 계속 나타나면 다음에는 다른 사상이 일어날 것 같은 기분)).

gam·ble·some [gǽmbəlsəm] *a.* 도박을 즐기는.

gám·bling *n.* Ⓤ 도박, 내기.

gámbling hòuse 〔**hàll, hèll, dèn**〕 도박장.

gámbling tàble 도박대(臺).

gam·boge [gæmbóudʒ, -búːʒ] *n.* Ⓤ **1** 갬부지, 자황(雌黃)((동남아시아산 식물의 나무진; 노랑 그림물감 · 하제(下劑)로 씀)). **2** 치자색, 자황색(雌黃色)(= ∠ **yèllow**).

gam·bol [gǽmbəl] *n.* 뛰놀기, (새끼 양 · 어린이 등의) 장난. **—** (*-l-*, ((영)) *-ll-*) *vi.* 뛰놀다, 장난하다.

gam·brel [gǽmbrəl] *n.* (말 뒷다리의) 복사뼈 관절(hock); 말 다리 모양의 쇠갈고리(= ∠ **stìck**)((고기를 매닮)); 〖건축〗 물매가 2 단으로 된 맞배지붕(=((미)) ∠ **ròof**).

†**game**[1] [geim] *n.* **1** 놀이(sport), 유희, 오락, 장난: children's ~*s* 어린이들의 놀이.

> SYN. **game** 지능을 쓰는, 흔히 상대가 있거나 또는 상대를 예상하고 하는 놀이. **sport** 행동하다; 장난하다 → 자기의 이익 추구를 떠나 즐기기 위해서 (주로 몸을 움직여) 놀기: be the *sport* of circumstances 환경의 변화에 번롱당하다. **play** 지능적 놀이에도 신체적 놀이에도 쓰임. 무책임한 자유로움이 암시됨: the *play* of fancy 공상하기. game 에 비해 표면에 나타난 동작 · 기술에 초점이 있음. 따라서 '연극' 은 game이 아니고 play임. **amusement** 시간의 따분함을 덜어 주는 것. **pastime** 시간을 보내기 위해 심심풀이로 하는 것.

2 경기, 시합, 승부(((미))에서는 보통 baseball, football 따위 -ball이 붙는 각종 스포츠 경기에 씀; cf. match[2]); (한) 경기, (한) 게임: a baseball ~ 야구 경기 / a ~ of tennis 〔cards〕 테니스 경기〔카드놀이〕 / a drawn ~ 무승부 / a rubber of three ~*s*, 3 판 승부 / a ~ of chance 운에 맡기는 게임〔승부〕 / win two ~*s* in the first set 제 1 세트에서 두 게임 이기다 / called ~ 중단 경기 / close ~ 팽팽한 승부, 접전 / play a losing 〔winning〕 ~ 승산 없는〔있는〕 승부를 하다; 손해〔이익〕되는 일을 하다. **3** (*pl.*) (특히 고대 그리스 · 로마의) 경기회, 경연회, 투기회; (*pl.*) (학교 교과의) 체육: the Olympic ~*s* 올림픽 대회. **4** (승리에 필요한) 승점(勝點): Five points is 〔are〕 the ~. 5점이면 이긴다. **5** Ⓤ (승부의) 형세, 종국: How goes the ~? 형세는 어떤가 / The ~ is yours. 너의 승리다. **6** 경기〔승부〕 진행법: 게임 운영; 수법, 행위, 수단: play a fair ~ 정정당당히 싸우다 / That's not the ~! 그건 정당한 수법이 아니다. **7** (종종 *pl.*) 속임수, 수법; 책략, 계략(trick); 도모: the same old ~ 예의 그 수법 / None of your little ~*s*! 그런 수에는 안 넘어갈걸 / I wish I knew what his ~ is. 그의 속셈 좀 알았으면 싶다. **8** Ⓤ 추구물, 목적. **9** 놀이〔게임〕 도구, 장난감. **10** C,U 농(담)(joke, fun). opp. *earnest*. ¶ Here's a ~. 농담하고 있네 / in ~ 농담으로. opp. *in earnest*. **11** Ⓤ 〔집합적〕 사냥감, 사냥해서 잡은 것((짐승 · 새 따위)), 그 고기: forbidden ~ 금렵조(禁獵鳥), 금렵수. **12** ((고어)) Ⓤ 용기, 담력, 투지. **13** ((구어)) (위험 · 경쟁이 뒤따르는) 일, 장사, 직업; (the ~) ((속어)) 매음; 절도; ((비어)) 성교: play a dangerous ~ 위험한 짓을 하다.

a ~ not worth the candle 수지가 안 맞는 일. ***ahead of the*** ~ ((미구어)) 이기고 있는, 경기를 리드하고 있는. ***anyone's*** ~ 누가 이길지 모르는 게임, 예측 못할 경기〔시합〕. ***beat*** a person ***at*** his ***own*** ~ (아무의 능숙한 수로) 되레 그를 해치우다. ***be on*** 〔***off***〕 one***'s*** ~ (경기자 · 말 등의) 컨디션이 좋다〔나쁘다〕. ***fly at higher*** ~ 보다 큰 뜻을 품다. ***force the*** ~ ⇨ FORCE[1]. ~ ***all*** = ~ ***and*** [ænd] ~ 〖테니스〗 득점 1 대 1. ~ ***and*** [ænd] (***set***) 〖테니스〗 게임 세트. ***give*** a person ***a*** ~ 아무에게 져주다. ***give the*** ~ ***away*** 비밀을 누설하다, 속셈을 보이다. ***have a*** ~ ***with*** a person 아무를 속이다, 업신여기다. ***have the*** ~ ***in*** one***'s hands*** 승리〔성공〕의 열쇠를 쥐다. ***It's all in the*** ~. 규칙에 별로 벗어나지 않는다; 잘 안 돼도 참는 법이다. ***make a*** ~ 게임의 편을 짜다. ***make*** (***a***) ~ ***of*** …을 놀리다〔조롱하다〕. ***make*** ~ ***to*** do (장난삼아) …인 체하다. ***no*** ~ 〖야구〗 무효 시합, 노게임. ***not in the*** ~ 성공의 가망이 없는. ***on the*** ~ ((속어)) 매음을 하여; 도둑질을 해서. ***play a deep*** ~ 깊이 꾀하다. ***play a double*** ~ 표리 있는 수단을 쓰다. ***play a good*** 〔***poor***〕 ~ 훌륭한〔졸렬한〕 경기를 하다. ***play*** a person ***at*** his ***own*** ~ = beat a person at his own ~. ***play a waiting*** ~ 천천히 기회를 기다리다. ***play ~s*** 무책임한 짓을 하다, 아무렇게나 하다; 상대방을 속여 진상(眞相)을 숨기려고 하다. ***play ~s with …*** ((미속어)) …을 속이다. ***play*** a person***'s*** ~ = ***play the*** ~ ***of*** a person 부지중에 남의 이익이 되는 것을 하다. ***play the*** ~ 공명정대한 경기를 하다; 훌륭히 행동하다. ***play*** (***silly***) ~***s*** 애매한〔무책임한〕 태도를 취하다 〔행동을 하다〕. ***spoil the*** ~ 망쳐〔잡쳐〕 놓다; 헛되게 하다. ***That's your*** 〔***his***〕 ***little*** ~. 그것이 자네〔그의〕 수법〔속셈〕이군. ***The Game*** 제스처 게임. ***The*** ~ ***is up***. 이제〔만사〕 다 틀렸다. ***the*** ~ ***of war*** 〔***politics***〕 전략〔정략〕. ***Two can play at that*** ~. = ***That's a*** ~ ***two people can play***. ⇨ TWO. ***the name of the*** ~ ((구어)) 중요한 것; 제일 중요한 점. ***What's*** a person***'s*** ~***?*** ((구어)) 어떻게 할 작정일까. ***What's the*** ~***?*** ((구어)) 무슨 일이 일어났을까.

— *a.* **1** 사냥〔수렵〕의, 엽조〔엽수〕의; 낚시(용)의. **2** (싸움닭처럼) 용감한, 쓰러질 때까지 굴하지 않는, 투지가 왕성한: a ~ fighter 용맹스러운 전사. **3** 기꺼이 …하는, …할 마음이 있는((*for; to* do)): Are you ~ *for* a swim? 수영하고 싶지 않니? / He was ~ *to* do anything. 그에게는 무엇이든 잘 해내려는 의지가 있었다. **4** (여성이) 즐거운, 농담을 이해하는, 이야기가 통하는. (***as***) ~ ***as Ned Kelly*** ((Austral. 구어)) 참으로 용감한. ***die*** ~ 끝까지 싸우다, 장렬하게 죽다.

— *vi.* 승부를 겨루다, 내기〔도박〕하다: ~ deep 큰 승부를 하다. **—** *vt.* ((고어)) 내기〔도박〕에서 잃다((*away*)).

game[2] *a.* (팔 · 다리 따위가) 불구인(lame); 다친, 상처를 입은(injured).

gáme àct 수렵법(法).

gáme arcàde ((미)) 게임 센터(amusement arcade).

gáme·bàg *n.* 사냥 주머니.

gáme bàll 게임 볼((1) 〖테니스〗 매치포인트가 걸려 있는 서브. (2) 팀의 승리에 공헌한 코치나 선수에게 동료들이 선물하는 볼)).

gáme bìrd (합법적으로 잡을 수 있는) 엽조(獵鳥)《주로 꿩과의 조류》.
gáme·càst *n.* 〖방송〗 (스포츠의) 실황 중계[방송]. [◂ *game*¹+broad*cast*]
gáme·còck *n.* 투계, 싸움닭; 용감한 사람.
gáme fàce 《미속어》 (경연 대회에서의) 당당한 [의연한] 표정.
gáme fish 낚싯고기.
gáme fòwl 수렵조(鳥); 싸움닭.
gáme·kèeper *n.* 《영》 사냥터지기.
gam·e·lan [gǽmǝlæ̀n] *n.* 가믈란《(1) 인도네시아의 주로 타악기에 의한 기악 합주. (2) 이 합주에 쓰이는 실로폰 비슷한 악기》.
gáme làw 수렵법.
gáme lìcense 수렵(狩獵) 면허; 엽조수 판매 [면허.
gáme·ly *ad.* 싸움닭처럼; 용감하게, 과감하게.
gáme·ness *n.* Ⓤ 불굴, 용기.
gáme of skíll 기술이 승패를 결정짓는 게임.
gáme pàrk (아프리카 등지의) 동물 보호 구역.
gáme plàn 《미》 (시합 등의) 작전; 전략; (경제 따위의) 계획.
gáme pláy (군사 작전 · 영업 방침 결정 등에 쓰이는 최대 이익을 얻으려는) 수학 이론.
gáme pòint (테니스 따위) 결승점.
gáme presèrve 금렵구, 엽조수 보호 구역.
gáme presèrver 엽조수 보호 구역 설치자.
gám·er *n.* 〖스포츠〗 용맹과감한 선수; 《미속어》 컴퓨터 게임[복잡한 게임]에 푹 빠진 사람, 게임에 정통한 사람.
gáme resèrve =GAME PRESERVE.
gáme ròom 오락실.
gáme shòw (텔레비전의) 게임 쇼.
games·man [géimzmǝn] *n.* 홍정에 능한 사람, 책사(策士). 「나) 더러운 수법.
gámes·man·shìp [-ʃìp] *n.* Ⓤ (반칙은 아니
gámes màster 《영》 체육 교사.
gámes mìstress 《영》 여자 체육 교사.
game·some [géimsǝm] *a.* 장난치는; 재미있는; 놀기[장난치기] 좋아하는(playful). ㊞ **~·ly** *ad.* **~·ness** *n.*
game·ster [géimstǝr] *n.* 도박꾼, 노름꾼(gambler); 용감한 경기자.
ga·mete [gǽmiːt, gǝmíːt] *n.* 〖생물〗 배우자(配偶子), 생식체. ㊞ **ga·met·ic** [gǝmétik] *a.*
gáme tènant 수렵권[어렵권] 임차인.
gáme thèory (the ~) 〖경제〗 게임 이론《불확정한 요소 중에서 최대의 효과를 올리고 손실을 최소로 하기 위한 수학적 이론》. 「에 의한》.
gáme thèrapy 〖의학〗 유전 요법《유전자 공학
ga·me·to- [gǝmíːtou, gǽmǝtou, -tǝ], **gam·et-** [gǝmíːt, gǽmǝt] 〖생물〗 '배우자(配偶子)'라는 뜻의 결합사. ★ 모음 앞에서는 gamet-.
ga·me·to·cyte [gǝmíːtǝsàit] *n.* 〖생물〗 배우자 모세포, 생식 모세포.
gamèto·génesis *n.* 〖생물〗 배우자 형성.
ga·me·to·phyte [gǝmíːtǝfàit] *n.* 〖식물〗 배우체(配偶體).
gáme-týing *a.* 〖스포츠〗 동점의.
gáme wàrden 수렵구(區) 관리자.
gam·ey [géimi] *a.* =GAMY. 「(sexual).
gam·ic [gǽmik] *a.* 〖생물〗 유성(有性)의
gam·in [gǽmin] *n.* 《F.》 부랑아; 장난꾸러기.
gam·ine [gǽmiːn, -ˊ] *n.* 《F.》 말괄량이, 매력적인 장난꾸러기 계집애. 「bling).
gam·ing [géimiŋ] *n.* Ⓤ 도박, 내기(gam-
gáming tàble 도박대(臺).
gam·ma [gǽmǝ] *n.* **1** 그리스어 알파벳의 셋째 글자《Γ, γ; 로마자의 G, g에 해당》. **2** 세 번째의 것; (G-) 〖천문〗 감마성. **3** (*pl.* ~) 〖물리〗 감마《100만분의 1그램》. **4** 〖곤충〗 나방의 일종(=ˊ mòth)《γ자형 무늬가 있음》. **5** 〖사진〗 감마《감광물의 콘트라스트의 정도를 나타내는 말》. **6** 〖물리〗 감마선 양자(量子); 〖화학〗 감마, γ. **~ *plus* [*minus*]** (시험 성적 등의) 제3급[등]의 상[하].
gámma-amìno·butýric ácid ⇨GABA.
gámma decày 〖물리〗 감마 붕괴《(1) 감마선 방출에 의한 원자핵의 에너지 상실. (2) 불안정한 소립자가 광자(光子)를 방출함으로써 붕괴하는 일》.
gam·ma·di·on [gǝméidiǝn] (*pl.* ***-dia*** [-diǝ]) *n.* 《Gr.》 =FYLFOT.
gámma distribùtion 〖통계〗 감마 분포.
gámma fùnction 〖수학〗 감마 함수《기호 Γ(γ)》.
gámma glóbulin 〖생화학〗 감마글로불린《혈장 단백질의 한 성분으로 항체(抗體)가 많음》.
gámma radiàtion 〖물리〗 감마 방사선; 〖물리〗 감마선 복사(輻射). ★ Γ-radiation이라고도 씀.
gámma ràу (보통 *pl.*) 〖물리〗 감마선.
gámma-ray astrónomy 감마선 천문학.
gámma-sònde *n.* 〖기상〗 감마존데《상층 대기 중의 감마선 복사의 강도를 자동 측정하는 기구(氣球)》.
gámma sùrgery 〖의학〗 감마선 외과(수술)《감마선 조사(照射)에 의해 암세포의 파괴나 파킨슨병의 치료를 함》.
gam·mer [gǽmǝr] *n.* 《현재는 보통 경멸 · 우스개》 시골 노파. ⓒⓕ gaffer.
gam·mon¹ [gǽmǝn] 《영구어》 *n.* Ⓤ 엉터리, 허튼소리; 사기. **—** *int.* 허튼수작 마라. **—** *vt., vi.* 속이다; 천연스레 말[행동]하다. ㊞ **~·er** *n.*
gam·mon² *n.* Ⓤ 돼지의 넓적다리 고기, 베이컨용 돼지 옆구리 밑쪽의 고기; 훈제(燻製) 햄. **~ *and spinach*** 베이컨에 시금치를 곁들인 요리; 허튼소리《gammon¹에 빗댄 익살》. **—** *vt.* (돼지고기를) 훈제하다.
gam·mon³ *n.* (서양 쌍륙(backgammon)에서) 양판승의 전승(全勝). **—** *vt.* …을 양판승으로 이기다[지우다].
gam·mon⁴ *vt.* 〖해사〗 (밧줄로 제 1 사장(斜檣)을) 이물에 고정시키다. **—** *n.* =GAMMONING.
gám·mon·ing *n.* 〖해사〗 이물의 제 1 사장(斜檣)을 매는 밧줄[사슬].
gam·my [gǽmi] *a.* 《영구어》 =GAME².
gamo- ⇨ GAM-.
gàmo·génesis *n.* Ⓤ 〖생물〗 양성[유성] 생식, 자웅(雌雄) 생식. ㊞ **-genétic** *a.* **-ically** *ad.*
gàmo·pétalous *a.* 〖식물〗 합판(合瓣)의, 합판화의.
gàmo·sépalous *a.* 〖식물〗 통꽃받침의.
-ga·mous [gǝmǝs] '…결혼의'라는 뜻의 결합사: poly*gamous*.
gamp [gæmp] *n.* 《영구어 · 우스개》 볼품없이 큰 박쥐우산《Dickens의 작중 인물 Mrs. Sarah Gamp의 우산에서》.
gam·ut [gǽmǝt] *n.* 〖음악〗 전 음계; 장음계; (목소리 · 악기의) 전 음역; 《비유》 (사물의) 전 범위, 전 영역, 전반: the whole ~ of crime 온갖 범죄. ***run the* (*whole*) ~ *of*** (expressions) 갖은 (표현)을 다하다.
gamy [géimi] (***gam·i·er; -i·est***) *a.* **1** (엽수[엽조]의 고기가) 냄새가 나는《약간 썩기 시작하여 맛이 좋을 때》. **2** 《미》 (애기 등이) 아슬아슬한, 외설적인. **3** 기운 좋은, 다부진(plucky); 《드물게》 사냥감이 많은《숲 따위》. ㊞ **gám·i·ly** *ad.* **-i·ness** *n.*
-ga·my [gǝmi] '결혼, 결합, 번식, 재생'의 뜻의 결합사: bi*gamy*, exo*gamy*, allo*gamy*.
(')gan [gæn] (')GIN(=begin)의 과거.
G&AE 〖상업〗 general and administrative expense.
gan·der [gǽndǝr] *n.* **1** 거위 · 기러기의 수컷. ⓞⓟⓟ *goose*. **2** 얼간망둥이, 어리보기(simple-

ton). **3** 《미고어속어》 아내와 별거하고 있는 남편(grass widower). **4** 《미속어》 일별(look): take 〔have〕 a ~ (*at*) (…을) 슬쩍〔흘끗〕 보다. — *vi.*, *vt.* 《속어》 흘끗 보다.

gánder-pàrty *n.* 《미》 남자만의 모임.

Gan·dha·ra [gʌndáːrə] *n.* 간다라《파키스탄의 동북부, 페샤와르(Peshawar) 지방의 옛 이름; 헬레니즘 양식의 불교 미술이 융성》.

Gan·dhi [gáːndi, gǽn-] *n.* 간디. **1 Mohandas Karamchand** ~ 인도 민족 해방 운동의 지도자(1869-1948). **2 Indira** ~ 인도의 정치가·수상; J. Nehru의 딸(1917-84). (파) **~·an** *a.*, *n.* 간디주의의 (사람). **~·ìsm** *n.* Ⓤ 간디주의《비폭력, 소극적 저항주의》.

G & T 《미속어》 gin and tonic.

gán·dy dàncer [gǽndi-] 《속어》 (철도의) 구간(區間) 인부, 선로공, 임시 작업반의 인부; 뜨내기〔계절〕 노동자. 「꾼, 깡패.

ga·nef, -ni(f)f [gáːnəf] *n.* 《속어》 도둑, 사기

⁑**gang**[1] [gæŋ] *n.* **1** 일단, 한 떼; (노동자·죄수 등의) 한 부대. **2** (악한 등의) 일당, 폭력단, 갱단《한 사람의 갱은 a gangster》. **3** 《구어》 패거리, 놈들; 《미》 (배타적인 청소년·어린이의) 놀이 동무; 비행 소년 그룹. **4** (같이 움직이는 도구의) 한 벌〔세트〕《*of* oars, saws, etc.》; 연동(連動) 장치. **5** 《영방언》 길(way).
— *vi.* 《+[부]/+[전]+[명]》《구어》 집단을 이루다, 집단적으로 행동하다《*up*》, 한패〔동료〕가 되다《*with*》; 《구어》 집단으로 습격하다: They ~*ed together*. 그들은 일치 단결했다/We ~*ed up with* them. 우리들은 그들과 한데 뭉쳤다. — *vt.* **1** 조(組)로 편성하다. **2** 《미구어》 집단으로 습격하다〔괴롭히다〕《*on*》. **3** (도구 등을) 한벌로 갖추다, 짝을 맞추다. ~ ***up on*** 〔***against***〕《구어》…에 단결하여 대항하다, …을 집단적으로 습격하다: The bigger boys ~*ed up on* the smaller ones in the schoolyard. 큰 아이들이 학교 운동장에서 작은 아이들에게 덤볐다. ~ ***up to*** do 《미속어》 집단으로 …하다.

gang[2] *vi.* 《Sc.》 가다(go), 걷다(walk). ~ ***agley*** 《Sc.》 (계획 등이) 어긋나다, 실패하다.

gang[3] *n.* =GANGUE.

gáng·bàng 《속어》 *n.* 윤간(=**gáng bàng**). — *vi.*, *vt.* 윤간(輪姦)하다. (파) **~·er** *n.*

gáng·bòard *n.* (배와 부두를 연결하는) 배다리, 트랩(gangplank).

gangboard

gáng·bùster *n.* 《미구어》 폭력단을 단속하는 경찰관. ***come on like ~s*** 《미속어》 요란스럽게〔화려하게〕 들어오다〔시작하다〕. (파) **-bùsting** *n.*

gáng·bùsters *a.* 《구어》 아주 순조로운, 대성공의: go ~ 크게 히트하다, 큰 성공을 거두다.

gáng cùltivator 〚농업〛 연동(連動) 경운기《동시에 작동하는 네댓 개의 날이 있는 경운기》.

gang·er [gǽŋər] *n.* 《영》 (노동자의) 두목, 십장.

Gan·ges [gǽndʒiːz] *n.* (the ~) 갠지스 강.

Gan·get·ic [gændʒétik] *a.* 갠지스 강의.

gáng hòok 닻바늘《2-3 개를 닻 모양으로 합친 낚싯바늘》.

gáng·lànd *n.* 암흑가, 범죄자의 세계.

gan·gle [gǽŋgəl] *vi.*, *n.* 어색하게〔딱딱하게〕 움직이다〔움직임〕.

gan·glia [gǽŋgliə] GANGLION의 복수.

gan·gli·at·ed, -gli·ate [gǽŋglièitid], [-glièit, -gliət] *a.* =GANGLIONATED. 「(lanky).

gan·gling [gǽŋgliŋ] *a.* 호리호리한, 홀쭉한

gan·gli·o- [gǽŋgliou, -liə], **gan·gli-** [gǽŋgli] '신경절(神經節)'의 뜻의 결합사. ★ 모음 앞에서는 gangli-.

gan·gli·on [gǽŋgliən] (*pl.* ***-glia*** [-gliə], **~s**) *n.* 〚해부〛 신경절(節), 신경구(球); 〚의학〛 갱글리언, 건초류(腱鞘瘤); 《비유》 (지적(知的)·산업적 활동의) 중심, 중추《*of*》.

gan·gli·on·at·ed, -ate [gǽŋgliənèitid], [-nèit, -nət] *a.* 〚해부〛 신경절이 있는.

gánglion cèll 신경절 세포.

gan·gli·on·ic [gæ̀ŋgliánik/-ɔ́n-] *a.* 신경절의.

gan·gli·o·side [gǽŋgliəsàid] *n.* 〚생화학〛 갱글리오 사이드《신경절(神經節)에 함유된 당지질 「(糖脂質)》.

gan·gly [gǽŋgli] *a.* =GANGLING.

gáng·màster *n.* (노동자의) 십장, 반장.

Gáng of Fóur (the ~) (중국의) 4 인방(幇).

gáng·plànk *n.* =GANGBOARD.

gáng plòw 연동〔복식〕 보습.

gáng·ràpe *n.*, *vi.* 《속어》 윤간(輪姦)(하다).

gan·grene [gǽŋgriːn] *n.* 〚의학〛 괴저(壞疽), 괴사, 탈저(脫疽); (도덕적) 부패〔타락〕의 근원. — *vi.*, *vt.* 괴저가 생기다, 부패하다; …에 괴저를 일으키다, 부패케 하다. 「〔탈저〕의; 썩은.

gan·gre·nous [gǽŋgrənəs] *a.* 〚의학〛 괴저

gáng sàw (제재용) 연동 톱, 갱소.

gáng·sta ràp [gǽŋstə-] 갱스터 랩《과격한 가사의 랩 음악》.

◇**gang·ster** [gǽŋstər] *n.* **1** 《구어》 갱(의 한 사람), 폭력배, 악한: a ~ film 갱 영화. **2** 《미속어》 마리화나 (담배); 마리화나 사용자. (파) **~·dom** [-dəm] *n.* 갱 사회, 악당 패거리. **~·ism** [-rìzəm] *n.* Ⓤ 갱 행위.

gáng-tàckle *vt.*, *vi.* 〚미식축구〛 두 사람 이상이 (볼 가진 선수를) 태클하다.

gangue [gæŋ] *n.* 〚광물〛 맥석(脈石)(veinstone).

gáng-ùp *n.* 《구어》 (대항하기 위한) 단결. 「움〕.

gáng wàr 〔**wàrfare**〕 폭력단끼리의 항쟁〔싸

◇**gáng·wày** *n.* 출입구; 《영》 (극장·식당·버스 등 좌석 사이의) 통로; 〚영하원〛 의장(議場)의 간부 의원석과 평의원석 사이의 통로; 〚선박〛 (배의) 트랩(gangplank); 현문(舷門); (건축 현장 등의) 건널판, 임시 통로; 선내(船內) 통로; 〚광산〛 주갱도(主坑道); (저수지(貯水池)에서 제재소까지의) 사면(斜面); (증기 기관차의) 기관사실과 탄수차(炭水車)와의 사이; (전기 기관차의) 측면 입구. ***bring to the*** ~ 현문에 끌어내어 매질하다《선원의 징벌》. ***members above*** 〔***below***〕 ***the*** ~ 〚영하원〛 간부〔평〕의원. ***sit above*** 〔***below***〕 ***the*** ~ 〚영하원〛 간부〔평〕의원석에 앉다. — *int.* 비켜라 비켜(Clear the way!). (파) **~ed** *a.*

gan·is·ter, gan·nis- [gǽnistər] *n.* 개니스터《내화재(耐火材)로서 노(爐)의 내벽용 규질 점판암(硅質粘板岩)》.

gan·ja, -jah [gáːndʒə, gǽn-] *n.* Ⓤ 마리화나.

gan·net [gǽnit] *n.* **1** (*pl.* ~s, ~) 〚조류〛 북양가마우지. **2** 《속어》 욕심쟁이, 억척스러운 놈.

gan·oid [gǽnɔid] *n.* 〚어류〛 경린어(硬鱗魚). — *a.* 경린(어)의; (물고기 비늘의) 표면이 번드르르한, 에나멜질의.

Gan·su, Kan- [gáːnsúː], [kǽnsúː] *n.* 간쑤(甘肅)성《중국 북서부의 성(省)》.

gant·let[1] [gǽntlit, gɔ́ːnt-] *n.* **1** 태형《두 줄로 늘어선 사람들 사이를 알몸으로 뛰게 하여 채찍·몽둥이로 때림》. **2** 〚철도〛 곤틀릿 궤도. ***run the*** 〔***a***〕 ~ 태형을 당하다; 사람들로부터 호된 공격을 받다. — *vt.* …에 곤틀릿 궤도를 부설하다.

gant·let² *n.* =GAUNTLET¹.
gan·try [gǽntri] *n.* **1 a** (이동 기중기의) 받침대. **b** 『철도』 신호교(信號橋)《신호기 설치용의 과선교(跨線橋)》. **c** 로켓의 이동식 발사 정비탑(=∠ **scáffold**) **2** (저장소의) 통받침.

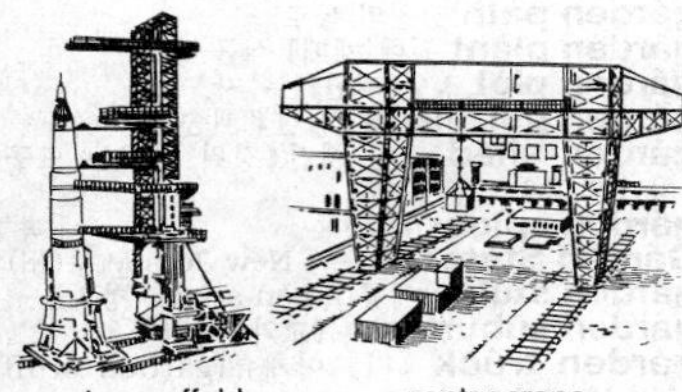
gantry scaffold　　gantry crane

gántry cràne 갠트리 크레인, 문형(門形) 기중기.
Gan·y·mede [gǽnəmìːd] *n.* 『그리스신화』 가니메데스《신들을 위해 술을 따르던 미소년》; (보통 g-) 《구어·우스개》 사환, 젊은 술시중꾼, 술 따르는 사람; 《구어》 젊은 호모; 『천문』 가니메데《목성의 가장 큰 위성》.
GAO 《미》 General Accounting Office (회계감사원(院)).
°**gaol** [dʒeil] *n.*, *vt.* 《영》 =JAIL. ⓜ ∠**·er** *n.* 《영》 =JAILER.
⁑**gap** [gæp] *n.* **1** (담이나 벽 따위의) 금, 갈라진 틈《*in*》: a ~ *in* a hedge 산울타리의 갈라진 틈. **2** 틈, 틈새, 짬, 간격: a long ~ *of* time 오랜 기간의 간격. **3** 간격; (의견 따위의) 차이, 격차《*in*; *between*》: There is a considerable ~ *in* their age. 두 사람의 나이에 상당한 차이가 있다 / the ~ *between* theory and practice 이론과 실제와의 격차. **4** 빈 곳; 결함. **5** 골짜기, 협곡; 《속어》 (양 유방) 사이; (음부의) 갈라진 틈. **6** (복엽 비행기의) 아래위 날개의 간격; 『전기』 (2 전극간·자기회로의) 갭; =SPARK GAP. **7** 『미식축구』 갭《라인의 이웃한 선수 사이의 틈》. ***bridge*** 〔***fill, stop, supply***〕 ***a*** 〔***the***〕 ~ 부족을 채우다; 임시변통을 하다; 간격을 메우다. ***close a*** ~ 간격을〔격차를〕 줄이다, 따라붙다. ***make*** 〔***leave***〕 ***a*** ~ 틈이 나게 하다, 간격이 생기게 하다. ***open a*** ~ 기회를 주다. ***stand in the*** ~ 몸으로 막다.
— **(-pp-)** *vt.* …에 금가게 하다, 갈라져 틈이 나게 하다; (점화 플러그)의 갭을 조정하다. — *vi.* 벌어지다, 갈라지다; 《미속어》 범행 현장에 있다.
GAPA 『항공』 ground-to-air pilotless aircraft (지대공(地對空) 무인 비행기).
gape [geip, gæp/geip] *n.* **1** 입을 크게 벌림; 하품(yawn); 입을 딱 벌리고 멍하니 봄; 『동물』 벌린 입의 크기; 벌어진〔갈라진〕 틈(새). **2** (the ~s) (주로 가금(家禽)의) 부리를 헤벌리는 병(ⓒⓕ gapeworm); 《우스개》 하품이 남. **3** 《고어》 갈망, 탐구. ***have the ~s*** 자꾸 하품을 하다. — *vi.* **1** 입을 크게 벌리다; 하품을 하다(yawn). **2** 크게 벌어지다, 갈라지다; (지면 따위가) 갈라져 있다; 멍청히 입을 벌리고 바라보다《*at*》. **3** 《고어》 몹시 …하고 싶어하다《*to* do》. ~ ***after*** 〔***for***〕 …을 탐내다, 갈망하다. ~ ***at*** …을 멍청히 바라보다.
gap·er [géipər, gǽpər/géipə] *n.* 입을 벌리고 멍하니 바라보는 사람, 하품하는 사람; 아연케 하는 것; 《구어》 『크리켓』 쉽게 잡을 수 있는 공; 『패류』 다랑조개; 『조류』 =BROADBILL.
gápe·sèed *n.* 《영방언》 입을 딱 벌리고 응시함; 멍하니 바라보게 하는 것. ***seek*** 〔***buy, sow***〕 ~ 입을 벌리고 멍하니 보다, 공상에 잠기다; 실현 불가능한〔비현실적인〕 목표를 지향하다.
gápe·wòrm *n.* 『동물』 기관 개취충(氣管開嘴蟲)《가금의 기관에 기생함》.
gap·ing·ly [géipiŋli, gǽp-/géip-] *ad.* 입을 딱 벌리고, 멍하니, 어처구니없이.
gáp jùnction 『생물』 (세포 사이의) 좁은 간극(間隙)〔갭〕 접합.
gáp·less *a.* 틈이 없는.
gap·o·sis [gæpóusis] *n.* 《미구어》 **1** (단추·스냅 등을 채웠을 때 옷이 팽팽해져서 생기는) 틈. **2** 갭; 결함.
gapped [-t] *a.* (여기저기) 틈이 벌어진.
gápped scàle 『음악』 갭트 스케일《실제로는 쓰지 않는 불필요한 음을 뺀 음계》.
gap·py [gǽpi] *a.* 틈이 많은; 연락이 없는; 결함이 있는.
gáp·tòothed [-t] *a.* (빠진 이로) 이 사이가 벌어진.
gar [gɑːr] (*pl.* **~s,** 〔집합적〕 **~**) *n.* =GARFISH.
G.A.R. 《미》 Grand Army of the Republic.
⁑**ga·rage** [gəráːʒ, -ráːdʒ/gǽrɑːdʒ, -ridʒ] *n.* **1** (자동차) 차고, 주차장, 자동차 수리소〔정비 공장〕; 《고어》 (비행기의) 격납고; 《영》 주유소. **2** 『음악』 솔 뮤직의 요소를 도입한 하우스 뮤직.
— *vt.* 차고〔정비 공장, 격납고〕에 넣다.
garáge·màn [-mæ̀n] (*pl.* **-mèn** [-mèn]) *n.* 자동차 수리공(《영》 garagist).
garáge sàle 《미》 (이사하거나 할 때 보통 자기 집 차고에서 하는) 파치〔중고품·정리품〕 염가 판매.
garáge stùdio 『음악』 음향 효과·공간 스페이스를 고려하지 않은 간이 녹음 스튜디오.
Gár·and (rífle) [gǽrənd(-), gərǽnd(-)] 《미》 개런드 반자동 소총(M1 rifle)《제 2 차 대전 때 미군 보병의 표준 병기》.
garb [gɑːrb] *n.* 복장《국가나 직업에 따라 특징이 있는 것》; 옷매무새, 옷차림; 외관. — *vt.* 《+목+전+명/+목+*as*보》 〔수동태 또는 ~ oneself〕 …을 입다, …의 복장을 하다: The priest *was* ~*ed in* black. 성직자는 검은 옷을 입고 있었다 / He ~*ed* him*self as* a sailor. 그는 선원 복장을 하고 있었다.
*__gar·bage__ [gáːrbidʒ] *n.* Ⓤ **1** (부엌의) 쓰레기, 음식 찌꺼기, 잔반(殘飯); 맛없는 음식; 쓰레기, 폐기물(《영》 rubbish); 《영고어》 (생선·고기의) 살 붙은 뼈; 《미속어》 음식, (요리의) 첨가물《파슬리나 칵테일의 체리 따위》. **2** 잡동사니; 너절한 것, 쓰레기; 《속어》 너절한 말〔생각〕, 허풍: literary ~ 시시한 읽을거리. **3** 『컴퓨터』 가비지《기억 장치 속에 있는 불필요하게 된 데이터》. **4** 『농구』 쉽게 득점할 수 있는 바스켓. **5** 《미속어》 질이 나쁜 마약. — *vt.* 〔다음 관용구로〕 ~ ***down*** 《속어》 게걸스레 먹다, 탐(貪)하다.
gárbage bàg 《미》 (플라스틱제의) 쓰레기 백.
gárbage càn 《미》 (부엌의) 쓰레기통 (《영》 dustbin); 《미해군속어》 노후 구축함; 《미속어》 『TV』 마이크로웨이브 중계 장치.
gárbage collèction 『컴퓨터』 가비지 수집《기억장치 속의 빈 부분을 모아 정리된 스페이스를 만드는 기술》.
gárbage collèctor 《미》 쓰레기 수거인(《영》 dustman).
gárbage dispòsal 〔**dispòser**〕 =DISPOSER.
gárbage drùg 《속어》 역효과를 가져오기 쉬운 마약《접착제·시너(thinner) 따위》.
gárbage dùmp 쓰레기장.
gárbage fèes 《속어》 터무니없는 수수료.
gárbage fùrniture 《속어》 (재활용할 수 있는) 길에 버려진 가구.
gárbage hàbit 《속어》 여러가지 마약을 섞어서 복용하는 버릇.
gárbage hèad 《속어》 여러가지 마약을 섞어서 복용하는 녀석.
gár·bage·man [-mən] (*pl.* **-men** [-mən])

n. 《미》 쓰레기 수거인.
gárbage mòuth 《속어》 언제나 야비하고 잡된 〔외설스러운〕 말을 입에 담는 사람.
gar·bage·ol·o·gy [gɑ̀ːrbidʒálədʒi/-dʒɔ́l-] n. (쓰레기 분석으로 행하는) 폐기물 문화〔사회〕학.
gárbage trùck 〔**wàgon**〕 《미》 쓰레기차 (《영》 dust cart).
gar·bán·zo (**bèan**) [gɑːrbánzou(-)] n. 《미》 =CHICKPEA.
gar·ble [gáːrbəl] vt. **1** (사실을 왜곡시키기 위하여) 부정한 취사선택을 하다; (기사를) 멋대로 고치다; 오전(誤傳)하다; (인용문 따위를) 깜박 혼동하다. **2** (향신료 등)에서 불순물을 가려내다. ㊎ **~·a·ble** a. **-bler** n.
gar·bo [gáːrbou] (pl. **~s**) n. 《Austral. 속어》 쓰레기 수거인.
gar·bol·o·gist [gɑːrbálədʒist/-bɔ́l-] n. 쓰레기 수집인; 쓰레기 학자〔연구자〕. 「BAGEOLOGY.
gar·bol·o·gy [gɑːrbálədʒi/-bɔ́l-] n. =GAR-
gar·çon [gɑːrsɔ̃ː, ←] n. 《F.》 (호텔의) 보이, 사환, 급사(waiter); 소년; 머슴; 총각; 하인.
gar·çon·nière [F. gaʀsɔnjɛːʀ] n. 《F.》 독신 남자용 아파트.
gar·da [gáːrdə] (pl. ***-dai*** [-dəiː]) n. 아일랜드인 경찰관〔호위〕.
gardant ⇨ GUARDANT.
garde-man·ger [gáːrdəmaːŋʒéi; F. gaʀdəmɑ̃ʒe] n. (pl. **~s** [-z]) 《F.》 대형 조리실의 냉육 저장실 겸 조리실(담당 요리사).
†**gar·den** [gáːrdn] n. **1** 뜰, 마당, 정원: a back ~ 뒤뜰/a rock ~ 암석〔석가산〕 정원.

> SYN. **garden** 집 주변에 있어 꽃 등이 가꾸어진 뜰. **yard** 집 주위 또는 건물에 에둘린 공지로서 때로는 포장되어 있기도 한 뜰. **court** 건물에 에둘린 안뜰로서 포장되어 있는 것이 많음.

2 (주로 pl.) 공원, 유원지(park); 옥외(屋外) 음식 시설《beer garden 따위》: botanical 〔zoological〕 ~s 식물〔동물〕원. **3** 화원; 채원; 과수원: a kitchen ~ (자가용) 채마밭. **4** 비옥지(대). **5** (G-s) 《영》 …가(街) : Sussex *Gardens* / Abbey *Gardens* 애비로(路). **6** 《속어》 (야구장의) 외야. **7** (the G-) 에피쿠로스(Epicurus) 학파. ***cultivate*** one's (***own***) ~ (남의 일에 참견 않고) 자신의 일을 하다, 자기 일을 조심하다. ***Everything in the ~ is lovely.*** 《구어》 〔종종 반어적〕 더 할 말 없다, 전적으로 만족하다. ***lead*** a person ***up*** 〔***down***〕 ***the*** ~ (***path***) 《구어》 아무를 속이다, 오도(誤導)하다. ***the Garden of Eden*** 에덴동산. ***the Garden of England*** 잉글랜드 비옥 지대《Kent, Worcestershire, the Isle of Wight 따위》. ***the Garden of the Gods*** 미국 Colorado Springs시 부근의 진기한 암층 지대.
— a. **1** 뜰의; 정원용의; 재배의: a ~ trowel 모종삽/a ~ plant 원예 식물. **2** 경치가 아름다운. ***common or*** ~ 《구어》 흔해빠진, 보통의.
— vi. 뜰을 만들다; 원예를 하다. — vt. 뜰로 만들다; 뜰로 하여 손질을 하다.
㊎ **~·fùl** n. 정원 하나 가득《*of*》. 「아파트.
gárden apártment 《미》 뜰이 있는 낮은 층의
gárden bàlm 〖식물〗 향수박하.
gárden bálsam 〖식물〗 봉선화(balsam).
gárden cènter 원예 용품점, 종묘점(種苗店).
gárden cíty 전원 도시. 「야채》.
gárden crèss 다닥냉이 무리의 식물《샐러드용
*__gar·den·er__ [gáːrdnər] n. 정원사, 원정(園丁); 원예가; 채소 재배자; 《야구속어》 외야수.
gar·den·esque [gɑ̀ːrdənésk] a. 정원(풍)의; 화원 같은.
gárden fràme 촉성 재배용 온상. 「무.
gar·de·nia [gɑːrdíːnjə, -niə] n. 〖식물〗 치자나
gár·den·ing n. Ⓤ 조원(造園)(술), 원예; 〖등산〗 확실한 발판을 확보하기 위해 거기 나 있는 식물을 베어내는 일.
gárden pàrty 가든파티, 원유회.
gárden pàth 정원의 통로.
gárden plànt 원예〔재배〕 식물.
gárden plòt 정원〔채원〕(부)지.
gárden portuláca 〖식물〗 채송화.
gárden shéd 정원 헛간《정원 가꾸는 도구나 자전거 따위를 둠》.
gárden spìder 왕거미. 「속칭.
Gárden Státe (the ~) New Jersey 주(州)의
gárden stùff 야채류(green stuff), 청과물.
gárden súburb 전원 (교외) 주택지.
gárden trúck 《미》 야채류(garden stuff), 《특히》 시판용 야채.
gárden-varìety a. 흔해 빠진, 보통(종류)의.
gárden víllage =GARDEN SUBURB.
gárden wàrbler 유럽산 휘파람새의 일종.
gárden whìte 배추흰나비의 일종.
gárde·ròbe n. 옷장(속의 의류); 침실, 사실(私室); 변소.
Gar·field [gáːrfiːld] n. **James Abram** ~ 가필드《미국 제 20 대 대통령; 취임 후 4 개월 만에 암살됨; 1831-81》.
gar·fish [gáːrfìʃ] (pl. **~·es,** ~) n. 〖어류〗 동갈치(needlefish).
Gar·gan·tua [gɑːrgǽntʃuə/-tjuə] n. 가르강튀아《프랑스의 작가 François Rabelais(1494?-1553)의 소설 *Gargantua and Pantagruel*의 거인왕》.
gar·gan·tu·an [gɑːrgǽntʃuən/-tjuən] a. (또는 G-) 거대한, 굉장히 큰.
gar·get [gáːrgit] n. **1** (소·돼지 따위의) 인후〔두부(頭部)〕 종양(腫瘍); (소·양의) 유방염(炎). **2** 〖식물〗 아메리카 자리공(pokeweed) (=∠ **plànt** 〔**ròot**〕). ㊎ **~y** a. 유방염의〔에 걸린〕; (젖이) 끈적끈적한, 엉겨붙은.
gar·gle [gáːrgəl] vt., vi. 양치질하다; 《속어》 (라디에이터 속의 물을) 빼다; 《속어》 (맥주 등을) 마시다. — n. 양치질 약; 양치질할 때의〔와 같은〕 소리; 《속어》 (맥주 등의) 한 잔. ㊎ **-gler** n.
gárgle-fàctory n. 《속어》 술집, 대폿집.
gar·goyle [gáːrgɔil] n. **1** 석누조(石漏槽), 이무깃돌《고딕 건축 따위에서 낙숫물받이로 만든 괴물 형상의》. **2** (건물의) 괴물상; 흉한 사람. ㊎ **~d** a.

gargoyle 1

gar·goyl·ism [gáːrgɔilìzəm] n. 〖의학〗 가고일리즘《골격 대사(骨格代謝) 이상·정신장애 등을 수반하는 유전병》.
gar·i·bal·di [gæ̀rəbɔ́ːldi] n. **1** (여성·어린이용의) 헐거운 블라우스《이탈리아의 애국자 Garibaldi(1807-82)의 병사들의 빨간 셔츠에서》. **2** 《영》 건포도를 넣은 비스킷(=∠ **biscuit**).
gar·ish [gέəriʃ] a. 번쩍번쩍하는; 야한; 화려한. ㊎ **~·ly** ad. **~·ness** n.
◇**gar·land** [gáːrlənd] n. **1** 화환, 화관(花冠), 꽃줄(festoon). **2** 명구집(名句集), 시가선(詩歌選)(anthology). **3** 영관(榮冠), 영예(의 표시). **4** 〖건축〗 꽃장식; 〖해사〗 밧줄고리. ***gain*** 〔***carry away, win***〕 ***the*** ~ 승리의 영관을 얻다. — vt. …에게 화환을 씌우다〔으로 장식하다〕; (꽃을) 화환으로 만들다; …의 화환이 되다.
◇**gar·lic** [gáːrlik] n. Ⓤ 〖식물〗 마늘; 《넓은 뜻으로》 파; (조미료로서의) 마늘: ~ salt 마늘이 든

식염《조미료》/a clove of ~ 마늘 한 쪽. ㊥ **-licky** [-i] *a.* 마늘 같은〔냄새 나는〕.

*__gar·ment__ [gáːrmənt] *n.* 의복《특히 긴 웃옷·외투 등》; 의복 한 벌; (*pl.*) 〖상업〗 옷, 의류; 외피(外被), 외관, 옷차림. cf. attire, raiment. ── *vt.* 〔보통 수동태로〕《시어》 …에게 입히다, 차리게 하다.

gárment bàg 양복을 휴대할 수 있도록 접어넣게 된 백.

gar·ner [gáːrnər] 《시어·문어》 *n.* 곡창(穀倉)(granary), 곡물 (계량) 용기; 저축, 저장, (지혜·사상 따위의) 축적. ── *vt.* 모으다(collect), 축적하다《*up*》; 득점〔득표〕하다. ── *vi.* 모이다.

gar·net [gáːrnit] *n.* 〖광물〗 석류석(石榴石), (보석의) 가닛《1월의 탄생석》; Ⓤ 심홍색(deep red). ── *a.* 심홍색의.

gárnet pàper (석류석 가루를 붙인) 사포(砂布).

°**gar·nish** [gáːrniʃ] *n.* **1** 장식, 장식물; 문식(文飾), 수식, 미사여구. **2** 식품의 배합, 요리에 곁들이는 것, 고명. **3** 〖법률〗 통고. **4** (신입자가 내는) 입회금. ── *vt.* **1** 《+목+전+명》 장식하다; 문식하다: ~ a room *with* flowers 방을 꽃으로 꾸미다. **2** (요리에) 야채나 해초 따위를 곁들이다: use parsley to ~ a salad 샐러드에 파슬리를 곁들이다. **3** 〖법률〗 (…의 채권 압류를) 통고하다; 《폐어》 (제3자를 법정에) 호출하다. ***swept and ~ed*** 말끔히 청소되고 곱게 장식된《마태복음 XII: 44》. ㊥ **~·er** *n.*

gar·nish·ee [gàːrniʃíː] 〖법률〗 *vt.* 통고하다; (채권·봉급 따위를) 압류하다; …에게 압류를 통고하다. ── *n.* 압류 통고를 받은 사람.

gár·nish·ment *n.* 장식, 곁들인 장식; 〖법률〗《널리》 통고; 채권 압류 통고; (제 3 자에 대한) 출정(出廷) 명령.

gar·ni·ture [gáːrnitʃər] *n.* Ⓤ 장식; Ⓒ 부속품, 장식물, 장구(裝具); (주된 요리에) 곁들이는 야채·해초 따위, 고명; 《영》 의상(costume).

garotte ⇨ GARROTE.

GARP Global Atmospheric Research Program (지구 환경 조사 계획).

°**gar·ret**[1] [gǽrət] *n.* **1** 다락방. cf. attic. **2** 맨 위층; 초라한 작은 방. **3** 《속어》 (인간의) 머리(head): He has his ~ unfurnished. 골이 비어 있다. ***from cellar to ~*** = ***from ~ to kitchen*** 온 집안 구석구석까지. ***like a cat in a strange ~*** (빌려온 고양이처럼) 겁을 먹고.

gar·ret[2] *vt.* = GALLET.

°**gar·ri·son** [gǽrəsən] *n.* 〖군사〗 **1** 수비대, 주둔군〔병〕. **2** 요새, 주둔지: ~ artillery 요새 포병/go 〔be sent〕 into ~ 수비에 임하다〔파견되다〕/in ~ 수비에 임하여. ── *vt.* …에 수비대를 두다; 수비하다; (부대를) 주둔시키다.

gárrison càp 〖미군사〗 약모, G.I.모《배 모양의》.

Gárrison fínish 《미》 (경마 따위에서, 마지막 순간에서의) 역전승.

gárrison stàte 군국주의 국가.

gárrison tówn 수비대 주둔 도시.

gar·ron [gǽrən, gərɔ́ːn] *n.* 조랑말《스코틀랜드·아일랜드의》.

gar·rot [gǽrət] *n.* 〖조류〗 흰뺨오리(golden-eye).

gar·rote, -rotte, ga·rotte [gəróut, -rát/-rɔ́t] *n.* 스페인의 교수형(구)(絞首刑(具))《기둥에 달린 쇠고리에 목을 끼워 넣고 나사로 졸라 죽임》; 위에 의한 교수형; 교살 강도《사람 뒤에서 줄 따위로 목을 조르는》, 그 교살구(絞殺具). ── *vt.* 교수형에 처하다; 목을 조르고 금품을 빼앗다. ㊥ **gar·rót·(t)er** *n.* 교살자; 교살 강도.

gar·ru·li·ty [gərúːləti] *n.* Ⓤ 수다, 다변.

gar·ru·lous [gǽrjələs] *a.* 수다스러운, 말많은(talkative); 용장(冗長)한; 시끄럽게 지저귀는《새 따위》; 소리 내며 흐르는《시내 따위》. ㊥ **~·ly** *ad.* 재잘재잘, 중얼중얼. **~·ness** *n.*

gar·ry·ow·en [gæ̀rióuən] *n.* 〖럭비〗 공을 앞으로 보내기 위한 높이 차기, 하이펀트.

°**gar·ter** [gáːrtər] *n.* **1** 양말대님; (와이셔츠 소매를 올리는) 가터. **2** (the G-) 《영》 가터 훈장《영국의 knight 최고 훈장》: *Garter* King of Arms 《영》 (문장원(紋章院)의) 가터 문장관(紋章官)/the Order of the *Garter* 《영》 가터 훈위(勳位); 가터 훈장. ── *vt.* **1** 양말대님으로 동이다. **2** 가터 훈위를〔훈장을〕 수여하다.

gárter bèlt (여성용) 양말대님.

gárter snàke (미국산의 독 없는) 줄무늬뱀.

gárter stìtch 〖편물〗 가터 뜨개질.

garth [gaːrθ] *n.* 회랑(cloister)에 둘러싸인 안뜰; 어살, 어량(魚梁); 《고어·방언》 안뜰, 뜰.

Gar·vey [gáːrvi] *n.* **Marcus** (**Moziah**) ~ 가비《자메이카 출신의 흑인 운동 지도자; 흑인을 분리, 아프리카에 흑인 자치 국가 건설을 주장; 1887-1940》. ㊥ **~·ism** *n.*

__gas__ [gæs] (*pl.* *~·es,*** 《미》 ***~·ses*** [gǽsiz]) *n.* Ⓤ (종류를 말할 때는 Ⓒ) **1** (공기 이외의) 가스, 기체. **2** (연료·난방·취사용) 가스; 석탄 가스(coal ~): liquid 〔natural〕 ~ 액체〔천연〕 가스/fuel 〔propane〕 ~ 연료〔프로판〕 가스/turn on 〔off〕 the ~ 가스를 나오게 하다〔잠그다〕; 《속어》 기염을 토하다〔허풍 떨기를 그치다〕. **3** 최루 가스(tear ~); 〖채광〗 갱내〔폭발〕 가스; 〖군사〗 독가스(poison ~). **4** 《미구어》 가솔린(gasoline); (자동차의) 액셀러레이터, 가속기. **5** 소기(笑氣) (laughing ~)《마취용의 아산화 질소 가스》; 기구용 가스. **6** 《구어》 허튼소리, 허풍. **7** 뱃속에 찬 가스, 방귀. **8** 《속어》 유쾌하게〔즐겁게〕 해주는 사람〔것〕. ***All*** 〔***Everything***〕 ***is ~ and gaiters.*** 《구어》 모든 일이 나무랄 데가 없다. ***~ and gaiters*** 《구어》 헛소리. ***step*** 〔***tread***〕 ***on the ~*** 《구어》 액셀러레이터를 밟다; 속력을 내다, 서두르다(hurry up); 갑자기 행동으로 나오다(step on it). ***take ~*** 《미속어》 (서핑에서) 보드의 컨트롤을 잃다, 균형을 잃고 물속으로 떨어지다. ***turn down the ~*** 가스(등)의 불길을 줄이다. ── (**-ss-**) *vi.* **1** 가스를 발산하다; 독가스로 공격하다. **2** 《속어》 허튼소리하다, 허풍 떨다; 《미속어》 취하다. ── *vt.* **1** …에 가스를 공급하다. **2** …에 가솔린을 공급하다〔채우다〕, 급유하다《*up*》. **3** 독가스로 공격하다; 가스로 중독시키다. **4** 가스로 처리하다; (야채·과일 등을) 가스로 속성 재배하다. **5** 가스로 그슬리다《실·천의 보풀을 없애고자》. **6** 《속어》 매우 유쾌하게 해주다. **7** …을 삭제하다, 버리다. ***~sed yarn*** 가스〔주란사〕실. ***~ up*** 《미구어》 가솔린을 가득 채우다; 《속어》 더 재미있는 것으로 하다.

gás alàrm 〔**attàck**〕 독가스 경보〔공격〕.

gás·bàg *n.* 가스 주머니; 비행선, 경기구(輕氣球); 《구어》 허풍선이(boaster), 수다쟁이, 떠버리.

gás bàrrel (본관(本管)에서 건물로 가스를 끌어들이는 철제) 가스관.

gás blàdder (물고기의) 부레 (air bladder).

gás bòmb = GAS SHELL.

gás bràcket (벽에서 내민) 가스등 받침.

gás bùoy 등부표(燈浮標)《압축가스가 연료》.

gás bùrner 가스버너; 가스스토브〔레인지〕.

gás chàmber (처형·도살용의) 가스실(室) (gas oven). cf. lethal chamber.

gás chròmatograph 〖화학〗 가스 크로마토그래프《가스 크로마토그래피를 사용하는 장치; 가스상(狀) 시료(試料)를 분석하는 장치》.

gás chromatógraphy 〖화학〗 가스〔기상(氣相)〕 크로마토그래피《중요한 분석법의 하나》.

gás còal 가스용 석탄, 역청탄(瀝青炭).

Gas·con [gǽskən] *n.* (프랑스의) 가스코뉴

(Gascony) 사람; (g-) 제자랑꾼, 허풍선이, 떠버리. ── *a.* 가스코뉴(사람)의; (g-) 허풍선이의.

gas·con·ade [gæ̀skənéid] *n.* Ⓤ 제자랑, 허풍(boastful talk). ── *vi.* 자랑하다, 허풍 떨다. ㊞ **-ád·er** *n.*

gás cònstant 〖물리·화학〗 (이상 기체의) 기체 상수(universal ~).

gás còoker 《영》 가스레인지(《미》 gas range).

gás-cooled reáctor 〖원자력〗 가스 냉각로.

gàs·dynámic *a.* 기체 역학의.

gàs·dynámics *n. pl.* 〔단수취급〕 기체 역학. ㊞ **gàs·dýnamist** *n.*

gás-èater *n.* 연료 소비가 많은 자동차.

gas·e·i·ty [gæsí:əti] *n.* Ⓤ 가스 모양; 가스체.

gas·e·lier [gæ̀səlíər] *n.* 샹들리에식 가스등(gasolier).

gás èngine (LPG 따위의) 가스 엔진〔기관〕.

°**gas·e·ous** [gǽsiəs, gǽʃəs/gǽsjəs] *a.* **1** 가스의; 가스질의, 가스 모양의, 기체의. **2** 《구어》 실속이 없는, 믿을 수 없는, 공허한; 《미속어》 존재할 가치가 없는. ㊞ **~·ness** *n.* 가스상(狀), 가스질(質), 기체.

gáseous diffúsion 기체 확산법(擴散法).

gás equàtion 〖물리〗 =GAS LAW.

gás field 천연가스 발생지; 가스전(田).

gás-fired *a.* 가스를 연료로 사용한: a ~ boiler 가스보일러.

gás fitter 가스공(工); 가스 기구 설치업자.

gás fitting 가스 공사; (~s) 가스 장치용 기구류(器具類), 가스 배관.

gás fixture 가스 장치, 가스전(栓)《가스용 기구에 접속하여 가스를 내보내는 장치》.

gás fùrnace 가스로(爐), 가스 증류로.

gás gàngrene 〖의학〗 가스 괴저.

gás gàuge 《주로 미》 =FUEL GAUGE.

gás-gùzzler *n.* 《미·Can.》 연료 소비가 많은 대형차, 고연비차(高燃費車).

gás-gùzzling *a.* 연료를 많이 소비하는.

°**gash**[1] [gæʃ] *n.* 깊이 베인 상처; (지면의) 갈라진 틈; 《미속어》 입(mouth); 《비어》 (섹스의 대상으로서의) 여자, 여성의 성기, 성교. ── *vt.* …에게 깊은 상처를 입히다; …을 깊이 베다.

gash[2] 《영속어》 *a.* 여분의(spare). ── *n.* 찌꺼기, 폐기물, 쓰레기.

gash[3] *a.* 《주로 Sc.》 현명한, 똑똑한, 현명〔똑똑〕하게 보이는; (복장이) 깔끔〔말쑥〕한.

gás·hòlder *n.* 가스탱크.

gás·hòuse *n.* 가스 공장(gasworks); 《미속어》 비어홀, 비어 가든.

gas·i·fi·a·ble [gǽsəfàiəbəl] *a.* 기화할 수 있는.

gas·i·fi·ca·tion [gæ̀səfikéiʃən] *n.* 가스화, 기체화, 기화(氣化); 가스 발생.

gas·i·form [gǽsəfɔ̀:rm] *a.* 가스체의, 기체의.

gas·i·fy [gǽsəfài] *vt., vi.* 가스가 되(게 하)다, 기화하다.

gás jèt 가스등의 불꽃; 가스버너.

gas·ket [gǽskit] *n.* 〖해사〗 돛 묶는 밧줄; 〖기계〗 개스킷, 〔일반적〕 틈막이, 패킹(packing). ***blow a*** ~ 《속어》 격노하다, 버럭 화를 내다. ㊞ **~·ed** [-id] *a.* 개스킷을 끼운, 패킹을 한.

gás làw 〖물리〗 (이상) 기체 법칙(ideal-gas law) 《보일 샤를의 법칙》.

gás·less *a.* 가스〔기체〕가 없는.

gás-lift wèll 천연가스압(壓)으로 분출되는 유정(油井).

gás·lìght *n.* Ⓤ 가스불; Ⓒ 가스등.

gás lìghter 가스 점화 기구; (담배용의) 가스라이터.

gás-liquid chromatógraphy 〖화학〗 기액(氣液) 크로마토그래피(gas chromatography).

gás·lìt *a.* 가스등으로 조명된; 가스등 시대의.

gás lòg (가스난로용) 연소관(燃燒管).

gás màin 가스 (공급용) 본관(本管).

gás·màn [-mæ̀n] (*pl.* ***-mèn*** [-mèn]) *n.* 가스업자; 가스공(工); 가스 검침원; 가스 요금 수금원; 〖광산〗 가스 폭발 경계원〔방지원〕.

gás màntle (가스등의 점화구에 씌우는) 가스맨틀.

gás màsk 방독면(防毒面).

gás mèter 가스 미터. ***lie like a*** ~ 터무니없는 거짓말을 하다.

gas·o·gene [gǽsədʒì:n] *n.* 가스 발생 장치; 휴대용 탄산(소다)수 제조기.

gas·o·hol [gǽsəhɔ̀:l, -hɑ̀l/-hɔ̀l] *n.* Ⓤ 가소홀 《(1) 가솔린과 에틸알코올의 혼합 연료. (2) (G-) 알코올 성분이 10%의 것; 상표명》.

gás òil 경유(輕油).

gas·o·lier [gæ̀səlíər] *n.* 가스등 샹들리에.

‡**gas·o·line, -lene** [gæ̀səlí:n] *n.* Ⓤ 가솔린, 휘발유(《영》 petrol). ㊞ **gàs·o·lín·ic** [-lí(:)nik] *a.*

gas·o·mat [gǽsəmæ̀t] *n.* 자동 주유소.

gas·om·e·ter [gæsɑ́mətər/-ɔ́m-] *n.* 가스 계량기; (특히 가스 회사의) 가스탱크(gasholder); 〖화학〗 가스 정량기(定量器).

gás-óperated [-id] *a.* 가스압식(壓式)의《총》.

gás òven 가스 레인지(gas cooker); 가스실(室)(gas chamber).

gasp** [gæsp, gɑ:sp/gɑ:sp] *vi.* 《~/+전+명》 **1** 헐떡거리다, 숨이 차다; (놀람 따위로) 숨이 막히다《*with; for*》: I ~*ed with* rage. 나는 심한 분노로 숨도 못 쉴 정도였다/~ *for* breath 숨이 차서 헐떡거리다. **2** 열망〔갈망〕하다《*after; for*》: They ~ *after* liberty. 그들은 자유를 열망하고 있다. ── *vt.* 《+목+부》 헐떡이며 말하다《*away; forth; out*》. ~ ***at (…에 대한 놀람으로) 숨을 급히 몰아쉬다. ~ ***away*** 〔***out***〕 one***'s life*** =~ one***'s last*** 숨을 거두다, 죽다. ── *n.* (충격·놀람 따위로 순간) 숨이 멎음, 숨을 죽임; 헐떡거림; 숨막힘. ***at*** one***'s*** 〔***the***〕 ***last*** ~ 숨을 거두려 하고, 임종시에; 마지막 순간에. ***breathe with ~s*** 헉헉하고 숨을 헐떡이다. ***to the last*** ~ 숨을 거둘 때까지. ㊞ **gás·per** *n.* 헐떡거리는 사람; 《영속어》 싸구려 궐련, 마리화나〔대마초〕 담배. **~·ing** *a.* **~·ing·ly** *ad.* 헐떡거리며.

GASP [gæsp, gɑ:sp/gɑ:sp] 《미》 Group Against Smoke and Pollution; Gals Against Smoke and Pollution, etc. (여러 가지 반흡연〔반공해〕 운동 단체의 약칭).

gás pèdal 《미》 (자동차의) 액셀러레이터 페달.

gás-pèrmeable léns 가스 투과성 렌즈《실리콘과 폴리머로 된 콘택트렌즈》.

gás plànt 가스 공장(gasworks).

gás pòker (길쭉한 관(管) 끝에 불씨가 있는) 가스 점화봉〔기구〕.

gás rànge 《미》 가스레인지《요리용》.

gás rìng 가스풍로.

gás-rìpened *a.* (야채 따위를) 에틸렌 가스로 숙도(熟度) 촉진 처리를 한.

gassed [-t] *a.* 독가스를 맞은; 《미속어》 술취한; 《미속어》 배꼽을 빼는, 포복 절도하는, 아주 질겁을 하는.

gas·ser [gǽsər] *n.* **1** 《속어》 허풍쟁이. **2** 천연가스정(井). **3** 《미속어》 월등히 훌륭한〔재미있는〕 것〔사람〕. **4** 《미속어》 따분한 것, 케케묵은 것.

gás shèll 독가스탄(彈).

gas·sing [gǽsiŋ] *n.* Ⓤ 가스 발생; 가스 처리; 독가스 공격; 《속어》 수다 떨기, 잡담, 허풍.

gás-sìpper *n.* 연료비가 적게 드는 자동차.

gás-sípping *a.* (자동차 등이) 연료 소비량이 적은.

gás stàtion 《미》 주유소(filling station).

gás stòrage (과일·야채를 보존하기 위해 탄산가스를 많이, 산소를 적게 한) 저장 창고.

gás stòve (요리용) 가스레인지. ★가스난로는 gas heater 〔fire〕.

gas·sy [gǽsi] (***-si·er; -si·est***) *a.* 가스의; 가스 모양〔질〕의(gaseous); 가스를 함유한; 가스가 찬; 《구어》 수다 떠는, 허풍 떠는, 제자랑하는.

gás tàil 〖천문〗 (혜성의) 가스대를 이룬 꼬리.

gás tànk 가스탱크(gasometer); (비행기 따위의) 연료 탱크.

gás tàr (가스 제조할 때 생기는) 콜타르.

Gast·ar·bei·ter [G. gástarbaite] (*pl.* ~) *n.* 《G.》 =GUEST WORKER.

gas·ter- [gǽstər], **gas·ter·o-** [-rou, -rə] '복부(腹部)'의 뜻의 결합사. ★ 모음 앞에서는 gaster-.

gas·ter·o·pod [gǽstərəpɑ̀d/-pɔ̀d] *n.* =GASTROPOD.

gás thermòmeter 기체 온도계.

gás·tìght *a.* 가스가 새지 않는, 내(耐)가스 구조의; 기밀(氣密)의. ⊕ **~·ness** *n.*

gas·traea, -trea [gæstríːə] *n.* 동물 발생 초기에 있었다는 전설상의 동물. ⊕ **gas·trǽe·al** *a.*

gas·tral [gǽstrəl] *a.* 위장〔소화기〕의〔에 관한〕.

gas·tral·gia [gæstrǽldʒiə, -dʒə] *n.* Ⓤ 위통.

gas·trec·to·my [gæstréktəmi] *n.* 〖의학〗 위 절제(胃切除)(수술).

gas·tric [gǽstrik] *a.* 위(胃)의: ~ fever 위열(胃熱).

gástric júice 〖생리·생화학〗 위액.

gástric lavágе 〖의학〗 위세척(lavage).

gástric úlcer 〖의학〗 위궤양.

gas·trin [gǽstrin] *n.* 〖생화학〗 가스트린《위액 분비를 촉진하는 호르몬》.

gas·tri·no·ma [gæ̀strənóumə] *n.* 〖의학〗 가스트린 분비 과다로 기인하는 다발성 위궤양.

gas·tri·tis [gæstráitis] *n.* Ⓤ 〖의학〗 위염(胃炎). ⊕ **gas·trit·ic** [gæstrítik] *a.*

gas·tro- [gǽstrou, -trə], **gastr-** [gǽstr] '위(胃)'의 뜻의 결합사. ★ 모음 앞에서는 gastr-.

gàstro·cámera *n.* 〖의학〗 위(胃)카메라.

gàstro·cólic *a.* 〖해부〗 위대장(胃大腸)의: ~ reflex 위대장 반사.

gàstro·duodénal *a.* 〖해부〗 위와 십이지장의.

gàstro·entéric *a.* 위장의(gastrointestinal).

gástro·enterítis *n.* Ⓤ 〖의학〗 위장염.

gas·tro·en·ter·ol·o·gy [gæ̀strouèntərálədʒi/-ɔ́l-] *n.* 위장병학. ⊕ **-gist** *n.* 소화기〔위장병〕 전문의. **gàs·tro·èn·te·ro·lóg·i·cal** *a.*

gàstro·intéstinal *a.* 〖해부〗 위장의.

gas·trol·o·ger [gæstrálədʒər/-trɔ́l-] *n.* 요리 연구가; 식도락가, 미식가.

gas·trol·o·gy [gæstrálədʒi/-trɔ́l-] *n.* Ⓤ 위학(胃學); 요리학. ⊕ **-gist** *n.* 위전문의.

gas·tro·nome [gǽstrənòum], **gas·tron·o·mer** [gæstránəmər/-trɔ́n-], **gas·tron·o·mist** [gæstránəmist/-trɔ́n-] *n.* 미식가, 식도락가(epicure).

gas·tro·nom·ic, -i·cal [gæ̀strənámik/-nɔ́m-], [-əl] *a.* 요리법의; 미식법〔식도락〕의.

gas·tron·o·my [gæstránəmi/-trɔ́n-] *n.* Ⓤ 미식학; (어느 지방의 독특한) 요리법.

gàstro·photógraphy *n.* 위(胃) 속 촬영법.

gas·tro·pod [gǽstrəpɑ̀d/-pɔ̀d] 〖동물〗 *n.* 복족류(腹足類)《달팽이 따위》. — *a.* 복족류의〔와 같은〕.

Gas·trop·o·da [gæstrápədə/-trɔ́p-] *n. pl.* 〖동물〗 복족류《연체 동물문(門)의 한 강(綱)》.

gas·trop·to·sis [gæ̀straptóusis/-trɔp-] *n.* 〖의학〗 위하수.

gas·tro·scope [gǽstrəskòup] *n.* 〖의학〗 위경(胃鏡), 위내시경.

gas·tros·co·py [gæstráskəpi/-trɔ́s-] *n.* Ⓤ 위경검사법. ⊕ **-pist** *n.* **gas·tro·scop·ic** [gæ̀strəskápik/-skɔ́p-] *a.*

gas·trot·o·my [gæstrátəmi/-trɔ́t-] *n.* Ⓤ 위 절개 (수술).

gas·tru·la [gǽstrulə, -trə-] (*pl.* ***-lae*** [-lìː], **~s**) *n.* 〖발생〗 낭배(囊胚), 장배(腸胚)《난(卵)발생 단계의 하나》. ⊕ **gás·tru·lar** *a.*

gas·tru·late [gǽstrulèit, -trə-] *vi.* 〖발생〗 장배〔낭배〕를 형성하다. ⊕ **gàs·tru·lá·tion** *n.* 장배〔낭배〕 형성.

gás tùrbine 가스 터빈.

gás wàrfare 독가스전(戰).

gás wèll 천연가스정(井).

gás·wòrks *n. pl.* 〔단수취급〕 가스 공장(gashouse); (the ~) 《영속어》 하원.

gat¹ [gæt] *n.* 《미속어》 (자동)총, 권총. — (*-tt-*) *vi.* 〔다음 관용구로〕 ~ ***up*** 《미속어》 총으로 무장하다.

gat² 《고어》 GET의 과거.

gat³ *n.* (절벽·모래톱 사이의) 수로.

gate¹ [geit] *n.* **1** 문《출입구·개찰구·성문 따위》 (cf. door); 문구조의 건조물. **2 a** 〔일반적〕 입구, 통로. **b** (다리·유료 도로의) 요금 징수소; (도로·건널목의) 차단기. **c** (공항의) 탑승구, 게이트. **d** (경마의) 게이트. **e** 수문, 갑문; (파이프 등의) 밸브. **3** 《비유》 (…으로의) 길, 방법《*to; for*》. **4** 〖스키〗 기문(旗門). **5** 좁은 통로; 산협(山峽). **6** Ⓤ 《구어》 (경기회·연주회 따위의) 입장자 수; 입장료의 총액. **7** 〖성서〗 법정《the ~(s) of the city의 생략》. **8** 톱틀(saw ~). **9** 〖전자〗 게이트《(1) 둘 이상의 입력이 일정 조건을 충족시킬 때만 하나의 출력을 얻는 회로. (2) FET의 제어 전극》. **10** 〖컴퓨터〗 게이트《하나의 논리 기능》. **11** (the ~) 《미속어》 해고; 《야구속어》 스트라이크 아웃. ***at the ~ of death*** 죽을 지경에 이르러. ***crash the ~*** (극장·파티 등에) 표〔초대장〕 없이 들어가다. ***get the ~*** 《미속어》 내쫓기다, 해고당하다, (이성 등에게) 차이다. ***give*** a person ***the ~*** 《미속어》 아무를 내쫓다, 해고하다, (애인을) 차버리다(jilt). ***open a ~*** 〔***the ~(s)***〕 ***for*** …에게 편의를 도모하다, 문호를 열다, 기회를 주다. ***the ~ of horn*** 〔***ivory***〕 〖그리스신화〗 정몽(正夢)〔역몽(逆夢)〕이 나오는 문; 뿔〔상아〕의 문.
— *vt.* **1** …에 문을 달다. **2** 《영》 (학생에게) 금족(禁足)을 명하다; 〖전자〗 게이트로 제어하다; 《미속어》 해고하다.

gate² *n.* 《고어·N.Eng.》 거리, 가(街)《Ludgate 등 지명에 붙임》; (상투) 수단, 방법.

-gate [gèit] '추문(醜聞)·스캔들'의 의미의 결합사임. [◂ Water*gate*]

gáte àrray 〖전자〗 논리 소자를 열상(列狀)으로 배열한 세미커스텀(semi-custom).

ga·teau, gâ- [gætóu, gɑː] (*pl.* **~s, *-teaux*** [-z]) *n.* 《F.》 과자, 《특히》 팬시 케이크(fancy cake).

gáte bàr 문빗장.

gáte bìll 〖영대학〗 폐문 시간 지각부(簿)〔벌금〕.

gáte(-control) théory 〖생리〗 (관)문 조절설《신경의 자극이 일정 역치를 넘으면 갑자기 반응이 출현한다는 학설》.

gáte-cràsh *vi., vt.* 초대받지 않고 가다, 불청객이 찾아가다; …에 무료 입장하다. ⊕ **~·er** *n.* 불청객; 무료 입장객.

gáted commúnity 경비원이 문에서 출입을 감시하는 (고급) 주택지.

gáte·fòld *n.* 〖인쇄〗 접어넣은 쪽장《지도 등 책의 본문 쪽보다 큰 것》.

gáte·hòuse *n.* 수위실; (성문의) 누다락.

gáte·kèeper *n.* 문지기, 수위; 건널목지기; 감시자, 모니터, 정보의 유출을 통제하는 사람들.

gáte-leg(ged) táble 접 테이블.

gáte·man [-mən, -mæ̀n] (*pl.* ***-men*** [-mən, -mèn]) *n.* =GATEKEEPER.

gáte mòney 입장〔관람〕료 수입 총액(gate).

gáte·mòuth *n.* 《미속어》 남의 소문을 퍼뜨리고 돌아다니는 사람.

gáte·pòst *n.* 문기둥. ***between you, me, and the*** ~ ⇨ BETWEEN.

Gates [geits] *n.* **William** (**Henry**) ~, 게이츠 (1955-)《미국의 실업가; Microsoft 사를 창립(1975); 통칭 Bill ~》.

***gate·way** [géitwèi] *n.* **1** (담·울타리 등의) 문, 출입구, 통로; 입구; 《비유》 (성공으로 가는) 길, 수단《*to*》. **2** 국제선의 발착지(發着地)가 되는 현관 공항〔도시〕. **3** 〖통신〗 서로 다른 컴퓨터 네트워크나 데이터 통신 네트워크 따위를 서로 접속하기 위한 장치.

gáteway drùg (마약 중독의 초기 단계에 빠지게 되는) 순한 약물《알코올, 마리화나 등》.

****gath·er** [gǽðər] *vt.* **1** 《~+[목]/+[목]+[부]》 그러모으다, 모으다, 거두어들이다《*together; up; in*》.

> [SYN.] **gather, collect** 서로 바꿔 쓸 수 있는 말이나 collect가 보다 더 선택의 의도를 암시함. 예를 들면 *gather* flowers는 막연히 꽃을 따는 것, *collect* flowers는 어떤 방침에 따라 모으다 → 꽃을 수집하다가 됨. **assemble** 평소 흩어져 있던 것이 모이다〔을 모으다〕. 따라서 모이는 것의 수는 미리 예측되고 있음: They were *assembled* immediately after the election. 그들은 선거 직후에 모였다. → (부품을) 조립하다. **congregate** 모여서 군중·집단이 됨을 암시: People *congregated* to watch the procession. 행렬을 보려고 사람들이 모여들었다.

2 (열매·꽃 등을) 따다, 채집하다; …을 거두어들이다, 수확하다; (조개 등을) 주워 모으다: ~ shells 〔chestnuts〕 조개껍질〔밤〕을 주워 모으다. **3** (지식·정보 등을) 얻다, 수집〔입수〕하다. **4** (정력·노력 등을) 집중하다, 북돋아 일으키다《*up*》: ~ one's energies 전력을 다하다 / ~ one's senses 〔wits〕 마음을 가라앉히다. **5** (속력 따위를) 점차 늘리다, (부·힘 따위를) 축적하다, 증가〔증대〕시키다, (경험을) 쌓다: ~ flesh 살찌다 / ~ strength 기운을 더하다, 우세하게 되다 / ~ speed 속도를 올리다 / A rolling stone ~*s* no moss. 《속담》 구르는 돌에 이끼는 안 낀다; 직업을 자주 바꾸면 이롭지 못하다. **6** 《+[목]+[전]+[명]/+*that* [절]》 (정보·징조 따위로) 헤아리다, 추측하다《*from*》: What did you ~ *from* his statement? 그의 말을 자네는 어떻게 받아들였나 / I ~ *that* he'll be leaving. 그분은 곧 떠날 모양입니다. **7** (스커트 따위의) 주름을 잡다; (자락을) 걷어올리다《*up*》. **8** (머리를) 묶다; (눈살을) 찌푸리다: ~ one's 〔the〕 brows 눈살을 찌푸리다. **9** 《+[목]+[전]+[명]》 (사람을) 끌어안다: ~ a person *into* one's arms 아무를 두 팔로 껴안다. **10** 〖제본〗 접지를 맞추다. **—** *vi.* **1** 《~/+[전]+[명]/+[부]》 모이다, 모여들다, 집결하다: ~ *around* a campfire 캠프파이어 둘레에 모이다 / ~ *together* 모이다. **2** 《~/+[전]+[명]/+[부]》 부풀어 커지다, 점차로 증대하다〔늘다〕, 점점 더해지다; 쌓이다, 괴다: The storm ~*ed* rapidly. 폭풍의 기세는 갑자기 심해졌다 / Tears ~*ed in* her eyes. 눈물이 그녀의 눈에 괴었다 / Evening dusk is ~*ing on*. 어둠이 점점 짙어 간다. **3** (이마에) 주름이 잡히다, 눈살을 찌푸리다. **4** (종기가) 곪다.

be ~ed to one's fathers 조상 곁으로 가다; 죽다. **~ *breath*** (간신히) 숨을 다시 쉬다〔돌리다〕. **~ *color*** 혈색이 좋아지다. **~ *head*** ① (비바람 따위가) 맹위〔기세〕를 더하다. ② (종기가) 곪다. **~ *in*** (작물을) 거두어들이다, 수확하다(harvest); (공을) 붙잡다. **~ one*self up*** 〔***together***〕 전력을 집중하다; 용기를 내다. **~ *up*** ① 집합하다. ② 주워〔그러〕모으다; (일 따위를) 한데 마무르다. ③ (손·발 따위를) 움츠리다. **~ *way*** (움직이는 것이) 힘을 더하다; 〖해사〗 (배가) 속력을 더하다; 움직이기 시작하다.

— *n.* **1** 그러모음; 수확; 집적(集積); (수확의) 양, 수. **2** (보통 *pl.*) 〖양재〗 주름, 개더; 수축(收縮). **3** 〖제본〗 접지한 것, 접장.

[파] **~·a·ble** *a.* **~ed** *a.* **1** 눈살을 찌푸린. **2** 주름을 잡은: ~ skirt 주름치마. **~·er** *n.* 모으는〔채집하는〕 사람; (*pl.*) 채집인; 수금원; (재봉틀의) 주름잡는 장치.

gátherer-húnter *n.* 〖인류〗 채집·수렵 생활자.

***gath·er·ing** [gǽðəriŋ] *n.* **1** 모임, 회합, 집회: a social ~ 친목회 / a large ~ of people 많은 사람들의 모임. **2** 채집, 수집, 채집 생활; 채집품, 수확, 집적(集積); 기부금. **3** 〖의학〗 화농; 고름; 종기. **4** (*pl.*) 〖양재〗 개더, 주름. **5** 증가, 증진. **6** 〖제본〗 접지 모으기〔한 것〕.

gáthering còal 〔**pèat**〕 불씨《밤새도록 불을 붙여 두는 큰 석탄덩이》.

gáting sìgnal 〖전자〗 게이트 신호《회로의 작동을 제어하는 신호》.

Gát·ling (**gùn**) [gǽtliŋ(-)] 개틀링 기관총《여러 개의 총신을 가진 초기의 기관총》.

ga·tor [géitər] *n.* 《미구어》 악어; 《속어》 재즈팬.

Ga·tor·ade [géitərèid] *n.* 게토레이《미국 청량음료의 하나; 상표명》.

GATT [gæt] General Agreement on Tariffs and Trade. [cf.] WTO.

gát-ùp *n.* 《미속어》 권총 강도.

Gát·wick Àirport [gǽtwik-] 개트윅 공항《영국 London 남쪽에 있는 국제공항; 코드명: LGW》.

gauche [gouʃ] *a.* 《F.》 솜씨가 서투른(awkward); 세련되지 못한, 눈치 없는; 왼손잡이의. [파] **∠·ly** *ad.* **∠·ness** *n.*

gau·che·rie [gòuʃəríː, ∠-∠] *n.* 《F.》 솜씨가 서투름; 세련되지 않음, 눈치 없음; 서투른 행동.

gau·chist [góuʃist] *n.* =GAUCHISTE.

gau·chiste [gouʃíːst] *n.* 《F.》 과격파 인물, 좌익인 사람.

gau·cho [gáutʃou] (*pl.* **~s**) *n.* 가우초《남아메리카 카우보이; 스페인 사람과 인디언의 튀기》.

gaud [gɔːd] *n.* 외양만 번지르르한 값싼 물건, 값싼 장식품; (*pl.*) 요란한〔화려한〕 연회.

gaud·ery [gɔ́ːdəri] *n.* 야한〔야단스러운〕 장식; 요란스레〔난잡하게〕 장식한 의복〔장신구〕.

Gaudí i Cór·net [gaudíː iː kɔ́ːrnet] *n.* **Antonio** ~ 가우디《스페인의 건축가·디자이너; Barcelona의 Sagrada Familia 성당이 대표작임《미완성》; 1852-1926》.

gaudy [gɔ́ːdi] (***gaud·i·er; -i·est***) *a.* 번쩍번쩍 빛나는, 번지르르한, 야한《복장 따위》; (문체 등이) 지나치게 꾸민. **—** *n.* 축제《특히 영국의 대학에서 매년 졸업생을 위하여 베푸는 것》. [파] **gáud·i·ly** [-li] *ad.* **-i·ness** *n.* [U]

gauf·fer [gɔ́ːfər, gáf-/góuf-] *vt.* =GOFFER.

°**gauge,** 《미》 《특히 전문어로서》 **gage** [geidʒ] *n.* **1** 표준 치수〔규격〕; (총포의) 내경(內徑), 구경(口徑); (철판의) 표준 두께, (철사의) 굵기. **2** 계(량)기《우량계·풍속계·압력계 따위》; 자; 줄치는 기구. **3** 판단의 척도, 표준; (평가·계량·검사의) 방법, 수단; 용적, 용량, 넓이, 범위. **4** 〖철도〗 게이지, 궤간(軌間); (자동차 따위의) 두 바퀴 사이의 거리; 〖건축〗 지붕의 기와·슬레이트 등의 노출면의 길이; 〖인쇄〗 게이지《조판의 치수 등을 정하는 기구》: ⇨ BROAD 〔NARROW, STANDARD〕 GAUGE. **5** 〖《영》에서는 gage〗 〖해사〗 흘수(吃水) 한도; (풍향과 다른 배에 대한) 배의 관계 위치. **6** (경화(硬化) 촉진을 위해 모르타르에 섞는) 구운 석고의 정량(定量). ***get the ~ of*** …의 의향을 살

피다. ***have*** 〔***keep***〕 ***the weather*** 〔***lee***〕 ~ ***of*** … 〖해사〗 …바람 불어오는〔가는〕 쪽에 있다; …보다 유리〔불리〕한 위치에 서다. ***take the*** ~ ***of*** …을 재다; …을 평가하다.
— (*p.*, *pp.* **~*d***; ***gáug·ing***) *vt.* **1** 재다, 측정하다; 평가〔판단〕하다, 표준 치수에 맞추다: a *gauging* rule 〔ruler, stick〕 계산척, 셈자. **2** 〖석공〗 (벽돌·돌을) 깎고 다듬어 모양을 갖추다; (회반죽을) 조합하여 섞다, …에 구운 석고를 섞다《경화 촉진을 위해》. — *a.* (압력 측정 때) 대기 압력을 표준(0)으로 한.
[파] **∠·a·ble** *a.* 계량〔측정〕할 수 있는. **∠·a·bly** *ad.*
gáuge còck (보일러의) 험수기(驗水器).
gáuge glàss (보일러의) 험수관(管).
gáuge prèssure 〖물리〗 계기 압력《대기압과의 차로 나타내는 압력》. [cf] absolute pressure.
gaug·er, 《미》〖특히 전문어로서〗 **gag·er** [géidʒə*r*] *n.* 재는 사람〔물건〕; (기계에 의한 제품의) 품질 검사원; 《영》 (술통 따위의) 검량관(檢量官); 수세리(收稅吏).
gáuge thèory 〖물리〗 게이지 이론《자연계의 대칭성을 바탕으로 하여 기본적 상호 작용을 통일적으로 설명하려는 이론》.
gáug·ing ròd [géidʒiŋ-] (통의) 계량 막대.
Gau·guin [gougǽŋ] *n.* **Paul** ~ 고갱《프랑스의 화가; 1848-1903》.
Gaul [gɔːl] *n.* 갈리아, 골《고대 켈트족의 땅; 이탈리아 북부·프랑스·벨기에·네덜란드·스위스·독일을 포함한 옛 로마의 속령(屬領)》; 갈리아〔골〕 사람; 《우스개》 프랑스 사람.
Gau·lei·ter [gáulàitə*r*] *n.* 《G.》 (나치스의) 지방 장관; (전체주의 정권 등에서 중요한 지위를 갖는) 하급 행정관; 시골의 보스.
Gaul·ish [gɔ́ːliʃ] *a.* 갈리아〔골〕 (사람)의, 갈리아〔골〕 말의; 《우스개》 프랑스 사람의. — *n.* [U] 갈리아〔골〕 말.
Gaull·ism [góulizəm, gɔ́ːl-] *n.* 드골주의.
Gaull·ist [góulist, gɔ́ːl-] *n.* =DE GAULLIST.
Gault [gɔːlt] *a.* 미성년자의 법적 보호와 권리에 관한《Gerald Gault에 관한 1967년의 미국 대심원의 판결에서》.
gault, galt [gɔːlt] *n.* 〖지학〗 골트층(層)《영국 남부의 녹사층(綠砂層) 사이에 있는 점토질의 중생대 지층》.
°**gaunt** [gɔːnt] *a.* **1** 수척한, 몹시 여윈; 눈이 퀭한. **2** 황량한, 쓸쓸한; 무시무시한, 기분이 섬뜩한: the ~ moors 황량한 들. — *vt.* 수척하게 하다, 몹시 여위게 하다. [파] **∠·ly** *ad.* **∠·ness** *n.*
gaunt·let¹ [gɔ́ːntlit] *n.* **1** 〖역사〗 (갑옷의) 손가리개. **2** (승마·펜싱 등에 쓰는 쇠 혹은 가죽으로 만든) 긴 장갑; (긴 장갑의) 손목. ***take*** 〔***pick***〕 ***up the*** ~ 도전에 응하다; 반항적 태도를 보이다. ***throw*** 〔***fling***〕 ***down the*** ~ 도전하다. [파] **~·ed** [-id] *a.*

gauntlet¹1

gaunt·let² *n.* **1** 태형《예전에, 두 줄로 늘어선 사람들 사이를 죄인에게 달려가게 하고 여럿이 양쪽에서 매질하는 형벌》; 태형을 가하기 위해 두 줄로 늘어선 사람들. **2** 시련(試練). **3** =GANTLET¹. ***run the*** ~ 심한 비평이나 시련을 받다.
gaun·try [gɔ́ːntri] *n.* =GANTRY.
gaur [gauə*r*] (*pl.* ~, **~s**) *n.* 인도산 들소.
Gauss [gaus] *n.* **Karl Friedrich** ~ 가우스《독일의 수학자; 1777-1855》.
gauss (*pl.* ~, **∠·es**) *n.* 〖물리〗 가우스《자기(磁氣)유도의 cgs 전자(電磁) 단위; 기호 G》.
Gáuss·i·an cúrve [gáusiən-] 〖통계〗 = NORMAL CURVE.
Gáussian distribútion 〖통계〗 =NORMAL DISTRIBUTION.
Gáussian íntegar 〖수학〗 가우스의 정수(整數).
Gau·ta·ma [gɔ́ːtəmə, gáu-/gáu-] *n.* 고타마 (= ~ **Búddha**)《석가모니(563? - ?483 B.C.)의 처음 이름》.
°**gauze** [gɔːz] *n.* [U] 성기고 얇은 천, 사(紗); 거즈; (가는 철사로 뜬) 철망(wire ~); 엷은 안개(thin mist); 《미속어》 의식 불명〔몽롱〕. [파] **∠·like** *a.*
gauzy [gɔ́ːzi] (***gauz·i·er; -i·est***) *a.* 사(紗)와 같은; 얇고 가벼운〔투명한〕: a ~ mist 엷은 안개. [파] **gáuz·i·ly** *ad.* **-i·ness** *n.*
ga·vage [gəváːʒ; *F.* gavaːʒ] *n.* 《F.》 위관(胃管)영양(법).
gave [geiv] GIVE의 과거.
gav·el¹ [gǽvəl] *n.* (의장·경매인 등의) 망치, 의사봉, 사회봉; 석공의 애벌 마무리에 쓰는 망치. — (***-l-***, 《영》 ***-ll-***) *vt.* 의사봉을 두들겨 (장내를) 통제하다. ~ ***down*** 의사봉을 두들겨 문제 밖의 일로 하다.
gav·el² *n.* (봉건 시대의) 지대(地代), 조세, 연공(年貢).
gav·el·kind [gǽvəlkàind] *n.* [U] 〖영법률〗 남자 균분(均分) 상속 토지 보유《토지의 무유언(無遺言) 상속법에 의한》; 이것에 의한 토지.
gável-to-gável *a.* 개회에서 폐회까지의.
ga·vi·al [géiviəl] *n.* 인도산의 턱이 긴 악어.
ga·vot(te) [gəvát/-vɔ́t] *n.* 가보트《프랑스의 활발한 4/4 박자의 춤》; 그 곡. — *vi.* 가보트를 추다.
G.A.W., GAW guaranteed annual wage.
Ga·wain [gáːwin, gəwein/gáːwein] *n.* 가웨인《Arthur왕의 조카로, 원탁기사의 한 사람》.
gawk [gɔːk] *n.* 멍청이, 얼뜨기, 빙충이. — *vi.* 바보〔멍청한〕 짓을 하다; 《미구어》 멍하니 (넋을 잃고) 바라보다《*at*》. [파] **∠·er** *n.*
gawk·ish [gɔ́ːkiʃ] *a.* =GAWKY. [파] **~·ly** *ad.*
gawky [gɔ́ːki] (***gawk·i·er; -i·est***) *a.* 멍청한, 얼빠진, 얼뜨기의; 데퉁스러운; (성격이) 내향적인. — *n.* =GAWK. [파] **gáwk·i·ly** *ad.* 얼빠져서. **-i·ness** *n.*
gawp¹ [gɔːp] *n.* 《미방언》 바보, 등신.
gawp² 《구어》 *vi.* 빤히 바라보다(stare); 멍청히 입을 벌리고 바라보다(gape).
⁑**gay** [gei] (**∠·*er*; ∠·*est***) *a.* **1** 명랑한(merry), 즐거운, 쾌활한; 《방언》 건강한. [cf] lively.

[SYN] **gay** 화려하고 들뜬 기분: a *gay* company 쾌활한 동아리. **merry** 떠들썩하게 말하거나 노래 따위를 명랑하게 부르는 쾌활한 기분: a *merry* voice 쾌활한 목소리.

2 화미(華美)한, 화려한(bright): ~ colors. **3** 《완곡어》 방탕한, 음탕한; 들뜬: a ~ lady 바람난 여자/the ~ quarters 홍등가, 화류계/follow a ~ trade 물장사를 하다/lead a ~ life 방탕한 생활을 하다. **4** 《구어》 동성애(자)의, 게이의, 호모의: a ~ boy. **5** 《미속어》 건방진, 뻔뻔스러운: Don't get ~ with me. 건방진 소리 마라, 버릇없이 굴지 마라. **6** 《Sc.》 상당한(gey). ◇ gaiety *n.* — *ad.* 《Sc.》 꽤, 상당히. — *n.* 《구어》 동성애자, 게이. [파] **∠·ly** ⇨ GAILY. **∠·ness** *n.* =GAIETY.
gáy and frísky 《속어》 위스키.
gáy-bàshing *n.* 동성연애자 학대.
gáy·cát 《속어》 *n.* 풋내기 깡패; 때때로 일을 하는 부랑자; 난봉꾼.
gay·dar [géidàr] *n.* 《구어》 (게이끼리의) 게이식별력.
gáy dóg 《속어》 방탕아.
gayety ⇨ GAIETY.
Gáy Líb 1 =GAY LIBERATION. **2** 게이 해방운동의 일원〔지지자〕.
Gáy Liberátion 게이 해방운동《동성애자의 권

리 확장과 차별 폐지 주장》.

Gay-Lus·sac [gèiləsǽk / -lú:sæk] *n.* **Joseph Louis** ~ 게이-뤼삭《프랑스의 화학자·물리학자; 1778-1850》.

Gay-Lussác's láw 〖열역학〗 게이-뤼삭의 법칙.

Gáy Plágue 에이즈(AIDS)의 별칭.

gáy pówer 게이 파워《동성애자의 시민권 확대를 지향하는 조직적 시위》.

gáy ríghts (일반인과 동등한) 게이의 권리.

gáy scìence 미문학(美文學); 시, 《특히》 연애시.

gay·some [géisəm] *a.* 명랑한.

GAZ [gæz] *n.* 가자《옛 소련의 국영 자동차 회사》. [◂ *G*orkovski *A*vtomobilny *Z*avod]

gaz. gazette; gazetteer.

Ga·za [gá:zə, gǽ-, géi-/gá:-] *n.* 가자《Gaza Strip에 있는 항구 도시; 삼손(Samson)이 죽은 곳(사사기 XVI: 21-30)》.

ga·za·bo [gəzéibou] (*pl.* **~s**) *n.* 《미속어》 놈, 녀석.

Gáza Stríp (the ~) 가자 지구《이스라엘 남서부에 인접한 항만 지역》.

gaze** [geiz] *n.* 응시, 주시, 눈여겨 봄; (뚫어지게 보는) 시선: She turned her ~ off the boy to the dog. 그녀는 시선을 소년에게서 개로 옮겼다/fix one's ~ *on* …을 응시하다/stand at ~ 응시하고 있다. **—** *vi.* 《~/+부/+전+명》 (흥미·기쁨 따위로) 지켜보다, 응시하다, 황홀히 쳐다보다《*at; on, upon; into*》: ~ *up at* the stars 별을 지그시 쳐다보다/~ (*a*)*round* (놀라) 둘러보다. ★ 호기심·놀람·경멸 따위의 표정으로 응시할 때는 stare 를 쓸 때가 많음. SYN. ⇨ SEE. ~ ***after …의 뒷모습을 응시하다. 파 **∠·less** *a.* **gáz·ing·ly** *ad.*

ga·ze·bo [gəzí:bou, -zéi-/-zí:-] (*pl.* **~(*e*)*s***) *n.* (옥상·정원 따위의) 전망대, 노대(露臺).

gáze·hòund *n.* 눈으로 사냥감을 쫓는 사냥개《그레이하운드 따위》.

ga·zelle [gəzél] (*pl.* **~(*s*)**) *n.* 〖동물〗 가젤《아프리카 영양의 일종》.

gázelle·èyed *a.* 영양처럼 부드러운 눈을 가진.

gaz·er [géizər] *n.* 눈여겨보는[응시하는] 사람; 《속어》 경관, 마약 단속관.

ga·zette [gəzét] *n.* 신문, (시사 문제 등의) 정기 간행물; (G-) …신문《명칭》; (the G-) 《영》 관보, 공보(official ~); (Oxford 대학 등의) 학보(學報); 〖역사〗 신문지. ***go into*** [***be in***] ***the Gazette*** 파산자로서 관보에 고시되다. **—** *vt.* 《영》 〖보통 수동태〗 관보에 싣다, 관보로 공시(公示)하다. ***be ~d out*** 사직 발령이 관보에 실리다.

gaz·et·teer [gæ̀zətíər] *n.* 지명(地名) 사전; 지명 색인; 《고어》 (관보) 기자.

gazi ⇨ GHAZI.

gaz·o·gene [gǽzədʒì:n] *n.* =GASOGENE.

gaz·pa·cho [gəzpá:tʃou] *n.* 《Sp.》 가스파초《잘게 썬 토마토·오이·양파·파[마늘]·올리브기름·식초 등으로 만드는 진한 수프로 차게 해서 먹음》.

ga·zump [gəzʌ́mp] *vt., vi.* 《영속어》 속이다, 속여서 갉다; (팔기로 약속해 놓고) 집값을 듬뿍 올려 (살 사람을) 난처하게 하다. **—** *n.* 속이기; 팔기로 약속한 집값을 올리기.

ga·zund·er [gəzʌ́ndər] *vt., n.* 《영구어》 (부동산을 팔 사람)에 대하여 계약 파기 뜻을 내비치며 대폭 값을 깎아 내리다[내리기]. 파 **~·er** *n.*

GB [dʒì:bí] *n.* 신경성 독가스의 일종《sarin의 코드명》.

G.B. Great Britain; 〖야구〗 Games Behind (승차(勝差)). **GBC** global bearer certificate (글로벌 무기명 예탁 증서)《독일 시장에서 유통(流通)》. **G.B.E.** Knight [Dame] Grand Cross (of the Order) of the British Empire. **G.B.H.** grievous bodily harm. **G.B.S.** George Bernard Shaw.

GBY [dʒi:bi:wái] *int.* 《CB속어》 행운을 빕니다. [◂ *G*od *B*less *Y*ou]

GC [gi:sí:] 《해커속어》 *vt.* **1** (…에서 …을) 모아 버리다. **2** (폐기물을) 재이용[전용]하다. **3** …을 잊다. **—** *n.* 데이터를 소거하여 기억 장치를 초기화(初期化)하는 작업. [◂ *g*arbage *c*ollection]

G.C. gas chromatography; 《영》 George Cross; golf club; 《영》 Grand Cross. **GCA, G.C.A.** 〖항공〗 ground control(led) approach. **g-cal(.)** gram calorie(s). **G.C.B.** (Knight [Dame]) Grand Cross (of the Order) of the Bath. **GCC** Gulf Cooperation Council (페르시아 만안(灣岸) 협력회의). **G.C.D., g.c.d.** greatest common divisor. **G.C.E.** 《영》 General Certificate of Education. **G.C.F., g.c.f.** 〖수학〗 greatest common factor. **GCI** ground controlled interception.

G clèf 〖음악〗 사음자리표.

G.C.L.H. Grand Cross of the Legion of Honour. **G.C.M.** General Court-Martial. **G.C. M., g.c.m.** 〖수학〗 greatest common measure. **G.C.M.G.** 《영》 (Knight [Dame]) Grand Cross (of the Order) of St. Michael and St. George. **GCT, G.C.T.** Greenwich civil time (그리니치 상용(常用)시). cf. G.M.T. **G.C.V. O.** 《영》 (Knight [Dame]) Grand Cross of the Royal Victorian Order. **Gd** 〖화학〗 gadolinium. **G.D.** Grand Duke [Duchess, Duchy]. **gd** good; guard. **g.d.** good delivery.

Gdańsk [gədá:nsk, -dǽnsk] *n.* 그단스크(《G.》 =Danzig) 《폴란드 북부의 항구 도시》.

g'day [gədéi] *int.* 《Austral. 구어》 =HELLO.

GDI 〖컴퓨터〗 Graphical Device Interface 《Graphical User Interface (GUI)의 중심에 위치하는 소프트웨어에서, GUI를 생성하는 함수군(群)》. **GDP** gross domestic product (국내 총생산). **GDR, G.D.R.** German Democratic Republic. **gds.** goods. **Gdsm** Guardsman. **Ge** 〖화학〗 germanium. **GE** 《미》 General Electric (Company). **g.e.** 〖상업〗 gilt-edged; 〖제본〗 gilt edges.

ge·an·ti·cline [dʒi:ǽntiklàin] *n.* 〖지학〗 지배사(地背斜).

****gear** [giər] *n.* C,U **1** 〖기계〗 전동 장치(傳動裝置); 기어, 톱니바퀴 장치; 활차(滑車); (비행기·선박 등을 조종할 때 특정 역할을 하는) 장치: reverse ~ 후진 기어/⇨ HIGH [LOW, TOP, BOTTOM] GEAR/a car with automatic ~s 자동 변속기가 달린 자동차. **2** 의복, 《고어》 무구(武具). **3** 기구, 도구, 용구; 가재도구; 일용품; 《영구어》 (젊은이용(用)의) 유행하는 복식품(服飾品) : fishing ~ 낚시 도구/medical ~ 의료기구. **4** 마구(馬具)(harness); 장구(裝具); 선구(船具)(rigging). **5** 《영속어》 고급. **6** 《속어》 훔친 물건; 《영속어》 마약. ***get into*** ~ 순조롭게 움직이기 시작하다, 궤도에 오르다. ***go*** [***move***] ***into high*** ~ 최대의 활동을 시작하다. ***in*** ~ 기어가 걸려, 차의 기어를 넣어; 준비가 갖추어져, 원활히 운전하여, 순조롭게. ***in high*** ~ 최고 속도로, 최고조에. ***out of*** ~ 기어가 풀려, 차의 기어를 빼어; 원활치 못하여. ***shift*** [***change, switch***] ***~s*** 기어를 바꾸다; 방법을 바꾸다. ***slip a*** ~ 실수하다, 잘못을 저지르다. ***throw*** [***get, put, set***] ***... in*** [***into***] ~ …에 기어를 넣다; …의 준비를 갖추다, …의 컨디션을 조정하다. ***throw*** [***put***] ***... out of*** ~ …의 기어를 풀다; …의 운전을 방해하다, 상태를 원활치 못하게 하다.

— *a.* 《영속어》 멋진, 매력 있는; 굉장한.

— *vt.* **1** 《+목+부》 …에 기어를 넣다《*up*》, (기

계를) 걸다《*to*》. **2** (장치·도구 따위를) 설치하다; …에 마구(馬具)를 달다《*up*》. **3** 《+목+전+명》(계획·요구 따위에) 맞게 하다, 조정하다《*to*》: The steel industry was ~*ed to* the needs of war. 철강 산업은 전쟁 물자 생산에 돌려졌다.
— *vi.* 연결되다, (톱니바퀴가) 맞물리다《*into*》; (기계가) 걸리다《*with*》; 적합하다《*with*》. ~ ***down*** 《*vi.*+부》 ① 기어를 저속으로 넣다. — 《*vt.*+부》 ② (활동·생산 따위를) 억제하다, 감소하다. ③ (정도 따위를) 낮추다《*to*》. ~ ***up*** 《*vi.*+부》 ① 기어를 고속으로 넣다. ② 준비를 갖추다《*for*》. — 《*vt.*+부》 ③ (산업 따위를) 확대하다. ④ 준비시키다.
파 ~**ed** *a.* 기어가 걸려 있는; 《속어》 동성애의. ∠·**less** *a.* 기어를 개재치 않는, 직결의. 「속기.
géar·bòx 【기계】 **1** =GEAR CASE. **2** (자동차) 변
géar càse 【기계】 기어 상자《전동 장치를 덮는》.
géar-chànge *n.* 《영》 【기계】 (특히 자동차의) 기어 변환 장치(《미》 gearshift). 「계.
géar cùtter 【기계】 (톱니바퀴의) 톱니 깎는 기
géar·hèad *n.* **1** 《속어》 바보. **2** 【컴퓨터】 =PROGRAM(M)ER.
gear·ing [gíəriŋ] *n.* U,C 【기계】 **1** 전동(톱니바퀴) 장치: in 〔out of〕 ~ 전동하고〔하지 않고〕. **2** 【영경제】 자금 조달력 비율: ~ ratio 【기계】 치차비(齒車比); 【경제】 자기 자본 부채 비율.
géar lèver 《영》 =GEARSHIFT.
géar·shìft *n.* 《미》 변속 레버, 기어 변환 장치.
géar stìck 《영》 =GEARSHIFT.
géar tràin 【기계】 톱니바퀴의 열, 기어트레인《샤프트에서 샤프트로 운동을 전달하는》.
géar·whèel *n.* 【기계】 (큰)톱니바퀴(cogwheel).
GEC 《미》 General Electric Company. 「붙이.
gecko [gékou] (*pl.* ~***s,*** ~***es***) *n.* 【동물】 도마뱀
GED general educational development; 《미》 general equivalency diploma.
ge·dunk [gíːdʌŋk] *n.* 《속어》 (간이식당 등에서 파는) 아이스크림, 캔디, 스낵.
gee[1], **gee-gee** [dʒiː], [dʒíːdʒìː] *n.* 《영속어·소아어》 말(horse), 《특히》 경주마.
gee[2] *int.* 어디여, 우(右)로; 이러《마소를 부릴 때 하는 소리》. — *vi., vt.* 《미》 오른쪽으로 돌다〔돌리다〕; 피하다. cf. haw[3].
gee[3] *int.* 《미구어》 아이고, 깜짝이야, 놀라워라. ***Gee whiz(z)!*** 깜짝이야. [◂Jesus]
gee[4] *n.* 《미속어》 사람, 놈; 죄수 두목, 감방장.
gee[5] *n.* 《속어》 아편, 마약; 《미》 1 갤런의 술.
gee[6] *n.* 《미속어》 1,000 달러; 돈(money).
gee·gaw [dʒíːgɔː, gíː-] *n.* =GEWGAW.
gee-ho [dʒíːhóu], **gee-hup**〔**up**〕 [-ʌ́p〔ʌ́p〕], **gee-wo** [-wóu] *int.* 이러《마소 모는 소리》.
geek [giːk] *n.* 《미속어》 **1** 엽기적인 것을 보여주는 흥행사. **2** 변태자, 기인(奇人). **3** 지겨운〔정떨어지는〕 녀석. **4** 열심인〔성실한〕 학생; …에 열중하는 사람, …광(狂). **5** 《경멸》 (특히 전시 중의) 동아시아인〔병사〕.
geek·a·zoid [gíːkəzɔ̀id] *n.* 《미속어》 (사회성이 결여된) 지겨운 녀석, 괴짜.
géek·spèak *n.* 《미컴퓨터속어》 컴퓨터 사용자가 쓰는 전문 용어〔속어〕. 「goat+sheep]
geep [giːp] *n.* 염소와 양의 교배종(shoat). [◂
gée pòle 개(가 끄는) 썰매의 채.
geese [giːs] GOOSE의 복수.
geest [giːst] *n.* 【지학】 충적토(沖積土).
geets [giːts] *n.* (*pl.*) 《속어》 달러, 돈.
gée-whíz *a.* **1** (말·표현 등이) 사람을 선동하는: ~ journalism 선정적 저널리즘. **2** (일이) 경탄할 만한. **3** (사람이) 열광적인. [◂Gee whiz(z)!]
— *int.* =GEE[3].
gee-wo ⇨ GEE-HO.

geez [dʒiːz] *int.* =JEEZ.
gee·zer [gíːzər] *n.* 《속어》 괴짜 노인〔노파〕, 노틀; 《미》 독주, 마약 주사〔흡입(吸入)〕.
GEF Global Environment Facility (지구 환경 자금 제도).
ge·fíl·te 〔**ge·fúll·te**〕 **físh** [gəfíltə-] 【유대요리】 송어·잉어 따위의 고기에 달걀·양파 따위를 섞어 수프로 끓인 요리.
ge·gen·schein [géigənʃàin] *n.* 《G.》 【천문】 대일조(對日照)(counterglow).
Ge·hen·na [gihénə] *n.* 【성서】 힌놈(Hinnom)의 골짜기《Jerusalem 근처에 있었던 쓰레기터, 페스트 예방을 위하여 끊임없이 불을 태웠음; 예레미야 VII:31》; 초열(焦熱)지옥; 【신약】 지옥(Hell); 《일반적》 고난의 땅.
Géi·ger(**-Mül·ler**) **cóunter** [gáigər(mjúːlər)-] 【물리】 가이거(뮐러) 계수관(計數管)《방사능 측정기》. 「방사능.
Gei·gers [gáigərz] *n. pl.* 《구어》 방사성 입자,
gei·sha [géiʃə] *n.* 《일본》 예기(藝妓), 기생.
G-8 [dʒíːéit] =GROUP of EIGHT.
Géiss·ler tùbe [gáislər-] 【전기】 가이슬러관(管)《진공 방전(眞空放電) 장치》.
Geist [gaist] *n.* 《G.》 감성, 지적 감수성〔정열〕; (시대) 정신, 영혼.
gel [dʒel] *n.* **1** 【물리·화학】 겔《colloid 용액이 젤리 모양으로 응고한 상태; 한천(寒天), 젤라틴 등》; 【생화학】 겔《단백질이나 핵산을 전기 영동(泳動)으로 분리하기 위한, 평판 혹은 원기둥 꼴로 형성된 반고체 모양의 중합체(重合體)》. **2** (머리 다듬기용의) 겔. — (**-ll-**) *vi.* 겔이 되다, 교질화하다; 모양을 이루다, 뚜렷해지다; (생각·상담이) 구체화하다; 《미속어》 잘되어가다; 느긋해하다, 유유해하다; 어기고 제쳐 버리다. 파 ∠·**a·ble** *a.*
ge·län·de·sprung, gelände jump [gəléndəsprùŋ], [∠∠] *n.* 《G.》 【스키】 스틱을 짚고 장애물을 넘는 점프.
gel·ate [dʒéleit] *vi.* 겔화(化)하다.
°**gel·a·tin, -tine** [dʒélətn/-tin] *n.* U 젤라틴, 정제한 아교: explosive ~ 폭발성 니트로글리세린 화합물 / vegetable ~ 한천(寒天), 우무.
ge·lat·i·nate [dʒəlǽtənèit] *vt., vi.* 젤라틴화(化)하다, 호화(糊化)하다. 파 **ge·làt·i·ná·tion** *n.*
gel·a·tin·i·form [dʒèlətínəfɔ̀ːrm] *a.* 아교〔갖풀〕 모양의.
ge·lat·i·nize [dʒəlǽtənàiz] *vt., vi.* 젤라틴화하다; 【사진】 …에 젤라틴을 바르다. 파 **ge·làt·i·ni·zá·tion** *n.* U
ge·lat·i·noid [dʒəlǽtənɔ̀id] *a., n.* 젤라틴 모양〔상태〕의 (물질).
ge·lat·i·nous [dʒəlǽtənəs] *a.* 젤라틴 모양의〔에 관한〕, 아교질의; 안정된. 파 ~**ly** *ad.* ~**·ness**
gélatin páper 【사진】 젤라틴 감광지. 「*n.*
gélatin pròcess 【인쇄】 젤라틴판(版)법.
ge·la·tion[1] [dʒeléiʃn, dʒə-] *n.* U 동결, 빙결
ge·la·tion[2] *n.* 【화학】 겔화(化). 「(氷結).
ge·la·to [dʒəlάːtou] *n.* (*pl.* **-ti** [-ti], ~**s**) 젤라토《이탈리아풍의 셔벗아이스크림》.
geld[1] [geld] *n.* 【영국사】 (지주가 군주에게 바치는) 세(稅), 상납금; 지세.
geld[2] (*p., pp.* ~**·ed** [géldid], ***gelt*** [gelt]) *vt.* (말 따위를) 거세하다, 불까다; 정기(精氣)를 없애다. 파 ∠·**er** *n.*
géld·ing *n.* U 거세; C 불깐 짐승《특히 말》; 《고어》 환관, 내시. 「(법).
gél electrophorésis 【생화학】 겔 전기 이동
gel·id [dʒélid] *a.* 얼음 같은, 어는 듯한, 극한의(icy), 냉담한(frigid). 파 ~**ly** *ad.* **ge·lid·i·ty** [dʒəlídəti] *n.*

gel·ig·nite [dʒélignàit] *n.* Ⓤ 젤리그나이트《니트로글리세린을 함유한 강력 폭약의 일종》.
gel·lant [dʒélənt] *n.* 겔화제(化劑).
gelt[1] [gelt] GELD[2]의 과거·과거분사.
gelt[2] *n.* 《미속어》 돈, 금전; 적은 돈.
***gem** [dʒem] *n.* **1** 보석, 보옥; 주옥(珠玉). ⓒⓕ jewel. ¶~ cutting 보석 연마(술). SYN. ⇨ PRECIOUS STONE. **2** 귀중품; 일품(逸品); 보석과 같은 것〔사람〕: the ~ of one's 〔a〕 collection 수집품 중 일품 / a ~ of a boy 옥동자. **3** 《영》 【인쇄】 작은 활자의 일종《brilliant와 diamond 사이의 작은 활자》. **4** 《미》 살짝 구운 빵(muffin)의 일종. — (*-mm-*) *vt.* …을 보석으로 장식하다; (보석을) 박다. — *a.* 【보석】 최상질(最上質)의: a ~ ruby.
GEM [dʒem] ground-effect machine.
Ge·ma·ra [gəmá:rə] *n.* 게마라《유대교의 신학책 Talmud 중의 주석편〔제2편〕》. ㊋ **-má·ric** *a.* **-rist** *n.*
ge·mein·schaft [gəmáinʃà:ft] *n.* 《G.》 (종종 G-) 공동사회《인간이 혈연·지연 등으로 결합된 사회적 관계》; 공유. ⓒⓕ gesellschaft.
gem·i·nal [dʒémənl] *a.* 【화학】 분자 중에서 하나의 원자에 동일한 원자(기)가 둘 결합한《생략: gem-》. ㊋ **~·ly** *ad.*
gem·i·nate [dʒémənət, -nèit] *a.* 【식물·동물】 쌍생의, 짝을 이룬. — *n.* 【음성】 겹소리《같은 자음〔모음〕 둘이 겹친 것》. — [-nèit] *vt.*, *vi.* 2 배로〔2 중으로〕 하다〔되다〕; 겹치다, 겹쳐지다; 쌍으로 늘어놓다〔서다〕. ㊋ **-nàt·ed** [-id] *a.* **~·ly** *ad.*
gèm·i·ná·tion *n.* 겹침, 이중, 쌍생(雙生); 【수사학】 반복; 【음성】 자음 중복《보기: red → redder》.
Gem·i·ni [dʒémənài, -ni] *n. pl.* 《단수취급》 **1** 【천문】 쌍둥이자리; 쌍자궁(雙子宮)(the Twins). **2** (미국의) 2 인승 우주선. (*Oh*) **~!** 《속어》 이거 참(놀람군).
gem·ma [dʒémə] (*pl.* **-mae** [-mi:]) *n.* 【식물】 싹, 눈, 무성아(無性芽); 【동물】 아체(芽體). ㊋ **gem·ma·ceous** [dʒeméiʃəs] *a.*
gem·mate [dʒémeit] *a.* 싹이 있는; 발아 생식(發芽生殖)하는. — *vi.* 싹트다; 발아 생식하다. ㊋ **gem·má·tion** *n.* Ⓤ 싹틈; 발아 생식; 싹의 배열 방식.
gem·mif·er·ous [dʒemífərəs] *a.* 보석을 산출하는; 【식물】 무성아로 번식하는.
gem·mip·a·rous [dʒemípərəs] *a.* 【생물】 발아(發芽)하는; 발아 생식하는. ㊋ **~·ly** *ad.*
gem·(m)ol·o·gy [dʒemálədʒi/-mɔ́l-] *n.* Ⓤ 보석학. ㊋ **-gist** *n.* 보석학자〔감정인〕. **gèm·(m)o·lóg·i·cal** *a.*
gem·mule [dʒémju:l] *n.* 【식물】 소아(小芽), 무성아(無性芽); 【동물】 (해면의) 아구(芽球).
gem·my [dʒémi] *a.* 보석을 지니는〔이 풍부한〕; 보석을 박은; 보석 같은, 반짝이는.
gems·bok [gémzbàk/-bɔ̀k] (*pl.* **~s,** 《특히 집합적》 **~**) *n.* 【동물】 겜즈보크(= **gémsbuck**) 《아프리카 남부산의 대형 영양》.
Gém Stàte (the ~) 미국 Idaho 주의 속칭.
gém·stòne *n.* 보석용 원석(原石), 귀석(貴石).
ge·müt·lich [gəmjú:tlik] *a.* 《G.》 기분이 좋은; 쾌적한; 느낌이 좋은. ㊋ **~·keit** [-kait] *n.*

gemsbok

gen [dʒen] 《영구어》 *n.* (the ~) (일반) 정보; 진상(the truth). — (*-nn-*) *vt.*, *vi.* 《다음 관용구로》 ~ **up** (남에게) 정보를 주다〔얻다〕, 가르치다〔알다〕《*about; on*》.
-gen, -gene [dʒən, dʒèn] '…을 생기게 하는 것, …에서 생긴 것' 의 뜻의 결합사: hydro*gen*.
Gen. 【군사】 General; 【성서】 Genesis; Geneva(n). **gen.** gender; genera; general(ly); generation; generator; generic; genetics; genitive; genus.
ge·nappe [dʒənǽp] *n.* 견모사(絹毛絲).
gen·darme [ʒá:nda:rm] (*pl.* **~s**) *n.* 《F.》 (프랑스 등의) 헌병; 《속어》 (무장) 경관; 【등산】 (산등성이의) 뾰족한 바위.
gen·dar·me·rie, -darm·ery [ʒa:ndá:rməri] *n.* 《F.》 (프랑스의) 헌병대(본부).
gen·der[1] [dʒéndər] *n.* Ⓤ,Ⓒ 【문법】 성(性), 성칭(性稱); 《구어·우스개》 성, 성별(sex): common 〔feminine, masculine, neuter〕 ~ 통〔여, 남, 중〕성. ㊋ **~·less** *a.* 【문법】 성이 없는, 무성의.
gen·der[2] *vt.*, *vi.* 《고어》 = ENGENDER.
génder-bènder *n.* 《구어》 성별왜곡자(性別歪曲者)《남녀의 분간이 어려운 복장·행동을 하는 사람》; 《구어》 (커넥터의) 자웅변환기〔어댑터〕. — *a.* (복장 등이) 남녀 분간을 어렵게 하는.
génder-blìnd *a.* = GENDER-NEUTRAL.
génder dysphòria 【의학】 성별 불쾌감〔위화감〕; = GENDER IDENTITY DISORDER.
génder gàp 사회 여론이 남녀의 성별로 갈리는 일.
génder idèntity disòrder 【의학】 성별 동일성 장애.
génder-néutral *a.* 성적 구별이 없는.
génder-specífic *a.* 성(性) 특유의.
gene [dʒi:n] *n.* 【생물】 유전자, 유전 인자, 진.
ge·ne·a·log·ic, -i·cal [dʒì:niəládʒik, dʒèn-/-lɔ́dʒ-], [-ikəl] *a.* 계도(족보)의; 가계의; 계통을 표시하는. ㊋ **-i·cal·ly** *ad.*
genealógical táble 〔**chárt**〕 족보.
genealógical trée (나뭇가지 모양의) 계도, 계보, 계통수(樹)(family tree).
ge·ne·al·o·gize [dʒì:niálədʒaiz, -ǽl-, dʒèn-] *vt.*, *vi.* …의 계도〔가계〕를 찾다〔만들다〕.
ge·ne·al·o·gy [dʒì:niálədʒi, -ǽl-, dʒèn-/dʒì:niǽl-, dʒiniǽl-, dʒèn-] *n.* Ⓤ **1** 가계, 혈통; 계도; 계통. **2** 계보학, 계통학. **3** (동식물 따위의) 계통 연구. ㊋ **-gist** *n.* 계보학자; 계도가.
géne amplificàtion 【생물】 유전자 증폭《어떤 특정 유전자가 생물의 라이프 사이클에서 다수 복제되는 것; 유전자 공학에서 응용되고 있음》.
géne bànk 유전자 은행.
géne convèrsion 【유전】 유전자 변환.
géne delètion 【유전】 유전자 제거《바람직하지 않은 유전자의 제거》.
géne engineèring 【유전】 유전자 공학.
géne exprèssion 【유전】 유전자 발현《유전자 정보가 특정의 단백질이나 형질로 나타남》.
géne fàrming 유전자 양식《어느 동물의 유전자를 다른 동물에 이식하여 호르몬 따위의 유용한 물질을 생산하는 일, 또는 그 기술》.
géne flòw 【유전】 (같은 종(種)·아종(亞種)·품종 안에서의) 유전자 확산〔유동〕.
géne frèquency 【유전】 유전자 빈도.
géne insèrtion 【유전】 유전자 삽입《빠진 유전자의》.
géne machìne 유전자 합성기《자동적으로 nucleotide를 이어서 유전자 DNA를 합성하는 장치》.
géne manipulàtion 【유전】 유전자 조작《유전자의 인위적 변환이나 염색체의 인공적 변화》.
géne màp 【유전】 유전자 지도(genetic map).
géne màpping 【유전】 유전자 지도 작성《염색체상의 유전자 자리(locus)의 결정》.
géne mutàtion 【유전】 유전자 돌연변이.
géne pòol 【유전】 유전자 풀《어떤 생물종(種)

집단을 구성하는 모든 개체가 지닌 유전자 전체》.

gen·e·ra [dʒénərə] GENUS의 복수.

gen·er·a·ble [dʒénərəbəl] *a.* 낳을 수 있는, 생성 가능한.

gen·er·al [dʒénərəl] *a.* **1** 일반의, 보통의, 특수하지 않은, 특정〔전문〕이 아닌, 한 부분에 국한되지 않은; 잡다한. OPP *special.* ¶ the ~ public 일반 대중 / ~ culture 일반 교양 / ~ affairs 총무, 서무 / a ~ clerk 서무계(係) / a ~ dealer 《영》 잡화상(인) / ~ principles 통칙, 일반 원칙 / a ~ reader (전문가가 아닌) 일반 독자 / in a ~ sense 보통의 뜻으로 / in a ~ way 일반적으로, 대체로. SYN. ⇨ COMMON, UNIVERSAL. **2** 대체적인, 총괄적인, 개략의; 막연한(vague). OPP *specific, definite.* ¶ in ~ terms 개괄적인 말로 / a ~ impression 대체적인 인상 / a ~ concept 〔idea, notion〕 〖논리〗 일반 관념〔개념〕 / a ~ outline 개요, 개관; 총칙 / ~ resemblance 대동소이 / ~ rules 총칙. **3** 전반에 걸치는, 전체적〔총체적〕인, 보편적인. OPP *particular.* ¶ a ~ agency 총대리점 / ~ cleaning 대청소 / a ~ attack 총공격 / a ~ examination 전 과목 시험 / a ~ meeting 〔council〕 총회 / a ~ war 전면 전쟁 / ~ provisions 〖법률〗 총칙, 통칙. **4** 전체에 공통되는, 세간에 널리 퍼진, 보통의: a word in ~ use 세상에서 널리 쓰이는 말 / There is a ~ interest in sports. 스포츠는 일반이 모두 흥미를 갖고 있다 / a ~ opinion 여론. **5** 《관직명 뒤에서》 총…, 장관의; (신분·권한이) 최상위의(chief): a governor ~ 총독 / attorney ~ 법무 장관. **6** (군의) 장관〔장성〕급의. ***as a ~ rule*** 대개는, 대체로, 일반적으로: *As a ~ rule*, the artist is not a propagandist. 대체로 예술가는 선전이 서투르다. ***as is ~ with*** …에게는 일반적인 일이지만. ***have a ~ idea*** ***(of …)*** (…이) 대체로 어떤 것인가를 알고 있다. ***in a ~ way*** 보통, 대체로; 대강, 대충. ***lover ~*** 《우스개》 여자라면 사족 못 쓰는 남자.

── *n.* **1** 〖군사〗 육군〔공군〕 대장(full ~); 장관(將官), 장군, 장성《준장 brigadier ~, 소장 major ~, 중장 lieutenant ~, 대장 full ~》: *General of the Army* 〔the Air Force〕 《미》 육군〔공군〕 원수.

> NOTE 미국에서는 장성의 계급을 별의 수로 나타내므로, 통속적으로 준장·소장·중장·대장·원수의 5 계급을 각각 a one-star 〔two-star, three-star, four-star, five-star〕 general 〔admiral〕이라고 부름.

2 군사령관; 병법가, 전략〔전술〕가; 〖종교〗 수도회(修道會)의 총회장; (구세군의) 대장; 《미속어》 〖일반적〗 장(長): a good 〔bad〕 ~ 뛰어난〔서투른〕 전략가 / He's no ~. 그는 전략가로서는 틀렸다. **3** (the ~) 《고어》 공중(公衆), 일반 대중. **4** (the ~) 일반, 총체(the whole); 일반 원칙; 보편적 사실; 총론, 대의: from the ~ to the particular 〖논리〗 총론에서 각론까지, 일반에서 특수로. **5** 《영구어》 =GENERAL SERVANT. ***in ~*** 일반적으로, 대체로, 보통: Young people *in ~*, and boys in particular, like it. 젊은이는 대체로, 특히 남자 애는 그걸 좋아한다. ***in the ~*** 대체로, 개괄〔일반〕적으로: state the fact *in the ~* 사실을 개괄적으로 진술하다. ***people in ~*** 일반 대중.

── *vt.* 장군으로서 지휘하다.

Géneral Accóunting Óffice 《미》 회계 감사원《생략: GAO》.

géneral adaptátion sỳndrome 〖의학〗 범(汎)적응 증후군.

géneral admíssion (일반석(席) 따위의) 보통 요금.

géneral ágent 총대리인〔점〕《생략: GA》.

Géneral Agréement on Táriffs and Tráde (the ~) 관세 및 무역에 관한 일반 협정 《1994 년 우루과이 라운드의 타결로 발전적 해소(解消); 생략: GATT》. cf. WTO.

Géneral Américan 일반 미국 영어《New England 및 남부를 제외한 미국 대부분의 지방에서 일상 쓰이는 영어(의 발음)》.

géneral anesthésia 〖의학〗 전신 마취(술).

géneral anesthétic 〖약학〗 전신 마취약.

Géneral Assémbly (the ~) 《미》 주의회; 국제 연합 총회《생략: G.A.》; (the g- a-) (장로 교회 따위의) 총회, 대회.

géneral áverage =GROSS AVERAGE.

géneral aviátion 〖항공〗 범용(汎用)항공《군용 및 수송업을 제외한 항공 일반》; 범용 항공기.

Géneral Certíficate of Educátion (the ~) 《영》 교육 수료 일반 시험《대학 등의 입학 자격을 얻는 공통 시험; 현재 A level, A/S level, S level이 있음; 생략: G.C.E.》.

géneral chárge =GENERAL EXPENSE.

géneral conféssion 공동 참회《신자들이 공동으로 외는 참회 기도》; 총고해《장기간에 걸쳐 범한 죄의 고백》.

géneral cóntractor 〖건축〗 (공사의) 총괄도급업자《공사의 전부를 일괄하는 청부업자》.

Géneral Cóurt (the ~) (Massachusetts 주와 New Hampshire 주의) 주(州)의회.

géneral cóurt-martial 〖미군사〗 (중죄를 다루는) 고등 군법 회의.

gen·er·al·cy [dʒénərəlsi] *n.* 장성의 지위〔임기〕.

géneral déaler 잡화상. cf. general store.

géneral delívery 《미·Can.》 유치(留置) 우편, 또 그 담당 부서.

géneral díscharge 〖해군〗 보통 제대(증).

géneral drílls 〖해군〗 전원 배치 훈련《군함에서 전 승무원의 각자 위치로의 배치 훈련》.

géneral éditor 편집장, 편집 주간(chief editor).

géneral educátion (전문 교육에 대하여) 일반〔보통〕 교육.

géneral eléction 총선거.

Géneral Eléction Dày 《미》 총선거일(Election Day)《4년마다 11월의 첫째 월요일 다음날》.

Géneral Eléctric Co. 미국의 세계 최대의 종합 전기(電機)회사.

géneral expénse 〖회계〗 일반 경비, 총경비.

géneral héadquarters 총사령부《생략: G.H.Q., GHQ》.

géneral hóspital 종합 병원; 〖군사〗 통합 병원.

gen·er·a·lis·si·mo [dʒènərəlísəmòu] (*pl.* **~s**) *n.* 《It.》 대원수, 전군 총〔최고〕 사령관; (중국 따위의) 총통(總統).

géneral íssue 〖법률〗 일반 답변《상대의 주장을 개괄적인 항변으로 전면적으로 부인하는 답변》.

gén·er·al·ist *n.* (전문의에 대하여) 일반〔종합〕 의사; 갖가지 지식〔기능〕이 있는 사람, 만능선수. OPP *specialist.*

Ge·ne·ra·li·tat [ʒènerɑ̀:litɑ́:t] *n.* (스페인의 북동부에 있는) Catalonia의 자치 정부《1977 년의 자치권 부활에 의한》.

gen·er·al·i·ty [dʒènərǽləti] *n.* **1** 일반론, 개설, 대요; 일반적 원칙, 통칙. **2** (보통 the ~) 다수, 과반수, 대부분(majority): the ~ *of* people 대부분의 사람들. **3** U 일반적임, 일반성, 보편성: a rule of great ~ 지극히 일반적인 규칙 / in the ~ of cases 대개의〔일반적인〕 경우에.

gèn·er·al·i·zá·tion *n.* **1** U 일반화, 보편화. **2** U 개괄, 종합; 귀납, (일반) 법칙화. **3** C 귀납적 결과; 개념, 통칙; 일반론: make a hasty ~ 속단〔지레짐작〕하다.

gen·er·al·ize [dʒénərəlàiz] *vt., vi.* **1** 일반화〔보편화〕하다; (일반에게) 보급시키다. **2** (사실

등을) 개괄〔총괄〕하다; 귀납하다, 일반 법칙화하다. **3** 〖회화〗 …의 전체적인 특징만을 그리다. **4** 일반적으로 말하다, 막연히 얘기하다. ~ ***down to*** …로 일반화되다, 정리되다. [파] **-iz·er** *n.* **-ìzed** *a.* 일반화된. **-iz·a·ble** *a.*

géneralized óther 〖사회〗 일반화된 타자(他者).

géneral linguístics 일반 언어학.

gen·er·al·ly [dʒénərəli] *ad.* **1** 일반적으로, 널리(widely): a man ~ esteemed 널리 신망을 얻고 있는 인물. **2** 보통, 대개: He ~ comes at noon. 그는 대개 정오에 온다. **3** 전반에 걸쳐, 여러 면으로: She helps ~ in the house. 집안 살림을 여러 모로 도와준다. **4** 대체로. ~ ***speaking*** =***speaking*** ~ =***to speak*** ~ 일반적으로(말하면)《독립구》: *Generally speaking*, the Germans are taller than the French. 대체로 독일 사람이 프랑스 사람보다 키가 크다.

géneral mánager (공장·회사 등의 매일매일의 업무를 감독하는) 총괄 관리자, 총지배인; 〖야구〗 단장《구단주 직속의 간부로 감독 이하 구단 전체를 관리함》.

géneral obligátion bònd 〖금융〗 일반 보증채《원금과 이자 지급이 보증된 지방채》.

géneral ófficer 〖군사〗 장성(general).

géneral parálysis (of the insáne) 〖의학〗 전신 마비.

géneral párdon 일반 사면.

géneral parésis 〖의학〗 전신 부전 마비《매독에 의한 진행성 마비, 마비성 치매》.

géneral pártner 무한 책임 사원〔조합원〕.

géneral pártnership 〖법률〗 합명회사.

géneral póst (the ~) **1** 《영》 (오전) 첫번째 배달 우편. **2** 실내 유희의 일종. **3** 《영》 대규모 교체, 대이동, 대대적 개조(改造).

géneral póst òffice (the ~) 《미》 (도시의) 중앙 우체국; (the G- P- O-) (영국의) 런던 중앙 우체국《생략: G.P.O.》.

géneral práctice 〖의학〗 일반 진료.

géneral practítioner 일반 진료의(醫); (내·외과의) 일반 개업의; 만능선수. [cf.] specialist.

géneral-púrpose *a.* 다목적의, 다용도의; 만능의(all-round): a ~ car / a ~ tool 만능 공구.

géneral púrpose ínterface bùs 〖컴퓨터·전자〗 범용(汎用) 인터페이스 버스《생략: GPIB》.

géneral quárters 〖군사〗 전원 배치《군함의 전 승무원이 전투 준비를 위해 일제히 자기 부서에 자리잡는 일》.

géneral relatívity 〖물리〗 일반 상대론.

géneral semántics 〖언어〗 일반 의미론.

géneral sérvant 《영》 허드렛일꾼〔하녀〕.

> [NOTE] 영국에서 하인은 chambermaid, butler, cook 등 각 직종이 있으며, 한 집에 여럿이 있는 것이 보통이지만, 하나만 두고 여러 가지 일을 시키는 경우는 general servant 라고 부른다.

Géneral Sérvices Administràtion (the ~) 《미》 (연방 정부의) 총무처《생략: GSA》.

gen·er·al·ship [dʒénərəlʃìp] *n.* [U] general 의 지위〔신분〕; 장군으로서의 기량(器量); 지휘 솜씨〔수완〕; (일반적으로) 지도력, 경영 수완.

géneral stáff (때로 G- S-) 〖군사〗 (일반) 참모《생략: G.S.》: the *General Staff* Office 참모 본부.

géneral stóre 《미》 (시골의) 잡화점, 만물상.

géneral stríke 총파업.

géneral térm 〖논리〗 일반명사(名辭); 〖수학〗 일반항(項); 일반적인 막연한 용어.

géneral théory of relatívity 〖물리〗 일반 상대성 이론(general relativity). 「의》.

géneral wíll 일반〔보편〕의지《공동 사회의 총

*__gen·er·ate__ [dʒénərèit] *vt.* **1** 낳다, 산출〔생기게〕하다. **2** (전기·열 등을) 발생시키다, 일으키다. **3** (결과·상태·행동·감정 등을) 야기〔초래〕하다, 가져오다. **4** 〖수학〗 (점·선·면이 움직여 선·면·입체를) 이루다, 형성하다; 그리다; 〖언어〗 (규칙의 적용에 의해 문(文)을) 생성하다.

génerating stàtion 〔**plànt**〕 발전소.

__gen·er·a·tion__ [dʒènəréiʃən] *n.* **1 세대, 대(代) 《대개 부모 나이와 자식 나이의 차에 상당하는 기간; 약 30년》: three ~*s*, 3 대 / All that happened a ~ ago. 한 세대나 전의 이야기다 / for ~*s* 여러 대에 걸쳐서 / from ~ to ~ =~ after ~ 대대로 계속해서. **2** 〔집합적〕 한 세대의 사람들: the younger 〔rising〕 ~ 젊은 세대, 젊은이들 / the present ~ 현대의 사람들 / the future ~ 후세 (사람들). **3** 자손, 일족. **4** [U] 산출, 발생, 생식: spontaneous ~ 〖생물〗 자연 발생. **5** [U] (전기·열 등의) 발생. **6** (감정 따위의) 유발 《*of*》; (결과 따위의) 초래. **7** 〖수학〗 (도형의) 생성; 〖언어〗 (문(文)의) 생성. ~ ***of vipers*** 독사의 자식들, 위선자《마태복음 III: 7, XII: 34》. [파] **~·al** *a.*

generátion gàp (the ~) 세대차, 세대 간의 「단절.

Generátion X X세대《1960년대 중반부터 70년대 중반 사이에 태어난 세대; 베이비 붐 세대에 비해 취직 기회가 적음》. [파] **~·er** *n.*

Generátion Ý Y세대《generation X보다 뒤에, 특히 1990 년대에 teenager가 된 세대》.

gen·er·a·tive [dʒénərèitiv, -rətiv] *a.* 생식의〔하는〕; 발생의〔하는〕; 생식력〔생성력〕 있는; 〖언어〗 생성적인; 글을 생성하는: the ~ organ 생식기 / ~ force 〔power〕 생식력.

génerative céll 〖생물〗 생식 세포《특히 배우자(配偶子)를 말함》.

génerative grámmar 〖언어〗 생성 문법.

génerative phonólogy 〖언어〗 생성 음운론.

génerative semántics 〖언어〗 생성 의미론.

génerative(-transformátional) grámmar 〖언어〗 생성 (변형) 문법.

gen·er·a·tiv·ist [dʒénərətivist, -rèit-] *n.* 〖언어〗 생성 문법학자.

◇**gen·er·a·tor** [dʒénərèitər] *n.* **1** 발전기(dynamo); (가스·증기 따위의) 발생기〔장치〕. **2** 발생시키는 사람〔것〕; 발생인(因). **3** 〖컴퓨터〗 생성기, 생성 프로그램. **4** 〖수학〗 생성원(生成元).

gen·er·a·trix [dʒènəréitriks/⌐-⌐-] (*pl.* ***-tri·ces*** [-trəsìːz]) *n.* 〖수학〗 모점(母點), 모선(母線), 모면(母面)《선·면·입체를 생기게 하는》; (낳는) 모체(母體); 발전〔발생〕기.

ge·ner·ic [dʒənérik] *a.* **1** 〖생물〗 속(genus)의; 속(屬)이 공통으로 갖는: a ~ name 〔term〕 속명. **2 a** 일반적인, 포괄적인(general); 〖문법〗 총칭적인: the ~ singular 총칭 단수《이를테면 The *cow* is an animal.》 / the ~ person 총칭적 인칭《we, you, they, one 따위》. **b** 상표 등록이 되어 있지 않은《상품, 약》. ― *n.* 〖약학〗 일반명; (보통 *pl.*) 상표 등록에 의한 법적인 보호를 받고 있지 않은 약품. [파] **-i·cal** *a.* **-i·cal·ly** *ad.* 속에 관해서, 속적(屬的)으로; 총칭적으로; 일반적으로. **~·ness** *n.*

__gen·er·os·i·ty__ [dʒènərɑ́səti/-rɔ́s-] *n.* [U] **1 활수(滑手), 헙헙함. **2** 관대, 아량; 고결. **3** (보통 *pl.*) 관대한〔활수한〕 행위. **4** 《고어》 출신〔문벌〕이 좋음, 고귀. **5** 큼, 풍부함. ◇ generous *a.* [SYN.] ⇨ TOLERANCE.

__gen·er·ous__ [dʒénərəs] *a.* **1 활수한, 헙헙한, 후한: be ~ *with* one's money 돈을 잘 쓰다. **2** 푸짐한, 풍부한(plentiful): ~ fare 푸진 성찬. **3** 관대한, 아량 있는; 고결한; 편견 없는: Try to be more ~ *in* your judgment of others. 남을 평가할 때에는 관대하게 하도록 애쓰시오. **4** (땅 따위가) 건, 비옥한(fertile); (빛 따위가) 진한, 짙은(deep); (술 따위가) 진한, 독한, 감칠맛 나는(rich). ◇generosity *n.* ㊀ ◇**~·ly** *ad.* 활수하게, 푸짐하게; 관대하게. **~·ness** *n.*

ge·nes·ic [dʒinésik] *a.* =GENERATIVE.

◇**gen·e·sis** [dʒénəsis] (*pl.* **-ses** [-siːz]) *n.* **1** 발생, 창생(創生); 기원(origin), 내력; 발생의 양식〔유래〕. **2** (the G–) 〖성서〗 창세기《구약 성서의 제 1 권》.

génesis ròck (*or* G– R–) 창세 때의 암석《1971년 아폴로 15호에 의해 채취된 백색 결정질의 회장석(灰長石)》; 원시 암석.

géne-splicing *n.* 유전자 접합.

gen·et [dʒénit, dʒənét] *n.* **1** 사향고양이류(civet cat); Ⓤ 그 모피. **2** =JENNET.

géne thèrapy 〖유전〗 유전자 치료《결손한 유전자를 보충해 유전병을 고침》. ㊀ **géne thèrapist**

ge·neth·ics [dʒənéθiks] *n.* 유전자 윤리(倫理). [◂ *genetical*+*ethics*]

ge·net·ic, -i·cal [dʒənétik], [-əl] *a.* 발생〔유전, 기원〕의; 발생〔유전학〕적인: a ~ disorder 유전병. ㊀ **-i·cal·ly** *ad.*

genétically-módified *a.* 유전자 조작의《생략: GM》: ~ foods 〔crops〕 유전자 조작 식품〔작물〕.

genétic álphabet 〖유전〗 유전자(子) 알파벳《DNA중의 4개의 염기》.

genétic códe 〖유전〗 유전 암호〔코드, 정보〕. ㊀ **genétic códing** 「제.

genétic cópying 〖유전〗 유전자의 인위적 복

genétic cóunseling 〖의학〗 유전 상담《양친의 염색체 검사 또는 양수의 세포 진찰》. ㊀ **genétic cóunselor**

genétic dríft 〖유전〗 유전적 부동(浮動)《특정 유전자가 소집단으로 정착·소멸되는 현상》.

genétic engineéring 유전자 공학. ㊀ **genétic engineéer**

genétic fingerprinting DNA〔유전자〕 지문(감정)법(DNA fingerprinting).

genétic informátion 〖유전〗 유전 정보.

ge·net·i·cist [dʒinétəsist] *n.* 유전학자.

genétic lóad 〖유전〗 유전(적) 하중(荷重)《돌연변이에 의한 유해(有害) 유전자의 축적》.

genétic máp 〖유전〗 유전자 지도.

genétic márker 〖유전〗 유전 표지(標識)《유전학적 해석에서 표지로 쓰이는 유전자〔형질〕》.

ge·net·ics [dʒinétiks] *n. pl.* 《단수취급》 유전학(遺傳學); 《복수취급》 유전적 특질.

genétic scréening 유전학적 스크리닝《개인의 유전병의 발견·예방을 위한》. 「변경·이식》.

genétic súrgery 유전 수술《유전자의 인위적

géne trànsfer 〖생리〗 유전자 전이(轉移).

géne transplantàtion 유전자 이식.

Ge·ne·va [dʒəníːvə] *n.* 제네바《스위스의 도시》. ★ '주네브'는 프랑스어식 읽기《Genève》.

ge·ne·va *n.* (네덜란드제(製)의) 진(술).

Genéva bánds (스위스의 Calvin파 목사가 사용한 것과 같은) 목 앞에 늘어뜨리는 한랭사(寒冷紗) 장식.

Genéva Convéntion (the ~) 제네바 협정《1864-65년 체결한 적십자 조약; 야전 병원의 중립 및 상병병(傷病兵)·포로의 취급을 결정함》.

Genéva cróss 적십자.

Genéva gòwn 검은 설교복《제네바의 칼뱅교 목사가 처음 사용함》.

Ge·ne·van, Gen·e·vese [dʒəníːvən], [dʒènəvíːz, -víːs] *a.* 제네바(사람)의; 칼뱅교의. **—** *n.* 제네바 사람; 칼뱅교도(Calvinist).

Genéva Pròtocol (the ~) 제네바 의정서.

Gen·ghis Khan [dʒéŋgiskáːn, géŋ-] 칭기즈 칸《몽고 제국의 시조; 1162-1227》.

◇**gen·ial**[1] [dʒíːnjəl, -niəl] *a.* **1** (봄날씨 따위가) 온화한, 기분 좋은, 쾌적한: a ~ climate 온화한 풍토. **2** 다정한, 친절한, 상냥한, 온정 있는. **3** 《폐어》 생식의; 다산의; 혼인의. **4** 《드물게》 천재의. ㊀ **~·ly** *ad.* **~·ness** *n.*

ge·ni·al[2] [dʒənáiəl] *a.* 〖해부·동물〗 턱의.

ge·ni·al·i·ty [dʒìːniǽləti] *n.* Ⓤ 온화, 쾌적; 친절, 싹싹함; 다정한 표정; (보통 *pl.*) Ⓒ 친절한 행위〔말〕. 「으로〕 하다.

ge·nial·ize [dʒíːnjəlàiz] *vt.* 유쾌하게〔온정적

gen·ic [dʒénik] *a.* 〖생물〗 유전자의〔에 관한, 와 비슷한, 에 기인하는〕. ㊀ **-i·cal·ly** *ad.*

-gen·ic [dʒénik] '…을 생성하는, …에 의해 생성되는, …한 유전자를 가진, …에 의한 제작에 적합한'의 뜻의 결합사.

génic bálance 〖생물〗 유전자 균형《어떤 형질을 지배하는 특정 유전자와 다른 유전자의 균형》.

ge·nic·u·late, -lat·ed [dʒəníkjələt, -lèit], [-lèitid] *a.* 〖해부·생물〗 무릎 모양으로 굽은, 무릎 모양의 관절이〔마디가〕 있는. ㊀ **-late·ly** *ad.* **ge·nìc·u·lá·tion** *n.* 슬상 만곡(부)(膝狀灣曲(部)).

genículate bódy 〖해부〗 슬상체(膝狀體)《시상(視床) 후부를 이루는 간뇌의 한 쌍의 융기(lateral ~, medial ~)》.

ge·nie [dʒíːni] (*pl.* **~s,** 보통 **ge·nii** [-niài]) *n.* (아라비안나이트의) 마귀, 귀신.

ge·nii [dʒíːniài] GENIE, GENIUS의 복수.

ge·nis·ta [dʒənístə] *n.* 〖식물〗 금작화속(金雀花屬)의 일종.

gen·i·tal [dʒénətl] *a.* 생식(기)의; 〖정신의학〗 성기기(性器期)의: the ~ gland 〔organs〕 생식선(腺)〔생식기〕. **—** *n.* (*pl.*) 생식기, 외음부. ㊀ **~·ly** *ad.* 「疹)〕.

génital hérpes 〖의학〗 음부 헤르페스〔포진(疱

gen·i·ta·lia [dʒènətéiliə] *n.* (*pl.*) 〖해부〗 생식기, 성기(genitals). ㊀ **-lic** [-tǽlik, -téi-] *a.*

gen·i·tal·i·ty [dʒènətǽləti] *n.* 성기의 감도·능력이 좋음, 성기에 대한 과도한 관심, 성기 편중.

gen·i·ti·val [dʒènətáivəl] *a.* 〖문법〗 속격(屬格)의.

gen·i·tive [dʒénətiv] *n., a.* 〖문법〗 소유격(의), 속격(屬格)(의): the ~ case 소유격, 속격.

gen·i·to- [dʒénətou, -tə] '생식기의'란 뜻의 결합사.

gènito·úrinary *a.* 〖해부·생리〗 요(尿)생식기의(urogenital): a ~ tract 요(尿)생식로.

gen·i·ture [dʒénətʃər] *n.* 〖점성〗 출생시의 별 위치〔천궁도〕(관측).

***gen·ius** [dʒíːnjəs, -niəs] (*pl.* **~·es;** ⇨6) *n.* **1** Ⓤ 천재, 비범한 재능: a man of ~ 천재.

> SYN. **genius** 천부적인 재능으로서 특히 예술·과학과 같은 창조적·독창적인 고급의 재능을 가리킴: artistic 〔mechanical〕 *genius* 예술적〔기계적〕 재능. **gift** 신에게서 주어진 특수한 재능.

2 Ⓒ 특수한 재능, …의 재주: have a ~ *for* music 〔poetry〕 음악〔시〕에 천재적인 재능이 있다. SYN. ⇨TALENT. **3** Ⓒ 천재(적인 사람); 귀재《*in*》: a ~ *in* language 어학의 천재 / an infant ~ 신동. **4** Ⓒ 천성, 소질, 타고난 자질: a task suited to one's ~ 소질에 맞는 일 / a ~ *for* mak*ing* people angry 남을 분노케 하는 성벽. **5** Ⓤ (the ~) (시대·사회·국민 등의) 특질, 정신, 경향, 풍조《*of*》; (인종·언어·법률·제도 등

의) 특성, 특징, 진수(眞髓)《of》; (고장의) 기풍, 분위기《of》: the ~ of modern civilization 현대 문명의 특징. 6 Ⓒ (pl. **ge·nii** [dʒíːniài]) (사람·토지·고장·시설의) 수호신, 터주; (사람의 일생 동안 붙어다니는) 신: one's evil 〔good〕 ~ 몸에 붙어다니는 악귀〔수호신〕; 나쁜〔좋은〕 감화를 주는 사람.

ge·ni·us lo·ci [dʒíːniəs-lóusai] 《L.》 (=genius of the place) **1** 터주, (그 고장) 수호신. **2** (그 고장) 기풍, 분위기.

Genl., genl. general.

gen·lock [dʒénlɑ̀k / -lɔ̀k] *n.* 〚TV〛 비디오 동기(同期) 장치. [◄ *gen*erator *lock*ing device]

genned-up [dʒéndʌ̀p] *a.* 《영구어》 (…에) 정통한《*about; on*》.

Gen·oa [dʒénouə] *n.* 제노바《이탈리아의 북서부에 있는 상항(商港); 원명 Genova》.

Génoa cáke 아몬드를 위에 얹은 감칠맛이 나는 케이크.

génoa (jíb) (종종 G-) 〚해사〛 제노아 지브《경주용 요트 따위의 대형 이물 삼각돛》.

gen·o·cide [dʒénəsàid] *n.* (민족·국민 따위에 대한) 계획적 대량 학살, 민족〔종족〕 근절. ㊞ **gèn·o·cí·dal** *a.*

Gen·o·ese [dʒènouíːz] *a.* 제노바(사람)의. ── *n.* 「(*pl.* ~) 제노바 사람.

ge·nome, -nom [dʒíːnoum], [-nɑm/-nɔm] *n.* 〚생물〛 게놈. ㊞ **ge·no·mic** [dʒinóumik, -nám-/-nóum-, -nɔ́m-] *a.*

gen·o·type [dʒénətàip, dʒíː-] *n.* 〚생물〛 유전자형, 인자형(因子型). OPP *phenotype.* ㊞ **gè·no·týp·ic, -i·cal** [-típ-] *a.* **-i·cal·ly** *ad.*

-gen·ous [dʒənəs] *suf.* '…을 발생하는, …으로 생긴' 의 뜻의 형용사를 만듦.

gen·re [ʒɑ́ːnrə] *n.* 《F.》 유형(類型), 양식, 장르; 〚미술〛 풍속화(=~ **páinting**). ── *a.* 〚미술〛 일상생활을 그린, 풍속도의.

gens [dʒenz] (*pl.* ***gen·tes*** [dʒéntiːz]) *n.* 〚고대로마〛 씨족, 일족(clan), 《특히》 부계 씨족.

gens du monde [F. ʒɑ̃dymɔ̃d] 《F.》 사교계의 인사(人士).

gent[1] [dʒent] 《구어》 *n.* 신사; 《우스개》 사이비 신사(fellow); (the G-s('), the ~s(')) 〚단수취급〛 남자용 화장실(men's room).

gent[2] 《고어》 *a.* 우아한, 품위 있는; 문벌 좋은.

Gent., gent. gentleman; gentlemen.

gen·ta·mi·cin [dʒèntəmáisn] *n.* 〚약학〛 겐타마이신《감염증 치료용; gentamycin의 새로운 철자》.

gen·teel** [dʒentíːl] *a.* **1** 품위 있는; 고상한, 점잖은, 우아한; 예의바른. **2** 유행을 따르는, 멋진; 점잖은 체하는, 신사연하는: affect ~ ignorance 젠체하며 모르는 척하다. **3** 상류 사회의, 집안이 좋은. ***do the ~ 젠체하다, 점잔 빼다. ㊞ **~·ism** *n.* 고상한 말, 점잖은 말투. **~·ly** *ad.* **~·ness** *n.*

gen·tes [dʒéntiːz] GENS의 복수.

gen·tian [dʒénʃən] *n.* 〚식물〛 용담속(屬)의 식물; 용담의 뿌리《맛이 쓰며, 위장약이 됨》.

géntian bítter 용담즙(汁)《강장제》.

géntian víolet (종종 G- V-) 겐티아나 바이올렛《아닐린 염료의 일종》.

gen·tile [dʒéntail] *n.* (*or* G-) 〚성서〛 (유대인 입장에서) 이방인, 《특히》 기독교도; 《드물게》 이교도; 《미》 (모르몬교도 사이에서) 비(非)모르몬교도. ── *a.* (*or* G-) 유대인이 아닌; 《특히》 기독교도의; 《미》 (*or* G-) 모르몬교도가 아닌; 〚문법〛 국민〔종족〕을 나타내는《명사, 형용사》; 씨족〔부족, 민족〕의. ◇ gentility *n.* ㊞ **~·dom** [-dəm] *n.* 〚집합적〛 전(全) 이방인, 이교도《유대인 측에서 본》.

gen·til·i·ty [dʒentíləti] *n.* Ⓤ 고상함, 우아; 세련된 몸가짐; 《드물게》 명문, 좋은 집안 태생; (보통 *pl.*) 〔반어적〕 점잖은 체함; (the ~) 상류 계급: shabby ~ 구차스러운 체면 유지. ◇ gentle *a.*

****gen·tle** [dʒéntl] (***-tler; -tlest***) *a.* **1** (기질·성격·음성이) 온화한(moderate), 점잖은, 상냥한(mild), 친절한; 품위 있는.

> SYN. **gentle** '고상한, 점잖은' 정도의 뜻인데, soft의 고상한 말투로서도 쓰임: a *gentle* manner 점잖은 태도. *gentle* heat 괄지 않은 불. **meek** 유순한, 때로는 굴종적인 마음을 나타냄: as *meek* as a lamb 양같이 순한. **mild** gentle과 서로 바꿔 쓸 수 있는 경우가 많은데, 격렬함·독함·모짊 따위가 없음을 보임: *mild* punishment 가벼운 벌. a *mild* cigarette 순한 담배.

2 온순한, 유순한: as ~ as a lamb 양처럼 순한. **3** 부드러운, 조용한; (지배·처벌·비판 등이) 엄하지 않은; (양념 등이) 독하지 않은, 순한(mild): a ~ wind 부드러운 바람/a ~ reproach 조용한 꾸지람. **4** (경사 등이) 완만한, 점진적인: a ~ slope 완만한〔가파르지 않은〕 비탈. **5** 가문이〔지체가〕 좋은, 양가의, 본데 있는(well-born): of ~ birth 〔blood〕 집안〔태생〕이 좋은, 양가의. **6** 예의바른, 정중〔공손〕한(courteous); 세련된, 고상한. **7** (마음이) 고결한, 너그러운(tolerant). ***~ and simple*** 《고어》 상하 귀천. ***my ~ readers*** 나의 관대한 독자여《옛날 저자의 상용어》.

── *n.* **1** 《고어》 가문이 좋은〔상류 계급의〕 사람, (*pl.*) 《고어·속어》《때로 우스개》 =GENTLEFOLK(S). **2** 《영》 (낚싯밥용의) 구더기, 금파리구더기.

── *vt.* **1** 《구어》 (말 따위를) 길들이다. **2** …의 마음을 누그러뜨리다, 어루만지다. **3** 쓰다듬다.

géntle árt 〔**cráft**〕 (the ~) 낚시질(angling); 낚시 친구; 참을성을 요하는 일.

géntle bréeze 〚기상〛 산들바람. 「은」 사람들.

géntle·fòlk(s) *n. pl.* 양가(良家)의〔신분이 높

gen·tle·hood [dʒéntlhùd] *n.* 가문이 좋음; 본데 있음; 우아함.

†**gen·tle·man** [dʒéntlmən] (*pl.* ***-men*** [-mən]) *n.* **1** 신사《명예와 예의를 존중할 줄 아는 남성》; 〔일반적〕 군자, 점잖은 사람. **2** (*pl.*) 《호칭》 여러분, 제군; 근계(謹啓)《회사 앞으로 보내는 편지의 허두》: Ladies and *Gentlemen!* **3** 남자분《남성에 대한 정중한 말》; (여성의) 춤 상대; (*pl.*) 〔단수취급〕 '남자용' 《변소》. **4** 유한 계급의 사람《특히 재산 있는 무직자》; (크리켓 따위의) 아마추어 선수; 《완곡어》 밀수업자. **5** 〔일반적〕 집안이 좋은 사람; 지위가 높은 사람; 교양과 기품이 있는 사람; 〚영국사〛 귀족과 yeoman의 중간 계층. **6** (왕·귀인 등의) 시종(侍從), 종복: the King's ~ 왕의 측근자/a ~ in waiting 시종. **7** (the ~) (미국 상·하원의) 의원. ***a ~ at large*** 《우스개》 일정한 직업이 없는 사람, 실업자; 《폐어》 특별한 직분이 없는 궁정 관리. ***a ~ of fortune*** 《우스개》 해적; 모험가; 협잡꾼. ***a ~ of the press*** 신문 기자. ***a ~ of the road*** 노상강도; 부랑자, 거지. ***a ~ of the short staff*** 《우스개》 경찰관. ***a ~ of the three outs*** 삼무인(三無人)《돈 없고, 옷 떨어지고, 신용 잃은(out of pocket, out of elbow, out of credit) 사람》. ***my ~*** (내가 말한) 당자, 그 친구. ***play the ~*** 신사인 체하다. ***the ~ from ...*** 〚미의회〛 …주 출신 의원. ***the old ~*** 《우스개》 악마. ㊞ **~·lìke** *a.*

géntleman-at-árms (*pl.* ***-men-***) *n.* (영국 국왕의) 의장(儀仗) 친위병, 위사(衛士).

géntleman-cómmoner (*pl.* ***-men-cóm-moners***) *n.* 《영》 (옛날 Oxford 및 Cambridge 대학의) 특별 자비생(自費生).

géntleman-fármer (*pl.* ***-men-fármers***) *n.* 호농(豪農), 농장 경영자; (따로 수입이 있어) 취

미로 농경에 종사하는 사람(OPP. *dirt farmer*).
gén·tle·man·ly *a.* 신사다운, 신사적인, 예의바른. **—** *ad.* 신사답게. ㊞ **-li·ness** *n.*
géntleman-ránker (*pl.* ***-men-ránkers***) *n.* 《구어》 본디는 신분이 좋았는데 (지금은) 영락(零落)한 영국군 병사. 「신사 협정〔협약〕.
géntleman's 〔géntlemen's〕 agréement
géntleman's géntleman (*pl.* ***géntlemen's géntlemen***) 종복(從僕)(valet).
gén·tle·man·shìp *n.* 신사의 신분; 신사다움; 신사임, 신사도.
géntleman-ùsher (*pl.* ***-men-ùshers***) *n.* 왕실이나 귀족의 의전관《영국 왕실의》.
*__gen·tle·ness__ [dʒéntlnis] *n.* Ⓤ 온순, 친절, 관대〔얌전, 고상〕함, 우아.
Géntle Péople (the ~) 무저항주의의 사람들 《flower child 나 일부 인디언들 같은》.
géntle·pèrson *n.* **1** 《종종 우스개》 여러분, 제군; 신사. **2** (G-s) 근계(謹啓)《회사로 보내는 편지의 허두》.
géntle séx (the ~)〔집합적〕 여성.
◇**géntle·wòman** (*pl.* ***-wòmen***) *n.* 양가의 부인, 숙녀, 귀부인(lady); 〔본디〕 귀부인의 시녀; (the ~) (미국 상·하원의) 여성 의원. ㊞ **~·like, ~·ly** *a.* 귀부인〔숙녀〕다운.
*__gen·tly__ [dʒéntli] *ad.* **1** 온화하게, 상냥하게, 친절히: Speak ~ to the children. 애들에게 다정하게 얘기하세요. **2** 조용히, 서서히: The road slopes ~ to the sea. 길은 바다를 향해 완만하게 경사져 있다 / *Gently!* 천천히. **3** 점잖게, 우아하게. **4** 지체 높게: ~ born 〔bred〕 좋은 집안 태생의. ◇ gentle *a.*
gen·too [dʒéntuː] (*pl.* **~s**) *n.* 〖조류〗 젠투 펭귄(=~ **pénguin**)《아(亞)남극지방의 섬에 서식》.
gen·tri·fy [dʒéntrəfài] *vt.* (슬럼화한 주택가를) 고급 주택(지)화하다; 《비유》 …을 고상하게 하다, 고급화하다. ㊞ **gèn·tri·fi·cá·tion** *n.* (주택가의) 고급 주택화.
◇**gen·try** [dʒéntri] *n.* 〔집합적〕 (the ~) 신사계급〔상류 사회, 명문의〕 사람들《영국에서는 귀족과 향사(鄕士) 사이의 계급》; 《구어·경멸》 무리, 패거리: the landed ~ 지주 계급 / the local ~ 지방의 유지 / these ~ 이런 무리(들) / the newspaper ~ 신문인〔쟁이〕.
ge·nu [dʒíːnjuː, dʒén-/dʒénjuː] (*pl.* ***gen·ua*** [dʒénjuə/-njuə]) *n.* 〖해부·동물〗 무릎(knee). ㊞ **gen·u·al** *a.*
gen·u·flect [dʒénjəflèkt] *vi.* (예배를 위해) 한쪽 무릎을 구부리다〔꿇다〕; (비굴하게) 추종하다, 저두평신(低頭平身)하다. ㊞ **-flèc·tor** *n.* **gèn·u·fléc·tion, -fléx·ion** [-ʃən] *n.* 무릎 꿇음.
*__gen·u·ine__ [dʒénjuin] *a.* **1** 진짜의, 정짜의: a ~ pearl 진짜 진주. SYN. ⇨ REAL. **2** (원고·서명 등이) 저자 친필의: a ~ writing 친필. **3** 진심에서 우러난, 성실한(sincere, real); 거짓없는: ~ respect 충심으로부터의 존경. **4** 순종의(purebred): the ~ breed of bulldog 순종 불독. ㊞ **~·ly** *ad.* **~·ness** *n.* 「짜, 실물.
génuine árticle (the ~) (가짜에 대해서) 진
◇**ge·nus** [dʒíːnəs] (*pl.* ***gen·e·ra*** [dʒénərə], **~·es**) *n.* 종류, 부류, 유(類); 〖생물〗 속(屬)《과(family)와 종(種)(species)의 중간》; 〖논리〗 유(類), 유개념: the ~ Homo 사람속(屬); 인류.
-ge·ny [dʒəni] *suf.* '발생, 기원' 의 뜻: proge-
Geo. George. 「*ny.*
geo- [dʒíːou, dʒíːə] '지구, 토지' 란 뜻의 결합사.
gèo·bótany *n.* Ⓤ 지구 식물학, 식물 생태학. ㊞ **-bótanist** *n.* **-botánic, -ical** *a.* **-ically** *ad.*
géo·cènter *n.* 지구의 중심.
gé·o·cèn·tric *a.* **1** 지구 중심의: the ~ theory 천동설(天動說). **2** 〖천문〗 지구 중심에서 본〔측량한〕, 지심(地心)의. OPP. *heliocentric.* ¶ the ~ place 지심 위치. ㊞ **-tri·cal·ly** *ad.* 지구를 중심으로. **-tri·cìsm** *n.* Ⓤ 지구 중심설.
geocéntric látitude 〖천문〗 지심(地心) 위도. 「도.
geocéntric lóngitude 〖천문〗 지심(地心) 경
gèo·chémistry *n.* Ⓤ 지구 화학. ㊞ **-chém·ist** *n.* **-chémi·cal** *a.* **-i·cal·ly** *ad.*
gèo·chronólogy *n.* Ⓤ 지질 연대학(年代學). ㊞ **-gist** *n.*
gèo·chronómetry *n.* (방사성 원소 등에 의한) 지질 연대측정(법).
gèo·coróna *n.* 〖천문〗 중간권(中間圈)《주로 수소로 이루어진 지구 대기의 가장 바깥층》.
geod. geodesic; geodesy; geodetic.
ge·ode [dʒíːoud] *n.* 〖지학〗 정동(晶洞); 이질 정족(異質晶簇).
ge·o·des·ic [dʒìːədésik, -díːs-] *a.* 측지학의, 측량의; 〖수학〗 측지선(線)의. **—** *n.* 〖수학〗 측지선(=~ **líne**). ㊞ **-i·cal** *a.*
geodésic dóme 〖건축〗 지오데식〔측지선〕 돔 《다각형 격자를 짜맞춘》.
ge·od·e·sist [dʒiːádəsist/-ɔ́d-] *n.* 측지학자.
ge·od·e·sy [dʒiːádəsi/-ɔ́d-] *n.* Ⓤ 측지학: geometrical ~ 기하 측지학.
ge·o·det·ic, -i·cal [dʒìːədétik], [-ikəl] *a.* **1** 측지학의; 〖수학〗 측지선의. **2** 일반 기하학의. ㊞ **-i·cal·ly** *ad.*
geodétic sàtellite 〖우주〗 측지 위성.
geodétic súrveying 측지(학적) 측량.
Geo·dim·e·ter [dʒiːədímətər] *n.* 지오디미터 《광속(光速)에 바탕을 둔 전자광학적 거리 측정기; 상표명》.
GEODSS 〖군사〗 ground-based electro-optical deep space surveillance(지상 설치형(型) 전자 광학식 심(深)우주 탐사(시스템)).
gèo·dynámic, -ical *a.* 지구 역학(상)의.
gèo·dynámics *n. pl.* 〔단수취급〕 지구 역학.
gèo·económics *n. pl.* 〔단수취급〕 지리 경제학. 「frey)》.
Geof·frey [dʒéfri] *n.* 제프리《남자 이름(Jef-
geog. geographer; geographic; geographical; geography.
ge·og·no·sy [dʒiágnəsi/-ɔ́g-] *n.* Ⓤ 지구 구조학; 지질학; 《특히》 국지(局地) 지질학.
◇**ge·og·ra·pher** [dʒiágrəfər/-ɔ́g-] *n.* 지리학자.
◇**ge·o·graph·ic, -i·cal** [dʒìːəgrǽfik/dʒi(ː)ə-], [-əl] *a.* 지리학의; 지리적인: *geographical* distribution 지리적 분포 / *geographical* features 지세(地勢). ◇ geography *n.* ㊞ **-i·cal·ly** *ad.* 지리적으로; 지리학상.
geográphical látitude 지리학적 위도.
geográphical lóngitude 지리학적 경도.
geográphical míle 지리 마일《≒nautical 〔sea, air〕 mile; 1,852 m》. 「결정론.
geográphic detérminism 〖사회〗 지리(적)
geográphic edítion 〖출판〗 지역판《하나의 잡지 속에 지역별로 만든 판》.
geográphic segmentátion (마케팅에서 시장의) 지리적 세분화.
⁑**ge·og·ra·phy** [dʒiágrəfi/-ɔ́g-] *n.* Ⓤ 지리, 지세, 지형(地形)《*of*》; 지리학; Ⓒ 지리(학)책, 지지(地誌); 《구어》 방 위치, 《완곡어》 화장실 위치; (조직적) 배열, (구성 요소의) 윤곽: human 〔physical, historical, economic〕 ~ 인문〔자연, 역사, 경제〕 지리학. ◇ geographic *a.*
gèo·hydrólogy *n.* 지하수학(地下水學). ㊞ **-hydrólogist** *n.* **-hydrológic** *a.*
ge·oid [dʒíːɔid] *n.* 〖지학〗 지오이드《평균 해면

과 그 연장으로 생각되는 상상의 면》; 지구의 모양. ㊀ **ge·ói·dal** *a*.

geol. geologic(al); geologist; geology.

gèo·linguístics *n*. 〚언어〛 지리 언어학, 언어지리학.

°**ge·o·log·ic, -i·cal** [dʒìːəlɑ́dʒik/-lɔ́dʒ-], [-əl] *a*. 지질학(상)의; 지질의: a *geological* epoch 지질 연대. ◇ geology *n*. ㊀ **-i·cal·ly** *ad*.

geológical oceanógraphy 지질 해양학.

geológical súrvey 지질 조사.

geológical tímescale 지질 연대 구분.

geológic máp 지질도(圖).

geológic tíme 지질 연대.

°**ge·ol·o·gist** [dʒiɑ́lədʒist/-ɔ́l-] *n*. 지질학자.

ge·ol·o·gize [dʒiɑ́lədʒàiz/-ɔ́l-] *vt*., *vi*. 지질(학)을 연구하다; 지질 조사를 하다.

***ge·ol·o·gy** [dʒiɑ́lədʒi/-ɔ́l-] *n*. **1** Ⓤ 지질학; (the ~) (어느 지역의) 지질《*of*》: the ~ *of* Mars 화성의 지질(구조) / economic ~ 경제 지질학 / historical ~ 지사학(地史學) / structural ~ 구조 지질학. **2** Ⓒ 지질학 책.

geom. geometric(al); geometry.

gèo·magnétic *a*. 지자기의.

geomagnétic stórm 〚지학〛 자기(磁氣) 폭풍(magnetic storm).

gèo·mágnetìsm *n*. 지자기(地磁氣)(학).

ge·o·man·cy [dʒíːəmæ̀nsi] *n*. Ⓤ 흙점(占) 《옛적에 한 줌의 흙모래를 땅에 뿌려 그 꼴로 치던 점》. ㊀ **-cer** *n*. **gè·o·mán·tic, -ti·cal** *a*.

gèo·médicine *n*. Ⓤ 기후 환경 의학. ㊀ **-méd·ical** *a*.

ge·om·e·ter [dʒiɑ́mətər/-ɔ́m-] *n*. 기하학자; 「〚곤충〛 자벌레.

ge·o·met·ric, -ri·cal [dʒìːəmétrik], [-əl] *a*. 기하학(상)의; 기하학적 도형의: ~ mean 기하평균. ◇ geometry *n*. ㊀ **-ri·cal·ly** *ad*.

geométrical óptics 기하광학.

geomètric(al) progréssion 〚수학〛 등비수열. ⓒⓕ arithmetic progression.

geométrical propórtion 〚수학〛 등비 비례.

geométric desígn 〚복식〛 기하학적 디자인 《기하학적인 원·삼각 따위를 디자인에 넣은》.

ge·om·e·tri·cian [dʒiɑ̀mətríʃən, dʒìːə-/dʒìːəmə-, dʒiɔ̀mə-] *n*. 기하학자.

geométric isómerism 〚화학〛 기하 이성질(異性質)(현상).

ge·o·met·ri·cize, 《영》 **-cise** [dʒìːəmétrəsàiz] *vt*. 기하학적으로 디자인하다, 도형화하여 그리다〔만들다〕. ㊀ **gè·o·mèt·ri·ci·zá·tion** *n*.

geométric méan 〚수학〛 등비(等比)〔비례〕 중항(中項); 상승(相乘)〔기하〕 평균.

geométric rátio 〚수학〛 공비(公比)(common ratio).

geométric séries 〚수학〛 등비〔기하〕 급수.

geométric spíder Epiridae과의 방사상·나선상으로 그물을 치는 거미. 「창(窓) 장식.

geométric trácery (고딕 건축의) 기하학적

ge·om·e·trid [dʒiɑ́mətrid/-ɔ́m-] *n*., *a*. 〚곤충〛 자벌레과(의); 자벌레나방.

ge·om·e·trize [dʒiɑ́mətràiz/-ɔ́m-] *vt*., *vi*. 기하학적 도형으로 하다; 기하학을 연구하다; 기하학적 방법으로 처리하다.

geo·met·ro·dy·nam·ics [dʒìːəmètrədainǽmiks] *n*. 기하(학적) 역학《전자기·중력 현상을 어느 단일 과정의 부분적 표현이라 보고 기하학적 구조 해석으로 이들 현상을 구명하려는 학문》.

***ge·om·e·try** [dʒiɑ́mətri/-ɔ́m-] *n*. **1** Ⓤ 기하학: ⇨ ANALYTIC 〔PLANE, SOLID, SPHERICAL〕 GEOMETRY. **2** (기계 등의) 결합 구조(configuration); (물체의) 기하도형적 배열〔외형〕, (결정의) 외면적 형태; 〚미술〛 (고체나 표면의) 외형; 기하학 서적. ◇ geometric *a*.

ge·o·mor·phic [dʒìːəmɔ́ːrfik] *a*. 지구 모양의〔에 관한〕, 지형의; 지형학의.

gèo·morphólogy *n*. Ⓤ 지형학. ㊀ **-gist** *n*. **-morphológic, -ical** *a*. **-ically** *ad*.

ge·oph·a·gy [dʒiɑ́fədʒi/-ɔ́f-] *n*. Ⓤ 흙을 먹음〔먹는 버릇〕(dirteating); 〚의학〛 (어린애의) 토식증(土食症). ㊀ **-gism** *n*. Ⓤ ~의 습관. **-gist** *n*. **-pha·gous** [-fəgəs] *a*.

Ge·o·phone [dʒíːəfòun] *n*. 지오폰, 지중(地中) 수진기(受振器)《상표명》.

geophys. geophysical; geophysics.

gèo·phýsical *a*. 지구 물리학(상)의: International *Geophysical* Year 국제 지구 관측년(觀測年). ㊀ **~·ly** *ad*.

gèo·phýsicist *n*. 지구 물리학자.

gèo·phýsics *n*. *pl*. 〔단수취급〕 지구 물리학.

géo·phỳte *n*. 〚식물〛 지중(地中) 식물. ㊀ **gèo·phýt·ic** [-fít-] *a*.

gèo·pólitic, -polítical *a*. 지정학의. ㊀ **-ical·ly** *ad*.

gèo·politícian *n*. 지정학자.

gèo·pólitics *n*. *pl*. 〔단수취급〕 지정학.

gèo·pólitist *n*. =GEOPOLITICIAN.

ge·o·pon·ic [dʒìːəpɑ́nik/-pɔ́n-] *a*. 《드물게》 농경〔농업〕의(agricultural); 《우스개》 시골티 나는, 촌스러운. 「(husbandry).

gè·o·pón·ics *n*. *pl*. 〔단수취급〕 농경술, 농학

gèo·posítioning *n*. 위성에 의한 측량.

gèo·préssured *a*. 큰 지질학적 압력을 받는.

ge·o·probe [dʒíːəpròub] *n*. 〚로켓〛 지구 표면에서 지구 반경(6400km) 이상 떨어진 우주를 탐사하는 로켓.

ge·o·rama [dʒìːərǽmə, -rɑ́ːmə/-rɑ́ːmə] *n*. 지오라마《대원구(大圓球) 안쪽 표면에 경치를 그려 놓고 그 중심부에서 바라볼 수 있게 만든 일종의 파노라마》.

Geor·die [dʒɔ́ːrdi] *n*. 《영》 **1** 조디《남자 이름; George의 애칭》. **2** Tyne 강변 출생자〔주민, 광원(鑛員)〕; 그 방언; Tyne강의 석탄선. **3** St. George 상(像)이 박힌 영국 화폐.

George [dʒɔːrdʒ] *n*. **1** 조지《남자 이름》. **2** 영국왕(王)의 이름. **3 a** (가터 훈장 목걸이의) 조지상(像)《St. George가 용을 퇴치하는 보석상(像)》. **b** 《고속어》 성(聖) 조지상(像)이 박힌 영국 화폐(Geordie). **4 a** 《구어》 (항공기의) 자동 조종 장치. **b** (g-) 《영속어》 변소. **c** 《미속어》 근사한〔대단한〕 것〔사람〕. **d** 《미속어》 (극장의) 안내원. ***by*** ~ 정말(참), 참말《가벼운 맹세 또는 감탄》. ***let*** ~ ***do it*** 《구어》 남에게 맡기다. ***St.*** ~, England 의 수호 성인. ***St.*** ~***'s cross*** 성(聖) 조지 십자. ― *a*. 《미속어》 훌륭한, 멋진, 즐거운. ― *vt*. (g-) 《미속어》 섹스놀이에 유인하다, 유혹하다.

Géorge Cróss 〔**Médal**〕 《영》 조지 십자 훈장《생략: G.C. 〔G.M.〕》.

Géorge·tòwn *n*. 조지타운. **1** Guyana의 수도. **2** 미국 District of Columbia의 고급 주택 지구.

geor·gette [dʒɔːrdʒét] *n*. 조젯(=∠ **crépe**) 《얇은 본견(本絹) 크레이프; 본디 상표명》.

Geor·gia [dʒɔ́ːrdʒə] *n*. **1** 조지아《미국 남부의 주; 생략: Ga; 주도 Atlanta》. **2** 조지아 (공화국) 《옛 소련의 한 공화국; 1991년 독립; 수도 Tbilisi》.

Géorgia Màfia 조지아 마피아《Carter 대통령 (1977-81)과 같은 조지아주 출신의 대통령 측근들》.

Geor·gian [dʒɔ́ːrdʒən] *a*. **1** 〚영국사〛 조지 왕조《George 1-4세 시대(1714-1830)》의; 이 시대의 예술 양식의; 조지 5-6 세 시대(1910-52)의, 《특히》 조지 5세 시대(1910-20)의《문학》.

2 Georgia 1, 2의. — *n.* **1** 조지 왕조 시대의 사람. **2** Georgia 주 사람; 그루지야(Georgia) 사람; Ⓤ 그루지야 말.

Geor·gi·ana [dʒɔ̀ːrdʒiǽnə] *n.* 조지애나《여자 이름》.

Géorgia píne 【식물】 미송(美松)의 일종《미국 남동부산(産)》.

geor·gic [dʒɔ́ːrdʒik] *a.* 농사의, 농업의. — *n.* 농사[전원]시(詩), 농업시; (the G-s) 로마 시인 Virgil이 지은 농사시.

Geor·gie [dʒɔ́ːrdʒi] *n.* 조지《남자 이름; George의 애칭》.

Geor·gi·na, -gine [dʒɔːrdʒíːnə], [-dʒíːn] *n.* 조지나, 조진《여자 이름》.

gèo·scíence *n.* 지구 과학, 지학. ㊀ **gèo·scí·entist** *n.* 지구 과학자.

gèo·státic *a.* 【공학】 지압(地壓)의; 지압에 견디는: ~ pressure 【광물】 암압(岩壓). ㊀ **~s** *n. pl.* 《단수취급》 지압학(地壓學), 강체(剛體) 역학.

gèo·státionary *a.* 【우주】 지구 정지(靜止) 궤도상에 있는: a ~ satellite 정지 위성.

Geostátionary Operátional Environméntal Sàtellite 정지 실용 환경 위성《전체 기상 예측 자료를 수집; 생략: GOES》.

geostátionary órbit 【우주】 (인공위성의) 정지 궤도(=**geosýnchronous órbit**).

gèo·strátegy *n.* Ⓤ 전략 지정학; 지정학에 입각한 전략. ㊀ **-strátegic** *a.* **-strátegist** *n.*

ge·o·stroph·ic [dʒìːoustráfik/-strɔ́f-] *a.* 【기상】 지구의 자전(自轉)에 의한 편향력(偏向力)의. ㊀ **-i·cal·ly** *ad.*

gèo·sýnchronous *a.* =GEOSTATIONARY.

gèo·synclínal *a.* 【지학】 지향사(地向斜)의.

gèo·sýncline *n.* 【지학】 지향사(地向斜). opp *geanticline*.

ge·o·tax·is [dʒìːoutǽksis] *n.* 【생물】 땅 주성(走性), 중력 주성, 주지성(走地性)《중력 자극(刺戟)에 대한 주성》.

gèo·téchnical *a.* 지질 공학적인, 지질 공학의. ㊀ **gèo·téchnics** *n.* 지질 공학.

gèo·technólogy *n.* 지질 공학.

gèo·tectónic *a.* 【지학】 지각 구조의. ㊀ **-ical-ly** *ad.*

gèo·thérmal, -mic *a.* 지구 열학(熱學)의[에 관한]: a *geothermal* power plant 지열 발전소.

geothérmal pówer generàtion 지열(地熱) 발전.

ge·o·trop·ic [dʒìːoutrápik/-trɔ́p-] *a.* 【생물】 향지성(向地性)[굴지성(屈地性)]의. ㊀ **-i·cal·ly** *ad.* 향지성[굴지성]에 의해.

ge·ot·ro·pism [dʒiátrəpìzəm/-ɔ́t-] *n.* Ⓤ 【생물】 향지성, 굴지성. ***negative*** ~ 배지성. ***positive*** ~ 향지성.

ger [gɛər] *n.* 게르, 파오(包)《몽골인의 원형 주거 천막》.

Ger. German(ic); Germany. **ger.** gerund; gerundial; gerundive.

Ger·ald [dʒérəld] *n.* 제럴드《남자 이름; 애칭 Jerry》.

Ger·al·dine [dʒérəldìːn] *n.* 제럴딘《여자 이름; 애칭 Jerry》.

ge·ra·ni·ol [dʒəréiniɔ̀ːl, -àl/-ɔ̀l] *n.* 【화학】 게라니올《장미향의 무색 액체; 화장품 향료》.

◇**ge·ra·ni·um** [dʒəréiniəm] 【식물】 *n.* 제라늄, 양아욱; (G-) 이질풀속(屬).

ger·bera [gə́ːrbərə, dʒə́ːr-] *n.* 【식물】 솜나물.

ger·bil(le) [dʒə́ːrbəl] *n.* 【동물】 게르빌루스쥐.

gérbil tùbe 《미구어》 양쪽 측면과 위를 가린 육교.

ger·en·to·crat·ic [dʒèrəntəkrǽtik] *a.* 관리[경영]자 지배의; 지배자적인, 지배 관리 체제의.

ger·e·nuk [gérənùk] *n.* 【동물】 게레눅《동아프리카산의 목이 긴 영양》.

ger·fal·con [dʒə́ːrfɔ̀ːlkən] *n.* 【조류】 송골매의 일종《아이슬란드 등의》.

ger·i·at·ric [dʒèriǽtrik] *a.* 노인병[과]의: ~ medicine 노인 의학. — *n.* 노인; 노인병 환자.

ger·i·a·tri·cian, -i·at·rist [dʒèriətríʃən], [-iǽtrist] *n.* 노인병학자, 노인병 전문 의사.

gèr·i·át·rics *n. pl.* 《단수취급》 노인병학[과]. cf gerontology.

ger·i·at·ry [dʒèriǽtri] *n.* Ⓤ 노인병학, 노인병 치료법.

Gér·i·tol generàtion [dʒéritl-] 노인층《Geritol은 노인용의 강장약 이름》.

ger·kin [gə́ːrkin] *n.* =GHERKIN.

*__germ__ [dʒəːrm] *n.* **1** 미생물, 병원균, 세균, 병균: a ~ disease 세균병 / a ~ carrier 보균자. **2** (the ~) 《비유》 (사물의) 싹틈, 조짐; 기원, 근원《*of*》: the ~ *of* an idea 어떤 생각의 싹틈. **3** 【생물】 유아(幼芽), 배종(胚種); 생식 세포(~ cell). ***be in*** ~ 싹트는 중이다; 아직 발달을 못 보고 있다. — *vt., vi.* 《비유》 싹트다, 움트다, 발생하다.

Germ. German; Germany.

__Ger·man__ [dʒə́ːrmən] *a.* **1 독일의; 독일풍[식]의; 독일 사람의; 독일어의. **2** 게르만 민족의; 게르만어의. — (*pl.* **~s**) *n.* **1** 독일 사람. **2** Ⓤ 독일어. cf High [Low] German. **3** (g-) 《미》 저먼 무용, 저먼 무도회.

ger·man *a.* **1** 부모[조부모]가 같은: a brother-[sister-]~ 친형제[자매] / a cousin-~ 사촌(firstcousin). **2** 《고어》 =GERMANE.

Gérman-Américan *n., a.* 독일계 미국인(의).

Gérman bánd 《미》 가두 밴드[악대].

Gérman Democrátic Repúblic (the ~) 독일 민주 공화국《동독(East Germany)의 정식 명칭; 1990 년 10 월 3 일 서독에 통합되어 소멸》.

ger·man·der [dʒə(ː)rmǽndər] *n.* 【식물】 개곽향속(屬)의 식물; 개불알꽃.

ger·mane [dʒə(ː)rméin] *a.* 밀접한 관계가 있는; 적절한(pertinent) 《*to*》; 《폐어》 근친의, 혈연 관계가 가까운. ㊀ **~·ly** *ad.* **~·ness** *n.*

Ger·man·ic [dʒə(ː)rmǽnik] *a.* 독일의; 튜턴[게르만] 민족의; 튜턴[게르만]어의; 게르만적인. — *n.* Ⓤ 게르만[튜턴]어. cf East [North, West] Germanic.

Gér·man·ìsm *n.* Ⓤ 독일 정신, 독일인 기질, 독일적 관습; 독일 편들기; 독일풍; 독일주의; Ⓒ 독일 사투리[어법]. ㊀ **-ist** *n.* 독일주의자; 독일어[문학, 문화] 연구자[학자].

Ger·man·i·ty [dʒə(ː)rmǽnəti] *n.* Ⓤ 독일풍[기질], 독일 정신.

ger·ma·ni·um [dʒə(ː)rméiniəm] *n.* Ⓤ 【화학】 게르마늄《희금속 원소; 기호 Ge; 번호 32》.

Gèr·man·i·zá·tion *n.* Ⓤ 독일화(化); 독일어역(譯).

Ger·man·ize [dʒə́ːrmənàiz] *vt., vi.* 독일풍으로 하다; 독일화하다; 독일식 방법을 쓰다; 《고어》 독일어로 번역하다.

Gérman méasles 풍진(風疹)(rubella).

Ger·man·o- [dʒə(ː)rmǽnou, -nə] '독일 (사람)'의 뜻의 결합사.

Gérman Ócean (the ~) 게르만 해《North Sea 의 옛이름》.

Ger·ma·no·ma·nia [dʒə̀(ː)rmənəméiniə, -njə] *n.* Ⓤ 독일열[광, 심취].

Ger·man·o·phil, -phile [dʒə(ː)rmǽnəfil, -fàil] *n.* 독일을 좋아하는 사람; 독일 숭배자, 친독자(親獨者).

Ger·man·o·phobe [dʒə(ː)rmǽnəfòub] *n.* 독일 공포자, 배독(排獨)주의자.

Ger·man·o·pho·bia [dʒə(ː)rmæ̀nəfóubiə] *n.* Ⓤ 독일 혐오[공포증].

Gérman sáusage (향료를 넣은) 대형 소시지의 일종.

Gérman shépherd (dòg) (독일종) 셰퍼드《경찰견, 군용견, 맹도견》.

Gérman sílver 양은《니켈·아연·구리의 합금》.

Gérman téxt 〖인쇄〗 게르만체〔장식〕 문자.
Gérman wírehaired póinter 저먼 와이어헤어드 포인터《독일 원산인 털이 센 사냥개》.
‡Ger·ma·ny [dʒə́ːrməni] *n.* 독일《1990 년 10 월 3 일 0 시를 기해, 45 년간의 동서 분단 끝에 재통일을 이룩함: 공식 명칭 the Federal Republic of Germany 독일 연방 공화국》. cf. East Germany, West Germany.
gérm bòmb 세균탄〔폭탄〕.
gérm cèll 〖생물〗 생식 세포, 배종(胚種) 세포; 〖축산〗 성(性)세포.
ger·men [dʒə́ːrmən] (*pl.* **~s, -mi·na** [-mənə]) *n.* 〖생물〗 생식선(腺)(gonad), 생식질(質); 《고어》 =GERM.
gérm·frèe *a.* 무균의.
ger·mi·cid·al [dʒə̀ːrməsáidl] *a.* 살균(성)의, 살균력이 있는.
ger·mi·cide [dʒə́ːrməsàid] *n.* U,C 살균제. ― *a.* 살균력이 있는.
ger·mi·cul·ture [dʒə́ːrməkʌ̀ltʃər] *n.* U 세균 배양.
ger·mi·na·bil·i·ty [dʒə̀ːrmənəbíləti] *n.* 발아력(發芽力).
ger·mi·nal [dʒə́ːrmənl] *a.* 새싹의, 배종(胚種)의, 씨방의; 《비유》 원시〔근원〕의, 초기의. ㊎ **~·ly** *ad.*
gérminal dísc 〔**dísk**〕 배반(胚盤).
gérminal vésicle 배종, 배포(胚胞), 배란핵(胚卵核).
ger·mi·nant [dʒə́ːrmənənt] *a.* 싹트는, 자라기 시작하는; 성장력 있는; 발단〔초기〕의. ㊎ **-nan·cy** *n.*
ger·mi·nate [dʒə́ːrmənèit] *vi.* 싹트다, 발아하다; 자라기 시작하다, 커지다; (생각·감정 등이) 생겨나다. ― *vt.* 싹트게 하다; 발달〔발생, 발육〕시키다; (생각 따위를) 생기게 하다. ㊎ **gèr·mi·ná·tion** *n.* U 발아, 맹아(萌芽); 발생. **ger·mi·na·tive** [dʒə́ːrmənèitiv, -nət-] *a.* 싹트는, 싹틀 힘이 있는, 발생〔발육〕력이 있는.
ger·mi·na·tor [dʒə́ːrmənèitər] *n.* 발아물(物), 발아시키는 사람; 발아력 시험기(器).
gérm làyer 〖생물〗 배엽(胚葉).
gérm·less *a.* 무균의, 균 없는.
gérm lìne 〖생물〗 생식 계열.
gérm·line insèrtion 〖생물공학〗 생식 세포 삽입《생물의 알이나 정자 세포 안에 클론화(化)한 유전자를 도입하는 기법》.
gérm plàsm 〔**plàsma**〕 〖생물〗 생식질(生殖質).
gérm·pròof *a.* 내균성의.
gérm thèory **1** 〖생물〗 배종설(胚種說)《생명은 어떤 종류의 배종에서 발달했다는》. cf. biogenesis. **2** 〖의학〗 매균설(媒菌說)《전염병은 세균이나 미생물에 의해 매개된다는》.
gérm wárfare 세균전(germ campaign).
germy [dʒə́ːrmi] (***germ·i·er; -i·est***) *a.* 《구어》 세균이 가득한, 세균이 묻은.
ger·o·don·tics [dʒèrədántiks/-dɔ́n-] *n. pl.* 〖단수취급〗 노인 치과학. ㊎ **-tic** *a.*
Ge·ron·i·mo [dʒəránəmòu/-rɔ́n-] *n.* **1** 제로니모《Apache족 인디언 추장; 1829-1909》. **2** 〖감탄사적〗 얏《낙하산병이 강하 때 외치는 소리》; 해냈어! ***do*** one's **~** (비행기에서) 낙하산 강하하다.
ge·ront- [dʒiránt, dʒə-/-rɔ́nt], **ge·ront·o-** [-tou, -tə] '노인, 노령'의 뜻의 결합사.
ge·ron·tic [dʒərántik/-rɔ́n-] *a.* 〖생리〗 노령의, 노쇠한.
ger·on·toc·ra·cy [dʒèrəntákrəsi/-tɔ́k-] *n.* U,C 노인〔장로〕 정치, 노인〔장로〕 정부. ㊎ **ge·ron·to·crat** [dʒərántəkræ̀t/-rɔ́n-] *n.* **ge·ròn·to·crát·ic** *a.*
ger·on·tol·o·gy [dʒèrəntálədʒi/-tɔ́l-] *n.* U 노인(병)학, 노년〔장수〕학. cf. geriatrics. ㊎ **-gist** *n.* **-to·log·ic, -i·cal** [-təládʒik/-lɔ́dʒ-], [-əl] *a.*
gerònto·mórphic *a.* 〖생물〗 성체(成體) 진화의, (수컷의) 성체기에 나타나는《형질》.
gerònto·mórphosis *n.* 〖생물〗 성체(成體) 진화《종의 진화적 분화로 더 이상의 적응 능력을 잃고 절멸하게 되는 현상; 공룡의 예 따위》.
ge·ron·to·phil·ia [dʒəràntəfíliə/-rɔ̀n-] *n.* 〖정신의학〗 노인(성)애《노인만을 성애의 대상으로 하는》.
ge·ron·to·pho·bia [dʒəràntəfóubiə/-rɔ̀n-] *n.* 노령〔노인〕 공포〔혐오〕.
-ger·ous [dʒərəs] '생기는, 가지는'이라는 뜻의 결합사: denti*gerous*.
ger·o·vi·tal [dʒèrəváitl] *n.* 〖약학〗 노화 방지약.
Ger·ry [géri] *n.* 게리《남자〔여자〕 이름》.
ger·ry·man·der [dʒérimæ̀ndər, gér-/dʒér-] *vt.* 《미》 (선거구를) 자기 당에 유리하게 고치다; 부정(不正)을 하다, 속이다. ― *n.* (당리를 위한) 선거구 개편, 게리맨더; 속임수. ㊎ **~·er** *n.*
Gersh·win [gə́ːrʃwin] *n.* 거슈윈. **1 George ~** 미국의 작곡가(1898-1937). **2 Ira ~** 미국의 작사가, 1의 형(1896-1983).
Gert [gəːrt] *n.* 거트《여자 이름; Gertrude의 애칭》.
Ger·trude [gə́ːrtruːd] *n.* 거트루드《여자 이름》.
ger·trude *n.* 어린이용의 슬립《무명제(製); 두 어깨 부분을 단추로 채움》.
***ger·und** [dʒérənd] *n.* 〖문법〗 동명사《명사적 성질을 띤 동사 변화형의 일종: *Seeing* is *believing.*》. cf. verbal noun. ⇨《부록》 GERUND.
gérund-grìnder *n.* 《고어》 학자연하는 라틴 문법 선생.
ge·run·di·al [dʒərʌ́ndiəl] *a.* gerund의.
ge·run·dive [dʒərʌ́ndiv] *a.* gerund의. ― *n.* 〖라틴문법〗 동사상(動詞狀) 형용사. ㊎ **-di·val** [dʒèrəndáivəl] *a.* **~·ly** *ad.*
ge·sell·schaft [gəzélʃàːft] (*pl.* **~s, -schaf·ten** [-tən]) *n.* 《G.》 (종종 G-) 회사; 이익사회; 한패《생략: Ges.》. cf. gemeinschaft.
ge·shrey [gəʃréi] *n.* 새된 소리, 비명, 외침소리; 훤소(喧騷), 떠드는 소리.
GESP general ESP(일반 초감각 지각).
ges·so [dʒésou] (*pl.* **~es**) *n.* 《It.》 U (그림·조각용의) 석고(가루); C (그림·조각용의) 석고 바탕.
ge·stalt [gəʃtáːlt] (*pl.* **-stal·ten** [-tən], **~s**) *n.* 《G.》 (때로 G-) 〖심리〗 게슈탈트, 형태《지각(知覺)의 대상을 형성하는 통일적 구조》.
ge·stált·ist *n.* (종종 G-) 게슈탈트 심리학 전문가.
Gestált psychólogy 게슈탈트〔형태〕 심리학.
Gestált thèrapy 게슈탈트 심리 요법《게슈탈트 심리학을 응용한 정신 치료법》.
Ge·sta·po [gəstáːpou/ge-] *n.* 《G.》 게슈타포《나치스 독일의 국가 비밀경찰》; 비밀경찰.
ges·tate [dʒésteit] *vt.* 임신하다; 창안(創案)하다. ― *vi.* (계획 등이) 차차 성장하다. ㊎ **ges·ta·tion** [dʒestéiʃən] *n.* U 임신 (기간); (계획 등의) 창안, 그 기간.
gest(e) [dʒest] 《고어》 *n.* 설화시(詩); 이야기; 모험, 무용, 공훈.
ges·tic [dʒéstik] *a.* (특히 댄스의) 몸놀림의〔에 관한〕.
ges·tic·u·lant [dʒestíkjələnt] *a.* (사람이) 몸짓〔손짓〕을 사용하는: a ~ speaker 몸짓을 섞어 가며 얘기하는 사람.
ges·tic·u·late [dʒestíkjəlèit] *vi., vt.* 손짓〔몸짓〕으로 이야기〔표시〕하다; 빈번히 제스처를 섞다. ㊎ **ges·tíc·u·là·tive** [-lèitiv, -lət-] *a.* 몸짓〔손짓〕으로 말하는, 몸짓이 풍부한. **-là·tor** [-ər] *n.* 몸짓〔손짓〕으로 말〔표현〕하는 사람. **ges·tíc·u·la·tò·ry** [-tɔ̀ːri/-təri] *a.* 몸짓〔손짓〕의〔이 많은〕.

ges·tìc·u·lá·tion *n.* Ⓤ (흥분한 듯한) 몸짓, 손짓; 몸짓〔손짓〕으로 말하기. ㊥ **ges·tíc·u·lar** *a.*

ges·to·sis [dʒestóusis] (*pl.* **-ses** [-siːz]) *n.* 『의학』 임신중독(증).

*__ges·ture__ [dʒéstʃər] *n.* **1** Ⓒ 몸짓, 손짓, 얼굴의 표정; (연극·연설 등에서) 동작, 제스처; Ⓤ 몸짓〔손짓〕하는 일. **2** Ⓒ 태도, 거동; (형식적인) 의사 표시, 선전 (행위): a ~ *of* sympathy 동정의 의사 표시/a diplomatic ~ 외교 사령(辭令). ***fine*** ~ 아량, 관용. **—** *vi.* 손짓〔몸짓〕을 하다; 손짓〔몸짓〕으로 신호하다《*to; for*》: He ~*d* (*to* the waiter) *for* another drink. 그는 (웨이터에게) 한 잔 더 달라고 손짓했다. **—** *vt.* …을 손짓〔몸짓〕으로 나타내다: ~ one's approval 몸짓으로 찬성을 나타내다. ㊥ **~·less** *a.* **gés·tur·al** *a.*

ge·sund·heit [gəzúnthait] *int.* 《G.》 (건배에서) 건강을 축하하며; (남이 재채기를 했을 때) 몸조심하세요.

†**get**[1] [get] (**got** [gɑt/gɔt], 《고어》 **gat** [gæt]; **got, got·ten** [gátn/gɔ́tn]; **gét·ting**) *vt.* **1 a** 얻다, 입수하다, 획득하다(obtain); 사다; 받다, 타다(gain, win); 벌다(earn); 예약하다; (신문·잡지 등을) 정기 구독하다: John will ~ the prize. 존은 상을 탈 것이다/Where can I ~ information about it? 어디를 가면 그것에 관한 정보〔자료〕를 얻을 수 있을까/You can ~ it at a modest price. 그것은 싸게 살 수 있다. **b** 《+목+목/+목+전+명》 …에게 (물건)을 사서 〔손에 넣어〕 주다: She *got* me a camera. = She *got* a camera *for* me.

> SYN. **get** '손에 넣다'의 일반적인 말로 입수하려는 의욕이나 노력의 유무에 관계없음. **obtain** 바라던 것을 노력하여 손에 넣는 경우. **acquire** 지력·재능 따위를 작용시키거나 또는 부단한 노력에 의해 서서히 손에 넣는 경우. **secure** 얻기 어려운 것을 경쟁 따위로 확실히 손에 넣는 경우. **earn** 노력해 손에 넣는 경우.

2 《~+목/+목+전+명》 (선물·편지·돈·허가 등을) 받다(receive), 갖게 되다: ~ permission 허가를 얻다/~ a letter *from* …로부터 편지를 받다. **3** (물고기·사람 등을) 잡다, 붙들다; (작물을) 수확하다; (열차·버스 등) 시간에 대다, 타다: I just *got* the train. 겨우 그 열차에 대어 갔다. **4** 《구어》 압도하다; 해치우다, (논쟁 등에서) 이기다; 죽이다; 보복〔복수〕하다; 『야구』 아웃시키다: Now I've *got* you. 어때 손들었지/Frost *got* our crop. 서리에 작물이 결딴났다. **5** 《~+목/+목+목/+목+전+명》 (TV·라디오·무선 등을) 수신하다; (전화로) …와 연락하다, 연결하다: We can ~ 7 TV channels. TV로 7 개 채널을 수상할 수 있다/*Get* me room 365, please. 365 호실로 연결해 주십시오/I'll ~ him *on* the phone. 그에게 전화로 연락을 할게. **6** (타격·위해 등을) 입다, …을 당하다; (병에) 걸리다; 열중하다; (벌을) 받다: ~ twenty years in jail. 20 년 금고형(刑)을 받다/He *got* a bad fall. 그는 심하게 넘어졌다/The children *got* the measles. 아이들이 홍역에 걸렸다. **7** 《~+목/+목+전+명》 《구어》 (타격·탄알 등이) …에 미치다〔맞다〕, …을 맞히다(hit): I *got* the bird first shot. 한 방으로 새를 맞혔다《first shot은 at the first shot이란 뜻》/The blow *got* him *in* the mouth. 그는 입을 강타당했다. **8** 《구어》 **a** 곤란하게 하다, 두 손 들게 하다(puzzle), 성나게 하다; (망상 등이) …에 들붙다: This problem really *got* me. 이 문제에는 정말 손들었다/What's ~*ting* you? 무얼 안달하고 있나. **b** 감동시키다, 흥분시키다, 매혹하다: Her pleas *got* me. 그녀의 호소에 마음이 움직였다. **9** 《~+목/+목+보》 《구어》 알아듣다; 이해하다(understand); 익히다, 배우다; (버릇이) 들다; 《미속어》 …을 깨닫다: I can't ~ you. 무슨 말씀인지 잘 모르겠습니다/Don't ~ me wrong. 나를 오해하지 마시오/Have you *got* your grammar lesson perfectly? 문법은 완전히 익혔느냐. **10** 《미》 (식사를) 준비하다(prepare); 《영구어》 (식사 등을) 먹다: I'll help you (to) ~ dinner. 식사 준비를 돕겠습니다/We will ~ lunch at the inn. 그 여인숙에서 점심을 먹도록 하자. **11** 《~+목/+목+전+명》 가서 가져오다(fetch): I'll ~ my hat. 모자를 가져오겠다/Would you ~ a bottle of beer *from* a refrigerator for me? 냉장고에서 맥주 한 병 갖다 주시겠어요. **12** 《+목+목》 가져다주다, 집어 주다: *Get* me that book. 저 책 좀 집어 다오/I'll ~ you a highball. 하이볼을 가져오도록 하겠네. **13** 《+목+전+명/+목+부》 (…을 어떤 장소·위치로) 가져가다, 나르다, 데리고 가다, (어떤 장소에) 두다: ~ a dog *out of* a room 개를 방에서 데리고 나가다/~ a picture *down* 그림을 내리다/This car will ~ me anywhere I want to go. 이 차라면 가고 싶은 곳은 어디에나 갈 수 있을것이다. **14** 《고어》 (수컷이 새끼를) 얻다(beget). **15** 《+목+-*ing*/+목+보》 …하기 시작하게 하다; …의 상태로 하다: We *got* the clock go*ing*. 우리는 시계를 가게 했다/~ everything ready 만반의 준비를 갖추다/~ one's hands dirty 손을 더럽히다. **16** 《+목+*to* do》 …시키다〔하게 하다〕(cause), …하도록 설득하다(persuade); 권하여 …하게 하다(induce): I *got* him *to* prepare for our journey. 그에게 우리의 여행 준비를 시켰다/I can't ~ this door *to* shut properly. 이 문은 잘 닫히지 않는다. **17** 《+목+*done*》 **a** …시키다, …하게 하다: Where can I ~ it *repaired*? 어디서 수리할 수 있을까/I must ~ my hair *cut*. 이발을 해야겠다. **b** …당하다: We *got* our roof *blown* off in the gale. 강풍에 지붕이 날아갔다. **c** 《주로 미》 …해치우다: I'll ~ the work *finished* by noon. 정오까지 일을 해치울 작정이다. **18** 〔have got〕 《구어》 **a** 가지고 있다(have): I'*ve got* plenty of time. 시간은 많이 있다. **b** 〔have got to〕 …하지 않으면 안 되다(have to): We'*ve got to* dismiss her. 그녀를 해고하지 않으면 안 된다. cf. have. ★ '…하지 않으면 안 된다'는 대체로 have to, have got to, must, be obliged to, be compelled to, be forced to로 점차 강의적이 됨.

— *vi.* **1** 《+보/+*done*》 …이 되다《변화·추이》; …되다《수동》: He is ~*ting* old. 그는 늙어 가고 있다/I *got* anxious. 걱정이 되었다/We *got married* over thirty years ago. 우리는 결혼한 지 30 년이 넘는다/I *got caught* in the rain. 비를 만났다/They *got* hurt. 그들은 부상당했다. SYN. ⇨ BECOME. **2** 《+*to* do》 …하게 되다; 겨우 …할 수 있다, 그럭저럭 …하다(manage): I *got to* know her. 그녀를 알게 되었다/He *got to* be popular with the family. 그는 가족들의 인기를 모으게 되었다/I *got to* come. 겨우 오게 되었다. **3** 《+-*ing*》 …하기 시작하다: Let's ~ go*ing*. 슬슬 가 보자/The business *got* pay*ing*. 사업의 수지가 맞기 시작했다. **4** 《+전+명/+부》 (어떤 장소·지위·상태에) 이르다〔닿다〕, 도착하다, 오다, 가다; 〔it을 주어로〕 (어느 시각·시기가) 되다《*to*》: ~ *within* range of …

의 사정 내에 들다/The train ~*s in* at noon. 기차는 정오에 도착한다/*It got to* 3 o'clock. 3시가 되었다. ★ 이 용법은 많은 숙어적 연어(連語)를 만듦. **5** 《구어》〖종종 [git]로 발음〗지체없이 가버리다(scram): He drew his gun and told us to ~. 총을 빼들고 썩 꺼지라고 했다/You ~! 썩 나가라.

~ *about* ① 돌아다니다, 여행하다, 여기저기 전근하다: He ~*s about* a good deal. 그는 여행을 많이 한다/A car makes it easier to ~ *about*. 차가 있으면 돌아다니기가 편하다. ② (병자 등이) 기동할 수 있게 되다: He is ~*ting about* again. 그는 병이 나아서 일상생활로 돌아갔다. ③ 퍼지다, 유행하다: How did the story of her marriage ~ *about*? 어떻게 그녀의 결혼 풍문이 퍼지게 되었는가. ④ (회합 등) 여기저기에 얼굴을 내밀다. ⑤ 일에 힘을 쏟다. **~ *above* one*self*** 우쭐하다, 자만하다. **~ *abreast of*** …와 어깨를 나란히 하다, …에 정통하다. **~ *abroad*** ⇨ ABROAD. **~ *across*** 《*vi.*+전》 ① (강·길 등을) 건너다, (국경을) 넘다. ② 《영구어》 (사람을) 짜증나게 하다, 골나게 하다, 괴롭히다. ━《*vi.*+부》 ③ 건너다, 가로지르다《*to*》. ④ (말·의미·생각 등이) 통하다, 이해되다; (연극 등이) 성공하다: Her new song has failed to ~ *across*. 그녀의 신곡은 성공하지 못했다. ━《*vt.*+전》 ⑤ …을 건네다, …의 저편으로 나르다: ~ an army *across* a river 군대가 강을 건너가게 하다. ━《*vt.*+부》 ⑥ …을 이해시키다, 알게 하다; (연극 등을) 성공시키다: ~ a play *across*. **~ *after*** …을 좇다, 추적하다; 《구어》…을 꾸짖다, 나무라다; 졸라대다《*to* do》. **~ *against*** 《속어》 …에 반대하다. **~ *ahead*** ⇨ AHEAD. **~ *ahead of*** ⇨ AHEAD. **~ *along*** ① 살아가다, 해 나가다: We can't ~ *along* without money. 돈이 없이는 살아갈 수 없다. ② 진척하다, (일 따위를) 진행시키다《*with* a task》: How are you ~*ting along with* your French? 프랑스어 공부는 잘 되어 가고 있나. ③ 사이좋게 해 나가다, 좋은 관계에 있다《*with*》: How is he ~*ting along with* his wife? 그는 부인과의 사이가 어떤가. ④ (때가) 지나다, 늦어지다; 노경에 다가서다: He's ~*ting along* (in years). ⑤ 《구어》 가다, 떠나다: It's time for me to be ~*ting along*. 이젠 가봐야겠습니다. ⑥ …을 먼저 가게 하다;(물건)을 보내다, 가져〔데려〕가다〔오다〕《*to*》. **~ *along well*** 〔***badly***〕 협조하다〔하지 않다〕, 마음이 맞다〔맞지 않다〕. ***Get along*** 〔***away***〕 (***with you***)***!*** 《구어》 가 버려, 꺼져; 허튼소리 하지 마라. **~ *among*** (***thieves***) (도둑)의 패에 들다. **~ *anywhere*** ⇨ ANYWHERE. **~ *around*** 《*vi.*+부》 ① =~ about 1-4. ② (장애물을 피하여) 에둘러가다; …을 방문하다《*to*》. ③ (겨우) 착수하다, (…할) 여유가 나다《*to; to* do*ing*》: I have been so busy I have not *got around* to it. 너무 바빠서 거기까지 손을 대지 못했다. ④ (경주에서) 코스(등)을 완주하다. ⑤ …을 돌다, 이동하다; (소문 등이) 돌아다니다. ━《*vi.*+전》 ⑥ (장애·곤란 등을) 피하다, 헤쳐나가다, (법 등의) 빠질 구멍을 찾아내다; (아무의) 의표를 찌르다: ~ *around* the enemy 적의 의표를 찌르다. ⑦ …을 앞지르다. ⑧ (…에게) 잘 빌붙다; (아무를) 설복시켜 (…)하게 하다《*to* do》. ━《*vt.*+부》 ⑨ (아무의) 생각을 (…로) 바꾸다, 납득시키다《*to*》: I will ~ him *around to* my way of thinking. 그를 내 생각에 찬성토록 해보겠다. ⑩ 제정신 들게 하다. ⑪ (아무를) 여기저기 돌게 하다; (아무를) (…방문하기 위해) 집으로 데리고 가다〔오다〕. **~ *around to*** …할 기회〔여유〕가 생기다. **~ *at*** ① (어느 지점)에 닿다, 도달하다. ② …에 미치다, …을 붙잡다, …을 손에 넣다: stretch in order to ~ *at* a top shelf 맨 윗선반에 닿도록 손을 뻗다. ③ …을 알아내다〔파악하다〕; 이해하다; 알다, 확인하다, 분명히 하다: ~ *at* the root of a problem 문제의 핵심을 파악하다. ④ 〖진행형〗…을 암시하다, 뜻하다(imply): What is he ~*ting at*? 그는 뭘 말하고 싶은 건가. ⑤ 《구어》〖종종 수동태〗…을 매수하다; (경주말 등)에 부정 수단을 쓰다: One of the jury had *been got at*. 배심원의 한 사람이 매수돼 있었다. ⑥ 《구어》 …을 공격하다, …에게 불평하다, …을 놀리다. ⑦ (일 따위)에 정진하다, 착수하다. **~ *away*** 《*vi.*+부》 ① 떠나다, 떨어지다; 면하다《*from*》; (여행 따위에) 출발하다: ~ *away* (*from* work) at five 5시에 (회사를) 나오다/One of the prisoners *got away*. 죄수 하나가 달아났다. ②〖보통 부정문〗(사실 등에서) 벗어나다, (…을) 피하다; (…을) 인정하지 않다: ~ *away* from the noise of the city 도시의 소음에서 벗어나다. ③ (경주에서) 스타트 하다. ━《*vt.*+부》 ④ 떼어내다, 제거하다《*from*》; 빼앗다, 되돌리다《*from*》; 보내다, 내어보내다: You can't ~ it *away* because it's nailed. 못질이 돼 있어 떼어 낼 수가 없다/~ a person *away* to the country 아무를 시골로 내려보내다. **~ *away from it all*** 《구어》 도시 생활의 혼잡을 피해 휴가를 얻다. **~ *away with*** ① …을 가지고 달아나다. ② …을 잘 해내다; 벌받지 않고 해내다; (가벼운 벌)로 때우다: You can't cheat him and ~ *away with* it. 그 녀석을 속여 낸다는 것은 무리야. ③ …을 마시다〔먹다〕. **~ *back*** 《*vi.*+부》 ① 돌아오〔가〕다; (일·화제 따위로) 돌아가다《*to*》. ②〖종종 명령문〗뒤로 물러나다: ~ *back to* the original question 처음 문제로 돌아가다. ③ 나중에 연락하다《*to*》: ━《*vt.*+부》 ④ 되돌리다, 돌려보내다; 되찾다: ~ a person *back* home 아무를 집으로 데려다 주다/I didn't ~ the money *back*. 그 돈은 돌아오지 않았다. **~ *back at*** 〔***on***〕 …에 대갚음을 하다, 보복하다. **~ *behind*** 《*vi.*+부》 ① (일·공부 등에서) 뒤지다; (지불이) 늦어지다: During my illness I *got behind* in my school work. 병을 앓고 있는 동안에 학교 공부가 뒤졌다. ② 물건 뒤에 숨다. ━《*vi.*+전》 ③ 《미》 …을 지지〔후원〕하다: If we all ~ *behind* him, he will win the election. 만일 우리 모두가 그를 지지하면 그는 선거에 이길 것이다. ④ …을 해명하다. ⑤ …의 뒤로 돌다. ⑥ 《미속어》 …에 취하다, 즐기다. **~ *by*** 《*vi.*+부》 ① (…의 곁을) 지나가다, 빠져나가다: Please let me ~ *by*. 좀 통과시켜 주세요. ② 《구어》 그럭저럭〔어떻게〕 헤어나다〔빠져나가다〕: I can't ~ *by* on such a limited income. 이런 적은 수입으로는 도무지 꾸려갈 수 없다. ③ (일 등의) 된 품이 그만그만하다, (검사 등을) 통과하다; (…이) 받아들여지다《*with*》; 용케 속이다〔…을 해내다〕《*with*》. ④ 백인으로 통하다. ━《*vi.*+전》 ⑤ …을 빠져나가다. ⑥ …의 눈을 피하다: He doesn't let a thing ~ *by* him. 그는 어떤 일도 놓치지 않는다. ━《*vt.*+부》 ⑦ (사람을) 통과시키다. ━《*vt.*+전》 ⑧ (사람에게) …을 통과시키다: ~ a person *by* a policeman 아무가 경관 옆을 (들키지 않고) 통과하게 하다. **~ *done with*** 《구어》 …을 마치다, 끝내다, 해버리다. **~ *down*** 《*vi.*+부》 ① (나무·열차·말·버스 등에서) 내리다《*from; off*》; (아이가) 식탁에서 물러나다. ② 몸을 굽히다, 무릎꿇다《*on* one's knees》. ③ 《미속어》 (내기에) 걸다; 《미속어》 (본격적으로) 하다, (솜씨 있는 것을) 하다: John, ~ *down off* the desk. 존, 책상에서 내려와. ④ 풀이 죽다. ━《*vi.*+전》 ⑤ …에서 내리다: ~ *down* a ladder 사다리에

서 내려오다. —《vt.+[부]》 ⑥ (…에서) 내리다; 넘어뜨리다: ~ the box *down* from the shelf 선반에서 상자를 내리다. ⑦ (비율을) 낮추다. ⑧ (겨우) 삼키다. ⑨ 베껴 쓰다. ⑩ 낙심〔실망〕시키다: The news will ~ him *down*. 이 뉴스는 그를 실망시킬 것이다. —《vt.+[전]》 ⑪ (…로) …에서 내리다《*to*》: *Get* the trunk *down* the stairs *to* the door. 그 트렁크를 층계에서 문간까지 내려 주시오. **~ down on** …에 적의를 품다; 《미속어》…을 꾸짖다; ⇨GO down on. **~ down to** …에 내리다; 차분히 …에 착수하다; …까지 추궁하다: Now, let's ~ *down to* work. 자, 일에 착수하자 / have *got* … *down to* a fine art ⇨ART[1]. **~ down with** …을 끝내다, …해버리다. **~ even with** ⇨EVEN. **~ far** ① 멀리까지 가다; 진보하다, 성공하다: ~ *far* in life 출세하다. ② 진행하다. **~ forward** 나가다; 진보하다. **~ going** 《미구어》 출발하다; 착수하다; 서두르다; 《구어》 자극하다, 골나게 하다. **~ his** 〔**hers**〕 벌을 받다. **~ home** ① 집에 닿다, 집으로 돌아가다. ② 집으로 다시 데려다주다〔돌아가게 하다〕: He's drunk; we'd better call a taxi and ~ him *home*. 그 사람 곤드레가 되었으니 택시를 불러 집에까지 바래다 주는 편이 낫겠다. ③ (골 등에) 일착으로 들어가다; 겨냥이 들어맞다, 적중하다; 용케 해치우다; (아무의) 급소를 찌르다《*on*》; 충분히 이해되다〔시키다〕《*to*》. **~ in** 《*vi.*+[부]》 ① (…에) 들어가다; 끼어들다: The burglar *got in* through the window. 강도가 창문으로 침입했다. ② (탈것에) 타다. ③ (열차·배·비행기 등이) 들어오다, 도착하다; (집·회사에) 당도하다. ④ 선출되다, 당선되다. ⑤ (시험에 붙어) 입학하다, 입회하다. ⑥ (…와) 친해지다《*with*》: ~ *in with* a bad crowd 나쁜 사람들과 어울리다. ⑦ (활동·여행 등에) 참여하다《*on*》: ~ *in on* a discussion 토론에 참가하다. —《*vi.*+[전]》 ⑧ …(의 안)으로 들어가다: ~ *in* a car 차 안으로 들어가다. —《*vt.*+[부]》 ⑨ 넣다, (차에) 태우다, 가지고 들어가다. ⑩ (세탁물·작물 등을) 거둬들이다; (자금·기부금·대출금·세금을) 거두다. ⑪ (말을) 끼워넣다: May I ~ a word *in?* 한 말씀해도 좋겠습니까. ⑫ (팔 상품을) 사들이다. ⑬ (의사·수리공 등을) 부르다: ~ a doctor *in* 의사를 부르다. ⑭ (씨를) 뿌리다. ⑮ (타격을) 가하다; (말로) 공격하다, 되받아치다. ⑯ (서류 따위를) 제출하다. ⑰ 당선시키다; 입학시키다; (일에) 참가시키다《*on*》; (…을) 끌어넣다. ⑱ (…와) 친해지게 하다. —《*vt.*+[전]》 ⑲ …에 넣다: He *got* a splinter *in* his foot. 그는 발을 가시에 찔렸다. **~ in on** …에 참여〔참가〕하다; 얻〔잡〕다: This is your chance to ~ *in on* a good thing and make a fortune. 멋진 사업에 참여하여 한밑천 잡을 기회다. **~ into** 《*vi.*+[전]》 ① …에 들어가다, …를 타다: ~ *into* a bus 버스를 타다. ② (배·열차 등이) …에 도착하다. ③ …에 입학하다; (일)에 종사하다; 당선되어 의회에 들어가다: ~ *into* a good company 좋은 회사에 입사하다. ④ 《구어》〖보통 완료형〗 (…의) 마음을 사로잡다. ★ 종종 what을 주어로 괴상한 행동에 대해 씀. ¶ What's *got into* you all of a sudden? 대체 갑자기 왜 그러는 거야. ⑤ …동아리에 끼다. ⑥ (옷을) 입다, (신)을 신다: ~ *into* one's dress 드레스를 입다. ⑦ (…이) 어떤 상태로 되다, (나쁜 버릇이) 붙다; …에 말려들다: ~ *into* a rage 성을 내다 / ~ *into* bad habits 나쁜 버릇에 물들다. ⑧ …의 진상을 알다. ⑨ (방법 따위를) 습득하다, 익히다, …에 익숙해지다, …에 흥미를 갖다; 《구어》…을 즐기다. ⑩ (술이) 오르다; 《속어》 성교하다. —《*vt.*+[전]》 ⑪ …에 넣다, …에 태우다: He *got* me *into* the movie for free. 그는 나를 공짜로 영화관에 들여보냈다. ⑫ …에 도착시키다: The bus *got* us *into* London at noon. 그 버스는 정오에 런던에 도착했다. ⑬ (억지로)(…에게) 옷을 입게 하다: ~ one's child *into* a new suit 아이에게 새 옷을 입히다. ⑭ (사람을 나쁜 상태)에 빠뜨리다: ~ oneself *into* trouble 곤란한 입장이 되다. **~ in with** …와 친해지다, …와 사귀다: Don't ~ *in with* bad boys. 불량 소년들과 어울리지 마라. **~ it** 《구어》 벌을 받다, 꾸지람듣다; 《속어》 살해되다(be killed); 《구어》 이해하다, 알다; 답을 내다; 《속어》 성교하다: I've *got it!* 받았다, 알았다 / You've *got it!* 명답이야. **~ it** (**all**) **together** ⇨TOGETHER. **~ it off** 《미속어》 (보통 남자가) 오르가슴에 이르다, 사정하다. **~ it on** 《미속어》 성적으로 흥분하다, 성적 관계를 갖다; …에 매우 열심이다, …을 크게 즐기다; 시작하다. **~ it up** 《비어》 ① 발기시키다. ② 그럴 마음이 나다. **~ low** 《미학생속어》 마리화나를 피우다. **~ near** …에 가까워지다: We are ~*ting near* Christmas. 크리스마스가 다가오고 있다. **~ nowhere** =**not ~ anywhere** 효과〔성과, 진보〕가 없다, 아무 것도 안 되다, 잘 안 되다. **~ off** 《*vi.*+[부]》 ① 떠나다, 출발하다: We *got off* before daybreak. 우리는 날이 새기 전에 떠났다. ② …에서 내리다, 하차하다: *Get off* at the next station. 다음 정거장에 내리시오. ③ (…에서) 떨어지다. ④ (편지 따위가) 보내어지다. ⑤ (하루 일을) 마치다; (일에서) 해방되다; 쉬다; 퇴사하다; 조퇴하다. ⑥ 형벌〔불행〕을 면하다; (계약 등을) 면하다《*with*》. ⑦ 《속어》 (마약에) 취하다《*on*》; 오르가슴을 경험하다; (…에) 열중하다《*on*》. ⑧ 《영구어》 (이성과) 갑자기 친해지다《*with; for*》. —《*vi.*+[전]》 ⑨ (탈것)에서 내리다, (지붕·사다리)에서 내려오다: What station did you ~ *off* the subway at? 어느 역에서 지하철을 내렸습니까. ⑩ …에서 떨어지다, 들어가지 않다: *Get off* the grass. 잔디밭에 들어가지 마시오. ⑪ (화제 따위)에서 벗어나다, …을 그만두다: Let's ~ *off* that topic. 그 이야기는 그만둡시다. ⑫ (일)에서 떠나다: ~ *off* work early 일찍이 회사를 그만두다. —《*vt.*+[부]》 ⑬ (…을 …으로) 떠나보내다《*to*》: ~ one's children *off to* school 아이들을 학교로 떠나보내다. ⑭ (편지 따위를) 부치다: ~ a letter *off* by express 편지를 속달로 부치다. ⑮ (…에서) 떼어놓다; 벗다, 빼다: ~ one's overcoat 〔ring〕 *off* 외투를 벗다〔반지를 빼다〕. ⑯ (…에서 얼룩 등을) 제거하다; 팔아버리다, 처분하다; (딸을) 치우다. ⑰ 《미구어》 (농담 등을) 말하다, 표명하다. ⑱ …에게 형벌을 면하게 하다〔경감시키다〕《*with*》: His counsel *got* him *off* (*with* a fine). 그는 변호사의 수고로(벌금만으로) 방면되었다. ⑲ 잠들게 하다. —《*vt.*+[전]》 ⑳ …에서 떼내다; …에서 내리다: *Get* your hands *off* me. 내게서 손을 떼시오. ㉑ (승객 따위를) 하차시키다: ~ passengers *off* a bus 버스에서 승객을 하차시키다. ㉒ 《구어》 (…을) …에서 입수하다: I *got* this ticket *off* Bill. 이 표를 빌에게서 입수했다. **~ off** (**by heart**) 암송〔암기〕하다. **~ off easily** 편하게〔쉽게〕 지내다. **~ off for** …의 벌을 받다. **~ off to sleep** 잠들다〔잠들게 하다〕. **Get off** (**with you**)**!** 꺼져; 말도 안 돼, 집어치워. **~ on** 《*vi.*+[부]》 ① (탈것에) 타다: ~ *on* at Seoul 서울에서 타다.

NOTE **get on**과 **get in** 〔**into**〕: 큰 것(배·여객기·열차·전차·버스 따위)에는 *get on*, 몸을 굽히고 올라타야 할 승용차 따위에는 *get in* 〔*into*〕을 쓰는 경향이 있음.

② 진행되다, 진척하다; (일 따위를) 척척 진행시키다, (종종 중단 후에) 계속하다《*with* a task; *with* work*ing*》: ⇨ ~ on with(관용구). ③ 서두르다《*with* it》. ④ 성공하다, 잘〔이럭저럭〕 해나가다《*in*》: ~ *on in* business 〔the world, life〕 사업이 번창하다〔출세하다〕. ⑤ (어떻게) 살다, 지내다: How are you ~*ting on?* 어떻게 지내십니까. ⑥ (…와) 사이좋게 지내다, 마음이 맞다《*with*》: ⇨ ~ on with(관용구). ⑦ 〖진행형〗 (시간이) 가다; 늦어지다; 거의 되어가다; (사람이) 나이먹다: He *is* ~*ting on* in years. 그는 이제 지긋한 나이가 되었다 / It's ~*ting on* for 〔to, toward〕 midnight. 한밤중이 되어간다. ―《*vi.*+전》 ⑧ …(의 위)에 올라가다〔오르다〕: ~ *on* a roof 지붕에 올라가다. ⑨ (버스·열차·자전거)에 타다: ~ *on* the subway at the same station 같은 역에서 지하철을 타다. ―《*vt.*+부》 ⑩ (버스·열차 따위에) 태우다. ⑪ (옷 따위를) 몸에 걸치다, 입다, (신을) 신다, (뚜껑 따위를) 씌우다: ~ one's boots *on* 부츠를 신다 / ~ a lid *on* 뚜껑을 닫다. ⑫ (장작을) 지피다; (불을) 켜다. ⑬ (학생을) 향상시키다. ―《*vt.*+전》 ⑭ (…을) …에 태우다. **~ *on at*** …에 (귀찮게) 잔말하다. **~ *on for*** =~ on toward. **~ *on the ball*** 빈틈없이 하다, 주의깊게 하다. **~ *on to*** 〔***onto***〕 **...** 《*vi.*+전》 ① …(의 위)에 올라가다〔오르다〕, (자전거·버스·열차 등)에 타다〔태우다〕. ② (…의 부정을) 찾아내다, 깨닫다〔감지하다〕. ③ 《영》 …에게 (전화 따위로) 연락하다. ④ …에게 요구하다, 잔소리하다《*about; to* do》; 나무라다; (화제·행동·일 따위)에 착수하다. ⑤ …에 당선되다, 임명되다. ―《*vt.*+전》 ⑥ …에 태우다, 싣다. ⑦ …에 착수하게 하다. **~ *on toward*** 〔《영》 ***for***〕 ***...*** 〖진행형〗 (나이·시간 따위가) …에 다가가다. **~ *on with*** ① …을 진척시키다: How is he ~*ting on with* his work? 그는 일을 잘 진척시키고 있느냐. ② 의좋게 지내다: The man is hard to ~ *on with.* 그 사람 사귀기가 힘들다. ***Get on*** (***with you***)***!*** 《구어》 꺼져버려; 말도 안돼. **~ *out*** 《*vi.*+부》 ① 나가다, 도망치다, 가 버리다, 모면하다. ② (탈것에서) 내리다. ③ 〖명령형〗 《속어》 말도 안돼. ④ (비밀 등이) 새다; 들통나다: The secret *got out* at last. 그 비밀은 끝내 새어버렸다. ⑤ 〖크리켓〗 아웃이 되다. ―《*vi.*+전》 ⑥ (문·창문)에서 나가다. ―《*vt.*+부》 ⑦ 꺼내다; (가시·이·얼룩 등을) 빼내다. ⑧ (말 등을) 하다, 입 밖에 내다: He managed to ~ *out* a few words of thanks. 겨우 두서너 마디 사례의 말을 했다. ⑨ …을 구해내다, 구하여 도망시키다. ⑩ (정보·비밀 등을) 듣다〔묻다〕; 발견하다, (문제를) 풀다. ⑪ (도서관 등에서) 빌려내다; (예금 따위를) 찾아내다; (책 등을) 출판〔발행〕하다. ⑫ 〖증권〗 (주를) 팔아넘기다; 〖크리켓〗 아웃시키다. ―《*vt.*+전》 ⑬ (…을 문·창문)에서 내보내다. **~ *out from under*** 《구어》 닥친 위난을 피하다, 싫은 일에서 손을 떼다; 《속어》 손해를 벌충하다, 꾼돈을 갚다. **~ *out of*** 《*vi.*+전》 ① …에서 나오다; (탈것)에서 내리다: *Get out of* here! 썩 나가 / ~ *out of* the bed on the wrong side 잠자리에서 일어난 기분이 개운치 않다〔언짢다〕 / ~ *out of* a car 차에서 내리다. ★ 버스인 경우는 get off가 일반적임. ② (옷)을 벗다: *Get out of* those wet clothes. 젖은 옷을 벗어라. ③ …이 미치지 않는 곳으로 가다: Don't ~ *out of* your depth. 키를 넘는 깊은 곳으로 가지 마라. ④ (습관을) 벗어나다, …을 버리다: ~ *out of* a bad habit 악습을 버리다. ⑤ (해야할 일)을 피하다: He wanted to ~ *out of* his homework 〔attend*ing* the meeting〕. 그는 숙제를 안 하고〔모임에 안 나가고〕 넘기고 싶었다. ―《*vt.*+전》 ⑥ …로부터 (…을) 끌어내다〔제거하다〕: *Get* me *out of* here. 나를 여기에서 끌어내주게. ⑦ …에서 면하게 하다; (습관 등)에서 벗어나게 하다: Apologizing won't ~ you *out of* your punishment. 변명했다고 벌을 면할 수는 없다. ⑧ …에서 (이익 등을) 얻다, …에서 손에 넣다: How much did you ~ *out of* the deal? 그 거래에서 얼마나 이득을 봤나. ⑨ (비밀·고백·진상·돈 따위를) …로부터 끌어내다〔듣다〕: The police *got* a confession *out of* him. 경찰은 그를 자백시켰다. ***Get out of it!*** 《속어》 허풍 떨지 마라, 거짓말 마. **~ *over*** 《*vi.*+전》 ① 넘다; 지나가다; 건너다: The soldiers *got over* the fence. 군인들은 담을 뛰어넘었다. ② (증거·의논을) 논파하다, (장애·곤란 따위)를 이겨내다. ③ (슬픔·쓰라린 경험 따위를) 잊다, (아무)의 일을 잊다; (병 따위)에서 회복하다: She never *got over* her son's death. 그녀는 아들의 죽음이 잊혀지지 않았다 / ~ *over* a flu 독감을 이겨내다. ④ …에 놀라고 있다. ⑤ 〖보통 부정문에서〗 (사실 등)을 부정하다. ⑥ (어느 거리(距離)를) 가다, 달리다: The horse *got over* the distance in ten seconds. 말은 그 거리를 10초에 달렸다. ―《*vi.*+부》 ⑦ 건너다; (찾아뵈러) 가다《*to*》: ~ *over to* the other side 저쪽으로 건너가다 / I'll ~ *over* to see you sometime next week. 내주에 자네를 찾아가겠네. ⑧ 《구어》 이해되다, 전해지다《*to*》. ―《*vt.*+전》 ⑨ (울타리 따위)를 넘게 하다, 건너게 하다: She *got* the child *over* the fence. 그녀는 그 아이가 울타리를 넘게 했다. ―《*vt.*+부》 ⑩ (사람·동물을) 넘게 하다, 건네다. ⑪ (생각 등을) 이해시키다: I couldn't ~ the importance of the matter *over* to him. 그에게 일의 중대함을 이해시킬 수 없었다. ⑫ (싫은 일을) 해치우다, 끝내다. **~ *...* *over*** (***and done***) ***with*** 《구어》 (귀찮은 일을) 끝내버리다, 치워버리다; …을 잘하다. **~ *past*** 눈에 안 띄고 마치다. **~ *round*** =~ around (관용구). **~ one's** 《속어》 =~ what's coming (to one); (치명적인) 상처를 입다, 살해되다: He *got his.* 벌〔치명상〕을 받다. **~ one*'s collar felt*** 《영속어》 체포되다. **~ one*self together*** 《구어》 자제하다. **~ one*self up*** 몸차림〔치장〕하다. ***Get set!*** (경주에서) 준비. **~ *some*** 《미속어》 성교하다. **~ *something on ...*** 《구어》 (아무)에게 불리한 정보를 입수하다, …의 약점을 잡다. **~ *somewhere*** 효과가 있다, 잘되어 가다, 성공하다. cf. ~ nowhere. **~ *the chop*** 《영》 해고당하다; 살해되다. **~ *the order of the boot*** 《속어》 해고당하다. **~ *there*** 《구어》 목적을 달하다, 성공하다; 납득이 가다. **~ *through*** 《*vi.*+전》 ① (…을) 빠져나가다; (…을 지나 목적지에) 이르다《*to*》. ② (의회를) 통과하다; (시험에) 합격하다: ~ *through* a driving test 운전 시험에 합격하다. ③ 일을 마치다; (…을) 종료하다, 완수하다: ~ *through* college 대학을 나오다. ④ (돈 따위를) 다 써 버리다, (음식을) 다 먹어 치우다. ⑤ (시간을) 보내다. ―《*vi.*+부》 ⑥ 빠져나가다. ⑦ (곤란·병 등을) 이겨내다. ⑧ (시험에) 합격하다; (의안이) 통과하다. ⑨ (사람·전갈·보급품 등이 목적지에) 닿다, 도달하다《*to*》. ⑩ (전화·의사가) 통하다; (…에게 전화) 연락을 하다, 말을 이해시키다《*to*》: He could not ~ *through to* his father. 그는 부친에게 연락을 취하지 못했다〔말을 이해받지 못했다〕. ―《*vt.*+전》 ⑪ 밀고 나가게 하다; (시험에) 합격시키다; (의회에서 의안을) 통과시키다: ~ wine *through* customs 세관에서 포도주를 통관시키다. ―《*vt.*+부》 ⑫ 빠져나가게 하다, (구멍 등에) 통하게 하다. ⑬ (시험에) 합격시키다, (의안을) 통과시키다. ⑭ (목적지에) 도착시키

다, 보내주다《to》; (전화로) …을 연결시키다; 이해시키다《to》; 〖경기〗 (결승 등에) 진출시키다《to》. **~ through with** (일)을 끝마치다, 완성하다; (아무)를 해치우다. **~ to** ① …에 닿다, …에 이르다(arrive at); (어떤 결과)가 되다: Where can it have *got to?* 그건 대체 어떻게 되었을까. ② (일)에 착수하다, …를 하기 시작하다《do*ing*》; (식사)를 시작하다: ~ *to* words 논쟁을 시작하다/I *got to* remember*ing* those good old days. 그리운 그 옛날을 추억하기 시작했다. ③《구어》 …와 (잘) 연락이 되다; …에게 영향〔감명〕을 주다. ④《미구어》 (매수 따위의 목적으로) …에게 다가가다, …을 (매수〔협박〕하여) 움직이다; 《속어》 (마약 등이) …에게 듣다(affect). **~ together** 《*vi.*+부》 ① 모이다, 만나다: When will we ~ *together?* 언제 모일까. ② 《구어》 의논을 종합하다, (의견이) 일치하다. ③ 단결하다, 협력하다. ―《*vt.*+부》 ④ 모으다. ⑤ (생각·일을) 잘 정리하다. ⑥ 〖~ oneself together로〗 《구어》 자제하다. **~ under** 《*vi.*+전》 ① …의 밑에 들다〔…을 지나다〕. ―《*vi.*+부》 ② 밑에 들다〔숨다〕. ―《*vt.*+전》 ③ (…을) …의 밑에 들이다. ―《*vt.*+부》 ④ …을 밑에 들이다; (화재·소동 등을) 진압하다(subdue), 끄다: The fire was soon *got under*. 화재는 곧 진화되었다. **~ up** 《*vi.*+부》 ① 일어나다, 기상하다, (병후에) 자리에서 일어나다; (땅·좌석에서) 일어서다: What time do you ~ *up?* 몇 시에 일어나십니까. SYN. ⇨ RISE. ② (…에) 올라가다; (자전거·말 따위에) 타다《*on; onto*》: ~ *up on* the roof 지붕에 오르다/She *got up* behind me. 그녀는 내 뒤에 탔다. ③ (사냥감이) 숨었던 곳에서 날아가다. ④ (…으로) 다가가다, 이르다, 따라미치다《*to*》. ⑤ (불·바람·바다 따위가) 격해지다, 거칠어지다. ⑥ 〖크리켓〗 (공이) pitch를 떠나 세게 튀어오르다. ⑦ 〖명령형〗 (말에게) 나가라! ―《*vi.*+전》 ⑧ (계단·사다리 등)을 오르다, (나무·산)에 오르다: ~ *up* the ladder 사다리를 오르다. ―《*vt.*+부》 ⑨ (…을) 기상시키다; (병후) 자리에서 일어나게 하다, (좌석에서) 일어서게 하다. ⑩ …에게 오르게 하다, 들어올리다; (말 따위에) 태우다. ⑪ (수준 따위에) 다가가게 하다《*to*》. ⑫ (회의 따위를) 준비하다; 설립〔조직〕하다; 계획하다, 짜다: ~ *up* a picnic 소풍을 계획하다. ⑬ (세탁물을) 마무르다: Have these shirts *got up*. 셔츠를 (다려서) 곧 입을 수 있도록 하라. ⑭ (옷차림 등을) 꾸미다, 성장(盛裝)시키다, (머리 따위를) 매만지다(dress): She *got* herself *up* beautifully 〔like a duchess〕. 예쁘게〔공작 부인처럼〕 차려입었다. ⑮ (제본 및 인쇄를) …모양으로 하여 출판하다; (극을) …식으로 연출하다. ⑯ (당파심·동정심을) 일으키다. ⑰ …의 지식을 얻다; 《영》 (학과 등을) 공부하다, (역(役) 따위를) 익히다; (시험 문제를) 풀다. ⑱ (건강·속력을) 증진시키다. ―《*vt.*+전》 ⑲ (계단 등)을 오르게 하다, (짐을) 날라 올리다. **~ up against** ① (…의 곁에) 두다〔서다〕, 다그다. ② (…와) 대립하다, 충돌하다. ③ (가구 등을) (벽에) 붙이다〔붙여두다〕. **~ up and go** 〔**get**〕 ① 척척 움직이기〔분발하기〕 시작하다(cf. get-up-and-go). ② 서두르다. ③ 《속어》 (형기를 마치고) 출옥하다. **~ upon ...** (말 따위)를 타다(~ on). **~ a person upon ...** 아무에게 …를 말하게 하다. **~ up to ...** ① …에 이르다, …에 가까이 가다: We *got up to* page 10 last lesson. 지난 수업에는 10 페이지까지 했다. ② …을 뒤따라잡다, 따라붙다: We soon *got up to* others. 우리는 앞선 사람들을 이내 따라잡았다. ③ (장난 따위)에 관계하다, …을 계획하다(plan). **~ up with** …에 도달하다, …에 따라붙다. **~ what's coming** (**to** one) 당연한 갚음을 받다. **~ with**

…에 주목하다, …로 분주해지다, …에 달려붙다. **~ within** …의 속에 들어가다. **~ with it** 《구어》 유행에 뒤지지 않도록 하다, 유행을 타다, 새로운 생각을 이해하다; 《구어》 단단히 주의하다, 정신을 쏟다; 《구어》 일을 착수하다. **Get you** 〔**him, her, them**〕**!** 《속어》 같잖군(자랑 이야기 등에 대한 경멸적 응답). **have got it bad**(**ly**) 《속어》 확 달아올라 있다. **tell** 〔**put**〕 a person **where** he **~s** 〔**where to ~**〕 **off** ⇨ TELL. **What has got ... ?** …는 어떻게 되었느냐. **You ~ ...** 《구어》 …이 있다(There is〔are〕…).

get[2] *n.* **1** 〖사냥〗 새끼를 낳음; 〖집합적〗 동물 새끼(수컷); 《Sc. 경멸》 아이, 개구쟁이; 지겨운 녀석. **2** (테니스 등에서) 치기 어려운 공을 잘 받아넘김; 《미속어》 이익, 이문. **3** 《Austral. 구어》 도망; 《미속어》 (강도의) 도주로(路): do a ~ 《Austral. 구어》 도망치다.

gét-acquáinted [-id] *a.* 서로 알기 위한, 의숙해지기 위한.

get·at·a·ble [getǽtəbəl] 《구어》 *a.* 도달할 수 있는, 접근하기 쉬운; (책 등이) 손에 넣기 쉬운.

gét·awày *n.* (특히 범인의) 도망, 도주(escape); (여우 따위가) 숲에서 뛰쳐나오기; 《구어》 (연극·경주의) 개시, 출발, (일시 정지 후 차의) 스타트. **make a** 〔one's〕 **~** (범인 따위가) 도망하다. ―*a.* 도주하는, 도주(용)의.

gét-gò *n.* 《미》 출발, 착수, 시초: from the ~ 처음부터.

Geth·sem·a·ne [geθsémәni] *n.* 겟세마네(예수가 Judas의 배반으로 붙잡힌 Jerusalem 부근의 동산; 마태복음 XXVI:36); (g-) 고뇌; 고난의 장소〔때〕.

gét-òff *n.* (비행기의) 이륙; (재즈의) 즉흥 연주.

gét-òut *n.* **1** (궁지로부터의) 탈출, (불유쾌한 입장에서의) 회피, 도피(의 수단). **2** 〖상업〗 채산점. **as** 〔**like, for**〕 (**all**) **~** 《구어》 극단으로, 몹시: It was *as* cold (*as*) *all* ~. 대단한 추위였다.

gét-rìch-quíck *a.* 《구어》 일확천금의〔을 노리는〕: ~ fever 졸부가 되고 싶은 열기; 한탕주의. 파 **~·er** *n.* 일확천금을 꿈꾸는 사람.

get·ta·ble [gétəbəl] *a.* 얻을〔손에 넣을〕 수 있는.

get·ter [gétər] *n.* **1** 갖는 사람; =GO-GETTER. **2** 〖전기〗 게터(전구·진공관 안의 잔류 가스를 흡수시키는 물질). ―*vt.* 〖전기〗 (게터로 잔류 가스를) 제거하다; 〖전자〗 집적회로용 반도체 기판에서 불순물이나 결함을 제거하다.

gétting óut 〖서핑〗 파도를 넘으면서 패들링하여 바다로 나가기.

gét-togèther *n.* 《미구어》 회의, 회합; (비공식) 모임, 친목회(=∠ **mèeting**).

gét-tóugh *a.* 《미구어》 강인한, 강경한, 단호한: a ~ policy 강경책.

Get·tys·burg [gétizbə̀ːrg] *n.* 게티즈버그(미국 Pennsylvania주 남부의 도시; 남북 전쟁 최후의 결전장(1863 년)).

Géttysburg Addréss (the ~) 1863 년 11 월 19 일 Abraham Lincoln이 Gettysburg에서 한 민주주의 정신에 관한 유명한 연설.

gét·ùp 《구어》 *n.* Ⓒ (책 따위의) 꾸밈새, 체재, 장정; Ⓤ 몸차림, 옷맵시; Ⓤ 《미》 기운, 정력, 패기, 열의.

gét-up-and-gó 〔**-gèt**〕 [-ənd-] *n.* Ⓤ 패기, 열의; 주도〔적극〕성.

gét-well cárd 《구어》 (쾌유를 비는) 문병 카드.

ge·um [dʒíːəm] *n.* 〖식물〗 뱀무속(屬)의 식물.

GeV 〖물리〗 gigaelectron volts.

gew·gaw [gjúːgɔː/gjúː-] *n.* 굴퉁이, 싸구려 장신구. ―*a.* 겉만 번지르르한, 허울뿐인.

gey [gei] 《Sc.》 *a.* 상당한. ―*ad.* 꽤, 매우.

gey·ser [gáizər, -sər] *n.* **1** 간헐천. **2** [gí:zər] 《영》 (욕실 등의) 자동〔순간〕 온수 장치. ── *vt., vi.* 분출하다.

gey·ser·ite [gáizəràit] *n.* 〖지학〗 규화(硅華).

GFE government-furnished equipment.

G-film *n.* 일반용 영화(a G-rated film).

G-FLOPS *n.* 〖컴퓨터〗 연산(演算) 속도 단위.

G-fòrce *n.* 관성력(慣性力)(inertial force).

GFRP glass fiber-reinforced plastics. **G.F.S.** Girls' Friendly Society. **G.F.W.C.** General Federation Women's clubs. **GG** gamma globulin; government-to-government (정부간의 거래). **GG, G.G.** Girl Guides; Grenadier Guards. **GGG** 〖전자〗 gadolinium gallium garnet 《차(次)세대의 메모리로서 주목받는 결정(結晶) 재료》.

G-gìrl *n.* 매춘부(=**góod-time gírl**).

g.gr. great gross. **GHA** 〖해사·천문〗 Greenwich hour angle.

Gha·na [gá:nə] *n.* 가나《아프리카 서부의 공화국; 수도 Accra》. cf. Gold Coast. ⓜ **Gha·na·ian, Gha·ni·an** [gá:niən, gǽ-] *a., n.* 가나의, 가나 사람(의).

ghar·ry, -ri [gǽri] (*pl.* ***-ries***) *n.* 《Ind.》 (역)마차.

ghast·ly** [gǽstli, gá:st-/gá:st-] (-li·er; -li·est***) *a.* **1** 핼쑥한; 송장 같은. **2** 무서운(horrible), 소름 끼치는, 무시무시한; (웃음 등을) 억지로 지은. **3** 《구어》 정말로 불쾌한; 지독한, 싫은. ── *ad.* 송장 같이; 핼쑥하여; 무섭게. ⓜ **-li·ness** *n.*

ghat, ghaut[1] [gɔ:t] 《Ind.》 *n.* **1** 강가의 층계, 상륙장(上陸場)《송장을 화장함》: a burning ~ 강변의 화장터. **2** 고갯길, 산길; (*pl.*) 산맥.

ghaut[2] [gɔ:t] *n.* 《카리브》 (바다로 통하는) 계곡.

gha·zi, ga- [gá:zi:] *n.* 〖회교〗 이교도와 싸우는 이슬람 용사; (G-) (이교도와의 싸움에서 무훈을 세운) 승리의 용사《터키의 명예 칭호》.

GHB gamma hydroxybutyrate (감마 히드록시부티르산)《지각 마비 작용이 있는 합법적 약물》.

ghee, ghi [gi:] *n.* 《Ind.》 (물소 젖의) 버터 기름《요리용》.

ghe·rao [geráu] (*pl.* **~s**) *n.* 포위 단체 교섭《인도·파키스탄에서 고용주를 회사나 공장에 가두고 교섭을 벌이는 피고용자 쪽의 전술》. ── *vt.* (고용주를) 사업장에 가두다.

gher·kin [gə́:rkin] *n.* (식초 절임용의) 작은 오이; (열대 아메리카산의) 오이의 일종.

ghet·to [gétou] (*pl.* **~(e)s**) *n.* 유대인 강제 거주 구역; (특정 사회 집단의) 거주지; 《미》 (흑인 등 소수 민족) 빈민굴; 슬럼(slum)가, 고립 집단(지구). ── *vt.* ghetto에 넣다.

ghétto blàster 《구어·때로 경멸》 =BOOM BOX.

ghét·to·ìsm *n.* ghetto의 분위기; 소수 민족 집단 거주; 슬럼화(化), 슬럼가(街)식의 생각〔태도〕.

ghét·to·ìze *vt.* ghetto에 가두다; ghetto화하다. ⓜ **ghèt·to·i·zá·tion** *n.*

Ghib·el·line [gíbəlin, -lì:n] *n.* 〖역사〗 황제당원; (the ~s) 황제당《중세 이탈리아에서 황제편을 들어 교황당(Guelphs)에 맞섰음》. ── *a.* 황제당의. ⓜ **Ghíb·el·lin·ìsm** *n.*

ghib·li, gib·li [gíbli] *n.* 〖기상〗 북아프리카 사막의 열풍.

ghil·gai [gílgai] *n.* =GILGAI.

GHOST [goust] *n.* **1** 정점(定點) 고공 기상 관측법. **2** 대기 관측 데이터를 수집하는 기구(氣球). [◂ *G*lobal *H*orizontal *S*ounding *T*echnique]

****ghost** [goust] *n.* **1** 유령, 망령(亡靈), 사령(死靈), 원령(怨靈), 요괴: lay 〔raise〕 a ~ 유령을 물리치다〔나타나게 하다〕. **2** 《고어》 (영)혼(spirit, soul)《flesh의 상대어로 감정·사상·도의심이 깃들임》; 《고어》 생명의 근원. cf. Holy Ghost. **3** 파리한 사람; 핼쑥한 사람: (as) pale 〔white〕 as a ~ (얼굴이) 파랗게 질려서. **4** 환영(幻影), 허깨비, 곡두, 그림자. **5** 《비유》 그림자 같은 것, …같은 것: a ~ of a smile 엷은 미소. **6** 〖광학·TV〗 고스트, 제 2 영상(=∠ ìmage). **7** 《구어》 (문학 작품의) 대작자(代作者)(~writer): play ~ to …의 대작(代作)을 하다. **8** 《미》 (기업체·학교 따위의) 유령 인원, 유령 사원〔학생〕. **9** 《미속어》(극장·극단의) 경리계. **10** 〖형용사적〗 흑막의, 뒷바라지하는: a ~ hostess 여주인의 뒷바라지역. ◇ ghastly, ghostly *a.* ***a*** 〔***the***〕 **~ *of*** (***a***) ***...*** 아주 적은, 희미한: not have 〔without〕 *a* 〔*the*〕 ~ *of a* chance 〔doubt〕 조금도 가망이〔의심의 여지가〕 없는〔없고〕. ***give*** 〔《고어》 ***yield***〕 ***up the*** **~** 죽다; 《비유》 단념하다. ***The*** **~ *walks.*** 유령이 나온다; 《극장속어》 급료가 나온다. ***trot out the*** **~*s*** 《속어》 (정당이 선전을 위해) 자당(自黨)의 옛 대정치가(의 얘기)를 들먹이다.
── *vt.* **1** (책·서류 따위의) 대작(代作)을 하다. **2** (…에) 유령처럼 붙어 다니다(haunt). ── *vi.* **1** (소리내지 않고) 움직이다. **2** 대작을 하다.
ⓜ **∠·dom** *n.* **ghósty** *a.* **ghóst·i·ly** *ad.*

ghóst dànce 북아메리카 원주민들이 죽은 사람의 혼과 통하기 위하여 추는 종교적인 춤.

ghóst·lìke *a.* 유령 같은; 무시무시한, 섬뜩한.

ghost·li·ness [góustlinis] *n.* Ⓤ 유령 같음, 요괴성(性).

°**ghost·ly** [góustli] (***-li·er; -li·est***) *a.* 유령의〔같은〕; 그림자 같은, 희미한; 《고어》 영적인(spiritual), 종교상의; 대작(代作)의: a ~ adviser 〔father, director〕 고해 신부(confessor), 성직자 / a ~ comfort 〔counsel〕 종교적 위로〔권고〕《고해·임종 때의 신부의 말》/ the ~ hour 야삼경 / our ~ enemy 악마(the devil).

ghóst stàtion 《영》 무인역(無人驛); 폐쇄역.

ghóst stòry 괴담(怪談), 유령 이야기.

ghóst tòwn 《미》 유령 도시(마을)《전쟁·기근·폐광·천연자원의 고갈 등으로 주민이 떠난 황폐한 도시(마을)》.

ghóst wòrd (오기(誤記)·오식(誤植)으로 생긴) 유령어《derring-do 따위》.

ghóst·wrìte (***-wròte; -writ·ten***) *vi., vt.* (연설·문학작품의) 대작(代作)을 하다. ⓜ **-wrìter** *n.* 대작자.

ghoul [gu:l] *n.* 송장 먹는 귀신《무덤을 파헤쳐 시체를 먹는다고 함》; 무덤을 파헤치는 사람, 도굴꾼; 잔인한 사람.

ghoul·ies [gú:liz] *n. pl.* 《영속어》 고환, 불알.

ghoul·ish [gú:liʃ] *a.* 송장 먹는 귀신 같은; 잔인한; 추한; 불쾌한; 무서운. ⓜ **~·ly** *ad.* **~·ness** *n.*

GHQ, G.H.Q. 〖군사〗 General Headquarters.

ghyll [gil] *n.* =GILL[4].

GHz gigahertz.

GI, G.I.[1] [dʒí:ái] (*pl.* ***GIs, GI's, G.I.'s, G.I.s***) *n.* **1** 《구어》 (현역 또는 퇴역한) 미군 부사관병, 미군, 《특히》 징모병: a *GI* Joe 미국 병사 / a *GI* Jane 〔Jill, Joan〕 미국 여군. **2** (~s) 《미속어》 설사. ── *a.* (미군 당국의) 관급의, 미군 규격의; 미국 군인의; 군대다운; 군규를 엄히 지키는: *GI* shoes 군화 / a *GI* haircut 군대식 머리〔이발〕/ a *GI* bride 미군인의 처〔약혼자〕가 된 타국의 여자.
── (*p., pp.* ***GI'd; GI'·ing***) 《미구어》 *vt.* 정돈하다《검열 등을 받기 위해》. ── *vi.* 군기를 지키다.
── *ad.* 《미》 군의 규칙〔관습〕을 따라. [◂ *gov*ernment 〔*general*〕 *issue*]

Gi, G.I.[2] *a.* 〖미군사〗 아연(亞鉛)을 입힌 철(galvanized iron)의, 함석의; 《미속어》 평범한, 질이 조악한: a ~ can 함석 쓰레기통.

G.I., g.i. gastrointestinal. **gi.** gill(s).

****gi·ant** [dʒáiənt] *n.* **1** (신화·전설 등에 나오는) 거인; 큰 사나이, 힘센 사람; 거대한 것〔동식물〕. **2** (비범한 재능·지력·권력 등을 지닌) 거인, 거장, 대가, 위인; 거대 기업: an intellectual ~ 걸출한 지성의 소유자 / an economic ~ 경제 대국. **3** 〚광물〛 (수압 채광에서) 압력수 분출 노즐. **4** 〚천문〛 거성(~ star). **5** 〚의학〛 거대증 환자. **—** *a.* 거대한, 위대한, 특대의. OPP *dwarf.* ㊕ **~·lìke** *a.* **~·ness** *n.*
gíant cáctus 〚식물〛 =SAGUARO.
gíant céll 〚생물〛 거대 세포.
gi·ant·ess [dʒáiəntis] *n.* 여자 거인.
gí·ant·ìsm *n.* U 〚의학〛 거인증(gigantism)《특히 골격의》; 거대.
gíant kélp 〚식물〛 자이언트 켈프《거대한 갈색조류(藻類)의 총칭; 남북아메리카 대륙 태평양 연안산; 길이 60m 이상되며 알긴산의 원료임》.
gíant kìller (스포츠 따위에서) 강자를 이기는 사람〔팀〕.
gíant pánda 〚동물〛 자이언트 판다, 판다곰.
gíant plánet 〚천문〛 대행성《목성형(型) 행성: 목성·토성·천왕성·해왕성의 총칭》.
gíant pówder 다이너마이트의 일종.
gíant sequóia 〚식물〛 세쿼이아 삼(杉)나무(《미》 big tree)《미국 캘리포니아산의 거대한 침엽수》.
gíant slálom 〚스키〛 대회전(경기).
gíant squíd 〚어류〛 대왕 오징어《심해에 살며 몸길이가 20m나 되는 최대의 무척추동물》.
gíant('s) stríde (유원지 따위의) 회전탑.
gíant('s) swíng (기계 체조의) 대차륜(大車輪).
gíant stár 〚천문〛 거성(巨星)《직경·광도·질량 따위가 대단히 큰 항성》. cf. supergiant.
gíant tórtoise 〚동물〛 코끼리거북《Galápagos 제도의 거대한 뭍거북》.
giaour [dʒauər] *n.* 이단자, 불신자(不信者)《이슬람교도가 특히 기독교도를 경멸하는 말》.
gib[1] [gib] *n., vt.* 〚기계〛 기브(jib); 요(凹)자 모양의 쐐기(로 죄다).
gib[2] *n.* 고양이, (특히 불깐) 수고양이(tomcat).
Gib. Gibraltar.
gib·ber [dʒíbər, gíb-] *vi.* 더듬거리며 말하다; (놀람·무서움으로) 알아들을 수 없는 말을 지껄이다; 빨리 지껄이다; (원숭이 따위가) 깩깩거리다. **—** *n.* 알아들을 수 없는 말.
gib·ber·él·lic ácid [dʒìbərélik-] 〚생화학〛 지베렐린산(酸)《식물의 성장 호르몬의 일종》.
gib·ber·el·lin [dʒìbərélin] *n.* 〚식물〛 U 지베렐린《고등 식물의 생장 호르몬; 씨 없는 포도를 만드는 데 씀》.
gib·ber·ish [dʒíbəriʃ, gíb-] *n.* U 뭐가 뭔지 알 수 없는 말, 횡설수설.
gib·bet [dʒíbit] *n.* (사형수의) 효시대(梟示臺); 교수대; 교수형. **—** *vt.* 효시대에 매달다; 효시하다; 공공연히 욕보이다; 교수형에 처하다.
gib·bon [gíbən] *n.* 〚동물〛 긴팔원숭이《동남아시아산》.
gib·bose [gíbous] *a.* =GIBBOUS.
gib·bos·i·ty [gibásəti/-bɔ́s-] *n.* C 볼록한 원《반원보다 큰 것》; U 볼록한 모양; C 볼록하게 굽음〔솟음〕; 꼽추; 융기.
gib·bous [gíbəs] *a.* (달·행성 따위) 반원보다 볼록한 상태의, 볼록한 원의; 튀어나온; 꼽추의: the ~ moon 〚천문〛 철월(凸月)《반달보다 크고 보름달보다 작은 달》. ㊕ **~·ly** *ad.* **~·ness** *n.*
Gibbs [gibz] *n.* **Josiah Willard** ~ 기브스《미국의 수학자·물리학자; 1839-1903》.
Gíbbs frèe énergy 〚물리〛 기브스 자유 에너지(Gibbs function).
Gíbbs fùnction 〚물리〛 기브스 함수《열역학 특성 함수의 하나; 기호 G》.
gibe, jibe [dʒaib] *vt., vi., n.* 헐뜯다; 헐뜯음; 비웃다; 비웃음; 조소(하다), 우롱(하다)《*at; about*》. ㊕ **gib·er, jib·er** [dʒáibər] *n.* 우롱〔조소〕하는 자.

GI Bíll (of Ríghts) [dʒì:ái-] 《미구어》 제대군인 원호법.
gib·ing·ly, jib·ing·ly [dʒáibiŋli] *ad.* 놀리며, 조롱하여.
gib·lets [dʒíblits] *n. pl.* (닭·거위 등의) 내장; 남은 것, 찌꺼기.
gibli ⇨ GHIBLI.
Gi·bral·tar [dʒibrɔ́:ltər] *n.* **1** 지브롤터《스페인 남단(南端)의 항구 도시로 영국의 직할 식민지; 생략: Gib(r).》. **2** (g-) 견고한 요새. ***the Strait of*** ~ 지브롤터 해협.
Gib·son [gíbsən] *n.* 《미》 깁슨 《진 또는 보드카·드라이 베르무트에 양파를 곁들인 칵테일》.
Gíbson gìrl **1** 미국의 화가(畫家) C.D. Gibson (1867-1944)이 그린 1890년대의 미국 소녀《당시의 전형적인 미인》. **2** 〚항공〛 (해상 불시착에 쓰는) 소형 무전 발신기.
gí·bus (hát) [dʒáibəs(-)] 오페라 모자(opera hat).
GIC guaranteed interest contract (이율 보증 보험 계약).
gid [gid] *n.* 〚수의〛 기드, 훈도병(暈倒病)《가축, 특히 양의 어지럼병》. [◂*giddy*]
gid·dap, -dup [gidǽp, -ʌ́p], [-ʌ́p] *int.* 이러《말을 모는 소리》.
*__gid·dy__ [gídi] (***-di·er; -di·est***) *a.* **1** 현기증나는; 어지러운, 아찔한; 눈이 핑핑 돌아가는. cf. dizzy. **2** 경솔한, 들뜬. ***feel*** 〔***turn***〕 ~ 어지럽다. ***My ~ aunt !*** ⇨ AUNT. **—** *vt., vi.* 현기증이 나(게 하)다. ㊕ **gíd·di·ly** *ad.* **-di·ness** *n.* 현기증; 경솔.
gid·dy·ap, -up [gìdiǽp, -ʌ́p], [-ʌ́p] *int.* =GIDDAP.
gíddy-go-róund *n.* 《영》 회전목마(merry-go-round).
gíddy-hèaded [-id] *a.* 경솔한.
Gide [ʒi:d] *n.* **André** (**Paul Guillaume**) ~ 지드《프랑스의 소설가·비평가; 노벨 문학상 수상(1947); 1869-1951》.
Gid·e·on [gídiən] *n.* **1** 기디언《남자 이름》. **2** 〚성서〛 기드온《이스라엘 민족을 미디안인의 압박에서 해방시켜 40년간 사사(士師)가 된 유대의 용사》. **3** (the ~s) =GIDEONS INTERNATIONAL.
Gídeon Bìble 호텔 방 안에 비치된 성경.
Gídeons Internátional (the ~) 국제 기드온 협회《1899년 설립된 성서 기증 협회》.
gidg·et [gídʒət] *n.* 《미속어》 활발하며 귀여운〔사랑스러운〕 여성; =GADGET.
gie [gi:] (*~d; ~d, gien* [gi:n]) *v.* 《Sc. 방언》 = GIVE.
Gi·ém·sa('s) stàin [giémzə(z)-] 〚생화학〛 김자 염색《배양 세포나 혈액 도말(塗抹) 표본의 가장 일반적 염색법; 독일의 화학 요법가 Gustav Giemsa (1867-1948)의 이름에서》.
GIF [dʒif, gif] 〚컴퓨터〛 Graphics Interexchange Format (그래픽 교환 형식).
Gif·ford [gífərd] *n.* 기퍼드《남자 이름》.
giffed [gift] *a.* 《미구어》 몹시 취한.
__gift__ [gift] *n.* **1 선물, 선사품; 은혜: birthday ~s 생일 선물 / a ~ *from* the gods 행운. ★ gift는 present 보다 형식을 차린 말. **2** U 《고어》 증여, 선사; 증여권(權): The post is in 〔within〕 his ~. 그 직을〔지위를〕 줄 권한이 그에게 있다. **3** (타고난) 재능, 적성(talent)《*for; of*》: the ~ *of* tongues 어학의 재능; 〚기독교〛 방언 / have a ~ *for* music 음악에 재능이 있다. SYN. ⇨ TALENT. **4** (a ~) 《구어》 싸게 산 물건; 썩 간단한 일: It's a ~. 거저나 다름없구나; 그런 건 간단하지. ***as*** 〔《고어》 ***at***〕 ***a ~*** 거저라도《싫다 따위》: I would not have 〔take〕 it *as a* ~. 거저 줘도 싫다. ***by*** 〔***of***〕 ***free ~*** 거저. ***Christmas Gift !*** 《미남부》 크리스마스를 축하합니다. ***think*** (***that***) one ***is God's ~ to ...*** 《구어》 …에서는 최고라고 스스로 생각하다. **—** *vt.* 《+목+전+명》 **1** (돈·물건

을) 주다, 증여하다《*with*》: ~ a thing *to* a person = ~ a person *with* a thing 아무에게 물건을 주다. **2** (재능·성격 등을) 부여하다《*with*》: We are all ~*ed with* conscience. 우리에게는 모두 타고난 양심이 있다. ㊥ **~·less** *a.*

GIFT [gift] 〖의학〗 gamete intrafallopian transfer (생식체 난관 내 이전, 배우자 난관 내 이식(법), 기프트법(法)).

gíft certìficate 《미》 상품권(《영》 gift token).

gíft cóupon 경품(교환)권.

***gift·ed** [gíftid] *a.* 타고난〔천부의〕 재능이 있는 (talented); 유능한; 머리가 매우 좋은: a ~ child 천재아. ㊥ **~·ly** *ad.* **~·ness** *n.*

gíft hòrse 선물로 주는 말. ***look a ~ in the mouth*** 선물 받은 물건을 흠잡다《말은 이로 나이를 알 수 있는 데서》.

gíft tàx 《미》 증여세(《영》 capital transfer tax)《증여자에게 과함》.

gíft tòken 〔**vòucher**〕 《영》 =GIFT CERTIFICATE.

gíft·wàre *n.* 선물(용) 상품.

gíft-wràp (*-pp-*) *vt.* (선물에 리본 따위로) 예쁘게 포장하다. 「본 등).

gíft·wràpping *n.* 선물용 포장재료《포장지·리

gig[1] [gig] *n.* **1** 말 한 필이 끄는 2 륜 마차. **2** 〖기계〗 보풀 세우는 기계, 기모기(起毛機). **3** 〖해사〗 (배에 실은 선장용의) 소형 보트; 경정(競艇). **—** (*-gg-*) *vi.* ~를 타고 가다. **—** *vt.* (직물에) 보풀을 세우다.

gig[1] 1

gig[2] *n.* 작살; 〖낚시〗 낚아채는 바늘. **—** (*-gg-*) *vi.* 작살을 쓰다《*for*》. **—** *vt.* 작살로 (물고기를) 잡다; 쿡쿡 찌르다.

gig[3] *n.* 《미속어》 (군대·학교 등에서의) 작은 과실; 품행 불량 (보고), 벌점(demerit); 징계(reprimand). **—** (*-gg-*) *vt.* 《미속어》 품행 불량 보고를 하다, 벌점을 주(어 징계하)다.

gig[4] *n.* **1** 재즈〔록〕 연주회; 《구어》 (특히 하루만의) 재즈〔록 따위〕 연주 계약〔일〕, 그 연주(회장); 《구어》 〖일반적〗 (할당된) 일; 《속어》 법석대는 파티. **2** 《속어》 관심사, 자신있는 분야. **—** (*-gg-*) *vi.* 《구어》 하룻밤만 연주하다. **—** *vt.* 《구어》 (연주가와) 계약하다. 「결합사.

gig·a- [gígə, dʒígə] '10억, 무수(無數)'란 뜻의

gíga·bìt *n.* 〖컴퓨터〗 기가비트《10억 비트》.

gíga·bỳte *n.* 〖컴퓨터〗 기가바이트《10억 바이트 상당의 정보 단위》. 「Gc).

gíga·cỳcle *n.* 기가사이클《10억 사이클; 생략:

gìga·eléctron vólt 기가전자 볼트《10억 전자 볼트; 생략: GeV, Gev》.

gíga·flòps *n.* 〖컴퓨터〗 기가플롭스《계산 속도의 단위; 1초간에 10억 회의 부동 소수점 연산을 행함》. 「GHz).

gíga·hèrtz *n.* 기가헤르츠, 10억 헤르츠《생략:

gíga·mèter *n.* 10억 미터, 100만 킬로미터.

gi·gan·te·an, -tesque [dʒàigæntí:ən], [-tésk] *a.* =GIGANTIC.

***gi·gan·tic** [dʒaigǽntik] *a.* 거인 같은, 거대한; 아주 큰; 엄청나게 큰: a ~ tanker 매머드 탱커/a man of ~ build 〔strength〕 거인 같은 큰 남자〔힘의 소유자〕. ◇ giant *n.*

> SYN. **gigantic** '거인처럼 거대한'. **titanic** gigantic보다 뜻이 강하며 격식차린 말.

㊥ **~·ness** *n.* **-ti·cal·ly** [-əli] *ad.*

gi·gan·tism [dʒaigǽntizəm, ⌐-⌐] *n.* Ⓤ 〖의학〗 거인증(giantism); 〖동물·식물〗 거대증; 《일반적》 거대함, 거대화(化) 경향.

gíga·scale integrátion 〖전자〗 10억 혹은 그 이상의 소자를 집적한 대규모 집적회로.

gíga·tòn *n.* 기가톤《TNT 10억톤 분의 폭발력 단위》. 「Gw).

gíga·wàtt *n.* 기가와트《10억 와트; 생략: GW,

◇**gig·gle** [gígəl] *vi.* 킥킥 웃다《*at*》, 킥킥 웃어 (감정을) 나타내다. **—** *n.* 킥킥 웃음; 《구어》 여자(아이)들의 모임; 웃기는 것〔사람〕, 농담: give a ~ 킥킥 웃다/have (a fit of) the ~s (엉겁결에) 웃기 시작하다. SYN. ⇨ LAUGH. ***for a ~*** 《구어》 장난삼아, 농담으로. ㊥ **gíg·gler** *n.* **gíg·gling·ly** *ad.*

gig·gly [gígli] *a.* 킥킥 웃는 (버릇이 있는).

gig·let, -lot [gíglit], [-lət] *n.* 말괄량이, 바람둥이 여자. 「계급, 속물들.

gig·man·i·ty [gigmǽnəti] *n.* 점잔 빼는 중류

gíg mìll 〖기계〗 (나사(羅紗) 따위의) 보풀 세우는 기계〔공장〕.

GIGO [gáigou] *n.* 〖컴퓨터〗 기고《믿을 수 없는 데이터의 결과는 믿을 수 없다는 원칙》. [◂ *gar*bage *in*, *g*arbage *out*]

gig·o·lette [dʒìgəlét] *n.* 지골레트《춤상대를 하는 직업 댄서, 돈받고 춤상대를 하는 여자》.

gig·o·lo [dʒígəlòu, ʒíg-] (*pl.* **~s**) *n.* (창녀 등의) 기둥서방, 지골로; 난봉꾼, 색마; (돈많은 여성에게 고용되는) 남자 시중꾼〔직업 댄서〕.

gig·ot [dʒígət] *n.* 〖요리〗 양의 다리살; 〖복식〗 지고(=⌐ **slèeve**)《양의 다리 모양〔3각형〕의 소매》. 「적인 무곡(舞曲)》.

gigue [ʒi:g] *n.* 《F.》 지그《바로크 시대의 약동

GII Global Information Infrastructure (전세계적 정보 기반).

Gí·la (mónster) [hí:lə(-)] 〖동물〗 아메리카독도마뱀《미국 남서부의 사막 지방산(産)》.

Gil·bert [gílbərt] *n.* 길버트. **1** 남자 이름. **2** Sir **William Schwenck** ~ 영국의 희극 작가·시인 (1836–1911).

gil·bert *n.* 〖전기·물리〗 길버트《기자력(起磁力)의 c.g.s. 단위》.

Gil·ber·ti·an [gilbə́:rtiən] *a.* (줄거리·대화 따위) W.S. Gilbert류(流)의; 우스운, 앞뒤가 동닿지 않고 익살맞은.

gild**[1] [gild] (*p.*, *pp.* **~·ed** [gíldid], **gilt**) *vt.* **1** …에 금〔금박〕을 입히다, …을 금도금하다; 금빛으로 칠하다. **2** 《시어》 금빛 나게 하다; 《비유》 겉꾸리다, 보기 좋게 꾸미다, 겉치레하다, 치장하다; 《고어》 피로 더럽히다. **~ *the lily* 〔*refined gold*〕** 《비유》 지나친 장식으로 본래의 미를 손상시키다; 과장되게 칭찬하다. **~ *the pill ⇨ PILL[1]. ㊥ **⌐·a·ble** *a.*

gild[2] ⇨ GUILD.

Gil·da [gíldə] *n.* 길다《여자 이름》.

gild·ed [-id] *a.* 금박을 입힌, 금도금한; 금빛나는; 부자의; 상류계급의; 귀족의; 부유한: ~ cage 호화롭지만 답답한 환경/~ vices 부호의 도락(道樂). **~ *spurs*** 《고어》 금빛 나는 박차《나이트(knight)의 기장》. ***the Gilded Chamber*** 《영》 상원. ***the ~ youth*** 돈 많은 젊은 신사, 귀공자.

Gílded Áge (the ~) 미국에서 경제 확장과 금권 정치가 횡행하던 1870–98 년의 시대《Mark Twain의 풍자소설 제목》.

gíld·er[1] *n.* 도금장이, 금박사(金箔師).

gíld·er[2] *n.* =GUILDER[2].

Gil·de·roy [gíldərɔ̀i] *n.* 《미구어》 〖다음 관용구로〗 ***higher than ~'s kite*** 보이지 않을 정도의 높이로. [◂ Sc.의 도둑명]

gíld·ing *n.* Ⓤ **1** 도금(술), 금박 입히기: chemical 〔electric〕 ~ 전기 도금. **2** 도금 재료, 금박, 금가루《따위》. **3** 겉치레, 허식.

Giles [dʒailz] *n.* 자일스《남자 이름》.
gi·let [giléi] *n.* 《F.》〖복식〗 여성용 조끼; 발레 의상의 조끼.
gil·gai [gílgai] *n.* 《Austral.》 빗물이 괴는 오목한 지형.
Gil·ga·mesh [gílgəmèʃ] *n.* 〖수메르 전설〗 길가메시《수메르와 바빌로니아 신화의 영웅》.
Gil·iak [giljǽk] *n.* =GILYAK.
gill[1] [gil] *n.* (보통 *pl.*) 아가미; 〖식물〗 (버섯의) 주름, 균습(菌褶); (보통 *pl.*) 턱과 귀 밑의 군살; (보통 *pl.*) (닭·칠면조 따위의) 턱 밑의 처진 살(wattle); 《미속어》 (인간의) 입(mouth). ***green*** 〔***blue, fishy, pale, white, yellow***〕 ***about*** 〔***around***〕 ***the ~s*** (병·공포 따위로) 안색〔혈색〕이 나쁜. ***lit to the ~s*** 《미속어》 몹시 취해서. ***rosy*** 〔***red, pink***〕 ***about*** 〔***around***〕 ***the ~s*** 혈색이 좋은, (술에 취해) 붉어진 얼굴을 하고. ***to the ~s*** 한껏; 몹시, 매우: The bus was packed *to the ~s.* 그 버스는 대만원이었다. ***turn red in the ~s*** 화내다. ***up to the ~s*** 《미속어》 상당히 마셔서, 대단히 취해서. ── *vt.* (물고기의) 창자를 꺼내다(gut); (버섯의) 주름을 도려내다; (물고기를) 자망(刺網)으로 잡다.
gill[2] [dʒil] *n.* 질《액량의 단위; =1/4 pint; 《미》 0.118 *l*, 《영》 0.142 *l*》.
gill[3], **jill** [dʒil] *n.* (또는 G-, J-) 처녀, 소녀; 애인 (sweetheart). ㊀ Jack. ¶ Jack and *Gill* 젊은 남녀 / Every Jack has his *Gill.* 《속담》 젊은 남자에게는 누구나 애인이 있다, 헌 짚신도 짝이 있다.
gill[4] [gil] 《영》 *n.* (수목이 우거진) 협곡(峽谷); 계류(溪流).
gíll còver [gíl-] 〖동물〗 아감딱지.
gilled [gild] *a.* 아가미가 있는; (버섯의 갓 안쪽에) 주름이 있는.
Gil·lette [dʒilét] *n.* 질레트《미국 The Gillette Co. 의 면도용품; 상표명》.
Gil·li·an [dʒíliən, -jən] *n.* 질리언《여자 이름》.
gil·lie, gil·ly[1], **ghil·lie** [gíli] 《Sc.》 *n.* 시종, 시동(侍童); (특히 사냥꾼·낚시꾼의) 안내자〔소년〕; 〖역사〗 (스코틀랜드 고지(高地) 족장의) 종자(從者), 종복(從僕).
gil·li·on [gíljən, dʒíljən] *n.* 《영》 10 억(《미》 billion); 무수(無數), 다수.
gíll nèt [gíl-] 자망(刺網)《물속에 수직으로 침》.
gíll-nètter [gíl-] *n.* 자망(刺網)으로 고기잡는 어부; 자망 어선.
gil·ly[2] [gíli] *n.* 《미》 서커스의 운반(자동)차; 소(小)서커스; 사육제의 꽃자동차.
gil·ly·flow·er [dʒíliflàuər] *n.* 〖식물〗 스톡.
***gilt**[1] [gilt] GILD[1]의 과거·과거분사.
── *a.* =GILDED. ── *n.* Ⓤ 입힌〔바른〕 금, 금박, 금가루, 금니(金泥); 겉치장, 허식; 《영》 우량 증권; 《속어》 금(gold), 돈(money). ***take the ~ off the gingerbread*** 《영구어》 허식〔가면〕을 벗기다; 실망시키다.
gilt[2] *n.* (새끼를 낳은 일이 없는) 어린 암퇘지.
gílt-èdge(d) *a.* (종이·책 따위가) 금테의; 일류의, 우량의《증권 따위》(㊀ blue-chip): ~ securities 〔stocks〕 우량 증권〔주식〕.
Gil·yak [gílja:k] *n.* 길랴크족(族)《시베리아 아무르 지방의 몽골계》; Ⓤ 길랴크 어(語).
gim·bals [dʒímbəlz, gím-] *n. pl.* 〔단수취급〕 〖해사〗 짐벌(= **gímbal rìng**)《나침의·크로노미터 따위를 수평으로 유지하는 장치》.
gim·crack [dʒímkræ̀k] *a.* 굴퉁이의, 허울만 〔겉보기만〕 좋은. ── *n.* 겉만 번지르르한 물건, 굴퉁이. ㊕ **-cràcky** *a.*
gim·crack·ery [dʒímkræ̀kəri] *n.* Ⓤ 〔집합적〕 겉만 번지르르한 물건; (작품의) 속이 뵈는 기교.

gim·let [gímlit] *n.*, *vt.* 도래송곳(으로 구멍을 뚫다).

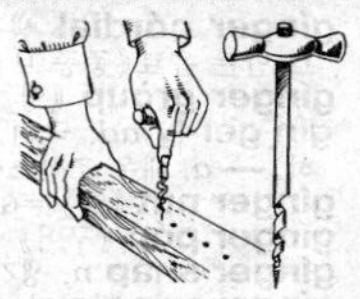
gimlet

gímlet èye 날카로운 눈〔시선〕.
gímlet-èyed *a.* 눈이 날카로운.
gim·me [gími] 〔발음 철자〕 《구어》 give me: *Gimme* a break! ⇨ BREAK(관용구). ── *n.* 《속어》 **1** 〖골프〗 김미《비공식 경기에서 치지 않아도 되는 극히 짧은 최종 퍼트》. **2** (the ~s) 강청, 조름; 욕심꾸러기. **3 a** 손쉬운 일, '식은 죽 먹기'. **b** 힘들이지 않고 입수한 것, 횡재, (아무·기업 등에서) 얻은 것, 무료 제공품, 선물. ── *a.* 《속어》 (금품을) 강요하는. ***~ five*** 《미속어》 악수하세《five는 다섯 손가락》.
gim·mick [gímik] 《구어》 *n.* (요술쟁이·눈속임 도구 등의) 비밀 장치, 트릭(trick); 〔일반적〕 장치, 고안; 새 고안물; 마약 주사를 위한 기구. ── *vt.* …에 수상쩍은 장치를 달다. ㊕ **~·(e)ry** *n.* 《구어》 속임수 장치(의 사용). **gím·micky** 《구어》 *a.* 속임수가 있는; 겉만 번드르르한.
gim·mies [gími:z] *n. pl.* (the ~) 《미》 아집, 물욕, 사리사욕.
gimp[1], **gymp** [gimp] *n.* 레이스로 꾸민 옷단; 장식 끈; 철사를 심으로 넣은 명주 낚싯줄.
gimp[2] 《속어》 *n.* 불구자; 절름발이. ── *vi.* 절뚝거리다.
gimpy [gímpi] *a.* 《속어》 저는, 절름발이의.
°**gin**[1] [dʒin] *n.* Ⓤ 진《두송실(杜松實)(juniper berries)로 향기를 들인 증류주》.
gin[2] *n.* 기계 장치, 《특히》 덫; 삼각(三脚) 기중기; 씨아(cotton ~). ── (**-nn-**) *vt.* 씨아로 목화씨를 빼다, 조면(繰綿)하다; 덫으로 잡다. ~ ***up*** 《미방언·구어》 선동하다.
gin[3] *n.* 《Austral.》 원주민 여자.
gin[4] *n.* 《미속어》 (거리에서의) 난투.
gin[5] [gin] (***gan*** [gæn]; ***gun*** [gʌn]; ***gín·ning***) *vi.*, *vt.* 《고어·시어》 =BEGIN.
gín and ít 〔**Ít**〕 [dʒín-] 《영》 진과 이탈리아산 베르무트의 칵테일.
gín-and-Jáguar, -Jág [dʒínənd-] *a.* 《영구어》 (신흥) 상위 중류계급(지역)의.
gín and tónic [dʒín-] 진토닉《진에 토닉워터를 타고 레몬 조각을 곁들인 음료》.
gín blòck [dʒín-] 〖기계〗 일륜(一輪) 활차.
gín fìzz [dʒín-] 진피즈《진에 레몬·탄산수를 탄 음료》.
***gin·ger** [dʒíndʒər] *n.* Ⓤ **1** 〖식물〗 생강; 그 뿌리《약용·조미료·과자에 쓰이는》. **2** 《구어》 정력, 원기, 기력; 《구어》 자극(piquancy). **3** 황〔적〕갈색; 《속어》 붉은 머리털(의 사람). ── *a.* 생강을 넣은; 생강빛의; (머리가) 붉은. ── *vt.* 생강맛을 내다; 기운을 돋우다, 격려하다《*up*》.
gin·ger·ade [dʒìndʒəréid] *n.* 《영》 = GINGER BEER.
gínger ále 진저에일《생강맛을 곁들인 비(非)알코올성 탄산 청량음료의 일종》.
gínger béer 진저비어《진저에일보다 생강 냄새가 더 강한 탄산성 음료》.
gínger brándy 진저 브랜디《생강맛이 나는》.
°**gínger·brèad** *n.* 생강이 든 빵; 《비유》 야하게 허울만 좋은 물건〔장식〕. ***take the gilt off the ~*** ⇨ GILT[1]. ── *a.* (가구·건물 따위가) 야한, 값싼: ~ work 값싸고 번지르르한 장식. ㊕ **~y** *a.*
gíngerbread màn 사람 모양의 생강 냄새가 나는 쿠키.
gíngerbread nút 생강이 든 비스킷(ginger nut).

gínger córdial 생강·레몬 껍질·건포도·물로 만든 음료(종종 브랜디를 탐).
gínger gròup 《영》 조직내의 소수 혁신파, 급진파.
◇**gín·ger·ly** *ad.* 극히 조심스레, 주의 깊게, 신중히. **—** *a.* 매우 조심스러운, 신중한. [파] **-li·ness** *n.*
gínger nùt 《영》 =GINGERBREAD NUT.
gínger póp 《구어》 =GINGER ALE.
gínger·snàp *n.* 생강이 든 쿠키.
gínger wìne 진저 와인(설탕·레몬·건포도·생강을 섞어 발효시킨 음료).
gin·gery [dʒíndʒəri] *a.* 생강 같은; 매운, 얼얼한(pungent); 성질이 급한, 성마른; 황갈색의; (머리가) 붉은(red); (특히 말이) 혈기 왕성한.
ging·ham [gíŋəm] *n.* [U,C] 깅엄(줄무늬 또는 바둑판 무늬의 무명); [C] 《영구어》 박쥐우산.
gin·gi·li [dʒíndʒəli] *n.* [U] 참깨; 참기름.
gin·gi·va [dʒindʒáivə, dʒíndʒəvə] (*pl.* ***-vae*** [-viː]) *n.* 〖해부〗 잇몸, 치은(齒齦)(gum²).
gin·gi·val [dʒindʒáivəl, dʒíndʒə-] *a.* 잇몸의; 〖음성〗 윗잇몸의.
gingíval recéssion 〖치과〗 잇몸 퇴축.
gin·gi·vec·to·my [dʒìndʒəvéktəmi] *n.* 〖치과〗 잇몸 절제(수술).
gin·gi·vi·tis [dʒìndʒəváitis] *n.* [U] 〖의학〗 치은염(齒齦炎).
gin·gly·mus [dʒíŋgləməs, gíŋ-] (*pl.* ***-mi*** [-mài]) *n.* 〖해부〗 경첩 관절.
gin·gus·a·min·gus [gíŋəsəmíŋgəs] *n.* 《미속어》 얼간이, 멍청이, 바보.
gín·hòuse [dʒín-] *n.* 조면(繰綿) 공장.
gink [giŋk] *n.* 《미속어》 놈, 치; 지겨운 놈; 괴짜.
gink·go, ging·ko [gíŋkou] (*pl.* ***~s, ~es***) *n.* 〖식물〗 은행나무.
gínkgo nùt 은행.
gín mìll [dʒín-] 《미속어》 (싸구려) 술집.
gin·ner [dʒínər] *n.* 조면공(繰綿工).
gin·nery [dʒínəri] *n.* 조면(繰綿) 공장.
gin·ney [gíni] *n.* (또는 G-) 《미속어》 이탈리아 사람.
Gín·nie Máe [dʒínimei] 《미》 지니메이((1) 주택 도시 개발부의 Government National Mortgage Association(정부 저당 협회)의 별칭. (2) 동협회 발행의 채권).
gi·nor·mous [dʒainɔ́ːrməs] *a.* 《영속어》 터없이 큰.
gín pàlace [dʒín-] 《영》 화려하게 꾸민 싸구려 술집.
gín rúmmy [dʒín-] 진 러미(둘이서 하는 카드놀이의 일종).
gin·seng [dʒínseŋ] *n.* 〖식물〗 인삼; 그 뿌리.
gín slíng [dʒín-] 얼음 냉수에 진·설탕·향료를 넣은 청량음료.
gin·zo, guin- [gínzou] (*pl.* ***~es***) *n.* 《미속어·경멸》 외국인, 이민, 《특히》 이탈리아인.
Gio·con·da [*It.* dʒoukɔ́ndaː] *n.* 《It.》 ***La ~*** 모나리자(Mona Lisa)의 초상화.
gio·co·so [dʒəkóusou] *a., ad.* 《It.》 〖음악〗 활발한〔하게〕, 우스운〔우습게〕.
Giot·to [dʒɑ́tou/dʒɔ́-] *n.* **~ di Bondone** 조토(이탈리아의 화가·건축가; 1266?-1337).
gip¹ ⇨ GYP²˒³.
gip² [gip] (**-pp-**) *vt.* (생선의) 창자를 빼다.
gíp·py túmmy [dʒípi-] 《속어》 (열대 지방 여행자가 걸리는) 설사.
***Gipsy** ⇨ GYPSY.
gi·raffe [dʒəræ̃f/-rɑ́ːf] (*pl.* ***~s, ~***) *n.* 〖동물〗 기린, 지라프; (the G-) 〖천문〗 기린자리.
gir·an·dole [dʒírəndòul] *n.* 《F.》 가지 달린 장식 촛대; 회전 꽃불; 회전 분수; 큰 보석 주위에 작은 보석을 박은 펜던트·귀걸이(따위); 〖군사〗 서로 연결시킨 지뢰군(群).
gir·a·sol, -sole [dʒírəsɔ̀ːl, -sɑ̀l/-sɔ̀l], [-sòul] *n.* 〖광물〗 화단백석(火蛋白石)(fire opal)(타는 듯한 반사광을 발함); 〖식물〗 뚱딴지.
◇**gird**¹ [gəːrd] (*p., pp.* ***~·ed*** [gə́ːrdid], ***girt*** [gəːrt]) *vt.* **1** (~+[목]/+[목]+[전]+[명]) …의 허리를 졸라매다, 허리띠로 조르다, 매다, 띠다: ~ the waist *with* a sash 장식띠로 허리를 졸라매다. **2** (+[목]+[부]) (칼 따위를) 허리에 차다: ~ *on* a sword. **3** (+[목]+[전]+[명]/+[목]+*to* do) 〔~ oneself〕 차리다, 채비를 하다, 긴장하다(*for*): ~ one*self for* the trial 시련에 대처하다/~ one*self to* attack the enemy 적을 공격할 준비를 하다. **4** (+[목]+[전]+[명]) (권력 등을) 부여하다(*with*): be ~*ed with* supreme power 최고의 권력이 주어지다. **5** (~+[목]/+[목]+[전]+[명]) (성 따위를) 둘러싸다, 에워싸다(*with*): ~ a village 마을을 에워싸다/~ a castle *with* a moat 성에 해자를 두르다. ◇ girdle *n.* **~ *round*** (띠를) 둘러서 졸라매다. **~ (*up*)** one***'s loins*** ⇨ LOIN.
gird² *vi.* 비웃다(*at*); 재빨리 움직이다. **—** *n.* 비웃음, 냉소, 조롱.
gírd·er *n.* 〖토목·건축〗 도리; 대들보; 거더. [파] **~·age** [-ridʒ] *n.* 〔집합적〕 도리·형(桁)맞춤.
gírder brìdge 형교(桁橋).
◇**gir·dle**¹ [gə́ːrdl] *n.* **1** 띠, 허리띠. **2** 띠 모양으로 두르는 것: a ~ of trees around a pond 못을 둘러싼 나무숲. **3** 거들(코르셋의 일종; 고무가 든 짧은 것). **4** 〖천문〗 황도(黃道), 수대(獸帶), 적도. **5** 〖해부〗 대(帶), 환상골(環狀骨): the pelvic 〔shoulder〕 ~ 골반〔견갑(肩胛)〕대, 상지(上肢)〔하지(下肢)〕대(帶). **6** 나무껍질을 고리 모양으로 벗긴 뒤의 테. **7** 〖건축〗 동륜(胴輪). ◇ gird *v.* ***have* 〔*carry, hold*〕 ... *under*** one***'s* ~** …을 지배하다, 복종시키다. ***put a ~ round*** …을 일주하다. **—** *vt.* …에 띠를 두르다, 띠 모양으로 에두르다(*about; in; round*); 둘러싸다, 포위하다; 나무껍질을 고리 모양으로 벗기다: a satellite *girdling* the moon 달 주위를 도는 위성/a pond ~*d with* the grass 잔디로 둘러싸인 못.
gir·dle² *n.* 《Sc.》 =GRIDDLE.
gír·dler *n.* **1** 에두르는 것〔사람〕. **2** 띠 만드는 장색(匠色). **3** 나무껍질을 고리 모양으로 먹어 들어가는 각종 곤충(=**twig ~**).
†**girl** [gəːrl] *n.* **1** 계집아이, 소녀. [opp] *boy.* ¶ a ~*s'* school 여학교. **2** 젊은 여자, 미혼 여성, 처녀; 여학생(school ~). **3** 《구어》 (나이·기혼·미혼을 불문하고) 여자; (친밀히) 여보, 아주머니: gossipy old ~*s* 수다쟁이 할머니들. **4** 여점원(sales ~); 여사무원(office ~); 여자 종업원, 여성 근로자; 하녀(maidservant). **5** 애인, 연인(sweetheart, best ~), 약혼녀(fiancée). **6** 《구어》 딸(daughter). **7** (the ~s) (기혼·미혼 포함하여) 한 집의 딸들; 서로 아는 여자들. **8** 《구어》 매춘부; 《미속어》 (남자의) 동성애자, 호모. **9** 《속어》 코카인. ***my dear ~*** 귀여운 사람, 당신(아내 등에 대한 호칭). ***That's the* 〔*my*〕 *~!*** 잘했다, 잘한다, 좋아. ***the principal* 〔*leading*〕 *~*** (무언극·희가극 따위의) 주연 여배우. **—** *a.* 여자의, 소녀의: a ~ cousin 사촌자매/a ~ student 여학생.
girl·cott [gə́ːrlkɑ̀t/-kɔ̀t] *vt.* 《우스개》 (여성이) 여성에 대하여 편견을 가진 사람〔물건〕을 보이콧하다. [◂ *girl*+boy*cott*]
gírl Fríday (종종 G-) (일 잘하여 여러 일을 맡은) 여비서〔여사무원〕.
gírl frìend 여자 친구〔애인〕.
Gírl Gúides (the ~) 《영》 소녀단(단원은 7.5-21세로 a girl guide라고 하며, Brownies(7.5-11세), Guides(11-16세), Rangers(16-19세)의 3부로 나뉘며 위로 Cadets라는 지도부가 있음). [cf] Girl Scouts.
girl·hood [gə́ːrlhùd] *n.* [U] 소녀〔처녀〕임, 소녀

〔처녀〕 시절; 〖집합적〗 소녀들. [opp] boyhood. ¶ the nation's ~ 나라의 소녀들.

girl·ie, girly [gə́ːrli] *n.* 《애칭》 소녀, 아가씨; 《미속어》 코러스걸; 매춘부. **—** *a.* 《구어》 젊은 여성의 누드를 특색으로 하(여 인기를 끄)는《잡지·쇼》; 여성이 서비스하는《바》: a ~ magazine 누드 잡지.

°**girl·ish** [gə́ːrliʃ] *a.* 소녀의; 소녀다운; (사내아이가) 계집애 같은; 소녀를 위한. [파] **~·ly** *ad.* **~·ness** *n.*

Gírl Scòuts (the ~) 《미》 걸스카우트《단원은 7-17세로 a girl scout라 하며, Brownie Scouts (7-9세), Intermediate Girl Scouts(10-13세), Senior Girl Scouts(14-17세)의 3부로 나뉨》. [cf.] Girl Guides.

gírl wìfe 소녀 같은〔앳된〕 아내.

Gi·ro, gi·ro¹ [dʒáiərou] *n.* (유럽의) 지로제(制), 은행〔우편〕 대체(對替) 제도.

gi·ro² *n.* =AUTOGIRO.

Gi·ronde [dʒərɑ́nd/-rɔ́nd] *n.* (the ~) 지롱드당《프랑스 혁명 당시의 온건한 공화당》.

Gi·ron·din, Gi·ron·dist [dʒərɑ́ndin/-rɔ́n-], [-ist] *n.* 지롱드당원. **—** *a.* 지롱드당(원)의.

gíro sỳstem 《영》 대체(對替) 제도.

°**girt**¹ [gəːrt] GIRD¹의 과거·과거분사.

girt² *n.* (물건의) 둘레의 치수(girth); (울퉁불퉁한 면의) 실지 길이 측정. **—** *vt., vi.* …의 둘레를 재다; 감다, 허리띠로 조르다.

girth [gəːrθ] *n.* **1** (짐이나 안장을 묶는) 끈, 띠, 허리띠, (말 따위의) 배띠. **2** 몸통 둘레(의 치수); (원기둥 모양의 물건의) 둘레의 치수; 〖건축〗 중인방(中引枋): a man of large ~ 허리가 굵은 사람/The trunk is 10 yards in ~. 그 나무줄기는 둘레가 10야드이다. **—** *vt.* 배띠를〔로〕 졸라매다; 둘러싸다, 두르다. **—** *vi.* (둘레의) 치수가 …이다: ~ five feet (둘레가) 5피트이다.

GIS geographic information system (지리 정보 시스템) 《지도 데이터 베이스》.

Gis·card d'Es·taing [*F.* ʒiskar dɛstɛ̃] **Valéry** ~ 지스카르 데스탱《프랑스의 정치가·대통령(1974-81); 1926- 》. [파] **Gis·card·i·an** [dʒiskɑ́ːrdiən] *n., a.* **Gis·cárd·ism** *n.* **-ist** *n.*

gism ⇨ JISM.

gis·mo [gízmou] *n.* =GIZMO.

gist [dʒist] *n.* (the ~) (논문·일 따위의) 요점, 요지, 근본; 〖법률〗 (소송의) 주요 소인(訴因).

git¹ [git] *v.* 《방언》 =GET¹.

git² *n.* 《영속어》 쓸모없는 놈, 바보 자식.

GIT group inclusive tour 《항공기를 이용하여 숙박·관광 등 일체를 포함해서 하는 단체 여행》.

gite [ʒiːt] *n.* 여관, 휴게소; (프랑스의) 임대 별장.

gits [gits] *n. pl.* 《미속어》 용기, 근성(guts).

git·tern [gítəːrn] *n.* 기타와 비슷한 옛 현악기 (cithern).

giu·sto [dʒúːstou] *a., ad.* 《It.》 〖음악〗 (속도에 대하여) 정확한〔하게〕, 적절한〔하게〕.

†**give** [giv] (**gave** [geiv]; **giv·en** [gívən]) *vt.* **1** 《~+[목]/+[목]+[목]/+[목]+[전]+[명]》 주다, 거저 주다, 드리다, 증여하다: He *gave* me a book. =He *gave* a book *to* me. 그는 나에게 책을 주었다/I *gave* it (*to*) her. 그것을 그녀에게 주었다. ★직접목적어가 it일 경우, it는 문장 끝에 오지 않고 「to+인칭대명사」 앞에 온다. 이때 to를 생략함은 《영》에서 많음. 이하는 수동태: He 〔The boy〕 was *given* a book. A book was *given* (*to*) him. A book was *given* (*to*) the boy.

> [SYN] **give** '주다'의 가장 보편적인 말. **bestow** 대범한 기분과 태도로 남에게 무상으로 주는 경우의 말. **confer** 특히 명예가 되는 것을 주다. 주는 쪽의 우월은 표시되어 있지 않은 정중한 말: *confer* an honorary degree 명예 학위를 수여하다. **grant** 청한 것에 대하여 (정식으로) 주다: *grant* a license 면허를 교부하다. **present** 의식 따위를 행하여 정식으로 주는 경우에 씀: *present* a retiring person *with* a watch 퇴직자에게 시계를 선사하다. **offer** '자진해서 주다'의 뜻. 흔히 손아랫사람이 손윗사람에게 주는 것: *offer* help 도와주겠다고 나서다. **provide, supply** 없으면 곤란한 것, 불편한 것을 주다: *provide* a car for 〔to〕 a friend 친구에게 차를 마련해 주다.

2 《~+[목]/+[목]+[목]/+[목]+[전]+[명]》 (지위·명예·임무·신뢰 따위를) 주다, 수여〔부여〕하다; (축복·장려·인사 따위를) 주다, 하다, 보내다: ~ a title 직함을 주다/He was *given* an important post. 그에게 중요한 지위가 부여됐다/God, ~ me patience! 하느님 저에게 인내력을 주소서/*Give* my love *to* Mr. Brown. 브라운씨에게 안부를 전해 주오.

3 《+[목]+[목]》 (시간·기회·유예·허가 따위를) 주다: *Give* me a chance once more. 다시 한 번만 기회를 주십시오/They *gave* me a week to make up my mind. 그들은 나에게 1주일 동안 생각할 여유를 주었다.

4 《~+[목]/+[목]+[목]》(타격·고통·벌 따위를) 주다, 가하다: ~ hard blows 몹시 때리다/She *gave* the door a hard kick. 그녀는 문을 힘껏 걷어찼다.

5 《~+[목]/+[목]+[목]》 (슬픔·걱정·인상·감상·기쁨·희망 따위를) 주다, 느끼게 하다, 일으키다: ~ a person a lot of trouble 아무에게 많은 걱정을 끼치다/Try to ~ her a good impression. 그녀에게 좋은 인상을 주도록 힘써라/It ~*s* me great pleasure to meet you again. 다시 만나뵈어 참으로 기쁩니다.

6 《+[목]+[전]+[명]》 (형태·형식을) 부여하다: Theory ~*s* shape *to* ideas. 이론에 의해서 착상이 체계화된다〔형태를 갖추게 된다〕.

7 《~+[목]/+[목]+[목]/+[목]+[전]+[명]》 건네다, 넘겨주다, 인도하다; (음식물을) 내다; (약·치료 등을) (해)주다: The enemy *gave* ground. 적은 물러갔다/Please ~ me the salt. 소금 좀 집어주시오/~ one's daughter *in* marriage 딸을 시집보내다.

8 《+[목]+[목]/+[목]+[전]+[명]》 (손을) 내밀다; 제공하다; (…의 관리를) 위탁하다, 맡기다; 〖~ oneself〗 (여자가) 몸을 허락하다: *Give* me your hand. 자 악수합시다/She *gave* herself *to* him. 그녀는 그에게 몸을 허락하였다.

9 《~+[목]/+[목]+[전]+[명]》 (보상으로) 주다, 내다, 지불하다《*for*》; 버리다; 희생하다; 〖흔히 부정형〗 …만큼한 관심을 기울이다《*for*》: What 〔How much〕 will you ~ *for* my old car? 내 중고차를 얼마에 사겠소/I would ~ anything 〔the world〕 to have my health restored. 건강을 회복하기 위해서라면 무엇이든지 하겠다/They don't ~ anything 〔a damn〕 *for* his promises. 그의 약속 따위는 전혀 믿지 않는다.

10 《+[목]+[목]》 (병을) 옮기다: Keep off that I might not ~ you my cold. 내 감기가 옮지 않도록 가까이 오지 마시오.

11 (증거·예증·이유 등을) 보이다, 들다, 지적하다, 제시하다; 제출하다: The author ~*s* an instance of the tragedies induced by war. 저자는 전쟁이 가져온 비극 중의 한 예를 들고 있다.

12 《+[목]+[목]》 (시일을) 지시하다, 지정하다:

They *gave* us the date of interview. 그들은 회견 날짜를 지정해 왔다.

13 (온도 · 기압 · 무게 따위를) 보이다, 가리키다: The thermometer ~s 75°. 온도계는 75°를 나타내고 있다.

14 《~+[목]/+[목]+[목]》 (겉으로) 보이다, 나타내다, …의 징후이다: High temperature ~s a sign of illness. 열이 높은 건 병의 징후이다/ Don't ~ me a wry face. 찡그린 얼굴일랑 보이지 말게.

15 (세상에 널리) 전하다, 보도하다, 묘사하다: The newspaper ~*s* a full story of the game. 신문은 경기 내용을 자세하게 싣고 있다/The author ~*s* every phase of human life. 작가는 인생의 모든 면을 묘사하고 있다.

16 (인쇄물이) 수록하고 있다: The dictionary doesn't ~ this word. 사전에는 이 말이 수록돼 있지 않다.

17 《~+[목]/+[목]+[목]》 (의견 · 이유 · 회답 · 조언 · 지식 · 정보 따위를) 말하다, 전하다, 표명하다, 선고하다: ~ advice 조언하다/He *gave* us a brief account of the event. 그는 그 사건의 경위를 간단히 설명해 주었다/Please ~ me the reason why you did not come. 못 온 이유를 말하시오/The umpire *gave* him out. 심판은 그에게 아웃을 선언했다.

18 《+[목]+[전]+[명]》 (노력 · 주의 · 편의 · 원조 따위를) …에 돌리다, 쏟다, 바치다(devote); 제공하다: ~ all the glory *to* God 모든 영광을 신에게 돌리다/*Give* your mind *to* your trade. 자기 직업에 전념하시오/He *gave* his life *to* charities. 그는 일생을 자선 사업에 바쳤다.

19 《~+[목]/+[목]+[목]》〖동작을 나타냄, 주로 단음절의 명사를 목적어로 하여〗 …하다: ~ a push 누르다/~ a kick at the dog 개를 차다/She *gave* a cry seeing the rat. 그녀는 쥐를 보고 비명을 질렀다/*Give* it a tug 〔pull〕, and it will open. 힘껏 당기면 열린다.

20 《~+[목]/+[목]+[전]+[명]/+[목]+[목]》 **a** (여흥 따위를) 제공하다; (파티 · 모임을) 열다, 개최하다: They *gave* a show in aid of charity. 그들은 자선쇼를 열었다/She *gave* a dinner *for* twenty guests. 그녀는 손님 20 명을 초대하여 만찬회를 열었다/We *gave* him a farewell banquet. 우리들은 그의 송별회를 열었다. [SYN.] ⇨ HOLD. **b** (극 따위를) 상연하다, (강의 따위를) 하다, 낭독〔암송〕하다, 노래하다《*for*》: ~ a play 극을 상연하다/*Give* us a song. 한 곡 불러 주세요/He *gave* a lecture on the international situation. 그는 국제 정세에 관하여 강연을 했다.

21 《+[목]+[목]》 (사회자가) 소개하다: Ladies and gentlemen, I ~ you the Governor of New York. 여러분, 뉴욕 주지사를 소개합니다.

22 《~+[목]/+[목]+[목]》 **a** (동식물 등이) 공급하다, 산출하다, 나(오)다; (결과 따위를) 내다(produce, supply): ~ good results 좋은 결과를 낳다〔내다〕/Land ~*s* crops. 대지는 농작물을 산출한다/Cows ~ us milk. 소에서 우유를 얻는다/ Five into ten ~*s* two. 10 나누기 5 는 2. **b** (아이를) 낳다〔갖다〕: She *gave* him two sons. 그녀는 그와의 사이에 두 아들을 낳았다.

23 (빛 · 소리 · 목소리를) 발하다, 내다: The floor ~*s* creaks when you walk on it. 그 마루는 걸을 때 삐걱거린다/The sun ~*s* light and warmth. 태양은 빛과 열을 발한다.

24 《~+[목]/+[목]+[목]/+[목]+[전]+[명]》 (실점(失點)을) 주다, 양보하다(concede): ~ ground 물러나다; 우세한 지반을 잃다, 양보하다/I'll ~ you that point. 그 점은 양보하지/I *gave* my seat *to* an old lady. 한 노부인에게 자리를 양보하였다.

25 〖보통 수동태〗 …을 (예측 · 추론 등의 전제로) 인정하다, (…임을) 가정하다《*that*절》: These facts *being given*, the argument makes sense. 이 사실들을 전제로 하면 그 논의는 납득이 간다/How can you write a grammar, *given that* no two people speak the same way? 누구나 같은 식으로 말하지 않는다면 대체 문법을 쓸 수 있는 것일까.

26 《+[목]+[목]》 〖give me의 형식으로〗 …로 (해) 주시오, …의 편이 좋다; (전화를) …에 연결해 주시오: ⇨ *Give* me ... (관용구).

27 《+[목]+[목]》 (축배할 때) …을 제안하다: Now I ~ you United Nations. 자 유엔을 위해 축배를 들고자 합니다만.

28 《+[목]+*to* do》〖종종 수동태〗 …에게 …하게 하다: He *gave* me *to* believe that he would help us. 그의 말에서 우리를 도와주리라는 것을 알았다/I'*m given to* understand that .... 나는 …라고 듣고〔알고〕 있다.

— *vi.* **1** 《~/+[전]+[명]》 주다, 아낌없이 내(놓)다; 베풀다; 기부를 하다: ~ *to* the Red Cross 적십자에 기부를 하다/He ~*s* generously (*to* charity). 아낌없이 (자선에) 돈을 내놓는다. **2** (힘을 받아) 우그러〔찌그러〕지다; 휘다, 굽다; 무너〔허물어〕지다; (말라서) 오그라들다, 상하다; 탄력이 있다: The branch *gave* but did not break. 가지는 휘었으나 꺾어지지는 않았다/The floor *gave* under the weight of the piano. 마룻바닥이 피아노 무게로 휘었다/This mattress ~*s* too much. 이 매트는 너무 탄력이 있다. **3** (추위 따위가) 누그러지다; (얼음 · 서리 따위가) 녹다; (색이) 바래다: Ice is beginning to ~. 얼음이 녹기 시작한다. **4** 순응하다, (…에) 가락을 맞추다《*to*》. **5** 《+[전]+[명]》 (창이) …로 향하다, …에 면하다《*on, upon; onto*》; (복도가) …로 통하다《*into; onto*》: The window ~*s on* the street. 창이 가로에 면(面)해 있다. **6** 《구어》 (비밀 따위를) 털어놓다: Okay now, ~! What happened? 자 말해봐, 무슨 일이 있었나. **7** …하려고 마음먹다; 제 컨디션이 나다.

be given to …에 빠지다, …에 열중하다, 거의 …하다시피 하다: He *is given to* drink(ing). 그는 술에 빠져 있다. ***Don't ~ me that*** (***rubbish*** 〔***nonsense***〕)***!*** 《구어》 그런 (말도 안 되는) 소리 마라, 그런 것 믿을 수 없어. **~ *about*** 배포하다, (소문 따위를) 퍼뜨리다. **~ *a dog a bad name*** 뒷구멍으로 인격을 손상시키다. **~ *again*** (되)돌려주다. **~ *against*** a person 아무에게 불리한 판결을 내리다. **~ *and take*** 서로 양보하다, 서로 유무상통하다; 의견을 교환하다. [cf.] give-and-take. **~ *a piece of*** one***'s mind*** 생각한 바를 거리낌없이 말하다. **~ *as good as*** one ***gets*** 교묘히 응수하다, 지지 않고 되쏘아붙이다. **~ *away*** 《*vt.*+[부]》 ① 남에게 주다, 싸게 팔다: He has *given away* all his money. 그는 돈을 전부 주어버렸다. ② (기회를) 놓치다; 무너지다; 《미》 양보하다: You've *given away* a good chance of success. 자네는 성공의 기회를 눈앞에서 놓쳐 버렸네. ③ (고의 또는 우연히) 폭로하다, 누설하다, …에게 정체를 드러내게 하다: ~ oneself *away* 정체를〔마각을〕 드러내다/Don't ~ *away* my secret. 내 비밀을 폭로치 말게. ④ 나누어 주다: The mayor came to the ceremony and *gave away* the prizes. 시장은 식전에 나와 상을 나누어 주었다. ⑤ (결혼식에서 신부를) 신랑에게 인도하다: Mary was *given away* by her father. 메리는 아버지에 의해 (신랑에게) 인도되었다. ⑥ 저버리다, 배신하다. **—**《*vi.*+[부]》 ⑦ (다리가) 무너지다. **~ *back*** 《*vt.*+[부]》 ① 돌려 주

다, 되돌리다《*to*》; …에게 (자유·능력을) 회복시키다; 되갚음하다, 말대답하다, 응수하다《insult *for* insult》; (소리·빛을) 반향〔반사〕하다: The hill *gave* back echoes. 산은 메아리쳤다/He *gave back* my reproaches. 그는 나의 비난에 항변했다. ―《*vi.*+副》 ② 움츠리〔물러서〕다, 굴복하다, 쑥 들어가다. ~ a person ***best*** ⇨ BEST. ~ ***down*** (소가 젖을) 내다. ~ ***forth*** ① (소리·냄새 따위를) 발하다, 내다: The fields ~ *forth* an odor of spring. 들판은 봄의 냄새를 풍긴다. ② (작품 따위를) 발표하다. ③ (소문 따위를) 퍼뜨리다. ~ ***in*** 《*vt.*+副》 ① (보고서 따위를) 제출하다, 건네다《*to*》; 공표하다: Names of competitors must be *given in* by tomorrow. 내일까지 경기자 명단을 제출할 것/Now boys, ~ *in* your examination papers. 자 학생들, 답안지를 내도록 해요. ―《*vi.*+副》 ② 굴복하다《*to*》; 양보하다; 싸움을〔논의를〕 그만두다; 덤으로 첨부하다: The strikers *gave in*. 파업자들은 꺾여 굴복했다. ③ (사람·희망·감정 등에) 따르다, 지다《*to*》: ~ *in to* passion 정열에 몸을 맡기다/He has *given in to* my views. 그는 내 의견에 따랐다. ~ ***into*** …으로 통하다(⇨ *vi.* 5). ~ ***it away*** 《Austral.》 그만두다(give up). ~ ***it*** (***to***) a person (***hot***) 《미구어》 아무를 (되게) 꾸짖다, 때리다, 벌 주다. cf. GET it. ~ ***it to*** a person ***straight*** (비사치지 않고) 솔직히 말하다. ***Give me ...*** ① 내게는 차라리 …을 다오(I prefer): *Give me* the good old times. 그리운 옛날이여 다시 또한 번/As for me, ~ *me* liberty or ~ *me* death. 나에게는 자유를 달라, 아니면 죽음을 택하겠노라. ② 〖전화〗 …에게 연결 부탁합니다. ~ ***of*** …을 아낌없이 주다: ~ *of* one's best 최선을 다하다. ~ ***off*** 《*vt.*+副》 ① (냄새·빛 따위를) 내다, 방출하다; (가지를) 내다: Cheap oil ~*s off* bad odor. 싼 기름은 악취를 발한다. ―《*vi.*+副》 ② 가지를 내다. ~ ***of*** one***self*** 자신을 헌신적으로 바치다. ~ ***on*** ⇨ *vi.* 5. ~ ***or take*** (약간의 넘고 처짐은) 있다고 치고: He's 60 years old, ~ *or take* a year. 그는 60세에서 한 살 더하거나 덜할 정도이다. ~ ***out*** 《*vt.*+副》 ① 배포하다, 할당하다: The teacher *gave out* the examination papers. 선생은 시험지를 나누어 주었다. ② 공표〔공개〕하다, 발표하다: The secret was *given out* after his death. 그의 사후 그 비밀은 공개되었다/It was *given out* that .... …라는 것이 발표되었다. ③ 말해 버리다, 칭하다《*to be*》, (회중 앞에서 찬송가 등)의 글귀를 낭송하다. ④ (소리·빛 따위를) 발하다, 내다: This oil stove ~s *out* a good heat. 이 석유 난로는 따뜻하다. ⑤ 〖야구〗 아웃을 선언하다. ―《*vi.*+副》 ⑥ 지쳐 떨어지다, (공급·힘이) 다하다, 부족하다, (엔진 따위가) 작동을 멈추다; (물건이) 짜부라지다; 다하다, 떨어지다; 다 되다: The fuel *gave out*. 연료가 다 떨어졌다/The engine has *given out*. 엔진이 멈춰 버렸다. ⑦ 《구어》 〔종종 명령형〕 마음껏〔자유로이〕 행하다. ⑧ 《구어》 (웃음 따위로) 기분을 나타내다: ~ *out with* a scream 새된 소리를 지르다. ~ ***over*** 《*vt.*+副》 ① 넘겨주다, 양도(讓渡)하다, 맡기다《*to*》; (경찰에 범인으로서) 넘기다《*to*》: They *gave over* the criminal *to* law. 그들은 범죄자를 법의 손에 넘겼다/*Give* it *over to* me. 그것을 나에게 넘기〔맡기〕시오. ② (어떤 용도에) 충당하다, (일 따위에) 바치다, (감정 따위에 몸을) 내맡기다《*to*》. ③ (습관 등을) 버리다, 끊다; 《영구어》 (…하는 것을) 그만두다《do*ing*》: ~ *over* an attempt 〔a habit, a mode of life〕 기도(企圖)를〔습관을, 생활 양식을〕 포기하다. ④ 《고어》 (환자를) 포기하다, (연인을) 뿌리쳐 버리다, 단념하다. ⑤ 〔수동태〕 (…에) 배당돼 있다, 전용되다《*to*》; (나쁜 일에) 관계하고〔빠져〕 있다《*to*》: The rest of the day *was given over to* sports and games. 그날 남은 시간은 경기나 게임을 하며 보냈다. ―《*vi.*+副》 ⑥ 《영구어》 〔종종 명령형〕 그만두다, 조용히 하다: Do ~ *over!* 그만해. ⑦ 빠지다, 골몰하다. ~ one***self away*** 정체를 드러내다. ~ one***self out as*** 〔***to be***〕 …라고 자칭하다. ~ one***self over*** 〔***up***〕 ***to*** (음주 따위)에 빠지다, 몰두하다. ~ one***self up*** 항복하다, 단념하다《*for*》; 자수하다《*for* the murder; *to* the police》. ~ ***... something to cry for*** 〔***about***〕 (대단한 일도 아닌데 우는 아이 따위)를 혼내 주다. ~ ***the case against*** = ~ against. ~ ***the time of day*** 아침 저녁의 인사를 하다. ~ ***the world for*** …을 위해 어떠한 것도 희생하다, …이 탐나 못 견디다. ~ ***up*** 《*vt.*+副》 ① (환자 등을) 단념〔포기〕하다, (연인·친구)와 손을〔관계를〕 끊다: The doctor *gave up* the patient. 의사는 환자를 포기했다. ② (신앙 등을) 버리다, (술·놀이 따위를) 그만두다, 끊다《smok*ing*》, (직업 따위를) 그만두다, (시도(試圖)를) 포기하다《do*ing*》: The enemy *gave up* the fort. 적은 요새를 포기했다. ③ (자리 등을) 양보하다, (영토 등을) 내주다, (죄인 따위를) 넘겨주다《*to*》: ~ *up* one's seat *to* an old man 노인에게 자리를 양보하다/We *gave* the thief *up to* the police. 우리는 도둑을 경찰에 넘겨주었다. ④ (…에) 전심〔몰두〕하다; (평생을) 바치다; (감정·일 따위에 몸을) 맡기다《*to* despair, paint*ing*, etc.》: He *gave* him*self up to* melancholy. 그는 우수에 잠겼다. ⑤ 〔흔히 수동태〕 …을 주로 (…에) 배당하다《*to*》. ⑥ (비밀 등을) 밝히다; (공범자의 이름을) 자백하다《*to*》; 〔~ oneself up 로〕 (경찰에) 자수하다. ⑦ (집·차 등을) 처분하다; (회복·도착 등의 가망이 없다고) …의 일을 단념하다; 《구어》 = ~ up on ...; 〖야구〗 (투수가 히트·주자 등을) 허용하다. ―《*vi.*+副》 ⑧ 그만두다, 포기하다, 단념하다. ~ ***up on ...*** 《구어》 (글렀다고) …을 단념하다. ~ ***way*** ⇨ WAY[1]. ~ a person ***what for*** (아무를) 책(責)하다, 벌하다. ***Give you joy!*** 축하〔축복〕합니다. ***What ~s?*** 《구어》 뭐가 있었냐, 웬일이냐. ***would ~ a lot*** 〔***anything***〕 ***to*** do 꼭 …하고 싶다: I *would* ~ *a lot to* know where she is. 그녀 있는 곳을 꼭 알고싶다.

― *n.* Ⓤ **1** 줌; 일그러짐, 패임. **2** (재료 따위의) 유연성, 탄력성(elasticity). **3** (정신·성격 따위의) 탄력〔협조, 순응〕성: There is a lot of ~ in young people. 젊은이에게는 순응성이 많다.

gíve-and-gó [-ən-] *n.* 〖농구·하키〗 기브앤고《패스한 직후에 네트나 골 쪽으로 커트인해서 리턴패스를 받는 플레이》.

gíve-and-táke [-ən-] *n.* 대등〔공평〕한 교환; 타협, 협조; 의견의 교환, 대화〔농담, 재치〕의 주고받음, 응수; 쌍방의 양보, 호양(互讓).

gíve·awày 《구어》 *n.* (비밀 등의) 누설, 폭로; (본의 아닌) 배반; 마각을 드러내기; 포기; 양도; (손님을 끌기 위한) 서비스품, 경품; 무료 샘플(free sample); 선물; (무상) 원조; 부정 거래; 〖방송〗 현상이 붙은 프로: His fingerprints were the 〔a dead〕 ~. 그의 지문이 결정적인 증거가 되고 말았다. ― *a.* 〖방송〗 상품이 붙은《퀴즈 프로 따위》; 헐값의: a ~ show 〔program〕 현상 퀴즈 프로. ***at ~ prices*** 《구어》 거저나 다름없는 값으로.

gíve·bàck *n.* 《미》 **1** 〖노동〗 기득권 반환《노조가 임금인상 등과 교환으로 부가급부 등의 기득권을 포기함》. **2** (선불한 것에서의) 반제금, (앞서 주어진) 권리의 반환.

**giv·en [gívən] GIVE의 과거분사.

— *a.* **1** 주어진, 정해진, 소정(所定)의; 일정한: at a ~ rate 일정한 비율로 / within a ~ period 일정한 기간 내에 / at a ~ time and place 정해진〔약속된〕 시간과 장소에서. **2** 〖수학〗 주어진; 가설(假說)의, 기지(旣知)의. **3** 경향을 띠는, 탐닉하는, 빠지는《*to*》, 좋아하는: I am not ~ that way. 나는 그런 경향〔취미, 버릇〕은 없다 / He is ~ *to* reading. 그는 독서를 좋아한다 / He is ~ *to* music 〔lying〕. 음악을 좋아한다〔거짓말을 잘한다〕. **4** 〖전치사적 또는 접속사적〗 …이 주어지면, …라고 가정하면: *Given* time, it can be done. 시간만 있으면 될 수 있는 일이다. **5** (몇 월 며칠) 작성〔발행〕된(dated)《공문서 따위를 말함》: *Given* under my hand and seal this lst of July. 금(수) 7 월 1 일 자필 서명 날인하여 작성함. — *n.* 이미 알려진 것〔사실〕.

gíven náme 《미》 (성에 대한) 이름(Christian name). ⓒⓕ name.

◇**gív·er** *n.* 주는 사람, 증여〔기증〕자.

gíver-úpper *n.* 《구어》 쉽게 단념〔체념〕하는 사람, 곧 포기하는 사람.

gíve-ùp *n.* 〖경제〗 (증권업자에 의한) 위탁자 (명(名)) 명시 거래《위탁자가 결제 의무를 짐》; 《미》 (다른 증권업자로의) 수수료의 분여(分與), 또 분여된 수수료.

Gi·za, Gi·zeh [gíːzə] *n.* = EL GIZA.

giz·mo [gízmou] *n.* 《미구어》 장치(gadget, gimmick); 거시기, 뭐라던가 하는 것《이름을 잊거나 모를 때》.

giz·zard [gízərd] *n.* 〖조류〗 모래주머니《특히 닭의》; 《우스개·구어》 (사람의) 내장, 《특히》 위(장); 가슴, 마음. ***fret*** one's ~ 괴로워하다, 번민하다. ***grumble in the*** ~ 《영구어》 투덜거리다, 불평하다. ***stick in*** one's ~ 숨이 막히다; 마음에 차지〔들지〕 않다, 부아가 나다.

Gk., Gk Greek. **GL** gunlaying. **Gl** 〖화학〗 glucin(i)um. **gl.** glass; gloss. **g/l** grams per liter.

「반들반들한(smooth).

gla·brous [gléibrəs] *a.* 털이 없는(hairless);

gla·cé [glæséi] *a.* 《F.》 반드럽고 윤이 나는《옷감·가죽 등》; 설탕을 입힌, 설탕을 바른《과자 따위》; 《미》 냉동의. ⓒⓕ marrons glacés.

gla·cial [gléiʃəl] *a.* **1** 얼음의〔같은〕; 빙하의; 빙하 시대의; 얼음〔빙하〕의 작용에 의한; 극한(極寒)의; 냉담한; 〖화학〗 빙상 결정(結晶)의. **2** (빙하처럼) 느린, 지지부진한《진보 따위》. — *n.* 〖지학〗 (홍적세(洪積世)의) 빙하기(期). ⓟ **~·ist** *n.* 빙하학자. **~·ly** *ad.* 빙하 작용으로.

glácial acétic ácid 〖화학〗 빙초산.

glácial dríft 〖지학〗 빙하 퇴적물.

glácial èpoch 〔**pèriod**〕 (the ~) 〖지학〗 빙기(氷期)《지질학적으로는 홍적세(洪積世)에 해당함》; 〖일반적〗 빙하기(期).

gla·ci·ate [gléiʃièit, -si-/-si-] *vt.* 얼리다; 얼음으로〔빙하로〕 덮다; 〖지학〗 (골짜기에) 빙하 작용을 미치다; (금속 따위의) 윤을 없애다. — *vi.* 얼다; 빙하로 덮이다. ⓟ **-àt·ed** [-id] *a.* 얼음으로〔빙하로〕 덮인; 빙하 작용을 받은: a ~*d* shelf 빙식붕(氷食棚).

「음; 빙하 작용.

glà·ci·á·tion *n.* Ⓤ 빙결; 얼음으로〔빙하로〕 덮

*__gla·cier__ [gléiʃər/glǽsjər, -siə] *n.* 빙하. ⓟ **~ed** [-d] *a.* 빙하로 덮인, 빙하가 있는.

glácier tàble 〖지학〗 빙하탁(卓).

gla·ci·o·flu·vi·al [glèiʃiouflúːviəl] *a.* 〖지학〗 (빙하의) 얼음이 녹아 흐르는 물의〔에 의한〕, 빙하 하천으로 이룩된.

gla·ci·ol·o·gy [glèiʃiálədʒi, -si-/-siɔ́l-] *n.* Ⓤ 빙하학; (특정 지역의) 빙하 형성 상태〔특징〕.

gla·cis [gléisis, glǽs-] (*pl.* ~ [-si(ː)z], **~·es**) *n.* 완만한 경사; 〖축성(築城)〗 (전면의) 경사진 제방.

*__glad__[1] [glæd] (**∠·der; ∠·dest**) *a.* **1** 〖서술적〗 기쁜, 반가운, 유쾌한(pleased). ⓄⓅⓅ *sorry.* ¶ I was ~ *at* the news. 그 소식을 듣고 기뻤다 / I am ~ *of* 〔*about*〕 that. 그거 잘됐군 / I am very ~ *to* see you. 만나뵈서 반갑습니다, 잘 오셨습니다 / I am ~ (*that*) you have come. 와 주셔서 기쁩니다. **2** 기꺼이 (…하다)《*to* do》: I will be ~ *to* help you. 기꺼이 도와드리지요 / I should be ~ *to* know why. 〔반어적〕 까닭을 듣고 싶군. **3** (표정·목소리 따위가) 기뻐하는; (사건·소식 따위가) 기쁜, 좋은: ~ news 〔tidings〕 기쁜 소식 / give a ~ shout 환성을 지르다 / a ~ occasion 경사(慶事). **4** (자연 따위가) 찬란한, 아름다운: a ~ autumn morning 맑고 상쾌한 가을 아침. ~ ***of heart*** 기꺼이, 기쁘게. — (**-dd-**) *vt.* 《고어》 기쁘게 하다(gladden).

glad[2] *n.* 《구어》 글라디올러스(gladiolus).

◇**glad·den** [glǽdn] *vt.* 기쁘게 하다. — *vi.* 《고어》 기뻐하다.

「습지(濕地).

glade [gleid] *n.* 숲 사이의 빈터〔오솔길〕; 《미》

glád èye (the ~) 《구어》 추파. ***give*** a person ***the*** ~ 아무에게 다정한 눈길을 주다, 추파를 던지다.

glád hànd (the ~) 환영(의 손); 따뜻한 환영: give a person the ~ 아무를 대대적으로〔따뜻하게〕 환영하다.

glád-hánd *vt., vi.* …을 환영〔접대〕하다; …에게 간살부리다, 아양 떨다. ⓟ **~·er** *n.* **~·ing** *n., a.*

glad·i·a·tor [glǽdièitər] *n.* 〖고대로마〗 검투사; 논쟁자, 논객(論客); 프로복서. ⓟ **-to·ri·al** [glæ̀diətɔ́ːriəl] *a.*

glad·i·o·la [glæ̀dióulə] *n.* = GLADIOLUS.

glad·i·o·lus [glæ̀dióuləs] (*pl.* **-li** [-lai], ~(**·es**)) *n.* 〖식물〗 글라디올러스.

*__glad·ly__ [glǽdli] *ad.* 즐거이, 기꺼이: I'll ~ go. 기꺼이 가겠습니다.

◇**glád·ness** *n.* Ⓤ 기쁨.

glád ràgs 《구어》 나들이옷, 가장 좋은 옷(best clothes), 《특히》 야회복.

glad·some [glǽdsəm] *a.* 《시어》 기쁜, 즐거운, 유쾌한(cheerful). ⓟ **~·ly** *ad.*

Glad·stone [glǽdstòun, -stən/-stən] *n.* **1 William Ewart** ~ 글래드스턴《영국 자유당의 정치가, 수상; 1809–98》. **2** (가운데서 양쪽으로 열게 된) 여행 가방(= ∠ **bàg**). **3** 2 인승 4 륜마차.

Gladstone bag

glair, glaire [glɛər] *n.* Ⓤ (알의) 흰자위; 흰자위 같은 점액; (흰자위로 만든) 질그릇의 겉칠약. — *vt.* …에 흰자위를 바르다. ⓟ **glair·e·ous, gláiry** [glɛ́əriəs], [-ri] *a.* 흰자위 같은, 난백질(卵白質)의, 흰자위를 바른. **gláir·i·ness** *n.*

glaive [gleiv] *n.* 《고어·시어》 검(劍); 날이 넓은 칼.

glam [glæm] 《구어》 *n.* = GLAMOUR. — *a.* = GLAMOROUS; 글램록(glam rock)의. — (**-mm-**) *vt.* = GLAMORIZE. ~ ***up*** 매혹적으로 보이게 하다, 화려하게 꾸미다: ~ it *up* 맵시 내다.

glamor ⇨ GLAMOUR.

glam·or·ize, -our- [glǽməràiz] *vt.* **1** …에 매력을 더하다, 매혹적으로 만들다; 돋보이게 하다. **2** 낭만적으로 다루다, 미화(美化)하다.

◇**glam·or·ous, -our-** [glǽmərəs] *a.* 매력에 찬, 매혹적인. ⓟ **~·ly** *ad.* **~·ness** *n.*

*__glam·our, -or__ [glǽmər] *n.* Ⓤ,Ⓒ **1** (마음을

홀릴 정도의) (성적(性的)) 매력, 매혹, 황홀하게 만드는 매력; (시 따위의) 신비적인 아름다움: full of ~ 매력에 찬 / the magic ~ of the moon 달의 요염한 아름다움. **2** 《고어》 마법, 마술; 마력: cast a ~ over …에 마법을 걸다; …을 매혹하다. **—** *vt.* 매혹하다, 호리다; …에 마법을 걸다. [파] **~·less** *a.*

glámour gìrl 〔**bòy**〕 《구어》 매혹적인 여자〔사내〕《배우·모델 등》.

glámour ìssue 성장주(株).

glámour pànts 《속어》 매력적인 얼굴의 여자.

glámour pùss 《속어》 굉장히 매력적〔매혹적〕인 얼굴의 사람. 「주 따위).

glámour stòck 인기주(株)《소형(小型) 성장

glám ròck 《영구어》 글램록(glitter rock).

*__glance__[1] [glæns, glɑːns/glɑːns] *n.* **1** 흘긋 봄, 일별, 한번 봄, 일견(swift look) 《*at; into; over*》. [cf.] glimpse. ¶ take a ~ *into* the mirror 거울을 흘긋 들여다보다 / at a 〔the first〕 ~ 일견하여, 첫눈에, 잠깐 보아서 / give 〔take, cast, shoot, throw〕 a ~ *at* …을 흘긋 보다 / steal a ~ *at* …을 슬쩍 보다. **2** (뜻 있는) 눈짓. **3** 섬광, 번득임; 반사광. **4** 언급; 빗대어 빈정거림. **5** (탄알, 칼·볼 따위가) 스침, 빗나감. ***exchange ~s*** (***with***) (…와) 서로 눈짓하다. ***give a ~ to*** 〔***into, over***〕 잠깐 훑어보다.
— *vi.* **1** 《+[부]/+[전]+[명]》 흘긋〔언뜻〕 보다, 일별하다《*at; over*》; 대강 훑어보다《*over; down; through*》: ~ *about* 주위를 흘긋 보다 / ~ *up* 〔*down*〕 흘긋 쳐다보다〔내려다보다〕 / ~ *at* the morning headlines 조간의 표제를 훑어보다. **2** 《+[전]+[명]》 잠깐 언급하다《*over*》, 시사하다《*at*》; (이야기가) 옆길로 새다《*off; from*》: ~ *at* the relations …의 관계에 언급하다 / ~ *off* 〔*from*〕 the subject 그 화제에서 벗어나다. **3** 《+[전]+[명]》 (탄알 따위가) 빗맞고 나가다, 스치다《*aside; off*》: The bullet ~*d off* his metal shield. 탄환은 그의 금속 방패에 맞고 튀어나갔다. **4** 빛나다, 번쩍이다, 빛을 반사하다: The moon ~*d* brightly on the lake. 달이 호수면에 빛나고 있었다. **—** *vt.* **1** 《[목]+[전]+[명]》 쭉 훑어보다; (눈 따위를) 흘긋 돌리다《*at; over*》; (비난·풍자 따위를) 슬쩍 비추다, 슬쩍 비꼬다: He ~*d* his eye *down* 〔*over, through*〕 the list of the books. 그는 그 책들의 일람표를 대강 훑어보았다. **2** (칼·탄알 따위가) …에 맞고 빗나가다: The arrow ~*d* his armor. 화살은 그의 갑옷을 스치고 지나갔다. ~ ***back*** 반사하다, 되비치다. ~ ***off*** ① ⇨ *vi.* 3. ② (잔소리·비꼼 따위가) 통하지 않다. ~ ***on*** 〔***upon***〕 스치며 빛나가다.

glance[2] *n.* 【광물】 휘석(輝石): silver ~ 휘은석(輝銀石).

glánce còal 휘탄(輝炭); 《특히》 무연탄.

glánc·ing *a.* 번쩍이는, 번득이는, 반짝반짝 빛나는; (타격·탄환 따위가) 빗나가는; 부수적인. [파] **~·ly** *ad.* 부수적으로. 「의 여각).

glàncing àngle 【광학】 여(餘)입사각《입사각

°**gland**[1] [glænd] *n.* 【해부】 선(腺): a ductless 〔lymphatic〕 ~ 내분비〔임파〕선. [파] **∠·less** *a.*

gland[2] *n.* 【기계】 (피스톤 따위의) 패킹 마개.

glan·dered [glǽndərd] *a.* 【수의】 비저병(鼻疽病)(glanders)에 걸린.

glan·ders [glǽndərz] *n. pl.* 〔단수 취급〕 【수의】 비저병(鼻疽病)《말의 전염병》. [파] **glán·der·ous** [-dərəs] *a.* 비저성(性)의, 비저병에 걸린.

gland·i·form [glǽndəfɔ̀ːrm] *a.* 견과상(堅果狀)의; 선상(腺狀)의.

glan·du·lar, -lous [glǽndʒələr], [-ləs] *a.* **1** 선(腺)〔샘〕의; 선 모양의; 선이 있는: ~ extract 선 엑스. **2** 선천적인; 육체적〔성적〕인《관계 따위》. [파] **-lar·ly** *ad.*

glándular féver 【의학】 선열(腺熱). 「(小腺).

glan·dule [glǽndʒuːl/-djuːl] *n.* 【해부】 소선

glans [glænz] (*pl.* ***glan·des*** [glǽndiːz]) *n.* 【해부】 귀두(龜頭); 【식물】 견과(堅果): ~ clitoris 음핵(陰核) 귀두 / ~ penis 음경(陰莖) 귀두.

*__glare__[1] [glɛər] *n.* [U] **1** (보통 the ~) 번쩍이는 빛, 눈부신 빛; 섬광: the ~ of the footlights 눈부신 각광, 휘황찬란한 무대. **2** (보통 the ~) 현란함, 야함, 눈에 띔: in the full ~ of publicity 세상의 평판이 자자하여. **3** [C] 날카로운 눈매, 눈의 번득임, 노려봄, 눈초리: He looked at me with a ~. 그는 나를 노려보았다 / a ~ of hatred 증오에 찬 눈초리. ***give a stony ~*** 차가운 눈으로 보다. ***in the full ~ of*** …에 직접 노출되어. **—** *vi.* **1** 《+[부]/+[전]+[명]》 번쩍번쩍 빛나다, 눈부시게 빛나다; 눈에 띄다: The sun ~*d down on* them. 뙤약볕이 그들을 내리쬐었다. **2** 《+[전]+[명]》 노려보다《*at; on, upon*》: The lion ~*d at* its prey. 사자는 사냥감을 노려보았다. **3** 눈에 띄다, 두드러지다, (빛깔이) 강렬하다. **—** *vt.* 《~+[목]/+[목]+[전]+[명]》 (증오·반항 따위를) 눈에 나타내다: He ~*d* hate *at* me. 그는 증오의 눈으로 나를 보았다 / ~ defiance *at* a person 아무를 반항적인 눈으로 노려보다.

glare[2] *a., n.* 《미·Can.》 (얼음 따위의) 반지르르 빛나는 (표면).

glar·ing [glɛ́əriŋ] *a.* **1** 번쩍번쩍 빛나는, 눈부신: bright ~ sunlight 번쩍번쩍 눈부시게 빛나는 햇빛. **2** 노려보는 듯한; 눈을 부라리는. **3** 지나치게 현란한; 눈에 띄는. **4** 틀림없는, 명백한, 빤한; 심한, 지독한(flagrant): a ~ error (아무나 알 수 있는) 역력한 실책 / a ~ lie 새빨간 거짓말. [파] **~·ly** *ad.* 번쩍번쩍하게; 눈에 띄게; 분명히. **~·ness** *n.*

glary [glɛ́əri] (***glar·i·er; -i·est***) *a.* 번쩍번쩍 빛나는, 눈부신; 《미》 (얼음처럼) 매끄러운.

Glas·gow [glǽsgou, -kou/glɑ́ːzgou] *n.* 글래스고《스코틀랜드의 항구 도시》. ◇ Glaswegian *a.*

glas·nost [glɑ́ːsnəst] *n.* 《Russ.》 (=publicity) 글라스노스트《Gorbachev의 개방 정책》.

glas·phalt [glǽsfɔ̀ːlt, glɑ́ːsfælt/glɑ́ːsfælt] *n.* 부순 유리와 아스팔트제의 도로 포장재(材). [◂ *glass*+*asphalt*]

†**glass** [glæs, glɑːs/glɑːs] *n.* **1** [U] 유리; 유리 모양의 물건; 판(板)유리: as clear as ~ 유리처럼 투명하여, 극히 분명하여. **2** 〔집합적〕 유리 제품(glassware). [cf.] china. ¶ table ~ 식탁용 유리 그릇. **3** 〔집합적〕 유리 기구; 잔, 글라스《★ glass는 보통 찬 음료를, cup은 뜨거운 음료를 넣음》; 한 컵의 양; (글라스 한 잔의) 술(drink): two cocktail ~*es* 칵테일 잔 2개 / two ~*es* of cocktail 칵테일 두 잔 / drink a ~ of water 물을 한 컵 마시다 / have a ~ together 함께 한 잔하다 / enjoy one's 〔a〕 ~ now and then 가끔〔이따금〕 한 잔하다 / raise a 〔one's〕 ~ 건배하다. **4** [C] 렌즈; (*pl.*) 안경(spectacles), 쌍안경(binoculars); 망원경(telescope), 현미경(microscope); 돋보기: Where are my ~*es?* 내 안경이 어디 있나 / a pair of ~*es* 안경 하나 / look through a ~ 망원경으로 보다 / a ship's ~*es* 쌍안경. **5** [C] 거울(looking ~): look in the ~ 거울을 들여다보다. **6** (보통 the ~) 청우계(晴雨計)(weatherglass); 온도계; 모래시계(sand ~), 물시계: The ~ is rising. 온도가 높아진다 / The ~ is falling. 일기가 나빠지고 있다. **7** 《영》 온실: tomatoes grown under ~ 온실 재배 토마토. **8** 《미속어》 다이아몬드. ***be fond of*** one's 〔***a***〕 ~ 술을 좋아하다. ***have had a ~ too much*** (과음하여) 취했다. ***under ~*** 유리를

덮어; 온실 속에(서).
— *a.* 유리제의; 유리를 끼운, 유리로 덮은: a ~ bottle 유리병 / a ~ door 유리문.
— *vt.* **1** …에 유리를 끼우다; 유리로 덮다; 유리 용기에 밀봉하다: ~ a window 창에 유리를 끼우다. **2** (거울에) 비치다, 반사하다. **3** 《문어》 《주로 ~ oneself》 (모습을) 비추다: Trees ~ them*selves* in the water. 나무가 물에 비쳐 있다. **4** 망원경〔쌍안경〕으로 보다. — *vi.* 유리처럼 되다. 「등의).

gláss àrm 〖의학〗 힘줄이 손상된 팔《야구선수
gláss blóck 〔**bríck**〕 〖건축〗 글라스 블록, 유리 블록《건물의 외벽, 칸막이에 쓰임》.
gláss·blòwer *n.* 유리 부는 직공〔기계〕.
gláss·blòwing *n.* 유리를 불어서 만드는 제법.
gláss cèiling (관리직 승진에 방해가 되는) 무형의 인종적〔성적〕 편견. ⓒⓕ sticky floor.
gláss clòth 유리 섬유 천; 사포.
gláss·crète [-krìːt] *a.* 콘크리트와 유리를 사용한.
gláss cùlture 온실 재배.
gláss cùtter 유리 절단공; 유리칼.
gláss éye 유리제의 의안(義眼), 사기눈; (말의) 흑내장.
gláss fiber 글라스 파이버, 유리 섬유.
glass·ful [glǽsfùl, glάːs-/glάːs-] *n.* 컵 한 잔의 분량《*of*》.
gláss harmónica 글라스 하모니카(musical glasses)《일련의 반구체식 유리 용기를 돌리면서 그 끝을 젖은 손끝으로 문질러 소리를 내는 악기》.
gláss·hòuse *n.* **1** 《영》 온실(greenhouse). **2** 유리 공장; 유리 가게. **3** (유리 지붕의) 사진 촬영실. **4** 《영속어》 군(軍) 형무소, 영창.
glásshouse effèct 〖기상〗 (대기의) 온실 효과(greenhouse effect).
glass·ie [glǽsi, glάːsi] *n.* =GLASSY.
glass·ine [glæsíːn] *n.* Ⓤ 글라신《포장·책 커버 등에 쓰임》.
glass·i·va·tion [glæ̀sivéiʃən, glὰːs-/glὰːs-] *n.* 〖전자〗 이산화 실리콘으로 반도체 칩 표면을 보호 안정화하는 방법.
gláss jáw (특히 권투 선수의) 약한 턱.
gláss·màking *n.* 유리(그릇) 제조술〔법〕. ⓜ **gláss·màker** *n.* 유리 제조 직공.
gláss·man [-mən] (*pl.* **-men** [-mən, -mèn]) *n.* 유리 장수〔장이〕(glazier); 유리 제조인.
gláss pànel 차의 앞좌석과 뒷좌석을 칸막이한 유리창.
gláss pàper 사포(砂布).
gláss spònge 〖동물〗 육방해면(六放海綿), 유리〔초자〕 해면.
gláss strìng (말레이시아에서 연싸움에 쓰는) 유리 가루를 먹인 연줄.
gláss tànk 유리 용해로(爐).
glás·stèel *a.* 유리와 강재(鋼材)로 된.
gláss·wàre *n.* Ⓤ 〔집합적〕 유리 제품, 유리 기구류, 글라스웨어.
gláss wóol 글라스 울, 유리솜.
gláss·wòrk *n.* Ⓤ **1** 유리 제조(업); 유리 끼우는 작업(glazing). **2** 유리 제품, 유리 세공. **3** 거울 조작의 트릭 촬영. ⓜ **~·er** *n.* 유리 제조〔세공〕인.
gláss·wòrks *n. pl.* 〔단수취급〕 유리 공장.
gláss·wòrt *n.* 〖식물〗 퉁퉁마디; 수송나물(saltwort).
glassy [glǽsi, glάːsi/glάːsi] (***glass·i·er; -i·est***) *a.* 유리질의, 유리 모양의; 투명한; (수면 등이) 거울처럼 반반한; 생기 없는, 흐리멍덩한《눈 따위》: ~ eyes. — *n.* 유리구슬. ⓜ **gláss·i·ly** [-ili] *ad.* 유리같이. **-i·ness** *n.* 유리질.
glássy-èyed *a.* 흐리멍덩한 (눈의); 《미》 (취하여 눈이) 개개풀린; 멍하니 바라보는.
Glas·we·gian [glæswíːdʒiən/glɑːz-] *a., n.* Glasgow의 (사람).
glau·ber·ite [gláubəràit] *n.* 〖광물〗 글라우버라이트, 석회망초(石灰芒硝).
Gláu·ber('s) sált [gláubər(z)-] 〖화학〗 글라우버염(塩), 망초(芒硝), 황산나트륨.
glauc- [glɔ́ːk, gláuk/glɔ́ːk], **glau·co** [-kou, -kə] 'glaucous'의 뜻의 결합사.
glau·co·ma [glɔːkóumə, glau-] *n.* Ⓤ 〖의학〗 녹내장(綠內障). ⓜ **~·tous** [-təs] *a.*
glau·co·nite [glɔ́ːkənàit] *n.* 〖광물〗 해록석(海綠石).
glau·co·phane [glɔ́ːkəfèin] *n.* 〖광물〗 남섬석(藍閃石)《각섬석(角閃石)의 하나》.
glau·cous [glɔ́ːkəs] *a.* 연한 황록색의, 푸른 기를 띤 회백색(灰白色)의; 〖식물〗 흰 가루가 덮인《자두·포도 따위》.
°**glaze** [gleiz] *vt.* **1** 《~+目/+目+副》 (창 따위)에 판유리를 끼우다; (건물)에 유리창을 달다: ~ a window 창에 유리를 끼우다 / ~ a porch *in* 현관을 유리로 두르다. **2** …에 유약(釉藥)을 바르다, …에 반수(礬水)를 입히다, …에 윤을 내다. **3** 〖요리〗 (겉에) 설탕 시럽 따위를 입히다. **4** 〖회화〗 …에 겉칠을 하다. — *vi.* 유리 모양이 되다; 미끄럽게 되다; (눈이) 흐려지다, (표정이) 생기가 없어지다《*over*》. ~ ***in*** 유리로 싸다〔덮다〕. — *n.* **1** Ⓤ 유리 끼우기; 유약칠; 윤내기. **2** 유약, 잿물; 덧칠. **3** 반들반들함; 그 면. **4** 〖요리〗 음식에 입히는 투명질의 재료《특히, 설탕 시럽·젤라틴 따위》; 고기나 생선국에 젤라틴을 푼 것. **5** 《미》 〖기상〗 우빙(雨氷)(《영》 ~ ice, ~d frost). **6** (눈에 생기는) 박막(薄膜).
glazed [gleizd] *a.* 유약을 바른, 광을 낸; 유리를 낀; (눈이) 흐리멍덩한, 생기가 없는; 《미속어》 취한: ~ brick 오지 벽돌 / ~ paper 광택지.
gláze ìce, glázed fróst 《영》 우빙(雨氷)《빗물이 과냉각되어 지상의 물체 표면에 얼어붙는 현상》.
glaz·er [gléizər] *n.* (도자기의) 잿물 바르는 직공; (종이의) 윤을 내는 기계〔사람〕, 윤 내는 롤러.
gla·zier [gléiʒər/-zjə] *n.* 유리 장수; (도자기류의) 잿물 바르는 직공: Is your father a ~? 《우스개》 (자네 몸이 유리는 아닐 테고) 앞을 가리고 서면 안 보여. 「조각.
glázier's díamond 유리 자르는 다이아몬드
gláziers' pútty 유리용(用) 퍼티.
gla·ziery [gléiʒəri] *n.* =GLASSWORK.
glaz·ing [gléiziŋ] *n.* Ⓤ **1** 유리 끼우기; 유리 세공; 그 직업. **2** 끼우는 유리, 창유리: double ~ 이중 유리. **3** 잿물 바르기; 잿물 씌운 표면; 윤내기, 윤내는 재료. **4** 잿물; 〖미술〗 겉칠하는 재료.
glázing-bàr *n.* 《영》 (창유리의) 창살.
glazy [gléizi] (***glaz·i·er; -i·est***) *a.* 유리 같은〔같이 반짝이는〕, 유약을 바른; (눈이) 흐린.
glb 〖수학〗 greatest lower bound(최대하계(下界)). **G.L.C.** 《영》 Greater London Council.
GLCM ground-launched cruise missile (지상 발사 순항 미사일). **Gld., gld.** guilder(s); gulden(s).
***gleam** [gliːm] *n.* **1** 어렴풋한 빛, (새벽 등의) 미광(微光); 번득 비침, 섬광(beam, flash): the ~ of dawn. **2** 〔보통 단수로〕 (감정·희망·기지 등의) 번득임《*of*》: a ~ *of* hope 한가닥 희망 / a ~ *of* intelligence 지성의 번득임. — *vi.* **1** 번쩍이다, 빛나다; 미광을 발하다; 잠깐 보이다〔나타나다〕: The light of a beacon ~*ed* in the distance. 신호탑의 불빛이 멀리서 번쩍 빛났다. **2** 《~/+前+名》 (생각·희망 등이) 번득이다, 어렴풋이 나타나다. ⓒⓕ glimmer, glint, glitter. ¶ Amusement ~*ed in* his eyes. 그의 눈에 유쾌한 표정이 떠올랐다. ⓜ **~·ing·ly** *ad.*
gléam·er *n.* 얼굴을 윤기나게 하는 화장품.
gleamy [glíːmi] *a.* 번득이는, 빛나는, 비치는,

(빛·색깔이) 아련한, 어렴풋한.

◦**glean** [gli:n] *vt.* **1** (이삭을) 줍다. **2** (사실·정보 등을) 애써 조금씩 수집하다《*from*》; (책 따위를) 하나씩 조사하다; 찾아내다. **—** *vi.* 이삭줍기를 하다. ㊞ **∠·er** *n.* 이삭줍는 사람; 수집가.

gléan·ing *n.* **1** Ⓤ (수확 후의) 이삭줍기; **2** (보통 *pl.*) (주워 모은) 이삭; 수집물; 단편적 집록(集錄), 낙수집(落穗集), 선집.

glebe [gli:b] *n.* **1** Ⓤ《시어》땅(earth), 대지; 들판(field). **2** Ⓒ《영》교회 부속지, 교회 영지(領地)(=**∠ lànd**).

◦**glee** [gli:] *n.* **1** Ⓤ 기쁨, 즐거움, 환희(joy); 환락, 명랑하게 왜자김: in high ~ =full of ~ 대단히 기뻐서, 매우 들떠서. **2** Ⓒ 〖음악〗 무반주 합창곡《3성(聲) 이상의 주로 남성 합창곡》.

glée clùb (남성(男聲)) 합창단.

glee·ful [glí:fəl] *a.* 매우 기뻐하는; 즐거운. ㊞ **~·ly** *ad.* **~·ness** *n.*

glée·màiden *n.*《고어》여자 음유(吟遊) 시인.

glée·man [-mən] (*pl.* **-men** [-mən]) *n.*《고어》(중세의) 음유 시인.

gleep [gli:p] *n.* 〖물리〗 글리프《저(低)에너지의 실험용 원자로》. [◂ *g*raphite *l*ow *e*nergy *e*xperimental *p*ile]

gleeps [gli:ps] *int.*《미속어》쳇, 빌어먹을.

glee·some [glí:səm] *a.* =GLEEFUL. ㊞ **~·ly** *ad.* **~·ness** *n.*

gleet [gli:t] *n.* Ⓤ 〖의학〗 만성 요도염.

Gleit·zeit [*G.* gláittsait] *n.*《G.》=FLEXTIME.

glei·za·tion [gleizéiʃən] *n.* 〖토양〗 글레이화(化) 작용. ⓒⓕ gley.

glen [glen] *n.* (스코틀랜드 등의) 골짜기, 좁은 「계곡, 협곡.

glén chéck (종종 G-) =GLEN PLAID.

glen·gar·ry [glengǽri] *n.* (스코틀랜드 고지 사람의) 챙 없는 모자(=**∠ bònnet** 〔**càp**〕).

Glenn [glen] *n.* **John H**(**erschel**) **~, Jr.** 글렌《미국 최초의 우주 비행사; Friendship 7호에 탑승하여 지구를 세 바퀴 돎(1962)》.

gle·noid, -noi·dal [glí:nɔid], [gli:nɔ́idl] *a.* 〖해부〗 움푹한 홈의, 관절와(窩)의.

glénoid cávity 〖해부〗 관절와(關節窩).

glénoid fóssa 〖해부〗 하악와(下顎窩).

glén pláid (종종 G-) 격자무늬의 일종; 또, 그 천(glen check).

gley, glei [glei] *n.* 〖토양〗 글레이층(層)《다습한 지방의 배수 불량으로 생긴 청회색의 층》. ㊞ **~ed** *a.*

glia [gláiə, glí:ə] *n.* 〖해부〗 (신경)교(膠)(neuroglia).

gli·a·dine [gláiədi:n, -din] *n.* 〖생화학〗 글리아딘《밀 등에 함유된 단순 단백질의 일종》.

glib [glib] (**-bb-**) *a.* 지절거리는, 입심 좋은; 유창한; 그럴 듯한: a ~ salesman 〔politician〕 입심 좋은 세일즈맨〔정치가〕/a ~ answer 그럴듯한 대답. ㊞ **∠·ly** *ad.* 줄줄, 유창하게; 그럴싸하게. **∠·ness** *n.*

glide** [glaid] *n.* **1** 활주, 미끄러지기; 〖항공〗 활공. **2** 〖음악〗 활창(滑唱), 활주(滑奏)(slur); =PORTAMENTO; 〖음성〗 경과음《한 음에서 딴 음으로 옮길 때 자연히 나는 이음소리》. **3** 미끄러지듯 움직이는 스텝의 춤, 그 곡〔스텝〕; (강의) 얕고 조용한 흐름. **4** 미끄럼틀, 활주대, 진수대(slide). **—** *vi.* **1** (+전+명/+부) 미끄러지(듯 나아가)다, 활주하다《*across; along; away; down,* etc.》; 〖항공〗 활공하다(volplane). SYN. ⇨ SLIDE. ¶ The swan ~*d across* the lake. 백조는 호수를 미끄러지듯 헤엄쳐 갔다. **2** 〖음악〗 음을 끊지 않고 잇다. **3** (+부) (시간이) 흘러가다, 어느덧 지나가다《*by; past*》; (물이) 소리없이 흐르다: The years ~*d by.* 세월이 어느덧 지나갔다. **4** (+전+명) 조용히 걷다〔가다〕《*in; out; from*》; 미끄러져 떨어지다, 빠지다, 점점 변하다《*into*》; 차차 사라져 …이 되다: He ~*d from* the room. 그는 조용히 방에서 나갔다/~ *into* bad habits 못된 습관에 빠져들다. **—** *vt.* 미끄러지게 하다, (배를) 미끄러지듯 나아가게 하다, 활주〔활공〕시키다. ~ ***on to 〖음성〗 (다음 음으로) 넘어가다. ~ ***out of*** …에서 (쑥) 빠져나오다.

glíde bòmb (날개가 달린) 활공(滑空) 폭탄.

glíde pàth 〔**slòpe**〕 〖항공〗《특히》계기 비행 때 무선 신호에 의한 활강 진로.

***glid·er** [gláidər] *n.* 미끄러지(듯 움직이)는 사람〔물건〕; 〖항공〗 글라이더, 활공기; 활주정(艇); 《미》(베란다 등에 놓는) 흔들의자.

glíd·ing *a.* 미끄러지는 (듯한); 활공〔활주〕의. **—** *n.* (스포츠로서의) 활공, 활주; 글라이더 경기. ㊞ **~·ly** *ad.* 미끄러지듯, 술술.

glíding shíft《영》flextime에 의한 교대근무 「(제).

glíding tíme《영》=FLEXTIME.

glim [glim] *n.*《속어》등불(lantern), 불빛, 촛불(candle); 창(窓); 눈(eyes); 《영에서는 고어》양초; (*pl.*) 안경. ***douse*** 〔***dowse***〕 ***the*** ~ 《보통 명령문》 등불을 꺼라.

◦**glim·mer** [glímər] *n.* **1** 희미한 빛, 가물거리는 빛: a ~ *of* hope 가냘픈 희망. **2** 어렴풋한 인식(inkling); 어렴풋함: I didn't have a ~ *of* what he meant. 그가 무엇을 말하려는지 전혀 몰랐다. **—** *vi.* **1** 희미하게 빛나다; 깜빡이다, 명멸하다(flicker): The candle ~*ed* and went out. 촛불이 깜빡이다가 꺼졌다. **2** 어렴풋이 나타나다. ⓒⓕ gleam. ***go ~ing***《미속어》(명성·기회 등이) 소멸하다, 사라지다(vanish); 죽다.

glím·mer·ing [-riŋ] *n.* 희미한 빛, 미광; 어렴풋이 알기. **—** *a.* 깜박깜박〔희미하게〕 빛나는. ㊞ **~·ly** *ad.*

glimpse** [glimps] *n.* **1** 흘끗 봄〔보임〕, 일별《*of*》; 《고어》섬광(gleam): by ~*s* 흘끗흘끗/catch 〔get, have〕 a ~ *of* …을 흘끗 보다. **2** 희미한 감지(感知): I had a ~ *of* his true intention. 그의 진의를 어렴풋이 알았다. ***give a person ***a ~ of*** 아무에게 …을 언뜻 보게 하다. ***the ~s of the moon*** 밤의 세계; 달빛 아래의 광경; 지상의 일. **—** *vt.* 얼핏〔흘끗〕 보다. **—** *vi.* 《~/+전+명》 흘끗〔얼핏〕 보이다. ⓒⓕ glance[1].

glím wòrker《미속어》축제 따위에서 도수 없는 안경을 파는 노점상인.

◦**glint** [glint] *vi.* 반짝이다, 빛나다; 번쩍번쩍 반사하다. **—** *vt.* 《+목+부》 반짝이게 하다, 빛나게 하다; 반사시키다: A mirror ~*s back* light. 거울은 빛을 반사한다. **—** *n.* 반짝임, 번득임, 어렴풋이 나타남; 광택; 기미. ***take*** 〔***have***〕 ***a ~*** (***at***)《고어》…을 잠깐 보다.

gli·o·blas·to·ma [glàioublæstóumə] (*pl.* **~s, -ma·ta** [-mətə]) *n.* 〖의학〗 (신경)교아(세포)종(膠芽(細胞)腫)《악성 신경교 성상세포종》.

gli·o·ma [glaióumə] (*pl.* **~s, -ma·ta** [-mətə]) *n.* 〖의학〗 신경교종(膠腫).

glis·sade [glisá:d, -séid] *n.*《F.》〖등산〗 글리사드, 제동 활강(制動滑降)《피켈로 균형을 잡으며 눈 쌓인 골짜기를 미끄러져 내려옴》; 글리사드《댄스에서 미끄러지듯 발을 옮기는 스텝》. **—** *vi.* 미끄러지다(slide), (등산에서) 글리사드로 내려가다; 글리사드로 춤추다.

glis·san·do [glisá:ndou] (*pl.* **-di** [-di:]) *n.* 〖음악〗 글리산도, 활주(滑奏)법《손가락을 미끄러지듯 빨리 놀리는 연주법》; 활주부(部). 「활주.

glisse·ment [*F.* glismɑ̃:] *n.*《F.》미끄러짐,

***glis·ten** [glísən] *vi.* 《~/+전+명》 반짝이다(sparkle), 빛나다《*in; on; with*》: The dewdrops are ~*ing.* 이슬 방울이 반짝인다/Tears ~*ed in* her eyes. =Her eyes ~*ed with* tears.

눈이 눈물로 빛났다. —*n.* 반짝임, 빛남, 섬광. [파] ~**·ingly** *ad.* 반짝반짝 (빛나고). 「GLITTER.

glis·ter [glístər] *n., vi.* 《고어》 =GLISTEN;

glitch [glitʃ] *n.* **1** (기계 등의) 결함, 상태가 나쁨. **2** 〖컴퓨터〗 글리치《순간적으로 나타나는 잡음 펄스》. **3** 글리치《전자 회로 전압의 순간적인〔돌연한〕 급증(surge)》, 고장. **4** 〖천문〗 (pulsar의) 펄스의 급격한 변화. **5** (진전을 일시적으로 방해하는) 작은 문제〔장애, 암초〕: He found two ~*es* in the President's security. 그는 대통령 경호에 두 가지 허점이 있음을 발견하였다. —*vt.* …에 갑자기 나쁜 상태를〔고장을〕 일으키게 하다. —*vi.* **1** 갑자기 상실하다〔고장나다〕. **2** 《해커속어》 갑자기 고장나다〔상태가 나빠지다, 정지하다〕; (여러 행씩 몰아서) scroll 하다《화면이 때때로 정지하여 텍스트를 읽기 쉬워짐》. [파] **glítchy** *a.*

glit·ter** [glítər] *n.* [U] **1** 반짝임, 빛남, 빛. **2** 화려〔찬란〕함, 광채; 번쩍이는 작은 장식품《모조 다이아몬드 따위》. —*vi.* **1** 《~/+[전]+[명]》 번쩍번쩍하다, (보석·별 등이) 빛나다《*in; with*》: A myriad of stars ~*ed in* the sky. =The sky ~*ed with* a myriad of stars. 하늘에서 무수한 별이 빛났다 / All is not gold that ~*s*. =All that ~*s* is not gold. 《속담》 번쩍이는 것이 다 금은 아니다. **2** 《+[전]+[명]》 (복장이) 야하다, 화려하다, 눈에 뜨이다《*with*》: a lady ~*ing with* jewels 보석으로 화려하게 꾸민 귀부인. ~ ***over 《Can.》 (빙우(氷雨) 뒤에) 얼음으로 뒤덮이다.

glit·te·ra·ti [glìtərɑ́ːti] *n. pl.* 《구어》 사교계의 사람들(beautiful people).

glítter ìce 《Can.》 (비가 급격히 얼어 생긴) 우빙(雨氷).

glít·ter·ing *a.* 번쩍이는, 빛나는; 화려〔찬란〕한; 겉만 번지르르한: a ~ starry night 별이 빛나는 밤 / a ~ future 밝은 미래. [파] ~**·ly** *ad.*

glíttering príze 영예로운 상〔지위〕.

glítter róck 글리터 록《부기우기를 주체로 한 단순한 로큰롤로, 번쩍번쩍 빛나는 의상과 화장을 하고 연주〔노래〕하는》. [파] **glítter rócker**

glit·tery [glítəri] *a.* =GLITTERING.

glitz [glits] *n.* 《미·Can.》 (외견·분위기 따위가) 어지러울 정도로 눈부신 것〔상태〕, 현란한 것〔상태〕; 눈부심, 현혹(眩惑).

glitzy [glítsi] *a.* 《미·Can.》 어지러울 정도로 눈부신(dazzling), 현란한(showy), 번지르르한.

GLM 〖스키〗 graduated length method. **Gln** 〖생화학〗 glutamine.

gloam [gloum] *n.* 《고어》 박모(薄暮)(evening dusk). 「(dusk).

glóam·ing *n.* 《시어》 땅거미, 황혼, 박명(薄明)

◇**gloat** [glout] *vi.* 흡족한〔기분 좋은, 고소한〕 듯이 바라보다《*on; over*》; 혼자서 히죽이 웃다《*over; upon*》. —*n.* 만족해함, 고소해함. [파] ∠**·er** *n.* ∠**·ing·ly** *ad.* 만족한 듯이, 혼자 흡족해하며.

glob [glab/glɔb] *n.* (액체의) 작은 방울, 덩어리.

glob·al [glóubəl] *a.* **1** 공 모양의, 구형(球形)의. **2** 지구의, 전세계의, 세계적인(worldwide); 전체적인, 총체의(entire); 〖컴퓨터〗 전역의: a ~ flight 세계일주 비행 / a ~ war 세계〔전면〕 전쟁 / a ~ problem 세계적〔포괄적〕 문제 / take a ~ view of …을 전체적〔포괄적〕으로 바라보다〔고찰하다〕. [파] ~**·ly** *ad.*

glób·al·ìsm *n.* [U] 세계적 관여주의〔정책〕; 세계적 규모화(化), 세계화 (추진) 정책. [파] **-ist** *n.*

glób·al·ìze *vt.* 세계적으로 하다, 세계화하다, 전세계에 퍼뜨리다〔미치게 하다〕. [파] **glòb·al·i·zá·tion** *n.* (금융·기업 등의) 국제화, 세계화.

Glóbal Posítioning Sỳstem =NAVSTAR GLOBAL POSITIONING SYSTEM 《생략: GPS》.

glóbal próduct (Coca-Cola처럼) 같은 상표명으로 팔리는 세계적인 상품.

glóbal séarch 〖컴퓨터〗 전체〔전부〕 검색.

glóbal tectónics =PLATE TECTONICS.

glóbal víllage 지구촌《통신의 발달로 일체화한 세계》.

glóbal wárming 지구 온난화.

glo·bate [glóubeit] *a.* 공 모양의(globular).

globe** [gloub] *n.* **1** 구(球), 공, 구체(球體). [SYN] ⇨ BALL. **2** (the ~) 지구(the earth), 세계. **3** 천체. **4** 지구의(儀), 천체의(儀). **5** 유리로 만든 공 모양의 물건《램프의 등피, 어항, 전구 등》; 〖해부〗 눈알(eyeball). **6** (*pl.*) 《속어》 유방, 젖통이. ◇ globular *a.* ***the whole habitable ~ 전세계. —*vt., vi.* 공 모양으로 하다〔되다〕.

glóbe àmaranth 〖식물〗 천일홍(千日紅).

glóbe àrtichoke 〖식물〗 =CARDOON.

glóbe·fish *n.* 〖어류〗 복어(puffer), 개복치.

glóbe·flòwer *n.* 〖식물〗 금매화.

glóbe lìghtning 〖기상〗 구상(球狀) 번개(ball lightning).

Glóbe Théatre (the ~) London Southwark의 Shakespeare 극의 초연(初演) 극장.

glóbe-tròt *n., vi.* 세계 (관광) 여행(을 하다). [파] ~**·ter** *n.* 세계 관광 여행자. ~**·ting** *n., a.* 세계 관광 여행(의).

glóbe vàlve 〖기계〗 구형(球形) 밸브.

glo·big·e·rí·na òoze [gloubìdʒəráinə-] (바다 밑의) 글로비게리나 연니(軟泥).

glo·bin [glóubin] *n.* [U] 〖생화학〗 글로빈《헤모글로빈 속의 단백질 성분》.

glo·boid [glóubɔid] *a.* 거의 공 모양의. —*n.* 구형, 구상체(球狀體).

glo·bose [glóubous, -ˊ] *a.* 공 모양의, 구형의 (globular). [파] ~**·ly** *ad.* **glo·bos·i·ty** [gloubɑ́səti/-bɔ́s-] *n.* [U] 구형, 공 모양.

glob·u·lar [glɑ́bjələr/glɔ́b-] *a.* (작은) 공 모양의(globate); 작은 공으로 이루어진; 세계적인. [파] ~**·ly** *ad.* ~**·ness** *n.*

glóbular chárt 구면(球面) 투영 지도. 「團).

glóbular clúster 〖천문〗 구상 성단(球狀星

glob·u·lar·i·ty [glɑ̀bjəlǽrəti/glɔ̀b-] *n.* [U] 공 모양, 구형.

glóbular projéction (지도 제작상의) 구면투영법, 구상 도법(球狀圖法).

glóbular sáiling 〖해사〗 대권〔구면〕 항법(大圈〔球面〕航法)(spherical sailing).

glob·ule [glɑ́bjuːl/glɔ́b-] *n.* (특히 액체의) 소구체, 알, 작은 물방울; 혈구; 환약(pill).

glob·u·lin [glɑ́bjəlin/glɔ́b-] *n.* 〖화학〗 글로불린《물에 녹지 않는 단백질군(群)》, 혈구소(素).

glob·u·lous [glɑ́bjələs/glɔ́b-] *a.* 방울〔작은 공〕 모양의; 소구(小球)의.

glo·cal [glóukəl] *a.* 《구어》 글로벌함과 동시에 로컬한, 글로컬한《주로 실업계에서 씀》. [*global*+*local*]

glo·chid·i·um [gloukídiəm] (*pl.* ***-chid·ia*** [-kídiə]) *n.* 〖식물〗 구상모(鉤狀毛); 〖동물〗 글로키디움《담수 이패류(二貝類)의 유생(幼生)》.

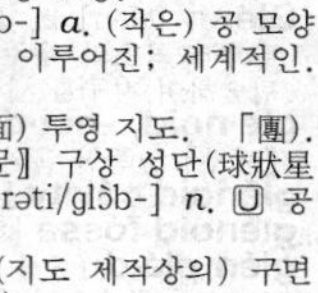

glockenspiel

glock·en·spiel [glɑ́kənspìːl, -ʃpìːl/glɔ́k-] *n.* 〖음악〗 철금(鐵琴); (한 벌의) 음계종(音階鐘).

glom [glɑm/glɔm] (***-mm-***) 《미속어》 *vt.* **1** 훔치다(steal); 붙잡다(seize), 거머〔움켜〕잡다(grab). **2** 보다, 구경하다. —*vi.* 붙잡히다. ~ ***onto*** 〔***on to***〕 ***...*** 《미속어》 …을 잡다, 손에 넣다; …을 훔치다. [파] ∠**·mer** *n.* 거머쥔 손〔사람〕; (잠시) 보기.

glom·er·ate [glámərət/glɔ́m-] *a.* 〖식물·해부〗 공〔덩어리〕 모양을 이룬, 밀집해 있는. ㊐ **glòm·er·á·tion** *n.* Ⓤ 구상(球狀)으로 감기〔모으기〕, 덩어리진 것, 구상화(化); Ⓒ 구상체, 집괴(集塊)(accumulation).

glo·mer·u·lar [gloumérjələr, glə-/glə-] *a.* 〖해부〗 사구(絲球)의, 신(腎) 사구체(體)의.

glom·er·ule [glámərù:l/glɔ́m-] *n.* 〖식물〗 단산(團繖) 꽃차례; 〖해부〗 =GLOMERULUS.

glo·mer·u·lo·ne·phri·tis [gloumèrjəlounəfráitis, glə-/glə-] *n.* 〖의학〗 사구체 신염(腎炎).

glo·mer·u·lus [gloumérjələs, glə-/glə-] (*pl.* ***-li*** [-lài, -lì:]) *n.* 〖해부〗 (신장의) 사구체(絲球體).

glo·mus [glóuməs] (*pl.* ***glom·era*** [glámərə/glɔ́m-]) *n.* 〖해부〗 사구(체)(絲球(體))《모세혈관의 작은 뭉치》.

glon·o·in [glánouin/glɔ́n-] *n.* 〖약학〗 Ⓤ 글로노인《협심증 치료제인 니트로글리세린》.

***gloom** [glu:m] *n.* Ⓤ **1** 어둑어둑함, 어둠, 암흑(darkness); (종종 *pl.*) 《시어》 어두운 장소〔나무 그늘〕. **2** (또는 a ~) 우울(melancholy), 침울; 슬픔(sadness); 음침한 분위기, 검은 그림자, 암영(暗影): be deep in ~ 울적해 있다 / cast a ~ 어두운 그림자를〔암영을〕 던지다《*over*》/ chase one's ~ away 우울한 기분을 없애다. SYN. ⇨ SORROW. **—** *vi.* **1** 〖it을 주어로〗 어둑어둑해지다; (하늘이) 흐리다. **2** 우울〔침울〕해지다; 상을 찡그리다, 어두운 표정을 짓다《*at; on*》. **—** *vt.* 어둡게 하다(obscure); 우울하게 하다. ㊐ **∠·ful** [-fəl] *a.* **∠·less** *a.*

glóom and dóom (정치·경제 정세 등에 대한) 비관, 암울한 전망〔장래의 예상〕.

gloom·ster [glú:mstər] *n.* 비관론자《불황이나 천재(天災)를 역설, 불안감을 조장하여 자기의 저서나 기사를 팔려고 하는 사람》.

gloomy** [glú:mi] (glóom·i·er; -i·est***) *a.* **1** 어둑어둑한, 어두운, 암흑의. SYN. ⇨ DARK. **2** 음침(陰沈)한, 음울한(dark): a ~ winter day 찌푸린 겨울날. **3** 울적한, 침울한(depressed); 우울한(melancholy): in a ~ mood 우울한 기분으로. **4** 비관적인(pessimistic); 마음을 어둡게 하는; 희망이 없는, 암담한: take a ~ view 비관적인 생각을 갖다. ㊐ ***glóom·i·ly** *ad.* **-i·ness** *n.*

gloop [glu:p] *n.* 《구어》 끈적끈적〔지르르〕한 것.

glop [glap/glɔp] 《미속어》 *n.* **1** 맛없는〔질척한〕 음식; 뒤섞은 것. **2** 감상적임. **—** (***-pp-***) *vt.* …에 질척한 것을 얹다《*up*》; (질척한 것을) 음식에 치다. ㊐ **glóp·py** *a.*

glo·ria [glɔ́:riə] *n.* 《L.》 **1** (*or* G-) (기도서 중의) 영광의 찬가, 영광송(榮光頌), 그 곡. **2** 후광(後光), 원광(圓光)(halo). **3** 견모(絹毛)〔견면(絹綿)〕 교직물의 일종《우산·양복감》.

Glória in Ex·cél·sis (Déo) [-in-eksélsis (-déiou)] 《L.》 '지극히 높은 데서는 하느님께 영광이요'《영광의 찬가》.

Glória Pá·tri [-pá:tri] 《L.》 '성부와 성자와 성령께 영광이 있을지어다'《영광의 찬가》.

glo·ri·fi·ca·tion [glɔ̀:rəfikéiʃən] *n.* Ⓤ **1** (신의) 영광을 기림; 칭송, 찬미; 칭찬하기〔받기〕. **2** 《영구어》 축제, 축연(celebration); 《구어》 미화(美化)(한 것). ◇ glorify *v.*

***glo·ri·fy** [glɔ́:rəfài] *vt.* **1** (신을) 찬미하다, 찬송하다: ~ the Creator 신의 영광을 찬송하다. **2** (행동·사람 등을) 칭찬하다: ~ a hero 영웅을 찬양하다. **3** …에 영광을 더하다; …에 명예를 주다: Their deeds *glorified* their school. 그들의 행위는 학교의 이름을 드높였다. **4** 〖주로 과거분사꼴로〗 (실제보다) 아름답게 보이게 하다, 미화(美化)하다. ◇ glorification *n.* ㊐ **-fi·er** [-fàiər] *n.* 찬미자; 칭송자.

glo·ri·ole [glɔ́:riòul] *n.* 〖미술〗 후광, 원광(圓光), 광륜(光輪)(aureole, halo).

***glo·ri·ous** [glɔ́:riəs] *a.* **1** 영광스러운, 명예〔영예〕로운: a ~ victory 〔achievement〕 빛나는 승리〔업적〕. **2** 영광에 넘치는, 이름 높은: England is ~ in her poetry. 영국은 그 시가(詩歌)로 이름이 높다. **3** 장려한, 찬연한; 화려한: a ~ sunset 찬연한 일몰 / a ~ day 영광스러운 날; 활짝 갠 날. **4** 《구어》 멋진, 훌륭한; 유쾌한; 〖반어적〗 대단한, 지독한: ~ fun 통쾌 / have a ~ time 유쾌한 시간을 보내다 / a ~ muddle 〔row〕 대혼란, 뒤범벅. **5** 《구어》 기분 좋은, 거나한. ◇ glory *n.* ㊐ **~·ly** *ad.* **~·ness** *n.*

Glórious Revolútion (the ~) 〖영국사〗 명예혁명(1688-89년의).

glork [glɔ:rk] 《컴퓨터속어》 *n.* 고장. **—** *vt.* 〖~ oneself〗 고장 나다. **—** *int.* 체, 이런, 제기랄.

****glo·ry** [glɔ́:ri] *n.* Ⓤ **1** 영광, 명예, 영예; 칭찬: win ~ 명예를 얻다. **2** (신의) 영광; (신에 대한) 찬미, 송영(頌榮): *Glory* be to God. 신에게 영광 있으라. **3** (하늘나라의) 영광; 천국: go to (one's) ~ 《구어》 죽다 / send a person to ~ 《속어》 사람을 죽이다. **4** 영화, 번영, 전성. **5** 득의양양, 큰 기쁨: in one's ~ 득의에 찬. **6** 훌륭함, 장관, 미관(美觀), 화려함; Ⓒ 자랑거리: the ~ of the sunrise 해돋이의 장관 / the *glories* of Rome 로마의 위업. **7** 후광, 원광(halo). ◇ glorious *a.* ***Glory* (*be*)*!*** 《구어》 이거 참 놀라운데, 고마워라(Glory be to God). ***return with ~*** 개선하다. **—** *vi.* 《+전+명》 기뻐하다; 자랑으로 여기다《*in; at*》: ~ *in* 〔*at*〕 one's fame 명성을 자랑하다 / ~ *to* do 득의양양해서〔우쭐해서〕 …하다.

glóry bòx 《Austral.》 결혼을 앞둔 여성의 의상함.

glóry dàys 〔**yèars**〕 (the ~) 영광의 시대, 절정기, 전성기.

glóry hòle (유리의) 용해로(爐); 《속어·방언》 잡살뱅이를 넣어 두는 서랍〔방〕; 〖해사〗 =LAZARETTO.

Glos. Gloucestershire.

gloss[1] [glas, glɔ:s/glɔs] *n.* **1** Ⓤ 윤, 광택(luster); Ⓒ 광택나는 면: the ~ of silk. **2** Ⓒ 허식, 겉치레, 허영《*of*》: a ~ *of* good manners 겉치레뿐인 고상함. ***put* 〔*set*〕 *a ~ on*** …에 광택〔윤〕이 나게 하다. ***take the ~ off* (*of* ...)** (…의) 흥을 깨다. **—** *vt.* **1** 《+목+전+명》 …에 윤〔광택〕을 내다, 닦다: ~ the furniture *with* wax 왁스로 가구를 광내다. **2** …의 겉치레를 하다. **—** *vi.* 윤이 나다, 번쩍이다. **~ *on* 〔*upon*〕** (어구에) 해석을 가하다, …에 비평〔악평〕을 하다. **~ *over*** 용케 숨기다〔둘러대다〕, 속이다, (좋지 않은 점)의 겉을 꾸미다: ~ *over* one's errors 실패를 그럴싸하게 얼버무리다. ㊐ **∠·er** *n.* 광택〔윤〕을 내는 것; 입술에 윤기를 내는 화장품. **∠·less** *a.*

gloss[2] *n.* **1** (책의 여백·행간의) 주석, 주해; 해석, 해설《*on; to*》. **2** 그럴듯한 설명, 견강부회; 구실; 어휘(glossary). **—** *vt., vi.* 주석을 달다; 해석하다; 그럴 듯한 해석을 하다.

gloss- [glás, glɔ́:s/glɔ́s], **glos·so-** [-sou, -sə] '혀·말'의 뜻의 결합사.

gloss. glossary.

glos·sa [glásə, glɔ́:sə/glɔ́sə] (*pl.* ***-sae*** [-si:]) *n.* 〖곤충〗 중설(中舌); 〖해부〗 혀(tongue, lingua).

glos·sal [glásəl, glɔ́:s-/glɔ́s-] *a.* 혀의, 혀에 관한.

glos·sar·i·al [glasέəriəl, glɔ:s-/glɔs-] *a.* 어휘의, 용어풀이의: a ~ index 어휘 색인.

glos·sa·rist [glásərist, glɔ́:s-/glɔ́s-] *n.* 용어〔어휘〕 주해〔편집〕자.

glos·sa·ry [glásəri, glɔ́:s-/glɔ́s-] *n.* (권말(卷末) 따위의) 용어풀이, 어휘; (술어 또는 특수어·어려운 말·사투리·폐어에 관한) 소사전《*to;*

of); 〖컴퓨터〗 상용구《자주 사용하는 단어나 복잡한 선택 과정을 거쳐 입력해야 하는 특수 문자 등을 등록해 두었다가 필요할 때 간단히 선택하거나 약어만으로 전체 문장을 입력하는 기능》.

glos·sa·tor [glɑséitər, glɔːs-/glɔs-] *n.* =GLOSSARIST; 주석자.

glos·sec·to·my [glɑséktəmi, glɔː-/glɔs-] *n.* 〖의학〗 혀절제(술).

glos·se·mat·ics [glɑ̀səmǽtiks, glɔ̀ːs-/glɔ̀s-] *n. pl.* 《단수취급》 언리학(言理學), 언어 기호학.

glos·si·tis [glɑsáitis, glɔːs-/glɔs-] *n.* Ⓤ 〖의학〗 설염(舌炎).

glóss·mèter *n.* 광택계.

glos·sóg·ra·pher [glɑságrəfər, glɔːs-/glɔsɔ́g-] *n.* 어휘 주석〔주해〕자; 용어 사전 편자.

glos·sog·ra·phy [glɑságrəfi, glɔːs-/glɔsɔ́g-] *n.* 어휘 주해, 용어 해설.

glos·so·la·lia [glɑ̀səléiliə, glɔ̀ː-/glɔ̀s-] *n.* 〖기독교〗 방언, 어학의 재능(gift of tongues).

glos·sol·o·gy [glɑsálədʒi, glɔː-/glɔsɔ́l-] *n.* 《고어》 언어학(linguistics); 명명법(命名法); 술어학(nomenclature).

glóss pàint (니스를 섞은) 광택 마무리용 도료.

glossy [glási, glɔ́ːsi/glɔ́si] (***gloss·i·er; -i·est***) *a.* **1** 광택 있는, 번쩍번쩍하는, 번들번들한. **2** (잡지가) 광택지에 인쇄된, 광택지로 된 잡지의. **3** 그럴듯한(plausible), 모양새 좋은. ── *n.* 〖사진〗 광택인화(印畫); 《구어》 광택지의 (대중) 잡지(slick); 상류사회〔사교계〕의 생활을 그린 영화. ⊞ **glóss·i·ly** *ad.* **-i·ness** *n.*

glóssy magazíne 광택지의 잡지(slick)《복식(服飾) 디자인 잡지 따위》.

glost [glɑst, glɔːst / glɔst] *n.* 〖요업〗 유약(glaze); 유약을 쓴 도자기(glazed ware).

glóst fíring [glást-, glɔ́(ː)st-] (초벌구이가 끝난 도자기에 유약을 바르고 다시 굽는) 마침구이.

glot·tal [glátl/glɔ́tl] *a.* 성문(聲門)(glottis)의; 〖음성〗 성문으로 내는. ⊞ **~·ize** *vt.* **glòt·tal·i·zátion** *n.*

glóttal stóp 〖음성〗 성문(聲門) 폐쇄음.

glot·tic [glátik/glɔ́t-] *a.* =GLOTTAL.

glot·tis [glátis/glɔ́t-] (*pl.* ***~·es, -tides*** [-tidìːz]) *n.* 〖해부〗 성문(聲門).

glòtto·chronólogy *n.* Ⓤ 〖언어〗 언어 연대학.

Glouces·ter [glástər, glɔ́ːs-/glɔ́s-] *n.* 영국 남서부의 도시; Gloucestershire 산(産) 치즈.

Gloucester·shire [-ʃìər, -ʃər] *n.* 영국 남서부의 주《생략: Glos.》.

glove [glʌv] *n.* **1** (보통 *pl.*) (손가락이 갈라진) 장갑; (야구·권투용) 글러브; 《비유》 〖야구〗 수비 능력. ⓒⓕ mitten. ¶ Where are my ~*s?* 내 장갑이 어디 있나/a pair of ~s 장갑 한 켤레/with one's ~s on 장갑을 낀 채로. **2** (중세 기사(騎士)의) 손등·팔의 보호구(具). ***be hand in ~ with*** …와 매우 친하다; …와 공모하고 있다. ***bite*** one***'s ~*** 복수를 맹세하다. ***Excuse my ~s.*** 장갑을 낀 채로 실례합니다《악수할 때의》. ***fight with the ~s off*** 본심으로〔가차없이〕 싸우다. ***fit like a ~*** 꼭 맞다〔끼다〕. ***go for the ~s*** 《속어》 (경마에서) 무턱대고 돈을 걸다. ***hand and*** 〔***in***〕 ***~*** ⇨ HAND. ***handle*** 〔***treat***〕 ***with*** (***kid***) ***~s*** 상냥하게 다루다, 신중하게 대처하다. ***handle with*** 〔***without***〕 ***~s*** 조심스레〔거칠게, 마구〕 다루다. ***hang up*** one***'s*** 〔***the***〕 ***~s*** 권투선수 생활을 그만두다. ***put on the ~s*** 《구어》 권투를 하다. ***take off the ~s*** 본격적으로 싸우다〔나서다〕; 《구어》 패배를 인정하다, 단념하다. ***take up the ~*** 도전에 응하다. ***the ~s were off*** 싸울 준비가 되어 있었다. ***throw down the ~*** 도전하다.
── *vt.* **1** …에 장갑을 끼다; …에 장갑으로서 소용되다. **2** 〖야구〗 (볼을) 글러브로 잡다. ⊞ **∠·less** *a.* **∠·like** *a.*

glóve bòx 1 글러브 박스《방사선 물질 등을 다루기 위한 밀폐 투명용기; 밖에서 부속 장갑으로 조작함》; 부속 장갑으로 조작된, 내부 환경이 조절된 용기. **2** 《영》 =GLOVE COMPARTMENT; 장갑(을 넣어 두는) 상자.

glóve compàrtment 자동차 앞좌석의 잡물통, 글러브 박스(glove box).

glóve dòll 〔**pùppet**〕 손가락인형(hand puppet).

glóve·man *n.* 《미속어》 〖야구〗 야수(fielder).

glóve-mòney *n.* (하인에게 주는) 팁, 행하.

glóv·er *n.* 장갑 제조업자; 장갑 장수.

glóves-òff *a.* 《구어》 엄한, 심한, 거친(harsh), 무정한.

glow [glou] *vi.* **1** (불꽃 없이) 타다, 빨갛게 타다, 백열〔작열〕하다, 백열광을 발하다. ⓒⓕ blaze. **2** 《+副》 (등불·개똥벌레 등이) 빛을 내다, 빛나다; (저녁놀 등이) 빨갛게 빛나다, (빛깔이) 타오르는 듯하다: The maple leaves ~*ed* red in the sun. 단풍잎이 햇빛을 받아 붉게 타는 듯했다. **3** 《+前+名》 (눈 따위가) 빛나다, 반짝이다: His face ~*ed at* the idea. 그 생각이 나자 그의 얼굴은 반짝 빛났다. **4** 《+前+名》 (볼이) 붉어지다, (몸이) 달아오르다, 화끈해지다: Her face ~*ed with* joy. 그녀의 얼굴은 기쁨으로 홍조를 띠었다. **5** 《+前+名》 (감정이) 복받치다, (격정〔분노〕 따위로) 마음이 타오르다, 열중하다; (자랑으로) 빛나다: His eyes ~*ed with* anger. 그의 눈은 분노로 이글거리고 있었다/He ~*ed with* pride. 그는 득의양양해 있었다/~ *with* enthusiasm 열광하다.
── *n.* (the ~, a ~) **1** 백열, 적열(赤熱); 백열광, 빛; 불꽃 없이 타는 물체의 빛: a charcoal ~ 숯불의 빛. **2** 붉은 빛, 새빨갛게 타는 듯한 빛: the ~ of sunset 저녁놀. **3** (몸·얼굴의) 달아오름, (볼의) 홍조; 환한 기색: a pleasant ~ after a hot bath 목욕 뒤의 기분 좋은 훈훈함. **4** 만족감; 행복감(*of*), 거나하게 취함; 열심, 열중: feel a ~ *of* love 사랑의 행복감을 느끼다/have a ~ on 거나하게 취해 있다. **5** (색채·인상 따위의) 선명도. **6** 〖전기〗 글로《가스 방전 따위에 의한 비교적 약한 빛》. ***all of a ~*** = ***in a ~*** 빨갛게 달아올라서.

glów dischàrge 〖전기〗 글로 방전(放電)《저압 가스 속에서의 소리 없는 발광 방전》.

glow·er[1] [glóuər] *n.* 발광체(發光體), 네른스트(Nernst) 전등의 발광체.

glow·er[2] [gláuər] *vi.* 《+前+名》 노려보다; 무서운〔언짢은〕 얼굴을 하다(*at; upon*); 《Sc.》 주시〔응시〕하다(*at; upon*): They ~*ed at* each other. 그들은 서로 노려보았다. ── *n.* 노려봄; 무서운 얼굴, 언짢은 얼굴. ⊞ **~·ing** *a.* **~·ing·ly** *ad.* 언짢은 얼굴을 하고서.

glów·flỳ *n.* =FIREFLY.

glów·ing *a.* 백열의, 작열하는; 새빨갛게 달아오른(red-hot); (하늘 따위가) 빨갛게 타오르는; 홍조를 띤; 선명한, 강렬한《색깔 따위》; 열심인, 열렬한(enthusiastic): ~ praise 열렬한 찬사. ⊞ **~·ly** *ad.*

glów làmp 〖전기〗 가스 방전관; 글로 전구.

glów plùg 〖기계〗 (디젤 엔진 등의) 예열 플러그.

glów·wòrm *n.* 〖곤충〗 개똥벌레〔반딧불이〕의 유충; 《속어》 아마추어 카메라맨.

glox·in·ia [glɑksíniə/glɔks-] *n.* 〖식물〗 글록시니아《브라질산(産); 시홧과의 식물》.

gloze[1] [glouz] *vt., vi.* 그럴듯한 설명을 붙이다, 말을 꾸며대다, 둘러대다(gloss)(*over*); …에게 아첨하다(flatter): ~ *over* a mistake 잘못을 얼버무려 그럴 듯하게 말하다.

gloze[2] 《Sc.》 *vi., vt.* 빛나(게 하)다(shine). ── *n.* 빛남, 불꽃.

GLP 〖약학〗 good laboratory practice(동물 실험 규범, 비(非)임상 시험 기준). **glt.** gilt.

glub [glʌb] *n.* 《보통 겹쳐서》 꿀꺽꿀꺽, 꿀렁꿀렁《물소리》. ── (*-bb-*) *vi.* 꿀꺽꿀꺽〔꿀렁꿀렁〕 소리를 내다.

gluc- [glú:k, glú:s], **glu·co-** [-kou, -kə] '포도당, 《드물게》 당(糖)' 이라는 뜻의 결합사.

glu·ca·gon [glú:kəgàn/-gɔ̀n] *n.* 〖생화학〗 글루카곤《췌장 호르몬으로 혈당치를 높임》.

glu·cin·i·um, glu·ci·num [glu:síniəm], [glu:sáinəm] *n.* Ⓤ 〖화학〗 글루시늄《beryllium의 구칭》.

glùco·córticoid *n.* 〖생화학〗 당질〔글루코〕코르티코이드《척추동물의 부신피질에서 분비되는 스테로이드 호르몬의 총칭》.

glu·co·gen·ic [glù:kədʒénik] *a.* 〖생화학〗 당(糖)〔글루코오스〕 생성의.

glùco·kínase *n.* 〖생화학〗 글루코키나아제《모든 생체 조직에 있고, 글루콘산을 인산화하는 효소》.

glu·co·nate [glú:kənèit] *n.* 글루콘산염.

glùco·neo·génesis *n.* 〖생화학〗 당신생(糖新生).

glu·cón·ic ácid [glu:kánik-/-kɔ́n-] 〖화학〗 글루콘산(酸).

glùco·recéptor *n.* 〖생리〗 글루코리셉터《포도당에 예민한 반응을 나타내는 뇌신경 세포》.

glu·co·sa·mine [glu:kóusəmì:n, -min] *n.* 〖생화학〗 글루코사민《갑각류(甲殼類)·곤충의 키틴질(chitin 質)에 함유된 천연 아미노당》.

glu·cose [glú:kous] *n.* Ⓤ 〖화학〗 포도당, 글루코오스. ㊞ **glu·cos·ic** [glu:kásik, /-kɔ́s-] *a.*

glúcose-1-phósphate [-wʌ́n-] *n.* 〖생화학〗 글루코오스-1-인산.

glúcose phósphate 〖생화학〗 글루코오스 인산.

glúcose-6-phósphate [-síks-] *n.* 〖생화학〗 글루코오스-6-인산.

glu·co·si·dase [glu:kóusədèis, -z] *n.* 〖생화학〗 글루코시다아제《글루코시드의 가수(加水) 분해를 촉매하는 효소》.

glu·co·side [glú:kəsàid] *n.* 〖생물〗 배당체(配糖體), 당원질, 글루코시드.

glu·cu·rón·ic ácid [glù:kjərάnik-/-rɔ́n-] 〖생화학〗 글루쿠론산(酸).

glu·cu·ron·ide [glu:kjúərənàid] *n.* 〖생화학〗 글루쿠로니드《글루쿠론산의 유도체로, 오줌으로 배출됨》.

‡**glue** [glu:] *n.* Ⓤ 아교; 끈적끈적한 물건; 《일반적》 접착제, 풀: stick like ~ to a person 아무에게 끈덕지게 달라붙다 / instant ~순간 접착제. ── (*glú(e)·ing*) *vt.* 《~+목/+목+전+명》 **1** 아교〔접착제〕로 붙이다, 교착시키다; 고착〔접착〕시키다, 꼭 붙이다《*to*》: He ~*d* the wings *onto* the model airplane. 그는 모형 비행기에 날개를 붙였다. **2** …에 집중하다, 열중하다; 뚫어지게 쏘아보다《*to*》; (귀 따위를) 기울이다《*to*》. ── *vi.* 《+부》 밀착하다; 아교〔접착제〕로 붙다: The wood ~*s well*. 목재는 아교로 잘 붙는다. ***be ~d to*** = ***~ oneself to*** …에 들러붙어 떨어지지 않다, …에 주의를 집중하다: The boy *is* always ~*d to* the television. 그 아이는 항상 텔레비전 앞에서 떠날 줄을 모른다. **~ *off*** 〖제본〗 (철한 것이 늘어지지 않도록) 아교로 책등을 붙이다. **~ *up*** 봉(封)하다; 밀폐하다. ***with* one's *eyes ~d on*** 〔***to***〕 …에서 눈을 떼지 않으며, …을 응시(凝視)하며. ㊞ **glú·er** *n.*

glúe èar 《영》 중이염(otitis media).

glúe-fàst *a.* 롤러식으로 풀을 붙이는.

glúe pòt 아교 냄비《아교를 끓이는 이중 냄비》; 《영구어》 진창인 땅; 《속어》 경주마, 늙은 말.

glúe snìffing 본드〔시너〕 냄새맡기. ㊞ **glúe snìffer**

gluey [glú:i] (*glú·i·er; -i·est*) *a.* 아교를 바른; 아교질의; 끈적끈적한; 아교투성이의. ㊞ **glú·i·ly** *ad.*

glug [glʌg] *n.* 《구어》 (병에서 술 등을 따를 때) 꿀렁꿀렁 나오는 소리, 꿀꺽꿀꺽 (물 마시는 소리). ── (*-gg-*) *vi.* '꿀렁꿀렁' 하고 소리를 내다.

glum [glʌm] (*glúm·mer; -mest*) *a.* 무뚝뚝한, 뚱한, 음울한(sullen). ㊞ **∠·ly** *ad.* **∠·ness** *n.*

glume [glu:m] *n.* 〖식물〗 영(穎), 영포(穎苞).

glu·on [glú:αn / -ɔn] *n.* 〖물리〗 글루온《쿼크(quark) 간의 상호 작용을 매개하는 입자》.

glut [glʌt] *n.* **1** 차고 넘침, 과다, 충족; 만복(滿腹), 과식. **2** (상품의) 공급 과잉, 재고 과다: a ~ of fruit 과일의 범람 / a ~ in the market 시장의 재고 과잉. ── (*-tt-*) *vt.* **1** 《~+목/+목+전+명》 배불리 먹이다, 포식시키다; 물리게 하다; 실컷 …하게 하다; (욕망을) 채우다: ~ one's appetite 식욕을 충분히 만족시키다 / ~ one's appetite *for* exoticism 이국 정서에 대한 동경을 만끽케 하다. **2** 공급 과다(過多)가 되게 하다: Products ~ the market. 시장에 상품을 과잉 공급하다. **3** (도로·통로 따위를) 막히게 하다, 막다. **~ one*self with*** …을 물리도록 먹다, 포식(飽食)하다. **~ one's *eyes*** 싫증이 나도록 보다. **~ one's *revenge*** 마음껏 원한을 풀다.

glu·ta·mate [glú:təmèit] *n.* 〖화학〗 글루탐산염.

glu·tám·ic ácid [glu:tǽmik-] 〖화학〗 글루타민산(酸).

glu·ta·min·ase [glú:təminèis, glu:tǽm-, -nèiz] *n.* 〖생화학〗 글루타미나아제《글루타민을 글루탐산과 암모니아로 가수 분해하는 효소》.

glu·ta·mine [glú:təmi:n, -min] *n.* Ⓤ 〖화학〗 글루타민《아미노산의 일종》.

glu·tar·al·de·hyde [glù:tərǽldəhàid] *n.* 〖생화학〗 글루타르알데히드《가죽 무두질·소독약·현미경 표본의 고정 등에 씀》.

glu·tár·ic ácid [glu:tǽrik-] 〖화학〗 글루타르산(酸)《유기 합성에 쓰임》.

glu·ta·thi·one [glù:təθáioun] *n.* 〖생화학〗 글루타티온《생체 내의 산화환원(酸化還元) 기능에 중요한 작용을 함》.

glu·te·al [glú:tiəl, glu:tí:əl] *a.* 〖해부〗 둔부의, 둔근(臀筋)의: ~ cleft 둔열(臀裂).

glu·te·lin [glú:təlin] *n.* 〖생화학〗 글루텔린《식물성 단순 단백질의 하나》.

glu·ten [glú:tən] *n.* Ⓤ 〖화학〗 글루텐, 부질(麩質). ㊞ **glu·te·nous** [glú:tənəs] *a.* 글루텐 모양의; 글루텐을 많이 함유한.

glúten brèad 글루텐 빵《gluten flour로 만든 빵; 당뇨병 환자용》.

glúten flòur 글루텐 맥분(麥粉)《보릿가루에서 대부분의 녹말을 제거한 것》.

glu·tes [glú:tiz] *n. pl.* 《구어》 둔근(臀筋).

glu·teth·i·mide [glu:téθəmàid] *n.* 〖약학〗 글루테티미드《진정제·최면제》.

glu·te·us [glú:tiəs, glu:tí:əs] (*pl.* ***-tei*** [-ti:ài, -tí:ai]) *n.* 〖해부〗 둔근(臀筋).

glut·fla·tion [glʌtfléiʃən] *n.* 글러트플레이션《상품이 남아도는데도 가격이 상승하는 일》. [◂ *glut*+in*flation*]

glu·ti·nos·i·ty [glù:tənάsəti/-nɔ́s-] *n.* Ⓤ 점착성.

glu·ti·nous [glú:tənəs] *a.* 끈적끈적한, 점착성의; 아교질의; 〖식물〗 점액으로 덮인: ~ rice 찹쌀. ㊞ **~·ly** *ad.* **~·ness** *n.*

glu·tose [glú:tous] *n.* 〖화학〗 글루토오스《당밀의 한 성분; 비발효성임》.

°**glut·ton** [glʌ́tn] *n.* **1** 대식가(大食家), 폭식가. **2** 지칠 줄 모르는 정력가, 끈덕진 사나이《*of*》: a ~ *for* work 지독히 일하는 사람 / a ~ *of* books 맹렬한 독서가 / a ~ *for* punishment 맷집 좋은

권투 선수; 곤란한〔불쾌한, 남이 싫어하는〕 일을 자학적이라고 할 정도로 열심히 하는 사람.
glút·ton·ìze *vi.* 대식(大食)〔포식〕하다.
glut·ton·ous [glʌ́tənəs] *a.* 많이 먹는, 게걸들린(greedy); 식도락의; 골똘한, …을 탐하는《*of*》. [파] ~**·ly** *ad.* 탐욕〔게걸〕스럽게. ~**·ness** *n.*
glut·tony [glʌ́təni] *n.* [U] 대식, 폭음폭식.
glyc- [gláik, gláis/gláik, glík, gláis, glís], **gly·co-** [gláikou, -kə] '당(糖)·설탕·단'이란 뜻의 결합사. 「당증(血糖症).
gly·ce·mia, -cae- [glaisí:miə] *n.* 〖의학〗 혈
glyc·er·al·de·hyde [glìsərǽldəhàid] *n.* 〖생화학〗 글리세르알데히드《글리세롤 산화로 형성된 알데히드》. 「산(酸).
gly·cér·ic ácid [glisérik-] 〖화학〗 글리세린
glyc·er·ide [glísəràid] *n.* 〖화학〗 글리세리드《글리세린의 지방산(脂肪酸) 에스테르의 총칭》.
glyc·er·in, -ine [glísərin], [-rin, -rì:n] *n.* [U] 〖화학〗 글리세린.
glyc·er·in·ate [glísərənèit] *vt.* 글리세린으로 처리하다. ── *n.* 〖화학〗 글리세린산염.
glyc·er·ol [glísərɔ̀:l, -rɑ̀l/-rɔ̀l] *n.* [U] 〖화학〗 글리세롤《glycerin의 학명》.
glyc·er·yl [glísəril] *n.* 〖화학〗 글리세릴《글리세롤에서 유도되는 3가(價)의 기(基)》.
glýceryl trinítrate 〖화학〗 삼질산(三窒酸) 글리세린(nitroglycerin).
gly·cine [gláisi:n, ⌐⌐] *n.* 〖화학〗 글리신, 아미노아세트산《아미노산의 하나》.
glyco- ⇨ GLYC-.
glỳco·biólogy *n.* 당(糖)생물학.
gly·co·chól·ic ácid [glàikoukɑ́lik-, -kóul-/-kɔ́l-, -kóul-] 〖생화학〗 글리코콜린산(酸)《담즙산의 일종》.
gly·co·gen [gláikədʒən, -dʒèn] *n.* [U] 〖화학〗 글리코겐, 당원(糖原).
glỳco·génesis *n.* [U] 글리코게네시스, 글리코겐 합성〔생성〕, 당질(糖質) 생성.
gly·co·gen·ic [glàikədʒénik] *a.* 글리코겐의, 당원(糖原)을 생성하는.
gly·col [gláikɔ:l, -kɑl/-kɔl] *n.* [U] 〖화학〗 글리콜《글리세린과 에틸알코올의 중간 물질; 자동차용 부동액(不凍液)》. [파] **gly·col·ic** [glaikɑ́lik/-kɔ́l-] *a.* 글리콜의.
glycólic ácid 〖화학〗 글리콜산(酸). 「(糖脂質).
gly·co·lip·id [glàikəlípid] *n.* 〖생화학〗 당지질
gly·col·y·sis [glaikɑ́ləsis/-kɔ́l-] *n.* [U] 글리콜리시스, 해당(解糖), 당(糖)분해.
gly·con·ic [glaikɑ́nik/-kɔ́n-] *n.*, *a.* 《Gr.·L.》 글라이콘 시체(詩體)《일종의 4 운각(韻脚) 시체》(의).
glỳco·péptide *n.* 〖생화학〗 글리코펩티드(glycoprotein).
glỳco·prótein [glàikəpróuti:in] *n.* 〖생화학〗 당단백(질)(糖蛋白(質)).
gly·co·si·dase [glaikóusədèis, -zə-, -dèiz] *n.* 〖생화학〗 글리코시다아제《글리코시드 결합의 가수 분해를 촉매하는 효소》. 「체(配糖體).
gly·co·side [gláikəsàid] *n.* 글리코시드, 배당
gly·cos·u·ria [glàikousjúəriə] *n.* 〖의학〗 당뇨. [파] **-ric** [-rik] *a.*
gly·co·syl [gláikəsil] *n.* 〖화학〗 글리코실《단당(單糖)에서 수산기(hydroxyl)를 제거하고 얻는 1가(價)의 기(基)》.
gly·co·syl·ate [gláikəsəlèit] *vt.* 〖생화학〗 글리코실화하다《단백질 등에 글리코실기(基)를 부가함》. [파] **glỳ·co·syl·á·tion** *n.* 글리코실화.
gly·cyl [gláisəl] *n.* 〖화학〗 글리실《글리신의 1가의 기》.
Glynde·bourne [gláindbɔ:rn] *n.* 잉글랜드에서 매년 여름에 열리는 오페라 축제.
glyph [glif] *n.* 〖고고학〗 그림 문자, 상형 문자; 돋을새김 상(像); 〖건축〗 세로홈(vertical groove). [파] **glyph·ic** [glífik] *a.*
glyph·o·graph [glífəgræ̀f, -grɑ̀:f] *n.* 납각(蠟刻) 전기 조각판. 「제판(술)의.
glyph·o·graph·ic [glìfəgrǽfik] *a.* 납각 전기
gly·phog·ra·phy [glifɑ́grəfi/-fɔ́g-] *n.* 〖인쇄〗 납각 전기 제판법. [파] **-pher** *n.*
glyp·tic [glíptik] *a.* (특히 보석면) 조각의; 〖광물〗 무늬가 있는. [파] ~**s** [-s] *n. pl.* 《단수취급》 보석 조각술.
glyp·to·dont, -don [glíptədɑ̀nt/-dɔ̀nt], [-dɑ̀n/-dɔ̀n] *n.* 〖고생물〗 빈치목(貧齒目)의 동물《armadillo 류의 큰 포유동물》.
glyp·to·graph [glíptəgræ̀f, -grɑ̀:f] *n.* 조각한 보석류; (보석 따위의) 조각 무늬.
glyp·tog·ra·phy [gliptɑ́grəfi/-tɔ́g-] *n.* [U] 보석 조각술〔학〕.
GM General Motors; genetically-modified; guided missile; general merchandise. **Gm** gigameter(s). **gm.** gram(s); 《영》 gramme(s). **G.M., GM** 《영》 George Medal; General Manager; Grand Marshal; Grand Master.
G-man [dʒí:mæ̀n] (*pl.* **-men** [-mèn]) *n.* 《미구어》 연방 수사국(FBI)의 수사관. [◂ *Government man*] ★ 여성은 G-woman.
g.m.b. good merchantable brand. **Gmc.** Germanic. **G.M.C.** General Medical Council (의학 총회의).
GMO [dʒí:èmóu] (*pl.* ~**s**) *n.* 유전자 변형 생물체. [◂ *g*enetically *m*odified *o*rganism]
GMP 〖약학〗 good manufacturing practice (의약품 제조 품질 관리 기준); 〖생화학〗 guanosine monophosphate. **G.M.Q., g.m.q.** good merchantable quality (판매 적성 품질). **GMS** 《미》 general merchandise store (종합 소매점). **GMT, G.M.T., G.m.t.** Greenwich Mean Time. **GMW** gram-molecular weight.
gn. guinea.
gnar, gnarr [nɑ:r] (**-rr-**) *vi.* (개가) 성나서 으르렁대다, 이빨을 드러내고 으르렁거리다.
gnarl [nɑ:rl] *n.* (나무의) 마디, 혹. ── *vt.* **1** …에 마디를〔혹을〕 만들다. **2** 비틀다(twist). ── *vi.* **1** 마디가〔혹이〕 생기다. **2** 비틀리다.
gnarled, gnárly [nɑ́:rli] (***gnarl·i·er; -i·est***) *a.* **1** 마디〔혹〕투성이의; 옹이가 많아 울퉁불퉁한. **2** 비꼬인, 비뚤어진《성격 따위》. **3** (풍채가) 우락부락한〔거친〕 느낌을 주는. **4** 《미속어》 곤란한, 어찌 수가 없는, 손을 쓸 수 없는.
gnash [næʃ] *vi.* (분노·고통 따위로) 이를 갈다. ── *vt.* (이를) 갈다; (이를) 악물다. ~ **one's teeth** (분노·유감 따위로) 이를 갈다; 노여움을 노골적으로 나타내다《*at; over*》. ── *n.* 이를 갊. [파] ⌐**·ing** *n.* 이를 갊, 몹시 분해함.
gnat [næt] *n.* 피를 빨아먹는 작은 곤충, 〖곤충〗 각다귀, 《영》 모기(mosquito). ***strain at a*** ~ (***and swallow a camel***) (큰 일을 소홀히 하고) 작은 일에 얽매이게 되다《마태복음 XXIII: 24》. [파] ⌐**·like** *a.* 몹시 작은.
gnath·ic, gnath·al [nǽθik], [nǽθəl, néi-] *a.* 턱의〔에 관한〕.
gna·thi·on [néiθiɑ̀n, nǽ-/-θiɔ̀n] *n.* 〖인류〗 아래턱 점(點)《하악골 중앙부 가장 아래 점; 두개(頭蓋) 계측점의 하나》.
gna·thite [néiθait, nǽθ-] *n.* 〖동물〗 상악, 구기(口器)《절지동물의 입의 부속 기관》.
-gna·thous [gnəθəs] '…한 턱을 가진'이란 뜻의 결합사.

gnaw [nɔː] (*~ed; ~ed, ~n* [-n]) *vt.* **1** 《~+목/+목+부/+목+전+명》 …을 쏠다, 갉다; 물다(cf. bite); 물어 끊다《*away; off*》; 쏠아 …을 만들다: a dog *~ing* a bone 뼈를 갉작거리고 있는 개 / ~ something *away* 〔*off*〕 무엇을 물어 뜯다 / Rats *~ed* a hole *in* 〔*into, through*〕 a board. 쥐가 판자를 갉아 구멍을 냈다. **2** 《+목+전+명》 부식〔침식〕하다(corrode): The river has *~ed* channels through the rock. 강은 바위를 침식하여 도처에 도랑을 냈다. **3** (근심·질병 따위가) 괴롭히다(torment); 약하게 하다: Worry *~ed* her mind. 걱정 때문에 그녀의 마음은 괴로웠다. **—** *vi.* **1** 《+전+명》 갉다, 쏠다, 물다《*at; into; on, upon*》: ~ *into* a wall (쥐 따위가) 갉아서 벽에 구멍을 내다. **2** 《+전+명》 (끊임없이) 괴롭히다, 좀먹다, 들볶다; 기력을 꺾다《*at; in*》: anxiety *~ing at* his heart 그의 마음을 좀먹는 불안. **3** 침식〔부식〕하다《*at; into*》. **~ *at*** …을 물다, …을 쏠다; …을 좀먹다. ㊕ **~·er** [nɔ́ːər] *n.* 무는 것〔사람〕, 갉작거리는 것; 부식시키는 것; 설치(齧齒) 동물(rodent).

gnáw·ing *n.* 갉기, 쏠기; 부단한 고통; 가책; 《특히》 굶주림의 고통. **—** *a.* 갉아먹는, 쏘는; 에는 듯한, 괴롭히는: a ~ animal 설치(齧齒) 동물. ㊕ **~·ly** *ad.*

GND gross national demand (국민 총수요).

GNE gross national expenditure (국민 총지출).

gneiss [nais] *n.* Ⓤ 〖지학〗 편마암. ㊕ **gnéiss·ic** *a.* **gnéiss·oid** *a.*

GNI gross national income(국민 총소득).

gnoc·chi [náki/nɔ́ki] *n. pl.* 〖요리〗 뇨키《(강판 따위로) 간 치즈를 뿌려서 먹는 경단의 일종》.

gnome[1] [noum] *n.* **1** 땅 신령《땅속의 보물을 지킨다는 늙은 난쟁이》; 쭈글쭈글한 노인《남자》. **2** 《구어》 (국제 금융 시장에서 활약하는) 투기적 금융업자《흔히 the ~s of Zurich라는 표현으로 쓰임》.

gnome[2] (*pl.* *~s, gnó·mae* [-miː]) *n.* 격언, 금언(金言).

gno·mic, -mi·cal [nóumik, nám-/nóum-, nɔ́m-], [-mikəl] *a.* 격언〔금언〕의; 격언적인《시 등》: gnomic poetry 격언시.

gnom·ish [nóumiʃ] *a.* 땅 신령(gnome) 같은; 변덕스러운, 장난꾸러기의.

gno·mist [nóumist] *n.* 금언〔격언〕 작가.

gno·mol·o·gy [noumáləd͡ʒi/-mɔ́l-] *n.* 금언〔격언〕집; 격언적〔경구적(警句的)〕인 작품.

gno·mon [nóumən/-mɔn] *n.* (해시계의) 바늘; 〖수학〗 그노몬《평행사변형에서 그 한 각을 포함한 닮은꼴을 떼어 낸 나머지 부분》. ㊕ **gno·mon·ic** [noumánik/-mɔ́n-] *a.*

gnomónic projéction (지도 제작의) 심사도법(心射圖法), 대권(大圈)도법.

gno·món·ics *n. pl.* 〔단수취급〕 해시계 구조의 원리, 해시계 제작법.

-gno·my [ˊ-gnəmi] '판단술〔학〕'이란 뜻의 결합사: physio*gnomy*.

gno·sis [nóusis] *n.* Ⓤ 영적 인식〔지식〕, 영지(靈知), 신비적 직관; =GNOSTICISM.

-gno·sis [gnóusis] (*pl.* *-ses*) '(특히 병적 상태의) 인식' 이란 뜻의 결합사: dia*gnosis*.

Gnos·tic [nástik/nɔ́s-] *a.* **1** 그노시스교(도)의. **2** (g-) 지식에 관한; 영계(靈界)의 신비를 이해하는, 영지(靈知)의; 《우스개》 영리한. **—** *n.* (보통 *pl.*) 그노시스교도. ㊕ **Gnós·ti·cìsm** [-təsìzəm] *n.* Ⓤ (*or* g-) 그노시스교《초기 기독교 시대에 있어서의 신비주의적 이단(異端) 기독교》.

-gno·stic [gnástik/gnɔ́s-] '지식〔인식〕의'라는 뜻의 결합사.

Gnos·ti·cize [nástəsàiz/nɔ́s-] *vi.* 그노시스주의적 입장을 취하다. **—** *vt.* …에 그노시스주의적 해석〔성질〕을 부여하다.

gno·to·bi·ol·o·gy [nòutoubaiáləd͡ʒi/-ɔ́l-] *n.* =GNOTOBIOTICS.

gno·to·bi·ot·ic [nòutoubaiátik/-ɔ́t-] *a.* 〖생물〗 한정된 기지(旣知)의 미생물만 가진 환경의〔에 사는〕; 무균(無菌)의.

gnò·to·bi·ót·ics *n. pl.* 〔단수취급〕 무균 생물과학.

GNP gross national product (국민 총생산).

GNP deflàtor 〖경제〗 GNP 디플레이터《GNP 통계 가격 수정 인자》.

gns. guineas.

gnu [njuː] (*pl.* *~s,* 〔집합적〕 ~) *n.* 〖동물〗 누《암소 비슷한 일종의 영양(羚羊); 남아프리카산(産)》.

gnu

†**go** [gou/gəu] (***went*** [went]; ***gone*** [gɔːn, gɑn / gɔn]; ***go·ing*** [góuiŋ]) 《중심적 뜻인 '가다'를 다음 3항목으로 대별할 수 있음: **a** (목적지로) 향하다, 나아가다 1-9; **b** (목적지에 관계없이) 나아가다, 진행 중이다 10-19; **c** (어떤 곳에서) 떠나다 20-21》.

— *vi.* **1** 《+부/+전+명》 (어떤 장소·방향으로) 가다, 향하다, 떠나다; 달하다, 이르다: *go abroad* 외국으로〔해외로〕 가다 / This road *goes to* London. 이 길은 런던에 이른다.

2 《+전+명/+*to* do/+-*ing*》 (어떤 목적으로) 가다, 떠나다: *go for* a walk 〔drive, swim〕 산책〔드라이브, 수영〕하러 가다 / *go to* drink 마시러 가다 / go shop*ping* 〔fish*ing*, hunt*ing*〕 장보러〔낚시하러, 사냥하러〕 가다.

> NOTE (1) go에 out 등 부사를 수반할 경우가 있음: *go out* shop*ping* 물건 사러 가다.
> (2) 《미구어》에서는 현재시제의 경우 to 없이 원형이 오는 일이 있음: *go* (*to*) visit 방문하러 가다 / I'll *go* wake them in a minute. 곧 그들을 깨우러 가겠습니다 / 《미구어》 〔강조적으로〕 *Go* try again. 다시 한 번 해봐.

3 a 〔go to+관사 없는 명사〕 …에 (특수한 목적으로) 가다: *go to* bed 잠자리에 들다, 자다 / *go to* school 〔church, market〕 학교〔교회, 시장〕에 가다.

> NOTE 단순히 학교 따위가 있는 곳으로 가는 것이 아니라 각기 수업을 받으러, 예배 보러, 매매를 위해 갈 때는 위에서처럼 뒤에 오는 명사는 무관사.

b 《구어》 화장실에 가다, 용변을 보다.

4 《+전+명》 (상·재산·명예 등이) 주어지다, 넘겨지다《*to*》; 보내어지다: The prize *went to* his rival. 상은 상대방에게 돌아갔다 / Victory does not necessarily *go to* the strong. 승리는 항상 강자에게만 돌아가는 것은 아니다 / *To* whom did the property *go* when he died? 그가 죽은 후 재산은 누구에게로 넘어갔는가 / The message *went by* fax. 그 전갈은 팩스로 보내어졌다.

5 《+전+명/+부》 (어떤 장소에) 놓이다, 들어가다, 안치되다, 넣어지다(be placed): This book *goes on* the top shelf. 이 책은 맨 위 책꽂이에 꽂힌다 / *Where* does the piano *go*, sir? 피아노를 어디에 놓을까요 / The coat won't *go round* him. 이 코트는 작아서 그는 입지 못할 것이다.

6 《+전+명》 (수량이) …이 되다《*to*》; (내용으로서) 포함되다, 들어가다; 나뉘다; …에 해당되다: All that will *go into* a very few words. 그것은 불과 몇 마디 말로 다할 수 있다 / How many pence *go to* the pound? 1파운드는 몇

펜스에 해당되는가 / Seven *into* fifteen *goes* twice and one over. 15 나누기 7 은 2 가 되고 1이 남는다.

7 《+*to* do》 …하는 데 힘이 되다, 소용되다: That will *go to* prove his point. 그것은 그의 주장을 증명하는 데 소용된다 / the items which *go to* make up the total 전체의 명세 항목.

8 《~/+전+명》 …에 사용되다, 도움되다, 이바지되다《*to; towards; for*》; (돈 따위가) …에 소비되다《*for; into*》: Anything *goes*. 아무것이라도 좋다〔괜찮다〕/ My money *goes for* food and rent. 돈은 식비와 방세로 들어간다 / What qualities *go to* the making of a statesman? 어떤 자질이 있어야 정치가가 되는가.

9 《+부/+전+명》 (노력·노고·수단 또는 정도에 대해서) …하기까지 하다, …하기에 이르다, 일부러 …까지 하다, …에 의지하다《*to*》: He *went* so *far* as to say I was a coward. 그는 (심지어) 나를 겁쟁이라고까지 했다 / He'll *go* (*up*) *to* 〔as high as〕 500 dollars for it. 그는 그것에 500 달러까지 낼 거다 / He *went to* great trouble to make me comfortable. 그는 나를 편하게 해주려고 무척 애를 썼다 / Never *go to* violence. 결코 폭력에 의지하지 마라.

10 《~/+부/+전+명》 (목적·목표에 특히 관계없이) 나아가다, 진행하다, 이동하다, 여행하다; (열차·버스 등이) 운행하다, 다니다: The train *goes at* 70 miles an hour. 이 열차는 시속 70 마일로 달린다 / *go by* train 열차로 가다 / Let's talk as we *go*. 걸으며 이야기합시다 / *Go back to* your seat. 당신 자리로 돌아가시오 / The train *goes between* Seoul and Busan. 이 기차는 서울과 부산 사이를 운행하고 있다. SYN. ⇨ ADVANCE.

11 나가다, 진발(進發)〔출발, 발진〕하다; (활동을) 개시하다, 시작하다: One, two, three, *go!* 하나, 둘, 셋, 시작! / *Go* warily if you want to discuss with him. 그와 논쟁을 벌이려면 단단히 조심하고 시작해야 한다.

12 (기계 등이) 작동하다, 움직이다; (종 따위가) 울리다; (심장이) 고동치다: Is your watch *going?* 자네 시계는 가고 있는가 / The machine *goes* by electricity. 이 기계는 전기로 움직인다 / A buzzer *went* on the table. 탁상의 버저가 울렸다 / The pulse *goes* quickly. 맥박이 빠르다.

13 a (사람이) 행동하다, 동작을 하다; 일을 진행시키다: While speaking, he *went* like this (with his hand). 그는 말하며 이렇게 (손짓을) 했다 / He *went* according to the rules. 그는 규칙대로 행동했다. **b** 《+-*ing*》《구어》〖종종 비난·경멸의 뜻으로 부정·의문문에〗 …같은 일을 하다: Don't *go* break*ing* any more things. 더 이상 물건을 망가뜨리는 일 따위는 그만 하게.

14 (일이 …하게) 진행되다; 《구어》 잘되다, 성공하다: How *goes* it? =How is it 〔are things〕 *going?* 형편은 어떻습니까 / Everything *went* well 〔badly〕 (with him). (그는) 만사가 잘 되었다〔안 되었다〕/ The new manager will make things *go*. 이번의 새 경영자는 일을 잘 해나갈 것이다.

15 《~/+부/+전+명》 뻗다, 뻗치다 ; 달하다: How *far* 〔*Where*〕 does this road *go?* 이 도로는 어디까지〔어디로〕 통합니까 / This highway *goes to* New York. 이 고속도로는 뉴욕으로 통한다.

16 《~/+전+명/+*that*절》 유포되고 있다; 통용하다; …로서 통하다; (주장 따위로) 사람들에게 먹혀들다, 중시되다: Dollars *go* anywhere. 달러는 어디서나 통용된다 / He *went by* the name of Bluebeard. 그는 '푸른 수염' 이란 이름으로 통했다 / What he says *goes*. 그의 말에는 무게가 있다 / The story *goes that* .... …이라는 〔하다는〕 이야기다〔평판이다〕.

17 (어느 기간) 지속〔지탱〕하다, 견디다: Ten dollars will be enough to *go* another week. 10달러면 1주일은 더 견딜 수 있을 거야.

18 (이야기·글·시·책 따위가) …이라는 구절〔말〕로 되어 있다, …라고 말하고 있다(run): as the saying *goes* 속담에도 있듯이 / Thus *goes* the Bible. 성서에는 그렇게 씌어 있다 / The tune *goes* like this. 그 곡은 다음과 같이 되어 있다.

19 《+보/+전+명》 **a** (대체로 바람직하지 못한 상태로) 되다(become, grow): *go* blind 소경이 되다 / *go* flat 납작해지다 / *go* bad 나빠지다, 썩다 / *go* free 자유의 몸이 되다 / *go out of* print 절판이 되다 / The plan *went to* pieces. 그 계획은 엉망이 되었다 / *go* asleep 잠들다 / *go to* war 전쟁이 시작되다 / *go into* debt 빚을 지다. **b** (어떤 상태에) 있다: *go* hungry 〔thirsty, naked, armed〕 굶주려〔목말라, 나체로, 무장하고〕 있다 / *go with* child 임신하다 / *go in* rags 넝마를 두르고 있다 / Her complaints *went* unnoticed. 그녀의 불평은 무시되어 버렸다.

20 〖come의 반대 개념으로서〗 떠나다, 가다, 나가다; (시간 따위가) 지나다: People were coming and *going*. 사람들이 오가고 있었다 / Don't *go*, please! 가지 마십시오(Stay here, please.); 스위치를 끄지〔채널을 딴 데로 돌리지〕 마십시오《TV아나운서의 말》/ The train has just *gone*. 열차는 이제 막 떠났다 / Be *gone!* 없어져, 꺼져라 / The whole day *went* pleasantly. 꼬박 하루가 즐겁게 지나갔다 / Winter has *gone* and spring is here. 겨울이 가고 봄이 왔다.

21 a 소멸하다, 없어지다(disappear); 〖흔히 must, can 따위와 함께〗 제거되다: The pain has *gone* now. 통증은 이제 가셨다 / This car *must go*. 이 차는 처분해야겠다 / He *has to go*. 그는 모가지다《I'll fire him.의 완곡 표현》. **b** 쇠하다; 죽다; 무너지다, 짜부라지다, 꺾이다; 손들다, 찍소리 못 하게 되다: His sight is *going*. 시력을 잃어 가고 있다 / The roof *went*. 지붕이 내려앉았다 / The scaffolding *went*. 발판이 무너졌다 / Poor Tom is *gone*. 불쌍한 톰은 죽었다 / I thought the branch would *go* every minute. 가지가 금세라도 부러지는 줄 알았다.

22 《+전+명/+보》 (…의 값으로) 팔리다: They *go for* 〔*at*〕 $4 a dozen. 한 다스에 4 달러로 팔린다 / The house *went* cheap. 집은 헐값에 팔렸다 / There were good shoes *going at* 5 dollars. 좋은 신이 겨우 5 달러로 팔리고 있었다.

— *vt.* **1** 《~+목/+목+목/+목+전+명》《구어》 (돈 등을) 걸다(bet): I'll *go* two dollars *on* number one. 1 번에 2 달러 걸겠다 / I'll *go* you a shilling *on* it. 너를 상대로 그것에 1실링 걸겠다. **2** 《구어》〖보통 부정형〗 …에 견디다, …을 참다: I can'*t go* his preaching. 그의 설교엔 참을 수 없다. **3** (~ one's way로) …을 가다〔나가다〕. **4** (길을) 가다; (거리를) 나아가다: *go* Route 32. 32번 국도를 가다 / *go* ten miles. 10 마일을 나아가다. **5** 《구어》 (음식을) 맛보다, 즐기다: I could *go* a whisky and soda. 하이볼 한 잔 들고 싶구나. **6** (어떤 산출량을) 내다(yield); 《미구어》 무게가 … 나가다(weigh); (시계가 몇 시를) 치다; 〖야구〗 (…회를) 던지다(pitch).

as* 〔*so*〕 *far as ... go …에 관한 한. ***as ... go*** 보편적으로 말해서: *as* men *go* 보편적으로 말해서 / He's young *as* statesmen *go* nowadays. 그는 오늘날의 정치가로서는 젊은 편이다. ***be going on*** ① 《구어》 (시각·연령이) …에 가까워

지〔다가오〕고 있다: It's *going on* four o'clock. 지금 4시가 가까워온다. ② 일어나고 있다: What's *going on* here? 여기서 무엇이 일어나고 있느냐. ③ …계속되고 있다: The party has *been going on* all night. 파티는 밤새껏 계속되고 있다. ***be going to*** do ①〖의지〗…할 예정〔작정〕이다: I'*m going to* have my own way. 나 좋아하는 대로 할 작정이다(I will …) / You *are going to* sleep here. 넌 여기서 자야 해(You shall …). ②〖가능성 · 전망〗있을〔…할〕 것 같다 (be likely to): *Is* there *going to* be a business depression this year? 올해에 불경기가 올 것 같은가. ③〖가까운 미래〗바야흐로 …하려하고 있다(be about to): Do you think it's *going to* rain? 비가 올 것 같은가 / I *was* (just) *going to* open the door, when there was a knock on it. 막 문을 열려고 하는데, 노크 소리가 났다. ★ 발음 [góuiŋtu, -tə]는 종종 [góuənə, gɔ́:nə]로 됨. ***Be gone!*** =***Get you gone!*** 썩 꺼져라. ***go about*** 《*vi.*+副》 ① 돌아다니다, 외출하다. ② 교제하다《*with*》. ③ (소문 · 이야기 등이) 퍼지다: A story is *going about* that …. …라는 얘기가 돌고 있다. ④〖해사〗뱃머리를 돌리다, 침로를 바꾸다. —《*vi.*+前》 ⑤ 열심히 (일 따위를) 하다, (일 · 문제 등)에 달라붙다; 힘쓰다《*to* do》; 끊임없이 …하다《do*ing*》: *Go about* your business! 네 일이나 해라; 남의 일에 참견 마라. ⑥ …에 착수하다《do*ing*》: He *went about* repair*ing* the car. 그는 자동차 수리를 시작했다. ***go after*** 《구어》 …의 획득에 노력하다; (여자 등)을 뒤쫓아다니다; …을 추구하다, …에 열을 올리다. ***go against*** ① …에 반항〔항거〕하다, …에 거스르다: Telling a lie *goes against* my conscience. 거짓말을 하는 것은 내 양심에 거리낀다. ② (사업 · 경쟁 따위가) …에게 불리해지다: If the war *goes against* them, …. 만일 그들이 전쟁에 패(敗)하면 …. ***go ahead*** ⇨ AHEAD. ***go*** (***all***) ***out*** 전력을 다하다《*for; to* do》. ***go along*** ① 나아가다, (일 따위를) 계속하다《*with*》. ② (…와) 동행하다《*with*》; (물건이) …에 부수하다《*with*》. ③ 찬성〔동조〕하다, (결정 등에) 따르다《*with*》: I can't *go along with* you on that idea. 자네의 생각에는 찬성할 수 없네. ***go a long*** 〔***a good, a great***〕 ***way*** =~ far. ***go a long way toward***(***s***)〔***to***〕〖종종 미래시제로〗큰 도움이 되다. ***go a long way with*** a person … 에게 큰 효과가 있다, 크게 영향을 미치다: His word *goes a long way with* me. 그의 말은 나에게 큰 영향을 준다. ***Go along*** (***with you***)***!*** 계속해라; 《구어》 저리 가, 어리석은 짓 그만둬. ***go and*** do ① …하러 가다(go to do): *Go and* see what he's doing. 그가 무엇을 하는지 가보고 오너라. ★《미구어》에서는 Go to see 〔take, *etc.*〕 … 을 Go see 〔take, *etc.*〕 …로 하는 일이 많음. ②〖움직이는 뜻이 아닌 단순한 강조〗: *Go and* try it yourself. 어디 스스로 한번 해 봐라. ③ 《영구어》 놀랍게도〔어리석게도, 운 나쁘게도, 멋대로〕 …하다: What a fool to *go and* do such a thing! 그런 짓을 하다니 정말 어리석군 / *Go and* be miserable! 실컷 고생 좀 해 봐라. ***go around*** 《*vi.*+副》 ① 돌다, 돌아가다; 돌아보다: The minute hand *goes around* once an hour. 분침은 한 시간에 한 바퀴 돈다. ② 머리가 핑 돌다; 빙빙 도는 듯이 보이다. ③ 걸어 돌아다니다; (여기 저기) 여행하다; 방문하다: *go around* to see a friend 친구를 잠깐 방문하다. ④ (사람과) 나들이하다; (사람과) 교제하다《*with*》. ⑤ (말 · 병 따위가 …에) 퍼지다: There's a story *going around* that …. …라는 소문이 퍼지고 있다. ⑥ 모두에게 고루 돌아가다, 골고루 차례가 갈 만큼 있다: We didn't have enough food to *go around*. 골고루 돌아갈 만큼 충분한 음식이 없었다. —《*vi.*+前》 ⑦ …을 돌다, …을 돌아서 가다; (행성 따위가) 운행하다; 순회하다: The moon *goes around* the earth. 달은 지구를 돈다. ⑧ (건물 따위를) 돌아보다; 참관하다. ⑨ (말 · 생각이 머릿속을) 맴돌다. ⑩ (말 · 병 따위가) 퍼지다. ⑪ 한 바퀴 돌 만한 길이가 있다: The belt won't *go around* my waist. 그 혁대는 허리 둘레에 못 미칠 것이다. ***go as*** 〔***so***〕 ***far as to*** do …할 정도까지 하다, …까지 하다: He *went so far as to* say that …. 그는 …라고까지 말했다. ***go at*** …에 덮치다, 덤벼들다(attack); …의 값으로 팔리다; 열심히 …에 착수하다(undertake vigorously). ***go at it*** (***hammer and tongs***) 맹렬히 싸움〔논쟁〕하다. ***go away*** ① (휴가 등으로) 가다, 떠나가다; 신혼여행을 가다. ② …을 가지고 달아나다《*with*》. ③ 사라지다. ***Go away*** (***with you***)***!*** 《구어》 저리 가라, 바보짓 그만둬. ***go back*** ① (본디 장소 · 화제로) 되돌아오다, 다시 하다. ② …을 되돌아보다, 회고하다《*to*》; 거슬러 올라가다: His family *goes back to* the Pilgrim Fathers. 그의 가문은 필그림 파더스 시대까지 거슬러 올라간다. ③ 한창때를 지나다(deteriorate): These old trees are *going back*. 이 노목(老木)들은 점점 늙어간다. ***go back of …*** =***go back on …*** 《미》 …을 (잘) 조사하다(go behind): *go back of* the story 이야기의 진실을 구명(究明)하다. ***go back on*** 〔***upon, from, of***〕 ***…*** (약속 등을) 취소〔철회〕하다(revoke, break), (주의 · 신조 등)을 버리다, …을 어기다, (결심)을 뒤집다; (아무)를 배반〔배신〕하다; …의 쓸모가 없어지다. ***go before*** ① …에 앞서다〔선행하다〕 ② …앞에 출석하다, (문제 따위가) …에 제출되다. ***go behind*** …의 이면적〔참〕 이유를 조사하다: *go behind* a person's words 말의 속내〔진의〕를 살피다. ***go between*** …사이를 지나가다; …사이에 끼어들다, 중재하다, 중개하다. ***go beyond*** …을 넘어서 나아가다, …을 넘다, …보다 낫다, …을 능가하다(exceed): *go beyond* the law 법을 어기다 / *go beyond* one's duty 직무〔권한〕 밖의 일을 하다. ***go by*** 《*vi.*+副》 ① (…의 옆〔앞〕을) 지나다. ② (날 · 때가) 경과하다: in times *gone by* 지나간 옛날에. ③〖let … go by의 꼴로〗 (기회 따위를) 놓치다: Don't *let* this chance *go by*. 이 기회를 놓치지 마라. ④ 《미》 잠시 방문하다, 들르다. ⑤ (…이름으로) 알려지다, 통하다. —《*vi.*+前》 ⑥ …을 통과하다. ⑦ …에 따라 행동하다〔행해지다〕, …에 의하다; …으로 판단하다, …에 의거하다: *go by* the rules 규칙대로 하다 / Promotion *goes by* merit. 승진은 공로에 따라서 한다 / The report is nothing to *go by*. 그 보고는 신빙성이 없다. ***go by ship*** 〔***train, rail, air, land, sea***〕 배〔열차, 철도, 공로, 육로, 해로〕로 가다. ★ 수단을 나타내는 by 뒤의 명사는 보통 무관사임. ***go by the name of*** …의 이름으로 통하다, 통칭 …라고 하다. ***go down*** 《*vi.*+副》 ① 내려가다, 내리다, 넘어지다, 떨어지다《*from*》; (바다 · 강 따위로) 내려가다《*to*》; (길이 …까지) 내리받이가 되다《*to*》; (물건값이) 내리다, (가치 · 물건의 질이) 떨어지다. ② (비행기가) 추락하다, (배가) 가라앉다, (천체가) 지다; (약 따위가) 삼켜지다: The pill won't *go down*. 약이 잘 넘어가질 않는다. ③ (건물 · 사람이) 쓰러지다; 굴복〔항복〕하다; 지다, …의 손에 떨어지다《*before; to*》: *go down* on one's knees 무릎을 꿇다. ④ 계속하다《*to*》; (…에) 달하다, 미치다《*to*》; 기억에 남다; 기록〔기장〕되다; (후세 · 역사에) 전해지다《*to*》. ⑤ (물결 · 바람 따위가) 자다, 잔잔해지다. ⑥ 《영

구어》(대학에서) 귀향하다, 졸업하다; (도시에서) 시골 (따위)로 (내려)가다. ⑦ (…에게) 납득되다, 받아들여지다《*with*》; 성공하다; (연극이) 끝나다, 막(幕)이 내리다: The play *went down* very well *with* the audience. 연극은 관객의 인기를 끌었다 / Nonsense *goes down* as truth *with* many people. 부질없는 일이 많은 사람들간에 진실로 통하고 있다. ⑧ (물건이) 이울다, (부푼 것이) 작아지다, (타이어 등이) 바람이 새다. ⑨《영》(병에) 걸리다《*with*》; 《영속어》 옥살이하다; 《속어》 일어나다, 생기다. ⑩《미속어》(컴퓨터 작동이) 멎다. ━《*vi.*+전》⑪ …을 내려가다: *go down* the stairs 계단을 내려가다. ***go down on*** a person =***go down and do tricks*** 《비어》 아무에게 cunnilingus 〔fellatio〕를 하다. ***go far*** 〔***a long way***〕 ① 멀리 가다; 성공하다; (음식 따위가) 오래가다, 먹을 품이 있다; (모두에게 돌아가기에) 충분하다; (돈이) 가치가 크다, 쓸품이 있다《*with*》. ② (…에) 크게 효과가 있다〔소용되다〕《*to; toward(s)*》. ★ ②에서는 a long way 가 a little 〔a good, a great〕 way 따위로 변하기도 함. ***Go fetch!*** 가져와《개에게 명령》. ***go for*** ① …을 가지러〔부르러〕 가다, (산책 · 드라이브 · 수영 등)을 하러 가다. ② …을 노리다, …을 얻으려고 애쓰다. ③ …의 보탬이 되다, …을 위해 소비되다: Giving lies will *go for* little. 거짓말해야 이로울 것도 없다 / All the money *went for* the new house. 돈은 모두 새집을 짓는 데 들었다. ④〖종종 부정문〗…에게 끌리다, …을 좋아하다; 선택하다, …을 지지하다, …에게 찬성하다: I do*n't go for* men of his type. 그런 형의 남성은 싫다. ⑤ …값으로 팔리다. ⑥ …로 통하다, …로 생각되다: material that *goes for* silk 비단 대용품. ⑦《구어》…을 맹렬히 공격하다, 질책하다. ⑧ …에 들어맞다; …에게 유리하다. ***go for it*** ①《구어》(무언가를 위해) 노력하다; 최선을 다하다. ②《미속어》 무언가를 하다, 활동하다. ③《미속어》 홍에 겨워 대담한 짓을 하다. ***go forth*** 《고어 · 문어》 나가다, 발표되다, 공포되다, (소문 등이) 퍼지다. ***go forward*** (일 등이) 진행되다; (일 등을) 진행시키다《*with*》. ***go hard*** 몹시 애써 일하다: I've been *going hard* and feel exhausted. 너무 일해서 몹시 지쳤다. ***go in*** 《*vi.*+부》 ① (집 따위의) 안에 들어가다; (해 · 달이) 구름에 가리다. ② (마개 · 열쇠 따위가) 꼭 맞다. ③ (경기 따위에) 참가하다; (학교 따위가) 시작되다;〖크리켓〗 타자가 되다. ④〖군사〗 공격하다. ⑤ (일이) 이해되다, 머리에 들어가다. ━《*vi.*+전》⑥ (방에) 들어가다. ⑦ …에 꼭 맞다. ⑧ (시간 · 돈 등이) …에 쓰이다. ***go in and out*** (…을) 들락날락하다《*of*》; (빛 등이) 점멸하다. ***Go in and win!*** 《구어》(경기 따위에서) (자) 잘하고 와. ***go in at ...*** 《속어》 …을 맹렬히 공격하다. ***go in for*** ① (경기 따위)에 참가하다, (시험)을 치르다; …에 입후보하다: Are you *going in for* the Civil Service Examination? 공무원 시험을 칠 생각인가. ② (취미 등으로) …을 (하려고) 하다, 즐기다, 좋아하다, …에 열중하다; (직업 등으로) …(하려고) 뜻하다, …에 종사하다, (대학 등에서) …을 전공하다; …을 얻으려고 하다, 구하다. ③ …하려고 마음먹다, …을 특히 좋아하다. ④ …을 지지하다, …에 찬성하다; …을 특색으로 하다. ***go in on*** …에 가담하다, 같이 행동하다. ***go into*** ① …에 들어가다, (문 따위가) …로 통하다; …에 맞닥뜨리다: The door *goes into* the garden. 이 문은 뜰로 통해 있다. ② …에 관해 자세히 언급하다; …을 조사〔연구〕하다: *go into* the murder case 그 살인 사건을 철저히 조사하다. ③ …의 일원이 되다, …에 참가〔종사〕하다: *go into* a war 참전하다. ④ (어떤 기분 · 상태)로 되다, 빠지다, (히스테리 등)을 일으키다: *go into* hypochondria 우울증이 발작하다. ⑤ (직업)에 발을 들여놓다: *go into* business 사업에 발을 내딛다. ⑥ (행동 따위)를 시작하다, …한 태도를 취하다; (취미 따위로) …에 열중하기 시작하다, 열의를 내다: *go into* one's act 〔routine〕 《구어》 (또 그) 행동을 시작하다. ⑦ …에 (꼭) 맞다; (서랍 등)의 속에 손을 넣다, 뒤지다. ⑧ …의 복장을 하다, (신 등)을 신다《따위》. ***go in with ...*** …에 참가하다, 협력하다. ***go it*** ①《구어》(놀기 · 색다른 짓 따위를) 마구〔앞뒤를 안 가리고〕 하다; 정신 차려 하다: *Go it!* 정신 차려 해라, 힘을 내라. ② 전속력으로 달리다. ***go it alone*** ⇨ ALONE. ***go it blind*** 무턱대고〔되는 대로〕 하다. ***go it strong*** ⇨ STRONG. ***go off*** 《*vi.*+부》 ① (일이) 행해지다, (일이) 되어 가다, 돼 나가다《*well, badly, etc.*》. ② (말없이) 떠나다, 사라지다, (남녀가) 눈맞아 달아나다; (배우가) 퇴장하다; 가지고 도망치다. ③ (약속 따위가) 불이행으로 끝나다; (가스 · 수도 따위가) 끊기다, 못쓰게 되다. ④《영》(음식이) 상하다, 쉬다; (질 따위가) 나빠지다, 쇠하다. ⑤ 잠들다; 실신(失神)하다; 죽다. ⑥ (총포가) 발사되다, (폭탄 등이) 터지다, 폭발하다; (경보 등이) 울리다; 갑자기 …하기 시작하다《*into* laughter》. ⑦ 갑자기 제거되다; (물건이) 팔리다. ⑧ (고통 · 흥분이) 가라앉다; (콘크리트 · 모르타르 등이) 굳다. ⑨ 운반되다; 행해지다; 보내어지다. ⑩《속어》 오르가슴을 경험하다; 사정하다. ━《*vi.*+전》⑪ …에서 사라지다, …에서 퇴장하다. ⑫ …에 흥미를 잃다, …이 싫어지다: *go off* coffee 〔music〕 커피가 〔음악이〕 싫어지다. ⑬ …을 쓰지 않게 되다, …을 그만두다. ***go on*** 《*vi.*+부》 ① (다시) 나가다, (화제 · 항목을) 옮겨가다; (사태가) 계속되다; (남보다) 앞서 가다; 여행을 계속하다, (일 · 태도 · 행동을) 계속하다《*with* the work, speak*ing*, *in* bad habits, *till* 3 o'clock, etc.》; 계속해 이야기하다. ② 해나가다, 살아가다《*well; badly*》;〖보통 진행형〗(일이) 일어나다, (어떤 모임이) 행해지다; (시간이) 지나다: What's *going on* over there? 저기엔 대체 무슨 일이냐. ③ 행동하다《보통 나쁜 뜻》; 지껄이다, 재잘거리다《*about*》; (아무를) 매도하다《*at*》. ④ 무대에 나타나다; 교체하다;〖크리켓〗 투구 차례에 서다. ⑤ (불이) 켜지다, (수도 따위가) 나오다. ⑥ (옷 · 신 따위가) 입을〔신을〕 수 있다, 맞는다. ━《*vi.*+전》⑦ (여행 따위)를 가다. ⑧ (유원지 따위에서 말 · 탈것 등)을 타다. ⑨ (시간 · 돈이) …에 쓰이다. ⑩ …에 놓이다; (신발 등이) …에 맞다. ⑪ (말 · 증거 등)에 의거하다: have no evidence to *go on* 내세울 증거가 없다. ⑫ …을 사용하기 시작하다. ⑬ 거의 …이 되다; (시간 · 연령 등)에 가까워지다. ⑭ …의 구조를 받다, 보살핌을 받다: *go on* the parish (극빈자가) 구빈구(救貧區)의 도움을 받다. ⑮《영》〖보통 부정형〗…에 관심을 갖다, …을 좋아하다《*much*》. ⑯ =~ upon. ***Go on!*** ①《구어》 자꾸〔계속〕 해라. ②〖반어적〗 어리석은 소리 좀 작작해. ***go on a journey*** 〔***a trip***〕 여행길에 나서다, 여행을 떠나다. ***go on before*** 앞서서 나가다. ***go on*** (***for***)〖보통 진행형〗《영》(나이 · 시각 등)에 가까워지다〔다가서다〕: It's *going on* for teatime. 슬슬 차 마실 시간이다 / She's *going on* (*for*) sixty. 그녀는 60이 다 돼 간다. ***go on to ...*** (다음 장소 · 주제 따위)로 나가다, 옮기다; (새 습관 · 방식)을 시작하다, 채용하다: *go on to* the pill 경구 피임약을 쓰기 시작하다 / *go on to* five-day week 주(週) 5일제로 들어가다. ***go on with*** ① =go on ①. ② =to go on with. ***Go on with you!*** 《구어》 말도 안 돼, 설마. ***go out*** 《*vi.*+부》 ① 외출하다, (벌이 따위로 외국에) 나가다,

이주하다《to》; 〖종종 진행형〗 (이성과) 나다니다, 교제하다; (여성이) 일하러 나가다, 사교계에 나가다. ② (노동자가) 파업을 하다《*on* strike》; 퇴직하다, (정부·정당이) 권좌를 물러나다. ③ (불이) 꺼지다, (열의가) 없어지다; (분노·비꼼 따위가 말에서) 사라지다《*of*》; 의식을 잃다, 기절하다, 잠들다, 《완곡어》 영면하다. ④ (세월이) 지나가다; 유행에 뒤지다, 쇠퇴하다; (제방 등이) 무너지다; (엔진 등이) 멎다; (조수가) 써다. ⑤ (관계자 모두에게) 발송되다《to》, 출판되다, 방송되다: *go out* live (프로그램이) 생방송되다. ⑥ (마음이 …로) 향하다, (애정·동정 따위가) 쏟아지다《to》; 《영》 (일이) 행해지다: My heart *went out to* those refugees. 난민들이 측은해졌다. ⑦ 출진하다, 결투를 하다. ⑧ 〖크리켓〗 (1 회의 승부가 끝나) 타자가 물러나다; 〖골프〗 18 홀의 코스에서 첫 9 홀을 하다, 아웃을 플레이 하다; 〖카드놀이〗 마지막 패를 내다. ―《*vi*.+ 전》 ⑨ 《미》 (문·창문 따위)에서 나가다. ***go out and*** do 일부러 …하다. ***go out and about*** (활기 있게) 나다니다. ***go out of ...*** ① …에서 나가다: *go out of* a room 방을 나가다. ② (열기·긴장·화 따위가) …에서 사라지다: The heat *went out of* the debate. 토론에는 열기가 없었다. ③ …에서 벗어나다, …하지 않게 되다: The book *went out of* print. 이 책은 절판이 되었다/It *went out of* fashion. 그것은 한물 갔다, 유행이 지났다. ***go over*** 《*vi*.+전》 ① (…을) 건너다, 넘다, (…로) 나가다《to》; (경비가) …을 넘다; …을 감싸다; …에 퍼지다; (…에) 겹치다. ② (공장 등)을 시찰하다, 밑조사를 하다; (하물·범인·목록·장부 등)을 잘 조사하다, (재)검토하다; (방·차 등)을 깨끗이 하다, 점검하다: The prospective buyer *went over* the house very carefully. 집사러 온 사람은 그 집을 신중하게 조사했다. ③ 고치다; 되풀이하다, …을 복습하다; 다시 읽다〔쓰다〕: *go over* the notes before the exam 시험 전에 노트를 다시 보다. ―《*vi*.+부》 ④ (거리·강·바다 등을) 건너가다; 방문하다《to》. ⑤ (이야기·공연 등이) 인기를 끌다, 호평을 받다《*with*》: *go over* big 히트치다. ⑥ (다른 정당·팀·종파에) 전향하다, 옮다《to》. ⑦ (다른 방식 등을) 채용하다, (프로그램 등을) 바꾸다. ⑧ (차 따위가) 뒤집히다. ⑨ …에게 폭력을 휘두르다, 덤벼들다. ***go partners*** 파트너가 되다, 협동하다. ***go round*** 《영》 =go around. ***go so far as to*** do =go as far as to do. ***go some*** 《미구어》 대단하다, 대성과를 올리다: That's *going some*. 대단해, 꽤 하잖아. ***go*** one***'s own way*** 자기 길을 가다, 자기 생각대로 하다. ***go straight*** ① 곧장 가다. ② 잘 되(어 가)다. ③ 착실해지다. ***go through*** 《*vi*.+전》 ① (…을) 지나다, 빠져나가다, 통과하다. ② (병·소문 등이) …에 퍼지다: A shiver *went through* me. 온몸이 떨렸다. ③ (고난)을 경험하다; (…을) 견디어내다. ④ (방·주머니·짐 등)을 조사하다, 수색하다. ⑤ (서류·문제 등)을 잘 조사하다; …을 되짚어보다, 복습하다. ⑥ (의식)을 거행하다, …에 참가하다; (전과정)을 마치다. ⑦ (법안이) 통과하다, 승인되다. ⑧ (저축·식료품·돈 등)을 다 써버리다, 탕진하다. ⑨ (책이 판)을 거듭하다. ―《*vi*.+부》 ⑩ (…까지) 지나가다. ⑪ (전화 따위가) 통하다. ⑫ (법안·신청 따위가) 통과하다, 승인되다: The bill *went through* with a big majority. 그 법안은 절대 다수로 승인되었다. ⑬ (거래가) 완료되다, 잘되다: After long hours of negotiations, the deal *went through*. 장시간의 교섭 끝에, 거래는 잘 마무리되었다. ⑭ (…가) 끊어지다《at》. ***go through with*** …을 끝까지 해내다(complete): He is determined to *go through with* the undertaking. 그는 맡은 일을 해낼 결심이다. ***go to ...*** ① (권위 따위)에 기대다; (수단 따위)를 쓰다. ② (수고 따위)를 떠맡다, (비용)을 대다: *go to* great pains 〔a lot of trouble〕 to do …하려고 크게 애쓰다. ③ …에 소용되다. ***Go to !*** 《고어》 좀〔글쎄〕 기다려, 이봐, 허, 자《항의·의심·재촉 따위를 나타냄》. ***go together*** 동행하다, 공존하다; 어울리다, 조화되다; 《구어》 (남녀가) 교제하다, 사랑하는 사이이다. ***go to it*** 힘내어 하다《종종 격려에 쓰임》. ***go too far*** 지나치다, 극단에 흐르다. ***go under*** 《*vi*.+부》 ① 가라앉다, 빠지다. ② 밑을 가다; (사람·회사가) 망하다, 실패하다, 파산하다. ③ (…에) 굴복하다, 지다. ④ 의식을 잃다. ―《*vi*.+전》 ⑤ …밑에 들어가다. ⑥ …의 이름으로 통하다. ***go up*** 《*vi*.+부》 ① 오르다, 올라가다; (…에) 이르다, 미치다《to》: *go up in* the world 출세하다. ② (온도·물가 따위가) 오르다, 늘다. ③ (가치·질 등이) 향상되다, 오르다. ④ (건물·게시 등이) 세워지다, 서다. ⑤ (폭탄 등이) 폭발〔파열〕하다, 불타오르다: *go up* in flames 〔smoke〕 불타오르다; (희망·계획 등이) 무너지다. ⑥ 《미구어》 파산〔파멸〕하다; 전패하다. ⑦ (외침소리가) 들려오다, 솟다. ⑧ (대도시〔북방으〕로) 가다; 《영》 대학으로 (돌아)가다《to》. ⑨ 《영》 지원하다《*for*》. ―《*vi*.+전》 ⑩ (산·벽·사다리·계단 등)을 올라가다〔오르다〕. ***go upon*** ① …을 꾀하다; …에 착수하다. ② …에 의거하여 판단〔행동〕하다. ***go well*** ① 잘 돼 가다《*with; on*》. ② (물품이) 잘 팔리다. ③ 잘 어울리다《*with; on*》. ④ 인기를 얻다. ***go with*** ① …와 동행하다; …에 동의하다, …에 따르다(accompany). ② 《구어》 (이성)과 교제〔데이트〕하다. ③ …에 부속되다〔딸리다〕: the land which *goes with* the house 집에 딸린 토지. ④ …와 어울리다, …와 조화되다(match): The suit *goes* well *with* the tie. 이 신사복은 넥타이와 잘 어울린다. ***go with child*** 임신하고 있다. ***go with it*** 《미구어》 상황〔흐름〕에 몸을 내맡기다, 사태를 감수하다. ***go without*** 《*vi*.+전》 ① …이 없다, …을 갖지 않다; …없이 때우다〔지내다〕. ―《*vi*.+부》 ② 없이 때우다〔지내다〕: When there was no food, we *went without*. 음식이 없을 때에는 없이 지냈다. ***go without saying*** 물론이다, 말할 것도 없다: It *goes without saying* that .... …(임)은 말할 것도 없다. ***go with the dirt*** 《미속어》 꺼지다, 사라지다. ***go with young*** (동물이) 새끼를 배고 있다. ***Here goes !*** ⇨ HERE. ***How goes the world*** 〔***it***〕 ***with you ?*** 요즘 경기는 어떻습니까; 잘돼 나갑니까. ***let go*** ⇨ LET[1]. ***let go with*** (낙담 끝에) 소리 지르다; (총을) 쏘다. ***so far as ... go*** =as far as ... go. ***to go*** ① (시간·거리 따위가) 남아 있는, 아직(도) … 있는: We have three days *to go*. 아직 사흘이 있다.

> **NOTE** to go의 go는 *vt*.이기도 하고 *vi*.(로)도 됨. There are two holidays still *to go*.의 go는 pass, continue (경과〔계속〕하다)의 뜻이 되며 *vi*., We have one more test *to go*.의 go는 undergo(견디다, 시련을 겪다)의 뜻으로 *vt*.

② 〖명사 뒤에 위치하여〗 《미구어》 (식당 음식에 대해) 갖고 갈 것으로; 휴대용의: a TV *to go* 휴대용 TV/order two sandwiches *to go* 샌드위치 두 개를 싸 달라다. ***to go*** 〔***be going***〕 ***on with*** 〖something, enough 등의 뒤에서〗 임시방편으로 (때우다): Here's two pounds *to be going on with*. 자, 우선 2 파운드 드리겠습니다. ***What goes ?*** 《미속어》 무슨 일이(일어났느)냐. ***Who goes there ?*** 누구냐《보초의 수하》.

— (*pl.* **goes** [gouz]) *n.* **1** Ⓤ 감, 진행; 푸른 신호. **2** Ⓤ 생기, 정력, 기력(energy, spirit): a man with a lot of *go* 원기왕성한 사람. **3** 《구어》 해봄, 한번 시도; (게임 따위의) 차례, 기회; 《Austral.》 취급(deal): I read the book at one *go.* 그 책을 단번에 읽었다 / It's your *go.* 네 차례다 / a fair *go* 공평한 취급. **4** 진행 중인 일; (한 차례의) 병; 《구어》 사태, 난처한 일: Here's 〔What〕 a *go!* 이거 곤란한데 / Here's a pretty *go!* 난감하게 되었군. **5** 《구어》 잘 된 일, 결말지은 일(bargain); 《구어》 성공(한 것): It's a *go.* 결정됐어 / a sure *go* 확실한 성공. **6** (the ~) 《구어》 유행, 형(型). **7** 《구어》 (술 따위의) 한 잔; (음식의) 한 입: a *go* of brandy 브랜디 한 잔. ***all* 〔*quite*〕 *the go*** 대인기, 대유행. ***a near go*** 《구어》 구사일생, 아슬아슬한 고비(a close shave). ***a queer* 〔*rum, jolly*〕 *go*** 묘한〔난처한〕 일. ***from the word go*** 《구어》 처음부터(from the start). ***full of go*** 넘칠 듯한 정력으로. ***give it a go*** 《구어》 잘 되게 노력하다. ***have a go at ...*** 《구어》 (남이 한 뒤에) 시험삼아〔한번〕 …을 해 보다; 《구어》 …에게 설교하다, …와 언쟁하다, (범죄자)를 막으려 하다. ***have no go*** 기력이 없다. ***it's all go*** 지극히 바쁘다: *It's all go* in Seoul. 서울은 매우 바쁜 곳이다. **(*It's*) *no go.*** 《구어》 이젠 틀렸다; 쓸데없다. ***make a go of ...*** 《구어》 (사업 따위를) 성공시키다, (관계 따위를) 잘 유지〔조절〕하다〔해 나가다〕. ***off the go*** 〖흔히 부정·의문형〗 《구어》 한숨 돌리고, 한가하게. ***on the go*** 《구어》 끊임없이 활동하여, 계속 일하여; 《속어》 거나하여; 여행 중에.

— *a.* 《구어》 **1** 준비가 되어(ready). **2** 잘 되어〔돼나가〕, 순조롭게 작용〔작동〕하여: All systems (are) *go.* (로켓 발사 따위에서) 전 장치(裝置) 이상 없음, 준비 끝. **3** 유행의, 진보적인.

GO, G.O., g.o. general office; 〖군사〗 general order.

Goa [góuə] *n.* 고아《인도 남서안의 옛 포르투갈 영토》. ㊞ **Gó·an** *a., n.* **Goa·nese** [gòuəníːz, -s] *a., n.*

goa *n.* 〖동물〗 영양의 일종《티베트산》.

goad [goud] *n.* (가축의) 몰이 막대기; 격려(하는 것), 자극물; 괴롭히는 것. **—** *vt.* 《~+목/+목+전+명/+목+부/+목+*to* do》 뾰족한 막대기로 찌르다; 격려〔자극, 선동〕하다, 부추겨 …하게 하다《*to; into; on*》; (꾸짖어) 괴롭히다: ~ a person *into* doing 아무를 선동하여 …하게 하다 / ~ a person *to* madness 아무의 부아를 돋우다 / ~ a person *on* 아무를 선동하다 / ~ a person *to* steal 아무를 부추겨 도둑질시키다. SYN. ⇨ URGE.

gó-ahèad *a.* 전진하는; 적극적인, 진취적인(enterprising), 활동적인: a ~ signal 전진 신호. **—** *n.* **1** (the ~) (일 등에 대한) 허가, 인가; 전진 허가, 청(靑)신호. **2** Ⓤ 원기, 할 마음, 진취적인 기질. **3** 적극적인 사람, 정력가. ㊞ **~·ism** *n.* 진취의 기상.

gò-a·héad·a·tive·ness [-ətivnis] *n.* 《속어》 진취적 기상; 적극성.

gó-ahead rún 〖야구〗 리드를 잡는 득점.

goal [goul] *n.* **1** 골, 결승점(선). **2** 골《공을 넣어 얻은 점》, 득점: get 〔kick, make, score〕 a ~ 득점하다 / drop a ~ 〖럭비〗 (드롭킥으로) 득점하다. **3** =GOALKEEPER. **4** 목적〔행선〕(지); 목표. ㊞ **~·less** *a.*

góal àrea 〖축구·하키〗 골 에어리어.

góal àverage 〖축구〗 득점률.

góal·bàll *n.* 골볼《(1) 움직이면 소리가 나는 공을 써서 골을 겨루는 시각 장애인의 경기. (2) 그 공》.

góal dìfference 골 득실 차(得失差).

góal-dríven *a.* 〖컴퓨터〗 (프로그램이) 귀납적(歸納的)인.

goal·ie, -ee [góuli] *n.* 《구어》 =GOALKEEPER.

góal·kèeper *n.* 〖축구·하키〗 골키퍼, 문지기.

góal·kèeping *n.* 〖축구·하키〗 골 수비.

góal kìck 〖축구·럭비〗 골킥.

góal lìne 〖축구·육상 등〗 골라인. cf. touchline. ¶ ~ defense 〔offense〕 골 라인 수비〔공격〕. 「둥과 기둥 사이.

góal·mòuth *n.* 〖축구·하키〗 골 앞; 골문의 기

góal·pòst *n.* 골대. ***move* 〔*shift*〕 *the* ~** (규칙 등을) 형편에 따라 마음대로 바꾸다.

góal·tènder *n.* =GOALKEEPER.

góal·tènding *n.* 골 수비(goalkeeping); 〖농구〗 바스켓에 들어가려는 공을 쳐내는 반칙.

goal·ward [góulwərd] *ad., a.* 골 쪽으로〔의〕, 골을 향하여(향한). 「있는〕.

gò-ánywhere *a.* 어디든지 가는〔가지고 갈 수

gó-aròund *n.* 한 판 승부; 한 바퀴 돎, 일순; 격론, 격심한 투쟁; 우회; 회피(evasion), 변명.

gó-as-you-pléase *a.* 되는〔마음 내키는〕 대로의; 규칙에 얽매이지 않는; 그때그때 되는대로의; 무사태평한.

goat [gout] *n.* **1** 염소; 염소 가죽. cf. kid. ¶ a billy ~ = a he-~ 숫염소 / a nanny ~ = a she-~ 암염소. **2** (the G-) 〖천문〗 염소자리. **3** 호색한; 악인. **4** 《구어》 놀림감; 남의 죄를 대신 뒤집어쓰는 사람〔희생자〕, 제물. **5** 《미속어》 개조(改造) 자동차; 《미철도속어》 입환 기관차(入換機關車) (=**swítch ègine**). ***act* 〔*play*〕 *the* (*giddy*) ~** 바보짓을 하다, 까불다, 실없이 굴다. ***get* a person's ~** 《구어》 아무를 골나게 하다, 약올리다. ***lose* one's ~** 화내다. ***ride the* ~** 《미구어》 (비밀 결사에) 가입하다.

góat àntelope 〖동물〗 염소 영양(羚羊)《염소와 영양의 중간적인 각종 동물의 총칭》.

goat·ee [goutíː] *n.* (사람의 턱에 난) 염소 수염.

góat gòd 목양신(牧羊神) 《Pan 따위》.

góat·hèrd *n.* 염소지기.

goat·ish [góutiʃ] *a.* 염소 같은; 음란한, 호색인.

goat·ling [góutliŋ] *n.* 《영》 새끼염소.

góats·bèard *n.* 선모속(屬)의 식물; 승마속의 식물.

goatee

góat·skìn *n.* Ⓤ염소 가죽; Ⓒ 염소 가죽 제품《옷·술부대 따위》.

góat·sùcker *n.* 〖조류〗 쏙독새. 「의.

goaty [góuti] *a.* =GOATISH; 볼품없는, 얼간이

gob[1] [gɑb/gɔb] *n.* (점토·크림 따위의) 덩어리(lump, mass) 《*of*》; 〖광산〗 충전 재료, 폐석(廢石), 버력; 《구어》 입; 한 입 가득한 침; (*pl.*) 《구어》 많음《*of*》: ~*s of* money 많은 돈. **—** (**-bb-**) *vi.* 《속어》 (가래)침을 뱉다.

gob[2] *n.* 《미구어》 수병(水兵).

gob·bet [gɑ́bit/gɔ́b-] *n.* (날고기 따위의) 한 덩어리《*of*》; (음식물의) 작은 조각, 한 입, 한 방울(drop); 발췌, 단편(斷片).

gob·ble[1] [gɑ́bəl/gɔ́bəl] *vt.* 게걸스레 먹다; 꿀떡 삼키다; 《구어》 (탐내어) 달려들다《*up*》; 〖야구〗 공을 잡다; 탐독하다《*up*》: They ~*d up* hot dogs. 핫도그를 게걸스럽게 먹었다. **—** *vi.* 게걸스럽게 먹다, 《비어》 펠라티오를 하다. **—** *n.* 《비어》 펠라티오.

gob·ble[2] *vi.* (칠면조의 수컷이) 골골 울다; 《화나서》 칠면조와 같은 소리를 내다. **—** *n.* Ⓤ 칠면조 울음소리. 「들어가게 함.

gob·ble[3] *n.* 〖골프〗 공을 putt로 재빨리 hole에

gob·ble·de·gook, -dy- [gɑ́bəldigùk/gɔ́b-] *n.* (공문서 따위의) 딱딱한 표현〔말투〕.

gob·bler[1] [gɑ́blər/gɔ́b-] *n.* 대식가; 남독(濫讀)가; 《비어》 호모의 남자, 펠라티오를 하는 사람.

gob·bler[2] *n.* 칠면조의 수컷.

Gob·e·lin [gɑ́bəlin, góub-/gɔ́b-, góub-] *a.* 고블랭직(織)의〔같은〕: ~ tapestry 고블랭직 벽걸이 양탄자 / ~ blue 짙은 청록색. **—*n.*** 고블랭직 (벽걸이 양탄자).

gó-betwèen *n.* 매개자, 주선인, 중매인(middleman); (연애의) 중개인; 대변자(spokesman).

Go·bi [góubi] *n.* (the ~) 고비 (사막).

°**gob·let** [gɑ́blit/gɔ́b-] *n.* 받침 달린 잔《금속 또는 유리제》; 《고어》 (손잡이 없는) 술잔.

góblet cèll 〖해부〗 배상(杯狀) 세포《점액을 분비하는 상피세포의 일종》.

°**gob·lin** [gɑ́blin/gɔ́b-] *n.* 악귀, 도깨비. ㊕ **~·ry** [-ri] *n.* 〖집합적〗 악귀의 짓. 「귀」와 같은.

gob·lin·esque [gɑ̀blinésk/gɔ̀b-] *a.* 악마〔악귀〕와 같은.

go·bo [góubou] (*pl.* **~s, ~es**) *n.* 〖영화·TV〗 (카메라 렌즈에 닿는 빛을 막는) 차광판; (마이크에 들어오는 잡음을 막는) 음파 흡수판.

gób-smàcked [-t] *a.* 《영구어》 깜짝 놀란, 간담이 서늘한, 아연실색한.

gób-stòpper *n.* 《영속어》 크고 둥글며 단단한 캔디.

go·by [góubi] (*pl.* **-bies,** 〖집합적〗 ~) *n.* 〖어류〗 문절망둑.

gó-bỳ *n.* 지나치기, 통과(passing); 보고도 못 본 체함. ***get*** a thing ***the ~*** 사물을 피하다〔무시하다〕. ***get the ~*** 외면당하다, 무시당하다. ***give*** a person ***the ~*** 《구어》 아무를 무시〔외면〕하다, 아무를 못 본 체하다.

G.O.C. General Officer Commanding (총사령관).

gó-càrt *n.* 《영고어》 (유아의) 보행기(步行器)(walker); 유모차; 손수레(hand cart); 《속어》 소형 자동차.

G.O.C.-in-C. General Officer Commanding-in-Chief.

gock [gɑk/gɔk] *n.* 《속어》 지저분한〔추접스러운〕 것.

†**god** [gɑd/gɔd] *n.* **1** (G-) Ⓤ (일신교, 특히 기독교의) 신, 하느님, 조물주, 천주(天主) (the Creator, the Almighty). ⓒⓕ Trinity. ¶ *God* the Father, *God* the Son, *God* the Holy Ghost 〖기독교〗 성부, 성자, 성신《성삼위를 말함》/ *God* helps those who help themselves. 《속담》 하늘은 스스로 돕는 자를 돕는다 / a house of *God* 교회당 / a man of *God* 목사 / on *God's* earth 전세계에, 지구상에; 도대체. **2** (다신교의) 신; 남신(男神)(ⓒⓕ goddess): the ~ of day 태양신(Phoebus) / the ~ of fire 불의 신(Vulcan) / the ~ of heaven 하늘의 신(Jupiter) / the ~ of hell 지옥의 신 (Pluto) / the ~ of love = the blind ~ 사랑의 신(Cupid) / the ~ of the sea 바다의 신(Neptune) / the ~ of this world 악마(Satan) / the ~ of war 전쟁의 신 (Mars) / the ~ of wine 주신(酒神)(Bacchus). **3** 신상(神像); 우상. **4** 신으로〔처럼〕 떠받들리는 것〔사람〕. **5** (the ~s) 《영》 〖연극〗 일반석 관객. ***a feast for the ~s*** 훌륭한 성찬《반어적으로도 씀》. ***a sight of ~s*** 장관, 굉장한 광경. ***before ~*** 신께 맹세코. ***be with God*** 신과 함께 있다; (죽어서) 천국에 있다. ***by God*** 맹세코, 꼭, 반드시. ***God*** (***above***)***!*** 이거 야단났는데, 괘씸하군. ***God bless ... !*** …에게 행복을 내리소서. ***God bless me*** 〔***my life, my soul, us, you***〕***!*** 아이고 큰일이다. ***God damn you!*** 이 빌어먹을 자식아, 뒈져 버려라. ***God grant ... !*** 신이여〔하느님이시어〕 …하게 해주옵소서. ***God help*** 〔***save***〕 (her)! 하느님, (그녀를) 구해 주옵소서, 가엾어라. ***God knows*** ① 〖+that 명사절〗 하늘이 알고 계시다, 맹세코 (그렇다). ② 〖의문의 명사절〗 하느님만이 아신다, 아무도 모른다. ***God's truth*** 절대의 진리. ***God's willing*** 신의 뜻이 그렇다면, 사정이 허락한다면. ***little*** (***tin***) ***~*** 사람들이 두려워하는 졸때기 관리. ***My*** 〔***Good, Oh***〕 ***God!*** 아 야단〔큰일〕 났다, 괘씸하다. ***on the knees*** 〔***in the lap***〕 ***of the ~s*** 인력이 미치지 못하는, 불확실한, 미정의. ***play God*** 신처럼 행동하다, 전능한 체하다: It cannot be right that genetic engineers should *play God*, interfering with the basic patterns of Nature. 유전공학자들이 대자연의 기본틀을 멋대로 조작하여 신의 행세를 하려는 것은 옳지 못하다. ***please God*** ⇨ PLEASE. ***So help me God!*** ⇨ HELP. ***under God*** 하느님 다음으로 (감사하여야 할 사람으로); (하느님께는 못 미치지만) 온갖 정성을 다하여.
— (**-dd-**) *vt.* 신으로서 모시다〔떠받들다〕.

Go·dard·ian [goudɑ́ːrdiən] *a.* 〖영화〗 고다르풍의《카메라의 분방한 사용법, 시나리오의 즉흥성, 파격적 연출 등이 특색》.

Gód-áwful *a.* (종종 g-) 《구어》 굉장한, 심한, 지독한: ~ weather 지독한 날씨.

gód·bòx *n.* 《속어》 교회, 예배당(church, chapel); 오르간.

gód·chìld (*pl.* **-children**) *n.* 대자녀(代子女).

god·dam·mit [gɑdǽmit/gɔd-] *int.* 《구어》 빌어먹을, 제기랄.

god·dam(n) [gɑ́dǽm/gɔ́d-] *int.* 《구어》 빌어먹을, 제기랄. **—*a.*** 〖강조〗 전연, 전혀: no ~ use 전혀 쓸모없는. **—*n., v.*** 《구어》 (종종 G-) = DAMN. **—*ad.*** = DAMNED.

gód·dàughter *n.* 대녀(代女).

⁑**god·dess** [gɑ́dis/gɔ́d-] *n.* 여신(ⓄⓅⓅ *god*); (절세) 미인; 숭배〔동경〕하는 여성: the ~ of liberty 자유의 여신 / the ~ of corn 오곡의 여신(Ceres) / the ~ of heaven 하늘의 여신(Juno) / the ~ of hell 지옥의 여신(Proserpina) / the ~ of love 사랑의 여신(Venus) / the ~ of the moon 달의 여신(Diana) / the ~ of war 전쟁의 여신(Bellona) / the ~ of wisdom 지혜의 여신(Minerva). ㊕ **~·hood** [-hùd] *n.* 여신임; 여신의 성질.

go·det [goudét] *n.* 《F.》 (스커트나 장갑을 부풀게 하기 위해 안에 넣어 꿰맨) 삼각형의 헝겊 조각 (gusset), 바대.

go·de·tia [goudíːʃiə] *n.* 〖식물〗 고데티아《달맞이꽃과 비슷한 관상용 1년초》.

gó-dèvil *n.* 급유관 청소기; 《미》 유정(油井) 안의 다이너마이트 폭파 장치; 목재〔석재〕 운반용 썰매; 〖철도〗 수동차(《미》 handcar).

°**gód·fàther** *n.* **1** 〖가톨릭〗 대부(代父), 〖성공회〗 교부(敎父). **2 a** 《비유》 (사람·물건의) 명명(命名)의 유래가 된 사람. **b** (사람·사업의) 후원 육성자. **c** (종종 G-) 《미속어》 (마피아 등의) 영수, 두목. **—*vt.*** …의 대부가 되다; 후원 육성하다.

gódfather óffer 《영구어》 피매수(被買收) 회사가 주주들에게 매수당할 것을 단념하도록 설득하기가 힘들 정도의 고액의 조건 좋은 공개 매입.

Gód-fèaring *a.* (때로 g-) 신을 두려워하는, 독실한, 경건한.

gód·forsàken *a.* (때로 G-) **1** 하느님께 버림받은, 타락한, 비참한. **2** 황폐한, 아주 외진, 쓸쓸한: a ~ dump〔hole〕 매우 외진 곳.

God·frey [gɑ́dfri/gɔ́d-] *n.* 남자 이름.

Gód-gìven *a.* 하늘에서 부여받은, 하늘〔하느님〕이 주신; 절호의(opportune).

gód·hèad *n.* Ⓤ 신(神)임, 신성, 신격(divinity). ***the Godhead*** 하느님, 신.

gód·hòod [-hùd] *n.* Ⓤ(때로 G-) 신(神)임, 신격, 신성(神性).

Go·di·va [gədáivə] *n.* **1** 고다이버《여자 이름》. **2** 〖영전설〗 (Lady ~) 고다이바 부인《11세기의 영국 Coventry의 영주의 아내; 알몸으로 백마를 타고 거리를 지나가면 주민에게 부과한 무거운 세금을 철회하겠다는 남편의 약속을 받고 이를 실행하였다고 함》.

gód-kìng *n.* 신격화된 군주〔임금〕.

gód·less *a.* 신이 없는; 신을 믿지 않는〔부정하는〕, 무신론자의; 신을 공경하지 않는, 믿음이 없는, 불경한, 사악한. ㊞ **~·ly** *ad.* **~·ness** *n.*

°**gód·like** *a.* (때로 G-) 신과 같은, 거룩한, 존엄한; 신에게 합당한. ㊞ **~·ness** *n.*

god·ling [gádliŋ/gɔ́d-] *n.* (지역적이고 영향력이 적은) 작은 신.

god·ly [gádli/gɔ́d-] (*-li·er; -li·est*) *a.* 신을 공경하는, 독실한(pious), 경건한; 《고어》 하느님의, 신성한; (the ~)〖명사적; 복수취급〗《종종 반어적》 믿음이 깊은 사람들. — *ad.* 독실하게, 경건하게. ㊞ **gód·li·ness** [-linis] *n.* 경신(敬神), 경건, 신심(信心); 청렴한 인격, 신앙심이 두터운 성격.

Gód-mán *n.* 예수, 신인(神人).

gód·mòther *n.*, *vt.* 대모(代母)(가 되다); 여성 후견인. [cf] godfather.

go·dówn *n.* (인도·동남 아시아 등 항구의) 창고(warehouse).

gód·pàrent *n.* 대부〔모〕(代父〔母〕).

Gód's ácre 묘지, 《특히》 교회 부속 묘지.

Gód Sáve the Quéen 〔**Kíng**〕 여왕〔국왕〕 폐하 만세《영국 국가; 작사·작곡자 불명》.

Gód's Bóok 성서(the Bible).

Gód's còuntry 하느님의 축복받은 나라(God's (own) country).

gód·sènd *n.* 하늘〔하느님〕의 선물, 하늘이 주신 것; 뜻하지 않은 행운.

gód·sènt *a.* 하늘이 주신.

Gód's Éye 신의 눈《잔가지로 만든 십자가에 색실을 기하학적 무늬로 감은 것; 멕시코·미국 남부에서 행운의 부적으로 씀》.

Gód's gíft =GODSEND; 매력적인〔유능한〕 사람.

gód·ship [-ʃip] *n.* [U] 신성, 신위(神位), 신격.

Gód's ìmage 인체(人體).

Gód's mèdicine 《미속어》 마약.

gód·sòn *n* 대자(代子). [cf] godchild.

Gód's (ówn) cóuntry 이상적인 땅〔나라〕, 낙원; 《미》 자기 나라《미국》.

Gód's (ówn) gíft =GODSEND.

Gód·spéed *n.* 성공〔여행길의 안전〕의 기원. ***bid*** 〔***wish***〕 a person ~ 아무의 성공〔여행길의 안전〕을 빌다.

Gód's plènty 〔《구어》 **quàntity**〕 아주 많은 양(量).

Gód squàd (the ~) 《구어》 (특히 신앙 이야기를 자주 하는) 기독교인들.

Gód's trúth 절대 진리.

Gód·ward [-wərd] *ad.* 신께로, 신을 향하여. — *a.* 경신(敬神)의, 신앙심 두터운. ㊞ **-wards** *ad.*

God·win [gádwin/gɔ́d-] *n.* 고드윈《남자 이름》.

gód·wit *n.* 〖조류〗 흑꼬리도요.

go·er [góuər] *n.* **1** 가는 사람; 움직이는 것; 〖복합어〗 …에 가는〔다니는〕 사람: a movie-~ 영화팬. **2** 활기 있는 사람; 《Austral.구어》 야심가; 실현성 있는 생각〔제안〕. ***a good*** 〔***poor, slow***〕 ~ 발(걸음)이 빠른〔느린〕 사람, 빠르게〔느리게〕 움직이는 것《시계 따위》. ***comers and ~s*** 오가는 사람들.

GOES [gouz] *n.* 미국의 정지(靜止) 기상 위성. [◂ *G*eostationary *O*perational *E*nvironmental *S*atellite]

Goe·the [gə́:tə] *n.* **Johann Wolfgang von ~** 괴테《독일의 문호; 1749-1832》.

Goe·the·an, Goe·thi·an [gə́:tiən] *a.* 괴테의〔에 관한〕, 괴테풍(風)의. — *n.* 괴테 숭배자〔연구가〕.

goe·thite [góuθait] *n.* 〖광물〗 침철석(針鐵石).

gó-fàster strípe (종종 *pl.*) (자동차 따위의) 측면 장식 줄무늬.

go·fer [góufər] *n.* **1** 《방언》 얇은 버터케이크. **2** 《미속어》 잔심부름꾼.

gof·fer [gáfər/góufər] *n.* 주름 잡는 기구〔다리미〕; 주름, 구김살. — *vt.* …에 주름을 잡다, 구김살을 짓다. ***~ed edges*** (책의) 도드라진 무늬가 있는 가장자리. ㊞ **~·ing** *n.* [U] 주름잡기; [C] 주름 장식.

Gog and Ma·gog [gágənméigag/gɔ́gənméigɔg] 〖성서〗 곡과 마곡《사탄에 미혹되어 하느님나라에 대항하는 두 나라; 계시록 XX: 8-9》.

gó-gètter *n.* 《구어》 (사업 등의) 수완가, 활동가, 민완가.

gó-gètting *a.* 활동적인, 민완한.

gog·gle [gágəl/gɔ́gəl] *vi.*, *vt.* (눈알이) 희번덕거리다; 눈알을 굴리다〔희번덕거리게 하다〕; 눈을 부릅뜨다. — *n.* **1** 눈알을 희번덕거림. **2** (*pl.*) 방진용 보안경, (용접공 등의) 보호 안경, 잠수용 보안경. **3** 《영속어》 (둥근 렌즈의) 안경; (흔히 the ~) 《영속어》 텔레비전. — *a.* 퉁방울눈의, 희번덕거리는.

goggles 2

góggle-bòx *n.* 《영속어》 텔레비전.

góggle-dìve *n.* 잠수 안경을 쓰고 하는 잠수.

góggle-èyed *a.* 퉁방울눈의; 눈을 희번덕거리는, (놀라서) 눈을 부릅뜬.

gog·gler [gágələr/gɔ́g-] *n.* 눈을 휘둥그렇게 뜨고 보는 사람.

Gogh [gou, gɔ:x] *n.* **Vincent van ~** 고흐《네덜란드의 화가; 1853-90》.

gog·let [gáglit/gɔ́g-] *n.* 《Ind.》 물을 식히는 질그릇 병.

gó-gò *a.* 《구어》 **1** 정력〔활동〕적인. **2** 유행의, 최신의. **3** 고고의《디스코〔나이트〕 클럽 음악〔댄스〕에 대하여》. **4** (주식 매매 등에서) 강세인; (주식·증권이) 투기적으로 급히 값이 오른. **5** 대번영〔고도 경제 성장〕의 (시대의). — *n.* 고고(춤).

gó-go bóot 고고 부츠《무릎까지 오는 여성용 장화》.

gó-go dànce 고고(춤).

gó-go fùnd (주식의) 단기 투자 자금.

Go·gol [góugəl, -gɔ:l/-gɔl] *n.* **Nikolai Vasilievich ~** 고골《러시아의 소설가·극작가; 1809-52》.

Goi·del·ic [gɔidélik] *a.* 게일족(族)(Gaels)의, 게일어(語)의. — *n.* [U] 고이델어(語)《켈트어의 일파로 Irish Gaelic, Scottish Gaelic, Manx를 포함》; (광의의) 게일어.

⁑**go·ing** [góuiŋ] GO의 현재분사.
— *n.* [U] **1** 가기, 보행, 여행; 출발; 전진; 사망. **2** 영업; (업무의) 수행. **3** (도로·경주로 등의) 상태, 《영》《특히》 경마장 상태: The ~ is bad. 길이 나쁘다. **4** (보통 *pl.*) 행동; 행위. **5** 《구어》 (일·계획 등의) 진전; 진행 상태〔상황〕; 진행 속도. ***heavy*** 〔***tough***〕 ~ 《구어》 진행하기 힘든 일〔것〕; 더딘 진행; 난항. ***Nice ~!*** 잘했다〔좋다〕《상대가 실패했을 때에도 반어적으로 쓰임》. ***while the ~ is good*** 상황이 불리해지기 전에, 상황이 아직 유리할 때에. — *a.* **1** 진행 중인; 운전 중의; 활동 중의; 성업 중인; 잘 돼가고 있는, 수지가 맞는: a ~ business 〔concern〕 성업 중인〔수지가 맞는〕 사업〔회사〕. **2** 출발하는. **3** 현재의, 지금 있는, 손에 들어오는; 지금 행해지고 있는, 현행의: There is beefsteak ~. 비프스테이크 요리가 있습니다 / the finest crime novelist ~ 현재 가장 뛰어난 범죄〔추리〕 소설가. **4** 《구어》 막 …하려 하고 있는《*to* do》. ***be ~ on*** ① (시각·연령이) …에 가깝다: It's ~ *on* four o'clock. 지금 4시가 다 돼 간다. ② 일어나고 있다: What's ~ *on* here?

여기서 대체 무슨 일이 일어나고 있나. ③ 계속되고 있다: The party has *been* ~ *on* all night. 파티는 밤새 계속되고 있다. ***be ~ places*** 《미속어》 대성공을 거두고 있다. ***find ... heavy ~*** …이 꽤 하기 어렵다고 생각하다. ***~ away*** 《미구어》 〖경마〗 삽시간에 차(差)를 넓혀; 《구어》 큰 차로. ***~ and coming*** =***coming and ~*** 도망하지 못하는, 도망칠 길이 없는: They've got him ~ *and coming.* 그들은 그를 궁지에 몰아넣었다. ***Going, ~, gone!*** 없습니까, 없습니까, 네 팔렸습니다 《경매인의 말》. ***have ... ~ for*** one 《구어》 (…가) 유리한 입장에 있다, 아무에게 유리하게 작용하다, (일이) 잘 되어가다: He *has* a lot 〔something, nothing〕 ~ *for* him. 그는 크게 유리한 〔상당히 유리한, 불리한〕 입장에 있다. ***in ~ order*** 고장 없는 상태로, 사용〔운전〕할 수 있는 상태에; 건전하게. ***keep ~*** (기계 등의) 운전을 계속시키다; (담화 등을) 계속하다; 유지하다. ***set ~*** 운전을 시작하다, (시계 따위를) 움직이(게 하)다; (활동을) 개시하다; (사업 등을) 창립하다.

góing-awày *a.* (신부의) 신혼여행용의: a ~ dress 신혼여행 드레스.

góing concérn 유망 사업.

góing-óver (*pl.* ***góings-***) *n.* 《구어》 철저한 조사〔시험〕, 점검, 체크; 통렬한 비난〔질책〕; 심한 매질: The accounts were given a thorough ~. 철저한 회계 감사가 행해졌다.

góing pùblic 〖증권〗 주식 공개.

góings-ón *n. pl.* **1** 〖보통 나쁜 뜻으로〗 (비난받을) 행위, 소행, 행실; (바람직하지 않은) 이상한 행동. **2** 사건. 「위).

góing-to-vísit *a.* 외출(용)의, 나들이의《옷 따

gó-it-alóne *a.* 《구어》 독립〔자립〕한.

goi·ter, 《영》 **-tre** [gɔ́itər] *n.* 〖의학〗 갑상선종(甲狀腺腫)(struma); 종기, 혹; 《영속어》 (지폐로 두툼한) 지갑.

goi·tro·gen [gɔ́itrədʒən, -dʒèn] *n.* 〖의학〗 갑상선종을 일으키게 하는 물질의 총칭.

goi·trous [gɔ́itrəs] *a.* 〖의학〗 갑상선종(성(性))의; (지방적으로) 갑상선종이 많은.

gó-jùice *n.* 《속어》 가솔린.

gó-kàrt *n.* =KART.

Gó·lan Héights [góulaːn-, -lən-] (the ~) 골란 고원《시리아 남서부의 고지; 1967년 이스라엘이 점령하여 81년 합병; 해발 1,000m》.

Gol·con·da [gɑlkándə/gɔlkɔ́ndə] *n.* **1** 골콘다《인도의 보고(寶庫)로 알려진 옛 도시 이름》. **2** (종종 g-) 무한한 부(富), 보물더미.

†**gold** [gould] *n.* [U] **1** 금(aurum)《금속 원소; 기호 Au; 번호 79》, 황금. **2** 〖집합적〗 금제품; 금화: pay in ~. **3** 부(富), 돈(wealth, money); 재보(treasure); 금본위제: greed for ~ 금전욕. **4** (황금처럼) 귀중〔고귀〕한 것; 친절: a heart of ~ 아름다운〔고결한〕 마음(의 사람) / the age of ~ 황금시대 / a voice of ~ 아름다운 목소리. **5 a** 금빛, 황금색: old ~ 바랜 금빛, 광택 없는 적황색. **b** 금도금; 금가루; 금실; 금박; 금빛 그림물감; =GOLD MEDAL. **6** [C] (과녁의) 정곡(bull's-eye). ***(as) good as ~*** (아이 · 짐승 등이) 얌전한, 예절 바른; 아주 신뢰할 수 있는; 썩 좋은. ***go for (the) ~*** (성공하기 위하여) 전력을 다하다. ***go off ~*** 금본위제를 폐지하다. ***make a ~*** 과녁의 복판을 쏴 맞히다. ***the 〔a〕 crock 〔pot〕 of ~ at the end of the rainbow*** 결코 얻을 수 없는 보답〔부〕《무지개의 끝에 황금 항아리가 있다는 미신에서》. ***worth one's weight in ~*** 천금의 가치가 있는, 매우 귀중〔유용〕한.

— *a.* **1** 금의, 금으로 만든, 금빛의: ~ plates 금제(金製) 식기류. **2** 금본위의. **3** 《미》 (음반이) 100만 장 팔린; (레코드 앨범이) 100만 달러의 매상을 올린.

[SYN.] **gold** '금으로 만든'의 뜻. **golden** '금빛의, 금처럼 귀중한'의 뜻.

góld bàsis 〖금융〗 금본위 기준: on a ~.

góld·bèater *n.* 금박장(金箔匠)〔기술자〕.

góldbeater's skìn 박〔금종이〕 사이에 끼우는 얇은 가죽《소의 큰창자로 만든 얇은 막》.

góld·bèating *n.* [U] 금박 제조(술).

góld bèetle 〖곤충〗 풍뎅이(goldbug).

góld blòc 금본위제의 나라〔지역〕.

góld·brìck *n.* 《구어》 가짜 금괴; 가짜, 모조품; 《미속어》 건달, 게으름뱅이(loafer); 《미군대속어》 농땡이 병사. **—** *vt.* 속이다. **—** *vi.* 《미군대속어》 게으름피우다, 농땡이 치다. [파] **~·er** *n.* 게으름뱅이.

góld·bùg *n.* **1** =GOLD BEETLE. **2** 금본위제 주장자; 금을 사 모으는 사람; 황금광. 「제도.

góld búllion stàndard 금지금(金地金) 본위

góld cárd 골드 카드《특별한 신용 보증이 되는 크레디트 카드》.

góld certìficate 《미》 금화 증권.

Góld Còast 1 (the ~) 황금 해안《Ghana 공화국의 일부》. **2** 《미구어》 (특히 해안의) 고급 주택지(구). 「본위제, 금화 본위제.

góld cúrrency stàndard (좁은 의미의) 금

góld dìgger 금갱(金坑)을 파는 사람, 금광을 찾아 헤매는 사람, 황금광; 《속어》 남자를 홀려 돈을 우려내는 여자.

góld dìgging 금캐기, 금광 찾기; (*pl.*) 금광〔사금〕 지대; 《속어》 (여자가) 남자 돈 우려먹기.

góld dísk 골든 디스크《싱글판 · 앨범이 특정 매수까지 팔리면 그 가수 또는 그룹에게 증정하는 액자에 넣은 황금 레코드; platinum disc에 해당》.

góld dùst 사금; 금분(金粉). ***be like ~*** 《구어》 매우 귀중하다, 귀하게 여길 만한 물건이다.

góld embàrgo 금수출 금지.

****gold·en** [góuldən] *a.* **1** 금빛의, 황금빛의; 황금처럼 빛나는: ~ hair 금발. **2** 금을 함유하는, 금이 가득 찬; 금을 산출하는. **3** 귀중한, (기회 따위가) 절호의; (시대 따위가) 융성한, 번영하는; 전성의; 성공이 틀림없는, 전도유망한; 인기 있는: ~ hours (라디오 · TV의) 골든아워 / a ~ boy 〔girl〕 인기 있는 남자〔여자〕 / ~ remedy 묘약 / a ~ saying 금언. **4** 50년째의: ~ anniversary 50주년 기념일. **5** 《문어투》 금의, 금으로 만든《이 뜻으로는 gold가 더 일반적임》: a ~ crown 금관. [SYN.] ⇨ GOLD.

Gólden Áccess Pássport 《미》 신체 장애자 우대증《맹인 등에게 주어지는 증명서; Golden Age Passport와 같은 대우를 받음》.

gólden áge (the ~) 황금시대, 최성기; 〖그리스신화〗 황금시대《태고 때의 인류 지복(至福)의 시대》; (지혜 · 만족 · 여가가 있는) 중년 이후의 인생; 《완곡어》 노년: The ~ was never the present age. 《격언》 현시대가 황금시대였던 적은 결코 없었다.

Gólden Áge Pássport 《미》 노인 우대증《62세 이상의 노인에게 주어지는 증명서; 연방 정부가 관리하는 공원, 사적(史蹟), 휴식 · 오락 지구 등의 무료 입장이 가능함》.

gólden-áger *n.* 《미구어》 (정년 은퇴한) 사람.

gólden bálls 전당포 간판《금빛 공이 세 개임》.

gólden bóy 인기 있는 사람.

golden balls

gólden cálf (the ~) 금송아지《이스라엘 사람의 우상》; 숭배의 대상이되는 물질, 《특히》 부(富), 돈; 물질적 부의 숭배: worship the ~.
Gólden Créscent (the ~) 황금의 초승달 지대《이란·아프가니스탄·북부 파키스탄에 걸친 마약 생산·거래 지대》.
Gólden Delícious 골든 딜리셔스《미국 원산 딜리셔스계 노란 사과의 품종》.
gólden éagle 〖조류〗 검독수리《머리·목덜미가 황금색; 예전의 독일 국장(國章)》.
Gólden Éagle Pássport 《미》 가족 패스의 일종《1년간 가족이 연방 정부가 관리하는 공원, 유람지, 유적지 등에 무료 입장함》.
gólden·èye *n.* 〖조류〗 흰뺨오리.
Gólden Fléece (the ~) 〖그리스신화〗 금(金) 양털《Jason이 Argonauts를 이끌고 원정하여 훔쳐왔다는》.
Gólden Gáte (the ~) 금문 해협(金門海峽) 《San Francisco만을 태평양과 잇는 해협; 여기에 유명한 Golden Gate Bridge가 있음》.
gólden gírl 인기 있는 여자.
Gólden Glóbe Awàrd 골든 글로브상(賞) 《매년 1월 영화·TV의 우수 작품에 Hollywood Foreign Press Association이 수여하는 상》.
Gólden Glóves (the ~) 골든 글러브《전미(全美) 아마추어 권투 선수권 대회》.
gólden góal 〖미식축구〗 골든 골《연장전에 들어가서 얻은 최초의 득점; 동점 경기의 결승점》.
gólden góose (그리스 전설의) 황금알을 낳는 거위《동화 속의》.
gólden hándcuffs (전직(轉職) 방지를 위한) 「특별 우대 조처.
gólden hándshake 《영》 (고액의) 퇴직금 《회사 중역 등에게 지급되는》.
gólden helló 〖상업〗 (유능한 신입 사원에 대한) 고액의 입사 장려금.
Gólden Hórde (the ~) 〖역사〗 황금 군단, 킵차크(金帳)《13세기 중엽부터 15세기 말까지 러시아를 지배하였던 몽고 민족의 나라; 칭기즈칸의 손자 Batu가 건국》.
Gólden Hórn (the ~) Istanbul의 내항.
gólden júbilee 50주년 축전. cf. jubilee.
gólden kéy **1** (the ~) 〖성서〗 천국 열쇠. **2** 뇌물(the silver key): A ~ opens every door. 《속담》 돈으로 안 열리는 문 없다.
gólden méan (the ~) 중용(中庸), 중도; 황금 「분할(비(比)).
golden-mouthed [góuldnmàuðd] *a.* 웅변인, 능변인(eloquent).
gólden nématode 〖동물〗 시스트 선충《감자·토마토 따위의 뿌리에 기생》.
gólden númber (the ~) 황금수《서력 연수에 1을 더하여 19로 나눈 나머지 수; 부활절의 날짜를 산출하는 데 씀》.
gólden óldie 〔**óldy**〕 그리운 옛 노래〔스포츠, 「농담, 영화〕.
gólden óriole 〖조류〗 유럽꾀꼬리《수놈의 날개가 황금빛임》.
gólden pálm (the ~) 황금 종려(棕櫚)《프랑스에서 개최되는 칸 영화제에서 최우수 장편·단편 작품에 각각 수여되는 금상》.
gólden párachute 〖경영〗 회사가 매입·합병될 때, 경영자는 다액의 퇴직금을 받을 수 있게 하는 고용 계약.
gólden plóver 〖조류〗 검은가슴물떼새, 《특히》 유럽 검은가슴물떼새《물떼샛과》.
gólden ráisin 엷은 갈색의 작은 건포도.
gólden retríever 골든 레트리버《누런 털을 가진 영국 원산의 순한 조류 사냥개》.
gólden·ròd *n.* 〖식물〗 미역취.
gólden rúle (the ~) 〖성서〗 황금률《마태복음 VII: 12, 누가복음 VI: 31의 교훈; 흔히 'Do (to others) as you would be done by.'로 요약됨》; 《일반적》 지도 원리, 금과옥조.
gólden scóre 〔**póint**〕 〖유도〗 '한판'의 점수를 먼저 따면 승리.
gólden séction (the ~) 〖수학〗 황금 분할.
Gólden Státe (the ~) California 주의 별칭.
gólden sýrup 골든 시럽《당밀로 만드는 조리용·식탁용 정제 시럽》.
gólden thúmb 《속어》 돈 잘 버는 사람.
Gólden Tríangle (the ~) 황금의 삼각 지대 《세계 생아편의 대부분을 생산하는 인도차이나 북부의 미얀마·타이·라오스·중국이 국경을 접하는 지역》; 고(高)생산성 지역.
gólden wédding 금혼식《결혼 50주년 기념》.
gólden yèars 《구어》 노후《흔히 65세 이후》.
gólden yéllow 밝은 황금색, 황등색.
gólden yóuth 상류 계급의 젊은이(gilded youth).
góld-exchange stàndard 〖경제〗 금환(金 「換)본위제.
góld fèver (gold rush의) 금광열, 황금열.
góld·field *n.* 채금지(採金地), 금광지.
góld-filled *a.* 〖보석〗 금을 씌운〔입힌〕.
góld·finch *n.* 〖조류〗 검은방울새의 일종; 《영속어》 금화, 1파운드 금화(sovereign).
góld·finger *n.* 《속어》 합성 헤로인의 일종.
°**góld·fish** *n.* 금붕어; 《속어》 통조림한 연어, 연어 통조림; (the G-) 〖천문〗 황새치자리(Dorado). **—** *a.* 《비유》 《특히》 세인의 주목을 끈.
góldfish bòwl 금붕어용 어항; 《비유·구어》 프라이버시를 가질 수 없는 상태〔장소〕.
góld fix(ing) 〖금융〗 금값 결정; (런던 금 시장 따위에서 매일 거래되는) 금값.
góld fòil 금박《gold leaf보다 두꺼움; 치과용》.
gold·ie [góuldi] *n.* 《미》 =GOLD DISC.
gold·i·locks [góuldilɑ̀ks/-lɔ̀ks] (*pl.* ~) *n.* 금발(의 미인); 〖식물〗 미역취의 일종; 《CB속어》 여성의 개인 주파수대 라디오 교신자〔운전수〕.
góld lèaf 금박. cf. gold foil. ㊞ **góld-lèaf** *a.*
góld médal (우승자에게 주는) 금메달.
góld médalist 금메달리스트.
góld mìne **1** 금갱, 금광; 보고(寶庫)《*of*》: a ~ *of* information 지식의 보고. **2** 큰 돈벌이가 되는 것, 달러박스《*for; to*》: The new product became a ~ *for* the company. 신제품은 그 회사의 달러박스가 되었다.
góld nòte 《미》 금태환(金兌換) 지폐, 금권(金 「券).
góld pláte 금으로 된 식기류; (전기) 금도금(하기). 「㊞ **-plát·ed** [-id] *a.*
góld-pláte *vt.* …에 금을 입히다, 금도금하다.
góld pòint 〖경제〗 정화 수송점(正貨輸送點).
góld récord =GOLD DISC.
góld resèrve 금〔정화〕 준비.
góld-rímmed *a.* 금테 두른《잔 따위》.
góld rùsh **1** 골드 러시, 새 금광지로의 쇄도《미국에서는 1849년 California의 금광열이 크게 번짐》; 일확천금을 노린 광분(狂奔). **2** (The G-R-) '황금광(狂) 시대'《C. Chaplin 감독·주연의 미국 영화(1925)》.
Gold·smith [góuldsmìθ] *n.* **Oliver** ~ 골드스미스《영국의 시인·극작가·소설가; 1728-74》.
°**gold·smith** *n.* 금 세공인, 은장이.
góld stàndard (the ~) 〖경제〗 금본위제.
góld stár 《미》 (조직이나 가족에 전사자가 있음을 나타내는) 금성장(金星章): a ~ mother 〔wife〕 전사자의 어머니〔부인〕.
góld-stár *a.* 《속어》 1급의, 월등한, 놀랄 만한.
Góld Stíck 《영》 (때로 g- s-) 식전(式典) 따위에서 황금빛 막대를 받들고 왕〔여왕〕을 모시는 궁내관; 그 황금빛 막대.
góld·stòne *n.* 사금석, 황옥.
góld·thrèad *n.* 〖식물〗 개황련 (뿌리).

góld tìme 《미구어》 통상의 두 배의 시간외 수당.
go·lem [góuləm] *n.* 〖유대 전설〗 골렘《생명이 주어진 인조인간》; 자동 인형, 로봇(automaton); 얼간이.
golf [gɑlf, gɔːlf/gɔlf] *n.* 골프. **—** *vi.* 골프를 하다(play ~): go ~*ing* 골프치러 가다.
gólf bàg 골프 백.
gólf bàll 골프공.
gólf càrt 골프 카트《골프 백을 나르는 손수레, 또는 골퍼와 그의 소지품을 나르는 자동차》.
gólf clùb 골프용 타봉; 골프 클럽《조직 또는 건물·부지》.
gólf còurse 골프장, 골프 코스(golf links).
gólf·er *n.* 골퍼, 골프 치는 사람.
gólf hòse (운동·골프용) 긴 양말.
gólf lìnks ＝GOLF COURSE.
gólf wìdow 골프광(狂)의 아내.
Gol·gi [gɔ́ːldʒi] *n.* **Camillo** [kaːmíːlou] ~ 골지《이탈리아의 해부학자; 노벨 생리의학상 수상(1906); 1843?-1926》. 「(體).
Gólgi bòdy 〔**apparàtus**〕 〖생물〗 골지체
Gólgi còmplex 〖생물〗 골지 복합체.
Gol·go·tha [gɑ́lgəθə/gɔ́l-] *n.* **1** 〖성서〗 골고다《예수가 십자가에 못박힌 Jerusalem의 언덕》. **2** (g-) 수난의 땅; 묘지, 납골당.
gol·iard [góuljərd] *n.* (종종 G-) (12-13세기의) 편력 시인《라틴어 풍자시의 음유 시인》.
gol·iar·dery [gouljáːrdəri] *n.* 〔집합적〕 편력 시인의 라틴어 풍자시.
Go·li·ath [gəláiəθ] *n.* 〖성서〗 골리앗《양치는 David에게 살해된 Philistine족의 거인》; 〔일반적〕 거인; (g-) 〖기계〗 이동식 대형(大型) 기중기(＝**golíath cràne**). 「산》.
golíath bèetle 〖곤충〗 큰투구벌레《아프리카
golíath fròg 〖동물〗 골리앗 개구리《세계 최대; 아프리카산》.
gol·li·wog(g) [gɑ́liwɑ̀g/gɔ́liwɔ̀g] *n.* 얼굴이 검고 괴상한 인형; 얼굴이 괴물 같은 사람.
gol·ly[1] [gɑ́li/gɔ́li] *n.* 신(神)《흑인 용어로서 God의 완곡어》. **—** *int.* 《구어》 저런, 어머나, 아이고《놀람·감탄 따위를 나타냄》. ***by*** **~** 《구어》 틀림없이, 확실히(without a doubt). ***By*** 〔***My***〕 **~!** 저런, 어머나.
gol·ly[2] *n.* ＝GOLLIWOG(G).
go·losh [gəlɑ́ʃ/-lɔ́ʃ] *n.* ＝GALOSH.
go·lup·tious [gəlʌ́pʃəs] *a.* 《우스개》 맛있는, 맛좋은《voluptuous를 흉내낸 것》.
gom·been [gɑmbíːn/gɔm-] *n.* Ⓤ 《Ir.》 고리대금; 터무니없는 고리, 폭리.
gombéen-màn [-mæ̀n] (*pl.* **-mèn** [mèn]) *n.* 고리대금업자(usurer).
gom·broon [gɑmbrúːn/gɔm-] *n.* 곰브룬《백색 반투명 페르시아 도자기》.
gom·er[1], **go·mar** [góumər] *n.* 《미공군속어》 신참 사관후보생.
go·mer[2] *n.* 《미속어》 심기증(心氣症) 환자; 달갑지 않은 환자. [◂*g*et *o*ut of *m*y *e*mergency *r*oom]
gom·er·al, -er·el, -er·il [gɑ́mərəl/gɔ́m-] *n.* 《Sc.》 바보, 얼간이(fool, idiot).
Go·mor·rah, -rha [gəmɔ́ːrə, -mɑ́rə/-mɔ́rə] *n.* 〖성서〗 고모라《Sodom과 함께 악덕·부패 때문에 하느님에 의해 멸망된 도시》; 악덕과 타락의 악명 높은 장소.
gon- [gɑ́n/gɔ́n], **gon·o-** [-nou, -nə] *pref.* '성(性)의, 생식(生殖)의, 종자(種子)'라는 뜻의 결합사: *gon*ad.
-gon [gɑ̀n, gən/gən, gɔ̀n] '…각형'이란 뜻의 결합사: hexa*gon*; penta*gon*; n-*gon*(n각형).
go·nad [góunæd, gɑ́n-/góu-] *n.* 〖해부〗 생식선(腺). ㊎ **go·nád·al** [-nǽdl] *a.*
go·nad·ec·to·mize [gòunədéktəmàiz] *vt.* 〖외과〗 …의 생식선을 떼내다, 거세(去勢)하다.
go·nad·ec·to·my [gòunədéktəmi, -næd-] *n.* 〖외과〗 거세(去勢), 성선(性腺) 적출.
go·nad·o·troph·ic, -trop·ic [gounæ̀dətrɑ́fik/gòunədoutrɔ́f-], [-trɑ́pik/-trɔ́p-] *a.* 〖생화학〗 생식선을 자극하는: ~ hormone 성선(性腺) 자극 호르몬(gonadotrophin).
go·nad·o·tro·phin, -pin [gounæ̀dətróufin/gòunədou-], [-pin] *n.* 〖생화학〗 성선(性腺) 자극 호르몬.
Gon·court [*F.* gɔ̃kuːʀ] *n.* **1 Edmond** (**Louis Antoine Huot de**) ~ 공쿠르(1822-96), **Jules Alfred Huot de** ~ (1830-70) 《프랑스의 형제 작가》. **2 Prix** [príː] ~ 공쿠르상《1903 년 설정된 문학상》.
gon·do·la [gɑ́ndələ/gɔ́n-] *n.* **1** (Venice의) 곤돌라《평저 유람선》; 《미》 양끝이 뾰족하고 바닥이 평평한 배. **2** 〖미철도〗 대형의 무개(無蓋)화차(＝ **~càr**). **3** (비행선·기구(氣球) 따위의) 조선(吊船), 조롱(吊籠). **4** 곤돌라 상품 진열대《슈퍼마켓 등에서 상품을 사방에서 자유롭게 꺼낼 수 있도록 되어 있는 진열대》. 「사공.

gondola 1

gon·do·lier [gɑ̀ndəlíər/gɔ̀n-] *n.* 곤돌라
Gond·wa·na(·land) [gɑndwɑ́ːnə(lǽnd)/gɔnd-] *n.* 곤드와나 대륙《가설상의 고생대 말기의 남반구 대륙》.
gone [gɔːn, gɑn/gɔn] GO의 과거분사.
— *a.* **1** 지나간, 사라진; 없어진; 가버린: memories of ~ summer 지난 여름의 추억들/I'll not be ~ long. 곧 돌아오겠네. **2** 죽은, 세상을 떠난(dead). **3** 가망 없는(hopeless), 절망적인: a ~ case 절망적인 상태; 가망 없는 환자. **4** 쇠약한(faint); 정신이 아득한: a ~ feeling 〔sensation〕 아득해지는〔까무러질 것 같은〕 느낌, 쇠약감. **5** 과녁을 벗어난《화살 등》. **6** 《속어》 (마약·술 따위로) 기분이 고양된, 취한. **7** 《구어》 임신한: She's six months ~. 그녀는 임신 6 개월이다. **8** (시간·나이가) …을 넘은〔지난〕, …이상의: a man ~ ninety years of age 나이 90 을 넘은 사람/It's ~ three years since we met last. 지난번 만난 이래 3 년이 지났다/past and ~ (이미) 과거의, 지나가 버린, 기왕의. ***be*** 〔***have***〕 **~** ***of*** 〔***with***〕 …이 되다: What's ~ *of* 〔*with*〕 him? 그는 어찌 되었느냐. ***far*** **~** ① (무척) 진행되어, (밤이) 깊어져서; 깊이 빠져들어. ② (병세가) 진행되어, 중태에 빠져, 빈사의: *far* ~ in consumption 폐를 몹시 앓고 있는/He is *far* ~ in crime. 그는 범죄의 늪에 깊이 빠져 있다. ③ (고기가) 썩어서. ④ 몹시 취해서; 몹시 지쳐서; 몹시 낡아서. **~** ***on*** 《구어》 …에 반해서, …에 제정신을 잃고; 《속어》 죽어서: He is still ~ *on* the woman who jilted him. 그는 차인 여자에게 아직도 연연해 있다. ***real*** **~** 《속어》 멋진, 굉장한, 근사한.
㊎ **~·ness** *n.* Ⓤ 쇠약, 피폐, 기진한 상태.
góne góose 〔**gósling**〕 《구어》 어찌 할 도리가 없는 사람, 가망 없는 사람; 절망적인 일〔상태〕.
G_1 phàse [dʒìːwʌ́n-] 〖생물〗 G_1 상(相)《세포 주기의 DNA 합성 준비기》.
gon·er [gɔ́ːnər, gɑ́n-/gɔ́n-] *n.* 《구어》 영락한 사람, 패잔자(敗殘者), 가망 없는 것, 죽은 사람, 글러먹은 사람〔일, 것〕.
gon·fa·lon [gɑ́nfələn/gɔ́n-] *n.* (횡목에 매는

끝이 여러 가닥으로 갈라진) 기(旗)《중세 이탈리아의 도시 국가 따위에서 사용한》.

gon·fa·lon·ier [gὰnfələníər/gɔ̀n-] *n.* 기수(旗手); (중세 이탈리아 도시 국가의) 장관.

◇**gong** [gɔːŋ, gaŋ/gɔŋ] *n.* 징; 공《접시 모양의 종》(=∠ **bèll**), 벨; 《영속어》 훈장(medal). ***be all ~ and no dinner*** 《구어 · 우스개》 큰소리만 치고 실제는 아무것도 안 하다. ***kick the ~ around*** 《미속어》 마약〔아편〕을 피우다. **—** *vt.* …에게 징을 울려 부르다〔불러모으다〕; (교통경찰이) 벨을 울려서 정차를 명하다. **—** *vi.* 공〔벨〕을 울리다.

go·ni·a·tite [góuniətàit] *n.* 〖고생물〗 (데본기와 페름기 사이에 번성했던) 소형 암모나이트 (ammonite).

go·ni·om·e·ter [gòuniάmətər/-ɔ́m-] *n.* 고니오미터, 측각도계, 측각기《결정(結晶) 따위의 면각(面角) 측정용; 방향 탐지, 방향 측정용 따위》.

go·ni·om·e·try [gòuniάmətri/-ɔ́m-] *n.* 각도 측정(법); 방위 측정(법); 〖의학〗 도각도(倒角度) 검사. ㊞ **gò·nio·mét·ric, -ri·cal** *a.* **-ri·cal·ly** *ad.*

go·ni·um [góuniəm] (*pl.* ***-nia*** [-niə], **~s**) *n.* 〖생물〗 생식원 세포, 성원(性原) 세포.

gon·na [gɔ́ːnə, gənə] 《방언 · 속어》 …할 예정인(going to): Are ya ~ go? =Are you going to go?

gon·o·coc·cus [gὰnəkάkəs/gɔ̀nəkɔ́kəs] (*pl.* ***-ci*** [-sai]) *n.* 〖세균〗 임균(淋菌). 「세포.

gon·o·cyte [gάnəsàit/gɔ́n-] *n.* 〖생물〗 생식

gó-nó-gò *a.* 계속하느냐 중지하느냐의 결정(시기)에 관한: a ~ decision.

gon·o·phore [gάnəfɔ̀ːr/gɔ́n-] *n.* 〖동물〗 (히드로충류(蟲類) 등의) 생식체; 〖식물〗 꽃자루의 화피(花被)로의 연장부《암술 · 수술이 달림》.

gon·o·pore [gάnəpɔ̀ːr/gɔ́n-] *n.* 〖생물〗 생식공(生殖孔).

gon·or·rhea, -rhoea [gὰnəríːə/gɔ̀nəríə] *n.* Ⓤ 〖의학〗 임질(clap). ㊞ **-rhé·al, -rhóe·al** [-l] *a.*

gon·sil [gάnsil/gɔ́n-] *n.* 《미속어》 =GUNSEL.

-go·ny [gəni] '발생(generation), 기원(origination)'이란 뜻을 나타내는 결합사: cosmog*ony*; mono*gony*. 「미친.

gon·zo [gάnzou/gɔ́n-] *a.* 《미속어》 머리가 돈,

goo [guː] *n.* 《속어》 (the ~) 찐득거리는 것; Ⓤ 감상(sentimentality)《burgoo의 간약형》.

goob [guːb] *n.* 《미학생속어》 (얼굴에 있는) 작은 점, 주근깨 따위.

goo·ber [gúːbər] *n.* 《미방언》 땅콩(=∠ **pèa**).

†**good** [gud] (***bet·ter*** [bétər]; ***best*** [best]) *a.* **1** 좋은, 우량한; 훌륭한; 질이 좋은, 고급의: a ~ saying 금언(金言), 명구 / ~ health 좋은 건강 상태 / a ~ family 좋은 집안 / speak 〔write〕 ~ English 훌륭한 영어를 말하다〔쓰다〕 / Bad money drives out ~ (money). 악화는 양화를 구축한다《Gresham의 법칙》. **2** (도덕적으로) 선량한(virtuous), 착한, 성실한(dutiful), 품행이 좋은, 방정(方正)한(well-behaved); 공정한: a ~ wife 착한 아내 / a ~ deed 선행(善行). **3** 친절한, 인정 있는(benevolent); 너그러운: ⇨ GOOD NATURE / do a ~ turn to 〔for〕 …에게 친절을 베풀다, …의 시중을 들다 / He was ~ enough *to* show me the way. 그는 친절하게도 나에게 길 안내를 해주었다 / He's ~ *to* us. 그는 우리들을 친절하게 대해 준다 / It's ~ *of* you *to* invite me. =You're ~ *to* invite me. 초대해 주셔서 감사합니다. SYN. ⇨ KIND. **4** 현명한, (어린애가) 얌전한; 머리 좋은, 이해가 빠른: Be a ~ boy. 얌전하게 굴어라. **5** 유능한; 익숙한, 잘하는, 재간 있는: a ~ artist 뛰어난 화가; 그림 솜씨가 좋은 사람《아마추어이긴 하나》 / ~ *at* all sports 스포츠에 만능인 / She's ~ *on* the piano. 그녀는 피아노를 잘 친다 / She's ~ *with* children. 그녀는 아이들을 잘 다룬다. **6** 효과적인, 유효한; 자격 있는(qualified); (약 따위가) 효험이 있는; (표 따위가) 통용되는; 사용 가능한, 쓸모 있는; 견딜〔버틸〕 수 있는, 오래가는; 건전한, 튼튼한(strong, healthy): He's a ~ man *for* the position. 그는 그 자리에 적임자다 / ~ *for* two months 유효 기간 2 개월의 / ~ *for* ten dollars, 10 달러의 값어치가 있는 / a car ~ *for* another ten years 아직 10 년은 더 탈 수 있는 차. **7** (운 따위가) 좋은, 계제(가) 좋은; 안성맞춤의, 바람직한, 호적(好適)의《*for*》: ~ luck 행운 / a ~ answer 매우 적절한 대답. **8** (책 따위가) 좋은, 유익한; 이익이 되는: Exercise is ~ *for* health. 운동은 건강에 좋다. **9** 훌륭한, 완전한, 가짜가 아닌, 진짜의; (상업적으로) 신용할 수 있는, 확실한; 아름다운; (날씨가) 활짝 갠: ⇨ GOOD LOOKS / ~ securities 우량 증권. **10** (음식이) 맛있는; 먹을〔마실〕 수 있는, 썩〔상하〕지 않은. **11** 즐거운; 행복한; 유쾌한(happy, agreeable, enjoyable): It's ~ to be home again. 집에 다시 돌아오니 즐겁다 / ⇨ GOOD NEWS / Have a ~ time! 즐겁게 보내게. **12** 사이가 좋은, 친한, 친밀한: a ~ friend 친우. **13** 〖수 · 양적으로〗 충분한(thorough, satisfying); 꽤 (많은), 상당한: two ~ hours 족히 2 시간 / a ~ half 듬뿍하게 절반, 절반 이상. **14** 〖종종 호칭 · 경칭에 쓰여서〗 친애하는, 귀여운: my ~ friend 자네 / How's your ~ man? 남편께서는 어떠신지요.

a ~ one 믿을 수 없는 거짓말〔과장〕, 재미있는 농담. ***as ~ as*** ① …에 못하지 않은; (사실상) …나 매한가지인: It's *as* ~ *as* finished. 이제 끝난 거나 다름없다. ② 같은 분량만큼: give *as* ~ *as* one gets 받은 것만큼 갚다. ③ …에 충실한. ***as ~ as a play*** 무척 재미있는. ***(as) ~ as gold*** ⇨ GOLD. ***as ~ as ~*** 《구어》 더없이〔지극히〕 좋은. ***be as ~ as one's word*** ⇨ WORD. ***Be ~ enough to*** do. =***Be as*** 〔***so***〕 ***~ as to*** do. 아무쪼록 …해 주십시오. ***be ~ to*** ① …에 알맞다: *be* ~ *to* drink. ② …에 친절하다: *be* ~ *to* animals 동물을 귀여워하다 / He has always *been* ~ *to* me. 그는 항상 내게 친절히 대해 주었다. ***come ~*** (일이) 호전되다. ***earn ~ money*** 잔뜩 벌다. ***feel ~*** ① 몸〔기분〕이 좋다, 호조(好調)이다. ② 안심하다: I don't *feel* too ~ about it. 도무지 마음에 안 든다; 좀 걱정이다. ***~ and*** [gúdn] 《구어》 매우, 아주: ~ *and* happy 아주 행복한. ***~ for*** ① …에 유익한, …에 적합한. ② …동안 유효(한): a license ~ *for* one year, 1년간 유효한 면허증. ③ …만큼 가는〔지탱하는〕: These tires are ~ *for* another 10,000 miles. 이 타이어들은 1만 마일은 더 견딜 수 있다. ④ …을 지불할 수 있는: How much are you ~ *for?* 돈을 얼마나 낼 수 있나. ⑤ …와 같은 가치를 가지는. ***Good for you*** 〔***him,*** etc.〕***!*** 잘한다, 거 잘됐다, 말 잘했다. ***Good heavens!*** =***Gracious*** (***me***)***!*** =(***My***) ***Gracious!*** 어렵쇼, 아이고, 어마《놀람 따위를 나타냄》. ***Good luck*** (***to you***)***!*** ① 행운(幸運)을 빕니다, 잘해라. ② 안녕, 몸조심하시기를. ***Good man!*** 잘했다, 훌륭하다. ***~ men and true*** 훌륭한 사람들. ***~ old*** 제법 괜찮은; 그리운: (in) the ~ *old* days 그리운 옛날(에는). ***Good show!*** 훌륭하다, 잘했다. ***hold ~*** 효력이 있다; 적용되다. ***in ~ time*** 때맞춰, 마침, 제때〔제시간〕에. ***keep ~*** 썩지 않다, 유지하다. ***listen ~*** 《미구어》 유망해 보이다. ***look ~*** 모양이 좋다; 바람직하다; 순조롭게 보이다, 상태가 좋아 보이다. ***make a ~ thing out of*** …을 이용〔활용〕하다. ***make ~*** ① (손해 따위를) 보상〔변제〕하다; (부족 따위를) 보

충하다. ② (목적을) 달성하다; (약속을) 이행하다: *make* ~ a promise. ③ 실증〔입증〕하다: *make* ~ a boast 자랑한 것이 옳음을 증명하다. ④ (입장·지위를) 유지〔확보〕하다; 《주로 영》 회복〔수복〕하다. ⑤ (특히 장사에) 성공하다: *make* ~ in business 사업에 성공하다. ***not ~ enough to** do* 《구어》 …할 가치가〔자격이〕 없는. ***Not so ~!*** 이 무슨 지독한 잘못이란〔실패란〕 말인가. ***say a ~ word for*** …을 칭찬하다. ***take in ~ part*** 선의로 생각하다.

— *n.* Ⓤ **1** 선(善); 미덕; 장점; 《미》 양(良)《고기, 특히 쇠고기의 등급; 성적 평가》. OPP *evil.* ¶ the highest ~ 지고선(至高善) / know ~ from evil 선악을 분별하다. **2** (흔히 the ~) 선량한 사람들; 좋은 일〔것, 결과〕: for ~ or evil 좋든 나쁘든 / *Good* and bad 〔The ~ and the bad〕 alike praised him. 선인(善人)도 악인도 모두 그를 칭찬하였다. **3** 이익, 이(利)(advantage); 소용, 효용, 가치: public ~ 공익(公益) / What ~ is that? =What is the ~ of that? 그게 무슨 소용이 있는가. **4** 행복: the greatest ~ of the greatest number 최대 다수의 최대 행복 《Bentham 의 공리주의의 원칙》. **5** (*pl.*) ⇨ GOODS. ***be no ~*** 아무 쓸모도 없다, 소용(所用)없다. ***be up to no ~*** =***be after no ~*** ① 나쁜〔못된〕 일을 꾸미고 있다. ② 《미》 아무 쓸모없다. ***come to ~*** 좋은 열매를 맺다, 좋은 결과가 되다. ***come to no ~*** 좋은 결과를 못 보다, 시원치 않게 되다. ***do** a person ~* 아무에게 도움이 되다, 이롭다; 아무의 건강에 좋다: Smoking won't *do* you any ~. 흡연은 몸에 좋지 않을 겁니다. ***do ~ (in the world)*** 선행을 하다. ***do ~ to*** …에게 이롭다〔친절을 다하다〕. ***for ~ (and all)*** 영구히; 이를 마지막으로: I don't mind how it is expressed, but I do need to know that violence is ended *for* ~. 그것이 어떻게 표현되었는지는 개의치 않는다. 다만, 폭력이 영구히 사라졌는지를 알고 싶은 것이다. ***for** a person**'s ~*** 아무를 위하여. ***for the ~ of*** …(의 이익)을 위해서. ***in ~ with*** …의 마음에 들어, …에게 호감을 사서. ***It is no ~ do**ing.* =***It's not a bit of ~ do**ing.* …해도 무익하다〔쓸데없다〕. ***no ~*** ① 쓸모없는. ② (영화 필름 편집에서) 불가《생략: NG., *n.g.*》. ***to the ~*** ① 이익이 되어: It's all *to the* ~. 잘 됐어. ② 〖상업〗 대변(貸邊)에, 순(이)익으로: We are 400 dollars *to the* ~. 우리는 400 달러 벌었다.

— *ad.* 《미구어》 훌륭히, 잘: She did it real ~. 그녀는 참으로 잘 했다. ***as ~*** 똑같이 잘 (equally well). — *int.* 〖찬성·만족의 뜻을 나타내어〗 좋아, 잘 했어, 그렇지, 옳지.

gòod afternóon 〖오후 인사〗 안녕하십니까; 안녕히 계〔가〕십시오.

good-afternóon *n.* 오후 인사.

góods and cháttels (*pl.*) 〖법률〗 인적 재산 《유체 동산과 부동산적 동산을 합한 것》.

góod behávior 〖법률〗 적법 행위, 선행: be of ~ 선행을 하고 있다.

Góod Bóok (the ~) 성서(Bible).

góod búddy 《CB 속어》 여보세요《운전자끼리 쓰는 인사》; 개인 주파수대 통신을 하는 사람, 개인 주파수대 무선 동료.

†**good-by, -bye** [gùdbái] *int.* 안녕; 안녕히 가〔계〕십시오. — (*pl.* **~s**) *n.* 고별, 작별(인사) 《God be with ye. 의 간약형》: We said our ~*s* and went home. 우리는 작별을 고하고 집으로 갔다 / ⇨ KISS ~. ***say ~*** 작별을 고하다: I must *say* ~ now. 이제 작별을 고해야겠습니다. ★ 종종 goodby(e)라고 하이픈 없이도 씀.

góod chéer 원기, 기분 좋음; 진수성찬: make 〔enjoy〕 ~ 맛있는 음식을 먹다 / Be of ~. 기운을 내라.

góod-condítioned *a.* 호조(好調)의. 「行章).

Góod Cónduct Mèdal 〖미군사〗 선행장(善

gòod dáy 〖낮 인사〗 안녕하십니까; 안녕히 계〔가〕십시오.

good-dáy *n.* 낮 동안의 인사.

góod déal 다수, 다량; 《구어》 좋은 제의〔협정〕; 《속어》 편한 일〔생활 방식〕; 〖감탄사적〗 알았다, 좋았어, 그것 좋군.

góod débts 회수가 확실한 대부금.

góod égg 《속어》 명랑한〔신뢰할 수 있는〕 사람, 좋은 사람; 〖감탄사적〗 이건 참말로《기쁜 놀라움을 나타냄》. 「녕히 계〔가〕십시오.

gòod évening 〖저녁 인사〗 안녕하십니까; 안

good-évening *n.* 저녁 인사. 「를 가지고.

góod fáith 성실, 성의(誠意), 정직: in ~ 성의

góod féeling 선의; 호의; 우호 관계.

góod fèlla 《속어》 갱, 폭력단원.

góod féllow 착한 사람, (교제 상대로) 명랑하고 다정한 사람; 《속어》 멍청한 녀석; 《고어》 술친구.

gòod-féllowship *n.* Ⓤ 친구 간의 정의(情誼); 친목, 우정, 선의; 사교성.

góod-for-nàught *n.* =GOOD-FOR-NOTHING.

góod-for-nòthing *a., n.* 쓸모없는 (사람), 변변치 못한 (인간). ㊞ **~·ness** *n.*

Góod Fríday 성(聖)금요일, 예수의 수난일 《Easter 전(前) 금요일》.

góod gúy 《구어》 좋은 녀석, 공정한 사람.

góod háir 《카리브》 곱슬곱슬하지 않고 윤기 도는 머리털《유럽계 혈통을 나타냄》.

góod háir dày 《구어》 좋은 날, 기쁜 날.

góod-héarted [-id] *a.* 친절한(kind), 호의 있는, 마음씨가 고운, 관대한, 선의의. ㊞ **~·ly** *ad.* 친절히. **~·ness** *n.*

Gòod Hópe =the CAPE (of Good Hope).

góod húmor 명랑한〔즐거운〕 기분, 좋은 기분; (G- H-) 미국의 아이스크림 회사, 그 제품《상표명》.

góod-húmored *a.* 기분 좋은, 명랑한; 상냥〔싹싹〕한. ㊞ **~·ly** *ad.* **~·ness** *n.*

good·ie [gúdi] *n.* 《구어》 (영화 따위의) 주인공; 《우스개》 (정직하고 용감한) 좋은 사람; 선량한 사람인 체하는 사람(goody-goody). — *int.* =GOODY[2].

good·ish [gúdiʃ] *a.* 나쁘지 않은, 대체로 좋은 편인; 적지 않은; 상당한《크기·수량·거리 따위》: You can walk from here to the park, but it's a ~ distance. 여기서 공원까지 걸어갈 수는 있으나 꽤 먼 거리다.

góod Jóe 《미속어》 괜찮은 놈, 좋은 친구.

góod lífe 선량〔유덕〕한 생활; 유복한 생활: live a ~ (정신적으로) 훌륭한 생활을 하다; (물질적으로) 풍족한 생활을 하다.

good·li·ness [gúdlinis] *n.* Ⓤ 아름다움, 미모; 우수; 상당한 크기〔수량〕.

góod líving 사치스러운 생활〔식사〕.

góod-lóoker *n.* 미인, 잘생긴 사람〔동물〕.

°**góod-lóoking** *a.* 잘생긴, 미모의, 핸섬〔스마트〕한; 잘 어울리는《의복 따위》; 선량한 듯한: a ~ man 〔girl, car〕 / ~ legs 보기 좋은 미끈한 다리. SYN. ⇨ BEAUTIFUL. ㊞ **~·ness** *n.*

góod lóoks 매력적인 용모, 《특히》 미모.

°**góod·ly** (**-li·er; -li·est**) *a.* 훌륭한, 고급의, 멋진; 미모의, 잘생긴; 꽤 많은, 상당한《크기·수량 따위》: a ~ sight 매우 멋진 광경 / a ~ heritage 꽤 많은 유산 / a ~ sum of money 상당한 금액. 「몸가짐이 헤픈 여자.

góod máke 《미속어》 꾐에 잘 넘어가는 여자,

góod·man [-mən] (*pl.* **-men** [-mən]) *n.* 《고어》 **1** 한 집안의 주인, 가장; 《방언》 여관 주인. **2** (종종 G-) …씨《남자의 경칭; gentleman 보다 아랫격》.

gòod mórning 〖오전 중의 인사〗 (밤새) 안녕하십니까; 안녕히 가십시오(계십시오).
good-mórning *n.* 오전 중의 인사.
gòod mórrow 《고어》 =GOOD MORNING.
góod náture 선량한(고운) 마음씨, 착한 성질, 온후한 기질.
*__good-na·tured__ [gúdnéitʃərd] *a.* (마음씨가) 착한(고운), 온후한, 친절한. ㊀ **~·ly** *ad.* 온화하게; 친절히. **~·ness** *n.*
góod néighbor 우호적인 사람(국가), 선량한 이웃.
góod-néighbor *a.* (정책 따위가) 선린의, (국제 관계가) 우호적인.
Góod Néighbor Pòlicy 〖미국사〗 선린(善隣) 정책《1933 년 Roosevelt 대통령이 채택한》.
‡**good·ness** [gúdnis] *n.* Ⓤ **1** 선량, 미덕. **2** 친절, 우애, 자애. **3** 우수, 우량; 탁월. **4** 미점, 장점; 정수(精髓); (음식물의) 자양분. **5** 〖감탄사적으로 God의 대용어(語)로서〗 이키나, 어이구, 저런. ***Goodness knows!*** 아무도 몰라; 신에 맹세코, 확실해. ***have the ~ to*** do 친절하게도 …하다; 〖명령형〗 제발 …해 주시오: He *had the ~ to* accompany me. 그는 친절하게도 나와 동행해 주었다. ***in the name of ~*** 신명께 맹세코; 도대체. ***My ~!*** 저런, 어렵쇼. ***Thank ~!*** 고마워라, (잘)됐다. ***wish*** (***hope***) ***to ~*** 부디 …이길 바라다: I *wish to ~* you had told me that before. 당신이 내게 미리 얘길 해 주었더라면 좋았을 걸.
góodness of fít 〖통계〗 적합도(適合度).
góod néws 좋은 소식, 길보; 복음(gospel); 《미 · Can.》 〖단수취급〗 바람직한 인물(상황, 사태), 유쾌한 사람(일): He is ~ in many ways. 그는 여러 가지 점에서 나무랄 데가 없는 사람이다.
Góod Nèws Bíble (the ~) 복음 성서《현대 영어역(譯) 성서》.
gòod níght 〖밤의 작별 · 취침시의 인사〗 안녕히 주무십시오; 안녕히 가(계)십시오. ***say ~ to ...*** 《속어》 …에게 작별 인사하다; …은 없는 것으로 체념하다.
good-níght *n.* 밤의 작별 인사.
góod óffices 알선, 소개; 〖외교〗 중재, 조정.
góod-òh, góod-ò *int.* 《영구어 · Austral. 구어》 좋아, 잘됐어, 잘한다《동의 · 승인 · 칭찬 따위를 나타내는》.
góod óil (the ~) 《Austral. 속어》 확실한 정보, 진실.
góod òld (**òle**) **bóy** 《미》 싹싹한(스스럼없는) 남부인(南部人), 사람 좋은 전형적인 남부인.
góod pèople (the ~) 요정들(fairies).
góod quéstion 바로 답하기가 어려운 질문: That's a (very) ~. 그것 참 좋은 질문이군요《어려운 질문에 시간을 벌기 위한 상투적인 문구》.
†**goods** [gudz] *n. pl.* 〖단수형으로는 쓰이지 않음〗 **1** 물건, 물품, 상품(wares), 물자: canned ~ 통조림류 / war ~ 전쟁 물자 / convenience ~ 일용품(잡화). **2** 재산, 재화(財貨); 〖경제〗 재(財); 동산(movables), 소유물: household ~ 가재 (도구) / consumer (producer) ~ 소비(생산)재. **3** 《미》 천, 피륙: dry ~ 옷감. **4** 《영》 (철도) 화물(《미》 freight): a ~ agent 운송업자 / a ~ station 화물역(《미》 freight depot). **5** (the ~) **a** 《구어》 필요한 소질, 능력, 자격; 《구어》 바로 구하고 있는 것, 적임인 사람, 진짜; 약속된(기대되는) 것. **b** 범죄의 증거, 《미구어》 《특히》 장물(贓物): catch a person with the ~ 아무를 현행범으로 잡다. **6** 《구어》 마약(류). ***a*** (***a person's***) (***nice***) ***bit of ~*** 《미속어》 매력 있는 여성; 《영속어》 성교. ***by ~*** 《영》 화물 열차로. ***deliver*** (***produce***) ***the ~*** 《구어》 약속을 실행하다, 바라는 만큼 주다. ***get*** (***have***) ***the ~ on*** 《구어》 범행의 확증을 잡다(손에 넣고 있다).
góod Samáritan ⇨ SAMARITAN.
góods and cháttels 〖법률〗 인적 재산《유체(有體) 동산과 부동산적 동산을 합한 것》.
góod sénse 양식(良識), (직관적인) 분별.
Góod Shépherd ⇨ SHEPHERD.
góod-sízed *a.* 꽤 큰(넓은).
góods lìft 업무용(業務用) 엘리베이터(service elevator).
gòod spéed 행운, 성공《여행을 떠나는 사람에 대한 작별 인사》.
góods tràin 《영》 화물 열차(《미》 freight train).
góods trùck 철도 화차(goods wagon).
góods wàgon 《영》 화차(《미》 freight car).
góods yàrd 《영》 화물 터미널(《미》 freight terminal).
góod-témpered *a.* 마음씨 고운, 상냥한, 유화한, 얌전한, 무던한. ㊀ **~·ly** *ad.* **~·ness** *n.*
góod thìng **1** 잘된(좋은) 일; 좋은 착상; 행운, 다행. **2** (~s) 진미, 성찬; 사치(품). **3** 손쉬운 일(돈벌이). **4** 경구(警句). ***It is a ~*** (***that***) ***....*** 《구어》 …은 행운이다, …해서 참 잘됐다: *It's a ~* you are here. 자네가 와 주어서 잘됐네. ***too much of a ~*** 좋지만 도가 지나쳐서 귀찮은 것.
góod-tìme *a.* 지나치게 쾌락을 추구하는; 방탕한: a ~ girl (gal) 방탕한 여자, 매춘부. ㊀ **góod-tìmer** *n.*
góod-time Chárlie 쾌활한 낙천가; 난봉꾼.
góod tríp 《속어》 마약으로 황홀한 상태에 있는 시간; 《속어》 《일반적》 즐거운 시간(체험).
góod túrn 선행, 친절한 행위, 호의. OPP. *ill turn*. ¶ do him a ~ 그에게 친절을 다하다.
góod úse (**úsage**) 말의 바른 용법(표준 어법).
góod·wìfe (*pl.* ***-wives***) *n.* 《고어 · Sc.》 **1** (한 집안의) 안주인, 주부. **2** 〖여자의 경칭〗 …여사, …부인(Mrs.).
°**góod·wíll** [gúdwíl], **góod wíll** *n.* Ⓤ **1** 호의, 친절, 후의; 친선: international ~ 국제 친선 / a ~ visit to Korea 한국 친선 방문. **2** 쾌락(快諾), 기꺼이 …함. **3** 〖상업〗 주(株); (상업 · 상점의) 신용, 성가(聲價); 단골; 영업권: buy a business with its ~ 회사의 성가와 함께 사업을 매수하다. ㊀ **góod-wílled** *a.*
góod wórks 선행.
goody[1] [gúdi] *n.* 《고어 · 문어》 (하층 계급의) 아줌마《종종 성(姓) 앞에 붙여 썼음; goodwife의 간약형》; (대학 등의) 청소부(婦).
°**goody**[2] *n.* 《구어》 **1** (주로 *pl.*) 맛있는 것, 봉봉; 엿, 사탕. **2** (주로 *pl.*) 특별히 매력 있는(탐낼 정도로 좋은) 것《의복 · 작품 따위》. **3** (영화 · TV의) 주인공; =GOODY-GOODY. **—** *a.* = GOODY-GOODY. **—** *int.* 《소아어》 신난다, 근사하다.
góody bàg **1** (파티에서 어린이에게 주는) 작은 선물과 과자가 든 주머니. **2** (회사가 선전을 위해 주는) 작은 선물 주머니.
góody-gòody *a.* 독실한 체하는, 도덕가연하는, 착한(선량한) 체하는; 공연히 감상적인. **—** *n.* 독실한 체하는 사람; 《속어》 여자 같은 남자, 결벽한 사람(=**gòody-twó-shòes**).
goo·ey [gú:i] (***goo·i·er; -i·est***) 《속어》 *a.* 끈적끈적한(sticky); 《비유》 꽤나 감상적인. **—** *n.* 끈적거리는 것; 당밀(糖蜜).
goof [gu:f] (*pl.* ***~s***) 《속어》 *n.* 바보, 멍청이; 실수: make a ~ 실수하다. **—** *vt.* 실수하여 잡쳐 버리다(*up*). **—** *vi.* 게으름 피우다; 시간을 허비하다, 빈둥거리다(*off; around*): ~ *off* on the job 일을 사보타주하다. **~ *at ...*** 《미속어》 …을 보다(look at), …에 반하다.
góof·bàll *n.* 《미속어》 **1** 신경 안정제(수면제)가 든 정제. **2** 묘한 녀석, 바보.
gó-òff *n.* 출발; 출발 시간; 착수. ***at one ~*** 한꺼번에, 단숨에. ***succeed at the first ~*** 단번에 성공하다.
góof-òff *n.* 《속어》 책임을 회피하는 남자, 게으름뱅이; 휴식기(期).

góof-ùp *n.* 실패만 하는 남자, 말썽꾸러기.

goofy [gúːfi] (**goof·i·er; -i·est**) *a.* 《속어》 얼빠진(foolish), 어리석은; 제정신이 아닌(crazy); 홀딱 반한; 《영》 뻐드렁니의. ㊞ **góof·i·ly** *ad.* **-i·ness** *n.*

góofy-fòot(er) (*pl.* **~s**) *n.* (서핑에서) 오른발을 앞으로 내밀고 서프보드를 타는 서퍼.

Goo·gle [gúːgəl] *n.* 구글 《미국의 대표적인 인터넷 검색 엔진 기업》. 「종.

goo·gly[1] [gúːgli] *n.* 『크리켓』 곡구(曲球)의 일

góo·gly[2] *a.* (눈이) 희번덕거리는; 퉁방울눈의; 곁눈의. 「곱; 천문학적 숫자.

goo·gol [gúːgɔːl, -gɑl/-gɔl] *n.* 10 의 100 제

goo·gol·plex [-plèks] *n.* 10 을 10 의 100 제곱한 수 《$10^{10^{100}}$》. 「운동가.

goo-goo[1] [gúːgùː] (*pl.* **~s**) *n.* 《속어》 정치 개혁

goo-goo[2] *a.* 《속어》 (눈매가) 요염한; (말이나 말투가) 어린애 같은, 뜻을 이해할 수 없는.

góo-goo èyes 《속어》 황홀한 눈, 사랑에 빠진 눈; 추파(秋波).

gook [gu(ː)k] *n.* 《미속어》 **1** 먼지, 진흙; 하찮은 일. **2** 끈적끈적한 액〔소스〕. **3** (구경거리가 되는) 진기한 사람〔동물〕. **4** 《경멸》 아라비아 사람; 황색 인종, 동양인. **—** *a.* 외국의, 외국제의; 싸구려의, 조악한.

goon [guːn] *n.* 《속어》 깡패, (노동 쟁의 등에 고용되는) 폭력단(원); 얼간이. ㊞ **∠y** *a.*

goon·ey [gúːni] *n.* **1** 《미속어》 바보, 천치. **2** 『조류』 신천옹(albatross), 《특히》 검은발 신천옹(black-footed albatross).

góon-òut *n.* 《미속어》 대수롭지 않은 실패, 일시적인 곤란. 「폭력단.

góon squàd 《속어》 (노동 쟁의에 고용되는)

goop[1] [guːp] *n.* 《미속어》 버릇없는 사람〔아이〕;

goop[2] *n.* 걸쭉하게 들러붙는 것. 「얼간이.

goos·an·der [guːsǽndər] *n.* =MERGANSER.

⁑**goose** [guːs] (*pl.* ***geese*** [giːs]) *n.* **1** 거위; Ⓤ 거위 고기: All his *geese* are swans. 《속담》 그는 자기 자랑만 늘어놓는다. **2** 암거위《수거위는 gander》. **3** 바보, 얼간이(simpleton). **4** (*pl.* ***góos·es***) (재봉사의) 큰 다리미. **5** 《속어》 기관차의 긴급〔비상〕 정거; 《속어》 (거위 소리를 흉내낸) 야유: get the ~ (연극에서) 관객들에게 야유당하다. **6** (*pl.*) 《미속어》 (장난으로) 남의 궁둥이를 찌름. ***call a ~ a swan*** 검은 것을 희다고 교묘하게 말해서 자기 의견에 따르게 하다. ***can*** 〔***will***〕 ***not say boo to a ~*** ⇨ BOO[1]. ***cook*** a person**'s** ~ 아무의 악평을 하다; 《구어》 (남의) 계획〔평판, 희망〕을 망치다. ***give ... the ~*** 《미속어》 …에게 기합을 넣다〔자극을 주다〕, (자동차 등을) 가속하다. ***kill the ~ that lays the golden eggs*** 눈앞의 이익에 눈이 어두워 장래의 큰 이익을 희생하다. ***pluck*** a person**'s** ~ 《영속어》 창피를 주다. ***shoe the ~*** 쓸데없는 일에 시간을 허비하다. ***sound*** 〔***all right***〕 ***on the ~*** 《미》 주의(主義)에 충실한. ***The ~ hangs*** 〔***honks***〕 ***high.*** 《미구어》 만사가 순조롭다, 형세가 유망하다. ***The old woman is picking*** 〔***plucking***〕 ***her ~.*** 눈이 내리〔오〕고 있다《어린이말》. ***turn every ~ to a swan*** 지나치게 허풍떨다.
— 《속어》 *vt.* **1** (아무의) 궁둥이 따위를 찌르다, (엔진·기계를) 시동하다. **2** (엔진에) 가솔린을 불규칙하게 공급하다; …에게 기합을 넣다, 자극〔촉진〕하다. **3** 『수동태』 끝장나다, 파멸하다. **~ *up*** 《구어》 (말투 따위를) 강렬하고 자극적인 것을 쓰다; 밀어〔끌어〕올리다.

°**goose·ber·ry** [gúːsbèri, -bəri, gúːz-/gúzbəri] *n.* Ⓒ 『식물』 구스베리(의 열매); Ⓤ 《고어》 구스베리 술(=∠ **wìne**). ***play ~*** 《구어》 (단 둘이 있고 싶어하는 연인들의) 훼방꾼이 되다. ***play old ~ with*** …을 엉망으로 만들다, 망치다, 결딴내다.

góoseberry búsh 구스베리나무: I found him 〔her〕 under a ~. 《우스개》 아기는 구스베리나무 밑에서 주웠다《아기는 어디서 났느냐고 아이들이 물을 때의 대답》.

góoseberry fóol 구스베리를 흐물흐물하게 끓여 크림과 설탕을 친 것.

góose bùmps 《주로 미》 =GOOSEFLESH.

góose clùb 《영》 가난한 사람들에게 크리스마스용 거위를 사게 하기 위한 적립금 조합.

góose ègg **1** 《미》 영점, 제로(《영》 duck's egg) 《시험·경기 등에서》. **2** 《미구어》 (맞아서 생긴) 머리의 혹. **3** 거위의 알. 「배시키다.

góose-ègg *vt.* 《미속어》 영패(零敗)시키다, 패

góose·flèsh *n.* (추위·공포 따위에 의한) 소름, 소름 돋은 피부: be ~ all over (오싹하여) 온몸에 소름이 끼치다.

góose·fòot (*pl.* **~s**) *n.* 『식물』 명아주.

góose·gìrl *n.* 고용살이하는 여자 거위 사육사.

góose·gog [-gɑg/-gɔg] *n.* 《영구어》 =GOOSE-

góose gràss 『식물』 갈퀴덩굴속 식물. 「BERRY.

góose·hèrd *n.* 거위 기르는 사람.

góose·nèck *n.* 거위 목처럼 휜 것; 『기계』 S자형 관(管); 『해사』 =DAVIT. ㊞ **-nècked** [-t] *a.*

gooseneck lámp 거위목 스탠드 《목이 자유롭게 굽는 전기스탠드》.

góose pìmples 〔**skìn**〕 =GOOSEFLESH.

góose quìll 거위 깃(펜).

góose stèp 무릎을 굽히지 않고 발을 높이 들어 행진하는 보조; (신병의) 평형 훈련《한쪽 발을 들어 앞뒤로 흔듦》.

góose-stèp (**-pp-**) *vi.* goose step식 보조로 행진하다.

gooseneck lamp

goos(·e)y [gúːsi] (**goos·i·er; -i·est**) *a.* **1** 거위 같은; 어리석은; 겁 많은; 신경질적인(nervous). **2** 금세 놀라는 〔소동이 벌어지는〕; 곧 소름이 끼치는; (말 따위가) 흥분하는. 「를 꾸짖는 말》.

goos·ey, -ie *n.* 《소아어》 거위; 바보! 《어린이

góo spòt 《미경찰속어》 부패한 시체.

goo·zle [gúːzəl] *n.* 《방언》 목(구멍)(guzzle).

G.O.P., GOP 《미》 Grand Old Party (공화당).

Gopher [góufər] 『컴퓨터』 고퍼《텍스트 정보·화상·음성 정보도 취급하는 메뉴 형식의 정보 검색 시스템》.

go·pher[1] *n.* **1** 『동물』 뒤쥐《굴을 파고 땅속에서 삶; 북아메리카산》; 들다람쥐의 일종《북아메리카 서부산》; 미국 남부 해안의 땅에서 사는 거북(=∠ **tòrtoise**). **2** (보통 G-) 《미》 Minnesota 주 사람. **—** *vt.* 『채광』 (무질서하게) 굴을 파다, 채광하다. 「멍청이.

go·pher[2] *n.* 《미속어》 졸때기; 금고털이; 금고;

go·pher[3] *n.* 《미속어》 부지런한 사람《외무원 따위》; 사동(使童).

gópher bàll 《야구속어》 홈런을 칠 수 있는 절호의 투구(投球). 「별칭.

Gópher Státe (the ~) 미국 Minnesota 주의

gópher wòod 노아(Noah)의 방주(方舟)를 만든 나무《소나무·전나무 종류라고 상상됨: 창세기 VI: 14》.

go·pik [góupik] (*pl.* **~, ~s**) *n.* 고피크《아제르바이잔의 화폐 단위; =1/100 manat》.

go·ral [gɔ́ːrəl] *n.* 『동물』 히말라야 영양(羚羊).

Gor·ba·chev [gɔ́ːrbətʃɔ̀ːf, -tʃɑ́f/-tʃɔ́f] *n.* **Mikhail Sergeyevich ~** 고르바초프(1931-) 《옛 소련 공산당 서기장, 대통령(1990-91)》.

gor·bli·m(e)y [gɔːrbláimi] 《영속어》 *int.* 빌

어먹을, 젠장. — *a.* 야비한.

gor·cock [gɔ́ːrkàk/-kɔ̀k] *n.* 〖조류〗 붉은뇌조(雷鳥)의 수컷.

Gór·di·an knót [gɔ́ːrdiən-] (the ~) Phrygia 국왕 Gordius의 매듭《Alexander 대왕이 칼로 끊어 버렸음》; 어려운 문제. ***cut the*** **~** 비상 수단으로 어려운 일을 해결하다.

górdian wórm 〖동물〗 선형충(線形蟲)(=**gòr-diácean**).

Górdon Bénnett *int.* 《구어》 저런, 이거 놀랍군《놀라움을 나타내는 고풍스러운 표현》. ★ Gordon Bennet은 *New York Herald*의 경영자, God의 대용으로 쓰임.

Gore [gɔːr] *n.* **Albert Arnold ~** 고어《미국의 정치가, Clinton 정부의 부통령; 1948- 》.

gore[1] *n.* Ⓤ 《문어》 (상처에서 나온) 피, 엉긴 피, 핏덩이; 《구어》 유혈 싸움.

gore[2] *n.* 삼각형의 헝겊; (옷의) 깃, 섶; 삼각형의 땅. — *vt.* …에 옷깃을 달다.

gore[3] *vt.* (뿔·엄니 따위로) 찌르다; 받다, (바위가 배의 옆구리 따위를) 들이받다〔꿰뚫다〕.

Gore-Tex [gɔ́ːrtèks] *n.* 고어텍스《특수 등산복 소재 방습성 섬유; 상표명》.

gorge [gɔːrdʒ] *vt.* 《~+목/+목+전+명》 게걸스레 먹다; 배불리 먹다; 실컷 먹이다; 가득 채우다, 틀어막다: ~ beer 맥주를 벌컥벌컥 마시다 / ~ oneself *with* cake 과자를 게걸스레〔배불리〕 먹다. — *vi.* 《~/+전+명》 포식하다, 걸신들린 듯 먹다, 듬뿍 마시다: ~ *on* good dinners 좋은 음식을 실컷 먹다. — *n.* **1** 골짜기(ravine). **2** 《고어·문어》 식도(食道)(gullet), 목구멍. **3** 〖축성(築城)〗 능보(稜堡)·외보(外堡)의 뒤쪽 입구. **4** 왕성한 식욕; 배불리 먹음; 탐식, 포식; 삼킨 음식물. **5** Ⓤ 메스꺼움; 불쾌; 분통, 원한. **6** (시냇물·통로 등을) 막는 방해물. ***cast*** 〔***heave, vomit***〕 one***'s* ~ *at*** …을 보고 구역질하다; …을 몹시 싫어하다. ***make*** a person***'s* ~ *rise*** …에게 구역질이 나게 하다, 혐오〔분노〕를 느끼게 하다. one***'s* ~ *rises at ...*** …을 보고 속이 메스꺼워지다. ㊞ **górg·er** *n.*

gorged *a.* (동물의) 목 둘레에 고리처럼 감은.

*__gor·geous__ [gɔ́ːrdʒəs] *a.* **1** 호화로운, (문장 따위가) 찬란한, 눈부신, 화려한: a ~ sunset. **2** 《구어》 멋진, 훌륭한: a ~ meal 훌륭한 음식 / a ~ actress 매력적인 여배우. ㊞ **~·ly** *ad.* **~·ness** *n.*

gor·ger·in [gɔ́ːrdʒərin] *n.* 〖건축〗 (도리스식의) 주신(柱身)과 주두(柱頭)의 접합부《목 모양의 부분》.

gor·get [gɔ́ːrdʒit] *n.* **1** 〖역사〗 (갑옷의) 목가리개. **2** (옛 여성복의) 목〔가슴〕가리개; 장식 깃; (여성의, 또는 장교 예장용의) 초승달 모양의 목걸이; (새의) 목의 얼룩무늬: a ~ patch (군복의) 금장(襟章). **3** 〖의학〗 메스의 일종《방광결석 등의 수술에 쓰이는》.

gor·gio [gɔ́ːrdʒou] (*pl.* **~s**) *n.* 집시 아닌 사람《집시 용어》.

Gor·gon [gɔ́ːrgən] *n.* 〖그리스신화〗 고르곤《머리가 뱀이며, 보는 사람을 돌로 변화시켰다는 세 자매의 괴물》; (g-) 무서운 여자, 추녀. ㊞ **Gor-go·ni·an** [gɔːrgóuniən] *a.* 고르곤 같은, 아주 무서운. **gor·gon·ize** [gɔ́ːrgənàiz] *vt.* 고르곤처럼 노려보다; 노려보아 돌로 변하게 하다.

Gor·gon·zo·la [gɔ̀ːrgənzóulə] *n.* 치즈의 일종(=**∠ chéese**)《이탈리아 Gorgonzola 산(産)》.

gor·hen [gɔ́ːrhèn] *n.* 〖조류〗 붉은뇌조의 암컷. ⓒⓕ gorcock.

°**go·ril·la** [gəríla] *n.* 〖동물〗 고릴라; 《구어》 (고릴라 같이) 힘이 세고 포학한 남자; 《속어》 악한, 폭력배(ruffian, thug), 갱(gang). — *vt.* 《미속어》 (사람에게서) 훔치다, 빼앗다; (사람을) 기습하다, 덤벼들다, 때리다. ㊞ **go·ríl·li·an, go·ríl·line** [-liən], [-lain, -lən] *a.* **go·ríl·loid** *a.*

górilla pìll 《속어》 바르비탈계 약제 등의 진정제.

gork [gɔːrk] *n.* 《속어》 (노령·사고·질병 따위로) 뇌 기능이 마비된 사람, 식물인간.

Gor·ki, -ky [gɔ́ːrki] *n.* **Maxim ~** 고리키《러시아의 극작가·소설가; 1868-1936》.

gor·mand [gɔ́ːrmənd] *n.* =GOURMAND.

gor·man·dize [gɔ́ːrməndàiz] *vt., vi.* 많이 먹다, 폭식하다, 게걸스럽게 먹다(gorge). ㊞ **-dìz-er** *n.* 대식가(大食家).

gorm·less [gɔ́ːrmlis] *a.* 《영구어》 얼뜬, 아둔한.

gorp [gɔːrp] *n.* 《미》 고프《건포도, 땅콩, 초콜릿 따위를 섞어 굳힌 등산가·운동가 등을 위한 휴대용 식품》. — *vt., vi.* 게걸스럽게 먹다.

gorse [gɔːrs] *n.* Ⓤ 〖식물〗 가시금작화(의 숲, 덤불). ㊞ **gorsy** [gɔ́ːrsi] *a.*

gory [gɔ́ːri] (***gor·i·er; -i·est***) *a.* 피투성이의(bloody); 유혈이 낭자한, 잔학한, 처참한《전쟁·소설 등》: a ~ battle 혈전(血戰) / a ~ film 잔혹 영화. ㊞ **gór·i·ly** *ad.* **-i·ness** *n.*

gosh [gaʃ/gɔʃ] *int.* 아이코, 큰일 났군, 기필코(by ~!)《놀람·맹세를 나타냄》. [◂God]

gos·hawk [gáshɔ̀ːk/gɔ́s-] *n.* 〖조류〗 새매류.

gósh·dárn *int.* 체, 시시해(goddamn).

Go·shen [góuʃən] *n.* 〖성서〗 고센 땅《이스라엘 민족이 거주한 이집트의 옥토; 창세기 XLV: 10》; 기름진 땅, 낙토(樂土).

gó-shòw *n.* 〖항공〗 고쇼《사전 예약 없이 여객기에 탑승하러 가기; 종종 공석 대기(standby)가 됨》. ★ 이러한 승객을 go-show passenger라고 함. ⓒⓕ no-show.

gos·ling [gázliŋ/gɔ́z-] *n.* 새끼 거위; 풋내기. ***a gone*** **~** 가망이 없는 사람〔물건〕.

gó-slów *n.* 《구어》 완만〔신중〕한 움직임〔변화〕; 《구어》 점진주의〔정책〕; 《영》 태업(전술)(《미》 slowdown). ㊞ **~·er** *n.*

°**gos·pel** [gáspəl/gɔ́s-] *n.* **1** (예수가 가르친) 복음; 예수 및 사도들의 가르침; 기독교의 교의(教義): preach the ~ 예수의 가르침을 설교하다. **2** (G-) 복음서《Matthew, Mark, Luke, John의 네 권》; 복음 성경《미사 때 낭독하는 복음서의 일부》. **3** (절대의) 진리, 진실. **4** (행동 지침으로서의) 주의(主義), 신조: the ~ of efficiency 〔laissez-faire, soap and water〕 능률〔방임, 청결〕주의. **5** 복음 성가(~ song). ***take*** a thing ***as*** 〔***for***〕 **~** 무엇을 진실이라고 굳게 믿다. — *a.* 복음서에 의한, 그 가르침에 맞는; 복음 성가의. — *vt., vi.* (…에) 복음을 전하다(evangelize). ㊞ **~·ize** *vt.* 전도하다.

góspel bòok (성찬식에서 낭독되는) 복음서의 발췌.

gós·pel·er, 《영》 **-pel·ler** *n.* 미사 때에 복음서를 낭독하는 사람; 복음 전파자〔전도자〕; 복음서의 작자; 순회 설교사: a hot ~ 열렬한 선전가; 열광적인 전도사.

góspel òath 성서에 의한 굳은 선서《복음서에 손을 얹고 하는 선서》.

góspel-pùsher *n.* 《미속어》 설교자, 목사.

góspel sìde (the ~) 제단의 복음서를 읽는 쪽〔북쪽〕. ⓞⓟⓟ *epistle side*.

góspel sòng 복음 성가; 가스펠 송《흑인의 종교 음악》.

góspel trúth 복음서에 있는 진리; 절대적인 진리〔사실〕.

Gos·plan [gasplǽːn/gɔs-] *n.* (옛 소련의) 국가계획 위원회. [◂ *Gos*udarstvennyi *Plan*ovy]

go·spo·din [*Russ.* gəspadʲín] (*pl.* ***-po·da*** [*Russ.* -spadá]) *n.* 《Russ.》 Mr.에 상당하는 경칭(lord).

gos·port [gáspɔ̀ːrt/gɔ́s-] *n.* 〖항공〗 (조종석 사이의) 기내 통화관(通話管)(=**∠ tùbe**).

gos·sa·mer [gásəmər/gɔ́s-] *n.* **1** Ⓒ (공중에

떠 있거나, 풀 같은 데 걸려 있는) 잔 거미집〔줄〕. **2** [C] 가볍고 약한 것, 섬세한〔가냘픈, 덧없는〕 것; [U] 얇은 천, 얇은 사(紗)〔가제〕; [U] 《미》 얇은 방수포 · 레인코트 따위; [C] 《영》 가벼운 실크해트: the ~ of youth's dream 젊은 날의 덧없는 꿈. **—** *a.* 잔 거미집 같은; 가볍고 얇은; 박약한; 얇고 부드러운, 섬세한, 덧없는. ㊕ **~ed** *a.* **gós·sa·mery** [-məri] *a.*

*__gos·sip__ [gásip/gɔ́s-] *n.* **1** [C] 잡담(chatter), 한담, 세상 이야기; [U] 남의 소문 이야기, 험담, 뒷공론; [U] (신문의) 가십, 만필(漫筆): a ~ writer 가십 기자 / have a friendly ~ with a neighbor 이웃과 세상 이야기를 정답게 하다. **2** 수다쟁이; 떠버리《특히 여자》. **3** 《고어 · 방언》 친구《특히 여자》; =GODPARENT. ◇ gossipy *a.* **—** *vi.* 《~/+[전]+[명]》 잡담〔한담〕하다; (남의 일을) 수군거리다《*with*》; 가십 기사를 쓰다《*about*》: She's always *~ing with* her friends *about* her neighbors. 그녀는 늘 친구들과 이웃 사람들에 대한 소문을 이야기하고 있다. ㊕ **~·er** *n.* 수다쟁이. **~·ing** *a.* 수다를 떠는, 잡담체의.

góssip còlumn (신문 · 잡지의) 가십난.

góssip·mònger *n.* 수다쟁이, 소문을 퍼뜨리는 사람.

gos·sip·ry [gásəpri/gɔ́s-] *n.* [U] **1** 잡담, 남의 소문 이야기. **2** 《집합적》 수다쟁이들; 《고어》 친밀, 가까운 사이(intimacy).

gos·sipy [gásəpi/gɔ́s-] *a.* 수다스러운, 말하기 좋아하는; 잡담풍의; (신문 · 잡지 따위가) 가십 기사가 많이 실려 있는.

GOSS·link [gásliŋk/gɔ́s-] *n.* [U] 《미》 고스링크 《복역자를 자택에서 복역시키기 위한 전자 장치》.

gos·soon [gasúːn/gɔs-] 《Ir.》 *n.* 소년, 젊은이; 심부름하는 아이, 머슴.

gos·sy·pol [gáːsəpɔ̀ːl, -pàl / gɔ́səpɔ̀l] *n.* 고시폴《면실유에서 유도한 독성 색소》.

gó-stòp *n.* 《영》 고스톱 정책(stop-go), 교호적(交互的) 경기 조정책《경제의 수축과 확대를 번갈아 되풀이하는 재정 정책》.

†**got** [gat/gɔt] GET의 과거 · 과거분사.

GOT 〖의학〗 glutamic oxaloacetic transaminase《간(肝)이나 근(筋)에 함유되어 있는 효소; 간염 등의 지표(指標)로 쓰임》.

Goth [gaθ/gɔθ] *n.* **1** (the ~s) 고트족(族)《3–5 세기경에 로마 제국을 침략한 튜턴계의 한 민족》, 고트 사람. **2** (g-) 야만인(barbarian), 무법자. **3** (g-) 〖음악〗 고트《신비적이며 종말론적인 가사와 신음하는 듯한 저음을 바탕으로 한 영국식 록 음악의 하나》.

Goth., goth. Gothic.

Goth·am *n.* **1** [gátəm, góuθ-/góut-] 고텀 읍(邑)《옛날에 주민이 모두 바보였다고 전해오는 잉글랜드의 한 읍》; 잉글랜드 Newcastle시의 속칭. **2** [gáθəm, góuθ-/góuθ-, gɔ́θ-] 미국 뉴욕시의 속칭. ***a wise man of ~*** 고텀 읍의 현인《바보》. ㊕ **Góth·am·ite** [gáθəmàit, góuθ-/góuθ-, gɔ́θ-] *n.* **1** 고텀 사람; 바보. **2** 《우스개》 뉴욕 시민.

*__Goth·ic__ [gáθik/gɔ́θ-] *a.* **1 a** 〖건축 · 미술〗 고딕 양식의《(1) 12–16 세기 서유럽에서 널리 행해진 건축 양식. (2) 13–15 세기에 특히 북유럽에서 행해진 회화 · 조각 · 가구 등의 양식》. **b** 〖문예〗 고딕풍의《괴기 · 공포 · 음산 등의 중세기적 분위기》. **2** 〖인쇄〗 고딕체의. [cf.] roman, italic. **3** 고트인의〔같은〕; 고트어의. **4 a** (종종 g-) 《때로 경멸》 (그리스 · 라틴에 대하여) 중세의. **b** 무교양의, 야만스러운, 풍류 없는, 촌스러운. **—** *n.* [U] 고트 말; (보통 g-) 〖인쇄〗 고딕(자(字)체); 〖건축〗 고딕 양식《뾰족한 지붕과 아치를 특색으로 하는 중세 후기의 양식》; (종종 g-) 고딕풍의 작품《영화 · 소설 등》. ㊕ **-i·cal·ly** *ad.* **~·ness** *n.*

Góthic árch 〖건축〗 고딕 아치《끝이 뾰족함》.

Góthic árchitecture 고딕 (양식의) 건축.

Goth·i·cism [gáθəsìzəm/gɔ́θ-] *n.* [U] 고딕식; 고딕 취미; (때로 g-) 야만(rudeness), 조야(粗野); [C] 고트 말의 어법. ㊕ **Góth·i·cist** *n.*

goth·i·cize [gáθəsàiz/gɔ́θ-] *vt.* …을 고딕식으로 하다, 중세풍으로 하다.

Goth·ick [gáθik/gɔ́θ-] *a.* 《영》 (종종 g-) 〖문예〗 고딕풍의. ㊕ **goth·ick·ry** [gáθikri/gɔ́θ-] *n.* 《영》 (소설 · 영화 등의) 고딕풍의 주제〔분위기, 문체〕, 고딕조(調).

Góthic nóvel 고딕 소설《18 세기 후반부터 19 세기 초기까지 영국에서 유행하였던 괴기 · 공포 소설》.

Góthic Revíval 고딕 복고조.

Góthic týpe 〖인쇄〗 고딕 활자체. ★ 《영》에서는 black letter, 《미》에서는 sanserif를 지칭하는 경우가 많음.

gó-to gúy 《구어》 (팀을 이끄는) 주력 선수.

gó-to-méeting *a.* 교회 갈 때의, 나들이용의 《옷 · 모자 따위》.

gó-to òffice 《미구어》 (무엇을 하기에) 최적의 장소.

got·ta [gátə/gɔ́tə] 《발음 철자》 《구어》 got a, got to.

got·ten [gátn/gɔ́tn] 《미》 GET의 과거분사. ★ 영국에서는 ill-*gotten* 따위 복합어 이외에는 잘 안 쓰며, 미국에서는 *got*와 병용함.

gótten-ùp *a.* 《영》 =GOT-UP.

Göt·ter·däm·me·rung [gàtərdǽmərùŋ/gɔ̀t-] *n.* **1** 〖게르만신화〗 신들의 황혼《거인족〔악의 세력〕과의 최후의 결전에 있어서의 신들과 만물의 멸망》. **2** (정체 · 사회 질서 등의) 전면적 붕괴.

gót-ùp *a.* 《영》 꾸민; 만든, 인공적인; 가짜의, 위조의: a ~ affair 꾸민 일, 짬짜미 / hastily ~ 벼락치기로 만든 / a ~ match 짜고 하는 경기.

gouache [gwaːʃ, guaːʃ] *n.* 《F.》 구아슈《아라비아 고무 따위로 만든 불투명한 수채화 채료》; 구아슈 수채화(법).

Góu·da (chéese) [gáudə(-)] *n.* 치즈의 일종《네덜란드 원산》.

gouge [gaudʒ] *n.* **1** 둥근정, 둥근끌; (둥근끌로 판) 홈, 구멍; 정으로 쫌. **2** 《미구어》 사기(swindle); 사기꾼(swindler); 금품의 강요, 부당 착취. **3** 〖지학〗 단층(斷層) 점토. **—** *vt.* 둥근끌로 파다; (코르크를) 둥글게 잘라내다《*out*》, 도랑을 뚫어 내다; (눈알 따위를) 도려내다《*out*》; 《미구어》 착취하다, (돈을) 사기치다, (남에게) 터무니없는 값으로 바가지 씌우다.

gou·lash [gúːlaːʃ, -læʃ] *n.* **1** 맵게 한 쇠고기와 야채의 스튜 요리. **2** 〖카드놀이〗 브리지 놀이에서 네 사람에게 다시 패를 나눔.

góulash cómmunism 소비 물자 생산에 의해 서민의 생활 수준 향상을 강조하는 형태의 공산주의《옛 헝가리식 따위》. ㊕ **-nist** *n.*

Gou·nod [gúːnou] *n.* **Charles François ~** 구노《프랑스의 작곡가; 1818–93》.

gourd [gɔːrd, guərd/guəd] 〖식물〗 *n.* 호리병박《열매 또는 그 식물》; 조롱박: the bottle ~ 호리병박 / the dishcloth 〔sponge, towel〕 ~ 수세미외 / the white ~ 동아. ***saw ~s*** 《미남부 속어》 코를 골다. 「G., Gde》.

gourde [guərd] *n.* Haiti의 화폐 단위《생략:

góurd·fùl *n.* 표주박 한 잔의 분량.

gour·mand [gúərmənd] *n.* 《F.》 대식가(大食家)(glutton); 미식가(美食家), 식도락가, 식통(食通)(gourmet). **—** *a.* 미식의, 대식의.

gour·man·dise [gùərməndíːz] *n.* 《F.》 미식을 즐김, 식도락. 「식주의, 식도락.

gour·mand·ism [gúərməndìzəm] *n.* [U] 미

gour·met [guərméi, ⌐-/⌐-] *n.* 《F.》 요리나 술

의 맛에 감식력이 있는 사람, 식통(食通), 포도주 통(通); 미식가: ~ food 고급 식료품. **—** *a.* 미식가의, 미식가를 위한; 미식가를 위한 요리용의.

gout [gaut] *n.* (종종 the ~) 〚의학〛 통풍(痛風) 《팔 · 다리 따위에 염증을 일으켜 아픔》; (특히 피의) 방울(drop), 응혈(凝血)(clot), 얼룩(spot).

goût [gu:] *n.* 《F.》 U,C 맛; 취미(taste), 기호; 감식(력).

gouty [gáuti] (***gout·i·er; -i·est***) *a.* 통풍(痛風)의; 통풍에 걸린〔을 일으키기 쉬운〕; 통풍과 같은. ㊞ **góut·i·ly** *ad.* **-i·ness** *n.*

Gov., gov. government; governor.

***gov·ern** [gʌ́vərn] *vt.* **1** (국가 · 국민 등을) 통치하다, 다스리다(rule): the *~ed* 피치자(被治者).

> SYN. **govern** 질서 유지 · 복지 증진이라는 좋은 의미에서 국사 · 국민을 지휘 통치함. **reign** 주권을 잡고 통치함. 이른바 '군림하다'의 뜻. **rule** 독재적으로 통치함.

2 (공공 기관 따위를) 지배하다, 운영하다, 관리하다(control): ~ a public enterprise 공공 기업을 운영하다. **3** 《~+목/목+전+명》 (결의 · 행동 따위를) 좌우하다(sway); (운명 따위를) 결정하다(determine): Never let your passions ~ you. 결코 감정에 지배받지 마라/Prices are *~ed* by supply and demand. 물가는 수요와 공급의 관계로 좌우된다. **4** (격정 따위를) 억제하다, 누르다(restrain): He couldn't ~ his temper. 그는 치밀어오르는 노여움을 누를 수 없었다. **5** (법률이) …에 적용되다. **6** 〚문법〛 (동사 · 전치사가 격 · 목적어를) 지배하다. **7** 〚기계〛 (기계를) 제어하다, (기관의) 속력을 조절하다(adjust). **—** *vi.* 통치하다; 정무(政務)를 보다; 지배하다; 지배적이다: The king reigns but does not ~. 왕은 군림하되 통치하지 않는다. ~ one*self* 자제하다, 처신하다.

gòv·ern·a·bíl·i·ty *n.* U 통치할 수 있는 상태, 자기 관리 능력.

gov·ern·a·ble *a.* 통치〔지배 · 관리〕할 수 있는; 억제할 수 있는; 순응성이 있는. ㊞ **~·ness** *n.*

gov·ern·ance [gʌ́vərnəns] *n.* U 통치, 통할; 관리, 지배; 제어; 통치법〔조직〕, 관리법〔조직〕.

gov·ern·ess [gʌ́vərnis] *n.* **1** (특히, 입주하는) 여자 가정교사《*to; for*》. cf. tutor. ¶ a daily 〔resident〕 ~ 통근〔입주〕 여가정교사/⇨ NURSERY GOVERNESS. **2** 여성 지사〔총독〕, 여성 행정 장관; 《고어》 지사〔행정 장관〕 부인. **—** *vt., vi.* (…의) 여가정교사 일을 보다.

góverness càr 〔**càrt**〕 《영》 맞좌석이 되어 있는 2 륜 마차.

gov·er·nessy [gʌ́vərnisi] *a.* 여성 가정교사식의, 엄숙한 체하는, 새침떠는.

góv·ern·ing *a.* 통치하는; 지배하는; 통제하는; 지도적〔지배적〕인: the ~ body (병원 · 학교 따위의) 관리부, 이사회/the ~ classes 지배 계급.

†gov·ern·ment [gʌ́vərnmənt] *n.* **1** (G-) 《영》 정부, 내각(《미》 Administration): *Government* circles 관변(官邊)/form a ~ 《영》 조각(組閣)하다. **2** U 통치(권), 행정(권), 지배(권); 정치; 정체, 통치 형태: We prefer democratic ~. 우리는 민주 정체를 선택한다/Strong ~ is needed. 강력한 통치가 필요하다. **3** (공공 기관의) 관리, 지배; 규제. **4** 《폐어》 분별 있는 행동. **5** 통치 구역, 관할 구역, 영토, 국가. **6** U 〚문법〛 지배. **7** (*pl.*) 《미》 공채 증서. ***be in the ~ service*** 국가 공무원이다. ***under the ~ of*** …의 관리 아래.

°gov·ern·men·tal [gʌ̀vərnméntl] *a.* 정치의, 통치상의; 정부의; 관립〔관영〕의: He's in ~ employment. 그는 관리 노릇을 하고 있다. ㊞ **~·ly** *ad.* 정부로서, 정치상. **~·ìze** *vt.*

gov·ern·men·tal·ism [gʌ̀vərnméntəlìzm, -tl-] *n.* 정부주도(主導)주의, 정부주의적 경향. ㊞ **-ist** *n.*

gov·ern·ment·ese [gʌ̀vərnməntí:z, -s] *n.* (까다로운) 관청 용어(gobbledygook).

Góvernment Hòuse (또는 g- h-) (the ~) 《영》 (식민지 등의) 지사〔총독〕 관저.

góvernment-in-éxile (*pl.* ***góvernments-***) *n.* 망명 정부〔정권〕.

góvernment íssue (*or* G- I-) 《미》 정부 발행〔발급〕의, 관급(官給)의《생략: G. I.》; 관급품.

góvernment màn 관리; 《특히》 FBI 수사관(G-man); 현정부 지지자.

Góvernment Nátional Mórtgage Associàtion (the ~) 《미》 정부 주택 저당 금고, 정부 저당 협회.

góvernment nóte (정부 발행의) 정부 지폐. 「cf. bank note.

góvernment páper (정부 발행) 국채 증서.

góvernment secúrity (보통 -ties) 정부 증권《정부 발행의 유가 증권; 공채 증서, 재무성 증권 따위》.

góvernment stóck 국채(gilt-edged securrity). 「rity).

góvernment súrplus 정부 불하품.

***gov·er·nor** [gʌ́vərnər] *n.* **1** 통치자, 지배자(ruler). **2** (미국의) 주지사; (영국 식민지의) 총독; 《영》 (관서, 협회, 은행 따위의) 장관, 총재, 이사장; 원장; (요새 · 수비대 따위의) 사령관; 《영》 (교도소의) 간수장(《미》 warden): a civil ~ 민정 장관/the ~ of the Bank of England 잉글랜드 은행 총재/the ~ of the prison 교도소 소장/the board of *~s* 간사회. **3** 《구어》 두목, 두령, 대장; 아버지. **4** 〚기계〛 거버너, 조속기(調速機); (가스 · 증기 · 물 따위의) 조정기: an electric ~ 전기 조속기. **5** 〚낚시〛 얼룩진 날개와 잡색 깃털을 가진 인공 낚싯밥, 제물낚시의 일종.

gov·er·nor·ate [gʌ́vərnərət, -rèit] *n.* governor가 다스리는 지구, 《특히》 Egypt의 5 대 행정 구역의 하나.

góvernor-eléct *n.* (취임 전의) 새 지사〔총독〕, 지사 당선자, 차기(次期) 지사〔총독〕.

góvernor-géneral *n.* 《영》 (식민지 등의) 총독; 지사, 장관. ㊞ **~·ship** *n.* U ~의 직〔임기〕.

góvernor's cóuncil 지사〔총독〕 자문 위원회.

gov·er·nor·ship [gʌ́vərnərʃìp] *n.* U 지사 · 장관 · 총재의 직〔임기, 지위〕.

Gov.-Gen. Governor-General. **Govt., Gov't., govt.** government.

gow·an [gáuən] *n.* 《Sc.》 〚식물〛 데이지《국화과》. 「과》.

gowk [gauk] 《Sc.》 *n.* 뻐꾸기(cuckoo); 바보, 멍청이: give a person the ~ 아무를 업신여기다.

***gown** [gaun] *n.* **1** 가운, 긴 웃옷; (여성의) 야회용 드레스, 로브(evening ~). **2** (여성의) 잠옷, 실내복; (외과 의사의) 수술복. **3** (판사 · 변호사 · 성직자 · 대학교수 · 졸업식 때 대학생 등이 입는) 가운: a judge's ~ 판사복/in cap and ~

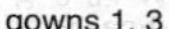

gowns 1, 3

대학의 예복〔가운〕으로/in wig and ~ 법관의 정장으로. **4** (옛 로마의) 겉옷(toga). **5** (the ~) 〖집합적〗 법관, 성직자; 대학 사람들, 대학인: town and ~ 《영》 (대학 도시에서의) 시민과 대학 관계자. ***arms and*** ~ 전쟁과 평화. ***take the*** ~ 성직자〔변호사〕가 되다. **—** *vt.* 〖~ oneself 또는 과거분사 꼴로〗 …에게 가운을 입히다. **—** *vi.* 가운을 입다. ㊕ **~ed** *a.* 가운을 입은: ~*ed* war 법정 투쟁.

gówns·man [-mən] (*pl.* ***-men*** [-mən]) *n.* **1** (직업·지위를 나타내는) 가운을 입는 사람《법관·변호사·성직자 따위》. **2** (주로 학교 내 거주의) 대학 관계자; (군인에 대하여) 문민(文民).

gox [gɑks/gɔks] *n.* 기체 산소(gaseous oxygen).

g. ox. gaseous oxygen.

goy [gɔi] (*pl.* ***~·im*** [gɔ́iim], ***~s***) *n.* (유대인의 견지에서 본) 이방인, 이교도(gentile).

Go·ya [gɔ́iə] *n.* **Francisco José de ~** 고야 《스페인의 화가; 1746-1828》. ㊕ **Go·yaesque, Go·yesque** [gɔ̀iəésk], [gɔijésk] *a.* 고야풍의 《공상적이고 괴기한》.

goy·ish, -isch [gɔ́iiʃ] *a.* goy의〔같은〕, 이교도의: a ~ girl 〔woman〕.

GP, G.P. Gallup Poll (《미》 갤럽 여론조사); general practitioner; Gloria Patri; Graduate in Pharmacy; *Grand Prix* 《F.》. **gp, gp.** group. **GPA** grade point average. **gpd** gallons per day. **GPH, gph, g.p.h.** gallons per hour. **GPI, G.P.I.** general paralysis of the insane; 〖항공〗 ground position indicator. **GPIB** 〖컴퓨터·전자〗 general purpose interface bus. **GPM** graduated payment mortgage. **GPM, gpm, g.p.m.** gallons per minute. **GPO** Government Printing Office. **G.P.O.** General Post Office. **GPS** 〖미군사〗 Global Positioning System (전지구 위치 파악 시스템). **GPS, gps, g.p.s.** gallons per second. **GPSS** 〖컴퓨터〗 General Purpose Simulation System (범용(汎用) 시뮬레이션 시스템). **GPT** 〖심리〗 group projective test; 〖의학〗 glutamic pyruvic transaminase《간세포 등에 존재하는 효소; GOT와 함께 간염 상태의 지표임》. **GPU** General Postal Union; 〖항공〗 ground power unit (지상 동력 장치). **G.P.U.** [dʒìːpìːjúː, gèipèiúː] 《Russ.》 Gay-Pay-Oo. **GPWS** 〖항공〗 ground proximity warning system. **GQ** 〖해운〗 General Quarters. **Gr.** Grecian; Greece; Greek. **gr.** grade; grain(s); gram(s); grammar; grand; great; gross; group. **G.R.** 〖군사〗 General Reserve; *Georgius Rex* 《L.》 (=King George).

Gráaf·i·an fóllicle 〔**vésicle**〕 [gráːfiən-] 〖해부〗 그라프 여포(濾胞).

grab** [græb] (-bb-***) *vt.* **1** 《~+목/+목+전+명》 움켜잡다; 잡아채다; 붙잡다, (기회 따위를) 놓치지 않고 잡다: ~ a purse 지갑을 낚아채다/~ power 기회를 놓치지 않고 권력을 잡다/He ~*bed* me *by* the arm. 그는 내 팔을 붙잡았다. SYN. ⇨TAKE. **2** 《~+목/+목+전+명》 횡령하다, 가로채다, 빼앗다: ~ the property *from* a person 아무에게서 재산을 횡령하다. **3** 《속어》 (강한) 인상을 주다, (남의) 마음을 사로잡다: ~ an audience 관중을 매료하다/How does that ~ you? 그것에 대한 인상은 어떠했지; 마음에 들었나. **4** (…을) 서둘러서 잡다〔이용하다〕: ~ a taxi 〔shower〕 급히 택시를 잡다〔샤워를 급히 하다〕. **—** *vi.* 《+전+명》 덮치다《*at*》; 손을 쑥 뻗치다 《*for*》: ~ *at* a chance 기회를 잡다. **~ *off*** 《구어》 (남보다) 먼저 낚아채다. **—** *n.* **1** 움켜 쥐기; 잡아〔가로〕채기; 횡령; (특히 정치·경제상) 약탈 행위: a policy of ~ 약탈 정책/make a ~ *at* 〔*for*〕 …을 잡아채다, …을 가로채다. **2** 〖기계〗 그랩 버킷《준설용의》, 집(어 올리)는 기계. **3** 《영》 아이들의 카드놀이의 일종. ***get*** 〔***have***〕 ***the ~ on*** 《영속어》 …보다 유리한 지위를 차지하다, …보다 뛰어나다. ***up for ~s*** 《구어》 (경매품·상·지위 따위를) 쉽게 손에 넣을 수 있는.

gráb bàg 《미》 보물 뽑기 주머니, 복주머니(《영》 lucky bag); 《구어》 잡다한 것.

gráb bàr (욕실의 벽 따위에 붙인) 가로대.

gráb·ber *n.* 욕심쟁이; 강탈자; 움켜잡는 사람; 매우 재미있는 것, 흥미를 끄는 것, 간담을 서늘케 하는 것: We need a ~ to lead off our first issue. 우리는 창간호를 장식할 홍밋거리 기사가 필요하다.

grab·ble [grǽbəl] *vi.* 손으로 더듬(어 찾)다; 기다; 기면서 찾다《*for*》. **—** *vt.* 움켜잡다(seize). ㊕ **gráb·bler** *n.*

grab·by [grǽbi] *a.* 《구어》 욕심 많은, 탐욕스러운.

gra·ben [gráːbən] (*pl.* ***~s,*** ~) *n.* 《G.》 〖지학〗 지구(地溝).

Grace [greis] *n.* 그레이스《여자 이름》.

****grace** [greis] *n.* Ⓤ **1** 우미, 우아(優雅); 얌전함, 품위(delicacy, dignity, elegance): with ~ 얌전〔우아〕하게. **2** (문체 등의) 세련(polish), 아치(雅致). **3** (*pl.*) 미점, 매력, 장점; 도덕적 힘: the ~ *to* perform a duty 의무를 수행하는 윤리감/have all the social ~*s* 사교상의 매력을 골고루 다 갖추고 있다. **4** 호의, 두둔; (the ~) (…하는) 친절, 아량; 선뜻 …함: She had the ~ *to* apologize. 그녀는 선뜻 사과하였다. **5** (신의) 은총; 은혜, 자비(clemency, mercy): There, but for the ~ of God, go I. 《속담》 하느님의 은혜가 없었더라면 나도 그렇게 되어 있을지 모른다. **6** (식전·식후의) 감사 기도: say ~ (before 〔after〕 meal) (식전〔식후〕의) 기도를 하다. **7** 특사(特赦); (지급) 유예 (기간): with the ~ of three years, 3 년의 유예로/Act of ~ 대사령. **8** Ⓒ 〖음악〗 =GRACE NOTE. **9** (Cambridge, Oxford 대학의) 평의원회의 인가. **10** (G-) 각하, 각하 부인《His, Her, Your 등을 붙여, duke, duchess, archbishop에 대한 경칭》. cf. majesty. **11** (G-) 〖그리스신화〗 미(美)의 3여신의 하나: the (three) *Graces* 미의 3 여신《아름다움·우아·기쁨을 상징하는 3 자매의 여신, 즉 Euphrosyne, Aglaia, Thalia》. **12** 〖출판〗 =ARREARS.

a fall from ~ 실추(를 자초하는 행동). ***airs and ~s*** ⇨AIR. ***by*** (***the***) ~ ***of*** …의 도움〔힘, 덕택〕으로: *by the* ~ *of* God 신의 은총에 의해서《공문서 따위에서 왕의 이름 뒤에 붙임》. ***fall*** 〔***lapse***〕 ***from*** ~ 신의 은총을 잃다, 타락하다; (당치 않은 일을 저질러) 유력자의 후원〔호감〕을 잃다; (재차) 못된〔버릇없는〕 짓을 하다. ***fall out of ~ with*** a person 아무의 호의를 잃다. ***give*** 〔***grant***〕 ***a week's*** ~, 1 주일의 유예를 주다. ***in*** a person***'s good*** 〔***bad***〕 ***~s*** 아무의 총애를〔미움을〕 받아서, …의 마음에 들어서〔안 들어서〕. ***the*** 〔***a***〕 ***state of*** ~ 은총을 입고 있는 상태. ***with*** (***a***) ***bad*** ~ =***with*** (***an***) ***ill*** ~ 싫은 것을 억지로, 마지못하여. ***with*** (***a***) ***good*** ~ 쾌히, 선뜻(willingly). ***the year of*** ~ ⇨YEAR OF GRACE.

— *vt.* **1** 《~+목/+목+전+명》 우미〔우아〕하게 하다, 아름답게 꾸미다; …에게 영광을 주다 《*with*》: She ~*d* the meeting. 그녀가 모임을 화려하게 했다/~ a meeting *with* one's presence 참석하여 모임을 빛내어 주다/~ a person *with* a title 아무에게 작위를 수여하다. **2** 〖음악〗 장식음(音) 또는 카덴차(cadenza)를 더하다.

gráce-and-fávor [-ən-] *a.* (영국에서 주택 따위가) 왕실〔정부〕에서 사용료를 받지 않고 무료로 제공한, 하사받은.

gráce cùp (식후의) 축배; 이별의 술잔.

*__grace·ful__ [gréisfəl] *a.* **1** 우미한, 우아한; 단아한, 품위 있는. SYN. ⇨ ELEGANT. **2** (난처한 상황에서) 정중한, 친절한, 적절한; 솔직한: a ~ apology 명쾌한 사죄. ㊕ **~·ly** *ad.* **~·ness** *n.*

gráce·less *a.* 버릇없는; 염치없는, 야비한, 품위 없는; 사악한; 《고어》 신에게 버림받은, 타락한. ㊕ **~·ly** *ad.* **~·ness** *n.*

gráce nòte 〖음악〗 꾸밈음, 장식음.

gráce pèriod 〖보험〗 (보험료 납입) 유예 기간.

grac·ile [grǽsəl] *a.* 섬세한, 호리호리한, 가냘픈, 날씬한; (홀쭉하고) 우미한. ㊕ **~·ness** *n.*

grac·i·lis [grǽsəlis] (*pl.* ***-les*** [-li:z], **~·es**) *n.* 〖해부〗 박근(薄筋)《넓적다리 안쪽의 근육》.

gra·cil·i·ty [grəsíləti] *n.* 연약함, 가냘픈 아름다움; (문체의) 간소함; 우아함.

*__gra·cious__ [gréiʃəs] *a.* **1** (아랫사람에게) 호의적인, 친절한, 정중한, 은근한: a ~ hostess 친절하고 상냥한 여주인. **2** 자비로우신; 인자하신 《국왕·여왕 등에 대하여 일컬음》. **3** (생활 따위가) 품위 있는, 우아한: ~ living 우아한 생활. **4** (신께서) 은혜가 넘쳐흐르는, 자비심이 많은: a ~ rain 자우(慈雨). **—** *int.* (놀라움을 나타내어) 이키, 이런, 야단났군: Good(ness) ~! = My ~! = *Gracious* goodness! 이키나, 이런, 큰일났군《놀라움·노여움을 나타냄》. ㊕ °**~·ly** *ad.* **~·ness** *n.*

grack·le [grǽkəl] *n.* 〖조류〗 찌르레기류(類).

grad [græd] *n.* 《구어》 (특히 대학의) 졸업생; 《미속어》 대학원생. **—** *a.* 《미속어》 대학원생의.[◂ graduate]

grad. gradient; graduate(d).

gra·date [gréideit, grədéit/grədéit] *vi.*, *vt.* **1** 단계적으로 변하(게 하)다; (색이) 차차 변하(게 하)다; 옮어지(게 하)다. **2** …에 단계를〔등급을〕 매기다: Society is ~*d into* ranks. 사회는 상하의 계층으로 나뉘어져 있다. ◇ gradation *n.*

gra·da·tim [greidéitim] *ad.* 《L.》 점차(by degrees).

°**gra·dá·tion** *n.* **1** Ⓤ 단계〔점차〕적 변화, 점차적 이행(移行); 〖미술〗 (색채·색조의) 바림, 농담법(濃淡法); (사진의) 계조(階調): change by ~ 서서히 변화하다. **2** Ⓤ 계층〔등급〕 매기기, 순서 정하기. **3** Ⓒ (보통 *pl.*) (이행(移行)·변화의) 단계; 순서, 등급, 계급: ~s of decay 부후(腐朽)의 단계. **4** 〖언어〗 모음 전환(ablaut)《보기: drive, drove, driven》. **5** 〖수사학〗 점층법(漸層法). **6** 〖지학〗 (하천의) 평형 작용. ㊕ **~·al** [-ʃənəl] *a.* 순서가 있는, 단계적〔등급적〕인; 점진적인. **~·al·ly** [-ʃənəli] *ad.*

__grade__ [greid] *n.* **1 등급, 계급, 품등; (숙달·지능 따위의) 정도(step, degree); 〖집합적〗 동일 등급〔계급, 정도〕에 속하는 것: persons of every ~ of society 사회의 온갖 계층의 사람들 / a high ~ of intelligence 고도의 지성. SYN. ⇨ RANK. **2** 《미》 (초·중·고등학교의) …학년, 연급(年級)(《영》 form): the first ~ 《미》 초등학교의 1학년. **3** (the ~s) 《미》 = GRADE SCHOOL. **4** (시험 따위의) 성적, 평점(mark). **5** (도로·철도 따위의) 물매, 경사(도); 사면(斜面), 비탈길: easy ~s 완만한 경사 / a steep ~ 가파른 비탈길. **6** 〖수학〗 각도 단위《직각의 1/100》. **7** 〖목축〗 개량 잡종. ***at*** **~** 《미》 같은 수평면에서. ***below*** **~** 《미》 표준 이하의. ***Grade A*** 최고급의, 일류의. ***make the*** **~** 목적을 이루다, 성공〔급제〕하다《'가파른 비탈을 오르다' 에서》; 표준에 달하다. ***on the down*** 〔***up***〕 **~** 내리받이〔치받이〕에, 내리막〔오르막〕에; 쇠퇴〔번영〕하여. ***over*** 〔***under***〕 **~** 《미》 (도로와 철도가 교차할 때) 위쪽〔아래쪽〕에서. ***up to*** **~** (품질이) 표준에 맞는, 규격에 달한, 상품(上品)인.

— *vt.* **1** 등급〔격〕을 매기다, 유별하다, (달걀 등을) 골라 가려내다: Apples are ~*d* according to size and quality. 사과는 크기와 품질에 따라 등급이 매겨진다. **2** (답안을) 채점하다. **3** 《+목+보》 (…에) 평점을 매기다: His paper was ~*d* A. 그의 논문은 A급이었다. **4** …의 물매〔경사〕를 완만하게 하다. **5** (품종 개량을 위해) 교배시키다《*up*》. **6** 〖언어〗 모음 전환에 의해 변화시키다. **—** *vi.* **1** 《+보》 …등급이다: This pen ~*s* B. 이 펜은 B급품이다. **2** 점차 변화하다《*into*》. **3** (모음이) 전환하다. **~ *down*** 〔***up***〕 등급〔계급〕을 내리다〔올리다〕《*to*》. **~ *up with* …** …와 어깨를 겨루다, …에 필적하다.

㊕ **grád·a·ble** *a.*

-grade [grèid] '걷다, 움직이다, 가다' 란 뜻의 결합사: retro*grade*, digiti*grade*, planti*grade*.

gráde crèep 《미》 공무원의 자동적 승진, 연공(年功)에 의한 승진.

gráde cròssing 《미》 건널목, (도로·철도 따위의) 평면 교차(《영》 level crossing): a ~ keeper 건널목지기.

gráde làbeling (상품 등의) 등급 표시.

gráde·ly 《영방언》 *a.* 훌륭한; 완전한; 유망한; 건강한; 잘생긴; 적당한; 진실의. **—** *ad.* 적당히; 주의하여; 정말로.

gráde·màrk *n.*, *vt.* 품질〔등급〕 표시(를 하다).

gráde pòint 《미》 (숫자로 나타낸) 성적 평가점, 성적 평정(評定)의 환산점.

gráde pòint àverage 《미》 성적 평가점 평균《가령, A 2과목, B 4과목, C 2과목이면 평균 3점》.

grad·er [gréidər] *n.* 등급을 매기는 사람; 채점〔평점〕자; 그레이더《땅 고르는 기계》; (농산물 등의) 선별기(選別機); 《미》 (초등학교·중학교의) …(학)년생: a fifth ~, 5 학년생.

gráde 〔**gráded**〕 **schòol** 《미》 초등학교《6년제 또는 8년제》.

gráde separàtion (도로·선로의) 입체 교차.

gráde tèacher 《미》 초등학교 교사.

gra·di·ent [gréidiənt] *n.* (도로·철도 따위의) 경사도, 기울기, 물매; 언덕, 비탈; 〖물리〗 (온도·기압 등의) 변화〔경사〕도(度); 그것을 나타내는 도표〔곡선〕. **—** *a.* 경사져 있는; 걸어다닐 수 있는, 보행성의; 〖문장(紋章)〗 (거북 따위의) 걸음 걷는 모양의.

gra·di·ent·er [gréidièntər] *n.* 측사계(測斜計), 미각계(微角計)《물매 측정용》.

gra·din, gra·dine [gréidin], [grədí:n] *n.* 낮은 계단식 좌석(의 한 단); (교회의) 제단 뒤편의 선반《양초·꽃을 진설하기 위한》.

grad·ing [gréidiŋ] *n.* Ⓤ 〖상업〗 등급 매기기, 가격 정하기; (도로의) 경사 완화; (도로 등의) 땅 고르기, 정지(整地); (콘크리트재(材)의) 입도(粒度); 〖사진〗 계조도(階調度).

Grad. Inst. P. Graduate of the Institute of Physics.

gra·di·om·e·ter [grèidiámətər/-ɔ́m-] *n.* 〖물리〗 (지구 자기(磁氣)·기온 따위의) 경도(傾度) 측정기.

grád schòol 《미구어》 = GRADUATE SCHOOL.

*__grad·u·al__ [grǽdʒuəl/-dʒu-, dju-] *a.* **1** 단계적인, 점차적인, 서서히 하는, 점진적인, 순차적인. **2** (경사가) 완만한. **—** *n.* (종종 G-) 〖가톨릭〗 층계송(層階誦); (미사 중 성가대의) 응창(應唱) 성가집. ㊕ **~·ness** *n.*

grád·u·al·ìsm *n.* Ⓤ 점진주의. ㊕ **-ist** *n.* **gràd·u·al·ís·tic** *a.*

*__grad·u·al·ly__ [grǽdʒuəli/-dʒu-, dju-] *ad.* 차차로, 서서히.

Grádual Psálms 〖성서〗 성전(聖殿)에 올라

가는 노래, 상경송(上京頌)(Song of Degrees 〔Ascents〕)《시편 CXX-CXXXIV의 15 편》.

grad·u·and [grǽdʒuæ̀nd/-dʒu-, -dju-] *n.* 〖영대학〗 졸업〔학위 취득〕 예정자.

grad·u·ate [grǽdʒuèit/-dʒu-, -dju-] *vi.* **1** 《+전+명》《미》 졸업하다(*from*); 《영》 대학을 졸업하여 (학사) 학위를 받다《*at*》: ~ *at* Cambridge 케임브리지 대학을 졸업하다 / He ~*d in* medicine *from* Edinburgh. 그는 에든버러 대학의 의학부를 졸업하였다《in 다음에는 학과명, from 다음에는 학교명》.

NOTE 《영》에서는 학위를 취득하는 대학 졸업인 경우에만 쓰이나, 《미》에서는 대학 이외의 각종 학교에도 쓰임: ~ *from* a school of cookery 요리학교를 졸업하다《《영》에서는 이런 경우 leave school, finish 〔complete〕 the course (of ...)의 형식으로 표현함》.

2 자격을 따다《*as*》. **3** 《+전+명》 (위의 단계로) 나아가다(*from; to*); 점차로 변하다《*into*》: The dawn ~*d into* day. 날이 점점 밝아왔다. **—** *vt.* **1** 《~+목/+목+전+명》《미》 …에게 학위를 주다, 졸업시키다, 배출하다: The university ~*s* 1000 students every year. 그 대학은 매년 1천명의 졸업생을 배출한다 / He was ~*d from* Harvard. 그는 하버드를 졸업했다. ★ 현재는 보통 자동사 용법. **2** …에 등급을 매기다, 계급별로 하다; (과세 따위를) 누진적으로 하다: The income tax is ~*d.* 소득세는 누진적이다. **3** …에 눈금을 매기다: This ruler is ~*d* in centimeters. 이 자는 센티미터 눈금이 매겨져 있다. **4** 〖화학〗 증발시켜 농축하다.
— [grǽdʒuit, -dʒuèit] *n.* **1** (대학) 졸업자; 《미》 대학원 학생(~ student). ★ 미국에서는 대학 이외의 졸업생에게도 씀: high school ~*s* 고등 학교 졸업생 / a ~ *in* economics 경제학부의 졸업생. **2** 〖화학〗 눈금매긴 용기.
— *a.* 졸업생의; 학사 학위를 받은; 《미》 (대학의) 졸업생을 위한, 대학원의: ~ courses 대학원 과정 / ~ students 대학원생.

grád·u·àt·ed [-id] *a.* **1** 등급〔계급〕이 있는, 등급별로〔단계적으로〕 배열한; 눈금을 표시한: a ~ ruler 눈금 박은 자 / a ~ cup 미터 글라스. **2** (세금이) 누진적인, 점증(漸增)하는: ~ taxation 누진 과세.

gráduated cýlinder 〖화학〗 메스실린더《눈금을 매긴 원통형 액체 용적 측정기》.

gráduated detérrence (전략 핵무기 사용의) 단계적 억지 전략.

gráduated léngth mèthod 스키 지도 방법의 하나《기술 향상에 따라 점차적으로 짧은 스키에서 긴 것으로 바꾸어 나감; 생략: GLM》.

gráduated páyment mòrtgage 《미》 (주택 융자의) 경사(傾斜) 상환 방식 부동산 저당《생략: GPM》.

gráduated pénsion 《영》 누진 연금.

gráduate núrse 《미》 유자격〔정규〕 간호사.

gráduate schòol 대학원.

grad·u·a·tion [grӕ̀dʒuéiʃən/-dʒu-, -dju-] *n.* Ⓤ **1** 대학 졸업, 학위 취득; 《미》 (대학 아닌 학교의) 졸업, 졸업식. cf. commencement. ¶ ~ exercises 《미》 졸업식 / hold the ~ 졸업식을 거행하다. **2** 등급 매기기, 등급별. **3** Ⓒ 눈금(긋기). **4** (증발 등에 의한) 농후화(濃厚化); 농축. **5** (색·명암 따위의) 바림. ◇ graduate *v.*

grad·u·a·tor [grǽdʒuèitər/-dʒu-, -dju-] *n.* **1** 눈금 매기는 사람. **2** 눈금 박은 용기; 각도기. **3** 증발 접시.

gra·dus [gréidəs] *n.* 《L.》 운율(韻律) 사전《특히 그리스·라틴어의 시를 쓰기 위한 참고서》; 〖음악〗 (피아노의) 연습곡집, 교칙본.

Grae·ae, Grai·ae [gríːiː], [gréiiː, gráiiː] *n. pl.* 〖그리스신화〗 그라이아이《고르곤(the Gorgons)을 지키는 세 자매; 세 사람이 각각 눈 하나와 이 하나밖에 없음》.

Graecism ⇨ GRECISM.

Graecize ⇨ GRECIZE.

Graeco- ⇨ GRECO-.

graf·fi·ti [grəfíːtiː] *n.* **1** GRAFFITO의 복수. **2** 〖복수취급〗 (공공 도로나 건축물·공중변소 벽 따위의) 낙서; 〖단수취급〗 (총칭적으로) 낙서: These ~ are 〔This ~ is〕 evidence of the neighborhood's decline. 이 낙서는 이 지역 주민들의 퇴폐상을 가리킨다.

graffíti árt 낙서 예술《벽면(壁面) 등에 하는》.

graf·fi·to [grəfíːtou] (*pl.* **-ti** [-tiː]) *n.* **1** 〖고고학〗 긁은 그림〔글자〕《유적의 벽 등에 긁어서 쓴 고대 회화, 문자나 글씨 모양의 긁힌 자국》. **2** 《드물게》 낙서의 낱낱의 예. ㊞ **-fí·tist** *n.*

graft [grӕft, grɑːft/grɑːft] *n.* **1** 접수(接穗), 접가지; 접붙이기; 〖의학〗 이식편(移植片), 이식(移植) 조직. **2** 《영구어》 일, 힘든 일. **3** 《미》 (공무원 등의) 독직, 수회(jobbery, corruption); 부정 이득. **—** *vt., vi.* **1** 접목하다(insert, attach), 접(椄)붙이다《*in; into; on, upon*》; 〖의학〗 (피부 따위를) 이식하다《*on; in; into; onto*》; 결합시키다, 융합시키다: ~ (*on*) a new skin 새로운 피부를 이식하다 / Skin from his back was ~*ed onto* his face. 그의 등의 피부가 얼굴에 이식되었다. **2** 《구어》 독직〔수회〕하다. ㊞ **∠·er** *n.* **1** 접붙이는 사람. **2** 《영구어》 부지런히 일하는 사람. **3** 《구어》 수회자, 부정 이득자〔공무원〕; 사기꾼. **∠·ing** *n.* Ⓤ 접목(법); 〖의학〗 조직 이식(법), (피부) 이식술. 「이기, 접목(법).

graft·age [grǽftidʒ, gráːft-/grɑːft-] *n.* 접붙

gráft hýbrid 〖식물〗 접목(椄木) 잡종.

gráft-vèrsus-hóst disèase 〖의학〗 이식편 대 숙주(移植片對宿主) 질환.

Gra·ham [gréiəm, grӕm/gréiəm] *n.* 그레이엄. **1** 남자 이름. **2 Martha** ~ 미국의 무용가 (1894-1991). **3 Thomas** ~ 스코틀랜드의 화학자《콜로이드 화학의 창시자; 1806-69》. **4 William Franklin** ~ 미국의 복음 전도자《통칭은 Billy ~; 1918-2018》.

gra·ham *a.* 《미》 정맥제(精麥製)가 아닌, 기울이 든, 전맥(全麥)의: ~ bread 전맥(全麥)빵《미국의 목사 S. Graham(1794-1851)의 식이법(食餌法)》. 「일종.

gráham cràcker 전맥(全麥)으로 만든 쿠키의

Gráham's láw (of diffúsion) 〖물리·화학〗 그레이엄의 법칙《일정 온도와 압력하에서 기체의 확산 속도가 분자량의 제곱근에 반비례하는 법칙》.

Grail [greil] *n.* (the ~) 성배(聖杯)(Holy ~) 《예수가 최후의 만찬에 사용하였다고 함; Arthur 왕 전설 중의 원탁 기사(圓卓騎士)는 이것을 찾으려고 하였음》; (g-) 큰 접시(platter).

grail *n.* 《고어》 =GRADUAL.

grain [grein] *n.* **1** Ⓒ 낟알; Ⓤ 곡물, 곡류(《영》 corn), 알곡: a ~ of rice 쌀 한 알. **2** (모래·소금·설탕·포도 따위의) 한 알. **3** 〖주로 부정〗 극히 조금, 미량(微量): *without* a ~ *of* love 티끌만큼도 애정이 없이 / He has *not* a ~ *of* common sense. 그는 상식이라고는 털끝만큼도 없다. **4** Ⓤ 조직(texture), 살결, 나뭇결, 돌결; 결정(結晶) 상태; (가죽의) 털을 뽑은 껄껄한 면: marble of fine ~ 결이 고운 대리석. **5** 《비유》 기질, 성미, 성질. **6** 그레인《형량(衡量)의 최저 단위, 0.0648g; 원래 밀 한 알의 무게에서 유래》; 진주〔《때로》 다이아몬드〕 무게의 단위《50mg 또

는 1/4 캐럿). **7** (*pl.*) 〖양조〗 엿기름 찌꺼기. **8** 연지벌레물감; 연지. ***against the*** 〔one's〕 ~ 성질에 맞지 않게, 비위에 거슬리어: It goes *against the* ~ with me. 그것은 내 성미에 맞지 않는다. ***dye in*** ~ ⇨ DYE. ***in*** ~ 본질적으로, 철저한, 타고난: a rogue *in* ~ 타고난 악한. ***rub*** a person ***against the*** ~ 아무를 화나게 하다.
— *vt.* **1** (낟)알로 만들다. **2** 빛이 날지 않게 물들이다; 나뭇결 모양으로 칠하다; 대리석 무늬가 나게 칠하다. **3** (가죽에서) 털을 뽑다; 표면을 도톨도톨하게 하다. — *vi.* 낟알 모양〔입상(粒狀)〕이 되다.

gráin àlcohol (곡류로 만든) 에틸알코올.

grained *a.* **1** 나뭇결〔돌결〕이 있는; 나뭇결 무늬로 칠한; (표면이) 도톨도톨한; (짐승 가죽의) 털을 뽑은. **2** 〔다른 형용사와 함께 복합어를 만들어〕 …한 입자를〔나뭇결, 돌결, 기질을〕 가진.

gráin èlevator 양곡기(揚穀機); 대형 곡물 창고(elevator).

gráin·er *n.* **1** 나뭇결 모양으로 칠하는 사람〔붓〕. **2** 제모기(除毛器); (무두질용) 유피제(鞣皮劑), 무두질 용액.

gráin·field *n.* 곡식밭.

gráin·ing *n.* Ⓤ 나뭇결〔돌결〕(무늬로 칠하기); (가죽·종이 따위를) 도톨도톨하게 하기; 〖제당〗 결정화(結晶化)하기《고운 낟알로 만들기》.

gráin lèather 털이 있는 쪽을 겉으로 하여 무두질한 가죽.

grains [greinz] *n. pl.* 〔단수취급〕 작살, 뭇.

gráin·sick *n., a.* 〖수의〗 유위 확장(瘤胃擴張)(이 된).

gráin sìde (짐승 가죽의) 털 있는 쪽. OPP *flesh side.*

gráin sòrghum (곡물용의) 수수.

gráin whísky 그레인 위스키《맥아 대신 옥수수나 메귀리를 써서 만든 위스키》.

grainy [gréini] (***grain·i·er; -i·est***) *a.* 입상의(granular) 낟알이 많은; 나뭇결 모양의; 〖사진〗 (화상이) 입자가 거친《불선명한》. ㊔ **-i·ness** *n.*

gral·la·to·ri·al [grӕlətɔ́ːriəl] *a.* 〖조류〗 섭금류(涉禽類)의.

gram[1], 《영》 **gramme** [grӕm] *n.* 그램《생략: g, gm》.

gram[2] *n.* 〖식물〗 이집트콩《인도에서 널리 마소의 사료로 쓰임》.

gram[3] *n.* 《구어》 할머니, 조모(grandmother).

-gram [grӕm] '기록, 그림, 문서'란 뜻의 결합사: epi*gram*; tele*gram*.

gram. grammar; grammarian; grammatical.

grá·ma (gràss) [grɑ́ːmə(-)] 〖식물〗 목초의 일종(=**blúe** ~)《미국 서남부에 많음》.

gram·a·ry(e) [grӕməri] *n.* 《영국에서는 고어》 마법, 마술.

grám àtom, grám-atómic wéight 〔**máss**〕 〖화학〗 그램원자《원소의 양의 단위》.

grám càlorie 그램칼로리.

grám-céntimeter *n.* 그램센티미터《일의 중력 단위; 기호 g-cm》.

grám equìvalent, grám-equivalent wéight 〖화학〗 그램당량(當量)《물질량의 단위; 그 화학 당량과 같은 그램 수(數)의 물질량》.

gra·mer·cy [grəmə́ːrsi] *int.* 《고어》 **1** 대단히 고맙소, 황송하오. **2** 앗 큰일 났군.

grám-fòrce *n.* 〖물리〗 중량 그램, 그램 중량.

gram·i·cí·din (D) [grӕməsáidən(-)] *n.* 〖약학〗 그라미시딘 (D)《토양 세균의 일종에서 얻어지는 양성균에 작용하는 항생 물질》.

gram·i·na·ceous, gra·min·e·ous [grӕmənéiʃəs], [grəmíniəs] *a.* 풀의, 목초가 많은, 풀 같은; 볏과의. ㊔ ~**·ness** *n.*

gram·i·niv·o·rous [grӕmənívərəs] *a.* 〖동물〗 초식의, 초식성의.

gram·ma [grӕmə] *n.* 《미구어》 할머니, 조모(grandmother).

gram·ma·log(ue) [grӕməlɔ̀ːg, -lɑ̀g/-lɔ̀g] *n.* 〖속기〗 한 개의 기호로 표시된 말; 그 기호.

⁑gram·mar [grӕmər] *n.* **1** Ⓤ 문법; Ⓤ 문법론〔학〕; Ⓒ 문법책, 문전(文典): comparative ~ 비교문법 / general 〔philosophical, universal〕 ~ 일반 문법학 / transformation(al) ~ 변형 문법. **2** Ⓤ (개인의) 말투, (문법에 맞는) 어법: bad ~ 틀린 어법. **3** Ⓤ (학문·예술·기술 등의) 기본, 원리; Ⓒ 입문서: a ~ of economics 경제학 입문서. **4** 〖컴퓨터〗 문법. ◇ grammatical *a.*

gram·mar·i·an [grəmέəriən] *n.* 문법가, 문법학자; 문법 교사.

grám·mar·less *a.* 문법을 모르는; 무학의, 문법이 없는.

grámmar schòol 1 《미》 (초급) 중학교 과정 《8 년제 초등 학교의 5 년부터 8 년까지》; 초급 중학교《primary school 과 high school 의 중간》. **2** 《영》 고전 문법 학교《라틴 문법을 주요 학과로 삼았던》; 공립 중학교《대학 진학자를 위한 public school과 같은 과정》.

***gram·mat·i·cal** [grəmӕtikəl] *a.* 문법의, 문법상의; 문법에 맞는: ~ error 〔sense〕 문법상의 오류〔의미〕 / ~ gender (자연의 성별이 아닌) 문법상의 성(性). ◇ grammar *n.* ㊔ **gram·mát·ic** *a.* ~**·ly** *ad.* ~**·ness** *n.*

grammátical chánge 문법적 변화.

gram·mat·i·cal·i·ty [grəmӕtikǽləti] *n.* 〖언어〗 문법성.

gram·mat·i·cal·ize [grəmǽtikəlàiz] *vt.* 《보통 수동태》 〖언어〗 문법화하다. ㊔ **gram·màt·i·cal·i·zá·tion** *n.*

grammátical méaning 문법적 의미. OPP *lexical meaning.*

grammátical sénse 〖언어〗 문법적 의미.

gram·mat·i·cism [grəmǽtəsìzəm] *n.* 문법적 항목, 문법상의 원칙.

gram·mat·i·cize [grəmǽtəsàiz] *vt.* 문법에 맞추다. — *vi.* 문법상의 문제를 논하다.

gram·ma·tol·o·gy [grӕmətɑ́lədʒi/-tɔ́l-] *n.* 그래머톨러지《로고스 중심주의를 배격하고 문자 언어를 문명 해독의 기본으로 삼는 일; Jacques Derrida 에 따름》.

gramme ⇨ GRAM[1].

gràm-molécular *a.* 〖화학〗 그램분자의.

grám mòlecule, grám-molécular weight 〖화학〗 그램분자.

Gram·my [grǽmi] (*pl.* ~***s, -mies***) *n.* 《미》 그래미상《레코드 대상(大賞)》.

gram·my [grǽmi] (*pl.* ***-mies***) *n.* 《속어》 =GRAMOPHONE; GRANDMOTHER.

Grám-négative [grǽm-] *a.* (때로 g-) (세균이) 그람 음성(陰性)의.

gram·o·phone [grǽməfòun] *n.* 《영》 축음기 (《미》 phonograph). ★ 현재는 record player 가 일반적임. ㊔ **gràm·o·phón·ic, -i·cal** [-fɑ́n-/-fɔ́n-] *a.* **-i·cal·ly** *ad.*

grám·pa dùmping [grǽmpə-] 노인〔할아버지〕 유기. cf. granny dumping.

Grám-pósitive [grǽm-] *a.* (때로 g-) (세균이) 그람 양성(陽性)의.

gramps [grӕmps] *n.* 《구어》 할아버지.

gram·pus [grǽmpəs] *n.* 〖동물〗 돌고랫과의 일종; 범고래; 《구어》 숨결이 거친 사람.

gram·py [grǽmpi] *n.* 《구어》 할아버지, 조부(grandfather).

Grám's méthod [grǽmz-] (때로 g-) 그람 염색법《염색으로 세균을 양성과 음성으로 분류함》.

gran [grӕn] *n.* 《영구어·소아어》 할머니.

Gra·na·da [grənɑ́ːdə] *n.* 그라나다. **1** 스페인 남부의 주 및 그 주도《옛 서사라센 왕국의 수도》. **2** 니카라과 남서부 호반의 도시.

gra·na·de·ro [grɑ̀ːnɑːdéirou] (*pl.* ~***s***) *n.* 《Sp.》 (멕시코의) 기동대원, 폭동 진압 특별 대원.

gran·a·dil·la [grӕnədílə] *n.* 시계초과(科)의

식물; 그 열매《식용》.

◇**gra·na·ry** [gréinəri, grǽn-/grǽn-] *n.* 곡창, 곡물 창고; 곡창 지대; 《널리》 풍부한 공급원(源).

Gran Cha·co [grɑ̀:ntʃɑ́:kou] (the ~) 그란차코《아르헨티나 · 볼리비아 · 파라과이 3국에 걸친 아열대 대평원》.

‡**grand** [grænd] *a.* **1** 웅대한, 광대한, 장대한(magnificent): a ~ mountain 웅대한 산/on a ~ scale 대규모로〔의〕. **2** 호화로운, 장려한, 성대한: a ~ dinner 성대한 만찬회/a ~ house 호화로운 집. **3** 당당한(majestic), 위엄 있는, 기품 있는; 저명한, 중요한: a lot of ~ people 많은 저명한 사람들/a ~ air 당당한 풍채. **4** (사상 · 구상 · 양식 따위가) 원대한, 숭고한, 장중한: a ~ design 〔plan〕 원대한 구상〔계획〕.

> SYN. **grand** 규모 · 위엄 · 균형미의 점에서 강한 인상을 주는 경우에 쓰임: a *grand* mansion 웅대한 저택. **stately** 위엄 · 기품이 있으며 강하고 인상적인 경우에 쓰임: a *stately* style (문학 · 미술의) 장중한 작품. **magnificent** 웅대하고 화려한 뜻으로 쓰임: a *magnificent* cathedral 장엄한 성당. **majestic** 위엄 · 기품 · 위대함 등의 인상이 짙은 경우에 쓰임.

5 거만한, 오만한(haughty), 젠체하는(pretentious): with ~ gestures 오만한 몸짓으로. **6** 높은, (최)고위의: a ~ man 큰 인물, 거물. **7** (건물 내에서) 주요한, 중요한(principal, main): the ~ staircase 〔entrance〕 (대저택 따위의) 정면 대계단〔대현관〕. **8** 《구어》 굉장한, 멋진(very satisfactory): have a ~ time 아주 유쾌한 시간을 보내다/We had ~ weather for our trip. 여행하기에는 더할 나위 없는 날씨였다/It will be ~ if you can come. 당신이 오시게 되면 멋지겠습니다. **9** 총괄적인, 전체의; 규모가 큰, 대(大)…: a ~ orchestra 대관현악단/the ~ total 총합계/a ~ imposture 대사기 사건. ◇ grandeur *n.* ***do the*** ~ 《구어》 젠체하다, 점잔빼다; 굵게 나오다. ***live in ~ style*** 호화로운 생활을 하다. ***the Grand Army of the Republic*** 《미》 (북군의) 남북전쟁 종군 용사회.
— *n.* **1** = GRAND PIANO. **2** (*pl.* ~) 《속어》 1,000달러〔파운드〕; 《미속어》 천, 1,000. **3** (클럽 등의) 회장.
㊕ **∠·ness** *n.* ~한 일; 위엄, 공적.

grand- [grǽnd] '일촌(一寸)의 차이가 있는' 이란 뜻의 결합사: *grand*father, *grand*son.

gran·dad [grǽndæ̀d] *n.* = GRANDDAD.

gran·dad·dy [grǽndæ̀di] *n.* = GRANDDADDY.

gran·dam, gran·dame [grǽndæm, -dəm], [-deim, -dəm] *n.* 《고어》 할머니; 노파. 「aunt).

gránd·àunt *n.* 대고모, 조부모의 자매(great-

gránd·bàby [grǽnd-] *n.* (어린애인) 손자.

Gránd Bánk(s) (the ~) Newfoundland 동남 앞바다의 큰 여울《대어장(大漁場)》.

gránd bóunce (the ~) 《속어》 해고, 거절: give a person the ~ 아무를 해고하다.

Gránd Canál (the ~) 대운하《(1) 중국 톈진(天津)에서 항저우(杭州)에 이르는 운하(Da Yunhe). (2) Venice의 주요 운하》.

Gránd Cányon (the ~) 그랜드 캐니언《Arizona주 Colorado강의 대계곡; 이 계곡에 있는 국립공원》. 「의 속칭.

Gránd Cányon Státe (the ~) Arizona주

***grand·child** [grǽndtʃàild] (*pl.* **-children**) *n.* 손자, 손녀: a great ~ 증손/a great great ~ 현손(玄孫). 「《63세 또는 81세》.

gránd climácteric (the ~) 대액년(大厄年)

Gránd Cóulee Dám (the ~) 그랜드쿨리 댐《Washington주 Coulee 협곡에 있는 큰 댐》.

Gránd Cróss (the ~) 《영》 대십자 훈장《영국

Knight의 최고 훈장; 생략: G.C.》.

gránd·dàd, gránd·dàddy *n.* 《구어 · 소아어》 할아버지.

‡**grand·daugh·ter** [grǽndɔ̀:tər] *n.* 손녀.

gránd-dúcal *a.* 대공(국)의; 제정 러시아 황태자의. 「제정 러시아의 황녀, 공주.

gránd dúchess 대공비(大公妃); 여자 대공,

gránd dúchy (종종 G- D-) 대공국(大公國).

gránd dúke 대공(大公); 황태자《제정 러시아의》.

grande [*F.* grɑ̃d] *a.* 《F.》 grand의 여성형.

grande dame [grǽnddǽm; *F.* gʀɑ̃ddam] (*pl.* ***grandes dames*** [—]) 《F.》 귀부인; 여성 제1인자.

grand·ee [grændí:] *n.* 대공(大公)《스페인 · 포르투갈의 최고 귀족》; 귀족; 고관.

grande école [*F.* gʀɑ̃dekɔl] 《F.》 (프랑스의) 고등 전문 학교《특정 직업인 양성을 위한》.

grande pas·sion [*F.* gʀɑ̃pasjɔ̃] 《F.》 격정, 열애(熱愛). 「식복(式服).

grande toi·lette [*F.* gʀɑ̃twalɛt] 《F.》 예복,

***gran·deur** [grǽndʒər, -dʒuər/-dʒə, -djuə] *n.* Ⓤ **1** 웅대, 장엄; 장관(壯觀), 위관(偉觀); 화려, 장려(壯麗): the ~ of the Alps 알프스의 웅대함. **2** 위대, 숭고; 위엄, 위풍: the ~ of his nature 고결한 그의 본성. ◇ grand *a.*

†**grand·fa·ther** [grǽndfɑ̀:ðər] *n.* **1** 할아버지, 조부; 조상《남성》: a great ~ 증조부. **2** 《종종 호칭》 노인(장). **3** 《미속어》 (대학 등의) 최상급생. — *a.* 《미》 (새로운 규칙 · 법령 발효 이전의) 기득권의, 기득권에 입각한. — *vt.* 《미》 (사람 · 회사를) 새 규칙〔법령〕의 적용에서 제외하다. ㊕ **~·ly** *a.* 할아버지 같은, 인자한, 자비스러운.

grándfather('s) clóck 대형 괘종시계《진자식(振子式)》.

gránd fínal 《Austral.》 (우승팀을 정하는 축구 따위의) 시즌 최종 경기.

gránd finále (오페라 따위의) 대단원.

gran·di·flo·ra [grændəflɔ́:rə] *n.* 큰 꽃송이를 맺는 장미(= ∠ **ròse**). — *a.* 【식물】 대형 꽃을 피우는.

gran·dil·o·quent [grændíləkwənt] *a.* 과장의, 과대한, 호언장담하는. ㊕ **~·ly** *ad.* **-quence** [-kwəns] *n.* Ⓤ 호언장담, 과장된 말.

gránd ínquest 【법률】 = GRAND JURY. 「교 재판소장.

gránd inquísitor (흔히 G- I-) 종

grand-father('s) clock

gran·di·ose [grǽndiòus] *a.* 웅장〔웅대〕한, 숭고〔장엄〕한, 당당한; 과장한, 과대한. ㊕ **~·ly** *ad.* **~·ness** *n.* **gran·di·os·i·ty** [grændiɑ́səti/-ɔ́s-] *n.* Ⓤ 웅장〔웅대〕함; 과장〔과대〕함.

gran·di·o·so [grændióusou] *a., ad.* 《It.》 【음악】 웅장한〔하게〕, 규모 있는〔있게〕, 당당한〔히〕.

gránd júror 대배심원.

gránd júry 【법률】 대배심《23인 이하로 구성》.

gránd·kìd [grǽnd-] *n.* 《구어》 손자(grandchild).

Gránd Láma (the ~) = DALAI LAMA.

gránd lárceny 【법률】 중절도죄. ㊀ petty larceny. 「본부.

gránd lódge (Freemasons 따위 결사의) 총

gránd·ly *ad.* **1** 웅대하게; 당당하게; 성대하게. **2** 숭고하게. **3** 거만하게. **4** 호기롭게; 화려하게.

***grand·ma, -ma(m)·ma, -mam·my** [grǽndmɑ̀:], [-məmɑ̀:], [-mæ̀mi] *n.* 《구어 · 소아어》 할머니; 《미속어》 노부인.

gránd mál 【의학】 간질의 대발작.

gránd mánner 딱딱한 태도〔표현법〕.
gránd márch (무도회를 시작할 때 손님 전원이 손잡고 원을 그리는) 대행진.
gránd máster (G- M-) 기사단〔비밀 결사 · 공제 조합 등〕의 단장; Freemasons 의 총본부장.
Gránd Mónarch (the ~) 대왕《프랑스 왕 루이 14 세의 속칭》. 「계.
grand monde [F. grɑ̃mɔ̃:d] 상류 사회, 사교
†**grand·moth·er** [grǽndmʌ̀ðər] n. 할머니, 조모; 조상《여성》; 노부인. ***shoot** one's* ~ ① 《구어》 잘못을 하다, 낙심하다. ② 《미구어》 못된 짓을 하다. ***So's your*** ~**!** 그럴 수가, 말도 안 되는 소리. ***teach** one's* ~ ***to suck eggs*** ⇨ TEACH. ***Tell that to your*** ~. 바보 같은 소리 작작해. ***This beats my*** ~. 이거 놀랍군. ── vt. 소중히 하다, 어하다. ~ ***the cups*** 《영》 받침접시를 적시어 컵이 미끄러지지 않도록 하다. ㊞ ~·**ly** a. 할머니 같은; 지나치게 친절한〔걱정하는, 참견하는〕.
Gránd Nátional (the ~) 《영》 Liverpool 에서 매년 행하는 대(大)장애물 경마.
gránd·nèphew n. 조카(딸)의 아들, 형제〔자매〕의 손자. 「손녀.
gránd·nìece n. 조카(딸)의 딸, 형제〔자매〕의
gránd òld mán (the ~, 종종 the G- O- M-) (정계 · 예술계 등의) 원로《특히, W. E. Gladstone 이나 W. Churchill 또는 W.G. Grace 를 가리킴; 생략: G.O.M.》.
Gránd Òld Párty (the ~) 《미》 공화당《1880 년 이래의 애칭; 생략: G.O.P.》.
gránd ópera 대가극, 그랜드 오페라.
***grand·pa, grand·pa·pa** [grǽndpɑ̀:], [-pəpɑ̀:]) n. 《구어 · 소아어》 할아버지.
gránd·pàrent n. 조부, 조모; (pl.) 조부모.
gránd piáno 〔**pianofórte**〕 그랜드 피아노.
gránd plán 『정치』 큰 계획, 장대한 전략.
grand prix [F. gʀɑ̃pʀi] (pl. ***grand***(***s***) ***prix*** [F. ─]) 《F.》 그랑프리, 대상(大賞); (G- P-) 매년 6 월 Paris에서 행하는 국제 경마 대회; 국제 장거리 자동차 경주.
gránd róunds 병례(病例) 검토회《입원 중인 특정 환자에 대한》. 「가) 광장한.
gránd-scàle a. 대형의; 대규모의; (노력 따위
grand sei·gneur [F. gʀɑ̃sɛɲœ:ʀ] (pl. ***grands sei·gneurs*** [─]) 《F.》 위엄 있는 사람, (대)귀족; 〔반어적〕 귀족인 체하는 남자.
grand·sire [grǽndsàiər] 《고어》 n. 할아버지; 조상; 노인.
gránd slám (bridge 놀이에서의) 대승, 압승; 『야구』 만루 홈런(=**gránd-slám hóme rún**); 『골프 · 테니스 등』 그랜드슬램《주요한 대회를 모두 제패함》; 《구어》 대성공; 《영속어》 총공격, 대분
gránd-slámmer n. 『야구』 만루 홈런. ㄴ투.
‡**grand·son** [grǽndsʌ̀n] n. 손자.
gránd·stànd n. (경마장 · 경기장 등의 지붕이 있는) 정면〔특별〕 관람석(의 관객들). ── a. 정면 관람석의; 《미구어》 화려한, 박수를 노린. ── (p., pp. ~·**ed** [-id]) vi. 《미구어》 인기를 노리는 경기〔연기〕를 하다.
grándstand fínish 『경기』 대접전의 결승.
gránd·stànding n. 《미》 Ⓤ 눈길을 끌어 인기를 노리는 행위.
grándstand plày 《미구어》 즉석의 재치나 기교로 인기를 노리는 연기, 연극적인 제스처.
gránd strátegy 옛 소련의 세계 제패 전략《서방에서 본》.
gránd stýle 장엄체(體)《Homer, Dante 등의 웅혼(雄渾)한 문체》; 호화로운 생활.
gránd théft =GRAND LARCENY.
gránd tóur (the ~) 대여행《전에 영국의 귀족 자제가 교육의 마무리로서 하던 유럽 여행》; 《미학생속어》 졸업 기념 여행《유럽으로의 여행》. ***make the*** ~ ***of*** …을 일주〔순회〕하다.
gránd tóuring càr, gránd tóurer =GRAN TURISMO. 「uncle).
gránd·ùncle n. 조부모의 형제, 종조부(great-
gránd únified 〔**unificátion**〕 **thèory** 『물리』 대통일(大統一) 이론(=**gránd únified fíeld thèory**)《소립자의 강한 상호 작용, 약한 상호 작용, 전자(電磁) 상호 작용을 통일적으로 기술하는 이론; 생략: GUT》.
gránd vizíer 『역사』 (회교 국가의) 수상.
gránd wízard (종종 G- W-) (비밀 결사 Ku Klux Klan의) 수령.
grange [greindʒ] n. **1** 《영》 (여러 건물을 포함한) 농장; 《영》 〔일반적〕 대농(大農)의 저택; 《고어》 곡창(穀倉)(barn). **2** (the G-) 《미》 농민 공제 조합(the Patrons of Husbandry)《소비자와의 직접 거래를 목적으로 함》; 그 지방 지부(支部).
grang·er [gréindʒər] n. **1** 《미북서부》 농부(farmer), 농장 노동자. **2** 농장 관리인; (G-) 《미》 농민 공제 조합원.
grang·er·ize [gréindʒəràiz] vt. (책에) 딴 책에서 뗀 그림 따위를 삽입하다; (책의) 삽화 따위를 오려내다. ㊞ **-er·ism** [-ərìzəm] n.
gra·nif·er·ous [grəníf∂rəs] a. 입상(粒狀)〔낟알 모양〕의 열매를 맺는.
°**gran·ite** [grǽnit] n. Ⓤ 화강암, 쑥돌; 견고함; =CURLING STONE. ***as hard as*** ~ 몹시 단단한; 완고한. ***bite on*** ~ 헛수고하다. 「종이》.
gránite pàper 반색지《착색한 섬유를 넣고 뜬
Gránite Státe (the ~) 《미》 New Hampshire 주의 별칭.
gránite·wàre n. Ⓤ (에나멜 입힌) 양재기; 쑥돌 무늬의 오지 그릇.
gra·nit·ic [grənítik] a. 화강암의, 화강암과 같은, 화강암으로 된; 《비유》 굳은, 견고한.
gran·it·ite [grǽnitàit] n. 흑운모(黑雲母) 화강암. 「의.
gran·it·oid [grǽnitɔ̀id] a. 화강암 모양〔구조〕
gran·i·vore [grǽnəvɔ̀:r] n. 곡류를 먹는 동물《특히 조류》. ⓒⓕ carnivore. 「류를 먹는.
gra·niv·o·rous [grænívərəs] a. (새 등이) 곡
gran·ny, -nie [grǽni] (pl. ***-nies***) n. **1** 《구어 · 소아어》 할머니; 할멈, 노파; 공연히 남의 걱정을 하는 사람, 수다스러운 사람; 《미남부》 산파. **2** 세로 매듭, (옭매듭의) 거꾸로 매기(=**gránny's bènd** 〔**knòt**〕). **3** 《영속어》 (조직 폭력단이) 비합법적 행위의 은폐 수단으로서 하는 사업. ***teach** one's* ~ (***to suck eggs***) ⇨ TEACH. ── a. 할머니의, 할머니 옷 스타일의.
gránny ánnex 〔**flát**〕 《영》 (본채에 딸린) 노인들이 독립해서 생활하는 딴채. 「학대.
gránny bàshing 〔**bàttering**〕 《구어》 노인
gránny bònd 《영》 그래니 국민 저축 채권《노령 연금 수령자에 한하여 제공된 물가지수 연동형의 저축 채권의 통칭》.
gránny dréss 긴 소매에 목에서 발목까지 오는 헐렁한 젊은 여성복.
gránny dùmping 노인 유기《병원 · 역 · 공원 등에 할머니를 유기하는 것》. 「속 기어.
gránny gèar 《미》 사륜 구동차; (자동차의) 저
gránny glásses (예전에 할머니가 끼던 것 같은) 젊은이용 금테 안경; 《비유》 통찰, 관찰(력).
gra·no·la [grənóulə] n. 납작 귀리에 건포도나 누런 설탕을 섞은 아침 식사용 건강 식품.
gran·o·lith [grǽnəlìθ] n. 인조 화강암 콘크리트《상표명》.
gran·o·phyre [grǽnəfàiər] n. 미문상반암(微文象斑岩). ㊞ **gràn·o·phý·ric** [-fírik] a.

Grant [grænt, grɑːnt/grɑːnt] *n.* **Ulysses Simpson** ~ 그랜트《미국 남북전쟁 때의 북군 총사령관, 제 18대 대통령; 1822-85》.

grant [grænt, grɑːnt/grɑːnt] *vt.* **1** 《~+[목]/+[목]+[목]/+[목]+[전]+[명]》 주다, 수여하다, 부여하다(bestow); (면허 등을) 교부하다; (허가를) 주다《*to*》: ~ a respite 유예를 주다/She was ~*ed* a pension. 그녀는 연금을 받게 되었다/~ a right *to* him 그에게 권리를 부여하다. [SYN.] ⇨ GIVE. **2** 《~+[목]/+[목]+[목]/+*that* [절]/+[목]+*to* do》 승낙하다, 허가하다(allow): ~ a person's request 아무의 요구를 들어 주다/~ a person a favor 아무의 부탁을 들어 주다/The king ~*ed that* the prisoner should be freed. 왕은 죄수의 석방을 윤허하였다/They ~*ed* him *to* take it with him. 그들은 그에게 그것을 휴대하게 허락했다. **3** 《~+[목]/+[목]+*to be* [보]/+(*that*) [절]》 인정하다; (의논·주장·진실성 등을) 승인하다, 시인하다(admit), 진실을 인정하다; 가정하다, 가령 …이라고 하다: ~ the first proposition 제 1 명제를 가정하다/~ it *to be* true 그것을 사실로 인정하다/I ~ you are right. 나는 네가 옳다고 인정한다. **4** (재산 등을 정식으로) 양도하다. **—** *vi.* 동의하다(agree, consent). ***~ed*** 〔***~ing***〕 ***that ...*** …이라고 하더라도. ***granting this*** =***this ~ed ...*** 그렇다 치고〔치더라도〕…. ***Heaven ~ that ... !*** 제발 …이기를. ***take*** a thing ***for ~ed*** 무엇을 승인된 것으로 여기다, 의심의 여지가 없다고〔당연하다고〕 생각하다: He *took* it *for ~ed* that the invitation included his wife. 그는 그 초대를 당연히 아내와 함께 오라는 것으로 여겼다.

— *n.* **1** [U] 허가; 인가; 수여, 교부. **2** 하사금; (특정 목적을 위한) 보조금, 조성금《연구 장학금 등》; 《미》 구교부지(舊交付地)《Vermont, Maine, New Hampshire 3 주의》. **3** 〖법률〗 양도, 양여; (권리) 부여; [C] (양도) 증서; 양도 재산.
[파] **∠·a·ble** *a.* 허용〔수여〕할 수 있는.

gránt áid (중앙 정부가 지방 자치 단체나 학교 따위에 주는) 정부 보조금.

gran·tee [græntíː, grɑːn-/grɑːn-] *n.* 〖법률〗 피수여자, 양수인; (보조금·장학금 등의) 수령자, 장학생.

gránt élement 〖경제〗 증여(贈與) 상당분《발전 도상국에 대한 개발 자금 원조 중에 증여적인 요소를 나타내는 개념》.

gránt·er *n.* 허용하는 사람; 수여자, 양도인(grantor).

gránt-in-áid (*pl.* ***gránts-***) *n.* 지방 교부세; 보조금, 교부금(subsidy).

gránt-maintàined *a.* (학교·교육 기관이) 중앙 정부의 보조금을 직접 받는.

gránt of próbate 〖법률〗 검인 증서《유언장이 있을 경우, 고인의 재산 처리를 집행자에게 위임하는 증서》.

gran·tor [grǽntər, grɑ́ːn-, græntɔ́ːr, grɑːn-/grɑːntɔ́ː] *n.* 〖법률〗 수여자, 양도인.

gránts·man [-mən] (*pl.* ***-men*** [-mən]) *n.* (대학교수 등이) 연구비 따위를 잘 타내는〔이용하는〕 사람.

grántsman·shìp [-ʃip] *n.* 《미》 [U] (연구비 등의) 조성금〔보조금〕 획득술《재단으로부터의》.

gran tu·ris·mo [grɑ́ːn-tuərízmou] (종종 G-T-) GT카《레이싱 카(racing car) 제조 기술을 도입한, 주로 2 인승의 고성능 승용차》.

gran·u·lar [grǽnjələr] *a.* 알갱이로 이루어진; 과립상(顆粒狀)의: ~ eyelids 여포성 결막염(濾胞性結膜炎)/~ snow 싸라기눈. [파] **gràn·u·lár·i·ty** [-lǽrəti] *n.* [U] 입상(粒狀), 입도(粒度).

gran·u·late [grǽnjəlèit] *vt., vi.* (작은) 알갱이로 만들다〔되다〕; 깔깔하게 하다, 깔깔해지다; 〖의학〗 (상처가) 새살이 나오다.

grán·u·làt·ed [-id] *a.* **1** 입상(粒狀)의: ~ sugar 그래뉴당(糖). **2** (표면이) 오톨도톨한: ~ leather/~ glass 분말 유리《스테인드 글라스용(用)》. **3** 〖의학〗 육아(肉芽)를 형성한, 새살이 나온, 과립상(顆粒狀)의.

gràn·u·lá·tion *n.* [U] 알갱이로 만듦〔를 이룸〕; 〖의학〗 육아(肉芽) 발생.

granulátion tìssue 〖의학〗 육아(肉芽) 조직.

gran·u·la·tor, -lat·er [grǽnjəlèitər] *n.* 제립기(製粒機); 알갱이로 만드는 사람〔물건〕.

gran·ule [grǽnjuːl] *n.* 작은 알갱이, 고운 알; 과립(顆粒); 〖천문〗 (태양 광구면(光球面)에 보이는) 입상반(粒狀斑).

gran·u·lite [grǽnjəlàit] *n.* 그래뉼라이트《장석(長石)·석영·석류석으로 됨》. [파] **gràn·u·lít·ic** [-lítik] *a.*

gran·u·lo·cyte [grǽnjəlousàit] *n.* 〖해부〗 과립성(性) 백혈구, 과립구(顆粒球).

gran·u·lo·ma [grænjəlóumə] (*pl.* ***~s, -ma·ta*** [-tə]) *n.* 〖의학〗 육아종(肉芽腫).

gran·u·lo·met·ric [grænjəloumétrik] *a.* 〖지학〗 (토양 따위의) 입도(粒度) 분석의.

gran·u·ló·sa cèll [grænjəlóusə-] 〖생물〗 과립막(顆粒膜) 세포. 「**—** *a.* =GRANULAR.

gran·u·lose [grǽnjəlòus] *n.* 녹말당질(糖質).

gran·u·lo·sis [grænjəlóusis] (*pl.* ***-ses*** [-siːz]) *n.* 〖의학·곤충〗 과립증(顆粒症).

grape [greip] *n.* **1** 포도; 포도나무; =GRAPEVINE; (the ~) 《속어》 포도주; (the ~(s)) 《미속어》 샴페인. [cf.] vine. ¶ (the juice of) the ~ 포도주/the ~*s* of WRATH. **2** (*pl.*) 포도창(瘡)《말의 발에 나는 부스럼》. **3** =GRAPESHOT. **4** 포돗빛. ***belt the*** ~ 《미속어》 잔뜩 (퍼)마시다. ***sour ~s*** ⇨ SOUR GRAPES.

grápe bràndy 포도주를 증류하여 만든 브랜디.

grápe cùre 〖의학〗 포도 식이 요법《주로 결핵의》.

grápe·frùit (*pl.* **~(*s*)**) *n.* 〖식물〗 그레이프프루트, 자몽(pomelo)《귤 비슷한 과실, 껍질은 엷은 노랑; 미국산(產)》; 그 나무; (*pl.*) 《속어》 (큰) 유방. 「개막전의 오픈전.

grápefruit lèague 《야구구어》 메이저 리그

grápe hỳacinth 〖식물〗 무스카리《백합과》.

grápe jùice 포도 과즙, 포도 주스.

grap·ery [gréipəri] *n.* (울타리로 막은) 포도원, 포도 재배 온실.

grápe·shòt *n.* 《고어》 포도탄《옛날 대포에 쓰인 한 발이 9 개의 작은 탄알로 이루어진 탄환》.

grápe·stòne *n.* 포도의 씨.

grápe sùgar 〖생화학〗 포도당(dextrose).

grápe·vìne *n.* **1** 포도덩굴, 포도나무. **2** (the ~) 《구어》 (소문 등) 비밀 전달의 특수 경로, 비밀 정보망(=∠ **tèlegraph**). **3** 《구어》 헛소문, 풍문. **4** 〖스케이트〗 피겨의 기본 종목의 일종.

graph[1] [græf, grɑːf] *n.* 그래프, 도식(圖式), 도표. **—** *vt.* 그래프〔도표〕로 나타내다. 「하다〕.

graph[2] 《영》 *n., vt.* 젤라틴 복사판(으로 복사

graph[3] *n.* 〖언어〗 (음소(phoneme) 결정의 최소 단위로서의) 문자(짜맞추기), 철자체(綴字體).

-graph [græ̀f, grɑ̀ːf] '쓴〔기록한〕 것, 쓰는 도구' 란 뜻의 결합사: auto*graph*.

graph·eme [grǽfiːm] *n.* 〖언어〗 서기소(書記素), 문자소(文字素)《문자의 최소 단위로 음소(phoneme) 따위에 대응함》; 알파벳 문자.

gra·phe·mics [grǽfíːmiks] *n. pl.* 《단수취급》 〖언어〗 서기소론(書記素論), 문자소론.

-gra·pher [ˊgrəfər] '베끼는 사람, 쓰는 사람, 그리는 사람, 기록자' 란 뜻의 결합사: photo*grapher*, geo*grapher*.

°**graph·ic** [grǽfik] *a.* **1** 그림〔회화·조각·식각(蝕刻)〕의; 그래픽 아트의. **2** 그려 놓은 듯한, 사실적인, 생생한《묘사 따위》: a ~ story of the disaster 현상을 보는 듯한 생생한 조난 이야기/a ~ writer 묘사 기자, 사실적인 작가. **3** 도표로 표시된, 도표의, 도해의, 그래프식의: a ~ curve 표시 곡선/a ~ method 도식법, 그래프법. **4** 필사(筆寫)의; 문자의, 기호의; 그림의, 인각(印刻)의. **—** *n.* 시각 예술〔인쇄 미술〕의 작품; 설명도, 삽화; 〖컴퓨터〗 (화면의) 그림, 문자, 숫자, 도해, 도표.

graph·i·ca·cy [grǽfikəsi] *n.* 그래픽 아트의 재능〔기술〕, 그림을〔선화(線畫)를〕 그리는 기능.

graph·i·cal [grǽfikəl] *a.* =GRAPHIC. [파] **~·ly** *ad.* 사실적으로, 여실히; 도표로, 그래프식으로; 문자로.

gráphical úser ìnterface 〖컴퓨터〗 ⇨GUI.

gráphic árts 그래픽 아트《평면적인 시각 예술·인쇄 미술》.

graph·i·cate [grǽfikət, -kèit] *a.* 그래픽 아트의 재능〔기술〕이 있는, 선에 의한 조형(造形) 능력이 있는.

gráphic desígn graphic arts를 응용하는 상업 디자인.

gráphic dìsplay 〖컴퓨터〗 그래픽 표시 장치《컴퓨터에서 문자뿐만 아니라 그림을 표시할 수 있는 화면 표시 장치》.

gráphic équalizer 〖전자〗 그래픽 이퀄라이저《각 주파수대역의 신호 레벨을 조정하는 주파수 특성 보정 장치》.

gráphic fórmula 〖화학〗 구조식(structural formula).

graph·i·cist [grǽfisìst] *n.* 컴퓨터 그래픽 전문 프로그래머.

gráphic nóvel 만화 소설.

gráph·ics *n. pl.* **1** 〖단·복수취급〗 제도법, 도학(圖學); 〖단수취급〗 그래프 산법(算法), 도식 계산학; 〖단·복수취급〗 〖컴퓨터〗 그림 인쇄《CRT 따위에 도형 표시 및 이를 위한 연산 처리나 조작》; 〖단수취급〗 〖언어〗 서기론(書記論). **2** 〖복수취급〗 시각 매체; (잡지 등에 이용되는) 복제 그림〔사진〕 등; =GRAPHIC ARTS.

gráphics càrd 〖컴퓨터〗 그래픽 카드《정보를 화상으로 바꾸는 부품》.

gráphics tàblet 〖컴퓨터〗 그래픽 태블릿《그래픽 데이터의 입력용 데이터 태블릿》.

graph·ite [grǽfait] *n.* [U] 〖광물〗 흑연, 석묵(石墨)(black lead).

gráphite fiber 흑연 섬유, 그래파이트 섬유.

gra·phit·ic [grəfítik] *a.* 석묵(石墨)의, 흑연의; 석묵질〔성〕의.

graphític reàctor 흑연형(型) 원자로.

graph·o- [grǽfou, -fə] '글자쓰기, 그리기'란 뜻의 결합사.

gra·phol·o·gy [græfάlədʒi/-fɔ́l-] *n.* [U] 필적학, 필상학(筆相學); 〖언어〗 서기론(書記論); 〖수학〗 도식법. [파] **-gist** *n.* **gràph·o·lóg·i·cal** *a.*

graph·o·ma·nia [græfəméiniə] *n.* [U] 서광(書狂)《글씨를 쓰고 싶어하는 정신병》. [파] **-ma·ni·ac** [-méiniæ̀k] *n.* 서광 환자.

gra·phon·o·my [græfάnəmi/-fɔ́n-] *n.* 〖언어〗 서기론(書記論), 서자학(書字學).

graph·o·scope [grǽfəskòup] *n.* 〖컴퓨터〗 화면에 나타난 데이터를 light pen 등으로 수정할 수 있는 수상 장치.

graph·o·spasm [grǽfəspæ̀zəm] *n.* 〖의학〗 서경(書痙)(writer's cramp).

graph·o·ther·a·py [græfəθérəpi] *n.* 〖정신의학〗 필적진단(법); 필적요법《필적을 바꾸게 하여 치료하는 심리요법》.

graph·o·type [grǽfətàip] *n.* 백악 철판(白堊凸板)(법).

gráph pàper 모눈종이, 그래프 용지.

gráph plòtter 〖컴퓨터〗 그래프 플로터.

graphy [grǽfi] *n.* 〖언어〗 =GRAPH³.

-graphy [ˊgrəfi] *suf.* **1** '서법(書法), 사법(寫法), 기록법'이란 뜻: photo*graphy*. **2** '…지(誌), …기(記), 기술(記述)학'이란 뜻: biblio*graphy*.

grap·nel [grǽpnəl] *n.* (네 갈고리의) 소형 닻(~ anchor); (닻 모양의) 걸어잡는 갈고리.

grapnel

grap·pa [grάːpɑː] *n.* [U] 포도 짜는 기구에서 나온 찌꺼기를 증류시켜 만든 술. [cf.] marc.

°**grap·ple** [grǽpəl] *vt.* (붙)잡다, 쥐다, 파악하다; 〖해사〗 (적선 등을) 갈고랑쇠(grapnel)로 걸어잡다; 격투〔논쟁〕하다. **—** *vi.* **1** (갈고리로) 걸어 꼼짝 못하게 하다. **2** 《+[부]/+[전]+[명]》 격투하다, 맞붙어 싸우다《*with; together*》: The two wrestlers ~*d together* 〔*with* each other〕. 두 레슬러가 서로 맞붙었다. **3** 《+[전]+[명]》 완수하려고 애쓰다, 해결〔극복〕하려고 고심하다《*with*》: They ~*d with* the new problem. 그들은 그 새로운 문제와 씨름했다. **—** *n.* [U] 붙잡기; 드잡이, 격투; 접전; 고투(苦鬪), 분투, 고심; 〖해사〗 갈고랑장대; 갈고랑쇠(grapnel). ***come to ~s with*** …와 맞붙어 싸우다. [파] **~r** *n.* 《구어》 레슬러.

grápple gròund 투묘지(投錨地), 정박지.

grap·pling [grǽpəliŋ] *n.* [C,U] **1** 접전, 드잡이, 격투. **2** 〖해사〗 =GRAPNEL, GRAPPLE.

grápping hòok 〔**iron**〕 (적의 배 따위를 걸어잡는) 갈고랑쇠(grapnel).

grap·po [grǽpou] (*pl.* **~s**) *n.* 《미속어》 포도주.

grap·to·lite [grǽptəlàit] *n.* 〖고생물〗 필석(筆石)《고생대의 군서(群棲) 생물》.

grapy [gréipi] *a.* 포도의〔같은〕; 〖수의〗 (말이) 포도창(瘡)에 걸린.

GRAS [græs] 《미》 generally recognized as safe《식품 첨가물에 대한 FDA의 합격증》.

gra·ser [gréizər] *n.* 〖물리〗 감마선 레이저, 그레이저(=**gámma-ray láser**)《레이저와 같은 원리로 원자핵의 방사 천이(遷移)에 의하여 강력한 감마선을 유도·방출하는 장치》.

‡grasp [græsp, grɑːsp/grɑːsp] *vt.* **1** 《~+[목]/+[목]+[전]+[명]》 붙잡다, 움켜(거머)쥐다; (몸·옷의 일부를) 움켜잡다; 끌어안다. [SYN.] ⇨TAKE. ¶ *Grasp* all, lose all. 《속담》 욕심 부리면 다 잃는다/He ~*ed* me *by* the arm. 그는 내 팔을 움켜잡았다. **2** 납득하다, 이해〔파악〕하다: ~ the meaning 뜻을 이해〔파악〕하다. **—** *vi.* **1** 꽉 붙잡다, 단단히 쥐다. **2** 《+[전]+[명]》 붙잡으려고 하다〔덮치다〕《*at; for*》; 곧 받아들이다《*at*》: He tried to ~ *for* any support. 그는 어떠한 지원에라도 매달리려 하였다. **~ *at*** ⇨ *vi.* 2; (욕심나는 것에) 달려들다. **~ *the nettle*** ⇨NETTLE. **—** *n.* **1** [U,C] 붙잡음; 파악하는 힘; 손이 미치는 거리(reach). **2** 권력; 통제, 지배; 점유. **3** 이해, 납득, 파악; [U] 이해력(mental ~), 이해의 범위, 포괄력: a mind of wide ~ 이해심이 넓은 마음. **4** [C] 〖해사〗 노의 손잡이. ***beyond*** 〔***within***〕 ***one's ~*** 손〔힘〕이 미치지 않는〔미치는〕 곳에; 이해할 수 없는〔있는〕: a problem *beyond our* ~ 우리가 이해할 수 없는 문제/bring victory *within* one's ~ 승리를 획득하다. ***have a good ~ of*** …을 잘 이해하고 있다. ***in the ~ of*** …의 수중〔지배 아래〕에. ***take a ~ on oneself*** 자기 감정을 억제하다. ***take in one's ~*** 꽉 껴안다. [파] **ˊ~·a·ble** *a.* (붙)잡을 수 있는; 이해할 수 있는. **ˊ~·ing** *a.* 붙잡는; 구두쇠의, 욕심 많은.

Grass [grɑːs] *n.* **Günter** (**Wilhelm**) ~ 그라스《독일의 소설가 · 시인 · 극작가; 1927-2015》.

†**grass** [græs, grɑːs/grɑːs] *n.* [U] **1**〔종류를 말할 때는 [C]〕 풀; (*pl.*) 풀의 잎〔줄기〕. **2** 목초; 풀밭, 초원, 목초지(地). **3** 잔디(lawn): cut the ~ / Keep off the ~. 《게시》 잔디밭에 들어가지 마시오. 《비유》 참견 말 것 / lay down (a land) in ~ (땅에) 잔디를 심다. **4**〖식물〗 볏과(科)의 식물《곡류 · 사탕수수 등》. **5** 아스파라거스. **6**《미속어》 상추, 잘게 썬 야채 샐러드. **7** 새 풀이 싹틀 무렵, 봄: a horse five years old next ~ 내년 봄 다섯 살이 되는 말. **8**〖광산〗 갱 밖: bring to ~ (광석을) 갱 밖으로 내다. **9**《영속어》〖인쇄〗 임시일. **10**〖전자〗 잡음에 의해 생기는 레이더 수상면의 풀 모양의 선. **11**《속어》 마리화나 (marijuana); 《미흑인속어》 백인의 머리털; 《비어》 치모(恥毛). **12**《영속어》 밀고자. ***as long as ~ grows and water runs***《미》 영구히. ***be between ~ and hay***《미》 아직 어른이 아닌 젊은이이다, 이도 저도 아니다, 어중간하다. ***be in the ~***《미》 잡초에 파묻히다. ***be*** (***out***) ***at ~*** ① 풀을 뜯(어 먹)고 있다, 방목(放牧)되고 있다. ② 일을 쉬고 있다, 놀고 있다; 〖광산〗 출갱(出坑)해 있다. ***burn the ~***《Austral. 속어》 서서 오줌누다. ***cut*** one***'s own ~***《구어》 자활(自活)하다. ***cut the ~ from under*** a person***'s feet*** 아무를 방해하다, 아무의 말꼬리를 잡다. ***go to ~*** ① (가축이) 목장에 나가다. ② 《속어》 (아무가) 일을 쉬다〔그만두다〕; 은퇴〔은거〕하다, 물러나다. ③ 《속어》 (권투 따위에서) 맞아 쓰러지다. ***Go to ~!***《미속어》 허튼소리 마라; 뒈져라. ***hear the ~ grow*** 극도로 민감하다. ***hunt ~*** 맞아 쓰러지다. ***let the ~ grow under*** one***'s feet***〖보통 부정적〗 꾸물거리다가 기회를 놓치다. ***put*** 〔***send, turn***〕 ***out to ~*** 방목하다; (경주말을) 은퇴시키다《노령 따위로》; 《구어》 해고하다, 한직(閑職)으로 돌리다; 《속어》 때려눕히다: We *put* the cows *out to* ~. 우리는 소떼를 목장으로 내몰았다 / After thirty years of working at the same company he was *put out to* ~ like an old workhorse. 그는 같은 회사에서 30 년간이나 근무한 후 마치 늙은 짐말처럼 쫓겨났다.
— *vt.* **1** 《~/+[목]+[부]》 …에 풀이 나게 하다, 풀로 덮다; 잔디로 하다: be ~*ed down* 풀에 덮이다〔덮여 있다〕. **2** 《미》 (소 따위)에 풀을 먹이다, 방목하다. **3** 풀밭〔잔디밭, 땅〕 위에 펼쳐 널다《충해를 막기 위해》. **4** 때려눕히다; (물고기를) 뭍에 끌어올리다; (새를) 쏴 떨어뜨리다. **5** 《영속어》 (남을) 배반하다, (경찰에) 밀고하다. — *vi.* 《~/+[전]+[명]》 풀이〔잔디가〕 자라다; 풀을 먹다; 풀로 뒤덮이다; 《영속어》 밀고하다《*on*》.
[파] **∠·less** *a.* 풀 없는. **∠·like** *a.* 풀 같은.

gráss-blàde *n.* 풀잎.

gráss càrp〖어류〗 초어(草魚)《잉엇과》.

gráss clòth 모시(베).

gráss cóurt 잔디를 심은 테니스코트.

gráss·cùtter *n.* **1** 풀베는 사람〔인부〕; 풀〔잔디〕 깎는 기계. **2** 《야구속어》 강한 땅볼.

gráss·èater *n.* 《미속어》 뇌물을 요구하진 않으나 주면 받는 경찰관. [cf] meateater.

gráss·er *n.* 《영속어》 밀고자.

gráss-gréen *a.* 연두색의.

gráss-gròwn *a.* 풀로 덮인, 풀이 난.

gráss hànd (한자의) 초서체; 《영속어》〖인쇄〗 임시 고용된 식자공.

gráss hòok 풀베는 낫(sickle).

grass·hop·per** [græshɑ̀pər, grɑ́ːs-/grɑ́ːs-hɔ̀p-] *n.* 〖곤충〗 메뚜기, 황충, 여치; 《미공군속어》 (무장하지 않은) 소형 정찰기; 《미속어》 농약 살포용 비행기; 《속어》 마리화나 상습자; 《속어》 알코올 음료; 《영속어》 순경. ***knee-high to a ~ ⇨ KNEE-HIGH.

grásshopper wàrbler〖조류〗 개개비《유럽 · 아시아 · 아프리카산; 딱새과(科)》.

gráss·lànd *n.* [U] 목초지, 초지, 초원.

gráss màsk 마리화나 흡연용 마스크《파이프에 붙여 연기의 허비를 막음》.

gráss·plòt *n.* [U] 잔디밭.

gráss ròots (the ~) 〖단 · 복수취급〗 지표에 가까운 토양; (도회지에 대하여) 지방; 일반 대중, 민중; 선거민; (문제 · 조직 · 정치 운동 등의) 기반, 기초, 근본; 농목 지구; 〖집합적〗 농목민.

gráss-ròots *a.* (지도자층에 대한) 일반 대중의; 민중의; 농업 지구〔지방, 시골〕의: a ~ movement 민중 운동.

gráss shèars 잔디가위.

gráss skì 잔디 스키《grass skiing 을 할 때 쓰는 스키 판》.

gráss skìing 잔디 위에서 타는 스키.

gráss skìrt (훌라댄스의) 허리도롱이.

gráss snàke 독 없는 뱀의 일종《유럽산(產)》.

gráss stỳle (붓글씨의) 초서(체).

Gráss·tex [-teks] *n.* 그래스텍스《테니스코트의 탄력이 있는 표면재(材)의 하나; 상표명》.

gráss trèe〖식물〗 백합과(科)의 상록 관목《오스트레일리아산(產)》.

gráss wèed 《미속어》 마리화나.

gráss wídow 〔**wídower**〕 별거 중인 아내〔남편〕; 이혼한 여자〔남자〕.

gráss·wòrk *n.* [U] 〖광산〗 갱 밖의 작업.

◇**grassy** [græsi, grɑ́ːsi / grɑ́ːsi] (***grass·i·er; -i·est***) *a.* 풀이 무성한, 풀로 뒤덮인; 풀 같은; 녹색의. [파] **grá·ss·i·ness** *n.*

grássy·gréen *a.* 녹색의, 초록색의.

grate¹ [greit] *n.* **1** (난로 따위의) 쇠살대, 화상(火床); 벽난로(fireplace). **2** (창에 다는) 쇠창살; 창살문. **3**〖광산〗 (광석용의) 체. — *vt.* …에 ~를 대다.

◇**grate**² *vt.* **1** 비비다, 갈다, 문지르다; 삐걱거리게 하다: ~ the teeth 이를 갈다. **2** 비벼 부스러뜨리다, 뭉개다; (강판에) 갈다. **3** (사람을) 초조하게 만들다. — *vi.* **1** 《(+[전]+[명])》 비비다; (문이) 삐걱거리다, (…와 맞부딪쳐) 삐걱 소리를 내다 《*against; on, upon*》: The wheel ~*d on* 〔*against*〕 the rusty axle. 바퀴가 녹슨 굴대와 스쳐서 삐걱거렸다. **2** 《+[전]+[명]》 불쾌감을 주다 《*on, upon*》; (신경 · 귀에) 거슬리다: ~ *on* 〔*upon*〕 the ears 귀에 거슬리다. — *n.* (삐걱거리는 따위의) 귀에 거슬리는 소리.

Ǵ-ràted [-id] *a.* 〖미영화〗 (관객 제한 기호로서) 모든 연령층이 관람할 수 있는: a ~ film 일반용 영화. [◂ General]

****grate·ful** [gréitfəl] *a.* **1** 감사하고 있는, 고마워하는: I am ~ *to* you *for* your help. 도와주셔서 감사합니다. **2** 〖한정적〗 감사를 나타내는, 감사의: a ~ letter 감사의 편지.

> [SYN] **grateful** 남의 호의에 감사하는 경우. **thankful** 행운에 대하여 신 등에게 감사하는 경우에 쓰임.

3 기분 좋은, 쾌적한(pleasant): the ~ shade 상쾌한 그늘 / a ~ breeze 기분 좋은 산들바람.
[파] ◇**~·ly** *ad.* 감사하여, 기꺼이. **~·ness** *n.*

grat·er [gréitər] *n.* 강판; 신경질나게 하는 사람.

grat·i·cule [grætəkjùːl] *n.* (현미경〔망원경〕 계수판의) 계수선(計數線); 〖측량〗 (모눈종이의) 격자선, (지도의) 경위선(經緯線), 모눈금.

◇**grat·i·fi·ca·tion** [grætəfikéiʃən] *n.* [U] 만족(시킴), 희열, 욕구 충족; 만족감; [C] 만족시키는 것; 《고어》 보수, 팁, 행하. ◇ gratify *v.*

***grat·i·fy** [grætəfài] *vt.* **1** 《~+[목]/+[목]+[전]+

명)) 기쁘게 하다, 만족시키다; (욕망 따위를) 채우다: Beauty *gratifies* the eye. 아름다움은 눈을 즐겁게 한다 / ~ one's thirst *with* a cold glass of beer 찬 맥주 한 잔으로 갈증을 풀다 / I was *gratified* to hear the news. 그 소식을 듣고 만족했다. SYN. ⇨ SATISFY. **2** ((고어)) …에게 보수를〔팁을〕 주다. 파 **grát·i·fi·a·ble** *a.*

grát·i·fỳ·ing *a.* 즐거운, 만족시키는, 유쾌한: ~ results 좋은 성적. 파 **~·ly** *ad.* 기쁘게, 만족하여.

grat·in [grǽtn, grɑ́:-/grǽtæŋ] *n.* ((F.)) 그라탱 ((고기·감자 따위에 빵가루·치즈를 입혀 oven에 구운 요리)).

grat·ing[1] [gréitiŋ] *n.* 격자(格子), 창살; 창살문; (배의 승강구 등의) 격자 모양의 뚜껑; (보트 바닥에 까는) 격자 모양의 깔판; 〖광학〗 회절(回折) 격자(diffraction ~).

grat·ing[2] *a.* 삐걱거리는, 삐걱 소리를 내는; 귀에 거슬리는; 신경을 건드리는, 짜증나게 하는. 파 **~·ly** *ad.* 삐걱거리어; 신경에 거슬려.

gra·tis [grǽtis, gréi-] *ad., a.* 무료로(의), 공짜로(for nothing): The sample is sent ~. 견본은 무료로 보내드립니다 / Entrance is ~. 입장 무료. ★ 종종 free ~로 뜻을 강조함.

***grat·i·tude** [grǽtətjùːd/-tjùːd] *n.* U 감사, 보은의 마음; 사의(謝意): express ~ *for* …에게 사의를 표하다 / in ~ *for* …을 감사하여 / out of ~ 은혜의 보답으로 / with ~ 감사하여.

gra·tu·i·tous [grətjúːətəs/-tjúː-] *a.* **1** 무료〔무상, 무보수〕의; 호의의: a ~ contract 무상 계약(無償契約). **2** 이유〔원인〕 없는; 불필요한 (uncalled for); 정당성이 없는: a ~ liar 쓸데없이 거짓말하는 사람. 파 **~·ly** *ad.*

gra·tu·i·ty [grətjúːəti/-tjúː-] *n.* 선물(gift); 팁(tip); 보수, 상금; 〖영군사〗 하사금, (제대할 때에 받는) 급여금(bounty).

grat·u·lant [grǽtʃələnt] *a.* 기쁨〔만족〕을 나타내는.

grat·u·late [grǽtʃəlèit] ((고어)) *vt.* 축하하다. ── *vi.* 기쁨을 말하다.

grat·u·la·tion [grætʃəléiʃən] ((고어)) *n.* 축하; 희열, 만족; (*pl.*) 기쁨의 표현.

grat·u·la·to·ry [grǽtʃələtɔ̀ːri/-təri] *a.* ((고어)) 축하의.

graunch [grɔːntʃ] *vi.* (기계가) 득득 소리를 내다.

grau·pel [graupəl] *n.* 〖기상〗 싸라기눈(snow pellets, soft hail).

grav [grӕv] *n.* 〖항공〗 =G.

gra·va·men [grəvéimən/-men] (*pl.* **-vam·i·na** [-vǽmənə], **~s**) *n.* 불평, 불만; (the ~) 〖법률〗 (소송·고소의) 요점((*of*)); 진정서((영국 성직자 회의의 하원에서 그 상원에 냄)).

****grave**[1] [greiv] *n.* **1** 무덤, 분묘, 묘혈; 묘비: dig one's own ~ 스스로 묘혈을 파다, 파멸을 자초하다 / find one's ~ in a foreign country 외국에서 죽다 / in one's ~ 죽어서.

> SYN. **grave** 묘혈과 묘표(墓標)를 포함한 무덤. **tomb** 묘석(墓石)·묘표를 뜻하는 무덤으로, grave에 대한 아어(雅語)임.

2 (종종 the ~) 죽음, 종말, 파멸; 사지(死地): fear〔dread〕 the ~ 죽음을 두려워하다 / rise from one's ~ 소생(蘇生)하다 / sink into the ~ 죽다 / to the ~ 죽을 때까지. **3** ((영)) 야채를 저장하는 움. cf. sepulcher. ***a ~ of reputations*** 많은 사람이 명성을 잃은 곳. **(as) *secret* 〔*silent, quiet*〕 *as the ~*** 절대 비밀의〔쥐죽은 듯 고요한〕. ***be brought to an early ~*** 요절하다. ***beyond the ~*** 내세에(서). ***have one foot in the ~*** 여명(餘命)이 얼마 남지 않았다, 노쇠해 있다, 죽음이 가까워져 있다. ***make*** a person ***turn*** (***over***) ***in*** his ~ 아무로 하여금 죽어서도 눈을 못 감게 하다, 지하에서 편안히 잠 못 들게 하다. ***on this side of the ~*** 이승에서. ***Someone*** 〔***A ghost***〕 ***is walking*** 〔***has just walked***〕 ***on*** 〔***across, over***〕 ***my ~.*** 누군지 내 무덤 위를 걷고 있다〔걸어갔다〕((까닭없이 몸이 오싹할 때 하는 말)). ***turn*** (***over***) ***in*** one***'s ~*** (고인이) 무덤 속에서 탄식하다.

***grave**[2] *a.* **1** 드레진, (표정이) 엄한, 근엄한, 진지한: fall ~ 근엄한 표정이〔태도가〕 되다.

> SYN. **grave, solemn** 둘 다 엄숙하고 진지함을 나타내나, grave는 관심과 책임감이, solemn은 외면적인 인상이 강조됨: *grave* responsibilities 중대한 책임 / a *solemn* fool 짐짓 위엄을 부리는 바보. **sober** 술취하지 않은, 맑은 정신의. **serious** 진심인, 진지한, 침착한: a *serious* young man 착실한 젊은이.

2 근심스러운, 수심을 띤, 침통한. **3** (문제·사태 등이) 중대한, 예사롭지〔심상치〕 않은, 위기를 안고 있는, 수월치 않은; (병이) 위독한: The situation poses a ~ threat to peace. 정세는 평화에 중대한 위협을 제기하고 있다. SYN. ⇨ IMPORTANT. **4** (색깔 등이) 수수한. **5** 〖음성〗 저(低)악센트〔억음(抑音)〕(기호)의. ◇ gravity *n.* ── *n.* [greiv, grɑːv] =GRAVE ACCENT. 파 ◇**~·ly** *ad.* **~·ness** *n.*

grave[3] (**~d; grav·en** [gréivən], **~d**) *vt.* **1** ((고어)) 파다; 매장하다. **2** ((~+목/+목+전+명))((고어)) 새기다, 조각하다((*on; in*)): ~ an image 상(像)을 새기다 / ~ an inscription *on* marble 대리석에 명(銘)을 새기다. **3** ((+목+전+명))((비유)) (마음에) 새기다((*in; on*)): His words are *graven on* my memory 〔heart〕. 그의 말은 내 기억〔마음〕에 아로새겨져 있다.

grave[4] (*p., pp.* **~d**) *vt.* 〖해사〗 (배 밑의) 부착물을 없애버리고 타르 따위를 바르다.

grave[5] [grɑ́ːvei] 〖음악〗 *a., ad.* ((It.)) 완만한〔하게〕; 장엄한〔하게〕.

gráve áccent 〖음성〗 저(低)악센트((è, æ̀ 따위의 (`))).

gráve·clòthes *n. pl.* 시체에 입히는 옷, 수의(壽衣).

gráve-dàncer *n.* ((속어)) 남의 불행으로 이득을 보는 사람.

gráve·dìgger *n.* 무덤 파는 사람; 마지막 처리를 하는 사람; 〖곤충〗 송장벌레.

gráve gòods (선사 시대 묘의) 부장품.

grav·el** [grǽvəl] *n.* U **1** 자갈, 밸러스트; 〖지학·광산〗 사력층(砂礫層)((특히 사금(砂金)을 함유하는 지층)). cf. pebble. ¶ a ~ road 〔walk〕 (공원·정원 등의) 자갈길. **2** 〖의학〗 신사(腎砂), 요사(尿砂), 결사(結砂). ***eat ~ 땅에 쓰러지다. ***hit the ~*** ((미속어)) =hit the DIRT. ── (**-l-,** ((영)) **-ll-**) *vt.* **1** …에 자갈을 깔다, 자갈로 덮다; ((폐어)) (배를) 모래톱〔물가〕에 얹히게 하다. **2** 곤란케 하다, 괴롭히다(perplex); 당황하게 하다; ((미구어)) 신경질〔짜증〕나게 하다(irritate). **3** (말 따위의) 발을 자갈에 상하게 하다. ── *a.* 귀에 거슬리는.

grável-blìnd *a.* ((문어)) 반(半)소경의, 눈이 거의 보이지 않는((sand-blind 보다 나쁘고 stone-blind 보다는 잘 보임)).

grável crùsher ((군대속어)) 보병; 훈련 교관.

grável cùlture 〖농업〗 역경(礫耕) 재배.

gráve·less *a.* 무덤이 없는, (정식으로) 매장되지 않은; 불사의, 무덤이 필요 없는.

◇**gráv·el·ly** *a.* 자갈이 많은; 자갈을 깐; 자갈로 된; 〖의학〗 요사성(尿砂性)의; (목소리가) 굵고 쉰, 귀에 거슬리는.

grável pìt 자갈 채취장.

grável-póunder *n.* ((군대속어)) 보병.

grável·stòne *n.* 자갈, 조약돌, 작은 돌.

grável-vòiced [-t] *a.* 굵고 쉰 목소리의, 거

친〔탁한〕 목소리의.
gra·ve·men·te [grɑ̀ːvəméntei] *ad.* 《It.》 〖음악〗 장중하게.
grav·en [gréivən] GRAVE³의 과거분사. **—** *a.* 새긴, 조각한; 명기(銘記)된, 감명을 받은.
gráven ímage 우상(偶像).
grav·er [gréivər] *n.* 《고어》 조각가; 조각칼.
gráve·ròbber *n.* (골동품 · 보물을 훔치기 위한) 도굴꾼.
Graves [grɑːv] *n.* 《F.》 (프랑스 Bordeaux 지방의) 그라브산(產) 백포도주.
Gráves' disèase [gréivz-] 〖의학〗 바제도병 《아일랜드의 의사 Robert Graves (1796-1853)의 이름에서》.
gráve·stòne *n.* 묘석, 비석.
gráve·yàrd *n.* 묘지.
gráveyard shìft (3 교대 근무제의) 밤 12 시부터 다음날 아침 8 시까지의 작업(원).
gráveyard wàtch 1 =GRAVEYARD SHIFT. **2** = MIDDLE WATCH.
grav·id [grǽvid] *a.* 《문어》 〖동물 · 의학〗 임신한; 전조가 되는, 불길한.
grav·i·da [grǽvədə] *n.* (*pl.* **~s, -dae** [-dìː]) 임산부《보통 임신 횟수를 나타내는 숫자를 붙여서 씀》; a 4-~ 임신 네번째의 임산부.
gra·vid·i·ty [grəvídəti] *n.* [U] 임신.
gra·vim·e·ter [grəvímətər] *n.* 〖화학〗 비중계;〖물리〗 중력〔인력〕계.
grav·i·met·ric, -ri·cal [grӕ̀vəmétrik], [-əl] *a.* 〖화학〗 중량 측정의, 중량에 의해 측정된.
gravimétric análysis 〖화학〗 중량 분석.
gra·vim·e·try [grəvímətri] *n.* 〖화학〗 중량〔밀도〕측정; 중력〔인력〕 측정.
grav·ing [gréiviŋ] *n.* 《고어》 조각; 판화.
gráving dòck 건(乾)독(dry dock).
gráving tòol 조각용구, (동판(銅板)의) 조각칼; (the G- T-) 〖천문〗 조각도(刀)자리.
grav·i·sphere [grǽvəsfìər] *n.* 〖천문〗 (천체의) 중력권, 인력권.
gra·vi·tas [grǽvitæ̀s, -tɑ̀ːs] *n.* 《L.》 엄숙함.
grav·i·tate [grǽvətèit] *vi.* 중력〔인력〕에 끌리다; 가라앉다; 하강하다; (자연히) 끌리다《사람 · 사물에》《*to; toward*》: The earth ~s *toward* the sun. 지구는 태양에 끌린다. **—** *vt.* 중력으로 가라〔내려〕앉히다; 끌어당기다.
°**grav·i·ta·tion** [grӕ̀vətéiʃən] *n.* [U] 〖물리〗 인력(작용), 중력; 침강(沈降), 하강(sinking); 경향, 추세(tendency): the ~ of the population to cities 인구의 도시 집중 경향 / terrestrial 〔universal〕 ~ 지구〔만유〕 인력. [파] **~·al** [-ʃənəl] *a.* 중력의. **~·al·ly** *ad.*
gravitátional astrónomy 중력(重力) 천문학(celestial mechanics).
gravitátional collápse 〖천문〗 중력 붕괴.
gravitátional cónstant 〖물리〗 중력 상수, 만유인력 상수.
gravitátional fíeld 〖물리〗 중력장(重力場): ~ theory 중력장 이론.
gravitátional fórce 〖물리〗 중력.
gravitátional interáction 〖물리〗 중력 상호작용.
gravitátional lénsing 〖천문〗 중력 렌즈 효과 《은하 따위의 중력이 그 부근을 통과하는 원격 천체의 빛에 미치는 굴절 작용》.
gravitátional máss 〖물리〗 중력 질량.
gravitátional poténtial 〖물리〗 중력 퍼텐셜 《단위 질량의 질점이 갖는 위치 에너지》.
gravitátional radiátion 〖물리〗 중력파(gravitational wave), 중력 복사.
gravitátional wáve 〖물리〗 중력파(波).
grav·i·ta·tive [grǽvətèitiv] *a.* 중력의; 중력 작용을 받기 쉬운.

gra·vi·ti·no [grӕ̀vətíːnou] *n.* 〖물리〗 그라비티노《초중력 이론에서 제안된 스핀 3/2의 가상적 소립자》. [◂ *graviton*+*-ino*]
grav·i·ton [grǽvətɑ̀n/-tɔ̀n] *n.* 〖물리〗 중력자(重力子).
*__grav·i·ty__ [grǽvəti] *n.* [U] **1** 진지함, 근엄; 엄숙, 장중: keep one's ~ 웃지 않다, 웃음을 참다. **2** 중대함; 심상치 않음; 위험(성), 위기: the ~ of the situation 정세의 중대성. **3** 죄의 무거움, 중죄. **4** 〖물리〗 중력, 지구 인력; 중량, 무게: specific ~ 〖물리〗 비중 / the center of ~ 중심(重心). **5** 동력 가속도의 단위《기호 *g*》. **6** (음조의) 저음, 억음(抑音). ◇ grave *a.*
grávity bàttery 〔**cèll**〕 중력 전지.
grávity dàm 〖토목〗 중력댐《자중(自重)으로 안정된 댐》.
grávity devìce 거꾸로 매달리는 건강기(器) 《gravity shoes라는 무거운 신을 신고 그것을 철봉에 걸고 거꾸로 매달림》.
grávity fàult 〖지학〗 중력 단층(斷層)(normal fault).
grávity fèed (연료 · 재료 따위의) 중력 이용 전송〔공급〕(장치).
grávity gràdient 〖물리〗 중력 경도(傾度)법.
grávity mèter 중력계(gravimeter).
grávity wàve 〖물리〗 (유체(流體)의) 중력파; =GRAVITATIONAL WAVE.
gra·vure [grəvjúər] *n.* [U,C] 그라비어 인쇄, 사진 요판(술). [◂ photo*gravure*]
°**gra·vy** [gréivi] *n.* [U] **1** (요리할 때의) 고깃국물; 고깃국물 소스. **2** 《속어》 부정하게〔쉽게〕 번 돈; (정치상 묵인에 의한) 불법 소득; 뜻하지 않은 수입: in the ~ 돈있는, 부자의, 아쉬운 것 없는.
grávy bòat (배 모양의) 고깃국물 그릇; 《속어》 =GRAVY TRAIN.
grávy tràin 《속어》 부정 이득이 생기는 괜찮은 자리〔지위, 일, 정세〕: get on 〔ride, board〕 the ~ 쉽게 큰 돈을 벌다, 괜찮은 벌이를 만나다.

gravy boat

Gray [grei] *n.* **Thomas** ~ 그레이《영국의 시인; 1716-71》.
‡**gray¹,** 《영》 **grey** [grei] *a.* **1** 회색의, 잿빛의; (안색이) 창백한; 《미흑인속어》 백인의, 흰둥이의. **2** 흐린; (미래가) 어두운; 음산한; 어스레한, 어두컴컴한(dim). **3** 《비유》 회색의, 중간 단계의, 성격이 뚜렷치 않은; 쓸쓸한. **4** 백발이 성성한, 희끗희끗한: ~ hairs 노년 / turn ~ 백발이 되다. **5** 노년의; 노련〔원숙〕한: ~ experience 노련. **6** 고대〔태고〕의: the ~ past 고대, 태고. **7** (아무가) 무명(無名)의, 특징이 없는. **8** 〖경제〗 암거래에 가까운. **—** *n.* [U,C] **1** 회색, 쥐색, 잿빛; 표백〔염색〕이 안된 상태. **2** 회색 그림물감; 회색의 동물《특히 회색말》; 《미흑인속어 · 경멸》 백인, 흰둥이; 회색 옷; (종종 G-) 《미》 (남북 전쟁 때의) 남군 병사. [cf] blue. ¶ be dressed in ~ 회색 옷을 입고 있다. **3** (the ~) 어스름, 어스레한 빛, 황혼: in the ~ of the morning 어슴새벽에. **—** *vt., vi.* **1** 회색으로 하다〔이 되다〕; 백발이 되(게 하)다. **2** 〖사진〗 광택을 지우다. [파] **∠·ly** *ad.* 회색으로, 우중충하게; 음침하게. **∠·ness** *n.* 회색; 백발이 성성함; 어둠침침함.
gray² *n.* 〖물리〗 그레이《전리 방사선 흡수선량(量)의 SI 단위; 생략: Gy》. [cf] rad¹.
gráy área 1 (양극 간의) 중간 영역, 어느 쪽이라 말할 수 없는 곳, 애매한 부분〔상황〕: in the ~ between public and personal affairs 공무와 사삿일의 분간이 불분명한 영역에. **2** =GREY AREA.

gráy·bàck *n.* Ⓤ **1** 쇠고래; 도요새류(類); 뿔까마귀. **2** (G-) 〖미국사〗 (남북 전쟁 당시의) 남군의 병사. **3** 《미》 이(louse).
Gráy·bàr Hótel [gréibɑ̀ːr-] 《속어》 교도소.
gráy·bèard *n.* **1** (수염이 희끗희끗한) 노인; 노련한 사람, 현인(賢人). **2** (돌 · 오지 등의) 술병. **3** 〖식물〗 =VIRGIN'S-BOWER. ㊕ **~·ed** [-id] *a.* 흰 수염의.
gráy bòdy 〖물리〗 회색체《같은 온도에서, 흑체(black body)보다 작은 일정률로 방사선을 내는 물체의 총칭》.
gráy céIls 두뇌; 뇌수(gray matter).
Gráy còde 〖컴퓨터〗 그레이 코드《연속하는 두 숫자 코드는 이진수(二進數) 표현에서 한 자리만 다루도록 한 코드》.
gráy-còllar *a.* 《미》 수리 · 정비 따위 기술 서비스에 종사하는 노동자의.
gráy ecónomy 〖경제〗 그레이 이코노미《공식 통계에 들지 않는 경제 활동; 여유 시간의 부업, 물물 교환 따위》. ⓒⓕ black economy.
gráy éminence =ÉMINENCE GRISE.
gráy·fish (*pl.* **~, ~·es**) *n.* 돔발상어(dog fish) 《시장 용어》.
Gráy Fríar 프란체스코회의 수사(修士).
gráy góose (유럽산) 기러기.
gráy-háired, -héaded [-id] *a.* **1** 백발의, 늙은, 노년의. **2** 노련한《*in*》. **3** 오래된, 예로부터의.
gráy·hèad *n.* 백발의 노인; 늙은 향유고래의 수컷.
gráy hèn 〖조류〗 멧닭의 암컷.
grayhound ⇨ GREYHOUND.
gráy·ing *n.* Ⓤ 노인〔고령〕화, 노화.
gray·ish [gréiiʃ] *a.* 회색빛 도는, 우중충한.
Gráy Làdy 미국 적십자사의 여성 자원 봉사자 《의료 봉사 등을 함》.
gráy·làg *n.* =GRAY GOOSE.
gráy lámpshade 회색의 전등갓 모양을 한 쇠루가스 발사 장치.
gray·ling [gréiliŋ] *n.* 〖어류〗 살기; 〖곤충〗 뱀눈나빗과(科)의 나비《굴뚝나비 따위》.
gráy·màil *n.* 《미》 (소추(訴追) 중인 피의자가) 정부 기밀을 폭로하겠다는 협박.
gráy máre 《비유》 남편을 쥐고 흔드는 아내: The ~ is the better horse. 《속담》 내주장(內主張)이다, 엄처시하(嚴妻侍下)이다.
gráy márket 회색시장《암시장과 보통 시장의 중간적 시장》. ⓒⓕ black market.
gráy-márket càr 미국 연방 정부가 정한, 배기가스 및 안전 기준에 미달인 채 미국에 수입된 자동차.
gráy màtter (뇌수 · 척수의) 회백질; 《구어》 지력(知力), 두뇌. ⓒⓕ white matter.
gráy múllet 〖어류〗 숭어.
Gráy Pánthers 《미》 노인의 복지 · 권리를 위한 운동을 하는 단체.
gráy pówer 《미》 노인 파워.
gráy scále 그레이 스케일《백(白)에서 흑(黑)까지의 명도를 단계적으로 나눈 무채색 색표(色標)의 계열; TV · 사진 · 인쇄의 화면 색깔 판정용》.
gráy scáling 〖컴퓨터〗 그레이 스케일링《백에서 흑에 이르는 연속적 농담의 차이를 회색의 유한 계조(階調)로 의사적(擬似的)으로 표현하는 기법》.
gráy séal 〖동물〗 회색바다표범《북대서양산》.
gráy squírrel 회색의 큰 다람쥐《미국산(產)》.
gráy·stòne *n.* 회색의 화산암(의 건물).
gráy·wàcke *n.* Ⓤ 〖지학〗 경사암(硬砂岩).
gráy·wàter *n.* 중수(中水)《정수 처리를 한 재이용 가능한 물》.
gráy wólf =TIMBER WOLF.
gráy zòne **1** 이도 저도 아닌 (상태), 애매한 (범위): ~ weapons 전략 병기인지 전술 병기인지 애매한 병기《순항 미사일 등》. **2** 회색 지대《어느 초강대국의 세력 아래 있는지 애매한 지역》.
***graze**[1] [greiz] *vi.* **1** (가축이) 풀을 뜯어 먹다; 가축을 방목하다. **2** 《구어》 가벼운 식사를 하다, 간식을 먹다; (체중 감량 또는 시간 부족으로) 노상 스낵 식품을 조금씩 먹다. **—** *vt.* **1** (가축에게) 풀을 뜯어 먹게 하다; (가축을) 방목하다. **2** (풀밭을) 목장으로 쓰다. **3** (일하면서〔선 채로〕) 가볍게 요기하다. **—** *n.* Ⓤ 풀을 뜯어 먹기〔먹게 하기〕, 방목; 목축; 목초.
graze[2] *vt.* (…에) 스치다, 지나가며 스치다; (살갗을) 스쳐 벗기다《*against*》. **—** *vi.* **1** 《+전+명》 스치고 지나가다, 스치다《*along; by; past; through*》: He ~*d past* me in the alley. 그는 골목에서 내 몸을 스치고 지나갔다. **2** 《+전+명》 스쳐서〔비벼서〕 벗겨지다《*against*》: ~ *against* a rough wall 꺼칠꺼칠한 벽에 스쳐 살갗이 벗겨지다. **3** TV 채널을 이리저리 바꾸다; 분할 화면으로 동시에 복수의 프로그램을 시청하다. **—** *n.* Ⓤ 스침, 찰과(擦過); Ⓒ 찰과상.
graz·er [gréizər] *n.* 풀을 먹는 동물, 방목 가축; 방목자.
gra·zier [gréiʒər/-ziə] *n.* 목축업자. ㊕ **~y** [-ri] *n.* Ⓤ 목축업.
graz·ing [gréiziŋ] *n.* 방목; 목초(지).
gra·zi·o·so [grɑ̀ːtsióusou] *ad.* 《It.》 〖음악〗 우미〔전아(典雅)〕하게.
GRB gamma-ray burst. **GRBM** Global Range Ballistic Missile. **Gr. Br(it).** Great Britain. **Grc.** Greece. **GRCM** Graduate of the Royal College of Music. **GRE** graduate record examination.
grease** [griːs] *n.* Ⓤ **1** 그리스; 수지(獸脂), 기름기, 지방(fat); 용해된 수지; 유성(油性) 물질, 유지(油脂); 윤활유. **2** (기름을 빼지 않은) 생양털(=∠ **wòol**). **3** 〖수의〗 수지병(水疵病)(=∠ **hèel**)《말의 병》. **4** 《미구어》 아첨; 뇌물; 《미속어》 영향력, 세력. ***give a person ***a*** ~ ***job*** 아첨하다. ***in*** (***pride of, prime of***) ~ (사냥 짐승이) 한창 기름이 오른, 사냥에 알맞은. (wool 〔furs〕) ***in the*** ~ 아직 기름을 안 뺀 (생양털〔양가죽〕). ***like*** ~ ***in a pan*** 힘있게. **—** [griːz, griːs] *vt.* **1** …에 기름을 바르다〔치다〕. **2** 기름으로 더럽히다. **3** 《속어》 …에게 뇌물을 주다; (일을) 잘 되게 하다, 촉진시키다. **4** 수자병에 걸리게 하다. **5** 《속어》 (비행기를) 순조롭게 착륙시키다. **6** 《미속어》 먹다. ~ a person***'s hand*** 〔***fist***〕 아무에게 뇌물을 (쥐어) 주다. ~ ***the fat pig*** 〔***sow***〕 괜한 짓을 하다. ~ ***the wheels*** ⇨ WHEEL.
gréase bàll 〖야구〗 머릿기름 등 유성(油性) 물질을 공〔손가락〕에 발라서 하는 투구.
gréase·bàll *n.* 《미속어 · 경멸》 멕시코인, 라틴아메리카인.
gréase bòx 〖기계〗 차축의 그리스 통.
gréase·bùsh *n.* =GREASEWOOD.
gréase cùp (기계에 부속된) 윤활유 그릇.
gréased líghtning 《구어》 굉장히 빠른것; 《구어》 독한 술: like ~ 굉장한 속도로 / (as) quick as ~ 전광석화처럼, 굉장히 빨리.
gréase gùn 윤활유 주입기(注入器); 《군대속어》 (M-3 형) 기관 단총.
gréase jòint 《속어》 (카니발, 서커스 개최장 내에 있는) 간이식당, 포장마차, 햄버거 스탠드.
gréase mònkey 《구어》 기계공; 비행기〔자동차〕 수리공, 정비공.
gréase pàint 도란《배우가 화장할 때 사용함》; 메이크업.
gréase pàyment 뇌물, 독직.
gréase pèncil 안료와 유지로 만들어진 심을 종이로 싸고, 풀면서 벗길 수 있도록 만든 연필.
gréase·pròof *a.* 기름이 배지 않는: ~ paper 납지(蠟紙).

greas·er [gríːsər] *n.* 기름 치는 사람〔기구〕; (기선의) 화부장(火夫長); 정비공; 《속어》 (장발의) 오토바이 폭주족; 《속어》 알랑쇠, 꼴보기 싫은 놈; 《미속어·경멸》 멕시코 사람, 스페인계 미국인. 「장치.
gréase tràp 〖토목〗 하수도의 유지(油脂) 차단
gréase·wòod *n.* Ⓤ 〖식물〗 명아줏과 관목의 일종《미국 서부 알칼리성 지대(地帶)산》.
greas·ing [gríːziŋ] *n.* 기름을 침〔바름〕, 기름으로 얼룩지게 함; 증회; 아첨, 아부.
◇**greasy** [gríːsi, -zi] (***greas·i·er; -i·est***) *a.* **1** 기름에 전, 기름투성이의, 기름을 바른; (음식이) 기름기 많은. **2** 번드러운, 매끄러운; 진창의. **3** 〖해사〗 잔뜩 찌푸린, 우중충한《날씨·하늘 따위》. **4** 아첨하는; 미덥지 못한(unreliable); 《미속어》 교활한. **5** 〖수의〗 수자병(水疵病)에 걸린. ◇ grease *n.* ㊞ **gréas·i·ly** *ad.* 기름기 있게, 번드럽게, 미끄럽게; (말을) 번드르르하게. **-i·ness** *n.*
gréasy grínd 《미속어》 공부만 하는 사람.
gréasy póle 《영》 기름 몽둥이《그 위로 올라가거나 걸어다니는 놀이 기구》. ***climb up the ~*** 어려운 일을 시작하다.
gréasy spóon 《속어》 (지저분한) 대중식당, 밥집, 《특히》 즉석 튀김요리 식당.
†**great** [greit] *a.* **1** 큰, 거대한, 광대한. OPP *little.* ¶ a ~ fire 큰 불 / a ~ city 대도시 / a ~ famine 대기근. SYN ⇨ BIG. **2** 중대한, 중요한; 중심이 되는; 주된; 성대한: ~ issues 중요한 문제 / a ~ occasion 성대한 행사, 축제일. **3** 대단한, 심한: a ~ pain 격심한 고통 / a ~ success 대성공 / ~ sorrow 큰 슬픔. **4** 고도의, 극도의: ~ friends 아주 친한 사이 / in ~ detail 지극히 상세하게. **5** (수·양 따위가) 많은, 큰, 최대의; 오래된, 장기(長期)의: in ~ multitude 큰 무리를 이루어 / at a ~ distance 먼 곳에 / the ~*est* happiness of the ~*est* number 최대 다수의 최대 행복 cf. utilitarianism / a ~ while ago 오래 전에. **6** 위대한, 탁월한; (사상 등이) 심오한, 숭고한: a ~ soldier 위대한 병사 / a ~ little man 몸은 작으나 마음이 큰 사람 / a ~ truth 심오한 진리. **7** 지위가 높은; 지체 높은, 고명한; (the G-) …대왕(大王): a ~ lady 귀부인 / Alexander the *Great* 알렉산더 대왕. **8** 《구어》 굉장한, 멋진, 근사한: have a ~ time 멋지게 지내다 / That's ~! 그거 멋진데. **9** 《구어》 (…을) 잘하는, 능숙한《*at*》; (…에) 열중하는《*at; for; on*》: He is ~ *at* tennis. 테니스를 잘한다 / He is ~ *on* science fiction. 그는 공상 과학 소설에 열중하고 있다. **10** 증(曾)…《증조부, 증조모, 증손 등》. **11** 건방진. **12** (희망·노염 등에) 찬《*with*》. **13** 《고어·방언》 임신하여《*with*》: be ~ *with* child 임신하고 있다. ***be ~ in*** …에 뛰어나다. ***be ~ on*** …에 훤하다〔밝다〕, …에 숙달돼 있다; …하는 습관이 있다. ***feel ~*** 기분이 상쾌하다. ***Great God*** 〔***Caesar, Scott***〕***!*** 아이고〔어마〕 깜짝이야, 이거 큰일이군, 하나님 맙소사. (a man) ***~ of*** (heart) (마음)이 큰 (사람). ***the ~er*** 〔***~est***〕 ***part of*** …의 대부분. ***the ~ I am*** 《영속어》 자칭 대가; 젠체하는 사람. ***the ~ majority*** 〔***body, part***〕 대부분.
—*ad.* 《미구어》 잘, 훌륭하게(well): He's getting on ~. 아주 잘해 가고 있다.
—*n.* **1** 위대한 사람〔것〕; (the ~s) 훌륭한〔고귀한, 유명한〕 사람들; (the ~est) 《구어》 최고의〔특출하게 훌륭한〕 사람〔물건〕. **2** 전체. **3** (*pl.*; 종종 G-s) (Oxford 대학의) B. A.의 학위 취득 최종 시험(~ go). **4** (a ~) 《미구어》 다량, 다수, 대부분《*of*》: a ~ *of* books 많은 책. ***~ and small*** 빈부 귀천(의 구별없이). ***in*** 〔***by***〕 ***the ~*** 총괄하여, 통틀어서. ***no ~*** 《미속어》 많지 않은.
great- [gréit] '일대(一代)가 더 먼'이란 뜻의 결합사: *great*-grandchild.
gréat ápe 유인원(類人猿).
Gréat Assíze (the ~) 최후의 심판(the Last Judgment). 「aunt).
gréat-àunt *n.* 조부모의 자매, 대고모(grand-
Gréat Bárrier Rèef (the ~) 그레이트 배리어 리프《오스트레일리아 Queensland 주 동쪽 해안에 해안과 나란히 위치한 세계 최대의 산호초; 길이 약 2,000km》.
Gréat Básin (the ~) 미국 서부의 대분지.
Gréat Béar (the ~) 〖천문〗 큰곰자리.
gréat beyónd (the ~, 종종 the G- B-) 내세, 사후의 세계, 저승.
⁑**Grèat Brítain** **1** 대브리튼(섬)《England, Wales, Scotland를 포함함》. **2** 《속용》 = UNITED KINGDOM. 「데 필요한 열량》.
gréat cálorie 대칼로리《물 1kg을 1°C 높이는
gréat cháir 팔걸이의자, 안락의자(armchair).
Gréat Chárter (the ~) 〖영국사〗 대헌장, 마그나 카르타. 「지구의) 대권(大圈).
gréat círcle (구면(球面)의) 대원(大圓), (특히
gréat-círcle còurse 〔**ròute**〕 대권(大圈) 코스《지구상의 두 점을 최단 거리로 잇는 항로·공로》. 「航法).
gréat-círcle sáiling 〖해사〗 대권 항법(大圈
gréat·còat *n.* (군인의 두꺼운) 외투(topcoat); 방한 외투.
gréat cóuncil 〖영국사〗 (노르만 왕조 시대의) 왕정청(王政廳)(Curia Regis) 대회의; (예전의 Venice 등의) 시의회.
Gréat Cúltural Revolútion (the ~) (중국의) 문화 대혁명(Cultural Revolution).
Gréat Dáne 덴마크종(種)의 큰 개.
Gréat Dáy (the ~) = DAY OF JUDGMENT.
Gréat Depréssion (the ~) 세계 대공황《1929년 미국에서 시작된》.
Gréat Dípper (the ~) 〖천문〗 큰곰자리.
Gréat Divíde (the ~) 미대륙 분수계(the Rockies); (the g- d-) 대분수계; 《비유》 생사 갈림길, 중요한 경계, 일대 위기. ***cross the great divide*** 유명(幽明)을 달리하다.
Gréat Dóg (the ~) 〖천문〗 큰개자리.
great·en [gréitn] 《고어》 *vt.* …을 크게〔위대하게〕 하다; …을 넓게 하다; 증대〔확대〕시키다.
—*vi.* 크게〔위대하게, 넓게〕 되다.
gréat·er *a.* 〖great의 비교급〗 **1** …보다 큰. OPP *lesser.* **2** (G-) 〖지역명〗 대(大)… 《도시가 교외까지 포함한》: ⇨ GREATER NEW YORK. 「포함).
Gréater Brítain 대영 연방《자치령·식민지를
Gréater Mánchester 그레이터맨체스터《잉글랜드 서부의 주; 주도는 Manchester》.
Gréater Nèw Yórk 대뉴욕《종래의 뉴욕에 the Bronx, Brooklyn, Queens, Richmond를 추가한 New York City와 같은 말》. 「기호(>).
gréater-than sìgn 〔**sỳmbol**〕 "보다 큰"의
gréatest cómmon divísor 〔**fáctor, méasure**〕 〖수학〗 최대 공약수.
gréatest háppiness prìnciple (the ~) 〖철학〗 최대 행복의 원리《「최대 다수의 최대 행복」을 인간 행위의 규범으로 하는 윤리 원칙》.
gréat fée 〖영국사〗 국왕이 직접 내린 영지.
Gréat Fíre (the ~) (1666년의) 런던 대화재.
grèat-gránd·chìld (*pl.* ***-children***) *n.* 증손.
grèat-gránd·dàughter *n.* 증손녀.
grèat-gránd·fàther *n.* 증조부.
grèat-gránd·mòther *n.* 증조모.
grèat-gránd·pàrent *n.* 증조부·증조모.
grèat-gránd·sòn *n.* 증손. 「생략: g. gr.).
gréat gróss 12 그로스《144 다스 = 1728개;

gréat gróup 〖지학〗 대군(大群)《둘 이상의 토양속(soil family)으로 이루어지고 내부적으로 공통된 특징을 가진 토양군》.

gréat gún 《미속어》 거물, 명사, 유력자.

gréat-héarted [-id] *a.* 고결한, 마음이 넓은; 용감한. ㊞ **~·ly** *ad.* **~·ness** *n.*

gréat hórned ówl 〖조류〗 수리부엉이《북아메리카·라틴아메리카산(産)》.

gréat húndred 120.

gréat ínquest =GRAND JURY.

Gréat Lákes (the ~) 미국의 5대호(大湖)《동쪽에서부터 Ontario, Erie, Huron, Michigan, Superior》.

gréat láurel 〖식물〗 북아메리카 동부 원산의 넓은 잎의 석남, 만병초.

Gréat Léap Fórward (the ~) 대약진《1958-61년의 중국의 경제 공업화 정책》.

***great·ly** [gréitli] *ad.* **1** 크게, 대단히, 매우; 〔비교의 표현과 함께〕 훨씬: ~ superior 훨씬 뛰어난. **2** 위대하게; 숭고하게, 고결하게; 중대하게; 관대하게.

Gréat Mógul (the ~) 무굴 제국의 황제; (g-m-) 거물, 요인.

gréat-nèphew *n.* 조카(조카딸)의 아들, 형제〔자매〕의 손자(grandnephew).

***great·ness** [gréitnis] *n.* Ⓤ 큼, 거대; 다대, 대량; 위대(함); 탁월, 저명; 고귀; 중대함.

gréat-nìece *n.* 조카(딸)의 딸, 형제〔자매〕의 손녀(grandniece).

gréat órgan 〖음악〗 그레이트 오르간《특히 큰 음을 내는 오르간의 주요부; 그 주(主)건반》.

Gréat Plágue of Lóndon (the ~) (1664-65년의 페스트에 의한) 런던의 대역병(大疫病).

Gréat Pláins (the ~) 대초원《Rocky 산맥 동부의 캐나다와 미국에 걸친 건조 지대》.

Gréat Pówer 강국, 대국; (the ~s) (세계의) 열강.

gréat prímer 〖인쇄〗 18포인트 활자.

Gréat Proletárian Cúltural Revolútion (the ~) =CULTURAL REVOLUTION 2.

Gréat Rebéllion (the ~) 〖영국사〗 대반란, 청교도 혁명(English Civil War).

Gréat Réd Spòt 〖천문〗 대적점(大赤點)(red spot)《목성 표면의 거대한 타원형의 가스 소용돌이》.

Gréat Ríft Válley (the ~) (동아프리카) 대지구대(大地溝帶)《아시아 남서부 Jordan강 계곡부터 아프리카 남동부 Mozambique에 이르는 세계 최대의 지구대》.

gréat róom (거실·식당·응접실까지 겸한) 넓은 일실(一室) 공간.

Gréat Rússian 대(大)러시아인《옛 소련의 유럽 북부와 중부 지방에 사는 주요한 러시아 민족》; 대러시아어《유럽 러시아의 중부·북동부에서 쓰이는 사투리》.

Gréat Sàlt Láke 그레이트솔트 호《미국 Utah 주에 있는 얕은 함수호(鹹水湖)》.

gréat séal (the ~) 나라〔주〕의 인장; (the G-S-) 《영》 국새.

Gréat Smóky Móuntains, Gréat Smókies (the ~) 그레이트스모키 산맥《the Appalachian Mountains 중의 한 산계(山系); 일대는 국립공원》.

Gréat Socíety (the ~) 위대한 사회《미국 대통령 Lyndon B. Johnson의 사회 복지 정책》.

gréat sóil gròup 〖지학〗 대토양군(大土壤群)(great group).

Gréat Spírit (북아메리카 인디언의) 부족 주신(主神).

gréat tít 〖조류〗 박새.

gréat tóe 엄지발가락(big toe).

gréat-ùncle *n.* 종조부(granduncle)《조부모의 형제》.

Gréat Wáll 〖천문〗 (인력(引力)에 의하여 결합된 수천의) 거대한 성운(星雲) 무리.

Gréat Wáll (of Chína) (the ~) 만리장성.

Gréat Wár (the ~) =WORLD WAR I.

gréat whéel (시계의) 제1톱니바퀴.

Gréat Whíte Fáther 〔Chíef〕 (아메리카 인디언이 말하는) 미국 대통령; 대권력자.

Gréat Whíte Wáy (the ~) 불야성《뉴욕시 Broadway의 극장 지구》.

gréat wórld 사교계(의 생활 양식).

gréat yéar =PLATONIC YEAR.

greave [gri:v] *n.* (보통 *pl.*) (갑옷의) 정강이받이. ㊞ **~d** *a.* 정강이받이를 댄.

greaves [gri:vz] *n. pl.* 유박(油粕), 깻묵, 굳기름 찌꺼기《개·물고기의 먹이》.

grebe [gri:b] (*pl.* **~, ~s**) *n.* 〖조류〗 논병아리.

gre·bo [grí:bou] *n.* 그레보《장발에 지저분한 복장을 하고 전위적 록음악을 선호하는 젊은이》.

°**Gre·cian** [grí:ʃən] *a.* 그리스의, 그리스식(式)의. ★ 보통 '용모, 자세, 머리형, 건축, 미술품' 따위를 말하는 이외는 Greek를 씀. **—** *n.* 그리스 사람(Greek); 〖성서〗 헬라파 유대인《그리스화한 유대인》; 《고어》 그리스(어)학자; (《영》 Christ's Hospital 학교의) 최상급생.

Grécian bénd 《영》 (1870년경 여성들 간에 유행된) 윗몸을 조금 앞으로 구부린 걸음걸이.

Grécian gíft =GREEK GIFT.

Grécian knót 《영》 그리스 여성식의 머리 꾸밈새《뒤통수에서 묶음》.

Grécian nóse 그리스 코《이마와 일직선을 이룸》. Ⓒⓕ Roman nose.

Grécian slíppers 《영》 운두가 낮고 부드러운 슬리퍼.

Gre·cism, 《주로 영》 **Grae-** [grí:sizəm] *n.* 그리스 말(투); Ⓤ,Ⓒ 그리스 사조〔정신〕.

Gre·cize, 《주로 영》 **Grae-** [grí:saiz] *vt., vi.* 그리스식으로 하다; 그리스 말투로 하다; 그리스어로 번역하다.

Gre·co-, 《주로 영》 **Grae·co-** [grí:kou, -kə, grék-] '그리스'의 뜻의 결합사.

Grèco-Róman *a.* 그리스·로마(식)의. **—** *n.* Ⓤ 〖레슬링〗 그레코로만 스타일.

***Greece** [gri:s] *n.* 그리스《수도 Athens》. ◇ Greek, Grecian *a.*

***greed** [gri:d] *n.* Ⓤ 탐욕, 욕심《*for*》: one's ~ of gain 이득에 대한 욕심.

gréed·bàll *n.* 《미속어》 (부호가 고액을 주고 선수를 고용하여 운영하는) 프로 야구.

greedy** [grí:di] (greed·i·er; -i·est***) *a.* **1** 욕심 많은, 탐욕스러운《*for; of*》: a man ~ *of* money 돈밖에 모르는 남자/a ~ eater 먹보, 걸신들린 사람. **2** 갈망하는, 간절히 바라는《*of; for*》: ~ *for* money 돈을 탐내는/~ *of* praise 무척 칭찬을 바라고 있는. **3** 몹시 …하고자 하는《*to* do》: He is ~ *to* gain power. 권력을 잡으려고 혈안이다. **—** *vt., vi.* 〔다음 관용구로〕 **~ up** 《속어》 게걸스레 먹다. ㊞ °**gréed·i·ly** *ad.* 게걸스레; 욕심〔탐〕내어. **-i·ness** *n.*

gréedy-gùts *n. pl.* 〔단수취급〕 《속어》 대식가, 먹보(glutton).

Greek** [gri:k] *a.* 그리스(사람)의; 그리스어의, 그리스식의. **—** *n.* **1** 그리스 사람: When ~ meets ~, then comes the tug of war. 《속담》 두 영웅이 만나면 싸움은 불가피하다. **2** 그리스 정교 신자. **3** Ⓤ 그리스어; 《구어》 무슨 소린지 알아들을 수 없는 말(gibberish): It's 〔It sounds〕 all ~ 〔quite a ~〕 to me. 도무지 무슨 말인지 모르겠다. **4** 그리스화한 유대인. **5** 《미구어》 그리스 문자 클럽(~-letter fraternity) 회원. **6** 《미속어》 아일랜드 사람; (종종 g-) 사기꾼, 협잡꾼(sharper); 《미속어》 동성연애자. ***Classical **~** 고전 그리스어《기원 200년경까지》. **—** *vt., vi.* 《비어》 (이성 간에) anal intercourse를 하다. ㊞ **∠·ness** *n.*

Gréek Cátholic 그리스 정교 신자《로마 교회 교리를 믿으면서 그리스 정교회의 의식·예식을 따르는 그리스인》.
Gréek Cátholic Chúrch 그리스 가톨릭 교회《로마 가톨릭 교회의 한 파》.
Gréek Chúrch =GREEK ORTHODOX CHURCH.
Gréek cróss 그리스 십자가《가로 세로가 똑같은》.
Gréek Fáthers (the ~) 그리스 말로 저술 활동을 한 초기의 기독교 교부(敎父)들.
Gréek fíre 그리스 화약《옛날 적의 배를 화공(火攻)하는 데 쓴》.
Gréek frét 〔**kéy**〕 =FRET².
Gréek gíft 남을 해치려고 보내는〔위험한〕 선물《Troy의 목마의 고사에서》.
Gréek-letter fratérnity 《미》 그리스 문자 클럽《그리스 문자를 써서 명명한 학생의 우애와 사교 클럽》.
Gréek-letter sorórity 《미》 여자 그리스 문자 클럽.
Gréek Órthodox Chúrch (the ~) 그리스 정교회.
Gréek Revíval (the ~) 그리스 부흥《19 세기 전반의 건축 양식; 고대 그리스 디자인의 모방이 많음》.
Gréek ríte 그리스 정교의 성찬식.
†**green** [griːn] *a.* **1** 녹색의, 초록의, 싱싱하게 푸른(verdant); 푸른 잎으로 덮인: ~ meadows 푸른 목장. **2** 야채〔푸성귀〕의: ⇨ GREEN CROP / a ~ salad 야채 샐러드. **3** 젊음이 넘치는, 기운이 넘치는: a ~ old age 정정한 노년. **4** 생생한, 싱싱한, 신선한; 《고어》 (상처 따위가) 새로운: keep a memory ~ 언제까지나 기억에 남기다. **5** 아직 퍼런, 익지 않은; 생(生)《담배·목재 등》; 아직 조리〔건조, 저장〕하지 않은; (가죽이) 무두질을 않은; 미가공(未加工)의: a ~ fruit 풋과실 / a ~ stone 아직 떠낸 채로 다듬지 않은 돌 / ~ hides 생피(生皮). **6** 《비유》 준비 부족의; 미숙한, 익숙지 않은, 무경험의 (raw): a ~ hand 풋내기 / ~ *at* one's job 풋내기인. **7** 속아넘어가기 쉬운(credulous); 단순한. **8** (얼굴빛이) 핼쑥한, 핏기가 가신: ~ with fear 공포로 얼굴이 창백한. **9** 《속어》 질투에 불타는(jealous): a ~ eye 질투의 눈. **10** 푸름이 남아 있는; 따뜻한(mild): ~ winter 푸근한 겨울 / ~ Christmas 눈 없는 따스한 크리스마스. **11** (때때로 G-) 환경 보호주의의: ~ politics 환경 보호주의 정치. (***as***) ~ ***as grass*** 《구어》 세상 물정 모르고, 풋내기로서. ***be ~ with envy*** 〔***jealousy***〕 《구어》 (얼굴이 창백해지도록) 몹시 샘〔시기〕하다. ***be not as*** 〔***so***〕 ~ ***as*** one ***is cabbage-looking*** 《영구어》 《우스개》 보기처럼 풋내기는 아니다, 보기보다는 현명하다. ~ ***in earth*** (갓 매장되어) 흙이 마르지 않은. ***have a ~ thumb*** ⇨ GREEN THUMB. ***in the ~ wood*** 〔***tree***〕 원기 왕성할 때에, 순경(順境)에서, 번영의 시대에. ***Turn ~!*** 《미속어》 젠장맞을!, 뒈져라!
— *n.* **1** Ⓤ,Ⓒ 녹색, 초록색. **2** 초원, 풀밭; (공공·공유의) 잔디밭. **3** 녹색 안료; 녹색의 물건《천 따위》; (*pl.*) (미국 육군의) 청록색 제복; (교통 신호 따위) 푸른 신호; (the ~) 《미서핑속어》 물마루가 부서지기 전의 앞쪽의 파도; (흔히 long 〔folding〕 ~) 《미속어》 지폐, 《특히》 달러 지폐; 《속어》 돈, 화폐. **4** (*pl.*) 푸성귀, 야채(요리): salad ~*s* 샐러드용 엽채류. **5** (*pl.*) 푸른 잎〔가지〕《장식용》: Christmas ~*s* 《미》 전나무·호랑가시나무의 푸른 가지 장식. **6** Ⓤ 청춘, 활기. **7** 미숙함; 잘 속을 것 같음. **8** (the G-) 초록 기장(記章) 《주로 아일랜드의》; (the G-s) 녹색당《아일랜드 국민당》. **9** 〖골프〗 그린(putting ~); 골프 코스. **10** 질이 나쁜 마리화나; (*pl.*) 《속어》 성교; 《CB속어》 속도 위반 딱지. ***in the ~*** 혈기 왕성하여. ***see ~ in*** a person's ***eye*** 아무를 얕보다, 만만하게 보다: Do you *see* 〔Is there〕 any ~ *in my eye?* 내가 그렇게 숙맥으로 보이는가.
— *vt.* **1** 녹색〔초록〕으로 하다〔칠하다, 물들이다〕. **2** 도로 젊어지게 하다, 활기를 되찾게 하다. **3** 《속어》 놀리다, 속이다(cheat). — *vi.* 녹색이 되다.
gréen álga 〖식물〗 녹조(綠藻).
gréen-àss *a.* 《비어》 숫된, 풋내기의.
gréen áudit 환경 적합 검사.
gréen·bàck *n.* **1** 《미》 그린백(뒷면이 초록색인 미국 법정 지폐); 달러 지폐; 《영속어》 1 파운드 지폐; (*pl.*) 《미》 돈(money). **2** 《미》 등이 녹색인 짐승.
gréenback párty 〖미국사〗 그린백당《농산물 가격 인상을 위해 greenback 지폐의 증발 정책을 지지한 정당(1875-84)》.
gréen bádge 《영》 택시 운전 허가증.
gréen bàg 《영》 변호사용 가방; 변호사.
gréen bàn 《Austral.》 (노동조합원의) 그린벨트 안의 건설 사업이나 공해 사업에의 취로 거부; (노동조합원의) 양심적 직장 포기.
gréen·bèlt *n.* (도시 주변의) 녹지대, 그린벨트.
Gréen Berét 그린베레《미군의 대(對)게릴라 특수 부대》; (g- b-) 그린베레 모자.
gréen-blìnd *a.* 녹색 색맹의.
gréen bòok (종종 G- B-) (영국·이탈리아 등 지의) 정부 간행물·공문서.
gréen·brìer *n.* 〖식물〗 청미래덩굴.
gréen cárd 《미》 외국인이 받는 미국 내에서의 노동 허가증《특히 멕시코인》; 《영》 해외에서의 자동차 상해 보험증; 영주권(permanent visa)의 별칭.
gréen-cárder *n.* 《미》 green card를 받은 외국인《특히 멕시코인》.
gréen chárge 조합(調合)이 불완전한 화약.
gréen chéese 생치즈; 물들인 치즈.
gréen clóth 녹색의 테이블보, 도박대(賭博臺); (the (Board of) G- C-) 《영》 궁내성(宮內省)의 조달과.
gréen còrn 《미》 덜 여문 옥수수《요리용》.
gréen cróp 덜 여물었을 때 먹는 작물, 청과물.
Gréen Cróss Còde 《영》 아동 교통 안전 규칙.
gréen cúrrency 녹색 통화《EC가맹국들의 공통 농산물 가격을 보호하기 위해 1969 년 창설된 농업 공동 시장에서만 쓰이는 EC통화 가격의 총칭》.
gréen déck (the ~) 《미속어》 초원(草原).
gréen dráke 〖곤충〗 하루살이(mayfly).
Greene [griːn] *n.* **Graham** ~ 그린《영국의 작가; 1904-91》.
gréen éarth 녹사(綠砂)《안료》.
gréen·er *n.* 《속어》 무경험 직공, 생무지《특히 외국인을 이름》.
Gréen Érin 아일랜드의 미칭. cf. Green Isle.
green·ery [gríːnəri] *n.* 〖집합적〗 푸른 잎, 푸른 나무; (장식용) 푸른 나뭇가지; 온실(greenhouse).
gréen éye (the ~) 질투; (철도의) 푸른 신호등.
gréen-èyed *a.* 녹색 눈의; 《비유》 질투가 심한, 샘이 많은: the ~ monster 녹색눈의 괴물《질투; Shakespeare 작 *Othello*에서》.
gréen fát 바다거북의 비계(살)《진미로 침》.
gréen fèe ⇨ GREEN(S) FEE.
gréen-fèed *n.* 《Austral.》 (가공하지 않고 그대로 주는) 녹색 사료, 날풀 사료.
gréen·field *a.* 《영》 전원〔미개발〕 지역의.
gréen·finch *n.* 방울새《유럽산》.
gréen fíngers =GREEN THUMB.
gréen flásh 녹섬광(綠閃光)(=**gréen ráy**)《일출·일몰 때만 볼 수 있는 순간적인 녹색 섬광; 대서양에서 드물게 나타남》.

gréen flỳ 《영》 진디의 일종《초록색의》.
gréen fóod 야채.
gréen·gàge *n.* 양자두의 일종.
gréen·gìll *n.* 녹색 아가미의 굴. 「조 지폐.
gréen góods 청과류, 야채류; 《미속어》 위
gréen góose (생후 4 개월 이내의) 새끼 거위《소를 넣지 않고 통째로 요리》.
gréen·gròcer *n.* 《영》 청과물 상인, 야채 장수.
gréen·gròcery *n.* 《영》 청과물상《가게》; 〖집합적〗 푸성귀, 청과류. 「산》; Ⓤ 그 목재.
gréen·hèart *n.* 녹나무의 일종《라틴아메리카
gréen·hòrn 《구어》 *n.* 풋내기, 초심자; 얼간이 (simpleton), 물정 모르는 사람; 새로 온 이민.
gréen hórnet 《미속어》 (단시간 내에 해결해야 할) 군사상의 문제.
***green·house** [grí:nhàus] *n.* 온실; 《구어》 (비행기 조종석·포탑 등의) 투명 방풍 덮개(를 한
gréenhouse effèct 〖기상〗 온실 효과. ⌊방).
gréenhouse gàs 온실 효과 기체〔가스〕《지구 온난화의 원인이 되는 이산화탄소, 메탄, 이산화질소, CFM 따위》.
green·ie [grí:ni] *n.* 《미속어》 덱스트로 암페타민 황산염《특히 운동선수가 사용한다는 정제(錠劑)의 자극제》.
gréen·ing *n.* 청사과의 일종; 회춘(回春); (집단·사회의) 녹색화《부드러움과 평화의 복권》; 〖농업〗 녹화.
green·ish [grí:niʃ] *a.* 녹색을 띤.
Gréen Ísle (the ~) 녹색의 섬《아일랜드의 미칭(美稱)》.
gréen·kèeper *n.* 골프장 관리인. 「표시.
gréen lábelling (제품 포장 따위의) 환경 보호
Green·land [grí:nlənd] *n.* 그린란드《북아메리카 동북에 있는 큰 섬; 덴마크령》. ㊎ **~·er** *n.*
green·let [grí:nlit] *n.* 때까칫과의 새(vireo).
gréen líght 파란 불, 청신호《교통 신호》(Ⓒⓕ red light); (the ~) 《구어》 (정식) 허가: get 〔give〕 the ~ 공식 허가를 얻다〔주다〕.
gréen·lìght *vt.* (계획 따위를) 허가해 주다.
gréen·lìning *n.* 《미》 〖금융〗 특정 경계 지역 지정 철폐 운동《slum화 등의 이유로 차별받는 지역의 주민 운동; 차별을 하는 은행·보험 회사와의 거래를 거부하는 등의 운동》.
gréen lóbby 환경 보호 단체(의 총칭).
gréen lúng 《영구어》 (도심지의) 녹지, 공원.
gréen·ly *ad.* 녹색으로; 새로, 신선〔싱싱〕하게; 힘차게; 미련하게(foolishly).
gréen machíne (the ~) 《미구어》 미군.
gréen·màil *n.*, *vt.* 그린메일《기업 매수 등으로 경영자를 위협하는 주주의 주식을 프리미엄을 붙여 되사는 일》(하다).
gréenmail àrtist greenmail 하는 사람.
gréen·màiler *n.* 〖경제〗 그린메일러《회사 매수전(買收戰)을 이용하여 떼돈을 노리는 상인》.
gréen mán =GREEN(S)KEEPER; 《영》 (건널목 푸른 신호등 안의) 보행자상(像).
gréen manúre 녹비, 풋거름; 덜 뜬 두엄.
gréen márketing 그린 마케팅《친환경적 상품의 개발 등 환경의 효율적인 관리에 초점을 맞춘 기업의 마케팅 활동》.
gréen méat **1** =GREEN FOOD. **2** 《미》 갓 잡은 짐승 고기. **3** 《영》 날 목초. 「(病).
gréen móld 푸른곰팡이; 〖식물〗 푸른곰팡이병
gréen mónkey 사바나원숭이《녹회색의 긴꼬리원숭이; 서아프리카산》. 「EASE.
gréen mónkey disèase =MARBURG DIS-
Gréen Mòuntain Státe (the ~) 미국 Vermont 주의 별칭. 「선; 미숙.
green·ness [grí:nnis] *n.* Ⓤ 초록색, 녹색; 신
gréen ónion 골파. 「호부.
Gréen Pàges 미국에서 발행되는 무료 전화번
gréen páper (종종 G- P-) 《영》 녹서(綠書)《국회에 내는 정부 시안(試案) 설명서》. Ⓒⓕ Black Paper.
Gréen Pàrty (the ~) 녹색당《독일의 정당; 반핵, 환경 보호, 독일의 비무장 중립을 주장》.
Gréen·pèace *n.* 그린피스《핵무기 반대·야생 동물 보호 등 환경 보호를 주장하는 국제적인 단체; 1969 년 결성》.
gréen pépper 〖식물〗 피망, 양고추.
gréen póund =GREEN CURRENCY.
gréen pówer 《미속어》 금력(金力), 재력.
gréen próduct 친(親)환경적 제품, 환경 보호적 상품.
gréen revolútion (the ~) 녹색 혁명《특히, 개발도상국에서의 품종 개량에 의한 식량 증산》.
gréen·ròom *n.* (옛 극장의) 배우 휴게실; 분장실. ***talk*** **~** 내막을 이야기하다.
gréen sálad 양상추 샐러드.
gréen·sànd *n.* 녹사(綠砂).
gréen(s) fèe 골프 코스〔장〕 사용료.
gréen·shànk *n.* 청다리도요(새).
gréen·sìck *a.* 위황병(萎黃病)에 걸린. ㊎ **~·ness** *n.* Ⓤ 위황병(chlorosis).
gréen(s)·kèeper *n.* 골프장 관리인.
gréen sòap 약용 비누.
gréen stámp 《CB속어》 **1** 속도 위반 딱지. **2** (*pl.*) 돈(money).
gréen·stìck (fráctùre) 약목 골절(若木骨折)《긴 뼈의 한쪽이 부러져서 한쪽으로 굽음; 어린이에게 많음》, 골굴절. 「玉).
gréen·stòne *n.* 〖광물〗 녹암(綠岩), 녹옥(綠
gréen stúff (the ~) 《미속어》 돈; (달러) 지폐 (greenback).
gréen·stùff *n.* Ⓤ 푸성귀, 야채류.
gréen·swàrd *n.* 잔디.
gréen táble 《영》 도박대.
gréen téa 녹차(綠茶). Ⓒⓕ black tea.
gréen thúmb 식물〔야채〕 재배의 재능(green fingers); 《미속어》 성공〔돈벌이〕의 재능. ***have a*** **~** 원예의 솜씨가 있다; …에 적성이 있다《*for*》.
gréen tíme 청신호 시간대《일련의 신호가 모두 청색으로 되어 차량이 계속 전진할 수 있는 시
gréen túrtle 〖동물〗 푸른 거북. ⌊간대》.
gréen vítriol 〖화학〗 녹반(綠礬).
gréen·wàsh *vt.* (부정 달러 자금 등을) 정화(淨化)하다, 돈세탁하다, 위장하여 정규(正規)의 것인 양하다(launder).
gréen wáve 〖서핑〗 단절 없이 이어진 긴 파도.
gréen·wày *n.* 《미》 그린웨이《큰 공원을 연결하는 보행자·자전거 전용 도로》.
gréen·wèed *n.* Ⓤ 금작화류《물감용 식물》.
Green·wich [grínidʒ, -itʃ, grén-] *n.* 그리니치《런던 동남부 교외; 본초 자오선의 기점인 천문대가 있던 곳》.
Gréenwich (Méan 〔Cívil〕) Tíme (the ~) 그리니치 표준시《생략: GMT》. 「선.
Gréenwich merìdian 〖천문〗 그리니치 자오
Gréen·wich Víllage [grénitʃ-, grín-] (미국 New York시의) 예술가·작가·학생 중심의 거주 지구.
gréen·wòod *n.* 푸른 숲, 녹림(綠林)《영국에서는 Robin Hood 같은 추방된 사람들이 모이는 곳이란 연상을 가짐》. ***go to the*** **~** (추방되어) 녹림에 들어가다《불한당이 되다》. ***under the*** **~** ***tree*** 녹음(綠陰)에서 (즐겁게).
greeny [grí:ni] *a.* 녹색을 띤, 초록빛이 도는. **—** *n.* 《미속어》 =GREENHORN.
gréen·yàrd *n.* **1** 잔디밭. **2** 《영》 짐승 우리《임자 불명의 가축을 넣어 둠》.

greet[1] [gri:t] *vt.* **1** …에게 인사하다; …에게 인사장을 보내다. **2** ((+목+전+명)) 맞이하다, 환영(영접)하다: ~ a person *with* cheers (a smile) 아무를 환호(미소)로 맞이하다. SYN. ⇨ RECEIVE. **3** 보이다, 들리다, 들어오다((눈 · 귀에)): ~ the ear 귀에 들리다 / ~ a person's eyes 아무의 눈에 띄다. — *vi.* ((폐어)) 인사하다. ㊎ **∠·er** *n.*

greet[2] *vi.* ((고어 · Sc.)) 울다, 슬퍼(애통)하다.

greet·ing [gríːtiŋ] *n.* **1** 인사. **2** 환영(의 말); (보통 *pl.*) (계절에 따른) 인사말; 인사장: Christmas (Birthday) ~*s* 크리스마스(생일) 축하 인사 / Send my ~*s* to your family. 가족에게 안부 전해 주시오.

gréeting(s) càrd 축하장, 인사장.

gre·gar·i·ous [grigέəriəs] *a.* **1** 〖동물〗 군거(群居)하는, 군생하는; 〖식물〗 족생(簇生)하는: ~ instinct 군거(집단) 본능. **2** (사람이) 사교적인, 교제를 좋아하는; 집단의: sociable and ~ 사교적이고 교제를 좋아하는. ㊎ **~·ly** *ad.* 군거하여, 떼지어. **~·ness** *n.*

grège [greiʒ] *n.* ((F.)) 회색과 베이지의 중간색.

Gre·go·ri·an [grigɔ́ːriən] *a.* 로마 교황 Gregory의; 그레고리력(曆)(그레고리오 성가)의: the ~ style 신력(新曆). — *n.* =GREGORIAN CHANT.

Gregórian cálendar (the ~) 그레고리력((1582 년 Gregory 13 세가 Julius력을 개정한 현행 태양력)).

Gregórian chánt 그레고리오 성가(聖歌)((가톨릭교회에서 부름)).

Greg·o·ry [grégəri] *n.* 그레고리. **1** 남자 이름. **2** 역대 로마 교황의 이름.

Grégory's pówder 〖약학〗 장군풀(rhubarb)을 주로 한 하제(下劑).

greige [greiʒ] *a.*, *n.* (방직기에서 갓 꺼낸) 표백도 염색도 않은 (천); =GRÈGE.

GR8 great((이메일 · 문자 메시지에서)).

grei·sen [gráizən] *n.* 그라이젠((석영이나 운모 따위로 된 변성 화강암)).

gre·mi·al [gríːmiəl] *n.* 〖가톨릭〗 (미사 · 성직 안수례(按手禮) 같은 때에 사제가 사용하는) 견직(絹織)의 무릎 덮개.

grem·lin [grémlin] *n.* ((영공군속어)) 작은 악마((비행기에 고장을 낸다는)); 개구쟁이; ((미속어)) 풋내기, 신출내기.

grem·mie, -my [grémi] *n.* ((미속어)) 신출내기;풋내기 서퍼(surfer).

Gre·na·da [grənéidə/gre-] *n.* 그레나다((서인도 제도의 Windward 제도 최남단에 있는 입헌 군주국; 영연방의 일원; 수도 St. George's)).

gre·nade [grinéid] *n.* 수류탄(hand ~); 최루탄; 소화탄(消火彈).

gren·a·dier [grènədíər] *n.* (G-) ((영)) Grenadier Guards의 병사; 〖역사〗 척탄병(擲彈兵); 〖조류〗 콩새의 일종((남아프리카산)); 〖어류〗 대구류의 심해어.

Grénadier Guárds (the ~) ((영)) 근위 보병 제 1 연대((1685 년 발족)).

gren·a·din [grénədin] *n.* 〖요리〗 송아지 또는 닭의 프리캉도(fricandeau).

gren·a·dine [grènədíːn, ∠-∠] *n.* Ⓤ **1** (비단 · 털 · 인조견 따위의) 얇은 사(紗)붙이. **2** 석류로 만든 시럽. **3** 적황색 (물감).

Gresh·am [gréʃəm] *n.* Sir Thomas ~ 그레셤((영국의 금융가; 1519?-79)).

Grésham's láw (**théorem**) 〖경제〗 그레셤의 법칙(('악화가 양화를 구축한다'는)).

gres·so·ri·al, -ous [gresɔ́ːriəl], [-riəs] *a.* 〖조류〗 걷기에 적당한((발)); 보행성의((새 따위)).

Grét·na Gréen [grétnə-] 스코틀랜드의 마을 이름((예전 잉글랜드에서 사랑의 도피를 한 남녀들이 결혼하던 곳으로 유명)); 사랑의 도피처.

grew [gruː] GROW의 과거.

grew·some [grúːsəm] *a.* =GRUESOME.

grey, etc. ⇨ GRAY, etc.

gréy área ((영)) 정부의 특별 원조까지는 요하지 않는 저고용률 지역; =GRAY AREA.

grey·cing [gréisiŋ] *n.* ((영구어)) 그레이하운드 경주(=**gréyhound rácing**)((전기 장치로 뛰게 만든 토끼를 그레이하운드로 하여금 뒤쫓게 하는 내기 승부)).

gréy·hòund, ((미)) **gray-** *n.* **1** 그레이하운드((몸이 길고 날쌘 사냥개)). **2** 쾌속선 (ocean ~); (G-) 그레이하운드(=∠ **Bùs**)((미국의 최대 장거리 버스 회사; 상표명)).

greyhound 1

gréyhound thérapy ((속어)) 그레이하운드 요법((도시 생활의 골칫거리로 여겨지는 부랑자 · 노숙자 등에게 버스의 편도 승차권을 주어 다른 지역으로 보내는 일부 자치체 정부 기관의 정책)).

gréy póund ((영)) 노인의 구매력.

GRF growth-hormone releasing factor (성장 호르몬 방출 촉진 인자).

grib·ble [gríbəl] *n.* 〖곤충〗 나무좀.

grid [grid] *n.* **1 a** 격자(格子), 쇠창살; 석쇠(gridiron); (차 지붕 따위에 붙이는) 격자로 된 짐대; 〖해사〗 격자 선가(船架). **b** 〖전자 · 컴퓨터〗 (전자관의) 그리드, 격자; 〖전기〗 그리드((축전지 안의 활성 물질의 지지물 · 도선으로서 쓰이는 금속판)). **c** 〖측량〗 그리드((특정 지역의 표준선의 기본계(系))); (지도의) 모눈, 그리드; (가로의) 바둑판눈; 〖인쇄〗 (사식기의) 유리 문자반. **2** 망상(網狀) 조직; 고압 송전선망; 부설망, 배관망, 도로망; (라디오 · TV의) 방송망, 네트워크. **3** 〖카레이스〗 =STARTING GRID; ((미속어)) 오토바이; ((영속어)) 자전거. **4** 미식축구 (경기장). **5** ((미)) (사회 보장 제도의 질병 급부금 지급 조건에 관한) 표. — *a.* 미식축구의. — (*-dd-*) *vt.* …에 그리드를 설치하다. ㊎ **gríd·ded** [-id] *a.*

gríd bìas 〖전자〗 그리드 바이어스.

gríd capàcitor (**condènser**) 〖전자〗 그리드 축전기.

gríd cìrcuit 〖전자〗 그리드 회로.

gríd cùrrent 〖전자〗 그리드 전류.

gríd declinàtion 〖측량〗 그리드 편각(偏角).

grid·der [grídər] *n.* ((미구어)) 미식축구 선수.

grid·dle [grídl] *n.* 과자 굽는 번철(girdle); 〖광산〗 선광용의 체. ***on the*** ~ ((구어)) 호된 심문을 받아, 도마 위에 올려져. — *vt.* 번철로 굽다; 선광체로 치다.

gríddle·càke *n.* 번철에 구운 과자((핫케이크 따위)).

gride [graid] *vt.*, *vi.* 싸각싸각 베다(비비다); 삐걱거리다((*along; through*)). — *n.* 싸각(삐걱)거리는 소리.

gríd·iron *n.* **1** 석쇠, 적철. **2** 석쇠(격자) 모양의 것(배열); 〖해사〗 격자 선대(船臺). **3** 〖연극〗 무대 천장의 창살 모양의 대들보. **4** ((미)) 미식축구 (경기)장. **5** 〖철도〗 측선(側線); 고압 송전선망. **6** 〖역사〗 (단근질하는) 포락(炮烙). **7** (가스관의) 배관망; 도로망; 철도망.

gríd·ìroning *n.* ((Austral.)) 격자꼴 토지 매입법((나중에 중간 지대를 싸게 사기 위한)).

gríd lèak 〖전자〗 그리드 리크((그리드 회로에 쓰이는 저항기)).

gríd·lòck *n.* **1**(교차점에서의) 교통 정체((사방에서 진입한 차량들이 엉켜 움직이지 못하게 된 상태; 또 한 도시의 주요 도로 전부가 정체된 상태)). **2** ((비유)) 이러지도 저러지도 못할 상태, 진퇴유곡의 상황.

gríd variàtion 〖해사〗 그리드 편차(偏差)《진정(眞正) 자오선과 자기(磁氣) 자오선의 교각(交角)》.

grief** [griːf] *n.* **1** Ⓤ (깊은) 슬픔, 비탄, 비통. SYN. ⇨ SORROW. **2** Ⓒ 슬픔의 씨앗, 비탄의 원인, 통탄할 일. **3** Ⓤ 《고어》 고통, 타격, 재난, 불행. ◇ grieve[1] *v.* ***bring to **~** 불행〔실패〕하게 만들다; 다치게 만들다; 파멸시키다. ***come to*** **~** 재난〔불행〕을 당하다; 다치다; (계획이) 실패하다. ***Good*** 〔***Great***〕 **~*!*** 아이고, 야단났구나《맥이 풀리거나 놀랐을 때의 말》. ㊞ **∠·less** *a.*

gríef-strìcken, -strùck *a.* 슬픔에 젖은, 비탄에 잠긴.

gríef thèrapy 비애 요법《배우자나 자식을 잃은 사람들에 대한 심리학적 원조 방법》.

◇**griev·ance** [gríːvəns] *n.* 불만, 불평의 씨; 불평하기: Sam has 〔nurses, harbors〕 a ~ against his employer. 샘은 고용주에게 불만이 있다〔불평을 품고 있다〕.

grí̇evance committee 〔**machìnery**〕 (노사간의) 불평〔고충〕 처리 위원회〔기관〕.

***grieve**[1] [griːv] *vt.* 슬프게 하다, 비탄에 젖게 하다, …의 마음을 아프게 하다: It ~*d* me to see her unhappy. 그녀가 불행한 것을 보고 마음 아팠다. **—** *vi.* 《~/+전+명/+*to* do/+*that*절》 몹시 슬퍼하다, 마음 아파하다; 애곡(哀哭)하다《*at; about; for; over*》: ~ *over* the things that can't be undone 돌이킬 수 없는 일을 슬퍼하다/I ~ *to* say. 슬픈 일이다/I ~*d that* he should take offense. 그가 화를 내어 정말 유감이었다. ◇ grief *n.*

grieve[2] *n.* 《Sc.》 (농장) 관리인.

griev·er [gríːvər] *n.* 슬퍼하는 사람, 비탄에 잠긴 사람; (grievance committee 의) 불만을 제기해 오는 사람《노동자 대표》.

◇**griev·ous** [gríːvəs] *a.* **1** 슬픈, 통탄할, 비통한; 괴로운, 고통스러운, 쓰라린: a ~ moan 비탄의 신음소리. **2** 중대한; (고통이) 심한; 가혹한; 극악한: a ~ fault 중대한 과실/~ pain 심한 고통. **3** 무거운, 견디기 어려운; 부담이 되는(oppressive). ㊞ **~·ly** *ad.* **~·ness** *n.*

grí̇evous bódily hárm 《영》〖법률〗 (고의에 의한) 중대한 신체 상해, 중상해.

griff[1] [grif] *n.* 《영속어》 (확실한) 정보, 보고.

griff[2] *n.* =GRIFFIN[2].

griffe [grif] *n.* 《미》 흑인과 흑백혼혈아(mulatto) 와의〔인디언과의〕 혼혈아.

grif·fin[1] [grífin] *n.* 〖그리스신화〗 독수리의 머리·날개에 사자 몸을 한 괴수(怪獸)《숨은 보물을 지킨다 함》; 엄격한 감독자; (the G-) 그리핀상(像)《런던에 있는 Temple Bar 기념비》.

grif·fin[2] *n.* 《Ind.》 (동양, 특히 인도에) 새로 온 유럽인.

grif·fon [grífən] *n.* =GRIFFIN[1]; 털이 거친 개《포인터의 개량종》; 독수리의 일종.

grift [grift] 《미속어》 *n.* 사기 도박, 야바위; 사기친 돈. ***on the*** **~** 협잡질을 하여. **—** *vt.* (금전 따위를) 사취(詐取)하다.

gríft·er *n.* 《미속어》 사기꾼, 사기 도박꾼(trickster); 떠돌이, 부랑자.

grig [grig] *n.* 《방언》 **1** 귀뚜라미, 여치; 작은 뱀장어; 다리가 짧은 닭의 일종. **2** 쾌활한 사람: a ~ of a girl 쾌활한 소녀. (***as***) ***merry*** 〔***lively***〕 ***as a*** **~** 아주 기분 좋은〔명랑한〕.

grigri ⇨ GRIS-GRIS.

grike [graik] *n.* 〖지학〗 (침식이나 용해에 의한 바위의) 공극(空隙).

grill** [gril] *n.* 석쇠, 적철(gridiron); 불고기, 생선 구이; =GRILLROOM; GRILLE. **—** *vt.* (석쇠에) 굽다; 불에 굽다(broil); (햇볕 등) 뜨거운 열로 괴롭히다; (경찰 등이) 엄하게 신문하다; (굴 따위를) 냄비 요리로 하다. **—** *vi.* 구워지다, 쬐어지다; 뜨거운 열에 쬐어지다; 엄한 신문을 받다. **~ *it 《미학생속어》 학생 식당에서 식사하다.

gril·lage [grílidʒ] *n.* 귀틀 지정(地釘)《약한 지반 위 건축에 쓰는 목재를 토대》.

grille [gril] *n.* 격자, 쇠창살; (매표구·교도소 따위의) 창살문; (자동차의) (라디에이터) 그릴(=**rádiator grìll**); (스피커 앞의) 격자, 그릴.

grilled *a.* **1** 격자가 달린, 창살을 끼운. **2** (고기 따위를) 구운.

gríll·ròom *n.* 그릴《호텔·클럽 안의 일품요리점》; 고기 굽는 곳.

gríll·wòrk *n.* 격자 모양으로 만든 것; 속이 비치게 만든 격자 세공.

grilse [grils] (*pl.* **~*, grils·es***) *n.* 〖어류〗 새끼 연어《바다에서 강으로 처음 올라와 싱싱한》.

grim** [grim] (∠·mer; ∠·mest***) *a.* **1** 엄(격)한, 모진(severe, stern). **2** (사실 따위가) 냉혹한, 무자비한(cruel): a ~ reality 냉혹한 현실. **3** 굳센, 불요 불굴의. **4** (얼굴이) 험상스러운; 소름끼치는; 무서운, 지겨운《일 따위》; 완강한; 엄연한. ***hold*** 〔***hang, cling,*** etc.〕 ***on like*** **~ *death*** ⇨ DEATH. ◇ grimace *n.* ㊞ ◇**∠·ly** *ad.* 엄격〔냉혹〕히, 완강히, 굴하지 않고; 무섭게, 징그럽게. **∠·ness** *n.*

◇**gri·mace** [gríməs, griméis] *n.* 얼굴을 찡그림, 찡그린 얼굴, 짐짓 꾸민 표정, 점잔 뺀 얼굴: make ~*s* 얼굴을 찌푸리다. **—** *vi.* 얼굴을 찡그리다.

gri·mal·kin [grimǽlkin, -mɔ́ːl-] *n.* 고양이; 《특히》 늙은 암고양이; 심술궂은 할망구.

grime [graim] *n.* **1** Ⓤ 때, 먼지, 검댕. **2** (도덕적인) 더러움. **—** *vt.* 더럽히다.

Grimm [grim] *n.* 그림. **1 Jakob Ludwig Karl ~** 독일의 언어학자(1785-1863). **2 Wilhelm Karl ~** 독일의 동화 작가, 1의 동생(1786-1859).

Grímm's láw 〖언어〗 그림의 법칙《독일의 언어학자 Jakob Grimm이 발표한 게르만계 언어의 자음 전환의 법칙》.

Grím Réaper (the ~) 죽음의 신《후드 달린 검은 망토를 입고 낫을 든 해골의 모습임》.

grimy [gráimi] (***grim·i·er; -i·est***) *a.* 때 묻은, 더러워진. ㊞ **grím·i·ly** *ad.* **-i·ness** *n.*

grin** [grin] *n.* **1** 씩〔싱긋〕 웃음. **2** (고통·노여움·경멸 따위로) 이빨을 드러냄, 이를 옥묾. ***on the (***broad***) **~** 싱글거리며. **—** (***-nn-***) *vi.* 《~/+전+명》 (이를 드러내고) 씩 웃다; 싱글거리다; (고통·노여움·경멸 등으로) 이빨을 드러내다《*at*》: ~ with delight 싱글거리며 기뻐하다/~ *at* a person 아무를 보고 씩 웃다. **—** *vt.* 씩〔씽긋〕 웃으며〔이를 드러내고〕 …의 감정을 표시하다: ~ defiance 이를 옥물고 반항의 뜻을 나타내다. **~ *and bear it*** 억지로 웃으며 참다. **~ *from ear to ear*** (like an ape) (바보처럼) 입이 째지게 웃다. **~ *like a Cheshire cat*** ⇨ CHESHIRE CAT. **~ *on the other side of*** one'***s face*** 후회하다. **~ *through a horse collar*** (말의 목사리에 머리를 틀어박고) 이를 드러내고 눈싸움을 하다《시골 놀이》. ㊞ **∠·ner** *n.* **∠·ning·ly** *ad.*

grín-and-béar-it [-ənbέərit] *a.* (고통·실망 등을) (웃으며) 참는, 견디는.

grind** [graind] (*p., pp.* ***ground [graund]) *vt.* **1** 《~+목/+목+전+명》 (맷돌로) 타다, 갈다; 가루로 만들다, 으깨다; 깨물어 으스러뜨리다; 갈아서 …을 만들다《*to; into*》: ~ flour 가루로 빻다/~ something *to* powder 무엇을 가루로 빻다. **2** (맷돌 따위를) 돌리다; (손풍금 따위를) 돌려서 소리를 내다. **3** (연장이나 렌즈 따위를) 갈다(whet); 닦다(polish); 갈아서 닳게 하다, 깎다: ~ a lens. **4** 《+목+부》 (착취하여) 학대하다, 혹사하다, 괴롭히다, 짓밟다《*down*》: be *ground* (*down*) by tyranny 학정에 시달리다/They were *ground* by heavy taxation. 그들은 중과

세로 고통을 받았다. **5** 《(+목+전+명)》《구어》 (학문 등을) 마구 주입시키다(cram) 《*in; into*》: ~ Latin *into* a student 학생에게 라틴어를 주입시키다. **6** 《+목+전+명》 이를 갈다; 문지르다: ~ a cigarette *into* the earth with one's heel 뒤꿈치로 담배를 땅에 비벼 끄다. **—** *vi.* **1** 빻음질을 하다, 맷돌질을 하다. **2** 《+부》 빻아지다, 가루가 되다: This wheat ~*s well*. 이 밀은 잘 갈린다. **3** 갈리다, 닦이다. **4** 《~/+전+명》 (맷돌이) 돌다; 바드득[삐걱]거리다, 서로 스치다: The ship *ground on* the rock. 배는 바위에 삐걱거리며 스쳤다. **5** 《~/+전+명》《구어》 부지런히 일[공부]하다 《*at; for*》: ~ *for* an exam 시험에 대비하여 부지런히 공부하다. **6** (이를) 갈다. **7** 허리를 틀어 굼틀거리다 《쇼의 춤 등에서》. **8** 《영화속어》 24시간 내리 상영하다; 《미속어》 (컴퓨터가 가감승제 등) 단순한 연산을 되풀이하다. ~ **(*away*) *at*** …에 부지런히 힘쓰다. ~ ***down*** ① 갈아서 가루로 하다; 닳게 하다. ② ⇨ *vt.* 1. ~ ***in*** (지식 등을) 주입하다. ~ ***on*** (사태 · 절차 등이) 사정없이 진행되다 《*toward*》. ~ ***out*** ① 맷돌로 갈아 만들다. ② (손풍금 따위로) 연주하다. ③ 이를 갈며 말하다: ~ *out* an oath 이를 갈면서 욕설을 퍼붓다. ④ 애써 만들어내다; 고심하며 시가(詩歌)를 짓다. ⑤ 짓눌러 끄다: ~ *out* a cigarette butt 담배 꽁초를 비벼 끄다. ⑥ (작품 · 작곡 등을) 연이어 (기계적으로) 만들어내다. ~ ***the faces of the poor*** 〖성서〗 가난한 자의 얼굴을 짓밟다, 빈민을 학대하다 《이사야 III: 15》. ~ ***to a halt*** (차가) 끼익 소리를 내며 서다; (행렬 · 활동 등이) 힘들게 천천히 멈추다. ~ ***up*** 갈아서 가루로 만들다. ***have an ax to*** ~ ⇨ AX. ***If you can't find 'em,*** ~ ***'em.*** 《미속어》 보통의 방법으로 잘 되지 않으면 억지로 해버려라.

— *n.* **1** Ⓤ (맷돌로) 타기, 갈기, 빻기, 갈아 뭉개기[으깨기]; 그 소리. **2** Ⓤ (날붙이 따위를) 갈기; 깎기; 그 소리. **3** Ⓒ 《구어》 힘든 일, 고역; 따분하고 고된 공부; 《미구어》 공부벌레. **4** 《영속어》 (운동으로서의) 산책; =STEEPLECHASE. **5** 《미속어》 (행상인 등의) 손님 부르는 소리; 《미속어》 (서커스의) 유객꾼, 노점상; 〖신문〗 (표제에서) 마라톤. **6** 《구어》 (쇼의 춤에서) 허리 돌리기. **7** 《영속어》 성교.

grínd·còre *n.* 그라인드코어《1990년대에 발전한 하드록 계통의 음악》.

grínd·er *n.* **1** (맷돌을) 가는 사람; (칼 따위를) 가는 사람. **2** 맷돌의 위짝; 어금니; (*pl.*) 《구어》 이빨. **3** 분쇄기; 연삭기; 숫돌. **4** 《영》 (시험 준비 등의) 주입식 가정교사; 《미구어》 공부벌레(crammer); 《미속어》 (흥행상 등의) 유객(꾼); 《미속어》 스트리퍼; 《속어》 서브머린샌드위치; 《미》 고물차; 《미속어》 열병[연병]장. **5** 싼 보수로 혹사하는 사람. ***take a*** ~ 《고어》 왼쪽 엄지손가락을 콧등에 대고 오른손을 그 둘레에 돌려서 놀리다 《비웃음》.

grínder's ásthma [**phthísis**] 〖의학〗 연마공 천식[폐로(肺癆)] 《가루 흡입으로 인한 만성 섬유성 폐렴》.

grind·ery [gráindəri] *n.* 날붙이 가는 데, 연마소; 《영》 구두 만드는 도구, 피혁 세공 도구.

grínd hòuse 《미속어》 연중무휴의 극장[영화관].

grínd·ing *a.* (맷돌로) 타는; 가는; 삐걱거리는; (일이) 힘든, 지루한; 괴롭히는; 압제의, 폭정의; 매우 아픈[쑤시는]: a ~ tax 중세(重稅). **—** *n.* Ⓤ 제분, 타기, 갈기, 연마, 연삭, 분쇄; (맷돌 따위를) 돌리기; 삐걱거림, 마찰; 주입식 교수[공부]; 《영화속어》 24시간 내리 상영함.

grínding whèel 회전 숫돌; 연마 공장.

°**grínd·stòne** *n.* **1** 회전 숫돌; 회전 연마기. **2** 숫돌감《돌》; 맷돌의 (어느) 한 짝. ***get back to the*** ~ 본디의 (싫은) 일을 다시 하다. ***hold*** [***have, keep, put***] a person***'s*** [one***'s***] ***nose to the*** ~ 아무를 설새없이 부려먹다[열심히 일하다]: She *kept* her *nose to the* ~ all year and got the exam results she wanted. 그녀는 일년 내내 열심히 공부하여, 바라던 시험 결과를 얻었다.

grindstone 1

grin·ga [gríŋgə] *n.* 《보통 경멸》 (라틴 아메리카 · 에스파냐에서) 외국 여성, 《특히》 영미의 여성.

grin·go [gríŋgou] (*pl.* **~s**) *n.* 《미속어》《종종 경멸》 외국인, 《특히》 영미(英美) 사람 《라틴 아메리카 사람이 이르는》.

gri·ot [grióu, gríːou] *n.* 그리오《서아프리카 여러 부족의 구비(口碑)전승을 다루는 악인(樂人) 계급의 사람》.

*__grip__[1] [grip] *n.* **1** 꽉 쥠[잡음], 파악(grasp, clutch). **2** 잡는[쥐는] 법; (비밀 결사원의) 특수한 악수법; 악력, 쥐는 힘: have a strong ~ 악력이 세다 / let go one's ~ (*of*) …을 놓다 / take a ~ *on* …을 잡다. **3** (무기 따위의) 자루, 손잡이, 쥘손(handle); (기계 · 케이블카 따위의) 맞물림 장치(clutch). **4** 파악력, 이해력, 터득(mastery) 《*of; on*》: have a good ~ *of* a situation 상황을 잘 파악[이해]하고 있다. **5** 지배[통제]력, (남의) 주의를 끄는 힘 《*of; on*》: take [get] a ~ *on* oneself 자제(自制)하다, 마음을 가라앉히다. **6** (레슬링의) 맞붙기. **7** 《미》 여행용 손가방(gripsack). **8** 급격스러운 아픔. **9** 《미속어》 (촬영반의) 조수, (극장의) 무대 장치 조수(stagehand). ***at*** **~s** (문제와) 맞붙어, 씨름하며 《*with*》. ***bring*** a person ***to*** **~s *with …*** (일이) 아무를 (문제)에 달라붙게 하다. ***come*** [***get***] ***to*** **~s** (레슬러가) 서로 맞붙다, 드잡이하다; 이해하게 되다 《*with*》; 꾸준히 노력하다 《*with*》. ***in the*** ~ ***of*** …에게 잡혀[속박되어]; (병에) 걸려. ***lose*** one***'s*** ~ 능력이[열의가] 없어지다, 통제력을 잃다.

— (*p., pp.* **~ped,** 《고어》 **~t; ~·ping**) *vt.* **1** 꽉 쥐다, 꽉 잡다(grasp, clutch); (기계를) (그립 · 클러치 등으로) 죄다. **2** …에 매달리다: ~ the sides of the boat 뱃전에 매달리다. **3** (마음 · 주의 · 관심 따위를) 끌다; 감동시키다: The play ~*ped* (the attention of) the audience. 그 연극은 관중(의 관심)을 사로잡았다. **4** 이해하다(comprehend). **5** 방해하다; 횡령하다, 빼앗다. **—** *vi.* **1** 《+전+명》 꽉 잡다; (도구가) 맞물리다: These tires don't ~ *on* wet roads. 이 타이어는 젖은 도로에서는 제동이 안 된다. **2** 사람의 마음을 사로잡다; 주의[흥미]를 끌다.

grip[2] *n.* 《영방언》 작은 도랑, 하수.

grip[3] *n.* (the ~) =GRIPPE.

gríp càr =CABLE CAR.

gripe [graip] *n.* **1** 쥠, 파악; 제어, 지배; 속박; 괴로움, 고민. **2** (the ~s) 《구어》 복통(colic). **3** 손잡이, 자루, 쥘손(handle). **4** (*pl.*) 〖해사〗 보트 밧줄《보트를 davit에다 매어다는》. **5** 《구어》 불평, 불만; 《미속어》 불평꾼; (the ~) 《미속어》 한바탕의 불평, 우는 소리, 푸념하는 버릇. ***come to*** **~s** 맞붙다, 분투노력하다. ***in the*** ~ ***of*** …에 잡혀서, …에 속박되어; …에 시달리어. **—** *vt.* **1** 꽉[움켜] 쥐다, 붙잡다; 괴롭히다. **2** (배를) 몹시 아프게 하다. **3** 〖해사〗 (매다는 기둥에 보트를) 매다. **4** 《미구어》 초조하게[화나게] 하다. **—** *vi.* **1** 《고어》 덤벼들다 《*at*》. **2** (배가) 쥐어짜듯 뒤틀리다; 《구어》 불평(불만)을 하다, 투덜대다 《*at;*

about). ~ a person*'s back* 〔*cookies, middle kidney,* 《비어》 *ass,* etc.〕 《미속어》 아무를 애먹이다, 난처하게 하다, 괴롭히다.

grípe wàter (유아의) 배 아픈 데 먹는 물약, 구풍제(驅風劑)(drill water).

gríp·man [-mən] (*pl.* *-men* [-mən]) *n.* 케이블카 운전사. 「인플루엔자, 독감.

grippe [grip] *n.* 《F.》 Ⓤ (the ~) 유행성 감기,

grip·per [grípər] *n.* 쥐는 사람; 집는 물건.

grip·ping [grípiŋ] *a.* (책 · 이야기 등) 주의〔흥미〕를 끄는.

grip·py [grípi] *a.* 《구어》 독감에 걸린.

gríp·sàck *n.* 《미》 여행 가방.

gript [gript] 《고어》 GRIP의 과거 · 과거분사.

gripy, grip·ey [gráipi] *a.* 쑤시듯이 아픈.

gri·saille [grizái, -zéil] *n.* 《F.》 Ⓤ 잿빛으로만 그리는 장식 화법; Ⓒ 그 화법의 그림 (유리창).

Gri·sel·da [grizéldə] *n.* **1** 여자 이름. **2** 그리젤다《중세 문학에 나오는 참을성 있는 착한 아내》.

gris·e·o·ful·vin [grìzioufúlvin, -fʌ́l-, grìs-] *n.* 〖약학〗 그리세오풀빈《피부 사상균성 감염 치료에 쓰는 항생 물질》.

gris·e·ous [grísiəs, gríz-] *a.* 파르스름한 회색의; 잿빛이 도는(grizzly). 「여점원.

gri·sette [grizét] *n.* 《F.》 (프랑스의) 여직공,

gris-gris, gree·gree, gri·gri [gríːgrìː] (*pl.* *grís-grìs, grée·grèes, grí·grìs*) *n.* (아프리카 원주민의) 호부(護符), 부적. 「의 허리고기.

gris·kin [grízkin] *n.* 《영》 (비계가 적은) 돼지

gris·ly [grízli] (*gris·li·er; -li·est*) *a.* 섬뜩한, 소름끼치는《괴물 · 시체 등》; 어쩐지 기분 나쁜《이야기 · 날씨 등》; 음산한(dismal). ㊞ **-li·ness** *n.*

grist[1] [grist] *n.* Ⓤ 제분용 곡물; 곡식 가루; 양조용 엿기름; Ⓒ 한 번 가는 분량의 곡물; 《미구어》 많음(lot). ***All is ~ that comes to his mill.*** 그는 무엇이든 이용한다, 넘어져도 그냥은 안 일어난다. ***bring ~ to*** 〔***for***〕 ***the mill*** 이익이〔벌이가〕 되다.

grist[2] *n.* 방사(紡絲) · 로프 따위의 굵기.

gris·tle [grísəl] *n.* 연골, 물렁뼈. ***in the ~*** 아직 뼈가 굳지 않은, 아직 성숙하지 않은. ㊞ **grís·tly** [-i] *a.* 연골의〔같은〕. 「분소.

gríst·mìll *n.* (주문에 맞추어 빻는) 방앗간, 제

grit [grit] *n.* Ⓤ **1** 〔집합적〕 (기계 따위에 끼이는) 잔모래, 왕모래, 자갈; (공중에서 내리는) 먼지; (음식에 섞인) 티, 잡것; 석질(石質); =GRITSTONE; 천연 숫돌. **2** (끈질긴) 근성, 용기, 담력. **3** 《미속어》 먹을것. ***hit the ~*** =《미속어》 hit the DIRT; 《미속어》 길을 나서다, 여행하다; 《미속어》 걷다, 터벅거리며 가다. ***put*** (***a little***) ***~ in the machine*** 훼방놓다, 찬물을 끼얹다. ── (*-tt-*) *vi.* 삐걱거리다; 《미속어》 먹다, 처먹다. ── *vt.* 모래로 덮다; 연마사로 갈다〔닦다〕; 삐걱거리게 하다. ~ one*'s teeth* 이를 갈다〔악물다〕. ㊞ **∠·less** *a.*

grits [grits] *n.* 〔단 · 복수취급〕 거칠게 탄 메귀리(오트밀); 《미남부》 탄 옥수수 (가루); (도로 포장용) 자갈.

grít·stòne *n.* Ⓤ 사암(砂岩).

grít·ter *n.* 《영》 모래 살포기(撒布機)〔차〕《길이 얼어붙었을 때 미끄럼 방지를 위해 도로에 모래 또는 소금을 뿌림》.

grit·ty [gríti] (*grit·ti·er; -ti·est*) *a.* 자갈이 섞인, 모래투성이의; 모래 같은; 《미》 용기 있는, 굳센, 불굴의. ㊞ **grít·ti·ly** *ad.* **-ti·ness** *n.*

griv·et [grívit] *n.* 긴꼬리원숭이의 일종《동북 아프리카산》.

griz·zle[1] [grízəl] *n.* 회색; 회색의 것《말 따위》; 반백의 머리털〔가발〕. ── *a.* 회색의. ── *vt., vi.* 회색으로 하다〔되다〕.

griz·zle[2] *vi.* 《영구어》 투덜거리다; (어린아이가) 보채다, 떼를 쓰다; 탄식하다. ㊞ **gríz·zler** *n.*

gríz·zled *a.* 회색의; 백발이 섞인, 반백의.

griz·zly [grízəli] (*-zli·er; -zli·est*) *a.* 회색의, 회색을 띤. ── *n.* 〖동물〗 회색의 큰곰(=∠ **bèar**) 《북아메리카 서부산》.

grm. gram(s). **gro.** gross.

groady [gróudi] *a.* 《속어》 =GRODY.

***groan** [groun] *vi.* **1** 《+전+명》 신음하다, 신음소리를 내다: ~ *with* pain 아픔으로 신음하다.

> SYN. **groan** 고통이나 불만에서 일어나는 짧은 발작적인 신음. **moan** 슬픔이나 고통에서 일어나는 길고 낮은 신음.

2 《~/+전+명》 신음하며〔몹시〕 괴로워하다; 번민하다; 압박당하다, 무거운 짐에 시달리다《*beneath; under; with*》: The desk ~*s under* a big computer. 책상은 큰 컴퓨터로 인하여 짜부러질 듯하다 / ~ *beneath* one's toil 중노동에 신음하다 / ~ *under* (tyranny) (압제)에 시달리다. **3** 《+전+명》 신음소리로 …을 청하다《*for*》; 투덜거리다, 불만의 신음소리를 내다: The wounded ~*ed for* medicine. 부상자들이 신음소리를 내며 약을 청했다. ── *vt.* 《~+목/+목+부》 (신음하듯) 말하다《*out*》; 으르렁대어 침묵시키다《*down*》: The invalid ~*ed out* a request. 환자는 괴로운 숨을 쉬면서 부탁을 했다 / ~ *down* a speaker 불만을〔반대를〕 외쳐 연사를 침묵시키다. ~ ***inwardly*** 남몰래 괴로워하다. ~ ***with*** ① …으로 괴로워하다; …이 많아 괴로워하다. ② …이 그득히 있다: The table ~*ed with* food. 식탁에는 음식이 가득 차려져 있었다.

── *n.* 신음(소리); (연사(演士)에 대한) 불평〔불만, 불찬성〕의 소리; 삐걱거리는 소리.

㊞ **∠·er** *n.* ~하는 사람; 《미속어》 가수, =CROONER; 프로레슬러. **∠·ing·ly** *ad.*

groat [grout] *n.* 옛 영국의 4 펜스 은화(銀貨); 《고어》 얼마 안 되는 돈, 조금. ***be not worth a ~*** 한푼의 가치도 없다. ***don't care a ~*** 조금도 개의치 않다. 「〔밀〕.

groats [grouts] *n.* 〔단 · 복수취급〕 탄〔간〕 귀리

gro·bi·an [gróubiən] *n.* 촌뜨기(boor).

****gro·cer** [gróusər] *n.* 식료품 상인, 식료 잡화상《영국에서는 밀가루 · 설탕 · 차 · 커피 · 버터 · 비누 · 양초 등을, 미국에서는 육류 · 과일 · 야채도 팖》: a ~'s (shop) 《영》 식품점, 반찬 가게.

grócer's ítch 식료품상 소양증(搔痒症).

gro·cery** [gróusəri] *n.* **1** (보통 *pl.*) 식료품류, 잡화류. **2** 식료 잡화 판매업. **3** 《미》 식품점(《영》 grocer's (shop), grocery shop); 《미남부속어》 선술집; (*pl.*) 《미속어》 식사; (*pl.*) 《미속어》 중요〔필요〕한 것〔임무, 결과〕; 《미속어》 폭탄. **4** (*pl.*) 《속어》 여성의 성기. ***blow one***'s groceries*** 《미속어》 토하다. ***bring home the groceries*** ⇨BRING (관용구).

grócery·man [-mən] *n.* =GROCER.

gro·ce·te·ria [gròusətíəriə] *n.* 《미 · Can.》 셀프서비스 식품 잡화점. cf. cafeteria.

grody [gróudi] (*grod·i·er; -i·est*) *a.* 《미속어》 지독한, 너절한, 징그러운(gross).

grog [grag/grɔg] *n.* Ⓤ 그로그술《물탄 술; 예전엔 물탄 럼주(rum); 독주; 본디 뱃사람 말》; 음주 모임; 《미속어》 마약. ── (*-gg-*) *vi.* 그로그술을 마시다: ~ on 계속 마시다.

grog·gery [grágəri/grɔ́g-] *n.* 《미》 선술집.

grog·gy [grági/grɔ́gi] (*grog·gi·er; -gi·est*) *a.* (강타 · 피로 등으로) 비틀거리는, 휘청거리는; 그로기의; (집 · 기둥 · 책상 다리 등이) 흔들흔들하는, 불안정한. ㊞ **-gi·ly** *ad.* **-gi·ness** *n.*

gróg·mìll *n.* 《미속어》 바, 술집.

grog·ram [grágrəm/grɔ́g-] *n.* Ⓤ 견모교직(絹

毛交織)의 거친 피륙; Ⓒ 그 제품. 「술집.

gróg·shòp *n.* 《영》 (좀 수상한) 선술집; 목로

groin [grɔin] *n.* 〖해부〗 서혜부; 〔일반적〕 살; 고간(股間); 《완곡어》 성기; 〖건축〗 궁륭(穹窿) 《2 개의 vault의 교차선》; 방파제; 《범죄속어》 보석이 〔다이아몬드가〕 든 반지. ― *vt.* 궁륭을 이루게

gróin·ing *n.* Ⓤ 교차 궁륭(으로 만듦). ⌊하다.

grok [grɑk/grɔk] (**-kk-**) *vi., vt.* 《속어》 진정으로 이해하다, (…에) 공감하다.

Gró·li·er bìnding 〔**desìgn**〕 [gróuliər-] 그롤리어식 가죽 장정(裝幀) 《가는 금실을 기하학적 무늬로 엮은》.

GROM [gram/grɔm] *n.* 〖전자〗 그롬 《컴퓨터그래픽스(computer graphics)의 판독 전용 메모리》. [◂ *g*raphic *r*ead *o*nly *m*emory]

grom·met[1] [grámit/grɔ́m-] *n.* 〖해사〗 (노를 끼우는) 쇠고리; 밧줄 고리; (구멍 가장자리의) 덧테쇠.

grom·met[2], **-mit** [grámit / grɔ́m-] *n.* 《속어》 애송이〔신참, 젊은〕 서퍼(surfer).

Gro·my·ko [groumí:kou, grə-] *n.* **Andrei Andreyevich** ∼ 그로미코 《옛 소련의 정치가; 1909-89》.

gronk [graŋk] *vt.* 《미속어》 (정지된 컴퓨터 장치를) 조절하다, 모두 지우고 다시 입력하다. ∼ ***out*** ① 작동을 멈추다. ② 잠자다: ∼ *out* in one's office 자기 연구소에서 자다. ㊖ ∼**ed** [-t] *a.* 《해커속어》 (기계가) 고장난; (사람이) 피곤해진, 지쳐있는.

grooby [grú:bi] *a.* 《속어》 =GROOVY.

◇**groom** [gru(:)m] *n.* 말구종; 신랑(bridegroom); 《영》 궁내관(官); 《고어》 하인(manservant).
― *vt.* **1** (말을) 손질하다, 돌보다. **2** 《+목+전+명》 〔보통 과거분사꼴로〕 몸가축하다: a man well 〔badly〕 ∼*ed* 차림새가 단정한〔지저분한〕 남자 / ∼ oneself before going out 외출 전에 몸가축하다. **3** 《+목+전+명/+목+*as* 보/+목+*to* do》 (어떤 직무에 알맞게) 가르치다, 기르다, 훈련하다 《*for*》: He ∼*ed* his son *for* political office. 그는 아들을 정계의 요직에 알맞도록 가르쳤다 / The party ∼*ed* him *as* a presidential candidate. 당이 그를 대통령 후보로 키웠다 / ∼ a person *to* take over one's job 일을 떠맡아 줄 사람을 훈련하다. ㊖ ∠·**er** *n.* (개 등의) 조련사.

gróoms·man [-mən] (*pl.* **-men** [-mən]) *n.* 신랑의 들러리. cf. bridesmaid. ★ 들러리가 여럿일 때 주(主)들러리를 best man이라고 함. 영국에서는 들러리가 한 사람이므로 best man 만 씀.

◇**groove** [gru:v] *n.* **1** 홈 《문지방 · 레코드판 따위의》; 바퀴 자국; (활자의) 밑홈. **2** 상례, 관례, 상도(常道); (총포의) 강선(腔線); 《미속어》 버릇, 특기, 장기: get 〔fall, drop〕 into a ∼ 판에 박히다, 버릇이 되다. **3** 최고조; 《속어》 가락이 난 재즈 연주; 썩 즐거운〔근사한〕 것〔일〕. ***in the*** ∼ 《재즈속어》 신나는 연주로; 《속어》 〔일반적〕 쾌조(快調)로; 《속어》 유행하여, 당세풍으로; 《미속어》 조리가 닿아, 제대로 되어. ― *vt.* **1** …에 홈을 파다〔내다〕; 《속어》 (레코드)에 취입하다. **2** 《속어》 즐기게 하다, 흥분시키다. ― *vi.* 판에 박히다 《*into*》; 《속어》 즐기다, 멋진 일을 하다; (마음이 맞아) 동참하다, 좋아하다 《*with*》. ∼ ***it*** 《속어》 즐기다, 유쾌하게 지내다.

groov·er [grú:vər] *n.* 《속어》 멋있는 놈.

gróoving plàne 개탕대패.

gróoving sàw 개탕톱.

groovy [grú:vi] (***groov·i·er; -i·est***) *a.* **1** 《재즈속어》 가락이 난〔맞는〕, 그루비한; 《속어》 멋진(cool), 도취되는. **2** 홈의, 홈이 파진; 《속어》 틀에 박힌. ㊖ **gróov·i·ly** *ad.* **-i·ness** *n.*

grope** [group] *vi.* 《∼/+부/+전+명》 손으로 더듬다, 더듬어찾다; (암중)모색하다, 찾다 《*after; for*》; 《속어》 (성희롱으로) 몸을 만지작거리다: ∼ (*about*) *for* information 정보를 탐색하다 / ∼ *for* the knob in the dark 어둠 속에서 손잡이를 찾다. ― *vt.* 더듬어찾다. ∼ ***one's way 더듬어 나아가다. ― *n.* 더듬음, 더듬어 나감; 《속어》 성적 애무. ㊖ **gróp·er** *n.*

grop·ing [gróupiŋ] *a.* **1** 손으로 더듬는; 모색하는. **2** (표정 따위가) 알고 싶어하는, 이해 못해 어리둥절한. ㊖ ∼**·ly** *ad.*

gros·beak [gróusbì:k] *n.* 〖조류〗 콩새류(類).

gro·schen [gróuʃən] (*pl.* ∼) *n.* 《구어》 그로센 《독일의 10 페니히(pfennig) 백동화(白銅貨)》.

gros·grain [gróugrèin] *n.* Ⓤ 그로그랭 《비단 · 인견 등의 골진 천》; Ⓒ ∼ 리본.

***gross** [grous] *a.* **1** 뚱뚱한, 큰(big, thick): a ∼ body 뚱뚱한 몸집. **2** (잘못 · 부정 따위가) 큰, 엄청난, 심한: a ∼ mistake 큰 잘못 / a ∼ lie 엉뚱한 거짓말. **3** 막돼먹은, 거친(coarse, crass); (취미 등이) 천한, 상스러운; (말씨 따위가) 추잡한(obscene); (감각이) 둔한(dull): a ∼ feeder 조식가(粗食家) / a ∼ diet 조식 / a ∼ word 야비한 말 / a ∼ palate 둔한 미각. **4** 총체의, 전반적인, 총계의(total); (무게가) 포장까지 친; 개략의; 〖골프〗 =GROSS SCORE. cf. net[2]. ¶ the ∼ amount 총계 / ∼ proceeds 매상 총액 / ∼ profits 총이익 / the ∼ area 총면적. **5** (식물이) 무성한, 우거진; (공기 · 액체 등이) 짙은(dense). **6** 《미속어》 (태도 · 음식 등이) 기분 나쁜, 그로테스크한, 별나게 고약한, 너무한, 야한, 악취미의.
― *n.* **1** (*sing., pl.*) 그로스 《12 다스, 144 개; 생략: gr.》: ⇨ GREAT GROSS, SMALL GROSS. **2** 총체, 총계, 총액. ***by the*** ∼ 전체〔모개〕로, 통틀어서; 도매로. ***in*** ∼ 〖법률〗 그 자신 단독으로. ***in*** (***the***) ∼ 총체로, 대체로; 도매로.
― *vt.* (경비 포함) …의 총수익을 올리다. ∼ ***out*** 《미속어》 화나게〔오싹하게, 진력나게〕 하다, 기막히게 하다. ∼ ***up*** (순익을) 공제 전 액수에 더하다. ㊖ ∠**·ly** *ad.* ∠**·ness** *n.*

gróss anátomy 육안 해부학. 「age).

gróss áverage 공동 해손(海損)(general aver-

gróss doméstic próduct 국내 총생산 《생략: GDP》.

gróss·er *n.* 《구어》 〔한정사를 수반〕 (영화 등의) 히트작: big ∼ 대히트 작품. 「**révenue**).

gróss íncome 〖회계〗 총소득, 총수입(=**gróss**

gróss márgin 〖회계〗 매상 총이익(gross profit) 《순매상액에서 매상 원가를 뺀 액수》.

gróss nátional expénditure 국민 총지출 《생략: GNE》. 「GNP》.

gróss nátional próduct 국민 총생산 《생략:

gróss-òut *n., a.* 《미속어》 구역질나게〔지겹게〕 하는 사람〔물건 · 일〕; 〔일반적〕 지독한 사람〔물건〕: a ∼ session 욕 시합.

gróss pláyer 《속어》 대(大)스타 《흥행 수입의 일정 비율을 출연료로 요구한다든지 하는》.

gróss prófit 총수익.

gróss scóre 〖골프〗 그로스(스코어) 《핸디(handicap)를 빼기 전의 총타수》. cf. net[2].

gróss tón 영(英)톤(long ton) 《2,240 파운드》.

gróss tónnage (선박의) 총톤수.

gróss wéight (the ∼) 총중량 《net weight에 대하여》, 〖항공〗 전비(全備) 중량.

gro·szy, grosz(e) [grɔ́:ʃi], [grɔ́:ʃ] (*pl.* ***groszy***) *n.* 그로시 《폴란드의 화폐 단위; =1/100

grot [grat/grɔt] *n.* 《시어》 =GROTTO. ⌊zloty》.

***gro·tesque** [groutésk] *a.* 그로테스크풍〔양식〕 무늬의; 기괴한; 이상한, 괴상한, 그로테스크한; 우스꽝스러운; 어리석은. ― *n.* (the ∼) 〖미술〗

그로테스크《인간이나 동물을 풀이나 꽃에 환상적으로 결합시킨 장식 예술의 양식》, 괴기주의; 〖문예〗 희극·비극이 복잡하게 얽힌 양식, 그로테스크풍; 괴기한 것. ㊞ **~·ly** *ad.* **~·ness** *n.*

gro·tes·quer·ie, -query [groutéskəri] *n.* 기괴한 언동〔성격〕; 기괴한 것〔작품〕.

Gro·ti·us [gróuʃiəs] *n.* **Hugo ~** 그로티우스《네덜란드의 법학자, 국제법의 시조; 1583-1645》.

grot·to [grátou/grɔ́t-] (*pl.* **~(e)s**) *n.* 동굴, 석굴; 동굴 모양으로 꾸민 방《피서용》.

grot·ty [gráti/grɔ́ti] (*grot·ti·er; -ti·est*) *a.* 《영속어》 불쾌한, 더러운, 초라한, 보기 흉한. ㊞ **-ti·ness** *n.*

grouch [grautʃ] 《미구어》 *n.* 꾀까다로운 사람, 불평가; 부루퉁함. **—** *vi.* 토라지다, 부루퉁해하다, 불평을 하다. ㊞ **~y** [gráutʃi] *a.* 《미구어》 까다로운, 토라진, 투덜대는.

†**ground**[1] [graund] *n.* **1** Ⓤ (the ~) 지면, 땅(soil), 토지, 대지(earth, land): fertile ~ 비옥한 땅. SYN. ⇨ LAND. **2** (종종 *pl.*) 운동장, (특수 목적을 위한) 장소, 용지; …장: baseball ~*s* 야구장/a fishing ~ 어장/a classic ~ 사적, 고적. **3** (종종 *pl.*) (건물에 딸린) 뜰, 마당, 구내. **4** Ⓤ,Ⓒ (종종 *pl.*) 기초, 근거; 이유, 동기; (불평 따위의) 씨: on good ~*s* 상당한 이유로. **5** Ⓤ 지반; 입장; 의견: on delicated ~ 미묘한 입장에서/on firm 〔solid〕 ~ 확고한 입장〔상황〕에서. **6** Ⓤ (연구의) 분야; 화제, 문제: a forbidden ~ 금제(禁制)된 화제. **7** Ⓤ (골(goal)까지의) 거리; Ⓒ 지역. **8** Ⓤ 바다〔물〕 밑, 해저; 얕은 바다. **9** Ⓤ 〖광산〗 모암(母岩). **10** Ⓒ (밑)바탕; (회화(繪畫)의) 애벌칠; (직물의) 바탕색; (돋을새김의) 판면(板面); (에칭의 방식(防蝕)용) 바탕칠. **11** (방 따위의) 마루; 〖연극〗 일층 관람석. **12** (*pl.*) 침전물, 앙금, (커피 따위의) 찌꺼기. **13** Ⓒ 《미》 〖전기〗 접지(接地), 어스(《영》 earth). **14** 〔형용사적〕 지상의; 지표에 가까운; 기초의; 물에 사는 《새 따위》; 혈거하는 (동물); 땅 위를 기는 (식물): ~ forces 〔troops〕 지상군/~ flares 〖항공〗 지상 조명등.

above* (*the*) ~** ① 지상에; 노출하여. ② 생존하여, 살아(alive). ***beat** a thing **into the* ~** 《미속어》 의논에 치우쳐 망쳐 놓다. ***beat over the* ~** 토의가 끝난 문제를 다시 논하다. ***beat to the* ~** 《속어》 완패당해, 기진맥진해서. ***below* ~** 무덤에 묻혀, 죽어서. ***break* ~** 파다, 갈다; 착수〔기공〕하다, 새 사업을 시작하다; 《미》 이주하다. ***burn to the* ~** 전소하다, 잿더미가 되다. ***change** one's* ~ =shift one's ~. ***come* 〔*go*〕 *to the* ~** 패배하다; (멸)망하다. ***cover* (*the, much, less*) ~** ① (얼마의) 거리를 가다〔답파하다〕: They *covered* a lot of ~ that day. 그들은 그날 상당히 멀리까지 갔다. ② (일·연구 등이) 진전을 보이다. ③ (강연·보고 등이) (어느 범위에) 걸치다, 미치다; 상세히 논하다. ***cut the* ~ (*out*) *from under** a person's feet* 아무의 계획에 의표〔허〕를 찌르다. ***dash … to the* ~** ① 땅에 내동댕이치다. ② 분쇄하다, 꺾다. ***down to the* ~** ① 땅에 넘어져. ② 철저히, 완전히. ***fall on stony* ~** (충고 등이) 먹혀들어가지 않다, 효력이 없다. ***fall to the* ~** ① (계획 따위가) 실패로 끝나다. ② 땅에 쓰러지다. ***find a common* ~** 공통된 입장을 찾아내다. ***from the* ~ *of the heart 마음속으로부터. ***from the* ~ *up*** 처음부터 다시; 철저하게; 모든 점에서. ***gain* 〔*gather*〕 ~** ① 전진하다. ② 지지〔인기〕를 얻다; 확고한 지반을 쌓다, 보급하다, 널리 퍼지다. ③ (…에) 바싹 다가가다《*on*》. ***get* ~ *of*** ① 잠식하다. ② …에 이기다. ***get off the* ~** 이륙하다〔시키다〕, 궤도에 오르다〔올리다〕. ***give* 〔*yield*〕 ~** ① 퇴각하다; 양보하다. ② 쇠퇴하다; 지다. ***go to* ~** (여우·개가) 굴로 도망치다; 은신처에 잠적하다. ***hit the* ~ *running*** (새 사업 등에) 정식으로 활동을 개시하다. ***hold* 〔*stand, keep, maintain*〕 *one's* ~** 자기 입장을 굽히지 않다, 소신을 관철하다. ***into the* ~** 도를 넘어; 지칠 때까지, 죽도록. ***kiss the* ~** ⇨ KISS. ***leave the* ~** 잘〔무사히〕 출발하다. ***lose* ~** (밀려서) 퇴각〔후퇴, 패배〕하다; 쇠퇴하(기 시작하)다, 환영 못 받게 되다《*to*》. ***off the* ~** 이륙하여; 개시하여. ***on** one's **own* ~** 자신에게 유리한 상황〔장소〕에서, 자신이 선택한〔잘 아는〕 분야에서. ***on the* ~** 즉석〔현장〕에서; (비행기 등) 정비 중인; 결투를 하여. ***on the* ~ *of* 〔*that*〕 …** =***on* (*the*) ~*s of* 〔*that*〕** …의 이유로; …을 구실로〔핑계로〕. ***run to* ~** =go to ~; 몰아붙이다, 추궁하다, 밝혀내다; …을 지칠 때까지 달리게 하다. ***shift* 〔*change*〕 *one's* ~** 주장〔입장·의견·방식〕을 바꾸다, 변절하다. ***suit down to the* ~** (…이) 꼭 맞다; 흠씬 만족시키다. ***take* (*the*) ~** (배가) 얕은 곳에 얹히다, 좌초하다. ***thick* 〔*thin*〕 *on the* ~** 많아〔드물어〕. ***to the* ~** ① 지면으로, 지상으로. ② 아주, 완전히. ***touch* ~** (배가) 물밑(바닥)에 닿다; (이야기가) 본론으로 들어가다.

— *vt.* **1** 《~+목/+목+전+명》 기초를 두다, (원칙·신념 따위를) 세우다, (사실에) 입각시키다 《*on; in*》: morals and ethics ~*ed on* religion 신앙에 의거한 도덕과 윤리. **2** 《+목+전+명》 〖흔히 수동태〗 …에게 초보〔기초〕를 가르치다《*in*》: The girl *is* well ~*ed in* French. 그 소녀는 프랑스어의 기초를 잘 배웠다. **3** (무기 따위를) 땅위에 놓다〔내던지다〕《항복 표시로》. **4** 〖해사〗 좌초시키다. **5** 〖항공〗 (고장·짙은 안개 따위가) …의 비행〔이륙〕을 불가능하게 하다. **6** 〖항공〗 (기구 따위를) 착륙시키다; (항공 요원을) 지상에 내려놓다, …의 비행 근무를 해제하다. **7** 〖전기〗 접지〔어스〕하다(《영》 earth). **8** 〖회화〗 …에 바닥칠을 하다. **9** (아이를) 외출 금지시키다. **—** *vi.* **1** 지상에 떨어지다; 착륙하다. **2** 〖해사〗 좌초하다. **3** 《+전+명》 (논의 따위가 …에) 의거〔입각〕하다 《*on, upon*》. **4** 《+부》 〖야구〗 땅볼로 아웃되다 《*out*》. **5** 《+전+명》 입각(立脚)하다《*on*》.

ground[2] GRIND의 과거·과거분사. **—** *a.* (가루로) 빻은; 연마한, 간; 문지른.

ground·age [gráundidʒ] *n.* Ⓤ 《영》 정박료(碇泊料), 입항세(入港稅).

gróund alèrt 〖군사〗 (전투기·조종사의) 지상 대기; 지상 대기 중인 항공기.

gróund àngling 바닥낚시.

gróund àsh 어린 물푸레나무(로 만든 지팡이).

gróund bàit 〖낚시〗 (물고기를 모으는) 밑밥.

gróund-bàit *vt.* …에 밑밥을 뿌리다.

gróund báll 〖야구·크리켓〗 땅볼(grounder).

gróund bàss 〖음악〗 기초 저음.

gróund bèam 〖건축〗 토대; 〖철도〗 침목(枕木), =GROUND PLATE.

gróund béef 《미》 잘게 썬 쇠고기.

gróund bèetle 〖곤충〗 딱정벌레.

gróund bòx 〖식물〗 회양목.

gróund·brèaker *n.* 개척자, 선구자.

gróund·brèaking *n.* Ⓤ 기공(起工): a ~ ceremony 기공식.

gróund·bùrst *n.* (핵폭탄의) 지상 폭발.

gróund-chèrry *n.* 〖식물〗 꽈리.

gróund clòth 무대를 덮는 캔버스 천; =GROUNDSHEET.

gróund còat (페인트의) 애벌칠, 밑칠.

gróund còlor (유화의) 바탕색; 〖도장(塗裝)〗 애벌칠.

gróund connèction 〖전기〗 어스.

gróund contròl 〖항공〗 지상 관제〔유도〕.

gróund-control(led) appròach (레이더

에 의한) 착륙 유도 관제, 지상 유도 착륙, 지상 제어 진입 장치《생략: GCA》.

gróund-contròlled intercéption (레이더에 의한) 지상 조작 적기 요격법《생략: GCI》.

gróund còver 〖생태·임업〗 지피(地被) 식물《나지(裸地)를 덮은 왜소한 식물들》.

gróund crèw 《미》〖집합적〗 (비행장의) 지상 정비원(《영》 ground staff).

gróund detèctor 검루기(檢漏器)《회선과 대지와의 절연을 검사하는》.

gróund·ed [-id] *a.* 기초를 둔, 근거 있는. ★ 보통 부사를 동반하여 복합어가 됨: a well-〔an ill-〕~ theory 근거가 확실한〔박약한〕 이론. [파] **~-ly** *ad.* 충분한 근거를 가지고.

gróund effèct 지면 효과, 지표 효과《지표 또는 지표 근방에서 고속 자동차나 비행기에 가해지는 부력〔상승력〕》.

gróund-effect machìne 〖항공〗 에어쿠션정(艇)(air-cushion vehicle)《생략: GEM》.

gróund·er *n.* 〖야구·크리켓〗 땅볼.

gróund-fault interrùptor 누전 차단기.

gróund fìr 〖식물〗 석송속(屬)의 각종 식물.

gróund·fire *n.* 지상〔대공〕 포화.

gróund·fish *n.* 물 밑바닥에 사는 물고기.

gróund fishing 트롤 어업, 바닥낚시.

gróund flóor 《영》 1층(《미》 first floor); (사업 따위의) 제일보; 유리한 입장〔기회〕; 《미속어》 (사업·직업 따위의) 최저 수준. ***get*** 〔***come, be let***〕 ***in on the*** ~ 발기인과 같은 자격·권리로 주식을 취득하다; 유리한 지위를 차지하다.

gróund fòg 땅 안개《땅이 차서 생기는 안개》.

gróund fòrces (군대의) 육상 부대.

gróund fròst 지표의 서리, 지하 동결; 지면이 빙점 이하로 떨어져 작물에 해를 주는 기온.

gróund gàme 《영》〖집합적〗 사냥용 길짐승《날짐승 등에 대해 토끼류》.

gróund gláss 젖빛 유리; (연마용) 유리 가루.

gróund hèmlock 〖식물〗 주목속(朱木屬)의 상록 관목의 총칭. 「AARDVARK.

gróund·hòg *n.* 〖동물〗 **1** =WOODCHUCK. **2** =

Gróundhog('s) Dày 《미》 성촉절(聖燭節)(Candlemas)《2월 2일; 곳에 따라 14일》.

gróund ìce (지표를 덮은) 살얼음; 물밑 얼음《해면상(海綿狀)으로 얽》.

gróund·ing *n.* **1** 지면에 놓음〔댐〕; (그림·자수 따위의) 바탕, 바탕색; 기초 공사, 토대; 기초 훈련; 초보, 기초 지식. **2** 〖해사〗 좌초; (수리하려고) 배를 뭍으로 끌어올리기; 〖전기〗 접지(接地); 비행〔운전〕 금지. **3** 〖미식축구〗 그라운딩《passer가 sack을 면하기 위해 공을 빈 곳이나 out of bounds 로 던지는 반칙》. 「증(鉤蟲症).

gróund ìtch 〖의학〗 토양진(土壤疹), 피부구충

gróund ìvy 〖식물〗 적설초.

gróund·kèeper *n.* 《미》 운동장〔경기장·공원·묘지〕 관리인(groundskeeper).

gróund làndlord 《영》 지주(地主).

gróund-làunched [-t] *a.* (미사일 등이) 지상 발사의.

gróund-launched crúise míssile 지상 발사 순항 미사일《생략: GLCM》. 「dary layer).

gróund làyer 〖기상〗 접지층(=surface boun-

gróund·less *a.* 근거 없는, 사실무근한; 기초가 없는: ~ fears 〔rumors〕 이유 없는 공포〔사실무근한 소문〕. [파] **~·ly** *ad.* **~·ness** *n.*

gróund lèvel 지상; 〖물리〗 =GROUND STATE.

ground·ling [gráundliŋ] *n.* **1** 물 밑에 사는 물고기《미꾸라지·문절망둑 따위》; 포복(匍匐) 동물〔식물〕. **2** (엘리자베스 왕조 시대의 극장의) 무대 바로 앞의 입석 관객; 저급한 관객〔독자〕; 저속한 사람, 속물. **3** 지상 근무자. **—** *a.* 저속한, 천한(vulgar).

gróund lòg 〖해사〗 (흐름이 빠른 얕은 바다에서 쓰는) 대지 선속 측정의(對地船速測程儀).

gróund lòop 〖항공〗 (이착륙 때의 급격한) 지상 편향(地上偏向).

gróund·man [-mən] (*pl.* ***-men*** [-mən]) *n.* =GROUNDKEEPER; (가설 공사 따위의) 지상 작업반원; 〖광산〗 (노천굴에서) 광물 싣는 작업원; (지하 광산에서) 갱도 굴진 작업원; 접지(接地) 담당 전기 기계공. 「質).

gróund·màss *n.* 〖암석〗 석기(石基), 기질(基

gróund nòte 〖음악〗 기음(基音), 주음(主音)(fundamental).

gróund·nùt *n.* 먹을 수 있는 괴경(塊莖)〔괴근(塊根)〕이 있는 식물; 《영》 땅콩. 「속(屬)의 일종.

gróund òak oak의 어린 나무; 〖식물〗 개곽향

gróund·òut *n.* 〖야구〗 내야 땅볼에 의한 아웃.

gróund pìne 〖식물〗 비늘석송; 석송(류).

gróund plàn **1** 1층 평면도. **2** 기초안〔계획〕.

gróund plàne (투사도의) 기평면(基平面).

gróund plàte **1** 〖건축〗 장선(長線), 토대. **2** 〖철도〗 (침목 밑의) 받침 철판. **3** 《미》〖전기〗 접지판.

gróund·plòt *n.* **1** 부지. **2** 1층 평면도. **3** 그라운드플롯《비행 위치 측정법의 일종》. 「오염.

gróund pollùtion (땅속 폐기물에 의한) 토양

ground·prox [gráundpràks/-prɔ̀ks] *n.* 〖항공〗 대지(對地) 접근 경보 장치. [◂ *ground proximity warning system*]

gróund ràу 〖통신〗 =GROUND WAVE.

gróund rènt 땅세, 지대(地代).

gróund ròbin 〖조류〗 =TOWHEE.

gróund ròller 〖조류〗 파랑새《특히 Madagascar섬 산(産)의》.

gróund rùle (흔히 *pl.*) 행동 원칙, 기본 원리; 〖경기〗 (특수 정황을 위한) 특별 규정.

gróund rùn (비행기의) 활주 거리.

gróund sèa =GROUNDSWELL.

ground·sel[1] [gráun*d*səl] *n.* 〖식물〗 개쑥갓.

ground·sel[2] *n.* 《고어》〖건축〗 토대, 장선(長線); 문지방.

gróund·shèet *n.* 그라운드시트, (천막 안〔침낭 밑〕에 까는) 방수 깔개(ground cloth).

gróund·sìll *n.* 《고어》 =GROUNDSEL[2].

gróunds·kèeper *n.* 《미》 =GROUNDKEEPER.

gróunds·man [-mən] (*pl.* ***-men*** [-mən]) *n.* 《영》 =GROUNDKEEPER; 지상 작업반원(groundman).

gróund spèed 〖항공〗 대지(對地) 속도《생략: GS》. [cf.] air speed.

gróund squìrrel 〖동물〗 구멍을 파는 다람쥐.

gróund stàff 《영》 =GROUNDCREW; (경기장의) 관리인들《때로는 선수를 겸함》. 「el).

gróund stàte 〖물리〗 바닥 상태(ground lev-

gróund stàtion 〖우주〗 지상국《로켓을 추적하는 시설》.

gróund-stràfe *vt.* =STRAFE.

gróund stròke 〖테니스〗 그라운드 스트로크.

gróund sùbstance 〖생물〗 기질(基質)《세포간질(間質)이나 투명질(hyaloplasm) 따위》.

gróund·swèll *n.* (먼 곳의 폭풍·지진 등에 의한) 큰 놀, 여파; (정치 여론·감정 등의) 고조(高潮), 비등. 「기구《닻·닻줄 따위》.

gróund tàckle 〔**tàckling**〕 정박에 필요한

gróund-to-áir *a.* 지대공(地對空)의: ~ missiles 지대공 미사일.

gróund-to-gróund *a.* 지대지(地對地)의: ~ missiles 지대지 미사일.

gróund tràck 〖항공·우주〗 지적선(地跡線)《항공기·미사일·로켓·우주선 따위의 비행 경로의, 지구 표면에 대한 투영선(投影線)〔궤적선〕》.

gróund trùth 지세(地勢)에 관한 공중 탐사 결과를 보충하기 위해 직접 지상 조사에서 얻은 정보.
gróund·wàter *n.* 지하수; 갱내수(坑內水).
gróundwater lèvel 지하 수면[수위(水位)].
gróund wàve 〖통신〗 지상표파(地上表波).
gróund wìre 《미》 라디오의 접지선, 어스선(《영》 =**éarth wìre**).
gróund·wòod *n.* (펄프용으로 하는) 쇄목(碎木); 쇄목 펄프(=∠ **pùlp**)《불순물이 많아 하급지(下級紙)용》.
gróund·wòrk *n.* Ⓤ 토대, 기초(공사); 기반; 근거; 기본 원리, 원칙; (그림·자수 따위의) 바탕(색)(grounding); 주성분(主成分).
gróund zéro 〖군사〗 (폭탄의) 낙하점; (원폭의) 폭심지(爆心地).
†**group** [gru:p] *n.* **1** 떼; 그룹, 집단(集團), 단체: a ~ *of* girls 일단의 소녀. **2** (동일 자본·경영의) 기업 그룹; (기업체 간의) 연합; (정당·교회 등의) 분파, 당파. **3** 〖미공군〗 비행 대대《wing과 squadron의 중간》; 〖미군사〗 전술 보조 부대, 단《공병단, 수송단 따위》; 〖영공군〗 비행 연대. **4** (주의·취미가 같은 사람들의) 회합, 동호회(同好會): a dance ~ 춤 동호회/a research ~ 연구회. **5** 무리; 형(型): a blood ~ 혈액형. **6** 〖미술〗 군상(群像); 〖수학〗 군(群); 〖컴퓨터〗 집단, 그룹; 〖화학〗 기(基), 원자단, (주기율표의) 족(族); 〖동물·식물〗 군; 〖음악〗 음표군; 〖언어〗 (어족(語族) 아래의) 언어군(言語群); 〖지학〗 층군(層群). ***in a ~*** 한 무리가 되어. ***in ~s*** 떼지어, 삼삼오오.
— *vi.* 《+전+명》 떼를 짓다, (…의 둘레에) 모이다; (집단이) 조화되어 있다《*with*》: The tower ~*s* well *with* the trees. 탑은 나무들과 잘 조화되어 있다. **—** *vt.* **1** 《+목+전+명》 한 떼로 만들다, (…의 둘레에) 모으다《*around*》; (체계적으로) 분류하다: The family were ~*ed* [~*ed* themselves] *around* the fireplace. 가족들은 난로가에 모였다/~ crystalline forms *into* geometrical systems 결정형(形)을 기하학적 체계로 분류하다. **2** 《+목+부》 배합하다《*together*》; 〖미술〗 조화시키다: Tulips are best ~*ed together* in the garden by colors. 정원의 튤립은 색깔별로 모아 심는 것이 제일 좋다.
group·age [grú:pidʒ] *n.* 그룹으로 나누기; 혼재(混載) (화물) 수송.
gróup càptain 〖영공군〗 비행대장《대령》.
gróup dynámics 〖심리〗 집단 역학《사회심리학의 한 분야》.
gróup·er[1] (*pl.* ~, ~**s**) *n.* 농어 비슷한 열대산 「식용 물고기.
gróup·er[2] *n.* **1** Oxford Group movement의 참가자. **2** 《미》 encounter group의 참가자. **3** 《미》 공동으로 별장 따위를 빌리는 청년 그룹의 일원.
gróup gròpe 《미속어》 난교(亂交) 파티; (encounter group의 치료법으로서의) 집단 접촉; 친밀한 관계의 집단.
gróup hóme (고아·비행 청소년·신체 장애인 따위를 돌보는) 대용 수용 시설.
group·ie [grú:pi] *n.* **1** 《미속어》 예능인을 좇아다니는 소녀; 〖일반적〗 유명인을 따라다니는 팬, 열렬한 애호가. **2** =GROUPER[2] 3. **3** =GROUP CAPTAIN. **4** '…그룹'으로 불리는 기업 집단[연합]. **5** 《영》 복수의 남자와 동서(同棲)하는 여자.
gróup·ing *n.* **1** Ⓤ 모으는[모이는] 일, 무리를 이룸. **2** Ⓤ,Ⓒ 배치, 배치된 무리.
gróup insùrance 단체 보험.
group·ism [grú:pizəm] *n.* (집단의 보편적 사고와 행동을 중시하려는) 집단주의.
gróup márriage 〖사회〗 군혼(群婚), 집단혼(communal marriage).
gróup médicine 집단 의료 (제도).
gróup mìnd (the ~) 〖사회·심리〗 집단[군중] 심리.
Gróup of Éight (the ~) 8개국 그룹《미국·독일·영국·프랑스·캐나다·이탈리아·일본·러시아의 8개국; 생략: G-8》.
Gróup of Fíve (the ~) 5개국 그룹《가장 경제력이 있는 주요 5개국; 미국·영국·프랑스·독일·일본; 생략: G-5》.
Gróup of Séven (the ~) 7개국 그룹《미국·일본·독일·영국·프랑스·캐나다·이탈리아의 7개국; 생략: G-7》.
Gróup of 77 (the ~) 77개국 그룹《UN의 무역개발 회의(UNCTAD) 멤버인 발전도상국 그룹》.
Gróup of Tén (the ~) 10개국 재무장관 회의《IMF 가맹국 중 주요 10개국의 재무장관·중앙 은행 총재의 회의; 생략: G-10》.
gróup práctice (전문이 다른 의사가 협력하여 하는) 집단 진료.
gróup representátion (지역구가 아닌 이익·사업 관계에 바탕을 둔) 집단 대표제.
gróup thèory 〖수학〗 군론(群論).
gróup thérapy [**psychothérapy**] 〖정신의학〗 집단 요법.
gróup-thìnk *n.* 집단 사고(思考)《집단 구성원의 토의에 의한 문제 해결법》; 집단 순응 사고《집단의 가치관, 윤리에 순응하는 사고 태도》.
group·us·cule [grú:pəskjù:l] *n.* 《F.》 소(小)집단.
gróup velòcity 〖물리〗 군속도(群速度).
gróup·wàre *n.* 〖컴퓨터〗 그룹웨어《local area network를 써서 그룹으로 작업하는 사람들에게 효율적인 작업 환경을 제공하는 소프트웨어》.
gróup wòrk 집단 작업[사업].
°**grouse**[1] [graus] (*pl.* ~, **gróus·es**) *n.* 뇌조(雷鳥); 《영》《특히》 홍뇌조(=**réd** ∠): a black ~ 멧닭/a spruce ~ 캐나다뇌조/a wood [great] ~ 큰뇌조.
grouse[2] *n.* 《영속어》 불평(가). **—** *vi.* 불평하다, 투덜대다《*about*》. ㊞ **gróus·er** *n.* 불평만 하는 사람.
grout[1] [graut] *n.* 회삼물(灰三物)《암석의 틈새기 따위에 부어넣는 묽은 모르타르 또는 시멘트》, 그라우트, 시멘트풀, 회반죽. **—** *vt.* ~을 붓다, ~로 마무리하다. ㊞ ∠·**er** *n.*
grout[2] *vt., vi.* 《영》 (돼지가 흙을) 코로 파헤치다; 《비유》 파헤치다, 찾다.
grout[3] *n.* **1** (보통 *pl.*) (술 따위의) 앙금, 침전물. **2** 《고어》 (오트밀 따위의) 죽; 조식(粗食); = GROATS.
grouty [gráuti] (**grout·i·er; -i·est**) *a.* 《미》 기분이 좋지 않은, 심술궂은; 《Sc.》 진흙의, 더러운; 사나운, 조잡한.
***grove** [grouv] *n.* (산책에 적합한) 작은 숲; (감귤류의) 과수원; (교외의) 가로수가 늘어선 길.
°**grov·el** [grʌ́vəl, gráv-/grɔ́v-, grʌ́v-] (**-l-**, 《영》 **-ll**) *vi.* **1** 기다; 넙죽 엎드리다, 굴복하다, 비굴한 태도를 취하다, 비하하다《*before; to*》; 천박한 환락에 빠지다. **2** 《해커속어》 (경과 상황을 나타내지 않고) 장기간에 걸쳐 처리하다; 상세히 조사하다. ***~ in the dust*** [***dirt***] 땅에 머리를 대다, 아첨하다. ㊞ **gróv·el·(l)er** *n.* 아첨꾼, 비굴한 사람.
gróv·el·ing, 《영》 **-el·ling** *a.* 설설 기는, 넙죽 엎드리는, 굽실거리는; 비굴한, 천박한. ㊞ **~·ly** *ad.* 넙죽 엎드려서; 비굴하게.
grovy [gróuvi] (**grov·i·er; -i·est**) *a.* 숲이 우거진, 나무가 많은; 나무숲의.
†**grow** [grou] (**grew** [gru:]; **grown** [groun]) *vi.* **1** 《~/+전+명》 성장하다, 자라다; (식물이) 무성해지다; 나다; 싹트다: Rice ~*s* in warm countries. 벼는 따뜻한 지방에서 자란다/Plants ~ *from* seeds. 식물은 씨에서 싹튼다. **2** (감정·사건 등이) 생기다, 일어나다, 발생하다. **3**

《~/+[전]+[명]》 (크기·수량·길이 따위가) 증대하다, 커지다; 늘어〔불어〕나다; 발전하다: The city is ~*ing* every year. 그 도시는 매년 발전하고 있다/He has *grown in* experience. 그는 경험이 풍부해졌다/~ *in* fame 명성이 높아지다. **4** 《+[전]+[명]》 성장하여〔커서〕 …이 되다, (…으로) 변화하다《*into; to*》: He has *grown into* a robust young man. 그는 씩씩한 젊은이로 성장했다. **5** 《+[보]/+[전]+[명]/+*to* do》 차차 …이 되다, …으로 변하다(turn): ~ tall 키가 자라다/~ rich 부자가 되다/~ faint 아찔해지다/~ pale 창백해지다/~ less 줄다/The sound *grew to* a shriek. 소리가 커지더니 비명으로 변했다/He is ~*ing to* like me. 그는 나를 좋아하기 시작했다. [SYN.] ⇨ BECOME.
— *vt.* **1** 키우다, 성장시키다; 돋아나게 하다, 재배하다(cultivate): ~ apples 사과를 재배하다. **2** 《~+[목]/+[목]+[보]》 (머리·뿔 따위를) 기르다, 나게 하다: ~ a mustache 콧수염을 기르다/He has *grown* his hair long. 그는 머리를 길게 길렀다.

> [SYN.] **grow** 식물·농작물을 가꾸다; 수염 등을 기르다: *grow* corn 곡식을 가꾸다. **raise** 주로 동물·아이를 기르다: *raise* chickens 닭을 치다. **rear** 공들여 훌륭하게 키운다는 어감을 풍김. **breed** 낳아서 키우다 → 번식시키다: *breed* racers 경주말을 사육하다. **cultivate** 가꾸어 키우다 → 재배하다, 양식(養殖)하다: *cultivate* oysters 굴을 양식하다.

3 〖수동태〗 (초목으로) 덮여 있다: *be grown* (*over* 〔*up*〕) *with* ivy 담쟁이덩굴로 덮여 있다. ◇ growth *n.*
~ apace 《고어》 (잡초·사업 등이) 빨리 자라다. ***~ apart*** 다른 방향으로 자라다; 의견이 갈라지다; 관계가 끊기다, 헤어지다. ***~ away from ...*** (식물이) …부터 떨어져 자라다; (부모·친구 등과) 소원해지다, 멀어져 가다; (습관 따위에서) 벗어나다. ***~ back*** 본래 상태로 자라다. ***~ down*** (***-ward***) 낮아지다, 짧아지다, 작아지다. ***~ into*** ① ⇨ *vi.* 4. ② 익숙해지다. ***~ into one*** 하나가 되다, 결합하다. ***~ on*** 〔《문어》 ***upon***〕 ① (불안·나쁜 버릇 등이) 점점 더해 가다, 몸에 배다: An uneasy feeling *grew upon* him. 그는 불안한 마음이 점점 더해 갔다. ② 《구어》 (…의 마음에) 점점 들게 되다: The village ~*s on* me. 그 마을이 마음에 끌린다. ③ (과일·야채 등이) 자라다: This fruit ~*s on* the ground, not *on* trees. 이 과일은 나무에서 열리지 않고 땅에서 자란다. ***~ on one's hands*** (사업 등이) 벅차게 되다. ***~ on trees*** ⇨ TREE (관용구). ***~ out*** 싹트다. ***~ out of*** ① (습관 따위)를 벗어버리다〔탈피하다〕: A man will ~ *out of* his youthful follies. 젊은 때의 난봉은 고칠 수 있다. ② (커서) …을 못 입게 되다: He has *grown out of* all his clothes. 자라서 아무 옷도 입을 수 없게 되었다. ③ …에서 생기다〔기인하다〕: His illness *grew out of* his bad habits. 그의 병은 여러 악습이 원인이다. ***~*** (***together***) ***into one*** 하나로 결합〔융합〕하다. ***~ up*** ① 성인이 되다, 성장하여 …이 되다; 어른처럼 행동하다; 나다; 생기다; 다 성장하다. ② (습관·감정 따위가) 발생하다: A warm friendship *grew up* between us. 우리들 사이에 뜨거운 우정이 생겼다.
[파] **∠·a·ble** *a.*

grów·bàg *n.* (발코니 따위에서 토마토·피망 따위를 기르기 위한) 배합토가 든 비닐 백.

◇**grów·er** *n.* 재배자; 사육자; 자라는 식물: a quick 〔slow〕 ~ 조생〔만생〕 식물/a tomato ~ 토마토 재배자.

grów·ing *a.* **1** 성장하는, 자라는; 차차 커지는;

증대하는: the ~ season (식물 따위의) 성장하는 시기〔계절〕/~ discontent 점점 커지는 불만. **2** 발육기의; 성장에 따르는: a ~ boy 발육기의 소년. **3** 성장을 촉진하는. — *n.* [U] 성장, 발육; 생성, 발달. [파] **~·ly** *ad.*

grówing pàins (급격한 성장에 기인하는) 어린이의 사지 신경통; 《비유》 (새로운 계획·발전에 따르는) 초기 장애, 해산의 고통; (청춘기의) 정서적 불안정.

grówing pòint 〖식물〗 생장점(生長點).

*__growl__ [graul] *n.* **1** (개 등의) 으르렁거리는 소리; 불복〔불만〕의 소리; 고함 소리; (천둥 따위의) 우르르하는 소리. **2** 《미속어》 (시험의) 커닝 페이퍼. **3** 《영속어》 질(膣), 외음부. — *vi.* 《~/+[전]+[명]》 으르렁거리다《*at*》; 고함치다; 투덜거리다; (우레·대포 등이) 우르르 울리다: The dog ~*ed at* the stranger. 개는 낯선 사람에게 으르렁거렸다. — *vt.* 《~+[목]/+[목]+[부]》 호통치다, 성나서 말하다《*out*》: He ~*ed* (*out*) a refusal. 싫다고 소리질렀다. [파] **∠·ing** *a.* 으르렁거리는; 딱딱거리는; 우르르하는. **∠·ing·ly** *ad.*

grówl·er *n.* **1** 으르렁거리는 사람〔짐승〕, 딱딱거리는 사람, 잔소리꾼. **2** 〖어류〗 성대류. **3** 《영속어》 한 필의 말이 끄는 구식의 4 륜마차. **4** 《미속어》 맥주 담는 그릇. **5** 작은 빙산(氷山). **6** 단락(短絡)한 코일을 찾는 전자(電磁) 장치. **7** 《미속어》 (전자식의) 확성기, 인터폰. **8** 《미학생속어》 변소. ***rush*** 〔***work***〕 ***the ~*** 《미속어》 많은 술을 마시다.

grówler-rúshing 《미속어》 *n.* 음주; 주연(酒宴). — *a.* 술을 마시는, 싸구려 술에 빠진.

grów lìght 식물 생장 촉진 램프.

growly [gráuli] (***growl·i·er; -i·est***) *a.* 으르렁거리는; 성급한, 성마른.

grown [groun] GROW의 과거분사.
— *a.* **1** 성장한, 자라난, 성숙한; 무성한: a ~ man 성인, 어른. **2** 〖복합어〗 …으로 덮인; 재배한, …산(產)의: weed-~ 잡초로 뒤덮인/home-~ 가정 재배의, 자가(自家) 생산의.

**__grown-up__ [gróunʌ̀p] *a.* 성장한, 성숙한; 어른다운; 어른을 위한: a ~ fiction 성인용의 소설. — *n.* 성인, 어른(adult).

__growth__ [grouθ] *n.* [U] **1 성장, 발육; 생성, 발전, 발달(development): industrial ~ 산업의 발달/full ~ 완전 성장(시의 크기). **2** 증대, 증가, 증진, 신장; 경제 성장, 가치 증대: a large ~ *in* population 인구의 큰 증가. **3** 재배, 배양(cultivation). **4** 발생; 기원: a story of German ~ 독일 기원의 이야기. **5** [C] 생장물《초목·수풀·수염·손톱 등》. **6** 〖의학〗 종양(腫瘍), 병적 증식(增殖): a malignant ~ 악성 종양. ◇ grow *v.* ***of foreign*** 〔***home***〕 ***~*** 외국산〔국산〕의.

grówth cènter (잠재 능력을 키우기 위한) 집단 감각 훈련소〔센터〕.

grówth còmpany 고도 성장 회사.

grówth còne 〖동물〗 성장 원뿔《척추동물배(胚)의 성장 중의 신경 세포에 보이는 신경 축소(神經軸索) 끝 부분의 원뿔꼴로 부풀어 있는 부분; 신경 세포의 신장을 이끄는 작용을 한다고 함》.

grówth cùrve 성장〔생장〕 곡선《생물 개체(수)의 생장·증대의 시간적 변화의 그래프 표시》.

grówth fàctor 〖생화학〗 발육 인자《미량으로 성장〔생장〕을 촉진하는 물질; 비타민·호르몬 등》.

grówth fùnd 성장형 펀드《수익보다는 주가 상승에 의한 신탁 재산의 성장을 목적으로 한 펀드》.

grówth hòrmone 〖생화학〗 성장 호르몬.

grówth hòrmone reléasing fàctor 〖생화학〗 성장 호르몬 방출 촉진 인자《생략: GRF》.

grówth ìndustry 〖경제〗 성장 산업.

grówth règulator 〔**sùbstance**〕 〖생화학〗 성장〔생장〕 조정 물질.
grówth rìng 〖식물〗 나이테(annual ring).
grówth shàres 《영》 =GROWTH STOCK.
grówth stòck 〖경제〗 성장주.
groyne [grɔin] *n.*, *vt.* =GROIN.
gró·zing iron [gróuziŋ-] (연관(鉛管) 공사용) 마무리 인두; 《고어》 강철제 유리칼.
GRP gross rating point (종합 시청률); glass(fiber)-reinforced plastic (유리(섬유) 강화 플라스틱).
GR-S [dʒìːàːrés] *n.* 일종의 합성고무《타이어용》. [◂ *g*overnment *r*ubber *s*tyrene]
GRT 〖해사〗 gross registered tonnage (총등록톤수). **GRU** 《Russ.》 *Glavnoe Razvedyvatel'noe Upravlenie* 《옛 소련 국방부 참모본부 첩보부》.
grub [grʌb] (***-bb-***) *vt.* **1** 《~+목/+목+부》 파다, (땅을) 개간하다; 뿌리를 뽑다, 파내다《*up; out*》: a newly ~*bed* ground 신개간지/~ *up* a tree 나무를 뿌리째 뽑다. **2** 《+목+부》 (데이터·기록 등을) 힘들여 찾아내다〔얻다〕《*out; up*》: a task of ~*bing out* new data 새 데이터를 꾸준히 찾는 일. **3** 《속어》 …에게 먹이다, 기르다; 《미속어》 조르다; 교묘히 가로채다; 《미속어》 (되돌려줄 뜻이 없이) 빌리다. **—** *vi.* **1** 《+부/+전+명》 파다; 파헤쳐 찾다; 열심히 찾아 헤매다《*about; for; around*》: ~ *about* in the public library *for* material 공공 도서관에서 자료를 찾아 뒤지다. **2** 《+부》 부지런히 일〔공부〕하다《*along; away; on*》: ~ *along* from day to day 매일 열심히 일하며 살다. **3** 《속어》 먹다. ~ ***out*** ⇨ *vt.* 1, 2; 《미속어》 맹렬히 공부하다.
— *n.* **1** (풍뎅이나 딱정벌레 따위의) 유충(=**grúb·wòrm**), 굼벵이, 구더기. **2** 삼류 작가; 추접하고 데데한 사람; 《영구어》 지저분한 아이; 《미》 싫은 일을 꾸준히 하는 사람; 노력가. **3** Ⓤ 《구어》 음식물; 《학생어》 집에서 가져오는 간식물: No work, no ~. 일하지 않으면 먹지 말라. **4** 〖크리켓〗 땅볼. **5** 《미》 (개간지에 남은) 그루터기. **6** (~s) 《미속어》 더러운 누더기옷, 《특히》 무릎 위에서 잘라 끝을 풀어 늘어뜨린 진바지(cut-off jeans).
grúb àx (뿌리 캐는) 곡괭이.
grub·ber [grʌ́bər] *n.* 나무뿌리를 파내는 사람〔연장〕; 《미》 노력가; 꾸준히 돈을 모으는 사람; 《속어》 먹는〔먹이는〕 사람.
grub·by [grʌ́bi] (***-bi·er; -bi·est***) *a.* 구더기〔굼벵이〕 따위가 뒤끓는; 더러운(dirty), 지저분한, 단정치 못한(slovenly); 천한, 경멸할 만한. ㊕ **-bi·ly** *ad.* **-bi·ness** *n.*
grúb hòe (그루터기 캐는) 괭이.
grúb hòok 그루터기 캐는 갈고랑이.
grúb-hùnting *a.* 《영속어》 박물학(博物學)을 연구하는. ㊕ **grúb-hùnter** *n.* 《영속어》 박물학자.
grúb·sàw *n.* 돌 켜는 톱, 돌톱. 「가리 없는 나사.
grúb·scrèw *n.* 한쪽 끝에 드라이버 홈이 있는 대
grúb·stàke *vt.* 《미구어》 (발견한 이익의 일부를 받는다는 조건으로) 자금·의복·식료 따위를 공급하다《탐광자(探鑛者)에게》; …에게 내기 밑천을 대주다, …에게 물질적 원조를 하다. **—** *n.* 위의 의복·식료《따위》; 물질적〔자금〕 원조, 밑천《대부금 따위》. ㊕ **-stàk·er** *n.*
Grúb Strèet **1** 삼류 작가들의 거주 지구《런던 Milton Street의 옛 이름》. **2** 〔집합적〕 삼류 작가들. **—** *a.* (종종 grubstreet) 삼류 작가의〔가 쓴〕, 저급한.
◇**grudge** [grʌdʒ] *vt.* **1** 《~+목/+목+목/+-*ing*》 (주기를) 싫어하다, 아까워하다, 인색하게 굴다; …하기를 꺼리다, …하기 싫어하다: ~ no effort 노력을 아끼지 않다/I ~ you nothing. 너에겐 무엇을 주어도 아깝지 않다/I ~ his *going*. 그를 보내고 싶지 않다. **2** 《+목+목》 부러워하다; 시기하다, 질투하다: ~ a person his pleasures 남의 즐거움을 시새움하다. **—** *vi.* 원한〔악의, 불만〕을 품다; 불평하다, 투덜대다. **—** *n.* 악의, 적의, 원한, 유감: pay off an old ~ 여러 해 쌓인 원한을 풀다/~ fight 개인적인 원한 싸움. ***bear*** 〔***owe***〕 a person ***a ~*** =***bear*** 〔***have,*** 《미》 ***hold, nurse***〕 ***a ~ against*** a person 아무에게 원한을 품다.
grúdge màtch 앙숙 간의 경기.
grudg·ing [grʌ́dʒiŋ] *a.* 인색한, 마지못해 하는, 싫어하는; 시기하는; 앙심을 품은: a ~ allowance 인색한 용돈. ㊕ **~·ly** *ad.* 억지로. **~·ness** *n.*
grue [gruː] *n.* 공포의 몸서리.
gru·el [grúːəl] *n.* Ⓤ **1** (환자 등에게 주는) 묽은 죽, (우유·물로 요리한) 오트밀. **2** 《고어》 혼냄, 엄벌; 죽음. ***get*** 〔***have, take***〕 one***'s*** ~ 《속어》 호된 벌을 받다; 피살되다. ***give*** a person his ~ 아무를 호되게 벌주다; 녹초가 되게 만들다; 죽이다. **—** (***-l-,*** 《영》 ***-ll-***) *vt.* 《속어》 호되게 벌주다; 녹초가 되게 만들다; 죽이다.
grú·el·ing, 《영》 **-el·ling** *n.* Ⓤ (엄)벌, 호된 벌, 혼냄. **—** *a.* 녹초로 만드는; 심한, 격렬한: have a ~ time 혼나다. ㊕ **~·ly** *ad.*
grue·some [grúːsəm] *a.* 무시무시한, 소름끼치는, 섬뜩한. ㊕ **~·ly** *ad.* **~·ness** *n.*
grúesome twósome 《미운율속어·우스개》 (사랑하는) 두 연인(戀人); 〔일반적〕 한 쌍.
◇**gruff** [grʌf] *a.* 우락부락한, 난폭한; 무뚝뚝한, 퉁명스러운; (소리·목소리가) 굵고 탁한, 몹시 거친. ㉥ coarse, harsh, rude. ¶ a ~ manner 거친 태도. ㊕ **∠·ly** *ad.* **∠·ness** *n.*
gruff·ish [grʌ́fiʃ] *a.* (목소리가) 다소 굵고 탁한, 다소 무뚝뚝한.
gru·gru [grúːgruː] *n.* 〖식물〗 (열대 아메리카산) 야자의 일종; 〖곤충〗 (위의 목수(木髓)를 해치는) 바구미의 유충.
grum [grʌm] (***-mm-***) *a.* 《드물게》 퉁명스러운, 무뚝뚝한, 기분이 언짢은(surly). ㊕ **∠·ly** *ad.* **∠·ness** *n.*
***grum·ble** [grʌ́mbəl] *vi.* **1** 《~/+전+명》 불평하다, 툴툴대다, 푸념하다, 투덜대다, 중얼거리다《*at; about; over; for*》: Don't ~! 투덜대지 마라/~ *for* wine 술이 없다고 불평하다. **2** (낮은 소리로) 끙끙거리다. **3** (멀리서 우레 따위가) 우르르 울리다: The thunder ~*d* in the distance. 먼 곳에서 천둥이 우르르 울렸다. **—** *vt.* 《~+목/+목+부》 …을 불평스레 말하다《*out*》: ~ *out* a protest 투덜거리며 항의하다. **—** *n.* 투덜대는 소리, 불만, 불평, 푸념; (보통 *pl.*) 불쾌, 성을 잘 냄; (단수형으로 the ~) (멀리서 들려오는 뇌성 따위의) 울림, 우르르하는 소리. ㊕ **-bler** *n.* 불평가. **-bly** *a.* 투덜대는, 불평하는.
grum·bling [grʌ́mbəliŋ] *a.* 불평하는. ㊕ **~·ly** *ad.*
grume [gruːm] *n.* 〖의학〗 (고름 따위의) 진득진득한 덩어리; 응혈, 핏덩이, 혈병(血餠).
grum·met [grʌ́mit] *n.* =GROMMET[1].
gru·mose [grúːmous] *a.* 〖식물〗 집단 과립으로 된.
gru·mous [grúːməs] *a.* 〖의학〗 (피 따위가) 응고한, 응혈성의; 진한; 〖식물〗 =GRUMOSE.
grump [grʌmp] *n.* **1** 불평만 하는 사람, 불평가. **2** (*pl.*) 저기압, 울적한 기분: have the ~*s* 기분이 나쁘다. **—** *vi.* 불평하다, 툴툴거리다; 뿌루퉁해지다.
grumpy [grʌ́mpi] (***grump·i·er; -i·est***) *a.* 까다로운, 기분이 언짢은, 심술궂은. ㊕ **grúmp·i·ly** *ad.* **-i·ness** *n.*
Grun·dy [grʌ́ndi] *n.* **Mrs. ~** 세상 평판《Thomas Morton의 희극 중의 인물로부터》: What

will Mrs. ~ say? 세상에서는 뭐라고들 할까. ㊐ **~ism** *n.* Ⓤ 인습에 얽매임, 남의 소문에 신경씀, 체면차리기.

grunge, grunch [grʌndʒ], [grʌntʃ] *a., n.* 《미속어》 맛없는〔지저분한, 따분한〕 (것〔사람〕).

grúnge ròck 〖음악〗 그런지 록《연주가 치졸하고 음악적인 세련미는 없는데, 공격적이며 역동적·열광적인 록 음악》.

grun·gy [grʌ́ndʒi] *a.* 《미속어》 =GRUNGE; 사용하기 어려운, 설계가 나쁜.

grun·ion [grʌ́njən] *n.* 〖어류〗 색줄멸과의 작고 길쭉한 식용어《California 주 남부 연안산(產)》.

°**grunt** [grʌnt] *vi.* (돼지 따위가) 꿀꿀거리다; (사람이) 투덜투덜 불평하다, 푸념하다: ~ in discontent 불만으로 투덜대다. ― *vt.* 《~+目/+目+副》 으르렁〔끙끙〕거리며 말하다《*out*》: ~ (*out*) an answer 투덜거리며〔불만스럽게〕 대답하다. ― *n.* **1** (돼지 따위의) 꿀꿀거리는 소리; 불평 소리; 〖어류〗 물에서 나오면 끅끅거리는 물고기《벤자릿과의 물고기 따위》. **2** 《미속어》 병졸, 보병, 도보 전투원; 《철도속어》 기관사; 《속어》 미숙련공, 말단, 신참. **3** 《미속어》 돼지고기, 햄; 음식 계산서; 벼락 공부; (프로) 레슬링, 2류 프로레슬러; 배변. ㊐ **∠·er** *n.* 투덜거리는 사람, 꿀꿀거리는 동물, 《특히》 돼지; 불평가; 〖어류〗 =grunt. **∠·ing·ly** *ad.*

grúnt-ìron *n.* 《미속어》 튜바(tuba).

grun·tle [grʌ́ntl] *vi.* 《영방언》 투덜대다, 불평하다. ― *vt.* …을 기쁘게 하다, 만족시키다.

grún·tled *a.* 《구어》 기뻐하는, 만족스러운.

grunt·ling [grʌ́ntliŋ] *n.* 새끼 돼지.

grúnt wòrk 《미구어》 지루하고 고된 일(《영》 donkey work). 「Crane).

Grus [grʌs, gru:s] *n.* 〖천문〗 두루미자리(the

Gru·yère [gru:jɛ́ər, gri-/grú:jɛə] *n.* (종종 g-) 스위스산(產) 치즈의 일종(= ∠ **chèese**).

gr. wt. gross weight.

gryph·on [grífən] *n.* =GRIFFIN[1].

grys·bok, -buck [gráisbɑ̀k, gréis-/gráisbɔ̀k], [-bʌ̀k] *n.* 영양(羚羊)의 일종《남아프리카산(產)》.

GS German silver. **GS, G.S., g.s.** general secretary; general service; 〖군사〗 general staff; 〖항공〗 ground speed. **gs.** grandson; 《영》 guineas. **GSA, G.S.A.** General Services Administration; Girl Scouts of America. **G.S.C.** General Staff Corps.

G-7 [dʒi:sévn] =GROUP OF SEVEN.

GSL 《미》 guaranteed student loan (대학생의 학비 원조 대부금). **GSM** Global System 〔Standard〕 for Mobile Communication (유럽 디지털 이동 통신 시스템)《유럽을 중심으로 쓰이는 디지털 휴대 전화 방식》. **g.s.m.** grams per square meter. **GSO, G.S.O.** general staff officer; geostationary orbit. **GSOH** good sense of humor 《개인 광고에서 씀》. **G.S.P.** 〖영해군〗 Good Service Pension.

Ǵ spòt 《미속어》 성감대(=**Ǵ-spòt**).

GSR galvanic skin response. **GST** Goods and Services Tax. **G.S.T.** Greenwich Sidereal Time. **GSTDN** ground space tracking and data network (우주 추적 데이터 통신망 지상국).

Ǵ-strìng *n.* **1** 〖음악〗 G선(線). **2** 〖전기〗 도파선(導波線). **3** (토인들의) 들보; (스트리퍼의) 버터플라이.

Ǵ-sùit *n.* 〖항공〗 (가속도가 붙었을 때의 충격을 방지하는) 내가속도복(耐加速度服).

GSUSA Girl Scouts of the United States of America. **GT** glass tube; grand touring; 〖자동차〗 Gran Turismo. **gt.** gilt; great; gutta[1].

Gt. Great. **G.T.** gross ton. **g.t.** 〖제본〗 gilt top (윗둘레 금박). **Gt. Br., Gt. Brit.** Great Britain. **G.T.C., g.t.c.** good till canceled 〔counter-manded〕 (취소할 때까지 유효). **gtd.** guaranteed. **GTF** glucose tolerance factor (내당(耐糖)인자)《당뇨병 치료용》.

GTI [dʒi:ti:ái] *a.* (승용차가) 고속 성능의 연료 분사 장치를 하고 고속 성능에 알맞게 엔진이나 흡기계통(吸氣系統)을 조정한. [◂ *g*rand *t*ourer 〔*g*ran *t*urismo〕 *i*njection]

GTM 〖증권〗 good this month (이달까지 유효).

GTP 〖생화학〗 guanosine triphosphate (구아노신 3인산(燐酸)). **gtt** *guttae*《L.》 (=drops).

GTW 〖증권〗 good this week (금주까지 유효).

G₂ phase [dʒi:tú:-] 〖생물〗 G₂상(相), G₂기(期)《세포 주기에 있어서 분열 준비기》. 「gules.

GU, G.U., g.u. genitourinary. **gu.** guinea;

gua·ca·mo·le, -cha- [gwɑ̀:kəmóuli] *n.* **1** 아보카도(avocado)를 으깨어 토마토·양파·양념을 넣은 멕시코 요리. **2** 멕시코·남아메리카의 아보카도가 든 샐러드.

gua·cha·ro [gwɑ́:tʃəròu] (*pl.* **~s, ~es**) *n.* 〖조류〗 쏙독새의 일종《남아메리카산》.

gua·co [gwɑ́:kou] (*pl.* **~s**) *n.* 국화과의 식물 《열대 아메리카산 약용 식물; 뱀 독 해독제》.

Gua·dal·ca·nal [gwɑ̀:dəlkənǽl] *n.* 과달카날 《태평양 남서부에 있는 Solomon 제도(諸島)의 제2의 섬》.

guai·a·col [gwáiəkòul, -kɔ̀:l/-kɔ̀l] *n.* Ⓤ 〖화학〗 과이어콜《무색·담황색의 유상(油狀) 액체, 크레오소트의 성분; 분석시약·방부제》.

guai·a·cum, guai·o·cum [gwáiəkəm] *n.* 〖식물〗 유창목(癒瘡木)《미국 서부 원산》; 그 기름(으로 만든 신경통·결핵 따위의 약).

Guam [gwɑ:m] *n.* 괌《남태평양 북서부 마리아나 군도의 섬; 미국령》. ㊐ **Gua·ma·ni·an** [gwɑ:méiniən] *a., n.* 괌 섬 (주민)(의).

gua·na [gwɑ́:nə] *n.* =IGUANA.

gua·na·co [gwənɑ́:kou] (*pl.* **~s**) *n.* 〖동물〗 과나코《남아메리카의 Andes산맥에 야생(野生)하는 라마(llama)류(類)》.

guanaco

gua·neth·i·dine [gwɑ:néθidi:n] *n.* 〖약학〗 구아네티딘《혈압 강하제》.

Guang·dong, Kwang·tung [gwɑ̀:ŋdɔ́:ŋ], [kwɑ̀:ŋtúŋ] *n.* 광둥(廣東)《중국 남동부의 성》.

guan·i·dine [gwǽnədi:n, -din, gwɑ́:n-] *n.* 〖생화학〗 구아니딘《사람 오줌 속에 있는 아미노 요소(尿素); 유기 합성·의약품 따위로 쓰임》.

gua·nine [gwɑ́:ni:n] *n.* 〖생화학〗 구아닌《핵산을 구성하고 있는 염기(塩基)의 하나; 기호 G》.

gua·no [gwɑ́:nou] (*pl.* **~s**) *n.* 구아노, 조분석(鳥糞石)《Peru 부근의 섬에서 나며, 비료로 사용됨》; 인조 질소 비료. ― *vt.* …에 구아노 비료를 주다.

gua·no·sine [gwɑ́:nəsi:n, -sin] *n.* 〖생화학〗 구아노신《구아닌의 리보뉴클레오티드》.

guánosine monophósphate 〖생화학〗 구아노신 인산(cyclic GMP).

guánosine triphósphate 〖생화학〗 구아노신 3인산《생략: GTP》.

Guan·tá·na·mo Báy [gwɑ:ntɑ́:nəmou-]

관타나모 만(灣)《쿠바 남동부의 만; 미해군 기지가 있음》.

gua·nýl·ic ácid [gwɑːnílik-] 〖생화학〗 구아닐산《구아닌의 리보뉴클레오티드》.

guar. guaranteed; guarantor; guaranty.

Gua·ra·ni [gwɑ̀ːraníː] (*pl.* ~, ~(**e**)**s**) *n.* **1** 과라니족《남아메리카 파라과이 강 동쪽에 사는 원주민》; Ⓤ 과라니 말; 과라니 사람. **2** (g-) [+gwɑ́ːrəni] 파라과이의 화폐 단위《기호 ₲, G》.

*__guar·an·tee__ [gæ̀rəntíː] *n.* **1** 보증(security); 담보(물); 보증서《상품의 내용 연수(耐用年數) 따위의》: a ~ *on* a camera 카메라의 보증서 / put up one's house as a ~ 가옥을 담보로 넣다. **2** 개런티《최저 보증 출연료》. **3** 보증인, 인수인. **4** 〖법률〗 피보증인. OPP *guarantor*. **5** 《비유》 보증이 되는 것: Wealth is no ~ *of* happiness. 부(富)가 행복의 보증은 아니다. ***be* 〔*go, stand*〕 ~ *for*** …의 보증인이다〔이 되다〕. ***on a* 〔*under the*〕 ~ *of*** …의 보증 아래, …의 보증을 하여.
— (*p., pp.* ~**d**; ~·**ing**) *vt.* **1** 《~+목 / +목+목 / +목+전+명 / +목+*to* do / +*to* do / +*that* 절》 보증하다, 보증인이 되다: ~ a person's debts 아무의 빚보증을 서다 / He ~*d* us possession of the house by June. 그는 그 집이 6 월까지 우리 것이 될 것임을 보증하였다 / ~ a person *against* 〔*from*〕 loss 아무에게 손해를 끼치지 않을 것을 보증하다 / ~ a watch *to* keep perfect time 시계가 시간이 절대로 틀리지 않을 것을 보증하다 / I ~ *to* prove the truth of my words. 내 말이 진실임을 보증합니다 / ~ *that* the contract shall be carried out 계약이 이행될 것을 보증하다. **2** …을 확실히 하다, 보장하다: He thought a good education would ~ success. 그는 훌륭한 교육이 성공을 보장한다고 생각했다. **3** 《+(*that*) 절 / +*to* do》 …을 확언하다, 꼭 …라고 말하다, 장담하다(affirm), 약속하다: I ~ (*that*) he will come. 그가 올 것임은 내가 장담하지 / I ~ *to* be present. 꼭 출석합니다.

guarantéed (ánnual) íncome =NEGATIVE INCOME TAX.

guarantéed ánnual wáge 〖노동〗 연간 보증 임금.

guarantéed ínterest còntract 〖보험〗 이율 보증 보험 계약.

guarantée fùnd 〖상업〗 보증 기금.

guar·an·tor [gǽrəntɔ̀ːr, -tər/gæ̀rəntɔ́ː] *n.* 〖법률〗 보증인, 담보인. OPP *guarantee*.

guar·an·ty [gǽrənti] *n.* 보증; 〖법률〗 보증 계약; 보증물, 담보, 보장; 보증인. — *vt.* =GUARANTEE.

guáranty bònd 보증 증서.

__guard__ [gɑːrd] *n.* **1 Ⓤ 경계, 망보기, 감시; 조심; 보호. **2** 경호인; 수위, 문지기; 《미》 간수. **3** 보초, 파수꾼; 위병; 호위병; (포로 따위의) 호송병〔대〕; (*pl.*) 《영》 근위병〔대〕; 수비대; (the G-s) 《영》 근위 사단: a coast ~ 연안 경비대. **4** 《미》 (열차의) 문을 여닫는 사람; 제동수; 《영》 차장, 승무원(《미》 conductor). **5** 방호물; 위험 방지기, 안전 장치; 예방약, 방지제(劑): a ~ *against* infection 〔tooth decay〕 전염병 방지제〔충치 예방약〕. **6** (칼의) 날밑; (총의) 방아쇠울; 난로의 울(fender); 시곗줄; (차의) 흙받기; 모자끈. **7** (농구·미식축구의) 가드. **8** Ⓤ,Ⓒ (권투 등의) 방어 자세. ***a ~ of honor*** 의장병. ***at open ~*** 〖펜싱〗 허술한 방어 자세로. ***come off ~*** 하번(下番)〔비번〕이 되다. ***give* 〔*take*〕 ~** 〖크리켓〗 타자로 하여금 삼주문(三柱門) 방어의 정위치를 취하게 하다〔삼주문 방어의 정위치에서 타구봉을 꼬나잡다〕. ***keep ~*** 파수 보다. ***lower one's ~*** =***let one's ~ down*** (경계할 일에) 방심하다, 긴장을 풀다. ***mount* 〔*stand*〕 (*the*) ~** 보초 서다; 망을 보다, 지키다《*over; at*》. ***off ~*** 비번으로. ***off one's ~*** 경계를 소홀히 하여, 방심하여: catch a person *off his* ~ 아무의 소홀한 틈을 타다 / throw 〔put〕 a person *off his* ~ 아무를 방심시키다. ***on ~*** 당번으로. ***on one's ~*** 보초를 서서; 경계〔주의〕하여: put 〔set〕 a person *on his* ~ 아무에게 경계시키다, 조심시키다. ***raise one's ~*** (***against***) (…에 대해) 경계하다, 조심해서 대비하다. ***relieve* 〔*change*〕 ~** 교대하여 보초서다. ***row the ~*** (탈함병을 막기 위해) 군함 주위를 보트로 경계하다. ***run the ~*** 보초의 눈을 속이고 지나가다. a person'***s ~ is up* 〔*down*〕** 방심하지 않다〔방심하다〕; (감정·말 따위를) 억제하고 있다〔억제하지 않다〕. ***stand ~ over*** …을 호위하다〔지키다〕. ***stand* 〔*lie*〕 *on* 〔*upon*〕 one's ~** 경계〔조심〕하다. ***strike down*** a person'***s ~*** 〖펜싱〗 아무의 방어 자세를 무너뜨리다.
— *vt.* **1** 《~+목 / +목+전+명》 (위험 따위에서) 지키다, 보호하다, 호위하다, 방호하다《*from; against*》: ~ the palace 궁전을 호위하다 / ~ a person *against* 〔*from*〕 temptations 아무를 유혹으로부터 보호하다.

> SYN. **guard** 외부와의 격리(隔離)에 중점을 둠. 따라서 protect와 뜻이 같을 때와, …이 달아나지〔없어지지〕 않도록 감시하는 뜻의 두 가지 경우가 있음: *guard* a prisoner 죄수를 감시하다. *guard* a secret 비밀을 지키다. **defend** 외적 따위에 저항하여, 물리쳐서 지키다: *defend* one's country 나라를 지키다. **protect** 외부의 힘·타격 따위로부터 보호하다. **preserve** 본래 상태를 유지하기 위해 지키다: *preserve* game 조수(鳥獸)를 보호하다.

2 망보다, 감시하다, 경계〔주의〕하다: The prisoner was ~*ed* night and day. 포로는 밤낮으로 감시를 받았다. **3** 억제하다, 삼가다: ~ the tongue 말을 삼가다. **4** (기계 따위에) 위험 방지 장치〔조처〕를 하다. **5** 〖스포츠〗 (나오는 상대를) 막다, 가드하다. — *vi.* **1** 《+전+명》 경계하다, 조심하다: ~ *against* accidents 사고가 일어나지 않도록 조심하다. **2** 망을 보다, 감시하다; 〖펜싱〗 수세를 취하다.

guard·ant, gar·dant [gɑ́ːrdənt] *a.* **1** 보호하는. **2** 〖문장(紋章)〗 (동물이) 똑바로 정면을 향한.

guárd bòat 〖해군〗 순라선, 순회 경비정, 감시선.

guárd bòok 《영》 스크랩 북, 종이〔서류〕 끼우개.

guárd cèll 〖식물〗 공변(孔邊) 세포《기공(氣孔)·수공(水孔)의》.

guárd chàin (시계·브로치 등의) 사슬줄.

guárd commànder 〖군사〗 위병 사령(衛兵司令).

guárd dùty 보초〔호위〕 근무.

guárd·ed [-id] *a.* 방위〔보호〕되어 있는; 감시받고 있는; 조심성 있는; 신중한: ~ language 조심스러운 말투. 파 ~·**ly** *ad.* ~·**ness** *n.*

guard·ee [gɑ́ːrdi] *n.* 《영구어》 근위병(guardsman).

guárd·er *n.* 호위; 지키는 사람, 수호자, 감시원.

guárd hàir 〖동물〗 조모(粗毛)《몸에 난 굵고 빳빳한 긴 털; 솜털을 보호함》.

guárd·hòuse *n.* 위병소; 영창, 유치장.

*__guard·i·an__ [gɑ́ːrdiən] *n.* **1** 감시인, 관리인, 보관인; 보호자; 〖법률〗 후견인(OPP *ward*); (프란체스코회의) 수도원장; 《영》 (옛날의) 빈민 구제법 시행 위원(=~ **of the póor**). **2** (The G-) 가디언《영국의 일간지》. — *a.* 보호하는, 수호의.

guárdian ángel 1 (개인·회사·지방의) 수호천사(守護天使); 타인의 복지(福祉)를 주선하는 사람. **2** (the G- A-s) 가디언 에인절스《구미(歐美)의 범죄 다발 지역에서 젊은이들이 순찰하는 민간 자경 조직; 1979 년 뉴욕 시에서 발족》.

guard·i·an·ship [gɑ́ːrdiənʃìp] *n.* Ⓤ 후견인의 임무〔지위〕; 보호, 수호: under the ~ of … 의 보호하에.

guárd·less *a.* **1** 감시인이 없는, 무방비의. **2** 방심한. 「심한.

guárd·ràil *n.* (도로의) 가드레일; 난간; 철제 방호책(柵); 〖철도〗 (탈선 방지용) 보조 레일.

guárd rìng (결혼반지 따위가 안 빠지게 하는) 보조 반지.

guárd·ròom *n.* 위병소, 수위실; 감방, 영창.

guárd shìp 경비〔감시〕정, 초계함(哨戒艦).

guárds·man [-mən] (*pl.* **-men** [-mən]) *n.* 위병; 《영》 근위병; 《미》 주병(州兵).

guárds ván 〖영철도〗 =CABOOSE.

guárd tènt 위병 대기소〔천막〕.

Guar·ne·ri·us [gwɑːrnέəriəs] *n.* 과르니에리 《이탈리아의 Guarneri 일족(一族)이 17-18세기에 제작한 바이올린》.

Guat. Guatemala.

Gua·te·ma·la [gwɑ̀ːtəmɑ́ːlə] *n.* 과테말라《중앙아메리카의 공화국》. ㊞ **Guà·te·má·lan** *n. a.*, 과테말라(사람)(의).

Guatemála Cíty 과테말라의 수도.

gua·va [gwɑ́ːvə] *n.* 물레나물과의 관목《아메리카 열대 지방산》; 그 과실《젤리·잼의 원료》.

gua·ya·be·ra [gwàiəbέrə] *n.* 〖복식〗 과야베라《(1) 쿠바의 남성용 셔츠. (2) 이와 비슷한 셔츠나 가벼운 점퍼》.

gua·yu·le [gwɑːjúːli] *n.* 〖식물〗 과율《멕시코 및 텍사스산 관목; 나무진은 고무의 원료》.

gub·bins [gʌ́binz] *n. pl.* 《영》〔단·복수취급〕 잡동사니, 허섭스레기, 쓸모없는 것; 간단한 장치; 뭐라고 하는 것; 《구어》 바보.

gub·bish [gʌ́biʃ] *n.* 《미컴퓨터속어》 무의미한 것, 쓰레기 정보. [◂ *g*arbage + r*ubbish*]

gu·ber·na·to·ri·al [gjùːbərnətɔ́ːriəl] *a.* 《미》 지사(知事)(governor)의, 지방 장관의; 행정의.

Guc·ci [gúːtʃi] *n.* 구치《이탈리아의 패션 메이커; GG 무늬로 알려짐》.

Gúcci Gúlch [-gʌ́ltʃ] 《미속어》 (Washington 이나 Los Angeles 등지의) 번화한 쇼핑가〔몰〕.

guck [gʌk, guk] *n.* 《속어》 미끈미끈한 것; 연니(軟泥); 남은 것, 찌끼.

gudg·eon[1] [gʌ́dʒən] *n.* **1** 〖어류〗 모샘치《잉엇과; 쉽게 잡히므로 낚싯밥으로 쓰임》; 오스트레일리아산의 구굴무치. **2** 잘 속는 사람, 봉; 유인하는 것, 미끼.

gudg·eon[2] *n.* 〖기계〗 굴대 꼭지, 축두(軸頭); 암톨쩌귀; 〖선박〗 키의 축받이.

gúdgeon pìn 피스톤핀(wrist pin).

guél·der ròse [géldər-] 〖식물〗 불두화나무 (snowball).

Guelf, Guelph [gwelf] *n.* **1** 겔프당원(黨員), 교황파《12-15 세기의 이탈리아의 교황당원》. cf. Ghibelline. **2** (the ~s) 겔프당. ㊞ **∠·ic** *a.* **∠·ism** *n.*

Guen·e·vere [gwénəvìər] *n.* 여자 이름.

guer·don [gə́ːrdən] *n.* 《시어·문어》 보수, 포상(reward). ── *vt.* 포상〔보답〕하다. ㊞ **~·er** *n.*

Guer·ni·ca [gwεərníːkə/gə́ːnikə] 게르니카 《스페인 북부 Basque 지방의 도시, 스페인 내란 중인 1937년 4월 반란군을 지원하는 독일 공군의 무차별 폭격으로 궤멸, 이것을 주제로 Picasso는 「게르니카」라는 대작을 그렸음》.

Guern·sey [gə́ːrnzi] *n.* 건지. **1** 영국 해협 내의 섬; 이 섬 원산의 젖소. **2** (g-) 털실로 짠 셔츠 또는 스웨터《뱃사람·어린이용》.

guer·ril·la, gue·ril·la [gərílə] *n.* 게릴라, 비정규병; (*pl.*) 유격대; 《고어》 유격전. ── *a.* ~의: ~ war 〔warfare〕.

guerrílla thèater 〔《영》 **thèatre**〕 (반전적〔반체제적〕인) 가두 연극.

⁑**guess** [ges] *vt.* **1** 《~+목/+목+전+명/+*that*절/+목+*to be*보/+목+*to* do/+*wh. to* do/+*wh.*절》 추측하다, 추정하다, 미루어 헤아리다; (어림)짐작으로 말하다: ~ (the distance) by the eye (거리를) 목측하다/~ the woman's age *at* 25 그 여자의 나이를 25세로 추정하다/I ~ *that* he is about 40. =I ~ him *to be* about 40. 그는 40세 정도 되는 것으로 생각한다/I ~ this library *to* contain 50,000 books. 나의 추정으로는 이 도서실에 책이 5만 권은 있다/I cannot ~ *what to* do next. 다음에 무엇을 해야 될지 짐작이 가지 않는다/Can you ~ *who* that man is? 저 사람이 누군지 아는가. **2** 알아맞히다, 옳게 추측하다; (수수께끼 등을) 풀어 맞히다: ~ a riddle 수수께끼를 풀다. **3** 《+*that*절》 《미》 …라고 생각하다(suppose, think): I ~ (*that*) I can get there in time. 시간에 맞춰 거기 도착할 수 있을 겁니다/I ~ I'll go to bed. 그럼, 잘까/*Guess* what? 뭐라고 생각해, 맞혀봐, 알겠어, 저 말야. ── *vi.* **1** 《~/+전+명》 추측하다, 미루어서 살피다; 추정해 보다《*at*》, 여러 가지로 생각해 보다《*about*》: I can't even ~ *at* what you mean. 네가 무슨 뜻으로 그러는지도 무지 모르겠다/I ~ so 〔not〕. 《미》 그렇다고 생각한다〔그렇지 않을 거다〕. **2** 옳게 추측하다, 알아맞히다: ~ right 〔amiss, wrong〕 알아맞히다〔못 알아맞히다〕. ***keep*** a person ***~ing*** 아무를 마음 졸이게 하다.

── *n.* 추측, 추정; 억측: Right! First ~. 맞았습니다, 단번에 척 맞히셨군요/give 〔make〕 a ~ 추측〔억측〕하다/miss one's ~ 잘못 추측하다, 잘못 생각하다. ***anybody's*** 〔***anyone's***〕 ***~*** 불확실한 것, 아무도 모르는 것. ***at a ~*** =***by ~*** (***and by god***) 추측으로, 어림(짐작)으로. ***have another ~ coming*** 잘못 생각하고 있다. ***Your ~ is as good as mine.*** (당신과 마찬가지로) 나도 모릅니다. ㊞ **∠·er** *n.* 「치는 타자.

guéss hìtter 〖야구〗 짐작으로〔요행을 바라고〕

guéssing gàme 1 (질문을 해서) 알아맞히는 게임. **2** 예측이 필요한 상황.

guéss-ròpe, -wàrp *n.* =GUEST ROPE.

guess·ti·mate [géstəmèit] 《구어》 *vt.* 억측하다; 어림짐작하다. ── [-mət, -mèit] *n.* 억측; 어림짐작. [◂ *guess*+es*timate*]

guéss·whò *n.* 《구어》 모르는 사람(stranger).

guéss·wòrk *n.* Ⓤ 억측〔어림짐작〕(으로 한 일).

⁑**guest** [gest] *n.* **1** 손(님), 객, 내빈, 빈객(賓客); (방송 등의) 특별 출연자, 게스트(=∠ **àrtist,** ∠ **stàr**). cf. host[1]. ¶a ~ of honor (만찬회 따위의) 주빈/a ~ of distinction 귀빈. SYN. ⇨ VISITOR. **2** (여관 등의) 숙박인, 하숙인: a paying ~ (개인집의) 하숙인. **3** 기생 동물〔식물〕. ***Be my ~.*** 《구어》 (간단한 청을 받고) 예〔어서〕, 그러세요; 좋으실 대로. ***You are my ~*** (today). (식당 따위에서 아무를 대접할 때) (오늘) 계산은 제가 하도록 해 주세요. ── *a.* 손님용의; 초대〔초빙〕받은: a ~ member 객원(客員), 임시 회원/~ conductor 〔professor〕 초빙〔객원〕 지휘자〔교수〕/a ~ book 숙박부/a ~ towel 손님용 타월. ── *vt.* 손님으로서 대접하다. ── *vi.* 〖방송〗 게스트로 출연하다.

guést bèer 게스트 비어《특정 맥주 회사의 매장에서 일정 기간 판매하는 다른 회사의 맥주》.

guést bòok 방명록.

guést·chàmber *n.* =GUEST ROOM.

guést·hòst *vi.* 손님을 초대하고 대접하다.

guést·hòuse *n.* 여관, 고급 하숙; 영빈관; (순례자용) 숙소. 「접대의 밤.

guést nìght 《영》 (대학·클럽 따위에서) 내빈

guést ròom (여관·하숙의) 객실; 사랑방; 손님용 침실.

guést ròpe 〔**wàrp**〕 『해사』 손잡이 밧줄; 예인선에 맨 둘째 밧줄(guess-rope). 「연.

guést-shòt *n.* (텔레비전 프로그램의) 특별 출

guést wòrker 외국인 근로자.

Gue·va·ra [gevá:rə] *n.* **Ernesto** ~ 게바라(1928-67)《아르헨티나 태생의 혁명가; 쿠바 혁명의 성공에 공헌, 후에 남아메리카에서 게릴라 활동 중 볼리비아에서 사살됨; 통칭; Ché ~》.

guff, goff [gʌf], [gɔ:f] *n.* Ⓤ 《속어》 허황된 〔실없는〕 이야기, 허튼소리, 허세, 난센스; 말대꾸; 정보.

guf·faw [gʌfɔ́:, gə-] *n.* 갑작스러운 너털웃음, (천한) 큰 웃음. **—** *vi.* 실없이 크게 웃다. **—** *vt.* 실없이 크게 웃으며 말하다.

gug·gle [gʌ́gəl] *n., vi., vt.* =GURGLE.

gug·(g)let [gʌ́glit] *n.* =GOGLET.

GUI [gú:i] *n.* 『컴퓨터』 그래픽 사용자 접속기 (graphical user interface)《컴퓨터의 그래픽 환경을 활용하여 작업하는 사용자 인터페이스(user interface)》.

Gui·ana [giǽnə, -ɑ́:nə, gaiǽnə/gaiǽnə, giɑ́:nə] *n.* 기아나《남아메리카 북동부의 Guyana, 프랑스령 기아나, Surinam을 합친 해안 지방》.

gui·chet [gi:ʃéi/ˊ-] *n.* 《F.》 매표구 (격자창).

guid·a·ble [gáidəbəl] *a.* 지도〔안내〕할 수 있는.

⁑guid·ance [gáidns] *n.* **1** 안내, 인도: under a person's ~ 아무의 안내〔지도〕로. **2** 지도, 학생〔학습〕 지도, 가이던스, 보도(輔導); 지휘, 지시: vocational ~ 직업 보도. **3** 본보기, 지침. **4** (우주선·미사일·비행 궤도 따위의) 유도(誘導). ◇ guide *v.* 「카운슬러.

guídance còunselor (학생들의) 생활 지도

guídance ràdar 『군사』 미사일 유도 레이더.

⁑guide [gaid] *n.* **1** 안내자, 가이드, 길라잡이: hire a ~ 안내인을 고용하다. **2** 지도자, 선구자. **3** 규준, 지침; 입문서; 길잡이, 도표(道標); 안내서, 편람, 여행 안내(서): a ~ *to* mathematics 수학 입문서. **4** 지도적 원리《신념·이상 따위》. **5** 『군사』 향도; 향도함(艦); (*pl.*) 정찰대; (보통 G-) 《영》 소녀 가이드 단원: the (Corps of) *Guides* (국경 근무에 종사하는) 인도군 이동 수비대. **6** 『기계』 유도 장치, 도자(導子): a paper ~ (인쇄기·타이프라이터 등의) 용지 유도 장치.

— *vt.* **1** 《~+목/+목+전+명/+목+부》 안내하다, 인도하다《*to*》; …을 인도하여(…을) 빠져나가게 하다《*through*》: A light in the distance ~*d* him *to* the village. 멀리 보이는 불빛에 인도되어 그는 그 마을에 다다랐다 / ~ explorers 탐험가의 길 안내를 하다 / The stars ~*d* us back. 우리는 별을 지침으로 삼아 돌아왔다.

> SYN. **guide** 실제의 지식·경험 등을 가진 사람이 (옆에 붙어서) 이끌다: *guide* a traveler 여행자를 안내하다. **conduct** 한 가지 길을〔도리를〕 어떤 곳까지 안내하다. **lead** 앞장서서 이끌다, 선도하다. **direct** 길을 가리키다. 자신은 같이 가지〔하지〕 않는 경우가 많음: Can you *direct* me to the station? 정거장 가는 길을 가르쳐 주겠나.

2 《+목+전+명》 지도하다: ~ students *in* their studies 학생들의 공부를 지도하다. **3** 《보통 수동태》 (사상·감정 따위가) 지배하다, 좌우하다(control): *be* ~*d* by one's passion 〔feelings〕 정열〔감정〕이 내키는 대로 하다. **4** 《+목+전+명》 통치하다; (장관으로서) 다스리다: ~ a country *through* its difficulties 나라를 이끌고 어려움을 극복하다. **5** 《+목+전+명》 (차·배·미사일 등을) 어느 방향으로 나아가게 하다, 유도하다: He skillfully ~*d* his car *through* the heavy traffic. 그는 엄청난 차량의 물결 속을 교묘히 헤치며 차를 몰았다. **—** *vi.* 길잡이 역할을 하다, 안내하다.

guíde·bòard *n.* 길 안내판.

guíde·bòok *n.* 여행 안내(서), 가이드북.

guíde càrd 색인 카드.

guíded míssile 『군사』 유도탄.

guíde dòg 《영》 맹도견(盲導犬).

guíded tóur 안내인이 딸린 여행.

guíded wáve 『물리』 도파(導波), 유도된 전파.

guíde·less *a.* 안내자〔지도자〕가 없는; 지도(指導)가 없는.

guíde·lìne *n.* **1** (동굴 따위에서의) 인도(引導) 밧줄. **2** 희미한 윤곽선《백지도·펜습자 따위의》. **3** (장래 정책 등을 위한) 지침, 『경제』 유도 지표, 가이드라인.

guíde nùmber 『사진』 가이드 넘버《섬광 촬영 때에 노출을 산출하는 수치》.

guíde·pòst *n.* 이정표, 길잡이, 도로 표지; 『경제』 (정부가 수립하는) 정책 유도 목표.

guid·er [gáidər] *n.* 이끄는〔안내하는〕 것, 지도자; (종종 G-) Girl Guides의 지도자.

guíde ràil (문·창의) 가이드 레일.

guíde ròpe 버팀밧줄; (기구의) 유도삭(誘導索).

guíde·wày *n.* 『기계』 미끄럼홈.

guíde wòrd (사전 따위의 페이지 윗부분에 인쇄한) 난외 표제어, 색인어(catchword).

guíding líght 사표(師表). 「유도 기술자.

GUIDO, Gui·do [gáidou] *n.* 『우주』 우주선

gui·don [gáidn] *n.* 《영》 (옛 기병대의) 삼각기, (기병대 향도의) 작은 기; 삼각기의 기수; 『미군사』 부대기, 부대 기수. 「릿광대명》.

Gui·gnol [gi:njɔ́:l] *n.* 《F.》 기뇰《인형극 중의 어

◇guild, gild [gild] *n.* **1** (중세 유럽의) 장인(匠人)·상인의 동업 조합, 길드. **2** 동업 조합. **3** (상호 부조·자선 등을 위한) 조합, 협회; 단체, 회. **4** 『식물』 생장·영양 섭취 방법이 유사한 식물군(群)《기생 식물 따위》. ㊞ **guíld·er**[1] *n.* guild의 일원(一員).

guíl·der[2] *n.* **1** 길더《네덜란드의 화폐 단위; 기호 G, Gld》; 길더 은화. **2** 네덜란드·독일·오스트리아의 옛 금화〔은화〕.

guíld·hàll *n.* (중세의) 길드〔직인·상인 조합〕 집회소; 《영》 시청, 읍사무소(town hall); 시 회의장; (the G-) 런던 시청사. 「임, 그 신분.

guíld·shìp [-ʃip] *n.* 조합, 길드; 길드 조합원

guílds·man [-mən] (*pl.* **-men** [-mən]) *n.* 길드 조합원; guild socialism의 신봉자.

guíld sócialism 길드 사회주의《20 세기 초에 영국에서 발달하여, 산업 국유화와 길드에 의한 산업 경영을 주장함》.

◇guile [gail] *n.* Ⓤ 교활, 간지(奸智); 간계(奸計), 기만: by ~ 간계를 부려서.

guile·ful [gáilfəl] *a.* 교활한, 음험한. ㊞ **~·ly** [-fəli] *ad.* **~·ness** *n.*

guíle·less *a.* 간특하지 않은, 악의 없는, 정직한, 순진한(frank). ㊞ **~·ly** *ad.* **~·ness** *n.*

Guil·lain-Bar·ré syn·drome [gi:jǽnbəréi-ˊ-] 『의학』 길랭·바레 증후군.

guil·le·mot [gíləmɑ̀t/-mɔ̀t] *n.* 『조류』 바다오리류(類).

guil·loche [gilóuʃ] *n.* 『건축』 꼰 끈〔끈목〕 장식.

◇guil·lo·tine [gílətì:n] *n.* **1** 단두대, 기요틴 **2** (종이 등의) 재단기; (편도선 등의) 절제기(切除器) **3** 『영의회』 (의사 방

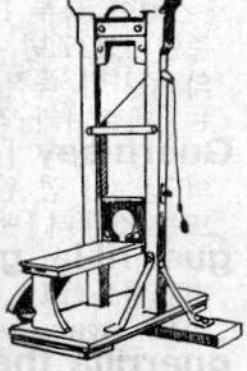
guillotine 1

해를 막기 위한) 토론 종결. — *vt.* 단두대로 목을 자르다, …의 목을 베다; 재단기로 자르다; 편도선을 절제하다; (토론을) 종결하다.

‡**guilt** [gilt] *n.* Ⓤ **1** (윤리적·법적인) 죄(sin), 유죄; 죄를 범하고 있음, 죄가 있음. **2** 범죄 행위. **3** 〚심리〛 죄의식, 죄악감, 죄책감.

guílt còmplex 〚심리〛 죄책감.

°**guílt·less** *a.* 죄없는, 무죄의, 결백한(innocent); …을 알지 못하는, …경험이 없는《*of*》; …을 갖지 않은《*of*》, …이 없는: be ~ *of* a beard 수염을 기르고 있지 않다 / I am ~ *of* offend*ing* him. 그의 감정을 해친 기억은 없다. ㊐ **~·ly** *ad.* **~·ness** *n.*

gúilt trìp 죄의식에 사로잡힌 상태.

‡**guilty** [gílti] (***guilt·i·er; -i·est***) *a.* **1** 유죄의, …의 죄를 범한(criminal): ~ *of* murder 살인을 범한 / a ~ man 죄가 있는 사람 / a ~ deed 범행 / a ~ mind 〔intent〕 범의(犯意) / be found ~ 유죄 판결을 받다 / He's ~ *of* the crime 〔*of* theft〕. 그는 죄〔절도죄〕를 범하고 있다. **2** 떳떳하지 못한, 죄를 느끼고 있는: a ~ conscience 죄책감(感), 뒤가 켕기는 마음 / a ~ look 뒤가 구린 듯한 얼굴 / feel ~ 마음이 꺼림칙하다. **3** 과실〔결점〕이 있는《*of*》. **4** 범죄성의, 간악한. ***Guilty.*** 유죄. ***Not ~.*** 무죄《배심원의 평결에서》. ㊐ **guílt·i·ly** *ad.* **-i·ness** *n.* 죄가 있음, 유죄.

guílty bíg 《미속어》 정신과 치료를 받는〔받을 필요가 있는〕.

guimp(e) [gimp, gæmp] *n.* (깃을 깊게 판 드레스 밑에 받쳐 입는) 소매가 짧은 블라우스; = CHEMISETTE; 수녀가 목·어깨를 가리기 위해 두르는 폭 넓고 풀먹인 천. cf. gimp.

Guin. Guinea.

Guin·ea [gíni] *n.* 기니《아프리카 서부의 공화국; 수도 Conakry》; 아프리카의 서해안 지방의 총칭. ***the Gulf of ~*** 기니만(灣). ㊐ **Guín·e·an** *a.*, *n.* 기니(사람)(의).

guin·ea *n.* **1** 기니《영국의 옛 금화로 이전의 21 실링에 해당함; 현재는 계산상의 통화 단위로, 상금·사례금 등의 표시에만 사용》. **2** 〚조류〛 = GUINEA FOWL. **3** 《경멸》 이탈리아계의 사람; 《속어》 마부(stableboy).

Guin·ea-Bis·sau [gínibisáu] *n.* 기니비사우 공화국《서아프리카의 구(舊) Portuguese Guinea; 수도 Bissau》.

Guínea còrn 〚식물〛 팔수수(durra).

guínea fòwl 〚조류〛 뿔닭.

guínea gràins 서아프리카산 생강과 식물의 씨(grains of paradise)《의약·향료용》.

guínea gràss 〚식물〛 (아프리카 원산의) 볏과(科)의 목초《사료용》.

guínea hèn 〚조류〛 뿔닭의 암컷.

guinea fowl

guínea pìg **1** 〚동물〛 기니피그(cavy)《속칭 모르모트》; 《구어》 실험 재료〔대상〕. **2** 《영고어》 약간의 노동으로서 기니의 보수를 받는 사람《특히 회사 중역·대리 목사 따위》; 명목상의 대표자.

Guínea wòrm 메디나충《인도·아프리카의 선충류의 하나; 사람·동물의 피부 밑에 기생》.

Guin·e·vere [gwínəvìər] *n.* **1** 귀너비어《여자 이름》. **2** (전설에서) King Arthur의 왕비.

Guin·ness [gínis] *n.* (아일랜드산의) 흑맥주《상표명》. ***the ~ Book of Records*** 기네스북《영국의 맥주 회사인 Guinness가 매년 발행하는 세계 기록집》.

gui·pure [gipjúər] *n.* 《F.》 Ⓤ **1** 바탕이 되는 망의 눈이 없고 무늬와 무늬를 직접 연결한 레이스.

2 철사에 명주·면(綿) 따위를 감은 굵은 장식 끈.

gui·sard [gáizərd] *n.* 가면을 쓴 사람.

°**guise** [gaiz] *n.* 외관, 외양(appearance); 겉치레, 겉보기; (옷)차림, 모습(aspect); 변장, 가장; 체; 구실; 《고어》 습관적 행동; 태도: in the ~ *of* (a lady) (귀부인의) 모습〔옷차림〕으로 / under the ~ *of* (friendship) (우정)을 가장하여. — *vi.* 《영방언》 익살맞은 변장〔가장〕을 하다. — *vt.* 《고어》 아무에게 …차림을 시키다《*in*》; 《영방언》 (아무를) 변장〔가장〕시키다. ㊐ **guís·er** *n.* 《영방언》 변장자, 배우.

‡**gui·tar** [gitáːr] *n.* 기타: an electric ~ 전기 기타 / play the ~ 기타를 치다. — **(-rr-)** *vi.* 기타를 치다. ㊐ **~·ist** [-rist] *n.*

guitár·fish *n.* 〚어류〛 가래상어.

Gui·zhou, Kwei·chow [gwìːdʒóu], [kwéitʃáu] *n.* 구이저우(貴州)《중국 남부의 성》.

Gu·lag [gúːlaːg] *n.* **1** (옛 소련의) 교정(矯正) 노동 수용소 관리국(1934–60); = GULAG ARCHIPELAGO. **2** (g-) (특히, 사상·정치범의) 강제 노동 수용소. [◄ Russ. *Glavnoe upravlenie ispravitel'no-trudovykh lagerei* (= Chief Administration of Corrective Labor Camps)]

Gúlag Archipélago (the ~) (옛 소련의) 수용소 군도《솔제니친의 동명의 소설 제목》. 「한」.

gulch [gʌlʃ] *n.* 《미》 협곡《양쪽이 깎아지른 듯

gul·den [gúːldən] (*pl.* **~, ~s**) *n.* = GUILDER[2].

gules [gjuːlz] *n.*, *a.* 〚문장(紋章)〛 붉은 빛(의).

‡**gulf** [gʌlf] (*pl.* **~s**) *n.* **1** 만《보통 bay보다 크며 폭에 비해서 안 길이가 깊》: the *Gulf* of Mexico 멕시코 만. cf. bay[1]. **2** 《문어》 소용돌이(whirlpool); (지표(地表)의) 깊은 구멍, 깊이 갈라진 틈; 《시어》 심연(深淵)(abyss), 심해(深海). **3** 《비유》 (넘을 수 없는) 큰 간격, 《*between*》: the ~ *between* rich and poor 〔theory and practice〕 빈부〔이론과 실제〕의 차. **4** 《영》 (대학에서 우등 과정 졸업 시험에 떨어진) 보통 급제. ***a great ~ fixed*** 건널 수 없는 큰 구렁《누가복음 XVI: 26》. — *vt.* **1** (깊은 곳으로) (집어) 삼키다, 휩쓸어 들이다. **2** 《영속어》 보통 급제하다. ㊐ **gúlfy** *a.* 소용돌이가 많은.

Gúlf Cooperátion Còuncil 걸프 협력 회의《페르시아만 연안 6개국의 집단 안보 체제를 위한 수뇌 회의; 생략: GCC》.

Gúlf Stàtes (the ~) **1** 《미》 멕시코만 연안의 다섯 주《Texas, Louisiana, Mississippi, Alabama 및 Florida》. **2** 페르시아만 연안 제국(諸國)《산유국》.

Gúlf Strèam (the ~) **1** 멕시코 만류《멕시코만에서 미국 동연안을 따라 북상하여 북대서양 해류로 이행하는 난류》. **2** = GULF STREAM SYSTEM.

Gúlf Strèam sỳstem (the ~) 멕시코 만류계(Gulf Stream)《멕시코 만류와 플로리다 해류, 북대서양 해류로 이루어지는 대해류계》.

Gúlf Wár **1** 걸프 전쟁《이라크의 쿠웨이트 침공에 대해, 미국이 주도한 다국적군이 이라크와 벌였던 전쟁(1991). **2** = IRAN-IRAQ WAR.

Gúlf Wár Sỳndrome 걸프 전쟁 증후군《참전 병사의 두통·기억 장애 따위》.

gúlf·wèed *n.* 〚식물〛 모자반류의 해초《멕시코 만류 따위에서 볼 수 있는》.

°**gull**[1] [gʌl] *n.* **1** 〚조류〛 갈매기(sea mew). **2** 《미군대속어》 해군 상대의 매춘부.

gull[2] *n.* 쉽게 속는 사람, 숙맥; 《고어》 사기. — *vt.* 속이다. ~ a person ***into*** 〔***out of***〕 아무를 속여서 …시키다〔…을 뺏다〕.

Gul·lah [gʌ́lə] (*pl.* **~(s)**) *n.* 《미》 미국 동남부의 해안 및 섬에 노예로서 정주한 흑인(의 사투리 영어).

gul·lery [gʌ́ləri] *n.* 갈매기 군서〔번식〕지.
gul·let [gʌ́lit] *n.* 식도(food passage); 목(throat); 《고어·방언》 해협, 수로(channel), 협곡;강어귀; (발굴 작업 때 광차가 다니는) 예비 통로: stick in one's ~ ⇨ THROAT.
gùl·li·bíl·i·ty *n.* Ⓤ 속기 쉬움, 멍청함.
gul·li·ble [gʌ́ləbəl] *a.* 속기 쉬운, 멍청한; 호인인. ⊞ **-bly** *ad.*
gull·ish [gʌ́liʃ] *a.* 어리석은, 미련한.
Gúl·li·ver's Trávels [gʌ́ləvərz-] 걸리버 여행기(J. Swift 작의 풍자 소설).
gúll-wìng *a.* 〖자동차〗 위로 젖혀서 여는 식의 《문짝》; 〖항공〗 갈매기형 날개의.
gul·ly¹, **gul·ley** [gʌ́li] *n.* (보통 물이 마른) 골짜기, 소협곡; 도랑, 배수구(溝); 〖크리켓〗 point 와 slips 사이의 수비 위치; 홈꼴 레일의 일종. ── *vt.* …에 도랑을 만들다; (물이) 침식하여 소협곡을 만들다; (구멍을) 파다. ── *vi.* 침식되어 소협곡이 생기다.
gul·ly² *n.* 《Sc.·영방언》 대형 나이프.
gúlly dràin 하수관(管).
gúlly eròsion 〖농업·지학〗 고랑〔도랑〕 침식.
gúlly hòle (도로상의) 쇠창살 뚜껑을 덮은 하수도 구멍.
gúlly tràp gully hole 의 방취(防臭) 밸브.
gu·los·i·ty [gjuːlɑ́səti/-lɔ́s-] *n.* Ⓤ 《고어·문어》 대식(大食), 폭식; 탐욕.
◇**gulp** [gʌlp] *vt.* **1** 《+目+副》 꿀떡꿀떡〔꿀꺽꿀꺽〕 마시다; 삼켜버리다: ~ *down* water 물을 벌컥벌컥 마시다. **2** (이야기 등을) 그대로 받아들이다; 맹신하다. **3** 《+目+副》 억제하다, 참다: ~ *down* 〔*back*〕 tears 〔anger〕 울음〔노여움〕을 꾹 참다. ── *vi.* 숨이 막히다, 긴장하다; 꿀떡꿀떡〔꿀꺽꿀꺽〕 마시다. ── *n.* 꿀떡꿀떡 마심, 그 소리; 한입에 마시는 양; 〖컴퓨터〗 몇 바이트로 이루어진 2 진 숫자의 그룹: at a 〔one〕 ~ =in one ~ 한입에, 단숨에. ⊞ **∠·y** *a.*
gúlp·ing·ly [-iŋli] *ad.* 꿀떡꿀떡, 꿀꺽꿀꺽.
‡**gum**¹ [gʌm] *n.* Ⓤ **1** 고무질(質), 점성(粘性) 고무《수피(樹皮)에서 분비하는 액체로 점성이 강하며 말려서 고체화함; resin(수지)과 달라서 알코올에는 녹지 않으나 물에는 녹음》; (광의(廣義)로 resin, gum resin 을 포함하여) 수지, 수액; 진; 탄성 고무(~ elastic, india rubber)(cf. rubber). **2** Ⓒ 고무나무(~ tree). **3** 《미》 (*pl.*) 오버슈즈(overshoes), 고무장화. **4** 껌(chewing ~); 《영》 =GUMDROP. **5** 고무풀, 아라비아풀; (우표에 바른) 풀. **6** 눈곱; (과수의) 병적 분비 수액(樹液). ── (*-mm-*) *vt.* **1** 《+目+副》 …에 고무를 바르다; 고무로 붙이다〔굳히다〕《*down; together; up*》: ~ a stamp *down* 우표를 (아라비아풀로) 붙이다. **2** 《구어》 (계획·일 등을) 망쳐 놓다, 틀어지게 하다《*up*》. **3** 《미》 속이다. ── *vi.* **1** 고무를 분비하다. **2** 고무질이 되다; 찐득찐득해지다; 들러붙다. **3** 《미속어》 객쩍은 소리를 하다. ⊞ **∠·like** *a.*
gum² *n.* (보통 *pl.*) 잇몸, 치은(齒齦). ***beat* 〔*bat, flap*〕 one's ~*s*** 《미속어》 연방 장황하게 지껄이다, 객쩍은 소리를 하다. ── (*-mm-*) *vt.* (톱의) 날을 세우다; (이가 없어) 잇몸으로 씹다.
gum³ *int.* 《구어》 God(신)의 변형《저주·맹세에 사용함》. ***By* 〔*My*〕 ~*!*** 《구어》 맹세코!, 틀림없이!, 이런!, 저런!
GUM 〖의학〗 genito-urinary medicine (비뇨 생식기 의학).
gúm ammóniac 암모니아 고무《약용》.
gúm árabic 〔**acácia**〕 아라비아고무.
gúm·bàll *n.* 《미》 둥그런〔풍선〕 껌.
gúm bénzoin 〔**bénjamin**〕 〖화학〗 벤조인(benzoin)《수지》.
gum·bies [gʌ́mbiz] *n.* 《미속어》 검은 테니스화(靴); 고무 잠수복(wet suit).
gum·bo, 《미》 **gom-** [gʌ́mbou] *n.* **1** (*pl.* ~*s*) 〖식물〗 오크라(okra); 오크라의 깍지. **2** Ⓤ 오크라를 넣은 진한 수프. **3** Ⓤ (미국 서부의) 점토. **4** (종종 G-) Louisiana 주의 흑인이나 Creoles 가 쓰는 방언. ── *a.* 오크라의〔와 비슷한〕.
gúm·bòil *n.* 잇몸 궤양.
gúm bòot 고무 장화; 《미속어》 순경, 형사.
gum·by [gʌ́mbi] *n.* 《미속어》 비스듬히 각지게 깎은 머리형.
gúm dràgon =GUM TRAGACANTH.
gúm·dròp *n.* 드롭스의 일종《젤리 모양의 캔디》.
gúm elàstic 탄성 고무, 고무(rubber).
gum·ma [gʌ́mə] (*pl.* **~·ta** [-tə], **~s**) *n.* 《L.》 〖의학〗 (제 3 기 매독의) 고무종(腫). ⊞ **-tous** [-təs] *a.* 고무성(性)의, 고무종(腫)의.
gum·mer¹ [gʌ́mər] *n.* (계획 따위를) 망치는 사람, 얼간이.
gum·mer² *n.* 이가 없는 늙은 양(羊); 《미속어》 (이 없는) 늙은이.
gum·mif·er·ous [gʌmífərəs] *a.* 고무를 분비하는.
gum·ming [gʌ́miŋ] *n.* Ⓤ **1** 고무를 분비함; (과수 등의) 병적인 수액 분비. **2** 〖인쇄〗 (석판석에) 아라비아 고무 용액 칠하기.
gum·mite [gʌ́mait] *n.* 〖광물〗 구마이트《황〔적〕갈색 고무 모양의 역청(瀝靑) 우라늄광》.
gum·mous [gʌ́məs] *a.* 고무질〔성〕의, 고무 모양의; 고무용의; 〖의학〗 고무종(腫) 성질의.
gum·my¹ [gʌ́mi] (***-mi·er; -mi·est***) *a.* 고무질의, 점착성의; 고무액을〔수지를〕 분비하는; 고무(질)로 덮인; 부은《정강이·발목 따위가》; 《미속어》 매우 감상적(感傷的)인. ── *n.* 《미속어》 아교, 접착제, 끈적끈적한 것; 《미속어》 (대로상의) 만능 접착제 판매인. ⊞ **gúm·mi·ness** *n.* Ⓤ 고무질, 점착성.
gum·my² *a.* 이〔치아〕가 없는, 잇몸을 드러낸. ── *n.* 《Austral.》 이가 없는 양(羊); 《Austral.》 이가 납작한 상어, 《특히》 별상어(=∠ **shàrk**).
gump [gʌmp] *n.* 《방언·구어》 얼간이, 멍청이.
gump·tion [gʌ́mpʃən] 《구어》 *n.* Ⓤ 적극성, 진취적인 기상, 의기; 재치, 지혜, 요령이 좋음; 상식;〖회화〗 물감 섞는 법.
gúm rèsin 고무 수지.
gúm·shìeld *n.* 〖권투〗 마우스피스(mouthpiece).
gúm·shòe *n.* **1** (*pl.*) 오버슈즈(galoshes); 고무 바닥의 운동화(sneakers). **2** 《미구어》 탐정, 형사, 순경(=**gúm·shòer, gúm shòeman**); 《미구어》 몰래 하는 활동. ── *vi.* 《미구어》 발소리를 죽이고 걷다, 살그머니 가다; 탐정〔형사〕 노릇을 하다. ── *a.* 《미구어》 가만히 걷는; 몰래 행해지는; 형사가 사용하는.
gúm trágacanth =TRAGACANTH.
gúm trèe 고무질을 분비하는 나무《rubber tree 와는 다름; 유칼리나무(eucalyptus) 따위》. ***up a*** ~ 《영구어·우스개》 진퇴양난에 빠져.
gúm·wòod *n.* (각종) 고무〔유칼리〕나무 목재.
gúm·wòrk *n.* 〖치과〗 치조(齒槽)용 의치 제작, 치조 형성.
†**gun** [gʌn] *n.* **1 a** 대포, 평사포《곡사포(howitzer) 및 박격포(mortar)와 구별하여》; 화기; 총, 소총; 엽총(shotgun); …총《air gun 따위》;권총, 연발 권총(revolver). **b** 대포의 발사《예포·축포·조포 등》: a salute of six ~*s* 예포 6 발. **c** 〖스포츠〗 출발 신호용 총. **2** (살충제·도료 따위의) 분무기; 《미속어》 (마약 중독자의) 피하 주사기; 《구어》 (엔진의) 스로틀(throttle); 〖전자〗 전자총(electron ~); 《비어》 음경. **3 a** 총렵(銃獵) 대원; 포수(gunner); (*pl.*) 《해군속어》 포술장; 《구어》 권총잡이, 살인 청부업자; 도둑(thief), 소매치기: the fastest ~ in the world 세상에서 가

장 빠른 총잡이 / a hired ~ 고용된 살인 청부업자. **b** 《속어》 거물, 중요 인물(big ~); 《Austral.》 손이 빠른 양털깎기 인부. **4** 《우스개》 (담배) 파이프; 《속어》 술컵(liquor glass); 《서핑속어》 길고 무거운 서프보드《큰 파도용》. **5** 《미속어》 봄, 보고 확인함. ***a son of a*** ~ 《속어》 ⇨SON. ***(as) sure as a*** ~ 의심없이, 확실히. ***blow great ~s*** (바람이) 사납게 불다, 강풍〔질풍〕이 불다. ***bring out*** 〔***up***〕 ***the*** 〔***one's***〕 ***big ~s*** =***bring the*** 〔***one's***〕 ***big ~s out*** 〔***up***〕 《구어》 (토론 · 경기 따위에서) 비장의 수를 쓰다. ***carry*** 〔***hold***〕 (***the***) ***~s*** 유력한 지위에 있다. ***carry*** 〔***have***〕 ***the*** ~ ***for*** …할 능력이 있다. ***give it*** 〔***her***〕 ***the*** ~ 《구어》 (탈것의) 속력을 내다; 시동시키다. ***go great ~s*** 《구어》 데꺽데꺽 해치우다, 신속히 진격하다, 크게 성공하다. ***Great ~s!*** 아차, 아뿔싸, 큰일이다, 안되겠다. ***~s or butter*** 군비냐 생활이냐. cf. guns-and-butter. ***jump the*** ~ 《구어》 조급히 굴다, 성급한 짓을 하다; 〖스포츠〗 스타트를 그르치다, 부정 출발하다. ***spike*** a person***'s ~s*** 아무를 무력하게 하다, 패배시키다. ***stick to*** one***'s*** ~(***s***) =***stand to*** 〔***by***〕 one***'s*** ~(***s***) 입장〔자기의 설〕을 고수〔고집〕하다, 굴복하지 않다, 물러서지 않다. ***till*** 〔***until***〕 ***the last ~ is fired*** 맨 마지막까지, 끝까지. ***under the*** ~(***s***) 총포로 경호되어, 무장 감시 아래.

— (*-nn-*) *vi.* 총을 쏘다; 사냥 가다; 사냥을 하다: go ~*ning* 총사냥 가다. **—** *vt.* **1** 《+목+부》 총으로 쏘다: The guards ~*ned down* the fleeing convict. 간수가 도망치는 죄수를 사살했다. **2** 스로틀(throttle)을 열고 가속하다; (엔진을) 고속회전시키다; 《속어》 (차가) 속력을 갑자기 내다. ~ ***for*** ① 총으로 …을 사냥하다〔…을 죽이려 하다〕; 추적하다, 뒤쫓다. ② (온 힘을 다해) …을 얻으려고 노력하다〔찾다〕; 구하다, 물색하다; …을 노리다〔겨냥하다〕.

gún bàrrel 〖스키〗 양측면이 높고 출구가 좁은 급경사의 슬로프.

gún·bòat *n.* 포함(砲艦); (*pl.*) 《미속어》 큰 구두; 《미속어》 1 갤런들이 빈 깡통.

gúnboat diplómacy 포함 외교《약소국에 대한 무력 외교》.

gún càrriage 〖군사〗 포차(砲車), 포가(砲架).

gún contròl 총포 규제〔단속〕.

Gún Contról Àct 《미》 총포 규제법《1968 년 의회에서 승인된 총포 판매 따위에 관한 규제법》.

gún·còtton *n.* Ⓤ 면(綿)화약.

gún dèck 〖해군〗 포열(砲列)〔포탑(砲塔)〕 갑판.

gún·dòg *n.* 사냥개.

gún·dòwn *n.* 총격, 총살, 사살.

gún·fight *vi.* 총질하다, 총격전을 벌이다. **—** *n.* 총격전, 결투. ㊞ **~·er** *n.* 총잡이; 《미구어》 (서부의) 무법자.

gún·fire *n.* 발포; 포격, 포화; 각개 사격; 화포 공격; 호포(號砲)(로 알리는 시각).

gún·flìnt *n.* (화승총(火繩銃)의) 부싯돌.

gunge [gʌndʒ] 《영속어》 *n.* 들러붙는〔딱딱해지는, 끈적끈적한〕 것(gunk). **—** *vt.* 〖보통 수동태〗 ~로 메우다〔막히게 하다〕《*up*》.

gung-ho [gʌ́ŋhóu] *a.* 충용 무쌍의, 멸사 봉공의; 《미속어》 바보처럼〔무턱대고〕 열심인, 열혈적인; 《미속어》 세련되지 않은, 감정적인.

gún harpòon (포경포(捕鯨砲)로 발사하는) 포경 작살.

gún·hòuse *n.* 포탑(turret).

gun·ite [gʌ́nàit] *n.* 거나이트《시멘트건 따위로 시공면에 직접 쏘아 붙이는 모르타르》.

gunk [gʌŋk] *n.* 《속어》 미끈미끈〔끈적끈적, 걸쭉걸쭉〕한 것〔액체, 오물〕; 《속어》 화장품; 《속어》 녀석, 놈; 《미군대속어》 건조〔분말〕 식품.

gún làp (육상 경기의 트랙 레이스에서 총소리로 신호하는) 마지막 한 바퀴.

gún·làyer *n.* 〖영해군〗 (대포의) 조준수(照準手).

gún·less *a.* 총을〔포를〕 갖지 않은.

gún lòbby 《미》 총포 규제법(Gun Control Act) 반대의 압력 단체.

gún·lòck *n.* (대포 등의) 발사 장치, 방아쇠.

gún·man [-mən] (*pl.* ***-men*** [-mən]) *n.* **1** 총기 휴대자; 무장 경비원. **2** 《미》 총잡이, 총기를 가진 악한〔갱〕; 건맨, 사격의 명수; 총포공(gunsmith); 살인 청부업자.

gún mètal 〖야금〗 포금(砲金), 청동(青銅); 암회색(=∠ **gràу**).

gún mìcrophone 건 마이크《떨어진 곳에서 음원(音源) 쪽으로 향하게 하여 사용하는 긴 원통형의 마이크》.

gún mòll 《속어》 (권총을 가진) 여자 범인; 권총 강도의 정부(情婦).

gunned [gʌnd] *a.* 대포를 장비한.

Gúnn effèct [gʌ́n-] 〖전자〗 (반도체의) 건효과.

gun·nel[1] [gʌ́nl] *n.* 〖어류〗 베도라치의 일종.

gun·nel[2] *n.* =GUNWALE.

gun·ner [gʌ́nər] *n.* **1** 포수(砲手), 사수(射手); 《미》 (해병대의) 기술 부대 준사관; 《영》 포병대원; 〖해군〗 장포장(掌砲長)《준사관》. **2** 총사냥꾼. ***kiss*** 〔***marry, be introduced to***〕 ***the ~'s daughter*** (수병이) 대포에 결박되어 매를 맞다.

gun·nery [gʌ́nəri] *n.* 포술; 사격(술), 포격; 〖집합적〗 포, 총포(guns): a ~ lieutenant 〔《속어》 jack〕 〖영해군〗 포술장(砲術長).

gúnnery sèrgeant 〖해병대〗 상사《생략: Gy. Sgt.》.

gun·ning [gʌ́niŋ] *n.* 사격(술); 총사냥: go ~ 총사냥 가다.

gun·ny [gʌ́ni] *n.* Ⓤ 올이 굵은 삼베, 즈크; Ⓒ 즈크 자루, 마대(=∠ **bàg** 〔**sàck**〕).

gún·pàper *n.* 〖군사〗 종이 화약.

gún pàtch 총의 반동을 완화시키기 위한 어깨 바대.

gún pìt 〖육군〗 (포의) 엄체호(掩體壕).

gún·plày *n.* Ⓤ (권총의) 맞총질, 권총 소동.

gún·pòint *n.* 권총의 총부리. ***at*** ~ 권총을 들이대고.

gún·pòrt *n.* 군함의 포문, 총안.

gun·pow·der** [gʌ́npàudər] *n.* Ⓤ (흑색) 화약. ***white 〔***smokeless***〕 ~ 백색〔무연〕 화약.

Gúnpowder Plòt (the ~) 〖영국사〗 화약 음모 사건《1605 년 11 월 5 일 의회 지하에 화약을 장치하고 폭파하려던 구교도의 음모》.

gúnpowder téa 고급 녹차(綠茶)의 일종.

gún ròom **1** 총기고(庫), 총기 진열실. **2** 〖영해군〗 하급 장교실.

gún·rùnner *n.* 총포 화약 밀수입자.

gún·rùnning *n.* Ⓤ 총포 화약 밀수입.

gúns-and-bútter [-ənd-] *a.* 군사 · 경제(정책) 양립의. cf. bread-and-butter.

gun·sel [gʌ́nsəl] *n.* 《미속어》 멍청이; 배반자, 정보 제공자; =GUNMAN; 도둑놈, 범죄자; (남색의) 상대자, 면; 교활한〔믿을 수 없는〕 놈.

gún·shìp *n.* 《미》 (기총 소사용) 무장 헬리콥터, 건십.

gún·shòt *n.* **1** 사격, 포격, 발포. **2** Ⓤ 착탄 거리, 사정(射程). **3** 발사된 탄알. ***within*** 〔***out of, beyond***〕 ~ 착탄 거리내〔외〕에. **—** *a.* 사격〔탄환〕에 의한〔맞은〕《부상 따위》.

gún-shỳ *a.* (사냥개나 말 따위가) 총소리에 놀라는〔총소리를 무서워하는〕; 〖일반적〗 곧잘 무서워하는, 흠칫흠칫하는.

gún·sìght *n.* 사격 조준기(sight).

gún·slìnger *n.* **1** 《구어》 =GUNFIGHTER. **2** 《속어》 (특히 정계 · 실업계의) 수완가; 위험 부담이 큰 대형 투자가.

gún·slìnging *n.* 총의 사용, 발포(發砲). **—** *a.* 총을 가진.

gún·smìth *n.* 총공(銃工), 총기 제작자.

gún·stìck *n.* (총의) 꽂을대, (포의) 장전봉(棒)

(cleaning rod)《총신〔포신〕 청소〔장전〕용의 가느다란 막대기》.
gún·stòck *n.* 총상(銃床), 개머리판.
gun·ter [gʌ́ntər] *n.* 건터자(尺)(=**Gúnter's scále**)《측량·항해용 로그자의 일종》; 건터 의장(艤裝)(=∽ **rig**)《마스트 윗부분이 상하로 이동함》. ***according to Gunter*** 《미》 정확히.
Gúnter's cháin 군터 측쇄(測鎖)《66 피트》.
Gun·ther [gʌ́nθər] *n.* 군터《남자 이름》.
gún·tòting *a.* 《미구어》 (권)총을 가진.
gun·wale [gʌ́nl] *n.* 〖해사〗 뱃전의 위 끝, 거널 뱃전. ~ ***to*** 〔***down***〕 뱃전이 수면을 스칠 정도로 기울어. ~ ***under*** 뱃전이 물밑에 잠겨.
gun·yah [gʌ́njə] *n.* 《Austral.》 원주민의 오두막.
Gup·pie [gʌ́pi] *n.* 거피《동성애자의 여피(yuppie)》. [◂ *gay urban professional*+*ie*]
gup·py [gʌ́pi] *n.* 〖어류〗 거피《서인도 제도산의 관상용 열대어》.
gur·dwa·ra [gə́:rdwɑ:rə] *n.* (시크교도의) 신전, 기도소.
gurge [gə:rdʒ] *n.* 소용돌이, 놀, 파도. — *vi.* 소용돌이치다, 파도가 물결치다.
gur·gi·ta·tion [gə̀:rdʒətéiʃən] *n.* Ⓤ (파도 같은) 기복(起伏); 뒤끓기, 비등; 뒤끓는 소리.
°**gur·gle** [gə́:rgəl] *vi.*, *vt.* (물 따위가) 꼴딱꼴딱〔콸콸〕 흐르다; 콸콸〔꾸르륵〕거리다; (어린애가) 목구멍으로 꼴록꼴록 소리를 내다《기쁨의 표현》. — *n.* 꼴깍꼴깍〔꼴록꼴록〕하는 소리. ㊕ **gúr·gling·ly** *ad.*
gur·goyle [gə́:rgɔil] *n.* =GARGOYLE.
gur·jun [gə́:rdʒən] *n.* 〖식물〗 동인도·필리핀산의 거목《balsam을 채취함》.
Gur·kha [gə́:rkə, gúər-] (*pl.* ~, ~**s**) *n.* 구르카족《Nepal에 살며 호전적이고 힌두교를 믿음》.
gur·nard, gur·net [gə́:rnərd], [-nət] (*pl.* ~, ~**s**) *n.* 〖어류〗 성대《총칭》; 죽지성대《총칭》.
gur·ney [gə́:rni] *n.* **1** 바퀴 달린 들것〔침대〕. **2** 양쪽에 캔버스를 댄 우편물 발송용 2 륜〔4 륜〕차.
gur·ry [gə́:ri, gʌ́ri/gʌ́ri] *n.*, *vt.* 《미》 (통조림 공장 등의) 생선의 썩은 살(로 더럽히다).
gu·ru [gúəru:] *n.* **1** 힌두교의 도사(導師), 교사(教師); 《때로 경멸》 (신봉자가 숭배하는) 지도자. **2** 베테랑, (한정된 분야의) 권위자. **3** 《미속어》 정신과 의사; 환각제 체험자를 곁에서 관찰하는 사람. **4** (guru의 옷과 같은) 길고 헐렁한 옷(=∽ **jàcket**).
Gus [gʌs] *n.* 거스《남자 이름; August, Augustus 등의 애칭》.
°**gush** [gʌʃ] *n.* **1** 용솟음쳐 나옴, 내뿜음, 분출; 분출한 액체. **2** (감정 따위의) 복받침; (감정〔열의〕의) 과시, 과장된 감정적인 이야기. — *vi.* **1** 《~/+副/+前+名》 세차게 흘러나오다, 분출하다《*forth; out; up*》; (눈물·피 등을) 많이〔갑자기〕 흘리다: a hot spring ~***ing up in*** a copious stream 그치지 않고 솟아오르는 온천 / His nose ~***ed out with*** blood. 그의 코에서 피가 쏟아졌다. **2** 《+前+名》 잘난 척하며 떠벌리다《*over; about*》: She ~*ed* on and on *about* 〔*over*〕 her son. 그 여자는 아들 이야기를 신이 나서 계속 떠벌렸다. — *vt.* 용솟음쳐 나오게 하다.
Gush Emu·nim [gú:ʃemu:ní:m] 《Heb.》 이스라엘의 전투적인 종교적 극우 조직.
gúsh·er *n.* 용솟음쳐 나오는 것; 분출 유정(噴出油井); 과장된 감정적 표현을 하는 사람. ***in*** ~**s** 줄대어서, 대량으로.
gúsh·ing *a.* **1** 용솟음쳐〔쏟아져〕 나오는; (감정 따위가) 넘쳐 나오는. **2** 과장해서 감정 표현을 하는, 지나치게 감상적인. ㊕ ~**·ly** *ad.* ~**·ness** *n.*
gushy [gʌ́ʃi] *a.* =GUSHING.
gus·set [gʌ́sit] *n.* (의복·장갑 따위의) 보강용(補強用) 삼각천, 바대, 무, 섶; 갑옷 겨드랑 밑의 쇠미늘; (장갑의) 덧댄 가죽; 〖기계〗 거싯《보강용 덧붙임판(板)》, (교량용의) 계판(繫板). — *vt.* …에 ~을 대다.
gus·sy, gus·sie [gʌ́si] 《구어》 *vt.*, *vi.* …을 화려하게 꾸미다; 성장(盛裝)하다《*up*》.
°**gust**[1] [gʌst] *n.* **1** 돌풍, 일진의 바람, 질풍: a violent ~ of wind 맹렬한 일진의 돌풍. SYN. ⇨WIND. **2** 소나기; 확 타오르는 불길〔연기〕; 갑자기 나는 소리. **3** 격정, (감정의) 폭발(outburst), 격노. — *vi.* (바람이) 갑자기 강하게 불다.
gust[2] *n.* 큰 기쁨《*for*》; 《고어·시어》 맛, 미각; 풍미; 기호. ***have a*** ~ ***of*** …을 맛보다.
Gus·ta [gʌ́stə] *n.* 거스타《여자 이름; Augusta의 별칭》.
gus·ta·ble [gʌ́stəbəl] 《고어》 *a.* 즐길 수 있는; 맛 있는; 미각으로 구별할 수 있는.
gus·ta·tion [gʌstéiʃən] *n.* Ⓤ 맛보기; 미각.
gus·ta·tive [gʌ́stətiv] *a.* =GUSTATORY.
gus·ta·to·ry [gʌ́stətɔ̀:ri/-təri] *a.* 〖해부·생리〗 맛의; 미각의: ~ bud 미뢰(味蕾)《혀에 있는 미각 기관》/ ~ nerve 미각 신경.
gus·to [gʌ́stou] (*pl.* ~**es**) *n.* 취미, 즐김, 기호(嗜好); 기쁨, 즐거움; 넘치는 활기〔생기〕; 《고어》 예술적 향기, 기품; 《고어》 맛, 풍미. ***with*** ~ 맛있게, 입맛 다시며; 즐겁게, 기쁜 듯이; 활기에 넘쳐. ㊕ ~**·ish** *a.*
gusty [gʌ́sti] (***gust·i·er; -i·est***) *a.* 돌풍의; 폭풍우가 휘몰아치는; (비바람 등이) 세찬, 거센; 야단스런 소리를 내는; (소리·웃음 등이) 돌발적인; 기운찬; 매우 용기〔담력〕 있는.
°**gut** [gʌt] *n.* **1 a** 창자, 장; 소화관; (*pl.*) 내장; 배, 위; (물고기의) 배알: the large 〔small〕 ~ 대〔소〕장 / the blind ~ 맹장. **b** 《미속어》 소시지. **2** (*pl.*) 《구어》 (극·책 등의) 내용; 실질(contents); (문제 따위의) 본질, 핵심; 《구어》 (기계의) 중심부, 장치. **3** Ⓤ 장선(腸線)(catgut); (바이올린·라켓 등의) 거트; (낚싯줄용의) 천잠사(天蠶絲). **4** (좁은) 수로; 해협; 도랑; 좁은 길. **5** (*pl.*) 《구어》 기운, 용기, 배짱, 끈기, 지구력, 결단력; Ⓤ 《구어》 뻔뻔스러움: He has (a lot of) ~*s*. 그는 (두둑한) 배짱이 있다. **6** 《미속어》 =GUT COURSE. **7** 《구어》 감정, 본능, 직감: appeal to the ~*s* rather than the mind 이성보다 오히려 감정에 호소하다. ***bring*** a person's ~***s into*** his ***mouth*** 아무를 기겁하게 하다. ***bust*** 〔***rupture***〕 ***a*** ~ 《구어》 대단한 노력을 하다《*to* do》; 《구어》 골치를 앓다, 걱정〔염려〕하다《*over*》. ***fret*** one***'s*** ~***s*** 걱정하다, 애태우다. ***hate*** a person***'s*** ~***s*** 《구어》 아무를 몹시 미워하다. ***have no*** ~***s in it*** 《구어》 내용〔실질〕이 없다; 근성이 없다. ***have*** a person***'s*** ~***s for garters*** 《구어·우스개》 아무를 혼내주다. ***run*** a person ***through the*** ~***s*** 아무를 구박하다, 곯려주다. ***spill*** one***'s*** ~***s*** 《속어》 모조리 털어놓다. ***split a*** ~ 《속어》 많은 정력을 소비하다, 맹렬히 일을 하다. ***sweat*** 〔***work, slog, slave***〕 one***'s*** ~***s out*** 고생을 마다하지 않고 (열심히) 일하다. (a man) ***with plenty of*** ~***s*** 《구어》 배짱이 두둑한 (사나이).
— (**-tt-**) *vt.* **1** (죽은 짐승에서) 내장을 빼내다. **2** (집·도시 등을) 모조리 약탈하다; (책·논문 등의) 요소를〔요점을〕 발췌하다. **3** 〔종종 수동태〕 (특히 화재로 건물 등의) 내부를 파괴하다; 밑바닥부터 파괴하다. **4** (차의) 내장(內裝)을 제거하다.
— *a.* 《구어》 **1** 마음속으로 느끼는, 감정적인; 본능적인: ~ feeling 직감, 본능적인 느낌. **2** 근본적인, 중대한《문제 따위》: a ~ issue.
gút·bùcket *n.* 2 박자의 핫 재즈; 수제(手製)의 저음 바이올린의 일종; 《미속어》 선정적인 재즈; 《미속어》 싸구려 술집, 저급 도박장.
gút-bùrglar *n.* 《미속어》 (산판(山坂) 합숙소) 요리인.

gút còurse 《미구어》 학점 따기 쉬운 과목 (gut).

Gu·ten·berg [gúːtnbəːrg] *n.* **Johannes** ~ 구텐베르크《독일 활판 인쇄 발명자; 1400?-68》.

gút·fighter *n.* 강적.

gút-hàmmer *n.* (산판 따위에서) 식사 신호로 치는 세모꼴 철제 종.

gút·less *a.* 패기〔활기〕 없는; 겁 많은.

gút reáction 본능적인 반응, 마음속으로 늘 느끼는〔믿는〕 것: My ~ was that he was lying. 그가 거짓말을 하고 있다는 생각이 머리에서 떠나지 않았다.

gút·so [gʌ́tsou] *n.* 《속어 · 경멸》 뚱뚱이.

gutsy [gʌ́tsi] (***guts·i·er; -i·est***) *a.* 《구어》 기운찬, 용감한; 강한 감동을 주는《록 음악 따위》. ⓜ **gúts·i·ly** *ad.* **-i·ness** *n.*

gut·ta[1] [gʌ́tə] (*pl.* ***-tae*** [-tiː]) *n.* 《L.》 물방울; 점적(點滴)약(drop)《생략: gt., *pl.* gtt.》; 물방울 모양의 것, 얼룩; (*pl.*) 〖건축〗 (도리아식 건축의) 물방울 장식.

gut·ta[2] *n.* Ⓤ =GUTTA-PERCHA.

gut·ta-per·cha [gʌ̀təpə́ːrtʃə] *n.* Ⓤ 구타페르카《열대수(樹)의 수지를 말린 고무 비슷한 물질; 치과 충전 · 전기 절연용》.

gut·tate, -tat·ed [gʌ́teit], [-teitid] *a.* 〖생물〗 물방울 모양의; 반점(斑點)이 있는.

gut·ta·tion [gətéiʃən] *n.* (식물 표면의) 배수(排水), 일액(溢液).

◇**gut·ter** [gʌ́tər] *n.* **1** Ⓒ (처마의) 낙수홈통《물받이》. **2** Ⓒ (광산 등의) 배수구; (길가의) 하수도, 시궁, 수로; (빗물 따위로 저절로 파인) 도랑; (흐르는 물 · 녹은 초가) 흐른 자국. **3** 〖제본〗 (좌우 양페이지 사이의) 여백. **4** (the ~) 빈민굴: take 〔raise〕 a child out of the ~ 어린이를 빈민굴에서 구해 내다 / a child of the ~ 부랑아. **5** Ⓒ 〖볼링〗 거터《레인 양쪽의 홈》. ~ ***journalism*** 저속한 신문〔잡지〕. ***in the*** ~ 《미구어》 술취하여 (도랑에 빠져); 《미속어》 영락하여; 《미속어》 음란한 일에 마음을 빼앗겨. ***rise from the*** ~ 비천한 처지에서 출세하다. ── *vt.* **1 a** …에 도랑을 만들다; 홈통을 달다. **b** 〖볼링〗 (볼을) 거터에 떨어뜨리다. **2** (담배 따위를) 끄다. ── *vi.* 촛농이 흘러내리다; 도랑〔흐른 자국〕이 생기다; 도랑을 이루며 흐르다. ~ ***out*** (촛불 따위가) 점점 약해져 꺼지다; 꺼지듯 끝나다〔죽다〕.

gútter·bìrd *n.* 참새; 천한〔막돼먹은〕 사람.

gút·ter·ing [-riŋ] *n.* Ⓤ 홈통, 홈통 재료; 도랑을 이루며 흐름; 촛농 모양으로 흘러내림.

gútter·man [-mən] (*pl.* ***-men*** [-mən]) *n.* 길가의 싸구려 장수.

gútter préss (the ~) 선정적인 저속한 신문.

gútter relìgion 하층 계급의 종교《흑인 회교도가 부르는 유대교의 일컬음》.

gútter·snìpe *n.* **1** 작은 광고지《옛날 보도(步道)의 연석(緣石)에 붙인 데서 유래》. **2** 빈민굴의 어린이; 떠돌이, 부랑아; 개구쟁이; 넝마주이. **3** 《미속어》 증권 암거래 상인. **4** 미국산 도요새의 일종.

gut·ti·form [gʌ́təfɔ̀ːrm] *a.* 물방울 모양의.

gut·tle [gʌ́tl] *vt., vi.* 게걸스럽게 먹다; 벌컥벌컥 마시다, 폭음하다. ⓜ **gút·tler** [-ər] *n.*

gut·tur·al [gʌ́tərəl] *a.* 목구멍의, 인후의; 목구멍에서 오는; 쉰 목소리의; 〖음성〗 후음(喉音)의. ── *n.* 후음《[g, k]등; 현재는 velar라 부름》; 연구개음(軟口蓋音)《[k, g, x] 따위》. ⓜ **~·ism** *n.* Ⓤ 후음성(性); 후음을 내는 버릇. **gùt·tur·ál·i·ty** *n.* **~·ly** *ad.*

gùt·tur·al·i·zá·tion *n.* Ⓤ 〖음성〗 후음화(喉音化).

gut·tur·al·ize [gʌ́tərəlàiz] *vt.* …을 목구멍으로 소리내다; 〖음성〗 후음화(喉音化)하다. ── *vi.* 목구멍으로 발음하는 것 같은 투로 말하다.

gut·ty [gʌ́ti] *a.* **1** 《속어》 용감한, 대담한, 성깔이 있는; 감정이 깃든; 중요한. **2** 〖재즈〗 소박한; 관능적인; (자동차가) 강력한 엔진을 가진, 힘있는, 고성능의.

gút-wrènching *a.* 대단한 괴로움이 따르는, 애끓는 생각의. ⓜ **~·ly** *ad.*

***guy**[1] [gai] *n.* **1** 《구어》 사내, 녀석(fellow), 친구; (*pl.*) 〖성별 불문〗 사람들, 패거리들: a queer 〔nice〕 ~ 이상한〔좋은〕 녀석 / you ~s 너희들. **2 a** 웃음가마리《사람》, 기이한 옷차림을 한 사람, 괴물(怪物) 같은 사람. **b** (종종 G-) (Gunpowder Plot의 주모자의 한 사람인) Guy Fawkes의 상(像), 익살스러운 인형상. **3** 《영속어》 도주, 도망: do a ~ 자취를 감추다 / give the ~ to …에서 도망치다. ── (*p., pp.* **~ed**) *vt.* (인물을) 이상한 인형의 상으로 나타내다; 《구어》 웃음거리가 되게 하다, 조롱하다. ── *vi.* 《영속어》 도망치다.

guy[2] *n.* 〖해사〗 받침〔버팀〕 밧줄, 당김 밧줄; 기중기에 달린 짐을 안정시키는 밧줄; (기중기 · 굴뚝 따위의) 버팀줄. ── *vt.* 버팀줄로 정착〔안정〕시키다, …에 ~를 팽팽히 치다.

Guy·ana [gaiǽnə, -áːnə] *n.* 가이아나《남아메리카 동북부 기아나 지방의 공화국; 수도는 조지타운(Georgetown)》.

Guy·a·nese [gàiəníːz, -s] *a.*, (*pl.* ~) *n.* 가이아나(사람)(의).

Gúy Fáwkes Dày 《영》 (Gunpowder Plot의 주모자 중 하나인) Guy Fawkes 체포 기념일 《11월 5일》.

guy·ot [giːóu] *n.* 기요《정상이 평탄한 해저의 산; 태평양에 많음》.

gúy rópe 당김 밧줄.

guz·zle [gʌ́zəl] *vi., vt.* 폭음하다, 꿀꺽꿀꺽 마시다; 《드물게》 게걸스레 먹다; 술을 마셔 (돈 등을) 없애다《*away; down*》; 《속어 · 방언》 (목졸라) 죽이다; 《미속어》 네킹하다, 농탕치다. ── *n.* 《방언 · 미속어》 목(throat). ⓜ **gúz·zler** *n.* 술고래; 대식가; =GAS-GUZZLER.

GVH disèase 〖의학〗 대숙주성 이식편병(對宿主性移植片病). [◂ *g*raft-*v*ersus-*h*ost]

GVH reàction 〖의학〗 대숙주 이식편 반응.

GVW gross vehicle 〔vehicular〕 weight (자동차〔차량〕 총중량).

GW, Gw 〖전기〗 gigawatt(s).

Gwen [gwen] *n.* 그웬《여자 이름; Gwendolen, Gwendolyn 등의 애칭》.

Gwen·do·len, -lyn [gwéndəlin] *n.* 그웬덜린《여자 이름》.

Gwent [gwent] *n.* 권트《영국 웨일스 남동부의 주; 1974년 신설》.

gwine [gwain] 《미남부》 GO의 현재분사.

GWRBI 〖야구〗 game winning run batted in (승리 타점).

Gwy·nedd [gwíneð] *n.* 귀네드《영국 웨일스 북서부의 주; 1974년 신설》.

Gy 〖물리〗 gray[2].

gybe, gibe [dʒaib] *vi.* 〖해사〗 (세로돛 또는 그 활대가) 한 뱃전에서 다른 뱃전으로 급회전하다〔하도록 배의 진로를 바꾸다〕. ── *vt.* (돛의) 방향을 바꾸다. ── *n.* 돛 또는 활대 방향을 바꿈.

gyle [gail] *n.* 엿기름물; 1회분의 맥주 양조량; 발효통.

****gym** [dʒim] 《구어》 *n.* 체육관(gymnasium); 체조, 체육; (기계 체조용 기구의) 금속제 버팀틀.

gym. gymnasium; gymnastics.

gym·kha·na [dʒimkáːnə] *n.* 《영》 (본디 영령 인도의) 경기장; (운동 · 마술) 경기회; 운전 기술을 겨루는 자동차 (장애) 경주.

Gym-Mate [dʒímmèit] *n.* 짐메이트《기본적인 운동에 필요한 모든 기구를 비치한 실내 운동용 의자; 상품명》.

gymn- [dʒímn], **gym·no-** [dʒímnou, -nə] '벌거벗은, 나체의' 란 뜻의 결합사.

gym·na·si·arch [dʒimnéiziὰːrk] *n.* 《고대그리스》 운동가 양성 책임자; 교장, 교감.
gym·na·si·ast [dʒimnéiziæ̀st] *n.* (독일의) 김나지움 학생; =GYMNAST.
°**gym·na·si·um** [dʒimnéiziəm] (*pl.* **~s, -sia** [-ziə]) *n.* **1** 체육관, 실내 체육장; (고대 그리스의) 연무장(演武場); 체육〔체조〕 학교. **2** (G-) (독일의) 김나지움《대학 진학 과정의 9〔7〕년제 중고등학교》; (널리 유럽 대륙의) 고등학교.
gym·nast [dʒímnæst] *n.* 체육 교사, 체육(전문)가.
°**gym·nas·tic** [dʒimnǽstik] *a.* 체조〔체육〕의; (지적·육체적) 단련〔노력〕을 요하는. **—** *n.* 훈련, 단련; 곡예: a mental ~ 정신 훈련. ㊥ **-ti·cal** [-tikəl] *a.* **-ti·cal·ly** *ad.* 체육상.
°**gym·nas·tics** *n. pl.* **1** 〔복수취급〕 체조, 체육. **2** 〔단수취급〕 (교과로서의) 체육(과).
gym·nos·o·phist [dʒimnάsəfist/-nɔ́s-] *n.* 신비가; (옛 인도의) 나체 수도자(修道者); 《미》 나체주의자.
gym·nos·o·phy [dʒimnάsəfi/-nɔ́s-] *n.* Ⓤ (옛 인도의) 나체 수도자의 고행; 나체주의.
gym·no·sperm [dʒímnəspə̀ːrm] *n.* 《식물》 겉씨식물, 나자(裸子)식물. ㊥ **gym·no·sper·mous** [dʒimnəspə́ːrməs] *a.* 겉씨식물의.
gym·no·tus [dʒimnóutəs] (*pl.* **-ti** [-tai]) *n.* 전기뱀장어.
gymp ⇨ GIMP[1].
gým shòe 운동화(sneaker).
gým·slìp *n.* 《영》 (소매가 없고 무릎까지 내려오는) 소녀용 교복.
gýmslip móther 재학 중에 임산한 여학생; 어린 미혼모.
gým sùit 체육복.
gyn- [dʒín, gáin, dʒáin] =GYNO-《모음 앞》.
gyn. gynecology.
gyn·ae·ce·um [dʒìnəsíːəm, gài-, dʒài-/dʒainíːsiəm, gai-] (*pl.* **-cea** [-síːə]) *n.* 《고대그리스·고대로마》 내실, 규방, 도장방(房); 《식물》 =GYNOECIUM.
gy·nae·co- [gáinikou, dʒín-, gainíː-, dʒi-, -kə] =GYNECO-.
gy·nan·dro·morph [dʒinǽndrəmɔ̀ːrf, gai-, dʒai-] *n.* 《생물》 자웅 모자이크.
gy·nan·drous [dʒinǽndrəs, gai-, dʒai-] *a.* 《식물》 암수 꽃술 착생(着生)〔합체(合體)〕의.
gyn·ar·chy [dʒínərki, gái-, dʒái-/dʒáinɑː-rki, gái-] *n.* 여인 천하, 여권(女權) 정치.
gy·nec- [gáinik, dʒái-, dʒín-] =GYNECO-.
gy·ne·cic [dʒiníːsik, -nés-, gai-, dʒai-/gai-] *a.* 여성의.
gynecium ⇨ GYNOECIUM.
gyn·e·co- [gáinikou, dʒín-, gainíː-, dʒi-, -kə] '여성(의), 여자(의), 암컷(의)' (이)란 뜻의 결합사.
gyn·e·coc·ra·cy [dʒìnikάkrəsi, gai-, dʒài-/gàinikɔ́k-, dʒài-] *n.* Ⓤ 여성 정치; 내주장(內主張)(petticoat government).
gy·ne·co·crat [dʒiníːkəkræ̀t, gai-, dʒai-/gai-, dʒai-] *n.* 여성 정치론자, 여권론자.
gy·ne·co·crat·ic [dʒinìːkəkrǽtik, gai-, dʒai-/gàini-, dʒàini-] *a.* 여성 정치의.
gy·ne·coid [dʒínikɔ̀id, gái-, dʒái-/gái-, dʒái-] *a.* 여성 같은, 여성적인.
gynecol. gynecological; gynecology.
gy·ne·co·log·ic, -i·cal [dʒìnikəlάdʒik, gài-, dʒài-/gàinikəlɔ́dʒ-, dʒài-], [-əl] *a.* 부인과(科) 의학의.
gy·ne·col·o·gist [gàinikάlədʒist, dʒìn-, dʒài-/gàinikɔ́l-, dʒài-] *n.* 부인과 의사.
gy·ne·col·o·gy [gàinikάlədʒi, dʒìn-, dʒài-/gáinikɔ́l-, dʒai-] *n.* Ⓤ 부인과 의학.
gy·ne·co·mas·tia [dʒìnikoumǽstiə, gai-, dʒài-/gài-, dʒài-] *n.* (남성의) 유방 이상 비대.
gyn·e·co·mor·phous [dʒìnikoumɔ́ːrfəs, gài-, dʒài-/gài-, dʒài-] *a.* 《생물》 여성의 특징〔형상·외관〕을 가진〔갖춘〕.
gy·ne·cop·a·thy [dʒìnikάpəθi, gài-, dʒài-/gàinikɔ́p-, dʒài-] *n.* 《의학》 부인 (특유의 병).
gy·ne·pho·bia [dʒìnəfóubiə, gài-, dʒài-/gài-, dʒài-] *n.* 《심리》 여자 공포증〔혐오〕.
gy·ni·at·rics [gàiniǽtriks, dʒài-, dʒìn-] *n.* 《의학》 부인병 치료법.
gy·nie [gáini] *n.* 《미속어》 부인과 의사(gynecologist).
gy·no- [gáinou, dʒáinou, dʒínou, -nə] gyneco-의 간약형.
gỳno·céntric *a.* 여성 중심의.
gy·noc·ra·cy [gainάkrəsi, dʒai-, dʒi-/-nɔ́k-] *n.* =GYNECOCRACY.
gỳno·dióecious *a.* 《식물》 자화 이주(雌花異株)의.
gy·noe·ci·um, -ne- [dʒiníːsiəm, gai-, dʒai-/dʒai-, gai-] (*pl.* **-cia** [-siə]) *n.* 《식물》 꽃의 자성 기관(雌性器官); 〔집합적〕 암술.
gỳno·monóecious *a.* 《식물》 자화 동주(雌花同株)의.
gy·no·phore [dʒínəfɔ̀ːr, gái-, dʒái-/dʒái-, gái-] *n.* 《식물》 과병(果柄), 열매꼭지, 자방(子房) 자루.
-gy·nous [dʒənəs, dʒáinəs, gái-] '여성의, … 한 자성기(雌性器)를 가진' 의 뜻의 결합사: mono*gynous*.
-gy·ny [dʒəni] '여자, 암컷' 이란 뜻의 결합사.
gyp[1] [dʒip] *n.* 《영》 (Cambridge, Durham 대학의) 사환.
gyp[2], **gip, jip** [dʒip] 《미속어》 *n.* **1** 협잡꾼, 사기꾼(swindler); 사기, 야바위(swindle). **2** 활력, 정력, 원기, 열의. **—** *a.* 가짜의. **—** (**-pp-**) *vt., vi.* 《속어》 사기치다, 속이다; 속여 뺏다: ~ a person *out of* his money 아무를 속여 돈을 빼앗다.
gyp[3], **gip** 《구어》 〔다음 관용구로〕 고통. ***give*** a person ~ 아무를 꾸짖다, 벌주다, 혼내주다; (상처 따위가) 고통을 주다.
gyp·lure [dʒípluər] *n.* 매미나방의 수컷을 모으는 합성성(合成性) 유인 물질.
gyp·per [dʒípər] *n.* 《구어》 사기꾼, 협잡꾼.
gyp·po, gypo, jip·po [dʒípou] (*pl.* **~s**) 《미속어》 *n.* 날품팔이, 삯일; 날품팔이꾼; 일용 노동자의 사용자. **—** *a.* 사기의. **—** *vt.* 속이다, 편취하다.
gýp·py túmmy [dʒípi-] 《속어》 =GIPPY TUMMY.
gýp ròom 《영구어》 (Cambridge, Durham 대학의) 식기실(食器室)《사환이 관리함》.
gyps. gypsum.
gyp·se·ous [dʒípsiəs] *a.* 석고(질)의; 석고를 함유한, 석고 같은.
gyp·sif·er·ous [dʒipsífərəs] *a.* 석고를 함유하는.
gyp·sog·ra·phy [dʒipsάgrəfi/-sɔ́g-] *n.* Ⓤ 석고 조각(술).
gyp·soph·i·la [dʒipsάfələ/-sɔ́f-] *n.* 《식물》 안개꽃.
gyp·sous [dʒípsəs] *a.* =GYPSEOUS.
gyp·sum [dʒípsəm] *n.* Ⓤ 《광물》 석고; 깁스; =PLASTERBOARD. **—** *vt.* (흙 따위를) 석고로 처리하다《비료로서》.
gýpsum bòard 석고 보드(plasterboard).
***Gyp·sy,** 《주로 영》 **Gip-** [dʒípsi] *n.* **1** 집시. **2** Ⓤ 집시어(Romany). **3** (g-) 집시 같은 사람; 《특히》 방랑자; 《우스개》 살갗이 거뭇한 여자, 장난꾸러기 여자. **4** (g-) 《미구어》 =GYPSY CAB; 《미구어》 자기 트럭으로 무허가 영업을 하는 운수업자; 《해사》 =GYPSY WINCH. **—** *a.* (g-) 집시의〔같은〕; 《미구어》 개인〔무허가〕 영업의: a ~ fortuneteller 집시 점쟁이. **—** *vi.* (g-) 집시같이 생활〔방랑〕하다, 캠프 생활을 하다.

gýpsy bònnet 〔**hàt**〕 여성 · 어린이용의 챙 넓은 밀짚모자.
gýpsy càb 《미구어》 (콜택시의 면허로) 돌아다니며 부정하게 손님을 태우는 택시.
gýpsy caraván =GYPSY VAN.
gyp·sy·dom [dʒípsidəm] *n.* Ⓤ 집시의 신분.
gýp·sy·fìed [-fàid] *a.* 집시풍의.
gýp·sy·hood [-hùd] *n.* =GYPSYDOM.
gyp·sy·ish [dʒípsiiʃ] *a.* 집시 같은.
gyp·sy·ism [dʒípsiizəm] *n.* 집시 취미〔풍〕.
gýpsy mòth 〖곤충〗 매미나방《해충》; 《미정치속어》 당론을 어기고 자기 선거구의 요망에 영합하는 공화당 의원(cf. boll weevil).
gýpsy róse 〖식물〗 체꽃.
gýpsy schòlar 《미구어》 박사이면서도, 전임(專任)의 취직 자리를 찾아다니면서 비상근(非常勤) 강사 노릇을 하는 풋내기 학자.
gýpsy táble 삼각(三脚)식 원탁.
gýpsy vàn (집시의) 포장마차.
gýpsy wàgon 〔《영》 **wàggon**〕 =GYPSY VAN.
gýpsy wìnch 〖해사〗 소형 수동(手動) 윈치.
gýp·sy·wòrt *n.* 〖식물〗 유럽 · 서(西)아시아의 쉽싸리의 일종.
gy·ral [dʒáiərəl] *a.* 선회〔회전〕하는; 〖해부〗 대뇌 회전의. ㊞ **~·ly** *ad.* 선회하여.
gy·rase [dʒáiəreis] *n.* 〖생화학〗 자이라아제《DNA의 2 중 나선을 다시 꼬이게 하는 효소》.
gy·rate [dʒáiəreit] *a.* 나선상(狀)의; 〖식물〗 소용돌이 모양의. ─ [dʒáiəreit, -ˊ] *vi.* 선회〔회전〕하다, 빙빙 돌다. ㊞ **gý·ra·tor** *n.*
gy·ra·tion [dʒaiəréiʃən] *n.* Ⓤ,Ⓒ 선회, 회전, 선전(旋轉); 〖동물〗 (고둥 따위의) 나선. ㊞ **~·al** [-ʃənəl] *a.* 선회의, 회전의.
gy·ra·to·ry [dʒáiərətɔ̀ːri/-təri] *a.* 선회의, 선전(旋轉)하는: ~ system 회전식, 순환식; 로터리 교차.
gýratory crúsher 〖기계〗 선동(旋動) 분쇄기.
gyre [dʒaiər] 《시어》 *n.* 선회 운동, 회전, 선전(旋轉); 원형, 윤형(輪形), 소용돌이(꼴). ─ *vi., vt.* 선회하다〔시키다〕.
gy·rene [dʒáiəriːn, -ˊ] *n.* 《미속어》 미국 해병대원《원래는 경멸어》. [◂ *GI marine*]
gyr·fal·con [dʒə́ːrfɔ̀ːlkən] *n.*=GERFALCON.
gy·ro[1] [dʒáiərou] (*pl.* **~s**) *n.* =AUTOGIRO; GYROCOMPASS; GYROSCOPE.
gy·ro[2] [dʒíərou, ʒíə-] *n.* (마늘로 양념한 쇠고기 · 양고기를 얹은) 그리스풍의 샌드위치.
gy·ro- [dʒáiərou, -rə] '바퀴, 회전' 이란 뜻의 결합사.
gýro·còmpass *n.* 자이로컴퍼스, 회전 나침반.
gy·ro·cop·ter [dʒáiəroukàptər/-kɔ̀p-] *n.* (일인승) 간편 헬리콥터. [◂ auto*gyro*+heli*copter*]
gỳro·dynámics *n.* 회전 역학.
gy·ro·dyne, -dine [dʒáiəroudàin] *n.* 〖항공〗 자이로다인《오토자이로와 헬리콥터의 중간형 항공기》.
gy·ro·graph [dʒáiərougræ̀f, -grɑ̀ːf] *n.* 〖항공〗 회전수 측정 기록기(器).
gýro horízon 〖항공〗 =ARTIFICIAL HORIZON.
gy·roi·dal [dʒaiərɔ́idl] *a.* 나선형으로 배열된. ㊞ **~·ly** *ad.*
gỳro·magnétic *a.* 〖물리〗 회전 자기(磁氣)의; (컴퍼스가) 자이로 자기 방식의.
gýro·pìlot *n.* 〖해사 · 항공〗 자동 조종 장치, 자이로파일럿.
gýro·plàne *n.* 〖항공〗 자이로플레인《오토자이로의 일종》.
gy·ro·scope [dʒáiərəskòup] *n.* 자이로스코프, 회전의(回轉儀); (어뢰의) 종타(縱舵) 조정기; 회전 운동을 하는 물체.
gy·ro·scop·ic [dʒàiərəskápik/-kɔ́p-] *a.* 회전의(回轉儀)의, 회전 운동의. ㊞ **-i·cal·ly** *ad.*
gy·rose [dʒáiərous/-rouz] *a.* 〖식물〗 파상(波狀)의, 습상(褶狀)의.
gỳro·stábilizer *n.* 자이로스태빌라이저《배나 비행기의 동요를〔옆질을〕 막는 장치》.
gy·ro·stat [dʒáiərəstæ̀t] *n.* 자이로스코프의 일종《회전 운동 실험용》; =GYROSTABILIZER.
gỳro·státic *n.* gyrostat의; 강체(鋼體) 선회 운동론의. ㊞ **~s** *n. pl.* 〖단수취급〗 강체 선회 운동론. **-ically** *ad.*
gy·ro·vague [dʒáiərouvèig] *n.* (초기 교회 때) 수도원을 순방하던 수도사.
gy·rus [dʒáiərəs] (*pl.* **-ri** [-rai]) *n.* 〖해부〗 (뇌 따위의) 회전.
Gy. Sgt., Gy Sgt 〖영해병대〗 gunnery sergeant.
gyt·tja [jíttʃɑː] *n.* 〖지학〗 해니(骸泥)《유기질이 많은 호수 밑의 진흙》.
gyve[1] [dʒaiv] 《고어 · 시어》 *n.* (보통 *pl.*) 차꼬, 고랑(fetter). ─ *vt.* 차꼬를〔고랑을〕 채우다.
gyve[2] *n.* 《미속어》 마리화나 (담배).

H

H, h [eitʃ] (*pl.* **H's, *Hs*, h's, *hs*** [éitʃiz]) **1** 에이치《영어 알파벳의 여덟째 글자》. **2** H자 모양의 것; 여덟 번째(의 것): *H*-branch, H자 관(管). **3** 〖음악〗 (독일 음(音)이름의) 하, 나음〔조〕(B). ***drop** one's **h's*** 〔***aitches***〕 h음을 빼고 발음하다《ham을 'am, hair를 'air로 하는 런던 사투리; 보통 교양이 없음을 나타냄》. ***4-H club*** =FOUR-H CLUB.

H 〖연필〗 hard; 〖전기〗 henry; 《속어》 heroin; 〖화학〗 hydrogen. *ħ* 〖물리〗 Planck's constant. **H., h.** harbor; hard, hardness; height; high; 〖야구〗 hit(s); hour(s); hundred; husband. **H[1], ^{1}H, H[a]** 〖화학〗 protium. **H[2], ^{2}H, H[b]** 〖화학〗 deuterium. **H[3], ^{3}H, H[c]** 〖화학〗 tritium.

ha [hɑː] *int.* 허, 어마《놀람·기쁨·의심·주저·뽐냄 등을 나타내는 발성》; 하하《웃음소리》. **—***n.* 허〔하하〕 하는 소리. **—***vi.* 허 하고 말하다; 으하하 웃다. [imit.]

Ha 〖화학〗 hahnium. **ha., ha** hectare(s). **HA** 〖컴퓨터〗 Home Automation. **H.A.** heavy artillery; Hockey Association; Horse Artillery. **h.a.** *hoc anno* 《L.》 (=in this year). **HAA** heavy antiaircraft. **HAA, haa** 〖생리〗 hepatitis-associated antigen(간염(관련) 항원(抗原)).

haaf [hɑːf] *n.* (Shetland 및 Orkney섬 앞바다의) 심해 어장.

haar [hɑːr] *n.* (특히 England · Scotland 동해안의) 차가운 해무(海霧).

Haar·lem [hɑ́ːləm] *n.* 하를럼《네덜란드 서부의 도시로 North Holland 주(州)의 주도》.

Hab. Habakkuk.

Ha·bak·kuk [həbǽkək, hǽbəkʌ̀k, -kùk] *n.* 히브리의 예언자; (구약성서의) 하박국서(書).

ha·ba·ne·ra [hɑ̀ːbənέərə/hæ̀bə-] *n.* 《Sp.》 하바네라《쿠바 Havana의 탱고 비슷한 2박자의 춤》; 그 곡.

Ha·ba·ne·ro [hɑ̀ːbənέərou/hæ̀bə-] (*pl.* **~s**) *n.* **1** 아바나 사람〔시민〕. **2** (h-) 아바네로《중남미산의 작고 매운 고추》.

hab. corp. 〖법률〗 habeas corpus.

hab·dabs, ab·dabs [hǽbdæbz], [ǽbdæbz] *n. pl.* 《영구어》 초조, 공포, 신경과민. ***give*** a person ***the*** (***screaming***) **~** 《영구어》 아무를 몹시 초조하게 하다.

ha·be·as cor·pus [héibiəs-kɔ́ːrpəs] 《L.》 〖법률〗 출정 영장《구속 적부심사를 위해 피(被)구속자를 법정에 출두시키는 영장》.

ha·ben·dum [həbéndəm] *n.* 〖법률〗 (부동산 양도 증서의) 물건 표시 조항.

Ha·ber [héibər] *n.* **Fritz ~** 하버《독일의 화학자; Nobel 화학상 수상(1918); 1868-1934》.

hab·er·dash [hǽbərdæ̀ʃ] *vt.* (양복을) 짓다, 만들다; (양복에) 장식(적인 디자인)을 하다.

háb·er·dàsh·er *n.* 《미》 신사용 양품 장수《셔츠·모자·넥타이 등을 팖》; 《주로 영》 방물장수《바늘·실·단추 등을 팖》. ㊞ **-ery** [-ri] *n.* 《미》 Ⓤ 신사용 장신구류; Ⓒ 그 가게; 《주로 영》 Ⓤ 방물류; Ⓒ 그 가게. 「법의 하나》.

Háber pròcess 〖화학〗 하버법《암모니아 합성

hab·ile [hǽbil/-biːl] *a.* 《문어》 능란한, 재주 있는, 숙련된; 《폐어》 적당한, 딱 맞는.

ha·bil·i·ment [həbíləmənt] *n.* (*pl.*) 옷, 복장; 제복, 《우스개》 평상복. ***in working ~s*** 작업복을 입고. ㊞ **~·ed** [-id] *a.* (승복 따위를) 입은 《*in*》.

ha·bil·i·tate [həbílətèit] *vt.* (사회 복귀를 위해 심신 장애자를) 교육〔훈련〕하다; 《미서부》 (광산 등에) 투자하다; 《드물게》 …에게 옷을 입히다. **—***vi.* 자격을 따다《독일의 학제》. ㊞ **ha·bìl·i·tá·tion** *n.* Ⓤ

****hab·it** [hǽbit] *n.* **1** Ⓒ,Ⓤ 습관, 버릇, 습성(custom): fall into a bad ~ 악습에 물들다 / It is a ~ *with* 〔*for*〕 him to get up early. 일찍 일어나는 것이 그의 습관이다 / *Habit* is (a) second nature. 《속담》 습관은 제2의 천성.

> **SYN.** **habit** 개인적인 습관, 버릇: the alcohol *habit* 음주벽. **custom** 단체·지역 사회의 습관《관습·개인적인 버릇이 습관으로 된 것도 포함됨》: He took a walk in the morning, as was his *custom*. 언제나처럼 아침 산책을 하였다. **convention** 지역 사회 구성원이 무언중에 인정하고 있는 관습. **usage** 사회에서 오랫동안 인정되어 온 것이 공식으로 인정받게 됨을 이름. **manner** 넓은 뜻의 개인이나 사회의 관습.

2 Ⓒ 〖동물·식물〗 습성《어떤 종·개체군의 습관적 행동 양식》. **3** Ⓤ 기질, 성질(~ of mind); 체질(~ of body). **4** Ⓒ (특수 사회·계급의) 옷, 복장(garment); 〖종교〗 제의(祭衣); 《고어》 의복: a monk's ~ 제의. **5** Ⓒ 여자용 승마복 (riding ~). **6** 《미속어》 (코카인·마약 등의) 상습, 상용벽(常用癖)(addiction); 상용물: Drink has become a ~ with him. 그는 늘 술 취해 있다. ***be in*** 〔***have***〕 ***the*** 〔***a***〕 **~** ***of*** doing …하는 버릇이 있다. ***break*** a person ***of a*** **~** 아무의 버릇을 고치다. ***break off a*** **~** 습관을 깨뜨리다. ***early ~s*** 아침 일찍 일어나는 습관. ***fall*** 〔***get***〕 ***into a*** **~** ***of*** doing …하는 버릇이 들다. ***grow into*** 〔***out of***〕 ***a*** **~** 어떤 버릇이 생기다〔없어지다〕. ***make a*** **~** ***of*** doing =***make it a*** **~** ***to*** do …하는 것을 습관으로 하다, 습관적으로 …하다.
—*vt.* **1** …에 옷을 입히다(clothe): be ~*ed* in …을 입고 있다. **2** 《고어》 …에 살다. 「함.

hàb·it·a·bíl·i·ty *n.* 거주 적합성, 살기에 적합

◦hab·it·a·ble [hǽbitəbəl] *a.* 거주할 수 있는, 거주〔살기〕에 적당한: the ~ part of the building 그 건물의 거주 가능 부분. ㊞ **-bly** *ad.* **~·ness** *n.*

ha·bi·tan [*F.* abitɑ̃] *n.* =HABITANT2.

hab·it·an·cy [hǽbitənsi] *n.* 거주; 《집합적》 (한 지역의) 전 주민, 인구.

hab·it·ant [hǽbitənt] *n.* **1** 사는 사람, 주민, 거주자. **2** [+*F.* abitɑ̃] 《F.》 캐나다 또는 미국 Louisiana주의 프랑스계 주민〔농민〕.

hab·i·tat [hǽbitæ̀t] *n.* **1** 〖생태〗 (생물의) 서식장소〔환경〕; (특히 동식물의) 서식지, 생육지, 번식지, (식물의) 자생지(自生地), 산지, (표본의) 채집지; 〖농림〗 입지: ~ segregation 서식지 분할. **2** 거주지, 주소; 본래 있어야 할 곳; (해양 연구용)

수중 가옥; 〖우주〗 기밀실(氣密室), 거주 공간.

hábitat gròup 생태류《서식 환경을 같이하는 동물〔식물〕》; (박물관 전시의) 생물 환경 모형.

°**hab·i·ta·tion** [hæ̀bitéiʃən] *n.* **1** Ⓒ 주소; 주택, 주거; Ⓤ 거주. **2** 주거지, 부락, 취락; 식민지. **3** Ⓒ 《영》 Primrose League 의 지부. ㊕ **~·al** *a.*

hábit-fòrming *a.* (약재 · 마약 따위가) 습관성인, 상습성의.

***ha·bit·u·al** [həbítʃuəl/-tju-] *a.* **1** 습관적인(customary), 습성적인; 버릇의〔이 된〕: a ~ reader 독서의 습관이 들어 있는 사람. **2** 상습적인, 끊임없는. **3** 평소의, 여느 때와 같은, 예(例)의: one's ~ place 늘 앉는 자리. **4** 체질적인, 타고난(inborn). **—** *n.* 상습범; 마약 상용자, 알코올 중독자. ㊕ °**~·ly** *ad.* **~·ness** *n.*

habítual críminal 상습범.

ha·bit·u·ate [həbítʃuèit/-tju-] *vt.* 익히다, 익숙게 하다; 습관 들이다(accustom)《*to*》; 《미구어》 …에 자주 가다(frequent). **—** *vi.* (마약 등이) 습관이 되다. ***be ~d to*** …에 익숙하다. **~ *one-self to*** …에 습관들(이)다. ㊕ **ha·bit·u·á·tion** *n.*

hab·i·tude [hǽbitjùːd/-tjùːd] *n.* Ⓤ 체질; 성질, 기질; 습성, 버릇(custom). ㊕ **hàb·i·tú·di·nal** *a.*

ha·bit·ué [həbítʃuèi] (*fem.* **-uée** [—]) *n.* 《F.》 단골손님《특히 오락장의》; 상주자(常住者); 마약 상습자.

hab·i·tus [hǽbitəs] (*pl.* **~** [-təs, -tùːs]) *n.* 습관, 버릇; 〖의학〗 체질, 체형(體型).

ha·boob [həbúːb] *n.* 하부브《북아프리카 · 아라비아 사막 · 인도 평원에 부는 모래 폭풍》.

ha·chure [hæʃúər, ㅗ-/-ㅗ] *n.* (*pl.*) 《F.》 가는 선《지도에서 땅의 기복을 나타내는》, 선영(線影). **—** [hæʃúər/-ʃjúər] *vt.* …에 ~를 그려 넣다.

ha·ci·en·da [hɑ̀ːsiéndə/hæs-] *n.* 《Sp.》 **1** (브라질을 제외한 라틴 아메리카의) 대농장(plantation); 대목장(ranch); (농원 · 목장주의) 저택, 주거; (시골의) 가축 사육장, 공장. **2** (스페인어계 국가의) 국고 세입(의 관리 운용).

°**hack**[1] [hæk] *vt.* **1** 《+목+전+명/+목+부》 (자귀나 칼 따위로) 거칠게 자르다, 난도질하다《*down; up; off*》: ~ a tree *down* (난폭하게) 나무를 잘라 넘기다 / ~ branch *off* = ~ *off* 〔*away*〕 a branch 가지를 치다 / ~ something *to* pieces 무엇을 토막 내다. SYN. ⇨ CUT. **2** 《~+목/+목+부》 잘게 썰다, 짓이기다(chop); 베다, 칼자국을 내다(notch); 땅을 갈다, 일구다(cultivate)《*in*》: ~ meat (fine) 고기를 (곱게) 다지다 / ~ *in* wheat 땅을 갈아 밀을 파종하다. **3** 〖럭비〗 (상대의) 정강이를 까다; 〖농구〗 (상대방) 팔을 치다. **4** 《+목+전+명》 (산울타리 따위를) 치다(trim); (초목을 베어) 길을 트다: ~ one's way *through* a jungle 밀림을 베어 길을 내다. **5** (예산 따위를) 대폭 삭감하다; (소설 · 논문 따위를) 망치다. **6** 〔흔히 ~ it 으로〕 《속어》 잘 다루다〔해내다, 견뎌 내다〕《*out*》《★ 종종 부정문에서》: I can't ~ *it* alone. 혼자서는 도저히 해낼 수 없다. **7** 〖컴퓨터〗 **a** 프로그램을 교묘히 변경하다; (임시변통의 프로그램을) 만들다《*together*》; 《구어》 (컴퓨터 시스템 · 데이터 따위에) 불법 침입하다〔침입해 도용하다〕. **b** (특정한 일에) 달라붙다. **c** (컴퓨터를) 즐기면서 만지작거리다. **8** 《미속어》 (아무를) 괴롭히다: That kind of behavior ~*s* him a lot. 그런 행위가 그를 몹시 괴롭힌다. **—** *vi.* **1** 마구 자르다, 잘게 베다《*at*》. **2** 〖럭비〗 정강이를 까다. **3** 마른기침을 몹시 하다. **4** 〖컴퓨터〗 **a** 《구어》 프로그램을 연구하며 즐기다. **b** 프로그램을 연구하며 교묘히 시스템 속에 침입하다《*into*》; 컴퓨터로 장난치다. **c** 임시변통의 프로그램을 만들다. **~ *around*** 《미구어》 빈둥거리며 시간을 보내다. **~ *up*** (간단한) 프로그램을 만들다, (프로그램에) 수정을 가하다. ***happy ~ing*** 《미속어》 안녕. ***How's ~ing?*** 여, 잘 지내는가.

— *n.* **1** Ⓤ 마구 자르기, 난도질. **2** Ⓒ 벤 자국, 벤 상처; (발로) 깐 상처; 〖럭비〗 정강이까기; 〖농구〗 (상대방의) 팔을 치기. **3** 《미》 Ⓤ 밭은기침. **4** Ⓒ 곡괭이, 괭이, 도끼. **5** 《미속어》 〖컴퓨터〗 해커(hacker); 해커에 의한 장난, 컴퓨터 조작; 우수한 프로그램; 프로그램 작성. ***take a ~ at*** …을 한 번 해보다.

hack[2] *n.* **1** 《미》 전세 마차(의 마부); 《미구어》 택시(taxi), 택시 운전사; 《영》 삯말. **2** 늙은 말, 못쓸 말(jade). **3** 승용말; 《영》 (재미로 하는) 승마. **4** 《경멸》 고되게 일하는 사람(drudge); (저술가 밑에서) 일을 거드는 사람; 《미속어》 야경꾼, 경관, (교도소의) 교도관; 《미속어》 백인. **5** 《속어》 갈보. **—** *a.* **1** 돈으로 고용된, 밑에서 거드는. **2** 써서 낡은, 진부한(hackneyed), 흔해 빠진. **—** *vi.* 삯말을 타다; 《영》 (보통 속도로) 말을 몰다《*along*》; 《구어》 택시에 타다, 택시를 몰다; (남의 밑에서) 일을 하다; 고되게 일하다. **—** *vt.* (말을 시간제로) 빌려 주다; 하청 문사(文士)로 고용하다; 혹사하다; 써서 낡게 하다, 진부하게 하다. ㊕ **ㅗ·er**[1] *n.*

hack[3] *n.* (벽돌 따위를) 말리는 시렁; (마구간의) 구유받침; (매사냥에서 매의 먹이를 얹는) 먹이판. ***be at ~*** (어린 매가) 사냥감을 좇지 않고 먹이판으로 되돌아 오도록 훈련되고 있다《아직 스스로 먹이를 잡는 것이 허용되지 않음》. ***live at ~ and manger*** 호화〔사치〕스럽게 생활하다.

hack·a·more [hǽkəmɔ̀ːr] *n.* 《미서부》 (말 조련용의) 고삐(halter).

háck-and-slásh *a.* (컴퓨터 게임이) 전투 및 폭력 중심의, 싸움이나 폭력만을 다룬.

háck attàck 《해커속어》 프로그램 작성열(熱).

háck·bèrry *n.* 〖식물〗 (미국산) 팽나무의 일종; 그 열매; Ⓤ 그 재목.

hacked [-t] *a.* 《재즈속어》 안달이 난(annoyed).

háck·er[2] *n.* **1** 자르는 사람〔것〕. **2** 《속어》 (스포츠 등에서) 서툰 사람〔경기인〕. **3** 《구어》 〖컴퓨터〗 아마추어 컴퓨터 프로그래머; 해커《다른 사람의 컴퓨터 시스템에 불법으로 침입하는 사람》.

hack·er·ese [hæ̀kəríːz] *n.* 해커 말(hacker language). ★ 예컨대 '자다' 를 gronk out 이라고 하는 따위.

hack·ery [hǽkəri] *n.* **1** 저널리즘; 〔집합적〕 신문 잡지. **2** 《구어》 〖컴퓨터〗 해커 행위; 다른 사람의 컴퓨터 시스템에 불법으로 침입하는 것. **3** (인도의) 소달구지.

hack·ette [hǽket] *n.* 《속어》 여성 저널리스트.

hack·ie [hǽki] *n.* 《미구어》 택시 운전사.

háck·ing *n.* **1** 《속어》 광적인 컴퓨터 조작; 해킹(⇨ HACK[1] 7). **2** (건축에서) 거친 면 마감질.

hácking cóugh 밭은 마른기침.

hácking jàcket 〔**còat**〕 승마복; (남자의) 스포츠용 재킷.

hácking pòcket 비스듬히 달린 뚜껑 있는 호주머니《hacking jacket 호주머니가 그러한 데서》.

hack·ish [hǽkiʃ] *a.* 《해커속어》 독창적인, 머리를 짜낸: a ~ feature 독창적인 기능. ㊕ **~·ness** *n.* 창의적 연구.

hack·le[1] [hǽkəl] *n.* **1** (삼 따위를 훑는) 빗. **2** 닭의 목의 깃털; 위의 털로 만든 제물낚시(= ㅗ **flỳ**); (제물낚시의) 깃털. **3** 가는 실, 생사(生絲); (*pl.*) (위험을 당하여) 개나 수탉이 곧추세우는 목 · 등의 털. **4** 《영속어》 기운, 용기, 결의. ***get*** a person***'s ~s up*** = ***make*** a person***'s ~s rise*** = ***raise the ~s of*** a person 아무를 화나게 하다. ***with*** one***'s ~s up*** 〔***rising***〕 (개 · 닭이) 싸우

려는 자세로; (사람이) 화가 나서. **—** *vt.* 빗질하다, 훑다; 《드물게》 제물낚시에 깃털을 달다. [파] **háck·ler** *n.*

hack·le[2] *vt.* 잘게 저미다〔베다〕, 토막 내다. **—** *n.* 깔쭉깔쭉하게 베진〔깨진〕 자리.

háck·ly *a.* 까칠까칠〔깔쭉깔쭉〕한.

háck·man [-mən, -mæ̀n] (*pl.* ***-men*** [-mən]) *n.* 《미》 (전세 마차의) 마부; (택시) 운전사.

hack·ma·tack [hǽkmətæ̀k] *n.* =TAMARACK; BALSAM POPLAR.

hack·ney [hǽkni] *n.* 승용마(馬); (종종 H-) 해크니말《영국의 밤색 털의 승용마》; 삯말, 전세 마차; 《미》 택시; 《폐어》 혹사당하는 사람. **—** *a.* 임대의; 써서 낡은, 흔한, 진부한. **—** *vt.* (말·마차 따위를) 빌려 주다; 심하게 부리다; 써서 낡게 하다, 진부하게 만들다.

háckney còach 〔**càb, càrriage**〕 (옛날의) 전세 마차; 택시.

háck·neyed *a.* (말 따위가) 낡아〔흔해〕 빠진, 진부한; 익숙해진, 경험을 쌓은: a ~ phrase 판에 박은 말.

háck·sàw *n.* 〖기계〗 쇠톱, 핵소《금속 절단용》. **—** *vt.* 핵소로 자르다〔켜다〕.

háck-skìnner *n.* 《미속어》 버스 운전기사.

háck·wòrk *n.* [U] (문필업 따위의) 재미없는 고된 일; 매문(賣文); 하청 맡은 일.

†**had** [hæd, 약 həd, əd, d] *v.* HAVE 의 과거·과거분사. **1 a** 〔과거〕 ⇨HAVE. **b** 〔가정법과거〕: I wish I ~ time enough. 시간이 있으면 좋겠는데. **2** 〔과거분사〕 **a** 〔완료형으로 쓰이어〕: I *have* ~ a real good time. 참으로 즐거운 시간을 보냈습니다. **b** 〔수동태로 쓰이어〕: Good meat could not *be* ~ at all during the food shortage. 식량 부족의 기간엔 좋은 고기는 입수할 수 없었다. **—** *aux. v.* **1** 〔과거완료로 쓰이어〕: The train ~ start*ed* when I got to the station. 내가 역에 이르렀을 때에는 기차는 떠나 버렸었다. **2** 〔가정법 과거완료에 쓰이어〕: If Cleopatra's nose ~ *been* a little shorter, the history of the world might have changed. 클레오파트라의 코가 조금만 더 낮았더라면 세계 역사는 달라졌을지도 모른다. ~ ***as good*** 〔***well***〕 do (…라면) …해도 좋겠다, …하는 편이 (오히려) 좋다. ~ ***as soon*** do …하는 편이 좋다. ~ ***better*** 〔***best***〕 do ⇨BETTER, BEST(관용구). ~ ***better have*** done …한 편이 나았었다. ~ ***like to have*** done 《고어》하마터면 …할 뻔했다. ~ ***sooner*** do ⇨SOON.

ha·dal [héidl] *a.* 초심해(超深海)의, 해구(海溝)의(6,000 m 이상).

had·dock [hǽdək] (*pl.* **~*s***, 〔집합적〕 ~) *n.* 〖어류〗 대구의 일종 《북대서양산》.

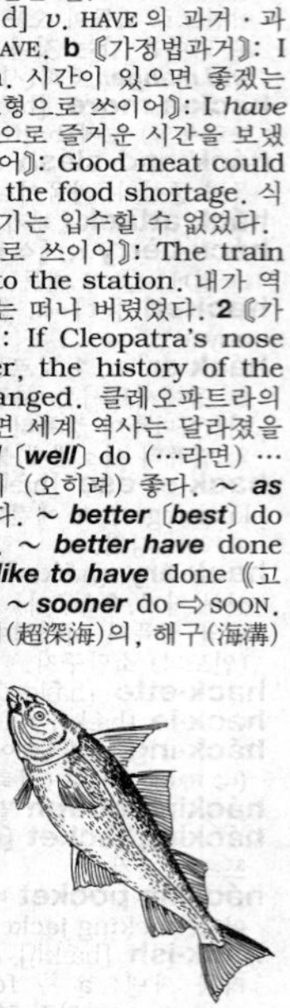
haddock

hade [heid] *n.* 〖지학〗 언각(偃角)《단층면과 수직면 사이의 각도》. **—** *vi.* (단층면·광맥 따위가) 언각을 이루다, 기울다.

HADES [F. adɛs] *n.* 아데스《프랑스 육군의 전술 핵탄두 장착 탄도 미사일》.

Ha·des [héidiːz] *n.* 〖그리스신화〗 하데스, 황천《죽은 사람의 혼이 있는 곳》; 그 지배자(Pluto, Dis); (종종 h-) 《구어》 지옥. [파] **Ha·de·an** [heidíːən, héidiən] *a.*

Had·ith [hɑːdíːθ] *n.* 〖이슬람〗 하디트《Muhammad 와 그 교우의 언행록; 그 집대성》.

hadj, hadji ⇨HAJJ, HAJJI.

†**had·n't** [hǽdnt] had not 의 간약형.

Ha·dri·an [héidriən] *n.* 하드리아누스(《L.》 Publius Aelius Hadrianus) 《로마 황제; 5 현제(賢帝) 중 세 번째; 76-138》.

had·ron [hǽdrɑn/-rɔn] *n.* 〖물리〗 하드론《강한 상호 작용을 하는 소립자; baryon 과 중간자를 포함하는 소립자의 일족(一族)》.

hadst [hædst] 《고어》 HAVE 의 제 2 인칭 단수·과거《주어가 thou일 때》. 「수·현재.

hae [hei, hæ] 《Sc.》 HAVE의 제 1·2 인칭 단

haec·ce·i·ty [heksíːəti, hiːk-] *n.* [U] 〖철학〗 '이것' 임, 개성 원리.

Haeck·el [hékəl] *n.* **Ernst Heinrich** ~ 헤켈 《독일의 생물학자·진화론자; 1834-1919》.

hae·mal, hae·mat·ic, etc. =HEMAL, HEMATIC, etc. 「etc.

hae·mo- [híːmou, hém-, -mə], **etc.** =HEMO-,

ha·e·re·mai [háirəmài] *int.* 《Austral.》 어서 오시오, 잘 오셨소《환영을 나타냄》.

haet [het] *n.* 《Sc.》 조금, 소량.

haf·fet, haf·fit [hǽfit] *n.* 《Sc.》 볼; 관자놀이.

haf·fir [hæfíər] *n.* 《N.Afr.》 (빗물을 일시 저장해 두는) 못.

ha·fiz [hɑ́ːfiz] *n.* 《Ar.》 이슬람교 경전 Koran 을 전부 욈 이슬람교도(에게 주는 칭호).

haf·ni·um [hǽfniəm, hɑ́ːf-/hǽf-] *n.* [U] 〖화학〗 하프늄《금속 원소; 기호 Hf; 번호 72》.

haft [hæft, hɑːft/hɑːft] *n.* (나이프·단도 따위의) 자루, 손잡이. **—** *vt.* …에 ~를 달다.

hag[1] [hæg] *n.* [U] **1** 간악한 〔심술궂은〕 노파; 마녀(witch); 《속어》 못생긴 여자. **2** =HAGFISH. **—** *a.* 《속어》 못생긴.

hag[2] [hæg, hɑːg] 《영방언》 *n.* 늪, 소택지(沼澤地); 늪의 단단한 지면.

Hag. 〖성서〗 Haggai.

Ha·ga·nah [hɑ̀ːgɑːnɑ́ː] *n.* (the ~) 하가나《팔레스타인의 유대인 지하 민병 조직(1920-48); 1948 년 이스라엘 국군이 됨》.

Ha·gar [héigɑːr, -gər] *n.* **1** 여자 이름. **2** 〖성서〗 하갈《Abraham 의 처(妻) Sarah의 시녀로, Abraham 의 아들 Ishmael 을 낳음; 창세기 XVI》.

hág bàg 《CB속어》 매춘부; 여성 부랑자.

hág·bèrry *n.* =HACKBERRY.

hág·bòrn *a.* 마녀에게서 태어난.

Hág·e·man fàctor [hǽgəmən-, héig-] 〖생리〗 하게만 인자, 제 12 인자《혈액 응고 인자의 하나; 부족하면 정맥혈 응고가 늦음》.

hág·fish *n.* 〖어류〗 먹장어.

Hag·ga·da(h) [həgɑ́ːdə] (*pl.* ***-dot(h)*** [-gɑːdɔ́ːθ]) *n.* 하가다《(1) 유대교 전승(傳承) 중 전설·민요·설교·주술·점성 따위로 율법적 성격이 없는 이야기. (2) seder의 축제(때에 외는 제문(祭文)). (3) 제전의 훈화적 해설(집)》. [파] **hag·gad·ic, Hag-** [həgǽdik, -gɑ́ː-] *a.* **hag·ga·dist** [həgɑ́ːdist] *n.* 하가다의 작자〔연구자〕. **hag·ga·dis·tic** [hæ̀gədístik] *a.*

Hag·gai [hǽgiài, hǽgai/hǽgeiài] *n.* 학개《히브리의 예언자》; 학개서《구약성서 중의 한 편》.

°**hag·gard** [hǽgərd] *a.* 야윈, 수척한, 초췌한; 말라빠진(gaunt); (눈매가) 사나운, 광포한; (사람이) 독살스러운 얼굴을 한; (매가) 길들지 않은, 야생의. **—** *n.* 길들지 않은 매. [파] **~·ly** *ad.* **~·ness** *n.* 「초췌한, 말라빠진.

hagged [hægd, hǽgid] *a.* 마녀 같은; 수척한,

hag·gis [hǽgis] *n.* 《Sc.》 양의 내장을 다져 오트밀 따위와 함께 그 위 속에 넣어서 삶은 요리.

hag·gish [hǽgiʃ] *a.* 마귀할멈 같은; 추악한. [파] **~·ly** *ad.* **~·ness** *n.*

hag·gle [hǽgəl] *vi.* (조건·값 등에 대해) 옥신

각신〔입씨름〕하다, 깃궂게 값을 깎다《*about; over; for*》; …와 논쟁하다《*with*》, …의 흠을 잡다《*over; about*》. **—** *vt.* 토막으로 자르다; (값을 깎아) …로 정하다; 《고어》 논쟁을 걸어 괴롭히다. **—** *n.* 값깎기; 말다툼, 입씨름. [파] **hág·gler** *n.*

hag·i·archy [hǽgiɑ̀ːrki, héidʒ-/hǽgi-] *n.* 성직(聖職) 정치, 교직 정치; 성인(聖人) 계급.

hag·i·o- [hǽgiou, -iə, héidʒi-/hǽgi-] '신성한(holy), 성인(聖人)(saint(s))'의 뜻의 결합사《모음 앞에서는 **hagi-**》.

hag·i·oc·ra·cy [hæ̀giɑ́krəsi, hèidʒ-/hæ̀giɔ́k-] *n.* [U] 성인(聖人) 정치〔지배〕.

Hag·i·og·ra·pha [hæ̀giɑ́grəfə, hèidʒ-/hæ̀gi-ɔ́g-] *n. pl.* (the ~) 구약성서의 제3부《유대인은 구약성서를 율법서·예언서·성문학의 3부로 분류했음》.

hag·i·og·ra·pher, -phist [hæ̀giɑ́grəfər, hèidʒ-/hæ̀giɔ́g-], [-fist] *n.* Hagiographa의 작자; 성인전(聖人傳) 작자.

hag·i·og·ra·phy [hæ̀giɑ́grəfi, hèidʒ-/hæ̀giɔ́g-] *n.* [U] 성인전(聖人傳) (연구); 성인 언행록; 주인공을 성인 취급〔이상화〕한 전기. [파] **hàg·io·grá·ph·ic, -i·cal** [-iəgrǽfik], [-ikəl] *a.*

hag·i·ol·a·try [hæ̀giɑ́lətri, hèidʒ-/hæ̀giɔ́l-] *n.* [U,C] 성인(聖人) 숭배.

hag·i·ol·o·gy [hæ̀giɑ́lədʒi, hèidʒ-/hæ̀giɔ́l-] *n.* [U,C] 성인(聖人)문학; 성인전 (연구); 성인록.

hag·i·o·scope [hǽgiəskòup, héidʒ-/hǽgi-] *n.* (제단을 볼 수 있도록) 교회당 벽에 낸 좁은 창문.

hág·rìdden *a.* 악몽에 시달린, 가위눌린.

hág·rìde *vt.* (악몽·걱정으로) 시달리게 하다, 몹시 괴롭히다, 달라붙어 고통을 주다.

hág·sèed *n.* 마녀의 자식, 마녀가 낳은 것.

Hague [heig] *n.* (The ~) 헤이그《네덜란드의 행정상의 수도》. ★ The 는 글 중에서도 대문자.

Hágue Cóurt (the ~) 헤이그 재판소《(1) Permanent Court of International Justice의 통칭. (2) International Court of Justice의 통칭》.

Hágue Tribúnal (the ~) 헤이그 중재 재판소《Permanent Court of Arbitration의 통칭》.

hah [hɑː] *int.* =HA. [imit.]

ha-ha[1], **ha·ha** [hɑ̀ːhɑ́ː, ⌐⌐/⌐⌐] *int.* 하하《즐거움·비웃음을 나타냄》. **—** *n.* 웃음소리; 《구어》 농담, 재미있는 것.

ha-ha[2] [hɑ́ːhɑ̀ː] *n.* 은장(隱墻)《전망을 방해하지 않기 위해 도랑 속에 만든 담》.

hahn·i·um [hɑ́ːniəm] *n.* 〖화학〗 하늄, 더브늄《인공 방사성 원소; 기호 Ha; 번호 105》.

Hai·fa [háifə] *n.* 하이파《이스라엘 북서부의 항구 도시》.

Haight-Ash·bury [héitǽʃberi, -bəri] *n.* 헤이트애시베리《San Francisco의 한 구; 1960년대에 히피가 많이 살았음》.

haik, haick [haik, heik] *n.* 《Ar.》 (아라비아 사람이 머리로부터 들써서 몸 전체를 가리는) 직사각형의 흰 천.

***hail**[1] [heil] *n.* **1** [U] 싸락눈, 우박. **2** (흔히 a ~) (우박처럼) 쏟아지는 것: a ~ of bullets 빗발치듯 쏟아지는 총알. **3** 《미》 어획량(hailing). **—** *vi.* **1** 〖it을 주어로 하여〗 우박〔싸락눈〕이 내리다. **2** (화살·총알이) 비오듯 하다《*down*》. **—** *vt.* 《+[목]+[전]+[명]》 (강타·욕설을) 퍼붓다《*on, upon*》: He ~*ed* blows *on* me. 그는 내게 주먹 세례를 퍼부었다.

hail**[2] *vt.* **1** …을 큰 소리로 부르다; (택시 따위를) 부르다. **2** 환호하여 맞이하다(welcome), …에게 인사하다(greet), 축하하다(congratulate). **3** 《+[목]+(*as*)[보]》 …이라고 부르다, …이라고 부르며 맞이하다: ~ her (*as*) queen 그녀를 여왕이라고 부르며 맞아들이다. **4** 《비유》 환영하다: ~ the recent advances in medicine 의약의 최근의 진보를 찬양하다. **—** *vi.* 《[전]+[명]》 (사람·배를) 소리쳐 부르다; 소리 지르다: ~ *to* her from across the street 길 건너에서 그녀를 소리쳐 부르다. ~ ***a ship 배 위 사람을 부르다. ~ ***from ...*** (배가) …에서 오다; (사람이) …의 출신이다. **—** *n.* **1** 부르는 소리(shout), 큰 소리로 부름. **2** 인사(salutation); 환영; 환호(cheer). ***out of*** 〔***within***〕 ~ 소리가 미치지 않는〔미치는〕 곳에. **—** *int.* 《문어》 어서 오십쇼, 안녕, 만세.

Háil Colúmbia 1 미국 국가《1798년 Joseph Hopkinson 작》. **2** (때로 h- c-) 《미고속어》 질책, 심한 꾸중; 격파; 대소동. **3** 〖감탄사적〗 젠장, 우라질(hell의 완곡어).

háil·er *n.* 환호하는 사람; 휴대용 강력 확성기, 핸드스피커. [◂loud-hailer]

háil-féllow(-wéll-mét) *n.* 친구. **—** [⌐-(⌐)] *a.* 친한, 다정한 (사이의)《*with*》.

háil·ing dìstance 목소리가 닿는 거리; 가까운 거리.

Háil Máry =AVE MARIA.

háil·stòne *n.* 싸락눈, 우박.

háil·stòrm *n.* 어지러이 쏟아지는 우박, 우박을 동반한 폭풍; 우박처럼 쏟아져 내리는〔날아오는〕 것《탄환·욕설 따위》.

haily [héili] *a.* 우박 같은, 우박이 섞인.

haim·ish [héimiʃ] *a.* 《미속어》=HEIMISH.

hain't [heint] 《방언》 have 〔has〕 not 의 간약형.

Hai·phong [hàifɑ́ŋ/-fɔ́ŋ] *n.* 하이퐁《베트남 북부 홍(Hong)강 하류 지역의 삼각주에 위치한 항구 도시》.

†**hair** [hɛər] *n.* **1** [U] 〖집합적〗 털, 머리카락, 머리털, 모발; 몸의 털; [C] 한 오라기의 털: dress one's ~ 조발(調髮)하다 / a clot of ~ 빠진 털의 엉킨 뭉치 / three white ~*s* 흰 머리털 세 개. ★ 머리털 전체를 가리킬 때에는 보통 불가산적이므로 단수 취급하고 낱낱의 털은 가산적임. **2** [U] 모직물《낙타·알파카 따위의 털로 짠》. **3** 털 모양의 것; 털 모양의 철사; (시계 따위의) 유사; (잎·줄기 따위의) 털. **4** (a ~) 털끝만한 양(量)〔차이, 거리〕, 약간: be not worth a ~ 한 푼의 가치도 없다 / lose a race by a ~ 근소한 차로 경주에 지다. **5** 《폐어》 성질, 특질. **6** 《해커속어》 복잡함, 어려움.

against the ~ 성질에 반하여, 억지로, 마지못하여; 순리에 어긋나게. ***a*** 〔***the***〕 ~ ***of the*** (***same***) ***dog*** (***that bit*** one) 독을 제하는 독; 《구어》 (숙취를 푸는) 해장술. ***blow*** a person***'s hair*** 《미속어》 (아무를) 겁나게 하다, 오싹하게 하다, 소름 끼치게 하다. ***both of a*** ~ 우열이 없음, 같은 정도. ***by*** (***the turn of***) ***a*** ~ 간신히, 겨우, 아슬아슬하게. ***comb*** 〔***rub, smooth***〕 a person***'s*** ~ ***for*** him 아무를 몹시 꾸짖다, 호되게 책망하다. ***curl*** a person***'s*** ~ =make a person's ~ stand on end. ***do*** one***'s*** ~ 머리 치장을 하다. ***get*** 〔***have***〕 a person ***by the short*** ~***s*** 《구어》 아무를 완전히 설복〔지배〕하다. ***get gray*** ~ 머리가 세다; 《구어》 걱정하다, 마음고생으로 늙다. ***get in*** 〔***into***〕 a person***'s*** ~ 《구어》 아무를 괴롭히다 〔방해하다〕. ***give*** a person ***gray*** ~ 《구어》 아무를 걱정시키다. ***gray*** ~***s*** 《고어》 늙은이. ***have*** ~ 《미속어》 용기가 있다, (성적) 매력이 있다: He's *got* a lot of ~. 그는 대단한 용기가〔성적 매력이〕 있다. ***keep*** one***'s*** ~ ***on*** 《속어》 태연하다. ***let*** one***'s*** (***back***) ~ ***down*** 《구어》 스스럼을〔경계심을〕 풀다, 편안하게 쉬다〔지내다〕; 속을 털어놓다. ***lose*** one***'s*** ~ 머리가 벗어지다; 울화통을 터뜨리다. ***make*** a person***'s*** ~ ***stand on end*** =***make*** a person***'s*** ~ ***curl*** 머리를 쭈뼛하게 하다, 등골이 오싹하게 하다. ***not harm a*** ~ ***of*** a person*'s head* 아무에게 절대로 상처를 입히지 않다, 아무에게 항상 친절〔다정〕하게 대하다. ***not turn a*** ~ (말이) 땀도 안 흘리다; 태연하다; 피로의 기색도 안 보이다. ***not worth a*** ~ 한 푼의 값어치도 없는. ***out of*** a person*'s* ~ 아무에게 폐를 끼치지 않고. ***put ~s on*** a person*'s **chest*** 《구어·우스개》 (술을 마셔) 기운을 돋우다. ***put*** 〔***turn***〕 ***up*** one*'s* ~ 머리를 얹다; 소녀가 어른이 되다. ***smooth*** a person*'s* ~ ***the wrong way*** 아무를 성나게 하다. ***split ~s*** 《경멸》 쓸데없이 세세한 구별을 하다, 사소한 것에 구애되다 (⇨ HAIRSPLITTING). ***take ~ off the dog*** 《미속어》 경험을 쌓다《카우보이의 말에서》. ***tear*** one*'s* ~ (***out***) 머리털을 쥐어뜯다; 몹시 분해〔슬퍼〕하다. ***to*** (***the turn of***) ***a*** ~ 조금도 틀리지 않고, 정밀하게. ***wear*** one*'s **own*** ~ (가발이 아니고) 제머리다. ***within a ~ of*** 《구어》 하마터면 …할 뻔한. ***without moving*** 〔***turning***〕 ***a*** ~ 《속어》 냉정〔침착〕하게, 까딱도 않고. 「경찰관.

háir bàg 모발을 넣어 두는 백; 《미속어》 베테랑

háir·bàll *n.* 모구(毛球)《소 따위가 삼킨 털이 위 속에서 엉긴 덩어리》.

háir·brèadth *n.* 털끝만한 폭〔간격〕(hair's-breadth). ***by a*** ~ 위기일발로. ***to a*** ~ 조금도 어김〔틀림〕없이. ***within a*** ~ 하마터면, 자칫했더라면. **—***a.* 털끝만한 틈의, 위기일발의, 간발의, 아슬아슬한, 구사일생의: have a ~ escape 간신히 피하다, 구사일생으로 살아나다.

***hair·brush** [hέərbrʌ̀ʃ] *n.* 머리솔.

háir cèll 〖동물·해부〗 유모(有毛)세포《특히 달팽이관(Corti) 따위에 있는 청각 세포》.

háir·clìp *n.* 《영》 머리핀.

háir·clòth *n.* (특히 말·낙타 털로 짠) 모직 천, 마미단(馬尾緞).

háir·còloring *n.* 머리 염색약.

háir cùrler 《미구어》 오싹하게 하는 것〔일〕, 모골이 송연해짐. 「오싹하는.

háir·cùrling *a.* 머리털이 쭈뼛해지는, 등골이

***hair·cut** [hέərkʌ̀t] *n.* 이발; (여자 머리의) 커트; 머리형, 헤어스타일: get 〔have〕 a ~ 이발하다; 《미흑인속어》 여자에게 속다. ㊕ **-cùtter** *n.* **-cùtting** *n.*

háircut pálace 《CB속어》 천장과의 여유(clearance)가 낮은 육교.

háir·dò (*pl.* ***-dos***) *n.* (여자의) 머리 치장법, 머리형; 결발(結髮).

***hair·dress·er** [hέərdrèsər] *n.* 미용사; 미용원, 미장원; 《영》 이발사, 조발사.

háir·drèssing *n.* Ⓤ 조발, 이발, 결발(結髮): a ~ saloon 이발소, 미장원.

háir drìer 〔**drỳer**〕 헤어드라이어.

háir·dỳe *n.* 머리 염색제.

haired *a.* 털이 있는; 〖복합어〗 머리카락〔털〕이 …한: fair-~ 금발의.

háir fòllicle 〖해부〗 (모발의) 모포(毛包); 〖동물〗 모낭, 모혈(毛穴). 「대잔디 따위》.

háir gràss 줄기가〔잎이〕 가는 풀《볏과의 우산

háir grìp 《영》 =BOBBY PIN.

háir hygròmeter 〖물리〗 모발 습도계.

háir implànt 인공 식모(植毛)《인공 모발을 두피에 심는 일》.

hair·i·ness [hέərinis] *n.* Ⓤ 털이 많음.

háir·làce *n.* Ⓤ (여성용) 머리끈.

háir·less *a.* 털〔머리털〕이 없는. ㊕ **~·ness** *n.*

háir·lìke *a.* (머리)털 같은, 가느다란.

háir·lìne *n.* **1** 털의 결; (이마의) 머리털이 난 금, 머리선. **2** (서화 등에서) 매우 가는 선; (망원경 등의) 조준선; (마른 도료·도자기·유리 등의) 가는 금. **3** 타락줄, 말총의 낚싯줄. **4** 〖인쇄〗 가는 괘; 선이 가는 활자체. **5** 헤어라인《가는 줄무늬의 천》. **6** 작은 차. ***to a*** ~ 정밀〔정확〕하게. **—***a.* 가는; 근소한 차의; 정확한, 딱 맞는.

háir nèt 헤어네트. ***win the porcelain*** ~ 안 해도 될 일을 훌륭히 하다, 필요없는 일을 해주다.

hair·ol·o·gist [hɛərálədʒist/-ɔ́l-] *n.* 모발학자, 모발 전문가〔치료가〕.

háir pèncil (수채화용) 붓, 화필.

háir pìe 《비어》 음문(陰門), 질.

háir·pìece *n.* =TOUPEE.

háir·pìn *n.* **1** (U 자형의 가는) 머리핀; U 자 모양의 것, 《특히》 U 자형의 급커브(=~ **cúrve**). **2** 《속어》 사람(a person), 말라깽이; 《미속어》 여자, 주부; 《미속어》 이상한 사람, 괴짜. **—***a.* (도로 따위가) U 자 모양의: a ~ turn 〔bend〕, U 자형 커브.

háir pòwder 머리 분.

háir-ràiser *n.* 《구어》 끔찍한 사건〔이야기, 경험〕. 「이 쭈뼛해지는.

háir-ràising *a.* 《구어》 소름이 끼치는, 머리끝

háir restòrer 양모제, 생모제.

háirs·brèadth, háir's-brèadth *n., a.* =HAIRBREADTH.

háir sèal 〖동물〗 강치, 바다표범.

háir shírt (고행자가 걸치는) 거친 모직 셔츠; 응징하는 사람〔것〕; 《속어》 열심히 일하는 사람, 일 잘하는 사람.

háir slìde 《영》 =BARRETTE. 「공목(空木)).

háir spàce 〖인쇄〗 낱말 사이의 최소 간격(의

háir·splìtting *a.* 사소한〔하찮은〕 일을 따지는, 사소한 일에 까다로운. **—***n.* Ⓤ 사소한 일에 구애됨〔신경을 씀〕. ㊕ **háir·splitter** *n.* 사소한 일에 까다로운 사람.

háir sprày 헤어스프레이. 「**sprìng**).

háir·sprìng *n.* (시계의) 유사(遊絲)(=**bálance**

háir·strèak *n.* 〖곤충〗 부전나비.

háir stròke (글자나 그림의) 가는 선(線); 〖인쇄〗 (글자의) 가는 수염 장식.

háir·stỳle *n.* (개인의) 머리 스타일.

háir·stỳlist *n.* =HAIRDRESSER《특히 새 스타일을 연구하는》. ㊕ **-stỳling** *n.*

háir trànsplant 모발 이식.

háir trìgger (총의) 촉발 방아쇠; 민감한 반응.

háir-trìgger *a.* 반응이 빠른, 민감한; 즉각의, 민첩한; 무너지기 쉬운, 위험한, 촉발적인: ~ temper 곧 불끈하는 성질.

háir·wàsh *n.* 머리 염색액, 세발액(洗髮液).

háir·wèaving *n.* (머리가 벗어진 부분에) 다리를 덧넣거나 부분 가발을 씌우기.

háir·wòrm *n.* 〖동물〗 모상선충(毛狀線蟲)《포유류·조류의 소화관(管)에 기생》.

°**hairy** [hέəri] (***hair·i·er; -i·est***) *a.* **1** 털 많은, 털투성이의. **2** 털의〔같은〕; 텁수룩한; 울퉁불퉁한, 험한. **3** 《구어》 곤란한, 위험이 많은, 무서운; 《속어》 조야(粗野)한, 거친; 《속어》 섬뜩한, 몹시 싫은〔기분 나쁜〕; 가난한; 비천한; 《구어》 낡아 빠진. **4** 《해커속어》 이해하기 어려운; 불가해한; (사람이) 매우 유능한, 솜씨 있는. ***feel*** ~ 성적으로 흥분되다〔되어 있다〕. ~ ***at*** 〔***about, in, round***〕 ***the heel***(***s***) 〔***fetlocks***〕 《속어》 버릇없이 자란, 막돼먹은. **—***n.* ~한 사람〔것〕, 《특히》 다리에 털이 더부룩하게 난 짐 끄는 말; 《속어》 장발인 사람; 《미속어·우스개》 용기가 대단한 사람.

háiry cèll leukémia 〖의학〗 헤어리 세포 백혈병; 모양(毛樣) 세포성(性) 백혈병.

háiry-chèsted [-id] *a.* 《속어》 몹시 사내티를 내는; 공연히 남자임을 뽐내는.

háiry·dìck *n.* 《미》 낙인이 안 찍힌 송아지.

háiry góat 《Austral.구어》 성적이 나쁜 경주말.

háiry-héeled *a.* 《속어》 버릇〔교양〕 없는.

háiry vétch 〖식물〗 헤어리 베치《잠두속의 일종; 목초용》.

Hai·ti [héiti] *n.* 아이티 섬; 아이티《서인도 제도(諸島)에 있는 공화국; 수도 Port-au-Prince》.
Hai·tian [héiʃən, -tiən] *a.* Haiti (사람)의. **—** *n.* Haiti 사람; Ⓤ Haiti 말.
Háitian Créole 아이티 말, 아이티 크리올《프랑스 말을 모체로 갖가지 서아프리카 말이 뒤섞여 성립됨》. 「참배.
haj(j), hadj [hædʒ] *n.* 〖이슬람〗 메카(Mecca)
haj(j)i, hadji [hǽdʒi] *n.* 《Ar.》 Mecca 순례를 마친 이슬람교도(의 칭호); 예루살렘 성지 참배를 마친 근동의 기독교도. 「리는) 나무시렁.
hake[1]**, haik** [heik] *n.* (치즈·벽돌 따위를 말
hake[2] (*pl.* **~s,** 〔집합적〕 **~**) *n.* 〖어류〗 대구류.
Ha·ken·kreuz [há:kənkrɔ̀its] *n.* 《G.》 갈고리 십자(장(章))《나치스의 문장(紋章): 卐》.
ha·kim[1]**, ha·keem** [hɑkí:m] *n.* (인도·회교국의) 의사, 학자, 현인. 「지사, 판사.
ha·kim[2] [há:ki:m] *n.* (옛날 이슬람권의) 태수,
Hak·ka [há:kə] *n., a.* 하카 말《중국 동남부, 특히 광동(廣東)의 방언》(의); 하카 말을 하는 사람(의). 「애칭》.
Hal [hæl] *n.* 핼《남자 이름; Henry, Harold의
Hal. 〖화학〗 halogen.
hal- [hæl], **hal·o-** [hǽlou, -lə] '할로겐의〔을 가진〕, 염(塩)의' 란 뜻의 결합사.
Ha·laf·i·an [həlá:fiən] *n., a.* 〖고고학〗 할라프 문화(기)(의)《이라크 북부로부터 시리아·터키 국경 일대의 메소포타미아를 중심으로 한 문화로, 다색 채문(彩紋)토기가 특징》.
Ha·la·kah, -chah [hɑ:lɔ́:xə] (*pl.* **~s**) *n.* 유대교 율법의 총칭. ㊞ **ha·lak·ic, Ha-** [həlá:xik, -lǽkik] *a.*
ha·la·k(h)ist, -chist [há:ləkist, həlá:-, həlǽk-] *n.* 유대교의 율법〔할라카〕의 집필자〔편자〕의 한 사람; 할라카의 권위자〔전문가〕.
ha·la·la, -lah [həlá:lə] (*pl.* **~, -las**) *n.* 할랄라《사우디아라비아의 화폐 단위; 1/100 riyal》.
ha·la·tion [heiléiʃən, hæ-/hə-] *n.* Ⓤ 〖사진〗 헐레이션《필름에 반사되어 생기는 강한 빛의 얼룩》.
hal·berd, -bert [hǽlbərd, hɔ́:l-], [-bərt] *n.* 〖역사〗 도끼창(槍)《창과 도끼를 겸한 무기》. ㊞ **hal·berd·ier** [hæ̀lbərdíər] *n.* 〖역사〗 창부병(槍斧兵).

halberd

hal·cy·on [hǽlsiən] *n.* **1** 〖그리스신화〗 할키온《동지 무렵 바다에 둥지를 띄워 알을 까며 파도를 가라앉히는 마력을 가졌다고 믿음》. **2** 〖조류〗 《시어》 물총새(kingfisher). **—** *a.* 물총새의〔같은〕; 고요한, 평화로운, 행복한, 화려한, 번영의: a ~ era 황금시대.
hálcyon dáys 동지 전후의 고요한 14 일간; (이전의) 평온하고 행복한 시대.
Hál·dane prínciple [hɔ́:ldein-] 홀데인 원칙《정부의 연구 기관은 관련 관청에서 완전히 분리·독립해야 한다는 원칙》. [J.B.S. *Haldane*]
hale[1] [heil] *a.* 강건한, 꿋꿋한, 정정한《주로 노인을 말함》. ~ ***and hearty*** (늙었지만) 원기왕성한, 정정한, 근력이 좋은.
hale[2] *vt.* 거칠게 잡아끌다, 끌어당기다; 끌고 오다〔가다〕, 끌어내다.
hále·ness *n.* Ⓤ 강건함, 정정함.
ha·ler [há:lər] (*pl.* **~s, ha·le·ru** [há:ləru:]) *n.* 할레슈《체코의 화폐 단위; 1/100 koruna》; 헬러(heller) 《중세 독일의 동전》.
Hále télescope 헤일 망원경《Palomar 산 천문대의 200 인치 반사 망원경》. [◂George Ellery *Hale*(1868-1938) 미국 천문학자]
†**half** [hæf, hɑ:f / hɑ:f] (*pl.* ***halves*** [hævz, hɑ:vz/hɑ:vz]) *n.* **1** 반; 절반: ~ (of) an inch 반 인치《phrase 안에서는 대개 of를 생략함》/ one ~, 2 분의 1 / two hours and a ~ =two and a ~ hours 두 시간 반. **2** (*pl.* **~s, *halves***) 반 파인트〔마일〕; 《구어》 50 센트 (은화); 《영》 반학년(semester), 1 학기《한 학년 2 개 학기 제도에서》; 반공일: the winter ~ (2 학기 제도의) 겨울 학기. **3** (*pl.* **~s, *halves***) 〖골프〗 동점, 하프; 《구어》 〖축구〗 =HALFBACK; (축구 따위에서) 그라운드의 절반; (경기의) 전반, 후반; 〖야구〗 …초, …말: first 〔second〕 ~ of the seventh inning, 7 회 초〔말〕. **4** (신발 따위와 같은 한 쌍으로 된 것의) 한쪽; =PARTNER (ⓒⓕ better half); (소송의) 한쪽 당사자(party).
... and a ~ 《구어》 특별한, 훌륭한: a job *and a* ~ 대단히 큰〔중요한, 어려운〕 일 / It was a game *and a* ~. 훌륭한 경기였다. ***be not the ~ of*** (이야기 따위가) 여기서 그치는 것이 아니다, 아직 더 남아 있다: That's *not the* ~ *of* the story. ***by ~*** 반쯤; 반만큼; 〔반어적〕 《too… 를 수반하여》 (아무를 불쾌하게 할 정도로) 너무 …한, 너무나, 매우: You're *too* clever *by* ~. 자넨 너무 영리하군그래. ***by halves*** 절반만, 불완전하게: do things *by halves* 일을 아무렇게나 하다, 정성을 안 들이다. ***cry halves*** 절반의 몫을 요구하다. ***cut in ~*** =***cut into halves*** 반으로 쪼개다. ***go halves*** (***with*** a person ***in*** 〔***on***〕 a thing) (아무와 물건을) 절반씩 나누다; (아무와 물건의 비용을) 평등하게 부담하다. ~ ***for fun*** 재미삼아. ***how the other ~ lives*** (자기와 계층이 다른) 여느 사람들(《특히》 부자들)의 생활상《을 엿보다 따위》. ***not by ~*** 거의 …않다. ***on halves*** 《미》 이익의 반을 받기로 하고《빌려 주다》; 반씩 내어《빌리다》. ***say ~ to oneself*** 누구에게랄 것 없이 말하다. one***'s better ~*** 《우스개》 아내. one***'s worse ~*** 《우스개》 남편. ***the ~ of it*** 《구어》 〔부정문에서〕 극히 일부, (일부이지만) 보다 중요한 부분: You don't know *the* ~ *of it*. 너는 그것을 반도 모르고 있다《'알고 있는 것은 극히 일부에 지나지 않는다'는 뜻》. ***the other ~*** (가난뱅이가 보아) 부자, (부자의 입장에서) 가난뱅이. ***to the halves*** 절반까지; 불충분하게; 《미》 (이익을) 반씩 나누어.
— *a.* **1** 절반의, 2 분의 1 의: a ~ share 절반의 몫 / a ~ hour 반 시간. ★ 'half a 〔an〕+명사' 가 보통이며 'a half+명사' 는 딱딱한 표현. **2** 일부분의; 중동무이의, 불완전한(imperfect): a ~ conviction 불확실한 확신.
— *ad.* **1** 절반, 반쯤: ~ past two 두 시 반. **2** 불완전하게, 어중간하게, 적당히, 되는대로: ~ cooked 반쯤〔설〕 익힌. **3** 얼마쯤, 어느 정도; 거의, 몹시. ***be ~ inclined to*** do …해도 나쁘지 않다는〔…해볼까 하는〕 생각이다. ~ ***as many*** 〔***much***〕 ***again as*** …의 1 배 반. ~ ***as many*** 〔***much***〕 ***as*** …의 절반. ~ ***wish*** …해보고 싶은 생각도 든다〔싶기도 하다〕. ***not ~*** ① 《구어》 조금도 …하지 않다: *not* ~ bad 조금도 나쁘지 않다, 매우 좋다. ② 《속어》 몹시: Do you like beer? — *Not* ~ *!* 맥주를 좋아해 — 좋아하고말고 / She did*n't* ~ scream. 하여간 굉장한 비명을 질렀다《큰 소동이었다》. ***not ~ so*** 〔***as, such***〕 (***... as***) …의 절반도〔…만큼〕 …아니다: I do*n't* get ~ *as* much pay *as* he. 그의 급료의 절반도 못 받는다. ***see with ~ an eye*** 슬쩍 보기만 해도 알 수 있다.
hálf a búck 《속어》 반(半) 달러, 50 센트.
hálf-a-crówn, hálf a crówn *n.* =HALF

CROWN.
háIf àdder 〖컴퓨터〗 반(半)덧셈기, 반가산기.
hálf-a-dóllar *n.* **1** =HALF-DOLLAR. **2** 《영속어》 =HALF CROWN.
hálf-a-dózen, hálf a dózen *n.*, *a.* =HALF-DOZEN.
hálf-and-hálf [-ənd-] *a.* **1** 반반의, 등분의. **2** 이도저도 아닌, 얼치기의. **—** *ad.* 등분하게, 같은 양으로. **—** *n.* **1** 반반씩 섞은 것; 얼치기 물건; 《미》 우유와 크림을 혼합한 음료; 《영》 흑맥주와 에일의 혼합주. **2** (흑백의) 혼혈아.
hálf-ássed [-t] *a.* 《비어》 저능한, 바보인, 팔불출의; 능률이 나쁜, 엉터리의.
hálf·bàck *n.* (축구 따위의) 하프백, 중위(中衛)《forward의 후방》.
hálf-báked [-t] *a.* **1** 설구운, 반 구운. **2** 미완성의, 불완전한: a ~ theory. **3** 미숙한, 무경험의; 《구어》 머리가 모자라는, 저능한, 상궤를 벗어난.
hálf-ball stróke 〖당구〗 공의 중앙을 쳐서 표적 공의 가장자리에 맞히기.
hálf báth 욕조에 온수를 반 정도 넣고 하는 목욕, 하반신욕; 샤워, 세면시설, 변기만 있는 화장실.
hálf·bèak *n.* 〖어류〗 공미리《공미릿과(科) 바닷물고기의 총칭》.
hálf bìnding 〖제본〗 반 가죽 장정(half leather)《등과 모만 가죽》.
hálf blòod **1** 배〔아비〕 다른 형제〔자매〕(관계). **2** 튀기, 혼혈아(half-breed); 〖목축〗 =GRADE; 잡종의 동물. 「혈의, 잡종의.
hálf-blòod(ed) [-(id)] *a.* 배〔아비〕다른; 혼
hálf-blùe *n.* (Oxford 또는 Cambridge 대학의 운동부에서) 2 군〔보결〕 선수 또는 가벼운 스포츠의 선수(에게 주어지는 청장(靑章)), 하프블루.
hálf bóard 〖해사〗 범선의 조선법(操船法)의 하나; 《영》 =DEMI-PENSION.
hálf-bóiled *a.* 반숙의, 설익힌. ㊎ hard-boiled.
hálf bòot 반장화, 편상화.
hálf-bòund *a.* 반 가죽 장정의.
hálf-bréadth plàn 〖조선〗 반폭선도(半幅線圖)《선체의 좌우 어느 한쪽의 수평 단면도》. ㊎ body plan, sheer plan. 「없는.
hálf-brèd *a.* **1** 잡종의. **2** 본데〔예절〕없는, 버릇
hálf-brèed *n.* 혼혈아, 잡종; 《미》 북아메리카 원주민과 백인과의 혼혈아. **—** *a.* 혼혈의; 잡종의.
hálf bròther 배다른〔의붓〕 형제.
hálf búck 《속어》 =HALF-DOLLAR.
hálf cádence 〖음악〗 반마침.
hálf cálf 〖제본〗 반 송아지 가죽 장정의.
hálf-cánned *a.* 얼근히〔거나하게〕 취한.
hálf-càste *n.*, *a.* 혼혈아(의)《특히 백인과 힌두교도 또는 회교도와의》.
hálf clóse =HALF CADENCE.
hálf cóck (총의) 반 안전 장치. ***go off at*** ~ (총이) 빨리 격발하다; 《비유》 빨라지다; (계획 등이) 준비 불충분한 가운데 시작하다; 논의를 중도에 끊고 시작하다; (계획이) 유산되다; 화내다.
hálf-cóck *vt.* (총)에 반 안전장치를 하다.
hálf-cócked [-t] *a.* 반 안전장치를 한; 준비 부족의; 미완성의; 우둔한. 「《미구어》 미숙한.
hálf-cóoked [-t] *a.* 설익은〔구운〕, 반쯤 익은;
hálf-córned *a.* 《미속어》 몹시 취한; 거나한.
hálf-cóurt *n.* 〖스포츠〗 하프코트《(1) 배구 경기 따위에서 코트를 절반으로 가르는 선. (2) 갈라진 절반의 코트》.
hálf crówn, hálf-crówn *n.* 《영》 2실링 6펜스 은화《1946년 이후 백동화; 1971년에 폐지》; 그 금액(half-a-crown).
hálf-cút *a.* 《속어》 꽤〔어지간히〕 취한.
hàlf-dáy *n.* HALF-HOLIDAY.
hálf-déad *a.* 반 죽은, 빈사의; 아주 지친.
hálf dèck (배의 일부나 반쪽에 마련한) 반(半)갑판.
hálf dìme 《미》 (옛날의) 5센트 은화.
hálf-dóllar *n.* 《미·Can.》 반 달러 경화〔은화〕 (four bits); 그 금액; 《속어》 =HALF CROWN.
hálf-dóne *a.* 하다 만, 미완성의, 불완전한; 설익은, 설구운, 반숙의.
hálf-dózen *n.*, *a.* 반 다스(의), 여섯 개(의).
hálf dúplex 〖통신〗 반(半)이중《서로 통신은 가능하나, 동시에는 한 방향밖에 통신할 수 없는 전송 방식; 생략: HDX》. ㊎ full duplex.
hálf éagle (옛날 미국의) 5달러 금화.
hálf-évergreen *a.* (식물이) 반 상록인〔의〕.
hálf-fáce *n.* 옆얼굴, 반면; 〖군사〗 반우향〔좌향〕. **—** *a.*, *ad.* 옆얼굴〔반면〕의〔으로〕, 옆을 향한〔향하여〕.
hálf-fáced [-t] *a.* **1** 옆얼굴의, 옆을 향한, 반면의; 세 쪽은 막히고 한 쪽만 열린. **2** 불완전한, 중동무이의, 하다 만. 「반 크기》.
hálf fráme 하프 사이즈의 사진《35mm 판의 절
hálf-fráme *a.* 하프 사이즈 사진의.
hálf gàiner 〖다이빙〗 하프 게이너《앞으로 뛰어 거꾸로 돌아 입수(入水)하기》. ㊎ gainer.
hálf-hárdy *a.* 〖원예〗 반내한성의《식물이 겨울철에 얼지 않도록 하는 장치가 필요》.
hálf·héarted [-id] *a.* 마음이 내키지 않는, 할 마음이〔열의가〕 없는, 냉담한. ㊕ **~·ly** *ad.* 내키지 않는 마음으로, 마지못해, 열의 없이, 건성으로. **~·ness** *n.*
hálf hítch (밧줄의) 반결삭(半結索).
hálf-hóliday *n.* 반 휴일, 반공일(半空日).
hálf hóse 〖복수취급〗 (남자용) 양말(socks)《무릎까지 오는》.
hálf hóur 반 시간, 30분(간); (매시의) 30분의 시점: (every hour) on the ~ 매시 30분에.
hálf-hóurly *a.*, *ad.* half hour(마다)의〔에〕.
hálf hùnter (예전에 사냥할 때 쓰였던) 유리 보호용 케이스가 있는 회중시계. 「(pinch).
hálf-ìnch *vt.* 《운율속어》 훔치다, 날치기하다
hálf-ìnteger *n.* 〖수학〗 반정수(半整數)《기수의 1/2》. ㊕ **hálf-ìntegral** *n.*, *a.* 기수의 반분(의).
hálf lànding 《영》 (계단 도중의 구부러진 곳의) 층계참. 「이음.
hálf làp (레일·축 따위) 겹친이음; 〖건축〗 엇턱
hálf lèather 〖제본〗 =HALF BINDING.
hálf-lèngth *n.* 절반 길이의 것, 《특히》 반신상(像), 반신 초상화. **—** *a.* 절반 길이의, 반신(상)의; 상반신의.
hálf lìfe, hálf-lìfe (pèriod) 〖물리〗 반감기(半減期)《방사성 물질의 원자의 반수가 붕괴하는 데 필요한 시간》; 《구어》 쇠퇴하기 전의 번영기.
hálf-lìght *n.* 어스름; (미술품의) 어슴푸레한 부분. **—** *a.* 어슴푸레한.
hálf lìne 〖수학〗 반직선.
half·ling [hǽfliŋ, há:f-/há:f-] 《주로 Sc.》 *n.* **1** 반 페니. **2** 소년. **—** *a.* 미숙한, 미성년의.
hálf-lóng *a.* 〖음성〗 (음이) 반 장음의《보통 [·]으로 나타냄》.
hálf-mást *n.*, *ad.* (조의(弔意) 또는 조난을 표시하는) 반기(半旗)의 위치(로); 《속어》 (음경의) 불완전한 발기: a flag at ~ 반기, 조기. **(*at*)** ~ 《우스개》 (바지가) 짧아서 복사뼈가 나와. **~ *high*** 반기의 위치에. **—** *a.* 반기(위치)의. **—** *vt.* 반기를 달다. 「협적인 대응.
hálf mèasure (종종 *pl.*) 미봉책, 임시변통, 타
hálf-mínded [-id] *a.* 마음 내키지 않는.
hálf-móon *n.* 반달; 반달 모양(의 것); 속손톱; 〖축성(築城)〗 반월보(半月堡).
hálf mòurning 반상복(半喪服)(을 입는 기간).
hálf nélson 〖레슬링〗 목 누르기: get a ~ on 《비유》 …을 완전히 누르다.
hálf·ness *n.* Ⓤ 절반임; 불완전, 얼치기.

hálf nòte 《미》 【음악】 2 분음표.
hálf-óne *n.* 【골프】 반수 감점.
hálf-órphan *n.* 한쪽 부모만 있는 아이.
hálf·pàce *n.* 【건축】 단(壇), 상단(上段); 층계참.
hálf páy 반급(半給); 《영》 (육·해군 장교의) 휴직급(休職給).
hálf-páy *a.* 반급을 타는, 휴직의.
°**half·pen·ny** [héipəni] (*pl.* **-pence** [héipəns], **-pen·nies** [héipəniz]) *n.* 《영》 **1** (*pl.* **-pen·nies**) 반 페니 동전; (*pl.*) 《구어》 잔돈, 동전: three *halfpennies* 반 페니 동전 세 닢. **2** (*pl.* **-pence**) 반 페니(의 가격): three *halfpence*, 1 페니 반 《생략: 1 $^1/_2$ d.》. ***like a bad*** ~ 끈덕지게, 치근치근하게: turn up again *like a bad* ~ 《영》 필요도 없을 때 자꾸 나오다. ***not have two halfpennies to rub together*** 아주 가난하다. ***receive more kicks than halfpence*** ⇨ KICK[1]. ── *a.* 반 페니의; 싸구려의, 하찮은; 《영구어》 (신문이) 선정적인: ~ lick 《속어》 (거리의) 싸구려 아이스크림.
hálfpenny·wòrth *n.* **1** 반 페니어치(의 물건[분량]). **2** 극히 소량. ★ 종종 ha'p'orth [héipəθ]로 생략.
hálf pénsion plàn =MODIFIED AMERICAN PLAN.
hálf-píe *a.* 《Austral.속어 · N. Zeal. 속어》; 불완전한, 평범한.
hálf-pínt *n.* 반 파인트《1/4 quart; 건량(乾量) · 액량(液量)의 단위》; 《구어》 키 작은 사람 《특히 여자》, 꼬마; 《속어》 젊은이; 별 볼일 없는 사람. ── *a.* 반 파인트의; 《속어》 꼬마의.
hálf·pìpe *n.* 하프파이프《파이프를 반으로 자른 듯이 가늘고 긴 홈 모양의 사면으로, 스노보딩을 할 수 있는 스키장에 만들어져 있음》.
hálf plàne 【수학】 반 평면.
hálf-plàte *n.* 하프 사이즈의 건판[필름], 하프 사이즈의 사진《16.5×10.8 cm》.
hálf-prìce *a., ad.* 반액의[으로].
hálf-qúartern *n.* quartern loaf의 1/2 의 빵덩이.
hálf-ráter *n.* 경주용 소형 요트.
hálf-réad *a.* 대강 아는, 겉핥기로 배운.
hálf relíef 반부조(半浮彫) (mezzo-relievo).
hálf rèst 【음악】 2 분쉼표.
hálf-róund *a.* 반원(형)의. ── *n.* 반원; 【건축】 반원 몰딩, 반원 쇠시리; 【인쇄】 반원통 연판(鉛版).
hálf-sèas óver **1** 【해사】 항로 중간의; (일의) 중도의. **2** 《구어》 얼근히 취한.
hálf-sháre *n.* **1** 몫의 반. **2** 주식 수입의 반에 대한 권리.
hálf shèll 이매패(二枚貝) 조가비의 한 쪽: oyster on the ~.
hálf-shót *n.* 【골프】 하프 샷《하프스윙의 샷》. ── *a.* 《속어》 (술이) 얼근히 취한; 《미속어》 방탕한.
hálf sìlk 교직(交織).
hálf sìster 배다른[의붓] 자매.
hálf sìze 하프 사이즈《여자 옷에서 키에 비해 몸통이 큰 체형의 사이즈》; 【설계】 2 분의 1 축척.
hálf-slìp *n.* 하프 슬립《허리 아래쪽만 있는 슬립》.
hálf sòle (구두의) 앞창.
hálf-sòle *vt.* (구두에) 앞창을 대다.
hálf sóvereign 《영》 10 실링 금화《1916 년 이후 폐지》.
hálf-spàce *n.* 【수학】 반공간.
hálf-stáff *n.* 《미》 =HALF-MAST.
hálf stèp 《미》 【음악】 반음; 【군사】 반보《보통 걸음으로 15인치, 구보로 18인치》.
hálf stóry 【건축】 중 2 층(中二層).
hálf swíng 【스포츠】 하프 스윙《스윙 폭이 절반인 스윙》.
hálf-térm *n.* 《영》 (학기 중의) 며칠간의 휴가, 중간 휴가.
hálf the dístance 【미식축구】 어떤 벌퇴(罰退)도 그 시행의 지점에서 골라인까지 거리의 반을 넘지 않는다는 규정.
hálf-thìckness *n.* 【물리】 =HALF-VALUE LAYER.
hálf tíde 반조(半潮)《만조와 간조와의 중간》.
hálf-tímber(ed) *a.* 【건축】 뼈대를 목조로 한.

half-timbered house

hálf·tìme *n.* 반일(半日) 근무; 【경기】 중간 휴식, 하프타임.
hálf-tímer *n.* 《영》 **1** 반날 일하고 반날은 통학이 허용된 소년공 《11-13 살》. **2** 규정 시간의 절반만 일하는 사람. cf. full-timer.
hálf tìnt 【미술】 간색; 【수채화】 엷게 하는 칠.
hálf tìtle 반표제《책의 첫 페이지에 인쇄된 책 이름》; 별면 인쇄된 각 장(章)의 제목.
hálf·tòne *n.* 【인쇄 · 사진】 망판(網版); 【미술】 (명암의) 반색조; 《미》 【음악】 반음(semitone).
hálf-tràck *n.* (뒷바퀴가 무한궤도인) 군용 트럭; (녹음 테이프의) 반폭(半幅).
hálf-trùth *n.* U,C (속이거나 비난 회피를 위한) 일부만의 진실된 말. ⓜ **hálf-trúe** *a.*
hálf-tùrn *n.* 반회전; 180도 회전.
hálf ùnder 《속어》 의식이 희미한, 머리가 몽롱한, 비몽사몽의; 얼근히 취한.
hálf-válue làyer 【원자】 반감층(半減層)《방사선이 물질을 통과할 때, 그 세기를 반감시키는 흡수 물질의 두께》.
hálf vòlley 【구기】 하프발리《공이 지면에서 튀어 오르는 순간에 치기》.
hálf-vòlley *vt., vi.* 하프발리[쇼트 바운드]로 치다.
hálf-wave rèctifier 【전기】 반파 정류기.
half·way** [hǽfwéi, hɑ́:f-/hɑ́:f-] *a.* **1** 도중의, 중간의. **2** 중동무이의, 불충분한: ~ measures 철저하지 못한 수단. ── *ad.* **1** 도중에[까지]. **2** 거지반, 거의; 타협하여; 어중되게, 불완전하게: ~ surrender to a demand 요구에 거의 굴복하다. ***go ~ ***to meet ...*** =***meet ...*** ~ ① (…를) 도중까지 나가 맞다. ② (상대의 요구를) 어느 정도 인정하다; (상대에게) (…의 점에서) 양보하다, 타협하다《*on*》. ③ (상대의) 나오는 것을 보아 행동하다, 적절히 응대하다. ***go*** ~ ***with*** 도중까지 …와 동행하다.
hálfway hòuse **1** 두 읍내 중간쯤에 있는 여인숙; 여정의 중간쯤 되는 방문지(의 여관); (사회 복귀를 위한) 중간 시설《출감자 · 정신 장애자 등을 위한》. **2** (변화 · 개혁 · 진보 따위의) 전반 종료단계, 중간점; 타협.
hálfway lìne 【축구】 중앙선.
hálf-wìt *n.* 반편, 얼뜨기; 정신박약자.
hálf-wítted [-id] *a.* 아둔한, 얼빠진; 정신적 결함이 있는. ⓜ **~·ly** *ad.* 어리석게, 바보같이. **~·ness** *n.*
hálf-wóol *n.* 면모(綿毛) 교직.
hálf·wòrd *n.* 【컴퓨터】 하프워드, 반단어.
hálf-wòrld *n.* **1** 반구(半球). **2** 화류계(demimonde); 암흑가.
hal·fy [hǽfi, hɑ́fi/hɑ́:fi] *n.* 《미속어》 양다리 절단자.
hálf yéar 반년, 6 개월; 반학년(semester).
hálf-yéarly *ad., a.* 반년마다(의).
hal·i·but [hǽləbət, hɑ́l-/hǽl-] (*pl.* **~s**, 〔집합적〕 ~) *n.* 【어류】 핼리벗《북방 해양산 큰 넙치》.
hal·ide, -id [hǽlaid, héil-], [-lid] 【화학】 *n.* 할로겐화합물. ── *a.* 할로겐의.
hal·i·dom, -dome [hǽlədəm], [-dòum] *n.* 《고어》 성소(聖所); 성물(聖物). ***by my*** ~ 맹세코, 단연.
hal·i·eu·tic [hæ̀lijú:tik] *a.* 고기잡이의, 낚시질의. ⓜ **~s** *n. pl.* 〔단수취급〕 고기잡이 기술, 낚

시 이론; 어업에 관한 논문.

Hal·i·fax [hǽləfæks] *n.* **1** 캐나다 Nova Scotia 주의 주도. **2** 영국 West Yorkshire 주 서부의 도시. ***Go to ~!*** 《속어》 뒈져라.

hal·ite [hǽlait, héi-/hǽl-] *n.* 〖광물〗 Ⓤ 암염(岩塩)(rock salt).

hal·i·to·sis [hæ̀lətóusis] *n.* Ⓤ 〖의학〗 구취「(口臭), 불쾌한 입냄새.

hall[1] [hɔːl] *n.* **1** 홀, 집회장, 오락실. **2** 현관(의 넓은 공간); 《미》 복도. **3** (종종 H-) 공회당, 회관; (조합·협회 등의) 본부, 사무실: a city ~ 시청, 시의회 의사당. **4** (사교적) 집회장, 오락장; (흔히 *pl.*) =MUSIC HALL: appear on ~*s* 《영》 연예장에 출연하다. **5** 《미》 (대학의) 특별 회관, 강당, 기숙사; 학부, 학과; 《영》 (대학의) 대식당, 식당에서의 회식: dine in ~ (대학의) 대식당에서 회식하다, 회식에 참석하다. **6** 《영》 지주의 저택; (중세의) 장원 영주의 저택. ***a servants' ~*** 하인 식당. ***the Students' Hall*** 《미》 학생 회관.

hall[2] *n.* 《속어》 =ALCOHOL.

hal·lah, chal·lah [háːlə, xáː-] (*pl.* ~*s*) *n.* 〖유대교〗 할라《안식일 따위의 축일에 먹는 영양가가 높은 흰 빵》.

háll bédroom (이 층의) 복도 끝 쪽을 칸막이「한 작은 침실.

Háll effèct (the ~) 〖물리〗 홀 효과.

Hal·lel [haːléil] *n.* 〖유대교〗 할렐《찬송가 중 유월절(逾越節)·오순절 등에 부르는 부분》.

hal·le·lu·jah, -iah [hæ̀ləlúːjə] *int., n.* 《Heb.》 할렐루야《'하느님을 찬송하라'의 뜻》; 주를 찬미하는 노래.

Hál·ley's cómet [hǽliz-] (종종 H- C-) 〖천문〗 핼리 혜성《76년 주기》.

halliard ⇨ HALYARD.

háll·màrk *n.* (금은의 순도를 나타내는) 검증각인(刻印); 〖일반적〗 품질 증명; 검증서, 증명; (현저한) 특징, 특질. ── *vt.* ~을 찍다〔붙이다〕; 보증하다. ㊕ **~·er** *n.*

hal·lo(a), -loo [həlóu], [-lúː] *int.* 여보세요, 여보, 이봐, 야; 쉿, 덤벼《사냥개를 추기는 소리》. ── (*pl.* **-lo(e)s; -loas; -loos**) *n.* hallo의 소리; 큰 소리로 부르기; 사냥개를 추기는 소리; 놀람의 외침. ── *vt., vi.* (주의를 끌기 위해) 큰 소리로 외치다; (사냥개 따위를) 큰 소리로 부추기다, 소리치며 뒤쫓다; 부르다: Do not ~ till you are out of the wood. 《속담》 위기를 벗어날 때까지는 안심하지 마라. [imit.]

Háll of Fáme **1 a** (the ~) 《미》 (위인·공로자를 기리는) 명예의 전당《뉴욕 대학교 내에 있음》. **b** (스포츠 등 각계의) 명예의 전당: the Baseball ~ 야구의 전당《뉴욕주 Cooperstown에 있음》. **2** 명예의 전당에 든 사람들, 공로자.

Háll of Fámer 명예의 전당에 든 사람.

háll of résidence (대학의) 기숙사(hall).

hal·low[1] [hǽlou] *vt.* **1** 신성하게 하다, 깨끗하게 하다, 신에게 바치다. **2** (신성한 것으로서) 숭배하다: *Hallowed* be thy name. 이름을 거룩하게 하옵소서《마태복음 VI: 9》. ── *n.* 《고어》 성인(聖人). ㊕ **~·er** *n.*

hal·low[2] [həlóu] *int., n., vt., vi.* =HALLO(A).

hál·lowed [(기도 때는 종종) -ouid] *a.* 신성화(神聖化)된, 신성한.

Hal·low·een, -e'en [hæ̀louwíːn, -əwíːn, hɑ̀l-/hæ̀louíːn] *n.* 《미·Sc.》 핼러윈, 모든 성인(聖人)의 날 전야(前夜)《10월 31일》.

Hal·low·mas [hǽlouməs, -mæ̀s] *n.* 《고어》 〖가톨릭〗 '모든 성인의 축일'; 〖성공회〗 제성도일(諸聖徒日)(All Saints'Day)《11월 1일》.

háll pòrter (호텔의) 짐 운반인.

hálls of ívy 고등 교육기관, 대학《전통 있는 대학 건물의 벽이 담쟁이덩굴로 뒤덮인 것을 지칭함》. ㉢ Ivy League.

háll·stànd *n.* 홀스탠드《거울·코트걸이·우산꽂이 등이 달린 가리개》.

Hall·statt [hɔ́ːlstæt, háːlʃtaːt] *n., a.* 할슈타트문화《초기 철기 시대》(의).

háll trèe (현관 따위의) 모자〔외투〕걸이.

hal·lu·ci·nant [həlúːsənənt] *n., a.* 환각(幻覺)물질(의).

hal·lu·ci·nate [həlúːsənèit] *vt.* 환각을 일으키게 하다; 환각으로써 보다〔표현하다〕. ── *vi.* 환각을 일으키다. ㊕ **-nà·tor** *n.*

hal·lù·ci·ná·tion *n.* Ⓤ 환각; Ⓒ 환상, 망상. ㊕ **~·al** *a.* **hal·lu·ci·na·tive** [həlúːsənèitiv, -nə-/-nə-] *a.*「환각의〔적인〕.

hal·lu·ci·na·to·ry [həlúːsənətɔ̀ːri/-təri] *a.*

hal·lu·ci·no·gen [həlúːsənədʒən] *n.* 환각제. ㊕ **hal·lù·ci·no·gén·ic** [-nədʒénik] *a.* 환각을 일으키는, 환각제의.「학〗 환각증(症).

hal·lu·ci·no·sis [həlùːsənóusis] *n.* Ⓤ 〖의

hal·lux [hǽləks] (*pl.* ***hal·lu·ces*** [hǽljəsìːz]) *n.* 〖해부·동물〗 (사람 등의) 엄지발가락, (육상척추동물의) 뒷발 엄지발가락; (새의) 제일지(第一趾).

háll·wày *n.* Ⓤ 복도(corridor); 현관, 입구 홀.

halm [hɔːm/haːm] *n.* =HAULM.

ha·lo [héilou] (*pl.* ~(*e*)*s*) *n.* **1** (해·달의) 무리; 후광《그림에서 성인의 머리 위쪽에 나타내는 광륜(光輪)》. **2** (전설·역사에서 유명한 사람·사건에 붙어 다니는) 영광. **3** 〖해부〗 유두륜(乳頭輪), 젖꽃판. ── *vt.* …에 무리를 씌우다; 후광(後光)으로 두르다. ── *vi.* 무리가 생기다, 후광이 되다. ㊕ **~·lìke, ~·ésque** *a.*

HALO 〖군사〗 high-altitude large optics(고고도(高高度) 대형 광학 장치).

hàlo·bactéria (*sing.* ***-bac·té·ri·um*** [-riəm]) *n. pl.* 〖세균〗 할로박테리아, 호염성(好塩性) 세균.

hàlo·bíont *n.* 호염성 생물.「(化) 탄소.

hàlo·cárbon *n.* 〖화학〗 할로카본, 할로겐화

hálo·clìne *n.* 〖해양〗 염분경사《염분의 수직 분포 경사》; 염분 약층(躍層)《염분 농도가 깊이에 비해 급변하는 곳》.

hálo effèct 〖심리〗 후광〔위광〕 효과《하나의 탁월한 특질 때문에 그 인물 전체의 가치를 과대평가하는 일》.

hal·o·gen [hǽlədʒən, -dʒèn, héil-] *n.* Ⓤ 〖화학〗 할로겐: ~ acid 할로겐산(酸).

hal·o·gen·ate [hǽlədʒənèit] *vt.* 〖화학〗 할로겐화(化)하다.

hal·o·gen·a·tion [hæ̀lədʒənéiʃən, hælɑ̀dʒə-/hæ̀lədʒ-, hælɔ̀dʒ-] *n.* Ⓤ 할로겐화(化), 할로겐과의 화합.

hal·oid [hǽlɔid, héi-/hǽl-] *a.* 〖화학〗 할로겐의〔비슷한〕. ── *n.* 할로겐염(塩), 할로겐 유도체.

hàlo·méthane *n.* 〖화학〗 할로메탄, 할로겐화(化) 메탄.

hal·o·mor·phic [hæ̀ləmɔ́ːrfik] *a.* 중성염 또는 알칼리염이 있는 곳에 생성된《토양》: ~ soil 염류 토양.

ha·lon [hǽlɑn/-ɔn] *n.* 〖화학〗 할론《브롬(brom)을 포함한 플루오로카본(fluorocarbon)의 총칭; 소화제(消火劑); 특정 3개 종류는 오존층 파괴 물질로서 규제 대상》.

hal·o·per·i·dol [hæ̀loupérədɔ̀ːl, -dɑ̀l/-dɔ̀l] *n.* 〖약학〗 할로페리돌《중추 신경 억제제·정신 안정제》.「性)생물, 호염균.

hal·o·phile [hǽləfàil] *n.* 〖생물〗 호염성(好塩

hal·o·phyte [hǽləfàit] *n.* 호염성 식물.

hàlo·plánkton *n.* 〖생태〗 염생(塩生) 플랑크톤.

hal·o·thane [hǽləθèin] *n.* 〖약학〗 할로탄《흡입 마취약》.

halp [hælp] *int.* 《미구어》 사람 살려.
Hals [hɑːls/hæls] *n.* **Frans** ~ 할스(《네덜란드의 초상 · 풍속화가; 1581?-1666》).
*__halt__[1] [hɔːlt] *vi.* 멈춰서다, 정지〔휴지〕하다; 부대가 정지하다: Company ~! 《구령》 중대 서/a ~*ing* place 휴식처, 주둔지. SYN. ⇨ STOP. — *vt.* 멈추다, 정지〔휴지〕시키다; 군대를 머무르게 하다. — *n.* **1** (멈추어) 섬, 정지; 휴지(休止); 주군(駐軍); 휴식; 〖컴퓨터〗 멈춤: come to 〔make〕 a ~ 정지하다, 멈추다, 서다. **2** 《영》 (건물이 없는) 정거장, (전차 · 버스의) 정류소. ***bring to a ~*** 세우다, 정지시키다. ***call a ~ to*** …에게 정지를 명하다. ***grind to a ~*** ⇨ GRIND. ㊎ **~·er**[1] *n.*
halt[2] *vi.* 주저하다, 망설이다; 머뭇거리며 말하다〔걷다〕; (논지(論旨) · 운율 등이) 불완전하다, 유창하지 못하다; 《고어》 절뚝거리다. ~ ***between two opinions*** 두 가지 의견 사이에서 망설이다. — *n.*, *a.* 《고어》 절름발이(의). ㊎ **~·er**[2] *n.*
hal·ter[3] [hɔ́ːltər] *n.* (말의) 고삐; 목 조르는 밧줄; 교수(형); 《미》 홀터(《어깨에 끈이 달리고 등과 팔이 노출된 여자의 운동복 · 야회복》). ***come to the ~*** 교수형을 받다. — *vt.* 굴레를 씌우다, 고삐를 달다(《*up*》); 교수형에 처하다; 속박하다, 억제하다. ㊎ **~·like** *a.* 「들게 하다.
hálter·brèak *vt.* (망아지를) 굴레〔고삐〕에 길
hált·ing *a.* **1** 불완전한; 주저하는, 망설이는; 위태로운; 절름발이의. **2** 유창〔원활〕하지 못한, 떠듬거리는, 확실치 못한: He said in ~ English. 그는 더듬거리는 영어로 말하였다. ㊎ **~·ly** *ad.* **~·ness** *n.*
ha·lutz, cha- [*Heb.* xɑːlúːts] (*pl.* ***-lutzim*** [*Heb.* xɑ̀ːlutsíːm]) *n.* 할루츠(《이스라엘에 이주한 농지 개척 유대인 (집단)》).
hal·va(h), ha·la·vah [hɑːlvɑ́ː, ⌐-], [-lə-] *n.* 할바(《으깬 깨나 아몬드 따위를 시럽으로 굳힌 터키 · 인도의 과자》).
°**halve** [hæv, hɑːv/hɑːv] *vt.* 2등분하다; 반씩 나누다; 반감시키다; 〖건축〗 사모턱이음하다. ~ ***a hole with*** 〖골프〗 …와 동점으로 홀인하다. ~ ***a match*** 〖골프〗 동점이 되다(《*with*》).
halv·ers [hǽvərz, hɑ́ːv-/hɑ́ːv-] *n. pl.* 《구어》 = HALVES. ***go ~*** 《구어》 절반씩 나누다.
halves [hævz, hɑːvz/hɑːvz] HALF 의 복수.
hal·vies [hǽviːz, hɑ́ː-/hɑ́ː-] *n. pl.* 《미아동속어》 (과자 · 용돈 등의) 반분: go ~ 반씩 나누다.
hal·yard, hal·liard, haul·yard [hǽljərd] *n.* 〖선박〗 마룻줄(《돛 · 기 따위를 올리고 내림》).
Ham [hæm] *n.* **1** 햄(《남자 이름》). **2** 〖성서〗 함(《노아의 차남; 창세기 X: 1》). ***son of ~*** 비난받는 〔고발된〕 사람; 흑인.
*__ham__[1] [hæm] *n.* **1** Ⓤ 햄; (*pl.*) 《미》 햄샌드위치. **2** (동물의) 넓적다리; (*pl.*) 넓적다리의 뒤쪽, 넓적다리와 궁둥이; 《영에서는 고어》 Ⓒ 오금. **3** 《미속어》 음식, 식사. **4** (바느질에서) 만곡부에 대는 쿠션. ***squat on*** one***'s ~s*** 웅크리다.
ham[2] *n.* **1** 《미속어》 (연기를 과장하는) 엉터리 〔서투른〕 배우; 통속 취미, 멜로드라마식 감상. **2** 《구어》 아마추어; 아마추어 무선기사, 햄. **3** 〔형용사적〕 《속어》 아마추어의, 서투른, 뒤진: a ~ actor 엉터리 배우. — (***-mm-***) *vi.*, *vt.* 《구어》 연기가 지나치다, 과장되게 연기하다; (이야기)에 감상적 통속성을 부여하다. ~ (***it*** 〔***the*** (***whole***) ***thing, part,*** etc.〕) ***up*** 《구어》 과장된 연기를 하다.
ham[3] *n.* 〖역사〗 읍(邑), 촌. ★ Bucking*ham*, Notting*ham* 따위 지명에 포함됨.
ham·a·dry·ad [hæmədráiəd, -æd] (*pl.* ***~s, -a·des*** [-ədìːz]) *n.* 〖그리스신화〗 하마드리아스(《나무의 요정》); 〖동물〗 인도산 독사의 일종; 망토비비(《에티오피아산》).
ha·mal, ham·mal [həmɑ́ːl, -mɔ́ːl] *n.* (동양의) 짐꾼; (인도의) 하인.
Ha·man [héimən/-mæn] *n.* 〖성서〗 하만(《페르시아왕(王) Ahasuerus 의 재상(宰相)으로 유대인의 적; 에스더 III-VI》). 「권투 선수.
hám-and-égger [-ən-] *n.* 《미속어》 보통의
hám-and-éggs [-ən-] *a.* 일상의(routine).
hám-and-éggy [-ən-] *n.* (작은) 레스토랑, 간이식당.
ha·mar·tia [hɑ̀ːmɑːrtíːə] *n.* (그리스 비극 따위에서 주인공 자신의 파멸을 초래하는) 성격상 결함; 숙명적〔비극적〕 결함(tragic flaw).
Ha·mas [hɑmɑ́ːs] *n.* 《Ar.》 하마스(《팔레스타인의 과격파 무슬림 단체》).
ha·mate [héimeit] 〖해부〗 *a.* 끝이 갈고리처럼 굽은; 갈고리 모양의 (돌기가 있는). — *n.* 유구골(有鉤骨)(unciform).
hám·bòne *n.* **1** (돼지의) 넓적다리뼈. **2** 《미속어》 서투른 연예인, 배우인 체하는 사람.
Ham·burg [hǽmbəːrg] *n.* **1** 함부르크(《독일 북부의 항도》). **2** (닭의) 함부르크종(種); 독일 원산의 검은 포도; (흔히 h-) 《미》 = HAMBURGER.
*__ham·burg·er__ [hǽmbə̀ːrgər] *n.* **1** 《미》 = HAMBURG STEAK. **2** Ⓤ 햄버그스테이크용의 다진 고기. **3** 《구어》 햄버거 (샌드위치). **4** (H-) Hamburg 주민; 《미속어》 얼굴에 상처투성이인 권투 선수; 《미속어》 부랑자; 《미속어》 (미장원에서 사용하는) 피부 영양제가 들어 있는 진흙팩. ***make ~ out of ...*** 《미속어》 늘씬하게 두들기다.
hámburger hèaven 《미속어》 간이식당, 햄버거 집.
Hámburg stèak (종종 h-) 햄버그스테이크.
hame[1] [heim] *n.* (흔히 *pl.*) 말의 멍에(《마차 말의 가슴걸이 양쪽의 굽은 나무》).
hame[2] *n.* 《재즈속어》 싫은 일, (재능을 살릴 수 없는) 허드렛일.
ham·fat [hǽmfæt] *vt.*, *vi.* 《미속어》 (배우가) 서투르게 연기하다. 「연예인, 하급 배우.
ham·fat·ter [hǽmfætər] *n.* 《미속어》 엉터리
hám-hánded, -físted [-id] *a.* 손이 유난히 큰; 솜씨 없는, 서투른, 데퉁스러운. 「름》.
Ham·il·ton [hǽməltən] *n.* 해밀턴(《남자 이
Ham·ite [hǽmait] *n.* 〖성서〗 Noah 의 둘째아들 Ham의 자손; 함족(族)(《아프리카 북동부에 사는 원주민족》); 흑인.
Ham·it·ic [hæmítik, hə-] *a.* 함족(族)의; 함어족(語族)의. — *n.* Ⓤ 함어(語).
Hám·i·to-Semític [hǽmətou-] *n.*, *a.* 함셈어족(의)(《Afro-Asiatic 의 구칭》).
hám jòint 《미속어》 대중식당; (부담없이) 쉴 수 있는 장소.
Haml. Hamlet.
Ham·let [hǽmlit] *n.* 햄릿(《Shakespeare 작의 4대 비극의 하나; 그 주인공》). ~ ***without the Prince*** (***of Denmark***) 주인공이 빠진 연극: like ~ *without the Prince* 중요한 것이 빠져 있는, 알맹이가 없는.
ham·let *n.* 작은 마을, 부락, 《특히》 교회 없는 작은 마을.
hammal ⇨ HAMAL.
ham·mam [həmɑ́ːm] *n.* 터키탕.
*__ham·mer__ [hǽmər] *n.* **1** 해머, (쇠)망치; = DROP 〔AIR〕 HAMMER: a knight of the ~ 대장장이. **2** 해머 모양의 물건; 《특히》 (피아노의) 해머; (의장 · 경매자용의) 나무 망치; (총의) 공이치기, 격철(擊鐵); 〖해부〗 (중이(中耳)의) 추골(槌骨); 《미속어》 (차의) 액셀러레이터; 《미흑인속어》 멋진 아가씨. **3** (투해머의) 해머; = HAMMER THROW. ***be on*** a person***'s ~*** 《Austral. 속어》 아무를 쫓아가다〔추적하다, 압박하다〕. ***drop the ~*** 《CB속어》 액셀러레이터를 밟다. ~ ***and tongs*** 맹렬히,

격렬하게: be 〔go〕 at it ~ *and tongs* (두 사람이) 격렬하게 싸움〔토론〕하다. ***let the ~ down*** 《CB속어》 전속력을 내도 좋음《경찰·도로 장애 없음》. ***to the ~*** 경매에: bring 〔send〕 ... *to the ~* …을 경매에 부치다 / come 〔go〕 *to the ~* 경매에 부쳐지다. ***under the ~*** 경매에 부쳐져서: come 〔go, be〕 *under the ~* 경매되다 / bring ... *under the ~* …을 경매하다. ***up to the ~*** 《속어》 더할 나위 없는.

— *vt.* **1** 《~+목/+목+부/+목+보/+목+전+명》 망치로 치다, 탕탕 두들기다, (못 따위를) 쳐서 박다《*in; into*》; (망치로) 못을 쳐서 박다《*down; up; on; onto*》; 못을 박아 만들다《*together*》; (망치로) 두들겨 펴다〔만들다〕《*out; into*》; (울퉁불퉁한 것을) 고르다; (의견의 차이를) 조정하다《*out*》: ~ a horseshoe 말굽쇠를 쳐서 박다 / ~ a box *together* 못을 박아 상자를 만들다 / ~ a stake *in* 망치로 말뚝을 쳐서 박다 / ~ a piece of tin thin 주석을 두드려 얇게 하다 / ~ nails *into* the wall 못을 벽에 두들겨 박다. **2** 《+목+부》 (힘들여서) 만들어내다, 생각해내다, 안출하다《*out; together*》; (구실 따위를) 만들어내다, 조작하다: ~ *out* a plan 애써서 계획을 세우다 / ~ a plot *together* 애써서 플롯을〔줄거리를〕 꾸며내다. **3** 《+목+부》 (소리 따위를) 두드려서 내다: ~ *out* a tune on the piano 피아노를 쾅쾅 쳐서 곡을 연주하다. **4** 《구어》 (주먹으로) 마구 때리다; 맹렬히 포격하다; 여지없이 이기다, 해치우다. **5** 헐뜯다, 혹평하다. **6** 《+목+전+명/+목+부》 (사상 따위를) 되풀이하여 역설하다, 주입시키다《*home; in / to, into*》: ~ an idea *into* a person 어떤 사상을 아무에게 주입시키다 / ~ *home* a truth *to* the people 어떤 사실을 국민에게 명기시키다. **7** 〖영증권〗 (망치를 세 번 쳐서) 퇴장시키다; 거래소에서 제명처분하다; (공매(空賣)해서, 주식)의 가격을 떨어뜨리다. — *vi.* **1** 《+전+명》 (망치로) 치다《*at; on*》; 탕탕 두들기다; 망치질하는 소리가 나다〔느낌이 들다〕: ~ *at* the table 테이블을 탕탕 치다. **2** 《+부/+전+명》 꾸준히 애쓰다《*at*》; (생각 따위가) 끈질기게 떠나지 않다; 되풀이해서 강조〔역설〕하다《*away*》. **3** 《영방언》 떠듬떠듬 말하다. **~ (*away*) *at*** …을 꾸준히〔반복하여〕 두드리다; …을 지멸있게 계속하다; …을 반복하여 강조하다: ~ (*away*) *at* one's studies 열심히 공부하다. **~ *down*** 못질하다; 《CB속어》 액셀러레이터를 밟다, 가속하다. **~ a thing *into shape*** 망치로 때려 모양을 내다. **~ *out*** ① (금속 등을) 두드려 펴서 모양을 만들다; (문제를) 해결하다, (곤란 따위를) 애써 타개하다. ② 안출하다, 애써 만들어내다. ③ (곡을) 피아노로 치다. **~ *off*** 〔***up***〕 《CB속어》 감속하다. **~ *prices*** 《구어》 값을 몹시 깎다. ㉺ **~·er** [-rər] *n.*

hámmer and síckle (the ~) (망치와 낫의) 옛 소련 국기.

hámmer-and-tóngs [-ənd-] *a.* (대장장이가 쇠를 두들기는 것처럼) 맹렬〔격렬〕한.

hámmer bèam 〖건축〗 외팔들보.

hámmer·blòw *n.* 망치질, 맹타.

hámmer·clòth *n.* (마차의) 마부대(馬夫臺)에 까는 천.

hámmer dùlcimer, hámmered dúlcimer 〖음악〗 = DULCIMER.

hám·mered *a.* (금속 세공사가) 망치로 두드려 만든, 두드려 편.

hammerhead 2

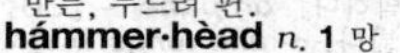

hámmer·hèad *n.* **1** 망치의 대가리. **2** 〖어류〗 귀상어.

hámmer·hèaded [-id] *a.* 망치 모양의 머리를 한; 우둔한: a ~ crane 튼튼한 크레인.

hám·mer·ing [-riŋ] *n.* Ⓤ,Ⓒ 해머로 치는 일; (은세공 등의) 두들겨 만든 돋을새김 무늬.

ham·(m)er·kop [hǽmərkɑ̀p/-kɔ̀p] *n.* 〖조류〗 해오라기 (= ∠ **bìrd** 〔**stòrk**〕) 《백로의 일종; 아프리카산》.

hámmer làne 《속어》 (고속도로의) 추월 차로, 고속 주행로.

hám·mer·less *a.* 망치가 없는; (총의) 공이치기가 없는.

hámmer·lòck *n.* 〖레슬링〗 해머록《팔을 등뒤로 비틀어 꺾기》.

hámmer·man [-mən, -mæ̀n] (*pl.* ***-men*** [-mən, -mèn]) *n.* 대장장이, 해머〔착암기〕를 다루는 직공; 《속어》 권투 선수.

hámmer mìll 〖기계〗 해머밀《분쇄기·제분기》.

hámmer·smìth *n.* = HAMMERMAN.

hámmer thròw (the ~) 〖경기〗 투해머, 해머던지기. ㉺ **hámmer thròwer**

hámmer·toe [-tòu] *n.* 〖의학〗 (갈고리 모양의) 기형적인 발가락.

hámmer wèlding 〖공학〗 단접(鍛接).

hámming còde 〖컴퓨터〗 해밍 부호《회로망이나 기억 영역 안에서의 오류를 검출하여 자동 수정하는 데 쓰는 코드》.

hámming dìstance 〖컴퓨터〗 해밍 거리《같은 비트 수를 갖는 2진 코드 사이에 대응되는 비트 값이 일치하지 않는 것의 개수》.

°**ham·mock** [hǽmək] *n.* 해먹: sling 〔lash, put up〕 a ~ 해먹을 달다〔거두다〕. — *vt.* 해먹에 넣어 매달다.

hámmock chàir 즈크로 만든 접의자; 《구어》 덱체어(deck chair).

Hám·mond órgan [hǽmənd-] 해먼드 오르간《2단 건반의 전기 오르간; 상표명》.

Ham·mu·ra·bi [hæ̀murɑ́:bi, hɑ̀:m-/hæ̀m-] *n.* 함무라비(BC 18세기경의 바빌로니아 왕; 법전 제정자》: ~'s code 함무라비 법전.

ham·my [hǽmi] (***-mi·er; -mi·est***) *a.* (맛·모양이) 햄 같은; 햄처럼 보이는; 《미》 (극·배우가) 멜로드라마식의, 과잉 연기의.

°**ham·per**[1] [hǽmpər] *vt.* 방해하다, (동작·진보를) 훼방하다; 곤란하게 하다, (일의 순서 따위를) 어지럽히다. ⓒⓕ hinder[1], obstruct. — *n.* **1** 방해물. **2** 〖해사〗 요긴하나 때로는 거치적거리는 선구(船具)《밧줄 따위》.

ham·per[2] *n.* (식료품·의복 따위를 담는) 바구니, (보통 뚜껑 달린) 바스켓; 그 속에 담은 식료품. — *vt.* 바구니에 넣다.

Hamp·shire [hǽmpʃiər] *n.* 햄프셔《영국 남해안의 주; 별칭 Hants》; Hampshire 산의 양〔돼지〕의 일종(= ∠ **Dówn**).

Hamp·stead [hǽmpstid, -sted] *n.* 햄스테드《런던의 북서구; 예술가·문인의 거주지》.

Hamp·ton [hǽmptən] *n.* 햄프턴《미국 Virginia 주의 도시》.

ham·shack·le [hǽmʃækəl] *vt.* (마소의) 머리를 앞발에 묶다; 속박하다.

ham·ster [hǽmstər] *n.* 햄스터《일종의 큰 쥐; 동유럽·아시아산》.

ham·string [hǽmstriŋ] *n.* 〖해부〗 슬와근(膝窩筋), 오금; 규제력, 단속. — (*p., pp.* ***-strung*** [-strʌ̀ŋ], 《드물게》 ***-stringed***) *vt.* (사람·말 등의) 오금을 잘라 절름발이를 만들다; 《비유》 불구를 만들다, …의 효과를 줄이다, 못 쓰게 만들다, 무력하게 만들다.

hámstring mùscle 〖해부〗 오금 근육.

ham·u·lus [hǽmjələs] (*pl.* ***-li*** [-lài]) *n.* 〖해부·동물〗 갈고리 모양의 돌기; 〖식물〗 갈고리 모양의 강모(剛毛).

Han [hɑːn/hæn] *n.* (중국의) 한(漢)나라; (the ~) 한수이(漢水) 강.
Han·a·fi [hǽnəfi] *n.* 『이슬람』 하나피파(派) 《Sunna 파 4 학파의 하나로 시세에 따라 율법의 변경을 인정함》. ⓒⓕ Shafi'i.
han·ap [hǽnæp] *n.* (중세의, 보통 뚜껑 달린) 정교한 굽 달린 술잔.
Han·cock [hǽnkɑk/-kɔk] *n.* **John** ~ 핸콕 《미국의 정치가; 독립 선언의 첫 서명자; 1737-93》.
†**hand** [hænd] *n.* **1** 손, 팔, (원숭이 따위의) 앞발; (붙들 기능이 있는 동물의) 뒷발, 하지(下肢); (매 따위의) 발; (게의) 집게발. **2** 손 모양의 것, 손의 기능을 가진 것; 《특히》 (시계) 바늘; (바나나) 송이; 손가락표(☞); (담뱃잎의) 한 다발. **3** (종종 *pl.*) 소유, 점유; 관리; 지배; 돌봄, 보호, 권력, 『로마법』 =MANUS. **4** 수공, 노력; (보통 *pl.*) 일손, 고용인; 직공; 승무원: farm ~*s* 농장 노동자, 머슴 / factory ~*s* 공원, 직공 / all ~*s on* board 『해사』 승무원 전원. **5** 원조의 손길, 조력; 참가: lend 〔give〕 a (helping) ~ 조력하다 / keep ~*s* off 간섭하지 않다. **6** 힘, 작용; 영향력; (교섭 따위에서의) 입장. **7** 수단, 수법: a dirty ~ 더러운 수 / clean ~*s* 결백. **8** 기량, 솜씨, 재주; (수)세공; (*pl.*) 『마술(馬術)』 고삐 다루는 솜씨; 기능의 소유자, 전문가: an old ~ 노련한 사람 / His ~ is out. 그는 솜씨가 서투르다. **9** Ⓤ 필적; 서명, 기명: write in a clear ~ 분명한 글씨를 쓰다. **10** (오른쪽 · 왼쪽 따위의) 쪽, 측, 편, 방향; 방면. **11** 결혼, 약혼, 서약. **12** 『카드놀이』 가진 패; 경기자; 한 판 (승부). **13** 핸드 《손바닥 폭, 4 인치; 말의 키를 재는 단위》. **14** 《미》 박수: a big ~ 박수갈채. **15** (직물 · 가죽 따위의 부드러운) 감촉; (*pl.*) 『축구』 핸들링(반칙). ***All ~s to the pump(s)!*** ⇨ PUMP[1]. ***a man of his ~s*** 실무에 적격인 사람. ***ask for a lady's*** 〔***her***〕 ~ 여자〔그녀〕에게 청혼하다. ***at close ~*** 바로 가까운 곳에. ***at first ~*** ⇨ FIRST. ***at ~*** 바로 가까이에; 가까운 장래에, 곧; 즉시 쓸 수 있도록 (준비하여). ***at second ~*** 간접으로; 남의 손을〔한 다리〕 거쳐서. ***at*** a person***'s ~s*** =***at the ~(s) of*** 아무의 손에서, 아무의 손으로, …에 의해. ***at*** 〔***on***〕 a person***'s right ~*** 아무의 심복으로서, 오른팔로서. ***be a good*** 〔***poor***〕 ***~ at*** …이 능하다〔서투르다〕, …을 잘하다〔못하다〕. ***bear a ~*** 관여하다《*in*》; 손을 빌려 주다《*in*》. ***be on the mending ~*** 회복해 가고 있다. ***bite the ~ that feeds*** one 길러 주는 주인의 손을 물다; 은혜를 원수로 갚다. ***by ~*** 손으로, 손으로 만든〔만들어서〕; 사람을 보내어; 자필로: made *by* ~ 손으로 만든 / deliver *by* ~ (우송하지 않고) 손수 전하다, 사람을 보내어 건네주다. ***by the ~*** 손을 잡고. ***by the ~(s) of*** …의 손으로. ***change ~s*** 손을 바꾸어 쥐다, 임자가 바뀌다; 『증권』 거래하다, 매매 거래가 되다. ***close at ~*** 바로 근처에. ***chuck*** one***'s ~ in*** 《속어》 =throw one's ~ in. ***come the heavy ~*** 강압〔강제〕하다. ***come to ~*** 손에 들어오다; 발견되다, 나타나다; 도착하다. ***decline*** 〔***refuse***〕 ***a man's ~*** (여자가 남자의) 구혼을 거절하다. ***do a ~'s turn*** 최소의 노력을 하다. ***do not lift a ~*** 손 하나 까딱 안 하다《*to* do》. ***eat*** 〔***feed***〕 ***out of*** a person***'s ~*** (기르는 개처럼) 아무를 따르다, 잘 길들어 있다. ***fight ~ to ~*** 백병전을 하다, 드잡이하다. ***force*** a person***'s ~*** 『카드놀이』 아무에게 손에 가진 패를 내게 만들다; 어떤 행동을 취하게 하다, 무리한 일을 시키다, 억지로 입을 열게 하다. ***for four ~s*** 『음악』 두 사람 연탄(聯彈)의《피아노곡》. ***for*** one***'s own ~*** 자기의 이익을 위하여. ***foul*** one***'s ~s with*** ⇨ FOUL. ***from ~ to ~*** 이 손에서 저 손으로, 여러 사람의 손을 거쳐. ***from ~ to mouth*** 하루 벌어 하루 사는. ***get out of ~*** 과도해지다; 걷잡을 수 없이 되다. ***get ... out of ~*** …을 마치다. ***get*** one***'s ~ in*** …에 익숙해지다. ***get*** one***'s ~s on*** …을 손에 넣다; (위해를 가하기 위해) …을 붙잡다, …에 접근하다. ***get*** 〔***gain, have***〕 ***the upper ~ of*** ⇨ UPPER HAND. ***give a ~*** 손을 빌리다. ***give*** one***'s ~ on*** (a bargain)(계약의 이행)을 굳게 다짐하다. ***give*** one***'s ~ to*** (여자가) …와 약혼하다. ***go ~ in ~ with*** …와 서로 손을 맞잡고 가다; …와 서로 협조하다. ***go through*** a person***'s ~s*** 아무의 손에 맡겨지다; (돈 따위가) 아무의 손을 빠져나가다, 낭비되다. ***~ and foot*** 손도 발도, 완전히《사람을 묶다 따위》; 손발이 되어, 충실히, 정성껏《아무를 섬기다》. ***~ and glove*** =***~ in glove*** 극히 친밀한〔하여〕, …와 한통속이 되어 《*with*》. ***~ in ~*** 손을 맞잡고, 제휴하여; 협력하여. ***~ of glory*** 도적 따위의 호부(護符)《mandrake의 뿌리 따위로 만듦》. ***~ over ~*** = ***~ over fist*** 『해사』 (밧줄 등을) 번갈아 잡아 당겨; 《구어》 죽죽, 부쩍부쩍《벌다 · 따라가다 등》. ***~s down*** ① 쉽게: win ~*s down* 쉽게 이기다. ② 분명히. ***Hands off ... !*** (…에) 손대지 마시오; 관여하지 말라, 손을 떼라. ***Hands up!*** 손들어《항복하라》; (찬성하실 분은) 손을 들어 주시오. ***~ to ~*** 상접하여《전투 따위에서》, 접전으로. ***have only got one pair of ~s*** 손이 나지〔돌아가지〕 않다. ***have a ~ for*** …에 솜씨가 있다, …을 잘하다. ***have*** 〔***take***〕 ***a ~ in*** 〔***at***〕 …에 관여〔관계〕하다, …에 손을 대다. ***have in ~*** 소유하다; 지배하다. ***have*** one***'s ~ in*** …에 관여하고 있다; …에 익숙하다. ***have*** one***'s ~s free*** ⇨ FREE. ***have*** one***'s ~ full*** (바빠서) 손이 안 돌아가다〔꼼짝 못 하다〕, 매우 바쁘다. ***heavy on*** 〔***in***〕 ~ (말이) 힘 없이 고삐에 매달리어; (사람이) 몹시 울적하여, 즐겁게 하기〔다루기〕 힘든. ***Here's my ~ upon it.*** (악수하며) 찬성이다. ***hold ~s*** 서로 손을 맞잡다; (남녀가) 정답게 굴다. ***hold*** one***'s ~*** 손대기를 삼가다. ***hold*** a person***'s ~*** 아무의 손을 잡다; 아무를 돕다, 격려하다, 지지하다. ***Hold up your ~s!*** =Hands up! ***in good ~s*** 잘 손질된, 확실한 사람에게 맡겨져. ***in ~*** 손에 넣고; 제어하고; 지배〔보호〕하에; 착수〔준비〕하고; 연구 중으로; 후불(後拂)로: work a week 〔month〕 in ~ 한 주〔한 달〕 급료 후불로 일하다. ***in*** a person***'s ~s*** 아무의 생각대로. ***in the ~s of*** …의 수중에; …에게 맡겨져서〔조종되어〕. ***join ~s*** 서로 손을 잡다; 결혼하다; 제휴하다. ***keep*** one***'s ~ in*** …을 늘 연습하고 있다; …의 실력을 유지하다. ***keep*** one***'s ~s off*** …에 손을 대지 않다, 훔치지 않다; …에 간섭치 않다. ***keep*** one***'s ~s on*** =***keep a firm ~ on*** …을 꽉 장악하고 있다. ***know ... like the back of*** one***'s ~*** …을 잘 알고 있다. ***lay ~s on*** …에 손을 대다; (손을 얹고) …을 축복하다; 그러쥐다, 잡다; …을 손에 넣다; =put one's ~*s* on; …을 습격하다, (여자)에게 손을 대다, 폭행하다. ***lay ~s on*** one***self*** 자살하다. ***lend a ~*** 조력하다, 거들다, 원조하다. ***lift*** 〔***raise***〕 ***a ~*** 《흔히 부정으로》 조금 수고하다. ***lift*** one***'s ~*** 한손을 들고 선서하다. ***lift*** 〔***raise***〕 one***'s ~ to*** 〔***against***〕 (때릴 것같이) 손을 들어올리다; 공격〔위협〕하다. ***light on ~*** 다루기 쉬운. ***make a ~*** 이득을 보다; 효과가 있다, 성공하다, 이루다. ***not do a ~'s turn*** 약간의 노력도 하려 들지 않다. ***off ~*** 준비 없이, 즉석에서. ***off*** a person***'s ~s*** 아무의 손을 떠나서, 아무의 임무가 끝나서. ***oil*** a person***'s ~*** 〔***fist, palm***〕 아무에게 뇌물을 주다. ***on all ~s*** =***on every ~*** ① 사방에(서). ② 모든 사람으로부터, 널리《찬성을 얻다, 요청되다 따위》. ***on ~***

① 마침 갖고 있는. ②《미》 손 가까이에; 마침 동석해서, 출석하여; 가까이 (임박하여). ***on*** a person***'s*** ~***s*** ① 손으로 몸을 지탱하고, 물구나무서서(가다). ② 아무의 책임으로. ③ (수중에) 팔다 남아서. ***on*** (one***'s***) ~***s and knees*** 넙죽 기어서. ***on*** (***the***) ***one*** ~ 한편으로[에서]는. ***on the other*** ~ 또 (다른) 한편으로는, 이와 반대로. ***out of*** ~ 힘에 겨워;끝나서; 즉시; 깊이 생각지 않고. ***out of*** a person***'s*** ~***s*** (문제 · 일 따위가) 아무의 관리를[책임을] 떠나서. ***play a good*** ~ (카드놀이 등에서) 멋진 수를 쓰다. ***play into one another's*** ~***s*** 서로의 이익을 도모하다[기맥을 통하다]. ***play into*** a person***'s*** ~***s*** ⇨ PLAY. ***put in*** ~ 일을 시작하다. ***put*** [***dip***] one***'s*** ~ ***in*** one***'s pocket*** ⇨ POCKET. ***put*** [***lay, set***] one***'s*** ~(***s***) ***on*** (…의 장소를) 알아내다, 찾아내다. ***put*** one***'s*** ~ ***to*** ① …을 잡다. ② …에 착수하다, …에 종사하다. ***see the*** ~ [***finger***] ***of God in*** … 에서 신의 힘을 보다; …을 신의 조화[은혜]라고 생각하다. ***set*** one***'s*** ~ ***to*** (서류)에 서명하다; …에 착수하다. a person***'s*** ~ ***is up*** 주의를 끌기 위해 손을 들고 있다. a person***'s*** ~***s are full*** (바빠서) 손이 나지 않다. a person***'s*** ~***s are tied*** 아무의 자유로 되지 않다, 아무것도 못하고 있다. ***sit on*** one***'s*** ~***s*** 팔짱을 끼고 (보고) 있다, 수수방관하다; 갈채하지 않다, 감동하지 않다. a person***'s left*** ~ ***does not know what*** his ***right*** ~ ***is doing*** 조직의 일부가 다른 부분이 하는 일을 모르고 제각각이다. ***soil*** [***dirty***] one***'s*** ~***s*** (…에 관계하여) 손을 더럽히다《*with*》. ***stand*** a person***'s*** ~ 《영구어》 아무의 셈[외상]을 치르다, 한턱 내다. ***stay*** a person***'s*** ~ 《문어》 때리려는 손을 붙들다, 아무의 행동을 막다. ***strengthen*** a person***'s*** ~ 아무의 입장을 유리하게 하다[굳히다], 아무를 적극적으로 행동하게 하다. ***strike*** ~***s*** 협력을 약속하다; 계약을 맺다. ***take a*** ~ ***in*** [***at***] =have a ~ in. ***take a high*** ~ 고압적인 태도[고자세]를 취하다. ***take*** a person ***by the*** ~ 아무의 손을 잡다; 아무를 보호해 주다. ***take in*** ~ 떠맡다, 인수하다, 처리하다, 결말을 짓다; (아무를) 훈련하다. ***take matters into*** one's ***own*** ~***s*** (책임자가 응해 주지 않아서) 자기 스스로 일을 추진하다. ***take*** one***'s life in*** one***'s*** (***own***) ~***s*** ⇨ LIFE. ***throw in*** one***'s*** ~ =***throw*** one***'s*** ~ ***in*** (계획 · 게임을) 가망 없는 것으로 단념하다, 포기하다, 내던지다. ***throw up*** one***'s*** ~***s*** [***arms***] 두손 들다; 기진맥진하다, 단념하다. ***tie*** a person***'s*** ~***s*** 손을 묶다; 아무의 자유를[행동을] 구속하다. ***tip*** one***'s*** ~ 《미》 =SHOW one's ~. ***to*** ~ 손 닿는 곳에, 입수되어, 소유하여. ***to*** one***'s*** ~ ① 안성맞춤으로, 요행으로. ② 길들여, 복종시켜. ***try*** one***'s*** ~ (처음으로 시험 삼아) 해보다《*at*》; 솜씨를 시험해 보다. ***turn a*** ~ 〖보통 부정문〗 원조의 손을 뻗치다, 돕다: He would*n't turn a* ~ to help me. 그는 무엇 하나 나를 도우려 하지 않았다. ***turn*** one***'s*** [***a***] ~ ***to*** =put one's ~ to. ***under*** ~ 비밀히. ***under*** [***ready to***] one***'s*** ~ 손 가까이에 있는, 수중에 있는; 곧 소용이 닿는. ***under the*** ~ ***of*** …의 서명(署名)부로. ***wash*** one***'s*** ~***s*** 《완곡어》 변소에 가다; …에서 손을 떼다, …와 관계를 끊다《*of*》. ***win a lady's*** ~ 여자한테서 약혼의 승낙을 얻다. ***with a bold*** ~ 대담[거만]하게. ***with a heavy*** [***an iron***] ~ 강압적으로, 가혹하게; 서투르게, 꼴사납게. ***with a high*** ~ 오만하게, 고압적으로; 멋대로. ***with both*** ~***s*** 양손으로, 전력을 다하여. ***with clean*** ~***s*** 청렴결백하게. ***with one*** ~ [***arm***] (***tied***) ***behind*** one***'s back*** [***behind*** one] 《구어》 아주 쉽게, 힘 안들이고. ***with*** one***'s*** ~ ***on*** one***'s heart*** 충심으로.

— *vt.* **1** 《+목+목/+목+전+명》 건네[넘겨]주다, 수교하다, 주다《*to*》; (편지 따위로) 보내다: Please ~ me the salt. =Please ~ the salt *to* me. 소금 좀 집어 주십시오. **2** 《+목+전+명》 손을 잡고 인도하다, 손으로 돕다《*to; into; out of; across; over*》; (음식 담은 접시 따위를) 집어 주다: ~ a lady *into* a car 부인의 손을 잡고 차에 태우다. **3** 〖해사〗 (돛을) 접다, 말아 올리다.

~ ***back*** (주인에게) 되돌려 주다《*to*》. ~ ***down*** (후세에) 전하다《*to*》; (판결을) 선고하다; 유산으로 남기다; (특징 등을) 유전하다: a quality ~*ed down* by heredity 유전에 의한 자질. ~ ***in*** 건네주다, 수교하다; (보고서 등을) 제출하다. ~ ***in*** one***'s account*** ⇨ ACCOUNT. ~ ***in*** one***'s dinner pail*** 《속어》 죽다; 사직하다. ~ ***it to*** a person 《구어》 상대의 승리를 인정하다, 항복하다, 아무에게 경의를 표하다. ~ ***off*** 〖미식축구〗 (공을) 가까운 자기 팀 선수에게 넘기다; 〖럭비〗 (태클러)를 손으로 밀어젖히다. ~ ***on*** 전하다; 다음으로 건네다, 양도하다. ~ ***out*** 나눠 주다, 도르다; 돈을 내다; (비판 등을) 가하다. ~ ***over*** 《*vt.* + 부》 ① 넘겨주다; 건네주다; 양도하다. —《*vi.* +부》 ② 〖군사〗 임무 · 명령 등을 인계하다《*to*》. ~ ***round*** [***around***] 차례로 돌리다. ~ ***up*** (낮은 데서 높은 데로) 건네주다, 인도하다; 《미속어》 (기소장을) 상급 법원에 제출하다.

㊞ ∠·**líke** *a.*

hánd àpple 요리하지 않고 먹을 수 있는 사과.

hánd àx 자귀, 손도끼.

***hand·bag** [hǽndbæ̀g] *n.* 핸드백, 손가방.

hánd bàggage 《미》 수화물.

hánd·bàll *n.* **1** 벽에서 튀는 공을 상대방이 받게 하는 구기(球技); 그 공. **2** 핸드볼, 송구(送球) (team ~); 그 공.

hánd·bàrrow *n.* **1** (들것 식의) 운반기. **2** (2 바퀴) 손수레.

hánd·bàsin *n.* 세숫대야.

hánd bàsket 바스켓, 손바구니. ***go to hell in a*** ~ 《미속어》 (좌절한 젊은이 등이) 자포자기 생활을 하다. ***in a*** ~ 《미속어》 물론, 절대.

hánd·bèll *n.* 작은 종, 요령(搖鈴).

hánd·bìll *n.* 전단(傳單), 광고지.

hánd·bòok *n.* **1** 편람, 안내; 여행 안내: a ~ of radio 라디오 편람. **2** 안내서. **3** 논문집. **4** 《미》 (경마의) 건 돈을 기입하는 장부, (경마장 이외의) 도박을 하는 곳(의 주인): a ~ man 《미》 (경마의) 마권업자.

hánd·bòw *n.* (손으로 쏘는) 활. ㊌ cross-bow.

hánd bràke (자동차 등의) 핸드브레이크.

hánd·brake tùrn 핸드브레이크 턴 《고속으로 주행 중인 차의 수동 브레이크를 당기면서 갑자기 방향을 바꾸는 위험한 행위》.

hánd·brèadth *n.* 한 손 폭《10 cm 조금 넘는》.

H and C [éitʃəndsíː] 《미속어》 헤로인(heroin)과 코카인(cocaine)을 섞은 것.

H. & C., h. & c. hot and cold (water).

hánd·càr *n.* 〖미철도〗 핸드카, (선로 보수용의 소형) 수동차(手動車).

hánd·càrt *n.* 손수레.

hánd-cárved *a.* 손으로 판[새긴].

hánd·clàp *n.* 박수, 손뼉.

hánd·clàsp *n.* 악수.

hánd-cólored *a.* 손으로 그려 물들인, 손으로 물들인.

hánd·cràft *n.* =HANDICRAFT. — [∠∠] *vt.* 수세공으로 만들다.

hándcraft(s)·man [-mən] *n.* (*pl.* ***-men*** [-mən, -mèn]) 수세공인; 수공예가. ㊞ ~·**shìp** *n.*

hánd·cùff *n.* (보통 *pl.*) 수갑, 쇠고랑. — *vt.* …에게 수갑을 채우다; …의 자유를 빼앗다, 구속하다.

hánd-dípped [-t] *a.* (용기에 포장되어 있지

않고) 국자 따위로 퍼주는《아이스크림》.
hánd-dòwn *n.* =HAND-ME-DOWN.
hánd drìll 〖기계〗 핸드 드릴, 수동식 드릴.
(-)hánd·ed [-id] *a.* …의 손을 가진; …의 인원수로 하는《놀이 따위》; 〖기계〗 (나사 따위가) …(쪽)으로 도는〔돌리는〕: left-~ 왼손잡이의 / heavy-~ 서투른; 강압적인 / right-~ propeller 우회전 프로펠러.
hánd·ed·ness *n.* 잘 쓰는 쪽 손: right 〔left〕 ~ 오른손〔왼손〕잡이; 〖물리〗 좌우상(左右像).
Han·del [hǽndl] *n.* **George Frederic(k)** ~ 헨델《영국에 귀화한 독일 태생 작곡가; 1685-1759》.
hánd·fàst *n.* 《고어》 **1** 악수. **2** 약혼, 약속. ― *a.* **1** 꽉 손을 쥔. **2** 약혼〔약속〕한. ― *vt.* (악수로써) 약혼〔결혼〕시키다; 손으로 쥐다. [파] **~·ing** *n.* 《고어》 약속, 약혼.
hánd-féed (*p., pp.* **-féd** [-féd]) *vt.* **1** 〖축산〗 개별〔제한〕 급사(給飼)하다《일정 간격을 두고 일정량을 주다》; (동물 · 사람에게) 손으로 먹이를 〔음식을〕 주다. **2** 〖공학〗 (재료 따위를) 수동 이송(手動移送)하다, (복사기 따위에) 손으로 급지(給紙)하다.
hánd-fínished [-t] *a.* 손으로 마무리한.
*__hand·ful__ [hǽndfùl] (*pl.* **~s, hánds·ful** [-dz-]) *n.* **1** 한 움큼, 손에 그득, 한 줌(의 양). **2** 소량, 소수: a ~ *of* men 적은 인원. **3** 《구어》 다루기 힘든 사람〔물건, 일〕; 귀찮은 존재. **4** 《속어》 5《손가락 수에서》; 5년의 형.
hánd glàss 손거울; 자루 달린 돋보기, 확대경; (모종 보호의) 유리 온상; 〖해사〗 모래시계.
hánd·glìde *n.* 〖브레이크댄스〗 한 손으로 몸을 받치고 다른 손으로 몸을 마루와 평행되게 돌리는 춤.
hánd-gràter *n.* 강판.
hánd grenàde 수류탄.
hánd·grìp *n.* **1** 굳은 악수. **2** 손잡이, 자루, (자전거 등의) 핸들; (여행용의) 대형 가방. **3** (*pl.*) 드잡이, 격투, 접근전: come to ~*s* 드잡이하다.
hánd·gùn *n.* 《미》 권총.
hánd-hèld *a.* (삼각(三脚) 따위를 쓰지 않고) 손으로 떠받친, 손에 든《카메라 따위》; 손에 쥘 만한 크기의; (컴퓨터가) 손안에 드는. ― *n.* 핸드헬드 컴퓨터《손에 쥘 만한 크기의 컴퓨터》.
hánd·hòld *n.* **1** 손으로 쥠, 파악. **2** 손잡을 곳, (붙)잡을 데.
H & I, H and I 〖미군사〗 harassment and interdiction (침입 저지용의) 무차별 포격; (야간의) 위협 사격.
*__hand·i·cap__ [hǽndikæ̀p] *n.* [U] **1** 핸디캡. **2** [C] 핸디캡이 붙은 경기. **3** 불이익, 불리한 조건; 신체장애; 어려움. ― (**-pp-**) *vt.* **1** …에게 핸디캡을 붙이다. **2** 불리한 입장에 두다; 방해하다; 약하게 하다; 《미》 (경마 따위의) 승자를 예상하다, (경기자에게) 승패의 확률을 매기다.
hánd·i·càpped [-t] *a.* 신체〔정신〕적 장애가 있는, 불구의; (경기에서) 핸디캡이 붙은; (the ~) 신체〔정신〕 장애자.
hánd·i·càp·per *n.* 〖경마 · 경기〗 핸디캡 (결정) 계원; (신문 따위의) 경마의 예상 기자; (승마) 예상자; 핸디캡을 갖고 경기하는 사람: a 5-~ 핸디캡 5인 사람.
hándicap règister 《영》 장애자 등록 명부.
°__hand·i·craft__ [hǽndikræ̀ft, -krɑ̀:ft/-krɑ̀:ft] *n.* **1** (흔히 *pl.*) [C] 수세공(手細工), 수공예, 손일, 수공업; 수세공품, 수공예품. **2** [U] 손끝의 숙련, 솜씨.
hándicràfts·man [-mən] (*pl.* **-men** [-mən]) *n.* 수세공인, 손일하는 장인, 장색.
hand·i·cuff [hǽndikʌ̀f] *n.* 《고어》 손으로 침; (*pl.*) 서로 치고 때리기: come to ~*s* 치고받게 되다.

hand·ies [hǽndiz] *n. pl.* 《속어》 〖다음 관용구로〗 ***play*** ~ (연인 · 남녀가) 서로 손을 잡고 시시덕거리다.
Hand·ie-Talk·ie [hǽnditɔ́:ki] *n.* 휴대용 소형 무선 송수신기《상표명》.
hand·i·ly [hǽndili] *ad.* 교묘히, 재빨리; 알맞게, 편리하게; 《미》 어렵지 않게. [cf.] handy.
hand·i·ness [hǽndinis] *n.* 솜씨가 좋음; 알맞음, 경편(輕便).
hánd-in-hánd *a.* 손에 손을 잡은, 친밀한; 잘 어울리는, 알맞은.
hand·i·work [hǽndiwə̀:rk] *n.* [U] 손일, 수세공; [C] 수공품; [U] 제작, 공작; (…의) 짓.
hánd·jòb *n.* 《속어》 수음.
⁑__hand·ker·chief__ [hǽŋkərtʃif, -tʃì:f] (*pl.* **~s** [-tʃifs, -tʃì:fs], **-chieves** [-tʃì:vz]) *n.* **1** 손수건(pocket ~). **2** 목도리(neck ~). ***throw the ~ to*** …에게 손수건을 던지다《술래잡기에서 술래가 자기를 쫓도록》; (여자)에게 호의를 비추다, …을 점찍어 두다.
hánd-knít *vt.* 손으로 짜다. ― *a.* 손으로 짠.
hánd lànguage (벙어리의) 수화(手話)(법).
hánd-láunder *vt.* 손빨래하다(hand-wash).
⁑__han·dle__ [hǽndl] *n.* **1** 손잡이, 핸들, 자루. **2** 손잡을 곳, 실마리, 수단, 틈탈〔편승할〕 기회, 구실《*to*》. **3** 《구어》 직함, 이름《특히 given name》, 별명《*to*》: a ~ *to* one's name 직함, 경칭《Dr., Rev. 따위》. **4** (노름 · 경마의) 판돈 총액; (극장 · 경기장 등의) 총수입. **5** (직물의) 감촉. **6** 《(N. Zeal.)》 핸들《맥주의 계량 단위; 약 1 pint》. **7** 《속어》 음경; (*pl.*) 《미속어》 유방. **8** 〖컴퓨터〗 다룸, 다루기, 핸들. ***fly off the*** ~ 《구어》 욱하다, 냉정을 잃다《*at*》. ***give a ~ for*** …의 기회를〔구실을〕 주다. ***go*** 〔***be***〕 ***off the*** ~ 《구어》 죽다; 욱하다, 몹시 노하다《*at*》. ***have*** 〔***get***〕 ***a ~ on*** 《구어》 …을 조종〔관리〕하다, 확실히 파악〔이해〕하다. ***the ~ of the face*** 《우스개》 코. ***up to the*** ~ 《미구어》 진심으로; 철저하게. ― *vt.* **1** …에 손을 대다, (손으로) 다루다, 사용하다, 조종하다. **2** 취급하다, 처리하다; (문제를) 논하다. **3** (아무를) 대우하다; (군대 따위를) 지휘하다: ~ troops 부대를 지휘하다. **4** (상품을) 다루다, 장사하다. **5** (말을) 길들이다. ― *vi.* 《(+[부])》 취급〔조종〕되다, 다루기가 …하다: This machine ~*s* easily. 이 기계 조작은 간단하다. [파] **~·a·ble** *a.*
hándle·bàr *n.* **1** (종종 *pl.*) (자전거) 핸들(바). **2** (보통 *pl.*) 《구어》 =HANDLEBAR MUSTACHE.
hándlebar mústache 《구어》 카이저수염.
(-)hán·dled *a.* 핸들이 붙은, 자루〔손잡이〕가 달린, …핸들의: a long-~ knife 자루가 긴 칼.
hánd lèns (손잡이가 달린) 확대경; 돋보기.
hán·dler *n.* 손으로 만지는 사람; 다루는 사람; 〖권투〗 트레이너; 세컨드; 매니저; (말 · 경찰견 따위의) 조련사.
hánd·less *a.* 손이 없는; 《방언》 서투른.
hánd-lèttered *a.* 손으로 쓴.
hánd lèver (자동차 등의) 수동 레버.
hánd·lìne *n.* (낚싯대를 안 쓰는) 손낚싯줄.
hán·dling *n.* [U] 손을 대기, 〖축구〗 핸들링; 취급; 처리, 조종; (상품의) 출하; 〖법률〗 장물 취득: ~ charges 화물 취급료, (은행의) 어음 매입 수수료.
hánd·lìst *n.* (참조 · 점검용의) 간단한 일람표.
hánd·lòom *n.* 베틀.
hánd lùggage 《영》 수화물(《미》 hand baggage).
hánd·máde *a.* 손으로 만든, 수세공(手細工)의. [opp.] *machine-made.*
hánd·màid(en) *n.* 《고어》 하녀, 시녀, 몸종; 보조적인 것《덕 · 성질 · 지식 따위》.
hánd-me-dòwn *a., n.* (보통 *pl.*) 만들어 놓

은, 기성품의, 값싼; 중고품의 (옷), 헌 옷; 윗사람에게서 물려받은 것(《영》 reach-me-down).

hánd mìll 《영》 맷돌; (커피 원두 따위를) 타는 기구.

hánd mìrror 손거울.

hánd mòney 계약금; 착수금.

hánd mòwer 수동식 풀 베는 기계.

hánd-òff *n., vt., vi.* 〖럭비〗 손으로 상대방을 밀어제치다〔제치기〕; 〖미식축구〗 (자기 팀 선수끼리 공을) 주고받다〔받기〕; 〖통신〗 셀 방식 이동 통신(cellular mobile communication) 시스템에서 한 셀(cell)에서 다른 셀로의 이동에 수반하는 채널 변환.

hánd òrgan 손으로 핸들을 돌려 타는 풍금.

hand organ

*__hand·out__ [hǽndàut] *n.* 《미》 **1** 거지에게 주는 물건《돈 · 음식 · 옷 따위》; (재단 따위로부터의) 기부. **2** 상품 안내〔견본〕. **3** (정부가 신문사에 돌리는) 발표문서; (학회 등에서의) 배포 인쇄물, 유인물.

hánd-òver *n.* (책임 · 경영권 등의) 이양(移讓).

hánd·pìck *vt.* (과일 등을) 손으로 따다; 정선하다; 자기 형편에 맞게 뽑다〔고르다〕. ㊕ **hánd·pícked** [-t] *a.*

hánd·plày *n.* Ⓤ 《고어》 서로 치고받기.

hánd·pòst *n.* 길 안내 표지.

hánd prèss 수동 인쇄기.

hánd·prìnt *n.* (손바닥에 먹 따위를 묻혀 찍는) 손도장.

hánd pùmp 수동 펌프.

hánd pùppet (손가락을 넣어서 놀리는) 꼭두각시.

hánd·ràil(ing) *n.* 난간(용재)(欄干(用材)).

hánd-rúnning *ad.* 《구어 · 방언》 잇따라; 연속적으로.

hánd·sàw *n.* (한 손으로 켜는) 톱.

hánd's-brèadth, hánds- *n.* =HANDBREADTH.

hánd·scrùb *n.* 《미》 손톱 솔.

hánds-dówn *a.* **1** 쉬운, 용이한, 수월한: a ~ victory. **2** 확실한, 틀림없는.

hand·sel [hǽnsəl] *n.* 새해 선물; (개업 따위를 축하하는) 선물; (결혼식 날에) 신랑이 신부에게 보내는 선물; 마수걸이(의 돈); 첫 지불; 첫 시험; 시식(試食); 《고어》 계약금. ── (*-l-*, 《영》 *-ll-*) *vt.* …에게 ~을 보내다, 시작하다; 처음으로 쓰다〔하다〕.

hánd·sèrvant *n.* =HANDMAID.

hánd·sèt *n.* (탁상 전화의) 송수화기. ── *vt.* 손으로 조판(組版)하다. ── *a.* 손으로 조판한.

hánd·séwn *a.* 손으로 꿰맨.

hánds·frèe *a.* 손을 대지 않고 조작할 수 있는.

*__hand·shake__ [hǽndʃèik] *n.* 악수; =GOLDEN HANDSHAKE. ── *vi.* 악수하다. ㊕ **hánd·shàker** *n.* (일 · 야망 따위를 위해) 호감을 사려고 간살떠는 사람; 사람 만나기를 좋아하는 사람. **hánd-shàking** *n.* 〖통신〗 데이터 통신 시스템에서 데이터 전송에 앞서 서로 소정의 제어 신호를 교환함.

hánd·shìeld *n.* (용접공의) 안면 보호 방패.

hánd-sìtting *a.* 아무것도 안 하고 있는.

hánds-óff *a.* **1** 불간섭(주의)의; 방관적인: a ~ policy 불간섭 정책. **2** 데면데면한, 쌀쌀맞은. **3** (기계 따위가) 수동 조작이 필요 없는, 자동의.

__hand·some__ [hǽnsəm] (*-som·er; -som·est, more ~; most ~*) *a.* **1 풍채 좋은, (얼굴이) 잘생긴, (균형이 잡혀) 단정한. SYN. ⇨ BEAUTIFUL.

> NOTE 보통 남성에 쓰이고, 여성에게는 pretty, beautiful을 사용하나, 여성에게도 handsome을 쓸 경우가 있음: a ~ woman 늠름하고 기품 있는 여자.

2 훌륭한, 당당한; 《미구어》 재주 있는, 능란한: a ~ building 훌륭한 건물 / a ~ speech 훌륭한 연설 / *Handsome* is that 〔as〕 ~ does. 《속담》 행위가 훌륭하면 인품도 돋보인다, '겉보다 마음'. **3** 꽤 큰, 상당한《금액 · 재산 따위》: a ~ sum 상당한 금액 / a ~ fortune 큰 재산. **4** 활수한, 손이 큰, 후한: a ~ gift 푸짐한 선물 / It's ~ *of* him *to* give me a present. 그는 나에게 선물을 줄 만큼 마음이 후하다〔손이 크다〕. **5** 《미방언》 어울리는, 알맞은. ***do the ~ thing by*** …을 우대하다. ***tall, dark, and ~*** (남성이) 매력 있는. ── *ad.* 〔다음 관용구에서〕 ***do*** a person ***~*** =do a person PROUD. ㊕ **~·ly** *ad.* 훌륭하게; 당당히; 너그러이; 〖해사〗 주의하여, 조심하여: come down ~*ly* 《구어》 활수하게 돈을 쓰다. **~·ness** *n.*

hándsome ránsom 《미속어》 거금, 큰돈.

hánds-ón *a.* **1** (보기만 하지 않고) 실제로 참가하는〔조작해 보는〕, 실지의; (중역 · 관리직이) 직접 실무에 참가하는, 진두지휘하는; 일선에서 뛰는; 간섭적인, 참견하는. **2** (전시물을) 직접 손으로 만질 수 있는, (박물관 등이) 전시품을 만지는 방식의, 실체험 목적의; (전시가) 임장감(臨場感) 있는. **3** 수동의, 자동화되어 있지 않은.

hánd-sòrt *vt.* (우편물 등을) 손으로 선별하다.

hánd·spèak *n.* 수화(手話)(finger language).

hánd·spìke *n.* **1** (나무) 지레. **2** 〖군사〗 조준간(桿).

hánd·spìn *n.* 〖브레이크댄스〗 물구나무서서 두 손 또는 한 손으로 빙빙 도는 춤.

hánd·sprìng *n.* (땅에 손을 짚고 하는) 재주넘기: turn ~ 재주넘다.

hánd·stàff (*pl.* ***-stàves*** [-stèivz]) *n.* 도리깻장부.

hánd·stàmp *n.* 고무도장, 스탬프 소인기(消印器). ── *vt.* (수표에) 소인을 찍다.

hánd·stànd *n.* 물구나무서기.

hánd·stìtch *vt.* 손으로 꿰매다.

hánd·stràp *n.* (전동차 등의) 손잡이 가죽끈.

hand·tec·tor [hǽndtèktər] *n.* 휴대용 금속 탐지기《공항의 무기 탐지용》.

hánd tíght (볼트 · 너트 따위가) 손으로 힘껏 죈.

hánd-to-hánd *a.* 드잡이의; 백병전의; 직접 건네 주는: ~ combat 백병전.

hánd-to-móuth *a.* 그날그날 살아 가는; 생활에 여유가 없는, 일시 모면의.

hánd tòwel (물수건용의) 작은 수건.

hánd tròuble 《속어》 《특히》 여자의 몸을 더듬거리고 싶어하는 것; 또 그런 버릇.

hánd trùck 손수레.

hánd-wáshing *n.* 손을 씻음〔씻는 것〕, 손으로 씻음〔씻는 것〕.

hánd·wàve *n.* 속임수. ── *vi.* (주의력을 딴 곳으로 쏠리게 해서) 속이다.

hánd·whèel *n.* (수동 브레이크(hand brake) 등에 달려 있는) 수동 핸들.

hánd·wòrk *n.* Ⓤ 수공, 수세공, 손으로 하는 일. ㊕ **-wòrked** [-t] *a.* 손으로 만든.

hánd·wóven *a.* 손으로 짠, 수직(手織)의.

hánd-wrìnging *n.* (고통 · 슬픔 · 절망의 나머지) 손을 비벼짬; 지나친 관심〔죄악감〕의 표명. ── *a.* 절망적인.

hánd·wrìte *vt.* 손으로 쓰다.

*__hand·writ·ing__ [hǽndràitiŋ] *n.* Ⓤ 손으로 씀, 육필; 필적, 서풍(書風); Ⓒ 필사물(筆寫物). (***see*** 〔***read***〕) ***the ~ on the wall*** 〖성서〗 재앙의 전조(를 알아차리다).

hánd·wrìtten *a.* 손으로 쓴.

hánd·wróught *a.* 손으로 만든, 수세공의.

__handy__ [hǽndi] (*hand·i·er; -i·est***) *a.* **1** 알맞은; (배 · 연장 따위가) 다루기 쉬운. **2** 편리한, 간편한. **3** 능숙한, 솜씨 좋은(dexterous), 재빠른 《*with, at*》: be ~ *at* repairing watches 시계 수리에 솜씨가 있다 / He's ~ *with* a computer. 그는 컴퓨터를 다루는 솜씨가 능숙하다. **4** 가까이

있는, 곧 소용에 닿는. **come in** ~ 편리하다, 곧 쓸 수 있다. **—** *ad.* ⦅구어⦆ 곁에, 바로 가까이에.

hándy·bòok *n.* =HANDBOOK.

hándy-dándy *n.* Ⓤ 먹국⦅어느 손에 물건이 있는가를 맞히는 어린이 놀이⦆.

hándy·màn [-mæ̀n] (*pl.* **-mèn** [-mèn]) *n.* 잡역부; 재주 있는 사내〔수병〕.

hándy·pèrson *n.* 잡역부⦅성차별을 감안한 말⦆.

Han·ford [hǽnfərd] *n.* 핸퍼드⦅미국 Washington 주 남부에 있는 원자력 연구의 중심지⦆.

:hang [hæŋ] (*p., pp.* **hung** [hʌŋ], **hanged**) *vt.* **1** ⦅+목+부/+목+전+명⦆ 매달다, 걸다, 늘어뜨리다, 내리다⦅*to; on; from*⦆: ~ *up* a hat 모자를 걸다 / ~ curtains *on* a window 창문에 커튼을 치다. **2** (*p., pp.* **hanged**) 목매달다, 교수형에 처하다: ~ oneself 목매달아 자살하다 / *Hang* you! =Be ~*ed!* 이 오라질 녀석. **3** (고개·얼굴을) 숙이다: ~ one's head (down) 고개를 숙이다. **4** ⦅+목+전+명⦆ (벽지 등을) 바르다, (족자 따위로) …을 꾸미다, (그림 따위를) …에 걸다〔전시하다〕⦅*with; on*⦆: ~ a new picture *on* the wall 벽에 새로운 그림을 걸다 / ~ a room *with* pictures 그림을 걸어 방을 꾸미다. **5** ⦅+목+전+명⦆ 달다, 끼우다⦅문짝을 문설주에, 손잡이를 기구에⦆: ~ an ax *to* its helve 도끼에 자루를 끼우다. **6** ⦅+목+전+명⦆ (첨가물·조항을) 덧붙이다; (별명 따위를) 붙이다⦅*on*⦆: ~ a rider *on* a bill 법안에 보충 사항을 추가하다. **7** ⦅속어⦆⦅+목+전+명⦆ (타격을) 가하다⦅*on*⦆: He *hung* a left *on* his opponent's jaw. 그는 상대의 턱에 왼손의 일격을 가했다. **8** ⦅~+목/+목+부⦆ 질질 끌다, 지체시키다; ⦅미⦆ 결정을 보류시키다: ~ (*up*) one's determination 결심을 망설이다. **9** ⦅+목+전+명⦆ (생각 등을 어떤 상황 따위에) 관련시키다, 의존시키다⦅*on*⦆: ~ the meaning of one's puns *on* the current political scene 자신의 신소리의 뜻을 현재의 정치 상황과 관련시키다. **—** *vi.* **1** ⦅+부/+전+명/+보⦆ 매달리다, 늘어지다, 걸리다: pictures ~*ing above* 머리 위에 걸려 있는 그림 / a chandelier ~*ing from* the ceiling 천장에 매달린 샹들리에 / The leaves *hung* lifeless. 잎이 생기 없이 달려 있었다. **2** ⦅+전+명⦆ 허공에 뜨다, 공중에 떠돌다; (연기·안개 따위가) 자욱이 끼다, (…위에) 드리우다⦅*over*⦆; (냄새 따위가) 주위에 감돌다〔자욱하다〕, 뜨다⦅*in*⦆: Fog *hung over* the city. 안개가 도시 상공에 자욱이 끼어 있었다 / The smell of sulfur *hung in* the air. 주변에는 유황 냄새가 자욱했다 / The bird seemed to ~ *in* the air. 그 새는 하늘에 가만히 떠 있는 것처럼 보였다. **3** ⦅+전+명⦆ (바위 따위가) 삐죽이 내밀다⦅*over*⦆; (위험 등이) 다가오다⦅*on; over*⦆: a huge rock ~*ing over* the stream 시내 위로 돌출한 큰 바위. **4** (*p., pp.* **hanged**) 교살당하다; 교수형에 처해지다. **5** ⦅+전+명⦆ (문짝이) 경첩으로 자유로이 움직이다: a door ~*ing on* its hinges 경첩으로 자유로이 움직이는 문. **6** ⦅+전+명⦆ …에 걸리다〔달리다〕, …나름이다⦅*on*⦆: a question *on* which life and death ~ 생사가 걸려 있는 문제. **7** ⦅+전+명⦆ 달라붙다, 매달리다, 기대다⦅*on; onto; about*⦆: ~ *on* a person's arm 아무의 팔에 꼭 매달리다. **8** ⦅+전+명/+부⦆ 우물거리다; 서성대다⦅*about; around*⦆: He *hung by* her side, unwilling to leave. 그는 그녀의 곁을 떠나기 싫어 우물거리고 있었다. **9** ⦅+전+명⦆ 망설이다, 주저하다: ~ *between* staying and going 갈까말까 망설이다. **10** ⦅~/+전+명⦆ 그대로 두다, 결정을 보류하다: Let that matter ~ for some time. 그 문제는 얼마 동안 보류해 둡시다 / ~ *in* doubt 의심하다. **11** ⦅+전+명⦆ 〖미술〗 (전람회 등에) 출품〔진열〕되다: His works ~ *in* the Metropolitan Museum of Art. 그의 작품은 메트로폴리탄 미술관에 진열되어 있다. **12** ⦅+전+명⦆ 주의를 기울이다, 물끄러미 지켜보다, 귀담아 듣다: I *hung on* her every word 〔her words, her lips〕. 나는 그녀의 말을 한 마디도 놓치지 않으려고 귀를 기울였다. **13** ⦅해커속어⦆ (프로그램이 명령을) 기다리다; 정체(停滯)하다⦅컴퓨터에서⦆: The computer is ~*ing* because you didn't turn on the printer. 네가 프린터의 전원을 켜지 않아서 컴퓨터가 정체하고 있다.

be hung on ... ⦅구어⦆ …에 열중하고 있다. ***be hung over*** ⦅구어⦆ 숙취(宿醉)이다. ***be*** 〔***get***〕 ***hung up on*** 〔***about***〕 ⦅구어⦆ …이 마음에 걸리다〔걸려 있다〕; …이 마음에서 떠나지 않다; …에 열중해 있다〔열중하다〕. ***go*** ~ ① 교수형이 되다: Go ~ yourself! 뒈져라, 꺼져라. ② 〖보통 let ... go로〗 ⦅구어⦆ …을 내버려두다, 무시하다. ~ ***a few on*** = ~ ***on a few*** (맥주 따위를) 한두 잔 들이켜다. ~ ***a right*** 〔***left***〕 ⦅미속어⦆ (스키·차의 운전에서) 오른쪽〔왼쪽〕으로 돌다〔커브를 틀다〕. ~ ***around*** 〔***about***〕 ① …에게 귀찮게 달라붙다, (아무와 함께) 시간을 보내다⦅*with*⦆. ② ⦅구어⦆ 방황하다, 어슬렁〔꾸물〕거리다; (전화를 끊지 않고) 기다리다. ~ ***back*** 주춤거리다, 꽁무니 빼다. ~ ***behind*** 뒤지다, 처지다. ~ ***by a*** (***single***) ***hair*** 〔***a thread***〕 풍전등화〔위기일발〕이다. ~ ***down*** 늘어지다; 늘어뜨리다; 전해지다: Her hair *hung down* on her shoulders. 그녀의 머리는 어깨에 드리워 있었다. ~ ***fire*** ⇨ FIRE. ~ ***five*** 〔***ten***〕 (체중을 앞에 실어) 한쪽〔양쪽〕 발가락을 서프보드의 앞쪽 끝에 걸고 보드를 타다. ~ ***heavy*** 〔***heavily***〕 ***on*** a person 〔a person***'s hand***〕 ⇨ HEAVY[1]. ~ ***in for*** a person ⦅미속어⦆ (일에서) 아무와 교체하다, 〖연극〗 아무의 대역을 맡다, 대역이 될 것에 대비해서 연습〔공부〕하다. ~ ***in the balance*** 〔***air, wind, doubt***〕 미지수이다, 어떻게 결말이 날지 확실치 않다. ~ ***in*** (***there***) ⦅미구어⦆ 곤란을 견디다, 버티다, 견뎌내다. ***Hang it*** (***all***)***!*** 제기랄, 빌어먹을. ~ ***it easy*** ⦅미속어⦆ =take it EASY. ~ ***it on*** ⦅속어⦆ (일 따위를) 질질 끌다. ~ ***it out*** 대화를 통해서 충분히 이해하게 되다. ~ ***it up*** ⦅미구어⦆ 그만두다, 사직하다. ~ ***loose*** (팽팽하던 것이) 축 처지다; ⦅미속어⦆ 느슨〔느긋〕해지다. ~ ***off*** 놓아주다; =hang back. ~ ***on*** ① 꼭 붙잡다, 매달리다, 붙잡고 늘어지다, (소유물을) 놓지 않다⦅*to*⦆; 일을 계속해 나가다, 버티어 나가다⦅*at*⦆; (경주 따위에서) 리드를 유지하다; (병이) 오래가다; 미결인 채로 있다; ⦅구어⦆ 잠시 기다리다; ⦅구어⦆ 전화를 끊지 않고 두다. ② 〖on은 전치사〗 ⇨ *vi.* 6, 12. ***Hang on!*** ① 꼭 붙들어라. ② 잠깐 기다려. ~ ***one on*** ⦅미속어⦆ ⦅*vi.*+부⦆ ① 억병으로 취하다: Every payday he ~*s one on*. 그는 월급날에는 언제나 억병으로 취한다. **—** ⦅*vt.*+전⦆ ② (아무에게) 일격을 가하다: He *hung one on* the bully and knocked him down. 그는 그 깡패에게 일격을 가해 넘어뜨렸다. ~ ***onto*** 〔***on to***〕 ① …을 움켜잡다, …에 매달리다: Jane moaned, and *hung on to* Bob's shoulder. 제인은 신음하면서 보브의 어깨를 잡고 매달렸다. ② (불필요한 것이지만) 계속 보관하다: We can ~ *onto* the old jacket for another season. 우리는 그 헌 재킷을 두었다가 다음 철에 입을 수 있다. ③ (위협 등을 무릅쓰고) 애써 잡아 두다: James received a call from the FBI telling him to ~ *onto* the prisoner. 제임스는 FBI로부터 피고인을 계속 잡아 두라는 전화 연락을 받았다. ~ ***out*** ⦅*vi.*+부⦆ ① 몸을 밖으로 내밀다⦅*of*⦆:

~ *out of* the window 창 밖으로 몸을 내밀다. ② (…에서) 살다《*at; in*》: the house where he ~*s out* 그가 살고 있는 집. ③ 《구어》 …에 자주 출입하다, 늘 …에서 얼씬대다《*at; in*》: ~ *out in* bars 술집에 자주 출입하다. ④ 《영》 (임금 인상 등을) 완강히 계속 요구하다《*for*》: ~ *out for* higher wages 임금 인상을 끈질기게 요구하다. ⑤ 《미구어》 탁 터놓고 이야기하다〔행동하다〕: Let it all ~ *out*. 모든 것을 탁 터놓고 이야기합시다. ⑥ (잠시) 기다리다; 《구어》 참고 견디다, 버티다; 《속어》 침착해 하다. ―《*vt.*+副》 ⑦ (간판·기 따위를) 밖으로 내다 걸다; (세탁물 따위를) 밖에서 말리다, 내다 널다. ~ **over** 《*vi.*+副》 ① (결정·안건 등이) 보류되다, 미결인 채로 있다《*from*》. ② (관습 따위가) 계속되다, 잔존하다《*from*》. ―《*vi.* +前》 ③ (위험 등이) 다가와 있다, 직면해 있다; (절망 등이) 괴롭히다: Economic ruin ~*s over* the town. 도시가 경제적 파산에 직면해 있다. ―《*vt.*+副》 ④ 〖be hung over로〗 《구어》 숙취이다. ~ **to** …에 매달리다; …에 밀착하다. ~ **together** ① 단결하다; 찰싹 달라붙다, 혼연일체를 이루다. ② (말 따위가) 앞뒤가 맞다, 조리가 서다. ~ **tough** 《미속어》 결심을 바꾸지 않다, 양보하지 않다, 버티다《*on*》: ~ *tough* and won't change one's mind 단호히 자신의 생각을 바꾸려 하지 않다. ~ **up** 《*vt.*+副》 ① (물건을) 걸다, 매달다. ② 〖종종 수동태〗 …을 지체시키다, …의 진행을 방해하다; (계획을) 중지하다, 연기하다: The signing of the contract *was hung up* over a minor disagreement. 사소한 의견의 대립으로 계약의 조인이 늦어졌다. ③ (기록 따위를) 세우다, 이루다. ④ (전화의) 수화기를 놓다, 전화를 끊다. ⑤ 《구어》 〖보통 수동태〗 …을 꼼짝 못하게 하다; 《구어》 (아무를) 괴롭히다: The experience *hung* her *up* for years. 그 경험으로 그녀는 여러 해 동안이나 괴로워했다. ―《*vi.*+副》 ⑥ 갑자기 전화를 끊다《*on*》: She *hung up* (*on* me). 그녀는 일방적으로 (나의) 전화를 끊었다. **~ up a bill** 묵살하다. ~ **upon** …에 의지하다, …에 따라 결정되다. ~ **up with** 《속어》 …와 어깨를 나란히 하다. ***I'll be ~ed if ….*** 결단코 …안 하다; 절대로 …한 일은 없다: *I'll be ~ed if* I do so. 설마 그런 짓을 할라구, 그런 짓을 누가 해. ***leave … ~ing (in the air)*** …을 미결인 채로 두다. ***let it all ~ out*** 《구어》 ① 숨기지〔감추지〕 않다, 솔직하게 (모든 것을) 말하다. ② 자기가 좋아하는 짓을 하다. ***let things go ~*** 내버려두다. ―*n.* **1** (보통 the ~) 걸림새, 늘어진 모양; 속력〔움직임〕 등의 느려짐, 둔해짐. **2** 《미구어》 (바른) 취급법, 사용법, 요령, 하는 법: get 〔have〕 the ~ *of* a tool 도구의 사용법을 알다 / lose 〔get out of〕 the ~ *of* speaking English 영어로 이야기 하는 요령을 잊다〔모르게 되다〕. **3** 《구어》 (the ~) (문제·의논 따위의) 의미, 취지: get 〔have, see〕 the ~ *of* subject 주제의 의미를 파악하다. **4** (a ~) 《구어》 조금도《'a damn' 보다 가벼운 표현》: I don't care a ~. =I don't give a ~. 나는 조금도 상관없어.

hang·ar [hǽŋər] *n.* 격납고; 곳집; 차고: a ~ deck (항공모함의) 격납고 갑판. ―*vt.* 격납고에 넣다. ㊕ **~·age** [-ridʒ] *n.*

háng·bìrd *n.* 나뭇가지에 매달린 둥지를 짓는 새《특히 미국산 찌르레기》.

háng·dòg *a.* 살금거리는, 비굴한, 비열한. ―*n.* 비열한 사내.

háng·er *n.* **1** 매다는〔거는〕 사람, (전단 등을) 붙이는 사람; 교수형 집행인. **2** (물건을) 매다는〔거는〕 것; 양복걸이; 달아매는 (밧)줄; 갈고리; 자재(自在)갈고리《늘였다 줄였다 할 수 있는》; 〖기계〗 (축받이 등의) 매다는 기재(器材). **3** S자 모양의 선《활자 위치를 바꾸라는 표시의》; (글씨 연습용의) 갈고리(꼴). **4** (혁대에 다는) 단검. **5** 《영》 급경사지의 숲. **6** (가게에) 매단 광고〔포스터〕. **7** 심사원《hanging committee 의 한 사람》.

hánger-ón (*pl.* ***hángers-*** [-ərz-]) *n.* 《구어》 식객; 부하, 언제나 따라다니는 사람; 엽관 운동자; 《구어》 애착을 갖는 사람, (어떤 장소에) 늘 오는 사람. 「(遲發).

háng·fìre *n.* Ⓤ (폭약·로켓 연료 따위의) 지발

háng-glìde *vi.* 행글라이더로 날다. 「사람.

háng glìder 행글라이더(활공기); 또 활공하는

háng glìding 행글라이딩.

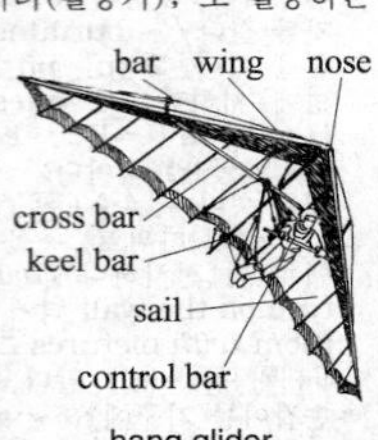

hang glider

°**háng·ing** *n.* Ⓤ 걸기, 매달려 늘어짐; Ⓤ,Ⓒ 교살; 교수형; (*pl.*) 벽걸이 천; 커튼; 벽지; Ⓒ,Ⓤ 내리막 사면〔경사〕. ―*a.* **1** 교수형에 합당한; 가혹한. **2** 드리워진; (바위 따위가) 돌출한; (건물 등이) 높은 곳〔급사면〕에 있는. **3** 고개를 숙인; 의기소침한. **4** 늘어뜨리는 (식의). **5** (계약·문제 등이) 미결정인, 임박한. **6** (층계가) 한쪽이 벽으로 막힌.

hánging básket (장식용의) 매달린 꽃바구니.

hánging commíttee (전람회 따위의) 심사위원회.

hánging cúrve 〖야구〗 빗나간 커브《구부러지지 않은 커브로 때리기 좋은 공이 됨》.

Hánging Gárdens of Bábylon (the ~) (고대) 바빌론의 공중 정원《Nebuchadnezzar 왕이 왕비를 위해 만든 정원》. ⓒⓕ Seven Wonders of the World.

hánging indéntion 〖인쇄〗 첫 행 이외는 모두 일매지게 물려 짜기.

hánging páragraph 〖인쇄〗 행잉 패러그래프《hanging indention 에 의한 단락》.

hánging válley 〖지학〗 현곡(懸谷).

hánging wàll 〖광산〗 상반(上盤).

hánging wárdrobe 양복장.

háng-lóose *a.* 느긋한, 긴장이 풀린, 자유로운, 홀가분한, 속박당하지 않은.

háng·man [-mən] (*pl.* ***-men*** [-mən -mèn]) *n.* 교수형 집행인. ⓒⓕ hanger.

háng·nàil *n.* 손거스러미.

háng-on-the-wáll *a.* 벽걸이식의: a ~ television 벽걸이식 TV.

háng·òut *n.* **1** 《구어》 (악한 등의) 소굴, 연락 장소; 집. **2** 《미속어》 폭로, 공개, 탁 터놓음(=∠ **ròad**): go the ~ road 진상을 죄다 공표하다. **3** 《구어》 저급한 오락장.

háng·òver *n.* 《미》 잔존물, 유물; 《구어》 여파; 《속어》 숙취(宿醉); (약의) 부작용.

Háng Séng Index [hǽŋséŋ-] 항생(恒生) 지수《홍콩 항생 은행이 발표하는 홍콩 증권 거래소의 주가 지수》.

háng·tàg *n.* (기구에 붙은) 사용법 설명 쪽지; 품질 표시표. 「(滯空)시간.

háng·tìme *n.* 〖미식축구〗 punt 한 공의 체공

Háng·tòwn frý (흔히 H- F-) 〖요리〗 행타운 프라이《튀긴 굴을 넣어 지진 달걀; California 주의 한 마을의 별명에서》. 「한글.

Han·gul, Han·kul [há:ŋgu:l], [há:ŋku:l] *n.*

háng-ùp *n.* 《구어》 **1** 정신적 장애, 고민, 곤란, 문제, 콤플렉스. **2** 약점. **3** 몰두〔열중〕함: His ~ is rockabilly. 그가 열중하고 있는 것은 로커빌리

다. 4 〖컴퓨터〗 단절.

hank [hæŋk] *n.* 다발, 묶음, (실 등의) 타래; 실 한 타래; 한 테실((면사 840 야드, 모사 560 야드)); 〖해사〗 범환(帆環)((세로돛의 앞가에 달린 고리)). ***have* 〔*get*〕 *a* ~ *on* 〔*over*〕** …에 대하여 억제력을 갖다. **~ *for* ~** 〖해사〗 두 배가 나란히; ((속어)) 대등하게. ***in a* ~** 곤혹하여.

han·ker [hǽŋkər] *vi.* 동경하다, 갈망〔열망〕하다((*after; for*)). ㊕ **~·er** *n.* **~·ing** *n.* Ⓤ, *a.* 갈망(하는). **~·ing·ly** *ad.*

han·k(e)y-pan·k(e)y [hǽŋkipǽŋki] *n.* Ⓤ ((구어)) 협잡; 사기; 요술; 혐의쩍은〔떳떳하지 못한〕 일; 간통. ***be up to some* ~** 무엇인가 의심스러운 짓을 하고 있다.

han·ky, han·key, han·kie [hǽŋki] *n.* ((소아어·구어)) 손수건.

hánky-pánk [-pæ̀ŋk] *n.* ((속어)) (카니발 행사 때의) 길에서 하는 게임((화살 던지기 등을 하여 그 자리에서 상품을 탐)); (카니발 등에서의) 호객(呼客) 소리. **—** *a.* ((속어)) 값싼, 겉만 번지르르한, 쓰레기 같은. 「불륜, 성행위.

hánky-pán·ky [-pǽŋki] *n.* ((구어)) 사기, 협잡;

Han·ni·bal [hǽnəbəl] *n.* 한니발((카르타고의 장군; 247-183 B.C.)). 「수도)).

Ha·noi [hænɔ́i, hə-/hæ-] *n.* 하노이((베트남의

Han·o·ver [hǽnouvər] *n.* 하노버((독일 북부의 주; 그 주도)). **(*the House of*) ~** 영국의 하노버 왕가((George 1 세부터 Victoria 여왕까지)).

Han·o·ve·ri·an [hæ̀nouvíəriən] *a.* **1** Hanover 주의. **2** Hanover 왕가의. **—** *n.* Hanover 사람〔주민〕; Hanover 왕가의 사람〔지지자〕.

Hans [hænz] *n.* **1** 한스((남자 이름)). **2** 독일 사람 또는 네덜란드 사람에 대한 별명.

han·sa [hǽnsə, -zə] *n.* 〖역사〗 (중세의) 상인 조합; (the H-) 한자 동맹((중세 독일 북부 여러 도시의 정치적·상업적 동맹)).

Han·sard [hǽnsərd/-sɑːd] *n.* 영국 국회 의사록((최초의 의사록 출판자의 이름에서)). ㊕ **~·ìze** *vt.* ((고어)) 의사록을 인증(引證)하여 (국회의원을) 논박하다.

hanse [hæns] *n.* =HANSA.

Han·se·at·ic [hæ̀nsiǽtik] *a., n.* 한자 동맹의 (가맹 도시).

Hanseátic Léague (the ~) 한자 동맹.

han·sel [hǽnsəl] *n., vt.* =HANDSEL.

Hán·sen's disèase [hǽnsnz-] 〖의학〗 Ⓤ 한센병, 문둥병(leprosy).

han·som [hǽnsəm] *n.* 한층 높은 마부석이 뒤에 있고 말 한 필이 끄는 2 인승 2 륜마차.

ha'nt, han't, ha'n't [heint] ((영방언)) have 〔has〕 not 의 간약형.

Hants [hænts] *n.* =HAMPSHIRE.

Ha·nuk·kah, -nu·kah [hɑ́ːnəkə, -nu-, -kɑ̀ː] *n.* 〖유대교〗 하누카((신전 정화 기념 제전, 성전 헌당 기념일)).

hao, hào [hau] (*pl.* ~) *n.* 하오((베트남의 화폐 단위; $^1/_{10}$ dong = 10 xu)).

hao·le [háuli, -lei] *n.* ((Haw.)) 하와이 토박이가 아닌 사람, ((특히)) 백인.

°**hap** [hæp] ((고어)) *n.* Ⓤ 우연, 운; Ⓒ 우연히 생긴 일. **—** (***-pp-***) *vi.* 우연히 …하다((*to* do)).

ha·pa hao·le [hɑ̀ːpəháuli, -lei] 백인과 하와이 원주민 사이의 혼혈인(의).

hap·ax le·go·me·non [hǽpæksligɑ́mənɑ̀n, héip-/hǽpæksligɔ́minɔ̀n] (*pl.* ***-me·na*** [-nə]) ((Gr.)) (=something said only once) 단 한 번 기록에 남아 있는 어구(語句).

ha'·pen·ny [héipəni] *n.* =HALFPENNY.

°**hap·haz·ard** [hæ̀phǽzərd] *n.* Ⓤ 우연(한 일): at 〔by〕 ~ 우연히; 되는대로, 아무렇게나. **—** [-ˊ-] *a.* 우연한; 되는대로의. SYN. ⇨ RANDOM. **—** *ad.* 우연히; 함부로. ㊕ **~·ly** *ad.* **~·ness** *n.* 「(偶然性).

hap·haz·ard·ry [hæphǽzərdri] *n.* 우연성

hapl- [hǽpl], **hap·lo-** [hǽplou, -lə] '단일·단순·반수 분열의' 라는 뜻의 결합사.

háp·less *a.* 불운한, 운 나쁜, 불행한. ㊕ **~·ly** *ad.* 불운하게도. **~·ness** *n.*

hap·log·ra·phy [hæplɑ́grəfi/-lɔ́g-] *n.* Ⓤ 중복철자(重複綴字)를 빠뜨리고 잘못 쓰기((convivial을 convial 로 하는 따위)).

hap·loid [hǽplɔid] *a.* 단일의, 단순한; 〖생물〗 (염색체가) 반수(半數)(성)의. **—** *n.* 반수체((반수 염색체 생물 또는 세포)). ㊕ **-loi·dy** *n.* 반수성(性).

hap·lol·o·gy [hæplɑ́lədʒi/-lɔ́l-] *n.* Ⓤ 〖언어〗 중음(重音) 탈락((papa 를 pa 로 발음하는 따위)). ㊕ **hap·lo·log·ic** [hæ̀plələ́dʒik/-lɔ́dʒ-] *a.*

hap·lont [hǽplɑnt/-lɔnt] *n.* 〖생물〗 반수체(半數體); 단상체(單相體); 단상 생물. ㊕ **hap·lón·tic** *a.*

háp·ly *ad.* ((고어)) 우연히; 필시, 아마.

hap'orth, ha'porth, ha'p'orth [héipərθ] *n.* ((영구어)) 반 페니 어치의 물건; 극소량(極小量). [◂ halfpennyworth]

†**hap·pen** [hǽpən] *vi.* **1** ((~/+전+명)) 일어나다, 생기다: Tell me what ~*ed*. 무슨 일이 일어났는지 말해 다오/What (has) ~*ed to* him 〔my pen〕? 그는〔내 만년필은〕 어떻게 되었나.

> SYN. **happen** 가장 일반적으로 쓰이는 말. 우연히 또는 계획적으로 어떤 일이 일어남. **chance** 아주 우연히 일이 일어남을 가리킴. **occur** 약간 격식차린 말. 특정한 일이 특정한 시기에 일어남을 말함. **take place** 대개 구어적으로 쓰이며 예정된 일이나 예기한 일이 일어남을 말함.

2 ((+*to* do/+*that* 절)) 마침〔공교롭게〕 …하다, 우연히〔이따금〕 …하다: I ~*ed to* be out 〔*to* hear it〕. 공교롭게도 내가 외출 중이었다〔그것을 들었다〕/I ~ *to* be his uncle. 실은〔마침〕 내가 그의 삼촌이다/It (so) ~*s that* I have no money with me. 공교롭게도 나는 가진 돈이 없다. **3** ((~/+부/+전+명)) ((미구어)) (우연히) 나타나다〔만나다, 생각나다, 발견하다〕; 우연히 가다〔오다, 들르다〕((*in, into; along*)): I did not find out the book; it just ~*ed*. 그 책은 내가 찾아낸 게 아냐, 우연히 내 눈에 띄었어/My friend ~*ed in* to see me. 내 친구가 우연히 들렀다/He ~*ed at* the party. 그는 마침 그 파티에 참석했었다. ***As it* ~*s*,** (I have left the watch at home.) 공교롭게도 (나는 시계를 집에 두고 왔다). ***be likely to* ~** …이 일어날 성싶다. **~ *along* 〔*by, past*〕** 우연히 오다〔지나치다, 지나가다〕. **~ *in* 〔*into*〕** ((영)) 우연히〔불쑥〕 들르다. **~ *on* 〔*upon, across*〕** …와 마주치다; 뜻밖에 …을 만나다, …을 우연히 발견하다. **~ *what may* 〔*will*〕** =***whatever may* ~** 어떤 일이 있더라도. ***if anything should* ~ *to*** …에게 만일의 사태가 일어나면(('만약 죽으면'의 뜻)). ***Never* ~*!*** 말도 안 돼, 절대로 안 돼. ***These things* ~.** 그런 일도 있을 수 있다: *These things* ~: don't give it another thought. 그럴 수도 있지 뭐. 딴 생각 마라.

háppen·chànce *a., n.* 우연한 (일).

***hap·pen·ing** [hǽpəniŋ] *n.* (종종 *pl.*) 사건, 사고; (종종 관객도 참가하는) 즉흥극〔연기〕, 해프닝(쇼); (*pl.*) ((미속어)) 마약, 약물. **—** *a.* ((속어)) 최신 유행의, 최신식의; 멋있는, 인기 있는.

háppen·sò, háppen·stànce [-stæ̀ns] *n.* ((미구어)) 우연한〔뜻하지 않은〕 일.

hap·pen·stan·tial [hæ̀pənstǽnʃəl] *a.* 《미》 우발적인, 뜻밖의, 우연히 일어난, 부수적인. ~

hap·pi·fy [hǽpifài] *vt.* 행복하게 만들다.

hap·pi·ly [hǽpili] *ad.* **1** 행복하게, 즐겁게: They lived ~ together ever after. 그 후 죽 그들은 함께 행복하게 살았다 / He did not die ~. 그는 행복하게 죽지 못했다. **2** 운 좋게, 다행히: Happily, he did not die. 다행히도 그는 목숨을 잃지 않았다. ★ 위치에 주의. 1의 예문과 비교. **3** 순조롭게, 잘. **4** 알맞게, 적절히《표현하다 따위》. **5** 《고어》 우연히.

hap·pi·ness [hǽpinis] *n.* Ⓤ **1** 행복; 행운. **2** 만족, 유쾌. **3** (평(評)·용어 따위의) 적절, 교묘. ***I wish you ~.*** 행복하시기를 빕니다; 결혼을 축하합니다《신혼 여성에 대하여》.

háppiness condítion 〖언어〗 = FELICITY CONDITION.

hap·py [hǽpi] (**-pi·er; -pi·est**) *a.* **1** 행운의, 운 좋은, 경사스러운: a ~ man 운 좋은 사람 / a ~ event 경사(스러운 일) / by ~ accident 마침 운이 좋아. SYN. ⇨ LUCKY. **2** 기쁜, 즐거운, 행복에 가득 찬: a book with a ~ ending 해피엔드로 끝나는 책 / I am ~ *to* accept your offer. 기꺼이 당신의 제의를 받아들입니다 / I am ~ *that* he has succeeded. 나는 그가 성공해서 기쁘다. **3** 희색이 도는, 즐거운 듯한. OPP. *sad.* ¶ a ~ look 희색이 도는 안색 / What makes you so ~? 어째서 그처럼 희색만면한가. **4** 아주 어울리는, 적절한: a ~ phrase 명문구 / a ~ choice of words 낱말의 적절한 선택. **5** 《구어》 **a** 〔서술적〕 거나한, 한잔 한 기분인, 휘청거리는: come home a bit ~ 거나하게 취해서 귀가하다. **b** 〔복합어의 제 2 요소로〕 …을 좋아하는, …에 열중한 〔매료된〕; 멍해진; 정신 잃은: gadget-~ Americans 기계를 좋아하는 미국인 / trigger-~ soldier 툭하면 발포하고 싶어하는 군인 / sailor-~ girls 수병에게 열을 올리는 처녀들 / a punch-~ boxer 펀치를 맞고 비틀거리는 권투 선수. **(as) ~ *as the day is long*** = **(as) ~ *as a king*** 〔**lark**〕 매우 행복스러운, 참으로 마음 편한. ***be ~ in*** ① 다행히도 …을 갖다: I *was* once ~ *in* a daughter. 나에게도 딸 하나가 있었습니다(만…). ② …에 있어서 잘하다: He *is* ~ *in* his expressions. 그는 말주변이 좋다. **~ *as a pig in shit*** 《속어》 몹시 만족하고 있는. ***Happy birthday* (*to you*)!** 생일을 축하합니다.

háppy cábbage 《미속어》 (옷 등에 지출하는) 상당한 돈.

háppy cámper 《미구어》 즐기는〔만족한, 잘하고 있는〕 사람; 기분이 좋은 손님《술집 따위》.

háppy cláppies 《속어·경멸》 음악에 맞추어 손뼉을 치는 복음 신자.

háppy dúst 《미속어》 모르핀, 코카인.

háppy evént 경사, 《특히》 출산, 탄생.

háppy-go-lúcky *a.* 마음 편한, 낙천적인; 되는대로의, 운에 내맡기는. **—** *ad.* 《고어》 아주 우연히.

háppy hòur 《미구어》 (술집 등에서의) 서비스 타임《할인 또는 무료 제공되는》; (회사·대학에서의) 비공식적인 모임의 시간.

háppy húnting gròund (아메리칸 인디언들의) 극락, 천국; 만물이 풍성한 곳; 절호의 활동 장소: a ~ for antique collectors 골동품 수집가가 진품을 얻기에 가장 좋은 장소. ***go to the ~(s)*** 《우스개》 저세상에 가다《죽다》.

háppy-júice 《속어》 술, 알코올음료.

háppy lánd 천국(heaven).

háppy médium (양극단의) 중간, 중용(中庸)(golden mean), 중도(中道): strike 〔hit〕 the 〔a〕 ~ 중용을 취하다.

háppy móney 《속어》 개인적인 재미를 보기 위해 마련한 돈.

háppy píll 《구어》 정신 안정제, 진정제(tranquilizer).

háppy reléase 고통으로부터의 해방; 죽음.

háppy shíp 승무원이 모두 협력해서 일하는 배; 구성원이 일치단결해서 일하는 단체.

háppy tálk 가벼운 화제를 중심으로 한 부드러운 분위기의 뉴스 프로.

háppy wárrior 고난에도 굴하지 않는 사람.

háppy wíshes 《CB속어》 〖감탄사적〗 행운을 빈다(best wishes).

Haps·burg [hǽpsbəːrg] *n.* (the ~s) (옛 오스트리아의) 합스부르크 왕가(1273–1918).

Hápsburg líp 앞으로 튀어나온 아랫입술.

hap·ten, -tene [hǽptən], [-tiːn] *n.* Ⓤ 〖면역〗 합텐, 부착소(附着素)《생체에 면역 반응을 일으키는 물질》.

hap·tic, -ti·cal [hǽptik], [-kəl] *a.* 촉각에 관한〔의한〕; 〖심리〗 촉각형의《사람》.

háptic léns 〖의학〗 공막(鞏膜) 렌즈《백안부(白眼部)까지 덮는 콘택트렌즈》.

hap·to·glo·bin [hæ̀ptəglóubin] *n.* 〖생화학〗 합토글로빈《유리(遊離) 헤모글로빈과 결합하는 혈청 α 글로불린》.

hap·tot·ro·pism [hæptátrəpìzəm, hæ̀ptoutróupizəm] *n.* 〖식물〗 굴촉성(屈觸性).

ha·ra-ki·ri [hɑ̀ːrəkíːri, hæ̀rə-/hæ̀rəkíri] *n.* 《Jap.》 Ⓤ 할복(割腹).

ha·ram [hέərəm, hǽr-/hέər-] *n.* = HAREM.

ha·rangue [hərǽŋ] *n.* 열변; 장황한 이야기, 장광설(長廣舌). **—** *vi., vt.* 열변을 토하다.

har·as [ærάː, ɑː-] *n.* 종마(種馬) 사육장.

har·ass [hərǽs, hǽrəs] *vt.* 《~+목/+목+전+명》 괴롭히다, 애먹이다; 〖군사〗 (적을) 쉴 새없이 공격해 괴롭히다《*with; by*》: ~ a person *with* questions 아무를 질문 공세로 괴롭히다 / be ~*ed by* anxiety 불안에 시달리다. 파 **~ed** [-t] *a.* 매우 지친; 불안〔걱정〕스러운, (고민 따위로) 몹시 시달린; (표정 따위가) 초조한, 성가신 듯한. **~·er** *n.*

har·ass·ing [hərǽsiŋ, hǽrəs-] *a.* **1** 괴롭히는, 애먹이는. **2** 귀찮게 달라붙는. 파 **~·ly** *ad.* 귀찮게.

har·áss·ment *n.* harass하기; 애먹음; 괴로움, 골칫거리.

har·bin·ger [hάːrbindʒər] *n.* 선구자; 전조(前兆); 〖역사〗(숙사(宿舍) 마련을 위한) 선발자. **—** *vt.* …의 선구가 되다, …의 도래를 예고하다.

har·bor, 《영》 **-bour** [hάːrbər] *n.* **1** 항구, 배가 닿는 곳. ★ harbor는 주로 항구의 수면을, port는 도시를 중요시한 구별: a ~ of refuge 피난항 / be in ~ 입항〔정박〕 중에 있다. **2** 피난처, 잠복처, 은신처: give ~ to a convict 죄인을 숨겨 주다 / Homes are a ~ from the world. 가정은 세상으로부터의 피난처이다. **3** (전동차·장갑차 등의) 차고, 비행선 격납고. **—** *vt.* **1** 피난〔은신〕처를 제공하다; 감추다, (죄인 등을) 숨기다. **2** 《~+목/+목+전+명》 (악의 따위를) 품다: Don't ~ unkind thoughts. 짓궂은 생각을 품어선 안 된다 / ~ a grudge *against* a person 아무에게 원한을 품다. **—** *vi.* **1** (항구에) 정박하다. **2** 잠시 묵다; 숨다, 잠복하다.

har·bor·age [hάːrbəridʒ] *n.* Ⓤ 정박소; 피난처, 은신처; 피난; 보호.

hárbor dùes (선박의) 입항세.

hár·bor·er [-rər] *n.* 숨겨 주는 사람; (생각 등을) 품는 사람.

hár·bor·less *a.* 항구〔피난처〕가 없는.

hárbor màster 항무관(港務官).

hárbor sèal (점박이) 바다표범.

hárbor·sìde *a.* 항구에 면한, 항구 쪽의, 임항(臨港)의. **—** *ad.* 항구에 면하여, 항구 쪽으로〔에〕, 임항 지역에(서).

harbour ⇨ HARBOR.

†**hard** [ha:rd] *a.* **1 a** 굳은, 단단한, 견고한, 딱딱한(OPP. *soft*); 튼튼한, 튼실한; 내구력 있는: ~ money 《미》 경화(硬貨)/These nuts are too ~ to crack. 이 호두는 너무 딱딱해 깰 수 없다. SYN. ⇨ FIRM. **b** 단단히 맨[감은]; 괴깔이 없는, 매끄러운《소모사》; 〖농업〗 글루텐이 많은: ⇨ HARD WHEAT. **c** 〖군사〗 (군비가) 견고한; (핵무기·기지가) 지하에 설치된. **d** (사실·증거 따위가) 엄연한, 확실한, 견실한, 믿을 수 있는《자료》; 냉정한, 현실적인; (분별 따위가) 건전한, 확고한; 〖상업〗 (시장이) 견실한 상태인, 오름세인, (시가 등) 하락의 기미가 없는: ~ common sense 건전한 상식/the ~ facts 움직일 수 없는 사실/~ thinking 냉정한 사고/a ~ view of life 현실적인 인생관. **2 a** 곤란한, 하기 힘든, 어려운(OPP. *easy*): ~ work 힘이 드는 일/It is ~ to climb the hill. =The hill is ~ *to* climb. 그 산은 오르기 어렵다/a ~ nut to crack ⇨ NUT/He found it ~ *to* give up smoking. 금연이 그에겐 어려웠다. **b** 《구어》 성가신, 구제할 길 없는, 악당의: ⇨ HARD CASE. **c** (물이) 경질(硬質)인《비누가 잘 안 풀리는》, 염분을 포함하는 (OPP. *soft*); 자기화(磁氣化)[소자(消磁)]하기 어려운; 〖화학〗 (산·염기가) 안정도가 높은; (화학 제품이) 미생물에 분해되기 쉬운: ~ water 센물, 경수(硬水).

> SYN. **hard** 정신적·육체적으로 노력을 하지 않으면 어려움. 구어적으로 쓰임. **difficult**보다 높은 기술·지식이나 재능을 갖고 하지 않으면 어려움.

3 a 격렬한, 맹렬(猛烈)한; 괴로운, 참기가 어려운; (날씨 따위가) 거친, 험악한; (금융이) 핍박한: a ~ winter 엄동/a ~ frost 심한 서리/⇨ HARD LUCK. **b** (기질·성격·행위 등이) 엄한, 무정한, 혹독한; 빈틈없는, 민완의; 《방언》 째째한, 구두쇠인: ~ dealing 학대/a ~ law 가혹한 법률/a ~ look 집어삼킬 듯한 표정; 자세한 검토《*at*》. **c** 정력적[열심]인, 근면한: a ~ worker 근면한 사람, 노력가/try[do] one's ~*est* 힘껏 노력하다/be ~ *at* one's studies 공부를 열심히 하다. **4 a** 자극적인, 불쾌한; (색·윤곽 등) 콘트라스트가 강한, 선명한, 몹시 강렬한; (포르노 등) 외설성이 짙은; =HARD-CORE. **b** (소리 등이) 금속성인; 〖음성〗 경음(硬音)인《영어의 c, g가 [k, g]로 발음되는 (cf. soft)》; 〖음성〗 fortis의 구칭; 〖음성〗 (슬라브계 언어에서) 비(非)구개화음의: a ~ sound 금속성 음향. **c** (술이) 독한; 알코올 성분이 22.5% 이상인; 《구어》 (마약이) 유해하고 습관성인[이 높은]; 〖물리〗 (X선 따위) 투과율이 높은: ⇨ HARD DRINK [LIQUOR]; HARD DRUG. **d** (음식 등이) 검소한, 맛없는; (술이) 신, 덜 익은: ~ food [fare] 조식(粗食).

a ~ case 특별히 어려운 사정; 상습범, 악인. ***a ~ day's night*** 《우스개》 심야 영업; 밤새워 술 마시며 떠들기. ***a ~ saying*** 이해하기 어려운 말; 너무 심한 말: This is *a* ~ *saying* to people who have worked so much. 이처럼 일 많이 한 사람들에게는 너무 심한[가혹한] 말이다. ***as ~ as brick*** 매우 단단한[굳은]. ***at ~ edge*** 진지하게, 필사적으로. ***be ~ on*** [***upon***] …에게 심하게[모질게] 굴다; (…이 아무)에게 견디어내기 어렵다. ***be ~ to take*** 견디기 어렵다; 믿기 어렵다. ***give the ~ word*** 단호하게 거절하다. ***~ and fast*** 단단히 고정된, 움쭉도 않는《좌초된 배 따위》; (규칙 등이) 변경할 수 없는, 엄격한. ***Hard cases makes good law.*** 법은 엄격함을 존중한다. ***~ lines*** 《영구어》 학대, 불운, 괴로운 일: It was ~ *lines* that he fell ill. 그가 병에 걸린 것은 불운한 일이었다. ***~ of hearing*** 귀가 어두운. ***~ to please*** 성미가 까다로운. ***have a ~ time*** (***of it***) 되게 혼나다, 곤경을 맛보다. ***have ~ luck*** 불운하다; 몹쓸 대접을 받다. ***in ~ condition*** 몸이 튼튼하여. ***let the ~est come to the ~est*** 최악의 사태가 되더라도. ***play ~ to get*** 《구어》 (남의 권유, 이성의 접근 등에 대해) 일부러 관심이 없는 체하다. ***the ~ way*** ① 고생하면서; 견실[착실]하게. ② (쓰라린) 경험에 의하여.

— *ad.* 〚hardly와 공통점도 있으나, 주요한 용법에서는 매우 다름〛 **1** 열심히; 애써서, 간신히, 겨우: work ~ 열심히 일[공부]하다/think ~ 깊은 생각에 잠기다/He tried ~ to learn the annals by heart. 그는 연대표를 외려고 몹시 애썼다/breathe ~ 괴롭게[거칠게] 숨을 쉬다. **2** 몹시, 심하게, 지나치게: It blows ~. 바람이 몹시 분다/It rained ~. 비가 몹시 왔다. **3** 굳게, 단단히: hold on ~ 단단히 붙들고 놓지 않다/It will freeze ~. 꽁꽁 얼어붙을 것이다. **4** 가까이; 접근하여: His car followed ~ after mine. 그의 차는 내 차를 바싹 뒤쫓아왔다. ***be ~ at it*** 《속어》 매우 분주하다. ***be ~ done by*** 부당한 취급을 받다[받고 있다]; …에 기분을 상하다, 불끈 화내다. ***be ~ hit*** 타격을 입다. ***be ~ pressed*** 심히 몰리다[쫓기다]. ***be ~ put to it*** 진퇴양난[곤경]에 빠지다. ***be ~ set*** 크게 어려움에 처해 있다. ***be ~ up*** 곤경에 빠져 있다, 돈이 궁색하다, …이 없어 곤란하다《*for*》: He's ~ *up for* ideas. 좋은 생각이 없어 쩔쩔매고 있다. ***be ~ up against it*** =***have it ~*** 《미구어》 곤경에 빠져 있다. ***come ~*** 하기 어렵다, 어려워[곤란해]지다. ***die ~*** ⇨ DIE[1]. ***feel ~ done by*** 화가 나다, 기분이 나쁘다. ***go ~ with*** [***for***] (일이) …에게 고통을 주다, (아무를) 궁지에 빠뜨리다: It will *go* ~ *with* him if we leave him alone. 내버려두면 그는 혼날 것이다. ***Hard aweather*** [***up***] ***!*** 〖해사〗 바람을 맞받아 키를 힘껏 돌려! ***~ by*** (…의) 바로 가까이에. ***~ going*** 《미구어》 좀처럼 진보[진척]하지 않는. ***~ on*** [***upon***] …의 바로 뒤에, (나이가) 곧 …인. ***~ over*** 〖해사〗 (키를) 될 수 있는 대로 한쪽으로. ***~ run*** 돈에 몰려, 곤궁해서. ***It goes ~ with.*** 혼쭐이 나다. ***It shall go ~ but*** (I will do ...) 대단한 일이 없는 한 (꼭 …해 보이겠다). ***look*** [***gaze, stare***] ***~ at*** …을 지그시 보다. ***play ~*** 《속어》 무턱대고[무모하게] 하다, 수단을 가리지 않고 하다. ***run*** a person ***~*** 아무에게 육박하다. ***take it ~*** 몹시 괴로워[슬퍼]하다, 괴롭게 생각하다.

— *n.* **1** 상륙장, 양륙장. **2** 《영속어》 중노동(~ labor): two years' ~, 2년 징역.

hárd-and-fást [-ən-] *a.* (규칙 따위가) 매우 엄격한, 명확한, 엄밀한《구별 따위》: ~ rules 엄격한 규칙/draw a ~ line 엄격히 선을 긋다; 확고한 결의를 하다.

hárd-àss *a., n.* 《속어》 융통성 없는 (사람), 돌대가리(의); 냉혹한 (사람).

hárd·bàck *n., a.* =HARDCOVER.

hárd-bàke *n.* U 《영》 아몬드를 넣은 사탕, 과자.

hárd-báked [-t] *a.* 딱딱하게 구운《빵》; 《영》 닳고 닳아 약박해진.

hárd·bàll *n.* U **1** 경식 야구; C 야구의 경구(硬球). **2** 《미·Can.속어》 〚종종 형용사적〛 엄격하고 적극적인 자세[수단], 수단을 가리지 않는 태도, 노골적인 수법, 강경한 정치 자세. ***play ~*** 《미·Can. 속어》 엄격한 조치를 취하다; 적극적인 태도를 취하다.

hárd-bítten *a.* **1** 만만치 않은, 다루기 힘든, 억센, 완고한. **2** (태도 등이) 엄격한. **3** 쓰라린 경험을 쌓은; 산전수전 다 겪은.

hárd·bòard *n.* (목재 대용의) 하드보드.

hárd-bóil *vt.* (달걀을) 단단하게 삶다.

hárd-bóiled *a.* **1** (달걀 따위를) 단단하게 삶

은; 빳빳하게 풀먹인. **2** 《구어》 무정한, 냉철한, 현실적인; 고집 센; 억센; 비정(非情)한《작품 등》: novels of the ~ school 비정파의 소설. ***a ~ egg*** 단단하게 삶은 계란; 비정한 사람.
hárd bóp 【음악】 하드 밥《공격적이며 격렬한 모던 재즈의 한 스타일》.
hárd·bóught *a.* 힘들여 얻은.
hárd·bóund *a.* (책이) 두꺼운 표지의, 특제의.
hárd bréathing 《속어》 정열적인 섹스.
hárd búbble 【전자】 하드 버블《컴퓨터 회로에서 자연 발생하여 기억의 분열을 일으키는 신종의 자기(磁氣) 버블》.
hárd cárd 【컴퓨터】 하드카드《개인용 컴퓨터에서 사용하는 하드 디스크의 일종》.
hárd cáse 완쾌할 가망이 없는 환자; 개전할 가망이 없는 죄인, 악당; 귀찮은 일.
hárd-càse *a.* 《구어》 =HARD-BITTEN, HARD-BOILED.
hárd cásh **1** 경화(硬貨). [cf] paper currency. **2** 현금《수표 · 어음 · 증권 등에 대해》.
hárd-chárging *a.* 공격적으로〔대담하게〕 돌진하는.
hárd chéese 〔**chéddar**〕 《영구어》 불행한〔어려운〕 상황, 역경; 《감탄사적》 그거 안됐군《겉치레의 동정》.
hárd cóal 무연탄(anthracite). [cf] soft coal.
hárd-códe *vt.* 【컴퓨터】 (프로그램 속에서 데이터 따위를) 변경하지 못하게 코드하다〔짜다〕.
hárd cóin 《속어》 큰돈, 목돈, 거금.
hárd cópy 【컴퓨터】 하드 카피《종이에 복사한》.
hárd córe 【토목】 **1** 하드코어《돌멩이 · 벽돌 조각 등으로 다진 지반이나 노반》. **2** (정당 따위의) 핵심, 중핵; (사회 · 조직의) 비타협 분자; 강경파; 최후까지 주의를 굽히지 않는 사람; (변화에) 완강히 저항하는 부분; 치유의 가망이 없는 환자.
hárd-córe *a.* 《한정적》 **1** 기간(基幹)의, 핵심적인. **2** 고집 센. **3** (포르노 영화 등에서) 성 묘사가 노골적인. **4** 치료 불능의. **5** (실업 · 빈곤 등이) 장기에 걸친, 만성적인: ~ inflation 만성적 인플레.
hárd còurt 하드코트《아스팔트나 콘크리트 등으로 굳힌 테니스 코트》.
hárd·cóver *a., n.* 두꺼운 표지의 (책). 「위》.
hárd-cúred, hárd-dríed *a.* 말린《생선 따위》.
hárd cúrrency 【경제】 경화《달러, 또 달러와 교환할 수 있는 화폐》. [cf] soft currency.
hárd detérgent 경성 세제《미생물에 의한 분해가 되지 않음》. [cf] soft detergent.
hárd dínkum 《Austral. 구어》 괴로운〔곤란한, 힘든〕 일.
hárd dísk 【컴퓨터】 하드 디스크. **1** 자성체를 코팅한 금속 원판으로 된 자기(磁氣) 디스크. **2** = HARD DISK DRIVE.
hárd dísk drìve 【컴퓨터】 hard disk 장치.
hárd dóck 【우주】 (둘 이상의 우주선의) 기계적〔계기(計器)적〕 도킹〔결합〕.
hárd-dòck *vi.* (둘 이상의 우주선이) 기계적 조작에 의해 도킹〔결합〕하다.
hárd drínk (위스키 등처럼) 도수가 높은 술(hard liquor).
hárd drínker 술이 센 사람, 술고래, 주호(酒豪).
hárd-drínking *a.* 장시간 술을 마시는.
hárd drìve =HARD DISK DRIVE.
hárd-dríving *a.* 활동적인, 정력적인(energetic); 부하를 마구 부리는.
hárd drúg 《구어》 중독성 환각제〔마약〕《헤로인 · 모르핀 등》. [opp] *soft drug.*
hárd-éarned *a.* 힘들여〔애써서〕 번〔얻은〕.
hárd-èdge *n., a.* 【회화】 하드에지(의)《기하학적 도형과 선명한 윤곽의 추상화》.
hárd-èdged *a.* 윤곽이 뚜렷한; 날카로운, 엄격한; 경질(硬質)의.
***hard·en** [há:*r*dn] *vt.* **1** 굳히다, 딱딱〔단단〕하게 하다; (금속을) 경화(硬化)하다: ~ steel (담금질해서) 쇠를 단단하게 하다. **2** (몸을) 강하게 하다, 단련하다: ~ the body 몸을 단련하다. **3** 《~+[목]/+[목]+[전]+[명]》 (마음을)(…에 대해) 무정〔냉혹〕하게 하다; 완고하게 하다; 무감각하게 하다《*to*》: be ~*ed to* poverty 가난에 둔감해지다〔익숙해지다〕/~ one's heart against... …에 대해 마음을 독하게 먹다/The rigors of poverty ~*ed* his personality. 몹시 가난하였으므로 그는 고집센 인간이 되었다. **4** 《+[목]+[전]+[명]》 (믿음 · 신임 따위를) 굳어지게 하다: She became ~*ed in* her distrust. 그 여자의 의심은 더욱 굳어졌다. **5** 【군사】 (군사 시설을) 핵폭격에 대비해 보강하다, (미사일을) 지하 사일로에 넣다.
— *vi.* **1** 딱딱해지다, 굳다. **2** 강해지다. **3** 무정해지다. **4** (시세 따위가) 보합되다, 오름세를 보이다; (의견 등이) 분명해지다, 고정되다. **~ *off*** (묘목 등을) 차츰 찬 기운에 쐬어 강하게 하다. **~ *up*** 【해사】 (돛이 펄럭이지 않고 바람을 받도록) 돛 밑줄을 죄다.
hárd·ened *a.* **1** 단단해진, 경화된, 강해진, (태도 등이) 굳어진: a ~ heart 굳어진 마음/a ~ offender 상습범. **2** 비정한, 냉담한. **3** (미사일이) 지하 격납고에서 발사할 수 있는. ***be ~ against*** …에 익숙해져 무감각하다.
hárd·en·er *n.* 단단하게 하는 사람〔것〕; 경화제(劑).
hárd·en·ing *n.* **1** (시멘트 · 기름 따위의) 경화; (구리의) 표면 경화: ~ of the arteries 동맥 경화(arteriosclerosis). **2** 담금질. **3** 단련.
hárd-èyed *a.* 극히 비판적인, 보는 눈이 날카로운; 무자비한, 의지가 굳은, 타협할 줄 모르는.
hárd-fàce *vt.* (금속의) 표면에 내마모(耐摩耗) 가공을 하다, 경질(硬質) 금속을 입히다〔씌우다〕.
hárd-fáced [-t] *a.* 낯 두꺼운, 철면피인.
hárd-fávored *a.* =HARD-FEATURED.
hárd-féatured *a.* 무서운 얼굴을 한, 까다롭게 생긴; 인상이 험악한.
hárd féelings 적의, 악감정. ***No ~.*** 나쁘게〔언짢게〕 생각지 말게; 악의가 있었던 건 아니야.
hárd fèrn 【식물】 상록 양치의 일종《유럽 · 북아메리카 서부산(產)》.
hárd-físted [-id] *a.* **1** (노동자 등이) 거친 손을 가진, 손이 딱딱한, 굳은 주먹의. **2** 억센, 강압적인. **3** 구두쇠의, 인색한. [파] **~·ness** *n.*
hárd-glòss *a.* 표면이 굳고 말라서 반짝이는: ~ paint 에나멜 페인트.
hárd gòods 내구재(耐久財)(durable goods) 《기계 · 자동차 · 가구 등》. [cf] soft goods.
hárd-gráined *a.* **1** (목재 따위가) 결이 치밀한, 단단한. **2** (성격이) 깐깐한, 완고한, 엄한, 가혹한.
hárd·hàck *n.* 【식물】 조팝나무속(屬)의 관목《북아메리카산》.
hárd·hánded [-id] *a.* **1** (노동으로) 손이 거칠어진. **2** 압제적인, 가혹한.
hárd hàt =DERBY 3; (작업원의) 헬멧, 안전모; 《구어》 (안전모를 쓴) 건설 노동자; 《구어》 보수반동가, 강경 탄압주의자; 《미속어》 베트콩의 정규군 병사; 실크해트를 쓴 사람, (19 세기 말의) 동부 실업가.
hárd-hàt 《속어》 *a.* 결코 양보하지 않는, 완고한; 보수 반동의.
hárd·háttism *n.* 《미》 전투적인 보수(반동)주의.
hárd·hèad *n.* **1** 수완가, 실제적인 사람. **2** 고집불통, 돌대가리, 바보.
hárd·héaded [-id] *a.* 냉정한; 실제적인; 빈틈없는; 완고한. [파] **~·ly** *ad.* **~·ness** *n.*
hárdhead spónge 탄성이 있는 경질 섬유의 해면(海綿)《서인도 제도 · 중앙아메리카산》.
hárd·héarted [-id] *a.* 몰인정한, 무자비한, 냉혹한(merciless). [파] **~·ly** *ad.* **~·ness** *n.*
hárd-hít *a.* (불행 · 슬픔 · 재해 따위로) 심한 타격을 입은.

hárd-hítting *a.* 《구어》 활기 있는, 적극적인, 강력한.
hárd hýphen 〚컴퓨터〛 고정 하이픈《워드프로세싱에서 단어에 원래부터 들어있는 하이픈》.
har·die, har·dy [há:rdi] *n.* (쇠를 자를 때 모루에 끼워 넣는) 날이 넓은 끌.
har·di·hood [há:rdihùd] *n.* Ⓤ 대담; 어기참; 철면피, 뻔뻔스러움; 불굴의 정신, 인내력.
har·di·ly [há:rdili] *ad.* 고난을 견뎌; 튼튼히; 대담하게; 뻔뻔스레.
har·di·ness [há:rdinis] *n.* Ⓤ 내구력; 꿋꿋함; 대담, 호담; 철면피, 뻔뻔스러움.
Har·ding [há:rdiŋ] *n.* **Warren G.** ~ 하딩《미국의 제 29 대 대통령; 1865-1923》.
hárding·gràss *n.* 〚식물〛 (흔히 H-) 하딩그래스《오스트레일리아·남아프리카 원산인 볏과(科) 갈풀속(屬)의 여러해살이풀; 사료 작물》.
hárd Jóhn 《속어》 FBI 의 수사관.
hárd knócks 《미구어》 곤경(困境), 불운, 역경: take some 〔a few〕 ~ 고생하다, 어려움을 당하다 / the school of ~ 실사회 / learn about life at the school of ~ 실사회라는 도장에서 인생을 배우다.
hárd lábor (형벌로서의) 중노동.
hárd-láid *a.* 단단히 꼰《로프》.
hárd lánding (우주선의) 경착륙(硬着陸). OPP. *soft landing*.
hárd légs 《미흑인속어》 사내, 젊은이; 멋쟁이 남자; 추녀.
hárd líne 강경 노선: take a ~ 강경 노선을 취하다.
hárd-lìne *a.* 강경론〔노선〕의. 파 **-líner** *n.* 강경론자; 강경 노선의 사람.
hárd línes 《영구어》 괴로운 처지, 불운《*on*》; 〚감탄사적〛 딱하군, 안됐군(hard cheese).
hárd líquor 증류주(distilled liquor), (스트레이트의) 위스키.
hárd lúck 불운: a ~ story 《구어》 (동정을 끌기 위한) 신세타령, 하소연.
hardly ⇨ 《아래》 HARDLY.
hárd-lying móney 소형선의 승무원 특별 수당.
hárd móney 경화(硬貨), 정화(正貨).
hárd·mòuthed [-ðd, -θt] *a.* **1** (말이) 다루기 힘든; 〚일반적〛 (사람이) 말을 듣지 않는, 완고한, 고집 센. **2** 말씨가 거친.
hárd·ness [há:rdnis] *n.* **1** 견고함; 《특히》 굳기, 경도(硬度). **2** 곤란, 쓰라림, 가혹; 난해.
hárd néws (저널리즘에서) 딱딱한 뉴스《정치·경제 문제 따위》; 중대 뉴스.
hárd·nòse *n.* 《미속어》 콧대 센 놈, 고집통이.
hárd-nóse(d) *a.* 《구어》 불굴의, 고집 센, 콧대 센; 《구어》 빈틈없이 실제적인; 《미속어》 보기 흉한 얼굴을 한, 못생긴.
hárd nút 난(難)문제, 다루기 어려운 것〔사람〕.
hárd óffer 〚출판〛 예약 구독 권유 방법 중, 받아본 호(號)의 요금을 지불할 의무를 지도록 한 것.
hárd-of-héaring [-əv-] *a.* 귀먹은, 난청의.
hárd-òn (*pl.* **~s**) *n.* 《속어》 (남자 성기의) 발기.
hárd pád (disèase) 〚수의〛 경서증(硬蹠症); 개의 디스템퍼.
hárd pálate 경구개(硬口蓋).
hárd·pàn *n.* 《미》 **1** 경질 지층(硬質地層); (광산의) 기반(基盤)층. **2** 확실한 기초; 근본적 현실. **3** 최저점(點); 최저 가격.
hárd pàste 경질 자기(硬質磁器).
hárd píne 경재(硬材) 소나무《리기다소나무 따위》.
hárd·pòint *n.* 〚항공〛 하드포인트《항공기에서 무기나 연료 탱크 장비를 위한 파일론(pylon)을 외부에 달기 위해 특별히 구조가 강화된 부분》.
hárd pórn 성(性) 묘사가 노골적인 도색 영화〔소설〕.
hárd-préssed [-t] *a.* 돈〔시간〕에 쪼들리는〔쫓기는〕, 곤궁한; 장사가 시원치 않은.
hárd réader 알아보기 힘든 필적의 해독을 전문

hardly

주요한 뜻은 '거의 …않다' 라는 준(準)부정적인 것으로서 scarcely, rarely, seldom 따위와 거의 비슷하며, 이 어의(語義)로서의 사용도가 단연 높다. 다만, 가끔 '애써서' '호되게' '가혹하게' 의 뜻으로도 쓰인다.

hard·ly [há:rdli] *ad.* (***more ~; most ~***) **1** 거의 …아니다 〔않다〕: I ~ know her. 그녀와는 거의 안면이 없다 / I can ~ hear him. 그가 하는 말을 거의 들을 수 없다《I cannot hardly…은 비표준어임》/ I can ~ believe it. 거의 믿을 수가 없다 / I gained ~ anything. 거의 아무것도 얻지 못했다 / *Hardly* any money was left. 돈은 거의 남아 있지 않았다 / Did many people come ? — No, ~ anybody. 많이들 왔습니까 — 아뇨, 거의 아무도 (안 왔습니다) / She answered with ~ a smile. 그녀는 별로 웃지도 않고 대답했다《이 구문에서는 항상 hardly + a + 명사. without ~ a smile 은 비표준어임》.
2 조금도〔전혀〕 …아니다〔않다〕; 도저히 …않다: This is ~ the time for going out. 지금 외출할 시간은 아니다 / I can ~ wait any more. 이제 더 이상은 도저히 기다릴 수 없다 / That report is ~ surprising. 그 보고서는 전혀 놀랄 것이 없다.
3 〚3 인칭의 주어·조동사와 함께〛 …할〔일〕 것 같지(가) 않다(not at all): He can ~ have arrived yet. 그는 아직 도착하지 않았을 것이다 / He will ~ come. 그가 올 것 같지 않다.
4 《드물게》 애써서, 고생하여, 간신히(painfully)《hard 를 쓰는 것이 보통》.
5 《영》《문어》 호되게, 모질게, 가혹하게(harshly): ~ treated 가혹하게 다루어지는.
~ ever 좀처럼 …없다(≒seldom, rarely; practically never): He ~ *ever* goes to bed before midnight. 그가 자정 전에 잠자리에 드는 일이란 좀처럼 없다. ***~ … when*** 〔***before***〕 …하기가 무섭게, …하자마자: The man *had* ~ seen 〔*Hardly had* the man seen〕 the policeman *before* 〔*when*〕 he ran away. 그 남자는 경관을 보자마자 도망쳤다《hardly 는 준부정어이므로 문두에 오면 주어와 동사가 도치됨》. ***speak*** 〔***think***〕 ***~ of*** …을 나쁘게 말하다〔생각하다〕.

NOTE **hardly** 의 위치는 일반적으로 수식하는 말 앞에 오지만, 조동사가 (몇 개) 있을 때에는 보통 그 (첫 조동사의) 뒤가 된다.
(1) 형용사의 앞: That is *hardly* true. (그것은 거의 사실이 아니다) / I had *hardly* any time. (거의 시간이 없었다).
(2) 대명사의 앞: *Hardly* anybody noticed it. (거의 아무도 그것을 깨달은 사람은 없었다).
(3) 부사의 앞: He *hardly* ever reads books now. (그는 지금은 좀체 책을 읽지 않는다).
(4) 동사의 앞: I *hardly* know how to explain it. (그것을 어떻게 설명해야 할지 모를 정도다).
(5) 조동사의 뒤: You would *hardly* have recognized him. (너는 그를 거의 알아보지 못했을 거다).

으로 하는 사람.

hárd-ròad frèak 《미속어》 (방랑죄·마약 소지 따위로 체포된 전력이 있는) 체제를 전적으로 부정하며 방랑 생활을 하는 젊은이.

hárd róck 『음악』 하드록. OPP *soft rock*.

hárd-ròcker *n.* 《미속어》 시굴자(試掘者), 갱부(坑夫).

hárd róe 어란(魚卵), 물고기 알.

hárd rúbber 경질(硬質) 고무.

hards [hɑːrdz] *n. pl.* 삼 지스러기, 아마 부스러기. ***flocks and*** ~ 섬유 부스러기《패킹용》.

hárd sàuce 버터·설탕·크림을 섞은 곤죽 같은 소스《파이·푸딩에 얹음》.

hárd scíence (물리학·화학·생물학·천문학 등) 자연 과학. ⊞ **hárd scíentist**

hárd·scràbble 《미》 *a.* 일한 만큼의 보답을 못 받는, 열심히 일해야 겨우 먹고살 수 있는. **—** *n.* 척박한 토지.

hárd séctored 『컴퓨터』 하드섹터의《floppy disk의 섹터 구멍을 광학적으로 검출하여 섹터로 나누는 방식》.

hárd séll (종종 the ~) 적극적인〔끈질긴〕 판매〔광고〕; 《구어》 어려운 설득(의 일). ***put the*** ~ ***on*** …을 집요하게 설득하다.

hárd-séll *a.* 적극적인〔끈질긴〕 판매의. **—** *vt.* 적극적으로 판매〔광고〕하다.

hárd-sét *a.* 곤경에 빠진; 굳어진; 결심이 굳은; 완고한; (알이) 어미의 품에 단단히 안긴; 배고픈.

hárd-shèll clám 『패류』 (백합의 일종인) 조가비가 두꺼운 식용 조개(quahog) (=**hárd-shèlled clám**). cf. soft-shell clam.

hárd-shéll(ed) *a.* **1** 껍질이 딱딱한. **2** 《미구어》 비타협적인, 완고한.

***hard·ship** [hɑ́ːrdʃip] *n.* **1** (종종 *pl.*) 고난, 고초, 신고(辛苦), 곤란, 곤궁: bear ~ 고난에 견디다. SYN. ⇨ SUFFERING. **2** 곤경; 어려운 일. **3** Ⓤ 학대, 압제, 불법.

hárdship ìndex 하드십 지수, 곤궁도(度) 지수 《경제적 곤궁도를 나타내는 지수》.

hárd shóulder 《영》 (도로의) 대피선, (고속도로의) 단단한 길섶〔갓길〕《긴급 대피용》.

hárd spàce 『컴퓨터』 하드 스페이스《단순히 낱말이 끝나는 곳이 아니라, 통상의 영문자와 마찬가지로 취급되는 스페이스 문자》.

hárd-spún *a.* (실을) 질기게 자은.

hárd·stànd(ing) *n.* (중량차나 항공기용의) 포장된 주차〔주기(駐機)〕장.

hárd stéel 경강(硬鋼).

hárd stùff **1** (the ~) 《속어》 독한 술, 위스키. **2** 《미속어》 습관성 중독성이 강한 마약. **3** (암흑가에서 불법 행위로 번) 돈, 큰돈.

hárd-súrface *vt.* (길을) 포장하다; =HARDFACE.

hárd swéaring 《완곡어》 태연한〔천연덕스러운〕 위증(僞證).

hárd·tàck *n.* Ⓤ (선박·군용의) 딱딱한 비스킷, 건빵.

hárd tárget 『군사』 (방호 수단이 잘 되어 있어) 파괴하기 힘든 목표.

hárd-tícket *n.* 지정 좌석권.

hárd tíme **1** 어려움, 귀찮음; 어려운〔싫은〕 일; (이성으로부터) 냉대를 당하기. **2** (~s) 궁핍한 시기, 재정적으로 어려운 시기. ***give*** a person ***a*** ~ (아무를) 꾸짖다, (아무와) 다투다; (아무를) 괴롭히다, 난처하게 하다, 혼내 주다.

hárd·tòp *n.* **1** 하드톱(~ **convértible**) 《지붕이 금속이고 창 중간에 기둥이 없는 승용차》. **2** 《미속어》 의지가 굳은 사람, 고집쟁이. **3** 옥내 영화관〔극장〕《drive-in에 대하여》.

hárd-úp *a.* 《속어》 궁지에 몰려서, 궁해서: be ~ for money 돈이 옹색하다.

***hard·ware** [hɑ́ːrdwὲər] *n.* **1** 철물, 건축용 철물, 금속 제품, 철기류: a ~ house〔store〕 철물점. **2** 『일반적』 병기, 무기, 하드웨어《전차·총포·항공기·미사일 등》(cf. software); 《구어》 총기, 총포. **3 a** (컴퓨터·로켓 등의) 하드웨어 《전자 기기의 총칭》. cf. software. **b** (일에 필요한) 기계 설비, 기재, 기기. **4** 보석(jewelry), 대체 보석. **5** 《미속어》 (군의) 기장, 훈장, 메달.

hárdware càche 『컴퓨터』 하드웨어캐시《디스크의 제어칩 안에 있는 캐시》.

hárdware clòth (보통 $^1/_8\times^3/_4$ 인치의 눈을 가진) 아연 도금을 한 강철제 철망.

hárdware ìndustry 하드웨어 산업《컴퓨터의 기계·설비를 개발, 생산하는 산업》.

hárdware·man [-mən] (*pl.* ***-men*** [-mən]) *n.* 철물상(《영》 ironmonger); 철물 제조인.

hárd wáy (the ~) 《구어》 고생하여; 쓰라린 고통을 겪고《배우다, 출세하다》; 엄격하게《기르다》.

hárd-wèaring *a.* (천 따위가) 오래가는, 질긴, 내구성의.

hárd whéat 경질(硬質) 밀 《마카로니·스파게티·빵용》.

hárd·wìre *vt.* 『컴퓨터』 (사용자가 바꿀 수 없게) 컴퓨터 시스템에 짜넣다.

hárd·wíred *a.* **1** 『컴퓨터』 (프로그램에 의하지 않고) 배선(配線)에 의한. **2** (행동 양식이) 고유한, 바꾸기 힘든, 틀에 박힌.

hárd-wón *a.* 크게 노력〔고생〕해서 얻은〔획득한〕, 힘겹게 손에 넣은.

hárd·wòod *n.* Ⓤ 단단한 나무《떡갈나무·벚나무·마호가니 등 보통 가구재》; 단단한 재목. **—** *a.* 단단한 재목의: a ~ floor. ⊞ **hárd-wóoded** *a.*

hárd wórd (the ~) 《속어》 거절; (*pl.*) 어려운 말; 욕; 성난 말투. ***put the*** ~(***s***) ***on*** a person 《Austral.구어》 아무에게 부탁을 하다, 돈을 빌려 달라고 말하다; (여성)에게 구애하다.

hárd·wórked [-t] *a.* **1** 혹사당한, 지친. **2** (말·익살 따위가) 진부한.

hárd·wórking *a.* 근면한, 열심히 일〔공부〕하는, 몸을 아끼지 않는.

Har·dy [hɑ́ːrdi] *n.* **Thomas** ~ 하디《영국의 소설가·시인; 1840–1928》.

****har·dy**[1] [hɑ́ːrdi] (***-di·er; -di·est***) *a.* **1** 내구력이 있는, 고통〔간난신고〕에 견디는, 강건한, 튼튼한. **2** 『원예』 내한성의, 노천에서 월동할 수 있는: ⇨ HALFHARDY. **3** 내구력을 요하는: ~ sports 격심한 운동. **4** 대담한, 배짱 좋은, 용감한; 무모한.

hardy[2] ⇨ HARDIE.

hárdy ánnual **1** 『식물』 내한성(耐寒性) 1년생 식물. **2** 매년 반복되는 문제.

hárdy perénnial **1** 『식물』 내한성(耐寒性) 다년생 식물. **2** 여러 해 동안 (되풀이) 제기되는 문제.

Hárdy-Wéin·berg làw 〔**prìnciple**〕 [-wáinbəːrg-] 『유전』 하디 바인베르크의 법칙.

***hare** [hɛər] (*pl.* **~s,** 『집합적』 ~) *n.* **1 a** 산토끼, 야토: a buck〔doe〕 ~ 수〔암〕토끼 / First catch your ~(then cook him). 《속담》 떡 줄 놈은 생각도 않는데 김칫국부터 마신다; 먼저 사실을 확인해라 / He who runs after two ~s will catch neither. 《속담》 두 마리 토끼를 쫓는 자는 한 마리도 잡지 못한다. **b** 산토끼 가죽.

> SYN. **hare** 보통은 들에 살며 rabbit 보다도 귀가 큰 산토끼. **rabbit**는 hare 보다 몸집이 작고 들에서도 구멍 따위를 파고 사는 습성을 지닌 (집)토끼.

2 《구어》 겁쟁이; 바보. **3** 《영속어》 무임 승차객. **4** (the H-) 『천문』 토끼자리. **5** 화제(話題), 의제: raise a ~ 화제를 꺼내다 / start a ~ (이야기를 돌리기 위해) 다른 화제를 꺼내다, (논의 등이) 옆길로 새다. (***as***) ***mad as a*** (***March***) ~ (3월 교미기의 토끼같이) 미쳐 날뛰는, 변덕스러

운, 난폭한. (**as**) ***timid as a*** ~ 몹시 수줍어하는, 소심한. ***catch*** 〔***hunt for***〕 ***a*** ~ ***with a tabor*** 불가능한 일을 하려고 하다. ***get the*** ~***'s foot to lick*** 아주 조금밖에 얻지 못하다. ~ ***and tortoise*** 토끼와 거북이(의 경주). ***make a*** ~ ***of*** … 을 조롱하다. (***rabbit,***) ~ ***and hounds*** 산지(散紙)놀이《토끼가 된 아이가 종잇조각을 뿌리며 달아나는 것을 사냥개가 된 아이가 쫓아감》. ***run with the*** ~ ***and hunt with the hounds*** =***hold with the*** ~ ***and run with the hounds*** 어느 편에나 좋게 굴다; 이쪽에 붙었다 저쪽에 붙었다 하다. — *vi.* (토끼처럼) 재빨리 달리다, 질주하다.

háre·bèll *n.* 초롱꽃류(bluebell); 무릇류.

háre·bràined *a.* 경솔한, 변덕스러운; 지각없는, 무모한. ㊕ ~**·ly** *ad.* ~**·ness** *n.*

háre cóursing 토끼 사냥.

háre·fòot *n.* **1** (여우 사냥개의) 토끼발 모양의 발; 발이 빠른 사람. **2** =HARE'S-FOOT. ㊕ ~**·ed** [-id] *a.* 발이 빠른.

háre·héarted [-id] *a.* 겁 많은, 소심한.

Há·re Kríshna [hɑ́ːri-] **1** 하레 크리슈나《힌두교의 Krishna 신에게 바쳐진 성가(聖歌)의 제명》. **2** (하레) 크리슈나 교도《1960 년대에 미국에서 시작된 Krishna 신앙의 일파》.

háre·lìp *n.* (또는 a ~) 언청이(cleft lip). ㊕ **-lìpped** *a.* 언청이의.

har·em [héərəm, hǽr-/héərəm, hɑːríːm] *n.* (회교국의) 후궁; 〖집합적〗 후궁의 처첩들; (바다표범·물개 등, 수컷 하나를 둘러싼) 여러 암컷.

hárem pànts 하렘 바지《발목 부분을 끈으로 묶게 된 통이 넓은 여성용 바지》.

háre's fòot *n.* 토끼풀의 일종.

har·i·cot [hǽrəkòu] *n.* 《F.》 양고기와 콩의 스튜; 《영》 강낭콩(kidney bean).

ha·ri·jan [hǽridʒæ̀n] *n.* (때로 H-) 태양〔신〕의 아들, 하리잔《M. Gandhi 가 불가촉천민(不可觸賤民)(Untouchable)에게 붙인 이름》.

°**hark** [hɑːrk] *vt.* (…을) 잘 듣다, 경청하다. — *vi.* 귀를 기울이다《주로 명령문에서》. ~ ***after*** …을 뒤쫓다, …을 따르다. ~ ***at*** 《영구어》 (…의 이야기를) 듣다. ***Hark away*** 〔***forward, off***〕***!*** 가라《사냥개에게 하는 소리》. ~ ***back*** ① (사냥개가) 잃은 자귀〔냄새〕를 찾기 위해 온 길을 되돌아가다. ② (말·사고 따위에서) (과거지사로) 되돌아가다, (…을) 상기하다《*to*》. ~ ***on*** (사냥개 등을) 소리를 질러 쫓아가게 하다. ***Hark*** (***ye***)***!*** 들어라.

hark·en [hɑ́ːrkən] *vi.* =HEARKEN.

harl [hɑːrl] *vt.* 질질 끌다; 《Sc.》 (벽 따위)에 거칠게 칠을 하다. — *vi.* 《영》 견지낚시를 하다, 트롤로 고기를 잡다.

Har·lem [hɑ́ːrləm] *n.* 할렘《New York 시 Manhattan 섬 북동부의 흑인 거주 지구》. ㊕ ~**·ite** [-àit] *n.* 할렘의 주민.

har·le·quin [hɑ́ːrləkwin, -kin/-kwin] *n.* **1** (H-) 할리퀸《무언극이나 발레 따위에 나오는 어릿광대; 가면을 쓰고, 얼룩빼기 옷을 입고, 나무칼을 가짐》. **2** 어릿광대, 익살꾼(buffoon). — *a.* 얼룩빛의, 잡색의, 다채로운; 익살스러운.

Harlequin 1

har·le·quin·ade [hɑ̀ːrləkwinéid, -kin-/-kwin] *n.* (무언극에서) Harlequin이 활약하는 장면; 익살.

hárlequin bùg 〖곤충〗 날개에 흑적색 얼룩무늬가 있는 방귀벌레의 일종《양배추 해충》.

hárlequin dùck 〖조류〗 바다오리의 일종《북반구 북부산의 잠수성 오리》.

Hárlequin Románce 할리퀸 로맨스《캐나다의 Harlequin Enterprises 사가 발행하는 여성 대상의 연애 소설 시리즈; 상표명》.

Har·ley Da·vid·son [hɑ́ːrlidéivdsn] 할리 데이비드슨《미국 Harley-Davidson 사제의 대형 오토바이; 상표명》.

Hárley Strèet 일류 의사가 많은 런던의 시가(市街) 이름; 전문의들.

har·lot [hɑ́ːrlət] *n.* 《고어》 매춘부, 창부. ***play the*** ~ (주로 유부녀가) 간음하다. — *vi.* (여자가) 몸을 팔다, 매춘하다. ㊕ ~**·ry** [-ri] *n.* Ⓤ 매음, 매춘 (행위). 「(無), 제로.

hárlot's héllo 《속어》 존재하지 않는 것, 무

⁑**harm** [hɑːrm] *n.* Ⓤ **1** (정신적·물질적인) 해(害), 위해, 상해: There is no ~ in doing so. 그렇게 해도 해는 없다 / *Harm* set, ~ get. =*Harm* watch, ~ catch. 《속담》 남 잡이가 제 잡이《「남을 해치려는 자는 자신이 그 해를 입는다」는 뜻》. **2** 손해, 손상: without suffering any great ~ 과히 큰 손해를 입지 않고. SYN. ⇨INJURY. ***come to*** ~ 다치다, 불행〔고생〕을 겪다. ***do*** a person ~ =***do*** ~ ***to*** a person 아무에게 해를 입히다, …의 해가 되다, …을 해치다. ***do*** 〔***be***〕 ***no*** ~ 해가 되지 않다. ***do more*** ~ ***than good*** 유해무익하다. ***keep ... from*** ~ …을 위해로부터 지키다. ***mean no*** ~ 악의는 없다. ***No*** ~ ***done***. 전원 이상 없음; 피해 무(無). ***out of*** ~***'s way*** 안전한 곳에, 무사히. — *vt.* 해치다, 손상하다, 상처를 입히다.

HARM 〖군사〗 high-speed anti-radiation missile (고속 대(對)레이더 미사일).

har·mat·tan [hɑ̀ːrmətǽn/hɑːrmǽtn] *n.* 하르마탄《아프리카 내륙에서 대서양 연안 쪽으로 11월부터 3월에 걸쳐 부는 건조한 열풍》.

hárm·er *n.* 해를 끼치는 것〔자〕.

⁑**harm·ful** [hɑ́ːrmfəl] *a.* 해로운, 해가 되는. ㊕ ~**·ly** *ad.* 해롭게. ~**·ness** *n.*

harm·less** [hɑ́ːrmlis] *a.* **1** 해가 없는, 무해한: a ~ insect 무해한 곤충 / This drug is ~ *to* pets and people. 이 약은 애완동물이나 사람에게 무해하다. **2** 악의 없는, 순진한. (as***) ~ ***as a dove*** 비둘기처럼 유순하게《Matt. X: 16》. ***save*** a person ~ 아무를 (손실·처벌 등으로부터) 무사히 면하게 하다. ㊕ ~**·ly** *ad.* ~**·ness** *n.*

har·mon·ic [hɑːrmánik/-mɔ́n-] *a.* 조화된, 음악적인; 〖음악〗 화성의; 〖수학〗 조화의; 〖통신〗 (고)조파((高)調波)의: ~ analysis 〖수학〗 조화 해석 / ~ quantities 〖수학〗 조화수 / ~ tone 〖음악〗 배음(倍音). — *n.* 〖음악〗 배음; 〖통신〗 (고)조파. ◇ harmony *n.* ㊕ **-i·cal** *a.* **-i·cal·ly** *ad.*

°**har·mon·i·ca** [hɑːrmánikə/-mɔ́n-] *n.* 하모니카; 유리〔금속〕판 실로폰.

harmónic distórtion 〖전자〗 고조파(高調波) 일그러짐《사인(sine)파를 입력할 때 출력으로 나오는 고조파 성분》. 「(中項).

harmónic méan 〖수학〗 조화 평균, 조화 중항

harmónic mínor scále 〖음악〗 화성적 단음계(短音階).

harmónic mótion 〖물리〗 조화 운동.

har·mon·i·con [hɑːrmánikən/-mɔ́n-] *n.* 하모니카(mouth organ). 「〖음악〗 화음 연결.

harmónic progréssion 〖수학〗 조화 수열;

harmónic propórtion 〖수학〗 조화 비례.

har·món·ics *n. pl.* 〖단수취급〗 〖음악〗 화성학; 〖복수취급〗 배음(倍音). 「음열.

harmónic séries 〖수학〗 조화급수; 〖물리〗 배

***har·mo·ni·ous** [hɑːrmóuniəs] *a.* **1** 조화된, 균형 잡힌《*with*》. **2** 화목한, 사이좋은, 정다운. **3** 〖음악〗 가락이 맞는, 화성의. ◇ harmony *n.* ㊕

~·ly *ad.* ~·ness *n.*

har·mo·nist [há:rmənist] *n.* 화성학자; (4 복음서 따위의) 일치점을 연구하는 사람. [파] **hàr-mo·nís·tic** *a.*

har·mo·ni·um [ha:rmóuniəm] *n.* [U] 소형 오르간, 페달식 오르간.

°**har·mo·nize,** 《영》 **-nise** [há:rmənàiz] *vt.* **1** 《~+[목]/+[목]+[전]+[명]》 조화시키다, 화합시키다, 일치시키다《*with*》: ~ two different opinions 두 개의 다른 의견을 조화시키다 / ~ one's views *with* existing facts 현실과 자기 의견을 조화시키다. **2** 〖음악〗 …에 조화음을 가하다: ~a melody. **—** *vi.* **1** 《+[전]+[명]》 조화〔화합〕하다, (배색(配色) 등이) 잘 어울리다《*with*》: The building ~*s with* its surroundings. 그 건물은 주변 경관과 잘 어울린다. **2** 〖음악〗 해조(諧調)로 되다, 가락이 맞다. ◇ harmony *n.* [파] **hàr-mo·ni·zá·tion** *n.* [U] 조화, 일치, 화합; 평준화.

hár·mo·nìz·er *n.* 화성학자.

‡**har·mo·ny** [há:rməni] *n.* [U] **1** (때로 a ~) 조화, 화합, 일치. **2** 〖음악〗 화성, 해조(諧調), 협화. [cf] discord. **3** [C] (4복음서 따위의) 일치점, 요람(要覽), 공관서(共觀書). ***be out of*** ~ 조화되어 있지 않다. ***in*** ~ 조화되어; 사이좋게《*with*》: The natives live *in* ~ *with* nature. 원주민들은 자연과 조화되어 살고 있다. ***the ~ of the spheres*** 천체의 음악《천체의 운행에 의해 생기는 인간에게는 안 들리는 미묘한 음악》.

*__har·ness__ [há:rnis] *n.* [U] **1** (마차용) 마구(馬具); 《고어》 갑옷. **2** 장치, 장비; 작업 설비. **3** 평소의 일, 직무. **4** 〖항공〗 (낙하산의) 멜빵; 《미》 (경찰관 · 차장 등의) 제복; 《속어》 (전화선 가설공의) 안전벨트. ***get back into*** 〔***in***〕 ~ 평소의 일로 되돌아가다. ***in*** ~ 평소의 업무에 종사하여. ***out of*** ~ 일에 종사하지 않고, 취업을 하지 않고. ***trot in double*** ~ 《미구어》 부부로서 지내다. ***work*** 〔***run***〕 ***in*** ~ 사이좋게 해나가다, 함께 일하다. **—** *vt.* **1** 《+[목]+[전]+[명]》 (말 따위에) 견인줄을〔마구를〕 채우다, (탈것에) 견인줄을 매다《*up; to*》: ~ (*up*) a horse *to* a wagon 말을 견인줄로 마차에 매다. **2** (자연력을) 동력화하다, 이용하다: ~ the sun's rays as a source of energy 태양광선을 동력원으로 이용하다. **3** 《고어》 …에게 갑옷을 입히다.

hárness bùll 〔**còp, dìck**〕 《미속어》 정복 경찰관, 순경.

hárness hòrse 마차용 말; 마차 경주용 말.

hárness ràcing 〔**ràce**〕 하니스 레이스《마차용 마구를 달고 1 인승 2 륜 마차(sulky)를 끄는 경마》.

har·ness·ry [há:rnisri] *n.* [U,C] 마차용 마구「류; 마구상.

ha·roosh [hərú:ʃ] *n.* 《미》 싸움, 소란.

*__harp__ [ha:rp] *n.* **1** 〖음악〗 하프. **2** (the H–) 〖천문〗 거문고 자리(Lyra). **—** *vi.* 하프를 타다; 같은 말을 뇌고 또 뇌다《*on, upon*》. **—** *vt.* (곡을) 하프로 타다; 《고어》 이야기하다. ~ ***on*** 《*vi.*+[전]》 ① …의 괴로움〔슬픔〕을 되풀이하여 호소하다. **—** 《*vi.*+[부]》 ② 장황〔지루〕하게 말하다: Stop ~*ing on* like that. 그렇게 장황하게 늘어놓지마라.

harp 1

~ ***on the same string*** ⇨ STRING. [파] ∠·**er,** ∠·**ist** *n.* 하프 연주자.

har·poon [ha:rpú:n] *n.* (고래잡이용) 작살; 《속어》 피하 주사기. **—** *vt.* …에 작살을 쳐박다, 작살로 잡다〔죽이다〕. [파] ~·**er** *n.* ~·**like** *a.*

harpóon gùn 작살 발사포, 포경포.

hárp-pòlisher *n.* 《속어》 성직자, 설교사; 신앙심이 깊은 사람.

hárp sèal 〖동물〗 하프바다표범.

harp·si·chord [há:rpsikɔ̀:rd] *n.* 하프시코드 《16–18 세기에 쓰인 피아노의 전신》. [파] ~·**ist** *n.*

Har·py [há:rpi] *n.* **1** 〖그리스신화〗 하르피이아 《얼굴과 상반신은 추녀로, 날개 · 꼬리 · 발톱은 새; 죽은 사람의 영혼을 나름》. **2** (h–) 잔인하고 탐욕스러운 사람; 성을 잘내는 여자.

hárpy èagle 큰수리《남아메리카산》.

har·que·bus [há:rkwəbəs] *n.* 〖역사〗 화승총(火繩銃)《1400 년경부터 사용》.

har·ri·dan [hǽrədn] *n.* =HAG[1] 1.

har·ried [hǽrid] *a.* 곤경에 처한, 근심 걱정에 싸인, 어찌할 바를 모르는.

har·ri·er[1] [hǽriər] *n.* 해리어《토끼 · 여우 사냥에 쓰이는 사냥개의 일종》; cross-country 경주 주자(走者); (*pl.*) 해리어개와 사냥꾼의 일행.

har·ri·er[2] *n.* 약탈자, 침략자; 괴롭히는 사람; 〖조류〗 개구리매; (H–) 해리어《영국 Hawker 사제의 세계 최초, 유일한 실용 V/STOL 공격기; 미국 McDonnell Douglas 사가 대폭 발전시킨 AV-8B Harrier II 는 미해병대, 영공군에 도입됨》.

Har·ri·son [hǽrəsən] *n.* **1** 남자 이름. **2 Benjamin** ~ 미국의 제 23 대 대통령(1833–1901).

Hárris pòll 해리스 여론 조사《미국의 대표적 여론 조사 기관의 하나》.

Hárris Twéed 손으로 짠 스카치 천의 일종《스코틀랜드의 Harris 산(産); 상표명》.

Har·rods [hǽrədz] *n.* 해러즈《London의 대표

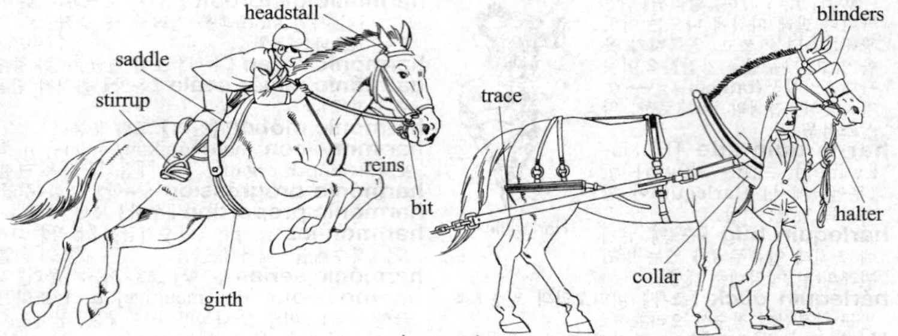
headstall
saddle
stirrup
reins
bit
girth
blinders
trace
halter
collar

harness1

적인 백화점》.

Har·ro·vi·an [hərόuviən] *a.*, *n.* 영국 Harrow 학교의 (출신자, 재학생).

Har·row [hǽrou] *n.* 영국 London 근교(近郊)의 Harrow-on-the-Hill에 있는 public school 《1571년 창립》.

har·row[1] [hǽrou] *n.* 써레, 쇄토기(碎土機). ***under the ~*** 시달림[어려움]을 당하여[겪어]. ― *vt.* 써레질하다; (정신적으로) 괴롭히다 (torment). ― *vi.* 《+副》 써레질되다: This ground *~s well.* 이 땅은 써레질이 잘 된다.

har·row[2] *vt.* 《고어》 약탈하다.

hár·row·ing[1] *a.* 마음 아픈, 비참한.

hár·row·ing[2] *n.* U 약탈. ***the ~ of Hell*** 《고어》 지옥의 정복《예수가 지옥에 빠진 영혼을 구하는 일》.

har·rumph [hərʌ́mf] *vi.* (일부러) 헛기침을 하다; 항의하다, 불평을 말하다. ― *n.* 헛기침(소리).

Har·ry [hǽri] *n.* **1** 해리《남자 이름; Henry의 애칭》. **2** (보통 old ~) 악마, 악귀; 미천한 젊은이, 런던 토박이(cockney). ***by the Lord ~*** 맹세코, 꼭. ***~ flakers*** 《속어》 녹초가 되어. ***~ starkers*** 《속어》 알몸으로. ***play old ~ with*** …을 뒤죽박죽으로 만들다, …을 망쳐 놓다.

◇**har·ry** (*p.*, *pp.* ***har·ried; har·ry·ing***) *vt.* **1** (공격 등의 반복으로) …을 괴롭히다, 곤란케 하다; (…에게 …하도록) 몰아 대다《*for; to* do》: ~ a writer *for* copy 작가에게 원고를 몹시 재촉하다. **2** (전쟁 등으로 도시 따위를) 황폐케 하다, 약탈하다. ― *vi.* 침략하다; 공격하여 약탈하다. ― *n.* 침략, 습격; 번거로움, 귀찮음.

harsh** [hɑːrʃ] *a.* **1** 거친, 껄껄한. OPP. *smooth.* ¶a ~ cloth 꺼칠꺼칠한 천. **2** (소리·음이) 사나운, 귀에 거슬리는; 눈에 거슬리는, (빛깔 따위가) 야한, 난한: ~ *to* the ear 귀에 거슬리는. **3** 호된, 모진, 가혹한《*with; to*》: a ~ punishment 엄벌/She was ~ *to* her maid. 그녀는 하녀에게 엄했다. SYN. ⇨ SEVERE. 㗊 ***~·en *vt.*, *vi.* 난폭[혹독]하게 하다[해지다]. ◇***~·ly*** *ad.* ***~·ness*** *n.*

hársh tóke 머리가 멍할 정도로 자극이 강한 마리화나 담배(의 한 모금); 불쾌한[속을 뒤집히게 하는] 녀석[것].

hars·let [hɑ́ːrslit] *n.* =HASLET.

hart [hɑːrt] (*pl.* ***~s***, 《집합적》 ***~***) *n.* 수사슴, (다섯 살 이상 된) 붉은 수사슴. cf. stag. ***a ~ of ten*** 뿔이 열 갈래로 갈라진 수사슴.

har·tal [hɑːrtɑ́ːl] *n.* (인도의 영국 상품에 대한) 불매 동맹; (복상(服喪)에 의한) 일체 휴업; (정치적 항의 수단으로서의) 동맹 휴업.

har·te·beest [hɑ́ːrtəbiːst] *n.* 〖동물〗 큰 영양 《남아프리카산》.

Hart·le·pool [hɑ́ːrtlpùːl] *n.* 하틀풀《잉글랜드 북부 Cleveland주의 항구 도시》.

har·tree [hɑ́ːrtriː] *n.* 〖물리〗 하트리《핵물리학의 에너지 단위; 약 27.21 전자볼트》.

Har-Tru [hɑ́ːrtrùː] *n.* 《미》 하트루《전천후 테니스코트(en-tout-cas)의 일종; 상표명》.

hárts·hòrn *n.* **1** 수사슴 뿔. **2** U 녹각정(鹿角精)《옛날 사슴 뿔에서 뽑아 암모니아 원료로 삼았음》; 탄산암모니아 수용액《각성제》. 「골고사리.

hárt's-tòngue, hárts-tòngue *n.* 〖식물〗

har·um-scar·um [hέərəmskέərəm, hǽrəmskǽrəm/hέərəmskέərəm] 《구어》 *a.* 덤벙대는, 경솔한; 무모한, 엉망인. ― *ad.* 경솔히; 무모하게. ― *n.* 덤벙대는 사람; U 덤벙댐; 무모. 㗊 ***~·ness*** *n.*

Ha·run al-Ra·shid [hɑːrúːnɑːlrɑːʃíːd/hærúːnælræʃíːd] 하룬 알라시드(764?-809) 《Bagdad의 칼리프(786-809); *Arabian Nights*의 주인공》.

ha·rus·pex [hərʌ́speks, hǽrəspèks] (*pl.* ***-pi·ces*** [-pəsìːz]) *n.* (고대 로마의) 창자 점쟁이 《제물로 바친 짐승의 창자로 점을 침》.

ha·rus·pi·ca·tion [hərʌ̀spikéiʃən] *n.* 〖일반적〗 예언, 예고, 예시.

ha·rus·pi·cy [hərʌ́spəsi] *n.* 창자 점, 장복(臟卜). 㗊 **ha·rus·pi·cal** [hərʌ́spikəl] *a.*

Har·vard [hɑ́ːrvərd] *n.* 하버드 대학(= **~ Univérsity**) 《미국에서 가장 오래된 사립대학, Massachusetts 주 Cambridge에 있음; 1636년에 창립; 생략: Harv.》.

‡**har·vest** [hɑ́ːrvist] *n.* **1** 수확, 추수. SYN. ⇨ CROP. **2** 수확기; 초가을; 수확물. **3** 보수, 결과: the ~ of one's mistakes 실수의 대가/an abundant [a bad] ~ 풍작[흉작]. ***make a long ~ for*** [***about***] ***a little corn*** 작은 노력으로 큰 수확을[결과를] 얻다, 새우로 고래를 낚다. ***owe*** a person ***a day in the ~*** 아무에게 은혜를 입고 있다. ― *vt.*, *vi.* 수확하다; (성과 등을) 거두어들이다, (보상을) 받다. 㗊 ***~·a·ble*** *a.* ***~·less*** *a.*

hárvest bùg [**mìte**] 〖동물〗 가을진드기.

hár·vest·er *n.* 수확자[기(機)]; 벌채 기계; 〖동물〗 장님거미.

hárvest féstival [**féast**] 수확제, 추수 감사절.

hárvest flỳ 〖곤충〗 매미(cicada). 「하의 노래.

hárvest hóme 수확의 완료; 수확제; 수확 축

hárvest ìndex 수확 지수《곡초(穀草)의 전체 중량에 대한 수확물 중량의 비》.

hár·vest·ing *n.* U 수확.

hárvest·man [-mən] (*pl.* ***-men*** [-mən, -mèn]) *n.* **1** (수확 때) 거둬들이는 인부. **2** 〖동물〗 장님거미.

hárvest móon (보통 the ~) 중추 명월.

hárvest mòuse 〖동물〗 들쥐.

har·vest·ry [hɑ́ːrvistri] *n.* U 수확(물).

hárvest·tìme *n.* U 추수 때, 수확기.

Har·vey [hɑ́ːrvi] *n.* 하비. **1** 남자 이름. **2 William ~** 혈액 순환을 발견한 영국 의사(1578-1657). 「수; 칵테일의 한 가지.

Hárvey Wállbanger 《CB속어》 무모한 운전

†**has** [hæz, 약 həz, əz, z, s] HAVE의 3인칭·단수·직설법·현재.

hás-bèen *n.* **1** 《구어》 한창때를 지난 사람[것]; 시대에 뒤진 사람[방법]; 과거의 사람[것]. **2** (*pl.*) 《미구어》 옛날 (일).

ha·sen·pfef·fer [hɑ́ːsənfèfər] *n.* 《G.》 U 매리네이드(marinade)에 절인 토끼 고기로 만든 스튜 요리.

◇**hash**[1] [hæʃ] *n.* U 해시[잘게 썬 고기] 요리; 《구어》 (뒤)범벅; 혼란; (아는 사실의) 재탕, 고쳐 만듦, 개작; 《미속어》 음식; 《속어》 소문; 〖전기〗 해시; 〖컴퓨터〗 해시《불필요한 데이터》. ***go back on*** [***upon***] ***one's ~*** 《미서부》 음식에 대하여 불평하다. ***make*** (***a***) ***~ of*** 《구어》 …을 망쳐 놓다, …을 요절 내다. ***settle*** [***fix***] a person***'s ~*** 《구어》 아무를 찍소리 못하게 만들다, 죽이다; 철저히 벌하다[패배시키다]. ― *vt.* (고기·야채를) 잘게 썰다《*up*》; 《구어》 엉망으로 만들다. ***~ out*** 《구어》 충분한 이야기를 나누어 해결하다, 철저히 논하다. ***~ over*** 되풀이해 논하다; …에 관하여 옛이야기를 하다. ***~ up*** 《속어》 생각해내다, 생각이 나서 말하다.

hash[2] *n.* 《구어》 =HASHISH; 《미속어》 마리화나, 《널리》 마약. ― *a.* 《미속어》 근사한, 훌륭한, 멋진. 「방해 잡음.

hásh and trásh 《CB속어》 교신(交信)할 때의

háshed bròwn potátoes 해시 브라운스 (=**hásh·bròwns, háshed-bròwns**) 《삶은 감자

를 썰어 프라이팬에 넣어 양면을 알맞게 구운 미국 요리》. 「조수).

hásh·er *n.* 《속어》 간이식당의 사환, 조리사(의

hásh·hèad *n.* 《속어》 대마초〔마리화나〕 중독〔상용〕자. 「당.

hásh hòuse 《미속어》 (음식 값이 싼) 대중식

Ha·shi·mó·to's disèase 〔**thyroidìtis, strùma**〕 [hɑ̀ːʃimóutouz-] 【의학】 하시모토병 《만성 림프구성(球性) 갑상선염》.

hash·ing [hǽʃiŋ] *n.* 【무선】 (2개의 무선국에서 나오는 주파수가 비슷하여 생기는) 전파의 혼신〔간섭〕; 【컴퓨터】 해싱《데이터를 찾아내는 한 방법》.

hash·ish, -eesh [hǽʃiː(ː)ʃ, hæʃíːʃ, hɑː-/hǽʃi(ː)ʃ] *n.* Ⓤ 해시시《인도 대마초의 꽃봉오리로 만든 마약》.

hásh(ish) òil 마리화나, 인도대마의 유효 성분 《대마(大麻)의 활성 성분인 tetrahydrocannabinol을 일컬음》.

hásh jòint 《미속어》 싸구려 식당〔하숙〕.

hásh màrk 《미군대속어》 연공 수장(年功袖章)(service stripe).

hásh sèssion 《미속어》 두서없는 의논, 잡담.

hásh·slìnger *n.* =HASHER.

hásh tòtal 【컴퓨터】 해시 토털《특정 field의 합으로 그 자체는 별 뜻이 없으나 제어나 체크의 목적에 쓰이는 것》. 「는) 개조품.

hásh-ùp *n.* Ⓤ 《영속어》 재탕, (신품으로 보이

Has·i·dism [hǽsədìzəm, hɑ́ːs-/hǽs-] *n.* 하시디즘《18세기 폴란드에서 일어난 유대교의 한 파; 신비적 경향이 강함》.

has·let [hǽslit, héis-, héiz-/hǽz-, héiz-] *n.* (*pl.*) (돼지·양의) 내장 (튀김).

Has·mo·n(a)e·an [hæ̀zməníːən] *n.*, (the ~s) *a.* 하스몬가(家)《기원전 2-1 세기에 대사제나 왕으로서 유대를 지배, 지도하였던 일가》(의).

†**has·n't** [hǽzənt] has not의 간약형.

hasp [hæsp/hɑːsp] *n.* (문·가방 따위의) 걸쇠, 잠그는 고리〔쇠〕; 실의 한 타래; 북, 방추(紡錘). **—** *vt.* 걸쇠〔고리〕로 잠그다.

has·sel, has·sle [hǽsl] *n.* 《구어》 격론, 말다툼, 작은 싸움; 옥신각신, 혼전; (돈·시간이 걸리는) 귀찮은 문제, 번잡한 수속. **—** *vt.* 《구어》 …를 들볶다; 《미속어》 (마약을) 간신히 구하다.

has·si·um [hǽsiəm] *n.* 【화학】 하슘《인공 방사성 원소; 기호 Hs; 번호 108》.

has·sock [hǽsək] *n.* (발을 올려놓는) 걸상식의 방석; (꿇어앉아 기도 드릴 때의) 무릎 깔개〔방석〕; 풀숲.

hast [hæst] 《고어》 HAVE의 2인칭·단수·직설법·현재《주어가 thou일 때》.

has·ta la vis·ta [hɑ́ːstələvíːstə; *Sp.* ástala bísta] 《Sp.》 안녕(so long). 「의.

has·tate [hǽsteit] *a.* 【식물】 (잎이) 미늘창 꼴

‡**haste** [heist] *n.* Ⓤ **1** 급함, 급속, 신속: in hot 〔great〕 ~ 몹시 서둘러. **2** 성급, 서두름, 허둥댐; 경솔: *Haste* makes waste. 《격언》 급히 먹는 밥에 목이 멘다 / More ~, less 〔worse〕 speed. =Make ~ slowly. 《격언》 급할수록 천천히.

> SYN. **haste** 목적 달성을 위해 성급하게 덤비는 뜻이 포함됨: act without *haste* 덤비지 않고 행동하다. **hurry** haste와 거의 같은 뜻이지만 한층 더 혼란하고 허둥대는 뜻이 덧붙여짐: Everything was *hurry* and confusion. 뒤죽박죽의 대소동이었다. **speed** 속도에 중점을 둠. **dispatch, expedition** 재깍재깍 처리하는 솜씨, 능률.

in ~ ① 바삐, 허둥지둥. ② 서둘러, 안달하여《*to* do》: be *in* ~ *to* get ahead in the world 출세하려고 안달이 나다. ***in*** one's ~ 서두른 나머지. ***make*** ~ 서두르다; 서둘러 …하다《*to* do》. **—** *vt.*, *vi.* 《시어》 서두르다; 급하게 굴다, 재촉하다. ◇ hasty *a.* ~ ***away*** 급히 물러가다.

***has·ten** [héisn] *vt.* 《~+목/+목+부/+목+전+명》 서두르다, 죄어치다, 재촉하다; 빠르게 하다, 촉진하다: ~ one's departure 출발을 앞당기다 / ~ a child *off* to bed 애를 재촉하여 잠자리에 들게 하다 / ~ a person *from* a room 아무를 서둘러 방에서 나가게 하다. **—** *vi.* 《~/+부/+*to* do/+전+명》 서둘러 가다《*to*》; 서두르다: ~ *upstairs* 급히 2층에 올라가다 / I ~ *to* let you know the good news. 급히 이 기쁜 소식을 알려드립니다 / The policeman ~*ed to* the spot. 경관은 현장에 급행했다. Ⓒⓕ hurry. 파 **~·er** *n.*

***hast·i·ly** [héistili] *ad.* **1** 바삐, 급히. **2** 덤벙〔허둥〕대어; 성급히, 조급히. 「조급.

hast·i·ness [héistinis] *n.* 화급; 경솔; 성급,

Has·tings [héistiŋz] *n.* **1** **Warren** ~ 헤이스팅스《초대 인도 총독; 1732-1818》. **2** 영국 East Sussex 주의 도시.

hasty** [héisti] (hast·i·er; -i·est***) *a.* **1** 급한, 바삐 서두는, 황급한: have a ~ breakfast 서둘러 아침 식사를 하다. **2** 조급한, 경솔한: a ~ conclusion 속단, 지레짐작. **3** 성마른: a ~ temper 성마른 기질.

hásty púdding 《미》 옥수수 죽; 《영》 속성 푸딩《밀가루를 끓는 우유에 넣고 휘저어 익힘》.

†**hat** [hæt] *n.* **1** **a** (테가 있는) 모자. Ⓒⓕ bonnet, cap. **b** (모자 등) 외출시의 옷〔신변물〕: Get your ~ and let's go. **c** 제모(制帽), 헬멧《따위》. **2** (교황청 추기경의) 진홍색 모자; 추기경의 직〔지위〕, (특별한 모자에 의해 상징되는) 지위; 일, 직업, 직함. **3** (새우 따위의) 대가리. **4** 《속어》 뇌물 수수, 뇌물. **5** 《미속어》 쓸모없는 철도원, 늙다리 철도원. **6** 《미속어》 여자, 《특히》 아내, 걸프렌드; 《속어》 (성적으로) 칠칠치 못한 여자. ★ hat는 흔히 사람이나 그 생활 상태를 상징함: a bad *hat* 나쁜 자식, 악한, 건달패. **(*as*) *black as my*** ~ 새까만. ***at the drop of a*** ~ ⇨ DROP. ***be in a*** 〔***the***〕 ~ 궁지에 몰리다, 진퇴양난에 빠지다. ***bet*** one's ~ 《구어》 (승패 따위에) 모든 것을 걸다; 절대로 문제 없다. ***by this*** ~ 맹세코. ***hang up*** one's ~ (***in a house***) ① 편히 하다. ② 오래 있다, 머무르다. ③ 은퇴〔퇴직〕하다. ④ 《영구어》 (결혼하여) 안주하다. ~ ***in hand*** 모자를 손에 들고; 공손한 태도로, 굽실거리며. ***have a place to put*** one's ~ 입장을 주장하다. ***have*** 〔***throw, toss***〕 one's ~ ***in the ring*** (시합 등에) 참가할 뜻을 알리다, (선거 따위에) 출마하다. ***His ~ covers his family.*** 그는 (가족이 없는) 홀몸이다. ***Hold*** 〔***hang***〕 ***on to your*** ~***!*** 《구어》 놀라지 마십시오. ***I'll eat my*** ~ ***if …*** 《구어》 만일 …한다면 손에 장을 지지겠다, …한 일은 절대로 안 하겠다〔없다〕. ***In your*** ~***!*** 《속어》 바보 같은 소리 하지마. ***lift*** one's ~ 모자를 살짝 들어 인사하다《*to*》. ***My*** ~***!*** 《속어》 어머, 이런. ***My*** ~ ***to a half penny!*** 결코, 단연코. ***out of a*** ~ 요술을 부리듯이; 마음대로, 되는대로: pull crises 〔excuses〕 out of a ~ 멋대로 위기를 만들다〔핑계를 조작하다〕. ***pass*** 〔***send***〕 (***round***) ***the*** ~ =***go round with the*** ~ (모자를 돌려) 기부금〔희사금〕을 걷다. ***put the tin*** ~ ***on*** =put the (tin) LID on. ***raise*** 〔***take off, touch***〕 one's 〔***the***〕 ~ 모자를 들어〔를 벗고, 에 손을 대고〕 인사하다《*to*》. ***take*** one's ~ ***off to*** …에게 모자를 벗다, 경의를 표하다. ***talk through*** one's ~ 《구어》 큰〔흰〕소리하다, 허튼〔무책임한〕 소리를 하다. ***That's an old*** ~. 《속어》 그 따위는 낡은 수법이다. ***throw*** one's ~ ***in the air*** 크게〔날뛰며〕

기뻐하다. ***under** one's* ~ =***for the*** 〔one's〕 ~ 《구어》 비밀리에, 남몰래: Keep it *under your* ~. 그것은 비밀로 해 다오. ***wear more than one*** ~ 몇 가지 분야에서 자격이 있다. ***wear two*** ~***s*** 일인이역을 하다; 동시에 두 가지 일을 하다.
— (-*tt*-) *vt*. …에게 모자를 씌우다.

hat·a·ble [héitəbəl] *a*. 얄미운, 싫은. 「章).
hát·bànd *n*. 모자의 리본; 모자에 두른 상장(喪
hát·blòck *n*. 모자의 골.
hát·bòx *n*. 모자 상자.
hát·brùsh *n*. 모자 솔《실크해트용》.
hát·càse *n*. =HATBOX.
°**hatch**¹ [hætʃ] *vt*. **1** (알·병아리를) 까다, 부화하다. **2** (음모 따위를) 꾸미다, 꾀하다, (계획을 비밀리에) 세우다: ~ a plot. — *vi*. **1** 《~/+副》 알이 깨다《*out; off*》: The chicks ~*ed* out yesterday. **2** (어미 새가) 알을 품다〔까다〕. **3** (음모 따위가) 꾸며지다. ***be ~ed, matched, and dispatched*** 태어나 결혼하고 죽다《사람의 일생》; (일이) 기획되어 무사히 잘 끝나다, 만사가 제대로 완료되다. ~ ***out*** (사건이) …로 되다.
— *n*. 부화; 한배의 병아리; 결말. ***the ~es, catches, matches, and dispatches*** 《우스개》 (신문의) 출생·약혼·결혼 및 사망 통지란.
hatch² *n*. **1** 〖해사〗 (갑판의) 승강구, 창구(艙口); 승강구〔창구〕의 뚜껑, 해치. **2** (마루·천장·지붕 등에 만든 출입구의) 뚜껑, 반문(半門)《상하 2단으로 된 문의 아래짝》. **3** (우주선의) 출입문. **4** 수문(水門). **5** 통발의 뚜껑. — *vt*. 해치를 닫다. ***Down the ~!*** 《구어》 건배! ***under ~es*** ① 갑판 밑에, 비번이어서. ② 감금되어. ③ 영락하여, 남에게 버림받아. ④ 죽어서.
hatch³ *vt*. (조각·제도·그림에) 가는 선을 긋다; 〖건축〗 해치〔교차된 평행선 무늬〕를 넣다. — *n*. 가는 선; 〖건축〗 해치, 교차된 평행선 장식.
hàtch·a·bíl·i·ty *n*. 부화할 수 있음; 부화율.
hátch·a·ble *a*. 부화할〔될〕 수 있는.
Hátch Àct 《미》 해치법《선거 부패 방지를 위해 1939년, 40년 2회에 걸쳐 정해진 법률》.
hátch·bàck *n*. 해치백《뒷부분에 위로 열리게 되어 있는 문을 가진 차; 또 그 부분》.

hatchback

hátch-bòat *n*. 갑판 전체가 창구(艙口)로 된 짐배의 일종; 반(半)갑판의 어선.
hát·chèck *a*. 휴대품 보관(용)의: a ~ girl 휴대품 보관소 여직원/a ~ room 휴대품 보관소.
hatch·el [hætʃəl] *n*. (삼 따위를 훑는) 쇠빗(hackle). — *vt*. (-*l*-, 《영》 -*ll*-) **1** (삼을) 훑다, 빗기다. **2** 《드물게》 괴롭히다.
hátch·er *n*. **1** 알을 까는 새〔동물〕; 부란기(incubator). **2** 음모가.
hatch·ery [hætʃəri] *n*. (물고기·병아리의) 부화장; 이유기(離乳期) 돼지의 대규모 사육장.
°**hatch·et** [hætʃit] *n*. 자귀; (북아메리카 원주민의) 전부(戰斧)(tomahawk). ***bury the*** ~ 《미》 무기를 거두어들이다, 전투를 중단하다, 화해하다. ***dig up*** 〔***take up***〕 ***the*** ~ 전투를 재개하다, 무기를 들다. ***throw*** 〔***fling, sling***〕 ***the*** ~ 《속어》 허풍을 떨다.
hátchet fàce 마르고 뾰족한 얼굴(의 사람).
hátchet-fàced [-t] *a*. 마르고 뾰족한 얼굴의.
hátchet jòb 《구어》 욕, 중상; 《미속어》 (종업원의) 해고.
hátchet màn 《구어》 호전가(好戰家); 달갑잖은 일을 맡아 처리하는 부하; 살인 청부업자(triggerman); (중상적 기사를 쓰는) 독설 기자; 〖일반적〗 비평가; 사형 집행인; 자객.
hatch·et·ry [hætʃitri] *n*. 손도끼 사용법; (예산 등의) 삭감 (공작). 「(hatchet job).
hátchet wòrk 모욕적인 비평〔기사〕, 중상
hátch·ing *n*. Ⓤ 해칭, (조각·제도·그림 따위의) 평행선의 음영, 선영(線影).
hatch·ling [hætʃliŋ] *n*. 부화(孵化)한 유생(幼生)《알에서 갓 부화한 조류·파충류·어류 따위의 유생》.
hátch·ment *n*. 〖문장(紋章)〗 상중(喪中)임을 알리는 문표(紋標)《죽은 자의 무덤이나 문앞 따위에 겲》.
hátch·wày *n*. (배의) 승강구.
⁑**hate** [heit] *vt*. **1** 《~+目/+目+前+名》 미워하다, 증오하다; 몹시 싫어하다: We ~ injustice. 우리들은 부정을 증오한다/He ~*s* me *for* it. 그는 그 일 때문에 나를 미워한다. ★ hate는 진행형을 취하지 않음. **2** 《+*to* do/+-*ing*》 유감으로 여기다(regret): I ~ *to* trouble 〔troub*ling*〕 you. 폐를 끼쳐서 죄송합니다. **3** 《+*to* do/+-*ing*/+目+*to* do/+目+-*ing*/+*that* 節》 싫어하다; …하고 싶지 않다: I ~ *to* do it. 그런 것은 하고 싶지 않다/I ~*d* tell*ing* a lie, but I couldn't help it. 거짓말을 하고 싶지 않았으나, 어쩔 수 없었다/I ~ my daughter liv*ing* 〔*to* live〕 alone. 딸이 혼자 사는 건 곤란해/I ~ *that* you should talk about it. 네가 그 이야기를 안 했으면 싶다. ◇ hatred *n*. — *vi*. 강한 미움〔혐오감〕을 품다: We should all ~ less and love more. 미워함을 적게 하고 더욱 사랑해야 한다.

> SYN. **hate** 일반적인 말. 상대방에게 적의나 혐오의 감정을 품는 것. **detest** 강한 혐오나 경멸감으로써 상대를 싫어함을 이름. **dislike** 문어적인 말. hate보다는 적의·혐오의 감정이 엷은 기분을 나타냄.

~ ***out*** 《미》 (미워하여) …을 좇아내다, 따돌리다. ***somebody up there ~s me*** 《속어》 운이 나쁘다, 재수가 없다.
— *n*. Ⓤ 혐오, 증오(hatred); Ⓒ 《구어》 아주 싫어하는 것〔사람〕: a person's pet ~ 《구어》 아무가 아주 싫어하는 것〔사람〕.
㊕ ~·**a·ble** *a*. =HATABLE. **hát·er** *n*.
háte crìme 증오 범죄《인종·종교·신조·성적 지향·출신 등의 차이에 따른 증오 감정이 동기가 되어 상대방에 해악을 가하거나 상대방의 시민권을 위협하는 범죄》.
⁑**hate·ful** [héitfəl] *a*. **1** 미운, 지겨운, 싫은. **2** 증오에 찬. ㊕ ~·**ly** *ad*. ~·**ness** *n*.
háte màil 매도나 협박투의 서신. 「선동가.
háte·mònger *n*. (적대 감정 조성을 일삼는)
háte shèet (특정 인종·국가·종교 등에) 편파적 증오를 나타내는 신문〔간행물〕.
háte spèech 증오의 연설《인종·종교·성별·성적 지향 등이 다른 데 따른 증오 감정이 근원이 되어 개인이나 단체를 공격하는 연설》.
hat·ful [hætfùl] *n*., *a*. 모자 가득(한). ***a ~ of …*** =a LOT of. ㊕ ~·**ly** *ad*. ~·**ness** *n*.
hath [hæθ] 《고어》 HAVE의 3인칭·단수·직설법·현재.
hát·less *a*. 모자를〔가〕 안 쓴〔없는〕.
hát·pèg *n*. 모자걸이(못).
hát·pìn *n*. (여성 모자의) 고정핀.
hát·ràck *n*. 모자걸이; 《미속어》 말라깽이.
hát·ràil *n*. (벽에 붙인) 모자걸이.
⁑**ha·tred** [héitrid] *n*. Ⓤ (때로 a ~) 증오, 원한; 혐오; 《구어》 몹시 싫음; 집단적인 적의, 집단 증오. ***have a ~ for*** …을 미워하다, …을 싫어하다. ***in ~ of*** …을 증오〔혐오〕하여. ◇ hate *v*.

hát sìze 모자의 사이즈. ***short of*** **~** 《속어》 지혜가 모자라는, 바보의.
hát·stànd *n.* 모자걸이대(臺).
hát·ted [-id] *a.* 모자를 쓴.
hát·ter *n.* 모자 제조인; 모자상(商). ***(as) mad as a*** **~** 《속어》 아주 미쳐서; 몹시 성이 나서.
hátter's shákes 수은 중독, 미나마타병.
hát·ting *n.* [U] 모자 제조(업), 제모(製帽) 재료.
hát trèe (가지가 있는) 모자걸이.
hát trìck 1 〖크리켓〗 해트 트릭《투수가 세 타자를 연속 아웃시킴》; 〖축구·하키〗 해트 트릭《혼자 3골 획득》; 〖경마〗 (한 기수에 의한 하루) 3연승; 〖야구〗 사이클 히트. **2** 모자를 사용해서 하는 요술; 교묘한 수〔술책〕. 「칭」.
Hat·ty [hǽti] *n.* 해티《여자 이름; Harriet의 애
hau·berk [hɔ́:bəːrk] *n.* (중세의) 미늘 갑옷.
haugh [hɑːx, hɑːf/hɔː] *n.* 《Sc.》 강변 저지(低地)의 (목)초지; 평탄한 충적지(沖積地).
haugh·ty** [hɔ́ːti] ***(-ti·er; -ti·est) *a.* 오만한, 거만한, 건방진, 도도한, 불손한. [파] **háugh·ti·ly** *ad.* **-ti·ness** *n.*
haul** [hɔːl] *vt.* **1** 《~+[목]/+[목]+[부]/+[목]+[전]+[명]》 (세게) 잡아 끌다; 끌어당기다: ~ *up* an anchor 닻을 감아올리다/~ a turtle (*up*) *on* the shore 바다거북을 바닷가로 끌어올리다. [SYN.] ⇨PULL. **2** 《+[목]+[전]+[명]》 (트럭 따위로) 운반하다: ~ timber *to* a sawmill 재목을 제재소로 나르다. **3** 《+[목]+[전]+[명]》 (법정 등으로) 끌어내다, 연행하다: ~ a person *into* court 아무를 법정에 끌어내다. **4** 《+[목]+[전]+[명]》 〖해사〗 (배의) 방향을 돌리다《특히 바람이 불어오는 쪽으로》: ~ a ship *on* a wind. **—** *vi.* **1** 《+[전]+[명]》 잡아당기다《*at; upon*》: ~ *at* 〔*on, upon*〕 a rope 로프를 끌어당기다. **2** 《+[전]+[명]》 (어떤 곳으로) (겨우) 가다, 오다《*into; to*》: After roistering about the streets, they finally ~*ed into* the tavern. 그들은 법석을 떨며 거리를 쏘다니다가 대폿집으로 들어갔다. **3** 화물을 차〔화차〕로 나르다: charge for ~*ing* 운송료. **4** 《+[전]+[명]》 〖해사〗 (배가) 침로를 바꾸다, 항행〔범주〕하다《*to*》; (수리·수용 등을 위해) 배를 뭍으로 올리다; (바람이) 맞바람으로 바뀌다《*around*》: The sailboat ~*ed round* 〔*into* the wind〕. 그 범선은 한 바퀴 돌아 〔바람 불어오는 쪽으로〕 침로를 바꾸었다. **5** 언동을 바꾸다. **~ *ass 〔***tail***〕 《미속어》 급히 떠나다. **~ *down*** 《구어》 (야구 등에서) 달려가서 (공을) 잡다; (미식축구에서) 태클(tackle)하다. **~ *down* one's *flag*** 〔***colors***〕 기(旗)를 내리다〔감다〕; 굴복〔항복〕하다(surrender). **~ *in*** 《미속어》 잡아〔끌어〕 당기다. **~ a person *in*** 《속어》 체포하다, 연행하다, 강제로 끌고 가다. **~ *in with*** 〖해사〗 …에 가까이 가도록 배를 돌리다. **~ *it*** 《속어》 도망가다. **~ *off*** 〖해사〗 (피하기 위하여) 침로를 바꾸다; 후퇴하다, 물러나다; 《구어》 (사람을 치기 위해) 팔을 뒤로 빼다. **~ a person *over the coals*** 아무의 흠을 들추어내다; 몹시 꾸짖다. **~ one's *ashes*** 《속어》 물러나다, 떠나가다. **~ *to*** 〔***on***〕 one's 〔***the***〕 ***wind*** 〖해사〗 이물을 더욱 바람 불어오는 쪽으로 돌리다. **~ *up*** 《*vi.*+[부]》 ① 〖해사〗 이물을 바람 불어오는 쪽으로 돌리다; (배가) 침로를 바꾸다. ② (차 따위가) 멈추다, 정지하다. **—** 《*vt.*+[부]》 ③ (…을) 끌어올리다. ④ 《구어》 (아무를 법정 등에) 소환하다: be ~*ed up* before the judge 재판관 앞에 출두를 명받다/~ a person *up* 아무를 타박하다, 힐문하다.
— *n.* **1** (a ~) 세게 끌기, 견인; 운반, 수송. **2** 수송물〔품〕. **3** 운반 거리〔량〕. **4** 〖어업〗 그물을 끌어올리기; (a ~) 한 그물의 어획(량): a good ~ of fish 풍어, 많은 어획량. **5** (a ~) 《구어》 잡은〔번〕 것; 번 액수, 획득물; 취득, 획득; 압수된 (대량의) 밀수품. ***a*** 〔***the***〕 ***long*** **~** ① 꽤 긴 기간〔거리〕; 긴〔괴로운〕 여정: over *the long* ~ 장기간에 걸쳐/In *the long* ~, he'll regret having been a school dropout. 시간이 지나면, 그는 중도 퇴학을 후회할 것이다. ② 〖해사〗 (겨울 따위 계절에) 배를 오래 뭍에 올려 둠. ***a*** 〔***the***〕 ***short*** **~** (비교적) 가까운 거리, 짧은 시간. ***make*** 〔***get***〕 ***a fine*** 〔***good, big***〕 **~** 고기를 많이 잡다; 큰 벌이를 하다.
hául·abòut *n.* 급탄선(給炭船).
haul·age [hɔ́ːlidʒ] *n.* [U] 당기기, 끌기; 운반; 견인량(量); 견인력; 운임; 화차 사용료.
háulage·wày *n.* 갱도(坑道)《석탄 운반용》.
hául·awày *n.* 자동차 운반용 트럭. 「자〔회사〕.
hául·er *n.* haul 하는 것〔사람〕; 《특히》 운송업
haul·ier [hɔ́ːljər] *n.* 《영》 끄는 사람; 짐마차꾼; 〖채광〗 갱내의 석탄 운반인; (트럭) 운송 회사〔업자〕.
haulm [hɔːm] *n.* 《영》 (콩·감자·곡물 따위의) 줄기; (곡물 따위를 베고 난 후의) 줄기, 짚《가축의 깔개·지붕 이엉에 쓰임》.
haulyard ⇨HALYARD.
°**haunch** [hɔːntʃ, hɑːntʃ/hɔːntʃ] *n.* (보통 *pl.*) 허리, 궁둥이; (양고기 따위의) 허리 부분; 〖건축〗 홍예 허리. ***squat*** 〔***sit***〕 ***on*** one***'s*** **~*es*** 웅크리고 앉다.
háunch bòne 허리뼈, 무명골(無名骨)(hipbone).
***haunt** [hɔːnt, hɑːnt/hɔːnt] *vt.* **1** 종종 방문하다, …에 빈번히 들르다. [cf.] frequent, resort. **2** (유령 등이) …에 출몰하다, …에 나오다: a ~*ed* house 유령이〔도깨비가〕 나오는 집. **3** 〔수동태로〕 (생각 따위가) …에 늘 붙어 따라다니다, (붙어) 따라다니며 괴롭히다: I *am* ~*ed* by the thought that.... …라는 생각이 머리에서 떠나지 않는다. **—** *vi.* **1** 떠나지 않다, 늘 붙어 따라다니다; 자주 들르다. **2** (유령 등이) 출몰하다. **3** 자리잡고 살다《*about; in*》. **—** *n.* **1** 자주 드나드는 곳, 늘 왕래하는 곳: holiday ~*s* 휴일의 행락지. **2** 출몰하는 곳; 서식지; (범인 따위의) 소굴. **3** 《방언》 유령.
°**háunt·ed** [-id] *a.* (귀신 따위가) 붙은; 도깨비가〔유령이〕 나오는〔출몰하는〕; 고뇌에 시달린.
háunt·er *n.* 자주 오는 사람, 단골; 유령.
háunt·ing *a.* 자주 마음속에 떠오르는, 뇌리를 떠나지 않는: a ~ tune 잊혀지지 않는 선율. **—** *n.* [U,C] 자주 다니기; (유령 등의) 출몰. [파] **~·ly** *ad.*
hau·ri·ant, -ent [hɔ́ːriənt] *a.* 〖문장(紋章)〗 (물고기가) 머리를 위로 쳐든 모양의.
Haus·frau [háusfràu] *n.* 《G.》 주부, 가정적인 여성, (건강한) 가정주부.
haus·tel·lum [hɔːstéləm] (*pl.* ***-la*** [-lə]) *n.* 흡수〔흡입〕관(管)《파리·모기·매미·노린재 따위가 혈액·수액·꿀 따위를 빨아들이는》.
haus·to·ri·um [hɔːstɔ́ːriəm] (*pl.* ***-ria*** [-riə]) *n.* (기생 식물의) 흡수근; 기생근(根); (기생균이 내는) 흡기(吸器). 「OBOE.
haut·boy [*h*óubɔi/óu-] *n.* 《고어》 〖음악〗 =
haute, haut [out], [out, ou] *a.* 《F.》 고급의 (high-class), 격조 높은; 상류(사회)의.
haute cou·ture [òutkuːtúər] 《F.》 (새 유행을 창출하는) 고급 양장점; 고급 양재 (기술); 새 유행(의 형), 뉴모드.
haute cui·sine [òutkwizíːn] 《F.》 고급 (프랑스) 요리(법). 「術).
haute école [òuteikóul] 《F.》 고등 마술(馬
hau·teur [houtə́ːr; *F.* otœːʀ] *n.* 《F.》 건방짐, 건방진 태도, 오만함.

haute vul·ga·ri·sa·tion [òutvulgɑ̀:rizɑ:-sjɔ́:ŋ; *F.* otvylgaʀizasjɔ̃] 《F.》 난해하고 복잡한 것의 대중화.
haut goût [*F.* ogu] 《F.》 양념 맛이 살아 있는 맛; (고기가) 꼭 먹기 좋게 된 맛.
haut monde [òumɔ́:nd; *F.* omɔ̃:d] 《F.》 상류 「사회.
Ha·vana [həvǽnə] *n.* **1** 아바나《Cuba 의 수도》. **2** 아바나 여송연(=∠ **cigár**).
†**have** ⇨《아래》 HAVE.
háve-a-gó *a.* 《구어》 (일반인이 범죄 현장에서) 범죄를 막으려 하다, 범인을 가로막다.
háve·lòck *n.* (군모 뒤에 늘어뜨린) 차양.
ha·ven [héivən] *n.* **1** 항구, 정박소. **2** 안식처, 피난처. **—** *vt.* (배를) 피난시키다.
há·ven·er *n.* 항만 관리 책임자, 항만 관리소장.
háve-nòt 《구어》 *n.* (보통 *pl.*) 갖지 못한 자, 무

have

have 의 용법은 크게 둘로 나눌 수 있다: (1) 완료 조동사; (2) '가지다', '하다' 따위의 뜻의 본동사.

(1) 조동사로서의 have 는 《미》·《영》 다 같이 변칙 정형(定形)동사로 취급된다《의문문에서는 주어 앞에 오며, 부정문에서는 do 를 취하지 않음》: *Have you* ever been abroad?/I *haven't* read it yet.

(2) 본동사 취급에는 약간의 문제가 있다. 즉, 미국식으로는 부정·의문에 두루 조동사 do 를 사용하여 have 를 일반동사로 취급하는 방법이 널리 쓰이고 있으며, 최근에는 영국에서도 이런 경향이 많아졌다. 그러나 전통적인 영국 영어의 입장에서는 대체로, a) 상태동사의 have 는 습관적이 아니면 변칙동사로, 습관적이면 일반동사로 취급하며, b) 동작·과정의 have 는 항상 일반동사로 취급한다: How many brothers *have you*? (습관과 무관계)/*Do you* usually *have* enough time for pleasure at weekend? (습관적)/We *didn't have* much trouble solving the problem. 《과정》

본동사의 응용인 have to (do) '…해야 한다'는 must 에 없는 과거형·완료형·조동사와의 결합 따위를 보완하는 것으로서 중요하다.

긍정 평서문인 경우, 구어에서는 특히 완료 조동사로서 I have → I've, he has → he's 와 같이 간약형을 쓰는 예가 많으나, 구어에서도 본동사로서 주어나 have 가 다소 강세를 받을 때에는 비간약형이 사용된다: Hè *has* a góod cámera./Yés, I *háve*.

변화꼴은 현대꼴 외에 다음의 옛꼴이 있음. 2 인칭 단수 현재형 (thou) **hast** [hæst, 약 həst, əst], 과거형 **hadst** [hædst, 약 hədst]; 3 인칭 단수 현재형 **hath** [hæθ, 약 həθ].

have [hæv, 약 həv, əv; "to"앞에서 흔히 hæf] (*p.*, *pp.* ***had*** [hæd, 약 həd, əd]; 현재분사 ***hav·ing*** [hǽviŋ]; 직설법 현재 3 인칭 단수 ***has*** [hæz, 약 həz, əz]; have not 의 간약형 ***haven't*** [hǽvənt]; has not 의 간약형 ***hasn't*** [hǽznt]; had not 의 간약형 ***hadn't*** [hǽdnt]) *vt.*
A 《소유하다》 《보통 수동태·진행형 불가; 《미》에서는 일반동사, 《영》에서는 변칙동사 취급》.
1 a 《~+목/+목+전+명》 (…을) 가지고 있다, 소유하다; (…이) 있다: He *has* a large fortune. 그는 재산가이다/We don't ~ (=《영》 We ~*n't*) a house of our own. 우리는 집이 없다/She *has* a book *under* her arm. 그녀는 책을 옆구리에 끼고 있다/The store *has* antique furniture *for* sale. 그 가게에서는 골동 가구를 팔고 있다/He *has* a large room *to* himself. 그는 큰 방을 독차지하고 있다. **b** 《+목+전+명》 (…을) 몸에 지니고 있다, 휴대하고 있다《*about; on; with; around*》. cf. have on (관용구): Do you ~ 〔*Have* you (got)〕 any money *with* 〔*on*〕 you? 돈 가지신 것 있습니까/She *had* a scarf *around* her neck. 그녀는 목에 스카프를 두르고 있었다. **c** 〖종종 목적어에 형용사 용법의 to 부정사를 수반〗 (…할〔볼〕 일·시간 따위가) 있다, 주어져 있다: I ~ a letter *to* write. 편지 쓸 일이 있다/Do you ~ 〔*Have* you〕 anything *to* declare? (세관에서) 무언가 신고할 것이 있습니까/We ~ a long way *to* go. 갈 길이 멀다/He *did*n't ~ (=《영》 *had*n't) time *to* see her. 그녀를 만나 볼 시간이 없었다.
2 (어떤 관계를 나타내어) 가지고 있다. **a** (육친·친구 등이) 있다, (사용인 따위를) 두고 있다: He *has* many brothers. 그는 형제가 많다/She *has* a nephew in the navy. 그녀는 해군에 있는 조카가 있다/The college *has* a faculty staff of ninety. 그 대학에는 90 명의 교수진이 있다. **b** (동물을 애완용으로) 기르다: I want to ~ 〔keep〕 a dog. 개를 기르고 싶다.
3 〖부분·속성으로〗 갖고 있다. **a** (신체 부분·신체 특징·능력 따위를) 가지고 있다; (…에게는 —이) 있다: She *has* a sweet voice. 그녀는 아름다운 목소리를 갖고 있다〔목소리가 아름답다〕/Does she ~ (=《영》 *Has* she) brown eyes or blue eyes? 그 여자의 눈은 갈색인가 푸른가/I ~ a bad memory for names. 나는 사람들 이름을 잘 기억하지 못한다. **b** (사물이 부분·부속물·특징 따위를) 갖고 있다; (…에는 —이) 있다; (…을) 포함하고 있다: This coat *has* no pockets. 이 상의에는 호주머니가 없다/This room *has* five windows. 이 방에는 창이 다섯 개(가) 있다 (=There are five windows in this room.)/How many days does May ~ (=《영》 *has* May)? 5 월에는 며칠이 있는가/The book *had* a chapter on cooking. 그 책에는 요리에 관한 장(章)이 있었다.
4 a (감정·생각 따위를) 갖다, 품고 있다: Do you ~ 〔*Have* you (got)〕 any questions? 무언가 질문 있습니까/I*'ve* no idea what she means. 그녀의 말뜻을 알 수가 없다(=I don't know what she means.)/He *has* no fear of death. 그는 죽음을 조금도 두려워하지 않는다. **b** 《+목+전+명》 (…에 대해 원한 따위를) 품다《*against*》: She *has* a grudge *against* him. 그녀는 그에게 원한이 있다/I don't know what she *has against* me. 그 여잔 내게 무슨 원한이 있는지 모르겠다. **c** (…에 대한 감정 따위를 태도·행동에) 나타내다《*on; for*》: ~ pity *on* him 그에게 동정하다(=pity him)/*Have* some consideration *for* others. 다른 사람에 대한 배려를 해라. **d** 〖목적어에 'the+추상명사+*to* do'를 수반〗 (…할 친절·용기 따위가) 있다; …하게도 —하다: She *had the* impudence 〔《미구어》 gall〕 *to* refuse my invitation. 그녀는 건방지게도 내 초대를 거절했다/*Have the* kindness *to* help me. 부탁이니 좀 도와 주세요《상대가 마음에 안 들 때의 정중한 명령 표현임》/You should ~ *the* patience

to wait. 참고 기다려야 한다.
5 (병 따위에) 걸리다, 걸려 있다; 시달리다: ~ a headache 〔(a) toothache〕 두통〔치통〕이 있다 / ~ a heart attack 심장 발작을 일으키다 / I ~ 〔*I've* got〕 a cold now. 나는 지금 감기에 걸려 있다《습관성일 때는 have got은 쓰지 않음》.
6 《옛투》 (언어·학과 따위를) 알다, 알고 있다, 이해하다, (…의) 지식이 있다: I ~ it by heart. 나는 그것을 외우고 있다 / She *has* a little Arabic. 그녀는 아랍어를 조금 안다 / Now I ~ you. 이제 네 말을 알겠다 / Thou *hadst* small Latin and less Greek. 당신은 라틴어는 조금, 그리스어는 그보다 더 적은 지식밖엔 없었다.
7 〖have to do의 형식으로〗 …해야 한다: I ~ 〔*had*〕 *to* see him. 나는 그를 만나 보아야 한다〔만나 보아야 했었다〕 / Do you ~ (=《영》 *Have* you) *to* go today? 오늘 가야만 하는가 / You don't ~ (=《영》 You *~n't*) *to* go today. 오늘은 안 가도 된다 / He will ~ *to* do it himself. 자기 스스로 하지 않을 수 없을 거다 / All you ~ *to* do is (to) wait patiently. 참을성 있게 기다리기만 하면 된다《(to) wait patiently의 to가 있는 형식은 《미》·《영》 공통, to 없는 형식은 주로 《미》; 다 같이 구어에 많음》.

> NOTE (1) 습관적인 때에는 영국에서도 일반동사 취급: Do you *have*《=《영》 *Have* you》 time to do it now? 지금 그것을 할 시간이 있는가 《특정한 경우》 / 《《미》·《영》 공통》 Do you *have* enough time for reading? 독서할 시간이 충분히 있습니까《습관적》. 그러나 습관적이 아니더라도 지금 영국에서는 have를 일반동사 취급하는 경향이 있고, 특히 과거의 의문에서는 Had you ...? 보다도 Did you have ...?를 많이 씀.
> (2) 구어에서는 have 대신 흔히 (특히 영국에서) have got을 씀. ⇨ *aux.v.* ~ got (관용구).

B 《손에 넣다》 《진행형 불가; 1에 한하여 수동태 가능》.
1 (…을) 얻다, 받다; 〖흔히 can be had〗 (사물이) 입수 가능하다: ~ English lessons 영어 수업을 받다 / ~ a holiday 휴가를 얻다 / I'll let you ~ the camera for twenty dollars. 그 카메라를 20 달러에 넘겨주지 / It can 〔may〕 *be had* 〔you can 〔may〕 ~ it〕 for the asking. 달라고만 하면 (거저) 준다 / *Have* 〔《영》 Take〕 a seat. 앉으십시오.
2 《+목+전+명》 (…에게서 ─을) 얻다, 받다 《*from*》: He *had* a letter 〔a telephone call〕 *from* his mother. 그는 어머니로부터 편지〔전화〕를 받았다 / We *had* no news *of* him. 우리는 그에 관한 소식을 접하지 못했다.
3 (…을) 택하다: I'll ~ that white dress. 그 흰색 드레스로 하겠습니다 / Do you ~ butter on your toast? 토스트에 버터를 바르시겠습니까.
4 (정보 따위를) 입수하다, 입수하고 있다, 들어서 알(고 있)다: May I ~ your name, please? 존함을 무어라고 하시는지요 / We must ~ the whole story: don't hold anything back. 이야기를 전부 들어야겠다, 숨김없이 말해라.
C 《하다》
1 a (식사 따위를) 하다, 들다, (음식을) 먹다, 마시다; (잠을) 자다; (담배를) 피우다(진행형 있음; 수동형 가능함): We ~ supper at 6. 여섯 시에 저녁을 먹는다 / I didn't ~ enough sleep last night. 간밤에는 잘 자지(를) 못했다 / What did you ~ for supper? 저녁 식사로 무엇을 드셨나요 / *Have* a cigarette. (담배) 한 대 피우시죠. **b** 《+목+보》 (음식을 …하게) 먹다: How will you ~ your steak? ─ I'll ~ it rare. 스테이크는 어떻게 잡수십니까 ─ 살짝 익혀 주시오.
2 a (…을) 경험하다, 겪다; (사고(事故) 따위를) 당하다, 만나다(진행형 있음; 수동형으로 할 수 없음): ~ a shock 충격을 받다 / ~ an adventure 모험을 하다 / I'm *having* trouble with the computer. 난 컴퓨터에 애를 먹고 있다 / I'm *having* an operation next week. 내주에 수술을 받는다 / Do they ~ much snow in Boston in winter? 보스턴에는 겨울에 눈이 많이 옵니까 / *Have* a nice trip. 즐거운 여행을 하고 오십시오. **b** (때·시간 따위를) 보내다, 지내다《진행형 있음; 수동형 가능함》: ~ a good 〔bad〕 time 즐거운 시간을 보내다〔혼이 나다〕 / We are *having* a good time. 우리는 즐겁게 지내고 있다.
3 (모임 따위를) 열다, 개최하다, 갖다《진행형 있음》: ~ a party 〔a conference〕 파티〔회의〕를 열다 / ~ a game 경기를 하다 / We are *having* a picnic tomorrow. 내일 소풍을 갑니다.
4 〖보통 a+동작 명사를 목적어로〗 《구어》 (…)하다, (…을) 행하다《(1) 진행형 있음; (2) 동사를 단독으로 쓸 때보다 평이한 표현; (3) have got은 쓰지 않음》: ~ a try 해보다(=try) / ~ a rest 쉬다(=rest) / ~ a bath 목욕하다(=bathe) / ~ a walk 산책하다 / I want to ~ a talk with him. 그와 이야기 좀 하고 싶다 / Let me ~ 〔take〕 a look at it. 잠깐 보여 주시오 / Go and ~ a lie-down. 가서 누우시오. ★ give, make에도 비슷한 용법이 있음.
5 《~+목 / +목+부 / +목+전+명》 (아무를) 대접하다, (…에) 초대하다《*(a)round; over; for; to*》《진행형은 가까운 장래의 일만을 나타냄; 수동형은 없음》: We *had* Evelyn and Everett *over for* 〔*to*〕 dinner. 우리는 이블린과 에버렛을 저녁 식사에 초대했다.
6 (아이·새끼를) 낳다《진행형은 가까운 미래를 나타냄; 수동태 불가능》: When did she ~ her new baby? 그녀는 이번 아기를 언제 낳았느냐 / He *had* two sons *by* that woman. 그는 그녀와의 사이에 두 아들을 두었다 / My dog *had* pups. 우리 집 개가 새끼를 낳았다.
7 〖have it (that ...)의 형태로〗 (…라고) 주장하다, 말하다: ⇨ ~ it ④ (관용구).
8 (…을) 붙잡아 두다, 잡다(진행형·수동형 없음): Now I ~ you. 자 (이제) 붙잡았다.
9 〖~ oneself〗 《+목+목》 《미구어》 (…을) 즐기다: ~ one*self* a time 〔steak〕 시간을 즐겁게 보내다〔스테이크를 즐기다〕.
10 《~+목 / +목+부》 〖보통 과거형·현재완료형으로〗 《속어》 (…와) 성교하다《*away; off*》; (여자를) 정복하다.
D 《…하게 하다·시키다》 《수동태 불가》
1 a 《+목+부 / +목+전+명》 (…을 ─ 상태·위치에) 두다: He *had* the sun *at* his back. 그는 등에 햇살을 받고 있었다 / He *had* his arm *around* her shoulders. 그는 그녀의 어깨에 팔을 두르고 있었다 / They *had* their heads *out of* the window. 그들은 창밖으로 머리를 내밀고 있었다. **b** 《+목+보》 (…을 ─ 하게) 하다: *Have* your nails clean. 손톱을 깨끗이 해 두어라 / I'll ~ him a good teacher in future. 그를 장차 훌륭한 선생님이 되도록 하겠다 / We can't afford to ~ them idle. 그들을 빈둥거리게 내버려둘 수는 없다. **c** 《+목+*-ing*》 (…을 ─ 하게) 해 두다; (아무에게 …하도록) 하다; She *has* the water runn*ing* in the bathtub. 그녀는 욕조에 물을 틀어 놓은 채로 있다 / He *had* us all laugh*ing*. 그는 우리 모두를 웃겼다 / I ~ several problems troubl*ing* me. 몇 가지 문제로 골치를 앓고 있다.
2 《+목+*done*》 **a** (…을 ─ 하게) 하다, (…을 ─) 시키다: I *had* a new suit *made* last month.

지난달 새 양복을 맞췄다/When *did* you last ~ your hair *cut*? 지난번 머리를 깎은 것이 언제입니까/I *had* a letter *written* for me. 편지 한 통을 대필해 받았다. ★ 옷을 맞추거나 이발할 때처럼 남에게 무엇을 시켜서 할 때 쓰는 표현임. **b** (…을 —) 당하다: He *had* his wallet *stolen*. 그는 돈지갑을 소매치기당했다/I *had* my hat *blown* off. 바람에 모자를 날려 버렸다. **c** (…을 —) 해버리다《완료를 나타내며, 《미》 구어에서 많이 사용됨》: She *had* little money *left* in her purse. 그녀의 지갑에는 돈이 조금밖엔 남아 있지 않았다/*Have* your work *done* by noon. 정오까지는 일을 다 끝내 주시오. ★ 이때 have 대신 get을 쓸 수 있는데, have보다 한층 구어적임.

3 《+목+*do*》 **a** (아무에게 …) 하게 하다, (…)시키다《make보다 약한 사역을 나타냄》: *Have* him *come* early. 그로 하여금 일찍 오도록 해라/I won't ~ you *feel* miserable. 자네로 하여금 비참한 감이 들지 않게 하겠네. **b** 〖will, would와 함께〗 …에게 — 해주기를 바라다: What *would* you ~ me *do*? 내게 무엇을 시키고 싶으냐.

4 〖흔히 won't 〔can't〕 ~의 형태로〗 **a** (…을) 용납하다, 참다: I *won't* ~ such a conduct. 이런 행위는 용서할 수 없다/We'*ll* ~ no more of that. 그런 일은 이제 더 이상 용납할 수 없다. **b** 〖be not having의 형태로〗 (…하는 것을) 용납하다, 참다: I *am not having* singing here. 여기서 노래하는 것을 용납할 수는 없다. **c** 《+목+*-ing*》 (…이 — 하는 것을) 용납하다, 참다: I *won't* ~ her be*ing* so rude. 그녀가 그렇게 무례한 태도로 나오는 것을 용납할 수 없다/I *can't* ~ you play*ing* outside with a bad cold! 독감에 걸려 있으면서 밖에서 노는 것은 안 된다《can't를 사용하면 '상대에게 좋지 않으므로 그렇게 할 수 없다'의 뜻》. **d** 《+목+*done*》 (…이 — 당하는 것을) 용납〔용인〕하다, 참다: We *won't* ~ him *bullied*. 그가 괴롭힘을 당하는 것은 용납 않겠다. **e** 《+목+*do*》 (…이 — 하는 것을) 용납하다, 참다: I *won't* ~ her *talk* to me like that. 그녀가 나에게 저렇게 말하는 것을 용납할 수는 없다.

E 《기타》

1 《+목/+목+전+명》 **a** (경기·언쟁·시비 등에서 상대를) 꺾다, 지게 하다; 윽박지르다, 해내다, 이기다《진행형·수동형 없음》: I *had* him *in* that discussion. 그 토론에서 그 사람을 찍소리 못하게 했다/You ~ me there. 졌다, 맞았어《당신 말대로야》; 그건 (몰라서) 대답할 수 없다. **b** 《구어》 〖보통 수동태〗 …을 속이다; (뇌물로) 매수하다: I'm afraid you've *been had*. 아무래도 속으신〔당하신〕 것 같군요/He has *been had* over the bargain. 그는 그 거래에서 속았다.

2 《구어》 (…에게) 대갚음〔보복, 복수〕하다 (take revenge on)《진행형 불가능》.

3 (…와) 관계를 가지다, 결혼하다: He asked her to ~ him. 그는 그녀에게 자기와 결혼해 달라고 요청했다.

— *vi*. 재산이 있다, 돈을 가지고 있다: There are some who ~ and some who ~ not.

be had up 당국에 고소당하다, 고발되다: If you brew beer privately, you'll *be had up*. 개인이 맥주를 빚으면 고발당한다. **~ *a thing about* 〔*with*〕 *one*** 무엇을 몸에〔수중에〕 지니다, 가지고 있다. **~ *after!*** 뒤를 따르라. **~ *and hold*** 〖법률〗 보유하다; 〖to ~ and to hold로〗 보유해야 할: my wife *to ~ and to hold* 언제까지고 아껴야 할 아내. **~ *at ...*** 《고어》 〖흔히 명령법으로〗 …을 공격하다, …에 덤쳐〔덤벼, 달려〕들다; …을 시작하다, …에 착수하다. **~ *... back*** 《수동태 불가능》 ① (무엇을) 돌려받다, 되찾다: I want to ~ my book *back* earlier. 책을 더 일찍 돌려받고 싶다. ② (헤어진 남편·아내·애인·동료 등을) 다시 맞아들이다. ③ (아무를) 답례로 초대하다. **~ *a person down*** 《수동태 불가능》 아무를 (시골·별장 따위에) 초청하다, …에 오게 하다; (아래층 사람이 위층 사람을) 아래로 부르다《down은 '도시에서 시골로' 등의 뜻을 나타냄》. cf. have up. **~ (*got*) *what it takes*** 《구어》 (어떤 목적 달성에) 필요한 재능〔재질〕을 갖고 있다: He's really *got what it takes* to achieve stardom. 그는 정말이지 스타덤에 오를 자질을 지니고 있다. **~ *had*** 《구어》 …에 넌더리 나다: I ~ *had* the lecture. 그 강의에는 질렸다. **~ *had it*** 《구어》 ① (…에) 넌더리 나다, 질리다《*with*》: I'*ve had it* with her. 그녀라면 이제 지겹다. ② 이제 틀렸다; 끝장이다: This old coat *has had it*. 이 낡은 코트는 이제 입을 수가 없다/If he's caught, he'*s had it*. 잡히면 이제 끝장이다. ③ 기회를 놓치다. ④ 한창〔제〕때를 지나다, 시대에 뒤떨어지게 되다. **~ *in*** 《수동태 불가능》 ① (장색·의사 등을 집·방에) 들이다, 부르다; (아무를 집에) 잠깐 청해 오게 하다: We ~ a housekeeper *in* once in a week. 한 주일에 한 번 가정부를 오게 한다. ② (…을 집·가게 따위에) 저장해 두다, 들여놓다: ~ enough coal *in* for winter 겨울에 대비해 충분한 석탄을 저장해 두다. **~ *it*** ① 이기다, 유리하다: The ayes ~ *it*. 찬성자가 다수다. ② 〖I를 주어로〗 (답 따위를) 알다: *I* ~ 〔*I've got*〕 *it!* 알았다, 그렇지. ③ (…에게) 들어서 알(고 있)다: I ~ *it* from Bill. 빌에게서 들었다. ④ 《+*that* 절》 (…라고) 표현하다, 말하다, 주장하다: Rumor has *it that*.... …라는 풍문〔소문〕이다/She will ~ *it that* the conditions are unfair. 그녀는 (끝까지) 조건이 불공평하다고 주장할 거다. ⑤ (어떤 식으로) 일을 하다: You can't ~ *it* both ways. 《구어》 양다리 걸치지는 못한다. ⑥ 〖will, would와 함께; 부정문에서〗 인정하다, 받아들이다: I tried to excuse but he *would not* ~ *it*. 나는 변명하려 했으나 그는 도무지 받아들이려 하지 않았다. ⑦ (운명 등이) 지배하다: ⇨as LUCK would have it (관용구). ⑧ 《구어》 (탄알 따위에) 맞다; 응징〔징계〕당하다, 꾸중 듣다: Let him ~ *it*. 녀석을 응징해라〔혼내 주어라〕. **~ *it* (*all*) *over* 〔*on*〕 ...** …에서 상대보다 낫다〔유리하다〕《*in*》. **~ *it coming* (*to* one)** …해 마땅하다《it 대신 구체적인 명사도 사용됨》: He *has it coming to* him. 자승자박이다. **~ *it in for* a person** 《구어》 아무에게 원한을 품고 있다, 아무를 싫어〔미워〕하고 있다. **~ *it in* one (*to* do)** 《구어》 (…할) 소질이〔능력이, 용기가〕 있다: He doesn't ~ *it in* him *to* be mean. 비열한 짓을 하는 것은 그의 성격이 아니다. **~ *it off* 〔*away*〕** 《영속어》 〖흔히 be having〗 (아무와) 성교하다. **~ *it out*** (…와) 거리낌 없이 논쟁하다; 시비를〔싸움을〕 하여 결말을 맺다〔짓다〕《*with*》. **~ *it* (*so*) *good*** 《구어》 〖주로 부정문〗 (이렇게) 물질적 혜택을 받고 있다, 좋은 처지에 있다. **~ *off*** 《수동태 불가능》 ① (요일 따위를) 쉬다: I ~ every Monday *off*. 매주 월요일은 쉰다. ② (…을) 벗(기)다, 떼다: ~ one's hat *off* 모자를 벗다. ③ (손가락 따위를) 절단하다, 자르다. ④ (…을) 외(우)고〔암기하고〕 있다: I ~ the poem *off* (by heart) already. 그 시(詩)를 이미 외우고 있다. ⑤ (…을) 보내다: I'll ~ the book *off* in the next mail. 다음 편(便)에 그 책을 보내 드리지요. ⑥ 교묘히 (아무의) 흉내를 내다(hit off). **~ *on*** 《④⑤외엔 수동태 불가능》 ① 입고 있다, 쓰고〔신고〕 있다, 몸에 걸치고 있다: She *had* a new dress *on*. 그녀는 새 드레스를 입고 있었다 ② (…에게는 약속·해야 할 일 등이) 있다, (…의, …할) 예정이 있다: I ~ nothing *on* (*for*) tomorrow. 내일은 아무 예정도 없

다 / This afternoon I ~ 〔I've got〕 a lecture *on*. 오늘 오후엔 강의가 있다. ③ (등불 · 라디오 따위를) 켜고 있다, 스위치를 넣고 있다. ④〖종종 be having on 으로〗 (아무를) 속이다, 놀리다 (=《미》 put on). ⑤ (…을) 갖고 있다, 몸에 지니고 있다《*about; on; with; around*》. ⑥ (아무)에게 불리한 (…을) 쥐고 있다. **~ *only to*** do ⇨ ONLY *ad*. **~ *out*** 《수동태 불가능》 ① (…을) 밖으로 내(놓)다〔내놓고 있다〕. ② (이빨 · 편도선 따위를) 제거하게 하다: ~ one's tooth *out* 이를 뽑게 하다. ③ (조명 따위를) 꺼 두다. ④〖흔히 ~ it out 의 형태〗 (서로 이야기 · 싸움 따위를 해서) (아무와) 문제에 결말을 내다《*with*》: I must ~ *it out with* her. 그 건에 관해서 그녀와 결말을 지어야 한다. ⑤《영》 (수면 따위를) 끝까지 계속하다, 중단받지 않다: Let her ~ her sleep *out*. (깰 때까지) 그녀를 푹 자게 해라. **~ *over*** 《수동태 불가능》《*vt*.+뭐》 ① (…를 집에) 손님으로 맞다. ② (…을) 마치다. ③ (…을) 전복〔전도(顚倒)〕시키다: You'll ~ the sailboat *over* if you are not careful. 조심하지 않으면 요트는 뒤집힌다. ―《*vt*.+전》 ④ (…)보다 (어떤 점에서) 우위(優位)에 있다: What does he ~ *over* me? 그가 어떤 점에서 나보다 나은가. **~ *something*** 〔***nothing***〕 ***on*** a person 《구어》 아무의 약점을 쥐고 있다〔있지 않다〕. **~ *something*** 〔***nothing, little,*** etc.〕 ***to do with …*** ⇨ DO. **~ *to*** do ⇨ *vt*. A 7. **~ *to do with*** ⇨ DO. **~ *up*** ① (시골로부터) (아무의) 방문을 받다, (위층에서 아래층 사람을) 부르다, (도시 따위로 아무를) 초청하다〔올라오게 하다〕. cf. have down(관용구). ②〖흔히 be had 꼴로〗《영구어》 (아무를) 불러내다; (…로 아무를) 고소하다《*for*》: I'll ~ him *up for* slander. 그를 명예 훼손으로 고소하겠다 / He *was had up for* speeding. 그는 속도위반으로 기소됐다. ③ (아무에게) 책임을 묻다. **~ *yet to*** do ⇨ YET. ***Let*** (him) ~ ***it!*** 혼내 줘. ***not having*** 〔***taking***〕 ***any*** 《구어》 믿지않는, 거부하는. ***will ~ it that …*** ⇨ HAVE IT ④ (관용구). ***You can't ~ it so.*** 그렇게는 안 된다. ***You ~ me there.*** 손들었어. ***You shouldn't ~!*** 뭘 이렇게까지 《선물 받을 때의 인사말》.

> SYN. **have** 경험 · 사고(思考) 그 밖의 소유를 나타내는 가장 일반적인 말: *have* a problem 문제를 안고 있다. **hold** have 와 서로 바꾸어 쓸 수 있을 때가 많으나 have 보다 소유의 의지가 강함을 암시함: have an opinion → *hold* an opinion; have control → *hold* control 을 비교할 때 모두 후자가 적극적 행위를 보임. **own** 제것으로서 소유하다. 법적인 권리가 따를 때가 많음: *own* much land. **possess** own 과 거의 같으나 법적 근거를 따지지는 않으며, *possess* wisdom 처럼 have 와 같이 쓰이기도 함.

― *aux. v.* **1**〖현재완료: have+과거분사〗《현재까지의 '완료 · 결과 · 경험 · 계속' 따위를 나타냄》. **a**〖완료〗 …를 하였다: I ~ *written* it. 그것을 다 썼다 / I ~ just *read* the book through. 이제 막 그 책을 다 읽었다《현재 끝내고 있음》/ The clock *has* just *struck* ten. 시계가 이제 막 열 시를 쳤다 (=The clock struck ten just now.). ★ 완료를 나타내는 현재완료에는 just, now, already, lately, recently, (의문 · 부정문에서) yet 따위의 부사(구)가 따를 때가 많음. **b**〖결과〗 …해 버렸다: I ~ *lost* my purse somewhere. 어디에선가 돈지갑을 잃어버렸다《빠뜨려 현재 갖고 있지 않음》/ The taxi *has arrived*. 택시가 도착했다《(그 결과) The taxi is here. 라는 뜻을 포함》/ She *has gone* to Paris. 그녀는 파리로 가 버렸다《She is not here. 의 뜻을 포함》. **c**〖경험〗 …한 일〔적〕이 있다: *Have* you (ever) *been* to Canada? ― Yes, I ~. 캐나다에 가 본 적이 있습니까 ― 네, 있습니다 / I ~ never *had* a cold lately. 나는 요즈음 감기에 걸린 적이 없다. ★ 경험을 나타내게 되는 현재완료에는, ever, never, before, once 〔twice, etc.〕와 같은 부사(구)가 따를 때가 많음. **d**〖계속〗 …해 왔다, …하고 있다: I'*ve been* very busy lately. 최근 무척 바쁘다 / He *has lived* in Seoul for three years. 그는 3년 동안 서울에 살고 있다. ★ (1) 계속을 나타내는 현재완료에는 기간을 나타내는 부사(구)가 따름. (2) 동작을 나타내는 동사일 때는 현재완료진행형을 씀: He *has been* sing*ing* two hours. **e**〖미래완료 대용〗《when 〔if〕 절 따위에서》: *When* you ~ *written* your name, write the date. 이름을 쓰고 나서 날짜를 써라.

2〖과거완료: had+과거분사〗《과거의 일정 시점까지의 '완료 · 결과 · 경험 · 계속' 따위를 나타냄》. **a**〖완료 · 결과〗 …했었다, …해 있었다: By that time I *had finished* my work. 그때까지 나는 일을 다 마치고 있었다 / When I got to the station, the train *had left* already. 내가 정거장에 도착했을 때에는 열차는 이미 떠나고 없었다. **b**〖경험〗 …한 일〔적〕이 있었다: I *hadn't seen* a lion before I was ten years old. 열 살이 될 때까지 사자를 본 적이 없었다 / He claimed (that) he *had seen* a ghost. 그는 유령을 본 적이 있다고 주장했다. **c**〖계속〗 …하고 있었다: He *had stayed* in his father's company till his father died. 그는 자기 아버지가 돌아가실 때까지 아버지 회사에 있었다. **d**〖가정법〗 (그때) …했(었)더라면〔이었다면〕: If she *had helped* me, I would have succeeded. 그녀가 도와 주었더라면 나는 성공했을 텐데 / *Had* I *known* it… (=If I had known it…) 만일 내가 알고 있었더라면…. **e**〖hope, expect, mean, think, intend, suppose, want 따위 동사가 실현되지 않은 희망 · 의도 따위를 나타내어〗: I *had hoped* that I would succeed. 성공할 수 있을 것으로 생각했는데 (=I hoped to have succeeded. =I hoped to succeed but failed.) / I *had intended* to make a cake, but I ran out of time. 케이크를 만들 작정이었는데, 시간이 없었다. ★ when, after, before 따위 때를 나타내는 접속사에 이끌리는 부사절에서는 과거완료 대신 단순 과거를 써도 무방함: After I *got* (=had got) to the house, I opened the box.

3〖미래완료: will 〔shall〕 have+과거분사〗《미래의 일정시까지의 '완료 · 결과 · 경험 · 계속'을 나타냄》. **a**〖완료 · 결과〗 (어느 때까지엔) …해(버리고) 있을 거다, 끝내고 있을 거다: I *shall* ~ *recovered* when you return from America. 네가 미국에서 돌아올 때쯤 나의 건강은 회복돼 있을 거다 / By next Sunday, I'*ll* ~ *moved* into the new house. 내주 일요일까지는 새집에 이사해 있을 거다. **b**〖경험〗《빈도(頻度)를 나타내는 부사와 함께》 …한 셈이 될 거다, …하는 셈이 된다: I *shall* ~ *taken* the examination three times if I take it again. 또 한 번 시험을 치르면 세 번 보는 셈이 된다. **c**〖계속〗《기간을 나타내는 부사와 함께》 …하고 있는 셈이 될 거다, …하는 셈이 된다: By the end of next month she *will* ~ *been* here for five months. 내월 말이면 그녀는 이곳에 다섯 달 동안 있는 셈이 된다.

> NOTE (1) can, may, must, need 따위 조동사 뒤에 사용되는 완료형은 '과거', '현재완료'를 나타냄: She *cannot have done* such a thing. 그녀가 그런 짓을 했을 리가 없다 (=I'm sure that she *did*n't do 〔*has*n't *done*〕 such a thing.).

(2) 부정사 · 분사 · 동명사의 완료형은 주절의 동사가 나타내는 때보다도 앞선 시제를 나타냄: He seems to *have been* ill. 그는 병을 앓고 있었던 것 같다(=It seems that he *has been* 〔*was*〕 ill.) / *Having finished* my work, I went out for a walk. 일을 끝내고 (나서) 나는 산책하러 나갔다(=After 〔When〕 I *had finished* my work, I went out for a walk.).
(3) 'will have+과거분사'가 현재까지의 경험 · 완료 따위에 대한 짐작을 나타낼 때가 있음: You *will have read* about it. 그것에 관해 읽으신 적이 있을 테죠. They *will have arrived* by now. 지금쯤 도착했을 테지.

~ *been to* ⇨ BE. ***Have done!*** 그만둬(Stop!). **~ *done with*** …이 끝나다, 필요없게 되다. **~ *got*** 《(1) 구어에서는 have got은 have의, 또 have got to는 have to의 대용이 됨. (2) 일반적으로 have got (to)는 have (to)보다 강조적》 ① 갖고 있다(have): I'*ve got* 20 dollars. 20 달러를 갖고 있다 / Mary *hasn't got* blue eyes. 메리는 눈이 푸르지 않다 / *Have* you *got* a newspaper? — Yes, I *have* 〔《미》 Yes, I *do*.〕. 신문 있습니까 — 네 있습니다. ② 《+*to* do 〔*be*〕》 …해야 한다(have to): I'*ve got to* write a letter. 편지를 써야(만) 한다 / You'*ve got to* eat more vegetables. 야채를 더 먹어야 한다. ③ 〖부정문으로〗 《+*to* do 〔*be*〕》 (…)할 필요가 없다(need not): We *haven't got to* work this afternoon. 오늘 오후엔 일을 안 해도 된다. ④ 《+*to be* 〔do〕》 《미》 (…에) 틀림없다, 틀림없이 (…)일 거다(must): It's *got to be* the postman. 집배원임에 틀림없다 / You'*ve got to be* kidding. 농담하시는 거겠죠.

NOTE (1) have got은 다음과 같은 경우를 제외하고 조동사 뒤에서 또는 부정사〔분사 · 동명사〕 형으로는 보통 사용되지 않음; 또 명령문에서도 쓰이지 않음: He may ~ *got* 〔seems to ~ *got*〕 a key to the car. 그는 차의 키를 갖고 있을지도 모른다〔갖고 있는 것 같다〕.
(2) 특히 《미》에서는 have를 생략하고 got을 단독으로 쓰기도 함(cf. gotta): I (*have*) *got* an idea. 나에게 한가지 생각이 있다.
(3) 《미》에서는 과거형 had (to) 대신 had got (to)를 쓰는 일은 드묾. 또, 《영》에서는 got 대신 gotten을 사용하지 않지만, 《미》에서는 종종 씀: He *hasn't got* a ticket. 그는 표를 갖고 있지 않다《비교: He *hasn't gotten* a ticket. 표를 입수하지 못하고 있다》.

— [hæv] *n.* **1** (*pl.*; 흔히 the ~) 가진 자〔나라〕; 유산자: the nuclear ~*s* 핵(核) 보유국. **2** Ⓒ 《미속어》 사기, 협잡(swindle): What a ~! 이거 무슨 협잡이야. ***the ~s and*** (***the***) ***~-nots*** 가진 자〔나라〕와 못 가진 자〔나라〕; 핵 보유국과 비보유국: It is a battle between the *haves and have-nots*. 그것은 가진자와 못가진자의 싸움이다. 산자; 돈〔재력〕이 없는 단체, 갖지 못한 나라.

†**haven't** [hǽvənt] have not의 간약형.

háve-òn *n.* 《미속어》 속임수; 사기.

ha·ver [héivər] 《Sc.》 *vi.* 객쩍은 소리를 하다, 실떡거리다. — *n.* (보통 *pl.*) 수다, 객담.

háver·sàck *n.* 양식 자루, (군인 · 여행자의) 잡낭(雜囊).

ha·vér·sian canál [həvə́ːrʒən-/-ʃən-] (보통 H-) 〖해부〗 골내관(骨內管), 하버스관.

hav·ing [hǽviŋ] *v.* 〔have의 현재분사〕 **1** 〖be+~〗 …하고 있다: He *is* ~ lunch. 그는 점심 식사 중이다. **2** 〖분사구문〗 …을 갖고 있으므로, …을 갖고 있으면: *Having* a lot of money, he can do it. 돈이 많으므로 그는 그것을 할 수 있다. — *aux. v.* 〖분사구문〗 …해 버리고, …을 마치고〔끝내고〕: *Having done* it, I went out. 그것을 마치고 나는 외출했다. — *a.* 욕심 많은. — *n.* Ⓤ 소유, 소지; (보통 *pl.*) 소유물, 소지품, 재산(possessions).

°**hav·oc** [hǽvək] *n.* Ⓤ 대황폐; 대파괴. ***cry ~*** 약탈〔난입〕의 신호를 하다; 폭력을 교사〔선동〕하다. ***play*** 〔***work, create***〕 **~ *with*** 〔***among***〕 =***wreak ~ on*** 〔***in, with***〕 =***make ~ of*** …을 혼란시키다, 엉망으로 만들다; …을 파괴하다, 파멸시키다. — (*p., pp.* **~*ked*** [-t]; **~*k·ing***) *vt., vi.* 파괴하다, 사정없이 때려부수다.

ha·vu·rah [haːvúːraː] (*pl.* **~*s***, ***-vu·roth***, ***-rot*** [-vuːrɔ́ːt]) *n.* 하부라《특히 미국 대학의 유대인 친목 단체; 전통적 유대교회 중심의 활동이나 예배를 함》.

haw[1] [hɔː] *n.* 산사나무(hawthorn); 그 열매.

haw[2] *n.* (개 · 말 따위의 눈의) 순막(瞬膜); 《특히》 염증을 일으킨 순막; (종종 *pl.*) 순막병.

haw[3] *int.* 저라《소 · 말을 왼쪽으로 돌릴 때 지르는 소리》. cf. gee[2]. — *vi., vt.* 왼쪽으로 돌(게 하)다.

haw[4] *int.* 에에, 어어《말을 더듬을 때의 소리》. — *vi.* 에에〔어어〕 하다, 말이 막히다.

*__Ha·waii__ [həwáiiː, -wáː-, -wáːjə, haːwáːi/həwáiiː] *n.* 하와이 (제도)《1959년 미국의 50번째 주로 승격; 주도는 Honolulu》; 하와이 섬《하와이 제도 중 최대의 섬》.

Hawáii-Aléutian (**Stándard**) **Time** 《미》 하와이 알류샨 표준시《GMT보다 10시간 늦음》.

Ha·wai·i·an [həwáiən, -wáːjən/həwáiiən] *a.* 하와이의; 하와이 사람〔말〕의. — *n.* 하와이 사람; Ⓤ 하와이 말; 《속어》 하와이산(産)의 효력이 센 마리화나.

Hawáiian guitár 하와이안 기타.

Hawáiian Íslands (the ~) 하와이 제도.

Hawáiian shìrt 〖복식〗 하와이안 셔츠《깃이 달리고 반소매의 낙낙한 무늬가 있는 셔츠》.

Hawáii tìme, Hawáiian (**Stándard**) **Time** 하와이 표준시《GMT보다 10시간 늦고, 시간대는 Alaska time과 같음》.

háw·finch *n.* 〖조류〗 =GROSBEAK.

haw-haw [hɔ́ːhɔ̀ː] *int., n.* =HA-HA[1]. — *vi.* 하하 웃다, 큰 소리로 웃다.

*__hawk__[1] [hɔːk] *n.* **1** 매. **2** 남을 등쳐 먹는 사람, 탐욕가, 사기꾼. **3** 〖야구〗 명(名)외야수. **4** 강경론자, 매파(派). cf. dove. **5** (H-) 《미》 중단거리 지대공 미사일. ***know a ~ from a handsaw*** 판단력〔상식〕이 있다. ***watch ... like a ~*** …을 엄중히 감시하다《현장을 잡기 위해 서나 범죄 등의 방지를 위해》. — *vi.* **1** 매사냥을 하다, 매를 부리다. **2** (매처럼) 하늘을 날다; 엄습하다《*at*》.

hawk[1] 1

hawk[2] *n., vt., vi.* 기침(하다); (기침하여 가래를) 내뱉다《*up*》.

hawk[3] *vt., vi.* 행상하다, 외치고 다니며 팔다; (소식 따위를) 알리며 다니다《*about*》.

hawk[4] *n.* (흙손질에 쓰는) 흙받기.

háwk·er[1] *n.* 매사냥꾼, 매부리.

háwk·er[2] *n.* 도붓장수, 행상인.

háwk·èye (*pl.* **~*s***) *n.* **1** 한순간도 눈을 떼지

않는 정밀한 검사; 시각이 예민한〔눈치 빠른〕 사람, 엄한 검사관. **2** (the H-) Iowa 주민의 속칭. **3** (H-) 〖군사〗 호크아이《미국의 항공모함 탑재용 조기 경계 관제기》.

háwk-èyed *a.* **1** 매 같은 눈초리의, 눈이 날카로운. **2** 방심 않는.

háwk·ing *n.* Ⓤ 매사냥(falconry).

hawk·ish [hɔ́ːkiʃ] *a.* 매 같은; 매파적인.

háwk·ism *n.* 매파적 경향〔태도〕.

háwk mòth 〖곤충〗 박각시나방류(類).

háwk·nòsed *a.* 매부리코의.

háwk òwl 〖조류〗 긴꼬리올빼미《주행성(晝行性); 북아메리카 아한대산(產)》.

háwks·bìll *n.* 〖동물〗 대모(玳瑁)(=~ **túrtle**).

háwk·shàw *n.* (또는 H-) 《구어》 형사, 탐정.

háwk·wèed *n.* 〖식물〗 조팝나물의 일종.

hawse [hɔːz, hɔːs/hɔːz] *n.* 〖해사〗 (이물의) 닻줄 구멍의 부분; 정박한 배의 이물과 닻과의 수평 거리.

háwse·hòle *n.* 〖해사〗 닻줄 구멍.

háwse·pìpe *n.* 〖해사〗 호스파이프, 닻줄관(管).

haw·ser [hɔ́ːzər, -sər/-sə] *n.* 〖해사〗 호저, 동아줄.

háwser-làid *a.* 세 가닥으로 꼰《굵은 밧줄》.

***haw·thorn** [hɔ́ːθɔ̀ːrn] *n.* 〖식물〗 산사나무, 서양산사나무, 아가위나무.

háwthorn chìna (중국 등지의) 청색〔흑색〕 바탕에 매화를 그린 자기(磁器).

Haw·thorne [hɔ́ːθɔ̀ːrn] *n.* **Nathaniel** ~ 호손《미국의 소설가; 1804-64》.

Háwthorne effèct 〖심리〗 호손 효과《노동·교육에서, 단지 주목받고 있다는 사실 때문에 그 대상자에게서 나타나는 업적의 향상》.

hawthorn

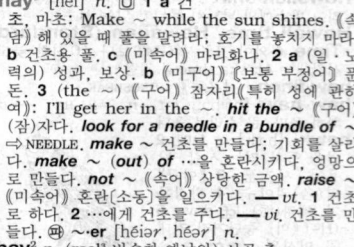

****hay**[1] [hei] *n.* Ⓤ **1 a** 건초, 마초: Make ~ while the sun shines. 《속담》 해 있을 때 풀을 말려라; 호기를 놓치지 마라. **b** 건초용 풀. **c** 《미속어》 마리화나. **2 a** (일·노력의) 성과, 보상. **b** 《미구어》 〔보통 부정어〕 푼돈. **3** (the ~) 《구어》 잠자리《특히 성에 관하여》: I'll get her in the ~. ***hit the*** ~ 《구어》 (잠)자다. ***look for a needle in a bundle of*** ~ ⇨NEEDLE. ***make*** ~ 건초를 만들다; 기회를 살리다. ***make*** ~ (***out***) ***of*** …을 혼란시키다, 엉망으로 만들다. ***not*** ~ 《속어》 상당한 금액. ***raise*** ~ 《미속어》 혼란〔소동〕을 일으키다. — *vt.* **1** 건초로 하다. **2** …에게 건초를 주다. — *vi.* 건초를 만들다. ㊕ ~·**er** [héiər, héər] *n.*

hay[2] *n.* (reel[3] 비슷한 옛날의) 시골 춤.

háy·bàg n. 《속어》 술 취한 여자; 홀게 늦은 여자; 여자 부랑자.

háy·bòx *n.* 건초 통《마른풀을 넣은 통으로, 요리를 보온하는 데 씀》.

háy·bùrner *n.* 《미속어》 말, 경주마; 《미속어》 마리화나를 피우는 사람.

háy·còck *n.* (원뿔형의) 건초 더미.

Hay·dn [háidn] *n.* **Franz Joseph** ~ 하이든《오스트리아의 작곡가; 1732-1809》.

Háyes-compàtible [héiz-] *a.*, *n.* 〖컴퓨터〗 헤이스 호환의 (모뎀)《개인용 컴퓨터를 위한 모뎀이 헤이스사의 헤이스 스마트 모뎀과 호환성이 있는 것》.

háy fèver 〖의학〗 꽃가룻병, 건초열《꽃가루로 인한 알레르기성 염증》.

háy·field *n.* 건초밭, (건초용) 풀밭.

Háy·flick lìmit [héiflik-] 〖생물〗 헤이플릭 한계《배양기 속에서 세포가 생존하는 한계》.

háy·fòrk *n.* 건초용 쇠스랑; 자동식 건초 하역 기계《쌓거나 부리는》.

háy·ing *n.* 건초 만들기.

háy knìfe 건초 베는 칼.

hay·lage [héilidʒ] *n.* Ⓤ 생목초(生牧草), 헤일리지《저(低)수분 저장 사료》.

háy·lìft *n.* 건초 공수(空輸)《폭설로 고립된 마소에게 비행기로 투하하기》.

háy·lòft *n.* 건초간, 건초 보관장.

háy·màker *n.* **1** 건초 만드는 사람; 건초기. **2** 《구어》 녹아웃 펀치, 강타. **3** 《미속어》 (일반적으로) 가장 뛰어난 작품〔연기 따위〕, 절품(絶品).

háy·màking *n.* Ⓤ 건초 만들기.

Hay·mar·ket [héimɑ̀ːrkit] *n.* (the ~) 런던의 West End 의 번화가《극장 지구》.

háy·mòw *n.* (헛간 속의) 건초 더미; 건초 시렁.

háy·ràck, -rìg *n.* 꼴〔건초〕 시렁; (건초 나를 때 짐수레에 두르는) 꼴틀, 꼴틀 달린 짐수레.

háy ràke 건초를 긁어모으는 갈퀴.

háy·rìck *n.* =HAYSTACK.

háy·rìde *n.* 《미》 건초를 깐 마차를〔썰매를, 트럭을〕 타고 가는 소풍《보통 밤의 원거리 소풍》.

háy·sèed *n.* **1** Ⓤ (흘린) 건초의 씨; 건초 부스러기, 검부러기. **2** 《미구어》 촌뜨기. ㊕ ~·**er** *n.* 《미구어》 촌뜨기.

háy·shàker *n.* 《미속어》 촌뜨기.

háy·stàck *n.* 건초 가리. ***look for a needle in a*** ~ ⇨NEEDLE.

háy·wàrd *n.* (가축의 침입을 막기 위해) 울타리를 관리하는 공무원; (공유 가축) 관리인.

háy·wìre *n.* **1** 《미》 건초를 동여매는 철사. **2** 감자 병의 일종. — 《구어》 *a.* 복잡한, 엉클어진, 틀린; 미친, 머리가 돈, 홍분한. ***go*** ~ 《구어》 홍분하다, 발광하다; 엉클어지다, 혼란해지다, 벌집을 쑤셔 놓은 것처럼 되다; 고장 나다.

°**haz·ard** [hǽzərd] *n.* **1** 위험, 모험; 위험 요소; 운에 맡기기; 우연, 운: a ~ *to* health 건강에 유해한 요인. SYN. ⇨DANGER. **2** Ⓤ 주사위 놀이의 일종; Ⓒ 〖골프〗 장애 구역; 〖마술(馬術)〗 펜스 따위 장애물; 옥내 테니스코트 벽의 구멍《3 개 있음》; (테니스 등의) 리시버 쪽의 코트; 〖당구〗 포켓게임의 득점 치기. ◇ hazardous *a.* ***at all*** ~***s*** 만난을 무릅쓰고, 꼭. ***at*** 〔***by***〕 ~ 운에 맡기고, 아무렇게나. ***at the*** ~ ***of*** …을 걸고. ***beyond*** ~ 안전한. ***in*** 〔***at***〕 ~ 위험해져서, 위험에 노출되어. ***losing*** 〔***winning***〕 ~ 〖당구〗 친 공이 목표한 공을 맞힌 뒤에 포켓으로 들어가기〔목표한 공을 맞혀 포켓에 들여보내기〕. ***run the*** ~ 성패는 하늘에 맡기고 해보다. — *vt.* 위태롭게 하다, …을 걸다; 운에 맡기고 해보다, 모험하다.

házard làbel 위험(물) 표지 라벨.

haz·ard·ous [hǽzərdəs] *a.* 위험한; 모험적인; 운에 맡기는: ~ employment 위험 직업. ㊕ ~·**ly** *ad.* ~·**ness** *n.*

hàzardous wáste =TOXIC WASTE.

házard pày 위험 수당(danger money).

házard wárning devìce (차의) 고장 경고 장치《방향 지시등을 모두 점멸시켜 다른 차에 고장임을 알림》. 「〔표시〕등.

házard (**wàrning**) **lìghts** (차의) 고장 경고

Haz·chem [hǽzkèm] *n.* 《영》 화학 약품 따위의 위험물 표시법. [◂ *haz*ardous *chem*ical]

***haze**[1] [heiz] *n.* Ⓤ **1** 아지랑이, 안개, 이내. cf. fog. SYN. ⇨MIST. **2** (투명한 액체·고체의) 흐림, 탁함; (시력·정신의) 몽롱. — *vt.* 안개로 둘러싸다; 아련하게 만들다.

haze[2] *vt.* 《미》 (신입생·신참자 등을) '신고식' 하게 하다, 지분거리다(《영》 rag); 〖해사〗 (선원을)

흑사시키다. ㊞ **ház·er** *n.* 「색(의).

ha·zel [héizəl] *n., a.* 개암(나무)(의); Ⓤ 담갈

házel hèn 〔gròuse〕 〖조류〗 들꿩《유럽 삼림 지대에 서식》.

házel·nùt *n.* 개암.

hazelnut

haz·ing [héiziŋ] *n.* (신참자를) 곯리기, 못살게 굴기.

Haz·litt [hǽzlit] *n.* **William** ~ 해즐릿《영국의 수필가·비평가; 1778-1830》.

haz·mat [hǽzmæ̀t] *n.* 위험 물질《방사성 물질, 인화성 물질, 독극물 따위》. [◂ *haz*ardous *mat*erial]

°**ha·zy** [héizi] (*-zi·er; -zi·est*) *a.* 흐릿한, 안개 낀, 안개 짙은; 몽롱〔아련〕한; 모호한; 《고어》 거나하게 취한. ㊞ **há·zi·ly** *ad.* **-zi·ness** *n.*

HB. 〖연필〗 hard black; heavy bomber. **H.B.** halfback. **Hb** 〖생화학〗 hemoglobin.

HB ántibody 〖의학〗 HB 항체《HB 항원에 대한 항체》.

HB ántigen 〖의학〗 =AUSTRALIA ANTIGEN.

H-bèam *n.* 〖야금〗 H형 강(鋼), H형 빔.

H.B.M. His 〔Her〕 Britannic Majesty.

HBO Home Box Office《미국 유수의 유선 TV 프로그램 공급업자》.

H-bòmb *n.* 수소 폭탄, 수폭(hydrogen bomb). **—** *vt.* …에 수폭을 투하하다.

HC hard copy. **H.C.** High Church; high commissioner; Holy Communion; House of Commons; House of Correction. **h.c.** habitual criminal; *honoris causa*. **hcap., hcp.** handicap. **H.C.F., h.c.f.** highest common factor (최대(最大) 공약수). **HCFC** hydrochlorofluorocarbon. **HCG** human chorionic gonadotropin(융모성 고나도트로핀; 임부 오줌에 나오는 호르몬). **H.C.L., h.c.l.** 《구어》 high cost of living(물가고). **HCMOS** 〖전자〗 high-density complementary metal oxide semiconductor(고밀도 상보형(相補型) 금속 산화막 반도체). **HCS** 〖생화학〗 human chorionic somatomammotrophin(융모(성) 성장 호르몬). **H.C.S.** Home Civil Service. **HCTZ** 〖약학〗 hydrochlorothiazide. **H.D., HD** heavy-duty. **Hd., hd.** hand; head. **hdbk.** handbook. **HDD** 〖컴퓨터〗 hard disk drive. **hdkf.** handkerchief. **HDL** 〖생화학〗 high-density lipoprotein(고밀도 리포 단백질(質)). **HDM** hot dark matter. **HDPE** 〖화학〗 high-density polyethylene(고밀도 폴리에틸렌). **hdqrs.** headquarters. **HDTV** 〖전자〗 high-definition television(샛맑은〔고(高)선명〕 텔레비전). **hdw., hdwe.** hardware. **HDX** half duplex.

†**he**[1] [《보통》 hiː; 약 iː, hi, i] (*pl.* ***they***) *pron.* 《인칭 대명사의 3인칭·남성·단수·주격; 목적격은 him, 소유격은 his》 **1** 그가〔는〕, 그 사람이〔은〕: 'Where's your father now?'—'He's in London.' '부친께서는 지금 어디 계시니' '런던에 계셔'. **2** 《남녀 공통으로》 그 사람: Go and see who is there and what *he* wants. 누가 무슨 일로 왔는지, 가서 알아보아라. **3** 《어린아이에 대한 친밀한 호칭》 아가(you): Did *he* bump his little head? 아가야 머리를 부딪쳤니. ***he who* 〔*that*〕...** 《문어》 …하는 자는 (누구나): *He who* hesitates is lost. 주저하는〔망설이는〕 자는 패한다〔이길 수 없다〕. **—** [hiː] (*pl.* ***hes, he's*** [hiːz]) *n.* 남자, 남성; 수컷: Is it a *he* or a she? 남자냐 여자냐. **—** *a.* 《주로 복합어》 수컷의(male); 남성적인: a ~-dog 수캐.

he[2] [hiː] *int.* 히, 히히《종종 he! he!로 반복함; 우스움·조소를 나타냄》.

he[3] [hei] *n.* 히브리어 알파벳의 제5자.

He 〖화학〗 helium. **H.E.** high explosive; His Eminence; His 〔Her〕 Excellency.

†**head** [hed] *n.* **1 a** 머리, 두부(頭部)《목 위의 부분, 또는 머리털이 나 있는 부분》: strike a person on the ~ 머리를 때리다. **b** 목숨, '목': It cost him his ~. 그것으로 인하여 그는 목숨을 잃었다. **c** 머리털; 사슴의 가지뿔(antlers): ~ of hair (전체의) 숱이 많은 머리 / a deer of the first ~ 첫 뿔이 돋은 사슴. **d** 두부를 본뜬 것; 주화의 겉쪽〔앞면〕《왕의 두상(頭像)이 있는 면》. OPP. *tail*. ¶ *Heads* I win, tails I lose 〔you win〕. (던져올린 동전이) 앞면이면 내가 이기고, 뒷면이면 네가 이긴다. **e** (*pl.* ~) 마릿수, 수; 《속어》 (표 등을 살 때의 손님 머릿수로서의) 한 사람: fifty ~ of cattle 소 50두 / two dollars a ~, 1인당 2달러. **f** 사람; 《속어》 마약〔LSD〕 상용자, 마약 중독; 《미속어》 (마약 등에 의한) 도취; 열광〔열중〕자, 팬; 《속어》 (쓸 만한) 젊은 여자: get a ~ 마약에 취하다.

2 두뇌, 머리, 지력, 이지(理知), 지능, 지혜, 추리력, 상상력; 재능; 침착, 자제력: a good ~ *for* figures 계수에 밝은 머리 / ~ and heart 이지와 감정 / have no ~ *for* heights 고소 공포증이다 / Two ~s are better than one. 《속담》 두 사람의 지혜가 한 사람 것보다 낫다.

3 a 정상, 상부, 위; 선단, 말단. **b** (페이지·층계 등의) 상부; 모두(冒頭), 필두; 〖건축〗 문지방 돌, 받침돌; 〖광산〗 수평갱, 횡갱(橫坑). **c** 벼랑 꼭대기, (지명 따위의) 갑(岬); (고개 등의) 마루, 정상; (부스럼의) 꼭지. **d** 《영》 (자동차의) 지붕; (통의) 뚜껑, (북의) 가죽. **e** 《구어》 헤드라이트; 〖해사〗 이물, 돛의 상단, derrick의 선단부, 닻의 꼭대기(crown); (the ~, 《영》에서는 종종 the ~s) 《속어》 목욕탕, 《특히》 변소《원래 해군 용어》: Where's the ~? 화장실은 어디죠. **f** (나무의) 우듬지; (푸나무의) 위쪽(의 꽃 〔잎〕), 이삭(끝), 꽃머리, (양배추 따위의) 결구(結球): three ~*s of* lettuce 〔cabbage〕 양상추〔양배추〕 세 개. **g** (못·핀 따위의) 대가리, (해머·장도리 따위의) 대가리; 탄두(彈頭); 〖음악〗 (음표(音標)의) 머리; 《비어》 음경의 귀두, 발기한 음경. **h** (액체를 부어 넣었을 때 겉면에 뜨는) 거품, (맥주의) 거품; 《영》 (우유의) 상부 크림: There is too much ~ *on* this beer. 이 맥주는 거품이 너무 많다. **i** (내·샘 등의) 근원, 수원; 종(착)점: the ~ *of* a lake (강물이 흘러드는) 호수의 물목 / the ~ *of* the Nile 나일강의 수원(水源). **j** (침대·무덤 따위의) 머리 위치. **k** 〖컬링〗 득점권(house)에 남은 돌.

4 a (페이지·장의) 표제, (소(小))표제, (평론 등의) 주된 항목, 제목, (특히 신문의 톱 전단의) (대)표제: come under the ~ of …의 부〔항(項)〕에 넣다 / be classified under five ~*s*, 5항목으로 분류되다. **b** (기기의) 중추부, 공구〔커터〕 부착부; (테이프리코더 등 자기(磁氣) 기록 장치의) 헤드. **c** 〖문법〗 주요부〔어구〕.

5 a 선두, 수위, 수석, 상위, 상석; 수좌(首座), 상좌, 사회자석, 좌상석. **b** 우두머리, 장, 수령, 지배자, 지휘자; (일가(一家)의) 장; 장관, 총재, 회장, 사장, 교장: the ~ *of* state 원수(元首) / a crowned ~ 왕, 여왕.

6 용수(用水)(의 수위), 내뿜는 물; (물레방아 등의) 낙차, (유체(流體)의) 수두(水頭).

7 극점, 절정; 위기; 결론: bring matters to a ~ 사태를 위기로 몰아넣다.

8 《구어》 두통, 숙취: have a morning ~ 숙취로 머리가 아프다.

above a person***'s*** ~ =***above the*** ~***s of*** a person 아무에게는 너무 어려워 이해할 수 없는. ***at the*** ~ ***of*** …의 선두에 서서; …의 수위에; …의 상좌에: sit *at the* ~ *of* the table (연회에서) 상석에 앉다/He is 〔stands〕 *at the* ~ *of* his class. 그는 그의 학급에서 수석이다. ***bang*** one***'s*** ~ ***against a brick*** 〔***stone***〕 ***wall***《구어》불가능한 〔무리한〕 일을 시도하다. ***beat*** one***'s*** ~ 머리를 짜내다. ***beat*** a person***'s*** ~ ***off*** 아무를 철저히 패배시키다. ***bite*** a person***'s*** ~ ***off*** ⇨BITE. ***bring ... to a*** ~ ⇨*n*. 7. ***bury*** 〔***hide, have, put***〕 one***'s*** ~ ***in the sand*** 현실을 회피하다〔모르는 체하다〕. ***by a*** ~ 머리만큼; 〚경마〛 말 머리만큼의 차로: John is taller than me *by a* ~. 존은 나보다 머리 하나는 크다. ***by the*** ~ ***and ears*** =***by*** ~ ***and shoulders*** 무리하게, 거칠게. ***come*** 〔***draw, gather***〕 ***to a*** ~ (종기가) 곪아 터질 지경이 되다; 때가 무르익다; 위기에 처하다; 막바지에 이르다. ***cost*** a person ***his*** ~ ⇨*n*. 1 b. ***count*** ~***s*** (출석자·찬부 따위의) 머릿수〔인원수〕를 세다. ***do*** one***'s*** ~ 〔***nut***〕 몹시 화내다. ***do ... on*** one***'s*** ~《속어》…을 아주 쉽게 하다. (***down***) ***by the*** ~ 〚해사〛 이물을 깊이 물속에 잠그고; 《속어》 조금 취해서. ***eat*** one***'s*** ~ ***off*** 대식(大食)하다, 무위도식하다. ***enter*** 〔***come into***〕 one***'s*** ~ 《구어》 (생각 등이) 떠오르다. ***from*** ~ ***to foot*** 〔***heel***〕 머리끝에서 발끝까지, 전신에; 완전히. ***get a*** ~ 숙취하다. ***get*** ~ 세력을 늘리다. ***get into*** one***'s*** ~ (술이) 오르다. ***get*** (a thing) ***into*** one***'s*** ~ (어떤 일이) 머리에 떠오르다, 생각해내다. ***get ... into*** a person***'s*** ~ 아무에게 …을 잘 이해시키다. ***get it into*** one***'s*** ~ ***that ...*** …라는 것을 이해하다; …라고 믿다〔생각하다〕. ***get ... out of*** one***'s*** ~ …을 생각하지 않다, …을 잊어버리다. ***get*** one***'s*** ~ ***down*** 《구어》 ① 하던 일로 되돌아가다. ② (자기 위해) 눕다. ***get*** one***'s*** ~ ***together*** 《구어》 자제하다, 분별을 지니다. ***get ... through*** a person***'s*** ~ (…을) 아무에게 이해시키다. ***get ... through*** one***'s*** ~ (…을) 이해하다. ***give a*** ~ 《속어》 (숙취로) 두통이 나게 만들다. ***give*** a person ***his*** ~ 아무의 자유에 맡기다, 제 마음대로 하게 하다. ***go off*** 〔***out of***〕 one***'s*** ~ 머리가 돌다. ***go out of*** a person***'s*** ~ 잊혀지다. ***go over*** a person***'s*** ~ 절차를 밟지 않고 상사에게 직소하다. ***go to*** a person***'s*** ~ 술이 아무를 취하게 하다; 흥분시키다; 자만케 하다. ***hang over*** a person***'s*** ~ (걱정 따위가) 머리에서 떠나지 않다. ***hang*** 〔***hide***〕 one***'s*** ~ 부끄러워 고개를 숙이다; 절망하다, 기가 죽다. ***have a*** ~ ***for*** …의 재능이 있다. ***have a*** ~ ***on*** one***'s shoulders*** 분별이 있다, 냉정하다; 현명하다, 실무의 재능이 있다. ***have a long*** ~ 선견지명이 있다, 머리가 좋다. ***have an old*** ~ ***on young shoulders*** 젊은이 같지 않게 지혜가〔분별력이〕 있다. ***have ... hanging over*** one***'s*** ~ (당장이라도) 무언가 좋지 않은 일이 일어날 것 같다. ***have rocks in*** one***'s*** ~ ⇨ROCK[1]. ***have*** one***'s*** ~ ***in the clouds*** 비현실적이다, 공상에 잠겨 있다; (눈 앞의 일에 마음을 쏟지 않고) 멍청하게 있다, 건성이다. ***have*** one***'s*** ~ ***screwed on the right way*** ⇨SCREW. ~ ***and ears*** 전신(全身)에; 완전히; 푹 빠져《*in*》. ~ ***and front*** ⇨FRONT. ~ ***and shoulders*** 머리와 어깨만큼이나; 각별히; 〚사진〛 버스트. ~ ***first*** 〔***foremost***〕 곤두박이로; 무모하게. ~ ***on*** 이물을 앞으로 하고; 정면으로. ~ ***over ears*** 전념하여, 깊이 〔푹〕 빠져. ~ ***over heels*** =***heels over*** ~ 곤두박이로; 허겁지겁; 《구어》 깊이 빠져들어. ~(***s***) ***or tail***(***s***) 앞이냐 뒤냐《동전을 던져 어느 쪽이 나오는가 맞힐 때》. ***Heads up!*** 《미구어》 비켜라; 조심해. ***hold*** one***'s*** ~ ***high*** 거만한 태도를 취하다. ***hold up*** one***'s*** ~ (의연하게) 머리를 쳐들고 있다; 의기를 잃지 않다. ***in over*** 〔***above***〕 one***'s*** ~ 《미속어》 어찌 할 수 없이〔방도를 잃어〕. ***in*** one***'s*** ~ 머릿속에서, 암산으로. ***keep*** one***'s*** ~ 침착하다, 냉정을 유지하다. ***keep*** one***'s*** ~ ***above ground*** 살아 있다. ***keep*** one***'s*** ~ ***above water*** (물에) 빠지지 않고 있다; (빚 안 지고) 자기 수입으로 생활하다; 대과 없이 지내다. ***keep*** one***'s*** ~ ***down*** (머리를 숙이고) 숨어 있다; 자중하다; 위험을 피하다. ***knock*** 〔***run***〕 one***'s*** ~ ***against*** 〔***into***〕 (좋지 않은 사건 등)에 맞닥뜨리다, 직면하다. ***knock their*** ~***s together*** 《구어》 힘으로 싸움을 말리다, 도리를 깨닫게 하다. ***laugh*** one***'s*** ~ ***off*** 큰 소리로 (비)웃다. ***let*** a person ***have his*** ~ 아무를 멋대로 하게 하다. ***lift up*** one***'s*** ~ 나타나다, (두각을) 나타내다; 기운을 되찾다; 긍지를 느끼다; (산이) 솟아 있다. ***lose*** one***'s*** ~ 허둥대다; 자제력을 잃다, 몹시 흥분하다; 마구 행동하다: *lose one's* ~ over a girl 소녀에게 빠지다. ***make*** ~ 전진하다, 나아가다; 무장봉기하다; (보일러 속의) 압력을 늘리다. ***make*** ~ ***against*** …을 거슬러 나아가다; …을 저지하다, …에 대항하다〔맞서다〕. ***make neither*** ~ ***nor tail of*** =***not make*** ~ ***or*** 〔***nor***〕 ***tail of*** 《구어》 무엇인지 전혀 알 수 없다. ***make*** a person***'s*** ~ ***spin*** 〔***go around***〕 (사물이) 아무의 머리를 혼란하게〔어질어질하게〕 하다. ***make*** (***the***) ~***s roll*** 직권으로 해임〔해고〕하다. ***need to*** 〔***ought to, should***〕 ***have*** one***'s*** ~ ***examined*** 《구어》 머리가 이상하다, 제정신이 아니다. ***not know whether one is*** (***standing***) ***on*** one***'s*** ~ ***or heels*** 《구어》 (매우) 혼란하여, 영문〔까닭〕을 알 수 없게 되어. ***off*** 〔***out of***〕 one***'s*** ~ 《구어》 미쳐서, 정신이 착란되어; 매우 흥분하여. ***off the top of*** one***'s*** ~ ⇨TOP[1]. ***on*** 〔***upon***〕 one***'s*** ~ ① 물구나무서서: stand *on one's* ~ 물구나무 서다. ② 《속어》 쉽게, 어려움 없이: I can do it *on my* ~. 그런 일은 쉽게 할 수 있다. ③ 자기의 책임으로, 자신에게 떨어져〔닥쳐서〕: Be it *on your* (own) ~. 그것은 네 책임이다. ***open*** one***'s*** ~ 《미속어》 이야기하다. ***out of*** 〔***on, upon***〕 one***'s*** (***own***) ~ 자신이 생각해 내어, 자기의 재량으로; 잊어버리고; 《속어》 술에 취하여. ***over*** ~ ***and ears*** =~ over ears. ***over*** a person***'s*** ~ ① 아무에게 이해되지 않는. ② 아무를 제쳐놓고, 책임 있는 더 윗사람에게. ③ 아무의 지급 능력 이상으로. (be promoted) ***over the*** ~***s of*** …을 제쳐놓고〔…을 앞질러〕(승진하다). ***put a*** ~ ***on*** 《미속어》 …에게 해대다. ***put*** (a thing) ***into*** 〔***out of***〕 a person***'s*** ~ 아무에게 (무엇)이 생각나게 〔잊게〕 하다. ***put*** 〔***place, run***〕 one***'s*** ~ ***into the lion's mouth*** 스스로 위험에 몸을 내맡기다, 호랑이 굴에 들어가다. ***put*** 〔***lay***〕 one***'s*** ~ ***on the block*** 위험한 짓을 하다, 위험을 돌보지 않다. ***put*** 〔***lay***〕 one***'s*** ~***s together*** 이마를 맞대고 의논〔밀의〕하다. ***scratch*** one***'s*** ~ (당혹하여) 머리를 긁다. one***'s*** ~ ***off*** 몹시, 지나치게. ***shout*** 〔***scream***〕 one***'s*** ~ ***off*** 《구어》 (길게) 목이 터져라 소리지르다, 목청껏 소리지르다. ***Shut your*** ~***!*** 《미속어》 입 닥쳐. ***snap*** a person***'s*** ~ ***off*** ⇨SNAP. ***standing on*** one***'s*** ~ 쉽게, 손쉽게. ***stand*** 〔***turn***〕 ***... on its*** ~ …을 혼란에 빠뜨리다, 전도(顚倒)시키다. ***stand on*** one***'s*** ~ 전력을 다해서 하다, 무슨 일이든 하다. ***take it into*** one***'s*** ~ …을 믿게 되다, …이라고 생각하다《*that*》. ***take the*** ~ 선도(先導)하다. ***talk*** a person***'s*** ~ ***off*** 장황한 이야기로 아무를 지루하게 만들다. ***turn*** a person***'s*** ~ (성공 따위가) 아무를 우쭐하게 만들다; (미모 등이) …의 마음을 사로잡다.

use one's ～ 머리를 쓰다. ***where*** one's ～ ***is at*** 《속어》 아무의 (그 당시의) 기분, 생각, 인생관. ***with*** one's ～ ***in the air*** 뻐기고.

— *a.* **1** 우두머리의, 장(長)인; 수위의, 선두의: the ～ waiter 웨이터장(長) / a ～ clerk 수석 서기. **2** 주된, 주요한: a ～ office 본사, 본점.

— *vt.* **1** …의 맨 앞에 있다, …의 처음에 (…을) 두다〔싣다〕: His name ～*s* the list. 그의 이름이 명단 맨 앞에 있다. **2** …의 장이 되다, …의 선두에 서다; …을 지휘하다, 이끌다: The expedition 〔institute〕 is ～*ed* by Mr. X. 탐험대 대장〔연구소 소장〕은 X씨다. **3** 《+목+부/+목+전+명》 (배·자동차 등을) (…로) 향하게 하다, (…쪽으로) 나아가게 하다《*for; towards*》: be ～*ed for...* …로 향하다〔향해 나아가다〕/ He ～*ed* the boat *north*. 그는 보트를 북쪽으로 나아가게 했다 / The captain ～*ed* the ship *for* the channel. 선장은 배를 해협으로 향하게 했다. **4** 가로막아 서다, 빗나가게 하다《*off; from*》. **5** …에 대항하다. **6** 《～+목/+목+보/+목+전+명》 (핀·못 따위)에 대가리를 달다; …에 표제를〔제목, 편지의 주소·성명을〕 붙이다〔쓰다〕: ～ an arrow 화살에 화살촉을 달다 / He ～*ed* the article "Politics." 그는 그 기사에 「정치」라는 표제를 붙였다 / Don't forget to ～ your letter *with* the date 〔address〕. 편지에 날짜〔주소〕 쓰는 것을 잊지 마라. **7** (나무 따위에서) 머리처럼 된 가지를 자르다. **8** 《+목+전+명》 【축구】 머리로 (공을) 받다, 헤딩하다: He ～*ed* the ball *into* 〔*toward*〕 the goal. 그는 헤딩으로 공을 골에 넣었다. **9** …의 앞에 나가 진행을 방해하다. — *vi.* **1** 《+전+명/+부》 진행하다, 향하다《*for; towards*》: ～ *for* one's destination 목적지를 향해 나아가다 / ～ *south* 남쪽을 향해 나아가다. **2** 《+전+명》 (강이) 발원(發源)하다《*from; in*》: These rivers ～ *in* the Tibetan steppes. 이 강들은 티벳의 초원 지대에서 발원한다. **3** (식물이) 결구(結球)하다《*out*》.

～ ***back*** 《*vt.*+부》 ① 침로(針路)를 바꾸다. — 《*vi.*+부》 ② 되돌아오다〔가다〕. ～ ***down*** (a tree) (나무의) 가지를 치다, 전정(剪定)하다. ～ ***off*** 《*vt.*+부》 ① 저지하다; 피하다, 막다: ～ *off* a crises 위기를 피하다. ② …을 피하여 진로를 바꾸다; 《미》 목적〔방침〕을 바꾸다: I ～*ed* him *off* (from) making a speech. 그에게 연설을 단념시켰다. — 《*vi.*+부》 ③ (…쪽으로) 나아가다, 향하다《*for; toward*》; 출발하다: She ～*ed off toward* town. 그녀는 도시를 향해 갔다 / It's about time we ～*ed off*. 이제 슬슬 출발할 시간이다. ～ ***out*** 떠나다. ～ ***up*** …의 우두머리가 되다, 주재(主宰)〔지휘〕하다.

‡**head·ache** [hédèik] *n.* C.U **1** 두통: have a ～ 머리가 아프다. **2** 《구어》 두통〔골칫, 걱정〕거리, 고민; 《속어》 아내: The entrance examination is a big ～. 입학 시험이 큰 걱정거리다. ***be no more use than*** 〔***as good as***〕 ***a*** (***sick***) ～ 아무 쓸모없다.

héadache depàrtment 〔**hòuse**〕 《속어》 **1** 두통〔골칫, 걱정〕거리(의 원인); 성가신〔귀찮은〕 부탁을 하러 찾아오는 사람. **2** 술집, 술을 파는 곳〔가게〕.

héad·àchy [-èiki] *a.* **1** 머리가 아픈, 두통 증세가 있는. **2** 두통을 일으키는, 두통거리가 되는: a ～ liquor 두통을 일으키는 술.

héad·age *n.* (사육장·농장의 가축) 마릿수.

héad·bànd *n.* 헤어밴드, 머리띠.

héad·bàng *vi.* 《속어》 (록 음악에 맞추어서) 머리를 세차게 흔들다.

héad-bànger *n.* 《속어》 **1** 정신 이상자; 충동적 폭력 행사자; 감정을 억제 못하는 사람. **2** 록 음악《특히 헤비메탈》의 열광적인 팬.

héad blòck 【미식축구】 머리부터 상대에게 부딪는 블록.

héad·bòard *n.* (침대 따위의) 머리판; (소·말을 매어 두는) 우리의 머리판.

héad·bòom *n.* 【해사】 제 2 사장(斜檣)(jib boom).

héad bóy 《영》 수석 학생.

héad·bùster *n.* 《미속어》 폭력으로 빚을 받아내거나 제재를 가하는 폭력배〔깡패〕.

héad bùtt 【레슬링】 박치기.

héad-bùtt *vt.* (…에) 박치기하다.

héad·càse *n.* 《속어》 엉뚱한 사람, 괴짜.

héad·chàir *n.* (이발소 등의) 베개 달린 의자.

héad·chèese *n.* U 《미》 헤드치즈(《영》 brawn) 《돼지·송아지의 머리나 발을 잘게 썰어서 삶아 치즈같이 만든 것》.

héad·clòth *n.* 머리에 감는 수건《터번 따위》.

héad còld 코감기.

héad còunt 《구어》 인원수, 머릿수, 인구; 여론 조사; 국세〔인구〕 조사.

héad còunter 《구어》 국세〔인구〕 조사원; 여론 조사원.

héad cràsh 【전자】 헤드 크래시《자기(磁氣) 디스크 장치의 헤드가 매체와 접촉하여 헤드 및 매체가 파괴됨》.

héad dìp 【서핑】 앞으로 구부린 자세로 파도 속으로 돌입하기.

héad dòctor 《속어》 정신과 의사, 심리학자.

héad·drèss *n.* 머리에 쓰는 것; 머리 장식; 머리 땋는 방식, 헤어스타일.

héad·ed [-id] *a.* **1** 〖복합어를 이루어〗 '…머리의, …머리를 한, 머리가 …인'의 뜻: two-～ 쌍두(雙頭)의 / clear-～ 두뇌가 명석한. **2** '머리가 있는, 두부를 형성한; (편지지 윗부분에) 회사명·주소 등이 인쇄되어 있는'의 뜻.

héad ènd 헤드엔드《유선 텔레비전 전파 (조정) 중계소》.

héad·er *n.* **1 a** 대가리를〔끝을〕 자르는 사람〔기계〕; (곡물의) 이삭 끝을 베는 기계, 벼 베는 기계. **b** (못·바늘 따위의) 대가리를 만드는 사람〔기계〕; 통의 뚜껑을 만드는 통메장이. **2 a** 우두머리, 수령; 포경선의 지휘자; 소〔양〕의 무리를 유도하는 개. **b** 《영방언》 머리가 이상한 사람. **3 a** 《구어》 거꾸로 뛰어듦, 곤두박이로 떨어짐; 【축구】 헤딩슛〔패스〕: take a ～ off a ladder 사닥다리에서 곤두박이로 떨어지다. **b** 《속어》 (건곤일척으로) 해봄, 시도, 내기; 《속어》 실패, 실수. **4** 【건축】 (벽돌 따위 면의) 가장 작은 면; (창이나 출입구의) 상인방(lintel); (배관의) 분배 주관(主管), 본관, 헤더; 압력 조정 탱크. **5** 【컴퓨터】 헤더《각 데이터의 머리 표제 정보》.

héader làbel 【컴퓨터】 헤더 레이블《파일(file) 또는 데이터 세트의 레이블로서, 하나의 기억 매체(storage medium)상의 레코드에 선행하는 것; title label 이라고도 함》.

héader rècord 【컴퓨터】 헤더 레코드《뒤에 이어지는 일군의 레코드에 공통 정보, 고정 정보, 또는 식별용 정보를 포함하는 레코드》.

héad·fàst *n.* 【해사】 배의 이물에 있는 계선용 로프(fast mooring rope).

héad·fírst, -fóremost *ad.* **1** 곤두박질로. **2** 몹시 서둘러서, 쏜살같이, 한눈팔지 않고 곧바로. **3** 무모하게, 무작정으로.

héad·fish *n.* ＝OCEAN SUNFISH.

héad·fùcker *n.* 《속어》 (환각을 일으키는) 강력한 마약; (사람을) 정신적으로 혼란하게 만드는 사람〔상황〕.

héad gásket 【기계】 헤드 개스킷《내연기관의 실린더헤드와 실린더블록 사이의 개스킷》.

héad gàte 수문; 운하 상류 끝의 조절 수문.

héad·gèar *n.* 쓸것, 모자; 【권투】 헤드기어; 머리 장식; 말 머리에 쓰이는 마구《굴레 따위》.

héad gírl 수석 여학생.

héad·hùnt *n., vi., vt.* 사람 사냥(을 하다); 《구어》 간부 스카우트(를 하다).

héad·hùnter *n.* **1** 사람 사냥하는 야만인. **2** 《미속어》 정적을 없애려는 자; (기업의) 인재 스카우트 담당자; 《우스개》 유명인에게 접근하기 좋아하는 사람. **3** 《미속어》 청부 살인업자; (운동 경기에서) 난폭한 플레이어; 복부보다 머리를 노리는 복서.

héad·hùnting *n.* Ⓤ (야만인의) 사람 사냥; 《구어》 (타사에서의) 인재 스카우트; 《미속어》 정적(政敵) 타도 공작. 「회사.

héadhunting firm 《미》 인재 스카우트〔소개〕

héad-in-áir *a.* **1** 멍한(absent-minded); 꿈결 같은(dreamy). **2** 젠체하는, 신사연하는(snobbish). 「획.

héad-in báy (주차장의) 전진 진입형 주차 구

head·ing [hédiŋ] *n.* **1** 표제, 제목, 항목; 제자(題字); 두부(頭部); (편지의) 주소와 일부(日附): under the ~ of ... …의 표제로〔의 밑에〕. **2** 방향, 진로; 비행 방향; (이물의) 방향. **3** 참수(斬首); (초목의) 순치기. **4** 〖건축〗 (벽돌·돌 쌓기의) 마구리를 밖으로 하여 쌓기. **5** Ⓤ 〖축구〗 헤딩. **6** 〖광산〗 수평갱, 도갱(導坑). **7** =HEADER 1.

héad-in-the-sánd *a.* 진상을 인정하려 하지 않는, 현실 도피의.

héad jòb 《속어·비어》 **1** 입으로 하는 성교(펠라티오, 쿤닐링구스). **2** 미치광이.

héad làmp =HEADLIGHT.

héad·land [-lənd] *n.* **1** 갑(岬), 삐죽 나온 육지. **2** 밭 구석의 갈지 않은 곳, 두렁 길.

héad·less *a.* **1** 머리가 없는. **2** 지도자가〔수령이〕 없는. **3** 분별〔양식〕 없는, 어리석은, 무지한. ⊞ **~·ness** *n.* 「등(檣燈).

◇**héad·lìght** *n.* (종종 *pl.*) 헤드라이트; (배의) 장

head·line** [hédlàin] *n.* **1** (신문 기사 따위의) 표제, 《특히》 제 1 면의 큰 표제; (*pl.*) 방송 뉴스의 주요 제목 (총괄). **2** (책의) 윗난(제목·페이지 수 따위를 기입함). **3** 〖해사〗 활대에 돛을 동여매는 밧줄. ***capture a* ~** 신문에 나다; 뉴스에 나다. ***go into* ~*s* =*hit* 〔*make*〕 *the* ~*s 신문에 크게 취급되다; 유명해지다, (이름이) 알려지다. ── *vt.* …에 표제를 붙이다, 큰 표제로 다루다〔언급하다〕; 떠들썩하게 세상에 퍼뜨리다, 대대적으로 선전하다; …의 주역을 맡다. ── *vi.* 주역을 맡아 하다.

héad·lìner *n.* 〖신문〗 표제를 붙이는 기자; 《미구어》 (광고에) 이름이 크게 나는 배우〔연예인〕, 스타, 저명인사.

héad línesman 〖미식축구〗 선심(線審).

héad·lòad *n.* 머리에 얹는〔이는〕 짐.

héad·lòck *n.* 〖레슬링〗 헤드록(상대의 머리를 팔로 감아 누르는 기술).

***head·long** [hédlɔ̀ːŋ/-lɔ̀ŋ] *ad.* **1** 곤두박이로, 거꾸로; 곧바로: He threw himself ~ into the water. 그는 곤두박이로 물속에 뛰어들었다. **2** 앞뒤를 가리지 않고, 무모하게; 사납게; 황급히, 허둥지둥. ── *a.* **1** 곤두박이의. **2** 앞뒤를 가리지 않는, 경솔한; 매우 서두는: a ~ decision. **3** 《고어》 험한. ⊞ **~·ness** *n.*

héad·man *n.* **1** [-mən, -mæ̀nx] (*pl.* ***-men*** [-mən, -mèn]) 수령, 지도자; 추장. **2** [hédmǽn] (*pl.* ***-men*** [-mén]) (노동자의) 감독, 직공장.

***head·mas·ter** [hédmǽstər, -máːs-/-máːs-] *n.* 《영》 (초등학교·중학교) 교장; 《미》 (사립학교) 교장. ⊞ **~·ship** [-ʃip] *n.* Ⓤ 교장의 직〔지위〕.

héad·mìstress *n.* headmaster 의 여성형.

héad mòney **1** 인두세. **2** 체포한 포로 또는 범인의 수에 따라 주는 상금, 범인 체포 상금.

héad·mòst *a.* 맨 앞의, 맨 먼저의, 선두의 (foremost).

héad·nòte *n.* **1** 두주(頭註). ⓒⓕ footnote. **2** 〖법률〗 두서(頭書)(판례집에서 판결문 앞에 기재되는 판결의 요지).

héad of góvernment 정부 수반.

héad of státe (때때로 H– of S–) 국가 원수.

héad-ón *a.* 정면의: a ~ collision 정면 충돌. ── *ad.* 정면으로, 정통으로, 일거에: meet a problem ~ 정면으로 문제에 대처하다.

héad·phòne *n.* (보통 a pair of ~s) 헤드폰.

héad·pìece *n.* **1** 투구, 머리에 쓰는 것, 모자; (말머리의) 굴레. **2** =HEADPHONE. **3** 머리, 두뇌, 지능, 머리 좋은 사람. **4** 〖인쇄〗 책의 권두·장두(章頭)의 꽃 장식; 두주(頭註).

héad·pìn *n.* 〖볼링〗 제일 첫머리의 핀, 헤드핀(the No.1 pin), 1 번 핀.

héad·quàrter *vt.*, *vi.* 본부〔본거〕를 두다〔설치하다〕: Our company is ~*ed* in Seoul. 우리 회사는 본사가 서울에 있다.

‡**head·quar·ters** [hédkwɔ̀ːrtərz] *n. pl.* 〖종종 단수취급〗 본부, 사령부; 본사, 본국, 본서; 〖집합적〗 사령부원, 본부원: general ~ 총사령부 / a ~ company (대대 이상의) 본부 중대 / the ~' staff 사령부 요원. 「器), 도수로(路).

héad·ràce *n.* (물방아의) 물 도랑, 도수기(導水

héad·rèach *vi.*, *n.* 〖해사〗 방향 전환 중에 배가 나아가다〔나아가는 거리〕.

héad régister 〖음악〗 두성 성역(頭聲聲域).

héad resístance 〖항공〗 전면(前面) 저항.

héad·rèst *n.* (치과의 의자·자동차 좌석 따위의) 머리 받침.

héad restràint (추돌·충돌시 목뼈 보호를 위한) 좌석 베개〔머리받침〕(headrest).

héad rhýme 두운(頭韻). 「익권(收益權).

héad·rìght *n.* 〖법률〗 (북미 인디언의) 균등 수

héad·ròom *n.* (터널·출입구 등의) 머리 위 공간〔거리〕. 「의 세로돛, 앞돛.

héad·sàil [-sèil, 《해사》 -səl] *n.* 〖해사〗 이물

héad scàrf (모자 대용의) 머리 스카프.

héad séa 역랑(逆浪), 마주치는 물결.

héad·sèt *n.* 《미》 마이크가 달린 헤드폰.

héad·shàke *n.* 머리를 가로젓기(불신·불찬성의 표시).

héad·shìp [-ʃip] *n.* Ⓤ 우두머리임, 수령〔교장〕의 직〔권위〕; 지도자로서의 지위.

héad shòp 히피나 환각제와 관계있는 물품을

héad shòt 《미속어》 얼굴 사진. 「파는 가게.

héad·shrìnker *n.* **1** 자른 머리를 수축 가공하여 보존하는 야만인 종족. **2** 《속어》 정신병 의사〔학자〕(psychiatrist), 심리학자.

héads·man [-mən] (*pl.* ***-men*** [-mən]) *n.* **1** 목베는 사람, 사형 집행인. **2** 포경선(捕鯨船) 지휘자. **3** 갱내 석탄 운반인.

héad·spàce *n.* (액체 따위의 밀봉 용기 안의 상부의) 공간 부분: a no-~ package 위까지 빈틈없이 채워져 있는 용기.

héad·spìn *n.* 〖브레이크댄스〗 헤드스핀(머리를 땅에 붙이고 거꾸로 서서 두 손으로 땅을 치며 도

héad·sprìng *n.* 원천, 수원, 근원. 「는 춤).

héad squàre 《영》 =HEAD SCARF.

héad·stàll *n.* (말의) 굴레 장식띠. 「서기.

héad·stànd *n.* (머리를 바닥에 대는) 물구나무

héad stárt **1** (경주 따위의) 시발점에서 주어진〔얻은〕 우위(優位); 유리한 스타트, 한발 앞선 출발; 선수(先手). **2** (사업 따위의) 순조로운 시작.

héad·stòck *n.* 〖기계〗 (선반 등의) 주축대(主軸臺), 축받이.

héad·stòne *n.* 묘석(墓石), (무덤의) 개석(蓋石); 〖건축〗 초석, 귀돌, 기초, 토대.

Héadstone Cíty 《속어》 묘지(cemetery).

héad·strèam *n.* (하천의) 원류(源流).

◇**héad·stròng** *a.* 완고한, 고집 센, 억지 센, 방

자스러운; 억제〔제어〕할 수 없는. ㊞ **~·ly** *ad.* **~·ness** *n.* 「~ playing.

héads-ùp *a.* 《구어》 기민한, 민첩한, 빈틈없는:

héad táble 연설자〔의장 등〕 앞의 테이블; (연회 등의) 메인 테이블.

héad tàx 《미》 인두세; 균등할(均等割) 세금.

héad·téacher *n.* 《영》 교장. 「근전(의).

héad-to-héad *n.*, *a.* 대접전(大接戰)(의), 접

héad tòne 두성조(頭聲調)《높은 음역의 성조》.

héad-trìp *n.* 《속어》 마음에 영향을 끼치는 체험, 정신을 자극하는〔고양시키는〕 일; 자유로운 연상(聯想); (과학적 근거가 없는) 심리 분석〔탐색〕.

héad-tùrning *a.* 지극히 매력적인〔눈길을 끄는〕; 사람을 되돌아보게 하는. ㊞ **héad-tùrner** *n.*

héad-ùp *a.* (비행기·자동차 따위의 계기 등이) 앞을 향한 채 읽을 수 있는. **—** *n.* 《미속어》 좀 모자라는〔주의력이 부족한〕 녀석〔선수〕.

héad-ùp displáy 〖항공〗 투과성 반사경을 사용하여 파일럿의 전방 시야(視野) 안에 계기의 각종 정보를 나타내는 장치. 「cf. chest voice.

héad vòice 1 〖음악〗 두성(頭聲). **2** 새된 음성.

héad·wàiter *n.* 급사장(長).

head·ward [hédwərd] *a.*, *ad.* 수원(水源)으로(의), 수원보다 안쪽으로(의): ~ erosion 〖지학〗 두부(頭部) 침식.

héad·wards [-wərdz] *ad.* =HEADWARD.

héad·wàters *n. pl.* (the ~) (강의) 원류, 상류, 급수원(給水源).

héad·wày *n.* Ⓤ 전진, 진행, 진보; 〖해사〗 진항 속도, 배의 속도; (발차·출항 시간의) 간격; 〖건축〗 (터널 등의 바닥에서 천장까지의) 높이. ***make* ~** 〖해사〗 (배가) 진항하다; (일이) 진척되다.

héad wìnd 역풍, 맞바람.

héad·wòrd *n.* 표제어; 〖문법〗 (복합어·연어의 중심이 되는) 주요어.

héad·wòrk *n.* Ⓤ 정신〔두뇌〕 노동, 머리 쓰는 일; 지혜; 〖축구〗 헤드워크《공을 다루거나 보내기 위해 헤딩하는 것》.

heady [hédi] (***head·i·er; -i·est***) *a.* 완고한; 무모한, 분별없는, 성급한; (술이) 빨리 취하는; 도취시키는, 들뜨게 하는; 《구어》 머리가 좋은, 현명한; 두통이 나는. ㊞ **héad·i·ly** *ad.* **héad·i·ness** *n.* 완고; 조급.

heal** [hiːl] *vt.* **1** 《~+목/+목+전+명》 (병·상처·마음의 아픔 등을) 고치다, 낫게 하다《*of*》: ~ disease 병을 고치다 / be ~*ed of* one's wound 상처가 낫다 / Time ~*s* all sorrows. 세월은 모든 슬픔을 잊게 한다. SYN. ⇨ CURE. **2** (불화를) 화해시키다, 무마하다: ~ dissensions 분쟁을 화해시키다 / They tried to ~ the rift between them. 그들은 그들 사이의 감정적인 거리를〔틈을〕 메꿔 화해하려고 했다. **3** 정화시키다, 깨끗이 하다: be ~*ed* of one's sin 죄를 씻다. **—** *vi.* **1** 《+부》 고쳐지다, 낫다《*up; over*》. **2** 치료하다. **~ *a breach 화해시키다. **~ *up* 〔*over*〕** 상처가 아물다, 낫다; 치료하다, 불화가 해소되다. ㊞ **∠·a·ble** *a.* 고칠 수 있는.

héal-àll *n.* 만병통치약.

heal·ee [hiːlíː] *n.* 치료를 받는 사람.

héal·er *n.* 약; 의사, 치료자《특히 Christian Science에 의한》: Time is the great ~. 《속담》 시간은 위대한 의사이다.

héal·ing *a.* 치료의; 낫게 하는, 회복시키는. **—** *n.* Ⓤ 치료; 회복, 아묾. ㊞ **~·ly** *ad.* 낫도록, 치료적으로.

****health** [helθ] *n.* Ⓤ **1** 건강 (상태), 건전: be in bad 〔poor〕 ~ 건강이 좋지 않다 / be in good ~ 건강하다 / lose one's ~ 건강을 잃다 / be out of ~ 건강이 좋지 않다 / the value of good ~ 건강의 값어치〔고마움〕 / He enjoys good ~. 그는 매우 건강하다 / *Health* is better than wealth. 《속담》 건강이 부(富)보다 낫다. **2** 위생, 보건, 건강법: the board of ~ 위생국(局) / the Ministry of *Health* 《영》 보건부 / mental ~ 정신 위생 / public ~ 공중위생. **3** (건강을 비는) 축배. **4** 번영; 활력: a serious menace to our economic ~ 경제 번영에 대한 중대한 위협. ***drink* (*to*)** a person***'s* ~** =***drink* (*to*) *the* ~ *of*** a person 아무의 건강을 축복하여 축배를 들다. ***not ... for*** one***'s* ~** 《구어》 좋아서〔취미로〕 …하는 것이 아닌. **(*To*) *your* (*good*) ~!** 건강을 축하합니다《축배의 말》.

héalth àid 가정 보건사《정식으로는 home-health aid; 면허를 필요로 함》.

héalth càre, héalth·càre *n.* 건강관리; 건강관리 절차〔방법〕. **—** *a.* 건강관리의: a ~ 「center.

héalth cènter 보건소.

héalth certìficate (일에 대한) 건강 증명서.

héalth clùb 헬스 클럽, 건강 교실.

héalth-cònscious *a.* (자신의) 건강에 신경질적인, 건강을 항상 의식하는〔조심하는〕.

héalth fàrm 건강〔감량〕 도장《자주 시골에서 식이·운동에 의해 감량이나 건강 증진을 꾀함》.

héalth fòod 건강식품《자연식품 등》.

°**health·ful** [hélθfəl] *a.* 건강에 좋은, 위생적인, 보건상 유익한; 건강〔건전〕한. cf. healthy. ¶ ~ exercise 건강에 좋은 운동. ㊞ **~·ly** *ad.* 건강하게, 건전하게. **~·ness** *n.*

héalth-gìving *a.* (약·운동 따위가) 건강에 좋은, 건강하게 만드는.

héalth inspèctor (식품) 위생 검사관.

héalth insùrance 건강 보험.

héalth·less *a.* 건강하지 않은; 몸에 나쁜.

héalth máintenance organizàtion 《미》 (회비를 지불하고 가입하는) 종합적인 건강관리 기관〔의료 단체〕《생략: HMO》.

héalth mànagement 건강관리.

héalth òffice 위생과, 보건과.

héalth òfficer 위생관, 검역관.

héalth phỳsics 보건 물리학《방사성 따위에 의한 상해·건강 문제 연구》.

héalth profèssional 보건 전문가.

héalth resòrt 보양지(保養地). 「완하제로 씀》.

héalth sàlts 건강염(塩)《미네랄 워터에 타서

héalth sèrvice 〔집합적〕 공공 의료 (시설).

héalth spà 건강관리 클럽(fat farm)《비만자의 감량 요법을 행하는 민간 유료 시설》.

héalth vìsitor 《영》 (여성) 순회 보건관〔원〕.

héalth·wise *ad.* 《구어》 건강을 위해, 건강 유지를 위해.

****healthy** [hélθi] (***health·i·er; -i·est***) *a.* **1** 건강한, 건장한, 튼튼한: perfectly ~ 완전히 건강한 《특히 신생아에 쓰임》. **2** (정신·태도 따위가) 건전한: a ~ mind 〔idea〕 건전한 정신〔생각〕. **3** 건강상 좋은, 위생적인, 유익한: a ~ climate 건강에 좋은 기후 / a ~ diet 건강에 좋은 식사. **4** (수량이) 상당한. **5** 왕성한, 기운찬: a ~ appetite 왕성한 식욕 / look ~ 건강해 보이다.

SYN. **healthy** 심신의 건강을 나타내는 일반적인 말. 적극적 의미('튼튼한')와 소극적 의미('앓지 않는')가 있음: keep one's children *healthy* during the winter 겨울 동안 애들을 병에 안 걸리도록 하다. **wholesome** (물건·음식이) 심신의 건강에 좋은, 건전한. 사람에게 쓰일 때는 정신의 건강이 강조됨: *wholesome* air 맑은 공기. **sound** 심신에 고장이 없는: *sound* in mind and body 심신이 건전한. **well** 튼튼한, 건강이 좋은, 구어적이며 보통은 보어로 쓰이지만, 미국에서는 원형에 한해 명사 앞에서도 씀: look *well* 건강이 좋아 보이다. a *well* man 건강한 사람.

[파] **héalth·i·ly** *ad.* **-i·ness** *n.*

HEAO 〖우주〗 high-energy astronomy observatory(고(高)에너지 천체 관측 위성).

⁑**heap** [hi:p] *n.* **1** 쌓아올린 것, 퇴적, 더미, 덩어리: a sand ~ =a ~ of sand 모래산. **2** 《구어》 〔보통 a ~ of; ~s of...〕 많음, 다수, 다량: have *a* ~ *of* work to do 할 일이 산더미처럼 많다/~*s of* people 많은 사람들/~*s of* time 많은 시간, 여가/~*s of* times 여러 번, 몇 번이나. **3** 《구어》 〖부사적〗 매우: He is ~*s* better. 그는 훨씬 좋아졌다. **4** 《구어》 털털거리는 자동차. ***a ~ sight*** 《구어》 〖부사적〗 크게, 매우. ***all of a ~*** 《구어》 갑자기, 느닷없이; 털썩: be struck 〔knocked〕 *all of a* ~ 완전히 압도당하다; 털썩 넘어지다; 깜짝 놀라다, 질겁하다. ***give them ~s*** 《Austral. 속어》 상대 팀과 있는 힘을 다해 싸우다. ***in a ~*** 무더기가 되어, 산더미를 이루어. ***in ~s*** 많이. ***top*** 〔***bottom***〕 ***of the ~*** 승자〔패자〕. **—** *vt.* **1** 《~+[목]/+[목]+[부]》 쌓아 올리다《*up; together*》: ~ (*up*) stones 돌을 쌓아 올리다. **2** 《+[목]+[부]》 산처럼 쌓다; 축적하다: ~ *up* riches 부(富)를 축적하다. **3** 《+[목]+[전]+[명]》 듬뿍 주다: ~ favors *upon* a person 아무에게 갖가지 은혜를 베풀다. **4** 《+[목]+[전]+[명]》 (접시 따위에) …을 수북이 담다《*with; on, upon*》: ~ a plate *with* cherries =~ cherries *on* a plate 버찌를 접시에 수북이 담다. **—** *vi.* (쌓여) 산더미가 되다, (산더미처럼) 쌓이다《*up*》.

[파] **∠·er** *n.* **∠y** *a.* 수북한, 산더미 같은.

heaped [-t] *a.* (속의 것이) 수북한《스푼 따위》.

†**hear** [hiər] (*p., pp.* ***heard*** [hə:rd]) *vt.* **1** 《~+[목]/+[목]+*do*/+[목]+*-ing*/+[목]+*done*》 듣다, …이 들리다: ~ a voice 말소리가 들리다/Did you ~ your name *called?* 네 이름을 부르는 것을 들었니/I *heard* him *laugh* 〔laugh*ing*〕. 그가 웃는 것을 들었다/He was *heard* to laugh 〔laugh*ing*〕. 그가 웃는 것이 들렸다. ★ hear는 목적어 다음에 to없는 부정사를 수반하고, 수동형에서는 to를 씀. **2** …의 소리를 듣다; 주의하여 듣다, 경청하다, …에 귀를 기울이다 (listen to), (강연·연주 따위를) 들으러 가다; (강의를) 방청〔청강〕하다: ~ a lecture 강의를 듣다/I don't ~ you. 말이 안 들립니다/I went to the concert to ~ Beethoven. 베토벤의 작품〔곡〕을 들으러 음악회에 갔다. **3** 《+[목]+[부]》 …의 말을 알아듣다; …의 말을 끝까지 들어주다〔듣다〕《*out*》: *Hear* me *out!* 내 말을 끝까지 들어 봐. **4** (소원·기도 따위를) 받아들이다, 들어주다, 청허(聽許)하다: *Hear* my prayer. 나의 소원을 들어주십시오/She *heard* her child his lessons. 그녀는 자기 자식이 공부하는 것을 돌봐 주었다. **5** 《~+[목]/+*that* [절]》 들어서 알다, 듣다, 소문으로 듣다, 전하여 듣다: ~ the truth 사실을 들어서 알다/Nothing has been *heard* of him since. (그 후로) 전혀 그에 관한 소식을 들은 적이 없다/I ~ (*that*) he was married. 그는 결혼했다고 한다/He was engaged, I ~. 그는 약혼했다더라. **6** 〖법률〗 …의 진술을 듣다; (사건 등을) 심리하다, 신문하다: ~ the defendant 피고의 증언을 듣다/~ a witness 증인을 신문하다/~ a case 소송을 심리하다. **—** *vi.* **1** 듣다, 들리다; 청각을 갖추고 있다: Can you ~? 들리나. **2** 《~/+[전]+[명]》 귀를 기울이다; 호의를 가지고 귀를 기울이다: *Hear! Hear!* 《영》 근청!, 찬성이오!, 옳소!/He won't ~ *of* it. 도무지 들어주지 않는다. **3** 《+[전]+[명]》 소식을 듣다, 편지를 받다《*from*》: Have you *heard from* him of late? 최근 그에게서 소식이 있었나. **4** 《+[전]+[명]》 소문을 듣다《*of*》, 전해 듣다《*of*》: He was never *heard of* since. 그 후 그의 소문은 딱 끊어졌다/That's the funniest thing I ever *heard of*. 이렇게 우스운 얘긴 처음 들었다. **5** 《+[전]+[명]》 《구어》 야단맞다《*from*》; 칭찬받다《*about; of*》: If you don't obey him, you will ~ *from* him. 그의 말을 안 들으면 야단맞는다. ***~ about*** …에 관해 자세히 듣다; …에 관한 비판〔꾸지람, 칭찬〕을 듣다. ***~ from*** ① ⇨ *vi.* **3**. ② …에게서 듣다: I *heard* it *from* him. 그것을 그에게서 들었다. ③ ⇨ *vi.* 5. ***~ of*** ① ⇨ *vi.* 4. ② 〖흔히 부정〗 …에 찬성하다; 들어주다: I will *not* ~ *of* your going. 네가 가는 것을 허락할 수 없다. ~ a person ***out*** ⇨ *vt.* 3. ***~ say*** 〔《영구어》 ***tell***〕 ***of*** 〔***that***〕 《미구어·영고어》 …에 대해 아무가 말하는 것을 듣다〔…라는 소문을 듣다〕: I've *heard say* 〔*tell*〕 *that* …라는 소문을 듣고 있다. ~ one***self think*** (주위가 시끄러운 가운데) 차분히〔곰곰이〕 생각하다. ***~ to ...*** 《미》 …에 동의하다; …에 귀를 기울이다: He wouldn't ~ *to* it. 그 일에 동의하지 않을 것이다. ***Let's ~ it for ....*** 《미구어》 …에 성원(聲援)을〔박수를〕 보내자. ***make*** one***self heard*** (소음 때문에 큰 소리로 말하여) 자기 목소리가 상대에게 들리게 하다; 자기의 의견〔주장〕을 들려주다.

heard [hə:rd] HEAR의 과거·과거분사.

***hear·er** [híərər] *n.* 듣는 사람; 방청인, 청중.

hear·ing** [híəriŋ] *n.* [U] **1** 청각, 청력, 듣기: She's hard 〔quick〕 of ~. 그녀는 귀가 잘 안 들린다〔잘 들린다〕. **2** (외국어 따위의) 청취(력). **3** [U,C] 들어줌, 들려줌, [C] 발언의〔들려줄〕 기회. **4** 들리는 거리〔범위〕. **5** [U,C] 심문, 심리, 공판; 청문회: a public ~ 공청회/a preliminary ~ 예심. ***gain 〔***get***〕 ***a ~*** 들려주다, 발언할 기회를 얻다. ***give*** a person ***a*** (***fair***) ***~*** 아무의 할 말을 (공평히) 들어주다. ***in*** a person***'s ~*** 아무에게 들리는 곳에서. ***out of*** 〔***within***〕 ***~*** 들리지 않는〔들리는〕 곳에서.

héaring àid 보청기《특히 휴대용》.

héaring(-éar) dòg 청각 장애자 안내견.

héaring exàminer 〔**òfficer**〕 《미》 심문관(審問官)《administrative law judge의 구칭》.

héaring-impàired *a.* 난청의, 청각 장애의; (the ~) 〖집합적〗 청각 장애자: How can a ~ person hear? 청각에 장애가 있는 사람은 어떻게 소리를 듣는가.

héaring lòss 난청, 청취력 상실, 실청(失聽).

°**heark·en** [há:rkən] *vi.* 《고어·문어》 《+[전]+[명]》 귀를 기울이다, 경청하다《*to*》: ~ *to* a distant sound 먼뎃 소리에 귀를 기울이다. [파] **~·er** *n.*

héar·sày *n.* [U] 소문, 풍문: have it *by* 〔*from, on*〕 ~ 그것을 소문으로 듣고 있다. **—** *a.* 소문〔풍문〕의〔에 의한〕.

héarsay èvidence 〖법률〗 전문(傳聞) 증거.

héarsay rùle 〖법률〗 전문(傳聞) 증거의 법칙.

hearse [hə:rs] *n.* 영구차; 《시어·고어》 관가(棺架), 관; 촛대; 무덤의 닫집. **—** *vt.* 매장하다; 은폐하다; 《고어》 입관하다, 영구차로 운반하다.

héarse·clòth *n.* 관포(棺布).

Hearst [hə:rst] *n.* **William Randolph ~** 허스트《미국의 신문 경영자; 신문왕(1863-1951)》.

†**heart** [ha:rt] *n.* **1** 심장: He has a weak ~. 그는 심장이 약하다〔나쁘다〕/My ~ leaps up. 가슴〔심장〕이 뛴다〔두근거린다〕/A ~ fails 〔stops〕. 심장이 멎다. **2** 가슴, 흉부: clasp to one's ~ (가슴에) 끌어안다. **3** 마음, 심정, 감정, 기분, 마음씨: speak out of one's ~ 본심을 말하다/pity a person from one's ~ 마음으로부터 아무를 동정하다/touch a person's ~ 아무의 마음을 움직이다, 감동을 주다. [SYN.] ⇨ MIND. **4** 애정, 동정심: a man without ~ 무정한 사

람/an affair of the ~ 정사(情事), 연애. **5** 사랑하는 사람: a sweet ~ 애인/Dear ~! 너, 사랑하는 사람《아내·연인·자식들에게의 호칭》. **6** 용기, 기운: I did not have the ~ to say that. 감히 그 일을 말할 용기가 없었다. **7** 용기 있는 자, 우수한 사람: true English ~s 참다운 영국 사람들. **8** 열의, 관심, 흥미: My ~ is not in the work. 나는 그 일에 별로 관심이 없다. **9** 중심, (문제 따위의) 핵심, 본질, 급소《*of*》: go to the ~ *of* the matter 사건의 핵심을 잡다. **10** 중심부, 오지: the ~ *of* the city 도심/the ~ *of* Africa 아프리카 내륙. **11** 과일·야채 따위의 속: the ~ *of* a cabbage. **12 a** 하트 모양의 것; 〖카드놀이〗 하트(의 패); (*pl.*) 〖단·복수취급〗 하트의 한 벌(suit); (*pl.*) 〖단수취급〗 하트패를 잡지 않은 자가 이기는 게임. **b** 《비어》 음경 귀두; 발기한 음경. **13** 땅이 걺, 수확이 풍부함: The land has never been in better ~. 이 땅에서 이렇게 수확이 좋았던 적은 아직까지 없었다. **14** 《속어》 =AMPHETAMINE.

after a person***'s*** (***own***) ~ 마음에 드는, 좋아하는 타입의, 생각대로의: She is a woman *after my own* ~. 그녀는 내가 좋아하는 타입의 여자다. ***at*** ~ 마음속은, 내심은, 실제로는: He isn't a bad man *at* ~. 바탕이 나쁜 사람은 아니다/have the matter *at* ~ 그 일을 깊이 마음에 두고 있다. ***at the bottom of*** one***'s*** ~ 내심으로는, 속으로는. ***be of good*** ~ 비관하지 않다. ***break*** a person***'s*** ~ 비탄에 젖게 하다; 몹시 실망시키다. ***bring*** a person***'s*** ~ ***into*** his ***mouth*** (사람을) 조마조마하게 하다. ***by*** ~ 외워서, 암기하여: He knew 〔had〕 the song *by* ~. 그 노래를 외고 있었다. ***change of*** ~ 회심(回心), 개종(改宗); 기분〔마음〕의 변화. ***close*** 〔***dear***〕 ***to*** a person***'s*** ~ =near a person's ~. ***cross*** one***'s*** ~ (***and hope to die***) 《구어》 (거짓이 아님을 하느님께) 맹세하다. ***devour*** one***'s*** ~ 슬픔으로 속을 태우다, 비탄에 잠기다; (…을) 애타게 그리다《*for*》. ***do the*** 〔a person***'s***〕 ~ ***good*** (아무)를 대단히 기쁘게 하다: It *does my* ~ *good* to see you. 만나뵙게 되어 매우 기쁩니다. ***find it in*** one***'s*** ~ ***to*** do ⇨ FIND. ***from*** (***the bottom of***) one***'s*** ~ 마음(속)으로부터, 진심으로. ***get to the*** ~ ***of*** …의 핵심(核心)을 찌르다. ***give*** one***'s*** ~ ***to*** …을 연모하다, …에 마음을 빼앗기다. ***go to*** a person***'s*** 〔***the***〕 ~ 마음에 울리다〔찔리다〕, 마음을 아프게 하다: It *goes to the* ~ to see such kindness. 그런 친절함을 대하면 가슴이 찡하고 울린다. ***harden*** a person***'s*** ~ 남의 마음을 딱딱하게〔모질게〕 만들다. ***have a*** ~ 《구어》 인정이 있다. ***have*** (a thing) ***at*** ~ (무엇을) 깊이 마음에 새기다; 간절히 바라다, 추구하다. ***have no*** ~ 인정머리 없다. ***have*** (***plenty of***) ~ 인정이 있다. ***have*** one***'s*** ~ ***in*** …에 열중하고 있다, …에 관심을〔흥미를〕 갖다. ***have*** one***'s*** ~ ***in*** one***'s boots*** 《구어》 실망〔낙담〕하고 있다, 의기소침해 있다; 《구어》 두려워하고 있다. ***have*** one***'s*** ~ ***in*** one***'s mouth*** 〔***throat***〕 (깜짝) 놀라다, 혼비백산〔질겁〕하다. ***have*** one***'s*** 〔***the***〕 ~ ***in the right place*** 《구어》 (외모와는 달리) 인정미가 있다, 부드러운〔착한〕 마음을 가지고 있다. ***have the*** 〔***have no***〕 ~ ***to*** do …할 용기가 있다〔마음이 없다〕. ***Heart alive!*** 아아 깜짝이야, 이것 놀랍군. ~ ***and hand*** 〔***soul***〕 열심히; 완전히. ~ ***of oak*** ① 떡갈나무의 심재(心材). ② 용맹심; 용감한 사람. ~ ***to*** ~ 숨김없이, 털어놓고. ***heave*** one***'s*** ~ ***up*** 《구어》 몹시 메슥거리다, 토하다. ***in good*** 〔***poor***〕 ~ 땅이 기름져서〔메말라서〕. ***in*** (***good***) ~ 기운차게. ***in*** one***'s*** ~ (***of*** ~***s***) 마음속에서(는), 몰래; 실제로는. ***in the*** ~ ***of*** …의 한가운데에. ***keep*** (***a good***) ~ 용기를 잃지 않다. ***lay*** one***'s*** ~ ***at*** a person***'s feet*** 아무에게 구혼하다. ***lay ... to*** ~ =take ... to ~. ***lie at*** a person***'s*** ~ 아무의 사모를 받고 있다. ***lift*** (***up***) a person***'s*** ~ 기운을 내게 하다. ***lift*** (***up***) one***'s*** ~ 기운을 내다, 희망을 가지다; 기도를 올리다. ***lose*** ~ 낙담하다. ***lose*** one***'s*** ~ ***to*** …에게 마음을 주다, 사랑하다. ***man of*** ~ 인정 많은 사람. ***My*** ~ ***bleeds for...*** 《구어·우스개》 〖종종 반어적〗 …에는 정말로 마음이 아프다, 그것 참 안됐군. ***My*** ~***s!*** 〖해사〗 여러분!, 씩씩한 동지들이여! ***near*** 〔***nearest, next***〕 (***to***) a person***'s*** ~ 중요한〔가장 중요한〕; (가장) 친애하는. ***open*** one***'s*** ~ 흉금을 터놓다. ***out of*** ~ ① 맥없이. ② 불만으로《*with*》. ③ (땅이) 메말라. ***play*** one***'s*** ~ ***out*** 끝까지〔철저히〕 해내다. ***pour out*** one***'s*** ~ 마음속을〔고민거리를〕 털어놓다. ***put*** ~ ***into*** a person 아무에게 용기를 북돋우다. ***put*** one***'s*** ~ (***and soul***) ***into*** …에 열중〔몰두〕하다. ***search*** one***'s*** ~ 《구어》 반성〔자문, 자기 비판〕을 하다. ***search the*** ~ 의중〔마음〕을 떠보다. ***set*** one***'s*** ~ ***on*** do***ing*** …에 희망을 걸다; …을 탐내다; …하기로 마음을 정하다. one***'s*** ~ ***goes out to ...*** 《구어》 …에 대하여 애착〔동정, 연민〕을 느끼다. one***'s*** ~ ***leaps*** 〔***comes***〕 ***into*** his ***mouth*** 깜짝 놀라다; 조마조마〔아슬아슬〕하다. one***'s*** ~ ***sinks*** (***low within*** him) =one***'s*** ~ ***sinks in*** 〔***into***〕 his ***boots*** 〔***heels***〕 몹시 기가 죽다, 낙담하다, 의기소침하다. one***'s*** ~ ***stands still*** (공포로) 한순간 심장이 멎다. ***shut*** one***'s*** ~ 마음을 닫다〔움직이지 않다〕《*to*》. ***speak to the*** ~ 마음에 호소(呼訴)하다, 마음을 움직이다. ***steal*** a person***'s*** ~ (***away***) (알지 못하는 사이에) (아무)의 애정을 얻다. ***take*** ~ 마음을 다시 먹다, 용기를〔기운을〕 내다. ***take*** ~ ***of grace to*** do 용기를 북돋우어 …하다. ***take ... to*** ~ …을 마음에 새기다, 진지하게 생각하다, 통감하다; 몹시 슬퍼하다. ***take ... to*** one***'s*** ~ …을 기꺼이 받아들이다, 환영하다. ***to*** one***'s*** ~***'s content*** 마음껏, 만족할 때까지. ***wear*** 〔***pin***〕 one***'s*** ~ ***on*** 〔***upon***〕 one***'s sleeve*** 생각하는 바를 기탄없이 말하다, 감정〔연모의 정〕을 노골적으로 나타내다. ***win the*** ~ ***of*** a person =***win*** a person***'s*** ~ 아무의 사랑〔호의, 애정〕을 얻다〔받다〕. ***with a*** ~ ***and a half*** 기꺼이. ***with a heavy*** 〔***light***〕 ~ 침울〔명랑〕하게, 풀이 죽어〔가벼운 마음으로〕. ***with all*** one***'s*** ~ (***and soul***) =***with*** one***'s whole*** ~ 진심을 다하여; 충심으로, 기꺼이. ***with half a*** ~ 마지못해, 내키지 않은 채. ***with*** one***'s*** ~ ***in*** one***'s boots*** 《구어》 낙심하여, 겁을 먹고, 움찔움찔 하며. ***with*** one***'s*** ~ ***in*** one***'s mouth*** 깜짝 놀라, 조마조마〔아슬아슬〕하여. ***You are breaking my*** ~. 《구어·우스개》 그것 참 안됐군요《겉치레의 인사말》.

héart·àche *n.* Ⓤ 마음의 아픔; 비탄, 번민.

héart attàck =HEART FAILURE; 심장 발작.

héart·bèat *n.* **1** (때로 a ~) 〖생물〗 고동, 심장 박동, 심박(에 요하는 시간). **2** 중추부, 핵심. ***a*** ~ ***away from*** (고동이 들릴 만큼) 아주 가까이에 〔바로 곁에〕.

héart blòck 〖의학〗 심(장)차단, 심 블록.

héart-blòod *n.* =HEART'S-BLOOD.

héart·brèak *n.* Ⓤ 비통, 비탄, 애끓는 마음《주로 실연(失戀)의》.

héart·brèaker *n.* **1** 애끓는 생각을 하게 하는 것〔사람〕, 무정한 사람. **2** (여성의 앞이마나 볼에 늘인) 컬한 머리, 애교머리.

°**héart·brèaking** *a.* 가슴이 터질〔찢어질〕 듯한, 애끓는; 《구어》 진력나는, 따분한: ~ work 〔labor〕 지루하고 힘드는 일〔노동〕. ⓟ ~**·ly** *ad.*

héartbreak làw (백인 통치하의) 남아프리카에서 다른 인종과의 결혼을 금지하는 법률의 속칭.
héart·bròken *a.* 비탄에 잠긴, 비통한 생각의, 안타까운. ㉠ **~·ly** *ad.*
héart·bùrn *n.* Ⓤ **1** 가슴앓이(cardialgia, pyrosis). **2** 질투, 시기 「불만, 짜증.
héart·bùrning *n.* 질투, 시기, 원한(grudge);
héart chèrry (심장형의) 버찌의 일종.
héart disèase 심장병.
héart-èasing *a.* 마음을 가라앉히는, 긴장을 풀게 하는, 안도케 하는.
héart·ed [-id] *a.* 〔복합어로〕 …의 마음을 지닌, 마음이 …한: good-~ 친절한, 마음씨 좋은 / warm-~ 마음이 따뜻한 / faint-~ 마음이 약한. ㉠ **~·ness** *n.*
◇**heart·en** [hɑ́ːrtn] *vt.* 원기〔용기〕를 북돋우다, 격려하다, 고무하다《*on; up*》. **—** *vi.* 기운이 나다《*up*》. ㉠ **~·er** *n.* **~·ing** *a.* 격려가 되는, 믿음직한. **~·ing·ly** *ad.* 「심부전(心不全).
héart fàilure 심장병; 심장 마비, 죽음; 〖의학〗
héart·fèlt *a.* (말 · 행위 따위가) 마음으로부터의, 진심에서 우러나오는; 정성어린.
héart-frèe *a.* 사랑을 모르는, 정에 매이지 않는, 미련이 없는. 「**~·ly** *ad.*
héart·ful [hɑ́ːrtfəl] *a.* 진심에서 우러난. ㉠
hearth** [hɑːrθ] *n.* **1** 노(爐), 난로; 노변. **2** 노상(爐床), 노의 바닥돌. **3** 가정; (문화 · 문명의) 중심 지역. **4** 〖야금〗 화상(火床); 화덕. **~ *and home 따뜻한 가정(의 단란함). ㉠ **~·less** *a.*
héarth·rùg *n.* 난로 앞〔난롯가〕에 까는 깔개.
héarth·sìde *n.* 난롯가; 가정.
héarth·stòne *n.* **1** 노〔용광로〕의 바닥돌; 난롯가; 가정. **2** (화로 · 층계 등을 닦는) 마석(磨石).
***heart·i·ly** [hɑ́ːrtili] *ad.* **1** 마음으로부터, 열의를 갖고, 진심으로; 기운차게: I ~ thank you. =I thank you ~. 진심으로 감사드립니다. **2** 많이, 배불리; 철저히: eat ~ 배불리〔실컷〕 먹다 / laugh ~ 실컷 웃다.
héart·ing *n.* 〖토목〗 Ⓤ 속채우기《석조의 벽 내부에 잡석 등을 채우는 작업》; Ⓒ 심벽 재료.
héart·lànd *n.* (the ~) (세계의) 심장〔중핵〕 지대《군사적으로 견고하고 경제적으로 자립하고 있는 지역》.
◇**héart·less** *a.* 무정한, 박정한, 냉혹한; 《고어》 열의〔기운〕 없는. ㉠ **~·ly** *ad.* 비정하게. **~·ness**
héart-lúng machìne 인공 심폐(心肺). ⌊*n.*
héart mùrmur 〖의학〗 심잡음(心雜音).
héart of pálm 야자의 새 순《식용》.
héart·rènding *a.* 가슴이 터질〔찢어질〕 듯한, 비통한. ㉠ **~·ly** *ad.*
héart·ròt *n.* 심부병(心腐病)《고갱이가 썩는 병》.
héarts-and-flówers 〔단 · 복수취급〕 《구어》 감상적인 표현〔말〕, (영화 등의) 최루적(催淚的) 장면; (복싱의) 녹아웃. 「진심; 소중한 것.
héart's-blòod *n.* 심장 내의 혈액, 심혈; 생명,
héart-sèarching *a.*, *n.* Ⓤ,Ⓒ 자기의 마음〔동기, 사상〕을 살피는 (일); 반성〔자문〕(하는), 자기 비판(하는).
héarts·èase, héart's-èase *n.* **1** Ⓤ 마음의 평온, 안심. **2** 짙은 보랏빛. **3** Ⓒ 야생의 팬지, 꼬까오랑캐꽃.
héart-shàped [-t] *a.* 하트형〔심장형〕의.
héart·sìck *a.* 비탄에 잠긴, 의기소침한. ㉠ **~·ness** *n.*
heart·some [hɑ́ːrtsəm] *a.* 《Scot.》 기운〔기분〕을 북돋우는, 유쾌하게 하는; 쾌활한, 명랑한.
héart·sòre *a.* =HEARTSICK.
héart-stìrring *a.* 기를 돋우는, 기운을 내게 하는.
héart·stòpper *n.* (심장이 멎을 정도의) 무서운 일〔것〕, 등골이 오싹해질 만한 사건.
héart-stòpping *a.* 심장이 멎을 듯한; 아슬아슬한. ㉠ **~·ly** *ad.*
héart-strìcken, -strùck *a.* 슬픔에 젖은, 비탄에 잠긴; 두려움에 떠는, 당황해하는.
héart·strìngs *n. pl.* 심금(心琴), 깊은 정감〔애정〕: tug 〔pull〕 at a person's ~ 아무의 심금을 울리다〔감정을 흔들어 놓다〕.
héart·thròb *n.* **1** 심장의 고동. **2** 《구어》 정열, 감상(感傷). **3** 《구어》 연인, 멋진 사람〔남성〕, 동경의 대상《특히 영화 스타 · 가수》.
héart-to-héart *a.* 숨김없는, 솔직한, 흉금을 터놓는: a ~ talk 털어놓고 하는 얘기. **—** *n.* (a ~) 《속어》 솔직한 이야기.
héart trànsplant 〖의학〗 심장 이식.
héart·wàrming *a.* 마음이 푸근해지는, 친절한, 기쁜.
héart-whòle *a.* **1** 순정의, 사랑을 모르는, 순진한. **2** 정성 어린, 전념하는. **3** 용감한, 겁없는. ㉠ **~·ness** *n.* 「질(赤木質).
héart·wòod *n.* Ⓤ (목재의) 심재(心材), 적목
héart·wòrm *n.* (개 따위의 신장 · 대동맥에 기생하는) 심사상충(心絲狀蟲)(증).
hearty** [hɑ́ːrti] (heart·i·er; -i·est***) *a.* **1** 마음으로부터의, 친절한, 애정 어린; (지원 따위가) 따뜻한: a ~ welcome 마음에서 우러나는 환영. SYN. ⇨SINCERE. **2** 기운찬, 건강한, 튼튼한; (식욕이) 왕성한; (비 · 바람 따위가) 억센; (미움 따위가) 강렬한: have a ~ appetite 식욕이 왕성하다. **3** (식사 따위가) 많은, 풍부한, 배부른: take a ~ meal 배불리〔실컷〕 먹다. **4** (음식물이) 영양가 있는; (토지가) 비옥한. ***as ~ as a buck*** 아주 건강한. **—** *n.* **1** 기운찬 사람; 친구; 《구어》 선원, 수부. **2** 〖영대학〗 (지성 · 감성(感性)이 모자라는) 기운찬 학생, 운동 선수. ***My hearties !*** 《고어》 여보게들《선원들을 부르는 말》. ㉠ **héart·i·ness** *n.* 성실, 열심.

HEAT [hiːt] *n.* 〖군사〗 (고성능) 대전차 유탄(榴彈). [◂ *h*igh *e*xplosive *a*nti-*t*ank]
†**heat** [hiːt] *n.* Ⓤ **1** 열, 더위, 더운 기운; 열기; 온도; 〖물리〗 열; (the ~) 난방(비): the ~ *of* the sun 태양의 열 / the ~ *of* blood 혈액의 온도 / suffer from the ~ 더위에 시달리다. **2** 열심, 열렬; 격노: speak with much ~ 열을 올려서 말하다. **3** (the ~) 한창인 때; (토론 · 투쟁 등의) 최고조. **4** (후추 등의) 매운맛. **5** Ⓒ (1 회의) 노력〔동작〕; 〖경기〗 (예선의) 1 회; (경기 등의) 1 라운드〔이닝, 회〕: preliminary 〔trial〕 ~s 예선 / the final ~ 결승전. **6** 《속어》 (경찰의) 수사의 손, 추적. **7** 《구어》 위압, 고문. **8** 〖제철〗 용해〔불림〕 작업; 〖야금〗 열처리. **9** 몸의 열; 홍조; 홍분. **10** (짐승 암컷의) 발정, 교미기. **11** 《미속어》 경찰; 총격, 권총. **12** 《미속어》 (특히 모욕받은 군중의) 소동, 폭동. ***at a ~*** 단숨에. ***in the ~ of*** …의 한창때에: *in the ~ of* the day 한낮에. ***on*** 〔《미》 ***in, at***〕 ***~*** 《영》 (암컷이) 암내가 나서. ***put*** 〔***turn***〕 ***the ~ on ...*** 《구어》 …에 강한 압박을 가하다, …의 행동에 눈을 부라리다. ***take the ~*** 《구어》 비난을 정면으로 받다, 공박당하다; 공격에 참고 견디다. ***take*** 〔***remove***〕 ***the ~ out of ...*** 《구어》 …의 흥분을〔열기를〕 식히다. ***turn on the ~*** 《구어》 정력적으로 추구하다〔노력하다〕; 《구어》 흥분하다; (마음을) 불타오르게 하다; 《구어》 (범죄자 등의) 추적을〔수사를〕 엄중히 하다; 《미속어》 (…을 향하여) 총구를 돌리다, 발포하다. ***without ~*** 열을 내지 않고, 적당히.
— *vt.* **1** 《~+목/+목+부/+목+전+명》 가열하다, 따뜻이 하다: ~ a room 방을 따뜻이 하다 / ~ *up* cold meat 식은 고기를 데우다 / ~ oneself *with* wine 포도주를 마셔 몸을 덥게 하다. **2** 《+목+전+명》 흥분시키다, 격하게 하다; 《속어》

…에 생기를 불어넣다《*up*》: be ~*ed with* argument 논의(論議)로 격해져 있다. **—** *vi.* 뜨거워지다, 더워지다; 흥분하다; 격해지다《*up*》; (행위 따위가) 한층 더 열기를 띠다: The engine ~*s up* quickly. 엔진은 빨리 뜨거워진다〔가열된다〕/ Business competition will ~ *up* toward the end of the year. 기업 간 경쟁은 연말경에는 더욱 격렬해질 것이다〔점점 뜨거워질거다〕.
㊞ **∠·a·ble** *a.* **∠·less** *a.*

héat àrtist 《미부랑자속어》 연료용 알코올을 마시는 사람.

héat bàlance 〖물리〗 열평형(熱平衡).

héat bàrrier =THERMAL BARRIER.

héat bùmp 열에 의한 피부의 물집, 화상으로 인한 물집.

héat-càn *n.* 《미속어》 제트기.

héat capàcity 〖물리〗 열용량.

héat cràmps 열(熱)경련《고온에서의 중노동에 의한》.

héat dèath 〖물리〗 열적사(熱的死)《entropy가 최대가 되는 열평형(平衡) 상태》.

°**héat·ed** [-id] *a.* **1** 가열한, 뜨거워진: the ~ term 《미》 여름철. **2** 격앙한, 흥분한: a ~ discussion 격론. ㊞ **~·ly** *ad.*

héat èngine 열기관(熱機關).

***heat·er** [hí:tər] *n.* 전열기, 가열기, 히터, 난방 장치; 가열 작업을 하는 사람; 〖전자〗 히터《진공관의 음극을 가열하기 위한 전열선》; 《미속어》 권총; 《미속어》 엽궐련.

héat exchànge 〖기계〗 열 교환.

héat exchànger 〖기계〗 열 교환기.

héat exhàustion 〖의학〗 열피로, 열탈진.

héat-flàsh *n.* (핵폭발시의) 세찬 열방사.

heat·ful [hí:tfəl] *a.* 열이 많은, 열을 내는, 방열량이 많은.

Heath [hi:θ] *n.* **Edward** ~ 히스《영국의 정치가 수상을 지냄(1970–74); 1916–2005》.

°**heath** *n.* Ⓤ 히스《황야에 번성하는 관목》; 《영》 Ⓒ 히스가 무성한 황야. one***'s native*** ~ 고향. ㊞ **∠·less** *a.* **∠·lìke** *a.*

héath bèll 히스 꽃.

héath·bèrry *n.* 〖식물〗 시로미류(類).

héath·còck *n.* =BLACKCOCK.

°**hea·then** [hí:ðən] (*pl.* **~s**, 〖집합적〗 ~) *n.* **1** 이교도《기독교·유대교·회교에서 보아, 그들 종교 이외의 다른 종교의 신자》; 불신앙자; 미개인, 교양이 낮은 사람. **2** (*pl.*) 〖성서〗 이방인《유대인 이외의 사람》; (the ~) 이교도. **—** *a.* 이교(도)의; 신앙심 없는; 야만〔미개〕의: ~ days 이교(異教) 시대 / ~ gods 이교의 신(神)들. ㊞ **~·dom** [-dəm] *n.* Ⓤ 이교, 이단; Ⓒ 이교국; 〖집합적〗 이교도.

hea·then·ish [hí:ðəniʃ] *a.* 이교(도)의; 비기독교적인; 야만의, 미개한. ㊞ **~·ly** *ad.*

héa·then·ìsm *n.* Ⓤ **1** 이교, 이단, 우상 숭배; 무종교. **2** 야만; 만풍(蠻風) (barbarism).

héa·then·ìze *vt.*, *vi.* 이교도로〔이단으로〕 하다〔되다〕.

hea·then·ry [hí:ðənri] *n.* **1** Ⓤ 이교; 이교도임. **2** Ⓒ 이교국, 〖집합적〗 이교도, 이교 세계.

°**heath·er** [héðər] *n.* 히스(heath)속(屬)의 식물《보라 또는 분홍색의 꽃이 핌》. ***set the ~ on fire*** 소동을 일으키다. ***take to the ~*** 《Sc.》 산적이 되다.

héather àle 헤더 에일《옛날 히스 꽃을 향료로 쓴 스코틀랜드의 양조 맥주》.

héather mìxture 《영》 혼색 모직물의 일종.

héather twèed 혼색 트위드《스카치 모직물》.

heath·ery [héðəri] *a.* =HEATHY.

héath hèn 〖조류〗 **1** 검은멧닭의 암컷. **2** 히스헨《지금은 멸종한 북아메리카산 멧닭의 일종》.

héath·lànd *n.* 히스가 무성한 황야.

Héath Róbinson 엄청나게 많은 품을 들여 정교하게 만든 장치지만 단순한 일밖에 못하는《기계》. [◂W. *Heath Robinson*]

Héath·row Áirport [hí:θrou-] 히스로 공항 《통칭 London Airport; London 의 국제공항》.

heathy [hí:θi] (***heath·i·er; -i·est***) *a.* 히스의; 히스 비슷한; 히스가 무성한; 히스가 무성한 황야의.

héat ìndex 체감 온도; 〖기상〗 열지수.

***heat·ing** [hí:tiŋ] *a.* 가열하는, 따뜻하게 하는: a ~ apparatus 〔system〕 난방 장치〔설비〕. **—** *n.* Ⓤ 가열; (건물의) 난방(장치): steam ~ 증기 난방 / ⇨ CENTRAL HEATING.

héating èlement 발열체(發熱體)《토스터 따위의 전열선》.

héating pàd 전기담요〔방석〕.

héat ìsland 히트 아일랜드, 열섬《주변보다 온도가 높은 도시 지역〔공업 지대〕 (상공의 대기(大氣))》.

héat làmp 적외선등, 태양등.

héat lìghtning (여름밤의) 소리 없는 번개.

héat of combústion 〖물리〗 연소열.

héat of condensátion 〖물리〗 응축열.

héat of formátion 〖물리〗 생성열.

héat of fúsion 〖물리〗 융해열.

héat of solidificátion 〖물리〗 응고열.

héat of sublimátion 〖물리〗 승화열.

héat of vaporizátion 〖물리〗 기화열.

héat pìpe 〖기계〗 열 파이프《배열(排熱) 회수 장치에 쓰이는 열전도(熱傳導) 파이프》.

héat pollùtion 열공해(熱公害).

héat·pròof *a.* 내열(耐熱)의.

héat prostràtion =HEAT EXHAUSTION.

héat pùmp 열 펌프《열을 옮기는 장치》; (빌딩 따위의) 냉난방 장치.

héat ràsh 땀띠; =HEAT SPOT.

héat rày 〖물리〗 열선(熱線), 적외선.

héat-resístant *a.* =HEATPROOF.

heat·ron·ic [hi:tránik/-rɔ́n-] *a.* 고주파에 의한 가열 처리의《플라스틱 따위의 정형용》.

héat sèeker 열〔적외선〕 추적 미사일(의 적외선 탐지 장치).

héat-seeking míssile 열선〔적외선〕 추적 미사일.

héat shìeld 〖우주〗 (우주선의) 열차폐(熱遮蔽), 히트 실드.

héat sìnk **1** 〖물리〗 열 싱크《열이 흡수·소산되는 영역》. **2** 〖전기〗 히트싱크《정류기 등에 부착되는 열 흡수·소산 장치》. **3** 〖로켓〗 히트싱크《잉여 열에너지 흡수 장치》.

héat spòt **1** 여드름(pimple); (열에 의해 생긴) 물집. **2** 온점(溫點)《피부상의 열을 느끼는 감각점》.

héat·stròke *n.* Ⓤ 일사(열사)병(sunstroke).

héat-trèat *vt.* (우유를) 가열 살균하다; 〖야금〗 (금속 따위를) 열처리하다.

héat trèatment 〖야금〗 열처리.

héat ùnit 열량 단위, 칼로리(calorie).

héat wàve **1** 장기간에 걸친 혹서. **2** 〖기상〗 열파(hot wave). opp. *cold wave*. **3** 열선(熱線).

heave** [hi:v] (*p.*, *pp.* **~d,** 〖해사〗 ***hove [houv]) *vt.* **1** 《~+목/+목+부/+목+전+명》 (무거운 것을) (들어)올리다(lift): ~ a heavy ax 무거운 도끼를 치켜 올리다 / ~ a heavy box *up* (onto the bank) (둑 위로) 무거운 상자를 끌어올리다 / He ~*d* himself *out of* the armchair. 그는 팔걸이 의자에서 무거운 듯 몸을 일으켰다. **2** 융기시키다; 부풀리다: ~ one's chest 가슴을 울렁이게 하다, (숨을 들이켜) 가슴을 부풀리다. **3** (신음소리를) 내다, 발하다; (한숨을) 쉬다: ~ a groan 끙끙 앓다. **4** 게우다(vomit): ~ one's breakfast 아침 먹은 것을 토하다. **5** 《~+목/+목+부/+목+전+명》 던지다(throw): ~ an anchor *overboard* 닻을 바다에 내리다 / He ~*d*

a stone *out of* the window. 그는 창 밖으로 돌을 던졌다. **6** 《~+목/+목+부》 〖해사〗 (밧줄로) 끌어올리다; (배를) 움직이다: ~ the anchor 닻을 감아올리다 / ~ a ship *about* 배를 급히 돌리다. **7** 〖지학〗 (지층·광맥 등을) 전위(轉位)시키다. **—** *vi.* **1** 올라가다, 높아지다(rise), 들리다. **2** 부풀다; 오르내리다. **3** 《+부》 게우다《*up*》, 속이 느글거리다: ~ *up* violently 심하게 토하다. **4** 헐떡이다(pant). **5** 《+전+명》 〖해사〗 끌다, 잡아당기다《*at*》: ~ *at* a rope 밧줄을 잡아당기다. **6** 《+전+명》 〖해사〗 (배가) 움직이다, 흔들리다: The ship *hove out of* the harbor. 배가 항구 밖으로 나갔다. ~ (a ship) ***ahead*** 밧줄 등을 끌어당겨 (배를) 나아가게 하다. ~ ***and set*** (배·파도 등이) 넘실거리다. ~ ***a sigh*** 한숨을 쉬다. ***Heave away*** 〔***ho***〕***!*** 이영차 감아라《닻줄을 감을 때 내는 소리》. ~ ***down*** (배를) 기울이다《수리하려고》; (배가) 기울다. ~ ***in*** (닻줄 따위를) 감아들이다, 당기다. ~ ***in sight*** (배가 수평선 위로) 보이기 시작하다. ~ ***on*** 밧줄을 세게 당기다〔끌다〕. ~ ***out*** (돛·기를) 올리다. ~ ***the keel out*** 용골이 드러날 때까지 배를 기울이다. ~ ***the lead*** 〖해사〗 측연(測鉛)을 던져 수심을 재다. ~ ***to*** 《*vt.*+부》 ① 이물을 바람 불어오는 쪽으로 돌려 (배를) 멈추다. **—** 《*vi.*+부》 ② (배가) 서다, 멈추다: The ship *hove to*. 배가 멈췄다. ~ ***up*** ① 끌어올리다, 닻을 올리다. ② 내버리다; 단념하다. ③ 《구어》 몹시 메슥거리다, 구토하다.
— *n.* **1** 들어 올림; 무거운 것을 들어 올리는 노력. **2** 융기; 기복. **3** 메스꺼움. **4** 〖지학〗 수평 전위. **5** 〖레슬링〗 오른손을 상대의 오른쪽 어깨에 돌리며 던지는 수. **6** (*pl.*) 〔단수취급〕 말의 천식, 폐기종(broken wind).

héave-hó *int.* 〖해사〗 이영차 닻 감아라. **—** (*pl.* **~s**) *n.* 닻 감는 맞춤소리; 《구어》 해고, 내쫓음, 거절. ***get*** 〔***give*** a person〕 ***the*** ~ 해고당하다〔아무를 해고하다〕. **—** *vt., vi.* 호통 치다, 퇴짜 놓다; 영차 하고 들어 올리다, 힘껏 잡아당기다.

‡**heav·en** [hévən] *n.* **1** (종종 *pl.*) 하늘, 천공(天空)(sky): the starry ~*s* 별이 반짝이는 하늘 / the eye of ~ 태양. **2** Ⓤ (H–) 신, 하느님: Inscrutable are the ways of *Heaven*. 하느님 뜻은 헤아릴 길 없다. **3** Ⓤ 천국; 극락; 신들, 천인(天人): be in ~ 천국에 계시다. **4** Ⓤ 매우 행복한 상태; Ⓒ 낙원: I am in ~. 나는 매우 행복하다 / This is a ~ *on* earth. 이곳은 지상의 낙원이다. ***By Heaven***(***s***)***!*** 맹세코, 꼭. ***go to*** ~ 승천하다, 죽다. ~ ***and earth*** 우주, 삼라만상; 이키나《놀라움·두려움》. ***Heaven be praised!*** = ***Thank Heaven***(***s***)***!*** 고마워라. ***Heaven knows.*** ① 신만이 안다, 아무도 모른다. ② 하느님은 아실 거다, 맹세코. ***in*** ~ 하늘에 계신; 죽어서. ***in*** (***the***) ~***'s name*** ⇨ NAME. ***the*** ~ ***of*** ~***s*** = SEVENTH HEAVEN. ***to*** (***high***) ~ 매우 높게; 몹시, 터무니없이; 《구어》 반드시, 제발 …이면 좋겠다. ***under*** ~ 이 세상에; 도대체, 대관절.

héaven-bòrn *a.* 천부의 재능을 타고난; 신으로부터 주어진. 「약.

héaven dùst 《미마약속어》 코카인, (가루) 마

héaven-gìfted [-id] *a.* 선천적 재능을 가진.

héaven-kìssing *a.* 하늘에 닿을 듯한.

heav·en·ly** [hévənli] (-li·er; -li·est***) *a.* **1** 하늘의, 천상(天上)의. opp. *earthly.* ¶ the ~ bodies 천체. **2** 천국과 같은, 신성한(holy), 거룩한(divine), 천래의, 지상(至上)의. opp. *earthly, earthy.* ¶ ~ beauty 성스러운 미(美) / a ~ voice 절묘한 목소리. **3** 《구어》 멋진, 훌륭한: What a ~ day! 참 멋진 날이야. **—** *ad.* 천국처럼; 매우. ⓜ **-li·ness** *n.* 거룩함, 장엄, 지복(至福).

Héavenly Cíty (the ~) 〖성서〗 거룩한 성(城), 낙원《묵시록 XXI》.

héavenly-mínded [-id] *a.* 경건한; 독실한.

Héavenly Twíns (the ~) 쌍둥이별《쌍둥이자리(Gemini)의 Castor와 Pollux》.

héaven-sènt *a.* 천부의; 시의(時宜)를 얻은, 절호의: a ~ opportunity.

heav·en·ward [hévənwərd] *ad., a.* 하늘 쪽으로(의), 하늘을 향해〔향한〕. ⓜ **~·ly** *ad.* **~·ness** *n.* 「WARD.

heav·en·wards [-wərdz] *ad.* = HEAVEN-

heav·er [híːvər] *n.* (들어) 올리는 사람〔물건〕; 짐꾼, 하역부; 〖해사〗 (밧줄 따위를 꼬는) 지렛대; 《미속어》 여자, 젊은 여성.

héavier-than-áir *a.* 공기보다 무거운 비중을 가진: a ~ aircraft 중(重)항공기.

***heav·i·ly** [hévili] *ad.* **1** 무겁게, 묵직하게, 육중하게, 무거운 듯이: a ~ loaded truck 무거운 짐을 실은 트럭 / walk ~ 무거운 발걸음으로 걷다. **2** 《고어》 답답하게, 느릿느릿 힘들게, 시름겹게, 침울하게, 낙담하여. **3** 짙게; 빽빽이, 울창하게: a ~ populated district 인구 밀도가 높은 지구 / be ~ powdered 〔made up〕 짙은 화장을 하고 있다. **4** 몹시, 크게, 심하게; 다량으로: ~ guarded 엄중히 경계된 / drink ~ 통음하다 / It rained ~ on. 억수 같은 비가 계속 내렸다.

°**heav·i·ness** [hévinis] *n.* Ⓤ **1** 무거움, 무게; 힘겨움, 께느른함, 가쁨. **2** 낙담, 슬픔(grief). **3** 지둔(遲鈍), 활발치 못함.

heav·ing [híːviŋ] *n.* Ⓤ (들어) 올림, 끌어올림; (선체의) 상하 요동; (지반의) 융기.

Héav·i·side láyer [hévisàid-] 〖기상〗 헤비사이드층(E layer).

†**heavy**[1] [hévi] (***heav·i·er; -i·est***) *a.* **1 a** 무거운, 중량이 있는(weighty); 비중이 큰. opp. *light.* **b** 속이 찬〔빽빽한〕; 두툼한《옷》; (빵·케이크 따위가) 설 구워진, 덜 부푼. **c** (보통〔평균〕 이상) 몸이 무거운, 임신한; 《특히》 출산이 임박한; …으로 무거운; 가득 찬, 가득 가진《*with*》: ~ *with* child / a tree ~ *with* fruit 과일이 가지가 휘게 열린 나무 / a heart ~ *with* sorrow 슬픔으로 가득 찬 마음 / words ~ *with* meaning 의미심장한 말. **d** 대형의; 〖군사〗 중장비의; 〖화학〗 (동위원소가) 보다 큰 원자량을 갖는: a ~ truck 대형 트럭 / a ~ cruiser 중순양함. **2 a** 대량의, 다량의: a ~ crop 대수확, 풍작 / a ~ investor 대투자가 / ~ deficit 대폭 적자 / a ~ smoker 골초. **b** 대량으로〔뻔질나게〕 소비하는《*on*》: His car is ~ *on* oil. 그의 차는 휘발유를 꽤나 먹는다. **c** (능력 따위를) 충분히 갖춘, (…에) 강한《*on*》. **3 a** 격렬한, 맹렬한; (바다가) 거칠어진; (록이) 대(大)음향과 비트가 강렬한: a ~ blow 통렬한 타격 / ~ frost 된서리 / ~ rain 폭우 / a ~ sea 거친 바다, 격랑. **b** 깊은《사고·잠 등》; 굵직하고 잘 울리는《목소리》; 〖음성〗 강음의, (음절이) 강세가 있는. **4 a** 힘이 드는; 견디기 어려운, 괴로운, 압제적인, 모진, 과중한《요구 따위》; 《구어》 하는 식이 가혹한, 모진: a ~ task 〔work〕 괴로운 일 / a ~ injury 중상 / ~ *on* one's students 학생에게 엄한. **b** (음식이) 느끼한, 소화가 잘 안 되는; (음료가) 진한, 알코올이 든; (향기가) 짙은, 쉬이 빠지지 않는; 《미속어》 (마실 것 등) 너무 뜨거운. **c** 급한, 험한; (지면·흙이) 끈적한, 경작하기 어려운; (도로·주로가) 긴, 걷기〔달리기〕 어려운, 〖경마〗 (마장이) 불량한. **5 a** 울적한, 슬픈, 의기소침한; (하늘이) 음산한, 흐리터분한; 께느른한, 노곤한, 활기 없는; (걸음 등이) 무거운, 나른한: ~ news 비보 / with a ~ heart 침울하여, 풀이 죽어 / a ~ day 음울한 날 / feel ~ 기분이 무겁다, 께느른하다 / look ~ 우울한 얼굴을 하고 있다. **b** (예술·문장 등) 경쾌하지 못한, 재미없는, 지루

한: a ~ style 답답한 문체. **c** 둔한; 재주가 무딘; 무무한《생김새》; 섬세함이 없는: a ~ fellow 굼벵이/a ~ line 굵은 선. **6 a** 뜻이 깊은, 무게 있는《말》; 《구어》 진지한《음악》; 《속어》 태를 부린, 고지식한《사람》; 〖연극〗 진지한 (역의), 장중〔장대〕한, 비극적인: a ~ part 원수역, 악역. **b** 《미구어》 중대한, 중요한, 유력한, 부자인. **c** 훌륭한, 멋진. **d** 《속어》 속인, 위법인. **7** 《속어》 (…에) 깊이 관계하여, 손을 디밀어《*into*》. ***find*** (***it***) ***~ going*** 좀처럼 능률이 오르지 않다, 진척이 잘 되지 않다. ***have a ~ hand*** 손재주가 무디다; 엄〔잔인〕하다, 강압적이다. ***~ in*** 〔***on***〕 ***hand*** ⇨ HAND. ***make ~ weather of*** ⇨ WEATHER. ***play the ~ father*** 엄하게 꾸짖다. ***with a ~ hand*** ⇨ HAND.

— *n.* **1** 무거운 물건. **2** 〖연극〗 원수역, 악역(惡役); 그 배우. **3** (the heavies) 중기병(重騎兵), 중포(重砲)(병); 중폭격기, 중(重)전차. **4** (*pl.*) 중공업. **5** 중량급 권투 선수. **6** 《속어》 불량배, 악당, 강도; 《미속어》 거물, 중요 인물, 중대한 일〔것〕; (the heavies) 딱딱한 신문(新聞). **7** 《Sc.》 독하고 쓴 맥주; 튼실하고 거친 남자; 《서핑속어》 (절호(絶好)의) 놀. ***come the ~*** (***father***) 《속어》 윗사람인 체하며 충고하다, 잘난 체하다. ***do the ~*** 허풍을 떨다, 뻐기다, 난 체하다. ***on the ~*** 《미속어》 범죄를 저지르고.

— *ad.* =HEAVILY. ***lie*** 〔***hang***〕 ***~ on*** …을 무겁게 짓누르다; 괴롭히다: Time *hangs* ~ *on* my hands. 시간을 주체할 수 없다, 할 일이 없어 무료하다. ***sit*** 〔***weigh***〕 ***~ on*** 〔***upon***〕 =lie ~ on.

heavy[2] [híːvi] *a.* (말이) 천식에 걸린.

héavy-ármed [hévi-] *a.* 중장비〔중장갑〕의.

héavy artíllery 중포대〔병〕.

héavy bréather 숨결이 거친 사람, 코를 크게 고는 사람; 장난 전화에서 성적 흥분을 못 이겨 거친 숨을 몰아쉬는 사람.

héavy brèathing 《구어》 (흥분했을 때의) 거친 숨, 어깨로 쉬는 숨, 헐떡이는 호흡; 《속어》 정열적인 섹스. 「굴을 한; 눈썹이 짙은.

héavy-bròwed *a.* 찡그린 얼굴의, 불쾌한 얼

héavy-búying *a.* 대량 구매의.

héavy-càke *n.* 《속어》 난봉꾼.

héavy cháin 〖생화학〗 (면역(免疫) 글로불린의) 중연쇄(重連鎖).

héavy chémical 공업 약품.

héavy créam 헤비 크림《유지(乳脂)가 많은 크림》; 《미속어》 살찐 여자애, 젊은 여자.

héavy dáte 《미속어》 (애인 · 약혼자와의) 중요한〔진한〕 데이트, 그 상대; 중요한 약속.

héavy-dúty *a.* **1** 격무에 견뎌낼 수 있는, 매우 튼튼한. **2** 높은 관세의.

héavy éarth 〖화학〗 중토(重土)(baryta).

héavy élement 〖화학〗 중원소(重元素).

héavy fóot 가속 페달을 세게 밟는 사람; (자동차 따위를) 맹렬한 속도로 모는 사람.

héavy-fóoted [-id] *a.* 발이 무거운; 따분한; (동작이) 둔한, 둔중한; 《방언》 임신한; (자동차를) 맹렬한 속도로 모는. 「HGV).

héavy góods vèhicle 대형 수송차《생략:

héavy gún 중포.

héavy-hánded [-id] *a.* **1** 솜씨 없는, 서툰. **2** 고압적인, 압제적인; 비정한. ㊎ **~·ly** *ad.* **~·ness** *n.*

héavy-héaded [-id] *a.* 머리가 무거운〔둔한〕, 우둔한; 이삭이 무거운; 졸린.

héavy-héarted [-id] *a.* 마음이 무거운, 침울한, 우울한. ㊎ **~·ly** *ad.* **~·ness** *n.*

héavy hítter 유력자, 중요 인물.

héavy hórse (몸집이 크고 튼튼한 견인용) 말.

héavy hýdrogen 〖화학〗 중수소.

héavy índustry 중공업.

héavy-láden *a.* **1** 무거운 짐을 실은〔짊어진〕. **2** 걱정거리가 많은; 압제된; (마음이) 우울한《*with*》. 「《은행 강도 따위》.

héavy mán 《속어》 (무장한, 폭력적인) 범죄자

héavy métal **1** 〖화학〗 중금속《비중 5.0 이상》. **2** 거포(巨砲)(탄). **3** 강적, 벅찬 상대. **4** 〖음악〗 헤비메탈(록)《묵직한 비트와 전자 장치에 의한 금속음을 특징으로 하는 록》.

héavy-métal *a.* 〖음악〗 헤비메탈록의.

héavy móney 《미속어》 (소유주가 대접 받을 수 있을 정도의) 큰돈, 대금(大金)(heavy sugar).

héavy nécking 농염한 네킹.

héavy óil 중유(重油).

héavy óxygen 〖화학〗 중(重)산소.

héavy pétting (성교는 하지 않는) 진한 애무.

héavy ráil 철도 수송의, 철도를 이용한《통상의 철도 · 지하철》. ⓒⓕ light rail.

héavy róck 헤비 록《고도의 테크닉으로 참신한 갖가지 실험적 사운드를 특색으로 하는 록 음악》.

héavy·sét *a.* 체격이 큰, 실팍한, 튼튼한.

héavy spár 〖광물〗 중정석(重晶石)(barite).

héavy-stìcker *n.* 《야구속어》 강타자.

héavy súgar 《미속어》 =HEAVY MONEY; 단번에 얻은 대금; 부자; 부자임을 나타내는 소유물《고급 승용차 · 보석 따위》.

héavy swéll **1** 바다의 높게 이는 파도. **2** 《고어 · 구어》 풍채〔태도〕가 당당한 사람.

héavy tráffic 대형 중량 차량; 교통 혼잡; 교통량이 많은 것.

héavy-wáll *a.* (유리 제품 따위의) 두께가 두꺼운: ~ cylinders.

héavy wáter 〖화학〗 중수(重水).

héavy wéather 감당키 어려운 곤란〔고생〕, 난관, 난문, 장애.

héavy·wèight *n.* 평균 몸무게 이상의 사람《특히 경마 기수 등》; (권투 · 레슬링 등의) 헤비급 선수; 《구어》 (학계 · 정계 따위의) 유력자, 중진, 영향력이 있는 사람. — *a.* 헤비급의; 몸무게가 무거운; 평균 무게 이상의.

Heb., Hebr. 〖성서〗 Hebrew(s).

heb·do·mad [hébdəmæ̀d] *n.* 일곱 개의 물건; 7인; 〖성서〗 일주(一週)《다니엘서 IX: 27》.

heb·dom·a·dal [hebdɑ́mədl/-dɔ́m-] *a.* 일주의; 매주의, 7일째마다의: a ~ journal 주간 잡지. — *n.* 주간지(紙〔誌〕). ㊎ **~·ly** *ad.*

He·be[1] [híːbi] *n.* 〖그리스신화〗 헤베《청춘의 여신》; 《영 · 우스개》 웨이트리스, 여급.

Hebe[2] [hiːb] *n.* 《경멸》 유대인(Jew).

he·be- [híːbə] '사춘기' 의 뜻의 결합사.

He·bei [hɑ́ːbéi], **Ho·pei, -peh** [hòupéi] *n.* 허베이(河北)《중국 북부의 성》.

he·be·phile [híːbəfàil] *n.* 성적으로 젊은이에게 끌리는 사람, 젊은이를 좋아하는 사람.

he·be·phre·nia [hìːbəfríːniə] *n.* 〖정신의학〗 파과(破瓜)병《사춘기 정신 분열증의 한 형태》.

heb·e·tate [hébətèit] *vt.* 둔하게 하다, 우둔하게 하다, 투미하게 하다. — *vi.* 둔해지다. ㊎ **hèb·e·tá·tion** *n.* Ⓤ 둔화. 「어나는.

he·bet·ic [hibétik] *a.* 사춘기의, 사춘기에 일

heb·e·tude [hébət*j*ùːd/-tjùːd] *n.* Ⓤ 우둔, 둔감. ㊎ **hèb·e·tú·di·nous** [-t*j*úːdənəs/-tjúːd-] *a.*

He·bra·ic [hibréiik] *a.* 히브리 사람〔말, 문화〕의. ㊎ **-i·cal·ly** *ad.* 히브리풍〔식〕으로.

He·bra·ism [híːbreiìzəm, -bri-] *n.* Ⓒ 히브리 어풍〔어법〕; Ⓤ 히브리 문화〔사상, 정신〕; 유대교. ㊎ **-ist** *n.* 히브리 학자.

He·bra·is·tic [hìːbreiístik, -bri-/-brei-] *a.* 히브리풍의; 히브리어풍의; 히브리어 학자의. ㊎ **-ti·cal·ly** *ad.*

He·bra·ize [híːbreiàiz, -bri-/-brei-] *vt.* 히브리어로 번역하다; 히브리(어)풍으로 하다. **—** *vi.* 히브리풍으로 되다; 히브리어로 말하다.

◇**He·brew** [híːbruː] *n.* **1** 히브리 사람, 유대인. **2** Ⓤ (고대의) 히브리어, (현대의) 이스라엘어. **3** Ⓤ 이해 못할 말: It's ~ to me. 그건 무슨 소리인지 모르겠다. (***the Epistle to the***) **~s** 〖성서〗 히브리서《신약》. **—** *a.* 히브리 사람의, 유대인의; 히브리 말의.

Hébrew Bìble (the ~) 히브리 성서《구약》.

Hébrew cálendar =JEWISH CALENDAR.

Hébrew Scríptures (the ~) 히브리어(語) 성서(Hebrew Bible)《유대교 성전(聖典); 기독교에서 말하는 구약성서》.

He·brew·wise [-wàiz] *ad.* 히브리어식으로, 히브리식 글 쓰는 식으로《오른쪽에서 왼쪽으로》.

Heb·ri·de·an, He·brid·i·an [hèbrədíːən] *a.* 헤브리디스 제도(諸島)(주민)의. **—** *n.* 헤브리디스 제도의 주민.

Heb·ri·des [hébrədìːz] *n. pl.* (the ~) 헤브리디스 제도《스코틀랜드 북서쪽의 열도(列島)》.

Hec·a·te [hékəti] *n.* 〖그리스신화〗 헤카테《천지 및 하계를 다스리는 여신; 마법을 맡음》; 마녀(witch). ★ Shakespeare 극에서는 보통 [hékət] 로 발음.

hec·a·tomb [hékətòum, -tùːm] *n.* (고대 그리스의) 황소 백 마리의 제물; 《비유》 다수의 희생, 대학살.

heck[1] [hek] 《구어》 *n.* 지옥《hell의 완곡한 말》. ***a ~ of a ...*** 《구어》 대단한, 엄청난: I had *a ~ of a* time. 나는 아주 혼이 났다. ***What the ~?*** 도대체 무슨 소리 하는 거야, 그게 어쨌단 말이야. **—** *int.* 염병할, 빌어먹을.

heck[2] *n.* 《Sc.》 (가축의) 꼴 시렁; 통발; (베틀의) 바디집; (배수로의) 수문. ***live at ~ and manger*** 안락하게 살다.

heck·el·phone [hékəlfòun] *n.* 〖악기〗 헤켈폰《오보에보다 1옥타브가 낮은 악기》.

heck·le [hékəl] *vt.* (삼 따위를) 삼빗으로 훑다; 질문 공세를 퍼붓다, (선거 후보자 등을) 조롱〔야유〕하다. **—** *n.* 삼빗(hackle). ㊞ **héck·ler** *n.* 야유(하는 사람).

hec·tare [héktɛər, -tɑːr] *n.* 《F.》 헥타르《면적의 단위; 1 만 m^2, 100 아르; 기호 ha》.

◇**hec·tic** [héktik] *a.* **1** (폐결핵 따위로) 얼굴에 홍조를 띤(flushed); 열이 있는; 소모열의, 소모열에 걸린: a ~ fever 소모열/a ~ flush 소모성 홍조. **2** 《구어》 흥분한, 열광적인; 매우 바쁜: a ~ day 눈코 뜰 새 없이 바쁜 하루. **—** *n.* Ⓤ 홍조; 소모열; Ⓒ 소모열 환자, 결핵 환자. ㊞ **héc·ti·cal·ly** *ad.*

hec·to- [héktou, -tə], **hect-** [hékt] '백, 다수' 란 뜻의 결합사.

hec·to·cot·y·lus [hèktəkátələs/-kɔ́t-] *n.* (*pl.* ***-li*** [-lài]) 〖동물〗 (특정 두족류(頭足類) 수컷의) 교접완(交接腕), 생식완〔기관〕.

hectog. hectogram.

hécto·gràm, 《영》 **-gràmme** *n.* Ⓤ 헥토그램《100 그램》.

hécto·gràph *n., vt.* 젤라틴판(으로 복사하다).

hectol. hectoliter(s).

hécto·lìter, 《영》 **-tre** *n.* 헥토리터《100 리터》.

hectom. hectometer(s).

hécto·mèter, 《영》 **-tre** [-mìːtər] *n.* 헥토미터《100 미터》.

hécto·pascàl *n.* 헥토파스칼《기압의 단위; 100 pascal; 1 millibar 와 같음; 기호 hPa》.

hec·tor [héktər] *vt.* (버럭) 소리 지르다, 으르다; 약한 자를 괴롭히다(bully); (아무를) 괴롭히다, 못살게 굴다. **—** *vi.* 허세 부리다. **—** *n.* (H–) 헥토르《Homer 의 *Iliad* 에 나오는 용사》; (h–) 허세 부리는〔호통치는〕 사람.

Hec·u·ba [hékjəbə] *n.* 〖그리스신화〗 헤카베《Troy 왕 Priam 의 아내; Hector 의 모친》.

*__he'd__ [hiːd] he had, he would 의 간약형.

Hed·da [hédə] *n.* 헤더《여자 이름》.

hed·dles [hédlz] *n. pl.* 〖방직〗 (베틀의) 잉아.

he·der, che·der [héidər, xéi-; *Heb.* xédər] (*pl.* **~s,** *Heb.* ***ha·da·rim*** [xɑːdɑːríːm]) *n.* 《Heb.》 (유대인의) 초등학교《히브리어 성서 · 기도서의 읽는 법을 가르침》.

__hedge__ [hedʒ] *n.* **1 산울타리(hedgerow), 울; 울타리 모양의 것: a dead ~ 바자울/a quickset ~ 산울타리/a ~ *of* stones 돌담. **2** 장벽, 장애(barrier): a ~ *of* convention 인습의 장벽. **3** (손실 · 위험 따위에 대한) 방지책(*against*); 양쪽에 돈 걸기; 〖상업〗 헤지, 연계 매매, 딴 상거래로 한쪽 손실을 막기. **4** 언질이 잡히지 않도록 빠져나갈 구멍을 계산한 언동: as a ~ *against* inflation 인플레에 대한 방지책으로서. ***come down on the wrong side of the ~*** 결정을 그르치다, 잘못을 저지르다. ***look as if one has been dragged through a ~ backwards*** 《구어》 (무리를 한 뒤에) 추레한 모습을 하고 있다. ***make a ~*** 양다리 걸치다. ***not grow on every ~*** 흔히 있는 것이 아니다. ***sit*** 〔***be***〕 ***on*** (***both sides of***) ***the ~*** 형세를 관망하다. ***take a sheet off a ~*** 공공연히 훔치다. ***take ~*** 떠나다, 가 버리다.
— (*p., pp.* ***hedged; hédg·ing***) *vt.* **1** 《~+目/+目+副/+目+前+名》 산울타리로 두르다, …에 울을 치다《*in; off; about*》: ~ a garden (*with* privet) 정원을 (쥐똥나무의) 산울타리로 두르다. **2** 《+目+副/+目+前+名》 (아무를) 둘러〔에워〕싸다(encircle); (규칙 따위로) 꼼짝 못하게 하다, 방해〔속박〕하다; (자유 따위를) 제한하다(restrict)《*about; in; off; with*》: be ~*d about with* many special conditions 많은 특별한 조건의 제약을 받다/~ students *in with* rules 학생들을 여러 가지 규칙으로 속박하다. **3** …에 방호 조치를 취하다, (내기 · 투자 등을) 양쪽에 걸어 손해를 막다, 공(空)매매 따위로 손실을 막다, (거는 돈 · 투자 등을) 분산하여 손실을 최소화하다: ~ one's bets 자금을 분산 투자하여 위험을 막다; 내기에 거는 돈을 양쪽에 걸다. **—** *vi.* **1** 산울타리를 만들다. **2** 《구어》 (손해를 막기 위해) 양쪽에 걸다; 《상업》 헤지 거래를 하다. **3** 《~/+前+名》 변명할〔빠져나갈〕 여지를 남겨 두다; 애매한 대답을 하다: ~ *about* a decision 결심을 하지 못하고 우물쭈물하다/Stop *hedging* and give me a straight answer. 애매한 말을 늘어놓지 말고 분명한 대답을 해라. **4** 《+前+名》 (재산 등을) 보호하다: ~ *against* inflation 인플레로부터 재산을 지키다. **5** 몸을 숨기다. ~ ***in*** 에워싸다; 칸막이하다. ~ ***off*** 울타리로 막다. ~ ***out*** 울타리로 막다, 제외하다.

hédge bìll 긴 자루 낫《산울타리 손질용》.

hédge fùnd 《미》 헤지 펀드《개인의 자금을 투기적으로 운용하는 유한 책임의 투자 신탁 조합》.

◇**hédge·hòg** *n.* **1** 고슴도치; 《미》 호저(豪猪). **2** 견고한 요새, 철조망《X형 틀에 감은》. **3** 성 잘 내는 심술쟁이. **4** 《미 학생속어》 매력 없는 여자, 추녀. ㊞ **~·gy** *a.* 고슴도치 같은; 심술궂고 음험한.

hedgehog 1

hédge·hòp (*-pp-*) *vi.* 《구어》 초저공 비행을 하다《기총 소사 · 살충제 살포를 위해》. ㊀ **~·per** *n.* **~·ping** *n.*

hédge pàrsley 《식물》 파슬리 비슷한 미나릿과 식물; 《특히》 뱀도랏.

hédg·er *n.* 산울타리를 만드는〔손질하는〕 사람; 양다리 걸치는 사람.

hédge·ròw *n.* (산울타리의) 죽 늘어선 관목; 「산울타리.

hédge schòol 노천〔야외〕 학교, 빈민 학교.

hédge spàrrow 〖조류〗 바위종다리의 일종.

hédge-trìmmer *n.* 생울타리 손질 기기《동력 사슬톱 같은 칼날이 달린 용구》.

hedg·ing [hédʒiŋ] *n.* 〖상업〗 헤징, 연계 매매.

hedgy [hédʒi] *a.* 울타리 모양의, 울타리가 많은; 변명하여 발뺌하는.

he·don·ic [hiːdάnik/-dɔ́n-] *a.* 쾌락의; 〖심리〗 쾌락설〔주의자〕의. ㊀ **~s** *n. pl.* 《단수취급》 〖윤리 · 심리〗 쾌락설. **-i·cal·ly** *ad.*

hedónic cálculus (공리주의의) 쾌락 계산 《행위의 정당성을 기쁨을 주느냐, 안 주느냐에 따라서 결정함》.

he·don·ism [híːdənìzəm] *n.* Ⓤ 〖철학 · 윤리〗 쾌락설, 쾌락주의; 향락적 생활.

hé·don·ist *n.* 쾌락〔향락〕주의자.

he·do·nis·tic [hìːdənístik] *a.* 쾌락주의(자)의. ㊀ **-ti·cal·ly** *ad.*

-he·dral [híːdrəl/héd-, híːd-] *suf.* '…개의 변〔면〕으로 된' 이란 뜻의 형용사를 만듦: di*hedral*, poly*hedral*.

-he·dron [híːdrən/héd-, híːd-] *suf.* '…면체' 란 뜻《-hedral 의 명사형》: poly*hedron*.

hee·bie-jee·bies, hee·by- [hìːbidʒíːbiz] *n. pl.* 블루스풍의 춤의 일종; (the ~) 《속어》 (긴장 · 근심 따위에서 오는) 안절부절못하는〔초조해하는〕 기분, 신경과민; 강한 혐오감, 당혹스러움: The way she sings gives me the ~. 그녀의 노래하는 식은 나에게 강한 혐오감을 준다.

°**heed** [hiːd] *vt., vi.* (…에) 주의〔조심〕하다, (…을) 마음에 두다: He did not ~ the warning. 그는 경고를 무시했다. **—** *n.* Ⓤ 주의(attention), 유의(regard); 배려, 조심. ***give*** 〔***pay***〕 ~ ***to*** …에 주의〔유의〕하다. ***take*** ~ 〔***no*** ~〕 ***of*** …에 조심〔유념〕하다〔하지 않다〕: *Take* ~ *of* my advice. 나의 충고에 유념하여라. ㊀ **~·er** *n.*

heed·ful [híːdfəl] *a.* 주의 깊은(attentive), 조심성이 많은《*of*》; 마음 쓰는, 인정이 있는《*of*》. ㊀ **~·ly** *ad.* **~·ness** *n.*

°**héed·less** *a.* 부주의한, 무관심한《*of*》; 경솔한; 무분별한, 잊고 있는《*of*》: He is ~ *of* expenses. 그는 비용 따위에는 관심이 없다. ㊀ **~·ly** *ad.* **~·ness** *n.*

hee·haw [híːhɔ̀ː] *n.* 나귀의 울음소리; 헤헤〔히히〕 웃음, 바보웃음. **—** *vi.* (나귀가) 울다; 바보같이 웃다.

****heel**¹ [hiːl] *n.* **1** 뒤꿈치; (동물의) 발; (말 따위의) (뒷)굽; (*pl.*) (동물의) 뒷발. **2** (신발 · 양말의) 뒤축. **3** 뒤꿈치 모양의 것〔부분〕. **4** 말미(末尾), 말단; 말기. **5** 《속어》 비열한 녀석, 상놈, 병신, 싫은 놈; 《속어》 도망, 탈옥. **6** (럭비에서) 힐《스크럼 때 공을 뒤꿈치로 차기》. ***at*** ~ 바로 뒤에서, 뒤를 따라. ***at*** 〔***on***〕 a person***'s*** ~***s*** 아무의 바로 뒤를 따라서. ***back on*** one***'s*** ~***s*** 크게 놀라서〔당황하여〕. ***be carried with the*** ~***s foremost*** 시체가 되어 운반되다. ***bring*** (a person) ***to*** ~ 뒤를 따라오게 하다; 복종시키다. ***come*** 〔***keep***〕 ***to*** ~ (규칙 · 명령 등에) 충실히 따르다; 아무의 뜻대로 되다; (개가) 뒤에서 따라오다. ***cool*** 〔***kick***〕 one***'s*** ~***s*** 《구어》 (면회 · 면담 등을 하려고) 오래 기다려야 하다〔기다리다〕. ***dig*** one***'s*** ~***s*** 〔***feet, toes***〕 ***in*** 《구어》 자기의 입장〔의견〕을 고수하다, 완강(頑強)하게 버티다, 결의를 나타내다. ***down at the*** ~(***s***) 뒤축이 닳은 신을 신은; 초라한 차림새로(shabby); 칠칠치 못한(slovenly). ***drag*** one***'s*** ~***s*** ⇨DRAG. ***have*** 〔***get***〕 ***the*** ~***s of*** …을 앞지르다, …에게 이기다. ~ ***and toe*** 보통으로 걸어서. ~***s over head***=***head over*** ~***s*** ⇨HEAD. ***kick up*** a person***'s*** ~***s*** 아무를 때려 쓰러뜨리다, 해치우다. ***kick up*** one***'s*** ~***s*** ① (자유롭게 되자) 들떠서 날뛰다, (일한 뒤에) 자유롭게 쉬다. ② 《속어》 죽다. ***lay*** 〔***clap, set***〕 a person ***by the*** ~***s*** 아무에게 족쇄를 채우다; 감금〔투옥〕하다; 무력하게 하다, 움직일 수 없게 하다. ***lay in a tree by the*** ~***s*** 〖원예〗 가식(假植)하다. ***make a*** ~ (발로) 차다. ***on the*** ~***s of*** a person =***on*** a person***'s*** ~***s*** 아무의 뒤를 바싹 따라서, …에 잇따라서: One disaster followed close 〔hard〕 *on the* ~*s of* another. 참사에 이어 또다른 참사가 겹쳐 일어났다. ***out at*** (***the***) ~(***s***) 구두 뒤축이 닳아 떨어져; 초라한. ***over head and*** ~***s*** (in love) (사랑에) 깊이 빠져들어. ***raise*** 〔***lift***〕 ***the*** ~ ***against*** …을 (발로) 차다. ***set*** a person (***back***) ***on*** his ~***s*** 아무를 당황하게 하다, 놀라게 하다. ***show*** one***'s*** ~***s*** =***show a clean pair of*** ~***s*** =***take to*** one***'s*** ~***s*** 부리나케 달아나다, 줄행랑치다. ***stick*** one***'s*** ~***s*** 〔***toes***〕 ***in***=dig one's ~s in. ***throw up*** a person***'s*** ~***s*** 아무를 곤두박이치게 하다. ***to*** ~ ① 바로 뒤에; Come *to* ~! (개에게) 따라와. ② 지배〔정복〕되어: come *to* ~ 반대를 중단하다, 복종하다. ***trip up*** a person***'s*** ~***s*** 아무의 판죽을 걸어 넘어뜨리다. ***turn on*** one***'s*** ~(***s***) 홱 돌아서다, 갑자기 떠나다. ***turn up*** one***'s*** ~***s*** 죽다. ***under*** ~ 굴복하여: The country was brought *under* ~. 그 나라는 유린당했다. ***under the*** ~ ***of*** =***under*** a person***'s*** ~ …에게 짓밟혀〔학대받아〕. ***with the devil at*** one***'s*** ~ 전속력으로.

— *vt.* **1** (신발 따위에) 뒤축을 대다. **2** …의 바로 뒤에서 따라가다. **3** 〖골프〗 (공을) (골프채의) 힐〔만곡부〕로 치다. **4** 뒤꿈치로 마루를 차면서 춤추다. **5** (싸움닭에) 쇠발톱을 달다. **6** 《~ oneself》 …을 무장하다, 총을 들게 하다; 《미구어》 (돈을) …에게 주다. **7** 《미속어》 (대학내에서 아르바이트 학생으로) 일하다: I'm going to ~ the campus cafeteria. 나는 대학내 식당에서 아르바이트를 할 생각이다. **—** *vi.* 뒤축으로 춤추다; (개가) 뒤따라오다. ~ ***in*** (뿌리에 흙을 덮어) 임시로 심다, 가식(假植)하다. ~ ***out*** 〖럭비〗 스크럼 때 뒤꿈치로 공을 밀어내다.

heel² *vi., vt.* (배가) 기울다, (배를) 기울이다 《*over*》. **—** *n.* (배의) 기울기, 경사.

héel-and-tóe [-ən-] *a.* 뒷발의 발끝이 땅에서 떨어지기 전에 앞발의 뒤꿈치가 땅에 붙는 걸음걸이의: a ~ walking 경보(競步). **—** *vi.* (자동차 경주 따위에서) 힐 앤드 토로 운전하다《브레이크는 발끝으로 밟고 같은 발의 뒤꿈치로는 가속페달을 조작하다》.

héel·bàll *n.* 뒤꿈치의 아랫부분; (광내는) 검은색 구두약의 일종.

héel bàr (백화점 등의) 구두 수리소.

héel bòne 〖해부〗 종골(踵骨)(calcaneus).

heeled [hiːld] *a.* **1** 뒤축이 있는, 뒷굽이 …모양의; (싸움닭이) 쇠발톱을 단: high-~ 굽이 높은. **2** 《구어》 군자금이 마련된; 유복한. ㊎ well-heeled. **3** 《속어》 (권총 따위) 무기를 갖고 있는. **4** 《속어》 (술에) 취한.

héel·er *n.* **1** 뒤축을 대는 직공. **2** 《미구어》 (정치꾼의) 부하, 추종자; 《미속어》 수습기자. **3** 가축〔동물〕을 추적하는 개, 《특히》 목양견(牧羊犬).

héel·ing *n.* Ⓤ (배의) 기울, 경사.

héel·less *a.* 뒤축이 없는.

héel·pìece *n.* **1** 신발의 뒤축으로 쓰는 가죽. **2** 말단(에 붙어 있는 것), 최후의 한 조각.

héel·plàte *n.* 신 뒤축의 쇠〔징〕.

héel·pòst *n.* 경첩이 달린 기둥; 마구간의 칸막이 문; 말을 매어 두는 기둥.

héel·tàp *n.* **1** 신발 뒤축의 가죽(lift). **2** 잔 바닥의 마시다 남은 술. ***No ~s!*** 한 방울도 남기지 말고 마셔라.

heft [heft] 《구어》 *n.* U,C 《영에서는 방언》 중량, 무게; 《미》 영향력, 중요성, 세력, 중요한 지위; (the ~) 《고어》 주요부, 요점(*of*): He carries a lot of ~. 그는 굉장한 세력가다. **—** *vt., vi.* 들어서 무게를 달다; 들어 올리다(lift); 무게가 있다.

hefty [héfti] (***heft·i·er; -i·est***) *a.* 《구어》 **1** 무거운, 중량 있는. **2** 크고 건장한, 힘있는, 억센. **3** 많은; (꽤) 큰: ~ increase in salary 두둑한 승급. ⓟ **héft·i·ly** *ad.* **-i·ness** *n.*

He·gel [héigəl] *n.* **Georg Wilhelm Friedrich** ~ 헤겔《독일의 철학자; 1770-1831》.

He·ge·li·an [heigéiliən, hidʒíː-/heigíː-, higéi-] *a.* 헤겔(철학)의. **—** *n.* 헤겔파 철학자. ⓟ **~·ism** *n.* U 헤겔 철학.

Hegélian dialéctic 〖철학〗 헤겔 변증법.

heg·e·mon [hédʒəmàn/-mɔ̀n] *n.* 주도권을〔헤게모니를〕 장악하고 있는 사람〔국가〕, 패권국.

he·ge·mon·ic, -i·cal [hèdʒəmánik/hìːgimɔ́n-], [-əl] *a.* 지배하는, 패권(覇權)〔주도권〕을 잡은.

he·gem·o·ny [hidʒéməni, hédʒəmòuni/higémə-] *n.* U 패권, 지도권, 주도권, 지배권, 헤게모니. ⓟ **he·gém·o·nìsm** *n.* 패권(覇權)주의. **he·gém·o·nist** *n.*

He·gi·ra, -ji- [hidʒáirə, hédʒərə/hédʒirə] *n.* 헤지라《Mecca 에서 Medina 로의 Mohammed 의 도피; 622 년》; (the ~) (622 년부터 시작되는) 회교 기원; (h-) 도피(행), 도주(flight), 《특히》 집단적 이주.

hé-góat *n.* 숫염소. cf. she-goat.

heh [ei, e/ei] *int.* 첫, 엣, 허허《경멸·가소로움·놀람·반문 따위를 나타내는 소리》.

H.E.H. His 〔Her〕 Exalted Highness.

he-he, hee-hee [híːhíː] *int.* 히히, 히힛, 호호, 킬킬, 킥킥《조소·바보 같은 웃음·재미있어 웃는 웃음·늙은이의 참는 웃음 따위》.

HEIB home economist in business 《히브; 기업에서 소비자 문제를 담당하는 가정학과 출신의 여성》.

Hei·deg·ger [háidegər, -di-] **Martin** ~ 하이데거《독일의 철학자; 1889-1976》.

Hei·del·berg [háidəlbə̀ːrg] *n.* 하이델베르크《독일 서남부의 도시; 대학과 옛 성으로 유명》.

Héidelberg màn 〖고고학〗 하이델베르크인.

heif·er [héfər] *n.* (새끼를 낳지 않은 3 살 미만의) 어린 암소; 《구어》 (예쁜) 여자(아이).

heigh [hei, hai/hei] *int.* 여보, 어어, 야《주의·격려·기쁨·놀람 따위의 뜻을 나타냄》.

héigh-hó *int.* 음, 아아《놀람·낙담·권태·피로 따위를 나타냄》.

⁑height [hait] *n.* **1** U 높음. **2** 높이, 키; 고도, 해발, 표고: at a ~ *of* 3,000 meters, 3,000 m 의 고도로 / the ~ *above* (the) sea level 해발. ★ 구체적인 높이는 부정관사, 비유적인 경우에는 정관사가 보통.

> SYN. **height** 밑에서 위까지의 높이. 또 비유적 최고도를 나타내는 일이 있음. **altitude** 지표에서 어떤 각도를 갖고 측정되는 거리. **stature** 곧게 선 사람의 키.

3 C (보통 *pl.*) 고지, 산, 언덕, 높은 장소〔위치〕. **4** 〖성서〗 하늘: Praise Him in the ~*s*. 높은 데서 여호와를 찬양할지어다. **5** (the ~) 절정, 극치, 한창인 때, 최고조: the ~ *of* folly 더없는 어리석음 / in the ~ *of* summer 한여름에. **6** 탁월, 고귀, 고위(高位). ***at its ~*** = ***at the ~ of*** …의 절정에서; 한창 …중에. ***in ~*** 높이〔키〕는. ***in the ~ of fashion*** 한창 유행 중.

***height·en** [háitn] *vt.* **1** 높게 하다, 높이다; 고상하게 하다. OPP *lower*. **2** (효과·속도·인기 따위를) 더하다, 강화시키다, 증대〔증가〕시키다: ~ a person's anxiety 아무의 불안을 고조시키다. **3** (묘사 따위를) 과장하다. **—** *vi.* 높아지다; 강해지다, 증대하다.

héight·ism *n.* 키 작은 사람에 대한 멸시〔차별〕; (특히, 여성이 남성을 고를 때에) 키 큰 사람을 선호하기〔하는 태도〕.

héight of lánd 《미·Can.》 분수계(分水界)(divide).

héight-to-páper *n.* 〖인쇄〗 활자의 키.

hei jen [héidʒén] (*pl.* ~) 《Chin.》 '헤이런(黑人)'《시골에서 불법으로 도시에 나와 일하는 젊은이》.

heil [hail] *int.* 《G.》 만세(hail): *Heil* Hitler! **—** *vt., vi.* …에게 Heil 하고 인사하다《*to*》.

Hei·long·jiang, Hei·lung·kiang [héilɔ̀ːŋdʒjáːŋ], [héilùŋjáːŋ] *n.* **1** (the ~) 헤이룽장(黑龍江)(Amur). **2** 헤이룽장 성(省)《중국 동북부의 성》.

hei·mish [héimiʃ] *a.* 《미속어》 가정적인, 친근한; 마음 놓이는, 아늑한.

Héim·lich hùg [háimlik-] = HEIMLICH MANEUVER.

Héimlich manèuver 〖의학〗 하임리크 구명법《목구멍에 이물질이 걸린 사람을 뒤에서 안고 흉골 밑을 세게 밀어올려 토하게 하는 방법》.

Héimlich sìgn 하임리크 사인《이물질이 목구멍에 걸려 있음을 보이기 위해 환자가 엄지와 식지로 목을 잡는 시늉》.

Hei·ne [háinə] *n.* **Heinrich** ~ 하이네《독일의 시인; 1797-1856》.

Hein·e·ken [háinəkən] *n.* 하이네켄《네덜란드의 라거비어; 상표명》.

hei·nie [háini] *n.* 《속어》 궁둥이(buttocks).

hei·nous [héinəs] *a.* 가증스러운(hateful), 악질의, 극악〔흉악〕한. ⓟ **~·ly** *ad.* **~·ness** *n.*

Héinz bòdies [háints-] 〖생리〗 하인츠 소체(小體)《헤모글로빈의 산화 장애에서 보이는 구상(球狀)의 봉입체(封入體)》.

heir** [ɛər] (*fem.* ***heir·ess [ɛ́əris]) *n.* **1** 상속인, 법정 상속인: an ~ *to* property 〔a house〕 유산〔가독(家督)〕 상속인. **2** 후계자(*to; of*); 《비유》 (기쁨·벌 따위를) 받는 사람: an ~ *to* the throne 왕위의 계승자 / ~*s of* salvation 하느님의 구원을 받는 사람. ***fall ~ to*** (a property) (재산)을 상속받다. ***~ of the body*** 직계 상속인. ***Flesh is ~ to many ills.*** 인간은 여러 가지 재앙을 이어받고 있다. **—** *vt.* 《방언》 상속하다.

héir appárent 법정 추정 상속인.

héir at láw 법정 상속인.

héir by cústom 〖법률〗 관습상의 상속인.

heir·dom [ɛ́ərdəm] *n.* U 《고어》 상속 (자격).

heir·ess [ɛ́əris] *n.* HEIR 의 여성형, 《특히》 상당한 재산을 상속받는 여성.

héir géneral (*pl.* ***héirs géneral***) = HEIR AT LAW.

héir in táil 〖법률〗 한사(限嗣) 상속인.

héir·less *a.* 상속인이 없는.

héir·lòom *n.* 〖법률〗 법정 상속 동산(動産); 조상 전래의 가재(家財)〔가보〕.

héir of the bódy 〖법률〗 직계 상속인.

héir presúmptive 〖법률〗 추정 상속인.

heir·ship [ɛ́ərʃip] *n.* U 상속(권), 상속인으로서의 자격.

Hei·sen·berg [háizənbə̀ːrg; *G.* háizənbɛrk] *n.* **Werner Karl ~** 하이젠베르크《독일의 이론 물리학자; 양자 역학의 창시자; Nobel 물리학상 수상(1932); 1901-76》.
Héisenberg uncértainty prìnciple 〖물리〗 =UNCERTAINTY PRINCIPLE.
Héis·man Tróphy [háizmən-] 《미》 하이즈먼 상《매년 대학 풋볼 최우수 선수에게 줌》.
heist [haist] *n.* 《속어》 강도, 노상강도, 도둑, 은행 강도《행위》; 《미속어》 도둑질한 물건, 장물. **—** *vt.* 《속어》 강도질하다, 훔치다; 《방언》 =HOIST[1]. ㊀ **∠·er** *n.* 《속어》 강도, 도둑; 《방언》 들어〔감아〕 올리는 사람〔장치〕.
héist màn 《미속어》 강도, 도둑.
hei·ti·ki [héitíːki] *n.* 헤이티키《마오리족의 전통적인 목걸이로 녹석(綠石)을 사람 모양으로 만든 것》.
Hejira ⇨ HEGIRA.
Hek·a·te [hékəti, hékət] *n.* =HECATE.
Hel, Hela [hel], [heláː] *n.* 〖북유럽신화〗 **1** 헬《죽음과 저승을 다스리는 여신》. **2** 명부, 저승.
HEL 〖군사〗 high energy laser.
Hé·La cèll [hélə-] 〖의학〗 헬라 세포《자궁 경관 암 종양에서 뜯어낸 친암(親癌) 세포》.
held [held] HOLD[1]의 과거·과거분사.
hel·den·ten·or [héldəntènər, -teinɔ̀ːr] (*pl.* **~s**) *n.* 《G.》 〖음악〗 헬덴테노어《화려함과 힘찬 목소리를 가지고 오페라, 특히 바그너 가극에서 영웅의 역할을 노래하는 데 알맞은 테너 가수》.
Hel·en [hélən/-lin] *n.* 〖그리스신화〗 헬레네 (=**∠ of Tróy**)《Sparta 왕 Menelaus의 왕비; Paris에게 납치되어 Troy 전쟁의 발단이 됨》.
Hel·e·na [hélənə] *n.* 헬레나. **1** 여자 이름. **2** Montana 주의 주도.
he·li-[1], **he·li·o-** [híːli], [-liou, -liə] '태양, 태양 광선〔에너지〕'(이)란 뜻의 결합사《모음 앞에서는 heli-》.
he·li-[2] [héli, híːli/héli] '헬리콥터(helicopter)'란 뜻의 결합사.
he·li·a·cal [hiláiəkəl] *a.* 〖천문〗 태양의; (별이) 태양과 같은 무렵에 출몰하는.
helíacal cýcle (the ~) 태양 활동 주기(solar-cycle).
héli·àmbulance *n.* 구급용 헬리콥터.
he·li·an·thus [hìːliǽnθəs] *n.* 해바라기(속(屬)의 식물).
héli·bòrne *a.* 헬리콥터로 수송되는, 헬리콥터 수송의〔에 의하는〕. ⓒⓕ airborne.
héli·bùs *n.* =HELICAB.
hel·ic-, hel·i·co- [hélik, híːl-/hél-], [héləkou, -kə] '나선형'이란 뜻의 결합사《모음 앞에서는 helic-》.
héli·càb *n.* 헬리캡《헬리콥터 택시》.
hel·i·cal [hélikəl] *a.* 나선형의. ㊀ **~·ly** *ad.*
hel·i·ces [héləsìːz] HELIX의 복수.
he·lic·i·ty [hiːlísəti, -hi-/he-] *n.* 〖물리〗 헬리시티《소립자 운동 방향의 스핀 성분의 값》.
hel·i·cline [héləklàin] *n.* 나사 모양의〔구불구불한〕 비탈길.
hel·i·co·gyre [hélikoudʒàiər] *n.* 헬리콥터의 개량형.
hel·i·coid [héləkɔ̀id, híːl-/hél-] *a.* 나선〔나사〕형의. **—** *n.* 〖수학〗 나선체, 나선면.
Hel·i·con [héləkàn, -kən/-kən] *n.* 〖그리스신화〗 헬리콘 산(山)《Apollo와 Muses가 살았다는 그리스 남부의 산》; 시상(詩想)의 원천(源泉); (h-) 〖악기〗 대형 취주악기의 일종.
Hel·i·co·ni·an [hèləkóuniən] *a.* 헬리콘 산의. ***the ~ maids*** =the MUSES.
***hel·i·cop·ter** [hélikɑ̀ptər, híːl-/hélikɔ̀p-] *n.* 헬리콥터; 〖스키〗 공중에서의 한 번 비틀기; 〖브레이크댄스〗 3인 한 조로 한 사람이 축이 되고 두 사람이 회전익 구실을 하는 춤. **—** *vi., vt.* 헬리콥터로 가다〔나르다〕.
hélicopter gùnship 〖군사〗 중장비(重裝備) 헬리콥터《지상 공격용》.
hel·i·drome [hélidròum, híːl-/hél-] *n.* 헬리콥터용 발착장.
héli·hòme *n.* 《미》 헬리홈《motor home과 헬리콥터를 결합시킨 것; 호텔 대신 쓸 수 있는 각종 설비가 갖춰짐》.
héli·hòp *vi.* 헬리콥터로 단거리를 이동〔비행〕하다, 헬리콥터로 단숨에 날아가다.
héli·lift *vt.* (군대를) 헬리콥터로 수송하다. **—** *n.* 헬리콥터 수송(시스템).
he·lio [híːliòu] *n.* 《구어》 =HELIOGRAM; HELIOGRAPH.
helio- ⇨ HELI-[1].
he·li·o·cen·tric [hìːliouséntrik] *a.* 태양 중심의, 태양의 중심으로부터 측정〔관측〕한. opp *geocentric.* ¶ the ~ theory 〔system〕 (코페르니쿠스의) 태양 중심설. ㊀ **-tri·cism** [-trisìzəm] *n.* Ⓤ 태양 중심설.
he·li·o·chrome [híːliəkròum] *n.* 천연색 사진. ㊀ **hè·li·o·chró·mic** *a.* 천연색 사진의. **hé·li·o·chrò·my** *n.* Ⓤ 천연색 사진술.
he·li·o·gram [híːliəgræ̀m] *n.* 일광 반사 신호〔통신〕.
he·li·o·graph [híːliəgræ̀f, -grɑ̀ːf] *n.* 일광 반사 신호기; 태양 촬영기; 일조계(日照計); 회광(回光) 통신기; 사진 제판. **—** *vt.* 일광 반사 신호기로 송신하다.
he·li·og·ra·pher [hìːliágrəfər/-ɔ́g-] *n.* heliograph를 사용하는 사람.
he·li·o·graph·ic [hìːliəgrǽfik] *a.* heliograph 〔heliography〕의; 태양의(solar).
he·li·og·ra·phy [hìːliágrəfi/-ɔ́g-] *n.* Ⓤ 회광 신호〔통신〕법; 태양 사진(술); 사진 제판법.
he·li·o·gra·vure [hìːliougrəvjúər] *n.* Ⓒ,Ⓤ 사진 요판(凹版)(술); 그라비어판.
he·li·ol·a·try [hìːliálətri/-ɔ́l-] *n.* Ⓤ,Ⓒ 태양 숭배.
hèlio·líth·ic *a.* 태양 거석 문화의《거석(巨石)과 태양 숭배를 특징으로 하는 선사 문화 시대》.
he·li·ol·o·gy [hìːliálədʒi/-ɔ́l-] *n.* Ⓤ 태양 연구, 태양(과)학.
he·li·om·e·ter [hìːliámətər/-ɔ́m-] *n.* 〖천문〗 태양의(太陽儀). ㊀ **-try** *n.* ~에 의한 측정.
hélio·pàuse *n.* 〖천문〗 태양권의 경계.
he·li·o·phyte [híːliəfàit] *n.* 〖식물〗 양지 식물, 양생(陽生) 식물.
He·li·os [híːliàs/-ɔ̀s] *n.* 〖그리스신화〗 헬리오스《태양의 신》; (h-) 〖물리〗 광도(光度).
he·li·o·scope [híːliəskòup] *n.* 태양 관측 망원경, 태양경(鏡).
he·li·o·sis [hìːlióusəs] *n.* Ⓤ,Ⓒ 일사병.
he·li·o·sphere [híːliəsfìər] *n.* 〖천문〗 태양권《태양풍의 영향이 미치는 태양 주변부》.
he·lio·stat [híːliəstæ̀t] *n.* 일광 반사 장치.
he·li·o·tax·is [hìːlioutǽksis] *n.* 〖생물〗 주일성(走日性). ⓒⓕ phototaxis.
hèlio·thérapy *n.* Ⓤ 〖의학〗 일광욕 요법.
he·li·o·trope [híːliətròup, hél-] *n.* **1** 〖식물〗 굴광성(屈光性) 식물. **2** 〖식물〗 헬리오트로프《지칫과에 속하는 다년생 풀; 페루 원산》; Ⓤ 그 꽃의 향기; 연보랏빛. **3** 회광기(回光器), 회광 신호기. **4** Ⓤ 〖광물〗 혈석(血石).
he·li·o·trop·ic [hìːliətrápik/-trɔ́p-] *a.* 〖식물〗 굴광성(屈光性)의.
he·li·ot·ro·pism [hìːliátrəpìzəm, hìːliətróupizəm/hìːliɔ́trəpìzəm] *n.* Ⓤ 〖식물〗 굴광성: negative ~ 배일성(背日性).
he·li·o·type [híːliətàip] *n., vt.* =COLLOTYPE.
hèlio·typógraphy *n.* 사진 조각판법.
he·li·o·typy [híːliətàipi] *n.* =HELIOTYPOGRAPHY.
hel·i·ox [héliɑks/-ɔks] *n.* Ⓤ (잠수용의) 헬륨

과 산소의 혼합 기체.

he·li·o·zo·an [hì:liəzóuən] *n.* 태양충(류)《Heliozoa의 원생동물의 총칭》. **—** *a.* 태양충의, 태양충류에 속하는(=**hè·li·o·zó·ic** [-ik]).

héli·pàd *n.* =HELIPORT.

héli·pòrt *n.* 헬리콥터 발착장.

héli·skìing *n.* 헬리스키《헬리콥터로 높은 산의 출발점에 가서 하는 스키》.

héli·spòt *n.* (임시로 만든) 헬리콥터 착륙지.

héli·stòp *n.* =HELIPORT.

he·li·um [hí:liəm] *n.* 〖화학〗 헬륨《비활성 기체 원소의 하나; 기호 He; 번호 2》.

hélium-4 [-fɔ́:r] *n.* 〖화학〗 헬륨 4《질량수 4의 헬륨 동위체; 자연의 것은 거의 이것임; 기호 ^{4}He》.

hélium hèad 《미속어》 바보, 얼간이.

hélium shàkes 〔**trèmors**〕 〖의학〗 《복수취급》 =HIGH-PRESSURE NERVOUS SYNDROME.

hélium spèech 새되고 일그러진 목소리.

hélium-3 [-θrí:] *n.* 〖화학〗 헬륨 3《질량수 3의 헬륨 동위체; 기호 ^{3}He》.

he·lix [hí:liks] (*pl.* ***hel·i·ces*** [héləsì:z], **~·es**) *n.* 나선(螺旋); 나선형의 것; 〖해부〗 귓바퀴; 〖건축〗 소용돌이 장식《이오니아식·코린트식 기둥머리의》; (H–) 달팽이속(屬).

hell [hel] *n.* **1 a** 지옥, 저승: the torture of ~ 지옥의 괴로움. **b** 《집합적》 지옥에 빠진 사람들; 악귀. **c** 도박굴; 마계(魔界), 마굴. **d** (인쇄소·재봉사 등의) 쓰레기통(hellbox). **2** 지옥과 같은 상태, 고통, 곤경; 질책: suffer ~ 지옥의 고통을 겪다. **3 a** 《저주·강조어》 염병할, 제기랄, 빌어먹을, 도대체: The ~ with ... ! …가 뭔데, …따위엔 볼일 없어. **b** 《상대의 말에 강한 부정을 나타내어, 부사적으로》 (the ~) 《속어》 절대로 …않다: He says he will win.—The ~ he will. 그는 자기가 이긴다고 하는데.—천만에, 어림도 없지. ***a ~ of a*** 《구어》 대단한, 굉장한; 심한, 지독한: (*a*) ~ *of a* life 지옥 같은 생활/*a* ~ *of a* trip 고생스러운 여행/have *a* ~ *of a* time 아주 혼이 나다/*a* ~ *of a* good time 아주 유쾌한 한 때/*a* ~ *of a* speech 대단한 연설/*a* ~ *of a* (good) book 굉장히 좋은 책. ***a ~ of a lot*** 《구어》 매우, 대단히: I like you *a* ~ *of a lot.* 나는 너를 매우 좋아한다/He has *a* ~ *of a lot* of money. 그는 큰 부자이다. (*a*) ***~ on earth*** (이 세상의) 지옥. ***all ~ breaks*** 〔***is let***〕 ***loose*** 《구어》 큰 혼란이 일어나다. ***all*** (***gone***) ***to ~*** (계획 따위가) 차질이 나서, 아주 잡치어. ***all ~ let*** 〔***broken***〕 ***loose*** (지옥을 해방시킨 것과 같은) 대혼란. ***as ~*** 《구어》 크게, 대단히, 매우, 지독히. ***beat*** 〔***knock***〕 ***the ~ out of*** =beat the DAYLIGHTS out of. ***be ~ on*** 《속어》 ① …에게 엄하다〔모질게 굴다〕. ② …에 해롭다, …을 해치다. ***between ~ and high water*** 《구어》 매우 어려운 처지에 빠져, 곤궁하여. ***by ~*** 절대(로). ***catch*** 〔***get***〕 ~ ⇨ CATCH. ***come ~ and*** 〔***or***〕 ***high water*** 《구어》 어떤 장애가 일어나더라도, 어떤 일이 있어도. ***frighten the ~ out of*** a person 《구어》 아무를 몹시 두려워하게 하다. ***Get the ~ out*** (***of here***)***!*** 《속어》 (이곳에서) 나가라, 꺼져 없어져라. ***give*** a person ~ 《구어》 아무를 혼내주다. ***Go to ~!*** 뒈져라. ***~ and gone*** (돌아올 수 없는) 머나먼 곳에, 어찌할 수 없게 되어. ***~ for*** …에 유난히 열중하여. ***~ for leather*** 《구어》 전속력으로. ***~ of a note*** 《속어》 이상한〔놀랄 만한, 대담 무쌍한〕 것, 터무니〔어처구니〕없는 것. ***~ to pay*** 《구어》 매우 성가신 일, 후환, 뒤탈: There will be ~ *to pay.* 몹시 성가신 일이 될 것 같다. ***~ to split*** 지체하지 않고, 단번에, 크게 서둘러. (***just***) ***for the ~ of it*** 《구어》 장난 삼아서. ***like ~*** 《구어》 마구, 맹렬히, 필사적으로; 《속어》 천만에; 절대로〔전혀〕 …아니다: Did you go?—*Like* ~ (I did). 갔었니?—가긴 왜 가. ***make*** one's ***life a ~*** 지옥 같은 생활을 하다. ***not a hope in ~*** 전혀 가망이 없이. ***Oh, ~!*** 빌어먹을. ***play*** (***merry***) ***~ with ...*** 《구어》 …을 엉망으로 만들다, …을 잡쳐 놓다; …에 큰 손해를 주다; 《구어》 몹시 화를 내다, 격노하다. ***raise ~*** ① 야단법석을 치다. ② 화가 나서 큰 소동을 벌이다. ***scare the ~ out of*** a person =frighten the ~ out of a person. ***surely to ~*** 《구어》 제발〔부디〕 …이면 좋겠다. ***The ~ you say.*** 이것 참 놀랐는데. ***to ~*** (***and gone***) 《미속어》 엉망이 되어, 엉망으로; 아주 못쓰게 되어. ***To ~ with ... !*** 《속어》 (내가 알게 뭐냐) 될대로 되라지; (젠장) 뒈져 버려라. ***What the ~*** (do you want)? 도대체 무슨 (볼)일인가. ***when the ~ freezes over*** 《구어》 결단코(never). ***wish*** 〔***hope***〕 ***to ~*** 《구어》 제발〔부디〕…이면 좋겠다.

— *vi.* 《미속어》 엉뚱한〔난폭한〕 짓을 하다, 방종하게 생활하다.

he'll [hi:l] he will, he shall의 간약형.

hel·la·cious [heléiʃəs] *a.* 《미학생속어》 대단한, 깜짝 놀랄, 자극적인.

Hel·lad·ic [helǽdik] *n., a.* 〖고고학〗 헬라도스 문화(기)(의)《기원전 3000–1100년경 그리스 본토의 청동기 시대 문화》.

Hell·as [héləs] *n.* 《시어》 Greece의 별칭.

héll·bènder *n.* **1** 〖동물〗 미국도롱뇽. **2** 《속어》 저돌적인 사람, 망나니; 《속어》 야단법석.

héll·bènt *a.* 《구어》 맹렬한, 필사적인《*on*》; 굳게 결심한, 단호한; 맹렬한 속도로 질주하는, 무모한: He was ~ to ski down Mt. Everest. 그는 어떻게 해서든지 에베레스트 산을 활강하겠다고 결심했다.

héll bòmb (때로 H–) 수소 폭탄.

héll·bòx *n.* 〖인쇄〗 못 쓸 활자 담는 통.

héll·bròth *n.* Ⓤ '지옥의 수프', (마법을 부리기 위한) 마약(魔藥).

héll·càt *n.* 악녀, 못된 여자; 굴러먹은〔닳고 닳은〕 여자.

héll·dìver *n.* 논병아리류(類)의 물새.

hel·le·bore [héləbɔ̀:r] *n.* **1** 〖식물〗 크리스마스로즈; 그 뿌리에서 뽑은 하제(下劑). **2** 〖식물〗 박새; Ⓤ 그 뿌리의 가루《살충제》.

Hel·lene [héli:n] *n.* (순수한) 그리스 사람.

Hel·len·ic [helénik, -lí:n-] *a.* 그리스의, 그리스 말〔사람〕의. **—** *n.* Ⓤ 그리스어족; (특히 현대의) 그리스어(語).

Hel·len·ism [hélənìzəm] *n.* Ⓤ **1** 그리스 문화〔정신, 국민성, 풍, 어법〕. **2** 헬레니즘.

Hél·len·ist *n.* 그리스 문화 연구자〔심취자〕, (고대) 그리스어 학자, 그리스 학자; 그리스 말을 상용했던 유대인.

Hel·len·is·tic, -ti·cal [hèlənístik], [-əl] *a.* Hellenism 〔Hellenist〕에 관한. ㊞ **~·ly** *ad.*

Hèl·len·i·zá·tion *n.* Ⓤ 그리스화(化).

Hel·len·ize [hélənàiz] *vt., vi.* 그리스화하다; 그리스(어)풍으로 하다〔되다〕. ㊞ **Hél·le·nìz·er** *n.*

héll·er *n.* 《미속어》 난폭자, 못된 녀석.

Hel·les·pont [héləspànt/-pɔ̀nt] *n.* (the ~) 헬레스폰트《Dardanelles 해협의 옛 그리스 명》.

héll·fire *n.* Ⓤ 지옥의 불; 지옥의 괴로움. **—** *int.* 우라질, 뒈져라.

héll-for-léather *a., ad.* 《속어》 전속력의〔으로〕, 무모한〔하게〕.

hell·gra(m)·mite [hélgrəmàit] *n.* 〖곤충〗 뱀잠자리(류)의 애벌레(dobson)《낚시 미끼》.

héll·hòle *n.* 지옥; 지옥 같은 집〔곳〕.

héll·hòund *n.* 지옥의 개; 악마 같은 사람.

hel·li·fied [hélǝfàid] *a.* 《미학생속어》 최고의, 매우 훌륭한〔멋진〕.

hel·lion [héljən] *n.* 《미구어》 난폭자, 무법자.

hell·ish [héliʃ] *a.* 지옥의, 지옥과 같은; 흉악한; 소름이 끼치는; 《구어》 섬뜩한, 징그러운, 매우 불쾌한: ~ fires 지옥과 같은 무시무시한 큰 화재/have a ~ time 매우 지긋지긋하게 혼이 나다. **—** *ad.* 몹시, 굉장히. ㊞ **~·ly** *ad.* **~·ness** *n.*

héll·kìte *n.* 냉혈한(漢), 잔인한 사나이.

†**hel·lo** [helóu, hə-, hélou] *int.* **1** 여보, 이봐; 어이구; 〖전화〗 여보세요. **2** 안녕하시오《가벼운 인사》. **—** (*pl.* **~s**) *n.* ~하는 말〔인사〕: Say ~ *to* your mother. 어머니에게 안부 전해 주시오. **—** *vi.* ~하고 부르다〔말하다〕.

héllo gìrl 《미구어》 전화 교환원.

héll-on-whèels *n.* 《속어》 터무니없는 일〔사건〕; 지독한 상태; 늘 문제를 일으키는 사람.

héll-ràiser *n.* 《속어》 말썽꾸러기, 무모한 사람.

héll's ángel (오토바이의) 폭주족(族).

héll's béllS 〔**téeth**〕 (화가 나거나 초조할 때) 이게 어찌된 일인가.

Héll's kítchen 《미》 우범 지구.

hell·u·va [héləvə] 《속어》 *a.* 썩 곤란한, 불쾌한;보통이 아닌, 빼어난; 상당한. **—** *ad.* 대단히, 굉장하게. [◂ hell of a]

héll wèek 《구어》 신입생이 상급생에게 시달림을 겪는 제 1 주《대학의 fraternity 에서》.

°**helm**[1] [helm] *n.* **1** 〖선박〗 키(자루), 타륜; 조타 장치, 타기(舵機); 키의 움직임; 배의 방향: ease the ~ 키를 중앙 위치로 되돌리다. **2** (the ~) 《비유》 지도적〔지배적〕인 지위, (국가·정부 등의) 지배(권), 지도. ***be at the*** **~** 키를 잡다; 실권을 쥐다, 주재(主宰)하다. ***Down*** 〔***Up***〕 (***with the***) **~*!*** 키 내려〔올려〕. ***Starboard*** (***the***) **~*!*** 우현으로 (키 돌려). ***take*** 〔***assume***〕 ***the*** **~** ***of state*** (***affairs***) 정권을 잡다. **—** *vt.* …의 키를 조정하다; 《비유》 지도〔조종, 지휘〕하다.

helm[2] *n.* 《고어·시어》 투구(helmet); 《영방언》 = HELM CLOUD. **—** *vt.* 《고어·시어》 투구로 덮다, …에게 투구를 씌우다.

hélm clòud 《영》 (폭풍우 중 또는 전에 산꼭대기에 끼는) 투구 모양의 구름.

***hel·met** [hélmit] *n.* **1** 헬멧《군인·소방수·노동자 등의》. **2** 철모; 헬멧. **3** (야구·미식 축구 등의) 헬멧. **4** 〖문장(紋章)〗 투구 모양. **5** (중세의) 투구; (펜싱의) 면(面). **6** 투구 모양의 것. **—** *vt.* …에게 헬멧을 씌우다. ㊞ **~·ed** [-id] *a.* 헬멧을 쓴. **~·like** *a.* 헬멧 모양의.

hélmet lìner (철모 안에 쓰는) 파이버.

Helm·holtz [hélmhoults] *n.* **Hermann L. F. von ~** 헬름홀츠《독일의 생리·물리·수학자; 1821-94》.

hel·minth [hélminθ] *n.* 기생충《회충 따위》.

hel·min·thi·a·sis [hèlminθáiəsis] *n.* Ⓤ 기생충병.

hel·min·thic [helmínθik] *a.* (장내의) 기생충의; 구충하는. **—** *n.* 구충제.

hel·min·thoid [helmínθɔid, ⌐-⌐] *a.* 〖생물〗 연충 모양의; (장내) 기생충 모양의.

hel·min·thol·o·gy [hèlminθálədʒi/-θɔ́l-] *n.* 연충학; 《특히》 기생충학.

hélms·man [-mən] (*pl.* ***-men*** [-mən]) *n.* 타수(舵手), 키잡이. ㊞ **~·ship** *n.*

helo [hélou, hí:l-/hél-] (*pl.* **~s**) *n.* 《구어》 헬리콥터.

hélo-pàd *n.* 헬리콥터 발착장.

Hel·ot [hélət, hí:l-] *n.* 고대 스파르타의 노예; (h-) 〔일반적〕 노예, 농노(serf), 천민. ㊞ **hél·ot·ism** *n.* Ⓤ ~의 신분〔제도〕. **hél·ot·ry** [-ri] *n.* Ⓤ 노예 상태〔신분〕; 〔집합적〕 노예.

†**help** [help] (**~*ed,*** 《고어》 ***holp*** [houlp]; **~*ed,*** 《고어》 ***holp·en*** [hóulpən]) *vt.* **1** 《~+목/+(*to*) do/+목+(*to*) do/+목+전+명》 돕다, 조력(助力)〔원조〕하다, …을 거들다, …에게 힘을 빌려 구하다: May I ~ you, sir 〔madam〕? (점원이 손님에게) 무얼 찾으시죠/Go and ~ (*to*) wash up at the sink. 싱크대에서 접시 씻는 것을 도우세요/Heaven ~s those who ~ themselves. 《속담》 하늘은 스스로 돕는 자를 돕는다/~ a person (*to*) stand on his own feet 아무가 자립할 수 있도록 원조하다/She ~*ed* her mother *with* the work in the kitchen. 그녀는 어머니의 부엌일을 도왔다/I ~*ed* him (*to*) find his things. 나는 그가 물건을 찾는 데 거들었다. **2** 《+목+부/+목+전+명》 〔down, in, out, over, into, out of, through, up 등의 부사(구)·전치사(구)를 사용하여〕 거들어 …하게 하다, 도와서 …시키다: *Help* me *in*. 들어가게 좀 도와주시오/*Help* me *out of* the difficulty. 곤경에서 저를 구해 주시오/He ~*ed* the old man *to* his feet. 그는 노인을 부축해 일으켜 세워 드렸다/Can you ~ me *up with* this case please? 이 상자 들어 올리는 것 좀 도와주시겠습니까.

> SYN. **help** 일반적으로 쓰이는 말. 남이 필요로 하는 도움을 주는 것을 이름. **aid** 개인이나 단체의 노력에 대하여 협력적인 태도로 나오는 것을 이름. **assist** help 보다 뜻이 약함. 좀 소극적으로 남에게 힘을 빌려 준다는 뜻임. **save** 사람의 목숨 따위를 위험에서 지키어 구출함을 말함. **rescue** 위급한 상황에서 구출함을 이름.

3 《~+목/+목+부/+목+(*to*) do》 조장하다, 촉진하다, 효과가 있게 하다, 도움이 되게 하다: ~ one's ruin 멸망을 재촉하다/The new treaty ~*ed* the achievement of peace. 새 조약은 평화 달성에 기여하였다/Your advice ~*ed* me very much. 당신의 충고는 나에게 큰 도움이 되었습니다/Trade ~*s* nations (*to*) develop. 무역은 여러 나라의 발전을 촉진한다.
4 (고통·병 따위를) 완화하다, 덜다, 편하게 하다; (결함 따위를) 보충하다, 구제하다: Honey will ~ your cough. 꿀은 기침을 완화한다/Some flowers will ~ an otherwise dull interior. 꽃을 좀 놓으면 (꽃이 없어) 단조로운 방 안이 돋보일 것이다.
5 《~+목/+목+전+명》 …에게 식사 시중을 들다, 술을 따르다, 권하다《*to*》; 《구어》 도르다; (음식물을) 담다: ~ each other *to* the wine 술을 대작하다/May I ~ you *to* some more meat? 고기를 좀 더 담아 드릴까요/Use this spoon *to* ~ the gravy. 이 스푼으로 고깃국물을 뜨시오/Will you ~ her *to* some cake? 그녀에게 과자를 좀 집어 주시지 않겠습니까.
6 〔can(not) ~〕 …을 삼가다, 그만두다, 피하다, 금하다《doing》: I *can't* ~ it 〔my*self*〕. = It *cannot* be ~*ed*. 어찌할 수가 없다/He *couldn't* ~ her do*ing* that. 그는 그녀가 그렇게 하는 것을 막을 수 없었다 (⇨cannot ~ but do).
— *vi.* 《~/+전+명/+*to* do》 **1** 거들다, 돕다; 도움이 되다: Crying doesn't 〔won't〕 ~. 울어 봐야 아무 도움이 안 된다/We all ~*ed with* the harvest. 우리 모두는 수확을 거들었다/An agreeable person ~*s to* persuade. 사근사근한 사람은 설득하는 데에 도움이 된다/Every little bit ~*s*. 《속담》 하찮은 것도 각기 쓸모가 있다.
2 식사 시중을 들다, 술을 따르다, 담다: Let him ~ *at* table. 그에게 식사 시중을 들게 합시다.

> NOTE **help**+목적어+부정사: 《미》에서는 다음에 'to 없는 부정사(bare infinitive)'가 흔히 쓰이며, 《영구어》에서도 일반화됨: He ~*ed* us *peel* the onions. 그는 우리가 양파 까는 것을 거들어 주었다. 그러나 help 를 수동태로

쓸 경우에는 We were ~*ed to* get out.와 같이 반드시 to가 따름.
help+부정사: 《미》에서는 흔히 help 다음의 목적어가 생략됨. 이런 경우 부정사에는 'to 부정사'와 'to 없는 부정사'의 양쪽 형식이 있음: She had to ~ *support* her brother and sisters. 그 여자는 동생들의 부양에 조력해야 했다. I ~ *to support* the establishment. 나는 그 시설의 유지에 힘이 되어 주고 있다. 이들 문장에서는 help 다음에 목적어 them, people이 생략되었다고 생각해도 좋음.

cannot ~ but do =***cannot ~*** do***ing*** …하지 않을 수 없다, …하는 것을 피할 수 없다: I *cannot ~ but* laugh.=I *cannot* ~ laugh*ing*. 웃지 않을 수 없다. ***God*** 〔***Heaven***〕 ***~ you*** 〔***him,*** etc.〕! 가엾어라; 불쌍한 녀석. ***~ along*** 〔***forward***〕 도와서 나아가게 하다, 촉진하다. ***~ down*** 거들어서〔부축해서〕 내려 주다. ***~ off with*** ① …을 도와서 …을 벗기다: *Help* the child *off with* his coat. 거들어서 그애의 웃옷을 벗겨 주시오. ② …을 제거하는〔없애는, 처치하는〕 것을 돕다: His son's success ~*ed* him *off with* his worries. 아들의 성공으로 그는 근심을 없앨 수 있었다. ***~ on*** ① …을 도와서 입혀 주다 《*with*》: I ~*ed* her *on with* her coat. 나는 그녀를 도와 웃옷을 입게 했다. ② …을 도와 태워 주다: I ~*ed* him *on* his horse. 나는 그를 도와서 말에 태웠다. ③ …을 도와서 진척케 하다. ***~ out*** 《*vt.*+[부]》 ① (어려운 때 일 따위를) 도와주다, 거들다《*with*》: ~ a person *out with* his work 아무의 일을 도와주다. ② …을 도와서 나오게 하다. — 《*vi.*+[부]》 ③ …을 돕다, 조력하다 《*with*》: He ~*ed out* when she became ill. 그는 그녀가 아플 때 도왔다. ***~ over*** 아무를 도와서 넘어가게〔헤어나게〕 하다. ***~*** one***self*** ① 필요한 일을 자기 스스로 하다, 자조(自助)하다: *Help* your*self!* 좋을 대로 (하시오). ② 〖cannot을 수반하여〗 자기 스스로를 어떻게 하다: She *couldn't* ~ her*self*. 자기 스스로를 어찌할 수가 없었다. ***~*** one***self to*** ① …을 마음대로 집어 먹다〔마시다〕: *Help* your*self to* the fruit. 과일을 마음대로 드십시오. ② …을 착복(着服)하다, 횡령하다; …을 마음대로 취하다: He ~*ed* him*self to* the money. 그는 돈을 착복했다. ***~*** a person ***through*** 아무를 도와서 …을 완성시키다: She ~*ed* him *through* the university. 그녀는 그를 도와 대학을 졸업하게 했다. ***~*** a person ***to*** 아무를 도와서 …으로 이끌다〔…을 얻게 하다〕: This clue ~*ed* me *to* the solution. 나는 이 실마리 덕택에 해결할 수 있었다. ***~*** a person ***up*** 아무를 도와서 일으키다. ***not ... more than*** one ***can ~*** 되도록 …하지 않다: Don't sneeze *more than* you *can* ~. 되도록 재채기를 안 하도록 하라/Don't be longer *than* you *can* ~. 되도록 빨리 하여라. ***So ~ me*** (***God***)***!*** 정말이야, (하늘에) 맹세코 (I swear); 어떤 일이 있어도, 꼭.
— *n.* **1** [U] 도움, 원조, 구조; 조력, 거듦: by ~ of favorable circumstances 순조로운 환경 덕분에. **2** [C] 소용되는 사람〔것〕, 도움이 되는 사람〔것〕《*to*》: It was a great ~ *to* me. 그것은 내게 큰 도움이 되었다. **3** [C] 고용인, 하인; 《주로 영》 가정부: a part-time ~ 파트타임의 종업원/a household 〔《영》 a home〕 ~ 가정부/a mother's ~ 《영》 가정 보모. ★ 근래에는 servant, laborer 보다도 help가 잘 쓰임. 정부 요원을 public servant (공복)이라고 부르는 것과 좋은 대조가 됨. **4** 〖집합적〗 일꾼《특히 농장 노동자》: The ~ have walked out. 일꾼들은 파업에 들어갔다. **5** 〖부정문〗 (병 등의) 치료법, 구제〔방지〕 수단; 도피구《*for*》: There was *no* ~ *for* it but to wait. 기다리는 것 외에 방법이 없었다. **6** [C] (음식의) 한 그릇(helping). **7** 〖컴퓨터〗 도움말. ***be beyond ~*** (환자 따위가) 살아날〔회복할〕 가망이 없다. ***be of ~*** 유용하다, 도움이 되다. ***by the ~ of*** …의 도움으로. ***cry for ~*** 구해 달라고 외치다, 도움을 요청하다. ***Help wanted.*** 사람을 구함《구인 광고; 비교: Situation wanted. 일자리를 구함》. ***on the ~*** 《미속어》 (죄수가) 교도소 안의 일에 사역당하여.
[파] **∠·a·ble** *a.*

hélp dèsk 헬프 데스크《회사 고객에게 정보 따위를 제공해 주는 서비스》.

***help·er** [hélpər] *n.* 조력자, 원조자; 조수 (assistant), 집안 일꾼; 구조자; 위안자.

hélper applicàtion 〖컴퓨터〗 헬퍼 애플리케이션《월드 와이드 웹에서 웹 브라우저가 웹 페이지의 특별한 요소를 나타내도록 보조하는 소형 소프트웨어 애플리케이션》.

hélper T́ cèll 〖생물〗 헬퍼 T세포《림프구 중 B세포의 생산을 촉진하는 T세포》.

****help·ful** [hélpfəl] *a.* 도움이 되는, 유용한, 편리한(useful) 《*to*》: a ~ comment 참고가 되는 의견. [파] **~·ly** *ad.* 도움이 되도록, 유용하게. **~·ness** *n.*

***help·ing** [hélpiŋ] *n.* [U] 도움, 조력; [C] (음식물의) 한 그릇; [U] (음식을) 그릇에 담기: a second ~ 두 그릇째. — *a.* 도움의, 원조의.

hélping hánd 《비유》 원조의 손길, 도움, 조력, 지지: lend a ~ 일손을 빌려 주다.

hélping vèrb 조동사(auxiliary verb).

****help·less** [hélplis] *a.* **1** 스스로 어떻게도 할 수 없는, 무력한, 소용에 닿지 않는. **2** 도움이 없는; 난감한《표정 등》: a ~ orphan 의지가지 없는 고아. **3** 술에 취한. [파] °**~·ly** *ad.* 어찌할 도리 없이, 힘없이. **~·ness** *n.*

hélp·lìne *n.* 헬프라인《(1) 곤란에 처한 사람에게 상담해 주는 전화 서비스. (2) 상업 목적의 전화 정보서비스》.

hélp·màte, 《드물게》 **-mèet** *n.* **1** 협조자, 동료. **2** 내조자, 배우자, 《특히》 아내: a model ~ 양처.

hélp-yoursèlf *n., a.* (레스토랑 따위의) 셀프서비스(의).

Hel·sin·ki [hélsiŋki, -́-] *n.* 헬싱키(Swed. ***Hel·sing·fors*** [hélsiŋfɔ̀ːr]) 《핀란드의 수도·항구》.

Hélsinki Accórds 헬싱키 합의《1975년 헬싱키에서 열린 전 유럽 안보·협력 회의에서 선언된 문서》.

Hélsinki Cònference 헬싱키 회의《European Conference for Security and Cooperation의 별칭》.

Hélsinki declarátion 헬싱키 선언《Helsinki Accords에 담긴 선언》.

hel·ter-skel·ter [héltərskéltər] *n.* [U,C] 당황하여 어쩔 줄 모름, 당황, 혼란; 《영》 (유원지의) 나선식 미끄럼틀. — *a.* 당황한; 난잡한, 무질서한, 변덕의. — *ad.* 허둥지둥, 난잡하게.

helve [helv] *n.* (도끼 등의) 자루. ***put the ax in the ~*** ⇨AX. ***throw the ~ after the hatchet*** 손해에 손해를 거듭 보다, 엎친 데 덮치기. — *vt.* …에 자루를 달다.

Hel·ve·tia [həlvíːʃə] *n.* 헬베티아《(1) 스위스에 있던 옛 로마의 알프스 지방. (2) 《시어》 스위스의 라틴어 이름》. [파] **~n** *a., n.* Helvetia〔스위스〕의; Helvetia 〔스위스〕 사람(의).

Hel·vet·ic [helvétik] *a.* =HELVETIAN. — *n.* 스위스 신교도(Zwinglian).

°**hem**[1] [hem] *n.* **1** (천·모자 등의) 가두리, 가; 헴《특히 풀어지지 않게 감친 가두리》, 가선; 감침

질. **2** 경계. **—** (**-mm-**) *vt.* **1** …의 가장자리를 감치다, …에 가선을 대다. **2** 《+[목]+[부]》 (사람 · 물건 · 장소를) 에워싸다, 둘러싸다; 가두다《*in; about; round; up*》: be ~*med in* by enemies 적에게 포위되다 / He faces the problems that ~ him *about*. 그는 그를 에워싸고 있는 문제들에 직면해 있다.

hem[2] [mm, hm] *int.* 헴, 에헴《헛기침 소리》. **—** [hem] *n.* 에헴 하는 소리; 가벼운 헛기침; (주저하며) 에에〔어어〕 하는 소리, 떠듬거림: His sermon was full of ~*s* and haws. 그의 설교는 끊임없이 떠듬거려 '에에' 또는 '어어' 하기 일쑤였다. **—** [hem] (**-mm-**) *vi.* 에헴 하다, 헛기침하다; 말을 머뭇거리다. **~ *and ha*(*w*)** 떠듬거리다; 미적거리다, 우물쭈물하다; 얼버무리다.

hem- [hí:m, hém], **he·ma-** [hí:mə, hémə] =HEMO-.

he·ma·cy·tom·e·ter [hì:məsaitámətər/-tɔ́m-] *n.* 〖의학〗 (적)혈구계; 혈구 계산기.

hèma·dynamómeter *n.* 혈압계.

hè·magglútinate *vi., vt.* 〖생리〗 (적혈구가〔를〕) 응집하다〔시키다〕. [파] **-magglutinátion** *n.*

hè·magglútinin *n.* 〖생리〗 (적)혈구 응집소.

he·mal [hí:məl] *a.* 혈액의, 혈관의; 〖해부〗 (척추동물의 기관이) 심장이나 대혈관과 같은 쪽에 있는 ([opp] *neural*).

he·man [hí:mæ̀n] (*pl.* **-men** [-mén/-mèn]) *a., n.* 《구어》 사내다운 (사내).

he·man·gi·o·ma [himæ̀ndʒióumə] (*pl.* **~s, ~·ta** [-tə]) *n.* 〖의학〗 혈관종(腫).

he·mat·ic [himǽtik] *a.* 피의, 혈액의, 혈액 속에 함유된; (약 등이) 혈액에 작용하는; 핏빛을 한. **—** *n.* [U] 〖의학〗 정혈(淨血)〔보혈(補血)〕제, = HEMATINIC.

hem·a·tin, -tine [hí:mətin, hém-], [hí:mətì:n, -tin, hém-] *n.* [U] 〖생화학〗 헤마틴《hemoglobin 의 색소 성분》.

hem·a·tin·ic [hì:mətínik, hèm-] *n.* 〖의학〗 조혈약〔제〕. **—** *a.* 헤마틴의〔에서 얻어지는〕; 조혈약으로 작용하는.

he·ma·tite [hí:mətàit, hém-] *n.* [U] 〖광물〗 적철석. [파] **hè·ma·tít·ic** [-títik] *a.*

he·ma·to·cele [hímətousì:l, hém-] *n.* 〖의학〗 혈류(血瘤); 혈종(血腫); 음낭 혈종.

he·mat·o·crit [himǽtəkrit] *n.* 〖의학〗 헤마토크릿《혈구를 혈청에서 분리하는 원심 분리기》; 헤마토크릿치(値)《측정된 혈구와 혈청의 비(比)》.

hemátocrit tést 〖의학〗 헤마토크릿 테스트《혈액 속에서 혈구가 점하는 부피를 조사하는 것》.

he·ma·to·cry·al [hèmətákriəl, hì:m-/-tɔ́k-] *a.* 〖동물〗 냉혈의; 변온(變溫)의.

he·ma·tog·e·nous [hì:mətádʒənəs, hèm-/-tɔ́dʒ-] *a.* 혈액 속에 생기는; 조혈성(造血性)의; 혈액원성(血液原性)의; 혈행성(血行性)의.

he·ma·tol·o·gy [hèmətálədʒi, hì:m-/-tɔ́l-] *n.* 혈액학. [파] **-gist** *n.* 혈액학자.

he·ma·to·ma [hèmatóumə, hì:m-] (*pl.* **~s, ~·ta** [-tə]) *n.* 〖의학〗 혈종(血腫).

he·ma·to·poi·e·sis [hì:mətoupɔií:sis, hèm-] *n.* 혈액 생성, 조혈(造血).

he·mat·o·por·phy·rin [himæ̀təpɔ́:rfərin] *n.* 〖생화학〗 헤마토포르피린《헤모글로빈 분해 산물; 암 조직 발견에 사용》.

hèmato·thérmal *a.* 〖동물〗 온혈성의; 정온(定溫)의.

he·ma·tu·ria [hì:mətjúəriə, hèm-/-tjúər-] *n.* [U] 〖의학〗 혈뇨증(血尿症), 혈뇨.

hem·bar [hémbɑ:r] *n.* 헴바《1969년 미국 농무부에 의해 만들어진 보리의 교배종》.

heme [hi:m] *n.* 〖생화학〗 헴, 환원 헤마틴《헤모글로빈의 색소 성분》.

hem·i- [hémi] *pref.* '반(half)'의 뜻. [cf] demi-, semi-.

hem·i·al·gia [hèmiǽldʒiə/-dʒiə] *n.* 〖의학〗 반쪽 신경통.

hem·i·a·nop·sia [hèmiənápsiə/-nɔ́p-] *n.* [U] 〖의학〗 반맹(半盲)(증).

hèmi·céllulose *n.* 헤미셀룰로스《식물체 속의 일군의 고무상(狀) 다당류 탄수화물의 총칭》.

hèmi·cýcle *n.* 반원형; 반원형의 투기장; 반원형 방〔건물〕. [파] **hèmi·cýclic** *a.* 〖식물〗 반윤생(半輪生)의.

hèmi·cylíndrical *a.* 반원통형의.

hèmi·demisémiquaver *n.* 《영》 〖음악〗 64분음표(《미》 sixty-fourth note).

hem·i·he·dral [hèmihí:drəl] *a.* **1** (결정(結晶)이) 반광면(半光面)의. **2** 반면(半面)의: a ~ form 반면상(像). [파] **~·ly** *ad.*

hem·i·mor·phite [hèmimɔ́:rfait] *n.* 이극석(異極石).

he·min [hí:min] *n.* 〖생화학〗 헤민《헤마틴의 수산기가 염소로 치환된 것》.

Hem·ing·way [hémiŋwèi] *n.* **Ernest ~** 헤밍웨이《미국의 소설가; Nobel 문학상 수상(1954); 1899-1961》. [파] **~·esque** [--- ésk] *a.* 헤밍웨이의(작품 · 문체) 같은《간결함이 특징》.

hèmi·párasite *n.* 반(半)기생 생물〔식물〕, 반기생자(半寄生者). [파] **-parasític** *a.* **-párasitism** *n.* 〖동물 · 식물〗 반기생.

hèmi·parésis *n.* 〖의학〗 반신 부전(不全) 마비.

hémi·pènis *n.* 〖동물〗 반음경(半陰莖)《뱀 · 도마뱀류 수컷의 쌍으로 되어 있는 생식기 중 하나》.

hem·i·ple·gia [hèmiplí:dʒiə/-dʒiə] *n.* 반신불수. [파] **-gic** [-dʒik] *a., n.* 반신불수의 (사람).

He·mip·tera [himíptərə] *n.* 〖곤충〗 반시류(半翅類), 매미목. [파] **he·míp·ter·ous** [-rəs] *a.*

hèmi·rétina *n.* 〖해부〗 반망막(半網膜).

hem·i·sect [hèmisékt], [--́-] *vt.* 반으로 자르다, 《특히》 세로로 2 등분하다.

***hem·i·sphere** [hémisfìər] *n.* **1** (종종 H-) (지구 · 천체의) 반구; 반구의 주민〔국가〕: the Eastern ~ 동반구. **2** 〖해부〗 뇌반구. **3** 반구의 지도. **4** 반구체(半球體). **5** (사상 · 활동 따위의) 범위, 영역.

hem·i·spher·ic, -i·cal [hèmisférik], [-əl] *a.* 반구의; (-ical) 반구체의. [파] **-i·cal·ly** *ad.*

hem·i·stich [hémistìk] *n.* (시(詩)의) 반구(半句), 반행(半行); 불완전행(行).

hèmi·zýgote *n.* 〖유전〗 단가(유전자) 접합체; 반접합(성염색)체.

hem·line [hémlàin] *n.* (스커트 · 드레스의) 옷단의 공그른 선.

hem·lock [hémlɑk/-lɔk] *n.* 〖식물〗 **1** 《미》 북아메리카산 솔송나무(= ~ **fír** 〔**sprúce**〕); 그 재목. **2** 《영》 독미나리《유럽 원산 미나릿과의 독초》; [U] 그 열매에서 채취한 독약《강한 진정제》.

hem·mer [hémər] *n.* 가두리를 대는 사람〔기계〕; (재봉틀의) 휘갑치는 장치.

he·mo- [hí:mou, hém-, -mə] '피'의 뜻의 결합사《모음 앞에서는 hem-》.

hèmo·concentrátion *n.* (혈청 감소에 의한) 혈액 농축.

hémo·cyte *n.* 혈액 세포, 혈구(血球) (blood cell).

he·mo·cy·tom·e·ter [hì:məsaitámətər/-tɔ́m-] *n.* =HEMACYTOMETER.

hèmo·diálysis *n.* 〖의학〗 (인공 신장에 의한) 혈액 투석(透析).

hèmo·díalyzer *n.* 〖의학〗 혈액 투석기(透析器), 인공 신장(artificial kidney).

hèmo·dilútion *n.* 〖의학〗 혈액 희석(稀釋).

hèmo·dynámics *n. pl.* 〔단수취급〕 혈행〔혈류〕역학; 혈행 동태. [파] **hèmo·dynámic** *a.*

hèmo·filtrátion *n.* 〖의학〗 혈액 여과(濾過)(법).

hèmo·glóbin *n.* [U] 〖생화학〗 헤모글로빈, 혈색소.

he·mo·glo·bin·op·a·thy [hìːməglòubənɑ́pəθi, hèm-/-nɔ́p-] *n.* 〖의학〗 이상 혈색소증.

hémoglobin Ś 〖의학〗 S 헤모글로빈, 낫 모양 적혈구 혈색소《가장 흔한 이상(異常) 혈색소》.

he·mo·gram [híːməgræ̀m, hém-] *n.* 〖의학〗 혈액도(圖)《혈액 속의 각종 혈구의 비율을 그래프로 나타낸 기록》.

he·mol·y·sin [hìːməláisin, hèm-] *n.* 〖면역〗 용혈소(溶血素); 용혈독(溶血毒).

he·mol·y·sis [himɑ́ləsis/-mɔ́l-] *n.* [U] 〖면역〗 용혈(溶血)(반응〔현상〕).

he·mo·lyt·ic [hìːməlítik, hèm-] *a.* 〖면역〗 용혈(성)의.

hemolýtic anémia 〖의학〗 용혈성 빈혈《체내 적혈구의 파괴로 생기는 빈혈》.

he·mo·lyze [híːməlàiz, hém-] *vt., vi.* (적혈구를) 용혈시키다, 용혈되다.

he·mo·phile [híːməfàil, hém-] *n.* 호(好)혈액성 세균; =HEMOPHILIAC.

he·mo·phil·ia [hìːməfíliə, hèm-] *n.* [U] 〖의학〗 혈우병(血友病). [파] **-i·ac** [-iæ̀k] *n., a.* 혈우병 환자(bleeder); 혈우병의.

he·mo·phil·ic [hìːməfílik, hèm-] *a.* 〖의학〗 혈우병에 걸린〔특유한〕; 〖생물〗 (세균이) 호혈성(好血性)의.

he·mop·ty·sis [himɑ́ptəsis/-mɔ́p-] (*pl.* ***-ses*** [-siːz]) *n.* 〖의학〗 객혈(喀血).

hem·or·rhage, haem- [hémərid͡ʒ] *n.* [U] [C] **1** 출혈: cerebral ~ 뇌출혈/internal ~ 체내 출혈. **2** (자산·두뇌 따위의) 유출, 손실. ***have a ~*** 몹시 흥분하다, 발끈하다. **—** *vi.* (다량으로) 출혈하다; (거액의) 자산을 잃다, 큰 적자를 내다.

hem·or·rhag·ic [hèmərǽdʒik] *a.* 출혈의.

hemorrhágic féver 〖의학〗 출혈열《급성 발열·발병·통증·내장 출혈의 증상을 수반하는 여러 가지 바이러스병의 총칭; 대부분 진드기나 모기로 매개됨》.

hem·or·rhoids [hémərɔ̀idz] *n. pl.* 〖의학〗 치질, 치핵(痔核). [파] **hem·or·rhoi·dal** [hèmərɔ́idəl] *a.*

hèmo·stásis *n.* 〖의학〗 지혈; (신체 일부의) 혈류 정지〔차단〕; (부분적) 울혈.

he·mo·stat [híːməstæ̀t, hém-] *n.* 지혈 겸자(鉗子); =HEMOSTATIC.

hèmo·státic *a.* (약 따위가) 지혈(止血)의, 지혈 작용이 있는. **—** *n.* 지혈제.

◇**hemp** [hemp] *n.* [U] **1** 삼, 대마. [cf] flax. **2** 삼의 섬유. **3** [C] (the ~) 《고어·우스개》 목매는 끈. **4** (the ~) 인도 대마로 만든 마약(hashish, marijuana 따위), 《특히》 마리화나 담배.

hemp·en [hémpən] *a.* 대마의〔로 만든〕; 《고어》 교수형(밧줄)의: a ~ collar 목매다는 밧줄/a ~ widow 남편이 교수형당한 과부.

hémp pálm 종려나무.

hémp·sèed *n.* 삼씨《새의 모이》; 《속어》 악당.

hémpseed òil 〖화학〗 삼씨 기름《도료용, 식용》.

hém·stìtch *n.* 휘갑장식. **—** *vt.* …에 휘갑장식을 하다.

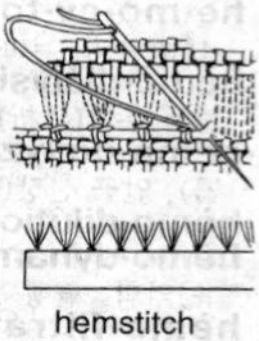
hemstitch

hen [hen] *n.* **1** 암탉 ([cf] cock[1]); (*pl.*) 닭: a ~'s egg 달걀. **2** 〖일반적〗 암새; 물고기의 암컷: a turkey ~ 칠면조의 암컷/a ~ lobster 새우의 암컷. **3** 《속어》 여자, (특히 중년의) 수다스러운 여자. ***A ~ is on.*** 《미구어》 중대한 일이 일어나려 하고〔꾀해지고〕 있다. (***as***) ***scarce as ~'s teeth*** 아주 적은; 아주 불충분한. ***like a ~ with one chicken*** 작은〔하찮은〕 일에만 신경을 쓰는, 곰상스럽게 잔소리하는. ***sell one's ~s on a rainy day*** 물건을 잘못〔손해보고〕 팔다.

Hen. Henry.

He·nan, Ho·nan [hə́ːnɑ́ːn], [hòunǽn] *n.* 허난(河南) 성《중국 중동부의 성》.

hén-and-chíckens *n.* 〖식물〗 원포기 주위에 자라는 식물, 《특히》 꿩의비름의 일종, 적설초.

hén-and-égg *a.* 닭이 먼저냐, 계란이 먼저냐 하는 따위의《문제 등》.

hén·bàne *n.* 사리풀《가짓과(科)의 약용 식물》; [U] 거기서 뽑은 독.

hén bàttery 산란기에 암탉 한 마리씩 넣어 두는 칸 막은 큰 닭장.

hén·bìrd *n.* 암새.

hén·bìt *n.* 〖식물〗 광대나물.

◇**hence** [hens] *ad.* **1** 그러므로; 〖동사를 생략하여〗 이 사실에서 …이 유래하다: *Hence* (comes) the name Cape of Good Hope. 여기에서 희망봉이란 이름이 나왔다. **2** 지금부터, 금후; 《고어》 이 자리에서: fifty years ~ 지금부터 50년 후. **3** 현세에서; 《고어》 여기에서. ***from ~*** 《고어》 여기에서. (***Go***) ***~!*** 나가(거)라. ***go*** 〔***depart, pass***〕 ~ 죽다. ***Hence with*** him 〔it〕! 그를 쫓아 버려라, 그를〔그것을〕 데려가라〔가져가거라〕.

◇**hènce·fórth, hènce·fórward** *ad.* 이제부터는, 금후, 이후.

hench·man [hént∫mən] (*pl.* ***-men*** [-mən]) *n.* 충실한〔믿을 수 있는〕 부하〔심복, 측근〕; 《보통 비어》 (정치가·갱단의) 추종자, 똘마니; 〖역사〗 근시(近侍), 시동(侍童).

hén·còop *n.* 닭장, 《특히》 병아리 집.

hen·dec·a- [hendékə, ---/---] '11'의 뜻의 결합사. ★ 모음 앞에서는 **hendec-**.

hen·deca·gon [hendékəgɑ̀n/-gən] *n.* 《드물게》 11각형, 11변형.

hendèca·syllábic *a., n.* 11음절의 (시구).

hendéca·sỳllable *n.* 11음절의 시구〔단어〕.

hen·di·a·dys [hendáiədis] *n.* 〖수사학〗 중언법(重言法)《두 개의 명사나 형용사를 and로 이어 '형용사+명사'나 '부사+형용사'의 뜻을 나타냄: buttered bread 를 bread and butter, nicely warm 을 nice and warm 으로 하는 따위》.

Hen·don [héndən] *n.* 헨던《런던 북쪽의 도시; 비행장이 있었음》.

Hé-Né láser [híːníː-] 헬륨 네온 레이저《헬륨 가스와 네온 가스를 혼합시켜 방전(放電)하는 레이저 광선》.

hen·e·quen, -quin [hénəkin] *n.* 〖식물〗 용설란류(類); [U] 그 잎에서 뽑은 섬유.

henge [hend͡ʒ] *n.* 〖고고학〗 헨지《Stonehenge와 비슷한 환상(環狀)의 유적》.

hén hàrrier 〖조류〗 잿빛개구리매《유럽산 매》.

hén hàwk 《미》 닭 따위를 습격하는 대형의 매.

hén-héaded [-id] *a.* 《속어》 생각이 모자라는.

hén·héarted [-id] *a.* 겁많은, 소심한.

hén·hòuse *n.* 닭장; 《미속어》 (육군) 장교 클럽.

Hen·ley [hénli] *n.* Henley-on-Thames에서 매년 열리는 국제 보트레이스(=~ **Regàtta**).

Hénley-on-Thámes *n.* 헨리온템스《영국 Oxfordshire의 Thames 강변에 있는 도시; 보트 레이스로 유명》.

hen·na [hénə] *n.* 헤나《부처꽃과(科)에 속하는 관목》; 헤나 물감《머리를 붉게 물들이는》; 적갈색. **—** *a.* 적갈색의. **—** *vt.* 헤나 물감으로 물들이다. [파] **~ed** *a.* 헤나 물감으로 물들인, 적갈색의.

hen·nery [hénəri] *n.* 양계장; 닭장.

hén nìght 《구어》 =HEN PARTY.

hen·ny [héni] *a., n.* (털이) 암탉 같은 (수탉).

Hénny Pénny 공헌에 따라 분배하는.

hen·o·the·ism [hénouθiːìzəm] *n.* [U] 단일신교(單一神敎). [파] **-ist** *n.* ~ 신자.

hén pàrty 《구어》 여자들만의 회합. OPP *stag party*.
hén·pèck *vt.* (남편을) 깔고 뭉개다. ㊞ **~ed** [-t] *a.* 여편네 손에 쥐인, 내주장〔공처가〕의.
hén pèn 《미속어》 (사립) 여학교.
hén·ròost *n.* Ⓤ 새집, 닭장.
hén rùn 양계장, 닭 사육장.
Hen·ry [hénri] *n.* **1** 헨리《남자 이름》. **2 O. ~** 오 헨리《미국의 단편 작가; 본명 William Sidney Porter; 1862-1910》.
hen·ry (*pl.* **~s, -ries**) *n.* 〚전기〛 헨리《자기 유도 계수의 실용 단위; 기호 H》. 「헨리의 법칙.
Hénry's làw 〚물리〛 (기체의 용해도에 관한)
hén tràcks 《속어》 알아보기 힘들 정도로 갈겨 쓴〔서툴게 쓴〕 글씨.
hep[1] [hep] 《속어》 *a.*, *vt.*, *n.* =HIP[4].
hep[2] *n.* =HIP[2].
hep[3] *int.* 으윽《재즈 음악 연주자가 내는 소리》; 하나 둘 하나 둘《행진할 때의 구령》.
HEPA filter [hépə-] 헤파 필터, 고능률 공기 여과 장치. [◂ *H*igh *E*fficiency *P*articulate *A*ir filter]
hep·a·rin [hépərin] *n.* Ⓤ 〚생화학〛 헤파린《간장에 있어 혈액의 응고를 막음》. ㊞ **~·ize** [-àiz] *vt.* 헤파린으로 응혈을 방지하다.
hep·a·tec·to·my [hèpətéktəmi] *n.* 간장 절제 수술. ㊞ **-mìze** *vt.* **-mìzed** *a.*
he·pat·ic [hipǽtik] *a.* 간장의; 간장에 좋은; 간장색의, 암갈색의; 〚식물〛 태류〔이끼류〕의. ― *n.* 간장약; 〚식물〛 이끼.
he·pat·i·ca [hipǽtikə] (*pl.* **~s, -cae** [-si:]) *n.* 〚식물〛 노루귀속(屬)의 식물; 설앵초.
hep·a·ti·tis [hèpətáitis] (*pl.* **-tit·i·des** [-títədi:z]) *n.* 〚의학〛 간염.
hepatítis Á 〚의학〛 A 형〔전염성〕 간염(infectious hepatitis). 「hepatitis).
hepatítis B́ 〚의학〛 B 형〔혈청〕 간염(serum
hepatítis Ć 〚의학〛 C 형 간염《비(非) A, 비 B 간염 환자의 혈액에서 발견한 또 하나의 간염형》.
hepatítis délta 〚의학〛 델타 간염(delta hepatitis)《delta virus 에 의해 생김》.
hepatítis nòn-A, nòn-B 〚의학〛 비(非)A, 비B 간염《수혈에 의해 발병하는 A 형도 B 형도 아닌》.
hep·a·to- [hépətou, hipǽtou, -tə], **hep·at-** [hépət] '간장'의 뜻의 결합사《모음 앞에서는 hepat-》. 「질.
hèpato·carcínogen *n.* 〚의학〛 간암 유발물
hèpato·céllular *a.* 간세포의. 「부」 간세포.
hep·a·to·cyte [hépətəsàit, hipǽt-] *n.* 〚해
hep·a·tol·o·gy [hèpətálədʒi/-tɔ́l-] *n.* 간장학.
hep·a·to·ma [hèpətóumə] *n.* 〚의학〛 간암, 간종양(肝腫瘍).
hep·a·to·meg·a·ly [hèpətouméɡəli, hipæ̀tə-] *n.* 〚의학〛 간종(肝腫), 간비대.
hep·a·top·a·thy [hèpətápəθi/-tɔ́p-] *n.* 〚의학〛 간장애. ㊞ **hèp·a·to·páth·ic** *a.* 간장애성(性)의.
hep·a·tos·co·py [hèpətáskəpi/-tɔ́s-] *n.* 간(기능) 검사; 간 점치기《제물의 동물로》.
hèpato·tóxic 간(肝)세포에 대해 독성을 갖는, 간(肝) 독성의. ㊞ **-toxícity** *n.* 간독성. 「독소》.
hèpato·tóxin *n.* 〚생화학〛 헤파토톡신《간세포
Hep·burn [hépbə:rn/hépbə:rn] *n.* **James C(urtis) ~** 헵번《미국인 선교사 · 의사 · 어학자; 헵번식 로마자 철자의 창시자; 1815-1911》. ㊞ **Hep·bur·ni·an** [hepbə́:rniən] *a.*, *n.* 헵번식의 (찬성자〔사용자〕).
hép·càt 《속어》 *n.* 스윙 음악가〔연주자〕; 재즈 음악의 명수(名手)〔팬〕; 소식〔유행〕통(通); 도시민, 건달(dude).
hepped [-t] *a.* 《속어》 열광한, 흥분한, 열이 오른; 《속어》 술에 만취한.
Hep·ple·white [hépəlhwàit/-wait] *n.* 헤플화이트식 가구(家具)《18 세기 말 영국의 가구 설계자의 이름에서》. ― *a.* 헤플화이트식의.
hep·ster [hépstər] 《속어》 *n.* =HEPCAT.
hep·ta- [héptə] '7'의 뜻의 결합사. ★ 모음 앞에서는 **hept-**.
hépta·chòrd *n.* (고대 그리스의) 칠현금(七絃琴); 〚음악〛 7 음 음계.
hep·tad [héptæd] *n.* 일곱 개 (한 벌); 〚화학〛 7가(價)의 원자〔원소〕. 「어로 쓴 (서적).
hep·ta·glot [héptəglàt/-glɔ̀t] *a.*, *n.* 7 개 국
hep·ta·gon [héptəgàn/-gən] *n.* 〚수학〛 7 각형, 7 변형. ㊞ **hep·tag·o·nal** [heptǽgənl] *a.*
hep·ta·he·dron [hèptəhí:drən] (*pl.* **~s, -dra** [-rə]) *n.* 7 면체. ㊞ **-hé·dral** *a.*
hep·tam·e·ter [heptǽmətər] *n.* 〚운율〛 칠보격(七步格). ㊞ **hep·ta·met·ri·cal** [hèptəmétrikəl] *a.*
hep·tar·chy [héptɑ:rki] *n.* 7 두 정치, 7 국 연합; (the H-) 〚영국사〛 7 왕국《5-9 세기경까지의 Kent, Sussex, Wessex, Essex, Northumbria, East Anglia, Mercia》.
hépta·stìch *n.* 〚운율〛 7 행시.
hépta·sỳllable *n.* 7 음절의 말〔시행(詩行)〕. ㊞ **hèpta·syllábic** *a.*
Hep·ta·teuch [héptət*j*ù:k/-tjù:k] *n.* 구약성서의 처음의 7 편. cf. Pentateuch.
hep·tath·lon [heptǽθlən, -lɑn/-lən] *n.* 〚육상〛 7종 경기《여자 올림픽 종목의 하나》. cf. pentathlon. 「cf. pentode.
hep·tode [héptoud] *n.* 〚전기〛 7극 진공관.
†**her** [hə:r, 약 hər, ər] *pron.* **1 a** 《she 의 목적격》 그 여자를〔에게〕. **b** 《구어》 《be 동사의 보어》 =SHE: It's ~, sure enough. 확실히 저 여자다. **c** 《고어》 그 여자 자신을〔에게〕: She laid ~ down. 그 여자는 드러누웠다. **2** 《she 의 소유격》 그 여자의.
her. heir; heraldic; heraldry; heres.
He·ra [híərə] *n.* 〚그리스신화〛 헤라《Zeus신의 아내; 로마 신화에서 Juno》.
Her·a·cle·an [hèrəklí:ən] *a.* = HERCULEAN.
Her·a·cles, -kles [hérəklì:z] *n.* =HERCULES.
◇**her·ald** [hérəld] *n.* **1** 선구자, 사자(使者). **2** 고지자, 보도자, 포고자, 통보자. ★ 신문 이름에 종종 쓰임. **3** 군사(軍使); (중세기 무술 시합의) 호출역(役), 진행계; (의식 · 행렬 따위의) 의전관. **4** 《영》 문장관(紋章官). ― *vt.* **1** 알리다, 포고하다, 전달하다. **2** 예고하다, 광고하다. **3** 안내〔선도(先導)〕하다. ㊞ **~·ist** *n.* 문장학자〔연구가〕.
he·ral·dic [herǽldik, hə-] *a.* 문장(紋章)(학)의; 전령(관)의; 의전(관)의. ㊞ **-di·cal·ly** *ad.*
her·ald·ry [hérəldri] *n.* **1** Ⓤ 문장학(紋章學); Ⓒ 가문(家紋), 문장(blazonry); 문장의 도안(집). **2** =HERALDSHIP. **3** Ⓤ (귀족의) 호화로운 의식. **4** 전조(前兆), 예고. 「院).
Héralds' Cóllege (the ~) 《영》 문장원(紋章
Herb [hə:rb] *n.* 허브《남자 이름》.
***herb** [*h*ə:rb/hə:b] *n.* **1** (뿌리와 구별하여) 풀잎. **2** 풀, 초본. **3** 식용〔약용, 향료〕 식물《basil, thyme 따위》: the ~ of grace 운향과의 식물《남유럽 원산의 약초》. **4** Ⓤ 목초; (the ~) 《미속어》 마리화나(marijuana). ㊞ **∠·less** *a.* **∠·like** *a.*
her·ba·ceous [*h*ə:rbéiʃəs/hə:-] *a.* 초본〔풀〕의, 풀 같은; 잎 모양의; 초록색의; 풀이 난. ㊞ **~·ly** *ad.* 「자리.
herbáceous bórder (정원의) 풀이 난 가장

herbáceous perénnial 여러해살이 초본, 다년생 초본, 다년초.

herb·age [hə́ːrbidʒ/hə́ː-] *n.* 〖집합적〗 초본, 풀, 목초, 약초; 풀의 수분이 많은 부분《잎이나 줄기》; 〖법률〗 (남의 소유지에서의) 방목권(放牧權).

herb·al [hə́ːrbəl/hə́ː-] *a.* 초본의, 풀의. **—** *n.* 본초서(本草書), 식물지(誌).

hérb·al·ìsm *n.* 약초학; (옛날의) 본초학(本草學).

hérb·al·ist *n.* 본초학자(本草學者); (예전의) 식물학자〔채집자〕; =HERB DOCTOR.

hérbal médicine 한방약; 약초 요법; 약초로 만든 약.

her·bar·i·um [həːrbɛ́əriəm/həː-] (*pl.* **~s, -ia** [-iə]) *n.* 석엽집(腊葉集), (건조) 식물 표본집; 식물 표본 상자〔실, 관〕.

Her·bart [hɛ́ərbaːrt] *n.* **Johann Friedrich ~** 헤르바르트《독일의 철학자 · 교육학자; 1776-1841》.

Her·bar·ti·an [həːrbáːrtiən] *a., n.* 헤르바르트(교육 철학)의 (신봉자). ⊞ **~·ism** *n.* Ⓤ 헤르바르트의 교육설.

herb·a·ry [hə́ːrbəri/hə́ː-] *n.* **1** 《고어》 약초원(藥草園). **2** =HERBARIUM.

hérb bèer 약초 맥주《약초로 양조한 알코올을 함유하지 않은 대용 맥주》.

hérb bènnet 〖식물〗 뱀무.

hérb dòctor 한의사, 약초의(藥草醫).

hérbed *a.* 향료 식물로 조리한.

Her·bert [hə́ːrbərt] *n.* 허버트《남자 이름; 애칭 Bert, Bertie, Herb》.

hérb gàrden 허브 가든《초본 식물만 심은 정원》.

herb·i·cide [hə́ːrbəsàid/hə́ː-] *n.* 제초제. ⊞ **hèr·bi·cí·dal** *a.* **-cíd·al·ly** *ad.*

Hér·big-Há·ro òbject [hə́ːrbighɑ́ːrou-] 〖천문〗 허빅하로 천체《별이 형성되는 아주 초기의 단계로 여겨지는 밝고 작은 성상체》.

her·bi·vore [hə́rbəvɔ̀ːr/hə́ː-] *n.* 초식 동물, 《특히》 유제류(有蹄類).

her·biv·o·rous [həːrbívərəs/həː-] *a.* 초식(성)의; =ENDOMORPHIC. ⊞ **~·ly** *ad.*

her·bo·rist [hə́ːrbərist/hə́ː-] *n.* =HERBALIST.

hèr·bo·ri·zá·tion *n.* Ⓤ 식물 채집〔연구〕(여행).

her·bo·rize [hə́ːrbəràiz/hə́ː-] *vi.* 식물을 채집〔연구〕하다, 약초를 모으다.

hérb téa 〔**wàter**〕 탕약(湯藥), 침제(浸劑).

hérb tobàcco 약용(藥用) 담배《기침을 멈추게 하기 위하여 피움》.

herby [hə́ːrbi/hə́ːbi] (***herb·i·er, -i·est***) *a.* **1** 풀의; 풀과 같은; 초본성(草本性)의. **2** 풀이 많은.

Her·cu·la·ne·um [hə̀ːrkjəléiniəm] *n.* 헤르쿨라네움《A.D. 79년 Vesuvius 화산의 분화로 Pompeii와 함께 매몰된 Naples 부근의 고도》.

Her·cu·le·an [hə̀ːrkjəlíːən, həːrkjúːliən/hə̀ː-kjulíːən] *a.* Hercules의〔와 같은〕; (때로 h-) 괴력이 있는; 거대한; 큰 힘을 요하는, 초인적인, 매우 곤란한: ~ efforts 대단한 노력/Digging the tunnel was a ~ task. 그 터널을 파기란 아주 어려운 일이었다.

Her·cu·les [hə́ːrkjəlìːz] *n.* 〖그리스신화〗 헤라클레스《Zeus의 아들로, 그리스 신화 최대의 영웅》; 장사; ((the) ~) 〖천문〗 헤르쿨레스자리. ***~' choice*** 안일을 버리고 고생을 택함. ***the Pillars of ~*** ⇨ PILLAR.

Hércules bèetle 〖곤충〗 헤르쿨레스딱정벌레류. **2** 박(gourd).《남아메리카산》.

Hércules'-clùb *n.* 〖식물〗 **1** 산초〔두릅〕나무

Hércules pówder 광산용 폭약.

Her·cyn·i·an [həːrsíniən] *a.* 〖지학〗 헤르시니아 조산기(造山期)의《고생대 후기 지각 변동기》.

herd**[1] [həːrd] *n.* **1** 짐승의 떼, 《특히》 소 · 돼지의 떼. ⓒⓕ flock. ¶ a ~ *of* cattle 소떼. **2** 군중; (the ~) 《경멸》 대중, 하층민; 대량, 다수: the common 〔vulgar〕 ~ 하층민. ***ride ~ on 《미》 말을 타고 가축을 감시하다; 망보다, 감독하다. **—** *vt.* **1** (사람을) 모으다; (소 · 양 따위를) 무리를 짓게 하다, 모으다. **2** 무리를 지키다〔이끌다〕. **—** *vi.* (떼 지어) 모이다〔이동하다〕, 떼 짓다 《*together; with*》.

herd[2] *n.* 〔보통 복합어〕 목부(牧夫), 목자, 가축지기(herdsman): cow*herd*, swine*herd*.

hérd·bòok *n.* 가축의 혈통서.

Her·der [hɛ́ərdər] *n.* **Johann Gottfried von ~** 헤르더《독일의 철학 · 문예 비평가; 1744-1803》.

hérd·er *n.* 목부(牧夫), 목자(牧者), 목동, 목양자.

her·dic [hə́ːrdik] *n.* (19세기말 미국의, 뒤쪽에서 타고 내리게 된) 2륜〔4륜〕마차.

hérd·ing dòg 목축 개.

hérd ìnstinct (the ~) 〖심리〗 군거(群居)〔집단〕 본능.

hérds·man [-mən] (*pl.* **-men** [-mən]) *n.* **1** 목자, 목부(牧夫), 목동, 가축지기; 소떼의 주인. **2** (the H-) 〖천문〗 목자자리(Boötes).

hérd tèst(ing) 소떼 검사《특정 젖소 떼의 유지방(乳脂肪)의 함유율을 조사하는 일》. ⊞ **hérd tèster**

He·re [híəri] *n.* =HERA.

†**here** [hiər] *ad.* **1** 여기에(서) (ⓞⓟⓟ *there*), 〔명사를 수식하여〕 여기 있는…: *Here* is news for you. 너에게 들려줄 말이 있다/my friend ~ 여기 있는 내 친구. **2** 여기로: Come ~ [kəm-híər]! 이리 오너라/*Here* he comes. 아, 오는구나. **3** 이 때에: *Here* the speaker paused. 이 때에〔여기서〕 연사는 말을 멈추었다. **4** 현세에서. **5** 네《출석 부를 때의 대답》. ★ 윗사람에게는 sir!를 덧붙임. **6** 자《꾸중하거나 달랠 때의 말》: *Here*, don't cry …. 자 울지 말고 …. ***be all ~*** =be all THERE. ***~ and now*** 지금 바로, 곧. ***~ and there*** 여기저기에. ***~ below*** 이 세상에서는 (ⓞⓟⓟ *in heaven*). ***Here goes !*** 《구어》 자 시작한다, 자 간다. ***Here goes nothing !*** 《구어》 (안 되겠지만) 한번 해볼 테다. ***Here I am.*** ① 네 (여기 있습니다). ② 다녀왔습니다; 자 이제야 왔다. ***Here I go!*** =Here goes! ***Here is something for you.*** 자 이것을 줄게. ***Here it is.*** ① 자 여기 있다. ② 자 이것을 주지. ***Here's (a health) to you*** 〔***us***〕***!*** =***Here's luck to you*** 〔***us***〕 ***!*** =***Here's how !*** 《구어》 (건배하여) 건강을 축원합니다. ***Here's at you.*** 옳지, 옳거니, 네 말이 맞다. ***~, there, and everywhere*** 어디든지, 도처에. ***~ today, gone tomorrow*** (어떤 곳에) 잠깐 동안(만) 머무를 뿐(이다), 일시적일 뿐(이다). ***Here we are*** (at the station). 자 (역에) 다 왔다. ***Here we go (again) !*** ① =Here goes! ② 《구어》 또 시작이야. ***Here you are.*** 자 여기 있다《상대방에게 무엇을 건네어 줄 때》. ★ Here you are.는 상대방에게 중점을, Here it is.는 물건에 중점을 둠. ***Look*** 〔***See***〕 ***~ !*** 이봐, 저 말이야《주의를 돌리려 할 때》. ***neither ~ nor there*** 문제가 되지 않는;관계없는; 대수롭지 않은, 하찮은: Whether or not he realized the fact was *neither ~ nor there.* 그가 그 사실을 깨달았는지의 여부는 문제가 되지 않았다. ***this ~*** 〔***'ere***〕 ***man*** =***this man ~*** 《속어》 여기 있는 이 사람 《'ere는 here의 h가 빠진 것》.
— *n.* 여기; 이 점; 이 세상. ***from ~*** 여기서부터. ***in ~*** 여기에, 이 안에. ***near ~*** 이 근처에. ***out of ~*** 여기서부터. ***the ~ and now*** 현재, 현시점; 현세, 이 세상. ***the ~ and the hereafter*** 현재와 미래. ***up to ~*** 《구어》 ① 일이 지나치게 많아. ② 참을 수 없게 되어, 진절머리가 나서. ③ 배가 잔뜩 불러. ④ 가슴이 벅차서. ⑤ 여기까지.

◇**hére·abòut(s)** [híər-] *ad.* 이 부근〔근처〕에: somewhere ~ 어딘가 이 근처에(서).

***here·af·ter** [hiəræftər, -á:f-/-á:f-] *ad.* **1** 지금부터는, 금후(로는), 장차는. **2** 내세에서(는). ── *n.* (종종 H-, the ~) **1** Ⓤ 장래, 미래. **2** Ⓤ,Ⓒ 내세, 저세상: in the ~ 저세상에서. ── *a.* 《고어》 미래의, 후세의.

hére-and-nòw [-rənd-] *a.* 즉결을 요하는.

hère·át [-rǽt] *ad.* 《고어》 **1** 여기서, 차제에. **2** 이러므로.

hére·awáy [híər-] *ad.* =HEREABOUT; 《미속어》 =HITHER.

hère·bý *ad.* **1** 《문어》 〖법률〗 이에 의하여, 이 문서〔서면〕에 의해, 이 결과(로서). **2** 《고어》 이 부근에.

Hére Còmes the Bríde 신부 입장곡《결혼식 초두에 신부가 교회 통로를 행진할 때 연주하는 곡》.

he·rèd·i·ta·bíl·i·ty *n.* =HERITABILITY.

he·red·i·ta·ble [hərédətəbəl] *a.* =HERITABLE.

her·e·dit·a·ment [hèrədítəmənt] *n.* Ⓤ,Ⓒ 〖법률〗 상속(가능) 재산《유형·무형의》; 부동산.

he·red·i·tar·i·an [hərèdətέəriən] *n., a.* 유전론자(의), 유전적인. ㊞ **~·ism** *n.* 유전설.

he·red·i·tar·i·ly [hirèditέərəli, hirédìtèr-/-réditəri-] *ad.* 세습적으로; 유전적으로.

◇**he·red·i·tary** [hərédətèri/-təri] *a.* 세습의; 부모한테 물려받은, 대대의; 상속에 관한; 유전에 의한; 유전(성)의: ~ characters 유전 형질/~ property 상속 재산. ㊞ **-tàr·iness** *n.*

heréditary péer 세습 귀족.

he·red·i·tism [hərédətìzəm] *n.* Ⓤ 유전설. ㊞ **-tist** *n.* 유전론자.

he·red·i·ty [hərédəti] *n.* Ⓤ,Ⓒ 유전; 형질 유전; 세습; 전통.

he·réd·o·famílial [hərédou-] *a.* 가족 유전성의, 유전 가족성의.

Heref. Hereford(shire).

Her·e·ford *n.* **1** [hérəfərd] **a** 헤리퍼드《잉글랜드 서부 Hereford and Worcester 주의 도시》. **b** =HEREFORDSHIRE. **2** [hə́:rfərd, hérə-/hə́:fəd] **a** 헤리퍼드종(種)(의 소)《낯이 희고 털이 붉음; 식용》. **b** 헤리퍼드종(의 돼지).

Héreford and Wórcester 헤리퍼드 우스터《잉글랜드 남서부의 주; 1974년 신설; 주도 Worcester》.

Her·e·ford·shire [hérəfərdʃìər, -ʃər] *n.* 헤리퍼드셔《잉글랜드 서부의 옛 주; 1974년 Hereford and Worcester 주의 일부가 됨》.

hère·fróm *ad.* 《고어》 이제부터; 여기에서; 이 시점에서부터.

Herefs. Herefordshire.

hère·ín *ad.* **1** 《문어》 이 속에, 여기에. **2** 《드물게》 이 점에서, 이 사실〔사정〕에〔(으)로〕, 이에 비추어 보아.

hère·in·abóve *ad.* =HEREINBEFORE.

hère·in·áfter *ad.* 《문어》 (서류 등에서) 아래에(서는), 이하에.

hère·in·befóre *ad.* 《문어》 (서류 등에서) 위에, 윗글에, 전조에.

hère·in·belów *ad.* =HEREINAFTER.

hère·ínto *ad.* 이 안으로; 이 사항〔사건〕 속으로.

hère·óf *ad.* **1** 《문어》 이것의, 이 문서의: upon the receipt ~ 이것을 수령하시면〔수령하는 대로〕. **2** 이에 관하여.

hère·ón *ad.* =HEREUPON.

He·re·ro [hərέərou] (*pl.* **~, ~s**) *n.* 헤레로족(族)《아프리카 남서부의 반투족》; 헤레로 사람〔말〕.

***here's** [hiərz] here is 의 간약형.

he·re·si·arch [hərí:ziɑ̀:rk, -si-/herí:zi-] *n.* 이교(異敎)의 창시자; 이교도의 우두머리.

he·re·si·ol·o·gy [hərì:ziálədʒi, -si-/hèrizi-ɔ́lə-] *n.* 이교 연구 (논문). ㊞ **-gist** *n.*

◇**her·e·sy** [hérəsi] *n.* Ⓤ 이교, 이단, 이교 신앙; (통설·전통 학설에 반하는) 이론(異論), 이설.

◇**her·e·tic** [hérətik] *n.* 이교도, 이단자; 반대론자. ⓒⓕ heathen. ── *a.* =HERETICAL.

he·ret·i·cal [hərétikəl] *a.* 이교의, 이단의; 반대론자의. ㊞ **~·ly** *ad.* **~·ness** *n.*

hère·tó *ad.* **1** 여기까지. **2** 《문어》 이 문서에, 여기〔이것〕에: attached ~ 여기에 첨부된. **3** 이 점에 관하여.

hère·to·fóre *ad.* 《문어》 지금까지(에는)(hitherto), 이전에(는). ── *a.* 《고어》 지금까지의, 이전의.

hère·únder *ad.* **1** 아래에, 이하에. **2** 이에 의하여, 이에 의거하여.

hère·untó *ad.* 《고어》 =HERETO.

hère·upón *ad.* 여기에 있어서(upon this); 여기에 잇따라; 이 결과로서; 이에 관하여.

here·with [hìərwíð, -wíθ] *ad.* **1** 이것과 함께 《특히, 상용문에 씀》: enclosed ~ 이에 동봉하여. **2** 이 기회에; 이것으로, 이에 의해(hereby).

hér indóors 《속어》 (성가신) 아내; 우리 집 마누라; 여편네; (무서운) 직장 동료 여성; (거북한) 여성 상사.

her·i·ot [hériət] *n.* 〖영법률〗 차지(借地) 상속세; 상속 상납물《영주에 바쳐야 할 고인 소유의 가축·동산 등》.

hèr·it·a·bíl·i·ty *n.* Ⓤ 상속〔유전〕 가능성.

her·it·a·ble [héritəbəl] *a.* 물려줄 수 있는; 상속할 수 있는; (병 등이) 유전하는, 유전성의. ── *n.* (보통 *pl.*) 상속〔양도〕할 수 있는 재산. ㊞ **-bly** *ad.* 상속(권)에 의하여.

***her·it·age** [héritidʒ] *n.* **1** Ⓤ,Ⓒ 상속 재산; 세습 재산. **2** Ⓒ (대대로) 물려받은 것; 유산; (문화적)전통; 천성; 운명: cultural ~ 문화 유산. **3** 〖성서〗 **a** 신의 선민, 이스라엘 사람, 기독교도: God's ~ 기독교도〔교회〕. **b** 가나안(Canaan)의 땅.

Héritage Foundàtion (the ~) 헤리티지 재단《미국 보수파의 정책 연구 단체》.

her·it·ance [héritəns] *n.* 《고어》 =INHERITANCE.

her·i·tor [héritər] (*fem.* **-tress** [-tris]) *n.* 상속인〔자〕(heir); 《고어》 〖Sc. 법률〗 교구의 토지〔가옥〕 소유자. ㊞ **~·shìp** *n.*

herky-jerky [hə́:rkidʒə́:rki] *a.* (동작·하는 짓이) 돌연한〔불규칙적인, 발작적으로 움찔하는〕.

herm [hə:rm] *n.* (각진 돌기둥을 대좌(臺座)로 한) 흉상(胸像), 두상(頭像).

her·maph·ro·dite [hə:rmǽfrədàit] *n.* 어지자지, 남녀추니; 양성체(兩性體), 양성 동물; 양성화, 자웅 동주; 쌍돛배의 일종(=∠ **brìg**). ── *a.* 자웅 동체〔동주〕의. ㊞ **her·màph·ro·dít·ic, -i·cal** [-dítik], [-əl] *a.* 양성(兩性)의, 남녀추니의, 자웅 동체의. **hermáph·ro·dit·ism** [-daitìzəm] *n.* Ⓤ 자웅 동체성(性).

her·ma·type [hə́:rmətàip] *n.* 조초(造礁) 생물《산호초를 형성하는 생물; 산호·조개·석회조(藻) 따위》.

her·ma·typ·ic [hə̀:rmətípik] *a.* 조초성(造礁性)의《산호·생물》.

her·me·neu·tic, -ti·cal [hə̀:rmənjú:tik/-njú:-], [-əl] *a.* 성서 해석학의; 해석의, 설명적인. ㊞ **-i·cal·ly** *ad.* **hèr·me·néu·tics** *n. pl.* 〖단수취급〗 해석학《특히 성서의》.

Her·mes [hə́:rmi:z] *n.* 헤르메스. **1** 〖그리스신화〗 신들의 사자(使者)로 과학·상업·변론의 신; 로마 신화의 Mercury에 해당. **2** 〖천문〗 지구에 가장 가깝게 접근하는 소행성.

her·met·ic, -i·cal [hə:rmétik], [-əl] *a.* 밀봉〔밀폐〕한(airtight); (종종 H-) 연금술의; 신비한, 심원한: the ~ art 〔philosophy, science〕 연금술/~ sealing 용접 밀폐. ── *n.* 연금술사. ㊞ **-i·cal·ly** *ad.* 밀봉하여.

her·me·tism [hə́ːrmitizəm] *n.* (종종 H-) 비전(秘傳); 비법; 신비주의(=**her·mét·i·cism**).

°**her·mit** [hə́ːrmit] *n.* **1** 수행자(修行者), 신선, 도사; 은자(anchorite), 속세를 버린 사람(recluse); 독거성의 동물; 〖조류〗 벌새; =HERMIT CRAB. **2** 향료를 넣은 당밀 쿠키.

her·mit·age [hə́ːrmitidʒ] *n.* 암자, 은자의 집; 외딴집; 은자의 생활; Ⓤ (H-) 프랑스산 포도주의 일종.

hérmit cràb 〖동물〗 소라게(soldier crab).

her·mit·ic [hərmítik] *a.* 은자의; 은둔자다운.

her·mit·ry [hə́ːrmitri] *n.* 은둔 생활.

hérmit thrùsh 〖조류〗 지빠귀의 일종《북아메리카산》.

hern [həːrn] *n.* 《고어·방언》 =HERON.

her·nia [hə́ːrniə] (*pl.* **~s, -ni·ae** [-niiː]) *n.* 《L.》 헤르니아, 탈장. ㊞ **-ni·al** [-l] *a.*

her·ni·ate [hə́ːrnièit] *vi.* 〖의학〗 헤르니아가 되다, 탈장(脫腸)하다. 「결합사.

her·ni·o- [hə́ːrniou, -niə] '헤르니아'의 뜻의

He·ro [híərou] *n.* **1** 여자 이름. **2** 〖그리스신화〗 헤로《Aphrodite의 여신관(女神官)으로 Leander의 애인; Leander의 익사를 슬퍼하여 자신도 바다에 투신했음》.

*⁑***he·ro** [híərou] (*pl.* **~es**) *n.* **1** 영웅; 위인, 이상적인 인물: one of my ~*es* 내가 심취하는 인물의 하나 / make a ~ of a person 아무를 영웅화하다, 아무를 떠받들다 / No man is a ~ to his valet. 《격언》 영웅도 그 하인에게는 평범한 사람. **2** 〖신화〗 반신적(半神的) 용사, 신인(神人). **3** (남자) 주인공《극·소설 따위의》. ⓒⓕ heroine. **4** (중대한 사건 등의) 중심인물. ㊞ **~·like** *a.*

Her·od [hérəd] *n.* 〖성서〗 헤롯 왕《유대의 왕, 잔학하기로 유명함; 73?-4 B.C.》. ⓒⓕ out-Herod.

He·ro·di·an [həróudiən, he-] *a.* 헤롯왕의. ── *n.* 헤롯 왕가파(王家派)〔지지자〕.

He·ro·di·as [həróudiəs, he-/-æs] *n.* 헤로디아《Herod Antipas의 후처로 Salome의 어머니; 세례 요한을 죽이려고 했음; 14 B.C.?-?40 A.D.》.

He·rod·o·tus [hərádətəs, he-/-rɔ́d-] *n.* 헤로도토스《그리스의 역사가; 484?-?425 B.C.》.

***he·ro·ic** [hiróuik] *a.* **1** 영웅적인, 씩씩한, 용감한; 대담한, 과감한: ~ measures 과감한 수단. **2** 초인적인. **3** 〖운율〗 (시가) 영웅을 찬미한; (문체 따위가) 웅대한(grand); 과장한(high-flown), 흰소리 치는(magniloquent): ~ words 호언장담. **4** 〖미술〗 실물보다 큰《조각 따위》: a ~ statue 실물보다 큰 상. **5** (효과가) 큰; 다량의: a ~ drug 특효약. ── *n.* (*pl.*) 영웅시(격), 사시(史詩)(격); (*pl.*) 과장된 표현〔태도, 행위, 감정〕: go into ~*s* 감정을 과장하여 표현하다. ㊞ **-i·cal** [-əl] *a.* =heroic. **-i·cal·ly** *ad.*

heróic áge (the ~) **1** 신인(神人)〔영웅〕시대《Hesiod가 주창한 인간 역사의 5기 중의 한 시대》. **2** 신화시대; 한 나라의 여명기.

heróic cóuplet 〖시학〗 영웅시체 2행 연구(連句)《압운(押韻)된 약강(弱強) 5보각(步脚)의 대구(對句)》.

heróic dráma 영웅극《연애와 무용을 중심으로 한 heroic couplet으로 쓴 영국 17세기 왕정 복고 시대의 비극》.

he·ro·i·com·ic, -i·cal [hiròuikámik/-kɔ́m-], [-əl] *a.* 〖문예〗 용감하고 해학적인.

heróic póem 〔póetry〕 영웅시.

heróic vérse 〖운율〗 영웅시격, 사시(史詩)격(=**heróic líne 〔méter〕**)《영시(英詩)에서는 약강 오음보격(五音步格)》.

her·o·in [hérouin] *n.* Ⓤ 헤로인《모르핀제; 진정제·마약》; (H-) 그 상표 이름.

héroin bàby 헤로인 베이비《헤로인 중독의 어머니로부터 조산(早産)으로 태어나, 약물을 좋아하는 버릇이 있는》.

*⁑***her·o·ine** [hérouin] *n.* **1** 여걸, 여장부. **2** (극·소설 등의) 여주인공: the ~ of a novel. **3** (신화시대의) 반신녀(半神女).

her·o·in·ism [hérouinìzəm] *n.* Ⓤ 모르핀 중독.

°**her·o·ism** [hérouìzəm] *n.* Ⓤ 영웅적 자질, 장렬, 의열(義烈); Ⓒ 영웅적 행위.

he·ro·ize [híərouàiz, hér-] *vt.* 영웅화(시)하다; 영웅으로 받들다. ── *vi.* 영웅인 체하다.

°**her·on** [hérən] (*pl.* **~s,** 〔집합적〕 ~) *n.* 〖조류〗 왜가리, 〔일반적〕 백로과 새의 총칭. ㊞ **~·ry** [-ri] *n.* 왜가리〔백로〕가 떼 지어 보금자리를 치는 곳; 왜가리〔백로〕 떼.

heron

héro sándwich 롤빵 따위를 쓴 속이 푸짐한 대형 샌드위치.

héro wòrship 영웅 숭배.

héro-wòrship *vt.* …을 영웅시하다, 영웅 숭배하다. ㊞ **~·er,** 《영》 **~·per** *n.* 영웅 숭배자.

her·pes [hə́ːrpiːz] *n.* 〖의학〗 포진(疱疹), 헤르페스; =GENITAL HERPES. 「포진(疱疹).

hérpes sím·plex [-símpleks] 〖의학〗 단순

hérpes zós·ter [-zástər/-zɔ́s-] Ⓤ 〖의학〗 대상 포진(帶狀疱疹).

her·pet·ic [həːrpétik] *a.* 포진(疱疹)〔헤르페스〕의, 포진에 걸린. ── *n.* 포진 환자.

her·pe·tol·o·gy [hə̀ːrpətálədʒi/-tɔ́l-] *n.* Ⓤ 파충류학. ㊞ **-gist** *n.* 파충류학자.

herp·tile [hə́ːrptl/-tail] *a., n.* 양서(兩棲) 파충류의 (동물).

Herr [hɛər] (*pl.* ***Her·ren*** [hɛ́ərən]) *n.* 《G.》 님, 군(君), 선생, 씨(氏); 독일 신사.

Her·ren·volk [G. hɛ́rənfɔlk] *n.* 《G.》 지배 민족《나치 독일 민족의 자칭》.

°**her·ring** [hériŋ] (*pl.* **~s,** 〔집합적〕 ~) *n.* 청어: kippered ~ 훈제한 청어. (**as**) ***dead as a*** ~ ⇨ DEAD. ***packed as close as ~s*** 콩나물시루처럼 꽉 차서. ***thick as ~s*** 몹시 밀집하여.

hérring·bòne *n.* **1** 청어 뼈. **2** 오늬무늬(로 짠 천), 헤링본; 〖건축〗 (벽돌 따위의) 오늬무늬 쌓기, 헤링본. ── *a.* 오늬(무늬) 모양의. ── *vt.* 오늬무늬로 뜨다〔박다〕; 오늬무늬로 쌓다. ── *vi.* 오늬무늬를 만들어 내다; 〖스키〗 헤링본, 다리를 벌리고 비탈을 오르다.

hérring gùll 〖조류〗 재갈매기.

hérring pònd 《우스개》 대양《특히 북대서양》.

†**hers** [həːrz] *pron.* 〔she의 소유대명사〕 그녀의 것: This is ~, not mine. 이것은 그녀의 것이고 내 것은 아니다 / a friend of ~ 그녀의 친구 / *Hers* is a unique style. 그녀의 글은 문체가 독특하다.

Her·schel [hə́ːrʃəl, hɛ́ər-/hə́ː-] *n.* 허셜. **1** Sir **John Frederick William** ~ 영국의 천문학자(1792-1871). **2** Sir **William** ~ 천왕성을 발견한(1781) 독일 태생의 영국 천문학자《1의 아버지; 1738-1822》.

†**her·self** [həːrsélf] (*pl.* ***them·selves***) *pron.* 3인칭 단수 여성의 재귀대명사. **1** 〔재귀적으로 써서〕 그녀 자신을〔에게〕: She tired ~ out. 그녀는 녹초가 되도록 지쳤다. **2** 〔강조적으로 써서〕 그녀 자신: She did it ~. 그녀 자신이 그것을 하였다 / Mary ~ said that. 메리 자신이〔다른 사람 아닌 메리가〕 그렇게 말했다. **3** 언제나의 그녀, 본래의 그녀: She is not ~ today. 오늘은 평소의

그녀와는 다르다. **4** 《Ir.·Sc.》 중요한 여성, 주부.

her·story [hə́ːrstəri] *n.* 《속어》 여성의 관점에서 본 역사; 여성사.

Hert·ford [hɑ́ːrtfərd] *n.* 하트퍼드《영국 Hertfordshire 주의 주도(州都)》; =HERTFORDSHIRE.

Hert·ford·shire [hɑ́ːrtfərdʃiər, -ʃər] *n.* 하트퍼드셔《영국 동남부의 주; 생략: Herts.》.

Herts. Hertfordshire.

Hertz [həːrts, hɑːrts] *n.* **Heinrich Rudolph** ~ 헤르츠《독일의 물리학자, 헤르츠파(波)를 실증(實證); 1857-94》.

hertz (*pl.* ~, **~·es**) *n.* 〖전기〗 헤르츠《진동수·주파수의 단위; 기호 Hz》.

hertz·i·an [hə́ːrtsiən] *a.* (때로 H-) 헤르츠(식)의.

hértzian telégraphy 무선 전신《헤르츠파를 일으켜 행함》.

hértzian wáve (때로 H-) 〖전기〗 헤르츠파(波)《electromagnetic wave(전자기파(電磁氣波))의 구칭》.

***he's** [hiːz; 약 iːz] he is; he has 의 간약형.

HESH high explosive squash head(점착 유탄(粘着榴彈))《대전차·대콘크리트용 포탄의 일종》.

he / she [híːʃiː] *pron.* 《미》 〘인칭대명사 3 인칭 단수 통성 주격(通性主格)〙 그 또는 그녀는〔가〕.

> NOTE 선행사가 남녀의 어느 쪽이든 가리지 않고 쓸 수 있는 (대)명사(everybody, teacher 따위)의 경우에 쓰이는 최근의 표기 형식. 대응하는 목적격·소유격은 각각, him / her, his / her.

hes·i·fla·tion [hèzəfléiʃən] *n.* 〖경제〗 헤지플레이션《인플레이션의 한 형태로 경제 성장은 거의 정체를 보이면서 인플레이션은 급격하게 진행하는 상태》. [◂ *hesitation*+in*flation*]

He·si·od [híːsiəd, hésiəd/-ɔ̀d] *n.* 헤시오도스《기원전 8세기경의 그리스 시인》.

hes·i·tance, -tan·cy [hézətəns], [-i] *n.* Ⓤ 머뭇거림, 주저, 망설임; 우유부단; 의심.

hes·i·tant [hézətənt] *a.* 머뭇거리는, 주저하는, 주춤거리는; (태도가) 분명치 않은; 말을 더듬는. ㊞ **~·ly** *ad.* 주저하면서; 말을 더듬으며.

***hes·i·tate** [hézətèit] *vi.* **1** 《~/+*to* do/+전+명/+*wh. to* do》 주저하다, 망설이다, 결단을 못 내리다: I ~*d to* take the offer. 제의를 받아들이기를 망설였다 / Don't ~. 주저〔사양〕하지 마라 / They ~ *about* taking such a dangerous step. 그들은 그같은 위험한 방책을 쓰기를 주저하고 있다 / ~ (about) *what to* buy 무엇을 살 것인지 망설이다. **2** 《+*to* do》 …할 마음이 나지〔내키지〕 않다: I ~ *to* affirm. 단언하고 싶지 않다. **3** (도중에서) 제자리걸음하다, 멈춰 서다. **4** 말이 막히다, 말을 더듬다, 머뭇거리다. **—** *vt.* 주저하며〔머뭇거리며〕 말하다. ㊞ **-tàt·er, -tà·tor** *n.* **-tàt·ing** *a.* **-tàt·ing·ly** *ad.*

***hes·i·ta·tion** [hèzətéiʃən] *n.* **1** Ⓤ 주저, 망설임; 말을 더듬음: without ~ 주저하지 않고, 곧, 즉각, 단호히. **2** =HESITATION WALTZ.

hesitátion pìtch 〖야구〗 와인드업 모션에서 투구로 옮길 때에 약간의 사이를 두는 투구《타자의 타이밍을 뺏기 위해 행함》.

hesitátion wáltz 헤지테이션 왈츠(hesitation)《스텝에 휴지(休止)와 미끄러지듯한 움직임을 임의로 교차시킨 왈츠》.

hes·i·ta·tive [hézətèitiv] *a.* 주저하는, 머뭇거리는. ㊞ **~·ly** *ad.*

Hes·per [héspər] *n.* 《시어》 =HESPERUS.

Hes·pe·ri·an [hespíəriən] 《시어》 *a.* 서쪽(나라)의. **—** *n.* 서쪽 나라 사람.

Hes·per·i·des [hespérədìːz] *n. pl.* 〖그리스 신화〗 **1** 헤스페리데스《황금 사과밭을 지킨 네 자매의 요정》. **2** 황금 사과밭.

hes·per·i·din [hespérədən] *n.* 〖생화학〗 헤스페리딘《감귤·레몬의 껍질에서 추출한 비타민 P의 일종》.

hes·per·is [héspəris] *n.* (H-) 〖식물〗 꽃무의 일종.

Hes·per·us [héspərəs] *n.* 태백성(太白星), 개밥바라기, 금성(Vesper).

Hes·se[1] [hes] *n.* 헤센《독일의 주》.

Hes·se[2] [hésə] *n.* **Hermann** ~ 헤세《독일의 시인·소설가; 노벨 문학상 수상(1946); 1877-1962》.

Hes·sian [héʃən] *a.* Hesse 주 (사람)의. **—** *n.* **1** Hesse 사람〔병사〕; 《미》 독립 전쟁 때 영국의 독일인 용병(傭兵). **2** 《미》 돈만 주면 무엇이든 하는 못된 놈, 호위군, 악한, 깡패. **3** (*pl.*) =HESSIAN BOOTS. **4** Ⓤ (h-) 거친 삼베의 일종(=~ **clóth**).

Héssian bóots 앞쪽에 술이 달린 군용 장화《19세기 영국에서 유행》.

Héssian flý 〖곤충〗 모기붙이 비슷한 파리의 일종《유충은 밀의 큰 해충》.

hest [hest] *n.* 《고어》 명령, 대명(大命)(behest).

Hes·ter [héstər] *n.* 헤스터《여자 이름; Esther의 별칭》.

Hes·tia [héstiə] *n.* 〖그리스신화〗 헤스티아《화로·아궁이의 여신; 로마 신화의 Vesta 에 해당》.

het [het] 《고어·방언》 HEAT의 과거·과거분사. (***all***) ~ ***up*** 《구어》 격앙〔분개〕하여, 흥분하여, 마음을 졸이어, 안달하여《*about; over*》.

he·tae·ra [hitíərə], **-tai·ra** [-táiərə] (*pl.* ***-rae*** [-riː], ***-rai*** [-rai]) *n.* (옛 그리스의) 고급 창녀, 매춘부; 첩; 자신의 매력을 교묘하게 이용하는 여자.

he·tae·rism, -tai- [hitíərizəm], [-táiə-] *n.* Ⓤ (공공연한) 축첩; 잡혼《태고의 결혼 제도》. ㊞ **-rist** *n.*

het·ero [hétəròu] (*pl.* **~s**) *n.* =HETEROSEXUAL. **—** *a.* **1** 〖화학〗 비(非)탄소 원소의. **2** =HETEROSEXUAL.

het·er·o- [hétərou, -rə] '딴, 다른' 의 뜻의 결합사(opp *homo-, iso-*). ★ 모음 앞에서는 **heter-**.

hètero·átom *n.* 〖물리·화학〗 헤테로 원자《방향족 탄화수소 중에서 탄소와 치환된 원자》.

hètero·chromátic *a.* 다색(多色)의; 잡색 무늬가 있는; 〖물리〗 복수의 파장 성분〔색〕을 갖는, 이색(異色)의; 〖생물〗 이질(異質) 염색질의.

hètero·chrómatin *n.* 〖발생〗 이질(異質) 염색질.

hètero·chrómosome *n.* 〖발생〗 이형(異形) 염색체, 성염색체.

hètero·chrómous *a.* 〖생물〗 다색(多色)의, 「이색(異色)의.

het·er·o·clite [hétərəklàit] 〖문법〗 *n.* 불규칙 변화어《명사·동사 따위》. **—** *a.* 불규칙 변화의. ㊞ **hèt·er·o·clít·ic** [-klítik] *a.*

hètero·cýclic *a.* 〖화학〗 헤테로 고리 모양의; 헤테로 고리 화합물의.

het·er·o·dox [hétərədɑ̀ks/-dɔ̀ks] *a.* 이교(異敎)의; 이설의, 이단의. opp *orthodox*. ㊞ **~y** *n.* Ⓤ,Ⓒ 이교; 이단, 이설(異說).

het·er·o·dyne [hétərədàin] 〖통신〗 *a., n.* 헤테로다인의 (방식). **—** *vt.* …에 헤테로다인을 발생시키다. **—** *vi.* 헤테로다인 효과를 일으키다.

het·er·oe·cious [hètəríːʃəs] *a.* 〖생물〗 (균 따위의 생활사상) 다른 종류에 기생하는; 이종(異種) 기생의. cf. autoecious. ㊞ **~·ly** *ad.* **hèt·er(o)é·cism** *n.*

het·er·o·fil [hétərəfil] *a.* 〖섬유〗 혼합 섬유의《합성 섬유의 정전기 방지·재질(材質) 강화를 위해 다른 섬유를 혼합한 것》.

hètero·gaméte *n.* 〖생물〗 이형(異形) 배우자(子). opp *isogamete*.

het·er·og·a·mous [hètərágəməs/-rɔ́g-] *a.* 이형(異形) 배우자에 의하여 생식하는, 이형 배우의(OPP *isogamous*); 세대 교번의; (2 종의) 이성화(異性花)를 갖는.

het·er·og·a·my [hètərágəmi/-rɔ́g-] *n.* 〖생물〗 이형(異形) 배우. OPP *homogamy*.

het·er·o·ge·ne·i·ty [hètəroudʒəníːəti] *n.* U,C 이종(異種); 이질; 이성분(異成分).

het·er·o·ge·ne·ous [hètərədʒíːniəs, -njəs] *a.* 이종(異種)의; 이질의; 이(異)성분으로 된. OPP *homogeneous*. ㊕ **~·ly** *ad.* **~·ness** *n.*

hètero·génesis *n.* U 〖생물〗 (무성 생식과 유성 생식의) 세대 교번; 이형(異形) 발생; 돌연 발생(OPP *homogenesis*). ㊕ **-genétic** *a.*

het·er·og·e·nous [hètərádʒənəs/-rɔ́dʒ-] *a.* 〖의학·생물〗 외생(外生)의, 외래(外來)의; 이(異)성분으로 된, 잡다한; 〖화학〗 균일하지 않은; 〖수학〗 비동차(非同次)의.

het·er·og·e·ny [hètərádʒəni/-rɔ́dʒ-] *n.* 이질 성분으로 이루어진 무리, 잡다한 요소로 이루어진 집단; 〖생물〗 세대 교번(heterogenesis).

hétero·gràft *n.* 〖외과〗 이종 이식편(異種移植片). cf. homograft.

hètero·júnction *n.* 〖전자〗 이질(異質)〔헤테로〕 접합; =HETEROSTRUCTURE.

het·er·o·kar·y·on [hètərəkǽriàn, -ən/-ɔ̀n] (*pl.* **-ya** [-iə]) *n.* 〖세균〗 이핵(異核) 공존체(共存體)〔접합체〕.

het·er·ol·o·gy [hètərálədʒi/-rɔ́l-] *n.* 〖생물〗 이종(異種) 구조(cf. *homology*); 〖의학〗 이질(異質) 조직. ㊕ **-gous** [-gəs] *a.* **-gous·ly** *ad.*

het·er·ol·y·sis [hètərálәsis/-rɔ́l-] *n.* 〖생화학〗 이종 용해〔용균(溶菌)〕; 〖화학〗 불균형 분해(반응). ㊕ **het·er·o·lyt·ic** [hètərəlítik] *a.*

het·er·o·mor·phic, -mor·phous [hètərəmɔ́ːrfik], [-mɔ́ːrfəs] *a.* 〖곤충〗 완전 변태의; 〖생물〗 이형(異形)〔부등(不等)〕의. ㊕ **-phism** *n.* U **1** 〖생물〗 이형, 변형. **2** 〖결정〗 동질 이상(異像). **3** 〖곤충〗 완전 변태.

het·er·o·mor·phy [hétərəmɔ̀ːrfi] *n.* =HETEROMORPHISM.

het·er·on·o·mous [hètəránəməs/-rɔ́n-] *a.* 타율(성)의; 〖생물〗 다른 발달 법칙을 좇는; 이절(移節)의(《이식(移植)》). ㊕ **~·ly** *ad.*

het·er·on·o·my [hètəránəmi/-rɔ́n-] *n.* U 타율(他律), 타율성. OPP *autonomy*.

hètero·núclear RNA 〖생화학〗 불균질핵(核) 리보 핵산(《포유류의 세포에 함유된 리보 핵산》).

het·er·o·nym [hétərənìm] *n.* 철자는 같으나 음과 뜻이 다른 말(《tear[1] [tiər] (눈물)와 tear[2] [tεər] (찢다) 따위》). cf. homonym, synonym. ㊕ **hèt·er·ón·y·mous** [-ránəməs/-rɔ́n-] *a.*

het·er·op·a·thy [hètərápəθi/-rɔ́p-] *n.* =ALLOPATHY; 자극에 대한 이상 감각.

het·er·o·phile [hétərəfàil] *a.* 〖면역〗 이종 친화성(異種親和性)의, 이호성(異好性)의.

hètero·phóbia *n.* (성적인) 이성(異性) 공포증.

hétero·plòid 〖생물〗 *a.* 이수체(異數體)의(《염색체 수가 기본수의 정수배보다 많거나 적거나 한》). **—** *n.* 이수체. ㊕ **-plòidy** *n.* 이수성(性).

hétero·sèx *n.* 이성애(異性愛).

hètero·séxism *n.* (이성애자의) 동성애자에 대한 편견〔차별〕. ㊕ **-séxist** *a.*, *n.*

hètero·séxual *a.* 〖생물〗 **1** 이성애(異性愛)의. cf. homosexual. **2** 다른 성(性)의. **—** *n.* 이성을 사랑하는 사람. ㊕ **~·ly** *ad.*

hètero·sexuálity *n.* U 이성애(異性愛).

het·er·o·sis [hètəróusis] (*pl.* **-ses** [-siːz]) *n.* 〖생물〗 잡종 강세(雜種强勢)(《잡종이 근친 교배한 것보다 강대하게 자라는 일》).

het·er·o·some [hétərəsòum] *n.* 〖생물〗 =HETEROCHROMOSOME.

het·er·o·sphere [hétərəsfìər] *n.* (the ~) (대기의) 비균질권(非均質圈), 이질권(異質圈)(《약 90 km 보다 위》). cf. homosphere.

hètero·strúcture *n.* 〖전자〗 헤테로 구조체(《복합 반도체 장치》).

het·er·o·tax·is, -tax·ia, het·er·o·taxy [hètəroutǽksis], [-tǽksiə], [hétəroutæ̀ksi] *n.* 〖의학〗 내장 역위(逆位)(증); 〖지학〗 지층 변위. ㊕ **-tác·tic, -tác·tous** [-təs], **-táx·ic** *a.*

het·er·o·tel·ic [hètərətélik, -tíːl-] *a.* 〖철학·문예〗 (실재(實在)·사건이) 다른 것을 목적으로 하여 존재하는, 원인 재외(在外)의, 외인(外因)의. cf. autotelic.

het·er·o·troph [hétərətràf, -tròuf/-trɔ̀f] *n.* 〖생물〗 유기(有機)〔종속〕 영양 생물; 타가(他家) 영양생물.

hètero·zygósis *n.* 〖생물〗 이형(異形) 접합; 이형 접합성.

hètero·zýgote *n.* 〖생물〗 이형(異形)〔헤테로〕 접합체(接合體).

het·er·o·zy·gous [hètərəzáigəs] *a.* 〖생물〗 이형〔헤테로〕의, 잡종성의; 이형 접합체의.

het·man [hétmən] (*pl.* **~s**) *n.* 〖폴란드사〗 사령관; 카자흐의 추장(ataman).

Het·ty [héti] *n.* 헤티(《여자 이름; Henrietta, Hester, Esther 등의 애칭》).

heu·ris·tic [hjuərístik] *a.* 학습을 돕는, 관심을 높이는; 학생 스스로 발견케 하는, 발견적인(《학습법 따위》). **—** *n.* (보통 *pl.*) 발견적 지도법. ㊕ **-ti·cal·ly** *ad.*

heurístic appróach 〖컴퓨터〗 경험적 방법(《복잡한 문제를 푸는 데 있어 시행착오를 반복 평가하여 문제를 해결하는 방법》).

heurístic prógram 〖컴퓨터〗 경험적 프로그램.

°**hew** [hjuː] (**~ed**; **hewn** [hjuːn], **~ed**) *vt.* (《~+목/+목+전+명/+목+부》) **1** (도끼·칼 따위로) 자르다(cut), 마구 베다, 토막 내다; 베어 넘기다(《*down*》); 베어〔잘라〕 내다(《*down; off; out; from*》): a rock freshly *hewn* 이제 막 잘라 낸 돌/~ branches *from* the tree 나무에서 가지를 잘라 내다/~ *down* a tree 나무를 베어 넘기다. **2 a** 만들다, 깎아 새기다. cf. cut, carve. ¶ ~ a passage 길을 내다/a statue *hewn out of* 〔*from*〕 marble 대리석에 새겨진 입상/~ *out* a career for oneself 혼자 힘으로 인생을 개척하다. **b** 〖~ one's way로〗 진로를 개척하다. **—** *vi.* **1** (도끼 따위로) 자르다. **2** (《+전+명》) (《미》) (법·기준·주의 따위를) 지키다, 준수하다(《*to*》): ~ *to* the political line 당의 방침을 지키다. ~ *to pieces* 토막 내다.

HEW (《미》) Department of Health, Education, and Welfare (보건 교육 후생부).

héw·er *n.* (나무나 돌을) 자르는 사람; 채탄부. **~*s of wood and drawers of water*** 〖성서〗 천역에 종사하는 사람, 노복(奴僕)(《여호수아 IX: 21》).

Hew·ett [hjúːət] *n.* 휴에트(《남자 이름》).

Hew·lett-Pack·ard [hjúːlitpǽkərd] *n.* 휼렛패커드(사)(~ Co.)(《미국 최대의 계측기 제조 회사; 일렉트로닉스 시험기, 미니컴퓨터 분야에서도 대회사임; 1947 년 설립; 생략: HP, HWP》).

hewn [hjuːn] HEW 의 과거분사.

hex [heks] (《미구어·영방언》) *vt.* 홀리게 하다, 마법에 걸다. **—** *vi.* 마법을 행하다(《*on*》). **—** *n.* 마녀(witch); 불길한 물건〔사람〕(jinx); 주문.

hex. hexadecimal; hexagon; hexagonal.

hex·a- [héksə] '육(六)'의 뜻의 결합사. ★ 모음 앞에서는 **hex-**.

héxa·chòrd *n.* 〖음악〗 육음 음계(六音音階), 육현(六絃) 악기.

hex·ad, -ade [héksæd], [-seid] *n.* 여섯; 6 개의 한 벌〔짝〕; 〖화학〗 6 가(價)의 원소〔기〕. ㊕

hex·ád·ic *a.*
hèxa·décimal 〖컴퓨터〗 *a.* 16진법(進法)의. ―*n.* 16진(법), 16진 기수법(記數法)(=∠ **notátion**); 16진수(~ number).
hex·a·gon [héksəgən, -gàn/-gən] *n.* 〖수학〗 육모꼴, 육변형. ㊕ **hex·ag·o·nal** [heksǽgənl] *a.*
hex·a·gram [héksəgræ̀m] *n.* 〖수학〗 육선형(線形); 육망성형(六芒星形), 육각〔육선〕성형(✡).
hex·a·he·dral [hèksəhíːdrəl] *a.* 6면체의.
hex·a·hed·ron [hèksəhíːdrən] (*pl.* **~s, -ra** [-rə]) *n.* 육면체.
hex·am·er·ous [heksǽmərəs] *a.* 6개 부분으로 이루어진; 6개 부분으로 갈라진; 〖동물〗 여섯개로 배열된; 〖식물〗 (꽃잎이) 6개 윤생(輪生)의.
hex·am·e·ter [heksǽmətər] 〖운율〗 *n.* 육보격(六步格); 육보격의 시. ― *a.* 육보격의. ㊕ **hex·a·met·ric** [hèksəmétrik] *a.*
hex·a·me·tho·ni·um [hèksəməθóuniəm] *n.* 헥사메토늄《고혈압 강하제; 자율 신경절 차단제》.
hex·ane [héksein] *n.* 〖화학〗 헥산.
hex·an·gu·lar [heksǽŋgjələr] *a.* 육각(형)의.
hex·a·pla [héksəplə] *n.* (종종 H-) (오리게네스(Origen)의) 육란(六欄) 대조 구약성서. ㊕ **-plar** *a.*
hex·a·ploid [héksəplɔ̀id] 〖생물〗 *a.* 6배성(倍性)의; 6배체의. ― *n.* 육배체. ㊕ **-plòidy** *n.*
hex·a·pod [héksəpàd/-pɔ̀d] *n.* 곤충, 육각류(六脚類)의 동물. ― *a.* 육각의, 곤충의. ㊕ **hex·ap·o·dous** [heksǽpədəs] *a.*
hex·ap·o·dy [heksǽpədi] *n.* 육음각(六音脚)「시행(詩行).
hex·a·stich, hex·as·ti·chon [héksəstik], [heksǽstikàn/-kɔ̀n] *n.* 〖운율〗 6행연(連)〔시〕.
hex·a·style [héksəstàil] *a.* (건물이) 육주식(六柱式)의. ― *n.* 육주식 현관.
Hex·a·teuch [héksətjùːk/-tjùːk] *n.* (the ~) 육서(六書)《모세 오경과 여호수아》.
hex·a·va·lent [héksəvèilənt/heksǽvələnt] *a.* 〖화학〗 6가(價)의: ~ chromium, 6가 크롬.
hex·e·rei [hèksərái] *n.* 마법, 마술.
hex·ode [héksoud] *n.* 〖전기〗 6극(진공)관.
hex·os·a·mine [heksásəmìːn/-ɔ́s-] *n.* 〖생화학〗 헥소사민.
hex·os·a·min·i·dase [hèksəsəmínədèis, -z] *n.* 〖생화학〗 헥소사미니다아제《결핍시 중추신경계 변성병(變性病) 유발》.「탄당(六炭糖).
hex·ose [héksous] *n.* 〖생화학〗 헥소오스, 육
****hey** [hei] *int.* 이봐, 어이《호칭》; 어《놀람》; 야《기쁨》: *Hey,* taxi! 어이, 택시. ***Hey for ... !*** … 잘한다.「놀라움의 소리》.
héy·dày[1] *int.* 《고어》 야, 아이고 이거《기쁨 ·
héy·dày[2], **héy·dèy** *n.* 전성기. ***in the ~ of youth*** 한창때에.
Hey·wood [héiwud] *n.* **John ~** 헤이우드《영국의 극작가; 1497?-1580?》.
Hez·bol·lah [hezbəláː] *n.* =HIZBOLLAH.
hez·bol·la·his [hezbáləhiz/-bɔ́l-] *n.* (the ~) 헤즈볼라히스《이란의 열광적 이슬람교도의 폭력 집단》.
Hez·e·ki·ah [hèzəkáiə] *n.* **1** 남자 이름. **2** 히스기야《예언자 이사야 때의 유대의 왕(715?-?686 B.C.); 열왕기하 XVIII- XIX》.
Hf 〖화학〗 hafnium. **HF** 〖연필〗 hard firm; height finding; Home Forces. **hf.** half. **H.F., HF, h.f., hf** high frequency. **hf. bd.** 〖제본〗 half-bound. **HFC** hydrofluorocarbon. **hf. cf.** 〖제본〗 half-calf. **hf.-mor.** 〖제본〗 half-morocco. **HG** higher grade; High German; Holy Ghost; 《영》 Home Guard; Horse Guards. **Hg** 〖화학〗 *hydrargyrum*《L.》¶(=mercury). **hg.** hectogram(s); heliogram.
H.G. HighGerman; His 〔Her〕 Grace. **HGH** human growth hormone. **hgt.** height. **HGV** 《영》 heavy goods vehicle. **hgwy** highway. **HH** 〖연필〗 double hard. **hh** heavy hydrogen. **H.H.** His 〔Her〕 Highness; His Holiness. **HHC** 〖컴퓨터〗 handheld computer. **hhd** hogshead. **hhf** household furniture. **HHFA** Housing and Home Finance Agency. **HHG** household goods. **HHH** 〖연필〗 treble hard.
H-hòur *n.* 〖군사〗 (극비의) 행동〔공격〕 개시 시각. ⓒⓕ D-day.「끄는 말》.
hi [hai] *int.* 《구어》 야; 어어《인사 또는 주의를
HI 〖미우편〗 Hawaii. **H.I.** Hawaiian Islands; human interest.
hi·a·tus [haiéitəs] (*pl.* **~·es,** ~) *n.* **1** 틈, 벌어진 틈(gap); (연속된 것의) 중단, 휴지(기), 휴게, 휴회; 탈락, 탈문(脫文), 탈자(脫字). **2** 〖의학〗 열공(裂孔); 〖해부〗 음문(vulva); 〖음성〗 모음 접속; 〖논리〗 (논증의) 연쇄(連鎖) 중단. ㊕ **-tal** *a.*
Hi·a·watha [hàiəwáθə, -wɔ́ːθə, hìːə-/hàiəwɔ́θə] *n.* 하이어워사《Longfellow의 시에 나오는 아메리칸 인디언의 영웅》.
Hib [hib] *n.* 〖의학〗 힙《유아성뇌척수막염을 일으키는 인플루엔자 균 혈청형 b》. [◂ *Haemophilus influenzae type B*]
hi·ber·nac·u·lum [hàibərnǽkjələm] (*pl.* **-la** [-lə]) *n.* 〖식물〗 월동용 보호 외피, 동면 부분; 〖동물〗 동면 장소; 인공 동면 장치.
hi·ber·nal [haibə́ːrnl] *a.* 겨울의; 한랭한.
hi·ber·nant [háibərnənt] *a.* 동면의, 겨울잠의. ― *n.* 동면 동물.
hi·ber·nate [háibərnèit] *vi.* (들어박혀) 겨울을 지내다, 동면하다(ⓞⓟⓟ *aestivate*); (사람이) 피한(避寒)하다. ㊕ **-nà·tor** [-ər] *n.* **hì·ber·ná·tion** *n.* Ⓤ 동면, 겨울잠.「라틴어 이름.
Hi·ber·nia [haibə́ːrniə] *n.* 《시어》 Ireland의
Hi·ber·ni·an [haibə́ːrniən] *a.* 아일랜드 (사람)의. ― *n.* 아일랜드 사람.
Hi·bér·ni·an·ism *n.* =HIBERNICISM.
Hi·ber·ni·cism [haibə́ːrnəsizəm] *n.* Ⓒ 아일랜드풍(風)의 어법〔문체〕; Ⓤ 아일랜드 사람의 기질; Ⓒ 어구의 모순(Irish bull).
hi·bis·cus [haibískəs, hi-] *n.* 히비스커스《목부용속(屬)의 식물; 무궁화 · 목부용 따위; Hawaii 주의 주화》.
hic [hik] *int.* 딸꾹《딸꾹질 소리》. [imit.]
hic·cough [híkʌp] *n., vi., vt.* =HICCUP.
hic·cup [híkʌp, -kəp] *n.* 딸꾹질; ((the) ~s) 〘종종 단수취급〙 딸꾹질의 발작; 약간의 문제, (주식의) 일시적 하락. ― (**-pp-**) *vi., vt.* 딸꾹질하다, 딸꾹질하며 말하다.
hic et ubi·que [híːk-et-juːbáikwi] *ad.* 《L.》 이곳뿐 아니라, 그 어디에나, 도처에.
hic ja·cet [hík-dʒéiset] 《L.》 여기(에) 잠들다 《비명의 문구; 생략: H.J.》; 비명(epitaph).
hick [hik] *n., a.* **1** 《영구어》 시골뜨기(의), 촌스러운 (사람); 어수룩한 (사람): a ~ town 시골 읍. **2** 《미속어》 시체; 《경멸》 푸에르토리코 사람.
hick·ey [híki] *n.* 《미》 **1** 기계, 장치; 〖전기〗 코드. **2** 《속어》 여드름; 키스마크.
hick·o·ry [híkəri] *n.* **1** Ⓒ 히커리《북아메리카산 호두나뭇과(科) 식물》; 그 열매(=∠ **nùt**). **2** Ⓤ 히커리 목재; Ⓒ 히커리나무 지팡이〔가구, 도구〕. **3** Ⓤ 《미》 일종의 면직물. ― *a.* **1** 히커리의〔로 만든〕. **2** 강직한; 신앙심이 두텁지 않은.
hid [hid] HIDE[1]의 과거 · 과거분사.
hi·dal·go [hidǽlgou] *n.* **1** (*pl.* **~s**) 스페인의

하급 귀족; 스페인의 신사. **2** (H-) 〖천문〗 히달고《태양에서 가장 멀리 떨어진 소행성》.

hid·den [hídn] HIDE[1]의 과거분사. **—** *a.* 숨은, 숨겨진, 숨긴, 비밀의: a ~ tax 간접세 / ~ assets 은닉 자산. ㊕ **~·ly** *ad.* **~·ness** *n.*

hídden agénda (성명·정책 등의) 숨겨진 의도, 속뜻.

hídden fíle 〖컴퓨터〗 은폐 파일《보조 기억 장치에 저장된 파일 중 일반적인 방법으로는 볼 수 없는 파일》.

hídden persuáder 숨은 설득자《교묘하고 악랄한 상업 광고업자》.

hídden resérve 〖경제〗 은닉 적립금.

hídden táx 간접세(indirect tax).

hide[1] [haid] (**hid** [hid]; **hid·den** [hídn], **hid**) *vt.* **1 a** 《~+목/+목+전+명》 숨기다, 보이지 않게 하다: ~ one's head 〔face〕 머리를〔얼굴을〕 숨기다《두려움·수치 때문에 남의 눈을 피하다》/ ~ money *in* a cupboard 돈을 찬장에 숨기다. **b** 《+목+전+명》 〖~ oneself〗 숨다: The moon hid it*self behind* the clouds. 달은 구름 뒤로 숨어 버렸다. **2** 《+목+전+명》 덮어 가리다, 덮다: ~ a person *from* the police 경찰 눈에 띄지 않게 아무를 숨겨 주다. **3** 《~+목/+목+전+명》 감추다, 비밀로 하다: ~ one's feeling 감정을 드러내지 않다 / ~ the fact *from* a person 사실을 아무에게 비밀로 하다.

> SYN. **hide, conceal** 거의 같은 뜻이지만 hide에는 숨길 의도가 없는 경우도 포함됨: *hidden* from the eye 사람 눈에 띄지 않는. **cover** 남의 눈을 속이기 위해서 덮어 감추다: a show of arrogance to *cover* one's inferiority complex 열등감을 감추기 위한 거만한 태도. **secrete** 비밀로 하려고 세심한 주의를 기울여 숨기다.

— *vi.* 《~/+전+명/+부》 숨다, 잠복하다: He must be *hiding behind* the door. **~ *away*** …을 …에게 숨기다《*from*》; (정글 등에) 숨다《*in*》. **~ *behind bushes*** 《속어》 도망쳐 숨다, 비겁하게 굴다. **~ *out*** 〔***up***〕 《구어》 도피하다, 지하에 숨다. **~ one's *light under a bushel*** ⇨ BUSHEL[1] (관용구). **—** *n.* 《영》 (야생 동물을 포획·촬영하기 위한) 잠복 장소. ㊕ **híd·a·ble** *a.* **híd·er** *n.*

hide[2] *n.* **1** (특히 큰) 짐승의 가죽: raw 〔green〕 ~ 생가죽. SYN. ⇨SKIN. **2** 《구어·우스개》 사람의 피부. **3** 《구어》 (몸의) 안전, 안락. **4** 《미속어》 경주마(racehorse); 《야구속어》 볼; 《재즈속어》 드럼. ***have a thick*** **~** 낯가죽이 두껍다. **~ *and hair*** (가죽도 털도) 모조리, 모두. **~ *or*** 〔***nor***〕 ***hair*** = ***neither* ~ *nor hair*** 《구어》 〖보통 부정문·의문문〗 (실종된 사람·분실물 등의) 자취, 종적: *Nobody* ever saw ~ *or hair* of him again. 아무도 다시는 그를 보지 못했다. ***save*** one***'s own*** **~** 부상〔벌〕을 면하다. ***take out of*** a person***'s*** **~** 《속어》 아무에게 치르게 하다. ***tan*** 〔***dress***〕 a person***'s*** **~** 아무를 갈기다. **—** *vt.* **1** …의 가죽을 벗기다. **2** 《구어》 심하게 매질하다, 때리다.

hide[3] *n.* 〖영국사〗 하이드《한 가족을 부양하기에 족한 토지; 보통 60–120 acres》.

híde-and-séek, 《미》 **híde-and-go-séek** [-ən-] *n.*, *vi.* 숨바꼭질(하다); 서로 속여먹기(를 하다). ***play*** (***at***) **~** 숨바꼭질하다; 피해 다니다, 속이다《*with*》. ★ 술래는 it.

híde·awày *n.* 《구어》 숨은 곳, 은신처; 잠복 장소; 작은 마을, 사람 눈에 띄지 않는 곳〔바, 레스토랑 따위〕. **—** *a.* 숨은, 사람 눈에 띄지 않는.

híde·bòund *a.* **1** 편협한, 도량이 좁은(narrow-minded), 완고한. **2** (가축이 영양 불량 때문에) 여위어 피골이 상접한; (나무가) 껍질이 말라붙은; 〖의학〗 경피증(硬皮症)의. ㊕ **~·ness** *n.*

hid·e·ous [hídiəs] *a.* **1** 무시무시한, 소름 끼치는, 섬뜩한(frightful). SYN. ⇨UGLY. **2** 가증한, 끔찍한(revolting), 비열한. ㊕ **~·ly** *ad.* **~·ness** *n.*

híde·òut *n.* 《구어》 (범죄자 등의) 은신처.

híde·ùp *n.* 《속어》 은신처, 잠복 장소.

hid·ey-hole, hidy- [háidihòul] *n.* 《구어》 = HIDEAWAY.

hid·ing[1] [háidiŋ] *n.* Ⓤ 숨김, 은폐, 숨음(concealment); 숨은 장소, 은신처. ***be in*** **~** 남의 눈을 피해 살다. ***come*** 〔***be brought***〕 ***out of*** **~** 나타나다〔세상에 드러나게 되다〕. ***go into*** **~** 몸을 숨기다, 지하로 숨다.

hid·ing[2] *n.* 《구어》 매질(flogging), 후려갈기기. ***be on a* ~ *to nothing*** 성공의 가능성은 전혀 없다. ***give*** a person ***a good*** **~** 아무를 호되게 때리다.

hi·dro·sis [hidróusis, hai-] (*pl.* **-ses** [-si:z]) *n.* Ⓤ,Ⓒ 〖의학〗 발한(發汗), 과잉 발한; 다한증(多汗症).

hi·drot·ic [hidrátik, hai-/-drɔ́t-] *a.* 땀의; 땀나게 하는. **—** *n.* 발한약.

hidy-hole ⇨ HIDEY-HOLE.

hie [hai] (*p.*, *pp.* **~d;** **∠·ing, hý·ing**) *vi.*, *vt.* 《고어·시어》 서두르다, 급히 가다《*to*》; 서두르게 하다〖종종 인칭대명사와 함께 ~ oneself로〗: *Hie* thee! 빨리 / He ~*d* him(*self*). 부리나케 갔다.

hi·er- [háiər-] = HIERO-.

hi·er·arch [háiərɑ̀ːrk] *n.* 교주, 고위 성직자; 권력자. ㊕ **hi·er·ár·chal** [-kəl] *a.*

hi·er·ar·chic, -chi·cal [hàiərɑ́ːrkik], [-əl] *a.* 교주의; 성직 정치의; 권력을 가진; 계급 조직의; 계층적. ㊕ **-chi·cally** *ad.*

hierárchical dátabase 〖컴퓨터〗 계층적 데이터베이스《데이터가 계층적 구성 형태를 갖는》.

hi·er·ar·chy [háiərɑ̀ːrki] *n.* **1** 성직자 계급 제도; 그 성직자단(團); 성직자 정치; 〖일반적〗 계급 제도; 권력자 집단. **2** 천사의 3급의 하나; 〖집합적〗 천사들; 천사의 9계급《seraphim, cherubim, thrones, dominations, virtues, powers, principalities, archangels, angels》. **3** 〖생물〗 (분류)체계《강·목·과·속·종 등》. ㊕ **-chism** [-kizəm] *n.* ~의 제도〔권위〕. **-chist** *n.*

hi·er·at·ic [hàiərǽtik] *a.* 성직자의; (글씨체가) 성용(聖用)의; 신성한 일에 쓰는(consecrated); 감정을 억제한. **—** *n.* (the ~) 신관 문자《고대 이집트의 상형 문자를 흘려 쓴 초서체 문자》. ㊕ **-i·cal** [-əl] *a.* = hieratic. **-i·cal·ly** *ad.*

hi·er·o- [háiərou, -rə] '신성한, 성직의' 라는 뜻의 결합사. ★ 모음 앞에서는 hier-.

hi·er·oc·ra·cy [hàiərákrəsi/-rɔ́k-] *n.* Ⓤ 성직(자) 정치, 교회〔승려〕 정치. ㊕ **hi·er·o·crat·ic, -i·cal** [hàiərəkrǽtik], [-əl] *a.*

hi·ero·dule [háiərədjùːl/-djùːl] *n.* 신전(神殿)에서 신을 섬기는 노예, (특히 고대 그리스의) 신전 전속 창녀.

hi·er·o·glyph [háiərəglìf] *n.* **1** 상형 문자, 그림 문자. **2** 비밀 문자; (보통 *pl.*) 《우스개》 악필, 알아보기 어려운 글자.

hi·er·o·glyph·ic [hàiərəglífik] *a.* 상형 문자의, 그림 문자의; 상징적인; 《우스개》 알아보기 어려운. **—** *n.* 상형 문자; (*pl.*) 〖단·복수

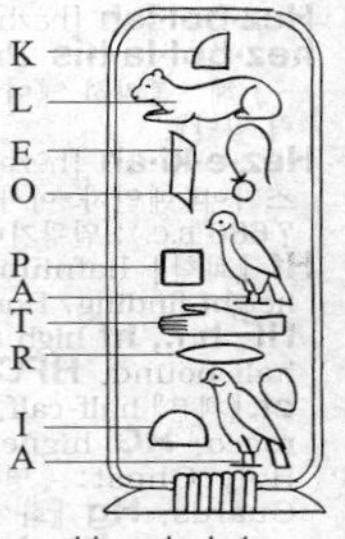

hieroglyph 1

취급》 상형 문자로 된 문서; (*pl.*) 《우스개》 판독하기 힘든 문서, 악필. ㊞ **-i·cal** [-əl] *a.* =hieroglyphic. **-i·cal·ly** *ad.*

hi·er·ol·a·try [hàiərálətri, hair-/-rɔ́l-] *n.* 성인(성물) 숭배.

hi·er·ol·o·gy [hàiərálədʒi/-rɔ́l-] *n.* Ⓤ (한 민족 전체의) 종교(성인) 문학, 종교적 전승; = HAGIOLOGY.

hi·er·o·phant [háiərəfæ̀nt, haiérə-/háiər-] *n.* (옛 그리스의) 신비 의식의 사제(司祭), (종교상의) 깊은 교리(敎理) 해설자; 제창자. ㊞ **hì·er·o·phán·tic** [-tik] *a.*

hi·er·o·phany [háiərəfæ̀ni] *n.* 성체 시현(聖體示現).

hi·fa·lu·tin [hàifəlúːtn/-tin] =HIGHFALUTIN.

hi-fi [háifái] (*pl.* **~s**) 《구어》 *n.* **1** Ⓤ 하이파이(high fidelity). **2** Ⓒ 하이파이 장치《레코드 플레이어 · 스테레오 따위》. **—** *a.* 하이파이의. **—** *vi.* 하이파이 장치로 듣다, 하이파이 레코드를 듣다. ㊞ **hí-fí·er** *n.*

Hi-Fi·VHS [háifáiviːèitʃés] *n.* 하이파이 VHS 《VHS 방식 가정용 비디오 테이프 리코더의 음성 기록 방식의 하나; 상표명》.

hí-fí VTR 하이파이 비디오 테이프 리코더.

hig·gle(-hag·gle) [hígəl(hǽgəl)] *vi.* 값을 깎다(chaffer), 흥정하다《*with*》.

hig·gle·dy-pig·gle·dy [hígəldipígəldi] *n.*, *a.*, *ad.* Ⓤ 엉망진창(인, 으로), 뒤죽박죽(인, 으로), 몹시 혼란한(하게), 왁자지껄(한, 하게).

Híggs pàrticle [hígz-] 〖물리〗 히그스 입자 《큰 질량을 가지며 불안정한 가상(假想)의 입자》.

†**high** [hai] *a.* **1** 높은(lofty, tall), 높이가 …인 (되는). OPP *low*. ¶ It is 50 feet ~. 50 피트 높이다 / a wall six feet ~ 육 피트 높이의 벽 / a ~ window (위치가) 높은 창.

> SYN. **high** '높은'을 나타내는 일반적인 말. 특히 수목 · 산 · 물건의 값 · 목소리 등의 경우. **tall** 사람 · 식물 · 굴뚝 등의 폭이 없고 가늘고 긴 것의 높이를 말할 때 씀. **lofty** tall에 가깝지만 더욱 당당하게 우뚝 솟아 있는 것에 쓰임. 비유적으로 고상한 것, 거만한 마음도 나타냄: *lofty* aims 고매한 목적.

2 a 높은 곳에 있는; 고지(지방)의, 오지(奧地)의; 고위도의; 높은 곳으로의(으로부터의), 고공의: ~ up the river 강의 상류에 / a ~ flight 고공비행. **b** 〖음성〗 혀의 위치가 높은: ~ vowels 고모음. **3 a** (신분 · 지위 따위가) 높은, 고위의, 고귀한: a ~ official 고관 / a man of a ~ birth (family) 명문 출신인 사람. **b** 주된, 중요한; 〖카드놀이〗 (패가) 고위인, 트릭을 딸 수 있는. **4** 고결한(noble), 숭고한(sublime): a ~ character 고결한 인격 / a ~ ideal 숭고한 이상. **5** 콧대 높은, 교만한, 뒤넘스러운: ~ language 큰 소리 / a ~ manner 건방진 태도. **6** (가치 · 평가 따위가) 높은(great), 값비싼(costly), 귀중한; (정도 · 품질 따위가) 고급의(superior), 상등의(excellent); 고급인, 고등의(advanced): ~ living 호화로운 생활 / have a ~ opinion of … 을 높이 평가하다, …을 존경(존중)하다. **7 a** (강도 · 속도 · 온도 · 정도 · 비율 등이) 고도의, 격심한(intense), 대단한(very great), 과격한(extreme); 고율의, 고에너지의, 고성능의; (자동차의) 하이(고속) 기어의; 중대한(serious); (주의 · 견해 같은 점에서) 극단적인, 완고한; 아주 형식적인, 엄숙한《의식 따위》: a ~ price 고가 / at a ~ speed 고속으로 / a ~ folly 어리석기 그지없음 / a ~ wind 모진 바람 / ⇨ HIGH CRIME. **b** 의기양양한; 《구어》 (취하여) 기분 좋은, (마약이) 몸에 돌아, 앙양되어, 황홀한; 격앙된: feel ~ 기분이 좋아지다 / ~ as a kite 몹시 기분이 좋아((술 · 마약에) 취하여) / ~*er* than a kite 더없이 기분이 좋아(좋게 취하여) / ~ words 격론. **c** (소리가) 높은, 날카로운; (색이) 짙은, 빨간; (시절이) 충분히 진행한, 한창인; (사냥감이나 고기가) 작아서 먹기 알맞게 된: in a ~ voice 새된 소리로 / ~ summer 한여름 / ⇨ HIGH TIME. **d** 먼 옛날의: of ~ antiquity 한 옛날의, 태곳적의. **8** (H-) 고(高)교회파의. ◇ height, highness *n.* ***get* ~** (술 · 마약 따위에) 취하다《*on*》. **~ *and dry*** ① (배가) 모래 위에 얹혀. ② (사람이) 시류에서 밀려나, 고립되어. **~ *and low*** 상하 귀천의(모든 사람들). **~ *and mighty*** 《구어》 거만한, 건방진; 《고어》 지위가 높은. **~ *on …*** 《구어》 …에 열중하여, 열광하여; …로 좋은 기분이 되어, 취하여. **~, *wide, and handsome*** 유유히, 당당하게, 멋지게. ***How is that for* ~?** 《속어》 참 멋진데《경탄》. ***the most High*** 하느님(God).

— *n.* **1** 높은 것; 높은 곳, 고지. **2** 〖기상〗 고기압권. **3** (자동차의) 하이 기어, 톱: shift from second *into* ~ 기어를 2단에서 톱으로 바꿔 넣다. **4** 《미》 높은 수준; 〖증권〗 높은 시세; 최고 기록: a new ~ 새로 오른 시세; 신기록. **5** 〖카드놀이〗 최고점의 으뜸패. **6** 《미구어》 =HIGH SCHOOL[1]. **7** (the H-) 《영구어》 (특히 옥스퍼드의) 큰 거리. **8** 《속어》 마약 · 술로 기분 좋은 상태, 도취경, 황홀감. **9** (the ~) 《영학생속어》 =HIGH TABLE 2. ***from on* ~** 높은 곳에서; 하늘에서. ***on* ~** 높은 곳에; 하늘에, 공중에.

— *ad.* **1** 높이, 높게: climb ~ on the ladder 사다리를 높이 오르다. **2** (정도가) 높게, 세게, 몹시(intensely); 크게: The wind blows ~. 바람이 세차게 분다. **3** 고가로, 비싸게; 사치(호화)스럽게: live ~ 호화롭게 살다. **4** 높은 가락으로: sing ~. ***bid* ~** 비싸게 부르다. ***fly* ~** 희망에 가슴이 부풀어 있다, 의기양양하다. **~ *and low*** 높게 낮게; 모든 곳을(에, 에서), 도처에; 샅샅이: look for it ~ *and low* 샅샅이 찾다. ***play* ~** 큰 도박을 하다. OPP *play low*. ***run* ~** 파도가 높고 물살이 거칠어지다; (감정 · 말 따위가) 격해지다; (시세가) 비싸다, 오르다. ***stand* ~** 높은 위치를 차지하다.

hígh áltar (교회의) 주제단(主祭壇).

hígh-alúmina cemènt 고(高)알루미나 시멘트《보통 시멘트보다 경화(硬化)가 빠름》.

hígh análysis (비료가) 식물이 필요로 하는 양분의 20% 이상을 함유하는.

hígh-and-míghty [-ənd-] *a.* 거만한, 건방진. **—** *n.* 《구어》〖집합적〗 실력자, 높은 양반.

hígh-àngle *a.* 〖군사〗 (보통 30도 이상의) 고각도의; 고각(사격)의.

hígh-àngle fíre 고각 사격, 곡사(曲射).

hígh·bàll *n.* **1** 《미》 하이볼《보통 위스키 따위에 소다수 따위를 섞은 음료》. **2** 〖철도〗 신호기의 전속 진행 신호, 발차 신호; 《속어》 직선 코스, 급행열차. **3** 《미육군속어》 경례. **—** *vi.* 《속어》 (열차가) 최대 속도로 달리다. **—** *vt.* 《속어》 (열차 운전사에게) 출발 신호를 하다.

hígh béam (자동차 헤드라이트의) 상향등, 하이빔《멀리까지 밝게 비추도록 한 빛》.

hígh·bìnder *n.* 《미》 불량배, 사기꾼, 깡패; (미국 거주 중국인의) 암살단원; 부정한 정상배.

hígh·blóoded [-id] *a.* 혈통이 좋은, 가문이 좋은.

hígh blóod prèssure 〖의학〗 고혈압(hypertension).

hígh blówer 흥분하면 기세를 부리는 말.

hígh-blówn *a.* 기세 부리는; 의기양양한.

hígh·bòrn *a.* 명문(名門) 출신의, 집안이 좋은.

신분이 높은.

hígh·bòy *n.* 《미》 (높은 발이 달린) 옷장(tallboy). [cf] lowboy.

highboy

hígh bráss 《미속어》 = TOP BRASS.

hígh·brèd *a.* 상류 가정에서 자라난, 교양과 기품을 갖춘; 순종의. [cf] lowbred.

hígh·bròw *n.* **1** 《구어》 **a** 지식인(intellectual). [opp] *lowbrow*. **b** 《경멸》 지식인인 체하는 사람. **2** (H-) 《미속어》 =HIGHBROWVILLE. **—** *a.* 지식인용[상대]의, 학자티를 내는. **—** *vt.* 《속어》 …에게 지식인인 체하다. [파] **~ed** *a.* **1** 이마가 (높고) 넓은. **2** 교양이 높은; 인텔리인 체하는. **~·ism** *n.*

Hígh·brow·ville [háibrauvìl] *n.* 《미속어》 Boston 시의 속칭.

hígh·bush blúeberry 〖식물〗 철쭉과 월귤나무속(屬)의 관목; 북아메리카산. 「살리는 일.

hígh cámp 예술적으로 속된 것을 효과적으로

hígh-cárbon stèel 고(高)탄소강.

hígh·chàir *n.* (식사할 때) 어린이용 높은 의자.

Hígh Chúrch (the ~) 고교회파《교의·의식을 중시하는 영국 국교의 한 파》.

Hígh Chúrchman 고교회파 사람.

hígh-cláss *a.* 고급의; 일류의; 사회적 지위가 높은; 《속어》 세련된, 매너가 좋은, 신뢰할 수 있

hígh cólor 좋은 혈색. 는.

hígh-cólored *a.* 선명한 색조의; 빨간, 혈색이 좋은; 매우 선명한; 과장된.

hígh cómedy 고급[상류] 희극《상류 지식인 사회를 다룬 것》. [파] **hígh comédian**

hígh commánd 최고 사령부[지휘권]. 「(국).

hígh commíssion (종종 H- C-) 고등 판무단

hígh commíssioner (종종 H- C-) 고등 판무관(辦務官).

hígh-compréssion *a.* (내연 기관 등이) 압축비가 높은, 연비가 좋은. 「갖는.

hígh-cóncept *a.* 관객에게 폭넓은 호소력을

hígh cóuntry (종종 the ~) (고산 기슭의) 고지[구릉, 저산] 지대《남 Alps 산록의 언덕이나 New Zealand의 양 목초지》.

Hígh Cóurt (of Jústice) 《영》 고등 법원.

hígh críme 〖미법률〗 중대한 범죄《연방 헌법에 규정된 대통령 등의 탄핵 사유가 되는 범죄》.

hígh dày 축(제)일; 《고어》 한낮.

hígh-definítion télevision 고화질[고선명] 텔레비전《현행 텔레비전보다 약 2 배의 주사선(走査線)을 갖춘 고품위 텔레비전; 생략: HDTV》.

hígh-dénsity *a.* 고밀도의.

hígh-depéndency *a.* 《영》 (입원 환자가) 고도의 치료와 관리를 요하는, 병원 의존도가 높은.

hígh-dómed *a.* 《구어》 이마가 넓은, 앞이마가 벗어진; =HIGHBROW.

Hígh Dútch =HIGH GERMAN.

hígh-énd *a.* 《구어》 최고급의, 고급 단골 취향의 《상품, 상점》, 고급품 취향의《손님》. 「는》.

hígh énema 〖의학〗 고압 관장《결장에 주입하

hígh-énergy *a.* **1** 〖물리〗 고에너지를 가진; 고에너지 입자의. **2** 〖생화학〗 가수 분해시 다량의 에너지를 내는. **3** 매우 정력적인.

hígh-énergy láser 〖군사〗 고에너지 레이저.

hígh-énergy phýsics 고(高)에너지[소립자] 물리학.

⁑**high·er** [háiər] *a.* 〖high의 비교급〗 더 높은; 고등의: on a ~ plane (생활 정도·사상이) 더 높은 수준에 (있는).

hígher ápsis 원일점(遠日點), 원지점(遠地點).

hígher cóurt 〖법률〗 상급 법원.

hígher críticism (the ~) 성서의 고등 비평.

hígher educátion 고등 교육, 대학 교육.

hígher láw 도덕률《인간이 정한 법률보다 한층 높은 것으로 여겨지므로》.

hígher léarning =HIGHER EDUCATION.

hígher mathemátics 고등 수학.

hígher-úp [-rʌ́p] *n.* (보통 *pl.*) 《구어》 상관, 상사, 고관, 수뇌, 상부.

⁑**high·est** [háiist] *a.* 〖high의 최상급〗 가장 높은. ***at the*** **~** 최고의 위치에; 아무리 높아도(기껏). ***in the*** **~** ① 〖성서〗 천상에. ② 최고도로: praise *in the* ~ 극구 칭찬하다.

hígh explósive 고성능 폭약.

high·fa·lu·tin, -ting [hàifəlúːtn/-tin], [-tiŋ] *a.* 《구어》 과장한, 과대한, 호언장담하는; 《속어》 고급의, 이상의. **—** *n.* 《구어》 호언장담.

hígh fárming 집약 농법.

hígh fáshion (상류 사회의) 유행 스타일, (의복의) 최신[하이] 패션(**high style**); =HAUTE COUTURE.

hígh-féd *a.* 호화롭게 자란.

hígh fidélity 〖전자〗 (수신기·재생기 따위의) 고충실도, 하이파이《원음에 대해 고도로 충실한 음의 재생》. [cf] hi-fi. 「(hi-fi).

hígh-fidélity *a.* 충실도가 높은, 하이파이의

hígh-fidélity tèlevision 고품격 텔레비전.

hígh fináncе 거대하고 복잡한 금융 거래, 대형 금융 조작[기관].

hígh-fíve 《속어》 *n.* 하이파이브《우정·승리의 기쁨 등을 나누기 위해 손을 들어 상대의 손바닥을 마주치는 행동》. **—** *vi., vt.* 하이파이브하다, 손을 들어 상대의 손바닥을 마주치다.

hígh·flíer, -flỳer *n.* **1** 높이 나는 것[사람, 새]. **2** 포부가 큰 사람, 야심가; 과격론자; 재사. **3** 〖역사〗 과격한 왕당원; 고교회파 사람. **4** 〖증권〗 오름세가 빠른 종목. **5** 《속어》 고급 매춘부.

hígh-flówn *a.* **1** (언어·표현 따위가) 과장된. **2** 야심적인.

hígh·flýing *a.* **1** 고공비행의. **2** 대망을 품은.

hígh fréquency 〖통신〗 고주파《생략: HF》.

hígh-fréquency *a.* 종종 일어나는[나타나는], 빈도가 잦은; 〖통신〗 고주파의.

hígh frontíer 〖미군사〗 우주 전선《지구 주위에 432개의 킬러 위성을 배치하여 침입하는 미사일을 파괴하려는 구상》.

hígh géar 고속 기어; 최고 속도, 최고의 활동 상태, 최고조: move [go] into ~ 기세[피치]가 오르다. 「준 독일어.

Hígh Gérman 고지 독일어(High Dutch); 표

hígh-gráde *a.* 고급의, 우수한, 양질의; (원광이) 순도가 높은; (병이) 더친. **—** *vt.* (양질광을) 광산에서 훔쳐 내다; (양질광)만을 채굴하다; 《미속어》 훔치다. **—** *n.* 《미속어》 도둑.

hígh gróund (논쟁·선거전 등에서) 우위, 유리한 입장《여론의 지지를 얻는 입장》.

hígh-hánded [-id] *a.* 고자세의, 고압적인. [파] **~·ly** *ad.* **~·ness** *n.*

hígh hát 실크해트; 〖악기〗 풋심벌즈, 하이해트(=**hígh-hàt cỳmbals**); 《비유》 거드름피우는 사람; 《속어》 카메라용의 낮은 삼각대; 대히트. ***wear a*** **~** 《속어》 태깔부리다.

hígh-hát *n.* 《속어》 빼기는 사람, 속물. **—** *a.* 멋진; 거드름부리는, 빼기는. **—** (***-tt-***) *vt.* 업신여기다, 멸시[냉대]하다. **—** *vi.* 태깔부리다, 젠체하다, 빼기다. [파] **~·ted** [-id] *a.* 빼기는; 자만에 젖은.

hígh-héarted [-id] *a.* 고결한, 용감한. [파] **~·ly** *ad.* **~·ness** *n.*

hígh-héat *a.* 내열성(耐熱性)의.

hígh-héeled *a.* 굽 높은, 하이힐의.
hígh héels 하이힐.
Hígh Hóliday, Hígh Hóly Dày (the ~) (유대교의) Rosh Hashanah 나 Yom Kippur 중의 한 제일(祭日).
hígh hórse 거만한 태도. ***be on*** 〔***get on, mount, ride***〕 one's ~ 뻐기다; 화를 내다, 기분을 상하다. ***come*** 〔***get***〕 (***down***) ***off*** one's ~ 겸손하다; 기분을 고치다.
hígh-ímpact *a.* 충격에 견디는《플라스틱 따위》; (몸에) 부담이 큰; 격렬한.
highjack ⇨ HIJACK.
hígh jìnks 《구어》 야단법석.
hígh jùmp (the ~) 높이뛰기. ***be for the*** ~ 《영구어》 엄한 처벌을 받게 될 것 같다, 《예전에》 교수형에 처해질 것 같다.
hígh-kéy *a.* 〖사진〗 (화면·피사체가) 밝고 평조(平調)의《전체적으로 흰빛을 띰》.
hígh-kéyed *a.* 〖사진〗 전체적으로 화면이 밝은; 〖음악〗 가락이 높은; 민감한, 신경질적인.
hígh-kìcker *n.* 〖미식축구〗 치어리더, 응원단원.
◇**hígh·land** [-lənd] *n.* **1** (종종 *pl.*) 고지, 산지, 고랭지. **2** (the H-s) 스코틀랜드 북부의 고지. — *a.* 고지의; (H-) 스코틀랜드 고지(특유)의.
hígh·lander *n.* **1** 고지에 사는 사람. **2** (H-) 스코틀랜드 북부 고지 사람.
híghland flíng 스코틀랜드 고지의 민속춤.
hígh-lével *a.* **1** 고공(高空)으로부터의: a ~ bombing. **2** 상부의, 상급 간부의〔에 의한〕: ~ personnel 〖집합적〗 고관. **3** 〖원자〗 (방사성 폐기물 따위가) 고방사능의: ~ waste 고방사성 폐기물.
hígh-lèvel lánguage 〖컴퓨터〗 고급 언어《용어·문법 따위가 일상어에 가장 가까운 프로그래밍 언어》.
hígh-lèvel wáste 고(高)레벨 (방사성) 폐기물.
hígh·lìfe 상류 사회〔사교계〕의 생활; 사치스러운 생활; 하이 라이프《서아프리카 기원의 재즈 댄스의 일종〔곡〕》.
hígh·lìght *n.* (그림·사진 따위의) 가장 밝은 부분; (이야기·사건·프로에서) 가장 중요한〔흥미 있는〕 부분, (뉴스 중의) 주요 사건〔장면〕, 인기물; 현저한 특징. — *vt.* 강렬한 빛을 비추다; 강조하다, 눈에 띄게 하다, 두드러지게 하다.
hígh·lìghter *n.* **1** 형광펜. **2** 하이라이트 (화장품)《얼굴에 입체감을 냄》.
hígh líver 호화로운 생활을 하는 사람; 미식가.
hígh líving = HIGH LIFE.
hígh lónesome 《속어·방언》 마시고 노래하는 법석: get on a ~ 마시고 떠들다.
hígh-lów *n.* 〖카드놀이〗 하이로 포커.
⁑hígh·ly [háili] *ad.* **1** 높이, 고도로, 세게; 대단히: The stone is ~ valuable. 그 보석은 매우 값어치가 있다 / ~ amusing 아주 재미있는. **2** 격찬하여, 칭송하여: speak ~ of a person 아무를 칭송하다 / think ~ of …을 존중하다. **3** 고위에, 고귀하게: be ~ connected 귀한 집과 인척이다. **4** (가격 등이) 비싸게, 고가로.
híghly·spécialized *a.* 고도로 전문화된.
híghly-strúng *a.* = HIGH-STRUNG.
hígh-máintenance *a.* (기계 따위가) 유지하는 데 힘이 드는; (사람이) 다루기 힘든.
Hígh Máss 〖가톨릭〗 대미사, 창(唱)미사.
hígh-méttled *a.* 기개 있는, 기운찬, 혈기 왕성한; (말이) 팔팔한.
hígh-mínded [-id] *a.* 고상한, 고결한; 《고어》 교만한. ㊕ **~·ly** *ad.* **~·ness** *n.*
hígh-mùck-a-múck, hígh-mùckety-múck *n.* 《속어》 높은 사람, 요인, 고관.
hígh-nécked [-t] *a.* 깃을 깊이 파지 않은《여성복 따위》. OPP *low-necked.*
◇**hígh·ness** *n.* **1** Ⓤ 높음; 높이; 고위; 고율; 고가: the ~ of prices 물가고. **2** (H-) 전하(殿下)《왕족 등에 대한 경칭; His 〔Her, Your〕 (Imperial, Royal) *Highness* 의 꼴로 쓰임》.
hígh nóon 정오, 한낮; 한창때, 전성기, 절정.
hígh-nósed *a.* 코가 높은〔긴〕, 큰 코의.
hígh-óccupancy vèhicle 다인승 차량《생략: HOV》.
hígh-óctane *a.* (가솔린 따위) 옥탄값이 높은; (알코올이) 순도 높은; = HIGH-POWER(ED).
hígh óld tíme 《구어》 아주 즐거운 시간, 유쾌한 시간(high time).
hígh-pàss filter 〖전자〗 고역 여파기(高域濾波器)〔필터〕.
hígh-perfórmance *a.* 고성능의.
hígh píllow 《미속어》 거물, 중요 인물.
hígh pítch 《미속어》 (노점 상인의) 판매대.
hígh-pítched [-t] *a.* **1** 가락이〔감도·긴장도가〕 높은. **2** 콧대가 높은, 교만한. **3** (지붕의) 물매가 싼.
hígh plàce **1** 〖성서〗 산꼭대기의 예배 장소. **2** (조직 내의) 중요한 지위; (*pl.*) (조직의) 상층부, 고관.
hígh póckets 《미속어》 키다리.
hígh pòint 중대한 시점.
hígh pólymer 〖화학〗 고〔거대〕분자 화합물.
hígh pólymer chémistry 고분자 화학.
hígh-pówer(ed) *a.* 정력적인, 강력한; 고성능의; (광학기기가) 배율 높은.
hígh-pówered mòney 〖경제〗 중앙은행 화폐.
hígh-préssure *a.* 고압의; 고기압의; 고압적인; 《구어》 강제의; 강력한. — *vt.* 《+목+전+명》 …에게 고압적으로 나오다, 강요〔강제〕하다: ~ a person *into* buying something 아무로 하여금 강제로 무엇을 사게 하다.
hígh-préssure nérvous sỳndrome 〖의학〗 고압성 신경 장애〔증후군〕.
hígh-príced [-t] *a.* 비싼, 고가의.
hígh príest (*fem.* **~·ess**) (유대교의) 대제사장; (주의·운동의) 주창자(主唱者), 지도자.
hígh-príncipled *a.* 고결한 주의의〔를 가진〕.
hígh prófile 고자세; 《비유》 명확한 태도〔정책〕, 선명한 입장.
hígh-prófile *a.* 태도가 뚜렷한〔주목할 만한〕.
hígh-próof *a.* 알코올 순도가 높은《위스키 따위》.
hígh-ránker *n.* (군대 등의) 고관.
hígh-ránking *a.* 높은 계급의, 고위 관리의: ~ government officials 정부 고관.
hígh relíef 높은 돋을새김(alto-relievo).
hígh-rént *a.* 《속어》 세련 되고 고급스러운.
hígh-resolútion *a.* 〖전자〗 고해상(高解像)(도)의: ~ television 고선명 텔레비전.
hígh ríder 《미속어》 서스펜션(suspension)을 높인 차량《특히 4륜구동차》.
hígh rìse 고층 건물; 핸들이 높은 자전거.
hígh-rìse *a.* (건물이) 고층의; 핸들을 높이 올린, 핸들이 높은《자전거》; (신이) 굽 높은; 고층 건물의〔이 많은〕.
hígh-rìser *n.* **1** 더블베드도 되는 2층 침대. **2** = HIGH RISE.
hígh-rísk *a.* 위험성이 높은.
hígh·ròad *n.* 《영》 큰길, 간선 도로; 순탄한 길: the ~ to success 출세 가도.
hígh róller 《미속어》 돈을 헤프게 쓰는 사람, 낭비가; 도박에서 큰돈을 거는 사람; 고급 매춘부.
hígh-rólling *a.* 《속어》 (도박꾼이) 큰돈을 거는; 씀씀이가 헤픈; 활수한; 거금을 투자하는.
⁑hígh schòol[1] 고등학교, 《미》 중등학교; 《영》 (공립) 중등학교: a junior ~ 중학교 / a senior ~ 《미》 고등학교.
hígh schóol[2] 고등 마술(馬術).

hígh schòoler high school의 학생.
hígh séa 높은 파도; (the ~s) 공해, 외양; (the ~s) 〖법률〗 해사(海事) 재판소 관할 수역.
hígh séason (the ~) (행락의) 최성기; 대목 때.
hígh-secùrity príson 중경비 교도소.
hígh shériff 《영》 주장관(州長官).
hígh sìgn 《구어》 (표정·몸짓으로 하는) 신호.
hígh socíety 상류 사회, 사교계.
hígh-sóuled *a.* 숭고한 정신의.
hígh-sóunding *a.* (말이) 어마어마한: a ~ title 굉장한〔어마어마한〕 직함.
hígh-spéed *a.* 고속(도)의; 고속도 사진〔촬영〕의: ~ driving 고속 운전 / ~ film 고감도 필름.
hígh-spèed gymkhána 꼬불꼬불한 길에서 속력을 겨루는 자동차 경주.
hígh-spèed stéel 〖야금〗 고속도강(鋼).
hígh spírit 진취적 기상; (*pl.*) 씽씽함, 기분 좋음.
hígh-spírited [-id] *a.* 기운찬, 기개 있는; (말이) 괄괄한. ㊞ **~·ly** *ad.* **~·ness** *n.*
hígh spót 《구어》 두드러진 특징, 가장 중요한 점, 하이라이트, 재미있는 곳.
hígh-stákes *a.* 《구어》 이판사판의.
hígh-stépper *n.* 발을 높이 쳐들고 걷는 말; 《비유》 위세 좋은 사람; 《비유》 짐짓 점잔 빼는 사람, 유행하는〔비싼〕 옷을 입은 사람.
hígh-stépping *a.* 《구어》 (말이) 발을 높이 올리며 걷는; 쾌락에 빠지는, 방종한 생활을 하는.
hígh-stícking *n.* 〖아이스하키〗 스틱의 날을 지나치게 높이 드는 것《반칙》.
Hígh Strèet (the ~) 《영》 중심〔번화〕가. ⓒⓕ Main Street.
hígh-strúng *a.* 신경질적인, 흥분하기 쉬운, 극도로 긴장한; 줄을 팽팽하게 한《기타》.
hígh stýle 최신 패션〔디자인〕.
hight [hait] *a.* 《고어·시어·우스개》 …이라는, …이라고 이름 붙여진, …이라 일컫는; 《SC.》 보증된. **—** *vt.* 명령하다.
hígh tàble **1** 주빈 식탁. **2** 《영》 (대학 식당에서) 학장·교수·내빈 등의 식탁.
hígh·tàil 《미속어》 *vi.* (종종 ~ it) 급히 도망하다; 남의 차 뒤에 바싹 붙어 운전하다, 추적하다.
hígh téa 《영》 오후 4-5시경의 고기 요리가 따르는 가벼운 저녁식사. ⓒⓕ low tea.
hígh-téch *a.*, *n.* **1** 하이테크《공업 디자인〔재료·제품〕을 응용한 가정용품의 디자인이나 실내 장식의 양식》(의). **2** = HIGH-TECHNOLOGY; HIGH TECHNOLOGY.
hígh-tècher *n.* **1** 고도 기술 산업. **2** 고도 기술자.
high technólogy 첨단〔고도 과학〕 기술.
hígh-technólogy *a.* 첨단 (공업) 기술의〔에 관한〕: a ~ industry 고도 기술 산업.
high ténsile (금속이) 신장성(伸長性)이 높은: ~ steel 고장력강(高張力鋼).
hígh ténsion 고전압(high voltage) 《생략: H.T.》
hígh-ténsion *a.* 〖전기〗 고압의; 고압 전류용의: ~ currents 고압 전류 / ~ wire 고압선.
hígh-tést *a.* **1** 엄격한 테스트에 견디는. **2** 휘발성이 높은《휘발유 따위》.
hígh tíde 만조(때), 고조(선)(高潮(線)); 절정.
hígh tíme 마침 좋은 때, 꼭 알맞은 때; 《구어》 유쾌한 시간: It's ~ to go to bed. 이제 잘 시간이다.
hígh-tóne(d) *a.* 가락이 높은; 고상한; 고결한; 〖반어적〗 짐짓 점잔 빼는, 멋 부리는; 《미구어》 근사한, 뛰어난; 《미구어》 비개방적인.
hígh-tòp *n.*, *a.* 하이톱(의)《발목을 보호하기 위해 복사뼈를 덮는 목이 긴 운동화》.
hígh tréason 국가·원수에 대한 반역(죄).
high·ty-tigh·ty [háitiťáiti] *a.* =HOITY-TOITY.
hígh-úp *a.*, *n.* (보통 *pl.*)《구어》 높은 양반(의); 상급자(의).
hígh-vóltage *a.* **1** 고전압의. **2** 격렬한, 흥분한, 강렬한.
hígh wáter 만조; (강·호수 등의) 최고 수위; 홍수. ***come hell and*** 〔***or***〕 ~ ⇨ HELL(관용구).
hígh-wáter *a.* (바지 따위가) 유별나게 짧은.
hígh-wáter màrk (강·호수 등의) 고(高) 수위선〔점〕; (바다의) 고조선(高潮線); (일의) 최고점, 정점, 절정.
high·way** [háiwèi] *n.* **1** 공도(公道), 간선 도로, 큰길, 한길, 하이웨이. ⓒⓕ byway. ¶ the king's ~ 천하의 공도. **2** 《비유》 대도, 탄탄대로: a ~ to success 출세 가도. **3** 공수로(公水路), (수륙의) 교통로. **4** 〖컴퓨터〗 하이웨이《네트워크 등에서 사용하는 간선》. ***take (***to***) 〔***go on***〕 ***the*** ~ 노상강도가 되다.
Híghway Códe 《영》 교통 규칙집《운전 기사용 소책자》.
híghway hypnòsis 고속도로 최면《장시간의 단순한 운전으로 인한 반수면 상태》.
híghway·man [-mən] (*pl.* ***-men*** [-mən]) *n.* (옛날의 말 탄) 노상강도.
híghway patròl 《미》 고속도로 순찰대.
híghway róbbery 노상강도, (여행자에 대한) 약탈; 《구어》 상거래에 의한 터무니없는 이익, 폭리.
hígh wíre 높이 친 줄타기 줄(tightrope).
hígh-wìre *a.* 줄타기식의, 위험이 큰; 대담한.
hígh-wróught *a.* **1** 공이 든, 정교한. **2** 매우 흥분한, 격분한.
hígh yéllow 《속어·경멸》 황갈색 피부의 흑인; = MULATTO. ㊞ **hígh-yéllow** *a.*
H.I.H. His 〔Her〕 Imperial Highness.
***hi·jack, high·jack** [háidʒæ̀k] 《구어》 *vt.* (수송 중인 화물, 특히 금제품을) 강탈하다; (배·비행기를) 약탈하다, 공중〔해상〕 납치하다; 강요〔강제〕하다. **—** *vi.* 수송 중인 화물을 강탈하다; 하이잭하다. ㊞ °**~·er** *n.* 하이잭 범인. **~·ing** *n.*
Hij·ra(h) [hídʒrə] *n.* =HEGIRA.
hike** [haik] *vi.* **1** 하이킹하다, 도보 여행하다. **2** (셔츠 등이) 밀려 올라가다《*up*》; 〖해사〗 (요트에서) 바람 불어오는 쪽의 밖으로 몸을 내밀다. **—** *vt.* 《~+목/+목+부》 《미구어》 (무리하게) 움직이다, 휙 잡아당기다〔끌어올리다〕; (임금·물가를) 갑자기 올리다, 인상하다; 《미속어》 (수표)의 숫자를 고쳐 쓰다; 터벅터벅 걷게 하다: *Hike up* your socks. 양말을 올려 신어라 / ~ *up* the price of meat 고기값을 올리다. **—** *n.* **1** 하이킹; 도보 여행. **2** 《미구어》 (임금·가격) 인상: a pay ~ 노임 인상. ***go on a ~ 하이킹 가다. ***Take a*** ~. 《미구어》 어디에든 가 버려, 저리 가, 꺼져.
㊞ **hík·er** *n.* 하이커.
***hik·ing** [háikiŋ] *n.* Ⓤ 하이킹, 도보 여행.
hi·lar·i·ous [hilέəriəs, hai-/hilέər-] *a.* 들뜬, 명랑한, 즐거운; 들떠서 떠드는; 웃음을 자아내는, 재미있는. ㊞ **~·ly** *ad.* **~·ness** *n.*
hi·lar·i·ty [hilǽrəti, hai-/hilǽr-] *n.* Ⓤ 환희, 유쾌한 기분; 기분 좋아 떠들어댐.
Hil·a·ry [híləri] *n.* 힐러리《여자〔또는 남자〕의 이름》.
Hílary tèrm (the ~) **1** (Oxford·Dublin 대학의) 1월부터 시작되는 제2학기를 일컫는 말《현재는 다른 대학처럼 Lent term이라고 함》. **2** 〖영법률〗 힐러리 개정기(開廷期)《(1) 1월 11일-31일간의 옛날 영국 상급 법원 개정기. (2) 1월 11일 부터 부활절 직전 수요일까지의 영국 고등 법원 개정기(=**Hílary sitting**)》.
Híl·bert spàce [hílbərt-] 〖수학〗 힐베르트 공간《독일의 수학자 David Hilbert (1862-1943)의 이름에서》.
Hil·da [híldə] *n.* 힐다《여자 이름》.
Hil·de·gard(e) [híldəgὰ:rd] *n.* 헬데가드《여자 이름》.
†**hill** [hil] *n.* **1** 언덕, 작은 산, 구릉《보통 초목이 있는 험하지 않은 산으로, 영국에서는 2,000 ft. 이하의 것》; (the ~s) (오지의) 구릉 지대; (the

~s) (인도의) 고지 주재〔주둔〕지, 피서지. **2** 고개, 고갯길, 흙더미, 가산(假山): an ant-~ 개미탑. **3** (농작물의 밑동의) 돋운 흙, 두덩; 흙을 돋운 농작물: a ~ of potatoes 감자의 흙 돋운 두덩. **4** (the H–) 《미》 국회의사당(Capitol H–); (the H–) =HARROW. **5** (도로의) 사면. **6** 《야구속어》 마운드. ***go over the ~*** 《미속어》 탈옥하다, 부대를 무단이탈하다; 갑자기 자취를 감추다, 증발하다. ***~ and dale*** (탄광 · 광산 따위에서) 파헤쳐 울퉁불퉁해진 지면. ***over the ~*** (질병 등의) 위기를 벗어나서; 절정기를 지나서, 나이 먹어; 《미속어》 무단결석하여. ***take to*** 〔***head for***〕 ***the ~s*** 모습을 감추다, 잠적하다. ***up ~ and down dale*** 언덕을 오르고 골짜기를 내려가; 도처에, 샅샅이, 끈기 있게. — *vt.* 언덕으로〔흙더미로〕 에워싸다; 언덕을 만들다; 돋우다.

Hil·la·ry [híləri] 힐러리. Sir **Edmund** (**Percival**) ~ (1919~2008)《뉴질랜드의 등산가 · 탐험가, 1953년 최초로 Everest 등정에 성공》.

hill·bil·ly [hílbìli] 《구어》 *n.*, *a.* (특히 미국 남부의) 산골〔두메〕의 주민, 산사람, 시골 사람(의); hillbilly music(의).

híllbilly mùsic hillbilly의 음악, 컨트리 뮤직.

híllbilly ópera 《CB속어》 =COUNTRY-AND-WESTERN.

híll clìmb 힐 클라임《자동차나 오토바이로 일정 거리의 비탈길을 1인씩 달려서 시간을 계측하는 스피드 경기》.

híll còuntry 구릉 지대.

híll·crèst *n.* 언덕의 능선.

híll·er *n.* 흙 돋우는 기계, 밭이랑 내는 기계.

híll fòlk 구릉 지방의 주민; 구릉지의 마귀.

híll·fòrt *n.* 〖고고학〗 언덕 위의 성채〔요새〕.

hill·i·ness [hílinis] *n.* Ⓤ 기복이 많음, 구릉성.

híll·man, hílls- [-mən] (*pl.* ***-men*** [-mən]) *n.* 구릉지의 주민, 산골 사람.

híll mỳna 〖조류〗 구관조.

hil·lo, hil·loa [hílou, -ˊ] *int.*, *n.*, *v.* 《고어》 =HELLO.

hill·ock [hílək] *n.* 작은 언덕, 조금 높은 곳; 무덤. ㊞ **~y** *a.*

Híll ràt 《속어》 연방의회 의원.

Híll reáction 〖생화학〗 힐 반응《엽록체에 의한 이산화탄소 이외 물질의 광환원(光還元) 반응》.

◇**hill·side** *n.* 언덕의 중턱〔사면(斜面)〕.

hillsman ⇨ HILLMAN.

híll stàtion 《Ind.》 인도 북부 구릉 지대의 정부군〔관리〕의 피서용 주둔지〔주재지〕.

híll·tòp *n.* 언덕〔야산〕 꼭대기.

Híll Tówn 《CB속어》 San Francisco 시(市).

híll·wàlking *n.* 구릉 지대 산책.

◇**hilly** [híli] (***hill·i·er; -i·est***) *a.* 산이 많은, 구릉성의, 기복 있는; 작은 산 같은, 조금 높은; 험한.

◇**hilt** [hilt] *n.* (칼 · 도구 따위의) 자루, 손잡이. **~ *to* ~** 일대일로. (***up***) ***to the ~*** 자루 밑까지 (푹 하고); 완전히, 철저하게. — *vt.* …에 ~를 달다.

Híl·ton Hotél [híltn-] 힐튼 호텔《미국의 호텔 체인 Hilton Hotels Corp. 및 Hilton International 소유〔프랜차이즈〕의 호텔》.

hi·lum [háiləm] (*pl.* ***~s, -la*** [-lə]) *n.* 〖해부〗 혈관 · 신경이 드나드는 문.

†**him** [him, 약 im] *pron.* **1** 〔he의 목적격〕 **a** 그를, 그에게: I know ~. 나는 그를 알고 있다. **b** 〔전치사의 목적어〕: I went *with* ~. 나는 그와 함께 갔다. **2 a** 《구어》 〔be의 보어로〕 =HE[1]: That's ~. 바로 그다 / It can't be ~. 그 사람일 리가 없다. **b** 《구어》 〔as, than, but 다음에 쓰여서 주어로〕 =HE[1]: I'm as old *as* ~. 나는 그와 동갑이다 / You are worse *than* ~. 너는 그보다 더 나쁘다. **c** 〔감탄사적으로 독립하여〕: *Him* and his promises! 그의 약속이야 뻔하지. **3** 《고어 · 시어》 =HIMSELF. **4** 《구어》 〔동명사의 의미상 주어〕 =HIS: I cannot imagine ~ refusing my proposal. 그가 내 제의를 거절하리라곤 상상할 수도 없다.

HIM, H.I.M. His 〔Her〕 Imperial Majesty.

Him·a·lá·ya Móuntains [hìməléiə-, himɑ́ːljə-] (the ~) =HIMALAYAS.

Him·a·la·yan [hìməléiən, himɑ́ːljən] *a.* 히말라야(산맥)의.

Himaláyan cédar 〖식물〗 히말라야 삼목(杉木) (deodar).

Hìm·a·lá·yas *n. pl.* (the ~) 히말라야 산맥.

him·bo [hímbou] *n.* 《속어》 용모가 멋진 젊은이.

him / her [hímhə́ːr] *pron.* he / she의 목적격.

†**him·self** [*h*imsélf] (*pl.* ***them·sélves***) *pron.* 3인칭 단수 · 남성의 재귀대명사. **1** 〔oneself로〕 그 자신을〔에게〕: He killed ~. 그는 자살했다 / He cut ~. 그는 상처를 입었다. **2** 〔강조적〕 그 자신(이). **a** 〔동격적으로〕: He ~ says so. =He says so ~. 그 자신이 그렇게 말한다《후자 쪽이 구어적》 / He did it ~. 그 스스로 그것을 했다. **b** 〔he, him 대신 쓰이어; and ~로〕 His father *and* ~ were invited to the party. 그와 아버지는 그 파티에 초대받았다. **3** 평상시〔본래〕의 그 《보통 주격 보어 또는 come to ~로서》: He is not ~ today. 오늘은 평상시의 그와는 다르다. **4** 〔독립구문의 주어 관계를 나타내어〕 그 자신이: *Himself* diligent, he did not understand his son's idleness. 자기가 부지런했으므로, 그는 아들의 게으름을 이해할 수 없었다. **5** 《구어》 =HE[1] 《비교구문 as... as, than 다음에서 he 대신 쓰임》: His mother is *as* obstinate *as* ~. 그의 어머니는 그와 마찬가지로 옹고집이다. **6** 《Ir.》 =HE[1]; 《Ir. · Sc.》 주요 인물, 《특히》 집안의 가장(家長). ***beside ~*** 제정신을 잃고, 미쳐서. ***by ~*** 자기 혼자서, 단독으로; 독력으로, 자신이. ***for ~*** 스스로, 자신이; 자기를 위해서. ⓒⓕ myself, oneself.

Hi·na·ya·na [hìːnəjɑ́ːnə] *n.* 《Sans.》 〖불교〗 소승 불교. ⓒⓕ Mahayana. ㊞ **-yá·nist** *n.* **-ya·nís·tic** [-jɑːnístik] *a.*

hinc il·lae la·cri·mae [híŋk-ílai-lɑ́ːkrimài] 《L.》 모든 문제의 원인이 거기에 있도다.

hinc·ty, hink- [híŋ*k*ti] *a.* 《미속어》 우쭐대는, 도도한; 의심 많은(suspicious); 《흑인속어 · 경멸》 백인에 영합하는. — *n.* 백인.

◇**hind**[1] [haind] (***ˊ-er; ˊ-(er·)mòst***) *a.* 후부의, 후방의. OPP. *fore*. ¶ the ~ legs (짐승의) 뒷다리 / ~ wheels 뒷바퀴 SYN. ⇨ BACK. ***on one's ~ legs*** 분연히 일어나; 《우스개》 일어서서: get up *on* one's ~ *legs* 일어서다, (사람 앞에서) 일어서서 지껄이다.

hind[2] (*pl.* ***~, ~s***) *n.* 암사슴《특히 3살 이상의 고라니》(ⓒⓕ hart, stag); 〖어류〗 (남대서양의) 농엇과 능성어류의 바닷물고기.

hind[3] *n.* 《Sc.》 (농업 기술에 뛰어난) 머슴; 농장 관리인; 《미고어》 시골뜨기, 순박한 사람.

Hind. Hindi; Hindu; Hindustan(i).

hínd·bràin *n.* 후뇌(後腦).

Hin·de·mith [híndəmiθ] *n.* **Paul** ~ 힌데미트《독일의 작곡가 · 비올라 주자; 1895–1963》.

Hin·den·burg [híndənbə̀ːrg] *n.* **Paul von** ~ 힌덴부르크《독일의 장군 · 정치가; Hitler를 수상에 지명(1933); 1847–1934》.

hínd énd 《미속어》 엉덩이; 《CB속어》 CB 라디오를 장치하고 진행 중인 자동차군(群)의 최후미(最後尾) 차.

***hin·der**[1] [híndər] *vt.* 《~+目/+目+前+名》 **1** 방해하다, 훼방하다《*in*》: Nothing ~*ed* me *in* my progress. 아무것도 나의 진행을 방해하지 않았다. **2** …의 방해를 하다; 지체케 하다, 늦게 하다: be ~*ed* by a storm 폭풍우로 늦어지다.

— vi. 방해가 되다, 행동을 방해하다. ~ a person **from** do*ing* 아무가 …하는 것을 방해하다 〔못 하게 막다〕. ◇ hindrance *n.*

hin·der² [háindər] *a.* 뒤쪽의, 후방의. — *n.* (*pl.*) 《미속어》 (사람의) 다리(leg).

hin·der·er [híndərər] *n.* 방해자; 장애물.

hínder·mòst [háindər-] *a.* 《고어》 =HINDMOST.

hínd-fóremost *ad.* 뒤쪽을 앞으로 하여.

hínd·gùt *n.* 〖동물·발생〗 후장(後腸). cf. foregut, midgut.

Hin·di [híndi:] *a.* 북인도의, 힌디 말의. — *n.* Ⓤ 힌디 말《북인도 말》. 「최후부의.

hínd·mòst *a.* 〖HIND¹ 의 최상급〗 가장 뒤쪽의,

Hin·doo [híndu:] (*pl.* ~*s*) *n.*, *a.* =HINDU.

hínd·quàrter *n.* (짐승의) 뒤 4 반부 고기; (*pl.*) (짐승의) 궁둥이와 뒷다리.

***hin·drance** [híndrəns] *n.* Ⓤ 방해, 장애; Ⓒ 장애물, 방해자, 사고(to). ◇ hinder¹ *v.*

hínd·sìght *n.* **1** (총의) 가늠자. **2** (지난 일에 대한) 통찰력, 혜안. OPP *foresight.*

hínd tít 《속어》 나머지; 찌꺼기; 바닥에 남은 것.

***Hin·du** [híndu:] (*pl.* ~*s*) *n.* 힌두 사람《아리아 인종에 속하는 인도 사람으로 힌두교를 믿는》; 힌두교도; 인도 사람. — *a.* 힌두(사람)의; 힌두교(도)의; 《고어》 인도(사람)의. 「ALS.

Híndu-Árabic númerals =ARABIC NUMER-

Hín·du·ìsm *n.* Ⓤ 힌두교.

Híndu Kúsh [-kú:ʃ] (the ~) 힌두 쿠시 산맥 (=the **Híndu Kúsh Móuntains**).

Hin·du·stan, -do- [hìndustá:n, -stǽn] *n.* 힌두스탄《(1) 인도의 페르시아명. (2) 인도의 힌두교 지대로, 회교 지대인 파키스탄 지방에 대칭하는 호칭. (3) 15–16 세기의 북인도의 왕국》.

Hin·du·sta·ni, -do- [hìndustá:ni, -stǽni] *a.* 힌두스탄(사람)의; 힌두스타니의. — *n.* Ⓤ 힌두스타니《인도의 주요 공용어》; 《고어》 우르두 (Urdu) 말.

***hinge** [hindʒ] *n.* **1** 돌쩌귀, 경첩; 쌍각류(雙殼類) 껍질의 이음매; 관절(ginglymus); 우표첩의 종잇조각(mount)《우표를 붙이는》. **2** 요체(要諦), 요점, 중심점. **get** 〔**take**〕 **a** ~ 《미속어》 …을 보다. **off the** ~**s** 돌쩌귀가 빠져서; (정신·신체 따위에) 탈이 나서. — *vt.* **1** 돌쩌귀를 달다. **2** 《+목+전+명》 조건으로 하다, …에 의해 정하다 《*on*》: I will ~ the gift *on* your good behavior. 선물은 네가 얌전히 구는 조건으로 준다. — *vi.* **1** 돌쩌귀로 움직이다. **2** 《+전+명》 …여하에 달려 있다, …에 따라 정해지다《*on*》: Everything ~*s on* his decision. 만사는 그의 결단에 달려 있다. 파 ~**d** *a.* 돌쩌귀가 있는: a ~*d* door 돌쩌귀 달린 문. **∠·less** *a.* **∠·like** *a.* 「첩 관절.

hínge jòint 〖해부〗 (팔꿈치·무릎 따위의) 경

Hing·lish [híŋgliʃ] *n.* Ⓤ (힌디어와 영어가 섞인) 인도 영어. 「스러운.

hin·ky [híŋki] *a.* 《미속어》 어쩐지 수상한; 의심

hin·n(e)y, hin·nie [híni] *n.* 《Sc.》 《호칭》 = HONEY 《연인》.

hin·ny [híni] *n.* 수말과 암나귀의 잡종, 버새.

***hint** [hint] *n.* **1** 힌트, 암시, 넌지시 알림《*on; about; as to*》; (간단히 표현한) 조언, 알아둘 일, 지시《*on*》: a mild ~ 넌지시 주는 암시/medical ~*s* 의학상의 주의 사항/drop 〔give, let fall〕 a ~ 변죽 울리다, 암시를 주다. **2** 미약한 징후, 낌새, 기색; 미량(의…)《*of*》: a ~ *of* garlic 약간의 마늘 맛/There is no ~ *of* doubt. 조금도 의심할 여지가 없다. **3** 《고어》 기회. **by** ~**s** 넌지시. **take a** ~ 깨닫다, 알아차리다. — *vt.* 《~+목/+목+전+명/+*that* 절》 넌지시 말하다, 암시하다《*to*》: ~ one's disapproval (*to* them) (그들에게) 불찬성임을 넌지시 알리다/He ~*ed that* he might be late. 늦을지도 모른다고 넌지시 말했다. SYN. ⇨ SUGGEST. — *vi.* 《~/+전+명》 암시하다, 넌지시 비치다《*at*》: He ~*ed at* his intention. 그는 자신의 의향을 넌지시 비치었다. 파 **∠·er** *n.* **∠·ing·ly** *ad.*

hin·ter·land [híntərlæ̀nd] *n.* 《G.》 (해안·하안 등의) 후배지(後背地) (OPP *foreland*), (도시의 경제적, 문화적 영향을 받는) 배역(背域), 후배지; 오지(奧地), 시골; 후배적(後背的) 학문 분야.

hin·ter·ur·bia [hìntərə́:rbiə] *n.* 도시 노동자가 사는 멀리 떨어진 교외.

***hip¹** [hip] *n.* **1** 엉덩이, 허리《골반부》, 히프, 히프 둘레(치수); 〖해부〗 고관절(股關節). cf. waist. **2** 〖건축〗 추녀 마루, 귀마루. **3** 〖동물〗 기절(基節). **4** (*pl.*) 《미속어》 실패, 비참한 종말. **fall on** one**'s** ~**s** 엉덩방아를 찧다. **have** 〔**catch, get, take**〕 a person **on the** ~ 아무를 (마음대로) 억누르다; 아무에게 이기다; 지배하다. **smite** a person ~ **and thigh** 〖성서〗 크게 도륙하다, 사정없이 해치우다《사사기 XV: 8》. — (**-pp-**) *vt.* …의 허리를 삐게 하다, 고관절을 퉁기다; 〖건축〗 (지붕에) 귀마루를 달다.

hip² *n.* 찔레의 열매(rose ~).

hip³ *n.* 《고어》 Ⓤ 우울. — (**-pp-**) *vt.* 우울하게 하다: feel ~*ped* 마음이 우울해지다.

hip⁴ *a.* (**∠·per; ∠·pest**) 《속어》 (최신 유행의) 사정에 밝은, 정통한, 정보통의, (잘) 알고 있는; 세련된, 현대적인; 히피의. ~ **to...** 《속어》 …을 잘 알고 있는, 알아차리고 있는. ~ **to the jive** 《속어》 (현실을) 잘 알고 있는. — *n.* **1** 최근 사정에 밝음, 진보되어 있음(hipness). **2** 새 유행을 좇는 사람; 히피. — (**-pp-**) *vt.* 알리다, 전수〔설명〕하다《*to*》. ★ 예전엔 hep. 파 **∠·ly** *ad.* **∠·ness** *n.*

hip⁵ *int.* 응원 등의 선창하는 소리, 갈채 소리: *Hip*, ~, hurrah! 힙, 힙, 후레이.

HIP 〖항공〗 higher intermediate point.

híp bàth 뒷물, 좌욕(座浴)(sitz bath).

híp·bòne *n.* 좌골, 무명골(innominate bone); (가축의) 요각(腰角).

híp bòot (보통 *pl.*) 허리까지 오는 (고무)장화.

híp chìck 《속어》 최신 정보에 밝은 여자, 《특히》 최신 유행의 음악·예술에 정통한 여자.

híp disèase 고관절병(股關節病)《염증 등에 의한》.

hip·dom [hípdəm] *n.* =HIPPIEDOM.

hipe [haip] 〖레슬링〗 *vt.* 안아치기로 쓰러뜨리다. — *n.* 안아치기.

híp flàsk 포켓 위스키병《바지 뒷주머니에 넣는》.

hip-hop [híphàp/-hɔ̀p] *n.* 힙합《1980 년대 미국에서 유행하기 시작한 새로운 감각의 춤과 음악; 음반의 같은 곡조를 반복·역회전시키거나 브레이크댄싱 등을 종합한 것》. — *a.* 힙합의. — *vi.* 힙합에 맞춰 춤을 추다.

híp-hùgger *a.* 허리에 꼭 맞는, 허리의 선이 낮은《바지》.

híp-hùggers *n. pl.* 힙합 바지.

híp jòint 고관절(股關節).

hipp- [híp] =HIPPO-.

hipped¹ [-t] *a.* **1** 히프가 있는. **2** 〖복합어〗 둔부가 …한: broad-~ 둔부가 펑퍼짐한. **3** 고관절을 다친《주로 가축에 대해》. **4** 〖건축〗 (지붕이) 추녀마루가 있는: a ~ roof 우진각 지붕, 모임 지붕.

hipped² *a.* 《구어》 우울한; 몹시 골이 난.

hipped³ *a.* **1** 《미구어》 …에 열중한《*on*》. **2** 《미속어》 정통한, 잘 알고 있는.

hip·pie, -py [hípi] *n.* 히피(족); 《널리》 장발에 색다른 복장을 한 젊은이; 《속어》 =HIPSTER. 파 **~·ìsm** *n.* **~·hòod** *n.*

hip·pie·dom [hípidəm] *n.* 히피의 세계; (집단으로서의) 히피(족).

hip·pi(e)·ness [hípinis] *n.* 히피적 상태〔성격〕.
hip·pish [hípiʃ] *a.* 우울한, 기운이 없는.
hip·pi·ty-clip·pi·ty [hípətiklípəti] *ad.* 《미속어》 재빨리.
hip·po [hípou] (*pl.* **~s**) *n.* 《구어》 하마(河馬). [◂ *hippo*potamus]
hip·po- [hípou, -pə] '말(horse)' 의 뜻의 결합사.
hip·po·cam·pus [hìpəkǽmpəs] (*pl.* **-pi** [-pai, -piː]) *n.* 〖그리스신화〗 말 머리 · 물고기 꼬리의 괴수(怪獸)《해신(海神)의 수레를 끎》; 〖동물〗 해마(海馬)(sea horse); 〖해부〗 (뇌의) 해마상(狀) 융기《측실상(側室床)에 있는 두 융기 중 하나》. ㊕ **-cám·pal** *a.*
híp·pòcket *n.* (바지 · 스커트의) 뒷주머니. ── *a.* 소형의, 소규모의.
hip·po·cras [hípəkræ̀s] *n.* Ⓤ 향료를 넣은 포도주《유럽 중세의》.
Hip·poc·ra·tes [hipάkrətìːz/-pɔ́k-] *n.* 히포크라테스《그리스의 의사; 460?-377? B.C.; Father of Medicine 이라 불림》. ㊕ **Hip·po·crat·ic** [hìpəkrǽtik] *a.*
Hippocrátic óath 히포크라테스 선서《의사 윤리 강령의》.
Hip·po·crene [hípəkriːn, hìpəkríːniː] *n.* 〖그리스신화〗 Helicon 산의 영천(靈泉)《시신(詩神) Muses 에게 봉헌됨》; Ⓤ 시적 영감.
hip·po·drome [hípədròum] *n.* (고대 그리스 · 로마의 말 · 전차(戰車) 따위의) 경주장; 곡마장, 경기장; 서커스; (H-) 연예장, 버라이어티쇼 극장.
hip·po·griff, -gryph [hípəgrìf] *n.* 〖전설〗 말 몸뚱이에 수리의 머리와 날개를 가진 괴물(flying horse).
hip·pol·o·gy [hipάlədʒi/-pɔ́l-] *n.* Ⓤ 마학(馬學). ㊕ **-gist** *n.*
hip·po·pot·a·mus [hìpəpάtəməs/-pɔ́t-] (*pl.* **~·es, -mi** [-màì]) *n.* 〖동물〗 하마.
hip·pú·ric ácid [hipjúərik-] 〖화학〗 마뇨산「(馬尿酸).
hip·py[1] [hípi] *a.* 엉덩이가 큰: a ~ girl.
hippy[2] ⇨ HIPPIE.
híp ròof 〖건축〗 우진각 지붕(hipped roof).
híp-róofed [-t] *a.* 우진각 지붕의.
híp·shòoter *n.* (분별없이) 아무렇게나 말하는「사람.
híp·shòoting *a.* 마구잡이의, 엉터리의; 성급한, 무모한, 충동적인.
híp·shòt *a.* **1** 고관절(股關節)을 삔. **2** 절름발이의, 불구의, 꼴불견의; 한쪽 엉덩이가 처진.
hip·ster[1] [hípstər] *n.* 《속어》 최신 유행에 민감한 사람, (남보다 먼저) 새로운 지식을 받아들이는 사람, 정통한 (체하는) 사람, 소식통; 비트족, 히피; (사회와 어울리지 않고) 마음 맞는 사람하고만 사귀는 사람; =HEPSTER.
hip·ster[2] 《영속어》 *n.* (~s) =HIP-HUGGERS. ── *a.* =HIP-HUGGER.
híp·ster·ìsm *n.* 《속어》 =HIPNESS; hipster[1] 의「생활 방식.
híp wràp 스웨터 등을 허리에 둘러매는 스타일.
Hi·ram [háiərəm] *n.* 하이람《남자 이름; 애칭: Hi》.
hir·cine [hə́ːrsain, -sin] *a.* 염소의; 염소 같은; 염소 같은 냄새를 풍기는; 호색의.
⁑**hire** [haiər] *vt.* **1** 《~+목/+목+*to* do》 고용하다: He ~*d* a workman *to* repair the fence. 그는 담을 수리하기 위해 일꾼을 고용했다. SYN. ⇨ EMPLOY. **2** (세를 내고) 빌려오다, 세내다. **3** 《+목+부》 임대하다; (세를 받고) 빌려주다 《*out*》: ~ *out* motorboats 모터보트를 빌려주다. **4** …에게 보수를 주다; …에게 뇌물을 주다. **5** 《고어》 (돈을) 꾸다; (조사 따위를) 돈을 내고 의뢰하다. ~ a person ***away from …*** 아무를 …에서 빼돌려 고용하다. ~ ***on*** (***as***) (…로서) 고용되다. ~ ***out*** 《*vi.*+부》 ① 《미구어》 하인으로〔노동자로〕 고용되다: She ~*d out as* a maid. 하녀로 고용되었다. ── 《*vt.*+부》 ② 임대하다, (요금을 받고) 빌려주다: ~ *out* chairs for parties 의자를 파티용으로 임대하다. ③ 〖~ oneself out으로〗 …로 고용되다《*as*》: She ~*d* her*self out as* a babysitter. 애 봐주는 사람으로 고용되었다. ── *n.* **1** 고용; 임차. **2** 세, 사용료, 임대료. **3** 보수, 급료, 임금(wages). ***for*** 〔***on***〕 ~ 임대하여〔의〕; 고용되어: a boat *on* ~ 임대 보트. ***let out on*** ~ 세놓다. ㊕ **hír(e)·a·ble** *a.*
híre càr 렌터카, 임대차.
híred *a.* 고용된; 임대의; 세낸 물건의.
híred gírl 《미》 (주로 농가의) 고용된 여자; 가「정부.
híred gún 《속어》 (전문적인) 살인 청부업자; (사적으로 고용한) 보디가드, 경호원; (로비스트 등) 대리 교섭인; 분쟁 조정역.
híred hánd 〔**mán**〕 《미》 고용인; 《특히》 농장 노동자, 머슴.
hire·ling [háiərliŋ] *a.* 《경멸》 고용되어 일하는; 돈이면 무슨 일이든지 하는. ── *n.* 고용인; 돈을 위해 일하는 사람; 타산적인 남자; 삯말; 세낸〔빌려온〕 물건.
híre-púrchase (**sỳstem**) 《영》 분할불 구입(방식), 할부(방식)(《영》 never-never system; 《미》 installment plan)《생략: H. P., h. p.》.
hir·er [háirər] *n.* 고용주; (동산) 임차인.
hi-res [háiréz] *a.* =HIGH-RESOLUTION.
hir·ing [háiəriŋ] *n.*, *a.* Ⓤ 고용(계약〔관계〕)(의); 임대차(의). ~ ***of a ship*** 용선(傭船).
híring hàll (노동조합이 운영하는) 직업 소개소.
hi-rise [háiráiz] *n.* 《구어》 =HIGH RISE.
hir·ple [hə́ːrpəl, híərpəl] 《Sc.》 *vi.* 절름거리며 걷다(hobble). ── *n.* 발을 절기(limp), 파행(跛行).
hir·sute [hə́ːrsuːt, -ˊ] *a.* 털 많은; 텁수룩한; 털〔모질(毛質)〕의; 〖동물 · 식물〗 긴 강모(剛毛)로 덮인; 《우스개》 유능한. ㊕ **~·ness** *n.*
hir·sut·ism [hə́ːrsuːtìzəm, -ˊ-/hə́ːsjuːtìzəm] *n.* 〖의학〗 (특히 여성의) 다모증(多毛症).
hir·u·din [hírjudən, hirúː-/hirúː] *n.* 〖생화학〗 히루딘《거머리(leech)에서 채취된 혈액의 항응고제(抗凝固劑)》.
†**his** [hiz, 약 iz] *pron.* **1** 〖he 의 소유격〗 그의. cf. my. ¶ ~ hat 그의 모자. **2** 〖he 의 소유대명사〗 그의 것; 그의 가족. cf. mine[1]. ¶ Your dog is bigger than ~. 네 개는 그의 개보다 크다 / *His* is a nice house. 그의 집은 좋은 집이다 / he and ~ (family) 그와 그의 가족. ★ 정식으로는 ~ or her 를 써야 할 경우 공문서 이외에는 보통 his 를, 구어로는 their 를 대표적으로 씀. **3** 〖of ~로〗 그의: a friend *of* ~ 그의 친구 / that pride *of* ~ 녀석의 그 자존심. ★ his는 a, an, this, that, no 따위와 함께 명사 앞에 올 수 없기 때문에 his를 of his로 하여 명사 뒤에 오게 함.
hís-and-hérs [-ən-] *a.* (상품이) 남녀용〔부부용〕 한 벌씩의.
his / her [hízhə́ːr, 약 *hizhər*] *pron.* HE / SHE 의「소유격.
his'n, hisn [hizn] *pron.* 《속어 · 방언》 〖he 의 소유대명사〗 그의 것(his).
hís níbs 《속어 · 경멸》 권력자, 높으신 분《실력도 없이 보스처럼 구는 사람》.
His·pa·nia [hispéiniə, -njə] *n.* 이스파니아《이베리아 반도의 라틴명》; 《시어》 =SPAIN.
His·pan·ic [hispǽnik] *a.* =SPANISH; LATIN-AMERICAN. ── *n.* 스페인 사람〔계 주민〕; 《미》 (미국 안의 스페인 말을 쓰는) 라틴 아메리카 사람〔계 주민〕.
His·pan·io·la [hìspənjóulə] *n.* 히스파니올라 섬《Haiti 와 Dominica 를 포함함》.

his·pa·nism [híspənìzəm] *n.* (종종 H-) Spain과 Latin America의 문화적 통합을 지향하는 운동; (종종 H-) 스페인어적인 특징.
His·pa·nist [híspənist] *n.* 스페인·포르투갈 (문학·문화) 연구가, 히스파니스트.
His·pa·no [hispǽnou, -pɑ́ː-] *a., n.* (*pl.* **~s**) 《미》 라틴 아메리카계의 (주민); (미국 남서부의) 스페인계〔멕시코계〕의 (주민).
His·pa·no- [hispǽnou, -pɑ́ː, -nə] '스페인의〔과〕'의 뜻의 결합사.
his·pid [híspid] *a.* 〖동물·식물〗 거친 털이 있는, 강모(剛毛)의. [파] **his·pid·i·ty** [hispídəti] *n.*
***hiss** [his] *vi.* **1** (뱀·증기 따위가) 쉿 소리를 내다. **2** 《(+[전]+[명])》 (경멸·비난의 뜻으로) 시 소리를 내다《*at*》: The spectators *~ed at* the umpire. 관중은 심판에게 불만의 표시로 우우 하고 야유하였다. **—** *vt.* 《(~+[목]/+[목]+[부])》 쉿 하고 꾸짖다〔제지하다, 야유하다〕: ~ a speaker *away* 〔*down*〕 쉿쉿 하여 연사를 좇아 버리다〔야유하다〕/They *~ed* the actor *off* the stage. 그들은 배우를 쉿쉿 야유하여 무대에서 물러나게 했다. **—** *n.* **1** 쉿 하는 소리〔음성〕; 〖전자〗 고음역의 잡음. **2** 〖음성〗 =HISSING SOUND. **—** *a.* =HISSING.
híss·ing *a.* 치찰음(齒擦音)이 현저한. **—** *n.* hiss 하기〔음〕; 《고어》 경멸(의 대상).
híssing sòund 〖음성〗 치찰음(齒擦音)《[s, z]》.
his·sy [hísi] *n.* 《미남부속어》 발끈 성내는 것, 뻿성(=**~ fit**).
hist [hist] *int.* 쉿, 조용히(hush). **—** *vt.* 쉿 「소리를 내다.
hist- [hist], **his·to-** [hístou, -tə] '조직'의 뜻의 결합사《모음 앞에서는 hist-》.
hist. histology; historian; historic; historical; history.
his·tam·i·nase [histǽmənèis, -z] *n.* 〖생화학〗 히스타미나아제《알데히드를 생성하는 반응을 촉매하는 효소》.
his·ta·mine [hístəmìːn, -min] *n.* [U] 〖화학〗 히스타민《위액 분비 촉진·혈압 저하·자궁 수축제》. [파] **his·ta·min·ic** [hìstəmínik] *a.*
his·ti·dine [hístədìːn, -din] *n.* 〖생화학〗 히스티딘《염기성 α 아미노산의 일종》.
his·ti·di·ne·mia [hìstədiníːmiə] *n.* 〖의학〗 히스티딘 혈증(血症).
his·ti·o·cyte [hístiəsàit] *n.* 〖해부〗 조직구(球)《결합 조직 속에서 식(食)작용을 하는 세포》. [파] **hìs·ti·o·cýt·ic** [-sít-] *a.*
his·to·blast [hístəblæ̀st] *n.* 〖생물〗 조직 원「(原)세포.
hìsto·chémistry *n.* [U] 조직 화학. [파] **-chémical** *a.* **-ically** *ad.*
hìsto·compatibílity *n.* 〖의학〗 조직 적합성《조직 상호 간의 이식 적합성》. **~ *antigen*** 〖의학〗 조직 적합 항원. [파] **hìsto·compátible** *a.* 조직 적합성〔친화성〕의.
hìsto·génesis *n.* 〖생물〗 조직 발생〔생성, 분화〕(론). [파] **-genétic** *a.* **-genétically** *ad.*
his·to·gram [hístəgræ̀m] *n.* 〖통계〗 막대 그「래프.
hìsto·incompatibílity *n.* 〖의학〗 조직 부적합성.
his·tol·o·gy [histɑ́lədʒi/-tɔ́l-] *n.* [U] 〖생물〗 조직학; (생물의) 조직 구조. [파] **-gist** *n.* 조직학자. **hìs·to·lóg·i·cal, -ic** [-kəl], [-ik] *a.* 조직학의. **-i·cal·ly** *ad.*
his·tol·y·sis [histɑ́ləsis/-tɔ́l-] *n.* (체조직의) 조직 융해〔분해〕. [파] **his·to·lyt·ic** [hìstəlítik] *a.*
his·tone [hístoun] *n.* [U] 〖생화학〗 히스톤《염기성 단백질의 하나》.
hìsto·pathólogy *n.* 〖의학〗 조직 병리학; 조직 변화. [파] **-gist** *n.* **-pathológic, -ical** *a.* **-ically** *ad.*
hìsto·physiólogy *n.* [U] 조직 생리학. [파] **-physiológic, -cal** *a.*
his·to·plas·mo·sis [hìstouplæzmóusis] *n.* 〖의학〗 히스토플라스마병《폐의 진균성 감염증》.
***his·to·ri·an** [histɔ́ːriən] *n.* 역사가, 사학자, 사학 전공자; 연대기 편자.
his·to·ri·at·ed [histɔ́ːrièitid] *a.* 상형(象形) 무늬의 장식을 한, 상형 기호를 붙인.
***his·tor·ic** [histɔ́ːrik, -tɑ́r-/-tɔ́r-] *a.* **1** 역사적으로 유명한〔중요한〕, 역사에 남는: the ~ scenes 사적, 유적. **2** 《고어》 역사(상)의, 역사적인(historical); 〖문법〗 사적(史的)인.
****his·tor·i·cal** [histɔ́ːrikəl, -tɑ́r-/-tɔ́r-] *a.* 역사(상)의, (역)사적인, 사학의; 역사〔사실(史實)〕에 기인하는; 《드물게》 역사적으로 유명한: ~ background 역사적 배경/a ~ event 역사적 사건/~ evidence 사실(史實)/~ facts 역사적 사실/~ geography 역사 지리학/a ~ method 역사적 연구법/a ~ novel 역사 소설/a ~ play 사극/the ~ science 역사학. ◇ history *n.* **—** *n.* 사실(史實)에 의거한 소설〔영화·극〕. [파] **~·ly** *ad.* **~·ness** *n.*
históricaI geólogy 지사학(地史學).
histórical linguístics 사적(史的) 언어학(=**diachrónic linguístics**).
históricaI matérialism 사적 유물론.
históric(al) présent (the~) 〖문법〗 사적 현재《과거사를 생생히 묘사하기 위한 현재 시제》.
históricaI schòol 〖경제·철학〗 (19세기 독일에서 시작된) 역사학파; 〖법률〗 역사(법)학파《법은 역사적 상황에서 생긴다는》.
his·tor·i·cism [histɔ́ːrisìzəm, -tɑ́r-/-tɔ́r-] *n.* (가치 판단 등에 있어서) 역사(중시)주의; (문화적〔사회적〕 설명에 있어서) 역사 결정론. [파] **-cist** *n.*
his·to·ric·i·ty [hìstərísəti] *n.* [U] 사적 확실성, 사실성(史實性); (역사의 흐름에 있어서) 사적(史的)인 위치, 역사성.
his·tor·i·cize [histɔ́ːrəsàiz, -tɑ́r-/-tɔ́r-] *vt.* 역사화〔사실화〕하다. **—** *vi.* 역사적 사실로서 해석하다.
his·to·ried [hístərid] *a.* 역사를 가진; 유서 깊은, 역사상 유명한. 「사화(史話).
his·to·ri·ette [histɔ̀ːriét] *n.* 《F.》 소사(小史);
his·to·ri·og·ra·pher [histɔ̀ːriɑ́grəfər/-ɔ́g-] *n.* 역사가, 수사가(修史家); 사료 편찬 위원.
his·to·ri·o·graph·ic, -i·cal [histɔ̀ːriəgrǽfik], [-əl] *a.* 역사 편찬의. [파] **-i·cal·ly** *ad.*
his·to·ri·og·ra·phy [histɔ̀ːriɑ́grəfi/-ɔ́g-] *n.* [U] 사료 편집, 역사 편찬, 수사(修史)(론); 〖집합적〗 정사(正史), 사서.
†**his·to·ry** [hístəri] *n.* **1** [U] 역사; 사실(史實): ancient ~ 고대사/French ~ 프랑스 역사/know the inner ~ of the affair 사건의 이면사를 알고 있다/*History* repeats itself. 《속담》 역사는 되풀이된다. **2** [U] (역)사학; [C] 사서: study ~ 역사를 공부하다/a ~ of Italy (어느) 이탈리아 역사(책). **3** [C] 경력, 이력, 병력(病歷); 유래; 연혁, 변천, 발달사: his personal ~ 그의 이력서/the ~ of this temple 이 절의 연혁. **4** [C] 기구한 운명: a woman with a ~ 파란 많은 생애를 지내온 여자, 과거가 있는 여자. **5** [C] 사극(historical play): Shakespeare's *histories*. **6** [U] (자연계의) 조직적 기술; (금속 따위에) 이미 시공된 처리〔가공〕; [C] 전기; (보고적인) 이야기(story). **7** 과거(의 일), 옛일: That is all ~. 그것은 모두 옛날 일이다/pass into ~ 과거사가 되다. ◇ historic, historical *a.* ***become* ~** =***go down in*** 〔***to***〕 **~** 역사에 남다. ***make* ~** 역사에 남을 만한 일을 하다; 후세에 이름을 남기다. ***past* ~** 진부하게 된 사실(事實); 지나간 일.

His·to·sol [hístəsɔ̀ːl, -sɑ̀l/-sɔ̀l] *n.* 〖지학〗 히스토솔, 부엽토《유기물이 많이 함유된 습한 토양》.

his·tri·on·ic [hìstriɑ́nik/-ɔ́n-] *a.* 배우의; 연극(상)의; 《경멸》 연극 같은, 일부러 꾸민 듯한; 〖해부〗 안면근(顔面筋)의. **—** *n.* 배우; (*pl.*) 연극. [파] **-i·cal·ly** *ad.*

hìs·tri·ón·ics *n. pl.* 〔때로 단수취급〕 연극, 연예; 연기; 연극 같은 행위〔짓거리〕.

†**hit** [hit] (*p., pp.* ***hit; hít·ting***) *vt.* **1** 《~+[목]/+[목]+[전]+[명]》 때리다, 치다; (공 따위를) 치다, 〖야구〗 (안타 따위를) 치다, …루타를 치다; 〖크리켓〗 쳐서 득점하다; 《학생속어》 (시험 · 과목에서) 좋은 성적을 얻다: ~ a ball *with* a bat 배트로 공을 치다 / ~ a single 〔double〕 안타〔2 루타〕를 치다 / ~ .300, 3 할을 치다 / ~ wicket 〖크리켓〗 위킷을 쳐서 아웃이 되다. [SYN.] ⇨BEAT. **2** 《+[목]+[전]+[명]/+[목]+[목]》 (타격을) 가하다: ~ a blow *on* the head 머리에 일격을 가하다 / I ~ him a blow. 그를 한 대 먹였다. **3** 맞히다, …에 명중시키다: ~ the mark 표적을 맞히다. **4** 《~+[목]/+[목]+[전]+[명]》 **a** (몸의 일부에) 맞다, (총알 따위가) …에 명중하다: Did the bullet ~ him? 탄알은 그에게 명중했습니까 / The ball ~ him *in* the eye 〔*on* the nose〕. 공이 눈〔코〕에 맞았다. ★ 몸 부분에 관한 명사 앞에 the가 옴. **b** …에 부딪다; 부딪뜨리다《*against; on*》: He ~ his forehead *against* the shelf 〔*on* the door〕. 그는 이마를 선반〔문〕에 부딪쳤다. **c** (물고기가 미끼를) 물다. **5** …와 마주치다, …와 조우하다; (답 · 길 등을) (우연히 · 용케) 찾아내다: ~ the right answer 정답을 맞히다 / ~ a snag 뜻밖의 장애에 부딪히다. **6** 《속어》 …에 이르다; (길을) 가다: ~ the road 길〔여행〕을 떠나다 / The landing troops ~ the beach. 상륙 부대는 해안에 닿았다. **7** (생각이) …에게 떠오르다: An idea ~ me. 생각이 내게 떠올랐다. **8** 알아맞히다, (진상을) 정확히 표현하다; 본떠서 감쪽같이 만들다〔그리다〕: You've ~ it! 맞았다. **9** (목적 · 기호(嗜好)에) 맞다: ~ one's fancy 아무의 취미에 맞다. **10** …에게 강한 인상을 주다. **11** …에 타격을 주다, 덮치다, …에게 재해를 입히다, 상처를 주다, …의 감정을 상하게 하다; 혹평하다: We were ~ by the depression. 우리는 불경기로 타격받았다. **12** (경기에서) …에게 다시 한 번 도전하다; 《속어》 …에게 음료를〔술을〕 따르다《특히 두 잔째 이후》; (포커 등에서) 카드를 한 장 더 도르다: *Hit* us again. 한 잔 더 따라 주시오. **13** 《+[목]+[전]+[명]》 …에게 부탁〔청〕하다, 요구하다: ~ a person *for* a loan 아무에게 돈 차용을 부탁하다. **14** (기사가) …에 실리다〔나다〕: The story ~ the front page. 그 기사가 제 일면에 실렸다. **15** (기록적 숫자에) 달하다: The new train can ~ 150 m.p.h. 새 열차는 시속 150 마일 낼 수 있다. **16** 《구어》 (치거나 건드려) …을 움직이게 하다; (브레이크를) 걸다: ~ the brake 급브레이크를 걸다 / ~ a light 불을 켜다. **17** 《미속어》 …에 마약을 주사하다; …을 죽이다.

— *vi.* **1** 《~/+[전]+[명]》 치다; 〖야구〗 안타를 때리다: ~ *at* a mark 표적을 겨누어 치다. **2** 《+[전]+[명]》 충돌하다《*against; on, upon*》: ~ *against* a wall 벽에 부딪치다. **3** 《+[전]+[명]》 마주치다, 우연히 발견하다〔생각나다〕《*on, upon*》: ~ *upon* a good idea 좋은 생각이 떠오르다. **4** 공격하다, 공격을 시작하다; (폭풍 등이) 엄습하다, 일어나다. **5** (제비 · 추첨 등에서) 당첨되다; (경기에서) 득점하다. **6** (내연 기관이) 점화하다. **7** (물고기가) 미끼를 물다. **8** 《속어》 마약을 주사하다. ***be ~ by a pitch*** 〖야구〗 사구(死球)를〔데드 볼을〕 맞다. ***go in and ~*** 경기 진행을 빨리하다. ***~ a likeness*** 흡사하게 하다: ~ *a likeness* in a portrait 초상화를 실물과 흡사하게 그리다. ***~ a man when he's down*** 넘어진 상대를 치다; 비겁한 행동을 하다. ***~ at*** = ***~ out at*** 〔***against***〕 …에게 덤벼들어 치다; …을 비웃다, 혹평하다. ***~ back*** 《*vt.*+[부]》 ① 되받아치다. **—** 《*vi.*+[부]》 ② (…에게) 반격〔대갚음〕하다, 반박하다《*at*》. ***~ for ...*** 《속어》 …을 향해 출발하다〔떠나다〕, …을 향하다. ***~ home*** = ***~ where it hurts*** (아무의 말 따위가) 급소를 찌르다. ***~*** a person ***in the face*** 아무의 얼굴을 치다〔에 부딪다〕; 아무가 단박에 깨닫다. ***~ it*** 잘 알아맞히다, 핵심을 찌르다; 《미》 나아가다; 《속어》 연주를 시작하다: *Hit it.* 《속어》 빨리 해라, 서둘러라. ***~ it off*** 《구어》 사이좋게 지내다, 뜻이 잘 맞다《*with; together*》; 《속어》 (집단에) 받아들여지다, (지위에) 걸맞게 잘 해나가다; 《속어》 잘되어 가다〔하다〕, 성공하다. ***~ it up*** 버티어 나가다; 《속어》 악기를 연주하다. ***~ off*** 《*vt.*+[부]》 ① (곡 · 시 · 그림 따위를) 즉석에서 짓다, 그리다: You've ~ him *off* to a T. 영락없이 그 사람 그대로야. **—** 《*vi.*+[부]》 ② 조화하다, 적합하게 되다. ***~ on*** ① …에 부딪히다; 우연히 …이 발견되다, (묘안 따위를) 생각해내다, …이 마음에 짚이다. ② 《미속어》 (엉터리 상품을) …에게 집요하게 강매하다; 귀찮게 굴다, 괴롭히다. ***~*** a thing ***on the nose*** 《속어》 알아맞히다. ***~ or miss*** 성패간에, 운에 맡기고. ***~ out*** (주먹으로 …을) 맹렬히 공격〔반격〕하다《*at*》. ***~ the air*** 방송하다. ***~ the ball*** 《속어》 부지런히 일하다, 급히 여행하다. ***~ the*** 〔***one's***〕 ***books*** 《속어》 맹렬히 공부하다. ***~ the bottle*** ⇨BOTTLE. ***~ the fan*** (보통 바람직하지 못한) 중대한 영향을 끼치다. ***~ the hay*** ⇨HAY¹. ***~ the headlines*** =HEADLINE. ***~ the papers*** 신문에 발표되다. ***~ the pipe*** 《미속어》 아편을 피우다. ***~ up*** 재촉하다; 〖크리켓〗 연달아 득점하다; (보트의) 피치를 올리다. ***~*** a person ***up for*** 아무에게 부탁하다.

— *n.* **1** 타격; 충돌; 〔감탄사적〕 딱《소리》. **2** 적중, 명중, 명중탄. **3** 들어맞음, 성공, 히트; 《구어》 (연예계의) 인기인(人), 히트 작품〔곡〕; (backgammon에서) 이긴 게임. **4** 핵심을 찌르는 말, 급소를 찌르는 비꼼〔야유〕《*at*》, 적평(適評), 명언: His answer was a clever ~. 매우 적절한 대답이었다. **5** 〖야구〗 안타(safe ~): a clean ~ 깨끗한 안타 / a sacrifice ~ 희생타. **6** 《속어》 마약〔헤로인〕 주사, 헤로인이 든 담배, 마약〔각성제〕 1 회분, 마리화나 한 대. **7** 《미속어》 (범죄 조직에 의한) 살인. **8** 〖컴퓨터〗 적중《두 개의 데이터의 비교 · 조회가 바르게 행해짐》; 《속어》 (마약 거래 등을 위한) 밀회. ***make a ~*** 《미속어》 죽이다, 살해하다; 《속어》 훔치다(steal). ***make*** 〔***be***〕 ***a ~*** (***with ...***) 《구어》 (투기 따위에서) 들어맞다, 이익을 얻다; (…에게) 크게 호평받다.

[파] **∠-less** *a.* **hít·ta·ble** *a.*

hít-and-míss [-ən-] *a.* 상태가 고르지 못한; 마구잡이의(hit-or-miss): in a ~ fashion 무계획하게, 엉터리로.

hít-and-míss wìndow 〖건축〗 주마창(走馬「窓).

hít and rún 〖야구〗 히트앤드런; 사람을 치고 뺑소니치기; 공격 후에 즉시 후퇴하기.

hít-and-rún [-ən-] *a.* 〖야구〗 히트앤드런의; 대성공의; 눈앞의〔일시적〕 효과만을 대상으로 한; (자동차 따위가) 치어 놓고 뺑소니치는; 바람처럼 왔다 바람처럼 빼는, 전격적인, 기습의, 게릴라전〔유격전〕의: a ~ driver 뺑소니 운전사 / ~ investigation 뺑소니차 수사 / a ~ raid 게릴라 습격. **—** *vi.* 〖야구〗 히트앤드런을 하다, 히트앤드런 작전을 쓰다.

hít bátsman 〔**bátter**〕 〖야구〗 데드 볼에 맞「은 타자.

◇**hitch** [hitʃ] *vt.* **1** 《~+[목]/+[목]+[부]/+[목]+[전]

+명》 (말 따위를) 매다《*up*》; (실 따위를) 얽히게 하다: He ~*ed up* a horse *to* the wagon. 그는 말을 짐수레에 매었다. **2** 《+목+전+명》 (갈고리·밧줄·고리 따위로) 걸다: I ~*ed* the rope *round* a bough of the tree. 그 밧줄을 나뭇가지에 걸었다. **3** 《~+목/+목+부/+목+전+명》 와락 잡아당기다〔끌어당기다, 움직이다〕; 휙 끌어올리다《*up*》: He ~*ed* his chair *nearer* the fire. 의자를 불 옆으로 끌어당겼다. **4** 《+목+전+명》 (이야기 속에) 집어넣다: ~ an incident *into* one's book 에피소드를 책 속에 삽입하다. **5** 《속어》 〖보통 수동태〗 …을 결혼시키다. **6** 《구어》 =HITCHHIKE. — *vi.* **1** 《+전+명》 엉키다, 걸리다《*in; on; to*》: My sleeves ~*ed on* a nail. 못에 소맷자락이 걸렸다. **2** 말을 수레에 매다《*up*》. **3** 왈칵 움직이다〔나아가다〕. **4** 다리를 절다《*along*》. **5** 《미속어》 결혼하다 《*up*》; 마음이 맞다, 화합하다. **6** 《구어》 =HITCHHIKE. ***be*** 〔***get***〕 ***~ed*** 《속어》 결혼하다. **~ *a ride*** 차에 편승하다. **~ *horses*** 《고어》 협조하다《*together*》. **~ *one's wagon to a star*** ⇨ WAGON. **~ *up*** 휙 끌어올리다; (말 따위를) 수레에 매다: ~ *up* one's trousers (구겨지지 않도록) 바지의 무릎 부분을 치켜 올리다.

— *n.* **1** 달아맴; 얽힘, 연결(부). **2** 급격히 잡아당김〔움직임〕; 급정지. **3** 지장, 장애; 틀림: It went off without a ~. 그것은 순조롭게〔척척〕 진행되었다. **4** 와락 끎〔움직임〕; 다리를 젊; 《구어》 =HITCHHIKE, 차에 편승함《본래는 히치하이크에서》. **5** 〖해사〗 결삭(結索). **6** 《미구어》 병역 기간, 복무〔복역〕 기간. **7** 〖광산〗 소(小)단층《채굴 광층 이하의 단층》; 동발 구멍《갱목을 버티기 위해 벽에 뚫은 구멍》. **8** 타자가 배팅 직전에 배트를 내리거나 당기거나 하는 동작.

㊞ **∠·er** *n.* ~하는 사람; 《구어》 =HITCHHIKER.

Hitch·cock [hítʃkɑk/-kɔk] *n.* Sir **Alfred** ~ 히치콕《영국 태생의 미국의 영화감독; 1899-1980》. ㊞ **Hitch·cóck·ian** *a.* 히치콕(풍)의.

Hítchcock chàir 히치콕 체어《바닥을 골풀로 만든, 팔걸이 없는 의자》.

***hitch·hike** [hítʃhàik] *n.* **1** 히치하이크《지나가는 자동차에 편승하면서 하는 도보 여행》. **2** 〖방송〗 =HITCHHIKER. — *vi., vt.* 지나가는 차에 거저 편승하여 여행하다, 히치하이크를 하다. ⓒⓕ lorryhop.

hítch·hik·er *n.* 자동차 편승 여행자; 〖방송〗 (방송 프로 뒤에 하는) 짧은 광고 방송, 편승적 광고(hitchhike)《보통 그 스폰서의 2차 상품의》; 〖로켓〗 큰 인공위성과 함께 발사된 작은 인공위성.

hítching pòst 말·노새 등을 매는 말뚝.

hitchy [hítʃi] *a.* 갑자기 움직이는; 《속어》 벌벌 떠는.

hi-tech [háiték] *n.* 《구어》 =HIGH-TECH.

hít·fest *n.* 《야구속어》 타격〔난타〕전.

°**hith·er** [híðər] *ad.* 《고어·문어》 여기에, 이쪽으로(here). ⓞⓟⓟ *thither*. **~ *and thither*** 〔***yon, yond***〕 여기저기에. — *a.* 이쪽의. ***on the ~ side*** (***of ...***) (…보다) 이쪽편의; (…보다) 젊은.

híther·mòst *a.* 가장 가까운(쪽의).

°**híther·tò** *ad.* 지금까지(는), 지금까지로 봐서는 (아직). — *a.* 지금까지의.

hith·er·ward(s) [híðərwərd(z)] *ad.* 《고어》 =HITHER.

Hit·ler [hítlər] *n.* **Adolf** ~ 히틀러《나치당의 영수로 독일의 총통; 1889-1945》. ㊞ **~·ism** [-rìzəm] *n.* Ⓤ 히틀러주의《독일 국가 사회주의》. **Hit·le·ri·an** [hitlíəriən] *a.*

Hit·ler·ite [hítləràit] *n.* 히틀러주의자; (*pl.*) 독일 국가 사회당, 나치스(Nazis). — *a.* 히틀러(정권)의.

hít lìst 《속어》 살해〔감원, 공격〕 대상자 명단; 정리 대상의 기획〔프로 등〕 일람표.

hít màn 《속어》 청부 살인자; 난폭한 선수; =HATCHET MAN.

hít-or-míss *a.* 《구어》 걷날리는, 되는대로의, 소홀한.

hít paràde 히트 퍼레이드《히트곡 등의 인기 순위(표)》; 《속어》 좋아하는 상대의 리스트.

hít-rún *a.* =HIT-AND-RUN.

hít·skíp *n.* 사람을 치고 뺑소니치기.

hít squàd 〔**tèam**〕 살인자〔테러리스트〕 집단, 암살자.

Hitt. Hittite.

hít·ter *n.* 치는 사람, 〖야구·크리켓〗 타자; 《속어》 =HIT MAN; 《미속어》 총.

hít thèory 〖생물〗 (세포의) 표적〔충격〕설, 적중설.

hítting strèak 〖야구〗 연속 안타.

Hit·tite [hítait] *n.* 히타이트족《소아시아의 옛 민족》; Ⓤ 히타이트 말. — *a.* 히타이트족〔말, 문화〕의.

hít wòman 《미속어》 여자 청부 살인자.

HIV human immunodeficiency virus(인체 면역 결핍 바이러스; AIDS 바이러스).

***hive** [haiv] *n.* **1** 꿀벌 통(beehive); 그와 같은 모양의 것. **2** 한 꿀벌 통의 꿀벌 떼. **3** 와글와글 하는 군중〔장소〕, 바쁜 사람들이 붐비는 곳, (활동 따위의) 중심지: a ~ *of* industry 산업의 중심지.

— (*p., pp.* ***hived; hív·ing***) *vt.* **1** (꿀벌을) 벌집에 모으다〔살게 하다〕; (사람을) 조촐하게 모여 살게 하다. **2** 《~+목/+목+부》 (꿀을) 벌집에 저장하다; 축적하다《*up*》. — *vi.* **1** (꿀벌이) 벌집에 살다; 군거(群居)하다. **2** 《+부》 틀어박혀 나오지 않다《*up*》. **~ *off*** 《*vi.* +부》 ① 분봉(分封)하다. ② (한 그룹에서) 갈라지다《*from*》; (…으로) 갈라지다《*into*》. ③ 《영구어》 없어지다, (예고 없이) 사라지다, 떠나다. ④ 자회사를 발족시키다; (회사를 그만두고) 새 사업을 시작하다. — 《*vt.*+부》 ⑤ (…에서) 몇 개로 분리〔독립〕시키다《*from*》. ⑥ (일 따위를) 자회사에 할당하다. ⑦ (산업을) 민영화하다. ㊞ **∠·less** *a.*

híve-òff *n.* 〖영상업〗 =SPIN-OFF 1.

hives [haivz] *n. pl.* 〖단·복수취급〗 발진, 피진(皮疹), 《특히》 두드러기(urticaria); 후두염(喉頭炎).

HIV-négative *a.* HIV 음성의.

HIV-pósitive *a.* HIV 양성의.

hi·ya, hi ya [háijə] *int.* 《미구어》 야, 안녕하시오《인사말》.

Hiz·bol·lah [hizbəlá:] *n.* 《Ar.》 신의 당(黨)(Party of God)《레바논 이슬람 시아파의 과격파》.

hiz·zon·er [hízənər] *n.* (종종 H-) 《미속어》 시〔촌, 동〕장, 판사; 《야구속어》 심판.

HJR House joint resolution 〖미의회〗 (양원의 공동 결의). **H.J.(S.)** *hic jacet* (*sepultus* 〔*sepulta*〕) (《L.》) (=here lies (buried)). **H.K.** Hong Kong; House of Keys. **HKJ** Hashemite Kingdom of Jordan《자동차 국적 표시》. **HK$** Hong Kong dollar(s). **hl(.)** hectoliter(s); *heiling* (《G.》) (=holy). **H.L.** House of Lords. **HLA** human leucocyte antigen(인(人)백혈구 항원)《개인에 따라 백혈구 항원계가 다르므로 각자의 세포 식별이 가능함》. **HLB** 〖약학·공학〗 hydrophile-lipophile-balance(계면(界面) 활성제의 친유성(親油性)과 친수성의 정도). **hld.** hold. **HLF** Heart and Lung Foundation. **HLI** Highland Light Infantry. **hlqn.** harlequin. **hlt.** halt. **HLZ** helicopter landing zone.

h'm, hmm [hmm, m] *int.* =HEM², HUM¹. ★ 심사(深思)·주저·의심·당혹을 나타냄.

hm(.) hand-made; hectometer(s). **H.M.** headmaster; headmistress; His 〔Her〕 Majesty. **H.M.A.S.** His 〔Her〕 Majesty's Australian Ship. **HMBS** His 〔Her〕 Majesty's British Ship. **H.M.C.** heroine, morphine, cocaine; His 〔Her〕 Majesty's Customs. **H.M.C.S.** His 〔Her〕 Majesty's Canadian

Ship. **HMG** 〖생리〗 human menopausal gonadotropin《폐경 후 고나도트로핀; 소변에서 나오는 성선(性腺) 자극 호르몬》. **HMMWV** highmobility multi-purpose wheeled vehicle(고(高) 기동성 다목적 유륜(有輪) 차량). **H.M.N.Z.S.** His 〔Her〕 Majesty's New Zealand Ship. **HMO** health maintenance organization; heart minute output. **H.M.S.** His 〔Her〕 Majesty's Service 〔Ship〕. **H.M.T.** His 〔Her〕 Majesty's Trawler. **HMW-HDPE** high-molecular-weight high-density polyethylene(고분자량 고밀도 폴리에틸렌). **HN** head nurse; Honduras《차량국적·ISO 코드》. **H.N.C.** 《영》 Higher National Certificate. **H.N.D.** 《영》 Higher National Diploma. **HnRNA** heteronuclear RNA (불균질핵(核) RNA). **hny.** honey.

ho[1], **hoa** [hou] *int.* **1** 호, 야, 저런《주의를 끌거나 부를 때 또는 놀람·만족·득의·냉소·칭찬 따위를 나타내는 소리》: *Ho there!* 어이, 야 이봐. ★ 주의를 끄는 경우는 뒤에 오게 됨: Land *ho!* 어이 육지다 / What *ho!* 야, 어이《인사·부름》. **2** 워, 서(whoa)(말을 멈출 때 내는 소리). ***Ho! ho!*** (***ho!***) 허허《냉소》. ***Westward*** **~*!*** 〖해사〗 서쪽으로 향해.

ho[2] [hɔː] *n.* 《미속어》 **1** 매춘부, 창녀(whore). **2** (흑인들 사이에서) 깔치.

ho. house. **Ho** 〖화학〗 holmium. **Ho, H.O.** Head Office; 《영》 Home Office; hostilities only.

ho·ac·tzin [houǽktsin, wáːktsin / houǽk-] *n.* =HOATZIN.

hoa·gie, -gy [hóugi] *n.* 《미북부》 =SUBMARINE《샌드위치》.

hoar [hɔːr] *a.* 《드물게》 서리로 덮인; =HOARY; 《방언》 곰팡내 나는. **—** *n.* Ⓤ =HOARFROST; HOARINESS.

°**hoard** [hɔːrd] *n.* **1** Ⓒ 저장물, 축적; (재물의) 비장(秘藏), 퇴장(退藏), 사장(死藏), 축재. **2** Ⓤ (지식 따위의) 조예, 보고(寶庫); (불평 등의) 울적. **—** *vt.* 《~+목/+목+부》 저장하다, 축적하다《*up*》; 저금하다; 사장하다《*up*》; 가슴속에 간직하다; …을 사재기하다. **—** *vi.* (몰래) 저장하다, 퇴장〔비장〕하다. 파 **∠·er** *n.*

hóard·ing[1] *n.* Ⓤ 축적, 사재기; 비장; 퇴장, 사장; (*pl.*) 저장〔축적〕물, 저금: ~ capital 〖경제〗 퇴장 자본. 파 **~·ly** *ad.* 매점하여; 욕기 부려.

hóard·ing[2] 《영》 *n.* (공사장·공터 등의) 판장(板牆); 게시판, 광고판(《미》 billboard).

hóar·fròst *n.* Ⓤ (흰)서리 (white frost).

hóarfrost pòint 〖기상〗 서릿점.

hóar·hòund *n.* =HOREHOUND.

hoar·i·ness [hɔ́ːrinis] *n.* Ⓤ 머리가 흼; 노령; 고색창연; 엄숙함.

°**hoarse** [hɔːrs] *a.* 목쉰; 쉰 목소리의; 귀에 거슬리는; (강물·폭풍·우레 등의 소리가) 떠들썩한: ~ from a cold 감기로 목이 쉬어 / shout oneself ~ 목이 쉬도록 외치다. 파 **∠·ly** *ad.* **∠·ness** *n.*

hoars·en [hɔ́ːrsən] *vt., vi.* 목쉬게 하다〔되다〕.

hóar·stòne *n.* 《영》 (유사 이전의) 경계 푯돌; (고대의) 기념비.

°**hoary** [hɔ́ːri] *a.* **1** 회백색의; 나이 먹어 하얗게 된, 백발의; 늙은. **2** 고색창연한(ancient); 나이 들어 점잖은; 진부한. **3** 〖곤충〗 회백색 솜털로 덮인. **4** 〖식물〗 회백색 잎이 있는. 파 **hóar·i·ly** *ad.*

hóary-éyed *a.* 《속어》 술 취한, (눈이) 개개풀린.

hóary·héaded [-id] *a.* 흰 머리〔백발〕의.

ho·at·zin [houǽtsin, wáːtsin/houǽt-] *n.* 〖조류〗 호아친《올리브색 깃털과 노란 도가머리가 있고 새끼는 날개에 발톱이 있어 나무를 기어오르는 남아메리카산(産)의 새》.

hoax [houks] *vt.* 감쪽같이 속이다, 골탕 먹이다. ~ a person ***into*** do***ing*** 아무를 속여 …하게 하다. **—** *n.* 사람을 속이기, 짓궂은 장난; 날조. 파 **∠·er** *n.*

hob[1] [hab/hɔb] *n.* 벽난로(fireplace) 내부 양쪽의 시렁《물 주전자 등을 얹음》; (고리던지기 놀이의) 표적 기둥; =HOBNAIL; (수레의) 바퀴통; 〖기계〗 호브《톱니 내는 공구(工具)》. **—** (***-bb-***) *vt.* 〖기계〗 호브로 자르다.

hob[2] *n.* 흰족제비의 수컷; 요괴(妖怪); (H-) 장난꾸러기 작은 요정(punk); 《구어》 장난. ***play* ~ *with ...*** 《미구어》 …에 피해를 주다, 망치다, 어지럽히다. ***raise* ~** 《미구어》 망치다, 손상하다《*with*》; 화내다, 격분하다《*with*》. 파 **∠·lìke** *a.*

Ho·bart [hóubərt] *n.* 호바트《남자 이름》.

hob·ba·de·hoy, -dy- [hábədihɔ̀i] *n.* 《고어》 =HOBBLEDEHOY.

Hobbes [habz/hɔbz] *n.* **Thomas ~** 홉스《영국의 철학자; *Leviathan*의 저자; 1588-1679》. 파 **∠·i·an** [-iən] *a., n.*

hob·bing [hábiŋ/hɔ́b-] *n.* 〖기계〗 압형(押型)으로 금속면에 암형틀을 만드는 것.

hob·ble [hábəl/hɔ́bəl] *vi.* 절뚝거리며 걷다《*along; about*》; 더듬거리며 말하다; 비슬비슬 날아가다〔오다〕: ~ *along* on a cane 지팡이에 의지하여 비틀비틀 걷다. **—** *vt.* 절뚝거리게 하다; (말 따위의) 두 다리를 한데 묶다; 방해하다; 난처하게 하다. **—** *n.* Ⓤ 절뚝거림; Ⓒ 말의 다리 매는 줄; 방해물, 속박; Ⓤ 《구어·고어·방언》 곤경, 곤란. ***be in* 〔*get into*〕 *a nice* ~** 곤경에 빠져 꼼짝도 못하다〔못하게 되다〕.

hob·ble·de·hoy [hábəldihɔ̀i/hɔ́b-] *n.* 《드물게》 눈치 없는 청년, 애송이.

hob·bler [háblər/hɔ́b-] *n.* 절뚝거리는 사람〔짐승〕.

hóbble skìrt 무릎 아래를 좁힌 긴 스커트.

hob·by[1] [hábi/hɔ́bi] *n.* **1** 취미, 도락; 장기, 여기(餘技), 가장 자신 있는 이야깃거리: make a ~ of …을 도락으로 삼다. **2** =HOBBYHORSE; 《고어》 작은 말(pony), 활기 있는 승용마; 《학생속어》 (외국어 따위의) 자습서(pony); (페달 없는) 초기의 자전거. **3** 《폐어》 멍텅구리, 익살꾼. ***ride* 〔*mount*〕 *a* ~ 〔*hobbyhorse*〕 (*to death*)** 장기〔특기〕를 (싫증이 날 정도로) 부리다. 파 **~·ist** *n.* 취미〔도락〕에 열중하는 사람: a computer ~*ist* 컴퓨터의 제작·이용을 취미삼는 사람.

hob·by[2] *n.* 〖조류〗 새호리기.

hóbby compùter 취미용 컴퓨터.

hóbby·hòrse *n.* **1** 모리스춤(morris dances)에 사용하는 말의 모형, 그 댄서. **2 a** (회전목마의) 목마; 흔들목마(rocking horse). **b** 대말《끝에 말머리가 달린 장난감》. **c** (페달 없는) 초기의 자전거(=**dándy hòrse**). **3** 장기(長技)(의 이야깃거리). ***ride a* ~** ⇨ HOBBY[1]. **—** *vi.* 〖해사〗 (배가) 심하게 위아래로 흔들리다.

hobbyhorse 2b

hób·gòblin *n.* 요귀(妖鬼), 장난꾸러기 꼬마 도깨비; 개구쟁이.

hób·nàil *n., vt.* (대가리가 큰) 징(을 박다); 징 박은 구두를 신은 사람, 시골뜨기; (유리 접시 등의) 돌기 장식. 파 **~ed** *a.* (구두창에) 징을 박은; 징 박은 신을 신은; 촌스러운: ~*ed* boots.

hóbnail lìver, hóbnailed líver 〖의학〗 구두징간《경변(硬變)증으로 겉이 두툴두툴한 간》.

hob·nob [hábnàb/hɔ́bnɔ̀b] (***-bb-***) *vi.* 권커니

잣거니 술을 마시다; 친하게〔허물없이〕 사귀다, 사이좋게 이야기하다, …와 매우 친밀하다《*with*》, 유력자나 부호와 사귀어 이익을 꾀하다; 간담하다《*with*》. **—** *n.* 간담, 환담, 화기애애한 회합; 술을 대작함. **—** *ad.* 멋대로; 차별 없이. [파] **hób·nòb·ber** *n.*

ho·bo [hóubou] (*pl.* ~(**e**)**s**) 《미》 *n.* 뜨내기 노동자; 부랑자, 룸펜. **—** *vi.* 방랑 생활을 하다. [파] **~·dom** [-dəm] *n.* 부랑인의 세계. **~·ism** *n.* [U] 부랑자 생활.

ho·boe, ho·boy [hóubou], [hóubɔi] *n.* 「=OBOE.

Hób·son's chóice [hábsənz-/hɔ́bsənz-] 주어진 것을 갖느냐 안 갖느냐의 선택, 골라잡을 수 없는 선택《17 세기에 영국의 삯말업자 Hobson 이 손님에게 말의 선택을 허락하지 않은 데서》.

hoc age [hák-ά:gi/hɔ́k-; *L.* ho:k-ɑgε, hɔk-] 《*L.*》 이것을 하라, 현재의 일에 정성을 쏟아라.

Ho Chi Minh [hóutʃí:mín] 호찌민, 호지명《월맹 대통령; 1890–1969》: ~ Trail 호찌민 루트.

Hó Chì Mính Cíty 호찌민시《구칭은 Saigon》.

hock¹ [hak/hɔk] *n.* (네발짐승의 뒷다리의) 무릎, 복사뼈 마디; 닭의 무릎; (돼지 따위의) 족(足)의 살. **—** *vt.* …의 복사뼈 마디의 힘줄을 끊다〔끊어서 불구를 만들다〕.

hock² *n., vt.* [U] 《속어》 전당 (잡히다)(pawn); 교도소. ***in*** **~** 《구어》 전당 잡혀; 옥에 갇혀; 《구어》 곤경에 빠져; 《속어》 빚을 져《*to*》. ***out of*** **~** 《구어》 전당품을 되찾아서; 《속어》 빚지지 않은. [파] **∠·a·ble** *a.* **∠·er** *n.*

hock³ *n.* [U] (종종 H-) 《영》 독일 라인 지방산(產) 백포도주(《미》 Rhine wine); 〖일반적〗 쌉쌀한 백포도주.

°**hock·ey** [háki/hɔ́ki] *n.* [U] 하키(field ~), 아이스하키(ice ~); 하키용 스틱(=∠ **stìck**). [파] **~·ist** *n.* 하키 선수.

hóckey pùck 하키용 퍽; 《미속어》 햄버거.

hóck·shòp *n.* 《미구어》 전당포(pawnshop).

hocky [háki/hɔ́ki] *n.* 《미속어》 **1** 엉터리, 허풍, 실없는 소리(bullshit). **2** 《비어》 정액(come²). **3** 식욕을 돋우지 않는 음식, 맛없는 음식. **4** 똥.

hoc tap [háktǽp, -táp/hɔ́ktǽp, -tɔ́p] 《베트남》 (공산화 후의) 재교육, (강제적) 정치 교육〔학습〕.

ho·cus [hóukəs] (**-s-,** 《영》 **-ss-**) *vt.* 속이다; (술에) 마취제를 타다; 마취시키다. **—** *n.* [U] 마취제가 든 술; 사기, 기만.

hócus-pó·cus [-póukəs] *n.* [U] 요술, 기술(奇術); 요술쟁이의 라틴어 투의 주문; 속임수, 야바위. **—** (**-s-,** 《영》 **-ss-**) *vi., vt.* 요술을 부리다; 감쪽같이 속이다《*with; on*》.

hod [had/hɔd] *n.* **1** 호드《벽돌·회반죽 등을 담아 나르는 나무통》. **2** 《미》 석탄통(coal scuttle); 《미속어》 (흑인) 불청객, 고객, 승객.

hod

hod 1

ho·dad, ho·dad·dy [hóudæ̀d], [-i] *n.* 해변에서 서퍼(surfer)인 체하는 사나이, 서투른 서퍼; 《미속어》 아는 체하는 사나이; (스포츠 등에서) 자기는 못하면서 선수 주변에서 떠드는 녀석; 《미속어》 매우 고지식한 사람, 고지식한 화이트칼라.

hód càrrier (벽돌·회반죽 등을) hod로 나르는 인부; 벽돌공의 조수(《영》 hodman).

hod·den, hod·din [hádn/hɔ́dn] 《Sc.》 *n.* [U] 무늬 없는 투박한 나사(羅紗). **—** *a.* 투박한 (옷을 입은); 손으로 짠; 시골풍의(rustic).

Hodge [hadʒ/hɔdʒ] *n.* 호지《남자 이름; Roger 의 애칭》; (h-) 《영》 (전형적인) 머슴, 시골뜨기.

hodge·podge [hádʒpàdʒ/hɔ́dʒpɔ̀dʒ] *n.* 뒤범벅; =HOTCHPOTCH. **—** *vt.* 뒤범벅을 만들다.

Hódg·kin's disèase [hádʒkinz-/hɔ́dʒ-] 호지킨병《악성 육아종증(肉芽腫症)》.

ho·di·er·nal [hòudiə́:rnl] *a.* 오늘날〔현재〕의 (of this day).

hód·man [-mən] (*pl.* **-men** [-mən]) 《영》 *n.* =HOD CARRIER; 〖일반적〗 남의 일을 거드는 사람, 뒤뿔치는 사람(hack); 하청 문필업자, 삼류문사. 「=ODOMETER.

ho·dom·e·ter [hadámətər/hɔdɔ́m-] *n.* 《미》

hod·o·scope [hádəskòup, hóud-] *n.* 〖물리〗 호도스코프, 카운터 호도스코프《대전(帶電) 입자의 진로 관측 장치》.

°**hoe** [hou] *n.* (자루가 긴) 괭이; (괭이형(形)의) 제초기; (모르타르·회반죽용(用)의) 괭이. [cf.] spade¹. **—** *vt.* 《~+[목]/+[목]+[부]》 (…을) 괭이로 파다〔갈다, 제초하다〕: ~ *in* …을 괭이로 파 메우다 / ~ *up* the potato roots 〔weeds〕 괭이로 감자를 파 일구다〔제초하다〕. **—** *vi.* 괭이를 쓰다. ***a hard*** 〔***long***〕 ***row to*** **~** ⇨ ROW¹. [파] **hó·er** *n.* 괭이질하는 사람; 제초하는 사람, 제초기.

hóe·càke *n.* [U,C] 《미》 옥수수빵《전에 괭이 날 위에 놓고 구웠음》.

Hoechst [hekst] *n.* 훽스트(사)《독일의 화학·의약품 회사; 1863년 설립》. [◂《D.》 Höchst AG]

hóe·dòwn *n.* 《미》 (hillbilly 조의) 활발하고 경쾌한 춤, 《특히》 스퀘어댄스; 그 곡〔파티〕; 《미속어》 격론; 격렬한 것, 열전, 대소동; 《미속어》 폭력단의 패싸움.

hog** [hɔ:g, hag/hɔg] *n.* **1** 돼지《특히 거세한 수퇘지 또는 다 자란 식용 돼지》. [SYN.] ⇨ PIG. **2** 《구어》 돼지 같은 녀석, 욕심꾸러기, 불결한 사람. **3** 《영방언·Sc.》 털 깎기 전의 어린 양(의 털); 하릅 수송아지; 가축. **4** 〖해사〗 (배 밑 청소용의) 비, 솔; 이물·고물의 잠기는 정도. **5** (제지용) 펄프 교반기(攪拌機). **6** 《미속어》 대형 오토바이《특히 Harley-Davidson》, 대형 자동차《특히 Cadillac》; 《미철도속어》 기관차, 기관사. **7** 《미속어》 죄수(yard bird). **8** 《미속어》 1 달러(화폐〔지폐〕); =PCP. ***a **~** ***in armor*** 풍채가 없고 촌스러운 사람, 좋은 옷을 입고도 맵시가 나지 않는 사람. ***a*** **~** ***on ice*** 《미구어》 미덥지 못한 사람. ***go*** (***the***) ***whole*** **~** 《속어》 철저히 하다; 그대로〔통째로〕 받아들이다. ***live*** 〔***eat***〕 ***high off*** 〔***on***〕 ***the*** **~** 〔**~*'s back***〕 《구어》 호화롭게〔떵떵거리며〕 살다. ***low on the*** **~** 《구어》 검소하게, 근근이. ***make a*** **~** ***of oneself*** 《구어》 걸신들린 듯이 먹다. ***on the*** **~** 《속어》 ① 무일푼으로(broke), 빈털터리가 되어, 파산하여. ② 걸어 돌아다녀. ③ 고장이 나서.

— (**-gg-**) *vt.* **1** (수염·말의 갈기 따위를) 짧게 깎다. **2** 《~+[목]/+[목]+[부]》 《구어》 탐내어 제몫 이상을 갖다; 걸근대다, 게걸스레 먹다《*down*》. **3** (등 따위를) 둥글게 하다. **4** (배 밑을) 솔로 문지르다. **—** *vi.* **1** 머리를 숙이고 등을 둥글게 하다; (가운데가) 돼지 등처럼 구부러지다; 〖해사〗 선체의 양끝이 늘어지다. **2** 탐하다, 무모한〔버릇없는, 탐욕스러운〕 짓을 하다, 《구어》 자동차를 마구 몰다. **~ *it*** 버릇없이 행동하다; 정신없이 자다; 불결한 데서 생활하다. **~ *the road*** (차로) 도로의 중앙을 달리다. **~ *the whole show*** 좌지우지하다, 독단적으로 처리하다.

ho·gan [hóugɔ:n, -gən/-gən] *n.* 호건《북아메

리카의 Navaho 인디언족의 주거; 엮은 나뭇가지 위에 진흙을 덮음》.

Hógan's bríckyard 《야구속어》 정지(整地) 상태가 나쁜 그라운드, 야구용 공터.

hóg·bàck *n.* 돼지의 등처럼 굽은 등; 〖지학〗 깎아지른 산등성이; 〖고고학〗 양면이 경사진 색슨〔스칸디나비아〕 사람의 무덤.

hóg-càller *n.* 《속어》 날카로운 고함 소리.

hóg chòlera 돼지 콜레라.

hóg·fish *n.* 〖어류〗 점감펭류(類)의 식용 물고기 《서인도 제도산(產)》; 달강어의 일종《미국 남부 해안산(產)》; 농엇과(科)의 물고기《북아메리카의 담수어》.　「기관사(hoghead).

hog·ger [hɔ́:gər, hág-/hɔ́g-] *n.* 《미철도속어》

hog·gery [hɔ́:gəri, hág-/hɔ́g-] *n.* 양돈장; 《집합적》 돼지; Ⓤ 돼지 같은 행동〔성격〕.

hog·get [hágit/hɔ́g-] *n.* 《영》 한 살짜리 양.

hog·gin, -ging [hɔ́:gin, hág-/hɔ́g-], [-giŋ] *n.* Ⓤ (도로용의) 체질한 모래 섞인 자갈.

hog·gish [hɔ́:giʃ, hág-/hɔ́g-] *a.* 돼지 같은; 이기적인, 욕심 많은; 더러운, 불결한; 상스러운. ㊕ **~·ly** *ad.* **~·ness** *n.*

hóg·hèad, -jòcky *n.* 《미철도속어》 =HOGGER.

hóg héaven 《속어》 극락, 천국.

hóg·lèather *n.* Ⓤ 돼지가죽.　「지; 새끼 양.

hog·ling [hɔ́:gliŋ, hág-/hɔ́g-] *n.* 《영》 새끼 돼

Hog·ma·nay [hàgmənéi/hɔ̀g-] *n.* 《Sc.》 (종종 h-) 섣달그믐날(New Year's Eve); 그날의 축제; 그날의 축하 선물《과자 따위》.

hóg·màne *n.* 짧게 깎은 말갈기.

hóg·màned *a.* 갈기를 깎은.

hóg-nòsed bát 돼지코박쥐《곤충을 상식하는 세계에서 가장 작은 태국산 박쥐》.

hóg·nòse snàke 뱀의 일종《독이 없고 작음; 북아메리카산(產)》.

hóg·nùt *n.* 땅콩(earthnut).

hóg·pèn *n.* 《미》 돼지우리(《영》 piggery).

hóg's-bàck *n.* =HOGBACK.

hógs·hèad *n.* **1** 큰 통《영국 100-140 갤런들이; 미국 63-140 갤런들이》; 액량(液量)의 단위《미국 63 갤런; 영국 52.5 갤런》; 맥주·사이다 등의 단위《245.4 리터; 영국 54 갤런》. ★ hhd. 로 생략함. **2** 《미철도속어》 =HOGGER.

hóg's lèg 《미서부·미속어》 =REVOLVER.

hóg·tìe *vt.* 《미》 (동물의) 네 발을 묶다; …의 손발을 묶다; 《미구어》 …의 행동의 자유를 속박하다.

hóg·wàsh *n.* Ⓤ 돼지 먹이《먹다 남은 음식 찌꺼기에 물을 섞은 것》; 맛없는 음식〔음료〕; 《속어》 데데한 것〔이야기〕, 졸작(拙作), 엉터리, 허풍.

hog·weed [hɔ́:gwì:d, hág-/hɔ́g-] *n.* 각종 잡초《ragweed, horseweed, cow parsnip 따위》.

hóg-wìld *a.* 《구어》 몹시 흥분한, 난폭한, 억제할 수 없는, 절도 없는: go ~.

Ho·hen·stau·fen [hòuənʃtáufən] *n.* 호엔슈타우펜《12-13 세기 독일의 왕가》.

Ho·hen·zol·lern [hóuənzɑ̀lərn/-zɔ̀l-] *n.* 호엔촐레른《독일의 왕가; 브란덴부르크 프로이센 왕가(1417-1918); 독일 제국의 왕가(1871-1918)》.

Hoh·hot [hòuhóut] *n.* =HUHEHOT.

ho-ho [hóuhòu] *int.* 오오, 허허, 어이, 하하《부를 때·주의·놀라움·피로·칭찬·득의·경멸을 나타내는 소리》; (말 따위를 세우는) 우어우어.

ho-hum [hóuhʌ́m, ⌐⌐] *int.* 하《권태·피로·지루함·하품 등의 소리》. **—** *a.* 《속어》 흥미 없는, 시시한, 진력나는.

hoick, hoik [hɔik, haik/hɔik] *vt., vi.* 《구어》 번쩍 들다, 던지다; (비행기를) 급각도로 상승시키다; (비행기가) 급각도로 상승하다.

hoick(s) [hɔik(s), haik(s)/hɔik(s)] *int.* 쉬쉿《사냥개를 부추기는 소리》.

hoi·den *n.* =HOYDEN.

hoi pol·loi [hɔ́ipəlɔ́i] 《Gr.》 (종종 the ~) 민중, 대중, 서민(the masses), 오합지중(衆); 《속어》 엘리트층; 《속어》 야단법석.

hoise [hɔiz] (**~d, hoist**) *vt.* 《방언》 (도르래 등을 써서) 들어올리다, 높이 올리다; 들어올려서 갖고 가다.

hói·sin sàuce [hɔ́isin-, ⌐⌐] 해선장(海鮮醬), 호이신 소스《간장·마늘·스파이스 등으로 만든 중국 요리용 조미료》.

hoist**[1] [hɔist] *vt.* **1** 《~+목/+목+부》 **a** (기 따위를) 내걸다; 올리다, (무거운 것을) 천천히 감아올리다; 들어서 나르다〔마시다〕; 높이 올리다 《*up*》: ~ sails 돛을 올리다 / ~ a person shoulder-high 아무를 헹가래치다. **b** 《~ oneself》 일어서다《*up*》: ~ one*self* (*up*) from a chair (팔걸이를 밀듯이 하며) 의자에서 일어서다. **2** (물가 따위를) 올리다; 잔을 들어 쭉〔맛나게〕 마시다. **3** 《속어》 …을 쌔비다. **—** *vi.* 높이 오르다; 높이 올리기 위해 밧줄을 당기다. **~ *down 끌어내리다. **—** *n.* Ⓤ 끌어〔감아, 달아〕올리기; 게양; Ⓒ 감아올리는 기계〔장치〕, 호이스트(hoister); 《영》 (화물용) 승강기; 《속어》 도둑질, 강탈; 〖해사〗 게양된 일련의 신호기; (기·돛의) 세로폭. ㊕ **⌐·er** *n.*

hoist[2] HOISE의 과거·과거분사. **~ *with* 〔*by*〕 one's *own petard*** 자승자박이 되어, '남 잡이가 제 잡이' 꼴이 되어.

hóist·hòle, hóist·wày *n.* (화물 따위의) 승강로; 승강기의 통로〔승강로〕.　「중기.

hóisting shèars 〖기계〗 두발〔합각(合閣)〕 기

hoi·ty-toi·ty [hɔ́ititɔ́iti] *a.* 거만한, 젠체하는; 까다로운; 들뜬, 성마른; 《고어》 경박한. **—** *n.* Ⓤ 거만함, 거만한〔우쭐하는〕 태도, 시치미 떼는 태도; 《고어》 야단법석, 경박함, 경솔한 행위. **—** *int.* 거참, 질렸어《놀라움·경멸 등의 탄성》.

Ho·ja·to·li·slam [hòudʒətálislɑ̀:m/-tɔ́-] *n.* 호자톨레슬람《회교 시아파 고위 성직자의 존칭》.

hoke [houk] 《속어》 *vt.* 겉만 훌륭하게 꾸미다, 그럴듯하게 만들어내다《*up*》. **—** *n.* =HOKUM.

ho·key[1] [hóuki] 《미속어》 *a.* 가짜의, 부자연스러운; 유난히 감상적인, 진부한. ㊕ **~·ness** *n.*

ho·key[2] *n.* 《속어》 교도소(prison).

ho·k(e)y-po·k(e)y [hóukipóuki] *n.* Ⓤ 《구어》 요술; 속임수(hocus-pocus); Ⓒ (길거리에서 파는) 싸구려 아이스크림; 《속어》 가짜 상품.

ho·kum [hóukəm] *n.* 《미속어》 Ⓤ (극·소설 따위의) 인기를 노리는 대목〔줄거리〕, 저속한 수법; 익살; 어이없는 일, 엉터리; 아첨.　「day).

hol [hal/hɔl] *n.* (보통 *pl.*) 《영구어》 방학(holi-

hol- [hóul, hál/hɔ́l], **hol·o-** [hálou, hóul-, -lə/hɔ́l-] '완전, 유사(類似), 수산기(水酸基)를 최고로 함유한' 의 뜻의 결합사.

hol·an·dric [houlǽndrik, hal-] *a.* 〖유전〗 한웅성(限雄性)의(Y 염색체상의 유전자에 의한 유전의). OPP *hologynic.* ㊕ **hol·an·dry** [hóulændri, hál-] *n.*

HOLC 《미》 Home Owners' Loan Corporation(주택 소유자 자금 대부 회사).

†**hold**[1] [hould] (***held*** [held]; ***held,*** 《고어》 ***hold-en*** [hóuldən]) *vt.* **1** 《~+목/+목+전+명/+목+부》 (손에) 갖고 있다, 유지하다; 붙들다, 잡다《*by*》; 쥐다; 가까이 끌어당기다; (껴)안다《*in*》; (총 따위를) 겨누다, 향하다《*on*》: ~ a person *fast* 아무를 꽉 끌어안다 / He *held* me *by* the arm. 그는 내 팔을 붙잡았다.
2 《~+목/+목+전+명》 (요새·진지 등을) 지키다: ~ a castle / ~ the trenches *against* the enemy 적에게서 참호를 지키다.
3 (지위·직책 등을) 차지하다; 소유하다, 갖다

(own); 보관하다: ~ shares 주주이다 / ~ the rights to do …할 권리가 있다 / ~ an MD 의학 박사 학위를 갖고 있다. SYN. ⇨ HAVE.
4 ((~+목/+목+전+명)) (신념 · 신앙 등을) 간직하다, (학설 등을) 신봉하다; (마음에) 품다 (cherish); (기억 따위에) 남기다((*in*)): ~ a firm belief 굳은 신념을 갖다 / ~ the event *in* memory 그 사건을 기억하고 있다.
5 ((~+목/+*that* 절/+목+(*to be*) 보/+목+보/+목+전+명)) 주장하다, 생각하다; (…을) …라고 생각하다, 평가하다; 판정하다; 〚법률〛 …라고 판결하다: He ~*s that*.... 그는 …라고 주장한다〔생각하고 있다〕/ I ~ him (*to be*) responsible. 그에게 책임이 있다고 생각한다 / ~ a person dear 아무를 귀엽게 여기다 / ~ a person best of all the applicants 아무를 응모자 중에서 가장 낫다고 판단하다 / ~ a person *in* contempt 아무를 경멸하다.
6 계속 유지하다, 그치지 않다, (대화 따위를) 계속하다, 주고받다: *Hold* the line. (전화에서) 끊지 말아〔말고 기다려〕 주십시오.
7 ((~+목/+목+전+명)) 멈추게 하다, 제지하다, (억)누르다: ~ a horse 날뛰는 말을 제지하다 / Fear *held* him *from* acting. 공포 때문에 그는 행동을 못했다.
8 (모임 등을) 열다, 개최하다; (식을) 올리다, 거행하다; (수업 등을) 행하다: The meeting was *held* yesterday. 회의는 어제 열렸다.

> SYN. **hold** 의식 따위를 개최함. 약간 딱딱한 뜻을 지님. **give** 모임 따위를 개최함을 말하는 구어적인 표현임. **open** 사물을 공개하거나 가게나 모임 따위를 여는 뜻. '열다'의 가장 일반적인 말.

9 ((+목+전+명)) ((미)) 구류〔유치〕하다: He was *held* (*in* jail) overnight. 그는 (구치소에) 하룻밤 구류되었다.
10 (결정 따위를) 보류하다; 삼가다; 팔지 않고 아껴 두다.
11 ((~+목/+목+전+명)) 붙들어 놓다, 끌어당기다, 놓지 않다; (주의 따위를) 끌어 두다; (의무 · 약속 따위를) 지키게 하다: ~ the audience 청중의 주의를 끌다 / I'll ~ him *to* his promise. 그에게 약속을 지키게 할 작정이다.
12 ((+목+보)) (어떤 상태 · 위치)로 유지하다, …(으)로 해두다; 〔~ oneself〕 (어떤 자세를) 취하다; 〚컴퓨터〛 (데이터를) 다른 데로 전사(轉寫)한 후에도 기억 장치에 남겨 두다; 〚음악〛 (음 · 휴지(休止) 따위를) 지속시키다, 늘이다: ~ the head straight 고개를 바로 들고 있다 / ~ one*self* ready to start 스타트할 자세를 취하다 / ~ the door open 문을 열어 놓다.
13 ((~+목/+목+전+명)) (물건 따위를) 버티다, 지탱하다((*in; between*)): The building is *held* by concrete underpinning. 그 건물은 콘크리트 토대로 지탱되어 있다 / ~ a pipe *between* the teeth 파이프를 물고 있다.
14 (그릇이 액 따위를) 수용하다, (건물 · 탈것 등이) …의 수용력〔용량〕이 있다: ~ a pint 한 파인트 들어가다 / This room can ~ eighty people. 이 방에는 80명이 들어갈 수 있다. SYN. ⇨ CONTAIN.
15 ((~+목/+목+전+명)) 안에 포함하다, …을 마련〔예정〕하고 있다((*for*)): Who knows what tomorrow ~*s*. 내일의 운명을 누가 알리 / This contest ~*s* a scholarship *for* the winner. 이 경연 대회에서는 우승자에게 줄 장학금이 마련되어 있다.
16 ((미식당속어)) 〔보통 명령형〕 (소스 등을) 치지 말고 주시오, …을 빼고 주시오: One burger... ~ the pickle. 햄버거 하나 — 피클 빼고.
—*vi.* **1** ((+전+명)) 붙들고〔쥐고〕 있다, 매달려 있다((*to; onto*)): ~ *to* a party 당을 떠나지 않다 / ~ *onto* a rope 로프를 붙잡다. **2** 보존하다, 지탱하다, 견디다: The dike *held* during the flood. 그 제방은 홍수를 잘 견디어냈다. **3** ((~/+보)) (법률 따위가) 효력이 있다, 타당성이 있다, (규칙이) 적용되다: ~ true 정말이다, 진실로 통하다 / The rule ~*s* in all cases. 이 규칙은 모든 경우에 유효하다. **4** ((+보/+부)) (날씨 등이) 계속되다(last), 지속하다; 전진을 계속하다; 계속 노래〔연주〕하다: ~ aloof 초연하다 / How long will this fine weather ~ (*up*)? 이 좋은 날씨가 언제까지 계속될까. **5** 보유하다, 소유권을 가지다((*of; from*)); 마약을 소지하다. **6** ((+전+명)) 〔보통 부정문〕 동의〔찬성〕하다((*by; with*)); 인정하다: He does *not* ~ *with* the new method. 그는 새 방법을 인정치 않는다. **7** ((~/+전+명)) 버티다((*for; with*)); (신조 · 결의 따위를) 고수하다, 집착하다((*by; to*)): ~ fast *to* one's creed 자기의 신조를 고수하다. **8** 〔종종 명령형〕 …을 그만두다, 멈추다; 기다리다; 삼가다; (로켓 발사 등의) 초읽기를 일시적으로 중지하다.
~ ... against a person …을 거론하여 아무를 비난하다, …의 이유로 아무를 원망하다. **~ back** ((*vt.*+부)) ① 억제하다; 말리다, 삼가다. ② 억누르다; 숨겨 두다, 비밀에 부치다((*from*)). ③ (감정을) 억제하다. **—**((*vi.*+부)) ④ (…에 대해) 함구하다; 자제하다((*from*)). ⑤ 주저하다, 망설이다. **~ by** …을 굳게 지키다; …을 고집〔집착〕하다. **~ down** ① (억)누르다, (물가 · 인원수 등을) 억제하다; (소리 등을) 제지하다: ~ *down* on do*ing* …하는 것을 삼가다. ② ((구어)) (지위를) 보존하다: ~ a 〔the〕 job *down* 같은 직위에 머무르다. **~ fast** (교분 등이) 굳게 계속되다. **~ forth** ((*vt.*+부)) ① (의견 따위를) 공표〔제시〕하다. ② 가두어 두다, 눈에 띄지 않게 하다. **—**((*vi.*+부)) ③ ((경멸)) 장황하게 지껄이다((*on*)). **~ hard** (말을 정지시키기 위해) 고삐를 세게 당기다; 〔명령형〕 기다려, 덤벙대지 마라, 멈춰. **~ in** ((*vt.*+부)) ① (감정 따위를) 억제하다. ② 〔~ oneself in으로〕 자제하다. **—**((*vi.*+부)) ③ 자제하다, 잠자코 있다. **~ (in) one's breath** 숨을 죽이다. ***Hold it* 〔*everything*〕*!*** ((구어)) 움직이지 마; 가만 있어; 잠깐 기다려. **~ off** ((*vt.*+부)) ① (적 따위를) 가까이 못 하게 하다, 저지하다. ② (결단 · 행동 등을) 미루다, 연기하다. **—**((*vi.*+부)) ③ 떨어져 있다, 가까이하지 않다((*from*)). ④ 늦어지다, 꾸물거리다. ⑤ (비 따위가) 좀처럼 오지 않다, 안 오고 있다. **~ on** ((*vi.*+부)) ① 계속〔지속〕하다. ② 붙잡고 있다. ③ (어려움에도 불구하고) 버티어 나가다, 견디다. ④ 〔보통 명령형〕 (전화를) 끊지 않고 기다리다; (잠깐) 기다리다, 그만두다: *Hold on*, please. (전화를 끊지 말고) 기다려 주십시오. **—**((*vt.*+부)) ⑤ (물건을) 고정해 두다. **~ on to** 〔**onto**〕 …을 붙잡고 있다; …을 의지하다, …에 매달리다; 계속하여 (끝까지) 노래하다. **~ out** ((*vt.*+부)) ① (손 따위를) 내밀다; 제출하다. ② 제공〔약속〕하다, (희망 따위를) 품게 하다. ③ 접근시키지 않다. ④ ((미구어)) (당연히 기대하는 것을) 보류해 두다, 말하지 않고〔감추고〕 있다. **—**((*vi.*+부)) ⑤ (재고품 따위가) 오래가다. ⑥ …에 마지막까지 견디다, 계속 저항하다((*against*)). ⑦ (처우 개선을 요구하여) 취업을 거부하다, 계약 갱신을 하지 않다. **~ out for ...** ((구어)) …을 끝까지 지지〔주장, 요구〕하다. **~ out on ...** ((구어)) …에 대해 (정보 · 돈 등을) 쥐고 넘겨주지 않다, 비밀로 하다, (사물을) 보류해 두다; ((구어)) …에게 바라는 대로 하지 않다, …에 대해 회답을〔원조를〕 거부하다. **~ over** ①

연기하다; (예정 이상으로) 계속하다. ② 〚법률〛 기간 만료 후에도 계속 재직하다. ③ 〚음악〛 (음을) 다음 박자〔소절〕까지 끌다. ~ a thing ***over*** a person 아무를 무엇으로 위협하다. ~ ***one's own*** ⇨ OWN. ~ ***together*** 《*vt.*+副》 ① 한데〔하나로〕 모으다, 같이 놓아두다. ② (흐트러지지 않게) 붙이다. ③ 단결〔결합〕시키다. —《*vi.*+副》 ④ (물건이) 서로 붙어 있다; 흐트러져 있지 않다, 형태를 유지하다. ⑤ 단결하다〔해 나가다〕. ~ ***... under*** (국민 등을) 억압하다. ~ ***up*** 《*vt.*+副》 ① (불빛 따위에) 비추어 보다, 높이 올리다《*to*》: The cashier *held* the money *up to* the light. 출납원은 그 돈을 등불에 비추어 보았다. ② (…을 웃음거리로) 내세우다《*to*》: ~ a person *up to* ridicule 아무를 웃음거리로 만들다. ③ (모범·예로) 들다, 보이다《*as*》: She *held* him *up as* a model of efficiency (to the other workers). 그녀는 (다른 종업원들에게) 능률적인 일꾼의 모범으로서 그를 들었다. ④ (손 따위를) 들다, 들어올리다. ⑤ 〘종종 수동태〙 진행을 가로막다〔지연시키다〕, 방해하다; 말리다: *be held up* by the snow 눈 때문에 외출 못하게 되다. ⑥ (사람·사물을) 지지하다. ⑦ (권총 등을 들이대고) 정지를 명하다, (아무를) 세워 놓고 강탈하다; (강도가 가게를) 털다. —《*vi.*+副》 ⑧ (굽히지 않고) 버티다, 지탱하다: She *held up* under the pressure. 그녀는 그 압력에 굴하지 않고 버티어 냈다. ⑨ 보조를 늦추지 않다. ⑩ (좋은 날씨가) 계속되다, 《미》 비가 멎다. ⑪ 《보통 말이 비틀거릴 때 하는 말》 '바로 서!'. ~ ***with ...*** 〘보통 부정형〙 …에 찬동〔동의〕하다; …을 편들다. ***Hold your noise*** 〔***jaw, row***〕. 잠자코 있어, 떠들지 마.

— *n.* **1** 파악(grip), 움켜쥠; 악력(握力). **2** 잡는 곳; 버팀; 자루, 손잡이; 〚등산〛 (바위 오르기의) 잡을 데, 발붙일 데; 그릇. **3** U,C 장악, 지배력, 위력, 영향력《*on; over*》; 세력; 파악력, 이해(력)《*on; of*》. **4** 확보, 예약: put a ~ *on* a library book 도서관의 책을 예약하다. **5** 《고어》 감옥. **6** 《고어》 성채, 요새(stronghold); 은신처, 피난처. **7** 〚음악〛 늘임표, 페르마타(⌒, ◡). **8** 〚레슬링〛 (게의 집게발처럼) 상대방을 꽉 붙잡는 방법. **9** U 〚법률〛 소유권의 보유. **10** 보류; (착수·집행 등의) 일시적 정지〔지연〕: a ~ in the movements of a dance 춤의 휴지(休止) 부분. **11** (미사일 발사 등에서의) 초읽기의 정지〔지연〕; 〚항공〛 대기 명령〔지령〕.

catch 〔***get, seize, take***〕 ~ ***of*** 〔***on***〕 …을 잡다, 쥐다, 붙들다, 파악(把握)하다, 장악하다; 이해하다; …을 손에 넣다; (이야기 상대자로) …을 붙잡다. ***get*** ~ ***on*** one***self*** 〘보통 명령형〙 (당황하지 않고) 침착하다. ***have a*** ~ ***on*** 〔***over***〕 …에 대해 지배력〔권력〕이 있다, …의 급소를 쥐고 있다. ***in*** ~***s*** 드잡이하여, 서로 붙들고. ***keep*** one***'s*** ~ ***on*** …을 꼭 붙들고 있다; …을 붙잡고 놓지 않다. ***lay*** ~ ***of*** 〔***on, upon***〕 …을 붙잡다, 쥐다; (상대방의 이야기를) 기화로 삼다. ***let go*** one***'s*** ~ 손을 놓다〔늦추다〕. ***lose*** one***'s*** ~ ***of*** 〔***on, over***〕 …을 놓치다, …의 손잡을 데를 잃다; …의 지배〔인기, 이해〕를 잃다. ***maintain*** one***'s*** ~ ***over*** 〔***on***〕 …에 대한 지배권을 쥐고 있다. ***on*** ~ 《미》 ① (통화에서) 상대를 기다려 전화를 끊지 않고: I'll put you *on* ~ while I check that for you. 그것을 확인할 테니 전화를 끊지 말아 주세요. ② (일·계획 등이) 보류 상태로, 일시 중단되어; 연기되어, 지연된. ***take a*** (***firm***) ~ ***on*** one***self*** (곤경에서) 자제하다, 냉정하게 행동하다. ***take*** ~ 달라붙다; 확립하다, 뿌리를 내리다; (약이) 효력이 있다. ***take*** ~ ***of*** 〔***on***〕 (유형·무형의 것을) 잡다, 붙잡다, 제어(制御)하다; (마약 등을) 상습하게 되다. ***with no*** ~***s barred*** 모든 수단이 허용되어, 규칙을 무시하여, 제한 없이, 제멋대로.

hold[2] *n.* 〚해사〛 선창(船倉), 화물창(艙)《배 밑의》; 〚항공〛 (비행기의) 화물실(室): break out 〔stow〕 the ~ 뱃짐을 풀기〔쌓기〕 시작하다.

hóld·àll *n.* 대형 여행 가방; 잡낭; =POTPOURRI.

hóld·bàck *n.* **1** U,C 방해, 장애(hindrance), 저지(沮止); 지체. **2** 말의 껑거리끈를 연결하는 쇠고리《마차의 제어 장치》; 〚기계〛 홀드백《경사형 벨트 컨베이어의 제동 장치》. **3** (임금 등의) 지급 보류〔정지〕; 보관물. **4** 깊이 개입하지 않는 사람.

hóld-dòwn *n.* 죔쇠; 억제.

hold·en [hóuldən] 《고어》 HOLD[1]의 과거분사.

‡**hold·er** [hóuldər] *n.* 〘흔히 복합어〙 **1** (권리·토지 등의) 소유〔보유〕자; (어음 등의) 소지인: ⇨ LEASEHOLDER, OFFICEHOLDER, STOCKHOLDER, RECORD HOLDER. **2** 버티는 물건; 그릇, 케이스: ⇨ PENHOLDER, CIGARETTE HOLDER. ***a*** ~ ***in due course*** 〚법률〛 (유통 증권의) 정당한 소지인.

hóld·fàst *n.* **1** U 파악, 꽉 잡음〔달라붙음〕. **2** 고정시키는 철물《못·죔쇠·거멀장 따위》. **3** (해초·기생 동물 등의) 흡착(吸着) 기관〔근(根)〕.

hóld-hármless *a.* 《미》 (연방 정부의 원조가) 주(州)정부〔단체〕의 일정액 이상의 부담을 무조건 인수하는, 면책의.

hóld·ing *n.* U **1** 파지(把持); 지지. **2** 보유, 점유, 소유(권); 토지 보유 (조건). **3** C (보통 *pl.*) 소유물; 《특히》 소유주, 보유주; 소작지; 은행의 예금 보유고; 지주(持株) 회사 소유의 회사; 재정(裁定). **4** 〚권투〛 껴안기《반칙》; 〚배구〛 공을 잠시 받치고 있기《반칙》; 〚농구〛 방해 행위; 〚미식 축구〛 ball carrier 이외의 상대를 잡음《반칙》. **5** 〚항공〛 공중 대기. — *a.* 지연시키기 위한, 방해의; 일시적인 보존〔보유〕용의; 〚항공〛 착륙 대기(용)의: ~ fuel 대기 연료/~ operation 현상 유지책.

hólding còmpany (타사 지배를 위한) 지주 회사.

hólding pàttern 〚항공〛 착륙 순위 대기(待機) 선회로; 대기〔일시 휴지(休止)〕 (상태).

hólding tànk 배 안에 있는 오수(汚水) 탱크.

hóld·man [-mən] (*pl.* ***-men*** [-mən]) *n.* 선창 인부.

hóld·òut *n.* **1** 인내, 저항. **2** (저항의) 거점. **3** 동의〔타협〕하지 않는 사람〔집단〕, 거부자; 《구어》 (처우 개선을 요구하여) 계약 갱신에 응하지 않는 스포츠 선수; 《미속어》 (뇌물 등의) 돈을 내지 않으려고 하는 사람. **4** 예비. **5** (*pl.*) 《미속어》 숨겨둔 부정 카드.

hóld·òver *n.* 《미구어》 **1** 이월(移越)(carryover); 잔존물, 계속 상연하는 영화〔연극 등〕. **2** 잔류〔유임〕자《*from*》; 낙제자, 재수생(repeater); (벌채·피해를 면하고) 남아 있는 수목. **3** 숙취(hangover); 구치소, 유치장. **4** 〚인쇄〛 보판(保版).

hóld tìme (로켓·미사일 발사에서 초읽기·작업을 일시 중단하는) 일시 대기 시간.

hóld·ùp *n.* **1** 《구어》 (열차·차 또는 그 승객에 대한) 불법 억류; 권총 강도, 노상강도(robbery) 《행위》; (퇴직을 암시한) 강력한 처우 개선 요구. **2** 《미》 바가지(씌우기)(overcharging). **3** (수송 등의) 정체, 지연, 방해(stoppage); 《영》 교통 체증. **4** 〚화학〛 (장치 내의) 잔류액. **5** 〚카드놀이〛 (브리지에서) 이긴 패의 온존(溫存). — *a.* 강탈의: a ~ policy 강탈 정책/a ~ man 노상강도.

†**hole** [houl] *n.* **1** 구멍; 틈; (옷 따위의) 터진〔째진〕 구멍; (도로 등의) 패인 곳, 구덩이(pit): a ~ in one's sock 양말의 뚫어진 구멍. **2** (짐승의) 굴. **3** 누추한 집〔숙소, 동네, 장소〕; (the ~) 독방, 지하 감옥; 《미속어》 지하철(subway): that wretched ~ of a house 저 비참한 움속 같은 집. **4** 함정; 《구어》 궁지, 곤경(fix). **5** 결함, 결점,

흠, 손실: a serious ~ in a theory 이론의 중대한 결함. **6** 물살이 잔잔하고 깊은 곳: a swimming ~. **7** ((미)) 후미(cove), 작은 항구. **8** 〖골프〗 구멍, 홀, 득점; 티(tee)에서 그린(green)까지의 구역; 공〔유리구슬〕을 쳐 넣는 구멍. **9** 〖물리〗 양공(陽孔); 〖전자〗 (반도체의) 정공(正孔). **10** 〖카드놀이〗 stud poker 의 엎어 놓은 패. **11** ((속어)) 질(膣)(vagina); 성교; (성교 대상자로서의) 여자; 항문. **12** 〖야구〗 두 내야수 사이의 공간, ((특히)) 3 루수와 유격수 사이의 공간.
a better* ~** 〔**'ole**〕 (to go to***) ((속어)) 가장 좋은 (안전한) 장소. ***a* ~ *in* one's *coat*** 결점, 흠. ***a* ~ *in the head*** ((구어)) 정말로 바람직하지 못한 〔엉뚱한〕 일〔것〕: I need 〔want〕 ... like *a* ~ *in the head.* …따윈 전혀 필요 없다. ***a* ~ *in the*** 〔**one's**〕 ***head*** ((미속어)) 방심, 멍청함, 어리석음: get *a* ~ *in the head* 방심하다, 멍청해지다. ***a* ~ *in the wall*** 비좁은 집. ***burn a* ~ *in* one's *pocket*** (돈이) 몸에 붙지 않다. ***every* ~ *and corner*** 구석구석까지, 샅샅이. **~*s and poles*** ((미학생속어)) 성교육 수업. ***in* ~*s*** 구멍이 나도록 닳아빠져서: be *in* ~*s* 구멍투성이다. ***in*** (***no end of***) ***a* ~** ((구어)) (밑빠진) 구멍에 빠져, 궁지에 빠져. ***in the* ~** 〖야구〗 (투수) 볼 수가 스트라이크 수보다 많은〔많아져서〕, 인더 홀로; ((구어)) (카드놀이 등에서) 득점이 마이너스가 되어; ((구어)) 돈에 궁하여, 적자가 나서; 교도소〔독방〕에 들어가서; ((미속어)) (권리 따위가) 정지되어: I'm fifty dollars *in the* ~ this month. 이 달은 50 달러가 적자다. ***like a rat in a* ~** 독 안에 든 쥐처럼. ***make a* ~ *in*** …에 구멍을 뚫다; (돈 따위를) …에 많이 들이다, …을 크게 줄이다. ***make a* ~ *in the water*** ((속어)) 물에 투신자살하다. ***out of the* ~** ((구어)) (카드놀이 등에서) 득점이 플러스가 되어; ((구어)) (스포츠에서) 상대방을 따라붙어서; ((구어)) 빚이 없어져서, 흑자가 나서. ***pick*** 〔***knock***〕 ***a* ~** 〔**~*s***〕 ***in*** …의 흠을 찾다. ***pick*** 〔***find, make***〕 ***a* ~** 〔**~*s***〕 ***in*** a person***'s coat*** ((구어)) 아무의 흠을 들춰내다.
— *vt.* **1** …에 구멍을 뚫다; …에 구멍을 파다: ~ a wall. **2** ((+[목]+[전]+[명])) (터널 · 통로 따위를) 뚫다((*through*)): They ~*d* a tunnel *through* the hill. 그들은 그 언덕을 뚫어 터널을 냈다. **3** 구멍에 넣다; (토끼 따위를) 구멍으로 몰다; 〖골프〗 (공을) 구멍에 쳐 넣다. — *vi.* **1** 구멍을 파다〔뚫다〕; 구멍으로 기어 들어가다. **2** ((~/+[부])) 〖골프〗 공을 hole에 쳐 넣다((*out*)): ~ *out* at par 파로 끝내다. **~ *in*** ((미구어)) 숨다, 몸을 숨기다. **~ *up*** ① 구멍으로 들어가다; 동면하다. ② (경찰을 피해서) 숨다, 몸을 숨기다((*in; at*)); ((구어)) (호텔 등에 부득이) 임시로 방을 정하다, 숙박하다. ③ 억지로 집어넣다, 격리하다. ④ 〖골프〗 홀인원을 치다. [파] **∠·a·ble** *a.* hole 할 수 있는; 〖골프〗 hole 할 수 있는((퍼트(putt))). **hól·er** *n.* **∠·less** *a.*
hóle-and-córner [-ənd-], **hóle-in-córner** *a.* 비밀의; 은밀한, 눈에 안 띄는; 하찮은.
hóle càrd 1 (stud poker에서) 1 라운드에 엎어서 돌라 주는 패(=**dówn cárd**). **2** 비장(秘藏)의 힘〔행동, 수단〕, 결정적인 수.
hóle in óne 〖골프〗 홀인원; 첫 번째 시도로 성공함. — *vi.* 홀인원하다(ace).
hóle in the héart 〖의학〗 심실〔심방(心房)〕 중격 결손(中隔缺損).
hóle-in-the-wáll *a.* ((미속어)) 보잘것없는, 초라한. — (*pl.* ***-s-in-the-wall***) *n.* ((영구어)) 현금 자동 입출기(=**hóle in the wáll**).
hóle·pròof *a.* **1** (옷이) 질겨 구멍이 잘 나지 않는. **2** (법이) 빠져나갈 구멍이 없는. 「무용품).
hóle pùnch 〔**pùncher**〕 펀처((구멍 뚫는 사

holey [hóuli] *a.* 구멍이 있는; 구멍투성이인.
hol·i·but [háləbət/hɔ́l-] *n.* =HALIBUT.
-hol·ic [hɔ́:lik, hál-/hɔ́l-] =-AHOLIC: computer*holic*.
†**hol·i·day** [hálədèi/hɔ́lədèi, -di] *n.* **1** 휴일, 축(제)일(holy day); 정기 휴일: a legal ~ 법정 공휴일 / a national ~ 국경일, 대축제일 / a three-day ~, 3 일 간의 연휴.

> [SYN] **holiday** 본래 종교적인 휴일, 혹은 사건이나 인물 따위를 기념하는 날. **vacation** 어느 일정 기간, 일이나 의무 따위에서 해방되어 쉬는 휴일.

2 휴가; (종종 *pl.*) ((영)) 긴 휴가, 휴가철; 휴가 여행(((미)) vacation): be away on (a) ~ 휴가를 얻어 쉬고 있다 / be home for the ~(*s*) 휴가로 귀향 중이다 / the summer ~(*s*) 여름휴가. **3** ((미속어)) (깜빡 잊고) 페인트를 칠하다 만 곳((배의)); 하다가 남긴 일, 중도에서 그만둔 일. ***make a* ~ *of it*** 휴업하여 축하하다. ***make* ~** 휴무로 하다, 일을 쉬다. ***on* ~=*on* one's ~*s*** ((영)) 휴가를 얻어, 휴가 중으로(((미)) on vacation). ***take a*** (week's) **~** (일주일의) 휴가를 얻다. — *a.* **1** 휴일의, 휴가의. **2** 휴일〔축제일〕다운, 즐거운: a ~ mood 휴일 기분. **3** 새삼스러운, 나들이의: ~ clothes 나들이옷 / ~ English 격식 차린 영어.
— *vi.* ((영)) 휴일을 보내다〔즐기다〕, 휴가로 여행하다(((미)) vacation). [파] **~·er** *n.* 휴가를 보내는〔즐기는〕 사람, 휴가 중인 사람; 행락객.
hóliday bròchure 여행 안내용 팸플릿.
hóliday càmp ((영)) (해변의) 행락지, 휴가촌.
hóliday còmpany (특히 관광 여행을 기획하는) 여행 대리점.
hóliday héart sỳndrome 알코올 섭취에 의한 부정맥(不整脈) · 급사 등의 증후군.
hóliday hòme 별장.
Hóliday Ìnn 홀리데이 인((Charles K. Wilson 이 창립(1952)한 미국계 호텔 체인)).
hóliday·màker *n.* 휴가 중인 사람(holiday-er), 휴가로 일을 쉬는 사람; 행락객.
hóliday·màking *n.* [U] 휴일의 행락.
hól·i·dàys *ad.* 휴일에(는), 휴일마다.
hóliday stòry 휴가 모험담((휴가를 이용해서 모험을 즐긴 주인공의 체험을 묘사한 이야기)).
hóliday vìllage 휴가촌((근대적인 행락지)).
ho·lid·ic [halídik, houl-] *a.* 〖생화학〗 (식이(食餌) 등) 성분이 화학적으로 완전히 규명된.
ho·li·er-than-thou [hóuliərðənðáu] *a.*, *n.* ((구어 · 경멸)) 독선적인; 경건한 체하는 (사람), 남을 업신여기는〔젠체하는〕 (녀석).
ho·li·ly [hóuləli] *ad.* 신성하게; 독실하게.
ho·li·ness [hóulinis] *n.* **1** [U] 신성; 청렴결백. **2** 〖가톨릭〗 (H-) 성하(聖下)((로마 교황의 존칭; His 〔Your〕 Holiness 처럼 쓰임)). — *a.* (종종 H-) 〖기독교〗 성결파 교회의.
Hóliness chùrch 〔**bòdy**〕 〖기독교〗 성결 교회〔교단〕((19 세기에 미국에서 일어난 근본주의에 바탕을 둔 여러 교파 중의 하나)).
Hol·ins·hed, -lings- [hálinzhèd, -inʃèd/hɔ́linʃèd], [-liŋz-] *n.* **Raphael ~** 홀린셰드((영국의 연대기 작가; ?-1580?)).
ho·lism [hóulizəm] *n.* [U] 〖철학 · 심리 · 생물〗 전일론(全一論)((복잡한 체계의 전체는, 단지 각 부분의 기능의 총합이 아니라 각 부분을 결정하는 통일체라는 입장)); 전체론적 (관점에 입각한) 연구〔방법〕. [파] **ho·lis·tic** [houlístik] *a.* **-ti·cal·ly** *ad.*
hol·la [hálə, halá:/hɔ́lə] *int.*, *n.*, *v.* =HOLLO.
***Hol·land** [hálənd/hɔ́l-] *n.* **1** 네덜란드((공식 명칭은 the Netherlands)). [cf] Dutch. **2** [U] (h-) 삼베의 일종((제본용)). **3** (*pl.*) (네덜란드산(産)) 진(=∠ **gín**).

hól·lan·daise sàuce [hɑ́ləndèiz-/hɔ́l-] 네덜란드 소스《크림 모양》.

Hól·land·er *n.* 네덜란드 사람(Dutchman); 네덜란드 배〔선박〕; (네덜란드에서 발명된) 일종의 종이 펄프 제조기.

hol·ler[1] [hɑ́lər/hɔ́l-] *vi.* **1** 《~/+전+명》《구어》 외치다, 투덜대다, 불평하다《*about*》; 꾸짖다《*at*》; 《미속어》 밀고〔고자질〕하다: I got *~ed at* for not doing my homework. 숙제를 하지 않았다고 꾸중들었다. **2** 《CB속어》 citizens band radio로 상대국(局)을 호출하다. **—** *vt.* 《~+목/+목+전+명/+(*that*) 절》《구어》 큰 소리로 부르다〔말하다〕《*at; to; about*》: "Leave me alone!" he *~ed.* '내버려둬!'라고 그는 외쳤다/He *~ed* (*that*) train was coming. 그는 열차가 온다고 외쳤다. **—** *n.* 《구어》 외침, 외치는 소리; 불만; 《미구어》 흑인 노동가(歌)의 일종.

hol·ler[2] *a., n., ad., v.* 《방언》 =HOLLOW.

Hol·ler·ith [hɑ́ləriθ/hɔ́l-] *n.* 【컴퓨터】 펀치 카드를 사용하는 영어 숫자 코드(=∠ **códe**).

Hóllerith cárd 펀치〔천공(穿孔)〕 카드.

hol·lo, hol·loa [hɑ́lou, həlóu/hɔ́lou] *int.* 어이, 이봐《주의·응답하는 소리》. **—** (*pl.* **~s**) *n.* (특히 사냥에서) 어이 하고 외치는 소리. **—** *vi., vt.* 어이 하고 부르다; (사냥개를) 부추기다《*away; in; off; out*》.

⁑**hol·low** [hɑ́lou/hɔ́l-] *a.* **1** 속이 빈, 공동(空洞)의: a ~ tree 속이 빈 나무. **2** (목소리 따위가) 공허한, 힘없는. **3** 내실이 없는, 무의미한, 빈(empty); 불성실한, 허울만의(false): ~ words 빈말/a ~ victory 〔race〕 싱거운 승리〔경쟁〕/~ compliments 겉치레 말/~ pretence 빤한 핑계. **4** 공복의: feel ~ 배가 고프다. **5** 우묵한, 움푹 꺼진(sunk): ~ cheeks 야윈 볼/~ eyes 우묵한 눈. **6** 《구어》 철저한. **—** *n.* 우묵한 곳; 계곡, 분지; 구멍(hole); 도랑; (통나무·바위의) 공동(空洞): the ~ of the hand 손바닥. ***in the ~ of*** a person***'s hand*** 아무에게 완전히 예속되어. **—** *vt.* 《~+목/+목+부/+목+전+명》 속이 비게 하다; 도려내다, 에다《*out*》; …을 파내어 만들다《*out of*》: ~ a cave 굴을 파다/river banks *~ed out* by water 물에 파인 강둑/~ a dugout *out of* a log 통나무 속을 파내 마상이를 만들다. **—** *vi.* 속이 비다. ***the ~ing of America*** 미국 사회의 공소화(空疎化). **—** *ad.* 텅 비게; 《구어》 철저하게: ring ~ 공허하게 울리다. ***beat … (all) ~*** ⇨ BEAT. ㊞ **~·ly** *ad.* **~·ness** *n.*

hol·lo·ware [hɑ́louwὲər/hɔ́l-] *n.* =HOLLOWWARE.

Hol·lo·way [hɑ́ləwèi/hɔ́l-] *n.* 런던 북부의 여성 교도소(~ Prison)《영국 최대》.

hóllow-èyed *a.* 눈이 우묵한.

hóllow fóot 【의학】 발바닥이 우묵한 발, 함요족(陷凹足).

hóllow-héarted [-id] *a.* 성의 없는, 거짓의.

hóllow lég(s) 많이 먹어도 살찌지 않는 체질; 《속어》 술고래.

hóllow órgan 【생리】 (위나 장 같은) 속 빈 장기, 중공(中空) 기관〔장기〕.

hóllow tóoth 《자조적》 런던 경찰청(New Scotland Yard)《부패의 뜻으로 씀》.

hóllow wàll =CAVITY WALL.

hóllow·wàre *n.* Ⓤ 속이 깊은 그릇《bowl 따위》. cf. flatware.

°**hol·ly** [hɑ́li/hɔ́li] *n.* Ⓤ 호랑가시나무(가지)《크리스마스 장식용》.

holly

hólly·hòck *n.* 접시꽃.

Hol·ly·wood [hɑ́liwùd/hɔ́l-] *n.* 할리우드《Los Angeles 시의 한 지구; 영화 제작의 중심지》; 미국 영화계〔사업〕. ***go ~*** 《미속어》 ① 이혼하다. ② 남색(男色)을 하다. **—** *a.* 《구어》 (복장 따위가) 화려한, 야한; 젠체하는, 같잖은, 부자연스러운. ㊞ **~·ish** *a.*

Hóllywood béd 【가구】 할리우드 베드《footplate가 없고 다리가 짧은 매트리스식 침대》.

Hóllywood Bòwl 할리우드의 원형 극장.

Hóllywood kìss 《미동부속어》 해고, 파면(kiss-off).

holm[1] [houm] *n.* 【식물】 HOLM OAK; 《방언》 =HOLLY.

holm[2], **holme** [houm] *n.* 《영북부》 강가의 기름진 낮은 땅; 강·호수 따위에 있는 주(洲); 강섬, 호수 섬; (본토 부근의) 작은 섬. ★ 영국 지명에 많음: Priest-*holm.*

Holmes [houmz] *n.* **1 Oliver Wendell ~** 홈스《미국의 생리학자·시인·수필가; 1809-94》. **2 Sherlock ~** 홈스《영국의 소설가 Conan Doyle의 작품 중의 명탐정》. **3** 〔일반적〕 명탐정. **4** (또는 h-) 《미속어》 친구. ㊞ **Hólmes·i·an** *a.* 셜록 홈스를 연상하게 하는.

hol·mi·um [hóulmiəm] *n.* Ⓤ 【화학】 홀뮴《희토류 원소; 기호 Ho; 번호 67》. ㊞ **hol·mic** [hɑ́lmik/hɔ́l-] *a.*

hólm òak 【식물】 너도밤나무류(ilex).

holo- ⇨ HOL-.

hol·o·blas·tic [hɑ̀ləblǽstik, hòul-/hɔ̀l-] *a.* 알이 전할(全割)인〔의〕.

Hol·o·caine [hɑ́ləkèin, hóul-/hɔ́l-] *n.* Ⓤ 【약학】 홀로카인《국부 마취제; 상표명》.

hol·o·caust [hɑ́ləkɔ̀ːst, hóul-/hɔ́l-] *n.* (유대교의) 전번제(全燔祭)《짐승을 통째 구워 신 앞에 바침》; (사람·동물을) 전부 태워 죽임; 대학살; 대파괴, 파국, 큰불; (the H-) 나치스의 유대인 대학살. ㊞ **hòl·o·cáus·tal, hòl·o·cáus·tic** *a.*

Hol·o·cene [hɑ́ləsìːn, hóul-/hɔ́l-] *n., a.* (the ~) 【지학】 충적세(沖積世)(의)(Recent).

hol·o·crine [hɑ́ləkrin, -kràin, hóul-/hɔ́l-] *a.* 【생리】 전(全)분비의.

hòlo·énzyme *n.* 【생화학】 홀로 효소《아포 효소(apoenzyme)와 조(助)효소(coenzyme)의 복합체》.

hol·o·gram [hɑ́ləgrǽm, hóul-/hɔ́l-] *n.* 【광학】 홀로그램《holography에 의해 기록된 간섭(干涉) 도형》.

hol·o·graph[1] [hɑ́ləgrǽf, -grɑ̀ːf, hóu-] *n.* 자필 문서〔증서〕. **—** *a.* 자필의(holographic).

hol·o·graph[2] *n., vt.* HOLOGRAM(으로 기록하다).

ho·log·ra·phy [həlɑ́grəfi, hou-/hɔlɔ́g-] *n.* Ⓤ 입체 영상, 레이저 사진술. ㊞ **hò·lo·gráph·ic, -i·cal** *a.* **-i·cal·ly** *ad.*

hol·o·gy·nic [hɑ̀lədʒínik, hòul-/hɔ̀l-] *a.* 【유전】 한자성(限雌性)의. OPP *holandric.*

hol·o·he·dral [hɑ̀ləhíːdrəl, hòul-/hɔ̀l-] *a.* 【결정】 완전면의, 완면상(完面像)의.

hol·o·he·dron [hɑ̀ləhíːdrən, hòul-/hɔ̀l-] *n.* Ⓤ 【광물】 완전면(完全面) 결정체.

hol·on [hɑ́lɑn/hɔ́l-] *n.* 【철학】 홀론《보다 큰 전체 중의 하나의 전체》; 【생태】 생물과 환경의 종합체(biotic whole).

hol·o·phote [hɑ́ləfòut, hóul-/hɔ́l-] *n.* (등댓불 따위의) 전광 반사 장치, 완전 조광경(照光鏡).

hòlo·phrástic *a.* 많은 개념을 일어(一語)로 표현하는.

hol·o·phyt·ic [hɑ̀ləfítik, hòul-/hɔ̀l-] *a.* 완전 식물성(영양)의. cf. holozoic.

hol·o·scop·ic [hɑ̀ləskɑ́pik, hòul-/hɔ̀lə-skɔ́p-] *a.* 전체 시야에 담은, 종합적인, 종합적인 관찰의〔에 입각한〕.

hol·o·thu·ri·an [hὰləθúəriən, hòul-/hɔ̀lə-θjúər-] *n., a.* 〖동물〗 해삼(의).

hólo·tỳpe *n.* 〖생물〗 정기준(正基準) 표본, 완모식(完模式) 표본.

hol·o·zo·ic [hὰləzóuik, hòul-/hɔ̀l-] *a.* 〖생물〗 완전 동물성(영양)의. cf. holophytic.

holp [houlp] 《고어·방언》 HELP의 과거.

hol·pen [hóulpən] 《고어·방언》 HELP의 과거

hols [hɑlz/hɔlz] *n.* =HOL. ⌊분사.

Hol·stein [hóulstain, -stiːn/hɔ́lstain] *n.* 홀스타인(=**Hólstein-Fríesian**)《젖소》.

hol·ster [hóulstər] *n., vt.* 권총용 가죽 케이스(에 넣다). ㊐ **~ed** *a.* 「잡목산(山).

holt [hoult] *n.* 《고어·방언·시어》 잡목림, 숲;

ho·lus-bo·lus [hóuləsbóuləs] *ad.* 《구어》 단번에, 한꺼번에, (통째) 한 모금에.

‡**ho·ly** [hóuli] (**-li·er; -li·est**) *a.* **1** 신성한, 정결한: a ~ place 성소, 성지.

> SYN. **holy** 종교적으로 숭배할 만한 것을 가리킬 뿐만 아니라 정신적으로 순결한 것을 말함. **sacred** 종교적으로 숭배되는 것에 바쳐지는 것에 쓰임.

2 신에게 바쳐진; 신에게 몸을 바친; 종교상의: a ~ man 성자. **3** 성자 같은, 경건한, 덕이 높은; 성스러운; 신앙심이 두터운: a ~ life 신앙 생활. **4** 《구어》 대단한, 심한. **5** 황공한; 놀라운(frightening). ***Holy cats*** 〔***cow, mackerel, Moses, smoke***(***s***)〕***!*** 《구어》 에구머니나, 정말, 저런, 설마, 어쩌면, 대단해, 이거 참《놀람·분노·기쁨 등을 표시함》. ***Holy fuck*** 〔***shit***〕***!*** 《비어》 =Holy cats! ***Holy Toledo !*** 《미속어》 =Holy cats! ***the Holiest*** 지성자(至聖者)《그리스도·하느님의 존칭》; =the ~ of holies. **—** *n.* 신성한 장소〔것〕. ***the ~ of holies*** 가장 신성한 장소; (유대 신전의) 지성소; 〖일반적〗 신성 불가침의 곳〔물건, 사람〕.

Hóly Allíance (the ~) 〖역사〗 신성 동맹.

Hóly Bíble (the ~) 성서, 성경. 「빵.

hóly brèad 〔**lòaf**〕 성체 성사〔성찬식, 미사〕용

Hóly Cíty 1 (the ~) 성도(聖都)《Jerusalem, Rome, Mecca, Benares 따위》. **2** 천국.

Hóly Commúnion 〖가톨릭〗 영성체, 성체 성사, 성체 배령(Lord's Supper, Eucharist); (개신교의) 성찬식.

Hóly Cróss Dày 성십자가 현양(顯揚) 축일《9월 14일》.

hóly dày 종교상의 축제일《일요일 이외의 축일·단식일 등》. ***~ of obligation*** 〖가톨릭〗 의무적 축일《미사에 참여하고 노동을 하지 않음》.

Hóly Fámily (the ~) 성(聖)가족《특히 아기 예수와 마리아·요셉》.

Hóly Fáther (the ~) 로마 교황《존칭》.

Hóly Ghóst (the ~) =HOLY SPIRIT.

Hóly Gráil (the ~) (예수가 최후의 만찬 때 사용하였다고 하는) 성배(聖杯).

Hóly Hóur 성시간(聖時間)《성체 앞에서의 명상·기도 시간》.

Hóly Innocents' Dày (the ~) 무죄한 어린이들의 순교 축일(Childermas)《Herod 왕의 명으로 Bethlehem의 아기들이 살해된 기념일; 12월 28일》.

Hóly Jóe 1 《구어》 군목, (종군) 목사〔신부〕, 《널리》 성직자; 독신자(篤信者); 《속어》 몹시 경건한 체하는 녀석. **2** 〖형용사적〗 몹시 경건한 체하는, 우쭐대는, 독실한 체하는.

Hóly Lànd (the ~) 성지《Palestine을 칭함》; (비(非)기독교권의) 성지.

Hóly Móther 성모 (마리아). 「(聖名).

Hóly Náme (the ~) 〖가톨릭〗 (예수의) 성명

hóly númber 신성 숫자, 성수《7을 뜻함》.

Hóly Óffice (the ~) 〖가톨릭〗 (로마 교황청의) 검사 성성(檢邪聖省), 신앙 교리 성성(教理聖省)《신앙·도덕 문제를 다룸》; 이단자 심문소.

hóly óil 성유(聖油). 「주; 하느님.

Hóly Óne (the ~) 예수 그리스도; 천주; 구세

hóly órder (종종 H- O-) 대품(大品)(major order); (*pl.*) 서품식(ordination); (*pl.*) 〖가톨릭〗 성품; 〖영국교〗 주교와 사제와 집사: take ~*s* 성직자〔목사〕가 되다.

hóly pláce 성지; (유대 신전의) 성소《지성소(至聖所) 주위의 방》; (*pl.*) 순례자, 성지.

Hóly Róller 《미·경멸》 예배·전도 집회 등에서 열광하는 종파〔《특히》 오순절파〕의 신자. ㊐ **Hóly Róllerism** 열광적 신앙.

Hóly Róman Émpire (the ~) 신성 로마 제국《962-1806》.

Hóly Róod 1 (the ~) 성가(聖架)《예수가 처형된 십자가》. **2** (h- r-) 십자가상.

Hól·y·rood Hòuse [hάliruːd-/hɔ́l-] **the Palace of ~** 홀리루드 하우스 궁전《스코틀랜드 에든버러 동쪽 끝의 홀리루드 하우스 성전의 한 구획에 있는 궁전; 스코틀랜드 여왕 Mary의 거성(居城)으로 16세기에 세워짐》.

Hóly Sáturday 성(聖)토요일《부활절 전주(前週)의 토요일》.

Hóly Scrípture (the ~) =the BIBLE.

Hóly Sée (the ~) (교황의) 성좌; 교황청.

Hóly Sépulcher (the ~) 성분묘(聖墳墓), 성묘(聖墓)《그리스도가 부활할 때까지 누워 있었던 Jerusalem의 묘》.

Hóly Spírit (the ~) 성령(Holy Ghost).

hóly·stòne *n.* 〖해사〗 (갑판) 마석(磨石). **—** *vt.* 마석으로 닦다.

hóly térror 무서운 사람; 《구어》 퍽 귀찮은 존재, 못된 녀석〔아이〕, 고집 센 개구쟁이.

Hóly Thúrsday 예수 승천 축일(Ascension Day); 성목요일《부활절 전주(前週)의 목요일》.

Hóly Trínity (the ~) 〖기독교〗 삼위일체.

hóly wàr (십자군 원정 따위의) 성전(聖戰).

hóly wàter (가톨릭교의) 성수(聖水); (불교의) 정화수. 「주(前週)).

Hóly Wèek (the ~) 성(聖)주간《부활절의 전

Hóly Wíllie 독실한 체하는 위선자.

Hóly Wrít (the ~) 성서(the Bible); 절대적 권위가 있는 서적〔발언〕.

hom- [hάm, hóum/hɔ́m, hóum], **ho·mo-** [hóumou, -mə, hάm-/hóum-, hɔ́m-] '같은, 동일한, 동류의, 〖화학〗 동족(同族)의'의 뜻의 결합사. OPP *heter-*, *hetero-*. ★ 보통 그리스계의 ⌊말에 쓰임.

Hom. Homer.

◇**hom·age** [hάmidʒ, άm-/hɔ́m-] *n.* Ⓤ 존경; (봉건 시대의) 충성(의 맹세), 신하로서의 예〔봉사 행위〕; 신복(臣服)의 표, 주종 관계; 공물(貢物). ***pay*** 〔***do, render***〕 ***~ to*** …에게 경의를 표하다; …에게 신하의 예를 다하다. **—** *vt.* 《고어·시어》 경의를 표하다.

hom·ag·er [hάmədʒər, άm-/hɔ́m-] *n.* (봉건 시대의) 봉신(封臣), 가신(家臣)(vassal).

hom·bre[1] [άmbrei, -bri/ɔ́m-] *n.* 《미서부·Sp.》 사나이, 녀석(fellow); 《미속어》 늠름한 사나이(he-man)《특히 서부의 카우보이 등》.

hom·bre[2] =OMBRE.

hom·burg [hάmbəːrg/hɔ́m-] *n.* (종종 H-) 챙이 좁은 중절모자의 일종(=∠ hàt).

homburg

†**home** [houm] *n.* **1** 가정, 가정생활; 내 집, 자택; 가족:

joys of ~ 가정생활의 즐거움/There is nothing like ~. 내 집보다 나은 곳은 없다. **2** 《미·Austral.》 가옥, 주택, 주거. SYN. ⇨HOUSE. **3** 생가(生家): leave ~ 생가를 떠나(서 독립하)다. **4** 고향; 본국, 고국, (영연방에서) 영국 본토(Great Britain): the old ~ 정든 고향〔생가〕. **5** 원산지, 서식지(habitat)《*of*》; 본고장, 발상지《*of*》: Paris is the ~ *of* fashions. 파리는 유행의 본고장이다. **6** (자기 집 같은) 안식처; 숙박소; 요양소, 시료소(施療所), 양육원, 고아원, 양로원《따위》; (극빈자 등의) 수용소《*for*》: a ~ *for* orphans 고아원/a sailors' ~ 선원 숙박소. **7** 《구어》 정신 병원; 묘지; (탐험대의) 근거지, 기지, 본부. **8** 〖경기〗 골, 결승점; 〖야구〗 본루; (놀이에서) 진(陣); lacrosse의 홈《상대방의 골에 가장 가까운 공격 거점》, 홈 플레이어; 홈경기.

(*a*) ~ (《미》 *away*) *from* ~ 제집과 같은 안식처《가정적인 하숙 따위》. ***at* ~** ① 집에 있어; (자기) 집에서; 홈그라운드에서: be *at* ~ 집에 있다/Do it *at* ~. 집에서 해라. ② 면회일로: I am *at* ~ on Wednesdays. 나는 수요일을 면회일로 삼고 있다. ③ 본국〔고향〕에. ④ 편히, 마음 편히: feel *at* ~ 마음 편하다/Please make yourself *at* ~. (스스럼없이) 편히 하십시오. ⑤ 정통하여, 숙달하여《*in; on; with*》. ***close to* ~** =***near* ~** 신변에; (말 따위가) 아픈 데를 찔러. ***from* ~** 부재중으로; 집〔본국〕을 떠나. ***go to* one's *last*** 〔***lasting***〕 **~** 영면(永眠)하다. **~, *sweet home*** 그리운 내 집이여《오랜만에 귀가할 때 하는 말》. ***the* ~ *of lost causes*** 옥스퍼드 대학《'패한 대의(大義)의 아성': Matthew Arnold의 말》. ***What's kissel*** 〔***that***〕 ***when it's at* ~?** 《구어·우스개》 키슬이란〔그건〕 도대체 뭔가. ***Who's Goff*** 〔***he, she***〕 ***when he's*** 〔***she's***〕 ***at* ~?** 《구어·우스개》 고프〔그, 그녀〕는 도대체 누군가.

—*a*. 1 가정(용)의, 제집〔자택〕의: ~ life 가정생활/one's ~ address 아무의 자택 주소《비교: office address 근무처의 주소》/a ~ project 가정 실습《가정과 등의》. **2** 고향의, 본국의; 본고장(에서)의; 본거지의, 주요한: a ~ team 본고장 팀/a ~ game 홈경기, 홈게임. **3** 자국의, 국산의; 국내의; 내정상(內政上)의 (domestic)(OPP. *foreign*); 본토의: the ~ market 국내 시장/~ products 국산품/~ consumption 국내 소비/a ~ loan 내국채; 주택 대부. **4** 급소를 찌르는, 통렬한: a ~ question 급소를 찌르는 질문. **5** 〖경기〗 결승의; 〖야구〗 본루의.

—*ad*. 1 자기 집으로〔에〕, 자택으로; 자국〔고국, 본국〕으로〔에〕: come 〔go〕 ~ 집〔본국〕으로 돌아가다; 《속어》 출소(出所)하다/write ~ once a week 일주일에 한 번 집에 편지를 쓰다. **2** (자택·본국에) 돌아와서; 《미》 집에 있어(at ~): Is he ~ yet? 벌써 돌아와 있습니까/He is ~. 돌아왔다; 귀성 중(歸省中)이다; 《미》 집에 있다/I'm ~! 다녀왔습니다. **3** 푹 하고 급소에 닿도록; 깊숙이, 충분히, 철저하게, 가슴에 사무치게: drive a nail ~ 못을 단단히 박다. **4** 〖해사〗 (배 안〔해안〕 쪽으로) 말끔히; 최대한(限)으로; 적합한 위치로: heave the hawser ~ 뱃줄을 말끔히 배 안으로 끌어들이다. **5** 〖야구〗 본루에: come 〔reach〕 ~ 홈인하다/drive ~ (주자를) 홈으로 보내다.

be on* one's** 〔the***〕 ***way* ~** 귀로에 있다. ***bring* ... ~ *to*** …을 차근히 호소하다, 절실히 느끼게 하다, 확신케 하다: *bring* a crime ~ *to* a person 저지른 죄를 아무에게 깊이 깨닫게 하다. ***bring* one*self* ~** 재정적〔경제적〕으로 다시 일어서다; 지위를 회복하다. ***come* ~ *to*** a person 아무의 가슴에 와 닿다, 분명히 이해되다. ***go* ~** ① 귀가〔귀국〕하다; 《완곡어》 죽다. ② 깊이 찌르다; 적중하다. ③ (충고 따위가) 뼈에 사무치다. ④ 〔명령형〕《속어》 입 닥쳐라, 시끄러워. ⑤ 《속어》 닳아빠지다, 상하다, 수명이 다되다: My car is *going* ~. 차가 낡아 빠졌다. **~ *and dry*** 《주로 영구어》 =**~ *safe*** 《미구어》 목적을 달성하여, 성공리에 마쳐, 경기에 이겨. ***nothing to write* ~ *about*** ⇨WRITE. ***press*** 〔***push***〕 **~** (공격·비난 따위를) 철저〔강력〕하게 하다: *press* ~ an 〔one's〕 advantage 호기를 마음껏 활용하다. ***see*** a person **~** 아무를 집까지 바래다주다. ***take* ~ ...** 실수령액으로 …(의 임금)을 받다. ***write* ~ *about*** 《구어》 …에 대해 특히 언급하다: Her cooking is really something to *write* ~ *about*. 그녀의 요리 솜씨는 정말 대단한 것이다.

—*vi*. 1 집으로〔근거지로, 보금자리로〕 돌아오다: be *homing* from abroad 귀국하는 도중이다. **2** 집·근거지를 마련하다〔갖다〕. **3** (미사일·항공기 따위가 자동 장치로) 목표를 향하다; (TV 카메라가 피사체 쪽으로) 다가서다, 접근하다《*in on; on to; onto*》: The missile ~*d in on* the target. **4** 좌표에 의해 항해하다. **—*vt*. 1** 집에 돌려보내다. **2** …에게 집을〔안식처를〕 갖게 하다; …에게 본거지를 마련해 주다, …의 본거지를 정하다: ~ oneself 집을 장만하다. **3** (비행기·미사일 따위를) 자동 조종으로 항진〔착지〕시키다.

ho·me-, -moe- [hóumi, hámi] '유사한'의 뜻의 결합사.

hóme alóne (주로 신문에서) 집에 어린애 혼자 남은《미국 영화 *Home Alone*에서》.

hóme-and-hóme [-ən-] *a*. 〖경기〗 홈앤드홈 방식의《경기를 서로 바꾸어 상대 팀 본거지에서 개최하는 것; home-and-away라고도 함》.

hóme automátion 가정 자동화(自動化)《생략: HA》.

hóme bánking 홈뱅킹《가정에서 컴퓨터 단말기를 이용한 은행 거래》.

hóme báse 〖야구〗 본루, 홈베이스(home plate); =HEADQUARTERS. 「〔담당〕구역.

hóme-bèat *n*. (경찰관의) 자택 부근의 순찰

hóme·bòdy *n*. 가정적인 사람, 잘 나다니지 않는 사람(stay-at-home).

hóme·bórn *a*. 본국 태생의, 본토박이의; 자국산(産)의, 토착의(native).

hóme·bóund *a*. **1** 본국행의, 귀항(歸航)의; 귀가 중인: ~ commuters 귀가 중인 통근자. **2** 집에 틀어박혀 있는.

Hóme Bóx Óffice =HBO.

hóme bòy (*fem*. ***hóme girl***, 《집합적》 ***hóme pèople***) 《미흑인학생속어》 한고향 사람, 동향인; 《미속어》 절친한 친구(close friend).

hóme·bréd *a*. **1** 제집〔나라〕에서 자란; 국산의: ~ cars 국산차/~ cooking 가정 요리. **2** 세상 물정 모르는, 순박한; 세련되지 않은.

hóme-bréw *n*. **1** 자가 양조의 술, 《특히》 자가제의 맥주; 자가 제품; 국산품. **2** 토착 문화《종교 따위》.

hóme-bréwed *a*. 자가 양조의; 자가제(製)의: a ~ computer 〔program〕 자가제 컴퓨터〔프로그램〕/a ~ idea 자기만의 착상. **—*n*.** 자가 양조주.

hóme·bùilder *n*. 《미》 주택 건설업자〔회사〕.

hóme·bùilding *n*. 주택 건설.

hòme·buílt *a*. 수제(手製)의, 자가제의(home-made).

hóme·bùyer *n*. 주택 매입자.

hóme càre 자택 요양〔치료, 간호〕.

hóme cènter 주택용 설비 판매 센터, 홈 센터《주택용 각종 설비·기계·재료·도구 등을 판매하는 대형 점포》. 「(區).

Hóme Círcuit 런던을 중심으로 한 순회 재판구

hóme·còming *n*. **1** Ⓤ 귀향, 귀가, 귀국. **2**

《미》 (일년에 한 번 졸업생들을 불러 여는) 대학제(祭), 동창회.
hóme compúter 가정용 (소형) 컴퓨터.
hóme confínement 자택 구금《소재를 알리는 송신기를 죄수에게 장착시켜 자택에 구금함》.
hóme contróller 주택내 제어 기기《밖에서 전화로 생활 기기(機器)를 제어하는》.
hóme cóoking 가정 요리(의); 《미속어》 만족시키는 (일), 즐거운 (일).
Hóme Cóunties (the ~) 런던을 둘러싼 여러 주《특히 Surrey, Kent, Essex; 때로는 Hertford, Berkshire, Buckinghamshire, East Sussex, West Sussex를 포함》.
hóme-còurt advántage 《미》 홈 경기의 이점.
Hóme Depártment (the ~) =HOME OFFICE.
hóme diréctory 〖컴퓨터〗 홈 디렉터리《콘텐츠 파일이 저장된 서비스 루트 디렉터리》.
hóme éc [-ék] 《미학생속어》 =HOME ECONOMICS.
hóme económics 가정학; 가정과.
hóme ecónomist 가정학자, 가정과 선생.
hóme entertáinment 가정용 오락 기구.
hóme fàrm 《영》 (예전의 지방 대지주 전용의) 농장.
hóme·fèlt *a.* 가슴에 사무치는.
hóme-field advántage 《미》 =HOME-COURT ADVANTAGE.
hóme fire 화로〔벽난로〕의 불; (*pl.*) 가정(생활): keep the ~*s* burning 후방(後方) 생활을 지키다《제 1 차 세계 대전 중의 영국 유행가에서》; 가정생활을 계속해 나가다.
hóme·fòlk, -fòlks *n. pl.* 고향의 가족〔친척, 친구 등〕.
hóme frée 《속어》 틀림없이 성공하는〔이기는〕, 낙승의; 위기를 탈출한; (노력 끝에) 여유가 생긴.
hóme frìes 삶은 감자튀김(=**hóme fríed potàtoes**)《가루를 묻히지 않고 튀김》.
hóme frònt 국내 전선, (전선의) 후방《사람들 및 그 활동》.
hóme girl ⇨ HOME BOY.
hóme gròund 1 《영》 홈그라운드《팀 소재지의 그라운드》. **2** 잘 아는 분야〔제목〕.
hóme·grówn *a.* 자가제의; (과일·야채 등이) 자기 집〔그 지방, 국내〕에서 산출된〔되는〕; 조국의, 출생지의; 토착의.
hóme guárd 1 (the H- G-) 《영》 국토 방위군《1940 년에 조직된 시민군》. **2** 《미》 지방 의용대. **3** 《미속어》 집〔그 고장〕에 정착한 사람, 정주자, 은퇴한 서커스인(人), (거리에) 자리잡은 걸인. **4** 《미속어》 한 직장의 장기 근속자, 직장을 바꾸지 않는 노동자. **5** 《미속어》 기혼 선원(船員). ㊎ **hóme guárds·man** 《미》 지방 의용병.
hóme héalth 가정 건강〔보건〕.
hóme hélp 《영》 병자·노인의 가정을 방문하는 공인(公認) 가정부.
hóme hyperalimentátion 〖의학〗 자택(自宅) 고(高)영양법(法)《소화 흡수 불량 환자에게 정맥을 통해 영양을 공급하는》.
hóme impróvement 주택 개량.
hóme índustry 가내(家內) 공업; 국내 산업.
hóme·kèeper *n.* 흔히 집 안에만 틀어박혀 있는 사람.
hóme·kèeping *a.* 흔히 집 안에 틀어박혀 있는.
hóme kèy (타자기 따위의) 홈키《좌우 양손의 손가락을 얹어 놓는 키》.
hóme·lànd *n.* **1** 고국, 모국, 조국. **2** 《S.Afr.》 홈랜드《인종 격리 정책에 의하여 설정되었던 흑인 주민의 자치구》.
hóme lànguage 《미》 모국어(native language).
◇**hóme·less** *a.* 집 없는; (가축 따위의) 임자 없는; 《드물게》 안식처를 제공하지 않는; (the ~) 〖집합적, 복수취급〗 집이 없어 오갈데 없는 사람들, 노숙자들. ㊎ ~·ness *n.*
hóme·lìke *a.* 자기 집 같은; 마음 편한, 편안한, 아늑한. ㊎ ~·ness *n.*
hóme lòan 주택 자금 대부; 내국채(債).
***home·ly** [hóumli] (*-li·er; -li·est*) *a.* **1** 가정적인, 자기 집 같은(homelike), 친절한. **2** 검소한, 꾸밈없는, 수수한(plain); 세련되지 않은; 눈에 익은, 흔한(familiar): a ~ sort of person 수수하게 뵈는 사람. **3** 《미》 (용모가) 보통의, 못생긴. SYN. ⇨ UGLY. ㊎ **-li·ness** *n.*
◇**hóme·máde** *a.* **1** 자가제의, 집에서〔손으로〕 만든. OPP. *boughten*. **2** 검소한. **3** 국산의.
hóme·màker *n.* 주부(housewife).
hóme·màking *n., a.* 가사, 가정(家政)(과(科)); 가정(家政)의.
hóme móvie 자가(自家) 제작 영화; 자신(들)을 영화화한 것.
ho·me·o-, ho·moe·o- [hóumiou, -miə], **ho·moi·o-** [houmɔ́iou, -mɔ́iə] '유사(類似)한'의 뜻의 결합사.
hómeo·bóx *n.* 〖유전〗 호메오박스《초파리의 호메오틱 유전자 사이에 존재하는 염기 배열; 사람이나 개구리에서도 같은 배열이 확인됨》.
Hóme Óffice (the ~) 《영》 내무부(內務部).
hóme óffice (보통 the ~) 본사, 본점. cf. branch office.
ho·me·o·mor·phism [hòumiəmɔ́ːrfizəm] *n.* 〖결정〗 이질동형(異質同形); 〖수학〗 동상사상(同相寫像), 위상사상(位相寫像). ㊎ **-mór·phous, -mór·phic** *a.* 위상동형의.
ho·me·o·path, ho·me·op·a·thist [hóumiəpæθ], [hòumiɑ́pəθist/-ɔ́p-] *n.* 〖의학〗 유사(類似)〔동종〕 요법 전문가〔의사〕; 그 지지자.
ho·me·o·path·ic [hòumiəpǽθik] *a.* 〖의학〗 유사〔동종(同種)〕 요법의. ㊎ **-i·cal·ly** *ad.*
ho·me·op·a·thy [hòumiɑ́pəθi/-ɔ́p-] *n.* 〖의학〗 유사(類似)〔동종(同種)〕 요법, 호메오파시. cf. homeotherapy. OPP. *allopathy*.
hòmeo·stásis *n.* Ⓤ 〖생리〗 호메오스타시스, 항상성(恒常性)《생체 내의 균형을 유지하려는 경향》; (사회 조직 등의) 평형 유지력. ㊎ **-státic** *a.*
hòmeo·thérapy *n.* 〖의학〗 동종(同種)〔유사(類似)〕요법《치료 대상이 되는 질환의 원인과 유사한 물질을 투여하는 치료법》.
hómeo·thèrm *n.* 〖생물·동물〗 항온〔정온〕 동물.
hòmeo·thérmic *a.* 〖생물·동물〗 항온(恒溫) 동물의, 항온성의, 온혈(溫血)의(warm-blooded). OPP. *poikilothermic*. ㊎ **hómeo·thèrmy** *n.* 항온성.
ho·me·o·tic [hòumiɑ́tik/-ɔ́t-] *a.* 〖유전〗 호메오 유전자의〔에 관련된〕, 호메오틱한《돌연변이에 의거하여 정상 조직을 다른 정상 조직으로 변화시키는 유전자에 대해 이름》.
hóme·òwner *n.* 제집 가진 사람, 자택 소유자.
hóme pàge 〖컴퓨터〗 홈 페이지《인터넷의 정보 제공자가 정보의 내용을 간단히 소개하기 위해 만든 페이지; 문자·화상·음성 등을 넣음》.
hóme pèople ⇨ HOME BOY.
hóme pérmanent 〔**pérm**〕 자택에서 하는 파마 (용품〔세트〕).
hóme pìece 《미속어》 같은 교도소에 수감되기 이전부터의 친구.
hóme·plàce *n.* 자기 집, 가정; 출생지.
hóme pláte 〖야구〗 본루(home base); 《미공군속어》 귀환지, 공군 기지.
hóme pórt 모항(母港), (선박의) 소속항.
hóme-pórt *vt.* (함대의) 모항을 설정하다; (함선을) 항구에 항시 배치하다. **—** *vi.* (함선이) …을 모항으로 하다, 모항화하다(*at*).
Ho·mer [hóumər] *n.* 호메로스, 호머《기원전 10 세기경의 그리스의 시인; *Iliad* 및 *Odyssey*의

작자로 전해짐): (Even) ~ sometimes nods. 《속담》 호메로스 같은 대시인도 때로는 실수를 한다; 원숭이도 나무에서 떨어진다.

hom·er [hóumər] *n.* 《구어》 【야구】 본루타, 홈런; 전서(傳書) 비둘기(homing pigeon); 《미 스포츠속어》 그 고장 사람을 편들어 주는 임원(任員). **—** *vi.* 《구어》 홈런을 치다.

hóme rànge 【생태】 (정주성(定住性) 동물의) 서식 범위, 행동권.

Ho·mer·ic [houmérik] *a.* Homer(풍(風))의; Homer 시대의; 규모가 웅대한, 당당한: ~ verse 육보격(六步格)의 시 / the ~ question 호머 문제(《*Iliad* 와 *Odyssey* 의 작자는 누구인가라는》). **—** *n.* =OLD IONIC. ㊎ **-i·cal·ly** *ad.*

Homéric láughter (끊이지 않는) 너털웃음, 「홍소.

hóme·ròom *n.* Ⓤ,Ⓒ 【교육】 홈룸(《전원이 모이는 생활 지도 교실》).

hóme rúle 내정[지방] 자치; (H- R-) 《영》 (아일랜드의) 자치.

hóme rún 홈런, 본루타; 홈런에 의한 득점: a 「~ hit.

hóme·schòoler *n.* 자식을 자택에서 교육하는 부모; 자택에서 부모로부터 교육받는 자녀.

hóme schóoling 【교육】 자택 학습(《유자격 교원이 행하는》).

hóme scrèen 텔레비전.

Hóme Sécretary (the ~) 《영》 내무장관, 내상(內相).

hóme sélling (호별) 방문 판매.

hóme sèrver 【컴퓨터】 홈 서버(《인터넷상의 Gopher 에서, Gopher 프로그램을 가동할 수 있는 상태로 할 때 최초로 표시되는 서버》).

hóme shópping 홈 쇼핑.

◇**hóme·sick** *a.* 회향병(懷鄕病)의; 향수병에 걸린. ㊎ **~·ness** *n.* 향수(nostalgia).

hóme sign 청각 장애인이 개인적으로 사용하는 수화(手話); 표준적인 수화에 삽입되는 개인적인 사인[손놀림].

hóme sìgnal 【철도】 장내(場內) 신호기(《구내 진입 가부를 알리는》).

hóme·sìte *n.* (집의) 대지, 소재지.

hóme·sìtter *n.* 빈집 관리인.

◇**hóme·spùn** *a.* 홈스펀의, 손으로 짠; 소박한, 서민적인, 세련되지 않은; 거친; 평범한. **—** *n.* 홈스펀(《수직물 또는 그 비슷한 직물》); 소박함.

hóme stànd 【야구】 본거지 시리즈(《홈 그라운드에서 행하는 일련의 경기》).

hóme·stày *n.* 외국 유학생의 일반 가정(host family)에서의 체류(滯留).

home·stead [hóumstèd, -stid] *n.* 부속 건물·농장이 딸린 농가(farmstead); 《미·Can.》 (이민에게 이양되는) 자작 농장; 가산(家產), 선조 대대의 가옥; 《Austral.》 (목축장 주인의) 주택; 【법률】 택지. **—** *vi., vt.* 《미》 (땅을) homestead law 에 의거해 소유(하고 정주(定住))하다. ㊎ **~·er** *n.* 《미》 Homestead Act 에 의한 입주자; ~의 소유자.

Hómestead Àct (the ~) 《미》 홈스테드법(《5년간 정주한 서부의 입주자에게 공유지를 160 에이커씩 불하할 것을 제정한 1862 년의 연방 입법》).

hóme·stèading *n.* 《미》 =URBAN HOMESTEADING.

hómestead làw 《미》 가산(家產) 압류 면제법(《homestead 를 강제 매각이나 압류에서 보호하는 법》); 공유지 불하법, 가산법(家產法), 《특히》 =HOMESTEAD ACT.

home·ster [hóumstər] *n.* 《영》 홈팀의 선수.

hóme stráight 《영》 =HOMESTRETCH.

hóme·strétch *n.* 【경기·경마】 결승점 앞의 직선 코스(ⓒⓕ backstretch); 《미》 일[여행]의 마지막 부분[최종 단계]: on the ~.

hóme stúdy (통신 교육의) 자가 학습; 《미》 (양부모로 합당한가를 알려는) 가정 조사.

hóme·stỳle *a.* 《미》 (음식이) 가정 요리식의, 겸소하여 뽐내지 않는.

hóme tèrminal 【컴퓨터】 가정용 단말기.

hóme thrùst 【펜싱】 급소를 찌르기; 《비유》 약점을 찌르기.

hóme tìme 하학 시간.

hóme·tówn *n.* 고향 (도시), 출생지; 주된 거주지. ㊎ **~·er** *n.* 그 고장 출신자; 출생지 거주자.

hóme trúth (종종 *pl.*) 아니꼽고 불쾌한 사실[진실]; 명백한 사실의 진술.

hóme ùnit (집합 주택 내의) 한 가호(家戶).

hóme vísit (의사·간호사의) 가정 방문, 왕진.

hóme vìsitor (사회 복지 상담원으로 어린이의 지도를 맡고 있는) 가정 방문원.

◇**home·ward** [hóumwərd] *a.* 귀로의, 집[모국]으로 향하는. **—** *ad.* 집[모국]을 향하여. ㊎ **~s** *ad.* =homeward.

homeward-bòund *a.* 본국행의, 본국을 향하는, 귀항(중)인. ⓞⓟⓟ *outward-bound.* ¶ a ~ ship 귀항 중인 배.

****home·work** [hóumwə̀ːrk] *n.* Ⓤ **1** 숙제, 예습. **2** 가정에서 하는 일, 《특히》 내직(內職); (회의 등을 위한) 사전 준비. **3** 《미학생속어》 =LOVEMAKING. ***do** one's* ~ 《구어》 예습을 하다, 완전히 준비하다; 숙제하다.

hóme·wòrker *n.* 집안일을 돕는 사람(《하녀·정원사 등》).

hóme·wòrking *n.* 재택근무.

hom·ey, homy [hóumi] (***hom·i·er; -i·est***) *a.* 《구어》 가정의[다운]; 마음 편한, 스스럼없는; 편안한, 아늑한. **—** *n.* 《Austral.》 (새로 온) 영(英)본국인, 영국에서 갓 온 이민; 《미속어》 (고향에서) 갓 올라온 사람, 촌뜨기, 어수룩한 사람; 《미흑인속어》 남부에서 북부 도시로 갓 온 사람. ㊎ **~·ness, hóm·i·ness** *n.*

hom·i·ci·dal [hàməsáidl/hɔ̀m-] *a.* 살인(범)의; 살인할 경향이 있는. ㊎ **~·ly** *ad.*

◇**hom·i·cide** [hámәsàid/hɔ́m-] *n.* **1** Ⓤ 【법률】 살인(죄); Ⓒ 살인 행위. **2** Ⓒ 살인자, 살인범.

> ⓈⓎⓃ. **homicide** 일반적으로 쓰이는 말. 정당 방위나 범죄를 구성하는 경우의 살인을 말함. **murder** 중죄(重罪)를 구성하는 그러한 살의(殺意)를 지닌 범죄로서 물론 homicide의 하나임. **manslaughter** 살의 없이 사람을 죽이거나 과실 치사를 구성할 만한 범죄.

hom·i·let·ic, -i·cal [hàmәlétik/hɔ̀m-], [-әl] *a.* 설교(술)의; 교훈적인. ㊎ **-i·cal·ly** *ad.*

hòm·i·lét·ics *n. pl.* 《단수취급》 설교[법].

ho·mil·i·ary [hɑmílièri/hɔmíliəri] *n.* 설교집.

hom·i·list [hámәlist/hɔ́m-] *n.* 설교사(師).

hom·i·ly [háməli/hɔ́m-] *n.* 설교; 훈계, 장황한 꾸지람.

hom·in- [hámən/hɔ́m-], **hom·i·ni-** [hámәni, -nә/hɔ́m-] '사람, 인간' 의 뜻의 결합사.

hom·ing [hóumiŋ] *a.* 집에 돌아오[가]는; 귀소성(歸巢性)[회귀성]이 있는(《비둘기 따위가》); (자동) 유도[추적]의: the ~ instinct 귀소[회귀] 본능 / a ~ guidance (유도탄 등의) 자동 유도(법). **—** *n.* Ⓤ 귀래(歸來), 귀환, 회귀; 귀소 본능.

hóming devìce 【공군】 (유도탄 따위의) 자동 유도[지향] 장치.

hóming pìgeon 전서(傳書) 비둘기(carrier pigeon); 《미속어》 (제 2 차 세계 대전 후의) 명예 제대 기장(記章).

hom·i·nid [hámənid/hɔ́m-] *n.* 【동물】 사람과(科)(Hominidae)의 동물; 사람 비슷한 동물; 원인(原人); 사람. ㊎ **ho·min·i·an** [houmíniən] *a., n.*

hom·i·ni·za·tion [hàmənizéiʃən/hɔ̀minai-] *n.* 인간화(《다른 영장류와 인류를 구별하는 특질의 진화론적 발달》); 환경의 인간화(《환경을 이용하기 쉽게 변화시키는 일》. ㉺ **hom·i·nized** [hámənàizd/hɔ́m-] *a.* 인류의 특질을 갖춘; (환경이) 사람에 맞게 변화된.

hom·i·noid [hámənɔ̀id/hɔ́m-] *a.*, *n.* 사람과(科)와 비슷한, 사람과 비슷한 (동물).

hom·i·ny [hámәni/hɔ́m-] *n.* 《미》 묽게 탄 옥수수(죽). 「옥수숫가루.

hóminy grìts 〖단·복수취급〗《미》 (곱게) 탄

hom·ish [hóumiʃ] *a.* =HOMEY.

homme [ɔm] *n.* 《F.》 사람; 남자(man).

homme d'af·faires [*F.* ɔmdafɛːʀ] 《F.》 실업가, 비즈니스맨. [◂ man of affairs]

homme d'es·prit [*F.* ɔmdɛspʀi] 《F.》 재치가 넘치는 사람; 기지(機智)가 풍부한 사람; 재인.

homme du monde [*F.* ɔmdymɔ̃ːd] 《F.》 세정에 밝은 사람(=man of the world).

Ho·mo [hóumou] *n.* 《L.》 사람《학명》.

ho·mo [hóumou] *a.*, (*pl.* **∼s**) *n.* 《구어》 =HOMOSEXUAL.

homo- ⇨ HOM-.

ho·mo·cen·tric[1] [hòuməséntrik, hàm-/hòum-, hɔ̀m-] *a.* 같은 중심을 가진, 동심(同心)의; 〖광학〗 공심(共心)의.

ho·mo·cen·tric[2] *a.* 인류〔사람〕 중심의.

hòmo·chromátic, -chrómous *a.* 단색(單色)〔한 색〕의.

ho·mo·e·o·path, etc. =HOMEOPATH, etc.

Hómo erèc·tus [-iréktəs] 《L.》 호모 에렉투스, 직립 원인.

hòmo·eróticism, -rotìsm *n.* Ⓤ 동성애. ㉺ **-rót·ic** *a.* 동성애적인.

ho·mo·ga·met·ic [hòumougəmétik] *a.* 〖유전〗 동형 배우자성(配偶者性)의.

ho·mog·a·my [houmágəmi/hɔmɔ́g-] *n.* 〖생물〗 **1** 동형 배우(同形配偶) (생식(生殖)). ⓞⓟⓟ *heterogamy.* **2** 암수〔자웅〕 동숙(同熟). ⓞⓟⓟ *dichogamy.* **3** 동류 교배(同類交配). ㉺ **-mous** *a.* **hòmo·gám·ic** *a.*

ho·mo·ge·ne·i·ty [hòumədʒəníːəti, hàm-/hɔ̀m-, hòum-] *n.* Ⓤ 동종(성), 동질(성), 균질성〔도〕; 〖수학〗 동차성(同次性).

ho·mo·ge·ne·ous [hòumədʒíːniəs, hàm-/hɔ̀m-, hòum-] *a.* 동종〔동질, 균질〕의; 동원(同源)의, 순일(純一)의; 〖수학〗 동차(同次)의; 〖생물〗 (발생·구조가) 상동(相同)의. ⓞⓟⓟ *heterogeneous.* ¶ a ∼ equation 동차 방정식. ㉺ **∼·ly** *ad.* **∼·ness** *n.*

hòmo·génesis *n.* Ⓤ 〖생물〗 순일발생(純一發生). ⓞⓟⓟ *heterogenesis.* ㉺ **-genétic** *a.*

ho·mog·e·nize [həmádʒənàiz, houmá-/hɔmɔ́-, hə-] *vt.*, *vi.* 균질로 하다, 균질화하다. **∼*d milk*** 균질〔호모〕 우유. ㉺ **ho·mòg·e·ni·zá·tion** *n.* Ⓤ 균질화; 균질화된 상태〔성질〕. **-nìz·er** *n.* ∼하는 것〔사람〕; 〖기계〗 균질기(器). 「片).

hómo·gràft *n.* 〖외과〗 동종 이식편(同種移植

hom·o·graph [háməgræ̀f, -gràːf, hóumə-] *n.* 동형 이의어(同形異義語)《bark(짖다; 나무 껍질) 따위》. ⓒⓕ heteronym. ㉺ **∼·ic** [hàmə-grǽfik, hòumə-/hɔ̀m-] *a.*

ho·mog·ra·phy [hamágrəfi, hou-/hɔmɔ́g-] *n.* Ⓤ 1자 1음주의 철자법; 〖수학〗 =HOMOLOGY.

Hómo háb·i·lis [-hǽbələs] 《L.》 호모 하빌리스《최초로 도구를 만들었다고 간주되는, 약 200만 년 전의 직립 원인(猿人)》.

homoio- ⇨ HOMEO-.

ho·moi·ou·si·an [hòumɔiúːsiən, -áus-] *n.* (흔히 H-) 〖신학〗 유(본)질론자(類(本)質論者)《그리스도와 하느님은 비슷하나 본질적으로는 같지 않다는 주장》. ― *a.* 유질론(자)의. ㉺ **∼·ìsm** *n.*

homolog ⇨ HOMOLOGUE.

ho·mol·o·gate [həmáləgèit, hou-/hɔmɔ́l-] *vt.* 동의〔인가〕하다; (자동차 경주에서, 특정한 차종·엔진 따위를) 생산형(型)으로 인정〔공인〕하다; 《Sc.》 승인하다. ― *vi.* 일치하다, 동조하다. ㉺ **ho·mòl·o·gá·tion** *n.* Ⓤ (생산형에 대한) 형식 승인.

ho·mo·log·i·cal [hòuməládʒikəl, hàm-/hɔ̀m-, hòum-] *a.* =HOMOLOGOUS. ㉺ **∼·ly** *ad.*

ho·mol·o·gize [həmálədʒàiz, hou-/hɔmɔ́l-] *vi.*, *vt.* (성질·위치 등이〔을〕 각기) 상응〔대응, 일치〕하다〔시키다〕. ㉺ **-gìz·er** *n.*

ho·mol·o·gous [həmáləgəs, hou-/hɔmɔ́l-] *a.* (위치·비율·가치·구조 등이) 상응〔대응〕하는, 일치하는; 〖생물〗 상동(相同)(기관)의, 이체(異體)〔이종(異種)〕 동형의; 〖화학〗 동족의; 〖수학〗 상동의; 〖면역〗 동일원(源)의. ⓒⓕ analogous.

homólogous chrómosomes 〖생물〗 상동(相同) 염색체.

hom·o·logue, -log [hóuməlɔ̀ːg, -làg, hám-/hɔ́mәlɔ̀g] *n.* 상당하는 것, 서로 같은〔비슷한〕 것; 상동(相同); 〖생물〗 상동 기관《따위》; 〖화학〗 동족체.

ho·mol·o·gy [həmálədʒi, hou-/hɔmɔ́l-] *n.* Ⓤ 상동(相同) 관계〔성〕, 상사, 이체 동형; 〖화학〗 동족 (관계); 〖생물〗 (종류가 다른 기관의) 상동《포유동물의 앞다리와 조류의 날개처럼 그의 기원이 동일한 것》; 〖수학〗 상동, 위상 합동(位相合同).

ho·mól·o·sine projéction [həmáləsin-, -sàin-, hou-/hɔmɔ́ləsàin-] 상동 투영도법(圖法).

hom·o·mor·phic [hòuməmɔ́ːrfik, hàm-/hɔ̀m-, hòum-] *a.* homomorphism 의; homomorphy 의.

hom·o·mor·phism [hòuməmɔ́ːrfizəm, hàm-/hɔ̀m-, hòum-] *n.* Ⓤ 형(形)의 유사; 〖생물〗 이체 동형(異體同形); 〖식물〗 동형화성(同形花性), 동형 완전화(花)가 있음; 〖동물〗 동형성(性); 불완전 변태; 〖수학〗 준동형(準同型). ㉺ **-phous** *a.* 동형의.

ho·mo·mor·phy [hóuməmɔ̀ːrfi, hám-/hóum-, hɔ́m-] *n.* 〖생물〗 이체 동형, 이질 동형, 유사형《이류(異類)의 생물 간의 외형적 유사》.

hòmo·núclear *a.* 〖화학〗 동핵(同核)〔등핵(等核)〕의; 동일핵으로 된 분자의.

hom·o·nym [hámənim/hɔ́m-] *n.* 동음 이의어(同音異義語)《meet와 meat, fan(팬)과 fan(부채) 등》; 이름이 같은 물건〔사람〕, 동명 이물〔이인〕; 〖생물〗 동일명, 이물 동명(異物同名). ㉺ **hòm·o·ným·ic** [-ik] *a.* 동음 이의어의; 동명의.

ho·mon·y·mous [həmánəməs, hou-/hɔmɔ́n-] *a.* **1** 애매한(ambiguous); 같은 뜻의; 동음 이의어의; 이물 동명(異物同名)의; 쌍관(雙關)의. **2** 〖안과·광학〗 같은 쪽의. ㉺ **∼·ly** *ad.*

ho·mon·y·my [həmánəmi, hou-/hɔmɔ́n-] *n.* Ⓤ 동음〔동형〕 이의(異義), 동명 이인〔이물〕.

ho·mo·ou·si·an [hòumouúːsiən, -áus-, hàm-/hòum-, hɔ̀m-] *n.* (흔히 H-) 〖신학〗 동(同)본질〔동일 실체, 동체(同體)〕론자《그리스도와 하느님은 본질적으로 동일하다는 주장》. ⓒⓕ homoiousian. ― *a.* 동본질론(자)의. ㉺ **∼·ìsm** *n.*

ho·mo·phile [hóuməfàil] *a.*, *n.* =HOMOSEXUAL; 동성애를 옹호하는 (사람).

ho·mo·phobe [hóuməfòub] *n.* 동성애(자)를 싫어하는 사람, 호모 공포증의 사람.

ho·mo·pho·bia [hòuməfóubiə] *n.* Ⓤ 호모〔동성애〕 혐오. ㉺ **-phó·bic** *a.*

hom·o·phone [háməfòun, hóum-/hɔ́m-] *n.* 동음 이자(異字); 동음 이형 이의어《meet와 meat, foul과 fowl 등》; =HOMONYM. ㉺ **ho·moph·o·nous** [həmáfənəs, hou-/hɔmɔ́f-] *a.*

hom·o·phon·ic [hàməfánik, hòumə-/-fɔ́m-] *a.* 동음의; 《이철(異綴)》 동음 이의어(異義語)의; 〖음악〗 단성(單聲)〔단선율〕의. [파] **-i·cal·ly** *ad.*

ho·moph·o·ny [həmáfəni, hou-/hɔmɔ́f-] *n.* [U] 동음; 동음 이의; 〖음악〗 동음성; 단음악(單音樂); 제창(齊唱); 단음〔단선율〕적 가곡; 〖언어〗 (어원이 다른 말의) 동음화.

hòmo·plástic *a.* 〖생물〗 성인상동(成因相同)의; 동종이식의. [파] **-ti·cal·ly** *ad.*

hòmo·pólar *a.* 〖화학·전기〗 동극(同極)의: ~ bond 동극 결합 / a ~ compound 동극 화합물.

hòmo·polynúcleotide *n.* 〖생화학〗 단일 뉴클레오티드 중합체. 「의 중합체.

hòmo·polypéptide *n.* 〖생화학〗 동종 펩티드

ho·mop·ter·an [həmáptərən, hou-/hɔmɔ́p-] *n.*, *a.* 동시류(同翅類)(의).

ho·mop·ter·ous [həmáptərəs, hou-/houmɔ́p-] *a.* 〖동물〗 동시류(Homoptera)의.

hómo sàp 《속어》 인류《sap은 바보》.

Hómo sá·pi·ens [-séipiənz/-sǽpiènz] 《L.》 호모 사피엔스《사람의 학명》; 인류.

Hómo sápiens sápiens 〖인류〗 호모 사피엔스 사피엔스, 신인《후기 구석기 시대 이후 현대에 이르는 단계의 인류; 생물학적으로는 현대인과 다름없음》.

hómo·sèx *n.* =HOMOSEXUALITY.

hòmo·séxual *a.*, *n.* 동성애의 (사람); 동성의. [파] **~·ist** *n.* =HOMOSEXUAL. **~·ly** *ad.*

hòmo·sexuálity *n.* [U] 동성애, 동성 성욕.

hòmo·sócial *a.* 동성(同性)끼리만 사회적 관계를 맺는, 남성끼리만 교제하는.

hom·o·sphere [hóuməsfìər, hám-/hɔ́m-, hóum-] *n.* 〖기상〗 (the ~) (대기의) 균질권(均質圈)《지상 약 100 km 까지; 비균질권(非均質圈)(heterosphere)의 아래》.

ho·mo·tax·is [hòumətǽksis, hàm-/hòum-, hɔ̀m-] *n.* 〖지학〗 유사 배열《시기에 관계없이 지층 계열이나 화석 내용이 비슷한 일》.

ho·mo·thal·lic [hòuməθǽlik, hàm-/hòum-, hɔ̀m-] *a.* 〖생물〗 (균류·조류(藻類)의 생식에서) 동주(同株)〔동체〕성의. [파] **-thál·lism** *n.*

hómo·tỳpe *n.* 〖생물〗 동형(同型); 상동(相同)기관; (생물 분류의) 정〔동〕모식(定〔同〕模式) 표본. [파] **hò·mo·týp·ic** [-típ-] *a.* 「接合性).

hòmo·zygósity *n.* 〖생물〗 동형 접합성(同型

ho·mo·zy·gote [hòuməzáigout, -zí-, hàm-/hɔ̀m-] *n.* 〖생물〗 동질 접합체, 동형〔호모〕 접합체. [파] **-gous** *a.* **-gous·ly** *ad.*

ho·mun·cle [houmʌ́ŋkəl] *n.* =HOMUNCULE.

ho·mun·cu·lar [houmʌ́ŋkjələr] *a.* 난쟁이의.

ho·mun·cule [houmʌ́ŋkju:l] *n.* 작다리, 난쟁이.

ho·mun·cu·lus [həmʌ́ŋkjələs, hou-/hɔ-] (*pl.* **-li** [-lài]) *n.* =HOMUNCULE; (연금술사가 만든) 난쟁이; 해부 실험용 인체 모형; (인간의) 태아; 〖고의학〗 (정자(精子) 속의) 극미인(極微人).

homy ⇨ HOMEY. 「(honey).

hon [hʌn] *n.* 《구어》 사랑스러운 사람, 연인

Hon. Honduras; Honorable; (종종 an ~) 《영》 Honorary. **hon.** honor; honorable; honorably.

Honan ⇨ HENAN.

Honble. Honorable.

Hond. Honduras.

Hon·du·ras [hand*j*úərəs/hɔndjúər-] *n.* 온두라스《중앙아메리카의 공화국; 수도는 Tegucigalpa; 생략: Hond.》. [파] **Hon·dú·ran** [-rən], **Hòn·durá·ne·an, -ni·an** [-réiniən] *a.*, *n.* 온두라스의 (사람).

hone[1] [houn] *n.* 기름숫돌, 면도날 가는 숫돌. **—** *vt.* **1** …을 숫돌에 갈다; (구멍을) 기름숫돌로 넓히다, 마무르다. **2** 《비유》 (감각·기술 등을) 예민하게 하다, 갈다, 연마하다. [파] **hón·er** *n.*

hone[2] *vi.* 《방언》 불평하다; 동경하다《*for; after*》.

hone[3] *vi.* 〖다음 관용구로〗 ~ **in** …쪽으로 진행하다; …에 주의를 집중하다.

‡**hon·est** [ánist/ɔ́n-] *a.* **1** 정직한, 숨김(이) 없는, 성실한, 공정(公正)한, 훌륭한: an ~ servant 정직한 하인. [SYN.] ⇨ SINCERE, UPRIGHT. **2** (이야기·보고 따위가) 거짓없는, 진실한; 솔직한: an ~ opinion 솔직한 의견. **3** 정당한 수단으로 번, 정당한: ~ money 〔wealth〕 정당한 수단으로 번 돈〔재산〕/ an ~ price 정당한 가격. **4** 진짜의(genuine), 순수한: ~ silk 본견. **5** 믿음직한; 칭찬할 만한; 정숙한; 《고어》 평판이 좋은; 《Sc.》 기특한《아랫사람에게 씀》. **6** 순진한, 단순한. ***be ~ with*** …에게 정직하게 말하다; …와 올바르게 교제하다. ~ ***to God*** 〔***goodness***〕 정말로, 틀림없이, 절대로, 맹세코. ***to be ~ with you*** 정직하게 말하면. **—** *n.* 《구어》 믿을 만한 사람. **—** *ad.* 《구어》 정말로, 정말이야, 거짓말이 아냐; 《고어》 정직하게.

Hónest Ábe Abraham Lincoln의 애칭.

hónest bróker 《구어》 (국제 분쟁·기업 분쟁의) 중재인《원래는 Bismarck에 대해 쓰였음》.

hónest Ínjun 〔**Índian**〕 《구어》 반드시, 정말로, 정말이야, 거짓말이 아니야: *Honest Injun* 〔*Indian*〕? 정말이냐. 「한 사람.

hónest Jóe (an ~) 《구어》 (흔히 있는) 성실

Hónest Jóhn **1** 《미》 원자 로켓포의 일종. **2** 《미구어》 고지식한 사나이; 고지식해서 속기 쉬운 사나이.

hon·est·ly** [ánistli/ɔ́n-] *ad.* 정직하게, 거짓없이; 〖감탄사적으로〗 (초조·곤혹·불신·혐오를 나타내어) 정직하게 말해서, 정말로: *Honestly*, I can't bear it. 참으로 못해 먹겠군요. ***come by ... ~ 《구어》 (성격 등을) 부모로부터 이어받다.

hónest-to-Gód *a.* 《구어》 정말의, 진짜의.

hónest-to-góodness *a.* =HONEST-TO-GOD.

‡**hon·es·ty** [ánisti/ɔ́n-] *n.* **1** [U] 정직, 성실, 실직(實直), 충실; 성의; 《고어》 정절: ~ of purpose 성실 / Honesty is the best policy. 《격언》 정직은 최선의 방책 / Honesty pays. 《격언》 정직해서 손해 없다. **2** 〖식물〗 루나리아《겨잣과 식물의 일종》.

‡**hon·ey** [hʌ́ni] *n.* **1** [U] 벌꿀, 화밀(花蜜); 꿀. **2** [U,C] 감미; 《비유》 단맛, 단것: ~ of flattery 달콤한 발림말. **3** 사랑스러운 사람《부부·애인끼리 또는 약혼자·아이에 대한 호칭으로》: My ~! 여보, 당신《아내·애인에 대한 호칭》/ my ~*s* 얘들아《어머니가 아이들을 부르는 말》. **4** 《구어》 훌륭한 것: a ~ of an idea 훌륭한 생각 / That car is a ~. 저 차는 고급차다. **5** 《속어》 까다로운 인물, 난문(難問). (***as***) ***sweet as*** ~ 꿀처럼 단, 극히 상냥한. **—** *a.* 꿀의; 꿀과 같은; 단꿀이 나오는, 꿀을 먹는. **—** *vt.* **1** 꿀로 달게 하다. **2** …에게 발라맞추다(flatter)《*up*》. **3** 《소아어》 …을 갖고 싶어하다〔고르다〕. **—** *vi.* 달콤한 말을 하다《*up*》; 부추기다. [파] **~·less** *a.* **~·like** *a.*

hóney·bàby *n.* 《구어》 =HONEY 3.

hóney bèar **1** 〖동물〗 =KINKAJOU; SLOTH BEAR. **2** 《CB속어》 여자 경찰관.

hóney·bèe [-bì:] *n.* 〖곤충〗 꿀벌.

hóney bùcket 《미속어》 똥통, 거름통.

hóney·bùnch, -bùn *n.* 《미구어》 (사랑하는 사이의 호칭으로) 사랑스러운 사람(honey, darling, sweetheart). 「충을 먹음》.

hóney bùzzard 〖조류〗 큰매《꿀벌·꽃벌의 유

°**hóney·còmb** *n.* (꿀) 벌집; 벌집 모양의 물건; 와강(窩腔)《주조(鑄造)의 흠 등》; (반추 동물의) 벌집위(=~ **stòmach**)《둘째 위》. **—** *a.* 벌집 모

양의: a ~ coil 〖전기〗 벌집형 코일. ― *vt.* **1** 숭숭 구멍을 많이 내다, 벌집 모양으로 하다. **2** (음모 등이) 위태롭게 하다, (악폐 따위가) 침투하다: The city was ~*ed with* vice. 그 도시는 구석구석 악덕이 배어 있었다. ― *vi.* 벌집 모양이 되다.

hóney·còmbed *a.* 벌집 모양의; 〖서술적〗 벌집 모양이 되어, 구멍투성이가 되어 《*with*》: a city ~ *with* subways 지하철이 사방으로 통하는 도시.

hóney·crèeper *n.* 〖조류〗 벌새《열대·아열대 아메리카산의 아름다운 작은 새》.

hóney·dèw *n.* Ⓤ **1** (나무·잎·줄기에서 나오는) 꿀, 단물. **2** 감로 멜론(=∠ **mèlon**). **3** =AMBROSIA. **4** 꿀로 달게 한 담배.

hóney-dó lìst 《미속어》 아내가 남편에게 휴일에 일을 부탁하기 위한 일람표. 「양산(産)》.

hóney èater 〖조류〗 꿀을 빨아 먹는 새《남태평

hón·eyed *a.* 꿀이 있는〔많은〕; 꿀로 달게 한; 달콤한(sweet), 붙임성 있는.

hon·ey·fo·gle [hʌ́nifòugəl] 《미속어》 *n.* 꾐, 감언. ― *vt.* 꾀다, 감언으로 호리다.

hóney guìde 〖조류〗 두견새 비슷한 새《동작이나 울음소리로 벌꿀이 있는 곳을 알림》.

hóney lòcust 〖식물〗 쥐엄나무의 일종《북아메리카산》.

hóney màn 《미속어》 (여자의) 기둥서방; 남자 뚜쟁이(pimp).

◇**hóney·mòon** *n.* **1** 결혼 첫 달, 밀월, 신혼여행(기간), 허니문. **2** 《비유》 행복한 시기; 단기간의 협조적 관계. **3** 《속어》 헤로인 사용의 초기 단계. ― *vi.* 신혼여행을 하다, 신혼기를 보내다《*at; in*》. ㊖ ~·**er** *n.*

hóneymoon brídge 〖카드놀이〗 두 사람이 하는 각종 브리지.

hóneymoon pèriod 《미》 밀월 기간《대통령 취임 후 3개월까지 야당 등의 호의를 받는 기간》.

hóney·móuthed *a.* 말 잘하는, 말뿐인.

hóney·pòt *n.* **1** 꿀단지; 꿀 따는 개미, 또 그 일개미; 매력적인 인물. **2** (~s) 엉덩이 밑에 손을 깍지 끼고 앉은 아이(honeypot)의 팔을 다른 아이가 잡고 들어서 깍지를 풀 때까지 앞뒤로 흔드는 놀이. **3** 《영속어》 (여성의) 성기.

hóney sàc〔**stòmach**〕 (꿀벌의) 꿀 주머니.

hóney·sùcker *n.* 〖조류〗 =HONEY EATER.

hon·ey·suck·le [hʌ́nisʌ̀kəl] *n.* 인동덩굴; 인동덩굴 비슷한 식물.

hóney-swéet *a.* (꿀처럼) 달콤한.

hóney-tóngued *a.* 능변인, 변설에 능한; 재치 있는 말을 하는.

hóney wàgon 《미육군속어》 쓰레기〔분뇨 운반〕차, (영창 안의) 쓰레기 운반 손수레; 휴대용 야외 변소; 《미속어·CB속어》 맥주를 적재한 트럭.

hóney·wòrt *n.* 〖식물〗 자치속(屬)의 식물.

hong [haŋ/hɔŋ] *n.* 《Chin.》 (중국의) 상관(商館); …양행(洋行). 「고 하는 인사.

hon·gi [háŋi/hɔ́ŋ-] *n.* (마오리족의) 코를 맞대

Hong Kong, Hong·kong [háŋkáŋ, ∠∠/hɔ̀ŋkɔ́ŋ] *n.* 홍콩. ㊖ **Hóng Kóng·er, Hóng·kóng·ite** [-ait] *n.* 홍콩 주민. 「용어》.

Hóng Kòng dóg 《속어》 설사《극동 여행자의

Hóng Kòng flú 홍콩 독감(Mao flu).

hon·ied [hʌ́nid] *a.* =HONEYED.

honk [haŋk, hɔːŋk/hɔŋk] *n.* 기러기의 울음소리 (같은 목소리〔소리〕); 자동차의 경적 소리《따위》; 〖감탄사적〗 힝《코 푸는 소리》. ― *vi., vt.* (기러기가) 울다, 그러한 소리가 나다〔를 내다〕; 《구어》 (차의) 경적을 울리다; 《미학생속어》 성적(性的) 흥분을 느끼다; 《영속어》 (왝 하고) 토하다. ㊖ ∠·**er** *n.* (자동차 경기에서) 특별히 빠른 차; 기러기(wild goose); 《미속어》 괴짜.

hon·kie, -ky, -key [háŋki, hɔ́ːŋki/hɔ́ŋki] *n.* 《미흑인속어·경멸》 백인, 흰둥이.

honk·y-tonk [háŋkitàŋk, hɔ́ːŋkitɔ̀ːŋk/hɔ́ŋkitɔ̀ŋk] *n.* **1** 《속어》 떠들썩한 대폿집〔카바레, 나이트클럽〕; 《미속어》 초라한 극장; 매음굴; 싸구려 환락가. **2** 홍키통크《싸구려 카바레 등에서 연주하는 래그타임(ragtime) 음악》. ― *a.* 싸구려 술집의; 홍키통크 가락의.

Hon·o·lu·lu [hànəlúːluː/hɔ̀n-] *n.* 호놀룰루《하와이 주의 주도(州都)》. ㊖ **Hò·no·lú·lan** *n.*

‡**hon·or,** 《영》 **-our** [ánər/ɔ́n-] *n.* Ⓤ **1 a** 명예, 영예; 영광: a law〔code〕 of ~ 사교상 명예에 관한 관례《특히 결투 따위》. **b** 명성, 면목, 체면; 신용: save one's ~ 체면을 유지하다, 면목을 세우다. **c** 명예를 존중하는 마음; 자존심; 염치: a man of ~ 신의를 존중하는 사람. **d** 절개; (부인의) 정조; 순결: defend〔lose〕 one's ~ 정조를 지키다〔잃다〕/ sell one's ~ 지조를 팔다. **2 a** Ⓒ 명예로운 것〔사람〕, 자랑거리; 명예장(章), 훈장; 명예의 표창; (*pl.*) 서위(敍位), 서훈(敍勳): an ~ *to* a family 한 집안의 영광. **b** (*pl.*) 〖대학〗 우등; =HONORS COURSE: the ~ roll = 《영》 roll of ~ 우등생(명부). **3** 경의, 존경; (*pl.*) 의례, 의식: (full) military ~*s* 군장(軍葬)의 예; 귀인에 대한 군대의 예 / give ~ to a person 아무에게 경의를 표하다. **4** 고위, 고관; (His H-, Your H-) 각하《영국에서는 시장·지방 판사, 미국에서는 법관의 경칭》. **5** (*pl.*) 〖카드놀이〗 최고의 패《whist 에서는 ace, king, queen, jack; bridge 에서는 ten 도 낌》; 〖골프〗 (tee 에서) 제일 먼저 공을 칠 권리. ***a debt of*** ~ (내기·노름 따위의) 빚. ***an affair of*** ~ 명예를 건 결투; 결투로 결말을 지어야 할 사항. ***be on*** one***'s*** ~ ***to*** do =***be bound in*** ~ ***to*** do =***be*** (***in***) ~ ***bound to*** do 명예를 걸고 …하여야 하다. ***do*** ~ ***to*** a person =***do*** a person ~ ① 아무에게 경의를 표하다. ② 아무의 명예가 되다, 아무에게 면목이 서게 하다. ***do the*** ~***s*** (파티 따위에서) 주인 노릇을 하다《*of*》. ***for the*** ~ ***of*** =***for*** ~ (***of***) 〖상업〗 …의 신용상(上); …의 명예를 위해. ***funeral*** 〔***last***〕 ~***s*** 장례식. ***give*** a person one***'s*** (***word of***) ~ 아무에게 맹세〔약속〕하다. ***have the*** ~ ***to*** do 〔***of*** do***ing***〕 …하는 영광을 얻다, 삼가 …합니다: I *have the* ~ *to* inform you that... 삼가 말씀드립니다만… / May I *have the* ~ *of* do*ing?* …하게 해 주시겠습니까〔…해도 좋겠습니까〕. ~ ***bright*** 《구어》 맹세코, 확실히; 〖의문문에서〗 괜찮으냐. ***Honors*** (***are***) ***even*** 〔***easy***〕. ① 〖카드놀이〗 최고의 패가 골고루 분배되어 있다. ② (승부·형세 따위가) 엇비슷〔대등〕하다. ***in*** ~ 도의상. ***in*** ~ ***of*** …에게 경의를 표하여; …을 축하하여. ***on*** 〔***upon***〕 ***my*** ~ 맹세코, 명예를 걸고. ***pledge*** one***'s*** ~ 자신의 명예를 걸고 맹세하다. ***put*** a person ***on*** his ~ 아무를 명예를 걸고 맹세케 하다. ***render the last*** ~***s*** 장례식을 거행하다; 장례에 참가하다. ***the*** ~***s of war*** 항복한 적에게 베푸는 특전. ***upon*** one***'s*** (***word of***) ~ 《구어》 맹세코. ***with*** ~ 훌륭하게; 예로써. ***with*** ~***s*** (학생이) 우등으로: pass *with* ~*s* in mathematics.

― *vt.* **1** 존경〔존중〕하다(respect), …에게 경의를 표하다: an ~*ed* guest 빈객. **2** 《~+목/+목+전+명》 …에게 명예를 주다; …에게 영광을 주다《*with*》; …에게 수여하다《*with*》: ~ a person *with* a title〔an invitation〕 아무에게 칭호를 수여하다〔아무를 초대하다〕/ I am most ~*ed* to be invited. **3** 승낙하다, 삼가 받다: ~ an invitation. 경건히 초대를 받다. **4** 〖상업〗 (어음을) 인수하다, (기일에) 지급하다; (입장권·표 등을) 유효로 (간주)하다; (약속 등을) 지키다.

㊉ ~·er n. 영예를 주는 사람.

hon·or·a·ble [ánərəbəl/ɔ́n-] a. **1** 명예 있는, 명예로운; 명예를 손상치 않는: win ~ distinctions 명예의 훈공을 세우다. **2** 존경할 만한, 훌륭한; 수치를 아는, 올바른(upright): ~ conduct 훌륭한 행위. **3** 고귀한, 고위의. **4** (H-) 사람의 이름에 붙이는 경칭(생략: Hon.).

NOTE 이름 앞에 붙이는 Honorable이란 경칭은 미국에서는 양원 의원·주의원 등에게, 영국에서는 각료·고등 법원 판사·하원의장; 식민지 행정관·궁녀·백작 이하의 귀족의 자제에게 붙인다: the *Honorable* Mr. Justice Smith 스미스 판사님.

㊉ ⁰-bly ad. 존경받도록, 훌륭히; 올바르게, 정당하게.

hónorable díscharge 〖미군사〗 (무사고·만기의) 명예 제대 (증명서).

hónorable méntion (전시회의) 선외 가작(選外佳作).

hon·or·and [ánərænd/ɔ́n-] n. 명예 학위 수령자(受領者).

hon·o·rar·i·um [ànərέəriəm/ɔ̀n-] (pl. **~s, -ia** [-iə]) n. (명예직 등의) 보수; 사례(금)(특히 받는 쪽에서 청구하지 않음이 관례).

hon·or·ary [ánərèri/ɔ́nərəri] a. 명예의, 명예직의(실권·직무 따위가 없는 것); 무급의; 도의상의: an ~ degree 명예 학위 / an ~ member 〔office〕 명예 회원〔직(職)〕. **—** n. 명예직〔학위〕(을〔를〕 가진 사람).

hónor bòx (미) (길모퉁이 등의) 무인 신문 판매대.

hon·ored [ánərd/ɔ́n-] a. 명예로운.

hon·or·ee [ànəríː/ɔ̀n-] n. 영예를 받는 사람, 수상자.

hónor guàrd =GUARD of honor.

hon·or·if·ic [ànərífik/ɔ̀n-] a. 존경의, 경의를 표하는, 경칭의. **—** n. 경어, 경칭.

ho·no·ris cau·sa [anɔ́ːris-kɔ́ːzə/ɔnɔ́ːris-kɔ́ːsə] (L.) (=for the sake of honor) 명예를 위하여. *doctor* ~ 명예 박사.

hónor ròll **1** 수상자 일람, (초등〔중〕학교의) 우등생 명부. **2** 전사자 명부, 재향 군인 명부.

hónors còurse (주로 영국 대학의) 우등 과정 (보통 개개의 연구에 종사하는 독립 과정).

hónors·màn [-mæ̀n] (pl. **-mèn** [-mèn]) n. (미) (대학의) 우등 졸업생.

hónor socìety 학업 성적 인정 위원회; (대학·고교의) 학생 단체(학업 성적과 과외 활동이 우수한 자를 회원으로 하는).

hónors of wár 〖군사〗 항복한 군대에 주어지는 특전, 명예 항복(의 특전)(무기·군기를 든 채로 항복하는 것을 허용).

hónor sỳstem 무감독 시험 제도, (교도소의) 자주 관리제도; (대학의) 우등 시험 제도.

honour ⇨HONOR.

hónours degrèe 〖영대학〗 우등 학위. cf. pass degree.

hónours lìst (영) (매년 1월 1일과 여왕 탄생일에 발표되는) 서작(敍爵)자〔서훈(敍勳)자〕 명단.

hons. honors. **Hon. Sec.** Honorary Secretary. **Hon. Treas.** Honorary Treasurer.

hooch¹, hootch¹ [huːtʃ] n. (미구어) Ⓤ 술, 위스키; (특히) 밀주, 밀수입한 술; 독한 술(위스키 따위).

hooch² ⇨HOOTCH².

hóoch·fèst, hóotch·fèst [húːtʃfèst] n. (속어) 술파티, 술잔치, 연회.

***hood¹** [hud] n. **1** 두건; (외투 따위의) 후드; 대학 예복의 등에 드리는 천. **2** 두건 모양의 물건; (매·말의) 머리 씌우개; (타자기·발동기 등의) 덮개; (미) (자동차의) 엔진 뚜껑((영) bonnet); (영) (자동차의) 지붕; 굴뚝의 갓; 마차 따위의 포장; 포탑(砲塔)의 천개(天蓋); (승강구·천창 따위의) 덮개, 뚜껑; 〖사진〗 후드(렌즈용 테); (독사의) 우산 모양의 목. **—** vt. …에 ~를 달다, ~로 덮다〔가리다〕. ㊉ ∠·lìke a.

hood² [hu(ː)d] n. (속어) =HOODLUM.

hood³ [hud] n. (the ~) (구어) 거주 지역(neighborhood)(특히 도시의 빈민층이 사는 지역).

-hood [hùd] suf. '신분, 계급, 처지, 상태; …들, 집단' 등의 뜻.

hóod·ed [-id] a. 두건을 쓴; 두건 모양의; 〖동물·식물〗 모자 모양의, 두건 모양의 도가머리가 있는.

hóoded cráne 〖조류〗 흑두루미.

hóoded crów 〖조류〗 뿔까마귀(유럽산); 집까마귀(house crow)(인도산).

hood·ie [húdi] n. 〖조류〗 뿔까마귀(=∠ **crów**).

hóod lìfter (CB속어) 자동차 수리공.

hood·lum [húːdləm, húd-/húːd-] n. (구어) 건달, 깡패, 폭력단원, 신변 경호자. ㊉ **~·ish** a. **~·ìsm** n. 깡패의 행위〔수법〕, 비행(非行).

hóod·man-blínd [-mən-] n. (고어) 소경놀이(blindman's buff).

hóod·mòld, (영) **-mòuld** n. (창 윗부분의) 비막이 쇠시리.

hóod·mòlding, (영) **-mòuld-** n. =HOODMOLD.

hoo·doo [húːduː] n. **1** (pl. **~s**) (구어) 재수 없는 사람〔물건〕; (구어) 불운. **2** =VOODOO. **—** vt. (구어) 불길하게 하다; 불운을 초래하다. ㊉ **~·ìsm** n. =VOODOOISM.

hóod·wìnk vt. (남의) 눈을 속이다(blindfold); 현혹시키다. **—** n. 눈가리개. ㊉ **~·er** n.

hoo·ey [húːi] (구어) n. 허튼소리, 터무니없는 말; 되잖은 것. **—** int. 바보 같은.

hoof** [huf, huːf/huːf] (pl. **~s, hooves** [huvz, huːvz/húːvz]) n. **1** 발굽; (굽이 있는 동물의) 발; (우스개) (사람의) 발(foot). **2** (pl. ~) (방언) (발굽 있는) 동물. ***beat 〔***pad***〕 ***the*** ~ (구어) 터덜터덜 걷다, 걷다. ***get the*** ~ (속어) 쫓겨나다, 해고되다. ***on the*** ~ (가축이) 살아 있는(alive); 생생한. ***under the*** ~ 짓밟혀. **—** vi. (구어) 걷다; (속어) (특히 탭댄스를) 춤추다. **—** vt. (구어) 굽으로 차다; (영속어) (아무를) 쫓아내다(*out*): be ~*ed* 채다; (지위·직에서) 쫓겨나다. ~ ***it*** (구어) 춤추다; (구어) 걷다, 도보로 여행하다.

hóof-and-móuth disèase [-ən-] =FOOT-AND-MOUTH DISEASE.

hóof·bèat n. 발굽 소리.

hoofed [-t] a. 발굽 있는, 발굽 모양의.

hóof·er n. (구어) 잘 걷는 사람, 도보 여행자; (속어) (직업) 댄서, (특히) 탭댄서.

hóof·pàd n. 굽싸개.

hóof-pìck n. 쇠 주걱(굽 사이에 낀 돌 따위를 파내는 주걱).

hóof·prìnt n. 발굽 자국.

hóof·ròt n. 〖수의〗 발굽이 썩는 병.

hoo-ha [húːhàː] n. (구어) 흥분, 대소동. **—** int. (구어) 와아(떠드는 소리).

hoo·haw [húːhɔː] n. 중요 인물, 유력자, 거물, 유지.

***hook** [huk] n. **1 a** 갈고리, 훅; 걸쇠; 'ㄱ'자 꼴의 것; (수화기를 거는) 걸이 부분: a clothes ~ 양복걸이. **b** 호크, 멈춤쇠; 경첩(의 고정부); (문을 벽에 매어 놓는) 쇠장식. **c** 낚싯바늘(fishhook); 올가미; 교묘한 서두(의 문구); (속어) 사람〔손님〕을 끄는 것(경품·무료 서비스 등): a ~ and line 낚시 달린 낚싯줄. **2 a** 갈고리 모양의 것; 초승달 모양의 낫; (해사속어) 닻. **b** 〖동물·식물〗 갈고리 모양의 기관〔돌기〕; (pl.) (속어) 손(가락). **c** 갈고리 모양의 곶〔사주〕; (하천의) 굴곡부; 〖서핑〗 파도 마루. **d** 인용부, 작은따옴표('‘'); 〖음악〗 음표 꼬리(♪의 꼬리 부분). **e** (미학생속어) (성적 평가의) C. **3** 〖야구〗 커브; 〖골프〗

좌곡구(左曲球); 『권투』 훅; 『아이스하키』 =HOOK CHECK. **4** 《속어》 마약, 헤로인. ***above** one's* **~** 이해할 수 없는, 분에 넘친. ***by ~ or by crook*** 기어코, 어떻게 하든. ***drop* 〔*pop, slip*〕 *off the ~s*** ⇨off the ~s ①. ***get** one's* **~s *into* 〔*on*〕...** 《구어》 (남자)의 마음을 끌다, …을 사로잡다. ***get the* ~** 《미속어》 해고되다. ***give** a person **the*** **~** 《미속어》 아무를 해고하다. ***go off the ~s*** 《속어》 (덜컥) 죽다. ***go on the* ~** 학과 중 빼먹다. ***~, line, and sinker*** 《구어》 완전히, 감쪽같이. ***off the* ~** 《구어》 책임〔위기, 곤란〕을 벗어나: get *off the* ~ 곤경에서 벗어나게 하다, 책임을 면제해 주다. ***off the ~s*** ① 《속어》 죽어, 뒈져: drop 〔slip〕 *off the ~s* 뒈지다, 죽다. ② 《구어》 잽싸게. ***on** one's **own*** **~** 《구어》 혼자 힘으로. ***take* 〔*sling*〕** *one's* **~** 《속어》 도망치다.

— *vt.* **1** (갈고리처럼) 구부리다: ~ a finger. **2** 《~+목/+목+부/+목+전+명》 갈고리로 걸다, 드리우다, 채우다, 찌르다《*up; on; onto; over; round*》; …을 끌어당기다〔들이다, 올리다〕《*in; on; up*》: ~ (*up*) a skirt 스커트의 훅을 채우다 / ~ the gas *up* 가스를 끌어들이다 / ~ a dress *over* a nail 옷을 못에 걸다. **3** 낚시로 낚다; 《비유》 (아무를) 올가미로 호리다. **4** 《구어》 슬쩍 후무리다, 훔치다. **5** 『권투』 …에게 훅을 넣다; 『골프』 (공을) 좌곡구(左曲球)로 치다. **6** 《미속어》 (노동자를) 매수하여 정보원으로 삼다. **7** 《속어》 (아무를) 붙잡다. **8** 《구어》 (사람·남자를) 걸려들게 하다, 낚다, 매춘하다. **9** 〔흔히 수동태〕 《속어》 (악습·마약이) 사로잡다, 열중케 하다. **10** (소 따위가) 뿔로 받다. **11** (코바늘로 실코를) 걸다, 짜다: ~ a rug 양탄자를 짜다. **12** 『럭비』 (스크럼 때 발로) 공을 뒤쪽으로 차내다. **—** *vi.* **1** (갈고리처럼) 굽다. **2** 《~/+부/+전+명》 (옷이) 훅으로 채워지다〔채우게 돼 있다〕: a dress that ~*s* (*up*) *at* the back 등 뒤를 훅으로 채우는 드레스. **3** 《속어》 도망치다; 급히 떠나다: ~ for home 급히 귀로에 오르다. **4** 『야구』 커브로 던지다. **~ *a ride*** 《속어》 자동차 꽁무니에 몰래 타고 가다. **~ *in*** 갈고리로 당기다; 갈고리로 고정시키다. **~ *it*** 《속어》 도망치다. **~ *Jack*** 《미구어》 꾀부리고 쉬다(play hooky). **~ *on*** 훅으로 붙이다; 갈고리로 걸다. **~ *on to* ...** 《구어》 …에게 들러붙다〔따르다, 친근히 하다〕. **~ *up*** 《*vt.*+부》 ① 훅으로 채우다; 《구어》 (아무)에게 훅으로 채워 주다. ② 말을 마차에 매다; (기계 따위를) 설치하다. ③ (전화 따위를) 조립하여 전류를 통하다. ④ 『라디오』 중계하다. **—** 《*vi.*+부》 ⑤ 훅으로 채워지다. **~ *up with*** …와 관계하다; …와 잇다; 《속어》 …와 경쟁하다, 다투다.

hooka, hook·ah [húkə] *n.* 수연통(水煙筒)《물을 통하여 담배를 빨게 된 장치》.

hooka

hóok-and-blàde [-ənd-] *a.* (전정(剪定) 가위 따위가) 날이 초승달 꼴인.

hóok and éye (의복의) 호크(단추); (문·창문을 열어 놓은 채로 고정시키는) 고리쇠.

hóok and gó 『미식축구』 패스리시버 코스의 하나《hook 한 다음에 공격 방향으로 돌아서 downfield 깊숙이 달림》.

hóok and ládder (**trùck**) 《미》 사다리 소방차(ladder truck).

hóok-bràke *n.* 『항공』 고리 제동(制動)(장치).

hóok chèck 『아이스하키』 훅 체크《상대의 puck을 자기 스틱의 굽은 부분으로 눌러 뺏음》.

Hooke [huk] *n.* **Robert ~** 훅《영국의 과학자·발명가; 1635-1703》.

hooked [-t] *a.* 갈고리 모양의; 갈고리가 있는; 갈고리로 만든; 《미속어》 마약 중독증의: a ~ nose 매부리코. ㊕ **~·ness** [húktnis, húkidnis] *n.* 갈고리 모양의 만곡(彎曲).

hóoked rúg 《미》 캔버스나 삼베 따위를 바탕으로 하여 만든 양탄자.

hóoked schwá ⇨SCHWA.

hóok·er *n.* 네덜란드의 두대박이 어선; 아일랜드·잉글랜드의 외대박이 어선; 〔일반적〕 《경멸》 구식〔볼품없는〕 배; 갈고리로 걸어당기는 사람〔것〕; 낚시질하는 사람〔어부〕; 《미속어》 노동자를 배반시켜 스파이로 만드는 공작원; 《구어》 좀도둑, 소매치기; 《미속어》 다량의 위스키를 꿀꺽 마시기; 《구어》 매춘부; 《미속어》 사기꾼, 프로 도박사; 《미속어》 구속 영장; 『럭비』 후킹하는 선수.

Hóoke's láw 훅의 법칙《고체의 뒤틀림은 탄성의 범위 내에서 가하는 힘에 비례한다는》.

hook(·e)y[1] [húki] *n.* 〔다음 관용구로〕 ***play* ~** 《구어》 학교를 빼먹다, 농땡이 부리다.

hook(·e)y[2] *a.* 갈고리가 많은; 갈고리 모양의; 《속어》 매력적인; 《속어》 훔친.

hóok·nòse *n.* 매부리코; 《미속어·경멸》 유대인. ㊕ **hóok-nòsed** *a.* 매부리코의.

hóok pàss 『미식축구』 훅 패스《가장 표준적인 짧은 패스로 리시버가 갈고리형(形) 코스로 달림》.

hóok pìn 대가리가 갈고리 모양으로 된 쐐기못.

hóok·shòp *n.* 《속어》 갈보집.

hóok shòt 『농구』 훅 샷《한 손으로 공을 머리 위로 올려서 링 측면에 반원을 그리듯이 하는 슛》.

hóok slìde 『야구』 훅 슬라이딩《몸을 옆으로 내던지듯하여 터치를 피하는 슬라이딩》.

hóok·ùp *n.* **1** 『무전』 중계; 방송국 망(網): a nationwide ~ 전국 중계방송. **2** 《미구어》 (국가·당파 간의) 제휴, 동맹, 협력, 친선. **3** 『전기』 접속도(圖); 접속 장치; (부품·장치 따위의) 조립, 결합; (전기·수도 등의 외부와의) 연결부.

hóok·wòrm *n.* 십이지장충(병).

hóok wrènch 〔**spànner**〕 대가리가 갈고리 모양 나사돌리개.

hooky [húki] *n.* =HOCKY.

hoo·li·gan [húːligən] *n.* **1** 무뢰한, 깡패, 불량소년(hoodlum): a ~ gang 폭력단, 불량배. **2** 《영》 축구장 난동꾼: football ~*s*. **3** 《미속어》 (자동차 경주에서) 이류 경주자. ㊕ **~·ism** *n.* Ⓤ 난폭, 폭력; 깡패 기질.

Hoo·li·van [húːlivæ̀n] *n.* 《영》 축구 경기에서 상습적 난동꾼을 감시하기 위한 각종 전자 장치를 장비한 자동차.

hoon [huːn] *n.* 《Austral. 구어》 뚜쟁이.

◇**hoop**[1] [huːp, hup/huːp] *n.* **1** 테. **2** (장난감의) 굴렁쇠. **3** 쇠테; (기둥의) 가락지; 고래뼈·등(籐) 따위의 버팀 테《옛날 여자의 스커트 폭을 벌어지게 하는 데 씀》; (크로케(croquet)에서) 활 모양의 작은 문; 반지. ***go through the ~*(*s*)** 시련을 겪다, 고생하다. ***jump through a* ~** 《구어》 무엇이든 시키는 대로 하다. ***put** a person **through the*** **~** 《구어》 아무를 단련하다; 본때를 보여 주다. **—** *vt.* …에 테를 두르다; …에 둘레를 치다; 둘러싸다.

hoop[2] *vi.* 부르짖다; 휴 소리 내다《백일해로》. **—** *n.* 부르짖는 소리; (백일해 환자의) 숨소리.

hooped [-t] *a.* 둘레를 두른; 테살대로 버틴.

hoop·ee [húːpiː, húp-/húːp-] *n.* =WHOOPEE.

hóop·er *n.* 테 메우는 사람; 통(桶)장이(cooper); =HOOPSTER.

Hoop·e·rat·ing, Hóoper ràting [húːpəreìtiŋ] *n.* 『미방송』 (전화 조회에 의한) 시청률 순위 매기기, 후퍼레이팅.

hóoping còugh 백일해(whooping cough).

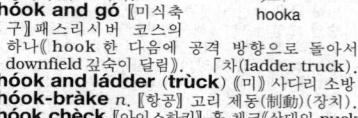

hóop ìron (통 따위의) 쇠테.
hoop·la [húːplɑː, húp-] *n.* Ⓤ 고리던지기《놀이》; 《구어》 대소동, 요란한 선전. **—** *int.* 신난다, 잘한다. **—** *a.* 근사한, 훌륭한.
hóop·man [-mən] (*pl.* ***-men*** [-mən]) *n.* 《구어》 농구 선수.
hoo·poe, -poo [húːpuː] *n.* 〖조류〗 후투티《후투팃과의 유럽산 새》.
hóop·skìrt *n.* 고래뼈 버팀 테로 부풀려 펼친 스커트.

hoopskirt

hoop·ster [húːpstər, húp-/húːp-] *n.* **1** 《구어》 농구 선수. **2** 훌라후프를 돌리는 사람.
hoo·rah, -ray [hurɑ́ː], [huréi] *int.* =HURRAH.
Hooráy Hénry 《영》 후레이 헨리《최신 유행을 좇으며 제멋대로 세상을 살아가는 유한 계급 출신의 경박한 젊은이; 호칭으로 쓰이기도 함》.
hoo·roo [hurúː] *int.* 《Austral.》 안녕.
hoos(e)·gow [húːsgau] *n.* 《미속어》 교도소, 유치장; 옥외 변소.
hoosh [huːʃ] *n.* Ⓤ 《속어》 (북극 지방 탐험가들의) 잡탕찌개; 진한 수프.
Hoo·sier [húːʒər] *n.* 《미》 Indiana 주의 주민《별명》; (h-) 《속어》 변경의 주민, 시골뜨기.
Hóosier Státe (the ~) Indiana 주의 별칭.
hoot[1] [huːt] *vi.* **1** (올빼미가) 부엉부엉 울다. **2** 《영》 (기적·자동차의 경적 등이) 울리다. **3** 《+전+명》 야유하다, 야료하다《경멸·분노하여》 《*at; to*》: ~ *at* 〔*to*〕 a person. **—** *vt.* **1** 《+목+부/+목+전+명》 소리내어 좇다〔좇아 버리다〕 《*away; off; out*》: ~ a person *away* 〔*out*〕/ The audience ~*ed* the speaker *off* the platform. 청중은 연사를 야유하여 연단에서 몰아냈다. **2** 우우 하며 야유하다. **3** (경멸·분노 등을) 소리질러 나타내다. ~ ***down*** (연사 등을) 야료하여 물러가게 하다. **—** *n.* **1** 올빼미 울음소리, 부엉부엉; 뛰, 삐《고동·경적 소리》: The ship gave two ~*s*. 배는 두 번 고동을 울렸다. **2** 야유 소리, 우우. **3** 《영구어》 무한정으로 재미있는 일〔것〕: The whole performance was a ~. 그 상연된 극은 전체적으로 매우 재미 있는 것이었다. **4** 〖보통 부정문〗 무가치한 것, 소량, 일고(一顧): I don't give 〔care〕 a ~ 〔two ~*s*〕. 조금도 상관없다/not matter 〔worth〕 a ~ 〔two ~*s*〕 문제도 안 된다〔한 푼의 가치도 없다〕. ㊞ **∠·ing·ly** *ad.*
hoot[2] *n.* 《Austral. 속어》 지불, 돈(money).
hoot[3] ⇨ HOOT(S).
hootch[1] ⇨ HOOCH[1].
hootch[2], **hooch**[2] [huːtʃ] *n.* 《미속어》 (아시아의 이엉지붕의) 초가집; 주거; (미군의) 병사(兵舍), 바라크.
hoot·chy-koot·chy [húːtʃikúːtʃi] (*pl.* ***-koot-chies***) *n.* 《미속어》 (스트립식의) 허리춤.
hoot·en·an·ny [húːtənæni] (*pl.* ***-nies***) *n.* 《구어》 (댄스·포크송 등의) 격식을 차리지 않은 모임〔파티〕; 《방언》 =GADGET; (이름을 모를 때) '뭐더라'. ***not give a*** ~ 전혀 관계 않다.
hóot·er *n.* 올빼미; 야료하는 사람; 기적, 경적; 〖부정문〗 조금; 《영속어》 코(nose).
hóot òwl 〖조류〗 (특히 울음소리가 큰 각종) 올빼미; 《미》 (광산·공장의) 심야 근무.
hoot(s) [huːt(s)] *int.* 《주로 Sc.》 흥《불만·불찬성·놀람 따위를 나타내는 소리》.
hoo·ty [húːti] *a.* 《속어》 멋진, 유쾌한, 즐거운; 「최고의.
hoove [huːv] *n.* Ⓤ (가축의) 고창증(鼓脹症).
Hoo·ver [húːvər] *n.* **Herbert Clark** ~ 후버《미국 제 31대 대통령; 1874-1964》.
hoo·ver *n.* 후버 전기 청소기(《미》 vacuum cleaner)《상표명》. **—** *vt.* 《영구어》 후버 청소기로 청소하다, 흡수하다.
Hoo·ver·ville [húːvərvìl] *n.* 《미》 (1930년대 불경기 때의) 실업자 수용 주택(지구).
hop[1] [hɑp/hɔp] (***-pp-***) *vi.* **1** 《~/+부/+전+명》 뛰다, 한 발로 뛰다, (새 따위가 발을 모으고) 깡충 뛰다: ~ *about* 깡충깡충 뛰어다니다/~ *out of* bed 침대에서 깡충 뛰어내리다. SYN. ⇨ JUMP. **2** 《+부》 단기 여행을 하다, 잠깐 가다: I'll ~ *down* to the city. 시내에 잠깐 다녀와야지. **3** 《+부》 《구어》 이륙하다《*off*》; 비행하다: The jet plane is ready to ~ *off*. 제트기는 막 이륙하려는 참이다. **4** 《구어》 춤추다(dance). **5** 절름거리다. **6** (술집 따위를) 돌아다니다, 술집 순례를 하다: nightclub ~*ping*. **7** 〖야구〗 (공이) 바운드하다. **—** *vt.* **1** 뛰어넘다; 뛰어다니다: ~ a fence 울타리를 뛰어넘다. **2** 《구어》 (기차 등에) 뛰어오르다, 타다: ~ a train 기차에 뛰어오르다. **3** 《구어》 (비행기로) 횡단하다. **4** (공 따위를) 날리다; 〖야구〗 바운드하다. ~ ***a ride in a train*** 《미속어》 기차에 무임승차하다. ~ ***it*** 《구어》 훌쩍 떠나 버리다. ~ ***off*** ⇨ *vi.* 3. ~ ***off one's*** (bicycle) (자전거)에서 뛰어내리다. ~ ***on*** 〔***all over***〕 《속어》 야단치다. ~ ***the twig*** 〔***stick***〕 《속어》 (채권자를 따돌리고) 도망치다; 갑자기 죽다. ~ ***to it*** 《구어》 일을 하기 시작하다, 착수하다. **—** *n.* **1** 도약, 앙감질; 토끼뜀. **2** 《구어》 이륙; (장거리 비행의) 한 항정(航程)(stage); 비행. **3** 《구어》 댄스(파티). **4** (공의) 튐: catch a ball on the first ~ 원 바운드에 공을 잡다. ~***, skip, and jump*** ① 근거리, 바로 가까이: only a ~, *skip, and jump* from home. ② =~, step, and jump. ~***, step, and jump*** 세단뛰기(triple jump). ***on the*** ~ ① 《영》 현장을 불시에: catch a person *on the* ~ 아무를 불시에 덮치다. ② 떠들고〔뛰어〕 다니며: keep a person *on the* ~ 아무를 계속 바쁘게 하다.
hop[2] *n.* 〖식물〗 홉; (*pl.*) 홉 열매; 《속어》 마약《헤로인·아편》; 《미속어》 마약 중독; 《미속어》 어수선함, 혼란; 《미속어》 허튼소리, 농담, 난센스; (*pl.*) 《Austral. 속어》 맥주. ***be full of*** ~***s*** 《미속어》 무책임한 이야기를 하다, 취한 듯이 말하다. **—** (***-pp-***) *vt.* …에 홉으로 풍미(風味)를 내다; 《구어》 …에게 마약을 먹이다《*up*》, (경주마)에게 흥분제를 주다, 〖일반적〗 자극〔격려〕하다 《*up*》; 《미속어》 (엔진 등의) 출력을 강화하다 《*up*》. **—** *vi.* 홉 열매를 따다; (홉이) 열매를 맺다.
hóp·bìne, -bìnd *n.* 홉 덩굴.
Hope [houp] *n.* **Anthony** ~ 호프《영국의 소설가; 1863-1933》.
hope [houp] *n.* **1** C,U 희망; Ⓒ 기대; 가망. OPP. *despair*. ¶Don't give up ~. 희망을 잃지 마라/There is no ~ of success. 성공할 가망이 없다/While there is life there is ~. 《속담》 목숨이 있고서야 희망도 있다. **2** Ⓒ 기대를 받고 있는 사람〔것〕. **3** Ⓤ 《고어》 신뢰. ***be in great*** ~***s*** (***that...***) (…을) 크게 기대하고 있다. ***be past*** 〔***beyond***〕 ***all*** ~ 전혀 가망이 없다. ***in*** ~***s of*** = ***in the*** ~ ***of*** (***that***) …을 기대하여. ★ 보통 실현 가능성이 적은 경우에 쓰임. ***Not a*** ~. = 〖반어적〗 ***Some*** ~(***s***) 〔***What a*** ~〕***!*** 《구어》 우선 가망이 없네. ***You've got a*** ~***!*** 《속어》 별로 가망이 없어.
— *vt.* 《+(*that*) 절/+*to* do》 바라다, 기대하다; 《구어》 (바람직한 방향으로) 생각하다: I ~

(*that*) you will come soon. 네가 곧 오기를 바란다/I ~ *to* see you again. 또 만나뵙기를 바랍니다/I ~ (*that*) the rain will stop soon. 비는 곧 멎겠지요. ★ 나쁜 일에는 I fear 나 I am afraid 를 씀. SYN. ⇨EXPECT. — *vi.* **1** 《~/+전+명》 희망을 갖다, 기대하다《*for*》: ~ *for* a good crop 풍작을 기대하다/We are still *hoping*. 우리는 아직 희망을 갖고 있다. **2** 《고어》 의지하다, 기대를 걸다, 신뢰하다《*in*》: ~ *in* God 신을 믿다〔신뢰하다〕. ~ ***against*** ~ 요행을 바라다; 헛바라다. ~ ***and pray*** …을 진심으로〔절실히〕 바라다. ~ ***for*** (***the***) ***best*** 낙관하다; 최후까지 희망을 잃지 않다. ~ ***much from*** …에 크게 희망을 걸다. ***I*** ~ ***not.*** 그렇지 않기를 바란다: Won't it hurt him?—*I* ~ *not*. 그것으로 그가 기분 상하지 않을까—괜찮겠지.
㊔ **hóp·er** *n.* **hóp·ing·ly** *ad.*

hópe chèst 《미》 처녀의 혼숫감함(《영》 bottom drawer).

hóped-fòr [-t-] *a.* 기대된; 바라고 기다리던.

⁑**hope·ful** [hóupfəl] *a.* **1** 희망이 있는, 전망이 밝은, 전도유망한. **2** 희망을 안고 있는; 희망에 차 있는, 기대에 부푼: I am ~ *that* they will be here. 그들이 올 것으로 기대합니다. ***be*** ~ ***of*** 〔***about***〕 …을 기대하다, 바라다. — *n.* 전도유망한 사람; (당선) 유력한 후보; 우승을 노리는 선수〔팀〕: a young ~ 장래가 촉망되는 젊은이; 《반어적》 앞날이 걱정되는 젊은이. ㊔ **~·ly** *ad.* **1** 유망하게, 희망을 걸고. **2** 바라건대; 아마. **~·ness** *n.*

Hopei, -peh ⇨HEBEI.

⁑**hope·less** [hóuplis] *a.* 희망 없는, 가망 없는; 절망적인(desperate), 어찌할 도리가 없는.

> SYN. **hopeless** 구제할 도리가 없는, 주로 상황에 대해 씀: a *hopeless* situation 〔case of cancer〕 어찌해 볼 도리가 없는 정세〔나을 가망이 없는 암(환자)〕. **despairing, despondent** 사람·사람의 행위·표정 따위에 대해 씀. despairing 은 이지적 판단에서 오는 절망. despondent 는 정서적인 실망 상태: *despairing* of finding a remedy 치료 방법이 이젠 없을 거라고 절망적이 되어. a *despondent* look 낙심한 얼굴. **desperate** 사람 및 상황 양쪽에 씀. 아무래도 가망이 없으므로 자포자기가 되지 않을 수 없는: a *desperate* criminal 자포자기가 된 범인.

be ~ ***of*** …의 희망을 잃다. ㊔ °**~·ly** *ad.* 희망을 잃고, 절망적으로. **~·ness** *n.*

hóp flỳ 홉 진딧물.

hóp gàrden 홉 재배 농원.

hóp·hèad *n.* 《미속어》 마약 중독자.

Ho·pi [hóupi] (*pl.* **~, ~s**) *n.* 호피족《미국 Arizona 주 북부에 사는 Pueblo 족》; 호피어(語).

hóp kìln 홉 건조로(爐).

hop·lite [háplait/hɔ́p-] *n.* 고대 그리스의 중장비 보병.

hop-o'-my-thumb [hápəmaiθʌ́m, -mi-/hɔ́p-] *n.* 난쟁이(dwarf).

hópped-ùp [-t-] *a.* 《미속어》 **1** 흥분한; 열심인; 열광적인. **2** (자동차 따위가) 마력을 높인. **3** 마약으로 도취된〔흥분한〕; 술에 취한.

hóp·per[1] *n.* **1** 뛰는 사람, 한 발로 뛰는 사람, 앙감질하는 사람. **2** 뛰는 벌레《메뚜기·벼룩 등》; 뛰는 동물《캥거루 따위》. **3** 피아노의 해머를 튕겨 올리는 장치. **4** 저탄기(貯炭器)·제분기(따위)의 깔때기 모양의 아가리, 호퍼. **5** 개저식(開底式) 배〔화차, 쓰레기차〕. **6** 《속어》 (호텔의) 보이. **7** 《야구속어》 높이 튕기는 타구.

hóp·per[2] *n.* 홉을 따는 사람, 홉 즙을 내는 통.

hópper càr 〖광산〗 호퍼차; 개저식(開底式) 화차(hopper[1]).

hóp·pìcker *n.* 홉 따는 사람〔기계〕.

hóp pìllow 홉 베개《편하게 잠들게 한다고 함》.

hóp·ping[1] *n.* Ⓤ 홉 따기〔채집〕; 홉을 넣는 쓴맛 조미.

hóp·ping[2] *a.* 깡충깡충 뛰는; 절름발이의; 바쁘게 움직이는; 격노한. — *ad.* 《구어》 극단으로, 맹렬히. ~ ***mad*** 몹시 노한. — *n.* 앙감질; 토끼뜀; 도보(跳步) 댄스; 《N.Eng.》 잿날; (the H-) (Newcastle의) 정기 장날.

hópping condùction 〖물리〗 도약(跳躍) 전도(傳導).

hóppin(g) Jòhn 《미》 쌀·완두가 든 베이컨 스튜.

hop·pins [hápinz/hɔ́p-] *n.* 《CB속어》 훔친 야채.

hop·ple [hápəl/hɔ́pəl] *n.* (보통 *pl.*) (마소 따위의) 족쇄. — *vt.* (마소 따위에) 족쇄를 채우다《뛰쳐나가지 않게》; …의 자유를 방해하다.

hóp pòcket 홉 자루《168 파운드; 약 76 kg 들이》.

hóp pòle 홉 지주(支柱); 《비유》 키다리.

hop·py[1] [hápi/hɔ́pi] (**-pi·er; -pi·est**) *a.* 홉의 풍미(風味)가 있는. — *n.* 《속어》 마약 중독자.

hop·py[2] *a.* 뛰듯이 움직이는.

hóp·sàck(ing) *n.* 홉새킹《삼·마 등의 포대지(布袋地); 이와 비슷한 성긴 직물》.

hop·scotch, hop·scot [hápskàtʃ/hɔ́pskɔ̀tʃ], [hápskàt/hɔ́pskɔ̀t] *n.* Ⓤ 돌차기 놀이. — *vi.* 《구어》 이리저리 뛰어다니다.

hop·ster [hápstər/hɔ́p-] *n.* 《속어》 댄서; 아편 상용자.

hóp·tòad *n.* 《주로 미북동부》 두꺼비(toad); 《미속어》 〖철도〗 충돌 사고를 피하기 위한 차량 탈선 장치; 《미속어》 술을 많이 마심, 통음(痛飮).

hóp trèe 〖식물〗 홉나무《북아메리카산의 귤과(科) 홉나무속(屬)의 낙엽관목; 쓴맛의 열매를 홉 대용으로 맥주 양조에 썼음》.

hóp·ùp *n.* 《구어》 흥분제, 각성제.

hop·vine [hápvàin/hɔ́p-] *n.* 홉 덩굴(hop bine); 홉(hop plant).

hóp·yàrd *n.* 홉 밭.

hor. horizon; horizontal; horology.

ho·ra, ho·rah [hɔ́:rə] *n.* 루마니아·이스라엘의 원무(圓舞).

Hor·ace [hɔ́:rəs, hár-/hɔ́ris] *n.* **1** 호러스《남자 이름》. **2** 호라티우스《로마의 서정 시인; 65-8 B.C.》.

ho·ral, ho·ra·ry [hɔ́:rəl], [hɔ́:rəri] *a.* 시간의; 시간을 나타내는; 한 시간마다의(hourly).

Ho·ra·tian [həréiʃən, hɔ:-/hə-] *a.* 로마의 시인 Horace(풍)의: ~ ode, Horace 풍의 시.

Ho·ra·tio [həréiʃiòu, hɔ:-/hə-] *n.* 호레이쇼《남자 이름》.

Ho·ra·tius [həréiʃəs, hɔ:-/hɔréiʃiəs] *n.* (*Publius H. Cocles*) 〖로마전설〗 호라티우스《Tiber 강 다리 위에서 Etruria 인을 격퇴한 영웅》: ~ on the bridge 다리 위의 호라티우스, 의지 불굴의 용사.

°**horde** [hɔ:rd] *n.* **1** 유목민의 무리; 유랑민의 떼; 대집단, 군중, 대군(大群). **2** (동물의) 이동하는 무리: a ~ of wolves 이리 떼. **3** 대약탈단(大掠奪團). — *vi.* 군집하다, 무리 지어 이동하다.

hore·hound, hoar- [hɔ́:rhàund] *n.* 〖식물〗 쓴 박하; Ⓤ 그 쓴 즙《기침약》; 그것으로 만든 박하사탕.

⁑**ho·ri·zon** [həráizən] *n.* **1** 수평선, 지평선: above 〔below〕 the ~ 지평선에서 위〔아래〕로. **2** 시계, 시야: Science gives us a new ~. 과학은 새로운 시야를 제공해 준다. **3** (학식·사고력 등의) 범위(range), 영역: a mental ~ 식견. **4** 〖지학〗 지평층; 〖천문〗 지평(地平). ***on the*** ~ 수평선 위에; (사건 따위가) 임박한; 분명해지고 있는. ***within the*** ~ 시계에. ㊔ **~·al** [-zənl] *a.*

ho·rí·zon·less *a.* 수평〔지평〕선이 없는; 끝이

없는, 끝날 것 같지도 않은; 절망적인.

‡hor·i·zon·tal [hɔ̀ːrəzɑ́ntl, hɑ̀r-/hɔ̀rizɔ́n-] *a.* **1** 수평의, 평평한, 가로의. ⓒⓕ vertical. ¶ a ~ line 〔plane〕 수평선〔면〕. **2** 수평선〔지평선〕의. **3** (기계 따위의) 수평동(水平動)의. ── *n.* 지평〔수평〕선; 수평 위치; 수평봉. ⓟ **~·ly** *ad.* 지평으로; 수평으로, 가로로.

horizóntal bár (체조용) 철봉(high bar).

horizóntal bómbing 〖공군〗 수평 폭격.

horizóntal dáncing 《속어》 성교.

horizóntal divéstiture 〖경영〗 수평 박탈《동일 기업에 의한 유사제품 생산을 금지하기 위해 그 지분(持分)을 처리하는 일》.

horizóntal éxercise 《속어》 누워서 하는 체조, 성교; 《속어》 수면, 취침.

horizóntal integrátion 〔**mérger**〕 〖경영〗 수평 통합〔합병〕《동일 업종 간의 합병》.

horizóntal internátional specializátion 〖경제〗 수평적 국제 분업《선진국끼리의 공업 제품의 무역》.

hor·i·zon·tal·i·ty [hɔ̀ːrəzɑntǽləti/hɔ̀rizɔn-] *n.* Ⓤ 수평 상태〔위치〕.

hòr·i·zón·tal·ìze *vt.* 수평으로 배열하다.

horizóntal mobílity 〖사회〗 수평적 이동《동일 사회 계층 내의 전직(轉職)이나 문화의 확산 등》. ⓒⓕ vertical mobility.

horizóntal párallax (천체 관측의) 지평(地「平) 시차.

horizóntal príce-fixing 〖경제〗 수평적 가격 유지《가격 경쟁을 피하려는 생산자 간의 가격 협정》.

horizóntal proliferátion 수평적 확산〔증대〕《핵무기 보유국의 수적 증가》.

horizóntal publicátion 일반 잡지.

horizóntal rúdder 〖해사 · 항공〗 수평타(舵), 승강타(昇降舵).

horizóntal scrólling 〖컴퓨터〗 수평 스크롤《보이지 않는 부분을 보기 위해 수록된 내용을 좌우로 이동시키는 것》.

horizóntal stábilizer 《미》 =TAIL PLANE.

horizóntal únion 수평적〔횡단적〕 조합(craft union).

hor·licks [hɔ́ːrliks] *n. pl.* 〖단수취급〗 혼란「상태(mess).

hor·mo·nal [hɔːrmóunl] *a.* 호르몬의(영향을 받은). ⓟ **~·ly** *ad.*

hor·mone [hɔ́ːrmoun] *n.* 〖생화학〗 호르몬. 「ⓟ **~·like** *a.*

hórmone replácement thèrapy 〖의학〗 호르몬 치환 요법《estrogen을 써서 폐경에 수반되는 증상을 치료하며 골다공증을 예방함; 생략: HRT》. 「=HORMONAL.

hor·mon·ic [hɔːrmɑ́nik, -móun-/hɔːmɔ́n-] *a.*

hor·mon·ize [hɔ́ːrmounàiz] *vt.* 호르몬으로 처리하다; 《특히》 화학적으로 거세하다.

hor·mo·nol·o·gy [hɔ̀ːrmənɑ́lədʒi/-nɔ́l-] *n.* 호르몬학, 내분비학〔연구〕.

Hor·muz [hɔːrmúːz, hɔ́ːrmʌz/hɔ́ːmʌz], **Or-** [ɔːrmúːz, ɔ́ːrmʌz/ɔ́ːmʌz] *n.* 호르무즈, 오르무즈《Hormuz 해협의 섬》. ***the Strait of* ~** 호르무즈 해협《이란과 아라비아 반도 사이, 페르시아만의 출입구》.

‡horn [hɔːrn] *n.* **1 a** (소 · 양 · 코뿔소 등의) 뿔, 사슴뿔; (악마 따위의) 뿔, (보통 *pl.*) (오쟁이 진 남편에 난다는) 뿔. **b** (달팽이 등의) 신축성 있는 뿔, 촉각, 각상 기관〔돌기〕. **c** 〖성서〗 영광, 힘의 상징〔원천〕. **2 a** 각질(角質), 각질 모양의 물질; 각재. **b** 뿔 제품: a drinking ~ 뿔로 만든 잔/a shoe ~ 구둣주걱. **3 a** 뿔피리; 〖악기〗 호른; (재즈의) 관악기(주자), 《특히》 트럼펫(취주); 호른꼴 스피커(의 혼); 확성기. **b** (자동차 따위의) 경적: No ~! 경적 금지. **c** (the ~) 《미구어》 전화: get on the ~ 전화를 걸다. **4 a** 〖항공〗 혼《방향타 · 보조익 · 승강타와 조타삭(操舵索)을 연결하는 부분의 완목 레버》; 돌출균형(=~ **bàlance**). **b** 나팔형 안테나; 초승달의 한쪽 끝; 활고자, 모루의 첨단, (안장의) 앞가지(pommel); 모래톱〔곶 등〕의 선단. **5** (the H-) =CAPE HORN. **6** 깎아지른 봉우리, 〖지학〗 빙식 첨봉(氷蝕尖峰)(pyramidal peak). **7** 《속어》 코; 《영비어》 발기한 음경: get 〔have〕 the ~ 발기하다. **8** 〖식물〗 거(距), 꿀주머니; (the ~s) 〖논리〗 (양도(兩刀) 논법의) 뿔. ***around the* ~** 〖야구〗 (더블플레이에서) 5-4-3 으로 송구하다. ***be on the* ~*s of a dilemma*** ⇨ DILEMMA. ***blow* one's (*own*) ~** 자랑을 늘어놓다, 자화자찬(自畫自讚)하다. ***come out at the little end of the* ~** 큰소리쳐 놓고 끝이 시원찮다. ***draw* 〔*haul, pull*〕 *in* one's ~*s*** 슬금슬금 움츠리다, (기(氣)가 죽어) 수그러지다, 꽁무니를 빼다; 《영》 지출을 억제하다. ***get* ~*s on* one's *head*** (남편이) 오쟁이 지다; 《드물게》 (아내가) 남편을 서방맞히다. ***lock* ~*s*** 의견을 달리하다, 다투다《*over*》. ***show* one's ~*s*** 본성을 드러내다. ***take the bull by the* ~*s*** ⇨ BULL[1]. ***the* ~ *of plenty*** =CORNUCOPIA. ***wear the* ~*s*** (남편이) 부정한 아내를 갖다.

── *a.* 뿔의, 뿔 모양의, 각질의.

── *vt.* **1** 뿔로 받다. **2** …에 뿔이 나게 하다. **3** 뿔을 뽑다. ── *vi.* 《구어》 중뿔나게 나서다, 간섭하다《*in*》: ~ *in* on a local matter 지역 문제에 개입하다.

ⓟ **∠·like** *a.*

hórn·bèam *n.* 〖식물〗 서나무속(屬)《자작나뭇과의 낙엽수》; 그 목재.

hórn·bìll *n.* 〖조류〗 코뿔새.

hórn·blènde *n.* Ⓤ 각섬석(角閃石). ⓟ **horn·bléndic** *a.* 「허풍.

hórn·blòwing *n.* 대선전;

hórn·bòok *n.* 글씨판《옛날 아이들의 학습용구》; 입문서.

hornbill

Horn·by [hɔ́ːrnbi] *n.* **Albert S.** ~ 혼비《영국의 영어 교육가; 사전 편찬가; 1898-1978》.

horned [hɔːrnd, 《시어》 hɔ́ːrnid] *a.* 뿔 있는; 뿔 모양의: the ~ moon 《시어》 초승달. ⓟ **hórn·ed·ness** *n.*

hórned ówl 〖조류〗 부엉이. 「큰 메기의 일종.

hórned póut 〖어류〗 미국 동부 원산의 머리가

hórned tóad 〖동물〗 합개(蛤蚧)《미국 서부 · 멕시코산 도마뱀》; 개구리의 일종.

hórned víper 〖동물〗 독이 있는 살무사의 일종《눈 위에 뿔 모양의 돌기가 있음; 이집트산》.

hórn·er *n.* 뿔세공장이; 뿔피리 부는 사람; 《속어》 아편쟁이.

hor·net [hɔ́ːrnit] *n.* 〖곤충〗 말벌류(類); 《비유》 끊임없이 맹공격해 오는 적, 성가신〔심술궂은〕 사람; 성가심, 곤란, 귀찮은 일; 맹공격, 요란한 비난; =GREEN HORNET. ***a* ~*'s nest*** 《구어》 대단한 성가심, 귀찮은 일. (***as***) ***mad as a* ~** ⇨ MAD. ***bring* 〔*raise*〕 *a* ~*s' nest about* one's *ears*** =***stir up a* ~*'s* 〔~*s'*〕 *nest*** 《구어》 사방으로부터 맹공격〔비난〕을 초래하다, 말썽을 일으키다.

horn·fels [hɔ́ːrnfelz] *n.* 〖지학〗 혼펠스《점판암이 마그마의 관입을 받아 고열로 인해 변질한 접촉변성암》. 「비.

hórn·fish *n.* 〖어류〗 동갈치, 실고기, 꽁치아재

horn·ful [hɔ́ːrnfùl] (*pl.* **~s**) *n.* 뿔잔 한 잔.

Hór·ni·man Muséum [hɔ́ːrnimən-] 호니먼 박물관《런던에 있으며 인류 발달사에 대한 자료를 수집》.

hórn·ist *n.* 호른 연주자, 《특히》 프렌치호른 연주자.
hórn·less *a.* 뿔 없는; 나팔 없는《축음기》. 「*n.*
hórn-mád *a.* 《고어》 미친 듯 화난. ㊞ **~·ness**
Hórn of África (the ~) 아프리카 북동부의 속칭《인도양에서 수에즈 운하 항로로 가는 에티오피아 · 지부티 · 소말리아 3국을 포함하는 지역》.
hórn·pípe *n.* **1** (양끝에 뿔이 달린) 나무피리. **2** (영국 선원 사이에 유행했던) 활발한 춤(곡).
hórn·pòut *n.* =HORNED POUT.
hórn-rímmed *a.* (안경이) 대모〔뿔〕테의《금테, 무테 등에 대해》.
hórn-ríms *n. pl.* 뿔〔셀룰로이드, 플라스틱〕 테 안경.
hórn·stòne *n.* Ⓤ 〖암석〗 각암(角岩).
hórn·swòggle *vt.* 《속어》 속이다, 사기 치다.
hórn·wòrk *n.* Ⓤ **1** 뿔세공(품). **2** 〖축성(築城)〗 각보(角堡).
hórn·wòrt *n.* Ⓤ 〖식물〗 붕어마름.
horny [hɔ́ːrni] (*horn·i·er; -i·est*) *a.* 뿔의, 뿔 모양의; 각질의; 뿔로 만든; 뿔 (모양의 돌기) 있는; 뿔처럼 단단〔딱딱〕한; 《속어》 (남자가) 성적으로 흥분한, 발정한, 호색의: the ~ coat (of the eye) 각막. ㊞ **hórn·i·ness** *n.* 각질, 경질.
hórny-hánded [-id] *a.* 막일로 손이 딱딱해진.
horol. horologe; horology.
hor·o·loge [hɔ́ːrəlòudʒ, -lɑ̀dʒ, hɑ́r-/hɔ́rəlɔ̀dʒ] *n.* 시계(timepiece)《특히 원시적 측시기》.
hor·o·log·ic, -i·cal [hɔ̀ːrəlɑ́dʒik, hɑ̀r-/hɔ̀rəlɔ́dʒ-], [-əl] *a.* 시계의; 시계학상의; 측시법상의.
ho·rol·o·gist [hɔːrɑ́lədʒist, hə-/hɔrɔ́l-, hə-] *n.* 시계 제작자〔학자〕(=**ho·ról·o·ger**).
hor·o·lo·gi·um [hɔ̀ːrəlóudʒiəm, hɑ̀r-/hɔ̀r-] (*pl.* **-gia** [-dʒiə]) *n.* **1** 시계탑〔대〕. **2** (H-) 〖천문〗 시계 자리(the Clock).
ho·rol·o·gy [hɔːrɑ́lədʒi, hə-/hɔrɔ́l-, hə-] *n.* Ⓤ 시계학; 시계 제조술; 측시법(測時法).
hor·o·scope [hɔ́ːrəskòup, hɑ́r-/hɔ́r-] *n.* 점성; 탄생시의 별의 위치 (관측); 점성용 천궁도(天宮圖), 12 궁도(宮圖), 별자리표의 일종; 주야장단표(長短表). ***cast a ~*** 운세도를 만들다; 별점을 치다. **—** *vi.* 점성 천궁도를 만들다. **—** *vt.* …의 운세도를 만들다; 점치다. ㊞ **hór·o·scòp·er** *n.* 점성가.
hor·o·scop·ic, -i·cal [hɔ̀ːrəskɑ́pik, -skóup-, hɑ̀r-/hɔ̀rəskɔ́p-], [-ikəl] *a.* 천궁도의; 점성(술)의.
ho·ros·co·py [hɔːrɑ́skəpi/hɔrɔ́s-] *n.* Ⓤ 점성술; 출생시의 별의 위치; 천궁도.
hor·ren·dous [hɔːréndəs, hɑr-/hɔr-] *a.* 무서운, 끔찍한, 무시무시한. ㊞ **~·ly** *ad.*
hor·rent [hɔ́ːrənt, hɑ́r-/hɔ́r-] *a.* 《시어》 (빳빳한 털같이) 곤두선; 《드물게》 =HORRENDOUS.
***hor·ri·ble** [hɔ́ːrəbəl, hɑ́r-/hɔ́r] *a., n.* 무서운〔끔찍한, 모골이 송연해지는〕 (것); 《구어》 잔혹한, 냉정한; 《구어》 오싹하도록 싫은〔실로 지독한〕 (것): ~ weather / a ~ sight 무서운 광경.

SYN. **horrible** 무서워서 모골이 송연해지는 상태. **horrid** horrible 보다는 뜻이 약하고 혐오감의 느낌이 있음.

— *ad.* 지독하게. ◇ horror *n.* ㊞ **-bly** *ad.* **~·ness** *n.*
***hor·rid** [hɔ́ːrid, hɑ́r-/hɔ́r-] *a.* **1** 무서운: a ~ look 무서운 표정. SYN. ⇨ HORRIBLE. **2** 《구어》 매우 불쾌한, 지겨운: ~ weather 지긋지긋한 날씨. ◇ horror *n.* ㊞ **~·ly** *ad.* **~·ness** *n.*
hor·rif·ic [hɔːrífik, hɑr-/hɔr-] *a.* 《문어》 무서운, 대단한. ㊞ **-i·cal·ly** *ad.*
hor·ri·fi·ca·tion [hɔ̀ːrəfikéiʃən, hɑ̀r-/hɔ̀r-] *n.* Ⓤ,Ⓒ **1** 공포, 전율. **2** 혐오.
◇**hor·ri·fy** [hɔ́ːrəfài, hɑ́r-/hɔ́r-] *vt.* **1** 소름 끼치게 하다, 무서워 떨게 하다. **2** 《구어》 …에게 혐오를〔반감을〕 느끼게 하다. ◇ horror *n.* ㊞ **~·ing** *a.* 소름끼치는; 《구어》 어이없는.
hor·rip·i·late [hɔːrípəlèit, hɑ-/hɔ-] *vt., vi.* 소름 끼치게 하다, 등골을 오싹하게 하다; 소름 끼치다, 등골이 서늘하다.
hor·rip·i·la·tion [hɔːrìpəléiʃən, hɑ-/hɔ-] *n.* Ⓤ 소름 끼침; 소름(gooseflesh).
hor·ror** [hɔ́ːrər, hɑ́r-/hɔ́r-] *n.* **1** Ⓤ 공포, 전율: shrink back in ~ 기겁을 하여 물러서다. **2** 전율할 만한 일, 참사, 잔혹 (행위): the ~s of war 전쟁의 참사. **3** Ⓤ,Ⓒ 혐오, 증오. **4** 소름이 끼치도록 싫은 것: have a ~ *of* …이 질색이다 / That necktie is a ~. **5** 〖의학〗 오한. **6** (the ~s) 《구어》 공포, 우울, (알코올 중독의) 떨리는 발작; =DELIRIUM TREMENS: *Horrors !* 어이쿠, 어머나. ◇horrible, horrid *a.* ***the Chamber of Horrors 공포의 방《본디 런던 Madame Tussaud 의 흉악범의 납인형 진열실》. ***throw up*** one***'s hands in ~*** 두려움〔충격〕으로 망연자실하다. **—** *a.* 공포를 느끼게 하는; 전율적인: a ~ fiction 공포 소설 / a ~ film 〔comic〕 공포 영화〔만화〕.
hórror stòry 1 (살육 · 초자연력 등을 다룬) 공포물《소설 · 영화 등》. **2** 《구어》 비참한 경험.
hórror-strùck, -strìcken *a.* 공포에 질린.
hórror vá·cui [-vǽkjuài] 공간 공포《자기 앞에 펼쳐진 공백에 대한 공포감》.
hors [ɔːr/hɔːr] *ad., prep.* 《F.》 outside 의 뜻.
hors con·cours [*F.* ɔʀkɔ̃kuːʀ] 《F.》 심사 외(外)의, 무(無)심사의《출품물》. 「력을 잃은.
hors de com·bat [*F.* ɔʀdəkɔ̃ba] 《F.》 전투
hors d'oeu·vre [ɔːrdə́ːrvr; *F.* ɔʀdœːvʀ] 《F.》 전채(前菜), 오르되브르.
†**horse** [hɔːrs] (*pl.* ***hórs·es*** [-iz], 〔집합적〕 ~) *n.* **1 a** 말; (성장한) 수말; 말과의 짐승《얼룩말, 당나귀 따위》. cf. colt(수망아지), foal(망아지), gelding(불깐 말), mare(암말), pony(작은 말), stallion (씨말), steed(군마(軍馬)). ¶ an entire ~ 씨말 / Don't change ~s in the midstream. 《속담》 강(江) 가운데에서 말을 바꿔 타지 마라, 변절하지 마라, 일의 도중에서 사람〔계획〕을 바꾸지 마라 / Hungry ~s make a clean manger. 《속담》 시장이 반찬. **b** Ⓤ 〔집합적〕 기병, 기병대(cavalry): light ~ 경기병 / a thousand ~ 기병 1,000 기 / ~ and foot =~, foot and dragoons ⑴ 보병과 기병, 전군. ⑵ 전력을 다하여. **c** 《체스구어》 =KNIGHT. **d** 《경멸 · 우스개》 사람, 놈(fellow); 《미속어》 옹고집쟁이; 《미스포츠속어》 센 공격적 선수: a willing ~ (혼자 맡아) 도와주는 사람. **2 a** 목마; 〖체조〗 안마. **b** 접사다리, 톱질모탕, 빨래 거는 틀(clotheshorse), 횃대, (가죽의) 무두질대. **3** 〖해사〗 =JACKSTAY; 〖광산〗 광맥 속의 바위. **4** 《구어》 마력(horsepower); 《속어》 헤로인, 《널리》 마약; (*pl.*) 《미속어》 세공한 한 조의 주사위. **5** 《미속어》 자습서(crib); 1,000 달러; (교도소 내의) 연락꾼《매수되어 편지 · 담배 등을 날라 주는 교도관》. ◇ equine *a.*
a ~ of another 〔***a different***〕 ***color*** 《비유》 전혀 별개의 사항. ***a rocking ~*** 흔들목마《어린이용》. ***back*** 〔***bet on***〕 ***the wrong ~*** (경마에서) 질 말에 걸다; 《구어》 판단을 그르치다, (모르고) 약한 쪽을 지지하다. ***eat like a ~*** 대식하다, 많이 먹다; 일 잘하다. ***from the ~'s mouth*** 가장 확실한 계통에서 들은. ***hold*** one***'s ~s*** 참다, 유유히 기다리다. ***~ and carriage*** 말 한 필이 끄는 마차. ***~ and ~*** 《미속어》 피장파장으로. ***look a gift ~ in the mouth*** ⇨ GIFT HORSE. ***mount***

〔***ride***〕 ***the high*** ～ 《구어》 뽐내다, 거만하게 거동하다. ***off*** one's ***high*** ～ 《구어》 ① 오만 부리지 않는, 상냥한. ② 다시 친근해진, 화가 풀어진. ***on*** ～ ***of ten toes*** 《우스개》 도보로. ***on*** one's ***high*** ～ 뽐내어. ***play*** ～ ***with*** …을 괄시하다, 쌀쌀한 태도를 취하다. ***put the cart before the*** ～ 본말을 전도하다; 순서를 거꾸로 하다. ***run before*** one's ～ ***to market*** 너구리 굴 보고 피물 돈 내 쓰다. ***spur a willing*** ～ 쓸데없는 자극을 주다. ***take*** ～ 말을 타고 가다; (암말이) 교미하다. ***take the*** ～ 새끼 배다. ***talk*** ～ 허풍을 떨다. ***the flying*** ～ =PEGASUS. ***To*** ～***!*** 《구령》 승마. ***work like a*** ～ 힘차게〔충실히〕 일하다. 「의.
── *a.* 말의; 말에 쓰는; 말 이용의; 강대한; 기마
── *vt.* **1** …에 말을 공급하다; (마차에) 말을 매다. **2** 말에 태우다; 말로 나르다. **3** 짊어지다. **4** (암말과) 교미하다. **5** 채찍질하다; 《구어》 찌르다, 밀다; 맨손으로 본래 자리로 움직이다; …의 등에 태우다《채찍질하기 위해》. **6** 《구어》 혹사하다, (신입생을) 괴롭히다; 조롱하다; 《미속어》 속이다. **7** 《속어》 야단스럽게 연기하다. ── *vi.* **1** 말에 타다; 말을 타고 가다. **2** (암말이) 발정하다; 《구어》 희롱거리다, 법석떨다《***around***》; 《비어》 성행위에 빠지다《특히 배우자 아닌 사람과》.
㊞ **∠·less** *a.* **∠·lìke** *a.*

hórse and búggy 〔**cárriage**〕 말과 마차 《구식인 것의 비유》: go out with ～ 유행에 뒤떨어지다.

hórse-and-búggy [-ən-] *a.* 마차 시대의; 낡은, 구식의: the ～ league 《미야구속어》 마이너리그(minor league).

horse·back** [hɔ́ːrsbæ̀k] *n.* 말 등; =HOGBACK. ***a man on ～ 강력한〔야심적인〕 지도자, 군사독재자. (***go***) ***on*** ～ 말 타고 (가다). ── *ad.* 말을 타고: ride 〔go〕 ～ 말 타고 가다. ── *a.* 《미구어》 성급한, 경솔한; 《미속어》 (일이) 재빠른.

hórseback rìding 말타기, 승마.

hórse bèan 잠두(蠶豆), 누에콩《말 사료용》.

hórse bìscuit 1 허튼소리, 난센스《horseshit을 완곡히 한 것》. **2** 《우스개》 말똥.

hórse blòck 승마용 발판. 「말이 끄는 배.

hórse bòat 말 · 마차를 운반하는 나룻배; 《미》

hórse bòx 마필 운송차; 《비유》 커다란 의자.

hórse·bòy *n.* 마부.

hórse·brèaker *n.* 조마사(調馬師).

hórse·càr *n.* 《미》 (객차를 말이 끄는) 철도마차; 마필 운반차.

hórse chèstnut 〖식물〗 마로니에; 그 열매.

horse chestnut

hórse·clòth *n.* 말에 입히는 옷.

hórse còllar 1 말의 목사리, 가슴걸이. **2** 《야구속어》 무득점, 영패.

hórse-còllar *vt.* 《야구속어》 영패시키다, 완봉(完封)하다.

hórse-còper *n.* 《영》 (부정한 짓도 하는) 말장수, 마도위.

hórse-cúlture *n.* 말의 목초지로 팔기 위해 농토를 작은 구획으로 나눔.

hórse dòctor 마의(馬醫), 수의사; 편자공(工); 미숙한〔돌팔이〕 의사.

hórse-dráwn *a.* 말에 끌린, 말이 끄는.

hórse-fàced [-t] *a.* 말상의.

hórse·fèathers *n. pl.* 〖단 · 복수취급〗 《속어》 난센스, 엉터리. 「여자.

hórse·flèsh *n.* Ⓤ 말고기; 말(horses); 《비어》

hórse·flỳ *n.* 〖곤충〗 말파리, 쇠등에.

hórse-fòot *n.* 〖식물〗 머위; 〖동물〗 참게.

Hórse Guàrds (the ～) 《영》 근위기병; (런던 Whitehall 에 있는) 근위기병 연대본부.

hórse·hàir *n.* Ⓤ 말총; 마미단(馬尾緞)(haircloth).

hórse·hèad *n.* Ⓤ 호스헤드《말머리 꼴 두레박, 우물식 유정(油井)의 상부 구조》. 「식)야구공.

hórse·hìde *n.* (무두질한) 말가죽; 《구어》 (경

hórse·hòof *n.* 〖식물〗 머위(coltsfoot).

hórse·jòckey *n.* 기수(騎手).

hórse látitudes 〖해사〗 (북위〔남위〕 30 도 부근의) 아열대 무풍대(無風帶). 「faw).

hórse·làugh *n.*, *vi.* 홍소(哄笑)(하다)(guf-

hórse·lèech *n.* **1** 〖동물〗 말거머리. **2** 탐욕스러운 사람, 착취자. **3** 《고어》 수의(獸醫).

hórseless cárriage 《우스개》 (구식) 자동차.

hórse lìtter (말 두 필 사이에 메운) 말가마.

hórse màckerel 〖어류〗 전갱이; 다랑어(tunny).

horse·man** [hɔ́ːrsmən] (*pl.* ***-men [-mən]) *n.* 승마자, 기수; 마술가; 말 키우는 사람. ㊞ **～·shìp** *n.* Ⓤ 마술(馬術).

hórse marìne 1 《우스개》 기마 수병(水兵)《있을 수 없는 것》. **2** 부적격자: Tell that to the ～*s!* 되잖은 소리 마라. 「람.

hórse màster 말 조련사; 말〔마차〕 세놓는 사

hórse·mèat *n.* 말고기; 《비어》 여자.

hórse mùshroom 〖식물〗 식용 버섯의 일종.

hórse·nàpping *n.* 말 도둑질; 《특히》 경주마 훔치기. 「극; 《미속어》 서커스.

hórse òpera 《구어》 (텔레비전 · 영화의) 서부

hórse pàrlor 《속어》 마권 판매소. 「(馬上短銃).

hórse pìstol (가죽집에 넣은 대형의) 마상단총

hórse·plày *n.* Ⓤ 야단법석, 난폭한 놀이.

hórse·plàyer *n.* 상습적으로 경마에 돈을 거는 사람, 경마광(狂).

hórse·plàying *n.* Ⓤ 경마에 걸기.

hórse-pònd *n.* Ⓤ 말에게 물을 먹이거나 말을 씻기는 작은 연못.

***horse·pow·er** [hɔ́ːrspàuər] *n.* 〖단 · 복수 동형〗 마력《1 초에 75 kg 을 1 m 높이로 올리는 작업률의 단위; 생략: HP, H.P., hp, h.p.》.

hórsepower-hòur *n.* 마력시(馬力時)《1마력으로 1 시간에 하는 일의 양(量)의 단위》.

hórse·pòx *n.* 〖수의〗 마두(馬痘), 말 마마.

***hórse ràce** (1회의) 경마.

hórse ràcing 경마(horse races).

hórse·ràdish *n.* 〖식물〗 양고추냉이.

hórse ràke 말이 끄는 써레.

hórse·rìding *n.* 《주로 영》 =HORSEBACK RIDING.

hórse ròom 《속어》 마권(馬券) 매장.

hórse's áss 《비어》 멍텅구리, 아둔패기.

hórse sènse 《구어》 (속된) 상식, 생활의 지혜.

hórse's hángdown 《속어》 바보, 얼간이.

hórse·shìt 《미비어》 *n.* 실없는 소리, 허풍; 하찮은 것. ── *int.* 바보같이, 같잖아.

°**horse·shoe** [hɔ́ːrsʃùː, hɔ́ːrʃʃùː] *n.* **1** 편자, U 자형의 물건. **2** 〖동물〗 참게(=～ crab). **3** (*pl.*) 〖단수취급〗 편자던지기《유희》. ── *vt.* …에 편자를 박다; (아치 등) 편자 꼴로 하다. ── *a.* 편자 꼴의. ㊞ **hórse·shò·er** *n.* 편자공.

hórseshoe árch 〖건축〗 편자형의 아치.

hórseshoe cráb 〖동물〗 참게(king crab) 《편자 모양의 등딱지를 가진 바닷게》.

Hórseshoe Fálls (the ～) =CANADIAN FALLS.

hórseshoe màgnet 말굽자석《U 자형의》. ⓒⓕ bar magnet.

hórse shòw (매년 행해지는) 마술(馬術) 쇼.

hórse-sòldier *n.* 기병(騎兵).

hórse·tàil *n.* **1** 말꼬리. **2** 《구어》 소녀의 (뒤로)

드리운 머리, 포니테일(ponytail). **3** 옛 터키 군기(軍旗). **4** 〚식물〛 속새.

hórse tràde 마시(馬市); 《미구어》 빈틈없는 거래, 정치적 흥정. 「를」하다.

hórse-tràde *vi.* 《구어》 빈틈없는 흥정을〔거래

hórse tràder (거래에) 빈틈없는 사람, 흥정 잘하는 사람; 말 매매인. 「의 매매.

hórse tràding 빈틈없는 흥정, 교활한 거래; 말

hórse tràiler 마필 운송용 트레일러.

hórse·wèed *n.* 〚식물〛 망초.

hórse·whìp *n.* 말채찍. **—** *vt.* (말을) 채찍질하다; …에게 벌을 주다. 「여자 승마자.

hórse·wòman (*pl.* **-wòmen**) *n.* 여류 기수,

hors·ey, horsy [hɔ́ːrsi] (**hors·i·er; -i·est**) *a.* 말의; 말과 같은; 말을 좋아하는; 경마의; 경마를 〔여우 사냥을〕 좋아하는; 경마인다운, 기수연하는; 《속어》 큼직한. ㊕ **hórs·i·ly** *ad.* **hórs·i·ness** *n.* 말을 좋아함; 경마광(狂).

hors·ing [hɔ́ːrsiŋ] *n.* Ⓤ 승마 공급; 남의 등에 태우고 매질하기; 〚인쇄〛 단독 교정. **—** *a.* (암말이) 암내 난, 발정한, 교미기의.

horst [hɔːrst] *n.* 〚지학〛 지루(地壘).

hors texte [*F.* ɔʀtekst] *a., ad.* 《F.》 본문과는 별도로〔의〕, 별쇄(別刷)로〔의〕.

hort. horticultural; horticulture.

hor·ta·tion [hɔːrtéiʃən] *n.* Ⓤ 권고, 장려.

hor·ta·tive, -to·ry [hɔ́ːrtətiv], [hɔ́ːrtətɔ̀ːri/-təri] *a.* 권고의, 장려의.

hor·ti·cul·tur·al [hɔ̀ːrtəkʌ́ltʃərəl] *a.* 원예(학)의, 원예 농업의.

hor·ti·cul·ture [hɔ́ːrtəkʌ̀ltʃər] *n.* Ⓤ 원예 농업; 원예술〔학〕.

hor·ti·cul·tur·ist [hɔ̀ːrtəkʌ́ltʃərist] *n.* 원예가.

hor·tus sic·cus [hɔ́ːrtəs-síkəs] 《L.》 식물 표본(집); 《비유》 하찮은 사실 등의 수집.

Ho·rus [hɔ́ːrəs] *n.* 〚이집트신화〛 호루스《매의 모습을〔머리를〕 한 태양신》.

Hos. 〚성서〛 Hosea.

ho·san·na, -nah [houzǽnə] *int.* 호산나; 신을 찬미하는 말《마태복음 XXI: 9, 15 따위》.

HÓ scàle HO 축척(縮尺)《자동차 · 철도 모형의 축척》.

°**hose** [houz] (*pl.* ~, 《고어》 ***ho·sen*** [hóuzn]) *n.* **1** 〖집합적〗 긴 양말, 스타킹(stockings); 《고어》 반바지, (doublet과 함께 착용한) 타이츠: six pairs of ~ 긴 양말 6 켤레 / half ~ 짧은 양말, 속스. SYN. ⇨ SOCKS. **2** (*pl.* **hós·es**) Ⓤ,Ⓒ 호스. **—** *vt.* 《~+목/+목+부》(호스로 뜰 따위)에 물을 뿌리다, (차 등을) 물을 뿌려 씻다 《*down*》; 《속어》 호스 따위로 치다; 《Can. 속어》 속이다, 해치우다; 《고어》 긴 양말을 신기다: ~ (*down*) the car. (호스로) 물을 뿌려 세차하다. ㊕ **∠·like** *a.*

Ho·sea [houzíːə, -zéiə/-zíə] *n.* 〚성서〛 호세아《히브리의 예언자》; 호세아서(書)《구약성서의 한 편》.

hóse·man [-mən] (*pl.* **-men** [-mən]) *n.* 소방차의 호스 담당원.

hóse·pìpe *n.* 호스(hose).

hó·ser [hóuzər] *n.* **1** 호스로 물을 뿌리는〔주는〕 사람. **2** 《속어》 착한 친구, 믿을 만한〔믿을 수 있는〕 친구; 《캐나다 속어》(특히 북부의 소박하고 건장한) 캐나다 사람; 사기꾼; 몸가짐이 헤픈 여

hóse-rèel *n.* 호스 감는 바퀴. 「자.

ho·sier [hóuʒər/-ziə] *n.* 《영》 양말〔메리야스〕 장수.

ho·siery [hóuʒəri/-ziəri] *n.* Ⓤ 양말〔메리야스〕 장사; 양말류, 메리야스류; Ⓒ 그 제조소.

hosp. hospital.

hos·pice [háspis/hɔ́s-] *n.* (종교 단체 등의) 여행자 숙박〔접대〕소; 《영》 (빈민 · 병자 등의) 수용소(home); 호스피스《말기 환자(와 가족)의 고통을 덜기 위한 시설〔지원 활동〕》, 안락원(安樂院).

***hos·pi·ta·ble** [háspitəbəl, ∠-∠- / hɔ́s-] *a.* **1** 호의로써 맞이하는, 붙임성 있는, 후히 대접하는. **2** (새 사상 등에 대하여) 개방된(open) 《*to*》: ~ *to* new ideas 새 사상을 받아들이는. **3** 쾌적한. ㊕ **-bly** *ad.* **~·ness** *n.*

†**hos·pi·tal** [háspitl/hɔ́s-] *n.* **1** 병원: an isolation ~ 격리〔피(避)〕병원 / be in 〔out of〕 (the) ~ 입원〔퇴원〕해 있다 / go into 〔enter〕 (the) ~ 입원하다 / leave (the) ~ 퇴원하다. ★ 입〔퇴〕원의 뜻으로 쓰일 경우, 《영》에선 보통 the를 생략. **2** 자선 시설《양육원 따위》. **3** 《영》 공립학교《Christ's Hospital과 같이 고유 명사로서만》. **4** 〚역사〛 (Knights Hospitalers가 세운) 구호소. **5** (인형 따위의) 수리점: a doll 〔violin〕 ~. **6** 《미속어》 형무소(jail)《CIA나 암흑가의 용어》. **—** *a.* 병원의, 병원 근무의: a ~ ward 병동(病棟).

hóspital bèd 병원 침대《머리 · 동체 · 다리의 높낮이 조절이 가능》. 「한」.

hóspital féver 병원 티푸스《병원의 비위생에 의

hós·pi·tal·ìsm *n.* Ⓤ 병원 제도; 병원 설비 · 관리상의 결함.

***hos·pi·tal·i·ty** [hàspətǽləti/hɔ̀s-] *n.* Ⓤ **1** 환대, 후한 대접: He showed boundless ~ *to* me. 그는 나를 극진히 환대하였다. **2** (*pl.*) 친절. **3** 호의적인 수락: Afford me the ~ *of* your columns. 귀지(貴紙)에 실어 주십시오《기고가(寄稿家)의 용어》. ◇ hospitable *a.*

hospitálity índustry 서비스업《호텔 · 레스토랑업 등》.

hospitálity suìte (상담(商談)이나 여러 가지 대회 때에 준비되는) 접대용 스위트룸〔특별실〕.

hòs·pi·tal·i·zá·tion *n.* Ⓤ 입원 (가료); 입원 기간; 《구어》 입원 보험(= ∠ **insùrance**).

hos·pi·tal·ize [háspitlàiz/hɔ́s-] *vt.* 입원시키다, 병원 치료를 하다.

hóspital jòb 《영》 (흔히 업자에게 맡기는) 간단한 집수리; (질질 끄는) 쓸데없는 일.

hos·pi·tal·(l)er [háspitələr/hɔ́sp-] *n.* 의료 봉사자《종교적 자선단의 직원》; (런던의) 병원 부속 예배당의 목사; (H-) Knights Hospitalers의 일원.

hóspital·man [-mən] (*pl.* **-men** [-mən]) *n.* 〚미해군〛 (병원의) 위생병, 간호병.

hóspital núrse 《영》 간호사.

hóspital òrderly 〚군사〛 위생병, 간호병.

Hóspital Sáturday 〔**Súnday**〕 병원 모금 토요일〔일요일〕《토요일은 거리에서, 일요일은 교회에서 행함》.

hóspital shìp (전시 등의) 병원선.

hóspital tràin 병원 열차《부상병 후송 설비를 갖춘 군용 열차》. 「[-iə]) = HOSPICE.

hos·pi·ti·um [haspíʃiəm/hɔs-] *n.* (*pl.* **-tia**

hos·po·dar [háspədɑ̀ːr/hɔ́s-] *n.* (터키 지배하의) 군주, 태수. 「(horse).

hoss [hɔːs, hɑs/hɔs] *n.* 《방언 · 속어》 말

Host [houst] *n.* 〚종교〛 성체(聖體), 성병(聖餅)《성체 성사 · 미사의 빵》.

⁑**host**[1] [houst] (*fem.* **~·ess** [hóustis]) *n.* **1** (연회 등의) 주인 (노릇), 호스트《*to*》; (여관 따위의) 주인(landlord); 〚라디오 · TV〛 사회자. cf. guest. ¶ be 〔act as〕 ~ *at* a party 파티에서 주인 노릇을 하다. **2** 〚생물〛 (기생 동식물의) 숙주(宿主)(opp. *parasite*); 〚지학〛 친(親)광물, 친암석《내포한 광물보다 오랜 외부의 광물〔암석〕》. **3** 〚컴퓨터〛 = HOST COMPUTER. **4** 〖형용사적〗 주최자측의: the ~ country 주최국《*for*》. ***reckon***

〔*count*〕 ***without*** one's ~ 중요한 점을 빠뜨리고 결론을 내리다〔계획을 세우다〕. **—** *vt.* 접대하다, (파티 등)의 주인역을 하다; …의 사회를 하다. [파] **∠·ly** *a.* **∠·ship** *n.*

host**[2] *n.* 많은 사람, 많은 떼, 다수(*of*); 《고어》 군세, 군대: a ~ *of* friends 많은 친구들 / ~*s of* troubles 많은 말썽 / the heavenly ~ = ~(*s*) *of* heaven 천사의 무리; 일월성신(日月星辰). ***a ~ in oneself 일기당천의 용사.

°**hos·tage** [hástidʒ/hɔ́s-] *n.* 볼모(의 처지), 인질; 저당물; 담보: be held *in* ~ 볼모로 잡히다. ***~s to fortune*** 운명의 인질《언제 잃을지 모르는 처자·재산 등》. ***take*** a person ~ 아무를 인질로 잡다. **—** *vt.* 볼모로 주다. [파] **~·shìp** *n.* [U] 인질.

hóst compùter 〖컴퓨터〗 호스트 컴퓨터《대형 컴퓨터의 주연산 장치인 CPU가 있는 부분》.

hos·tel [hástl/hɔ́s-] *n.* **1** 호스텔, 숙박소 (youth ~)《도보·자전거 여행의 청년 남녀용》. **2** 《영》 대학 기숙사; 《영고어》 여관. **—** *vi.* 호스텔에 묵다; 《영방언》 숙박하다.

hos·tel·(l)er [hástlər/hɔ́s-] *n.* 《고어》 여관 주인; (youth) hostel 이용자〔경영자〕.

hos·tel·ry [hástlri/hɔ́s-] *n.* 《고어·문어》 여관(inn).

‡**host·ess** [hóustis] *n.* **1** (연회 등의) 여주인(역). **2** 여관의 안주인. **3** (여객기의) 스튜어디스 (air ~). [cf.] stewardess. **4** (술집·카바레·댄스홀 등의) 호스티스, 접대부, 여급. **5** (직업적) 댄스 파트너, 댄서. **—** *vi., vt.* 호스티스 일을 보다, 호스티스로서 접대하다.

hóstess gòwn 접객 때의 긴 실내복.

hóst fàmily 외국인 유학생을 홈스테이로 받아들이는 가정. 「HOSTESS.

host·ie [hóusti] *n.* 《Austral. 구어》 = AIR

***hos·tile** [hástl, -tail/hɔ́stail] *a.* **1** 적의 있는, 적개심에 불타는(*to*). **2** 반대의, 호의적이 아닌 (*to*): ~ *to* reform 개혁에 반대하는. **3** 냉담한, 성미에 맞지 않는(*to*). **4** 적의, 적군의: a ~ ground 적지. [파] **~·ly** *ad.* **~·ness** *n.*

hóstile tákeover 〖경제〗 적대적 매수(merger and acquisition).

hóstile wítness 〖법률〗 적의(敵意)를 가진 증인《자기를 증인으로 세운 쪽에 불리한 증언을 하는 사람》.

°**hos·til·i·ty** [hastíləti/hɔs-] *n.* **1** [U] 적의(敵意), 적개심(*toward*): display one's ~ *to* 〔*against, towards*〕 …에게 적의를 나타내다. **2** [C] 적대 행위. **3** (*pl.*) 전쟁 행위, 교전 (상태): long-term *hostilities* 장기 항전 / open 〔suspend〕 *hostilities* 전쟁을 시작하다〔휴전하다〕. **4** (사상·계획 등에 대한) 반대, 반항, 저항.

hos·tler [háslər/ɔ́s-] *n.* 《고어》 = OSTLER.

hóst plànt 기주(寄主) 식물, 숙주 식물.

hóst-specífic *a.* 특정한 숙주(宿主)에 기생하는, 숙주 특이성(特異性)의.

†**hot** [hat/hɔt] (***hót·ter; -test***) *a.* **1 a** 뜨거운, 더운; 〖야금〗 고온의, 열간(熱間)의: a ~ day / ~ coffee / Strike the iron while it is ~. 《속담》 쇠뿔도 단김에 빼라. **b** (몸이) 달아오르는, 더운; 고열의: I'm ~ *with* fever. / Digging potatoes is a ~ job. 감자캐기는 땀나는 일이다. **2 a** 격렬한, 열띤(fiery)《의논·싸움 등》, (구기에서) 센, 어려운《공》; 〖재즈〗 즉흥적이며 격렬한, 익사이팅한: a ~ battle 격전 / a ~ pursuit 맹렬한 추적. **b** 열렬한, 달아오른; 열망하는, 몹시 하고 싶어 하는(eager)(*for*); 열중한(*on*). **c** 혈기 왕성한, 화난(angry), 흥분한, 발끈한(*with* rage): a ~ temper 성마름 / ~ anger 격노. **d** 《속어》 가슴 설레게 하는, 센세이셔널한. **e** 호색인(lustful), 발정한, 외설한. **3** (맛이) 자극성이 있는, 매운; (색깔·냄새 따위가) 강렬한: This curry is too ~. 이 카레는 너무 맵다. **4 a** (요리 따위가) 따끈따끈한, 갓 만든; 《영구어》 갓 찍어낸《지폐》. **b** (뉴스 등이) 새로운, 최신의, (지금) 화제인, 목하 인기인《레코드·상품》: ~ news / news ~ off the press 갓 발행된 뉴스. **c** 〖사냥〗 (냄새 흔적이) 강한([cf.] cold, cool, warm); 접근하여, (숨바꼭질·퀴즈 따위에서) 목표〔정답〕에 가까운, 맞힐 듯한. **5 a** 《구어》 (선수 따위) 잘하는, 훌륭한; 아주 유망한《팀 따위》; 잘 해내는, 더할 나위 없는 (*in; on*); 사정에 밝은: a ~ favorite (경마의) 인기 말 / ~ *in* math 수학을 잘하는. **b** 《속어》 우연히 들어맞는, 운이 닿은. **6 a** 《속어》 부정으로 입수한, (막) 훔쳐낸; 금제(禁制)의(contraband); 《속어》 지명 수배된; (은신처로서) 위험한, (들킬) 위험이 있는: ~ goods (곧 발목이 잡힐) 장물. **b** 《속어》 방사능의, 방사성의; 방사성 물질을 다루는《실험실 등》; (원자가) 들뜬 상태에 있는(excited); 고전압의; (비행기가) 빠른, 《특히》 착륙 속도가 큰: a ~ wire 고압(전)선 / ~ dust 방사능을 띤 먼지. **c** 《속어》 어리석은, 터무니없는, 《Austral. 구어》 무리한《요금·가격》. **7** (자동차·엔진이) 고속의, (엔진이) 고마력의: a ~ new jet plane. **8** (자금이) 단기간에 대량으로 움직이는: ⇨HOT MONEY. **9** 《미속어》 근사한, 멋진. ***be ~ on the trail*** 〔***heels***〕 (***of …***) (…을) 맹렬히 뒤쫓다, …에 바싹 다가가다. ***blow ~ and cold*** ⇨BLOW[1]. ***drop*** a thing 〔a person〕 ***like a ~ potato*** 〔***brick, chestnut***〕 황급히 〔갑자기, 아낌없이〕 버리다, 갑자기 일체의 관계를 끊다. ***get ~*** 《구어》 흥분하다, 화내다; 열중하다; (퀴즈의 답, 사냥 목적물 등에) 가까워지다. ***get into ~ water*** 《속어》 고생하다. ***~ and heavy*** 〔***strong***〕 호되게; 맹렬히. ***~ and ~*** 갓 요리된, 금방 만들어 따끈따끈한. ***~ with*** 《구어》 설탕을 넣은 술 ([cf.] cold without). ***make it*** 〔***a place, things, etc.***〕 (***too***) ***~ for*** 〔***to hold***〕 a person 《구어》 (구박 등으로) 아무를 붙어 있을 수 없게 만들다, (약점을 기화로) 호되게 몰아치다. ***not so*** 〔***that, too***〕 ***~*** 《구어》 별로 좋지 않은, 평범한.

— *ad.* 뜨겁게; 심하게; 성내어; 열심히; 〖야금〗 고온으로, 열간(熱間)으로: get 〔catch〕 it ~ 호되게 야단맞다 / give it (to) a person ~ 아무를 몹시 꾸짖다 / have it ~ 호되게 야단맞다.

— (***-tt-***) *vt.* **1** 데우다, 뜨겁게 하다(*up*). **2** 활기를 불어넣다. ***be ~ted up*** 《미속어》 (모터·자동차 등이) 가속되다.

— *n.* 훔친 물건; 식사; (*pl.*) 《속어》 강한 성욕. [파] **∠·ness** *n.*

hót áir 《속어》 허풍, 자기 자랑.

hót-áir *a.* (난방 장치에서 나오는) 열기〔열풍〕의: ~ heating 온풍 난방 / ~ drying 열풍 건조.

hót-àir ballóon 열기구(熱氣球).

hót and hígh 〖항공〗 항공기의 이륙 활주 거리(TOD)를 길게 하는. 「높은 원자》.

hót átom 핫아톰《핵반응시 생성되는 에너지가

hót báby 《미속어》 섹시하고 정열적인 여자.

hót·bèd *n.* 〖농업〗 온상; (악습 등의) 온상: a ~ of crime 범죄의 온상.

hót blàst 〖야금〗 용광로에 불어 넣는 열풍.

hót-blóoded [-id] *a.* **1** 혈기찬, 욱하는. **2** 정열적인, 색정이 강한. **3** (가축이) 혈통이 좋은. [파] **~·ness** *n.*

hót·bòx *n.* (철도 차량 따위의) 과열한 굴대〔축〕받이 상자; 《속어》 성적으로 곧 흥분하는 여자.

hót-bràined *a.* 《고어》 = HOTHEADED.

hót bùtton 1 (소비자·유권자 등의 태도를 좌우하는) 사회적 논의의 중심 문제, 사회적 관심사, 중요한 쟁점, 가장 중시되는 과제, 결정적인 요인.

2 (중요한 문제에 관해 유권자의 지지를 얻기 위한) 간결하고 멋진 말〔슬로건〕. 3 영리상의 매력(을 끌게 하는 것), 《특히》 히트할 만한 상품, 매력적인 투자처.
hót-bútton *a.* hot button의〔적인〕, 결정적인, 중대한; 감동을 자극하는, 흥분시키는: ~ issue 〔topic〕 시민 감정이 복잡하게 얽힌〔격론을 일으키는〕 (정치) 문제, 여론의 갈림길.
hót càke 핫케이크: sell 〔go〕 (off) like ~*s* 날개 돋친 듯이 팔리다.
hót càp 핫 캡《이른 봄에 상해(霜害) 방지를 위해 화초·나무에 씌우는 플라스틱 또는 종이로 만든 덮개》.
hót céll 방사성 물질 처리용 차폐실(室).
hotch [hɑtʃ/hɔtʃ] 《Sc.·북Eng.》 *vi.* (조금씩) 흔들리다; 안절부절못하다; 위치를〔중심을〕 옮기다. — *vt.* 흔들리게 하다, 이동시키다.
hot·cha [hɑ́:tʃɑ:, -tʃə] *n.* 《속어》 핫 재즈.
hót chàir 《미속어》 (사형의) 전기의자.
hót chéck 《속어》 부도수표, 위조〔변조〕수표.
Hótch·kiss [hɑ́tʃkis/hɔ́tʃ-] *n.* **Benjamin Berkeley** ~ 호치키스《미국의 발명가·화기 제작자; 기관총, 탄창식 라이플을 발명; stapler를 고안하여 우리말 '호치키스'의 어원이 됨》.
hót chócolate 우유나 물에 초콜릿 가루를 탄 음료.
hotch·pot [hɑ́tʃpɑ̀t/hɔ́tʃpɔ̀t] *n.* Ⓤ 1 =HOTCHPOTCH 1. 2 〖영법률〗 재산 병합.
hotch·potch [hɑ́tʃpɑ̀tʃ/hɔ́tʃpɔ̀tʃ] *n.* Ⓤ 1 (고기·야채 따위의) 잡탕찜. 2 《영》 뒤범벅, 잡동사니. 3 〖영법률〗 =HOTCHPOT 2.
hót cóckles 눈 가린 술래가 자기를 때린 사람의 이름을 알아맞히는 어린이 놀이.
hót cómb 전열식 빗.
hót córner 《야구속어》 3 루수의 수비 위치.
hót cròss bún =CROSS BUN.
hót dèsking 핫 데스킹 《직원 개인의 책상이 정해져 있지 않고 필요에 따라 적당한 책상을 쓸 수 있는 방식》.
hót dísh 냄비요리(casserole); (메인 코스의) 뜨거운 요리.
hót dòg 1 =FRANKFURTER. 2 《구어》 핫도그. 3 《미속어》 뛰어난 묘기를 부리는 운동선수. — *int.* 《미속어》 기막히군, 근사하다.
hót-dòg *vi.* 여봐란 듯한 태도를 취하다, (서핑·스키·스케이트에서) 곡예사 같은 기교를 보이다. — *a.* 1 핫도그의: a ~ stand 핫도그 판매대. 2 묘기를 보이는; 묘기의《스키나 서핑 등에 서의》. 3 멋진, 훌륭한. ㊞ **hót·dògger** *n.* 묘기 부리는 선수《스키어, 서퍼 등》; 《미학생속어》 허풍선이; 장래가 유망한 사람. **hót·dògging** *n.*
†**ho·tel** [houtél] *n.* 호텔, 여관: a temperance ~ 금주(禁酒) 여관 / run a ~ 호텔을 경영하다 / put up 〔stay〕 at a ~ 호텔에 숙박하다〔머물러 있다〕.

> SYN. **hotel** 가장 널리 쓰이는 말. **house** 명사의 저택 따위가 뒤에 숙박 시설로 전용되거나 하는 경우에 쓰임. **inn** 구식의 여관을 말함. 규모가 큰 것은 적고 시골에 있는 경우가 많음. **tavern** 목로주점이 숙박 시설을 갖는 경우에 쓰임.

His* 〔*Her*〕 *Majesty's ~ 《우스개》 교도소. — (*-l-*, 《영》 *-ll-*) *vt.* 〔보통 ~ it의 형태〕 호텔에 숙박하다.
hô·tel [outél] *n.* 《F.》 저택, 공관; 호텔.
hotél chìna 고온(高溫)으로 견고하게 구운 미국 도자기.
hôtel de ville [*F.* otɛldəvil] 《F.》 시청.
hôtel Dieu [*F.* otɛldjø] 《F.》 (시립) 병원.
hót eléctron 〖전자〗 뜨거운 전자《반도체에 강한 자기장(磁氣場)을 가할 때 전도 전자계의 온도가 격자계(格子系)의 온도보다 높아지는 상태》.
ho·tel·ier [òutəljéi, hòutəlíər/hɔtéljei] *n.* 《F.》 =HOTELKEEPER.
hotél·kèeper *n.* 호텔 경영자〔지배인〕.
hotél-kèeping *n.* Ⓤ 호텔 경영(업).
hotél·man [-mən, -mæ̀n] *n.* =HOTELKEEPER.
hót-èyed *a.* 혈안이 된, 흥분한.
hót fávorite 우승 후보.
hót fénce 《N. Zeal.》 (농장 둘레의) 전류가 통하는 울타리.
hót flásh 〔**flúsh**〕 〖생리〗 (폐경기의) 일과성 〔전신〕 열감(熱感).
hót·fòot (*pl.* ~*s*) *n.* 《구어》 남의 신에 몰래 성냥을 끼워 놓고 불붙게 하는 장난. — *vt.* 1 〔보통 ~ it의 꼴로〕 급히 서둘러 가다. 2 (아무에게) ~ 장난을 치다. — *vi.* 급히 가다. — *ad.* 급히 서둘러서, 허겁지겁.
hót-gòspeler *n.* 아주 열성적인 복음 전도자.
hót gréase 《속어》 발등에 떨어진〔피할 수 없는〕 성가신〔귀찮은〕 일〔문제〕.
hót·hèad *n.* 성미 급한 사람.
hót·héaded [-id] *a.* 성미 급한, 격하기 쉬운. ㊞ ~·**ly** *ad.* ~·**ness** *n.*
hót·hòuse *n.* 1 온실; (범죄·악습의) 온상. 2 도자기 건조실. 3 《폐어》 터키탕; 갈보집. — *a.* 온실에서 자란 (것처럼 저항력이 약한).
hóthouse efféct =GREENHOUSE EFFECT.
hót íssue 《미》 〖증권〗 인기 신주(新株).
hót ìtem 잘 팔리는 상품.
hót·kèy *n.*, *vi.*, *vt.* 〖컴퓨터〗 핫키(를 누르다), 핫키로(어떤 기능을) 호출하다《원터치로 다른 프로그램에 접촉할 수 있게 하는 키(의 한 벌)》.
hót láb 〔**láboratory**〕 고(高)방사성 물질 연구실.
hót láunch 〖군사〗 ICBM을 사일로 내에서 로켓 모터에 점화하여 발사하는 방식.
hót lìne 핫라인《정부 수뇌 간 등의 긴급 직통 전화》; 〔일반적〕 긴급 직통 전화; (익명의) 전화 신상 상담 서비스; 《미·Can.》 (전화를 이용한) 시청자 참가 프로.
hót-lìner *n.* 《Can.》 시청자 참가 프로의 호스트.
hót lìnk *n.* 〖컴퓨터〗 핫 링크《두 개의 application 중의 한 쪽의 변화가 즉시 다른 쪽에도 작동하도록 연결시키는 일》. — *vt.* (두 개의 application을) 핫 링크 하다.
hót lìst 〖컴퓨터〗 핫 리스트《컴퓨터에 저장되어 있거나 인터넷 웹 사이트에 나타나는 웹 사이트 주소 목록》.
°**hót·ly** *ad.* 뜨겁게; 몹시; 매우 성을 내어.
hót mámma 《미속어》 =RED-HOT MAMMA.
hót mèlt (제본용의) 속건성(速乾性) 접착제.
hót métal 〖인쇄〗 주조(鑄造) 활자.
hót móney 1 〖경제〗 금리·환율 변동을 노리고 이동하는 국제 금융 시장의 부동(浮動) 자금, 투기적 국제 단기 금융 자금. 2 《속어》 부정한 돈.
hót móoner 화산 활동에 의해 달에 분화구(crater)가 생겼다고 생각하고 있는 사람, 월면(月面) 분화설 주장자.
hót nùmber 《미속어》 최신의 인기 있는 것; 정열적이고 섹시한 여자.
hót núts 《속어》 (남자의) 성욕, 음경의 발기; 하초가 달아 있는 녀석〔친구〕.
hót pàck 1 온습포. 2 (통조림의) 열간 처리법.
hót pànts 《미속어》 색정; (여성용) 핫팬츠.
hót pépper 〖식물〗 고추.
hót plàte 요리용 철판; (요리용) 전기〔가스〕 히터; 음식용 보온기; 전열기(電熱器).
hót pòt 쇠고기〔양고기〕와 감자를 냄비에 넣고 찐 요리.
hót potáto 《영》 껍질째 구운 감자(=**báked potáto**); 《구어》 난〔불유쾌한〕 문제, 뜨거운 감자.
hót-prèss *n.* 가열 압착기(壓搾機), 광택 내는

기계. **—** *vt.* (종이 따위)를 가열 압착하다, …의 광택을 내다.
hót próperty 《속어》 (후원자 · 출자자의 입장에서 보아) 가망이〔가치가〕 있는 것〔사람〕.
hót pursúit (범인 · 적에 대한) 긴급 월경(越境) 추격.
hót ròck 〖지학〗 열암《마그마의 관입으로 생긴 지하의 건조한 고온 암체(岩體)》; 무모한 항공기 조종사; 《미속어》 거물(hotshot).
hót ròd 《속어》 **1** 엔진을 고속용으로 갈아 낀 (중고) 자동차. **2** =HOT RODDER.
hót ròdder 《속어》 고속용 개조 자동차 운전〔제작〕자; 폭주족(暴走族).
hót sèat 《속어》 전기의자(electric chair); 《구어》 궁지, 어려운 처지; (법정) 증인석; (비행기의) 사출(射出) 좌석.
hót shít 《미속어 · 비어》 대단한 것〔놈〕; 허세 부리는〔자만심이 강한〕 녀석; 거물; (기쁨 · 동의를 나타내어) 잘했군, 물론이야.
hót shòe 핫슈《카메라 상부의 플래시 연결 부분》; 《미속어》 솜씨 좋은 경주용차 운전자.
hót-shórt *a.* 열에 약한.
hót shót **1** 백열광탄〔사격〕《적함 · 건물 등을 연소시키는 화포》. **2** =HOTSHOT *n.* 1, 3
hót·shòt 《미속어》 *a.* **1** 적극적이며 유능한, 능수꾼인. **2** 화려한 솜씨를 보이는: a ~ ballplayer 멋진 플레이를 하는 야구 선수. **3** 쉽없이 움직이는〔나가는〕, 직행의, 급행의. **—** *n.* **1** 적극적이고 유능한 사람, 능수꾼; 거물. **2** (비행기 · 열차 등의) 직통 급행편, (화물의) 지급편; 최신 정보, 뉴스. **3** 소방사.
hót skínny (the ~) 《속어》 내부 정보.
hót spòt **1** 《구어》 분쟁(의 위험이 도사린) 지대, 전지(戰地). **2** 《미속어》 나이트클럽, 환락가, 매춘 여관. **3** 곤경, 궁지. **4** 〖지학〗 열지점《지각(地殼) 하부 또는 맨틀 상부의, 고온 물질이 상승하는 부분》. **5** 〖컴퓨터〗 핫 스팟《마우스를 클릭했을 때 영향을 미치는 곳. 즉 마우스 조작에 의해 영향을 받는 정확한 화면상의 위치를 마크하는 점》.
hót spríng 온천.
hót·spùr *n.* 성급한〔성마른〕 사람; 무모한 사람.
hót squát (the ~) 《속어》 전기의자(electric chair).
hót-stóve lèague 시즌오프 후에 이야기하기 위해 모이는 스포츠 애호가들.
hót stúff 《속어》 **1** 멋진〔굉장한, 재미있는〕 (것); 〖감탄사적〗 잘했다, 멋지다, 아주 좋다. **2** 〖흔히 반어적〗 능력 있는〔잘 알고 있는, 대단한〕 녀석, 전문가. **3** 장물, 수상한 물건; 뜨거운 음료; 〖감탄사적〗 뜨거워요 (조심해); 외설적인 것《책 · 필름 따위》. **4** 정력가, 열혈한, 호색가; 섹시한 여자; 〖감탄사적〗 야 멋쟁이다《남, 여》.
hót-swáp *vt.* (컴퓨터의 부품을) 전원을 켠 채로 교체하다.
hót·swìtch *n.* 〖통신〗 통신 위성 교체시에 중계기의 전환을 통신 두절 없이 행하는 것.
hot·sy-tot·sy, hot·sie-tot·sie [hátsitátsi/hɔ́tsitɔ́tsi] *a.* 《속어》 근사한, 이를 데 없는, 매우 좋은.
hót-témpered *a.* 성 잘내는, 신경질적인.
Hot·ten·tot [hátntàt/hɔ́tntɔ̀t] *n.* (남아프리카의) 호텐토트 사람; [U] 호텐토트 말; [C] 지능 · 교양이 낮은 사람, 미개인. **—** *a.* ~의.
Hot·ter [G. hɔ́tər] *n.* **Hans ~** 호터《오스트리아의 베이스 · 바리톤 가수; 1909-2003》.
hót tícket 《구어》 굉장히 인기 있는 것〔사람〕, 잘 팔리는 사람《가수 · 배우 따위》.
hot·tie, hot·ty [háti/hɔ́ti] *n.* 《영 · Austral.》 탕파(湯婆).
hót·ting *n.* 《영구어》 (훔친 고성능 차를) 난폭하게 몰며 과시하는 것. ㊞ **hót·ter** *n.*

hot·tish [hátiʃ, hɔ́t-] *a.* 약간〔다소〕 더운.
hót tóddy 위스키에 레몬 · 설탕 · 더운물을 섞은 음료.
hót trày 요리 보온기(保溫器).
hót tùb (휴식이나 치료를 위해 종종 집단으로 몸을 담그는) 온수 욕조(spa)《대형으로 보통 목제》.
hót wár 열전, 본격적 전쟁. [opp] *cold war.*
hót wáter 더운물; 《구어》 곤란, 고생.
hót-wáter bàg 〔**bòttle**〕 탕파《보통 고무 제품》.
hót-wáter hèating 온수 난방.
hót wáter pollùtion =THERMAL POLLUTION.
hót-wáter trèatment (식물의 기생균 등을 제거하기 위한) 온탕 처리.
hót wèll **1** 온천. **2** (증기 기관의) 물탱크.
hót-wíre *a.* 열선의, 가열선 이용의《전기 기구》. **—** *vt.* 《속어》 (점화 장치를 단락(短絡)시켜 차 · 비행기의) 엔진을 걸다.
hót zóne 〖컴퓨터〗 워드프로세서에서 사용자가 지정한 오른쪽 마진으로부터 7자 정도 왼쪽까지의 영역《하이픈으로 끊어 다음 행으로 연결시키느냐, 아니면 행을 바꾸느냐의 판단이 요구되는 구간》.
hou·dah [háudə] *n.* =HOWDAH.
Hou·di·ni [huːdíːni] *n.* **Harry ~** 후디니《미국의 마술사, 결박 풀이 · 탈출 등의 명인, 본명 Ehrich Weiss; 1874-1926》.
hough [hak/hɔk] *n.*, *vt.* 《Sc.》 =HOCK[1].
hound** [haund] *n.* **1** 사냥개《말 머리에 blood-, deer-, fox-를 붙이는 일이 많음》; 《고어 · 시어》 개. **2** 비열한(漢). **3** 《구어》 열중하는 사람, …광. **4** (산지(散紙)놀이(hare and hounds)의 '개'가 된) 술래. **5** (the ~s) (여우 사냥하는) 사냥개의 떼. **6** (the H-) 그레이하운드(Greyhound) 버스. ***a ~ of law 포졸(捕卒). ***follow the ~s*** =***ride to ~s*** 말 타고 사냥개를 앞세워 사냥을 가다. **—** *vt.* **1** 사냥개로 사냥하다. **2** 《~+[목]/+[목]+[전]+[명]》 추적하다; 쫓아다니다; 추적하여 잡다《*down*》; 몰아내다《*out*》, 박해하다: ~ a person *to* death 아무를 박해하여 죽이다. **3** 《+[목]+[전]+[명]》 격려하다; 부추기다《*at; on*》: ~ a dog *at* a hare 개를 부추겨 토끼를 쫓게 하다.
hóund dòg 《미남부》 사냥개(hound); 《미속어》 섹스만 생각하는 남자, 여자 뒤만 쫓아다니는 남자, 색광; (H- D-) 〖미공군〗 하운드 도그《공대지(空對地) 미사일》.
hóund·fish *n.* 〖어류〗 =DOGFISH.
hóund's-tòngue *n.* 〖식물〗 큰유리풀의 일종《지치류》.
hóund's·tòoth 하운드 투스(무늬)(=**hóund's-tòoth chéck**)《각종 직물의 개 엄니 모양의 격자무늬》.
****hour** [auər] *n.* **1** 한 시간; 한 시간 가량, 한참 동안; (수업의) 한 시간; 한 시간의 노정〔거리〕: 1800 ~*s* 오후 6시《24시간제의 표시법으로 eighteen hundred hours 라고 읽음》. **2** 시각: the early ~*s* of the morning 아침 이른 시각. [SYN.] ⇨TIME. **3** 지금 시각, 현재, 현금; (the ~) 정시《정각 1시 따위 분이 붙지 않는 시각》; (one's (last) ~) 죽을 때, 최후; (one's ~) 중대시, 성시(盛時): the man 〔question〕 of the ~ 화제의 인물〔시사 문제〕/ (every ~) on the ~ (매)정시에 / to an 〔the〕 ~ 정각 / His ~ has come. 그의 임종 때가 왔다. **4** (…할, …의) 때, 시기, 계제; (…인) 때, 시대: What is your dinner ~? 당신의 저녁 식사 시간은 몇 시입니까 / What ~ do you open? 몇 시에 가게 문을 엽니까 / my boyhood's ~*s* 소년 시절. **5 a** (*pl.*) 근무〔집무, 공부〕 시간; 취침〔기상〕 시각: office 〔business〕 ~*s* 집무〔영업〕 시간 / school ~*s* 수업 시간 / The doctor's ~*s* are from 10 to 4. 진료 시간은 10시부터 4시까지입니다 / keep regular ~*s* 규칙 바르게 생활〔자고 일어나고〕하

다. **b** (종종 H-s) 〖가톨릭〗 1 일 7 회의 과업《정시의 기도》: a book of ~*s* 성무(聖務) 일과표. **c** (the H-s) 〖그리스신화〗 때의 여신(Horae). **6** 〖천문〗 경도간의 15 도; =SIDEREAL hour. ***after ~s*** 정규 업무 시간 후에. ***at all ~s*** 언제든지. ***at the eleventh ~*** ⇨ ELEVENTH HOUR. ***by the ~*** 시간제로, 한 시간에 얼마로《고용 · 지불 등》. ***for ~s together*** 몇 시간이나 계속하여. ***~ after ~*** 매시간; 언제든지. ***improve each*** 〔***the shining***〕 ***~*** 시간을 최대한으로 활용하다. ***in a good*** 〔***a happy***〕 ***~*** 운 좋게, 다행히도. ***in an evil*** 〔***an ill***〕 ***~*** 불행히도. ***of the ~*** 목하의, 바로 지금의. ***out of ~s*** (근무) 시간 외에. ***take ~s over*** …에 몇 시간이나 걸리다. ***till*** 〔***to***〕 ***all ~s*** 밤늦게까지.

hóur àngle 〖천문〗 시각(時角)《자오선과 천체가 이루는 각도》.

hóur cìrcle 〖천문〗 시권(時圈)《천공의 양극을 지나는 12 대원(大圓)》.

hóur·glàss *n.* 모래〔물〕시계.

hóur hànd (시계의) 단침〔시침〕. ⓒⓕ minute hand.

hou·ri [húəri, háuəri/húəri] *n.* 〖이슬람〗 극락의 천녀; 매혹적인〔요염한〕 미인.

hóur-lòng *a.* 한 시간의, 한 시간 계속되는.

°**hóur·ly** *a.* 한 시간마다의, 매시의; 빈번한. — *ad.* 매시간마다; 빈번히; 끊임없이.

hóur plàte (시계의) 문자반.

†**house**[1] [haus] (*pl.* ***hous·es*** [háuziz]) *n.* **1** 집, 가옥, 주택, 저택: a wooden ~ 목조 가옥 / An Englishman's ~ is his castle. 《속담》 영국 사람의 집은 성(城)이다《사생활에 남의 간섭을 용납 안 함》.

> SYN. **house** '집'의 건물을 가리켜 말하는 경우에 쓰임. **home** 가정의 뜻. 그러나 미국에서는 home 을 house 와 같은 뜻으로 쓰는 사람도 있음. **residence** 주택으로서의 '집' 뿐만 아니라 그 존재 장소도 포함함. **dwelling** 살림집, 주로 시어(詩語).

2 a 가정, 가족, 세대: set 〔break〕 up ~ 살림을 차리다〔깨다〕. **b** 가계, 혈통: the *House* of Windsor 윈저가《현(現) 영국 왕실》/ the Imperial 〔Royal〕 *House* 왕실. **3 a** 의사당; (의회의) 정원수; (the H-) 의회; (the H-) 《영구어》 상하원; 《미》 하원; 〔집합적〕 의원(議員)들: both *Houses* 상원과 하원, 양원 / ⇨UPPER 〔LOWER〕 HOUSE. **b** 수도원; 교회당(church), 사원(temple), 회당(synagogue); 종교 단체, 교단; (교회 · 대학의) 평의원회: ⇨a ~ *of* God. **4 a** 회장, 집회장, 회관; 극장, 연주회장; 흥행; 〔집합적〕 관중, 청중: a full ~ 대만원 / a poor ~ 한산한 관객. **b** 도박장; 도박장 경영자; 《군대속어》 하우스 도박《바둑판 눈이 있는 특수 카드를 씀》. **c** (컬링에서) 하우스《표적(tee) 주변의 원》. **5** 곳집, 창고, 차고, (가축 등의) 우리, 집; 〖해사〗 =DECKHOUSE: a strawberry ~ 딸기 (재배) 하우스. **6** 상사(商社), 상점; (the H-) 《속어》 런던 증권 거래소: a publishing ~ 출판사 / ~ policy 가게의 규정〔방침〕. **7** 여인숙, 여관 (SYN. ⇨HOTEL); 술집; 《미구어》 매춘굴: (the) Sloane *House* 슬론 호텔《뉴욕시》. **8** (대학의) 기숙사; 〔집합적〕 기숙생; (종합 대학 내의) 칼리지; (the H-) Oxford 대학의 Christ Church College; (교내 경기를 위한) 조, 그룹. **9** 〖점성〗 궁(宮), 수(宿). **10** 〔형용사적〕 집의, 가옥〔주거〕용의; 집으로 잘 출입하는; (동물이) 집에서 기른. **11** 〖음악〗 하우스(뮤직)《신시사이저 등의 전자 악기나 샘플링(sampling)을 많이 사용하여 보컬보다는 리듬을 중시하는 템포가 빠른 디스코 음악》. ***a ~ of call*** 단골집; (주문 받으러 가는) 단골처; 여인숙, 술집. ***a ~ of ill fame*** 〔***repute***〕 매음〔매춘〕굴. ***as safe as ~s*** 〔***a ~***〕 ⇨ SAFE. ***be in possession of the House*** 《영》 (의회에서) 발언권을 가지다. ***bring down the ~*** =***bring the ~ down*** 《구어》 만장의 갈채를 받다. ***clean ~*** 집을 정리하다; 숙청하다, (악조건을) 일소하다. ***dress the ~*** 극장을 실제보다 손님이 많은 것같이 보이게 하다《무료 초대자 따위를 들여서》. ***enter*** 〔***be in***〕 ***the House*** 하원 의원이 되다. ***from ~ to ~*** 집집이. ***~ and home*** 〔강조적〕 가정. ***keep a good ~*** 호사스럽게 살다; 손님을 잘 대접하다. ***keep ~*** 살림을 하다; 살림을 꾸려나가다; 《영》 채권자를 피해 외출하지 않다. ***keep ~ with*** …와 같은 집에 살다, 공동생활을 하다. ***keep*** 〔***have***〕 ***open ~*** ⇨ OPEN HOUSE. ***keep the*** 〔***one's***〕 ***~*** 〔***room***〕 집〔방〕에 틀어박히다. ***like a ~ on fire*** 〔***afire***〕 《구어》 재빠르게; 후딱후딱: get on 〔along〕 *like a ~ on fire* 〔*afire*〕 아주 사이좋게 해나가다; 척척 진척되다. ***make a House*** 《영》 (하원에서 출석 의원이 정족수에 달해) 의회를 성립시키다. ***move ~*** 이사하다. ***on the ~*** (비용 따위) 회사 부담으로; 무료의. ***play*** (***at***) ***~*** (***s***) 소꿉장난하다. ***put*** 〔***set***〕 one's ***~ in order*** (신변을) 정리하다; 자기 행실을 바로잡다. ***the House of Commons*** 《영》 하원. ***the House of Lords*** 《영》 상원. ***the Houses of Parliament*** 《영》 국회 의사당. ***the House Ways and Means Committee*** 《미》 하원 세입 위원회.

house**[2] [hauz] (*p., pp.* ***housed; hóus·ing) *vt.* **1** …에 거처할 곳을 주다; 집에 받아들이다; 집에 재우다, 숙박시키다; 숨겨 주다, 수용하다. **2** 덮어 가리다; 비바람을 막아 주다; (비행기 따위를) 격납하다; 〖해사〗 (대포를) 함내(艦內)로 들여놓다, (위 돛대 · 가운데 돛대를) 끌어내리다. **3** 《~+목 / +목+전+명》 (집안에) 간수〔저장〕하다: ~ one's books *in* an attic 책을 다락에 집어넣어 두다. **4** 〖건축〗 (장붓구멍 등에) 끼우다, 박다. — *vi.* 묵다, 살다; 안전한 곳에 들어가다.

hóuse àd 〖출판〗 자사(自社) 광고《자사의 출판물에 게재한 자사 출판물 광고》.

hóuse àgency =IN-HOUSE AGENCY.

hóuse àgent 《영》 가옥〔부동산〕 소개업자.

hóuse arrèst 자택 감금, 연금(軟禁).

hóuse·bòat *n.* (살림하는) 집배; (숙박 설비가 된) 요트. — *vi.* ~에 살다〔로 순행(巡行)하다〕.

hóuse·bòdy *n.* 《미》 =HOMEBODY.

hóuse·bòte *n.* 〖법률〗 가옥 수리재(修理材) 채취권.

hóuse·bòund *a.* 집에 틀어박혀 있는.

hóuse·bòy *n.* (집 · 호텔 등의) 잡일꾼(houseman).

hóuse brànd 판매자 브랜드, 자사(自社) 브랜드《제조자가 아닌, 소매업자나 상사(商社)가 그 판매 상품에 독자적으로 붙이는 상표》.

hóuse·brèaker *n.* **1** 가택 침입자; (백주의) 강도. ⓒⓕ burglar. **2** 《영》 가옥 철거〔해체〕업자.

hóuse·brèaking *n.* Ⓤ **1** 가택 침입, 침입 강도질. **2** 《영》 가옥 철거〔해체〕 (업자).

hóuse·bròken *a.* (개 · 고양이 등) 집 안에서 길들인; 《미》 사회에 받아들여지는.

hóuse·bùg *n.* 빈대.

hóuse·builder *n.* 건축 청부업자, 목수.

hóuse càll 왕진; (외판원 등의) 가정 방문.

hóuse·càrl, -càrle *n.* (덴마크나 고대 영국의) 왕 · 귀족의 친위대원.

hóuse càt 집고양이.

hóuse chùrch 1 (전통적 종파에서 독립한) 카리스마파의 교회. **2** (개인 집에서 하는) 신앙 집회.

hóuse·clèan *vt., vi.* (집의) 대청소를 하다; (회사 따위의) 인원 정리를 하다, 숙청하다. ㊞ **~·ing** *n.* 대청소; 숙청, 일소.

hóuse·còat *n.* 실내복((여성이 집에서 입는 길고 헐렁한 원피스)).
hóuse còunsel 〖법률〗 회사 고문 변호사.
hóuse·cràft *n.* ((영)) 살림을 꾸려 나가는 솜씨; 가정학, 가정과(科).
hóuse crìcket 〖곤충〗 집귀뚜라미.
hóuse detèctive 〔**dìck**〕 (호텔·백화점 등의) 경비〔감시〕원.
hóuse dìnner (클럽 등에서 회원·손님을 위해 베푸는) 연회.
hóuse dòctor 병원 입주 의사.
hóuse dòg 집 지키는 개.
hóuse·drèss *n.* 가정복, 실내복.
hóuse·fàther *n.* 사감(舍監).
hóuse flàg 〖해사〗 (상선이 내거는) 사기(社旗), 선주기(船主旗).
hóuse flànnel (걸레용의) 투박한 플란넬.
hóuse·flỳ *n.* 〖곤충〗 집파리.
hóuse·frònt *n.* 집 정면〔전면〕. 「etc.)).
house·ful [háusfùl] *n.* 집에 가득함((*of* guests,
hóuse fùrnishings =HOUSEWARES.
hóuse gìrl =HOUSEMAID. 「박객.
hóuse·guèst *n.* (하룻밤 이상 묵는) 손님, 숙
⁑**house·hold** [háus*h*òuld] *n.* **1** 가족, 세대; 한 집안((고용인 포함)): two ~*s*, 2 가구. **2** (the H-) ((영)) 왕실: the Imperial 〔Royal〕 *Household* 왕실((소속 직원 포함)). **—*a.*** 가족의, 한 세대의, 가사의; 귀에 익은; 왕실의: ~ affairs 가사, 가정(家政) / ~ economy 가정 경제 / ~ goods 가정용품.
hóusehold árts 가정학((요리·재봉·육아 등)).
Hóusehold Cávalry (the ~) ((영)) 근위〔의장〕 기병대. 「effects.
hóusehold efféctS 가재도구. ⓒⓕ personal
hóuse·hòlder *n.* 세대주, 가구주, 호주; 자기 집을 가진 사람.
hóusehold fránchise 〔**súffrage**〕 〖영국사〗 호주 선거권.
hóusehold góds 〖고대로마〗 일가의 수호신, 터주; ((영구어)) 가정의 필수품.
hóusehold mánager ((미)) 가정 관리자, 주부.
hóusehold náme =HOUSEHOLD WORD.
hóusehold stúff ((고어)) 가재 도구, 세간.
hóusehold technícian ((미)) 가정 기사, 가
Hóusehold tróops ((영)) 근위대. 「정부.
hóusehold wórd 일상 쓰는 말〔구(句)〕, 잘 알려진 속담〔이름, 인물〕.
hóuse-hùnting *n.* 셋집 구하기, 주택 물색.
hóuse·hùsband *n.* 가사를 맡은 남편.
hóuse jòurnal (회사·조직체 따위의) 사내보(社內報), 내부 홍보지.
hóuse·kèep *vi.* ((구어)) 가정을 갖다, 집안일에 힘쓰다, 살림을 꾸려 나가다.
⁑**house·keep·er** [háuskì:pər] *n.* **1** 주부: a good ~ 살림 잘하는 주부. **2** 가정부, 우두머리 하녀. **3** 가옥〔사무소〕 관리인.
°**hóuse·kèeping** *n.* Ⓤ 가사, 가정(家政), 가계; 가계비; (회사 등의) 경영, 관리; 〖컴퓨터〗 하우스키핑((문제 해결에 직접 관계하지 않는 시스템의 운용에 관한 루틴)): set up ~ 살림을 차리다.
hóuse·lèek *n.* 〖식물〗 꿩의비름과의 풀.
hóuse·less *a.* 집 없는.
hóuse·lìghts *n. pl.* 극장 객석의 조명((막이 열리면 꺼짐)).
hóuse màgazine 사내보(社內報) (house organ). ⓒⓕ house journal.
hóuse·màid *n.* 가정부, 식모.
hóusemaid's knée 〖의학〗 무릎 피하의 염증, 전슬개골 활액낭염(前膝蓋骨滑液囊炎).
Hóuse Majórity Lèader ((미)) 하원의 다수당 당수.
hóuse·man [-mən, -mæ̀n] (*pl.* **-men** [-mən, -mèn]) *n.* (가정·호텔 등의) 잡일꾼; (백화점·호텔 등의) 경비원; (댄스홀·도박장 등의) 경호원; (병원의) 인턴.
hóuse mànager 극장 지배인.
hóuse màrk (제품에 표시된) 회사 마크((특정한 회사의 제품임을 표시하는 상표)).
hóuse màrtin 〖조류〗 흰털발제비((유럽산)).
hóuse·màster *n.* 집주인; (영국 public school 따위의) 사감.
hóuse·màte *n.* 동거인. 「(女)사감.
hóuse·mìstress *n.* 여자 집주인, 주부; 여
hóuse·mòther *n.* 기숙사 여사감.
hóuse mòuse 생쥐.
hóuse nìgger ((미흑인속어·경멸)) 백인에게 굴종하는 흑인(Uncle Tom).
hóuse of assémbly (영식민지·영보호령·영연방 여러 나라의) 입법부, 하원.
hóuse of cárds 어린이가 카드로 만든 집; 미덥지 못한 계획, 탁상공론.
hóuse of corréction 교정 시설((소년원·소년 교도소·교도소 등)).
hóuse of deténtion 미결 수용실, 유치장.
hóuse òfficer (병원의) 수련의(修鍊醫).
hóuse of Gód 성당, 교회(당).
hóuse of práyer 〔**wórship**〕 기도의 집, 교회(house of God).
hóuse of prostitútion 매춘굴.
Hóuse of Representátives (the ~) (미국 의회·주의회의) 하원, (오스트레일리아의) 하원, (뉴질랜드의) 국회. ⓒⓕ Senate.
hóuse of stúdies 〔**stúdy**〕 성직자 연수원.
hóuse of tólerance 공인 매춘 시설, 공창.
hóuse òrgan 사내보(社內報), (동업자 간의) 업계지(誌).
hóuse pàinter 가옥 도장(塗裝)업자.
hóuse·pàrent *n.* (학생 기숙사 따위의) 관리인. 「하녀.
hóuse-párlormaid *n.* 여사환, 잔심부름하는
hóuse pàrty 별장 따위에 손님을 초대하여 여는 연회; 그 초대객.
hóuse·pèrson *n.* 가사 담당자((housewife와 househusband의 구별을 피한 말)).
hóuse·phòne *n.* (호텔·아파트의) 내선 전화.
hóuse physícian (병원 따위의) 입주 (내과) 의사, 병원 거주 의사.
hóuse plàce ((방언)) 농가의 거실.
hóuse·plànt *n.* 실내에 놓은 화분 식물.
hóuse-pòor *a.* 집 마련에 돈이 너무 들어 가난
hóuse-pròud *a.* 집〔살림〕 자랑의. 「한.
hous·er [háuzər] *n.* 주택 계획 입안자, 주택 문제 전문가.
hóuse-ràising *n.* Ⓤ (시골에서 집 지을 때 동네 사람이 다 모인) 상량식.
hóuse-rènt *n.* 집세.
hóuse·ròom *n.* Ⓤ 집의 수용력; 숙박; 물건 두는 장소: I would not give it ~. (장소를 차지하기 때문에) 그런 것은 원치 않는다.
hóuse rùle 특정 그룹〔지역〕 내에서만 적용되는 게임 규칙.
hóuse sèat 극장의 특별 초대석.
hóuse-sìt *vi.* ((미)) (집주인 대신) 집을 봐주다 ((*for*)). ⊕ **hóuse(-)sìt·ter** *n.* **hóuse-sitting** *n.*
hóuse slìpper 옥내용 슬리퍼((뒤축이 있음)).
hóuse spàrrow 〖조류〗 참새의 일종(English sparrow).
hóuse stèward 청지기, 가령(家令), 집사.
hóuse stýle (각 출판사·인쇄소의) 용자(用字) 용어, (조판) 스타일; ((영)) =CORPORATE

IDENTITY.

hóuse sùrgeon (병원 등의) 입주 외과 의사.

hóuse-to-hòuse [-tə-] *a.* 집집마다의, 호별(방문)의(door-to-door): ~ selling 호별 방문 판매 / make a ~ visit 호별 방문을 하다.

hóuse·tòp *n.* 지붕(roof), 지붕 꼭대기. ***shout* 〔*proclaim, cry, preach*〕 *... from the ~s* 〔*rooftops*〕** …을 세상에 퍼뜨리다〔선전하다〕.

hóuse tràiler (자동차로 끄는 바퀴 달린) 간이 이동 주택(trailer coach).

hóuse-tràined *a.* =HOUSEBROKEN.

hóuse tràp 하우스트랩《옥외 하수구에서 옥내 배수구로 악취가 들어오지 않도록 옥내 배수구 끝에 설치한 U자형 트랩》.

Hóuse Un-Américan Actívities Commìttee (the ~) 하원 비미(非美) 활동 조사 위원회《1969년 Internal Security Committee로 개칭; 생략: HUAC》.

hóuse·wàres *n. pl.* 가정용품. 「집들이.

hóuse·wàrming *n.* Ⓒ 새집〔살림〕 축하 잔치,

⁑**house·wife** *n.* **1** [háuswàif] (*pl.* ***-wives*** [-wàivz]) 주부(主婦). **2** [hʌ́zif] (*pl.* ***~s, -wives*** [hʌ́zivz]) 《영》 반짇고리. ㊞ **~·ly** [háuswàifli] *a.* 주부다운; 알뜰한. **-wif·ery** [háuswàifəri/-wìf-] *n.* Ⓤ 가사.

hóusewife tìme (방송의) 주부 시간《시청자가 거의 주부인 늦은 오전의 방송 시간》.

°**hóuse·wòrk** *n.* Ⓤ 집안일, 가사(家事).

hóuse·wòrker *n.* 가사 노동자《가정부 따위》.

hóuse·wrècker *n.* 집 철거업자.

housey-housey [háusiháusi] *n.* Ⓤ 《영구어》 lotto 비슷한 카드놀이의 일종.

°**hous·ing¹** [háuziŋ] *n.* Ⓤ **1** 주택 공급, 주택 건설: the ~ problem 주택 문제. **2** 〔집합적〕 주택; 피난처, 수용소. **3** 울(타리). **4** 〖기계〗 (공작 기계의) 틀, 샤프트의 덮개, 하우징; 〖건축〗 통맞춤; 〖전기〗 외피(外被).

hous·ing² *n.* 마의(馬衣)(horsecloth); (보통 *pl.*) 말의 장식.

hóusing associàtion 공동 주택〔아파트〕 건설〔구입〕 조합, 주택 협회.

hóusing bènefit 《영》 (실업자·저소득자에 대한) 주택 수당.

hóusing devèlopment 〔《영》 **estàte**〕 계획 주택〔아파트〕군(群), 주택 단지.

hóusing lìst (공영 주택 입주 희망자의) 입주 대기 리스트.

hóusing pròject 《미》 주택 계획; 공영 주택〔아파트〕 군(群), (공영) 단지《저소득층을 위한》.

hóusing schème 《영》 (지방 자치 단체의) 주택 건설〔공급〕 계획.

hóusing stàrt **1** 주택 건축 착공(건). **2** (~s) 《미》 주택 착공 건수《경제 지표의 하나》.

Hous·ton [hjúːstən] *n.* 휴스턴《미국 Texas 주의 공업 도시; 우주선 비행 관제 센터 소재지》.

Hou·yhn·hnm [huːínəm, *h*wínəm/húi*h*nəm] *n.* 휘넘(족)《*Gulliver's Travels* 중에 나오는 인간의 이성을 갖춘 말》.

HOV high-occupancy vehicle (다인승 차량).

hove [houv] HEAVE의 과거·과거분사.

hov·el [hʌ́vəl, háv-/hɔ́v-, hʌ́v-] *n.* 광, 헛간; 가축의 우리; 누옥(陋屋), 오두막집. — (***-l-,*** 《영》 ***-ll-***) *vt.* 광에 넣다.

hov·el·er [hʌ́vələr, háv-/hɔ́v-, hʌ́v-] *n.* 무면허 물길 안내인.

°**hov·er** [hʌ́vər, háv-/hɔ́v-] *vi.* **1** 《~/+전+명》 (곤충·새·헬리콥터 따위가) 하늘에 멈춰 떠 있다: Clouds of smoke *~ed over* the building. 구름 같은 연기가 빌딩 상공에 멈춰 떠 있었다. **2** 《+부/+전+명》 (…의 곁을) 맴돌다 《*over; about*》, (공포 등이) …에게 붙어 다니다: His thoughts *~ed about* his mother. 그의 생각은 어머니 곁을 떠날 수가 없었다. **3** 《+전+명》 주저하다, 망설이다: ~ *between* life and death 생사의 갈림길에서 헤매다. — *n.* 공중을 떠다님; 맴돎; 주저, 망설임. 「배》.

hóver·bàrge *n.* 《영》 호버바지《공기쿠션식 짐

hóver·bèd *n.* 호버베드《공기 쿠션을 이용한 침대; 화상·피부병 환자용》.

Hóver·cràft *n.* 호버크라프트《고압 공기를 아래쪽으로 분사하여 기체를 지상〔수상〕에 띄워서 나는 탈것; 상표명》.

hóv·er·er [-rər] *n.* 하늘에 나는 것; 맴도는 자.

hóver·fèrry *n.* 《영》 연락선용 호버크라프트.

hóv·er·ing [-riŋ] *n.* 〖항공〗 호버링《헬리콥터가 공중에 정지해 있는 상태》.

hóvering cèiling 〖항공〗 호버링 한계 고도.

hóver mòwer 에어쿠션식의 예초기(刈草機).

hóver·plàne *n.* 《영》 =HELICOPTER.

hóver·pòrt *n.* 호버크라프트 발착장.

hóver·tràiler *n.* 호버트레일러《에어쿠션식 트레일러; 호수(湖水)·늪지대 등에서 중량 화물을 운반함》.

hóver·tràin *n.* 호버트레인《공기압으로 차체를 띄워 콘크리트 궤도를 달리는 고속 열차》.

HÓV làne 다인승 차량 전용 차로《두 사람 이상 탄 차만 다닐 수 있는 차로; 보통 다이아몬드 모양의 표지가 있음》.

†**how** ⇨《p.1229》 HOW.

How 〖군사〗 howitzer.

How·ard [háuərd] *n.* 하워드《남자 이름》.

Hóward Jóhnson's (미국의) 식당·모텔의 체인점.

how·be·it [haubíːit] 《고어》 *ad.* …이라고는 하지마는, 그렇지만. — *conj.* 그러하나.

how·dah [háudə] *n.* 상교(象轎)《코끼리·낙타의 등에 얹은 닫집이 있는 가마》.

howdah

how·die, -dy [*h*áudi, *h*óudi] *n.* 《N.Eng.》 =MIDWIFE.

how-do-you-do, how-d'ye-do [hàudədúː], [hàudidúː] *n.* 《구어》 곤란한〔어려운〕 처지, 괴로운 입장(dilemma): Here's a pretty 〔nice〕 ~. 이것 참 곤란한걸.

how·dy¹ [háudi] *int.* 《미방언·구어》 야! 《인사말; how do ye 〔you〕 do의 간약형》.

howdy² ⇨ HOWDIE.

howe [hau] *n.* 《Sc.》 분지; 넓은 골짜기.

how·e'er [hauɛ́ər] however의 간약형.

⁑**however** ⇨《p.1230》 HOWEVER.

howff, howf [hauf, houf] *n.* 《Sc.》 잘 가는 장소, 선술집; 주거, 사는 집.

how·gó·zit cùrve [haugóuzət-] 〖항공〗 (특히 대양 횡단 비행 중의) 상황 판단 곡선.

how·itz·er [háuitsər] *n.* 〖군사〗 곡사포.

***howl** [haul] *vi.* **1** (개·이리 따위가) 짖다, 멀리서 짖다. **2** 바람이 윙윙거리다. **3** 《+전+명》 (사람이) 울부짖다, 악쓰다, 조소하다: ~ *with* laughter 배를 움켜쥐고 웃다. — *vt.* **1** 《+목+부》 악을 쓰며 말하다《*out; away*》. **2** 《+목+부》 호통쳐서 침묵케 하다《*down*》: ~ *down* a speaker. **3** 《미속어》 조롱하다. — *n.* **1** 짖는 소리; 신음 소리, 아우성 소리, 큰 웃음; 《구어》 몹시 웃기는 것, 농담, 우스운 사람: give a ~ *of* rage 화가 나서 악을 쓰다. **2** 〖무선〗 하울링《음향의 이

how

주된 용법은 where, when 따위와 마찬가지로 의문부사이나, 다음과 같은 특징이 있다: (1) where, when 따위와는 달라, 관계사로서의 용법은 사실상 없거나 아주 드물다. (2) how만으로 동사를 수식하는 용법과, how high, how fast처럼 형용사 · 부사를 수식하는 경우가 있다. (3) what와 마찬가지로 감탄문을 구성한다.

how [hau] *ad.* **1** 〖방법 · 수단〗 어떻게, 어찌, 어떤 방법〔식〕으로. **a** 〖보통의 의문문에서〗: *How* do I go there? — (You can go there) by bus. 거기엔 어떻게 가면 됩니까(=How can I get there?) — 버스로 가실 수가 있습니다 / *How* did you do it? — *How* do you think (I did it)? 어떻게 했는가 — 어떻게 하였다고 생각하나 / *How* can I ever thank you? 무어라고 감사의 말을 해야 할지. **b** 〖to 부정사와 함께, 또는 종속절을 이끌어서〗: He knows ~ to write. 그는 쓰는 법을 알고 있다 / Tell me ~ she did it. 그녀가 어떻게 그것을 했는지 말해 주게나 / I can't imagine ~ the *thief got in*. 도둑이 어떻게 들어왔는지 상상도 할 수 없다.
2 〖정도〗 **a** 얼마만큼, 얼마나. 《바로 뒤에 형용사 · 부사가 와서》: *How* long did he live? 그는 얼마나 오래 살았는가(비교: *How* did he live long? 그는 어떻게 해서 오래 살았는가) / *How* many students are there in your school? 너희 학교의 학생수는 몇 명이나 되나 / *How* much did it cost you? 얼마 들었지《how much 대신 what를 쓰는 것은 《구어》》 / *How* much longer will it take? 시간이 얼마만큼이나 더 걸리겠는가 《비교급의 앞에는 much가 삽입됨》. **b** 〖종속절을 이끌어〗: I wonder ~ old he is. 그는 몇 살이나 될까 / *How* tall do you think I am? 내 키는 얼마나 된다고 생각하는가.
3 〖상태 · 형편〗 어떤 상태로〔형편에〕《건강 · 날씨 · 감각 따위의 일시적 상태를 묻는 의문부사로서 보어로 쓰임》: *How* is your mother? 어머니는 어떠십니까 / *How* do I look in this dress? 이 드레스는 내게 어떻습니까 / *How* are you? — Fine(, thanks). And you? 어떻게 지내십니까 — (덕분에) 잘 지냅니다. 당신은 (어떠십니까) / *How* goes it 〔is it going, are things going〕 (with you)? 별고 없습니까 / *How* have you 〔things〕 been? (그 후) 어떻게 지내셨습니까《오래간만에 만났을 때에 하는 인사》.
4 〖감탄문〗 **a** 얼마나 …(할〔일〕까), 정말(이지) …(하기도 하여라): *How* beautiful a picture (it is)! 정말 아름다운 그림이구나(=What a beautiful picture (it is)!) / *How* seldom I go there! 거기에 간다는 건 있을 수 없어 / *How* I wish I had been there! (거기 가기를 얼마나 바랐던 것이랴 →) 거기 안 간 것이 유감이다 / *How* kind of you (to do so)! (그렇게 해주셔서) 정말 고맙습니다《비교: It is kind of you to do so.》. **b** 〖절을 이끌어〗: I saw ~ sad he was. 그 사람이 얼마나 슬퍼하고 있는지를 알았다 / You cannot imagine ~ wonderfully he sang. 그가 얼마나 멋지게 노래를 불렀는지 자네는 상상도 못할 게다.
5 〖이유〗 어찌하여, 어떤〔무슨〕 이유로; 왜: *How* can you say such a rude thing? 어찌 그리 실례되는 말을 하는가 / *How* is that? 그건 어떤 이유인가; 그렇게 한다면 어떻게 될까〔어떨까〕 / *How* is 〔comes〕 it (that) you have taken my notebook? 내 노트를 가져간 건 무슨 이유인가 《접속사 that은 종종 생략》. ★ How …?는 반어적으로도 쓰임: *How* do 〔should〕 I know? 내가 어찌 안단 말인가〔알고 있을 리가 없다〕.
6 〖상대의 의도 · 의견을 물어〗 어떻게, 어떤 뜻으로〔의미로〕; 어찌할 셈으로: *How?* 《미》 어떻게(요); 뭐(라고요)(되물을 때) / *How* do you mean that? 무슨 뜻〔말씀〕이죠, 무슨 말(씀)을 하려는 겁니까《=What do you mean by that?》 / *How* will your father take it? 자네 아버지는 그것을 어떻게 받아들이시겠는가 / *How* would it be to start the day after tomorrow? 모레 떠나는 것이 어떨까.
7 《드물게》 어떠한〔무슨〕 이름으로(what): *How* is she called? 그녀는 무슨 이름으로 불립니까.
all* one *know* ~*s ⇨ KNOW. ***and* ~!** 《구어》 매우, 대단히, 무척; 그렇고말고: Prices are going up, *and* ~! 물가가 뛴다뛴다 하지만 이건 정말 엄청나다 / You mean it, Peggy? — *And* ~! 너 제정신으로 말하는 거니 페기야 — 물론이지. ***any old* ~** ⇨ ANY. ***as* ~** 〖접속사적으로〗 《방언》 ① …하다는〔이라는〕 것(that): He said as ~ he would be late. 그는 늦겠다고 했다. ② …인〔한〕지 어떤지(if, whether). ***Here's* ~!** ⇨ HERE. ***How about* …?** ⇨ ABOUT. ***How about that!*** 《구어》 그건 멋지다〔정말이지 잘됐다, 놀라운데〕. (=What about that?). ***How come* …?** ⇨ COME[1]. ***How comes it that* …?** ⇨ COME. ***How come you to* do …?** 어째서 그렇게 하는가: *How come you to* say that? 무슨 이유로 그런 말을 하지. ***How do you do?*** ① 처음 뵙겠습니다《초대면의 인사, 응답도 이 말을 되풀이함》. ② 안녕하십니까. ★ 대화체에는 How d'ye do? [háudidú:]. ***How do you like* …?** ⇨ LIKE. ***How ever* 〔*in the world, on earth, the devil*〕 …?** (도)대체 어떻게 …: *How* ever did he repair it? 대체 그 사람은 어떻게 해서 그것을 고쳤는가. ***How far* (…)?** ① 〖거리를 물어〗 얼마나 되는(거리인)가: *How far* is it from here to your school? 여기서 너의 학교까지는 얼마나 되는가. ② 〖정도를 물어〗 어느 정도, 얼마(쯤): I don't know ~ *far* we can trust him. 얼마나 그를 믿을 수 있는지 모르겠다. ***How goes it?*** 《구어》 어떻게 지내나, 경기는 어떤가(=*How* are things *going*?). ***How is it that* …?** ⇨5. ***How is that* (*again*)?** 《미》 〖되물을 때〗 뭐라고요, 다시 한번 말씀(을)해 주십시오. ***How is that for* …?** ① 《구어》 〖형용사나 명사를 수반하여, 반어적으로〗 정말 …하지 않은가: *How* is that for impudent? 이건 정말 뻔뻔스럽지 않은가. ② …은 어떤가: *How's that for* color 〔size〕? 색상은〔사이즈는〕 어떻습니까. ***How long* (…)?** (길이 · 시일 · 시간이) 얼마나, 어느 정도, 언제부터, 언제까지: *How long* would 〔will〕 it take (me) to go there by bus? 그곳에 버스로 가면 얼마나 걸릴까요. ***How much?*** (값은) 얼마입니까; 《우스개》 뭐라고요(=What?, How?). ***How now!*** 《고어》 〖놀라움을 나타내어〗 이건 웬일이죠, 어찌된 셈〔영문〕인가. ***How often* (…)?** 몇 번 (…)인가: *How often* are there buses to Busan? 부산행(行) 버스는 몇 번이나 있습니까. ***How say you?*** 당신의 생각은. ***How so?*** 어째서 그런가, 왜 그런가. ***How soon* (…)?** 얼마나 빨리: *How soon* can I expect you? 얼마나 빨리 와 주시겠습니까. ***How's that?*** ① 그것은 어째서 그렇지; 그것을 어떻게 생각하나. ② (뭐라고요) 다시 한번 말씀해 주세요. ③ 〚크리켓〛 (심판에게) 지금 것은

아웃인가 아닌가. ***That's ~ it is with ...*** …이란 그런 것이다. ***This is* 〔*That's*〕 *~ it is.*** (다음에 〔이미〕 말씀드린 것이) 그 이유입니다.

— *conj.* **1** 〖명사절을 이끌어〗 **a** …한 경위〔사정, 모양〕《the way how는 잘 쓰지 않고 how나 the way를 씀》: That is ~ it happened. 이같이 해서 일은 일어났던 것이다 / This is ~ I want you to do it. 이런 식으로 그것을 해주기 바란다. **b** 〖that 대신에 쓰여〗 《구어》 …이라는〔하다는〕 것 《흔히 동사는 say, talk, tell, remember 등임》: She told him ~ God was almighty. 그녀는 그에게 신이 전능하다는 것을 가르쳐 주었다. ★ that 대신 how를 쓰면 복잡하게 얽힌 사정을 이야기하는 투가 됨. **2** 〖부사절을 이끌어〗 어떻게든 (…하도록): Do it ~ you can. 어떻게든 해 보아라 / You can travel ~ you please. 좋을 대로 여행을 하고 와도 된다.

— *n.* (the ~) 방법: the ~ and the why of it 그 방법과 이유 / consider all the ~s and wherefores 온갖 방법과 이유를 생각하다.

however

두 가지 주된 용법이 있음: (1) '아무리 …해도'. (2) '그러나': (1)은 양보의 부사절을 이끄는 점에서 ever로 끝나는 다른 일련의 낱말 whenever, whatever 따위의 한 용법과 공통점을 갖고 있다.

how·ev·er [hauévər] *ad.* **1** 〖양보절을 이끌어〗 **a** 〖정도〗 아무리 …할지라도〔해도〕《(1) 양보절에서는 흔히 may를 사용하지만 《구어》에서는 생략할 때가 많음. (2) 《구어》에서는 no matter how가 보통임》: *However* late you are 〔may be〕, be sure to phone me. 아무리 늦더라도 꼭 전화를 하도록 하여라 / *However* carefully I (may) write, I sometimes make mistakes. 아무리 주의해서 써도 틀릴 때가 있다 / *However* great the pitfalls (are), we must do our best to succeed. 위험이 아무리 클지라도, 우리는 성공을 위해 최선을 다해야 한다《however가 수식하는 형용사가, be 동사의 보어이고, 그 주어가 추상적인 명사일 때, be동사는 생략될 때가 있음》. **b** 〖방식〗 어떤 (방)식으로 …하더라도, 아무리 …해도: *However* we do it, the result will be the same. 어떤 식으로 하더라도 결과는 마찬가지 일 것이다 / *However* we (may) go, we must get there by six. 어떤 방법으로 가든, 6시까지는 거기에 도착해야 한다.

2 〖의문사 how의 강조형으로 쓰이어〗 도대체〔대관절〕 어떻게(해서) 《how ever와 같이 두 단어로 쓰는 것이 정식》: *However* did you manage it? 대체 어떻게 해서 처리했지《놀라움》 / *However* did you find us? 대관절 어떻게 우리를 발견했나요《놀라움》 / *However* did you go yourself? 대체 자넨 어떻게 스스로 갈 수 있었나《감탄》.

NOTE (1) 형용사·부사는 however 바로 다음에 오는 점에 주의할 것《1 a의 둘째 예문 참조》. (2) 양보절을 이끌 때에는 how*ever* = *no matter* how와 같이, ever를 no matter로 바꿔 쓸 수가 있음. 이 점은 whenever, wherever《이상 셋을 '복합 관계부사(complex relative adverb)'라고 함》 및 whatever, whoever 〔whomever〕, whichever와 공통적임.

— *conj.* **1** 그러나, 그렇지만; 하지만(still; nevertheless)《문장 앞이나 뒤에도 오나 보통은 문장 도중에 오며 부사로 보는 견해도 있음》: Later, ~, he made up his mind to marry the farmer's daughter. 그러나 나중에 그는 그 농부의 딸과 결혼을 하기로 결심했다 / I hate concerts. I will go to this one, ~. 나는 음악회는 싫어하지만 그러나 이번 것은 가겠다 / *However*, I will do it in my own way. 하지만 나는 나대로의 방식으로 하겠다. **2** (…하는) 어떠한 방식으로라도: You may act ~ you like. 좋을 대로 행동해도 좋다.

상 귀환(歸還) 따위로 증폭기 속에서 일어나는 잡음》. **3** 불평, 반대. **4** 《미속어》 조롱, 우롱. [imit.]

hówl·er *n.* **1** 짖는 짐승; 목 놓아 우는 사람; 곡꾼《장례식에 고용되어 우는》. **2** 〖동물〗 = HOWLER MONKEY. **3** 《속어》 큰 실수, 대실패: come a ~ 대실패를 하다. **4** 액셀러레이터 페달을 밟으면 짖는 듯한 소리를 내는 차.

hówler mònkey 〖동물〗 짖는 원숭이.

howl·et [háulit] *n.* 《영방언》 올빼미(owl).

hówl·ing *a.* 짖는; 울부짖는; (풍경이) 쓸쓸한, 황량한; 《구어》 엄청난, 터무니없는, 대단한: a ~ success 대성공 / a ~ wilderness 짐승이 짖는 광야《신명기(申命記) XXXII: 10》.

hówling mònkey = HOWLER MONKEY.

hòw·so·éver *ad.* 《고어·시어》 = HOWEVER. ★ however의 강조형(形)으로 how... soever로 끊어서도 쓰임.

hów-tó *a.* 《미구어》 실용 기술을 가르치는, 입문적인, 초보의: a ~ book.

how·zit [háuzit] *int.* 《S.Afr.속어》 = HELLO.

hoy[1] [hɔi] *int.* 어이《주의 환기 또는 돼지를 몰 때, 배를 부를 때 지르는 소리》.

hoy[2] *n.* 외대박이 소형 범선〔연안 항행선〕; (대형) 평저선(平底船), 너벅선.

hoy[3] *vt.* 《Austral. 구어》 던지다.

hoya [hɔ́iə] *n.* 〖식물〗 새박덩굴과의 덩굴풀.

hoy·den [hɔ́idn] *n.* 말괄량이, 왈가닥 처녀. **— *a.*** 말괄량이의, 왈가닥의; 수선스러운. **— *vi.*** 말괄량이로 굴다. ⊕ **~·ish** [-iʃ] *a.*

Hoyle [hɔil] *n.* (*or* h-) 카드놀이법(의 책). ***according to ~*** 규칙대로; 공정하게.

HP, H.P., hp., h.p. high pressure; horsepower. **H.P.** hire-purchase. **h.p.** half pay; hot-press. **HPA** high-power amplifier. **HPF** highest possible frequency; high power field. **HPLC** 〖화학〗 high-pressure〔-performance〕 liquid chromatography (고속 액체 크로마토그래피). **HPPE** 〖화학〗 high-pressure polyethylene(고압법 폴리에틸렌). **HPTE** high-precision tracking experiment (고정밀도 추적 실험). **HPU** 〖우주〗 hydraulic power unit(수력 발전 장치). **HPV** human papilloma virus(인간 유두종 바이러스); human-powered vehicle. **H.Q., HQ., hq, h.q.** Headquarters. **Hr.** *Herr*. **hr.** hour(s). **h.r., hr.** 〖야구〗 home run(s). **H.R.** Home Rule; House of Representatives; Human Relations. **H.R.E.** Holy Roman Emperor 〔Empire, Empress〕. **H.R.H.** His 〔Her〕 Royal Highness. **H.R.I.P.** *hic requiescit in pace* 《L.》(= here rests in peace). **HRSI** high-temperature reusable surface insulation((우주선) 고온용 내열 타일). **HRT** 〖의학〗 hormone replacement therapy. **hrzn** horizon. **Hs** 〖화학〗 hassium. **H.S.** high school; high speed; Home Secretary; Honorary Secretary; Hospital Saturday [Sunday]; house surgeon. **hse.** house. **H.S.E.** *hic sepultus est* 《L.》 (=here he [she] lies buried). **HSGT** high-speed ground transport. **H.S.H.** His [Her] Serene Highness. **HSI** 〖항공〗 horizontal situation indicator (평면 상황 표시기). **HSL** high-speed launch. **HST** hypersonic transport (극초음속 수송기); high speed train((영국 국철의) 고속 열차). **HSYNC** horizontal synchronization signal (TV의 수평 동기(同期) 신호). **H.T.** 〖전기〗 high tension (고압). **ht.** heat; height. **HTGR** high temperature gas-cooled reactor (고온 가스 냉각 원자로). **HTLV** human T-cell lymphotropic [leukemia] virus (인간 T 세포 백혈병 바이러스).

H-3 [éitʃθrí:] *n.* 〖의학〗 노화 방지약(gerovital).

HTLV-3 human T-cell leukemia virus, type three (백혈병의 원인으로 보는 바이러스). **HTML** 〖컴퓨터〗 Hypertext Markup Language《www 에서 웹페이지를 작성하기 위해 사용되는 언어의 이름》. **HTR** high temperature reactor(고온 원자로). **HTTP** 〖컴퓨터〗 Hypertext Transfer Protocol《인터넷에서 하이퍼 텍스트 문서를 교환하기 위해 사용하는 통신 규약》.

H_2O [éitʃtù:óu] *n.* 〖화학〗 =WATER.

HUAC House Un-American Activities Committee.

Huang Hai [hwá:ŋhái] *n.* 황해(黃海)(Yellow Sea).

Huang He [hwá:ŋhə́:] *n.* 황허(黃河)강(Yellow River).

hua·ra·che [wərá:tʃi] *n.* 《Sp.》 굽이 낮은 가죽끈으로 만든 샌들.

hub[1] [hʌb] *n.* **1** (차륜의) 바퀴통; (선풍기 · 프로펠러 등의 원통형) 중심축. **2** (활동 · 권위 · 상업 등의) 중심, 중추. **3** (고리 던지기의) 표적. **4** (the H-) 미국 Massachusetts 주 Boston 시의 이명(異名). **5** (배전반의) 플러그 꽂이. **6** 〖컴퓨터〗 허브《몇 개의 장치가 접속된 장치》. ***from ~ to tire*** 완전히. ***the ~ of the universe*** 만물의 중추; 세계의 중심 도시; 《미》 Boston 시(=the Hub). ***up to the ~*** 《미》 ① 깊이 빠져들어, 빼도 박도 못하는. ② 완전히, 충분히, 가능한 한. — *a.* 중심적인: Delta's ~ airport in Atlanta 애틀랜타에 있는 델타 항공의 허브 공항.

hub[2] *n.* 《구어》 남편, 우리 집 양반, 바깥주인 《husband 의 간약형》.

húb-and-spóke [-ənd-] *n., a.* 〖항공〗 (항공 노선의) 대도시 터미널 집중방식(의).

hub(·b)a-hub(·b)a [hʌ́bəhʌ́bə] *int.* 《미속어》 좋아 좋아, 됐어 됐어; 《미군대속어》 빨리빨리! — *ad.* 즉시, 서둘러.

hub·ble [hʌ́bəl] *n.* 《미》 작은 혹.

húbble-bùb·ble *n.* 수연통(水煙筒)의 일종; 지글지글, 부글부글《소리》; 와글와글. [imit.]

Húbble('s) cónstant 〖천문〗 허블 상수(常數)《은하(銀河)의 후퇴 속도가 거리에 비례하여 증가하는 비율》.

Húbble Spáce Tèlescope 허블 우주 망원경《궤도에 올려진 천체 망원 위성; 생략: HST》.

hub·bly [hʌ́bəli] *a.* 《구어》 혹투성이의; 우툴두툴한; (도로가) 울퉁불퉁한; 파도가 거친.

hub·bub, hub·ba·boo, hub·bu·boo [hʌ́bʌb], [hʌ́bəbù:] *n.* [U] 왁자지껄, 소음; 함성; 소동, 소란.

hub·by [hʌ́bi] *n.* 《구어》 =HUB².

húb·càp *n.* (자동차의) 휠캡; 《속어》 시건방진 놈, 젠체하는 녀석.

Hu·bei, -pei, -peh [hjù:béi], [hù:péi] *n.* 후베이(湖北)《중국 중부의 성(省)》.

hu·bris [hjú:bris/hjú:-] *n.* [U] 과도한 자부[자만], 자신 과잉; 오만, 불손.

huck·a·back, huck [hʌ́kəbæ̀k], [hʌk] *n.* [U] 허커백 천《삼베나 무명; 타월감》.

huck·le [hʌ́kəl] *n.* 엉덩이, 허리, 대퇴부; 돌기.

húckle·bàcked [-t] *a.* 곱사등이의.

húckle·bèrry *n.* 월귤나무류《미국산》. ***(as) thick as huckleberries*** 《미구어》 빽빽이 밀생(密生)하여, 몹시 붐벼서. ***be a*** person***'s ~*** 《미구어》 아무에게 특히 적합하다.

Húckleberry Fínn [-fín] 허클베리 핀《Mark Twain의 소설 *Adventure of Huckleberry Finn* 의 주인공》.

húckle·bòne *n.* 좌골(座骨), (네발짐승의) 거골(距骨).

huck·ster [hʌ́kstər] (*fem.* ***-stress*** [-stris]) *n.* 소상인(小商人); 도붓장수, (야채 따위의) 행상인(《영》 costermonger); 강매하는 세일즈맨; (만사 돈으로 좌우되는) 비열한 사람; 《미구어》 광고업자, 선전원, (특히 라디오 · TV의) 커머셜 제작업자, 카피라이터. — *vi., vt.* 도부치다, 행상하다; 값을 깎다; 품질을 떨어뜨리다(adulterate). ㊞ **~·ìsm** *n.* =COMMERCIALISM, 강매주의. **-stery** [-stəri] *n.* [U] 행상, 도붓장사.

huck·ster·ize [hʌ́kstəràiz] *vt.* …에게 억지로 강요하는[강매하는] 수단을 쓰다.

HUD 〖항공〗 head-up display《조종사가 전방을 향한 채 필요한 데이터를 읽을 수 있는 장치》; (Department of) Housing and Urban Development(미국 주택 도시 개발부).

°**hud·dle** [hʌ́dl] *vt.* **1** 《~+[목]/+[목]+[전]+[명]/+[목]+[부]》 뒤죽박죽 주워 모으다[쌓아 올리다]; 되는대로 쑤셔 넣다《*together; up; into*》: ~ papers *into* a box 상자에 서류를 쑤셔 넣다/be ~*d together* in a flock 모여서 떼를 이루다. **2** 《~ oneself》 (웅크리듯이) 몸을 옴츠리다: ~ oneself up 몸을 웅크리듯이 옴츠리다. **3** 《+[목]+[부]》 아무렇게나 하다《*up; over; through*》: ~ *up* one's work. **4** 《+[목]+[부]》 (옷을) 급히 입다, 걸치다《*on*》: ~ *on* one's clothes. — *vi.* **1** 붐비다, 왁시글거리다, (떼 지어) 몰리다《*together*》. **2** 〖미식축구〗 (선수들이) 스크럼선 뒤로 집합하다. **3** 몸을 옴츠리다. **4** 《구어》 (비밀리에) 의논하다, 모의하다; 논의를[의견 교환을] 위해 모이다: ~ *with* a person to make hour-to-hour decisions 아무와 의논하여 시시각각 결정을 짓다. — *n.* **1** [U,C] 혼잡, 붐빔; 난잡; [C] 군중: all in a ~ 매우 난잡하게. **2** 〖미식축구〗 작전 회의, 선수들의 집합《다음 작전을 결정하기 위한》. **3** 《미구어》 (비밀) 회담, 상담, 밀담: go into a ~ 《구어》 은밀히 이야기하다, 밀담하다 《*with*》. ***~ upon ~*** 한 덩어리가 되어. ㊞ **húd·dler** *n.* 뒤죽박죽 쑤셔 넣는 사람.

hud·dling [hʌ́dliŋ] *n.* 대기업에서 몇 사람의 비공식 회합으로 문제 해결책을 꾀함.

Hu·di·bras·tic [*h*jù:dəbrǽstik/hjù:-] *a.* Samuel Butler(1612-80)의 청교도를 풍자한 시 Hudibras 풍의; 익살스럽고 풍자적인.

Hud·son [hʌ́dsən] *n.* 허드슨. **1 Henry** ~ 영국의 항해가 · 탐험가(1565?-1611). **2** (the ~) 미국의 New York 주 동부의 강.

Húdson Báy 허드슨 만《캐나다 북동부의 만》.

Húdson Ínstitute 허드슨 연구소《H. Kahn 이 설립(1961)한 미국의 두뇌 집단》.

Húdson('s) Bày blánket 《Can.》 색줄무늬가 있는 양털 모포《본래는 Hudson's Bay Company 사 제품). 「죽으로 만든」.

Húdson séal 모조 바다표범 가죽《muskrat 가

*__hue__[1] [hjuː/hjuː] *n.* **1** 색조; 빛깔; 색상: a garment of a violent ~ 현란한 색조의 옷/a blackish 〔faint, rich〕 ~ 거무스름한〔연한, 풍부한〕 색조. SYN. ⇨ COLOR. **2** (의견·태도 등의) 경향, 특색. **3** 《폐어》 안색; 모습. ***put a different ~ on matters*** (사물이) 사태의 양상을 바꾸다. ㊞ **∠·less** *a.*

hue[2] *n.* (추적의) 고함〔외침〕 소리. ★ 다음 관용구에만 쓰임. ***a ~ and cry*** ① 고함 소리; 심한 비난《*against*》. ② 〖영국사〗 죄인 추적의 고함 소리;추적; 죄인 체포 포고서(布告書); 죄상·범죄 수색 따위에 관한 공보: raise *a* ~ *and cry* 도둑이야, 도둑이야, 하고 소리치다.

hued *a.* 〔보통 복합어〕 …한 색조의: golden-~ 황금색의/many-~ 다채로운.

hue·vo [wéivou] *n.* 〖브레이크댄스〗 웨보《달걀 위를 걷는 것처럼 보이는 춤》.

Hu·ey [hjúːi/hjúːi] *n.* 《미군대속어》 휴이형 헬리콥터. [◂ *helicopter*+*utility*+*-ey*]

huff [hʌf] *vt.* **1** 《+目+前+名》 …을 화나게 하다; (…에게) 오만하게 굴다; 호통 치다; (…을) 괴롭히다, 을러서 (…)하게 하다《*into*》: ~ a person *into* silence 아무를 을러대어 침묵시키다/~ a person *out of* the room 아무를 을러서 방에서 몰아내다. **2** 〖체스〗 상대편의 말을 잡다. **3** 《속어》 마약을 코로 흡입하다. **—** *vi.* **1** 골내다; 분개하여 말하다. **2** 격하게 숨쉬다; (바람이) 세차게 불어제치다. **3** 뽐내다; 고함치다. ***~ and puff*** ① 숨을 헐떡이며 견디다. ② 떠들어대다, 소란피우다. ③ 갈피를 못 잡게 되다, 혼란하다. ***~ing and puffing*** 속이 뻔한 공갈, 허세: Stop *~ing and puffing* and tell me exactly what happened. 동닿지 않는 소리 그만하고 무슨 일이 있었는지 똑똑히 말해라. ~ a person ***off*** 아무를 호통 쳐서 쫓아 버리다. ~ a person ***to pieces*** 아무를 못살게 괴롭히다. **—** *n.* 분개, 골냄; 〖체스〗 말을 잡기. ***in a ~*** 불끈하여. ***take ~ =get*** 〔***go***〕 ***into a ~*** 불끈 성내다.

huff-duff [hʌ́fdʌ̀f] *n.* 《미공군속어》 고주파 대잠(對潛) 탐지기.

huff·ish [hʌ́fiʃ] *a.* 찌무룩한; 거만한, 뽐내는.

huffy [hʌ́fi] (***huff·i·er; -i·est***) *a.* =HUFFISH.

*__hug__ [hʌg] (***-gg-***) *vt.* **1** 《~+目/+目+副/+目+前+名》 (애정을 가지고) 꼭 껴안다, 축복하다; (곰이) 앞발로 끌어안다: ~ a person *tight*/A bear *~ged* the hunter *to* death. 곰이 앞발로 사냥꾼을 눌러 죽였다. **2** (편견 등을) 품다, …을 고집하다. **3** 《+目+前+名》〔~ oneself〕 …을 위해 크게 기뻐하다, (스스로도) 행운이라고 여기다, 혼자서 은근히 기뻐하다《*on; for; over*》: ~ one*self on* finding a job 직장을 얻어 기뻐하다. **4** (길이 하천 등을) 따라 나 있다; 〖해사〗 (해안) 가까이를 항해하다: ~ the shore. **—** *vi.* 서로 접근하다; 바싹 붙다. ~ ***one's chains*** 속박을 달게 받다. **—** *n.* 꼭 껴안음, 포옹; 〖레슬링〗 껴안기.

__huge__ [hjuːdʒ/hjuːdʒ] *a.* **1 거대한; 막대한.

> SYN. **huge** 부피·모양·양 따위가 매우 큰: a *huge* rock〔building〕 거대한 바위〔빌딩〕. **enormous** 일반적인 표준보다 상당히 큰: an *enormous* watermelon 굉장히 큰 수박. **immense** 계산하고 재어 보면 굉장한 것이 될 것이라는 넓이를 암시함: an *immense* land 광대한 토지. 위 세 낱말은 모두 비유적으로도 쓰임: a *huge* success 대성공. *enormous* curiosity 대단한 호기심. *immense* joy 큰 기쁨.

2 (범위·정도 따위가) 한계가 없는, 한량없는, 무한의(limitless): a ~ undertaking (한계 없는) 대사업/the ~ genius of Mozart 모차르트의 한량없는 재능. ㊞ **∠·ly** *ad.* 거대하게; 대단히. **∠·ness** *n.* 「=HUGE.

huge·ous [hjúːdʒəs/hjúː-] *a.* 《고어·우스개》

hug·ga·ble [hʌ́gəbəl] *a.* 껴안고 싶어지는.

hug·ger-mug·ger [hʌ́gərmʌ̀gər] *a.*, *ad.* 비밀의〔히〕; 난잡한〔하게〕. **—** *n.* Ⓤ 난잡, 혼란; 비밀. **—** *vt.* 숨기다, 쉬쉬해 버리다(hush up). **—** *vi.* 몰래 하다; 밀담하다. ㊞ **~·mug·gery** *n.* 속임수, 부정.

Hu(gh)·ie [hjúːi/hjúːi] *n.* **1** 휴이《남자 이름; Hugh 의 애칭》. **2** (Hughie) 《Austral.구어》 비〔날씨〕의 신(神): Send her down, ~! 비여 내려라.

húg-me-tìght *n.* 〖복식〗 허그미타이트《보통 소매 없이 짧고 몸에 꼭 끼는 여성용 니트 재킷》.

Hu·go [hjúːgou/hjúː-] *n.* **Victor** ~ 위고《프랑스의 작가·시인; 1802-85》.

Hu·gue·not [hjúːgənɑ̀t/hjúːgənɔ̀t] *n.* 위그노(교도)《16-17 세기 프랑스 신교도》. ㊞ **Hú·gue·not·ism** *n.* Ⓤ 위그노 교리. **Hù·gue·nót·ic** *a.*

°__huh__ [hʌ, hə] *int.* 하, 정말; 흥, 그런가《놀람·의문 따위를 나타냄》. [imit.]

Hu·he·hot, Hoh·hot [húːheihóut], [hòuhóut] *n.* 후허하오터(呼和浩特)《중국의 네이멍구 자치구의 수도》.

hui [húːiː] 《Austral.》 *n.* 회합; 친목회.

Hu·la-Hoop [húːləhùːp] *n.* 훌라후프《훌라댄스같이 허리를 흔들어 돌리는 플라스틱 테; 상표명》. ㊞ **hú·la-hòop** *vi.*

hu·la(-hu·la) [húːlə(húːlə)] *n.* (하와이의) 훌라댄스(곡): dance the ~ 훌라댄스를 추다.

húla skìrt (긴 풀로 엮은) 훌라춤용의 치마.

hulk [hʌlk] *n.* 노후한 배, 폐선《창고 대신으로 쓰임》; 커서 주체스러운 배; (종종 *pl.*) 〖역사〗 감옥선; 《비유》 뚱보, 거한(巨漢); 부피 큰 물건. **—** *vi.* 큼직한 모습으로 불쑥 나타나다《*up*》; 부피가 커지다.

húlk·ing, hulky [hʌ́lki] *a.* 《구어》 부피가〔몸집이〕 큰; 볼꼴 사나운.

Hull [hʌl] *n.* 헐. **1** 잉글랜드 북부 Humberside 주의 주도(州都)《공식명 **Kíngston upòn** ∠》. **2** **Cordell** ~ 미국의 정치가(1871-1955).

°__hull__[1] [hʌl] *n.* **1** 껍질, 껍데기, 외피, (콩)깍지; (딸기 따위의) 꼭지. **2** 덮개; (*pl.*) 의복. **—** *vt.* …에서 껍질을〔껍데기, 외피를〕 벗기다, …의 꼬투리를 까다: ~*ed* rice 현미.

hull[2] *n.* 〖해사〗 선체《원재(圓材)·삭구(索具) 따위를 제외한》; 〖항공〗 (비행정의) 정체(艇體), (비행선의) 선체; (로켓·유도탄의) 외각(外殼); (탱크의) 차체: ~ insurance 선체 해상 보험. ***~ down*** 돛대만 보이고 선체는 안 보일 정도로 아득히; 〖군사〗 적으로부터 보이지 않게 정찰·공격할 수 있는 위치에. **—** *vt.* …의 선체를 뚫다《포탄·수뢰 따위로》. **—** *vi.* (동력·돛 없이) 표류하다.

hul·la·ba·loo [hʌ́ləbəlùː/ㅡㅡㅡ∠] *n.* 왁자지껄, 떠들썩함, 큰 소란. ***kick up*** 〔***make, raise***〕 ***a ~*** 야단법석을 떨다, 소동을 일으키다.

húlled córn (잿물에 담그거나 데치거나 하여) 껍질을 벗긴 알맹이 옥수수.

hul·li·gan [hʌ́ləgən] *n.* 《속어》 외인(外人).

hul·lo, hul·loa [həlóu, hʌlóu, hʌ́lou] *int.* 《영》 =HELLO.

hul·ly [hʌ́li] *n.* 《미흑인속어》 뚱보.

*__hum__[1] [hʌm] (***-mm-***) *vi.* **1** 《~/+副》 (벌·팽이·선풍기 따위가) 윙윙거리다: My head ~*s.* 머리가 띵하다/The radio set often ~*s.* 그 라디오는 자주 윙윙하고 잡음을 낸다/~ *through* (탄알 따위가) 쌩하고 날다. **2** (주저·난처함·불

만 따위로) 우물거리다, 우물쭈물 말하다. **3** 콧노래를(허밍으로) 부르다. **4** 《~/+전+명》 (공장 따위가) 바쁘게(경기 좋게) 움직이다; (장소가) 법석거리다, 혼잡을 이루다: The household ~*med in* preparation for the wedding. 온 집안이 결혼 준비로 법석거리고 있었다. **5** 《영구어》 고약한 냄새가 나다. **—** *vt.* 《~+목/+목+부/+목+전+명》 **1** 입속으로 말하다. **2** (노래의 가락 따위를) 허밍하다, 콧노래 부르다: ~ *forth* one's satisfaction 콧노래로 만족감을 표시하다. **3** …에게 노래를 불러주다: ~ a baby *to* sleep. **~ *along*** (자동차 따위로) 쌩쌩 달리다; (사업 등이) 잘 되어가다. **~ *and haw*** (*ha*(*h*)) 말을 더듬다; 망설이다. ***make things* ~** 《구어》 활기를 불어 넣다.

— *n.* Ⓤ **1** 윙윙 (소리): the ~ of bees. **2** 멀리서의 잡음, 와글와글: the ~ of the traffic. **3** Ⓒ (주저 · 불만 따위를 나타내는) 흥, 흠흠: give an answer after some ~*s* and ha's (haws) 몇 번이나 흠흠한 다음 대답하다. **4** 콧노래, 허밍. **5** 험《라디오의 낮은 웅 소리》. **6** (사람의) 활동. **7** 《영구어》 고약한 냄새.

— *int.* 《의심 · 놀람 · 불찬성》 흥, 음. [imit.]

hum² *n.* Ⓤ,Ⓒ 《속어》 사기, 협잡(humbug).

⁑**hu·man** [*h*júːmən/hjúː-] *a.* **1** 인간의, 사람의. ⓒⓕ divine, animal. ¶ ~ affairs 인간사 / a ~ being (creature) 인간 / ~ frailty 인간의 연약함 / ~ knowledge 인지(人智) / ~ resources 인적 자원 / ~ milk 모유 / a ~ sacrifice 인신 공양 / a ~ satellite 인간 위성《우주 유영인》 / a ~ touch 인간(인정)미. **2** 인간적인, 인간다운, 인간에게 흔히 있는: ~ errors 사람에게 따르기 마련인 과실 / more (less) than ~ 보통 인간 이상(이하)인 / To err is ~, to forgive divine. ⇨ERR. **3** 동정적인(humane): a ~ understanding. **—** *n.* 인간(=~ bèing); (the ~) 인류. ⓟ **~·ness** *n.* 인간성, 인간미; 인간의 자격.

húman càpital 《경제》 인적(人的) 자원.

húman chàin 인간의 사슬《반핵 평화 운동 그룹의 시위 행동의 한 형태》. ⓒⓕ die-in.

húman chorriónic gonadotrópin 《생리》 인간 융모성 고나도트로핀《생략: HCG》.

húman clóning 인간 복제(人間複製).

húman dócument 인간 기록.

***hu·mane** [*h*juːméin/hjuː-] *a.* **1** 자비로운, 인도적인, 인정 있는, 친절한: ~ feelings 자비심 / ~ killer (동물의) 무통 도살기(無痛屠殺機). **2** 고아한, 우아한. **3** 교양적인, 인문(학)적인: ~ learning 고전 문학 / ~ studies 인문 과학 / ~ education 인격 교육. ⓟ **~·ly** *ad.* 자비롭게, 인도적으로. **~·ness** *n.*

húman ecólogy 인간(인류) 생태학.

húman engineéring **1** 인간 공학. **2** (기업 등의) 인사 관리.

húman equátion 개인적 편견, 선입관.

Humáne Socìety **1** 《영》 투신 자살자 구조회. **2** (종종 h- s-) (아동 · 동물 보호의) 애호 협회.

húman fígure (the ~) 《기독교》 =HUMAN ONE.

Húman Génome Pròject (the ~) 인간 게놈 프로젝트《인체의 DNA 서열을 밝히는 계획》.

húman geógraphy 인문 지리학(anthropogeography).

húman grówth hòrmone 《생화학》 인간 성장 호르몬《인체 성장을 지배하는 뇌하수체 종합 호르몬; 생략: HGH》.

hu·man·ics [*h*juːmǽniks/hjuː-] *n. pl.* 《단수 취급》 인간학.

húman immunodefíciency vìrus 인간 면역 결핍 바이러스《AIDS의 원인이 됨; 생략: HIV》.

húman ínterest 《신문》 인간적 흥미.

hú·man·ìsm *n.* Ⓤ **1** 인간성. **2** 인도주의. **3** 인문(인본)주의; (*or* H-) 인문학《14-16세기에 있었던 그리스 · 로마 문학 연구》. ***New Humanism*** 신휴머니즘《개인 의지의 존엄, 중용, 2원론 등을 주요 골자로 하는 인문(인본)주의》.

hú·man·ist *n.* 인간성 연구학자; 인문(인본)주의자; 인도주의자; (*or* H-) 인문학자《특히 문예부흥기의》. ⓟ **hù·man·ís·tic** *a.* 인간성 연구의; 인문학의; 인문주의적인; 고전 문학적인; 인도주의의.

humanístic psychólogy 《심리》 인본주의 심리학.

***hu·man·i·tar·i·an** [*h*juːmæ̀nətέəriən/hjuː-] *n.* 인도주의자; 박애가; 《신학》 예수 인간론자《예수의 신성(神性)을 인정치 않음》. **—** *a.* 인도주의의; 박애(주의)의; 《신학》 예수 인간설의. ⓟ **~·ism** *n.* Ⓤ 인도(박애)주의; 예수 인간론. **~·ist** *n.*

hu·man·i·ty** [*h*juːmǽnəti/hjuː-] *n.* **1** Ⓤ 인류: for the benefit of ~ 인류를 위하여. **2** Ⓤ 인간성, 인도; (*pl.*) 인간의 속성, 인간다움. **3** Ⓤ 인간애, 박애, 자애, 인정: out of ~ 자비심에서 / treat animals with ~ 동물을 잘 돌보다. **4** (보통 *pl.*) 자선 행위. **5** (the humanities) (그리스 · 라틴의) 고전 문학; 인문학《철학 · 문학 등》. ***a crime against* ~** 비인도적인 범죄. ***the Religion of Humanity 인도교(人道敎).

hù·man·i·zá·tion *n.* Ⓤ 인간성 부여, 인간화, 교화.

hú·man·ìze *vt.* 인간답게 만들다; 교화하다, 인정 있게 만들다, 고상하게 하다: ~ gods 신들에게 인간성을 부여하다. **—** *vi.* 인간답게 되다, 인정있게 되다; 교화되다. ⓟ **-ìz·er** *n.* 교화하는 사람(것).

hú·man·kìnd *n.* Ⓤ 《집합적》 인류, 인간(mankind).

húman léukocyte àntigen ⇨ HLA.

hú·man·ly *ad.* 인간답게; 인력으로(써); 인간의 (할 수 있는) 방법으로; 인간의 판단으로, 경험으로, 인간적 견지에서: *Humanly* speaking, he cannot recover. 인력으로는 그의 회복이 불가능하다. **~ *possible*** 인간적인 판단으로는 가능한, 인력으로 할 수 있는.

húman-màde *a.* =MAN-MADE.

húman menopáusal gonadotrópin 《생리》 인간 폐경후 고나도트로핀《생략: HMG》.

húman náture 인성(人性), 인간성; 인정.

hu·man·oid [*h*júːmənɔ̀id/hjúː-] *a.* 인간을 닮은. **—** *n.* 원인(原人); (SF 따위에서) 우주인.

Húman Óne (the ~) 《기독교》 사람의 아들, 예수 그리스도.

húman poténtials mòvement 인간 잠재 능력 회복 운동《일종의 집단 요법적인 수양 운동》.

húman pówer 인적 자원.

húman ráce (the ~) 인류(humanity, mankind).

húman relátions 인간 관계 (연구).

húman resóurce administràtion 《경영》 인적 자원 관리《종업원의 고용 · 해고 · 불만 처리 등의 인사 관리》.

húman resóurces (*pl.*) 인적 자원; (기업 등의) 인사(노무) 관리 부문; 인사부.

húman ríghts (기본적) 인권.

húman ríghts diplòmacy 인권 외교《세계 각지에서의 인권 옹호를 촉진하기 위해, Jimmy Carter 미국 전 대통령(1977-81)이 내세운 외교 방침》.

húman scíence 인문 과학《인류학 · 언어학 · 문학 등의 총칭; 또 그 한 부문》.

hùman shíeld 인간 방패《적의 공격을 저지하기 위해 억류 · 배치된 포로, 인질 등》.

hu·ma·num est er·ra·re [hjuːméinəm-ést-erέəri, -máː-; *L.* huːmáːnum-ɛst-erráːrɛ] 《L.》 과오를 범하는 것은 인간의 속성이다(to err is human).

Hum·ber·side [hʌ́mbərsàid] *n.* 험버사이드 《잉글랜드 동북부의 주; 1974년 신설》.

⁑**hum·ble** [hʌ́mbəl/hʌ́m-] (**-bler; -blest**) *a.* **1** (신분 등이) 천한, 비천한: a man of ~ birth 〔origin〕/ a ~ position 낮은 지위. **2** 시시한, 변변찮은; 작은: a ~ cottage 〔house〕 초라한 집 / ~ fare 변변치 않은 음식 / a ~ income 적은 수입. **3** 겸손한, 겸허한, 조심성 있는: a ~ request 겸허한 요구 / in my ~ opinion 비견(卑見)〔사견〕을 말씀드린다면 / Your ~ servant 경구(敬具)《예전의 공식 서한의 맺음말》; 《경멸》 소생 (=I, me). ***in a ~ measure*** 부족하나마. **—** *vt.* **1** 겸허하게 하다; …의 오만한 콧대를 꺾다. **2** 《~ oneself》 겸손하다, 황송해하다. ◇ humility *n.* **~ ... *to the dust*** 굴욕을 주다, 창피스럽게 만들다. ㊔ **-bler** *n.* **~·ness** *n.* 겸손, 비하; 비천한 신분; 변변찮음.

hum·ble·bee [hʌ́mbəlbìː] *n.* =BUMBLEBEE.

húmble píe 굴욕; 《고어》 돼지〔사슴〕 내장으로 만든 파이. ***eat*** ~ 굴욕을 참다; 백배사죄하다.

húmble plànt 〖식물〗 함수초.

°**húm·bly** *ad.* 겸손하게, 황송하게; 천한 신분으로; 볼품없이.

Hum·boldt [hʌ́mboult] *n.* 훔볼트. **1 Baron A. von** ~ 독일의 과학자·탐험가(1769-1859). **2 Baron K. W. von** ~ 독일의 철학자·정치가(1767-1835)《1의 형》.

hum·bug [hʌ́mbʌ̀g] *n.* U,C 속임, 허위, 사기, 가짜; 헛소리; 아첨; 바보짓; 박하사탕; C 사기〔협잡〕꾼, 허풍선이(humbugger); 아첨꾼. **—** (**-gg-**) *vt.* 《~+목/+목+전+명》 기만하다, 속이다, 야바위치다: ~ a person *into* buying rubbish 아무를 속여 엉터리 물건을 사게 하다 / ~ a person *out of* his money 아무를 속여서 돈을 후무리다. **—** *vi.* 협잡을 하다. **—** *int.* 엉터리, 시시해. ㊔ **~·ger** *n.* 사기꾼.

hum·bug·gery [hʌ́mbʌ̀gəri] *n.* U 눈속임, 협잡, 기만, 사기.

hum·ding·er [hʌ́mdíŋər] *n., a.* 《미속어》 아주 굉장한 (사람·물건), 극히 이상한〔이례적인〕 (것), 고급품.

hum·drum [hʌ́mdrʌ̀m] *a.* 평범한, 단조로운, 지루한. **—** *n.* U 평범, 단조; 지루함; C 따분한 〔평범한〕 사람. **—** (**-mm-**) *vi.* 단조롭게〔평범하게〕 해나가다. ㊔ **~·ness** *n.*

Hume [hjuːm/hjuːm] *n.* **David** ~ 흄《스코틀랜드 태생의 철학자·정치가; 1711-76》.

hu·mec·tant [hjuːméktənt/hjuː-] *a.* 습기를 주는, 습윤성의. **—** *n.* 습윤제(濕潤劑), 회석제.

hu·mer·al [hjúːmərəl/hjúː-] *a.* 상완(上腕)〔상박〕골의, 상완〔상박〕부(部)의; 어깨의. **—** *n.* (성직자가) 어깨에 걸쳐 입는 옷(=∠ **vèil**).

hu·mer·us [hjúːmərəs/hjúː-] (*pl.* **-meri** [-mərài]) *n.* 〖해부〗 상완〔상박〕(골); 상완〔상박〕부.

hu·mic [hjúːmik/hjúː-] *a.* 〖화학〗 유기물의, 유기물로 된; 부식토의, 부식토에서 채취한.

húmic ácid 〖화학〗 부식산(酸).

°**hu·mid** [hjúːmid/hjúː-] *a.* 습기 있는, 눅눅한, 습기가 많은. ㊔ **~·ly** *ad.* **~·ness** *n.*

hu·mid·i·fi·ca·tion [hjuːmìdəfikéiʃən/hjuː-] *n.* 축축하게 함, 가습(加濕).

hu·mid·i·fi·er [hjuːmídəfàiər/hjuː-] *n.* 급습기(給濕機), 습윤기(濕潤器), 가습기.

hu·mid·i·fy [hjuːmídəfài/hjuː-] *vt.* 축이다, 축축하게 하다.

hu·mid·i·stat [hjuːmídəstæ̀t/hjuː-] *n.* 항습기(恒濕器), 습도 (자동) 조절기.

***hu·mid·i·ty** [hjuːmídəti/hjuː-] *n.* U 습기, 습윤(dampness); 〖물리〗 습도: absolute 〔relative〕 ~ 절대〔상대〕 습도.

hu·mi·dor [hjúːmədɔ̀ːr/hjúː-] *n.* (적당한 습도를 유지하는) 담배 저장 상자〔실〕; (이와 유사한) 가습(加濕) 설비.

hu·mi·fi·ca·tion [hjùːməfikéiʃən/hjùː-] *n.* 부식토화(腐植土化)(작용); 이탄화(泥炭化).

hu·mi·fy [hjúːməfài/hjúː-] *vt., vi.* 부식토화하다. ㊔ **hú·mi·fied** *a.*

°**hu·mil·i·ate** [hjuːmílièit/hjuː-] *vt.* **1** 욕보이다, 창피를 주다, 굴욕을 주다, 굴복시키다: He felt utterly ~*d*. 그는 몹시 창피했다. **2** 《~ oneself》 면목을 잃다, 창피를 당하다.

hu·míl·i·àt·ing *a.* 면목 없는, 치욕이 되는, 굴욕적인. ㊔ **~·ly** *ad.*

°**hu·mìl·i·á·tion** *n.* U,C 창피 줌; 굴욕, 수치, 굴종, 면목 없음: a national ~ 국치(國恥).

hu·míl·i·à·tor *n.* 창피 주는 사람, 모욕자.

***hu·mil·i·ty** [hjuːmíləti/hjuː-] *n.* U 겸손, 겸양, 비하(卑下); (*pl.*) 겸손한 행위.

hu·mint, HUMINT [hjúːmint/hjúː-] *n.* (스파이에 의한) 정보 수집 (분석 활동)《전자 기기 사용에 의한 첩보 활동에 대하여》. cf. elint, sigint. [◀ *hu*man *int*elligence]

hum·mer [hʌ́mər] *n.* 윙윙대는 것; 콧노래하는 사람; =HUMMINGBIRD; 〖야구〗 속구; 《구어》 멋진 사람〔것〕, =HUMDINGER; 《속어》 불법〔오인〕 체포〔고소〕; 《미속어》 공짜로 얻을 수 있는 것. **—** 《미속어》 *a.* 무료(無料)의; 멋진.

hum·ming [hʌ́miŋ] *a.* **1** 윙윙거리는; 콧노래를 부르는. **2** 《구어》 원기 왕성한, 정력적인; (장사 등이) 활발한; 《구어》 (맥주가) 거품이 이는, 독한. **—** *n.* U 웅웅〔윙윙〕 소리; 콧노래(부르기).

húmming·bìrd *n.* 〖조류〗 벌새. **(*as*) *restless as a*** ~ 몹시 허둥대는.

húmming tòp 윙윙 소리내는 팽이.

hum·mock [hʌ́mək] *n.* 작은 언덕(hillock); (빙원(氷原) 위의) 빙구(氷丘). ㊔ **-mocky** *a.* 작은 언덕과〔빙구와〕 같은〔이 많은〕.

hum·mus [húməs] *n.* 후머스《이집트콩(chickpea)을 익혀 으깬 후 참기름으로 조미한 것; 빵에 묻혀 먹음》.

hum·my [hʌ́mi] *a., ad.* 《미흑인속어》 (아무것도 모르고) 행복한 (듯이), 태평한〔하게〕, 순진한〔하게〕.

hu·mon·gous, -mun- [hjuːmʌ́ŋgəs, -mɑ́ŋ-/ hjuːmʌ́ŋ-], [-mʌ́n-] *a.* 《미속어》 거대한, 턱없이 큰, 굉장한.

⁑**hu·mor,** 《영》 **-mour** [hjúːmər/hjúː-] *n.* U **1** 유머, 해학(諧謔); 유머를 이해하는 힘(sense of ~). cf. wit. ¶ a story full of ~ 유머가 넘치는 이야기 / a sense of ~ 유머 감각. **2** (*pl.*) 재미있는 대문, 익살스러운 점. **3** 유머가 깃들인 문장〔말〕: cheap ~ 어설픈 익살. **4** (일시적인) 기분, 변덕(whim): in a good 〔a bad, an ill〕 ~ 기분이 좋아서〔나빠서〕 / when the ~ takes me 기분이 내키면 / be in (a) ~ *to* do 〔for〕 …을 할 마음이 내키다 / in no ~ *for* …을 할 마음이 안 나서. SYN. ⇨ MOOD. **5 a** U 〖생리〗 액(液): aqueous ~ (눈알의) 수양(水樣)액. **b** C 〖중세 의학〗 체액: the four cardinal ~*s*, 4 체액 《blood, phlegm, choler, melancholy 의 4 종; 옛날에는 그 배합으로 체질·기질 등이 정해지는 것으로 생각했음》. **6** 기질, 성질: Every man has 〔in〕 his ~. 《속담》 각인각색. ***comedy of ~s*** 기질 희극《인간의 기질을 과장한 희극; 17 세기 초에 영국에서 유행》. ***out of*** ~ 기분이 언짢아. ***please*** a person'***s*** ~ 비위를 맞추다. ***When the ~ takes*** a person 마음이 내키면 〔쏠리면〕. **—** *vt.* **1** …의 비위를 맞추다; (사람·기질·취미 등을) 만족시키다: ~ a child 아이를 달래다. **2**

…에 보조를 맞추다; 잘 다루다.

hu·mor·al [hjúːmərəl/hjúː-] *a.* 〖의학〗 체액(성)의, 체액에서 생기는; 습성(濕性)의: ~ pathology 체액 병리학. ㊞ **~·ism** Ⓤ 체액 병리학. **~·ist** *n.* 체액 병리학자.

húmoral immúnity 체액(성) 면역(antibody-mediated immunity).

(-)hú·mored *a.* 기분이 …한: good-〔ill-〕~ 기분이 좋은〔언짢은〕. ★ -ly를 붙여서 부사를 만듦: good-*humoredly* 기분이 좋아서.

hu·mor·esque [hjùːmərésk/hjùː-] *n., a.* 〖음악〗 표일곡(飄逸曲), 유머레스크(의).

hú·mor·ist *n.* **1** 유머를 이해하는 사람, 익살꾼. **2** 유머 작가〔배우〕.

hu·mor·is·tic [hjùːmərístik/hjùː-] *a.* 익살맞은(humorous); 유머 작가풍의.

hú·mor·less *a.* 유머가 없는; 재미없는, 하찮은.

***hu·mor·ous** [hjúːmərəs/hjúː-] *a.* **1** 유머러스한, 익살스러운: a ~ gesture. **2** 유머를 이해하는, 유머가 풍부한. ㊞ **~·ly** *ad.* **~·ness** *n.*

hu·mor·some [hjúːmərsəm/hjúː-] *a.* (마음이) 금세 변하기 쉬운, 변덕스러운; 성마른, 괴까다로운; 익살맞은. ㊞ **~·ness** *n.*

°**hump** [hʌmp] *n.* **1 a** (등허리의) 군살, (낙타 따위의) 혹: a camel with two ~s 쌍봉낙타. **b** 둥근 언덕; 〖항공〗 산, 산맥. **2** (the ~) 《구어》 풀이 죽음, 의기소침, 짜증: It gives me the ~. 부아가 난다; 실망된다. **3** 난관; 위기; 〖철도〗 험프《중력을 이용, 차량을 분리하기 위해 조차장에 마련된 경사지》. **4** 《미구어》 노력, 분투; 《비어》 성교(의 상대). **5** (the H-) 히말라야 산맥《2차 세계대전 중 연합국 공군이 쓴 말》. **6** 《CB속어》 산(mountain). **7** 《Austral.》 과속 방지턱(speed bump). ***get a ~ on*** 《미구어》 서두르다. ***hit the ~*** 허둥대다, 서둘러 행동하다. ***live on one's ~*** 자급자족의 생활을 하다《낙타의 혹에 비겨서》. ***on the ~*** 바쁘게 활동하여. ***over the ~*** 《구어》 어려운 고비를 넘긴; 《속어》 (고용 기간·병역·형기 등을) 반 이상 마친. ── *vt.* **1** (등 따위를) 둥그렇게 하다, 구부리다(hunch)《*up*》; 낙담케 하다, 풀이 죽게 하다. **2** 《+목+전+명》《Austral. 속어》 어깨에 메다: He ~*ed* the sack of grain *into* the barn. 그는 곡식 자루를 짊어지고 창고로 운반했다. **3** 《비어》 …와 성교하다. **4** 〖~ oneself〗 《미속어》 열심히 일하다. ── *vi.* 《미구어》 노력하다; 서두르다. **~ one's swag** 〔**bluey, drum**〕 《Austral. 속어》 (방랑자가) 휴대품 보따리를 짊어지고 여기저기 돌아다니다. ***Hump yourself!*** 《속어》 나가 없어져라, 저리 꺼져.

°**húmp·bàck** *n.* 꼽추, 곱사등(이); 혹등고래(=∠ **whále**); (미국 태평양 연안의) (작은) 연어. ㊞ ~**ed** [-t] *a.* 곱사등의, 꼽추의.

húmpback 〔**húmpbacked**〕 **brídge** 홍예다리.

humped [-t] *a.* 혹이 있는, 등을 구부린.

húmp·er *n.* 《속어》 (무거운 짐의) 운반원; (특히 록밴드에서) 악기나 앰프를 나르는 사람.

humph [hʌmf] *int.* 흥《불만·의혹·혐오·모멸 따위를 나타내는 소리》. ── *vi.* 흥하다. [imit.]

Hum·phrey [hʌ́mfri] *n.* 험프리. **1** 남자 이름. **2 duke of Glowcester** ~ 영국의 군인·정치가 (1391-1447).

húmp·less *a.* 혹이 없는.

Hump·ty-Dump·ty [hʌ́mptidʌ́mpti] *n.* **1** (또는 h- d-) 험프티 덤프티《*Mother Goose* 의 동요집에 나오는 커다란 계란 모양의 인물; 담장에서 떨어져 깨짐》; 땅딸보. **2** 한 번 넘어지면 일어서지 못하는 사람〔물건〕; 《미속어》 낙선이 뻔한 후보자(cf. Mickey Mouse).

Humpty-Dumpty 1

humpy[1] [hʌ́mpi] (***hump·i·er; -i·est***) *a.* 혹이 있는〔많은〕; 혹 모양의, 등이 구부러진; 《미속어》 성적으로 흥분한. ㊞ **húmp·i·ness** *n.*

hum·py[2] *n.* 《Austral.》 원주민의 오두막.

Hum·u·lin [hjúːməlin/hjúː-] *n.* 후물린《유전자를 재결합시켜 생산한 인슐린의 상품명》. [◂ *human insulin*]

hu·mus [hjúːməs/hjúː-] *n.* 《L.》 부식토(=∠ **sòil**).

Hun [hʌn] *n.* **1** 훈족, 흉노(匈奴)《4-5세기경 유럽을 휩쓴 아시아의 유목민》. **2** (예술 따위의) 파괴자; 야만인(vandal); 《경멸》 독일군〔사람〕《특히 제 1 차 세계대전에서》.

Hun. Hungarian; Hungary.

Hu·nan [hùːnɑ́ːn] *n.* 후난(湖南)성《중국 중남부의 성(省)》.

hunch [hʌntʃ] *n.* 군살, 혹(hump); 두꺼운 조각, 덩어리(lump); 예감, 육감《꼽추의 등에 닿으면 행운이 온다는 미신에서》: have a ~ *that*... 어쩐지 …한 예감〔마음〕이 들다 / play one's 〔a〕 ~ 직감으로 행동하다. ── *vt.* **1** 《~+목/+목+부》 (등 따위를) 활 모양으로 구부리다《*out; up*》: sit up ~*ed* over one's work 등을 구부리고 앉아 일을 하다 / Don't ~ *up* your back so. 그렇게 등을 구부리지 마라. **2** 《속어》 팔꿈치로 찌르다; …에게 정보를 제공하다. **3** 《구어》 …한 예감이 들다. ── *vi.* 돌출하다, 불거져 나오다; 등을 웅크리다.

°**húnch·bàck** *n.* 곱사등(이): *The Hunchback of Notre Dame* 노틀담의 꼽추《V. Hugo의 소설》. ㊞ **~ed** [-t] *a.* 곱사등의, 꼽추의.

hunchy [hʌ́ntʃi] *a.* =HUMPED.

†**hun·dred** [hʌ́ndrəd] *a.* **1** 100의, 100개의. ★ 보통 a, one 또는 수사가 붙음. **2** (a ~) 수백의; 다수의: *a* ~ students 많은 학생들 / He has *a* ~ things to do. 할 일이 많다. ***a ~ and one*** 다수의, 아주 많은. ***not a ~ miles away*** 《우스개》 바로 가까이에. ── (*pl.* **~s,** 〖수사 다음에서는〗 ~) *n.* **1** 100, 100개; 100명; 100살: live to a ~ 백살까지 살다 / two ~ (and) ten =210 / a few ~ (of them) 수 백 / some 〔about a〕 ~ 약 백 / the ~ and first 101번. ★ 미국 구어에서는 100자리와 10〔1〕자리 사이에 and [ənd]를 생략하기도 함. **2** 100의 기호《100 또는 C》. **3** 《영》 100파운드; 《미》 100달러; 〖경기〗 100야드 경주. **4** (*pl.*) 몇 백, 다수: ~*s of* people 몇 백 명이나 되는 사람들. **5** 〖영국사〗 촌락; 소행정 구획《county 또는 shire의 구성 단위》. ***a great*** 〔***long***〕 ~, 120. ***a ~ to one***, 100대 1의 비율; 십중팔구. ***a*** 〔***one***〕 ***~ percent*** 《미》 백 퍼센트로, 완전히, 유감없이. ***by ~s*** =***by the ~(s)*** 몇 백이나; 많이. **~*s* (*and ~s*) *of*** 수백의, 많은. ***~s and thousands*** 몇 백 몇 천; (케이크 장식에 뿌리는) 굵은 설탕. ***in the ~***, 100에 대해, 100분의. ***like a ~ of bricks*** ⇨ BRICK.

húndred-and-éighty-degrée, 180-degrée [-nd-] *a., ad.* 180도의〔로〕; 완전한〔히〕; 정반대의〔로〕.

Húndred Dáys (the ~) **1** (Napoleon 의) 백일 천하《1815년 3월 20일-6월 28일》. **2** 〖미국사〗 백일 의회《1933년 3월 9일-6월 16일; F. Roosevelt의 New Deal 등 중요 법안을 가결한》. **3** (h- d-) 《미》 (대통령 취임 후의) 100일간《정권 발족 직후에, 어느 정도의 정책을 내세웠는가를 평가하는 기준이 되는 기간》. cf. honeymoon period.

Húndred Flówers pòlicy '백화제방(百花齊

放)' 정책《1957 년 마오쩌둥(毛澤東)이 행한 체제 비판의 자유화 정책》.

húndred·fòld *n.*, *a.*, *ad.* **1** 100 배(의 수〔양〕); 100 배의〔로〕. **2** 100 겹; 100 겹의〔으로〕.

húndred-percént *a.*, *ad.* 전면적인〔으로〕, 철저한〔하게〕, 완전한〔히〕: I ~ agree with you. 전폭적으로 너와 동감이다. ㊔ **~·er** 《미》 *n.* 극단론자, 과격한 애국자; 《속어》 아주 좋은 녀석〔아가씨〕; 《속어》 벌이가 되면 뭐든 하는 사업가. **~-ism** *n.*

húndred-próof *a.* (위스키가) 알코올 농도 50 도의; 《미속어》 순수한, 진짜의.

húndred(')s plàce (아라비아 숫자 표기에서) 100 의 자리(수); 〖수학〗 (혼수(混數)에서) 소수점 세 번째 자리.

⁑**hun·dredth** [hʌ́ndrədθ, -drətθ] *n.*, *a.* 100 번째(의); 100 분의 1(의). ㊔ **~·ly** *ad.* 100 번째로〔에〕.

húndred·wèight (*pl.* **~s,** 〖수사 다음에서는〗 ~) *n.* (보통 Ⓤ) 무게의 단위(《영》 112 파운드 (50.8 kg); 《미》 100 파운드(45.36 kg); 생략: cwt.).

Húndred Yéars' Wár (the ~) 백년 전쟁 《1337–1453 년의 영국과 프랑스 전쟁》.

hung [hʌŋ] HANG 의 과거 · 과거분사.
— *a.* 《속어》 **1** 짜증 나는, 불쾌한; 피곤한; 숙취한; 반하여(in love). **2** 페니스가 큰: be ~ like a bull. **3** 정체 중인. ***be ~ on*** …에 열중하다. ***be ~ over*** 숙취하다. **~ *up*** (곤란한 일로) 방해되어, 꼼짝 못하게 되어; 〖야구〗 (주자가) 협공당하여; (사람 · 일에) 혹하여《*on; about*》: I'm ~ *up on* oysters. 나는 굴이라면 사족을 못 쓴다.

Hung. Hungarian; Hungary.

Hun·gar·i·an [hʌŋgέəriən] *a.* 헝가리(사람 · 말)의. — *n.* 헝가리 사람; Ⓤ 헝가리 말.

Hungárian rísing 헝가리 반공의거《1956 년 10월 부다페스트에서 일어난 반소 · 자유화 운동》.

Hun·ga·ry [hʌ́ŋgəri] *n.* 헝가리《수도는 Budapest》. — *a.* =HUNGARIAN.

⁑**hun·ger** [hʌ́ŋgər] *n.* **1** Ⓤ 공복, 배고픔; 굶주림, 기아; Ⓒ 기근: ~ export (외화 획득을 위한) 기아 수출 / die of ~ 굶어 죽다 / satisfy one's ~ 공복을 채우다《*with* cakes》/ *Hunger* is the best sauce. 《속담》 시장이 반찬, 기갈이 감식. **2** (a ~) 《비유》 갈망, 열망《*for; after*》: a ~ *for* 〔*after*〕 fame 〔learning〕 명예〔지식〕욕. ◇ hungry *a.* ***from*** **~** 《미속어》 좋지 않은, 싸구려의, 못생긴, 최저의, 싫은. — *vi.* **1** 배가 고프다, 굶주리다; 굶어 죽게 되다. **2** 《+전+명》 갈망하다(long)《*for; after*》: ~ *for* 〔*after*〕 affection 애정을 갈망하다. — *vt.* 《~+목/+목+전+명》 굶주리게 하다; 배를 곯려 …시키다: ~ a person *into* submission 굶겨서 굴복시키다 / ~ a garrison *out* of a place 수비대의 양도(糧道)를 끊어 항복시키다.

húnger cùre 단식〔기아〕 요법.

húnger màrch 기아 행진《실업자 등의 시위》.

húnger màrcher 기아 행진 참가자.

húnger pàin 〖의학〗 공복통(痛).

húnger strìke 단식 투쟁: go 〔be〕 on (a) ~ 단식 투쟁을 하다〔하고 있다〕. 「투쟁을 하다.

húnger-strìke (*-struck; -strik·ing*) *vi.* 단식

húnger strìker 단식 투쟁자.

húng júry 《미》 불일치 배심, 의견이 엇갈려 판결을 못 내리는 배심(단). 「아, 비참하여.

húng·òver 《구어》 *a.* 숙취하여; (기분이) 언짢

húng párliament 절대다수를 점유하는 정당이 없는 의회.

†**hun·gry** [hʌ́ŋgri] (*-gri·er; -est*) *a.* **1** 배고픈, 주린: I am ~. 시장하다 / a ~ look 허기진 표정 / *as* ~ *as* a hunter 〔hawk〕 몹시 시장하여 / feel ~ 시장기를 느끼다 / go ~ 굶고 있다 / Nothing comes wrong to a ~ man. 《속담》 수염이 석자라도 먹어야 양반. **2** 갈망하는, 몹시 원하는: be ~ *for* 〔*after*〕 knowledge 지식을 갈망하다.

> SYN. **hungry** 공복의. 비유적으로 '…을 몹시 원하는': *hungry* for 〔after〕 information 소식을〔정보를〕 몹시 얻고 싶어서. **starved** hungry 의 강한 뜻: be *starved* to death 굶어 죽다. **famished** starved 와 같은 뜻이지만 장기간에 걸친 굶주림이나 빈곤을 암시함. 그러나 구어에서는 starved, famished 모두 '허기진'의 뜻으로 hungry와 같은 뜻으로 쓰임: I was simply *famished* 〔*starved*〕 after the hike. 하이킹 뒤에 몹시 시장했다.

3 불모의, 메마른(barren): ~ land 메마른 땅 / ~ ore 빈광(貧鑛). **4** 식욕을 돋우는: ~ work 배가 쉬 고파지는 일. ◇ hunger *n.* ㊔ **-gri·ly** *ad.* 배고파서, 허기져서, 걸신들린 듯; 갈망하여: go at 〔to〕 it ~ 맹렬히 …하기 시작하다. **-gri·ness** *n.*

Húngry Fórties (the ~) 〖영국사〗 기아의 40 년대《1840–49 년; 대기근 시대》.

hunk[1] [hʌŋk] *n.* 《구어》 (빵 따위의) 두꺼운 조각《*of*》, 큰 덩어리; 군살(hunch), 고깃덩어리; 《미속어》 멋진〔섹시한〕 남자; (때로 H–) 《미속어》 여자(애). ***a ~ of beefcake*** 《미속어》 육체미가 좋은 남자, 늠름한 사나이. ***a ~ of change*** 《미속어》 얼마 안 되는 돈. ***a ~ of cheese*** 《미속어》 꾸물대는〔보기 싫은〕 놈.

hunk[2] *n.* (아이들 놀이에서) 자기 진지, 홈, 골. ***on*** **~** 안심할 수 있는 곳에.

Hun·ker [hʌ́ŋkər] n. 〖미국사〗 헝커《1845–48 년의 New York 민주당원 중의 보수파》; (h–) 보수적〔구식〕인 사람(old fogy).

hun·ker *vi.* **1** 쭈그리고 앉다《*down*》. **2** 《구어》 **a** 몸을 웅송그리다. **b** 숨다, 잠복〔피난〕하다《*down*》. **c** (비판 · 반대 등에 직면하여) 버티다, 우겨 나가다《*down*》. — *n.* (*pl.*) 궁둥이《다음 관용구에만 쓰임》. ***on one's ~s*** 쭈그리고 앉아

hun·kie [hʌ́ŋki] *n.* =HUNKY[1]. 「서.

hunks [hʌŋks] (*pl.* ~) *n.* 수전노, 구두쇠; 성질이 비뚤어진 사람; 욕심쟁이(miser); 《미속어》 외국인 노동자.

hunky[1] [hʌ́ŋki] *n.* 《미속어 · 경멸》 외국 태생의 미숙련 노동자《헝가리계 이민 따위》.

hunky[2] (*hunk·i·er; -i·est*) *a.* 《미속어》 **1** 튼튼한, 늠름한, 멋진. **2** 승패 없는, 양편이 맞먹는, 호각의(even). 「있는, 멋있는, 훌륭한.

húnky-dó·ry [-dɔ́:ri] *a.* 《미속어》 안심할 수

Hun·nish [hʌ́niʃ] *a.* Hun의; (*or* h–) 파괴적인, 야만적인; 《경멸》 독일병〔사람〕의. ㊔ **~·ness** *n.* 야만, 문화 파괴.

Hunt [hʌnt] *n.* (**James Henry**) **Leigh ~** 헌트 《영국의 시인 · 수필가; 1784–1859》.

⁑**hunt** [hʌnt] *vt.* **1** 사냥하다: ~ big game 큰 짐승을 사냥하다《사자 따위의》/ ~ ivory (상아를 얻기 위해) 코끼리 사냥을 하다 / ~ heads 사람 사냥을 하다. **2** (짐승이 있는 지역을) 사냥하다: ~ the woods 숲속에서 사냥하다. **3** (말 · 개 따위를) 사냥에 쓰다. **4** 《+목+부/+목+전+명》 추적하다; 쫓아내다《*from; out of*》; 쫓아버리다《*away*》: They ~*ed* cats *away*. 고양이를 쫓아버렸다 / He was ~*ed from* 〔*out of*〕 the village. 그는 마을에서 추방되었다. **5** 《~+목/+목+부/+목+전+명》 찾다, 뒤져내다《*up; out*》; (장소를) 찾아 헤매다, 조사하다: ~ a job 일자리를 찾다 / ~ *up* words in a dictionary / ~ the house *for* the gun 총을 찾아 온 집

안을 뒤지다. **—** *vi.* **1** 사냥하다. **2** 《~/+전+명》 찾아 헤매다 《*after; for*》: ~ *for* bargains 값싼 물건을 찾아 헤매다 / ~ *after* knowledge 지식을 구하러 다니다. **3** (기계가) 불규칙하게 움직이다. ~ ***down*** 몰아넣다, 추적해서 잡다; 박해하다. ~ ***out*** …을 찾아내다, (사냥감을) 몰아내다. ~ ***one's bed*** 〔***blanket***〕 《미구어》 잠자리에 들다. ~ ***up*** (숨어 있는 것 따위를) 찾다, 찾아내다. **—** *n.* **1** 사냥, 수렵: a bear-~ 곰 사냥 / have a ~ 사냥을 하다 / go on a ~ 사냥 가다. **2** 수렵대. **3** 수렵지(구). **4** 추적, 수색, 탐색(search); 탐구《*for*》: be on a ~ 수색하고 있다. ***in the*** ~ 《속어》 찬스가 있는. ***out of the*** ~ 《속어》 (이미) 찬스가 없는.

húnt and péck (타자기를) 일일이 보고 치는 방식, (touch system을 따르지 않고) 제멋대로 치는 방식.

húnt·awày *n., a.* 《영 · N. Zeal.》 양 치는 개(의).

húnt·ed [-id] *a.* 쫓기는; 추적〔박해〕받고 있는; 겁에 질린, 초췌해진.

hunt·er** [hʌ́ntər] (*fem.* ***hunt·ress) *n.* **1** 사냥꾼(huntsman). **2** 사냥개, 사냥말; 《특히》 헌터종(種)의 말. **3** 탐구자, (…을) 찾아 헤매는 사람《*for; after*》: a fortune ~ 재산을 노리는 구혼자 / a ~ *after* fame 명예욕이 강한 사람. **4** (사냥꾼용의) 뚜껑이 앞뒤에 달린 회중시계(hunting watch). **5** (the H-) 〖천문〗 오리온자리(Orion).

húnter-gátherer *n.* 〖인류〗 수렵채집인.

húnter gréen 황색을 띤 짙은 녹색(greenish yellow green).

húnter-kíller *a.* 〖군사〗 잠수함 공격용의, 대잠 「(對潛)….

húnter-kíller sàtellite 위성 파괴〔공격〕 위성, 킬러 위성(satellite killer).

húnter's móon (보통 the ~) 사냥달《harvest moon 다음의 만월》.

hunt·ing** [hʌ́ntiŋ] *n.* Ⓤ **1** 사냥; 《영》 여우 사냥(fox ~); 《미》 총사냥(《영》 shooting). **2** 추구, 수색; 탐구: a house ~ 셋집 찾기. **3** 〖전기〗 난조(亂調)《동위상(同位相) 전동기에 일어나는 주기적인 회전 기복》. ***Good ~! 잘 하십시오, 행운을 빕니다(Good luck!). ***in ~ trim*** 사냥 복장으로. **—** *a.* 사냥을 좋아하는, 사냥용의.

húnting bòx 《영》 사냥꾼의 산막 (hunting lodge).

húnting càp 헌팅캡, 사냥 모자.

húnting càse hunting watch의 케이스.

húnting cròp 수렵용 승마 채찍.

Húnting Dógs (the ~) 〖천문〗 사냥개자리 (Canes Venatici).

Hunt·ing·don·shire [hʌ́ntiŋdənʃìər, -ʃər] *n.* 헌팅던셔《이전의 잉글랜드 중동부의 주; 1974년 이후 Cambridgeshire 주에 병합; 생략: Hunts》.

húnting fíeld 사냥터.

húnting gròund 사냥터; 찾아 뒤지는 곳. ***a happy*** ~ 《북아메리카인디언》 극락, 천국. ***go to the happy*** ~***(s)*** 저승으로 가다, 죽다.

húnting hòrn 수렵용 나팔.

húnting knìfe 사냥칼.

húnting lòdge =HUNTING BOX.

húnting pínk 여우 사냥꾼이 입는 붉은색 상의(上衣)(의 옷감); 여우 사냥꾼.

Hún·ting·ton's choréa 〔**diséase**〕 [hʌ́ntiŋtənz-] 〖의학〗 헌팅턴〔만성 유전성〕 무도병(舞蹈病)《30대에 많이 발병하는 희귀한 유전병》.

húnting wàtch 앞뒤에 뚜껑이 달린 회중시계.

hunt·ress [hʌ́ntris] *n.* 여자 사냥꾼; 수렵용의 암말; (the H-) 사냥의 여신.

húnt sabotèur 여우 사냥〔수렵〕 방해 활동가.

húnts·man [-mən] (*pl.* ***-men*** [-mən]) *n.* 사냥꾼; 《주로 영》 (여우 사냥의) 사냥개 담당자. ㊞ **~·shìp** *n.* Ⓤ 사냥술, 사냥 솜씨.

húnt the slípper 슬리퍼 찾기《어린이 실내 놀이》.

húnt the thímble 골무 찾기 놀이《영국 아이들의》.

hup [hʌp] *int.* (말을 몰 때의) 이러, 어디(여); (개에게) 앉아. **—** *vt.* (말을) 오른쪽으로 돌리다. **—** *vi.* (개가) 앉다.

Hupei, Hupeh ⇨ HUBEI.

◇**hur·dle** [hə́ːrdl] *n.* **1** 바자(울). **2** 〖경기 · 경마〗 장애물, 허들; 《미》 장애(obstacle), 곤란; (*pl.*) =HURDLE RACE: the high 〔low〕 ~*s* 고〔저〕장애물 경주. **3** 〖역사〗 죄인을 형장으로 이송할 때 쓰는 썰매 모양의 운반구. ***jump the*** ~ 장애물을 뛰어넘다; 《미속어》 결혼하다. **—** *vt., vi.* **1** …에 바자로 울타리를 두르다《*off*》. **2** (허들을) 뛰어넘다; 장애물 경주에 나가다. **3** (장애 · 곤란 따위를) 극복하다(overcome). ~ ***off*** 〔***out, round, up***〕 그물〔판자〕로 둘러치다. ㊞ **húr·dler** *n.* 허들 선수; 바자 엮는 사람. **-dling** *n.* ~하기; 〖미식축구〗 ball carrier가 넘어지지 않은 선수의 위를 발이나 무릎을 내밀고 뛰어넘음《반칙》.

húrdle ràce 〖경기〗 장애물〔허들〕 경주.

hurds [həːrdz] *n. pl.* Ⓤ 삼 지스러기, 털 부스러기(hards).

hur·dy-gur·dy [hə́ːrdigə̀ːrdi, -gə̀ːr-] *n.* (옛날의) 현악기의 일종《송진을 바른 바퀴를 돌려 현을 마찰시켜서 소리를 냄》; 손잡이를 돌리는 오르간(barrel organ)의 일종.

***hurl** [həːrl] *vt.* **1 a** 《~+목/+목+전+명》 집어던지다, 세게 던지다《*at*》: The hunter ~*ed* his spear *at* his prey. 사냥꾼은 사냥감을 향해 창을 힘껏 내던졌다. **b** 〖~ oneself〗 세차게〔세게〕 맞닥뜨리다, 덤벼들다: ~ one*self at* 〔*upon, against*〕 one's enemy 적에게 덤벼들다. SYN. ⇨ THROW. **2** 《~+목/+목+전+명》 (욕설 등을) 퍼붓다《*at*》; (비명 등을) 지르다: She ~*ed* abuse *at* me. 그녀는 나에게 욕설을 퍼부었다. **3** 《+목+부》 메어붙이다: ~ *down* tyranny 전제 정치를 쓰러뜨리다. **4** 내쫓다; 추방하다; 《Sc.》 수레로 나르다. **—** *vi.* **1** 집어던지다; 〖야구〗 투구하다; hurling 하다. **2** 기세 좋게 날다〔나아가다〕, 돌진하다; 빙글빙글 돌다. **—** *n.* 집어던짐. ㊞ **∠·er** *n.* 던지는 사람; 〖야구〗 투수(投手).

húrl·bàt *n.* (하키의) 타구봉.

Hur·ler's sýndrome [hə́ːrlərz-] 헐러 증후군《대사 기능의 결함으로 지능 장애, 복부의 돌출, 뼈의 변형, 두부의 이상 거대화 등이 나타남》.

húrl·ing *n.* Ⓤ 던지기; 헐링《아일랜드식 하키; 규칙은 하키, soccer와 거의 같음》.

Hurl·ing·ham [hə́ːrliŋəm] *n.* (Middlesex 주 Fulham에 있던) polo 경기장〔경기 본부〕.

hur·ly-bur·ly [hə́ːrlibə́ːrli, -bə̀ːr-] *n.* Ⓤ 혼란, 큰 소동(uproar). **—** *a.* 소란한, 큰 소동의.

Hu·ron [hjúərən, -ɑn/hjúərən] *n.* **Lake** ~ 휴런 호《북아메리카 5대호 중 둘째로 큰 호수》.

⁑**hur·rah, hur·ray** [hərɑ́ː, -rɔ́ː/hurɑ́ː], [həréi/huréi] *int.* 만세, 후레이: *Hurrah for* the King 〔Queen〕! 국왕〔여왕〕 만세. **—** *n.* 만세 소리, 환성. **—** *vi.* 만세를 부르다, 환성을 지르다. **—** *vt.* 환성을 올리며 맞이하다〔응원하다, 갈채하다〕.

***hur·ri·cane** [hə́ːrəkèin, hʌ́ri-/hʌ́rikən, kèin] *n.* **1** 폭풍, 태풍, 허리케인, 싹쓸바람《초속 32.7m 이상》. SYN. ⇨ STORM. **2** (감정 따위의) 격앙, 폭풍(우)《*of*》: a ~ *of* applause 우레와 같은 박수갈채. **3** (H-) 허리케인 전투기《제2차 세계 대전 중 영국의》. **4** 허리케인(칵테일)《뉴올리언스의 명물 칵테일》.

húrricane bìrd 〖조류〗 =FRIGATE BIRD.

húrricane dèck (내해〔하천〕 항로용 객선의) 최상갑판(最上甲板).

húrricane-force wínd 허리케인급(級)의 바람(시속 73 마일 이상의 강풍).
húrricane hòuse 〖해사〗 갑판실. 「승원).
húrricane hùnter 허리케인 관측기(機)(의 탑
húrricane làmp 〔**làntern**〕 내풍(耐風) 램프《등유를 씀》.
húrricane tàpe 허리케인 테이프《강풍이 불 때 창문 유리를 고정시키는 강력한 접착 테이프》.
húrricane wàrning 〔**wàtch**〕 허리케인 경보〔주의보〕.
hur·ri·coon [hʌ́rəkùːn] *n.* 허리케인 관측 기구(氣球). [◂ *hurricane*+*balloon*]

hurricane lamp

＊**hur·ried** [hə́ːrid, hʌ́r-/hʌ́r-] *a.* 매우 급한《식사 따위》; 재촉받은; 허둥대는, 소홀한: a ~ letter 황급히 쓴 편지 / snatch a ~ lunch 급히 서둘러 점심을 들다. [파] °~·**ly** *ad.* 서둘러, 다급하게, 허둥지둥. **~·ness** *n.*

⁑**hur·ry** [hə́ːri, hʌ́ri/hʌ́ri] *n.* [U] **1** 매우 급함, 허둥지둥 서두름: Everything was ~ and excitement. 모든 게 야단법석이었다. [SYN.] ⇨HASTE. **2** 열망《*for; to* do》. **3** 〖부정·의문문에서〗 서두를 필요: Is there any ~? 뭐 서두를 필요라도 있나 / There's no ~. 서두를 필요 없어. **4** 〖음악〗 (현악기의) 트레몰로; (북의) 연타. ***~ and bustle*** 〔***confusion***〕 허둥댐, 법석이는 소동. ***in a ~*** ① 급히, 서둘러; 초조하여: I am *in a* ~ to go. 급히 가야 한다; 빨리 가고 싶다 / Don't be *in a* ~. 덤비지 마라. ② 《구어》 〖부정문〗 쉽게, 곧: They would*n't* forget it *in a* ~. 그들은 그걸 쉽사리 잊지 않을 겁니다. ③ 《구어》 〖부정문〗 기꺼이, 자진하여: I sha*n't* come again *in a* ~. 이제 두 번 다시 안 올께. ***in no ~*** 서두르지 않고; 쉽사리 …하지 않고《*to* do》: I am *in no* ~ for it. 별로 그걸 서두르지 않고 있다. ***in one's ~*** 서둘렀기 때문에, 서두른 나머지.
— (*p., pp.* ***hur·ried; ~·ing***) *vt.* 《~+[목]/+[목]+[부]/+[목]+[전]+[명]》 서두르게 하다, 재촉하다, 죄치다; 재촉해서 가게 하다《*along; away*》, 재촉하여 …을 내보내다《*out*》: ~ troops 군대를 급파하다 / ~ *up* one's homework 숙제를 급히 끝내다 / They were *hurried into* decision. 그들은 재촉을 받아 결정을 내렸다. — *vi.* 《~/+[부]/+*to* do/+[전]+[명]》 서두르다, 조급하게 굴다, 덤비다: Don't ~. 덤비지 마라 / ~ *to* catch a bus = ~ *for* a bus 버스를 타려고 서두르다 / I picked up my hat and *hurried away* 〔*off*〕. 나는 모자를 손에 들자 서둘러 자리를 떴다 / He *hurried back* to his seat. 그는 서둘러 제자리로 돌아갔다 / He *hurried through* his work. 그는 일을 뚝딱 해치웠다 / ~ *along* 〔*on*〕 급히 가다 / He *hurried over* the difficult passages. 그는 이해하기 어려운 데는 대충대충 읽고 넘어갔다. **~ *in*** 《구어》 급히 들어가다. **~ *on with*** …을 서둘러 하다. **~ *over*** 서둘러 하다; 적당히 해치우다. **~ *up*** 《*vi.*+[부]》 ① 《구어》 〖종종 명령형〗 서두르다: *Hurry up*, or you'll be late for school. 서둘러라, 그렇지 않으면 학교에 늦는다. — 《*vt.*+[부]》 ② 서두르게 하다. ③ (일을) 서둘러 하다. [파] **húr·ri·er** *n.*

húrry·ing·ly *ad.* 급히, 서둘러, 허둥지둥.
húrry-scúrry, -skúrry *ad.* 허둥지둥. — *a.* 허겁지겁하는. — *n.* [U] 허겁지겁함; 혼란, 법석. — *vi.* 허둥지둥 서두르다〔달리다〕.
húrry-ùp *a.* 《구어》 **1** 급히 서두르는: a ~ lunch. **2** 긴급(용)의: a ~ wagon 긴급용 경찰차.
hurst, hyrst [həːrst] *n.* 숲 있는 언덕; 숲 (wood); (특히 강의) 모래톱, 사구(砂丘).

⁑**hurt** [həːrt] (*p., pp.* ~) *vt.* **1 a** 상처 내다, …을 다치게 하다(wound): get ~ 다치다, 상처를 입다 / be badly 〔seriously〕 ~ 중상을 입다. **b** 〖~ oneself〗 다치다, 상처를 입다: He ~ him*self* in a fight. 그는 싸움에서 상처를 입었다. **2** …에 아픔을 느끼게 하다〔주다〕: My head ~*s* me. 머리가 아프다 / Is that tight shoe ~*ing* you 〔your foot〕? 신이 꼭 끼어서 (발이) 아프냐. **3** (감정을) 상하게 하다(offend); (아무를) 불쾌하게 하다. **4** 《비유》 상하게 하다, 해치다: ~ one's reputation 명성을 손상시키다 / Dirty oil can ~ a car's engine. 더러운 오일은 엔진을 손상시킬 수 있다.

> [SYN.] **hurt** 신체·마음에 상처를 입히다. **injure** 건강·명예·감정 따위의 '손상'에 역점이 있음. **damage** 손해에 의한 가치의 소멸을 강조함. **impair** 효력·질·가치 따위를 낮춤: Bad weather often *impairs* scenic beauty. 궂은 날씨는 흔히 풍경미를 해친다.

— *vi.* **1** 고통을 주다. **2** 아프다: My finger still ~*s*. 손가락이 아직 아프다. **3** 《미속어》 궁지에 〔곤란에〕 처해 있다. ***cry*** 〔***holler***〕 ***before*** one ***is ~*** 《구어》 〖흔히 부정문〗 까닭 없이 트집잡다〔두려워하다〕. ***feel ~*** 불쾌하게 여기다. ***It ~s.*** 《구어》 아프다. ***It doesn't ~ what*** 〔***how,*** etc.〕***....*** 《구어》 무엇이〔아무리〕 …해도 태연하다. ***It won't ~ me*** 〔***you***〕 ***to*** (help him). (그에게 조력)해도 좋다〔해주어도 좋겠지〕. ***This will ~ me more than it ~s you.*** 이건 너보다 내 쪽이 괴롭다《남을 벌할 때 하는 말》.
— *n.* [C,U] **1** 부상, 상처(wound): a slight 〔serious〕 ~ 경상〔중상〕 / a ~ *from* a blow 타박상. **2** 해(harm), 손해(damage). **3** (정신적) 고통(pain): intend no ~ *to* a person's feelings 아무의 감정을 해칠 생각은 없다. ***do ~ to ...*** …을 손상시키다; …을 해치다.
— *a.* 다친; 《미》 파손된: a ~ book 파본 / a ~ look 〔expression〕 화난 듯한 표정.

húrt·er *n.* **1** 《고어》 상처 주는 사람〔물건〕. **2** (수레바퀴의) 비녀장. **3** 포차의 바퀴 멈추개《발포할 때의 진동으로 바퀴가 후퇴함을 방지함》, 완충기.
hurt·ful [hə́ːrtfəl] *a.* 해로운, 유해한(injurious); 상처를 입히는. [파] **~·ly** *ad.* **~·ness** *n.*
húrting dánce 《속어》 (인간관계에서 생기는) 비통함《슬픔, 실망 따위》.
hur·tle [hə́ːrtl] *vi.* (돌·화살·차 등이) 돌진하다, 고속으로 움직이다; 요란스레 격동〔돌진〕하다; (소리 따위가) 울려퍼지다; 《고어》 충돌하다《*against*》. — *vt.* 맹렬히 달리게 하다; 내던지다; 돌진케 하다; 《고어》 …에 충돌시키다. — *n.* 《시어》 [U] 던지기; 부딪침, 충돌; 충돌하는 소리.
húrt·less *a.* 무해한; 상처를 입지 않은. [파] **~·ly** *ad.* **~·ness** *n.*

†**hus·band** [hʌ́zbənd] *n.* **1** 남편, 서방: A good ~ makes a good wife. 좋은 남편이 훌륭한 아내를 만든다. **2** 《고어》 절약가: a good 〔bad〕 ~ 《고어》 절약〔낭비〕가. **3** 《미속어》 (매춘부의) 뚜쟁이, 정부(情夫), (동성애의) 남편역. ***~'s tea*** 《우스개》 밍밍하고 식은 차. — *vt.* **1** 절약하다(economize), 아껴 쓰다: ~ one's money 돈을 아껴 쓰다. **2** 《고어》 …에게 남편을 얻어 주다, …의 남편이 되다. **3** 《고어》 (땅을) 갈다, 재배하다.
hus·band·age [hʌ́zbəndidʒ] *n.* [U] 〖해사〗 선박 관리 수수료《ship's husband 에게 주는》.
húsband·lìke *a.* 남편다운. 「하는.
hús·band·ly *a.* 남편의, 남편으로 적합한; 절약
húsband·man [-mən] (*pl.* ***-men*** [-mən]) *n.* **1** (농업의 한 부문의) 전문가: a dairy ~ 낙농가 / a poultry ~ 양계가. **2** 《고어》 농사꾼, 농

부, 머슴.

hus·band·ry [hʌ́zbəndri] *n.* Ⓤ **1** (낙농·양계 등을 포함하는) 농업, 경작. **2** 절약(thrift), 관리; 《고어》 가정(家政): good 〔bad〕 ~ 규모 있는〔없는〕 살림살이.

***hush** [hʌʃ] *int.* [ʃːː] 쉿《조용히 하라는 신호》. **—** *n.* Ⓤ **1** (*or* a ~) 침묵, 조용함(stillness): in the ~ of night. **2** 묵살: a policy of ~ 묵살정책. **—** *vt.* **1** 《~+목/+목+전+명》 조용하게 하다, 침묵시키다; (아이를) 잠재우다: The news ~*ed* us. 그 소식을 듣고 우리는 입을 다물었다/ She ~*ed* the crying child *to* sleep. 그녀는 우는 아이를 달래어 재웠다. **2** 《+목+부》 …의 입막음을 하다; (사건·악평 등을) 뭉개어 버리다 《*up*》: ~ *up* a scandal / ~ *up* the truth 사실을 숨기다. **3** (노염 따위를) 달래다(soothe). **—** *vi.* 조용해지다, 입 다물다. ㊞ **∠·ful** *a.* 침묵한, 조용한.

hush·a·by(e) [hʌ́ʃəbài] *int.* 자장자장. **—** *vt.* 자장가를 불러 재우다. **—** *n.* 자장가.

húsh bòat 〔**shìp**〕 =Q-BOAT.

hushed [-t] *a.* 조용해진; 비밀의: talk in ~ tones 낮은 목소리로 비밀 이야기를 하다.

húsh-hùsh *a.* 《구어》 극비의, 내밀한(secret, confidential): ~ experiments 비밀 실험. **—** *n.* 비밀(주의); 검열. **—** *vt.* 극비로 하다; (보도·발표 등을) 덮어 두다, 쉬쉬하다.

húsh kìt 《영》 〖항공〗 (제트 엔진용) 소음(消音)〔방음〕 장치《흡음형(吸音型) 내통(內筒)과 개량형 노즐을 결합한 것》.

húsh mòney (스캔들의) 입막음 돈, 입씻이.

Húsh Pùp·pies [-pʌ̀piz] 하시 퍼피스《가볍고 부드러운 가죽구두; 상표명》.

húsh pùppy 기름에 튀긴 옥수수빵《미국 남부에서 먹음》.

húsh-ùp *n.* 《구어》 (사건 등의) 수습.

°**husk** [hʌsk] *n.* **1** 꼬투리, 껍데기, 겉껍질; 《미》 옥수수 껍데기. **2** 찌끼, 폐물(廢物). **3** 《미속어》 녀석: You're some ~. 넌 대단한 놈이야. **4** 〖수의〗 폐충증(肺蟲症)《소·양·돼지의 기생충에 의한 기관지염》; 쉰 목소리. **—** *vt.* **1** …의 껍질을 벗기다, …의 꼬투리〔깍지〕를 까다; 《속어》 …의 옷을 벗기다. **2** 쉰목소리로 말〔노래〕하다《*out*》. **—** *vi.* 목소리가 쉬다. ㊞ **∠·er** *n.* 탈곡기(機); 탈곡하는 사람.

húsk·ing 《미》 *n.* **1** Ⓤ 옥수수 껍데기 벗기기. **2** =HUSKING BEE.

húsking bèe 《미》 옥수수 껍데기 벗기기 모임 (cornhusking)《친구나 이웃이 와서 돕는데, 일이 끝나면 보통 댄스 등을 즐김》.

Husky [hʌ́ski] *n.* **1** 에스키모인; Ⓤ 에스키모어(語). **2** (*or* h-) 에스키모 개.

°**husky** (***husk·i·er; -i·est***) *a.* **1** 껍데기〔껍질〕의 〔와 같은〕; 껍질이 많은; 껍데기처럼 바싹 마른 (dry). **2** 거친. **3** 목쉰(hoarse); (가수의 목소리가) 허스키보이스인, 허스키한. **4** 《구어》 크고 센, 억센, 튼튼한. **—** 《구어》 *n.* 건장한 사람; 강력한 기계. ㊞ **húsk·i·ly** *ad.* 쉰 목소리로. **-i·ness** *n.* Ⓤ 목소리가 쉬어 있음.

Huss [hʌs] *n.* **John** ~ 후스《보헤미아의 종교개혁가; 1372?-1415》.

hus·sar [huzáːr] *n.* 경(輕)기병.

Hus·sein [huséin] *n.* 후세인. **1** ~ **I** 《요르단 국왕; 1935-99》. **2 Saddam** ~《이라크의 군인 지도자; 대통령(1979-2003); 2006년 12월 사형당했음; 1937-2006》.

hus·sif [hʌ́səf, hʌ́z-] *n.* 《영속어》 반짇고리 (housewife).

Huss·ite [hʌ́sait] *n.* (15세기 종교 개혁자) John Huss의 신봉자. **—** *a.* Huss(파)의.

hus·sy [hʌ́si, hʌ́zi] *n.* 말괄량이; 왈패; 바람둥이 처녀; 《영방언》 반짇고리.

hus·tings [hʌ́stiŋz] *n. pl.* 〖보통 단수취급〗 법정, 재판; (the ~) 〖영국사〗 국회의원 후보 지명과 그의 정견 발표용의 연단《1872년 이전의》; 《미》〖단·복수취급〗 정견 발표회장(의 연단); 선거 절차; 선거 운동. ***on the*** **~** 선거 운동 중에.

°**hus·tle** [hʌ́səl] *vt.* **1** 《~+목/+목+전+명》 (사람 등을) 거칠게 밀치다(jostle), 떠밀다 《*against*》; 밀어넣다《*into*》; 밀어내다《*out*》: ~ unwelcome visitors *out of* one's house 귀찮은 방문객을 집밖으로 밀어내다. **2** 《~+목/+목+전+명》 무리하게 …시키다《*into* do*ing*》; 강매하다: ~ a person *into* a decision 아무에게 결심을 강요하다. **3** 《+목+부》 《미구어》 (일 따위를) 척척 해치우다: ~ something *up* 〔*through*〕 무엇을 서둘러 완성시키다〔끝나게 하다〕. **4** 《속어》 강탈하다; 구걸하다, 훔치다, 사취하다, 《특히》 노름에 유인하다. **5** 섞어서 흔들다. **—** *vi.* **1** 세게 밀다. **2** 《+전+명》 밀고 나아가다; 서두르다: He ~*d through* the crowd. 그는 군중을 헤치고 나아갔다. **3** 《미구어》 정력적으로 일하다; 《미속어》 부정하게 돈을 벌다, 부지런히 벌다, 마약을 팔다, (여자가) 몸을 팔다. **4** (종종 H-) 허슬춤을 추다. **—** *n.* Ⓤ **1** 몹시 서두름, 밀치락달치락(jostling); 한바탕 소동: the ~ and bustle 혼잡, 북적댐《*of* a city》. **2** 《미구어》 정력적 활동, 원기; 억지 판매〔세일즈〕. **3** 《속어》 사취(詐取), 강도. **4** (종종 H-) 허슬 춤《디스코 음악에 맞추어 추는 격렬하고 복잡한 춤》. ***get a*** **~** ***on*** 《미구어》〖흔히 명령형〗 서두르다, 힘내다.

hústle-bústle *n.* 활기 넘치는 북적거림.

hús·tler *n.* 거칠게 미는〔때리는〕 사람; 《구어》 활동가, 민완가; 《속어》 사기꾼, 노름꾼; 매춘부, 남창; (H-) 〖로켓〗 추진 엔진.

hús·tling *a.* 원기 왕성한, 활동적인; 부정 이득을 보는, 《특히》 매춘 행위를 하는.

***hut** [hʌt] *n.* **1** 오두막, 오막살이집: an Alpine ~ 등산객을 위한 산막.

> SYN. **hut** 작은 집일 뿐 아니라 초라한 오두막의 뜻. **cottage** 보통 1층인 시골의 작은 집. **cabin** 작을 뿐 아니라 허술한 집. **lodge** 어느 기간만 사는 오두막집.

2 〖군사〗 임시 막사; 《미속어》 유치장; 《미속어》 (대학의) 기숙사; 《철도속어》 차장(車掌)차. **—** (**-tt-**) *vt., vi.* 오두막에 살(게 하)다.

hutch [hʌtʃ] *n.* **1** 저장 상자, 궤(chest); (작은 동물·가금용의) 우릿간, 우리(pen): a rabbit ~ 토끼장. **2** (곡식 등을 넣는) 상자, (빵집의) 반죽통. **3** 오두막; 〖광산〗 허치, 세광조(洗鑛槽), 광석 운반차. **—** *vt.* 상자에 넣어 두다〔저장하다〕.

hút·ment *n.* 임시 사무소; 〖군사〗 임시 막사(에 숙박하기).

Hu·tu [húːtùː] (*pl.* **~s,** 〖집합적〗 ~) *n.* **1** 후투족(의 한 사람)《중앙아프리카의 르완다 및 부룬디에 거주하는 Bantu 족계의 농경민》. **2** 후투어《Bantu 어족에 속함》.

hutz·pa(h) [xútspə, húts-] *n.* =CHUTZPAH.

Hux·lei·an, -ley·an [hʌ́ksliən, hʌkslíːən] *a.* **1** 헉슬리(Aldous Huxley)의; 헉슬리의 작품〔문체〕의〔을 생각하게 하는〕: a ~ nightmare of the future 미래에 대한 헉슬리풍의 악몽. **2** 헉슬리(Thomas Henry Huxley)의; 헉슬리의 생물학적 연구〔업적〕의, 그 저작의.

Hux·ley [hʌ́ksli] *n.* 헉슬리. **1 Aldous** (**Leonard**) ~ 영국의 소설가·평론가(1894-1963). **2 Thomas Henry** ~ 생물학자로 1의 할아버지 (1825-95).

huz·za(h) [həzáː/hu-] *int., n., v.* =HURRAH.

huz·zy [hʌ́zi] *n.* =HUSSY.

H.V., h.v. high velocity; high voltage.

HVAC heating, ventilation, and air-conditioning (난방 · 환기 · 공기 조절). **HVN** Home Video Network. **hvy** heavy. **H.W.** high water; highway; hot water. **hw** how.

Hwang Hai [hwáːŋhái] (the ~) 황해(the Yellow Sea).

Hwang Ho [hwáːŋhóu/hwǽŋ-] (the ~) 황허강(the Yellow River). 「highway.

H.W.M., h.w.m. high-water mark. **hwy.**

hwyl [hwil, huːəl] *n.* (시 낭송 때 등의) 열정, 감정의 고조. **—** *a.* 가슴이 두근거리는 듯한.

Hy. Henry.

◇**hy·a·cinth** [háiəsinθ] *n.* 〖식물〗 히아신스; Ⓤ 보라색; Ⓤ,Ⓒ 〖광물〗 적등색(赤橙色)의 지르콘 광물《보석으로 침》. ⊕ **hy·a·cin·thine** [hàiəsínθin, -θain/-θain] *a.* ~의, ~같은, ~색의; ~로 장식된; 고운.

Hy·a·cin·thus [hàiəsínθəs] *n.* 〖그리스신화〗 히아킨토스《Apollo가 사랑한 미소년, 죽을 때 그의 피에서 hyacinth가 났다고 함》.

Hy·a·des, Hy·ads [háiədiːz], [háiædz] *n. pl.* 〖그리스신화〗 Atlas의 7처녀들; 〖천문〗 히아데스성단(星團)《황소자리 중의 군성(群星)》.

◇**hyaena** ⇨HYENA.

hy·al- [háiəl], **hy·al·o-** [haiǽlou, -lə] '유리(모양)의, 투명한'이란 뜻의 결합사.

hy·a·line [háiəliːn, -lin] *a.* 유리의; 유리질〔모양〕의(glassy), 수정 같은, 투명한. **—** *n.* 《시어》 거울 같은 바다, 푸른 하늘.

hýaline càrtilage 〖해부〗 유리질 연골.

hýaline mémbrane disèase 〖의학〗 (신생아의) 유리질막병.

hy·a·lite [háiəlàit] *n.* Ⓤ 〖광물〗 옥적석(玉滴石)《opal의 일종; 무색투명함》.

hy·a·loid [háiəlɔ̀id] 〖해부〗 *a.* 유리 모양의(glassy), 투명한. **—** *n.* (눈알의) 유리체(體)의 막(=∠ **mèmbrane**).

hy·al·o·plasm [haiǽləplæ̀zəm] *n.* 〖해부〗 (세포질의) 투명질. ⊕ **hy·àl·o·plás·mic** *a.*

hy·a·lu·rón·ic ácid [hàiəlurάnik-/-rɔ́n-] 〖생화학〗 히알루론산《동물 조직 중에 있는 산성(酸性) 다당류(多糖類)》.

hy·a·lu·ron·i·dase [hàiəlurάnidèis, -dèiz/-rɔ́n-] *n.* 〖생화학〗 히알루로니다아제《히알루론산을 저(低)분자화하는 효소》.

H-Y àntigen [éitʃwái-] 〖면역〗 H-Y 항원(抗原)《Y염색체 유전자에 의존하는 조직 적합 항원》.

◇**hy·brid** [háibrid] *n.* 잡종, 튀기, 혼혈아; 혼성물; 〖언어〗 혼성어《보기: bother*ation*, odd*ments*》; =HYBRID COMPUTER. **—** *a.* 잡종의, 혼혈의(crossbred) (opp. *full-blooded*); 혼성의(heterogeneous); 〖물리〗 (전자기파가) 전기장(場) · 자기장의 전반(傳搬) 방향 성분이 제로가 아닌; 〖전자〗 하이브리드의, 혼성의: ⇨ HYBRID COMPUTER.

hýbrid áircraft 〖항공〗 하이브리드 항공기《비행선이나 기구 같은 경항공기와 비행기 · 헬리콥터 등의 항공기의 장점을 조합한 복합 항공기》.

hýbrid bíll 〖의회〗 (공(公) · 사(私)의) 혼합 법안.

hýbrid compúter 혼성 컴퓨터《analogue와 digital 양쪽의 하드웨어를 갖는 컴퓨터》.

hýbrid córn 교배종 옥수수.

hýbrid íntegrated círcuit 〖전자〗 하이브리드 IC, 혼성 집적회로.

hý·brid·ìsm *n.* Ⓤ 잡종성, 교배; 〖언어〗 혼종. ⊕ **-ist** *n.* 잡종 육성자.

hy·brid·i·ty [haibrídəti] *n.* Ⓤ 잡종성; 잡종, 혼혈; 잡종 육성; 〖언어〗 혼성. 「혼성.

hỳ·brid·i·zá·tion *n.* Ⓤ 교잡, 교배, 잡종 번식;

hy·brid·ize [háibridàiz] *vt., vi.* 교배시키다(cross); 혼혈아를 낳다; 잡종을 만들어내다, 잡종이 생기다; 〖언어〗 혼성어를 만들다.

hy·brid·o·ma [hàibridóumə] *n.* 〖생물〗 하이브리도마《암세포와 정상 세포를 융합하여 만든 잡종 세포; 단(單)클론 항체를 산출함》.

hýbrid téa (róse) 사철장미.

hýbrid úse 〖전자〗 결합 사용《보다 고성능의 기능을 얻기 위해 서로 다른 작용을 하는 기계를 결합하여 쓰는 일》. 「sis).

hýbrid vígor 〖생물〗 잡종 강세(強勢)(hetero-

hy·bri·my·cin [hàibrimáisən] *n.* 〖약학〗 하이브리마이신, 혼합 마이신《합성 항생물질》.

hy·can·thone [haikǽnθoun] *n.* 〖화학〗 히칸톤《박테리아 · 동물 세포에 돌연변이를 일으키는 약품; 주혈(住血) 흡충증 치료약》.

hyd. hydr. hydraulic(s); hydrostatic(s).

hy·da·thode [háidəθòud] *n.* 〖식물〗 배수조직.

hy·da·tid [háidətid] *n.* (촌충의) 포충(胞蟲); 〖의학〗 수포(水胞)《특히 촌충의 유충에 의하여 사람 또는 동물의 체내에 생기는》.

hy·da·tid·i·form móle [haidətídəfɔ̀ːrm-] 〖의학〗 포상기태(胞狀奇胎).

Hyde [haid] *n.* **Mr.** ~ ⇨JEKYLL.

Hýde Párk 하이드 파크《(1) 런던의 유명한 공원: a ~ orator 하이드 파크 가두 연설자. (2) 미국 New York 주(州)의 마을; F. D. Roosevelt 의 무덤이 있음》.

Hy·der·a·bad [háidərəbὰːd, -bæ̀d] *n.* 하이데라바드《(1) 파키스탄 남동부의 도시. (2) 인도 남부의 상업 · 문화의 중심 도시》.

hydr- [haidr] =HYDRO-《모음 또는 h로 시작되는 말 앞에 쓰임》.

hy·dra [háidrə] (*pl.* **~s, ~e** [-driː]) *n.* **1** (H-) 〖그리스신화〗 히드라《Hercules가 퇴치한 머리가 아홉인 뱀; 머리 하나를 자르면 머리 둘이 돋아남》. **2** 근절키 어려운 재해, 큰 재해. **3** (H-) 〖동물〗 히드라속(屬); (h-) 〖동물〗 히드라. **4** (H-) 〖천문〗 바다뱀자리(the Water Monster〔Snake〕).

hy·drac·id [haidrǽsid] *n.* Ⓤ 〖화학〗 수소산.

hýdra-héaded [-id] *a.* (Hydra처럼) 머리가 아홉인; 근절키 어려운.

hy·dral·a·zine [haidrǽləziːn] *n.* 히드랄라진.

hy·dran·gea [haidréindʒiə, -drǽn-/-dréin-] *n.* 〖식물〗 수국.

hy·drant [háidrənt] *n.* 급수〔수도(水道)〕전(栓); (보통 노상의) 소화전(消火栓).

hy·drar·gy·rism [haidrάːrdʒərìzəm] *n.* 〖의학〗 수은 중독. 「(mercury).

hy·drar·gy·rum [haidrάːrdʒərəm] *n.* 수은

hy·drase [háidreis, -dreiz] *n.* 〖생화학〗 하이드레이스《물 분자를 부가 또는 탈리시키는 반응을 촉매하는 산소》.

hy·dra·sort·er [hàidrəsɔ́ːrtər] *n.* 하이드라소터《액상 폐기물에서 유용 고형물을 채집함과 동시에 발전용 증기를 발생하는 장치》.

hy·drate [háidreit] 〖화학〗 *n.* Ⓤ 수화물(水和物), 수화물(水化物), 수산화물. **—** *vt., vi.* 수화시키다〔하다〕. ⊕ **-drat·ed** [-id] *a.* 수화(水和)한, 함수(含水)의.

hýdrated líme 소석회(消石灰).

hy·dra·tion [haidréiʃən] *n.* Ⓤ 〖화학〗 수화(水和)(작용).

hydraul. hydraulic(s).

◇**hy·drau·lic** [haidrɔ́ːlik, -dral-/-drɔ́ːl-, -drɔ́l-] *a.* **1** 수력의, 수압〔유압〕의: ~ pressure 수압 / a ~ crane 수압〔유압〕 크레인 / a ~ valve 〔joint〕 물을 조절하는 밸브. **2** 수역학의. **3** 물 속에서 경화되는: ~ mortar 수경(水硬) 모르타르. ⊕ **-li·cal·ly** *ad.* 수력〔수압〕으로. 「브레이크.

hydráulic bráke (액압 프레스에 의한) 유압

hydráulic cemént 수경(水硬)(성) 시멘트《보통 시멘트》.
hydráulic engineéring 수력 공학, 수공(水工)학《댐, 정수장 건설 등 흐르는 물을 다루는 토목 공학의 한 분야》.
hy·drau·li·cian [hàidrɔːlíʃən] *n.* 수리(水理)학자, 수력 기사. 「(水硬性).
hy·drau·lic·i·ty [hàidrɔːlísəti] *n.* [U] 수경성
hydráulic líft 〖기계〗 수압〔유압〕 승강기.
hydráulic machínery 수력 기계. 「소.
hydráulic pówer 수력: a ~ plant 수력 발전
hydráulic préss 〖기계〗 액압〔수압〕 프레스.
hydráulic rám 자동 양수기. 「學), 수역학.
hy·dráu·lics *n. pl.* 《단수취급》 수리학(水理
hydráulic sýstem 〖항공〗 유압 장치〔계통〕《유압을 이용하여 항공기의 조종 계통이나 착륙 장치를 작동시키는 시스템》. 「《결핵 치료제》.
hy·dra·zide [háidrəzàid] *n.* [U] 히드라지드
hy·dra·zine [háidrəziːn, -zin] *n.* [U] 〖화학〗 히드라진《환원제·로켓 연료용》.
hy·dric [háidrik] *a.* 〖화학〗 수소의, 수소를 함유한; 〖생태〗 습윤한 (환경에 알맞은), 수생(水生)의.
hy·dride, -drid [háidraid, -drid], [-drid] *n.* [U] 〖화학〗 수소화물; 《고어》 수산화물.
hy·dril·la [haidrílə] *n.* 〖식물〗 하이드릴라, 검정말《미국에서는 양어조(養魚槽) 식물로 보급됨》.
hy·dri·ód·ic ácid [hàidriádik-/-ɔ́d-] 〖화학〗 요오드화수소산(酸)(의 수용액).
hy·dro [háidrou] (*pl.* **~s**) *n.* 수력 전기〔발전소〕; 《구어》 수상 비행기(hydroairplane); 《영구어》 수치료원(水治療院)(hydropathic). **—** *a.* 수소의; 수력 전기〔발전〕의.
hy·dro- [háidrou, -drə] '물, 수소의'란 뜻의 결합사. 「향학.
hỳdro·acóustics *n. pl.* 《단수취급》 수중 음
hỳdro-áirplane, 《영》 **-áero-** *n.* 수상 비행기.
hỳdro·biólogy *n.* [U] 수생(水生) 생물학; 호소(湖沼) 생물학. [파] **-gist** *n.* 수생 생물학자.
hỳdro-bíplane *n.* 복엽(複葉) 수상(비행)기.
hýdro·bòmb *n.* 비행〔공중〕 어뢰.
hỳdro·brómic *a.* 〖화학〗 브롬화수소의.
hỳdro·cárbon *n.* [U] 〖화학〗 탄화수소. [파] **-car·bonáceous** *a.*
hy·dro·cele [háidrəsiːl] *n.* 〖의학〗 수류(水瘤), 음낭 수종(水腫).
hy·dro·ce·phal·ic [hàidrousəfǽlik] *a.* 〖의학〗 뇌수종(腦水腫)의.
hy·dro·ceph·a·lus [hàidrəséfələs] *n.* [U] 〖의학〗 뇌수종(腦水腫). [파] **-lous** [-ləs] *a.*
hỳdro·chlóric *a.* 〖화학〗 염화수소의: ~ acid 염(화 수소)산.
hỳdro·chlóride *n.* 〖화학〗 염산염.
hỳdro·chlorothíazide *n.* 〖약학〗 히드로클로로티아지드《이뇨제·혈압 강하제》.
hỳdro·córtisone *n.* 〖생화학〗 하이드로코르티손《부신(副腎) 호르몬의 일종; 류머티즘성 관절염 치료제》.
hýdro·cràck *vt.* 〖화학〗 수소화(化) 분해하다. [파] **~·er** *n.* 〖화학〗 수소화 분해용 장치.
hýdro·cràcking *n.* 〖화학〗 (탄화수소의) 수소화 분해(법).
hỳdro·cyánic *a.* 〖화학〗 시안화수소의.
hydrocyánic ácid 청산(靑酸), 시안화수소산《무색·유독 기체; 시안화수소(HCN) 수용액》.
hỳdro·dynámic *a.* 유체 역학의; 수력〔수압〕의, 동수(動水) 역학의. [파] **-i·cal·ly** *ad.*
hỳdro·dynámics *n. pl.* 《단수취급》 유체 역학, 수역학(hydromechanics), 동수(動水) 역학. [파] **-dynámicist** *n.* 유체 역학자.
hỳdro·eléctric *a.* 수력 전기의: a ~ power plant 수력 발전소. [파] **hỳdro·electrícity** *n.* [U] 수력 전기.
hỳdro·extráctor *n.* 원심 탈수기.
hy·dro·flu·or·ic [hàidrəfluːɔ́ːrik, -flɔ́ːr-, -árik/-fluːɔ́r-] *a.* 〖화학〗 플루오르화(化)수소의: ~ acid 플루오르화수소산.
hýdro·fòil *n.* =HYDROVANE; 수중익선(水中翼船): by ~ 수중익선으로《무(無)관사임》.
hỳdro·frácturing *n.* 수력 파쇄(법)《액체를 압송하여 지하 암석을 부수고 석유 통로를 여는 방법》. 「(化).
hỳdro·gasificátion *n.* [U] 석탄의 메탄가스화
hýdro·gèl [-dʒèl] *n.* 〖화학〗 하이드로겔《물을 분산 매체로 하는 겔》.
hýdrogel shèet 히드로겔 시트《95%의 물과 5%의 플라스틱으로 만든 인공 장기(臟器)의 일종; 피부·조직·뼈 등의 수복(修復)에 이용》.
***hy·dro·gen** [háidrədʒən] *n.* [U] 〖화학〗 수소《기호 H; 번호 1》: ~ **fluoride** 플루오르화수소/~ **iodide** 요오드화수소/~ **oxide** 산화수소《물》.
hy·drog·e·nase [haidrádʒənèis, -nèiz/-drɔ́dʒ-] *n.* 〖생화학〗 수소화 효소.
hy·dro·gen·ate [háidrədʒənèit, haidrádʒ-/háidrɔdʒ-, haidrɔ́dʒ-] *vt.* 〖화학〗 수소와 화합시키다, …에 수소를 첨가하다; 수소로 처리하다: ~*d* oil 경화유(硬化油). [파] **hy·drò·gen·á·tion** *n.* [U]
hýdrogen bòmb 수소 폭탄(H-bomb).
hýdrogen bònd 〖화학〗 수소 결합.
hýdrogen brómide 〖화학〗 브롬화수소《유독
hýdrogen chlóride 염화수소. 「가스》.
hýdrogen coróna 〖천문〗 수소 코로나《혜성의 대기(coma) 밖에 존재하는 거대한 수소 가스 구름》. [cf] Halley's Comet.
hýdrogen cýanide 시안화수소(HCN)《편도(扁桃) 냄새가 나는 무색·유독한 기체; 수용액은 청산(hydrocyanic acid)》. 「소.
hýdrogen flúoride 〖화학〗 플루오르화(化)수
hýdrogen íodide 〖화학〗 요오드화(化)수소.
hýdrogen ìon 〖화학〗 수소 이온.
hý·dro·gen·ìze *vt.* =HYDROGENATE; 수소 폭탄으로 파괴하다.
hy·drog·e·nous [haidrádʒənəs/-drɔ́dʒ-] *a.* 수소의〔에 관한〕; 수소를 함유한.
hýdrogen peróxide 〔**dióxide**〕 과산화수소.
hýdrogen súlfide 황화수소.
hỳdro·geólogy *n.* 수문(水文) 지질학.
hýdro·gràph *n.* 자기 수위계(自記水位計); 수위도(水位圖); 유량(流量) 곡선; 〖전기〗 유량도(流量圖).
hy·drog·ra·phy [haidrágrəfi/-drɔ́g-] *n.* [U] 수로학; 수로 측량술; 수계(水界) 지리학. [파] **-pher** [-fər] *n.* 수로학자, 수로 측량가. **hy·drograph·ic, -i·cal** [hàidrəgrǽfik/-drɔ́g-], [-ikəl] *a.*
hy·droid [háidrɔid] *n., a.* 〖동물〗 히드라충(蟲) (의).
hỳdro·kinétics *n. pl.* 《단수취급》 유체 동역학. [cf] hydrostatics. [파] **-kinétic** *a.*
hýdro·làb *n.* (수일간 해중(海中) 체재 가능한) 해중〔해저〕 실험선〔조사정(艇)〕. 「수 분해 효소.
hy·dro·lase [háidrəlèis, -lèiz] *n.* 〖화학〗 가
Hý·dro·late 3 [háidrəlitθríː] 하이드롤레이트스리《가솔린과 메틸알코올의 분리 방지제(防止劑); 상표명》.
hydrológic cýcle 〖기상〗 물 순환.
hy·drol·o·gy [haidrálədʒi/-drɔ́l-] *n.* [U] 수문학(水文學)《물의 성질·분포·지하 수원을 다룸》. [파] **-gist** *n.* 수문(水文)학자. **hy·dro·log·ic** [hàidrəládʒik/-lɔ́dʒ-] *a.*
hy·drol·y·sate [haidráləsèit/-drɔ́l-], **-zate** [-zèit] *n.* 〖화학〗 가수 분해물, 수해물(水解物).

hy·drol·y·sis [haidrálәsis/-drɔ́l-] *n.* 〖화학〗 가수 분해. ㊥ **hy·dro·lyt·ic** [hàidrәlítik] *a.*
hy·dro·lyze [háidrәlàiz] *vt., vi.* 〖화학〗 가수 분해하다. ㊥ **-lỳz·a·ble** *a.*
hỳdro·magnétic *a.* 자기(磁氣) 유체 역학의; 자기장(場) 중의 도전성(導電性) 유체의《파동》.
hỳdro·magnétics *n. pl.* 〔단수취급〕 자기(磁氣) 유체 역학.
hy·dro·man·cy [háidrәmӕnsi] *n.* 물점(占). ㊥ **-màn·cer** *n.*
hy·dro·ma·nia [hàidrәméiniә] *n.* 〖한의학〗 「조갈증.
hỳdro·masságe *n.* 물 마사지《물 분사를 이용한 마사지》.
hỳdro·mechánics *n. pl.* 〔단수취급〕 유체〔액체〕 역학. ㊥ **-mechánical** *a.*
hy·dro·mel [háidrәmèl] *n.* Ⓤ 벌꿀물《발효하지 않은 것》. ⓒⓕ mead.
hỳdro·métallurgy *n.* 습식(濕式) 야금〔제련(製鍊)〕. ㊥ **-gist** *n.* **-metallúrgical** *a.*
hỳdro·méteor *n.* 〖기상〗 대기 수상(水象)《수증기의 응결·승화로 생기는 것; 안개·비·싸락눈 따위》.
hỳdro·meteorólogy *n.* 수문(水文)기상학. ㊥ **-gist** *n.* **-meteorológical** *a.*
hy·drom·e·ter [haidrámәtәr/-drɔ́-] *n.* 액체 비중계, 부칭(浮秤); 유속계(流速計).
hy·dro·met·ric, -ri·cal [hàidrәmétrik], [-әl] *a.* 액체 비중계의; (액체) 비중 측정의.
hy·drom·e·try [haidrámitri/-drɔ́m-] *n.* Ⓤ (액체) 비중 측정(법); 유속(流速) 측정(법); 유량(流量) 측정.
hỳdro·mónoplane *n.* 단엽 수상(비행)기.
hy·dro·mor·phine [hàidrәmɔ́:rfi:n] *n.* 〖약학〗 히드로모르핀《강력한 진통 작용을 하는 마약의 일종; 그 효과는 모르핀의 19 배》.
hy·dro·naut [háidrәnɔ̀:t, -nàt/-nɔ̀:t] *n.* 〖미해운〗 심심도(深深度) 잠항원(潛航員), 심해정(艇) 승무원.
hy·dro·nau·tics [hàidrәnɔ́:tiks] *n. pl.* 〔단수취급〕 해양 개발 공학.
hy·dron·ic [haidránik/-drɔ́n-] *a.* 〖건축 기계〗 (냉·난방이) 순환수식(水式)의. ── *n.* (~s) 〔단수취급〕 순환수식 냉난방 시스템.
hy·dro·path·ic [hàidrәpǽθik] *a.* 수치료법(水治療法)의: ~ treatment 수(水)치료법. ── *n.* 《영》 수치료원(院).
hy·drop·a·thy [haidrápәθi/-drɔ́p-] *n.* Ⓤ 〖의학〗 수(水)치료법《온천이나 약수터에서의》. ㊥ **-thist** *n.* 수치료법 의사.
hy·dro·phane [háidrәfèin] *n.* 〖광물〗 투단백석(透蛋白石).
hy·dro·phil·ic [hàidrәfílik] *a.* 〖화학〗 친수성(親水性)의. ── *n.* 소프트 콘택트렌즈. ㊥ **-phi·lic·i·ty** [-filísәti] *n.* 친수성.
hỳdro·phóbia *n.* Ⓤ 공수병, 광견병(rabies). ⓒⓕ aquaphobia.
hy·dro·pho·bic [hàidrәfóubik] *a.* 〖화학〗 소수성(疎水性)의; 공수병의. ㊥ **-pho·bic·i·ty** [-foubísәti] *n.* 소수성.
hýdro·phòne *n.* 수중 청음기; 누수 검사기; 〖의학〗 통수식(通水式) 청진기.
hy·dro·phore [háidrәfɔ̀:r] *n.* (깊은 물의) 채수기(採水器). 「식물.
hy·dro·phyte [háidrәfàit] *n.* 수생 식물, 습지
hy·drop·ic [haidrápik/-drɔ́p-] *a.* 수증성(水症性)(hydrops)의.
hýdro·plàne *n.* 수상 비행기; 수상 활주정(滑走艇); 수중익선(水中翼船); (잠수함의) 수평타(水平舵). ── *vi.* 물 위를 (스칠 듯이) 활주하다; 수중익선을〔수상기를〕 타다〔조종하다〕; (자동차 등이) hydroplaning을 일으키다.
hýdro·plàning *n.* Ⓤ 하이드로플레이닝《물기 있는 길을 고속으로 달리는 차가 옆으로 미끄러지는 현상》.
hy·dro·pneu·mat·ic [hàidrәnju:mǽtik] *a.* 물과 공기 작용에 의한《엘리베이터 따위》.
hy·dro·pon·i·cist [hàidrәpánәsist/-pɔ́nә-sist] *n.* 수경법식 농업 경영자.
hy·dro·pon·ics [hàidrәpániks/-pɔ́n-] *n. pl.* 〔단수취급〕 〖농업〗 수경법(水耕法), 물가꾸기, 청정 재배. ㊥ **hỳ·dro·pón·ic** *a.*
hy·drop·o·nist [hàidrápәnist/-drɔ́p-] *n.* =HYDROPONICIST.
hýdro·pòwer *n.* Ⓤ 수력 전기.
hy·drops, hy·drop·sy [háidraps/-drɔps], [-i] *n.* 〖고의학〗 =DROPSY. ㊥ **hy·dróp·ic** [-ik] *a.* 수종성(水腫性)(dropsy)의.
hỳdro·psychothérapy *n.* 〖정신의학〗 (풀(pool)·목욕탕 등을 이용한) 물 정신 치료(법).
hy·dro·qui·none [hàidroukwinóun, -drәkwínoun] *n.* Ⓤ 히드로퀴논《사진 현상약·의약·산화 방지제·페인트·연료용》. 「물시계.
hýdro·scòpe *n.* 수중(水中) 투시경; (옛날의)
hýdro·sère *n.* 〖생태〗 습생(濕生)(천이(遷移)) 계열.
hýdro-skì *n.* 〖항공〗 수상기의 동체 하부에 장치한 이착수(離着水)용 수중 날개.
hýdro·skìmmer *n.* 《미》 (선체를 부상시키는) 에어쿠션 쾌속정.
hy·dro·sol [háidrәsɔ̀:l, -sàl/-sɔ̀l] *n.* 〖화학〗 히드로솔《물을 분산매(分散媒)로 하는 콜로이드》.
hýdro·spàce *n.* Ⓤ (대양의) 수면 밑의 영역, 수중(역(域)).
hy·dro·sphere [háidrәsfìәr] *n.* 수권(水圈), (지구의) 수계(水界); (대기 중의) 물.
hy·dro·stat [háidrәstӕt] *n.* (보일러의) 폭발 방지 장치; 누수(漏水) 검출기.
hydrostat. hydrostatics.
hỳdro·státic, -ical *a.* 정수(靜水)(학)의, 액체〔유체〕 정역학(靜力學)의: a *hydrostatic* pressure 정수압(壓). ㊥ **-ically** *ad.*
hydrostátic préss 수압기(水壓機).
hỳdro·státics *n. pl.* 〔단수취급〕 정수 역학(靜水力學), 액체〔유체〕 정역학. ⓒⓕ hydrokinetics.
hỳdro·súlfite *n.* 〖화학〗 하이드로설파이트《다이싸이온산나트륨의 이수화물의 총칭》.
hy·dro·tax·is [hàidrәtǽksis] *n.* Ⓤ 〖생물〗 물주성(走性), 주수성(走水性), 추수성(趨水性)《생물, 특히 식물의 물에 대한 주성(走性)》.
hy·dro·ther·a·peu·tics [hàidrouθèrәpjú:-tiks] *n. pl.* 〔단수취급〕 수(水)치료학. ㊥ **hy·dro·thèr·a·péu·tic** *a.*
hỳdro·thérapy *n.* Ⓤ 〖의학〗 수치료법(水治療法)(hydropathy).
hỳdro·thérmal *a.* 열수(熱水)(작용)의〔에 의한〕.
hydrothérmal vént 〖해양〗 열수(熱水) 분출공《해저에서 광물질을 대량 함유한 열수가 뿜어나오는 곳》. 「늑막수종(水腫).
hỳdro·thórax *n.* Ⓤ 〖의학〗 흉수(胸水)(증),
hýdro·trèat *vt.* 수소화〔수소 첨가〕 처리하다.
hy·dro·trope [háidrәtròup] *n.* 〖생물〗 굴수성(屈水性) 유발 물질.
hy·dro·trop·ic [hàidrәtrápik/-trɔ́p-] *a.* 향수성(向水性)의
hy·drot·ro·pism [haidrátrәpìzәm/-drɔ́t-] *n.* Ⓤ 〖식물〗 굴수성(屈水性). ***positive*** 〔***negative***〕 ~ 향수(向水)〔배수(背水)〕성(性).
hy·drous [háidrәs] *a.* 〖화학·광물〗 함수(含水)의, 수화(水和)한. 「타(水中舵).
hýdro·vàne *n.* (잠수함·비행정 따위의) 수중

hy·drox·ide, -id [haidrɑ́ksaid, -sid/-drɔ́ks-aid], [-sid] *n.* Ⓤ 수산화물(水酸化物).

hy·droxy [haidrɑ́ksi/-drɔ́k-] *a.* 〚화학〛 수산기(水酸基)의〔를 포함하는〕. 「산기(水酸基).

hy·drox·yl [haidrɑ́ksil/-drɔ́k-] *n.* 〚화학〛 수

hy·drox·y·lase [haidrɑ́ksəlèis, -lèiz/-drɔ́k-] *n.* 〚생화학〛 수산화(水酸化) 효소.

hy·drox·yl·ate [haidrɑ́ksəlèit/-drɔ́k-] *vt.* 〚화학〛 (화합물에) 수산기를 도입하다; 수산화하다. ㊕ **hy·dròx·yl·á·tion** *n.*

hy·drox·y·u·rea [haidrɑ̀ksijuəríːə/-drɔ̀k-] *n.* 〚생화학〛 수산화 요소《백혈병 치료제》.

Hy·dro·zoa [hàidrəzóuə] *n. pl.* 히드라충류(蟲類). ㊕ **hỳ·dro·zó·an** *a., n.* ~의 (벌레).

Hy·drus [háidrəs] *n.* 〚천문〛 물뱀자리(the Water Snake).

hy·e·na, -ae·na [haiíːnə] *n.* **1** 〚동물〛 하이에나《아시아 · 아프리카산으로 썩은 고기를 먹음》. **2** 《비유》 잔인한 사람; 욕심꾸러기; 배신자.

hy·e·tal [háiətl] *a.* 비의, 강우의, 강우 지역의.

hy·et·o- [haiétou, -tə] '비의' 란 뜻의 결합사 《모음 앞에서 **hyet-**》.

hy·et·o·graph [haiétəgræ̀f, -grɑ̀ːf, háiitə-] *n.* 우량(雨量)(분포)도; 《영》 자기(自記)우량계.

hy·e·tog·ra·phy [hàiətɑ́grəfi/-tɔ́g-] *n.* Ⓤ 〚기상〛 우량(雨量)학; 우량 도법.

hy·e·tol·o·gy [hàiətɑ́lədʒi/-tɔ́l-] *n.* Ⓤ 〚기상〛 우학(雨學).

hy·e·tom·e·ter [hàiətɑ́mətər/-tɔ́m-] *n.* 우량계.

Hy·fil [háifil] *n.* 하이필《탄소 섬유로 강화한 플라스틱; 상표명》.

Hy·ge·ia [haidʒíːə] *n.* 〚그리스신화〛 히기에이아《건강의 여신》; 〔의인적〕 건강. 「Hygeia 의.

hy·ge·ian [haidʒíːən] *a.* 건강의, 위생의; (H-)

*__hy·giene__ [háidʒiːn] *n.* **1** 위생학(hygienics). **2** 위생 상태; 위생〔건강〕법. **3** 《해커속어》(컴퓨터 바이러스에 대한) 예방 조처, 대항 수단.

hy·gi·en·ic, -i·cal [hàidʒiénik, haidʒíːn-/haidʒíːn-], [-əl] *a.* 위생(상)의, 보건상의; 위생학의: ~ storage 〔packing〕 위생적인 저장〔포장〕. ㊕ **-i·cal·ly** *ad.* 위생적으로. 「리.

hỳ·gi·én·ics *n. pl.* 〔단수취급〕 위생학; 위생 관

hy·gien·ist [haidʒíːnist, -dʒén-, háidʒiːn-] *n.* 위생학자; 위생사〔기사〕.

hy·gro- [háigrou, -grə] '습기, 액체' 란 뜻의 결합사《모음 앞에서 **hygr-**》: *hygro*graph.

hýgro·gràph *n.* 자기(自記) 습도계.

hy·grol·o·gy [haigrɑ́lədʒi/-grɔ́l-] *n.* Ⓤ 습도학(濕度學).

hy·grom·e·ter [haigrɑ́mətər/-grɔ́m-] *n.* 습도계. ㊕ **hy·gro·met·ric** [hàigrəmétrik] *a.* **hy·gróm·e·try** [-tri] *n.* Ⓤ 습도 측정(법).

hy·groph·i·lous [haigrɑ́fələs/-grɔ́f-] *a.* 습지를 좋아하는, (식물이) 습지성의〔인〕, 굴수성의.

hy·gro·scope [háigrəskòup] *n.* 습도계.

hy·gro·scop·ic [hàigrəskɑ́pik/-skɔ́p-] *a.* 습도계의; 축축해지기 쉬운, 습기를 빨아들이는, 흡습성의: ~ movement 건습 운동. ㊕ **-i·cal·ly** *ad.* **-sco·pic·i·ty** [-skoupísəti] *n.* 흡습성〔력〕.

°**hy·ing** [háiiŋ] HIE 의 현재분사.

Hyk·sos [híksous, -sɑs/-sɔs] *n. pl.* 힉소스 왕조(王朝)《약 1700-1580 B.C. 까지 이집트에 군림함》. ⓒⓕ Shepherd King.

hyl- [háil], **hy·lo-** [háilou, -lə] '물질, 나무, 숲' 이란 뜻의 결합사.

hy·la [háilə] *n.* 청개구리(tree toad).

hy·lic [háilik] *a.* 물질의, 물질적인; 목재의.

hy·lol·o·gy [hailɑ́lədʒi/-lɔ́l-] *n.* =MATERIALS SCIENCE.

hỳlo·mórphism *n.* 〚철학〛 질료형상론(質料形相論). ㊕ **-mórphic** *a.*

hy·lo·the·ism [hàiləθíːizəm] *n.* 물시신론(物是神論)《신과 물질을 결부시키는 생각》.

hy·lo·zo·ic [hàiləzóuik] *a.* 물활론(物活論)의.

hy·lo·zo·ism [hàiləzóuizəm] *n.* Ⓤ 물활론, 만물 유생론(有生論). ㊕ **-ist** *n.*

Hy·men [háimən/-men] *n.* 〚그리스신화 · 로마신화〛 히멘《혼인의 신》; (h-) 《고어 · 시어》 결혼(의 축가); (h-) 〚해부〛 처녀막(maidenhead).

hy·me·ne·al [hàiməníːəl/-me-] 《고어 · 시어》 *a.* 혼인의(nuptial): ~ rites 결혼식. ― *n.* 결혼식의 노래; (*pl.*) 결혼식.

hy·me·no- [háimənou, -nə] '(처녀)막' 이란 뜻의 결합사.

Hy·me·nop·tera [hàimənɑ́ptərə/-nɔ́p-] *n. pl.* 〚곤충〛 막시류(膜翅類), 벌목(目). ㊕ **-ter·ous** [-tərəs] *a.*

hy·mie [háimi] *n.* 《속어 · 경멸》 유대인.

*__hymn__ [him] *n.* 찬송가, 성가; 〔일반적〕 찬가: a national ~ 국가. ― *vt.* 찬송가로 찬미〔표현〕하다. ― *vi.* 찬송가를 부르다.

hym·nal [hímnəl] *n.* 찬송가집(hymnbook). ― *a.* 찬송가의, 성가의.

hym·na·ry [hímnəri] *n.* 찬송가〔성가〕집.

hýmn·bòok *n.* 찬송가〔성가〕집.

hym·nic [hímnik] *a.* 찬송가〔성가〕의, 찬송가〔성가〕적인.

hym·nist [hímnist] *n.* 찬송가 작가.

hym·no·dy [hímnədi] *n.* Ⓤ 찬송가 부르기〔짓기〕; 〔집합적〕 찬송가; 찬송가 연구. ㊕ **-dist** *n.* 찬송가 학자〔작자〕.

hym·nog·ra·pher [himnɑ́grəfər/-nɔ́g-] *n.* =HYMNIST; 찬송가 연구가.

hym·nol·o·gy [himnɑ́lədʒi/-nɔ́l-] *n.* Ⓤ 찬송가학(學); 〔집합적〕 찬송가; 찬송가 제작. ㊕ **-gist** *n.* 찬송가 작자〔학자〕.

hy·oid [háiɔid] 〚해부〛 *a.* U자형의; 설골(舌骨)의. ― *n.* 설골. 「**bòne**).

hýoid bóne 〚해부〛 설골(舌骨)(=**tóngue**

hy·os·cine [háiəsìːn, -sin/-siːn] *n.* Ⓤ 〚약학〛 히오신《동공 확산제(瞳孔擴散劑)》.

hy·os·cy·a·mine [hàiəsáiəmìːn, -min] *n.* Ⓤ 〚약학〛 히오시아민《동공 확산제 · 진정제》.

hyp [hip] *n.* (종종 *pl.*) 우울; (the ~) =HYPOCHONDRIA. 「thetical.

hyp. 〚수학〛 hypotenuse; hypothesis; hypo-

hy·pae·thral [hipíːθrəl, hai-] *a.* 창공의, (본디 고대 그리스 신전이) 지붕이 없는; 옥외(屋外)의.

hy·pal·la·ge [hipǽlədʒi, hai-/hai-] *n.* Ⓤ,Ⓒ 〚수사학〛 대환(代換)(법)《her face's beauty 를 her beauty's face 로 하는 따위》.

hype [haip] 《속어》 *n.* **1** 피하 주사침(針); 마약 중독자〔판매인〕. **2** 과대 광고〔선전〕, 과장해서 팔아 넘김; 떠맡기어 산 사람〔물건〕; 거스름돈을 속이는 사람. ― *vt.* 속이다; (아무)에게 거스름돈을 속이다; 《미》 (마약으로) 흥분시키다, 자극하다, 부추기다《*up*》; (판매를) 활기 돋우다; 과대 선전하다, 강매하다; 거짓 선전으로 결려들게 하다.

hýped-úp [-t-] *a.* 《미속어》 인위적인, 가짜의; (흥분제를 맞은 듯이) 흥분한.

hýp·er 《속어》 *n.* 선전꾼. ― *a.* 흥분 잘하는; 매우 흥분〔긴장〕한.

hy·per- [háipər] '위쪽, 초과, 과도, 비상한, 3 차원을 넘은 (공간의)' 란 뜻의 결합사.

hỳper·ácid *a.* 위산 과다의. ㊕ **-acídity** *n.* Ⓤ 위산 과다(증).

hỳper·áctive *a., n.* 지나치게 활동적인 (사람); 〚의학〛 운동과잉의(아이): ~ children. ㊕ **-actívity** *n.* 활동 항진(亢進)(상태), 활동 과다.

hy·per·aes·the·sia [hàipərəsθíːʒiə, -ziə] *n.* Ⓤ 〚의학〛 감각 과민(증).
hy·per·al·ge·sia [hàipərældʒíːziə, -siə] *n.* 통각(痛覺) 과민(증).
hỳper·alimentátion *n.* 〚의학〛 (점적(點滴) 등에 의한) 고(高) 칼로리 영양법.
hỳper·ánxious *a.* 몹시 걱정하는, 지나치게 염려하는.
hỳper·báric *a.*〚의학〛고비중(高比重)의《액(液)》; 고압 산소 요법의: a ~ chamber 고압 산소실.
hyperbáric óxygen thérapy 고농도 산소 요법《일산화탄소 중독·뇌졸중·다발성 경화증(硬化症) 등에 씀》.
hy·per·ba·ton [haipə́ːrbətɑ̀n/-tɔ̀n] (*pl.* ***-ta*** [-tə]) *n.* Ⓤ 〚문법〛 도치법《What is wanting? 을 Wanting is what?로 하는 따위》.
hy·per·bo·la [haipə́ːrbələ] *n.* 〚수학〛 쌍곡선.
hy·per·bo·le [haipə́ːrbəliː] *n.* Ⓤ,Ⓒ 〚수사학〛 과장(법), 과장 어구.
hy·per·bol·ic, -i·cal [hàipərbɑ́lik/-bɔ́l-], [-əl] *a.* 〚수사학〛 과장법의; 과장된, 과대한; 〚수학〛 쌍곡선의. ㊞ **-i·cal·ly** *ad.*
hyperbólic fúnction 〚수학〛 쌍곡선 함수.
hyperbólic paráboloid 〚수학〛 쌍곡포물면.
hy·per·bo·lism [haipə́ːrbəlizəm] *n.* Ⓤ 과장법 사용. ㊞ **-list** *n.* 과장법 사용자.
hy·per·bo·lize [haipə́ːrbəlàiz] *vt., vi.* 과장법으로 표현하다, 과장해 말하다.
hy·per·bo·loid [haipə́ːrbəlɔ̀id] *n.* 〚수학〛 쌍곡면.

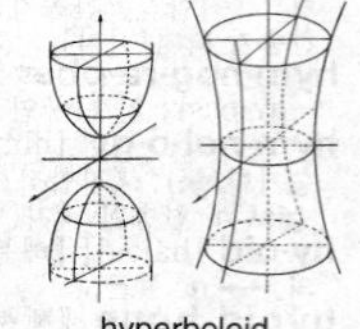
hyperboloid

hy·per·bo·re·an [hàipərbɔ́ːriən, -bəríː-/-bɔ́riən] *a.* 극북(極北)의; 매우 추운; (H-) 북방 정토(淨土)에 사는 사람의; 극북인(人)의. **—** *n.* (H-) 〚그리스신화〛 북방 정토(淨土)의 주민; 북극 사람; 북방인.
hy·per·cal·ce·mia [hàipərkælsíːmiə] *n.* 〚의학〛 칼슘 과잉혈(증); 고(高)칼슘혈(증).
hy·per·cap·nia [-kǽpniə] *n.* 〚의학〛 탄산 과잉(증)《혈액 중 탄산가스 과잉》. ㊞ **-cáp·nic** *a.*
hỳper·cataléctic *a.* 〚시학〛 행(行) 끝에 여분의 음절이 있는.
hỳper·cáutious *a.* 지나치게 조심하는.
hýper·chàrge *n.* 〚물리〛 하이퍼차지《소립자의 하전(荷電) 상태를 나타내는 연산자(演算子)》. **—** *vt.* …에 지나치게 집어넣다〔부과하다〕.
hỳper·cholesterolémia *n.* 〚병리〛 **1** 과〔고〕콜레스테롤혈(증). **2** =FAMILIAL HYPERCHOLESTEROLEMIA(=**hỳper·cholesterémia**).
hỳper·cómplex *a.* 〔한정적〕 〚수학〛 다원(多元)의《수·환(環)》.
hỳper·cónscious *a.* 의식 과잉의《*of*》.
hỳper·corréct *a.* 지나치게 정확한, 잔단 일에 까다로운; 과잉 교정의. ㊞ **hỳper·corréction** *n.* Ⓤ 〚언어〛 과잉 교정(으로 인한 잘못)《between you and me 에서 me 를 I로 잘못 고치는 따위》.
hỳper·crític *n.* 혹평가. ㊞ **-ical** *a.* 혹평하는. **-ically** *ad.*
hỳper·críticism *n.* Ⓤ,Ⓒ 혹평, 흠〔탈〕 잡기.
hỳper·críticize *vt., vi.* 혹평하다; 흠잡다.
hỳper·cùbe *n.* 〚수학〛 초(超)정육면체《다차원(多次元) 가운데 3차원에 있어서 정육면체에 해당되는 것》; 〚컴퓨터〛 초(超)정육면체를 바탕으로 하는 컴퓨터 아키텍처.
hỳper·cýcle *n.* 〚생물〛 하이퍼 사이클《생명 기원에서 작동했다고 보는, 자기복제하는 RNA 분자가 관여하는 화학 반응 회로》.
hy·per·di·a·lect·ism [hàipərdàiəléktizəm] *n.* 〚언어〛 과도(過度) 방언 사용.
hýper·drìve *n.* (SF에서) 초(超)공간 여행을 위한 추진 시스템.
hỳper·émesis *n.* 〚의학〛 악조(惡阻)《과도한 구토》.
hy·per·e·mia [hàipəríːmiə] *n.* Ⓤ 충혈.
hy·per·es·the·sia [hàipərəsθíːʒiə, -ziə/-riːs-] *n.* =HYPERAESTHESIA.
hỳper·excítable *a.* 지나치게 격〔흥분〕하기 쉬운. ㊞ **-excitabílity** *n.* 이상(異狀) 흥분(상태).
hỳper·exténsion *n.* 〚생리〛 (사지의) 과신전(過伸展).
hýper·fine *a.* 초(超)미세의〔한〕.
hỳper·fócal dístance 〚사진〛 가장 가까운 결상(結像) 거리《∞표에 맞췄을 때 선명한 상(像)이 되는 가장 가까운 거리》.
hy·per·ga·my [haipə́ːrgəmi] *n.* 승격혼(昇格婚).
hỳper·glycémia, 《영》 **-cáemia** *n.* 〚의학〛 고(高)〔과(過)〕혈당(증)《혈액 속에 포도당의 다량 축적》.
hy·per·gol [háipərgɔ̀ːl, -gɑ̀l/-gɔ̀l] *n.* 자연 연소성(燃燒性) 연료.
hy·per·gol·ic [hàipərgɔ́ːlik, -gɑ́l-/-gɔ́l-] *a.* (로켓 연료가) 자동 점화성〔연소성〕의.
hỳper·hidrósis *n.* 〚의학〛 다한(多汗)(증).
hỳper·immúne *a.* 〚의학〛 고도 면역의; 과면역의《항원의 반복 주사에 대한 반응으로 생긴 항체를 과량으로 보유하고 있는》. ㊞ **hỳper·ímmun·ized** *a.* ㊞ **~·ary** *a.*
hỳper·inflátion *n.* Ⓤ 〚경제〛 초(超)인플레이션.
hỳper·ínsulinism *n.* 〚의학〛 인슐린 과잉(증); 고〔과〕인슐린(증).
Hy·pe·ri·on [haipíəriən] *n.* 〚그리스신화〛 히페리온《Uranus와 Gaea의 아들로 Helios, Selene, Eos 의 아버지; 종종 Apollo와 혼동됨》; 〚천문〛 토성(土星)의 제 7 위성.
hỳper·irritabílity *n.* Ⓤ 〚의학〛 과잉 자극 감수성.
hỳper·keratósis (*pl.* ***-ses*** [-siːz]) *n.* 〚의학〛 각질(角質) 증식(증); 과각화증(過角化症). ㊞ **-keratótic** *a.*
hy·per·ki·ne·sia [hàipərkiníːʒiə, -ziə, -kai-] *n.* **1** 〚병리〛 과운동증, 운동 과다증《비정상적 근육 활동의 증진과 경련 수반》. **2** 〚정신의학〛 과활동《지나친 활동성과 침착성의 결여, 충동성, 주의 집중 곤란을 특징으로 한 청소년기의 정신 장애》.
hýper·lìnks *n.* 〚컴퓨터〛 하이퍼링크스《문서·비디오·그래픽스·소리 등을 짜맞추어 다각적인 정보로 제시키 위해 연결하는 links나 threads》.
hỳper·lipémia, -lipidémia *n.* 〚의학〛 고지혈(高脂血)(증), 지방 과잉혈(血)(증).
hy·per·lip·o·pro·tein·e·mia [hàipərlìpəpròutiəníːmiə, -làipə-] *n.* 〚의학〛 고(高)리포단백혈(증)《혈액에 리포 단백 농도가 증가하는 병》.
hýper·màrket *n.* 《영》 (변두리의) 대형 슈퍼마켓.
hýper·mèdia *n.* 〚컴퓨터〛 하이퍼미디어《문서·비디오·그래픽스·소리 등을 짜맞추어 다각적으로 정보를 제시하는 소프트웨어의 형식》.
hy·per·me·ter [haipə́ːrmətər] *n.* 〚시학〛 음절 과잉 시구(詩句); 〚고전시학〛 2 또는 3 행(colon)으로 된 피리어드(period).
hy·per·met·ric, -ri·cal [hàipərmétrik], [-əl] 〚운율〛 *a.* 음절 과잉의; 자수가 넘치는.
hy·per·me·tro·pia [hàipərmitróupiə] *n.* Ⓤ 〚의학〛 원시(遠視). OPP. *myopia.* ㊞ **-me·trop·ic** [-trɑ́pik/-trɔ́p-] *a.*
hy·perm·ne·sia [hàipərmníːʒiə] *n.* 〚심리〛 기억 과잉〔증진〕. ㊞ **-né·sic** [-zik, -sik] *a.*
hỳper·mobílity 〚의학〛 (위장의) (자발) 운동과잉증.
hỳper·mútable *a.* 〚유전〛 돌연변이가 이상하

게 빈번한, 초(超)돌연변이의. ⓟ **hỳper·mutátion** *n.* 초돌연변이.

hy·per·on [háipərὰn/-rɔ̀n] *n.* 〚물리〛 하이퍼론, 중핵자(重核子).

hy·per·o·pia [hàipəróupiə] *n.* =HYPERMETROPIA. ⓟ **-óp·ic** [-άpik/-ɔ́p-] *a.*

hy·per·os·to·sis [hàipərαstóusis/-ɔs-] (*pl.* **-ses** [-si:z]) *n.* 〚의학〛 골화(骨化)과잉(증)〔외골(外骨)(종)증〕(의 뼈).

hỳper·párasite *n.* 〚생태〛 이중기생자; 중복기생자《기생자 위에 기생하는》. ⓟ **-párasitism** *n.* 이중기생.

hy·per·pha·gia [hàipərféidʒiə] *n.* 〚의학〛 식욕 항진(증), 과식(증).

hỳper·phýsical *a.* 초자연의, 초물질적인, 비물질적인.

hy·per·pi·e·sia [hàipərpaiί:ziə] *n.* 고혈압(hypertension), 이상(異狀) 고압.

hy·per·pi·tu·i·ta·rism [hàipərpitjú:itərìzəm/-tjú:-] *n.* 〚의학〛 뇌하수체 기능 항진(증); 말단 비대증, 거인증. ⓟ **hỳper·pitúitary** *a.*

hýper·plàne *n.* 〚수학〛 초평면(超平面).

hy·per·pla·sia [hàipərpléiʒiə, -ziə] *n.* 〚의학〛 과형성(過形成), 증식; 〚생물〛 (세포의) 이상증식.

hy·per·pnea, -pnoea [hàipərpní:ə] *n.* 〚의학〛 호흡 항진, 과호흡. ⓟ **-pn(o)é·ic** *a.*

hỳper·pólarize *vt.* (신경세포 등을) 과분극시키다. ― *vi.* 과분극하다. ⓟ **-polarizátion** *n.* 과분극.

hỳper·pyréxia *n.* 〚의학〛 초(超)〔이상〕고열. ⓟ **-pyrétic** *a.*

hỳper·réalism *n.* 〚미술〛 하이퍼〔초(超)〕리얼리즘《보통과 다른 충격적 기법으로 대상을 묘사하는 회화의 기법》. ⓒⓕ superrealism. ⓟ **-ist** *a.*, *n.*

hýper·scòpe *n.* 〚군사〛 참호용 잠망경.

hỳper·sénsitive *a.* 〚의학〛 감각 과민(성)의, 과민한, (약 · 알레르기원(源) 등에 대해) 과민증의; 〚사진〛 초고감도의. ⓟ **~·ness** *n.* **-sensitívity** *n.* Ⓤ (감각) 과민(성), 과민증《*to; about*》.

hỳper·séxual *a.* 성욕 과도〔항진〕의.

hýper·slòw *a.* 극도로 느린, 초저속의.

hỳper·sónic *a.* 극초음속의《음속의 5배 이상》; 〚통신〛 극초음파의《500 MHz를 넘는》. ⓒⓕ supersonic.

hypersónic áirliner 〚항공〛 극초음속 여객기《마하 4-6; ⓒⓕ HST》.

hypersónic tránsport 극초음속 수송기《생략: HST》.

hýper·spàce *n.* 〚수학〛 초공간《고차원 유클리드 공간》; 4차원(이상) 공간. ⓟ **hỳper·spátial** *a.*

hy·per·sthene [háipərsθì:n] *n.* Ⓤ 〚광물〛 자소 휘석(紫蘇輝石).

hýper·sùrface *n.* 〚수학〛 초곡면(超曲面).

hỳper·suspícious *a.* 극도로 의심 많은.

hỳper·ténsion *n.* Ⓤ 〚의학〛 고혈압(증); 긴장 항진(증).

hỳper·ténsive *a.* 고혈압(성)의. ― *n.* 고혈압 환자.

hýper·tèxt *n.* 〚컴퓨터〛 하이퍼텍스트《단순한 1차원의 문장 구조에 머물지 않고 관련된 텍스트 정보를 짜맞추어 표시하도록 한 컴퓨터 텍스트》. ⓟ **-tèxtual** *a.* **-tèxtually** *ad.*

hy·per·ther·mia, -ther·my [hàipərθə́:rmiə], [-θə́:rmi] *n.* 〚의학〛 고(高)체온, 고열. ⓟ **-thér·mic** *a.*

hỳper·thýroid *a.*, *n.* 〚의학〛 갑상선 기능 항진(증)의 (환자); 이상 흥분의. ⓟ **~·ism** *n.* Ⓤ 갑상선 (기능) 항진(증)(Graves' disease).

hy·per·to·nia [hàipərtóuniə] *n.* 〚의학〛 과도 긴장, 긴장 항진; 고혈압.

hỳper·tónic *a.* 〚생리〛 (특히 근육이) 긴장 과도의; 〚화학 · 생리〛 (용액이) 긴장 과도의; 고혈압의; 고(高)침투압의, 고장(高張)(성)의: ~ solution 고장액.

hy·per·troph·ic, hy·per·tro·phied [hàipərtrάfik, -tróuf-/-trɔ́f-], [haipə́:rtrəfid] *a.* 비대성의, 비후성(肥厚性)의, 이상 발달의.

hy·per·tro·phy [haipə́:rtrəfi] *n.* Ⓤ,Ⓒ 〚생물〛 비대《영양 과다 등에 의한》; 이상 발달. ⓞⓟⓟ *atrophy.* ¶ cardiac ~ 심장 비대. ― *vt.*, *vi.* 비대하게 하다〔해지다〕.

hy·per·uri·ce·mia [hàipərjùərəsí:miə] *n.* 〚의학〛 요산 과잉혈(尿酸過剩血)(증), 고(高)요산혈(증).

hỳper·velócity *n.* 〚물리〛 초고속도《특히 우주선 · 핵입자 등 초속 10,000 피트(약 3,000 m) 이상의 속도》.

hỳper·véntilate *vi.*, *vt.* 〚의학〛 호흡 항진하다, 과환기(過換氣)하다.

hỳper·ventilátion *n.* 〚의학〛 환기(換氣)〔호흡〕 항진, 과(過)환기.

hỳper·vérbal *a.* 지나치게 말이 많은, 너무 수다스러운.

hỳp·esthésia, -aes- *n.* 〚의학〛 감각〔촉각〕 감퇴. ⓟ **-thésic, -thétic** *a.*

hy·pe·thral [hipί:θrəl, hai-] *a.* =HYPAETHRAL.

hy·pha [háifə] (*pl.* **-phae** [-fi:]) *n.* 〚식물〛 균사(菌絲).

***hy·phen** [háifən] *n.* 하이픈, 연자 부호(連字符號)《-》; (담화 중에 있어서) 음절 간의 짧은 휴지(休止). ― *vt.* 하이픈으로 연결하다.

hy·phen·ate [háifənèit] *vt.* =HYPHEN. ― [háifənət, -nèit] *n.* 외국계 시민, 《특히》 애국심이 박약한 외국계 미국 시민.

hý·phen·àt·ed [-id] *a.* **1** 하이픈을 넣은: a ~ word 하이픈으로 연결한 말 / ~ Americans 《미》 외국계 미국인. ★ French-Americans, Spanish-Americans 처럼 하이픈을 넣어서 쓰므로 이렇게 부름. **2** 《영우스개》 상류 계급의, 귀족적인《귀족 · 명문의 성(姓)에는 흔히 이중성(二重姓)(double-barreled name)이 있는 데서》.

hỳ·phen·á·tion *n.* 하이픈으로 연결하기.

hy·phen·ize [háifənàiz] *vt.* =HYPHEN.

hyp·na·gog·ic, -no- [hìpnəgάdʒik, -góudʒ-/-gɔ́dʒ-] *a.* 최면의.

hyp·no- [hípnou, -nə] '수면, 최면' 이란 뜻의 결합사《모음 앞에서 **hypn-**》.

hỳpno·análysis *n.* 〚정신의학〛 최면 분석《환자를 최면 상태에서 자유연상을 하게 하는 정신분석의 한 방법》.

hýpno·dràma *n.* 최면극〔연기〕《최면자가 어떤 상황을 연기해 보임; 최면자에 의한 심리극(psychodrama)》.

hyp·no·gen·e·sis [hìpnədʒénəsis] *n.* 최면(催眠).

hyp·noid, hyp·noi·dal [hípnɔid], [hipnɔ́idəl] *a.* 수면〔최면〕 상태의.

hyp·nol·o·gy [hipnάlədʒi/-nɔ́l-] *n.* Ⓤ 최면학, 수면학(법).

hyp·no·pe·dia [hìpnəpí:diə] *n.* 수면 학습(법).

hyp·no·pom·pic [hìpnəpάmpik/-pɔ́m-] *a.* (깨기 전의) 반수반성의, 각성 후 지속성의.

Hyp·nos [hípnαs/-nɔs] *n.* 〚그리스신화〛 히프노스《잠의 신; 꿈의 신 Morpheus의 아버지; 로마 신의 Somnus에 해당》.

hyp·no·sis [hipnóusis] (*pl.* **-ses** [-si:z]) *n.* Ⓤ,Ⓒ 최면 (상태), 최면술: under ~ 최면술에 걸려.

hỳpno·thérapy *n.* Ⓤ 최면(술) 요법. ⓒⓕ hypnoanalysis.

hyp·not·ic [hipnάtik/-nɔ́t-] *a.* (약이) 최면(성)의, 최면술의; 최면술에 걸리기 쉬운. ― *n.* 수면제(soporific); 최면 상태에 있는 사람; 최면술에 걸리기 쉬운 사람. ⓟ **-i·cal·ly** *ad.* 최면(술)적으로.

hypnótic regréssion 최면 회귀(回歸)《최면

술에 의해 전생(前生)의 기억으로 되돌아감》.

hypnótic suggéstion 최면 암시《최면하에서의 암시 (요법)》.

hyp·no·tism [hípnətìzəm] *n.* Ⓤ 최면술; 최면 상태(hypnosis); (강렬한) 매력, 암시력. ⓕ **-tist** *n.* 최면술사(師).

hỳp·no·ti·zá·tion *n.* Ⓤ 최면술을 걺; 최면 상태.

hyp·no·tize, 《영》 **-tise** [hípnətàiz] *vt.* …에게 최면술을 걸다; 《구어》 매혹시키다. **—** *vi.* 최면술을 쓰다; 암시를 주다. ⓕ **-tìz·er** *n.* 최면술사(師). **hýp·no·tìz·a·ble** *a.* 잠재울 수 있는, 최면술에 걸리는. **hỳp·no·tìz·a·bíl·i·ty** *n.* 피(被)최면성(性).

hy·po[1] [háipou] (*pl.* **~s**) *n.* Ⓤ 〖사진〗 하이포 《정착액용(定着液用) 싸이오(thio) 황산나트륨》. [◂ *hypo*sulfite]

hy·po[2] (*pl.* **~s**) *n.* =HYPODERMIC; 자극; 마약 중독자. **—** *vt.* 피하 주사 하다; 자극하다, 촉진하다.

hy·po[3] (*pl.* **~s**) *n.* 《구어》 히포콘(hypochondriac); 《고어》 =HYPOCHONDRIA.

hy·po[4] (*pl.* **~s**) *n.* 《구어》 저혈당증의 발작〔발병〕.

hy·po- [háipou, -pə], **hyp-** [hip, haip] '밑에, 이하, 가볍게; 〖화학〗 하이포아(亞)' 란 뜻의 결합사.

hỳpo·acídity *n.* Ⓤ (위액 등의) 산(酸)과소, 저산증(低酸症). OPP. *hyperacidity.*

hỳpo·allergénic *a.* 〖의학〗 (화장품·장신구·식품 등이) 저(低)알레르기 유발성의, 알레르기를 일으키기 어려운.

hypo·allergénic cosmètics 저(低)자극성 화장품.

hy·po·blast [háipoublæ̀st, -pə-, -blɑ̀:st] *n.* Ⓤ 내배엽(內胚葉).

hy·po·cal·ce·mia [hàipoukælsí:miə] *n.* 〖의학〗 저칼슘혈(血)(증). ⓕ **-cal·cé·mic** [-mik] *a.*

hy·po·caust [háipəkɔ̀:st, híp-/háipə-] *n.* 〖고대로마〗 마루 밑 난방 장치, 온돌.

hýpo·cènter *n.* (핵폭발의) 폭심(爆心)(지(地))(ground zero); (지진의) 진원지.

hỳpo·chlórite *n.* 〖화학〗 하이포아(亞)염소산염.

hỳpo·chlórous ácid 〖화학〗 하이포아(亞)염소산.

hy·po·chon·dria [hàipəkɑ́ndriə/-kɔ́n-] *n.* Ⓤ 〖의학〗 히포콘드리, 우울〔심기(心氣)〕증.

hy·po·chon·dri·ac [hàipəkɑ́ndriæ̀k/-kɔ́n-] *a., n.* 히포콘드리의 (환자).

hy·po·chon·dri·a·cal [hàipəkəndráiəkəl] *a.* 히포콘드리〔우울증〕의. ⓕ **~·ly** *ad.*

hy·po·chon·dri·a·sis [hàipəkəndráiəsis] (*pl.* **-ses** [-sì:z]) *n.* 〖의학〗 히포콘드리 증상, 심기증(心氣症), 침울증.

hy·po·chró·mic anémia [hàipəkróumik-] 〖의학〗 혈색소 감소성 빈혈.

hy·poc·o·rism [haipɑ́kərìzəm, hip-/haipɔ́k-] *n.* Ⓤ 애칭(으로 부름).

hy·po·co·ris·tic [hàipəkərístik, hìp-/hàipə-] *a.* 〖문법〗 애칭의(endearing), 친애를 나타내는.

hy·po·cot·yl [hàipəkɑ́tl/-kɔ́tl] *n.* 〖식물〗 배축(胚軸), 자엽하축(子葉下軸).

hyp·o·crise, -crize [hípəkràiz] *vi.* 가면을 쓰다, 위선적인 행위를 하다.

◇**hy·poc·ri·sy** [hipɑ́krəsi/-pɔ́k-] *n.* Ⓤ,Ⓒ 위선; 위선(적인) 행위: *Hypocrisy* is a homage that vice pays to virtue. 《속담》 위선이라는 것은 악이 선에게 바치는 경의다.

***hyp·o·crite** [hípəkrit] *n., a.* 위선자(의): play the ~ 위선적인 태도를 취하다.

◇**hyp·o·crit·i·cal** [hìpəkrítikəl] *a.* 위선의; 위선(자)적인. ⓕ **~·ly** *ad.*

hy·po·derm, -der·ma [hàipədə́:rm], [-də́:rmə] *n.* =HYPODERMIS.

hy·po·der·mal [hàipədə́:rməl] *a.* 진피(眞皮)의, 표피 밑에 있는.

hy·po·der·mic [hàipədə́:rmik] *a.* 〖의학〗 피하(주사용)의: a ~ injection 피하 주사 / a ~ needle 〔syringe〕 피하 주삿바늘〔기〕. **—** *n.* 피하 주사(기); Ⓤ 피하 주사약. ⓕ **-mi·cal·ly** [-əli] *ad.* 피하에.

hy·po·der·mis [hàipədə́:rmis] *n.* 하피(下皮). **a** 〖식물〗 줄기의 표피 아래의 후벽(厚壁) 섬유층. **b** 〖동물〗 곤충 따위의 표피 세포층.

hy·po·gas·tric [hàipəgǽstrik] *a.* 〖해부〗 하복부의.

hy·po·gas·tri·um [hàipəgǽstriəm] (*pl.* **-tria** [-triə]) *n.* 〖해부〗 하복부.

hy·po·ge·al [hàipədʒí:əl], **-ge·an** [-ən], **-ge·ous** [-əs] *a.* 지하의, 땅 속의, 지하에서 생기는.

hy·po·gene [háipədʒì:n] *a.* (바위가) 지하에서 생성된: ~ rocks 심성암(深成岩).

hy·po·ge·um [hàipədʒí:əm] (*pl.* **-gea** [-dʒí:ə]) *n.* 〖고대건축〗 지하실, 움막; 지하 묘지.

hy·po·glos·sal [hàipəglɑ́səl, -glɔ́:s-/-glɔ́s-] *a.* 〖해부〗 혀 밑의. **—** *n.* 혀밑 신경(=∠ **nérve**).

hy·po·gly·ce·mia [hàipouglaisí:miə] *n.* 〖의학〗 저(低)혈당(증).

hy·po·gon·ad·ism, -go·nad·ia [hàipəgóunædìzəm, -gɑ́n-/-gɔ́n-], [-gounǽdiə] *n.* 〖의학〗 성기능 저하〔부전〕(증).

hy·po·ki·ne·sis, -ki·ne·sia [hàipoukiní:sis, -kai-], [-kiní:ʒiə, -ziə, -kai-] *n.* 〖의학〗 운동 저하(증).

hy·po·ma·nia [hàipəméiniə, -njə] *n.* 〖정신의학〗 경조(輕躁)병《정도가 가벼운 조병(躁病)》. ⓕ **-man·ic** [-mǽnik] *a.*

hýpo·mòrph *n.* **1** 〖의학〗 왜소 체형《좌고에 비해 신장이 낮은》. **2** 〖유전〗 저차형태(低次形態) 유전자. ⓕ **hỳpo·mórphic** *a.*

hỳpo·motílity *n.* 〖의학〗 저(低)운동성, (위장의)운동 저하증.

hy·po·phos·phate [hàipəfɑ́sfeit/-fɔ́s-] *n.* 〖화학〗 아인산염(亞燐酸塩).

hỳpo·phósphite *n.* 〖화학〗 하이포아인산염(亞燐酸塩).

hypo·phosphóric ácid 〖화학〗 아인산(亞燐酸).

hypo·phósphorous ácid 〖화학〗 하이포아인산(亞燐酸).

hy·poph·y·sec·to·my [haipɑ̀fəséktəmi/-pɔ̀f-] *n.* 〖외과〗 (뇌)하수체 절제 수술. ⓕ **-mize** [-màiz] *vt.*

hy·poph·y·sis [haipɑ́fəsis/-pɔ́f-] (*pl.* **-ses** [-sì:z]) *n.* 〖해부〗 뇌하수체.

hy·po·pi·tu·i·ta·rism [hàipoupitjú:itərizəm/-tjú:-] *n.* 〖의학〗 (뇌)하수체(기능) 저하〔부전〕(증)《비만·청년기 계속·단소화(短小化) 등》.

hỳpo·plásia *n.* 〖의학〗 형성 부전, 발육 부전; 〖식물〗 감성(減成). ⓕ **-plástic** *a.*

hýpo·sprày *n.* 〖의학〗 스프레이식 피하 주사기《바늘을 안 쓰는 고압의》.

hy·pos·ta·sis [haipɑ́stəsis/-pɔ́s-] (*pl.* **-ses** [-sì:z]) *n.* **1** 〖철학〗 근본 원리, 원질, 본질, 실재(substance). **2** 〖신학〗 (그리스도의) 인성(人性); 삼위일체의 하나. **3** 〖의학〗 침하성 충혈(沈下性充血); (특히 오줌의) 침전물.

hy·po·stat·ic [hàipəstǽtik] *a.* 본질의, 실재의, 실체의; 〖신학〗 위격(位格)의, 페르소나의; 〖의학〗 침하성 충혈의.

hypostátic únion 〖신학〗 위격적(位格的)결합《(그리스도의) 신성(神性)과 인성(人性)의 합체》.

hy·pòs·ta·ti·zá·tion *n.* Ⓤ (관념 따위의) 실체화.

hy·pos·ta·tize [haipástətàiz/-pɔ́s-] *vt.* 〖철학〗 (관념을) 실체화하다; 〖종교〗 인성화(人性化)하다.
hy·po·style [háipəstàil] 〖건축〗 *a.* 다주식(多柱式)의. ── *n.* 다주식 건축.
hỳpo·súlfite, 《영》 **-phite** *n.* 〖화학〗 Ⓤ 하이포아(亞)황산염(黃酸塩); 하이포아황산나트륨《사진 정착제》.
hỳpo·súlfurous, 《영》 **-phúrous** *a.* 〖화학〗 하이포아황산의: ~ acid 하이포아황산《환원제 · 표백제용》.
hy·po·tax·is [hàipətǽksis] *n.* 〖문법〗 종속(從屬)(구문). OPP. *parataxis*. ㊞ **-tác·tic** *a.*
hỳpo·ténsion *n.* Ⓤ 저혈압(증). ㊞ **-ténsive** *a.*, *n.* 저혈압의 (사람); 혈압 강하성의, 강압(降壓)의《약》.
hy·pot·e·nuse [haipátənjùːs/-pɔ́tənjùːz] *n.* 〖수학〗 직각삼각형의 빗변.
hypoth. hypothesis; hypothetical.
hỳpo·thálamus (*pl.* **-mi** [-mài]) *n.* 〖해부〗 시상하부(視床下部).
hy·poth·ec [haipáθik/-pɔ́θik] *n.* Ⓤ 저당권, 담보권. ***the whole*** ~ 《Sc. 구어》 전 재산, 전(全)사업.
hy·poth·e·cary [haipáθikèri/-pɔ́θikəri] *a.* 저당권의(에 의한), 저당권을 설정한.
hy·poth·e·cate [haipáθikèit/-pɔ́θ-] *vt.* 저당 잡히다, 담보에 넣다. ㊞ **hy·pòth·e·cá·tion** *n.* Ⓤ,Ⓒ 담보 계약. **hy·póth·e·cà·tor** *n.*
hy·poth·e·nuse [haipáθənjùːs/-pɔ́θənjùːz] *n.* =HYPOTENUSE.
hỳpo·thérmal *a.* 미지근한, 미온(微溫)의; (체온이) 상온 이하의, 저온의; 〖지학〗 (광상(鑛床)이) 심열수성(深熱水性) 광상인(의).
hy·po·ther·mia [hàipəθə́ːrmiə] *n.* 〖의학〗 저(低)체온(증); 체온 저하(법)《심장 수술을 쉽게 하기 위한》. ㊞ **-thér·mic** *a.* 저체온(법)의.
***hy·poth·e·sis** [haipáθəsis/-pɔ́θ-] (*pl.* **-ses** [-sìːz]) *n.* 가설(假說), 가정(假定); 전제; 단순한 추측, 억측: a working ~ 작업(作業) 가설. SYN. ⇨ THEORY. ㊞ **-sist** *n.*
hy·poth·e·size [haipáθəsàiz/-pɔ́θ-] *vi.*, *vt.* 가설을 세우다, 가정하다.
◇**hy·po·thet·ic, -i·cal** [hàipəθétik], [-əl] *a.* **1** 가설의, 가정의, 억설의. cf. categorical. **2** 가설을 좋아하는. ㊞ **-i·cal·ly** *ad.* 가정하여.
hypothétical impèrative (특히 칸트 철학의) 가언적 명령.
hy·po·thét·i·co-dedúctive [hàipəθétikou-] *a.* 가설-연역법의.
hy·po·thy·roid·ism [hàipəθáirɔidìzəm] *n.* Ⓤ 갑상선 기능 부전(저하)(증).
hy·po·to·nia [hàipətóuniə, -pou-] *n.* 〖의학〗 저혈압(증); 긴장 감퇴(저하).
hy·po·ton·ic [hàipətánik/-tɔ́n-] *a.* 〖생리〗 (근육이) 저(긴)장(低(緊)張)의; 〖화학〗 (용액이) 저장(低張)의: ~ solution 저장액. ㊞ **-to·nic·i·ty** [-tounísəti] *n.*
hy·pot·ro·phy [haipátrəfi, hi-/-pɔ́t-] *n.* 발육 부전.
hỳpo·ventilátion *n.* 〖의학〗 환기 저하(과소), 호흡 저하.
hy·po·vo·le·mia [hàipouvəlíːmiə] *n.* 〖의학〗 (순환) 혈액량 감소. ㊞ **-vo·lé·mic** *a.*
hyp·ox·e·mia [hàipɑksíːmiə/-pɔk-] *n.* 〖의학〗 저(低)산소혈(증). ㊞ **-mic** [-mik] *a.*
hy·pox·ia [haipáksiə/-pɔ́k-] *n.* 〖의학〗 저산소증. ㊞ **hy·póx·ic** *a.* 저산소증의.
hyp·si- [hípsi], **hyp·so-** [hípsou, -sə] '높이, 높은'이란 뜻의 결합사《모음 앞에서 **hyps-**》.
hyp·sog·ra·phy [hipságrəfi/-sɔ́g-] *n.* Ⓤ 지세(地勢) 측량; 지세; 지세 도시(圖示)법; 측고법(hypsometry).
hyp·som·e·ter [hipsámətər/-sɔ́m-] *n.* 측고계《액체의 끓는점을 재어 토지의 높이를 앎》. ㊞ **-try** [-tri] *n.* Ⓤ 측고법.
hyp·so·pho·bia [hìpsəfóubiə] *n.* 고소(高所)공포증.
hy·rax [háiəræks] (*pl.* **~·es, *hy·ra·ces*** [-rəsìːz]) *n.* 〖동물〗 바위너구리.
hyrst ⇨ HURST.
hy·son [háisən] *n.* Ⓤ 희춘차(熙春茶)《중국산 녹차의 하나》.
hý spỳ [hái-] 숨바꼭질(hide-and-seek)의 일종(I spy).
hys·sop [hísəp] *n.* 히솝풀《옛날 약으로 썼던 향기로운 꿀풀과(科)의 식물》; 〖성서〗 히솝, 우슬초《유대인이 의식 때 그 가지를 귀신과 재앙을 물리치는 데 썼음; 시편 LI: 7, 출애굽기 XII: 22》.
hys·ter- [hístər] =HYSTERO-.
hys·ter·ec·to·my [hìstəréktəmi] *n.* Ⓤ 〖의학〗 자궁 절제(술).
hys·ter·e·sis [hìstəríːsis] (*pl.* **-ses** [-siːz]) *n.* 〖물리〗 (자기 · 전기 · 탄성 등의) 이력(履歷)현상. ㊞ **hỳs·ter·ét·ic** [-rét-] *a.*
***hys·te·ria** [histériə, -stíər-/-stíər-] *n.* Ⓤ 〖의학〗 히스테리; 〖일반적〗 병적 흥분.
hys·ter·ic [histérik] *a.* =HYSTERICAL. ── *n.* 히스테리 환자.
◇**hys·ter·i·cal** [histérikəl] *a.* 히스테리(성)의, 히스테리에 걸린; 병적으로 흥분한; 《구어》 아주 우스꽝스러운. ㊞ **~·ly** *ad.*
hystérical féver 〖의학〗 히스테리열.
***hys·ter·ics** [histériks] *n. pl.* 〖단 · 복수 취급〗 **1** 히스테리 발작; 히스테리: go (off) into ~ =fall into ~ =have ~ 히스테리를 일으키다. **2** 《구어》 멈출 수 없는 웃음: have (get into) ~ =be in ~ (우스워서) 배꼽을 쥐다.
hys·ter·o- [hístərou, -rə] '자궁(子宮), 히스테리'란 뜻의 결합사.
hys·ter·o·gen·ic [hìstərədʒénik] *a.* 히스테리를 일으키는, 히스테리 기인(起因)성의.
hys·ter·oid, hys·ter·oi·dal [hístərɔ̀id], [hìstərɔ́idəl] *a.* 히스테리 비슷한.
hys·ter·ol·o·gy [hìstərálədʒi/-rɔ́l-] *n.* Ⓤ 자궁학(學).
hys·ter·on prot·er·on [hístərànprátərɑ̀n/-rɔ̀nprɔ́tərɔ̀n] 《Gr.》 **1** 〖수사학〗 전후도치(前後倒置)《보기: I was *bred and born* in England.》. **2** 〖논리〗 역도 논법(逆倒論法)《보기: begging the question ⇨ BEG》.
hys·ter·ot·o·my [hìstərátəmi/-ɔ́t-] *n.* Ⓤ 〖의학〗 자궁 절개(술); 《특히》 제왕 절개(술).
hy·zone [háizoun] *n.* Ⓤ 〖화학〗 3원자 수소《H_3》.
Hz, hz hertz.

I

I, i [ai] (*pl.* **I's, Is, i's, is** [-z]) **1** 아이《영어 알파벳의 아홉째 글자》. **2** 아홉 번째(의 것). **3** 로마 숫자 1: III〔iii〕=3 / IX〔ix〕=9. **4** I 자 모양의 물건. **5** 〖incomplete의 생략〗(학업 성적에서) 보류《후일 리포트 제출 때 성적이 결정됨》. **6** 〖논리〗 특정의 긍정명제; 〖수학〗 *x*축에 평행한 단위 벡터.

†**I** [ai] *pron.* 내가, 나는, 저는, 제가《인칭 대명사·제1인칭·단수·주격; 소유격은 my, 목적격은 me, 소유 대명사는 mine; 복합 인칭 대명사는 myself; 복수는 we》: Am *I* not right? =《구어》 Ain't *I* right? / It is *I*. 《문어》=《구어》 It's me.

NOTE (1) 인칭이 다른 단수형의 인칭 대명사, 또는 명사를 병렬(竝列)할 때는 2 인칭, 3 인칭, 1 인칭의 순서가 관례: You 〔He, She, My wife〕 and *I* are .... ★ 인칭 대명사 중 I만은 문장 중간에서도 대문자로 표기함.
(2) between you and *I*나 He will invite you and *I*. 따위는 문법적으로 틀리지만 쓰이는 일이 있음.

— (*pl.* **I's**) *n.* 〖철학〗 (the I) 자아(自我), 나.

I 〖화학〗 iodine. **I.** Idaho; *Iesus* 《L.》(=Jesus); Independent; Indian; Institute; International; 《미》 interstate (주간(州間) 고속 도로); Island(s); Isle(s). **i.** *id* 《L.》(=that); interest; intransitive; island(s). **IA, Ia.** Iowa. **I.A.A.F.** International Amateur Athletic Federation (국제 육상 경기 연맹). **IABA** International Amateur Boxing Association (국제 아마추어 권투 연맹) **IAC** International Apprentices Competition (국제 기능 올림픽). **IACP** 《미》 International Association of Chiefs of Police. **I.A.D.A.** International Atomic Development Authority. **IADB** Inter-American Defense Board; Inter-American Development Bank (미주 개발 은행). **IAEA** International Atomic Energy Agency (국제 원자력 기구).

Ia·go [iá:gou] *n.* (Shakespeare작 *Othello*에 나오는) 음흉하고 간악한 인물.

-i·al [iəl, jəl] *suf.* =-AL: ceremon*ial*, colloqu*ial*.

IALC instrument approach and landing chart (계기 진입 착륙도). **IAMAW** International Association of Machinists and Aerospace Workers. 「격《⌣-》.

iamb [áiæmb] *n.* 〖운율〗 *n.* 약강격《×⌒》; 단장

iam·bic [aiǽmbik] 〖운율〗 *a.* 약강격(弱強格)의; 단장격(短長格)의. — *n.* =IAMBUS. 「격(五步格).

iámbik pentámeter 〖운율〗 약강〔단장〕 오보

iam·bus [aiǽmbəs] (*pl.* **-bi** [-bai], **~·es**) *n.* =IAMB.

Ian [í:ən] *n.* 이안《남자 이름》.

-ian ⇨ -AN.

-iana ⇨ -ANA.

IAP international airport. **IAPF** Inter-American Peacekeeping Force. **IAPH** International Association of Ports and Harbors (국제 항만 협회).

iarovize ⇨ JAROVIZE.

I.A.R.U. International Amateur Radio Union.

IAS indicated airspeed (지시 대기(對氣) 속도).

-i·a·sis [áiəsis] =-ASIS.

IATA [aiá:tə] International Air Transport Association.

IÁTA càrrier IATA 가맹 항공 회사.

iat·ric, -ri·cal [aiǽtrik], [-əl] *a.* 의사의; 치료〔의료〕의.

-i·at·ric [aiǽtrik], **-i·at·ri·cal** [aiǽtrikəl] '…의 의료의'란 뜻의 형용사를 만드는 결합사.

-i·at·rics [iǽtriks] '치료'란 뜻의 명사를 만드는 결합사: ped*iatrics*.

iat·ro- [aiǽtrou, -trə, i-] '의사, 의료'란 뜻의 결합사.

iàtro·génesis *n.* 〖의학〗 의원성(醫原性)《의료에 의해 다른 장애나 병발증이 생김》.

iàtro·génic *a.* 치료로 인하여 생기는: an ~ disease 의원병(醫原病). ㊞ **-ically** *ad.*

iàtro·phýsics *n.* 물료(物療) 의학; 물리 요법.

IAU, I.A.U. International Association of Universities; International Astronomical Union. **IAUP** International Association of University Presidents. **IB** International Baccalaureate (대학 입학 국제 자격 제도). **ib.** *ibidem*. **IBA** 《영》 Independent Broadcasting Authority. 「나》.

Í-bàck *n.* 〖미식축구〗 아이백《공격 포지션의 하

Í bànd 〖해부〗 아이밴드《횡문근(橫紋筋) 섬유 중의 하나》.

Ibe·ria [aibíəriə] *n.* =IBERIAN PENINSULA.

Ibe·ri·an [aibíəriən] *a.*, *n.* 이베리아(사람)의; (옛) 이베리아 사람; (옛) 이베리아 말.

Ibérian Península (the ~) 이베리아 반도.

ibex [áibeks] (*pl.* **~·es** [-iz], **ib·i·ces** [íbəsì:z, áibi-], 〖집합적〗 ~) *n.* (알프스·아펜니노 산맥 등지의) 야생 염소.

ibex

IBF international banking facilities (국제 은행 업무). **IBI** International Bank for Investment (국제 투자 은행).

°**ibid.** [íbid] *ibidem*.

ibi·dem [íbədəm, ibái-, ibí-/ibidèm, ibái-] *ad.* 《L.》(=in the same place) 같은 장소에, 같은 책〔페이지, 구, 장〕에《생략: ib. 또는 ibid.》.

ibis [áibis] (*pl.* **~·es** [-iz], 〖집합적〗 ~) *n.* 〖조류〗 따오기.

-i·ble [əbəl] *suf.* '…할〔될〕 수 있는'이란 뜻의 형용사를 만듦: permiss*ible*.

IBM Intercontinental Ballistic Missile; International Business Machines 《상표명》. **I.B.M.** 《미속어》 instant big mouth 《마티니》.

ÍBM-compátible *a.*, *n.* IBM 호환기(互換機)(의), IBM기와 호환성이 있는.

ibn- [íbən] *pref.* 《Ar.》(=son) '아들'의 뜻: *ibn*Saud.

Ib·ra·him [ìbrəhí:m] *n.* 이브라힘《남자 이름》.

IBRD, I.B.R.D. International Bank for Reconstruction and Development. **IBS** 〖의학〗 irritable bowel syndrome.

Ib·sen [íbsən] *n.* **Henrik ~** 입센《노르웨이의 극작가·시인; 1828-1906》. [파] **~·ism** *n.* [U] 입센주의《사회의 인습적 편견을 고발》. **~·ite** *n.*, *a.* **~·ist** *n.* **Ib·se·ni·an** [ibsí:niən] *a.* 입센적인, 입센주의의.

IBST International Bureau of Software Test 《미국의 소프트웨어 검사 회사》.

ibu·pro·fen [àibju:próufən] *n.* 〖약학〗 이부프로펜《비(非)스테로이드성 진통 소염제(消炎劑)》.

-ic [ˊik] *suf.* **1** '…의, …의 성질의, …같은, …에 속하는, …으로 된'의 뜻의 형용사를 만듦; 〖화학〗 '-ous로 끝나는 형용사보다 높은 원자가가 있는'의 뜻: hero*ic*, rust*ic*, magnet*ic*. **2** 명사 《특히 기술·학술명 등》를 만듦: crit*ic*, mus*ic*, rhetor*ic*. [cf] -ics.

IC 〖전자〗 integrated circuit (집적 회로); 〖문법〗 immediate constituent. **I.C.** *Iesus Christus* 《L.》 (=Jesus Christ). **i.c.** in charge; *inter cibos* 《L.》 (=between meals). **i/c** 〖군사〗 in charge; in command. **ICA** 《영》 Institute of Contemporary Arts; International Communication Agency; 《미》 International Cooperation Administration (국제 협력국); International Co-operative Alliance (국제 협동 조합 연맹). **ICAAAA, IC4A, I.C.4-A** [áisí:fɔ́:réi] Intercollegiate Association of Amateur Athletes of America (미국 대학 아마추어 육상 경기자 협회).

-i·cal [ˊikəl] *suf.* =-IC 1: poet*ical* =poet*ic*. ★ 대체로 -ic, -ical은 서로 바꾸어 쓸 수 있으나 뜻이 다른 경우도 있음.

-i·cal·ly [ˊikəli] *suf.* -ic, -ical로 끝나는 형용사의 부사 어미.

ICAO International Civil Aviation Organization (국제 민간 항공 기구).

Icar·i·an [ikέəriən, ai-] *a.* Icarus 같은; 저돌적인, 무모한.

Ic·a·rus [íkərəs, ái-] *n.* 〖그리스신화〗 이카로스《날개를 밀랍으로 몸에 붙이고 날다가 너무 높이 올라 태양열에 밀랍이 녹아 바다에 떨어짐》.

ICBL International Campaign to Ban Landmines (지뢰 금지 국제 캠페인). **ICBM** 〖군사〗 Intercontinental Ballistic Missile (대륙간 탄도탄). **I.C.B.P.** International Council for Bird Preservation. **ICC, I.C.C.** International Chamber of Commerce (국제 상공 회의소); 《미》 Interstate Commerce Commission (국내 통상 위원회).

ÍC càrd 〖컴퓨터〗 integrated circuit card 《휴대용 카드의 하나로 마이크로프로세서, 기억장치, 집적 회로를 가지고 있는 집적 회로 카드》.

ICCP Institute for Certification of Computer Professionals (컴퓨터 관련 자격 시험을 인정하는 조직).

†**ice** [ais] *n.* **1** [U] 얼음; 얼음처럼 찬 것: a piece 〔cube〕 of ~ 얼음 한 조각. **2** (the ~) (넓게 얼어붙은) 얼음, 빙판: break through the ~ 얼음이 깨어져 (사람이) 빠지다. **3** [C] 《영》 아이스크림(~ cream); 얼음과자: two ~*s* 아이스크림 2개. **4** [U] 냉담; 차가운 태도. **5** [U] (과자의) 당의(糖衣); 《미속어》 다이아몬드, 〖일반적〗 보석. **6** 《미속어》 (부정 업자가 경찰에 내는) 뇌물, 암표상이 극장 측에 내는 수수료. **7** 《속어》 결정(結晶)한 메탐페타민(methamphetamine) (=**crýstal mèth**) 《환각제》. ***break*** 〔《미》 ***crack***〕 ***the* ~** (해결의) 실마리를 찾다, 돌파구를 열다; (분위기를 부드럽게 하려고) 이야기를 꺼내다, 긴장을 풀다. ***chop*** one***'s own* ~** 《미구어》 자기 이익만을 생각하다. ***cut no*** 〔***not much***〕 **~** 《구어》 (…에 대

해) 효과가〔영향이〕 없다; 인상을 주지 않다 《*with*》: What others say *cuts no ~ with* him. 남이 무어라고 해도 그에게는 마이동풍이다. ***get*** 〔***find***〕 one***'s* ~ *legs*** 스케이트를 탈 수 있게 되다. ***have*** one***'s brains on* ~** 《속어》 냉정하다, 침착하다. ***on* ~** ① 빙상의, 스케이터에 의한 《쇼 따위》; (음식물이) 냉장고에 들어가. ② 《구어》 준비되어, 보류되어, 맡겨져. ③ 《미속어》 (사람이) 대기하여; 투옥〔감금〕되어. ④ 《구어》 성공이〔승리가〕 확실한. ***on thin* ~** 살얼음을 밟듯이, 위험한 상태에서. ***put ... on* ~** …을 죽이다; 연기하다; 성공을〔승리를〕 확실히 하다.

― *vt.* **1** 얼리다(freeze), 냉장하다; 얼음으로 식히다. **2** 《+[목]+[부]》 얼음으로 덮다《*over; up*》: ~ *up* fish 생선을 얼음에 채우다. **3** (과자 등에) 당의를 입히다. [cf] iced. **4** 《미속어》 죽이다; 묵살하다, 도외시하다《*out*》. **5** (성공·승리 등을) 확실히 하다. ― *vi.* **1** 《+[부]》 (못·길 등이) 얼다, 얼음으로 덮이다《*over*》, (기체·기구 따위가) 빙결〔착빙〕하다《*up*》: The windshield has ~*d up*. 방풍 유리가 얼어붙었다. **2** 《미속어》 침묵하다. **~ *the cake*** 《미속어》 승리를 확실히 하다, 성공을 매듭짓다. **~ *the decision*** 〔***game***〕 《미속어》 승리를 결정적으로 만들다. **~ *the puck*** 〖아이스하키〗 아이싱하다《퍽을 쳐서 상대편의 골라인을 넘다》. [파] **ˊ·less** *a.* **ˊ·like** *a.*

ICE internal-combustion engine; International Cultural Exchange. **Ice.** Iceland; Icelandic.

íce àge 〖지학〗 빙하 시대(glacial epoch).

íce àx(e) (등산용) 피켈, (얼음 깨는) 도끼.

íce bàg 얼음주머니.

íce bèer 아이스 비어《빙점 이하의 온도에서 양조한 맥주》.

°**ice·berg** [áisbə:rg] *n.* 빙산; 《구어》 냉담한 사람; 《미속어》 찬〔불감증인〕 여자. ***the tip of the* ~** 《비유》 빙산의 일각.

íceberg còmpany 적자 거래가 3분의 2를 점유하는 회사.

íceberg léttuce 아이스버그 레터스《잎이 양배추 모양인 양상추의 일종》.

íce·blìnk *n.* (수평선 상에 보이는) 빙원(氷原)의 반영(反映).

íce blòck 얼음덩어리, 얼음 조각; 《Austral., N. Zeal.》 아이스캔디.

íce-blùe *n.*, *a.* 담청색(의).

íce·bòat *n.* **1** 빙상 요트. **2** 쇄빙선(碎氷船). [파] **~·er** *n.* **~·ing** *n.* 〖경기〗 빙상 요트에 탐, 아이스보팅.

iceboat 1

íce·bòund *a.* 얼음에 갇힌, 얼음이 꽉 얼어붙은: an ~ harbor 동결항.

íce·bòx *n.* 아이스박스; 《미》 냉장고《전기용에도 씀》; (배의) 냉장실; 《속어》 독방, 《널리》 교도소; 《미속어》 (쇼·스포츠 등에서) 출연〔출전〕 대기 장소, (무대 좌우의) 공간, (야구의) 더그아웃.

íce·brèaker *n.* 쇄빙선; 쇄빙기; (부두의) 유빙(流氷) 제거 장치; 서먹서먹함을 푸는 것《파티의 게임·춤 등》; 《속어》 붙임성 있는 사람.

íce bùcket 아이스 버킷《맥주병 따위를 차게 할 얼음이나 음료수에 넣을 얼음을 담는 용기》.

íce·càp *n.* (높은 산마루·극지 따위의) 만년설〔빙〕; 얼음주머니.

íce chèst 《미》 =ICEBOX.

íce cóffee 아이스커피(iced coffee).

íce-cóld *a.* 얼음처럼 차가운; 냉담한.

íce crèam 아이스크림; 《미속어》 굳어진 아편.
íce-crèam chàir (길가 카페 등에서 쓰는) 팔걸이 없는 작고 둥근 의자.
íce-crèam còne 아이스크림 콘《원뿔형의 웨이퍼; 거기에 담은 아이스크림》.
íce-crèam frèezer 아이스크림 제조기.
íce crèam pàrlor 《미》 아이스크림 판매점.
íce-crèam sóda 아이스크림이 든 소다수.
íce crùsher (가정용) 얼음 깨는 기구.
íce crỳstals 빙정(氷晶); 세빙(細氷)(ice needles).
íce cùbe (전기냉장고로 만드는) 각빙(角氷): an ~ tray (냉장고의 제빙용(製氷用)) 각빙 접시.
°**iced** [aist] *a.* 얼음으로 차게 한; 얼음으로 뒤덮인; 당의를 입힌: ~ coffee 아이스커피.
íce dànce 〔**dàncing**〕 아이스 댄싱《남녀 한쌍이 벌이는 피겨 스케이팅의 하나》.
íce·fàll *n.* 얼어붙은 폭포, 빙폭(氷瀑); 빙하의 붕락(崩落).
íce fìeld (극지방의) 빙원.
íce·fìsh *n.* 〚어류〛 작은 얼음 조각 같은〔반투명의〕 각종 물고기; 바다빙어.
íce fìshing 얼음낚시.
íce flòe (해상의) 빙원(氷原), 유빙(流氷), 성엣장.
íce fòg 〚기상〛 얼음안개(frozen fog).
íce fòot 북극 연안의 설원이 바다와 접하는 선; 빙하의 말단.
íce-frée *a.* 얼지 않는, 부동(不凍)의.
íce-frée pòrt 부동항(不凍港).
íce hòckey 아이스하키.
íce·hòuse *n.* 빙고(氷庫); 제빙실; (에스키모의) 얼음집. ⓒⓕ igloo.
ice·kha·na [áiskɑ̀ːnə] *n.* 빙상 자동차 경기회. [◂ *ice*+gym*khana*]
Icel. Iceland; Icelandic.
Ice·land [áislənd] *n.* 아이슬란드《북대서양에 있는 공화국; 수도 Reykjavik》. ㊕ **~·er** [áislæ̀ndər, -ləndər] *n.* 아이슬란드 사람. **Ice·lan·dic** [aislǽndik] *a.*, *n.* 아이슬란드(사람·말)의; Ⓤ 그 언어.
Íceland móss 〔**líchen**〕 〚식물〛 아이슬란드이끼《식용》.
Íceland póppy 〚식물〛 개양귀비《북극 지방산》.
Íceland spár 〚광물〛 빙주석(氷洲石)《방해석》.
íce·lìning *n.* (쇄빙선 따위의) 대빙용(對氷用) 보호 외판.
íce-lòcked [-t] *a.* =ICEBOUND.
íce 〔**íced**〕 **lólly** 《영구어》 (가는 막대기에 붙여 얼린) 아이스캔디. ⓒⓕ Popsicle.
ICEM Intergovernmental Committee for European Migration.
íce machìne 제빙기.
íce màiden 《속어》 냉정하고 거만한 여자.
íce·màn [-mæ̀n, -mən] (*pl.* **-men** [-mèn, -mən]) *n.* **1** 얼음 장수〔배달인〕. **2** 빙상 여행에 익숙한 사람; 스케이트 링크 관리인. **3** 《미속어》 보석 도둑. **4** 항상 냉정을 잃지 않는 도박꾼〔운동선수, 연예인〕.
íce mílk 아이스 밀크《탈지유로 만든 빙과》.
íce nèedles 〚기상〛 세빙(細氷)(ice crystals).
ÍĆ èngine =INTERNAL-COMBUSTION ENGINE.
íce-òut *n.* 해빙(解氷).
íce pàck 유빙군(流氷群); 얼음주머니.
íce pàil 얼음 통《포도주 따위를 차게 하는》.
íce pàlace 《미속어》 (훌륭한 시설을 갖춘) 고급 창루(娼樓).
íce pèllets 〚기상〛 싸라기우박《직경 5mm 이하》.
íce pìck 얼음 깨는 송곳.
íce plànt 사철채송화속(屬)의 식물.
íce pòint 〚물리〛 어는점.
íce púdding 아이스푸딩《일종의 얼음과자》.
íce·quàke *n.* 큰 빙괴(氷塊)의 붕괴로 일어나는 진동.
Íce Quèen 《속어》 냉정하고 거만한 여자; 은반(銀盤)의 여왕.
íce ràin 진눈깨비.
íce rìnk (실내) 스케이트장.
íce rùn 썰매(toboggan)용 얼음 활주로.
íce sàiling 빙상 요트 레이스.
íce·scàpe *n.* 빙경(氷景), 극지의 풍경.
íce-scòured área 빙식(氷蝕) 지역.
íce shèet 빙상(氷床), 대륙빙, 대빙원.
íce shèlf 빙붕(氷棚)《ice sheet의 끝》.
íce shòw 아이스 쇼《빙상 연기》.
íce skàte (빙상) 스케이트 구두〔날〕.
íce-skàte *vi.* 스케이트를 타다.
íce skàting 빙상 스케이트.
íce stàtion (남극의) 극지 관측소〔기지〕.
íce stòrm 진눈깨비를 동반하는 폭풍우.
íce téa 아이스 티(iced tea).
íce tòngs 얼음 집게.
íce trày (냉장고용) 제빙 그릇.
íce-ùp *n.* 빙결(氷結); 〚항공〛 기체의 착빙(着氷)《고공비행 때》.
íce wàgon 《속어》 불감증 여자.
íce wàter 《미》 얼음이 녹은 찬 물; 얼음으로 차게 한 물(《영》 iced water).
íce wòol (뜨개질용으로 쓰이는) 윤이 나는 털실.
íce yàcht =ICEBOAT.
IC4A ⇨ICAAAA. **ICFTU** International Confederation of Free Trade Unions. **ich.** ichthyology.
Ich·a·bod [íkəbɑ̀d/-bɔ̀d] *n.* 이커보드《남자 이름》. **—** *int.* 슬프도다《영광은 사라졌구나 하는 탄식》.
IChemE 《영》 Institution of Chemical Engineers (화학자 협회).
I Ching [íːdʒíŋ, -tʃíŋ] 역경(易經)(=the Book of Changes); (때로 i c-) (역경에 의한) 역점(易占).
ichn- [ikn], **ich·no-** [íknou, -nə] '발자국, 「자취」란 뜻의 결합사.
ich·neu·mon [iknjúːmən/-njúː-] *n.* 〚동물〛 몽구스의 일종《악어의 알을 먹는다고 함》; 〚곤충〛 맵시벌(=∠ flỳ).
ich·nog·ra·phy [iknágrəfi/-nɔ́g-] *n.* Ⓤ 평면도(법). ㊕ **ich·no·gráph·ic, -i·cal** *a.*
ich·no·lite [íknəlàit] *n.* 족적(足跡) 화석.
ich·nol·o·gy [iknáləd3i/-nɔ́l-] *n.* 족적(足跡) 화석학, 생흔학(生痕學).
ichor [áikɔːr, -kər/-kɔː] *n.* Ⓤ 〚그리스신화〛 신(神)의 몸 안을 혈액처럼 흐른다는 영액(靈液); 《시어》 피와 같은 액체; 〚의학〛 농장(膿漿)《궤양에서 분비하는》; 〚지학〛 아이코《화강암질 용액》. ㊕ **ichor·ous** [áikərəs] *a.* 농장의〔같은〕.
ich·tham·mol [ikθǽmɔːl, -mɑl/ikθǽmɔl] *n.* 〚약학〛 이크타몰《피부 질환용 소독·항염증제》.
ich·thy- [íkθi], **ich·thy·o-** [íkθiou, -θiə] '물고기'란 뜻의 결합사.
ich·thy·ic [íkθiik] *a.* 물고기〔어류〕의; 물고기 모양의.
ich·thy·o·fau·na [ìkθiəfɔ́ːnə] *n.* 어류상(相)《일정 지역의 어류 생태》.
ich·thy·og·ra·phy [ìkθiágrəfi/-ɔ́g-] *n.* Ⓤ 어류지(魚類誌)〔학〕, 어류 기재학. ㊕ **-pher** *n.*
ich·thy·oid [íkθiɔ̀id] *a.* 물고기의 모양을 한. **—** *n.* 어형(魚形) 척추동물.
Ich·thy·ol [íkθiɔ̀ːl, -ɑ̀l/-ɔ̀l] *n.* 〚약학〛 이히티올《피부병 외용약; 상표명》.
ich·thy·ol·a·try [ìkθiálətri] *n.* 물고기 숭배.
ich·thy·o·lite [íkθiːəlàit] *n.* 물고기의 화석.
ich·thy·ol·o·gist [ìkθiáləd3ist/-ɔ́l-] *n.* 어류학자〔연구가〕.
ich·thy·ol·o·gy [ìkθiáləd3i/-ɔ́l-] *n.* Ⓤ 어류학. ㊕ **ich·thy·o·lóg·i·cal** *a.* **-i·cal·ly** *ad.*
ich·thy·oph·a·gous [ìkθiáfəgəs/-ɔ́f-] *a.* 물고기를 (늘) 먹는. ㊕ **-gy** [-d3i] *n.* 물고기를 먹음〔늘 먹음〕.

ich·thy·o·saur [íkθiəsɔ̀ːr] *n.* 〖고생물〗 어룡(魚龍). ㊕ **ìch·thy·o·sáu·ri·an** *a., n.*
ich·thy·o·sau·rus [ìkθiəsɔ́ːrəs] (*pl.* **-ri** [-rai]) *n.* =ICHTHYOSAUR.
ich·thy·o·sis [ìkθióusis] *n.* 〖병리〗 어린선(魚鱗癬), 비늘선《피부병의 일종》.
ICI, I.C.I. 《영》 Imperial Chemical Industries 《영국 최대의 화학 공업 기업》; International Commission on Illumination.
-i·cian [íʃən] *suf.* **1** -ic(s)로 끝나는 낱말 끝에 붙어, '연구가, 전문가'란 뜻을 나타냄: magi*cian*, mathemat*ician*, mus*ician*, techn*ician*. **2** -ic(s)에 관계없이 어떤 종류의 직업을 나타냄《미칭》: beaut*ician*, mort*ician*.
°**ici·cle** [áisikəl] *n.* 고드름, 빙주(氷柱); 냉담〔냉정〕한 사람, 감정이 둔한 사람; 크리스마스 트리에 거는 은박 등의 장식.
ici·ly [áisəli] *ad.* 얼음처럼, 쌀쌀하게.
ici·ness [áisinis] *n.* Ⓤ 쌀쌀함, 냉담함.
ic·ing [áisiŋ] *n.* Ⓤ **1** (과자의) 당의(frosting). **2** 〖기상〗 (고체 표면에서의) 착빙(着氷); (물체 표면·지표면의) 결빙. **3** 〖아이스하키〗 아이싱《퍽이 센터라인 앞에서 상대측 골라인을 넘어 흐름; 반칙》. (*the*) **~ *on the cake*** 《구어》 사람의 눈을 끌 뿐인 무익한 꾸밈; 금상첨화.
ícing sùgar 《영》 가루설탕.
ICJ International Court of Justice (국제 사법 재판소).
icky [íki] (*ick·i·er; -i·est*) 《미속어》 *a.* 끈적끈적한; 불쾌한, 싫은; (재즈 등이) 너무 감상적인; (사람이) 때를 벗지 못한, 시대에 뒤진. **—** *n.* 지겨운 녀석, 세상 흐름을 모르는 옹고집쟁이〔학생〕; 스윙 음악을 모르는 사람.
ícky-póo [-púː] *a.* 《미속어》 =ICKY.
ICL 《영》 International Computers Limited 《영국 최대의 컴퓨터 제조 회사》. **ICM** Increased Capability Missile. **ICO** International Coffee Organization (유엔 국제 커피 기관).
icon, ikon, ei·kon [áikɑn/-kɔn] (*pl.* **~s, ~·es** [-iːz]) *n.* (회화·조각의) 상, 초상; 〖그리스정교〗 (예수·성인 등의) 성화상, 성상(聖像); 우상(idol); 유사(적) 기호; 〖컴퓨터〗 아이콘《컴퓨터의 각종 기능·메시지를 나타낸 그림 문자》.
icon- [aikán/-kɔ́n], **icon·o-** [aikánou, -nə/-kɔ́n-] '상(像)'이란 뜻의 결합사.
icon. iconographic; iconography.
icon·ic [aikánik/-kɔ́n-] *a.* 상(像)의, 초상의; 우상의; 〖조각〗 인습적인《주로 조상(彫像) 등에 말함》. ㊕ **icón·i·cal·ly** *ad.*
ico·nic·i·ty [àikənísəti] *n.* 도상성(圖像性), 유상성(類像性), 유사 기호성.
icon·i·fy [aikánəfài] *vt.* 〖컴퓨터〗 (대상을) 아이콘(icon)화(化)하다.
ico·nize [áikənàiz] *vt.* 우상시〔화〕하다.
icon·o·clasm [aikánəklæ̀zəm/-kɔ́n-] *n.* Ⓤ 〖기독교〗 성상〔우상〕 파괴(주의); 인습 타파.
icon·o·clast [aikánəklæ̀st/-kɔ́n-] *n.* 성상〔우상〕 파괴자; 인습 타파주의자. ㊕ **icòn·o·clás·tic** *a.* 성상〔우상〕 파괴(자)의; 인습 타파의. **-ti·cal·ly** *ad.*
ico·nog·ra·phy [àikənágrəfi/-nɔ́g-] *n.* Ⓤ 도상(圖像)학《화상·조상(彫像) 등에 의한 주제의 상징적 제시법》; 도상의 주제; (특히 종교적인) 도상; 초상〔조상〕 연구(서); (특정 주제에 의거한) 초상 집성. ㊕ **-pher** *n.* 도상학자. **icòn·o·gráph·ic, -i·cal** *a.* **-i·cal·ly** *ad.*
ico·nol·a·try [àikənálətri/-kɔnɔ́l-] *n.* Ⓤ 우상 숭배. ㊕ **-ter** *n.* 우상 숭배자. **-trous** *a.*
ico·nol·o·gy [àikənálədʒi/-kɔnɔ́l-] *n.* Ⓤ 도상(해석)학; 초상, 화상; 상징주의; 화상 등의 묘사〔설명〕. ㊕ **-gist** *n.* **icòn·o·lóg·i·cal** *a.*
ico·nom·e·ter [àikənámətər/-kɔnɔ́m-] *n.* 〖측량〗 아이코노미터《거리 측정용 투시 파인더》; 〖사진〗 자동 조절 직시(直視) 파인더. ㊕ **-e·try** *n.*
icon·o·scope [aikánəskòup/-kɔ́n-] *n.* 〖TV〗 송상관(送像管)《라디오의 microphone에 상당》.
ico·sa·he·dron [aikòusəhíːdrən, -kàs-/àikəsəhéd-] (*pl.* **~s, -dra** [-drə]) *n.* 〖수학〗 20면체.
ico·si·tet·ra·he·dron [aikòusətètrəhíːdrən, aikàsə-] *n.* 24면체.
ICPO International Criminal Police Organization(=Interpol). **ICRC** International Committee of the Red Cross.
-ics [´iks] *suf.* '…학, …술, …론'의 뜻의 명사를 만듦: eth*ics*, phonet*ics*.

> NOTE 복수어형이지만 (1) 보통 '학술·기술명'으로서는 단수 취급: linguist*ics*, opt*ics*, econom*ics*. (2) 구체적인 '활동·현상·특성·규칙' 따위를 가리킬 때는 복수 취급: athlet*ics*, gymnast*ics*, eth*ics*. (3) 개중에는 단·복수 취급되는 것도 있음: hyster*ics*.

I.C.S. 《미》 International Correspondence School. **ICSH** 〖생화학〗 interstitial-cell-stimulating hormone. **ICSU** International Council of Scientific Unions. **ICT** inclusive conducted tour《전 비용이 포함된 안내원이 딸린 여행》. **I.C.T.** intercoast transport (해로 운송).
ic·ter·ic [iktérik] *a.* 황달의, 황달에 걸린; 황달 치료에 쓰는. **—** *n.* 황달 환자; 황달 치료약.
ic·ter·i·cal [iktérikəl] *a.* =ICTERIC.
ic·ter·us [íktərəs] *n.* Ⓤ 〖의학〗 황달(jaundice); 〖식물〗 (보리 따위의) 황화병(黃化病).
ic·tus [íktəs] (*pl.* **~, ~·es**) *n.* **1** 〖운율〗 강음(強音), 양음(揚音). **2** 〖의학〗 급발(急發) 증상, 발작: ~ solis [-sóulis] 일사병.
ICU 〖의학〗 intensive care unit(집중 치료실).
ICU sỳndrome 〖의학〗 집중 치료실 증후군《환자가 집중 치료실에서 도리어 정신적 불안정 상태가 되는 일》.
*__icy__ [áisi] (*ic·i·er; -i·est*) *a.* **1** 얼음의, 얼음 같은; 얼음이 많은, 얼음이 덮인; 몹시 차가운: ~ waters / the ~ North. **2** 쌀쌀한, 냉담한: an ~ welcome 냉담한 환영.
ICY International Communications Year (국제 커뮤니케이션 해; 1983년).
ícy pòle 《Austral.》 =ICE LOLLY.
ID [áidíː] *n.* 신분증《ID card 따위》; =STATION BREAK. **—** *vt.* (또 I.D.) (신원을) 밝혀 내다, 확인하다. [◂ *id*entification]
Id, Eid, Eed [iːd] *n.* 〖이슬람〗 이드. **1** 이슬람의 대축제 Id al-Adha와 Id al-Fitr의 두 가지가 있음. **2** 인도의 이슬람교도 축제의 일반 명칭《Id-al-fitr와 Bakr-id가 유명함》.
id[1] [id] *n.* (the ~) 〖정신의학〗 이드《개인의 본능적 충동의 원천》.
id[2] *n.* 〖생물〗 특수 원형질, 유전 기질.
**__I'd__ [aid] I would, I should, I had의 간약형.
ID airline industry (employee) discount. **Id., Ida.** Idaho. **id.** *idem.* **I.D.** identification; inside diameter; Intelligence Department; Infantry Division.
Ida [áidə] *n.* 아이다. **1** 여자 이름. **2** 터키의 서부, 고대 Troy 남동쪽의 산. Crete섬의 최고봉의 옛 이름《Zeus의 탄생지로 전해짐》.
IDA International Development Association (국제 개발 협회).
Ida·ho [áidəhòu] *n.* 아이다호《미국 북서부의 주; 주도 Boise: 생략: Id., Ida.》. ㊕ **Ida·ho·an** [áidəhòuən, ´-´-] *a., n.* ~(주)의; ~주의 사람.

Id al-Ad·ha [ídæl:ɑdhɑ́:] *n.* 이드 알아드하, 희생절《이슬람 2 대절(節)의 하나; 메카 순례 최종일이 되는 순례월(巡禮月) 10일부터 4일간 계속됨; 양 등을 제물로 바침》.

Id al-Fitr [ídælfítr] 이드 알피트르, 단식 후 축제《이슬람 2 대 절(節)의 하나; 단식이 끝난 다음 달 1일부터 3일간 계속됨》.

I.D.B., IDB 〖S.Afr.〗 illicit diamond buying 〔buyer〕 (불법 다이아몬드 구입(자)); 《영》 In Daddy's Business 《부친의 직업을 이음》; Industrial Development Board (공업 개발 이사회) 《유엔 공업 개발 기구(UNIDO)의 집행 기관》; interdealer broker; Inter-American Development Bank(미주 개발 은행).

ÍD càrd 《미》 신분증(identity card).

IDDD international direct distance dialing (국제 직접 다이얼 통화).

-ide [àid, id] *suf.* 〖화학〗 '…화물(化物)'의 뜻 《화합물의 이름을 만듦》: ox*ide*, brom*ide*.

IDE 〖컴퓨터〗 Integrated Device Electronics 《하드 디스크와 컨트롤러 회로를 모두 내장하고 있는 장치에서 사용되는 통신 규약; 통합 장치 전자 공학》.

†**idea** [aidí:ə, -díə/-díə] *n.* **1** 생각, 관념, 심상(心像), 개념: a general ~ 개념 / an abstract ~ 추상 관념 / I can't bear the ~. 그런 일은 생각만 해도 참을 수가 없다.

> SYN. **idea** 가장 일반적으로 쓰이는 말. 사고·상상·추리 따위에 의하여 마음에 생기는 관념을 말함. **concept** 흔히 이미 존재하고 있는 것에 관한 개념, 규정: a *concept* of "family" 가족이란 개념. **conception** concept와 유사하지만 개념의 내용 그 자체보다도, 개념을 머릿속에 그리는 행위가 강조됨. 따라서 have a clear 〔vague〕 *conception* of ... (…에 관해 명확한〔막연한〕 개념을 품다), a *conception* of Nature as animate (살아 있는 것으로서의 자연의 개념)처럼 형용사 clear나 as 따위가 들어갈 여지가 생김. **notion** 막연한 개념, 개인적 견해. 편견일 수 있는 가능성도 인정함: my *notion* of man 인류에 관한 나의 견해. **thought** 사고를 거쳐 얻어진 생각, 판단: All his *thought* went into his book. 그의 사상 전부가 그의 저서 속에 기록되었다.

2 〖보통 부정문에서〗 인식, 이해: You do*n't* have the slightest 〔least〕 ~ (*of*) *how* much she has missed you. 그녀가 얼마나 너를 그리워하는지 너는 조금도 모른다 / He had *no* 〔*little*〕 ~ *what* these words meant. 그는 이 단어들이 무엇을 의미하는지 전혀 모른다. ★ have no idea로 「모른다」의 뜻이 됨. 구어에서는 of가 생략됨. **3** 지식; 짐작, 어림: I had no ~ (*that*) he was there. 그가 거기 있었다는 것을 전혀 몰랐다 / He has some ~ *of* chemistry. 그는 화학을 좀 알고 있다. **4** 의견, 견해, 사상: force one's ~*s* on others 자기 의견을 남에게 강요하다 / Eastern ~*s* 동양 사상 / I believe in the ~ *that* time is money. 시간은 돈이라는 견해를 옳다고 생각한다. **5** 착상, 고안; (보통 the ~) 취향; 의도; 의미, 요점: What a good ~! 정말 좋은 생각이다 / a man of ~*s* 착상이 풍부한 사람 / give up the ~ *of* …을 단념하다 / Have you got the ~? (취지를) 알았습니까. **6** 〖음악〗 악상, 주제, 모티프. **7** (막연한) 느낌, 인상, 예감《*that*》; 환상(fancy): I had an ~ (*that*) we'd win. 나는 우리가 이길 것 같은 느낌이 들었다 / put ~*s in* 〔*into*〕 a person's head 아무에게 공허한 기대를〔좋지 않은 생각을〕 품게 하다. **8** 사고방식: the young ~ 젊은이들의 생각. **9** (one's ~) 〖보통 부정문으로〗 이상(ideal), 취향; 《폐어》 전형: That is *not* my ~ *of* happiness. 행복이란 그런 것이 아니라고 생각한다. **10** (플라톤 철학의) 이데아, 형상(形相); (칸트 철학의) 순수 이성 개념; (크리스천 사이언스의) 심상(心像); 《폐어》 모습. ◇ ideal *a.* ***at the merest*** 〔***bare***〕 **~ *of*** …을 생각만 하여도. ***form an* ~ *of*** …을 마음속에 그리다. ***full of* ~*s*** 꾀 많은, 계략이 풍부한. ***get*** 〔***have***〕 **~*s*** (***into one's head***) 망상〔좋지 않은 생각, 야심, 역심〕을 품다. ***give*** a person ***an* ~ *of*** 아무에게 …을 알게 하다. ***The*** (***very***) **~** (***of*** it 〔doing...〕)! 《구어》 (그런 생각을 하다니) 너무하군, 지독해, 거무슨 소리야. ***What an* ~!** 참 어처구니없군. ***What's the*** (***big***) **~** (***of*** doing...) **?** 《구어》 (…하다니) 대체 어쩔 작정이야〔무슨 이유야〕《불만을 나타냄》. ⓟ **~·less** *a.*

ide·aed, ide·a'd [aidí(:)əd/-díəd] *a.* 착상이 풍부한; 〖복합어〗 (어떠한) 생각을 지닌: bright-~ 머리가 좋은 / one-~ 편협한.

‡**ide·al** [aidí:əl/-díəl] *n.* 이상, 극치; 전형, 규범, 관념; 숭고한 목적, 이념; 〖수학〗 이데알. **—** *a.* **1** 이상의, 이상적인, 더할 나위 없는(perfect)《*for*》: an ~ companion 이상적인 벗 / This weather is ~ *for* a picnic. 소풍에 더할 나위 없는 날씨다. **2** 이상주의의. **3** 관념적인, 상상의, 가공의. OPP. *real*. **4** 〖철학〗 관념에 관한, 관념론적인, 유심론의; 이상적〔이념적〕인. ◇ idea *n.* ⓟ **~·less** *a.*

idéal crýstal 이상 결정, 완전 결정.

idéal gás 〖물리〗 이상 기체.

Idéal Hóme Exhibìtion (the ~) 아이디얼 홈 전시회《London의 Earls Court에서 매년 봄에 열리는 가구·세간·실내 장식품 전시회》.

°**ide·al·ism** [aidí:əlìzəm, -díəl-/-díəl-] *n.* Ⓤ **1** 이상주의. **2** 〖철학〗 관념〔유심〕론. OPP. *materialism*. **3** 〖예술〗 관념주의. OPP. *realism*.

idé·al·ist *n.* 이상가; 〖철학〗 관념론〔유심론〕자; 〖예술〗 관념주의자. **—** *a.* =IDEALISTIC.

ide·al·is·tic [aidì:əlístik, -àidiəl-/aidìəl-] *a.* 이상주의적인; 공상적〔비현실적〕인; 관념론적〔유심론적〕인. ⓟ **-ti·cal·ly** [-tikəli] *ad.*

ide·al·i·ty [àidiǽləti] *n.* Ⓤ 이상적인 성질〔상태〕; 〖철학〗 관념성; (시적·창조적인) 상상력; (*pl.*) 이상적인 것.

idé·al·ìze *vt., vi.* 이상화하다; …의 이상을 그리다. ⓟ **-ìz·er** *n.* 이상화하는 사람, 이상가. **idè·al·i·zá·tion** *n.* 이상화.

idéalized ímage 〖심리〗 이상화 이미지《개인적 완벽함의 기준》.

idé·al·ly *ad.* 관념적으로; 전형적으로; 이상적으로, 더할 나위 없이; 이론적으로 말하면; 이상〔욕심〕을 말한다면.

idéal póint 〖수학〗 이상점《사영(射影) 기하학에서 두 줄의 평행선이 무한 공간에서 교차하는점》.

idéal týpe 〖사회〗 이상형.

idéa màn 아이디어맨《기업 같은 데 아이디어를 제공하는 사람》.

idéa·mònger *n.* 《구어》 아이디어를 파는 사람; 「=IDEA MAN.

idéa of réference 〖정신의학〗 관계 염려, 관계 관념, 참조 관념《타인의 언동이 자신과 관계 있는 것으로 확신하는 민감한 경향·망상》.

ide·ate [áidièit, aidí:eit] *vt., vi.* 상상하다, 마음에 그리다, 생각하다. **—** *n.* 〖철학〗 관념적 대상《관념에 대응한 현실 존재》. ⓟ **-a·tive** [aidí:ətiv, áidièitiv] *a.*

ìde·á·tion *n.* 관념 작용, 관념화(하는 힘). ⓟ **~·al** [-ʃənəl] *a.* **~·al·ly** *ad.*

idée fixe [i:déifí:ks] (*pl.* ***idées fixes*** [—]) 《F.》 (=fixed idea) 고정관념《병적으로 집착되어 떠나지 않는 관념; 강박 관념 등》; (한 가지 일

에 대한) 열중.

idée re·çue [iːdéirəsjúː] (*pl.* ***idées re·çues*** [—]) ((F.)) (=received idea) 일반 관념[관습], 통념.

idem [áidem, íd-] *n.*, *a.* ((L.)) (=the same) **1** 같은 저자(의); ((미)) 같음, 앞서 말한 바와 같음[같은]. **2** 같은 말(의), 같은 서적(의), 같은 전거(典據)(의)((생략: id.)).

idem·po·tent [aidémpətənt, áidəmpòutnt] 【수학】 *a.* 등멱(等冪)의. **—** *n.* 등멱원(元).

ídem quód [-kwád/-kwɔd] ((L.)) (=the same as) …와 같음((생략: i.q.)).

iden·tic [aidéntik, i-] *a.* **1** (외교 문서가) 동문(同文)의, 동일 형태의: an ~ note (외교상의) 동문 통첩. **2** =IDENTICAL.

***iden·ti·cal** [aidéntikəl, i-] *a.* **1** (보통 the ~) 아주 동일한(the very same): the ~ man 동일 인물. SYN. ⇨SAME. **2** (상이한 것에 대하여) 같은, 일치하는, 빼쏜((*with; to*)): replace the broken dish *with* an ~ one 깨진 접시와 꼭 같은 접시로 보충하다. **3** 동일 원인의; 일란성의((쌍둥이)). ㊞ **~·ly** *ad.* 같게. **~·ness** *n.*

idéntical equátion 【수학】 항등식.

idéntical propositíon 【논리】 동일 명제 ((보기: Man is man. 등)).

idéntical twíns *n.* 일란성(一卵性) 쌍둥이.

iden·ti·fi·a·ble [aidéntəfàiəbəl, i-] *a.* 동일함을 증명할 수 있는.

iden·ti·fi·ca·tion** [aidèntəfikéiʃən, i-] *n.* U,C **1** (사람·물건의) 신원[정체]의 확인[인정]; 동일하다는 증명[확인, 감정], 신분 증명. **2** 【정신의학】 동일시[화]; 【사회】 동일시, 일체화, 귀속의식 ((어느 사회 집단의 가치·이해를 자기 것으로 수용함)); 【생물】 동정(同定)((어느 표본을 기지의 taxon과 동일로 정함)). **3** 신원을[정체를] 증명하는 것; 신분증명서. ***station **~** 【라디오·TV】 국명(局名) 밝히기. 「(identity [ID] card).

identificátion càrd [**pàpers**] 신분증명서

identificátion paràde 범인 확인을 위해 피의자 등을 줄지어 세움.

identificátion plàte (자동차 따위의) 등록 번호판, 넘버 플레이트. 「표.

identificátion tàg [((영)) **dìsc**] 【군사】 인식

****iden·ti·fy** [aidéntəfài, i-] *vt.* **1** ((~+목/+목+*as* 보)) (본인·동일물임을) 확인하다; (사람의 성명·신원, 물건의 명칭·분류·소속 따위를) 인지[판정]하다; [~ oneself] 신원을 밝히다; 감정하다: ~ handwriting 필적을 감정하다/She *identified* the fountain pen *as* hers. 그녀는 그 만년필이 자기 것임을 확인하였다/He *identified* himself *as* a close friend of Jim's. 그는 짐의 친우라고 밝혔다. **2** ((+목+전+명)) (…와) 동일시하다, 동일한 것으로 간주하다((~ A *with* B, ~ A *and* B)); (…와) 제휴시키다; [~ oneself] (…에) 관계[공명]하게 하다((*with*)); 【정신의학】 (자신을) 남과 동일시하다; 【생물】 동속(同屬)[동종]으로 인정하다, 동정(同定)하다: They *identified* Jones *with* the progress of the company. 그들은 존스야말로 곧 회사의 발전이라고 생각하였다/become *identified with* a policy 정책적으로 제휴하게 되다/~ one*self with* a movement 운동에 참가하다. SYN. ⇨ RECOGNIZE. **—** *vi.* **1** 일체가 되다, 일체감을 갖다, 공감하다((*with*)). **2** ((+전+명)) (…과) 자기를 동일시하다: ~ *with* the hero of a novel 자신이 소설의 주인공이 된 듯한 기분이 되다. ◇ identification, identity *n.* ㊞ **-fi·er** [-fàiər] *n.* 확인자, 감정인.

Iden·ti·kit [aidéntəkit, i-] *n.* **1** 몽타주식 얼굴 사진 합성 장치((상표명)). **2** (때로 i-) 몽타주 얼굴 사진.

iden·ti·ty** [aidéntəti, i-] *n.* **1** U 동일함, 일치, 동일성: groups united by ~ of interests 이해의 일치로 단결된 집단. **2** U,C (딴 것이 아닌) 자기[그것] 자신임, 본인임; 주체성, 독자성, 개성 (individuality); 본체, 정체, 신원: disclose [conceal] one's own ~ 자신의 신원을 밝히다[숨기다]/It has a separate ~. 그것은 그것으로서 존재하고 있다. **3** 【수학】 항등식; 【논리】 동일 명제(同一命題)(identical proposition). **4** ((구어)) 신원 증명의 수단, 신분증명서. **5** ((Austral.)) (특정 지방에서) 잘 알려져 있는 인물, 명사. ***establish [***prove, recognize***] a person***'s*** **~** 아무가 본인임을 확인하다, 신원을 밝히다. ***mistaken*** [***false***] **~** 사람을 잘못 봄.

idéntity càrd 신분증명서.

idéntity crìsis 자기 인식의 위기((자기의 실체에 의심을 가짐)), 자기 상실.

idéntity fùnction 【수학】 항등 함수.

idéntity màtrix 【수학】 단위 행렬(單位行列).

idéntity paràde ((영)) =IDENTIFICATION PARADE.

idéntity thèft (은행 계좌·신용 카드 따위에 관한) 개인 정보 도난.

idéntity thèory 【철학】 심신 일원론, 심뇌(心腦) 동일설. 「합사.

id·e·o- [áidiou, -diə, íd-] 'idea'란 뜻의 결

id·e·o·gram, -graph [ídiəgræ̀m, áid-], [-græ̀f, -grɑ̀ːf] *n.* 표의문자. cf. phonogram.

id·e·o·graph·ic, -i·cal [ìdiəgrǽfik, àid-], [-əl] *a.* 표의적인, 표의문자의. ㊞ **-i·cal·ly** *ad.*

id·e·og·ra·phy [ìdiágrəfi, àid-/-ɔ́g-] *n.* U 표의문자 연구[학]; 표의문자의 사용.

ide·o·log·i·cal [àidiəládʒikəl, ìd-/-lɔ́dʒ-] *a.* 관념학의; 공론의; 관념 형태의, 이데올로기의: an ~ dispute 이데올로기 논쟁. ㊞ **-i·cal·ly** *ad.*

ide·ol·o·gist [àidiálədʒist, ìd-/-ɔ́l-] *n.* 관념학자, 관념론자; 공론가.

ide·ol·o·gize [àidiálədʒàiz, ìd-/-ɔ́l-] *vt.* 이데올로기적으로 분석하다; 특정 이데올로기로 전향시키다.

ide·o·logue [áidiəlɔ̀ːg, -làg, íd-/áidiəlɔ̀g, íd-] *n.* 공상가, 몽상가(visionary); 이론가, 특정 이데올로기 창도자.

ide·ol·o·gy [àidiálədʒi, ìd-/-ɔ́l-] *n.* **1** U 관념학[론]; 공리, 공론. **2** C 【사회】 (사회상·정치상의) 이데올로기, 관념 형태. 「동에 관한.

ìdeo·mótor *a.* 【심리】 관념 운동성의; 관념 운

ides [aidz] *n.* [단·복수취급] 【고대로마】 nones 부터 8일째((3월, 5월, 7월, 10월은 15일, 그 밖의 달은 13일)). ***Beware the Ides of March.*** 3월 15일을 경계하라((이 날은 Caesar 암살의 날로 예언되어 있던 데서, 궂은날의 경고로 쓰임)).

id est [id-ést] ((L.)) (=that is) 즉, 다시[바꿔] 말하면((생략: i.e. 또는 *i.e.*)).

id ge·nus om·ne [id-dʒíːnəs-ámni] ((L.)) (=all of that kind) 모두 그 종류의, 그 계급 전체의. 「결합사.

id·i·o- [ídiou, ídiə] '특수한, 특유한'이란 뜻의

ìdio·adaptátion *n.* 【생물】 개별 적응.

ídio·blàst *n.* 【식물】 이형(異形) 세포; 【광물】 자형변정(自形變晶). ㊞ **idio·blástic** *a.*

id·i·o·cy [ídiəsi] *n.* U 백치; C 백치적 언동.

id·i·o·glos·sia [ìdiəglásiə, -glɔ́ːs-/-glɔ́s-] *n.* U 【병리】 구어 부전(構語不全)((이해 불가능한 발음을 하는)). ㊞ **ìd·io·glót·tic** *a.*

id·i·o·graph·ic [ìdiəgrǽfik] *a.* 서명의, 사인(私印)의, 상표의; 【심리】 개별[특수] 사례의.

id·i·o·lect [ídiəlèkt] *n.* 【언어】 개인 언어((개인이 일생의 어느 시기에 쓰는 말씨)).

***id·i·om** [ídiəm] *n.* **1** C 숙어, 관용구. **2** U (어

떤 민족의) 고유어, 통용어, 언어; (어떤 지역·계급의) 방언, 말투. **3** Ⓤ (한 언어의) 특질; (한 작가·작곡가·시대 등의) 개성적 표현 방식, 작풍: the ~ of Chaucer 초서의 작풍.

id·i·o·mat·ic, -i·cal [ìdiəmǽtik], [-əl] *a.* 관용구적인, 관용구가 많은; (어떤 언어의) 특색을 나타내는; (어떤 언어에) 특유한; (예술 등에서) 독특한 작품의, 개성적인: an ~ phrase 관용구 / ~ English 영어다운 영어 / an ~ composer 독특한 스타일의 작곡가. ⓟ **-i·cal·ly** *ad.* 관용적으로; 관용구를 써서. **-ic·ness** *n.*

Ídiom Néutral 일종의 국제 보조어《Volapük를 개량하여 1902년에 발표》.

id·i·o·mor·phic [ìdiəmɔ́:rfik] *a.* 고유의 모양을 갖는; 〖광물〗 자형(自形)의(OPP. *allotriomorphic*). ⓟ **-phi·cal·ly** *ad.*

id·io·path·ic [ìdiəpǽθik] *a.* 〖의학〗 특발(特發)(성)의; 어떤 개인에 독특한, 고유의: ~ cardiomyopathy 특발성 심근증. ⓟ **-i·cal·ly** *ad.*

id·i·op·a·thy [ìdiάpəθi/-ɔ́p-] *n.* 〖의학〗 특발증(特發症)《개인 특유의 병》.

id·i·o·plasm [ídiəplæ̀zəm] *n.* 유전질. OPP. *trophoplasm*. ⓟ **ìd·i·o·plas·mát·ic** *a.*

id·i·o·syn·cra·sy, -cy [ìdiəsíŋkrəsi] *n.* (어느 개인의) 특이성, 특이한 성격〔경향, 성벽(性癖), 표현법〕; (개인의) 특유한 체격〔몸집〕; 〖의학〗 특이 체질.

id·i·o·syn·crat·ic [ìdiousiŋkrǽtik] *a.* 특질의, 특이질의; 특유한, 색다른; 특이 체질의. ⓟ **-i·cal·ly** *ad.*

◇**id·i·ot** [ídiət] *n.* **1** 천치, 바보. **2** 〖심리〗 백치《I.Q. 20-25 이하로, 지능 정도가 2세 정도임》. ★ 지능이 가장 낮은 상태부터 차례로 idiot, imbecile, moron이라 함.

ídiot bòx 바보상자《텔레비전의 속칭》.

ídiot càrd 〔**bòard**〕 대형 문자판《텔레비전 출연자가 대사를 잊었을 때를 위한》.

ídiot chànnel 《속어》 민간 텔레비전 방송.

ídiot gìrl 《속어》 텔레비전 출연자에게 idiot card를 보여 주는 여자 직원.

id·i·ot·ic, -i·cal [ìdiάtik/-ɔ́t-], [-əl] *a.* 백치의; 천치의. ⓟ **-i·cal·ly** *ad.* **-i·cal·ness** *n.*

íd·i·ot·ìsm *n.* 바보 같은 행동.

ídiot lìght (차의) 이상 표시등《배터리(액)·오일·휘발유 등의 결핍·이상을 자동적으로 표시「함》.

ídiot pìll 《미속어》 바르비탈정(錠)〔캡슐〕.

ídiot-pròof *a.* 《미속어》 저능아도 다룰 수 있는.

id·i·o·trop·ic [ìdiətrάpik, -tróup-/-trɔ́p-] *a.* 〖정신의학〗 자기만족형(型)의.

ídiot savánt (*pl.* ***ídiot(s) savánts***) 〖심리〗 특수 재능을 지닌 정신 박약자.

ídiot shèet =IDIOT CARD. 「set).

ídiot's lántern 《영속어》 텔레비전(television

ídiot tàpe 〖인쇄〗 자동 식자용의 컴퓨터 입력 테이프. 「(genotype).

id·io·type [ídiətàip] *n.* 〖유전〗 유전자형

-id·i·um [ídiəm] *suf.* (*pl.* **~s, *-id·ia*** [ídiə]) '작은 것의' 란 뜻의 지소사(指小辭).

IDL international date line.

⁑**idle** [áidl] (***idl·er; idl·est***) *a.* **1** 게으름뱅이의, 태만한. **2** 한가한, 게으름 피우고 있는, 놀고 있는, 할 일이 없는: an ~ spectator 수수방관하는 사람 / spend ~ hours 아무것도 않고〔빈둥빈둥〕 시간을 보내다. **3** (기계·공장 따위가) 쓰이고 있지 않는(unemployed): keep land ~ 땅을 놀려두다. **4** 무익한, 헛된, 쓸모없는(useless): an ~ talk 잡담 / It is ~ to suggest anything to him. 그에게 무엇을 제안하든 헛된 일이다. **5** 근거 없는, 하찮은: ~ rumors 근거 없는 소문. **6** 〖컴퓨터〗 아이들, 정지의《전원은 들어와 있으나 실제로 작동치 않는 상태》. **7** 〖야구〗 경기가 없는.

> SYN. **idle** 일을 쉬고 있는 것. 반드시 게으름 피우는 것에 한하지 않고 필요해서 쉬고 있는 것도 idle: *idle* machines 움직이고 있지 않는 기계. **indolent** 일이 느린〔굼뜬〕. 비난의 뜻도 있지만 일의 능력까지 부정하지는 않음. **lazy** 일에 대한 능력까지 부정하는 비난의 뜻이 있음: incurably *lazy* 어찌할 수 없을 정도로 게을러 빠진.

eat ~ bread 무위도식(無爲徒食)하다. ***have one's hands ~*** 손이 비어 있다. ***lie ~*** 아무 일도 하지 않고 있다; 사용치 않고 있다; (돈이) 놀고 있다. ***run ~*** (기계가) 헛돌다.

── *vi.* **1** 게으름 피우고〔놀고〕 있다, 빈둥거리고 있다, 무위로 시간을 보내다《*about; around*》. **2** 〖기계〗 헛돌다, 공회전하다; 부하(負荷) 없이 회전하다, 조절 밸브를 잠그고 천천히 회전하다. ── *vt.* **1** 《+목+부》 (시간을) 빈둥거리며 보내다(waste), 놀며 보내다: ~ *away* one's time 시간을 헛되이 보내다. **2** 〖기계〗 헛돌게〔겉돌게〕 하다. **3** 《미구어》 (노동자를) 놀게〔한가하게〕 하다《불경기 따위로》.

ídle còst 〖경영〗 유휴비, 무효 원가.

***idle·ness** [áidlnis] *n.* **1** 나태; 무위(無爲): *Idleness* is the root of all vice. 《속담》 게으름은 백악(百惡)의 근원. **2** 무익(無益).

◇**idler** [áidlər] *n.* 게으름뱅이; 〖기계〗 =IDLE PULLEY; 〖철도〗 빈 차; 〖해사〗 당직 외의 선원.

ídle(r) gèar 〖기계〗 (종동차와 원동차 사이에서 공전하는) 유동 톱니바퀴(기어), 아이들 기어.

ídle(r) pùlley 〖기계〗 (벨트나 체인의 유도·죄기용으로 공전하는) 유동(遊動) 바퀴, 아이들 풀리.

ídle(r) whèel 〖기계〗 유동 바퀴, 두 톱니바퀴 사이의 톱니바퀴, 아이들 휠《idle gear, idle pulley 따위》. 「IDLENESS.

idlesse [áidlis, aidlés] *n.* 《주로 아어》=

IDLS International Digital Leased-Line Service (국제 디지털 전용 회선).

◇**idly** [áidli] *ad.* 빈둥거리며; 헛되이; 무익하게.

I.D.N. *in Dei nomine* 《L.》 (=in the name of God).

Ido [í:dou] *n.* Esperanto를 간소화한 국제 보조어. ⓟ **~·ist** *n.* 이도어(語) 연구가〔사용자〕.

IDO International Disarmament Organization (국제 군축 기구).

idol** [áidl] *n.* **1** 우상, 신상(神像); 사신상(邪神像). **2** 숭배되는 사람〔것〕, 경애(敬愛)의 대상: a popular ~ 민중의 우상. **3** 실체가 없는 모습〔상〕《환상·허상 따위》. **4** 〖논리〗 잘못된 선입견, 편견. ***make an ~ of …을 숭배〔우상시〕하다.

idol·a·ter [aidάlətər/-dɔ́l-] (*fem.* ***idol·a·tress*** [-tris]) *n.* 우상 숭배자; 우상교도, 이교도; 〖일반적〗 숭배자, 심취자. 「IZE.

idol·a·trize [aidάlətràiz/-dɔ́l-] *vt., vi.* =IDOL-

idol·a·trous [aidάlətrəs/-dɔ́l-] *a.* 우상 숭배하는〔숭배적인〕; 맹목적으로 숭배하는; 심취하는. ⓟ **~·ly** *ad.* **~·ness** *n.* 우상 숭배.

◇**idol·a·try** [aidάlətri/-dɔ́l-] *n.* Ⓤ,Ⓒ 우상 숭배, 사신(邪神) 숭배; 맹목적 숭배, 심취.

idol·ise [áidəlàiz] *vt., vi.* 《영》 =IDOLIZE.

idol·ism [áidəlìzəm] *n.* Ⓤ,Ⓒ 우상 숭배; 맹목적 숭배(idolatry). ⓟ **-ist** *n.* 《고어》 우상 숭배자.

idol·ize [áidəlàiz] *vt., vi.* 우상화〔시〕하다; 우상을 숭배하다; 익애〔심취, 경모〕하다. ⓟ **-iz·er** *n.* 우상 숭배자, 맹목적 심취자. **ìdol·i·zá·tion** *n.*

ido·lum [aidóuləm/id-] (*pl.* ***-la*** [-lə]) *n.* **1** =EIDOLON. **2** 심상(心像), 개념, 관념(idea). **3** (흔히 *pl.*) 〖논리〗 편견상, 우상, 이돌라.

idox·ur·i·dine [àidαksjúərədì:n/-dɔks-] *n.*

〖약학〗 아이독슈리딘《단순 헤르페스성 각막염 치료제》.

IDP 〖생화학〗 inosine diphosphate (2인산 이노신); 〖컴퓨터〗 integrated data processing (통합 데이터 처리); international driving permit (국제 운전 면허). **IDR** International Depositary Receipt (국제 예탁 증권).

Idun, Ithunn [íːðun, -duːn/-dun], [íːðun] *n.* 〖북유럽신화〗 이둔《봄의 여신》.

idyl(l) [áidl] *n.* 전원시, 목가, (산문의) 전원 문학; 〖음악〗 전원곡; 전원 풍경.

idyl·lic [aidílik] *a.* 전원시(풍)의; 목가적인, 한가로운. ⊞ **-li·cal·ly** *ad.*

idyl(l)·ist [áidəlist] *n.* 전원 시인, 목가 작가.

idyl(l)·ize [áidəlàiz] *vt.* 목가(풍)으로 하다.

i.e., *i.e.* [áiíː, ðǽtíz] *id est* 《L.》 (=that is).

-ie [i] *suf.* =-Y³.

IE, I.E. Indo-European; industrial engineering. **IEA** International Energy Agency. **IEC** International Electrotechnical Commission (국제 전기 표준 회의). **IECQ** IEC quality assessment system for electronic components (IEC의 전자부품 품질 인증 제도). **IEE** 《영》 Institution of Electrical Engineers. **IEEE** [áitrípəlìː] Institute of Electrical and Electronics Engineers (미국 전기·전자 통신학회).

IEEE 488 (bus) 〖컴퓨터·전자〗 계측용 interface bus의 표준 규격《IEEE 표준 규격 488호에 의해 규정》. cf. interface, bus.

-i·er [iər, jər] *suf.* '관계자, 취급자, 제작자'란 뜻의 명사를 만듦: glaz*ier*, hos*ier*, gondol*ier*, grenad*ier*.

IET Interest Equalization Tax (이자 평형세).

†**if** ⇨《p.1256》 IF.

IF International (Sports) Federation (국제 경기 연맹(=**ISF**)). **IF, i.f.** intermediate frequency. **IFAC** International Federation for Automatic Control (국제 자동 제어 연합). **IFAD** International Fund for Agricultural Development (국제 농업 개발 기금)《1977년 발족; 본부 Rome》. **IFALPA** International Federation of Air Line Pilots Association. **IFAP** International Federation of Agricultural Producers. **IFC** International Finance Corporation (국제 금융 공사).

íf-clàuse *n.* 〖문법〗 조건절《if 따위로 인도되는 절》.

IFCTU International Federation of Christian Trade Unions. **IFF** 〖군사〗 Identification, Friend or Foe (적·아군 식별 장치〔레이더〕).

if·fy [ífi] *a.* 《구어》 if가 많은, 조건부의, 불확실한, 의문점이 많은, 모호한: an ~ question 모호한 문제. ⊞ **if·fi·ness** *n.*

IFIP International Federation for Information Processing (국제 정보처리 연합). **IFO** identified flying object (확인 비행 물체).

Í formàtion 〖미식축구〗 I 포메이션《후위가 쿼터백 뒤에서 I자 꼴로 서는 공격 진형》.

IFR instrument flight rules (계기 비행 규칙). **IFRB** International Frequency Registration Board (국제 주파수 등록 위원회). **I.F.S.** Irish Free State. **I.F.T.U.** International Federation of Trade Unions《WFTU에 계승됨》. **IFUW** International Federation of University Women (국제 대학 여성 협회). **IFV** infantry fighting vehicle (보병 전투차). **IG** Indo-Germanic. **IG, I.G.** Inspector General. **Ig** immunoglobulin. **IGA** International Grains Arrangement (국제 곡물 협정). **IgA** immunoglobulin A. **IGC, I.G.C** intellectually gifted children (지적 우수아). **IgE** immunoglobulin E.

igg [ig] *vt.* 《미속어》 무시하다(ignore).

ig·gle [ígəl] *vt.* 《미속어》 부추기다, 교사하다.

ig·loo, ig·lu [íglu:] (*pl.* **~s**) *n.* **1** 이글루《에스키모의 집; 주로 눈덩이로 만듦》. **2** (바다표범의) 공기 구멍; 〖군사〗 탄약 저장소; (음식·전시물을 덮는) 플라스틱제의 윗부분이 둥근 덮개. **3** 〖우주〗 이글루《우주 실험실의 pallet을 혼자 쓸 때 전력공급·통신을 위해 다는 기밀 장치》; 〖항공〗 이글루《항공 수송용 반타원형 컨테이너》.

igloo 1

ign. ignition.

ig·ne·ous [ígniəs] *a.* 불의, 불 같은; 〖지학〗 화성(火成)의: ~ rock 화성암.

ig·nes·cent [ignésnt] *a., n.* 치면〔때리면〕 불꽃이 튀는 (물질); 연소성의 (물질).

ig·ni- [ígnə] *pref.* '불, 연소'란 뜻의 결합사.

ig·nim·brite [ígnimbràit] *n.* 〖암석〗 녹아 뭉쳐진 응회암(凝灰岩).

ig·nis fat·u·us [ígnis-fǽtʃuəs] (*pl.* ***ig·nes fat·ui*** [ígni:z-fǽtʃuài]) 《L.》 도깨비불; 헛된 기대, 현혹시키는 것.

ig·nit·a·ble, -i·ble [ignáitəbəl] *a.* 가연성〔발화성, 인화성(引火性)〕의. ⊞ **ig·nìt·a·bíl·i·ty, -i·bíl-** *n.* Ⓤ 가연성.

ig·nite [ignáit] *vt.* **1** (…에) 불을 붙이다; 작열케 하다; 흥분시키다. **2** 〖화학〗 극한까지〔세게〕 가열하다. ── *vi.* 불이 댕기다, 발화하다; (달아서) 빛나기 시작하다. ⊞ **ig·nít·er, -ní·tor** [-ər] *n.* 점화자〔기〕; 〖전자〗 점호자(點弧子), 이그나이터.

ig·ni·tion [igníʃən] *n.* Ⓤ 점화, 발화, 인화(引火); 연소; 〖전자〗 점호(點弧); Ⓒ (내연 기관의) 점화 장치: an ~ point 발화점 / an ~ switch 점화 스위치.

ignítion còil 점화 코일.

ignítion kèy 이그니션키《엔진 시동용 열쇠》.

ignítion sỳstem (내연 기관의) 점화 장치.

ignítion tèmperature 〔pòint〕 발화 온도〔점〕, 점화 온도〔점〕.

ig·ni·tron [ignáitrɑn/-trɔn] *n.* 〖전자〗 이그나이트론《점호자형(點弧子型)의 수은 방전관》.

°**ig·no·ble** [ignóubəl] *a.* **1** 성품이 저열한, 비열한, 천한. **2** (태생·신분이) 비천한. OPP *noble*. **3** 〖매사냥〗 날개가 짧은《매》, 쫓아갈 가치 없는《사냥감》. ◇ ignobility *n.* ⊞ **-bly** *ad.* 천하게, 비열하게. **~·ness** *n.* **ig·no·bíl·i·ty** *n.*

ig·no·min·i·ous [ìgnəmíniəs] *a.* 수치스러운 (shameful), 불명예스러운; 비열한; 굴욕적인. ⊞ **~·ly** *ad.* **~·ness** *n.*

ig·no·miny [ígnəmìni] *n.* Ⓤ 치욕, 불명예 (disgrace), 불면목; Ⓒ 부끄러운 행위, 추행.

ig·nor·al [ìgnɔ́:rəl] *n.* 《영구어》 무시(함).

ig·no·ra·mus [ìgnəréiməs] *n.* 《L.》 무식한 사람, 무지한 사람, 아는 체하는 바보.

***ig·no·rance** [ígnərəns] *n.* Ⓤ 무지, 무학; (어떤 일을) 모름: *Ignorance* is bliss. 《속담》 모르는 것이 약 / make a mistake out of ~ 무지 때문에 잘못을 저지르다 / We kept him *in* ~ *of* the case. 그 사건에 관해서 우리는 그에게 알리지 않고 있었다.

***ig·no·rant** [ígnərənt] *a.* **1** 무지한, 무학의, 무식한《*in*》: an ~ person 무학자. **2** 예의를 모르는, 실례되는. **3** 〖서술적〗 (어떤 일에 대하여) 모르는, 알아차리지 못하는《*of; about; that*》: He is ~ *of* his own defects 〔*that* he is wrong〕. 그는 자기의 결점〔잘못된 것〕을 알아채지 못하고

if

종속접속사 if 에는 대별하여 두 가지 중요한 용법이 있다: (1) '(만일) …이면'《가정 · 조건의 부사절을 이끎》; (2) '…인지 어떤지'《명사절을 이끎》(≒whether).

(1)은 다시 (a) 〚직설법〛 Come *if* you *can*. '올 수 있으면 오십시오' 와 (b) 〚가정법〛 The gathering will be large *if* the weather *be* good. '날씨가 좋으면 성대한 모임이 될 것이다.' *If* I *were* you, I would avoid it. '내가 너라면 그것을 피할 텐데' 의 둘로 나뉘며, (b)는 (특히 뒤의 경우는) 동사 가정법의 용법 중 중요한 부분을 이룬다. (a), (b) 모두 *if*-절은 주절에 앞서는 경우와 주절보다 뒤에 오는 경우가 있으나 전자가 더 많다.

(2)의 '…인지 어떤지'《명사절》의 if는 대체로 whether와 같지만, 일반적으로 whether 보다 뜻이 가벼우며, 또한 후자에 종종 수반되는 or not이 붙는 일은 if의 경우에는 좀처럼 없다. 더구나 whether에는 '…이든 아니든' 이란 부사절을 이끄는 용법이 있지만, if에는 이 용법이 없고, 뜻이 다소라도 가까운 것이라면 even *if* 정도일 것이다.

if [if] *conj.* **A** 《가정 · 조건》 만약 …이면〔하면〕; (만일) …라고 하면; …하면: **1 a** 〚현재 · 미래의 실상을 모르고 하는 가정〛: *If* you are tired, you should have a rest. 피곤하면 쉬는 게 좋다 / *If* it rains tomorrow, I will stay at home. 만일 내일 비가 온다면 나는 집에 있겠다 / I'll help you *if* you come. 네가 온다면 도와주지 《if-절이 뒤로 오면 only if의 뜻이 되어 '조건적' 이지만, *If* you come I'll ...과 같이 앞에 올 때에는 '권유적'》 / Come *if* you like. 좋으시다면 오십시오. ★ 미래의 가정에 있어서도 *if*-절에서는 현재(완료) 시제를 씀. 가정법 동사를 쓰는 것은 《고어》. **b** 〚과거의 실상을 모르고 하는 가정〛: *If* he had fair warning, he has nothing to complain of. 이미 상당한 경고를 받았다면 불평을 할 건더기가 없다 / *If* it was raining, I think he did not go out. 비가 오고 있었다면 그는 외출을 안 했을 것으로 생각한다.

NOTE 다음과 같은 경우에는 *if*-절에 조동사 will을 씀.
(1) *if*-절이 그 주어의 의지를 나타내는 경우: He can do it *if* he *will*. 그가 하고자 한다면 그것을 할 수 있다.
(2) *if*-절이 미래의 가정 · 조건을 나타내더라도, 문장 전체가 현재의 사실에 관련된 경우: *If* it'*ll* suit you, I'll meet you at the lobby. 편하시다면 로비에서 만나뵙죠.
(3) 상대의 의향을 정중히 묻는 경우 will을 would로 고치면 더욱 정중해짐: I should be grateful *if* you *will* 〔*would*〕 reply as soon as possible. 곧 회답해 주시면 고맙겠습니다.

2 a 〚현재 · 미래의 사실에 반(反)함을 알면서 하는 가정〛: *If* he *tried* harder, he would succeed. 더 열심히 하면 그는 성공할 수 있을 텐데 / Would he come *if* we *asked* him to? 우리가 그에게 청하면 올까 / I should 〔would〕 come *if* I *could*. 갈 수 있다면 가겠는데 / *If* I *were* you, I should 〔would〕 not hesitate. 내가 당신이라면 망설이지 않겠는데요. ★ 오늘날 구어에서는 if I 〔he, she, it〕 were의 경우는 흔히 were 대신 was를 즐겨 씀. 다만, If I were you는 거의 하나의 관용구로 되어 버렸음. **b** 〚과거의 사실에 반(反)함을 알면서 하는 가정〛: *If* she *had been* awake, she would have heard the noise. 잠에서 깨어 있었더라면 그녀는 그 소리를 들었을 텐데《She didn't hear the noise, because she was not awake. 의 뜻을 내포함》/ He would be more successful now *if* he *had had* more time to study then. 그가 그때 좀더 공부할 시간이 있었다면 지금쯤 더 성공해 있을 텐데《귀결절은 현재 사실에, 조건절은 과거 사실에 반(反)하는 것을 나타냄》.

3 a 〚가능성이 적은 미래의 일〛《if... should의 형식으로》: *If* it *should* rain tomorrow, I shall not come. 내일 만일 비가 오면 오지 못합니다 / *If* anyone *should* call while I'm out, tell them 〔him〕 I'll be back soon. 내가 없는 동안 누가 날 찾으면 곧 돌아올 거라고 전해 주오. **b** 〚가능성이 없는 미래의 일〛《if ... were to (do)의 형식으로》: What would you do *if* war *were to* break out? 만일 전쟁이 일어난다면 어떻게 하시겠습니까 / *If* you *were to* be hanged tomorrow, what would you do? 가령 내일 교수형을 받게 된다면 어떻게 하겠나. ★ were to일 때 주절은 가정법 과거를 쓰며, should일 때는 가정법 과거 · 직설법 어느 쪽도 좋음.

NOTE (1) *if*-절 중에서는 종종 생략 구문을 씀: Come *if* (it is) necessary 〔possible〕. 필요하면〔될 수 있으면〕 와 주시오 / *If* (he is) still alive, he must be at least ninety years. 만약 그가 아직도 살아 있다면 적어도 90살은 되었을 것이다.
(2) 가정법에서는 *if*-절과 주어의 술어 동사에 가정법 동사를 쓸 뿐, 그 안에 포함된 절 속에서는 직설법의 동사를 사용함: I would have seen you off at the airport *if* I had known when you *were* leaving 〔*would* leave〕. 네가 언제 떠나는지 알았더라면 내가 공항에 나가 배웅했을 텐데.
(3) if를 생략하고 주어와 술어가 도치될 경우가 있음: *If I were* you ⇨ *Were I* you; *If I had* much money ⇨ *Had I* much money; *If he had seen* me ⇨ *Had he seen* me; *If they should* leave me ⇨ *Should they* leave me; *If I were* to live in Paris ⇨ *Were I* to live in Paris. 또, 《구어》에서는 도치되지 않고 if만 생략할 때가 있음: (*If*) you touch me again, I'll hit you. 또다시 내게 손을 대면 때릴 테다 (=Touch me again, and I'll hit you.).

4 〚인과관계〛 …하면 (언제나), …한 때에는(when, whenever)《흔히 *if*-절엔 직설법 동사를 쓰며, 귀결절에는 will, would 등을 안 씀》: *If* you mix yellow and blue, you get green. 노랑과 파랑을 섞으면 초록이 된다(≒whenever) / *If* it was too cold, we stayed indoors. 너무 추울 때는 우리는 집 안에 있었다.
5 〚it is 〔was〕와 함께〛 …하는〔한〕 것은 …이기 때문이다〔때문이었다〕: *If* I punish him, *it is* because I truly love him 〔*it is* for his own sake〕. 내가 그를 벌하는 것은 그를 진정으로 사랑하기 때문이다〔그 자신을 위해서다〕. ★ If와 it is를 빼내도 뜻은 거의 같음《일종의 강조구문》.
6 〚양보〛 설사 〔비록〕 …라 하더라도〔일지라도〕; …이기는 하지만(≒though)《*if*-절에서는 가정법을 쓰지 않으나 《고어》에서는 씀》: *If* he is poor, he is a good chap. 그는 가난하기는 하지만 좋은 녀석이다 / I am not surprised *if* it happens. 그런 일이 일어나더라도 별로 놀라울 게 없다 / I'll

go out even *if* it rains. 설사 비가 와도 외출하겠다/Don't blame him *if* he should fail. 그가 실패하더라도 비난하지 마라/It's worth seeing *if* only for curiosity. 그것은 단지 호기심을 위해서라도 볼 만한 가치는 있다/Most, *if* not all, of them are young. 그들은, 모두는 아니더라도, 대부분 젊다.

7 〖귀결을 생략한 감탄문〗 **a** 〖바람을 나타냄〗 (그저) …하기만 하면 (좋으련마는) 《if only의 형식을 취할 때가 많으며, 사실에 반대되느냐, 가능성이 있느냐에 따라서 가정법, 직설법을 가려서 쓰게 됨》: *If only* she arrives in time! 그 여자가 그저 제 시각에 와 주기만 한다면《올 가능성이 남아 있음》/*If* I *only* knew! 알고 있기만 하더라도 좋을 텐데《알지 못하는 것이 유감임》. **b** 〖놀라움·곤혹·호소: if... not〗《직설법에 한정됨》 …라니 놀랍다: Well, *if* it is*n't* Bill! 아니 이거 빌이 아닌가〔아냐〕/Well, *if* I have*n't* left my false teeth at home! 어렵쇼, 틀니를 집에 두고 나왔구먼.

B 《간접의문문을 이끎》 …인지 어떤지; …하건〔이건〕 아니건(whether): I wonder *if* he is at home. 그가 집에 있을까/He asked *if* I liked Chinese food. 그 사람은 나에게 중국 음식을 좋아하느냐고 물었다(=He said to me, "Do you like Chinese food?").

> **NOTE** **if**와 **whether** (1) if는 whether에 비해 구어 표현에 많이 쓰이며, ask, doubt, know, try, wonder, see, tell, be not sure 등 뒤에 계속되는 목적절을 흔히 이끎.
> (2) 주어절·보어절에는 보통 if를 쓰지 않고 whether를 씀.
> (3) whether 뒤에는 부정사가 올 수 있으나 if는 그렇지 못함: I don't know *whether to* go or stay. 가야 할지 머물러 있어야 할지 모르겠다.
> (4) whether절은 전치사의 목적어로 쓰이나 if절은 그렇지 못함: the question *of whether* I should go or not 내가 가야 할지 어떨지의 문제.
> (5) Send me a telegram *if* you are coming. 에서는 의미가 A 1로도 B로도 해석할 수 있는데, B의 뜻일 때에는 whether를 사용하는 것이 좋음.

as if ⇨ AS if. ***even if*** ⇨ EVEN if. ***if a day*** 〔***a yard, an inch, an ounce, a man***〕 (나이·시간·거리·길이·중량·인원수 등에 대해) 확실히, 적어도《day는 나이, penny, cent, dime은 돈의 액수에, yard, inch는 길이, ounce는 무게에 대해서 쓰임》: He is seventy *if a day*. 그는 아무래도 70은 된다/The enemy is 3,000 strong, *if a man*. 적의 병력은 적어도 3천을 밑돌지는 않는다. ***if and only if*** 만약 그리고 그 경우에 한해《수학적인 기술에 쓰임; 생략: iff.》. ***if and when ...*** 만일 …한 때에는. ***if any*** ⇨ ANY. ***if anything*** ⇨ ANYTHING. ***if at all*** ⇨ at ALL(관용구). ***if I may ask*** 이렇게 여쭈면 실례가 될는지 모르겠지만: How old are you *if I may ask?* 실례지만 나이는요. ***if it had not been for ...*** 〖과거의 사실에 반대되는 가정을 나타낼 때〗 만일 …이 없었다면〔아니었다면〕: *If it had not been for*(=Had it not been for) her help, I would not be alive now. 그녀의 도움이 없었더라면 지금쯤 나는 살아있지 않을 것이다. ***if it were not for...*** 만약 …없으면〔아니라면〕《(a) 현재 사실의 반대의 가정을 나타냄. (b) 《구어》에서는 were 대신 was도 가능: *If it weren't for*(=Were it not for) her help, I would never succeed. 그녀의 도움이 없으면 나는 결코 성공 못 할 게다》. ***if necessary*** 〔***possible***〕 필요하면〔될 수 있으면〕: Come tomorrow *if* (it is) *necessary*. 필요하다면 내일 오게나/Do so, *if possible*. 될 수 있으면 그렇게 해주십쇼. ***if not*** ① …은 아니(더)라도: It is highly desirable, *if not* essential, to draw the distinction. 그 구별을 짓는 것은 절대 필요하다고는 할 수 없어도 극히 바람직한 일입니다. ② 만일 …이 아니라고 한다면: Where should I get stationery, *if not* at a department store? 백화점에서가 아니라면 어디서 문방구를 구할 수 있는 건가. ***if only*** ① ⇨7 a. ② 그저〔단지〕 …만으로도: We must respect him *if only for* his honesty 〔*if only because* he is honest〕. 정직(함)만으로도 그를 존경해야 한다/I want to go *if only to* see his face. 그의 얼굴을 보는 것만으로도 좋으니 가고 싶다. ***if that*** 《구어》〖앞의 말을 받아〗 그것조차도 아니다: She is about ten years old, *if that*. 그녀는 열 살쯤이다, 아니 열 살도 안 됐을 게다. ***if you will*** 〖삽입구로서〗 그렇게 말하고 싶다면: He is stupid, *if you will*. 그렇게 말하고 싶다면, 그는 바보라고 할 수 있다. ***what if*** ⇨ WHAT.

— *n.* Ⓒ 가정, 조건: There are too many *ifs* in his theory. 그의 이론에는 가정이 지나치게 많다. ***ifs and buts*** 《구어》 일을 앞으로 미루기 위한 이유〔구실, 변명〕《부정문에서는 ifs or buts로 될 때도 있음》.

있다/I am entirely ~ *about* these things. 나는 이 일에 대해서 전혀 모른다. ㊞ **~·ly** *ad.* 무식하게; 모르고. **~·ness** *n.*

ig·no·ran·tia ju·ris ne·mi·nem ex·cu·sat [ìgnəráːntiaː-júərəs-néiminèm-ekskúːsaːt] 《L.》 법의 무지는 누구도 면책되지 않음《법을 모르는 것은 항변 사유가 되지 못함》.

ig·no·ra·tio elen·chi [ìgnəréiʃiòu-iléŋkai, -kiː] 《L.》 〖논리〗 논점 일탈(逸脫)의 오류.

ig·nore [ignɔ́ːr] *vt.* **1** (의식적으로) 무시하다, 묵살하다, 모른 체하다. SYN. ⇨NEGLECT. **2** 〖법률〗(증거 불충분으로) 각하〔기각〕하다. ㊞ **ig·nór·a·ble** *a.* **ig·nór·er** *n.*

ig·no·tum per ig·no·ti·us [ignóutəm-pəːr-ignóuʃiəs] 《L.》 모르는 일〔것〕을 더욱 알 수 없는 말로 설명함.

IGO Intergovernmental Organization.

Ig·o·rot, -or·rot [ìgəróut, ìːg-] (*pl.* **~, ~s**) *n.* 이고로트 사람《Philippine 제도에 사는 말라야 종족》; Ⓤ 이고로트 말.

IGT Institute of Gas Technology (가스 기술협회); 〖전자〗 insulated gate transistor. **IGU** International Geographical Union (국제 지리학 연합)《1922년 창설》.

igua·na [igwáːnə] *n.* 〖동물〗 이구아나《서인도 및 남아메리카 수림 속에 사는 큰 도마뱀》.

iguana

iguan·o·don [igwáːnədɑ̀n/-dɔ̀n] *n.* 〖고생물〗 이구아노돈, 금룡(禽龍)《백악기의 공룡의 일종》.

Iguas·sú [ìːgwəsúː] *n.* (the ~) 이구아수천(川).

Iguassú Falls [´-`-´] (the ~) 이구아수 폭포《브라질과 아르헨티나의 국경에 위치》. ★ 구칭은 Victoria Falls.

IGY International Geophysical Year. **IHF** Institute of High Fidelity (하이파이 기기 제조업자 단체). **IHO** International Hydrographic Organization (국제 수로(水路) 기구). **ihp, i.h.p., i.hp., IHP** indicated horsepower.

ihp-hr indicated horsepower hour. **IHS, I.H.S.** Jesus 《그리스어의 예수(ΙΗΣΟΥΣ)의 처음의 3자 ΙΗΣ를 로마자화한 것》. **IHVE** Institution of Heating and Ventilation Engineers. **IIC** International Institute of Communications. **IIR** 〖군사〗 imaging infrared (적외선 영상 (방식)). **IISS, I.I.S.S.** International Institute for Strategic Studies 《영》 (국제 전략 연구소) 《민간 전략 연구 기관》.

ikat [íːkɑːt] *n.* 〖염색〗 홀치기 염색, 이카트 《방직실의 일부를 잡아매어 방염(防染)시켜 이것으로 천을 짜는 기법 또는 그 직물》.

Ike [aik] *n.* **1** 아이크 《남자 이름》. **2** 아이크 《Dwight D. Eisenhower의 애칭》. **3** 《속어》 유대인 《남자》.

ike [aik] *n.* 《TV속어》 =ICONOSCOPE.

Ikey [áiki] *n.* 아이키 《남자 이름》; 《속어》 유대인 《남자》.

ikon ⇨ICON.

il- [*il*] *pref.* =IN-[1, 2] 《l 앞에 씀》: *il*lusion.

IL Illinois. **Il** 〖화학〗 illinium. **I²L** integrated injection logic. **ILA** International Law Association; International Longshoremen's Association (국제 부두 노동자 협회).

Il Du·ce [ildúːtʃi, -tʃei] *n.* 《It.》 (=the leader) 총통 《Mussolini의 칭호》.

ile- [íli], **il·e·o-** [íliou, íliə] '회장(回腸)·회장과'라는 뜻의 결합사: *ile*itis.

-ile [əl, il, àil/àil] *suf.* '…에 관한, …할 수 있는, …에 적합한'이란 뜻의 형용사를 만듦: sen*ile*, ag*ile*

ilea [íliə] ILEUM의 복수.

il·e·ac, il·e·al [íliæk], [íliəl] *a.* 회장(回腸)의.

il·e·i·tis [ìliáitis] *n.* 〖의학〗 회장염(回腸炎).

il·e·o·co·li·tis [ìlioukəláitis] *n.* 〖병리〗 회결장염(回結腸炎).

il·e·um [íliəm] (*pl.* ***il·ea*** [íliə]) *n.* 〖해부〗 회장(回腸).

il·e·us [íliəs] *n.* 〖의학〗 장(腸)폐색.

ilex [áileks] *n.* 〖식물〗 너도밤나뭇과의 일종 (holm oak); 호랑가시나무류.

ILGWU International Ladies' Garment Workers(') Union (국제 여성복 노동조합).

ILI index of linguistic insecurity.

il·ia [íliə] ILIUM의 복수.

il·i·ac [íliæk] *a.* 〖해부〗 장골(腸骨)의.

Il·i·ad [íliəd] *n.* **1** (the ~) 일리아드 《Troy 전쟁을 읊은 서사시; Homer작이라고 전해짐》. **2** 일리아드풍의 서사시; 길게 계속되는 것 《재해·불행 등》. ***an ~ of woes*** 잇단 불행. ㊞ **Il·i·ad·ic** [ìliǽdik] *a.*

il·i·um [íliəm] (*pl.* ***il·ia*** [íliə]) *n.* 〖해부〗 장골(腸骨).

ilk [ilk] 《Sc.》 *a.* 같은(same); 각자의(each). ── *n.* 가족, 식구; 종류. ***of that ~*** 같은 이름〔집안, 지방〕의; 같은 종류의: Guthrie *of that* ~ 거드리 《지명》 태생의 거드리 《가명(家名)》. ***that ~*** 그 일족〔종류〕. ── *pron.* 《Sc.》 각자(each).

ill [il] (***worse*** [wəːrs]; ***worst*** [wəːrst]) *a.* **1** 〖서술적〗 병든; 건강〔기분〕이 나쁜: fall 〔be taken〕 ~ 병에 걸리다 / be ~ in bed 병으로 누워 있다 / The sight made me ~. 그 광경을 보니 나는 기분이 나빠졌다.

> SYN. **ill, sick** 《영》에서는 sick에 구토가 따른다고 하지만 《미》에서는 그런 뜻의 구별이 없고 다만 ill 보다 sick가 더 일반적으로 쓰임. 그러나 영미 공통으로, (1) 명사 앞에서는 sick만을 씀: a *sick* person '환자'라 하며, an *ill* person이라고는 하지 않음. (2) 집합적으로 '환자들'에는 the *sick*만을 씀: a home for the *sick* 요양소〔원〕. (3) 숙어에서도 병용하지 않음: *sick* at heart 마음이 울적하여, 비관하여, 괴로워서 《*ill* at heart라고는 아니함》. **diseased** 병에 걸린, 치료를 요하는: the *diseased* part 환부. **indisposed** 비교적 가벼운, 일시적인 병. **ailing** 주로 오래 앓는 병.

2 부적당한, 틀린(improper): ~ advice 잘못된 충고. **3** 나쁜, 부덕한, 사악한; 심사 고약한, 불친절한: ~ deeds 악행 / ⇨ILL FAME/ILL NATURE. **4** 싫은, 불쾌한; 유해한; 형편이 좋지 않은; 비참한: *Ill* weeds grow apace 〔are sure to thrive〕. 《속담》 잡초는 빨리 자란다, 미움 받는 자가 오히려 활개 친다 / It's an ~ wind that blows nobody (any) good. 《속담》 아무에게도 이롭지 않은 바람은 불지 않는다, '갑의 손해는 을의 득'. **5** 불운의; 불길한; 불행한: an ~ omen 흉조 / *Ill* news runs apace. 《속담》 악사천리(惡事千里). **6** 서투른; 불충분한; 불만족한: ~ management 서투른 관리 / ~ manners 예절 없음. **7** 《미속어》 (혐의로) 체포된. **8** 《고어》 까다로운: an ~ man to please 퍽 까다로운 사람.

do a person ***an ~ turn*** 아무를 해치다, 아무에게 불리한 짓을 하다. ***~ at ease*** =***ill-at-ease*** 침착하지 못한, 불안한, 안절부절못하는. ***meet with ~ success*** 실패로 끝나다. ***take*** a thing ***in ~ part*** 어떤 일을 나쁘게 받아들이다, 어떤 일에 성내다. ***That is so ~.*** 《미속어》 몸서리쳐진다, 구역질 난다.

── *n.* **1** 악, 사악; 《고어》 죄악; 불리한 일: do ~ 나쁜 짓을 하다, 해를 끼치다. **2** (흔히 *pl.*) 불행, 재난, 고난; 병고, 병. ***for good or ~*** 좋든 나쁘든, 결과는 차치하고.

── (***worse; worst***) *ad.* **1** 나쁘게: speak 〔think〕 ~ of a person 아무를 나쁘게 말하다 〔생각하다〕, 아무의 험담을 하다 / *Ill* got, ~ spent. 《속담》 부정하게 번 돈은 오래가지 않는다. **2** 여의치 않게, 서투르게, 운 나쁘게. **3** 고약하게, 불친절하게, 언짢게. **4** 불완전하게, 불충분하게; 부적당하게: ~ equipped 〔provided〕 장비〔공급〕 불충분으로. **5** 〖흔히 주동사 앞에서〗 어려워, 할 수 없어, 거의 …않아(scarcely): With this company we can ~ afford an error. 회사 여건상 실수는 감내할 수 없다. ***be ~ off*** 살림〔형편〕이 어렵다, 여의치 않다. ***~ become*** a person 아무에게 어울리지 않다, 아무답지 않다. ***It goes ~ with ....*** 사태는 …에게 여의치 않게 되어 가다, …이 욕을 보다. ***take*** a thing ~ 무엇을 나쁘게 여기다, 화내다. ***use*** a person ~ 아무를 학대〔냉대〕하다.

I'll [ail] I will, I shall의 간약형.

Ill. Illinois. **ill.** illumination; illustrated; illustration.

íll-adjústed [-id] *a.* 부적응의; 《완곡어》 문제아의, 정신 장애의.

íll-advísed *a.* 분별없는, 사려 없는, 경솔한. cf. well-advised. ㊞ **~·ly** *ad.* 분별없이.

íll-affécted [-id] *a.* 호감을 갖지 않은, 불만을 가진 《*toward*》.

íll-assórted [-id] *a.* =ILL-SORTED.

il·la·tion [iléiʃən] *n.* Ⓤ 추리, 추론; 추론의 결과, 결론.

il·la·tive [ílətiv, iléi-/iléi-] *a.* 추정적인, 추론의; 추론을 이끄는. ── *n.* 추론; 추론을 이끄는 어구 《therefore 따위》. ㊞ **~·ly** *ad.*

íllative conjúnction 〖문법〗 추론 접속사 《therefore, then, so 따위》.

il·laud·a·ble [ilɔ́ːdəbəl] *a.* 칭찬할 수 없는. ㊞ **-bly** *ad.*

íll-beháved *a.* 예절 없는.

íll-béing *n.* Ⓤ 나쁜 상태, 불행; (몸의) 부조(不調). opp. *well-being.*

ill blóod =BAD BLOOD.

íll-bóding *a.* 불길한, 재수 없는.

íll-bréd *a.* 버릇없이 자란, 본데없는(rude).

íll bréeding 버릇〔본데〕없음.
íll-concéived *a.* (계획 등이) 착상이 나쁜.
íll-condítioned *a.* 성질이 나쁜; 심술궂은; (건강 등이) 좋지 못한; 악성의. ⊞ **~·ness** *n.*
íll-consídered *a.* 분별없는, 부적당한, 현명치 못한.
íll-defíned *a.* 분명치 않은.
íll-dispósed *a.* 근성이 나쁜; 비협조적인, 악의를 품은《*toward*》.
*__il·le·gal__ [ilíːgəl] *a.* 불법〔위법〕의(unlawful), 비합법적인. OPP *legal.* ¶ ~ confinement 〔detention〕 불법 감금. **—** *n.* 불법 입국자. ⊞ **~·ly** *ad.* **il·le·gal·i·ty** [ìliːgǽləti] *n.* Ⓤ 불법, 비합법, 위법; Ⓒ 불법 행위, 부정.
illégal abórtion 낙태(죄).
illégal álien 《미》 불법 입국자.
illégal ímmigrant 불법 입국〔체재〕자.
il·le·gal·ize [ilíːgəlàiz] *vt.* 불법화하다.
illégal mótion 〖미식축구〗 일리걸 모션《in motion 하고 있는 공격 측 후위의 반칙》.
illègal operátion 〖컴퓨터〗 위법 연산《프로그램이나 데이터의 오류에 의한 그릇된 연산》.
il·leg·i·ble [ilédʒəbəl] *a.* 읽기〔판독하기〕 어려운, 불명료한. ⊞ **-bly** *ad.* **il·lèg·i·bíl·i·ty** *n.* Ⓤ
il·le·git [ìlidʒít] *a.* 《구어》 불법의, 위법의; 무절제한, 부도덕한. **—** *n.* 《영속어》 사생아.
il·le·git·i·ma·cy [ìlidʒítəməsi] *n.* Ⓤ 불법, 위법; 사생(私生), 서출(庶出); 부조리, 불합리; 파격 (어법).
il·le·git·i·mate [ìlidʒítəmət] *a.* 불법의, 위법의; 서출(庶出)의; 〖논리〗 추론을 그르친; (어구 등) 오용의; 〖생물〗 (수정(受精) 등) 변칙적인: an ~ child 사생아. **—** *n.* 사생아, 서자(bastard). **—** [-mèit] *vt.* 불법화하다; 사생아로 인정하다. OPP *legitimate.* ⊞ **~·ly** [-mətli] *ad.* 불법으로; 불합리하게.
il·le·gì·ti·má·tion [-méiʃən] *n.* Ⓤ 불법으로 인정함; 서자 인지(庶子認知).
il·le·git·i·ma·tize [ìlidʒítəmətàiz] *vt.* = ILLEGITIMATE.
íll-equípped [-t] *a.* (군대 등이) 장비가 나쁜; 준비가 부실한.
íll fáme 오명, 악평: ⇨ a HOUSE[1] of ~.
íll-fámed *a.* 악명 높은, 평판이 나쁜.
íll-fáted [-id] *a.* 운이 나쁜, 불행한; 불행을 가져오는: an ~ day 액일.
íll-fávored *a.* (용모가) 못생긴, 추한; 불쾌한. SYN. ⇨ UGLY.
íll féeling 악감정, 적의(敵意), 반감.
íll-fítting *a.* 잘 맞지 않는《옷 따위》.
íll-fórmed *a.* **1** 정돈되지 않은, 갖추어지지 않은. **2** 〖언어〗 부적격한, 비문법적인.
íll-fóunded [-id] *a.* 정당한 근거〔이유〕 없는.
íll-gótten *a.* 부정 수단으로 얻은: ~ gains 부정 이득.
íll héalth 불건강.
íll húmor 기분이 언짢음, 찌무룩함.
íll-húmored *a.* 기분이 언짢은, 찌무룩한. ⊞ **~·ly** *ad.*
il·lib·er·al [ilíbərəl] *a.* **1** 도량이 좁은; 반자유주의적인. **2** 다라운, 인색한. **3** 교양 없는, 상스러운; 교양을 필요로 하지 않는. OPP *liberal.* **—** *n.* ~한 사람, 《특히》 반자유주의자. ⊞ **il·lib·er·al·i·ty** [ilìbərǽləti] *n.* Ⓤ 인색; 마음이 좁음, 편협. **~·ly** *ad.* **~·ness** *n.*
il·líb·er·al·ìsm *n.* 반자유주의.
il·lic·it [ilísit] *a.* 불법의, 부정한; 불의의; 금제(禁制)의: an ~ distiller 밀주 양조자 / ~ intercourse 간통, 밀통 / the ~ sale of opium 아편 밀매. ⊞ **~·ly** *ad.* **~·ness** *n.*
il·lim·it·a·ble [ilímitəbəl] *a.* 무한한, 광대한, 끝없는. ⊞ **-lìm·it·a·bíl·i·ty** *n.* Ⓤ **-bly** *ad.* 무한히, 끝없이. **~·ness** *n.*
íll-infórmed *a.* 잘 알지 못하는. OPP *well-informed.*
il·lin·i·um [ilíniəm] *n.* 〖화학〗 일리늄《금속 원소; 현재의 promethium》.
Il·li·nois [ìlənɔ́i, -nɔ́iz] *n.* 일리노이《미국 중서부의 주(州); 주도 Springfield; 생략: Ill., IL》. ⊞ **~·an** [-ən] *a., n.* ~ 주의 (사람).
Illinóis gréen 《미속어》 마리화나의 일종.
íll-inténtioned *a.* 악의 있는, 사악한 의도를 가진, 심술궂은.
il·liq·uid [ilíkwid] *a.* (자산이 손쉽게) 현금화할 수 없는; 현금 부족의. ⊞ **~·ly** *ad.*
il·lite [ílait] *n.* 일라이트《백운모와 비슷한 점토광물》.
il·lit·er·a·cy [ilítərəsi] *n.* **1** Ⓤ 문맹; 무학, 무식. **2** (*pl.* **-cies**) Ⓒ (무식해서) 틀리게 씀〔말함〕.
◇**il·lit·er·ate** [ilítərət] *a.* 무식한, 문맹의; 무학의; (언어·문학 등의) 교양이 없는, 교양 없음이 드러난《문체 따위》; (특정 분야에서의) 소양이 없는. **—** *n.* 무식자; 문맹자. ⊞ **~·ly** *ad.* **~·ness** *n.*
íll-júdged *a.* 생각이 깊지 않은, 분별〔사려〕없는.
íll-kémpt *a.* = UNKEMPT.
íll-lóoking *a.* (얼굴이) 추한; 모습이 기분 나쁜, 인상이 사나운.
íll-mánnered *a.* 버릇없는. ⊞ **~·ly** *ad.*
íll-mátched, -máted [-t], [-id] *a.* 어울리지 않는, 불균형의: an ~ couple.
íll mém réf 《미속어》 기억의 혼돈; 생각해 내지 못함. [◂ *ill*egal *mem*ory *ref*erence]
íll náture 심술궂은〔비뚤어진〕 성격.
íll-nátured *a.* 심술궂은, 비뚤어진(bad-tempered); 찌무룩한, 지르퉁한. ⊞ **~·ly** *ad.* **~·ness** *n.*
__ill·ness__ [ílnis] *n.* **1 Ⓤ 〖일반적〗 병, 불쾌; 발병: He is liable to ~. 그는 병에 걸리기 쉽다 / We have had a great deal of ~ this winter. 올 겨울에는 병이 많이 돌았다. **2** Ⓒ (특정의) 병: a severe ~ 중병 / die of (an) ~ 병사하다.

> SYN. **illness** 건강 상태가 나쁜, 병에 걸린 상태로서 '병'을 나타내는 가장 흔히 쓰이는 말. **disease** 사람의 병만이 아니라 동식물의 경우에도 쓰임. **sickness** illness와 별로 차이가 없지만, '메스꺼움' 등의 불쾌한 증상을 말함.

il·lo·cu·tion·ary [ìləkjúːʃənèri/-ʃənəri] *a.* 〖철학·언어〗 발화(發話)(내)의.
il·log·ic [iládʒik/ilɔ́dʒ-] *n.* Ⓤ 비논리, 불합리(성), 모순; Ⓒ 불합리한 사항.
il·log·i·cal [iládʒikəl/ilɔ́dʒ-] *a.* **1** 비논리적인, 불합리한, 이치가 닿지 않는: an ~ reply 엉뚱한 대답. **2** 우둔한; 논리적이 아닌. ⊞ **il·lòg·i·cál·i·ty** [-kǽləti] *n.* 불합리: a book full of *illogicalities* 부조리로 가득찬 책. **~·ly** *ad.* **~·ness** *n.*
íll-ómened *a.* 재수 없는, 불길한, 불운한: an ~ voyage 불운한 항해.
íll-píece *n.* 《속어》 매력 없는 동성애 상대.
íll-prepáred *a.* 준비가 불충분한, 마음의 준비가 아직 덜 된; 충분한 훈련이 아직 덜 된.
íll-sórted [-id] *a.* 어울리지 않는; 《Sc.》 몹시 불쾌한: an ~ pair 걸맞지 않은 부부.
íll-spént *a.* 낭비된.
íll-stárred *a.* 운수〔팔자〕가 사나운, 불행〔불운〕한.
íll-súited [-id] *a.* 어울리지〔맞지〕 않는.
íll témper (기분이) 언짢음; 성마름.
íll-témpered *a.* 성마른, 까다로운. ⊞ **~·ly** *ad.*
íll-tímed *a.* 시기를 놓친, 계제가 나쁜.
íll-tréat *vt.* 냉대〔학대〕하다. ⊞ **~·ment** *n.* Ⓤ 냉대, 학대, 혹사.
íll túrn **1** 짓궂음《행위; OPP *good turn*》: do (a person) an ~ …에게 위해를 가하다. **2** (사태의) 악화.
il·lude [ilúːd] *vt.* 《문어》 속이다, 기만하다, 정

신을 혼란하게 하다, 착각을 일으키게 하다; 《폐어》 비웃다, 조롱하다; 《고어》 면하다, 면제되다.

il·lume [ilúːm] *vt.* 《시어》 =ILLUMINATE.

il·lu·mi·na·ble [ilúːmənəbəl] *a.* 비출 수 있는; 계발할 수 있는.

il·lu·mi·nance [ilúːmənəns] *n.* 〚광학〛 =ILLUMINATION.

il·lu·mi·nant [ilúːmənənt] *a.* 빛을 내는. ── *n.* 광원(光源), 발광체.

***il·lu·mi·nate** [ilúːmənèit] *vt.* **1** 〘종종 수동태〙 조명하다, 밝게 하다, 비추다; 《고어》 …에 등불을 밝히다: *be* poorly ~*d* 조명이 나쁘다 / The sky *was* ~*d with* searchlights. 밤하늘은 서치라이트로 비추어졌다. **2** 《+[목]+[전]+[명]》 (조명 따위로) 장식하다: ~ a shop window *with* Christmas lights. 크리스마스의 전등으로 진열창을 장식하다. **3** (문제 따위를) 설명〔해명〕하다. **4** 계발(啓發)하다, 계몽하다. **5** (사본(寫本) 따위를) 채색·금자(金字)·그림 따위로 장식하다. **6** 영광〔명성〕을 높이다, 광채를 더하다. ── *vi.* 전광식을 달다; 밝아지다. ── [-nət] *a.* 《고어》 비추어진; 《고어》 계몽〔교화〕된〔되었다고 자칭하는〕. ── [-nət] *n.* 《고어》 명지(明知)를 얻은 〔얻었다고 자칭하는〕 사람.

il·lú·mi·nàt·ed [-id] *a.* **1** 비추인; 전광식을 단; (사본 등) 채식된: an ~ car 꽃전차. **2** 계몽〔교화〕된. **3** 《미속어》 취한(drunk).

il·lu·mi·na·ti [ilùːmənáːtiː, -néitai] (*sing.* **-to** [-tou]) *n. pl.* **1** 자칭 천재〔선각자〕. **2** (I-) 광명파《(1) 16세기 스페인의 기독교 신비주의의 일파. (2) (중세 독일의) 자연신교(自然神敎)를 신봉한 공화주의의 비밀 결사》; (18세기 프랑스의) 계몽주의자.

il·lú·mi·nàt·ing *a.* **1** 조명하는, 비추는. **2** 분명히 하는, 밝히는, 설명적인, 계몽적인. [파] ~**·ly** *ad.*

illúminating projéctile 〚군사〛 조명탄.

◇**il·lù·mi·ná·tion** *n.* **1** [U] 조명(법), 〚물리〛 조명도(illuminance). **2** [U] 계몽, 계발, 해명. **3** (종종 *pl.*) 전광식(電光飾); (사본 등의) 채식(彩飾)(무늬). [파] ~**·al** *a.*

il·lu·mi·na·tive [ilúːmənèitiv] *a.* 밝게 하는; 분명히 하는〔밝히는〕; 계몽적인.

il·lu·mi·na·tor [ilúːmənèitər] *n.* 조명하는 사람〔것〕, 조명기, 반사경, 발광체《따위》; 계몽가; 사본 채식사(彩飾師).

il·lu·mine [ilúːmin] *vt.* =ILLUMINATE. [파] **-mi·nism** *n.* **1** 계몽주의. **2** (I-) Illuminati의 주의〔교의(敎義)〕. **-mi·nist** *n.*

il·lu·mi·nom·e·ter [ilùːmənámətər/-nɔ́m-] *n.* 〚물리〛 조명계(照明計).

íll-úsage *n.* =ILL-USE.

íll-úse *vt.* 학대〔혹사(酷使)〕하다(illtreat); 악용〔남용〕하다(abuse). ── [íljúːs] *n.* [U] 학대, 혹사.

⁑**il·lu·sion** [ilúːʒən] *n.* [U,C] **1** 환영(幻影), 환각, 환상, 망상. **2** 〚심리〛 착각; 잘못 생각함《*that*》: optical ~ 착시(錯視) / be under the ~ *that* …라고 잘못 생각하다 / have no ~ about … …에 관해 전혀 잘못 생각하고 있지 않다 / She cherishes the ~ *that* she's the smartest person in the office. 그녀는 직장에서 가장 머리가 좋다고 착각하고 있다. **3** [U] 투명한 명주 망사《여성용 베일》. [파] ~**·al,** ~**·ary** [-ʒənəl], [-ʒənèri/-ʒənəri] *a.* 곡두〔환영〕의; 환상의, 착각의. ~**·ìsm** *n.* [U] 환상설, 미망설(迷妄說); 눈속임그림 기법. ~**·ist** *n.* 미망론자, 환상가; 눈속임그림 화가; 요술쟁이.

il·lu·sive [ilúːsiv] *a.* =ILLUSORY. [파] ~**·ly** *ad.* ~**·ness** *n.*

il·lu·so·ry [ilúːsəri] *a.* 환영의; 착각의; 사람 눈을 속이는; 혼동하기 쉬운, 가공의. [파] **-ri·ly** *ad.* 혼미하게. **-ri·ness** *n.*

illus(t). illustrated; illustration; illustrator.

⁑**il·lus·trate** [íləstrèit, ilʌ́streit/íləstrèit] *vt.* **1** 《~+[목]/+[목]+[전]+[명]/+*wh.* [절]》 (실례·도해 따위로) 설명하다, 예증(例證)하다; …의 예증이 되다: ~ a thing *from* one's experience …을 경험에 의하여 설명하다 / This diagram ~s *how* the blood circulates through the body. 이 도표는 혈액이 어떻게 체내를 순환하는지 설명하고 있다. **2** 《+[목]+[전]+[명]》 삽화〔설명도〕를 넣다, 도해(圖解)하다: ~ the book *with* some excellent pictures 책에 멋진 삽화를 좀 넣다. ── *vi.* 실례를 들어〔구체적으로〕 설명하다: Let me ~. 예를 들어 보겠다 / To ~, … 예를 들면…. ◇ illustration *n.*

il·lus·trat·ed [íləstrèitid] *a.* 삽화가 든, 그림〔사진〕이 든: an ~ book. ── *n.* 사진이〔삽화가〕 많은 신문〔잡지〕.

il·lus·tra·tion** [ìləstréiʃən] *n.* **1** [C] 삽화; 도해. **2** [C] 예해(例解), 실례, 예증. [SYN.] ⇨ INSTANCE. **3** [U] 예해〔도해〕하기. ◇ illustrate *v.* ***by way of ~ 실례로서. ***in*** ~ ***of*** …의 예증으로서. [파] ~**·al** [-ʃənəl] *a.*

il·lus·tra·tive [ilʌ́strətiv, íləstrèi-] *a.* 설명의, 해설의; 실례가 되는, 예증이 되는《*of*》. [파] ~**·ly** *ad.*

il·lus·tra·tor [íləstrèitər, ilʌ́streit-/íləstrèit-] *n.* 삽화가; 도해(圖解)자, 설명자, 예증하는 사람.

◇**il·lus·tri·ous** [ilʌ́striəs] *a.* **1** 뛰어난, 이름난, 저명한. **2** (행위 따위가) 빛나는, 화려한《공적 등》. [파] ~**·ly** *ad.* ~**·ness** *n.* 저명; 탁월.

il·lu·vi·al [ilúːviəl] *a.* 〚지학〛 집적(集積)(물(物)〔지(地)〕)의.

il·lu·vi·ate [ilúːvièit] *vi.* 〚지학〛 집적하다. [파] **-àt·ed** [-id] *a.*

il·lù·vi·á·tion *n.* 〚지학〛 집적 (작용)《어떤 층의 토양에서 스며나온 물질이 다음 (아래)층에 축적되는 일》.

íll wíll 악의, 나쁜 감정. [OPP.] *good will.*

íll wínd 불길, 불운, 흉조(凶兆).

íll-wísher *n.* 남이 못되기를 비는 사람.

il·ly [íl*l*i] *ad.* 《방언》 =ILL, BADLY.

il·ly·w(h)ack·er [íliwæ̀kər] *n.* 《Austral. 속어》 (특히 지방의 흥행지 등에 나도는) 사기꾼.

ILO, I.L.O. International Labor Organization. **ILP, I.L.P.** 《영》 Independent Labour Party. **ILS** 〚항공〛 instrument landing system (계기 착륙 장치). **ILTF** International Lawn Tennis Federation (국제 테니스 연맹). **I.L.W.U.** International Longshoremen's and Warehousemen's Union (국제 항만 창고 노동자 조합).

⁑**I'm** [aim] I am의 간약형.

im- [im] *pref.* =IN-^{1,2}《b, m, p의 앞에 쓰임》: *im*bibe; *im*moral; *im*possible.

IM individual medley. **I.M.** Isle of Man《Irish Sea에 있는 섬》; International Master.

⁑**im·age** [ímidʒ] *n.* **1** (망막·거울 따위에 비친) 상(像), 모습, 모양, 꼴: God created man in his own ~. 하느님은 자신의 모습대로 사람을 지어내셨다. **2** (조형된) 비슷한 모습; 화상(畫像), 초상; 조상(彫像), 성상(聖像), 우상. **3** 꼭 닮음, 꼭 닮은〔빼쏜〕 사람, 아주 비슷한 것: He is the ~ *of* his father. 그는 제 아버지를 빼쏘았다. **4** (심중의) 영상(映像), 잔상(殘像); 〚심리〛 심상(心像), 표상, 관념(idea); (매스미디어에 의해 형성된) 일반 개념. **5** 〚광학〛 (거울·망막상의) 영상(映像); 〚수학〛 상(像). **6** 〚수사학〛 형상, 이미지; 문채(文彩), 말의 꾸민 표현《특히 직유·은유 등》: speak in ~*s* 비유로 말하다. **7** 상징, 전형, 화신(type); 〚정신의학〛 (양친·국가 등의) 이상상(像) =IMAGO.

8 『컴퓨터』 영상, 이미지《어떤 정보가 다른 정보 매체에 그대로 기억되어 있는 것》. ── *vt.* **1** …의 상을 그리다〔만들다〕. **2** 《+목+전+명》…의 영상을 비추다: ~ a film *on* a screen 필름을 스크린에 비추다. **3** 《+목+전+명》 살아 있는 것 같이〔생생하게〕 묘사하다: The hero is finely ~*d in* the poem. 그 시에 영웅의 모습이 생생하게 묘사되어 있다. **4** 상상하다. ㊞ **~·a·ble** *a.* 이미지로 떠올릴 수 있는; 『심리』 (어구가) 이미지 환기〔형성〕성의, 심상성의. **ím·ag·er** *n.*

ímage àdvertising 이미지 광고《상품의 특성보다는 성적 매력·재미·성공감 등의 긍정적인 이미지를 심어 주려는 광고》.

ímage-buìlder *n.* 이미지를 형성하는 사람〔것〕.

ímage-buìlding *n.* Ⓤ (광고·선전에 의한) 이미지 형성.

ímage convèrter 『전자』 이미지〔영상〕 변환 「관(管).

ímage dissèctor 『전자』 해상관(解像管)《TV 카메라용 진공관의 일종》.

ímage enhàncement 화상강조(畫像強調), 화상의 질을 높이는 것《현미경·감시 카메라 등의 화상을 컴퓨터 프로그램으로 개선·처리하는 것》.

ímage intènsifier 『전자』 이미지〔영상〕 증강관, 광(光)증폭기.

ímage·màker *n.* 광고〔선전〕하는 사람, (상품·회사 따위의) 이미지를 만드는 사람, (특히 정치가가 거느리는) 이미지 메이커.

ímage-màking *n.*, *a.* 이미지 형성(의).

ímage órthicon 『전자』 이미지 오시콘《텔레비전 카메라 전자관》.

ímage pòint 『광학』 상점(像點)《공간의 한 점에서 나온 광속(光束)이 광학계(光學系)를 지난 후 수렴(收斂)하는 점》.

ímage pròcessing 『컴퓨터』 영상 처리.

ímage pròcessor 『컴퓨터』 영상 처리기.

ímage-recognítion compùter 『컴퓨터』 영상 인식 컴퓨터.

im·age·ry [ímidʒəri] *n.* Ⓤ 《집합적》 마음에 그리는 상(像), 심상; 『문학』 비유적 표현, 형상; 《드물게》 《집합적》 상(像); 조상(彫像).

ímagery rehéarsal 이미지 트레이닝《운동선수가 과거에 자기의 최고 성적일 때의 폼을 머리에 그리며 최고의 컨디션을 올리려는 훈련법》.

ímage·sètter *n.* 이미지세터《인화지나 필름에 고해상도(高解像度)로 문자·데이터를 출력하는 장치》. 「verter).

ímage tùbe 『전자』 이미지관(管) (image con-

***im·ag·i·na·ble** [imǽdʒənəbəl] *a.* 상상할 수 있는; 상상할 수 있는 한의.

> NOTE 강조하기 위해 최상급 형용사 또는 all, every, no 따위와 함께 쓰임: try every means ~ 가능한 모든 방법을 다하다 / the best thing ~ 상상할 수 있는 최상의 것.

㊞ **-bly** *ad.* 상상할 수 있게, 당연히. **~·ness** *n.*

imag·i·nal [imǽdʒənl] *a.* **1** 상상의, 영상의, 심상(心像)의. **2** [iméigənl] 『동물』 성충(成蟲) (imago)의; 성충 모양의.

***imag·i·nary** [imǽdʒənèri/-nəri] *a.* **1** 상상의, 가상의: an ~ enemy 가상적. **2** 『수학』 허(수)(虛(數))의. OPP. *real.* ¶ an ~ circle 허원(虛圓) / an ~ point 허점(虛點) / an ~ root 허근(虛根) / an ~ straight line 허직선. ── *n.* 『수학』 허수(=∠ **númber**). ◇ imagine *v.* ㊞ **-i·ly** *ad.* 상상으로.

imáginary áxis 『수학』 허수축.

imáginary párt 『수학』 허수(虛數) 부분.

imáginary únit 『수학』 허수 단위.

⁑**imag·i·na·tion** [imæ̀dʒənéiʃən] *n.* Ⓤ,Ⓒ **1** 상상(력), 창작력, 구상력(構想力): a strong ~ 풍부한 상상력 / by a stretch of (the) ~ 무리하게

상상하여. **2** 임기응변의 지혜, 기략, 기지(機智). **3** (종종 one's ~) 상상〔공상〕의 산물, 심상; 공상, 망상: Her illness is a product of her ~. 그녀의 병은 상상의 병이다《실제로 병이 아님》. ◇ imagine *v.* ***impress the popular*** **~** 인기를 얻다. ㊞ **~·al** *a.*

°**imag·i·na·tive** [imǽdʒənətiv, -nèit-/-nət-] *a.* **1** 상상의, 상상적인, 가공의. **2** 상상력〔창작력, 구상력〕이 풍부한, 기략이 무궁무진한; 상상력으로 생긴《문학 등》; 상상을 좋아하는: the ~ faculty 상상(능)력. ◇ imagine *v.* ㊞ **~·ly** *ad.* **~·ness** *n.*

⁑**imag·ine** [imǽdʒin] *vt.* **1** 《~+목/+(*that*) 절/+*wh.* 절/+목+-*ing*/+목+(*to be*) 보/+목+*as* 보》 상상하다(conceive), 마음에 그리다; 가정하다: You can little ~ his great success. 그가 얼마나 큰 성공을 거두었는지 아마 상상도 못할 거다 / At first sight I could easily ~ *that* the girl would become a good actress. 첫눈에 그 소녀는 훌륭한 여배우가 되리라고 상상할 수 있었다 / Just ~ *how* angry I was! 내가 얼마나 화가 났는지 상상 좀 해봐 / Can you ~ them do*ing* such a thing? 당신은 그들이 그런 짓을 하리라고 상상할 수 있습니까 / *Imagine* yourself (*to be*) on the top of Mt. Everest. 에베레스트 산꼭대기에 있다고 가정해 봐 / I always ~*d* him *as* a soldier. 그를 항상 군인으로서 생각하고 있다. **2** 《+*wh.* 절/+(*that*) 절》 추측하다, 짐작하다(guess), (근거 없이) 생각하다: I cannot ~ *who* the man is. 그 사람이 누구인지 짐작이 안 간다 / I ~ he is out of his mind. 그가 미쳤다고 생각된다 / I ~ I have met you before. 만나뵌 적이 있는 것 같은데요. **3** 《고어》 꾀〔계획〕하다: ~ mischief 나쁜 일을 꾸미다. ── *vi.* 상상하다《*of*》; 짐작이 가다. ◇ imagination *n.* imaginative, imaginary *a.* ㊞ **imág·in·er** *n.*

im·ag·i·neer [imæ̀dʒəníər] *n.* 기획 입안자.

im·ag·ing [ímədʒiŋ] *n.* 『의학』 화상(畫像) 진찰.

ímaging ràdar 『군사』 영상 레이더《목표를 스코프상의 점이 아니라 형태로 포착하는》.

imág·in·ings *n. pl.* 생각, 공상.

im·ag·ism [ímədʒìzəm] *n.* (때로 I-) Ⓤ 심상(心象)주의《1912 년경에 일어난 시의 풍조; 운율에 중요성을 두어 적확한 영상으로 표현의 명확을 꾀함》. ㊞ **-ist** *n.* 이미지즘파의 시인. **ìm·ag·ís·tic** *a.* **-ti·cal·ly** *ad.*

ima·go [iméigou] (*pl.* **~es, ~s, *ima·gi·nes*** [-gəni:z]) *n.* **1** 『동물』 (나비 등의) 성충. **2** 『정신의학』 심상《어릴 적 사랑의 대상이 이상화된 것》.

imam, imaum [imá:m] *n.* (종종 I-) 이맘《(1) 모스크에서의 집단 예배의 지도자. (2) 이슬람교 사회에서의 지도자, 칼리프. (3) 이슬람교의 학식이 풍부한 학자의 존칭. (4) 시아파(Shi'a)의 최고 지도자》. ㊞ **~·ship** *n.* 「의 직〔관구〕.

imam·ate [imá:mèit] *n.* (흔히 I-) 이맘(imam)

I.Mar.E. 《영》 Institute of Marine Engineers.

ima·ret [imá:ret] *n.* (터키의) 순례〔여행〕자 숙박소.

IMAX [áimæks] *n.* 아이맥스《시야 전체를 커버하는 광각의 촬영 시스템; 상표명》.

im·bal·ance [imbǽləns] *n.* 불균형, 언밸런스; 『의학』 (근육이나 내분비샘의) 평형 실조(失調), 평형 이상; (인구의 남녀비나 학교의 인종별 인원수의) 불균형.

im·bál·anced [-t] *a.* 불균형한, 《특히》 (종교적·인종적으로) 인구 비율의 불균형이 현저한: ~ schools.

im·balm [imbá:m] *vt.* 《고어》 =EMBALM.

°**im·be·cile** [ímbəsil, -səl/-sìːl, -sàil] *a.* 저능한, 우둔한, 천치의(stupid); 《고어》 허약한(feeble). ― *n.* 저능자; 〖심리〗 치우(痴愚)《idiot와 moron의 중간 지능 정도; IQ 25-50》; 바보, 천치. ㊐ **~·ly** *ad.* 어리석게. **im·be·cíl·ic** [-sílik] *a.*

im·be·cil·i·ty [ìmbəsíləti] *n.* Ⓤ 저능, 우둔; Ⓒ 바보 같은 언동; Ⓤ 허약, 무능.

im·bed [imbéd] (**-dd-**) *vt.* =EMBED.

im·bibe [imbáib] *vt.* **1** (술 등을) 마시다; (공기·연기 등을) 빨아들이다, 흡입하다. **2** (습기·수분 등을) 흡수하다; (양분 등을) 섭취하다. **3** (사상 등을) 받아들이다, 동화하다. ― *vi.* 술을 마시다, 수분〔기체, 빛, 열 등〕을 흡수하다. ㊐ **im·bíb·er** *n.*

im·bi·bi·tion [ìmbəbíʃən] *n.* 흡수(吸收), 흡입; 〖화학〗 흡수(吸水) 팽윤(膨潤); 〖사진〗 컬러 인화에서의 젤라틴에 의한 염료 흡수. ㊐ **~·al** *a.*

im·bit·ter [imbítər] *vt.* =EMBITTER.

im·bod·i·ment [imbádimənt/-bɔ́di-] *n.* = EMBODIMENT.

im·body [imbádi/-bɔ́di] *vt.* =EMBODY.

im·bos·om [imbú(ː)zəm/-búz-] *vt.* =EMBOSOM.

im·bri·cate [ímbrikət, -kèit] *a.* 〖식물·동물〗 (잎·비늘 등이) 겹친; (지붕 이는 재료, 장식·무늬 등이) 비늘 모양으로 겹친; 미늘을 단(overlapping). ― [ímbrəkèit] *vt.*, *vi.* 기와·비늘같이 겹치다〔겹쳐지다〕, 미늘을 달다. ㊐ **~·ly** *ad.* **ìm·bri·cá·tion** *n.* 기와·비늘처럼 겹친 모양(의 구조〔무늬〕).

im·bro·glio, em- [imbróuljou], [em-] (*pl.* **~s**) *n.* 《It.》 (일의) 뒤얽힘; (정치적) 분규, 뒤얽힌 오해; (극·소설 등의) 복잡한 구성.

im·brue, em- [imbrúː], [em-] *vt.* (손·칼을) 더럽히다, 물들이다《*with* 〔*in*〕 blood etc.》.

im·brute, em- [imbrúːt], [em-] *vt.*, *vi.* 야수와 같게 하다〔같이 되다〕, 잔인하게 하다〔되다〕. ㊐ **~·ment** *n.* Ⓤ 야수화, 야수성.

im·bue, em- [imbjúː], [em-] *vt.* 《+목+전+명》 **1** …에게 고취〔감화〕시키다, 불어넣다: ~ a mind *with* new ideas 〔patriotism〕 신사상〔애국심〕을 고취하다. **2** 빨아들이게 하다, 스며들게 하다; …에 물들이다《*with*》: clothes ~*d with* black 검게 물든 옷. ㊐ **~·ment** *n.*

im·burse [imbə́ːrs] 《드물게》 *vt.* 모으다; …에게 돈을 지불하다.

IMC 〖항공〗 instrument meteorological conditions(계기 비행 기상 상태). **IMCO** Inter-Governmental Maritime Consultative Organization《IMO의 구칭》. **imdtly** immediately. **I. Mech. E.** 《영》 Institution of Mechanical Engineers(기계 학회(學會)). **IMEMO** 《Russ.》 Institute of World Economy and International Relations. **I.M.F., IMF** International Monetary Fund. **IMHO** in my humble opinion (내 의견으로는) 《전자 우편, 뉴스 그룹 또는 채팅 등에서 사용함》.

im·id·az·ole [ìmədǽzoul, -dəzóul] *n.* 〖화학〗 이미다졸《이종환상(異種環狀) 화합물; 코발트 검출 시약》.

im·ide [ímaid] *n.* 〖화학〗 이미드, 이미노, 2급(級) 아민. ㊐ **im·id·ic** [imídik] *a.*

imine [ímiːn, -ˊ] *n.* 〖화학〗 이민.

im·i·no [ímənòu] *a.* 〖화학〗 이미노….

im·ip·ra·mine [imíprəmìːn] *n.* 〖약학〗 이미프라민《항울제》.

IMIS 〖컴퓨터〗 integrated management information system (집중〔종합〕 경영 정보 시스템); 《미》 integrated motorist information system.

imit. imitated; imitation; imitative.

im·i·ta·ble [ímətəbəl] *a.* 모방할 수 있는. ㊐ **~·ness** *n.* **ìm·i·ta·bíl·i·ty** *n.* Ⓤ

***im·i·tate** [ímətèit] *vt.* **1** 모방하다, 흉내 내다; 따르다, 본받다: ~ a bird's cry with the lips 휘파람으로 새 소리를 흉내 내다.

> SYN. **imitate** '모방하다, 진짜와는 다르다'라는 경멸적인 뜻이 내포된 경우가 많음. **mimic, mock** 말·동작·표정 따위를 비웃는 태도로 흉내 내다. **copy** 있는 그대로 똑같이 모방하다. **simulate** 겉모양을 모방하다.

2 모조〔위조〕하다. **3** (벌레 따위가) …을 닮다: ~ its surroundings 환경을 닮다.

im·i·ta·tion** [ìmətéiʃən] *n.* **1** Ⓤ 모방, 흉내; 모조, 모사(模寫); 모의. **2** Ⓒ 모조품; 가짜; Ⓤ 〖음악〗 모방《악구(樂句)·주제 등을 그 뒤의 부분에서 수식하거나 그대로 반복함》. **3** 〔형용사적〕 모조의, 인조의: ~ pearls 모조 진주. ***give an ~ of …의 흉내를 내다〔흉내 내어 보이다〕. ***in ~ of*** …을 흉내 내어, …을 모방하여. ㊐ **~·al** *a.*

imitátion chèese 모조 치즈.

imitátion dóublet (유리제의) 모조 보석.

imitátion mìlk 대용 밀크.

im·i·ta·tive [ímətèitiv/-tətiv] *a.* 모방의, 모방적인, (…을) 흉내 낸《*of*》; 모조의, 가짜의; 〖언어〗 의성(擬聲)의(onomatopoeic): ~ arts 모방 예술《그림이나 조각 등》/ ~ music 의성 음악 / ~ words 의성어. ㊐ **~·ly** *ad.* **~·ness** *n.*

ímitative mágic 모방 주술(模倣呪術)《유사한 행동은 유사한 결과를 낳는다는 신념에 의한 공감 주술의 하나》.

im·i·ta·tor [ímətèitər] *n.* 모방자, 모조자.

IMM International Monetary Market (국제 통화 시장)《미국 시카고에 있는 시카고 상품 거래소의 한 부문》. **I.M.M.** 《영》 Institution of Mining and Metallurgy.

im·mac·u·la·cy [imǽkjələsi] *n.* Ⓤ 오점〔흠, 결점, 과실〕이 없음, 순결, 무구(無垢), 결백.

im·mac·u·late [imǽkjələt] *a.* 더럽 안 탄, 오점 없는; 청순한, 순결한; 〔종종 비꼬아〕 틀림없는, 흠 없는; 〖생물〗 단색(單色)의, 반점(斑點)이 없는. ㊐ **~·ly** *ad.* **~·ness** *n.*

Immáculate Concéption (the ~) 〖가톨릭〗 (성모 마리아의) 원죄 없는 잉태.

im·ma·nence, -nen·cy [ímənəns], [-si] *n.* Ⓤ 내재(성); 〖신학〗 (신의) 우주 내재론. OPP *transcendence*.

im·ma·nent [ímənənt] *a.* **1** 내재(內在)하는, 내재적인(inherent)《*in*》. **2** 〖신학〗 우주 내재의, 어디나 계시는. ㊐ **~·ly** *ad.*

ím·ma·nent·ism *n.* 〖철학〗 내재철학《의식(意識) 일원론》; 〖신학〗 내재론《신은 우주 도처에 내재한다는 설》. ㊐ **-ist** *n.*

Im·man·u·el [imǽnjuəl] *n.* 임마누엘. **1** 남자 이름. **2** 〖성서〗 구세주, 예수.

°**im·ma·te·ri·al** [ìmətíəriəl] *a.* **1** 실체 없는, 비물질적인, 무형의; 정신상의, 영적인(spiritual): ~ capital 〔property〕 무형 자본〔재산〕. **2** 중요하지 않은, 하찮은, 대수롭지 않은, 미미한. ㊐ **~·ly** *ad.* **~·ness** *n.*

ìm·ma·té·ri·al·ìsm *n.* Ⓤ 비유물론, 유심론. ㊐ **-ist** *n.*

im·ma·te·ri·al·i·ty [ìmətìəriǽləti] *n.* 비물질성, 비실체성; 비중요성; 비물질적인 것, 실체 없는 것.

ìm·ma·té·ri·al·ize *vt.* …의 실체를 잃게 하다, 무형으로 하다, 비물질적으로 하다.

°**im·ma·ture** [ìmətʃúər, -tjúər/-tjúə] *a.* **1** 미숙한, 생경(生硬)한(crude); 미성년의, 철부지의,

미완성의: an ~ understanding of life 인생에 대한 유치한 이해. **2** 〖지학〗 침식이 초기인, 유년기의. ㊕ **~·ly** *ad.* **~·ness** *n.*

im·ma·tu·ri·ty [ìmətʃúərəti, -tjúər-/-tjúər-] *n.* Ⓤ 미숙 (상태), 미완성.

°**im·meas·ur·a·ble** [iméʒərəbəl] *a.* 헤아릴〔측정할〕 수 없는; 광대무변의, 끝없는; 광대한. ㊕ **-bly** *ad.* **~·ness** *n.* **-mèas·ur·a·bíl·i·ty** *n.* Ⓤ

im·me·di·a·cy [imí:diəsi] *n.* Ⓤ 직접성; 즉시성; 인접; (보통 *pl.*) 밀접한 것; 〖철학〗 직접성.

⁑**im·me·di·ate** [imí:diət] *a.* **1** 《공간적》 직접의(direct), 바로 이웃의, 인접한(next, nearest): the ~ neighborhood 바로 이웃 / ~ information 직접 보도. SYN. ⇨ NEAR. **2** 《시간적》 곧 일어나는, 즉석의, 즉시의(instant); 가까운, 머지않은: an ~ reply 즉답 / take ~ action 즉시 실행하다 / have 〔produce〕 an ~ effect 즉효가 있다 / in the ~ future 가까운 장래에. **3** 《관계》 직접의〔으로 얻은〕, 거리를 두지 않은: an ~ cause 직접 원인, 근인(近因) / the ~ family 육친. **4** 당면한, 목하의: an ~ plan 당면한 계획. **5** 〖상업〗 즉시의: ~ delivery 즉시 배달 / ~ payment 즉시불. ㊕ **~·ness** *n.* 직접, 직접적인 접촉; 당돌.

immédiate annúity 즉시 연금.

immédiate constítuent 〖문법〗 직접 구성(요)소《생략: IC》.

⁑**im·me·di·ate·ly** [imí:diətli] *ad.* **1** 곧, 바로(at once), 즉시. **2** 바로 가까이에.

> SYN. **immediately** at once 만큼 뜻은 강하지 않으나 늦지 않고 '지금 곧'의 뜻을 나타냄. **directly** at once와 같은 뜻이지만 《미》에서는 '이윽고'의 뜻으로 쓰임. **instantly** '한시 빨리, 지체 없이'라는 뜻을 나타냄. **at once** '곧'을 나타내는 가장 구어적인 표현임.

— *conj.* …하자마자(as soon as): *Immediately* he got home, he went to bed. 귀가하자 곧 잠자리에 들었다.

im·me·di·a·tism [imí:diətìzəm] *n.* 〖미국사〗 즉시 노예 폐지론; 〖철학〗 직접적 지식설.

im·med·i·ca·ble [imédikəbəl] *a.* 낫지 않는, 불치의; 교정할 수 없는《악폐 따위》. cf. incurable. ㊕ **-bly** *ad.* **~·ness** *n.*

im·mem·o·ra·ble [imémərəbəl] *a.* **1** 기억할 가치가 없는. **2** =IMMEMORIAL.

*__im·me·mo·ri·al__ [ìməmɔ́:riəl] *a.* 기억에 남지 않은 옛적의, 태고의, 먼 옛날의, 아주 오랜. ***from*** 〔***since***〕 ***time*** ~ 아득한 옛날부터. ㊕ **~·ly** *ad.*

*__im·mense__ [iméns] *a.* **1** 막대한(enormous, vast), 무한한, 헤아릴 수 없는; 광대한, 끝없는; 거대한. SYN. ⇨ HUGE. ¶ an ~ sum of money 엄청난 돈. **2** 《구어》 멋진, 훌륭한: The show was ~. 그 쇼는 훌륭했다. ㊕ ***~·ly** *ad.* 무한히, 막대하게; 《구어》 매우, 굉장히. **~·ness** *n.* =IMMENSITY.

im·men·si·ty [iménsəti] *n.* Ⓤ 광대; 무한(한 공간); (*pl.*) 막대한 것〔양〕.

im·men·su·ra·ble [imménʃərəbəl, -sər-/-ʃər-] *a.* =IMMEASURABLE.

im·merge [imə́:rdʒ] *vi.* (물 따위에) 뛰어들다, 뛰어든 듯이 사라지다. — *vt.* 《고어》 =IMMERSE. ㊕ **im·mér·gence** *n.*

°**im·merse** [imə́:rs] *vt.* **1** 잠그다, 가라앉히다《*in*》; 〖교회〗 …에게 침례를 베풀다: ~ oneself *in* a hot bath 열탕에 몸을 담그다. **2** 〖~ oneself 또는 수동태〗 빠져들게 하다, 몰두하게 하다, 열중하게 하다《*in*》: *be ~d in* difficulties 어려운 일에 말려들다 / ~ *oneself in* study 연구에 몰두하다. **3** (땅속에) 파묻다. ㊕ **-mér·sal** *a.*

im·mers·i·ble [imə́:rsəbəl] *a.* 《미》 (전기 기기 등) 침수 가능한.

im·mer·sion [imə́:rʒən, -ʃən/-ʃən] *n.* Ⓤ **1** 잠금, 침수; 〖교회〗 침례. cf. affusion. **2** =IMMERSION HEATER; 〖천문〗 잠입(潛入). **3** 열중, 골몰, 몰입, 몰두; 《형용사적》 (외국어의) 집중 훈련의: an ~ course 〔school〕.

immérsion fòot 〖병리〗 침족병(浸足病)《물에 오래 담가서 생기는 발의 이상》.

immérsion hèater 물 끓이는 투입식 전열기《코드 끝에 있는 방수 발열체를 직접 물에 담금》.

im·mer·sive [imə́:rsiv] *a.* 〖컴퓨터〗 몰입형(型)의《시점(視点)을 둘러싼 화상을 생성하는》.

im·me·thod·i·cal [ìməθɑ́dikəl/-θɔ́d-] *a.* 방식이 일정하지 않은, 무질서한, 난잡한, 불규칙한. ㊕ **~·ly** *ad.* **~·ness** *n.*

*__im·mi·grant__ [ímigrənt] *a.* (타국에서) 이주하는, 이주의; 이민자의(OPP. *emigrant*): an ~ community. — *n.* **1** (타국에서의) 이주자, 이민. **2** 《영》 (거주 10년 미만인) 외국인; (흑인) 이민의 자손. **3** 귀화 식물〔동물〕.

im·mi·grate [íməgrèit] *vi.* **1** (영주할 목적으로)(타국에서) 이주해오다《*into; to*》; (새로운 거주지로) 이주하다《*into; to*》. **2** (동·식물이) 새로운 서식지로 옮다〔옮겨오다〕. — *vt.* …을 이주시키다: ~ cheap labor 값싼 노동자를 이주시키다.

°**im·mi·gra·tion** [ìməgréiʃən] *n.* Ⓤ (입국) 이주, 이입, 입국; (공항·항구 등에서의) (출)입국 관리, 입국 심사; 《집합적》 이민자, Ⓒ (일정 기간 내의) 이민 (수). ㊕ **~·al** *a.*

Immigrátion and Naturalizátion Sèrvice (the ~) 《미》 이민 귀화국《생략: INS》.

im·mi·nence [ímənəns] *n.* Ⓤ 급박, 긴박(성); 절박한 위험. 「(imminence).

im·mi·nen·cy [ímənənsi] *n.* 절박, 긴급, 위급

°**im·mi·nent** [ímənənt] *a.* **1** 절박한, 급박한, 긴급한(impending): A storm seems ~. 폭풍우가 곧 닥쳐올 것 같다. **2** 《고어》 툭 튀어나와 있는. ㊕ **~·ly** *ad.* **~·ness** *n.*

im·min·gle [imíŋgl] *vt., vi.* 융합시키다〔하다〕(blend); 혼합하다(intermingle).

im·mis·ci·ble [imísəbəl] *a.* 혼합할 수 없는, 섞이지 않는《*with*》. ㊕ **-bly** *ad.*

im·mis·er·a·tion, -er·i·za·tion [imìzəréiʃən], [-rizéi-/-raiz-] *n.* (경제적으로) 비참해짐〔하게 함〕.

im·mit·i·ga·ble [imítəgəbəl] *a.* 누그러뜨릴 수 없는, 완화되지 않는, 경감되지 않는. ㊕ **-bly** *ad.* **~·ness** *n.*

im·mit·tance [imítəns] *n.* 〖전기〗 이미턴스《admittance와 impedance의 총칭》.

im·mix [imíks] *vt.* 섞다; 말려들게 하다. ㊕ **~·ture** [-tʃər] *n.* Ⓤ 혼합; 말려듦《*in*》.

im·mo·bile [imóubəl, -bi:l/-bail] *a.* 움직일 수 없는, 고정된; 움직이지〔변하지〕 않는. ㊕ **im·mo·bil·i·ty** [ìmoubíləti] *n.* Ⓤ

im·mo·bi·lism [imóubəlìzəm] *n.* (양보·타협을 통한) 현상 유지적 정책, 극단적인 보수주의.

im·mo·bi·lize [imóubəlàiz] *vt.* 움직이지 않게 하다, 고정하다; (군대·함대의) 이동을 불가능하게 하다; (화폐의) 유통을 막다; 〖의학〗 (깁스 부목 따위로) 고정시키다. ㊕ **-mó·bi·lìz·er** *n.* **im·mò·bi·li·zá·tion** *n.*

im·mod·er·ate [imɑ́dərət/imɔ́d-] *a.* 무절제한, 절도 없는; 중용을 잃은, 과도한, 엄청난(extreme). ㊕ **~·ly** *ad.* **~·ness** *n.* **im·mod·er·a·cy** [imɑ́dərəsi/imɔ́d-] *n.*

im·mòd·er·á·tion *n.* Ⓤ 중용을 잃음; 무절제, 절도 없음; 지나침, 과도, 극단.

im·mod·est [imádist/imɔ́d-] *a.* 조심성〔삼감이〕 없는, 무례한; 거리낌 없는, 건방진, 상스러운; 음란한. ㊞ **~·ly** *ad.* 삼가지 않고; 거리낌 없이. **im·mód·es·ty** *n.* Ⓤ 불근신, 음란한 행위; 거리낌 없음; Ⓒ 조심성 없는 짓〔말〕.

im·mo·late [íməlèit] *vt.* 신에게 바치려고 죽이다; 희생으로 바치다(sacrifice). ㊞ **ìm·mo·lá·tion** *n.* Ⓤ,Ⓒ 산 제물을 바침; 산 제물, 희생. **ím·mo·là·tor** [-ər] *n.* 산 제물을 바치는 사람.

°**im·mor·al** [imɔ́:rəl, imár-/imɔ́r-] *a.* 부도덕한; 행실 나쁜; 음란한, 외설한. ㊞ **~·ly** *ad.*

immóral éarnings 부도덕한 돈벌이, 매춘에 의한 소득.

im·mo·ral·i·ty [ìmərǽləti] *n.* **1** Ⓤ 부도덕, 패덕; 품행이 나쁨; 음란, 외설. **2** Ⓒ 부도덕 행위, 추행, 난행, 풍기 문란.

Immorálity Àct (the ~) 《S.Afr.》 부도덕법 《백인과 흑인의 결혼·성관계 금지》.

im·mór·al·ìze *vt.* 부도덕하게 하다, 풍기를 문란케 하다, 도덕에 위배시키다.

***im·mor·tal** [imɔ́:rtl] *a.* **1** 죽지 않는(undying), 불사(不死)의, 불멸의: an ~ work of art 불멸의 예술 작품. **2** 불후(不朽)의, 영원한: ~ fame 불후의 명성. **3** 영구히 계속되는, 부단의, 불변의. **—** *n.* 불사신; 불후의 명성을 가진 사람; (*pl.* 종종 I-s) 신화의 신들; (the I-s) (프랑스의) 아카데미 프랑세즈 회원; (*pl.* 종종 I-s) 고대 페르시아의 친위대. ㊞ **~·ly** *ad.*

°**im·mor·tal·i·ty** [ìmɔ:rtǽləti] *n.* Ⓤ 불사, 불멸, 불후; 무궁; 불후의 명성.

im·mor·tal·ize [imɔ́:rtəlàiz] *vt.* 불멸〔불후〕하게 하다; …에게 영원성〔불후의 명성〕을 주다. ㊞ **-ìz·er** *n.* **im·mòr·tal·i·zá·tion** *n.* Ⓤ

im·mor·telle [ìmɔ:rtél] *n.* 〖식물〗 시들지 않는 꽃《보릿짚국화 등》.

im·mo·tile [imóutl, -tail/-tail] *a.* 움직일 수 없는; 자동력이 없는. ㊞ **ìm·mo·tíl·i·ty** *n.*

°**im·mov·a·ble** [imú:vəbəl] *a.* **1** 동요되지 않는, 움직이지 않는, 부동의. **2** 확고한, 흔들리지 않는; 냉정한. **3** 〖법률〗 부동산의. **—** *n.* (보통 *pl.*) 〖법률〗 부동산(= ∠ **próperty**). ㊞ **-bly** *ad.* 냉정하게; 확고하게. **~·ness** *n.* **im·mòv·a·bíl·i·ty** *n.* Ⓤ

immóvable féast 고정 축일《해에 따라 날짜가 달라지지 않는 Christmas 따위》.

immun. immunity; immunization.

im·mune [imjú:n] *a.* (공격·병독 등을) 면한, 면역성의《*from; against; to*》; (과세 등을) 면제한(exempt)《*from; to*》: ~ reaction 면역 반응. **—** *n.* 면역자; 면제자.

immúne bódy 〖의학〗 면역체(antibody).

immúne cómplex 〖의학〗 면역 복합체, 면역성 콤플렉스.

immúne respónse 면역 반응.

immúne sérum 〖의학〗 면역 혈청.

immúne survéillance 〖의학〗 =IMMUNOLOGICAL SURVEILLANCE.

immúne sỳstem (the ~) 〖해부〗 면역 계통〔시스템〕.

im·mu·ni·ty [imjú:nəti] *n.* Ⓤ (책임·의무의) 면제《*from*》; 면역(성), 면역질《*from*》; 〖미법률〗 소추의 면제.

immúnity bàth 〖미법률〗 면책 특권《증언을 얻기 위해 증인에게 주는 소추 면제 특권》.

im·mun·ize [ímjənàiz] *vt.* 면역이 되게 하다, 면역성을 주다《*against*》. ㊞ **ìm·mu·ni·zá·tion** *n.* 면역성 부여; 〖금융〗 이뮤니제이션《채권 등의 이자율 변동을 제거하면서 투자하는 방법》.

im·mu·no- [ímjənou, -nə, imjú:-] '면역'이란 뜻의 결합사.

ìmmuno·adsórbent *n.* 〖생화학〗 면역 흡착제.

ìmmuno·assáy *n.* 〖생화학〗 면역학적 검정(법), 면역 측정(법). ㊞ **-assáyable** *a.*

ìmmuno·biólogy *n.* 면역 생물학.

ìmmuno·chémistry *n.* 면역 화학. ㊞ **-chém-ist** *n.* **-chémical** *a.* **-i·cal·ly** *ad.*

ìmmuno·cómpetence *n.* 〖의학〗 면역성, 면역 능력. ㊞ **-petent** *a.*

ìmmuno·cómpromised *a.* 〖의학〗 면역 시스템이 엇나간〔약체화한〕, 면역 무방비(상태)의.

im·mu·no·cyte [imjú:nəsàit] *n.* 〖의학〗 면역 세포.

ìmmuno·cytochémistry *n.* 면역 세포 화학. ㊞ **-chémical** *a.* **-ically** *ad.*

ìmmuno·defíciency *n.* 〖의학〗 면역 부전(不全)〔결핍〕《면역 기구에 결함이 생긴 상태》: ~ disease 면역 부전증. ㊞ **-defícient** *a.*

ìmmuno·diagnósis *n.* 〖의학〗 면역학적 진단(법), 면역 진단.

ìmmuno·diffúsion *n.* 면역 확산(법).

ìmmuno·electrophorésis *n.* 면역 전기 영동(泳動)(법).

ìmmuno·fluoréscence *n.* 면역 형광(螢光) 검사(법), 면역 형광법. ㊞ **-cent** *a.*

im·mu·no·gen [imjú:nədʒən] *n.* 〖의학〗 면역원(源). ㊞ **im·mu·no·gen·ic** [ìmjənədʒénik, imjù:nə-] *a.* 면역원(성)의.

ìmmuno·génesis (*pl.* **-ses** [-si:z]) *n.* 면역 발생〔기원〕.

ìmmuno·genétics *n. pl.* 《단수취급》 면역 유전학.

ìmmuno·glóbulin *n.* 〖생화학〗 면역 글로불린 《생략: Ig》.

ìmmuno·hematólogy *n.* 면역 혈액학.

immunológical survéillance 〖생리〗 (신체 조직의) 면역 감시 (기구)(immune surveillance).

immunológical tólerance 〖면역〗 면역 관용《특정의 항원에 대하여 면역 응답 기구의 특이한 비반응》.

im·mu·nol·o·gy [ìmjənálədʒi/-nɔ́l-] *n.* Ⓤ 면역학(免疫學)《생략: immunol.》. ㊞ **-gist** *n.* 면역학자. **ìm·mu·no·lóg·ic, -i·cal** *a.*

ìmmuno·módulator *n.* 〖생화학〗 면역 조절제《면역 기능이 저하되었을 때 이를 높이고, 항진 상태일 때 억제하며, 기능이 정상일 때는 영향이 없는 약제》. ㊞ **-módulatory** *a.*

ìmmuno·pathólogy *n.* 면역 병리학.

ìmmuno·precipitátion *n.* 면역 침강(沈降)(반응). ㊞ **immúno·precìpitate** *n., vt.*

ìmmuno·prótein *n.* 〖생화학〗 면역 단백.

ìmmuno·reáction *n.* 면역 반응. ㊞ **-reác-tive** *a.* 면역 반응성의. **-reactívity** *n.*

ìmmuno·regulátion *n.* 면역 조정.

ìmmuno·suppréssion *n.* 면역 억제.

ìmmuno·suppréssive, -suppréssant *a., n.* 거부 반응 억제의(약); 면역 억제제(=**ìm-muno·suppréssor**).

ìmmuno·survéillance *n.* =IMMUNOLOGICAL SURVEILLANCE.

ìmmuno·thérapy *n.* 〖의학〗 면역제 치료법.

ìmmuno·tóxin *n.* 면역 독소.

im·mure [imjúər] *vt.* 감금하다, 가두다(imprison); 벽에 붙박아 넣다〔끼워 넣다〕. ~ *oneself in* …에 틀어박히다, 죽치다. ㊞ **~·ment** *n.* Ⓤ 감금, 유폐; 죽침.

im·mu·si·cal [imjú:zikəl] *a.* 《드물게》 = UNMUSICAL.

im·mu·ta·ble [imjú:təbəl] *a.* 변경할 수 없는, 불변의, 변치〔바뀌지〕 않는. ㊞ **-bly** *ad.* **~·ness** *n.* **im·mù·ta·bíl·i·ty** *n.* Ⓤ

immy immediately. **IMO** in my opinion; International Maritime Organization.

Im·o·gen [ímədʒèn, -dʒən] *n.* 이모젠. **1** 여자 이름. **2** Shakespeare 작 *Cymbeline*의 여주인공《정절의 귀감》.

imp[1] [imp] *n.* **1** 작은 악마. **2** 개구쟁이; 《고어》 아이.

imp[2] *vt.* (매의 상한 날개에) 깃털을 이어붙이다; 《고어》 보강〔보수〕하다(mend).

imp' 1

IMP interplanetary monitoring platform (행성 간 조사 위성). **IMP, imp** 〖브리지〗 International Match Point. **Imp, imp** 〖물리〗 indeterminate mass particle(불확정 질량 입자). **Imp.** Imperial; Imperator. **imp.** imperative; imperfect; imperial; implement; import; imported; importer; impression; imprimatur; imprint; improper; improved; improvement.

***im·pact** [ímpækt] *n.* ⓤ,ⓒ 충돌(collision); 충격, 쇼크; 영향(력)《*on, upon; against*》: on ~ 부딪친 순간에 / the ~ of Hegel *on* modern philosophy 현대 철학에 끼친 헤겔의 영향. ── [–´] *vt.* …에 꽉 채우다, 밀착시키다《*in; into*》; …에〔와〕 충돌하다; 나쁜 영향을 주다. ── *vi.* 강한 충격〔영향〕을 주다, 세게 부딪치다《*on; against*》; 나쁜 영향을 주다.

ímpact adhésive 감압(感壓) 접착제.

ímpact àid 《미》 (국가 공무원 자제가 다니는 학구에 지급되는) 연방 정부 보조금.

ímpact àrea (폭탄이나 미사일의) 작렬(炸裂) 지역, 탄착(彈着) 지역.

ímpact cràter 충돌 화구(火口)《운석이나 화산 분출물의 낙하로 생긴 구멍》.

im·páct·ed [-id] *a.* 꽉〔빽빽하게〕 찬, 빈틈이 없는; 〖치과〗 (새 이가 턱뼈 속에) 매복(埋伏)한《젖니 때문에》; 《미》 인구가 조밀한; 《미》 (인구 급증으로 공공 투자 등의) 재정 부담에 시달리는 「《지역》.

impácted àrea 인구 급증 지구.

impácted schóol dìstrict 《미》 과밀 학구.

im·pact·ful [ímpæktfəl] *a.* 강한 인상을 주는.

im·pac·tion [impǽkʃən] *n.* ⓤ 꽉 채움, 밀착시킴; 〖의학〗 (신체 일부의) 매복(증).

im·pac·tive [impǽktiv] *a.* **1** 충격에 의한. **2** 충격적인, 강렬한.

ímpact lòan 〖경제〗 임팩트 론《용도 제약이 없는 외화 차관》. 「장치.

im·pac·tor, -pact·er [impǽktər] *n.* 충격

ímpact paràmeter 〖핵물리〗 충돌 파라미터.

ímpact prìnter 임팩트 프린터《기계적 타격으로 인자(印字)하는 프린터》. ⓒⓕ nonimpact printer. 「평가 (보고서).

ímpact stàtement (어떤 기획의) 환경 영향

ímpact strèngth 〖공학〗 (재료의) 충격 강도.

ímpact tèst (재료 따위의) 충격 시험.

◇**im·pair** [impɛ́ər] *vt.* **1** (완전히 상실할 정도로 힘·질·가치 따위를) 해치다, 손상하다, 감하다. **2** (아주) …을 상하게 하다, (건강 등을) 해치다, 나쁘게 하다: ~ one's health 건강을 해치다. SYN. ⇨HURT. ㊕ **~·er** *n.* **~·ment** *n.* ⓤ 손상, 해침; 감손; 〖의학〗 결함, 장애.

im·páired *a.* **1** 정상적으로 제구실을 하지 않는, 망가진, 고장난. **2** 《미속어》 술 취한; 마약으로 멍해진.

im·pala [impǽlə, impɑ́:lə] (*pl.* **~, ~s**) *n.* (아프리카산) 영양의 일종.

im·pale [impéil] *vt.* (뾰족한 것으로) 꿰찌르다, 꿰다; 말뚝에 꿰찌르는 형(刑)에 처하다, 움쭉 못하게 하다(make helpless); 〖문장(紋章)〗 (방패 중앙에 2개의 문장(紋章)을) 합문(合紋)하다. ㊕ **~·ment** *n.* ⓤ

im·pal·pa·ble [impǽlpəbəl] *a.* 만져도 모르는; 감지할 수 없는, 인지하기 어려운, (분말이) 미세한; 이해하기 어려운. ㊕ **-bly** *ad.* **im·pàl·pa·bíl·i·ty** *n.* ⓤ

im·pal·u·dism [impǽljədìzəm] *n.* ⓤ 소택병(沼澤病); 말라리아.

im·pan·el [impǽnl] (*-l-,* 《영》 *-ll-*) *vt.* 〖법률〗 배심(陪審) 명부에 올리다; (배심원을) 명부에서 선택하다. ㊕ **~·ment** *n.* ⓤ

im·pan·sion [impǽnʃən] *n.* (크기·규모·인원 등의) 축소.

im·par·a·dise [impǽrədàis] *vt.* 천국〔낙원〕에 들어가게 하다; 더없이 행복하게 하다(enrapture); …을 천국〔낙원〕으로 만들다.

im·par·i·ty [impǽrəti] *n.* ⓤ 부동(不同)(disparity); 불균등.

im·park [impɑ́:rk] *vt.* (동물을) 원내(園內)에 가두다; (삼림 따위를) 울타리로 에워 공원으로〔사냥터로〕 하다. ㊕ **im·par·ká·tion** *n.* ⓤ

im·parl [impɑ́:rl] *vi.* 〖법률〗 법정 밖에서 소송 당사자와 교섭〔상담〕하다.

◇**im·part** [impɑ́:rt] *vt.* 《+목+전+명》 **1** 나누어 주다, 주다(give)《*to*》: ~ comfort *to* …에게 위안을 주다. **2** (지식·비밀 따위를) 전하다(communicate), 알리다(tell)《*to*》: ~ news *to* a person 아무에게 소식을 전하다. ㊕ **~·a·ble** *a.* **ìm·par·tá·tion, ~·ment** *n.* ⓤ 나누어 줌, 분급; 전달. **im·párt·er** *n.* 분급자(分給者); (지식 등의) 전달자.

***im·par·tial** [impɑ́:rʃəl] *a.* 공평한, 편견 없는, 편벽되지 않은. OPP. *partial.* ㊕ **~·ly** *ad.* **~·ness** *n.* **im·par·ti·al·i·ty** [impɑ̀:rʃiǽləti] *n.* ⓤ 공평, 공명정대, 불편부당(不偏不黨).

im·par·ti·ble [impɑ́:rtəbəl] *a.* 나눌〔분할할〕 수 없는《토지·부동산 따위》. ㊕ **-bly** *ad.*

im·pass·a·ble [impǽsəbəl, -pɑ́:s-/-pɑ́:s-] *a.* 통행할 수 없는, 지나갈〔통과할〕 수 없는. ㊕ **-bly** *ad.* 지나갈〔통행할〕 수 없게. **~·ness** *n.* **im·pass·a·bil·i·ty** [impæ̀səbíləti, -pɑ̀:sə-/-pɑ̀:sə-] *n.* ⓤ

im·passe [ímpæs, –´] *n.* 《F.》 막다름; 막다른 골목(blind alley); 난국, 곤경(deadlock): a political ~ 정치적 난국.

im·pas·si·ble [impǽsəbəl] *a.* 아픔을 느끼지 않는, 무감각〔무신경〕한; 감정이 없는. ㊕ **im·pás·si·bly** *ad.* **~·ness** *n.* **im·pàs·si·bíli·ty** *n.* ⓤ

im·pas·sion [impǽʃən] *vt.* 깊이 감동〔감격〕하게 하다. ㊕ **~ed** *a.* 감격한; 정열적인, 열렬한, 감동이 넘친.

im·pas·sive [impǽsiv] *a.* 감정이 없는, 무감동의, 태연한; 고통을 느끼지 않는, 무감각한. ㊕ **~·ly** *ad.* 태연히; 무감각하게. **~·ness** *n.* **ìm·pas·sív·i·ty** [-sívəti] *n.* ⓤ

im·paste [impéist] *vt.* …에 풀칠하다, 풀로 굳히다; 풀 모양으로 만들다; 〖회화〗 …에 그림물감을 두껍게 칠하다.

im·pas·to [impǽstou, -pɑ́:s-] (*pl.* **~s**) *n.* 〖회화〗 두껍게 칠하기; 두껍게 칠한 물감; 도자기의 장식용 돋을새김.

***im·pa·tience** [impéiʃəns] *n.* ⓤ **1** 성마름; 성급함, 조급함, 짜증, 초조《*of*》. **2** 참을성 없음. **3** (하고 싶은) 안타까움, 안달《*to* do; *for*》: His ~ *to* go home was visible. 집에 가고 싶어 좀이 쑤시는 것같이 보였다. ***restrain* one's ~** 꾹 참다. 「선화속의 초본(草本).

im·pa·tiens [impéiʃiènz, -ʃənz] *n.* 〖식물〗 봉

***im·pa·tient** [impéiʃənt] *a.* **1** 참을 수 없는 (intolerant)《*with*》. **2** 성마른, 조급한, 성급한 (irritable); 침착하지 못한, 가만히 있지 못하는:

an ~ gesture 조바심나는 듯한 몸짓. **3** 몹시 …하고파 하는, …하고 싶어 애태우는《*to* do》: He is ~ *to* go. 그는 (빨리) 가고 싶어 못 견뎌 한다. ≒ inpatient. ***be ~ for*** …이 탐나서 못 견디다; …을 안타깝게 기다리다. ***be ~ of*** ① …을 못 견디다: *be* ~ *of* reproof 잔소리에 못 견디다. ② (해석 따위)를 용납치 않다. [파] °**~·ly** *ad.* 성급〔초조〕하게, 마음 졸이며. **~·ness** *n.*

im·pav·id [impǽvid] *a.* 《고어》 두려움을 모르는(fearless), 용감한. [파] **~·ly** *ad.*

im·pawn [impɔ́ːn] *vt.* 《고어》 전당〔저당〕 잡히다, 담보(擔保)에 넣다; 《비유》 맹세〔서약〕하다.

im·pay·a·ble [impéiəbəl] *a.* 돈으로 살 수 없는; 《속어》 아주 재미나는, 몹시 우스운.

im·peach [impíːtʃ] *vt.* **1** 《~+[목]/+[목]+[전]+[명]》 (관공리를) 탄핵하다《*for*》; 고발〔고소〕하다《*of; with*》: ~ the judge *for* taking a bribe 판사를 수뢰 혐의로 탄핵하다/~ a person *of* crimes 아무를 범죄 혐의로 고발하다. **2** …에 이의를 제기〔신청〕하다. **3** 《~+[목]/+[목]+[전]+[명]》 비난하다; 문제 삼다, 의심하다: ~ a person's motives 아무의 동기를 의심하다/~ a person *with* an error 아무의 과실〔잘못〕을 책망하다. [파] **~·a·ble** *a.* 탄핵해야 할, 고발〔비난〕해야 할. **im·pèach·a·bíl·i·ty** *n.* 탄핵 가능성. **~·ment** *n.* [U,C] 비난; 탄핵; 고발; 이의 신청: ~*ment* of a judge 법관의 소추.

im·pearl [impə́ːrl] *vt.* (진주 같은) 구슬로 보이게 하다, 진주 모양으로 만들다; 진주로 장식하다.

im·pec·ca·ble [impékəbəl] *a.* 죄를〔과실을〕 범하는 일이 없는; 결함〔흠, 나무랄 데〕 없는, 비난의 여지 없는; 완벽한. **—** *n.* 《드물게》 나무랄 데 없는 사람. [파] **-bly** *ad.* **~·ness** *n.* **im·pèc·ca·bíl·i·ty** *n.* [U]

im·pec·cant [impékənt] *a.* 죄 없는, 결백한. [파] **-can·cy** [-si] *n.*

im·pe·cu·ni·ous [ìmpikjúːniəs] *a.* 돈이 없는, (언제나) 무일푼의, 가난한. [파] **~·ly** *ad.* **ìm·pe·cù·ni·ós·i·ty** [-niásəti/-ɔ́s-] *n.* [U]

im·ped·ance [impíːdəns] *n.* 〖전기〗 임피던스 《교류 회로에서의 전압과 전류의 비(比)》.

impédance màtching 〖전기〗 임피던스 정합(整合).

°**im·pede** [impíːd] *vt.* 방해하다(hinder), 훼살을 놓다(obstruct): ~ progress 진보를 방해하다. ◇ impediment *n.* [파] **im·péd·er** [-ər] *n.*

im·ped·i·ment [impédəmənt] *n.* **1** 방해(물), 장애《*to*》; 신체 장애; 언어 장애, 말 더듬음: have an ~ in one's speech 말을 더듬다. **2** (*pl.*) 〖법률〗 혼인의 장애《혈연관계 · 연령 부족 등》; (*pl.*) 《고어》 =IMPEDIMENTA. ◇ impede *v.*

im·ped·i·men·ta [impèdəméntə] *n. pl.* (여행 따위의) 장애물, (주체스러운) 짐; 〖군사〗 보급물, 병참《운반하는 식량 · 무기 · 탄약 따위》.

im·ped·i·men·tal, -ta·ry [impèdəméntl], [-təri] *a.* 《고어》 방해〔장애〕가 되는: causes ~ *to* success 성공을 방해하는 원인. 「애의.

im·ped·i·tive [impédətiv] *a.* 방해되는, 장

°**im·pel** [impél] (*-ll-*) *vt.* **1** 《+[목]+*to* do》 재촉하다, 좨치다, 몰아대다, 강제(하여 …하게) 하다(force): Hunger ~*led* him *to* steal. 굶주림이 그를 도둑질하게 했다. **2** 《+[목]+[전]+[명]》 추진시키다, 앞으로 나아가게 하다(drive forward): an ~*ling* force 추진력/The strong wind ~*led* their boat *to* shore. 강풍이 그들의 보트를 해안 쪽으로 밀어붙였다. ◇ impulse *n.* [파] **~·lent** [-ənt] *a., n.* 추진하는; 추진력. **~·ler, ~·lor** *n.* 추진시키는 사람〔것〕; 〖기계〗 회전익(翼), 임펠러.

im·pend [impénd] *vi.* (위험 · 사건 따위가) 절박하다, 바야흐로 일어나려 하다《*over*》; 《고어》 (위에) 걸리다, 드리워지다《*over*》.

im·pend·ent [impéndənt] *a.* =IMPENDING. [파] **-ence, -en·cy** [-əns], [-i] *n.* [U]

°**im·pénd·ing** *a.* 절박한, 박두한 (imminent): an ~ disaster 임박한 재난/death ~ *over* us 닥쳐오는 죽음.

im·pèn·e·tra·bíl·i·ty *n.* [U] 관통할 수 없음; 내다볼 수 없음; (마음을) 헤아릴 수 없음, 불가해(不可解); 둔감; 〖물리〗 불가입성(不可入性).

°**im·pen·e·tra·ble** [impénətrəbəl] *a.* **1** (꿰) 뚫을 수 없는《*to; by*》; (삼림 등) 지날 수 없는, 발을 들여놓을 수 없는; 〖물리〗 불가입성의. **2** 앞을 내다볼 수 없는, 헤아릴 수 없는(inscrutable), 불가해한. **3** (사상 · 요구 등을) 받아들이지 않는, 완고한(unyielding), 무감각한, 둔감한《*to; by*》: be ~ *to* all requests 모든 요구를 받아들이지 않다. [파] **-bly** *ad.* 꿰뚫을 수 없을 만큼; 헤아릴 수 없을 정도로; 무감각하게. **~·ness** *n.*

im·pen·e·trate [impénətrèit] *vt.* 뚫고 들어가다, 깊이 꿰뚫다; 깊이 침투하다.

im·pen·i·tence, -ten·cy [impénətəns], [-i] *n.* [U] 회개하지 않음, 완고, 고집.

im·pen·i·tent [impénətənt] *a.* 회개하지 않는, 완고한, 고집이 센. **—** *n.* 회개하지 않는〔완고한〕 사람. [파] **~·ly** *ad.* **~·ness** *n.*

im·pen·nate [impéneit] *a.* (새가) 날 수 있는 날개를 갖지 않은.

imper., imperat. imperative. 「법의.

im·per·a·ti·val [impèrətáivəl] *a.* 〖문법〗 명령

°**im·per·a·tive** [impérətiv] *a.* **1** 명령적인, 강제적인(pressing); 엄연한(peremptory), 권위 있는: in an ~ tone 명령적인 어조로/an ~ manner 엄연한 태도. **2** 피할 수 없는, 절박한, 긴요한, 긴급한(urgent); 절대 필요한: an ~ conception 강박 관념/an ~ duty 피할 수 없는 의무/It is ~ that I should go at once. 아무래도 지금 곧 가지 않으면 안 된다. **3** 〖문법〗 명령법의: the ~ mood 명령법. **—** *n.* **1** [C] 명령(command); 불가피한 것〔임무〕; 의무, 책임: legal ~*s* 법령. **2** [U] 〖문법〗 (the ~) 명령법; [C] 명령어〔형, 문〕. **3** [C] 규범, 규칙. [파] **~·ly** *ad.* 명령적으로. **~·ness** *n.*

im·pe·ra·tor [ìmpəráːtər, -tɔːr, -rèitər/-ráːtɔː] *n.* 《L.》 (고대 로마의) 황제; 대장군; 《일반적》 최고 지배자, 원수. [파] **im·per·a·to·ri·al** [impèrətɔ́ːriəl] *a.*

°**im·per·cep·ti·ble** [ìmpərséptəbəl] *a.* 감지할 수 없는; 알아차릴 수 없을 만큼의, 미세한: an ~ difference 극히 적은 차이/be ~ *to* our sense 우리의 감각으로는 알 수가 없다. [파] **-bly** *ad.* **~·ness** *n.* **ìm·per·cèp·ti·bíl·i·ty** *n.* [U]

im·per·cep·tion [ìmpərsépʃən] *n.* 무지각(無知覺), 무감각, 지각력 결여.

im·per·cep·tive [ìmpərséptiv] *a.* 감지하지 않는, 지각력이 없는. [파] **~·ness** *n.*

im·per·cip·i·ence [ìmpərsípiəns] *n.* 무지각(無知覺). [파] **-per·cíp·i·ent** *a.*

im·per·ence [ímpərəns] *n.* 《영》 =IMPUDENCE.

imperf. imperfect; imperforate.

*__im·per·fect__ [impə́ːrfikt] *a.* **1** 불완전한, 미완성의(incomplete), 결함〔점〕이 있는, 불비한; 〖식물〗 자웅이화(雌雄異花)의(diclinous); 〖법률〗 법적 요건을 결한, 무효의; 〖음악〗 반음감의. **2** 〖문법〗 미완료(시제)의, 반과거의: the ~ tense 미완료 시제. **—** *n.* 〖문법〗 미완료 시제, 반과거. [파] **~·ness** *n.*

impérfect cádence 〖음악〗 불완전 휴지.

impérfect competítion 〖경제〗 불완전 경쟁.

impérfect flówer 〖식물〗 안갖춘꽃, 불완전화(花).

impérfect fúngus 〖식물〗 불완전 균류(菌類)의 진균(眞菌).

im·per·fect·i·ble [ìmpərféktəbəl] *a.* 완성할〔완성될〕 수 없는.

°**im·per·fec·tion** [ìmpərfékʃən] *n.* **1** Ⓤ 불완전(성). **2** Ⓒ 결함, 결점.

im·per·fec·tive [ìmpərféktiv] 〖문법〗 *a.* (러시아어 등의 동사가) 미완료상〔형〕인. **—** *n.* 미완료상〔형〕(의 동사).

°**im·pér·fect·ly** *ad.* 불완전하게, 불충분하게.

impérfect rhýme 〖시어〗 불완전운(韻)(slant rhyme).

im·per·fo·rate, -rat·ed [impə́ːrfərət, -fərèit], [-id] *a.* 구멍이 없는; 절취선이 없는《우표 등》; 〖해부 · 생물〗 있어야 할 구멍이 없는, 무공(無孔)의. **—** *n.* 절취선이 없는 우표. ㊞ **im·pèr·fo·rá·tion** *n.* 무공, 무개구(無開口), 폐쇄.

im·pe·ri·al** [impíəriəl] *a.* **1** 제국(帝國)의; 영(英)제국의. **2** 황제(皇帝)〔황후〕의: an *Imperial* decree 〔edict〕 칙령, 칙명 / the ~ power 황제의 권력. **3** 최고의 권력을 갖는, 제위(帝位)의(sovereign), 지고(至高)한, 지상(至上)의(supreme). **4** 위엄 있는, 장엄한, 당당한(majestic); 오만한(imperious): the ~ city 훌륭한 대도시. **5** (상품 따위가) 특대(特大)의; 극상〔상질〕의. **6** 영국 도량형법에 의한. **—** *n.* **1** (I-) 황제, 황후. **2** 황제수염《아랫입술 바로 밑에 약간 기른》. **3** 제정 러시아의 금화《15 루블》; (양지(洋紙)의) 임페리얼판(判)(《미》 23×31 인치; 《영》 22×30인치). **4** 〖상업〗 특대품, 우수품. **5** 승합마차의 지붕(에 얹는 여행용 트렁크); 〖건축〗 꼭대기가 뾰족한 돔. ***His 〔***Her***〕 ***Imperial Highness*** 전하《황족의 존칭》. ㊞ **~·ly** *ad.* 제왕처럼, 위엄 있게.

imperial 2

Impérial Cíty (the ~) 제도(帝都)《로마 시의 별명》.

impérial éagle 〖조류〗 흰죽지수리.

impérial gállon 영(英)갤런(4.546 *l*).

°**im·pé·ri·al·ìsm** *n.* Ⓤ 제국주의, 영토 확장주의; 제정(帝政).

im·pé·ri·al·ist *n.* 제국〔영토 확장〕주의자; 제정주의자; 황제파의 사람. **—** *a.* 제국주의(자)의, 제정주의(자)의.

im·pe·ri·al·is·tic [impìəriəlístik] *a.* 제국주의(자)의; 제정(주의)의. ㊞ **-ti·cal·ly** [-kəli] *ad.* 제국주의적으로.

im·pé·ri·al·ìze *vt.* 제국의 지배하에 두다; 제정화하다, 제국주의화하다; …에게 위엄을 주다.

impérial préference 영(英)제국 내의 특혜관세.

impérial présidency 《미》 제왕적인 대통령제《헌법의 규정을 넘어 강대해진 미대통령의 직〔지위〕》.

Impérial Válley California주 남동부의 농경지대.

Impérial Wár Musèum (the ~) 《영》 제국전쟁 박물관《London에 있음; 1917 년 설립》.

°**im·per·il** [impérəl] (*-l-,* 《영》 *-ll-*) *vt.* (생명 · 재산 따위를) 위태롭게 하다, 위험하게 하다(endanger). ㊞ **~·ment** *n.*

im·pe·ri·ous [impíəriəs] *a.* **1** 전제적인, 오만〔오연(傲然)〕한. **2** 절박한, 긴급한, 중대한. ㊞ **~·ly** *ad.* **~·ness** *n.*

im·per·ish·a·ble [impériʃəbəl] *a.* 불멸의, 불후의(indestructible), 영속적인(everlasting). ㊞ **-bly** *ad.* 영구히. **~·ness** *n.* **im·pèr·ish·a·bíl·i·ty** *n.* Ⓤ

im·pe·ri·um [impíəriəm] (*pl.* ***-ria*** [-riə], **~s**) *n.* 《L.》 절대권; 주권, 제왕권(帝王權); 통치권.

imperium in im·pe·rio [-impíəriòu] 《L.》 국가 안의 국가, 권력 내의 권력.

im·per·ma·nent [impə́ːrmənənt] *a.* 오래 가지〔영속하지〕 않는, 일시적인(temporary), 덧없는. ㊞ **~·ly** *ad.* **-nence, -nen·cy** *n.* Ⓤ

im·per·me·a·ble [impə́ːrmiəbəl] *a.* 스며들지 않는; 〖물리〗 불침투성〔불투과성〕의《*to*》. ㊞ **-bly** *ad.* **im·pèr·me·a·bíl·i·ty** *n.* Ⓤ **~·ness** *n.*

im·per·mis·si·ble [ìmpərmísəbəl] *a.* 허용되지 않는, 허용할 수 없는. ㊞ **ìm·per·mis·si·bíl·i·ty** *n.*

impers. impersonal.

im·per·script·i·ble [ìmpəːrskríptəbəl] *a.* 전거(典據)가 없는.

°**im·per·son·al** [impə́ːrsənəl] *a.* **1** (특정한) 개인에 관계가 없는, 일반적인; 개인 감정을 섞지〔나타내지〕 아니한, 비정한《태도》. **2** 인격을 갖지 않은, 비인간적인: ~ forces 인간의 외적인 힘《자연력 · 운명 따위》. **3** 〖문법〗 비인칭의: an ~ verb 비인칭 동사. ㊞ **~·ly** *ad.* 비개인적〔비인격적〕으로.

im·per·son·al·i·ty [impə̀ːrsənǽləti] *n.* Ⓤ 비인격〔비인간〕성, 개인에 관계치 않음; 인간 감정의 부재(성); 비정(성); 냉담함; Ⓒ impersonal 한 것.

im·pér·son·al·ìze *vt.* 비개인적〔비인격적〕으로 하다. ㊞ **im·pèr·son·al·i·zá·tion** *n.*

impérsonal vérb 〖문법〗 비인칭 동사《methinks 따위》.

im·per·son·ate [impə́ːrsənèit] *vt.* **1** (배우가) …의 역을 맡아 하다, …으로 분장하다, (남의 음성 등을) 흉내 내다(mimic). **2** 인격화하다(personify); 체현(體現)〔구현〕하다(embody). **—** [-nit, -nèit] *a.* 체현된, 인격화된. ㊞ **im·pèr·son·á·tion** *n.* Ⓤ 인격화, 의인화; (…의) 권화(權化), 체현; Ⓒ (배우의) 분장(법); (역을) 맡아하기; 흉내, 성대모사(聲帶模寫). **impérson·à·tor** [-tər] *n.* (어떤 역으로 출연하는) 배우, 분장자; 성대모사자.

°**im·per·ti·nence, -nen·cy** [impə́ːrtənəns], [-i] *n.* **1** Ⓤ 건방짐, 뻔뻔함; 무례, 버릇없음(impudence), 주제넘음; 부적절, 무관계. **2** Ⓒ 부적절〔무례〕한 행동〔말〕.

°**im·per·ti·nent** [impə́ːrtənənt] *a.* **1** 건방진, 뻔뻔스러운; 버릇없는《*to; of; to* do》: Don't be ~ *to* your elders. 연장자에게 무례하게 굴지 마라 / It's ~ *of* him *to* break in when I'm talking. 내가 이야기하는 도중에 그가 끼어드는 것은 실례이다. **2** 적절하지 않은; 당찮은, 무관계한《*to*》: a fact ~ *to* the matter 그 문제에 관계없는 사실. ㊞ **~·ly** *ad.*

ìm·per·tùrb·a·bíl·i·ty, im·per·tur·ba·tion [ìmpəːrtərbéiʃən] *n.* Ⓤ 침착, 냉정(calmness), 태연자약.

im·per·turb·a·ble [ìmpərtə́ːrbəbəl] *a.* 침착한, 태연한, 동요하지 않는. ㊞ **-bly** *ad.*

im·per·vi·ous [impə́ːrviəs] *a.* **1** (물 · 공기 · 광선이) 통하지 않는, 스며들게 하지 않는(impenetrable)《*to*》: ~ *to* rain 비가 스미지 않는. **2** 손상되지 않는, 상하지 않는《*to*》. **3** 무감동한, 무감각한, 둔감한《*to*》. ㊞ **~·ly** *ad.* **~·ness** *n.*

im·pe·tig·i·nous [ìmpətídʒənəs] *a.* 〖의학〗 농가진(성)(膿痂疹(性))의.

im·pe·ti·go [ìmpətáigou] *n.* Ⓤ 〖의학〗 농가진(膿痂疹).

im·pe·trate [ímpətrèit] *vt.* 탄원〔기원〕하여 얻다; 《드물게》 …에게 탄원하다(entreat). ㊞ **ìm·pe·trá·tion** *n.* **ím·pe·trà·tive** *a.*

im·pet·u·os·i·ty [impètʃuásəti/-ɔ́s-] *n.* Ⓤ 격렬, 열렬; 성급; Ⓒ 성급한 행동, 충동.

◇**im·pet·u·ous** [impétʃuəs] *a.* **1** (바람·속도 따위가) 격렬한, 맹렬한(violent): an ~ charge 〔gale〕 강습(強襲)〔열풍〕. SYN. ⇨ WILD. **2** 성급한, 충동적인(rash): an ~ child 성급한 아이. ㊞ **~·ly** *ad.* **~·ness** *n.*

im·pe·tus [ímpətəs] *n.* **1** Ⓤ (움직이고 있는 물체의) 힘, 추진력, 운동량, 관성(慣性). **2** Ⓒ (정신적인) 기동력(機動力), 유인, 자극. ***give*** 〔***lend***〕 (***an***) ***~ to*** …을 자극〔촉진〕하다.

impf. imperfect. **imp. gall.** imperial gallon.

im·pi [ímpi] (*pl.* ~(**e**)**s**) *n.* (남아프리카 Kaffir 족의) 무장 부대.

im·pi·e·ty [impáiəti] *n.* **1** Ⓤ 불신앙; 경건하지 않음; 불충실; 불효. **2** (흔히 *pl.*) 불경한 〔사악한〕 행위 〔말〕. ◇ impious *a.*

im·pig·no·rate [impígnərèit] *vt.* 전당잡히다 (pawn), 저당에 넣다(mortgage).

im·pinge [impíndʒ] *vi.* 《+전+명》 치다, 부딪치다, 충돌하다《*on, upon; against*》; …에게 영향을 주다《*on*》; 침범〔침해〕하다《*on, upon*》: The waves ~ *against* the rocks. 파도가 바위에 부딪친다 / ~ *on* the fundamental human rights 기본적 인권을 침해하다. ㊞ **~·ment** *n.* 충돌, 충격; 충돌 포집(捕集)《공기 중의 액적(液滴) 제거법》; 침해.

impíngement attàck 〖야금〗 충격 침식〔부식〕.

im·ping·er [impíndʒər] *n.* 집진(集塵) 장치.

◇**im·pi·ous** [ímpiəs] *a.* 불신앙의, 경건치 않은, 불경한(profane), 사악한(wicked); 불효한(unfilial). OPP *pious*. ◇ impiety *n.* ㊞ **~·ly** *ad.* **~·ness** *n.*

imp·ish [ímpiʃ] *a.* 장난꾸러기〔개구쟁이〕의. ㊞ **~·ly** *ad.* **~·ness** *n.*

im·plac·a·ble [implǽkəbəl, -pléik-] *a.* 달래기 어려운, 화해할 수 없는; 마음속 깊이 맺힌; 용서 없는, 무자비한(relentless). ㊞ **-bly** *ad.* **~·ness** *n.* **im·plàc·a·bíl·i·ty** *n.* Ⓤ

im·pla·cen·tal [ìmpləséntl] 〖동물〗 *n.* 무태반(無胎盤) 포유동물. **—** *a.* 무태반 동물의.

im·plant [implǽnt, -plɑ́ːnt/-plɑ́ːnt] *vt.* **1** (마음에) 심다, 불어넣다, 주입시키다(instil). **2** 심다(plant), 끼워 넣다, 끼우다(insert); 〖의학〗 (산 조직을) 이식하다; 〖보통 수동태〗 (수정란을 자궁벽에) 착상시키다. **—** [ㅅㅅ] *n.* 끼워진〔심어진〕 것; 〖의학〗 이식(移植) 조직; (외과에서) 임플란트《치료 목적으로 체내에 삽입되는 용기에 든 방사성 물질》. ㊞ **~·a·ble** *a.* **~·er** *n.*

implántable púmp 〖의학〗 매립식 펌프《체내에 묻고 인슐린 화학 요법제 등을 주입하는 장치》.

im·plan·ta·tion [implæntéiʃən/-plɑːn-] *n.* **1** 심음, 이식. **2** 〖의학〗 (체내) 이식, (고형 약물의 피하) 주입; (자궁 내에서의) 착상. **3** 가르침; 주입, 고취; 〖물리〗 주입.

im·plau·si·ble [implɔ́ːzəbəl] *a.* 받아들이기〔믿기〕 어려운; 진실 같지 않은. ㊞ **-bly** *ad.* **~·ness** *n.* **im·plàu·si·bíl·i·ty** *n.*

im·plead [implíːd] *vt.* 고소〔기소〕하다(sue), 고발하다; 《드물게》 비난하다(accuse). ㊞ **~·er** *n.*

◇**im·ple·ment** [ímpləmənt] *n.* **1** 도구, 기구(tool); (*pl.*) (가구·의복 등의) 비품, 장구: agricultural ~*s* 농기구 / kitchen ~*s* 부엌세간. SYN. ⇨ TOOL. **2** 수단, 방법(means). **3** 《Sc.》 〖법률〗 (계약 등의) 이행. **—** [ímpləmènt] *vt.* **1** …에 도구를〔수단을〕 주다. **2** …에게 필요한 권한을 주다, …에게 효력을 주다. **3** (약속 따위를) 이행〔실행〕하다(fulfill), (조건 등을) 충족하다, 채우다. ㊞ **im·ple·men·tal** [ìmpləméntl] *a.* 기구의; 도구가〔수단이〕 되는, 도움〔힘〕이 되는; 실현에 기여하는《*to*》.

im·ple·men·ta·tion [ìmpləmentéiʃən] *n.* **1** Ⓤ 이행, 수행; 완성, 성취. **2** 〖컴퓨터〗 임플러먼테이션《어떤 컴퓨터 언어를 특정 기종의 컴퓨터에 적합하게 함》.

Implementátion Fòrce (NATO의 보스니아) 평화 유지군《I-FOR》.

im·ple·tion [implíːʃən] *n.* 《고어》 채움; 충만(상태); 충만해 있는 물건.

im·pli·cate [ímplikèit] *vt.* **1** 관련시키다, 휩쓸려들게 하다, 연좌시키다: a letter that ~*s* him in the bribery case 그가 그 독직 사건에 관여하고 있음을 나타내는 편지. **2** 결과로서 …에게 영향을 끼치다; 당연히 …을 뜻하다, 함축하다(imply). **3** 뒤얽히게〔뒤엉키게〕 하다《*with*》. ***be ~d in*** (a crime) (범죄)에 관련되다. **—** [-kit] *n.* 포함된 것.

◇**im·pli·cá·tion** *n.* **1** Ⓤ,Ⓒ (뜻의) 내포, 함축, 암시(hint). **2** Ⓤ 연루, 연좌, 관계, 관련《*in*》; (흔히 ~s) (…에 대한) 밀접한 관계, 영향《*in*》; (예상되는) 결과《*for*》: Their ~ of her *in* the crime was obvious. 그들이 그녀를 범죄에 연루시킬 것임은 명백했다. **3** Ⓤ 얽힘, 엉킴. ***by ~*** 넌지시, 암암리에. ㊞ **~·al** *a.*

im·pli·ca·tive [ímplikèitiv, implíkə-] *a.* (은연중에) 내포하는, 언외의 뜻을 갖는; 말려드는, 연루의. ㊞ **~·ly** *ad.* **~·ness** *n.*

im·pli·ca·ture [ímplikətʃər] *n.* 〖철학·언어〗 함의(含意), 《특히》 회화의 함의《발화(發話)의 상황에서 추론되는, logical entailment 와는 다른 함의》.

*__im·plic·it__ [implísit] *a.* **1** 은연중의, 함축적인, 암시적인, 암묵의. OPP *explicit*. ¶ an ~ promise 묵계. **2** 무조건의(absolute), 절대적인, 맹목적인: ~ obedience 절대 복종 / ~ faith 맹신. **3** 내재〔잠재〕하는(potential)《*in*》. ◇ implicate *v.* ㊞ **~·ly** *ad.* 암암리에, 넌지시; 절대적으로. **~·ness** *n.*

implícit deflátor 〖경제〗 암묵(暗默) 디플레이터《명목치와 실질치를 얻은 후 사후적으로 명목치를 실질치로 나누어 얻는 수정 인자》.

implícit differentiátion 〖수학〗 음함수 미분법.

implícit fúnction 〖수학〗 음함수. OPP *explicit function*.

im·plied [impláid] *a.* 함축된, 암시적인; 언외의(OPP *express*): an ~ consent 묵낙(默諾). ㊞ **im·pli·ed·ly** [impláiidli] *ad.* 암암리에, 넌지시.

implíed áuthor 상정(想定)의 저자《서술에 있어 독자에 의해 저자로 상정되는 것》.

implíed consént 암묵의 동의, 묵낙; 〖미법률〗 묵시적 동의《운전면허 취득에는 음주 검사에 응할 의무가 수반하는 것 따위》.

implíed pówers 《미》 묵시적 권한《헌법 규정엔 없지만 국회가 행사할 수 있는》.

implíed réader 상정상의 독자《서술 전체가 독자로 상정하고 있는 것》.

implíed wárranty 〖법률〗 묵시적(默示的) 보증〔담보〕.

im·plode [implóud] *vi.* (진공관 따위가) 안쪽으로 파열하다, 내파(內破)하다; 집중하다, 통합하다. cf. explode. **—** *vt.* 〖음성〗 내파시키다, (파열음을) 내파적으로 발음하다.

im·plo·ra·tion [ìmplɔːréiʃən] *n.* Ⓤ,Ⓒ 탄원, 애원.

im·plor·a·to·ry [implɔ́ːrətɔ̀ːri/-təri] *a.* 탄원적인, 탄원의.

*__im·plore__ [implɔ́ːr] *vt.* 《~+목/+목+전+명/+목+*to* do》 (…을) 애원〔탄원〕하다; (아무에게) 간청하다: ~ forgiveness 용서해 주기를 애원하다 / *Implore* God *for* mercy. 신에게 자비를 구하라 / ~ a person *to* go 아무에게 가 주기를 간청하다. SYN. ⇨ BEG. **—** *vi.* 《+전+명/+전+명+*to* do》 애원하다: ~ *for* one's life 살려 달

라고 애원하다 / ~ *of* a person *to* spare one's life 아무에게 목숨을 살려 달라고 간청하다.

im·plór·ing [-riŋ] *a.* 애원하는: an ~ glance 애원하는 눈초리. ㊞ **~·ly** *ad.*

im·plo·sion [implóuʒən] *n.* Ⓤ 안쪽으로의 파열; 〖음성〗 (폐쇄음의) 내파(內破)(cf. explosion); 〖정신의학〗 내적 파쇄 요법《공포증 치료법》. 「법(內的破碎療法).

implósion thérapy 〖정신의학〗 내적 파쇄 요

im·plo·sive [implóusiv] *a.* 〖음성〗 내파의. ── *n.* 내파음. cf. explosive. ㊞ **~·ly** *ad.*

im·plu·vi·um [implúːviəm] (*pl.* **-via** [-viə]) *n.* 〖고대로마〗 안뜰(atrium) 한가운데의 빗물받이.

*__im·ply__ [implái] *vt.* **1** 함축하다, 넌지시 비추다, 암시하다(suggest): You ~ that I am not telling the truth. 내가 사실을 말하지 않는다는 거죠. SYN. ⇨ SUGGEST. **2** 의미하다(mean): Silence often *implies* consent. 침묵은 때때로 동의를 의미한다. **3** (필연적으로) 포함〔수반〕하다, …을 당연히 수반하다: Vegetation *implies* ample rainfall. 식물의 성장은 충분한 우량을 조건으로 한다. ◇ implication *n.* implicit *a.*

im·po [ímpou] (*pl.* **~s**) *n.* 《영구어》 =IMPOSITION 3. 「하다(reclaim).

im·pol·der [impóuldər] *vt.* 《영》 매립(埋立)

im·pol·i·cy [impáləsi/-pɔ́l-] *n.* Ⓤ 득책이 아님, 졸렬한 계책.

*__im·po·lite__ [impəláit] *a.* 무례한, 버릇없는, 실례되는(ill-mannered)《*of; to*》: It is ~ *of* you *to* interrupt the conversation of grown-ups. =You are ~ *to* interrupt the conversation of grown-ups. 어른들 이야기에 말참견하는 것은 실례이다. ㊞ **~·ly** *ad.* **~·ness** *n.*

im·pol·i·tic [impálətik/-pɔ́l-] *a.* 득책이 아닌, 무분별한, 졸렬한, 불리한. ㊞ **~·ly** *ad.* **~·ness** *n.* **ìm·po·lít·i·cal** *a.*

im·pon·der·a·bil·ia [impàndərəbíliə, -bíljə/-pɔ̀n-] *n. pl.* 측량〔평가〕할 수 없는 것.

im·pon·der·a·ble [impándərəbəl/-pɔ́n-] *a.* **1** 무게가 없는, 극히 가벼운. **2** 평가〔계량〕할 수 없는; 헤아릴 수 없는. ── *n.* 〖물리〗 불가량물(不可量物)《열·빛 등》; (효과·영향을) 헤아릴 수 없는 것《감정·여론 등》. ㊞ **im·pòn·der·a·bíl·i·ty** *n.* Ⓤ

im·po·nent [impóunənt] *n.* 부과하는 사람.

⁑**im·port** [impɔ́ːrt] *vt.* **1** 《~+목/+목+전+명》 수입하다《*from*》. OPP. *export*. ¶ ~*ed* goods 수입품 / ~ coffee *from* Brazil 브라질에서 커피를 수입하다. **2** 《+목+전+명》 가져오다; (감정 등을) 개입시키다: ~ one's feeling *into* discussion 토론에 감정을 개입시키다. **3** 《~+목/+*that*절》 …의 뜻을 내포하다, 의미하다(mean), 나타내다(express): Clouds ~ rain. 구름은 비를 뜻한다 / Honor ~s justice. 명예는 정의를 의미한다 / His words ~*ed that* he wanted to quit the job. 그의 말은 그가 직장을 그만두겠다는 의도를 나타낸 것이었다. **4** 《고어》 …에게 중요하다, …에게 중대한 관계가 있다; …의 책임이다: questions that ~ us so nearly 우리에게 아주 관계가 깊은 문제. ── *vi.* 중요하다(matter): What she wants ~s very little. 그녀가 원하는 것은 아주 대단치 않은 것이다.

── [ˊ-] *n.* **1** Ⓤ 수입; (보통 *pl.*) 수입품, 수입(총)액; 〖형용사적〗 수입(용)의: an ~ letter of credit 수입 신용장. **2** 《Can.속어》 프로의 외인(外人) 선수; 《미학생속어》 (기숙사 축제 등에) 다른 마을에서 불러온 여자 애. **3** Ⓤ 의미, 취지《*of*》: the ~ *of* his remarks 그의 말의 취지. **4** Ⓤ 중요성〔함〕: a matter of great ~ 극히 중요한 사항. **5** 〖컴퓨터〗 가져오기.

㊞ **im·pòrt·a·bíl·i·ty** *n.* 수입할 수 있음. **im·pórt·a·ble** *a.* 수입할 수 있는.

⁑**im·por·tance** [impɔ́ːrtəns] *n.* Ⓤ **1** 중요성, 중대함: a matter of great 〔no〕 ~ 중대한〔하찮은〕 일. **2** 중요한 지위, 관록(dignity); 유력: a man of ~ 중요 인물, 유력자. **3** 잘난 체함, 거드름 부림(pompousness). cf. self-importance. ¶ have an air of ~ 잘난 체하는 태도를 취하다 / be full of one's own ~ (폄하며) 우쭐해하다, 자신(自信) 과잉이다. ***be conscious of*** 〔***have a good idea of, know***〕 ***one's own ~*** 자부〔젠체〕하고 있다, 우쭐해 있다. ***make much ~ of*** …을 존중〔존경〕하다. ***with an air of ~*** 젠체하고, 거드름을 부리며.

†**im·por·tant** [impɔ́ːrtənt] *a.* **1** 중요한, 의의 있는(significant)《*to; for*》: ~ decisions 중대한 결정 / ~ books 주목할 만한 책 / facts ~ *to* a fair decision 공평한 판결을 위해 중요한 사실 / His cooperation is very ~ *to* me 〔*for* the plan〕. 그의 협력이 내게는〔그 계획에는〕 아주 중요하다.

> SYN. **important** 가장 일반적인 말로 '중요한 결과를 초래하는, 중요함이 함축된'이라는 것이 원뜻. **material** 본질적인 부분을 구성하는, 실질적으로 빠뜨릴 수 없는: a point *material* to one's argument 논쟁에서의 중요점. **grave** 심상치 않은, 간단치 않은: a *grave* question 중대한 문제. **momentous** important와 거의 같은 뜻이나 '의의가 있는, 주목할 만한'이라는 뜻을 내포함: a *momentous* day in history 역사에 기록될 날.

2 유력한, 저명한: cultivate the ~ people 유력한 사람들과 교제를 돈독히 하다. **3** 젠체하는: assume an ~ air 젠체하다. ***a very ~ person*** 중요 인물《생략: VIP》. ㊞ **~·ly** *ad.*

◇**im·por·ta·tion** [ìmpɔːrtéiʃən] *n.* Ⓤ 수입; Ⓒ 수입품. OPP. *exportation*.

impórt dúties 수입 관세. 「(幼蟲).

impórted cábbageworm 흰나비의 유충

im·por·tee [ìmpɔːrtíː] *n.* 외국에서 초빙해 온 사람, 초청 인물.

im·pórt·er *n.* 수입자〔상〕, 수입업자.

ímport lìcence 수입 면장.

im·por·tu·nate [impɔ́ːrtʃənət] *a.* (사람·요구 따위가) 끈질긴, 귀찮게 졸라대는; (사태가) 절박한. ㊞ **~·ly** *ad.* **~·ness, im·por·tu·na·cy** [impɔ́ːrtʃənəsi] *n.* 집요함.

im·por·tune [ìmpɔrtjúːn, impɔ́ːrtʃən/impɔ́ːtjuːn, ìmpətʃúːn] *vt.* 《~+목/+목+전+명/+목+*to* do》 …에게 끈덕지게〔성가시게〕 조르다, 청하다; 괴롭히다(annoy): ~ one's parents *for* money 돈을 달라고 부모를 조르다 / He ~*d* me *to* grant his request. 그는 나에게 부탁을 들어 달라고 성가시게 굴었다. ── *vi.* 끈질기게 조르다; 부당한 방법으로 빌붙다. ── *a.* 《드물게》 =IMPORTUNATE. ㊞ **~·ly** *ad.* **-tún·er** *n.*

im·por·tu·ni·ty [ìmpɔːrtjúːnəti/-tjúː-] *n.* Ⓤ 끈질기게 조름; (*pl.*) 끈덕진 재촉〔요구〕.

*__im·pose__ [impóuz] *vt.* **1** 《+목+전+명》 (의무·세금·벌 따위를) 지우다, 과(課)하다, 부과하다(inflict)《*on, upon*》: ~ a tax *on* an article 물품에 과세하다. **2** 《+목+전+명》 강요〔강제〕하다(force)《*on, upon*》: ~ one's opinion *upon* others 자기 의견을 타인에게 강요하다 / ~ silence *on* a person 아무를 침묵시키다. **3** 《+목+전+명》 (가짜 물건 등을) 떠맡기다, 속여 팔다: ~ bad wine *on* customers 불량품 포도주를 고객에게 팔아먹다. **4** 〖~ oneself〗 (남의

일에) 참견하다; (남의 집 등에) 쳐들어가다《on, upon》: ~ oneself upon others 남의 일에 참견하다. **5** 《고어》 놓다, 두다; 〖인쇄〗 조판하다; 〖종교〗 안수(按手)하다. **— vi.** **1** 《+전+명》 (남의 선의 등에) 편승하다, …을 기화로 삼다, (특권 등을) 남용하다《upon》; 속이다; 기만하다《on》; (남에게) 성가시게 굴다《on》: ~ upon a person's kindness 아무의 친절을 기화로 삼다 / He has ~d on your good nature. 그는 자네가 호인임을 이용했군 / You have been ~d upon. 너는 속고 있는 것이다. **2** 위압하다, 감복시키다《on, upon》. **3** (남의 일에) 주제넘게 나서다, 말참견하다《on, upon》. ◇ imposition *n.*

°**im·pós·ing** *a.* 위압하는, 당당한; 인상적인(impressive): an ~ air 당당한 태도. ㊞ **~·ly** *ad.* **~·ness** *n.*

impósing stòne 〔**tàble, sùrface**〕 〖인쇄〗 「조판대.

im·po·si·tion [ìmpəzíʃən] *n.* **1** Ⓤ (세금·벌 따위를) 과(課)하기, 부과, 과세; Ⓒ 부과물, 세(금); 부담, 짐. **2** (사람 좋음을) 기화로 삼기; 속임, 사기. **3** 《영》 벌로서의 과제(課題)《흔히 impo, impot로 생략》. **4** 놓음, 둠; 〖종교〗 안수; 〖인쇄〗 조판. ◇ impose *v.*

im·pos·si·bi·lism [impásibilìzəm] *n.* 사회개혁 불가능론.

°**im·pòs·si·bíl·i·ty** *n.* Ⓤ 불가능(성); Ⓒ 있을 수 없는 일, 불가능한 일 〔것〕. ◇ impossible *a.*

‡im·pos·si·ble [impásəbəl/-pɔ́s-] *a.* **1** 불가능한, …할 수 없는, …하기 어려운《for; to; to do; of》: next to ~ 거의 불가능한 / Nothing is ~ for 〔to〕 him. 그에게는 불가능한 일이란 아무것도 없다 / It is ~ for me to do that. 그것을 하기는 불가능하다 / The informant was ~ to trace. 그 정보 제공자는 찾을 수 없다 / be ~ of achievement 〔execution〕 성취〔실행〕할 수 없다. **2** (the ~) 《명사적; 단수취급》 불가능한 일: attempt the ~ 불가능한 일을 시도하다. **3** 믿기 어려운(unbelievable), 있을 수 없는《for; to do》: an ~ story 있을 수 없는 이야기 / It's ~ for him to trust her. 그가 그녀를 믿는다는 것은 있을 수 없다. **4** 실현할 수 없는; 실제적이 아닌, 현실성이 없는: an ~ plan 실행 불가능한 계획. **5** 《구어》 견딜〔참을〕 수 없는(unendurable, unacceptable), 불쾌한, 몹시 싫은: an ~ situation 그냥 둘 수 없는 상황 / an ~ fellow 지겨운 녀석.

> NOTE impossible에 계속되는 to 부정사에는 수동태를 쓸 수 없다. ×The job was ~ to be done. 이는 It was ~ to do the job. 이나 The job could not be done. 으로 씀.

㊞ **-bly** *ad.* 불가능하게: not *impossibly* 경우에 따라서는, 어쩌면. **~·ness** *n.*

impóssible árt 개념 예술(conceptual art).

impóssible fígure 불가능 도형.

im·post[1] [ímpoust] *n.* 부과금, 조세, 관세; 〖경마〗 부담 중량《레이스에서 핸디캡으로 출주마(出走馬)에 싣는 중량》. **— vt.** 《미》 수입 품목별로 …의 관세를 정하다.

im·post[2] *n.* 〖건축〗 홍예〔아치〕 (안쪽의) 굽.

im·pos·tor, -post·er [impástər/-pɔ́s-] *n.* 남의 이름을 사칭하는 자; 사기꾼, 협잡꾼.

im·pos·tume, -thume [impástʃu:m, -tju:m/-pɔ́stju:m], [-θu:m] *n.* 《고어》 농양(abscess); 도의(道義)의 퇴폐(의 근원).

im·pos·ture [impástʃər/-pɔ́s-] *n.* Ⓤ,Ⓒ 사기, 협잡.

im·pot [ímpət] *n.* 《영》 =IMPOSITION 3.

im·po·tence, -ten·cy [ímpətəns], [-i] *n.* Ⓤ 무력, 무기력, 허약; 〖의학〗 음위(陰痿); (가축의) 발기〔교미〕 불능증.

°**im·po·tent** [ímpətənt] *a.* **1** 무력한, 무기력한; 능력이 없는《to do》: an ~ feeling 무력감 / He's ~ to help her. 그는 그녀를 도울 능력이 없다. **2** 효과가 없는, 어찌할 수도 없는《against》: Medicine is largely ~ against the disease. 의학은 그 병에 대해서는 거의 효력을 발휘하지 못한다. **3** 체력이 없는, 허약한. **4** (남성이) 성교 불능의, 음위(陰痿)의(opp potent). **— n.** 허약〔무능〕한 자; 성교 불능자. ㊞ **~·ly** *ad.* **~·ness** *n.*

im·pound [impáund] *vt.* **1** (가축을) 울안에 넣다; (사람을) 가두다, 구치하다. **2** 〖법률〗 (증거물 등을) 압수〔몰수〕하다(confiscate). **3** (저수지에 물을) 채우다: ~ed water 저수. **—** [스] *n.* 관개용 저수지. ㊞ **~·a·ble** *a.* **~·er** *n.* **~·ment** *n.* 가둠; 저수, 인공호; 저수량.

im·pov·er·ish [impávəriʃ/-pɔ́v-] *vt.* **1** 가난하게 하다, 곤궁하게 하다. **2** (땅 따위를) 메마르게 하다, 불모로 만들다. **3** 허약〔무력〕하게 만들다. ㊞ **~·er** *n.* **~·ment** *n.*

im·póv·er·ished [-t] *a.* 가난해진; 힘을 잃은, 동식물의 종류〔수〕가 적은《지역》; (실험에서) 표준보다 자극이 적은, 외부 자극이 (거의) 없는: rats isolated in ~ cages 외부 자극이 없는 바구니에 따로따로 넣어진 쥐.

im·pow·er [impáuər] *vt.* 《폐어》 =EMPOWER.

im·pràc·ti·ca·bíl·i·ty *n.* Ⓤ 비실제성(非實際性), 실행 불능; Ⓒ 실행할 수 없는 일.

°**im·prac·ti·ca·ble** [impræ̀ktikəbəl] *a.* **1** (방법·계획 따위가) 실행〔실시〕 불가능한(unworkable); 쓸 수가 없는(unusable). **2** 《드물게》 (고집이 세어) 다룰〔어찌할〕 수 없는(intractable). **3** (도로 등이) 다닐〔통행할〕 수 없는(impassable). ㊞ **-bly** *ad.* 실행〔사용〕할 수 없게; 다룰〔실행할〕 수 없을 정도로. **~·ness** *n.*

°**im·prac·ti·cal** [impræ̀ktikəl] *a.* **1** 실제적이 아닌, 비현실적인, 비실용적인. **2** 실제에 어두운. ★《영》에서는 보통 unpractical. **3** 실행할 수 없는(impracticable). ㊞ **im·pràc·ti·cál·i·ty** [-kǽləti] *n.* Ⓤ 비(非)실제성, 실행 불능; Ⓒ 실제적이 아닌〔실행 불가능한〕 일. **~·ly** *ad.* **~·ness** *n.*

im·pre·cate [ímprikèit] *vt.* 《~+목/+목+전+명》 (아무에게 재난·불행이 있기를) 빌다, 방자하다; 《드물게》 저주하다: ~ the weather 날씨를 저주하다 / ~ a curse upon him 그에게 저주 있으라고 빌다 / ~ evil upon a person 아무에게 재앙이 내리기를 빌다. ㊞ **ìm·pre·cá·tion** *n.* Ⓤ 방자; Ⓒ 저주. **ím·precà·tor** *n.* **ím·pre·ca·to·ry** [-kətɔ̀:ri/-kèitəri] *a.*

im·pre·cise [ìmprəsáis] *a.* 부정확한, 불명확한. ㊞ **~·ly** *ad.* **~·ness** *n.*

im·pre·ci·sion [ìmprisíʒən] *n.* 부정확, 불명확, 비정밀.

im·preg [ímpreg] *n.* 합성수지를 먹인 베니어합판.

im·prèg·na·bíl·i·ty *n.* Ⓤ 난공불락(難攻不落); 견고.

im·preg·na·ble[1] [imprégnəbəl] *a.* 난공불락의, 견고한; 움직일 수 없는; (신념 따위가) 확고부동한: be in an ~ position 움직일 수 없는 지위에 있다. ㊞ **-bly** *ad.* **~·ness** *n.*

im·preg·na·ble[2] *a.* (알·동물 따위가) 수정〔수태〕 가능한.

im·preg·nant [imprégnənt] *n.* 함침제(含浸劑)《다른 물질에 침투시키는 물질》.

im·preg·nate [imprégnèit, ímpreg-] *vt.* **1** …에게 임신〔수태〕시키다; 〖생물〗 …에 수정(受精)시키다(fertilize): be ~d 임신해 있다. **2** 《+목+전+명》 …에 채우다(fill), …에 충만〔포화〕시키다, 스며들게〔침투하게〕 하다(saturate) 《with》: The air was ~d with deadly gas. 공기는 독가스로 가득 찼다 / ~ handkerchief with perfume 손수건에 향수가 스며들게 하다. **3** 《+目+前+名》 (사상·감정·원리 따위를) …에게 불어넣다(inspire), 심다, 주입하다(imbue) 《with》: ~ a person's mind with new ideas 아무에게 새로운 사상을 주입시키다. **—** [imprégnət, -neit] a. 임신한; 함유한, 포화한, 스며든; 주입된《with》. ㊞ **ìm·preg·ná·tion** n. Ⓤ 임신; 수정; 주입, 침투; 충만; 포화; 고취; 〖광물〗 광염(鑛染) 작용. **im·preg·na·tor** [imprégneitər] n. 주입기.

im·pre·sa [impréizə] n. (방패 위의) 문장(紋章); 금언(金言).

im·pre·sa·rio [ìmprəsɑ́:riòu] (pl. **-ri·os**) n. 《It.》 (가극·음악회 등의) 흥행주(主), (가극단·악단 등의) 감독; 지휘자.

im·pre·scrip·ti·ble [ìmpriskríptəbəl] a. 〖법률〗 (권리 등이) 시효로 소멸하지 않는; 법령〔정관〕에 의하여 움직일 수 없는(inalienable); 불가침의, 절대적인(absolute). ㊞ **-bly** ad.

***im·press**[1] [imprés] (p., pp. **~ed,** 《고어》 **imprést**) vt. **1** 《~+目/+目+前+名》 …에게 감명을 주다, …을 감동시키다: His firmness ~ed me. 그의 굳은 결의에 감명을 받았다 / I was deeply ~d by 〔at, with〕 his performance. 그의 연주에 깊이 감동받았다. **2** 《+目+as 補/+目+前+名》 인상 지우다, 명기〔인식〕시키다, 통감케 하다《on, upon; with》: ~ a person with the value of education 아무에게 교육의 가치를 통감케 하다. **3** 《~+目/+目+前+名》 도장을 누르다, 날인하다; 자국을 남기다: ~ a seal 도장을 찍다 / He ~ed a seal on the wax. 그는 왁스에 봉인을 했다 / ~ a surface with a mark 표면에 마크를 하다. **4** 〖~ oneself〗 (마음에) 깊이 새기다《on, upon》: His words ~ed themselves on my memory. 그의 말이 나의 기억에 깊이 새겨졌다. **5** …에 힘을 전하다; 〖전기〗 …에 전압을 가하다. ◇ impression n. **~ a kiss upon** …에 키스하다. **~ motion upon** …에 운동을 일으키다. **—** [´-] n. Ⓤ,Ⓒ **1** 날인. **2** 흔적, 특징. **3** 인상, 감명. **4** 영향.

im·press[2] vt. 징발하다, 징용하다; (특히 육해군에) 강제 징모하다; (토론 따위에) 인용(引用)〔원용〕하다; (설득하여) …의 원조를 받다. **—** [´-] n. 강제 징집, 징용.

im·prèss·i·bíl·i·ty n. Ⓤ 감수성, 다감.

im·préss·i·ble a. 다감한, 감수성이 예민한. ㊞ **-bly** ad.

****im·pres·sion** [impréʃən] n. **1** Ⓤ,Ⓒ 인상, 감명, 감상: the first ~ 첫(번)인상 / my first 〔immediate, initial〕 ~ of this book 이 책을 읽은 나의 첫인상 / have a favorable 〔unfavorable〕 ~ on a person 아무에게 좋은〔나쁜〕 인상을 주다 / make an ~ on … …에 인상〔감명〕을 주다. **2** Ⓒ 〖보통 단수형〗 (막연한) 느낌, 기분, 생각(notion)《of; that》: What is your ~ of her response to our offer? 우리의 제안에 대한 그녀의 반응에 당신은 어떤 느낌을 받았는가 / My ~ is that he is a good man. 그는 좋은 사람이라는 느낌이 든다. **3** Ⓤ 영향, 효과《on, upon》: Punishment made little ~ on him. 그에게 벌을 주어도 아무런 효과가 없었다. **4** Ⓤ,Ⓒ 날인, 압인, 각인; (눌러서 생긴) 자국, 흔적. **5** Ⓒ 〖인쇄〗 쇄(刷)《개정·증보 등의 판(edition)에 대해 내용은 그대로임; 생략: imp.》: the second ~ of the first edition 초판 제 2 쇄. **6** Ⓤ 〖치과〗 의치(義齒)의 본. **7** (연예인 등 유명인의) 흉내, 성대 모사: do 〔give〕 an ~ of the politician 그 정치가의 흉내를 내다. ◇ impress v. **be under the ~ that…** …하다고 생각하고 있다.

give one's **~(s) of** …에 관한 인상을 말하다. ㊞ **~·al** a. 인상의, 인상적인. **~·al·ly** ad.

im·prés·sion·a·ble a. 느끼기 쉬운, 감수성이 예민한; (종이 등이) 인쇄에 적합한. ㊞ **-bly** ad. **~·ness** n. **im·près·sion·a·bíl·i·ty** n. Ⓤ 감수〔감동〕성, 민감.

im·prés·sion·ìsm n. Ⓤ 〖예술〗 인상파〔주의〕.

im·prés·sion·ist n. 인상파의 화가〔조각가, 작가, 작곡가〕; 유명인의 흉내를 내는 예능인. **—** a. =IMPRESSIONISTIC.

im·pres·sion·is·tic [imprèʃənístik] a. 인상파〔주의〕의; 인상적인. ㊞ **-ti·cal·ly** ad.

****im·pres·sive** [imprésiv] a. 인상에 남는, 인상적인, 감동을 주는: an ~ ceremony 감명 깊은 의식. ㊞ **~·ly** ad. **~·ness** n. 「(收用).

im·préss·ment n. Ⓤ 징병; 징용, 징발, 수용

im·prest [imprest] n. 전도금, 선급금《특히 공공사업 따위에 대한》.

ímprest fùnd 정액 선급 자금.

im·pri·ma·tur [ìmprimɑ́:tər, -méi-, -prai-] n. 《L.》 〖가톨릭〗 임프리마투르, 출판〔인쇄〕 허가《생략: imp.》; 《때로 우스개》 허가, 인가, 승인, 면허.

im·pri·mis [impráimis] ad. 《L.》 최초로, 우선 첫째로(in the first place).

im·print [imprínt] vt. 《+目+前+名》 **1** (도장·기호·문자 따위를) 누르다, 찍다; 인쇄하다: ~ footsteps on the snow 눈 위에 발자국을 남기다. **2** (종이 따위에) 날인하다《with》: ~ a receipt with a seal 영수증에 날인하다. **3** …에게 감명을주다: ~ a person's mind with fear 아무에게 공포감을 주다. **4** 〖종종 수동태〗 강하게 인상 지우다, 명기(銘記)시키다, 감명시키다《on, upon; in》: The scene was ~ed on 〔in〕 my memory. 그 광경은 내 기억에 강하게 새겨졌다. **5** (키스를) 해 주다: ~ a kiss on a person's forehead 아무의 이마에 키스하다. **6** 〖흔히 과거분사로〗 〖동물·심리〗 인상 굳히다《on; to》. **—** [´-] n. **1** 날인; 자국, 흔적. **2** 인상; 모습. **3** 〖인쇄〗 (책 따위의) 간기(刊記)《출판사 이름·주소·발행 연월일 따위》. ㊞ **~·er** n.

im·prínt·ing n. 〖동물·심리〗 각인(刻印); (어렸을 때의) 인상 굳힘.

***im·pris·on** [imprízən] vt. 투옥하다, 수감하다, 감금하다; 구속하다, 묶다. ㊞ **~·ment** n.

im·pro [ímprou] n. 《구어》 =IMPROV.

***im·prob·a·ble** [imprɑ́bəbəl/-prɔ́b-] a. 있을 법하지 않은, 참말 같지 않은. ㊞ **-bly** ad. 있을 법하지 않게, 참말 같지 않게. ★지금은 다음의 구로만 쓰임: not improbably 경우에 따라서는, 어쩌면. **~·ness** n. **im·prob·a·bíl·i·ty** n. Ⓤ,Ⓒ 있을 법하지 않은 일, 사실 같지 않음.

im·pro·bi·ty [impróubəti, -prɑ́b-/-próub-, -prɔ́b-] n. Ⓤ,Ⓒ 사악; 비(非)정직, 성실치 않음.

im·promp·tu [imprɑ́mptju:/-prɔ́mptju:] ad. 준비 없이, 즉석에서, 즉흥적으로. **—** a. 즉석의: an ~ address 즉흥 연설. **—** (pl. **~s**) n. 즉석 연설〔연주〕, 즉흥시; 〖음악〗 즉흥곡(improvisation). **—** vt., vi. =IMPROVISE.

***im·prop·er** [imprɑ́pər/-prɔ́p-] a. **1** 부적당한, 타당치 않은, 그릇된. **2** (그 경우·목적에) 어울리지 않는, 맞지 않는: ~ to the occasion 그 자리에 어울리지 않는. **3** 부도덕한, 음란한. **4** 온당치 못한; 예의에 벗어난. **5** 불규칙한, 변칙적인. ㊞ **~·ly** ad. **~·ness** n.

impróper fráction 〖수학〗 가(假)분수.

impróper íntegral 〖수학〗 특이적분(特異積分), 광의의 적분.

im·pro·pri·ate [impróuprièit] vt. (교회의 재

산 따위를) 개인의 손에 넘기다. — [-priət, -èit] *a.* (교회 재산이) 개인 소유로 넘어간. [파] **im·prò·pri·á·tion** *n.* [U,C] ~하기; ~한 재산. **im·pró·pri·à·tor** [-ər] *n.* 교회의 재산·수익을 보관하는 속인(俗人).

im·pro·pri·e·ty [ìmprəpráiəti] *n.* [U,C] **1** 틀림, 부정, 잘못. **2** 부적당, 부적절. **3** 꼴사나움, 못된 행실, 부도덕; 야비, 버릇없음.

im·prov [ímprɑv/-prɔv] *n.* 《구어》 즉흥 연극〔연주〕(improvisation).

im·pròv·a·bíl·i·ty *n.* [U] 개량〔개선〕할 수 있음; 이용할 수 있음.

im·próv·a·ble *a.* 개량〔개선〕할 수 있는; 이용할 수 있는; 경작에 적당한. [파] **-bly** *ad.* **~·ness** *n.*

‡**im·prove** [imprúːv] *vt.* **1** 《~+[목]/+[목]+[전]+[명]》 (부족한 점을 고쳐) 개량하다, 개선하다; 〖~ oneself〗 향상되다《*in; at*》: ~ a method 방법을 개선하다/~ one's techniques 기술을 향상시키다/~ the design of the car 차의 디자인을 개량하다/~ a pony *into* racehorse 망아지를 경마말로 키우다/She's anxious to ~ *herself in* 〔*at*〕 English. 그녀는 영어 실력이 더욱 향상되기를 바라고 있다. [SYN.] ⇨REFORM. **2** (…의 외관을) 좋게(보이게) 하다: That dress ~*s* her greatly. 저 옷을 입으면 그녀는 훨씬 예뻐 보인다. **3** (기회·시간을) 이용〔활용〕하다, 보람 있게 하다: ~ one's time by studying 공부로 시간을 활용하다. **4** (토지·건물 따위)의 가치를 〔생산성을〕 높이다: Land was ~*d* by using it for a public park. 토지는 공원으로 사용되어 이용도가 높아졌다. — *vi.* **1** 《~/+[전]+[명]》 좋아지다, 호전(好轉)되다, 개선되다《*in*》: His English is *improving*.=He's *improving in* English. 그는 영어가 향상되었다/He has ~*d* much *in* health. 그는 건강이 많이 호전되었다. **2** (주가·시황 등이) 회복되다, 향상하다.

~ *away* (a good quality) 개량하려다가 오히려 (좋은 품질을) 결딴내다. **~ *on*** 〔***upon***〕 (아무)보다 더 낫다〔능가하다〕; …을 개량하다; (기록 등)을 갱신하다, …보다 좋게 하다: This car hardly be ~*d on*. 이 차는 개량의 여지가 거의 없다/~ *on* one's own record 자기 기록을 갱신하다. **~ *on*** a person***'s ideas*** 아무의 아이디어를 개선하다. **~ *the occasion*** 기회를 이용하다; 기회를 이용하여 설교하다. **~ *upon a tale*** 이야기에 주석을 달다.

— *n.* 〖다음 관용구로〗 ***on the ~*** 개량〔개선〕돼 가고 있는(improving).

‡**im·prove·ment** [imprúːvmənt] *n.* **1** [U,C] 개량, 개선《*in*》: an ~ *in* working conditions 노동 조건의 개선. **2** [C] 개량한 곳, 개선점; 개량〔개선〕한 것: make several ~*s on* 〔*in, to*〕 the house 집에 몇 군데 손을 보다/My new car is a great ~ *on* my old one. 새 차는 먼저 차보다 훨씬 낫다. **3** [U] 향상, 진보, 증진《*of; in*》: the ~ *of* 〔*in*〕 health 건강의 증진. **4** [U] (시간 따위의) 이용, 활용. **5** [C] 개량〔개수〕 공사. **6** (흔히 ~s) 《S.Afr.·Can.》 (농장에 있는) 못, 울타리, 건조물; 그것들을 포함한 농장.

im·prov·er [imprúːvər] *n.* **1** 개량하는 사람〔것〕; (보수가 없거나 적은) 견습공. **2** (여성복의) 허리 받침.

im·prov·i·dence [imprɑ́vədəns/-prɔ́v-] *n.* [U] (장래에 대해) 생각이 없음, 무사무려, 경솔; 준비 없음, 낭비.

im·prov·i·dent [imprɑ́vədənt/-prɔ́v-] *a.* 선견지명이 없는, 앞일을 생각하지 않는; 장래에 대비치 않는; 아낄 줄 모르는, 헤픈. [OPP] *provident.* [파] **~·ly** *ad.* 선견지명 없이.

im·próv·ing *a.* (도덕적·지적으로) 교화하는, 도움이 되는.

im·prov·i·sa·tion [imprɑ̀vəzéiʃən, ìmprəvə-/ìmprəvai-] *n.* [U] 즉석에서 하기; [C] 즉흥 연주, 즉석 작품《시·그림 따위》. [파] **~·al** *a.* **~·al·ly** *ad.*

im·prov·i·sa·tor [imprɑ́vəzèitər, ímprəvə-/imprɔ́v-, ímprə-] *n.* 즉흥 시인; 즉석 연주자.

im·prov·i·sa·to·re [imprɑ̀vəzətɔ́ːri/-rei] (*pl.* ***-to·ri*** [-ri]) *n.* 《It.》 =IMPROVISATOR.

im·prov·i·sa·to·ri·al, im·pro·vi·sa·to·ry [imprɑ̀vəzətɔ́ːriəl/-prɔ̀v-], [ìmprəváizətɔ̀ːri, -vízə-/-təri] *a.* 즉석의, 즉흥의.

im·prov·i·sa·tri·ce [imprɑ́vəzətriːtʃi/-tʃei] (*pl.* ***-ci*** [-tʃi], **~*s***) *n.* 《It.》 improvisator의 여성형.

◇**im·pro·vise** [ímprəvàiz] *vt., vi.* (시·음악·축사·연설 따위를) 즉석에서 하다〔만들다〕; 즉흥 연주를 하다; 임시변통으로 만들다: ~ a bandage out of a clean towel 깨끗한 수건으로 임시변통의 붕대를 만들다. [파] **~d** [-d] *a.* 즉흥적인〔적으로 만든〕. **-vìs·er** *n.*

im·pru·dence [imprúːdəns] *n.* [U] 경솔, 무분별; [C] 경솔한 언행.

◇**im·pru·dent** [imprúːdənt] *a.* 경솔한, 무분별한, 조심하지 않는《*of; to* do》. [OPP] *prudent.* ¶ ~ behavior 경솔한 행동/It was ~ *of* you *to* say so.=You were ~ *to* say so. 그런 말을 하다니 너는 경솔했다. [파] **~·ly** *ad.* **~·ness** *n.*

◇**im·pu·dence** [ímpjədəns] *n.* [U] 뻔뻔스러움, 후안(厚顔), 몰염치; 건방짐; (the ~) 건방진 언동: He had the ~ *to* insult her. 그는 건방지게 그녀를 모욕했다. ***None of your ~!*** 건방진 수작 마라. ***Such ~!*** 정말 뻔뻔스럽구나!

***im·pu·dent** [ímpjədənt] *a.* 뻔뻔스러운, 철면피의, 염치없는; 건방진《*of; to* do》: an ~ beggar 건방진 놈/He was ~ enough *to* make faces at the teacher. 그는 건방지게도 선생님에게 찌푸린 얼굴을 지어 보였다. [파] **~·ly** *ad.* **~·ness** *n.*

im·pu·dic·i·ty [ìmpjudísəti] *n.* [U] 파렴치, 후안무치; 추잡함; [C] 추행(醜行).

im·pugn [impjúːn] *vt.* 비난〔공격, 논란, 배격, 반박〕하다. [파] **im·púgn·a·ble** *a.* 비난〔공격, 반박〕의 여지가 있는. **im·púgn·ment** *n.* [U] 비난, 공격, 반박.

im·pu·is·sance [impjúːəsəns] *n.* [U] 무능, 「무기력, 허약.

im·pu·is·sant [impjúːəsənt] *a.* 무능한; 무기력한, 무력한, 허약한.

im·pulse** [ímpʌls] *n.* **1** [C] 추진(력); 충격; 자극. **2** [U,C] (마음의) 충동, 일시적 충격: a man of ~ 충동적인 사람/on the ~ of the moment 그 순간의 일시적 충동으로. **3** 〖전기〗 충격 전파, 임펄스; 〖역학〗 격력(擊力); 충격량《힘과 시간의 곱》; 〖생리〗 충동; 욕구. ◇impel *v.* ***give an ~ to …에 자극을 주다, …을 촉진하다; …을 장려하다. (act) ***on*** (***an***) **~** 충동적으로〔생각 없이〕 (행동하다). ***under the ~ of*** …에 이끌려서. — *vt.* …에게 충격을 주다.

ímpulse bùyer 충동 구매자.

ímpulse bùying (특히 소비재의) 충동구매.

ímpulse chárge 충격 장약(裝藥)《로켓·미사일 등을 단지 발사기에서 이탈시키는 데 쓰는 폭약》. 「충격 파괴.

ímpulse kìll 〖군사〗 (레이저에 의한 미사일의)

ímpulse pàss 브레이크댄싱에서 둘이 마주 서서 서로 손을 잡고, 한 사람의 팔의 율동을 또 한 사람이 받는 것처럼 하여 팔·몸을 흔드는 춤.

ímpulse pùrchase 〔**bùy**〕 충동구매한 것.

ímpulse tùrbine 〖기계〗 충격 터빈.

im·pul·sion [impʌ́lʃən] *n.* U,C 충동, 충격, 자극, 원동력, 추진; 계기.

◇**im·pul·sive** [impʌ́lsiv] *a.* **1** 충동적인; 감정에 끌린〔흐른〕. SYN. ⇨SPONTANEOUS. **2** 추진적인: an ~ force. **3** 〖역학〗 격력(擊力)의. ㊞ **~·ly** *ad.* 감정에 끌려. **~·ness, im·pul·siv·i·ty** [impʌlsívəti] *n.*

im·pu·ni·ty [impjúːnəti] *n.* U 처벌되지 않음, 형벌 면제; 무사. ***with*** **~** 벌을〔해를〕 받지 않고; 무사히, 무난히: do a thing *with* ~ 비난을 받지 않고 일을 하다; 무사〔무난〕히 일을 하다.

im·pure [impjúər] *a.* 불결한, 때 묻은; 불순한; 순결하지 않은, 부도덕한, 외설한: ~ air 불결한 공기/~ motives 이기적인 동기. ㊞ **~·ly** *ad.* **~·ness** *n.*

◇**im·pu·ri·ty** [impjúərəti] *n.* U 불순; 더러움; 추잡함; C 불순물; 더러운 행위; 〖전자〗 (반도체 중의) 불순물.

im·pùt·a·bíl·i·ty *n.* U (책임을) 지울 수 있음, 돌릴 수 있음.

im·put·a·ble [impjúːtəbəl] *a.* (책임을) 지울〔돌릴〕 수 있는, 전가(轉嫁)할 수 있는: sins ~ *to* weakness 성격상의 나약 때문이라고 생각되는 죄(罪)/No blame is ~ *to* him. 그에게는 아무 허물〔책임〕도 없다. ㊞ **-bly** *ad.* **~·ness** *n.*

im·pu·ta·tion [ìmpjətéiʃən] *n.* U (죄·책임 따위를) 씌우기, 전가; C 비난, 비방; 오명(汚名): cast an ~ *on* a person's good name =make an ~ *against* a person's good name 아무의 명성(名聲)을 손상시키다.

imputátion sỳstem 〖영경제〗 (과세) 귀속 방식《배당 이중 과세 배제 방식》.

im·pu·ta·tive [impjúːtətiv] *a.* (책임이) 지워진, 전가(轉嫁)된, …탓으로 돌려진. ㊞ **~·ly** *ad.*

im·pute [impjúːt] *vt.* 《+목+전+명》 **1** (불명예 따위를) …에게 돌리다, …의 탓으로 하다(ascribe)《*to*》: He ~*s* his fault *to* his wife. 자기 잘못을 아내의 탓으로 돌린다. **2** 〖법률〗 (죄를) 지우다, 고소〔고발〕하다: ~ the crime *to* …에게 죄(罪)를 지우다. **3** 〖신학〗 (신이 그리스도의 의(義)를 인간에게) 귀여(歸與)케 하다. **4** 〖경제〗 (가치를) 귀속시키다: ~*d* value 귀속 가치(價値). ㊞ **im·pút·er** *n.* **im·pút·ed·ly** *ad.*

im·pu·tres·ci·ble [ìmpjuːtrésəbəl] *a.* 썩지 않는, 분해되지 않는.

impv. imperative. **IMU** 〖우주〗 inertial measurement unit (관성 측정 장치). **IMunE** 《영》 Institution of Municipal Engineers.

Imu·ran [ímjurǽn] *n.* 〖의학〗 이무란《장기 이식시의 거부 반응 억제약 azathioprine; 상표명》.

†**in** ⇨《p.1274》 IN.

in [in] *prep.* 《L.》 in과 같은 뜻.

in-[1] [in] *pref.* 전치사 또는 부사의 in, into, upon, on, against, toward(s) 따위의 뜻《종종 en으로 됨(보기: *in*quiry, *en*quiry); l 앞에서는 *il-*; b, m, p 앞에서는 *im-*; r 앞에서는 *ir-*로 됨》.

in-[2] [in] *pref.* '무(無), 불(不)'의 뜻《il-, im-, ir-로도 됨》. cf. in-[1].

in-[3] [ín] '안의, 속의'의 뜻의 형용사를 만드는 결합사: *in*-car; *in*-state.

in-[4] [in] '최신 유행의'의 뜻의 명사를 만드는 결합사: the *in*-thing.

-in[1] [in] *suf.* '…에 속하는'의 뜻의 명사를 만듦: coff*in*.

-in[2] [in] *suf.* 〖화학〗 =-INE; '화학 제품·약품명'의 뜻의 명사를 만듦: podophyll*in*.

-in[3] [in] '집단 항의〔시위, 운동〕, 사교적 집회'의 뜻의 복합어를 만드는 결합사: teach-*in*; be-*in*.

In 〖화학〗 indium. **in.** inch(es); inlet.

-i·na [íːnə] *suf.* **1** 여성형을 만듦: Georg*ina*; czar*ina*. **2** 악기명을 만듦: concert*ina*. **3** [áinə, íːnə] 〖생물〗 '떼'의 뜻: globiger*ina*.

◇**in·a·bil·i·ty** [ìnəbíləti] *n.* U 무능(력), 무력; … 할 수 없음《*to* do》; 무자격: his ~ *to* make decisions 결정을 내릴 능력이 없음. ◇ unable *a.*

in ab·sen·tia [in-æbsénʃiə] 《L.》 부재중에.

in ab·strac·to [ìn-æbstrǽktou] 《L.》 추상적으로, 이론적으로(in the abstract).

ìn·ac·cès·si·bíl·i·ty *n.* U 가까이〔도달〕하기 어려움; 얻기 어려움.

in·ac·ces·si·ble [ìnəksésəbəl] *a.* 가까이하기〔접근하기, 도달하기, 얻기〕 어려운《*to*》: an ~ mountain 도저히 오를 수 없는 산/materials ~ *to* us 얻을 수 없는 자료. ㊞ **-bly** *ad.* **~·ness** *n.*

in·ac·cu·ra·cy [inǽkjərəsi] *n.* U 부정확; C 「잘못, 틀림.

◇**in·ac·cu·rate** [inǽkjərət] *a.* 부정확한, 정밀하지 않은; 틀린, 잘못된. ㊞ **~·ly** *ad.*

in·ac·tion [inǽkʃən] *n.* U 활동〔활발〕하지 않음, 무위(無爲); 게으름, 나태; 정지, 휴식.

in·ac·ti·vate [inǽktəvèit] *vt.* **1** 활발치 않게 하다; (군대·정부 기관 등을) 해산하다. **2** 〖물리·화학〗 비활성(非活性)〔불선광성(不旋光性)〕으로 만들다; 〖생화학〗 (혈청 등을) 비활동성으로 만들다. ㊞ **in·àc·ti·vá·tion** *n.* 비활성화(化).

◇**in·ac·tive** [inǽktiv] *a.* **1** 활동치 않는, 활발하지 않은, 무위의; 움직이지 않는; 게으른: an ~ volcano 휴화산(休火山). **2** 한가한, 일이 없는. **3** 〖물리〗 방사능이 없는; 〖물리·화학〗 비활성〔불선광성(不旋光性)〕의; 〖의학〗 (증세가) 비활동성의. **4** 〖군사〗 현역이 아닌. ㊞ **~·ly** *ad.* **ìn·ac·tív·i·ty** *n.* U

ìn·a·dàpt·a·bíl·i·ty *n.* U 적응성이 없음, 비적합성. 「할 수 없는.

in·a·dapt·a·ble [ìnədǽptəbəl] *a.* 적응〔순응〕

in·ad·e·qua·cy [inǽdikwəsi] *n.* U,C 부적당, 불완전; 불충분, (역량 따위의) 부족; (종종 *pl.*) 부적당한 점.

***in·ad·e·quate** [inǽdikwət] *a.* **1** 부적당한, 부적절한《*to; for*》: He is ~ *to* 〔*for*〕 the present job. 그에게는 지금의 일이 적합하지 않다. **2** 불충분한《*for*》: ~ preparation *for* an examination 수험하기에는 불충분한 준비/an ~ income 불충분한 수입. **3** 미숙한, 적응성〔능력, 자격〕이 모자라는. ㊞ **~·ly** *ad.* **~·ness** *n.*

ìn·ad·mìs·si·bíl·i·ty *n.* U 허용〔용인, 시인〕할 수 없음.

in·ad·mis·si·ble [ìnədmísəbəl] *a.* **1** 허락하기 어려운, 승인할 수 없는. **2** 허가〔채용〕할 수 없는. ㊞ **-bly** *ad.*

in·ad·vert·ence, -en·cy [ìnədvə́ːrtns], [-si] *n.* U 부주의, 태만, 소홀; C 실수, 잘못.

in·ad·vert·ent [ìnədvə́ːrtnt] *a.* **1** 부주의한, 소홀한, 태만한: an ~ error 부주의로 인한 잘못. **2** 부주의에 의한; 무심코 저지른, 우연의, 고의가 아닌: an ~ insult 무심코 저지른 무례. ㊞ **~·ly** *ad.*

ìn·ad·vìs·a·bíl·i·ty *n.* 권할 수 없음.

in·ad·vis·a·ble [ìnədváizəbəl] *a.* 권할 수 없는, 현명하지 않은, 어리석은. ㊞ **-bly** *ad.*

-i·nae [áini] *suf.* 〖동물〗 '아과(亞科)(subfamily)'의 뜻을 나타내는 명사를 만듦. cf. -idae. ¶ Fel*inae* [filáini] 고양이아과.

in ae·ter·num [in-iːtə́ːrnəm] 《L.》 영원히.

in·àl·ien·a·bíl·i·ty *n.* U 양도할 수 없음; 빼앗을 수 없음.

in·al·ien·a·ble [inéiljənəbəl] *a.* **1** (권리 등이) 양도할〔넘겨 줄〕 수 없는. **2** (아무에게서) 빼앗을 수 없는: the ~ rights of man 인간의 절대적 권리. ㊞ **-bly** *ad.*

in·àl·ter·a·bíl·i·ty *n.* 불변성.

(1) 전치사로도 부사로도 쓰이어, 소위 전치사적 부사(prepositional adverb)의 중요한 것의 하나. 각 동사와의 결합은 해당되는 동사를 참조할 것.
(2) 전치사인 경우 in은 장소를 규정하고, into는 방향을 나타내지만, 전자가 후자에 가까워지는 일도 있음.

in [in; (*prep.*로서는 때때로) 약 ən] *prep.* **1** 〖장소〗 **a** 〖위치〗 …의 속에〔의〕; …속〔안〕에서, …에 있어서, …에, …에서(⇨ AT 1 a NOTE): *in* Korea 한국에서 / *in* Chicago 시카고에서 / the characters *in* the novel 소설 속의 등장인물 / read it *in* the newspaper 그것을 신문에서 읽다 / *in* a speech 담화 속에(서) / have a stick *in* one's hand 손에 단장을 들고 있다 / There is some reason *in* what he says. 그 사람이 하는 말엔 일리가 있다. **b** 《구어》 〖운동 · 동작의 방향〗 …속〔안〕에〔으로〕; …쪽에 〔으로, 에서〕(≒into): *in* the east 동(東)쪽으로 / *in* that direction 그 쪽 방향으로 / She went *in* 〔into〕 the house. 그녀는 집 안으로 들어갔다. **c** (탈것 따위)에 타고: *in* a car 차를 타고, 차에 / get *in* 〔《미》 on〕 a car 차를 타다. **d** 〖관사 없이 장소의 기능을 나타냄〗 …에(서); …하고: *in* school 재학 중에; 교사 내에서 / *in* class 수업 중에 / *in* bed 잠자리에(서), 자고.

NOTE **in**과 **into** in은 '속에(서)'라는 위치를 나타내며, 흔히 운동의 방향을 보여 주지 않지만 그 자체가 운동 · 동작을 나타내는 dive, fall, jump, put, throw, thrust; break, cut, divide, fold 따위의 동사와 함께 쓰이면 into 대신 in이 사용될 때가 있음. 이 때에는 동작보다도 결과로서의 상태에 중점이 있음. 예컨대 jump *in* the river에서는 jump (*into* the river and be) in the river의 압축 표현으로 볼 수 있음.

2 a 〖상태〗 …한 상태로〔에〕, …하여: *in* ruins 폐허가 되어서 / *in* good health 건강하게 / *in* good order 정돈되어 / *in* debt 빚을 지고 / *in* liquor (술에) 취하여 / *in* a rage 성이 나서, 격노하여 / *in* haste 서둘러, 급히 / *in* confusion 혼란하여 / *in* full blossom (꽃이) 만발하여 / *in* excitement 흥분하여 / The horse is *in* foal. 그 말은 새끼를 배고 있다. **b** 〖환경〗 …한 속에(서): *in* the dark 어둠 속에 / sit *in* the sun 양지에 앉다 / go out *in* the snow 〔rain〕 눈이〔비가〕 오는데 외출하다.
3 a 〖행위 · 활동 · 종사〗 …하여〔하고〕, …에 종사하고: *in* search of truth 진실을 찾아 / be *in* business 장사를〔사업을〕 하고 있다 / spend much time *in* reading 독서에 많은 시간을 소비하다 《구어에서는 in을 생략할 때가 많음》 / I was *in* conversation with a friend. 나는 친구와 이야기를 하고 있었다. **b** 〖소속 · 직업〗 …에 소속하여, …(을) 하고, …에 참가하여: *in* society 사교계에 / hold a seat *in* the cabinet 내각에 참여하다 / be *in* the navy 해군에 있다 / He is *in* computers. 그는 컴퓨터 관계의 일을 하고 있다 / He is *in* building 〔advertising〕. 그는 건설〔광고〕 관계의 일을 하고 있다.
4 〖착용 · 포장〗 …을 입고〔몸에 걸치고〕, …을 신고〔쓰고〕(wearing); …에 싸서: *in* uniform 제복을 입고 / a man *in* spectacles 〔an overcoat, a red tie〕 안경을 쓴 〔외투를 입은, 빨간 넥타이를 맨〕 남자 / be dressed *in* rags 〔red〕 누더기를 〔빨간 옷을〕 입고 있다 / wrap this *in* 〔with〕 paper 이것을 종이로〔에〕 싸다 《with는 재료를 나타낼 뿐이지만, in은 싸(서) 덮는다는 느낌이 강함》.
5 〖때 · 시간〗 **a** 〖기간〗 …동안〔중〕에, …에, …때에(⇨ AT 2 NOTE): *in* the morning 〔afternoon, evening〕 오전〔오후, 저녁〕에 / *in* March, 3월에 / *in* (the) winter 겨울(철)에 / *in* one's life 〔time, lifetime〕 자기 생애에(서) / *in* those days 그 당시(에)는 / *in* the twentieth century, 20세기에. **b** 〖경과〗 (지금부터) …후에, …지나면, …지나서: *in* a week, 1주일이면〔지나서〕《주로 미래에 쓰임; 《미구어》에서는 종종 within과 같은 뜻으로도 사용됨》(cf. ago): be back *in* a few days 며칠〔2, 3일〕이면 돌아온다 / I'll phone you *in* two hours, after the meeting. (지금부터) 두 시간 후, 회의가 끝난 뒤에 곧 전화하겠습니다. **c** 《주로 미》 지난 …동안〔간, 중〕(에): the coldest day *in* 30 years 지난 30년 동안에 가장 추운 날 / I have never seen him *in* 〔for〕 months. 그를 몇 달간 만나지 못했다 《영국에서는 for만 씀》.
6 a 〖전체와의 관계를 나타내어〗 …중(에서): the highest mountain *in* the world 세계에서 가장 높은 산(山) / the tallest boy *in* the class 반에서 제일 키 큰 소년. **b** 〖비율 · 정도 · 단위〗 …당, …로, 매(每) …에 — 로: be sold *in* dozen 다스(단위)로 팔리다 / packed *in* tens 열개씩 포장을 하여(서) / nine *in* ten 십중팔구(까지) / One *in* ten will pass. 열 사람 중 하나는 합격할 것이다.
7 〖제한 · 관련〗 **a** 〖범위〗 …의 범위 내에, …안에: *in* 〔out of〕 (one's) sight 시야 안〔밖〕에 / *in* one's power 세력 범위에; 능력이 미치는 한의 / *in* my experience 내 경험으론 / *in* the second chapter 제 2장(章)에 / *in* my opinion 내 의견〔생각〕으로는. **b** 〖수량 · 성질 · 능력 · 분야의 한정〗 …점에서는, …에 있어서: …을 〔이〕: ten feet *in* length 〔height, depth, width〕 길이〔높이, 깊이, 너비〕가 10피트 / seven *in* number 수(數)가 일곱 / equal *in* strength 힘이 같은 / vary *in* size 〔color〕 크기가〔색깔이〕 각기 다른 / be weak *in* 〔at〕 Latin 라틴어에 약하다 / rich *in* vitamin C 비타민 C가 풍부한. **c** 〖최상급 형용사를 한정하여〗 …면에서: the latest *in* cars 최신형의 자동차. **d** 〖특정 부위〗 …의, …에 관해: a wound *in* the head 머리의 부상 / blind *in* one eye 애꾸(눈), 외눈 / He looked me *in* the face. 그는 내 얼굴을 정면으로 쳐다보았다.
8 〖성격 · 능력 · 재능 · 자격 · 본질〗 …에는, …의 성격〔본질, 몸속〕에: as far as *in* me lies 내 힘이 미치는 한 / He has something of the artist *in* his nature. 그에겐 다소 예술가다운 데가 있다 / There is some good *in* him. 그에겐 다소 취할 점이 있다.
9 〖동격 관계〗 …이라는: *In* him I have a true friend. 나에게는 그와 같은 진정한 벗이 있다 / You have done us a great favor *in* encouraging us. 격려해 주심으로써 큰 힘이 돼 주셨습니다.
10 〖수단 · 재료 · 도구 따위〗 …로, …로써, …로 만든: paint *in* oils 유화를 그리다 / speak *in* English 영어로 말하다 / a statue (done) *in* bronze 청동상 / It was done *in* wood. 그것은 나무로 만들어져 있었다.
11 〖방법 · 형식〗 …(으)로, …하게: *in* this way 이(런) 방법으로, 이와 같이 / *in* like manner 똑같이 / *in* secret 몰래, 가만히(secretly) / *in* a loud

voice 큰 소리로/a novel *in* three parts 3부작(으로 된) 소설.
12 〘배치·형상·순서 따위〙 …을 이루어, …이 되어: *in* rows 줄을 지어, 몇 줄이고/*in* alphabetical order 알파벳순으로/*in* groups 무리를 지어/hair *in* curls 컬을 한 머리/sit *in* a circle 둥그렇게〔빙 둘러〕 앉다.
13 a 〘이유·동기〙 …때문에, …(이유)로: cry out *in* alarm 놀라서 소리 지르다/rejoice *in* one's recovery 회복을 기뻐하다. **b** 〘목적을 나타내어〙 …을 목적으로, …을 위해: *in* self-defense 자기 방어를 위해/say *in* conclusion 최후로 한마디 하다/shake hands *in* farewell 작별의 악수를 하다. **c** …로서(의): *in* return for his present 그의 선물에 대한 답례로/She said nothing *in* reply. 그녀는 아무 대답도 안 했다. **d** 〘조건〙 …이므로, (만일) …한 경우에는: *in* the circumstances 그런 사정이므로/*in* this case (만일) 이런 경우에는.
14 〘in do*ing*의 형식으로〙 …한 점에서, …하므로, …하면서: The proposal is acceptable *in* be*ing* practicable. 그 제안은 실행이 가능한 점에서 수락할 수 있다/*in* so say*ing* 그렇게 말하며.
15 〘행위의 대상〙 …에 관해, …을: believe *in* God 하느님의 존재를 믿다/persist *in* one's belief 끝까지 자기 신념을 관철하다.
be in it* (*up to the neck*)** 《구어》 (아무가) 어려운 처지에 놓여 있다; 깊숙이 관여하고 있다, 관계하고 있다. ***be not in it 《구어》 (…에는) 못 당하다, (…에는) 비교도 안 되다, 훨씬 못하다, 승산(勝算)이 없다 《*with*》: He's got a fantastic car. A Benz *isn't in it!* 그는 훌륭한 차를 갖고 있다, 벤츠도 그만 못할 것 같다. ***in as much as*** =INASMUCH AS. ***in itself*** ⇨ITSELF. ***in so far as*** ⇨FAR. ***in so much that*** 〔***as***〕 ⇨INSOMUCH that 〔as〕. ***in that*** …이라는 〔하다는〕 점에서, …한 이유로, …이므로(since, because): *In that* he disobeyed, he was a traitor. 복종하지 않았다는 점에서 그는 반역자였다. ***little* 〔*not much, nothing*〕 *in it*** 《구어》 별차이는 없는.
— *ad*. **1 a** 〘운동·방향〙 안에, 안으로, 속에, 속으로(opp *out*): Get *in*. (차를) 타시오 《Get *in* the car.의 목적어가 생략된 것》/Come (on) *in*. 들어오시오/a cup of tea with sugar *in* 설탕을 넣은 홍차/He put it *in*. 그것을 안에 넣었다. **b** (나중에) 넣어: You can write *in* the page numbers later. 페이지 (수)는 나중에 써 넣으면 된다.
2 집에 있어: stay *in* for a day 하루 종일 집에 있다/Is he *in*? 그는 집에 있나요/He will be *in* soon. 그는 곧 돌아올 겁니다.
3 a (탈것 따위가) 들어와, 도착하여: The train is *in*. 열차가 들어온다/The train isn't *in* yet. 열차는 아직 안 들어온다. **b** 제출되어: The report must be *in* by Saturday. 리포트는 토요일까지 제출할 것. **c** (계절 따위가) (돌아)와; (수확 따위가) 거둬들여져: The summer is *in*. 여름이 왔다.
4 (과일·식품 따위가) 제철에, 한창인: Oysters are now *in*. 굴이 지금 한창이다.
5 (복장이) 유행하고: Short skirts are *in*. 짧은 스커트가 유행이다.
6 a (정당이) 정권을 잡고〔맡고〕: The Liberals is *in* now. 자유당이 지금 여당〔집권당〕이다. **b** (정치가 등이) 당선되어, 재직하여: Kennedy is *in* again. 케네디가 재선되었다.
7 (기사 등이) (잡지에) 실리어, 게재되어: Is my article *in*? 내 논문은 실려 있습니까.
8 (불·등불이) 타고: keep the fire *in* 불을 타게 해두다/The fire is still *in*. 불은 아직도 타오르고 있다.
9 (조수가) 밀물에〔이 되어〕.
10 (야구·크리켓에서) 공격 중에; (테니스에서 공이) 라인 안에: Which side is *in*? 어느 팀이 공격 중입니까.
11 가두어, 막아: cover *in* a hole 구멍을 막다/shut ... *in* …을 가두다.
12 (운이) 트여, 들어; 《구어》 벌어, 이를 보고.
13 (서류 따위가) 처리 중에, 미결(未決)의.
14 〘골프〙 (18홀 코스에서) 후반(9홀)을 끝내고.
be in at ... ① …에 참여〔관여〕하고 있다, 참석해 있다. ② (때)마침 그자리에 있다. ***be in for ...*** ① 《구어》 (어려움·악천후 등)을 만날 것 같다, …을 당하게 되다: We *were in for* a surprise. 놀랄 만한 일이 우리를 기다리고 있었다. ② (경기 따위)에 참가하기로 되어 있다: I'm *in for* the 100 meters. 백미터 경기에 출전하기로 돼 있다. ③ (일 따위)를 지원하다, 신청하다. ***be in for it*** 어쩔 도리 없게 되다, 벌은 면할 수 없게 되다. ***be* 〔*get*〕 *in on ...*** 《구어》 (계획 등)에 참여하다; (비밀 등)에 관여〔관계〕하다: I *was in on* his plan. 나는 그의 계획에 참여했다. ***be* 〔*keep*〕 (*well*) *in with ...*** 《구어》 …와 친(밀)하게 지내다. ***have it in for*** ⇨HAVE. ***in and in*** 동종(同種) 교배로. ***in and out*** ① (…를) 나왔다 들어갔다 《*of*》: She is constantly *in and out of* hospital. 그녀는 입원 퇴원을 거듭하고 있다. ② 아주, 완전히, 철저히(completely). cf. inside out. ③ 보였다 안 보였다; 구불구불, 굽이쳐: The brook winds *in and out* among the bushes. 그 시냇물은 덤불숲 사이를 꾸불꾸불 흐르고 있다. ***In with ...*** 〘명령문에서〙 …을 안에 넣어라〔들여보내라〕: *In with* you! 들어와라!
— *a*. **1** 내부의; 안의; 안에 있는: an *in* patient 입원 환자(an inpatient). **2** 들어오는: the *in* train 도착 열차. **3** 정권을 잡고 있는: the *in* party 여당. **4** 《구어》 유행의; 인기 있는: It is an *in* thing to do. 그건 지금 유행이다. **5** 《구어》 (농담 등) 동료만이 아는. **6** 공격(측)의: the *in* side 〔team〕 (구기의) 공격 측. **7** 《미구어》 마리화나로 취한.
— *n*. (보통 *pl*.) **1** (the ~s) 여당; (구기의) 타격 측: the ~s and outs 여당과 야당. **2** 《미구어》 애고(愛顧), 연줄: have an *in* with the boss 상사의 총애를 받고 있다. **3** 〘야구〙 인커브. ***the ins and outs*** ① ⇨ *n*. 1. ② ⇨ INS AND OUTS.

in·al·ter·a·ble [inɔ́ːltərəbəl] *a*. 변경할 수 없는, 불변의. ㊞ **-bly** *ad*.
in·am·o·ra·ta [inæ̀mərɑ́ːtə] *n*. 《It.》 애인《여자》, 《특히》 정부(情婦).
in·am·o·ra·to [inæ̀mərɑ́ːtou] (*pl*. **~s**) *n*. 《It.》 애인《남자》, 정부(情夫).
ín-and-ín [-ənd-] *a*., *ad*. 동종〔동족〕 교배의〔로〕: ~ breeding (몇 대에 걸친) 동종 교배/marry ~ 여러 대나 근친 결혼을 하다.
ín-and-óut [-ənd-] *a*. (단기로) 매매하는; 《미속어》 잘했다 못했다 하는《쇼》. **—** *n*. 《비어》 성교.
ín-and-óuter [-ənd-] *n*. 《미속어》 (컨디션이) 고르지 않은 선수〔예능인〕.
in·ane [inéin] *a*. 공허한, 텅 빈; 어리석은(silly), 무의미한. **—** *n*. 공허한 것; (the ~) 무한한 공간. ㊞ **~·ly** *ad*. **~·ness** *n*.
°**in·an·i·mate** [inǽnəmət] *a*. **1** 생명 없는, 무생물의; 죽은: ~ matter 무생물/~ nature 비동물계(非動物界). **2** 활기〔생기〕 없는. **3** 비정(非情)한. ㊞ **~·ly** *ad*. **in·àn·i·má·tion** *n*. Ⓤ 생명이 없음; 불활동, 무기력.

in·a·ni·tion [ìnəníʃən] *n.* Ⓤ 공허, 텅빔(emptiness); 〖의학〗 영양실조; 기아; 무기력.

in·an·i·ty [inǽnəti] *n.* **1** Ⓤ 공허함; 어리석음, 우둔. **2** Ⓒ 어리석은〔무의미한〕 것.

in·ap·par·ent [ìnəpǽrənt, -pɛ́ər-] *a.* 분명하지 않은, 확연하지 않은; 〖의학〗 불현성(不顯性)의. ㊕ **~·ly** *ad.*

in·ap·peas·a·ble [ìnəpí:zəbəl] *a.* 진정시킬 수 없는, 달랠 수 없는(=**ùnappéasable**).

in·ap·pel·la·ble [ìnəpéləbəl] *a.* 상고〔항소〕할 수 없는; 도전할 수 없는.

in·ap·pe·tence, -ten·cy [inǽpətəns], [-tənsi] *n.* Ⓤ 식욕 부진; 식욕 결여.

in·áp·pe·tent [-tənt] *a.* 식욕이 없는, 먹고 싶은 생각이 없는, 식욕 부진의. 「없음.

in·àp·pli·ca·bíl·i·ty *n.* Ⓤ 적용〔응용〕할 수

in·ap·pli·ca·ble [inǽplikəbəl] *a.* 적용〔응용〕할 수 없는, 관계없는《*to*》; (딱) 들어맞지 않는, 부적당한. ㊕ **-bly** *ad.* **~·ness** *n.*

in·ap·po·site [inǽpəzit] *a.* 적절하지 않은, 부적당한, 엉뚱한. ㊕ **~·ly** *ad.* **~·ness** *n.*

in·ap·pre·ci·a·ble [ìnəprí:ʃiəbəl, -ʃə-/-ʃə-] *a.* 느낄 수 없을 만큼의, 미미한. ㊕ **-bly** *ad.*

in·ap·pre·ci·a·tion [ìnəprì:ʃiéiʃən] *n.* Ⓤ 부당한 평가, 진가의 몰인식, 몰이해.

in·ap·pre·ci·a·tive [ìnəprí:ʃiətiv, -ʃièit-] *a.* **1** 평가할 능력이 없는, 감식력이 없는; 인식 부족의《*of*》. **2** 높이 평가하지 않는, 고마워하지 않는《*of*》. ㊕ **~·ly** *ad.* **~·ness** *n.*

in·ap·pre·hen·si·ble [inæprihénsəbəl] *a.* 이해할 수 없는. 「몰이해, 불가해.

in·ap·pre·hen·sion [inæprihénʃən] *n.* Ⓤ

in·ap·pre·hen·sive [inæprihénsiv] *a.* 이해력이 부족한, 이해하지 못하는; (위험 등을) 깨닫지 못하는, 염려하지 않은, 두려워하지 않은《*of*》. ㊕ **~·ly** *ad.* **~·ness** *n.*

in·ap·proach·a·ble [ìnəpróutʃəbəl] *a.* 가까이할 수 없는; 서먹서먹한; 비길 데 없는, 대적할 자가 없는, 당해낼 수 없는, 무적의.

in·ap·pro·pri·ate [ìnəpróupriət] *a.* 부적당한, 온당치 않은. ㊕ **~·ly** *ad.* **~·ness** *n.*

in·apt [inǽpt] *a.* 부적당한, 적절치 않은(unsuitable), 어울리지 않는《*for*》; 온당치 않은; 서툰; 졸렬한《*at*》. ㊕ **~·ly** *ad.* **~·ness** *n.*

in·apt·i·tude [inǽptətjù:d/-tjù:d] *n.* Ⓤ 부적당, 어울리지 않음, 부적절; 서투름, 졸렬.

in·arch [iná:rtʃ] *vt.* 〖원예〗 접붙이다.

in·ar·gu·a·ble [iná:rgjəbəl] *a.* 논쟁의 여지가 없는《사실 따위》. ㊕ **-bly** *ad.*

in·arm [iná:rm] *vt.* 《시어》 껴안다.

in·ar·tic·u·late [ìnɑ:rtíkjələt] *a.* **1** (사람이) 똑똑히 말을 못하는, 발음이 분명치 않은: He was ~ with rage. 너무 흥분해서 말이 똑똑지 않았다/He becomes ~ when angry. 성이 나면 (흥분되어) 말을 못한다. **2** 모호한, 의견〔주장〕을 말하지 않는: politically ~ 정치적으로 발언권이 없는. **3** 〖언어〗 분절적이 아닌. **4** 〖의학〗 관절이 없는. ── *n.* 〖동물〗 무관절류(無關節類)의 동물. ㊕ **~·ly** *ad.* 똑똑하지 못한 발음으로, 불명료하게. **~·ness** *n.*

in ar·ti·cu·lo mor·tis [in-ɑ:rtíkjulou-mɔ́:rtis] 《L.》 죽음의 순간에〔의〕, 임종에〔의〕.

in·ar·ti·fi·cial [inà:rtəfíʃəl] *a.* 인공을 가하지 않은, 무기교의, 천진난만한, 자연 그대로의; 소박한; 비예술적인, 졸렬한. ㊕ **~·ly** *ad.* **in·ar·ti·fi·ci·al·i·ty** [inà:rtəfiʃiǽləti] *n.* Ⓤ

in·ar·tis·tic, -ti·cal [ìnɑ:rtístik], [-tikəl] *a.* 예술적〔미술적〕이 아닌; 예술을 이해 못하는, 몰취미한. ㊕ **-ti·cal·ly** *ad.*

INAS 〖군사〗 integrated navigation attack system (통합형 항법 공격 시스템).

in·as·múch às [ìnəzmʌ́tʃ-] …이므로, …하므로, …인 까닭에(because, since, seeing that …); 《고어》 …인 한은(insofar as). SYN. ⇨ BECAUSE.

in·at·ten·tion [ìnəténʃən] *n.* Ⓤ 부주의, 방심, 태만; 무뚝뚝함; 무심. ***with* ~** 주의를 게을리하여, 경솔하게.

in·at·ten·tive [ìnəténtiv] *a.* 부주의한, 태만한; 되는대로의; 무뚝뚝한. ㊕ **~·ly** *ad.*

in·àu·di·bíl·i·ty *n.* Ⓤ (알아)들을 수 없음.

in·au·di·ble [inɔ́:dəbəl] *a.* 알아들을 수 없는, 들리지 않는. ㊕ **-bly** *ad.* 들리지 않게, 들리지 않을만큼.

in·au·gu·ral [inɔ́:gjərəl] *a.* 취임(식)의; 개시의, 개회의: an ~ ball 《미》 대통령〔주지사〕 취임 축하 무도회/an ~ address 취임 연설; 《미》 (대통령 등의) 취임 인사; 개회사/an ~ ceremony 취임〔개회, 개관〕식/an ~ lecture (교수의) 취임 후 첫 (공개) 강의/an ~ meeting 창립 총회. ── *n.* 《미》 (대통령 등의) 취임 연설; 《영》 (교수의) 취임 공개 강의.

°**in·au·gu·rate** [inɔ́:gjərèit] *vt.* **1** 《~+목/+목+*as* 보》 취임식을 거행하다; 취임시키다: ~ a president 대통령 〔총장〕 취임식을 거행하다/be ~*d as* professor 교수에 취임하다. **2** 낙성〔제막, 개통, 발회〕식을 열다, 개관〔개통, 개강, 개업〕하다; 시작하다. **3** (새 시대를) 열다, 개시〔발족〕하다. ◇ inauguration *n.*

°**in·àu·gu·rá·tion** *n.* **1** Ⓤ,Ⓒ 취임(식). **2** 개업〔개관, 개통, 개강, 낙성, 제막, 발회〕식. **3** Ⓤ 개시; 개업; 발회. ◇ inaugurate *v.*

Inaugurátion Dày (the ~) 《미》 대통령 취임식날《당선된 다음 해의 1월 20일》.

in·au·gu·ra·tor [inɔ́:gjərèitər] *n.* 서임자(敍任者), 취임시키는 사람; 개시〔창시〕자.

in·aus·pi·cious [ìnɔ:spíʃəs] *a.* 불길한, 상서롭지 않은, 재수 없는; 불행한, 불운한: an ~ beginning 불길한 발족. ㊕ **~·ly** *ad.* **~·ness** *n.*

in·au·then·tic [ìnɔ:θéntik] *a.* 실물이 아닌, 진짜가 아닌. ㊕ **in·au·then·tic·i·ty** [ìnɔ:θentísəti, -θən-] *n.* 「합의제 법정에서.

in banc [in-bǽŋk] 〖법률〗 《L.》 합의체에서,

ín-bàsket *n.* (책상 위에 있는) 미처리 서류함.

inbd. inboard. 「질, 근본 성질.

in·be·ing [ínbì:iŋ] *n.* Ⓤ 내재; 내적 성질; 본

ìn-betwéen *a.* 중간적인, 중간의: ~ weather 춥지도 덥지도 않은 날씨. ── *n.* 중간물; 중개자, 개재자(go-between).

ìn-betwéen·er *n.* 중간적인 것〔사람〕; 중개인.

ín·bòard *a., ad.* 〖해사·항공〗 배〔비행기〕 안의〔에〕, 선내의〔에〕; 〖항공〗 동체(胴體) 중심 가까이의〔에〕; 〖기계〗 내측(內側)의〔에〕. ── *n.* 내측 발동기(가 달린 배).

ínboard-óutboard *a., n.* 선미(船尾)의 추진기와 연결한 선내 발동기의(배)(=**stérn drìve**).

ín-bònd shóp 《카리브》 면세점.

in·born [ínbɔ́:rn] *a.* 타고난, 천부의; 〖의학·생물〗 선천성의.

in·bound [ínbáund] *a.* **1** 본국으로 돌아가는, 본국행의. OPP. *outbound.* **2** 도착하는, 들어오는: an ~ track 도착선(線).

ín·bóunds *a.* 〖스포츠〗 코트〔필드〕 안의; 〖농구〗 (패스 따위가) 코트 밖에서 안쪽으로의.

ínbounds lìne 〖미식축구〗 필드를 세로로 구분

ín bòx 《미》 미결 서류함. ⌊짓는 두 개의 선.

ín·bòx *n.* 〖컴퓨터〗 인박스, 전자 우편 수신함.

in·breathe [ínbrì:ð, ⌐⌐] *vt.* 빨아들이다; (사상 따위를) 불어넣다, 북돋우다(inspire).

in·bred [inbréd] *a.* **1** 타고난. **2** 동종(同種) 번

식의, 근친교배의. **3** 《비유》 배타적인.

in·breed [ínbrìːd, ‒́] *vt.* (동물을) 동종 번식을〔교배를〕 시키다; 《드물게》 (감정·사상 등을) 내부에 생기게 하다. **—** *vi.* 동종 번식〔교배〕하다. ㊕ **ín·brèeding** *n.* Ⓤ 동종 번식, 근친교배; 《비유》 같은 계통의 인재만으로 짜인 조직; 파벌 인사.

ín-buílt *a.* =BUILT-IN.

in·burst [ínbə̀ːrst] *n.* 《드물게》 돌입, 침입.

Inc. 《미》 〔기업명 뒤에〕 Incorporated (《영》 Ltd.).

inc. inclosure; included; including; inclusive; income; incorporated; increase.

In·ca [íŋkə] *n.* 잉카 사람〔족〕 《페루 원주민 중 세력이 가장 컸던 종족》; 잉카 국왕의 칭호.

In·ca·bloc [íŋkəblɑ̀k/-blɔ̀k] *n.* (손목시계의) 내진(耐震) 장치 《상표명》.

in·cage [inkéidʒ] *vt.* =ENCAGE.

In·ca·ic [iŋkéiik] *a.* 잉카 사람〔제국, 말〕의.

Incáic Émpire (the ~) 잉카 제국.

in·càl·cu·la·bíl·i·ty *n.* Ⓤ,Ⓒ 셀 수 없음, 무수; 예측할 수 없음.

in·cal·cu·la·ble [inkǽlkjələbəl] *a.* 헤아릴 수 없는, 무수한, 무한량의; 어림할 수 없는; 믿을〔기대할〕 수 없는. ㊕ **-bly** *ad.* **~·ness** *n.*

in·ca·les·cence [ìnkəlésns] *n.* 증온(增溫), 가열; 더욱더 불타오르는 열의, 열이〔열의가〕 더욱더 불타오르는 상태; 〖기계〗 백열. ㊕ **in·ca·lés·cent** [-snt] *a.*

in cámera 몰래, 은밀히; 실내에서.

In·can [íŋkən] *a.* =INCAIC. **—** *n.* 잉카 제국 주민〔국민〕.

in·can·desce [ìnkəndés/-kæn-] *vi., vt.* 백열(白熱)하다〔시키다〕.

in·can·des·cence, -cency [ìnkəndésns], [-désənsi] *n.* 고온 발광(發光); (고온 발광에 의한) 백열광; 고온 발광성; 《비유》 (분노·격정 등의) 불타오름.

in·can·des·cent [ìnkəndésnt] *a.* 백열의; 백열광을 내는; 눈부신, 빛나는; 열의〔의욕〕에 불타는: an ~ lamp 〔light〕 백열등.

in·cant [inkǽnt] *vt.* 주문(呪文)을 외다.

in·can·ta·tion [ìnkæntéiʃən] *n.* Ⓤ,Ⓒ 주문(을 욈); 마술, 마법; 가지 기도(加持祈禱). ㊕ **~·al** *a.* **in·can·ta·to·ry** [inkǽntətɔ̀ːri/-təri] *a.* 주문의, 마술의.

in·cap [ínkæp] *n.* 《속어》 =INCAPACITANT.

in·cà·pa·bíl·i·ty *n.* Ⓤ 불능, 무능; 무자격; 부적임(不適任).

in·ca·pa·ble** [inkéipəbəl] *a.* **1** …할 힘이 없는, …을 할 수 없는 《*of*》: ~ *of* telling a lie 거짓말을 못하는 / ~ *of* pity 인정을 모르는. SYN. ⇨UNABLE. **2** 무능〔무력〕한, 쓸모없는: ~ workers. **3** …될 수 없는: The case is ~ *of* swift decision. 이 문제는 조속히 결정될 수 없다. **4** 〖법률〗 자격 없는 《*of*》. ***drunk and **~** 취해 곤드라져 (incapably drunk). ㊕ **-bly** *ad.* **~·ness** *n.*

in·ca·pa·cious [ìnkəpéiʃəs] *a.* 좁은, 한정된; 용량이 작은; 《고어》 (지적으로) 무능한.

in·ca·pac·i·tant [ìnkəpǽsətənt] *n.* 행동할 수 없게 하는 화학제 《최루〔독〕 가스 등》.

in·ca·pac·i·tate [ìnkəpǽsətèit] *vt.* 《~+목/+목+전+명》 무능력하게 하다; 못 하게 하다; 부적당하게 하다; 〖법률〗 …의 자격을 빼앗다: His illness ~*d* him *for* work 〔*from* work*ing*, *to* work〕. 그는 병으로 일할 수 없게 되었다 / Convicted criminals are ~*d from* vot*ing*. 기결수는 투표 자격을 잃는다. ㊕ **ìn·ca·pàc·i·tá·tion** *n.* Ⓤ 능력을 없앰; 자격 박탈; 실격(失格). **ìn·ca·pác·i·tà·tor** *n.* =INCAPACITANT.

in·ca·pac·i·ty [ìnkəpǽsəti] *n.* Ⓤ,Ⓒ **1** 무능, 무력, 부적당 《*for* work; *for* do*ing*; *to* do》. **2** 〖법률〗 무능력, 무자격, 실격.

in·car [ínkɑ̀ːr] *a.* 자동차 안의, 차내의.

in·car·cer·ate [inkɑ́ːrsərèit] *vt.* 《문어》 투옥〔감금〕하다 (imprison), 유폐하다. ㊕ **in·càr·cer·á·tion** *n.* 감금, 투옥; 유폐 (상태); 〖의학〗 감돈(증) (嵌頓(症)). **-à·tor** *n.*

in·car·di·nate [inkɑ́ːrdənèit] *vt.* (로마 교황청의) 추기경에 임명하다; (성직자를) 교구(敎區)에 입적시키다. ㊕ **in·càr·di·ná·tion** *n.*

in·car·na·dine [inkɑ́ːrnədàin, -din, -dìːn/-dàin] 《고어·시어》 *n., a.* 살〔핏〕빛(의), 진홍〔담홍〕색(의). **—** *vt.* 붉게 물들이다 (redden).

in·car·nate [inkɑ́ːrneit] *vt.* **1** 《+목+*as* 보》 육체를〔육신을〕 갖게 하다, …의 화신(化身)이 되다: the devil ~*d as* a serpent 뱀 모습을 한 악마. **2** 《+목+전+명》 구체화하다, 실현시키다: His ideals *were* ~*d in* his poems. 그의 이상은 그의 시 속에 구체화되었다. **3** 대표하다. **—** [inkɑ́ːrnət, -neit] *a.* **1** 〔보통 명사의 뒤에 두어〕 육신을 갖춘, 사람의 모습을 한, 화신한: a devil ~ =an ~ fiend 악마의 화신. **2** 구체화한, 구현한: Liberty ~ 자유의 권화(權化). **3** =INCARNADINE.

in·car·na·tion [ìnkɑːrnéiʃən] *n.* Ⓤ,Ⓒ **1** 육체를 갖추게 함; 인간의 모습을 취함. **2** 화신(化身), 권화(權化): the ~ of health 건강의 화신 / He is the ~ of honesty. 그는 정직 바로 그 자체다. **3** 구체화, 체현(體現). **4** 〖의학〗 육아(肉芽) 발생. **5** 어떤 특정 시기〔단계〕(의 모습): a former ~ 전세(의 모습). **6** (the I-) 성육신(成肉身), 강생 《신이 예수로서 지상에 태어남》.

in·case [inkéis] *vt.* 용기〔상자, 통, 칼집〕에 넣다; 싸다. ㊕ **~·ment** *n.* Ⓒ,Ⓤ

in·cau·tion [inkɔ́ːʃən] *n.* 부주의.

in·cau·tious [inkɔ́ːʃəs] *a.* 조심성이 없는, 무모한, 경솔한, 부주의한. ㊕ **~·ly** *ad.* **~·ness** *n.*

INCB International Narcotic Control Board (국제 마약 통제 위원회).

in·cen·di·a·rism [inséndiərìzəm] *n.* **1** Ⓤ 방화(放火). cf. arson. **2** 선동.

in·cen·di·ary [inséndièri/-diəri] *a.* 불나게 하는, 방화의; 선동적인: an ~ bomb 〔shell〕 소이탄 / ~ speeches 선동 연설. **—** *n.* 방화범; 선동자; 소이탄.

in·cen·dive [inséndiv] *a.* 불타기 쉬운, 가연성의, 발화력(發火力)이 있는.

°**in·cense**[1] [ínsens] *n.* Ⓤ **1** 향(香); 향냄새〔연기〕; 〔일반적〕 방향(芳香): burn ~ 향을 피우다 / a stick of ~ 선향(線香). **2** 아첨, 감언(甘言). **—** *vt.* …에 향을 피우다; (…앞에서) 분향하다. **—** *vi.* 향을 피우다.

in·cense[2] [inséns] *vt.* (몹시) 성나게 하다, 격앙시키다; 〔수동태〕 (행위 따위에) 격노하다 《*at*; *by*》, (사람에게) 격노하다 《*with*; *against*》: She *was* ~*d by* his conduct 〔*at* his remarks〕. 그녀는 그의 행위에〔그의 말을 듣고〕 격노했다 / He *was* ~*d against* the slanderer. 그는 중상을 한 자에 대해 몹시 화를 냈다 / He became ~*d with* me. 그는 나에게 매우 화를 냈다. ㊕ **~·ment** *n.*

íncense bùrner 향로(香爐).

íncense trèe 훈향목(薰香木) 《감람나무의 일종》.

in·cen·so·ry [ínsensəːri, -sənsɔ̀ːri/-səri] *n.* (매다는) 향로(censer).

in·cen·ter [ínsèntər] *n.* 〖수학〗 내심(內心).

°**in·cen·tive** [inséntiv] *a.* 자극적인, 유발〔고무〕적인, 장려〔격려〕하는 《*to*》: an ~ speech 격려사 / ~ goods 〔articles〕 보상 물자. **—** *n.* Ⓒ,Ⓤ 격려, 자극, 유인, 동기; (생산성 향상을 위한) 장려금; 〖심리〗 유인(誘引).

incéntive páy 〔**bónus**〕 (근로자 등에 대한) 생산성 향상 장려금.

incéntive tóur 보상 장려 여행《판매 촉진을 위해 영업원 · 판매점을 대상으로 하는》.

incéntive tríp 보상 장려 관광 여행《매상 성적이 좋은 판매점 주인에게 행하는 제조 회사 주최의 초대 여행》.

incéntive wàge (생산) 장려 임금.

in·cén·tiv·ìze *vt.* 장려하다.

in·cept [insépt] *vt.* **1** 〖생물〗 섭취하다. **2** 《고어》 시작하다. **—** *vi.* **1** 《영》 (Cambridge 대학에서) 석사〔박사〕 학위를 받다. **2** 직책을〔직무를〕 맡다.

in·cep·tion [insépʃən] *n.* 처음, 시작, 개시, 발단; (Cambridge 대학에서의) 학위 취득; 학위 수여식. ***at the*** (***very***) **~ *of*** 처음에, 당초에.

in·cep·ti·sol [inséptəsɔ̀ːl, -sɑ̀l/-sɔ̀l] *n.* 〖토양〗 인셉티솔《층위분화(層位分化)가 약간 발달한 토양》.

in·cep·tive [inséptiv] *a.* 처음의, 발단의; 〖문법〗 동작의 시작을 나타내는, 기동(起動)(상(相))의. **—** *n.* 〖문법〗 기동상(相); 기동 동사(= ∠ vèrb). ㊞ **~·ly** *ad.*

in·cep·tor [inséptər] *n.* (Cambridge 대학의) 「학위 취득 후보자.

in·cer·tae se·dis [iŋkéərtai-séidis, insə́ːr-tiː-síːdəs] 《L.》 〖생물〗 (분류학상의) 위치가〔소속이〕 확실〔분명〕치 않은.

in·cer·ti·tude [insə́ːrtətjùːd/-tjùːd] *n.* Ⓤ 불확실; 불안정(不安定), 의혹, 의구, 불안.

*__in·ces·sant__ [insésənt] *a.* 끊임없는, 그칠 새 없는, 간단 없는. cf. ceaseless. ¶ an ~ noise 끊임없는 소음. SYN. ⇨ CONTINUAL. ㊞ **-san·cy** *n.* **~·ly** *ad.* 끊임없이. **~·ness** *n.*

in·cest [ínsest] *n.* Ⓤ 근친상간, 상피(相避).

in·ces·tu·ous [inséstʃuəs] *a.* 근친상간의 (죄를 저지른); (정상 기능을 서로 저해할 만큼) 밀접한. ㊞ **~·ly** *ad.* **~·ness** *n.*

†**inch**[1] [intʃ] *n.* **1** 인치《12분의 1피트, 2.54cm; 기호 ″; 생략: in.》: He is five feet six *~es* (tall). 그의 키는 5피트 6인치이다 / an ~ *of* rain 〔snow〕 1인치의 강우량 〔적설량〕. **2** (*pl.*) 신장(身長), 키: a man of your *~es* 자네 키만 한 사람. **3** 조금, 소량: don't give 〔budge, yield〕 an ~ 한 치도 물러서지〔양보하지〕 않다 / Give him 〔knaves〕 an ~ and he 〔they〕 will take a mile 〔a yard, an ell〕. 《속담》 조금 친절히 대해 주면 기어오른다. ***an ~ of cold steel*** 단도로 한 번 찌르기. ***by ~es*** ① 하마터면, 겨우, 간신히(=by an ~): escape death *by ~es* 아슬아슬하게 죽음을 모면하다. ② 조금씩, 점차로, 서서히, 천천히: die *by ~es* 서서히 죽다. ***every*** **~** 어디까지나, 완전히, 철두철미; 구석구석까지: He is *every* ~ a gentleman. 그는 어느 모로 보나 신사다 / He knows *every* ~ of this town. 그는 이 도시의 구석구석까지 환하다. ***gather up*** **one's *~es*** 똑바로 일어서다. **~ *by*** **~** 조금씩(by ~es). ***not*** (***...***) ***an*** **~** 조금도 …않는. ***to an*** **~** 조금도 틀림없이, 정밀하게. ***within an*** **~ *of*** 《구어》 …의 바로 곁에까지, 거의 …할 정도까지: flog a person *within an* ~ *of* his life 아무를 때려서 반쯤 죽이다.
— *vt.*, *vi.* 《~/+목+부/+부》 조금씩 움직이다《*along*》: ~ (one's way) *across* 〔*along*, etc.〕 …을 가로질러〔따라〕 조금씩 전진하다.

inch[2] *n.* 《Sc.》 (육지에 가까운) 작은 섬.

inched [-t] *a.* 〔수사와 함께 복합어로〕 …인치의: 2-~ book, 2 인치짜리 책.

ínch·er *n.* 〔흔히 수사와 함께 복합어로〕 (길이 · 직경이) …인치의 것: a sixteen-~, 16인치 포.

inch·meal [íntʃmìːl] *ad.* 조금씩(gradually), 서서히(slowly). ***by*** **~** =inchmeal.

in·cho·ate [inkóuət, ínkouèit] *a.* 이제 막 시작한, 초기의; 불완전한, 미완성의; 미발달의; 미정리의; 조직화되지 않은; 〖법률〗 (권리 · 이익이) 미확정의, 미발효의. **—** [ínkouèit] *vt.* 시작〔창시〕하다. ㊞ **~·ly** *ad.* **~·ness** *n.*

ìn·cho·á·tion *n.* 시작, 개시, 착수; 발단.

in·cho·a·tive [inkóuətiv] *a.* 처음의, 발단의; 〖문법〗 동작의 시작을 나타내는, 기동(起動)의: an ~ verb 기동 동사. **—** *n.* = INCEPTIVE. ㊞ **~·ly** *ad.*

ínch of mércury 〖물리〗 수은주 인치, 인치 수은《대기압의 측정 단위; =33.864 헥토파스칼; 생략: in.Hg》.

ínch tàpe 인치 눈금이 있는 줄자〔권척(卷尺)〕.

ínch·wòrm *n.* 〖곤충〗 자벌레(looper); 《CB속어》 느릿느릿 가는 트럭.

in·ci·dence [ínsədəns] *n.* **1** (사건 · 영향 따위의) 범위, 발생률, 발병률, 빈도: a high ~ of disease 높은 이환율. **2** (투사물(投射物) · 빛 등의) 낙하〔입사, 투사〕(의 방향〔방법〕). **3** 〖물리 · 광학〗 투사〔입사〕(각); 〖항공〗 영각(迎角)《동체 기준선에 대한 주익(主翼)의 각도》: an ~ indicator 입사계(入射計) / an angle of ~ 〖물리〗 투사 〔입사〕각; 〖항공〗 영각. **4** (세금의) 부담 (범위).

in·ci·dent [ínsədənt] *a.* **1** (부수적으로) 일어나기 쉬운, 흔히 있는; 부수하는《*to*》: a disease ~ *to* childhood 소아에 일어나기 쉬운 병. **2** 〖법률〗 부대(附帶)의《*to*》. **3** 〖물리〗 투사〔입사〕의《*on, upon*》: an ~ angle 〔rays〕 입사각〔광선〕 / rays of light ~ *on* 〔*upon*〕 a mirror 거울에 투사되는 광선. **—** *n.* **1** 사건, 생긴 일; (어떤 사건의) 부수 사건, 작은 사건: the ordinary *~s* of daily life 일상생활에서 흔히 있는 사건 / without ~ 별일 없이, 무사히. SYN. ⇨ ACCIDENT. **2** (전쟁 · 폭동 따위의) 사변, 분쟁: a border 〔religious〕 ~ 국경〔종교〕 분쟁 / an international ~ 국제적인 사건. **3** (극 · 소설 중의) 에피소드(episode). **4** 〖법률〗 부수 조건, 부대하는 권리〔의무〕. **5** 《미구어》 사생아.

°**in·ci·den·tal** [ìnsədéntl] *a.* **1** …에 일어나기 쉬운, 흔히 있는, (…에) 부수하여 일어나는《*to*》: dangers ~ *to* a soldier's life 군인 생활에 흔히 있는 위험 / That is ~ *to* my story. 그것은 여담입니다《*to* 이하를 생략할 때도 있음》. **2** 주요하지 않은, 부차적인; 임시의, 우연의, 우발(偶發)적인: ~ expenses 임시비, 잡비 / an ~ image 잔상(殘像) / an ~ remark 무심코 한 말. **—** *n.* 부수적〔우발적〕인 일; (*pl.*) 임시비, 잡비.

°**in·ci·dén·tal·ly** *ad.* **1** 〔보통 문장 첫머리에서 전체를 수식〕 하는 김에, 말하자면, 덧붙여 말하면. **2** 부수적으로; 우연히. 「악.

incidéntal músic (극 · 영화 따위의) 부수 음

íncident ròom 수사 본부, 대책실《특정 범죄 · 사고 처리를 위해 경찰이 설치하는》.

in·cin·der·jell [insíndərdʒèl] *n.* 〖군사〗 발염(發炎) 젤리《napalm과 혼합한 젤리 모양의 가솔린; 화염 방사기 · 소이탄용》.

in·cin·er·ate [insínərèit] *vt.* 태워서 재로 만들다, 태워 없애다; 〖화학〗 회화(灰化)하다. **—** *vi.* 타서 재가 되다. ㊞ **in·cin·er·á·tion** *n.* Ⓤ 소각; 〖화학〗 회화(灰化), 《미》 화장. **in·cín·er·à·tor** [-ər] *n.* (쓰레기의) 소각로(爐)〔장치〕; 화장로.

in·cip·i·ence, -en·cy [insípiəns], [-si] *n.* 시초, 발단; (병 따위의) 초기.

in·cip·i·ent [insípiənt] *a.* 시초의, 발단의, 초기의: the ~ light of day 서광(曙光) / ~ madness 발광의 전조. ㊞ **~·ly** *ad.*

in·ci·pit [ínsəpit] *n.* (중세(中世)의 사본 따위의) 모두(冒頭)(의 말); 시작.

ín·cìrcle *n.* 〖수학〗 내접원(內接圓).
in·cir·cuit [insə́ːrkit] *a.* 전자 회로에 짜 넣은.
in·cise [insáiz] *vt.* 절개하다; 째다; …에 표(문자, 무늬)를 새기다, 조각하다.
in·císed *a.* 새긴, 조각한; 〖의학〗 절개한; 〖식물〗 (잎이) 결각(缺刻)의, 심렬(深裂)의: an ~ leaf 〖식물〗 결각상(狀)의 잎.
in·ci·sion [insíʒən] *n.* U,C 칼〔벤〕자국을 내기, 베기; 새김; 칼〔벤〕자국; 〖의학〗 째, 절개; 〖동물·식물〗 결각(缺刻).
in·ci·sive [insáisiv] *a.* **1** 날카로운, 통렬한, 가시돋친, 신랄한. **2** (칼붙이가) 예리한. **3** 〖해부〗 앞니의. ⓟ **~·ly** *ad.* **~·ness** *n.*
in·ci·sor [insáizər] *n.* 〖해부〗 앞니. ⓟ **-so·ry** *a.* 절단용의, 예리한(앞니).
in·ci·sure [insíʒər] *n.* 베인 상처; 〖해부〗 (V자형의) 벤 자국, 균열; 베인 흉터.
in·cit·ant [insáitənt] *a.* 자극하는, 흥분시키는.
in·ci·ta·tion [ìnsaitéiʃən, -si-] *n.* U,C = INCITEMENT.
◇**in·cite** [insáit] *vt.* **1** 《목+전+명/+목+*to* do》 자극〔격려〕하다; 부추기다, 선동하다: ~ a person *to* heroic deeds 용기 있는 행위를 하도록 아무를 격려하다/~ a person *to* work hard 아무를 격려하여 열심히 일하게 하다. **2** (분노·호기심 등을) 불러일으키다: Her remarks ~*d* anger in him. 그녀의 말이 그의 분노를 불러일으켰다. ⓟ **in·cít·er** *n.*
in·cíte·ment *n.* U,C 격려, 고무, 선동, 자극; 자극물, 동기. 「례(한 행동).
in·ci·vil·i·ty [ìnsəvíləti] *n.* U,C 버릇없음, 무
in·ci·vism [ínsəvìzəm] *n.* U 공공심이 없음; 비애국적 정신.
incl. inclosure; including; inclusive(ly).
in-clear·ing [ínklìəriŋ] *n.* 《영》 〔집합적〕 수입(受入) 어음 총액, 어음 교환액.
in·clem·en·cy [inklémənsi] *n.* U (날씨의) 험악; 무자비, 가혹, 냉혹.
in·clem·ent [inklémənt] *a.* **1** (날씨가) 험악한, 거칠고 궂은, 혹독한, 한랭한(severe): an ~ climate. **2** (성격 따위가) 냉혹한, 무자비한. ⓟ **~·ly** *ad.* **~·ness** *n.*
in·clin·a·ble [inkláinəbəl] *a.* **1** …의 경향이 있는, …하고 싶어하는(*to* something ; *to* do). **2** 호의를 품은, 유리한(*to*).
*****in·cli·na·tion** [ìnklənéiʃən] *n.* **1** U 기울기, 기울; (고개를) 숙임, 끄떡임, 인사; 구배, 경사, 물매; C 사면(斜面): an ~ *of* the head 끄떡임(nod)/have slight 〔great〕 ~ 조금〔많이〕 경사(傾斜)져 있다. **2** C,U 경향, 성향, 성벽: an ~ *for* stealing 〔*to* steal〕 도벽/have an ~ *for* hard work 〔*to* work hard〕 열심히 일하는 성격이다. **3** 체질: an ~ *to* stoutness 비만성. **4** C,U 좋아함, 기호, 의향, 기분: an ~ *for* study 공부를 좋아함/*against* a person's ~ 아무의 뜻을 거슬러. **5** C 〖수학〗 경각(傾角), 경사도, 내려본각; 〖우주〗 궤도 경사각; 〖물리〗 (자침(磁針)의) 복각(伏角).
in·cli·na·to·ry [inkláinətɔ̀ːri/-təri] *a.* 경사의, 경사지고 있는.
*****in·cline** [inkláin] *vt.* **1** 기울이다, 경사지게 하다. **2** 《+목+전+명》 (몸을) 굽히다; (머리를) 숙이다; (귀를) 기울이다: ~ one's ear *to* …에 귀를 기울이다/~ the head *in* agreement 동의하여 끄떡이다. **3** 《+목+*to* do》 (마음을) 내키게 하다, …할 마음이 일게 하다: ~ a person's mind *to* do …하도록 아무의 마음이 쏠리게 하다/The news ~*d* him *to* anger. 그 소식을 듣고 그는 화를 냈다. **—** *vi.* **1** 《+부/+전+명》 기울다, 기울어지다, 경사지다; 몸을 구부리다, 고개를 숙이다: ~ *forward* 몸을 앞으로 구부리다/The road ~*s toward* the river. 그 길은 강쪽으로 경사져 있다. **2** 《+전+명》 …에 가깝다: ~ *toward* 〔*to*〕 purple 자줏빛에 가깝다. **3** 《+전+명/+*to* do》 마음이 쏠리다〔내키다〕, …하고 싶어하다; …경향이 있다, …하기 쉽다: ~ *to* luxury 사치스러운 경향이 있다/~ *to* believe 믿고 싶은 기분이다, 신용을 잘하다/~ *to* leanness 〔stoutness〕 야위는 〔뚱뚱해지는〕 체질이다. ◇ inclination *n.* ***be*** 〔***feel***〕 **~*d to*** do ① …하고 싶어지다: He doesn't *feel* much ~*d to* work. 그는 별로 일하고 싶어하지 않는다. ② …경향이 있다: He *is* ~*d to* be lazy. 그는 게으른 경향이 있다. **~ *one's ear*** (호의적으로) 귀를 기울이다, 경청하다. **~ *one's steps to*** 〔***towards***〕 …로 발길을 향하다.
— [ínklain] *n.* **1** 경사(면), 물매(slope). **2** 사면, 비탈. **3** 급경사 〔케이블〕 철도(=**inclíned ráilway**).
*****in·clined** [inkláind] *a.* **1** (…하고 싶은) 마음〔생각〕이 드는(*to* do; *for*): I'm ~ *to* believe that he's innocent. 그가 결백하다는 믿음이 간다/She was ~ *for* a walk. 그녀는 산보할 생각이 들었다. **2** 경향〔성향〕을 보이는(*to; toward*); (…하는) 체질〔기질〕의, (…하기) 쉬운(*to* do): The boy is mechanically ~. 그 소년은 기계를 좋아하는 편이다/She's ~ *to* get tired easily. 그녀는 쉽게 피로를 느끼는 체질이다. **3** 기울어진, 경사진: an ~ tower 기울어진 탑.
inclíned pláne 사면(斜面); (기울기가 약 45° 의) 케이블 철도의 노면〔궤도〕.
in·clin·ing [inkláiniŋ] *n.* =INCLINATION; 《고어》 공명자(共鳴者), 동조자.
in·cli·nom·e·ter [ìnklənámətər/-nɔ́m-] *n.* 복각계(伏角計); 경사계(clinometer).
in·close [inklóuz] *vt.* =ENCLOSE.
in·clo·sure [inklóuʒər] *n.* =ENCLOSURE.
*****in·clude** [inklúːd] *vt.* **1** 포함하다: ~*d* angle 사잇각. SYN. ⇨CONTAIN. **2** 《+-*ing*/+목+전+명》 포함시키다, 넣다; 셈에 넣다. opp. *exclude*. ¶ Household duties ~ cook*ing* and clean*ing*. 가사에는 요리와 청소도 포함된다/He ~*s* me *among* his enemies. 나를 적의 한 사람으로 생각하고 있다. **3** 〔과거분사 형태로서 독립분사로 써서〕 …포함하여: price $5, postage ~*d* 우송료 포함하여 5 달러. ◇ inclusion *n.*, inclusive *a.* **~ *out*** 《구어》 제외하다.
in·clúd·ed [-id] *a.* 포함된, 포함시킨; 포함한(including); 〖식물〗 (수술·암술이) 꽃부리 밖으로 돌출해 있지 않은.
*****in·clud·ing** [inklúːdiŋ] *prep.* …을 포함하여, …을 넣어서, …함께: There are seven of us ~ myself. 나까지 넣어 7 명이다/All on the plane were lost, ~ the pilot. 탑승자는 조종사를 포함하여 모두 죽었다.
in·clu·sion [inklúːʒən] *n.* U 포함, 포괄; 산입(算入); 〖논리〗 포섭; C 〖광물〗 함유물; 〖생물〗 (세포 안으로의) 봉입(封入). ◇ include *v.*
in·clu·sion·ary [inklúːdʒənèri/-dʒənəri] *a.* (주택〔지역〕 개발 계획이) 중산층 대상의.
inclúsion bòdy 〖의학〗 봉입체(封入體)《세균이나 바이러스에 감염된 세포 중의 과립 구조체》.
inclúsion màp 〖수학〗 포함 사상(寫像).
*****in·clu·sive** [inklúːsiv] *a.* **1** 〔수사 등의 뒤에 두어〕 (…을) 포함하여, …을 넣어; 계산〔셈〕에 넣어(*of*): a party of 10 ~ *of* the host 주인을 포함한 10 명의 파티/from July 1 to 31 (both) ~, 7 월 1 일부터 31 일까지《1일과 31일 둘다 포함한다는 뜻》. **2** 일체를 포함한, 총괄적인. opp. *exclusive*. ¶ an ~ fee for a package tour

일체의 비용을 포함한 패키지 여행 요금. ◇ include *v.* ㊙ **~·ly** *ad.* 포함하여, 셈에 넣어서. **~·ness** *n.*

inclúsive disjúnction 〖논리〗 포함적 선언(選言) 《보통 *pVq*로 나타내며, 명제 *p* 또는 *q*, 또는 *p*와 *q* 양쪽이라는 뜻》.

inclúsive fítness 〖유전〗 포괄 적응도.

inclúsive lánguage 〖언어〗 남녀 포괄 용어 《man을 humankind로, chairman을 chairperson으로 말하는 따위》.

in·co·er·ci·ble [ìnkouə́:rsəbəl] *a.* 억제〔제압〕할 수 없는; 〖물리〗 액화할 수 없는 (기체 등).

in·cog [inkág/-kɔ́g] *ad., n., a.* 《구어》 =INCOGNITO.

incog. incognita; incognito.

in·cog·i·ta·ble [inkádʒətəbəl/-kɔ́dʒ-] *a.* 《드물게》 믿을〔생각할〕 수 없는. ㊙ **in·còg·i·ta·bíl·i·ty** *n.*

in·cog·i·tant [inkádʒətənt/-kɔ́dʒ-] *a.* 사려 없는, 무분별한; 사고력이 없는. ㊙ **~·ly** *ad.*

in·cog·ni·ta [ìnkagní:tə, inkágnə-/ìnkɔgní:-, inkɔ́gni-] (*pl.* **~s, -te** [-tei]) *a., ad., n.* INCOGNITO의 여성형.

in·cog·ni·to [ìnkagní:tou, inkágnə/ìnkɔgní:-, inkɔ́gni] *a., ad.* 암행〔잠행, 미행(微行)〕의〔으로〕; 변명(變名)〔익명〕의〔으로〕: travel ~ 신분을 숨기고 다니다 / a king ~ 미행하는 왕. ── (*pl.* **~s, -ti** [-ti:]) *n.* 변명(자), 미행(자), 익명(자). ***drop*** one*'s* ~ 신분을 밝히다.

in·cog·ni·za·ble [inkágnəzəbəl/-kɔ́g-] *a.* 알아챌〔눈치챌〕 수 없는.

in·cog·ni·zant [inkágnəzənt/-kɔ́g-] *a.* 인지〔의식〕하지 않는, 알아채지〔눈치채지〕 못하는 《*of*》. ㊙ **-zance** [-zəns] *n.* Ⓤ 알아채지 못함, 무지(無知), 인식의 결여.

in·co·her·ence, -en·cy [ìnkouhíərəns, -hɛ́ər-/-híər-], [-ənsi] *n.* Ⓤ 앞뒤가 맞지 않음, 지리멸렬; Ⓒ 모순된 생각〔말〕.

in·co·her·ent [ìnkouhíərənt, -hér-/-híər-] *a.* (논리적으로) 일관되지 않는, 사리가 맞지 않는, 모순된, 지리멸렬한, 뒤죽박죽인; (분노·슬픔으로) 종잡을 수 없는, 자제를 잃은; 결합력이 없는, 흩어진; 성질을 달리하는, 양립하지 않는; 〖물리〗 비간섭성의. ㊙ **~·ly** *ad.* **~·ness** *n.*

in·co·he·sive [ìnkouhí:siv] *a.* 결합력〔응집성〕이 없는.

ìn·com·bùs·ti·bíl·i·ty *n.* Ⓤ 불연성(不燃性).

in·com·bus·ti·ble [ìnkəmbʌ́stəbəl] *a., n.* 불연성의 (물질). ㊙ **-bly** *ad.*

‡**in·come** [ínkʌm] *n.* Ⓤ,Ⓒ 수입《주로 정기적인》, 소득. opp *outgo.* ¶ live beyond 〔within〕 one's ~ 수입 이상〔이내〕의 생활을 하다 / earned 〔unearned〕 ~ 근로〔불로〕 소득 / a gross 〔net〕 ~ 총〔실〕수입.

íncome accòunt 손익 계산(서).

íncome bònd 〖상업〗 수익사채(社債)〔채권〕 《기업 수익에 따라 이자가 지급되는 것》.

íncome distribùtion 소득 분배.

íncome fúnd 〖경제〗 인컴 펀드《배당 수익에 중점을 두고 자금을 운영하는 투자 신탁》.

íncome gròup 〖사회〗 소득층《소득 세액이 같은 집단》.

íncome màintenance 《미》 (정부의 저소득자에 대한) 생활 보조금.

ín·còm·er *n.* 새로 온 사람; 새 가입자; (타국에서의) 이민; 침입자; 후계자.

íncome(s) pòlicy 〖경제〗 소득 정책.

íncome stàtement 손익 계산서(income account).

íncome suppòrt (영국의) 소득 원조《생활 곤궁자·실업자에 대한 수당; 이전의 supplementary benefit》.

íncome tàx 소득세.

ín·còm·ing *n.* **1** (들어)옴, 도래: the ~ of the tide 밀물이 듦. **2** (보통 *pl.*) 수입, 소득: ~s and outgoings 수입과 지출. opp *outgoing.* ── *a.* **1** 들어오는; (이익 등이) 생기는: ~ profits 수익 / an ~ line 〖전기〗 옥내 도입선 / an ~ call 걸려온 전화. **2** 다음에 오는, 뒤를 잇는; 후임의: the ~ mayor 후임 시장.

ìn·com·mèn·su·ra·bíl·i·ty *n.* Ⓤ 같은 표준으로 잴 수 없음; 〖수학〗 약분할 수 없음.

in·com·men·su·ra·ble [ìnkəménsərəbəl/-ʃər-] *a.* 같은 표준으로 잴 수 없는; 비교할 수 없는, 엄청나게 다른《*with*》; 전혀 (걸)맞지 〔어울리지〕 않는; 〖수학〗 약분할 수 없는, 무리(수)의: an explanation ~ *with* the facts 사실과 크게 동떨어진 설명. ── *n.* 같은 표준으로 잴 수 없는 것; 〖수학〗 약분할 수 없는 수〔양〕. ㊙ **-bly** *ad.* **~·ness** *n.*

in·com·men·su·rate [ìnkəménsərət/-ʃər-] *a.* 어울리지 않는, 맞지 않는(disproportionate) 《*with; to*》; 불충분한, 너무 적은〔작은〕; =INCOMMENSURABLE: His ability is ~ *to* his work. 그의 능력은 일에 맞지 않다. ㊙ **~·ly** *ad.* **~·ness** *n.*

incomménsurate strúcture 〖물리〗 부정합(不整合) 구조《아질산나트륨이나 싸이오요소 (thio 尿素) 등의 강유전체(強誘電體)에 발현하는 장주기(長周期) 구조의 반(反)강유전적인 상(相)》.

in·com·mode [ìnkəmóud] *vt.* 불편을 느끼게 하다, 폐를 끼치다; 방해하다.

in·com·mo·di·ous [ìnkəmóudiəs] *a.* (방 따위가) 비좁은, 옹색한; 불편한(inconvenient). ㊙ **~·ly** *ad.* **~·ness** *n.*

in·com·mod·i·ty [ìnkəmádəti/-mɔ́d-] *n.* Ⓤ,Ⓒ (주로 *pl.*) 불편 〔거북〕(한 점), 옹색함.

ìn·com·mù·ni·ca·bíl·i·ty *n.* Ⓤ 전달할〔통할〕 수 없음.

in·com·mu·ni·ca·ble [ìnkəmjú:nəkəbəl] *a.* **1** 전달할 수 없는, 말로 표현할 수 없는. **2** =INCOMMUNICATIVE. **3** 나누어 줄 수 없는《왕권 따위》. ㊙ **-bly** *ad.*

in·com·mu·ni·ca·do [ìnkəmjù:nəká:dou] *a.* 통신이 끊어진, 외부와 연락이 끊긴; 독방에 감금된: hold (a prisoner) ~.

in·com·mu·ni·ca·tive [ìnkəmjú:nəkətiv, -kèitiv] *a.* 말하기 싫어하는, 입이 무거운, 뚱한, 과묵한. ㊙ **~·ly** *ad.* **~·ness** *n.*

in·com·mut·a·ble [ìnkəmjú:təbəl] *a.* 교환할〔바꿀〕 수 없는; 불변의. ㊙ **-bly** *ad.* **~·ness** *n.* **in·com·mùt·a·bíl·i·ty** *n.*

in·com·mu·ta·tion [ìnkəmjətéiʃən] *n.* =REVERSE COMMUTING.

ìn·com·páct *a.* 짜이지〔치밀하지〕 않은, 엉성한; 산만한. ㊙ **~·ly** *ad.* **~·ness** *n.*

in-com·pa·ny [ínkʌ̀mpəni] *a.* (회)사내의, 「기업 내의.

°**in·com·pa·ra·ble** [inkámpərəbəl/-kɔ́m-] *a.* 견줄〔비길〕 데 없는, 비교가 되지 않는《*with; to*》: one's ~ beauty 비길 데 없는 아름다움. ㊙ **-bly** *ad.* 비교가 안 될 정도로, 현저히. **~·ness** *n.*

ìn·com·pat·i·bíl·i·ty *n.* Ⓤ,Ⓒ 양립하지 않음, 상반(相反), 성격의 불일치; (수정(受精)의) 불화합성, (접목(椄木)의) 불친화성; 〖컴퓨터〗 호환성이 없음; 〖약학〗 배합 금기; (*pl.*) 상호 배제하는 성질〔것〕, 배합 금기약.

°**in·com·pat·i·ble** [ìnkəmpǽtəbəl] *a.* **1** (…와) (성미·생각이) 맞지 않는, 사이가 나쁜《*with*》; (…와) (일이) 양립하지 않는, 모순된; 조화하지 않는《*with*》: She asked for a divorce because they were utterly ~. 서로 성격이 전혀 맞지 않는다고 그녀는 이혼을 요구했다 / Democracy and monarchy are essentially ~ *with* each other. 민주주의와 군주제는 본질적으로 양립할 수 없는 것이다. **2** 공존할 수 없는; 동시에 일어날 수 없는. **3** 〖논리〗 비양립성의. **4** (직분 · 임무가) 겸임할 수 없는. **5** (컴퓨터 따위가) 호환성이 없는. **6** 〖의학〗 (혈액형 · 혈청이) 부적합한; 〖약학〗 (약제 등이) 배합 금기의. **7** 〖식물〗 불화합성의 《수정 안 됨》; 불친화성의《접목 안 됨》. **8** 〖수학〗 (방정식 등이) 연립할 수 없는. ── *n.* **1** (흔히 *pl.*) 성미가 맞지 않는 사람, 양립할 수 없는 것. **2** 배합 금기의 약. **3** (*pl.*) 〖논리〗 비양립 명제; 비양립 속성. ㊞ **-bly** *ad.* **～·ness** *n.*

incompátible cólor 〔sỳstem〕 〖TV〗 비(非)양립식《컬러 방송이 보통의 세트에서는 흑백으로 수상되지 않는 방식》.

in·com·pe·tence, -ten·cy [inkámpətəns/-kɔ́m-], [-tənsi] *n.* Ⓤ 무능력, 부적당; 〖법률〗 무자격, 금치산; 〖의학〗 (기능) 부전(증).

°**in·com·pe·tent** [inkámpətənt/-kɔ́m-] *a.* 무능한, 쓸모없는; 부적당한; 〖법률〗 무능력의, 무자격의; 〖의학〗 기능 부전의: He is ～ *to* manage 〔*for* managing, *as* a manager of〕 the hotel. 호텔을 경영할 능력〔자격〕이 없다. ── *n.* 무능력자, 부적격자; 〖법률〗 무자격자, 금치산자. ㊞ **～·ly** *ad.*

°**in·com·pléte** *a.* 불완전〔불충분〕한, 불비한; 미완성의: the ～ verb 〖문법〗 불완전 동사 / an ～ flower 불완전화(花). ㊞ **～·ly** *ad.* **～·ness** *n.*

íncomplete dóminance 〖유전〗 불완전 우성(優性)(semidominance).

incompléted páss 〖미식축구〗 패스 불성공.

íncomplete frácture 불완전 골절(骨折).

incompléte metamórphosis 〖곤충〗 불완전 변태.

「불비.

ìn·com·plé·tion *n.* 불완전, 미완성; 불충분,

in·com·pli·ance, -an·cy [inkəmpláiəns], [-i] *n.* 불승낙, 따르지 않음, 고집이 셈.

in·com·pli·ant [ìnkəmpláiənt] *a.* 따르지 않는(unyielding), 응하지 않는; 고집이 센. ㊞ **～·ly** *ad.*

「없음, 불가해(성).

ìn·com·pre·hèn·si·bíl·i·ty *n.* Ⓤ 이해할 수

°**in·com·pre·hen·si·ble** [ìnkamprihénsəbəl, inkàm-/inkɔm-, inkɔ̀m-] *a.* 이해할 수 없는, 불가해한; 《고어》 (특히 신(神)의 속성이) 무한한. ── *n.* 무한한 것. ㊞ **-bly** *ad.* 이해할 수 없게, 불가해하게; 〔문장수식〕 무슨 까닭인지. **～·ness** *n.*

in·com·pre·hen·sion [ìnkamprihénʃən/inkàm-/ìnkɔm-, inkɔ̀m-] *n.* Ⓤ 몰이해, 이해력이 없음.

in·com·pre·hen·sive [ìnkamprihénsiv/inkàm-/ìnkɔm-, inkɔ̀m-] *a.* 포괄적이 아닌, 범위가 좁은; 이해력〔포용력〕이 없는〔적은〕.

ìn·com·prèss·i·bíl·i·ty *n.* Ⓤ 압축〔압착〕 불능, 비(非)압축성.

in·com·press·i·ble [ìnkəmprésəbəl] *a.* 압축할 수 없는.

in·com·pu·ta·ble [ìnkəmpjú:təbəl] *a.* 헤아릴 수 없는, 계산할 수 없는.

ìn·con·cèiv·a·bíl·i·ty *n.* Ⓤ 불가해(不可解), 상상도 할 수 없음.

°**in·con·céiv·a·ble** *a.* 상상할 수 없는, 생각조차 못할; 《구어》 믿기 어려운, 매우 놀랄 만한: It's ～ *that* she should do something like that. 그녀가 그런 짓을 하다니 믿어지지 않는다. ㊞ **-bly** *ad.* **～·ness** *n.*

in·con·cin·ni·ty [ìnkənsínəti] *n.* 부조화, 불일치, 불균형; 우미하지 않음.

in·con·clu·sive [ìnkənklú:siv] *a.* 언제 끝날지 모르는, 결론에 이르지 못하는; 결론적〔결정적〕이 아닌, 확정이 안 난, 요령부득의. ㊞ **～·ly** *ad.* **～·ness** *n.*

in·con·den·sa·ble, -si·ble [ìnkəndénsəbəl] *a.* 응축〔응결〕할〔시킬〕 수 없는.

in·con·dite [inkándət, -dait/-kɔ́n-] *a.* (문학 작품 따위가) 구성이 졸렬한; 생경한, 조잡한; 거친. ㊞ **～·ly** *ad.*

in·con·form·i·ty [ìnkənfɔ́:*r*məti] *n.* Ⓤ 불일치, 부적합《*to; with*》; 국교(國教) 반대.

in·con·gru·ent [inkáŋgruənt, ìnkəngrú:-/-inkɔ́ŋgruənt] *a.* 맞지 않는, 일치하지 않는, 조화〔적합〕하지 않는. ㊞ **-ence** [-əns] *n.* =INCONGRUITY.

in·con·gru·i·ty [ìnkəngrú:əti, -kəŋ-/-kɔŋ-, -kən-] *n.* Ⓤ 안 어울림, 부조화, 부적합; Ⓒ 부조화한 것.

°**in·con·gru·ous** [inkáŋgruəs/-kɔ́ŋ-] *a.* 일치〔조화〕하지 않는《*with*》; 어울리지 않는, 부조리한《태도 따위》, 앞뒤가 안 맞는《이야기》; 〖수학〗 부등의. ㊞ **～·ly** *ad.* **～·ness** *n.*

in·con·nu [ìnkən*j*ú:/-njú:] *n.* 알려지지 않은 사람; (*pl.* **～s,** ～) 〖어류〗 북아메리카 북부산의 연어과 식용어(食用魚).

in·con·scient [inkánʃənt/-kɔ́n-] *a.* 무의식의, 정신이 몽롱한.

in·con·sec·u·tive [ìnkənsékjətiv] *a.* 연속하지 않는, 연결이 안 되는; 앞뒤가 맞지 않는, 일관성이 없는. ㊞ **～·ly** *ad.* **～·ness** *n.*

in·con·se·quence [inkánsikwèns, -kwəns/-kɔ́nsikwəns] *n.* Ⓤ,Ⓒ 비논리성; 모순; 적절하지 못함.

in·con·se·quent [inkánsikwènt, -kwənt/-kɔ́nsikwənt] *a.* 비논리적인(illogical), (앞뒤가) 모순된, 동 닿지 않는; 관계없는, 핀트를 벗어난, 엉뚱한; 하잘것없는, 사소한. ㊞ **～·ly** *ad.*

in·con·se·quen·tia [inkansikwénʃiə, inkàn-/ìnkɔn-, inkɔ̀n-] *n. pl.* 하잘것〔보잘것〕없는 것, 극히 사소한 일〔것〕, 말단지엽.

in·con·se·quen·tial [ìnkansikwénʃəl, inkàn-/ìnkɔn-, inkɔ̀n-] *a.* 논리에 맞지 않는, 불합리한; 중요하지 않은, 대수롭지 않은. ㊞ **～·ly** *ad.*

in·con·síd·er·a·ble *a.* 적은; 중요치 않은, 하잘것없는. ㊞ **～·ness** *n.* **-bly** *ad.*

in·con·sid·er·ate [ìnkənsídərət] *a.* (남의 권리 · 감정 등에 대한) 헤아림〔생각〕이 없는 《*of*》; 분별이〔사려가〕 없는, 경솔한; 예의 범절을 모르는: It's ～ *of* you *to* do .... …하다니 자네도 어지간히 매정하군. ㊞ **～·ly** *ad.* **～·ness** *n.*

ìn·con·sid·er·á·tion *n.* Ⓤ,Ⓒ 경솔, 분별〔사려〕 없음.

°**in·con·sist·en·cy, -ence** [ìnkənsístənsi], [-təns] *n.* Ⓤ 불일치, 모순; 무정견(無定見); 〖논리〗 부정합(不整合); Ⓒ 모순된 사물.

***in·con·sist·ent** [ìnkənsístənt] *a.* 일치하지 않는, 조화되지 않는, 상반하는《*with*》; 앞뒤가 맞지 않는, 모순된, 일관성이 없는; 무정견한, 무절조한, 변덕스러운, 〖수학〗 (방정식이) 불능의, (문제가) 성립하지 않는: an ～ narrative 동 닿지 않는 이야기. ㊞ **～·ly** *ad.* **～·ness** *n.*

in·con·sol·a·ble [ìnkənsóuləbəl] *a.* 위로할 길 없는, 슬픔에 잠긴. ㊞ **-bly** *ad.*

in·con·so·nance [inkánsənəns/-kɔ́n-] *n.* Ⓤ (사상 · 행동 따위의) 부조화, 불일치; (소리의) 불협화.

in·con·so·nant [inkánsənənt/-kɔ́n-] *a.* 조화〔일치〕하지 않는《*with; to*》; (소리가) 불협화의. ㊞ **～·ly** *ad.*

°**in·con·spic·u·ous** [ìnkənspíkju:əs] *a.* 두드러지지 않는; 눈을 끌지 않는; 〖식물〗 꽃이 작고 빛깔이 엷은. ㊞ **～·ly** *ad.* **～·ness** *n.*

in·cón·stan·cy *n.* Ⓤ,Ⓒ 변덕(스러운 행위).

in·cón·stant *a.* 변하기 쉬운, 일정치 않은, 변화가 많은; 변덕스러운, 불실(不信)의: an ~ lover 바람기가 많은 연인. ㊀ **~·ly** *ad.*

in·con·sum·a·ble [ìnkənsúːməbəl/-sjúːm-] *a.* 태워 없앨 수 없는; 소비(소모)할 수 없는, 다 쓸 수 없는; 〖경제〗 소모품이 아닌. ㊀ **-bly** *ad.*

in·con·test·a·ble [ìnkəntéstəbəl] *a.* 논의의(다툼) 여지가 없는, 명백한. ㊀ **-bly** *ad.* 틀림없이, 명백하게, 물론.

incontéstable cláuse (생명 보험 따위의) 불가쟁(不可爭) 약관(조항).

in·con·ti·nence, -nen·cy [inkántənəns/-kɔ́nti-], [-i] *n.* Ⓤ 자제심이 없음; 부절제; 음란; 〖의학〗 (대소변의) 실금(失禁): nocturnal ~ 야뇨증 / the ~ of speech (tongue) 다변(多辯) / the ~ of urine 〖의학〗 요(尿)실금.

in·con·ti·nent[1] [inkántənənt/-kɔ́nti-] *a.* 자제(억제)할 수 없는(*of*); 절제 없는, 음란한; (비밀 등을) 지키지 못하는(*of*); 〖의학〗 실금(失禁)의. ㊀ **~·ly**[1] *ad.* 홀게 늦게; 음란하게; 경솔히.

in·con·ti·nent[2] *ad.* ((고어·문어)) 곧, 즉각; 당황하여. ㊀ **~·ly**[2] *ad.* =incontinent[2].

in·con·trol·la·ble [ìnkəntróuləbəl] *a.* 억제(제어)할 수 없는(uncontrollable).

in·con·tro·vert·i·ble [ìnkɑntrəvə́ːrtəbəl, inkɑ̀n-/ìnkɔn-, -inkɔ̀n-] *a.* 논쟁의 여지가 없는(indisputable), 부정할 수 없는, 틀림없는, 명백한. ㊀ **-bly** *ad.* **~·ness** *n.*

in con·tu·ma·ci·am [in-kɑ̀ntjuméiʃiæm/-kɔ̀n-] ((L.)) 궐석 재판으로.

in·con·ven·ience** [ìnkənvíːnjəns] *n.* Ⓤ,Ⓒ 불편(한 것), 부자유; 폐(가 되는 일), 성가심: It is no ~ to me. 조금도 불편하지 않습니다 / if it's no ~ to you 폐가 되지 않는다면. ***at **~** 불편을 참고; 만사를 제쳐놓고. ***cause*** (***occasion***) **~** ***to*** a person =***put*** a person ***to*** **~** 아무에게 폐를 끼치다. ***give much*** **~** ***to*** …에게 많은 불편을 주다. ***suffer much*** **~** 몹시 부자유를 느끼다. ── *vt.* …에게 불편을 느끼게 하다; …에게 폐를 끼치다(trouble): I hope I do not ~ you. 폐가 되지 않기를 바랍니다. Don't ~ yourself for my sake. 제 걱정은 마십시오.

ìn·con·vén·ienced [-t] *a.* ((완곡어)) 지체(肢體)가 자유롭지 못한.

***in·con·ven·ient** [ìnkənvíːnjənt] *a.* 불편한, 부자유스러운; 형편이 나쁜, 폐가 되는: If (it is) not ~ *to* (*for*) you 폐가 되지 않으신다면 / Would four o'clock be ~? 4 시면 형편이 어렵습니까. ㊀ **~·ly** *ad.* 불편하게.

ìn·con·vèrt·i·bíl·i·ty *n.* Ⓤ (지폐의) 태환 불능; 교환 불능.

in·con·vert·i·ble [ìnkənvə́ːrtəbəl] *a.* 바꿀(상환할) 수 없는; (지폐가) 태환할 수 없는: an ~ note 불환 지폐. ㊀ **-bly** *ad.*

in·con·vin·ci·ble [ìnkənvínsəbəl] *a.* 납득시킬 수 없는; 이치에 따르지 않는. ㊀ **-bly** *ad.*

in·co·or·di·nate [ìnkouɔ́ːrdənət] *a.* 동격(동등)이 아닌, 조정하지 않은.

ìn·co·òr·di·ná·tion *n.* Ⓤ 부동격(不同格); 부정리(不整理); 〖의학〗 운동 실조증(失調症).

incor., incorp. incorporated.

in·cor·po·ra·ble [inkɔ́ːrpərəbəl] *a.* 합체(가입)할 수 있는.

°**in·cor·po·rate**[1] [inkɔ́ːrpərèit] *vt.* **1** ((~+목/+목+전+명)) 합동(합체)시키다, 통합(합병, 편입)하다; 짜 넣다(*in; into*): The colonies were ~*d*. 식민지는 합병됐다 / ~ his suggestion *in* the plan 그의 제안을 계획에 반영시키다. **2** 혼합하다, 섞다; 〖컴퓨터〗 (기억 장치에) 짜넣다. **3** 법인(조직)으로 만들다; ((미)) (유한 책임) 회사로 하다, 주식회사로 하다. **4** ((~+목/+목+(*as*) 보)) (단체의) 일원으로 하다, 가입시키다: be ~*d* (*as*) a member of a society 회(會)의 일원이 되다. **5** 실질(實質)을 주다, 구체화하다: ~ one's thoughts in an article 논설에서 자기의 생각을 설명하다. ── *vi.* **1** ((~/+전+명)) 통합(합동)하다; 섞이다((*with*)): The company ~*d with* another. 그 회사는 다른 회사와 합병했다. **2** 법인조직으로 되다, 유한 책임 회사(주식회사)로 되다; 지방 자치제로 되다. ── [-rit] *a.* 통합(합동)된, 일체화된; 법인(회사)(조직)의.

in·cor·po·rate[2] [inkɔ́ːrpərət] *a.* ((고어)) 형체 없는, 무형의; 영적(靈的)인.

in·cór·po·ràt·ed [-rèitid] *a.* **1** 법인(회사) 조직의; 합동(합병, 편입)한. **2** 주식회사의, ((미)) 유한 책임의: an ~ company ((미)) 유한 책임 회사. ★ 영국에서는 a limited(-liability) company라고 함. incorporated는 Inc. (((영))에서는 Ltd.)로 생략하여 회사명 뒤에 붙임: The U.S. Steel Co., *Inc.*

in·còr·po·rá·tion *n.* Ⓤ **1** 혼성, 혼합. **2** 합체, 합동, 합병, 편입; Ⓒ 결사, 법인 단체, 회사(corporation); 〖법률〗 법인격 부여, 법인(회사) 설립.

in·cor·po·ra·tive [inkɔ́ːrpərèitiv, -pərət-/-pərət-] *a.* 합동의, 통합한, 결합한; 〖언어〗 포합적(抱合的)인.

in·cor·po·ra·tor [inkɔ́ːrpərèitər] *n.* 합동(결합)자; ((미)) 법인(회사) 설립자.

in·cor·po·re·al [ìnkɔːrpɔ́ːriəl] *a.* 실체 없는, 비물질적인; 영적인; 〖법률〗 무체(無體)의((특허권·저작권 따위)): ~ hereditaments 무체 유산. ㊀ **~·ly** *ad.*

in·cor·po·re·i·ty, in·cor·po·re·al·i·ty [inkɔːrpəríːəti], [ìnkɔːrpɔ̀ːriǽləti] *n.* 실체가 없음, 무형(無形); 비(非)물질성.

***in·cor·rect** [ìnkərékt] *a.* **1** 부정확한(inaccurate), 올바르지 않은, 틀린(faulty). **2** 적당하지 않은(improper); 정식이 아닌, 어울리지 않는. ㊀ **~·ly** *ad.* **~·ness** *n.*

in·còr·ri·gi·bíl·i·ty *n.* Ⓤ 교정(矯正)할 수 없음; 끈질김, 완강함.

in·cor·ri·gi·ble [inkɔ́ːridʒəbəl] *a.* 교정(矯正)(선도)할 수 없는, 상습의; 어쩔 도리 없는, 제멋대로의; 완강한, 뿌리 깊은: an ~ liar 어쩔수 없는 거짓말쟁이. ── *n.* 교정(구제)할 수(길) 없는 자; 상습자. ㊀ **-bly** *ad.*

in·cor·rupt [ìnkərʌ́pt] *a.* 타락(부패)하지 않은; 정직한, 청렴한, 매수할 수 없는; (문서 등이) 잘못(고침)이 없는; (언어 등이) 바른, 순수한. ㊀ **~·ed** [-id] *a.* **~·ly** *ad.* **~·ness** *n.*

ìn·cor·rùpt·i·bíl·i·ty *n.* Ⓤ 부패(타락)하지 않음; 매수되지 않음, 청렴결백.

ìn·cor·rúpt·i·ble *a.* 부패(타락)하지 않는; 매수되지 않는, 청렴한: The body is corruptible but the spirit ~. 육체는 썩지만 정신은 불멸이다. ㊀ **-bly** *ad.*

ìn·cor·rúp·tion *n.* Ⓤ 청렴결백; ((고어)) 부패하지 않음.

in·co·terms [ínkətə̀ːrmz] *n.* 〖상업〗 국제 상업 회의소(ICC)가 제정한 무역 조건의 해석에 관한 국제 규칙.

in-coun·try [ínkʌ̀ntri] *a.* 국내(에서)의: the ~ war 내전.

incr. increase; increased; increasing.

in·cras·sate [inkrǽseit] *vt.* 〖약학〗 (증발 등으로 액체를) 농축하다. ── [inkrǽsit, -seit] *a.* 〖식물·동물〗 비후(肥厚)해진.

in·créas·a·ble *a.* 증가(증대) 할 수 있는.

****in·crease** [inkríːs] *vt.* **1** (수·양 따위를) 늘리다, 불리다, 증대(확대)하다: ~ one's wealth 부를 늘리다 / ~ speed.

SYN. **increase** 서서히 증가하다〔시키다〕. **augment** 이미 어느 정도로 커진 것이〔것을〕 더욱 증대하다〔시키다〕. **enlarge** 넓이를 늘리다, 확대하다〔시키다〕: *enlarge* a house 집을 증축하다. **multiply** 배가하다. 자동사에는 생물이 번식하는 뜻이 있음.

2 (질 따위를) 강화시키다, 증진시키다: ~ one's efforts 더 한층 노력하다 / ~ one's pace 걸음을 빨리하다. **—** *vi.* **1** 《~/+전+명》 늘다, 증대하다, 붇다; 강해지다, 증진하다. OPP. *decrease, diminish.* ¶ ~ two fold, 2 배가 되다 / ~ *in* power 〔wages〕 권력이 증대하다〔임금이 증액되다〕. **2** 번식하다, 증식하다: His family ~*d.* 가족이 늘었다. **3** 《시어》 (달이) 차다.

— [ˊ-] *n.* U,C **1** 증가, 증대, 증진: an ~ *in* population 인구의 증가. **2** 《미에서는 구어》 증식, 번식; (사람·동식물의) 자손. **3** C 증가액〔량〕; 증가물: a wage ~ *of* 50 cents an hour, 1 시간에 50 센트의 임금 증액. **4** 《고어》 (지상의) 생산물. **5** 이자, 이익. ***be on the*** ~ 증가〔증대〕하고 있다.

in·créas·er *n.* 증가시키는 사람〔물건〕.

in·créas·ing *a.* 점점 증가〔증대〕하는. ***the law of ~ return*** (경제의) 수확 체증(遞增)의 법칙. 파 *~·ly *ad.* 점점, 더욱더; 증가하여.

in·cre·ate [ìnkriéit, inkríːət] *a.* 《고어·시어》 창조된 것이 아닌, 본래부터 존재하는.

in·crèd·i·bíl·i·ty *n.* U 믿을〔신용할〕 수 없음.

***in·cred·i·ble** [inkrédəbəl] *a.* **1** 믿을〔신용할〕 수 없는: an ~ story. **2** 거짓말 같은, 믿을 수 없을 정도의, 엄청난: an ~ cost 엄청난 비용. 파 **-bly** *ad.* 믿을 수 없을 만큼; 《구어》 매우. **~·ness** *n.*

in·cre·du·li·ty [ìnkrədjúːləti/-djúː-] *n.* U 쉽사리 믿지 않음, 의심이 많음, 회의심: I turned and looked at him with ~.

°**in·cred·u·lous** [inkrédʒələs] *a.* 쉽사리 믿지 않는, 의심 많은, 회의적인《*of*》; 의심하는 듯한 《눈치 따위》: an ~ smile 의심하는 듯한 웃음. 파 **~·ly** *ad.* **~·ness** *n.*

in·cre·ment [ínkrəmənt] *n.* U,C 증대, 증진, 증식, 증가; 증가량, 증액; 이익, 이득; 〚수학〛 증분(增分); 〚임업〛 생장량(生長量). OPP. *decrement.* ¶ unearned ~ (땅값 등의) 자연 증가(增價). 파 **ìn·cre·mén·tal** [-méntl] *a.*

in·cre·men·tal·ism [inkrəméntəlizəm] *n.* (정치적·사회적인) 점진주의〔정책〕. 파 **-ist** *n.*

incremental plótter 〚컴퓨터〛 증분(增分) 플로터《프로그램의 제어하에 컴퓨터의 출력을 문자와 함께 곡선과 점으로 나타내는 장치》.

incremental recórder 〚컴퓨터〛 증분식(增分式) 리코더《자기 테이프의 일종으로 주로 데이터의 입력용으로 사용함》.

incremental repetítion 《시어》 점증 반복(漸增反復)《극적 효과를 올리기 위해 각 절(節)에서 선행절(先行節)의 일부나 용어를 조금 바꾸어 되풀이하는 일》.

in·cres·cent [inkrésnt] *a.* 증대하는, 《특히》 (달이) 점점 만월(滿月)이 되는, 상현의.

in·cre·tion [inkríːʃən] *n.* U,C 〚생리〛 내분비(물); 내분비 작용.

in·crim·i·nate [inkrímənèit] *vt.* **1** …에게 죄를 씌우다〔돌리다〕; 고소〔고발〕하다: ~ oneself (스스로) 죄에 빠지다. **2** …의 죄가 있음을 나타내다; (…의) 원인으로 간주하다.

in·crìm·i·ná·tion *n.* 죄를 씌움, 유죄로 함, 고소; 죄를 씀, 유죄가 됨.

in·crim·i·na·tor [inkrímənèitər] *n.* 죄를 씌우는 사람, 고소하는 사람.

in·crim·i·na·to·ry [inkrímənətɔ̀ːri/-təri] *a.* 죄를 씌우는, 유죄로 하는; 고소의.

in·croach [inkróutʃ] *vi.* =ENCROACH.

ín·cròss *n.* 인크로스, 동품종(同品種) 근교계간(近交系間) 교잡종. **—** *vt.* 동품종 근교계간에 교배시키다.

in·cross·bred [ínkrɔ̀ːsbrèd, -krɑ́s-/-krɔ́s-] *n.* 인크로스브레드, 이품종 근교계간 교잡종.

ín·cròwd *n.* 내부 사정이나 유행에 환한 사람; 배타적 집단〔그룹〕.

in·crust [inkrʌ́st] *vt.* 겉질로 덮다; 외피(外皮)를 형성하다; 겉장식을 하다; …에 (보석 따위를) 박다《*with*》. **—** *vi.* 외피(外皮)를 생성하다. 파 **~·ment** *n.* 피각 형성; 외피층.

in·crus·ta·tion [ìnkrʌstéiʃən] *n.* **1** U 외피로 덮(이)기; C 외피, 겉질; (보일러 안에 생기는) 물때(scale); (부스럼의) 딱지. **2** U,C 박아 넣기〔덧바르기〕 장식(물), 상감(象嵌).

in·cu·bate [ínkjəbèit, íŋ-] *vt.* **1** (알을) 품다, 까다, 부화하다(hatch). **2** (세균 따위를) 배양하다. **3** 꾀하다, (계획 따위를) 숙고하다, 생각해 내다. **4** (조산아 등을) 보육기에 넣어 기르다. **—** *vi.* **1** 알을 품다, 둥우리에 들다; (알이) 부화되다. **2** 〚의학〛 (병균이) 잠복하다. **3** 생각이 떠오르다, 구체화되다.

ìn·cu·bá·tion *n.* U **1** 알을 품음, 부화(孵化): artificial ~ 인공 부화. **2** 숙려, 심사숙고, 계획, 의도. **3** 〚의학〛 (병균의) 잠복; C 잠복기(=∠ **périod**). 파 **~·al** *a.* 「잠복(기)의.

in·cu·ba·tive [ínkjəbèitiv, íŋ-] *a.* 부화의;

in·cu·ba·tor [ínkjəbèitər, íŋ-] *n.* 부화기(器), 부란기; 세균 배양기; 조산아 보육기, 인큐베이터; 계획을 꾸미는 사람.

íncubator facílity (고기술(高技術)·신산업 따위의) 육성적(育成的) 편익 시설.

in·cu·ba·to·ry [ínkjəbətɔ̀ːri, íŋ-/-bèitəri] *a.* = INCUBATIVE.

in·cu·bus [ínkjəbəs, íŋ-] (*pl.* **-bi** [-bài], **~·es**) *n.* **1** 몽마(夢魔)(nightmare)《잠자는 여인을 덮친다는》. cf. succubus. **2** 악몽. **3** 압박하는 일〔사람〕; (마음의) 부담 《빚·시험 따위》.

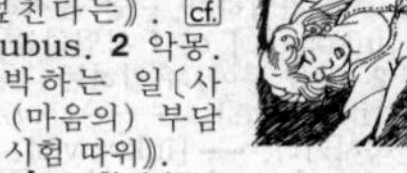
incubus 1

in·cu·des [inkjúːdiːz] INCUS의 복수.

in·cul·cate [inkʌ́lkeit, ˊ-ˊ] *vt.* (사상·지식 따위를) 가르치다, 되풀이하여 가르치다〔깨우치다〕, 설득하다《*in; into; on, upon*》: ~ ideas *upon* a person 〔*in* a person's mind〕 아무〔아무의 마음〕에 사상을 주입하다 / ~ young men *with* patriotism 청년들에게 애국심을 고취하다. 파 **in·cúl·ca·tor** *n.*

ìn·cul·cá·tion *n.* U 자상히〔반복하여〕 가르침, 깨우침: the ~ *of* new ideas 새로운 사상의 고취.

in·cul·pa·ble [inkʌ́lpəbəl] *a.* 죄없는, 나무랄〔비난할〕 데 없는, 결백한. 파 **-bly** *ad.*

in·cul·pate [inkʌ́lpeit, ˊ-ˊ] *vt.* 죄를 씌우다, 연좌시키다; 비난하다(blame); 고발하다. 파 **in·cul·pá·tion** *n.* U

in·cul·pa·to·ry [inkʌ́lpətɔ̀ːri/-təri] *a.* 죄를 씌우는, 비난하는; 연좌시키는.

in·cult [inkʌ́lt] *a.* 촌스러운, 세련되지 않은, 상스러운; 《고어》 (땅이) 경작되지 않은, 미개간의.

in·cum·ben·cy [inkʌ́mbənsi] *n.* U,C (특히 목사의) 직무, 임기; 재직 (기간); 의무, 책무; 《드물게》 부담.

in·cum·bent [inkʌ́mbənt] *a.* **1** 기대는, 의지하는《*on*》. **2** 의무로 지워지는《*on, upon*》: a duty ~ *on* me 나에게 과해진 의무/It is ~ *on* me to do it. 그것을 하는 것은 나의 의무다. **3**《시어》(암석 따위가) 쑥 내민(overhanging). **4** 현직〔재직〕의: ~ governor. **—** *n.* 성직록 보유자, (영국 교회의) 교회를 가진 목사《rector, vicar 등》; 재직자, 현직자; 점유자, 거주자. ⓟ **~·ly** *ad.*

in·cum·ber [inkʌ́mbər] *vt.* =ENCUMBER.

in·cum·brance [inkʌ́mbrəns] *n.* =ENCUMBRANCE.

in·cu·nab·u·la [inkjunǽbjələ] (*sing.* **-lum** [-ləm]) *n. pl.*《L.》**1** 초기, 요람기, 여명기. **2** 인큐내뷸라《1500년 이전의 인쇄본》, 고판본(古版本). ⓟ **-lar** *a.*

◇**in·cur** [inkə́:r] (**-rr-**) *vt.* (좋지 않은 일에) 빠지다, (위해를) 당하다, (빚을) 지다, (손해를) 입다; (분노·비난·위험을) 초래하다: ~ danger/~ a huge number of debts 산더미 같은 빚을 짊어지다/~ displeasure 비위를 건드리다, 눈밖에 나다. ◇ incurrence *n.*

in·cùr·a·bíl·i·ty *n.* Ⓤ 고쳐지지 않음, 불치, 교정 불능.

◇**in·cur·a·ble** [inkjúərəbəl] *a.* 낫지 않는, 불치의; 교정할〔고칠〕 수 없는; 구제〔선도〕하기 어려운: an ~ disease 불치병. **—** *n.* 불치의 병자; 구제하기 어려운 사람. ⓟ **-bly** *ad.* 낫지 않을 만큼; 교정할 수 없을 만큼. **~·ness** *n.*

in·cu·ri·os·i·ty [ìnkjuəriɑ́səti/-ɔ́s-] *n.* Ⓤ 호기심이 없음, 무관심.

in·cu·ri·ous [inkjúəriəs] *a.* **1** 호기심이 없는, 무관심한. **2**《고어》흥미〔재미〕 없는. ***not*** **~** 매우 흥미 깊은: a *not* ~ anecdote 꽤 재미있는 일화. ⓟ **~·ly** *ad.*

in·cur·rence [inkə́:rəns, -kʌ́r-/-kʌ́r-] *n.* Ⓤ (불행·손해 등을) 초래함, 당함, (책임 따위를) 짐.

in·cur·rent [inkə́:rənt, -kʌ́r-/-kʌ́r-] *a.* 물이 흘러드는, 유입하는〔시키는〕.

in·cur·sion [inkə́:rʒən, -ʃən] *n.* **1** (돌연한) 침입, 침략; 습격. **2** (강물 따위의) 유입. ***make ~s into*** 〔***on***〕 …에 침입하다, …을 습격하다.

in·cur·sive [inkə́:rsiv] *a.* **1** 침입하는, 침략적인; 습격하는. **2** (강물 등이) 유입하는.

in·cur·vate [ínkə:rvèit, -ˊ-/-ˊ-ˋ] *vt.* 안으로 굽게 하다, 만곡시키다. **—** [ínkə:rvèit, inkə́:rvət/inkə́:veit, -vət] *a.* 만곡된; 안으로 굽은. ⓟ **ìn·cur·vá·tion** *n.* Ⓤ 내굴(內屈), 만곡.

in·curve [inkə́:rv] *n.* Ⓒ 안으로 굽음, 만곡; 〖야구〗 인커브(inshoot). **—** [-ˊ] *vt., vi.* ~시키다〔하다〕.

ìn·cúrved *a.* 안으로 굽은.

in·cus [íŋkəs] (*pl.* **in·cu·des** [inkjú:di:z]) *n.* 〖해부〗 (중이(中耳)의) 침골(砧骨).

in·cuse [inkjú:z, -kjú:s/-kjú:z] *a.* 각인을 찍은. **—** *n.* (화폐 따위의) 찍어낸 (돋을)무늬. **—** *vt.* (화폐 따위)에 각인하다.

Ind [ind] *n.*《고어·시어》=INDIA;《폐어》the INDIES.

IND 〖약학〗 investigational new drug (치험약(治驗藥); 투여 실험이 인가된 신약). **I.N.D.**《L.》*in nomine Dei* (=in the name of God). **Ind.** Independent; India(n); Indiana; Indies. **ind.** independence; independent; index; indicated; indicative; indigo; industrial.

in·da·ba [indɑ́:bə] *n.*《S. Afr.》(남아프리카 원주민 대표끼리 또는 그들과의) 회의, 협의, 회담;《구어》관심사, 화제.

in·da·gate [índəgèit] *vt.*《고어》연구하다, 조사하다. ⓟ **-gà·tor** *n.* **ìn·da·gá·tion** *n.*

in·da·mine [índəmì:n, -min] *n.* Ⓤ 〖화학〗 인다민《염기성 유기 화합물; 청·녹색 염료 원료》.

in·dásh *a.* (자동차의) 대시보드(dashboard)에 다는.

Ind. E. Industrial Engineer.

in·debt [indét] *vt.* …에게 빚을 지게 하다, …에게 은혜를 입히다.

◇**in·débt·ed** [-id] *a.* **1** 부채가 있는, 빚이 있는《*to*》. **2** 덕을 본, 은혜를 입은《*to*》: I am ~ *to* you *for* the situation I hold now. 지금의 지위를 얻은 것은 당신의 덕택입니다. ***I should be greatly ~ if you would ….*** …하여 주신다면 대단히 감사하겠습니다. ⓟ **~·ness** *n.* Ⓤ 은의(恩義), 신세, 부채, 책무; 부채액.

◇**in·de·cen·cy** [indí:sənsi] *n.* Ⓤ 예절 없음, 꼴사나움; 외설; Ⓒ 추잡한 행위〔말〕.

***in·de·cent** [indí:sənt] *a.* 버릇없는, 꼴사나운; 외설〔음란〕한, 상스러운; 부당한, 억지의: ~ pay 부당한 급료. ⓟ **~·ly** *ad.* 버릇없이; 음란하게, 상스럽게.

indécent assáult 〖법률〗 강제 추행죄《강간을 제외한 성(性)범죄》.

indécent expósure 〖법률〗 공연(公然)음란죄.

in·de·cid·u·ous [ìndisídʒuəs] *a.* 〖식물〗 잎이 지지 않는; 상록의(evergreen).

in·de·ci·pher·a·ble [ìndisáifərəbəl] *a.* 판독〔해독〕할 수 없는(illegible). ⓟ **-bly** *ad.* **~·ness** *n.*

in·de·ci·sion [ìndisíʒən] *n.* Ⓤ 우유부단, 주저.

in·de·ci·sive [ìndisáisiv] *a.* 결단성이 없는, 엉거주춤한, 우유부단한; 또렷하지 않은. ⓟ **~·ly** *ad.* **~·ness** *n.*

indecl. indeclinable.

in·de·clin·a·ble [ìndikláinəbəl] 〖문법〗 *a.* 어미〔어형〕 변화를 하지 않는. **—** *n.* 불변화사(不變化詞)《격(格)변화를 하지 않는》.

in·de·com·pos·a·ble [ìndi:kəmpóuzəbəl] *a.* 분해〔분석〕할 수 없는.

in·dec·o·rous [indékərəs, ìndikɔ́:rəs/indékə-] *a.* 버릇〔예의〕없는, 천격스러운. ⓟ **~·ly** *ad.* **~·ness** *n.*

in·de·co·rum [ìndikɔ́:rəm] *n.* Ⓤ,Ⓒ 버릇없음, 무례, 천함; 버릇없는 언동.

‡**in·deed** [indí:d] *ad.* **1**〖강조〗 실로, 참으로: I am ~ glad. =I am glad ~. 정말 기쁘다/Very cold ~. 정말 몹시 춥군/if ~ such a thing happens 만일 현실로 그렇게 된다면/Are you thirsty? —Yes, ~. 목이 마르냐? —예, 그렇고 말고요/Who is this Mr. Smith? —Who is he, ~! 이 스미스씨란 사람은 누굽니까 —정말, 누굴까요!《동감》; 누구라니요, 참〔원〕!《반어적》. **2**〖양보〗 과연, 정말, 확실히: I may, ~, be wrong. 과연 내가 잘못인지도 모른다/*Indeed* he is young, but he is prudent. 그는 정말 어리기는 하지만 빈틈이없다. **3**〖접속사적〗 그뿐 아니라, 게다가: He is a good fellow. *Indeed*, a trustworthy one. 그는 좋은 녀석이야, 게다가 믿을 수 있는 놈이지. **—** *int.* 저런, 설마, 그래요《놀람·의심·빈정거림 등을 나타냄》: I have lived in New York. —*Indeed?* 뉴욕에 산 적이 있다 —정말/She has married a rich heir. —*Indeed!* 그녀는 부잣집 아들과 결혼했대 —아 그래요.

indef. indefinite.

ìn·de·fàt·i·ga·bíl·i·ty *n.* Ⓤ 피곤치 않음, 끈기 있음.

◇**in·de·fat·i·ga·ble** [ìndifǽtigəbəl] *a.* 지칠 줄 모르는, 끈질긴, 물리지 않는. ⓟ **-bly** *ad.* 지치지 않고, 끈기 있게.

ìn·de·fèa·si·bíl·i·ty *n.* Ⓤ 취소〔파기〕할 수 없음.

in·de·fea·si·ble [ìndifí:zəbəl] *a.* 무효로 할 수 없는, 취소〔파기〕할 수 없는. ⓟ **-bly** *ad.*

in·de·fect·i·ble [ìndiféktəbəl] *a.* 실패하지〔손해를 보지〕 않는; 상하지〔부패하지〕 않는; 마딘; 결점이 없는; 완벽한(faultless). ⓟ **-bly** *ad.*

in·de·fec·tive [ìndiféktiv] *a.* 《드물게》 결함 없는, 완전한.
ìn·de·fèn·si·bíl·i·ty *n.* Ⓤ 방어〔변호, 옹호〕할 수 없음.
in·de·fen·si·ble [ìndifénsəbəl] *a.* 지킬 수 없는; 변호할 여지가 없는, 옹호할 수 없는. ㊊ **-bly** *ad.*
in·de·fin·a·ble [ìndifáinəbəl] *a.* 정의를 내릴 수 없는; (뭐라고) 말할 수 없는, 분명히 나타낼 수 없는, 막연한(vague). ㊊ **-bly** *ad.* 어쩐지, 어딘지 모르게. **~·ness** *n.*
*__in·def·i·nite__ [indéfənit] *a.* **1** 불명확한, 분명하지 않은, 막연한: an ~ answer 애매한 대답. **2** (수·양·크기 따위가) 일정하지 않은, 한계가 없는: for an ~ time 무기한으로, 언제까지나. **3** 〖문법〗 부정(不定)의; 〖식물〗 (수꽃술 등의 수가) 부정의. OPP *definite.* ㊊ **~·ness** *n.*
indéfinite árticle 〖문법〗 부정관사《a, an》.
indéfinite íntegral 〖수학〗 부정 적분.
◇**in·déf·i·nite·ly** *ad.* 막연히, 애매하게; 무기한으로, 언제까지나: put off ~ 무기 연기하다.
indéfinite prónoun 〖문법〗 부정대명사《some, any, somebody 따위》.
indéfinite rélative cláuse 〖문법〗 부정 관계대명사절《보기: We heard *what they said*》.
indéfinite ténse 〖문법〗 부정 시제《완료·계속을 나타내지 않는 것》.
in·de·his·cence [ìndihísəns] *n.* Ⓤ 〖식물〗 (열매의) 비열개(非裂開)(성).
in·de·his·cent [ìndihísənt] *a.* 〖식물〗 (열매가 여물어도) 열개(裂開)하지 않는: ~ fruits 폐과(閉果).
in·de·lib·er·ate [ìndilíbərət] *a.* 신중하지 않은, 미리 계획〔고려〕하지 않은; 고의(故意)가 아닌.
in·dèl·i·bíl·i·ty *n.* Ⓤ 지울〔잊을, 씻을〕 수 없음.
in·del·i·ble [indéləbəl] *a.* 지울 수 없는, 지워지지 않는《얼룩 등》; 씻을〔잊을〕 수 없는《치욕 등》. ㊊ **-bly** *ad.* 지워지지 않게, 영원히.
in·del·i·ca·cy [indélikəsi] *n.* Ⓤ 상스러움, 야비함, 무례함; 외설; Ⓒ 상스러운 언행.
in·del·i·cate [indélikət] *a.* 상스러운, 버릇없는, 야비한, 무무한; 외설한; 동정심이 없는; 솜씨가 나쁜. ㊊ **~·ly** *ad.*
in·dem·ni·fi·ca·tion [indèmnəfikéiʃən] *n.* Ⓤ,Ⓒ 보상(금·물자), 배상; 보장, 보증; 면책.
in·dem·ni·fy [indémnəfài] *vt.* 《~+목/+목+전+명》 **1** …에게 배상〔변상, 보상〕하다《*for*》: ~ a person *for* loss. **2** …에게 (법률적으로) 보장하다, …을 보호하다《*from; against*》: ~ a person *against* 〔*from*〕 harm. **3** 〖법률〗 …의 법적 책임〔형벌〕을 면제하다, 면책의 보증을 하다: ~ a person *for* an action 아무의 행위를 벌하지 않겠다는 보증을 하다. ㊊ **-fi·er** *n.*
in·dem·ni·tee [indèmnətíː] *n.* 《미》 피보장자; 피배상자.
in·dem·ni·tor [indémnətər] *n.* 《미》 보장자; 배상자.
in·dem·ni·ty [indémnəti] *n.* **1** Ⓤ (법률적인) 보호, 보장; (법률적 책임·형벌로부터의) 면책, 사면; 배상. **2** Ⓒ 보장이 되는 것; (전승국이 요구하는) 배상금; 보상(금). ***claim ~ for*** …에 대한 배상을 요구하다.
in·de·mon·stra·ble [ìndimánstrəbəl, indémən-/ìndimɔ́n-, indémən-] *a.* 증명할 수 없는. ㊊ **-bly** *ad.*
in·dene [índiːn] *n.* 〖화학〗 인딘《무색 액상(液狀)의 탄화수소》.
◇**in·dent** [indént] *vt.* **1** (가장자리에) 톱니 모양의 자국을 내다, 톱니 모양으로 (절취선을) 만들다. **2** 만입(灣入)시키다, 움푹 들어가게 하다: The sea ~*s* the western coast of the island. 그 섬의 서쪽 해안은 바다가 들어가 후미져 있다. **3** 톱니꼴 절취선에 따라 떼다《한 장에 정부(正副) 2통을 쓴 증서 따위를》; (증서 등을) 정부 2통을 쓰다. **4** 〖인쇄〗 (패러그래프 첫 행의 시작 따위를) 약간 안으로 들이켜서 짜다: ~ the first line of a paragraph. **5** 《영》 두 장이 잇달린 주문서로 주문하다; 발주하다. **—** *vi.* 톱니〔지그재그〕꼴이 되다; 《영》 (부서(副書)는 떼어 두고) 주문서를 보내다; 주문하다, 계약을 맺다; 《영》 징발하다; (패러그래프 첫 행이) 한 자 들이켜서 시작되다. **—** [ㅡ́, ㅡ́] *n.* **1** 톱니 모양의 결각(缺刻)〔자국〕. **2** 움푹 들어감〔간 곳〕. **3** (톱니선에 따라 부서에서 떼어낸) 계약서; 《영》 신청, 청구, 〖상업〗 주문서, (해외로부터의) 주문서, 매입 위탁서, 수탁 매입품, 징발(서). **4** 〖인쇄〗 (새 행을) 들이켜 짜기.
in·den·ta·tion [ìndentéiʃən] *n.* Ⓤ 톱니 모양으로 만듦(notch); Ⓒ 톱니 모양, 결각(缺刻), 깔쭉이; 움푹 들어감; (해안선 따위의) 만입(灣入); Ⓤ 〖인쇄〗 (패러그래프의 첫 줄의) 한 자 들이킴; 〖컴퓨터〗 들여쓰기.
in·dént·ed [-id] *a.* **1** 톱니 모양을 한, 들쭉날쭉한: an ~ coastline. **2** 기한부 도제(徒弟)로 들어간.
indénted móld 〖건축〗 맞물리게 도려내서 만든 모양.
in·den·tion [indénʃən] *n.* **1** Ⓤ 〖인쇄〗 (패러그래프의 첫 줄의) 한 자 들이킴; Ⓒ (들이켜서 생긴) 공간, 공백. **2** =INDENTATION.
in·den·ture [indéntʃər] *n.* **1** 한 종이에 정부(正副) 2통을 써서 톱니꼴로 쪼갠 계약서, 약정서; 증명서, 증서; (보통 *pl.*) 도제(徒弟)살이 계약서; (보통 *pl.*) (이민의) 노역 계약(서). **2** Ⓤ 톱니자국을 냄; Ⓒ 새김눈, 깔쭉이. **3** 〖미금융〗 신탁 증서《수탁(受託) 회사와 발행 회사 사이에 작성되는 날인 증서》. ***take up*** 〔***be out of***〕 ***one's ~s*** (도제살이의) 연한(年限)을 마치다. **—** *vt.* 도제살이로 보내다; (노역) 계약서로 약정(約定)하다. ㊊ **~·ship** *n.*
indéntured sérvant 〖미국사〗 (특히 17-19세기에 미국에 건너간) 연한(年限) 계약 노동자.
in·dé·pen·dan·tiste [*F.* ɛ̃depɑ̃ːdɑ̃ːtist] *n.* 《F.》 (캐나다의) Quebec 주(州) 독립주의자.
__in·de·pend·ence__ [ìndipéndəns] *n.* Ⓤ **1 독립, 자립, 자주《*of; from*》: the ~ *of* India *from* Britain 영국으로부터 인도의 독립 / declare 〔lose〕 one's ~ 독립을 선언하다〔상실하다〕. **2** 독립심, 자립 정신. **3** 《고어》 자립하여 살아갈 만큼의 수입(competence). **4** 〖수학〗 (공리(公理))의 독립.
Indepéndence Dày 《미》 독립 기념일《7월 4일; the Fourth of July라고도 함》.
Indepéndence Háll 《미》 독립 기념관《Philadelphia에 있으며 자유의 종을 보존》.
in·de·pend·en·cy [ìndipéndənsi] *n.* **1** Ⓤ =INDEPENDENCE; (I-) 〖기독교〗 독립 조합(組合) 교회제도〔주의〕. **2** Ⓒ 독립국.
__in·de·pend·ent__ [ìndipéndənt] *a.* **1 독립한, 자주의. OPP *dependent.* ¶ an ~ state 〔country〕 독립국. **2** 독립 정신이 강한, 자존심이 강한, 마음대로 하는: an ~ young man 자존심이 강한 청년. **3** 자력의, 자유로운, 독자적인: make ~ researches 독자적으로 연구하다. **4** 자활할 수 있는, 자립의. **5** (재산이) 일하지 않고도 살아갈 만큼의: an ~ income 편히 살 수 있는 수입. **6** 〖정치〗 무소속의, 무당파의. **7** (I-) 《영》 독립 교회주의〔파〕의. **8** 〖수학·통계〗 독립의; 〖논리〗 독립의, 관계없는. ***~ of*** … 에서 독립한〔하여〕, …에 관계없이: He has a job and is ~ *of* his parents. 그는 취직하여 부모의 신세를 지지 않고 있다 / Be ~ *of* the opinions of others 다른

사람의 의견에 좌우되지 마라. **—** *n.* **1** (사상 · 행동에 있어서) 독립한 사람; (때로 I–) 〖정치〗 무소속 후보자〔의원〕. **2** (I–) 독립 교회파의 사람. **3** (the I–) 인디펜던트《영국의 고급 일간지》.

indepéndent adòption 《미》 공적인 알선 기관을 통하지 않은 입양(入養).

indepéndent áudit 〖회계〗 독립 감사《공인 회계사에 의한 회계 감사》.

indepéndent áxiom 〖논리 · 수학〗 독립 공리 「(公理).

Indepéndent Bróadcasting Authòrity (the ~) 《영》 독립 방송 공사《1972 년 설립된 공공 법인; 생략: I.B.A.》.

indepéndent chúrch 《주로 미》 독립 교회 《기성 교파에 속하지 않은 작은 그룹의》.

indepéndent cláuse 〖문법〗 독립절, 주절.

indepéndent cóunsel 《미》 독립 검사《특별 사건에 임시로 임명되어 정부로부터 독립하여 소추(訴追)를 맡음》.

indepéndent flóat 〖컴퓨터〗 독자〔자유〕 여유 《프로젝트 전체의 완료 시간을 바꾸지 않는 범위에서 취할 수 있는 여유분》.

ìn·de·pénd·ent·ist *n., a.* 독립주의〔론〕(자)(의)《식민지나 자치령의 분리 독립을 주장하는》.

in·de·pen·den·tis·ta [*Sp.* independentísta] *n.* Puerto Rico 독립주의〔론〕자.

◇**in·de·pénd·ent·ly** *ad.* **1** 독립하여, 자주적으로; 멋대로, 자유롭게. **2** 관계없이, 별개로 (*of*): He wrote it ~ *of* other men's help. 그는 다른 사람의 도움 없이 그 글을 썼다.

indepéndent méans = PRIVATE MEANS.

Indepéndent Nétwork Néws 《미》 독립 텔레비전국(局)《생략: INN》.

indepéndent schóol 《영》 독립 학교《공비(公費) 보조를 받지 않는 사립학교》.

Indepéndent Télevision Authórity (the ~) 《영》 독립 텔레비전 공사《현재는 Independent Broadcasting Authority; 생략: I.T.A.》.

Indepéndent Télevision Commìssion (the ~) 《영》 독립 텔레비전 위원회《1991 년부터 Independent Broadcasting Authority 를 대신하여 민간 텔레비전 방송의 인가 · 감독을 행하는 기관; 생략: ITC》.

indepéndent váriable 〖수학〗 독립 변수.

ìn-dépth *a.* 면밀한, 주도한, 상세한, 완전한; 심층의, 철저한《연구 따위》: an ~ report 철저하게 취재한 기사.

ìn·de·scrìb·a·bíl·i·ty *n.* 말로 표현할 수 없음.

◇**in·de·scrib·a·ble** [ìndiskráibəbəl] *a.* 형언할 수 없는; 막연한. ㊎ **-bly** *ad.* **~·ness** *n.*

ìn·de·strùct·i·bíl·i·ty *n.* Ⓤ 파괴할 수 없음, 불멸성.

in·de·struc·ti·ble [ìndistrʌ́ktəbəl] *a.* 파괴할 수 없는, 불멸의. ㊎ **-bly** *ad.* **~·ness** *n.*

in·de·ter·min·a·ble [ìnditə́ːrmənəbəl] *a.* 결정〔확정, 확인〕할 수 없는; 해결할 수 없는. ㊎ **-bly** *ad.* **~·ness** *n.*

in·de·ter·mi·na·cy [ìnditə́ːrmənəsi] *n.* = INDETERMINATION.

indetérminacy prìnciple 〖물리〗 = UNCERTAINTY PRINCIPLE.

in·de·ter·mi·nate [ìnditə́ːrmənət] *a.* 불확실한, 불확정한; 형체가 정해지지 않은; 막연한; 〖음성〗 애매한; 〖수학〗 (양이) 부정(不定)한; 〖식물〗 = RACEMOSE: an ~ vowel 모호한 모음《ago의 a [ə] 따위》. ㊎ **~·ly** *ad.*

indetérminate cléavage 〖발생〗 불확정 난할(卵割). 「(不定期刑).

indetérminate séntence 〖법률〗 부정기형

in·de·tèr·mi·ná·tion *n.* Ⓤ 불확정, 부정(不定), 애매; 결단력이 없음; 우유부단.

in·de·ter·min·ism [ìnditə́ːrmənìzəm] *n.* Ⓤ 〖철학〗 비결정론, 자유 의지론; 〖일반적〗 불확정, 《특히》 예측〔예견〕 불능성. ㊎ **-ist** *n.*

in·de·vout [ìndiváut] *a.* 경건하지 못한, 믿음이 없는; 불성실한.

⁑**in·dex** [índeks] (*pl.* **~·es, -di·ces** [-dəsìːz]) *n.* **1 a** (*pl.* **~·es**) 색인, 찾아보기; (사서 따위의) 손톱〔반달〕색인(thumb ~); 〖컴퓨터〗 찾아보기, 색인. **b** 장서 목록; (the I–) 〖가톨릭〗 = INDEX LIBRORUM PROHIBITORUM; INDEX EXPURGATORIUS; 《폐어》 목차, 서문. **2 a** 지시하는 것; 눈금, (시계 등의) 바늘; 집게손가락(~ finger); 〖인쇄〗 손가락표(fist) (☞). **b** 표시하는 것, 표시, 징조; 지침, 지표: Style is an ~ *of* the mind. 글은 마음의 거울이다. **c** (*pl.* **-di·ces**) 〖수학〗 지수, (대수(對數)의) 지표; 율; 〖화학〗 지수; 〖경제 · 통계〗 = INDEX NUMBER: refractive ~ 굴절률. ***commodity*** 〔***wholesale***〕 ***price*** **~** (도매) 물가 지수. ***uncomfortable*** 〔***discomfort***〕 **~** 〖기상〗 불쾌지수. **—** *vt.* **1** 색인을 붙이다; 색인에 넣다. **2** 〖경제〗 (연금 · 임금 · 이율 등을) 물가(지수)에 연동시키다(《영》 ~-link). ㊎ **~·less** *a.*

in·dex·i·cal [indéksikəl] *a.* 「거래.

índex árbitrage 〖증권〗 주가 지수 재정(裁定)

in·dex·a·tion [ìndekséiʃən] *n.* Ⓤ 지수화 방식, 전면적 물가 슬라이드제(制), 물가 지수 연동 방식《임금 · 값 · 이율을 생활비 지수에 맞추는 일》.

índex càrd 색인 카드.

índex càse 〖의학〗 지침증례(指針症例) 《어떤 병의 최초의 증례》.

índex crìme 《미》 (FBI의 연차 보고에 발표되는) 중대 범죄.

ín·dexed [-t] *a.* 〖경제〗 물가 슬라이드 방식의 (《영》 index-linked).

indexed sequèntial dáta sèt 〖컴퓨터〗 색인 순차 데이터 세트.

in·dex·er [índeksər] *n.* 색인 작성자.

índex èrror 〖측량〗 (계기 눈금의) 지시(指示) 오차; 〖해사〗 육분의기차(六分儀器差).

In·dex Ex·pur·ga·to·ri·us [índeks-ikspə̀ːrgətɔ́ːriəs] 《L.》 〖가톨릭〗 (삭제 부분 지정) 금서(禁書) 목록, 요(要)검열 도서 일람표.

índex fìnger 집게손가락.

índex fòssil 〖지학〗 표준 화석(化石).

índex fùnd 《미》 〖경제〗 인덱스 펀드, 지표채(指標債)《일정 기간의 시장 평균 주가(株價)에 어상반한 운영 효과를 가져오는 주식으로 된 투자 기금》.

índex fútures 〖경제〗 주가(株價) 지수 선물(先物) 거래(stock market price index futures).

in·dex·ing [índeksiŋ] *n.* = INDEXATION.

In·dex Li·bro·rum Pro·hib·i·to·rum [índeks-laibrɔ́ːrəm-prouhibətɔ́ːrəm] 《L.》 〖가톨릭〗 금서 목록《생략: the Index》.

índex-lìnk *vt.* 《영》 〖경제〗 (연금 · 세금 등을) 물가(지수)에 연동시키다. 「數).

índex nùmber 〖경제 · 수학 · 통계〗 지수(指

Índex of Indústrial Prodúction 〖경제〗 (광)공업 생산 지수. 「index).

índex of refráction 〖광학〗 굴절률(refractive

índex règister 〖컴퓨터〗 색인 레지스터.

⁑**In·dia** [índiə] *n.* 인도《영연방 소속의 아시아 남부의 공화국; 수도 New Delhi》.

Índia cótton 인도 사라사.

Índia ínk 《미》 먹(Chinese ink).

Ín·dia·man [-mən] (*pl.* **-men** [-mən]) *n.* 〖역사〗 (동인도 회사의) 인도 무역선.

⁑**In·di·an** [índiən] *a.* **1** 인도의, 인도제(製)의; 인도 사람〔어〕의; 인도 공화국의, 인도 거주 유럽인〔《특히》 영국인〕의: an ~ civilian 인도 근무

영국 문관. **2** (아메리칸) 인디언(어)의; 서인도의. **3** 옥수수의. **—** *n.* **1** 인도 사람; 인도어(語). **2** (아메리칸) 인디언; 아메리카 토어(土語). **3** 인도에 거주하는 유럽 사람《특히 영국인》. **4** 《미구어》 옥수수. **5** (the ~) 【천문】 인도인자리(Indus). ***blanket*** ~ 《미》 미(未)개화된 아메리카 원주민.

In·di·ana [ìndiǽnə] *n.* 인디애나《미국 중서부의 주; 주도 Indianapolis; 생략: Ind.》.

Indiána bállot 《미》 정당별 후보자 명단이 적힌 투표지(party-column ballot).

Índian àgent 〔**àgency**〕 《미》 아메리카 원주민 관리관〔관리관 출장소〕.

In·di·an·an, -an·i·an [ìndiǽnən], [-niən] *a.*, *n.* Indiana 주의 (사람). cf. Hoosier.

In·di·an·ap·o·lis [ìndiənǽpəlis] *n.* 인디애나폴리스《Indiana 주의 주도》.

Indianápolis 500 [-fáivhʌ́ndrəd] 미국 인디애나폴리스 시에서 매해 열리는 500마일 자동차 경주.

Índian bréad =TUCKAHOE 1 b, CORN BREAD.

Índian clùb 병 모양의 체조용 곤봉.

Índian cóbra 【동물】 인도코브라(spectacled cobra).

Índian córn 옥수수(《영》 maize).

Índian créss 【식물】 한련.

Índian élephant 【동물】 인도 코끼리.

Índian Émpire (the ~) 인도 제국《영국이 지배하던 인도의 호칭; 1858–1947》.

Índian file (보행자 따위의) 1렬 종대.

Índian gìft 《미구어》 답례〔대가〕를 바라고 주는 선물.

Índian gìver 《미구어》 한번 준 것을 돌려받는 사람, 답례품을 목적으로 선물하는 사람.

Índian hémp 【식물】 **1** 인도삼; 인도삼으로 만든 마(취)약, 마리화나. **2** 북아메리카산의 협죽도(夾竹桃).

Índian ínk 《영》 =INDIA INK.

Ín·di·an·ìsm *n.* 인디언의 특질〔문화〕; 인디언의 이익을 도모하는 정책. ㊎ **-ist** *n.*

Ìn·di·an·i·zá·tion *n.* U 인디언화 (정책); 인도인화(印度人化) (정책).

Ín·di·an·ìze *vt.* (성격·습관·겉모습 등을) 인디언화(化)하다; (정부의 영국인을) 전면적으로〔대부분〕 인도인으로 바꾸다.

Índian lìst 《Can. 구어》 주류 판매 금지 고객 리스트(interdict list).

Índian lótus 【식물】 연꽃(=**sácred lótus**).

Índian·ness *n.* 인도적 특질; 아메리카 인디언다운 면모.

Índian mahógany =TOON.

Índian mállow 【식물】 어저귀(=**stámp wéed**).

Índian méal 【식물】 옥수숫가루(cornmeal).

Índian Mútiny (the ~) =MUTINY 2.

Índian Nátional Cóngress (the ~) 인도 국민 회의《1885년 결성》.

Índian Óil 《속어》 인도삼에서 추출한 알코올.

Índian Ócean (the ~) 인도양.

Índian Pacífic 인디언 퍼시픽《오스트레일리아의 Sydney와 Perth를 잇는 대륙 횡단 열차; 3,691km》.

Índian páintbrush 【식물】 **1** 인디언붓꽃《북아메리카 원산; 그 일종은 미국 Wyoming 주의 주화》. **2** 조팝나물의 일종(orange hawkweed)《유럽 원산》.

Índian pípe 【식물】 수정란풀의 일종《북아메리카·아시아산》.

Índian púdding 《미》 옥수숫가루·우유·당밀을 섞어 만든 푸딩.

Índian réd 누르스름한 적색 안료.

Índian ríce 【식물】 줄(=**wíld ríce**).

Índian shót 【식물】 칸나(canna).

Índian sígn (the ~) (적의 힘을 없애는) 주술(呪術), 주문(呪文); (the ~) 징크스, (특히, 상대를 불운하게 하는) 이상한 힘. ***have*** 〔***put***〕 ***the*** **~ *on*** …에 대해 신통력을 갖다〔미치다〕.

Índian sílk =INDIA SILK.

Índian súmmer 《미·Can.》 (늦가을의) 봄날 같은 화창한 날씨; 평온한 만년(晩年).

Índian Térritory (the ~) 【미국사】 인디언 특별 보호구《인디언 보호를 위해 특설한 준주(準州); 지금의 Oklahoma 동부 지방; 1907년에 전폐》.

Índian tobàcco 로벨리아《북아메리카산 도라짓과의 약초》; 인도 대마(hemp).

Índian túrnip 【식물】 천남성(의 뿌리).

Índian Wárs (the ~) 인디언 전쟁《초기 식민지 시대부터 19세기말까지 북미 인디언과 백인 식민자 사이에 끊임없이 계속된 전쟁》.

Índian wéed (the ~) 담배.

Índian wréstling **1** 팔씨름. **2** 누워서 하는 발씨름; 서로 한 손을 잡고 상대를 쓰러뜨리는 씨름의 일종.

Índia pàper 인도지(Bible paper)《얇고 질긴 인쇄용지》.

Índia prìnt 인도 무늬로 날염한 평직(平織)의 면직물.

Índia rúbber (종종 i-) 탄성 고무; 지우개(eraser).

Índia sìlk 인도 비단《부드럽고 얇은 비단》.

In·dic [índik] *a.*, *n.* 인도 반도의; 인도어파(의)《인도 유럽 어족에 속하는 Sanskrit, Hindi, Urdu, Bengali 등을 포함》.

indic. indicating; indicative; indicator.

in·di·can [índikən] *n.* 【화학】 인디칸《indigo의 잎에 함유된 배당체(配糖體); 남색 염료의 모체》; 【생화학】 요(尿)인디칸《오줌의 한 성분》.

in·di·cant [índikənt] *a.* 표시〔지시〕하는. **—** *n.* 표시〔지시〕물; 【의학】 적응증, 징후.

‡in·di·cate [índikèit] *vt.* **1** 《~+목/+*wh.* 절》 가리키다, 지적하다, 보이다: ~ the door (나가라고) 문을 가리키다 / ~ a chair (앉으라고) 의자를 가리키다 / ~ a place on a map 지도상의 어떤 지점을 가리키다 / A map ~*s where* the earthquake occurred. 지도에 의해서 지진이 어디에서 일어났는지 알 수 있다. **2** 《~+목/+*that* 절/+*wh.* 절》 표시하다, 나타내다; …의 징후이다: Fever ~*s* illness. 열은 질병의 징후이다 / Thunder ~*s that* a storm is near. 천둥이 폭풍우가 다가옴을 나타낸다 / The arrow ~*s where* we are. 화살표가 우리가 현재 있는 지점을 나타낸다. **3** 《~+목/+*that* 절》 (몸짓 따위로) 암시하다; 간단히 말〔진술〕하다: ~ a willingness to negotiate 교섭의 뜻이 있음을 암시하다 / He ~*d* with a nod of his head *that* she had arrived. 그는 고개를 끄덕여 그녀가 도착했음을 알렸다. **4** 【의학】 (징후 등이) 어떤 치료의 필요를 암시하다〔를 필요로 하다〕: An operation *is* ~*d*. 수술이 필요하다. **—** *vi.* (좌〔우〕로 가는) 지시를 내다. ◇ indication *n.*

ín·di·cà·ted [-id] *a.* indicator에 지시〔표시〕된; 《영속어》 《서술적》 바람직한(desirable).

índicated hórsepower 지시 마력《생략: IHP, ihp, i.h.p.; 공칭 마력(nominal horsepower)에 상대됨》.

°in·di·cá·tion *n.* **1** U 지시, 지적; 표시; 암시 《*of*》: Faces are a good ~ *of* age. 얼굴을 보면 나이를 잘 알 수 있다. **2** U,C 징조, 징후 《*that*》: There're ~*s that* unemployment will decrease. 실업자가 감소할 징후가 보인다. **3** (계기(計器)의) 시도(示度), 표시 도수. **4** 바람직한 조치〔치료〕; 적응(증). ◇ indicate *v.* ***give*** **~ *of*** …의 징후를 보이다. ㊎ **~·al** *a.*

in·dic·a·tive [indíkətiv] *a.* **1** 【문법】 직설법의. cf. imperative, subjunctive. ¶the ~ mood 직설법. **2** 나타내는, 표시하는《*of*》. **—** *n.* 【문법】 직설법(의 동사형). ㊎ **~·ly** *ad.*

in·di·ca·tor [índikèitər] *n.* **1** 지시자; (신호)

표시기(器), (차 등의) 방향 지시기. **2** 〖기계〗 인디케이터《계기 · 문자반 · 바늘 따위》: (내연 기관의) 내압(內壓) 표시기; 〖화학〗 지시약《리트머스 등》; 〔일반적〕 지표; 〖경제〗 경제 지표; 〖생태〗 지표 (생물)《특정 지역의 토지 환경 조건을 나타내는 생물》. ⊞ **in·di·ca·to·ry** [índikətɔ̀:ri/indíkətəri] *a.* 지시〔표시〕하는(indicative) 《*of*》.

°**in·di·ces** [índəsì:z] INDEX의 복수.

in·di·cia [indíʃiə] *n. pl.* (*sing.* **-cium** [-ʃiəm]) 《L.》 **1** 《미》 (요금 별납 우편물 따위의) 증인(證印). **2** 표시(indicium).

in·di·cial [indíʃəl] *a.* 지시하는; 색인의.

in·di·ci·um [indíʃiəm] (*pl.* **-di·cia** [-díʃiə], **~s**) *n.* 《L.》 표시, 징후, 특징; 증거.

in·dict [indáit] *vt.* 〖법률〗 기소〔고발〕하다. ≒indite. ¶ ~ a person *for* murder 〔*as* a murderer, *on* a charge of murder〕. ⊞ **in·dict·ee** [ìndaití:, -ˊ-ˊ] *n.* 피기소자, 피고. **~·er, in·díc·tor** [-ər] *n.* 기소자.

in·díct·a·ble *a.* 기소〔고발〕되어야 할; 기소거리가 되는: an ~ offense 기소 범죄. ⊞ **-bly** *ad.*

in·dict·ment [indáitmənt] *n.* Ⓤ 기소, 고발; Ⓒ 기소〔고발〕장: bring in an ~ *against* a person 아무를 기소하다.

in·die [índi] *n., a.* 《미구어》 (영화 · 텔레비전 따위의) 독립 프로(의); 《미구어》 (주요 네트워크 계열 외의) 독립 TV국.

In·dies [índiz] *n. pl.* (the ~) **1** 〖단수취급〗 인도 제국(諸國)《인도 · 인도차이나 · 동인도 제도 전체의 구칭》. **2** 동인도 제도(the East ~). **3** 서인도 제도(the West ~).

***in·dif·fer·ence, -en·cy** [indífərəns], [-i] *n.* Ⓤ **1** 무관심, 냉담《*to; toward; as to; about*》: show 〔display〕 ~ *to* …에 무관심하다 / the ~ of the general public *toward* politics 정치에 대한 일반 대중의 무관심. **2** 중요하지 않음, 대수롭지 않음, 사소함: It's a matter of ~ to me. 그것은 나에게는 상관없는 일이다. **3** 무차별, 공정. **4** 평범.

indífference cùrve 〖경제〗 무차별 곡선.

***in·dif·fer·ent** [indífərənt] *a.* **1** 무관심한, 마음에 두지 않는, 냉담한《*to*》: ~ *to* politics 정치에 무관심한 / She was ~ *to* him. 그에게 무관심했다 / How can you be so ~ *to* the sufferings of these children? 어찌하여 이 아이들의 고통에 그토록 냉담할 수가 있는가. **2** 대수롭지 않은, 중요치 않은, 아무래도 좋은《*to*》: Dangers are ~ *to* us. 위험 따위는 안중에 없다. **3** 평범한, 좋지도 나쁘지도 않은: ~ success 그저 그만한 성공 / an ~ specimen 평범한 표본. **4** 좋지 않은, 맛없는, (솜씨가) 서툰: an ~ meal 맛없는 식사 / a very ~ player. **5** 치우치지 않은, 공평한, 중립의《*to*》: an ~ decision / remain ~ in a dispute 논쟁에서 중립을 지키다. **6** 〖화학 · 전기〗 중성의, 무(無)작용의; 〖생물〗 (세포 · 조직 등이) 미분화(未分化)의. **—** *n.* (특히 정치 · 종교에) 무관심한 사람, 중립자.

in·díf·fer·ent·ìsm *n.* Ⓤ 무관심주의; 〖종교〗 신앙 무차별론. ⊞ **-ist** *n.*

in·dif·fer·ent·ly [indífərəntli] *ad.* **1** 무관심하게, 냉담히. **2** 차별 없이, 평등하게. **3** 보통으로, 좋지도 나쁘지도 않게; 오히려 나쁘게. ★ 흔히 but이나 very를 앞에 붙임. **4** 《고어》 공연히.

in·di·gen [índidʒən] *n.* 〖생물〗 =INDIGENE.

in·di·gence [índidʒəns] *n.* Ⓤ 가난, 빈곤.

in·di·gene [índidʒì:n] *n.* 토인, 원주민(native), 토착민; (동식물의) 원산종(種)(indigen).

in·dig·en·ist [indídʒənist] *n.* 현지 우선주의자, 현지인 채용론자.

in·dig·e·nize [indídʒənàiz] *vt.* (정부 · 기업 따위를) 현지인화(化)하다, …에 현지인을 우선 채용하다. ⊞ **in·dig·e·ni·zá·tion** *n.* 현지 우선, 현지 기업 우선, 현지인 우선 채용.

in·dig·e·nous [indídʒənəs] *a.* 토착의(native), 원산의, 자생의, 그 고장에 고유한《*to*》; 타고난《*to*》; 고유의《*to*》: Love and hate are emotions ~ *to* all humanity. 사랑과 미움은 모든 인간 고유의 감정이다. ⊞ **~·ly** *ad.*

in·di·gent [índidʒənt] *a.* 가난한, 곤궁한 (needy); 《고어》 …이 없는《*of*》. ⊞ **~·ly** *ad.*

in·di·gest·ed [ìndidʒéstid, -dai-] *a.* **1** 소화되지 않은. **2** (계획 따위가) 숙고되지 않은(ill-considered); 미숙한, 조잡한, 엉성한. 「못함.

ìn·di·gèst·i·bíl·i·ty *n.* Ⓤ 소화 불량; 이해하지

in·di·gest·i·ble [ìndidʒéstəbəl, -dai-] *a.* **1** 소화되지 않는, 삭이기 어려운. **2** 이해하기 어려운, (학설 따위가) 받아들이기 어려운. **3** 참을 수 없는, 불쾌한. ⊞ **-bly** *ad.*

in·di·ges·tion [ìndidʒéstʃən, -dai-] *n.* Ⓤ **1** 소화가 안 됨, 소화 불량, 위약(胃弱)(dyspepsia). **2** (생각의) 미숙, 생경(生硬).

in·di·ges·tive [ìndidʒéstiv, -dai-] *a.* 소화 불량의〔을 일으키는〕. ⓒⓕ dyspeptic.

in·dign [indáin] *a.* 《고어》 가치 없는; 《폐어》 수치스러운, 면목이 없는; 《시어》 (벌 등) 부당한.

***in·dig·nant** [indígnənt] *a.* 분개한, 성난《*at; over; with; for*》: The man was hotly ~ *at* the insult. 그 사나이는 모욕을 당하자 몹시 분개했다 / She was ~ *with* him *for* interrupting her. 그녀는 그가 일을 방해한 것에 화가 났다. ⊞ **~·ly** *ad.* 분연히.

in·dig·na·tion** [ìndignéiʃən] *n.* Ⓤ 분개, 분노; 의분(義憤)《★ 사람에 대해서는 *with, against*, 행위에 대해서는 *at, about, over, for*》: righteous ~ *at* 〔*over*〕 an injustice 부당함에 대한 의분 / ~ *with* 〔*against*〕 a wretched person 비열한 사람에 대한 분노. ***in ~ 분개하여.

indignátion mèeting 항의〔궐기〕 집회.

°**in·dig·ni·ty** [indígnəti] *n.* Ⓤ,Ⓒ 모욕, 경멸, 무례; 냉대: treat a person with ~ 아무를 모욕적으로 다루다, 모욕하다.

°**in·di·go** [índigòu] *n.* Ⓤ 쪽《물감》; 남색; 〖화학〗 인디고; Ⓒ 〖식물〗 쪽(=~ **plànt**): Chinese ~ 대청(大青) / Indian ~ 인도남(藍). **—** *a.* 남색의.

índigo blúe 남빛; 인디고블루; 〖화학〗 =INDIGOTIN.

índigo-blúe *a.* 남빛의.

índigo búnting 〔**bírd, fínch**〕 〖조류〗 피리새의 한 종류《북아메리카산》.

ín·di·goid dýe [índigɔ̀id-] 〖화학〗 인디고 물감《인디고 블루와 같은 분자 구조를 가짐》.

in·di·got·ic [ìndigátik/-gɔ́t-] *a.* 인디고의〔비슷한〕, 남색의.

in·dig·o·tin [indígətin, ìndigóutən] *n.* 〖화학〗 인디고틴(indigo)《천연람(天然藍) 성분의 하나》.

índigo whíte (때로 I- W-) 〖화학〗 인디고를 환원하여 얻는 무색의 결정 분말, 백람(白藍).

In·dio [índiòu] (*pl.* **~s**) *n.* 인디오《중남미 또는 동아시아의 옛 스페인 · 포르투갈령이었던 여러 나라의 원주민; 영어로는 보통 South American Indian 이라고 함》.

in·di·rect [ìndərékt, -dai-] *a.* **1** 똑바르지 않은《길 따위》, 우회하는, 멀리 도는; 방계의: an ~ route. **2** 간접적인; 2차적인, 부차적인: an ~ effect 〔cause〕 간접적인 영향〔원인〕. **3** 우회적인; 에두른: an ~ allusion 우회적인 언급. **4** 〖문법〗 간접의: an ~ object 간접 목적어 / ~ narration 간접 화법. **5** 솔직하지 않은, 정직하지 않은: ~ dealing 부정한 방식. OPP *direct.* ⊞ **~·ness** *n.*

índirect addréss 〖컴퓨터〗 간접 번지《기억 장치 번지》.
índirect aggréssion (선전〔대외 방송〕전 따위의) 간접 침략, 비군사적 공격.
índirect cóst 〔**chárge**〕 간접(경)비.
índirect díscourse 〔**narrátion**〕 〖문법〗 간접 화법《보기: He said *that he would come*.》. cf. direct discourse.
índirect évidence 간접 증거(circumstantial evidence).
índirect fíre 〖군사〗 간접 (조준) 사격.
índirect frée kìck 〖축구〗 간접 프리킥.
índirect inítiative (국민 · 주민) 간접 발의(發議)〔발안〕(권).
in·di·rec·tion [ìndərékʃən, -dai-] *n.* U,C 에두름; 간접적 수단〔표현〕; 부정직, 사기; 술책, 부정 수단; 무(無)목적. ***by*** ~ 에둘러서.
índirect lábor 〖경영〗 간접 노동; 간접 노무비.
índirect líghting 간접 조명.
◇**in·di·réct·ly** *ad.* 간접적으로, 에둘러서, 부차적으로.
índirect matérial(s) còst 〖회계〗 간접 재료비.
índirect óbject 〖문법〗 간접 목적어《보기: He gave me a watch. 의 me》.
índirect pássive 〖문법〗 간접 수동태《간접 목적어나 전치사의 목적어를 주어로 하고 있는 수동태; 보기: He was given the book. / He was laughed at. 따위》.
índirect prímary 《미》 간접 예비 선거《당대회시 후보자를 뽑는 대표자를 선출》. cf. direct primary.
índirect próof 〖논리〗 간접 증명법, 귀류법(歸謬法).
índirect quéstion 〖문법〗 간접 의문.
índirect redúction 〖논리〗 간접 환원법.
índirect spéech 《영》 =INDIRECT DISCOURSE.
índirect táx 간접세.
índirect taxátion 간접 과세(課稅).
in·dis·cern·i·ble [ìndisə́ːrnəbəl, -zə́ːrn-] *a.* 식별〔분간〕하기 어려운, 눈에 띄지 않는. **—** *n.* 분간하기 어려운 것. 파 **-bly** *ad.* **~·ness** *n.*
in·dis·cerp·ti·ble [ìndisə́ːrptəbəl] *a.* 분해〔분리, 해체〕할 수 없는.
in·dis·ci·pline [indísəplin] *n.* U 규율 없음, 무질서, 훈련〔자제심〕의 결여.
◇**in·dis·creet** [ìndiskríːt] *a.* 무분별한, 지각 없는, 경솔한(injudicious). ◇ indiscretion *n.* 파 **~·ly** *ad.* **~·ness** *n.*
in·dis·crete [ìndiskríːt] *a.* 따로따로 떨어져 있지 않은, 연속한, 밀착한(compact).
◇**in·dis·cre·tion** [ìndiskréʃən] *n.* **1** 무분별, 철없음, 경솔; 무심코 비밀을 누설함, 비밀〔사생활〕 누설: ~*s* of youth 젊은 혈기가 빚은 잘못. **2** (the ~) 무분별〔경솔〕한 짓《*to* do》: He had the ~ *to* accept the money. 그는 무분별하게도 그 돈을 받았다. ◇ indiscreet *a.* ***calculated*** ~ (무심코 했다고 하나 실은) 고의의 기밀 누설.
in·dis·crim·i·nate [ìndiskrímənət] *a.* 무차별의, 닥치는 대로의, 분별 없는; 난잡한(confused): an ~ reader 남독가(濫讀家) / ~ *in* mak*ing* friends 아무나 가리지 않고 친구를 삼는. 파 **~·ly** *ad.* **~·ness** *n.*
ìn·dis·crím·i·nàt·ing *a.* 무차별의(undiscriminating). 파 **~·ly** *ad.*
ìn·dis·crìm·i·ná·tion *n.* U,C 무차별(의 대우); 무분별; 엉터리없음.
in·dis·crim·i·na·tive [ìndiskrímәneitiv] *a.* 무차별의(undiscriminating). 파 **~·ly** *ad.*
ìn·dis·pèn·sa·bíl·i·ty *n.* U 불가결함, 필수, 긴요(성).
***in·dis·pen·sa·ble** [ìndispénsəbəl] *a.* **1** 불가결의, 없어서는 안 될, 절대 필요한, 긴요한《*to*; *for*》: The information is ~ *to* computer users. 그 정보는 컴퓨터 사용자에게 절대 필요한 것이다. SYN. ⇨ NECESSARY. **2** (의무 · 약속 등을) 게을리〔기피〕할 수 없는. **—** *n.* 불가결한 사람〔것〕. 파 **-bly** *ad.* 반드시, 꼭. **~·ness** *n.*
in·dis·pose [ìndispóuz] *vt.* **1** …할 마음을 잃게 하다《*to* do; *toward*; *from*》: Hot weather ~*s* anyone *to* work. 더우면 누구나 일하기가 싫어진다. **2** 부적당하게 하다; 불능케 하다《*for*; *to* do》. **3** 몸 상태를〔컨디션을〕 나쁘게 하다.
ìn·dis·pósed *a.* **1** 기분이 언짢은, 몸이 찌뿌드드한; 《구어 · 완곡어》 생리 중인: be ~ *with* a cold. **2** 싫은, …할 마음이 없는, 내키지 않는《*to* do; *for*; *toward* something》: be ~ *to* go 갈 마음이 안 나다.
in·dis·po·si·tion [ìndispəzíʃən] *n.* U,C **1** 기분이 언짢음, 찌뿌드드함; 가벼운 병《두통 · 감기 따위》. **2** 내키지 않음, …할 마음이 없음(unwillingness)《*to*; *towards*》. **3** 부적당, 맞지 않음. ◇ indispose *v.*
in·dis·pu·ta·ble [ìndispjúːtəbəl, indíspjə-] *a.* 논의〔반박〕의 여지가 없는(unquestionable), 명백〔확실〕한. 파 **-bly** *ad.* **ìn·dis·pù·ta·bíl·i·ty** *n.* U
in·dis·so·ci·a·ble [ìndisóuʃiəbəl, -siə-/-ʃiə-] *a.* 분리할〔나눌〕 수 없는, 불가분의. 파 **-bly** *ad.*
ìn·dis·sòl·u·bíl·i·ty *n.* U 분해〔용해〕할 수 없음; 확고 불변.
in·dis·sol·u·ble [ìndisáljəbəl/-sɔ́l-] *a.* 용해〔분해, 분리〕시킬 수 없는; 해소〔파기〕할 수 없는, 확고한; 불변의, 영속성 있는《계약 따위》. 파 **-bly** *ad.* **~·ness** *n.*
***in·dis·tinct** [ìndistíŋkt] *a.* (형체 · 소리 따위가) 불분명한, 희미한. 파 **~·ly** *ad.* **~·ness** *n.*
in·dis·tinc·tion [ìndistíŋkʃən] *n.* U 구별할 수 없음; 불명.
in·dis·tinc·tive [ìndistíŋktiv] *a.* 눈에 띄지 않는, 특색 없는; 차별 없는, 구별할 수 없는. 파 **~·ly** *ad.*
in·dis·tin·guish·a·ble [ìndistíŋgwiʃəbəl] *a.* 분간〔구별〕할 수 없는《*from*》. 파 **-bly** *ad.* 분간〔구별〕할 수 없을 정도로. **~·ness** *n.*
ìn·dis·tríb·ut·a·ble *a.* 분배할 수 없는.
in·dite [indáit] *vt.* (시문 등을) 쓰다, 짓다(compose); 《우스개》 (편지 등을) 쓰다; 문자화하다; 문학적으로 표현하다. ≒ INDICT. 파 **~·ment** *n.* U **in·dít·er** *n.*
in·di·um [índiəm] *n.* 〖화학〗 인듐《금속 원소; 기호 In; 번호 49》.
índium án·ti·mo·nide [-ǽntəmənaid] 〖화학〗 안티몬화(化) 인듐《화합물 반도체》.
indiv., individ. individual.
in·di·vert·i·ble [ìndivə́ːrtəbəl, -dai-] *a.* 옆으로 돌릴〔전환할〕 수 없는. 파 **-bly** *ad.*
‡**in·di·vid·u·al** [ìndəvídʒuəl] *a.* **1** 개개의, 각개(各個)의: each ~ person 각 개인 / in the ~ case 개개의 경우에 있어서. **2** 일개인의, 개인적인: ~ difference 개인차 / ~ variation 개체 변이 / ~ instruction 개인 교수 / an ~ locker 개인용 로커. SYN. ⇨ PRIVATE. **3** 독특한, 특유의: an ~ style 독특한 문체 / in one's ~ way 독자적인 방법으로. **4** 1인용의, 개인 전용의. **5** 단일의, 독립적인, 따로 떨어진. **6** 각기 다른: a set of ~ coffee cups 각기 다른 커피 잔 한 벌. **—** *n.* **1** 개인: a private ~ 한 사인(私人). **2** 개체, 단일체, (물건의) 한 단위. **3** 《구어》 사람: a strange ~ 이상한 사람 / He is a tiresome ~. 그는 귀찮은 사람이다.
ìn·di·víd·u·al·ìsm *n.* U 개인주의; 이기주의; 개성, 개인의 특이성, 독자성; 〖철학〗 개체주의.
ìn·di·víd·u·al·ist *n.* 개인주의자; 이기주의자;

독립적〔개성적〕인 사람. ㊞ **in·di·vid·u·al·ís·tic** *a.* 개인〔이기〕주의(자)의; 독립독행의, 독특한.

°**in·di·vid·u·al·i·ty** [ìndəvìdʒuǽləti] *n.* **1** Ⓤ 개성, 개인적 성격; 개인성, 개체성; (*pl.*) 개인적 특성, 특질: keep one's ~ 개성을 지키다 / a man of marked ~ 특이한 개성의 사람. SYN. ⇨CHARACTER. **2** 개체, 개인, 단일체. **3** 사익(私益)《공익에 대하여》.

ìn·di·vìd·u·al·i·zá·tion *n.* Ⓤ 개성〔개별〕화, 차별, 구별; 특기(特記).

ìn·di·víd·u·al·ìze *vt.* 낱낱으로 구별하다; 개성을 부여하다〔발휘시키다〕, 개성화하다; (특징 따위를) 개별적으로 다루다〔구별하다, 말하다, 고려하다〕; 개인의 특수 사정에 맞추다: ~ teaching according to student ability 학생 개개인의 능력에 따라 교수법을 맞추다. ── *vi.* 개별〔특수〕화하다; 따로따로 고려하다.

indivídual líberty 개인의 자유《정부의 권한 밖에 있는 권리를 누릴 수 있는》.

°**ìn·di·víd·u·al·ly** *ad.* 개별적으로; 하나하나; 낱낱이; 단독으로; 개인적으로; 개성〔독자성〕을 발휘하여: I spoke to them ~. 나는 그들 개개인에게 이야기했다.

indivídual médley 【수영】 개인 혼영《생략: IM》.

indivídual psychólogy 개인 심리학; (개인의 심리적 특질을 다루는) 개성 심리학.

indivídual retírement accòunt 《미》 개인 퇴직금 (적립) 계정, 개인 연금 퇴직금 계정《근로자가 매년 일정액까지 적립하여 공제할 수 있는 적립 예금; 이자에는 퇴직 시까지 세금이 안 붙음; 생략: IRA》.

in·di·vid·u·ate [ìndəvídʒuèit] *vt.* 낱낱으로 구별하다, 개별〔개체〕화하다; …에 개성을 부여하다, 개성화하다, 특징짓다.

ìn·di·vìd·u·á·tion *n.* Ⓤ 개성을 부여함〔부여받음〕; 개체〔개별〕화, 개성화; 개별적 존재; 《특히》 개인적 특성(individuality).

ìn·di·vìs·i·bíl·i·ty *n.* Ⓤ 불분할〔불가분〕성.

in·di·vis·i·ble [ìndivízəbəl] *a.* 분할할 수 없는, 불가분의; 【수학】 나뉘지 않는. ── *n.* 분할할 수 없는 것; 극소〔미〕량. ㊞ **-bly** *ad.* **~·ness** *n.*

In·do- [índou, -də] '인도(사람)'의 뜻의 결합사.

Índo-Áryan *n., a.* 인도아리아 사람(의); Ⓤ 인도아리안 어(의).

Índo·chína *n.* 인도차이나. ★ 넓은 뜻으로 Myanmar, Thailand, Malay를 포함하는 경우와, 옛 프랑스령 인도차이나를 가리키는 경우도 있음.

Índo-Chína Wàr 인도차이나 전쟁(1946–54)《옛 프랑스령 인도차이나 반도의 민족 독립 전쟁》.

Índo·chinése *a.* 인도차이나의, 인도차이나 사람〔어〕의. ── (*pl.* ~) *n.* 인도차이나 사람〔어〕.

in·do·cile [indásəl/-dóusail] *a.* 말을 듣지 않는, 고분고분하지 않은; 가르치기〔훈련시키기, 다루기〕 어려운. ㊞ **in·do·cíl·i·ty** *n.* Ⓤ

in·doc·tri·nate [indáktrənèit/-dɔ́k-] *vt.* (교의(教義)·신앙·이론·원리 따위를) 주입하다 (instruct); 가르치다《주로 기초적인 것을》; 세뇌하다: ~ a person in dogmas 〔with an idea〕 아무에게 교양을 가르치다〔사상을 주입하다〕. ㊞ **-nà·tor** *n.* **in·dòc·tri·ná·tion** *n.* Ⓤ

Índo-Európéan *n., a.* Ⓤ 인도 유럽 어족(語族)(의).

Índo-Européanist *n.* 인도 유럽어 학자, 인도 유럽어 비교 언어학자.

Índo-Germánic *n., a.* Ⓤ =INDO-EUROPEAN.

Índo-Híttite *n., a.* 인도히타이트 어족(語族)(의).

Índo-Iránian *a., n.* Ⓤ 인도이란어(語)(의).

in·dole [índoul] *n.* Ⓤ 【화학】 인돌《낮은 온도에서 녹는 무색 결정 화합물; 향료·시약 등에 씀》.

in·dole·a·cé·tic ácid [ìndouləsíːtik-, -əsét-] 【생화학】 인돌아세트산(酸).

in·dole·bu·týr·ic ácid [ìndoulbjuːtírik-] 【생화학】 인돌부티르산(酸)《식물 생장 촉진 호르몬의 일종》.

in·do·lence [índələns] *n.* Ⓤ 나태, 게으름; 【의학】 무통(성); (병의) 치유가 늦음.

°**in·do·lent** [índələnt] *a.* **1** 나태한, 게으른, 무활동의. SYN. ⇨IDLE. **2** 【의학】 무통(성)의《종양·궤양》; (병의) 치유가 늦은. ㊞ **~·ly** *ad.*

In·dol·o·gy [indálədʒi/-dɔ́l-] *n.* 인도학; 인도 연구. ㊞ **-gist** *n.*

in·do·meth·a·cin [ìndouméθəsin] *n.* 【약학】 인도메타신《항염증·해열·진통 작용》.

in·dom·i·ta·ble [indámətəbəl/-dɔ́m-] *a.* 굴하지 않는, 불요 불굴의; 완강한: an ~ warrior 불굴의 용사. ㊞ **-bly** *ad.* **~·ness** *n.* **in·dòm·i·ta·bíl·i·ty** *n.* 지지 않으려는〔불요 불굴의〕 정신.

In·do·ne·sia [ìndəníːʒə, -ʃə, -ziə, -dou-/-ziə] *n.* 인도네시아; 인도네시아 공화국《수도 Jakarta》. ㊞ **-sian** [-n] *a., n.* 인도네시아의, 인도네시아 사람(의); 인도네시아어(語)(의).

in·door [índɔ̀ːr] *a.* **1** 실내의, 옥내의. OPP. *outdoor.* ¶ ~ sports 실내 스포츠 / ~ service 내근(內勤). **2** 구빈원 내의: ~ relief 【역사】 (구빈원(workhouse)에 수용하는) 원내 구조(救助).

índoor báseball 실내 야구.

índoor-óutdoor *a.* 실내외 겸용의.

índoor plúmbing 《미구어》 옥내 변소《옥외 변소에 상대되는 말》.

in·doors [indɔ́ːrz] *ad.* 실내에〔에서, 로〕, 옥내에〔에서, 로〕: stay 〔keep〕 ~ 외출하지 않다.

índoor sóccer 실내축구《한 팀 6명씩 출전》.

Índo-Pacífic *a.* 인도양·서태평양 지역의. ── *n.* 인도·태평양 어족《아시아 동남부에서 태평양 제도·오스트레일리아에 걸치는 여러 언어로 이루어진다고 보는 대어족(大語族)》.

ìndo·phénol *n.* 【화학】 인도페놀《황색 결정성 배당체(配糖體); indigo의 합성염료나 그와 비슷한 염료》.

indorse, etc. ⇨ENDORSE, etc.

In·dra [índrə] *n.* (인도 신화의) 인타라(因陀羅), 인드라《천둥·비를 관장하는 Veda교의 신》.

in·draft, 《영》 **-draught** [índrӕft, -drɑ̀ːft] *n.* 끌어〔빨아〕들임; (공기·물의) 유입, 흡입.

in·drawn [índrɔ̀ːn] *a.* 마음을 터놓지 않는, 서먹서먹한(aloof); 내성적인(introspective); 숨을 들이마신: an ~ sigh 깊은 한숨.

in du·bio [in-dúbiòu; *L.* in-dúbioː] 《L.》 의심스러운; 미결정의, 결정 안 된.

in·du·bi·ta·ble [indjúːbətəbəl] *a.* 의심의 여지가 없는, 확실〔명백〕한. ㊞ **-bly** *ad.* **~·ness** *n.* **in·dù·bi·ta·bíl·i·ty** *n.*

induc. induction.

***in·duce** [indjúːs/-djúːs] *vt.* **1** 《+목+*to* do/+목+전+명》 꾀다, 권유하다, 설득〔권유〕하여 …하게 하다: Nothing shall ~ me *to* go. 어떤 일이 있어도 난 안 간다 / ~ a person *to* a doctrine 아무를 어떤 주의〔교리〕를 신봉하도록 만들다. SYN. ⇨URGE. **2** 야기하다, 일으키다, 유발하다, 부르다; 【의학】 (약으로 진통을) 일으키다, 촉진하다; 《구어》 (인공적으로) 분만시키다: The medicine ~*s* sleep. 그 약은 수면을 유발한다. **3** 【논리】 귀납하다. OPP. *deduce.* **4** 【전기·물리】 (전기·자기·방사능 따위를) 유도하다: ~*d* charge 유도 전하(電荷) / ~*d* current 유도 전류 / ~*d* electromotive force 유도 기전력.

indúced drág 【유체역학】 유도 항력(抗力).

indúced radioactívity 【물리】 =ARTIFICIAL RADIOACTIVITY.

°**in·dúce·ment** *n.* ⓤⓒ **1** 유인(誘引), 유도, 권유, 장려; 유인(誘因), 동기, 자극《*to*》: an ~ *to* action 행동하게 하는 것〔동기〕. **2** (…할) 생각을 일으키는 것, (행동을) 촉구하는 것《*to* do》: We don't have much ~ *to* work. 일할 의욕을 생기게 하는 것이 별로 없다. **3** 〖법률〗 (소송의) 예비 진술. ***on any*** ~ 어떤 권유가 있어도.

in·dúc·er *n.* induce 하는 사람〔것〕; 〖유전〗 유도자, 유도 물질.

in·duc·i·ble [indјúːsəbəl/-djúːs-] *a.* 유도〔유치, 유인〕할 수 있는; 귀납할 수 있는: ~ enzyme 유도 효소.

in·duct [indʌ́kt] *vt.* **1** 《+목+전+명》 이끌어 들이다, 안내하다(lead), (자리에) 앉히다; 입회시키다《*into; to*》: ~ students *into* the use of a foreign language 학생들이 외국어를 쓰도록 유도하다. **2** 《+목+전+명》 (비결 따위를) …에게 전수하다, 초보를 가르치다《*to; into*》: ~ her *into* the secret of success 그녀에게 성공의 비결을 전수하다. **3** 《+목+전+명/+목+*as* 보》 (정식으로) 취임시키다: be ~*ed into* the office of mayor 시장에 취임하다/He was ~*ed as* chairman. **4** 《+목+전+명》 《미》 병역에 복무시키다; 징병하다: be ~*ed into* the armed services 징병되다. **5** 〖전기〗 유도하다(induce).

in·duct·ance [indʌ́ktəns] *n.* 〖전기〗 인덕턴스, 자기(自己) 유도〔감응〕 계수; 유도자(誘導子).

in·duc·tee [indʌktíː] *n.* 《미》 징모병.

in·duc·tile [indʌ́ktəl/-tail] *a.* 잡아늘일 수 없는, 연성(延性)〔유연성〕이 없는.

in·dúc·tion *n.* **1** ⓤⓒ 끌어들임, 유도, 도입. **2** ⓤⓒ 〖논리〗 귀납법, 귀납 추리(에 의한 결론). ⓞⓟⓟ *deduction*. **3** ⓤ 〖전기〗 유도; 감응, 유발. **4** 〖의학〗 (약에 의한) 진통〔분만〕 유발. **5** (특히 성직(聖職)의) 취임식. **6** (비결 등의) 전수, 초보를 가르침; =INDUCTION COURSE. **7** 《고어》 머리말, 전제(前提), 서론; (초기 영국 연극의) 서막. **8** 《미》 입대식, 모병. **9** 〖발생〗 (태생(胎生) 세포의) 분화 유도(誘導)《형성체 등이 조직을 분화시키는 것》. **10** 〖수학〗 귀납법. ⓒⓕ inducer. ◇ induce *v.*

indúction accélerator 유도(誘導) 가속기 (betatron).

indúction còil 〖전기〗 유도〔감응〕 코일.

indúction còmpass 〖항공〗 자기(磁氣) 유도 컴퍼스.

indúction còurse (신입 사원 등의) 연수.

indúction fùrnace 〖야금〗 유도 전기로.

indúction hàrdening 〖야금〗 고주파(高周波) 담금질.

indúction héating 유도 가열.

indúction lòop system 유도 루프 시스템《극장·영화관 등에서 루프형 안테나로부터 전파를 보청기에 보내, 난청자가 영화의 대사·음악을 들을 수 있도록 한 시스템》.

indúction mòtor 유도 전동기.

indúction pèriod 〖물리·화학〗 유도기(期).

in·duc·tive [indʌ́ktiv] *a.* **1** 〖논리〗 귀납적인. ⓞⓟⓟ *deductive*.¶~ reasoning 〔inference〕 귀납적 추리/the ~ method 귀납법. **2** 〖전기〗 유도성의, 감응의; 〖생물〗 유도적인. **3** 《드물게》 전제의, 머리말의. ㊕ ~**·ly** *ad.* ~**·ness** *n.*

ìn·duc·tív·i·ty *n.* 유도성; 〖전기〗 유도율.

indúctive cóupling 〖전기〗 유도 결합.

indúctive reáctance 〖전기〗 유도 리액턴스.

in·duc·tom·e·ter [ìndʌktɑ́mətər/-tɔ́m-] *n.* 〖전기〗 가변 유도기.

in·duc·tor [indʌ́ktər] *n.* 직(職)을 수여하는 사람; 성직 수여자; 〖전기〗 유도자(子), 유전체(誘電體); 〖화학〗 유도질, 감응 물질.

in·duc·to·ther·my [indʌ́ktəθə̀ːrmi] *n.* 〖의학〗 유도 전열(誘導電熱) 요법《전자 감응기로 발열시켜 치료하는 방법》.

in·due [indјúː/-djúː] *vt.* =ENDUE.

in·dulge** [indʌ́ldʒ] *vt.* **1** (욕망·정열 따위를) 만족시키다, 충족시키다: ~ one's desire 욕망을 만족시키다. **2** 《+목+전+명》 (아이를) 어하다, (떠받들어) 버릇을 잘못 들이다, 제멋대로 하게 두다: You ~ your children *with* too much pleasure. 당신은 애들에게 너무 어하여 버릇을 잘못 들입니다. **3** 《+목+전+명》 (사람 등을) 즐겁게〔기쁘게〕 하다: ~ the company *with* a song 노래를 불러 좌중을 즐겁게 하다. **4** 《+목+전+명》 …에게 베풀다, …에게 주다《*with*》: ~ a child *with* sweets 아이에게 좋아하는 과자를 주다. **5** 《~+목/+목+전+명》 〖~ oneself〗 (쾌락 등에) 탐닉하다, 골몰하다: He often ~s *himself in* heavy drinking. 그는 자주 과음을 한다. **6** 〖상업〗 (사람·회사 등에) 지불 유예를 허가하다, (어음·채무)에 유예를 주다. ── *vi.* **1** 《+전+명》 (취미·욕망 따위에) 빠지다, 탐닉하다《*in*》; 즐기다, 마음껏 누리다《*in*》: ~ *in* pleasures 쾌락에 빠지다/~ *in* a glass of wine 포도주를 마시며 즐기다. **2** 《+전+명》 큰마음 먹고 사다《*in*》: ~ *in* a new suit 옷을 큰마음 먹고 새로 맞추다. **3** 《구어》 술을 마시다: Will you ~? 《속어》 한잔하지 않겠어요/He ~s too much. 그는 술을 과음한다. **4** 《+전+명》 종사하다: ~ *in* medical researches 의학 연구에 종사하다. ~ oneself with*** (좋아하는 음식)을 마시다〔먹다〕. ㊕ **in·dúlg·er** *n.* **in·dúlg·ing·ly** *ad.*

°**in·dul·gence, -gen·cy** [indʌ́ldʒəns], [-i] *n.* ⓤ **1** 응석을 받음, 멋대로 하게 둠, 관대: treat a person with ~ 아무를 관대하게 다루다. **2** 멋대로 함, …에 빠짐, 탐닉; 방자, 방종; ⓒ 도락《*in*》, 즐거움: Smoking is his only ~. 담배는 그의 유일한 도락이다. **3** 은혜, 특권. **4** 〖상업〗 지불 유예. **5** ⓤⓒ 〖가톨릭〗 대사(大赦); ⓒ 면죄부(免罪符). **6** 〖영국사〗 (때로 I-) 신교의 자유. ***the Declaration of Indulgence*** 신교 자유 선언 《1672년과 1678년에 발포》.

***in·dul·gent** [indʌ́ldʒənt] *a.* 멋대로 하게 하는, 어하는; 눈감아 주는, 관대한《*to*》: an ~ mother 엄하지 않은 어머니/They are ~ *with* 〔*to*〕 their children. 그들은 아이들에게 무르다〔관대하다〕. ㊕ ~**·ly** *ad.* 관대하게.

in·dult [indʌ́lt] *n.* 〖가톨릭〗 특전《교황이 법률상의 의무를 면제하는 은전》.

in·du·na [indúːnə] *n.* 《S. Afr.》 (Zulu 족의) 족장; (Zulu 족 무장대의) 대장; 권력자; (공장·농장·광산 따위의) 감독관.

in·du·rate [índјurèit/-djuər-] *vt., vi.* **1** 굳히다; 굳어지다; 경화(硬化)시키다〔하다〕. **2** 무감각하게 하다〔되다〕; 완고하게 하다〔되다〕. **3** (고통 등에) 익숙하게 하다, 단련시키다; (습관 등을) 확립시키다〔하다〕. ── [índјurət, indјúər-/índjuər-] *a.* 굳어진; 무감각하게 된. ㊕ **-ràt·ed** [-id] *a.* (섬유 조직의 증가로) 경화한.

ìn·du·rá·tion *n.* ⓤ 단단하게 함; 몰인정, 완고; 〖지학〗 (침전물·암석의) 경화(硬化); 경화암(岩); 〖의학〗 경화, 경결(부)(硬結(部)).

in·du·ra·tive [índјurèitiv] *a.* 굳어지는, 경화성의; 완고한.

In·dus [índəs] *n.* **1** (the ~) 인도 북서부의 강. **2** 〖천문〗 인디언자리.

in·du·si·um [indјúːziəm, -ʒi-/-djúːzi-] (*pl.* ***-sia*** [-ziə, -ʒiə/-ziə]) *n.* 〖식물〗 포막(包膜); 〖곤충〗 포피(包被); 〖해부〗 포막, 《특히》 양막(羊膜)(amnion).

****in·dus·tri·al** [indʌ́striəl] *a.* **1** 공업(상)의, 공업용의: an ~ nation 공업국/~ bookkeeping 공업 부기. **2** 산업(상)의, 산업용의: an ~ exhibition 산업 박람회. **3** 공업〔산업〕에 종사하는; 공업〔산업〕 노동자의: ~ workers 공원(工員), 산업 노동자 / an ~ accident 산업 재해. **—** *n.* **1** 산업 노동자; 《드물게》 산업인. **2** (*pl.*) 산업〔공업〕주(株)〔사채(社債)〕. **3** 공업 생산품. ㊕ **~·ly** *ad.* 공업〔산업〕적으로; 공업〔산업〕상.

indústrial áction 《영》 (노동자의) 쟁의 행동 《파업 등》.

indústrial álcohol 공업용 알코올.

indústrial América 미국 산업계; 산업면에서 본 미국, 미국 산업.

indústrial archaeólogy 산업 고고학《산업 혁명 초기의 공장 · 기계 · 제품 등을 연구하는》.

indústrial árts 공예 (기술).

indústrial bánk 산업 은행.

indústrial còuncil 《영》 산업별 노사 협의회.

indústrial demócracy 산업 민주주의.

indústrial desígn 공업 디자인《생략: ID》.

indústrial desígner 공업 디자이너.

indústrial diséase 직업〔산업〕병(occupational disease).

indústrial dispúte 노사 분규.

indústrial dístrict =INDUSTRIAL PARK.

indústrial enginéering 산업〔경영〕공학, 생산관리공학《생략: IE》. ㊕ **indústrial enginéer**.

indústrial éspionage 산업〔기업〕 스파이 (행위)

indústrial estáte 《영》 =INDUSTRIAL PARK.

indústrial góods 산업용 제품 생산재《원재료 · 가공 재료 · 설비 · 보수〔수리, 조업용〕 소모품 따위》.

indústrial insúrance =INDUSTRIAL LIFE INSURANCE.

in·dús·tri·al·ìsm *n.* Ⓤ 산업주의, (대)공업주의; 산업열(熱), 산업 조직.

in·dús·tri·al·ist *n.* (대)생산 회사의 사주〔경영자〕, 공업가, 실업가; 생산업자. **—** *a.* 산업〔공업〕주의의.

in·dùs·tri·al·i·zá·tion Ⓤ 산업화, 공업화.

in·dús·tri·al·ìze *vt., vi.* 산업〔공업〕화하다.

indústrial lífe insùrance 근로자 생명 보험.

indústrial márket 산업 용품〔생산재〕 시장.

indústrial médicine 산업〔직업〕병 (예방) 의학, 산업 의료.

indústrial mélanism 〖생물〗 공업 암화(暗化)〔흑화(黑化)〕《공업 오염 물질로 검게 된 지역의 곤충에 생기는 공업성 흑색소(素) 과다 변이》.

indústrial microbiólogy 〖생물〗 응용 미생물학. ㊕ **indústrial microbiólogist**

indústrial músic 전자 악기의 기계적 음을 강조하는 록 음악.

indústrial párk 《미 · Can.》 공업 단지.

indústrial pólicy 산업 정책.

indústrial próduct 산업용 제품.

indústrial psychólogy 산업 심리학. ㊕ **indústrial psychólogist**

indústrial relátions (기업의) 노사 관계; 노무 관리; 산업과 지역 사회와의 관계.

indústrial révenue bònd 〖증권〗 산업 세입채《산업 설비의 임대료 수입을 이자 지급 재원으로 하는 채권》.

Indústrial Revolútion (the ~) 〖역사〗 산업 혁명《18-19 세기에 영국을 중심으로 일어난 사회 조직상의 대변혁》.

indústrial róbot 산업용 로봇.

indústrial schóol 실업 학교; 직업 보도 학교 《불량아의 선도를 위한》.

indústrial shów (배우에 의한) 상품 광고 쇼.

indústrial sociólogy 산업 사회학.

indústrial-stréngth *a.* 강력한, 고성능인, 혹사에 견딜 수 있게 만들어진(heavy-duty), 공업용 강도의.

indústrial strífe 〔**dispúte**〕 《영》 노동 쟁의.

indústrial tóurism 《영》 산업 관광.

indústrial tribúnal 《영》 산업〔노동〕 심판소 《부당 해고 · 잉여 노동자 해고 등 노사 간의 분쟁에 관해 사정을 청취하고 심사 결정을 내려 노동법 위반을 시정하는 기관》.

indústrial únion 산업별 노동조합(vertical union).

indústrial únionism 산업별 노동조합주의.

indústrial wáste 산업 폐기물.

in·dus·tri·o- [indʌ́striou, -triə] *pref.* '공업' '산업'의 뜻: ~-economic 산업 경제의.

***in·dus·tri·ous** [indʌ́striəs] *a.* 근면한, 부지런한; 열심인. ≒ industrial. ㊕ **~·ly** *ad.* 부지런히, 열심히, 꾸준히. **~·ness** *n.*

***in·dus·try** [índəstri] *n.* **1** Ⓤ (제조) 공업, 산업; Ⓒ …업(業): the steel ~ 제강업 / manufacturing ~ 제조업, 공업 / the automobile ~ 자동차 산업 / the tourist ~ 관광 사업 / the broadcasting ~ 방송 사업 / the shipbuilding ~ 조선업. ◇ industrial *a.* **2** 〖집합적〗 (회사 · 공장 따위의) 경영자, 회사측, 산업계: friction between labor and ~ 노사 간의 알력〔마찰〕. **3** Ⓤ 근면(diligence): ~ and thrift 근면과 검약 / Poverty is a stranger to ~. 《속담》 부지런하면 가난 없다. **4** 《영구어》 (특정 작가 · 제목에 대한) 연구, 저술. ◇ industrious *a.* 「문명.

Índus válley civilizàtion (the ~) 인더스 문명.

in·dwell [indwél] (*p., pp.* **-dwelt** [-dwélt]) *vi., vt.* (…의) 안에 살다, 내재(內在)하다; (정신 · 주의 등이) 깃들이다. ㊕ **~·er** *n.* 내재자〔물〕. **~·ing** *a.* 내재하는.

Ín·dy Càr ràcing [índi-] 인디카 레이싱《경사진 트랙에서 하는 자동차 경주》.

-ine [iːn, ain, in] *suf.* **1** '…에 속하는, …성질의'의 뜻: serpent*ine*. **2** 여성명사를 만듦: hero*ine*. **3** 〖화학〗 염기(塩基) 및 원소 이름의 어미: anil*ine*.

in·e·bri·ant [iníːbriənt] *a., n.* 취하게 하는 (것) 《술 · 알코올 · 마약 등》.

in·e·bri·ate [iníːbrièit] *vt.* 취하게 하다; 도취하게 하다. **—** [-briət] *a., n.* 술 취한; 주정뱅이, 고주망태. ㊕ **in·è·bri·á·tion** *n.* Ⓤ 취하게 함, 명정(酩酊).

in·e·bri·e·ty [ìnəbráiəti, ìniː-/ìni-] *n.* Ⓤ 취함, 명정; (병적인) 음주벽.

in·ed·i·ble [inédəbəl] *a.* 식용에 적합치 않은, 못 먹는. ㊕ **in·èd·i·bíl·i·ty** *n.* Ⓤ

in·ed·it·ed [inéditid] *a.* 미간행의; 미편집의.

in·ed·u·ca·ble [inédʒukəbəl] *a.* (정신박약 등으로) 교육 불가능한.

in·èducátion *n.* 무학, 무교육.

in·èf·fa·bíl·i·ty *n.* Ⓤ 말로 표현할 수 없음.

in·ef·fa·ble [inéfəbəl] *a.* 말로 나타낼 수 없는, 이루 말할 수 없는(unutterable); 입에 올리기에도 황송한. ㊕ **-bly** *ad.* **~·ness** *n.*

in·ef·face·a·ble [ìniféisəbəl] *a.* 지울〔지워 없앨〕 수 없는; 지워지지 않는. ㊕ **-bly** *ad.* **ìn·ef·fàce·a·bíl·i·ty** *n.*

°in·ef·fec·tive [ìniféktiv] *a.* 무효의, 효과〔효력〕 없는(ineffectual); 쓸모없는, 무력한, 무능한; (예술품이) 감명을 주지 않는: ~ efforts 헛수고. ㊕ **~·ly** *ad.* **~·ness** *n.*

°in·ef·fec·tu·al [ìniféktʃuəl] *a.* 효과적이 아닌, 만족스러운〔결정적인〕 효과가 없는; 헛된; 무력한 (futile), 무능한. SYN. ⇨ VAIN. ㊕ **~·ly** *ad.* **~·ness** *n.* **in·ef·fec·tu·al·i·ty** [ìnifèktʃuǽləti] *n.* Ⓤ 무효, 무익; 무능, 무력.

in·ef·fi·ca·cious [ìnefəkéiʃəs] *a.* (약 등이) 효력〔효험〕 없는. ㊕ **~·ly** *ad.* **~·ness** *n.*

in·ef·fi·ca·cy [inéfəkəsi] *n.* Ⓤ (약 따위의) 무효력, 효험〔효과, 효능〕 없음.

◇**in·ef·fi·cien·cy** [ìnifíʃənsi] *n.* Ⓤ 무효력, 비능률; 무능(력); Ⓒ 비능률적인 점.

◇**in·ef·fi·cient** [ìnifíʃənt] *a.* 효과 없는, 능률이 오르지 않는; 무능한, 쓸모없는, 기능〔역량〕 부족의. ㊕ **~·ly** *ad.*

in·e·gal·i·tar·i·an [ìnigæ̀lətɛ́əriən] *a.* (사회·경제적으로) 불평등한, 불공평한; 반(反)평등주의의.

in·e·las·tic [ìnilǽstik] *a.* 탄력〔탄성〕이 없는; 신축성〔유연성〕이 없는; 적응성 없는, 융통성 없는: ~ demand 〔supply〕 비탄력적 수요〔공급〕. ㊕ **in·e·las·tic·i·ty** [inilæstísəti] *n.* Ⓤ

inelástic collísion 〖물리〗 비탄성(非彈性) 충돌.

inelástic scáttering 〖물리〗 비탄성 산란(散亂).

in·el·e·gance, -gan·cy [inéligəns], [-i] *n.* Ⓤ 우아하지〔세련되지〕 않음, 운치 없음, 무풍류; Ⓒ 운치 없는 행위〔말·문체〕.

in·el·e·gant [inéligənt] *a.* 우아하지 않은, 멋없는, 무무한, 세련되지 않은(unrefined). ㊕ **~·ly** *ad.*

in·èl·i·gi·bíl·i·ty *n.* Ⓤ 부적당, 부적격, 무자격.

in·el·i·gi·ble [inélidʒəbəl] *a.* (법적으로) 선출될 자격이 없는; 부적임인, 비적격의; (도덕적으로) 부적당한, 바람직스럽지 못한. **—** *n.* 선출될 자격이 없는 사람; 비적격자, 부적임자. ㊕ **-bly** *ad.* **~·ness** *n.*

in·el·o·quent [inéləkwənt] *a.* 능변이 아닌, 눌변의. ㊕ **~·ly** *ad.* **in·él·o·quence** *n.* 눌변.

in·e·luc·ta·ble [ìnilʌ́ktəbəl] *a.* 면할 길 없는, 불가피한, 불가항력의. ㊕ **-bly** *ad.* **ìn·e·lùc·ta·bíl·i·ty** *n.* 「없는.

in·e·lud·i·ble [ìnilú:dəbəl] *a.* 피〔면〕할 수

in·e·nar·ra·ble [ìninǽrəbəl] *a.* 말〔설명〕할 수 없는. ㊕ **-bly** *ad.*

in·ept [inépt] *a.* **1** 부적당한; 부적절한; 부조리한; 바보 같은, 어리석은. **2** 서투른, 무능한. ㊕ **~·ly** *ad.* **~·ness** *n.*

in·ept·i·tude [inéptətjù:d/-tjù:d] *n.* Ⓤ 부적당; 부조리, 어리석음; Ⓒ 어리석은 언행(言行)(absurdity). 「않은.

in·eq·ua·ble [inékwəbəl/iní:k-] *a.* 균등하지

◇**in·e·qual·i·ty** [ìnikwɑ́ləti/-kwɔ́l-] *n.* Ⓤ **1** 같지 않음, 불평등, 불공평, 불균형: the ~ between the rich and the poor 빈부의 차. **2** (기후·온도의) 변동; (표면의) 거칢; Ⓒ (*pl.*) 기복, 우툴두툴함: the *inequalities* of the ground 지면의 기복. **3** 부적당, 부적임(不適任): one's ~ *to* a task 어떤 일에 대한 부적임. **4** 〖천문〗 균차(均差); Ⓒ 〖수학〗 부등식.

in·e·qui·lat·er·al [ini:kwəlǽtərəl] *a.* 〖수학〗 부등변의: an ~ triangle 부등변 삼각형.

in·eq·ui·ta·ble [inékwətəbəl] *a.* 불공평한, 불공정한. SYN. ⇨UNJUST. ㊕ **-bly** *ad.* **~·ness** *n.*

in·eq·ui·ty [inékwəti] *n.* Ⓤ,Ⓒ 불공평, 불공정(unfairness); 불공평한 사례.

in·e·qui·valve [iní:kwəvæ̀lv] *a.* (이매패(二枚貝)가) 부등각(不等殼)의, 껍질의 모양과 크기가 같지 않은.

in·e·rad·i·ca·ble [ìnirǽdəkəbəl] *a.* 근절할 수 없는, 뿌리 깊은. ㊕ **-bly** *ad.* **ìn·e·ràd·i·ca·bíl·i·ty** *n.*

in·e·ras·a·ble [ìniréisəbəl/-réiz-] *a.* 지울 수 없는, 씻을 수 없는. ㊕ **-bly** *ad.* **~·ness** *n.*

in·èr·ra·bíl·i·ty *n.* 틀림이 없음.

in·er·ra·ble [inérəbəl] *a.* 틀리지 않는, 틀릴 리가 없는. ㊕ **-bly** *ad.* **~·ness** *n.*

in·er·rant [inérənt] *a.* 잘못이〔틀림이〕 없는. ㊕ **-ran·cy** *n.*

in·er·ran·tist [inérəntist] *n.* 성서 전면 신봉자《성서 내용은 모두 옳다고 믿는》.

in·er·rat·ic [inirǽtik] *a.* 상궤를 벗어나지 않는, 방황하지 않는; 탈선하지 않는; (항성 등이) 부동(不動)의 궤도를 따라 움직이는.

in·ert [inə́:rt] *a.* **1** (육체적·정신적으로) 활발하지 못한, 생기가 없는, 둔한, 완만한; 활동력이 없는, 자력으로는 움직이지 못하는; 반발력이 없는. **2** 〖화학〗 비활성의: an ~ gas 비활성 기체. **—** *n.* 둔한 사람; 비활성 물질. ㊕ **~·ly** *ad.* **~·ness** *n.*

◇**in·er·tia** [inə́:rʃiə] *n.* Ⓤ 불활동, 불활발; 지둔(遲鈍)(inactivity); 〖물리〗 관성, 타성, 타력; 〖의학〗 이완(弛緩), 무력증(無力症): moment of ~ 관성 능률/the force of ~ 관성, 타성. ***Newton's Law of Inertia*** 뉴턴의 관성의 법칙. ㊕ **-tial** *a.*

inértia effèct 〖경제〗 관성 효과. ⌊**-tial·ly** *ad.*

inértial fórce 〖물리〗 관성력(力).

inértial fráme (**of réference**) 〖물리〗 관성계(系)(inertial system).

inértial guídance 〖항법〗 관성 유도.

inértial máss 〖물리〗 관성 질량.

inértial navigátion (우주선 등의) 관성 항법《inertial guidance에 의한 항법》: ~ system 관성 항법 시스템.

inértial plátform 〖로켓〗 관성 유도 장치의 가대(架臺). 「TEM.

inértial réference fràme =INERTIAL SYS-

inértial spáce 〖우주〗 관성 공간《뉴턴의 관성의 법칙이 적용되는 공간》.

inértial sýstem **1** 〖물리〗 관성계(系). **2** 〖로켓〗 관성 (유도) 방식.

inértial úpper stàge 〖로켓〗 셔틀 상단(上段) 로켓《낮은 지구 궤도에서 더 높은 궤도로 탐사기(探査機)를 나르기 위한 2단식 고체 연료 로켓; 생략: IUS》.

inértia rèel 관성 릴《자동차의 시트벨트를 자동 조절하는 벨트의 틀》.

inértia-reel bélt 〔**séat bèlt**〕《영》(자동차 따위의) 자동 조절식 시트벨트.

inértia sélling《영》강매《멋대로 상품을 보내고 반품하지 않으면 대금을 청구하는》. 「機).

inértia stárter 〖기계〗 관성 시동기(慣性始動

in·es·cap·a·ble [ìnəskéipəbəl] *a.* 달아날〔피할〕 수 없는, 불가피한. cf. inevitable. ㊕ **-bly** *ad.* **~·ness** *n.*

in esse [in-ési] 《L.》 실재〔존재〕하여 (있는).

in·es·sen·tial [ìnisénʃəl] *a.* 긴요〔중요〕하지 않은, 없어도 되는. **—** *n.* 긴요〔필요〕하지 않은 것. ㊕ **ìn·es·sèn·ti·ál·i·ty** [-ʃiǽləti] *n.* Ⓤ

◇**in·es·ti·ma·ble** [inéstəməbəl] *a.* 평가〔계산〕할 수 없는; 헤아릴 수 없는; 헤아릴 수 없을 만큼 큰〔존귀한〕; 더없이 귀중한: a thing of ~ value 더없이 귀중한 것. ㊕ **-bly** *ad.*

in·e·va·si·ble [ìnivéizəbəl, -sə-] *a.* 피할 수 없는, 불가피한; 당연한, 확실한.

in·èv·i·ta·bíl·i·ty *n.* 피할 수 없음, 불가피, 불가항력, 필연(성): historical ~ 역사적 필연성.

⁑**in·ev·i·ta·ble** [inévətəbəl] *a.* **1** 피할 수 없는, 면할 수 없는; 부득이한: Death is ~. 죽음은 피할 수 없다/It's almost ~ that the two companies will merge. 그 두 회사의 합병은 피할 수 없을 것 같다. **2** (논리적으로 보아) 필연의, 당연한: an ~ conclusion 필연적인 귀결/an ~ result 당연한 결과. **3** (이야기의 줄거리 따위가) 납득이 가는, 지당한. **4** (one's 〔the〕 ~)《구어》 변함없는, 예(例)의: with his ~ camera 여전히 그 카메라를 메고. **5** (the ~)〖명사적〗 피할 수 없는 일, 필연적 운명.

inévitable áccident 〖법률〗 불가항력〔불의〕의 재난, 천재(天災).

◇**in·év·i·ta·bly** *ad.* 불가피하게, 필연적으로, 아무래도; 부득이; 반드시, 확실히.

in·ex·act [ìnigzǽkt] *a.* 정확〔정밀〕하지 않은, 부정확한. ㊕ ~·**ly** *ad.* ~·**ness** *n.*

in·ex·act·i·tude [ìnigzǽktətjù:d/-tjù:d] *n.* Ⓤ 부정확, 부정밀.

in·ex·cit·a·ble [ìniksáitəbəl] *a.* 냉정한, 흥분하지 않는; 자극에 동하지〔을 느끼지〕 않는.

in·ex·cus·a·ble [ìnikskjú:zəbəl] *a.* 변명이 되지 않는; 용서할 수 없는: an ~ error 변명할 수 없는 잘못. ㊕ -**bly** *ad.*

in·ex·e·cut·a·ble [inéksəkjù:təbəl] *a.* 실행〔집행〕하기 어려운, 실행 불가능한.

in·ex·e·cu·tion [inèksəkjú:ʃən] *n.* Ⓤ (명령·법률의) 불이행.

in·ex·er·tion [ìnigzə́:rʃən] *n.* Ⓤ 노력 부족; 게으름; 불활발.

ìn·ex·hàust·i·bíl·i·ty *n.* Ⓤ 무진장; 피곤함이 없음.

◇**in·ex·haust·i·ble** [ìnigzɔ́:stəbəl] *a.* 다할 줄 모르는, 무진장한; 다 써 버릴 수 없는; 지칠 줄 모르는, 끈기 있는: Natural resources are not ~. 천연자원은 무진장한 것이 아니다. ㊕ -**bly** *ad.* ~·**ness** *n.*

in·ex·haus·tive [ìnigzɔ́:stiv] *a.* **1** 《고어》 =INEXHAUSTIBLE. **2** 불철저〔불완전〕한.

in·ex·ist·ent [ìnigzístənt] *a.* 존재〔실재, 생존, 현존〕하지 않는. ㊕ -**ence** *n.*

in·èx·o·ra·bíl·i·ty *n.* Ⓤ 용서 없음; 무정, 냉혹.

in·ex·o·ra·ble [inéksərəbəl] *a.* 무정한, 냉혹한; (아무의 간청을) 들어주지 않는; 굽힐 수 없는, 움직일 수 없는. ㊕ -**bly** *ad.* ~·**ness** *n.*

in·ex·pect·ant [ìnikspéktənt] *a.* 기대〔예기〕하지 않은.

in·ex·pe·di·ence, -en·cy [ìnikspí:diəns], [-i] *n.* Ⓤ 불편; 부적당; 득책이 아님.

in·ex·pe·di·ent [ìnikspí:diənt] *a.* 불편한; (어떤 입장에) 부적당한; 득책이 아닌. ㊕ ~·**ly** *ad.*

◇**in·ex·pen·sive** [ìnikspénsiv] *a.* 비용이 들지 않는, 값싼; 값에 비하여 품질이 좋은. SYN. ⇨ CHEAP. ㊕ ~·**ly** *ad.* ~·**ness** *n.*

***in·ex·pe·ri·ence** [ìnikspíəriəns] *n.* Ⓤ 무경험, 미숙련, 미숙, 서투름, 물정을 모름. ㊕ *~**d** [-t] *a.* 경험이 없는, 숙련되지 않은, 미숙한 《*in*》; 세상 물정을 모르는.

in·ex·pert [inékspə:rt, ìnikspə́:rt] *a.* 미숙한, 서투른, 어줍은 솜씨의; 아마추어의. ―*n.* 미숙련자. ㊕ ~·**ly** *ad.* ~·**ness** *n.*

in·ex·pi·a·ble [inékspiəbəl] *a.* **1** 속죄할 수 없는《죄악 따위》, 죄 많은. **2** 《고어》 달랠 수 없는 《노여움 등》, 억누를 수 없는, 누그러뜨릴 수 없는; 앙심을 품은. ㊕ -**bly** *ad.* ~·**ness** *n.*

in·ex·pi·ate [inékspièit] *a.* (악업 따위가) 속죄되어 있지 않은, 죄 갚음이 안 된.

in·ex·plain·a·ble [ìnikspléinəbəl] *a.* 설명하기 어려운, 불가해한(inexplicable).

in·èx·pli·ca·bíl·i·ty *n.* Ⓤ 설명할 수 없음, 불가해함.

◇**in·ex·pli·ca·ble** [inéksplikəbəl, ìniksplík-] *a.* 불가해한, 설명〔해석〕할 수 없는, 납득이 안 가는: an ~ phenomenon 불가해한 현상. ㊕ ◇-**bly** *ad.* 불가해하게; 어떤 까닭인지. ~·**ness** *n.*

in·ex·plic·it [ìniksplísit] *a.* 명료하지 않은, 애매한, 막연한《말 따위》. ㊕ ~·**ly** *ad.* ~·**ness** *n.*

in·ex·plo·sive [ìniksplóusiv] *a.* 폭발하지 않는, 불폭발성의; (성질 따위가) 격하지 않은.

◇**in·ex·press·i·ble** [ìnikspréśəbəl] *a.* 말로 나타낼 수 없는, 이루 다 말〔형언〕할 수 없는. ―*n.* 말할 수 없는 것; (*pl.*) 《구어·고어》 바지. ㊕ -**bly** *ad.* ~·**ness** *n.*

in·ex·pres·sive [ìnikspréśiv] *a.* 표정이 없는, 무표정한; 말이 없는, 뚱한; 《고어》 =INEXPRESSIBLE. ㊕ ~·**ly** *ad.* ~·**ness** *n.*

in·ex·pug·na·ble [ìnikspʌ́gnəbəl] *a.* 공략〔정복〕할 수 없는; 논파할 수 없는(impregnable); 씻을 수 없는《증오》. ㊕ -**bly** *ad.* ~·**ness** *n.*

in·ex·pung·i·ble [ìnikspʌ́ndʒəbəl] *a.* 지울 수 없는, 지워 없앨 수 없는《냄새, 기억 등》.

in·ex·ten·si·ble [ìniksténsəbəl] *a.* 넓힐 수 없는, 넓어지지 않는, 늘어나지 않는.

in·ex·ten·sion [ìniksténʃən] *n.* 불확장.

in ex·ten·so [in-iksténsou] 《L.》 상세하게, 생략 않고: report ~ 상세히 보고하다.

in·ex·tin·guish·a·ble [ìnikstíŋgwiʃəbəl] *a.* (불 등을) 끌 수 없는; 억누를 수 없는, 멈출 수 없는《노여움 등》.

in·ex·tir·pa·ble [ìnikstə́:rpəbəl] *a.* 근절할 수 없는. ㊕ ~·**ness** *n.*

in ex·tre·mis [in-ikstrí:mis] 《L.》 극한 상황에서; 죽음에 임하여, 임종에.

in·ex·tri·ca·ble [inékstrikəbəl] *a.* **1** 탈출할〔헤어날〕 수 없는: an ~ situation 꼼짝할 수 없는 사태. **2** 풀 수 없는《문제 따위》, 뒤엉킨; 해결할 수 없는: in ~ confusion 손댈 수 없을 정도로 혼란하여. ㊕ -**bly** *ad.* ~·**ness** *n.*

INF intermediate-range nuclear forces (중거리 핵전력). **inf.** infantry; inferior; infinitive; infirmary; information; infra.

in·fall [ínfɔ̀:l] *n.* **1** Ⓤ 흘러듦; Ⓒ 합류점. **2** Ⓤ 침입, 침략. **3** 낙하.

in·fal·li·bil·ism [infǽləbəlìzəm] *n.* Ⓤ 〖가톨릭〗 교황 무류설(無謬說). ㊕ -**ist** *n.*

in·fàl·li·bíl·i·ty *n.* Ⓤ 과오가 없음, 무과실성; 절대 확실. ***His Infallibility*** 로마 교황의 존칭.

in·fal·li·ble [infǽləbəl] *a.* 결코 잘못이 없는, 전혀 틀림이 없는, 의심할 여지 없는; 반드시 일어나는; (절대로) 확실한; 〖가톨릭〗 (특히 교황이) 절대 무류(無謬)의: No man is ~. 《속담》 잘못 없는 사람은 없다. ―*n.* 절대로 확실한 사람〔물건〕. ㊕ -**bly** *ad.* 전혀 틀림없이, 아주 확실히; 《구어》 언제나 꼭. ~·**ness** *n.*

ín·fàll·ing *a.* 〖물리〗 유입하고 있는《블랙홀 같은 천체를 향하여 중력에 의해 낙하하고 있는》.

◇**in·fa·mous** [ínfəməs] *a.* **1** 수치스러운, 불명예스러운, 부끄러워해야 할, 파렴치한: ~ behavior 수치스러운 행동. **2** 악명 높은, 평판이 나쁜; 이름을 더럽히는. **3** 〖법률〗 (유죄 선고에 의하여) 공민권을 박탈당한: an ~ crime 파렴치죄. **4** 《구어》 지독한, 형편없는, 최저의(very bad): an ~ house〔coffee〕 형편없는 집〔커피〕. ◇ infamy *n.* ㊕ ~·**ly** *ad.* 악명 높게; 불명예스럽게도.

◇**in·fa·my** [ínfəmi] *n.* Ⓤ 악평, 오명(汚名), 악명; Ⓤ 불명예; Ⓒ 파렴치 행위, 추행(醜行), 비행; Ⓤ 〖법률〗 (유죄 선고에 의한) 공민권 상실. ◇ infamous *a.*

***in·fan·cy** [ínfənsi] *n.* Ⓤ **1** 유소(幼少), 어릴 때, 유치, 유년기: a happy ~ 행복한 유년 시절/in one's ~ 어릴 적에; 유년기에. **2** 〔집합적〕 유아(infants). **3** 초기, 요람기, 미발달기: The technology is still in its ~. 과학 기술은 아직도 초기에 있다. **4** 〖법률〗 미성년(minority).

***in·fant** [ínfənt] *n.* (7 세 미만의) 유아; 〖법률〗 미성년자. ―*a.* **1** 유아(용)의: ~ mortality 유아 사망/~ food 유아식. **2** 유치한, 유년(기)의. **3** 초기의, 미발달의: ~ industries 초기 단계의 산업. **4** 〖법률〗 미성년의.

in·fan·ta [infǽntə] *n.* (스페인·포르투갈의) 공주, 왕녀, 황녀; infante의 비(妃).

ínfant ápnea 신생아 무호흡.

in·fan·te [infǽntei/-ti] *n.* (스페인·포르투갈

의) 왕자《왕위 계승자를 제외한》.
in·fant·hood [ínfənthùd] *n.* =INFANCY.
in·fan·ti·ci·dal [infæ̀ntəsáidl] *a.* 유아[영아] 살해의.
in·fan·ti·cide [infǽntəsàid] *n.* Ⓤ 유아[영아] 살해; Ⓒ 유아[영아] 살해 범인.
in·fan·tile [ínfəntàil, -təl/-tàil] *a.* 유아(기)의; 아이다운, 천진스러운; 초기[초보, 미발달]의. ㊐ **ìn·fan·tíl·i·ty** [-tíləti] *n.* 유아성(性).
ínfantile áutism 〖심리〗 (2세 반 이전의) 소아[유아] 자폐증(自閉症).
ínfantile parálysis 〖의학〗 소아마비.
ínfantile scúrvy 유아(乳兒) 괴혈병(=**Bárlow's disèase**).
in·fan·ti·lism [ínfəntəlìzəm, infǽntə-/infǽnti-] *n.* Ⓤ 〖의학〗 발육 부전(不全), 유치증(幼稚症)《체구·지능 등이 어른이 되어도 발달하지 않는 병》; Ⓒ 어린애 같은 언동.
in·fan·til·ize [ínfəntəlàiz, -tail-, infǽntəl-] *vt.* 초기 발달 단계에 머물게 하다; 소아화[小兒化]하다; 어린애 취급을 하다. ㊐ **in·fan·til·i·zá·tion** *n.*
in·fan·tine [ínfəntàin, -tin/-tàin] =INFANTILE.
ínfant mortàlity (생후 1년 미만의) 유아 사망률.
ínfant pròdigy 천재아, 신동(=**ínfantile pròdigy**).
°**in·fan·try** [ínfəntri] *n.* 《집합적》 보병, 보병대. ⓒⓕ cavalry. ¶ mounted ~ 기마 보병 / an ~ regiment, 1개 보병 연대.
ínfantry·man [-mən] (*pl.* **-men** [-mən]) *n.* (개개의) 보병(步兵). ⓒⓕ cavalryman.
ínfant(s') schòol 《영》 (5세에서 7세까지의) 유아 학교.
in·farct [ínfɑːrkt] *n.* 〖의학〗 경색(부)(梗塞(部)).
in·farc·tion [infɑ́ːrkʃən] *n.* Ⓤ,Ⓒ 〖의학〗 경색(梗塞) (형성).
in·fat·u·ate [infǽtʃuèit/-tju-, -tʃu-] *vt.* 얼빠지게 만들다, …에 분별[이성]을 잃게 하다, 혹하게 하다; 열중케 하다. **(be) ~d with** …에 열중하여 (있다), …에 혹하여 (있다). ── [-tʃuət] *a.*, *n.* 혹한 (사람); 열중해 있는 (사람).
in·fát·u·àt·ed [-id] *a.* 얼빠진; 열중한, 혹한. ㊐ **~·ly** *ad.* 혹하여, 열중하여.
in·fàt·u·á·tion *n.* Ⓤ 열중케 함; 열중함, 심취 《*for; with*》; Ⓒ 심취케 하는 것[사람]: modern ~ *with* speed 현대의 스피드광 / Stamp collecting is his latest ~. 최근 그는 우표 수집에 열중하고 있다.
in·fau·na [ínfɔ̀ːnə] *n.* 〖동물〗 내재저서(內在底棲) 생물《바다·호수 등의 바닥 흙 속에 사는 생물(상(相))》. ㊐ **~l** *a.*
in·fèa·si·bíl·i·ty *n.* Ⓤ 실행 불가능(성).
in·fea·si·ble [infíːzəbəl] *a.* 실행 불가능한, 수행할 수 없는. ㊐ **~·ness** *n.*
***in·fect** [infékt] *vt.* **1** 《~+목/+목+전+명》 …에 감염시키다; …에 병균을 전염시키다: His flu ~*ed* his wife. 그의 독감이 아내에게 옮았다 / ~ a person *with* the plague 아무에게 역병(疫病)을 감염시키다. **2** 《~+목/+목+전+명》 (병균이) …에 침입하다, (병독 따위로) …을 오염시키다: ~ a wound 상처에 병균이 침입하다 / ~ water *with* cholera 콜레라균으로 물을 오염시키다. **3** 《~+목/+목+전+명》 악풍(惡風)에 물들게[젖게] 하다: ~ a person *with* a radical idea 아무에게 과격 사상을 불어넣다. **4** 《일반적》 …에 영향을 미치다, 감화하다: His speech ~*ed* the audience. 그의 연설은 청중에게 감화를 주었다. **5** (병이) 덮치다: the ~*ed* area 전염병 유행 지역. **6** 〖국제법〗 (배·화물 등을) 적성 감염(敵性感染)시키다, 위법성을 띠게 하다. **7** 〖컴퓨터〗 기억 장치[데이터]를 감염시키다. ── *vi.* 감염되다, 오염되다, 병독에 침범되다. ◇ infection *n.* ㊐ **~·er, in·féc·tor** *n.*
***in·fec·tion** [infékʃən] *n.* **1** Ⓤ 전염, 감염《특히 공기·물에 의한 것을 말함》; (상처로의) 병원균의 침입. ⓒⓕ contagion. **2** Ⓒ 전염병, 감염증. **3** Ⓤ 나쁜 감화[영향]. **4** 〖국제법〗 적성(敵性) 감염. ◇ infect *v.*
***in·fec·tious** [infékʃəs] *a.* **1** 전염하는; 《구어》 접촉 감염성의, 전염성의: an ~ hospital 전염병 병원 / an ~ disease 감염증. **2** (영향이) 옮기 쉬운: ~ weeping 끌려서 같이 욺 / ~ laughter 함께 따라 웃는 웃음. **3** 〖국제법〗 (적화(敵貨) 등이) 적성(敵性) 감염성의. ◇ infect *v.* ㊐ **~·ly** *ad.* **~·ness** *n.* 전염성.
inféctious bóvine rhìno·tracheítis 〖수의〗 소의 전염성 코 기관염.
inféctious hepatítis 〖의학〗 전염성 간염.
inféctious laryngo·tracheítis 〖수의〗 (닭 따위의) 전염성 후두(喉頭) 기관염.
inféctious mononucleósis 〖의학〗 전염성 단핵(單核) 세포[단구(單球) 증가]증.
in·fec·tive [inféktiv] *a.* =INFECTIOUS. ㊐ **~·ness** *n.* 전염성.
in·fec·tiv·i·ty [ìnfektívəti] *n.* Ⓤ 전염력(力).
in·fe·cund [infíːkənd, -fék-] *a.* 열매를 맺지 않는; 불임(不姙)의; 불모의(barren). ㊐ **in·fe·cun·di·ty** [ìnfikʌ́ndəti] *n.* Ⓤ
in·fe·li·cif·ic [infìːləsífik] *a.* 불행을 낳는, 불행하게 하는, 불행을 초래하는.
in·fe·lic·i·tous [ìnfəlísitəs] *a.* 불행한, 불운한; 부적절한, 서투른《표현 따위》; 불완전한. ㊐ **~·ly** *ad.* **~·ness** *n.*
in·fe·lic·i·ty [ìnfəlísəti] *n.* Ⓤ 불행, 불운; (표현 등의) 부적절.
in·felt [ínfèlt] *a.* 《고어》 마음으로 깊이 느낀[사무친], 마음으로부터의.
***in·fer** [infə́ːr] (**-rr-**) *vt.* **1** 《~+목/+목+전+명/+that절》 추리[추론, 추단(推斷)]하다, 추측하다《*from*》: They ~*red* his displeasure *from* his cool tone of voice. 냉랭한 어조에서 그의 불쾌함을 판단했다 / I ~*red from* what you said *that* he would make a good businessman. 당신이 한 말을 듣고 그가 훌륭한 사업가가 되리라고 추측했습니다 / What can you ~ *from* these facts? 이런 사실로부터 어떤 추론이 가능합니까. **2** (결론으로서) 나타내다, 의미[암시]하다; 《구어》 …가 넌지시 말하다: Your silence ~*s* consent. 자네가 잠자코 있는 것은 동의의 표시겠지. ── *vi.* 추론[추정]하다. ◇ inference *n.* ㊐ **~·a·ble** *a.* 추리[추론]할 수 있는《*from*》.
°**in·fer·ence** [ínfərəns] *n.* Ⓤ **1** 추리, 추측, 추론; Ⓒ 추정, 결론: by ~ 추론에 의해, 추정론으로. **2** 〖논리〗 추리: the deductive [inductive] ~ 연역[귀납] 추리. **3** 〖컴퓨터〗 추론. ◇ infer *v.* ***make*** [***draw***] ***an ~ from*** …으로부터 추론하다, 단정하다.
ínference ègine 〖컴퓨터〗 추론 기구.
in·fer·en·tial [ìnfərénʃəl] *a.* 추리[추론]에 의한, 추리[추론]의; 추리[추론]상의, 추단한. ㊐ **~·ly** *ad.* 추론적으로, 추론에 의해.
***in·fe·ri·or** [infíəriər] *a.* **1** (등위·등급 등이) 아래쪽의, 하위[하급, 하층]의; 하등의, (손)아랫사람의: the ~ classes 하층 계급 / an ~ officer 하급 장교[공무원] / His position is ~ *to* mine. 그의 지위는 나보다 낮다. **2** (품질·정도 등이) 떨어지는, 열등한, 조악한: This is ~ *to* that. 이것은 저것보다 떨어진다[못하다]. **3** 〖식

물] (꽃받침 · 씨방이) 하위[하생]의; 〖해부〗 (기관이) 하위의; 〖인쇄〗 밑에 붙는《H_2, D_n의 $_{2}$, $_{n}$ 등》; 〖천문〗 (행성이) 지구와 태양 사이에 있는. OPP superior. ― n. (보통 one's ~) 손아랫사람, 하급자; 열등한 것; 〖인쇄〗 밑에 붙는 숫자[기호]. ㊞ ~·ly ad.

inférior conjúnction 〖천문〗 내합(內合).

inférior cóurt 하급 법원.

inférior fígure 〖인쇄〗 밑에 붙는 숫자.

inférior góods 〖경제〗 열등재, 하급재《소득이 늘면 소비량이 감소되는 물건》.

***in·fe·ri·or·i·ty** [infìəriɔ́:rəti, -ár-/-ɔ́r-] n. Ⓤ **1** 하위, 하급. **2** 열등, 열세: a sense of ~ 열등감. **3** 조악(粗惡). OPP superiority.

inferiórity còmplex 〖심리〗 열등(감) 콤플렉스; 《구어》 자신감 상실, 비하(卑下). OPP superiority complex.

inférior plànet 〖천문〗 내행성(內行星)《지구와 태양 사이에 있는 수성 · 금성》.

◦**in·fer·nal** [infə́:rnl] a. **1** 지옥(inferno)의. OPP supernal. ¶ the ~ regions 지옥. **2** 악마 같은, 극악무도한. **3** 《구어》 지독한, 정말 싫은: an ~ bore 몹시 따분한 사람. ㊞ **~·ly** ad. 악마[지옥] 같이; 《구어》 몹시, 지독하게.

in·fer·nal·i·ty [ìnfə:rnǽləti] n. Ⓤ 극악무도.

infernal machíne 위장 폭파 장치《지금은 booby trap, time bomb 등으로 말함》.

in·fer·no [infə́:rnou] (pl. **~s**) n. 《It.》 **1** 지옥(hell); (대화재 따위) 지옥 같은 장소; 고통[고뇌]의 장소[상태]. **2** (the I-) 지옥편《Dante 작 *La Divina Commedia* (신곡)의 제 1 부》.

in·fe·ro- [ínfərou, -rə] '밑에, 아래쪽에' 란 뜻

ìnfero·antérior a. 아래 전면의. ⌊의 결합사.

in·fer·rer [infə́:rər] n. 추론자, 추측자.

in·fer·ri·ble [infə́:rəbəl] a. =INFERABLE.

in·fer·tile [infə́:rtl/-tail] a. (땅이) 비옥하지 않은; 불모의; 생식력이 없는, 불임의; (알이) 무정(無精)인, 수정하지 않은: ~ eggs 무정란(卵). ㊞ **in·fer·til·i·ty** [ìnfə(:)rtíləti] n. Ⓤ 불모, 불임(성); 생식[번식] 불능(증), 불임증.

◦**in·fest** [infést] vt. **1** (해충 · 도둑 등이) 떼 지어 몰려들다, (병이) 만연하다, 꾀다; (벼룩 따위가 동물)에 기생하다. a dog ~*ed* by fleas 벼룩이 꾀어 있는 개. **2** …에 출몰[횡행, 창궐]하다; 판치다《*with*》: be ~*ed with* pirates 해적이 횡행하다.

in·fes·tant [inféstənt] n. infest하는 것[생물], 기생 동물《좀 · 가루좀 따위》.

in·fes·ta·tion [ìnfestéiʃən] n. Ⓤ 떼 지어 엄습함; 횡행, 출몰; 만연; (기생충 따위의)(체내) 침입.

in·feu·da·tion [ìnfju:déiʃən] n. Ⓤ 〖영법률〗 봉토(封土) 수여; (the ~) 속인에게 10 분의 1 의 세 징수권을 양여함(the ~ of tithes).

in·fib·u·late [infíbjəlèit] vt. (정조대로 음부를) 막다《성교를 못 하도록》. ㊞ **in·fib·u·lá·tion** n.

in·fi·del [ínfədl] a. 신을 믿지 않는, 이교도의, 이단의; 믿음이 없는 (자의). ― n. 믿음이 없는 자, 무신론자; 〖역사〗 이교도, 이단자; 《특히》 비기독교도.

in·fi·del·i·ty [ìnfədéləti] n. Ⓤ,Ⓒ 신을 믿지 않음, 불신앙; 배신 (행위); 불의, 간통.

ín·field n. **1** 농가 주위의 경지. **2** 〖야구〗 내야(內野); 내야진; 《집합적》 내야수. OPP outfield. ㊞ **~·er** n. 〖야구〗 내야수.

infield flý 〖야구〗 내야 플라이.

infield hít 〖야구〗 내야 안타.

infield óut 〖야구〗 내야 땅볼 아웃.

infield sìngle 〖야구〗 내야 안타.

ín·fighter n. 〖권투〗 접근전에 능한 권투 선수.

ín·fighting n. Ⓤ **1** 〖권투〗 인파이팅, 접근전. **2** (라이벌 상호 간의) 대항 의식, 눈에 보이지 않는 경쟁; 내부 항쟁, (정당 등의) 내분(內紛). **3** 혼전, 난투.

ín·fill vt. (빈 장소를) 메우다, 틀어막다, 충전(充塡)하다. ― n. =INFILLING.

ín·filling n. 공간[틈] 메우기; 충전재(材); 기존 건물 사이에 건물을 지음: ~ housing 공간 메우기 주택.

in·fil·trate [infíltreit, ⌐-⌐/⌐-⌐] vt., vi. 스며들게 하다[들다], 침투[침윤]시키다[하다]; …에 잠입[침입]하다, (병력을) 침투시키다《*into*; *through*》. **be ~d with** …이 침투해 있다. ― n. 스며드는[침투하는] 것; 〖의학〗 침윤물, 침윤 병소(病巢). ㊞ **-trà·tor** n.

ìn·fil·trá·tion n. Ⓤ 스며듦, 침입, 침투; 침투물; 〖의학〗 침윤(浸潤); 〖군사〗 침투, 잠입: ~ operations 침투 작전 / ~ of the lungs 폐침윤 / ~ capacity 흡수(吸水) 속도, 침투능(能).

infiltrátion capàcity 〖지학〗 침투능(浸透能), 삼투능(滲透能)《일정 조건하에서의 토양이 물을 흡수하는 최고 속도》. ⌈(暗渠)⌉.

infiltrátion gàllery 지하수 집수관(管)[암거

in·fil·tra·tive [infíltrèitiv, infíltrətiv] a. 침투[침윤]하는, 침윤성의.

in·fi·mum [infáiməm, -fí-] n. 〖수학〗 하한(下限)《생략: inf》. cf. supremum.

infin. infinitive.

***in·fi·nite** [ínfənət] a. **1** 무한한, 무수한, 한량없는: ~ space. **2** 막대한, 끝없는: possess ~ wealth 막대한 부(富)를 소유하다. **3** 〖문법〗 부정형(不定形)의《인칭 · 수 등의 제한을 안 받는 꼴, 즉 infinitive, participle, gerund》. **4** 〖수학〗 무한의. OPP finite. ¶ an ~ decimal 무한 소수 / an ~ geometrical series [sequence] 무한 등비 급수[수열] / an ~ sequence 무한 수열. ― n. **1** (the ~) 무한(한 공간[시간]); 무한대(大)[량]. **2** (the I-) 조물주, 신(God). **3** 〖수학〗 무한. ㊞ **~·ly** ad. 무한히, 끝없이; 대단히, 극히: It's ~*ly* worse than I thought. 생각했던 것보다 훨씬 더 못하다. **~·ness** n. ⌈움].

ínfinite hàir 《해커속어》 극도로 복잡함[어려

ínfinite lóop 〖컴퓨터〗 무한 루프《프로그램 내에서 계속적으로 반복되는 명령어의 집합》.

ínfinite próduct 〖수학〗 무한곱, 무한적(無限積)《무한 수열의 각 항을 곱한 것》.

ínfinite séries 〖수학〗 무한 급수.

in·fin·i·tes·i·mal [ìnfinətésəməl] a. 극소의, 극미의; 〖수학〗 무한소의, 미분의. ― n. 극소량, 극미량; 〖수학〗 무한소. ㊞ **~·ly** ad. **~·ness** n.

infinitésimal cálculus 〖수학〗 미적분학.

in·fin·i·ti·val [ìnfinətáivəl] a. 〖문법〗 부정사(不定詞)의: an ~ construction 부정법 구문.

◦**in·fin·i·tive** [infínətiv] n. 〖문법〗 부정사(不定詞)《I can go. 나 I want to go. 에서의 *go*, *to go*; *to*가 붙는 것을 to-~, *to*가 없는 것을 bare [root] ~라고 함; cf. split ~》. ― a. 〖문법〗 부정형의, 부정사의. ⇨《부록》 INFINITIVE.

in·fin·i·tize [infínətàiz] vt. (시간 · 공간 · 상황 등의 제약에서 해방하여) 무한[무궁]하게 하다.

in·fin·i·tude [infínətjù:d/-tjù:d] n. **1** Ⓤ 무한, 무궁. **2** Ⓒ 무한량, 무수: the ~ of benevolence [mercy] 한없는 자비. **an ~ of ...** 무수한 ….

◦**in·fin·i·ty** [infínəti] n. =INFINITUDE; 〖수학〗 무한대《기호 ∞》; 《형용사적》 초고감도의: an ~ microphone [transmitter, bug] (스파이용의) 초고감도 마이크[송화기, 도청기]. **to ~** 무한히.

◦**in·firm** [infə́:rm] (**~·er; ~·est**) a. **1** (신체적으로) 약한; 허약한; 쇠약한: ~ *with* age 노쇠

한. **2** (성격 · 의지가) 우유부단한, 마음이 약한, 결단력이 없는: ~ *of* purpose 의지가 박약한. **3** (지주 · 구조 따위가) 견고하지 못한, 흔들거리는, 불안정한; (논거가) 박약한; (재산권이) 효력이 없는. SYN. ⇨ WEAK. ㊞ **~·ly** *ad.* **~·ness** *n.*

in·fir·mar·i·an [ìnfərméəriən] *n.* (종교 시설 진료소의) 간호인.

in·fir·ma·ry [infə́ːrməri] *n.* (수도원 · 학교 · 공장 따위의) 부속 진료소, 양호실.

in·fir·ma·to·ry [infə́ːrmətɔ̀ːri/-təri] *a.* (논거 등을) 약화시키는, 무효로 하는 《*of*》.

◇**in·fir·mi·ty** [infə́ːrməti] *n.* **1** Ⓤ 허약, 쇠약, 병약. **2** 병, 질환: *infirmities* of (old) age 노쇠에서 오는 여러 가지 병. **3** Ⓤ 의지 박약. **4** 나쁜 버릇, (정신적인) 결점, 약점. ◇ infirm *a.*

in·fix [infíks, ⌐⌐] *vt.* 끼워 넣다, 꽂아〔박아〕 넣다; (마음에) 스며들게 하다, 새기다; 〖문법〗 (단어 형성 요소를) 삽입하다. ― [ínfiks] *n.* 〖문법〗 삽입사(辭).

infl. influence(d).

in·fla·ces·sion [ìnfləséʃən] *n.* 〖경제〗 인플러세션《인플레를 억제하지 못해서 발생하는 경기후퇴》. [◂ *infla*tion+re*cession*]

in fla·gran·te de·lic·to [in-fləgrǽnti-dilíktou] 《L.》 (=in blazing crime) 현행범으로.

◇**in·flame** [infléim] *vt.* **1** …에 불을 붙이다, 불태우다. **2** 붉게 물들이다, (얼굴 등을) (새)빨개지게 하다: The setting sun ~*s* the sky. 지는 해가 하늘을 붉게 물들인다. **3** (감정 따위를) 부추기다, 선동하다, 자극하다: His eloquence ~*d* the strikers. 그의 웅변이 파업 참가자들을 부추겼다. **4** (아무를) 흥분시키다, 성〔화〕나게 하다: ~*d with* anger 격노하여. **5** 〖의학〗 …에 염증을 일으키게 하다, (눈을) 충혈시키다: ~*d* eyes 충혈된 눈. ― *vi.* **1** 불이 붙다, 타오르다. **2** 흥분하다, 성내다, (얼굴 등이) 빨개지다. **3** 〖의학〗 염증을 일으키다, 부어오르다. ◇ inflammation *n.* inflammable *a.* ㊞ **in·flám·er** *n.* 불지르는 사람.

in·flàm·ma·bíl·i·ty *n.* Ⓤ 가연성, 인화성; 흥분하기 쉬움, 흥분성.

in·flam·ma·ble [inflǽməbəl] *a.* **1** 타기 쉬운, 가연성의: Paper is ~. 종이는 타기 쉽다. **2** 격하기 쉬운, 흥분하기 쉬운, 열광하기 쉬운: ~ temper 격〔흥분〕하기 쉬운 기질. ― *n.* 가연물, 인화성 물질. ㊞ **-bly** *ad.* **~·ness** *n.*

in·flam·ma·tion [ìnfləméiʃən] *n.* Ⓤ,Ⓒ 점화, 발화, 연소; (감정 등의) 끓어오름, 격노; 〖의학〗 염증: ~ of the lungs 폐렴.

in·flam·ma·to·ry [inflǽmətɔ̀ːri/-təri] *a.* 열광〔격앙〕시키는, 선동적인; 〖의학〗 염증성의: an ~ speech 선동적인 연설 / an ~ fever 염증열. ㊞ **-tò·ri·ly** *ad.*

inflámmatory bówel disèase 〖의학〗 염증성 장질환《크론 병(Crohn's disease) 또는 궤양성 대장염(ulcerative colitis)》.

in·flát·a·ble *a.* (공기 등으로) 부풀릴 수 있는, (공기) 팽창식의.

in·flate [infléit] *vt.* **1** (공기 · 가스 따위로) 부풀리다: ~ a balloon 풍선을 부풀리다. **2** 《+목+전+명》 우쭐하게 하다, 자만심을 갖게 하다 《*with*》: ~ a person *with* pride 아무를 우쭐하게 하다 / She is ~*d with* her own idea. 그녀는 자신의 아이디어에 우쭐해져 있다. **3** 〖경제〗 (통화를) 팽창시키다 (OPP. *deflate*); (물가를) 올리다: ~ the paper currency 지폐를 남발하다. ― *vi.* 팽창하다, 부풀다; 인플레가 되다.

in·flát·ed [-id] *a.* (공기 따위로) 부푼, 충만된, 팽창한; (사람이) 우쭐해진; (문체 · 언어가) 과장된; (인플레로 인해) 폭등한, (통화가) 현저하게 팽창된: ~ language 호언장담 / ~ prices 폭등한 가격 / the ~ value of land 폭등한 땅값.

in·flat·er, -fla·tor [infléitər] *n.* 부풀리는 장치〔기계〕, 《특히》 자전거의 (공기) 펌프.

***in·fla·tion** [infléiʃən] *n.* Ⓤ **1** 부풀림; 부풂, 팽창; 〖경제〗 통화 팽창, 인플레(이션); (물가 · 주가 등의) 폭등; 《구어》 물가 상승률. OPP. *deflation.* **2** 자만심, 득의(得意); 과장.

inflátion accòunting 〖회계〗 인플레이션 회계, 화폐 가치 변동 회계.

in·fla·tion·a·ry [infléiʃənèri/-əri] *a.* 인플레이션〔통화 팽창〕의; 인플레를 유발하는, 인플레 경향의: an ~ tendency 인플레 경향 / ~ policies 인플레이션 정책.

inflátionary gáp 〖경제〗 인플레이션 갭《총수요가〔총지출이〕 총공급〔순국민생산〕을 상회했을 때의 그 차》.

inflátion(ary) hèdge 〖경제〗 인플레이션 헤지《화폐 가치 하락에 따르는 손실을 막기 위해 부동산 · 귀금속 · 주식 등을 사는 일》.

inflátionary spíral 〖경제〗 악성 인플레《물가와 임금의 상호 상승에 의한》.

inflátionary úniverse 〖천문〗 팽창 우주《우주가 빅뱅 직후 급격히 팽창한다는 이론》.

in·flá·tion·ìsm *n.* 인플레 정책, 통화 팽창론. ㊞ **-ist** *n., a.*

inflátion-pròof *a.* 인플레 방어 수단으로서의. ― *vt.* (투자 · 저축 등을) 인플레에서 지키다《물가 슬라이드 방식 따위에 의해》.

inflátion théory 〖천문〗 (우주) 팽창설.

in·flect [inflékt] *vt.* (보통, 안쪽으로) 구부리다, 굴곡시키다; 〖음악〗 (목소리의) 가락을 바꾸다; (음성을) 조절하다, 억양을 붙이다; 〖문법〗 굴절시키다, 어형 변화시키다. ― *vi.* 〖문법〗 (낱말이) 굴절〔어형 변화〕하다. ㊞ **~·a·ble** *a.*

in·fléct·ed [-id] *a.* (말이) 변화된, (언어가) 굴절이 있는; 〖동물 · 식물〗 =INFLEXED.

***in·flec·tion,** 《영》 **-flex·ion** [inflékʃən] *n.* **1** Ⓤ,Ⓒ 굽음, 굴곡, 만곡. **2** Ⓤ 음조의 변화, 억양. **3** 〖문법〗 Ⓤ 굴절, 활용, 어형 변화《동사의 활용, 명사 · 대명사 · 형용사의 격(格)변화》; Ⓒ 변화형, 굴절형, 어형 변화에 쓰이는 어미; Ⓒ 〖수학〗 변곡(變曲). ㊞ **~·less** *a.*

in·flec·tion·al [inflékʃənəl] *a.* 굴곡〔만곡〕하는; 〖문법〗 굴절이〔어미변화가〕 있는; 억양의: an ~ language 굴절(언)어.

infléction pòint 〖공학〗 반전점(反轉點); 반곡점(反曲點).

in·flec·tive [infléktiv] *a.* 굴곡하는; 어미변화하는, 활용하는; (음이) 억양이 있는.

in·flexed [inflékst] *a.* 〖식물〗 축(軸)이 아래쪽〔안쪽〕으로 구부러진, 내곡(內曲)한.

in·flèx·i·bíl·i·ty *n.* Ⓤ 구부릴 수 없음, 불요성(不撓性); 강직함, 불요불굴, 불변.

◇**in·flex·i·ble** [infléksəbəl] *a.* 구부러지지〔굽지〕 않는; 불굴의; 강직한, 완고한; 불변의: an ~ will 불굴의 의지. ㊞ **-bly** *ad.* **~·ness** *n.*

inflexion ⇨ INFLECTION.

◇**in·flict** [inflíkt] *vt.* 《~+목 / +목+전+명》 **1** (타격 · 상처 · 고통 따위를) 주다, 입히다, 가하다 《*on, upon*》: He ~*ed* a blow *on* 〔*upon*〕 me. 그가 나에게 일격을 가했다. **2** (형벌 따위를) 과하다 《*on*》: The judge ~*ed* the death penalty *on* the criminal. 판사는 범인에게 사형을 선고했다. **3** 〔~ oneself〕 폐를 끼치다, 번거롭게 하다 《*on, upon*》: I won't ~ my*self on* you today. 오늘은 당신에게 폐를 끼치지 않겠습니다. ◇ infliction *n.* ㊞ **~·a·ble** *a.* **~·er, -flíc·tor** *n.* 가해자.

in·flíc·tion [inflíkʃən] *n.* **1** Ⓤ (고통 · 벌 따위를) 가(加)함, 과(課)함 《*on, upon*》: the ~ *of* punishment *on* a person 아무에게 벌을 과함.

2 Ⓒ (가(加)〔과(課)〕해진) 처벌, 형벌; 고통; 괴로움, 폐: ~ from God 천벌.

in·flic·tive [inflíktiv] *a.* 가(加)하는, 과(課)하는; 형벌의, 고통의, 괴로운.

ín-flìght *a.* 비행 중의: ~ meals 기내식(機內食) / ~ refueling 공중 급유.

in·flo·res·cence [ìnflɔːrésns] *n.* Ⓤ,Ⓒ 개화(開花); 〖집합적〗 꽃; 〖식물〗 화서(花序), 꽃차례.

in·flo·res·cent [ìnflɔːrésnt] *a.* 꽃이 핀.

in·flow [ínflòu] *n.* 유입(流入); 유입물; 유입량.

⁑**in·flu·ence** [ínfluəns] *n.* **1** Ⓤ,Ⓒ 영향(력), 작용; 감화(력): beneficial ~*s* 좋은 영향 / the ~ *of* a good man 선인의 감화(력) / the ~ *of* the mind *on* the body 정신의 육체에 미치는 영향. **2** Ⓤ 세력, 권세; 사람을 좌우하는 힘; 설득력: a person of ~ 세력가. **3** Ⓒ 영향력이 있는 사람〔것〕, 세력가, 유력자: He is an ~ *for* good 〔evil〕. 그는 사람을 선〔악〕으로 이끄는 인물이다 / an ~ in the political world 정계의 실력자. **4** Ⓤ 〖전기〗 유도, 감응. **5** Ⓤ 〖점성〗 감응력《천체로부터 발하는 영기가 사람의 성격·운명에 영향을 미친다고 하는》. ◇ influential *a.* SYN. ⇨ POWER. ***have ~ on*** 〔***upon***〕 …에 영향을 미치다. ***have ~ over*** 〔***with***〕 …을 좌우하는〔움직이는〕 세력〔힘〕이 있다, …에 잘 통하다. ***through the ~ of*** …의 덕분으로, …의 진력으로. ***under the ~*** …의 영향으로《*of*》; 《구어》 술에 취해 (drunk): He was caught driving *under the* ~. 음주 운전으로 걸렸다. ***use one's ~ for*** …을 위해 진력(盡力)하다.
— *vt.* **1** 《~+목/+목+전+명》 …에게 영향을 미치다, 감화하다: ~ a person *for* good 아무에게 좋은 감화를 주다. **2** 좌우하다, 지배하다: Our decisions should not be ~*d* by our prejudices. 결정함에 있어 편견에 좌우되어서는 안 된다. **3** 《+목+*to* do》 (…하도록) 움직이다; 강요하다, 촉구하다: He was ~*d* by his father *to* accept it. 그는 부친의 의견에 따라 그것을 받아들였다. **4** 《미구어》 (음료수에) 알코올을 타다. ㊞ **~·a·ble** *a.* **ín·flu·enc·er** *n.* 「사는 일).

ínfluence-bùying *n.* 매수《영향력을 돈으로

ínfluence pèddler 《미》 지위 이용자〔이용 오직자(汚職者)〕《자기의 정치력을 이용하여 제 3 자를 도와주고 그 대가를 받는 사람》. ㊞ **ínfluence pèddling** 지위를 이용한 오직 행위.

in·flu·ent [ínfluənt] *a.* (강 따위가) 흘러들어가는, 유입하는; 《고어》 영향을 지닌〔주는〕. — *n.* 지류, 유입; 〖생태〗 영향종(種).

*__in·flu·en·tial__ [ìnfluénʃəl] *a.* **1** 영향을 미치는《*in*》: Those facts were ~ *in* gaining her support. 그런 사실들이 그녀의 지지를 얻는 데 영향을 미쳤다. **2** 세력 있는, 유력한: an ~ Congressman 유력한 하원 의원. — *n.* 큰 영향력을 가진 사람, 유력자, 실력자. ㊞ **~·ly** *ad.*

*__in·flu·en·za__ [ìnfluénzə] *n.* 인플루엔자, 유행성 감기, 독감《구어로는 flu》. ㊞ **-zal** [-zəl] *a.*

in·flux [ínflʌ̀ks] *n.* **1** Ⓤ 유입(流入). OPP. *efflux*. **2** Ⓒ (사람·사물의) 도래(到來), 쇄도: an ~ of visitors 내객의 쇄도. **3** Ⓒ (지류에서 본류에의) 합류점; 하구(河口)(estuary).

in·fo [ínfou] *n.* 《구어》 =INFORMATION.

ìnfo-attáck *a.* 정보 공격의《hacker 등의 방법을 통한》.

in·fo·bahn [ínfoubɑ̀ːn] *n.* 인포반《고도 정보망》; (I-) 《특히》 =INTERNET; INFORMATION SUPERHIGHWAY. [◂ *info*rmation+auto*bahn*]

in·fo·bit [ínfoubìt] *n.* 〖정보과학〗 인포비트《데이터 베이스에 넣기 위한 요건을 충족시키는 정보 항목》.

ínfo·bòmb *n.* (정보전에서 적의 컴퓨터 체계를 무력화시키는) 정보 폭탄.

Ínfo·Clìps *n.* (셀 방식 휴대전화의) 음성 메일; 교통·기상·스포츠 정보 서비스《상표명》.

in·fold [infóuld] *vt.* =ENFOLD.

in·fo·mer·cial [ìnfəmə́ːrʃəl] *n.* 인포머셜《제품이나 서비스에 관한 상세한 정보를 제공하는 TV 상업 광고》. 「된 사람.

ínfo·nàut *n.* 정보 검색〔정보 기기 이용〕에 숙달

in·fo·pre·neur [ìnfouprənə́ːr] *n.* 정보 통신 기기 산업 기업가. [◂ *info*rmation+entre*preneur*] ㊞ **~·i·al** [infòuprənə́ːriəl] *a.*

⁑**in·form**¹ [infɔ́ːrm] *vt.* **1** 《+목+전+명/+목+*that* 절/+목+*wh.* 절/+목+*wh. to* do》 …에게 알리다, …에게 고(告)하다, …에게 보고〔통지〕하다: I ~*ed* him *of* her success. =I ~*ed* him *that* she had been successful. 그에게 그녀의 성공을 알렸다 / The letter ~*ed* me *when* the man was coming. 그 편지로 그 사람이 언제 도착하는지 알았다 / Please ~ me *what to* do next. 다음엔 무엇을 해야 할지 가르쳐 주십시오. **2** 《+목+전+명》 (감정·생기 따위를) …에게 불어넣다, 활기차게 하다, 채우다《*with*》: ~ a person *with* new life 아무에게 새 생명을 불어넣다. **3** 《~+목/+목+전+명》 (어떤 특징·성격 등) 충만되어 있다; 특징지우다; 《폐어》 (정신·성격을) 형성하다, 훈련〔지도〕하다, 가르치다: The social ideals ~ the culture. 사회 이념이 당해 문화를 특징짓는다 / His poems *are* ~*ed with* sincerity. 그의 시에는 성실함이 충만되어 있다. — *vi.* **1** 정보를〔지식을〕 주다: It's the duty of a newspaper to ~. 정보를 전하는 것이 신문의 임무이다. **2** 《+전+명》 밀고하다, 고발하다《*on; against*》: One of the thieves ~*ed against* 〔*on*〕 the others. 도둑 하나가 다른 동료들을 밀고하였다. ◇ information *n.* ***be ~ed that ...*** …라고 듣고 있다, …을 통지받다. ***be well-~ed*** 정보에 환하다; 지식을 충분히 갖고 있다. OPP. *ill-informed*. ***I beg to ~ you that ...*** …에 관하여 알려 드립니다.

in·form² *a.* 《고어》 형태가 없는, 무정형의; 보기 흉한《괴물 따위》.

ín-fórm *a.* 《영》 호조의, (운동선수 등이) 컨디션이 좋은.

⁑**in·for·mal** [infɔ́ːrməl] *a.* **1** 비공식의, 약식의: ~ proceedings 약식 절차 / an ~ visit 〔talk〕 비공식 방문〔회의〕. **2** 격식 차리지 않는, 스스럼없는: an ~ party. **3** (말이) 평이한, 일상 회화적인, 구어체의: an ~ style 구어〔회화〕체. **4** (의복 등) 평상(복)의: ~ clothes 평복. ㊞ **~·ly** *ad.* 비공식〔약식〕으로; 격식을 차리지 않고, 스스럼없이; 구어적으로.

in·for·mal·i·ty [ìnfɔːrmǽləti] *n.* Ⓤ,Ⓒ 비공식, 약식; 약식 행위〔조처〕. 「표 (용지).

infórmal vóte 《Austral.·N. Zeal.》 무효 투

in·form·ant [infɔ́ːrmənt] *n.* 통지자; 정보 제공자, 밀고자; 〖언어〗 (지역적 언어 조사의) 피(被)조사자, 자료 제공자.

in for·ma pau·pe·ris [in-fɔ́ːrmə-pɔ́ːpəris] 《L.》 소송 비용을 면제받는 빈민으로서.

in·for·mat·ics [ìnfərmǽtiks] *n. pl.* 〔단수취급〕 정보 과학(information science).

⁑**in·for·ma·tion** [ìnfərméiʃən] *n.* Ⓤ **1** 정보; (정보·지식의) 통지, 전달; 자료(data); 보고, 보도, 소식, 교시(敎示)《*about; on*》: pick up useful ~ 유익한 정보를 얻다 / He could not obtain any ~ *about* their secret activities. 그는 그들의 비밀 활동에 관한 아무런 정보도 얻을 수 없었다. **2** 지식, 견문; 학식: a man of wide 〔vast〕 ~ 박식가.

[SYN] **information** 보고 · 전문(傳聞) · 독서 등으로 얻은 지식의 바탕이 되는 정보. 정리되어 있지 않은 경우가 많음. **knowledge** 제것이 된 지식. 정리 · 체계화되어 있는 경우가 많음: a *knowledge* of chemistry 화학에 관한 지식. **acquaintance** 실물을 여러 번 보고 듣고 고찰하여 얻은 상세한 지식. familiarity에 가까움. **knowhow** 일을 실시함에 필요한 기술상의 지식이나 비결.

3 〖법률〗 고소, 고발. 4 안내소〔원〕, 접수(계): Call ~ and ask for her phone number. 안내계에 전화하여 그녀의 전화번호를 물어라. 5 〖컴퓨터〗 정보(량); (입출력 등의) 데이터. ***ask for*** ~ 문의〔조회〕하다. ***for your*** ~ 당신에게 참고 삼아. ***lay*** 〔***lodge***〕 ***an*** ~ ***against*** …을 밀고〔고발〕하다. [파] ~**·al** [-ʃənəl] *a.* 정보의; 정보를 제공하는. ~**·less** *a.*

Informátion Àge 정보(화) 시대.

informátional pícketing 《미》 홍보 피케팅 《요구 · 불만 등을 일반에게 알리기 위한 피켓 시위》.

informátion àrt 정보 예술 《정보 전달과 표현에 관한 예술》.

informátion bànk 〖컴퓨터〗 정보 은행 《정보 데이터 library의 집합체》.

informátion cènter 안내소.

informátion dèsk 접수계〔처〕; 안내소.

informátion explòsion 정보 폭발 《정보량이 폭발적으로 증가하고 있는 현상》.

informátion fatígue sỳndrome 정보성 피로 증후군 《과잉 정보에 대처하는 데서 생기는 정신적 스트레스》.

informátion gàp 정보 격차 《정보 기술의 국제 「적 격차》.

informátion ìndustry 정보 산업.

informátion-inténsive socìety 정보(화) 「사회.

ìn·for·má·tion·ìze *vt.* …을 정보화하다: ~*d* society 정보화 사회.

informátion márketplace 정보 시장.

Informátion Nétwork Sỳstem 고도 정보 통신 시스템 《생략: INS》.

informátion on informátion 정보에 대한 정보 《어디서 어떤 정보를 이용할 수 있느냐의》.

informátion pollùtion 정보 공해, 정보의 범람, 방송 · 출판 등에 의한 정보의 과다.

informátion prὸcessing (컴퓨터 등에 의한) 정보 처리.

informátion provìder 정보 제공(업)자.

informátion retrìeval 〖컴퓨터〗 정보 검색 《생략: IR》.

informátion revolùtion 정보 혁명.

informátion scìence 정보 과학.

informátion sèrvices 정보 서비스 산업 《컴퓨터 · OA · 전기 통신의 3 분야를 결합한 산업》.

informátion superhíghway 초고속 정보 통신망 《전자 · 디지털 통신 장비의 네트워크로서 어디서든지 멀티미디어를 포함하는 고속의 데이터 전송이 가능한 텔레커뮤니케이션 인프라》.

informátion sỳstem 정보 (처리) 시스템 《특히 데이터 처리 시스템에 의한》. 「《생략: IT》.

informátion technòlogy 정보 공학〔기술〕

informátion thèory (the ~) 정보 이론.

informátion utìlity 정보의 공공시설, 정보 공사(公社).

informátion-wàrfare *a.* 정보전(情報戰)의.

informátion wòrker 정보 노동자.

in·form·a·tive [infɔ́ːrmətiv] *a.* 정보의, 지식〔정보, 소식〕을 주는; 견문을 넓히는; 유익한, 교육적인. [파] ~**·ly** *ad.* ~**·ness** *n.*

in·form·a·to·ry [infɔ́ːrmətɔ̀ːri/-təri] *a.* =INFORMATIVE. [파] **in·fòr·ma·tó·ri·ly** *ad.*

in·fórmed *a.* **1** 정보〔소식〕통의, 소식에 밝은; 정보에 근거한: ~ sources 소식통 / an ~ guess 자세한 정보에 근거한 추측 / I will keep you ~. 계속 연락드리지요. **2** 지식〔견문〕이 넓은: an ~ mind 박식한 사람. [파] ~**·ly** *ad.*

infórmed consént 〖의학〗 고지(告知)에 입각한 동의 《수술이나 실험적 치료를 받게 될 경우, 그 내용을 설명받은 뒤에 환자가 내리는 승낙》.

in·fórm·er *n.* 통지자; (특히 범죄의) 밀고자, 고발인; (경찰에 정보를 파는) 직업적 정보 제공자.

in·for·mer·cial [infɔːrmə́ːrʃəl] *n.* (소비자의 이익을 위한) 정보 광고. [◂ *information*+com*mercial*]

in·fórm·ing *a.* 교육적인; (정보 · 지식원(源)으로서) 유익한, 소용된. [파] ~**·ly** *ad.*

infórming gùn 탐색 통지포(砲) 《군함이 상선을 임검하려고 할 때 정지 명령의 뜻으로 쏘는》.

ínfo·sèrvices *n.* =INFORMATION SERVICES.

ínfo·sphère *n.* 《구어》 정보 영역.

in·fo·tain·ment [ìnfətéinmənt] *n.* 오락 보도 프로그램. [◂ *info*rmation+enter*tainment*]

in·fo·tech [ínfətèk] *n.* 《구어》 =INFORMATION TECHNOLOGY. 「수행하는》.

ìnfo·wárrior *n.* 정보 전사(戰士) 《정보전(戰)을

in·fra [ínfrə] *ad.* 《L.》 아래에, 아래쪽에: See ~ p. 40. 아래의 40 페이지를 보라. 「costal.

in·fra- [ínfrə] *pref.* '밑에, 하부에'의 뜻: *infra-*

ìnfra·cóstal *a.* 〖해부〗 늑골(肋骨) 밑의.

in·fract [infræ̃kt] *vt.* (법률을) 범하다, 어기다; (권리를) 침해하다. [파] **in·fráс·tor** *n.* 위반자.

in·frac·tion [infræ̃kʃən] *n.* [U] 위반; 침해; [C] 위반 행위; [U] 〖의학〗 불완전 골절.

in·fra·di·an [infréidiən] *a.* 〖생물〗 (생물학적 리듬이〔주기가〕) 1일 1회 미만의.

ínfra díg =INFRA DIGNITATEM.

infra dig·ni·ta·tem [-dìgnətéitəm] 《L.》 품위를 손상하는, 체면에 관한. 「ANTHROPOID.

ìnfra·húman *a.*, *n.* 인간보다 하위의 (것); =

in·fra·lap·sar·i·an [ìnfrəlæpsέəriən] *n.* 〖신학〗 (칼뱅파의) 타죄 이후설자(墮罪以後說者), 후정론자(後定論者).

in·fran·gi·ble [infrǽndʒəbəl] *a.* 파괴할 수 없는; 범해서는〔깨어서는〕 안 될 《법 · 약속》. [파] **-bly** *ad.* ~**·ness** *n.* **in·fràn·gi·bíl·i·ty** *n.*

ínfra·òrder *n.* 〖생물〗 하목(下目) 《아목(亞目)의 하위 분류 단위》.

ìnfra·réd *a.* 〖물리〗 적외선의, 적외선 이용의. [cf.] ultraviolet. ¶ ~ rays 적외선 / an ~ film 적외선 필름. ── *n.* 적외선 《생략: IR》.

infraréd astrónomy 적외선 천문학.

infraréd detéctor 〖전자〗 적외선 탐지〔검출〕기(器).

ínfrared gálaxy 〖천문〗 적외선 은하 《강한 적외선을 방출하는》. 「MISSILE.

infraréd gúidance mìssile ⇨ HEAT-SEEKING

ínfrared pórt 〖컴퓨터〗 적외(선) 포트 《적외선을 이용하여 데이터를 교환하기 위한 포트》.

infraréd radiátion 〖물리〗 적외선 복사(輻射).

infraréd spectrómeter 적외 분광계.

ìnfra·sónic *a.* 〖물리〗 음파가 가청(可聽) 이하의, 초저주파(음)의.

ìnfra·sónics *n.* 〔단수취급〕 초저주파(超低周波)학. 「聽音).

ínfra·sòund *n.* 〖물리〗 초저주파 불가청음(不可

ínfra·strùcture *n.* **1** [U,C] (단체 등의) 하부 조직〔구조〕, (경제) 기반; 기초 구조, 토대. **2** (수도 · 전기 · 학교 · 에너지 공급 · 폐기물 처리 등 사회의) 기간 시설, 산업 기반, 사회적 생산 기반. **3** (NATO의) 영구 기지.

in·fre·quence, -quen·cy [infríːkwəns], [-i] *n.* Ⓤ 드묾, 희유(稀有).

◇**in·fre·quent** [infríːkwənt] *a.* 희귀한, 드문; 보통이 아닌, 진귀한. ㊞ **∼·ly** *ad.* ∼하게: not ∼*ly* 때때로, 종종.

in·fringe [infríndʒ] *vt.* (법규를) 어기다, 범하다; (규정에) 위반하다; (권리를) 침해하다. ── *vi.* 《+전+명》 침해하다《*on, upon*》: ∼ *on* 〔*upon*〕 a person's privacy 아무의 프라이버시를 침해하다. ㊞ **in·fríng·er** *n.* 침범〔위반〕자.

in·fríngе·ment *n.* **1** Ⓤ (법규) 위반, 위배; (특허권 등의) 침해: copyright ∼ 저작권 침해. **2** Ⓒ 위반〔침해〕 행위: an ∼ of Korea's sovereignty 한국 주권에 대한 침해 행위.

in·fruc·tu·ous [infrʌ́ktʃuəs] *a.* 열매를 맺지 않는, 불모의; 무익한(useless).

in·fu·la [ínfjələ] (*pl.* **-lae** [-lìː]) *n.* 주교관(主教冠) 뒤의 드림; (미사 때 사제의) 예복.

in·fu·ri·ate [infjúərièit] *vt.* 격노케 하다. SYN. ⇨IRRITATE. ***be* ∼*d at*** …에 노발대발하다. ㊞ **∼·ly** *ad.* **in·fù·ri·á·tion** *n.*

in·fuse [infjúːz] *vt.* **1** 《+목+전+명》 (사상·활력 따위를) 주입하다, 불어넣다《*into; with*》: ∼ a person *with* courage 아무에게 용기를 불러일으키다. **2** (약·약초 따위를) 우려내다. **3** 《폐어》 (액체를) 따르다, 붓다. ── *vi.* (찻잎 등이) 우러나다. ◇ infusion *n.* ㊞ **in·fús·er** *n.* 주입자〔기〕; 고취자. **-fú·si·ble**[1] *a.* 주입할 수 있는; 불어넣을 수 있는.

in·fu·si·ble[2] [infjúːzəbəl] *a.* 용해하지 않는, 불용해성의. ㊞ **∼·ness** *n.* **-fù·si·bíl·i·ty** *n.* Ⓤ 불용해성.

in·fu·sion [infjúːʒən] *n.* **1** Ⓤ 주입, 불어넣음; 고취; (약 등을) 우려냄. **2** Ⓒ 주입물; 혼화물(混和物); 우려낸〔달여낸〕 즙; 『의학』 (정맥에의) 주입, 주입액. ◇ infuse *v.*

in·fú·sion·ism *n.* 『신학』 영혼 주입설.

in·fu·sive [infjúːsiv] *a.* 고무〔고취〕하는, 힘을 북돋우는; 주입력이 있는.

In·fu·so·ria [infjuzɔ́ːriə, -sɔ́ː-] *n. pl.* 적충류(滴蟲類)《원생동물》. ㊞ **ìn·fu·só·ri·an** *n., a.*

-ing *suf.* **1** [iŋ, in] 동사의 원형에 붙여 현재분사·동명사(gerund)를 만듦: go*ing*, wash*ing*. **2** [iŋ] 딴 말에 붙여 '동작, 결과, 재료' 따위의 뜻의 명사를 만듦: lobster*ing*, off*ing*.

in·gath·er [ingǽðər, ˊˋ-] *vt.* …을 거둬들이다, 모으다. ㊞ **∼·ing** *n.* 수납, 수확; (사람의) 집합, 집회.

in·gem·i·nate [indʒémənèit] *vt.* 반복하다, 되풀이하다. ㊞ **in·gèm·i·ná·tion** *n.* Ⓤ 반복.

in·gen·er·ate[1] [indʒénərət] *a.* 《고어》 자생(自生)의; 자존(自存)의, 독립하여 존재하는.

in·gen·er·ate[2] [indʒénərèit] *vt.* …을 발생시키다. ── [indʒénərət] *a.* 타고난, 생래(生來)의 (innate). ㊞ **∼·ly** *ad.*

***in·gen·ious** [indʒíːnjəs] *a.* **1** (발명품·장치·안 등이) 교묘한, 독창적인, 정교한: an ∼ clock 〔machine〕 정교한 시계〔기계〕/ an ∼ theory 독창적인 이론. **2** 발명의 재능이 풍부한, 창의력이 풍부한; 책략이 풍부한, 영리한: an ∼ designer 창의력이 풍부한 디자이너. SYN. ⇨CLEVER. **3** 《폐어》 **a** 머리가 좋은, 천재의. **b** =INGENUOUS. ◇ ingenuity *n.* ㊞ **∼·ly** *ad.* **∼·ness** *n.* =INGENUITY.

in·gé·nue [ǽndʒənjùː/ӕnʒeinjúː] *n.* 《F.》 천진한 소녀; 천진한 소녀역(을 맡은 여배우).

***in·ge·nu·i·ty** [ìndʒənjúːəti/-njúː-] *n.* Ⓤ **1** 발명의 재주, 창의력, 재간: a man of ∼ 발명의 재능이 많은 사람. **2** 교묘〔정교〕함. ◇ ingenious *a.*

in·gen·u·ous [indʒénjuːəs] *a.* **1** 솔직한, 성실한, 정직한, 꾸밈없는. **2** 순진한, 천진난만한. ㊞ **∼·ly** *ad.* **∼·ness** *n.*

in·gest [indʒést] *vt.* **1** (음식·약 등을) 섭취하다; (정보 등을) 수집하다; (사상 등을) 받아들이다. **2** 『항공』 (이물질을) 제트엔진의 흡입기에 빨아들이다.

in·ges·ta [indʒéstə] *n. pl.* 섭취물.

in·ges·tion [indʒéstʃən] *n.* Ⓤ 음식물 섭취.

in·ges·tive [indʒéstiv] *a.* 음식 섭취의.

in·gle [íŋgəl] *n.* 화롯불; 노(爐), 화로; 구석.

in·gle·nook [íŋgəlnùk] *n.* 《영》 =CHIMNEY CORNER; 《영속어》 여성의 성기.

in·glo·ri·ous [inglɔ́ːriəs] *a.* 불명예스러운, 면목 없는, 창피스러운(dishonorable); 유명하지 않은, 무명의. ㊞ **∼·ly** *ad.* **∼·ness** *n.*

ín-gòal *n.* 『럭비』 인골《골라인과 데드볼라인 사이의 트라이 가능 지역》.

In Gód Wè Trúst 우리는 하느님을 믿는다《(1) 미국 화폐에 표기되어 있는 표어. (2) 미국 플로리다주의 표어》.

ín·gòing *a.* **1** 들어오는, 취임의: an ∼ tenant 새로 세드는 사람. **2** 통찰력 있는: an ∼ mind 명민한 두뇌 소유자 / an ∼ question 날카로운 질문. ── *n.* 들어옴, 와서 삶; (새 임차인이 치르는) 정착 물건비(物件費). OPP. *outgoing.*

in·got [íŋgət] *n.* 『야금』 잉곳, (금속의) 주괴(鑄塊); 《특히》 금은괴.

íngot íron 잉곳철《염기성 평로법으로 만든 고순도의 철》.

in·graft [ingrǽft, -gráːft/-gráːft] *vt.* =ENGRAFT.

in·grain [íngrèin] *a.* 짜기 전에 염색한, 원료 염색의; 생득의, 타고난; 깊이 배어든〔스며든〕, 뿌리 깊은: ∼ vices 숙폐. ── *n.* 짜기 전에 염색한 실〔양탄자〕《따위》. ── [-ˊ] *vt.* 짜기 전에 염색하다; (털실 따위를) 미리 염색하다; (습관 등을) 깊이 뿌리박히게 하다. cf. engrain.

in·gráined *a.* 깊이 스며든《사상·이론 따위》, 뿌리 깊은; 상습적인; 철저한; 타고난, 본래부터의; 원료 염색의: an ∼ liar 상습적인 거짓말쟁이 / an ∼ habit 몸에 밴 습관 / ∼ morality 마음에 깊이 스민 도덕성 / an ∼ skeptic 본래 태생이 의심 많은 사람. ㊞ **∼·ly** *ad.*

In·gram [íŋgrəm] *n.* 잉그람《남자 이름》.

in·grate [íngreit/-ˊ, ˊ-] *n.* 은혜를 모르는 사람, 배은망덕자. ── *a.* 《고어》 은혜를 모르는, 배은망덕의(ungrateful). ㊞ **∼·ly** *ad.*

in·gra·ti·ate [ingréiʃièit] *vt.* 마음에 들도록 하다, 영합하다. ∼ one***self with*** …의 비위를 맞추다, …의 환심을 사다.

in·gra·ti·at·ing [ingréiʃièitiŋ] *a.* 알랑거리는; 애교〔매력〕 있는, 호감을 주는. ㊞ **∼·ly** *ad.*

◇**in·grat·i·tude** [ingrǽtətjùːd/-tjùːd] *n.* Ⓤ 배은망덕, 은혜를 모름.

in·gra·ves·cence [ìngrəvésns] *n.* Ⓤ (병 따위의) 악화, 앙진(昂進).

in·gra·ves·cent [ìngrəvésnt] *a.* 『의학』 (병 따위가) 악화하는, 앙진(昂進)하는.

◇**in·gre·di·ent** [ingríːdiənt] *n.* (주로 the ∼s) **1** (혼합물의) 성분, 합성분; 원료; (요리의) 재료 《*of; for*》: the ∼*s of* making a cake 케이크를 만드는 데 필요한 재료. SYN. ⇨ELEMENT. **2** 구성요소, 요인: the ∼s of political success 정치적 성공의 요인.

in·gress [íngres] *n.* **1** Ⓤ 들어섬〔감〕, 진입. **2** 입구. **3** 입장(入場)의 자유, 입장권(入場權); 『천문』 (태양면으로의 행성의) 침입, 초휴(初虧). OPP. *egress.*

in·gres·sion [ingréʃən] *n.* 들어감, 진입; 『생물』 이입(移入), 내식(內殖).

in·gres·sive [ingrésiv] *a.* 들어가는, 진입하는. **—** *n.* 〖문법〗 =INCEPTIVE.

In·grid [íŋgrid] *n.* 잉그리드《여자 이름》.

ín-gròup *n.* **1** 〖사회〗 우리들 집단; 배타적인 소집단. [opp] *out-group.* **2** 〖심리〗 내(內)집단.

ín·gròwing *a.* 안쪽으로 성장하는; 살 속으로 파고드는《특히 손〔발〕톱이》.

ín·gròwn *a.* 안쪽으로 성장한; (발톱 따위가) 살로 파고든; 천성의, 타고난; 자의식 과잉의.

ín·gròwth *n.* [U] 안쪽으로 자람; (발톱이) 살 속으로 파고듦; 안쪽으로 자란 것.

in·gui·nal [íŋgwənl] *a.* 〖해부〗 서혜(鼠蹊)(부)의: an ~ hernia 서혜 헤르니아.

in·gulf, -gulph [ingʌ́lf] *vt.* =ENGULF.

in·gur·gi·tate [ingə́ːrdʒətèit] *vt., vi.* 탐식하다, 게걸스레 먹다; 꿀꺽꿀꺽 마시다(guzzle); (홍수·소용돌이 따위가 집·나무를) 휘감아들이다, 삼키다. [파] **in·gùr·gi·tá·tion** *n.* 폭음〔식〕, 탐식.

In·gush [ingúːʃ] (*pl.* **~es,** 〔집합적〕 ~) *n.* **1** 인구시인(의 한 사람)《캅카스 지방에 사는 이슬람교 수니파의 민족》. **2** [U] 인구시어《캅카스 언어에 속함》.

***in·hab·it** [inhǽbit] *vt.* **1** (…에) 살다, 거주하다, 서식하다《live 와는 달리 타동사로 쓰이며, 통상 개인에게는 쓰지 않고 집단에 씀》: This neighborhood is ~*ed* by rich people. 이 지구에는 부자들이 살고 있다. **2** …에 존재하다, 깃들이다; 점(占)하다; …에 정통해 있다. **—** *vi.* 《고어》 살다. [파] **~·er** *n.* **~·a·ble** *a.* 살기에 알맞은.

in·hab·it·an·cy [inhǽbətənsi] *n.* [U] (특정 기간 동안의) 거주; 주소.

****in·hab·it·ant** [inhǽbətənt] *n.* 주민, 거주자《*of*》; 서식 동물《*of*》.

in·hab·i·ta·tion [inhæ̀bətéiʃən] *n.* [U] 거주, 서식; 주거, 주소.

in·háb·it·ed [-id] *a.* 사람이 살고 있는: be thickly 〔sparsely〕 ~ 인구 밀도가 높다〔낮다〕/ an ~ island 주민이 있는 섬.

in·hal·ant [inhéilənt] *n.* 흡입제(劑); 흡입기〔장치〕. [cf] inhaler. **—** *a.* 빨아들이는, 흡입하는, 흡입용의.

in·ha·la·tion [ìnhəléiʃən] *n.* [U] 흡입; [C] 흡입제; 숨을 들이쉬기, 들숨(inspiration). [파] **~·al** *a.*

inhalátion thèrapy 〖의학〗 (산소) 흡입 요법.

in·ha·la·tor [ínhəlèitər] *n.* 〖의학·광물〗 흡입기(器), 흡입 장치.

°**in·hale** [inhéil] *vt., vi.* **1** (공기 따위를) 빨아들이다, 흡입하다. **2** (담배 연기를) 빨다, 허파까지 들이마시다. [opp] *exhale.* **3** 열심히 먹다; 《미속어》 간식하다. [파] **in·hál·er** *n.* 흡입자; 흡입기; 호흡용 마스크; 공기 여과기; 흡입 마취기.

in·har·mon·ic, -i·cal [ìnhaːrmánik/-mɔ́n-], [-əl] *a.* 부조화의, 불협화의.

in·har·mo·ni·ous [ìnhaːrmóuniəs] *a.* 가락이 맞지 않는, 부조화의, 불협화의; 어울리지 않는, 불화한. [파] **~·ly** *ad.* **~·ness** *n.*

in·har·mo·ny [inhάːrməni] *n.* 부조화, 불협화; 불화.

in·haul(·er) [ínhɔ̀ːl(ər)] *n.* 〖해사〗 (돛 따위의) 당김줄.

in·here [inhíər] *vi.* (성질 따위가) 본래부터 타고나다〔존재하다〕, 내재하다《*in*》; (권리 따위가) 본래 부여되어 있다, 귀속되어 있다《*in*》; (뜻이) 포함되어 있다《*in*》.

in·her·ence, -en·cy [inhíərəns], [-i] *n.* [U] 고유, 타고남, 천부(天賦); 천성.

***in·her·ent** [inhíərənt] *a.* 본래부터 가지고 있는, 고유의, 본래의, 타고난; 선천적인《*in*》: an ~ right 생득권/her ~ modesty 그녀의 천성적인 정숙함/A love of music is ~ *in* human nature. 음악을 사랑하는 마음은 인간이 타고난 고유의 성품이다. [파] **~·ly** *ad.* 생득적(生得的)으로; 본질적으로.

****in·her·it** [inhérit] *vt.* **1** 《~+[목]/+[목]+[전]+[명]》 (재산·권리 따위를) 상속하다, 물려받다: ~ the family estate 대대로 전하는 재산을 상속하다/ I've ~*ed* 8,000 dollars *from* my uncle. 나의 삼촌 유산 8천 달러를 물려받았다/My brother is ~*ing* the house. 형이 집을 상속받게 되어 있다《진행·계속 중인 뜻의 진행형으로는 쓰이지 않음》. **2** 《~+[목]/+[목]+[전]+[명]》 (체격·성질 따위를) 이어받다, 유전하다《*from*》: ~*ed* character 〖생물〗 유전 형질/I ~ a weak heart *from* my mother. 어머니로부터의 유전으로 나는 심장이 약하다. **3** 몫으로 받다. **4** …의 뒤를 따르다: ~ one's father 아버지의 뒤를 잇다. **5** 〔일반적〕 (사무 등을) 물려〔인계〕받다《*from*》. **—** *vi.* 《+[전]+[명]》 재산을 상속하다; 성질〔직무·권한〕을 물려받다《*from*》: ~ *from* one's father 아버지의 뒤를 잇다.

in·hèr·it·a·bíl·i·ty *n.* [U] 상속〔계승〕할 수 있음.

in·her·it·a·ble [inhéritəbəl] *a.* 상속할 수 있는; 상속할 자격이 있는; 유전하는: ~ blood 상속 혈통/an ~ trait 유전하는 특성. [파] **-bly** *ad.* 유전〔상속〕에 의해. **~·ness** *n.*

***in·her·i·tance** [inhérətəns] *n.* **1** [U] 〖법률〗 상속, 계승. **2** [C] 〔보통 단수형〕 상속 재산, 유산; 계승물: an ~ of $50,000, 5만 달러의 유산/ receive property by ~ 재산을 상속받다. **3** 〖생물〗 유전 형질, 유전성; 타고난 재능.

inhéritance tàx 〖미법률〗 상속세《유산 상속인에게 과해지는》. [cf] estate tax.

in·her·i·tor [inhéritər] (*fem.* **-tress** [-tris], **-trix** [-triks]) *n.* (유산) 상속인, 후계자.

in·he·sion [inhíːʒən] *n.* =INHERENCE.

in·hib·it [inhíbit] *vt.* **1** 방해〔방지〕하다, (충동·욕망을) 억제하다: ~ desires 〔impulses〕 욕망〔충동〕을 억제하다/Her tight dress ~*ed* her movements. 그녀는 꽉 끼는 옷을 입고 있었기 때문에 마음대로 움직이지 못했다. **2** 《~+[목]/+[목]+[전]+[명]》 금하다, (…을) 시키지 않다: Low temperatures ~ bacteria *from* developing. 낮은 온도는 박테리아의 증식을 막는다. **3** 〖교회법〗 (성직자의) 교권을 정지하다; 〖화학〗 …의 화학 반응을 억제하다; 〖전자〗 (특정한 신호·조작을) 저지하다. [파] **~·er, in·híb·i·tor** *n.* 억제자, 억제물; 〖화학〗 억제제(劑), 〖생물〗 저해 물질.

in·híb·it·ed [-id] *a.* 억제된, 억압된; 자기 규제하는, 적극성이 없는, 내성적인: an ~ person 감정을 겉으로 나타내지 않는 사람, 내성적인 사람.

in·hi·bi·tion [ìnhəbíʃən] *n.* [U,C] 금지, 금제(禁制); 〖심리〗 금지, 억제; 〖교회법〗 교권 정지 명령; 〖영법률〗 소송 진행 정지 영장.

in·hib·i·tive, -to·ry [inhíbətiv], [-tɔ̀ːri/-təri] *a.* 금지의; 억제하는.

in·hold·ing [ínhòuldiŋ] *n.* 국립공원 내의 사유지〔에서 할 수 있는〕. [파] **ín·hòld·er** *n.*

in·home [ínhòum] *a.* 가정 내의, 집에 있는, 집

in·ho·mo·ge·ne·i·ty [inhòumədʒəníːəti] *n.* 이질(성), 불균등성; (등질부(等質部) 중의) 이질 부분.

in·ho·mo·ge·ne·ous [ìnhoumədʒíːniəs] *a.* 동질〔균질·등질〕이 아닌.

in·hos·pi·ta·ble [inháspitəbəl, ˌ-ˈ--/-hɔ́s-, ˌ-ˈ---] *a.* 대접이 나쁜, 무뚝뚝한, 불친절한; 비바람을 피할 데가 없는, 황량한. [파] **-bly** *ad.* **~·ness** *n.*

ín-hospital inféction 병원 내 감염.

in·hos·pi·tal·i·ty [ìnhαspətǽləti, inhὰs-/ ìnhɔs-, inhɔ̀s-] *n.* [U] 대우가 나쁨, 냉대, 쌀쌀함, 불친절.

ín-hòuse *a.* 사내의, 기업〔조직, 집단〕 내부의: ~ newsletters 사내보 / ~ training 사내〔기업 내〕 훈련〔연수〕. **—** *ad.* 조직 내〔회사 내〕에서.

ín-house ágency (특정 광고 대리점 전속의) 제작 하청 자회사.

ín-house supplíer 사내용(社內用)을 위한 메이커.

◇**in·hu·man** [inhjúːmən/-hjúː-] *a.* 인정 없는, 잔인한; 사람이 아닌, 비인간적인; 인간과 다른; 초인적인: Success was due to his ~ effort. 성공은 그의 초인적인 노력 덕택이었다. ㊞ **~·ly** *ad.* **~·ness** *n.*

in·hu·mane [ìnhjuːméin/-hjuː-] *a.* 몰인정한; 박정한; 잔인한, 무자비한, 비인도적인: ~ treatment 몰인정한〔비인도적인〕 대우. ㊞ **~·ly** *ad.*

in·hu·man·i·ty [ìnhjuːmǽnəti/-hjuː-] *n.* Ⓤ 몰인정, 잔인; Ⓒ 잔학〔몰인정한〕 행위: man's ~ to man 인간의 인간에 대한 잔학 행위.

in·hu·ma·tion [ìnhjuːméiʃən/-hjuː-] *n.* 매장, 토장(土葬). ㉠ cremation.

in·hume [inhjúːm/-hjúːm] *vt.* 매장〔토장(土葬)〕하다.

in·im·i·cal [inímikəl] *a.* **1** 적의가 있는, 사이가 나쁜《*to*》: nations ~ *to* one another 서로 적대시하는 국민 / an ~ gaze 적의 어린 눈길. **2** 형편이 나쁜, 불리한, 유해한《*to*》: circumstances ~ *to* success 성공에 불리한 상황. ㊞ **~·ly** *ad.* **~·ness** *n.*

in·im·i·ta·ble [inímətəbəl] *a.* 흉내 낼 수 없는, 독특한; 비길 데 없는: a man of ~ eloquence 비길 데 없는 웅변가. ㊞ **-bly** *ad.* **~·ness** *n.*

in·iq·ui·tous [iníkwətəs] *a.* 부정한, 불법의; 간악한(wicked). ㊞ **~·ly** *ad.*

◇**in·iq·ui·ty** [iníkwəti] *n.* **1** Ⓤ 부정, 불법, 사악. **2** Ⓒ 부정〔불법〕 행위.

INIS International Nuclear Information System (국제 원자력 정보 시스템).

init. initial; 《L.》 *initio.*

in·i·tial [iníʃəl] *a.* **1** 처음의, 최초의, 시작의; 초기의: the ~ expenditure 창업비 / the ~ stage 초기, 제1기(期). **2** 어두(語頭)의; 머리글자의, 어두에 있는: an ~ letter 머리글자 / an ~ signature 머리글자만의 서명, 약식 서명. **—** *n.* 머리글자; (*pl.*) 고유명사의 머리글자《George Bernard Shaw의 G.B.S. 따위》. **—** (*-l-*, 《영》 *-ll-*) *vt.* …에 머리글자로 서명하다; (외교 문서에) 가조인하다. ㊞ **~·ly** *ad.* **~·ness** *n.*

inítial cárrier 복수의 항공사편을 이어 탈 때의 처음에 타는 항공사.

inítial condítion 〖수학〗 초기 조건.

in·í·tial·ìsm *n.* **1** 두문자 약어《DDD, IFC처럼 머리글자로 된 약어》. **2** 《널리》 두문자어(acronym)《NATO 따위》.

in·í·tial·ìze *vt.* 〖컴퓨터〗 (counter, address 등을) 초기화(初期化)하다, 초기값으로 설정하다. ㊞ **in·i·tial·i·zá·tion** *n.* 초기 설정.

inítial síde 〖수학〗 (각도의) 시변(始邊), 원선(原線)《각도를 잴 때 기선이 되는 반직선》.

inítial stréss 〖물리〗 초기 응력(初期應力).

Inítial Tèaching Álphabet 초등 교육용 44 문자의 표음 알파벳《영국의 Sir James Pitman이 창안》.

inítial wòrd 〖언어〗 이니셜어(語), 두문자어(語)(initialism)《DDT, IBM 따위》.

◇**in·i·ti·ate** [iníʃièit] *vt.* **1** 시작하다, 개시하다, 창시하다, 창설하다: ~ a reform 〔movement〕 개혁〔운동〕을 일으키다 / ~ a new business 새 사업을 시작하다. SYN. ⇨ BEGIN. **2** 《+목+전+명》 입문시키다, …에게 초보를 가르치다《*in; into*》; (…에게 비전·비법을) 전하다, 전수하다《*into*》: ~ a person *into* a secret 아무에게 비전(秘傳)을 전수하다 / ~ pupils *in* 〔*into*〕 English grammar 학생들에게 영문법의 초보를 가르치다. **3** 《+목+전+명》 가입〔입회〕시키다: ~ a person *into* a club 아무를 클럽에 입회시키다. **4** (발의권에 의하여 법안·의안을) 제안하다. **—** [ˈiníʃiət] *a.* **1** 초보를 배운, 입문이 허락된; 전수받은. **2** 시작된, 초기의, 초창기의. **—** [ˈiníʃiət] *n.* 신입〔입문, 입회〕자; 전수자.

◇**in·i·ti·a·tion** [inìʃiéiʃən] *n.* **1** Ⓤ 개시, 착수; 창설, 창시, 창업; 초보 교수; 비결〔비방〕 전수; 가입, 입회, 입문: the ~ of a new bus route 새 버스 노선의 개통. **2** Ⓒ 입회식, 입문식; 성년식; 시동; 기폭: an ~ ceremony 입회식.

initiátion fáctor 〖생화학〗 개시 인자(因子)《단백질 합성의 개시에 관여하는; 생략: IF》.

in·i·ti·a·tive [iníʃiətiv] *n.* Ⓤ **1** 발의, 발기, 선창. **2** (보통 the ~, one's ~) 창시, 솔선; 주도(主導)(권): take the ~ (in do*ing*) (어떤 일을 하는 데) 솔선하다 / seize the ~ 주도권을 장악하다. **3** (보통 the ~) 의안 제출권, 발의권. **4** 창의, 진취적 기상, 솔선하는 정신, 독창력, 기업심: He has 〔lacks〕 ~. 독창력이 있다〔없다〕. **5** 〖군사〗 선제(先制). ◇ initiate *v.* ***on*** one***'s own*** ~ 자발적으로, 자진하여. **—** *a.* **1** 처음의; 창시의: an ~ right 선의권(先議權). **2** 솔선하는; 진취적인: an ~ spirit 진취적인 기상. ㊞ **~·ly** *ad.*

in·i·ti·a·tor [iníʃièitər] *n.* 창시자, 수창자(首唱者); 발기인; 교도자; 전수자; 기폭약.

in·i·ti·a·to·ry [iníʃiətɔ̀ːri/-təri] *a.* 시작의, 최초의; 초보의; 입회〔입당, 입문〕의. ㊞ **-ri·ly** *ad.*

in·i·tio [iníʃiòu] *ad.* 《L.》 (책의 페이지·장·절 따위의) 최초에, 서두에《생략: init.》.

◇**in·ject** [indʒékt] *vt.* 《~+목/+목+전+명》 **1** 주사하다, 주입하다《*into; with*》: ~ medicine *into* a vein = ~ a vein *with* medicine 정맥에 약을 주사하다. **2** (의견·착상 등을) 삽입(揷入)하다, 끼우다, 짜 넣다; 도입하다《*into*》: ~ humor *into* a serious speech 엄숙한 연설에 유머를 끼워 넣다. **3** 〖우주〗 (인공위성 따위를 궤도에) 쏘아 올리다《*into*》: The satellite has been ~*ed* *into* its orbit. 인공위성이 궤도에 쏘아 올려졌다. ◇ injection *n.*

in·jéct·a·ble *a.* (약물이) 주사 가능한. **—** *n.* 주사 가능 물질〔약물〕.

*__in·jec·tion__ [indʒékʃən] *n.* **1** Ⓤ,Ⓒ 주입; 주사(액); 관장(灌腸)(약); 《비유》 (자금 등의) 투입; 〖의학〗 충혈: a hypodermic ~ 피하주사 / make 〔give〕 an ~ 주사하다 / have 〔get〕 an ~ 주사를 맞다. **2** Ⓤ 〖지학·광물〗 관입(貫入); 〖기계·항공〗 분사(噴射): fuel ~ 연료 분사. **3** Ⓤ,Ⓒ 〖우주〗 투입, 인젝션《인공위성〔우주선〕을 탈출 속도로 궤도에 진입시키는 것; 그 시간과 장소》. **4** 〖수학〗 단사(單射)함수. ◇ inject *v.* ㊞ **-tive** *a.* 〖수학〗 단사의.

injéction mòlding (플라스틱의) 사출 성형.

injéction stèelmaking 〖금속〗 인젝션 제강법《강 속의 황(黃)이나 산소를 제거하는 정련법》.

in·jec·tor [indʒéktər] *n.* 주사 놓는 사람; 주사기; 〖기계〗 분사 급수기(噴射給水機), 인젝터: a fuel ~ (엔진의) 연료 분사 장치.

injéctor ràzor (외날을 갈아 끼우는) 인젝터식 안전면도기.

ín-jòke *n.* 특정 그룹에만 통용되는〔동료 간의〕 조크.

in·ju·di·cious [ìndʒuːdíʃəs] *a.* 지각없는, 분별없는(unwise). ㊞ **~·ly** *ad.* **~·ness** *n.*

In·jun [índʒən] *n.* 《미구어·방언》 =INDIAN.

in·junct [indʒʌ́ŋkt] *vt.* 《구어》 금지〔억제〕하다. ◇ injunction *n.*

in·junc·tion [indʒʌ́ŋkʃən] *n.* **1** 명령, 지령, 훈령; 권고, 계고. **2** 〖법률〗 (법원의) 금지〔강제〕 명

령: lay an ~ upon a person to do 아무에게 …하도록 명하다. ◇ injunct *v.*

in·junc·tive [indʒʌ́ŋktiv] *a.* 명령적인: an ~ maxim 명령적 격언《하라〔해야 한다〕는 식의》.

in·jure [índʒər] *vt.* **1** 상처를 입히다, 다치게 하다, …에게 손해를 주다: ~ one's eye 눈을 다치다 / Two people were ~*d* in the accident. 그 사고로 두 사람이 다쳤다 / He ~*d* himself in the leg. 다리에 부상을 입었다. **2** (감정 등을) 해치다, 손상시키다; (명예 등을) 훼손하다: ~ a person's feelings 〔reputation〕 감정을〔명예를〕 해치다. SYN. ⇨ HURT. ◇ injury *n.*

ín·jured *a.* **1** 상처 입은: the ~ 부상자 / the ~ party 피해자. **2** 감정이〔명예가〕 손상된: an ~ look 〔air〕 감정이 상한 표정〔태도〕.

ín·jur·er [-rər] *n.* 가해자, 손상자.

in·ju·ria [indʒúəriə] (*pl.* **-ri·ae** [-riì:, -riài]) *n.* 《L.》 『법률』 권리 침해, 위법 행위(injury).

in·ju·ri·ous [indʒúəriəs] *a.* **1** 해가 되는, 유해한《*to*》: ~ *to* health 건강에 유해한 / ~ defects 유해한 결함. **2** 부당한, 부정한. **3** 중상적인, 모욕적인. ◇ injury *n.* ㊞ **~·ly** *ad.* **~·ness** *n.*

in·ju·ry [índʒəri] *n.* U,C **1** (사고 등에 의한) 상해, 부상, 위해(危害): suffer *injuries to* one's head 머리에 부상을 입다.

> SYN. **injury** 사람·사물에 두루 쓰이는 일반적인 말로서 상해·손상·손실의 어느 쪽의 뜻으로도 쓸 수 있음. **hurt** injury만큼 격식을 차리지 않고, 육체적·정신적으로 상처를 입은 상태. **harm** 고통·고뇌가 크게 동반되는 상처. 보통 injury 보다 뜻이 강함. **wound** 주로 육체적인 상처. **damage** 물건의 가치·신용 등 무생물에 주어지는 손상의 뜻으로 사람의 상처에는 쓰이지 않음.

2 손상, 손해: a cold ~ 한해(寒害). **3** (감정 따위를) 해치기, 모욕, 무례; 명예 훼손: an ~ *to* my pride 나의 자존심을 해치는 행위. **4** 『법률』 위법 행위, 권리의 침해. ◇ injure *v.* ***be an ~ to*** …을 해치다, …에게 해가 되다. ***do* a person *an ~*** 아무에게 손해를 끼치다, 위해를 가하다. ***inflict ~ on*** …에게 상처를 입히다.

ínjury bènefit 《영》 산재(産災) 보험금《국가에서 매주 지불함》.

ínjury tìme (축구·럭비·농구 등에서) 부상에 대한 치료 따위로 소비한 시간만큼의 연장 시간.

in·jus·tice [indʒʌ́stis] *n.* U,C **1** 부정, 불법, 불의, 불공평: remedy ~ 부정을 바로잡다 / without ~ to anyone 누구에게도 불공평하지 않게. **2** 권리 침해; 부당〔불공평〕한 처리; 부정〔불법〕 행위, 비행. cf. unjust. ***do* a person *an ~*** 아무에게 부정한 짓을 하다; 아무를 부당하게 다루다.

ink [iŋk] *n.* (필기용·인쇄용의) 잉크, 먹, 먹물; (오징어) 먹물; 《미속어》 흑인; 싸구려 술: write with pen and ~ 펜으로 쓰다 / China 〔Chinese, India, Indian〕 ~ 먹 / invisible 〔sympathetic〕 ~ (열·빛 따위로 색깔을 나타내는) 은현(隱顯) 잉크 / write in ~ 잉크로 쓰다. ── *vt.* **1** 잉크로 쓰다; …에 잉크를 칠하다. **2** 《+목+부》 잉크로 지우다《*out*》: ~ *out* an error 잉크로 틀린 데를 지우다. **3** 잉크로 더럽히다. **4** 《미속어》 (계약서 등에) 서명하다; 계약서에 서명케 하여 (아무를) 고용하다. **~ *in* 〔*over*〕** (연필로 그린 밑그림 따위를) 잉크로 칠하다. **~ *up*** (인쇄기)에 잉크를 넣다.

In·ka·tha [iŋkɑ́:tə] *n.* 잉카타《남아프리카공화국 최대 부족인 Zulu족을 기반으로 한 민족 문화 해방 조직; 1975년 창설》.

Inkátha Fréedom Pàrty (the ~) 《S. Afr.》 잉카타 자유당《Inkatha가 다른 인종도 수용하여 결성한 중도 정당; 생략 IFP》.

ínk bàg (오징어의) 고락(= **ínk sàc**)《먹물주머니》.

ínk·bèrry (*pl.* **-ries**) *n.* 『식물』 **1** 감탕나무속(屬)의 상록 관목; 그 열매. **2** 아메리카자리공; 그 열매.

ínk·blòt *n.* (심리 테스트용) 잉크얼룩.

ínkblot tèst 『심리』 잉크 반점 검사《Rorschach test 따위》.

ínk bòttle 잉크병.

inked [-t] *a.* 《속어》 몹시 취한 (drunk).

ínk·er *n.* 『인쇄』 잉크롤러; 『통신』 수신 인자기(印字機).

ínk·fàce [-fèis] *n.* 《미속어·경멸》 흑인, 검둥이.

ínk·fish *n.* 『동물』 오징어(cuttlefish).

ínk·hòlder *n.* 잉크 그릇, (만년필의) 잉크집.

ínk·hòrn *n.* (뿔로 만든) 잉크통. ── *a.* 학자연하는, 현학적인.

inkhorn

ínkhorn tèrm 현학적인 용어《특히 박식을 뽐내기 위해 라틴어·그리스어 따위에서 차용한, 뜻이 확실하지 않은 말》.

ín-kìnd *a.* (돈 대신) 물건으로 주는, 실물에 의한; (받은 만큼) 대신 주는.

ínk·ing *n.* U (제도의) 먹통; 『통신』 현자(現字): an ~ stand 잉크스탠드〔대〕.

ínk-jèt *a.* (프린터 따위가) 잉크젯 방식의《종이 위에 안개 형태의 잉크를 정전기적으로 분사하는 고속 인자법(印字法)》: an ~ printer.

in·kle, in·cle [íŋkəl] *n.* (가장자리 장식용) 리넨테이프의 일종; 린네르 실.

ink·ling [íŋkliŋ] *n.* 암시, 낌새《*of*》; 어렴풋이 눈치챔《*of*》; 약간의 지식. ***get* 〔*have*〕 *an ~ of*** …을 어렴풋이 알다〔알고 있다〕, …을 알아채다. ***give* a person *an ~ of*** …을 넌지시 알리다.

ínk·pàd *n.* 스탬프대(臺), 인주(= **ínking pàd**).

ínk·pòt *n.* 잉크병(inkwell).

ínk slàb 『인쇄』 잉크 개는 판(= **ínk tàble**); 벼루.

ínk·slìnger *n.* 《경멸》 문인, 편집자, 기자; 《속어》 산판(山坂)의 사무 담당자.

ínk·stànd *n.* 잉크스탠드; = INKWELL.

ínk·stìck *n.* 《미속어》 만년필.

ínk·stòne *n.* 벼루; 『화학』 녹반(綠礬)(copperas).

ínk·wèll *n.* (탁상 구멍에 꽂는) 잉크병.

ínk·wrìter *n.* 『통신』 현자기(現字機)(inker).

inky [íŋki] (**ink·i·er; -i·est**) *a.* 잉크의, 잉크 같은; 잉크로 더럽혀진; 새까만, 어두운; 《속어》 술 취한: ~ darkness 암흑. ㊞ **ínk·i·ness** *n.*

ínky-dìnk [-dìŋk] *n.* 《미속어》 몹시 새까만 흑인.

INLA Irish National Liberation Army (아일랜드 민족 해방군).

in·lace [inléis] *vt.* = ENLACE.

in·laid [ìnléid, ⌐⌐] *a.* 아로새긴, 상감(象嵌)의; 상감으로 꾸민, 무늬를 박아 넣은: ~ work 상감 세공(細工).

in·land [ínlənd] *a.* **1** 오지(奧地)의, 내륙의, 해안〔국경〕에서 먼: ~ rivers 내륙 하천. **2** 《주로 영》 국내의, 국내에서 영위되는(domestic): an ~ duty 내국세 / ~ mails 국내 우편(《미》 domestic mails) / ~ transportation 국내 수송 / ~ commerce 〔trade〕 국내 무역. **3** 국내에 한정된, 국내에서 발행되어 지급되는: an ~ bill (= domestic exchange) 내국환. ── [ínlæ̀nd, -lənd/inlǽnd, ⌐⌐] *ad.* **1** 오지로, 내륙으로: Seabirds sometimes fly ~. 해조는 때때로 내륙으로 날아간다. **2** 국내에. ── [ínlæ̀nd, -lənd] *n.* 오지, 내륙, 벽지, 국내. ㊞ **~·er** *n.* 내륙 지방〔오지〕 사람.

ínland bíll 《미》 주내(州內) 환어음; 내국 환어음.

ínland íce (그린란드의 광역을 뒤덮고 있는) 내륙빙. cf. ice sheet.

ínland révenue 《영》 내국세 수입(《미》 internal revenue); 《영》 (the I- R-) 내국세 세입청.
ínland séa 〖해양〗 내해(內海), 연해(緣海)(《대륙붕 위쪽의 바다》).
ínland wáters (the ~) 내수《하천·호수·만 등의 국내 수역 및 육지에서 3.5마일 안의 영해》.
in·laut [ínlàut] *n.* 〖음성〗 (음·음절의) 중간음.
ín-làw *n.* (보통 *pl.*) 《구어》 인척(姻戚)《son-*in-law*, cousin-*in-law* 따위의 총칭》: She borrowed money from her ~*s*. 그녀는 인척들에게서 돈을 꾸었다.
ín-law suíte 〔**apártment**〕 《미》 달아낸 방 《시부모가 거처함》.
ín·lày (*p., pp.* **-laid** [ínlèid, ⌐⌐]) *vt.* (장식으로서) 박아 넣다, 아로새기다; 상감하다《*with*》; (도판(圖版) 등을) 대지(臺紙)에 끼우다; 〖원예〗 (접붙일 눈을) 대목(臺木)에 끼워 넣다. ── [ínlèi] *n.* 상감; 상감 세공; 〖치과〗 인레이《충치의 봉박기》; 〖원예〗 눈 접붙이기(=⌐ **gràft**). ㊕ **~·er** *n.* 상감공.
in·let [ínlet] *n.* **1** 후미; 입구, 끌어들이는 어귀. **2** 삽입물, 상감물; 끼워〔박아〕 넣기. ── (~; **-let·ting**) [ìnlèt, -⌐] *vt.* 끼워〔박아〕 넣다.
in·li·er [ínlàiər] *n.* 〖지학〗 내좌층(內座層); 내층. OPP. *outlier.*
ín-lìne *a.* 〖컴퓨터〗 인라인의《그때그때 즉시 처리하는》.
ín-lìne éngine 〖기계〗 직렬형 엔진《내연 기관의 실린더가 크랭크축(軸)을 따라 직선으로 배치되어 있는 것》.
ín-lìner *n.* 인라인스케이트를 타는 사람.
ín-lìne skátes 인라인스케이트. cf. Rollerblade.
in loc. cit. *in loco citato* 《L.》 (=in the place cited) 전에 인용한 곳에.
in lo·co pa·ren·tis [in-lóukou-pərέntis] 《L.》 (=in the place of a parent) 어버이 대신에〔입장에서〕.
in·ly [ínli] *ad.* 《시어》 안에; 마음속에; 충심으로, 깊이; 친하게(intimately).
in·ly·ing [ínlàiiŋ] *a.* 안에 있는, 내측〔내부〕의; 내륙의. OPP. *outlying.*
in·mar·riage [ínmæ̀ridʒ] *n.* =ENDOGAMY.
INMARSAT [ínmɑːrsæ̀t] International Marine Satellite Organization (국제 해사(海事) 위성 기구).
ín·màte *n.* **1** (병원·교도소 따위의) 입원자, 재감자, 피수용자. **2** 《고어》 동거인, 동숙인.
in me·di·as res [in-míːdiəs-ríːz] 《L.》 (=into the midst of things) 갑자기 이야기〔계획〕의 한가운데로, 사건의 한가운데로.
in me·mo·ri·am [inməmɔ́ːriəm] **1** (비문·헌정사 등에 쓰이어) …을 기념하여, …을 애도하여. **2** 〔부사적〕 …의 기념으로, …을 추도하여. **3** 〔명사적〕 묘비명, 추도문. [L.=in memory of]
in·mesh [inméʃ] *vt.* =ENMESH.
ín-mìgrate *vi.* (같은 나라의 다른 지역에서) 이주해 오다, (집단적·계속적인 이주의 일부로) 외부로부터 이주〔이동〕해 오다. ㊕ **ín-mìgrant** *n., a.* **ín-migràtion** *n.* Ⓤ (같은 나라의 다른 지역으로부터의) 이주.
◇**in·most** [ínmòust] *a.* 맨 안쪽의, 가장 내부의; 마음속에 품은, 내심의《감정 따위》: one's ~ desires 마음속 깊이 간직한 욕구.
****inn** [in] *n.* **1** 여인숙, 여관《보통 hotel 보다 작고 구식인 것》: a country ~ 시골의 여인숙. **2** (선)술집, 주막(tavern). **3** 《고어》 주거, 주소. **4** 《영고어》 (런던의 법학생용) 학생 숙사. ***the Inns of Chancery*** 〖영국사〗 법학생의 숙사. ***the Inns of Court*** (변호사 임면권을 가진 런던의) 법학원《the Inner Temple, the Middle Temple, Lincoln's Inn, Gray's Inn의 4 법학원》. ㊕ **⌐·less** *a.*
INN 《미》 Independent Network News 《독립 텔레비전국에 전국 뉴스를 공급하는 서비스 기관》.
inn·age [ínidʒ] *n.* **1** 잔류 하량(荷量)《수송 중의 자연 감소에 의한 실제 분량》. cf. outage 3. **2** 〖항공〗 잔류 연료.
in·nards [ínərdz] *n. pl.* 《구어》 내장(內臟); (물건의) 내부(inner parts); (복잡한 기계·기구의) 내부 (구조).
◇**in·nate** [inéit, ⌐-] *a.* **1** (성질 따위가) 타고난, 생득의, 천부의, 선천적인; 내재적(內在的)인, 본질적인: an ~ instinct 〔characteristic〕 타고난 본능〔특성〕. **2** 〖철학〗 본유적(本有的)인: ~ ideas 본유 관념. ㊕ **~·ly** *ad.* **~·ness** *n.*
***in·ner** [ínər] *a.* **1** 안의, 내부의, 속의, 중심적인, 중추(中樞)의. OPP. *outer.* ¶ the ~ parts of a country 내지(內地)/an ~ court 안뜰. SYN. ⇨INSIDE. **2** 내적〔영적〕인, 정신적인; 주관적인: one's ~ thoughts 마음속의 생각/the ~ life 내적〔정신〕 생활. **3** 보다 친한, 내밀〔비밀〕의: the ~ circle of one's friends 특별히 친밀한 친구들. ── *n.* 과녁의 내권(內圈)《과녁의 중심(bull's-eye)과 외권(外圈) 사이의 부분》; 내권에 명중한 총알〔화살〕. ㊕ **~·ly** *ad.*
ínner bár (the ~) 〖영법률〗 칙선(勅選) 변호인단.
ínner cábinet (내각 안의 실력자) 소내각; (조직 내의 소수인에 의한) 비공식 자문 위원회.
ínner chíld 내면(內面)의 어린이《사람의 정신 속에 있는 어린애 같은 부분》.
ínner círcle 권력 중추부의 측근 그룹.
ínner cíty 《미》 도심(부); 대도시 중심의 저소득층이 사는 지역; 구(舊)시내; (the I- C-) (베이징시의) 성내(城內). ㊕ **ín·ner-cíty** *a.*
ínner-dirécted [-id] *a.* 자기의 기준에 따르는, 내부 지향적인, 비순응형의. OPP. *other-directed.*
ínner éar 〖해부〗 내이(內耳)(internal ear).
Ínner Líght (the ~) 내적인 빛(=**Christ Withín, Líght Withín**)《마음속에서 느껴지는 그리스도의 빛》.
Ínner Lóndon 이너 런던《City와 Westminster 및 그 인접 지역을 포함한 런던 중심부》.
ínner mán 〔**wóman**〕 (the ~) **1** 마음, 영혼. **2** 《우스개》 위(胃), 식욕: refresh 〔satisfy, warm〕 the ~ 배를 채우다.
ínner márker bèacon 〖항공〗 계기 착륙 장치(ILS)의 일부.
ínner míssion **1** (교회의) 국내 전도. **2** (극빈자·부랑자를 대상으로 한) 복음교회 국내 사회사업.
Ínner Mongólia 내몽고.
◇**ínner·mòst** *a.* =INMOST. ── *n.* (the ~) 가장 깊숙한 곳. ㊕ **~·ly** *ad.*
ínner párt 〔**vóice**〕 〖음악〗 중간음표《혼성 합창에서는 알토와 테너, 남성 합창에서는 제 2 테너와 제 1 베이스》.
ínner plánet 〖천문〗 지구형(型) 행성《태양계 안에서 소행성대(帶)(asteroid belt)보다 안쪽을 운행하는 행성; 수성·금성·지구·화성》. cf. outer planet.
ínner próduct 〖수학〗 내적(內積)(=**scálar próduct**).
ínner quántum nùmber 〖물리〗 내(內)양자수《전각(全角) 운동량의 대부분을 표시하는 양자수》.
ínner resérve (대차 대조표에 싣지 않는) 내부 유보금(留保金), 비밀 적립금.
ínner sánctum 《구어·우스개》 지성소(至聖所)(sanctum)《사실(私室) 따위》.
ínner·sòle *n.* =INSOLE.
ínner spáce (의식 경험의 영역 밖에 있는) 정신 세계; 〖회화〗 내적 공간《추상화에서의 깊이의 느

깊)); 해면 밑의 세계; 대기권. cf. outer space.
ínner spéech fòrm 〚언어〛 내부 언어 형식.
ínner·sprìng *a.* (매트리스 따위가) 용수철이 든.
Ínner Témple (the ~) (영국의) 4 법학원 중의 하나.
ínner tùbe (자전거 등의) 튜브.
ínner-tùbing *n.* 《미》 (물이나 눈 위에서) 튜브를 타고 놂: go ~ 튜브 타러 가다.
in·ner·vate [inə́:rveit, ínərvèit] *vt.* (신체의 일부에) 신경을 분포시키다; (신경을) 자극하여 활동시키다, (신경·기관(器官)을) 자극하다.
ìn·ner·vá·tion *n.* U 〚의학〛 신경 분포; 신경 지배〔감응〕. ㊥ **~·al** *a.*
in·nerve [inə́:rv] *vt.* …에 활기를 주다, 고무하다; =INNERVATE.
ínn·hòlder *n.* =INNKEEPER.
in·nie [íni] *n.* **1** 배타적 내집단(in-group)에 속하는 사람, 상류 내집단의 회원. **2** 다소 깊이 함몰한 배꼽(을 가진 사람).
in·ning [íniŋ] *n.* **1** (야구·크리켓 등의) 이닝, (공을) 칠 차례, 회(回): the top 〔first half〕 of the fifth ~ 5회 초. **2** (종종 *pl.*) (정당의) 정권 담당기(期), (개인의) 능력 발휘의 기회, (개인의) 재임〔재직〕 기간, 활약기: The Democrats will have their ~*s*. 민주당이 정권을 잡겠지. **3** 날리던 때, 행운 시대. **4** (소택지 따위의) 매립, 토지 개량; (*pl.*) 매립지, 간척지. ★ 1, 2, 3의 뜻으로는 《영》에서는 *pl.*로 단수취급. ***have a good ~s*** 《구어》 행운이 계속되다, 장수하다. ***have*** one's ***~s*** 《미속어》 행운을 만나다.
ínn·kèeper *n.* 여인숙 주인.
*__in·no·cence__ [ínəsəns] *n.* U **1** 무구(無垢), 청정, 순결: an ~ without reproach 나무랄 데 없는 순결. **2** 결벽, 무죄: prove one's ~ 무죄를 입증하다. **3** (도덕적) 무해, 무독. **4** 순진, 천진난만(simplicity): the ~ of childhood 어린 시절의 천진난만함. **5** 무지, 단순; 숫됨; 순진〔단순〕한 사람. **6** 〚식물〛 꼭두서닛과의 일종; 현삼과의 일종. ㊥ **-cen·cy** [-i] *n.*
in·no·cent [ínəsənt] *a.* **1** 무구한, 청정한, 순결한. **2** (법률적으로) 결백한, 무죄의(*of*): an ~ victim 억울한 누명으로 벌 받은 사람 / be found ~ *of* a crime 무죄 판결이 내리다. **3** 순진한, 천진난만한; (머리가) 단순한: an ~ child 천진한 아이. **4** 사람이 좋은; 무지(無知)한(ignorant) 《*of*》; 알아채지 못하는(unaware) 《*of*》: play ~ 짐짓 모르는 체하다 / She is ~ in the ways of the world. 그녀는 정말 세상을 모른다. **5** (놀이·음식물 따위가) 무해한, 해롭지 않은: ~ amusements 해롭지 않은 오락. **6** 《구어》 …이 없는 《*of*》: windows ~ *of* glass 유리 없는 창. **—** *n.* **1** 죄 없는〔결백한〕 사람. **2** 순진한 아이. **3** 호인, 바보; 신참; 《미흑인속어》 흑인의 시민권 운동을 지지하는 백인. **4** (보통 *pl.*) 〚식물〛 =BLUET. ***the massacre of the ~s*** ① 무고한 어린이의 학살《Herod 왕의 명령으로 행해진 유아의 대학살; 마태복음에서》. ② 《영의회속어》 (시일이 없어) 의안을 폐기하기. ㊥ **~·ly** *ad.*
Ínnocents' Dày (the ~) =CHILDERMAS.
in·noc·u·ous [inákjuəs/inɔ́k-] *a.* **1** (뱀·약 따위가) 무해한, 독 없는: an ~ snake 독 없는 뱀 / ~ drugs 무해한 약제. **2** (언동 따위에) 악의가 없는, 화나게 할 의도가 없는. **3** 자극이 없는, 재미없는. ㊥ **~·ly** *ad.* **~·ness** *n.*
in·nom·i·nate [inámənət/inɔ́m-] *a.* 무명의; 익명의: the ~ bone 관골(髖骨), 좌골(坐骨)(hipbone).
innóminate ártery 〚해부〛 무명(無名) 동맥 (brachiocephalic artery).
innóminate véin 〚해부〛 무명정맥(brachiocephalic vein).
in·no·vate [ínəvèit] *vi.* 쇄신하다, 혁신하다

《*in; on*》; (…에) 새로운 영역을 개척하다. **—** *vt.* (새로운 사물을) 받아들이다, 도입하다, 시작하다. ㊥ **-và·tor** *n.* 혁신자; 신제품을 최초로 발견·사용하는 자.
°**in·no·vá·tion** *n.* **1** U (기술) 혁신, 일신, 쇄신: technological ~ 기술 혁신. **2** 새로이 도입〔채택〕된 것, 혁신된 것; 신기축(新機軸); 신제도; 새롭고 신기한 일〔물건〕: make ~*s* 여러 가지 개혁을 하다. ㊥ **~·al** [-ʃənəl] *a.*
in·no·va·tive [ínəvèitiv] *a.* 혁신적인. ㊥ **~·ness** *n.*
in·no·va·to·ry [ínəvətɔ̀:ri/-vèitəri] *a.* =INNOVATIVE.
in·nox·ious [inákʃəs/inɔ́k-] *a.* 무해한, 독 없는. ㊥ **~·ly** *ad.* **~·ness** *n.*
Inns·bruck [ínzbruk] *n.* 인스브루크《오스트리아의 관광 도시》.
Ínns of Cóurt (the ~) 《영》 법조(法曹) 학원 《London의 4법조 학원: Lincoln's Inn, the Inner Temple, the Middle Temple, Gray's Inn》.
in nu·bi·bus [in-njú:bəbəs/-njú:-] 《L.》 (=in the clouds) 구름 속에; 막연한.
in·nu·en·do [ìnjuéndou] (*pl.* ~(*e*)*s*) *n.* 풍자, 비꼼, 빗대어 빈정거림; 〚법률〛 주석구(注釋句); (명예 훼손 소송 등에서의) 진의(眞意) 설명. **—** *vi.* 비꼬다, 빗대다, 빈정거리다. **—** *ad.* 즉, 다시 말하면.
In·(n)u·it [injuːit/injuː-] (*pl.* ~, ~*s*) *n.* 이누이트《북아메리카·그린란드의 에스키모족; 캐나다에서는 에스키모족에 대한 공식 명칭》; 그 언어.
*__in·nu·mer·a·ble__ [injú:mərəbəl/injú:-] *a.* 셀 수 없는, 헤아릴 수 없는, 무수한, 대단히 많은: ~ variations 무수한 변화〔변형〕. SYN. ⇨ MANY. ㊥ **-bly** *ad.* 셀 수 없을정도로, 무수히. **~·ness** *n.*
in·nu·mer·a·cy [injú:mərəsi/injú:-] *n.* 《영》 수학에 약함.
in·nu·me·rate [injú:mərət/injú:-] *a.*, *n.* 수학〔과학〕의 기초 원리에 대한 이해가 전혀 없는 (사람), 수학을 모르는 (사람).
in·nu·mer·ous [injú:mərəs/injú:-] *a.* =INNUMERABLE.
in·nu·tri·tion [ìnnju:tríʃən/inju:-] *n.* U 영양(營養) 불량〔부족〕, 자양분 결핍.
in·nu·tri·tious [ìnnju:tríʃəs/inju:-] *a.* 자양분이 적은〔결핍한〕.
in·ob·serv·ance [ìnəbzə́:rvəns] *n.* U 부주의, 태만; 지키지 않음, (습관·규칙의) 무시, 위반. ㊥ **ìn·ob·sér·vant** *a.*
in·oc·cu·pa·tion [inàkjəpéiʃən/inɔ̀k-] *n.* 무직(無職).
in·oc·u·la [inákjələ/inɔ́k-] INOCULUM의 복수.
in·oc·u·la·ble [inákjələbəl/inɔ́k-] *a.* 병균 따위를 심을 수 있는, 접종 가능한.
in·oc·u·lant [inákjələnt/-ɔ́k-] *n.* =INOCULUM.
in·oc·u·late [inákjəlèit/-ɔ́k-] *vt.* 《~+목/목+전+명》 **1** 접붙이다, 접목하다. **2** 〚의학〛 접종하다, 예방 접종 하다: ~ a person *for* 〔*against*〕 the smallpox 아무에게 우두를 놓다 / ~ virus *into* 〔*upon*〕 a person =~ a person *with* virus 아무에게 균을 예방 접종 하다. **3** 〚농업〛 토양에 박테리아 등을 넣다. **4** (사상 등을) 주입하다, 불어넣다《*with*》: ~ young people *with* radical ideas 젊은이들에게 과격한 사상을 주입하다. **—** *vi.* 접종하다, 우두를 놓다.
in·òc·u·lá·tion *n.* U,C **1** 접붙임, 접목. **2** 〚의학〛 (예방) 접종; 우두. **3** (사상 등의) 주입, 불어넣기; 감화. **4** 〚농업〛 토양에 박테리아를 넣음. ***protective ~*** 예방 접종. ***vaccine ~*** 종두.
in·oc·u·la·tive [inákjəlèitiv, -lət-/-ɔ́k-] *a.*

접종〔종두〕의. ⊞ **in·òc·u·la·tív·i·ty** *n.*

in·oc·u·la·tor [inákjəlèitər/-ɔ́k-] *n.* 접종하는 사람; (사상 등의) 고취자; 접목하는 사람.

in·oc·u·lum [inákjələm/-ɔ́k-] (*pl.* **-la** [-lə]) *n.* 〖생물〗 접종물〔재료〕, 이식편(移植片), 접종원(原)《spores, bacteria, viruses 따위》.

in·o·dor·ous [inóudərəs] *a.* 냄새〔향기〕 없는. ⊞ **~·ly** *ad.*

in·of·fen·sive [ìnəfénsiv] *a.* 해가 되지 않는; (사람·행위가) 악의가 없는; (말 따위가) 거슬리지 않는, 불쾌감을 주지 않는, 싫지 않은. ⊞ **~·ly** *ad.* **~·ness** *n.*

in·of·fi·cious [ìnəfíʃəs] *a.* 역할〔기능〕이 없는, 무효의; 〖법률〗 도덕상의 의무를 다하지 않는; 인륜에 어긋난; 《고어》 의무 관념이 없는.

inoffícious wíll 〖법률〗 반도의적〔불륜〕 유언《충분한 이유 없이 특정 근친자를 상속에서 제외하는》.

in·op·er·a·ble [inápərəbəl/-ɔ́p-] *a.* 〖의학〗 수술 불가능한《환자 따위》; 〔일반적〕 실행할 수 없는: an ~ plan 실행할 수 없는 계획.

in·op·er·a·tive [inápərətiv, -ápərèit-/-ɔ́pərətiv] *a.* 작용〔활동〕하고 있지 않는; (법률이) 효력이 없는, 무효의. ⊞ **~·ness** *n.*

in·op·por·tune [inàpərtjúːn/-ɔ́pətjùːn] *a.* 시기를 놓친, 시기가 나쁜(ill-timed), 부적당한, 형편이 나쁜: an ~ call 시기가 나쁜 때의 방문/at an ~ time 〔moment〕 계제(階梯) 사납게. ⊞ **~·ly** *ad.* **~·ness** *n.*

in·or·di·na·cy [inɔ́ːrdənəsi] *n.* 《고어》 U,C 과도, 지나침, 과도한 일〔행위〕.

in·or·di·nate [inɔ́ːrdənət] *a.* **1** 과도한, 터무니없는, 엄청난: ~ demands 터무니없는 요구. **2** 무절제한, 불규칙한: keep ~ hours 불규칙한 생활을 하다. **3** 난폭한. ⊞ **~·ly** *ad.* **~·ness** *n.*

in·or·gan·ic [ìnɔːrgǽnik] *a.* **1** 생활 기능이 없는, 무생물의. **2** (사회·정치 따위가) 유기적 조직이〔체계가〕 없는; 자연스러운〔본래의〕 생장〔생성〕 과정을 거치지 않은, 인위적인; 〖언어〗 (낱말·음이) 비어원적인, 우발적인. **3** 〖화학〗 무기(無機)의, 무기물의: ~ chemistry 무기화학/an ~ compounds 무기 화합물. ⊞ **-i·cal·ly** [-ikəli] *ad.*

in·or·gan·i·za·tion [inɔ̀ːrgənizéiʃən/-naiz-] *n.* 무조직, 무체제.

in·or·nate [ìnɔːrnéit] *a.* 꾸미지 않은.

in·os·cu·late [ináskjəlèit/inɔ́s-] *vi., vt.* (혈관 따위가) 접합하다《*with*》; (섬유 따위가) 결합하다; (섬유 등을) 결합시키다; 합체하다; 혼합하다(blend). ⊞ **in·òs·cu·lá·tion** *n.* U

in·o·sín·ic ácid [ìnəsínik-] 〖생화학〗 이노신산(酸).

in·o·site [ínəsàit] *n.* =INOSITOL.

in·o·si·tol [inóusətɔ̀ːl, -tòul/-tɔ̀l] *n.* 〖생화학〗 이노시톨, 근육당(筋肉糖)《비타민 B 복합체의 하나》.

in·o·tro·pic [ìnətrápik, -tróup-/-trɔ́p-] *a.* 근육의 수축을 지배하는, 탄력(성)의.

ín·pàtient *n.* 입원 환자. cf. outpatient. ≒ impatient.

in per·pe·tu·um [in-pərpétʃuəm] 《L.》 영구히, 영원히.

ín-pérson *a.* 있는 그대로의, 실황(實況)의; 본인이 직접 나오는: an ~ performance 실연(實演).

in per·so·nam [in-pərsóunæm] 《L.》 〖법률〗 (소송 절차·판결 등이) 대인(對人)의〔적인〕.

in·phase [ínfèiz] *a.* 〖물리·전기〗 동상(同相)의.

ín pláce 〖미정치〗 (반대당에 잠입한) 정치 스파이. [◂ agent *in place*]

ín-plánt *a.* 공장 안에서 행해지는〔유지되는〕: ~ training programs.

INPO Institute of Nuclear Power Operations (원자력 발전 운영 협회).

in pos·se [in-pási/-pɔ́si] 《L.》 잠재적〔가능적〕으로〔인〕.

in·póur *vt., vi.* 주입하다, 흘러들다, 유입하다. ⊞ **in·póur·ing** [-riŋ] *n., a.* U 유입(하는).

in prin·ci·pio [in-prinsípiòu; *L.* in-priːnkípiɔː] 《L.》 처음에, 최초에(=at 〔in〕 the beginning).

ìn-prínt *a.* 인쇄〔증쇄(增刷)〕된, 절판되지 않은.

in·prócess *a.* (원료·완제품에 대하여) 제조 과정 중인, 제조 과정의.

in pro·pria per·so·na [in-próupriə-pərsóunə] 《L.》 스스로, 자신이, 몸소.

***in·put** [ínpùt] *n.* **1** U,C 〖경제〗 (자본의) 투입(량). **2** U 〖기계·전기·언어〗 입력(入力), 수수량(收受量)《외부로부터의 에너지의》. **3** 〖컴퓨터〗 입력. OPP output. **4** (기술적 문제를 해결하기 위해) 갖고 있는 데이터, 정보. **—** (**-tt-**) *vt., vi.* 〖컴퓨터〗 입력하다.

ínput devìce 〖컴퓨터〗 입력 장치《키보드·마우스·트랙볼 등》.

ínput/óutput *n.* 〖컴퓨터〗 입출력《생략: I/O》.

ínput-óutput anàlysis 〖경제〗 투입·산출 분석, 산업 연관 분석.

°**in·quest** [ínkwest] *n.* **1** (배심원의) 심리, 사문(査問); (검시관의) 검시(檢屍)(coroner's ~): hold an ~ 검시를 하다. **2** 〔집합적〕 검시 배심원. **3** (배심원의) 평결, 결정; 《구어》 (시합·사건 따위에 대한 사후의) 검토. ***the grand ~ of the nation*** 《영》 하원. ***the Great*** 〔***Last***〕 ***Inquest*** 최후의 심판(the Last Judgment).

in·qui·e·tude [inkwáiətjùːd/-tjùːd] *n.* U 불안, 동요(restlessness); (*pl.*) 불안한 생각, 근심.

in·qui·line [ínkwəlàin, -lin/-làin] *n.* 〖동물〗 (다른 동물의 둥지·굴·몸에 서식하는) 공생 동물. **—** *a.* 공생 동물의, 남의 둥지에 서식하는.

‡**in·quire** [inkwáiər] *vt.* 《~+목/+*wh.* 절/+목+전+명/+전+명+*wh.* 절/+*wh. to* do》 묻다, 문의하다: ~ a person's name 아무의 이름을 묻다/She ~*d when* the shop would open. 그녀는 언제 가게문을 여는지 물었다/~ weather conditions *of* the weather bureau 기상대에 날씨를 알아보다/He ~*d of* the policeman the best way to the station. 그는 경관에게 역으로 가는 가장 편리한 길을 물었다. ★ *of*-phrase가 목적어 앞에 오는 일이 많음/I ~*d* (*of* him) *when* he would come. 그에게 언제 오는지 물었다/He ~*d how to* handle it. 그것을 다루는 법을 물었다. SYN. ⇨ ASK. **—** *vi.* 《~/+전+명》 **1** 묻다, 질문하다: ~ *of* a person *about* a matter 아무에게 어떤 일을 묻다. **2** 문의하다, 조회하다. ◇ inquiry, inquisition *n.* **~ *after*** …의 건강을〔안부를〕 묻다, …을 문병하다. **~ *for*** ① …의 안부〔유무〕를 묻다. ② (물건의 유무를) 문의하다, (무엇을) 찾다, 구하다. ③ …에게 면회를 청하다. **~ *into*** (사건 따위를) 조사하다. **~ *out*** 물어서〔조사해서〕 알아내다. ***Inquire within.*** 용무 있는 분은 안으로《안내소 등의 게시》.

in·quir·er [inkwáiərər] *n.* 묻는 사람, 심문자; 탐구자, 조사자.

°**in·quir·ing** [inkwáiəriŋ] *a.* 묻는; 조회하는; 캐묻기 좋아하는, 탐구적인; 미심쩍은 듯한: an ~ look 미심쩍은 듯한 얼굴/an ~ (turn of) mind 캐묻기 좋아하는 성질〔버릇〕. ⊞ **~·ly** *ad.*

***in·qui·ry** [inkwáiəri, ínkwəri/inkwáiəri] *n.* U,C **1** 질문, 문의, 조회《*about, wh.*》: a letter of ~ 조회서, 문의서/find out by ~ 문의하여 알다/I made *inquiries* (*about* it) at the desk. (그 일을) 접수계에 문의했다/She made an ~ *concerning what* had happened. 그녀

는 무슨 일이 일어났는지 물었다. **2** 조사, 심리(審理)《*into*》: an ~ *into* the truth of a report 보고의 진위에 대한 조사 / make a searching ~ *into* …을 엄중히 조사하다. **3** 연구, 탐구《*into*》: scientific ~ 과학 연구 / an ~ *into* the shape of the cosmos 우주 형상의 연구. **4** 〖컴퓨터〗 조회. ◇ inquire *v.* ***a court of ~*** 〖군사〗 사문(査問) 회의. ***a writ of ~*** 조사 명령서. ***on ~*** 물어〔조사해〕 보니.

inquíry àgency 《영》 신용 조사소, 흥신소.

inquíry àgent 《영》 사립 탐정.

inquíry òffice 《영》 (호텔 · 역 등의) 안내소.

inquíry stàtion 〖컴퓨터〗 조회 단말기(국)《조회 시스템에서 중앙 컴퓨터에 연결된 터미널》.

in·qui·si·tion [ìnkwəzíʃən] *n.* **1** Ⓤ (엄중한) 조사, 탐구, 탐색. **2** 〖법률〗 (배심 · 공적 기관의) 심문, 심리; 심사 (보고서); (인권을 무시한) 엄한 문초. **3** 이단자 탄압; (the I-) 〖가톨릭사〗 (이단(異端) 심리의) 종교 재판소, 이단자 규문소(糾問所). ◇ inquire *v.* ㊕ **~·al** *a.* **~·ist** *n.*

in·quis·i·tive [inkwízətiv] *a.* 호기심이 많은, 캐묻기를 좋아하는, 꼬치꼬치 캐어묻는, 듣고〔알고〕 싶어하는, 탐구적인: an ~ mind 탐구심 / be ~ *about* other people's affairs 남의 일을 몹시 듣고 싶어하다. **—** *n.* 호기심이 많은 사람. ㊕ **~·ly** *ad.* **~·ness** *n.*

in·quis·i·tor [inkwízətər] *n.* (엄중한) 심문자, 심리자; 검찰관; (I-) 〖가톨릭〗 종교 재판관. ***the Grand Inquisitor*** 종교 재판소장. ***the Inquisitor General*** 《특히》 스페인의 종교 재판소장.

in·quis·i·to·ri·al [inkwìzətɔ́:riəl] *a.* 심문자〔종교 재판관〕의〔같은〕; 엄하게 심문하는; 캐묻기를 좋아하는, 꼬치꼬치 캐묻는. ㊕ **~·ly** *ad.* **~·ness** *n.*

in·quor·ate [inkwɔ́:reit] *a.* 정족수(quorum)에 미치지 않는.

in·ra·di·us [ínrèidiəs] (*pl.* ***-dii*** [-diài], **~·es**) *n.* 〖기하〗 (삼각형의) 내접원의 반지름.

in re [in-rí:, -rei] 《L.》 …에 관하여, …의 소건(訴件)으로.

in rem [in-rém] 《L.》 〖법률〗 (소송 절차 · 판결 등이) 물건에 관한, 대물(對物)의〔적인〕.

in-résidence *a.* (예술가 · 의사 등이 일시적으로) 대학 · 연구소 등에 재직하는: an artist-~ at the university 대학에 재직하는 예술가.

INREU 〖항공〗 international noise reference unit (국제 소음 측정 단위). **I.N.R.I., INRI** *Iesus Nazarenus, Rex Iudaeorum* 《L.》 (= Jesus of Nazareth, King of the Jews) 《요한복음 XIX: 19》. **INRO** International Natural Rubber Organization (국제 천연고무 기관) 《UN 소속》.

ín·ròad *n.* (보통 *pl.*) (적지로의) 침입, 침략, 습격《*into*》; (건강 · 권리의) 침해《*on; into*》; (보통 *pl.*) (저축 · 시간 등의) 잠식, 먹어들어감. ***make ~s into*** 〔***on***〕 …을 먹어들어가다; …에 침입하다.

ín·rùsh *n.* 침입, 내습; 유입, 쇄도《*of*》: an ~ of tourists 관광객의 쇄도. ㊕ **~·ing** *n., a.*

INS Immigration and Naturalization Service (연방 이민국); inertial navigation system (관성 항법 장치). **ins.** inches; 《영》 inscribed; inside; inspected; inspector; insulated; insulation; insulator; insurance.

in·sal·i·vate [insǽləvèit] *vt.* (잘 씹어서 음식물)에 침을 섞다. ㊕ **in·sàl·i·vá·tion** *n.* Ⓤ 침을 섞음, 타액 혼화(混和).

in·sa·lu·bri·ous [insəlú:briəs] *a.* (기후 · 장소 · 토지 따위가) 신체에 나쁜, 건강에 좋지 않은; (교제 따위가) 불건전한. ㊕ **-bri·ty** [-brəti] *n.* Ⓤ (토지 · 기후가) 건강에 부적당함, 비위생.

in·sa·lu·tary [insǽljətèri/-təri] *a.* 불건전한, 나쁜 영향을 미치는.

íns and óuts (the ~) (…의) 모든 것, 상세한 것《*of*》: the ~ *of* leasing (부동산의) 임대차(賃貸借) 계약의 상세한 내용.

*__in·sane__ [inséin] (***in·san·er; -est***) *a.* **1** 미친, 발광한, 광기의: He went ~. 그는 미쳤다. SYN. ⇨ CRAZY. **2** 정신 이상자를 위한: an ~ asylum 〔hospital〕 정신 병원. **3** 미친 것 같은, 어리석은, 비상식적인: an ~ scheme 비상식적인 계획. opp *sane*. ◇ insanity *n.* ㊕ **~·ly** *ad.* **~·ness** *n.*

in·san·i·ta·ry [insǽnətèri/-təri] *a.* 비위생적인, 건강에 나쁜(unhealthy).

in·san·i·ta·tion [insæ̀nətéiʃən] *n.* (환경 등이) 위생 규칙〔시설〕이 없음; 비위생 (상태).

◇**in·san·i·ty** [insǽnəti] *n.* **1** Ⓤ 광기, 발광, 정신 이상〔착란〕, 정신병: partial ~ 편집광(偏執狂). **2** Ⓤ,Ⓒ 미친 짓, 어리석은 행위. ***~ of grandeur*** 과대망상증. ◇ insane *a.*

in·sa·tia·ble [inséiʃəbəl] *a.* 만족을〔물릴 줄〕 모르는, 탐욕스러운; (…을) 덮어놓고 탐을 내는 《*of*》: an ~ curiosity 만족을 모르는 호기심 / He is ~ *of* power. 그는 권력을 덮어놓고 탐낸다. ㊕ **-bly** *ad.* **~·ness** *n.* **in·sà·tia·bíl·i·ty** *n.* Ⓤ

in·sa·tia·te [inséiʃiət] *a.* =INSATIABLE. ㊕ **~·ly** *ad.* **~·ness** *n.*

in·scape [ínskèip] *n.* 구성 요소, 본질.

in·science [ínʃiəns] *n.* 무지(無知).

◇**in·scribe** [inskráib] *vt.* **1** 《~+목/+목+전+명》 (문자 · 기호 따위를 비석 · 금속판 · 종이에) 적다, 새기다, 파다: ~ a name *on* a gravestone = ~ a gravestone *with* a name 묘비에 이름을 새기다. **2** 《~+목/+목+전+명》 (책에 이름을 써서) 헌정(獻呈)하다, 증정하다: ~ a book *to* a friend 책을 친구에게 증정하다. **3** 〘종종 수동태로〙 (마음속에) 아로새기다, 명심하다: The scene *is* deeply ~*d in* 〔*on*〕 her memory. 그 광경은 그녀의 기억에 깊이 아로새겨져 있다. **4** 《영》 (주주 · 신청자의 이름을) 등록하다, (주식을) 사다, 팔다: ~*d* stock 기명 주식. **5** 〖수학〗 내접시키다: an ~*d* circle 내접원. ◇ inscription *n.*

*__in·scrip·tion__ [inskrípʃən] *n.* **1** 명(銘), 비명(碑銘), 비문(碑文), (화폐 따위의) 명각(銘刻): the ~ on a gravestone. **2** (책의) 제명(題銘); 서명(書名); 헌사(獻詞). **3** 《영》 (증권 · 공채의) 기명, 등록; (*pl.*) 《영》 기명〔등록〕 공채〔증권〕. ◇ inscribe *v.* ㊕ **~·al** *a.*

in·scrip·tive [inskríptiv] *a.* 명(銘)의, 명각(銘刻)의, 제명(題銘)의, 비명(碑銘)의.

in·scrù·ta·bíl·i·ty *n.* Ⓤ,Ⓒ 측량할〔헤아릴〕 수 없음, 불가해, 불가사의; 불가해〔불가사의〕한 사물.

in·scru·ta·ble [inskrú:təbəl] *a.* 측량할 수 없는, 불가사의한, 수수께끼 같은(mysterious): an ~ smile 뜻 모를 웃음 / the ~ ways of Providence 헤아릴 수 없는 신의 뜻. ㊕ **-bly** *ad.* **~·ness** *n.*

ín·sèam *n.* (바지의) 가랑이쪽 솔기; 《미》 가랑이 안쪽 길이; (구두 · 장갑의) 안쪽 솔기.

__in·sect__ [ínsekt] *n.* **1 〖동물〗 곤충; 〘일반적〙 벌레. **2** 벌레 같은 인간. **3** 《미해군속어》 신참 소위. **—** *a.* **1** 곤충(용)의; 살충용의: ~ pests 충해(蟲害) / an ~ cabinet 곤충 표본 상자. **2** 천한. ㊕ **in·séc·tan** [-tən] *a.* **~·like** *a.*

in·sec·tar·i·um [ìnsektέəriəm] (*pl.* ***-ia*** [-iə]) *n.* 곤충 번식장, 곤충관(昆蟲館) (=**ín·sec·tary**). cf. aquarium.

in·sec·ti·cid·al [insèktəsáidl] *a.* 살충(제)의. ㊕ **~·ly** *ad.*

in·sec·ti·cide [inséktəsàid] *n.* 살충(제).

in·sec·ti·fuge [inséktəfjùːdʒ] *n.* 구충제.
in·sec·ti·val [insektáivəl] *a.* 곤충 특유의.
in·sec·ti·vore [inséktəvɔ̀ːr] *n.* 〖동물〗 식충(食蟲) 동물〔식물〕.
in·sec·tiv·o·rous [insektívərəs] *a.* 〖생물〗 벌레류를 먹는, 식충(성)의; 식충 동물〔식물〕의.
insectívorous bát 〖동물〗 식충(食蟲)박쥐.
in·sec·tol·o·gy [insektálədʒi/-tɔ́l-] *n.* Ⓤ 곤충학(entomology).
ínsect pòwder 구충제, 제충분(除蟲粉), 《특히》 =PYRETHRUM.
◇**in·se·cure** [insikjúər] (*-cur·er; -est*) *a.* **1** 불안정〔불안전〕한, 위험에 처한; 무너질 듯한《지반 따위》, 깨질 듯한《얼음 등》: an ~ footing 곧 무너질 듯한 발판. **2** 불안한, 자신이 없는; 기대할 수 없는, 불확실한: be 〔feel〕 ~ 불안하다. SYN. ⇨UNCERTAIN. ◇insecurity *n.* ㊕ **~·ly** *ad.*
in·se·cur·i·ty [insikjúərəti] *n.* Ⓤ 불안전, 불안정, 위험성, 불확실; 불안, 근심; Ⓒ 불안한 것: a sense of ~ 불안감.
in·sel·berg [ínsəlbə̀ːrg] *n.* 〖지학〗 섬모양의 구릉《평원에 고립하여 솟아 있는》.
in·sem·i·nate [insémənèit] *vt.* (씨앗을) 뿌리다; (마음)에 심다《*with*》; …에 정액을 주입하다, (인공)수정시키다.
in·sem·i·na·tee [insèməneitíː] *n.* 수정자.
in·sèm·i·ná·tion *n.* Ⓤ **1** 파종. **2** 수태, 수정: artificial ~ 인공수정.
in·sem·i·na·tor [insémənèitər] *n.* (가축 등에) 인공수정을 시술하는 사람.
in·sen·sate [insénseit] *a.* 감각이 없는; 생명이 없는; 비정의, 잔인한; 이성〔이해력〕이 결여된: ~ brutality 잔인무도. ㊕ **~·ly** *ad.*
in·sèn·si·bíl·i·ty *n.* Ⓤ 무감각, 감수성의 결여; 무신경, 둔감; 무의식, 인사불성; 무정, 냉담《*to*》: (an) ~ *to* pain 통증의 무감각 / his ~ *to* the feelings of others 남의 감정에 대한 그의 무관심.
in·sen·si·ble [insénsəbəl] *a.* **1** 무감각한; 의식을 잃은, 인사불성의: fall down ~ 의식을 잃고 넘어지다 / be ~ from cold 추위로 감각을 잃고 있다. **2** 감각이 둔한, 느끼지 못하는, 무신경의, 무관심한: ~ *of* one's danger 위험을 느끼지 못하는 / ~ *to* shame 부끄러움을 모르는, 후안무치(厚顔無恥)한 / He is ~ *to* beauty. 그는 아름다움에 둔감하다. **3** (느끼지 못할〔눈에 띄지 않을〕 정도로) 적은: by ~ degrees 조금씩. ㊕ **-bly** *ad.* 느끼지 못할 만큼, 서서히. **~·ness** *n.*
◇**in·sen·si·tive** [insénsətiv] *a.* 감각이 둔한, 무감각한, 감수성이 없는《*to*》; 무신경한, 남의 기분을 모르는; 영향을 받지 않는; (물질이 광선 따위에) 반응하지 않는: an ~ heart 둔감한 마음 / be ~ *to* light 〔beauty〕 빛〔아름다움〕에 무감각하다 / It's ~ *of* you *to* mention that. =You're ~ *to* mention that. 그런 것을 말하다니 너도 너무 지나치다. ㊕ **~·ly** *ad.* **~·ness** *n.*
in·sen·si·tiv·i·ty [insènsətívəti] *n.* Ⓤ 무감각, 둔감.
in·sen·ti·ence [insénʃiəns] *n.* Ⓤ 지각력이 없음, 비정.
in·sen·ti·ent [insénʃiənt] *a.* 지각〔감각〕이 없는; 의식을 잃은, 생명이〔생기가〕 없는; 비정(非情)한.
insep. inseparable.
in·sèp·a·ra·bíl·i·ty *n.* Ⓤ 분리할 수 없음, 불가분성.
◇**in·sep·a·ra·ble** [insépərəbəl] *a.* 분리할 수 없는; 불가분의; 떨어질 수 없는《*from*》: ~ friends / Rights are ~ *from* duties. 권리는 의무와 분리할 수가 없다〔불가분의 관계에 있다〕. ── *n.* (보통 *pl.*) 뗄 수 없는 사람〔것〕; 친구. ㊕ **-bly** *ad.* 밀접히, 불가분하게.

*__in·sert__ [insə́ːrt] *vt.* 《~+목/+목+전+명》 **1** 끼워 넣다, 끼우다, 삽입하다《*in; into; between*》: ~ a coin *into* the slot (자동판매기 등의) 돈 구멍에 동전을 집어넣다. **2** 적어〔써〕 넣다: ~ a clause *in* a sentence 문장에 한 구절 써넣다. **3** (신문 기사 등을) 게재하다《*in; into*》: ~ an ad in a magazine 잡지에 광고를 싣다. ── [ˊ-] *n.* 삽입물; (신문·잡지 등의) 삽입 광고; 〖영화·TV〗 삽입 화면; 〖컴퓨터〗 끼움, 끼우기. ㊕ **in·sért·er** *n.*
in·sért·ed [-id] *a.* 끼워 넣은; 〖식물〗 (꽃의 부분(部分)이 다른 부분에〔에서〕) 착생(着生)한; 〖해부〗 (근육의 한 부분에) 부착된.
◇**in·sér·tion** *n.* Ⓤ,Ⓒ **1** 삽입, 끼워 넣기; 게재; 삽입물, 삽입구, 적어 넣은 것; 삽입 광고. **2** (레이스·자수 따위의) 꿰매어 넣은 천. **3** 〖해부〗 유착; 부착〔착생(着生)〕(점). **4** 〖우주〗 =INJECTION. ◇insert *v.* ㊕ **~·al** *a.*
insértion èlement 〖유전〗 삽입 인자(因子)《다른 염색체 또는 같은 염색체의 별도 위치에 삽입된 DNA단편》.
insértion òrder 광고 게재 신청.
insértion sèquence 〖유전·생화학〗 삽입 배열《생략: IS》.
insért kèy 〖컴퓨터〗 삽입 키.
in-sérvice *a.* 근무 중인, 현직의: ~ training (현직 직원들의) 연수 교육 / ~ police officers 현직 경찰관.
INSET, In·set [ínsèt] *n.* 《영》 〖교육〗 (공립학교 교원에 대한) 현직 연수: an ~ course 현직 연수 과목. [◀*in-service* (education and) *training*]
in·set [insét] (*p., pp.* **~, ~·ted; -tt-**) *vt.* 끼워 넣다, 삽입하다. ── [ínsèt] *n.* 삽입물; (사진 따위의) 삽입된 페이지; 삽화, 삽입 광고〔도표, 사진〕; 〖복식〗 장식용 등으로 꿰매 붙인 천; 〖인쇄〗 간지(間紙); 〖광산〗 반정(斑晶); 수로(水路), 유입(구) (流入(口)).
ínset inìtial 〖인쇄〗 장식 두문자(頭文字)《특히 잡지에서 첫 글자를 2행폭으로 키우기》.
ínset phóto (주요 사진의 일부에 삽입되는) 설명〔삽입, 보조〕 사진.
in·sev·er·a·ble [insévərəbəl] *a.* 분리〔절단〕할 수 없는; 긴밀한.
in·shal·lah [inʃáːlɑ] *int.* 〖이슬람교〗 알라신의 뜻이라면. [Ar. =if Allah wills it]
ín·shòot *n.* 〖야구〗 인슈트(incurve). OPP. *outshoot.*
ín·shòp *a.* 사업소 내의, 사업소 전속의, (사업소에 대하여) 완전 도급의, 사업소 안에서 만든.
ín·shóre *a.* 해안 가까이의, 근해의; 육지를 향한. OPP. *offshore.* ¶ ~ fishing 〔fishery〕 연안 어업 / ~ currents 해안으로 밀려오는 조류. ── *ad.* 해안 가까이; 육지 쪽으로. **~ *of*** …보다 해안에 가깝게.
in·shrine [inʃráin] *vt.* 《고어》 =ENSHRINE.
__in·side__ [insáid, ˊ-] *n.* **1 (보통 the ~; 단수형) 안쪽, 내면, 내부, 안(*of*). OPP. *outside.* ¶ *the* ~ *of* a box 상자의 안쪽 / lock a door on *the* ~ 문을 안쪽에서 잠그다. **2** (the ~) (도로의) 집 쪽에 가까운 부분; (경기장의) 내측 경주로: *the* ~ *of* a sidewalk 보도의 안쪽. **3** (버스 따위의 창쪽) 차내 좌석(의 승객). **4** (보통 the ~) **a** 내부 사정, 속사정; (사건 등의) 내막: a man on the ~ 내부의 세력자; 내부 소식통 / She's on the ~. 그녀는 내부 사정을 잘 안다; (내부에서) 신뢰받고 있다. **b** 내심, 속셈, 본성: know the ~ *of* a person 남의 본심〔속셈〕을 알다. **5** (보통 *pl.*) 《구어》 배, 뱃속: something wrong with one's ~(s) 뱃속이 좋지 않은. **~ *out*** 〖부사적〗 ① 뒤집어; 《비유》 크게 혼란하여: turn a thing ~ *out* 물건을 뒤집다. ② 《구어》 구석구석까지, 샅샅이, 완전히: know a thing ~ *out* 일을 샅샅이 다 알다. ***the ~ of a week*** 《영구어》 주중(週

中)《월요일부터 금요일까지》.

— *a*. **1** 안쪽의, 내면〔내부〕의: the ~ edge of a skate 스케이트의 안쪽 날.

> SYN. **inside** '내부의'를 나타내는 일반적인 말. **inward** '안쪽의 방향'을 나타내는 뜻이 강함: *inward* correspondence 수신(受信). **inner** 물질 속의 '내부'를 나타내는 외에 추상 세계 속의 것을 말함.

2 내밀한, 비밀의, 공표되지 않은(private): ~ information 〔knowledge〕 내부〔비밀〕정보 / the ~ story 내막. **3** 옥내(용)의; 내근의: an ~ man 내근자. **4** 〖야구〗 (투구가) 인사이드인. ***be ~ on a matter*** 일의 내막〔정보〕에 정통하다.

— *ad*. **1** 내부에〔로〕(within), 안쪽에〔으로〕, 내면에〔으로〕. **2** 옥내에서(indoors): play ~ on rainy days 비오는 날에는 집안에서 놀다. **3** 마음속으로: know ~ that he is lying 그가 거짓말을 하고 있다는 것을 속으로는 알고 있다 / *Inside*, he is very honest. 그는 근본이 매우 정직하다. ***get ~*** ① 집 안으로 들어가다. ② (조직 따위의) 내부로 들어가다. ③ 속사정을 환히 알다. ***~ and out*** [ínsaidəndáut] 안〔속〕이나 밖〔겉〕이나. ***~ of*** ① …의 속〔안〕에: ~ *of* a room 방 안에. ② …이내에: ~ *of* a week, 1주일 이내에. ***Walk ~!*** 《구어》 들어오세요.

— *prep*. …의 안쪽에, 내부에; …이내에: ~ an hour 한 시간 내에 / ~ the tent 텐트 안쪽에. ***get right ~ a part*** 〖연극〗 완전히 극중 인물이 되다.

ínside addréss 우편물 내부에 적는 주소.

ínside báll 인사이드 볼《두뇌적인 작전이나 교묘한 기술을 특징으로 하는 야구》.

ínside bóok 내막을 적은〔내부 사정을 밝힌〕 책.

ínside-bóoms sàiling 〖윈드서핑〗 윈드서퍼가 붐의 안쪽 곧 sail과 붐 사이에 들어서 세일링함.

ínside fíghting 〖권투〗 접근전.

ínside fórward 〖축구〗 인사이드포워드《윙과 센터 포워드 사이에 위치하는 공격수》.

ínside jób 《구어》 내부 사람이 저지른 범죄, 내부 범죄: The robbery was an ~. 강도 사건은 내부 사람의 짓이었다.

ínside láne (경주의) 안쪽 트랙.

ínside lég 《영》 다리 안쪽 길이(《미》 in seam).

ínside mán 내근 종업원; (조직·회사 안의) 잠입 스파이.

ìn·síd·er *n*. **1** 내부 사람, 회원, 부원. **2** 내막을 아는 사람, 소식통, 내부자《공표 전에 회사의 내부 사정을 알 수 있는 사람》. OPP *outsider*.

insíder chèat 〖증권〗 내부 소식통에 의한 불공정 거래 행위.

insíder tráding 〔**déaling**〕 인사이더〔내부자〕 거래(去來)《insider에 의한 불법 주식 매매》.

ínside skínny 《미속어》 기밀 정보.

ínside-the-párk hóme rún 〖야구〗 그라운드 홈런, 러닝 호머《펜스를 넘지 않은 홈런》.

ínside tráck (경주의) 안쪽 트랙, 인코스; 《구어》 (경쟁상) 유리한 입장〔지위〕. ***have*** 〔***get, be on***〕 ***the ~*** 경주로 안쪽을 달리다, 유리한 지위에 있다, 우위를 점하다.

in·sid·i·ous [insídiəs] *a*. 틈을 엿보는, 음험한, 교활한, 방심할 수 없는(treacherous); (병 등이) 모르는 사이에 진행하는, 잠행성(潛行性)의: ~ wiles 나쁜 음모 / the ~ approach of age 모르는 사이에 드는 나이 / an ~ disease 잠행성 질병. 㗊 **~·ly** *ad*. **~·ness** *n*.

***in·sight** [ínsàit] *n*. Ⓤ 통찰, 간파; 통찰력《*into*》: a man of ~ 통찰력이 있는 사람 / gain 〔have〕 an ~ *into* …을 간파하다, 통찰하다.

in·sight·ful [ínsàitfəl] *a*. 통찰력이 있는. 㗊 **~·ly** *ad*.

in·sig·nia [insígniə] (*pl*. **~(s)**) *n*. 기장(記章)(badges), 훈장, 표지; (특별한) 표(signs): an ~ of mourning 상장(喪章).

in·sig·nif·i·cance, -can·cy [insignífikəns], [-i] *n*. Ⓤ 대수롭지 않음, 하찮음(unimportance), 사소(한 일); 천함, 미천함; 무의미.

***in·sig·nif·i·cant** [ìnsignífikənt] *a*. **1** 무의미한(meaningless), 하찮은, 사소한, 무가치한: an ~ talk 시시한 이야기 / an ~ sum 극소액(額) / His influence is ~. 그의 영향력은 별로 대단치 않다. **2** (신분·인격 따위가) 천한. 㗊 **~·ly** *ad*.

in·sin·cere [insinsíər] *a*. 불성실한, 성의가 없는, 언행 불일치의; 위선적인(hypocritical). 㗊 **~·ly** *ad*.

in·sin·cer·i·ty [ìnsinsérəti] *n*. Ⓤ 불성실, 무성의; 위선(hypocrisy); Ⓒ 불성실한 언행.

in·sin·u·ate [insínjuèit] *vt*. **1** 《~+목/+목+전+명》 (사상 등을) 은근히 심어 주다, 서서히 〔교묘히〕 주입시키다《*into*》: ~ doubt *into* a person 아무의 마음에 의심을 심어 주다. **2** 《~+목/+*that* 절》 넌지시 비추다, 에둘러〔빗대어〕 말하다(imply): He ~*s that* you are a liar. 그는 네가 거짓말쟁이라고 은근히 내비추고 있다. SYN. ⇨SUGGEST. **3** 〖~ oneself〗 서서히〔넌지시〕 환심을 사다, 교묘하게 들어가다: ~ one*self* into a person's favor 교묘하게 아무의 환심을 사다.

in·sín·u·àt·ing *a*. 교묘히 환심을 사는, 알랑거리는(ingratiating), 영합적인; 암시하는: in an ~ voice 간사스러운 목소리로 / an ~ remark 넌지시 비추는 이야기. 㗊 **~·ly** *ad*. 에둘러; 알랑거리며, 영합적으로.

in·sìn·u·á·tion *n*. Ⓤ 슬며시 들어감〔스며듦〕 (instillment); 교묘하게 환심을 삼; Ⓒ 암시, 빗댐, 넌지시 비춤: by ~ 넌지시 / make ~*s* about 〔against〕 a person's honesty 아무의 정직성에 관하여 빗대어 말하다.

in·sin·u·a·tive [insínjuèitiv] *a*. **1** 완곡한, 빗대는, 암시하는. **2** 교묘하게 환심을 사는, 알랑거리는. 㗊 **~·ly** *ad*.

in·sin·u·a·tor [insínjuèitər] *n*. 빗대어 말하는 사람; 비위를 잘 맞추는 사람, 알랑쇠.

in·sip·id [insípid] *a*. **1** 싱거운, 담박한; 김빠진, 맛없는. **2** 활기 없는(lifeless), 무미건조한(dull), 재미없는(uninteresting), 멋없는: an ~ conversation 지루한 재미없는 대화. 㗊 **~·ly** *ad*. **~·ness** *n*.

in·si·pid·i·ty [ìnsipídəti] *n*. Ⓤ 무미, 평범, 무미건조; Ⓒ 평범한 말〔생각〕.

in·sip·i·ence [insípiəns] *n*. 《고어》 무지, 우둔.

****in·sist** [insíst] *vi*. 《~/+전+명》 **1** 우기다(maintain), (끝까지) 주장하다, 고집하다, 단언하다; 역설〔강조〕하다《*on, upon*》: ~ *on* that point 그 점을 역설하다 / He ~*ed on* going. 그는 꼭 간다고 우겼다. **2** 강요하다; 요구하다《*on, upon*》: ~ *on* obedience 복종을 강요하다 / He ~*ed on* his right to cross-examine the witness. 그는 증인을 반대심문할 권리를 강력히 요구했다. — *vt*. 《+*that* 절》 우기다, 강력히 주장하다: He ~*ed that* I was wrong. 그는 내가 잘못했다고 우겼다 / She ~*ed that* he (should) be invited to the party. 그녀는 그를 파티에 초대해야 한다고 강력히 주장했다.

°**in·sist·ence, -en·cy** [insístəns], [-i] *n*. Ⓤ 주장, 강조, 고집; 강요《*on, upon*》: ~ *on* one's innocence 무죄의 주장 / ~ *on* obedience 복종의 강요 / with ~ 집요하게.

°**in·sist·ent** [insístənt] *a*. **1** 주장하는《*that*》, (…이라고) 고집 세우는, 조르는《*on*》; 강요하는,

끈덕진(persistent): an ~ demand 집요한 요구/He was ~ *on* going out. 그는 나가겠다고 고집을 부렸다/He was ~ *that* he was innocent. 그는 무죄라고 주장하였다. **2** 주의를 끄는, 강렬한, 눈에 띄는, 뚜렷한《색·소리 등》. 㖈 **~·ly** *ad.* 끈덕지게, 끝까지.

in si·tu [in-sáitjuː/-tjuː] 《L.》 원위치에, 원장소에, 본래의 장소에.

in·snare [insnέər] *vt.* 《고어》 =ENSNARE.

in·soak [ínsòuk] *n.* Ⓤ (물이) 스며들기; (물을) 흡수하기.

in·so·bri·e·ty [ìnsəbráiəti] *n.* Ⓤ 무절제; 폭음, 호주(豪酒)(intemperance).

in·so·cia·ble [insóuʃəbəl] *a.* =UNSOCIABLE.

ìn·so·fár *ad.* …하는 한[범위, 정도]에 있어서(in so far). **~ *as* [*that*]** …하는 한에 있어서는: I shall do what I can ~ *as* I am able. 내가 할 수 있는 한의 일은 다하겠다.

insol. insoluble.

in·so·late [ínsoulèit] *vt.* 햇빛에 쬐다.

ìn·so·lá·tion *n.* Ⓤ 햇빛에 쬠, 볕에 말림; 〚의학〛 일사병(sunstroke); 일광욕; 〚기상〛 (지구면에 대한) 일사(日射).

in·sole [ínsòul] *n.* 구두의 안창[깔창].

◇**in·so·lence** [ínsələns] *n.* Ⓤ 오만, 무례; Ⓒ (the ~) 오만한[건방진] 짓[말, 태도]《*to* do》: He had the ~ *to* tell me to leave the room. 그는 무례하게도 나에게 방을 나가 달라고 말했다.

◇**in·so·lent** [ínsələnt] *a.* 뻐기는, 거만한(arrogant), 무례한(impudent), 거드럭거리는: an ~ young man 건방진 젊은이. 㖈 **~·ly** *ad.* **~·ness** *n.*

in sol·i·do [in-sálədòu/-sɔ́l-] 《L.》 〚법률〛 연대하여(for the whole).

in·sol·u·bi·lize [insáljəbəlàiz/-sɔ́l-] *vt.* 잘 녹지 않도록 하다, 불용성화(不溶性化)하다. 㖈 **in·sòl·u·bi·li·zá·tion** *n.*

in·sol·u·ble [insáljəbəl/-sɔ́l-] *a.* **1** 용해하지 않는, 불용해성의: ~ salts 불용성 염류(塩類). **2** 설명[해결]할 수 없는: an ~ problem. 㖈 **-bly** *ad.* **in·sòl·u·bíl·i·ty, ~·ness** *n.* Ⓤ 불용해성; 해결[설명]할 수 없음.

in·solv·a·ble [insálvəbəl/-sɔ́l-] *a.* =INSOLUBLE.

in·sol·ven·cy [insálvənsi/-sɔ́l-] *n.* Ⓤ 〚법률〛 (빚의) 반제(返濟) 불능, 채무 초과, 파산 (상태).

insólvency provìsion 《영》 회사 파산 시의 임금 보장 규정.

in·sol·vent [insálvənt/-sɔ́l-] *a.* 지급 불능의, 파산한(bankrupt); 《우스개》 돈을 다 써 버린; 부채 전액 변제에 불충분한《자산 등》. **—** *n.* 지급 불능자, 파산자.

in·som·nia [insámniə/-sɔ́m-] *n.* Ⓤ 〚의학〛 불면증: suffer (from) ~ 불면증에 시달리다. 㖈 **-ni·ac** [-niæ̀k] *a., n.* 불면증의 (환자).

in·som·ni·ous [insámniəs/-sɔ́m-] *a.* 불면증의, 잠들 수 없는.

ìn·so·múch *ad.* …의 정도로, …만큼, …만《*as; that*》; …이므로[하므로], …이니까(inasmuch)《*as*》: The rain fell in torrents, ~ *that* we were ankle-deep in water. 비가 억수같이 퍼부었으므로 우리는 발목까지 물에 잠겼다.

in·son·i·fy [insánəfài/-sɔ́n-] *vt.* 〚광학〛 …에 고주파를 발사하여 음향 홀로그램(hologram)을 만들다.

in·sou·ci·ance [insúːsiəns] *n.* 《F.》 Ⓤ 무관심; 태평.

in·sou·ci·ant [insúːsiənt] *a.* 《F.》 무관심한; 태평한(carefree). 㖈 **~·ly** *ad.*

in·soul [insóul] *vt.* =ENSOUL.

insp. inspected; inspector.

in·span [inspǽn] (**-nn-**) *vt., vi.* 《S. Afr.》 (소·말에) 멍에를 메우다(yoke); (수레에) 소·말을 매다(harness).

*****in·spect*** [inspékt] *vt.* **1** (세밀히) 조사하다, 검사하다, 감사[점검]하다: He ~*ed* the car for defects. 그는 무슨 결함이 없는가 하고 자동차를 자세히 조사했다. **2** 검열[사열]하다, 시찰[견학]하다: ~ troops 군대를 사열하다. 㖈 **~·a·ble** *a.* **~·ing·ly** *ad.*

*****in·spec·tion*** [inspékʃən] *n.* Ⓤ,Ⓒ 검사, 조사; 감사; 점검, (서류의) 열람, 시찰, 검열: a medical ~ 검역(檢疫); 건강 진단/aerial ~ 공중 사찰/a close ~ 엄밀한 검사/a tour of ~ 시찰 여행/~ free 열람 자유《게시》. ***make* ~ *of*** …을 검사[점검]하다. ***on the first* ~** 한 차례 조사한[일견(一見)한] 바로는. 㖈 **~·al** *a.*

inspéction árms 〚군사〛 검사총《위치 또는 「호령」》.

inspéction càr 〚철도〛 검사차《레일의 이상유무를 조사하는》.

inspéction chàmber 〚토목〛 검사구(口)《보수 점검 작업을 위해 교각의 도리 등에 뚫어 놓은 구멍》.

in·spec·tive [inspéktiv] *a.* 주의 깊은; 시찰[검열]하는, 검열[검사, 시찰]의.

*****in·spec·tor*** [inspéktər] (*fem.* **-tress** [-tris]) *n.* **1** 검사자[관], 조사자[관], 시찰자. **2** 검열관, 감독자; 장학사(school ~): a mine ~ 〚광산〛 보안 담당원. **3** 경감(police ~). 㖈 **-to·ral, in·spec·tó·ri·al** [-tərəl], [-tɔ́ːriəl] *a.*

in·spec·tor·ate, -tor·ship [inspéktərət], [-tərʃìp] *n.* **1** Ⓤ,Ⓒ inspector의 직[지위, 임기, 관할 구역]. **2** 《집합적》 검사관[검열관] 일행, 시찰단.

inspéctor géneral 〚군사〛 감찰감; 감사원장.

inspéctor of táxes 《영》 소득 사정관《내국세 수입청(the board of Inland Revenue)의 공무원으로 개인·법인의 소득세 신고서의 사정을 담당함》.

in·spec·tress [inspéktrəs] *n.* inspector의 「여성형.

*****in·spi·ra·tion*** [ìnspəréiʃən] *n.* **1** Ⓤ 인스피레이션, 영감(靈感); Ⓒ 영감에 의한 착상; 《구어》 (갑자기 떠오른) 신통한 생각, 명안: have a sudden ~ 갑자기 명안이 떠오르다. **2** Ⓤ 고취, 고무, 격려; Ⓒ 격려가 되는[고무시키는] 것[사람]. **3** Ⓒ 암시, 시사; 감화《*of*》: the ~ *of* a teacher 교사의 감화. **4** Ⓤ 〚신학〛 신의 감화력, 신령감응: moral ~ 도덕적 신감(神感). **5** Ⓤ 숨을 들이쉼; 들숨. OPP *expiration*. ***derive* [*draw, get*] ~ *from*** …로부터 영감을 받다. 㖈 **~·ism** *n.* Ⓤ 영감설. **~·ist** *n.* 영감론자.

in·spi·ra·tion·al [ìnspəréiʃənəl] *a.* 영감을 띤, 영감을 주는, 영감의; 고무하는. 㖈 **~·ly** *ad.*

in·spi·ra·tor [ínspərèitər] *n.* 흡입기(吸入器); 〚기계〛 (증기 보일러의) 주입기; 주사기.

in·spir·a·to·ry [inspáiərətɔ̀ːri/-təri] *a.* 들숨의, 흡입(吸入)의, 들이마시는.

‡**in·spire** [inspáiər] *vt.* **1** 《~+목/+목+전+명/+목+*to* do》 (아무를) 고무(鼓舞)[격려]하다, 발분시키다; (아무를) 고무시켜 …하게 하다《*to*》; (아무를) 고무시켜 …할 생각이 들게 하다: His bravery ~*d* us. 그의 용감한 행위는 우리를 고무했다/The failure ~*d* him *to* greater efforts. 그 실패가 그를 더욱 분발하도록 하였다/She was ~*d to* write a poem. 그녀는 시를 쓰고 싶은 생각이 들었다. **2** 《+목+전+명》 (사상·감정 등을) 일어나게 하다, 느끼게 하다《*with*》: ~ a person *with* respect 아무에게 존경심을 품게 하다/His conduct ~*d* us *with* distrust. 그의 행동을 보고 우리는 불신감을 느꼈다. **3** 《+목+전+명》 (어떤 사상·감정 등을) …에게 불어넣다, 고취하다《*in; into*》: He ~*d* self-confi-

dence *in* 〔*into*〕 his pupils. 그는 학생들의 마음속에 자신감을 불어넣었다. **4** 《종종 과거분사로 형용사적》 (아무에게) 영감을 주다: writings ~*d* by God 신의 계시에 의해 쓰인 작품. **5** (…을) 시사하다; (소문 따위를) 퍼뜨리다: ~ false stories about a person 아무에 관한 헛소문을 퍼뜨리다. **6** (어떤 결과 등을) 낳게 하다, 생기게 하다, 초래하다: Honesty ~*s* respect. 정직은 존경심을 일으키게 한다. **7** 들이쉬다, 빨아들이다. — *vi.* 영감을 주다; 숨을 들이쉬다(inhale). ◇ inspiration *n.* ㊞ **in·spír·a·ble** *a.* 들이쉬는〔마시는〕, (영감을) 받을 수 있는. **in·spír·er** *n.*

in·spíred *a.* 영감을 받은; 영감에 의한; (발상 따위가) 참으로 멋진; (어떤 권력자·소식통의) 뜻을 받든, 견해를 반영한《신문 기사 등》: the ~ writings 성서 / an ~ article (신문의)어용 기사(記事).

in·spir·ing [inspáiəriŋ] *a.* 분발케 하는; 고무하는, 감격시키는: awe-~ 두려움을 일으키는, 경외심(敬畏心)을 자아내는 / an ~ sight 가슴뛰게 하는 광경. ㊞ **~·ly** *ad.*

in·spir·it [inspírit] *vt.* 분발시키다, 원기를 북돋우다, 고무하다(encourage). ㊞ **~·ing** *a.* 원기〔용기〕를 북돋우는.

in·spis·sate [inspíseit] *vt., vi.* 짙게 하다〔되다〕, 농축하다(thicken): ~*d* gloom 깊은 우울. ㊞ **ìn·spis·sá·tion** *n.* Ⓤ 농축. **ín·spis·sà·tor** [-tər] *n.* 농축기.

in·spís·sat·ed [-id] *a.* 농후한, 농축된.

Inst. Institute; Institution. **inst.** instant (이 달의); instrument; instrumental.

in·sta·bil·i·ty [ìnstəbíləti] *n.* Ⓤ 불안정(성) (insecurity); (마음의) 불안정, 변하기 쉬움 (inconstancy), 우유부단; 〖물리〗 불안정 상태, 불안정성: political ~ 정정(政情) 불안정. ◇ unstable *a.*

instabílity lìne 〖기상〗 불안정선《한랭 전선 전면에 잘 생기는 강한 상승 기류를 수반하는 악천후의 선상역(線狀域)》.

in·sta·ble [instéibəl] *a.* =UNSTABLE.

in·stall [instɔ́:l] *vt.* 《~+목/+목+전+명/+목+*as* 보》 **1** 설치하다, 비치하다, 가설하다, 설비하다, 장치하다《*in*》: ~ a heating system *in* a house 집에 난방 장치를 설치하다. **2** 《~ oneself》 자리에 앉히다: We ~*ed* our*selves in* the easy chair. 우리는 안락의자에 앉았다. **3** (정식으로) 취임시키다, (…에) 임명하다: ~ a person in an office 아무를 어떤 직위에 임명하다 / ~ a person *as* chairman 아무를 의장에 취임시키다.

in·stal·la·tion [ìnstəléiʃən] *n.* Ⓤ,Ⓒ 임명, 임관; 취임(식); 설치, 설비, 가설; (보통 *pl.*) (설치된) 장치, 설비(furnishings); 군사 시설〔기지〕.

installátion tìme 〖컴퓨터〗 (메이커가 구입처의 사무실·공장에 기계를 설치하는 데 필요한) 설치 기간.

in·stáll·er *n.* 설치자; 임명자.

in·stall·ment, 《영》 **-stal-** [instɔ́:lmənt] *n.* **1** 할부(割賦), 월부; 납입금《월부 등의 1 회분》: sell on ~ 할부〔월부〕로 팔다 / by 〔in〕 monthly 〔yearly〕 ~*s* 월〔연〕 할부로. **2** (전집·연속 간행물 따위의) 1 회분: a serial *in* three ~*s*, 3 회의 연재물. **3** =INSTALLATION. — *a.* 할부 지급 방식의: ~ buying 〔selling〕 월부 구입〔판매〕.

instállment billing 〖출판〗 예약 구독 요금 분할 지급.

instállment plàn (the ~) 《미》 분할 지급(법), 할부 판매법(《영》 hire-purchase system): buy on the ~ 월부〔연부(年賦)〕로 사다.

In·sta·mat·ic [ìnstəmǽtik] *n.* **1** 인스터매틱 《미국 Eastman Kodak사의 고정 초점 카메라; 상표명》. **2** 《CB속어》 경찰의 자동차 속도 측정 장치.

in·stance [ínstəns] *n.* **1** 실례(example), 사례, 예증(illustration): an ~ of true patriotism 진정한 애국적 행위의 한 예.

> SYN. **instance** 몇 개의 비슷한 예 중의 하나로 개별적인 사례·실례 등 언제나 사물을 가리킴: an *instance* of kind act 친절한 행위의 한 예. **example** 전형적인 예. 사람과 사물에 있어서 그보다 더 좋은 예가 드문 것을 나타냄: New York is an *example* of a busy seaport. 뉴욕은 번화한 항구의 좋은 예이다. **case** 실제로 존재하는〔존재한〕 구체적인 예: Take the *case* of Tom. 톰의 경우를 생각해 보게. a similar *case* 비슷한 예. **illustration** 이해를 돕기 위한 실례. **precedence** 전례: follow a *precedence* 전례에 따르다.

2 사실, 경우(case); 단계: fresh ~*s* of oppression 새로운 박해의 사실 / in this ~ 이 경우(에는). **3** 요구(request), 의뢰; 권고, 제의. **4** 〖법률〗 소송 (절차); 《고어》 탄원. ◇ insist *v.* ***at the ~ of*** …의 의뢰로, …의 제의〔발기〕로. ***cite*** 〔***give, produce, quote, take***〕 ***an ~*** 예를 들다. ***for ~*** 예를 들면. ***in an ~ where ...*** …하는 경우에는. ***in the first ~*** ① 〖법률〗 제 1 심에서. ② 우선 첫째로. ***in the last ~*** ① 〖법률〗 종심(終審)에서. ② 최후로. — *vt.* **1** 예로 들다. **2** 예증하다(exemplify). — *vi.* 《드물게》 예를 들다.

in·stan·cy [ínstənsi] *n.* Ⓤ,Ⓒ 긴급, 핍박, 절박 (urgency); 강요; 《드물게》 즉각.

in·stant [ínstənt] *a.* **1** 즉시의, 즉각의(immediate): ~ death 즉사 / ~ response 즉답 / ~ glue 순간 접착제. **2** 긴급한, 절박한(urgent): be in ~ need of help 긴급한 구조를 요하다. **3** 당장의, 즉석(요리용)의: ~ coffee 〔food〕 인스턴트 커피〔식품〕. **4** 이 달의《생략: inst.》: the 15th *inst.* 이 달 15 일. ⓒⓕ proximo, ultimo.

— *n.* **1** 순간, (…할) 때, 찰나(moment); (the 〔this, that〕 ~) (특정한) 시점, 때: at that very ~ 그 순간에 / for an ~ 잠깐 동안, 순간 / in an ~ 즉시, 순식간에. **2 a** (this 〔that〕 ~) 《부사적》 지금 당장, 바로 그때: Come this ~ ! 지금 당장 오너라 / I went that ~. 바로 그때 나갔다. **b** (the ~) 《접속사적》 …한 순간에, …하자마자: Let me know the ~ she comes. 그녀가 오면 곧바로 내게 알려 줘. ★ instant 뒤에 that 을 수반하는 일이 있음. **3** Ⓤ 인스턴트식품〔음료〕, 《특히》 인스턴트 커피. **4** 즉석 복권. ***not for an ~*** 잠시도 …않다; 조금도 …않다: *Not for an ~* did I believe him. 나는 그를 조금도 믿지 않았다. ***on*** 〔***upon***〕 ***the ~*** 즉각, 즉시: He was killed *on the ~*. 그는 즉사했다.

in·stan·ta·ne·ous [ìnstəntéiniəs] *a.* 즉시〔즉석〕의, 순간의; 동시에 일어나는, 동시적인: an ~ death 즉사 / an ~ photograph 즉석 사진 / an ~ reaction 순간적 반응. ㊞ **~·ly** *ad.* **~·ness** *n.*

instantáneous sóund prèssure 〖물리〗 순간 음압(音壓).

instantáneous (wáter) hèater 순간 온수기.

ínstant bóok 인스턴트 북《(1) 선집(選集)처럼 편집이 거의 필요치 않은 책. (2) 사건 발생 후 1 주일 - 1 개월 이내에 발행되는 속보성(速報性)이 중시되는 책》.

ínstant càmera 인스턴트 카메라《촬영 직후 카메라 안에서 인화되는》.

in·stan·ter [instǽntər] *ad.* 《영에서는 고어·우스개》 곧, 즉각적으로(immediately).

in·stan·tial [instǽnʃəl] *a.* 예(例)의〔에 관한, 가 되는〕.

in·stan·ti·ate [instǽnʃièit] *vt.* (학설·주장)

의 실증을 들다, 사례를 들어 증명〔설명〕하다. ⊕ **in·stàn·ti·á·tion** *n.*

in·stan·tize [ínstəntàiz] *vt.* (재료를) 인스턴트식품화하다, 인스턴트화(化)하다.

ínstant lóttery 즉석 복권.

*__in·stant·ly__ [ínstəntli] *ad.* 당장에, 즉각, 즉시(immediately): be ~ killed 즉사하다 / I'll be ready ~. 곧 준비됩니다. SYN. ⇨ IMMEDIATELY. — *conj.* …하자마자(as soon as): I telegraphed ~ I arrived there. 도착하자마자 곧 타전하였다.

ínstant méssaging 〚컴퓨터〛 인스턴트 메시징《인터넷상에서 직접 메시지를 주고받는 일》.

in·stant·on [ínstæntàn/-ɔ̀n] *n.* 〚물리〛 인스탄톤《최저 에너지 상태간에 일어나는 상호 작용에 대한 가설상의 양자(量子) 단위》.

ínstant photógraphy 인스턴트 사진《촬영 즉시 인화되는》.

ínstant repláy 〚TV〛 (경기 장면을 슬로모션 등으로 재생하는) 비디오의 즉시 재생.

in·star [ínstɑːr] *n.* 〚동물〛 영(齡)《절지동물의 탈피(脫皮)와 탈피 사이의 중간 형태》.

in·state [instéit] *vt.* (직(職)에) 임명하다, 취임시키다, 서임(敍任)하다(install); 두다, 앉히다. ⊕ **~·ment** *n.* Ⓤ 임명, 취임.

in sta·tu quo [in-stéitjuː-kwóu, -stǽtʃuː-] 《L.》 현상 유지로〔의〕, 본래대로(의).

in·stau·ra·tion [ìnstɔːréiʃən] *n.* Ⓤ 《드물게》 회복, 부흥, 재흥, 복구. ⊕ **ín·stau·rà·tor** *n.*

‡**in·stead** [instéd] *ad.* 그 대신에, 그보다도: Give me this ~. 그 대신에 이것을 주시오 / He did not look annoyed at all. *Instead* he was very obliging. 귀찮아하는 기색은커녕 오히려 대단히 친절히 해 주었다. **~ *of*** 〖전치사적〗 …의 대신으로; …하지 않고, …하기는커녕: I gave him advice ~ *of* money. 돈 대신에 충고를 해 주었다 / He thanked me ~ *of* getting angry. 성내기는커녕 나에게 감사했다.

ín·stèp *n.* **1** 발등. ★ '손등'은 back of the hand. **2** (구두·양말 따위의) 발등에 해당하는 부분; 발등 모양의 물건; (말·소의) 뒷다리의 정강이.

in·sti·gate [ínstəgèit] *vt.* 《~+목/+목+*to* do》 부추기다, 선동하다(incite), 부추기어 …시키다〔하게 하다〕; 선동하여 (폭동·반란을) 일으키다: ~ a rebellion 반란을 선동하다 / ~ workers *to* go on strike 노동자를 부추기어 파업을 일으키게 하다. ⊕ **-gà·tive** [-iv] *a.* 선동하는, 부추기는. **-gà·tor** [-ər] *n.* 선동자, 교사자.

ìn·sti·gá·tion *n.* Ⓤ 부추김; 선동, 교사. ***at*** 〔***by***〕 ***the ~ of*** …에게서 부추김을 받아, …의 선동으로.

°**in·still, in·stil** [instíl] *vt.* **1** 《~+목/+목+전+명》 (사상 따위를) 스며들게 하다《*in; into*》, 주입시키다, 조금씩 가르치다(infuse): ~ confidence *in* a person 아무에게 자신감을 심어 주다 / ~ ideas *into* a person's mind 아무에게 사상을 서서히 주입시키다. **2** (방울방울) 떨어뜨리다. ⊕ **-stíll·er** *n.*

ìn·stil·lá·tion, in·stíl(l)·ment *n.* Ⓤ,Ⓒ (사상 따위를) 서서히 주입시킴〔가르침〕; (방울방울) 떨어뜨림, 적하(滴下); Ⓒ 적하물(物).

in·stil·la·tor [ínstəlèitər] *n.* 〚의학〛 점적(點滴) 주입기.

*__in·stinct__[1] [ínstiŋkt] *n.* Ⓤ,Ⓒ **1** 본능(natural impulse); 직관, 육감, 직감《*for*》: animal ~*s* 동물 본능 / A camel has a sure ~ *for* find*ing* water. 낙타에게는 물을 찾아내는 확실한 직감이 있다. **2** 천성, 천분《*for*》: an ~ *for* art 예술적 천분. ***act on ~*** 본능대로 행동하다. ***by*** 〔***from***〕 ***~*** 본능적 으로; 직감적으로, 육감으로.

in·stínct[2] *a.* 차서 넘치는, 가득 찬, …이 스며든《*with*》: a picture ~ *with* life and beauty 생기와 아름다움이 넘치는 그림.

*__in·stinc·tive__ [instíŋktiv] *a.* 본능적인, 직감〔직관〕적인; 천성의: Birds have an ~ ability to fly. 새는 본능적으로 나는 능력이 있다. SYN. ⇨ SPONTANEOUS. ⊕ °**~·ly** *ad.* 본능적으로, 직감적으로.

in·stinc·tu·al [instíŋktʃuəl] *a.* = INSTINCTIVE.

Ín·sti·net sỳstem [ínstənèt-] 〚미증권〛 컴퓨터 커뮤니케이션에 의한 증권 자동 매매 시스템.

‡**in·sti·tute** [ínstətjùːt/-tjùːt] *vt.* **1** (제도·습관을) 만들다, 설치하다; (정부 등을) 설립하다(establish); (규칙·관례를) 제정하다; 실시하다(initiate): ~ a new course 새 강좌를 개설하다 / ~ laws 법률을 시행하다. **2** (조사 따위를) 시작하다, (소송을) 제기하다: ~ a suit against a person 아무를 상대로 소송을 제기하다 / ~ a search of the house 가택 수색을 행하다. **3** 《+목+전+명》 임명하다, 취임시키다(inaugurate); 〚종교〛 …에게 성직을 수여하다《*to; into*》: ~ a person *to* 〔*into*〕 a position 아무를 어떤 지위에 임명하다. ◇ institution *n.* — *n.* **1** (학술·미술 등의) 회(會), 협회, 학회(society); 그 건물, 회관. **2** 연구소; (주로 이공계의) 대학, 전문학교: Massachusetts *Institute* of Technology 매사추세츠 공과 대학《생략: M.I.T.》. **3** 《미》 (단기의) 강습회〔강좌〕: an adult ~ 성인 강좌 / a teacher's 〔teaching〕 ~ 교원 강습〔연수〕회. **4** 규칙, 관습, 관행, 원리; (*pl.*) (법률의) 원리의 적요(摘要), (초학자를 위한) 법률 교과서. ***the Institute of Justinian*** 유스티니아누스 법전.

Ínstitute of Educátion 《영》 교원 양성 협회.

Ínstitute of Hígh Fidélity ⇨ IHF.

‡**in·sti·tu·tion** [ìnstətjúːʃən/-tjúː-] *n.* **1** (학술·사회적) 회, 학회, 협회, (공공)시설, (공공)기관〔단체〕; 그 건물: an academic 〔a charitable〕 ~ 학술〔자선〕 단체 / an educational ~ 교육 시설 / an ~ *for* the aged 노인 시설. **2** Ⓒ (확립된) 제도, 관례, 관습, 법령: the ~ of the family 가족 제도. **3** Ⓒ 《구어》 명물, 평판 있는 사람〔물건〕: He is quite an ~ around here. 그는 이곳에서 명물이다. **4** Ⓤ (학회·협회 따위의) 설립; (법률 따위의) 제정, 설정: the ~ of the gold standard 금본위제의 설정. **5** Ⓤ 〚종교〛 성직 임명; (예수에 의한) 성체 성사의 제정.

in·sti·tu·tion·al [ìnstətjúːʃənəl/-tjúː-] *a.* 제도(상)의; 공공〔자선〕 단체의〔같은〕; 회(會)의, 협회의, 학회의; 《미》 (판매 증가보다는) 기업 이미지를 좋게 하기 위한《광고》; (교육·자선) 단체의; 대량 소비자용의; 획일적이고 개성이 없는: in need of ~ care 양육원〔양로원〕의 보살핌을 필요로 하는 / ~ food 〔furniture〕 (공공)시설용의 식품〔가구〕. ⊕ **~·ly** *ad.*

institútional ádvertising 〚상업〛 기업 광고.

institútional invéstor 기관 투자가.

ìn·sti·tú·tion·al·ìsm *n.* Ⓤ 공공〔자선(慈善)〕 단체 등의 조직; 제도〔조직〕 존중주의; 제도학파(制度學派). ⊕ **-ist** *n.*

ìn·sti·tú·tion·al·ìze *vt.* 공공 단체로 하다; 규정하다, 제도화〔관행화〕하다; (범죄자·정신병자 등을) 공공시설에 수용하다. ⊕ **in·sti·tù·tion·al·i·zá·tion** *n.*

in·sti·tu·tion·ary [ìnstətjúːʃənèri/-tjúːʃənəri] *a.* 학회〔협회〕의; 제도〔규정〕의; 창시〔제정〕의; 성찬식 제도의; 성직 수여의.

in·sti·tu·tive [ínstətjùːtiv/-tjùː-] *a.* 제정〔설

립, 개시]에 이바지하는[도움이 되는]; 관습적인; 설립된. [파] ~·ly *ad.*

in·sti·tu·tor [ínstətjùːtər/-tjùː-] *n.* 설립자, 제정자; 《미》 (감독 교회의) 성직 수임자.

instn. institution. **instns.** instructions.

ín-stòre *a.* (백화점 등의) 점 내의[에 있는].

Inst. P. Institute of Physics. **instr.** instructions; instructor; instrument(s); instrumental. **Inst. R.** Institute of Refrigeration.

*__in·struct__ [instrʌ́kt] *vt.* **1** 《~+[목]/+[목]+[전]+[명]》 (아무를) 가르치다, 교육[교수]하다(teach), 훈련하다: ~ the young 젊은이들을 가르치다/~ students *in* English 학생들에게 영어를 가르치다. [SYN.] ⇨TEACH. **2** 《+[목]+*to* do》 …에게 지시하다, …에게 지령하다, …에게 명령하다(direct): He ~*ed* them *to* start at once. 그는 그들에게 곧 출발하도록 지시했다. **3** 《+[목]+*that* [절]/+[목]+*wh.* [절]/+[목]+*wh.*+*to* do》 …에게 알리다, …에게 통지[통고]하다(inform): I ~*ed* him *that* he had passed the examination. 그에게 시험에 합격했음을 알렸다/I will ~ you *when* we are to start. =I will ~ you *when to* start. 언제 출발하는지 알려 주겠다. **4** (판사가 배심원에게) 사건의 문제점을 설명하다. **5** 〖컴퓨터〗 …에 명령하다. ***be ~ed in*** …에 밝다[정통하다]: He *is* ~*ed in* the matter. 그는 그 일에 정통하다. [파] ~·i·ble *a.*

in·strúct·ed [-id] *a.* 교육[훈련]을 받은.

__in·struc·tion__ [instrʌ́kʃən] *n.* [U] **1 훈련, 교수, 교육(education): mail ~ 통신 교육/give [receive] ~ *in* French 프랑스어 교육을 하다[받다]. **2** 교훈(lesson), 가르침. **3** (*pl.*) 지시, 지령, 훈령(directions), 명령《*to* do; *that*》; (보통 *pl.*) (제품 따위의) 사용법[취급법] 설명서: follow ~*s* 지시를 따르다/be under ~*s that* ... …라는 명령을 받고 있다/give a person ~*s to* do ... …하도록 아무에게 명령하다/Show me the ~*s for* this watch. 이 시계의 설명서를 보여 주십시오. **4** [C] 〖컴퓨터〗 명령(어). **5** (*pl.*) 변호인에 대한 사건 설명. [파] ~·al [-ʃənəl] *a.* 교육(상)의.

instrúctional télevision 《미》 (교실용 유선 방송의) 교육용 텔레비전 프로그램《생략: ITV; 《영》에서는 보통 CCTV》.

instrúction còunter 〖컴퓨터〗 명령 계수기.

instrúction decòder 〖컴퓨터〗 명령 해독기.

instrúction mànual (제품 따위의) 사용법 설명서.

instrúction regìster 〖컴퓨터〗 명령 레지스터.

instrúction sèt 〖컴퓨터〗 명령집합《어느 컴퓨터에나 사용 가능한 모든 기본 명령》.

*__in·struc·tive__ [instrʌ́ktiv] *a.* 교훈[교육]적인, 본받을 점이 많은, 도움이 되는, 계발적인: an ~ book 유익한 책/The hint was ~ to me. 그 힌트는 나에게 도움이 됐다. [파] ~·ly *ad.* ~·ness *n.*

*__in·struc·tor__ [instrʌ́ktər] (*fem.* ***-tress*** [-tris]) *n.* **1** 교사, 선생, 교관(teacher), 지도자《*in*》. **2** 《미》 (대학의) 전임 강사《assistant professor의 아래, tutor의 위; 생략: instr.》: an ~ *in* history 역사 담당 강사. [파] **ìn·struc·tó·ri·al** [-tɔ́ːriəl] *a.* **in·strúc·tor·shìp** *n.* ~의 지위[직].

__in·stru·ment__ [ínstrəmənt] *n.* **1 (실험·정밀 작업용의) 기계(器械), 기구(器具), 도구: medical ~*s* 의료 기구/drawing ~*s* 제도 기구. [SYN.] ⇨TOOL. **2** (비행기·배 따위의) 계기(計器): nautical ~*s* 항해 계기/fly on ~*s* 계기 비행을 하다. **3** 악기: a stringed [wind] ~ 현악[관악]기. **4** 수단, 방편(means); 동기[계기]가 되는 것[사람], 매개(자): an ~ *of* study 연구의 수단/be the ~ *of* a person's death 아무를 죽음에 이르게 하다. **5** (남의) 앞잡이, 도구, 로봇《*of*》: an ~ *of* the Mafia 마피아의 앞잡이. **6** 〖법률〗 법률 문서《계약서·증서·증권 등》: an ~ *of* ratification (조약의) 비준서. ── *vt.* **1** …에 기기를 장치하다. **2** 악기용으로 편곡하다.

*__in·stru·men·tal__ [ìnstrəméntl] *a.* **1** 기계(器械)의, 기계를 쓰는: ~ errors in measurement 측정상의 기계 오차/~ navigation 계기(計器) 비행[항행]. **2** 〖서술적〗 유효한, 수단이 되는, 쓸모 있는, 도움이 되는: He was ~ *in* finding a job for his friend. 그는 친구의 취직에 힘이 됐다. **3** 〖음악〗 악기의, 기악의. [cf.] vocal. ¶ ~ music 기악. **4** 〖문법〗 조격(助格)의. **5** 〖심리〗 (학습에서) 포상을 조건으로 하는.
── *n.* **1** 〖문법〗 조격(=~ **càse**)《전치사 with, by로 표현되는 수단·방법·재료 따위를 나타내는 격; 현대 영어에는 없음》. **2** 〖음악〗 기악곡.
[파] ~·ism *n.* [U] 〖철학〗 기구(器具)[도구]주의《사상이나 관념은 환경 지배의 도구로서의 유용성에 따라 가치가 정해진다고 하는 John Dewey의 설》. ~·ist *n.* **1** 기악가. [cf.] vocalist. **2** 〖철학〗 기구[도구]주의자.

instruméntal condítioning 〖심리·교육〗 도구적 조건 부여《포상 등의 강화로 옳은 반응을 이끌어내어 학습시킴》.

in·stru·men·tal·i·ty [ìnstrəmentǽləti] *n.* [U] 도움(helpfulness), 덕분, 수단(means), 방편, 알선; (정부 따위의) 대행 기관. ***by*** [***through***] ***the ~ of*** …에 의해, …의 힘을 빌려, …의 도움으로.

instruméntal léarning 〖심리·교육〗 도구적 학습(법)《어떤 행위의 결과로 받는 상벌에 의하여 경험적으로 학습하는》.

ìn·stru·mén·tal·ly *ad.* 기계(器械)로; 악기로; 수단으로서; 간접으로; 〖문법〗 조격(助格)으로.

in·stru·men·ta·tion [ìnstrəmentéiʃən] *n.* [U] 기계(器械)[기구] 사용[설치], 계측기의 고안[조립, 장비], 계장(計裝); 과학[공업] 기계 연구; (특정 목적의) 기계류[기구류]; 〖음악〗 기악 편성(법), 악기[관현악]법; 《드물게》 수단, 방편. ***by*** [***through***] ***the ~ of*** …의 도움[수단]으로.

ínstrument bòard [**pànel**] (자동차 따위의) 계기판.

ínstrument flíght rùles 계기 비행 규칙.

ínstrument flỳing [**flìght**] 〖항공〗 계기 비행.

ínstrument lànding 〖항공〗 계기 착륙.

ínstrument lánding sỳstem 〖항공〗 계기 착륙 장치[방식]《생략: ILS》.

in·stru·men·tol·o·gy [ìnstrəməntálədʒi/-tɔ́l-] *n.* 계측기학(計測器學). [파] **-gist** *n.* 계측기 학자.

ínstrument pànel [**bòard**] (차·배·비행기 따위의) 계기판.

in·sub·or·di·nate [ìnsəbɔ́ːrdənət] *a.* 고분고분[순종]하지 않는, 말을 듣지 않는, 반항하는; 하위(下位)가 아닌, 뒤지지 않는. ── *n.* 순종하지 않는 사람, 반항자. [파] ~·ly *ad.*

ìn·sub·òr·di·ná·tion *n.* [U] 불순종, 반항.

in·sub·stan·tial [ìnsəbstǽnʃəl] *a.* 무른, 약한(frail); 실체가 없는, 공허한, 실질이 없는; 비현실적인(unreal). [파] **ìn·sub·stan·ti·ál·i·ty** [-ʃiǽləti] *n.* [U]

in·suf·fer·a·ble [insʌ́fərəbəl] *a.* 견딜 수 없는, 참을 수 없는(intolerable); 화가 나는, 미운. [파] **-bly** *ad.* ~·ness *n.*

in·suf·fi·cien·cy [ìnsəfíʃənsi] *n.* [U] 불충분, 부족(lack); 부적당, 부적임(inadequacy); (종종 *pl.*) 불충분한 점, 결점; 〖생물〗 (심장 따위의) 기능 부전(不全).

◇**in·suf·fi·cient** [ìnsəfíʃənt] *a.* 불충분한, 부족한; 부적당한(inadequate), 능력이 없는《*for*》: an ~ supply of fuel 연료의 공급 부족 / ~ evidence 증거 불충분 / He's ~ *for* the job. 그는 그 일에 부적합하다. ㊞ **~·ly** *ad.*

in·suf·flate [insʌ́fleit, ínsəflèit] *vt.* (기체·액체·분말 등을) 불어넣다《*into, onto*》; 〖의학〗 (코 따위를) 흡입법〔통기법〕으로 치료하다; (악마를 쫓기 위해 수세자(受洗者)에게) 입김을 불다. ㊞ **ìn·suf·flá·tion** *n.*

in·suf·fla·tor [ínsəflèitər] *n.* 취입기(吹入器), 취분기(吹粉器); 지문 현출기(指紋現出器)《분말을 뿌리는》.

in·su·la [ínsjələ/-sjə-] (*pl.* **-lae** [-li, -lài]) *n.* 〖해부〗 (뇌·췌장의) 도(島), 섬.

in·su·lant [ínsjələnt/-sjə-] *n.* 절연재(絶緣材), 절연체.

in·su·lar [ínsjələr/-sjə-] *a.* **1** 섬의; 섬사람의; 섬 특유의; 섬나라 근성(根性)의, 편협한(narrow-minded); 고립한, 외떨어진: ~ prejudices 섬나라적 편견 / an ~ shelf 〖지학〗 섬 대륙붕. **2** 〖생리·해부〗 랑게르한스섬의. **—** *n.* 《드물게》 섬의 주민. ㊞ **~·ly** *ad.* **~·ism** *n.* Ⓤ 섬나라 근성, 편협성. **in·su·lár·i·ty** *n.* Ⓤ 섬(나라)임; 고립; 섬나라 근성, 편협. **~·ize** *vt.* 섬나라화하다.

in·su·late [ínsjəlèit/-sjə-] *vt.* **1** 《~+목/+목+전+명》 (…을 …에서) 격리(隔離)하다, 고립시키다(isolate)《*from*》: ~ a patient 환자를 격리하다 / Her family ~*s* her *from* contact with the world. 그녀의 가족들은 그녀를 세상과 접촉을 못 하도록 격리하고 있다. **2** 《~+목/+목+전+명》 〖전기·물리〗 절연〔단열, 방음〕하다; (…을 열·음으로부터) 차단하다《*from; against*》: ~ a studio *from* noise 스튜디오를 방음하다. **3** …에 단열재를 넣다: ~ the wall 벽에 단열재를 넣다.

ín·su·làt·ed [-id] *a.* **1** 격리된, 고립(孤立)된: an ~ life 고독한 생활. **2** 〖전기·물리〗 절연된: an ~ wire 절연선 / an ~ gate transistor 〖전자〗 절연 게이트형 트랜지스터.

ínsulating bòard, insulátion bòard 〖건축〗 단열판.

ínsulating òil 〖전기〗 절연유(油).

ínsulating tàpe =FRICTION TAPE.

ínsulating vàrnish 〖전기〗 절연(絶緣) 도료.

ìn·su·lá·tion *n.* Ⓤ 격리; 고립; (전기·열·소리 따위 전도의) 차단, 절연; 절연체, 절연물〔재(材)〕, 단열재, 애자(碍子).

insulátion resístance 〖전기〗 절연 저항.

in·su·la·tor [ínsəlèitər, -sjə-/-sjə-] *n.* 격리하는 사람〔것〕; 〖전기·물리〗 절연물, 절연체, 애자(碍子), 뚱딴지; (건물 따위의) 단열〔차음(遮音), 방음〕재.

in·su·lin [ínsjəlin/-sju-] *n.* Ⓤ 인슐린《췌장에서 분비되는 단백질 호르몬; 당뇨병 치료제》.

ínsulin-còma thèrapy 〖정신의학〗 인슐린 혼수 요법(insulin-shock therapy).

ínsulin-delívery pùmp 〖의학〗 인슐린 방출 펌프《당뇨병 환자 치료에 쓰이는 기구》.

ín·su·lin·ìze *vt.* 인슐린으로 치료하다, …에게 인슐린 요법을 쓰다.

in·su·li·no·ma [insjələnóumə/-sjə-] *n.* 〖병리〗 도선종(島腺腫), 도(島)세포종, 인슐린종(腫).

ínsulin pùmp 〖의학〗 인슐린 펌프《배터리 작동식의 체외 인슐린 주입 장치》.

ínsulin shòck 〔**còma**〕 〖병리〗 인슐린 쇼크《인슐린의 대량 주사에 의해 일어나는 쇼크》: ~ therapy (정신 분열증의) 인슐린 쇼크 요법.

in·su·lite [ínsjəlàit/-sjə-] *n.* Ⓤ 절연체.

in·sult** [ínsʌlt] *n.* 모욕, 무례《*to*》; 모욕 행위, 무례한 것; 〖의학〗 손상, 상해(의 원인); 발작: Stop all these ~*s*. 남을 모욕하는 짓거리들 그만둬라. ***add ~ to injury 혼내 주고 모욕까지 하다. **—** [-ˊ] *vt.* 모욕하다, …에게 무례한 짓을 하다; 해치다: foods that ~ the body 몸에 해로운 식품. SYN. ⇨ OFFEND. ㊞ **~·er** *n.*

in·súlt·ing *a.* 모욕적인, 무례한. ㊞ **~·ly** *ad.* **~·ness** *n.*

in·su·per·a·ble [insú:pərəbəl] *a.* 정복할 수 없는, 무적(無敵)의; (곤란·반대 등을) 이겨낼 수 없는, 극복할 수 없는. ㊞ **-bly** *ad.* **~·ness** *n.* **in·sù·per·a·bíl·i·ty** *n.* Ⓤ 이겨내기 어려움.

in·sup·port·a·ble [ìnsəpɔ́:rtəbəl] *a.* **1** 참을 수 없는, 견딜〔지탱할〕 수 없는(unbearable): an ~ pain 견딜 수 없는 아픔. **2** 지지할 수 없는. ㊞ **-bly** *ad.* 견딜 수 없을 정도로. **~·ness** *n.*

in·sup·press·i·ble [ìnsəprésəbəl] *a.* 억누를 수 없는, 억제할 수 없는. ㊞ **-bly** *ad.*

in·sur·a·ble [inʃúərəbəl] *a.* 보험을 걸 수 있는, 보험의 대상이 되는: ~ interests 피보험 이익 / ~ property 피보험 재산 / ~ value 보험 가격. ㊞ **in·sùr·a·bíl·i·ty** *n.*

‡**in·sur·ance** [inʃúərəns] *n.* Ⓤ **1** 보험 (계약); 보험업: accident ~ 상해 보험 / automobile ~ 자동차 보험 / aviation ~ 항공 보험 / ~ against traffic accidents 교통 상해 보험 / life ~ 생명 보험 / marine ~ 해상 보험 / an ~ company 보험 회사 / ~ *for* life 종신 보험. **2** 보험금(액); 보험료(premium); 보험 증서(=~ **pòlicy**): pay one's ~ 보험료를 내다 / take out ~ 〔an ~ *policy*〕 *on* one's house 가옥을 보험에 들다. **3** 보증; (실패·손실에 대한) 대비, 보호《*against*》: as (an) ~ *against* bad times 불황에 대비하여. ◇insure *v.* ★assurance는 《영》에서 많이 쓰이고, 《미》에서는 insurance가 쓰임.

insúrance adjùster 《미》 보험금 사정인(《영》 loss adjuster).

insúrance àgent 보험 대리점.

insúrance bròker 보험 중개인《보험 계약자의 위촉을 받아 최고 조건을 제시하는 보험 회사와 계약 체결을 주선해 주는 독립 업자》.

insúrance certíficate 보험 인수증, 보험 계약증.

insúrance prèmium 보험료.

insúrance stàmp 《영》 보험 인지《일정액을 국민 보험에 지급했음을 증명하는 인지》.

in·sur·ant [inʃúərənt] *n.* 보험 계약자; 피보험자.

‡**in·sure** [inʃúər] *vt.* 《~+목/+목+전+명》 **1** (보험 회사가) …의 보험을 계약하다, …의 보험을 인수하다〔맡다〕: The insurance company will ~ your property *against* fire. 보험 회사는 당신의 재산에 대한 화재 보험을 인수합니다. **2** (보험 계약자가) …에 보험을 들다, …의 보험 계약을 하다: ~ oneself 〔one's life〕 *for* 10,000,000 Won, 1000 만원의 생명 보험에 들다. **3** 보증하다(guarantee), 책임맡다; 확실히 하다: His industry ~*s* his success in life. 그는 근면하기 때문에 꼭 출세한다. **4** 《미》 (아무를 위험 등에서) 지키다, 안전하게 하다: Care ~*s* us *against* errors. 조심하면 실수를 하지 않는 법. **—** *vi.* 보험에 가입하다; (…을) 방지하는 수단을 취하다《*against*》. ◇insurance *n.*

in·súred *a.* 보험에 들어 있는, 보험이 걸린. **—** *n.* (the ~) 피보험자, 보험 계약자, 보험금 수취인.

in·súr·er [-rər] *n.* 보험 회사, 보험업자(underwriter); 보증인.

in·sur·gence, -gen·cy [insə́:rdʒəns], [-i] *n.* Ⓤ,Ⓒ 모반, 폭동, 반란 행위.

in·sur·gent [insə́:rdʒənt] *a.* 모반하는, 폭동을 일으킨, 반정부의; 《시어》 밀려 오는《파도 등》.

—*n.* 폭도, 반란자; 《미》 (당내의) 반대 분자; 『국제법』 반정부 운동가〔집단〕. ⓟ ~·ly *ad.*

insúring clàuse 보험 인수 약관.

in·sur·mount·a·ble [ìnsərmáuntəbəl] *a.* 극복할 수 없는; 넘을 수 없는. ⓟ **-bly** *ad.* **~·ness** *n.* **in·sur·mòunt·a·bíl·i·ty** *n.*

◇**in·sur·rec·tion** [ìnsərékʃən] *n.* Ⓤ,Ⓒ 반란, 폭동, 봉기. ⓒⓕ rebellion. ⓟ **~·al** *a.* **~·ist** *n.* 폭도, 반도(叛徒).

in·sur·rec·tion·ary [ìnsərékʃənèri/-ʃənəri] *a.* 반란의, 폭동의; 폭동을 일삼는. —*n.* 폭도; 반란자.

in·sur·réc·tion·ìze *vt.* (국민 등을) 선동하여 폭동을 일으키게 하다; (국가 등에) 폭동을 일으키다.

in·sus·cep·ti·ble [ìnsəséptəbəl] *a.* **1** 무감각한, 느끼지 못하는; 동하지 않는, 영향을 받지 않는: a heart ~ *of* 〔*to*〕 pity 동정을 모르는 마음〔사람〕. **2** (치료 따위를) 받아들이지 않는《*of*》: a serious disease ~ *of* medical treatment 치료 효과가 나지 않는 중환. ⓟ **-bly** *ad.* **in·sus·cep·ti·bíl·i·ty** *n.* Ⓤ 무감각, 감수성이 없음.

in·swept [ínswèpt] *a.* (비행기 날개·자동차 앞쪽 등이) 끝이 빤〔가는〕.

in·swing·er [ínswìŋər] *n.* 인스윙어《(1) 『크리켓』 타자의 발 밑으로 파고드는 커브 공. (2) 『축구』 골을 향해 커브해 들어오는 패스 킥》.

int. interest; interim; interior; interjection; internal; international; interpreter; intransitive.

in·tact [intǽkt] *a.* 본래대로의, 손대지 않은 (untouched), 완전한(ⓢⓨⓝ. ⇨COMPLETE); 처녀의. ***keep*** 〔***leave***〕 a thing ~ 무엇을 손대지 않은 채로 두다, 그대로 두다. ⓟ **~·ness** *n.*

in·tagl·i·at·ed [intǽlièitid, -tá:l-] *a.* 음각(陰刻)된, 요조(凹彫)의.

in·tagl·io [intǽljou, -tá:l-] (*pl.* **~s**) *n.* **1** 음각, 요조(凹彫). ⓞⓟⓟ *relief, relievo.* ¶ carve a gem in ~ 보석에 무늬를 새겨 넣다. **2** (무늬를) 음각한 보석. ⓒⓕ cameo. **3** Ⓤ 『인쇄』 요각(凹刻) 인쇄. —*vt.* (무늬를) 새겨 넣다, 음각하다.

ín·tàke *n.* **1** (물·공기·연료 따위를) 받아들이는 입구〔주둥이〕, 취수구(取水口); (제트 엔진 따위의) 공기 흡입구; (광갱(鑛坑)의) 통풍 구멍. ⓞⓟⓟ *outlet.* **2** 끌어들인 분량; 흡입〔섭취〕량; 『기계』 입력(入力)(input), (내연 기관의) 흡기(吸氣). **3** (관(管)·양말 따위의) 잘록한 부분. **4** 신규 채용 인원; 신병. **5** 《영》 매립지, 간척지. **6** 수입, 매상고.

In·tal [intæl] *n.* 인탈《cromolyn sodium 의 상표명》. [◂ *in*terference with *al*lergy]

in·tàn·gi·bíl·i·ty *n.* Ⓤ 손으로 만질 수 없음, 만져서 알 수 없음; 파악할 수 없음, 불가해.

in·tan·gi·ble [intǽndʒəbəl] *a.* 만질 수 없는, 만져서 알 수 없는(impalpable); 무형의(insubstantial); (막연하여) 파악하기 어려운, 불가해한: ~ assets 무형 자산《특허권·영업권 따위》/ an ~ awareness of danger 막연한 위험 의식. —*n.* 만질 수 없는 것; 무형의 것; 파악하기 어려운 것. ⓟ **-bly** *ad.* 손으로 만질 수 없을 만큼; 파악하기 어렵게, 막연하여. **~·ness** *n.*

in·tar·sia [intá:rsiə] *n.* Ⓤ 상감(象嵌) 세공.

int. comb. internal combustion.

in·te·ger [íntidʒər] *n.* **1** 완전한 것, 완전체 (complete entity). **2** 『수학』 정수(整數)(whole number). ⓒⓕ fraction.

in·te·gra·ble [íntigrəbəl] *a.* 적분 가능한, 가적분(可積分)의. ⓟ **in·te·gra·bíl·i·ty** *n.*

in·te·gral [íntigrəl] *a.* **1** 완전한(entire), 완전체의; 빠진 것이 없는. **2** (전체를 구성하는 데) 빠뜨릴 수 없는, 필수의(essential); 구성 요소로서의. **3** 『수학』 정수(整數)의, 적분(積分)의. ⓒⓕ differential. ¶ ~ constant 적분 상수 / ~ variable 적분 변수. **4** (플라스틱 제품 등에서) 일체 성형(成形)의. —*n.* **1** 전체. **2** 『수학』 적분: a definite 〔an indefinite〕 ~ 정(定)〔부정(不定)〕 적분. ⓟ **in·te·gral·i·ty** [ìntəgrǽləti] *n.* 완전, 불가결성, 절대 필요성. **~·ly** *ad.*

íntegral cálculus 『수학』 적분학.

íntegral constrùction 『항공』 통합 구조《대형 구조 부재(部材)를 한 몸체로 만드는 방식; 항공기의 주익(主翼) 구조에 씀》.

íntegral domáin 『수학』 정역(整域).

íntegral equátion 『수학』 적분 방정식.

íntegral tànk 『항공』 인티그럴식 탱크《기체 외피가 그대로 탱크 표면이 된》. 「분 함수.

in·te·grand [íntəgrǽnd] *n.* 『수학』 피(被)적

in·te·grant [íntigrənt] *a.* 완전체를 구성하는, 구성 요소의, 일부분을 이루는(constituent); 필수의, 필요 불가결한. —*n.* 불가결한 구성 요소〔성분〕.

in·te·grase [íntəgrèis] *n.* 『의학』 인테그라제《바이러스의 촉매 효소》.

◇**in·te·grate** [íntəgrèit] *vt.* **1** 《~+목/+목+전+명》 (각 부분을 전체에) 통합하다(unify), 흡수하다《*into; with*》; 완전하게 하다, 완성하다: The theory ~*s* his research findings. 그 이론은 그의 연구 결과를 집대성한 것이다 / He ~*d* the committee's suggestions *into* his plan. 그는 위원회의 제안을 통합하여 계획을 세웠다. **2** 《+목+전+명》 결합시키다, 융합〔조화〕시키다《*into; with*》: Learning should be ~*d with* purpose. 학문은 목적과 결부시켜야 한다. **3** (면적·온도 따위의) 합계〔평균치〕를 나타내다; 『수학』 적분하다. **4** (학교·공공시설 등에서의) 인종〔종교〕적 차별을 폐지하다. ⓒⓕ segregate. —*vi.* 인종〔종교〕적 차별이 없어지다; 통합되다, 융합하다. —[-grət] *a.* 합성된, 복합체의; 각 부분이 다 갖추어진, 완전한.

ín·te·gràt·ed [-id] *a.* **1** 통합된; 완전한: ~ data processing 종합 데이터 처리, 집중 정보 처리. **2** (회사가) 일관 생산의. **3** 『심리』 (인격이) 통합〔융화〕된: an ~ personality (육체·정신·정서가 고루 균형잡힌) 통합〔융합〕된 인격. **4** (흑인에 대하여) 인종적 무차별(대우)의: an ~ school 흑인 차별 없는 학교.

íntegrated applicátions pàckage 『컴퓨터』 통합 응용 패키지.

íntegrated báttlefield 『군사』 종합〔통합〕 전장(戰場)《통상 병기, 화학·생물학 병기, 핵병기가 모두 사용되는 형태의 전장》.

íntegrated círcuit 『전자』 집적 회로(集積回路)《생략: IC》.

íntegrated círcuitry 집적 회로 공학〔설계〕.

íntegrated dáta pròcessing 『컴퓨터』 통합 데이터 처리《생략: IDP》.

íntegrated fíre contròl 『군사』 통합 사격 통제《목표를 포착하여 뒤쫓아가면서 사격 조건을 산출하여 발사시키는 컴퓨터 시스템》.

íntegrated injéction lògic 『컴퓨터』 아이스퀘어엘《반도체 논리 집적 회로의 한 형식; 생략: IIL, I²L》. 「적 회로.

íntegrated óptics 집적(集積) 광학; 광(光)집

íntegrated pést mànagement 『농업』 병충해 집중 관리《생략: IPM》.

íntegrated RÁM 『전자』 집적화(化) 랜덤 액세스 메모리(IRAM)《의사(擬似) 스태틱 RAM을 이름》.

íntegrated sérvices dígital nètwork 『통신』 종합 정보 통신망《생략: ISDN》.

íntegrated sóftware 〖컴퓨터〗 통합 소프트웨어《복수의 응용 프로그램 사이의 데이터 교환을 할 수 있고 동시에 각 작업(job)을 병행해 실행할 수 있는 소프트웨어》.

íntegrated sýstem 〖전자〗 집적 시스템《집적회로 전반을 가리킴》.

ìn·te·grá·tion *n.* [U] **1** 통합; 완성, 집성. **2** 〖수학〗 적분법. [cf] differentiation. **3** 〖전자〗 집적화(集積化). **4** 조정; 학과목의 통합. **5** 〖사회〗 (군대·학교 등에서의) 인종 차별 폐지. [cf] segregation. [파] **~·al** *a.*

integrátion by párts 〖수학〗 부분 적분법.

ìn·te·grá·tion·ist *n.* 인종 차별 폐지론자. — *a.* 인종 차별 폐지론의.

in·te·gra·tive [íntəgrèitiv, -grə-] *a.* 완전하게 하는; 통합하는; 인종 차별 폐지의.

íntegrative bárgaining 통합적 교섭《노사간 교섭 등의 어프로치의 하나로 당사자 간의 이해를 통합하여 쌍방에 유익한 해결책을 구하는 것》.

in·te·gra·tor [íntəgrèitər] *n.* 완성하는 사람〔것〕; 〖수학〗 구적기(求積器), 적분기(積分器); 〖컴퓨터〗 적분 회로망(網).

*****in·teg·ri·ty** [intégrəti] *n.* [U] **1** 성실, 정직(honesty), 고결(uprightness), 청렴: a man of ~ 성실한 사람. **2** 완전무결(한 상태); 보전; 본래의 모습: territorial ~ 영토 보전 / relics in their ~ 완전한 모습의 유물. **3** 〖컴퓨터〗 보전.

in·teg·u·ment [intégjəmənt] *n.* 〖생물〗 외피(外皮), 포피(包皮). [파] **in·tèg·u·mén·tal, in·tèg·u·mén·ta·ry** [-méntəri] *a.* 외피〔포피〕의, 《특히》 피부의.

In·tel [íntel] *n.* 인텔(사)(~ Corp.)《미국 반도체·마이크로프로세서 제조 회사; 1968년 설립》.

*****in·tel·lect** [íntəlèkt] *n.* **1** [U] 지력(知力), 지성, 이지, 지능: human ~ 인간의 지력 / a man of ~ 지성인. **2** (the ~(s)) 《단수형으로는 집합적》 식자(識者), 지식인, 인텔리: the ~(*s*) of the age 당대의 식자들 / the whole ~(*s*) of the country 전국의 지식 계급〔지식층〕. ◇ intellectual *a.*

in·tel·lec·tion [ìntəlékʃən] *n.* **1** [U] (상상·지각에 대하여) 지적 작용, 사고, 이해. **2** [C] (사고의 결과인) 개념(notion), 관념.

in·tel·lec·tive [ìntəléktiv] *a.* 지능의, 지력의; 지적인; 이지적인, 총명한. [파] **~·ly** *ad.*

******in·tel·lec·tu·al** [ìntəléktʃuəl] *a.* **1** 지적인, 지력의: the ~ faculties 〔powers〕 지적 능력. **2** 지능적인, 지능〔지력〕을 요하는, 두뇌를 쓰는: ~ occupations 〔pursuits〕 지능을 요하는 일. **3** 지력이 뛰어난, 총명한: an ~ face 이지적인 얼굴 / the ~ class 지식 계급 / ~ culture 지육(智育). [SYN] ⇨ INTELLIGENT. ◇ intellect *n.* — *n.* 지식인, 인텔리; (the ~s) 지식 계급.

ìn·tel·léc·tu·al·ìsm *n.* [U] **1** 지성주의(知性主義); 지성 존중〔편중〕; 지적 연구. **2** 〖철학〗 주지(主知)설〔주의〕; 〖문예〗 주지주의. [파] **-ist** *n.*

in·tel·lec·tu·al·i·ty [ìntəlèktʃuǽləti] *n.* [U] 지성, 지능, 지력, 총명.

ìn·tel·léc·tu·al·ìze *vt., vi.* **1** 지적으로 하다〔되다〕; 지성적으로 처리〔분석〕하다. **2** 이지적인 생각을 하다, 사유(思惟)하다. [파] **-iz·er** *n.* **in·tel·lèc·tu·al·i·zá·tion** *n.*

intelléctual júnkfood 핫도그 정보《손쉽게 얻을 수 있는 별로 가치 없는 정보》.

ìn·tel·léc·tu·al·ly *ad.* (이)지적으로, 지성에 관해서는.

intelléctual próperty 지적 재산; 지적 재산권(=**intelléctual próperty rìght**).

******in·tel·li·gence** [intéləd͡ʒəns] *n.* [U] **1** 지성, 이지; 이해력, 사고력, 지능; 지혜, 총명: human ~ 인지(人智) / have the ~ *to* do 머리를 써서 …하다 / a man of much 〔ordinary〕 ~ 뛰어난 〔보통의〕 지능을 가진 사람. **2** 정보, 보도, (특히 군사에 관한 기밀적인) 첩보; 첩보 기관, 정보부: an ~ agent 정보원, 간첩 / He is in 〔works for〕 ~. 그는 첩보 기관에 근무한다. ★ information은 정보의 제공으로 인한 service의 뜻이 강하고, intelligence는 반드시 남에게 전하지 않아도 됨. **3** (종종 I-) 지성적 존재, 영혼; 천사. ***exchange a look of*** **~** 의미 있는 눈짓을 교환하다. ***the Supreme Intelligence*** 신(神).

intélligence bùreau 〔**depàrtment**〕 (특히 정부의) 정보부, 정보국.

intélligence òffice 정보국; 《미고어》 직업소개소.

intélligence òfficer 정보 담당 장교.

intélligence quòtient 〖심리〗 지능 지수《생략: IQ, I.Q.》.

in·tél·li·genc·er *n.* 정보 제공자; 스파이, 간첩.

intélligence sèrvice 정보 기관.

intélligence shìp 정보 수집함.

intélligence tèst 〖심리〗 지능 검사.

******in·tel·li·gent** [intéləd͡ʒənt] *a.* **1** 지적인, 지성을 갖춘, 지능이 있는, 이해력이 뛰어난, 영리한: an ~ child 총명한 아이 / Be a bit more ~! 좀더 영리하게 행동해라. [SYN] ⇨ WISE.

> [SYN] **intelligent** 본디 머리가 좋은《동물에도 쓰임》: an *intelligent* young man 머리가 좋은 젊은이. an *intelligent* dog 영리한 개. **intellectual** 교육·독서·지적 훈련 따위로 (사람이) 이지적인: the *intellectual* class 지식 계급.

2 (기계가) 식별력〔판단력〕이 있는; 〖컴퓨터〗 지적인, 정보 처리 기능이 있는. **3** 《고어》 알고 있는 《*of*》. [파] °**~·ly** *ad.*

in·tel·li·gen·tial [intèləd͡ʒénʃəl] *a.* 지력(知力)의, 지적(知的)인; 지력을 지닌, 지력이 뛰어난; 통보하는, 정보를 주는.

intélligent knówledge-bàsed sýstem 고급 지식 베이스 시스템《특정한 전문 분야에 있어서, 문제를 해결·결정하는 컴퓨터 시스템; 생략 IKBS》.

intélligent prínter 〖컴퓨터〗 지능 프린터《편집·연산 등의 처리 능력을 가지고, 대형 컴퓨터 기능을 어느 정도 대신할 수 있는 프린터》.

intélligent róbot 지능 로봇《시각·촉각을 지니며, 생산 공정이나 품종 변화에 즉시 응하는 동작을 취할 수 있는 로봇》.

in·tel·li·gen·tsia, -tzia [intèləd͡ʒéntsiə, -gén-] *n.* 《Russ.》 (보통 the ~) 《집합적》 지식 계급, 인텔리겐치아; 정신〔두뇌〕 노동자.

intélligent términal 〖컴퓨터〗 지능형 단말기《데이터의 입출력 외에 편집·연산·제어 처리 능력을 어느 정도 가지고 있음》.

in·tèl·li·gi·bíl·i·ty *n.* [U] 알기 쉬움, 명료함; 가해성(可解性).

°**in·tel·li·gi·ble** [intéləd͡ʒəbəl] *a.* 이해할 수 있는, 알기 쉬운, 명료한; 〖철학〗 지성에 의해 알 수 있는, 지성적인. [cf] sensible. ¶ The book is ~ to anyone. 그 책은 누구라도 다 이해할 수 있다. ***make oneself*** **~** 자기의 말〔생각〕을 이해시키다. [파] **-bly** *ad.* **~·ness** *n.*

In·tel·post [íntelpòust] *n.* 《영》 인텔포스트 《(1) Intelsat을 통한 국제 전자 우편. (2) 영국 국내 전자 우편》.

In·tel·sat [íntelsæ̀t] *n.* 인텔샛, 국제 상업 통신 위성 기구; 인텔샛의 통신 위성. [◂ *Inter*national *Tele*communications *Sat*ellite Organization]

in·tem·per·ance [intémpərəns] *n.* [U] 무절제, 방종; 과도(excess); 폭주(暴酒), 폭음; 난폭함, 무절제한 행위〔언동〕.

in·tem·per·ate [intémpərət] *a.* 무절제한, 폭

음 폭식의; 《특히》 술에 빠지는; 과도한, 난폭한 《행위·언사》; 매서운《추위·더위 따위》: an ~ language 난폭한〔나쁜〕 말씨, 폭언 / ~ weather 혹독한 날씨 / ~ habits 과음하는 버릇. ㊕ **~·ly** *ad.* **~·ness** *n.*

in·tend [inténd] *vt.* **1** 《+*-ing*/+*to* do/+*that*절》 …할 작정이다, …하려고 생각하다: I ~ *to* go there. =I ~ go*ing* there. 거기에 갈 작정이다 / I ~*ed to* have come. 오려고 하였다(실은 오지 못했다) / We ~ *that* the work shall be finished immediately. 우리들은 그 일을 곧 끝낼 작정이다.

SYN. **intend** 마음속에 예정하다. mean 보다 강의적이고 계획적이며, 보다 중요한 사항을 의도할 때에 쓰임: No offence was *intended.* 아무런 범죄도 기도되지 않았다. **mean** intend의 구어적 표현이지만 '…할 작정이다, 진심으로 …하려고 생각하고 있다'는 주관의 표현에 역점이 있음: He *means* to go away. 참말로 가려고 생각하고 있다(이면에는 He is not pretending. '가는 체하고 있는 것이 아니다'를 시사하고 있음). **design** 어떤 결과를 의도하다. 특정한 목적이 강조됨: a scholarship *designed* for medical students 의학도를 위해서 마련된 장학금. **purpose** …하려고 마음먹다. 의도가 강조되고 실현이 곤란한 것에도 쓰임: *purpose* an interview with President 대통령과의 회견을 기도하다.

2 《~+목/+*to* do/+목+*to* do/+*that*절》 의도하다, 기도하다, 고의로 하다: He seemed to ~ no harm. 그는 아무런 악의도 품고 있지 않은 것 같았다 / I did not ~ *to* insult you at all. 당신을 모욕할 생각은 전혀 없었소 / I ~ my daughter *to* take over the business. 그 사업을 딸에게 물려줄 생각이다 / We ~ *that* the money (should) last a week. 우리는 그 돈으로 일주일을 지내려고 생각하고 있다. **3** 〘흔히 수동태로〙 《+목+전+명/+목+*to be* 보/+목+*as* 보》 (어떤 목적에) 쓰려고 하다, 예정하다, …으로 만들려고 하다: This gift *is* ~*ed for* you. We ~*ed* this gift *for* you. 너에게 줄 선물이다 / The building *was* ~*ed to be* a library. 그 건물은 도서관으로 쓸 예정이었다 / This *is* not ~*ed as* a joke. 이건 농담이 아니야. **4** 《+목+전+명》 …의 뜻으로 말하다, 의미하다(mean), (…을 목표로) (말)하다《*for*》; 〖법률〗 해석하다: What do you ~ *by* these words? 무슨 뜻으로 그렇게 말하는가 / His remark was ~*ed for* me 〔*as* a joke〕. 그의 말은 나를 빗대어〔농담으로〕 한 것이었다. **—** *vi.* 목적〔계획〕을 가지다, 의도하다; 《고어》 방침〔방향〕을 취하다. ◇ intention, intent *n.*

in·tend·ance [inténdəns] *n.* (프랑스·스페인의) 행정 관청, 관리청, 지방청; Ⓤ 관리, 감독; 경리(국).

in·tend·an·cy [inténdənsi] *n.* Ⓤ,Ⓒ **1** intendant의 직〔신분, 지위, 관할 구역〕. **2** 〘집합적〙 감독관. **3** 지방 행정구.

in·tend·ant [inténdənt] *n.* 감독관, 관리자; (라틴 아메리카 여러 나라의) 지방 장관; (스페인 식민지 등의) 행정관.

in·ténd·ed [-id] *a.* 기도〔의도〕된, 고의의; 예정된, 소기의; 《구어》 약혼한, 약혼자의: the ~ purpose 소기의 목적 / my ~ wife 곧 내 아내가 될 사람 / His remark had the ~ effects. 그의 말은 의도했던 효과를 얻었다. **—** *n.* 《구어》 약혼자. ㊕ **~·ly** *ad.* **~·ness** *n.*

in·ténd·er *n.* 계획자, 입안자.

in·ténd·ing *a.* 미래의, 지망하는: an ~ teacher 교사 지망자.

in·ténd·ment *n.* **1** (법률상의) 참뜻 (해석). **2** 《고어》 의도, 목적.

in·ten·er·ate [inténərèit] *vt.* 부드럽게 하다, 연화(軟化)시키다. ㊕ **in·tèn·er·á·tion** *n.*

in·tense [inténs] (*-tens·er; -tens·est*) *a.* **1** (빛·온도 따위가) 격렬한, 심한, 맹렬한: an ~ light 강렬한 빛 / ~ cold 〔heat〕 혹한〔혹서〕. **2** (감정 따위가) 격앙된, 강렬한: ~ anxiety 점점 심해진 불안 / ~ love 열애. **3** 일사불란한, 온 신경을 집중한, 진지한; 열심인, 열띤《*in*》: an ~ face 진지한 얼굴 / ~ study 열띤 연구 / ~ *in* one's studies 열심히 공부하는. **4** (성격이) 감정적인, 열정적인; 《미속어》 아주 즐거운: an ~ person 열정적인 사람. **5** 〖사진〗 (색깔이) 진한, 명암도(明暗度)가 강한. ◇ intensity, intension *n.* ㊕ °**~·ly** *ad.* **~·ness** *n.*

in·ten·si·fi·ca·tion [intènsəfikéiʃən] *n.* Ⓤ 격화; 강화; 〖사진〗 증감(增感), 보력(補力).

in·ten·si·fi·er [inténsəfàiər] *n.* 격렬하게〔세게〕 하는 것, 증강〔증배(增倍)〕 장치; 〖사진〗 증감제〔액〕(增感劑〔液〕); 〖문법〗 강의어; 〖유전〗 강조 유전자.

in·ten·si·fy [inténsəfài] *vt.* 격렬〔강렬〕하게 하다; …의 도를 더하다, 증강〔증배〕하다; 〖사진〗 증감(增感)〔보력(補力)〕하다: ~ one's efforts 더한층 노력하다. **—** *vi.* 강렬〔격렬〕하게 되다.

in·ten·sion [inténʃən] *n.* Ⓤ **1** 세기, 강도; 강화, 증강. **2** (마음의) 긴장, (정신의) 집중, 결의의 단단함. **3** 〖논리〗 내포(內包). OPP. *extension.* **4** 〖경제·농업〗 집약적 경영. ㊕ **~·al** *a.* 내포적〔내재적〕인. **~·al·ly** *ad.*

in·ten·si·tom·e·ter [intènsətámətər/-tɔ́m-] *n.* X선 강도 측정 장치《방사선 촬영에서 적합한 노출 시간을 정하기 위한》.

in·ten·si·ty [inténsəti] *n.* Ⓤ **1** 강렬, 격렬: gather ~ 격렬함을 더하다. **2** 긴장, 집중, 열렬. **3** 〖물리〗 강도; 농도: the degree of ~ 세기의 정도. **4** 〖사진〗 명암도: ~ *of* illumination 조명도. ◇ intense *a.* ***with*** (***great***) **~** 열심히. 「조.

inténsity modulàtion 〖전기〗 휘도(輝度) 변

in·ten·sive [inténsiv] *a.* **1** 강한, 격렬한; 집중적인, 철저한. OPP. *extensive.* ¶ ~ reading 정독 / an ~ investigation 철저한 조사. **2** 세기의, 강도의. **3** 〖문법〗 강의(強意)의. **4** 〖논리〗 내포적인. **5** 〖경제·농업〗 집약적인: ~ agriculture 집약 농업. **6** 〖물리〗 (변수 따위) 물질의 양에서 독립한. **—** *n.* 강하게 하는 것; 〖문법〗 강조어, 강조어 형성 요소《강조를 나타내는 접두사〔접미사〕 등》. ㊕ **~·ly** *ad.* **~·ness** *n.*

inténsive cáre 〖의학〗 (중증(重症) 환자에 대한) 집중 치료. 「동」《생략: ICU》.

inténsive cáre ùnit 〖의학〗 집중 치료부〔병

inténsive prónoun 〖문법〗 강조 대명사《강조 용법의 재귀대명사》.

in·tén·siv·ìsm *n.* (가축의) 집중 사육, 중방목(重放牧)《좁은 지역에서 동물을 집중적으로 번식·사육하기》.

in·tent [intént] *n.* Ⓤ **1** 의향, 목적, 의지, 의도, 기도, 계획: criminal ~ 〖법률〗 범의(犯意) / with evil 〔good〕 ~ 악의〔선의〕를 가지고 / I had no ~ *to* deceive you. 너를 속일 의도는 없었다. SYN. ⇨ PURPOSE. **2** 함의(含意), 의의, 의미, 취지: What is the ~ *of* this? 이 의미는 무엇입니까. ***to*** 〔***for***〕 ***all ~s and purposes*** 어느 점으로 보나, 사실상. **—** *a.* **1** (시선·주의 따위가) 집중된: an ~ look 응시하는 시선. **2** 전념하고 있는, 여념이 없는, 열중해 있는《*on*》; 열망하고 있는: be ~ *on* one's job 일에 몰두해 있다 / be ~ *on* beautiful scenery 아름다운 경치에 넋

을 잃고 있다 / ~ *on* revenge 복수심에 불타고 있는. **3** 열심인: an ~ person 열성가. ◇ intend *v*. ㊕ °~·**ly** *ad*. 열심히, 일사불란하게, 오로지. ~·**ness** *n*.

in·ten·tion [inténʃən] *n*. **1** 의향, 의도, 의지 《*of*》; 목적; 의도하는 것: by ~ 고의로 / without ~ 무심코, 아무 생각 없이 / I have no ~ *of* ignor*ing* your rights. 너의 권리를 무시할 의도는 없었다. SYN. ⇨ PURPOSE. **2** (*pl*.) 《구어》 결혼할 뜻: He has honorable ~*s*. 그는 정식으로 결혼할 생각을 갖고 있다. **3** 의미, 취지. **4** 〖논리〗 개념, 관념. **5** 〖의학〗 유합(癒合), 치유. **6** 〖신학〗 (미사를 행하는) 특별 목적: special 〔particular〕 ~ 미사가 행해지는〔기도가 올려지는〕 특별한 대상. ***first*** ~ ① 〖철학〗 1차 개념《직접 인식에 의한 것: '돌, 나무, 새' 등》. ② 〖의학〗 1차 〔직접〕 유합. ***heal by*** (***the***) ***first*** 〔***second***〕 ~ (상처가) 곪지 않고〔곪고 난 다음에〕 유합하다. ***second*** ~ ① 〖철학〗 2차 개념《간접 인식에 의한 개념: '차이, 동일, 종류' 등》. ② 〖의학〗 2차〔간접〕 유합《새 살이 나온 다음 상처가 낫는 일》. ***with good ~s*** 선의로, 성의로써: Hell is paved *with good* ~*s*. 《속담》 지옥에의 길은 선의로 깔려 있다, 개심하려고 마음먹고 있으면서도 지옥으로 떨어져 가는 사람이 많다. ***with the*** ~ ***of*** do*ing* …할 작정으로.

***in·ten·tion·al** [inténʃənəl] *a*. 계획적인, 고의의, 일부러의: an ~ insult 의도적인 모욕. cf. accidental. ㊕ ~·**ly** *ad*. 계획적으로, 고의로.

inténtional báse on bálls 〖야구〗 고의〔경원(敬遠)〕 4 구(球).

inténtional fóul 〖농구〗 고의적 반칙.

inténtional gróunding 〖미식축구〗 = GROUNDING.

inténtional páss 〔**wálk**〕 〖야구〗 고의적 4 구.

in·tén·tioned *a*. 《종종 복합어를 만들어》 …할 작정인: well-~ 선의의.

inténtion mòvement 〖행동학〗 의도 운동 《어떤 행동에 이르는 예비 행위; 예를 들면 뛰어오르기 전의 구부리는 행위》.

inténtion trèmor 〖의학〗 기도 진전(企圖震顫) 《수의 운동을 하고자 하면 일어남》. 「《*in*》.

in·ter [intə́ːr] (*-rr-*) *vt*. 매장하다, 묻다(bury)

in·ter [íntər] *prep*. 《L.》 가운데에, 사이에.

in·ter- [íntər] *pref*. '간(間), 중(中), 상호'의 뜻: *inter*lay; *inter*act. 「ative.

inter. intermediate; interrogation; interrog-

interabang ⇨ INTERROBANG.

ìnter·acadé mic *a*. 학교〔대학〕 사이의, 학교〔대학〕에 공통하는〔의〕.

ìnter·áct[1] *vi*. 상호 작용하다, 서로 영향을 주다.

ínter·àct[2] *n*. 《영》 막간, 막간극.

in·ter·ac·tant [intərǽktənt] *n*. 상호 작용하는 것〔사람〕; 〖화학〗 반응물, 반응체.

ìnter·áction *n*. U,C 상호 작용〔영향〕, 교호(交互) 작용; 〖컴퓨터〗 대화. ㊕ ~·**al** *a*.

ìnter·áction·ìsm *n*. 〖철학〗 상호〔교호〕 작용설 《마음과 몸이 독립된 실체로서 상호 작용한다는 설》. ㊕ **-ist** *n*.

ìnter·áctive *a*. 상호 작용하는, 서로 영향을 미치는; 〖통신〗 쌍방향의; 〖컴퓨터〗 대화식의: ~ CD-ROM video game 쌍방향의 CD롬 비디오 게임. ㊕ ~·**ly** *ad*.

interáctive cáble tèlevision = TWO-WAY CABLE TELEVISION.

interáctive fíction 쌍방향 소설, 시청자〔독자〕 참가 픽션《스토리성(性)을 가진 TV 게임으로, 참가자가 다음 행동 따위를 지시함으로써 이야기 전개에 참가할 수 있음》.

interáctive informátion retrìeval 쌍방향 정보 검색.

interáctive télevision 쌍방향 텔레비전.

interáctive vídeo 쌍방향 비디오.

ìnter·ágency *n*. 중간적〔중개〕 (정부) 기관. ── *a*. (정부) 각 기관 사이의〔으로 구성하는〕.

ìnter·ágent *n*. 중개자, 거간꾼.

in·ter alia [íntər-éiliə] 《L.》 (사물에 대해) 그 중에서도, 특히.

in·ter ali·os [íntər-éiliòus] 《L.》 (사람에 대해) 그 중에서도, 특히. 「대전에서》.

ìnter-Allíed *a*. 동맹국 간의; 연합국 측의《1차

ìnter-Américan *a*. 미대륙 국가들 간의.

inter-Américan Devélopment Bánk 〖경제〗 미주 개발 은행《생략: IDB》.

ìnter·atómic *a*. 원자 (상호) 간의.

ìnter·availabílity *n*. 《영》 (공공시설 · 교통수단 등의) 상호 이용 가능성.

ìnter·béd *vt*. (물건을) …사이에 넣다〔삽입하다〕.

ìnter·blénd (*p*., *pp*. ~·***ed*** [-id], ***-blént***) *vt*., *vi*. 섞다, 혼합하다, 뒤섞이다《*with*》.

ínter·bòrough *a*. 자치 읍면(邑面)〔도시〕(borough) 사이의〔에 관한〕. ── *n*. 자치 도시 간 교통《지하철 · 버스 따위》.

ínter·bràin *n*. 〖의학〗 간뇌(間腦), 사이골.

ìnter·bréed *vt*., *vi*. 이종 교배(異種交配)시키다; 잡종이 되다, 잡종 번식을 하다; 동계〔근친〕 교배하다.

in·ter·ca·lary [intə́ːrkəlèri, intərkǽləri/intə́ːkələri] *a*. 윤(閏)(일 · 달 · 년)의; 사이에 삽입한〔된〕; 〖지학〗 지층 간의; 〖식물〗 마디 사이의: an ~ day 윤일(閏日)《2월 29일》 / an ~ month 윤달《2월》 / an ~ year 윤년.

in·ter·ca·late [intə́ːrkəlèit] *vt*. 윤(閏)(일 · 달 · 년)을 넣다; 사이에 넣다, 삽입하다(insert). ㊕ **in·tèr·ca·lá·tion** *n*. U ~하기; 사이에 넣음; U,C 삽입(물); 〖지학〗 다른 암질층(岩質層) 사이의 층.

in·ter·cede [ìntərsíːd] *vi*. 《+전+명》 중재하다, 조정하다: ~ *with* the teacher *for* 〔*on behalf of*〕 A, A를 위해 선생님께 좋게 말해 주다. ㊕ **-céd·er** *n*. 「~·**ly** *ad*.

ìnter·céllular *a*. 세포 사이의〔에 있는〕. ㊕

in·ter·cen·sal [ìntərsénsəl] *a*. 국세 조사와 국세 조사 사이의: the ~ period.

in·ter·cept [ìntərsépt] *vt*. **1** 도중에서 빼앗다〔붙잡다〕, 가로채다. **2** (빛 · 물 따위를) 가로막다, 차단〔저지〕하다. **3** (통신을) 엿듣다; 〖경기〗 인터셉트하다; 〖수학〗 (면 · 선을) 2 선〔점〕에 따라서 잘라 내다. **4** 〖군사〗 (적기 · 미사일을) 요격하다. ── [ㅡㅡ] *n*. 〖수학〗 절편(截片); 가로채기; 차단, 방해(interception); 〖군사〗 《특히》 (적기 · 미사일 등에 대한) 요격; 방수(傍受)한 암호(통신); 〖경기〗 인터셉트.

in·ter·cép·tion *n*. U,C 도중에서 빼앗음〔붙잡음〕; 가로막음, 차단; 방해; 〖군사〗 요격, 저지; 〖통신〗 방수(傍受); 〖경기〗 인터셉션《인터셉트함, 또 인터셉트당한 포워드 패스》. 「해하는.

in·ter·cep·tive [ìntərséptiv] *a*. 가로막는, 방

in·ter·cep·tor, -cept·er [ìntərséptər] *n*. 가로채는〔저지하는, 가로막는〕 사람〔것〕; 〖군사〗 요격기.

in·ter·ces·sion [ìntərséʃən] *n*. U,C 중재, 조정, 알선; 아무를 위한 기도: make an ~ *to* A *for* B, B를 위해 A에게 잘 말해 주다. ◇ intercede *v*. ***through*** a person***'s*** ~ 아무의 중재에 의해. ㊕ ~·**al** *a*.

in·ter·ces·sor [ìntərsésər, ㅡㅡㅡ] *n*. 중재자, 조정자, 알선자. ㊕ **-ces·so·ri·al** [-sisɔ́ːriəl] *a*. 중재〔조정〕(자)의. **-ces·so·ry** [-sésəri] *a*. 중재〔조정〕의: *intercessory* prayer 〖종교〗 중재의 기도.

*__in·ter·change__ [ìntərtʃéindʒ] *vt.* ⦅~+목/+목+전+명⦆ 교환하다, 주고받다; 교체〔대체〕시키다⦅*with*⦆; 번갈아 일어나게 하다: ~ opinions freely 서로 자유로이 의견을 나누다/Sad moments were ~*d with* hours of merriment. 비탄의 순간과 환락의 때가 번갈아 교차했다. SYN. ⇨EXCHANGE. — *vi.* **1** 교체하다. **2** 번갈아 일어나다. — [ㅗㅡ] *n.* U,C 상호 교환, 주고받기; 교체; (고속도로의) 입체 교차(交叉)(점), 인터체인지, 나들목; ⦅영⦆ (다른 교통 기관으로) 바꿔 타는 역(=~ **stàtion**). 파 **-cháng·er** *n.*

ìnter·changeabílity *n.* U 교환〔교체〕가능성, 호환성.

ìnter·chángeable *a.* 교환할 수 있는, 바꿀 수 있는; 교체할 수 있는. 파 **-bly** *ad.* ~**·ness** *n.*

in·ter·city [ìntərsíti] *a.* (교통 등이) 도시 사이의〔를 연결하는〕: ~ traffic 도시 간〔연락〕교통.

InterCíty (tráin) 유럽의 각 도시 간을 달리는 특급 열차⦅생략: IC⦆.

ìnter·cláss *a.* 학급(대항)의; 계급 간의.

ìnter·cóllege *a.* =INTERCOLLEGIATE.

ìnter·collégiate *a.* 대학 간의, 대학 연합〔대항〕의. ★ 중·고교의 경우에는 interscholastic 이라고 말함. 「파 ~**·ly** *ad.*

ìnter·colónial *a.* 식민지 간의, 식민지 상호의.

ìnter·colúmnar *a.* ⦗건축⦘ 기둥 사이의.

ìnter·columniátion *n.* U ⦗건축⦘ 기둥 사이, 기둥 배치⦅기둥 굵기에 따라 각 기둥의 위치를 정하는 일⦆.

in·ter·com [íntərkàm/-kɔ̀m] *n.* ⦅구어⦆ =INTERCOMMUNICATION SYSTEM.

ìnter·commúnal *a.* (2개 이상의) community 간의, 2국〔다국〕간의.

ìnter·commúnicate *vi.* 서로 왕래〔연락〕하다⦅*with*⦆; (방 등이) 서로 통하다⦅*with*⦆. — *vt.* (전갈·정보 등을) 교환하다.

ìnter·communicátion *n.* U 상호의 교통, 교제, 상호 연락⦅*between; with*⦆; 교통로.

intercommunicátion sỳstem (배·비행기·사무실 따위의) 인터폰, 인터콤(intercom).

ìnter·commúnicative *a.* 서로 통하고 있는〔교제가 있는〕.

ìnter·commúnion *n.* U 상호의 교제〔연락〕, 친교; ⦗기독교⦘ 다른 종파 교도 간의 성찬식.

ìnter·commúnity *n.* U, *a.* 공통성; 공유(共有)(의), 공동 사용.

ìnter·compárison *n.* 상호 비교.

ìnter·comprehensibílity *n.* 상호 이해(성).

ìnter·concéptional *a.* 임신과 다음 임신 사이의.

ìnter·connéct *vt., vi.* 서로 연락〔연결〕시키다〔하다〕; (여러 대의 전화를) 한 선에 연결하다. — *n.* (전화에 의한) 내부 연락〔통화〕. 파 **-néc·tion,** ⦅영⦆ **-néx·ion** *n.* U 상호 연락〔연결〕.

ìnter·connéctedness *n.* 상호 연락성〔연결성〕, 상관성.

ìnter·continéntal *a.* 대륙 간의, 대륙을 잇는.

intercontinéntal ballístic míssile ⦗군사⦘ 대륙 간 탄도탄⦅생략: ICBM⦆.

ìnter·convérsion *n.* 상호 교환〔전환, 변환〕.

ìnter·convért *vt.* 상호 교환〔전환〕하다. 파 **ìnter·convertibílity** *n.* ~**·ible** *a.* 상호 교환〔전환〕할 수 있는, 호환성의.

ínter·còoler *n.* ⦗기계⦘ (다단(多段) 압축기의)

ínter·còoling *n.* 중간 냉각. ⌊중간 냉각기.

ìnter·correlátion *n.* 상관관계.

ìnter·cóstal *a.* ⦗해부⦘ 늑간(肋間)의; ⦗선박⦘ 늑재간(肋材間)의. — *n.* 늑간(근(筋)〔부(部)〕). 파 ~**·ly** *ad.*

◇**in·ter·course** [íntərkɔ̀ːrs] *n.* U **1** (개인 간의) 교제, 교섭, 교류: social ~ 사교/friendly ~ 친교. **2** (국가 간의) 교통, 거래: commercial ~ 통상〔관계〕/diplomatic ~ 외교. **3** (신과 사람의) 영적 교통: have direct ~ *with* God (영매 없이) 신과 직접 교신하다. **4** 성교(sexual ~): illicit ~ 간통. ★ 현대에는 흔히 '성교'를 암시하므로 사용에 주의. — *vt., vi.* ⦅미속어⦆ (…와) 성교하다.

ìnter·cróp (*-pp-*) *vt., vi.* ⦗농업⦘ 간작(間作)하다. — [ㅗㅡ] *n.* 간작물.

ìnter·cróss *vt., vi.* **1** (선 따위를〔가〕) 서로 교차시키다〔하다〕. **2** 이종(異種) 교배시키다〔하다〕. — *n.* 잡종; 이종 교배.

ìnter·crúral *a.* ⦗의학⦘ 가랑이 사이의.

ìnter·cúltural *a.* 이(종)(異(種))문화 간의.

ìnter·cúrrent *a.* 사이에 오는〔생기는〕, 중간의 (intervening); ⦗의학⦘ 병발(竝發)하는, 간헐적(間歇的)인: an ~ disease 병발증. 파 ~**·ly** *ad.* **-rence** *n.* U,C

ìnter·cút *vt.* ⦗영화·TV⦘ 대조적인 장면을 삽입하다. — [ㅗㅡ] *n.* 인터컷.

ìnter·dáte *vi.* ⦅미⦆ 종교〔종파〕가 서로 다른 사람과 데이트하다.

ìnter·denominátional *a.* 각 종파 간의.

ìnter·déntal *a.* 잇새의; ⦗음성⦘ 치간(齒間)의 ⦅혀끝을 윗니와 아랫니 사이에 대고 발음하는⦆. 파 ~**·ly** *ad.*

ìnter·departméntal *a.* 각 부처 간의; (특히 교육 기관의) 각 과〔학부〕 사이의.

ìnter·depénd *vi.* 상호 의존하다.

ìnter·depéndence, -ency *n.* U 상호 의존(성)⦅*of; between*⦆: ~ *between* different countries 국가 간의 상호 의존.

ìnter·depéndent *a.* 서로 의존하는, 서로 돕는. 파 ~**·ly** *ad.*

in·ter·dict [ìntərdíkt] *vt.* **1** ⦅~+목/+목+전+명⦆ 금지하다, 저지하다. cf. forbid. ¶ ~ trade *with* belligerents 교전국과의 통상을 금하다. **2** ⦗가톨릭⦘ (성사 수여(聖事授與)·예배 등을) 금하다. **3** ⦅미⦆ (적의 보급로·진격 등을 폭격·포격 따위로) 막다, 차단하다, 저지하다: Constant air attacks ~*ed* the enemy's advance. 계속적인 공습으로 적의 진격을 저지했다. — [ㅗㅡ] *n.* 금지, 금령(禁令), 금제; ⦗가톨릭⦘ 성사 수여〔예배 따위〕의 금지; 파문(破門). 파 **-díc·tive** *a.*

in·ter·díc·tion *n.* U,C 금지, 금제(禁制), 정지; ⦗법률⦘ 금치산 선고; (무역의) 금지; ⦗군사⦘ 저지⦅군사 행동의 제지를 위한 포격·폭격⦆; ⦅미⦆ (난민의) 입국 저지.

in·ter·dic·tor [ìntərdíktər] *n.* 금지, 금령(禁令), 정지. 파 **-to·ry** *a.*

ìnter·diffúse *vi.* (균질의 혼합 상태에 가까워지기까지) 서로 확산하다. 파 **-diffúsion** *n.*

ìnter·dígital *a.* 손가락〔발가락〕 사이의.

ìnter·dígitate *vt., vi.* 깍지 낀 손 모양으로 단단히 얽다〔얽히다〕, 서로 맞물다〔맞물리다〕. 파 **-digitátion** *n.* 서로 깍지 끼기.

ìnter·dísciplinary *a.* 둘(이상)의 학문 분야에 걸치는, 학제간(學際間)의, 이분야(異分野) 제휴의.

in·ter·dit [*F.* ɛ̃tɛRdi] *a.* ⦅F.⦆ 금지된, 금제의.

†**in·ter·est** [íntərəst, -tərèst] *n.* **1** U,C 관심, 흥미⦅*in*⦆; 감흥, 재미, 흥취⦅*to; for*⦆: take (an) ~ *in* …에 흥미를〔관심을〕 갖다/have little ~ *in* politics 정치에 그다지 흥미가 없다/The book has no ~ *for* me. =The book is of no ~ *to* me. 그 책은 나에겐 재미가 없다. **2** 관심사, 흥미의 대상, 취미: His greatest ~ *in* life is music. 그의 인생 최대의 즐거움은 음악이다. **3** 관여, 참가, 관계: have an ~ *in* the profits 이

익 분배에 참여하다. 4 Ⓤ 중요성, (결과 등의) 중대함: a question of great ~ 중요한 문제. 5 (종종 *pl.*) 이익; 이해관계; 사리(私利): public ~*s* 공익(公益) / look after one's own ~*s* 사리를 꾀하다. 6 이권, 권익《*in*》; 세력, 지배력《*with*》: French ~*s in* Algeria 알제리에 있어서의 프랑스의 권익 / make ~ *with* a person 아무에게 영향력을 행사하다. 7 권리, 소유권; 주(株). 8 …사업; 〖집합적〗 …사업 관계자, …파, …측; 실업계〔재계〕의 실력자 그룹, 대기업: the shipping ~ 해운업 / the banking ~ 은행업자 / the conservative ~ 보수파 / the landed ~ 지주 측 / the business ~*s* 대사업가들. 9 Ⓤ 이자, 이율; 《비유》 덤, 나머지: at 5% ~, 5푼 이자로 / annual 〔daily〕 ~ 연리〔일변(日邊)〕 / simple 〔compound〕 ~ 단리〔복리〕 / at high 〔low〕 ~ 고리〔저리〕로.

at **~** 이자를 붙여서. ***buy an*** **~** ***in*** …의 주를 사다, …의 주주가 되다. ***declare an*** 〔***one's***〕 **~** (바람직스럽지 않은) 일의 관여를 자인하다. ***have an*** **~** ***in*** …에 홍미를 갖고 있다, 이해관계가 있다. ***have*** **~** ***with*** …에 세력〔신용〕이 있다. **~** ***for delinquency*** 연체 이자. ***in the*** **~**(***s***) ***of*** …을 위하여: *in the* ~(*s*) *of* the country 나라를 위하여. ***know*** one***'s own*** **~** 사리(私利)에 밝다〔빈틈이 없다〕. (a matter) ***of*** **~** 홍미가 있는 (일); 중요한 (일). ***pay*** a person ***back with*** **~** 《구어》 덤을 더 붙여서 앙갚음〔보복〕하다. ***through*** **~** ***with*** a person 아무의 연줄로. ***use*** one***'s*** **~** ***with*** …에 진력하다. ***with*** **~** ① 홍미를 가지고. ② 이자를 붙여서: return a blow *with* ~ 덤을 붙여서 되받아치다.

— [íntərèst] *vt.* **1** 《~+목/+목+전+명》 …에 홍미를 일으키게 하다, …의 관심을 끌다: You ~ me. 아하, 그러면 어디 말씀을 들어 봅시다 《상대방이 꺼낸 화제가 자기에게 중요하다고 여겨졌을 때》 / ~ boys *in* science 소년들에게 과학에 대한 홍미를 갖게 하다. **2** 《+목+전+명》 관계시키다, 관여시키다; 끌어넣다, 말려들게 하다 《사건·사업 따위에》: Every member is ~*ed in* this regulation. 모든 회원은 이 규정의 적용을 받는다 / Can I ~ you *in* a chess? 장기 한 판 어떻습니까. **3** 〖~ oneself〗 관계하다, 가입하다: I ~*ed* my*self in* the enterprise. 나는 그 사업에 관계했다.

‡in·ter·est·ed [íntərəstid, -tərèst-] *a.* **1** 홍미를 가지고 있는, 홍겨워하는, 호기심이 생기게 된《*in*》; 홍미 깊은, (…)하고 싶은《*to* do; *that*》: ~ spectators 매우 홍겨워하는 구경꾼 / an ~ look 홍미를 가진 표정 / I'm very (much) ~ *in* music. 음악에 많은 홍미를 가지고 있습니다 / I'm ~ *to* learn French. 프랑스어를 배우고 싶다. SYN. ⇨ INTERESTING. **2** (이해)관계가 있는, 관여하고 있는: ~ parties 이해관계자, 당사자들. **3** 사심(私心)에 쏠린, 불순한, 편견이 있는; 타산적인: ~ marriage 정략 결혼 / ~ motives 불순한 동기. ***the person*** **~** 관계자. ㊕ **~·ly** *ad.* 홍미를 갖고; 사심(私心)을 갖고. **~·ness** *n.*

ínterest-frée *a., ad.* 무이자의〔로〕.

ínterest gròup 이익 공동체〔집단, 단체〕.

‡in·ter·est·ing [íntərəstiŋ, -tərèst-] *a.* 홍미있는, 재미있는, (아무에게) 홍미를 일으키게 하는: an ~ book 재미있는 책 / I found the study ~. 그 연구 논문은 재미있었다. ***in an*** **~** ***condition*** 〔***situation, state***〕 《고어》 임신하여.

> SYN. **interesting** 상대의 관심 등을 불러일으키는 성질을 지님. **interested** 어떤 것에 관심이나 동정 등을 자아내게 된. **amusing** 상대방을 웃길 정도로 재미있고 홍미 있는. **funny** 웃음을 자아내게 할 만큼 우스운.

㊕ **~·ly** *ad.* **~·ness** *n.*

ínterest ràte 이자율: cut ~ 이자율을 내리다.

ínter·fàce *n.* 중간면, 접촉면; 〖물리〗 계면(界面); (상호) 작용을 미치는 영역; 상호 작용〔전달〕의 수단; 〖컴퓨터〗 사이틀, 인터페이스《CPU와 단말 장치와의 연결 부분을 이루는 회로》: the ~ between the scientist and society 과학자와 사회의 접점. **—** *vt.* …을 (…에) 잇다; (순조롭게) 조화〔협력〕시키다; 〖컴퓨터〗 (…와) 사이틀〔인터페이스〕로 접속하다《*with; to*》.

ínterface verificátion 〖로켓〗 인터페이스 검사《로켓 발사 때 관련 기기의 상호 작동 상태를 체크하는 검사》.

ìnter·fácial *a.* (결정체의 모서리가) 두 면 사이에 낀; 계면(界面)의.

interfácial ténsion 〖물리〗 계면(界面) 장력.

ínter·fàcing *n.* 〖복식〗 (접는 부분의) 심.

ìnter·fáith *a.* 이교파〔종파, 교도〕 간의; 종파를 초월한.

‡in·ter·fere [ìntərfíər] *vi.* **1** 《~/+전+명》 간섭하다, 말참견하다《*in*》: ~ *with* a person *in* his affairs 아무의 일에 간섭하다 / Don't ~ *with* 〔*in*〕 what does not concern you. 너에게 관계없는 일에 참견 마라. **2** 《~/+전+명》 훼방 놓다, 방해하다; 저촉하다《*with*》; (남의 물건에) 손대다; 해를 끼치다《*with*》: You may go if nothing ~*s*. 지장 없으면 가도 좋다 / Someone has ~*d with* the clock. 누군가가 시계에 손을 댔다 / ~ *with* a person's plan 아무의 계획에 지장을 초래하다 / ~ *with* health 건강을 해치다. **3** 《~/+전+명》 (이해 따위가) 충돌〔대립〕하다《*with*》: Their interests ~*d*. 그들의 이해가 충돌했다. **4** 〖물리〗 (광파·음파 등이) 간섭하다. **5** 〖스포츠〗 (불법으로) 방해하다. **6** 《~/+전+명》 중재〔조정〕하다《*in*》: He can't ~ *in* our labor strife. 그는 우리의 노동 쟁의를 조정할 수 없다. **7** (말이) 보행 중 (자기) 다리를 맞부딪치다. **~** ***with*** 멋대로 만지작거리다; 《완곡어》 성적으로 장난〔폭행〕하다. ◇ interference *n.* ㊕ **-fer·er** *n.*

in·ter·fer·ence** [ìntərfíərəns] *n.* Ⓤ,Ⓒ **1** 방해, 훼방; 저촉(抵觸); 충돌; 간섭, 참견: ~ in internal affairs 내정 간섭. **2** 〖물리〗 (광파·음파·전파 따위의) 간섭, 상쇄. **3** 〖무전〗 혼신. **4** 〖구기〗 불법 방해. **5** (2 개 국어 사용 시의) 언어의 간섭; (기억의) 방해; 동일 발명의 우선권 경쟁. ***run **~** ***for*** (공 가진 사람)에게 달려가 상대 팀의 태클을 저지하다. ㊕ **-fe·ren·tial** [-fərénʃəl] *a.*

ìn·ter·fér·ing [-riŋ] *a.* 간섭〔방해〕하는; 참견하는《노인》. ㊕ **~·ly** *ad.* **~·ness** *n.*

in·ter·fer·o·gram [ìntərfíərəgræ̀m] *n.* 〖광학〗 간섭광(干涉光) 강도 변화의 사진 기록도.

in·ter·fer·om·e·ter [ìntərfərámətər/-rɔ́-] *n.* 〖광학〗 간섭계(干涉計).

in·ter·fe·ron [ìntərfíəran/-rɔn] *n.* 〖생화학〗 인터페론《바이러스 증식 억제 인자》.

ìnter·fíle *vt.* (서류 따위를) 항목별로 정리하여 철하다. 「Ⓤ 합류; 혼합.

ìnter·flów *vi.* 합류하다; 혼합하다. **—** [ˊ-ˋ] *n.*

ìnter·flúent *a.* 사이를 흐르는; 합류〔혼류〕하는.

in·ter·fluve [íntərflùːv] *n.* 하간지(河間地)《인접한 강과 강 사이의 지역》.

ìnter·fratérnal *a.* 형제간의.

in·ter·fuse [ìntərfjúːz] *vt., vi.* 혼입시키다〔하다〕; 혼합하다; 침투시키다〔하다〕; 배어들게 하다; 스며들다. ㊕ **-fú·sion** [-ʒən] *n.* Ⓤ 혼입; 혼합; 침투.

ìnter·fútures *n.* 미래 상관(相關)《OECD 가맹국의 전문가로 구성된 미래 예측 프로젝트》.

ìnter·galáctic *a.* 〖천문〗 은하계 간(공간)의.

ìnter·generátional *a.* 세대 사이의.

ìnter·glácial *a.* 〖지학〗 (두) 빙하 시대 중간의, 간빙기(間氷期)의.

ìnter·governméntal *a.* 정부 간의: an ~ agreement 정부 간 협정.

ìnter·gradátion *n.* (서서히 다른 종(種)·단계로) 변이, 추이(推移), 변천; 〖생물〗 점진 진화.

ínter·gràde *n.* 중간 단계〔형식, 정도〕. **—** [ˌ-ˊ] *vi.* (동식물의 종(種) 따위가) 단계적으로 변화하다.

ínter·gròup *a.* 그룹〔집단〕 사이의.

ínter·gròwth *n.* 서로 한데 어울려 성장하는 것.

in·ter·im [íntərəm] *a.* 중간의; 임시의, 가(假), 잠정의: an ~ report 중간 보고/an ~ certificate 가(假)증서/an ~ government 임시 정부/an ~ policy 잠정적인 정책. **—** *n.* 중간 시기, 한동안, 잠시; 잠정적 조치, 가협정; (the I-) 〖기독교〗 잠정 협정《1548 년의 Augsburg의 가(假)종교 화약(和約) 등》. ***in the ~*** 당분간, 그동안. **—** *ad.* 그 사이에.

ínterim dívidend 〖보험〗 (결산기 전의) 중간 〔가(假)〕 (이익) 배당.

ìnter·indivídual *a.* 개인 간의.

****in·te·ri·or** [intíəriər] *a.* **1** 안의, 안쪽의, 내부의, 속의. [opp] *exterior.* ¶ ~ dimensions 안쪽 치수/~ repairs 내부 수리. **2** 오지(奧地)의, 내륙의, 해안〔국경〕에서 먼. **3** 내국의, 국내의. [opp] *foreign.* **4** 옥내의, 실내의. **5** 내적인, 정신적인; 내밀한, 비밀의; 개인적인: one's ~ life 내면〔숨겨진, 드러나지 않은〕 생활. **—** *n.* **1** (the ~) 안쪽, 내부《*of*》: the ~ *of* a Korean house 한옥의 내부. **2** (the ~) 오지, 내륙. **3** (the ~) 내정, 내무: the Department 〔Secretary〕 *of* the Interior 《미》 내무부〔장관〕. **4** (the ~) 옥내, 실내; 〖미술〗 실내도〔사진〕; 실내 장면〔세트〕. **5** 내심, 본성. **6** 《속어》 배(belly). [파] **~·ly** *ad.*

intérior ángle 〖수학〗 내각(內角).

intérior ballístics 내부 탄도학.

intérior decorátion 〔**desígn**〕 실내 장식〔설계〕.

intérior décorator 〔**desígner**〕 실내 장식가〔설계가〕.

in·te·ri·or·ism [intíəriərìzəm] *n.* 〖철학〗 내관(內觀)주의《진리는 외계의 경험보다 내성(內省)에 의해 발견된다는》.

in·te·ri·or·i·ty [intìərió:rəti, -ár-/-ɔ́r-] *n.* [U] 내적임, 내면〔내부〕성.

intérior línemen 〖미식축구〗 공격 측 양 엔드를 제외한 안쪽의 5인 선수.

intérior mónologue 〖문학〗 내적 독백《'의식의 흐름'의 수법에 씀》.

interj. interjection.

in·ter·ja·cent [ìntərdʒéisənt] *a.* 개재하는, 사이에 있는, 중간의.

in·ter·ject [ìntərdʒékt] *vt., vi.* (말을) 불쑥 끼워 넣다, 던져 넣다, 사이에 끼우다. [파] **-jéc·tor** *n.*

°in·ter·jéc·tion *n.* **1** 불의에 외치는 소리〔발성〕, 감탄. **2** 〖문법〗 간투사, 감탄사《ah!, eh!, lo!, Heavens!, Wonderful! 따위》.

in·ter·jec·tion·al [ìntərdʒékʃənəl] *a.* 삽입적인, 외치는 소리의; 〖문법〗 간투사〔감탄사〕의. [파] **~·ly** *ad.*

in·ter·jec·to·ry [ìntərdʒéktəri] *a.* 감탄사적인; 갑자기 삽입한.

ìnter·knít (*-tt-*) *vt.* 짜〔엮어〕 맞추다.

ìnter·láboratory *a.* 연구실 간의.

ìnter·láce *vt.* 《~+[목]/+[목]+[전]+[명]》 섞어 짜다, 짜 맞추다; 얽히게 하다: ~ flowers *with* sprigs 꽃과 잔가지를 얽다. **—** *vi.* 섞어 짜다, 섞이다, 얽히다. [파] **~d** [-t] *a.* 〖문장(紋章)〗 엇갈리는, 어긋매낀: ~*d* scanning 〖TV〗 =INTERLACING.

ìnter·lácing *n.* 〖TV〗 비월 주사(飛越走査)《영상을 두 선군(線群)으로 번갈아 주사시키는 방법》.

ìnter·láminate *vt.* 박편(薄片) 사이에 끼워 넣다; 박편으로 하여 번갈아 포개다.

ínter·lànguage *n.* 국제어; 〖언어〗 (번역 따위의) 매개 언어; 〖언어〗 중간 언어.

in·ter·lard [ìntərlá:rd] *vt.* 《+[목]+[전]+[명]》 《우스개》 (이야기·문장 등에) 섞다《*with*》: ~ one's speech *with* foreign phrases 〔words〕 외국어를 섞어 가며 이야기하다.

ìnter·láy (*p., pp.* ***-laid***) *vt.* 사이에 (끼워) 넣다; 사이에 넣어 장식하다《*with*》.

ínter·lèaf (*pl.* ***-lèaves***) *n.* (책 따위의) 삽입(백)지, 간지(間紙), 속장.

ìnter·léave *vt.* 《~+[목]/+[목]+[전]+[명]》 (책 따위의) 사이에 간지(間紙)를 끼우다《*with*》; =SLIPSHEET; INTERLAMINATE. **—** *n.* 〖컴퓨터〗 인터리브《기억 장치를 여러 부분으로 나누고 그 동작 주기를 조금씩 차이지게 하여 등가적(等價的)으로 고속화하는 일》.

in·ter·leu·kin [íntərlù:kin] *n.* 〖면역〗 인터류킨《림프구·단핵 백혈구에서 생산·분비되어 면역 응답에 관여하는 물질의 총칭. 특히, 인터류킨 2는 암세포를 공격하는 킬러 세포를 증식시키므로 항암제로서 사용되고 있음》.

ìnter·líbrary lóan 도서관 상호 대출 (제도).

ìnter·líne[1] *vt.* 《~+[목]/+[목]+[전]+[명]》 (글자 따위를) 행간에 써 넣다〔인쇄하다〕, 적어 넣다: ~ notes *on* pages 페이지 행간에 주를 써넣다.

ìnter·líne[2] *vt.* 심(心)을 넣다《옷의 거죽과 안 사이에》: ~ a coat 코트에 심을 넣다.

ìnter·líne[3] *a.* 둘 이상의 노선에 걸치는〔을 이용하는〕《수송 기관·운임 따위》.

ìnter·línear *a.* 행간의; 행간에 쓴〔인쇄한〕; (원문과 그 번역문 따위를) 한 줄 걸러 쓴〔인쇄한〕: an ~ gloss 행간 주석. [파] **~·ly** *ad.*

ìnter·lineátion *n.* 행간에 써넣음, 행간 인쇄.

ínterline bággage tàg (다른 항공사 항공기로의) 이어타기용 꼬리표.

ínterline fàre =JOINT FARE.

ínterline pàssenger (다른 항공사 여객기를) 이어 타는 승객.

ìnter·líner *n.* 타항공사(노선)으로 바꿔타는 손님.

Ìnter·língua *n.* [U] 과학자용 인공 국제어.

ìnter·língual *a.* 복수의 언어 간의〔에 존재하는, 에 걸치는〕: an ~ dictionary 2 국어〔다국어〕 사전.

ínter·lìning *n.* [U] (옷의) 거죽과 안 사이에 넣은 심(心).

ìnter·línk *vt.* 이어 붙이다, 연결하다.

ìnter·lócal *a.* 지방 간의, 장소 간의(교통·협정 따위).

ìnter·lóck *vi.* 맞물리다, 연결되다. **—** *vt.* 맞물리게 하다, 연결하다. ***an ~ing device*** 연동 장치. ***an ~ing signal*** 〖철도〗 연동 신호(기), 연쇄 신호. **—** *a.* (직물이) 양면 짜기인. **—** [ˊ-ˌ] *n.* 맞물린 상태; 연결, 연동; (안전을 위한) 연동 장치; 〖영화〗 (촬영과 녹음을 연동시킨) 동시 장치; 〖컴퓨터〗 인터록《진행 중인 동작이 끝날 때까지 다음 동작이 개시되지 않도록 하는 일〔장치〕》.

interlócking diréctorate 겸임 중역회〔제〕《중역이 다른 회사의 중역을 겸임하는 경영법》.

in·ter·lo·cu·tion [ìntərləkjú:ʃən] *n.* 대화, 회화, 문답(dialogue); 〖법률〗 중간 판결.

in·ter·loc·u·tor [ìntərlákjətər/-lɔ́k-] (*fem.* ***-tress*** [-tris], ***-trice*** [-tris], ***-trix*** [-triks]) *n.* 대화〔대담〕자, 회담자; 《미》 흑인 악단(minstrel show)의 사회자《열의 중앙에서 end men과 대사를 주고받음》.

in·ter·loc·u·to·ry [ìntərlákjətɔ̀:ri/-lɔ́kjətəri] *a.* **1** 대화(체)의, 문답체의: ~ wit 대화 중에 삽입하는 기지(機智). **2** 〖법률〗 중간(판결)의. [opp] *final.*

in·ter·lope [ìntərlóup] *vi.* 남의 일에 간섭하

다, 중뿔나게 나서다; 남의 권리를 침해하다; 무허가 영업을 하다. ㊞ **ìn·ter·lòp·er** *n.* 침입해 온 사람〔동물, 식물〕.

°**in·ter·lude** [íntərlùːd] *n.* **1** 동안, 중간참; (두 사건) 중간에 생긴 일: brief ~*s* of fair weather during the rainy season 장마철의 여우볕. **2** 막간의 주악, 간주곡. **3** 막간, 쉬는 참(interval); 막간 희극〔촌극〕.

ìnter·lúnar *a.* 달이 보이지 않는 기간의《음력 그믐·초승 사이의 약 4 일간》; 합삭(合朔)의.

ìnter·lunátion *n.* 달이 보이지 않는 순간, 무월(無月) 순간.

ìnter·márriage *n.* Ⓤ 다른 종족·계급·종교인 사이의 결혼《특히 백인과 흑인, 기독교인과 비기독교인 사이의》; 근친〔혈족〕 결혼; 〖법률〗 결혼.

ìnter·márry *vi.* (이종족·이교도 사이에) 결혼하다《*with*》; 근친〔혈족〕 결혼 하다.

ìnter·máxillary *a.* 〖해부〗 위턱뼈 사이에 있는.

ìnter·méddle *vi.* 간섭〔참견〕하다, 주제넘게〔중뿔나게〕 나서다《*in; with*》. ㊞ **-dler** *n.*

ìnter·média *n.* **1** intermedium 의 복수꼴의 하나. **2** 인터미디어《음악·영화·무용·전자 공학 등을 복합한 예술》. ― *a.* 다양한 미디어를 동시에 이용하는. 「중개, 거간.

in·ter·me·di·a·cy [ìntərmíːdiəsi] *n.* 중간성;

in·ter·me·di·ary [ìntərmíːdièri/-diəri] *a.* 중간의; 중개의, 매개의: ~ business 중개업. ― *n.* 〔일반적〕 매개, 수단; 중개자, 조정자; 매개물; 중간 단계(의 형태〔산물〕), 중간물. ***through the ~ of*** …을 중개로 하여.

°in·ter·me·di·ate** [ìntərmíːdiət] *a.* 중간의; 중등학교의: the ~ examination 〖영대학〗 중간 시험. ― *n.* 중간물; 중개〔매개〕자; 조정자; 《영》 중간 시험; 〖화학〗 중간 생성물〔물질〕; 《미》 중형차. ― [ìntərmíːdièit] *vi.* 사이에 들다(intervene); 중개하다, 조정하다《*between*》. ㊞ **~·ly** *ad.* **~·ness** *n.* 「particle).

intermédiate bóson 〖물리〗 W입자(W

intermédiate énergy núclear phỳsics 〖물리〗 중간 에너지 핵물리학. 「수.

intermédiate frèquency 〖물리〗 중간 주파

intermédiate hóst 〖생물〗 중간 숙주.

intermédiate hỳbrid 〖생물〗 중간 잡종.

intermédiate-lèvel wáste 중간 레벨 방사성 폐기물.

intermédiate rànge ballístic míssile 중거리 탄도탄《생략: IRBM》.

intermédiate schóol **1** 《미》 중학교(junior high school). **2** 《미》 보통, 초등학교 4-6 학년 과정의 학교. **3** 《영》 초등학교 상급 학년과 중학 중간 과정의 학교《12-14 세 학생들을 수용함》.

intermédiate technólogy 중간 기술《소규모·간단·자족을 내세우며 환경과 자연보호의 양립을 주창하는 과학 기술(관)》.

intermédiate véctor bòson 〖물리〗 매개 벡터 중간자(W particle). 「중재.

in·ter·mè·di·á·tion *n.* Ⓤ 매개, 중개; 조정,

in·ter·me·di·a·tor [ìntərmíːdièitər] *n.* 중개자; 조정자, 중재자.

in·ter·me·di·um [ìntərmíːdiəm] (*pl.* **-dia** [-diə], **~s**) *n.* 중간물, 중개〔매개〕물.

in·ter·ment [intə́ːrmənt] *n.* Ⓤ,Ⓒ 매장, 토장(土葬)(burial).

in·ter·mer·cial [ìntərmə́ːrʃəl] *n.* 〖컴퓨터〗 (인터넷의) 페이지 간 동영상 상업 광고.

ìnter·mésh *vi.* (톱니바퀴 등이) 서로 맞물리다.

ìnter·metállic *a., n.* 2종 이상의 금속〔금속과 비금속〕으로 이루어진, 합금(의).

in·ter·mez·zo [ìntərmétsou, -médzou] (*pl.* **~s, -mez·zi** [-tsiː, -dziː]) *n.* (극·가극 따위의) 막간 연예, 막간극; 〖음악〗 간주곡.

ìnter·migrátion *n.* Ⓤ 상호 이주(移住).

in·ter·mi·na·ble [intə́ːrmənəbəl] *a.* 끝없는; 지루하게 긴《설교 등》; (the I-) 무한의 실재, 신(God). ㊞ **-bly** *ad.* **~·ness** *n.*

ìnter·míngle *vi.* 《~/+전+명》 혼합하다《*with*》: They soon ~*d with* the crowd. 그들은 이내 군중 속에 섞였다. ― *vt.* 《~+목/+목+전+명》 혼합시키다, 섞다《*with*》: ~ A *with* B, A와 B를 섞다. ㊞ **~·ment** *n.* Ⓤ

in·ter·mis·sion [ìntərmíʃən] *n.* Ⓤ,Ⓒ **1** (열(熱) 발작 따위의) 간헐(間歇)〔휴지〕기; 중지, 중절; 두절. **2** (수업 간의) 휴식 시간(break); 막간(의 음악); (연극·음악회 따위의) 휴게 시간(《영》 interval). ***without ~*** 끊임없이. ㊞ **~·less** *a.*

in·ter·mit [ìntərmít] (**-tt-**) *vi., vt.* 일시 멈추다, 중단〔중절〕되다〔시키다〕(suspend); 〖의학〗 (신열 따위가) 단속(斷續)하다; (맥박이) 결체(結滯)하다. ㊞ **-mít·ting·ly** *ad.*

in·ter·mit·tence, -ten·cy [ìntərmítəns], [-tənsi] *n.* Ⓤ 간헐(성), 중절, 단속.

in·ter·mit·tent [ìntərmítənt] *a.* 때때로 중단되는, 간헐적인: an ~ pulse 간헐적으로 멎는 맥박, 부정맥/an ~ spring 간헐천(泉). ― *n.* 〖의학〗 간헐열. ㊞ **~·ly** *ad.* 「전류.

intermíttent cúrrent (전신·초인종의) 단속

intermíttent féver 〖의학〗 (말라리아 등의) 간헐열(熱).

intermíttent móvement 〖영화〗 간헐 운동.

in·ter·mit·ter, -tor [ìntərmítər] *n.* 중단하는 사람; 〖영화〗 (카메라·영사기의) 간헐(間歇) 기구.

ìnter·míx *vt., vi.* 혼합하다, 섞(이)다: smiles ~*ed with* tears 울음 섞인 웃음. ㊞ **~·a·ble** *a.* **~·ture** *n.* Ⓤ 혼합; Ⓒ 혼합물.

ìnter·módal *a.* 각종 수송 기관을 통합하여 이용하는: ~ transportation 협동 일관(一貫) 수송.

ìnter·modulátion *n.* 〖전기〗 상호 변조: ~ distortion 〖공학〗 혼(混)변조 일그러짐.

in·ter·mon·tane, -mont, -moun·tain [ìntərmántein/-mɔ́n-], [-mánt/-mɔ́nt], [-máuntən] *a.* 산간의: an ~ hamlet 산촌.

in·ter·mun·dane [ìntərmʌ́ndein, -mʌndéin] *a.* 두〔둘 이상의〕 세계〔천체〕 사이의〔에 있는〕.

ìnter·múral *a.* **1** 벽(사이)에 끼인. **2** 도시〔학교, 단체〕 사이의: an ~ track meet 도시 대항 육상 경기 대회.

in·tern[1] [intə́ːrn] *vt.* (일정 구역〔항구〕 내에) 억류〔구금〕하다《*in*》《교전국의 포로·선박·국민 등을》; (위험인물 등을) 강제 수용〔격리〕하다: ~ an alien 외국인을 억류하다. ― [⌐-] *n.* 피억류자(internee).

in·tern[2] [íntəːrn] *n.* 《미》 수련의(醫), 인턴(interne); =STUDENT TEACHER. ― *vi.* 인턴으로 근무하다.

°in·ter·nal** [intə́ːrnl] *a.* **1** 내부의, 안의(opp *external*); 〖해부〗 체내의; 〖약학〗 내복용의, 경구(經口)의: ~ regulations 내부 규율/~ troubles 내분/~ organs 내장/~ medicine 내과학/~ bleeding 내출혈/medicines for ~ use 내복약. **2** 내면적인, 정신적인, 본질적인: ~ evidence 내재적 증거/~ malaise 정신적 불안. **3** 국내의, 내국의: an ~ debt 〔loan〕 내국채(債)/~ trade 국내 상업〔무역〕. ― *n.* (*pl.*) **1** (사물의) 본질. **2** (*pl.*) 내장, 창자. ㊞ °**~·ly** *ad.* 내부에, 내면적으로, 국내에서.

intérnal ángle 〖수학〗 =INTERIOR ANGLE.

intérnal áudit 〖회계〗 (주로 경영 관리 목적의) 내부 감사.

intérnal clóck =BIOLOGICAL CLOCK. 「기관.

intérnal-combústion èngine 〖기계〗 내연

intérnal éar 〖해부〗 내이(內耳).
intérnal énergy 〖물리〗 내부 에너지.
intérnal éxile 국내 추방《구소련의 정치범 격리 정책》.
in·ter·nal·i·ty [intərnǽləti] *n.* [U] 내재(성).
in·ter·nal·ize [intə́ːrnəlàiz] *vt.* 내화(內化)〔내면화, 주관화〕하다; 《특히》 (다른 집단의 가치관·사상 따위를) 받아들여 자기의 것으로 하다. [파] **in·tèr·nal·i·zá·tion** *n.* 내면화; 《미》 〖증권〗 증권 거래소가 아닌 증권 회사에서 주식을 매매하는 일.
intérnal médicine 내과학.
intérnal pollútion (의약품·식품 유해 물질에 의한) 체내 오염.
intérnal respirátion 〖생물·생리〗 내(內)호흡《체내에서의 혈액과 세포·조직 간의 가스 교환》.
intérnal révenue 《미》 내국세 수입.
Intérnal Révenue Sèrvice (the ~) 《미》 국세청《생략: IRS》.
intérnal secrétion 〖의학〗 내분비물, 호르몬.
intérnal stórage 〖컴퓨터〗 내부 기억 장치.
internat. international.
in·ter·na·tion·al [intərnǽʃənəl] *a.* **1** 국제(상)의, 국제적인, 만국의: an ~ conference 국제 회의 / an ~ exhibition 만국 박람회 / an ~ servant 국제 공무원《유엔 전문 기관 따위의 직원》/ ~ affairs 국제 문제 / an ~ call 국제 통화〔전화〕/ an ~ official record 〖경기〗 공인 세계 기록 / ~ public 〔private〕 law 국제 공법〔사법〕. **2** 국제 간에 정해진. **—** *n.* **1** 국제 경기 출전자, 국제 경기. **2** (종종 I-) 국제 노동 운동 기관, (I-) 국제 노동자 동맹, 인터내셔널(International Workingmen's Association). **3** 두 나라(이상)에 관계하는 인물〔기업, 조직〕. ◇ internationalize *v.* ***the First International*** 제 1 인터내셔널《Marx를 중심으로 런던에서 조직; 1864-76》. ***the Second International*** 제 2 인터내셔널《파리에서 조직; 1889-1914》. ***the Third International*** 제 3 인터내셔널(Communist International)《모스크바에서 조직; 1919-43》. ***the Fourth International*** 제 4 인터내셔널《1936 년 Trotsky를 중심으로 소수 급진론자들이 조직》. [파] **~·ly** *ad.* 국제 간에, 국제적으로. **in·ter·nà·tion·ál·i·ty** [-ǽləti] *n.* [U] 국제적임, 국제성.
Internátional Áir Trànsport Associàtion (the ~) 국제 항공 운송 협회《생략: IATA》.
Internátional Ámateur Athlétic Federàtion (the ~) 국제 육상 경기 연맹《생략: IAAF》.
Internátional Atómic Énergy Àgency (the ~) 국제 원자력 기구《생략: IAEA》.
internátional baccaláureate 국제 바칼로레아《국제적인 대학 입학 자격 시험; 합격자에게는 가맹국의 대학 입학 자격이 주어짐》.
Internátional Bánk for Reconstrúction and Devélopment (the ~) 국제 부흥 개발 은행《생략: I.B.R.D.; 속칭 World Bank》.
Internátional Cámpaign to Bán Lándmines (the ~) 지뢰 금지 국제 운동《노벨 평화상 수상(1997); 생략: ICBL》.
internátional cándle 〖광학〗 국제 표준 촉광《1940년까지 쓰이던 광도 단위, 현재의 단위는 candela》.
Internátional Chámber of Cómmerce (the ~) 국제 상업회의소《생략: ICC》.
Internátional Cívil Aviátion Organizàtion (the ~) (유엔의) 국제 민간 항공 기구《생략: ICAO》.
Internátional Códe (the ~) (선박의) 국제 기(旗) 신호; 국제 공통전신 부호.
Internátional Commíttee of the Réd Cróss (the ~) 국제 적십자 위원회《생략: ICRC》.
Internátional Communicátion Àgency (the ~) 《미》 국제 교류처《여러 외국과의 교류·이해를 촉진하기 위한 정부기관》.
internátional commúnity (the ~) 국제법 단체.
Internátional Cópyright 국제 저작권.
Internátional Cóurt of Jústice (the ~) (유엔) 국제사법 재판소《생략: ICJ》.
Internátional Críminal Políce Organizàtion (the ~) 국제 형사 경찰 기구.
Internátional Críminal Tribúnal 국제 형사 재판소.
internátional dáte lìne (the ~) (국제) 날짜 변경선 (date line)《생략: IDL》.

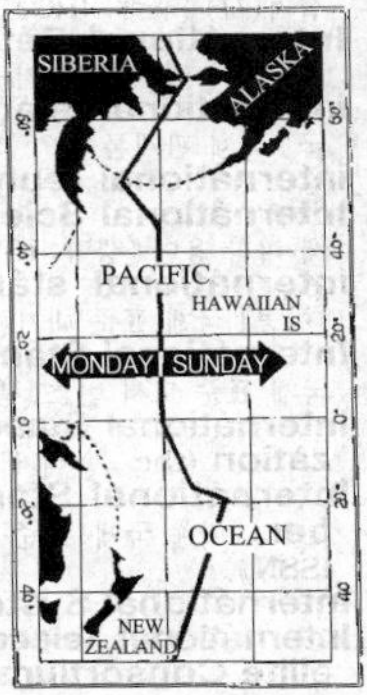

international date line

Internátional Devélopment Associàtion (the ~) (유엔의) 국제 개발 협회《생략: IDA》.
internátional dríving pèrmit 〔**lìcense**〕 국제 자동차 운전 면허증《생략: IDP》.
In·ter·na·tio·nale [*F.* ɛ̃tɛʀnasjɔnal] *n.* 《F.》 **1** (the ~) 인터내셔널의 노래《공산주의자·노동자들이 부르는 혁명가》. **2** 국제 노동자 동맹(International).
Internátional Énergy Àgency (the ~) 국제 에너지 기구《생략: IEA》.
Internátional exchánge 국제환, 외국환.
Internátional Federátion of Trável Àgencies (the ~) 국제 여행업자 연맹《생략: IFTA》.
Internátional Fílm Féstival 국제 영화제《생략: IFF》.
Internátional Fínance Corporàtion (the ~) (국제 연합) 국제 금융 공사《개발도상국을 위한 금융 기관; 생략: IFC》.
Internátional Geophýsical Yéar (the ~) 국제 지구 관측년《생략: IGY》.
Internátional Ínstitute for Strátégic Stúdies (the ~) 《영》 국제 전략 연구소《생략: I.I.S.S.》.
in·ter·ná·tion·al·ìsm *n.* [U] 국제(협조)주의; 국제성; (I-) 국제 공산〔사회〕주의. [파] **-ist** *n.* 국제주의자; 국제법 학자; (I-) 국제 공산〔사회〕주의자.
in·ter·ná·tion·al·ìze *vt.* 국제화하다; 국제 관리 아래에 두다. [파] **in·ter·nà·tion·al·i·zá·tion** *n.* [U] 국제화; 국제 관리 아래에 둠.
Internátional Lábor Organizàtion (the ~) (유엔의) 국제 노동 기구《생략: ILO》.
internátional láw 국제(공)법.
Internátional Máritime Organizàtion (the ~) (유엔의) 국제 해사 기구《생략: IMO》.
Internátional Mílitary Tribúnal (the ~) 국제 군사 재판소《생략: IMT》.
Internátional Mónetary Fùnd (the ~) 국제 통화 기금《생략: IMF》.
internátional náutical míle 국제 해리《항해·항공 거리 단위; 1,852 km》.
Internátional Olýmpic Commìttee (the ~) 국제 올림픽 위원회《생략: IOC》.

Internátional Organizátion of Jóurnalists (the ~) 국제 저널리스트 기구《생략: IOJ》.
Internátional Péace Cònference (the ~) 만국 평화 회의.
Internátional Phonétic Álphabet (the ~) 국제 음표 문자《생략: IPA》.
Internátional Phonétic Associátion (the ~) 국제 음성학 협회《생략: IPA》.
Internátional Préss Institute (the ~) 국제 신문 편집인 협회《생략: I.P.I.》.
Internátional Réd Cróss (the ~) 국제 적십자(사)《생략: IRC》.
Internátional Réfugee Organizàtion (the ~) 국제 난민 기구.
internátional relátions 국제 관계; 〖단수취급〗 국제 관계론.
internátional replý cóupon 국제 반신권「(返信券).
Internátional Scientífic Vocábulary 국제 과학 용어《생략: ISV》.
internátional stándard átmosphere 〖항공〗 국제 표준 대기《생략: ISA》.
Internátional Stándard Bóok Nùmber 국제 표준 도서 번호《생략: ISBN》.
Internátional Standardizátion Organizàtion (the ~) 국제 표준화 기구《생략: ISO》.
Internátional Stándard Sérial Nùmber 《미》 국제 표준 간행물 일련 번호《생략: ISSN》.
Internátional Sýstem of Únits 국제 단위「계《생략: SI》.
Internátional Telecommunicátions Sátellite Consòrtium (the ~) 국제 상업 통신 위성 기구.
Internátional Telecommunicátions Sátellite Organizàtion (the ~) 국제 전기 통신 위성 기구. cf. Intelsat.
Internátional Telecommunicátion Ùnion (the ~) 국제 전기 통신 연합《생략: ITU》.
Internátional Tráde Organizàtion (the ~) 국제 무역 기구《생략: ITO》.
internátional únit 국제 단위《국제 규약으로 정한 전기·열 따위의 단위》.
Internátional Wháling Commìssion (the ~) 국제 포경(捕鯨) 위원회.
Internátional Whéat Agrèement 국제 소맥 협정《생략: IWA》.
Internátional Wórkingmen's Associàtion (the ~) 국제 노동자 동맹《별칭: First International》.
ínter·nàut *n.* 인터넷 숙달자. [◂ *Inter*net, astro*naut*]
in·terne [íntəːrn] *n.* =INTERN².
in·ter·ne·cine [ìntərníːsin, -sain/-sain] *a.* 서로 죽이는, 다 같이 쓰러지는; 치명적인, 살인적인: an ~ war 대(大)격전.
in·tern·ee [ìntərníː] *n.* 피억류자, 피수용자. cf. intern¹, internment.
ínter·nèt *n.* 인터넷《전자 정보망을 중심으로 한 국제적 컴퓨터 네트워크》.
Ínternet àddress 인터넷 주소〔어드레스〕《인터넷 상에서 개개의 사이트를 정하는 주소》.
Ínternet Sérvice Provìder 인터넷 서비스 제공자《생략: ISP》.
Ínternet Socìety (the ~) 인터넷 협회《인터넷에 관련된 기술 개발·표준화를 위한 조직》.
ìnter·néuron *n.* 〖해부〗 (중추 신경계 내부의) 개재(介在) 뉴런. ⊕ **~·al** *a.*
in·tern·ist [íntəːrnist, -ˊ-] *n.* 내과 의사; 《미》 일반 개업의(開業醫).
in·térn·ment *n.* Ⓤ 유치, 억류, 수용; 억류 기간: an ~ camp (정치범·포로의) 수용소. cf. detention camp.
ínter·nòde *n.* 〖해부·동물·식물〗 마디와 마디 사이. ⊕ **in·ter·nód·al** *a.*
in·ter nos [ìntər-nóus] 《L.》 우리끼리 이야기이지만, 이건 비밀인데.
íntern·shìp *n.* Ⓤ intern²의 신분 〔지위, 기간〕.
ìnter·núclear *a.* 〖해부·생물·물리〗 핵 간의; 원자핵 간의.
in·ter·nun·cial [ìntərnʌ́nʃəl] *a.* 〖해부〗 (신경세포가) 개재하는, 각 기관을 연락하는.
ìnter·núncio (*pl.* **~s**) *n.* 중개하는 사자(使者); 로마 교황 대리 사절《nuncio의 아래》.
ìnter·oceánic *a.* 대양(大洋) 간의.
in·tero·cep·tor [ìntərouséptər] *n.* 〖생리〗 내수용기(內受容器)《체내 발생의 자극에 감응함》. cf. receptor.
ìnter·óffice *a.* (같은 회사나 조직에서) office와 office 사이의: an ~ phone 〔memo〕 사내 전화〔메모〕.
ìnter·óperable *a.* 다른 (나라) 기기(機器)와 조작〔운전〕이 공통인, 공동으로 운용할 수 있는 《*with*》. ⊕ **-operabílity** *n.* 정보 처리 상호 운용(의 가능성); 동맹국의 시설·서비스 상호 이용.
ìnter·ósculate *vi.* 서로 섞이다〔침투하다〕; (혈관 따위가) 접합〔연결〕하다; (이종(異種) 생물 간에) 공통성을 가지다. ⊕ **-ósculant** *a.* **-osculátion** *n.*
ìnter·pandémic *a.* (병의) 대유행기 사이의.
Inter-Parliaméntary Únion (the ~) 국제 의회(議會) 연맹《생략: IPU》.
ìnter·párty *a.* 정당 간의: ~ dispute.
in·ter·pel·lant [ìntərpélənt] *n.* =INTERPELLATOR.
in·ter·pel·late [ìntərpéleit, intə́ːrpəlèit/intə́ːpelèit, -pəl-] *vt.* (의원이 장관)에게 질의〔질문〕하다, 설명을 요구하다. ⊕ **-pél·la·tor** [-ər] *n.* (의회에서의) (대표) 질문자.
in·ter·pel·la·tion [ìntərpəléiʃən, intə̀ːrpə-/intə̀ːpel-, -pəl-] *n.* Ⓤ,Ⓒ (의회에서의 장관에 대한) 질문, 설명 요구.
ìnter·pénetrate *vt., vi.* (…에) (완전히) 스며들다, (…에) 침투하다; 서로 스며들다〔침투하다〕. ⊕ **-pénetrable** *a.* **-pénetrant** *a.* **-penetrátion** *n.* Ⓤ 완전〔상호〕 침투. **-pénetrative** *a.* 서로 침투하는. **~·ly** *ad.*
ìnter·pérsonal *a.* 사람과 사람 사이의, 개인 간의, 개인 간에 일어나는. ⊕ **~·ly** *ad.*
interpérsonal thèory 〖심리〗 대인 관계설.
ínter·phàse *n.* 〖생물〗 간기(間期), 분열 간기 《세포 주기에서 분열기로부터 다음 분열기까지의》.
°**ínter·phòne** *n.* 《미》 (배·비행기·건물 내 따위의) 내부〔구내〕 전화, 인터폰《원래 상표명》.
ínter·plàne *a.* 〖항공〗 비행기 상호 간의; (복엽기의) 상하 양날개 사이에있는.
ìnter·plánetary *a.* 〖천문〗 행성(과 태양) 간의; 태양계 내의: an ~ probe 행성 간 탐측기(機) / ~ space 행성 간 (우주) 공간 / an ~ space flight 행성 간 우주 비행 / an ~ monitoring platform 행성 간 공간 관측 위성.
ìnter·plánt *vt.* (농작물을) 간작(間作)하다; (나무를) 간식(間植)〔혼식(混植)〕하다.
ínter·plày *n.* Ⓤ 상호 작용《*of*》; 작용과 반작용: the ~ *of* light and shadow 빛과 그림자의 교차. ── [ˋ-ˊ] *vi.* 상호 간에 작용하다〔영향을 미치다〕.
ìnter·pléad *vi.* 〖법률〗 경합 권리 확인 절차를 밟다. ── *vt.* 경합 권리 확인을 위해 법정에 소환하다. ⊕ **~·er** *n.* Ⓤ 경합 권리자 확인 절차.
In·ter·pol [íntərpòul/-pɔ̀l] *n.* 인터폴, 국제 경찰. cf. ICPO. [◂ *Inter*national *Pol*ice]
in·ter·po·late [intə́ːrpəlèit] *vt., vi.* (멋대로 자구를 써넣어 원문을) 개찬(改竄)하다; 〖일반적〗

새 어구(語句)를 삽입하다, 써넣다; 〖수학〗 (중간항을) 보간(補間)〔삽입〕하다. ㊞ **in·tèr·po·lá·tion** *n.* Ⓤ,Ⓒ 개찬; 써넣음; 써넣은 어구; 〖수학〗 보간(법). **in·tér·po·làt·er, -là·tor** *n.* 가필자; 개찬자. **-la·tive** [-lèitiv, -lətiv] *a.*

in·ter·pol·y·mer [ìntərpálimər/-pɔ́l-] *n.* 〖화학〗 =COPOLYMER.

ìnter·populátional *a.* 이집단〔이민족, 이문화〕 간의〔에 일어나는〕.

in·ter·pos·al [ìntərpóuzəl] *n.* 삽입; 개입.

in·ter·pose [ìntərpóuz] *vt.* 《~+목/+목+전+명》 …의 사이에 넣다, 끼우다; (말·이의 따위를) 삽입하다; (거부권 따위를) 제기하다; (권력 등을) 개입시키다; 〖영화〗 (화면을) 겹쳐지게 하여 바꾸다: ~ oneself 막아서다/He ~*d* his authority. 그는 권한을 이용하여 간섭했다/~ an opaque body *between* a light and the eye 빛과 눈 사이에 반(半)투명체를 넣다. ── *vi.* 《~/+전+명》 중재하다, 사이에 들다《*between; among; in*》; 간섭하다; 주제넘게 말참견하다《*in*》. ⓒⓕ interfere, intervene. ¶ ~ *in* a dispute 분쟁을 중재하다. ㊞ **-pós·a·ble** *a.* **-pós·er** *n.*

in·ter·po·si·tion [ìntərpəzíʃən] *n.* Ⓤ 개재(의 위치); 삽입; 중재, 개입; 간섭; 방해; Ⓒ 삽입물; 《미》 주권(州權) 우위설《주는 그 권한을 침해하는 연방 정부의 조처에 반대할 수 있다는 설》.

⁑**in·ter·pret** [intə́ːrprit] *vt.* **1** …의 뜻을 해석하다, 해명하다, 설명하다; 해몽하다: How do you ~ this sentence? 이 문장을 어떻게 해석하시렵니까/~ a person's silence unfavorably 아무의 침묵을 나쁘게 받아들이다. **2** 《+목+*as* 보》 이해하다, 판단하다: ~ a person's remark *as* a mere threat 아무의 말을 단순한 위협이라고 판단하다. **3** (외국어를) 통역하다. **4** 〖연극·음악〗 (자기의 해석에 따라) 연출〔연주〕하다; (맡은 역을) 연기하다. **5** 〖컴퓨터〗 (프로그램을) 기계 언어로 해석하다. ── *vi.* 《~/+전+명》 **1** 통역하다: ~ *between* two persons 두 사람 사이의 통역을 하다. **2** 설명하다. ㊞ **~·a·ble** *a.* 해석〔설명, 통역〕할 수 있는, 판단할 수 있는. **~·a·ble·ness** *n.* **~·a·bly** *ad.* **intèr·pret·a·bíl·i·ty** *n.*

in·ter·pre·tant [ìntərprítənt] *n.* **1** 〖철학〗 해석 경향《기호가 해석자에게 미치는 영향 또는 해석자의 기호에 대한 반응 경향》. **2** =INTERPRETER.

in·ter·pre·ta·tion** [intə̀ːrprətéiʃən] *n.* Ⓤ,Ⓒ **1** 해석, 설명. **2** (꿈·수수께끼 등의) 판단(*of*). **3** 통역. **4** 〖예술〗 (자기 해석에 따른) 연출; 연기; 연주. ◇ interpret *v.* ***put **one's *own* ~ *on*** …을 자기류로 해석하다. ㊞ **~·al** [-ʃənəl] *a.* 해석상의; 통역의.

interpretátion clàuse 〖법률〗 해석 조항《제정법 또는 계약서에서 사용되고 있는 문언(文言)의 의의를 확정하기 위하여 설정된 조항》.

in·ter·pre·ta·tive [intə́ːrprətèitiv/-tətiv] *a.* 설명을 위한, 해석(용)의; 통역의. ㊞ **~·ly** *ad.*

intérpretative 〔intérpretive〕 dánce 창작 댄스《현대 무용의 한 가지; 추상적인 형(型)에 의거하지 않고 감정이나 이야기를 묘사함》.

in·ter·pret·er** [intə́ːrpritər] (*fem.* ***-pre·tress [-prətris]) *n.* **1** 해석자, 설명〔판단〕자(*of*). **2** 통역(자), 통역관. **3** 〖컴퓨터〗 해석기《지시를 기계 언어로 해석하는》, (카드의) 해석기. ㊞ **~·shìp** *n.* 통역자의 직분〔기량〕.

in·ter·pre·tive [intə́ːrprətiv] *a.* =INTERPRETATIVE. ㊞ **~·ly** *ad.*

intérpretive cénter (관광지나 사적의) 해설관(館)(visitor center).

intérpretive routíne 〖컴퓨터〗 해석 루틴《원시 언어로 쓰인 명령을 해독하여 곧 그 명령을 실행하는 루틴》.

intérpretive semántics 〔théory〕 〖언어〗 해석 의미론.

ìnter·províncial *a.* 주(州) 사이의〔에 있는〕.

ìnter·próximal *a.* 〖치과〗 인접치간(齒間)의: ~ space 치아 사이의 공간.

ìnter·púlse *n.* 〖천문〗 맥동성(脈動星)이 발하는 두 가지 pulse 중 2차적인 pulse.

ìnter·rácial *a.* 다른 인종 간의; 인종 혼합의.

ìnter·rádial *a.* (극피동물 따위의) 사출부(射出部)(radius) 사이의.

Ínter-Ràil pàss 인터레일 패스《영국에서 판매하는 승차권으로 유럽 여러 나라의 철도에 일정 기간 무제한으로 탈 수 있음》.

ìnter·récord gáp 〖컴퓨터〗 레코드 간격.

in·ter·reg·num [ìntərrégnəm] (*pl.* **~*s, -na*** [-nə]) *n.* 공위(空位) 기간《제왕의 붕어(崩御)·폐위 따위에 의한》; (내각 경질 때 따위의) 정치 공백 기간; 임시 정부 시대; 〔일반적〕 휴지〔중절(中絶)〕 (기간), 단절; 자유 기간. ㊞ **-rég·nal** *a.*

ìnter·reláte *vt.* …을 서로 관계시키다. ── *vi.* 서로 관계를 가지다《*with*》.

ìnter·reláted [-id] *a.* 서로 (밀접한) 관계가 있는, 상관의. ㊞ **~·ly** *ad.* **~·ness** *n.*

ìnter·relátion *n.* Ⓤ 상호 관계. ㊞ **~·shìp** *n.* Ⓤ 상호 관계(성).

in·ter·rex [íntərrèks] (*pl.* ***-re·ges*** [ìntərríːdʒiːz]) *n.* 공위(空位) 기간 중의 집정자, 섭정.

in·ter·ro·bang, in·ter·a- [intérəbæ̀ŋ] *n.* 감탄 의문부(《!?; !와 ?의 합친 모양》).

interrog. interrogation; interrogative(ly).

°**in·ter·ro·gate** [intérəgèit] *vt.* **1** 《+목+전+명》 질문하다; 심문〔문초〕하다《*about*》: The policeman ~*d* him *about* the purpose of his journey. 경관은 그의 여행 목적에 대해 심문했다. **2** (응답기·컴퓨터 따위에) 응답 지령 신호를 보내다.

°**in·tèr·ro·gá·tion** *n.* Ⓤ,Ⓒ 질문, 심문, 조사; 의문; 의문부(question mark); 〖통신〗 (펄스열(列)에 의한) 호출 신호. ㊞ **~·al** *a.*

interrogátion màrk 〔pòint〕 물음표(question mark).

in·ter·rog·a·tive [ìntərágətiv/-rɔ́g-] *a.* **1** 질문의, 미심쩍은 듯한, 무엇을 묻고 싶어하는 듯한: an ~ tone of voice 무언가 묻고 싶은 듯한 어조. **2** 〖문법〗 의문(형)의: ⇨ an INTERROGATIVE ADVERB 〔PRONOUN〕. ── *n.* 〖문법〗 의문사; 《특히》 의문 대명사; 의문문; 의문부. ⇨ 부록 INTERROGATIVE. ㊞ **~·ly** *ad.*

interrógative ádverb 〖문법〗 의문 부사 《when?, why?, how? 따위》.

interrógative prónoun 〖문법〗 의문 대명사 《What is this?의 what 따위》.

in·ter·ro·ga·tor [intérəgèitər] *n.* 심문〔질문〕자; 〖통신〗 질문〔호출〕기(機).

in·ter·rog·a·to·ry [ìntərágətɔ̀ːri/ìntərɔ́gətəri] *a.* 의문〔질문, 심문〕의, 의문을 나타내는: ~ method 문답식. ── *n.* 의문, (공식) 질문, 심문; 《특히》 〖법률〗 (피고·증인에 대한) 질문서, 심문 조서. ㊞ **ìn·ter·ròg·a·tó·ri·ly** *ad.*

in·ter·ro·gee [intèrəgíː] *n.* 피질문자, 피신문자.

in·ter·ró·rem clàuse [-terɔ́ːrem-] 《L.》 〖법률〗 (유언서 중의) 협박적 조항《유언에 이의를 제기하는 자는 유산을 받을 수 없다는 취지의 조항》.

⁑**in·ter·rupt** [ìntərʌ́pt] *vt.* **1** 《~+목/+목+전+명》 가로막다, 저지하다, 훼방 놓다, (이야기 따위를) 중단시키다《*in; during*》: May I ~ you a while? 이야기하시는데 잠깐 실례해도 괜찮겠습니까/Don't ~ me *in* (the middle of) 〔*during*〕 my speech. 내 이야기를 가로막지 마라. **2**

(교통 따위를) 방해하다, 차단하다, 불통하게 하다: The traffic was ~*ed* by the flood. 홍수 때문에 교통이 두절됐다. **3** 〖컴퓨터〗 가로채기하다. **—** *vi.* 방해하다, 중단하다: Please don't ~. 방해하지 마십시오. ◇ interruption *n.* **—** [⌐⌐] *n.* 일시 정지, 중절; 단절; 격차(gap); 〖컴퓨터〗 가로채기《새 프로그램을 위해 진행 중인 프로그램을 중지시키는》. ㊞ **~·i·ble** *a.* **ìn·ter·rúp·tive** *a.* 중단하는, 방해하는.

ìn·ter·rúpt·ed [-id] *a.* 중단된, 끊긴, 가로막힌; (교통 따위가) 불통이 된. ㊞ **~·ly** *ad.* 단속적으로. **~·ness** *n.*

interrúpted cádence 〖음악〗 저해종지(deceptive cadence).

interrúpted cúrrent 〖전기〗 단속(斷續) 전류.

interrúpted scréw 나삿니가 단속적으로 파인 나사.

ìn·ter·rúpt·er, -rúp·tor *n.* **1** 차단물〔인〕. **2** 〖전기〗 (전류) 단속기; (무기의) 안전장치.

in·ter·rup·tion** [ìntərʌ́pʃən] *n.* Ⓤ,Ⓒ 가로막음, 차단; 방해; 중지, 중절; (교통의) 불통: ~ of electric service 정전/without ~ 그침 없이, 잇따라. ◇ interrupt *v.* ***If you will excuse my ~, ... 이야기하시는데 실례입니다만….

ìnter·scholástic *a.* (중등)학교 간의, 학교 대항의《intramural에 대하여》. ㊀ intercollegiate. ¶ an ~ tournament 학교 대항 경기.

ínter·schòol *a.* 학교 대항의. 「밀리에.

in·ter se [íntər-síː] 《L.》 그들 사이에서만, 비

◇**in·ter·sect** [ìntərsékt] *vt.* 가로지르다, …와 교차하다. **—** *vi.* (선·면 등이) 엇갈리다, 교차하다.

ìn·ter·séc·tion *n.* Ⓤ 가로지름, 교차, 횡단; Ⓒ (도로의) 교차점; 〖수학〗 교점(交點), 교선(交線); 공통(부)분.

in·ter·sec·tion·al[1] [ìntərsékʃənəl] *a.* 교차하는; 공통부의. [◂ intersection+-al]

in·ter·sec·tion·al[2] *a.* 각 부〔지역〕 간의: ~ games 지구 대항 경기. [◂ inter-+sectional]

ìnter·sénsory *a.* 복수(複數)의〔전(全)〕 감각 기능을 동시에 사용하는. 「간의.

ìnter·sérvice *a.* (육해공의) 2 개〔3 개〕의 군부

ínter·sèssion *n.* 학기와 학기 사이. 「UNISEX.

ínter·sèx *n.* 〖생물〗 간성(間性)(의 생물); =

ìnter·séxual *a.* 이성 간의; 남녀 양성 사이의; 〖생물〗 간성(間性)의: ~ love 이성애(異性愛). ㊞ **~·ly** *ad.* **-sexuálity** *n.*

ínter·spàce *n.* Ⓤ 사이의 공간〔시간〕, 중간, 틈《장소와 시간에 두루 쓰임》. **—** [⌐⌐] *vt.* …의 사이를 비우다, …의 사이에 공간〔시간〕을 두다〔남기다〕; …의 사이를 차지하다〔메우다〕: a line of ~*d* hyphens 파선(破線)/He began to ~ his visits. 그는 차츰 발길이 뜸해졌다. ㊞ **ìnter·spátial** *a.*

ìnter·specíf·ic, -spécies *a.* 〖생물〗 (이)종 간의《잡종 등》, (잡종이) 2 종 사이에서 생긴.

in·ter·sperse [ìntərspə́ːrs] *vt.* 《+목+전+명》 〖종종 수동태〗 흩뿌리다, 산재시키다《*between; in; among*》; 점재(點在)시키다, 점점이 장식하다: Lilies *were* ~*d among* the grass. 백합꽃이 풀 속에 점점이 피어 있었다/~ the text *with* explanatory diagrams 본문에 해설용 도표를 군데군데 싣다. ㊞ **-spér·sion** [-spə́ːrʒən/-ʃən] *n.* Ⓤ 군데군데 둠, 점재(點在), 살포, 산재.

ìnter·stádial *n.* 〖지학〗 간빙기(間氷期).

ínter·stàte *a., ad.* (미국 따위의) 주(州) 사이의〔에서〕; 각 주 연합의: ~ commerce 각 주 사이의 통상/~ extradition 〔rendition〕 주 사이의 인도(引渡)《다른 주에서 도망쳐 온 범인의》. **—** *n.* 《미》 주간(州間) 고속도로(=⌐ híghway).

Ínterstate Cómmerce Commìssion (the ~) 《미》 주간(州間) 통상 위원회《생략: ICC》.

ìnter·stéllar *a.* 별과 별 사이의, 항성(恒星) 간의: ~ space 태양계 우주 공간, 성간(星間) 공간/~ gas 〔dust, materials〕 성간 가스〔먼지, 물질〕.

ìnter·stérile *a.* 이종(異種) 교배가 불가능한. ㊞ **-sterílity** *n.*

in·ter·stice [intə́ːrstis] *n.* 간극(間隙); 틈새기, 갈라진 틈(crevice); 구멍; (시간의) 간격.

in·ter·sti·tial [ìntərstíʃəl] *a.* 간극(間隙)의, 틈새기의, 갈라진 틈의; 틈새기가 있는; 갈라진 틈에 있는; 〖해부〗 간질(間質)(성)의, 개재성의. ㊞ **~·ly** *ad.*

interstítial-céll-stìmulating hòrmone 〖생화학〗 간(間)세포 자극 호르몬《황체(黃體) 형성 호르몬; 생략: ICSH》.

interstítial cómpound 〖화학〗 틈새형〔간극(間隙)〕 화합물.

ìnter·strátify *vt., vi.* 〖지학〗 지층과 지층 사이에 개재하다〔시키다〕. ㊞ **-stratificátion** *n.*

ìnter·subjéctive *a.* 간(間)주관적인, 상호〔공동, 집합〕 주관적인. ㊞ **~·ly** *ad.* **-subjectívity** *n.*

ìnter·testaméntal *a.* 구약성서 종장과 신약성서 제 1 장 사이의; 신·구약성서 중간 시대의〔에 관한〕《구약성서가 끝나고, 신약성서가 시작되기까지의 약 200 년간을 말함》.

in·ter·tex·tu·al·i·ty [ìntərtèkstʃuǽləti] *n.* 〖문학〗 텍스트 간의 관련성.

ìnter·téxture *n.* Ⓤ 섞어 짬, 섞어 뜸; Ⓒ 섞어 짠 것, 교직.

ìnter·tídal *a.* 만조와 간조 사이의, 간조(間潮)의: ~ marsh 조간(潮間) 소택지. ㊞ **~·ly** *ad.*

ínter·tìe *n.* 〖전기〗 전류를 두 방향으로 흐르게 하는 연결〔접속〕.

ìnter·tríbal *a.* (다른) 종족 간의.

in·ter·tri·go [ìntərtráigou] *n.* 〖의학〗 간찰진(間擦疹). 「지방의.

ìnter·trópical *a.* 남북 양 회귀선 사이의, 열대

ìnter·twíne *vt.* 《~+목/+목+전+명》 뒤얽히게 하다, 한데 꼬이게 하다〔엮다〕, 얽어 짜다(interlace)《*with*》: be ~*d with* each other 서로 뒤얽히다. **—** *vi.* 뒤얽히다, 한데 꼬이다. ㊞ **~·ment** *n.* Ⓤ

ìnter·twíst *vt., vi.* 비비〔한데〕 꼬(이)다, 틀어 꼬(이)다, 뒤얽히게 하다.

In·ter·type [íntərtàip] *n.* 자동 식자(植字)〔사식〕기《Linotype와 비슷함; 상표명》.

ìnter·univérsity *a.* 대학(교) 간의. ㊀ intercollegiate.

ìnter·úrban *a.* 도시 사이의. **—** *n.* 도시 간 연락 철도〔전동차·버스〕.

****in·ter·val** [íntərvəl] *n.* **1** (장소적인) 간격, 거리; (시간적인) 간격, 사이: after an ~ *of* five years, 5 년의 간격을 두고/at ~*s of* fifty feet 50 피트의 사이를 두고. **2** 틈; (발작 등의) 휴지기(休止期); 《영》 (극장 등의) 막간, 휴게 시간(《미》 intermission): in the ~*s* of one's business 일하는 틈틈이. **3** (정도·질·양 등의) 차, 격차. **4** 〖음악〗 음정. ***at* ~*s*** ① 때때로, 이따금. ② 군데군데에, 여기저기에. ***at long* 〔*short*〕 ~*s*** 간혹〔자주〕. ***at regular* 〔*irregular*〕 ~*s*** 일정한〔불규칙한〕 사이를 두고. ***in the* ~** 그 사이에, 그러고 있는 중에. ***without* ~** 끊임없이.

in·ter·vale [íntərvèil] *n.* 《미》 구릉 사이의 저지(低地)《특히 강가의 경작지》.

in·ter·val·om·e·ter [ìntərvəlɑ́mətər/-lɔ́m-] *n.* 자동 노출계《항공사진 촬영 시 셔터가 일정 간격으로 작동케 하는 장치》.

ínterval scàle 〖통계〗 간격 척도.
ínterval sígnal 〖라디오〗 (프로그램 사이에 내는) 송신 계속 신호.
ínterval tràining 인터벌 트레이닝《전력 질주와 조깅을 반복하는 연습 방법》.
ìnter·vársity *a.* 《영》 =INTERUNIVERSITY.
ìnter·véin *vt.* …을 (정맥처럼) 얽어 맞추다, 교차시키다.
°**in·ter·vene** [ìntərvíːn] *vi.* 《~/+전+명》 **1** 사이에 들다, 사이에 끼다, 사이에 일어나다, 개재하다: A week ~s *between* Christmas and New Year's (Day). 크리스마스와 새해 사이에는 일주일이 끼어 있다. **2** (사이에 들어) 방해하다: Something usually ~d *in* my study. 늘 뭔가가 내 공부를 방해했다. **3** (사이에 들어) 조정〔중재〕하다《*between*》; 개입하다, 간섭하다《*in*》: ~ *in* a dispute 분쟁을 중재하다. **4** 〖법률〗 (제 3 자가) 소송에 참가하다《*in*》. ***if nothing ~s*** =***should nothing ~*** 지장이 없으면: I will see you tomorrow, *should nothing* ~. 지장이 없으면 내일 찾아뵙겠습니다. ㊕ **-vén·er,** 〖법률〗 **-vé·nor** *n.* 중재자, 간섭자; (특히 소송의) 참가자.
in·ter·ven·ient [ìntərvíːnjənt] *a.* 사이에 드는〔일어나는〕, 간섭〔개재〕하는. ── *n.* 사이에 든 것〔사람〕; 중재〔간섭〕자.
°**in·ter·ven·tion** [ìntərvénʃən] *n.* Ⓤ 사이에 듦; 개재; 조정, 중재; (타국에의) 간섭; 〖법률〗 소송 참가; 〖미교육〗 부모의 자녀 교육; 상품 은닉, 매석(賣惜): armed ~ =~ by arms 무력 간섭/~ *in* another country 타국에의 (내정) 간섭. ***on*** 〔***through***〕 ***the ~ of*** …의 중재로〔조정으로〕. ㊕ **~·al** *a.* **~·ism** *n.* **~·ist** *n., a.* (내정) 간섭론자〔주의자〕; 간섭주의의.
intervéntion prìce 〖상업〗 (EEC에 의한) 잉여 농산물 매입 가격. 「추간(원)판.
inter·vértebral dísk 〖해부〗 추간(椎間) 연골,
*‡***in·ter·view** [íntərvjùː] *n.* **1** 회견; 회담, 대담. **2** (입사 따위의) 면접, 면회《*for; with*》: a job ~ =an ~ *for* a job 구직자의 면접. **3** (기자 따위의) 인터뷰, 방문, 회견; 회견〔방문, 탐방〕기(記): give an ~ *to* a person 아무에게 회견을 허락하다. ***ask for an ~ with*** …와의 회견을 요청하다. ***have*** 〔***hold***〕 ***an ~ with*** …와 회견하다. ── *vt.* …와 회견〔면접〕하다, (기자가) 인터뷰하다: ~ job candidates 구직 신청자를 면접하다. ── *vi.* 인터뷰하다. ㊕ **in·ter·view·ee** [╌-vju(ː)íː] *n.* 피회견자. **~·er** *n.* **1** 회견자, 면회〔면접〕자; 탐방 기자. **2** (현관의) 내다보는 구멍.
ínterview ròom (경찰서·교도소의) 면회실.
Ínter·vìsion *n.* 동유럽 8개국 텔레비전국(局) 사이의 프로 교환 방식.
in·ter vi·vos [íntər-váivous, -víːv-] 《L.》 〖법률〗 (증여·신탁 등) 생존자 사이에서〔의〕.
ìnter·vocálic *a.* 〖음성〗 모음 사이에 있는.
in·ter·volve [ìntərválv/-vɔ́lv] *vt., vi.* 서로 뒤얽히(게 하)다, 한데 말려들(게 하)다, 한데 감기(게 하)다. ㊕ **-vo·lú·tion** *n.*
ìnter·wár *a.* 양 대전(大戰) 사이의.
ìnter·wéave (***-wove, -weaved; -wov·en, -wove, -weaved***) *vt., vi.* 섞어 짜(이)다, 짜 넣다; 뒤섞(이)다: ~ joy *with* sorrow 환희와 비애를 뒤섞다. ── *n.* 짜 맞추기, 한데 짜기; 혼교.
ìnter·wínd (*p., pp.* ***-wound***) *vt., vi.* 말려들(게 하)다, 서로 뒤얽히(게 하)다. 「(間) 전송.
inter·wíndow trànsfer 〖컴퓨터〗 윈도 간
ìnter·wórk *vt.* …을 섞어 짜다. ── *vi.* 서로 작용하다. 「competition.
ìnter·zónal, -zone *a.* 지역 간의: an ~
in·tes·ta·ble [intéstəbəl] *a.* 〖법률〗 (미성년자, 심신 상실자 등이) 유언할〔유언서 작성의〕 법적 자격이 없는.
in·tes·ta·cy [intéstəsi] *n.* Ⓤ 유언을 남기지 않고 죽음; 유언 없이 죽은 사람의 유산.
in·tes·tate [intésteit, -tət] *a.* (적법한) 유언(장)을 남기지 않은; (재산이) 유언으로 처분되지 않은: die ~ 유언 없이 죽다/an ~ estate 무(無)유언의 재산. ── *n.* 유언 없는 사망자.
in·tes·ti·nal [intéstənl/intéstinl, ìntestáinl] *a.* 〖해부〗 장(腸)〔창자〕의; 장내의, 장에 있는〔기생하는〕: the ~ canal 장관(腸管), 장/~ catarrh 장염(腸炎)/an ~ worm 회충. ㊕ **~·ly** *ad.* 「대장염.
intéstinal amebíasis 〖병리〗 아메바성(性)
intéstinal bactéria 〖생물〗 장내 세균. 「감기.
intéstinal flú 설사나 구토를 일으키는 유행성
intéstinal fórtitude 《미》 용기와 인내, 담력, 배짱《guts의 완곡한 표현》.
°**in·tes·tine** [intéstin] *a.* 내부의; 국내의: an ~ war 내란. ── *n.* (보통 *pl.*) 〖해부〗 장(腸). ***the large*** 〔***small***〕 ~ 대〔소〕장(腸).
in·thing [ínθiŋ] *n.* 유행(하는 것), 풍조.
in·thral(l) [inθrɔ́ːl] *vt.* =ENTHRAL(L).
in·throne [inθróun] *vt.* =ENTHRONE.
in·ti·fa·da, -fa·deh [ìntəfáːdə] *n.* 《Ar.》 인티파다〔데〕(uprising)《이스라엘 점령 아래의 가자 등지에서 일어난 팔레스타인 인들의 봉기》.
°**in·ti·ma·cy** [íntəməsi] *n.* Ⓤ 친밀함, 친교, 절친함; Ⓤ,Ⓒ 《완곡어》 정교(情交), (남녀가) 몰래 정을 통함; (*pl.*) 애무; 은밀한 곳. ◇ intimate *a.* ***be on terms of ~*** 친한 사이이다.
*‡***in·ti·mate** [íntəmət] *a.* **1** 친밀한, 친한, 절친한《*with*》: an ~ friendship 친교/become ~ *with* …와 친해지다. SYN. ⇨FAMILIAR. **2** (지식이) 깊은, 자세한; 정통한《*with*》: an ~ knowledge 정통한 지식/an ~ analysis 상세한 분석. **3** 심오한, 본질적인(intrinsic): the ~ structure of an organism 유기체의 본질적 구조. **4** 내심의, 마음속의: ~ beliefs 마음속의 확신. **5** 사사로운, 개인적인: one's ~ affairs 개인적인 일/the ~ details of one's life 사생활상의 사소한 일. **6** (남녀가) 정을 통하고 있는《*with*》: be ~ *with* a woman 어떤 여자와 정을 통하다. **7** 피부에 직접 입는《속옷 등》. ◇ intimacy *n.* ***be on ~ terms with*** …와 절친한 사이이다; …와 정을 통하고 있다.
── *n.* 친구, 막역한〔절친한〕 벗《*of*》: She's an ~ *of* mine. 그녀는 내 친구이다.
── [íntəmèit] *vt.* 《~+목/+목+전+명/+*that*절》 **1** 넌지시 비추다, 암시하다(hint): She ~d (*to* me) *that* she intended to marry him. 그녀는 그와 결혼할 생각임을 (나에게) 비추었다. SYN. ⇨SUGGEST. **2** 공표하다: They ~d (*to* the press) the premier's illness. 수상의 병을 (언론에) 발표했다.
㊕ °**~·ly** *ad.* 친밀하게; 밀접하게; 내심으로; 상세하게. **~·ness** *n.*
in·ti·ma·tion [ìntəméiʃən] *n.* Ⓤ,Ⓒ 암시, 넌지시 비춤(hint); 통지, 통고, 발표.
in·tim·i·date [intímədèit] *vt.* 으르다, 위협하다, 협박하다. ~ a person ***into*** do*ing* 아무를 협박하여 …하게 하다. ㊕ **in·tím·i·dàt·ing·ly** *ad.* **in·tìm·i·dá·tion** *n.* Ⓤ 으름, 위협, 협박: surrender to ~ 협박에 굴복하다. **in·tím·i·dà·tor** [-ər] *n.* 위협자, 협박자. **in·tim·i·da·to·ry** [intímədətɔ̀ːri/-təri] *a.* 협박의, 위협적인.
in·ti·mist [íntəmist] *a., n.* 앵티미스트《개인의 내면을 강조한 (작가·화가)》. 「밀.
in·tim·i·ty [intíməti] *n.* Ⓤ **1** 친밀, 친교. **2** 비
in·tinc·tion [intíŋkʃən] *n.* 〖교회〗 성찬의 빵을 포도주에 적심.

in·ti·tle [intáitl] *vt.* =ENTITLE.
in·ti·tule [intítʃuːl] *vt.* 《영》 (법안·서적 따위에) 명칭〔제목〕을 붙이다(entitle).
intl. international.
†**into** ⇨《아래》 INTO.
in·toed [íntòud] *a.* 발가락이 안쪽으로 굽은.
***in·tol·er·a·ble** [intálərəbəl/-tɔ́l-] *a.* 견딜〔참을, 용납할〕 수 없는(unbearable); 《구어》 애타는, 화나는; 과도한: ~ heat 〔pain〕 견딜 수 없는 더위〔통증〕. — *ad.* 《폐어》 (지)극히. ⓟ **-bly** *ad.* **~·ness** *n.* Ⓤ **in·tòl·er·a·bíl·i·ty** *n.*
in·tol·er·ance [intálərəns/-tɔ́l-] *n.* Ⓤ 불관용(不寬容), 편협; (이설(異說)을 허용하는) 아량이 없음《특히 종교상의》; 견딜 수 없음《*of*》; (음식물·약에 대한) 과민성《*to*》.
***in·tol·er·ant** [intálərənt/-tɔ́l-] *a.* **1** 아량이 없는; 편협한; (특히 이설(異說) 따위를) 허용하지 않는《특히 종교상의》; 불관용의《*of*》: an ~ person 편협한 사람/He's ~ *of* criticism. 그는 비판을 받아들이지 않는다. **2** 견딜〔참을〕 수 없는《*of*》. — *n.* 도량이 좁은 사람. ⓟ **~·ly** *ad.* **~·ness** *n.*
in·tomb [intúːm] *vt.* 《고어》 =ENTOMB.
in·to·nate [íntounèit, -tə-] *vt.* =INTONE.
°**in·to·na·tion** [ìntounéiʃən, -tə-] *n.* **1** Ⓤ (찬송가·기도문 등을) 읊음, 영창, 음창(吟唱). **2** Ⓤ,Ⓒ 〖음성〗 인토네이션, 억양; 음조, 어조. ⓒⓕ stress. ¶a falling 〔rising〕 ~ 하강〔상승〕조. **3** Ⓤ 〖음악〗 발성법, 음의 정조법; Ⓒ 〖교회·음악〗 그레고리 성가 첫 머리 악구(樂句)(의 영창). ⓟ **~·al** *a.*
intonátion còntour 〖음성〗 음조 곡선.
in·tone [intóun] *vt., vi.* (찬송가·기도문 따위를) 읊조리다, 영창하다; …에 억양을 붙이다, 억양을 붙여 말하다. ⓟ **in·tón·er** *n.*
in to·to [in-tóutoː] 《L.》 (=on the whole) 전체로서, 전부, 몽땅, 모개로: They accepted the plan ~. 그들은 그 계획을 전적으로 수락했다.
In·tour·ist [íntuərist] *n.* 러시아의 외국인 관광국(觀光局)《국영 여행사》.
in·town [intàun] *a.* 도시 중앙의〔에 있는〕.
in·toxed [intákst/-tɔ́-] *a.* 《미속어》 마리화나에 취한.
in·tox·i·cant [intáksikənt/-tɔ́ksi-] *n.* 취하게 하는 것, 마취제; 알코올음료. — *a.* 취하게 하는. ⓟ **~·ly** *ad.*
°**in·tox·i·cate** [intáksikèit/-tɔ́ksi-] *vt.* 《~+목/+목+전+명》 취하게 하다; 도취〔흥분〕시키다; 〖의학〗 중독시키다(poison): Too much drink ~*d* him. 너무 많이 마셔서 그는 취해 버렸다/He is ~*d with* victory 〔*by* success〕. 그는 승리〔성공〕에 취해 있다. — [-səkət, -kèit] *a.* 《고어》 취한(intoxicated). ◇ intoxication *n.*
in·tóx·i·càt·ing *a.* 취하게 하는; 도취〔열중, 몰두〕케 하는: ~ drinks 주류/an ~ charm 넋을 잃을 정도의 매력. ⓟ **~·ly** *ad.*
in·tòx·i·cá·tion *n.* Ⓤ 취하게 함; 명정(酩酊); 흥분, 도취; 〖의학〗 중독.
in·tox·im·e·ter [ìntaksímətər, -táksimìːtər/-tɔ́ksi-] *n.* 음주 측정기《내쉬는 숨으로 술에 취한 정도를 측정하는 기구; 상표명》.
intr. intransitive. 「ⓞⓟⓟ *extra-*.
in·tra- [íntrə] '안에, 내부에'의 뜻의 결합사.
ìntra·artérial *a.* 〖해부〗 동맥 내의〔을 통하는〕, 동맥 주사의. ⓟ **~·ly** *ad.*
ìntra-artícular *a.* 〖해부〗 관절 내의.
ìntra·cíty *a.* 시내의, 《특히》 시 중심부의.
in·trac·ta·ble [intrǽktəbəl] *a.* 말을 듣지 않는, 고집 센, 제어할 수 없는; 다루기 힘든, 처리하기 어려운; (병 따위가) 낫지 않는, 난치(성)의. ⓟ **-bly** *ad.* **~·ness** *n.* **in·tràc·ta·bíl·i·ty** *n.* Ⓤ

into

in이 전치사·부사 양쪽으로 쓰임에 대하여, into는 오로지 전치사로서만 쓰이며, 또한 같은 전치사로서도 in이 원칙적으로 장소를, 때로는 방향을 나타내는 데 대하여, into는 오로지 방향만을 나타낸다. 유사한 것으로 onto가 있는데 into에 비해 그 사용도가 훨씬 적다.

in·to [《자음 앞》 íntə, 《모음 앞》 íntu; 강 íntuː] *prep.* **1** 〔내부로의 운동·방향〕 **a** …안으로〔에〕, …로〔에〕 (ⓞⓟⓟ *out of*): go ~ the house 집 안으로 들어가다/bite ~ an apple 사과를 깨물다/look ~ a box 상자를 들여다보다/Put the cake ~ the oven. 케이크를 오븐에 넣어라. **b** 〔시간의 추이〕 …까지: work far 〔late, well〕 ~ the night 밤늦게까지 공부하다. **c** 《비유》 (어떤 상태) 속으로, …로 〔에〕: run ~ debt 빚을 지다/go ~ business 사업에 들어가다〔투신하다〕/enter ~ a five-year contract. 5년 계약을 맺다/I got ~ difficulties. 나는 곤란에 빠졌다/inquire ~ the matter 그 사건을 조사하다/You need not go ~ details. 상술(詳述)할 필요는 없다.

NOTE **into**와 **in** in은 '…안에, …속〔안〕에서'의 뜻으로 단순히 장소를 나타내며, 운동의 방향을 나타내지는 않는 것이 보통이지만, break, cast, dip, divide, fall, lay, part, put, split, throw, thrust 따위처럼 동사 자체에 운동의 뜻이 있을 때에는 into를 쓰지 않고 in을 쓸 때가 있음: put the letter *in* an envelope 편지를 봉투에 넣다. He threw the book *in* the fire. 그는 책을 불 속에 집어던졌다. break a cup *in* pieces 컵을 깨뜨리다. He fell *in* the water. 그는 물속에 빠졌다.

2 〔변화·추이·결과〕 …으로 하다, 되다: burst ~ laughter 웃음을 터뜨리다/divide the cake ~ three pieces 케이크를 셋으로 나누다/turn water ~ ice 물을 얼음으로 만들다/make flour ~ bread 밀가루를 빵으로 만들다/translate English ~ Korean 영어를 한국어로 번역하다/He poked the fire ~ a blaze. 불씨를 쑤셔 불길을 일으켰다/The girl turned ~ a swan. 소녀는 고니로 변했다/Those words scared him ~ silence. 그 말에 그는 두려워서 입을 다물었다/I tried to argue him ~ going. 나는 그를 설득하여서 가게 하려고 했다.
3 〔충돌〕 …에 부딪쳐(against): run ~ a wall 벽에 부딪치다/She bumped ~ me. 그녀는 내게 쾅 부딪쳤다.
4 〖수학〗 **a** …을 나눠(서): Dividing 3 ~ 9 goes 〔gives〕 3. 9÷3=3/Three ~ six is 〔goes〕 two. 6 나누기 3 은 2 (=Six divided by three is 〔goes〕 two.). **b** 《드물게》 곱하여, 곱하면: 7 (multiplied) ~ 3 is 21. 7×3=21.
5 《구어》 (사물에) 열중〔몰두〕하고(keen on), 관심을 갖고: She's very much ~ jazz. 그녀는 재즈에 열중해 있다/What are you ~? 무엇에 흥미를 가지셨나요.
6 《미속어》 (아무)에게 빚을 지고: How much are you ~ him for? 그에게 얼마나 빚이 있나.

íntra·dày *a.* 하루 동안에 일어나는, 하루 중의.
ìntra·dérmal, -mic *a.* 《해부》 피내(皮內)의. ㉳ **-dérmally, -dérmically** *ad.*
intradérmal tést 《의학》 피내(皮內) 검사《면역 테스트》.
in·tra·dos [íntrədɑ̀s, intréidɑs/intréidɔs] (*pl.* ~(*es*)) *n.* 《건축》 (아치·둥근 천장 따위의) 내만곡선(內彎曲線), 내호면(內弧面). [OPP] *extrados.*
ìntra·galáctic *a.* 은하계 안의.
in·tra·gen·ic [ìntrədʒénik] *a.* 《유전》 유전자 내의.
ìntra·governméntal *a.* 정부 내의《항쟁·협력》.
intra·molécular *a.* 《화학》 분자 내의. ㉳ **~·ly** *ad.*
ìntra·múral *a.* **1** 같은 학교 내의, 교내(대항)의《interscholastic에 대해》. **2** 같은 도시의, 시내의; 건물 내의; 성벽 안의. [OPP] *extramural.* ¶ an ~ burial 교회 내 매장 / ~ treatment 원내 치료. **3** 《해부》 장벽(臟壁) 내의. ㉳ **~·ly** *ad.*
in·tra mu·ros [íntrə-mjúərous] 《L.》 (도시 따위의) 성 안에(서); 시내에(서); 대학 구내에(서); 비밀〔내밀〕히.
ìntra·múscular *a.* 《해부》 (주사 등이) 근육 내의《생략: IM》.
ìntra·nátional *a.* 국내(만)의.
ìntra·nét *n.* 《구어》 인트라넷《기업 내 컴퓨터를 연결하는 종합 통신망》.
intrans. intransitive.
in·tran·si·ge(a)nce, -ge(a)n·cy [intrǽnsədʒəns], [-si] *n.* [U] 타협〔양보〕하지 않음, (정치상의) 비타협적 태도. ㉳ **-ge(a)nt** *a., n.* (특히 정치상) 비타협적인 (사람). **-ge(a)nt·ly** *ad.*
in·tránsitive 《문법》 *a.* 자동(사)의. [cf.] transitive. ── *n.* 자동사. ㉳ **~·ly** *ad.* 자동사적으로, 자동사로서. **~·ness** *n.*
intránsitive vérb 자동사《생략: v.i.》.
in·trant [íntrənt] *n.* 《고어》 =ENTRANT.
intra·ócular léns 《안과》 안구(眼球) 내 렌즈《백내장을 일으킨 수정체 대신 눈에 넣는》.
ìntra·óperative *a.* 《의학》 (외과) 수술 중의.
ìntra·párty *a.* 정당 내의.
ìntra·pérsonal *a.* 개인의 마음속에 생기는, 개인 내의.
ìntra·populátion *a.* 주민 간의〔에 행해지는〕.
in·tra·pre·neur [ìntrəprənə́ːr/-nə́ː] *n.* 사내(社內) 기업가. ㉳ **~·shìp** *n.* 기업 내 기업 제도, (부·과(課) 따위 단위의) 독립 채산제.
ìntra·státe *a.* 《미》 주내(州內)의: ~ commerce 주내 통상.
ìntra·úterine *a.* 《해부》 자궁 내의.
intraúterine devíce 자궁 내 피임 기구《링; 생략: IUD》.
ìntra·váscular *a.* 《해부》 혈관 내의. ㉳ **~·ly** *ad.*
ìntra·vehícular *a.* 탈것(《특히》 우주선) 안(에서)의. [OPP] *extravehicular.*
ìntra·vénous *a., n.* 정맥(내)의, 정맥 주사(의)《생략: IV》: an ~ injection / ~ feeding 정맥 급식. ㉳ **~·ly** *ad.*
intravénous dríp 《의학》 정맥 내 점적(點滴) 주사.
ìntra·ventrícular *a.* 《해부》 심실(心室) 내의, 뇌실(腦室) 내의. ㉳ **~·ly** *ad.*
ín-tràу *n.* 미결 서류함. [OPP] *out-tray.*
intra·zónal sóil 《토양》 간대(間帶) 토양.
in·treat [intríːt] *vt., vi.* 《고어》 =ENTREAT.
in·trench [intréntʃ] *vt., vi.* =ENTRENCH.
intrénching tòol 휴대용 삽《병사가 참호를 팔 때 쓰는 접이식의》.
◇**in·trep·id** [intrépid] *a.* 두려움을 모르는, 용맹스러운, 호담한, 대담무쌍한. ㉳ **~·ly** *ad.* **~·ness** *n.* **in·tre·pid·i·ty** [ìntrəpídəti] *n.* [U] 두려움을 모름, 용맹, 대담, 무적; [C] 대담한〔무적의〕 행위.
in·tri·ca·cy [íntrikəsi] *n.* [U] 얽히고설킴, 복잡, 착잡; (*pl.*) 복잡한 사물〔사정〕.
◇**in·tri·cate** [íntrikət] *a.* **1** 뒤얽힌, 얽히고설킨. **2** 착잡한, 복잡한(complicated); 번잡한; 난해한: an ~ machine 복잡한 기계. ㉳ **~·ly** *ad.* **~·ness** *n.*
in·tri·g(u)ant [íntrigənt] (*fem.* **~e** [ìntrigɑ́ːnt, -gǽnt]) *n.* 《F.》 음모〔책략〕가, 책사(策士).
◇**in·trigue** [intríːg] *vt.* **1** (새롭거나 신기함 등으로) (…에게) 흥미를〔관심을〕 갖게 하다; (흥미·호기심을) 끌다, 자아내다: The plan ~*s* me, but I wonder if it will work. 그 계획에는 흥미가 솟지만 과연 잘 될까. **2** 《~+[목]/+[목]+[전]+[명]》 …을 책략을 써서 달성하다; 《~ oneself 또는 ~ one's way》 (…을) 마음을 끌어 손에 넣다《*into*》: ~ a bill *through* the Congress 의회에서의 법안 통과를 획책하다 / ~ one's *way* 〔one*self*〕 *into* another's notice 잘 빌붙어서 눈여김을 받다. **3** 곤혹스럽게 하다, 난처케 하다. **4** 《폐어》 얽히게 하다, 분규시키다. **5** 《폐어》 속이다. ── *vi.* 《~/+[전]+[명]》 **1** (…에 대해) 계략을 꾸미다, 음모를 꾀하다《*against*》: ~ *against* one's friends 친구에 대하여 음모를 꾸미다. **2** (…와) 밀통하다, 불의의 사이가 되다《*with*》: ~ *with* the enemy 적과 내통하다. ── [-́, -̀-] *n.* **1** [U,C] 음모(를 꾸밈), 계략, 술책. **2** [C] (…와의) 밀통, 정사. **3** [U] (연극 등의) 복잡한 줄거리〔구성〕. ㉳ **in·trígu·er** *n.* 음모가; 밀통자.
in·tríguing *a.* 음모를 꾸미는; 흥미를〔호기심을〕 자아내는. ㉳ **~·ly** *ad.*
◇**in·trin·sic, -si·cal** [intrínsik], [-əl] *a.* (가치·성질 따위가) 본질적인, 본래 갖추어진, 고유의(inherent)《*to; in*》; 《해부·의학》 내재성〔내인성〕의. [OPP] *extrinsic(al).* ¶ the ~ value of a coin 화폐의 실질 가치《액면 가치에 대하여》/ the beauty ~ *to* 〔*in*〕 a work of art 예술 작품의 본질적인 미(美). ㉳ **-si·cal·ly** *ad.*
intrínsic fáctor 《생화학》 내인성(內因性) 인자.
intrínsic semicondúctor 《전자》 진성(眞性) 반도체.
in·tro [íntrou] 《구어》 *n.* (대중음악의) 첫 부분, 서주(序奏); (정식) 소개(introduction). ── *vt.* 소개하다.
in·tro- [íntrou, -trə] '속에, 안에'라는 뜻의 결합사. [OPP] *extro-.*
intro(d). introduction; introductory.
⁑**in·tro·duce** [ìntrədjúːs/-djúːs] *vt.* 《~+[목]/+[목]+[전]+[명]》 **1** 안으로 들이다, 이끌어 들이다; 삽입하다, 끼워 넣다: ~ a person *into* an anteroom 아무를 대합실로 안내하다 / ~ a key *into* a lock 자물쇠에 열쇠를 끼우다 / ~ a figure *into* a design 어떤 형체를 도안에 (짜)넣다. **2** 받아들이다; (처음으로) 수입하다, 이입하다, 전래(傳來)시키다《*into; in*》; 채용하다: ~ a new fashion 새 유행을 소개하다 / Potatoes were ~*d into* Europe from America. 감자는 미국에서 유럽에 전래되었다 / ~ a new concept *in* mathematics 수학에 새로운 개념을 도입하다. **3** (아무를) 소개하다; (가수·배우 등을) 데뷔시키다; 대면시키다; (신제품을) 매출하다: Please ~ me to Mr. Jones. 존스 씨에게 소개시켜 주십시오 / Allow me to ~ myself. 자기소개를 하게 해 주십시오 / ~ a new product *into* the market 신제품을 시장에 내놓다.

> [SYN] **introduce** '소개하다'의 뜻의 보통말: Let me *introduce* Mr. A to you. A씨를 소개합니다. **present** 약간 딱딱한 정식의 말. 때로는 손윗사람에게 소개한다는 뜻을 포함함: Now, let me *present* the famous magician, Mr. X. 자, 여러분 유명한 마술사 X씨를 소개합니다《관객이 손윗사람》.

4 초보를 가르치다《to》, …에게 처음으로 경험시키다: ~ a person *to* chess 아무에게 체스의 첫 걸음을 가르치다 / ~ a person *to* (the delights of) skiing 아무에게 스키(의 재미)를 처음으로 경험시키다. **5** (서론을 붙여서) 시작하다《*with*》; (논문·연설·방송 프로 따위에) 서문을 붙이다: ~ a subject *with* a long preface 주제에 긴 서론을 붙이다 / ~ a speech *with* a joke 농담을 서두로 이야기를 시작하다. **6** (의안·화제 따위를) 제출하다, 꺼내다《*into*》: ~ a topic of conversation 화제를 꺼내다 / ~ a bill *into* Congress 법안을 의회에 제출하다. **7** 〖문법〗 (접속사가 절을) 이끌다. ◇ introduction *n.* ***be ~d to society*** (특히 젊은 아가씨가) 사교계에 데뷔하다. ***~d species*** 〔***variety***〕 외래종〔수입종〕. ㊔ **-dúc·er** *n.* 소개자, 수입자; 창시자. **-dúc·i·ble** *a.*

in·tro·duc·tion [ìntrədʌ́kʃən] *n.* **1** Ⓤ 받아들임, 도입〔채용〕된 것《세(稅) 따위》; 전래, 첫수입〔도입〕(한 것)《특히 동식물》, 이입(移入)〔외래〕종《*into; to*》: the ~ of Christianity *into* Korea 기독교의 한국 전래. **2** Ⓤ,Ⓒ 소개, 피로(披露); (의안 따위의) 제출《*of*》: a letter of ~ 소개장《*to*》/ make an ~ 아무를 소개하다. **3** Ⓒ 서론, 서문, 머리말.

SYN. **introduction** 서적 따위의 본문 내용을 알기 쉽게 하기 위한 진술. **preface** 저술의 목적·구성 따위를 말하는 것으로, 서적 따위의 본문과는 내용적으로 다른 것을 말함. **foreword** preface와 비슷한데, 흔히 저자 외의 사람이 진술한 것을 이름.

4 Ⓒ 입문(서), 초보 지도, 개론《*to*》: an ~ *to* (the study of) electricity 전기 공학 입문. **5** 〖음악〗 서곡, 전주곡(prelude). **6** Ⓤ 끼워 넣기, 삽입(insertion)《*into*》.

in·tro·duc·tive, -duc·to·ry [ìntrədʌ́ktiv], [-təri] *a.* 소개의; 서론의, 서문의; 준비의, 예비적인(preliminary), 초보의: an ~ chapter 서장(序章), 서설 / *introductory* remarks 머리말. ㊔ **-dúc·to·ri·ly** *ad.* **-ri·ness** *n.*

introdúctory príce 〖출판〗 발매(發賣) 기념 특별 가격〔구독료〕《독자 확장을 위한 할인 대금》.

in·tro·gres·sant [ìntrəgrésənt] *n.* 〖유전〗 침투〔이입〕 유전자.

in·tro·gres·sion [ìntrəgréʃən] *n.* 〖유전〗 유전자 이입(移入), 유전질 침투; 들어감〔옴〕.

in·tro·it [íntrouit, íntrɔit] *n.* 〖가톨릭〗 (I-) 초입경(初入經); 〖영국교회〗 성찬식 전에 부르는 노래.

in·tro·ject [ìntrədʒékt] *vt., vi.* 〖심리〗 (남의 특질·태도를) 자기의 것으로 받아들이다〔느끼다〕; 투입하다, 받아들이다.

ìn·tro·jéc·tion *n.* Ⓤ 〖심리〗 투입, 섭취《대상의 속성을 제 것으로 동화》.

in·tro·mis·sion [ìntrəmíʃən] *n.* Ⓤ,Ⓒ 삽입; (질(膣) 내에의) 삽입 (시간); 입장〔가입〕 허가.

in·tro·mit [ìntrəmít] (*-tt-*) 《고어》 *vt.* 들어가게 하다《*into*》; 삽입하다. ㊔ **~·tent** [-ənt] *a.* 삽입에 적합한; 삽입한 상태로 기능을 다하는. **-mítter** *n.*

intromíttent órgan 〖동물〗 삽입 기관《특히 양성 개체의 수컷 교접 기관》.

in·tron [íntrɑn/-trɔn] *n.* 〖생화학〗 개재 배열.

In·tro·pin [íntrəpin] *n.* 인트로핀《심장 활동 자극약; 상표명》.

in·trorse [intrɔ́ːrs] *a.* 〖식물〗 안쪽으로 향한, 내향(內向)의. OPP. *extrorse.* ㊔ **~·ly** *ad.*

in·tro·spect [ìntrəspékt] *vi.* 내성(內省)하다, 내관(內觀)하다, 자기 분석하다.

ìn·tro·spéc·tion *n.* 내성(內省), 내관(內觀), 자기 반성(self-examination). OPP. *extrospection.* ㊔ **~·al** *ad.*

ìn·tro·spéc·tion·ìsm *n.* 〖심리〗 내관(內觀)주의. ㊔ **-ist** *n.* 내관 심리학자.

in·tro·spec·tive [ìntrəspéktiv] *a.* 내성적인, 내관적인, 자기 관찰〔분석〕의. ㊔ **~·ly** *ad.* **~·ness** *n.*

in·tro·ver·si·ble [ìntrəvə́ːrsəbəl] *a.* (사상 따위를) 내향시킬 수 있는.

in·tro·ver·sion [ìntrəvə́ːrʒən, -ʃən/ìntrəvə́ːʃən] *n.* Ⓤ **1** 〖심리〗 내향(성). **2** 내향, 내성(內省); 〖의학〗 내곡(內曲), 내측 전위(內側轉位). OPP. *extroversion.*

in·tro·ver·sive [ìntrəvə́ːrsiv] *a.* 내향(성)의; 내성적인. ㊔ **~·ly** *ad.*

in·tro·vert [íntrəvə̀ːrt] *a.* 내향적〔내성적〕인. **—** *n.* 〖심리〗 내향적〔내성적〕인 사람; 《구어》 암띤 사람. **—** [⌐-⌐] *vt.* **1** 안으로 옮기다. **2** (마음·생각 등을) 안으로 향하게 하다, 내성(內省)시키다. **3** 〖동물·의학〗 (기관·장기를) 체내로 쑥 들이다〔함입시키다〕. **—** *vi.* 내성에 잠기다; 내성적(성격)이 되다. OPP. *extrovert.* ㊔ **~·ed** *a.*

in·tro·ver·tive [ìntrəvə́ːrtiv] *a.* =INTROVERSIVE.

in·trude [intrúːd] *vt.* **1** 《+목+전+명》 (의견 따위를) 밀어붙이다, 강요하다《*on, upon*》; 〘~ oneself〙 밀고 들어가다, 방해하다《*on, upon*》: You must not ~ your opinions *upon* others. 네 의견을 남에게 강요해서는 안 된다 / ~ *oneself upon* a person 아무에게 방해를 하다. **2** 《+목+전+명》 (무리하게) 밀어넣다《*into*》; 〘~ oneself〙 끼어들다, 개입하다《*into*》: The man ~*d himself into* our conversation. 그 사람은 우리 대화에 끼어들었다. **3** 〖지학〗 관입(貫入)시키다. **—** *vi.* 《+전+명》 **1** 밀고 들어가다, 침입하다《*into*》: ~ *into* a private property 사유지에 침입하다. **2** 간섭하다, 말참견하다: ~ *into* a person's affairs 아무의 일에 말참견하다. **3** (남의 일에) 끼어들다, 방해하다, 어지르다: ~ *upon* a person's privacy 아무의 사생활을 침해하다 / I hope I am not *intruding* (*upon* you). 방해가 되지 않았으면 좋겠습니다. **4** 〖지학〗 관입하다. ◇ intrusion *n.*

in·trúd·er [intrúːdər] *n.* 침입자, 난입자; 훼방꾼, 방해자; 〖군사〗 (특히 야간) 침입 비행기(의 조종사).

in·tru·sion [intrúːʒən] *n.* Ⓤ,Ⓒ (의견 따위의) 강요; 방해(한 일)《*on, upon*》; (장소에의) 침입《*into; to*》; 주제넘게 나섬; 〖법률〗 (무권리자의) 침입에 의한 토지 점유, (교회 소유지의) 점유 횡령; 〖지학〗 (마그마의) 관입(貫入), 관입암(岩). ◇ intrude *v.* ㊔ **~·al** *a.* **~·ist** *n.*

in·tru·sive [intrúːsiv] *a.* 강제하는; 침입하는, 밀고 들어오는; 주제넘게 나서는; 훼방을 놓는; 〖지학〗 관입(貫入)(성)의; 〖언어〗 (비(非)어원적으로) 끼어든《소리·문자 등》: an ~ arm of the sea 후미 / an ~ rock 관입암(岩) / an ~ r 삽입적 r음《idea of [aidíərəv]의 r음 등》. ㊔ **~·ly** *ad.* **~·ness** *n.*

in·trust [intrʌ́st] *vt.* =ENTRUST.

in·tu·bate [íntjubèit/-tju-] *vt.* 〖의학〗 …에 관(管)을 삽입하다.

ìn·tu·bá·tion *n.* Ⓤ 〖의학〗 삽관(插管)(법).

in·tu·it [intjúːit, ⌐-⌐/intjúːit, ⌐-⌐] *vt., vi.* 직관으로 알다〔이해하다〕, 직관〔직각(直覺)〕하다. ㊔ **~·a·ble** *a.*

in·tu·i·tion [ìntjuːíʃən/-tjuː-] *n.* Ⓤ 직각(直覺), 직관(력); 직감, 직관적 통찰; 직관적 지식〔사실〕: by ~ 직감적으로, 직관력으로 / He had an ~ *that* there was something wrong. 뭔가 잘못되었다고 그는 직감했다.

in·tu·i·tion·al [ìntjuːíʃənəl/-tjuː-] *a.* 직각〔직관〕의, 직관적〔직각적〕인. ㊞ **~·ly** *ad.* **~·ism** *n.* =INTUITIONISM. **~·ist** *n.* =INTUITIONIST.

ìn·tu·í·tion·ìsm *n.* Ⓤ 〖심리〗 직각설(直覺說)《외계의 사물은 직각적으로 인식된다는》; 〖철학〗 직관주의〔론〕《진리의 인식은 직관에 의한다는》. ⓒⓕ intuitivism. ㊞ **-ist** *n.* 직관〔직각〕론자.

°**in·tu·i·tive** [intjúːətiv/-tjúː-] *a.* 직각적(直覺的)〔직관적〕인 《능력》; 직관적으로 얻은 《지식·확신》; 직관력이 있는《사람》. ㊞ **~·ly** *ad.* **~·ness** *n.*

in·tu·i·tiv·ism [intjúːətivìzəm/-tjúː-] *n.* 〖윤리〗 직관주의《도덕적 가치 판단은 직관에 의한다는》. ㊞ **-ist** *n.*

in·tu·mesce [intjumés/-tju-] *vi.* (열 따위로) 부어〔부풀어〕오르다; 거품이 일다; 비등하다.

in·tu·mes·cence [intjumésəns/-tju-] *n.* Ⓤ 팽창, 부어오름; 비등(沸騰); Ⓒ 종기(swelling).

in·tu·mes·cent [intjumésənt/-tju-] *a.* 팽창성의, 팽창하는, 부어오르는, 끓어 거품이 이는.

in·tus·sus·cept [ìntəssəsépt] *vt., vi.* 〖의학〗 (장관(腸管)의 일부 따위를) 함입(陷入)〔중적(重積)〕시키다〔하다〕; 중적(증)이 되다.

ìn·tus·sus·cép·tion *n.* Ⓤ 〖생물〗 (세포의) 삽입 생장; 〖생리〗 섭취 (작용); (사상의) 섭취, 수용(受容), 동화; 〖의학〗 장중적(腸重積)(증). ㊞ **-cép·tive** *a.*

INTV 《미》 Association of Independent Television Stations Inc. (독립 TV국 연맹; 3 대 TV 네트워크에 속하지 않는).

in·twine [intwáin] *vt., vi.* =ENTWINE.

in·twist [intwíst] *vt.* =ENTWIST.

In·u·it [ínjuːit/ínjuː-] *n., a.* =INNUIT.

in·u·lin [ínjəlin] *n.* Ⓤ 〖생화학〗 이눌린.

in·unc·tion [inʌ́ŋkʃən] *n.* Ⓤ 기름을 바름, 도유(塗油)(anointing); 〖의학〗 (연고 등의) 도찰(塗擦)(요법); 도찰제, 연고.

in·un·dant [inʌ́ndənt] *a.* 넘치는, 넘쳐 흐르는.

in·un·date [ínəndèit, ínʌn-] *vt.* 《~+목/+목+전+명》 〔종종 수동태〕 **1** 범람시키다, (강물이) 침수(浸水)시키다《토지를》《*with*》: The flood waters ~*d* the town. 홍수가 시가지를 침수시켰다/The plain *was* ~*d with* flood waters. 평야는 홍수로 침수되었다. **2** 그득하게 하다, 충만시키다, 밀어닥치다, 쇄도하다: a place ~*d with* visitors 방문객이 몰려드는 곳/The publisher *was* ~*d with* orders. 출판사에 주문이 쇄도했다. ㊞ **ìn·un·dá·tion** *n.* Ⓤ 범람, 침수; Ⓒ 홍수, 큰물; Ⓤ 충만, 횡일(橫溢); 쇄도(deluge) 《*of*》. **-dàtor** *n.* **in·un·da·to·ry** [inʌ́ndətɔ̀ːri] *a.* 홍수의〔와 같은〕.

in·ur·bane [ìnəːrbéin] *a.* 도시적 품위가 없는, 세련되지 않은, 무무(貿貿)한, 버릇없는, 품위 없는, 조야한. ㊞ **~·ly** *ad.* **ìn·ur·bán·i·ty** [-bǽnəti] *n.* Ⓤ

in·ure [injúər/injúə] *vt.* 《+목+전+명/+목+*to* do》 익숙게 하다, 단련하다, 공고히 하다 《*to*》: be ~*d to* hardships 곤경에 단련돼 있다/He has ~*d* himself *to* accept misfortune. 그는 불행을 감수할 수 있도록 스스로를 단련했다. — *vi.* (특히 법적으로) 효력을 발생하다, 적용되다; 유효하게 쓰이다. ㊞ **~·ment** *n.* Ⓤ 익힘, 익숙; 단련.

in·urn [inə́ːrn] *vt.* (화장한 재 따위를) 유골 단지(urn)에 넣다, 납골하다; 매장하다(bury, entomb).

in utero [injúːtəròu] 자궁 내에, 태내(胎內)에 있는; 아직 태어나지 않은.

in útero sùrgery 자궁 내 수술《태아 수술》.

in·u·tile [injúːtəl/-tail] *a.* 〖문학〗 무익한, 무용의. ㊞ **~·ly** *ad.*

in·u·til·i·ty [ìnjuːtíləti] *n.* Ⓤ 무익, 무용; Ⓒ 무익한 물건〔사람〕, 무용지물.

inv. invented; inventor; invoice.

in va·cuo [in-vǽkjuòu] 《L.》 진공 내에; 사실과는 관계없이, 현실에서 유리하여.

***in·vade** [invéid] *vt.* **1** …에 침입하다, …에 침공하다, (타국을) 침략하다; …에 내습하다: The enemy ~*d* our country. 적이 우리나라를 침공했다. **2** (관광지 따위에) 몰려들다, …에 밀어닥치다, 쇄도하다: be ~*d* by a crowd of visitors 많은 손님들이 밀어닥치다. **3** (병·감정 따위가) 침범〔엄습〕하다. **4** (소리·냄새 따위가) 퍼지다, 충만하다: Terror ~*d* our minds. 우리 마음은 공포에 휩싸였다. **5** (법·권리 등을) 범하다, 침해하다: ~ a person's privacy 아무의 사생활을 침해하다. — *vi.* 침입하다, 우르르 몰려들다. ◇ invasion *n.* ㊞ °**in·vád·er** *n.* 침략자〔국〕, 침입자〔군〕.

in·vag·i·nate [invǽdʒənèit] *vt.* 칼집에 넣다, 거두다; 〖발생·의학〗 (관·기관 등의 일부를) 함입(陷入)시키다. — *vi.* 들어가다, 끼이다, 함입하다. — [-nət, -nèit] *a.* 칼집에 넣은, 함입한.

in·vàg·i·ná·tion *n.* 칼집에 넣음〔들어 있음〕; 〖발생〗 함입(陷入); 〖의학〗 함입; 장중적(腸重積)(증); 함입부.

***in·va·lid**[1] [ínvəlid/-lid, -lìːd] *a.* **1** 폐질(廢疾)의, 병약한, 허약한. **2** 환자(용)의: an ~ diet 환자용 식사. **3** (물건이) 망가져 가는. — *n.* **1** (특히 병·노령 등에 의한) 지체부자유자, 폐질자. **2** 병자, 환자, 병약자. **3** 〖군사〗 상병자(傷病者). ⓒⓕ patient. — *vt.* **1** 병약하게 하다. **2** 《~+목/+목+전+명》 병약자로 취급하다; 상병자 명부에 기입시키다: be ~*ed* home 부상병으로 송환되다/be ~*ed out of* the army 부상병으로 현역이 면제되다. — *vi.* 병약해지다; 병자 취급을 받다; 상병자 명부에 기입하다.

in·va·lid[2] [invǽlid] *a.* (논거 등이) 박약한, 쓸모없는, 근거〔설득력〕 없는, 무가치한; 논리적으로 모순된《의논 따위》, 실효성이 없는《방법》; (법적으로) 무효의. ㊞ **~·ly** *ad.* **~·ness** *n.*

in·val·i·date [invǽlədèit] *vt.* 무효로 하다. ㊞ **in·vàl·i·dá·tion** *n.* Ⓤ 실효(失効). **-dà·tor** *n.*

ínvalid chàir 환자용 바퀴 달린 의자, 휠체어.

in·va·lid·hood [ínvəlidhùd/-liːd-] *n.* =INVALIDISM.

in·va·lid·ism [ínvəlidìzəm/-lìːdizəm] *n.* Ⓤ 숙환, 병약; 앓는 몸; 병약자의 비율.

in·va·lid·i·ty[1] [ìnvəlídəti] *n.* Ⓤ 무효.

in·va·lid·i·ty[2] *n.* Ⓤ 폐질(취로(就勞) 불능); =INVALIDISM.

invalídity bènefit 《영》 (국민 보험에 따른) 질병 급부, 상병(傷病) 수당《생략: IVB》.

***in·val·u·a·ble** [invǽljuəbəl] *a.* 값을 헤아릴 수 없는, 평가할 수 없는, 매우 귀중한(priceless): an ~ art collection 귀중한 미술 수집품. ⓒⓕ valueless. SYN. ⇨ VALUABLE. ㊞ **-bly** *ad.* **~·ness** *n.*

in·van·dra·re [ínvɑ̀ːndrɑːrə] *n.* 《Swed.》 (스웨덴에서의) 외국인 노동자. ⓒⓕ Gastarbeiter.

In·var [invɑ́ːr] *n.* 불변강(不變鋼)《강철과 니켈의 합금; 팽창 계수가 아주 작음; 상표명》. [◂ invariable의 단축형]

in·var·i·a·ble [invέəriəbəl] *a.* 변화하지 않는, 불변의; 〖수학〗 일정한, 상수의: an ~ rule 불변의 법칙. — *n.* 불변의 것; 〖수학〗 상수(常數). ㊞ **~-ness** *n.* **in·vàr·i·a·bíl·i·ty** *n.* Ⓤ 불변(성).

°**in·var·i·a·bly** [invέəriəbli] *ad.* 변함없이, 일

정 불변하게; 항상, 반드시.

in·váriant *a.* 변하지 않은, 불변의, 한결같은. ― *n.* 〖수학〗 불변식, 불변량. ㊞ **~·ly** *ad.* **in·váriance** *n.* 불변(성).

*__in·vasion__ [invéiʒən] *n.* Ⓤ,Ⓒ **1** 침입, 침략: make an ~ *upon* …에 침입하다, …을 습격하다. **2** (권리 따위의) 침해, 침범《*of*》: ~ *of* privacy 사생활의 침해. ◇ invade *v.*

in·va·sive [invéisiv] *a.* 침입하는, 침략적인; (건강한 조직을) 범하는, 침습성(侵襲性)의《암세포》. ㊞ **~·ness** *n.* 침입성; 침습성.

in·vect·ed [invéktid] *a.* 〖문장(紋章)〗 작은 물결 모양〔연속되는 반원 형상〕의 테두리가 있는.

in·vec·tive [invéktiv] *n.* Ⓤ,Ⓒ 욕설, 악담, 독설. ― *a.* 욕설하는, 비난의, 독설의. ㊞ **~·ly** *ad.* **~·ness** *n.*

in·veigh [invéi] *vi.* 통렬히 비난〔항의〕하다, 호되게 매도하다《*against*》. ㊞ **~·er** *n.*

in·vei·gle [invéigəl, -víː-] *vt.* 《+목+전+명》 유혹〔유인〕하다, 꾀다, 속이다: ~ a person *into* do*ing* 아무를 속여서 …하게 하다. ㊞ **~·ment** *n.* Ⓤ 유인, 유혹, 꾐. **~r** *n.*

in·ve·nit [invéinit] *n.* 《L.》 …작《발명품·예술품 등의; 생략: inv.》.

⁑**in·vent** [invént] *vt.* **1** 발명하다, 고안하다; (이야기 따위를) 상상력으로 만들다; 창작하다: ~ the steam engine 증기 기관을 발명하다.

> SYN. **invent** 발명하다. 지금까지 없던 것을 만들어 낸다는 뜻에서 '날조하다' 라는 뜻도 생김: *invent* an excuse 핑계를 꾸며 내다. **devise** 고안하다. 고안의 묘(妙)에 중점이 있으며, 흔히 좋은 뜻으로 쓰임. **contrive** 어떤 효과·결과를 노리고 연구하다. 나쁜 뜻으로는 '음모하다' 가 됨.

2 (거짓말 따위를) 날조하다, 조작하다, 꾸며 내다: ~ an excuse for being late 지각한 핑계를 꾸며 내다. **3** 《미속어》 훔치다(steal). ~ 〔***rein-vent***〕 ***the wheel*** 《미속어》 빤한 것을 새삼스럽게 다시 하다, 일부러 하나부터 다시 하다. ㊞ **~·i·ble, ~·a·ble** *a.*

⁑**in·ven·tion** [invénʃən] *n.* **1** Ⓤ,Ⓒ 발명, 안출, 고안; (예술적) 창작, 창조: make an ~ 발명하다/Necessity is the mother of ~. 《속담》 필요는 발명의 어머니. **2** Ⓤ 발명〔연구〕의 재능, 안출력. **3** Ⓒ 발명품: an ingenious ~ 창의력이 뛰어난 발명품. **4** Ⓒ 꾸며 낸 이야기, 허구(虛構), 날조: a pure ~ of the newspaper 순전한 신문의 날조 (기사). **5** 《고어》 발견. **6** 〖음악〗 인벤션《대위법의 건반용 곡》; 〖수사학〗 (말의 적절한) 내용 선택. ***the Invention of the Cross*** 〖종교〗 성(聖)십자가 발견 기념일《326 년 5 월 3 일 Constantine 대제의 어머니 St. Helena가 예루살렘에서 십자가를 발견한 것을 기념》.

in·ven·tive [invéntiv] *a.* 발명의; 발명의 재능이 있는; 창작의 재능이 있는, 창의력이 풍부한, 창의적인. ㊞ **~·ly** *ad.* **~·ness** *n.*

*__in·ven·tor, -vent·er__ [invéntər] (*fem.* ***-tress*** [-tris]) *n.* 발명자, 발명가; 고안자.

in·ven·to·ry [ínvəntɔ̀ːri/-təri] *n.* 물품 명세서; (재산·상품 따위의) (재고) 목록; 목록 중의 물품, 재고품(의 총가격); Ⓤ,Ⓒ 《미》 재고품 조사〔명세서〕; 천연자원 조사 일람《특히 한 지방의 야생 생물 수》; (카운슬링용의 적성·특기 따위를 기록한) 인물 조사 기록; 목록 작성. ― *vt.* (재산·상품 따위를) 목록에 기입하다; 목록을 만들다; 《미》 재고품 조사를 하다; 개괄하다. ― *vi.* 목록상 …의 가치가 있다《*at*》.

in·ve·rac·i·ty [ìnvəræ̀səti] *n.* Ⓤ 참되지 않음, 불성실; (의도적인) 거짓, 허위.

In·ver·ness [ìnvərnés] *n.* (*or* i-) 인버네스 (=~ 〔-⌒-〕 **càpe** 〔**clòak, còat**〕)《남자용의 소매 없는 외투》.

in·verse [invə́ːrs, ⌒-] *a.* **1** (위치·관계 등이) 반대의, 역(逆)의, 도치의, 전도된; 도착(倒錯)의. **2** 〖수학〗 역(함)수(逆(函)數)의: ~ element 역원(逆元)/~ mapping 역사상(逆寫像)/~ matrix 역행렬/~ number 역수/~ operation 역연산/~ permutation 역치환/~ transformation 역변환. ― *n.* 반대, 역, 전도; 〖수학〗 역. ― [-⌒] *vt.* 《드물게》 …을 역으로 하다, 반대로 하다. ㊞ **~·ly** *ad.* 반대로, 역으로, 역비례하여.

ínverse féedback 〖컴퓨터〗 음(陰) 피드 백 (negative feedback).

ínverse fúnction 〖수학〗 역함수.

ínverse ímage 〖수학〗 원상(原像) (counter image).

invérsely propórtional 〖수학〗 반비례의, 반비례하는. in ~ to …에 반비례하여.

ínverse propórtion 〖수학〗 반비례, 역비례:

ínverse rátio 〖수학〗 반비, 역비.

ínverse squáre làw 〖물리〗 역제곱 법칙.

ínverse trigonométric fúnction 〖수학〗 역삼각함수.

invérse variátion 〖수학〗 역비례, 반비례; 역변분(逆變分). cf. direct variation.

in·ver·sion [invə́ːrʒən, -ʃən/-ʃən] *n.* Ⓤ,Ⓒ **1** 전도(轉倒), 역(逆), 정반대. **2** 정반대로 된 것. **3** 〖문법〗 (어순의) 전도, 도치(법). ⇨ 부록 INVERSION. **4** 〖논리〗 역환(逆換)(법); 〖동물〗 역립; 〖해부〗 내반(內反), 역위(逆位), 도치; 〖유전〗 역위(逆位); 〖음악〗 자리바꿈; 〖화학·물리〗 반전; 〖결정〗 전이. **5** 〖기상〗 (대기의) 역전; 〖수학·음성〗 반전; 〖전기〗 (직류에서 교류로의) 반전; 〖컴퓨터〗 반전《말 속의 각 비트 위치값을 역으로 하는 연산》; 〖통신〗 (엿듣기 방지를 위한 주파수 스펙트럼의) 반전(反轉); 〖정신의학〗 성(性) 대상 도착, 동성애.

invérsion làyer 〖기상〗 (대기의) 역전층.

in·ver·sive [invə́ːrsiv] *a.* 전도의, 역(逆)의, 반대의.

in·vert [invə́ːrt] *vt.* 거꾸로 하다, 역으로 하다, 뒤집다; 〖음악〗 전회(轉回)하다; 〖음성〗 (혀를) 반전하다; 〖화학〗 전화(轉化)하다: ~ a cup 잔을 거꾸로 놓다. ― [⌒-] *n.* 〖건축〗 역(逆)홍예, 역아치; 〖심리〗 성욕 도착자; 〖화학〗 전화; 〖컴퓨터〗 반전. ― [⌒-] *a.* 〖화학〗 전화한. ◇ inversion *n.* ㊞ **in·vért·i·ble** *a.*

in·vert·ase [invə́ːrteis] *n.* Ⓤ,Ⓒ 〖생화학〗 전화 효소(轉化酵素), 인베르타아제.

in·ver·te·brate [invə́ːrtəbrət, -brèit] *a.* 등뼈〔척추〕가 없는; 《비유》 기골이 없는, 우유부단한. ― *n.* 무척추동물; 기골이 없는 사람.

in·vért·ed [-id] *a.* **1** 거꾸로 된, 역의; 반전한. **2** 〖음성〗 반전(反轉)〔도설(倒舌)〕의: an ~ consonant 〖음성〗 도설 자음《혀끝을 위 안쪽으로 말아 발음함; 미국 영어의 r-coloring 등》. **3** 〖심리〗 성욕 도착의.

invérted árch 〖건축〗 역(逆)아치.

invérted cómma 〖인쇄〗 인용부(quotation marks).

invérted snób 저보다 아래 계급을 가장하여, 자기 계급을 경멸하는 자.

in·vért·er *n.* 〖전기〗 인버터, 변환 장치〔기〕; 〖컴퓨터〗 역변환기, 인버터.

ínvert sóap 역성(逆性) 비누.

ínvert súgar 전화당(轉化糖).

°**in·vest** [invést] *vt.* 《~+목/+목+전+명》 **1** 투자하다: ~*ed* capital 투입 자본/~ one's money *in* stocks 주식에 투자하다. **2** (돈을) 지출하다, 쓰다, 소비하다; (시간·노력 따위를) 내다, 바치다, 들이다《*in*》: ~ large sums *in* books

책에 많은 돈을 쓰다 / ~ a lot of time *in* try*ing* to help the poor 가난한 사람들을 도우려고 많은 시간을 내다. **3** 맡기다, 주다《*in*》: ~ the management of a bank *in* a person 은행 관리를 아무에게 맡기다. **4** …에게 입히다; 싸다: ~ oneself *in*〔*with*〕a coat 옷을 입다 / Darkness ~*s* the earth at night. 밤에는 어둠이 땅 위를 뒤덮는다. **5** (관직·지위·권력·성질 따위를) …에게 주다, …에게 서임(敍任)하다, …에게 수여하다《*with*》: ~ a person *with* rank 아무에게 지위를 주다 / ~ a subject *with* interest 화제를 재미있게 하다. **6** 〖군사〗 포위(공격)하다: The enemy ~*ed* the city. 적이 도시를 포위했다. **—** *vi.* **1** 《~/+전+명》 투자하다《*in*》: ~ *in* stocks 주식에 투자하다. **2** 《+전+명》《구어》 돈을 들이다, 사다《*in*》: ~ *in* a new car 신형차를 사다. ㊕ **~·a·ble, ~·i·ble** *a.*

in·ves·ti·ga·ble [invéstigəbəl] *a.* 조사〔연구〕할 수 있는.

*__in·ves·ti·gate__ [invéstəgèit] *vt.* 조사하다, 연구하다, 수사하다: The police ~*d* the cause of the accident. 경찰은 사고 원인을 조사했다. **—** *vi.* 조사〔연구, 심사〕하다.

__in·ves·ti·ga·tion__ [invèstəgéiʃən] *n.* Ⓤ,Ⓒ **1 조사《*of; into*》, 연구, 수사. **2** 조사 보고, 연구 논문. ***make an ~ into ...*** …을 조사〔연구〕하다. ***under ~*** 조사 중의. ***upon ~*** 조사해 보니. ㊕ **~·al** *a.*

investigátion néw drúg 〖의학〗 연구용 신약《동물 실험 후 사람에게 임상 시험을 위한》.

in·ves·ti·ga·tive [invéstigèitiv] *a.* 연구의, 조사의; 연구를 좋아하는, 연구적인.

invéstigative repórting〔**jóurnalism**〕 (범죄·부정 등에 관한) 매스컴〔기자〕 독자(獨自)적 조사에 의한 보도. 「사자, 수사관.

°**in·ves·ti·ga·tor** [invéstigèitər] *n.* 연구자, 조

in·ves·ti·ga·to·ry [invéstigətɔ̀ːri/-gèitəri] *a.* 조사〔연구〕에 종사하는.

in·ves·ti·tive [invéstətiv] *a.* 관직〔자격〕을 수여하는; 임관〔자격 부여〕의〔에 관한〕.

in·ves·ti·ture [invéstətʃər] *n.* Ⓤ,Ⓒ 수여; 서임(식), 수작(授爵)(식); Ⓤ (성질·자격 등의) 부여; Ⓤ 《드물게》 포위. ◇ invest *v.*

*__in·vest·ment__ [invés*t*mənt] *n.* **1** Ⓤ 투자, 출자《*in*》; Ⓒ 투자액; 투자의 대상: make an ~ *in* …에 투자하다 / a safe ~ 안전한 투자 (대상). **2** Ⓤ 서임(敍任), 임명; (권리의) 부여. **3** 〖군사〗 포위, 봉쇄. **4** Ⓤ (의복의) 착용; 의류; 〖생물〗 외피, 외각(外殼); 외층(外層). ◇ invest *v.*

invéstment advìser 《미》 투자 고문.

invéstment ànalyst 투자 분석 전문가, 증권 분석가.

invéstment bànk 투자 은행.

invéstment bànker 증권 인수업자《장기 자본 시장에서 자금 조달을 행하는 금융 기관》.

invéstment bònd 〖보험〗 투자 증권《보험료 일시불의 생명 보험으로 보험료 중 일정액이 증권 등에 투자되어 절세 효과가 있는 경우도 있음》.

invéstment càsting 〖공학〗 인베스트먼트법(法)《거푸집에 용융 금속을 부어서 주물을 만드는》.

invéstment còmpany〔**trùst**〕 투자 (신탁) 회사.

invéstment fùnd 투자 신탁 재산; 투자 (신탁) 회사.

invéstment retùrns 《미》〖증권〗 투자 수익.

invéstment táx crèdit 〖경제〗 투자 세액 공제.

°**in·ves·tor** [invéstər] *n.* **1** 투자자. **2** 수여〔서임〕자. **3** 포위자.

invéstor relàtions 투자가에 대한 홍보 활동, 투자가 PR《상장 기업 등이 투자가나 대중에게 회사를 이해시켜 기업 이미지를 높여 금융·증권계나 투자가층의 평판을 좋게 하는 활동》.

in·vet·er·a·cy [invétərəsi] *n.* Ⓤ 《고어》 뿌리 깊음; 상습, 만성; 적의(敵意), 편견.

in·vet·er·ate [invétərət] *a.* **1** (감정·병이) 뿌리 깊은, 완강한, 지병의: an ~ disease 고질, 숙환. **2** 버릇이 된, 상습적인: an ~ drinker 상습 음주자 / an ~ habit 상습. **3** 《폐어》 옛적부터의, 숙원(宿怨)의. ㊕ **~·ly** *ad.* **~·ness** *n.*

in·vi·a·ble [inváiəbəl] *a.* 생존 불가능한; (재정적으로) 살아남을 수 없는.

in·vid·i·ous [invídiəs] *a.* 비위에 거슬리는, 불쾌한《말 따위》; 몹시 차별하는, 불공평한; 남의 시샘을 받기 쉬운《지위·명예 따위》: an ~ honor 남의 시샘을 받을 만한 명예. ㊕ **~·ly** *ad.* **~·ness** *n.*

in·vig·i·late [invídʒəlèit] *vi.* 망을 보다, 감시하다; 《영》 시험 감독을 하다. **—** *vt.* 《폐어》 경계시키다. ㊕ **in·vìg·i·lá·tion** *n.* **in·víg·i·là·tor** [-ər] *n.*

in·vig·or·ant [invígərənt] *n.* 강장제.

in·vig·or·ate [invígərèit] *vt.* 원기〔활기〕를 돋우다, 북돋다, 고무하다. ◇ invigoration *n.*

in·víg·or·àt·ing *a.* 기운을 돋구는; (공기·산들바람 등이) 상쾌한. ㊕ **~·ly** *ad.*

in·vìg·or·á·tion *n.* Ⓤ 격려, 고무.

in·vig·or·a·tive [invígərèitiv] *a.* 기운을 돋우는, 북돋우는; 격려하는.

in·vig·or·a·tor [invígərèitər] *n.* 기운을 돋우는 사람〔것〕; 자극제, 강장제.

in·vìn·ci·bíl·i·ty *n.* Ⓤ 무적, 불패.

°**in·vin·ci·ble** [invínsəbəl] *a.* 정복할 수 없는, 무적의; 극복할 수 없는: ~ ignorance 어떻게도 할 수 없는 무지. ◇ invincibility *n.* ㊕ **-bly** *ad.* **~·ness** *n.*

Invíncible Armáda (the ~) ⇨ ARMADA.

in vi·no ve·ri·tas [in-váinou-véritæ̀s] 《L.》 (=in wine there is truth) 술 속에 진실이 있다; 취중에 본성이 드러난다.

in·vi·o·la·ble [inváiələbəl] *a.* 범할 수 없는, 불가침의; 신성한; 거역할 수 없는. ㊕ **-bly** *ad.* **in·vì·o·la·bíl·i·ty** *n.* Ⓤ **~·ness** *n.*

in·vi·o·la·cy [inváiələsi] *n.* 침범〔모독〕되지 않은 것; 더럽혀지지 않은 상태.

in·vi·o·late [inváiələt] *a.* 범하여지지 않은, 손상되지 않은; 더럽혀지지 않은; 신성한. ㊕ **~·ly** *ad.* **~·ness** *n.*

in·vis·cid [invísəd] *a.* 점도(粘度)가 영(零)인, 무점성의.

__in·vis·i·ble__ [invízəbəl] *a.* **1 눈에 보이지 않는; 감추어진; 통계〔재무 제표〕에 나타나지 않은: Germs are ~ *to* the naked eye. 세균은 맨눈으로는 안 보인다. **2** 눈에 보이지 않을 만큼 작은; 똑똑히 보이지 않는; 확실하지 않은: ~ differences 알아차릴 수 없을 정도의 차이. **3** 내밀한, 공개되지 않은. **4** 얼굴을 보이지 않는, 모습을 나타내지 않는: He remains ~ when out of spirits. 그는 기분이 나쁠 때는 사람을 만나지 않는다. **5** (통계·목록 등에) 명시(明示)되어 있지 않은; 무역 외의: an ~ asset 목록에 오르지 않은 재산. **—** *n.* **1** 눈에 보이지 않는 것; 〖경제〗 무역 외 수지. **2** (the ~) 영계(靈界); (the I-) 신(God). ㊕ **-bly** *ad.* 눈에 보이지 않게〔않을 정도로〕. **~·ness** *n.* **in·vìs·i·bíl·i·ty** *n.* Ⓤ

invísible bálance 〖경제〗 무역 외 수지.

invísible cáp (the ~) 요술 모자《이것을 쓰면 모습이 남의 눈에 안 보인다는》.

invísible éxports 〖경제〗 무형 수출품, 무역외 수출.

invísible éxports and ímports 〖경제〗 무역외 수지《운임·보험료·관광객에 의한 소비 등 용역(用役) 수출입》.

invísible gláss 비가시(非可視) 유리; 무반사 유리.

invísible góvernment 《미》 보이지 않는 정

부《CIA의 별칭》. 「힘듦》.
invísible gréen 진한 녹색《흑색과 구별하기
invísible hánd 〚경제〛 보이지 않는 손《자기 이익의 추구가 보이지 않는 손에 의해 사회 전체의 이익에 연결됨》. 「외 수입.
invísible ímports 〚경제〛 무형 수입품, 무역
invísible ínk 은현(隱顯) 잉크.
invísible ménding 짜깁기.
invísible tráde 무형 무역《운임·관광 등 상품 이외의 무역》. OPP *visible trade.*
in·vi·ta Mi·ner·va [inwí:tɑ:-minérwɑ:] 《L.》 미네르바 여신이 바라지 않아; 천부의 재능이나 영감이 없어서.
in·vi·ta·tion [ìnvətéiʃən] *n.* **1** U,C 초대, 안내, 권유《*to; to* do》: an ~ *to* a dance 댄스 파티에의 초대/decline 〔accept〕 an ~ *to* give a lecture 강연해 달라는 초대를 거절〔수락〕하다. **2** 초대〔안내, 권유〕장(an ~ card, a letter of ~): send out ~*s* 초대장을 내다. **3** C,U 유인, 꾐, 매력; 유혹, 도발《*to; to* do》: an ~ *to* suicide 자살에의 유혹/Tyranny is often an ~ *to* rebel. 폭정은 흔히 반란을 유발한다. **4** 제안, 권장, 권유. ***at the ~ of*** …의 초대에 의하여. ***by ~ of*** …의 초대로. ㊕ **~·al** *a.* 초대의.
invitátional tóurnament 〚경기〛 초대 대회《주최국 초대에 따라 참가할 수 있는》.
in·vi·ta·to·ry [inváitətɔ̀:ri/-təri] *a.* 초대의; 권유의. **—** *n.* 초사(招詞)《특히 시편 XCV》.
in·vite [inváit] *vt.* **1** 《목+전+명/+목+*to* do/+목+부》 초청하다, 초대하다: ~ a person *to* dinner =~ a person *to* have dinner/She is seldom ~*d out.* 그녀는 초대받아 밖에 나가는 일이 드물다. **2** 《+목+*to* do》 권유하다: ~ a person *to* join the parade 아무에게 퍼레이드에 참가하도록 권유하다. **3** 《~+목/+목+*to* do》 (주의·흥미 따위를) 이끌다, 끌다; 유인하다: The book ~*s* interest./The cool water of the lake ~*d* us *to* swim. 호수의 물이 시원해서 우린 헤엄치고 싶어졌다. **4** (비난·위협 따위를) 초래하다, 야기하다: The bill ~*d* much discussion. 그 법안은 많은 논의를 일으켰다/~ laughter 웃음을 자아내다. **5** 《~+목/+목+*to* do》 (예를 다하여) 청하다, 요청하다, 부탁하다: ~ a person's opinion 아무에게 의견을 구하다/~ a person *to* sing 아무에게 노래를 청하다. ~ ***questions*** 질문할 기회를 주다; 질문하라고 부탁하다. **—** [ˊ-] *n.* C 《구어》 초대(장). ㊕ **in·vit·ee** [ìnvití:, -vai-], **in·vít·er, in·ví·tor** *n.*
in·vit·ing [inváitiŋ] *a.* 유혹적인, 마음을 끄는, …하고 싶은 생각을 일으키는; 기분 좋은, 상쾌한: an ~ smile 유혹적인 미소/an ~ dish 먹음직스러운 요리. ㊕ **~·ly** *ad.* **~·ness** *n.*
in vi·tro [in-ví:trou] 《L.》 시험관〔유리관〕 내에.
in vítro fertilizátion =EXTERNAL FERTILIZATION. 「(의).
in vi·vo [in-ví:vou] 《L.》 생체 (조건) 내에서
in·vo·ca·tion [ìnvəkéiʃən] *n.* U,C 신의 도움을 빎, 기원; (the ~) ('In the name of the Father' 따위, 예배 전의) 초사(招詞); (도움·지원의) 탄원, 청원; 주문으로 악마를 불러냄; 그 주문; 시신(詩神) Muse에게 작시(作詩)의 영감을 기구함; 그 기구; (권위를 갖게 하거나 정당화하기 위해) 예를 인용함; (법에) 호소함; (법의) 발동, 실시. ㊕ **~·al** *a.* **in·voc·a·to·ry** [invɑ́kətɔ̀:ri/-vɔ́kətəri] *a.* 기도의, 기원의.
in·voice [ínvɔis] 〚상업〛 *n.* 송장(送狀)《상품 발송의》, (송장에 적힌) 화물; 명세 기입 청구서: an ~ clerk 송장 담당원/an ~ price 매입가/an ~ book 송장 대장. **—** *vt.* (상품)의 송장을 〔청구서를〕 작성〔제출〕하다; 송장에 적다; …에게 송장을 보내다; (화물을) 적송(積送)하다. **—** *vi.* 송장을 작성〔제출〕하다.
in·voke [invóuk] *vt.* **1** (신에게 도움·가호 따위를) 기원하다, 빌다; (권위 있는 것·신성한 것을) 예로서 인용하다: ~ God's mercy 신의 자비를 빌다. **2** (법에) 호소하다; 간원하다: ~ the power of the law 법의 힘에 호소하다/~ aid 도움을 간구하다. **3** (법령을) 실시하다; (권리를) 행사〔발동〕하다: ~ martial law 계엄령을 발동하다/~ one's right to veto 거부권을 행사하다. **4** (악마 따위를) 주문으로 불러내다; 불러일으키다, 자극하다. ◇ invocation *n.*
in·vo·lu·cre [ínvəlù:kər] *n.* 〚식물〛 총포(總苞); 보자기, 덮개; 〚해부〛 피막(皮膜), 막낭(膜囊).
in·vo·lu·crum [ìnvəlú:krəm] (*pl.* **-cra** [-krə]) *n.* =INVOLUCRE.
in·vol·un·tary [invɑ́ləntèri/-vɔ́ləntəri] *a.* **1** 무심결의, 무의식적인, 모르는 사이의; 본의 아닌 (OPP *spontaneous*): ~ servitude 강제 노동. **2** 〚생리〛 불수의(不隨意)의. ㊕ **-ri·ly** [-rili] *ad.* 모르는 사이에; 본의 아니게. **-ri·ness** *n.* 무의식, 본의 아님, 우연. 「사(죄).
invóluntary mánslaughter 〚법률〛 과실 치
invóluntary múscle 〚생리〛 불수의근.
in·vo·lute [ínvəlù:t] *a.* 뒤얽힌, 복잡한, 착잡한; 〚식물〛 안으로 말린〔감긴〕; 〚동물〛 소용돌이의, 나사 모양의. **—** *n.* 〚수학〛 신개선(伸開線). **—** *vi.* 안으로 말리다〔감기다〕; (출산 후 자궁이) 본래 상태로 돌아가다, 퇴축(退縮)하다; 아주 없어지다. ㊕ **~·ly** *ad.* **-lùt·ed** [-id] *a.* 뒤얽힌; (자궁 등이) 원상태로 돌아간.
ìn·vo·lú·tion *n.* U,C 말아넣음; 안으로 말림, 회선(回旋) (부분); 복잡함, 혼란; 〚문법〛 (주어와 술어 사이에 절이나 구가 들어 있는) 복잡한 구문; 〚수학〛 거듭제곱; 〚수학〛 대합(對合); 〚생물〛 퇴화(degeneration), 쇠퇴; 〚의학〛 퇴축(退縮)《해산 후의 자궁의 수축 따위》; (생체·조직의) 퇴화, 쇠퇴《월경 정지 따위》. ㊕ **~·al** *a.*
involútional melanchólia 〚정신의학〛 퇴행기 우울증《주로 여성의 폐경기에 생기는》.
in·volve [invɑ́lv/-vɔ́lv] *vt.* **1** 말아 넣다, 싸다, 감싸다; 나사 모양으로 말다〔감다〕: Clouds ~*d* the mountain top. 구름이 산꼭대기를 감쌌다. **2** 《+목+전+명》 연좌〔연루〕시키다《*in*》; 관련〔관계〕시키다, 말려들게 하다, 휩쓸리게 하다《*in; with*》; …에 영향을 끼치다: get ~*d in* a trouble 분쟁에 말려들다/Your troubles are mostly ~*d with* your attitudes. 네가 처한 어려움은 너의 처신과 밀접하게 관련되어 있다. **3** 《~+목/+-*ing*》 (필연적으로) 수반하다, 필요로 하다, 포함하다: An accurate analysis will ~ intensive tests. 정확한 분석은 철저한 검사를 필요로 한다/To accept the appointment would ~ liv*ing* in London. 이 임명을 수락하면 아무래도 런던에 살지 않으면 안 되게 된다. **4** 《+목+전+명》〔보통 수동태 또는 ~ oneself〕 몰두시키다, 열중시키다《*in; with*》: He's ~*d in* work*ing* out a puzzle. =He's ~*d with* a puzzle. 그는 수수께끼 푸는 데 열중하고 있다. **5** (일을) 복잡하게 하다. **6** 《폐어》 〚수학〛 거듭제곱하다: ~*d* to the third power 세제곱한《수 등》. ***become ~d in*** one***'s speech*** 이야기가 갈피를 못 잡게 되다. ***be ~d in*** =~ one***self in*** ⇨2, 4; …으로 옴짝달싹 못하게 되다; …에 싸이다. ***be ~d in doubt*** 의문에 싸여 있다. ***get ~d with*** …에 휘감기다, …에 휘감겨 난처하다: get ~*d with* one's fishing line 낚싯줄이 휘감겨 난처하다. ㊕ **~d** *a.* 뒤얽힌, 복잡한; 혼란한; (재정적으로) 곤란한 처지인. **in·vólv·er** *n.*
in·vólve·ment *n.* **1** U 말려듦; 휩쓸려듦, 관

련, 연루, 연좌《*in*》. **2** 포함. **3** Ⓒ 난처; 어려움; ⌊(재정) 곤란.

invt. inventory.

in·vul·ner·a·ble [invʌ́lnərəbəl] *a.* 상처 입지 않는, 불사신의; (논의가) 공격에 견디는, 반박할 수 없는. ㊞ **-bly** *ad.* **in·vùl·ner·a·bíl·i·ty** *n.* Ⓤ

in·vul·tu·a·tion [invʌltʃuéiʃən] *n.* 사람이나 동물을 닮은 상(像)을 사용하는 주술〔마술〕.

in·ward [ínwərd] *a.* **1** 안의, 안쪽의, 내부의, 내부에의. OPP *outward.* ¶ an ~ room 안방. SYN. ⇨ INSIDE. **2** 본질적인: the ~ nature of a thing 물건의 본질적인 성질. **3** 내적인, 정신적인, 영적인: ~ peace 마음의 평정. **4** 마음속의, 비밀의, 개인적인. **5** 몸 내부의; (목소리 따위가) 낮은. **6** 내륙의. ── *ad.* **1** 내부로, 안으로: The door opens ~. 그 문은 안쪽으로 열린다. **2** 마음속으로, 몰래. ── *n.* **1** 내부; 내심; 정신, 진수. **2** (*pl.*) [inərdz] 《구어》 배; 내장. ★ in'ards 로도 씀. ㊞ ~·**ly** *ad.* **1** 안에, 안으로; 내부에서. **2** 마음속으로, 몰래. **3** 내밀히, 작은 목소리로. ~·**ness** *n.* Ⓤ 내적인 것, 참뜻, 본질; 정신적인 것, 영성(靈性); 《폐어》 친밀함. 「내로).

ínward invéstment 대내 투자《외국에서 국

ínward-lóoking *a.* 내향적인, 외계에 무관심한.

in·wards [ínwərdz] *ad.* =INWARD.

in·wéave (*-wove* [-wóuv], *-weaved; -wo·ven* [-wóuvən], *-wove, -weaved*) *vt.* 짜 넣다, 섞어 ⌊짜다《*with*》.

ín·wórks *a.* 공장 안(에서)의.

in·wráp *vt.* =ENWRAP.

in·wréathe *vt.* =ENWREATHE.

in·wrought [inrɔ́ːt] *a.* 짜〔박아〕 넣은, 수놓은; 상감(象嵌)한; 무늬가 든; 혼합된《*with*》.

ìn-your-fáce *a.* 《구어》 방약무인한, 남의 기분을 생각하지 않는, 거리낌 없이 말하는; 억지가 센, 도전적인.

Io [áiou, íːou] *n.* 〖그리스신화〗 Zeus의 사랑을 받은 여자 《Hera의 질투로 흰 암소로 변신됨》; 〖천문〗 목성(木星)의 제 1 위성.

Io 〖화학〗 ionium. **Io.** Iowa. **I/O** 〖컴퓨터〗 input / output (입출력).

I/O bús 〖컴퓨터〗 입출력 버스《입출력 기기의 접속을 위한 외부 공통 모선(母線)》.

IOC International Olympic Committee.

I/O contróller 〖컴퓨터〗 입출력 제어 장치.

IOCS 〖컴퓨터〗 input / output control system.

io·date [áiədèit] *n.* 〖화학〗 요오드산염. ── *vt.* 요오드로 처리하다(iodize). ㊞ **io·dá·tion** *n.*

iod·ic [aiádik/-ɔ́d-] *a.* 〖화학〗 요오드의, 옥소 ⌊(沃素)의.

iódic ácid 〖화학〗 요오드산.

io·dide [áiədàid] *n.* 〖화학〗 요오드화물(化物).

io·din, io·dine [áiədin], [áiədàin/-dìːn] *n.* 〖화학〗 요오드, 옥소(沃素)《비금속 원소; 기호 I; 번호 53》; 《구어》 요오드팅크: ~ preparation 요오드제(劑). *tincture of* ~ 요오드팅크.

io·din·ate [áiədinèit] *vt.* 〖화학〗 =IODIZE. ㊞ **io·din·á·tion** *n.*

íodine-xénon dàting 요오드크세논 연대 측정《지질학상의 표본 연대 결정법》.

io·dism [áiədìzəm] *n.* Ⓤ 〖의학〗 요오드 중독.

io·dize [áiədàiz] *vt.* 요오드로 처리하다; 요오드를 함유시키다.

io·do·chlor·hy·drox·y·quin [àiədəklɔ̀ːr-haidráksikwin/-drɔ́k-] *n.* 〖약학〗 요오드클로로히드록시킨《질(膣) 트리코모나스 감염증 등에 쓰는 국부 살균제》. 「〖화학〗 요오드포름.

io·do·form [aióudəfɔ̀ːrm, -ád-/-ɔ́d-] *n.* Ⓤ

io·dop·sin [àiədápsin/-dɔ́p-] *n.* 〖생화학〗 요오돕신《계란 등의 망막에서 추출되는 감광 물질》.

io·dous [aióudəs, aiád-/aiɔ́d-] *a.* 〖화학〗 요오드의; 요오드 같은〔에 관한〕.

IOE International Organization of Employers (국제 경영자 단체 연맹).

Iof·fé bár [jɑfíː-/jɔ-] 〖물리〗 요페 봉(棒)《핵융합 장치에서 자기장 강화를 위해 외자기장 쪽으로 전기를 통하는 수개의 봉》.

I. of M. Isle of Man. **I. of W.** Isle of Wight.

I.O.G.T., IOGT International Order of Good Templars. **IOJ** International Organization of Journalists (국제 저널리스트 기구). **I.O.M., I.o.M.** Isle of Man.

ion [áiən, -ɑn/-ən, -ɔn] *n.* 〖물리〗 이온. *a negative* ~ 음이온(anion). *a positive* ~ 양이온(cation).

-ion [ˊ-jən, ən] *suf.* 라틴계 동사의 명사를 만들며, -ation, -sion, -tion, -xion의 꼴을 취함.

íon-béam lithógraphy 〖전자〗 이온빔 주사로 silicon wafer 표면을 가공하기.

íon èngine 〖항공〗 이온 엔진(ion rocket)《고속 이온을 가속 분사하여 추진력을 얻는 엔진》.

Io·nes·co [jənéskou] *n.* **Eugène** ~ 이오네스코《루마니아 태생의 프랑스 극작가; 반연극(antithéâtre)의 선구자; 1912–94》.

íon ètching 〖물리〗 이온 에칭《진공 중에서, 물질에 가속된 이온빔 충격을 주어 표면 원자를 튀어나오게 하는 물리적 에칭법》.

íon exchànge 〖물리 · 화학〗 이온 교환(交換).

íon-exchànger *n.* 〖화학〗 이온 교환체〔기〕.

íon-exchànge résin 이온 교환 수지.

íon gènerator 이온 발생기《공기 중에서 음이온을 발생시키는 장치; 질병 치료용》.

Io·nia [aióuniə] *n.* 이오니아《소아시아 서안 지방의 고대 그리스의 식민지》.

Io·ni·an [aióuniən] *a.* 이오니아(인)의; 〖건축〗 이오니아식의. ── *n.* 이오니아인.

Iónian mòde 〖음악〗 이오니아 선법(旋法)《교회 선법의 일종》.

Iónian Séa (the ~) 이오니아해《이탈리아 남동부와 그리스 사이의 지중해의 일부》.

Ion·ic [aiánik/-ɔ́n-] *a.* 이오니아(사람)의; 〖운율〗 이오니아 시각(詩脚)의; 〖건축〗 이오니아식의: the ~ dialect 이오니아어(語) / the ~ foot 이오니아 음각(音脚)《장장단단, 단단장장격》.

ion·ic *a.* 〖물리〗 이온의.

iónic bónd 〖화학〗 이온 결합(electrovalent ⌊bond).

iónic mobílity 〖화학〗 이온 이동도.

Iónic órder (the ~) 〖건축〗 이오니아식《대접받침에 소용돌이 조각이 있는 것》.

íon implantàtion 〖물리〗 이온 주입(注入)《반도체를 얻는 방법의 하나》.

io·ni·um [aióuniəm] *n.* Ⓤ 〖화학〗 이오늄《토륨의 방사성 동위 원소; 기호 Io》. 「화.

ion·i·za·tion [àiənizéiʃən/-naiz-] *n.* Ⓤ 이온

ionizátion chàmber 〖물리〗 이온화 상자《방사선 측정 장치의 하나》.

ion·ize [áiənàiz] *vt., vi.* 〖화학〗 이온화하다, 전리하다. ㊞ **-iz·er** *n.* 이온화〔전리〕 장치.

íonized clúster bèam 〖물리〗 새 박막(薄膜) 성장(成長) 기술.

íon mìlling 〖물리〗 =ION ETCHING.

ion·o·phore [aiánəfɔ̀ːr/-ɔ́n-] *n.* 〖생화학〗 이온 투과 담체(擔體).

ion·o·sonde [aiánəsànd/-ɔ́nəsɔ̀nd] *n.* 〖공학〗 이온존데《전리층의 이온층에 단파(短波)를 반사시켜 높이를 측정하는 장치》.

ion·o·sphere [aiánəsfìər/-ɔ́n-] *n.* 〖물리〗 이온층, 전리층. ㊞ **iòn·o·sphér·ic** *a.*

ionosphéric wáve 〖통신〗 전리층파(波), 상공파(sky wave).

íon plàting 〖물리〗 이온 플레이팅《각종 이온을 수(數) 10 KeV 내지 수(數) KeV 가속하여 기판(基板)에 대고 부착력이 강한 막을 형성하는 방법》.

íon propùlsion (우주 로켓의) 이온 추진.
íon ròcket = ION ENGINE.
íon-selective fíeld-effect transìstor 〖전자〗 이온 선택 전기장 효과 트랜지스터《생략: ISFET》.
íon tàil 〖천문〗 (혜성의) 이온 꼬리(plasma tail).
ion·to·pho·re·sis [aiɑ̀ntəfəríːsis/aiɔ̀n-] *n.* 〖의학〗 이온 도입(법)《전기 침투법의 하나; 이온화한 약제를 전류에 의해 몸 조직에 넣는》. [파] **-pho·rét·ic** [-rétik] *a.* **-i·cal·ly** *ad.*
I.O.O.F., IOOF Independent Order of Odd Fellows. 「을 행하기 위한 회로》.
I/O pórt 〖컴퓨터〗 입출력 포트《데이터의 입출력
-i·or¹ [ˊiər] *suf.* 라틴어계(系) 형용사의 비교급을 만듦: jun*ior*, sen*ior*, infer*ior*.
-i·or² [ˊiər, jər] *suf.* '…하는 사람'의 뜻: sav*ior*, pav*ior*.
io·ta [aióutə] *n.* **1** 요타《그리스어 알파벳의 아홉째 글자 I; 로마자(字)의 i에 해당함》. **2** 미소(微少); 〔부정문에서〕 아주 조금(도 …없다), 티끌만큼(도 …없다): there is *not* an ~ of …이 조금도 없다.
io·ta·cism [aióutəsìzəm] *n.* 요타(ι)를 지나치게 다른 글자 대신에 쓰는 일; 요타화(化)《본래 다른 모음이나 중모음을 모두 [iː] 음화하는 그리스어의 경향》. 「차용 증서. [◂ I owe you.]
IOU, I.O.U. [àioujúː] (*pl.* **~s, ~'s**) *n.* 약식
-i·our [ˊiər, jər] *suf.* = -IOR².
-i·ous [iəs, jəs] *suf.* '…성(性)의, …에 찬'의 뜻.
I.O.W., I.o.W. Isle of Wight.
Io·wa [áiəwə, -wèi/áiouə] *n.* 미국 중서부의 주(州)《생략: Ia., IA》. [파] **~n** [áiəwən] *a., n.* Iowa주의 (사람).
IP, I.P. information provider (정보 제공자); initial point; 〖야구〗 innings pitched (투구 횟수); input primary; intermediate pressure.
IPA International Phonetic Alphabet 〔Association〕; isopropyl alcohol.
ipad [áipæd] *n.* 애플사의 태블릿 PC.
IP addréss 〖컴퓨터〗 인터넷 규약 주소《TCP/IP로 통신할 때 송신원이나 송신처를 식별하기 위한 주소》.
IPC International Patent Classification (국제 특허 분류). **IPCC** Intergovernmental Panel on Climate Change (기후 변동에 관한 정부 간 패널)《1988년 발족》. **IPCS** Institution of Professional Civil Servants.
ip·e·cac, ip·e·cac·u·an·ha [ípikæ̀k], [ìpikæ̀kjuǽnə] *n.* 토근(吐根)《남아메리카산의 꼭두서닛과 식물의 뿌리; 토제(吐劑)·하제(下劑)에 쓰임》; 그 식물.
Iph·i·ge·nia [ìfidʒənáiə] *n.* 〖그리스신화〗 이피게네이아《Agamemnon과 Clytemnestra의 딸》.
iPhone [áifòun] *n.* 애플사의 스마트폰.
IPI International Press Institute. **IPL** initial program loader 〔loading〕. **ipm, i.p.m., IPM** inches per minute. **IPO** 〖증권〗《미》 initial public offering (주식 공개). 「어.
iPod [áipɑd/-pɔ̀d] *n.* 애플사의 MP3 플레이
IPR Institute of Pacific Relations; Intellectual Property Rights. **ips, i.p.s., IPS** inches per second (테이프 리코더의 스피드 표시).
IPSE 〖컴퓨터〗 입시《대규모의 복잡한 시스템의 개발을 지원하는 tool류로 구성된 통합화 소프트웨어 환경》.
ip·se dix·it [ípsi-díksit] 《L.》 (=he himself said it) 독단(적인 말〔주장〕).
ip·si·lat·er·al [ìpsəlǽtərəl] *a.* (신체의) 동측(同側)(성)의. [파] **~·ly** *ad.*
ip·sis·si·ma ver·ba [ipsísəmə-vɔ́ːrbə] 《L.》 (=the very words) 바로 그대로의 말.
ip·so fac·to [ípsou-fǽktou] 《L.》 (=by the fact itself) 바로 그 사실에 의하여, 사실상.
ip·so ju·re [ípsou-dʒúəri] 《L.》 (=by the law itself) 법률 그 자체에 의하여.
Ips·wich [ípswitʃ] *n.* 입스위치《잉글랜드 Suffolk주의 주도(州都)》.
IPU Inter-Parliamentary Union. **IQ, I.Q.** intelligence quotient (지능 지수(指數)); improved quality (품질 향상). **i.q.** *idem quod* 《L.》 (=the same as).
ir- [i] *pref.* =IN-¹·² 《r 앞에 쓰임》: *ir*rational.
IR 〖컴퓨터〗 information retrieval. **IR, ir, i-r** 〖물리〗 infrared. **Ir** 〖화학〗 iridium. **Ir.** Ireland; Irish. **I.R.** Inland 〔Internal〕 Revenue; intelligence ratio.
Ira [áiərə] *n.* 아이라《남자 이름》.
I.R.A., IRA Irish Republican Army (아일랜드 공화국군; 반영(反英) 지하 조직); 《미》 individual retirement account (개인 퇴직 적립금).
ira·de [iráːdi] *n.* (터키 황제의) 칙령서.
Irak ⇨ IRAQ.
Iraki ⇨ IRAQI.
iRAM integrated RAM.
Iran [irǽn, -ráːn, airǽn/iráːn] *n.* 이란《수도 Teheran; 옛 이름은 Persia》. ***the Plateau of*** **~** 이란 고원. [파] **Irán·ic** *a.* =IRANIAN.
Ira·ni [irǽni, iráː-/iráː-] *a., n.* =IRANIAN.
Ira·ni·an [iréiniən] *a.* 이란(사람)의; 이란어계(語系)의. **—** *n.* 이란 사람; [U] 이란 말.
Irán-Iráq Wàr 이란 이라크 전쟁《1980–88》.
Iraq, Irak [irǽk, iráːk/iráːk] *n.* 이라크《수도 Baghdad》. [파] **Iráq·i·an, Irák-** [-kiən] *n., a.*
Ira·qi, Ira·ki [irǽki, iráːki/iráːki] (*pl.* **~s**) *n.* 이라크 사람; [U] 이라크 말. **—** *a.* 이라크의; 이라크 사람〔말〕의.
IRAS Infrared Astronomical Satellite (적외선 천문 위성)《1982년 발사》.
iras·ci·ble [irǽsəbəl, air-] *a.* 성을 잘내는, 성미가 급한, 성마른; 성난《대답》. [파] **-bly** *ad.* **iràs·ci·bíl·i·ty** *n.* [U] **~·ness** *n.* 「**~·ness** *n.*
irate [airéit, ˊ-/-ˊ] *a.* 성난, 노한. [파] **~·ly** *ad.*
I.R.B. Irish Republican Brotherhood.
IRBM intermediate range ballistic missile.
IRC International Red Cross; 〖컴퓨터〗 Internet Relay Chat 《인터넷에서 실시간에 대화를 나눌 수 있는 대화방》. **IRDA, Irda** 〖컴퓨터〗 Infrared Date Association (적외선 데이터 연합)《적외선에 의한 데이터 교환의 표준화 단체, 또는 그 규격》. 「성나게 하다.
ire [aiər] 《시어》 *n.* [U] 분노(anger). **—** *vt.*
Ire. Ireland. 「**~·ness** *n.*
ire·ful [áiərfəl] *a.* 성난, 성마른. [파] **~·ly** *ad.*
Ire·land** [áiərlənd] *n.* 아일랜드《아일랜드 공화국과 북아일랜드》. ***the Republic of **~** 아일랜드 공화국《전 이름은 Irish Free State(1922–37), Eire(1937–49); 수도 Dublin》.
Ire·ne [airíːn, airíːni/airíːni] *n.* **1** 아이린《여자 이름》. **2** [airíːni] 〖그리스신화〗 이레네《평화의 여신》.
iren·ic, -ni·cal [airénik, -ríːn-], [-əl] *a.* 평화〔융화〕에 도움이 되는; 평화주의의, 평화적인, 협조적인.
irenicon ⇨ EIRENICON.
irén·ics *n. pl.* 평화 신학《기독교 각 파의 화해·협조를 연구함》. 「구)《국제 관계론의 일부》.
iren·ol·o·gy [àirənɑ́lədʒi/-ɔ́l-] *n.* 평화학〔연
Ir. Gael. Irish Gaelic.
Ir gene [àiɑ́ːrdʒìːn] 〖생화학〗 Ir 유전자《면역 응답 유전자》. [◂ *i*mmune *r*esponse]

ir·ghiz·ite [íərgəzàit] *n.* 〚지학〛 이르기스석(石)《카자흐스탄 공화국에서 발견된 실리카가 풍부한 텍타이트(tektite)》.

Iri·an Ja·ya [íəriɑ̀:ndʒɑ́:jɑ:] 이리안 자야, 서이리안《인도네시아 동단 New Guinea섬 서반부의 지역; 전에 네덜란드령(1885-1963); 1969년부터 인도네시아의 한 주; 주도는 Jayapura》.

ir·i·da·ceous [ìrədéiʃəs, àiər-] *a.* 〚식물〛 붓꽃과(科)의, 《특히》 붓꽃속(屬)의.

ir·i·dec·to·my [ìrədéktəmi, àiər-] *n.* 〚외과〛 홍채(虹彩) 절제술.

ir·i·des [írədì:z, áiər-] IRIS의 복수.

ir·i·des·cence [ìrədésns] *n.* Ⓤ 무지개 빛깔, 진주 빛《보는 각도에 따라 색이 변함》.

ir·i·des·cent [ìrədésnt] *a.* **1** 무지개 빛깔의, 진주 빛의. **2** (재기(才氣) 따위가) 번뜩이는. ㊞ **~·ly** *ad.*

irid·ic [irídik, airíd-] *a.* 〚화학〛 이리듐(산)의〔을 포함한〕; 〚해부〛 홍채(虹彩)(iris)의.

irid·i·um [irídiəm, airíd-] *n.* Ⓤ 〚화학〛 이리듐《금속 원소; 기호 Ir; 번호 77》.

ir·i·dol·o·gy [ìrədálədʒi/-dɔ́l-] *n.* 〚의학〛 홍채학(虹彩學). ㊞ **-gist** *n.*

ir·i·dos·mine [àirədázmin, -dás-, àiər-/-dɔ́z-] *n.* Ⓤ 〚광물〛 이리도스민《오스뮴(osmium)과 이리듐의 천연산의 합금》.

Iris[1] [áiəris] *n.* **1** 아이리스《여자 이름》. **2** 〚그리스신화〛 이리스《무지개의 여신》.

Iris[2] [áiris, áirəs/áiəris] *n.* 적외선 경보 시스템《누군가 침입하여 적외선을 차단하면 버저가 울리게 되어 있는 시스템》. [◂ *i*nfra*r*ed *i*ntruder *s*ystem]

iris [áiəris] (*pl.* **~·es, ir·i·des** [írədì:z, áiər-]) *n.* **1** 붓꽃속(屬)의 식물; 그 꽃. **2** 〚해부〛 (안구의) 홍채(虹彩). **3** 무지개(모양의 것), (해·달의) 무리; 무지개색의 광채〔아치·테〕; 아이리스《무지개색·광채가 있는 석영〔수정(水晶)〕》. **4** 〚사진〛 =IRIS DIAPHRAGM. **—** *vt.* 무지개색으로 하다; 〚영화·TV〛 (조리개를 조작하여) 아이리스인〔아웃〕으로 하다《*in; out*》. ㊞ **~·ed** *a.*

íris dìaphragm (사진기·현미경 등의) 조리개.

Irish** [áiəriʃ] *a.* 아일랜드의; 아일랜드 사람〔말〕의. **—** *n.* Ⓤ **1** 아일랜드 말. **2** (the ~) 《집합적》 아일랜드 사람〔군인〕. ***get one's ~ up 뻣성을〔화를〕 내(게 하)다. ***have the luck of the ~*** ⇨ LUCK. ㊞ **~·ness** *n.*

Írish búll ⇨ BULL[3].

Írish cóffee 아이리시 커피《위스키를 치고 거품을 낸 크림을 띄운, 설탕 탄 뜨거운 커피》.

Írish confétti (공격용으로서의) 돌이나 기와조각.

Írish dáisy 〚식물〛 민들레(dandelion).

Írish Énglish 아일랜드 (사투리) 영어.

Írish Frée Stàte (the ~) 아일랜드 자유국《아일랜드 공화국의 전 이름》. ⓒⓕ Eire.

Írish Gáelic 〚언어〛 아일랜드의 게일어(語)《아일랜드의 공용어이나 쇠퇴하는 경향임》.

Írish·ìsm *n.* Ⓤ 아일랜드풍; Ⓒ 아일랜드 사투리〔어법〕.

Írish·ìze *vt.* 아일랜드화〔풍으로〕하다.

Írish jòke 아일랜드인의 어리석음을 조롱하는 농담《보통 영국인이 잘 씀》.

◦**Írish·man** [-mən] (*pl.* **-men** [-mən]; *fem.* **-wòman,** *pl.* **-wòmen**) *n.* 아일랜드 사람.

Írish móss 〚식물〛 식용 바닷말의 일종 (carrag(h)een).

Írish potáto 《미》 감자《sweet potato와 구별하여》.

Írish Renáissance (the ~) 아일랜드 문예부흥《19세기 말 Yeats, Synge 등이 중심》.

Írish Repúblic (the ~) 아일랜드 공화국(the Republic of Ireland).

Írish Repúblican Ármy (the ~) 아일랜드 공화국군《아일랜드 민족주의자의 반영(反英) 비합법 조직; 생략: I.R.A.》.

Irish·ry [áiəriʃri] *n.* 《집합적》 아일랜드(계(系)) 사람; 아일랜드풍〔기질〕.

Írish Séa (the ~) 아일랜드 해《아일랜드와 잉글랜드 사이에 있음》.

Írish sétter 사냥개의 일종.

Írish stéw 양고기〔쇠고기〕·감자·홍당무·양파 등을 넣은 스튜《요리명》.

Írish térrier 아일랜드종의 테리어《털이 곱슬곱슬한 중형의 개》.

Írish twéed 아이리시 트위드《옅은 색의 날실과 짙은 색의 씨실로 짠 튼튼한 천; 남자 양복·코트감》.

Írish whískey (보리로 만드는) 위스키.

Írish wólfhound (때때로 I- W-) 몸집이 큰 개의 일종《예전에 이리 사냥에 썼음》.

íris-ìn *n.* 〚영화·TV〛 아이리스인《화면의 일부로부터 점차 둥글게 전체로 넓어지는 촬영법》.

íris-òut *n.* 〚영화·TV〛 아이리스아웃《화면 전체로부터 점차 둥글게 중심부로 줄어 없어지는 촬영법》.

iri·tis [aiəráitis] *n.* Ⓤ 〚의학〛 홍채염(虹彩炎).

irk [ə:rk] *vt.* 지루하게 하다, 지치게 하다. ***It ~s me to*** do …하는 것은 질색이다. **—** *n.* 지루함(의 원인); 《영속어》 =ERK.

irk·some [ə́:rksəm] *a.* 진력나는, 넌더리 나는; 지루한. ㊞ **~·ly** *ad.* **~·ness** *n.*

IRLS infrared linescan《적외선 라인스캔 장치; TV 같은 화상에서 찬 곳은 어둡게, 더운 곳은 밝게 비치는 장치》.

Ir·ma [ə́:rmə] *n.* 어마《여자 이름》.

IRO, I.R.O. 《영》 Inland Revenue Office (국세국); International Refugee Organization.

†**iron** [áiərn] *n.* **1** Ⓤ 철《금속 원소; 기호 Fe; 번호 26》. ⓒⓕ pig iron, cast iron, wrought iron, steel. ¶ Strike while the ~ is hot. 《속담》 쇠는 뜨거울 때 두드려라, '물실호기'. **2** Ⓒ 철제의 기구; 《특히》 아이론, 다리미, 인두(smoothing ~), 헤어아이론; 〚골프〛 쇠머리 달린 골프채, 아이언; 낙철(烙鐵); 낙인(烙印); (*pl.*) 차꼬, 수갑; (*pl.*) 등자(鐙子); 《속어》 차(car); (포경용) 작살; (*pl.*) 기형 교정용 보족구(補足具); 《미속어》 권총, 총; 《속어》 은화; 《고어》 검; 《CB속어》 낡은 트럭. **3** Ⓤ 〚약학〛 철제(劑); (음식 중의) 철분. **4** Ⓤ (쇠처럼) 강함〔단단함〕; 엄하고 혹독함: a man of ~ 의지가 강한 사람, 냉혹한 사람/(as) hard as ~ 철과 같이 굳은; 몹시 엄격한/a will of ~ 무쇠 같은 의지. ***have*** (***too***) ***many*** 〔***several, other***〕 ***~s in the fire*** (너무) 많은〔몇 가지, 다른〕 사업에 손을 대다. ***in ~s*** 차꼬를〔수갑을〕 차고; 잡힌 몸이 되어; 〚해사〛 (돛배가 돛과 풍향 관계로) 조종할 수 없게 되어. ***~ in the fire*** 《구어》 관심의 대상; 해결해야 할 문제. ***muscles of ~*** 쇠같이 단단한 근육. ***pump ~*** 《속어》 바벨을 들다, 역도를 하다. ***rule*** (***…***) ***with a rod of ~*** 〔***with an ~ hand***〕 (사람·국가 따위를) 엄하게 관리〔지배〕하다. ***The ~ entered into his soul.*** 〚성서〛 학대를 받아 고통을 겪었다.

— *a.* **1** 철의, 철제의: an ~ hat 철모/an ~ bar 철봉/an ~ ore 철광. **2** (철같이) 굳은, 강한: an ~ will 철석 같은 마음. **3** 냉혹〔무정〕한.

— *vt.* **1** 《~+목/+목+목/+목+전+명》 …에 다림질하다: Won't you ~ me this suit? = Won't you ~ this suit *for* me? 이 옷을 다려 주지 않을래. **2** …에 차꼬를〔수갑을〕 채우다. **3** …에 철(판)을 붙이다〔대다, 씌우다, 입히다〕, 장갑하다. **—** *vi.* 다림질하다; (천 등이) 다림질되다.

~ off 《미속어》 지급하다(pay). **~ out** ① 다림질하다; (주름을) 펴다, (울퉁불퉁한 것을) 고르

다, 가지런히 하다. ② (곤란·문제 따위를) 해소하다, 조정하다; (일을) 원활하게 하다; (장애를) 제거하다. ③ (가격의) 변동을 억제하다. ④ 《Austral.속어》 녹아웃시키다; 《미속어》 (총 따위로) 죽이다. ~ *up* 타이어에 체인을 장착하다.

Íron Àge 1 (the ~) 〖고고학〗 철기 시대《Stone Age, Bronze Age에 계속되는 시대》. **2** (the i-a-) 〖그리스신화〗 흑철(黑鐵) 시대《golden age, silver age, bronze age에 계속되는 세계의 최후이자 최악의 시대》; 〖일반적〗 말세, 《고어》 (인류의) 타락 시대.

íron·bàrk *n.* 유칼리나무(=∠ **trèe**) 《오스트레일리아산으로 단단하고 좋은 재목이 됨》.

íron bòmb 〖군사〗 맹폭탄《유도 장치 없는》.

íron·bóund *a.* **1** 쇠를 댄〔붙인〕. **2** 단단한, 굽힐 수 없는. **3** (날씨가) 몹시 거친; (해안 등이) 바위가 많은. **4** 족쇄를〔수갑을〕 찬.

Íron Cháncellor (the ~) 철혈 재상《독일의 비스마르크의 별명》.

íron·clád *a.* **1** 철판을 입힌〔댄〕, 장갑의. **2** 깨뜨릴 수 없는, 엄격한《계약·협정 따위》; (식물이) 불리〔불순〕한 환경에 견디는. **—** [ㅅ] *n.* 철갑함(鐵甲艦); 무장한 기사; 도의심이 강한 사람. ***a fleet of ~s*** 장갑 함대.

Íron Cróss (프로이센·오스트리아의) 철십자 「훈장.

íron cúrtain (the ~, 때로는 the I- C-) 철의 장막: behind the ~ 철의 장막 뒤에서.

íron-deficiency anémia 〖의학〗 **1** 철 결핍성 빈혈. **2** =HYPOCHROMIC ANEMIA.

Íron Dúke (The ~) 영국 장군 Wellington 공작의 별명; 노급함(弩級艦)(Dreadnought); 《영속어》 행운, 요행. 「인색한.

íron·físted [-id] *a.* 무자비한, 무정〔냉혹〕한;

íron fòunder 주철 제조(업)자.

íron fòundry 주철소, 제철소.

íron-gráy *n.*, *a.* 철회색(의)《약간 녹색을 띤 광택 있는 회색》: ~ hair.

íron hánd 압제, 가혹함.

íron·hánded [-id] *a.* 냉혹〔가혹〕한; 압제적인, 전제적인. ㊎ **~·ly** *ad.* **~·ness** *n.*

íron-héarted [-id] *a.* 무정〔냉혹〕한.

íron hórse 《구어》 (초기의) 기관차; 《미속어》 탱크; 《고어》 자전거, 삼륜차.

íron hóuse 《미속어》 감방, 감옥(jail).

°**iron·ic, iron·i·cal** [airánik/-rɔ́n-], [-əl] *a.* 반어의, 비꼬는, 풍자적인. ㊎ **-cal·ly** *ad.* 빈정대어; 얄궂게도. **-cal·ness** *n.*

íron·ing *n.* Ⓤ 다림질; 다림질하는 옷〔천〕.

íroning bòard 〔**tàble**〕 다림질판〔대〕.

iro·nist [áiərənist] *n.* 빈정대는 사람.

iro·nize[1] [áiərənàiz] *vt.*, *vi.* 비꼬듯이 말〔행동〕하다.

iro·nize[2] *vt.* (영양분으로서) …에 철분을 섞다.

íron lády 냉엄한 여자; (the I- L-) 철의 여인 《Margaret Thatcher의 별명》.

íron·lìke *a.* 쇠처럼 강〔단단〕한. 「전문 세일즈맨.

íron lòt 《미속어》 쇳조각 하치장(荷置場); 고물차

íron lúng 철 폐《철제 호흡 보조기》.

íron máiden (때로 I- M-) **1** 철의 처녀《여성의 모습을 본뜬 중세의 고문 도구》. **2** 엄격하고 비정한 여자, 냉철한 여자; (the I- M-) =IRON LADY.

íron mán 《미속어》 1달러 지폐〔은화〕; 끈기 있게 해내는 사람, 뚝심 있는〔터프한〕 선수, 철인; 《Austral.》 철인 경기《수영·서핑·경주 등을 겨룸》; 《미속어》 (칼립소의) 드럼통 고수(鼓手); 로봇. 「장 주인.

íron·màster *n.* 철기 제조업자, 제철업자, 철공

íron mòld (천 따위에 묻은) 쇳녹 또는 잉크의 얼룩. 「워지다〕.

íron-mòld *vt.*, *vi.* 쇳녹 따위로 더럽히다〔더러

íron·mònger *n.* 《영》 철물상.

íron·mon·gery [áiərnmʌ̀ŋgəri] *n.* 《영》 **1** Ⓤ 철기류, 철물. **2** Ⓒ 철물상〔점〕.

íron-òn *a.* 아이론으로 붙여지는: ~ T-shirt transfer 아이론으로 프린트하는 T셔츠용 전사 「도안.

íron óxide 〖화학〗 산화철.

íron-pùmper *n.* 《속어》 역도를〔보디빌딩을〕 하는 사람.

íron pýrite(s) 〖광물〗 황철광.

íron ràtion (종종 *pl.*) 〖군사〗 비상 휴대 식량.

íron rúle 냉혹한 정치〔통치〕.

íron sànd 사철(砂鐵).

íron·sìde *n.* **1** 어기찬 사람. **2** (I-s) Cromwell이 거느린 철기병(鐵騎兵); 〖단수취급〗 Cromwell의 별명. **3** (*pl.*) 〖단수취급〗 철갑선.

íron·smìth *n.* 철공소 직공, 제철공; 대장장이.

íron·stòne *n.* Ⓤ 철광석, 철광.

íron súlfide 〖화학〗 황화 제1철, 황화철.

íron tríangle 《미》 철의 삼각 지대〔삼각형〕《정부 정책에 영향을 주는 기업·민간 단체를 대변하는 로비스트, 의원과 의회 직원, 관료 기구》.

íron·wàre *n.* Ⓤ 철기, 철물.

íron·wèed *n.* 〖식물〗 섬꼬리풀.

íron·wòod *n.* Ⓤ,Ⓒ 경질재(硬質材), 그 수목.

íron·wòrk *n.* **1** Ⓤ (구조물의) 철제 부분; 철제품; 철세공〔공작〕. **2** (*pl.*) 〖단·복수취급〗 철공소, 제철소. ㊎ **~·er** *n.* 제철 직공; 철골(鐵骨) 조립 직공.

***iro·ny**[1] [áiərəni] *n.* **1 a** Ⓤ 풍자, 비꼬기, 빈정댐, 빗댐. **b** Ⓒ 비꼬는 말, 빈정거리는 언동: a bitter ~ 신랄한 풍자.

SYN. **irony** 자기 생각과는 반대되는 것을 말함. **sarcasm** 상대에 대한 모욕을 반대되는 표현으로 말하는 일. **satire** 사회의 악덕 따위를 공격하고 비꼼.

2 Ⓤ 〖수사학〗 반어법《사실과 반대되는 말을 쓰는 표현법; 예컨대 '아주 지독한 날씨다'란 뜻으로 "This is a nice, pleasant sort of weather."》. **3** Ⓒ (운명 등의) 뜻밖의 결과: by a curious ~ of fate 기이한〔얄궂은〕 운명의 장난으로.

irony[2] [áiərni] *a.* 철의, 쇠 같은; 철을 함유하는.

Ir·o·quoi·an [ìrəkwɔ́iən] *n.*, *a.* 이로쿼이 사람(의); 이로쿼이 말(의).

Ir·o·quois [írəkwɔ̀i] (*pl.* ~ [-z]) *n.* 이로쿼이 사람《북아메리카 원주민; 여러 종족으로 나뉨》. 「을) 반복해 하다.

IRP[1] [áiɑ̀:rpí:] *vt.* 《해커속어》 (거의 같은 과정

IRP[2] 《Iran》 Islamic Republican Party. **IRQ** 〖컴퓨터〗 Interrupt Request (인터럽트 요구) 《주변 장치에서 CPU의 관심을 끌기 위하여 인터럽트를 발생시킬 때 주변 장치에서 인터럽트 컨트롤러에 보내지는 신호》.

ir·ra·di·ance, -an·cy [iréidiəns], [-i] *n.* Ⓤ 발광(發光); 지적 광명을 주는 것; 〖물리〗 (방사선의) 조사(照射); 〖공학〗 복사조도(輻射照度).

ir·ra·di·ant [iréidiənt] *a.* 빛나는, 휘황한, 눈부신.

ir·ra·di·ate [iréidièit] *vt.* **1** 비추다; 빛나게 하다. **2** 밝히다, 계몽하다. **3** (얼굴 따위를) 밝게 하다, 생기가 나게 하다; (애교를) 떨다, (친절하게) 굴다: a face ~*d by* 〔*with*〕 a smile 미소로 빛난 얼굴. **4** 방사선 치료를 하다; (자외선 따위를) 조사(照射)하다. **—** *vi.* 《고어》 빛나다, 번쩍이다. **—** *a.* 번쩍번쩍 빛나는. ㊎ **-à·tor** [-tər] *n.* ~하는 것; 《특히》 방사선 조사 장치.

ir·rá·di·àt·ed [-id] *a.* 조사(照射)를 받은; 〖문장(紋章)〗 광선에 둘러싸인, 방사상의 빛에 싸인.

ir·rà·di·á·tion *n.* Ⓤ **1** 발광, 광휘; (열선) 방

사, 방열; (자외선 따위의) 조사, 투사(投射); 방사선 요법. **2** 계발, 계몽. **3** 〖광학〗 광삼(光滲)《배경을 어둡게 하여 물건을 강하게 비추면 실물보다 크게 보이는 현상》. **4** 방사 강도《방사면의 단위 면적에 대한 단위 시간 동안의 방사열》. 「인.

ir·ra·di·a·tive [iréidièitiv] *a.* 빛나는; 계몽적

ir·rad·i·ca·ble [irǽdikəbəl] *a.* 근절할 수 없는, 완전히 제거할 수 없는, 뿌리 깊은(ineradicable). [파] **~·bly** *ad.*

*****ir·ra·tion·al** [irǽʃənəl] *a.* **1** 불합리한; 이성〔분별〕이 없는. **2** 〖수학〗 무리(수)의, 부진(不盡)의. [opp] *rational.* **—** *n.* 불합리한 것〔일〕; 〖수학〗 무리수. [파] **~·ly** *ad.* **~·ness** *n.* 「분별. [파] **-ist** *n.*

ir·rá·tion·al·ìsm *n.* [U] 비합리주의; 불합리, 무

ir·ra·tion·al·i·ty [iræ̀ʃənǽləti] *n.* [U] 불합리, 부조리; 이성〔분별〕이 없음.

ir·rá·tion·al·ìze *vt.* 불합리〔부조리〕하게 하다, …의 이성을 잃게 하다.

irrátional númber 〔**róot**〕 무리수〔근〕.

Ir·ra·wad·dy [ìrəwádi/-wɔ́di] *n.* (the ~) 이라와디 강《미안마 중부에서 Bengal만(灣)으로 흘러드는 강》. 「하지 않는.

ir·re·al [iríːəl/iríəl] *a.* 사실〔진실〕이 아닌; 실재

ir·re·al·ism [irí(ː)əlizəm] *n.* 이리얼리즘《리얼리즘과 관계없이 쓴 소설의 작풍》.

ir·re·but·ta·ble [ìribʌ́təbəl] *a.* 반론할 수 없는, 논박〔반증〕의 여지가 없는.

ir·re·claim·a·ble [ìrikléiməbəl] *a.* 돌이킬 수 없는; 교정〔회복〕할 수 없는; 개간〔간척〕할 수 없는. [파] **-bly** *ad.* 「〔분간〕할 수 없는.

ir·rec·og·niz·a·ble [irékəgnàizəbəl] *a.* 인식

ir·rec·on·cil·a·ble [irékənsàiləbəl] *a.* 화해할 수 없는; 조화되지 않는; 대립〔모순〕된《*to; with*》. **—** *n.* 화해〔협조〕할 수 없는 사람; (*pl.*) 서로 용납될 수 없는 생각〔신념〕. [파] **-bly** *ad.* **ir·rèc·on·cil·a·bíl·i·ty** *n.* [U]

ir·re·cov·er·a·ble [ìrikʌ́vərəbəl] *a.* 돌이킬 수 없는; 회복할 수 없는, 고칠 수 없는. [파] **-bly** *ad.* **~·ness** *n.* 「수 없는.

ir·re·cu·sa·ble [ìrikjúːzəbəl] *a.* 반대〔거부〕할

ir·re·deem·a·ble [ìridíːməbəl] *a.* 되살 수 없는; (국채 따위가) 상환되지 않는; 태환(兌換)할 수 없는《지폐 따위》; 구제할 수 없는, 희망이 없는; (병 따위가) 회복할 수 없는, 불치의. **—** *n.* 무(無)상환 공채(=**∠ bónd**). [파] **-bly** *ad.* **~·ness** *n.*

ir·re·den·ta [ìridéntə] *n.* 《It.》 미회수지《민족적·역사적·문화적으로 자국과 긴밀한 관련이 있으면서도 타국의 지배 아래 있는 땅》.

ir·re·den·tism [iridéntizəm] *n.* [U] **1** (보통 I-) (이탈리아의) 민족 통합주의; 영토 회복주의. **2** 〖일반적〗 민족 통일주의. [파] **-tist** *n., a.*

ir·re·duc·i·ble [iridjúːsəbəl/-djúː-] *a.* (일정한도 이상으로는) 단순화〔축소〕할 수 없는, (다른 상태·형식으로) 돌릴〔바꿀〕 수 없는《*to*》; 덜〔감할〕 수 없는; 〖수학〗 약분할 수 없는, 기약(既約)의; 〖외과〗 정복(整復)할 수 없는: the ~ minimum 최소한/~ polynomial 기약 다항식. [파] **-bly** *ad.*

ir·re·flex·ive [iriflέksiv] *a.* 반사하지 않는, 반사적이 아닌; 재귀적이 아닌.

ir·re·form·a·ble [irifɔ́ːrməbəl] *a.* 교정할 수 없는, 구제하기 어려운; 변경을 허용치 않는. [파] **ir·re·fòrm·a·bíl·i·ty** *n.* [U]

ir·ref·ra·ga·ble [iréfrəgəbəl] *a.* (증거 등이) 반박〔부정〕할 수 없는, 다툴 수 없는, 확실한; 범할〔움직일〕 수 없는《법률 등》. [파] **-bly** *ad.*

ir·re·fran·gi·ble [irifrǽndʒəbəl] *a.* (법률 따위가) 위반할 수 없는; 〖광학〗 (빛이) 굴절하지 않는. [파] **-bly** *ad.* **~·ness** *n.*

ir·ref·u·ta·ble [iréfjətəbəl, ìrifjúːt-] *a.* 반박〔논파〕할 수 없는. [파] **-bly** *ad.* **ir·re·fut·a·bil·i·ty** [irèfjətəbíləti] *n.* [U]

irreg. irregular(ly). 「=REGARDLESS.

ir·re·gard·less [ìrigáːrdlis] *a., ad.* 《속어》

*****ir·reg·u·lar** [irégjələr] *a.* **1** 불규칙한, 변칙의; 비정상의, 이례(異例)의; 부정기의; 파격적인: at ~ intervals 불규칙한 간격을 두고/an ~ liner 부정기선.

> [SYN] **irregular** 불규칙한. '고르지 않음·층이 짐·일정하지 않음'을 나타내며 보통 비난의 뜻은 포함되지 않음: *irregular* breathing 불규칙적인 호흡. an *irregular* pattern 고르지 못한 무늬. **abnormal** 정상적이 아닌, 이상(異常)인. 비난의 뜻이 포함될 경우가 있음: *abnormal* lack of emotion 감정의 비정상적인 결여. **exceptional** 예외적인. 비난의 뜻은 없고 도리어 칭찬의 뜻이 포함될 경우가 있음: a man of *exceptional* talent 드물게 보는 재사(才士). 또 abnormal에 함축된 멸시감을 피하기 위해 쓸 경우도 있음: a school for *exceptional* (=abnormal) children 정신박약아 학교.

2 규칙〔규범〕을 따르지 않은; 불법의; 부정한; 《영》 (결혼 따위가) 은밀한, 비밀의: ~ procedure 불법적인 절차/an ~ marriage 비밀 결혼. **3** 규율이 없는; 단정치 못한: lead an ~ life 칠칠치 못한 생활을 하다. **4** 층이 지는, 고르지 않은; 울퉁불퉁한, 평탄치 않은; 《미》 (상품 따위가) 좀 결함이 있는, 흠 있는: an ~ group of trees 가지런하지 못한 나무숲/~ teeth 가지런하지 못한 치열/an ~ road 울퉁불퉁한 길. **5** 정규가 아닌: ~ troops 비정규군. **6** 〖문법〗 불규칙변화의: ~ verbs 불규칙동사. [opp] *regular.*
— *n.* (보통 *pl.*) 비정규병; 《미》 규격에 맞지 않는 상품, 흠 있는 물건.
[파] **~·ly** *ad.* 불규칙하게; 부정기로.

irrégular gálaxy 〖천문〗 불규칙형 은하《특정 형태를 갖추지 않은 작은 질량(質量)의》.

°**ir·reg·u·lar·i·ty** [irègjəlǽrəti] *n.* **1** [U] 불규칙(성), 파격; 요철(凹凸); 가지런하지 않음. **2** [C] 반칙, 불법〔부정〕 행위; [U,C] 불규칙 변화. 「星).

irrégular váriable 〖천문〗 불규칙 변광성(變光

ir·rel·a·tive [irélətiv] *a.* 관계〔연고〕가 없는《*to*》; 대중〔짐작〕이 틀리는, 엉뚱한. [파] **~·ly** *ad.* **~·ness** *n.*

ir·rel·e·vance, -van·cy [iréləvəns], [-si] *n.* [U] 부적절; 무관계; 현대성의 결여; [C] 잘못 짚은 비평, 빗나간 질문《따위》.

ir·rel·e·vant [iréləvənt] *a.* 부적절한; 무관계한《*to*》; 잘못 짚은, 당치 않은; 〖법률〗 (증거가) 관련성이 없는; 현대적인 의의가 없는. [파] **~·ly** *ad.*

ir·re·liev·a·ble [ìrilíːvəbəl] *a.* 구조〔구제〕하기 어려운; 제거할 수 없는《고통 등》.

ir·re·li·gion [ìrilídʒən] *n.* [U] 무종교, 무신앙; 반종교. [파] **~·ist** *n.* 무〔반〕종교자.

ir·re·li·gious [ìrilídʒəs] *a.* 무종교의; 반(反)종교적인; 신앙 없는, 불경건한. [파] **~·ly** *ad.* **~·ness** *n.*

ir·re·me·di·a·ble [ìrimíːdiəbəl] *a.* (병이) 불치의; 고칠 수 없는《악폐 따위》; 돌이킬 수 없는《실책 따위》. [파] **-bly** *ad.* **~·ness** *n.*

ir·re·mis·si·ble [ìrimísəbəl] *a.* 용서할 수 없는; 면할 수 없는. [파] **-bly** *ad.*

ir·re·mov·a·ble [ìrimúːvəbəl] *a.* 옮길 수 없는; 제거할 수 없는; 면직시킬 수 없는, 종신직의. [파] **-bly** *ad.* **-mòv·a·bíl·i·ty** *n.* [U]

ir·rep·a·ra·ble [irépərəbəl] *a.* 고칠〔만회할,

돌이킬〕 수 없는; 불치의. [파] **-bly** *ad.* **~·ness** *n.*

ir·re·pat·ri·a·ble [ìripéitriəbəl] *n.* (정치적 이유 따위로) 고국으로 송환할 수 없는 사람.

ir·re·peal·a·ble [ìripí:ləbəl] *a.* (법률이) 폐지〔취소〕할 수 없는.

ir·re·place·a·ble [ìripléisəbəl] *a.* 바꿔 놓을〔대체할〕 수 없는; 돌이킬 수 없는. [파] **-bly** *ad.* **~·ness** *n.* **-plàce·a·bíl·i·ty** *n.* [U]

ir·re·plev·i·sa·ble [ìriplévəsəbəl] *a.* 〖법률〗 (동산이) 되찾을 수 없는, 점유 회복 불능의.

ir·re·press·i·ble [ìriprésəbəl] *a.* 억누를〔억제할〕 수 없는. **—** *n.* 《구어》 (충동 등을) 억누를 수 없는 사람. [파] **-bly** *ad.* **ìr·re·prèss·i·bíl·i·ty** *n.* [U]

ir·re·proach·a·ble [ìripróutʃəbəl] *a.* 비난할 수 없는, 결점이 없는, 탓할〔흠잡을〕 데 없는(blameless). [파] **ìr·re·pròach·a·bíl·i·ty** *n.* [U] **-bly** *ad.* **~·ness** *n.*

ir·re·pro·duc·i·ble [ìri:prədjú:səbəl/-djú:-] *a.* 재생〔복사〕 불가능한.

***ir·re·sist·i·ble** [ìrizístəbəl] *a.* 저항할 수 없는; 압도적인; 억누를 수 없는; 매혹적인; 사랑스러운; 좋든 싫든: an ~ force 〖법률〗 불가항력 / ~ impulse 억제할 수 없는 충동 / ~ heat 혹서. [파] **-bly** *ad.* **~·ness** *n.* **ìr·re·sìst·i·bíl·i·ty** *n.* [U]

ir·re·sol·u·ble [ìrizáljəbəl irézəl-/irézəl-] *a.* 해결할 수 없는, 설명할 수 없는; 《고어》 녹지 않는, 불용성의; 《고어》 해방〔구제〕될 수 없는.

ir·res·o·lute [irézəlù:t] *a.* 결단력이 없는, 우유부단한, 망설이는. [파] **~·ly** *ad.* **~·ness** *n.*

ir·res·o·lu·tion [irèzəlú:ʃən] *n.* [U] 결단성 없음, 우유부단; 무정견(無定見).

ir·re·solv·a·ble [ìrizálvəbəl/-zɔ́l-] *a.* 분해〔분리, 분석〕할 수 없는; 해결할 수 없는.

ir·re·spec·tive [ìrispéktiv] *a.* 관계없는, 상관〔고려〕하지 않는《*of*》: ~ *of* age 〔sex〕 연령〔성별〕에 관계없이. [파] **~·ly** *ad.*

ir·re·spir·a·ble [iréspərəbəl/ìrispáiərəbəl] *a.* (공기 · 가스 등이) 흡입할 수 없는, 호흡에 적당치 않은.

***ir·re·spon·si·ble** [ìrispánsəbəl/-spɔ́n-] *a.* 책임이 없는; 무책임한; 책임 능력이 없는《미성년자 따위》《*for*》: an ~ father 무책임한 아버지 / The mentally ill are ~ *for* their actions. 정신병자는 행동에 대한 책임이 없다. **—** *n.* 책임(감)이 없는 사람. [파] **-bly** *ad.* **~·ness** *n.* **ìr·re·spòn·si·bíl·i·ty** *n.* [U]

ir·re·spon·sive [ìrispánsiv/-spɔ́n-] *a.* 대답하지 않는, 반응이 없는, 감응이 없는《*to*》.

ir·re·ten·tion [ìriténʃən] *n.* [U] 지구력이 없음: ~ of urine 요실금(尿失禁).

ir·re·ten·tive [ìriténtiv] *a.* 유지할 수 없는. [파] **~·ness** *n.*

ir·re·trace·a·ble [ìritréisəbəl] *a.* 되돌아갈 수 없는, 돌이킬 수 없는. [파] **-ably** *ad.*

ir·re·triev·a·ble [ìritrí:vəbəl] *a.* 돌이킬 수 없는, 회복〔만회〕할 수 없는. [파] **-bly** *ad.* **ìr·re·trìev·a·bíl·i·ty** *n.* [U]

ir·rev·er·ence [irévərəns] *n.* [U] 불경; 비례(非禮); [C] 불경한 언행; 《드물게》 평판이 나쁨.

ir·rev·er·ent [irévərənt] *a.* 불경한, 불손한; 비례(非禮)의. [파] **~·ly** *ad.*

ir·re·vers·i·ble [ìrivə́:rsəbəl] *a.* 거꾸로 할 수 없는, 뒤집을 수 없는, 역행〔역전〕할 수 없는; 취소할 수 없는, 파기할 수 없는《법률 등》. [파] **-i·bly** *ad.* **-vèrs·i·bíl·i·ty** *n.* [U] 불개변성(不改變性).

ir·rev·o·ca·ble [irévəkəbəl] *a.* 돌이킬 수 없는; 취소〔변경〕할 수 없는, 결정적인. [파] **-bly** *ad.* **ir·rèv·o·ca·bíl·i·ty** *n.* [U] **~·ness** *n.*

ir·ri·ga·ble [írigəbəl] *a.* 물을 댈 수 있는, 관개할 수 있는. [파] **-bly** *ad.*

ir·ri·gate [írəgèit] *vt.* **1** (토지에) 물을 대다; 관개하다(water). **2** 〖의학〗 (상처 등을) 관주(灌注)〔세척〕하다. **3** 《비유》 윤택하게 하다; 《드물게》 적시다, 축이다. **—** *vi.* 관개〔관주〕하다. ◇ irrigation *n.*

ìr·ri·gá·tion *n.* [U] **1** 물을 댐; 관개: an ~ canal 〔ditch〕 용수로. **2** 〖의학〗 (상처 등을) 씻음, 관주(灌注)(법). ◇ irrigate *v.* [파] **~·al** [-əl] *a.*

ir·ri·ga·tive [írəgèitiv] *a.* 관개의, 관개용의.

ir·ri·ga·tor [írəgèitər] *n.* 관개자(者)〔차(車)〕; 〖의학〗 세척〔관주〕기(器).

ir·rig·u·ous [irígjuəs] *a.* (땅이) 물이 풍족한, 관개가 잘 된; 관개에 도움이 되는, 관개용의.

ìr·ri·ta·bíl·i·ty *n.* [U] 성미가 급함; 민감; 〖생리〗 자극 감〔반〕응성, 과민성.

◦**ir·ri·ta·ble** [írətəbəl] *a.* **1** 성미가 급한, 성마른(touchy); 애를 태우는(fretful): an ~ disposition 격하기 쉬운 기질 / an ~ teacher 성을 잘 내는 선생. **2** 〖의학〗 자극 반응성의, 민감한, 신경과민의, 흥분하기 쉬운; 〖생리〗 감응하기 쉬운. [파] **-bly** *ad.* **~·ness** *n.*

írritable bówel sỳndrome 〖의학〗 과민성 장(腸)증후군(=irritable colon (syndrome), mucous colitis, spastic colon)《만성 설사 또는 설사 변비의 반복 · 복통 등을 나타냄》.

írritable héart 〖의학〗 흥분하는 마음, 과민 심장.

ir·ri·tan·cy[1] [írətənsi] *n.* [U] 초조함, 안절부절못함; 곤혹, 노여움.

ir·ri·tan·cy[2] *n.* 〖법률〗 무효, 취소; =IRRITANT CLAUSE.

ir·ri·tant[1] [írətənt] *a.* 자극하는, 자극성의. **—** *n.* 자극물〔제〕.

ir·ri·tant[2] *a.* 〖법률〗 무효로 하는.

írritant cláuse 〖Sc. 법률〗 무효 조항.

***ir·ri·tate**[1] [írətèit] *vt.* **1** 초조하게 하다, 노하게 하다, 안달나게 하다, 짜증 나게 하다, 속 타게 하다: He was ~*d against* 〔*with*〕 you. 그는 너에게 화를 내었다.

> [SYN] **irritate** 화나게 하다, 초조하게 하다. 가벼운 단기간의 성냄. **exasperate** 자제심으로 억제할 수 없을 정도까지 irritate함. 울화통이 터지게 하다. **infuriate** exasperate와 비슷하나 성난 기분보다는 성낸 모양의 격렬한 데에 초점이 있음. 불같이 성나게 하다, 발끈하게 하다. **provoke** 도발적인 언동 · 자극 따위로 성나게 하다.

2 자극하다, 흥분시키다. **3** …에 염증을 일으키게 하다. **—** *vi.* 초조해 하다, 노하다, 안달 나다. ◇ irritation *n.*

ir·ri·tate[2] *vt.* 〖법률〗 무효로 하다, 실효시키다.

ír·ri·tàt·ed [-id] *a.* 자극된, 염증을 일으킨, 따끔따끔한.

ír·ri·tàt·ing *a.* **1** 초조하게 하는, 약 올리는, 화나게 하는. **2** 귀찮은(vexing). **3** 자극하는, (피부 따위에) 염증을 일으키게 하는. [파] **~·ly** *ad.*

◦**ìr·ri·tá·tion** *n.* **1** [U] 속 타게〔성나게〕 함; 안달, 초조, 노여움: feel a rising ~ 점점 초조해지다. **2** [U] 〖의학〗 자극 (상태), 흥분, 염증. **3** [C] 자극물.

ir·ri·ta·tive [írətèitiv] *a.* 자극하는, 자극성의.

ir·ro·ta·tion·al [ìroutéiʃənəl] *a.* 회전하지 않는, 무회전〔선회〕의.

ir·rupt [irʌ́pt] *vi.* **1** 침입〔돌입〕하다《*into*》. **2** (집단으로) 난폭한 행동을 하다. **3** 〖생태〗 (개체수가) 급증하다, 집단 이입하다. ≒eruption.

ir·rup·tion [irʌ́pʃən] *n.* [U,C] 돌입; 침입, 난입.

ir·rup·tive [irʌ́ptiv] *a.* 돌입하는; 침입〔난입〕하는; 〖지학〗 =INTRUSIVE. [파] **~·ly** *ad.*

IRS, I.R.S. 《미》 Internal Revenue Service.

IRSG International Rubber Study Group (유엔 국제 고무 연구회).

ir·tron [ə́:rtràn/-trɔ̀n] *n.* 『천문』 (은하 중심의) 적외선원(源). [◂ *in*f*r*ared spec*trum*+*-on*]

Ir·ving [ə́:rviŋ] *n.* 어빙. **1** 남자 이름. **2 Washington ~** 미국의 수필가 · 단편 작가(1783-1859). **3** Sir **Henry ~** 영국의 명배우(1838-1905).

Ir·ving·ite [ə́:rviŋàit] *n.* 《종종 경멸》 어빙파의 신자(信者)《스코틀랜드 교회 목사 Edward Irving(1792-1834)의 교의(敎義)를 바탕으로 한 Catholic (and) Apostolic Church의 교회원》.

Ir·win [ə́:rwin] *n.* 어윈《남자 이름》.

†**is** [iz, 약 (유성음의 다음) z, (무성음의 다음) s] BE의 3 인칭 · 단수 · 직설법 · 현재형.

Is. Isaiah; Island. **is.** island; isle. **IS, I.S.** Intermediate School; Irish Society. **ISA** international standard atmosphere; International Sugar Agreement (국제 설탕 협정). **Isa.** 『성서』 Isaiah.

Isaac [áizək] *n.* **1** 아이작《남자 이름》. **2** 『성서』 이삭《Abraham의 아들; Jacob과 Esau의 부친; 창세기 XVII: 19》.

Is·a·bel·la [ìzəbélə] *n.* 이사벨라《여자 이름》.

is·a·bel·la *n.*, *a.* Ⓤ 담황색(의).

Is·a·bel(le) [ízəbèl] *n.* 이사벨《여자 이름》.

is·a·cous·tic [àisəkú:stik] *a.* 등음향(等音響)의.

Is·a·do·ra [ìzədɔ́:rə] *n.* 이사도라《여자 이름》.

is·a·gog·e [áisəgòudʒi, ⌐--⌐] *n.* (학문 분야 따위에 대한) 안내, 서설(introduction); =ISAGOGICS.

isa·gog·ic [aisəgádʒik/-gɔ́dʒ-] *a.* (특히 성서의 연혁을) 안내하는, 서설적인. **—** *n.* (*pl.*) 《단수취급》 서론적 연구, 《특히》 성서 서론《성서의 문헌학적 연구》.

Isa·iah [aizéiə/-záiə] *n.* 『성서』 이사야《히브리의 대(大)예언자》; 이사야서(書)《구약의 한 편》.

is·al·lo·bar [aisǽləbà:r] *n.* 『기상』 등기압 변화선. ㊕ **is·àl·lo·bár·ic** [-bǽrik] *a.*

is·al·lo·therm [aisǽləθə̀:rm] *n.* 『기상』 (천기도 상의) 등(等)온도 변화선.

ISAM 『컴퓨터』 Indexed Sequential Access Method (색인 순차 접근 방식).

is·a·nom·al [àisənáməl/-nɔ́m-] *n.* 『기상』 등편차선(等偏差線). 「합물)《염료용》.

isa·tin [áisətin] *n.* Ⓤ 『화학』 이사틴(의 결정 화

ISBN International Standard Book Number.

Is·car·i·ot [iskǽriət] *n.* 『성서』 이스가리옷《유다(Judas)의 성(姓)》; 《일반적》 배반자.

is·che·mia, -chae- [iskí:miə] *n.* Ⓤ 『의학』 (혈관 수축에 의한) 국소 빈혈. ㊕ **-mic** [-mik] *a.*

is·chi·al, is·chi·ad·ic, is·chi·at·ic [ískiəl], [ìskiǽdik], [ìskiǽtik] *a.* 좌골의(sciatic), 좌골 신경의. 「부」 좌골(座骨).

is·chi·um [ískiəm] (*pl.* **-chia** [-kiə]) *n.* 『해

ISD international subscriber dialing (국제 다이얼 통화). **ISDN** 『컴퓨터』 Integrated Services Digital Network 《음성 · 화상 · 데이터 등의 통신 서비스를 종합적으로 제공하는 디지털 통신망(의 규칙)》.

-ise [àiz] *suf.* **1** 상태 · 성질 따위를 나타내는 명사를 만듦: exerc*ise*. **2** 《영》 =-IZE.

is·en·trop·ic [àisəntrápik/-trɔ́p-] *a.* 『물리』 등(等)엔트로피의.

Iseult [isú:lt] *n.* **1** 이술트《여자 이름》. **2** 이졸데《아서왕 전설에서 Tristram의 애인》.

ISFET ion-selective field-effect transistor.

-ish [iʃ] *suf.* **1** '…같은, …다운, …의, …의 기미를 띤, …스름한, …비슷한, 다소 …의'의 뜻의 형용사를 만듦: brown*ish*, child*ish*, Turk*ish*. **2** 《구어》 수사(數詞)에 붙여서 '대략, …쯤, …경'의 뜻: thirty*ish*.

Ish·ma·el [íʃmiəl, -meiəl] *n.* 『성서』 이스마엘《Abraham의 아들; 창세기 XVI: 11》; 추방인, 뜨내기, 떠돌이; 사회의 적(outcast). ㊕ **~·ite** [íʃmiəlàit, -meiəl-] *n.* **1** 『성서』 ~의 자손. **2** 사회에서 버림받은 자, 세상에서 미움받는 자.

ISI Inter Services Intelligence (파키스탄의 군정보 기관); Iron and Steel Institute. 「름》.

Is·i·dor, -dore [ízədɔ̀:r] *n.* 이시도르《남자 이

isin·glass [áizŋglæ̀s, -glà:s, áiziŋ-/áiziŋglà:s] *n.* Ⓤ 부레풀, 젤라틴; 『광물』 운모(雲母)(mica).

Isis [áisis] *n.* 『이집트신화』 이시스《농사와 수태를 관장하는 여신》.

Isis

isl. (*pl.* **isls.**) (종종 Isl.) island; isle.

*****Is·lam** [islá:m, iz-, ísləm, íz-/ízlɑ:m] *n.* **1** Ⓤ 이슬람〔마호메트〕교, 회교. **2** 《집합적》 회교도. **3** 이슬람 문화〔문명〕; 회교국〔세계〕.

Is·la·ma·bad [islá:məbà:d/ izlá:mɑbæd] *n.* 이슬라마바드《파키스탄의 수도》.

Íslam fundaméntalism 이슬람 원리주의(= **Islámic Fundaméntalism**). ⓒⓕ Moslem fundamentalism.

Is·lam·ic, Is·lam·it·ic [islǽmik, -lá:mik, iz-/izlǽm-], [ìsləmítik, ìz-/ìz-] *a.* 이슬람〔마호메트〕교의, 회교의; 회교도의, 이슬람교적인.

Islámic cálendar 이슬람 달력(Muhammadan calendar). 「era).

Islámic éra 이슬람 기원(紀元)(Muhammadan

Islámic Jihád 이슬라믹 지하드《중동 지역에서 암약하는 회교 시아파(派) 테러 집단》.

Is·lam·ism [islá:mizəm, iz-, ísləmìzəm, íz-/ízləmìzəm] *n.* Ⓤ 이슬람교, 회교(Mohammedanism); 이슬람 문화. ㊕ **-ist** *n.* 이슬람 교도.

Is·lam·ite [islá:mait, iz-, ísləmàit, íz-/ízləmàit] *n.* 회교도(Muslim).

Is·lam·ize [ísləmàiz, íz-, islá:maiz, iz-/ízləmàiz] *vt.* 이슬람(교)화하다; …에게 이슬람교를 신봉시키다. ㊕ **Is·lam·i·zá·tion** *n.*

†**is·land** [áilənd] *n.* **1** 섬《생략: is.》: an uninhabited ~ 무인도/live on 〔in〕 an ~ 섬에서 살다. **2** 섬 비슷한〔고립된〕 것; 《특히》 고립된 언덕. **3** 《미》 대초원 속의 삼림 지대; 오아시스; (가로 상의) 안전지대 (safety ~); 고립 (민족) 집단〔지역〕; 『생물 · 해부』 (세포의) 섬《주위의 조직과 크기 · 구조 등이 다른 세포군(群)》; 『해사』 사령탑《항공모함의 함교(艦橋) · 포대 · 굴뚝 따위를 한데 모은 우현(右舷)의 구조물》; 《형용사적》 섬의, 섬 모양의: an ~ country 섬나라. ***the Island of the Blessed*** 『그리스신화』 극락도《착한 사람이 죽은 뒤에 산다는 대양 서쪽 끝에 있는 상상의 섬》. **—** *vt.* **1** 섬으로〔같이〕 만들다. **2** 섬에 두다; …에 섬을 점재(點在)시키다; …에 섬같이 군데군데 두다《*with*》. **3** 고립시키다, 격리하다. ㊕ **~·er** *n.* 섬사람. **~·ish** *a.* **~·less** *a.* **~·like** *a.*

ísland árc 『지학』 호상 열도(弧狀列島).

ísland of Lángerhans 『생리』 (췌장의) 랑게르한스섬.

ísland plàtform 『철도』 상 · 하행선 공용의 양면 플랫폼. 「옛 이름》.

ísland úniverse 『천문』 섬우주《galaxy의

◇**isle** [ail] *n.* **1** 《시어》 섬, 작은 섬. **2** (I-) …섬《고유명사로서》: the *Isle* of Man 맨 섬/the British *Isles* 영국 제도/the *Isle* of Wight ⇨ WIGHT. **—** *vt.* 작은 섬으로〔같이〕 만들다; 작은

섬(같은 것)에 두다; 고립시키다. ── *vi.* 작은 섬에 살다[묵다].

is·let [áilit] *n.* 아주 작은 섬; 작은 섬 비슷한 것, 동떨어진 것[점].

ism [ízəm] *n.* 주의, 학설, 이즘(doctrine).

-ism [ìzəm] *suf.* **1** '…의 행위·상태·특성'의 뜻: hero*ism.* **2** '…주의, 설(說), …교(敎), …제(制), …풍'의 뜻: social*ism*, modern*ism*. **3** '…중독'의 뜻: alcohol*ism*.

Is·ma·'ili [ìsmeiíːli/ìzmɑːíːli], **Is·ma·'il·i·an** [ìsmeiíliən/ìzmɑːíːliən] *n.* 이스마일파의 신도 《이슬람교 Shi'a 파(派) 중의 한 분파》.

†**isn't** [íznt] is not의 간약형.

iso [áisou] (*pl.* **~s**) *n.* 《미속어》 독방(獨房).

iso- [áisou, -sə] '같은, 유사한'의 뜻의 결합사: *iso*tope.

ISO in search of; International Standards Organization (국제 표준화 기구); International Sugar Organization(유엔 국제 설탕 기구). **I.S.O.** 《영》 (Companion of the) Imperial Service Order.

ìso·agglutinátion *n.* [U] 『의학』 (혈액형 등의) 동종 혈구 응집 (반응).

isoámyl ácetate 『화학』 초산 이소아밀《무색의 액체; 조미료·향료용》.

ìso·ántibody *n.* 『면역』 동종(同種) 항체.

ìso·ántigen *n.* 『면역』 동종 항원(抗原).

iso·bar [áisəbɑ̀ːr] *n.* 『기상』 등압선; 『물리·화학』 동중원소(同重元素); 동중핵(核); 등압식.

iso·bar·ic [àisəbǽrik] *a.* 『기상』 등압을 나타내는; 『물리·화학』 동중원소(同重元素)의, 동중핵의: an ~ line 등압선.

iso·bath [áisəbæ̀θ] *n.* (해저·지하의) 등심선(等深線). [파] **iso·báth·ic** *a.* 등심(선)의.

ìso·bútane *n.* 『화학』 이소부탄《무색의 인화성 기체; 연료나 냉동제, 알킬화에 의한 휘발유 제조에 쓰임》.

ìso·bútyl *n.* 『화학』 이소부틸《이소부탄에서 유도된 1가의 치환기》.

isobútyl nítrate 『화학』 질산 이소부틸《이소부틸 알코올에서 언어진 무색의 액체; 마약 대용품》.

iso·cheim, -chime [áisəkàim] *n.* 『기상』 등한선(等寒線), (겨울의) 등온선.

ìso·chromátic *a.* 등색(等色)의; 『물리』 일정 파장[주파수]의; 『사진』 정색성(整色性)의 (orthochromatic).

isoch·ro·nal, -nous [aisákrənl/-sɔ́k-], [-rənəs] *a.* 같은 시간의[에 일어나는], 등시(等時)의, 등시성의.

「등시성.

isoch·ro·nism [aisákrənìzəm/-sɔ́k-] *n.* [U]

iso·cli·nal [àisəkláinəl] *a.* 경사가 같은; 등복각(等伏角)의; 『지학』 등사습곡(等斜褶曲)의. ── *n.* =ISOCLINIC LINE. [파] **~·ly** *ad.*

「褶曲).

iso·cline [áisəklàin] *n.* 『지학』 등사습곡(等斜

iso·clin·ic [àisəklínik] *a.* =ISOCLINAL.

isoclínic líne 『물리』 (지자기(地磁氣)의) 등복각선(等伏角線).

isoc·ra·cy [aisákrəsi/-sɔ́k-] *n.* 평등 참정권, 만민 등권 정치. [파] **iso·crat·ic** [àisəkrǽtik] *a.*

iso·cy·a·nate [àisəsáiəneit] *n.* 『화학』 이소시안산염《플라스틱·접착제 등에 쓰임》.

iso·dose [áisədòus] *a.* 등선량(等線量)의《등량(等量)의 방사선을 받는 점[지대]의》.

ìso·dynámic *a.* 등력(等力)의; 등자력(等磁力)의. ── *n.* 등자력선.

ìso·dynámical *a.* =ISODYNAMIC.

isodynámic líne 『물리』 등자력선.

ìso·electrónic *a.* 『물리』 (원자·이온이) 같은 수의 전자를 가진, 등전자(等電子)의.

ìso·énzyme *n.* =ISOZYME.

iso·gam·ete [àisəgǽmiːt, -gəmíːt] *n.* 『생물』 동형 배우자(配偶子).

isog·a·mous [aiságəməs/-sɔ́g-] *a.* 『생물』 (2개의) 동형 배우자(配偶子)에 의해 생식하는.

isog·a·my [aiságəmi/-sɔ́g-] *n.* 『생물』 동형 배우자(配偶子) 생식, 동형 배우.

iso·ge·ne·ic [àisədʒəníːik] *a.* 동계(同系)의 (syngeneic): ~ graft 동종[동계] 이식.

isog·e·nous [aisádʒənəs/-sɔ́dʒ-] *a.* 『생물』 같은 기원의.

iso·geo·therm [àisədʒíːəθə̀rm] *n.* 『지학』 (지구 내부의) 등지온선(等地溫線).

iso·gloss [áisəglɑ̀s, -glɔ̀ːs/-glɔ̀s] *n.* 『언어』 등어선(等語線)《어느 언어 특징을 달리하는 두 지역을 구분하는 언어 지도 상의 선》; 한 지방 특유의 언어적 특색.

ìso·glúcose *n.* 이소글루코오스《녹말질 곡물에서 얻는 설탕 대용물》.

iso·gon·ic, isog·o·nal [àisəgánik/-gɔ́n-], [aiságənl/-sɔ́g-] *a.* 등각(等角)의; 『물리』 등편각(等偏角)의; 『생물』 등생장(等生長)의. ── *n.* =ISOGONIC LINE.

isogónic [isogónal] líne 등편각선(等偏角線), 등방위각선(等方位角線).

iso·gram [áisəgræ̀m] *n.* 『기상·지학』 등치선(等値線)《온도·압력·우량 등 변화하는 값이 같은》.

iso·hy·et [àisəháiət] *n.* 『기상』 등강수량선(等降水量線). [파] **~·al** *a.*

「리」할 수 있는.

iso·la·ble [áisələbəl, ísə-/áisə-] *a.* 분리[격

***iso·late** [áisəlèit, ísə-/áisə-] *vt.* **1** 《~+[목]/+[목]+[전]+[명]》 고립시키다, 분리[격리]하다 《*from*》: a community that had been ~*d* *from* civilization 문명으로부터 고립된 사회/~ oneself *from* all society 사회와 일체의 관계를 끊고 혼자 지내다. **2** 『의학』 (전염병 환자를) 격리하다. **3** 『화학』 단리(單離)시키다; 『세균』 (특정 균을) 분리하다; 『전기』 절연하다(insulate). ◇ isolation *n.* ── [-lət, -lèit] *a.* =ISOLATED. ── [-lət, -lèit] *n.* 격리된 것, 격리 집단.

íso·làt·ed [-id] *a.* **1** 고립한; 격리된: an ~ house 외딴집/feel ~ 고독감을 느끼다/an ~ patient 격리 환자. **2** 『전기』 절연한; 『화학』 단리(單離)한.

「카메라.

ísolated cámera 『TV』 부분 촬영용 비디오

ísolated póint 『수학』 고립점(acnode). 「등).

ísolating lànguage 『언어』 고립어《중국어

°**ìso·lá·tion** *n.* [U,C] **1** 고립(화), 고독; 격리, 분리; 교통 차단: keep ... in ~ …을 분리[격리]시켜 두다. **2** 『화학』 단리(單離); 『전기』 절연. **3** 『생물』 (혼합 집단에서의 개체·특정 균의) 분리; 격리 사육; (생체 조직·기관 따위의) 분리. [파] **~·ism** *n.* [U] 고립주의, 쇄국주의; 《미》 먼로주의. **~·ist** *n.* 고립주의자.

isolátion bòoth 텔레비전 방송 스튜디오 안에 설치한 방음실(防音室).

isolátion hòspital 격리 병원.

isolátion tànk =TRANQUILITY TANK.

isolátion wàrd 격리 병동.

iso·la·tive [áisəlèitiv, ís-/áisələt, -lèit-] *a.* 『언어』 (음 변화가) 고립적으로 생기는《모든 환경에서 생김; [cf.] combinative》, 고립성의.

iso·la·to [àisəléitou] (*pl.* **~es**) *n.* (신체적·정신적으로 동료로부터 떠난) 고립자.

iso·la·tor [áisəlèitər, ísə-/áisə-] *n.* 격리하는 사람[물건]; 소음[진동] 절연 장치; 『전기』 절연체(insulator).

Isolde [isóuldə/izɔ́ldə] *n.* 이졸데《여자 이름》.

Iso·lette [àisəlét] *n.* 미숙아 보육기《상표명》.

iso·mer [áisəmər] *n.* 『화학』 이성질체(異性質體); 『물리』 이성핵(核), (핵)이성체. [파] **iso·mer-**

ic [àisəmérik] *a.* **isom·er·ism** [aisámərìzəm/-sɔ́m-] *n.* Ⓤ 〖화학〗 (화합물 따위의) 이성; 〖물리〗 (핵종(nuclide)의) 핵이성.

isom·er·ize [aisámərāiz/-sɔ́m-] *vt., vi.* 〖화학〗 이성질체가 되다〔되게 하다〕, 이성화하다.

isom·er·ous [aisámərəs/-sɔ́m-] *a.* 같은 수의 부분으로〔점·표로〕 이루어지는; 〖식물〗 꽃〔잎, 꽃받침 따위〕의 수가 같은, 동수(同數)의; 〖화학〗 이성질체의.

iso·met·ric, -ri·cal [àisəmétrik], [-əl] *a.* 크기〔길이, 면적, 부피, 각, 둘레〕가 같은, 등척성(等尺性)의; 〖결정〗 등축(等軸)의; 〖운율〗 같은 운율의; isometric drawing의; isometrics의. **—** *n.* =ISOMETRIC DRAWING; =ISOMETRIC LINE.

isométric dráwing 등각 투상도(等角投像圖).

isométric éxercise =ISOMETRICS.

isométric líne 〖물리〗 등적(等積) 곡선; (지도의) 등거리선.

iso·mét·rics *n. pl.* 《단·복수취급》 등척(等尺) 운동(isometric exercise) 《어느 특별한 근육을 강화하기 위한 일련의 등척성(等尺性) 수축 운동》.

isom·e·try [aisámətri/-sɔ́m-] *n.* 크기가 같음, 같은 길이〔면적, 부피, 각〕; 〖수학〗 등장(等長) 변환; (지도의) 등거리법; (해발의) 등고(等高); 〖생물〗 등생장(等生長), 상대 생장.

iso·morph [áisəmɔ̀ːrf] *n.* 〖화학·결정〗 (이종(異種)) 동형체〔물〕.

iso·mor·phic [àisəmɔ́ːrfik] *a.* (이종) 동형(同形)의, 동일 구조의; 〖수학〗 동형(同型)의.

iso·mor·phism [àisəmɔ́ːrfizəm] *n.* Ⓤ 〖생물·화학〗 동형(同形) 이질〔이종〕; 유질 동상(類質同像); 〖언어〗 구조 동일성. 「의.

iso·mor·phous [àisəmɔ́ːrfəs] *a.* 이질 동상

iso·ni·a·zid [àisənáiəzid] *n.* Ⓤ 이소니아지드, 이소니코틴산 하이드라지드 《항결핵제》.

iso·nicotínic ácid 〖화학〗 이소니코틴산(酸) 《주로 이소니아지드를 만드는 데 씀》.

ison·o·my [aisánəmi/-sɔ́-] *n.* (법적인) 동권(同權), 권리 평등.

ìso·óctane *n.* Ⓤ 〖화학〗 이소옥탄 《가솔린의 내폭성(耐爆性) 판정의 표준으로 쓰이는 탄화(炭化) 수소의 일종》. 「線) (=**íso·lùx**).

iso·phote [áisəfòut] *n.* 〖광학〗 등조선(等照

iso·pi·es·tic [àisoupaiéstik] 〖기상·물리〗 *a.* 등압의. **—** *n.* 등압선.

iso·pleth [áisəplèθ] *n.* 〖수학·기상·지학〗 등치선(等値線) (=**ísa·rìthm**).

iso·pod [áisəpàd/-pɔ̀d] *a., n.* 〖동물〗 등각류(等脚類)의 (동물).

iso·prene [áisəprìːn] *n.* Ⓤ 이소프렌 《인조 고무의 구성 물질》.

Iso·prin·o·sine [àisəprínəsìːn] *n.* 이소프리노신 《B세포와 T세포를 자극하여 바이러스 감염을 막는 데 쓰이는 실험약; 상표명》.

ìso·própyl *a.* 〖화학〗 이소프로필기(基), C_3H_7-를 함유하는. 「용》.

isoprópyl álcohol 이소프로필 알코올 《살균

iso·pro·ter·e·nol [àisəproutérənɔ̀ːl, -nàl/-nɔ̀l] *n.* 〖약학〗 이소프로테레놀 《교감 신경 흥분제·진경제(鎭痙劑)》.

iso·pyc·nic [àisəpíknik] *a.* 등(等)〔정(定)〕밀도의; 등밀도법의〔에 의한〕.

isos·ce·les [aisásəlìːz/-sɔ́s-] *a.* 〖수학〗 2 등변의 《삼각형 등》: an ~ triangle, 2 등변 삼각형.

isósceles tríangle 〖수학〗 이등변 삼각형.

ìso·séismal *n., a.* 등진선(等震線)(의). ㊕ **-mic** [-mik] *a.*

íso·spìn *n.* 〖물리〗 하전(荷電) 스핀, 아이소스핀 (isotopic spin).

isos·ta·sy [aisástəsi/-sɔ́s-] *n.* (힘의) 균형; 〖지학〗 (지각의) 평형, 아이소스타시; 지각 평형설(the theory of ~). ㊕ **iso·stat·ic** [àisəstǽtik] *a.* 지각 평형설의.

iso·there [áisəθìər] *n.* 〖기상〗 등하온선(等夏溫線), 등서선(等暑線) 《여름 평균 기온이 같은 지점을 연결한》.

iso·therm [áisəθə̀ːrm] *n.* 〖기상〗 등온선; 〖물리·화학〗 등온(곡)선 《일정 온도에서의 압력과 부피의 관계를 나타냄》. 「온선(의).

iso·ther·mal [àisəθə́ːrməl] *a., n.* 등온의; 등

isothérmal région =STRATOSPHERE 1.

iso·tone [áisətòun] *n.* 〖물리〗 동(同)중성자핵〔체〕, 아이소톤.

iso·ton·ic [àisətánik/-tɔ́n-] *a.* 〖물리·화학〗 등장(等張)(성)의; 〖생리〗 (근육이) 등(긴(緊))장의; 〖음악〗 등음(等音)의. ㊕ **iso·to·nic·i·ty** [àisətə-nísəti] *n.* Ⓤ 등장.

iso·tope [áisətòup] *n.* Ⓤ 〖물리〗 아이소토프, 동위 원소; 핵종(核種)(nuclide): ~ theraphy 아이소토프 요법.

iso·top·ic [àisətápik/-tɔ́p-] *a.* 동위(원소)의.

isotópic spín =ISOSPIN.

iso·tron [áisətrɑ̀n/-trɔ̀n] *n.* 〖물리〗 아이소트론 《동위 원소 전자(電磁) 분리기의 일종》: an ~ separator 동위 원소 분리기.

iso·trop·ic [àisətrápik/-trɔ́p-] *a.* 〖물리·생물〗 등방성(等方性)의, 균등성의.

isot·ro·py [aisátrəpi/-sɔ́t-] *n.* Ⓤ 〖물리〗 등방성(等方性). opp. *aeolotropy*.

íso·tỳpe *n.* 〖생물〗 (분류상의) 동기준(同基準) 표본; 〖통계〗 동형상(同形像) 《그래프에서 단위로 쓰이는 그림·약도 또는 부호; 그 한 개가 일정 수를 나타냄》; 아이소타이프 통계도. ㊕ **ìso·týp·ic** *a.*

iso·zyme [áisəzàim] *n.* 〖생화학〗 이소 효소, 아이소자임.

ISP [isp] *n.* (로켓의) 추진력. [◂ *i*mpulse *sp*e-cific]

Í spý 숨바꼭질(hide-and-seek).

I²L [áiskwɛ̀ərél] integrated injection logic 《반도체 논리 집적 회로의 한 형식》.

Isr. Israel; Israeli.

◇Is·ra·el [ízriəl, -reiəl/-reiəl] *n.* **1** 〖성서〗 이스라엘 《Jacob의 별명; 창세기 XXXII: 28》. **2** 《집합적》 이스라엘의 자손, 이스라엘 사람, 유대인(Jew); 신의 선민, 기독교도. **3** 이스라엘 왕국 《B.C. 10－8 세기경 Palestine의 북부에 있었음》. **4** 이스라엘 공화국 《1948년에 창건된 유대인의 나라; 수도 Jerusalem》. **—** *a.* =ISRAELI.

Is·rae·li [izréili] *a.* (현대의) 이스라엘(사람)의. **—** (*pl.* ~(**s**)) *n.* (현대의) 이스라엘 사람〔국민〕.

Is·ra·el·ite [ízriəlàit, -reiəl-] *n.* 이스라엘〔야곱〕의 자손, 유대인(Jew); 신의 선민. **—** *a.* 이스라엘의. ㊕ **Is·ra·el·it·ic, -el·it·ish** [ìzriəlítik], [ízriəlàitiʃ] *a.* 이스라엘〔유대〕의.

ISRD International Society for Rehabilitation of the Disabled (신체 장애자 재활 국제 협회). **ISSA** International Social Security Association (국제 사회 보장 협회). **ISSN** 《미》 International Standard Serial Number (국제 표준 간행물 일련 번호) 《정기 간행물에 대해 의회 도서관에서 내림》.

is·su·a·ble [íʃuəbəl] *a.* **1** 발행〔발포(發布)〕할 수 있는; 발행이 인가된 《통화·채권 등》. **2** 〖법률〗 (소송 등의) 쟁점이 될 수 있는; (이득 등이) 생기는; 얻을 수 있는. ㊕ **-bly** *ad.*

is·su·ance [íʃuəns] *n.* Ⓤ 발행, 발포(發布); 발급, 지급. ◇ issue *v.*

⁑is·sue [íʃuː] *vt.* **1** 《~+목/+목+전+명》 (명령·법률 따위를) 내다, 발하다, 발포하다: ~ an order *to* soldiers. **2** 《~+목/+목+전+명》

(지폐·책 등을) 발행하다, 출판하다; 『상업』 (어음을) 발행하다: Cheap round trip tickets are ~*d to* all South Coast resorts. 남해안 모든 관광지에는 할인 왕복표가 발행되고 있다. **3** 《+목+전+명》 『군사』 (식량·의복 등을) 지급하다, 급여하다: ~ ammunition *to* troops 군대에 탄약을 지급하다. **—** *vi.* **1** 《+전+명/+부》 나오다, 발하다, 유출하다, 분출하다《*forth; out*》: No words ~*d from* his lips. 그의 입에선 아무 말도 나오지 않았다 / ~ *forth for* battle 전투에 출격하다. **2** 《+전+명》 유래하다, …에서 생기다《*from*》; 『주로 법률』 (자손으로서) 태어나다《*from*》: ~ *from* a good family 좋은 가문의 태생이다. **3** 《+전+명》 일어나다: a reaction which ~*s from* the stimulus 자극으로 일어나는 반응. **4** 《+전+명》 결국 …이 되다, (…한〔의〕) 결말이 되다《*in*》: The attempt ~*d in* failure. 그 기도는 실패로 끝났다. **5** (책이 되어) 발행되다. **6** 『야구』 (4 구를) 내다.

— *n.* **1** Ⓤ,Ⓒ 나옴, 유출(물); 『의학』 (피·고름 등의) 유출(구): an ~ *of* blood from the wound 상처로부터의 출혈. **2** Ⓤ,Ⓒ (신문·서적·통화·수표 등의) 발행; Ⓒ 발행물; 발행 부수; …판(版); …호: the second ~ 제 2 판 / the May ~ *of* a magazine 잡지의 5 월호. **3** Ⓒ 출구; 배출구; 강어귀. **4** Ⓒ 논쟁, 토론; 논쟁〔계쟁〕점; 문제: the real ~ in the strike 파업의 진정한 쟁점 / raise an ~ 문제를 제기하다, 논쟁을 일으키다. SYN. ⇨ QUESTION. **5** Ⓒ 결과, 결말; 결과로서 생기는 것, 소산, 수익, 수확. SYN. ⇨ RESULT. **6** Ⓤ 『법률』 《집합적》 자녀, 자손: have no ~ 자식이 없다 / die without ~ 후사(後嗣) 없이 죽다. **7** Ⓤ,Ⓒ 공급〔배급〕(물); 『군사』 지급(품); (도서관의) 대출 도서 수, 대출 기록 시스템. ***abide the*** ~ 결말을〔경과를〕 기다리다. ***at*** ~ ① 논쟁〔계쟁〕 중으로〔의〕, 미해결의(=***in*** ~): the point *at* ~ 쟁점, 문제점. ② 의견이 엇갈리어, 다투어: They are *at* ~ *with* each other. 서로 의견이 맞지 않는다. ***bring*** (a campaign) ***to a successful*** ~ (운동을) 성공시키다. ***face the*** ~ 사실을 사실로서 인정하고 그것에 대처하다. ***force the*** ~ 결정〔결론〕을 강요하다. ***in the*** (***last***) ~ 결국은, 요컨대. ***join*** (***the***) ~ 의견이 대립하다, 논쟁하다; 『법률』 (소송의) 쟁점을 결정하다. ***make an*** ~ ***of*** …을 문제 삼다. ***take*** ~ ***with*** …와 논쟁하다, …에게 이의를 제기하다. ***the*** (***whole***) ~ 《구어》 죄다, 모조리.

㊞ **~·less** *a.* 자식〔자손〕이 없는; 결과가 없는; 쟁점이 없는. **is·su·er** [-ər] *n.* 발행인.

íssue of fáct 『법률』 사실상의 쟁점(question of fact) 《사실의 유무 문제》.

íssue prìce 『증권』 발행 가격.

íssuing hòuse 《영》 발행 회사《회사의 주식·사채 발행을 알선함》.

-ist [ist] *suf.* '…하는 사람, …주의자, …을 신봉하는 사람, …가(家)'의 뜻의 명사를 만듦: ideal*ist*, novel*ist*, special*ist*. ★ -ism 과 달라 영미 모두 악센트가 없음.

Is·tan·bul [ìstɑːnbúːl, -tæn-/ìstænbúl, -búːl] *n.* 이스탄불《터키의 옛 수도; 구명 Constantinople》.

isth. isthmus.

isth·mi·an [ísmiən] *a.* 지협의; (I-) 그리스 Corinth 지협의; (I-) Panama 지협의. **—** *n.* 지협에 사는 사람; (I-) Panama 지협의 주민.

Ísthmian Canál (**Zòne**) (the ~) 파나마 운하 (지대).

Ísthmian Gámes *pl.* (the ~) Corinth 지협의 경기《Olympian, Pythian, Nemean Games 와 함께 고대 그리스 4 대 경기 대회의 하나; Corinth 지협에서 2 년마다 개최하였음》.

isth·mus [ísməs] (*pl.* **~·es, -mi** [-mai]) *n.* **1** 지협. **2** 『해부·식물·동물』 협부(峽部). **3** (the I-) 파나마 지협; 수에즈 지협.

is·tle [ístli] *n.* Ⓤ 이스틀리《열대 아메리카산 식물의 섬유; 부대·깔개·그물 등을 만듦》.

Is·tria [ístriə] *n.* (the ~) 이스트리아《아드리아 해 북단에 튀어나온 반도》. ㊞ **Ís·tri·an** *a.*, *n.* 이스트리아(인)의; 이스트리아인.

ISU International Shooting Union (국제 사격 연맹); International Skating Union (국제 스케이트 연맹). **ISV** International Scientific Vocabulary (국제 과학 용어).

†**it**[1] ⇨《p.1345》 IT[1].

it[2] [it] *n.* Ⓤ 《영구어》 =ITALIAN VERMOUTH.

IT immunity test; 『컴퓨터』 information technology(정보 기술). **I.T.** income tax; inclusive tour 〔terms〕. **It., Ital.** Italian; Italy. **ITA** International Tin Agreement (국제 주석 협정). **I.T.A., ITA** Independent Television Authority. **I.T.A., i.t.a.** Initial Teaching Alphabet.

itai-i·tai [íːtaiíːtai] *n.* 『병리』 이타이이타이병《카드뮴 만성 중독에 의한 뼈의 질환》.

ital. italic(s); italicized.

Ita·lia [*It.* itáːlja] *n.* 이탈리아《Italy를 이탈리아어로 표기한 것》.

***Ital·ian** [itǽljən] *a.* **1** 이탈리아의; 이탈리아 사람의. **2** 이탈리아 말〔식〕의. **—** *n.* **1** 이탈리아 사람. **2** Ⓤ 이탈리아어(語). **3** =ITALIAN VERMOUTH.

㊞ **~·ate** [-èit, -it] *a.* 이탈리아화(化)한, 이탈리아식의. **—** [-èit] *vt.* =ITALIANIZE.

Itálian clóth 털로 짠 공단의 일종《안감용》.

Itálian dréssing 『요리』 마늘·마저럼(marjoram)으로 맛을 낸 샐러드 드레싱.

Itálian fóotball 『미속어』 폭탄; 수류탄《범인이 쓰는》.

Itálian gréyhound 이탈리아종 그레이하운드《애완견》.

Itálian hánd(**writing**) 이탈리아 서체《표준 초서체》. cf. Gothic.

Itál·ian·ìsm *n.* Ⓤ 이탈리아식; 이탈리아 정신, 이탈리아 사람의 기질; Ⓒ 이탈리아 어법〔어의 독특한 말투〕.

Itál·ian·ist *n.* 이탈리아(어) 연구가.

Itál·ian·ìze *vi.*, *vt.* 이탈리아식으로 되다〔하다〕, 이탈리아화하다.

Itálian sándwich 이탈리안 샌드위치(submarine).

Itálian sónnet 『운율』 이탈리아식 소네트《Petrarch에 의해 시작된 14 행시》.

Itálian vermóuth 이탈리안 베르무트《달콤한 베르무트》.

Itálian wárehouse 〔**wárehouseman**〕 《영》 이탈리아 특산 식료품 상점〔상인〕《마카로니·과일·올리브유 따위를 팖》.

***ital·ic** [itǽlik] *a.* **1** 『인쇄』 이탤릭체의. **2** (I-) 옛 이탈리아(인·어)의, 『언어』 이탤릭 어파의. **—** *n.* **1** (주로 *pl.*) 이탤릭체 글자《어구의 강조·배 이름·출판물명·외래어 등을 표시하는 데에 씀》. cf. Roman. **2** Ⓤ (I-) 『언어』 이탤릭 어파.

Ital·i·cism [itǽləsìzəm] *n.* =ITALIANISM.

ital·i·cize [itǽləsàiz] *vt.* (활자를) 이탤릭체로 하다; (이탤릭체를 표시하기 위해) …에 밑줄을 치다; 강조하다, 눈에 띄게 하다. **—** *vi.* 이탤릭체를 쓰다.

itálic týpe 『인쇄』 이탤릭《활자》.

I·ta·lo- [itǽlou, -lə, ait-, ítəl-] '이탈리아의, 이탈리아와'의 뜻의 결합사.

Ital·o·phile [itǽləfàil] *a.*, *n.* 이탈리아(풍)을 좋아하는 (사람).

***It·a·ly** [ítəli] *n.* 이탈리아 (공화국)《수도 Rome》.

IT & T 《미》 International Telephone and Telegraph Corporation (국제 전화 전신 회사).

it[1]

크게 나누어, 앞서 말한 사물을 가리키는 기본적 용법과, 강조 구문을 포함해서 글 속의 뒤의 요소를 대표하는 용법 및 날씨 따위의 비인칭 용법 등 3가지로 구분할 수 있다. 그 어느 경우이든 자연스러운 우리말로는 새겨지지 않는 것이 보통이나, 첫째의 경우에 쓰려고 하면 쓸 수 있는 '그것'이란 번역은, '이것'에 상대되는 지시적인 '저것(that)'과 구별하지 않으면 안 된다. 사실, 문맥에 따라서는 '이것' 또는 '저것'이라고 새기는 것이 자연스러울 때도 있다. 소유격 its '그'에도 우리말과의 대응상 문제가 있다. 우리말의 '그'에는 다음 두 가지의 매우 다른 용법이 있는 데도 우리는 의외로 그것을 깨닫지 못하고 있다: (1)〖지시: '이'에 대한〗'그 책' *that* book;〖언급: 앞서 말한〗'그 집' *the* house. (2)〖소유: '나의'와 같은 성질의〗'Brown씨와 그 가족' Mr. Brown and *his* family. '한국과 그 문화' Korea and *its* 〔*her*〕 culture. its가 (2)에 속한다는 것은 특히 분명히 알아 둘 필요가 있다.

it[1] [it] (소유격 ***its*** [its], 목적격 ***it***; *pl.* 주격 ***they,*** 소유격 ***their,*** 목적격 ***them***; it is, it has의 간약형 ***it's*** [its]; 복합 인칭대명사 ***itself***) *pron.*
1〖3인칭 단수 중성의 주격〗그것은〔이〕《일반적으로 앞서 말한 사물을 가리킴. 또 유아·동물과 같이 성별의 명시를 필요로 하지 않든가 그것이 불분명한 때의 생물 따위를 지칭함》: What's that book? — *It*'s a dictionary. 그 책은 무엇인가 — (그것은) 사전입니다/The dog came wagging *its* 〔his〕 tail. 개가 꼬리를 치면서 왔다. ★ it은 특정한 것을 가리키는 명사 대신으로 쓰고, 아무것이라도 상관없는 하나의 것을 가리키는 명사 대신으로는 one을 씀.
2〖3인칭 단수 중성 목적어〗**a**〖직접목적어〗그것을: I gave *it* (to) him. 그에게 그것을 주었다《I gave him a book. 이 보통 어순이지만, 간접목적어가 대명사일 때에는 I gave him it. 로 되지 않고 그 어순이 거꾸로 되는데, 일반적으로는 I gave it to him. 이 됨》. **b**〖간접목적어〗그것에: I gave *it* food. 나는 그것에 먹이를 주었다. **c**〖전치사의 목적어〗: I gave food to *it*. 나는 그것에 먹이를 주었다.
3〖비인칭의 it: 단수뿐임〗《이 때의 it은 우리말로 새기지를 않음》 **a**〖막연히 날씨·한란·명암을 가리켜〗: *It* is raining. 비가 내리고 있다/*It* looks like snow. 눈이 내릴 것 같다/*It* is getting hot. 점점 더워진다/*It* grew dark. 점차 어두워졌다. **b**〖시간·시일을 막연히 가리키어〗: What time is *it*? — *It* is half past ten. 지금 몇 시죠 — 10시 반입니다/*It* was Sunday yesterday. 어제는 일요일이었다/*It* is (now) five years since he died. 그가 죽은 지 (벌써) 다섯 해가 된다/How long does *it* take from here to the post office? 여기서 우체국까지는 (시간이) 얼마나 걸립니까. **c**〖거리를 막연히 나타내어〗: *It*'s eight miles from here to Seoul. 여기서 서울까지는 8마일이다/*It* is fifteen minutes' walk from here to the station. 여기서 정거장까지 걸어서 15분 거리다. **d**〖막연히 사정·상황·부정(不定)의 것을 나타내어〗《상투적인 말에 많음》: *It*'s your turn. 네 차례다/*It* is all over with him. 그는 볼장 다 보았다/*It*'s all finished between us. 우리 둘 사이는 완전히 끝장이다/How goes *it* with you today? 오늘은 어떻습니까.
4〖심중에 있거나 문제가 된 사람·사정·사물·행동 등을 가리켜〗: Go and see who *it* is. 누군지 가 보아라/*It* says in the papers *that*... …(하다)고 신문에 나 있다〔신문에서 말하고 있다〕/*It* says in the Bible *that*... 성경에 …라고 써〔나와〕 있다/*It* says "Keep to the left." '좌측통행'이라고 써 있다/Who is there? — *It* is I. 누구요 — 접니다《문 밖에서의 노크·발소리 따위를 들었을 때》. ★ *It* is I. 는 구어에서는 *It*'s me. 라고 하는 것이 보통이지만, he, she의 경우는 *It*'s he 〔she〕. 이며 him 〔her〕라고는 안 씀. 또 *It*'s the boys. 따위 처럼 It is 다음에 복수 명사가 올 때도 있음.
5《구어》 **a**〖어떤 동사의 무의미한 형식상의 목적어로서〗: They fought *it* out. 그들은 끝까지 싸웠다/I gave *it* hot. 나는 호되게 몰아세웠다/Let's walk *it*. 걸어 가자/Damn *it* (all)! 빌어먹을/Give *it* (to) him! 놈을 혼내 주어라/go *it*〖흔히 진행형으로〗맹렬히 하다; 맹렬한 속도로 달리다/He will lord *it* over us. 그는 몹시 뽐낼 것이다. **b**〖전치사의 무의미한 형식상의 목적어로서〗: have a hard time of *it* 몹시 혼나다/run for *it* 달아나다/There is no help for *it* but to do so. 그렇게 하는〔할〕 수밖에 없다/Let's make a night of *it*. 하룻밤 술로 지새우자. **c**〖명사를 임시 동사로 한 뒤에 무의미한 형식상 목적어로서〗: bus 〔cab〕 *it* 버스〔택시〕로 가다/queen *it* 여왕처럼 행동하다/If we miss the bus, we'll have to foot *it*. 버스를 놓치면 걸을 수밖에 없다.
6〖예비의 it; 형식주어 또는 형식목적어로서 뒤에 오는 어·구·절을 대표〗 **a**〖형식 주어〗: *It* is wrong *to* tell a lie. 거짓말하는 것은 나쁘다/*It* is no use cry*ing* over spilt milk. 《속담》 엎지른 물《동명사》/*It* is easy *for* the baby *to* walk. 아기가 걷는다는 것은 간단하다/*It* was careless *of* him *to* do that. 그런 짓을 하다니 그 사람은 부주의했다(=He was careless to do that.)/*It*'s a pity (*that*) you can't come. 당신이 오실 수 없는 것은 유감입니다/Does *it* matter *when* we leave here? 우리들이 언제 여기를 떠나는가가 문제입니까/*It* is said *that* he is the richest man in the city. 그는 시에서 제일가는 갑부라고들 한다(=He is said to be the richest ...). **b**〖형식 목적어〗: I thought *it* wrong *to* tell her. 그녀에게 이야기하는 것은 나쁘다고 생각했다/Let's keep *it* secret *that* they got married. 그들이 결혼한 것은 비밀로 해 두자/We must leave *it* to your conscience *to* decide what to choose. 무엇을 택해야 하는가를 정하는 것은 네 양심에 맡기지 않을 수 없다/See to *it that* this letter is handed to her. 이 편지가 그 여자의 손에 들어가게끔 해 주시오.
7 a〖앞에 나온 말을 가리켜〗: I tried *to get up*, but found *it* impossible. 나는 일어나려고 애썼지만 일어날 수 없었다/*He is an honest man*; I know *it* quite well. 그는 정직한 사람이다. 나는 그것을 잘 알고 있다. **b**〖뒤에 오는 말을 가리켜〗: *It*'s a nuisance, *this delay*. 짜증스럽군, 이렇게 늦다니/I did not know *it* at the time, but *she saved my son's life*. 그때는 몰랐지만, 그녀가 내 아들의 생명을 구해 주었던 것이다.
8〖강조구문〗《It is X that 〔wh-〕 ... 의 구문에서 특정 부분 X를 강조; it 다음에 오는 be 동사의 시제는 clause 내의 동사의 시제와 일치하며, clause 안의 동사의 인칭은 바로 앞의 명사·대명사와 일치함》: *It was* he *who* 〔*that*〕 was to blame. 잘못한 것은 그였다/*It was* the vase *which* 〔*that*〕 he broke yesterday. 어제 그가 깨뜨린

것은 꽃병이었다/*It was* Mary (*that*) we saw. 우리가 본 것은 메리였다《종종 that 따위 관계사가 생략됨》/*It was* peace *that* they fought for. 그들이 싸운 것은 평화를 위해서였다/*It was* to Mary *that* George was married. 조지와 결혼한 사람은 메리였다/*It was* because of her illness 〔because she was ill〕 (*that*) we decided to return. 우리가 돌아가기로 정한 것은 그녀가 병이 났기 때문이었다《because 대신 as, since는 쓸 수가 없음》. ***be at it*** ① 싸움을〔장난 따위를〕 하고 있다: They *are at it* again. 또 하고 있다《부부싸움 등을》. ② (일 따위에) 열중〔전념〕하다: He *is* hard *at it*. 열심히 하고 있다. ③ 술에 빠지다. ***be with it*** 《속어》 ① (아무가) 유행을 알다, 현대적이다, 시류를 타고 있다. ② (남의 이야기 등을) 확실히 이해할 수 있다. ***get with it*** ⇨ GET[1]. ***It is not for*** a person ***to*** do …하는 것은 아무의 소임〔책임〕은 아니다. ***It may be that ...*** …일지도 모른다. ***That's*** (***about***) ***it.*** 바로 그렇습니다, 맞습니다; 그거야, 그게 문제란 말야; 이것으로 마감〔마지막〕이다. ***This is it.*** 《구어》 드디어 온다, 올 것이 왔다, 이거다.

— *n.* **1** 술래. **2** 《구어》 **a** 이상(理想)(the ideal), 지상(至上), 극치, 바람직한〔필요한〕 수완〔능력〕, 바로 그것: In her new dress she really was *it*. 새 드레스를 입은 그 여자는 정말 멋이 있었다. **b** 중요 인물, 제일인자: Among physicists he is *it*. 물리학자 중에서 그는 제일인자다. ★ 보통 이탤릭으로 쓰고, 읽을 때 특히 강세를 둠. **3** 《구어》 성적 매력(sex appeal); (막연히 성교·성기를 가리켜) 그것: make *it* with …와 그걸 하다〔자다〕; …에게 호감을 주다〔인기가 있다〕. **4** 〖형용사적〗 섹시한: ⇨ IT GIRL.

ITAR [ítɑːr] *n.* 러시아 전보 정보 통신사《국영; 옛 소련의 TASS를 러시아가 계승함과 동시에, Novosti도 흡수한 것; 대외 뉴스를 제공하는 크레디트는 'ITAR-TASS'》. [◂《Russ.》 *Information Telegrafnoye Agentstvo Rossii* Information Telegraph]

ITC International Trade Charter (국제 무역 헌장); International Traders Club; 《미》 International Trade Commission (국제 무역 위원회); investment tax credit (투자 세액 공제).

°**itch** [itʃ] *n.* **1** (an ~) 가려움; (the ~) 옴, 개선(疥癬): I have an ~ on my back. 등이 가렵다. **2** 참을 수 없는 욕망, 갈망《*for; to* do》; 정욕, 색욕. **3** 《미속어》 〖당구〗 당구공을 포켓(구멍)에 떨굼. ***have an ~ for*** …이 하고 싶어〔탐이 나서〕 못 견디다.

— *vi.* **1** 가렵다, 근질근질하다. **2** 〔보통 진행형〕 《+전+명/+*to* do/+전+명+*to* do》 …하고 싶어서 좀이 쑤시다, …이 탐이 나서 못 견디다, 초조를 느끼다《*for* a thing》: He was ~*ing for* a chance to do it. 그는 그것을 하고 싶어 좀이 쑤셨다/She was ~*ing to* know the secret. 그녀는 그 비밀을 알고 싶어 안달했다/She's ~*ing for* her boyfriend *to* come. 그녀는 남자 친구가 오기를 초조하게 기다리고 있다. **3** 《미속어》 (포켓 당구에서 당구공이) 포켓에 떨어지다. — *vt.* (발 따위에) 가려움증을 일으키다; 안달나게 하다, 애타게 하다; 《비표준》 (피부를) 긁다. one***'s fingers ~ for*** 〔***to*** do〕 ⇨ FINGER. ***have an ~ing palm*** 돈을 몹시 탐내다. ***have ~ing ears*** 몹시 듣고 싶어하다.

ítch mìte 옴벌레, 개선충(疥癬蟲).

itchy [ítʃi] (***itch·i·er; -i·est***) *a.* 옴이 오른; 가려운; 탐이 나서〔하고 싶어〕 좀이 쑤시는; 안달하고 있는. ***have ~ feet*** 《속어》 승진〔출세〕하고 싶어 좀이 쑤시다《*for*》. ㊞ **ítch·i·ness** *n.*

*****it'd** [ítəd] it would, it had의 간약형.

-ite [àit] *suf.* **1** '…인 사람(의), …신봉자(의)'의 뜻: Israel*ite*. **2** '광물, 화석, 폭약, 염류(塩類), 제품' 등의 뜻: bakel*ite*, dynam*ite*.

*****item** [áitəm] *n.* **1** 항목, 조목, 조항, 품목, 세목: sixty ~*s* on the list 목록 상의 60개 품목/~*s* of business 영업 종목. **2** (신문 따위의) 기사, 한 항목: local ~*s* 지방 기사. **3** 《속어》 이야기〔소문〕거리. **4** 《속어》 (이러쿵저러쿵 소문난) 두 사람; (섹스의) 상대. **5** 〖교육〗 아이템《프로그램 학습의 기본 단위》; 〖컴퓨터〗 데이터 항목. ~ ***by*** ~ 항목별로, 한 조목 한 조목씩. ***state ~s of an account*** 셈의 명세를 적다. — *vt.* 《고어》 조목별로 쓰다; 메모하다; 계산하다. — [áitem] *ad.* 마찬가지로, 또《항목을 차례로 열거할 때》.

ítem·ìze *vt.* 조목별로 쓰다, 항목별로 나누다, 세목별로 쓰다. ***an ~d account*** 〔***bill***〕 명세 계산서. ㊞ **item·i·zá·tion** *n.* Ⓤ

ítem vèto 《미》 (의결 법안에 대한 주(州) 지사의) 부분 거부권.

it·er·ant [ítərənt] *a.* 되풀이하는. ㊞ **ít·er·ance, -an·cy** *n.* =ITERATION.

it·er·ate [ítərèit] *vt.* (몇 번이고) 되풀이하다 (repeat); 되풀이해 말하다; 〖컴퓨터〗 …을 반복하다. ㊞ **it·er·á·tion** *n.* Ⓤ,Ⓒ 되풀이, 반복; 복창(復唱); 〖수학〗 반복법《축차근사 방법》; 〖컴퓨터〗 반복.

íterated íntegral 〖수학〗 반복 적분.

it·er·a·tive [ítərèitiv, -rət-] *a.* 반복의; 되뇌는, 곱씹는; 〖문법〗 반복(상)의; 〖컴퓨터〗 (어떤 루프나 일련의 스텝 등을) 반복하는. — *n.* 〖문법〗 (동사의) 반복상(相). ㊞ **~·ly** *ad.* **~·ness** *n.*

ITF International Trade Fair (국제 견본시); International Trade Federation (국제 운수 노조 연맹).

ít gírl 《속어》 섹시한〔매력적인〕 여자.

Ith·a·ca [íθəkə] *n.* 이타카《그리스 이오니아 제도의 섬; 신화의 Odysseus 〔Ulysses〕의 고향》.

Ithunn ⇨ IDUN.

Ithu·ri·el [iθjúəriəl] *n.* Milton작 *Paradise Lost*에 나오는 천사《Satan의 정체를 폭로함》. ***~'s spear*** 진위를 가리는 확실한 기준.

ithy·phal·lic [ìθəfǽlik] *a.* **1** 바커스 제례의, (바커스제(祭)에 쓰인) 남근상의. **2** 바커스 찬가에 쓰는 운율의; 외설한. — *n.* 바커스 찬가율(讚歌律)의 시; 외설시(詩).

-it·ic [ítik] *suf.* -ite, -itis에 대응하는 형용사를 만듦.

itin·er·a(n)·cy [aitínərə(n)si, itín-] *n.* Ⓤ,Ⓒ **1** 순회, 순력(巡歷), 편력. **2** 순회 설교〔판사〕단. **3** 순회를 필요로 하는 공무; 근무지가 일정하지 않은 직무; 순회 제도.

itin·er·ant [aitínərənt, itín-] *a.* 순회하는, 순력하는, 편력 중의; 이리저리 이동하는《노동자 따위》; (감리교파에서) 순회 설교하는: an ~ library/an ~ peddler 〔trader〕 행상인/an ~ showman 순회 흥행사. — *n.* **1** 편력자; 순회 설교자〔판사〕. **2** 행상인, 순회 배우《따위》. ㊞ **~·ly** *ad.*

itínerant eléctron 〖물리〗 편력 전자.

itin·er·ar·i·um [aitìnərέəriəm, itìn-] (*pl.* **-ar·ia** [-έəriə], **~s**) *n.* 〖가톨릭〗 여행 축복 기도.

itin·er·ary [aitínərèri, itín-/-rəri] *n.* 여정(旅程); 여행 일정 계획(서); 여행 안내서; 여행(일)기. — *a.* 순회〔순력〕하는; 여정의, 여행의.

itin·er·ate [aitínərèit, itín-] *vi.* 순회〔순력〕하다; 순회 설교를〔재판을〕 하다. ㊞ **itin·er·á·tion** *n.* =ITINERA(N)CY.

-i·tion [íʃən] *suf.* '동작, 상태'를 나타냄: defin*ition*, expedi*tion*.

-i·tious [íʃəs] *suf.* -ition, -tion의 어미를 갖는 명사를 형용사로 만듦: expedi*tious*.

-i·tis [áitis] *suf.* '염(증)'의 뜻: bronch*itis*.
-i·tive [itiv, ət-] *suf.* 형용사, 명사를 만듦: pos*itive*, infin*itive*.
it'll [itl] it will, it shall의 간약형.
ITO, I.T.O. International Trade Organization (국제 무역 기구).
-i·tol [ətɔ̀:l, ətòul, ətɑ̀l/itɔ̀l] *suf.* 〖화학〗 수소기 1 개 이상을 함유하는 알코올: inos*itol*.
ITOS [áitəs] 《미》 improved Tiros (아이토스). cf. Tiros. 「*itous*, calam*itous*.
-i·tous [ətəs, it-] *suf.* 형용사를 만듦: felic-
ITP 〖컴퓨터〗 intelligent terminal test program (지적 단말 테스트 프로그램).
†**its** [its] *pron.* 〔it의 소유격〕 그것의, 그, 저것의.
it's [its] it is, it has의 간약형. ⌊cf. it¹.
ITS international temperature scale.
it·self [itsélf] (*pl.* **them·selves**) *pron.* **1** 〔재귀용법〕 그 자신을〔에게〕, 그 자체를〔에〕. cf. -self. ¶ 〔재귀동사의 목적어〕 A good opportunity presented ~. 호기(好機)가 나타났다 /〔일반 동사의 목적어〕 The hare hid ~. 산토끼는 숨었다 /〔전치사의 목적어〕 The cell is reproductive of ~. 세포는 저절로 재생한다. **2** 〔강조용법〕 바로 그것(마저), …조차: The well ~ was empty. 우물조차 말라 있었다. **3** 〔be 동사의 보어〕 (동물 따위의) 정상적인〔건강한〕 상태: The pussy was soon ~. 고양이는 곧 건강해졌다. ***by*** ~ ① 그것만으로, 단독으로, 따로 떨어져서: The house stands *by* ~ on the hill. 언덕 위에 그 집 한 채만 있다. ② 저절로, 자연히: The machine works *by* ~. 그 기계는 자동적으로 움직인다. ***for*** ~ ① 혼자 힘으로, 단독으로. ② 그 자체를 위하여, 그것을: I value honesty *for* ~. 정직 그 것을 높이 평가한다. ***in*** ~ 그 자체로, 본래는, 본질적으로(는): Advertising in modern times has become a business *in* ~. 현대의 광고는 그 자체로 하나의 사업이 되어 버렸다. ***of*** ~ =by itself (관용구) ②. ***to*** ~ 그 자체에게〔의 것으로서〕: The magazine got the market all *to* ~. 그 잡지는 시장을 독점했다. 「같은 녀석.
it-shay [itʃèi] *n.* 《미속어》 역겨운 놈, 똥싸개
ITT(C) International Telephone & Telegraph Corporation 《미국의 전신 전화 회사명》. **ITTF** International Table Tennis Federation (국제 탁구 연맹).
it·ty-bit·ty, it·sy-bit·sy [itibíti], [ítsibítsi] *a.* 《구어》 조그만, 하찮은; 《경멸》 곰상스러운; 《구어》 세세한 부분으로 된. 「Union.
ITU, I.T.U. International Telecommunication
Itur·bi·de [*Sp.* iturβiðe] *n.* **Agustin de** ~ 이투르비데 《멕시코의 군인 · 황제(1822-23); Agustin I세로서 멕시코 황제가 되었으나 공화파의 반란으로 유럽으로 망명, 재입국하려다 잡히어 처형됨; 1783-1824》.
ITV industrial television (공업용 텔레비전); 《미》 instructional television (수업용 유선 텔레비전 프로); 《영》 Independent Television 《I.B.A.가 행하는 TV 방송》.
-i·ty [ˊəti] *suf.* =-TY².
IU international unit (국제 단위). **IUB** International Union of Biochemistry (국제 생화학 연합) 《1955년 설립》. **IU(C)D, I.U.(C.)D.** intrauterine (contraceptive) device (피임용 자궁 내 링). **IUCN** International Union for Conservation of Nature and Natural Resources (국제 자연 보호 연맹). **IUCW** International Union for Child Welfare (국제 아동 복지 연합) 《1946 년 설립》. **IUD** intrauterine device (자궁 내 피임 용구).
IÚE sàtellite 국제 자외선 탐사 위성.
-i·um [ˊiəm, jəm] *suf.* **1** 라틴어계(系) 명사를 만듦: med*ium*, prem*ium*. **2** 화학 원소명을 만듦: rad*ium*.
IUPAC International Union of Pure and Applied Chemistry (국제 순수 응용 화학 연합).
IUS 〖우주〗 inertial upper stage (셔틀 상단 로켓).
IV [áiví:] (*pl.* **IVs, IV's**) *n.* 전해질(電解質) · 약제 · 영양을 점적(點滴)하는 장치: an ~ bottle 점적용 병. [◂ *i*ntra *v*enous]
IV intravenous(ly); intravenous drip 〔injection〕. **I.V., i.v.** initial velocity (초속도). **IVA** 〖우주〗 intravehicular activity (선내 활동).
Ivan [áivən] *n.* **1** 아이반 《남자 이름》. **2** ~ **the Great** 이반 대제(~ III; 1440-1505). **3** ~ **the Terrible** 이반 뇌제(雷帝)(~ IV; 1530-84).
Ívan Ivá·no·vi(t)ch [-ivá:nəvitʃ] 전형적인 러시아(군)인. cf. John Bull.
Iva·nov [ivá:nəf] *n.* 이바노프. **1 Vsevolod Vyacheslavovich** ~ 러시아의 작가 《시베리아 태생으로 그곳을 종종 작품 무대로 함; 1895-1963》. **2 Vyacheslav Ivanovich** ~ 러시아의 시인 · 비평가(1866-1949).
IVB invalidity benefit.
I've [aiv] 《구어》 I have의 간약형.
-ive [ˊiv] *suf.* '…의 성질을 지닌, …하기 쉬운'의 뜻의 형용사를 만듦: act*ive*, attract*ive*.
iver·mec·tin [àivərméktin] *n.* 〖약학〗 동물 · 사람의 기생충 구충약.
IVF in vitro fertilization (체외 수정).
ivied [áivid] *a.* 담쟁이(ivy)로 덮인.
Ivor [áivər, í:-] *n.* 아이버 《남자 이름》.
Ivo·ri·an [áivəriən] *a., n.* 코트디부아르(Ivory Coast)의 (사람).
ivo·ry** [áivəri] *n.* **1** Ⓤ 상아, (코끼리 · 하마 따위의) 엄니. **2** (흔히 *pl.*) 《속어》 상아 제품; 당구알〔공〕; (피아노의) 건반; 주사위. **3** Ⓤ 상아빛. **4** (흔히 *pl.*) 《속어》 이, 치아; =VEGETABLE IVORY; 《속어》 두개골. **5** 《야구속어》 입단 테스트를 받고 있는 선수. **6** (I-) 아이보리 《미국 Procter & Gamble사 제품인 물에 뜨는 백색 비누》. ***fossil ~ 매머드(mammoth)의 엄니의 화석. ***show*** one's ***ivories*** 《속어》 이빨을 드러내다. ***wash*** one's ***ivories*** 《속어》 술을 마시다. — *a.* 상아제의, 상아 비슷한; 상앗빛의; =IVORY-TOWERED. ㊕ **-ried** *a.* 상아제의, 상아 비슷한.
ívory bláck 상아를 태워서 만든 흑색 안료.
Ívory Cóast (the ~) 코트디부아르(Côte d'Ivoire)의 구칭 《1986 까지》.
ívory dóme 《미속어》 **1** 바보, 얼간이. **2** 지식인, 전문가; 지식이 많은 체하는 사람.
ívory gáte 〖그리스신화〗 (잠의 집의) 상아문 《이 문에서 허망한 꿈이 나온다 함》.
ívory hùnter 《미속어》 (야구의) 신인 발굴자; =IVORY RAIDER.
ívory nùt 상아야자의 열매.
ívory pàlm 〖식물〗 상아야자.
ívory ràider 《속어》 (산업계로부터의) 유능한 졸업생에 대한 스카우트.
Ívory Snów 아이보리 스노 《미국 Procter & Gamble사 제품인 빨래용 세제; 상표명》.
ívory tówer 상아탑 《실사회에서 떨어진 사색의 세계, 특히 대학》; 초속적(超俗的)인 태도.
ívory-tówered *a.* 세속과 인연을 끊은, 상아탑에 사는; 인가에서 멀리 떨어진. 「피주의.
ívory-tów·er·ìsm [-táuərìzəm] *n.* Ⓤ 현실도
ívory·tỳpe *n.* 아이보리타입 《컬러 효과를 내는 사진; 지금은 안 쓰임》.
ívory-whíte *n., a.* 유백색(의).
ívory yéllow 〔**whíte**〕 유백(乳白)색, 상아색.

°**ivy** [áivi] *n.* **1** Ⓤ 〖식물〗 담쟁이덩굴: ⇨ ENGLISH 〔POISON〕 IVY. **2** (보통 I-) 《미구어》 = IVY LEAGUE. — *a.* 명문교(식)의; 학구적인, 순학리적인; (보통 I-) Ivy League(출신)의. — *vt.* 담쟁이덩굴로 덮다.

ívy-covered cóttage, ívy còttage 《구어》 옥외 변소.

Ívy Léague (the ~) 《미》 (Harvard, Yale, Princeton, Columbia, Pennsylvania, Brown, Cornell, Dartmouth 등) 북동부 8개 명문 대학(의); 이 8개 대학으로 된 운동 경기 연맹: an ~ college 《미》 아이비칼리지《북동부의 명문 대학》/ an ~ suit 아이비리그 대학생 스타일의 옷.

Ívy Léaguer Ivy League 학생〔졸업생〕.

ívy vìne 〖식물〗 야생 포도류《미국산》.

I.W., IW index word; inside width; Isle of Wight; isotopic weight. **IWA** International Whaling Agreement (국제 포경 협정). **IWC** International Whaling Commission; International Wheat Council (UN의 국제 소맥 이사회).

Í.W. Hárper I.W. 버번(위스키) 《미국 I.W. Harper Distilling Co. 제품인 스트레이트 버번 위스키; 상표명》.

iwis [iwís] *ad.* 《고어》 확실히; 참말로(certainly).

IWSG International Wool Study Group. **I.W.T.D.** 《영》 Inland Water Transport Department. **I.W.W., IWW** Industrial Workers of the World. **I.X., IX** 《Gr.》 *Iesous Christos*(=Jesus Christ).

ix·ia [íksiə] *n.* 〖식물〗 익시아속(屬) 《남아프리카산; 관상 식물》.

ix·i·o·lite [íksiəlàit] *n.* 〖광물〗 익시올라이트 《pegmatite 속에 존재하는 흑회색·아(亞)금속 광택의 광물》. [◂ Swed. *ixiolith*]

Ix·i·on [iksáiən] *n.* **1** 〖그리스신화〗 익시온 《Hera를 범하려다 Zeus의 노염을 사서 Ixion's wheel에 묶임》. **2** 〖물리〗 익사이온《제어 핵융합 연구의 실험용 자기경(磁氣鏡)》.

IYDP International Year of Disabled Persons (국제 장애자의 해: 1981년). **IYRU** International Yacht Racing Union (국제 요트 경기 연맹)《1907년 창설》.

I(y·)yar [ijá:r, í:ja:r] *n.* 이야르《유대력의 제 8월, 현행 태양력으로 4-5월》.

iz·ard [ízərd] *n.* 영양(羚羊)의 일종《피레네산맥산(產)》.

-i·za·tion [izéiʃən/aiz-] *suf.* -ize로 끝나는 동사의 명사를 만듦: civil*ization*, real*ization*.

-ize, -ise [àiz] *suf.* '…으로 하다, …화하게 하다; …이 되다, …화하다'의 뜻의 동사를 만듦: Anglic*ize*, crystall*ize*. ★《미》에서는 주로 -ize가 쓰이나, 《영》에서는 -ise도 쓰임. 다만, chastise, supervise 따위는 《미》·《영》에서 다 같이 -ise임.

Izhevsk [í:ʒifsk, iʒéfsk] *n.* 이젭스크《러시아 연방 우드무르트(Udmurt) 자치 공화국의 수도; 구칭 Ustinov》.

Iz·ma·il [ízmiəl, ìsməí:l] *n.* 이즈마일《우크라이나 남부의 항만 도시; 예전엔 루마니아에 속했던 적이 있음; 루마니아어로는 Ismail》.

Iz·mir [ízmiər] *n.* **1** 이즈미르《터키 서부, Izmir 만에 임한 도시》. ★ 구칭은 Smyrna. **2 the Gulf of ~** 이즈미르 만《터키 서부의 에게 해의 후미》.

Iz·mit [izmít] *n.* 이즈미트(=**Kò·ca·é·li**)《터키 북서부 Marmara해의 동쪽에 있는 도시; 고대 Bithynia 왕국의 수도 Nicomedia의 땅》.

Iz·nik [izník] *n.* 이즈니크《터키 북서부 Marmara해 동쪽의 마을; Nicaea 공회의의 개최지(325)》.

izod [ízud/ízɔd] *n.* 《미속어》 = PREPPY.

Iz·ves·tia [izvéstiə] *n.* 《Russ.》 (=news) 이즈베스티야《옛 소련 정부 기관지; 현재는 독립》.

Iz·zak [áizək] *n.* 아이작《남자 이름; Isaac의 별칭》.

iz·zard [ízərd] *n.* 《고어·방언》 Z자. ***from A to ~*** 처음부터 끝까지, 완전히.

iz·zat [ízət] *n.* Ⓤ 《Ind.》 체면, 명성, 명예, 자존심; 위엄.

iz·zat·so [izǽtsou] *int.* 《미속어》 뭐야, 할 텐가《도전》, 엉터리 같으니《불신》.

iz·zer [ízər] *n.* 《미》 기민하고 정력적인 사람.

Iz·zy [ízi] *n.* **1** 이지《남자 이름; Isador(e), Isidor(e), Israel의 애칭》. **2** 《미속어·경멸》 유대인.

J

J, j [dʒei] (*pl.* **J's, Js, j's, js** [-z]) **1** 제이《영어 알파벳의 열째 글자》. **2** 열 번째(의 것). **3** J자 모양의 것; =J PEN; 《미속어》 마리화나 담배(joint) (cf. Mary Jane); 〖수학〗 y축에 평행하는 단위 벡터.
J joule. **J.** James; Journal; Judge; Justice.
ja [jɑː] *ad.* 《G.》 네(yes).
Ja. James; January. **JA** 〖자동차 국적표시〗 Jamaica. **J.A.** Joint Agent; Judge Advocate. **J/A, j/a** joint account.
já·al gòat [dʒéiəl-] 얄산양(山羊)《뿔이 가늘고 긴 소과 동물; 북아프리카·아라비아 산악지대산》.
jaap [jɑːp] *n.* 《S.Afr.》 멍텅구리, 촌놈.
jab [dʒæb] (***-bb-***) *vt.* **1** 《+목+전+명》 (날카로운 것으로) 푹 찌르다《*with*》; 들이대다〔밀다〕《*into*》: ~ the steak *with* a fork 포크로 스테이크를 찌르다 / He ~*bed* his gun *into* my neck. 그는 내 목에다 권총을 들이댔다. **2** 《+목+전+명》 (주먹으로) 잽싸게 지르다《*in*》; 〖권투〗 잽을 먹이다: He ~*bed* me *in* the stomach. 그는 내 복부에 잽싸게 일격을 가했다. **—** *vi.* 《+전+명》 (팔꿈치 등으로) 지르다; (날카로운 것으로) 꿰찌르다《*at*》: I ~*bed at* him with my left. 왼손으로 그를 내질렀다. ~ ***a vein*** 《미속어》 마약 주사를 놓다. ~ ***out*** (날카로운 것으로) 도려내다. **—** *n.* **1** 갑자기 찌르기; 〖권투〗 잽; 〖군사〗 겹찌르기《찔러 꽂은 총검을 빼지 않고 더 깊게 찌름》. **2** 《미속어》 (피하)주사; 접종(接種).
jab·ber[1] [dʒǽbər] *vi., vt.* (알아듣지 못할 말을) 재잘거리다; (원숭이 따위가) 캑캑 소리지르다. **—** *n.* Ⓤ (알아듣기 힘든) 재잘거림. ㊞ **~·er** *n.*
jab·ber[2] *n.* 《구어》 (피하)주사기.
jab·ber·wock(y) [dʒǽbərwɑ̀k(i)/-wɔ̀k(i)] *n.* Ⓤ 무의미한 말, 뜻모를 소리; 〔형용사적〕 종잡을 수 없는. ★ 흔히 형용사적으로 쓰임.
jáb-òff *n.* 《미속어》 마약 피하주사(의 효력).
ja·bo·ney, ji- [dʒəbóuni] *n.* 《미속어》 새로 온 외국인〔이민〕; (완력이 센) 악당, 보디가드(muscleman).
jab·o·ran·di [dʒæ̀bərǽndi] *n.* 〖식물〗 야보란디 나무《남아메리카산 운향과 식물》; Ⓤ 그 말린 잎《이뇨·발한제》.
ja·bot [ʒæbóu, dʒæ-/ʒǽbou] *n.* 《F.》 (여성복 따위의) 앞가슴 주름장식.
J.A.C. Junior Association of Commerce.
ja·cal [həkɑ́ːl] (*pl.* ***-ca·les*** [-kɑ́ːleis, -leiz], **~*s***) *n.* 《미》 하칼《멕시코·미국 남서부의 토벽 초가집》.
jac·a·ran·da [dʒæ̀kərǽndə] *n.* 〖식물〗 자카란다 나무《능소화과의 수목, 열대 아메리카산》; Ⓤ 그 장식용 목재.
j'accuse [*F.* ʒakyz] 《F》 *n.* 강한 비난, 규탄, 고발; 《J-》 '나는 탄핵한다'《Zola가 Dreyfus 사건을 탄핵한 공개장에서 유래》.
ja·cinth [dʒéisinθ, dʒǽs-] *n.* Ⓤ 〖광물〗 풍신자석(風信子石), 히아신스석(石)(hyacinth)《zircon 종류의 보석》; 적황색.
jack[1] [dʒæk] *n.* **1** (J-) 잭《남자 이름; John, 때로 James, Jacob의 애칭》. **2** (J-) 보통 남자; (J-) 무례한 놈; (*or* J-) 《구어》 남자(man), 놈(fellow), 소년; (J-) (보통, 모르는 사람을 불러) 너; (J-) 《속어》 동료, 짝패(buddy, guy) 《보통, 호칭으로 쓰임》: every man ~ 〔*Jack*〕 =every ~ 〔*Jack*〕 one (of them) 《경멸》 누구나 다, 모두 / *Jack* of all trades, and master of none. 《속담》 다예(多藝)는 무예(無藝). **3** (*or* J-) 젊은이; 고용인; 허드레꾼; =JACK-OF-ALL-TRADES. **4** (종종 J-) 선원, 수병(jack-tar). **5** 탈화기(脫靴器) (bootjack). **6** 밀어올리는 기계, 잭《나사잭·수압 잭 등》; 〖전기〗 잭, 플러그를 꽂는 구멍. **7** 고기구이 꼬치 돌리는 기구. **8** (카드의) 잭(knave); =JACKPOT; BLACKJACK. **9** 〖해사〗 (국적을 나타내는) 선수기(船首旗). **10** 짐승의 수컷(opp. *jenny*), 《특히》 당나귀의 수컷; 연어의 수컷; 창꼬치의 새끼. **11** 노점상인, 행상인(cheapjack). **12** 〖동물〗 =JACKRABBIT; 〖조류〗 JACKSNIPE; 〖조류〗 JACKDAW. **13** 《미》 집어등(集魚燈), 야간 수렵용 조명《따위》. **14** =JACKSTONE. **15** =DIB[2] 1. **16** 《미속어》 돈, 금전; 간단한 기호품《담배·과자 등》. **17** =APPLEJACK; BRANDY. **18** 벌목 인부(lumberjack). **19** (종종 J-) 《영속어》 순경, 형사, 헌병; =JACKKNIFE. **20** 〔복합어로〕 보통보다 작은 것: *jack*shaft 〖기계〗 부축(副軸). **21** 《미속어》 기관차. **22** 곤봉.
a Jack of 〔***on***〕 ***both sides*** 줏대없이 이쪽 저쪽에 붙음, 간에 붙었다 쓸개에 붙었다 하는 사람. ***a piece of*** ~ 《미속어》 상당한 돈. ***every Jack*** 전부〔모두〕다《every를 강조한 말》: *Every* ~ window was open. 창은 전부 열려 있었다. ***Every Jack has*** 〔***must have***〕 ***his Jill.*** 《속담》 헌 짚신도 제 짝은 있다《누구나 자기에게 어울리는 여자는 있는 법》. ***I'm all right, Jack.*** 《구어》 난 걱정 없다《다른 사람의 일은 모르지만》. ***Jack among the maids*** 여자를 좋아하는 남자, 여자에게 인기 있는 남자. ***Jack and Gill*** 〔***Jill***〕 젊은 남녀《영국 전승 동요에서는 산에 물길러 가는 사내아이와 계집아이》. ***on*** one's ***Jack*** (***Jones***) 《속어》 ⇨ JACK (JONES).
— *a.* 〖목공〗 치수가 짧은; (당나귀 등이) 수컷의. ***be ~ of...*** 《Austral. 속어》 …에 넌덜머리 나다.
— *vt.* (잭으로) 밀어올리다; 들어올리다《*up*》; 《미》 횃불로〔집어등으로〕 고기를 잡다, 《특히》 밤에 사슴 밀렵을 하다. ***be ~ed up*** 《구어》 피곤해서 녹초가 되다. ~ ***around*** 《미학생속어》 시간을 헛되이 쓰다, 법석을 떨다. ~ ***in*** 《속어》 (계획·사업 등을) 그만두다, 포기하다. ~ ***it in*** 《속어》 (하던 일을) 그만두다. ~ ***it up*** 《CB속어》 속도를 올리다, 액셀을 밟다. ~ ***off*** 《속어》 목적 없이 빈둥거리다; 《영》 가버리다, 도망치다. ~ ***out*** 《미속어》 총을 뽑다, 총대로 으르다. ~ ***up*** (잭으로) 밀어올리다; (일·계획 따위를) 포기하다; 《미구어》 (값·임금 등을) 올리다(raise); 《미구어》 (비행·태만에 대해 남을) 꾸짖다, 문책하다(reproach); …의 질을〔정도를〕 높이다; 지지하다; 《속어》 (사람을) 늘씬하게 패다; 《Austral. 속어》 거부하다, …에 저항하다; 《영구어》 정하다(fix), 고치다(put right); 《미속어》 마약 주사를 맞다(shoot up); 《미속어》 강도질하다(hold up); 《미흑인속어》 몸수색을 하다.
jack[2] *n.* (중세 보병의) 소매 없는 가죽 상의; 《고어》 (겉에 타르를 바른 가죽제의) 맥주잔, 조끼.
jack[3] *n.* 빵나무《동인도산》; 그 열매; Ⓤ 그 목재.

jack⁴ *vi.* 〘다음 관용구로〙 ~ ***off*** 《미비어》 용두질을〔자위 행위를〕 하다(masturbate).

jàck-a-dándy [dʒǽkə-] (*pl.* ***-dies***) *n.* 멋쟁이; 잘난 체하는 사람.

jack·al [dʒǽkəl, -ɔːl] *n.* **1** 〘동물〙 자칼《갯과의 육식 동물》. **2** 《비유》 남의 앞잡이로 일하는 사람; 악인(惡人), 사기꾼; 〘형용사적〙 앞잡이 노릇이나 하는. **—** (***-ll-***) *vi.* 남의 앞잡이 노릇을 하다《*for*》.

jackal 1

jáck-a'-làntern [dʒǽkə-] *n.* = JACK-O'-LANTERN.

jack·a·napes [dʒǽkənèips] *n.* (원숭이처럼) 건방진 놈; 되게 잘난 체하는 사람; 되바라진 아이; 《고어》 (길들인) 원숭이.

jack·a·roo, jack·e·roo [dʒæ̀kərúː] (*pl.* **~s**) *n.* 《Austral. 구어》 (양(羊) 목장의) 신출내기 일꾼; 《미속어》 카우보이. **—** *vi.* 《Austral. 구어》 수습으로 일하다. 「이, 촌놈.

jáck·àss *n.* 수탕나귀; [흔히, -àːs] 바보, 멍청

jáck·bòot *n.* **1** (기병이나 나치 군인이 신던) 긴 장화. **2** 《비유》 강압적인 행위, 강제, 전횡(專橫); 《비유》 강압적인〔잔인한〕 인물. **—** *vt.* 강압해서 복종시키다.

jáck·boot·ed [-id] *a.* 긴 장화를 신은; 용서 없는, 강압적인.

jáckboot tàctics 강제〔강압〕 수단, 협박 전술.

jack·daw [dʒǽkdɔ̀ː] *n.* 〘조류〙 갈가마귀《울음소리가 야단스러움; 유럽산》; 수다쟁이.

****jack·et** [dʒǽkit] *n.* **1** (소매 달린 짧은) 웃옷, 재킷《남녀 구별 없이 씀》; 양복 저고리. **2** 상의 위에 덧입는 것: a life ~ 구명대. **3** (책의) 커버; (가(假)제본의) 표지. ★ 우리나라에서 흔히 말하는 책의 '커버'는 jacket이며, 영어의 cover는 '표지'의 뜻임. **4** 《미》 (문서를 넣는) 봉하지 않은 봉투. **5** (레코드의) 재킷. **6** (총탄의) 금속 외피; (증기관(蒸氣罐) 등 열의 발산을 막는) 포피(재)(包被(材)). **7** 감자 등의 껍질; (개·고양이 등 동물의) 모피, 외피: potatoes boiled in their ~*s* = ~ potatoes 껍질째 삶은 감자. **8** 《미속어》 = YELLOW JACKET《마약》. ***dust*** 〔***trim***〕 a person***'s*** ~ ⇨ DUST. **—** *vt.* **1** …에 ~을 입히다, ~으로 덮다, (책) 커버를 씌우다. **2** 《구어》 두들겨 패다.

Jáck Fróst 서리, 엄동, 동장군《의인화한 호칭》: before ~ comes 춥기 전에. 「= AIR HAMMER.

jáck·hàmmer *n.* 잭해머, 휴대용 소형 착암기;

Jáck Hórner 잭 호너《전승 동요에서 크리스마스 파이를 먹으면서 플럼(plum)을 집어 내는 사내아이》.

Jack·ie-O [dʒǽkióu] *a.* 《미》 재클린 오나시스풍(風)의: wearing a pair of ~ sunglasses.

jáck-in-a-bòx (*pl.* **~·*es, jácks-***) *n.* = JACK-IN-THE-BOX.

jáck-in-òffice (*pl.* ***jácks-***) *n.* (종종 J-) 거들먹거리는 하급 관리, 벼슬아치 티를 내는 사람.

jáck-in-the-bòx (*pl.* **~·*es, jácks-***) *n.* 도깨비 상자《장난감》; (각종 특수한) 기계 장치; 〘기계〙 차동(差動) 장치(differential gear); 《미》 〘동물〙 소라게.

Jáck-in-the-Grèen (*pl.* **~*s, Jácks-***) *n.* 《영》 (May Day 놀이에) 푸른 잎으로 덮인 광주리 속에 든 사내〔아이〕.

jáck-in-the-pùlpit (*pl.* **~*s, jácks-***) *n.* 〘식물〙 천남성류(類) 《북아메리카산》; 《영》 = CUCKOOPINT.

jáck jòb 《미학생속어》 **1** 부당한 취급. **2** 용두질(masturbation). 「one***'s*** ~ 혼자서.

Jáck (Jónes) 《속어》 〘다음 관용구로〙 ***on***

Jáck Kétch [-kétʃ] 《영고어》 교수형 집행인(hangman).

jáck·knìfe *n.* 잭나이프, 〘다이빙〙 잭나이프 (다이빙). **—** *vt., vi.* 잭나이프로 베다〔찌르다〕; (잭나이프처럼) 구부리다〔구부러지다〕, (트레일러 트럭 등이) 90° 이하의 각도로 꺾어 구부린 것처럼 되다; 〘다이빙〙 잭나이프 다이빙하다.

jáck làdder (선박용) 줄사닥다리.

jáck·lèg *a., n.* 《미속어》 미숙한 (놈); 파렴치한 (놈); 임시 변통의(makeshift): a ~ lawyer 엉터리 변호사.

jáck·lìght *n.* 《미》 (야간 고기잡이에 쓰는) 조명등, 횃불. **—** *vt.* 조명등으로〔횃불로〕 고기를 잡다. ⓟ **~·er** *n.* ~를 써서 낚시를〔사냥을〕 하는 사람; 《특히》 야간 사슴 밀렵자.

jàck-of-áll-trádes (*pl.* ***jàcks-***) *n.* (종종 J-) 팔방미인, 무엇이든 대충은 아는〔하는〕 사람.

jáck-òff *n.* 《속어》 아둔패기, 얼간이; 용두질.

jáck-o'-làntern [dʒǽkə-] *n.* (종종 J-) 도깨비불; (속이 빈 호박(따위)에 눈·코·입을 낸) 「호박등(燈).

jáck plàne 건목대패, 막대패.

jáck plùg 〘전기〙 잭 플러그《잭을 꽂는 플러그》.

jáck·pòt *n.* **1** (포커에서) 계속해서 태우는 돈《한 쌍 또는 그 이상의 jack 패가 나올 때까지 적립하는》. **2** 《구어》 (뜻밖의) 대성공, 히트치기; 《미서부》 곤란. **3** (퀴즈 등에서 정답자가 없어) 적립된 많은 상금; 공동 자금; 《미속어》 거금, 큰돈. **4** 〘야구〙 만루 홈런. (***be***) ***in a*** ~ 궁지에 빠져(있다). ***hit the*** ~ 장땡을 잡다, 대성공하다; 〘반의적〙 참혹하리만큼 실패하다.

jáck-pùdding *n.* 어릿광대(buffoon, clown).

jáck·ràbbit *n.* 〘동물〙 귀와 뒷다리가 특히 긴 북아메리카산 산토끼. 「진(發進)〔스타트〕.

jáckrabbit stárt 《구어》 (자동차의) 급격한 발

Jáck Róbinson 〘다음 관용구뿐임〙 ***before*** 〔***as quick as***〕 ***you*** 〔***one***〕 ***can*** 〔***could***〕 ***say*** ~ 《구어》 눈 깜짝할 사이에; 느닷없이, 갑자기.

jacks [dʒæks] *n. pl.* 〘단수취급〙 잭스《고무공을 튀기면서 정해진 방식으로 jackstone을 치뜨렸다 받았다 하면서 노는 아이들의 놀이》.

jáck·scrèw *n.* 〘기계〙 나사식 잭.

jáck·shìt *n.* 《비어》 아무 쓸모 없는 사람〔것〕(nothing); 어리석은 놈〔녀석〕.

jáck·snipe *n.* 〘조류〙 꼬마도요.

Jack·son [dʒǽksən] *n.* **Andrew ~** 잭슨《미국 제7대 대통령; 1767-1845》.

Jáckson Dày 잭슨 승리 기념일《1월 8일; 1815년 A. Jackson이 New Orleans에서 영국군을 대파한 날; Louisiana주에서는 법정 휴일》.

jáck stàff 〘해사〙 함수(艦首)깃대, 이물깃대.

jáck·stày *n.* 〘해사〙 잭스테이《(1) 활대의 위쪽에 댄 금속〔나무〕 막대 또는 로프. (2) 돛의 오르내림을 원활하게 하는 고리》.

jáck·stòne *n.* **1** (*pl.*) 〘단수취급〙 = JACKS. **2** jacks용의 작은 돌; 《미》에서는 여섯 개의 뾰족한 끝이 있는 작은 금속 공.

jáck·stràw *n.* 짚으로 만든 인형; 나무〔뼈, 상아〕 조각《유희용》; (*pl.*) 〘단수취급〙 위의 조각을 쌓아놓고 다른 조각은 움직이지 않게 한 개씩을 뽑아내는 유희. 「사.

jáck-tár, Jáck Tár *n.* 《속어》 선원, 해군 병

Jáck the Rípper 살인마 잭《1888년 런던에서 5명의 매춘부를 살해한 범인; 사건은 미궁에 「빠짐》.

jáck tòwel = ROLLER TOWEL.

jáck-ùp *n.* **1** 증가. **2** 《미》 (물가 따위의) 앙등. **3** (바다 밑에 각부(脚部)를 내릴 수 있는) 해저 유전 굴착용 작업대. **4** 《Austral. 구어》 (단체로 행

하는) 거부, 저항. 「착 장치.
jáck-up drílling rìg 갑판 승강식 해양 석유 굴
Ja·cob [dʒéikəb] *n.* **1** 제이콥《남자 이름》. **2** 〖성서〗 야곱《이스라엘 사람의 조상》. **3** [*F.* ʒakɔb] **Max** ~ 자코브《프랑스의 시인; 초현실주의의 선구자; 1876-1944》.
Jac·o·be·an [dʒӕkəbíːən] *a.* **1** 〖영국사〗 James 1세 시대(1603-25)의; 〖가구〗 암갈색〔오크재(材)색〕의. **2** 〖성서〗 야고보서(The General Epistle of James)의. — *n.* James 1세 시대의 정치가〔작가〕.
Jac·o·bi·an [dʒəkóubiən] *n.* 〖수학〗 함수〔야코비〕 행렬식, 야코비안《독일의 수학자 K.G.J. Jacobi(1804-51)의 이름에서》.
Jac·o·bin [dʒǽkəbin] *n.* **1** 〖역사〗 자코뱅당원《프랑스 혁명 때의 과격 공화주의자》. **2** 〔일반적〕 과격 정치가, 과격 혁명가. **3** 도미니크회의 수도사. **4** (j-) 비둘기의 일종. ㊐ **Jac·o·bin·ic, -i·cal** [dʒӕkəbínik], [-kəl] *a.* 자코뱅당(주의)의; 과격한. **Jác·o·bin·ìsm** *n.* Ⓤ 자코뱅당의 주의, 과격 급진주의; 과격 정치.
Jac·o·bite [dʒǽkəbàit] *n.* 〖영국사〗 James 2세파의 사람《퇴위한 James 2세를 옹립한》.
Jácob's ládder 〖성서〗 야곱의 사닥다리《야곱이 꿈에 본 하늘에 닿는 사닥다리; 창세기 XXVIII: 12》; 〖해사〗 줄사닥다리; 〖식물〗 꽃고비.
Já·cob·son's órgan [dʒéikəbsnz-] 〖해부·동물〗 야콥슨 기관《척추동물의 비강(鼻腔)의 일부가 좌우에 부풀어올라 생긴 한 쌍의 낭상(囊狀) 기관(器官)》.
Jácob's stáff 〖측량〗 (측량기를 받치는) 단각가(單脚架); 거리〔고도〕 측정기. 「금화.
ja·co·bus [dʒəkóubəs] *n.* James 1세 때의
jac·o·net [dʒǽkənèt] *n.* Ⓤ 얇게 짠 무명.
Jac·quárd lòom [dʒǽkaːrd, dʒəkáːrd-] 자카르식 직조기《프랑스인 J. M. Jacquard (1752-1834)가 발명》.
Jac·que·line [dʒǽkəlin, -lìːn, -kwə-/dʒǽkliːn] *n.* 재클린《여자 이름; 애칭은 Jacky》.
Jac·que·rie [ʒàːkəríː] *n.* 《F.》 **1** (the ~) (1358년의) 북프랑스 농민폭동. **2** (종종 j-) 〔일반적〕 농민폭동〔반란〕; 농민계급.
jac·ta alea est [jáːktaː-áːliàː-ést] 《L.》 (The DIE² is cast.) 주사위는 던져졌다, 벌인 춤이다.
jac·ta·tion [dʒæktéiʃən] *n.* **1** 자랑, 허풍떨기. **2** 〖의학〗 = JACTITATION.
jac·ti·ta·tion [dʒӕktətéiʃən] *n.* Ⓤ 허풍, 허세; 〖의학〗 (열병 따위로) 괴로워 몸부림치기; 〖법률〗 사칭: ~ of marriage 결혼 사칭.
Ja·cuz·zi [dʒəkúːzi] *n.* 자쿠지《분류식 기포(噴流式氣泡) 목욕탕〔풀(pool)〕; 상표명》.
jade¹ [dʒeid] *n.* Ⓤ 〖광물〗 비취, 옥(玉)《경옥(硬玉)·연옥을 합쳐 말함》; 《미》 녹색, 경옥색 (=∠ **gréen**). — *a.* 《미》 녹색의.
jade² *n.* 쇠약한 말, 야윈 말; 여자 건달, 닳아빠진 계집. — *vt.* 매우 피곤하게 하다; (말을) 혹사하다. — *vi.* 녹초가 되다. ㊐ **jád·ed** [-id] *a.* 몹시 지친; 넌더리나는.
jade·ite [dʒéidait] *n.* 〖광물〗 경옥(硬玉)의 일종, 비취《jade¹의 가장 단단한 종류》.
Jae·ger [jéigər] *n.* Ⓤ 예거《순모직물의 일종; 상표명》.
jae·ger *n.* **1** [+dʒéigər] 〖조류〗 도둑갈매기. **2** (종종 J-) (옛 독일·오스트리아의) 저격병; 사냥꾼.
Jaf·fa [dʒǽfə] *n.* 《영》 재퍼(=∠ **órange**)《이스라엘산의 큰 오렌지》.
Jag [dʒæg] *n.* 《영구어》 재규어차(車)(Jaguar).
jag¹ *n.* (톱니와 같이) 들쭉날쭉함; (암석 등의) 뾰족한 끝; 《구어》 찌르기(jab). — **(-gg-)** *vt.* …을 들쭉날쭉하게 만들다, (천 따위를) 오늬 새기듯 에어내다, 들쭉날쭉하게 찢다. — *vi.* 찔리다 《*at*》; 덜컹덜컹 흔들리다.
jag² *n.* 《방언》 (건초·목재 등의) 소량의 짐; 《구어》 주연, (요란한) 술잔치(spree); 법석; (어떤 감정에의) 도취; 《미속어》 취한(醉漢); 《미속어》 마약 주사〔흡인〕; 《미속어》 남창(男娼). ***have a ~ on*** …에 취해 있다. 「군의 법무총감).
J.A.G. Judge Advocate General (육·해·공
jä·ger [jéigər] *n.* = JAEGER.
jag·ged¹ [dʒǽgid] *a.* (물건이) 깔쭉깔쭉한, 톱니 같은, 지그재그의; (목소리 등이) 귀에 거슬리는, (리듬 등이) 고르지 못한; (생각 등이) 다듬어지지 않은. ㊐ **~·ly** *ad.* **~·ness** *n.*
jag·ged² *a.* 《미속어》 술취한. 「《동인도산》.
jag·gery [dʒǽgəri] *n.* Ⓤ 정제하지 않은 설탕
jag·gy [dʒǽgi] (**-gi·er; -gi·est**) *a.* = JAGGED¹.
jág hòuse 남성 동성애자의 매춘굴.
jag·ster [dʒǽgstər] *n.* 《구어》 술에 취해 내키는 대로 떠드는 사람; 술고래.
jag·uar [dʒǽgwaːr, -gjuàːr/-gjuə] *n.* **1** 〖동물〗 재규어, 아메리카 표범. **2** (J-) 영국제 고급 승용차.
Jah, Jah·ve(h), Jah·we(h) [dʒaː, jaː], [jáːve/-vei], [jáːwe/-wei] *n.* = JEHOVAH.
jai alai [háiəlài, hàiəlái] 《Sp.》 하이알라이《handball과 비슷한 공놀이》.
‡jail, 《영》 **gaol** [dʒeil] *n.* 교도소, 감옥; 구치소: break ~ 탈옥하다 / put a person in ~ 아무를 투옥하다 / be sent to ~ 구치소〔교도소〕에 보내지다. ***detention*** ~ 구치소. ***police*** ~ 경찰서 유치장. — *vt.* 투옥하다《*for*》. — *vi.* 교도소에 들어가다: ~ for 5 years. ㊐ **∠·lìke** *a.*
jáil·bàit *n.* 《미속어》 관계할 경우 미성년 강간죄로 몰릴 만큼 나이 어린 소녀; 욕정을 채우기 위해서라면 범죄라도 저지를 만큼 매력적인 여자.
jáil·bìrd *n.* 《구어》 죄수; 전과자, 상습범; 악한.
jáil·brèak *n.* 탈옥. ㊐ **~·er** *n.* 탈옥수.
jáil càptain 《속어》 교도소장. 「방.
jáil delìvery 집단 탈옥, (폭력에 의한) 죄수 석
°jáil·er, -or, 《영》 **gáol·er** *n.* (교도소의) 교도관, 간수, 옥리(獄吏)(keeper).
jáil fèver 티푸스《과거 감옥에서 많이 발생》.
jáil·hòuse *n.* 교도소.
jáilhouse làwyer 《미속어》 교도소 출입 변호사〔법률가〕; 법에 밝은 재소자.
Jain, Jai·na [dʒain], [dʒáinə] *a.* 자이나교(敎)의. — *n.* 자이나교도. ㊐ **Jáin·ism** *n.* Ⓤ 자이나교《불교와 힌두교의 공통 교의를 가진 인도의 한 종파》.
Ja·kar·ta, Dja- [dʒəkáːrtə] *n.* 자카르타《인도네시아 공화국의 수도; 옛 이름은 Batavia》.
jake¹ [dʒeik] *a.* 《속어》 좋은, 괜찮은, 썩 좋은. — *n.* 《미속어》 착실한 놈, 신용할 수 있는 인물; 《미속어》 (위스키 대용의) 술, 메틸알코올; 《CB 속어》 트럭의 브레이크.
jake² *n.* 《미속어》 투박한 촌사람.
jáke fláke 《속어》 따분한 놈, 너절한 친구.
jáke·lèg *n.* 《미속어》 만취, 명정(酩酊).
jakes [dʒeiks] *n.* 《고어·방언》 옥외 변소; 《영방언》 오물, 똥.
Já·kob-Créutz·feldt disèase [jáːkəb-krɔ́itsfelt-] = CREUTZFELDT-JAKOB DISEASE.
JAL Japan Air Lines (일본 항공) 《코드》.
jal·ap, -op [dʒǽləp] *n.* Ⓤ 〖식물〗 할라파《멕시코산 풀》; 그 뿌리《하제(下劑)용》.
ja·la·pe·ño, -no [hàːləpéinjou] (*pl.* **~s**) *n.* 하라페뇨(=∠ **pépper**) 《멕시코의 작고 아주 매운 고추》.
ja·lop·(p)y, jal·lopy [dʒəlápi/-lɔ́pi] *n.* 《구어》 고물 자동차〔비행기〕.

jal·ou·sie [dʒǽləsìː/ʒǽluzìː] *n.* 《F.》 미늘살창문; 미늘 발, 베니션 블라인드.

jalousie

jam[1] [dʒæm] (**-mm-**) *vt.* **1** 《+목+전+명/+목+부》 쑤셔넣다, (꽉) 채워 넣다 《*in; into*》; 눌러 으깨다: ~ a thing *into* a box 물건을 상자에 쑤셔넣다 / The road was ~*med up* with cars. 도로는 차로 움직일 수 없게 꽉 차 있었다. **2** 《+목+전+명》 (손가락 등을) 끼우다: get one's finger ~*med in* the door 문에 손가락이 끼다. **3** 《+목+전+명/+목+부》 밀어붙이다; (브레이크 따위를) 세게 밟다; (모자 따위를) 단단히 눌러쓰다 《*on*》; (법률안 따위를) 억지로 통과시키다 《*through*》: ~ one's foot *on* the brake 브레이크를 세게 밟다 / ~ a bill *through* Congress 법안을 억지로 의회에서 통과시키다 / ~ one's hat *on* 모자를 눌러쓰다. **4** 〖종종 수동태로〗 (장소에) 몰려들다, (장소를) 가득 메우다: Crowds ~*med* the doors. 군중들이 문간에 몰려왔다 / The theater *was* ~*med with* people. 극장은 관객들로 꽉 찼었다. **5** 《~+목/+목+부》 움직이지 않게 하다 《물건을 끼우거나 해서 기계의 일부를》 《*up*》: Some sticky substance has ~*med* the machine. 어떤 끈적거리는 것이 달라붙어 기계가 움직이지 않게 되었다 / The copy machine is ~*med up*. 그 복사기는 (용지가 끼여서) 움직이지 않는다. **6** 〖통신〗 (방송·신호를) 방해하다. **7** 《+목+부》 (물건을) …에 세게 놓다 《*down*》: He ~*med* the receiver *down* on the cradle. 수화기를 탕하고 대 위에 놓았다. **8** 《재즈구어》 (흥에 겨워 재즈를) 즉흥적으로 연주하다. **9** 《미속어》 (모임 등에서) 빠져나가다, (수업 등을) 빼먹다.

— *vi.* **1** 《+전+명》 밀고〔강제로〕 들어가다, 억지로 끼어들다 《*into*》: ~ *into* a crowded bus 만원 버스에 밀고 들어가다. **2** (막히어) 꼼짝 못하게 되다. **3** (기계 따위가) 움직이지 않게 되다 《막히거나 걸려서》: The door ~*s* easily. 그 문은 걸핏하면 열리지 않는다. **4** 《속어》 재즈 연주중 즉흥적으로 곡을 바꾸어 흥을 돋우다. ***~med up*** 《구어》 궁지에 빠져. ~ ***the brakes on*** 《구어》 강하게 급(急)브레이크를 밟다. ~ ***up*** 《구어》 혼잡하게 하다, 밀집시키다. ~ ***up the works*** 《구어》 일을 망치다.

— *n.* **1** Ⓒ 꽉 들어참, 혼잡, 잡답: a traffic ~ 교통 혼잡, 교통 마비. **2** Ⓤ (기계의) 고장, 정지; 오(誤)동작, 잼; 전파 방해; 〖컴퓨터〗 엉킴, 잼. **3** Ⓒ 《미속어》 곤란, 궁지: get into a ~ 곤경에 빠지다 / be in a ~ 궁지〔곤경〕에 처해 있다. **4** 〖재즈〗 =JAM SESSION; roller derby의 1라운드. **5** 《미속어》 훔치기 쉬운 작은 것 《시계·반지 등》; 코카인.

— *a.* 《미속어》 이성애의 《동성애자의 용어》.

— *ad.* 완전히, 몽땅. ~ ***full*** 《구어》 꽉 들어찬.

jam[2] *n.* **1** Ⓤ 잼: a ~ jar 〔pot〕 잼 단지〔병〕. **2** Ⓒ 《영속어》 맛있는 것; 즐거운〔손쉬운〕 것. ***a bit of*** ~ 유쾌한〔즐거운〕 것; 《속어》 굉장히 예쁜 아가씨. ***D'you want ~ on it?*** 《구어》 그 밖에 뭣이 더 필요하니. ~ ***and fritters*** 《속어》 맛있는 음식, 유쾌한 일, 기쁨〔만족〕을 주는 것. ***have*** 〔***like, want***〕 ~ ***on it*** 《구어》 필요이상으로 갖다〔좋아하다, 바라다〕. ~ ***tomorrow*** (늘 약속만으로 끝나는) 내일의 즐거움〔기대〕. ***kick*** 〔***break***〕 ***out the ~s*** 《미속어》 제멋대로 하다〔행동하다〕. ***money for*** ~ ⇨ MONEY. ***real*** ~ 《속어》 진수성찬; 아주 즐거운 일, 식은죽 먹기. — (**-mm-**) *vt.* **1** …에 잼을 바르다. **2** 잼을 만들다. ㊕ **∠·lìke** *a.*

Jam. Jamaica; 〖성서〗 James.

JAMA [dʒɑ́ːmə] Journal of the American Medical Association (미국 의사회 잡지).

Ja·mai·ca [dʒəméikə] *n.* 자메이카 《서인도 제도에 있는 영연방 내의 독립국; 수도 Kingston》; Ⓤ = JAMAICA RUM. ㊕ **-can** [-n] *a.*, *n.* 자메이카의 (사람); 자메이카산 독한 마리화나.

Jamáica pépper =ALLSPICE.

Jamáica rúm Jamaica섬 원산의 럼주(酒).

ja·mais vu [*F.* ʒamɛ-vy] 《F.》 〖정신의학〗 미시감(未視感) 《경험했으면서도 첫 경험인 것처럼 느끼는 일》.

jám àuction 〔**pìtch**〕 《속어》 (가게 안에서의) 호객 판매; 싸구려〔가짜〕를 파는 가게.

jam·ba·laya [dʒʌ̀mbəláiə] *n.* 〖요리〗 잠발라야 《새우·굴·닭고기·소시지·토마토·양파·향신료 따위를 넣고 지은 밥》.

jamb(**e**) [dʒæm] *n.* 〖건축〗 문설주; 버팀기둥, (대문·현관 따위의) 옆기둥; (*pl.*) 벽난로의 양쪽 가의 석벽(石壁).

jam·beau, -bart, -ber [dʒǽmbou], [-bɑːrt], [-bər] (*pl.* ***-beaux*** [-bouz], ***-barts, -bers***) *n.* (중세 갑옷의) 정강이받이.

jam·bo·ree [dʒæ̀mbəríː] *n.* (전국적 또는 국제적인) 보이스카우트 대회, 잼버리; (정당·스포츠 연맹 따위의) 대회 《때때로 여흥이 따름》; 《구어》 떠들썩한 연회〔모임〕.

James [dʒeimz] *n.* **1** 제임스 《남자 이름》. **2** 〖성서〗 야고보 《그리스도의 제자 두 사람의 이름》; (신약성서의) 야고보서.

Jámes Bónd 제임스본드 《Ian Flemming의 연작 소설(1954-64)의 주인공인 영국의 첩보요원; 코드명(名) 007》.

Jámes-Lánge thèory (the ~) 〖심리〗 제임스-랑게 설 《미국 심리학자 William James와 덴마크 생리학자 Carl Georg Lange가 창안한, 신체적·생리적 변화가 감정적 변화에 선행한다고 하는 학설》.

Jámes·tòwn *n.* 제임스타운 《Virginia 주 동부의 폐촌; 1607년 영국인이 북아메리카에 최초로 정주한 곳》.

jam·mer [dʒǽmər] *n.* **1** 방해 전파 (발신기), 재머. **2** roller derby에서 상대 팀 선수보다 1라운드 앞질러 득점하는 선수; 《재즈속어》 jam session에 나가는 사람.

jam·mies [dʒǽmiz] *n. pl.* 《소아어》 파자마 〔pajamas〕.

jám·ming *n.* 〖통신〗 전파 방해.

jam·my [dʒǽmi] (**-mi·er; -mi·est**) *a.* (잼처럼) 진득진득한; 《영구어》 즐거운; 거저먹기의, 멋있는; 《영구어》 (시험이) 쉬운; 《구어》 운이 썩 좋은(fortunate).

ja·moke [dʒəmóuk] *n.* 《미속어》 커피.

jám-páck *vt.* 《구어》 (장소·용기에) 빈틈없이 꽉 채우다, 꽉꽉 채워넣다, 처박다(cram). ㊕ **~ed** [-t] *a.*

jams [dʒæmz] *n. pl.* **1** 《구어》 =PAJAMAS. **2** 무릎까지 내려오는 낙낙한 서핑용 수영 팬츠.

jám sèssion 《구어》 즉흥 재즈 연주회; 즉흥적으로 조직한 밴드의 재즈 연주.

jám-ùp *a.* 아주 좋은, 1급의. — *n.* 혼잡; 교통〔차량〕 정체.

Jan. January.

Ja·ná·ček [jáːnətʃèk] *n.* **Leoš** ~ 야나체크 《체코의 작곡가; 1854-1928》.

Ja·na·ta [dʒʌ́nətɑː, dʒənáːtə] *n.* 《Ind.》 공중, 대중, 민중; (인도의) 인민당.

Jane [dʒein] *n.* **1** 제인 《여자 이름》. **2** (j-) 《미속어》 계집애, 여자; 애인; (여자) 변소. Ⓒf. John. ¶ a G.I. ~ 여군.

Jáne Crów 《미속어》 여성 차별.

Jáne Dóe JOHN DOE의 여성형《소송에서 당사자 본명 불명일 때 쓰이는 여성의 가명》.
Jáne Q. Públic 〔**Cítizen**〕《속어》 평균〔전형〕적 여성, 보통 여자.
Jane's [dʒeinz] *n.* 제인 연감《영국 Jane's사가 출판하고 있는 항공기 · 군함 · 병기 · 군용 통신 등에 관한 각종 연감의 대명사; 세계 제1의 권위가 있는 연감으로 *Jane's All the World's Aircraft, Jane's Fighting Ships*의 약칭》.
JANET [dʒǽnət] 〖컴퓨터〗 Joint Academic Network (공동학습 네트워크).
jang [dʒæŋ] *n.* 《비어》 음경(陰莖), 자지.
jan·gle [dʒǽŋgəl] *n.* Ⓤ 귀에 거슬리는 소리, (종소리 등의) 난조(亂調); Ⓒ 싸움, 말다툼; 잡담. — *vt., vi.* (방울 소리를) 딸랑딸랑 울리다; 귀에 거슬리는 소리를 내다; 시끄럽게 다투다; (신경을) 괴롭히다.
Jan·is·sary, -i·zary [dʒǽnəsèri/-səri], [-əzèri/-zəri] *n.* (*or* j–) 터키의 옛날 근위병; 터키 병사; 《비유》 (압제자 등의) 앞잡이, 졸개.
jan·i·tor [dʒǽnətər] (*fem.* **-tress** [-tris]) *n.* **1** (아파트 · 사무소 · 학교 등의) 청소원, 잡역부; 관리인. **2** 《고어》 수위, 문지기(doorkeeper). — *vi.* ~로서 일하다. ㊞ **jàn·i·tó·ri·al** [-tɔ́ːriəl] *a.* ~·**shìp** *n.*
jank [dʒæŋk] *vi.* 《미공군속어》 (대공(對空)포화를 피하기 위해) 고도와 방향을 홱 틀다.
jank·ers [dʒǽŋkərz] *n.* 《영군대속어》 (군기 위반자에 대한) 징벌; 군기 위반자; 영창. ***on*** ~ 《영군대속어》 (군기 위반으로) 징벌을 받아.
Jan·sen·ism [dʒǽnsənìzəm] *n.* Ⓤ 〖가톨릭〗 얀선파의 신조《17세기 네덜란드 신학자 Jansen이 주창한 교회 개혁 정신; 그 운동》. ㊞ **-ist** *n.* **Jàn·sen·ís·tic** *a.*
†**Jan·u·ary** [dʒǽnjuèri/-əri] *n.* 1월, 정월《생략: Jan.》. [◂ the month dedicated to Janus]
Ja·nus [dʒéinəs] *n.* **1** 〖로마신화〗 양면신(兩面神)《문 · 출입구의 수호신》. **2** 〖천문〗 야누스《토성의 제10위성》.

Janus 1

Jánus-fàced [-t] *a.* **1** 대칭적인 두 면이 있는; 반대의 두 방향을 향한: a ~ foreign policy 양면 외교. **2** 《비유》 표리있는, 두 마음의, 남을 속이는(deceitful). 「용》.
Jánus gréen 〖화학〗 야누스 그린《생체 염색
Jap [dʒæp] *a., n.* **1** 《구어 · 경멸》 =JAPANESE. **2** (j–) 《미속어》 (야비한) 기습. ***pull a*** ~ 《미속어》 (숨었다가) 기습하다. — *vt.* (j–) 《미속어》 숨어 기다리다, 기습하다.
Jap. Japan; Japanese.
†**Ja·pan** [dʒəpǽn] *n.* 일본.
ja·pan *n.* Ⓤ 옻칠(漆); 칠기; 일본제 도자기〔비단〕. — (**-nn-**) *vt.* …에 옻칠을 하다; 검은 칠을 하다, 검은 윤을 내다.
Japán Cúrrent 〔**Stréam**〕 (the ~) 일본 해류, 구로시오(黑潮).
†**Jap·a·nese** [dʒæ̀pəníːz] *a.* 일본의; 일본인〔말〕의. — (*pl.* ~) *n.* 일본인; Ⓤ 일본말.
Jápanese béetle 〖곤충〗 알풍뎅이.
Jápanese cédar 〖식물〗 삼나무.
Jápanese ísinglass 한천(寒天), 우무.
Jápanese ívy 〖식물〗 담쟁이덩굴.
Japanése persímmon 〖식물〗 감《과일》.
Jápanese quínce 〖식물〗 모과.
Jápanese ríver fèver 리케차병《리케차에 의한 일본 특유의 풍토병》.
Jap·a·nesque [dʒæ̀pənésk] *a.* 일본식〔풍〕의.
Ja·pán·ism *n.* Ⓤ **1** 일본어 어법. **2** 일본주의〔애호〕; 일본적 기풍.
Jáp·a·nìze *vt.* 일본화하다, 일본식으로 하다. ㊞ **Jàp·a·ni·zá·tion** *n.* Ⓤ
ja·pán·ner *n.* 옻칠장이. 「합사.
Ja·pan·o- [dʒəpǽnou, -nə] '일본' 의 뜻의 결
Jap·a·nol·o·gy [dʒæ̀pənálədʒi/-nɔ́l-] *n.* Ⓤ 일본학, 일본 연구. ㊞ **-gist** *n.*
Ja·pan·o·phile [dʒəpǽnəfàil] *n.* 일본을 좋아하는 사람.
jape [dʒeip] *n.* 《문어》 농담. — *vi.* 농담을 하다, 놀리다(jest).
jap·ery [dʒéipəri] *n.* 농담, 익살(joke).
Ja·pheth [dʒéifiθ] *n.* **1** 남자 이름. **2** 〖성서〗 야벳《Noah의 셋째 아들》. 「=INDOEUROPEAN.
Ja·phet·ic [dʒəfétik] *a.* 야벳의; 《고어》
Jap·lish [dʒǽpliʃ] *n.* Ⓤ 일본식 영어. [◂ *Japanese*+*English*] 「특유의.
Ja·pon·ic [dʒəpánik/-pɔ́n-] *a.* 일본의; 일본
ja·pon·i·ca [dʒəpánikə/-pɔ́n-] *n.* 〖식물〗 **1** 동백나무. **2** 모과나무류의 일종.
Jap·o·nism [dʒǽpənìzəm] *n.* Ⓤ 일본식〔풍〕(Japanism).
※**jar**[1] [dʒɑːr] *n.* **1** (아가리가 넓은) 항아리, 단지, 병. **2** 한 단지의 맥주〔술〕: a ~ of jam 한 단지의 잼.
***jar**[2] *n.* Ⓒ **1** 귀〔신경〕에 거슬리는 소리, 잡음. **2** 충격, 격렬한 진동, 격동. **3** (정신적인) 충격, 쇼크: The news gave me a ~. 그 뉴스를 듣고 충격을 받았다. **4** (의견 등의) 충돌; 불화, 버성김, 다툼: be at (a) ~ 다투고 있다; 일치하지 않다. — (**-rr-**) *vi.* 《~/+전+명》 **1** (귀 · 신경 · 감정 따위에) 거슬리다《*on, upon*》: The sound of the alarm ~*red.* 괘종 소리가 귀에 거슬렸다 / His loud laugh ~*red on* 〔*upon*〕 my ears 〔nerves〕. 그의 높은 웃음소리는 내 귀〔신경〕에 거슬렸다. **2** 귀에 거슬리는 소리를 내다, 삐걱거리다: The brakes ~*red.* 브레이크가 삐익하는 소리를 냈다 / The nail ~*red against* the window. 못이 창에 긁히어 찍 소리가 났다. **3** (귀에 거슬리는 소리를 내면서) 부딪치다《*upon; against*》. **4** 덜컹덜컹 흔들리다, 진동하다. **5** (의견 등이) 조화되지〔일치하지〕 않다《*with*》: Your ideas ~ *with* mine. 네 생각은 내 생각과 맞지 않는다. — *vt.* **1** 삐걱거리게 하다, (삐걱삐걱 · 덜컹덜컹) 진동시키다. **2** (타격 등으로) 깜짝 놀라게 하다; …에게 충격을 주다; 뒤흔들다.
jar[3] *n.* 〔다음 관용구로〕 ***on the*** 〔***a***〕 ~ (문이) 조금 열려(ajar).
jar·di·niere [dʒɑ̀ːrdəníər, ʒɑ̀ːrdənjέər/ʒɑ̀ː-dinjέə] *n.* 《F.》 (장식용) 화분, 화분대. 「한 양.
jar·ful [dʒɑ́ːrfùl] *n.* 항아리〔병, 단지〕에 가득
jar·gon[1] [dʒɑ́ːrgən, -gan/-gən] *n.* Ⓤ **1** 뜻을 알 수 없는 말〔이야기〕, 허튼소리. **2** 《종종 경멸》 (동업자 · 동일 집단 내의) 특수 용어, 통어(通語); 변말, 은어: critic's 〔medical〕 ~ 비평가〔의학〕 용어. **3** 허투루 쓰이게 된 구어, 사투리. **4** 혼합 방언《pidgin English 따위》. **5** 《고어》 새의 지저귐. — *vi.* ~으로 말하다〔을 쓰다〕; 알 수 없는 소리로 지껄이다; 재잘거리다.
jar·gon[2], **-goon** [dʒɑ́ːrgan/-gən], [dʒɑːrgúːn] *n.* 자곤《백설 · 회백색의 지르콘》.
jar·go·naut [dʒɑ́ːrgənɔ̀ːt] *n.* 《우스개》 함부로 전문어를 많이 쓰는 사람.
jar·go·nelle [dʒɑ̀ːrgənél] *n.* 올배의 일종.
jar·gon·ize [dʒɑ́ːrgənàiz] *vi.* jargon[1] 1–3을

사용하다〔으로 이야기하다〕. — *vt.* jargon¹ 1-3 으로 번역하다.

jár-hèad *n.* 《미중부》 노새(mule); 《미군대속어》 해병대원; 《미속어》 (선천적인) 백치.

jarl [jɑːrl] *n.* 〖북유럽사〗 (왕 다음가는) 족장(族長), 귀족.

Jarls·berg [jɑ́ːrlzbəːrg] *n.* 노르웨이산(産) 경질(硬質) 치즈.

jar·o·vize, iar-, yar- [jɑ́ːrəvàiz] *vt.* 《Russ.》 〖농업〗 =VERNALIZE.

jár·ring *a.* 삐걱거리는, 귀에 거슬리는; 조화되지 않는; 알력의. — *n.* Ⓤ 삐걱거림; 진동; 충돌; 부조화. ㊕ **~·ly** *ad.*

jar·v(e)y, -vie [dʒɑ́ːrvi] *n.* 《구어》 (아일랜드의) 2륜마차의 마부.

Jar·vik-7 [dʒɑ́ːrviksévən] *n.* 자빅 7형 인공심장 《Robert Jarvik 박사 설계》.

Jas. James.

ja·sey [dʒéizi] *n.* 《영구어》 (털실로 된) 가발.

jas·min(e), jes·sa·min(e) [dʒǽzmin, dʒǽs-], [dʒésə-] *n.* 재스민속(屬)의 식물; Ⓤ 재스민 향수; 재스민 색《밝은 노랑》.

Ja·son [dʒéisən] *n.* **1** 제이슨《남자 이름》. **2** 〖그리스신화〗 이아손《금(金) 양털(the Golden Fleece)을 획득한 영웅》. ⓒⓕ Argonaut.

jas·pé [dʒæspéi] *a.* 벽옥(碧玉) 모양의, 《특히》 갖가지 색의 줄무늬를 넣은 《면직물》.

jas·per [dʒǽspər] *n.* Ⓤ 〖광물〗 벽옥(碧玉), 재스퍼; 〖성서〗 녹색의 장식석(裝飾石).

Ja·ta·ka [dʒɑ́ːtəkə] *n.* 《Sans.》 자타카, 본생경(本生經)《석가의 전생(前生)에 관한 설화집》.

JATO, ja·to [dʒéitou] (*pl.* **~s**) *n.* 〖항공〗 분사식 이륙. [◂ *j*et-*a*ssisted-*t*ake-*o*ff]

játo ùnit 이륙 보조 로켓.

jaun·dice [dʒɔ́ːndis, dʒɑ́ːn-/dʒɔ́ːn-] *n.* Ⓤ 〖의학〗 황달; 《비유》 편견, 빙퉁그러짐. — *vt.* 황달에 걸리게 하다; 《보통 과거분사꼴로》 (판단·견해·사람)에 편견을 가지게 하다.

jáun·diced [-t] *a.* **1** 《드물게》 황달에 걸린. **2** 시기심이〔질투가〕 심한, 편견을 가진: take a ~ view of …에 대하여 비뚤어진 견해를 가지다. ***All looks yellow to the ~ eye.*** 《비유》 비뚤어지게 보면 모든 것이 비뚤어져 보인다.

jaunt [dʒɔːnt, dʒɑːnt/dʒɔːnt] *n.* 산책, 하이킹, 소풍. — *vi.* 산책〔하이킹〕하다, 소풍가다. ***a ~ing car*** (아일랜드의 경쾌한) 2륜 마차.

jaun·ty [dʒɔ́ːnti, dʒɑ́ːn-/dʒɔ́ːn-] (***-ti·er; -ti·est***) *a.* **1** 쾌활〔명랑〕한; 근심이 없는; 의기양양한. **2** 스마트한, 멋부리는. ㊕ **-ti·ly** *ad.* **-ti·ness** *n.*

Jav. Java, Javanese.

Ja·va [dʒɑ́ːvə, 특히 3에서는 dʒǽvə] *n.* **1** 자바《인도네시아 공화국의 중심이 되는 섬》. **2** 자바종(의 닭); 자바산 커피. **3** (종종 j-) 《구어》 커피. **4** =JAVA MAN. **5** 〖컴퓨터〗 자바《Sun Microsystems사(社)가 개발한 프로그래밍 언어》.

Jáva màn 〖인류학〗 (the ~) 자바인《원시인의 한 형(型); 1891년 자바에서 화석(化石)을 발견; Pithecanthropus의 하나》.

Ja·van [dʒɑ́ːvən] *a.*, *n.* 자바의 (사람, 원주민).

Jav·a·nese [dʒæ̀vəníːz, dʒɑ̀ːv-/dʒɑ̀ːv-] *a.* 자바의; 자바 사람의; 자바 말의. — (*pl.* ~) *n.* 자바 사람, 자바 섬 사람; Ⓤ 자바 어(語).

Jáva Scrìpt 〖컴퓨터〗 자바 스크립트《미국 넷스케이프 커뮤니케이션스가 개발한 스크립트 언어로서 월드와이드 웹 브라우저에 의해 실행되는 스크립트》.

Jáva spárrow 〖조류〗 문조(文鳥).

jave·lin [dʒǽvəlin] *n.* 던지는 창(dart); (the ~) 〖경기〗 창던지기(= ← **thròw**); 〖군사〗 (폭격기 따위의) 종렬(縱列) 비행 편대(= ← **formátion**) 《같은 높이가 아닐 수도 있음》.

ja·ve·li·na [hɑ̀ːvəlíːnə] *n.* =PECCARY.

Ja·vél(le) wàter [ʒəvél-] 자벨수(水) 《표백·방부·살균용》.

jaw [dʒɔː] *n.* **1** 턱, 《특히》 아래턱. **2** (*pl.*) (아래위 턱뼈·이를 포함한) 입 부분, 주둥이. **3** (*pl.*) (골짜기·해협 등의) 좁은 입구; (the ~s) 절박한 위기 상황; (집게 따위의) 집는 부분. **4** 《구어》 지껄이기; 잔소리, 긴 사설; 《구어》 수다; 《속어》 건방진 말씨. ***get ~s tight*** 《구어》 성내다, 노하다. ***give*** a person ***a ~*** 야단치다, 귀아프게 잔소리하다. ***hold*** 〔***stop, stow***〕 one***'s ~*** 침묵하고 있다, 잠자코 있다. ***None of your ~!*** 입닥쳐, 잠자코 있어. ***set*** one***'s ~*** 작정하고 덤비다. a person***'s ~ drops*** (***a mile***) 《구어》 놀라서 입을 딱 벌리다, 깜짝 놀라다. ***the ~s of death*** 사지(死地), 궁지. — 《속어》 *vi.*, *vt.* 턱을 움직여(껌 따위를) 씹다; 수다떨다; 장황하게 지껄이다, 꾸짖다, 잔소리하다.

jáw·bòne *n.* **1** 턱뼈; 《특히》 아래턱뼈; 《미속어》 수다쟁이. **2** 《미속어》 재정상의 신용(credit); 대부, 융자: on ~ 신용대부로, 외상으로. — *vt.* **1** 《미구어》 (높은 지위·권력을 이용하여) …에게 강권〔요청〕하다. **2** 《미속어》 …을 차용하다; 신용〔외상〕으로 사다. **3** 《미군대속어》 사격훈련하다. — *vi.* **1** 《미구어》 강권〔요청〕하다. **2** 《미속어》 차용하다, 신용〔외상〕으로 사다; 금전상의 신용을 얻기 위해 열심히 말하다. **3** 《미속어》 쓸데없는 소리를 하다; 대부하다. — *ad.* 《미속어》 신용으로, 분할로.

jáw·bòning *n.* Ⓤ 《미구어》 기업〔노조〕에 대한 가격〔임금〕 억제를 권하는 정부의 강력한 설득.

jáw·brèaker *n.* **1** 《구어》 아주 발음하기 어려운 어구(tongue twister). **2** 《구어》 딱딱한 캔디〔풍선껌〕. **3** 광석 파쇄기(jaw crusher).

jáw·brèaking *a.* 《구어》 (이름 등) 발음하기 어려운.

jáw·cràcker *n.* 《미속어》 = JAWBREAKER.

jáw dròpper 《구어》 깜짝 놀라게 하는 것〔일〕, 경탄할 만한 일.

jáw·ed *a.* 턱이 있는; 《결합사로》 …한 턱을 가진: square-~ 턱이 모가 진.

jáw jàcking 《CB속어》 시민 라디오로 하는 회화.

jáw-jàw 《영속어》 *n.* Ⓤ 오래 지껄임, 장광설. — *vi.* 장황하게 지껄이다〔논의하다〕.

jáwless fish =CYCLOSTOME *n.*

jáw·lìne *n.* 아래턱의 윤곽.

ja·wohl [*G.* javóːl] *ad.* 《G.》 그렇고 말고, 아무렴(ja의 강조어).

jay¹ [dʒei] *n.* 〖조류〗 어치; 《구어》 건방진 수다쟁이(꾼); 바보, 얼간이, 봉.

jay² *n.* 《미속어》 마리화나 (담배)(joint).

jay·cee [dʒéisíː] *n.* 《미구어》 청년 상공 회의소(Junior Chamber of Commerce)(의 회원). [◂ *j*unior+*c*hamber]

jay·gee [dʒéidʒíː] *n.* = LIEUTENANT junior grade. [◂ *j*unior+*g*rade]

jáy·hàwk *vt.* 《미구어》 습격해서 약탈하다; 《미구어》 가져가다. — *n.* 《미구어》 =JAYHAWKER; 《미중서부》 괴짜.

jáy·hàwker *n.* (종종 J-) 《미구어》 (남북전쟁 당시의) 게릴라 대원; (j-) 약탈자; (J-) 《미구어》 Kansas주 사람《별명》.

jáy smòke 《미속어》 마리화나 담배(joint).

Jáy('s) Tréaty 〖미국사〗 제이 조약《독립전쟁 종결후 영미간에 체결된 조약; 1794년》.

jay·vee [dʒéivíː] 《미구어》 *n.* =JUNIOR VARSITY; (보통 *pl.*) 그 멤버. [◂ *j*unior+*v*arsity]

jáy·wàlk *vi.* 《구어》 교통규칙을〔신호를〕 무시하고 거리를 횡단하다. ㊕ **~·er** *n.* **~·ing** *n.*

jazz [dʒæz] *n.* Ⓤ **1** 재즈, 재즈 음악〔댄스〕. **2** 《구어》 (재즈적인) 소란, 흥분, 광소(狂騷), 활기; 《미속어》 돋보이게 하는 것, 장식. **3** 《속어》 거창한 이야기, 허풍; 《미속어》 흔해빠진〔노상 하는〕

이야기. **4** 《비어》 성교, 여성 성기, (성교 대상으로서의) 여자; 《미비어》 정액. ***... and all that*** ~ = ***... or some such*** ~ 《속어》 …이라든가 하는 것, 기타 …라는 하찮은 것〔일〕, 번거로운 절차. **—** *a.* 재즈의, (재즈식으로) 가락이 흐트러진, 시끄러운; 잡색의, 난(亂)한《색채 따위》: a ~ band / a ~ singer. **—** *vi., vt.* **1** 재즈를 연주하다, 재즈 댄스를 추다, (음악을) 재즈식으로 연주하다. **2** 가속하다《*up*》; 《속어》 기운차게〔요란스럽게〕 하다; 노닐다(gad); 《비어》 성교하다. ~ ***around*** 놀러 돌아다니다. ~ ***it*** 《속어》 (열광적으로) 재즈를 연주하다. ~ ***up*** 《구어》 재즈풍으로 연주하다; 《구어》 다채롭게 하다, 활기를 띠게 하다, 격려하다. ㊥ **~·like** *a.*

jazz·bo [dʒǽzbou] (*pl.* **~s**) *n.* 《미속어》 세련된 트인 인물, 미남; 《경멸》 흑인 남자〔병사〕.

jazzed *a.* 《미속어》 활기찬, 재미있는.

jázzed-ùp *a.* 다채롭게〔화려하게〕 한. 「일종.

jaz·zer·cise [dʒǽzərsàiz] *n.* Ⓤ 재즈 댄스의

jázz fúnk 〖음악〗 재즈 펑크《1970 년대 초기의 재즈와 펑크의 혼합 형식》.

jázz fúsion 〖음악〗 재즈 퓨전《1970년대에 발달한 재즈와 록의 혼합 형식》. 「플로어.

jázz lòft 《미》 (실험적) 재즈 연주용 빌딩 상층의

jázz·màn [-mæ̀n, -mən] (*pl.* ***-men*** [-mèn, -mən]) *n.* 재즈 연주자.

jaz·zo·thèque [dʒǽzətèk] *n.* 재즈를 생연주하는 디스코텍.

jázz-ròck *n.* 재즈 록《재즈 연주의 록 음악》.

jazzy [dʒǽzi] 《구어》 *a.* 재즈적인; 미친 듯이 떠들썩한, 활발한; 화려한, 야한; 고리타분한, 딱딱

J-bàr lìft (스키장의) J자형 리프트. ⌊한.

J.B.S 《미》 John Birch Society. **J.C.** Jesus Christ; Julius Caesar; Jurisconsult. **J.C.B.** *Juris Canonici Baccalaureus* 《L.》 (=Bachelor of Canon Law); *Juris Civilis Baccalaureus* 《L.》 (=Bachelor of Civil Law). **J.C.C.** Junior Chamber of Commerce. **J.C.D.** *Juris Canonici Doctor* 《L.》 (=Doctor of Canon Law); *Juris Civilis Doctor* 《L.》 (=Doctor of Civil Law). **JCI** Junior Chamber International 국제 청년회의소. **JCL** 〖컴퓨터〗 job control language. **J.C.L.** *Juris Canonici Lector* 《L.》 (=Reader in Canon Law); *Juris Canonici Licentiatus* 《L.》 (=Licentiate in Canon Law). **J.C.R.** 《영》 Junior Common Room. **JCS** Joint Chiefs of Staff.

jct., jctn. junction.

J-cúrve effèct 〖경제〗 J 커브 효과《환율변동 직후, 수출입 효과가 여러 기복을 거쳐서 정상적 환율 조정 효과로 나타나는데, 이 동향이 J자 모양인 데서》.

JD [dʒèidí:] *vi.* 《미속어》 비행을 저지르다, 나쁜 짓을 하다. **—** *n.* 비행 소년〔소녀〕. [◂ *j*uvenile *d*elinquent]

J.D. *Juris* 〔*Jurum*〕 *Doctor* 《L.》 (=Doctor of Law 〔Laws〕). **JDL, J.D.L.** Jewish Defence League (유대인 방위 연맹)《우익 과격파 조직》.

Je. June.

⁎**jeal·ous** [dʒéləs] *a.* **1** 질투심이 많은, 투기가 심한《*of*》: a ~ disposition 샘이 많은 기질. **2** 시샘하는, 선망하는(envious) 《*of*》: be ~ *of* a winner 승리자를 시기하다. **3** (물건 · 권리 따위를 잃지〔손상치〕 않으려고) 방심하지 않는, 몹시 마음을 쓰는: be ~ *of* one's right 권리를 지키기에 급급하다. **4** 〖성서〗 불신앙을〔타교(他敎)를〕 용납치 않는: a ~ God 다른 신 숭배를 용서하지 않는 하느님. ◇ jealousy *n.* ***keep a ~ eye on*** …을 방심하지 않고 지켜보다. ㊥ **~·ly** *ad.* 투기〔시샘〕하여; 방심하지 않고. **~·ness** *n.*

*****jeal·ousy** [dʒéləsi] *n.* Ⓤ,Ⓒ **1** 질투, 투기, 시샘: burning with ~ 질투에 불타서 / Don't show ~ of another's success. 남의 성공을 시기하지 마라. **2** 엄중한 경계, 빈틈없는 주의, 경계심. ◇ jealous *a.* ***race jealousies*** 인종 간의 시샘.

*****jean** [dʒi:n] *n.* **1** (때로 ~s) 〔단수취급〕 Ⓤ 진《올이 가늘고 질긴 능직(綾織) 무명의 일종》. ⓒⓕ denim. **2** (*pl.*) 진으로 만든 의복류《바지 · 작업복 따위》, 〔일반적〕 바지. ㊥ **~ed** *a.* 진을 입은.

Jean *n.* 진《여자 · 남자의 이름》.

Jeanne d'Arc [ʒandaʀk] 《F.》 =JOAN OF ARC. 「어》.

jéans·wèar *n.* 진웨어《진으로 만든 캐주얼 웨

jea·sly, jea·sely [dʒí:zli] *a.* 《미속어》 하찮은, 시시한.

Je·bus [dʒí:bəs] *n.* 여부스《고대 가나안의 도시; 후에 Jerusalem으로 됨》.

Jedda ⇨ JIDDA.

jed·gar [dʒédgər] *n.* 《미속어》 역(逆)스파이 프로그램《자기 단말(端末)의 데이터가 다른 사람에게 읽히고 있음을 알리는 프로그램》.

jee [dʒi:] *n., v., int.* =GEE[1, 2].

jeep [dʒi:p] 《미》 *n.* 지프; (J-) 그 상표명; 《미공군속어》 =LINK TRAINER; 《미해군속어》 호위 항공모함; 《미육군속어》 신병. **—** *vi., vt.* 지프를 타고 가다; 지프로 나르다.

jéep càrrier 〖미해군〗 =ESCORT CARRIER.

jée·pers (**créepers**) [dʒí:pərz(-)] =GEE[3].

jéep-jòckey *n.* 《미육군속어》 지프 운전수.

jeep·ney [dʒí:pni] *n.* 지프니《지프를 개조한 10인승 합승 버스》. [◂ *jeep*+*jitney*]

°**jeer**[1] [dʒiər] *n.* 조소, 조롱, 야유. **—** *vi.* 《~/+전+명》 조소하다, 야유〔조롱〕하다(taunt) 《*at*》: ~ *at* a person's idea 아무의 생각을 우습게 여기다. **—** *vt.* 《~+목/+목+부》 조소하다, 희롱하다, 놀리다, 야유하다: Don't ~ the losing team. 지고 있는 팀을 놀리지 마라 / They *~ed* me *out* 〔*off*〕. 그들은 나를 웃음가마리로 만들어 방에서 내쫓았다. ⓈⓎⓃ. ⇨ SCOFF[1].

jeer[2] *n.* (보통 *pl.*) 〖해사〗 무거운 활대를 올리고 내리기 위한 활차장치. 「하여.

jéer·ing·ly [-riŋli] *ad.* 희롱조로, 조롱〔야유〕

jee·ter [dʒí:tər] *n.* 《미속어》 버릇없고 느려빠진 남자; 《미육군속어》 중위, 소위(lieutenant).

Jeeves [dʒi:vz] *n.* 《영구어》 사용인(使用人)《영국 작가 P.G. Wodehouse의 여러 소설에 등장하는 집사 이름 Jeeves에서》.

jeez [dʒi:z] *int.* (종종 J-) 《속어》 저런, 어머나, 어럽쇼《가벼운 놀람 · 낙심》.

je·fe [héifei] (*pl.* **~s** [-z]) *n.* 《Sp.》 지도자, 수령, 보스(boss).

Jeff [dʒef] *n.* 제프《남자 이름; Geoffr(e)y, Jeffr(e)y의 애칭》; 《미흑인속어》 딱딱한 놈, 따분한 놈; 촌놈. 「다.

jeff *vt.* 《미흑인속어》 상투적인 말로 (남을) 속이

Jef·fer·son [dʒéfərsən] *n.* **Thomas ~** 제퍼슨《미국 제3대 대통령; 1743-1826》.

Jef·fer·so·ni·an [dʒèfərsóuniən] *a.* T. Jefferson식(민주주의)의. **—** *n.* Jefferson(식 민주주의)의 지지자.

jehad ⇨ JIHAD.

Je·ho·vah [dʒihóuvə] *n.* 〖성서〗 여호와《구약성서의 신》; 전능한 신(the Almighty).

Jehóvah's Wítnesses 여호와의 증인《그리스도교의 한 종파; 1872년 창시》.

Je·hu [dʒí:hju:/-hju:] *n.* 〖성서〗 예후《이스라엘의 왕》; (종종 j-) 《구어 · 우스개》 마부, 《특히》 난폭한 마부(coachman). ***drive like*** ~ 《구어》 차를 난폭하게 몰다.

je·june [dʒidʒú:n] *a.* 빈약한; 영양가가 낮은; (토지가) 불모의(barren); 무미건조한(dry); 예

비 지식이 없는; 미숙한, 어린애 같은. ㉥ ~·ly *ad.* ~·ness *n.*
je·ju·nec·to·my [dʒìdʒuːnéktəmi] *n.* U,C 〖의학〗 공장(空腸)절제(술). 「건조.
je·ju·ni·ty [dʒidʒúːnəti] *n.* U 빈약함; 무미
je·ju·num [dʒidʒúːnəm] (*pl.* **-na** [-nə]) *n.* 〖해부〗 공장(空腸).
Je·kyll [dʒékəl] *n.* 지킬 박사《R.L. Stevenson 의 소설 중의 인물》. (***Dr.***) ~ ***and*** (***Mr.***) ***Hyde*** 이중 인격자.
jel [dʒel] *n.* 《미속어》 괴짜, (섬뜩하게) 싫은 놈.
jell [dʒel] *vi.*, *vt.* **1** =JELLY. **2** 《구어·비유》 (계획·의견 따위가) 굳어지다, 정해지다; (거래·계약을) 맺다, 매듭짓다. ── *n.* U =JELLY.
jel·lied [dʒélid] *a.* 젤리 모양으로 된〔굳힌〕; 젤리를 바른.
jéllied gásoline 젤리화(化) 가솔린(napalm).
jel·li·fy [dʒéləfài] *vi.*, *vt.* 젤리 모양으로 되다〔하다〕.
Jél·li·neck's disèase [dʒéləneks-] 〖의학〗 젤리넥스 병《알코올 중독증의 별칭》.
Jell-O, Jel·lo [dʒélou] *n.* 미국 General Food사 디저트 식품의 일종《상표명》. 「겁쟁이.
jel·loid [dʒélɔ̀id] *n.* 《구어》 기개가 없는 사람,
*__jel·ly__ [dʒéli] *n.* **1** U 젤리, 한천, 우무; U,C 젤리《과자》; 《속어》 =GELIGNITE; 〖동물〗 해파리(jellyfish). **2** U,C 젤리 모양의 것. **3** 《속어》 젤리 피임약; 도덕〔감정〕적으로 개운찮은 상태. **4** 《미속어》 수월한 일; 공짜로 얻을 수 있는 것. **5** 《속어》 걸프렌드; 《비어》 여성 성기, 섹스, 정액. ***beat*** a person ***to a*** ~ 아무를 녹초가 되도록 두들겨 패다. ***shake like a*** ~ 《구어》 (무서워) 벌벌 떨다; (뚱뚱한 사람이) 몸을 흔들며 웃다. ── (***-lied***) *vi.*, *vt.* **1** 젤리 모양이 되다〔으로 만들다〕. **2** 《미속어》 빈들거리다; 멋대로 지껄이다.
jélly bàby (아기 모양의) 젤리《과자》; 《미속어》 암페타민 정제.
jélly bàg 젤리 받는 주머니.
jélly·bèan *n.* **1** 젤리빈《과자》; 《미속어》 암페타민 정제〔캡슐〕. **2** 《속어》 무기력하고 꼴보기 싫은 놈, 《특히》 뚜쟁이(pimp); 《미속어》 보기 흉하게 몸치장한 놈. **3** 《미속어》 〔감탄사적〕 (10대들끼리의) 어, 잘 있었니.
jélly bòmb 젤리 모양의 가솔린 소이탄.
jélly dòughnut 젤리가〔잼이〕 든 도넛. 「사람.
°**jélly·fish** *n.* 〖동물〗 해파리; 《구어》 의지가 약한
jélly ròll 엘비스 프레슬리풍의 머리 스타일; 《미속어》 애인; 《미비어》 여성 성기, 섹스.
jélly shòes 젤리 슈즈《폴리에틸렌으로 만든 투명·반투명의 컬러풀한 신발; 여름에는 샌들로 신음》.
jem·a·dar [dʒéməd̀ɑːr] *n.* (구(舊)인도군의) 원주민 장교《중위급》; 원주민 경관, 관리.
je-m'en-fi·chisme [*F.* ʒmɑ̃fiʃism] *n.* 《F.》 무관심, 무취미; 무관심주의.
je·mi·mas [dʒəmáiməz] *n. pl.* 《영구어》 발목까지 올라오는 깊숙한 고무신.
jem·my [dʒémi] *n.* **1** 《영》 =JIMMY《도둑의》. **2** 《영》 (요리용의) 양(羊)머리《구운》; 《방언》 (두꺼운) 외투.
Jé·na glàss [jéinə-] 예나 유리《붕소·아연 등을 함유한 유리; 화학·광학 기재(器材), 온도계용》.
je ne sais quoi [*F.* ʒənsɛkwa] 《F.》 형언키 어려운 것(I do not know what)《특히 좋아하는 것》.
Jen·ghis〔**Jen·ghiz**〕**Khan** [dʒéŋgis〔dʒéŋgiz〕káːn, dʒén-] =GENGHIS KHAN.
Jen·ner [dʒénər] *n.* **Edward** ~ 제너《영국의 의사; 종두법 발견자; 1749–1823》. 「귀.
jen·net [dʒénit] *n.* 스페인종의 조랑말; 암탕나
jen·net·ing [dʒénətiŋ] *n.* 조생종 사과의 일종.
Jen·ni·fer [dʒénəfər] *n.* 제니퍼《여자 이름; Jen, Jennie, Jenny의 애칭》. 「칭》.
Jen·ny [dʒéni] *n.* 제니《여자 이름; Jane의 애
jen·ny *n.* **1** 이동식 기중기. **2** 방적기(spinning ~). **3** (짐승의) 암컷. opp. *jack*. **4** 암탕나귀(=∠ àss); 새의 암컷; (흔히 J-) 《미속어》 훈련용 비행기, 《널리》 비행기.
Jen·sen·ism [dʒénsənizəm] *n.* 젠슨 이론《지능 지수는 주로 유전에 의한다는 설; 미국의 교육심리학자 Arthur R. Jensen이 주창》. ㉥ **-ist,**
jeop·ard [dʒépərd] *vt.* =JEOPARDIZE. ⌊**-ite** *n.*
°**jéop·ard·ìze** *vt.* 위태롭게 하다, 위태로운 경지에 빠뜨리다. 「*ad.*
jeop·ard·ous [dʒépərdəs] *a.* 위험한. ㉥ ~·ly
°**jeop·ar·dy** [dʒépərdi] *n.* U **1** 위험(risk), 위기: be in ~ 위태롭게 되어 있다, 위험에 빠져 있다. **2** 〖법률〗 (형사 피고인이 재판에서 유죄판결이 될) 위험한 상태.
Jeph·thah [dʒéfθə] *n.* 〖성서〗 입다《이스라엘의 사사(士師); 사사기 XI: 30–40》.
Jer. Jeremiah; Jeremy; Jerome; Jersey.
jer·boa [dʒəːrbóuə] *n.* 〖동물〗 날쥐《아프리카
jereed ⇨ JERID. ⌊산》.
jer·e·mi·ad [dʒèrəmáiəd, -æd] *n.* 비탄; 우는소리, 하소연; 슬픈 이야기.
Jer·e·mi·ah, -as [dʒèrəmáiə], [-əs] *n.* 〖성서〗 예레미야《히브리의 비관적 예언자》; (구약성서의) 예레미야서(書) (**The Book of the Prophet** ~; 생략 Jer.); (a ~; 종종 j-) 비관론자, 불길한 예언을 하는 사람. 「이름》.
Jer·e·my [dʒérəmi] *n.* 제러미, 제레미《남자
Jer·i·cho [dʒérikòu] *n.* 〖성서〗 여리고《옛날 Palestine 지방에 있었던 도시》; 궁벽한 곳. ***Go to*** ~***!*** 《구어》 어디든 꺼져 버려, 귀찮아.
je·rid, je·reed, jer·reed [dʒəríːd] *n.* **1** (터키·이란·아라비아 기병의) 투창. **2** (마상(馬上)) 투창 경기.
*__jerk__[1] [dʒəːrk] *n.* **1** 급격한 움직임, 갑자기 당기는〔미는, 찌르는, 비트는, 던지는〕 일: pull with a ~ 냅다 잡아당기다 / give the rope a ~ 줄을 홱 잡아당기다 / move with ~*s* (자동차 따위가) 덜커덩 덜커덩 움직이다. **2** (*pl.*) (근육·관절의) 반사운동, 경련; (the ~s) (종교적 감동 따위에 의한) 안면·손발 등의 무의식적 경련, 약동; (*pl.*) 《미속어》 무도병. **3** (*pl.*) 《영구어》 체조. **4** 《속어》 물정에 어두운 사람, 바보, 얼간이, 멍청이; 《미속어》 =SODA JERK. **5** 〖역도〗 용상(聳上). **6** 《미속어》 (철도의 짧은) 지선(支線). **7** 《비어》 용두치는 자. ***put a*** ~ ***in it*** 《구어》 활발하게〔제꺽제꺽〕 하다.
── *vt.* **1** 《~+목/+목+보/+목+전+명》 홱 움직이게 하다, 급히 흔들다〔당기다, 밀다, 던지다《따위》〕: ~ reins 고삐를 홱 당기다 / ~ a window open 창문을 홱 밀어〔당기어〕 열다 / He ~*ed* the carpet *from* under my feet. 그는 내 발 아래 융단을 홱 잡아당겼다. **2** 《~+목/+목+부》 갑자기 말하다: She ~*ed* out an apology. 그녀는 별안간 퉁명스레 사과하였다. **3** 《미구어》 (소다수 가게에서 아이스크림 소다를) 만들다.
── *vi.* **1 a** 《(+전+명)》 홱 움직이다; 덜커덩거리며 나아가다; 씰룩씰룩 움직이다; 경련을 일으키다: ~ *over* a stone (차가) 덜커덩하고 돌 위로 지나가다. **b** 《+보》 덜컹하면서 (…한 상태로) 되다: The door ~*ed* open. 문이 덜컹 열렸다. **2** 띄엄띄엄 말하다. ~ ***along*** 덜커덩거리며 나아가다〔나아가게 하다〕. ~ ***off*** 《비어》 용두질하다; 《속어》 시간을 낭비하다; 《미속어》 못 쓰게 만들다, 실수하다. ~ ***out*** 갑자기 띄엄띄엄 말하다. ~

one**self free** 뿌리쳐 떼어놓다. ~ **up** 휙 잡아당기다; (얼굴 따위를) 홱 들어올리다[쳐들다].
jerk² *n.* Ⓤ 포육(脯肉)(jerky²). **—** *vt.* (특히 쇠고기를) 가늘고 길게 저미어 햇볕에 말리다.
jer·kin [dʒə́:rkin] *n.* 저킨 《(1) (16-17세기경의) 소매 없는 짧은 남자용 상의; 주로 가죽. (2) 짧은 조끼; 여성용》.

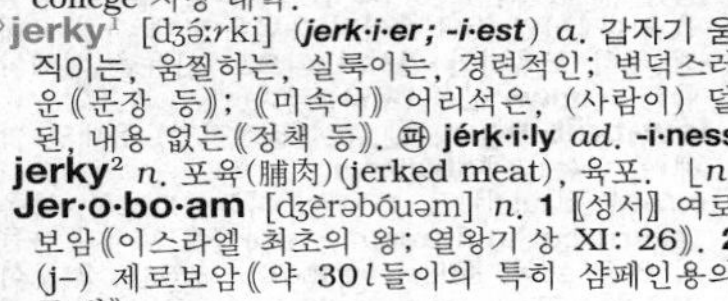
jerkin (1)

jérkin·hèad *n.* 지붕 상부 양단에 비슷이 삼각형의 장식판을 붙인 맞배지붕.
jérk tòwn 《미속어》 조그만 시골 도시.
jérk·wàter 《미구어》 *n.* 지선(支線)의 열차, 급수(給水) 정차지; 궁벽한 곳[시골]. **—** *a.* 간선을 떠난, 지선의, 시골의; 보잘것없는, 하찮은: a ~ college 지방 대학.
◇**jerky**¹ [dʒə́:rki] (**jerk·i·er; -i·est**) *a.* 갑자기 움직이는, 움찔하는, 실룩이는, 경련적인; 변덕스러운《문장 등》; 《미속어》 어리석은, (사람이) 덜된, 내용 없는《정책 등》. ㊕ **jérk·i·ly** *ad.* **-i·ness** *n.*
jerky² *n.* 포육(脯肉)(jerked meat), 육포.
Jer·o·bo·am [dʒèrəbóuəm] *n.* **1** 〖성서〗 여로보암《이스라엘 최초의 왕; 열왕기 상 XI: 26》. **2** (j-) 제로보암《약 30*l*들이의 특히 샴페인용의 큰 병》.
jer·ri·can [dʒérikæ̀n] *n.* 제리캔《5갤런들이 (폴리에틸렌) 통; 주로 휘발유통》.
Jer·ry [dʒéri] *n.* **1** 제리《남자 이름, Gerald, Gerard의 애칭; 여자 이름, Geraldin의 애칭》; 《미속어》 소녀(girl). **2** 《영구어》 독일 병사, 독일 사람《별명》.
jer·ry¹ *n.* 《영속어》 실내 변기(便器); =JEROBOAM.
jer·ry² *a.* 날림 공사의(jerry-built); 빈약한, 임시변통의. **—** *n.* 《미속어》 막일꾼, 육체 노동자; 《미속어》 (감추기 좋은) 소형 권총.
jer·ry³ *a.* 《미속어》 〔다음 관용구로〕 **be** [**get**] ~ (잘) 알고 있다, 이해하(고 있)다《*on; on to; to*》.
jérry-bùild *vt.* (집을) 날림으로 짓다, 날림집을 짓다; 아무렇게나 만들다. ㊕ **~·er** *n.* 날림집을 짓는[솜씨가 서투른] 목수; 날림집을 지어 파는 (투기) 업자. **~·ing** *n.* 날림 공사, 날림집.
jérry-bùilt *a.* 날림으로 지은; 아무렇게나 만든.
jérry càn =JERRICAN.
jer·ry·man·der [dʒérimæ̀ndər] *vt.*, *n.* =GERRYMANDER.
jérry ròll 《흑인속어》 여성의 성기, 섹스.
jérry shòp 《영》 하등 맥줏집, 선술집.
Jer·sey [dʒə́:rzi] *n.* **1** 저지《영국 해협에 있는 섬이름》; 저지종(種)의 소《Jersey섬 원산의 젖소》. **2** 《미》 =NEW JERSEY. **3** Ⓒ (j-) 모직의 운동 셔츠; (여성용) 메리야스 속옷[재킷]; Ⓤ 저지《모직 옷감의 일종》. **—** *a.* Jersey섬(산(産))의; 저지 털실의, 털로 짠.
Jérsey gréen 《속어》 마리화나의 일종.
◇**Je·ru·sa·lem** [dʒərú:sələm, -zə-] *n.* **1** 예루살렘《Palestine의 옛 수도; 현재 신시가는 이스라엘의 수도》. **2** 당나귀(~ pony).
Jerúsalem ártichoke 〖식물〗 뚱딴지.
Jerúsalem cróss 예루살렘 십자가《네 가지 끝에 가로막대가 있는》.
Jerúsalem póny 《우스개》 당나귀(donkey).
Jes·per·sen [jéspərsən, dʒés-] *n.* **Otto** ~ 예스페르센《덴마크의 언어·영어학자; 1860-1943》.
jess [dʒes] *n.* (보통 *pl.*) 젓갖《매의 발에 매는 끈》. **—** *vt.* (매에) 젓갖을 매다.
jéssamin(e) ⇨ JASMIN(E).
Jes·se [dʒési] *n.* **1** 제시《남자 이름》. **2** 〖성서〗 이새《다윗(David)의 아버지》; Ⓤ,Ⓒ (j-) 《방언》 몹시 꾸짖음[때림](beating). **give** a person ~ 《미구어》 아무를 꾸짖다.
Jésse trèe 〖성서〗 이새의 나무《이새에서 예수까지의 계도를 나뭇가지 모양으로 나타낸》.
Jésse wìndow Jesse tree를 새긴 유리창.
Jes·sie [dʒési] *n.* 제시《여자 이름》; 《구어》 나약한 사내, 남자 동성애자.
*__jest__ [dʒest] *n.* Ⓒ **1** 농, 농담(joke), 익살: a mere matter of ~ 농담에 불과한 것/speak half in ~, half in earnest 농담 반 진담 반으로 말하다. SYN. ⇨ JOKE. **2** 조롱, 희롱, 놀림. **3** 조롱의 대상, 웃음거리. ***a dry*** ~ 진지한 표정으로 하는 농담. ***an offhand*** ~ (그 경우에 꼭 들어맞는) 즉흥적인[임기응변의] 재담. ***be a standing*** ~ 늘 웃음거리가 되다. ***break a*** ~ 농담하다, 익살떨다. ***drop a*** ~ 재담을 하다. ***in*** ~ 농(담)으로, 장난으로. ***make a*** ~ ***of*** …을 희롱하다. ***no idle*** ~ 농담이 아니고(정말이다). ***pass from*** ~ ***to earnest*** 농담을 그만두고 정색을 하다. ***say by way of*** ~ 농담으로 말하다. ***speak*** ~ ***to*** …에게 농담하다.
— *vi.* 《~/+전+명》 **1** 시시덕거리다, 농담을 하다(joke); 익살부리다《*with*》: Please don't ~ *with* me. 놀리지 마라. **2** 조롱하다, 조소하다 (jeer) 《*at*》: ~ *at* a person 아무를 조롱하다. **—** *vt.* (남을) 조롱하다, 웃음거리로 만들다.
jést·bòok *n.* 소화집(笑話集), 만담책.
◇**jést·er** *n.* 농담 잘하는 사람; 어릿광대(fool)《중세 왕후·귀족들이 거느리던》.
jést·ing *n.* Ⓤ 익살, 시시덕거림; 희롱. **—** *a.* **1** 농담의, 우스꽝스러운; 농담을 좋아하는. **2** 하찮은(trivial). ㊕ **~·ly** *ad.*
Je·su [dʒí:zu:, -su:, jéi-] *n.* 《고어》 =JESUS 《특히 호칭에 씀》.
Jes·u·it [dʒéʒuit, -zju-/-zju-] *n.* **1** 〖가톨릭〗 제수이트 수사《the Society of Jesus의 수사》. **2** (보통 j-) 《경멸》 (음험한) 책략가, 음모가, 궤변자(詭辯者). ㊕ **Jès·u·ít·ic, -i·cal** [-ik], [-ikəl] *a.* 예수회(교의(敎義))의; 《경멸》 교활[음험]한; 궤변적인 [직 등].
Jésuit·ìsm *n.* Ⓤ 제수이트주의[교의, 관행, 조직 등].
jes·u·it·ry [dʒéʒuitri] *n.* (종종 J-) 《흔히 경멸》 Jesuit 같은 언동[신조], 궤변, 음험, 교활, 책략.
Jésuit(s') bàrk 기나피(皮)(cinchona).
⁑**Je·sus** [dʒí:zəs, -zəz/-zəs] *n.* 예수, 예수 그리스도(=~ **Christ**) 《'구세주'의 뜻; Christ Jesus, Jesus of Nazareth라고도 함. 생략: Jes.》. cf. Jesuit. ***beat*** [***kick, knock***] ***the*** ~ ***out of*** a person 《미속어》 아무를 몹시 때리다[발길질하다, 치다]. ~ (***Christ***)***!*** = ***Holy*** ~***!*** 《비어》 쳇, 제기랄, 우라질. ~ ***wept!*** 《비어》 원 이럴 수가 있나《분노·비탄의 소리》.
Jésus bòots [**shòes**] 《미속어》 (히피들이 신는) 남자 샌들.
Jésus bùg 〖곤충〗 소금쟁이(water strider)《예수가 물 위를 걸은 데서》.
Jésus frèak 《구어》 기독교의 열광적인 신자 《Jesus Movement 참가자》.
Jésus Mòvement [**Revolùtion**] 《미》 (기성 교회·종파에서 독립된 젊은이의) 예수 그리스도 운동.
Jésus Pèople Jesus Movement 참가자.
JET [dʒet] Joint European Torus《EC 9개국 공동개발에 의한 Tokamak형 핵융합 실험장치》.
⁑**jet**¹ [dʒet] *n.* **1** (가스·증기·물 따위의) 분출, 사출; 분사; =JET STREAM: ~ of water [gas] 물[가스]의 분출. **2** 분출구, 내뿜는 구멍. **3** 《구어》 =JET AIRPLANE; JET ENGINE. ***at a single*** ~ 단숨에. ***at the first*** ~ 최초의 발상(發想)으로.

— *a.* **1** 분출하는: a ~ nozzle 분출구. **2** 제트기〔엔진〕의: ~ exhaust 제트 엔진의 배기 가스 / a ~ pilot 제트기 조종사 / a ~ fighter 제트 전투기. **3** 제트기에 의한: a ~ trip. — *(-tt-) vt.* …을 분출〔분사〕하다. — *vi.* **1** 《+閉》 분출하다, 뿜어나오다《*out*》. **2** 《+閉/+젠+명》 분사 추진으로 움직이다〔나아가다〕; 급속히 움직이다〔나아가다〕; 제트기로 여행하다: ~ *off to* Jamaica 자메이카까지 제트기로 가다 / ~ *in* 제트기로 도착하다 / ~ *about* 제트기로 돌아다니다. ~ ***up*** 《미 속어》 열심히〔날래게〕 일하다.

◇**jet²** *n.* Ⓤ 〖광물〗 흑석(黑石); 치밀한 검은 석탄; 짙은 검은색, 칠흑. — *a.* =JET-BLACK.

jét·abòut *n.* (상용·유람 등에) 제트기를 이용하는 사람, 제트기 여행자.

jét àge 제트기 시대(의).

jét áirliner 정기 제트 여객기.

jét áirplane =JET PLANE.

jét bèlt 인간 제트, 제트 벨트(jump belt)(=**jét flýing bèlt**)《개인용 분사 장치; 7-8m 높이에서 단거리를 비행》.

jét-bláck *a.* 칠흑의, 새까만.

jét·bòat *n.* 제트 보트《제트 엔진 장비의 배》.

jét-bòrne *a.* 제트기로 운반〔수송〕되는.

jét éngine 〔**mótor**〕 제트 기관.

jét fatìgue 〔**exhàustion**〕 =JET LAG.

jet·foil [dʒétfɔ̀il] *n.* 《영》 제트 추진의 수중익선(水中翼船).

jét-hòp *vi.* 제트기로 여행하다.

jét injèctor 〖의학〗 분사식 주사기(=jet gun).

jét làg 시차증(時差症), 시차 피로(=**jét·làg**). ㊕ **jét-làgged** *a.*

jét·lìner *n.* 제트 여객기.

jet·on, jet·ton [dʒétn] *n.* 《F.》 (카드놀이 등의) 득점 계산용 산가지(counter), 칩.

jét·pàck *n.* (등에 지도록 만든) 개인용 분사 추진기.

jét pláne 제트기.

jét·pòrt *n.* 제트기 전용 공항.

jét-propélled *a.* 제트 추진식의; 《비유》 무섭게 빠른, 힘에 넘치는.

jét propúlsion (비행기·선박의) 제트 추진《생략: JP》.

Jét Propúlsion Làboratory (미국 California 주 Pasadena에 있는) 제트 추진 연구소《생략: JPL》.

jét ròute 〖항공〗 제트 루트〔항로〕《항공기의 안전비행을 위해 설정한 18,000 피트 이상의 초고도 비행 항로》.

jet·sam [dʒétsəm] *n.* **1** Ⓤ 〖해상보험〗 투하(投荷)《조난 때 배를 가볍게 하기 위하여 바다에 던진 짐》. cf. flotsam, lagan. **2** 표류물; 버려진 것, 잡동사니.

jét sèt 《구어》 (the ~) 제트족(族)《제트기로 유람 다니는 부유층》.

jét-sètter *n.* 《구어》 제트족의 한 사람.

Jét Skì 제트 스키《한두 명이 서서 타는 작은 쾌속 보트; 상표명》.

jét-skì *n.* 제트 스키 타기. — *vi.* 제트 스키를 타다. ㊕ **~·er** *n.*

jét strèam **1** 〖기상〗 제트류(流). **2** 〖항공〗 로켓 엔진의 배기류(排氣流).

jét sỳndrome 제트기 증후군(症候群)《jet lag의 정식 명칭》.

jet·ti·son [dʒétəsən, -zən] *n.* Ⓤ 〖해상보험〗 투하(投荷). — *vt.* (긴급시에 중량을 줄이기 위해 배·항공기에서) 짐을 버리다; 《비유》 (방해물·부담 등을) 버리다.

jét·ti·son·ing *n.* **1** 사고 또는 이륙시 군용기의 외부장비를 떼어 버리는 일. **2** 항공기에서 사출좌석(jettison seat)으로 탈출하는 일.

jet·ty¹ [dʒéti] *n.* 둑, 방파제(breakwater); 잔교(棧橋), 부두, 선창(pier); 〖건축〗 건물의 돌출부. — *vi.* 돌출하다.

jet·ty² *a.* 흑석질(黑石質)〔색(色)〕의, 흑석 같은; 칠흑의.

jét wàsh 〖항공〗 제트 엔진으로 후미에 생기는 기류(氣流).

Jét·wày *n.* 제트웨이《여객기와 공항 건물을 잇는 신축통(伸縮筒)식의 승강 통로; 상표명》.

jeu [*F.* ʒø] *n.* 《F.》 놀이, 유희; 〖음악〗 연주.

jeu de mots [*F.* -də-mo] 《F.》 익살, 말장난(pun).

jeu d'es·prit [*F.* -dɛspri] 《F.》 경구(警句); 명언.

jeu·nesse do·rée [*F.* ʒœnɛsdɔre] 《F.》 귀공자, (방탕한) 돈많은 젊은 신사.

⁑**Jew** [dʒuː] (*fem.* ***Jew·ess*** [dʒúːis]) *n.* **1** (이스라엘 조상으로부터 나온 세계 각지의) 유대인, 이스라엘 백성. **2** 유대교도. **3** 고대 유다 왕국의 백성. ***as rich as a ~*** 큰 부자인. ***go to the ~s*** 돈 빌리러〔고리대금업자에게〕 가다. ***worth a ~'s eye*** 지극히 귀중한. — *a.* 《경멸》 유대인의〔같은〕. — *vt.* (j-) 《경멸》 값을 깎다, 빡빡한 흥정을 하다《이런 뜻의 속어적 용법은 유대 사람에 대해 극히 모욕적인 언사가 되므로 사용을 피해야 함》. ~ ***down*** 값을 (후려) 깎다.

Jéw-bàit·ing *n.* Ⓤ, *a.* (조직적인) 유대인 박해(를 하는). ㊕ **-bàiter** *n.*

⁑**jew·el** [dʒúːəl] *n.* **1** (깎아 다듬은) 보석, 보옥(gem): cut and uncut ~*s* 다듬은 보석과 다듬지 않은 보석. SYN. ⇨PRECIOUS STONE. **2** 보석 박은 장신구: a ring set with a ~ 보석 반지. **3** 귀중품〔물〕; 소중한 사람, 지보(적인 사람): add another ~ to his crown of glory 그의 명예에 한층 광채를 더하다. **4** 보석 비슷한 것《별 따위》. **5** (시계·정밀기계의 베어링용의) 보석: a watch of 17 ~*s*, 17석의 손목시계. ***a ~ of a ...*** 보석과 같은…, 귀중한…: She is *a* ~ *of a* servant. 그녀는 보기 드문 훌륭한 하녀다. — *vt.* (***-l-,*** 《영》 ***-ll-***) 〘흔히 과거분사로〙 《~+목/+목+젠+명》 보석으로 장식하다, …에 금은 주옥을 박아 넣다; (손목시계 등에) 보석을 끼워 넣다; (언어 등을) 꾸미다, (경치 등에) 윤색을 더하다: the sky ~*ed with* stars 총총히 별들로 수놓은 하늘.

jéwel bòx 〔**càse**〕 보석 상자.

◇**jéw·el·er,** 《영》 **-el·ler** *n.* **1** 보석 세공인; 보석상. **2** 정밀 과학 기구상(인).

jéwelers' róuge =COLCOTHAR.

◇**jew·el·ry,** 《영》 **-el·lery** [dʒúːəlri] *n.* Ⓤ **1** 〘집합적〙 보석류(jewels); (보석 박힌) 장신구류《반지·팔찌 등》. **2** 〘일반적〙 장신구.

jéwel·wèed *n.* 봉선화의 일종.

Jew·ess [dʒúːis] *n.* 《종종경멸》 유대인 여자.

jéw·fish *n.* 〖어류〗 (바다에서 나는) 농엇과의 큰 물고기; 난해(暖海)의 큰 물고기.

Jéw for Jésus 유대인 기독교도《예수를 유대인으로 인정, 구세주임을 전도하는 유대인 교단의 일원》.

◇**Jew·ish** [dʒúːiʃ] *a.* 유대인의; 유대인 같은, 유대인 특유의, 유대인풍〔식〕의; 《경멸》 탐욕스러운; 유대교의; 《구어》 =YIDDISH. — *n.* 《구어》 Ⓤ 이디시어(語)(Yiddish).

Jéwish cálendar 유대력(曆)《천지 창조를 기원전 3761년으로 함》.

Jéwish Chrístian 유대인 기독교도(의), 《특히》 Jew for Jesus(의).

Jéwish congregátions 유대교회파.

Jew·ry [dʒúəri] *n.* 〘집합적〙 유대인; 유대 민족; 〖역사〗 유대인 사회, 유대인가(街)(ghetto); 《고어》 =JUDEA.

Jéw's-èar *n.* 〖식물〗 목이버섯.

Jéw's 〔**Jéws'**〕 **hàrp** (종종 j-) 구금(口琴)《입에 물고 손가락으로 타는 악기》.

Jez·e·bel [dʒézəbèl, -bəl] *n.* 〖성서〗 이세벨《Israel 왕 Ahab의 사악한 왕비》; (종종 j-) 수치를 모르는 여자; 독부, 요부.

jfcl [dʒèiéfsìːél] *vt.* 《해커속어》 …을 삭제하다: I *jfcl'd* out a few commands. 몇 개의 명령을 삭제했다.

JFK, J.F.K. John Fitzgerald Kennedy 《(1) 미국 대통령 이름. (2) =JOHN F. KENNEDY INTERNATIONAL AIRPORT》. **jg, jig.** 〖미해군〗 junior grade (하급).

Jiang Jie·shi, Chiang Kai·shek [dʒiáːŋdʒiə́ʃíː], [tʃǽŋkaiʃék] *n.* 장제스(蔣介石) 《중국의 군인 · 정치가 · 중화민국 총통; 1887-1975》.

Jiang·su, Kiang·su [dʒiàːŋsúː], [kjǽŋsúː] *n.* 장쑤(江蘇) 《중국 동부의 성(省)》.

Jiang·xi, Kiang·si [dʒiàːŋʃíː], [kjǽŋsíː] *n.* 장시(江西) 《중국 남동부의 성(省)》.

jib[1] [dʒib] *n.* **1** 〖해사〗 뱃머리의 삼각돛 《이물에 있는 제2사장(斜檣)의 버팀줄에 달아 올림》. **2** 〖기계〗 지브 《기중기의 앞으로 내뻗친, 팔뚝 모양의 회전부》. ***slide*** one***'s*** ~ 《미속어》 이성을 잃다, 머리가 돌다; 《미속어》 마구 지껄이다. ***the cut of*** a person***'s*** ~ 《구어》 풍채, 몸차림; 《구어》 성격. ── (*-bb-*) *vt., vi.* 〖해사〗 (돛을) 한쪽 뱃전에서 다른 쪽 뱃전으로 돌리다; (돛이) 빙 돌다. ★jibb라고도 씀.

jib[2] (*-bb-*) *vi.* **1** (말 · 차 따위가) 앞으로 나아가려 하지 않다(balk) 《*at*》. **2** 《+전+명》 주저하다, 망설이다 《*at; on*》: He ~*bed at* undertaking the job. 그는 그 일을 맡기를 주저했다. **3** 《비유》 (노동자가)(임금 인하 등을) 받아들이려 하지 않다 《*at*》. ~ ***at*** …에 싫은 기색을 보이다. ── *n.* 나아가려 하지 않는 말.

jib·ber [dʒíbər] *n.* 뒷걸음치는〔버릇이 고약한〕 말; 망설이는 사람.

jíb bòom 〖해사〗 제2사장(斜檣) 《이물에 있는 비낀 돛대》.

jíb cràne 지브 기중기.

jíb dòor 벽과 같은 평면에 붙여서 페인트칠하거나 종이로 발라서 눈에 띄지 않게 한 문.

jibe[1] [dʒaib] *vt., vi.* 〖미해사〗 =JIB[1]; GYBE.

jibe[2] ⇨ GIBE.

jibe[3] *vi.* 《미구어》 (…와) 조화하다, 일치하다 《*with*》.

Jid·da, Jed·da [dʒídə], [dʒédə] *n.* 지다, 제다 《사우디아라비아 서부의 홍해에 면한 도시》.

jif·fy, jiff [dʒífi], [dʒif] *n.* 《구어》 잠시, 순간 (moment). ***in a*** ~ 곧. ***Wait*** (***half***) ***a*** ~. 잠깐만 기다려라.

Jíffy bàg 지피 백 《(1) 부드러운 패킹으로 채운 우송용 종이 주머니. (2) 여행용 소형 가방》.

jig [dʒig] *n.* **1** 지그 《보통 4분의 3박자의 빠르고 경쾌한 춤》; Ⓤ 그 곡; 《미속어》 댄스파티. **2** 낚싯봉이 달린 낚시; 〖광산〗 지그, 선광기(選鑛機), 도태기(淘汰機); 〖기계〗 지그 《고정 · 안내용 공작기구》. **3** 《속어 · 방언》 농담, 장난. **4** 《미속어 · 경멸》 깜둥이, 흑인. ***in*** ~ ***time*** 재빨리, 즉석에서. ***The*** ~ ***is up.*** 《속어》 이젠 다 틀렸다, 끝장이다. ── (*-gg-*) *vt.* **1** (지그조로) …을 추다, 노래 부르다, 연주하다. **2** 《~+목/+목+부》 …을 급격히 상하〔전후〕로 움직이게 하다: He ~*ged* his thumb *up* and *down*. 그는 엄지손가락을 위아래로 흔들었다. **3** 지그 낚시로 낚다; 〖광산〗 (광석 을) 선광하다 《지그에 넣어 물 속에서》. ── *vi.* **1** 지그춤을 추다; 뛰어 돌아다니다. **2** 《+부》 급격하게 상하로 움직이다 《*up; down*》. ~ ***about*** 안절부절못하다, 주저주저하다.

jig·a·boo [dʒígəbùː] *n.* 《경멸》 흑인(negro).

jig·a·jig ⇨ JIG-JOG.

jig·a·ma·ree [dʒígəməriː, ˌ---ˊ] *n.* 《구어》 새로운 고안물, 묘한 물건.

jíg-chàser *n.* 《속어》 백인; 백인 경관; 남부 사람.

jig·ger[1] [dʒígər] *n.* **1** 지그춤을 추는 사람. **2** 〖해사〗 도르래 달린 작은 삭구(索具); 보조 돛; 소형 어선의 일종. **3** =JIGGERMAST. **4** 〖광산〗 지그 《선광기(選鑛機)》, 선광부(夫), 선광 기구. **5** 〖요업〗 기계 녹로(轆轤). **6** 낚싯봉 달린 낚시. **7** 〖골프〗 작은 쇠머리 달린 골프채. **8** 《속어》 당구의 큐대(臺). **9** 〖통신〗 진동 변성기(變成器). **10** 《미》 칵테일용 계량 컵 《$1\frac{1}{2}$ 온스들이》; 《미속어》 '한 잔'. **11** 《구어》 기계 장치(gadget), 그 뭐란 것 《뭐라고 해야 좋을지 모를 때 쓰는 말》; (구걸하려고) 일부러 낸 상처. ── *vt.* 《속어》 쓸데없이 참견하다, 방해하다, 후무리다; 못쓰게 망쳐 놓다. ── *int.* (종종 ~s) 《미속어》 조심해라, 도망쳐라.

jig·ger[2] 〖곤충〗 *n.* 모래벼룩(chigoe); 《미》 진드기의 일종(chigger).

jíg·gered *a.* 《구어》 **1** 'damned' 등의 완곡한 대용어: Well, I'm ~! 설마 / I'll be ~ if .... 천만에, …따위는 말도 안 된다. **2** 술에 취한; 《N.Eng.》 기진맥진한, 몹시 지친 《*up*》.

jígger·man [-mən] *n.* 기계 녹로공; 《미속어》 망꾼, 파수(=**jígger gùy**).

jígger·màst *n.* 〖해사〗 (네대박이 돛배의) 맨 끝 돛대.

jig·gery-pokery [dʒígəripóukəri] *n.* Ⓤ 《영구어》 속임수, 사기; 허튼소리(nonsense).

jig·gle [dʒígəl] *vt., vi., n.* 가볍게 흔들다〔흔들림〕, 가볍게 당기다〔당김〕.

jig·gly [dʒígəli] (*-gli·er; -gli·est*) *a.* 흔들리는, 불안정한; 《미속어》 성적 흥미를 돋우는. ── *n.* (*pl.*) 여배우가 도발적인 몸놀림을 하는 TV 장면.

Jiggs [dʒigz] *n.* 지그스 《미국의 만화가 George McManus(1884-1954)가 그린 신문 연재 만화의 주인공; 아내는 Maggie》.

jíg-jòg, jíg-jìg, jíg-a-jòg *n., vi.* 상하 움직임의〔을〕 반복(하다); 《비어》 성교(하다).

jíg·sàw *n.* 실톱의 일종 《곡선으로 켜는 데 씀》. ── *vt.* 실톱으로 켜다〔끊다〕.

jígsaw pùzzle 조각 그림 맞추기 장난감.

ji·had, je- [dʒihɑ́ːd] *n.* (회교 옹호의) 성전(聖戰); (주의 · 정책 등의) 옹호〔반대〕 운동 《*against; for*》: a ~ *for* temperance 금주 운동.

Ji·lin, Ki·rin [dʒìːlín], [kìːrín] *n.* 지린(吉林) 《중국 북동부의 성》.

ji·lin *n.* (상상의 동물) 기린. cf. giraffe.

Jill, jill [dʒil] *n.* =GILL[3].

jil·lion [dʒíljən] *n.* 《구어》 방대한 수. ── *a.* 방대한 수의, 무수한.

jilt [dʒilt] *vt.* 차(버리)다 《특히 여자가 애인을》. ── *n.* 남자를 차버리는 여자, 잡스러운 계집; 탕녀; 《드물게》 탕아.

Jim [dʒim] *n.* 짐 《남자 이름; James의 애칭》.

Jím Crów 《미구어》 *n.* **1** 《경멸》 흑인(Negro); (특히 흑인에 대한) 인종 차별 《특히, 미국 남부의》. **2** (보통 j- c-) 레일〔철봉〕을 구부리는 장치. ── *a.* 흑인을 차별하는; 흑인 전용의: a ~ car 〔school〕 흑인 전용차〔학교〕. ── *vt.* (흑인 등을) 인종 차별하다. ㊕ **Jím Crówism** *n.* (*or* j- c-) 흑인 차별주의〔정책〕.

jím-dándy *a., n.* 《미구어》 멋있는 (것): a ~ invention.

jim·i·ny, jim·mi·ny [dʒíməni] *int.* 《구어》 허 《놀람 · 가벼운 저주》.

jím-jàm (*-mm-*) *vi., vt.* 《미속어》 =JAZZ up.

jím·jàms 《속어》 *n. pl.* =DELIRIUM TREMENS; (the ~) 대단한 신경질, 불안(the jitters).

Jim·my, Jim·mie [dʒími] *n.* **1** 지미 《남자 이름; James의 애칭》. **2** 《구어》 =SCOT; 《Austral.》 (입식(入植)) 이민; 《CB속어》 GM사 자동차〔엔진〕.

jim·my *n.* **1** (도둑의) 짧은 쇠지레. **2** 〖철도〗 석탄차. ── *vt.* 쇠지레로 비집어 열다.

Jímmy Ríddle *n., vi.* (때로 j- r-) 《운율속어》 쉬(하다).

Jímmy Wóod·ser [-wúdsər] 《Austral. 구어》 혼자서 술을 마시는 남자; 혼자 마시는 술.

jimp [dʒimp] *a.* 《Sc.》 홀쭉한; 빈약한. ── *ad.*

가까스로, 거의 …없이.

jím·son wèed [dʒímsən-] (*or* J-) 《미》 흰독말풀《유독 식물》.

Jín·ghis Khán [dʒíŋgizká:n, dʒíŋgiz-] = GENGHIS KHAN.

◇**jin·gle** [dʒíŋgəl] *n.* **1** 짤랑짤랑, 딸랑딸랑, 찌르릉《방울·동전·열쇠 등의 금속이 울리는 소리》; 그 소리를 내는 것. **2** 같은 음의 운율적 반복; 같은 음의 반복으로 어조가 잘 어울리는 시구(詩句); 《미속어》 전화를 걸기; 《Austral. 속어》 돈. **3** (영국 Cornwall 지방, 아일랜드, 오스트레일리아 등지의) 한 필의 말이 끄는 2륜 포장마차. **4** 라디오·TV의 상업광고에 쓰이는 경쾌한 짧은 노래《상품명, 회사명을 넣어 부름》. **—** *vi., vt.* **1** 딸랑딸랑〔짤랑짤랑, 찌르릉〕 소리나다〔내다〕. **2** 짤랑짤랑 울리면서 나아가다. **3** (어구가) 어조가 잘 어울려 들리다. **4** …의 운을 맞추다, 압운(押韻)하다(rhyme).

jíngle bèll **1** 〖해사〗 기관실의 벨《브리지에서 기관실로 속력을 지시하는》. **2** 썰매의 방울; (가게 문에 달린) 내객을 알리는 종.

jíngle-jángle *n.* 딸랑딸랑〔짤랑짤랑〕하는 계속음.

jin·gly [dʒíŋgli] *a.* 딸랑딸랑〔짤랑짤랑〕 울리는.

jin·go [dʒíŋgou] *int.* 야, 엇《요술쟁이가 무엇을 꺼낼 때의 소리》. **—** (*pl.* **~es**) *n.* 주전론자, 대외 강경론자; 맹목적 애국자(chauvinist). ***by (the living) ~!*** 《구어》 절대로, 정말로《강조·놀람·긍정 등을 나타냄; jingo는 Jesus의 완곡어인 듯》. **—** *a.* 대외 강경의, 주전론의; 저돌적인. ㊞ **~·ism** *n.* Ⓤ 강경 외교 정책, 주전론. **~·ist** *n., a.* **jin·go·ís·tic** *a.*

jink [dʒiŋk] *vi., n.* 《영》 얼른 몸을 비키다〔비킴〕(dodge); 날쌔게 도망치다〔도망침〕; 《미속어》 (비행기가) 지그재그로 대공 포화를 피하다〔피함〕. **—** *vt.* 홱〔슬쩍〕 피하다; 속여서 지게 하다.

jin·ker [dʒíŋkər] *n.* 《Austral.》 경기용 1인승 2륜마차(sulky); 목재 운반용 2륜〔4륜〕마차.

jinks *n. pl.* Ⓤ 장난, 법석. ***high ~*** 야단법석.

jinn [dʒin], **jin·nee, jin·ni** [dʒiní:] (*pl.* ***jinn, jinns***) *n.* (이슬람교 신화의) 신령, 영마(靈魔)(genie).

JINS [dʒinz] *n.* 《미》 감독을 필요로 하는 소년·소녀. [◂*J*uvenile(s) *I*n *N*eed of *S*upervision]

jinx [dʒiŋks] *n.* 《미속어》 재수 없는〔불길한〕 물건〔사람〕(hoodoo), 불운, 징크스: break 〔smash〕 the ~ 징크스를 깨다; (경기에서) 연패 후에 승리하다. **—** *vt.* …에게 불행을 가져오다; …에 트집잡다〔시비하다〕.

ji·pi·ja·pa [hì:pʰhá:pa:, -pə] *n.* 《Sp.》 **1** 〖식물〗 파나마풀. **2** (그 잎으로 만든) 파나마모자.

jism, gism [dʒízəm] *n.* 《속어》 원기, 정력, 활력; 《속어》 흥분; 《비어》 정액(semen), 정자(sperm).

jis·som [dʒísəm] *n.* 《비어》 = JISM.

JIT job instruction training. **JIT, jit** just-in-time.

jit·ney [dʒítni] 《미속어》 *n.* 5센트 백통돈; 요금이 싼 버스《본디 요금이 5센트》; 소형 합승 버스; 털털이 고물차.

jítney bàg 《속어》 동전주머니〔지갑〕, 소형 핸드백.

jit·ter [dʒítər] 《구어》 *n.* (the ~s) 대단한 신경과민, 불안감; 〖전자〗 지터《전압의 요동에 의한 순간적인 파형의 난조》. ***give* 〔*set, have*〕 *the ~s*** 초조해하다, 안절부절못하(게 하)다. **—** *vi., vt.* 신경질 부리다, 안절부절못하(게 하)다; (무서움·추위로) 덜덜 떨다.

jítter·bùg 《구어》 *n.* 재즈에 맞추어 열광적으로 춤추는 사람; 스윙(음악)광; 신경질적인 사람; 지르박(을 추는 사람). **—** (**-gg-**) *vi.* 지르박을 추다; (경기에서) 날래게 몸을 놀려 상대를 애먹이다.

jit·tery [dʒítəri] *a.* 《구어》 신경과민의.

jive [dʒaiv] *n.* **1** 선정적인 스윙곡, 재즈. **2** 《미속어》 무책임한 말, 허풍, 간살; (특히, 흑인 재즈맨이 쓰는) 알 수 없는 은어, 최신 속어, 특수 용어(= ~ **tàlk**). **3** 《미속어》 화려한 상품〔복장〕; 《미속어》 마리화나 (담배). **—** *vt., vi.* 스윙을 연주하다; 지르박을 추다; 《미속어》 (신어·은어 등을 쓰거나 해서) 실없는〔뜻 모를〕 말을 하다; 속이다, 놀리다. **—** *a.* 《미·주로 흑인》 성실하지 못한, 우쭐해 하는; 거짓의: a ~ excuse 거짓 핑계.

jíve stìck 《미속어》 마리화나 담배.

jizz[1] [dʒiz] *n.* 《비어》 정액(semen).

jizz[2] *n.* 특징적 인상〔외관〕《동식물 관찰시 종(種)을 구별하는 단서가 되는》.

JJ. Judges; Justices. **Jl.** July. **Jn.** June. **jn.** junction. **Jno.** John. **jnr.** junior. **jnt** joint.

Jo [dʒou] *n.* 조《Joseph, Josephine의 애칭》.

jo[1] [dʒou] *n.* 《미속어》 = COFFEE.

jo[2] *n.* 《Sc.》 연인, 애인(sweetheart).

Jo. 〖성서〗 Joel; John; Joseph; Josephine.

joan·ie [dʒóuni:] *a.* 《미속어》 케케묵은, 낡은, 시대에 뒤진.

jo·an·na [dʒouǽnə] *n.* 《운율속어》 피아노.

Jóan of Árc [dʒóunəvá:rk] 잔다르크(Jeanne d'Arc)(1412–31).

Job [dʒoub] *n.* **1** 조브《남자 이름》. **2** 〖성서〗 욥《욥기(記)의 주인공》: (as) patient as ~ 참을성이 대단한. **3** (구약성서의) 욥기(記).

†**job**[1] [dʒɑb/dʒɔb] *n.* **1** 일; 볼일, 직무; 《구어》 대단한 품이 드는 것〔일〕: It's quite a ~ to do that in a week. 일주일 내에 해내기란 여간 벅찬 일이 아니다. SYN. ⇨ WORK **2** 구실, 임무, 의무: It is your ~ to be on time. 시간을 좀 지킬 수 없겠나. **3** 도급일, 삯일. **4** 직업(employment), 일자리, 지위(post): get a ~ as a teacher 선생이 되다/lose one's ~ 실직하다. SYN. ⇨ POSITION. **5** 《영구어》 일(matter), 사건(affair), 운(luck): That's a good ~. 그것 잘했다. **6** 〖일반적〗 (만들어진) 제품《특히 우수한 기계, 탈것, 냉장고 등; 주로 직업 용어》: a nice little ~ 괜찮은 물건. **7** 일터, (건축 따위의) 현장. **8** (공직을 이용한) 부정행위, 독직, 《특히》 정실 인사(人事). **9** 《구어》 도둑질(theft), 나쁜 일; 《미속어》 무책임한 말, 허세; = SNOW JOB: pull a ~ 《속어》 도둑질하다. **10** (*pl.*) 투매품, 떨이(책). **11** 《속어》 (돋보이는) 사람, 물건. **12** 〖컴퓨터〗 작업《컴퓨터에 처리시키는 작업 단위》: a ~ card 작업 카드/a ~ control program 작업 통제 프로그램/a ~ control statement 작업 통제문/a ~ level name 작업 수준(水準) 이름/a ~ management program 작업 관리 프로그램/a ~ queue 작업 큐/a ~ scheduler 작업 스케줄러/a ~ step 작업 단계.

a bad ~ 채산이 안 맞는 일, 실패, 불운한〔잘못된, 어려운, 난처한〕 일. ***a* (*bloody* 〔*jolly, very*〕) *good ~*** 좋은 일, 잘된 일. (***and***) ***a good ~*** 〔***thing***〕***, too*** 그거 참 좋은 일이다, 잘했다. ***by the ~*** 청부로; 일단위(의 계약으)로. ***do a ~ on*** 《미속어》 …을 때려부수다; 의기를 꺾다; 속이다. ***do the ~ for*** a person = ***do*** a person***'s ~ for*** him 《속어》 아무를 해치우다, 파멸시키다. ***fall down on the ~*** 《구어》 어엿한 일을 안 하다. ***fit for the ~*** 쓸모가 있는; 매우 적합한. ***give up ... as a bad ~*** 《구어》 …을 희망 없다고 단념〔포기〕하다. ***have a hard ~ to*** do (…하기에) 힘이 들다. ***have a ~*** 《구어》 (…하기)가 큰 일이다《*to* do; do*ing*》: He *had a* ~ find*ing* the house. 그 집을 찾는 데 애먹었다. ***~s for the boys*** 《구어·경멸》〖단독으로 또는 it is의 뒤에〗 (지지자

나 동료에게 논공행상으로 주는) 좋은 일자리, (끼리끼리 나누어 가지는) 수입이 좋은 일거리〔지위〕. ***just the*** ~《구어》 안성맞춤의 것〔사람〕. ***lie down on the*** ~ ⇨LIE[1]. ***make a bad*** ~ ***of*** …을 망쳐 놓다. ***make a*** (***good*** 〔***clean, excellent, fine,*** etc.〕) ~ ***of it*** …을 훌륭히 해내다, 철저하게 하다. ***make the best of a bad*** ~ 궂은 사태를 이럭저럭 헤쳐 나가다, 역경을 이겨내다. ***odd*** ~***s*** 허드렛일. ***on the*** ~ ① 일하는 중(에), (기계 따위) 작동 중인. ②《구어》 열심히 일하여; 나쁜 짓을 하고 있는. ③《속어》 방심하지 않고. ***out of a*** ~ 실직하여. ***pay*** a person ***by the*** ~ 실적에 따라 지급하다.

—— (***-bb-***) *vi.* **1** 삯일하다, 품팔이하다; 청부맡아 일하다. **2** (주식·상품의) 거간을 하다《*in*》. **3** 공직을 이용하여 사리를 꾀하다, 독직(瀆職)하다.
—— *vt.* **1** 《+목+부/+목+전+명》 (큰 일을 나누어) 하청 주다《*out*》: He ~*bed* (*out*) the work *to* a number of building contractors. 그는 그 공사를 몇 사람의 건축 청부인에게 하청주었다. **2** (주식·상품 따위를) 거간하다; 도매하다. **3** 《영》 (말·마차 따위를) 세 주다, 임차(賃借)하다. **4** (아무를) 쫓아내다. **5** 《+목+전+명》《미속어》 속이다, (아무에게서) 우려먹다, 빼앗다《*of*》: He was ~*bed out of* his money. 사기를 당해 돈을 빼앗겼다. **6** 《+목+전+명》《영구어》 (공직을) 이용해서 부정을 하다, 직권을 이용해서 (아무를) …지위에 앉히다《*into*》: He ~*bed* his friend *into* the post. 직권을 이용해서 친구를 그 자리에 앉혔다. ~ ***backward*(*s*)** 〖증권〗 (나중에 얻은 정보를 토대로) 과거에 증권 매매를 했다고 가정하고 그 수익을 계산해 보다; 때늦은 궁리를 하다. ~ ***off*** 싸게 팔아치우다.
—— *a.* 임대(용)의; 품팔이〔삯일〕의, 임시고용의; (명함 등) 잡종 인쇄(용)의.

job[2] (***-bb-***) *vi., vt.* =JAB; 《Austral.》 강타하다. ~ ***pop*** 《미속어》 (마약을) 피하주사하다.

jób àction 《미》 (노동자의) 태업; 준법투쟁.

jób anàlysis 직무분석《작업의 내용·시설·종업원의 자격·위험도 등을 조사하는》.

job·a·thon [dʒɑ́bəθɑ̀n/dʒɔ́bəθən] *n.* 《미》 TV 직업안내《장시간 계속되는 텔레비전 구인·구직 프로》. [◂*job*+mar*athon*] 「소리, 긴 사설.

jo·ba·tion [dʒoubéiʃən] *n.* 《영구어》 장황한 잔

jób bànk 취업 은행《정부기관에 의한 직업 알선 업무; 컴퓨터 처리에 의함》.

job·ber [dʒɑ́bər/dʒɔ́b-] *n.* **1** 중개상《싼 물건을 한목에 사서 조금씩 파는》; 삯일꾼(piecework-er); 《영》 =STOCKJOBBER. **2** 사욕을 채우는 관리, 탐관오리. **3** 《영》 (날수로) 말을 세놓는 사람.

jób·ber·nòwl [-nòul] *n.* 《영구어》 바보, 멍텅구리, 얼간이.

job·bery [dʒɑ́bəri/dʒɔ́b-] *n.* Ⓤ (공직을 이용한) 부정 이득, 독직; 이권 운동. 「BROKING.

job·bing [dʒɑ́biŋ] *n.* =PIECEWORK; JOBBERY;

jóbbing gàrdener 임시 고용 정원사.

jóbbing wòrk (명함·포스터 등) 잡살뱅이 인 「쇄.

jób cènter 《영》 =JOB BANK.

jób classificàtion 직종〔직무〕 분류《적성·기술·경험·교육에 따른 직무·직제의 분류》.

jób contról lànguage 〖컴퓨터〗 작업통제 언어《생략: JCL》.

Jób Còrps 《미》 직업공단(公團)《실업(失業) 청소년을 위한 직업훈련 센터의 운영조직》.

jób còsting 개별 원가계산(법).

jób descrìption 직무내용 설명서.

jób fèstival 〔**fàir**〕 《미》 (대학 구내에서 기업들이 하는) 취업 설명회.

jób·hòld·er *n.* 일정한 직업이 있는 사람; 《미구어》 공무원, 관리.

jób-hòp·ping *n.* (눈앞의 이익을 찾아) 직업을 전전하기. ㊞ **jób-hòp** *vi.* **jób-hòp·per** *n.*

jób-hùnt·er *n.* 《구어》 구직자.

jób-hùnt·ing *n.* 《구어》 구직.

jób·less *a.* **1** 실업의(unemployed), 일이 없는; 실업자를 위한: ~ insurance 실업보험 / a ~ rate 실업률. **2** (the ~) 〚명사적〛 실업자(들).

jób lòck 《속어》 퇴직 불안.

jób lòt 한 무더기 얼마의 싼 물건; 잡다한 저질의 사람〔물건〕의 더미. ***in*** ~***s*** 통틀어, 모개로.

jób màrket 구인 총수(總數); 인력 시장.

jób·màster *n.* 《영》 삯말〔마차〕 임대업자.

jób òrder (노동자에 대한) 작업〔제작〕 지시서.

Jób-òrder còsting 〖회계〗 개별 원가계산.

jób prìnter 《영》 (전단·포스터·명함 등의) 잡물 인쇄업자.

jób satisfàction 일에 대한 만족감.

Jób's còmforter 〖성서〗 **1** 욥의 위안자《위로하는 체하면서 오히려 고통을 더 주는 사람; 욥기 XVI: 2》; 달갑잖은 친절. **2** 종기(boil).

jób secùrity 고용 보장〔확보〕.

jób·sèeker *n.* 구직자.

jób-shàring *n.* 한 정규 고용의 일을 둘이서 노느매기로 하는 새로운 노동 형태: a ~ system 한 가지 일을 두 사람 이상이 하는 취업 형태.

jób shèet (상세한) 작업〔업무〕 일지, 작업표.

jób strèam 〖컴퓨터〗 작업의 흐름《순번으로 실행되는 일련의 작업》.

jóbs·wòrth *n.* 《주로 영속어》 융통성이 없는 하급 관리〔직원, 임원, 관리인〕, 세칙(細則)에 까다로운 사람〔사원, 직원〕.

jób táx crèdit 고용 감세(雇用減稅)《고용 장려책의 하나로 신규 채용자의 임금 비율에 따라 일정액을 법인세에서 감액하는 일》.

jób tìcket (노동자에 대한) 작업표《작업 요령의 지시와 실(實)작업 시간 기록용》; =JOB ORDER.

jób wòrk 품팔이〔삯〕일, 도급일; (명함·전단의) 「잡물 인쇄.

joc. jocose; jocular.

Jock [dʒɑk/dʒɔk] *n.* 《영군대속어》 스코틀랜드 고지 지방의 병사; 《Sc.·Ir.》 시골 청년.

jock[1] *n.* 《구어》 경마의 기수(jockey); =DISC JOCKEY. 「의) 성기.

jock[2] *n.* 정력적인 활동〔탐구〕가; 《비어》 (남성

jock·ette [dʒɑkét/dʒɔ-] *n.* 여성 (경마) 기수.

***jock·ey** [dʒɑ́ki/dʒɔ́ki] *n.* 경마의 기수(騎手); 《속어》 (탈것·기계 등의) 운전사, 조종자; =DISC JOCKEY; 《영》 젊은이, 졸개; 《미학생속어》 참고서(pony) 사용자; 《미속어》 상대를 야유하는 선수; 《고어》 말장수; (승마의) 안장받이: a typewriter ~ 타이피스트.
—— *vt.* **1** (말에) 기수로서 타다. **2** 《구어》 (비행기를) 조종하다, (차를) 운전하다, (기계를) 조작하다, 재치있게 움직이다. **3** (어떤 장소에) 잘〔재치있게〕 조종하여 들여놓다〔설치하다〕: The movers ~*ed* the piano through the door. 운반인들은 피아노를 재치있게 현관을 통해 들여놓았다. **4** 《+목+부/+목+전+명》 (아무를) 속이다; 속여서 물리치다《*away*》; 속여서〔설득해서〕 …하게 하다《*into*》; (아무를) 속여서 …을 빼앗다《*out of*》: He ~*ed* me *into* doing that. 그는 나를 속여서 그 일을 하게 했다 / He ~*ed* me *out of* a chance for the job. 그는 나를 속여서 그 일을 할 기회를 빼앗았다. —— *vi.* **1** …의 기수로서 일하다. **2** 《+전+명》 (…을 얻으려고) 책략을 쓰다《*for*》: ~ *for* power 권력을 얻으려고 획책하다. **3** 속이다, 비열한 짓을 하다, 사기치다. ~ ***for position*** 〖경마〗 상대를 제치고 앞서다; 〖요트〗 교묘히 조종하여 앞지르다; 《구어》 유리한 입장에 서려고 (획책)하다.

jóckey càp 기수 모자.

jóckey clùb 경마 클럽. 「상표명」.
Jóckey shòrts 조키 쇼츠《꼭 끼는 남자 속옷;
jóck ìtch 《미속어》 ⦅의학⦆ 완선(頑癬).
jocko [dʒákou/dʒɔ́k-] (*pl.* ~**s**) *n.* ⦅동물⦆ 침팬지, 검은성성이.
jóck·stràp *n.* **1** (남성의) 국부(局部) 보호구(supporter). **2** 《미속어》 (학생) 운동선수. — *vi.* 《미속어》 (권투 · 레슬링 선수 등이) 지방 순회로 생활하다.
jo·cose [dʒoukóus] *a.* 《문어》 (사람됨이) 우스꽝스러운, 익살맞은(facetious). ㊞ ~·**ly** *ad.*
jo·co·se·ri·ous [dʒòukəsíəriəs] *a.* 반 농담의.
jo·cos·i·ty [dʒoukásəti/-kɔ́s-] *n.* Ⓤ 우스꽝스러운 짓, 익살, 농(담).
joc·u·lar [dʒákjələr/dʒɔ́k-] *a.* 익살맞은, 우스운, 농담의. ㊞ ~·**ly** *ad.*
joc·u·lar·i·ty [dʒàkjəlǽrəti/dʒɔ̀k-] *n.* Ⓤ 익살, 농담; Ⓒ 익살스러운 이야기〔짓〕.
°**joc·und** [dʒákənd, dʒóuk-/dʒɔ́k-] *a.* 명랑〔쾌활〕한(cheerful), 즐거운. ㊞ ~·**ly** *ad.*
jo·cun·di·ty [dʒoukʌ́ndəti] *n.* Ⓤ 즐거움, 쾌활, 명랑(gaiety); 그런 언행.
jodh·purs [dʒádpərz] *n. pl.* 승마(乘馬) 바지.
Jo·die [dʒóudi:] *n.* (종종 j–) 《미군대속어》 민간인 남자《군인에 대하여》; 병역 불합격자, 징병 유예자; 출정 중에 자기 여자 친구와 노는 남자.
Joe [dʒou] *n.* **1** 조《남자 이름; Joseph의 애칭》. **2** 《구어》 여보게, 자네《이름을 모르는 상대를 부를 때》; 《미속어》 미국인, 미국 병사(cf. GI); 《구어》 (종종 j–) 사내(fellow), 놈(guy); 《미속어》 변소; 《영속어》 하찮은 일만 하게 되는 남자: He's a good ~. 좋은 놈이다. ***Not for ~!*** 《영속어》 천만에, 싫다. — *vt.* 《미속어》 (남)에게 알리다(inform).
joe *n.* 《미구어》 커피.
Jóe Bláke 《운율속어》 **1** 《Austral.》 뱀(snake). **2** 《미》 비프스테이크(beefsteak). 「사람〔남자〕.
Jóe Blóggs [-blágz/-blɔ́gz] 《영구어》 보통
Jóe Blów **1** 《미 · Austral.》 보통 시민, 보통 사람〔남자〕; 《미속어》 이름을 모르는 사람, 아무개; 《미군대속어》 젊은 남자 시민, 징집병. **2** 《미속어》 음악가, 연주자; 《미속어》 빽이 센 사람.
Jóe Cóllege 《구어 · 경멸》 (학원생활을 즐기는) 고지식한 남자 대학생; 《속어》 학생, 풋내기.
Jo·el [dʒóuəl] *n.* ⦅성서⦆ 요엘《히브리의 예언자》; (구약성서의) 요엘서(書).
Jóe Míller 진부한 익살; 소화집(笑話集).
Jóe Públic 《구어》 일반 대중.
joe-pýe wèed [-pái-] ⦅식물⦆ 등골나무류(類).
Jóe Síx-pàck 《속어》 보통 미국인〔노동자〕.
Jóe Schmó 《미구어》 보통 사람(Joe Blow).
Jóe Stórch 《속어》 평범한 남자; =JOE ZILSCH.
jo·ey[1] [dʒóui] *n.* 《Austral. 구어》 새끼 짐승, 《특히》 새끼 캥거루; 유아, 어린애; 막일꾼; 《속어》 (가정 · 호텔 등의) 잡역부(odd-jobman).
jo·ey[2] *n.* 《영속어》 3페니화(貨) 《본디 4페니》.
Jóe Zílsch [-ʒílʃ] 《미속어》 보통의〔평균적인〕 시민, 보통 사람.
jog**[1] [dʒag/dʒɔg] (**-gg-**) *vt.* 살짝 밀다〔당기다〕, (팔꿈치 따위로) 가만히 찌르다(nudge); (살짝 찔러서) 알려 주다; 《비유》 (기억을) 불러일으키다(remind); (말을) jog trot으로 달리게 하다; ⦅인쇄⦆ (종이를 추슬러서) 간추리다. — *vi.* **1** 덜커덕 움직이다. **2** 《+부/+전+명》 터벅터벅〔천천히〕 걷다〔타고 가다〕: They *~ged down to* town on horseback. 그들은 말등에 올라앉아 터벅터벅 읍으로 갔다. **3** 《~/+부》 (말이) jog trot으로 달리다; 《미》 (운동을 위해) 천천히 달리다, 조깅하다; 출발하다(depart); 그럭저럭 해나가다《*on; along*》: Let's be ~*ging.* 슬슬 출발하자 / The project is ~*ging along.* 그 계획은 그럭저럭 진행〔진척〕되고 있다. ~ ***on 터벅터벅 걸어가다. ~ one***'s memory*** 기억을 되살리다. — *n.* 슬쩍 밀기〔흔들기〕; 가볍게 치기; 《비유》 (기억 따위를 환기시키는) 가벼운 자극〔충동〕; 조깅, 터벅터벅〔천천히〕 걷기; (말의) 완만한 속보(jog trot).
jog[2] (**-gg-**) *vi.* 급히 방향을 바꾸다, (길 따위가) 갑자기 꺾이다. — *n.* 《미》 (선 · 면의) 울퉁불퉁함, 가지런하지 않음.
jog·a·thon [dʒágəθàn/dʒɔ́gəθɔ̀n] *n.* 조깅 마라톤, 장거리 조깅. 「《상표명》.
Jog·bra [dʒágbrà:/dʒɔ́g-] *n.* 조깅용 브래지어
jog·ger [dʒágər/dʒɔ́g-] *n.* 조깅하는 사람.
jog·ging [dʒágiŋ/dʒɔ́g-] *n.* Ⓤ 조깅, 달리기.
jógging pànts 조깅 바지《트레이닝 바지》.
jógging shòes 조깅 슈즈《쿠션 운동화》.
jógging sùit 조깅 슈트, 조깅 복장.
jog·gle[1] [dʒágəl/dʒɔ́gəl] *vt., vi.* 흔들다; 흔들리다, 휘청거리다. — *n.* (가벼운) 흔들림.
jog·gle[2] ⦅건축 · 기계⦆ *n.* 맞물림; 은못, 장부촉. — *vt.* 은못으로 맞붙이다, 서로 맞물리다.
jóggling bòard **1** 도약대, 스프링보드; =SEESAW. **2** 《미속어》 그네.
jóg tròt ⦅승마⦆ 느릿느릿한 규칙적인 속보(速步); 《비유》 단조로운 방식〔생활〕. — *vi.* jog trot으로 나아가다. 「요하네스《남자 이름》.
Jo·han·nes [jouhá:nis, -hǽn-/-hǽn-] *n.*
Jo·han·nes·burg [dʒouhǽnisbə̀:rg] *n.* 요하네스버그《남아프리카 공화국의 도시; 금 · 다이아몬드 산지》.
Jo·han·nine [dʒouhǽnin, -nain/-nain] *a.* ⦅성서⦆ 사도 요한(John)의; 요한 복음의.
Jo·han·nis·berg·er [dʒouhǽnəsbə̀:rgər] *n.* Ⓤ 독일 Johannisberg산 고급 백포도주.
John [dʒan/dʒɔn] *n.* **1** 존《남자 이름》. **2** ⦅성서⦆ 세례 요한(~ the Baptist); 사도 요한; (신약성서의) 요한 복음; (신약성서의) 요한 1서〔2서, 3서〕. **3 a** (때로 j–) 《속어》 사내(man), 놈(fellow); (법을 지키는) 양심적인 시민, 일반 시민. **b** (때로 j–) 봉, 매춘부의 손님; 《구어》 게으른 젊은 사내, 돈씀새가 헤픈 사내; 《미속어》 첩을 둔 사내. **c** 《속어 · 경멸》 순경(policeman), 《드물게》 =DETECTIVE; 《미군대속어》 =LIEUTENANT; (종종 j–) 《미육군속어》 신병: second ~ 소위(second lieutenant). **d** 《속어 · 경멸》 중국인. **4** (j–) 《구어》 변소, 《특히》 남자용 공중변소(cf. Jane); (종종 j–) 《속어》 음경.
Jóhn Bárleycorn (의인적 뜻의) 맥주, 위스키.
Jóhn Bírch Socìety (the ~) 존 버치 협회 《1958년에 창설된 미국의 반공 극우 단체》.
jóhn·bòat *n.* (한 사람이 젓는) 소형 평저선(平底船) (=**jóhn bòat**).
Jóhn Búll 영국(인); (전형적) 영국인; 영국민. cf. Jonathan, Uncle Sam. ㊞ ~·**ism** 영국인 기질.

John Bull

Jóhn Chínaman 《보통 경멸》 중국인.
Jóhn Cítizen 《구어》 일반 시민, 보통 사람.
Jóhn Dóe **1** ⦅법률⦆ 부동산 회복 소송 등에서 원고의 가상적 이름. cf. Jane Doe. **2** 이름 없는〔평범한〕 사람; 모씨(某氏), 아무개. ~ ***and Richard Roe*** (소송사건에서) 원고와 피고.
Jóhn Dóry [-dɔ́:ri] ⦅어류⦆ 달고기류(類).
Jóhn F. Kénnedy Internátional Airport

케네디 국제공항《New York시 Queens 남부에 있음》.

Jóhn F. Kénnedy Spáce Cènter (NASA의) 케네디 우주 센터《Florida주 Cape Canaveral에 설립》.

Jóhn Háncock 1 ⇨HANCOCK. 2 《미구어》 자필 서명, 사인: Put your ~ on this check. 이 수표에 서명해 주세요. ★미국 독립선언의 첫 서명자로 그 서명이 굵직하고 읽기 쉬웠음.

Jóhn Hénry 1 (*pl.* **-Henries**) 《구어》 자필 서명. 2 《미속어》 존 헨리《뛰어난 체력을 지닌 전설상의 흑인》; (초인적인) 흑인 일꾼, 잘 버티는 흑인.

Jóhn Hóp 《Austral. 속어》 경관, 순경.

John·i·an [dʒóuniən] *n.* 《영》 (Cambridge 대학의) St. John's College 재학생〔졸업생〕.

Jóhn Láw 《미속어》 경찰; 경관.

John·ny, -nie [dʒáni/dʒɔ́ni] *n.* 1 조니《남자 이름; John의 애칭》. 2 《구어》 놈, 녀석, 사나이. cf. Jack. 3 《구어》 멋쟁이, 번드레한 남자(dandy). 4 《영》 (특히 런던 사교계의) 고등 룸펜, 난봉꾼(man about town). 5 《구어》 (남자용) (공중) 변소(toilet). 6 《속어》 (오스트레일리아의) 순경. 7 (j-) (입원 환자용의) 소매가 짧고 깃이 없이 뒤가 터진 웃옷. 8 (j-) 《영》 콘돔.

Jóhnny Áp·ple·sèed [-ǽplsiːd] 조니 애플시드《본명 John Chapman; 개척시대에 사과나무 묘목을 변경 지역에 나누어 주며 다녔다는 전설이 있음; 1774-1845》.

Jóhnny bàg 《영속어》 콘돔.

jóhnny·càke *n.* U,C 《미》 옥수수 빵; 《Austral.》 얇게 구운 밀가루빵.

Jóhnny Canúck 《Can.》 1 캐나다《의인적(擬人的) 표현》. 2 캐나다 사람《구어적 표현》.

jóhnny còllar (블라우스 따위의) 조붓이 세운 깃.

Jóhnny-còme-látely (*pl.* **-láte·lies, Jóhnnies-**) 《구어》 *n.* 신참자(新參者), 신출내기, 풋내기; 새 가입자; 벼락부자. — *a.* 신참의, 풋내기의; 최신의.

Jóhnny-júmp-ùp *n.* 《미》 제비꽃의 일종.

Jóhnny-on-the-spót 《구어》 *n.* 기다렸다는 듯이 무엇이나 하는 사람, 돌발〔긴급〕 사태에 곧 대처할 수 있는 사람. — *a.* 즉석의, 기다렸다는 듯한.

Jóhnny Ráw 《구어》 신출내기, 신병.

Jóhnny Réb [-réb] 《구어》 (남북전쟁 당시의) 남군의 병사; 《미속어》 남부 백인(Rebel).

Jóhnny Tróts 《미속어》 설사(diarrhea).

Jóhn o'Gróat's (Hòuse) [dʒánəgróuts(-)/dʒɔ́n-] 스코틀랜드의 최북단(最北端)에 위치한 땅〔곳〕. ***from John o'Groat's to Land's End*** 영국의 끝에서 끝까지, 영국 내.

Jóhn Pául 1 ~ I 요한 바오로 1세《로마 교황; 1912-78》. 2 ~ II 요한 바오로 2세《폴란드 태생의 로마 교황(1978-2005); 1920-2005》.

Jóhn Q Públic 〔**Cítizen**〕 《구어》 《의인화》 평균적 일반 시민, 일반 대중.

Jóhn Ráw 미숙한 사람, 초심자(初心者).

Jóhns Hópkins Univérsity 존스 홉킨스 대학《미국 Maryland주 Baltimore에 있는 사립 대학; 1876년 창립》.

John·son [dʒánsən/dʒɔ́n-] *n.* 1 **Lyndon Baines** ~ 존슨《미국의 제36대 대통령; 1908-73》. 2 **Samuel** ~ 존슨《영국의 문학가·사전 편찬가; 1709-84》. 3 《미속어》 방랑자; 《속어》 페니스(Jim ~); 《속어》 포주(抱主).

Jóhnson & Jóhnson 존슨 앤드 존슨《미국의 소비자용 보건·의료품 제조 회사; 1867년 설립》.

Jóhnson cóunter 〖컴퓨터〗 존슨 계수기.

John·son·ese [dʒɑ̀nsəníːz/dʒɔ̀n-] *n.* Samuel Johnson식의 문체.

John·so·ni·an [dʒɑnsóuniən/dʒɔn-] *a.* Samuel Johnson(식)의; 장중한《문체》. — *n.* Samuel Johnson 연구가〔숭배자〕.

Jóhnson Spáce Cènter (the ~) 존슨 우주기지《미국 Texas주 Houston에 있는 우주개발 기지; 정식 명칭은 Lyndon B. Johnson Space Center》.

Jóhn the Báptist 〖성서〗 세례 요한.

joie de vi·vre [F. ʒwadəviːvʀ] 《F.》 삶의 기쁨(joy of living).

†**join** [dʒɔin] *vt.* 1 《~+목/+목+전+명/+목+부》 결합하다(unite), 연결하다(connect), 접합하다(fasten); (손 따위를) 맞잡다, 협력하다: ~ one thing *to* the other 어떤 것을 다른 것에 연결시키다 / ~ two things *together* 두 물건을 하나로 잇다.

> SYN. **join** 두 개의 것을 외면적으로 하나로 이음을 말하는 일반적인 말. **combine** 두 가지 것을 하나로 결합하여 그 결과 원래의 요소가 구분되기 어려울 만큼 융합되어 있음. **unite** 두 가지 이상의 것을 밀접히 결합하여 하나의 통합체를 만드는 일: be *united* by love. **connect** 어떤 매개물이 있어 두 개의 것을 결합시킴을 이름. **link** 외면적인 것뿐만 아니라 내면적으로도 강하게 결합함을 나타냄.

2 《~+목/+목+전+명》 (강·길 따위가) …와 합류하다, …와 함께 되다, …와 한곳에서 만나다: The stream ~*s* the Han River. 이 개울은 한강과 합류한다 / She will ~ me *in* Japan. 그녀는 일본에서 나와 합류한다. 3 …을 합병하다, 하나로 하다(unite): ~ forces 힘을 합치다. 4 《~+목/+목+전+명》 …에 들다, …에 가입하다, …의 회원이 되다: ~ a society 회에 들다 / Will you ~ us *for* 〔*in*〕 a game? 함께 게임을 안 하겠나. 5 (군에) 입대하다; (배를) 타다; (소속부대·배로) (되)돌아오다: ~ the Navy 해군에 입대하다. 6 《~+목/+목+전+명》 …에 인접하다, 접합하다(adjoin): His land ~*s* mine. 그의 땅은 내 땅과 접해 있다 / Our field ~*s* John's *on* the west. 우리 밭은 서쪽에서 존의 밭과 접해 있다. 7 《+목+전+명》 (결혼 따위로) (아무를) 맺어주다: ~ two persons *in* marriage 두 사람을 결혼시키다. 8 《~+목/+목+전+명》 (전투·싸움을) 벌이다, 교전하다《*with*》: The opposing armies ~*ed* battle *in* the valley. 적대하는 두 군대는 골짜기에서 전투를 벌였다. 9 《~+목/+목+전+명》 〖기하〗 (두 점을) 잇다: ~ two points *on* a graph 그래프상의 두 점을 잇다.

— *vi.* 1 《~/+부/+전+명》 합하다, 만나다, 연결〔결합〕되다: *Where* do those two rivers ~? 저 두 강은 어디에서 합류하는가 / The two roads ~ *at* this place. 두 도로는 이곳에서 합친다. 2 《+전+명》 합체되다, 합동하다, 동맹하다, 함께 되다《*with; to*》: ~ *with* the enemy 적과 손을 잡다. 3 《+전+명/+부》 참가하다, 한패가 되다, 동아리에 들다, 가입되다《*in*》: Tom ~*ed with* me *in* the undertaking. 톰은 나와 공동으로 그 일을 했다 / Let's all ~ *in*. 모두 가입하자. 4 《+전+명》 인접하다, 접하다: Our land ~*s along* the brook. 우리 땅은 시내에 접해 있다. ◇ joint *n.* ~ ***company with*** (아무와) 한패〔동료〕가 되다. ~ ***duty*** 《Ind.》 (휴가·스트라이크 후) 직장에 복귀하다. ~ ***forces with*** …와 협력하다. ~ ***hands with*** …와 손을 맞잡다; …와 제휴하다. ~ ***issue*** ⇨ISSUE. ~ ***on*** (중간에) 참여〔참가〕하다. ~ ***out*** 《서커스속어》 입단하다. ~ ***out the odds*** 《속어》 뚜쟁이 노릇을 하다. ~ ***the colors*** 입대하다. ~ ***up*** 동맹〔제휴〕하다; 입회〔가입〕하다; 입대하다(enlist); 《미속어》 마약 중독이 되다.

— *n.* 접합, 합류; 접합〔합류〕점(joint); 〖수학〗 합집합, 합병집합(union); 〖컴퓨터〗 골라잇기. ㊥ ∠·a·ble *a.*

join·der [dʒɔ́indər] *n.* **1** 〖법률〗 공동 소송, 연합 소송《*of* parties》. **2** 연합, 결합, 합동(union). **3** (쟁점의) 합일, 결정《*of* issue》.

jóin·er *n.* 결합자; 접합물; 《영》 소목장이, 가구장이(《미》 carpenter); 《구어》 많은 모임에 관계하고 있는 사람, 얼굴이 널리 알려진 사람. ㊥ **~y** [-əri] *n.* Ⓤ 소목장이 일, 가구 제조업; 소목 세공, 가구류. 「합물.

jóin·ing *n.* 접합, 결합, 연결; 접합점〔양식〕; 접

*‡***joint** [dʒɔint] *n.* **1 a** 이음매, 접합 부분〔점, 선, 면〕; 접합(법); (전선 따위의) 접속. **b** 〖목공〗 (목재를 잇기 위해) 장부를 낸 곳; (두 부재(部材)의) 이음촉, 조인트; (벽돌쌓기 따위의) 줄눈; 〖지학〗 절리(節理)《암석의 갈라진 틈》. **c** (푸주에서 잘라놓은) 큰 고깃덩어리, 뼈가 딸린 고기《요리용》; 〖해부〗 (손가락 따위의) 관절; (가지·잎의) 마디, 붙은 곳. **2** 《속어》 (원래 밀주를 판) 비밀 술집, 싸구려 레스토랑〔나이트클럽, 여인숙〕; 〖일반적〗 (사람이 모이는) 장소, 집, 건물, 감방(prison, jail); (서커스·저자 따위의) 매점. **3** 《속어》 마리화나 (담배); 총(gun); (피하주사용) 주사침〔주사기 세트〕; 《비어》 음경; 《경마속어》 경주말에 전기 쇼크를 주는 장치. ◇join *v.* ***blow the ~*** 《미속어》 (급하게) 도망치다. ***out of ~*** ① 접질리어, 탈구하여. ② 고장이 나서, 뒤죽박죽이 되어. ③ 어울리지 않게《*with*》. ***put a person's nose out of ~*** ⇨ NOSE.

— *a.* **1** 공동의, 합동의, 공유의, 공통의; 〖법률〗 연대의: ~ communiqué 공동 코뮈니케 / ~ ownership 공유권 / a ~ responsibility 연대책임 / a ~ statement 공동성명 / a ~ offense 공범. **2** 〖수학〗 둘 이상의 변수를 갖는. **3** 《속어》 멋진, 근사한. ***during their ~ lives*** 〖법률〗 두 사람이〔전부가〕 함께 생존해 있는 동안.

— *vt.* **1** 접합하다, 이어맞추다. **2** 이어진〔마디가 있는〕 부분에서 나누다. **3** (고기를) 큰 덩어리로 베어 내다《관절 마디마다 끊어서》. **4** 〖건축〗 (줄눈을) 회반죽으로 바르다. — *vi.* 접합하다, 달라붙다.

jóint accóunt (은행의) 공동 예금계좌.

Jóint Chìefs of Stáff (the ~) 《미》 합동 참모 본부〔회의〕《생략: JCS》.

jóint commíttee (의회의) 양원 합동 위원회.

jóint convéntion 《미》 (국회·주(州)의회의) 양원 합동회의.

jóint cústody 〖법률〗 (이혼하거나 별거 중인 양친에 의한) 공동 친권(親權).

jóint·ed [-id] *a.* **1** 마디〔이음매〕가 있는; 관절이 있는. **2** 〖복합어〗 접합이 …한: well-~ 잘 이어진. ㊥ **~·ly** *ad.* **~·ness** *n.*

jóint·er *n.* 접합 도구; 접합하는 사람; 다듬는 데 쓰는 긴 대패; 톱날 세우는 줄; 〖석공〗 사춤흙손; 〖농업〗 삼각 보습.

jóint fámily 〔hóusehold〕 합동〔집합〕 가족《2세대 이상의 혈통자가 동거하는 가족 단위》.

jóint fàre 결합 운임《둘 이상의 항공회사가 하나의 운임으로 공시한 것》. 「환율제.

jóint flóat 〖경제〗 (특히 EC 제국의) 공동 변동

Jóint Fórce 〖미군사〗 통합군《미군에는 9개의 통합군이 있음》.

jóint hónours degrèe 《영》 (대학의) 복수 전공 우등 학위.

jóint ìll (망아지 따위의) 관절염.

jóinting rùle 접자.

jóint·less *a.* 이음매가 없는, 관절이 없는.

◇**jóint·ly** *ad.* 연합하여, 공동으로; 연대적으로.

jóint resolútion 《미》 (양원의) 공동〔합동〕 결의(決議). cf. concurrent resolution.

joint·ress [dʒɔ́intris] *n.* 〖법률〗 과부 급여(給與) (jointure)를 가진 여성.

jóint retúrn 《미》 (부부의 수입을 합한) 소득세 종합 신고서. 「회의.

jóint séssion 〔méeting〕 《미》 (양원) 합동

jóint stóck 〖경제〗 공동자본. 「주식회사.

jóint-stóck còmpany 《미》 합자회사; 《영》

jóint stòol 조립식 의자.

join·ture [dʒɔ́intʃər] 〖법률〗 *n.* **1** 과부 급여《남편 사후 아내의 소유가 되도록 정해진 토지 재산》; 과부 급여의 설정. **2** 《드물게》 접합(接合), 이음매. — *vt.* (아내)에게 과부 급여를 설정하다.

jóint vénture 합작 투자(업체), 합동 시공.

joist [dʒɔist] *n.* 〖건축〗 장선; 들보. — *vt.* …에 ~를 달다. ㊥ ∠·**ed** [-id] *a.*

jo·jo·ba [houhóubə] *n.* 〖식물〗 호호바《북아메리카산 회양목과의 소관목; 씨에서 기름을 짬》.

*‡***joke** [dʒouk] *n.* **1** 농담, 익살, 조크; 장난: have a ~ with …와 농담을 주고받다.

> SYN. **joke** 상대방을 웃길 만한 농담이나 행위를 해 보임을 뜻하며, 가장 보통으로 쓰이는 말임. **jest** joke보다 격식을 차린 말로서 비아냥·조소가 가미된 농담을 이름. **gag** 극 따위에서 관객을 웃기기 위해 배우가 하는 즉흥적인 익살스런 말.

2 웃을 일; 하찮은 일; 쉬운 일: It is no ~ being broke. 돈 한푼 없는 것은 웃을 일이 아니다〔정말로 괴로운 일이다〕. **3** 웃음거리: He is the ~ *of* the whole town. 그는 온 동네의 웃음거리다. **4** 우스운 상황〔사태〕. ***be* 〔*go*〕 *beyond a ~*** 웃을 일이 아니다, 중대한 일이다. ***crack* 〔*cut, make*〕 *a heavy ~*** 심한 농담을 하다. ***for a ~*** 농담삼아서: It was meant *for a* ~. 농담삼아 한 말이었다. ***in ~*** 농담으로. ***play a ~ on*** a person 아무를 조롱하다, 놀리다. ***see a ~*** 재담을 알아듣다. ***take a ~*** 놀려도 화내지 않다, 농담을 웃으며 받아들이다. ***The ~ is on ….*** (남에 대한 계략·몹쓸 장난이) 자기에게 돌아온다. ***turn a matter into a ~*** 일을 농담으로 돌리다.

— *vi.* 《~/+전+명》 농담을 하다; 희롱하다; 장난치다: I'm just *joking*. 그저 농담으로 한 말이야 / ~ *about* a person's mistake 아무의 과실을 놀리다. — *vt.* 《~+목/+목+전+명/+목+부》 조롱하다, 비웃다: He ~*d* me *on* my accent. 그는 나의 사투리를 비웃었다 / The question was ~*d away* between them. 그 문제는 그들 사이에서는 농담으로 끝나 버렸다. ***joking apart* 〔*aside*〕** 농담은 그만하고. ***You must* 〔*have to*〕 *be joking.*** 《속어》 설마 농담이겠지.

jóke·bòok *n.* 소화집(笑話集).

jok·er [dʒóukər] *n.* 농담하는 사람; 《구어》 놈, 녀석(fellow); 《미》 사기 조항《법안·계약서 따위의 효력을 약화시키기 위하여 슬쩍 삽입한 문구》; 책략, 사기; 〖카드놀이〗 조커; 예기치 않았던 난점; 《미군대속어》 무엇이나 잘 아는 녀석, 똑똑한 체하는 녀석(wiseacre); 하잘것없는〔무능한〕 녀석.

jóke·smìth *n.* 《구어》 조크〔개그〕 작가.

jok·ing·ly [dʒóukiŋli] *ad.* 농담으로.

joky [dʒóuki] (***jok·i·er; -i·est***) *a.* 농담을 좋아하는(jokey).

jo·lie laide [*F.* ʒɔlilɛd] (*pl.* ***jo·lies laides*** [—]) 《F.》 미인은 아니지만 매력적인 성격의 여자(*belle laide*).

Jo·liot-Cu·rie [*F.* ʒɔljokyʀi] *n.* 졸리오 퀴리. **1** **(Jean-) Frédéric ~** (1900-58) 《프랑스의 물리 학자; Nobel 화학상 수상(1935)》. **2** **Irène ~** (1897-1956) 《Curie 부처의 장녀, 1의 아내; 프랑스의 물리학자; Nobel 화학상 수상(1935)》.

jol·li·er [dʒɑ́liər/dʒɔ́l-] *n.* 추어 주는〔놀리는,

조롱하는〕 사람.

jol·li·fi·ca·tion [dʒɑ̀ləfikéiʃən/dʒɔ̀-] *n.* [C] 잔치 소동; [U] 흥겹게 놀기(merrymaking).

jol·li·fy [dʒɑ́ləfài/dʒɔ́-] 《구어》 *vt.* 즐겁게 하다, 명랑하게 하다. **—** *vi.* 즐기다, 유쾌해지다; 얼근한 기분이 되다.

jol·li·ty [dʒɑ́ləti/dʒɔ́-] *n.* [U] 명랑, 즐거움; [C] 「환락, 술잔치.

*__jol·ly__ [dʒɑ́li/dʒɔ́li] (***-li·er; -li·est***) *a.* **1** 명랑한. **2** 즐거운, 유쾌한: a ~ fellow 재미있는〔유쾌한〕 친구. **3** (술로) 거나한, 얼근한 기분의. **4** 《영구어》 훌륭한; 엄청난, 굉장한; 〖반어적〗 이만저만이 아닌, 지독한: ~ weather 좋은 날씨 / a ~ fool 지독한 바보 / What a ~ mess I am in! 이거 큰일났는데. ***the ~ god*** 술의 신(Bacchus).
— *n.* **1** 《영속어》 해병(海兵)(Royal Marine). **2** 《구어》 잔치 소동, 흥분, 스릴. **3** 《구어》 기쁘게 해줌, 추어올림. **4** =JOLLY BOAT. ***get one's jollies*** 매우 즐기다, 유쾌하게 하다.
— *ad.* 《영구어》 대단히(very), 엄청나게: You ~ well know it. 너도 잘 알 것이다. ***~ D*** 《영속어》 매우 친절한. ***~ well*** 《영속어》 틀림없이, 꼭, 반드시.
— *vt.* **1** 《구어》 **a** 《+[목]+[부]》 기쁘게 하다, 추어주다《*along; up*》: I was *jollied along* and agreed to join in the work. 부추김을 받아 그 일에 가담하는 데 동의했다. **b** 《+[목]+[전]+[명]》 (아무를) 추어서〔치켜세워서〕 …하게 하다《*into*》: He *jollied* her *into* help*ing* with the work. 그는 그녀를 추어서 그 일을 돕게 했다. **2** 놀리다, 조롱하다(rally). **—** *vi.* 유쾌하게〔명랑하게〕 농담을 하다; 놀리다; 치켜세우다.
[파] **jól·li·ly** *ad.* 명랑하게, 유쾌하게. **jól·li·ness** *n.*

jólly bòat 〖해사〗 (함선에 딸린) 작은 보트.

Jólly photómeter 〖물리〗 졸리 광도계.

Jólly Róger [-rɑ́dʒər/-rɔ́dʒər] (the ~) 해적기 《검은 바탕에 흰 두개골과 두 개의 대퇴골을 교차시켜 그린 기》. [cf] black flag.

Jolly Roger

°**jolt** [dʒoult] *vi.* **1** 《~/+[부]》 덜컥덜컥 흔들거리면서 가다, 덜컹거리다: The car *~ed along*. 차는 덜컹덜컹 흔들거리면서 갔다. **2** 《속어》 마약〔헤로인〕을 주사하다. **—** *vt.* **1** 《~+[목]/+[목]+[전]+[명]》 …을 난폭하게 흔들다, 덜컹거리게 하다: A severe earthquake *~ed* the villages. 격렬한 지진이 마을들을 뒤흔들어 놓았다 / The bus *~ed* its passengers *over* the rough road. 버스는 울퉁불퉁한 길을 덜컹거리면서 승객을 태우고 갔다. **2** 《~+[목]/+[목]+[보]/+[목]+[전]+[명]》 …을 세게 때리다; …에 충격을 주다; …에 간섭하다; (기억 따위를) 갑자기 되살리다; (정신적으로) …에 심한 동요를 주다; 깜짝 놀라게 하다: He tried to ~ the nail free. 그는 못을 쾅쾅 쳐서 흔들리게 하려고 하였다 / The event *~ed* them *into* action. 그 사건으로 그들은 갑자기 행동으로 들어갔다. **3** 《+[목]+[보]/+[목]+[전]+[명]》 (아무에게) 쇼크를 주어 …상태로 하다; (아무에게) 쇼크를 주어 …상태를 벗어나게 하다《*out of*》: The mention of her name *~ed* him awake. 그녀의 이름이 거명되자 그는 정신이 번쩍 들었다 / The news *~ed* him *out of* his reverie. 그는 그 소식을 알고는 즐거운 공상에 잠겨 있을 수 없었다.
— *n.* **1** 급격한 동요, (마차 따위의) 덜커덕거림(jerk). **2** 충격, 놀라움. **3** 예기치 않은 거부〔패배〕. **4** 《속어》 형의 선고, 수감(收監). **5** 《속어》 (술 따위의) 소량, 한 모금: have a ~ *of* whisky 위스키를 죽 한 잔 마시다. **6** 《속어》 마약의 피하 주사 1회분; 《속어》 (마약·마리화나 담배의) 제1단계효과; 《속어》 마리화나 담배.
[파] **∠·er** *n.* 동요가 심한 것〔탈것〕. **∠·ing·ly** *ad.*

jólter·hèad *n.* 《고어·방언》 바보, 숙맥.

jolty [dʒóulti] (***jolt·i·er; -i·est***) *a.* 덜커덕거리는.

Jon., Jona. Jonathan.

Jo·nah [dʒóunə] *n.* **1** 조나《남자 이름》. **2** 〖성서〗 요나《히브리의 예언자》; (구약성서의) 요나서(書). **3** 불행·흉변을 가져오는 사람. **—** *vt.* (때로 j-) =JINX.

Jónah wòrd 말더듬이가 발음하기 어려운 말.

Jo·nas [dʒóunəs] *n.* =JONAH.

Jon·a·than [dʒɑ́nəθən/dʒɔ́n-] *n.* **1** 조너선《남자 이름》. **2** 《영》 미국 국민《의 인명》, 전형적인 미국 시민(Brother ~)《별명》. [cf] Uncle Sam, John Bull. **3** 《특히》 New England 사람. **4** 〖성서〗 요나단《Saul의 장자; David의 친구》. **5** 홍옥(紅玉)《사과의 한 품종》.

Jones [dʒounz] *n.* **1** 존스《남자 이름》. **2** **Daniel ~** 존스《영국의 음성학자; 1881-1967》. **3** (종종 the ~) 《미속어》 **a** 마약 사용, 《특히》 헤로인 중독; 헤로인. **b** 강한 흥미. ***keep up with the ~es*** 《구어》 이웃사람에게 지지 않으려고 허세를 부리다.

jon·gleur [dʒɑ́ŋglər/dʒɔ́ŋ-] *n.* 《F.》 중세 프랑스의 음유시인(吟遊詩人).

jon·quil [dʒɑ́ŋkwil, dʒɑ́n-/dʒɔ́ŋ-] *n.* 〖식물〗 노랑수선화; [U] 연한 황색.

Jon·son [dʒɑ́nsən/dʒɔ́n-] *n.* **Ben**(**jamin**) **~** 존슨《영국의 시인·극작가; 1572-1637》.

Jor·dan [dʒɔ́ːrdn] *n.* **1** 요르단《아라비아 반도에 있는 왕국; 수도 Amman》. **2** (the ~) 요단강《팔레스타인 지방의 강》. **3** (j-) 《비어》 변기, 요강(chamber pot).

Jórdan álmond 스페인산(産)의 아몬드《제과용》; (착색 당의(着色糖衣)의) 아몬드 과자.

Jórdan cùrve 〖수학〗 조르당 곡선《프랑스 수학자 M.E.C. Jordan(1838-1922)의 이름에서》.

Jórdan cúrve thèorem 〖수학〗 (the ~) 조르당 곡선정리(定理).

Jor·da·ni·an [dʒɔːrdéiniən] *n.*, *a.* 요르단 사람(의).

jo·rum [dʒɔ́ːrəm] *n.* 우묵하고 큰 컵; 그 한 잔(의 양)《특히 punch²의》: a ~ of punch.

Jos. Joseph; Josephine; Josiah.

Jo·sé [houséi] *n.* 《Sp.》 호세《남자 이름》.

Jo·seph [dʒóuzəf] *n.* **1** 조지프《남자 이름》. **2** 〖성서〗 요셉《Jacob의 아들; 이집트의 고관》; 품행이 단정한 남자, 여자를 싫어하는 남자. **3** 요셉《성모 마리아의 남편으로 나사렛의 목수》. **4** (j-) 18세기의 여성용 승마 망토.

Jóseph disèase 〖의학〗 조지프 병(病)《정식으로는 striatonigral disease (흑질 선상체병(黑質線狀體病))라고 하는 유전병》.

Jo·se·phine [dʒóuzəfiːn] *n.* **1** 조지핀《여자 이름; 애칭 Jo, Josie》. **2** Napoleon 1세의 최초의 왕비(1763-1814). ***Not tonight, ~.*** 《우스개》 조세핀, 오늘밤은 그만 둡시다《남자가 성관계를 거절하는 말; 나폴레옹이 그의 처 조세핀에게 했으리라고 여겨지는 말》.

Jo·seph·son [dʒóuzəfsən/-zif-] *n.* **Brian D**(**avid**) **~** 조지프슨《영국의 이론물리학자; 노벨 물리학상 수상(1973); 1940- 》.

Jósephson devìce 〖전자〗 =JOSEPHSON JUNCTION DEVICE.

Jósephson effèct 〖물리〗 조지프슨 효과《두 개의 초전도체가 절연막으로 격리되어 있을 때, 양자 사이에 전위차(電位差)가 없어도 전류가 흐르는현상》.

Jósephson jùnction 〖물리〗 조지프슨 접합《조지프슨 효과를 가져오는 초전도체의 접합》.

Jósephson júnction devìce 〖전자〗 조지프슨 접합 소자(素子).
Josh [dʒɑʃ/dʒɔʃ] 조시《남자 이름; Joshua의「애칭」》.
josh 《미구어》 *n.* 악의 없는 농담, 놀리기. —*vt., vi.* 놀리다, 조롱하다(banter), 속이다(hoax). ⊕ **∠·er** *n.*
Josh·ua [dʒáʃuə/dʒɔ́ʃ-] *n.* **1** 조수아《남자 이름; 애칭 Josh》. **2** 〖성서〗 여호수아《모세의 후계자》; (구약성서의) 여호수아기(記). **3** =JOSHUA TREE.
Jóshua trèe 〖식물〗 북아메리카 남서부 사막의 유카(yucca)의 일종.
Jo·si·ah [dʒousáiə] *n.* **1** 조사이아《남자 이름》. **2** 〖성서〗 요시야《종교 개혁을 수행한 유대왕: 640? - 609? B.C.》.
Jo·sie [dʒóuzi] *n.* 조지《여자 이름; Josephine의 애칭》.
jos·kin [dʒáskin/dʒɔ́s-] *n.* 《영속어》 시골뜨기(bumpkin).
joss [dʒɑs/dʒɔs] *n.* (중국인이 섬기는) 우상, 신상(神像); 《구어》 운(運).
jos·ser [dʒásər/dʒɔ́s-] *n.* 《영속어》 사내, 녀석, 놈; 바보.
jóss hòuse 중국인의 절, 영묘(靈廟).
jóss stìck 선향(線香)《joss 앞에 피우는》.
◦**jos·tle** [dʒásl/dʒɔ́sl] *vt.* **1** 《~+목/+목+부/+목+전+명》 (난폭하게) 떠밀다, 찌르다, 부딪치다, 팔꿈치로 밀다(elbow), 밀어제치다, 헤치고 나아가다《*away; from*》: Don't ~ me. 떠밀지 마라 / He ~*d* me *away*. 그는 나를 밀어제쳤다 / He ~*d* his way *out of* the bus. 그는 사람을 밀어제치고 버스에서 내렸다. **2** …와 서로 겨루다〔다투다〕; (마음 등을) 괴롭히다, 불안케 하다: ~ each other 서로 다투다 / The thought ~*d* her complacency. 그 생각이 자기 만족에 젖어 있던 그녀를 불안하게 했다. **3** 《~+목/+목+전+명》 …의 아주 가까이에 있다; (좁은 공간에서) 복작거리다: The three families ~ each other *in* the small house. 세 가구가 좁은 집에서 복작거리며 살고 있다. **4** 《미속어》 소매치기하다. —*vi.* **1** 《+전+명》 서로 밀다(crowd), 부딪치다《*against*》; 헤치고 나아가다《*through*》: He ~*d against* the crowd. 그는 군중과 부딪쳤다 / I ~*d through* the crowd. 군중을 헤치고 나아갔다. **2** 겨루다, 다투다《*with*》; 바로 가까이에 있다. **3** 《미속어》 소매치기하다. **~ *with* a person *for* a thing** 물건을 얻으려고 아무와 다투다.
—*n.* Ⓤ 서로 밀치기, 혼잡; 부딪침.
⊕ **jós·tler** *n.* jostle 하는 사람; 《미속어》 소매치기.
◦**jot** [dʒɑt/dʒɔt] *n.* (극히) 조금, 약간, 미소(微小). ***not a*** **~** 조금도 …않다: I do *not* care *a* ~. 전혀 상관없다. —(**-tt-**) *vt.* 《+목+부》 약기(略記)하다, 적어 두다, 메모하다《*down*》: ~ *down* one's passport number 여권 번호를 적어 두다. ⊕ **∠·ter** *n.* **1** 메모하는 사람. **2** 메모장, 비망록. **∠·ting** *n.* Ⓤ,Ⓒ 메모, 약기.
jo·ta [hóutə] (*pl.* **~s** [-z]) *n.* 《Sp.》 3박자의 스페인 민속무용; 그 음악.
Jo·tun, -tunn, Jö·tunn [jɔ́:tun] *n.* 〖북유럽신화〗 요툰《신들과 자주 다툰 거인족》.
Jo·tun·heim, -tunn- [jɔ́:tunhèim] *n.* 〖북유럽신화〗 요툰헤임《거인족 Jotun들의 나라로, Midgard의 변두리 산중에 있다고 함》.
jou·al [ʒuǽl, -á:l/-á:l] *n.* (종종 J-) (프랑스계 캐나다인의) 교양 없는 사람이 쓰는 프랑스어.
joule [dʒu:l, dʒaul] *n.* 〖물리〗 줄《에너지의 절대 단위; $=10^7$ 에르그; 기호 J; 영국의 물리학자 J. P. Joule(1818-89)의 이름에서》.
Jóule's láw 〖물리〗 줄의 법칙.
Jóule-Thómson effèct 〖열역학〗 줄톰슨 효과《저압용기(容器)에서 기체를 단열적(斷熱的)으로 유출시킬 때 기체의 습도가 변화하는 현상》.
jounce [dʒauns] *vt., vi.* 덜컹덜컹 흔들다, 동요시키다; 덜컹덜컹 흔들리다, 덜컹거리다, 동요하다; 《영속어》 …와 성교하다. —*n.* 덜커덩거림, 진동, 동요.
jour. journal(ist); journey(man).
‡**jour·nal** [dʒə́:rnl] *n.* **1** 신문, 일간신문: a college ~ 대학신문 / a trade ~ 무역신문. **2** 잡지(periodical); 정기 간행물《학회 간행물 따위》: a monthly ~ 월간잡지 / a home ~ 가정잡지. **3** 일지, 일기(diary). **4** 의회 일지; 의사록; (the J-s) 국회 의사록. **5** 〖해사〗 항해 일지(logbook). **6** 〖부기〗 분개장(分介帳); 일기장(daybook). **7** 〖기계〗 저널《회전축의 베어링 내부》. ⊕ **~·àry, ~·ish** *a.*
jóurnal bòx 〖기계〗 저널 박스《베어링과 그 급유장치가 들어 있는 케이스》.
jour·nal·ese [dʒə̀:rnəlí:z] *n.* Ⓤ 신문 용어, 신문 기사투; 신문 잡지 문체.
***jour·nal·ism** [dʒə́:rnəlìzəm] *n.* Ⓤ **1** 저널리즘, 신문 잡지업(業); 신문 잡지 편집, 신문 잡지 기고 집필: enter ~ 신문 잡지 기자〔업자〕가 되다 / follow ~ as a profession 직업으로서 저널리즘에 종사하다. **2** 신문 잡지(업)계. **3** 《집합적》 신문 잡지. **4** 신문 잡지식 문체.
‡**jour·nal·ist** [dʒə́:rnlist] *n.* **1** 저널리스트, 신문 잡지 기자, 신문인; 신문 잡지업자, 신문 잡지 기고가. **2** 일기 쓰는 사람.
jour·nal·is·tic [dʒə̀:rnlístik] *a.* 신문 잡지(업)의; 신문 잡지 기자의; 신문 잡지 특유의; 기자 기질의. ⊕ **-ti·cal·ly** *ad.*
jóur·nal·ìze *vt., vi.* 일기를 적다; 〖부기〗 분개장에 써 넣다, 분개(分介)하다; 신문 잡지업에 종사하다. ⊕ **-iz·er** *n.*
‡**jour·ney** [dʒə́:rni] *n.* **1** (보통 육상의) 여행: a ~ around the world 세계일주 여행 / break one's ~ 여행을 중단하다; 도중하차하다; 여행 도중에 …에 들르다《*at*》/ start 〔set out〕 on a ~ 여행에 나서다 / I wish you a pleasant ~. 잘 다녀오시오 / make 〔take, undertake〕 a ~ 여행하다 / on a ~ 여행에 나서서, 여행 중에.

> SYN. **journey** voyage에 대하여 주로 육지에서의 긴 여행. 여러 곳의 역방(歷訪)이 암시되며, 귀로가 반드시 전제되지는 않음. 그렇기 때문에 많은 비유적 표현이 있음: a *journey* into higher mathematics 고등수학에의 여행. **travel** 탈 것에 의한 여행. '일정한 속도로 이동하는 것'에 중점이 있음. **trip** '여행'을 나타내는 가장 흔히 쓰이는 구어. 보통 짧은 여행을 말함. **voyage** 긴 해상 여행.

2 여정(旅程), 행정(行程); (인생 등의) 행로, 편력: It is a two days' ~ from here. 여기에서 이틀길이다. **3** (*pl.*) 왕복(往復): The bus goes ten ~*s* a day. 버스는 하루 10회 왕복한다. **one's ~'s end** 여로의 끝; 인생행로의 종말.
—*vi.* 여행하다. ⊕ **~·er** *n.*
jóurney·man [-mən] (*pl.* **-men** [-mən]) *n.* **1** (수습 기간을 마친) 제구실을 하는 장색; (일류는 아니지만) 확실한 솜씨를 가진 사람. cf. apprentice, master. **2** 《고어》 날품팔이 일꾼.
jóurneyman clóck 〖천문〗 기상대 보조 시계.
jóurney·wòrk *n.* Ⓤ 직공의 일; 날품팔이 일; 《비유》 하찮은 뒤치다꺼리 일.
joust [dʒaust] *n.* (기사 등의) 마상 창시합(槍試合); (종종 *pl.*) 마상 창시합 대회. —*vi.* 마상 창시합을 하다. ⊕ **∠·er** *n.*
Jove [dʒouv] *n.* =JUPITER. ***By ~!*** 신을 두고, 맹세코; 천만에; 빌어먹을; 그렇고말고《놀람·찬

동 등을 나타냄》.
jo·vi·al [dʒóuviəl] *a.* 쾌활한, 명랑한, 즐거운, 유쾌한(merry); (J–) Jove 신(神)의; 목성(木星)의; 〖점성〗 목성 밑에서 난. ㊎ **~·ly** *ad.* **~·ness** *n.*
jo·vi·al·i·ty [dʒòuviǽləti] *n.* **1** Ⓤ 쾌활, 명랑; 즐거움. **2** (보통 *pl.*) 명랑한 말〔행동〕.
Jo·vi·an[1] [dʒóuviən] *a.* **1** 주피터의; (주피터처럼) 당당한. **2** 목성의. **3** Jovian planet의. ㊎ **~·ly** *ad.*
Jo·vi·an[2] *n.* (Flavius Claudius Jovianus) 요비아누스(331? - 364) 《로마 황제(363 - 364)》.
Jóvian plánet 〖천문〗 목성형(木星型) 행성《4개의 큰 외행성: 목성, 토성, 천왕성, 해왕성》.
Jo·vi·ol·o·gist [dʒòuviálədʒist/-ɔ́l-] *n.* 목성 학자.
jow [dʒau, dʒou] 《Sc.》 *n.* 종소리, 방울소리. **—** *vt.* (종·방울을) 울리다; (특히 머리를) 때리다, 치다.
jowl [dʒaul] *n.* **1** 턱(jaw), 턱뼈; 뺨(cheek). **2** (소·돼지·새 따위의) 목에 늘어진 살, 군턱, 육수(肉垂); 물고기의 대가리《요리용》. **3** (보통 *pl.*) (노인의) 뺨이나 목의 늘어진 살. ***cheek by* ~** 볼을 맞대고, 정답게.
jowly [dʒáuli] *a.* 2 중턱의, 군턱의.
joy [dʒɔi] *n.* **1** Ⓤ 기쁨, 환희(gladness): (both) in ~ and (in) sorrow 기쁠 때나 슬플 때나 / I wish you ~. 축하합니다(I congratulate you.). SYN. ⇨ PLEASURE. **2** Ⓤ 기쁨의 상태, 행복. **3** Ⓒ 기쁨을 주는 것, 기쁨거리: the ~*s* and sorrows of life 인생의 기쁨과 슬픔 / A thing of beauty is a ~ forever. 아름다운 것은 영원한 기쁨이다《Keats의 말》. ***full of the ~s of spring*** 《구어》 매우 기뻐서, 몹시 기뻐하고 있는. (jump) ***for*** 〔***with***〕 ~ 기뻐서 (깡충깡충 뛰다). ***in one's* ~** 기쁜 나머지. ***to the* ~ *of*** …이 기쁘게도. ***with* ~** 기꺼이, 기쁘게: shout *with* ~ 기쁨의〔기뻐서〕 소리를 지르다. **—** *vi.* 《~/+전+명》 《시어》 기뻐하다: He ~*ed in* my good luck. 그는 나의 행운을 기뻐했다. **—** *vt.* 《고어》 기쁘게 하다 (gladden).
joy·ance [dʒɔ́iəns] 《고어·시어》 *n.* 기쁨; 즐거움; 오락《행위》.
jóy·bèlls *n. pl.* (교회의) 경축(慶祝)의 종.
jóy·bòx *n.* 《미구어》 피아노.
jóy bòy 《속어》 호모의 젊은 사내.
jóy bùtton 〔**bùzzer**〕 《속어》 클리토리스 (clitoris) 《레즈비언 용어》.
Joyce [dʒɔis] *n.* 조이스. **1** 여자·남자 이름. **2** James ~ 《아일랜드의 소설가·시인(詩人); 1882 - 1941》.
jóy·dìsk *n.* 조이디스크(cursor disk).
joy·ful [dʒɔ́ifəl] *a.* **1** 즐거운(happy), 기쁜: a ~ heart 기쁨에 넘치는 마음. **2** (마음을) 기쁘게 하는: ~ news 기쁜 소식. **3** 기쁜 듯한: a ~ look 즐거운 듯한 표정. ***be* ~ *of*** …을 기뻐하다. ***o*** 〔***oh***〕 ***be* ~** 《속어》 술. ㊎ **~·ly** *ad.* **~·ness** *n.*
jóy·hòuse *n.* 《미속어》 갈보집(brothel).
jóy-jùice *n.* 《미속어》 술(liquor).
jóy knòb 《미속어》 (차 따위의) 핸들, (비행기의) 조종간(桿); 《미비어》 음경(joy stick).
jóy·less *a.* 즐겁지 않은, 쓸쓸한. ㊎ **~·ly** *ad.* **~·ness** *n.*
joy·ous [dʒɔ́iəs] *a.* =JOYFUL. ㊎ **~·ly** *ad.* **~·ness** *n.*
jóy·pòp (*-pp-*) *vi.* 《속어》 (중독이 안 될 만큼) 가끔 마약을 쓰다, 마약을 피하주사하다. ㊎ └**-pòpper** *n.*
jóy-pòwder *n.* 《미속어》 모르핀.
jóy·rìde *n.* 《구어》 재미로 하는 드라이브《특히 속도를 내며 난폭하게 운전하거나 남의 차를 양해도 없이 타고 돌아다니는 일》; (비용이나 결과를 생각지 않는) 무모한 행동〔행위〕. **—** *vi.* 《구어》 재미로 자동차를 몰고 돌아다니다; 《미속어》 때때로 마약을 쓰다. ㊎ **jóy·rìder** *n.* joyride하는 사람; 《미속어》 때때로 마약을 쓰는 사람.
jóy smòke 《미속어》 마리화나 담배.
jóy stìck **1** 《구어》 (비행기의) 조종간; 《비어》 음경(penis). **2** 〔일반적〕 (컴퓨터 등의) (수동) 제어 장치; (비디오 게임의) 조이 스틱, 놀이손, 조작용 손잡이. **3** 《미속어》 아편용 파이프. **4** 〖컴퓨터〗 조이 스틱《컴퓨터 게임을 할 때 특히 도움이 되는 컴퓨터 입력 장치》.
jóy swìtch 〖컴퓨터〗 조이 스위치《joy stick 비슷한 컴퓨터의 입력 장치》.
JP jet propulsion. **J.P.** Justice of the Peace.
J pàrticle =J/PSI PARTICLE.
JPEG [dʒéipèg] *n.* 〖컴퓨터〗 JPEG 압축《이미지 파일의 압축 방법》; 그 압축된 파일. [◂ *J*oint *P*hotographic *E*xperts *G*roup]
J pèn J자표가 있는 폭이 넓은 펜촉.
JPL Jet Propulsion Laboratory (NASA의 제트 추진 연구소). **Jpn.** Japan; Japanese. **J.P.S.** Jewish Publication Society.
J/psi pàrticle [dʒéisái-, -psái-] 〖물리〗 제이 프사이 입자《전자 질량의 약 6,000배의 질량을 가지며 수명이 매우 김》.
Jr., jr., Jr, jr junior. **J.R.C.** Junior Red Cross (청소년 적십자).
J. Rándom 《해커 속어》 평범한; 어느 …라도.
JSA Joint Security Area (공동 경비 구역).
JSC Johnson Space Center. **J.S.D.** *Jurum Scientiae Doctor* 《L.》 (=Doctor of the Science of Law, Doctor of Juristic Science).
J smòke [dʒéi-] 《미속어》 마리화나 담배.
JSP 〖컴퓨터〗 Josephson signal processor (조지프슨 신호 처리 장치). **jt.** joint. **J.T.C.** Junior Training Corps. **Ju.** June.
ju·ba [dʒúːbə] *n.* 주바 춤《아이티나 미국 남부 흑인의 활발한 춤》.
ju·bi·lance, -lan·cy [dʒúːbələns], [-si] *n.* ⌜Ⓤ 환희, 환호.
ju·bi·lant [dʒúːbələnt] *a.* (환성을 지르며) 기뻐하는, 환호하는; 기쁨에 찬. ㊎ **~·ly** *ad.*
Ju·bi·la·te [jùːbəláːtei, dʒùː-, -ti] *n.* 《L.》 〖성서〗 시편 제100편, 그 악곡; 부활절 후의 셋째 일요일(=∠ **Súnday**); (j–) 환희의 노래, 개가(凱歌), 환호.
ju·bi·late [dʒúːbəlèit] *vi.* 환성을 지르다; 환희〔환호〕하다; 기념 축제를 벌이다.
jù·bi·lá·tion *n.* Ⓤ 환희, 환호(exultation); 기쁨; Ⓒ 축제.
ju·bi·lee [dʒúːbəlìː, ⌐-⌐] *n.* **1** 〖유대사〗 희년(禧年), 요벨〔안식〕의 해; 〖가톨릭〗 성년(聖年), 대사(大赦)의 해. **2** 50년제(祭); 25년제(祭): the silver 〔golden〕 ~, 25 〔50〕년제. **3** 가절(佳節), 축제(festival). **4** Ⓤ 환희. **5** 《미》 흑인 민요《미래의 행복을 노래함》. ***the Diamond Jubilee,*** Victoria 여왕 즉위 60년제《1897년 거행》.
Júbilee (**Lìne**) (the ~) 주빌리(선) 《영국 London의 지하철 노선》.
Jud. 〖성서〗 Judges; 〖성서외전〗 Judith. **jud.** judge; judgment; judicial; judiciary.
Ju·daea [dʒuːdíːə/-díə] *n.* =JUDEA.
Ju·dah [dʒúːdə] *n.* **1** 주다《남자 이름》. **2** 〖성서〗 유다《Jacob의 넷째 아들; Judas와는 다른 인물》; 유다로부터 나온 종족. **3** 팔레스타인 고대 왕국.
Ju·da·ic, -i·cal [dʒuːdéiik], [-ikəl] *a.* 유대(교)의, 유대인〔민족, 문화〕의. cf. Jewish. ㊎ **-i·cal·ly** *ad.*
Ju·da·i·ca [dʒuːdéiikə] *n.* 유대(교)의 문물, ⌜유대 문헌.

Ju·da·ism [dʒúːdiìzəm, -dei-/-dei-] *n.* Ⓤ 유대교; 유대교 신봉; 유대주의; 유대식; 〔집합적〕 유대인. ㊕ **-ist** *n.* 유대교도, 유대주의자. **Jù·da·ís·tic** *a.*

Ju·da·ize [dʒúːdiàiz, -dei-/-dei-] *vt.* 유대(인)식으로 하다, 유대교화〔주의화〕하다. **—** *vi.* (습관 따위가) 유대교화〔주의화〕하다; 유대(인)식이 되다. ㊕ **-iz·er** *n.* **Jù·da·i·zá·tion** *n.* 유대화.

Ju·das [dʒúːdəs] *n.* **1 a** 〖성서〗 유다《예수의 제자 중 한 사람으로 예수를 배반했음; Judah와는 다름》. **b** 반역자, 배반자. **2 Saint ~** 유다《12 사도의 하나인 Jude》. **3** (j-) (독방의 문 따위의) 엿보는 구멍(= **∠ wìndow, ∠-hòle**).

Júdas-còlored *a.* 머리털이 붉은(red)《유다의 머리카락이 붉었다는 전설에서》.

Júdas kíss 〖성서〗 유다의 키스; 《비유》 겉치레만의 호의·친절, 배반 행위.

Júdas trèe 〖식물〗 박태기나무속(屬)의 일종.

jud·der [dʒʌ́dər] *n.* 〖음악〗 (특히 소프라노 발성중에 일어나는) 성조(聲調)의 급격한 변화; 《영》 (엔진·기계 따위의) 심한 (이상) 진동. **—** *vi.* 《영》 심하게 진동하다〔삐걱거리다〕.

Jude [dʒuːd] *n.* **1** 주드《남자 이름》. **2** 〖성서〗 **Saint ~** 성(聖)유다(Judas)《12사도 중의 하나; 축일 10월 28일》. **3 a** 〖성서〗 (신약성서의) 유다서. **b** 유다《유다서의 저자》.

Ju·dea [dʒuːdíːə/-díə] *n.* 유대《팔레스타인 남부에 있었던 고대 로마령(領)》.

Ju·de·an [dʒuːdíːən/-díən] *a.* 유대(인)의. **—** *n.* 유대인(Jew). 「박해.

ju·den·het·ze [júːdənhètsə] *n.* 《G.》 유대인

Ju·deo- [dʒuːdéiou, -díː-, -ə] '유대인〔교〕의〔에 관한〕, 유대와 …'의 뜻의 결합사.

Judg. 〖성서〗 Judges.

judge [dʒʌdʒ] *n.* **1** 재판관, 판사: a side ~ 배석 판사/the presiding ~ 재판장. **2** (토의·경기 따위의) 심판관, 심사원. **3** 신(神)《최고·절대의 심판자로서》. **4** 감식력(鑑識力)이 있는 사람, 감정가, 감식가(connoisseur)《*of*》: the ~*s of* a beauty contest 미인 콘테스트의 심사원/a good ~ *of* wine 〔swords〕 술〔도검〕 감정가. **5** 〖유대사〗 사사(士師), 심판자; (J-s) 〔단수취급〕 〖성서〗 (구약성서의) 사사기(記). ***as grave as a ~*** 자못 엄숙한. ***be a good*** 〔***bad, poor***〕 ***~ of*** …의 감정(鑑定)이 능숙하다〔서투르다〕. ***be no ~ of*** …의 감정을 할 수 없다, …을 모르다: I *am no ~ of* music. 나는 음악을 모른다.

— *vt.* **1** 《~+목/+목+보》 (사건·사람을) 판가름하다, 재판하다, …에 판결을 내리다: Only God can ~ him. 오직 하느님만이 그를 심판할 수 있다/The court ~*d* him guilty. 법정은 그에게 유죄판결을 내렸다. **2** …을 심리하다(try): ~ a murder case 살인사건을 심리하다. **3** 심판하다, 심사하다; 감정하다: ~ horses 말(의 우열)을 감정하다. **4** 《~+목/+목+전+명》 판단하다, 비판〔비난〕하다: ~ a person 〔the distance〕 인품을〔거리를〕 판단하다/You must not ~ a man *by* his income. 사람을 그 수입의 다과로 판단해서는 안 된다. **5** 《+목+(*to be*) 보/+*that* 절》 …라고 생각하다〔판단하다〕: ~ him (*to be*) 〔~ *that* he is〕 an honest man 그를 〔그는〕 정직한 사람이라고 생각하다. **6** 《+*wh.* 절/+*wh. to* do》 (…인지 어떤지) 판단하다: I cannot ~ *whether* he is honest or not. 그가 정직한지 어떤지 판단할 수가 없다/It is difficult to ~ *what to* do in such circumstances. 이와 같은 경우에 무엇을 할 것인가를 판단하기란 어렵다. **—** *vi.* 《~/+전+명》 **1** 재판하다, 판결을 내리다; 심판하다: *Judge* not, that ye be not ~*d*. 심판을 받지 않으려거든 남을 심판하지 마라 《마태복음 VII: 1》. **2** 판정하다, 판단하다《*of; from*》: as far as I can ~ 내가 판단할 수 있는 한/~ *of* its merits and faults 그 장단점을 판단하다. **~ *between*** …의 사이에서 판가름하다. ***judging from*** …로 미루어 보건대〔판단하건대〕. ㊕ **júdg·er** *n.*

júdge ádvocate 〖군사〗 법무관《생략: JA》.

jùdge ádvocate géneral (the ~) 〖군사〗 (미 육·해·공군 및 영 육·공군의) 법무참모, 법무감《생략: JAG》.

júdge-màde *a.* 재판관이 제정한, 재판관의 판례에 의한: the ~ law 판례법.

judge·ship [dʒʌ́dʒʃìp] *n.* Ⓤ 재판〔심판〕관의 지위〔직, 임기, 권한〕.

júdges' rúles 〖영법률〗 재판관의 규제《구류중인 피의자에 대한 경찰 측의 행위에 대한》.

judg·mat·ic, -i·cal [dʒʌdʒmǽtik], [-ikəl] *a.* 《구어》 현명한, 사려 분별이 있는. ㊕ **-i·cal·ly** *ad.*

judg·ment, 《영》 **judge-** [dʒʌ́dʒmənt] *n.* **1** Ⓤ 재판, 심판. **2** Ⓒ 판결; (판결 결과로) 확정된 채무; (채무) 판결서. **3** Ⓤ 판단, 판정; 감정, 평가; 비판, 비난. **4** Ⓤ 판단〔비판〕력, 견식, 사려분별, 양식: a man of good ~ 분별이 있는 사람. **5** Ⓒ 의견, 견해: in my ~ 나의 생각으로는/form a ~ 의견을 갖다《*on; of*》. **6** (the J-) 〖종교〗 최후의 심판(the Last Judgment). **7** Ⓤ 〖성서〗 정의, 공정. **8** Ⓒ (신의 판가름에 의한) 천벌: His misfortunes were ~ *upon* him for his wickedness. 그의 불행은 악행에 대한 천벌이었다. ***against one's better ~*** 본의 아니게, 마지못해. ***pass*** 〔***give***〕 ***~ on*** 〔***upon***〕 …에 판결을 내리다. ***the Judgment of Paris*** 〖그리스신화〗 파리스의 심판《Paris가 Aphrodite, Athena, Hera 세 여신이 서로 갖기를 다투던 황금 사과를 Aphrodite에게 준》. ㊕ **judg(e)·men·tal** [dʒʌdʒméntl] *a.*

júdgment càll 1 〖경기〗 심판의 판정. **2** 주관적이며 의논의 여지가 있는 결정. **3** 개인적 의견〔해석〕.

júdgment crèditor 〖법률〗 판결 확정 채권자.

Júdgment Dày 1 (the ~) 〖종교〗 최후 심판의 날(doomsday). **2** (j- d-) (재판의) 판결일.

júdgment dèbt 판결 확정 채무.

júdgment dèbtor 판결 확정 채무자.

júdgment sèat 판사석; 법정; (종종 J-) (최후의 심판 날의) 심판의 뜰.

júdgment sùmmons 《영》 (판결 채무 불이행에 대한) 소환장, 출두 요구서.

ju·di·ca·ble [dʒúːdikəbəl] *a.* (쟁의 등이) 재판으로 해결할 수 있는; 심리할 수 있는.

ju·di·care [dʒúːdikɛ̀ər] *n.* 법률 구조.

ju·di·ca·tive [dʒúːdikèitiv/-kə-] *a.* 재판〔심판〕할 권한〔능력〕을 갖춘.

ju·di·ca·to·ry [dʒúːdikətɔ̀ːri/-təri] *a.* 재판의, 사법의. **—** *n.* 재판소; Ⓤ 사법(행정).

ju·di·ca·ture [dʒúːdikèitʃər, -kətʃuər/-kətʃər] *n.* **1** Ⓤ 사법〔재판〕(권). **2** Ⓤ 재판관의 권한〔직권〕. **3** Ⓒ 재판 관할(구); Ⓤ 사법 사무. **4** Ⓒ 사법부, 재판소; 〔집합적〕 재판관(judges). ***the Supreme Court of Judicature*** 《영》 최고 법원《the Court of Appeal과 the High Court of Justice로 구성됨》.

ju·di·cial [dʒuːdíʃəl] *a.* **1** 사법의, 재판상의; 재판소의, 재판관의; 재판관에 걸맞은: ~ police 사법 경찰/~ power(s) 사법권/a ~ precedent 판(결)례. **2** 재판관 같은〔에 어울리는〕; 공정〔공평〕한; 판단력 있는: ~ mind 공평한 마음. **3** 천벌의: ~ blindness 천벌에 의한 실명(失明). ㊕ **~·ly** *ad.* 사법상; 재판에 의하여; 재판관답게.

judícial bránch (the ~) (정부의) 사법 부문. cf. executive branch, legislative branch.

judícial fáctor 《Sc.》 (법원에서 임명한) 재산 관리인, 수익 관리인.

judícial múrder 법의 살인《부당한 사형선고》.

judícial revíew 사법 심사(권).

judícial separátion 재판상의 별거(legal separation).

ju·di·ci·a·ry [dʒuːdíʃièri, -ʃəri/-ʃiəri] *a.* 사법의; 법원의; 재판관의: ~ proceedings 재판 절차. **—** *n.* 사법부, 사법 제도; 〖집합적〗 재판관, 사법관.

◇**ju·di·cious** [dʒuːdíʃəs] *a.* 사려 분별이 있는, 현명한; 판단이 적절한, 명민한. SYN. ⇨ WISE. 파 **~·ly** *ad.* **~·ness** *n.*

Ju·dith [dʒúːdiθ] *n.* **1** 주디스《여자 이름; 애칭 Judy, Jody》. **2 a** 유디트《Assyria의 장군 Holofernes를 죽이고 유대를 구한 과부》. **b** 〖성서〗 유디트서《구약성서 외전의 하나; 생략: Jud.》.

ju·do [dʒúːdou] *n.* 《Jap.》 유도. 파 **~·ka** [-kɑ̀, ⌐-⌐] *n.* 유도 선수.

Ju·dy [dʒúːdi] *n.* **1** 주디《여자 이름》. **2** 주디《인형극 *Punch and Judy*의 Punch의 처》. **3** (j-) 《속어》 여자, 처녀, 여자애. **4 a** 《항공속어》 주디《관제관·파일럿이 '항공기의 모습을 포착했다'의 뜻으로 무선 교신에 쓰는 용어》. **b** 《미속어》 틀림없이 그렇다(exactly).

*__jug__[1] [dʒʌg] *n.* **1** (주둥이가 넓은) 주전자, (손잡이가 달린) 항아리; (맥주 등을 담는) 조끼; 《미》 (목이 가늘고 손잡이가 붙은) 도기〔유리〕제의 주전자. **2** 한 jug의 양; 《속어》 위스키 병. **3** 《속어》 교도소; (보통 *pl.*) 유방. **4** 《속어》 은행, 금고. **5** 《속어》 (엔진의) 기화기(氣化器), 카뷰레터. **— (-gg-)** *vt.* 〖보통은 과거분사〗 (토끼고기 등을) 항아리에 넣고 삶다; 《속어》 교도소에 처넣다; 《영속어》 맥주를 따르다《*up*》. ***be ~ged up*** 《미속어》 몹시 취하다.

jug[2] *n.* (nightingale 따위의) 울음 소리. **— (-gg-)** *vi.* 짹짹 울다.

ju·ga [dʒúːgə] JUGUM의 복수.

ju·gal [dʒúːgəl] *n., a.* 〖해부〗 광대뼈(의).

ju·gate [dʒúːgeit, -gət] *a.* 〖생물〗 대생(對生)으로 된; 〖식물〗 대생엽이 있는; (경화(硬貨)의 의장(意匠) 등이) 연결된, 일부 겹친. **—** *n.* 《미》 (특히 대통령과 부통령 후보의) 두 얼굴을 그린 배지(badge).

júg bànd 《미》 (냄비·주전자 등의) 잡동사니 악대(樂隊).

júg-èared *a.* 《속어》 (주전자의 손잡이처럼) 크게 돌출한 귀가 달린.

Ju·gend·stil [júːgəntʃtiːl] *n.* 《G.》 〖미술〗 = ART NOUVEAU.

jug·ful [dʒʌ́gfùl] *n.* 주전자〔조끼〕로 하나 가득 (한 양).

Jug·ger·naut [dʒʌ́gərnɔ̀ːt] *n.* **1** (인도 신화의) Krishna신, Krishna신의 상(像)《이것을 실은 차에 치여 죽으면 극락에 갈 수 있다고 믿었음》. **2** (*or* j-) 맹목적인 헌신〔희생〕을 강요하는 것《절대적인 제도, 주의, 미신 등》; 불가항력. **3** (*or* j-) 대규모의 파괴력 있는 것《전쟁·대전함·강한 축구 팀 등》. **4** (j-) 거대한 존재, '거인'. **5** 《구어》 (다른 차에 위협이 되는) 대형 트럭〔롤리 등〕.

jug·gins [dʒʌ́ginz] *n.* 《속어》 바보, 얼간이, (사기의) 봉.

◇**jug·gle** [dʒʌ́gəl] *vi.* **1** 《~/+전+명》 (공·접시·나이프 따위를 차례로 던져 올려 받는) 곡예를 하다, 저글링을 하다: ~ *with* three knives 세 개의 나이프로 저글링을 하다. **2** 《+전+명》 (장부의 숫자·사실 따위를) 속이다(cheat); 조작하다《*with*》: ~ *with* truth 진실을 속이다 / ~ *with* figures 숫자를 조작하다. **—** *vt.* **1** 《~+목/+목+부/+목+전+명》 (곡예 등에서)(공·접시 따위를) 절묘히 다루다, …에 요술을 부리다; (두 가지 일 따위를) 기술적으로 잘 처리하다, 솜씨있게 해내다: ~ three apples and an orange 사과 세 개와 귤 하나로 곡예를 하다 / ~ a cigarette *away* 요술로 궐련 한 대를 없애다 / ~ a handkerchief *into* a pigeon 손수건을 비둘기로 변하게 하다 / She ~*d* the roles of business executive and mother. 그녀는 (회사의) 중역과 어머니의 역할을 솜씨있게 해냈다. **2** …을 조작하다, 거짓 꾸미다: ~ accounts 〔the facts〕 계산〔사실〕을 조작하다. **3** 《+목+전+명》 …을 속이다; …을 속여서 빼앗다《*out of*》: ~ a person *out of* his money 아무를 속여 돈을 빼앗다. **4** 〖야구〗 (공을) 저글하다, 떨어뜨릴 뻔하다 다시 잡다.
— *n.* U,C 요술, 기술(奇術), 저글링; 사기, 속임.

jug·gler [dʒʌ́glər] *n.* 요술쟁이, (던지기의) 곡예사, 저글러; 사기꾼; 《미속어》 (마약의) 밀매꾼(pusher): a ~ with words 궤변가.

jug·glery [dʒʌ́gləri] *n.* U 요술, 마술; 사기.

júggling àct 저글링 흥행; 겹치기 일 처리.

júg-hàndled *a.* 일방적인, 편파적인, 공평하지 않은; 부정한.

júg·hèad *n.* 《속어》 **1** 노새(mule). **2** 얼뜨기, 바보.

Júg·lar cýcle [dʒʌ́glər-] 〖경제〗 쥐글라 사이클〔파동〕, 주순환(主循環).

Jugoslav, Jugo-Slav ⇨ YUGOSLAV.

Jugoslavia ⇨ YUGOSLAVIA.

jug·u·lar [dʒʌ́gjələr] 〖해부〗 *a.* 인후의, 목의, 경부(頸部)의; 경정맥(頸靜脈)의. **—** *n.* 경정맥(=⌐ **vèin**); (the ~) 《비유》 (적의) 최대 약점, 급소: have an instinct for the ~ 상대의 급소를 알다. ***go for the ~*** (언쟁에서) 급소를 찌르다.

jug·u·late [dʒʌ́gjəlèit] *vt.* 목 잘라 죽이다; 〖의학〗 (병세의 악화를) 우악스러운 요법으로 막다.

ju·gum [dʒúːgəm] (*pl.* ***ju·ga*** [-gə], **~s**) *n.* 〖곤충〗 계수(繫垂), 시수(翅垂)《앞날개와 뒷날개의 연결기관》; 〖식물〗 우상복엽(羽狀複葉).

júg wìne 싸구려〔값싼〕 포도주《1.5*l* 이상 넣은 병으로 판매되는》.

__juice__ [dʒuːs] *n.* U,C **1 (과일·채소·고기 따위의) 주스, 즙, 액: mixture of fruit ~*s* 여러가지 과일의 액을 섞은 과즙 / extract ~ from lemons 레몬에서 주스를 짜내다 / a pear full of ~ 물기가 많은 배. **2** 정수(精髓), 본질, 정(essence); 《구어》 정력, 활력: a man full of ~ 정력적인 사람. **3** 분비액: gastric ~ 위액. **4** (*pl.*) 체액(體液). **5** 《속어》 가솔린, 경유《동력원이 되는 액체》; 《구어》 전기, 전류; (J-) 《연극속어》 전기 담당자. **6** (보통 the ~) 《미속어》 술, 위스키; 《속어》 마약(drug). **7** 고리(高利). **8** 《미속어》 좋은 지위, 힘, (정치적) 영향력, 연줄. ◇juicy *a.* ***on the ~*** 《미속어》 술을 계속 많이 마셔, 통음(痛飮)하여. ***step* 〔*tread*〕 *on the ~*** 《구어》 (차의) 속도를 내다. ***stew in one's own ~*** ⇨ STEW. ***suck up* 〔*squeeze*〕 *all the ~ from the poor*** 가난한 사람들을 철저히 착취하다.
— *vt.* **1** …의 즙액을 짜내다. **2** (요리 따위에) 즙을 치다〔넣다〕. **3** 《방언·속어》 (소)의 젖을 짜다. **4** 《미속어》 (경기 전에 경주말·경기자에게) 마약 주사를 놓다. **—** *vi.* 《미속어》 마약주사를 놓다. **~ *back*** 《미속어》 (술을) 마시다. **~ *up*** 《속어》 활기를 띠게 하다; 가속(加速)하다; 재미있게 하다; 〖종종 수동태〗 취하게 하다, 마약의 효과가 나타나다; 《미속어》 …에 연료를 재(再)보급하다.
파 **juiced** [dʒuːst] *a.* **1** 〖복합어를 이루어〗 …즙을 함유한. **2** 《속어》 술취한(juiced up), 마약의 효과가 나타난. **⌐·less** *a.* 즙이 없는, 마른.

júice dèaler 《미속어》 암흑가의〔폭력〕 고리대금업자.

júice·hèad *n.* 《속어》 술고래, 모주꾼.

júice-jòint *n.* 《미속어》 (카니발의) 청량음료 매점; 알코올류를 파는 스탠드.

júice lòan 《미속어》 고리대금업자의 대부금, 고리채(高利債).

júice màn 《미속어》 고리대금업자, 빚 수금원.

juic·er [dʒúːsər] *n.* **1** 주서《과즙 짜는 기계》. **2** 《연극속어》 전기 담당자(electrician), 무대 조명 기사. **3** 《미속어》 술고래.

◇**juicy** [dʒúːsi] (*juic·i·er; -i·est*) *a.* **1** 즙이 많은, 수분이 많은. **2** 《구어》 비가 내리는. **3** (길 따위가) 질척거리는. **4** 〖미술〗 (색채 따위가) 윤기가 도는. **5** 《구어》 재미있는, 흥미 있는. **6** 《구어》 활기 있는(lively), 기운찬. **7** 《속어》 매력적인, 육감적인, 멋진, 외설적인. **8** 《구어》 벌이가 되는. ㊞ **júic·i·ly** *ad.* **júic·i·ness** *n.*

ju·ju [dʒúːdʒuː] *n.* (서아프리카 원주민의) 주물(呪物)(fetish), 부적(amulet), 주문, 마력; 금기(禁忌). 「젤리.

ju·jube [dʒúːdʒuːb] *n.* 대추나무; 대추; 대추

júju mùsic 〖음악〗 주주 뮤직《아프리카의 리듬과 최신의 일렉트로닉 사운드를 융합한 새로운 파퓰러 음악》.

juke [dʒuːk] *n.* 《미속어》 **1** =JUKEBOX. **2** =JUKE HOUSE; ROADHOUSE.

júke·bòx *n.* 자동 전축《요금을 넣고 희망하는 곡을 들을 수 있는》. 「춘 굴.

júke hòuse 《미남부》 싸구려 여인숙〔술집〕; 매

júke jòint 《미속어》 (jukebox가 있는) 싸구려 술집〔음식점〕, 자그마한 술집; =ROADHOUSE.

Jukes [dʒuːks] *n.* **1** (the ~) 〔단·복수취급〕 주크가(家)《미국 New York 주에 실재했던 한 집안의 가명(假名); 빈곤·범죄·정신병 따위의 악질 유전의 전형으로 침》. cf. Kallikak. **2** 얼간이.

Jul. Jules; Julius; July.

ju·lep [dʒúːlip] *n.* Ⓤ 물약; (약을 먹기 좋게 하는) 설탕물; 《미》 줄렙《위스키·브랜디에 설탕·박하를 넣고 얼음으로 차게 한 음료》. 「liet).

Jul·ia [dʒúːljə] *n.* 줄리아《여자 이름; 애칭 Ju-

Jul·ian [dʒúːljən] *n.* **1** 줄리언《남자 이름; Julius의 별칭》. **2** 율리아누스《로마황제(361–363); 이교(異敎)로 개종하여 그리스도교도를 탄압했음; 331–363》. ― *a.* Julius Caesar의; 율리우스력(曆)의.

Ju·li·ana [dʒuːliǽnə/-áːnə] *n.* 줄리애나《여자 이름》.

Júlian cálendar (the ~) 율리우스력(曆).

Ju·lie [dʒúːli] *n.* 줄리《여자 이름; Julia의 별칭》.

ju·li·enne [dʒuːlién] *n.* 《F.》 잘게 썬 야채를 넣은 고기 수프. ― *a.* 잘게 썬, 채 친: ~ potatoes 〔peaches〕. ― *vt.* 채 치다, 잘게 썰다.

Ju·li·et [dʒúːliət, dʒùːliét, 특히 **2**에서는 dʒúːljət] *n.* 줄리엣. **1** 여자 이름. **2** Shakespeare 작의 *Romeo and Juliet*의 여주인공.

Júliet càp 보석 따위로 장식된 머리 뒤에 쓰는 여성모(帽)《반정장(半正裝)·신부 의상용》.

Ju·lius [dʒúːljəs] *n.* 줄리어스《남자 이름; 별칭

Július Cáesar =CAESAR 1. 　Julian》.

†**Ju·ly** [dʒuːlái] (*pl.* **~s**) *n.* 7월《생략: Jul., Jy.》: ~ the Fourth, 7월 4일《미국 독립 기념일》.

jum·bal, jum·ble[1] [dʒʌ́mbəl] *n.* 《미》 둥글넓적한 쿠키(과자).

◇**jum·ble**[2] *vt.* 《~+목/+목+부》 뒤죽박죽을 만들다, 난잡하게 하다, 뒤범벅으로 해놓다《*up; together*》: ~ *up* things in a box 상자 속의 물건을 뒤범벅으로 해놓다. ― *vi.* 뒤범벅이 되다, 뒤섞이다; 질서 없이 떼를 지어 나아가다. ― *n.* 혼잡, 난잡; 뒤범벅; 주워모은 것; 동요; 《영》 =JUMBLE SALE. ㊞ **~d** *a.* 무질서한(chaotic).

júm·bler *n.*

júmble sàle 《영》 바자(bazaar) 등에서 하는 (중고) 잡화 특매(rummage sale). 「매점.

júmble shòp 《영》 잡화점, 염가품〔싸구려〕 판

jum·bly [dʒʌ́mbli] *a.* 뒤죽박죽의, 혼란된.

jum·bo [dʒʌ́mbou] (*pl.* **~s**) *n.* 《구어》 크고 볼품없는 사람〔동물, 물건〕; (터널용의) 이동 굴착기(掘鑿機); 크게 성공한 사람; 《구어》 =JUMBO JET; 코끼리. ― *a.* 엄청나게 큰, 거대한(huge); 《구어》 특대의: a ~ size.

júm·bo·ìze *vt.* (유조선 등을) (초)대형화하다.

júmbo jèt 점보제트《초대형 여객기》. 「(羊).

jum·buck [dʒʌ́mbʌk] *n.* 《Austral. 구어》 양

†**jump** [dʒʌmp] *vi.* **1 a** 《~/+부/+전+명》 깡충 뛰다, 뛰어오르다, 도약하다, 갑자기〔재빨리〕 일어서다: ~ *down* 뛰어내리다 / ~ *into* a train 기차에 뛰어오르다 / ~ *on to* the stage 무대 위에 뛰어오르다 / ~ *on* a bus 버스에 뛰어오르다. **b** 낙하산으로 뛰어내리다.

> SYN. **jump** 지상에서 뛰어오름을 말함. '뛰어오르다'의 가장 일반적인 말. **leap** 높은 곳에서 가볍게 뛰어내리는 것, 또는 어느 거리까지 뛰어오름을 이름. **spring** 갑자기 튀어오름을 말함: *spring* from the bed 침대에서 벌떡 일어나다. **bound** 공 따위가 가볍게 튀어오름을 나타냄: *bound* from the wall 벽에서 되튀어 오다. **hop** 한 발로 껑충껑충 뜀을 이름. **skip** 어린아이 따위가 경쾌하게 깡충깡충 뜀을 이름: They are *skipping* rope. 그들은 줄넘기를 하고 있다.

2 《+전+명》 장애물을 뛰어넘다; (체커에서) 상대방의 말을 뛰어넘어 잡다: ~ *over* the fence 울타리를 뛰어넘다. **3** 《~/+전+명》 움찔하다; (가슴이) 섬뜩하다; (종기·충치 따위가) 욱신거리다, 쑤시다: The news made him ~. 그 소식을 듣고 그는 깜짝 놀랐다 / My heart ~*ed at* the news. 그 소식을 듣고 가슴이 섬뜩하였다. **4** 《+전+명》 (결론 등에로) 서두르다, 비약하다: ~ *to* 〔*at*〕 conclusions 성급하게 결론을 내리다. **5** 《+전+명》 힘차게〔갑자기〕 …하다: He ~*ed into* the discussion right away. 그는 곧 기세좋게 토의를 시작했다. **6** 《~/+부/+전+명》 (물가 따위가) 급등하다, 폭등하다; 갑자기 변하다: The price of green vegetables ~*ed up* this month. 이 달에 채소값이 급등했다 / The conversation ~*ed from* one topic *to* another. 대화의 화제가 잇따라 급속히 바뀌었다. **7** 《+부/+전+명》 일치하다(agree) 《*together*》, 부합하다 《*with*》: Good 〔Great〕 wits (will) ~ (*together*). 《속담》 지자(智者)는 의견이 일치한다 / This doesn't ~ *with* his former statement. 이건 그가 전에 한 말과 맞지 않는다. **8** 《+전+명》 《구어》 (기회·제안 등에) 달려들다, …에 기꺼이 응하다《*at*》; (직업 따위를) 전전하다《*from; to*》: ~ *from* job *to* job 직업을 전전하다 / He ~*ed at* the offer of a free trip. 그는 초대 여행이란 제안에 (앞뒤 안가리고) 달려들었다. **9** 〖영화〗 화면이 끊어져서 건너뛰다; (타자기가 글자를) 건너뛰다. **10** 《미속어》 떠들며 흥청거리다, 활기를 띠다. **11** 〖컴퓨터〗 건너뛰다《프로그램의 어떤 일련의 명령에서 다른 것으로 건너뛰는 일》. **12** 〖야구〗 (깨끗이) 선취점을 올리다. ― *vt.* **1** (…을) 뛰어넘다: ~ a stream 시내를 뛰어넘다. **2** 《~+목/+목+전+명》 (말을) 껑충 뛰게 하다, 뛰어넘게 하다; (사냥감을) 뛰어나오게〔날아가게〕 하다: ~ a horse *over* a fence 〔*across* a ditch〕 말에게 울타리를〔도랑을〕 뛰어넘게 하다. **3** 《~+목/+목+부》 (애를) 위아래로 까부르다: ~ a baby *up* and *down* (on one's knees) 아

이를 (무릎 위에서) 둥개둥개 어르다. **4** (심장을) 뛰게 하다; (사람·신경을) 섬뜩하게 하다: ~ the nerves. **5** (물가를) 올리다: The store ~*ed* its prices. 그 상점은 갑자기 값을 올렸다. **6** 《~+[목]/+[목]+[전]+[명]》 (중간 단계를) 뛰어 승진〔진급〕하다〔시키다〕: ~ the third grade (in school), 3학년을 걸러 뛰다/They ~*ed* him *into* the chief executive position over the heads of others. 그들은 중간 단계를 무시하고 그를 사장으로 승진시켰다. **7** (기차가 선로를) 벗어나다, 탈선하다; (플레이어의 바늘이 레코드판의 홈을) 튀어나오다. **8** (책의 일부를) 건너뛰며 읽다: ~ pages in reading. **9** …보다 앞서 뛰어가다: ~ the red light 붉은 신호를 무시하고 뛰어가다. **10** 《미》 (기차 따위에) 뛰어오르다; …에서 뛰어내리다. **11** 〖보통 과거분사꼴로〗 (감자 따위를) 프라이팬으로 흔들어 튀기다. **12** …에 슬그머니 다가가다. **13** 《구어》 갑자기 떠나다, 달아나다(flee): ~ a town 동네에서 갑자기 사라지다. **14** 《구어》 급습하다, …에 달려들다. **15** …을 속여 …시키다《*into*》; 횡령하다; 가로채다. **16** 〖신문〗 (기사의 계속을) 다음 페이지로 넘기어 계속시키다. **17** (체커에서 상대편의 말을) 건너뛰어 잡다. **18** 《속어》 (남자가) …와 성교하다.

Go (***and***) ~ ***in the lake*** 〔***river, sea, ocean***〕 《구어》 〖보통 명령형〗 저리 가, 썩 꺼져. ~ ***aboard*** 〔***on board***〕 (단체·활동 따위에서 도중에) 참가하다. ~ ***about*** 뛰어 돌아다니다; 조급해 있다. ~ ***a claim*** 남의 땅·광업권 등을 가로채다. ~ ***all over*** a person 《구어》 아무를 몹시 비난하다, 닦아세우다《*for*》. ~ ***a question on*** …에 질문을 던지다. ~ ***aside*** 뛰어 비키다. ~ ***down*** a person***'s throat*** ⇨ THROAT. ~ ***for joy*** 기뻐 날뛰다. ~ ***in*** 남의 이야기에 끼어들다; (장소·탈것 따위에) 뛰어들다〔타다〕; 《구어》 열심히〔부지런히〕 활동하다. ~ ***in*** 〔***into***〕 ***... with both feet*** 《구어》 (활동·일 따위에) 적극 참여하다, 기세 좋게 착수하다. ~ ***off*** ① (…에서) 뛰어내리다. ② 출발하다; 〖군사〗 공격을 개시하다. ③ 〖승마〗 장애 비월(飛越)의 동점 결승 라운드를 시작하다〔에 나가다〕. ~ ***on*** 〔***upon***〕 《속어》 (사람 따위)에 달려들다; 《구어》 몹시 공격〔비난〕하다. ~ ***on*** a person***'s meat*** 《미속어》 아무를 맹렬히 비난〔공격〕 하다. ~ ***out of*** one***'s skin*** 놀라서〔기뻐서〕 펄쩍 뛰다. ~ ***over the broomstick*** ⇨ BROOMSTICK. ~ ***salty*** 《미속어》 노하다. ~ one***'s bill*** 계산을 하지 않고 가버리다, 무전 취식하고 도망하다. ~ ***ship*** 〖해사〗 (선원이) 계약기간 만료 전에 배에서 내리다; (허가 없이) 담당한 곳을 떠나다. ~ ***the last hurdle*** 죽다. ~ ***the queue*** ⇨ QUEUE. ~ ***the track*** 〔***rails***〕 (차량이) 탈선(脫線)하다; 《구어》 마음이 산란하다. ~ ***to*** 〔***at***〕 ***a conclusion*** 속단하다, 지레짐작하다. ~ ***to it*** 《구어》 〖보통 명령형〗 지체하지 않고 착수하다, 서두르다. ~ 〔***spring***〕 ***to*** one***'s feet*** 펄쩍 뛰다, 뛰어오르다. ~ ***to the eyes*** 곧 눈에 띄다, 눈에 들어오다. ~ ***up*** ① 급히 일어서다. ② (가격 따위가) 급등하다. ③ 《미속어》 …의 힘〔세기가〕 증가하다.

— *n.* **1** 도약, 비약, 뜀, 뛰어오름(leap); 〖경기〗 점프, 도약. [cf.] broad 〔long, high, pole〕 jump. **2** 흠칫〔움찔〕함(start). **3** 급등; (주식의) 급등했을 때 값. **4** 급전, 갑작스러운 변동. **5** 〖승마〗 (뛰어넘는) 장애(물); (체커에서) 상대의 말을 뛰어넘어서 잡음. **6** 낙하산 강하(降下). **7** (보통 비행기에 의한) 짧은 여행: make a night ~ 야간비행을 하다. **8** 〖컴퓨터〗 건너뜀《프로그램 제어의 전환》. **9** (보통 the ~s) 《구어》 (알코올 중독증 등의) 신경성 경련〔떨림〕, 섬망증(delirium tremens); (the ~s) 《구어》 무도병(chorea). **10** 《미속어》 (시간·거리 따위에 있어서의) 선발, 유리한 착수〔개시, 출발〕. **11** =JUMPSTART. **12** 《속어》 (댄스) 파티; 《미속어》 (청소년의) 난투, 편싸움(rumble); 《영속어》 성교. ***all of a*** ~ 《구어》 흠칫흠칫하여. (***at a***) ***full*** ~ 전속력으로. ***at a*** ~ 훌쩍〔한 번〕 뛰어, 일약. ***from the*** ~ 처음부터. ***get*** 〔***have***〕 ***the*** ~ ***on*** 《구어》 …을 앞지르다, (빨리 시작해서) …보다 뛰어나다. ***give*** a person ***a*** ~ 〔***the*** ~***s***〕 《구어》 아무를 깜짝 놀래다. ***have the*** ~***s*** 깜짝 놀라다. ***one*** ~ ***ahead*** (***of...***) (상대보다) 한발 앞서. ***on the*** ~ 《미구어》 바쁘게 뛰어다녀, 바빠서; 《구어》 맹렬한 속도로; 《구어》 흠칫하여. ***put*** a person ***over the big*** ~ 아무를 죽이다. ***take a running*** ~ 《구어》 〖보통 명령형〗 (방해가 되니) 저리 비켜라〔가거라〕. ***take the big*** ~ 《미서부속어》 죽다, 뒈지다.

— *a.* **1** 〖재즈〗 템포가 빠른, 급템포의; 《구어》 신경질인. **2** 낙하산〔공수〕(부대)의.

júmp àrea 〖군사〗 낙하산 부대의 강하지(降下地)《적진 후방》.

júmp bàll 〖농구〗 점프볼.

júmp bèlt =JET BELT.

júmp bìd 〖카드놀이〗 (bridge에서) 필요 이상으로 올리는 금액〔점수〕; 그 선언.

júmp blùes 〖음악〗 점프 블루스《1940년대에 발달한 리드미컬한 블루스》.

júmp bòot 점프 부츠《낙하산 대원이 신던 무거운 가죽 부츠》.

júmp cùt (영화) 화면을 건너뛰게 함. ㊍ **júmp-cùt** *vi.*

júmped-ùp [dʒʌ́mpt-] *a.* 새로 나타난, 신흥의, 벼락부자〔출세〕의; 우쭐대는.

júmp·er[1] *n.* 도약하는 사람; 도약 선수; Wales의 메소디스트 교도《예배 때 춤추고 뜀》; 뛰는 벌레《벼룩 따위》; 〖광산〗 정, 드릴; 〖미해사〗 돛대 사이를 유지하는 밧줄; 썰매의 일종; 〖전기〗 회로의 절단부를 잇는 짧은 전선; 〖컴퓨터〗 점퍼《컴퓨터에 사용되는 회로판이나 통신회선을 연결시키는 데 사용되는 이동 전기 스위치》; 《미》 소화물 배달원; 〖농구〗 =JUMP SHOT.

°**júmp·er**[2] *n.* **1** 점퍼, 작업용 상의. **2** 점퍼 스커트〔드레스〕(=**∠ drèss**)《여성·아동용의 소매 없는 원피스》. **3** 《영》 블라우스 위에 입는 헐거운 여성 상의〔스웨터〕. **4** (*pl.*) 《미》 아이의 놀이옷, 롬퍼스(rompers). ***stuff*** 〔***shove, stick***〕 ***it*** 〔***...***〕 ***up*** one***'s*** 〔《특히》 ***your***〕 ~… 따위는 엿이나 먹어라, 알게 뭐냐, 멋대로 해라《강한 거절·반감을 나타냄》.

júmper càble 《미》 =BOOSTER CABLE.

júmp hèad (신문·잡지의) 다른 페이지로 계속된 기사의 표제.

júmp·ing *a.* 뛰는, 도약〔점프〕(용)의; 《속어》 스윙의《밴드》; 《속어》 몹시 소란스러운〔활기 있는〕《장소》. **—** *n.* [U] 도약.

júmping bèan 〔**sèed**〕 〖식물〗 튐콩《멕시코산(産) 등대풀과(科) 식물의 씨; 안에 든 나방의 애벌레가 움직이는 데 따라 튀〔뛰〕듯이 움직임》.

júmping gène 《구어》 =TRANSPOSON.

júmping jàck 1 (조종하는) 꼭두각시, 뛰는 인형《실을 당기면 춤을 춤》. **2** 〖스포츠〗 거수도약운동《차려 자세에서 뛰면서 발을 벌리고, 머리 위에서 양손을 마주쳐, 다시 원상태로 돌아오는》.

júmping-óff plàce 〔**pòint**〕 **1** 문명세계의 끝, 외딴 곳. **2** (가능성의) 한계, 극한, (최후의) 막바지. **3** (여행·사업·연구 따위의) 기점, 출발점, 시발점.

júmp jèt 《영구어》 수직 이착륙 제트기(VTOL).

júmp jòckey 《영》 〖경마〗 장애물 경주 기수.

júmp lèads 《영》 =BOOSTER CABLE.

júmp lìne (신문·잡지 따위에서) 기사의 후속 페이지의 지시.

júmp·màster *n.* 〖미군사〗 낙하산 강하 지휘관.

júmp nùmber 〖음악〗 점프 넘버《리드미컬한 가락의 재즈나 록의 곡》.

júmp-òff *n.* 출발(점), (경쟁·공격의) 개시; 〖승마〗 장애 비월(飛越)의 (동점) 결승 라운드; 〖항공〗 수직 이륙.
júmp pàss 〖미식축구·농구〗 점프 패스.
júmp ròpe 《미》 줄넘기의 줄(skipping rope).
júmp sèat (자동차 따위의) 접게 된 보조 좌석; (마차 안의) 가동(可動) 좌석.
júmp shòt 〖농구〗 점프슛.
júmp-stàrt *vt., vi.* (배터리가 다된 자동차에) 다른 배터리를 연결하여〔밀어서〕 엔진을 걸다; 《미》《비유》 재개하다; 활기를 불어넣다. **—** *n.* 밀어서 시동걸기(jump).
júmp strèet 《속어》 시작, 개시, 스타트.
júmp sùit 낙하산 강하용 낙하복; 그와 비슷한 내리닫이의 캐주얼웨어.
júmp-ùp *n.* 《미군대속어》 긴급을 요하는 일; (카니발 같은) 즐거운 축제 소동; (격식을 차리지 않는) 댄스 파티.
◇**jumpy** [dʒʌ́mpi] (***jump·i·er; -i·est***) *a.* 튀어 오르는; (신경질·흥분으로) 실룩거리는; 흥분하기 쉬운; 신경에 거슬리는; (탈것이) 몹시 흔들리는; (이야기가) 급격히 변화하는. ㊞ **júmp·i·ness** *n.*
Jun. June; Junior; Junius. **jun.** junior.
Junc., junc. junction.
jun·co [dʒʌ́ŋkou] (*pl.* ~(**e**)**s**) *n.* 〖조류〗 참새과의 일종《북아메리카산》.
*__junc·tion__ [dʒʌ́ŋkʃən] *n.* **1** Ⓤ 연합, 접합, 연접, 연락, 합체. **2** Ⓒ 접합점, 교차점, 분기점(分岐點); (강의) 합류점; 연락역, 환승역; 〖전기〗 접합기, =JUNCTION BOX. **3** Ⓤ 〖전자〗 (반도체 내의 전기적 성질이 다른 부분의) 접합. **4** Ⓤ 〖문법〗 수식관계《a red rose 처럼 수식·피수식 관계의 어군》.
júnction bòx 〖전기〗 접속상자. ⌊㊞ ~**·al** *a.*
júnction transìstor 〖전자〗 접합 트랜지스터.
◇**junc·ture** [dʒʌ́ŋktʃər] *n.* **1** Ⓤ 접합, 접속, 연결; Ⓒ 이음매, 접합점, 관절. **2** Ⓤ (중대한) 때, 경우, 정세, 전기(轉機); 위기(crisis). **3** Ⓤ,Ⓒ 〖언어〗 연접(連接). ***at this*** ~ 이 중대한 때에; 이 때에. ㊞ **júnc·tur·al** *a.* 〖언어〗 연접의.
†**June** [dʒu:n] *n.* **1** 6월, 유월《생략: Jun., Je.》. **2** 준《여자 이름; 6월 태생에 많음》. **—** *vi.* 《미구어》 다급하게 돌아다니다《*around*》, 침착성이 없다, 초봄의 우울병에 걸려 있다《*around*》.
Júne bèetle 〔**bùg**〕 풍뎅이의 일종《유럽·북아메리카산》. 「매).
Júne·bèrry *n.* 〖식물〗 채진목류의 나무(의 열
Jung·frau [júŋfràu] *n.* (the ~) 융프라우《알프스 산맥 중의 고봉(高峰); 4,158m》.
*__jun·gle__ [dʒʌ́ŋgəl] *n.* **1** (보통 the ~) (인도 등지의) 정글, 총림(지), 밀림습지(대). **2** 혼란; 잡다하게 모인 것; 곤혹〔현혹〕되게 하는 것, 미궁. **3** 비정한 생존경쟁(장); (대도시의) 복잡하고 뒤숭숭한 위험 장소: New York is a ~ after dark. 뉴욕은 어두워지면 살벌하고 위험한 곳이다. **4** 《속어》 실업자나 부랑자의 숙박소〔지〕. ***the law of the*** ~ 정글의 법칙《약육강식》. **—** *vi.* 밀림에 살다; 부랑자 소굴에서 야숙하다《*up*》. 「여자.
júngle bùnny 《경멸》 흑인; 《우스개》 정글의
júngle bùzzard 《속어》 방랑자 캠프에 기식하면서 다른 뜨내기〔방랑자〕를 등쳐 먹는 뜨내기〔방랑자〕.
júngle càt 인도의 살쾡이.
júngle féver 정글열《악성 말라리아》.
júngle fòwl 야생의 닭《남부 아시아산》.
júngle gým 정글짐《유치원 등에 마련된 철골로 조립하여 만든 놀이시설; 본래는 상표명》.
júngle jùice 《속어》 (특히 자기 집에서 빚은 싸구려의) 독한 술, 밀조주; 《Austral. 속어》 등유(kerosine).
júngle ròt 《속어》 열대의 피부병.
júngle tèlegraph =BUSH TELEGRAPH.
jun·gli [dʒʌ́ŋgli] *n.* 정글 거주자. **—** *a.* **1** 정글에 사는. **2** 《Ind.》 촌스러운, 무무한.
jun·gly [dʒʌ́ŋgli] *a.* 정글의, 밀림의.
‡**jun·ior** [dʒú:njər] *a.* **1** 손아래의, 연소한; 젊은 쪽의. OPP. *senior*. cf. minor.

> NOTE 특히 두 형제 중의 아우, 동명(同名)인 부자(父子)의 아들, 동명인 학생 중의 연소자를 가리키며, 이름 뒤에 jun. 또는 jr.로 생략해서 붙임: John Smith jr. 아들 쪽의 존 스미스, 존 스미스 2세.

2 후배의, 후진의, 하급의(subordinate): a ~ partner 하급 사원. **3** 《미》 senior 아래 학년의《4년제 대학·고교의 3년생; 3년제 대학·고교의 2년생; 2년제 대학 1년생의》. **4** 〖법률〗 후(後)순위의《채권 따위》. **5** 소형의, 소규모의. **6** 《영》 (7-11세의) 학동의. **7** 청소년용의〔으로 된〕. ***be*** ~ ***to*** a person ***in*** …으로는 아무의 후배이다.
— *n.* **1** 손아랫사람, 연소자: Jack is my ~ *by* two years. =Jack is two years my ~. 잭은 나보다 두 살 아래이다. **2** (때로 J-) 《미》 아들, 2세(son). **3** 소녀, 아가씨, 젊은 여자; (복장의) 주니어 사이즈《날씬한 부인·젊은 여성용의 의복 치수》: coats for teens and ~*s* 십대의 소녀나 젊은 여성용의 웃옷. **4** (one's ~) 후배, 후진, 하급자. **5** 《미》 (4년제 대학·고교의) 3학년생; (3년제 대학·고교의) 2학년생; (2년제 대학의) 1학년생; 《영》 초등학교(junior school)의 학생. cf. senior, sophomore, freshman. **6** 〖영법률〗 하급법정의 변호사. **7** 《속어》 젊은 친구야《호칭》.
júnior cóllege (미국의) 2년제 대학; (한국의) 전문대학; 성인교육 학교.
júnior cómbination ròom (Cambridge 대학의) 학생 사교실《생략: J.C.R.》. cf. junior common room.
júnior cómmon ròom (Oxford 대학 등의) 학생 사교실《생략: J.C.R.》.
júnior hígh (**schòol**) 《미》 하급 고등학교《한국의 중학교에 해당함; 위는 senior high (school)》.
jun·ior·i·ty [dʒu:njɔ́:rəti, -njár-/-niɔ́r-] *n.* Ⓤ **1** 연하, 연소. **2** 후진, 후배, 하위, 하급. **3** 〖법률〗 말자(末子)상속제.
Júnior Léague (the ~) 《미》 여자 청년연맹《상류 여성들로 된 사회봉사 활동단체》.
júnior líbrary 《영》 아동 도서관.
júnior líghtweight 주니어라이트급 (복서).
júnior míddleweight 주니어미들급 (복서).
júnior míss 《미》 젊은 여성《13-15, 6세》; 주니어(사이즈)《날씬한 젊은 여성용의 옷 사이즈를 가리킴》.
júnior schòol 《영》 (7-11세 아동의) 초등학교. cf. primary school.
júnior vársity 《미》 대학〔고교〕 운동부의 2군팀《varsity의 하위》. cf. jayvee.
júnior wélterweight 주니어웰터급 (복서).
ju·ni·per [dʒú:nəpər] *n.* **1** 〖식물〗 노간주나무 종류. **2** 〖성서〗 로뎀나무《열왕기 상 XIX: 4》. ***common*** ~ 노간주나무.
júniper tàr (**óil**) 〖약학〗 노간주나무 타르《국소 항 습진약에 사용》.
◇**junk**[1] [dʒʌŋk] *n.* Ⓤ **1** 《구어》 쓰레기(trash), 잡동사니, 폐물; 고철. **2** Ⓒ (큰) 덩어리(lump, chunk), 두꺼운 조각《*of*》. **3** 〖해사〗 소금에 절인 고기. **4** 낡은 밧줄 토막. **5** (향유고래의) 두부(頭部) 지방조직. **6** 《속어》 헤로인, 마약: be on the ~ 마약중독이다. **7** 《미속어》 실없는 소리(nonsense). **—** *vt.* 《미구어》 (폐물·쓰레기로) 버리다. **—** *vi.* 《구어》 중고품·헌옷 따위를 사다〔사러 가다〕. **—** *a.* 〖한정적〗 값싼, 가치 없는, 무

용지물의, 쓰레기〔폐물, 잡동사니〕의.

junk² *n.* 정크, (중국의) 밑이 평평한 범선.

junk²

júnk àrt (금속·나무·유리 따위의) 폐물 이용 조형미술.

júnk-bàll 《야구속어》 *n.* 변칙 투구법의 속구. **—** *a.* 변칙(투구)의.

júnk bònd 정크 본드《배당률은 높으나 위험 부담이 큰 채권》.

júnked úp 《미속어》 마약〔헤로인〕에 도취된.

Jun·ker [júŋkər] *n.* 《G.》 (독일 귀족의) 귀공자; (*pl.*) 융커당원《19세기 중엽 프로이센의 특권 귀족당 당원》.

junk·er [dʒʌ́ŋkər] 《미속어》 *n.* 털털이 자동차, 망가진 기계; 마약 상습자〔밀매인〕.

jun·ket [dʒʌ́ŋkit] *n.* **1** Ⓤ 응유(凝乳)식품의 일종. **2** Ⓒ 향연, 진수성찬(feast); 《미》 피크닉, 야외연회; 유람여행; 《미·경멸》 관비여행. **—** *vt.* …을 유람여행으로〔주연을 베풀어〕 대접하다. **—** *vi.* 유람여행을 하다; 《미》 관비여행을 하다. ㊞ **~·ing** *n.* 《미》 유람여행; 《영》 향연, 축하연.

jun·ke·teer, jun·ket·er [dʒʌ̀ŋkitíər], [dʒʌ́ŋkətər] *n.* (연회에서) 마시고 떠드는 사람; 《미》 관비(유람) 여행자.

júnk fàx 쓰레기가 되는 무용지물의 팩스 통신물《광고 따위》. ⓒⓕ junk mail.

júnk fòod 정크 푸드《칼로리는 높으나 영양가가 낮은 스낵풍의 식품》; (식물 대체물이 든) 즉석식품; 시시한〔쓸모없는〕 것.

júnk gùn =SATURDAY NIGHT SPECIAL.

júnk·hèap *n.* =JUNKYARD; 《속어》 털털이 자동차.

junk·ie [dʒʌ́ŋki] *n.* 《속어》 **1** 마약 상습자〔밀매자〕. **2** 마니아; 열광적인 팬, 심취자: a chocolate ~ 초콜릿 중독자 / a baseball ~ 야구광. **3** =JUNKMAN 1.

júnk jèwelry 《미구어》 싸구려 장신구.

júnk màil 《미》 쓰레기가 되는 우편물《선전 광고·기부 의뢰 등 개인 명의 없는 우편물로 때론 사기성 우편물을 뜻하기도 함》. ㊞ **~·er** junk mail을 보내는 조직〔단체〕, junk mail 발송 업자, D.M. 대행업자.

júnk·màn [-mæ̀n] (*pl.* ***-men*** [-mèn]) *n.* **1** 《미》 고물장수, 폐품업자. **2** [+-mən] 정크 선원.

júnk scìence (법정에 증거로 제출되는) 겉보기에는 과학적인 전문가의 분석.

júnk scùlpture =JUNK ART.

júnk shòp 고물 선구상(船具商)(marine store); 《경멸》 고물상.

júnk squàd 《속어》 (경찰의) 마약 단속반.

junky [dʒʌ́ŋki] 《구어》 *n.* =JUNKIE; 고물상. **—** *a.* 잡동사니의, 2급품의.

júnk·yàrd *n.* 고물 수집장.

°**Ju·no** [dʒú:nou] *n.* **1** 〚로마신화〛 주노《Jupiter의 아내로 결혼의 여신》. ⓒⓕ Hera. **2** 품위 있는 미인(queenly woman). **3** 〚천문〛 주노《제3소행성(小行星)》. **4** 여자 이름.

Ju·no·esque [dʒù:nouésk] *a.* (여성이) 당당하고 기품이 있는, 풍채가 훌륭한; 풍만한.

Junr., junr. junior.

jun·ta [húntə, dʒʌ́n-, hʌ́n-/dʒʌ́n-, dʒún-] *n.* 《Sp.》 (스페인·이탈리아 등의) 의회, 내각; (스페인·남아메리카 등지의) 행정기관, (특히 혁명정권 수립 후의) 지도자 집단, 잠정(군사) 정권, (혁명) 평의회; =JUNTO.

jun·to [dʒʌ́ntou] (*pl.* **~s**) *n.* (정치상의) 비밀결사; 도당, 파벌; (문예의) 동인(同人).

°**Ju·pi·ter** [dʒú:pətər] *n.* **1** 〚로마신화〛 주피터《고대로마 최고의 신으로 하늘의 지배자; 그리스의 Zeus에 해당》. ⓒⓕ Jove. **2** 〚천문〛 목성: ~ has more than one moon. 목성에는 위성이 몇 개가 있다《무관사에 주의》. **3** 미국 육군의 IRBM의 일종. **4** 〖감탄사적〗 저런, 앗. ***By ~!*** 《고어》 =By JOVE!

Júpiter Effèct 목성효과《행성직렬(planetary line-up)에 의한 태양계에의 영향》.

ju·ra [dʒúərə] JUS의 복수.

ju·ral [dʒúərəl] *a.* 사법상의, 법률상의; 권리·의무에 관한. ㊞ **~·ly** *ad.*

ju·rant [dʒúərənt] *a.*, *n.* 〚법률〛 선서하는(사람).

Ju·ras·sic [dʒuərǽsik] 〚지학〛 *a.* 쥐라기(紀)의, (암석이) 쥐라계(系)의: the ~ system 쥐라계(系)《쥐라기에 생긴 지층군》. **—** *n.* (the ~) 쥐라기〔계〕.

ju·rat [dʒúəræt] *n.* **1** 《영》 Channel Islands의 종신(終身)〔명예〕 치안판사; (특히 Cinque Ports의) 시정(市政) 참여관. **2** 〚법률〛 (선서 진술서의) 결구(結句)「의〔에서 말한〕.

ju·ra·to·ry [dʒúərətɔ̀:ri/-təri] *a.* 〚법률〛 선서

Jur. D. 《L.》 *Juris Doctor*(=Doctor of Law).

ju·rid·i·cal [dʒuərídikəl] *a.* 재판상의, 사법상의; 법원의; 법률상의; 재판관 직무의, 판사직의: a ~ person 법인. ㊞ **ju·ríd·ic** *a.* **~·ly** *ad.*

jurídical dàys 재판일, 재판 개정일.

ju·ri·met·rics [dʒùərimétriks] *n. pl.* 〖보통 단수취급〗 계량(計量)법학《과학적 분석법을 써서 법률 문제를 다룸》.

ju·ris·con·sult [dʒùəriskənsʌ́lt, -kɑ́nsʌlt/dʒúəriskənsʌ̀lt, dʒùəriskɔ́nsʌlt] *n.* 법학자(jurist)《특히 국제법〔민법〕의; 생략: J.C.》.

jurisd. jurisdiction.

ju·ris·dic·tion [dʒùərisdíkʃən] *n.* Ⓤ **1** 재판권, 사법권; 재판관할. **2** 관할권. **3** Ⓒ 관할구역. **4** 권한, 지배. ***exercise*** 〔***have***〕 **~ *over*** …을 관할하다. ㊞ **~·al** *a.* 사법권의, 재판권의; 관할권의; 관할의. **~·al·ly** *ad.*

Jú·ris Dóctor [dʒúəris-] 《L.》 법학 박사(Doctor of Law).

jurisp. jurisprudence.

ju·ris·pru·dence [dʒùərisprú:dəns] *n.* Ⓤ **1** 법학, 이론, 법률학, 법리학; 법률지식, 법률에 정통함; 법체계, 법제(system of laws): comparative ~ 비교법학 / medical ~ 법의학. **2** 법원의 일련의 판결; 판결기록.

ju·ris·pru·dent [dʒùərisprú:dənt] *a.* 법률〔법리〕에 정통한. **—** *n.* 법률학자, 법리학자.

ju·ris·pru·den·tial [dʒùərispru:dénʃəl] *a.* 법률학(상)의. ㊞ **~·ly** *ad.*

ju·rist [dʒúərist] *n.* 법학자, 법리학자; 법률 저술가; 법학생; 《미》 변호사(lawyer), 재판관.

ju·ris·tic, -ti·cal [dʒuərístik], [-əl] *a.* 법률의, 법률상의; 법학의; 법학자의; 법률에 맞는. ㊞ **-ti·cal·ly** *ad.*

jurístic áct 법률 행위.

jurístic pérson 〚법률〛 법인(artificial person).

ju·ror [dʒúərər] *n.* **1** 배심원(juryman); (경쟁·전시회 따위의) 심사위원. **2** 선서자. ⓒⓕ nonjuror.

ju·ry¹** [dʒúəri] *n.* 〖집합적〗 **1** 배심《법정에서 사실의 심리·평결을 하고 재판장에 답신함》. ⓒⓕ common 〔grand, petit, special〕 jury. **2** (콘테스트 따위의) 심사원. ***a ~ of matrons 〚역사〛 수태 심사 배심《피고의 임신여부를 판정함》. ***on a ~*** (법정의) 배심원으로서. ***The ~ is still out.*** 배심원은 아직 밖에서 협의중이다; 아직 문제의 결론은 나지 않았다. **—** *vt.* (출품작 따위를) 심사하다; (미술전 따위)에의 전시작품을 고르다.

ju·ry² *a.* 〚해사〛 응급의, 임시(변통)의(makeshift).

júry bòx (법정의) 배심원석.

júry dùty 《미》 배심원으로서의 임무〔의무〕.
júry·man [-mən] (*pl.* **-men** [-mən]) *n.* 배심원(juror).
júry màst 〚해사〛 응급 마스트, 임시 돛대.
júry-pàcking *n.* 배심원 균허기, 배심원 매수.
júry pròcess 〚법률〛 배심원 소환영장.
júry-rìg *n.* 〚해사〛 (영구장치 일부가 파손된 곳의) 응급 가설장치; (기계 따위의) 응급 장비. **—** (**-gg-**) *vt.* 응급장비로 교환하다.
júry-rìgged *a.* 〚해사〛 응급장비의.
júry ròom 배심원이 협의하는 방.
júry·wòman (*pl.* **-wòmen**) *n.* 여성 배심원.
jus¹ [dʒʌs] (*pl.* ***ju·ra*** [dʒúərə]) *n.* 《L.》 법, 법률 (체계); 법적 권력〔권리〕.
jus² [ʒuːs, dʒuːs] *n.* 《F.》 〚요리〛 즙(汁), 주스(juice), 육즙(肉汁).
jus. justice.
jus ca·non·i·cum [dʒʌ́s-kənánikəm/-nɔ́-] 《L.》 교회법(canon law). 「(civil law).
jus ci·vi·le [dʒʌ́s-siváiliː] 《L.》 시민법, 민법
jus cri·mi·na·le [dʒʌ́s-kriminάːli] 《L.》 형법.
jus di·vi·num [dʒʌ́s-diváinəm] 《L.》 신법(神法); 신권(神權). 「국제법.
jus gen·ti·um [dʒʌ́s-dʒénʃiəm] 《L.》 만민법;
jus na·tu·ra·le [dʒʌ́s-nætʃəréili] 《L.》 자연법.
Ju·so [júːsòu] *n.* (독일 사회민주당의) 젊은 좌파 당원. [《G.》 *Jungsozialisten* '젊은 사회주의자'의 뜻]
jus san·gui·nis [dʒʌ́s-sǽŋgwənis] 《L.》 〚법률〛 혈통주의 《출생아는 부모가 시민권을 가진 나라의 시민권을 획득한다는 원칙》.
jus·sive [dʒʌ́siv] 〚문법〛 *a.* 명령을 나타내는. **—** *n.* 명령법〔어·격·형〕.
jus so·li [dʒʌ́s-sóulai] 《L.》 〚법률〛 출생지주의.
†**just**¹ [dʒʌst] *a.* **1** 올바른, 공정한, 공명정대한; (…에 대해) 공평한 《*to; with*》: ~ *in* one's dealings 하는 일이 올바른 / He tried to be ~ *to* 〔*with*〕 all the people concerned. 그는 관계자 전원에게 공평하려고 노력했다 / She's fair and ~ *in* judgement. 그녀의 판단은 공정하다. SYN. ⇨ FAIR, UPRIGHT. **2** (행위 등이) 정당한, 지당한. **3** (보수·요구·비난 등이) 타당한, 당연한: a ~ claim 당연한 요구. **4** (의견·감정 등이) 충분한 근거가 있는. **5** (값·균형·배합 등이) 적정한. **6** (저울·계량·숫자·보고 등이) 정확한, 사실 그대로의: a ~ measure 정확한 측정. **7** 〚성서〛 의로운. ◇ justice *n.*
— *ad.* **1** 정확히, 틀림없이, 바로, 꼭: ~ then 바로 그때 / This is ~ what I mean. 그것이 바로 내가 하고 싶은 말이다. **2** 〚완료형과 함께〛 이제 방금, 막 (…하였다): He has ~ left. 그는 방금 떠났다. **3** 〚종종 only와 함께〛 겨우, 간신히, 가까스로: I was (only) ~ in time for school. 간신히 학교 시간에 대어 갔다. **4** 다만, 단지; 오로지: He is ~ an ordinary man. 그는 보통 사람에 지나지 않는다 / I have come ~ *to* see you. 다만 자네 얼굴을 보러 왔을 뿐일세 / How many are you? — *Just* one. 《손님에게》 몇 분이세요 — 혼자요. **5** 《구어》 〚명령형과 함께〛 좀, 조금, 제발: *Just* feel it. 좀 만져 보게나. **6** 《구어》 아주, 정말로: *Just* awful! 아주 지독하다 / I'm ~ starving. 정말 시장하다. **7** 《속어》 〚부정의문형과 함께〛 정말, 참으로: You remember? — Don't I, ~! 기억하고 계십니까 — 기억하다뿐입니까 / Didn't they beat us ~? 정말 참패했어. ~ ***about*** 《구어》 ① 그럭저럭, 겨우, 간신히(barely): *Just about* right! 그럭저럭 괜찮다; 아주 좋다. ② 〚힘줌말〛 정말로, 아주(quite): ~ *about* everything 몽땅, 모조리. ~ ***a moment*** 〔***minute, second,*** 《구어》 ***sec***〕 ① 〚please를 뒤에 붙여〛 잠시 기다려라. ② 〚상대방의 말을 가로막아〛 잠깐만, 가만있어봐. ③ 〚놀라움을 나타내어〛 어머나, 저런. ~ ***as*** 꼭 …처럼; 바로 …할 때. ~ ***as it is*** 있는 그대로, 그대로. ~ ***because*** 오로지 …이니까, …인 고로: I came ~ *because* I was asked to. 부탁받았으니까 왔지. ~ ***come up*** 《속어》 경험 없는, 미숙한, 풋내기의. ~ ***in case*** ⇨ CASE¹. ~ ***like*** 마치 …와 같이. ~ ***now*** ① 바로 지금: I am busy ~ *now*. ② 〚과거형과 함께〛 이제 막, 방금: He came ~ now. ③ 〚미래형과 함께〛 머지않아, 곧. ~ ***on ...*** 대체로〔거의〕…. ~ ***so*** ① 바로 그대로(quite so) 《때로 감탄사적으로》. ② 깔끔히 치워져〔정리되어〕. ③ 매우 조심스럽게, 신중하게. ④ …이란 조건으로, …이면은. ~ ***the thing*** 바로 바라던 것; (말하고자 한 것은) 바로 그것이다. ***not ~ ... but*** (***also***) ___ = NOT ONLY ... but (also) ___. ***only ~ enough*** 겨우 충족될 만큼: The road is *only* ~ *enough* for a car to pass. 길은 겨우 차가 통과할 정도이다. ***That's ~ it*** 〔***the point***〕. 바로 그것〔그 점〕이다.
just² *n., vi.* = JOUST.
Just. Justinian. **just.** justice. 「지 않은.
júst-fólks *a.* 싹싹하고 상냥한, 소탈한, 점잔빼
****jus·tice** [dʒʌ́stis] *n.* **1** Ⓤ 정의(righteousness), 공정, 공평, 공명정대(fairness): a sense of ~ 정의감. **2** Ⓤ 정당(성), 옳음, 타당(lawfulness), 온당; 조리, 당부(當否): inquire into the ~ *of* a claim 요구의 타당성 여부를 검토하다. **3** Ⓤ (당연한) 응보; 처벌: providential ~ 천벌. **4** Ⓤ 사법, 재판: the Minister of *Justice* 〚일반적〛 법무장관 / the Department of *Justice* = the *Justice* Department 《미》 법무부 《그 장관은 Attorney General》 / give oneself up to ~ 자수하다. **5** Ⓒ 사법관, 재판관; 치안판사; 《미》 (연방 및 몇몇 주의) 최고재판소 판사; 《영》 대법원 판사. **6** (J-) 정의의 여신. ◇ just *a.*
a court of ~ 법원, 법정. ***administer ~*** 재판하다, 법을 집행하다. ***a ~ of the peace*** 치안판사 《생략: J.P.》. ***bring*** a person ***to ~*** 아무를 재판하여 처벌하다. ***deny*** a person ***~*** 아무를 공평〔정당〕하게 다루지 않다. ***do ... ~*** = ***do ~ to ...*** ① (사람·물건을) 바르게 나타내다: The portrait does not *do* him ~. 그 초상화는 실물과 같지 않다〔실물보다 못하다〕. ② …을 정당〔공평〕하게 평가하다〔다루다〕: *do* ~ *to* a person's opinion 아무의 의견을 공정하게 평가하다 / To *do* him ~, he is an able man. 공평하게 평가하면 그는 유능한 사내다. ③ (맛이 있어서) …을 배불리 먹다: He *did* ~ *to* the good dinner. 그는 성찬을 실컷 먹었다. ***do oneself ~*** 자기의 진가를〔기량을〕 충분히 발휘하다. ***in ~ to*** …을 공정하게 평가하면, …에 공평하려면: *In* ~ *to* her, I must tell her the whole truth. 그녀에게 공평하려면 나는 모든 진실을 말해야 한다. ***see ~ done*** 일의 공평을 기하다; 보복하다. ***with ~*** 공평하게; 정당하게, 무리 없이(reasonably): complain *with* ~ 불평하는 것도 무리가 아니다.
㊕ **~·ship** [-ʃip] *n.* Ⓤ 판사의 직〔자격, 지위〕.
jústice còurt 치안판사 법원 《치안판사가 경미한 사건의 재판이나 중대한 사건의 예심을 하는 하급법원》.
jústice's wárrant 〚법률〛 치안판사의 영장.
jus·ti·ci·a·ble [dʒʌstíʃiəbəl] *a.* 재판에 회부되어야 할: a ~ case.
jus·ti·ci·ar [dʒʌstíʃiər] *n.* 〚영국사〛 (Norman 왕조 및 Plantagenet 왕조 초기의) 최고 사법관; 고등법원 판사.
jus·ti·ci·ary [dʒʌstíʃièri/-əri] *n.* judiciary 의 역할〔권한〕; 〚역사〛 = JUSTICIAR; (상급법원) 판사(의 재판권). **—** *a.* 사법(상)의.

◦**jus·ti·fi·a·ble** [dʒʌ́stəfàiəbəl, ⌐-⌐--] *a.* 정당화할 수 있는, 변명할 수 있는, 타당한, 정당한. ⊕ **-bly** *ad.* **jùs·ti·fi·a·bíl·i·ty** *n.* Ⓤ 정당함, 이치에 맞음.

jústifiable abórtion =THERAPEUTIC ABORTION.

jústifiable hómicide 〖법률〗 정당살인《정당방위, 사형 집행관의 사형집행 따위》.

◦**jus·ti·fi·ca·tion** [dʒʌ̀stəfikéiʃən] *n.* Ⓤ **1** 정당하다고 규정함, 정당성을 증명함, (행위의) 정당화; 변명, 변호; 변명〔변호〕의 이유; 〖법률〗 (피고측의) 변명. **2** 〖신학〗 의롭다고 인정됨〔인정받음〕, 의인(義認). **3** 〖인쇄〗 (행의 길이의) 정돈, 정판(整版). **4** 〖컴퓨터〗 조정. ***in ~ of*** …을 변명하기 위하여, …의 변호로서, …의 명분이 서도록. ***~ by faith*** 신앙 의인(義認)《신앙에 의해 의(義)〔무죄〕로 인정되는 일》.

jus·ti·fi·ca·tive, -to·ry [dʒʌ́stəfikèitiv], [dʒʌstífəkətɔ̀:ri/dʒʌ́stəfikèitəri] *a.* 정당화하는〔할 힘이 있는〕; 변명〔해명〕의.

jus·ti·fi·er [dʒʌ́stəfàiər] *n.* **1** 정당화하는 사람, 변명자. **2** 〖인쇄〗 (식자용의) 공목(空木), 인테르; 정판공.

jus·ti·fy** [dʒʌ́stəfài] *vt.* **1** (행위·주장 따위를) 옳다고 하다, 정당화하다(vindicate), …의 정당함을 증명하다; …의 구실이 되다: The fine quality *justifies* the high cost. 질이 좋기 때문에 값이 비싼 것은 당연하다 / The end *justifies* the means. 《속담》 목적은 수단을 정당화한다. **2** 《~+목/+목+전+명》 옳다고 변명〔주장, 용인〕하다: ~ one's action 자기 행동을 변명하다 / She tried to ~ herself *for* her conduct. 그녀는 자기 행위에 대해 변명하려고 했다. **3** 〖신학〗 (신이 죄인을) 죄 없다고 용서하다, 의인(義認)하다. **4** 〖인쇄〗 …의 행간(行間)을 가지런히 하다, 정판(整版)하다. **5** 〖컴퓨터〗 자리 맞춤을 하다. ― *vi.* **1** 〖법률〗 (어떤 행위에 대하여) 충분한 근거를 제시하다, 보증인〔신원 인수인〕이 되다; 〖신학〗 (신이) 사람을 용서하고 받아들이다. **2** 〖인쇄〗 정판되다, (행이) 정돈되다. ◇ just *a.* ***be justified in doing …하는 것은 당연하다, …해도 무방하다: You *are justified in* think*ing* so. 자네가 그렇게 생각하는 것은 당연하다. ***~ bail*** 보석금 지불 후에도 상응하는 재력이 있다고 선서하다. ***~ oneself*** 자기의 행위를〔주장을〕 변명하다; 자기의 결백함을 증명하다.

Jus·tin [dʒʌ́stin] *n.* 저스틴《남자 이름》.

Jus·ti·na [dʒʌstáinə] *n.* 저스티나《여자 이름》.

Jus·tin·i·an [dʒʌstíniən] *n.* 유스티니아누스《동로마 제국의 황제(483-565); 재위 527-565》.

Justínian Códe (the ~) 유스티니아누스 법전《17세기 후 Corpus Juris Civilis로도 불림》.

júst-in-tíme 〖경영〗 *n., a.* 저스트인타임(의), 지트 방식(의)《제작 단계에서, 재료·부품·제품을 필요 직전에 납입해 재고 비용의 최소화를 꾀하는 동시에 품질 관리 의식을 높이는 생산 시스템; 생략: JIT》.

júst intonátion 〖음악〗 순정(純正) 조율.

jus·tle [dʒʌ́səl] *vt., vi., n.* =JOSTLE.

◦**júst·ly** *ad.* **1** 바르게, 공정하게, 정당하게: deal ~ with a person 아무를 공정하게 다루다. **2** 당연하게, 타당하게: He ~ remarked that .... 그가 …라고 한 것은 옳은 이야기이다. **3** 정확히, 엄밀히.

júst·ness *n.* Ⓤ (올)바름, 공정, 정당; 타당; 정확.

júst nóticeable dífference 〖심리〗 변별역(辯別閾).

Jus·tus [dʒʌ́stəs] *n.* 저스터스《남자 이름》.

◦**jut** [dʒʌt] (*-tt-*) *vi.* 《+부/+전+명》 돌출하다, 불룩 나오다《*out; forth; up*》: His lower lip ~*ted out* when he was thinking hard. 그는 골똘히 생각할 때 아랫입술을 내밀었다 / a little peninsula ~*ting into* the lake 호수로 돌출한 작은 반도. ― *vt.* 돌출시키다, 불룩 내밀다. ― *n.* 돌출부, 불룩 내민 곳; 첨단.

Jute [dʒu:t] *n.* 주트 사람; (the ~s) 주트족《5-6세기에 영국에 침입한 게르만 민족》.

jute *n.* Ⓤ 황마(黃麻); 그 섬유, 주트《마대·밧줄 따위의 재료》.

Jut·land [dʒʌ́tlənd] *n.* 유틀란트 반도《독일 북부의 반도; 덴마크가 그 대부분을 차지함》.

jut·ty [dʒʌ́ti] *vi., vt.* 《고어》 돌출하다〔시키다〕. ― *n.* (건물의) 돌출부(jetty); 《고어》 둑제(突堤).

jút-wìndow *n.* 밖으로 튀어나온 창.

juv. juvenile.

juve [dʒu:v] *a.* 《속어》 =JUVENILE. ― *n.* **1** 소년, 소녀, 《특히》 비행청소년; 소년원. **2** 《연극속어》 소년〔소녀〕의 역(役), 미성년자의 역.

ju·ve·nes·cence [dʒù:vənésns] *n.* Ⓤ (되)젊어짐; 젊음, 청춘; 청소년기.

ju·ve·nes·cent [dʒù:vənésnt] *a.* 소년〔청년〕기에 달한, 젊음이 넘치는; 다시 젊어지는.

◦**ju·ve·nile** [dʒú:vənl, -nàil/-nàil] *a.* **1** 젊은, 어린, 소년〔소녀〕의; 소년소녀를 위한: a ~ adult 나이 많은 소년 / ~ books 아동에게 적당한 책 / ~ literature 아동문학 / a ~ part 〔role〕 어린이 역. **2** 〖지학〗 (기체·물 등이) 지표로 처음 나온, 초생(初生)의: ~ water 초생수(水). SYN. ⇨YOUNG. ― *n.* 소년소녀, 아동; 아동을 위한 읽을거리; 어린이 역《배우》.

júvenile cóurt 소년 법원《보통 18세 미만, 《영》에서는 17세 미만의》.

júvenile delínquency 미성년 비행〔범죄〕, 소년 비행〔범죄〕.

júvenile delínquent 비행 소년.

júvenile diabètes 〖의학〗 연소자형(型) 당뇨병.

júvenile hórmone 〖생물〗 용화(蛹化)억제 호르몬.

júvenile òfficer 소년 보도(補導) 경찰관.

júvenile-ónset diabètes 〖의학〗 연소자형(型) 당뇨병.

ju·ve·nil·ia [dʒù:vənília] *n. pl.* 《때로 단수취급》 (어느 작가의) 초기〔젊었을 때〕의 작품(집); 소년소녀를 위한 읽을거리.

ju·ve·nil·i·ty [dʒù:vəníləti] *n.* Ⓤ 연소, 유년(幼年); 젊음; 《집합적》 소년소녀, 미성년자, 젊은이들; (*pl.*) 어른답지 못한〔천박한, 유치한〕 생각〔행위〕.

ju·ve·nil·ize [dʒú:vənəlàiz, -vnəl-] *vt.* 〖곤충〗 (유충의) 성충화를 막다, 유약화(幼若化)하다.

ju·ve·noc·ra·cy [dʒù:vənákrəsi/-nɔ́k-] *n.* 젊은 세대에 의한 정치, 젊은이 정치(OPP. *gerontocracy*); 젊은이 정치가 행해지고 있는 나라〔사회〕.

ju·vie, ju·vey [dʒú:vi] *n.* 《미속어》 **1** =JUVENILE DELINQUENT. **2** 소년 구치소, 소년원.

jux·ta- [dʒʌ́kstə] '가까운(next)·곁에(aside)' 등의 뜻의 결합사.

jux·ta·pose [dʒʌ́kstəpòuz, ⌐-⌐] *vt.* 나란히 놓다, 병렬하다.

jux·ta·po·si·tion [dʒʌ̀kstəpəzíʃən] *n.* U,C 나란히 놓기, 병렬.

JV, J.V., j.v. junior varsity. **JVP** (Sinhalese) *Janatha Vimukthi Peramuna* (=People's Liberation Front: 인민 해방 전선)《스리랑카의 신할리즈인(Sinhalese) 좌익 과격파 조직; 현재 소멸됨》. **JWB, J.W.B.** Jewish Welfare Board. **jwlr, jwlr.** jeweler. **J.X.** 《L.》 *Jesus Christus*(=Jesus Christ). **Jy.** July.

Jyl·land [jú:læn] *n.* 《Dan.》 =JUTLAND.

K

K, k [kei] (*pl.* **K's, *Ks*, k's, *ks*** [-z]) **1** 케이《영어 알파벳의 열 한째 글자》. **2** K자 모양의 것; 11번째(의 것)《J를 빼면 10번째》. **3** 〖컴퓨터〗 1,024 바이트(=2^{10}bytes)《기억용량의 단위 2의 거듭제곱 중 1,000에 가장 가까운 수》. **4** 〖로마숫자〗 250; 〖야구〗 삼진; 〖수학〗 z축에 평행하는 단위 벡터.

K 〖수학〗 constant; cumulus; 〖화학〗 kalium (=potassium); 〖물리〗 Kelvin; 〖컴퓨터〗 kilobyte(s); kilometer(s). **K.** King(s); Knight; 〖음악〗 Köchel (number). **K., k.** 〖전기〗 capacity; karat (=carat); kilogram(s); 〖체스〗 king; knight; knot(s); kopeck(s); krone. **KA** Korean Air. **Ka., ka** cathode. **kA** kiloampere(s). **KAAA** Korea Amateur Athletic Association (대한 육상경기 연맹).

Kaa·ba, Ka'·ba, Caa- [kɑ́əbə] *n.* (the ~) 카바《아라비아의 Mecca의 Great Mosque에 있으며, 이슬람교에서 가장 신성한 신전》.

kab ⇨ CAB³.

Kab·ar·di·no-Bal·kar [kæ̀bərdíːnoubɔːlkɑ́r, -bæl-, -bɔ́ːlkɑːr, -bæ̀l-/-bǽlkə] *n.* (the ~) 카바르디노발카르(자치 공화국)《러시아 연방 내의 자치 공화국》.

kab(b)ala ⇨ CABALA.

kabele ⇨ KEBELE.

ka·bob, ke·bab [kəbɑ́b/-bɔ́b], [kəbɑ́b/-bǽb] *n.* (보통 *pl.*) 꼬챙이에 채소와 고기를 꿰어 구운 요리, 산적(散炙) 요리.

ka-boom [kəbúːm] *int.* 우르르 쾅《천둥소리·대폭발 등》.

Ka·bul [kɑ́ːbul/kəbúːl] *n.* 카불《Afghanistan의 수도》.

Ka·byle [kəbáil] *n.* 카바일족《북아프리카의 Berber족의 하나》; Ⓤ 카바일어(語).

Ka·chin [kətʃín] (*pl.* **~, ~s**) *n.* 카친족《미얀마 북부의 Kachin주를 중심으로 중국 윈난(雲南)성 및 인도의 Assam주 등에 분포하는 티베트·버마어계의 산지민》; 카친어.

ka·chi·na [kətʃíːnə] (*pl.* **~s, ~**) *n.* 카치나《Pueblo 인디언의 수호신으로, 비의 신》.

Kad·dish [kɑ́ːdiʃ] (*pl.* ***Kad·di·shim*** [kɑːdíʃim]) *n.* 〖유대교〗 예배가 끝났을 때 드리는 송영; (사망한 근친의 복상(服喪) 중에) 매일 교회의 예배에서 드리는 Aramaic어의 기도.

ka·di [kɑ́ːdi, kéi-] (*pl.* **~s**) *n.* =CADI.

kaf·fee·klatsch [kɑ́ːfiklɑ̀ːtʃ, -klæ̀tʃ] *n.* 《G.》 =COFFEE KLAT(S)CH.

Kaf·fir, Kaf·ir [kǽfər] *n.* **1 a** 《고어》 카피르 사람《남아프리카의 Bantu 종족》; Ⓤ 카피르 말. **b** (종종 k-) 《경멸》 아프리카 흑인. **2** (흔히 k-) 《경멸》 (회교도의 입장에서) 이교도. **3** (*pl.*) 《영》 남아프리카 광산주(株). **4** (흔히 k-) =KAFIR.

kaf·fi·yeh, kef- [kəfíːə] *n.* 《Ar.》 카피에《아랍 유목민 등이 쓰는 두건; 머리에서 어깨에 걸쳐 쓰고, 머리띠로 고정시킴》.

Kafir¹ ⇨ KAFFIR.

Kaf·ir² [kǽfər] (*pl.* **~, ~s**) *n.* 카피르족《아프가니스탄 북동부 Nuristan에 사는 인도유럽인》.

kaf·ir *n.* 〖식물〗 옥수수의 일종 (=∠ **còrn**)《남아프리카 원산》.

Kaf·ka [kɑ́ːfkɑː, -kə] *n.* **Franz** ~ 카프카《오스트리아의 소설가; 1883-1924》. ㊞ **Kàf·ka·ésque** *a.* 카프카의(작품을 연상케 하는)《부조리하고 악몽과 같은》.

kaftan ⇨ CAFTAN.

Kahn [kɑːn] *n.* 칸. **1 Gustave** ~ 프랑스의 상징파 시인·작가《자유시의 이론가; 1859-1936》. **2 Louis Isadore** ~ 에스토니아 태생의 미국 건축가《강력한 구성의 근대적인 설계로 알려짐; 1901-74》.

Káhn tèst (the ~) 〖의학〗 칸테스트, 매독검사《매독의 혈청 반응에 의한 테스트법의 하나》.

ka·hu·na [kəhúːnə] *n.* (하와이 원주민의) 주술사(呪術師); 중요한 인물.

kaiak ⇨ KAYAK.

kail ⇨ KALE.

kailyard, kale- ⇨ KALEYARD.

káilyard schòol =KALEYARD SCHOOL.

kái·nic ácid [káinik-] 〖화학〗 카인산(酸)《회충 구제약으로 씀》.

kai·nite, kai·nit [káinàit, kéi-], [kainíːt] *n.* Ⓤ 카이닛《칼리염류의 원료》.

kai·ser [káizər] (종종 K-) *n.* **1** 황제, 카이저. **2** 독일 황제; 오스트리아 황제; 〖역사〗 신성 로마제국 황제. ⓒⓕ Caesar, czar. ㊞ **~·dom** *n.* ~의 지위; ~가 통치하는 지역. **~·ism** [-rìzəm] *n.* 황제 독재(주의). **~·ship** [-ʃip] *n.* Ⓤ 황제의 지위(대권).

kai·ser·in [káizərin] *n.* 황후.

KAIST Korea Advanced Institute of Science and Technology (한국 과학 기술원)《1981년 한국 과학원과 KIST가 통합된 것》.

ka·ka [kɑ́ːkə] *n.* 앵무새《New Zealand산》.

kak·is·toc·ra·cy [kæ̀kəstɑ́krəsi/-tɔ́k-] *n.* 국내 최고 악인에 의한 정치.

kak·o·to·pia [kæ̀kətóupiə] *n.* 절망향(絶望鄕). ⓞⓟⓟ *Utopia.*

KAL Korean Air Lines 《Korean Air의 구칭》.

ka·la-a·zar [kɑ̀ːlɑːɑːzɑ́ːr, -ləǽzər] *n.* Ⓤ 〖의학〗 칼라아자르《아시아 열대지방의 말라리아성 전염병》.

Ka·la·ha·ri [kɑ̀ːləhɑ́ːri, kæ̀lə-] *n.* 칼라하리《남아프리카 남서쪽의 대사막 지대》.

Ka·lam [kəlɑ́ːm] *n.* (때로 k-) 〖이슬람교〗 칼람《인간의 이성과 자유의지를 중시했던 한 파(派)》; 알라(Allah)의 말.

ka·lash·ni·kov [kəlǽʃnikɔ̀ːf, -lɑ́ːʃ-/-kɔ̀f] *n.* 칼라시니코프《러시아의 경기관총》.

kale, kail [keil] *n.* Ⓤ **1** 〖식물〗 케일《무결구성(無結球性) 양배추의 일종》. **2** 《Sc.》 양배추, 채소; 양배추〔채소〕 수프. **3** 《미속어》 돈, 현금.

ka·lei·do·scope [kəláidəskòup] *n.* 만화경(萬華鏡); 《비유》 변화무쌍한 것. ***the ~ of life*** 인생 만화경. ㊞ **ka·lei·do·scop·ic, -i·cal** [kəlàidəskɑ́pik/-skɔ́p-], [-kəl] *a.* 만화경적인; 끊임없이 변화하는. **-i·cal·ly** *ad.*

kalends ⇨ CALENDS.

Ka·le·va·la [kɑ̀ːləvɑ́ːlə] *n.* 칼레발라《핀란드 민족 서사시》.

kále·yàrd, káil- *n.* 《Sc.》 남새밭, 채소밭 (kitchen garden).

káleyard schòol (the ~) 채원파(派)《사투리를 많이 써서 스코틀랜드 농민의 일상생활을 묘사한 19세기 말의 영국 작가의 일파》.

ka·li [kǽli, kéili] *n.* 〖식물〗 =SALTWORT.

kaliph ⇨ CALIPH.

ka·li·um [kéiliəm] *n.* [U] 〖화학〗 칼륨《보통 potassium이라고 함; 기호 K》.

kal·li·din [kǽlədin] *n.* 〖생화학〗 칼리딘《혜장 호르몬의 하나인 칼리크레인(kallikrein)의 작용으로 혈장에서 생성되는 활성 물질》.

Kal·li·kak [kǽləkæ̀k] *n.* 캘리캑 집안《미국 New Jersey 주에 실재한 집안의 가명(假名); 질병자 · 범죄자의 속출로 악질 유전의 전형을 뜻함》.

kal·li·krein [kǽləkrài n] *n.* 〖생화학〗 칼리크레인《혈장에서 키닌을 유리시키는 효소》.

kal·mia [kǽlmiə] *n.* 〖식물〗 미국석남《철쭉과(科)의 관목》.

ka·long [kɑ́:lɔ:ŋ, -lɑŋ/-lɔŋ] *n.* 〖동물〗 큰박쥐《말레이반도산》.

kal·pa [kʌ́lpə] *n.* 《Sans.》 〖힌두교〗 겁(劫)《43억 2천만 년》. 「CALCIMINE.

kal·so·mine [kǽlsəmàin, -min] *n.*, *vt.* =

Ka·ma [kɑ́:mə] *n.* **1** 〖힌두신화〗 카마《사랑의 신》. **2** (k-) [U] 욕망, 정욕.

ka·ma·graph [kɑ́:məgræ̀f, -grɑ̀:f] *n.* 카마그래프《인쇄식 원화 복제기(複製機), 또는 이에 의한 복제화》.

ka·ma·gra·phy [kəmɑ́:grəfi] *n.* 〖인쇄〗 카마그래프 원화 복제법.

Ka·ma·su·tra [kɑ̀:məsú:trə] *n.* (the ~) 카마수트라《3세기경에 쓰인 인도의 힌두 성전(性典)》.

Kam·chat·ka [kæmtʃɑ́:tkə, -tʃǽt-] *n.* (the ~) 캄차카 반도.

kame [keim] *n.* 〖지학〗 케임《빙하가 운반해온 모래나 자갈로 된 언덕》.

ka·meez [kəmí:z] *n.* 《Ind.》 커미즈《셔츠같이 생긴 긴 여자 옷》.

ka·mi·ka·ze [kɑ̀:mikɑ́:zi] *n.* 《Jap.》 (제2차 세계 대전 중 일본의) 가미카제(神風) 특공기〔대원〕. **—** *a.* 가미카제기의〔와 같은〕, 경솔하고 무모한《운전 따위》.

Kam·pa·la [kɑ:mpɑ́:lɑ:, kæm-] *n.* 캄팔라《Uganda의 수도》.

kam·pong, cam- [kɑ́:mpɔ:ŋ/kǽ:m-] *n.* (말레이 지방의) 부락, 소부락, 촌락.

kamp·tu·li·con [kæmp*tj*ú:likɑ̀n/-tjú:likɔ̀n] *n.* [U] 마루 깔개〔양탄자〕의 일종《리놀륨의 전신(前身)》.

Kam·pu·chea [kæ̀mputʃí:ə] *n.* 캄푸치아《1976년에 캄보디아를 고친 이름이나, 1989년에 다시 State of Cambodia로 개칭》. [cf.] Cambodia. [파] **-ché·an** *a.*, *n.*

Kan., Kans. Kansas.

Ka·naka [kənǽkə, kǽnəkə] *n.* 카나카 사람《하와이 및 남양군도의 원주민》.

ka·na·my·cin [kæ̀nəmáisin] *n.* 〖약학〗 카나마이신《결핵 · 적리(赤痢) 따위 그람 음성균에 의한 전염병에 유효한 항생물질》.

Kan·chen·jun·ga [kɑ̀:ntʃəndʒúŋgə] *n.* 칸첸중가《히말라야 산맥에 있는 세계 제3의 고봉(高峰) (8,598m)》.

Kan·din·sky [kændínski] *n.* **Wassily** 〔**Vasili**〕 ~ 칸딘스키(=**Kandínski**)《러시아 태생의 프랑스 화가; 1866-1944》.

kan·ga[1], **khan-** [kɑ́:ŋgə, -gɑ:] *n.* 《Swahili》 캉가《동아프리카 여성이 몸에 걸치는 화려한 무늬의 얇은 면포》.

kan·ga[2] [kǽŋgə] *n.* 《Austral. 구어》 캥거루; 《속어》 돈(money).

°**kan·ga·roo** [kæ̀ŋgərú:] (*pl.* **~s** [-z], 〖집합적〗 ~) *n.* **1** 〖동물〗 캥거루. **2** (*pl.*) 《영속어》 서부 오스트레일리아 광산주(株).

kangaróo acàcia 〖식물〗 바늘아카시아.

kangaróo clósure (the ~) 《영》 캥거루식 토론 종결법《여러 수정안 중 일부만을 위원장이 골라 토론에 부치고 토론을 종결함》.

kangaróo cóurt 《미구어》 사적(私的) 재판〔탄핵〕, 인민재판《재판의 진행이 캥거루의 보행(步行)처럼 불규칙하며 비약적인 데서》.

kangaróo pòcket 〖복식〗 캥거루 포켓《옷의 전면 중앙에 다는 대형 포켓》. 「시 코산》.

kangaróo ràt 〖동물〗 캥거루쥐《미국 서부 · 멕

kangaróo-tàil sóup 캥거루 테일 수프《오스트레일리아의 진미》.

kangaróo thòrn =KANGAROO ACACIA.

kangaróo tìcket 《미》 캥거루 티켓《대통령 선거전에서, 부통령 후보가 정치적으로 더 강력한 짜임일 때》.

ka·noon [kɑ:nú:n] *n.* 〖악기〗 치터의 일종.

Kans. Kansas. 「(사람).

Kan·san [kǽnzən] *a.*, *n.* 미국 Kansas 주의

Kan·sas [kǽnzəs] *n.* 캔자스《미국 중부의 주; 생략: Kan. 또는 Kans.》.

Kánsas Cíty 캔자스시티《Kansas 주의 도시》.

Kánsas Cíty Stándard 〖컴퓨터〗 캔자스시티 규격《오디오 카세트테이프에 대한 데이터의 기록 · 재생을 위한 규격; 생략: KCS》.

Kansu ⇨ Gansu.

Kant [kænt] *n.* **Immanuel** ~ 칸트《독일의 철학자; 1724-1804》.

kan·te·le [kɑ́:ntələ] *n.* 〖악기〗 칸텔레《핀란드의 전통적 하프(harp)》.

Kant·i·an [kǽntiən] *a.*, *n.* 칸트 (철학)의; 칸트 학파의 (사람).

Kánt·i·an·ìsm *n.* =KANTISM.

Kánt·ism *n.* [U] 칸트 철학.

Kánt·ist *n.* 칸트 학파의 사람.

KANU [kɑ́:nu] *n.* 케냐 아프리카 민족 동맹 (Kenya African National Union). 「수수.

ka·o·li·ang [kɑ̀uliǽŋ] *n.* 〖식물〗 고량(高粱),

ka·o·lin(e) [kéiəlin] *n.* [U] 〖광물〗 고령토, 도토(陶土); 〖화학〗 카올린《함수규산(含水珪酸) 알루미늄》: ~ porcelain 자기. 「석(高陵石).

ka·o·lin·ite [kéiəlinàit] *n.* 카올리나이트, 고릉

ka·on [kéiɑn/-ɔn] *n.* 〖물리〗 K중간자, K입자. [파] **ka·ón·ic** *a.*

Ka·pell·meis·ter [kɑ:pélmàistər, kə-] *n.* 《G.》 〖음악〗 악장(樂長), 악단 또는 성가 합창대의 지휘자; 《경멸》 어용(御用) 악장.

kapéllmeister mùsic (종종 K-) 악장(樂長) 음악《독창성이 없는 틀에 박힌 음악》.

ka·pok, ca- [kéipɑk/-pɔk] *n.* [U] 〖식물〗 케이폭, 판야《ceiba의 씨앗을 싼 솜; 베개 · 이불속 · 구명대 등에 넣음》.

kápok trèe 〖식물〗 판자나무.

Ka·pó·si's sarcóma [kəpóusi:z-, kǽpə-] 〖의학〗 카포지 육종《특발성 다발 출혈성 육종》.

kap·pa [kǽpə] *n.* 그리스어 알파벳의 열째 글자《K, *k*; 로마자의 K, k에 해당》.

ka·put(t) [kɑ:pú(:)t/kæpút] *a.* 《구어》 못 쓰게 된, 아주 결딴난, 파손〔파멸〕된; 완전히 시대에 뒤진.

karabiner ⇨ CARABINER. 「수도》.

Ka·ra·chi [kərɑ́:tʃi] *n.* 카라치《파키스탄의 전

Ka·ra·jan [kǽrəjən] *n.* **Herbert von** ~ 카라얀《오스트리아의 지휘자; 1908-89》.

Ka·ra·ko·ram, -rum [kɑ̀:rəkɔ́:rəm, kæ̀r-] *n.* (the ~) 카라코람 산맥《인도 북쪽의》.

kar·a·kul [kǽrəkəl] *n.* =CARACUL.

Kar·a·ma·zov [kæ̀rəmǽzɑv, -zɔ(:)v, -zɑf, -zɔ(:)f] *n.* 카라마조프《Dostoevski의 소설 *The Brothers Karamazov*에 나오는 집안》.

Ká·ra Séa [kɑ́:rə-] (the ~) 카라해《러시아 연방 북쪽, 북극해의 일부》.

kar·at [kǽrət] *n.* 캐럿(《영》 carat) 《순금 함유도의 단위; 순금은 24 karats; 생략: k., kt.》.
Kar·ba·la [kɑ́ːrbələ] *n.* 카르발라《이라크 중부에 있는 도시; 시아(Shiah)파의 성지(聖地)》.
Ka·re(e)·ba [kəríːbə] *n.* 카리바《자메이카 남자의 소매 짧은 셔츠》.
Ka·re·lia [kəríːljə] *n.* 카렐리야《유럽 북동부의 핀란드 만과 White Sea 사이의 지역; 카렐리야 공화국을 구성함》.
Karélian Repúblic (the ~) 카렐리야 공화국 《러시아 공화국 북서부의 자치 공화국; 수도: Petrozavodsk》.
Ka·ren[1] [kərén] *n.* **1** (*pl.* ~(*s*)) 카렌족(의 한 사람)《미얀마 남동부에 분포하는 소수 민족》. **2** 카렌어. **—** *a.* 카렌족〔어〕의.
Ka·ren[2] [kǽrən, kɑ́ː-] *n.* 카렌《여자 이름》.
kar·ma [kɑ́ːrmə] *n.* **1** 〚힌두교〛 갈마(羯磨), 업(業), 카르마; 〚불교〛 인과응보, 업보(業報), 숙명(론); 인연. **2** 《미구어》 (사람·물건·장소에서 나오는, 직감적으로 느껴지는) 특징적인 분위기.
Kár·man cànnula 〔**càtheter**〕 [kɑ́ːrmən-] 〚의학〛 흡인법에 의한 낙태용 기구의 일종.
kar·mic [kɑ́ːrmik] *a.* 갈마의, 숙명적인.
ka·ross [kərɑ́s/-rɔ́s] *n.* (남아프리카 원주민의) 소매 없는 모피 외투〔깔개〕.
ka(r)·roo [kərúː] (*pl.* ~*s*) *n.* (남아프리카의) 건조한 대지(臺地)〔고원〕. ***the Great Karroo*** (남아프리카 Cape 주 남부의) 대고원(大高原).
kar·si [kɑ́ːrzi] *n.* 《미속어》 화장실(toilet); 화장실 처럼 더러운 장소. 「석회암 대지》.
karst [kɑːrst] *n.* 〚지학〛 카르스트 지형《침식된
kart [kɑːrt] *n.* 어린이용 소형차(go-cart).
kar·tell [kɑːrtél] *n.* =CARTEL.
kar·y·o-, car·y·o- [kǽriou, -riə] '핵(核), 인(仁)' 이란 뜻의 결합사.
kar·y·og·a·my [kæ̀riɑ́gəmi/-ɔ́g-] *n.* 〚생물〛 (세포) 핵융합. ㊞ **kàr·y·o·gám·ic** *a.*
kar·y·o·ki·ne·sis [kæ̀rioukiníːsis, -kai-] *n.* Ⓤ 〚생물〛 (간접) 핵분열, 핵동(核動) (mitosis). ㊞ **-ne·tic** [-nétik] *a.*
kar·y·ol·o·gy [kæ̀riɑ́lədʒi/-ɔ́l-] *n.* (세포) 핵학(核學)《세포학의 한 분야; 세포핵, 특히 염색체의 구조·기능을 연구하는 한 분과》. ㊞ **-o·lóg·i·cal, -o·lóg·ic** *a.*
kar·y·o·plasm [kǽriəplæ̀zəm] *n.* Ⓤ 〚생물〛 핵질(核質), 핵원형질. ㊞ **kàr·y·o·plás·mic** *a.*
kar·y·o·some [kǽriəsòum] *n.* 〚생물〛 **1** 카리오솜, 염색인(仁). **2** 염색체(chromosome).
kar·y·o·tin [kæ̀ríoutin] *n.* Ⓤ 〚생물〛 핵질, 염색질.
káryo·tỳpe *n.* 〚유전〛 핵형(核型)《각 생물의 염색체 수와 형태》. ㊞ **kàryo·týpic, -ical** *a.* **-ically** *ad.* **-tỳping** *n.*
kar·zey, -zy, -sey [kɑ́ːrzi] *n.* 《미속어》 변소.
KASA Korea Amateur Sports Association (대한 체육회).
Kas·bah [kǽzbə, -bɑː, kɑ́ːz-] *n.* (북아프리카의) 성채(城砦); (북아프리카 도시의) 원주민 구역; 홍등가.
Kásch·in-Béck diséase [kǽʃinbék-] 카신벡병《시베리아 동부, 중국 북부 지역의 풍토병으로, 주로 소아(小兒)에게 발생하는 전신성(全身性) 골(骨)관절증》. 「종; 상표명》.
Kasha [kǽʃə] *n.* 캐셔《모직의 여성복 천의 일
ka·sha [kɑ́ːʃə] *n.* 《Russ.》 카샤《동유럽의 요리; 거칠게 탄 메밀가루〔밀가루〕로 만든 죽의
kasher ⇨ KOSHER. 일종》.
Kash·mir [kæʃmíər] *n.* **1** 카슈미르《인도 북서부의 지방》. **2** (k-) =CASHMERE.
Kash·miri [kæʃmíəri] (*pl.* ~, ~*s*) *n.* 카슈미르 사람; 카슈미르어(語)《인도유럽어족 Indic 어파(語派)의 하나》.
Kash·mir·ian [kæʃmíəriən] *a.* 카슈미르(사람)의. **—** *n.* KASHMIRI.
kat·a·bat·ic [kæ̀təbǽtik] *a.* 〚기상〛 (바람·기류가) 하강하는, 하강(기류)의, 하강기류에 의해 생기는. OPP *anabatic*.
katabolism ⇨ CATABOLISM.
ka·tal [kətɑ́ːl] *n.* 카탈《효소 촉매 활성의 국제 단위; 생략: kat.》. 「의 구칭》.
Ka·tan·ga [kətɑ́ːŋgə, -tǽŋ-] *n.* 카탕가《Shaba
kàt·a·thermómeter [kæ̀tə-] *n.* 공랭(空冷) 온도계, 카타 온도계《공랭의 기류를 측정하는 알코올 온도계》.
Kate [keit] *n.* 케이트《여자 이름; Catherine, Katherine의 애칭》. 「름》.
Kath·a·ri·na [kæ̀θəríːnə] 카타리나《여자 이
Kath·a·rine, Kath·e·rine [kǽθərin], **Kath·ryn** [kǽθrin] *n.* 캐서린《여자 이름》.
kath·ode [kǽθoud] *n.* =CATHODE.
Kathy, Kath·ie [kǽθi] *n.* 캐시《여자 이름; Katherine, Katherina의 애칭》.
Ka·tie [kéiti] *n.* 케이티《여자 이름; Katherine, Katherina의 애칭》.
kat·i·on [kǽtàiən] *n.* 〚화학〛 =CATION.
Kat·man·du, Kath- [kɑ̀tmɑːndúː] *n.* 카트만두《Nepal의 수도》.
Ka·tri·na [kətríːnə] *n.* 카트리나《여자 이름》.
Kat·rine [kǽtrin] *n.* (Loch ~) 카트린 호(湖)《스코틀랜드 중부의 아름다운 호수》.
Kat·te·gat [kǽtigæ̀t] *n.* (the ~) 카테갓 해협《덴마크와 스웨덴 사이의 해협》.
KATUSA, Ka·tu·sa [kətúːsə] Korean Augmentation Troops to United States Army (카투사; 미육군에 파견 근무하는 한국 군인).
Ka·ty [kéiti] *n.* 케이티《여자 이름》.
ka·ty·did [kéitidid] *n.* 〚곤충〛 (녹색의) 철써기(류)《미국산 여칫과(科)의 곤충》.
ka·tyu·sha [kətjúːʃə] *n.* 〚군사〛 체코제의 카추샤형 로켓 발사통.
katz·en·jam·mer [kǽtsəndʒæ̀mər] *n.* 《미구어》 숙취; 불안, 고민; 요란한 항의(소리).
Ka·u·ai [kɑuːɑ́ːiː, kɑ́uai/kɑːwɑ́ːiː] *n.* 카우아이《하와이 주, Oahu섬 북서부에 있는 화산섬》.
kau·ri, -rie, -ry [kɑ́uri] *n.* 〚식물〛 카우리소나무《소나뭇과(科) 식물의 일종; 뉴질랜드산》; Ⓤ 그 재목; 그 나무 진《니스 제조용》.
ka·va, ca·va [kɑ́ːvə], **ka·va·ka·va** [-kɑ́ːvə] *n.* 〚식물〛 Ⓒ 폴리네시아산 후추속(屬)의 대형 초본; Ⓤ 그 뿌리를 짜서 만든 마취성 음료.
ka·vass [kəvɑ́ːs] *n.* (터키의) 무장 경찰관《특히 외국인 여객을 호위하는》.
Kay [kei] *n.* 케이《여자〔남자〕 이름》.
kay *n.* (알파벳의) K; 《미속어》 (복싱에서) 녹아웃, 케이오(KO).
kay·ak, kai·ak [kɑ́iæk] *n.* 카약《에스키모인이 사용하는 가죽배》; (그것을 본뜬) 카약《캔버스를 입힌 카누형 보트》. **—** *vi., vt.* (…을) 카약으로 가다〔여행하다〕.

kayak

kayo [kéióu] *n.* (*pl.* ***káy·ós***), *vt.* 《속어》 녹아웃(시키다)《KO라고도 씀》. [◂ *knock out*]
Ka·zakh [kəzɑ́ːk] *n.* 카자흐족; 카자흐어《튀르크어군(語群)의 하나》.
Ka·zakh·stan [kɑ̀ːzɑːkstɑ́ːn] *n.* 카자흐스탄

공화국《Republic of ~; 중앙아시아의 독립국가 연합 가맹국; 수도 Nur-Sultan》.

ka·zoo [kəzúː] *n.* 카주《장난감 피리의 일종》. ***tootle one's own*** ~ 허풍치다〔떨다〕. [imit.]

KB king's bishop. **K.B.** King's Bench; Knight Bachelor. **KB, Kb** 〖컴퓨터〗 kilobyte(s).

K-bànd *n.* K주파수대《10.9-36.0 GHz 무선 주파수대역(帶域); 경찰 무선·위성 통신에 사용》.

K.B.E. Knight Commander of the British Empire. **KBP** 〖체스〗 king's bishop's pawn. **kbps** kilobits per second. **KBS** Korean Broadcasting System. **kbyte** 〖컴퓨터〗 kilobyte. **kc, kc.** kilocycle(s). **K.C.** King's College; King's Counsel; Knight Commander; Knights of Columbus. **kcal, kcal.** kilocalorie(s). **K.C.B.** Knight Commander of the Bath. **KCCI** Korea Chamber of Commerce and Industry. **KCIA** Korean Central Intelligence Agency. cf. ANSP. **K.C.I.E.** Knight Commander (of the Order) of the Indian Empire. **KCL** (London 대학의) King's College. **K.C.M.G.** Knight Commander of St. Michael and St. George. **KCS** 〖통신〗 thousand characters per second (초당 1,000문자《문자의 전송속도 단위》); 〖컴퓨터〗 Kansas City Standard. **kc/s** kilocycles per second. **K.C.S.I.** Knight Commander (of the Order) of the Star of India. **K.C.V.O.** Knight Commander of the (Royal) Victorian Order. **KD** 《쿠웨이트》 dinar(s). **K.D., k.d.** 〖상업〗 kiln-dried; 〖상업〗 knockeddown (낙찰).

KD fùrniture 조립식 가구. [◂ *k*nocked-*d*own]

KDI Korea Development Institute (한국 개발 연구원). **KE** Korean Air《항공 회사 코드》. **K.E., KE** kinetic energy.

kea [kéiə] *n.* 〖조류〗 케아《뉴질랜드산의 녹색이 도는 대형 앵무새의 일종》.

Keats [kiːts] *n.* **John** ~ 키츠《영국의 시인; 1795-1821》.

kebab ⇨ KABOB.

ke·be·le, ka- [kəbéilei], [kɑː-] *n.* (1974년 에티오피아 군사 정권에 의해 만들어진) 도시부(部)의 자치 조직《도시 통치의 기본 단위》.

keck [kek] *vi.* 구역질나다, 욕지기나다《*at*》; 몹시 싫어하다《*of*》.

ked·dah [kédə] *n.* =KHEDA(H).

kedge [kedʒ] *vt., vi.* (배를) 던진 닻줄을 당겨서 움직이다; (배가) 닻줄에 당겨져 움직이다. **—** *n.* (배를 움직이기 위한) 작은 닻(= ∠ **ànchor**).

ked·ger·ee, keg·er·ee [kédʒəriː] *n.* U 케저리《쌀·달걀·양파·콩·향신료 따위를 재료로 한 인도 요리; 유럽에서는 생선을 곁들임》.

KEDO Korean Peninsula Energy Development Organization (한반도 에너지 개발 기구).

keek [kiːk] *vi., n.* 《Sc.》 엿보다(peep), 엿봄; 《미속어》 치한, 변태자; (의복업계) 산업 스파이.

keel** [kiːl] *n.* **1** (배나 비행선의) 용골(龍骨). **2** 평저선(平底船), 석탄 운반선; 《시어》 배. **3** 〖식물〗 용골판; 〖동물〗 용골돌기; (the K-) 〖천문〗 용골자리 (Carina). ***lay (down) a ~ 용골을 세우다, 조선(造船)의 기공(起工)을 하다. ***on an even*** ~ (배·비행기가 전후 좌우로) 수평〔평형〕을 유지하여; 《구어》 (사람·사태가) 안정되어, 원활히, 조용히: keep the economy *on an even* ~ 경제를 안정시켜 놓다. **—** *vt.* 《+목+부》 **1** (배를 수선하기 위해) 옆으로 눕히다; 뒤집어 엎다《*over; up*》: A blast of wind ~*ed* the yacht *over*. 돌풍이 요트를 전복시켰다. **2** (아무를) 넘어뜨리다, 졸도시키다《*over*》: The excessive heat ~*ed* the boy *over*. 혹심한 더위 때문에 소년은 졸도하였다. **—** *vi.* 《+부》 **1** (배가) 뒤집히다, 전복되다《*over; up*》: ~ *over* with laughter 대굴대굴 구르며 웃다. **2** 기절하다, 졸도하다《*over*》: She suddenly ~*ed over* in a faint. 그녀는 갑자기 기절해서 쓰러졌다. ㊂ ~**ed** *a.* ∠·**less** *a.*

keel·age [kíːlidʒ] *n.* 정박세, 입항세.

kéel·blòcks *n. pl.* 〖선박〗 용골대(臺).

kéel·bòat *n.* 《미》 (화물 운송용의) 평저선(平底船)《미국 서부의 하천용》.

Kée·ler pólygraph [kíːlər-] 킬러식 거짓말 탐지기(lie detector).

kéel·hàul *vt.* (사람을) 줄에 매어 배 밑을 통과하게 하다《징벌의 일종》; 호되게 꾸짖다.

kee·li·vine [kíːlivàin] *n.* 《Sc.》 연필.

kéel lìne 〖해사〗 수미선(首尾線), 용골선.

keel·son [kélsən, kíːl-] *n.* 〖선박〗 킬슨, 내용골(內龍骨).

Keelung ⇨ CHILUNG.

****keen**[1] [kiːn] *a.* **1** 날카로운, 예리한(sharp): a ~ blade 잘 드는 날. SYN. ⇨ SHARP. **2** (바람이) 살을 에는 듯한(cutting); 《비유》 뼈에 스미는, 통렬한(incisive): a ~ wind 살을 에는 듯한 바람/a ~ satire 신랄한 풍자. **3** (빛·음·목소리·냄새 등이) 강렬한, 강한, 선명한. **4** (경쟁·고통·식욕 따위가) 격렬한, 격심한: ~ pain 격통/~ competition 치열한 경쟁. **5** (지력·감각·감정 따위가) 예민한, 명민한, 민감한: Bears are ~ of scent. 곰은 후각이 예민하다. **6** (아무가) 열심인, (열심히) …하고 싶어하는《*about; for; on; to* do》: She is ~ *on* tennis. 그녀는 테니스에 열심이다/Is he ~ *about* going? 그는 꼭 가고 싶어 하느냐/I'm ~ *for* my son *to* marry her. =I'm ~ *that* my son should marry her. 나는 아들이 그녀와 결혼하는 것을 간절히 바라고 있다. SYN. ⇨ EAGER. **7** 《속어》 아주 좋은, 썩 훌륭한. **8** 《영》 (값이) 경쟁적인, 품질에 비해 값이 싼: a ~ price 품질에 비해 싼 가격. (**as**) ~ **as mustard** ⇨ MUSTARD. ***be*** ~ ***on*** ① …에 열중하고 있다《do*ing*》. ② …을 매우 좋아하다. ㊂ ∠·**ness** *n.*

keen[2] 《Ir.》 *n.* (곡하며 부르는) 장례식 노래; (죽은 이에 대한) 슬픔의 울음소리, 곡(哭). **—** *vi., vt.* 슬퍼하며 울다, 통곡하다, 울부짖다. ㊂ ∠·**er** *n.* (장례식에 고용된) 곡꾼.

kéen-édged *a.* 날이 예리한〔날카로운〕.

kéen-éyed *a.* 눈이 날카로운, 혜안(慧眼)의.

***keen·ly** [kíːnli] *ad.* 날카롭게, 격심하게, 예민하게; 열심히, 빈틈없이.

kéen-sét *a.* 굶주린, 공복의; 갈망하(고 있)는「《*for*》.

†**keep** [kiːp] (*p., pp.* ***kept*** [kept]) *vt.* **1** (어떤 상태·동작을) 계속하다, 유지하다; (길 따위를) 계속 걷다: ~ guard 파수보다/~ step 계속 걷다/~ silence 침묵을 지키다/~ watch 계속 감시하다/~ hold of …을 잡고 놓지 않다, 붙잡고 있다.

2 《+목+보/+목+부/+목+전+명/+목+*done*/+목+-*ing*》 (사람·물건을) …한 상태로 간직하다, …으로 하여 두다, 계속 …하게 하여 두다: ~ oneself warm 몸을 따뜻하게 유지하다/~ one's children *in* 아이들을 밖으로 내보내지 않다/*Keep* your hands clean. 손을 항상 깨끗이 해 두시오/*Keep* the door *shut*. 문을 닫아 두어라/*Keep* the fire burn*ing*. 불이 꺼지지 않도록 해라/I am sorry to have *kept* you wait*ing*. 기다리시게 해서 미안합니다/He *kept* his son *at* work. 그는 아들을 계속 일하게 하였다.

3 《~+목/+목+전+명》 간직하다, 간수하다, 가지(고 있)다, 유지〔보유〕하다: I want to ~ this with me. 이것을 가지고 싶다/We will ~ these for another day. 하루 더 이것을 두어 둡시다《버리지 않고; 팔지 않고》/ I'll keep this *for* future use. 훗날 쓰게 이것을 간직해 두겠다 / *Keep* that *in* mind. 그 일을 기억해 두시오〔잊지 마시오〕.

> SYN. **keep** 가장 일반적인 말. '자기 것으로서 손가까이에 두다'라는 뜻으로 쓰일 때가 많음: *Keep* it for yourself. 당신이 쓰도록 하시오《반납하지 않아도 좋습니다》. **retain** 잃어버릴〔빼앗길〕 염려가 있는 것을 계속 갖다: *retain* one's position among rivals 호적수들 사이에서 자기의 지위를 유지하다. **detain** 보류하다, 움직이려고 하는 것을 현재의 상태·위치에 붙들어 두다: *detain* prices 가격을 억제하다. **reserve** 장래를 위해서 남겨 두다: *reserve* one's energy for tomorrow 내일을 위해 정력을 아껴 두다. **preserve** 손상·위해·망각 따위를 막기 위해 보존하다. 식품을 가공 보존하는 뜻도 있음: *preserve* old customs 구습을 보존하다. *preserve* fish in salt 생선을 소금에 절여 두다.

4 《+목+전+명/+목+부》 (아무를) 가두어 놓다, 구류하다, 감금하다; 붙들어 두다: ~ a person *in* custody 아무를 구류하다 / What *kept* you *there* so *long?* 왜 그렇게 오랫동안 거기에 있었나 / I won't ~ you *long.* 오래 걸리지 않도록 하겠다 / Where (have) you been ~*ing* yourself? 《구어》 어디에 가 있었나.
5 《~+목/+목+전+명》 먹여 살리다, 부양하다; (하인 따위를) 두다, 고용하다《*on*》; (하숙인을) 치다; (자가용 등을) 소유하다; (첩을) 두다: ~ oneself 생계를 이어나가다(make a living) / ~ car and chauffeur 차와 고용 운전사를 두다 / He ~*s* a large family. 그는 대가족을 부양하고 있다 / I ~ a lodger *in* my house. 집에 하숙인을 한 사람 치고 있다 / He cannot ~ his family *on* his income. 그의 수입으로는 가족을 부양할 수 없다.
6 (친구와) 사귀다; 교제를 하다: She ~*s* very rough company. 그녀는 매우 거친 친구들과 사귀고 있다 / Don't ~ company *with* him. = Don't ~ him company. 그와 교제하지 마라.
7 (동물을) 기르다, 사육하다: ~ a dog 〔cat〕 개〔고양이〕를 기르다 / ~ pigs 〔bees〕 돼지를 〔벌을〕 치다 / ~ hens 닭을 치다.
8 (상품을) 갖추어 놓다, 팔다, 취급하다: That store ~*s* canned goods. 저 가게는 통조림류를 팔고 있다.
9 《~+목/+목+전+명》 (귀중품·돈·식품 따위를) 보관〔보존〕하다, 남겨두다; 맡다; (자리 따위를) 잡아놓다《*for*》: ~ old letters 낡은 편지들을 보관하다 / They *kept* some meat *for* the next day. 그들은 약간의 고기를 다음날을 위해 남겨두었다 / ~ valuables *under* lock and key 귀중품을 자물쇠를 채워 보관하다 / Please ~ this seat *for* me. 이 좌석을 좀 잡아놓아 주십시오.
10 《~+목/+목+전+명》 (남에게) 알리지 않다, 비밀로 해두다; …을 허락하지 않다, 시키지 않다; 방해〔제지〕하다, …에게 ―못하게 하다《*from*》: I ~ nothing *from* you. 아무 것도 숨긴 것이 없다 / Can you ~ a secret? 자네는 비밀을 지킬 수 있겠는가 / You had better ~ your own counsel. 자네 생각을 밝히지 않는 것이 좋겠네 / The heavy rain *kept* us *from* going out. 호우로 외출을 하지 못했다.
11 (일기·장부 따위를 계속해서) 적다, 기입〔기장〕하다: ~ a diary 일기를 쓰다 / ~ books 치부하다 / ~ accounts 출납을 기입하다 / ~ records 기록해〔적어〕 두다.
12 (법률·규칙 따위를) 지키다; (약속·비밀 따위를) 어기지 않다, 이행하다: ~ a promise 〔one's word〕 약속을 이행하다 / ~ an appointment 만날 약속을 지키다; 약속 시간에 늦지 않다 / ~ early hours (언제나) 아침 일찍 일어나다 / ~ good time (시계가) 시간이 정확하다.
13 (의식·습관 따위를) 거행하다, 지키다; 축하〔경축〕하다(celebrate): ~ the Sabbath 안식일을 지키다 / ~ Christmas 크리스마스를 축하하다.
14 (상점·학교 따위를) 경영〔관리〕하다: Now his son ~*s* the shop 〔inn〕. 이제는 그의 아들이 상점〔여관〕을 경영하고 있다.
15 《~+목/+목+전+명》 …의 파수를 보다, …을 지키다, 보호하다: ~ a person *from* harm 아무가 해를 입는 것을 막다 / ~ a town *against* the enemy 도시를 적으로부터 지키다 / ~ one's ground 자기의 입장〔진지, 주장〕을 고수하다, 한 발도 물러서지 않다 / Henry ~*s* goal. 헨리는 골을 지킨다 / God ~ you! 신의 가호가 있기를.
16 …을 보살피다, 손질을 하다: ~ a garden 정원을 손질하다 / This room is always well *kept*. 이 방은 언제나 잘 정리되어 있다.
17 (집회·법정·시장 따위를) 열다, 개최하다: ~ an assembly 모임을 열다.
18 (어떤 곳에) 머무르다, 틀어박히다: Please ~ your seats. 자리를 뜨지 말아 주세요.
19 (신문 따위를) 완전히 장악하다: a *kept* press 어용 신문.

— *vi.* **1** 《+보/+부/+전+명/+-*ing*》 …한 상태에 있다; …한 위치에 있다; 계속해서 …하다, 늘 …하다: ~ quiet 조용히 있다 / *Keep* cool, boys! 자아, 진정해라 / ~ well 건강하다 / *Keep on*, boys! (그 요령으로) 모두들 계속하여라 / *Keep* (*to* the) left. 좌측 통행 / *Keep* straight *on*. 이대로 똑바로 가거라 / The wind *kept to* the east all day. 바람은 온종일 동쪽으로 불고 있었다 / It *kept* rain*ing* for a week. 한 주일내 비가 계속 왔다. **2** 《+전+명》 떨어져 있다《*from*》; …하지 않고 있다, …을 삼가다《*from* doing》: He ~*s from* his parent's house. 그는 부모님 집에 들르지 않는다 / He ~*s from* talk*ing* about it. 그는 그것에 대해서 말하기를 피하고 있다 / I couldn't ~ *from* laugh*ing*. 웃지 않을 수 없었다. **3** 견디다, 썩지 않다: The sausage will ~ till tomorrow morning. 소시지는 내일 아침까지는 상하지 않을 것이다. **4** 《+부/+전+명》 (어떤 장소·위치에) 머무르다, 틀어박히다: ~ *indoors* 〔*at home*〕 집에 틀어박혀 있다 / ~ *out of* the way (방해가 되지 않도록) 떨어져 있다 / *Where* do you ~? 어디 머무르고 있는가. **5** 열려 있다, 영업하고 있다: School ~*s* till four o'clock. 수업은 4시까지이다. **6** 뒤로 미룰 수 있다, 기다릴 수 있다: The news will ~. 그 이야기는 뒤에 해도 좋다. **7** (비밀 따위가) 유지되다, 새지 않다: I knew the secret would ~ if I told nobody. 나만 잠자코 있으면 비밀이 새나가지 않으리라는 것을 알고 있었다. **8** 《구어》 거주하다; 체류하다; 숙박하다. **9** 〖크리켓〗 삼주문의 수비자 노릇을 하다.
How are you ~ing? 안녕하십니까(=How are you?). **~ *after*…** (…의 뒤를) 계속해서 쫓다; …을 계속해서 궁리〔생각〕하다; …에게 끈덕지게 말하다〔졸라대다, 꾸짖다〕《*about*》: ~ *after* a person to clean his room 아무에게 방을 청소하라고 잔소리하다. **~ *ahead*** 남보다 앞서 있다; (상대·추적자보다) 앞서 가다: He *kept* (one step) *ahead* of his rivals. 그는 경쟁자들보다 (한 발) 앞서 있었다. **~ *at*** 《*vt.*+전》 ① (아무에게) …을 계속해서 하게 하다: I'm going to ~ them *at* their task. 그들에게 계속해서 일을 하게 할 생각이다. —《*vi.*+전》 ② …을 계속해서

하다, 열심히 하다: *Keep at* it. 꾸준히 노력하라, 포기하지 마라. ③ =~ on at. **~ *away*** 《*vt.*+副》 ① (…에) 가까이 못 하게 하다, (…에게 …을) 쓰지〔만지지〕 못하게 하다《*from*》: ~ knives *away from* children 애들에게 칼을 못 만지게 하다/*Keep* children *away from* the fire. 아이들을 불 가까이에 오지 못하게 해라/What *kept* you *away* yesterday? 어제는 왜 못 왔느냐. —《*vi.*+副》 ② 가까이 가지 않다, (술·담배 등을) 손대지 않다《*from*》, …을 피하다: *Keep away from* the base. 기지에 접근하지 마라. ③ (음식물을) 먹지 않다: *Keep away from* fatty foods. 기름기 있는 음식을 먹지 마라. **~ *back*** 《*vt.*+副》 ① (비밀·정보 등을) 감추다, 숨겨 두다《*from*》: I suspect he is ~*ing* something back *from* me. 그는 나에게 무엇인가를 숨기고 있다고 생각된다. ② (일부를) 간직해 두다《*for*》: ~ *back* some tickets *for* a friend 친구를 위해 표를 미리 확보해 두다. ③ (재채기·웃음 따위를) 참다, 억누르다: ~ *back* a sneeze 〔a smile〕 재채기를〔웃음을〕 참다. ④ (군중·재해 따위를) 제압〔제지〕하다, 방지하다, 막다: The dikes *kept back* the floodwaters. 둑이 홍수를 막았다/The police had to ~ the crowd *back*. 경관은 군중을 제지하지 않으면 안되었다. —《*vi.*+副》 ⑤ 틀어박히다, 뒤로 물러나 있다: Hey, boys! Why do you ~ *back?* Come up here! 어이, 얘들아, 왜 안에 틀어박혀 있느냐, 나와라/*Keep back* from the fire. 불에서 뒤로 물러나 있어라. **~ *bad* 〔*late*〕 *hours*** 밤 늦게까지 자지 않고 일어나 있다. ~ a person ***company*** =~ ***company with*** ⇨ *vt.* 6. **~ *down*** 《*vt.*+副》 ① (감정 따위를) 억누르다; (목소리·소리를) 낮추다: He *kept down* the base emotion. 그는 그 비열한 감정을 억눌렀다. ② (비용·가격·수량 따위를) 늘리지〔올리지〕 않다, 억제하다: We must ~ *down* expenses. 우리는 지출을 억제해야 한다. ③ (음식물 따위를) 받아들이다: He couldn't ~ his food *down*. 그는 먹은 것을 토해 버렸다. ④ (반란 따위를) 진압하다; (주민·국민을) 억압하다, (사람을) 억누르다: ~ *down* a mob 폭도를 진압하다/You can't ~ a good man *down*. 유능한 사람은 두각을 나타내게 마련이다. —《*vi.*+副》 ⑤ 몸을 낮추다, 엎드리다. ⑥ (바람 따위가) 자다. **~ (*...*) *from*** ⇨ *vt.* 10, *vi.* 2. **~ *... going*** ① …을 지탱하게 하다, (물건을) 오래 가게 하다, 계속되게 하다: ~ the conversation *going* 이야기가 중도에 끊어지지 않도록 하다/Will $ 200 ~ you *going* until payday? 200달러로 다음 봉급날까지 지탱해 갈 수 있겠는가. ② 아무의 목숨을 살려 주다; (아무·회사 따위를) 존속시키다: The doctors managed to ~ him *going*. 의사들은 겨우 그의 목숨을 살려 주었다. **~ *good* 〔*early, regular*〕 *hours*** 일찍 자고 일찍 일어나다. **~ *in*** 《*vt.*+副》 ① (감정 따위를) 억제하다: I couldn't just ~ my anger *in*. 아무래도 노염을 억누를 수가 없었다. ② (아무를 집안에) 가두다; (벌로서 학생을) 남아 있게 하다: We were *kept in* by the rain. 우린 비 때문에 외출을 못 했다/The boy was *kept in* after school. 소년은 방과 후 남게 되었다. ③ (불을) 계속 지피다: *Keep* the fire *in*. 불을 계속 지펴라. —《*vi.*+副》 ④ (집에) 틀어박히다. ⑤《영》 (불이) 계속 타다: The fire *kept in* all night. 불은 밤새도록 꺼지지 않았다. **~ *in with*** …와 사이좋게 지내다, …와 우호를 유지하다《보통 자기 편의를 위해》. **~ *it up*** 《구어》 (어려움을 무릅쓰고) 계속하다, 꾸준히 계속해 나가다: *Keep it up!* 좋아, 그 상태로 계속하라. **~ *off*** 《*vt.*+副》 ① (재해·적 따위를) 막다, 가까이 접근하지 못하게 하다: *Keep off* the dog. 그 개를 가까이 못 오게 해라. —《*vt.*+前》 ② (…에서) …을 떼어 놓다, …에 들어오지 못하게 하다: *Keep* your dirty hands *off* me. 더러운 손을 나에게 대지 마라. ③ (음식물을) 입에 대지 못하게 하다: The doctor *kept* him *off* cigarettes. 의사는 그에게 금연토록 했다. —《*vi.*+副》 ④ 떨어져 있다, 접근하지 않다; (비·눈 따위가) 오지 않다, 그치다: If the rain ~*s off*... 만일 비가 오지 않으면…. ⑤ …에서 멀리 떨어지다, …에 들어가지 않다: *Keep off* the grass. 《게시》 잔디밭에 들어가지 마시오. ⑥ (음식물을) 입에 대지 않다: ~ *off* drinks 술을 삼가다. ⑦ (화제 따위에) 언급하지 않다, …을 피하다: try to ~ *off* a ticklish question 까다로운 문제를 피하려 하다. **~ *on*** 《*vt.*+副》 ① (옷 따위를) 몸에 입은 채 있다: *Keep* your hat *on*. 모자를 쓴 채 있어도 괜찮다. ② 계속해 고용하다〔머무르게 하다〕《*at; in*》: ~ one's son *on at* school 아들을 계속 재학시키다. ③ (집·차 따위를) 계속 소유〔차용〕하다. —《*vi.*+副》 ④ 계속 나아가다: *Keep* straight *on*. 그대로 곧장 나아가라. ⑤ 계속 지껄이다, 계속 이야기하다《*about*》: He *kept on about* his adventure. 그는 그의 모험에 관하여 계속 이야기하였다. ⑥ 계속 …하다《*doing*》: He *kept on* smok*ing* all the time. 그는 줄(곧) 담배를 피웠다. ★keep doing은 동작이나 상태의 계속을 나타내는 데 반해, keep on doing은 집요하게 반복되는 동작·상태임을 암시한다. **~ *on at*** (아무)를 끈덕지게 졸라대다, …에게 심하게 잔소리하다: His son *kept on at* him *to* buy a new car. 그의 아들은 그에게 새 차를 사달라고 끈덕지게 졸라댔다. **~ *out*** 《*vt.*+副》 ① 안에 들이지 않다《*of*》: Shut the windows and ~ *out* the cold. 창문을 닫고 방을 차게 하지 마라/Shall I ~ him *out of* school? 그에게 학교를 못오게 할까요. —《*vi.*+副》 ② 안에 들어가지 않다, 밖에 있다《*of*》: Danger! *Keep out!* 《게시》 위험, 출입 금지/He *kept out* last night. 그는 어제 밤이 새도록 돌아오지 않았다. **~ *out of...*** 《*vt.*+前》 ① (…을) …안에 들이지 않다, …에서 밀어내다: The fence ~*s* dogs *out of* our garden. 울타리 덕분에 개가 정원으로 들어오지 못한다. ② (비·한기·빛 등을) …에 들이지 않다: The blinds ~ the sun *out of* the room. 블라인드로 햇빛이 방안에 들지 않는다. ③ (태양·위험 등에) 노출되지 않게 하다: *Keep* those plants *out of* the sun. 이 식물들을 햇볕에 쏘이지 않도록 해 주시오. —《*vi.*+前》 ④ (싸움·귀찮은 일·전쟁 따위에) 끼어들지〔관여하지〕 못하게 하다, 피하다: I suggest you ~ *out of* this. 자네는 이에 관여하지 않는게 좋겠네. ⑤ …의 밖에 있다, …에 들어가지 않다: ~ *out of* a private room 사실에 들어가지 않다. ⑥ (태양·위험 따위에) 몸을 드러내지 않다. ⑦ (싸움 등에) 끼어들지 않고 있다. **~** one***'s bed*** 몸져 누워 있다. **~** one***self to*** one***self*** 남과 교제하지 않다, 홀로 있다. **~ *time*** ① (시계가) 똑딱거리다, 시간을 기록하다; 시간이 맞다. ② 박자를 유지하다; 장단을〔박자를〕 치다 〔맞추다〕. **~ *to*** 《*vi.*+前》 ① (길·진로 등)에서 벗어나지 않다, …을 따라 나아가다: *Keep to* this road. 이 길을 따라 가시오. ② (본론·화제 등)에서 이탈하지 않다. ③ (계획·예정·약속)을 지키다; (규칙·신념 따위를) 고집하다, 고수하다. ④ (집안에) 틀어박히다: ~ *to* one's bed(병으로) 누워있다. —《*vt.*+前》 ⑤ (장소·진로 따위를) 벗어나지 않게 하다. ⑥ …을 어느 정도로 유지하다〔지키다〕: ~ one's remarks *to* the minimum 발언을 최소한으로 억제하다. ⑦ (계획·약속 등을) 지키게 하다: ~ a person *to* his word 〔promise〕 아무에게 약

속을 지키게 하다. ~ ***together*** 《*vt.*+㉮》 ① (둘 이상의 것을) 한데 모으다; 협조[단결]시키다: ~ one's class *together* 학급을 단결시키다 / ~ Christmas cards *together* 크리스마스 카드를 한데 모아 두다. ━《*vi.*+㉮》 ② (물건이) 서로 붙어 있다, (한데) 모여 있다. ③ 단결하다, 모아지다《*in; on*》: We must ~ *together in* our opposition. 우리는 단결해서 반대하여야 한다. ~ ***to*** one***self*** 《*vi.*+㉯》 ① 남과 교제하지 않다, 홀로 있다. ━《*vt.*+㉯》 ② (정보 따위를) 남에게 누설하지 않다, 나누어 주지 않다: He often ~*s* his opinions *to* him*self*. 그는 자기 의견을 남에게 말하지 않는 경우가 가끔 있다 / He *kept* the money *to* him*self*. 그는 그 돈을 혼자 차지 했다. ~ ***under*** 《*vt.*+㉮》 ① (물건을) 밑에 두다. ② (아무를) 억제하다, 억누르다, 얌전하게 만들다, 복종시키다. ③ (불 따위를) 진압하다, (감정을) 억누르다: The fire was so big that the firemen could not ~ it *under*. 불길이 너무 세어 소방수들은 불을 끌 수가 없었다. ④ (아무를) 기절[무의식, 진정] 상태에 놔 두다. ━《*vt.*+㉯》 ⑤ (물건을) …의 밑에 놔 두다[해 두다]; (감시·관찰하에) …을 두다: ~ one's jewelry *under* lock and key 보석을 자물쇠를 잠그고 엄중히 보관하다 / ~ a person *under* observation 아무를 감시하에 두다. ~ ***up*** 《*vi.*+㉮》 ① (사람·물건이) 넘어지지[가라앉지, 떨어지지] 않고 있다; (자지 않고) 깨어[일어나] 있다: The shed *kept up* during the storm. 곳간은 폭풍중에도 쓰러지지 않았다. ② (가격·품질 따위가) 떨어지지 않다; (기력·체력이) 쇠하지 않다; (공격·비난 따위가) 이어지다, 계속되다: Prices will ~ *up*. 물가는 내려가지[떨어지지] 않을 것이다. ③ (물가·수요에 따라) 증가하다《수입·공급 등이》《*with*》: Production has not *kept up with* demand. 생산이 수요를 따라가지 못하고 있다. ④ (학과 따위에) 흥미를 계속 가지다《*with*》. ⑤ (어려움·병 따위에) 굴하지 않다《*under*》. ⑥ (날씨가) 계속 되다; (소리가) 계속 울리다: If the weather will only ~ *up*, ... 날씨가 이 상태로 계속된다면…. ━《*vt.*+㉮》 ⑦ (사람·물건이) 내려가지[가라앉지] 않도록 하다; (아무를) 잠들지 않도록 하다: ~ oneself *up* in the water 물 속으로 몸이 가라앉지 않게 하다. ⑧ (물가·학력 따위가) 떨어지지 않도록 하다; (기운·체면·우정 따위를) 유지하다, 지키다; (가정·차 따위를) 유지하다: ~ *up* one's English (꾸준히 공부해서) 영어실력이 떨어지지 않도록 하다 / ~ *up* a large house 큰 집을 유지하다 / *Keep up* your spirits. (최후까지) 기력을 잃지 마라. ⑨ (행위·일 따위를) 계속하다: Are you still ~*ing up* morning exercises? 아직 아침 운동을 계속하고 있느냐. ⑩ (전통·습관 따위에) 따르다. ⑪ (동물을) 기르다, 사육하다. ⑫ (불을) 계속 때다. ~ ***up on*** …에 대해 정보를 얻고 있다, 알고 있다: ~ *up on* current events 시사에 관해 잘 알고 있다. ~ ***up with*** ① …에 (뒤떨어)지지 않다: He could not ~ *up with* his class. 그는 학급의 다른 아이들을 따라가지 못했다. ② (서신왕래 따위로) 접촉을 유지하다, 교제를 계속하다. ~ ***up with the Joneses*** ⇨JONES. ***You can ~ it.*** ① 그것을 가져도 좋다; 그것을 너에게 주겠다. ②《구어》 그런 것 필요[흥미] 없다.

━*n.* **1** Ⓤ 생활 필수품, 생활비; 사육비; 식비; 식량; 사료: work for one's ~ 살기 위해서 일하다. **2** 《드물게》 Ⓤ 보존, 유지, 관리; 관리인, 감시인. **3** Ⓒ (중세 성(城)의) 본성, 성채(의 망루), 요새, 성. **4** 감옥, 교도소. **5** 〖미식축구〗 =KEEP PLAY. ***be in good*** [***bad***] ~ 손질[보존]이 잘[잘못]되어 있다. ***be worth*** one***'s*** ~ 보존[사육]할 가치가 있다. ***earn*** one***'s*** ~ ① 생활비를 벌다, 자립하다. ② 고용해[길러] 줄 만한 가치가 있다: The servant doesn't *earn his* ~. 이 하인은 월급값도 못한다. ***for ~s*** ① (아이들의 놀이 따위에서) 따면 돌려주지 않기로 하고, 진짜로: play *for* ~*s* 진짜 따먹기로 하다. ② 《구어》 언제까지나, 영구히: You may have this *for* ~*s*. 이것을 너에게 주겠다《돌려주지 않아도 괜찮다》. ③ (농이 아니라) 진정으로.

kéep·a·ble *a.* (오래) 보존할 수 있는, 보존 가능한; 오래 지속할 만한, 간직하고 싶은.

kéep·awày *n.* 《미》 두[세] 사람이 공을 던지고 받는 가운데서 한 사람이 그 공을 빼앗는 놀이 (《영》 pig [piggy] in the middle).

⁑**keep·er** [kíːpər] *n.* **1** 파수꾼, 간수, 수위; 《영》 사냥터지기; (미친 사람의) 보호자: Am I my brother's ~? 〖성서〗 내가 아우를 지키는 자니이까 《창세기 IV: 9》. **2** 관리인, 보관자; (상점 따위의) 경영자. **3** (동물의) 사육자; 소유주, 임자. **4** 〖경기〗 수비자, 키퍼; =GOALKEEPER; WICKET-KEEPER; 〖미식축구〗 =KEEP PLAY; (타임) 기록원. **5 a** (수레의) 제동 장치; 걸쇠; (결혼 반지의) 보조 반지; (문의) 빗장 구멍. **b** 보자자(保磁子)《자력 보존을 위하여 U자형 자석 끝에 걸치는 연철(軟鐵) 막대》. **6** 저장에 적합한 과일[채소]: a good [bad] ~ 오래도록 저장할 수 있는[없는] 과일[채소]. ***the Keeper of the Exchange and Mint*** 《영》 조폐(造幣)국장. ***the Keeper of the Great Seal*** 《영》 국새상서(國璽尙書) 《현재의 Lord Chancellor에 해당함》. ***the Keeper of the Privy Seal*** 《영》 옥새관(玉璽官), 왕실 출납 장관.

kéep·er·ing *n.* 사냥터[수렵장] 감시인의 직업[일], 사냥터[수렵장] 관리.

kéep-fít *a.* 건강 유지의: Every morning he gives her ~ lessons. 매일 아침 그는 그녀에게 보건체조의 레슨을 하고 있다.

kéep·ing *n.* Ⓤ **1** 지님; 보관; 보존, 저장(성): in good [safe] ~ 잘[안전하게] 보존[보관]되어. **2** 관리; 경영. **3** 부양, 돌봄; 사육; 식량; 사료. **4** 일치, 조화, 상응(相應)《*with*》. **5** 보류, 유치; (*pl.*) 보류 물품. **6** (의식·습관의) 준수, 축하, 의식을 행하기: the ~ of a birthday 생일의 축하(행사). ***have the ~ of*** …을 맡고 있다. ***in ~ with*** …와 일치[조화]되어, …와 어울리어. ***in*** a person***'s ~*** 아무의 손에 보관되어서. ***out of ~ with*** …와 어울리지 않고, …와 조화를 이루지 않고.

kéeping ròom 《고어》 (잉글랜드·뉴잉글랜드 가정의) 거실(hall).

kéep-lòck *n.* 《속어》 (수감자의) 독방 감금 징벌.

kéep·nèt *n.* (낚시도구의 하나인) 종다래끼, 살림망[그물].

kéep plày 〖미식축구〗 쿼터백이 공을 갖고 달리는 공격 플레이.

˚**kéep·sàke** *n.* 유품(memento), 기념품; (19 세기초에 유행한) 선물용의 장식책. ━*a.* 선물용으로 꾸민 책 같은, 예쁘기만 한.

kees·hond [kéishɑ̀nd, kíːs-/-hɔ̀nd] (*pl.* ***~s, -honden*** [-dən]) *n.* (종종 K-) (네덜란드 원산의) 케이스 혼드 개.

kef [keif] *n.* Ⓤ **1** 황홀한 도취; 몽환경《인도 대마의 마약을 사용했을 때의 최면 상태》. **2** 흡연용 마약.

ke·fir [kəfíər] *n.* 소 따위의 젖을 발효시킨 음료.

keg [keg] *n.* 작은 나무통《보통 용량이 10갤런 이하의 것》; 못 무게의 단위《100파운드》: a ~ of beer [brandy] 맥주[브랜디] 한 통.

Ké·gel èxercises [kéigəl-] 〖의학〗 케겔 체조 《배뇨시 등에 치골미골근(恥骨尾骨筋)을 수축시켜 그 강화를 꾀하는 운동; 실금(失禁) 따위의 억제에 효력이있음》.

kegeree ⇨ KEDGEREE.

keg·ger [kégər] *n.* 《미학생속어》 맥주 파티.
keg·ler [kéglər] *n.* 《구어》 볼링 경기자(bowler).
keg·ling [kégliŋ] *n.* 《미구어》 볼링(bowling).
kég pàrty 《구어》 맥주 파티(kegger).
keis·ter, kees-, keys-, kies-, kister [kíːstər] *n.* 《미속어》 가방, 슈트케이스; 궁둥이; 뒷주머니; 금고. ***have it up to*** one***'s*** ~ ***with*** 《미구어》 (…은) 이제 그만, (…에는) 참을 수 없다.
Keith [kiːθ] *n.* 키스《남자 이름》.
Kel·ler [kélər] *n.* 켈러. **1 Gottfried** ~ 스위스의 소설가(1819-90). **2 Helen** (**Adams**) ~ 미국의 여류 저술가·사회 사업가《농맹아(聾盲啞)의 삼중고를 극복함; 1880-1968》.
Kél·logg-Bri·ánd Páct [kélɔːgbriáːnd-, -lɑg-/-lɔg-] (the ~) 1928년 전쟁의 불법화와 국제분쟁의 평화적 해결(解決)을 다짐한 조약(=**Kéllogg** (**Péace**) **Pàct**) 《미국·영국·프랑스·독일 등 49개국이 조인》.
Kells [kelz] *n.* **The Book of** ~ 켈스의 서(書) 《9세기 초에 완성된 라틴어 복음서》.
Kel·ly [kéli] *n.* **Ned** ~ 켈리《은행 강도와 경찰 살해죄로 1930 년에 교수형을 당한 오스트레일리아 산적; 흔히 오스트레일리아 사람들의 권위를 배척하는 성향을 보여주는 인물로 여겨짐》.
kélly gréen 진한 황록색.
ke·loid, che- [kíːlɔid] *n.*, *a.* 〖의학〗 켈로이드(의). ㊞ **ke·lói·dal, che-** *a.* 켈로이드(모양)의.
kelp [kelp] *n.* Ⓤ 〖식물〗 켈프《해초의 일종; 대형의 갈조(褐藻)》; 켈프의 재《요오드의 원료》.
kel·pie[1], **kel·py** [kélpi] *n.* (스코틀랜드 전설의) 물귀신《말의 모습으로 나타나 사람을 익사시킨다고 함》.
kel·pie[2] *n.* 《Austral.》 켈피《중형의 목양견(牧羊犬)》.
kel·son [kélsən] *n.* =KEELSON.
Kelt, Keltic ⇨ CELT, CELTIC.
kelt [kelt] *n.* (산란 직후의) 살 빠진 연어.
kel·ter [kéltər] *n.* 《영》 =KILTER.
Kel·vin [kélvin] *n.* 켈빈. **1** 남자 이름. **2 William Thomson** ~, 1st Baron 영국의 수학자·물리학자(1824-1907).
kel·vin *n.* 〖물리〗 켈빈《절대온도의 단위; 기호 K.》. ― *a.* (K-) 켈빈〔절대〕온도 (눈금)의.
Kélvin scàle 〖물리〗 절대온도 눈금.
Ke·mal Ata·türk [kəmáːlætətəːrk] *n.* 케말 아타튀르크(1881-1938) 《터키의 장군, 초대 대통령(1923-38); Atatürk는 국부란 뜻의 칭호》.
kemp [kemp] *n.* (양털의) 거친 털, 조모(粗毛).
Kem·pis [kémpis] *n.* **Thomas à** ~ 켐피스《독일의 수사(修士); *The Imitation of Christ*의 저자; 1380?-1471》.
kempt [kempt] *a.* (머리털 등을) 빗질한, (집 따위가) 깨끗한, 말쑥한.
ken[1] [ken] *n.* Ⓤ,Ⓒ 시야, 시계; 이해, 지식; 지식의 범위. ***beyond*** 〔***out of***〕 one***'s*** ~ 시야 밖에; 지식의 범위 밖에, 이해하기 어렵게. ***in*** one***'s*** ~ 시야 안에, 눈으로 볼 수 있는 곳에; 이해할 수 있게. ― (***-nn-***) *vt.*, *vi.* 《Sc.》 알다, 인정하다; 《고어》 보다.
ken[2] *n.* 《속어》 (도적 등의) 소굴, 은신처(den).
Ken. Kentucky.
Ken·nan [kénən] *n.* **George F**(**rost**) ~ 케넌 《미국의 외교관·역사가; Truman의 '대 소련 봉쇄 정책'의 입안자; 1904-2005》.
Ken·ne·dy [kénədi] *n.* **John Fitzgerald** ~ 케네디《미국의 제35대 대통령; 1917-63》: ⇨ CAPE KENNEDY. ~ ***International Airport*** 케네디 국제공항《New York시 Long Island에 있는 국제공항; 속칭 JKF; 구명 Idlewild》. ㊞ **Ken·ne·dy·esque** [kènədi(ː)ésk] *a.* 케네디와 같은, 케네디류의.
Kénnedy Cènter (the ~) 케네디 센터 《Washington, D.C.에 있는 예술 공연장》.
Kénnedy Róund 케네디 라운드《GATT 세율을 일률적으로 인하할 것을 주장한 관세 일괄 인하 협정(1964-67); 케네디 대통령이 제창하였음》.
Kénnedy Spáce Cènter (NASA의) 케네디 우주 센터《Florida주 Cape Canaveral에 있음》.
°**ken·nel**[1] [kénl] *n.* 개집; (보통 *pl.*) 개의 사육〔훈련〕장; (땅을 파고 지은) 오두막; 노름집; 사냥개의 떼; (여우 따위의) 굴. ― (***-l-***, 《영》 ***-ll-***) *vt.*, *vi.* 개집에 넣다〔에서 기르다〕; 개집에 살다; 《비유》 보금자리에 들다, 소굴에 숨다《*in*》.
ken·nel[2] *n.* (길가의) 도랑, 하수구(gutter).
kénnel clùb 축견(畜犬) 클럽.
kénnel còugh 〖수의〗 견사병(犬舍病) 《개의 전염성 기관지염》.
Kén·nel·ly-Héaviside làyer [kénəli-] 〖기상〗 =E LAYER 《미국의 전기기사 Arthur Edwin Kennelly(1861-1939)와 영국의 전기공학자 O. Heaviside(1850-1925)의 이름에서》.
Ken·neth [kéniθ] *n.* 케네스《남자 이름》.
ken·ning [kéniŋ] *n.* Ⓤ (완곡) 대칭법(代稱法) 《ocean을 whale's bath로 나타내는 표현법; 북유럽의 시에 많이 쓰임》.
Kén·ny mèthod 〔**trèatment**〕 [kéni-] 〖의학〗 케니 요법《오스트리아의 간호사 Elizabeth Kenny(1886-1952)가 창시한 소아마비의 치료법; 온열·운동 요법을 절충한》.
ke·no [kíːnou] *n.* Ⓤ 빙고(bingo) 비슷한 도박의 일종.
ke·no·sis [kinóusis] *n.* Ⓤ 〖신학〗 (그리스도의 수육(受肉)과 수난에 있어서의) 자기 비하; 신성(神性) 포기(설).
ken·o·tron [kénətrɑ̀n/-trɔ̀n] *n.* 〖전기〗 케노트론《고압 정류용의 2극 진공관》.
Ken·sing·ton [kénziŋtən] *n.* 이전의 London 서부의 자치구; 현재는 Kensington and Chelsea의 일부《Kensington Gardens로 유명; 생략: Kens.》.
Kénsington and Chélsea 켄싱턴 첼시 《Greater London 중부의 한 행정구역》.
ken·speck·le [kénspèkəl] *a.* 《N.Eng.·Sc.》 눈에 띄는, 명백한.
Kent [kent] *n.* 켄트《잉글랜드 남동부의 주; 주도 Maidstone》. ***a man of*** ~, Medway강 이동(以東) 태생의 켄트 사람.
Ként bùgle =KEY BUGLE.
Kent·ish [kéntiʃ] *a.* Kent주(사람)의.
Kéntish fíre 《영》 (청중의) 긴 박수《짜증·비난의 표시》.
Kéntish·man [-mən] *n.* 켄트 사람《잉글랜드 Kent주 태생의〔에 사는〕 사람》.
Kéntish rág 켄트석《Kent산의 단단한 석회석; 건축재》.
kent·ledge [kéntlidʒ] *n.* Ⓤ 〖해사〗 밸러스트용 쇳덩이.
Ken·tucky [kəntʌ́ki/ken-] *n.* 켄터키《미국 남부의 주; 생략: Ky., Ken.》. ㊞ **Ken·túck·i·an** [-ən] *a.*, *n.* ~ 주의(사람); ~ 태생의(사람).
Kentúcky cóffee trèe 〖식물〗 켄터키커피나무《북아메리카산의 콩과의 교목; 열매는 한때 커피 대용으로 사용하였음》.
Kentúcky Dérby 켄터키 경마《Kentucky주 Louisville에서 매년 5월에 벌어지는》.
Kentúcky Fríed Chícken 켄터키 프라이드 치킨《닭튀김이 주요 상품인 간이 음식 연쇄점 및 그 닭튀김; 상표명》.
Ken·ya [kénjə, kíːn-] *n.* 케냐《동아프리카의 공화국; 수도 Nairobi》.
Ken·ya·pi·the·cus [kènjəpíθikəs, -pəθíːkəs, kìːn-] *n.* 〖고생물〗 케냐 원인(原人), 케냐피테쿠

스《케냐의 Victoria호 부근에서 발견된 화석 유인원; 제3기 마이오세 중기에서 말기(약 1,400만년 전)의 것으로 봄》.
Ké·ogh plàn [kíːou-] 《미》 키오 플랜《자영 업자를 위한 퇴직 기금 제도》.
kepi [kéipi] *n.* 《F.》 케피 모자《프랑스의 군모》.
Kep·ler [képlər] *n.* **Johann ~** 케플러《독일의 천문학자(1571-1630); 행성 운동에 관한 Kepler's law를 발견》.
kept [kept] KEEP의 과거·과거분사.
— *a.* **1** 유지〔손질〕된: a well-~ garden 손질이 잘 된 정원. **2** 금전상의 원조를 받고 있는: a ~ mistress 〔woman〕 첩 / a ~ press 어용 신문.

kepi

kept·ie [képti] *n.* 《미속어》 첩(kept woman).
Ker. Kerry.
ke·ram·ic [kərǽmik] *a.*, *n.* =CERAMIC.
ke·rám·ics *n.* =CERAMICS.
ker·a·tec·to·my [kèrətéktəmi] *n.* 【외과】 각막(角膜) 절제(술).
ker·a·tin [kérətin] *n.* Ⓤ 【화학】 케라틴, 각질(角質), 각소(角素).
ke·rat·i·no·cyte [kərǽtənəsàit] *n.* 【생화학】 케라티노사이트, 케라틴 생성〔합성〕 세포.
ker·a·ti·tis [kèrətáitis] *n.* Ⓤ 【안과】 각막염.
ker·a·to- [kérətou, -tə] '각(角), 각질, 각막(cornea)' 이란 뜻의 결합사.
kèrato·conjunctivítis *n. pl.* 【안과】 각결막염(角結膜炎).
kérato·plàsty *n.* 【안과】 각막 이식〔형성〕(술). ⊞ **kèrato·plástic** *a.*
ker·a·tose [kérətòus] *a.* 각질(角質)의. **—** *n.* (해면류(海綿類)의) 각질 물질.
ker·a·to·sis [kèrətóusis] (*pl.* **-ses** [-siːz]) *n.* 【의학】 (피부의) 각화증(角化症).
ker·a·tot·o·my [kèrətátəmi/-tɔ́t-] *n.* 【의학】 각막절개(술).
kerb [kəːrb] *n.* 《영》 =CURB 3.
Ker·be·la [kə́ːrbələ] *n.* =KARBALA.
kérb-cràwling *n.* 《영》 섹스 상대를 찾기 위해 보도를 따라 천천히 차를 몰기.
kérb dríll 《영》 (길을 횡단할 때의) 좌우교통의 「확인.
kérb màrket (증권의) 장외 시장(curb).
kérb·stòne *n.* 《영》 =CURBSTONE.
kérb wéight (자동차 따위의) 장비 중량, 차량 「무게.
ker·chief [kə́ːrtʃif] *n.* (여성의) 머리수건; 목도리(neckerchief); 손수건. ⊞ **~ed** [-t] *a.* 머릿수건을 쓴.
kerf [kəːrf] *n.* (도끼 따위로) 자른〔찍은〕 자국; 톱자국; 자른 면, (줄기·가지의) 잘린 면; 절단(cutting). **—** *vt.* …에 톱자국〔잘린 자국, 도끼자국〕을 내다.
ker·fuf·fle [kəːrfʌ́fəl] *n.* 《영구어》 소동(騷動), 법석, (하찮은 일에 대한) 말다툼《*about; over*》. ***fuss and ~*** 공연한 대소동〔법석〕. **—** *vt.* 《Sc.》 엉망으로 만들다.
ker·mes [kə́ːrmiːz] (*pl.* **~**) *n.* 암연지벌레; Ⓤ 연지(臙脂), 양홍(洋紅)《원래는 암연지벌레로부터 채취했음》; 【화학】 무정형(無定形) 삼황화(三黃化) 안티몬(= **∠ míneral**).
ker·mess, ker·mis, kir·mess [kə́ːrmis] *n.* (네덜란드 등지의) 축제일에 열리는 장, 축제일; 《미》 번화한 자선시, 바자(bazaar).
kern[1] [kəːrn] *n.* 【인쇄】 (b, h, f, p, g, y 따위 활자의) 상하로 돌출한 부분.
kern[2], **kerne** [kəːrn] *n.* (고대 아일랜드의) 경무장(輕武裝) 보병(대); 《고어》 아일랜드 농부〔시골 사람〕, 촌뜨기.
◇**ker·nel** [kə́ːrnl] *n.* **1** (과실의) 인(仁), 심(心); (쌀·보리 따위의) 낟알. **2** (문제 따위의) 요점, 핵심, 중핵(中核), 심수(心髓)《*of*》; 가장 중요한 부분: the ~ *of* a matter 〔question〕 사건〔문제〕의 핵심. **3** 【물리】 핵(核)《가전자(價電子)를 제거한 원자》; 【수학】 영공간(零空間), 핵; 【컴퓨터】 핵심, 알맹이《운영체제에서 가장 핵심 부분으로 주기억 장소에 상주하는 부분; 커널만이 하드웨어에 즉시 접근할 수 있음》. ㏇ core. ⊞ **~ed,** 《특히 영》 **~led** *a.* 인〔핵〕이 있는. **~·less** *a.* **~·like** *a.* **~·ly** *ad.*
kérnel séntence 【문법】 핵문(核文)《문장의 생성 기반이라고 상정되는, 기본적인 구조의 문장》.
kern·ing [kə́ːrniŋ] *n.* 【인쇄·컴퓨터】 커닝《문자 간격의 조정, 특히 TA, VA 따위의 자간을 통상보다 좁히는 따위》.
kern·ite [kə́ːrnait] *n.* 【광물】 커나이트《무색 투명한 결정체; 붕사(硼砂) 원광(原鑛)》.
kero [kέərou] *n.* 《Austral.》 =KEROSINE.
ker·o·gen [kérədʒən, -dʒèn] *n.* 유모(油母), 케로겐《이것으로부터 가스, 혈암유를 얻음》.
◇**ker·o·sine, -sene** [kérəsìːn, ⌐-⌐] *n.* Ⓤ 등유, 등불용 석유. ★ 미국에서는 coal oil, 영국에서는 paraffin oil이라고도 함.
ker·plunk [kərplʌ́ŋk] *ad.* 쿵, 텀벙.
Ker·ry [kéri] *n.* **1** 아일랜드 남서부의 주. **2** 검고 몸집이 작은 젖소《Kerry주 원산》. **3** =KERRY BLUE (TERRIER).
Kérry blúe (**térrier**) 테리어의 일종《아일랜드 원산》.
ker·sey [kə́ːrzi] *n.* Ⓤ 커지 천《투박한 나사》; 커지제 바지 또는 작업복.
ker·sey·mere [kə́ːrzimiər] *n.* =CASHMERE.
ke·ryg·ma [kirígmə] (*pl.* **-ma·ta** [-mətə]) *n.* 【성서】 (복음의) 선교(宣敎), 전도. ⊞ **ker·yg·mat·ic** [kèrigmǽtik] *a.*
kes·trel [késtrəl] *n.* 【조류】 황조롱이.
ket- [két], **ke·to-** [kíːtou, -tə] 【화학】 '케톤' 이란 뜻의 결합사. ★ 모음 앞에서는 보통 ket-.
ketch [ketʃ] *n.* 【해사】 쌍돛 범선의 일종.
ketch·up [kétʃəp, kǽtʃ-/kǽtʃ-] *n.* Ⓤ (토마토 따위의) 케첩(catchup, catsup). ***in the ~*** 《속어》 적자의, 적자 운영하는(in the red).
ke·tene [kíːtiːn] *n.* 【화학】 케텐《무색의 유독기체》; 케텐 화합물《총칭》. 「유한」.
ke·to [kíːtou] *a.* 【화학】 케톤의〔에 관한, 을 함
kèto·génesis *n.* 【생화학】 케톤 생성. ⊞ **-génic** *a.*
ke·tone [kíːtoun] *n.* Ⓤ 【화학】 케톤. ⊞ **ke·ton·ic** [kitánik/-tɔ́n-] *a.*
kétone bòdy 【생화학】 케톤체(體).
ke·to·ne·mia [kìːtouníːmiə] *n.* 【의학】 케톤(체) 혈증(血症).
ke·to·nu·ria [kìːtounjúəriə/-njúər-] *n.* 【의학】 케톤뇨증(尿症).
ke·tose [kíːtous] *n.* 【생화학】 케토오스《케톤기(基)를 지닌 단당류의 총칭》.
ke·to·sis [kitóusis] (*pl.* **-ses** [-siːz]) *n.* 【의학】 케토시스, 케톤증.
ke·tos·ter·oid [kitástərɔ̀id/-tɔ́s-] *n.* 【생화학】 케토스테로이드《케톤체를 함유한 스테로이드의 총칭》.
⁂**ket·tle** [kétl] *n.* **1** 솥, 탕관; 주전자. **2** 【지학】 구혈(甌穴)(= **∠ hòle**)《빙하 바닥의 출구가 없는 큰 구멍》; 《미속어》 회중시계. ***a different ~ of fish*** 별개 사항, 별문제. ***a pretty*** 〔***nice, fine***〕 ***~ of fish*** 소동, 난장판, 북새통; 골치아픈〔난처한〕 사태, 분규《pretty, fine, nice는 반어적 표현》. ⊞ **~·fùl** *a.*

kéttle·drùm *n.* **1** 〖악기〗 케틀드럼《솥 모양의 큰북》. **2** 《속어》 (19 세기에 유행한) 오후 다과회. ㊞ **~·mer** *n.* 케틀드럼 연주자.

kettledrum 1

kéttle hòlder (뜨거운) 주전자를 쥐는 행주.

keV kiloelectron volt.

kev·el [kévəl] *n.* 〖해사〗 밧줄을 걸어 죄는 큰 못〔고리〕.

Kev·in [kévin] *n.* 케빈《남자 이름》.

Kev·lar [kévlɑːr] *n.* 케블라《강한 합성섬유; 타이어코드·벨트·방탄복 등에 쓰임; 상표명》.

Kew [kjuː] *n.* 큐《영국 런던 교외의 마을 이름》.

Kéw Gárdens (Kew에 있는) 국립 식물원.

kew·pie [kjúːpi] *n.* 갓난애 모양의 요정(妖精); (K-) 큐피 인형《상표명》.

key[1] [kiː] (*pl.* **~s**) *n.* **1** 열쇠; 열쇠 모양의 물건. ㏄ lock. ¶ turn the ~ *on* a prisoner 죄수를 옥에 가두고 문에 쇠를 채우다. **2 a** (the ~) 요소, 관문《*to*》: the ~ *to* the Mediterranean 지중해의 관문《Gibraltar》. **b** (문제·사건 등의) 해답; 해결의 열쇠 〔실마리〕(clue) 《*to*》; 비결《*to* success etc.》; (외국서의) 직역본; (수학·시험 문제의) 해답서, 자습서; (동식물의) 검색표; (지도·사서 따위의) 기호〔약어〕표《*to* a map》: the ~ *to* good health 건강의 비결《the는 강조의 뜻》/ a ~ *to* a test 시험의 해답서. **c** 〖컴퓨터〗 키. **d** 중요 인물; 《미속어》 Ivy League 대학의 학생. **3 a** (시계의) 나사(watch ~); 스패너; 〖건축〗 쐐깃돌, 홍예석(keystone); 〖기계〗 키, 쐐기못; 〖토목〗 산지못; 벽토·페인트 등이 잘 붙게 하는 거친 면. **b** (타이프라이터 등의) 키; 〖전기〗 전건(電鍵), 키; (오르간·피아노·취주악기의) 키; (*pl.*) 《속어》 피아노. **4** (목소리의) 음조; 〖음악〗 (장단의) 조(調); 《비유》 (사상·표현·색채 따위의) 기조(tone), 양식(mode); 〖사진〗 기조(基調), 키; (감정 등의) 격한 정도: speak in a high 〔low〕 ~ 높은〔낮은〕 음조로 말하다 / in a minor ~ 침울한〔슬픈〕 음조로 / all in the same ~ 모두 동일한 가락으로 / the major 〔minor〕 ~ 장조〔단조〕. **5** 〖체스〗 =KEYMOVE; 〖식물〗 시과(翅果) (~ fruit); 〖농구〗 =KEYHOLE. **6** 《미속어》 (마약의) 1킬로그램. **7** 〖미식축구〗 플레이의 계기가 되는 상대방의 위치·행동. ***get*** 〔***have***〕 ***the ~ of the street*** 《우스개》 내쫓기다; 잘 곳이 없어지다. ***have*** 〔***hold***〕 ***the ~ to*** 〔***of***〕 …을 좌지우지하다, …의 열쇠〔급소〕를 쥐다. ***in*** 〔***out of***〕 **~ *with*** …와 조화를 이루어〔이루지 못하고〕. ***lay*** 〔***put***〕 ***the ~ under the door*** 살림을 걷어치우다. ***the gold ~*** 황금 건장(鍵章) 《Lord Chamberlain의 기장》. ***the power of the ~s*** 교황권. ***under lock and ~*** ⇨ LOCK[1].
— *a.* 기본적인, 중요한, 기조(基調)의; 해결의 열쇠가 되는: a ~ color 기본색 / a ~ position 〔issue〕 중요한 지위〔문제〕/ the ~ industries of Korea 한국의 기간산업.
— *vt.* **1** 《+목+전+명》 (이야기·문장 따위를) 분위기에 맞추다: ~ one's speech *to* the occasion 그 자리의 분위기에 맞춰서 이야기하다. **2** 쇠를 채우다, 쇠로 채우다; 마개〔쐐기〕로 고정시키다《*in; on*》. **3** (문제집 따위에) 해답을 달다. **4** 《+목+부/+목+전+명》 〖음악〗 …의 음조를 올리다〔내리다〕《*up; down*》; (악기를) 조율하다《*to*》: ~ an instrument *to* B flat 악기를 B 플랫에 맞추다. **5** (광고가 들어갈 자리를) 부호로 지시하다《신문·잡지의 레이아웃에서》; (광고의 반향을 알기 위해) 광고 속에 기호를 넣다. **6** 〖건축〗 (아치) 이맞돌을 끼워 넣다. **7** (벽토·페인트 등이 잘 먹도록) 겉을 거칠게 하다. **8** 〖컴퓨터〗 (데이터를) 입력하다《*in, into*》. **—** *vi.* **1** 열쇠를 사용하다. **2** (…을) 중요시하다《*on; in on*》. **3** 〖컴퓨터〗 (키보드를 조작하여) 데이터를 입력하다. **4** 〖미식축구〗 상대방의 움직임을 지켜보다《*on*》. (***all***) **~*ed up*** (…에) 매우 흥분〔긴장〕하여《*about; over; for*》: They are *all ~ed up about* an exam. 그들은 시험에 관한 일로 매우 긴장해 있다. **~ *down*** …의 음조를 낮추다, …을 가라앉히다. **~ *up*** ① …의 음조를 올리다. ② …의 기분을 북돋우다, 고무시키다, 긴장〔흥분〕시키다: The coach *~ed up* the team for the game. 코치는 그 경기를 앞두고 팀의 사기를 북돋아 주었다. ③ (신청·요구를) 더욱 강조하다.

key[2] *n.* 사주(砂洲), 모래톱; 산호초(珊瑚礁).

kéy accòunt (회사 등의) 큰 단골, 주요 고객: Pan Am is a ~ with my advertising firm. 팬암 항공사는 내 광고 회사의 큰 단골이다.

kéy assìgnment 〖컴퓨터〗 키할당《키보드상의 각 키에 대한 기능의 할당》.

kéy·bòard *n.* **1** 건반《피아노·타자기 등의》, (컴퓨터의) 글쇠판, 자판: a ~ instrument 건반 악기. **2** (팝 뮤직의) 건반 악기, 키보드. **3** (호텔 접수처 등에서) 각 방의 열쇠를 걸어 두는 판. **—** *vt.* (컴퓨터 등의) 키를 치다, (정보〔원고〕를) 키를 쳐서 입력하다〔식자하다〕. **—** *vi.* 건반을 조작하다. ㊞ **~·er** *n.*

kéy·bòard·ist *n.* 건반 악기 연주자.

kéy bùgle 유건(有鍵) 나팔의 일종.

kéy·bùtton *n.* 키버튼《컴퓨터 따위의 알파벳을 누르는 버튼》.

kéy càrd 키카드《전자식으로 문의 자물쇠를 열거나 현금지급기 등을 조작할 때에 쓰는 자기(磁氣)카드》.

kéy càse (가죽 따위로 만든) 열쇠주머니.

kéy chìld(ren) 부모가 맞벌이하는 집 아이《부모가 돌아올 때까지 열쇠를 갖고 있는 데서》.

kéy clùb (열쇠를 받은 회원만이 들어갈 수 있는) 회원제 (나이트) 클럽.

kéy cúrrency 기축(基軸)〔국제〕 통화.

kéy dìsk 〖컴퓨터〗 키디스크《프로그램 실행시에 필요한 특별한 디스크; 위법(違法) 카피 방지용》.

keyed [kiːd] *a.* **1** 쇠가 걸리는〔걸린〕. **2** 유건(有鍵)의, 건(鍵)이 있는: a ~ instrument 건반 악기《피아노·오르간 따위》. **3** 쐐기〔마개〕가 있는; 홍예머리〔쐐기돌〕로 죈. **4** 현(絃)을 죈, 조율(調律)한. **5** 《서술적》 (이야기·문장 등이) …의 분위기〔가락〕에 맞추어진: His speech was ~ to the situation. 그의 이야기는 그 분위기에 맞추어져 있었다.

kéyed advertísement 기호 첨부 광고《광고의 반응이 어느 신문으로〔잡지로〕부터 왔는가를 광고주가 특정할 수 있도록 기호를 곁들인 광고》.

kéy frùit =SAMARA.

kéy grìp 키그립《영화·TV 등에서 세트의 조립이나 카메라의 이동을 담당하는 기술계》.

kéy·hòld·er *n.* (상점·공장 등의) 열쇠 보관인.

kéy·hòle *n.* 열쇠 구멍, 마개 구멍; 〖농구〗 열쇠꼴 자유투 지역: look through 〔listen at〕 the ~ 열쇠 구멍으로 들여다보다〔엿듣다〕. **—** *a.* (기사·보고 등이) 내막을 파헤친, 비밀의; (신문기자 등이) 내막을 파헤치고 싶어하는: a ~ report 내막 기사.

kéyhole sàw (열쇠 구멍 등을 뚫는) 둥근톱.

kéyhole sùrgery 〖의학〗 레이저 광선(을 이용한) 수술(Band-Aid surgery).

kéy índustry 기간 산업《전력·화학공업이나 탄광업·철강업 따위》.

kéy·lèss *a.* 열쇠가 (필요) 없는; (시계가) 용두로 태엽을 감는.
kéy líght (사진의 피사체를 비추는) 주광선(主光線).
kéy lìme píe 키라임파이《미국 Florida주 남부의 명물 요리》.
kéy·lìne *n.* 〖광고〗 (교정쇄나 삽화 등의 복사물을 사용한) 인쇄 광고의 레이아웃.
kéy·màn [-mæ̀n] (*pl.* **-mèn** [-mèn]) *n.* (기업의) 중심 인물; 《미고어》 전신 기사.
kéy màp 윤곽 지도, 개념도.
kéy mòney 《영》 (세 드는 사람이 내는) 보증금, 권리금.
kéy·mòve *n.* 〖체스〗 승부를 결정짓는 첫 수 「(key).
Keynes [keinz] *n.* **John Maynard** ~ 1st Baron 케인스《영국의 경제학자; 1883-1946》.
Keynes·i·an [kéinziən] *a.* 영국의 경제학자 케인스의; 케인스 학설의: ~ economics 케인스 경제학. **—** *n.* 케인스 학파의 사람. [파] **~·ism** *n.*
°**kéy·nòte** *n.* 〖음악〗 으뜸음, 바탕음; (연설 등의) 요지, 주지(主旨), (행동·정책·성격 따위의) 기조, 기본 방침. ***give the ~ to*** …의 기본 방침을 정하다. ***strike*** 〔***sound***〕 ***the ~ of*** …의 본질에 언급하다〔을 살피다〕. **—** *vt.* …의 으뜸음〔기조〕를 정하다; (정당 대회 등에서) 기본 정책〔방침〕을 발표하다, 기조연설을 하다; (어떤 생각을) 강조하다.
kéynote addréss 〔**spéech**〕 《미》 (정당·회의 등의) 기조연설.
kéy·nòter *n.* =KEYNOTE SPEAKER.
kéynote spèaker 《미》 (정당 대회 등의) 기조연설자(keynoter).
kéy·pàd *n.* 〖컴퓨터〗 키패드《컴퓨터나 TV의 부속 장치로서 손 위에 놓고 수동으로 정보를 입력하거나 채널을 선택하는 작은 상자 꼴의 것》.
kéy pàl 《구어》 E메일을 서로 교환하는 친구.
kéy pàttern 십자 무늬, 뇌문(雷紋)《짧은 직선이 직각으로 교차하는 장식적 도안, 卍은 그 한 예임》.
kéy·phòne *n.* 《영》 버튼식(式) 전화기(push-button telephone). 「키펀치.
kéy pùnch (컴퓨터 카드의) 천공기(穿孔機),
kéy·pùnch *vt.* (카드)에 키펀치로 구멍을 내다. [파] **~·er** *n.* 키펀처《천공원(員)》.
kéy rìng (많은 열쇠를 꿰는) 열쇠고리.
kéy·sèt *n.* (타자기 및 식자기 등의) 건반, 키보드(keyboard).
kéy sìgnature 〖음악〗 조표, 조호(調號)《오선지 첫머리에 기입된 #(sharp), ♭(flat) 따위의 기호》. 「기능공.
kéy·smìth *n.* 열쇠 제조〔수리〕 업자; 열쇠 복제
kéy státion 〖라디오·TV〗 키스테이션, 본국(本局)《네트워크 프로를 보내는 중앙국》.
kéy·stòne *n.* 〖건축〗 아치이맛돌, 종석(宗石); (이야기의) 주지(主旨), 요지, 근본 원리《*of*》; 〖야구〗 2루.
Kéystone Kóps 〔**Cóps**〕 키스톤의 순경, 얼빠진〔멍청한〕 경관《미국 무성 영화 시대에 Mack Sennett의 법석 떠는 희극에 으레 구깃구깃한 제복을 입고 등장한》. 「루 베이스.
kéystone sàck 〔**cùshion**〕 《미야구속어》 2
Kéystone Státe (the ~) 《미》 Pennsylvania주의 별칭.
kéy·stròke *n.* (타자기·컴퓨터 등의) 글쇠 누름: She can do 3,000 ~*s* an hour. 그녀는 1시간에 3천 자를 친다. **—** *vt., vi.* 키를 치다〔두드리다〕.
kéy vísual 〖광고〗 텔레비전 광고에서 가장 중요한 포인트가 되는 한 화면. 「쇠 구멍.
kéy·wày *n.* 〖기계〗 =KEY SEAT; (자물쇠의) 열
Kéy Wést 키웨스트《미국 Florida주 Keys 서단(西端) 섬의 관광 도시, 미국 최남단의 도시》.
kéy wòrd (암호 해독 등의) 실마리〔열쇠〕가 되는 말; (작품의 주제를 나타내는) 중요〔주요〕어, 키워드; (철자·발음 등의 설명에 쓰이는) 보기말; 〖컴퓨터〗 핵심어.
kéy-wòrd-in-cóntext *a.* 표제어가 문맥 속에 놓인 형식으로 배열된《색인 따위》. [cf.] KWIC.
KFX Korean Foreign Exchange (한국 정부 보유 외환). **kg** keg(s); kilogram(s); **K.G.** Knight of the Garter. **KGB, K.G.B.** 《Russ.》 *Komitet Gosudarstvennoi Bezopasnosti* (= Commission for State Security 국가보안 위원회)《옛 소련의 국가경찰·정보기구(1954-91)》. **K.G.F.** Knight (of the Order) of the Golden Fleece 《오스트리아·스페인의 금양모훈작사(金羊毛勳爵士)》. **kgm** kilogram(s). **kg-m** kilogram-meter(s). **KGPS, kgps** kilogram(s) per second.
Kha·ba·rovsk [kəbáːrəfsk] *n.* 하바롭스크《시베리아 동부 Amur강 연안의 중심 도시》.
khad·dar [káːdər] *n.* 《Hind.》 카다르 직물《인도의 수직 무명》.
khaki [kǽki, káːki/káːki] *a.* 카키색의, 황갈색의. **—** *n.* [U] 카키색 (옷감); [C] 카키색 군복〔제복〕. ***get into*** ~ 육군에 입대하다. 「략 선거.
kháki elèction 비상시를 이용하여 치르는 정
kha·lif, -li·fa [kəlíːf, kéilif, kǽlif], [-fə] *n.* =CALIPH. 「=CALIPHATE.
khal·i·fat, -fate [kǽləfæ̀t], [-fèit, -fət] *n.*
kham·sin [kæmsíːn, kǽmsin] *n.* 《Ar.》 캠신 바람《봄에 사하라 사막에서 이집트로 불어오는 건조한 열풍》. [cf.] sirocco.
khan[1] [kaːn, kæn/kaːn] *n.* 칸, 한(汗)《중세의 타타르·몽골·중국의 주권자의 칭호; 지금은 이란·아프가니스탄 등의 주권자·고관의 칭호》.
khan[2] *n.* 대상(隊商)의 숙사(caravanserai).
khan·ate [káːneit, kǽn-] *n.* 칸의 영토〔영민〕, 한국(汗國); [U] 칸의 지위〔권위〕.
khanga ⇨ KANGA[1].
khan·sa·mah [káːnsəmàː] *n.* 《Ind.》 (영국인 가정의) 인도인 집사(steward, butler).
Khar·toum, -tum [kaːrtúːm] *n.* 하르툼《수단의 수도》.
kha·zi [káːzi] *n.* 《영속어》 화장실, 변소.
khed·a(h) [kédə] *n.* (인도의) 야생 코끼리 생포용 울짱.
khe·dive [kədíːv] *n.* (터키 정부 파견의) 이집트 총독(1867-1914).
khi [kai] *n.* =CHI.
khid·mat·gar, -mut·gar [kídmətgàːr] *n.* 《Ind.》 (영국인 가정의) 사환, 식당 하인(waiter).
Khír·bet Qúm·ran [kíərbet-] ⇨ QUMRAN.
Khmer [kəméər] *n.* **1** 크메르인〔족〕《캄보디아의 주요 민족》. **2** 크메르어《캄보디아의 공용어》. **—** *a.* 크메르인〔족〕의, 크메르어의.
Khmer Rouge [kəméərrúːʒ] 크메르 루주《캄보디아 내의 공산계 게릴라의 일파》.
Kho·mei·ni [kouméini, hou-] *n.* **Ayatollah Ruhollah Mussaui** ~ 호메이니《이란 이슬람 공화국 최고 지도자; 1900-89》.
K.H.P. Honorary Physician to the King.
Khrush·chev [krúː(ː)ʃtʃef, -tʃɔːf] *n.* **Nikita (Sergeevich)** ~ 흐루쇼프《옛 소련의 수상; 1894-1971》.
K.H.S. Honorary Surgeon to the King.
khud [kʌd] *n.* 《Ind.》 산허리의 급경사; 협곡: a ~ stick 등산 지팡이.
Khu·fu, 《Gr.》 **Che·ops** [kúːfuː], [kíːɑps/-ɔps] *n.* 쿠푸《Giza의 대(大)피라미드를 건설한 이집트 제4왕조의 왕; 2571-08 B.C.》.

khur·ta, kur- [kə́rtə] *n.* 쿠르타《소매가 길고 느슨하며 칼라가 없는 인도의 셔츠》.

khy·ber [káibər] *n.* 《영》 엉덩이(ass).

Khýber Páss (the ~) 카이버 고개《아프가니스탄과 파키스탄과의 국경에 있음》.

kHz kilohertz. **Ki.** Kings. **K.I.A.** Killed in Action (전사자).

kia ora [kiːəɔ́ːrə] 《N. Zeal.》 건강하시기를《친밀감을 나타내는 말》.

kib·ble¹ [kíbəl] *vt.* (곡물 따위를) 거칠게 빻다〔갈다〕. **—** *n.* Ⓤ 거칠게 빻은 곡물〔알갱이〕.

kib·ble² *n.* 키블《광석 등을 담아 올리는 광산용 두레박》. **—** *vt.* 키블로 담아 올리다.

kib·butz [kibúː(ː)ts] (*pl.* ***-but·zim*** [-butsíːm]) *n.* 키부츠《이스라엘의 집단농장》. ㊞ **kib·bútz·nik** [-nik] *n.* ~의 주민.

kibe [kaib] *n.* 〖의학〗 추위에 손발이 트는 것, 동창(凍瘡). ***tread on*** a person***'s*** **~*s*** 아무의 감정을 해치다.

ki·bit·ka [kibítkə] *n.* **1** 원형 천막, 파오(包)《몽고인의 이동식 텐트 모양의 집》. **2** (러시아의) 포장마차, 포장 달린 썰매.

kib·itz [kíbits] 《구어》 *vi.* 주제넘게 참견하다; (노름판에서) 참견하다, 훈수하다; 조롱하다. ㊞ **~·er** 《구어》 *n.* (쓸데없이 참견하는) 노름판의 구경꾼; 노름판에서 중뿔나게 훈수하는 사람; 주제넘게 참견하는 사람; 조롱하는 사람.

kib·la(h) [kíblə] *n.* 《Ar.》 **1** (이슬람교도가 기도할 때 향하는) 메카의 Kaaba 방향. **2** 메카 요배(遙拜).

ki·bosh, ky- [káibɑʃ/-bɔʃ] *n.* Ⓤ 《속어》 억누르는〔멈추는〕 것《현재 다음 관용구로만》. ***put the ~ on*** …에 결정타를 먹이다, 끝장을 내다.

kick¹ [kik] *vt.* **1 a** 《~+목/+목+전+명/+목+부》 차다, 걷어차다: ~ a ball 공을 차다 / ~ a person *back* 아무를 되받아 차다 / ~ a person *out of* a house 아무를 문 밖으로 내쫓다 / ~ a person *in* the stomach 아무의 배를 걷어차다. **b** 《+목+보》 (문 따위를) 차서 …한 상태가 되게 하다: He ~*ed* the door open. 그는 문을 차서 열었다. **2** 《+목+전+명》 (특히 레이스에서 자동차·말 따위의) 속도를 갑자기 올리다: I ~*ed* the car *into* top gear. 나는 톱 기어를 넣어 자동차의 속도를 높였다. **3** 〖축구〗 (공을) 골에 차 넣다. **4** (총이 어깨 따위에) 반동을 주다. **5** 《미속어》 (신청을) 거절하다(reject); (구혼자 등을) 퇴짜놓다; (고용인을) 해고하다《*out*》; (마약의 습관성을) 끊다: ~ the habit of narcotic drugs 마약의 습관성을 끊다. **—** *vi.* **1** 《~/+전+명》 차다《*at*》: ~ and cry 발버둥치며 울다 / I ~*ed at* the ball. 공을 차려고 했다. **2** (말 따위가) 차는 버릇이 있다. **3** (총이) 반동하다(recoil). **4** 《~/+전+명》 《구어》 반대〔반항〕하다, 거스르다, 강하게 항의하다《*at; against*》; 불평을 말하다《*about*》, 흠잡다《*at; against*》: ~ *about* poor service 서비스가 나쁘다고 불평하다 / ~ *against* 〔*at*〕 the rules 규칙에 (공공연히) 반대하다 / The farmers ~*ed at* 〔*against*〕 the government's measure. 농민들은 정부 조치에 강력히 항의했다. **5** 〖크리켓〗 (공이) 튀어오르다《*up*》. **6** 《속어》 뻗다, 죽다(die).

~ *about* =~ around. **~ *against the pricks*** 〔***goad***〕 ⇨PRICK. **~ *a man when he's down*** ① 넘어진 사람을 차다. ② 약점을 이용하여 몹쓸 짓을 하다. **~ *around*** 《구어》 《*vt.*+부》 ① (아무를) 거칠게 다루다, 혹사하다, 괴롭히다; (아무를) 마구 이용하다. ② (문제·안 등을) 여러 각도에서 생각〔검토, 논의〕하다; 시험적으로 해보다. **—** 《*vi.*+부》 ③ 나태하게 지내다; 여기저기 돌아다니다: ~ *around* for a year after college 대학 졸업 후 1년간 하는 일 없이 세월을 보내다. ④ 〖보통 -ing 꼴로〗 (사람·생각 등이) 여전히 살아 있다, 존재하다; (물건이) 방치되어 있다; 《구어》 (아무가 지역·직장 등을) 전전하다: The script has been ~*ing around* for years. 그 원고는 여러 해 동안 방치되어 있다. **—** 《*vi.*+전》 ⑤ (이리저리 돌아다니며) 여행하다: He has been ~*ing around* Europe. 그는 유럽을 전전하며 여행하고 있다. **~ *back*** 《*vi.*+부》 ① (총 따위가 발사의 반동으로) 되튀다. ② (병 따위가) 도지다. ③ …에 반격〔앙갚음〕하다, …을 되받아 차다, 역습하다《*at*》. ④ 쉬다, 휴식을 취하다: Let's just ~ *back* and enjoy the weekend. 한숨 돌리고 주말을 즐겁게 보내자. ⑤ (엔진이) 역방향으로 시동되다. ⑥ 《구어》 돈을 리베이트로 지불하다. **—** 《*vt.*+부》 ⑦ (…을) 되받아 차다; 역습하다. ⑧ 《구어》 (돈을) 수수료〔리베이트〕로서 갚다. ⑨ 《속어》 (훔친 금품을) 소유주에게 되돌려주다. **~ *down*** ① 발로 차서 쓰러〔무너〕뜨리다, 부수다. ② (차의) 속력을 줄이다. **~ *downstairs*** 아래층으로 차 내리다; 집에서 쫓아내다; 격하(格下)시키다. **~ *in*** 《*vt.*+부》 ① 차 부수고 들어가다; (문 등을 밖에서) 차 부수다; 차 넣다. ② 《미속어》 배당된 돈을 내다, (돈)을 기부하다. **—** 《*vi.*+부》 《속어》 ③ 죽다, 뻗다(die). ④ (기계 따위가) 움직이기 시작하다; (약발이) 나기 시작하다. ⑤ 동조하다, 가락을 맞추다. **~** a person ***in the teeth*** 〔***pants***〕 《구어》 아무에게 예상 밖의 면박을 주다, 무조건 야단치다, 낙심시키다. **~ *it*** 《미속어》 (마약 따위의) 습관을 버리다; 《미속어》 (재즈 따위를) 열심히 연주하다. **~ *off*** 《*vt.*+부》 ① 차서 …을 벗다; (…을) 차서 쫓아버리다. ② (회합 따위를) 시작하다: ~ *off* the party with a toast 건배를 하고 파티를 시작하다. **—** 《*vi.*+부》 ③ 〖축구〗 킥오프하다; 킥오프로 시합을 시작〔개시〕하다. ④ (회합 등이) 시작되다, (아무가 회합을) 시작하다. ⑤ 《미속어》 (기계 따위가) 고장나다; 죽다. **~ *on*** 《구어》 (기계 따위가) 작동하기 시작하다. **~ *out*** 《*vt.*+부》 ① 《구어》 차내다. ② 《구어》 (사람·생각을) 쫓아내다; 해고〔해임〕하다《*of*》. ③ 〖컴퓨터〗 (정보 등을) (검색을 위해) 분리하다. **—** 《*vi.*+부》 ④ 반항하다. ⑤ 《속어》 죽다, 뻗다. ⑥ 〖서핑〗 뒷다리에 체중을 실어 서프보드를 회전시켜 파도타기를 중지하다. ⑦ (공급이) 끊기다. ⑧ 〖축구〗 시간을 벌기 위해 공을 고의로 터치라인 밖으로 차내다. **~ *over*** 《*vi.*+부》 ① 《구어》 (엔진이) 점화하다, 시동하다. **—** 《*vt.*+부》 ② 《미구어》 (돈을) 내다, 지불하다; 《미속어》 (돈을) 강탈하다. ③ (사람·물건을) 차서 넘어뜨리다〔떨어뜨리다〕. ④ (엔진을) 점화〔시동〕시키다. **~** one***self*** 《구어》 자신을 책하다, 후회하다: I could have ~*ed* my*self*. 그런 짓을 하지〔말하지〕 않았더라면 좋았을걸. **~ *some ass*** (***around***) 《미속어》 (이어받아서) 명령을 하달하다〔내리다〕. **~ *the donuts*** 《미속어》 타이어를 점검하다. **~ *the slack out*** 《미속어》 가속하다, 액셀러레이터를 밟다. **~ *the tin*** 《Austral.》 기부하다. **~ *up*** ① 차 올리다. ② 《구어》 (먼지 등을) 일으키다; 《구어》 (소란을) 피우다; 불순해지다: He ~*ed up* a row 〔fuss, dust, ruckus, stink〕 over it. 그는 그 일로 큰 소동을 일으켰다. ③ (차의) 속력을 높이다. **~** a person ***upstairs*** 《구어》 아무를 한직으로 몰아내다, 승진시켜서〔작위를 주어서〕 퇴직시키다. **~ *up the clouds*** 《속어》 교수형에 처해지다.

— *n.* **1** 차기, 걷어차기. **2** (총의) 반동. **3** 《구어》 반대, 반항, 거절; 항의, 불평. **4** (the ~) 《속어》 해고, (군대로부터의) 추방. **5** 〖축구〗 킥, 차기, 차는 사람. **6** Ⓤ 《구어》 (위스키 따위의) 톡 쏘는 맛, 자극성; (유쾌한) 흥분, 스릴; 즐거움. **7** 《영

속어》 6펜스. 8 Ⓤ《속어》 원기, 활력, 반발력. 9 《속어》 포켓; 수첩. 10《속어》(*pl.*) 구두. ***a ~ in the guts*** 《미구어》 통렬한 (정신적·육체적) 타격. ***a ~ in the pants*** 〔***teeth***〕《구어》 (뜻밖의) 심한 처사, 모진 비난, 거절; 비참한 패배, 실망. ***a ~ in the wrist*** 《미구어》 한 잔의 술. ***for ~s*** 〔***the ~***〕 반 재미로, 스릴을 맛보려고. ***get a ~*** 〔one's ***~s***〕 ***from*** 〔***out of***〕 ***...*** 《구어》 …에서 큰 쾌감을 얻다〔맛보다〕. ***get*** 〔***receive***〕 ***more ~s than halfpence*** 친절은커녕 호된 경을 치다. ***get*** 〔***give***〕 ***the ~*** 해고당하다〔시키다〕. ***have no ~ left*** 《속어》 반발력이 없다, 더 할 기운이 없다. ***~ in*** one's ***gallop*** 《속어》 변덕. ***on*** 〔***off***〕 ***a ~*** 《미속어》 한창 열을 올리며〔벌써 열이 식어〕.
㊕ **∠·a·ble** *a.* **∠·less** *a.*

kick² *n.* (병의) 불룩하게 올라온 바닥.

kíck-àss 《미속어》 *a.* 강렬한, 공격〔적극〕적인, 터프한(tough). **—** *n.* 힘, 원기.

kíck·bàck *n.* 《미구어》 1 (격렬한) 반동〔반응〕. 2 (훔친 물건의) 반환; (단골손님에의) 일부 환불, 리베이트(rebate), 중개료. 3 임금의 일부를 떼어내기〔가로채기〕; 《속어》 삥땅; 정치 헌금, 상납(上納). 4 (내연기관·기계장치 따위의 시동시 또는 고장에 의한) 역전(逆轉), 폭발.

kíck·bàll *n.* 킥볼《야구 비슷한 아이들의 구기(球技); 배트로 치는 대신에 발로 큰 공을 참》.

kíck bòxing 킥 복싱.

kíck·dòwn *n.* (자동차의) 킥다운(장치)《자동 변속기가 달린 자동차에서, 액셀러레이터를 힘껏 밟고 저속으로 기어를 변속하기, 또는 그 장치》.

kíck·er *n.* 1 차는 사람; 차는 버릇이 있는 말. 2 《미속어》 비방하는 사람, 끈질긴 반대〔반항〕자; 불평가; 탈당자. 3 《미속어》 흥분〔자극〕을 주는 것《칵테일 따위》; 뜻밖의 이점(利點). 4 《미속어》 (선외(船外) 부착식의) 마력이 낮은 엔진(을 단 보트) (outboard motor). 5 (계약 등의) 부당조항〔부분〕; 《미》 뜻밖의 장애〔함정〕, 《속어》 깜짝 놀라게 하는 결말, 의외의 전개. 6 (콘크리트 기둥의) 대좌(臺座). 7 (신문·잡지의 기사 제목 위에 붙인) 부제. 8 되튀는 것; 〖크리켓〗 높이 튀어 오른 공.

kícker ròcket 키커 로켓《인공위성을 궤도에 올리기 위한 booster rocket의 보조 로켓》.

kícking àss 《속어》 즐거운 시간: have a ~.

kícking stràp 1 (말이 차지 못하게 궁둥이에 채운) 가죽띠. 2 (*pl.*) 《우스개》 (군인의) 배낭의 가죽끈.

kícking tèam 〖미식축구〗 킥오프·펀트·필드골 등의 플레이 때에 출장하는 팀(special team, suicide squad).

kíck·òff *n.* 〖축구〗 킥오프; 《구어》 시작, 개시, (회의·조직적 활동의) 첫단계, 발단: the election ~ 선거유세의 첫시작. ㊕ **kíck-òff** *a.* 첫단계의, 개시의: *kick-off* meeting 첫번째 모임〔회합〕.

kíck·òut *n.* 〖축구〗 킥아웃; 《미속어》 해고, (군(軍)에서의) 추방.

kíck pàrty 《미속어》 LSD 파티.

kíck plèat 걷기 좋게 좁은 스커트에 잡은 주름.

kíck·shàw(s) *n.* 1 《고어·경멸》 공들인 요리, 진미. 2 쓸데없는 장식, 굴통이; (기발하나) 보잘것없는 것.

kíck·sòrter *n.* 〖물리〗 파고(波高) 분석기, 킥소터.

kíck·stànd *n.* 자전거·오토바이의 뒷받침 살.

kíck-stàrt *vt.* 1 (오토바이의) 킥 스타트를 밟아 시동을 걸다. 2 《비유》 (활동을 개시하도록) 촉진하다. **—** *n.* 시동; 촉발.

kíck stàrt(er) (오토바이 따위의) 페달을 밟아서 조작하는 시동기. ㊕ **kíck-stàrt** *vi.*

kíck stìck 《미속어》 마리화나 담배.

kíck tùrn 〖스키〗 킥턴《정지했다가 행하는 180°의 방향 전환법》; 〖스케이트보드〗 킥턴《전륜(前輪)을 치켜 올려 방향을 바꾸기》. 「의) 차올리기.

kíck·ùp *n.* 《구어》 법석, 소동(fuss); (무용 등

kíck·wòrm *n.* 〖브레이크댄싱〗 킥웜《자벌레처럼 기면서 전진하는 춤》.

kicky [kíki] *a.* (짐승이) 차는 버릇이 있는; 《속어》 멋진, 재미있는, 자극적인, 원기왕성한, 활기 있는; 《미속어》 세련된 모양의, 최신 유행의.

⁑**kid¹** [kid] *n.* 1 새끼 염소; 새끼 영양(羚羊); 〖일반적〗 짐승의 새끼. 2 Ⓤ 키드 가죽; 새끼 염소의 고기. 3 (*pl.*) 키드 가죽 장갑〔구두〕. 4 《구어》 아이(child); 《미구어》 젊은이: I have three ~s. 아이가 셋 있다. 5 《미속어》 (권투 선수 등의 이름 앞에 붙여) 신진…. 6 《미속어》 엉터리, 실없는 소리. ***no ~*** 농담이 아니라, 참말로. ***our ~*** 《영방언》 나의 동생〔누이동생〕. **—** *a.* 1 키드제(製)의. 2 《구어》 손아래의; 미숙한: one's ~ brother 동생. ***in*** 〔***with***〕 ***~ gloves*** 점잖게; 미온적인 수단으로. **—** (**-*dd-***) *vt.*, *vi.* (염소 따위가) 새끼를 낳다.

kid² (**-*dd-***) 《구어》 *vt.* 1 조롱하다, 농담을 하다 《*on; along*》: Don't ~ me. 농담 마라. 2 속이다, 속여넘기다. 3 〖~ oneself〗 (사실은 그렇지 않은데) 좋은 쪽을 취하려 하다, 헛 짚고 기분 좋아하다. **—** *vi.* 《구어》 조롱하다, 속이다; 놓하다《*on; around*》. ***No ~ding!*** 〔(주로 문장 끝에서) ***I ~ you not.; I'm not ~ding.***〕 거짓말이 아니야, 정말이다; 《동의》 과연 그렇다《No ~*ding?*은 '설마, 정말이냐'》. ㊕ **∠·der** *n.* 사기꾼; 조롱하는 사람.

kid³ *n.* 〖해사〗 (선원의 배식용(配食用)) 작은 통.

Kidd [kid] *n.* **William ~** 키드《스코틀랜드 태생의 영국 해적·항해자: 1645?-1701; 통칭 'Captain ~'》.

Kid·der·min·ster [kídərmìnstər] *n.* 키더민스터《영국 Hereford and Worcester 주 북부의 도시》; 그 도시 원산의 양탄자(= ∠ **cárpet**).

kid·die, kid·dy [kídi] (*pl.* ***-dies***) *n.* 새끼 염소; 《구어》 어린애. 「버스.

kíddie càr (어린이용) 세발자전거; 《미》 스쿨

kid·di·er [kídiər] *n.* 《영방언》 (채소 따위의) 호객(呼客) 상인.

kíddie pòrn 《구어》 아이가 나오는 포르노(child pornography)(= **kíd·die·pòrn, kíddy pòrn**).

kid·dish [kídiʃ] *a.* = CHILDISH. ㊕ **~·ly** *ad.* **~·ness** *n.* 「치망(定置網).

kid·dle [kídl] *n.* 어량(魚梁), 어살; (해변의) 정

kid·do [kídou] (*pl.* **~(*e*)*s***) *n.* 《미속어》 (친한 사이의 호칭으로서) 자네, 너, 야. [< kid¹]

kíd-glòve(d) *a.* 키드 가죽장갑을 낀; 너무나 점잖은; 거친 일을 하지 않는; 미적지근한: a ~ affair 예장을 요하는 식〔회합〕.

kíd glóves 키드 가죽장갑. ***handle*** 〔***treat***〕 ***with ~*** 《구어》 신중히 다루다. 「죽; 장갑용》.

kíd léather 키드 가죽《새끼염소의 무두질한 가

kíd lìt 《속어》 아동물《아동문학보다 넓은 뜻의 어린이용 읽을거리》. [◂ *kid literature*]

°**kid·nap** [kídnæp] (***-p-, -pp-***) *vt.* (아이를) 채가다; 꾀어 내다, 유괴하다. ⓒⓕ abduct. ㊕ **kìd·nap·(p)ée** *n.* 유괴된 사람. **kíd·nàp·(p)er** *n.* 유괴자, 유괴범. **kíd·nàp(p)·ing** *n.* 유괴.

°**kid·ney** [kídni] *n.* 〖해부〗 신장(腎臟); (양·소 따위의) 콩팥《식용》; 《문어》 성질, 기질, 종류, 형(型)(type): a man of that ~ 그런 기질의 사람/a man of the right ~ 성질이 좋은 사람/contracted ~ 〖의학〗 위축신(萎縮腎). ◇ renal *a.*

kídney bàsin 〖의학〗 고름 받는 그릇《잠두(蠶豆) 모양의 놋 쟁반》.

kídney bèan 〖식물〗 강낭콩; 붉은꽃잠두.

kídney-bùster *n.* 《미속어》 힘든 일〔운동〕.

kídney dìsh 외과용 신장(腎臟) 모양의 받침 접시.

kídney machìne 인공 신장.

kídney-pìe *n.* 키드니파이《소·양 따위의 콩팥을 넣어 만든 파이》; 《Austral. 속어》 입에 발린 말, 눈을 속이기, 겉만 번드르르하게 보이기.

kídney potàto 달걀 모양의 감자《품종》.

kídney-shàped [-t] *a.* 신장〔콩팥〕 모양의, 강낭콩 모양의.

kídney stòne 〖광물〗 연옥(軟玉)(nephrite); 「〖해부〗 신장 결석(結石).

ki·dol·o·gy [kidálədʒi/-dɔ́l-] *n.* 《영구어》 우스운〔웃기는, 익살스러운〕 것〔사람〕, 놀림감이 되는 것〔사람〕.

kid·porn [kídpɔ̀:rn] *n.* 《미구어》 어린이〔미성년자〕 포르노《미성년자를 모델로 한 영화·사진》.

kíd·skìn *n.* Ⓤ 새끼 염소의 가죽, 키드 가죽.

kíd(s') stùff 《구어》 어린애 같은 짓〔장난〕; 아이들이나 속아넘어갈 물건.

kid·stakes, -steaks [kídstèiks] *n.* 《Austral. 속어》 속임(수)(humbug), 눈비음.

kid·ult [kidʌ́lt] *n.* 〖TV〗 어린이·어른을 위한 연속 모험 영화. [◂ *kid*+*adult*]

kid·vid [kídvìd] *n.* 《속어》 어린이를 위한 텔레비전 프로. [◂ *kid*+*video*]

Kiel [ki:l] *n.* 킬《독일 북서쪽의 발트해 연안 항구 도시》. **∠ Canál** (the ~) 킬 운하《북해와 발트해를 연결》.

kiel·ba·sa [ki(:)lbá:sə] (*pl.* **-si, -sy** [-si], **~s**) *n.* 마늘을 넣은 폴란드의 훈제 소시지.

kier [kiər] *n.* (표백·염색용) 큰 솥, 표백조(槽).

Kier·ke·gaard [kíərkəgà:rd] *n.* **Sören Aabye** ~ 키르케고르《덴마크의 신학자·철학자·사상가; 1813-55》.

kie·sel·guhr [kí:zəlgùər] *n.* Ⓤ (다공질의) 규조토(珪藻土). 「의 수도》.

Ki·ev [kí:ef, -ev] *n.* 키예프《우크라이나 공화국

kif, ki·fi [kif], [kí:fi] *n.* =KEF.

kife [kaif] *vt.* 《미속어》 속여서 빼앗다, 훔치다.

Ki·ga·li [kigá:li] *n.* 키갈리《Rwanda의 수도》.

kike [kaik] *n.* 《미속어·경멸》 유대인(Jew).

kíke-kìller *n.* 《미속어》 곤봉, 경찰봉.

Ki·ku·yu [kikú:ju:] (*pl.* **~, ~s**) *n.* (케냐 지방의) 키쿠유 족; 키쿠유 말《Bantu어의 하나》.

kil. kilderkin; kilometer(s); kilogram(s).

kil·der·kin [kíldərkin] *n.* 통《16 또는 18 갤런 들이》; 그 가득한 양.

Kil·i·man·ja·ro [kìləməndʒá:rou] *n.* 킬리만자로《Tanzania에 있는 아프리카의 최고봉》.

Kil·ken·ny [kilkéni] *n.* 킬케니《아일랜드 남동부의 주(州); 생략: Kilk.》.

†**kill**[1] [kil] *vt.* **1** 죽이다, 살해하다: He was ~*ed* in a traffic accident. 그는 교통사고로 죽었다. **2** (가축을) 도살하다, 잡다; 쏘아 잡다; 말라 죽게 하다.

> SYN. **kill** 일반적으로 쓰이는 말. 사람 또는 동·식물을 죽이거나 말라 죽게 하거나 함. **murder** 계획적으로 잔인한 살해를 함을 말함. **slay** 문어적인 느낌의 말로서 전쟁터 등에서 하는 살인이나 고의로 하는 잔인한 살인을 말하며, 신문용어로서도 쓰임. **assassinate** 정치상의 동기로 사람을 시켜 요인 등을 암살함을 말함.

3 《~+목/+목+전+명》 (시간을) 보내다, (시간·세월 등을) 헛되이 보내다: ~ time 시간을 보내다/She ~*ed* five years *on* that study. 그 여자는 그 연구에 5년이란 세월을 허송했다. **4** 《~+목/+목+전+명》 (효과를) 약하게 하다; (바람·병 등의) 기세를 꺾다, 가라앉히다; (용수철의) 탄력성을 없애다; (산·빛 따위를) 중화하다; (소리를) 없애다; (엔진 따위를) 끄다; (전기의) 회로를 끊다: ~ the pain *with* a drug 약으로 통증을 가라앉히다/The scarlet curtain ~*ed* the room. 저 빨간색 커튼은 방 색깔의 효과를 죽였다/The trumpets ~ the strings. 트럼펫 소리 때문에 현악기 소리가 죽는다. **5** (감정 따위를) 억압하다; (애정·희망 따위를) 잃게 하다, (기회를) 놓치다, 잃다: ~ a person's hope 남의 희망을 꺾다/~ one's affection 애정이 떨어지게 하다. **6** (의안 따위를) 부결하다; 깔아뭉개다, 악평하여 때리다: ~ a play 연극을 혹평하여 실패로 끝나게 하다. **7** 〖인쇄·편집〗 지우다, 삭제하다(delete). **8** 《~+목/+목+전+명》 《구어》 (복장·모습·눈초리 등이) 압도하다, 뇌쇄(惱殺)하다, 매료하다; 포복절도케 하다: ~ a person *with* a glance 흘긋 한 번 보아 아무를 뇌쇄하다. **9** 녹초가 되게 하다, 몹시 지치게 하다; (술·노고 따위가) …의 수명을 줄이다; (병 따위가) …의 목숨을 빼앗다; …을 몹시 괴롭히다〔아프게 하다〕: My shoes are ~*ing* me. 구두가 너무 끼어서 죽을 지경이다/The long hike ~*ed* us. 오랜 도보 여행으로 녹초가 되었다. **10** 《구어》 (음식물을) 먹어치우다, (술병 따위를) 비우다: They ~*ed* a bottle of bourbon between them. 그들은 둘이서 버본위스키 한 병을 비웠다. **11** 〖테니스〗 (공을) 받아치지 못하게 강타하다(smash); 〖미식축구〗 공을 딱 멈추다. **12** 〖야금〗 (강철을) 탈산(脫酸)하다; (철사 따위에서) 탄성(彈性)을 제거하다; (판금을) 냉간압연하다《우그러지거나 굴곡 등을 제거하기 위해》. **—** *vi.* **1** 사람을 죽이다, 살생하다; (약 따위가) 치사량이 되다; 《구어》 사람을 뇌쇄〔압도〕하다: Thou shalt not ~. 살인하지 말라《〖성서〗 '출애굽기'에서》. **2** 《+부》 살해되다, 죽다: Marines don't ~ *easy.* 해병은 쉬이 죽지 않는다. **3** (식물이) 말라 죽다. **4** 《+부》 (가축이 도살되어) 살코기가 나오다: The ox ~*ed well* 〔*badly*〕. 그 소는 고기가 많이 나왔다〔안 나왔다〕. **~ by inches** 조금씩 조금씩 괴롭혀 죽이다. **~ down** 죽이다, 말라 죽게 하다. **~ off** 〔**out**〕 절멸시키다. **~ or cure** 죽기 아니면 살기로. **~ oneself** 자살하다. **~ two birds with one stone** 일석이조를 얻다, 일거양득하다. **~** a person **with kindness** 친절이 지나쳐 도리어 화를 입히다. ***That* ~*s it.*** 이것으로〔이젠〕 다 글렀다, 망쳐 버렸다, 할 마음이 없어졌다. ***to* ~** 《구어》 홀딱 반할 정도로, 넋을 잃을 만큼, 멋지게; 극도로, 대단히: She was dressed 〔got up〕 *to* ~. 그녀는 홀딱 반할 정도로 아름다운 옷차림을 하고 있었다.

— *n.* (특히 사냥에서 짐승을) 죽이기, 잡기; (사냥에서) 잡은 동물; 〖컴퓨터〗 삭제, 없앰. ***be in at the* ~** 사냥감을 쏴죽일 때 (마침) 그 자리에 있다; 승리〔클라이맥스〕의 순간 그 자리에 있다; (사건 등의) 최후를 끝까지 지켜보다. ***go* 〔*move, close*〕 *in for the* ~** 마지막 일격을 가하려고〔숨통을 끊으려고〕 만반의 준비를 하고 대기하다. ***on the* ~** (짐승이) 먹이를 노리고; (목적을 이루기 위해) 무슨 짓이라도 할 생각으로.

kill[2] *n.* 《미방언》 수로(channel), 시내(creek) 《Cats*kill*, *Kill* Van Kull 등 지명에 쓰임》.

Kil·lar·ney [kilá:rni] *n.* the **Lakes of ~** 킬라니 호(湖)《아일랜드 남서부의 3개 호수》.

kill·deer, -dee [kíldìər], [-di:] (*pl.* **~(s)**) *n.* 〖조류〗 물떼새의 일종(=∠ **plóver**) 《북아메리카산》. 「한.

killed *a.* 〖종종 ~ off〗 《속어》 (술·마약으로) 취

*__kill·er__ [kílər] *n.* **1** 죽이는 것; 살인자, 살인 청부업자; 살인귀. **2** 〖동물〗 =KILLER WHALE; 킬러《다른 짚신벌레를 잡는 짚신벌레》. **3** (마리화나 등) 강력한 것; 《미속어》 경이적인 사람〔것〕, 대단한 녀석; 아주 어려운 일; 《미속어》 =LADY-KILLER; (옷차림이) 멋진 사람. ***a humane* ~** 무

통(無痛) 도살기.

kíller àpp [-æp] 〖컴퓨터〗 킬러 애플리케이션 (=**kíller applicàtion**)《사용자가 많이 애용하여 표준이 된 소프트웨어》. 「일〔사람〕.

kíller díll·er [-dílər] 《속어》 이례적인〔유별난〕

kíller ìnstinct 투쟁〔살인〕 본능; 잔인한 성질.

kíller rày wéapon 〖군사〗 =DEATH RAY weapon. 「성 격추용》.

kíller sàtellite 위성 파괴 위성《상대국 인공위

kíller T̀ cèll 〖면역〗 킬러 T세포《암세포·바이러스 감염 세포 따위를 파괴하는 T세포》.

kíller wéed 《미속어》 합성 헤로인(angel

kíller whàle 〖동물〗 범고래. 「dust).

kíll fèe (사용되지 않은 원고에 지불되는) 원고료.

kil·lick, -lock [kílik], [-lək] *n.* 닻 대신 쓰는 돌; 작은 닻, 닻(anchor); 《구어》 (영국 해군의) 일등병(leading seaman).

kil·li·fish [kílifìʃ] *n.* 송사릿과(科)의 담수어.

kíll·ing *a.* **1** 죽이는, 치사(致死)의(fatal); 시들게 하는; 죽을 지경의, 무척 힘이 드는: I rode at a ~ pace. 죽을힘을 다해서 말을 타고 달렸다 / ~ power 살상력 / a ~ frost 식물을 고사(枯死)시키는 서리. **2** 《구어》 뇌쇄적인; 우스워 죽을 지경인: You are too ~. 자네는 정말 우습군 / Jane looked ~ in gray. 회색 옷을 입은 제인은 정말로 매력적이었다. **—** *n.* 살해; 살인; 도살, (수렵 따위에서) 잡은 것; 《구어》 큰 벌이, (주(株)·사업 등의) 대성공: make a ~ in stocks 주식에서 크게 한몫 보다. ㊞ **~·ly** *ad.* 못 견딜 정도로, 뇌쇄하듯이.

kílling bòttle (곤충 채집용) 살충병.

kílling fìelds 살육장(殺戮場), 대학살장.

kílling zòne 전사자가 집중적으로 생기는 전투 지역; (총을 맞으면 생명을 잃는) 몸의 치명적인 부위. 「(破興).

kíll-jòy *n.* (일부러) 흥을 깨는 사람〔것〕; 파흥

kíll ràte 〔**ràtio**〕 살상 비율《전쟁·폭동 따위에서 양측(兩側)의 사상자 비율》.

kíll shòt (테니스·탁구 등에서) 상대가 받아 칠 수 없도록 친 결정타〔구〕.

kíll-tìme *a., n.* 심심풀이의 (일, 놀이).

°**kiln** [kiln] *n.* 가마, 노(爐); 건조로(爐)〔실〕: a brick ~ 벽돌 가마. **—** *vt.* 가마에 굽다; 건조로〔실〕에서 말리다.

kíln-drỳ *vt.* (목재 등을) 가마에서 말리다, 인공 건조시키다: *kiln-dried* flooring 인공 건조의 마루널.

kíl·ner jàr [kílnər-] (종종 K- j-) 식품보존용 밀폐식 유리 용기《상표명》.

°**kilo** [kí(ː)lou/kíːlou] (*pl.* **~s**) *n.* 킬로《kilogram, kilometer 등의 간약형》.

kil·o- [kílou, -lə] '천(千)'의 뜻의 결합사.

kílo·bàr *n.* 킬로바《압력의 단위: 1,000 bars; 생략: kb》.

kílo·bàse *n.* 〖유전〗 킬로베이스《DNA, RNA 따위의 핵산 배열의 길이를 나타내는 단위》.

kílo·bàud *n.* 〖통신〗 킬로보《정보 전달 속도의 단위: 1,000 baud》.

kílo·bìt *n.* 〖컴퓨터〗 킬로비트《1,000 bits》.

kílo·bỳte *n.* 〖컴퓨터〗 킬로바이트《1,000 bytes》.

kílo·càlorie *n.* 킬로칼로리《열량의 단위; 1,000 cal; 생략: kcal, Cal》.

kílo connèction 《속어》 마약을 대량으로 취급〔거래〕하는 사람〔상인〕.

kílo·cỳcle *n.* 〖물리〗 킬로사이클《주파수의 단위; 1,000사이클; 생략: kc; 지금은 kilohertz 라고 함》.

kílo·eléctron vólt 〖물리〗 킬로전자볼트《1,000 electron volts; 생략: keV》.

kilog. kilogram(s).

kílo·gàuss *n.* 〖전기〗 킬로가우스《자기(磁氣) 유도 단위; =1,000 gauss; 생략: kG》.

°**kílo·gràm,** 《영》 **-gramme** *n.* 킬로그램《1,000g, 약 266.6돈쭝; 생략: kg》.

kílogram-méter, 《영》 **-gramme-métre** *n.* 킬로그램미터《일의 단위, 1kg 무게의 것을 1m 끌어 올리는 일의 양; 생략: kg-m》.

kílo·hèrtz *n.* 킬로헤르츠《주파수의 단위; 생략: kHz》.

kílo·lìter, 《영》 **-tre** *n.* 킬로리터《1,000리터; 생

kilom. kilometer(s). 「략: kl》.

***kil·o·me·ter,** 《영》 **-tre** [kilámətər, kíləmìː-/kíləmìː-] *n.* 킬로미터《1,000m; 생략: km》.

kil·o·met·rage [kilámətridʒ/-lɔ́-] *n.* (행정(行程)·여정(旅程)의) 킬로미터 수(數), 주행 킬로 수.

kil·o·met·ric, -ri·cal [kìləmétrik], [-əl] *a.* 킬로미터의; 킬로미터로 잰.

kílo·ràd *n.* 〖물리〗 킬로래드《방사선 흡수 선량(吸收線量)의 단위; 1,000 rads; 생략: krad》.

kilos. kilograms; kilometers.

kílo·stère *n.* 킬로스티어《부피의 단위; 1,000 세제곱미터》.

kílo·tòn *n.* 킬로톤《1,000톤 또는 TNT 1,000톤에 상당하는 폭파력; 생략: kt》.

kílo·vòlt *n.* 〖전기〗 킬로볼트《생략: kv》.

°**kílo·wàtt** *n.* 〖전기〗 킬로와트《전력의 단위; 1,000와트; 생략: kW》.

kílowatt-hóur *n.* 킬로와트시(時)《1시간 1킬로와트의 전력; 생략: kWh》.

Kil·roy [kílrɔ̀i] *n.* 〔다음 관용구로〕 킬로이《가공의 미군 병사; 자주 여행을 하는 사람》. **~ *was here.*** 킬로이 여기 있었음《제2차 세계대전 때 미국 군인이 낙서로 벽·건물 등에 남겨 놓은 조어(造語)》.

kilt [kilt] *n.* 킬트《스코틀랜드 고지 지방에서 입는 남자의 짧은 스커트》; (the ~) 스코틀랜드 고지 사람의 의상. **—** *vt.* (자락을) 걷어 올리다; …에 세로 주름을 잡다.

kílt·ed [-id] *a.* 킬트를 입은; 세로 주름을 잡은.

kil·ter [kíltər] *n.* 〔다음의 관용구로〕 정상적인 상태, 양호한 상태, 호조, 순조, 조화. ***in*** 〔***out of***〕 **~** 좋은〔나쁜〕 상태에.

kilt·ie, kilty [kílti] *n.* 킬트(kilt)를 입은 사람; 스코틀랜드 고지인 연대의 병사.

Kim [kim] *n.* 킴《남자〔여자〕 이름》; Kipling의 동명(同名) 소설의 주인공 이름; 인도에 있는 아일랜드 소년 Kimball O'Hara의 통칭.

Kim·ber·ley [kímbərli] *n.* 킴벌리《남아프리카 공화국의 도시; 다이아몬드 산지》.

kim·ber·lite [kímbərlàit] *n.* Ⓤ 킴벌라이트《다이아몬드를 함유》.

kim·ble [kímbəl] *vi.* 《미속어》 호감을 사려고 열심히 노력하다.

kim·chi, kim·chee [kímtʃiː] *n.* 김치.

kin [kin] *n.* Ⓤ **1** 〔집합적〕 친족, 친척, 일가(relatives). **2** 《고어》 혈연 관계, 동족. **3** 동류(同類), 동질(同質): of the same ~ as …와 동질인. **4** 《고어》 일족, 가문: He comes of good ~. 그는 가문이 좋다. ***near of* ~** 근친인. ***of* ~** 친척의; 같은 종류의《*to*》. **—** *a.* 〔보어로〕 **1** 동족인, 친척 관계인. **2** 동류인, 동질인《*to*》. ***be* ~ *to*** …의 친척이다; …와 동류이다, …와 가깝다: He *is* (not) ~ *to* me. 그는 나의 친척이다〔친척이 아니다〕. ***more* ~ *than kind*** 친척이지만 정이 없는, 매우 가까운 친척이지만 친밀하지 않은《*Hamlet*에서》. ㊞ **∠·less** *a.* 친척이〔일가가〕 없는. 「*kin*.

-kin [kin] *suf.* '작은'의 뜻: lamb*kin*, prince-

ki·na [kíːnə] (*pl.* **~, ~s**) 키나《파푸아뉴기니

의 화폐 단위; 100 toea; 기호 Ka》. 「제.

ki·nase [káineis, kín-] *n.* [U] 〖생화학〗 키나아

kin·chin, -chen [kíntʃin] *n.* 아이, 꼬마.

kínchin lày 심부름 가는 아이한테서 돈을 속여 빼앗는 일. 「놓은) 인도 비단.

kin·cob [kíŋkab/-kɔb] *n.* [U] (금·은실로 수

kind[1] [kaind] *n.* **1** 종류(class, sort, variety) 《*of*》: a book of the best ~ 가장 좋은 종류의 책/three ~*s of* magazine(s) (성격이 다른) 3 종류의 잡지《≒three magazines 잡지 3권》/ What ~ *of* man is he? 그는 어떠한 사람입니까/We need a different ~ *of* test. 다른 종류의 검사가 필요하다/He's not the ~ *of* person *to* do things by halves. 그는 일을 아무렇게나 할 그런 사람이 아니다.

[SYN] **kind** '종류'를 나타내는 일반적인 말. **sort** 는 kind 와 거의 같은 뜻이지만, kind 보다도 막연한 느낌이 있음: He is kind in some *sort.* 그는 어딘가 친절한 데가 있다. **species** 일반적으로 '종류'의 뜻도 있으나, 특히 동·식물의 '종'을 가리킴: dogs of many *species*; many *species* of dogs 각종의 개.

2 종족《동식물 따위의 유(類)·종(種)·족(族)·속(屬)》: the human ~ 인류. **3** [U] (유별(類別)의 기초가 되는) 성질, 본질. **4** [U] 현품《현금에 대하여》; 천연의 산물: ⇨in ~. **5** [U] 《고어》 자연; [C] (본래의) 방식, 모습: the law of ~ 자연의 법칙. **6** [U] 〖교회〗 성찬의 하나《빵 또는 포도주》. **7** 《미속어》 다수, 다량.

after* one's** 〔its***〕 **~** 자기 나름대로: They act *after their ~s.* 그들은 그들 나름대로 행동한다. ***a ~ of*** 일종의 …; …와 같은 것〔사람〕; 대체로〔말하자면〕 …라고 할 수 있는, …에 가까운: *a ~ of* suspicion 의심쩍은 느낌/He is *a ~ of* stockbroker. 주식 중매인 같은 일을 하고 있다. ***all ~*(*s*) *of*** 각종의, 모든〔온갖〕 종류의; 다량〔다수〕의: *all ~s of* money 많은 돈. ***in a ~*** 어느 정도, 얼마간; 말하자면. ***in ~*** ① (지급을 금전이 아닌) 물품으로: taxes paid *in ~* 물납세(稅)/ wage *in ~* 현물 급여. ② 같은 것〔방법〕으로: repay a person's insolence *in ~* 무례에 무례로 응답하다. ③ 본래의 성질이, 본질적으로: differ in degree but not *in ~* 정도는 다르지만 본질은 같다. **~ *of*** [káindəv, -də] 《구어》 얼마쯤, 그저, 좀, 오히려: The room was *~ of* dark. 방은 조금 어두웠다/It's *~ of* good. 그저 괜찮은 편이다/I *~ of* expected it. 조금은 예기하고 있었다. ★구어 발음을 따라 종종 kind o', kinda, kinder(발음은 다 같이 [káində])로 하고, 주로 형용사, 때로 동사에 수반함. [cf.] SORT of. ***nothing of the ~*** ⇨NOTHING. ***of a ~*** ① 같은 종류의, 동일종의: four *of a ~* (포커에서) 포 카드《같은 패 4장의 수》. ② 일종의, 이름뿐인, 엉터리의: coffee *of a ~* (커피라고 말할 수 없는) 이상한 커피. ***of its ~*** 그 종류로는〔에서는〕. ***something of the ~*** 그저 그렇고 그런 것. ***these*** 〔***those***〕 **~ *of men*** 이런〔저런〕 사람들 (men of this 〔that〕 ~). ★현재는 보통 this 〔that〕 *kind* of (man) 또는 these 〔those〕 *kinds* of (men)도 같은 뜻으로 흔히 쓰임.

kind[2] *a.* **1** 친절한, 상냥〔다정〕한, 인정 있는, 동정심이 많은《*to*》: She was very ~ *to* us. 그녀는 우리에게 퍽 상냥하게 대해주었다/It is very 〔so〕 ~ *of* you *to* do …. 친절하게도 …해 주시니 고맙습니다/It's ~ *of* you *to* say so. 칭찬〔격려〕의 말씀 감사합니다.

[SYN] **kind** 가장 일반적인 말. **good** 구어에서 kind 대신 쓰임: How *good* of you! 참 친절하십니다. **thoughtful, considerate** 딴 사람의 입장·기분 따위에 대해서 이해가 깊은: He is not *considerate*, only polite. 그는 별로 이해심이 있는 것은 아니고 예의가 바를 뿐이다. **obliging** 호의적으로 잘 돌보아 주는: He is very *obliging* and offered to do anything in his power. 그는 퍽 친절해서 자기 힘으로 할 수 있는 일이면 무엇이든 하겠다고 말했다. **benign, benignant** 주로 윗사람이 온정 있는: *a benign* ruler 자비로운 통치자.

2 (편지에서) 정성어린: Please give my ~ regards to your mother. 어머님께 안부 전해 주시오. **3** (소·말 등이) 다루기 쉬운, 고분고분〔유순〕한. **4** 《고어》 애정 있는. ◇kindness *n.* ***be cruel to be ~*** 마음을 모질게 먹다. ***Be so ~ as to*** do. =***Be ~ enough to*** do. 부디 …해 주십시오. ***with ~ regards*** 여불비례《편지의 끝맺음 말》.

kinda, kind·er [káində], [káindər] *ad.* 《구어》〔발음 철자〕=KIND[1] of.

kin·der·gar·ten [kíndərgɑ̀ːrtn] *n.* [C,U] 《G.》 유치원. [파] **~·er, -gàrt·ner** *n.* (유치원의) 보모; (유치원) 원아.

kind·heart·ed [káindhɑ́ːrtid] *a.* 마음이 상냥한, 친절한, 인정 많은(compassionate). [파] **~·ly** *ad.* **~·ness** *n.*

kin·dle[1] [kíndl] *vt.* **1** 《~+[목]/+[목]+[전]+[명]》 …에 불을 붙이다, 태우다, 지피다: ~ straw 짚에 불을 붙이다/~ a fire *with* a match 성냥으로 모닥불을 피우다. **2** 밝게〔환하게〕 하다, 빛내다: The rising sun ~*d* the distant peak. 아침해가 멀리 있는 산정을 환하게 빛냈다. **3** 《+[목]+[전]+[명]/+[목]+*to* do》 (정열 따위를) 타오르게 하다(inflame), 선동하다, 부추기다(stir up): That ~*d* him *to* courage. 그것으로 인해 그는 용기를 냈다〔얻었다〕/The policy ~*d* them *to* revolt. 정책이 그들의 폭동을 유발하였다. **—** *vi.* **1** 《~/+[부]》 불이 붙다, 타오르다《*up*》: The dry wood ~*d up* quickly. 마른 나무는 곧 불이 붙었다. **2** 《~/+[전]+[명]》 (얼굴 등이) 화끈 달다, 뜨거워지다, 빛나다(glow); 번쩍번쩍하다: Her eyes ~*d with* curiosity. 그녀의 눈은 호기심으로 빛났다. **3** 《+[전]+[명]》 흥분하다, 격하다(be excited) 《*at*》: He ~*d at* these remarks. 그는 이 말을 듣고 흥분했다. **4** 《+[전]+[명]》 …에 반응하다, 답하다《*to*》. [파] **-dler** *n.* 불붙이는〔불을 당기는〕 사람; 점화자; 선동자; 불쏘시개.

kindle[2] *vt., vi.* (새끼를) 낳다《토끼 따위가》. **—** *n.* (토끼 따위의) 새끼, 한배 새끼.

kínd·less *a.* (사람이) 불쾌한, 마음에 안 드는; (풍토가) 쾌적하지 않은; 《폐어》 무정한; 《고어》 부자연스러운. [파] **~·ly** *ad.*

kind·li·ness [káindlinis] *n.* [U] 친절, 온정; [C] 친절한 행위; [U] (기후 따위의) 온화.

kin·dling[1] [kíndliŋ] *n.* **1** [C,U] 점화, 발화; 흥분, 선동. **2** [U] 불쏘시개(=**∠ wòod**).

kin·dling[2] *n.* (토끼의) 출산.

kind·ly [káindli] (**-li·er; -li·est**) *a.* **1** 상냥한, 이해심 많은, 인정 많은: a ~ heart 친절한 마음씨/a ~ smile 상냥한 미소. **2** (기후 따위가) 온화한, 쾌적한, 상쾌한. **3** (땅 따위가) (…에) 알맞은《*for*》. **4** 《고어》 천연〔자연〕의(natural); 타고난(innate); 《영고어》 토착의, 토박이의(native-born). **—** *ad.* **1** 친절하게, 상냥하게. **2** 〔명령문 따위와 함께〕 부디 (…해 주십시오)(please): *Kindly* give me your address. 주소를 알려 주십시오/Will 〔Would〕 you ~ tell me …? …을 가르쳐 주시지 않겠습니까. **3** 쾌히, 기꺼이 (agreeably). **4** 진심으로: Thank you ~. 참으로 고맙습니다. **5** 자연히, 무리 없이(naturally).

6 《미남부》 다소, 어느 정도. ***look ~ on*** 〔***upon***〕 …을 시인〔지지〕하다. ***take*** (***it***) ~ 쾌히 받아들이다; 선의로 해석하다. ***take ~ to*** 〔종종 부정문에서〕 (자연히) …이 좋아지다, …이 마음에 들다; …을 자진해서 받아들이다.

‡**kind·ness** [káindnis] *n.* **1** Ⓤ 친절, 상냥함; 인정: treat a person with ~ 아무를 친절하게 대하다. **2** Ⓒ 친절한 행위〔태도〕, 돌봄: He has done 〔shown〕 me many ~*es*. 그는 여러 모로 나를 친절하게 돌보아 주었다. **3** Ⓤ 《고어》 애정(love), 우정, 호의(goodwill). ***do*** a person ***a ~*** 아무에게 친절을 베풀다: Will you *do* me *a* ~? 부탁이 있는데요. ***have a ~ for*** a person 아무에게 호의를 가지다, …가 어쩐지 좋다. ***have the ~ to*** do 친절하게도 …하다. ***Kindness of*** Mr.... …씨의 호의에 의함(by favor of) 《편지를 남에게 부탁할 때 겉봉에 쓰는 글귀》. ***out of ~*** 친절심〔호의〕에서. 「of.

kind o' [káində] 《구어》 〔발음 철자〕 =KIND[1]

◇**kin·dred** [kíndrid] *n.* **1** 〔집합적〕 친족, 친척: All her ~ are living in the country. 그녀의 친척은 모두 시골에 살고 있다. **2** Ⓤ 혈연, 혈족 관계, 친척 관계(relationship); 《드물게》 인척 관계. **3** 일족, 일문(一門)(clan). **4** (질(質)의) 유사, 동종(同種)(affinity) 《*with*》. **—*a.*** **1** 혈연의, 친척 관계의: ~ races 동족. **2** 유사한, 같은 성질의; (신념·태도·감정 등이) 일치한, 마음이 맞는: a ~ spirit 마음이 맞는〔취미가 같은〕 사람 / ~ thoughts 같은 생각. ㊞ **~·less** *a.* **~·ly** *ad.* **~·ness** *n.* **~·ship** *n.*

kindsa [káindzə] 〔발음 철자〕 =kinds of.

kine[1] [kain] *n. pl.* 《고어·방언·시어》 암소, 소.

kine[2] *n.* 〖물리〗 카인 《속도의 cgs 단위; 1 cm / sec》.

kin·e·ma, kin·e·mat·o·graph [kínəmə], [kìnəmǽtəgræ̀f, -grɑ̀:f, kàin-] =CINEMA, CINEMATOGRAPH.

kin·e·mat·ic, -i·cal [kìnəmǽtik, kàin-], [-əl] *a.* 〖물리〗 운동학적인, 운동학(상)의. ㊞ **-i·cal·ly** *ad.* 「학.

kìn·e·mát·ics *n. pl.* 〔단수취급〕 〖물리〗 운동

kinemátic viscósity 〖물리〗 동적 점(성)도(動的粘(性)度) 《기호 *v*》.

kin·e·scope [kínəskòup, káin-] *n.* 키네스코프 《브라운관의 일종》; (K–) 그 상표 이름.

ki·ne·sics [kiní:siks, -ziks, kai-] *n. pl.* 〔단수취급〕 동작학 《몸짓·표정과 전달의 연구》.

ki·ne·si·ol·o·gy [kinì:siɑ́lədʒi, -zi-, kai-/-siɔ́l-] *n.* Ⓤ (신체) 운동학; 운동 요법.

kin·es·the·sia, -sis [kìnəsθí:ʒiə, -ziə, kàin-], [-sis] (*pl.* ***-sias, -ses*** [-si:z]) *n.* 〖생리〗 운동 감각, 근각(筋覺). 「운동 감각의.

kin·es·thet·ic [kìnəsθétik, kàin-] *a.* 〖생리〗

kinesthétic expérience 착각 감소의 체험 《LSD 흡연시 나타남》.

ki·net- [kinét, kái-, -ní:t] =KINETO-.

ki·net·ic [kinétik, kai-] *a.* **1** 〖물리〗 운동의, 운동에 의한; 동역학(kinetics)의. OPP *static*. **2** 활동력이 있는, 활동적인: a man of ~ energy 활동적인 사람.

kinétic árt 키네틱 아트 《동력·빛의 효과 등의 움직임을 도입한 조각·아상블라주(assemblage) 등》. ㊞ **kinétic ártist** ~를 다루는 예술가.

kinétic énergy 〖물리〗 운동 에너지. 「찰.

kinétic fríction 〖물리·기계〗 운동마찰, 동마

ki·net·i·cist [kinétəsist, kai-] *n.* 동역학 전문가; =KINETIC ARTIST. ㊞ **ki·nét·i·cìsm** *n.* =KINETIC ART.

ki·nét·ics *n. pl.* 〔단수취급〕 〖물리〗 동역학. OPP *statics*. 「운동론.

kinétic théory 〖물리〗 운동학적 이론; 열(熱)

ki·ne·tin [káinətin] *n.* 〖생화학〗 키네틴 《세포분열 자극 작용이 있는 식물 호르몬》.

ki·ne·to- [kiní:tə, -nét-, kái-, -tou] '움직이는'의 뜻의 결합사.

ki·ne·to·chore [kiní:təkɔ̀:r, -nétə-, kai-] *n.* 〖생물〗 동원체(動原體)(centromere).

ki·ne·to·graph [kiní:təgræ̀f, -grɑ̀:f, -nét-, kai-] *n.* (초기의) 활동사진 촬영기.

ki·ne·to·plast [kiní:təplæ̀st, -nét-, kai-] *n.* 〖생물〗 동원핵(動原核) 《기생충의 편모충에 있는 작은 기관(器官)》. ㊞ **ki·nè·to·plás·tic** *a.*

Ki·ne·to·scope [kiní:təskòup, -nét-, kai-] *n.* (혼자서 구멍으로 들여다보는 초기의) 활동사진 영사기 《상표명》.

kín·fòlk(s) *n. pl.* 친척, 친족, 동족.

King [kiŋ] *n.* **Martin Luther ~, Jr.** 킹 《미국의 목사·흑인 민권운동 지도자; Nobel 평화상(1964); 1929–68》.

‡**king** [kiŋ] *n.* **1** 임금, 왕, 국왕, 군주, 상감; (K–) 신, 그리스도. cf. queen. **2** 〖카드놀이〗 킹; 〖체스〗 왕장 (王將): check the ~ 킹을 외통으로 몰다. **3** 거물, 대세력가; 왕에 비길 수 있는 것; (과일·식물 등의) 최상종 《*of*》; 《미속어》 교도소장: an oil ~ 석유왕 / the ~ *of* beasts 백수의 왕 《사자》 / the ~ *of* birds 조류의 왕 《수리》 / the ~ of day 태양 / the ~ *of* forest 숲의 왕 《떡갈나무》 / the ~ *of* jungle 밀림의 왕 《호랑이》 / the ~ *of* fish 어류의 왕 《연어》 / the *King of* Waters 강 중의 왕 《아마존 강》. **4** (the (Book of) K–s) 〖성서〗 열왕기. **5** 《미구어》 킹사이즈 담배. **6** (영국의) 문장원(紋章院) 장관 《King of Arms의 준말》. ***all the ~'s horses*** 〔***men***〕 ***can't*** 〔***couldn't***〕 ***...*** 누구라도 …할 수 없다. (***as***) ***happy as a ~*** 매우 행복한; 아주 태평한〔마음 편한〕. ***King of Kings*** (the ~) 하느님, 신(Almighty God), 그리스도; (k– o– k–) 왕중의 왕, 황제 《옛날 페르시아 등 동방 여러 나라 왕의 칭호》. ***the King of Heaven*** 신, 그리스도. ***the King of Misrule*** =LORD of Misrule. ***the King of the Castle*** 《영》 ① 서로 떨어뜨리며 높은 곳으로 올라가는 왕놀이 《아이들의 놀이》. ② ((the) k– of the c–) 조직〔그룹〕 중의 최중요〔중심〕 인물.
—*vi., vt.* 왕이 되다, 왕으로 모시다, (…에) 군림하다, 통치하다; 왕자처럼 행동하다. ***~ it over*** …에게 왕과 같이 행동하다: ~ *it over* one's associates 동료들에게 왕처럼 군림하다.
㊞ **~·like** *a.* 국왕과 같은(kingly), 당당한. 「왕》.

Kíng Árthur 아서 왕 《6세기경의 전설적인 영국

kíng·bìrd *n.* 〖조류〗 딱새류 《북아메리카산》; 풍조(風鳥)의 일종.

kíng·bòlt *n.* 〖기계〗 킹볼트, 중심핀(kingpin); 〖건축〗 중심 볼트.

Kíng Chárles's héad 늘 화제로 삼는 이야기, 고정관념 《Dickens의 *David Copperfield* 중에서》.

Kìng Chárles spániel 〖동물〗 킹 찰스 스패니얼 《흑갈색의 작은 애완용 개》.

kíng cóbra 〖동물〗 킹코브라 《인도산 독사》.

kíng cráb 〖동물〗 참게(horseshoe crab).

kíng·cràft *n.* Ⓤ (왕으로서의) 치국책(治國策), 통치 수완; 왕도.

kíng·cùp *n.* 〖식물〗 미나리아재비(buttercup); 《영》 눈동이나물속(屬)의 일종.

***king·dom** [kíŋdəm] *n.* **1** 왕국, 왕토, 왕령(王領)(realm), 영역(province): The mind is the ~ of thought. 마음은 생각의 영역이다. **2** 왕정(王政). **3** 〖종교〗 신정(神政); 신국: Thy ~ come. 〖성서〗 나라가 임하옵소서 《마태복음 VI: 10》. **4** 〖생물〗 …계(界); (학문·예술 등의) 세계, 분야

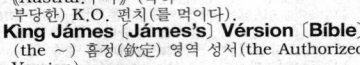

(分野)(realm): the animal 〔plant *or* vegetable, mineral〕 ~ 동물〔식물, 광물〕계. ***come into*** one***'s*** ~ 권력〔세력〕을 잡다. ***the*** ~ ***of Heaven*** 천국. [파] ~**·less** *a.*

kíngdom cóme 《구어》 내세(來世), 천국; 의식 불명, 죽음; 한없이 먼 곳; 아득한 먼 미래: go to ~ 죽다. ***blow*** 〔***send***〕 a person ***to*** ~ (폭탄 등으로) 죽이다. ***until*** ~ 《구어》 이 세상 다할 때까지, 언제까지나. 「《옛날의 호칭》.

Kíng-Émperor *n.* 〖역사〗 영국 왕 겸 인도 황제

kíng fèrn 〖식물〗 고비(royal fern).

kíng·fish *n.* **1** 북아메리카산의 큰〔맛이 좋은〕 물고기《총칭》. **2** 《구어》 거물, 거두.

kingfisher

kíng·fìsher *n.* 〖조류〗 물총새.

kíng-hìt *n., vt.* 《Austral.구어》 (특히 부당한) K.O. 펀치(를 먹이다).

Kìng Jámes 〔**Jámes's**〕 **Vérsion** 〔**Bíble**〕 (the ~) 흠정(欽定) 영역 성서(the Authorized Version).

King Kong [kíŋkɔ̀:ŋ, -kɑ́ŋ/-kɔ̃ŋ] **1** 킹콩《영화 따위에 등장하는 거대한 고릴라》; 거한(巨漢). **2** (k- k-) 《속어》 독한 싸구려 술.

Kíng Kóng pìll 《속어》 진정제(sedative); 바르비탈계(系) 약제(barbiturate).

Kíng Léar 리어 왕《Shakespeare 작 4 대 비극의 하나; 또, 그 주인공》.

kíng·less *a.* 국왕이 없는; 무정부 상태의.

king·let [kíŋlit] *n.* **1** 《종종 경멸》 소왕(小王), 작은 나라의 왕. **2** 〖조류〗 상모솔새.

king·ling [kíŋliŋ] *n.* 소국의 왕.

Kíng Lóg 이름뿐인 왕《이솝 이야기에서》.

°**kíng·ly** (***-li·er; -li·est***) *a.* 왕의, 왕자의; 왕다운; 왕자에 어울리는; 당당한, 위엄 있는; 왕정의. [파] **-li·ness** *n.*

kíng·màker *n.* **1** 국왕 옹립자; (K-) 〖영국사〗 Warwick 백(작) 《Henry 6세 및 Edward 4 세를 내세운 실력자》. **2** (정치상 후보자를 지명하는) 정계 실력자.

kíng of árms (종종 K- o- A-) 영국의 문장원(紋章院) 장관. 「으로 큼》.

kíng pènguin 〖조류〗 킹펭귄《황제펭귄 다음

kíng·pìn *n.* **1** 〖볼링〗 중앙의 핀《5번 핀 또는 headpin》; 〖기계〗 중심 핀(kingbolt). **2** 《구어》 (기업 · 범죄 등의) 두령; 주요〔중추〕 인물. **3** 《구어》 (이론 · 주장 등의) 중요 요소. **—** *a.* 《구어》 가장 중요한, 제일가는. 「queen post.

kíng pòst 〔**pìece**〕 〖건축〗 왕대공, 쪼구미. [cf]

Kíng's ádvocate 국왕 고문 변호사.

Kíng's Bénch (**Divìsion**) (the ~) 《영》 (고등법원(High Court)의) 왕좌부(王座部); 《본디》 왕좌 재판소.

Kíng's Bírthday (the ~) 《영》 국왕 탄생일.

Kíng's Cóunsel 《영》 칙선(勅選) 변호사《생략: K.C.; 여왕일 때는 Queen's Counsel》.

Kíng's Énglish (the ~) 순정〔표준〕 영어《교양인이 쓴다는 남부 잉글랜드의 표준 영어; 여왕 치세 때는 Queen's English》.

Kíng's èvidence 《영》 공범자에 대한 공소의 증인. [cf] state's evidence. ***turn*** ~ 공범자에게 불리한 증언을 하다.

kíng's évil (the ~) 연주창(scrofula) 《왕의 손이 닿으면 낫는다고 믿어진 데서》.

kíng's híghway 《영》 공도(公道), 국도.

king·ship [kíŋʃip] *n.* [U] 왕의 신분; 왕위, 왕권; 왕의 존엄; 왕의 지배〔통치〕(력); 왕정.

kíng·sìde *n.* 〖체스〗 백(白) 쪽에서 보아 체스판의 오른쪽 부분.

kíng-sìze(**d**) *a.* 《구어》 **1** 특별히 긴〔큰〕, 대형의: a ~ cigarette. **2** (침대가) 특대형의《76×80인치》. [cf] queen-〔twin-〕size.

kíng snàke 〖동물〗 (미국산 무독의) 큰 뱀.

kíng's ránsom 왕이 포로가 되었을 때의 몸값; 엄청난 돈: worth a ~ 매우 가치가 큰.

Kíng's Regulátions 《영(연방)》 (군인에게 내리는) 행동 규정.

Kíng's Schólar 《영》 왕실 장학 기금의 장학생.

kíng's scóut 《영》 최우수 소년단원〔보이 스카우트〕. 「때의 칙유(勅諭).

Kíng's spéech (the ~) 《영》 의회 개회〔폐회〕

Kings·ton [kíŋstən] *n.* 킹스턴《Jamaica 의 수도; 해항(海港)》.

Kíngston upon Thámes 킹스턴어폰템스《잉글랜드 Surrey 주의 주도》.

Kíng Stòrk 폭군《이솝 이야기에서》.

kíng's wéather 《영구어》 좋은 날씨《의식(儀式) 당일의 갠 날씨를 말함》.

kíng trùss 〖건축〗 마루 대공 지붕틀.

Kíng Tút 〖브레이크댄싱〗 킹 터트《고대 이집트 벽화 중의 인물의 동작 같은 손발 놀림의 춤》.

ki·nin [káinin] *n.* [U] 〖생화학 · 약학〗 키닌《동물의 민 무늬근을 수축시키며, 식물 생장소(生長素)가 됨》.

kink [kiŋk] *n.* **1** (밧줄 · 쇠사슬 · 실 따위의) 꼬임, 비틀림; (머리털의) 곱슬곱슬함: a ~ *in* a rope 밧줄의 꼬임. **2** (목 · 등의 근육의) 경련. **3** (마음의) 비꼬임, 외고집; 괴팍, 기교(奇矯); 《구어》 변덕, 기상(奇想); 《미》 명안(名案); 《구어》 변태. **4** (기계 · 계획 등의) 결함, 불비. **—** *vi., vt.* 비꼬이(게 하)다, 비틀리(게 하)다. [파] ∠**·er** 《미속어》 서커스 출연자.

kin·ka·jou [kíŋkədʒù:] *n.* 〖동물〗 미국너구리(raccoon)류의 작은 야행성 동물.

kinko [kíŋkou] (*pl.* ***kínk·os***) *n., a.* 《속어》 변태(적 행동)(의), 이상 성욕(자)(의).

kinky [kíŋki] *a.* 비꼬인, 비틀린; 꼬이기 쉬운; 곱슬머리의; 《영구어》 마음이 빙퉁그러진, 변덕스러운, 괴상야릇한, 괴팍한, 《특히》 성적으로 도착된, (약간) 변태적인; 《미속어》 부정한, 도둑맞은. **—** *n.* 《미속어》 장물(贓物), 《특히》 도난차(車); 《영》 성적 도착자.

kínky bóot 《영》 (검은 가죽의) 여성용 긴 부츠.

kínky héad 〔**nób**〕 《경멸》 흑인.

kin·ni·kin·nic(**k**) [kìnikənik] *n.* [U] 건조시킨 잎이나 수피(樹皮)의 혼합물《담배에 섞거나 담배 대용품으로 씀》.

ki·no [kí:nou] (*pl.* **~s**) *n.* 키노《열대산 콩과 식물》; [U] 그 수지(樹脂)(= ∠ **gúm**).

-kins [kinz] ⇨ -KIN.

kín selèction 〖생물〗 혈연 선택(血緣選擇), 혈연 도태(血緣淘汰).

Kin·sey [kínzi] *n.* **Alfred Charles** ~ 킨제이《미국의 동물학자; 1948년과 1951년에 각각 남 · 여의 성(性) 행동에 관한 연구 보고(Kinsey Reports)를 발표; 1894-1956》.

kíns·fòlk *n. pl.* = KINFOLK.

Kin·sha·sa [kinʃɑ́:sə] *n.* 킨샤사《Zaire 의 수도; 구칭 Léopoldville》.

kin·ship [kínʃip] *n.* [U] **1** 친족〔혈족〕 관계, 친척임. **2** (성질 따위의) 유사, 근사.

kínship fámily 〖사회〗 친족 가족, 확대 가족(extended family).

kínship gròup 친족 집단.

kíns·man [-mən] (*pl.* ***-men*** [-mən]) *n.* **1** 혈족의 사람, 혈연자. **2** 혈족〔친척〕의 남자.

kíns·wòman (*pl.* ***-wò·men***) *n.* 혈족의 여자,

친척인 여자.

ki·osk, ki·osque [kíːɑsk/-ɔsk] *n.* **1** 벽 없는 오두막, (터키 등의) 정자. **2** (역·광장 등에 있는) 신문 매점·공중 전화실·광고탑·지하철도 입구 따위의 간이 건축물.

kiosk 2

Ki·o·wa [káiəwə, -wɑː] (*pl.* ~, ~**s**) *n.* 카이오와족(族)《북아메리카 서부의 유목 인디언; 현재 Oklahoma 주에 거주》; 카이오와어(語).

kip[1] [kip] *n.* Ⓤ 어린〔작은〕 짐승의 가죽, 킵가죽 (=**kíp·skìn**).

kip[2] 《속어》 *n.* 하숙; 여인숙; 잠자리; 《영》 잠, 수면; 《미》 야경(원). **—** (**-pp-**) *vi.* 《영》 잠자다 《*down*》. ~ **out** 옥외에서 자다.

kip[3] *n.* 키프《Laos의 화폐 단위; 기호 K》.

kip[4] *n.* 킵《중량의 단위; 1,000 파운드》.

kip[5] *n.* 《Austral.》 two-up이라는 노름에서 동전을 튀겨 올리는 나뭇조각.

Kip·ling [kípliŋ] *n.* (**Joseph**) **Rudyard** ~ 키플링《영국의 시인·소설가; 1865-1936》.

kip·per [kípər] *n.* 청어〔연어〕를 훈제해 말린 것(cf. bloater); 산란기〔산란 후〕의 연어〔송어〕의 수컷; 《속어》 사람, 녀석, 놈; 《Austral.경멸》 영국인: a saucy young ~ 건방진 젊은 놈. **—** *vt.* 훈제〔건물(乾物)〕로 하다: a ~*ed* herring 훈제 청어.

kípper tìe 《영구어》 산뜻한 색의 폭넓은 넥타이.

Kir·ghiz [kiərgíːz/kə́ːgiz] (*pl.* ~, ~·**es** [-iz]) *n.* 키르기스 사람《중앙 아시아 서부의 주민》; Ⓤ 키르기스어(語).

Ki·ri·ba·ti [kìəribɑ́ːti, kíərəbæ̀s] *n.* 키리바시 《태평양 중부의 섬으로 된 공화국; 수도 Tarawa》.

kirk [kəːrk] *n.* 《Sc.》 교회; (the K-) 스코틀랜드 장로교회(Kirk of Scotland).

kírk·man [-mən] (*pl.* **-men** [-mən]) *n.* 스코틀랜드 장로교회 신자; 성직자.

kírk sèssion (스코틀랜드 장로교회의) 최하급 장로 회의.

Kír·li·an photógraphy [kíərliən-] 키를리언 사진(술)《(생물) 피사체를 전기장(電氣場)에 놓음으로써 그 물체에서 방사하는 빛을 필름에 기록하는 방법》.

kirmess ⇨ KERMESS.

kirsch(**·was·ser**) [kíərʃ(vɑ̀ːsər)] *n.* 《G.》 Ⓤ 버찌술.

kir·tle [kə́ːrtl] 《고어》 *n.* (남자의) 짧은 상의; 여성의 가운〔스커트〕.

kish [kiʃ] *n.* 〖야금〗 키시 흑연(黑鉛).

kish·ke, -ka [kíʃkə] *n.* 《Yid.》 〖유대요리〗 순대의 일종(stuffed derma).

kis·met [kízmit, -met, kís-] *n.* Ⓤ 운명, 천명.

†**kiss** [kis] *n.* **1** 키스, 입맞춤. **2** 《시어》 (산들바람이 꽃·머리카락 등에) 가볍게 스침〔흔듦〕. **3** 가벼운 접촉; 〖당구〗 (공과 공의) 접촉, 키스. **4** 달걀흰자와 설탕을 섞어 구운 과자. **5** 《소아어》 (우유·차 등에 뜬) 거품. ***blow a*** ~ ***to*** …에게 키스를 보내다《멀리서 손시늉으로》. ***give a*** ~ ***to*** …에게 키스하다. ***the*** ~ ***of death*** 《구어》 죽음의 키스, 위험한 관계〔행위〕, 재앙의 근원. ***the*** ~ ***of life*** 《영》 (입으로 하는) 인공호흡(법); 《비유》 기사회생책(起死回生策).

— *vt.* **1** 《~+목/+목+전+명》 (…에) 키스하다, (…에) 입맞추다: ~ one's love 연인에게 키스하다 / ~ a person *on* the lips〔cheek〕 = ~ a person's lips〔cheek〕 아무의 입술〔볼〕에 키스(를) 하다. **2** 《+목+목/+목+부》 키스로 나타내다; 키스하여 …하다: ~ a person goodnight 아무에게 잘 자라고 키스하다 / She ~*ed* the baby's tear *away*. 아기에게 키스하여 울음을 멎게 했다. **3** (미풍·파도가) …에 가볍게 스치다; (당구공·자동차가 서로) 가볍게 부딪(치)다. **—** *vi.* **1** 입맞추다, 키스하다. **2** 〖당구〗 (공과 공이) 가볍게 맞닿다. ~ ***and be friends*** 키스하여 화해하다. ~ ***and tell*** 《구어》 신뢰를 저버리다, 비밀을 입 밖에 내다, 서약을 깨다. ~ ***away*** (눈물·걱정 등을) 키스해서 사라지게 하다. ~ ***good-by*** 이별의 키스를 하다《*to*》, 《구어》 (일·물건에 대한 미련 따위를) 버리다, 체념하다: ~ tradition *good-by* 전통을 버리다. ~ ***hands*** 〔***the hand***〕 (of a sovereign) (황제의) 손에 입맞추다《대신 등의 취임 예식》. ~ ***off*** (입술 연지 등을) 키스로 지우다; 《미속어》 해고하다(dismiss); 《미구어》 …을 거절〔무시〕하다; 《미속어》 피하다, 도망치다; 《미속어》 죽이다. ~ a person***'s ass*** 《속어》 아무에게 아첨하다〔알랑거리다〕. ~ one***'s hand to*** …에게 키스를 보내다. ~ ***the Bible*** 〔***the Book***〕 성경에 입맞추어 선서하다. ~ ***the canvas*** 〔***resin***〕 《미속어》 (복싱에서) 케이오〔다운〕당하다. ~ ***the dust*** ① 굴복하다, 굴욕을 당하다. ② 결투로 쓰러지다, 피살되다. ~ ***the ground*** 넙죽 엎드리다; 굴욕을 맛보다. ~ ***the porcelain god*** 《미속어》 토하다, 게우다. ~ ***the post*** (늦어서) 내쫓기다. ~ ***the rod*** 〔***cross***〕 순순히 처벌을 받다. ~ ***up to*** 《미구어》 …에게 아양떨다, 아첨하다.

KISS [kis] 《미구어》 keep it simple, stupid《언동·광고·통신문·디자인 등이 복잡해지지 않도록 하라는 경고적인 표어》.

kíss·a·ble *a.* 키스하고 싶어지는《입·입술》: a ~ mouth. ㊞ ~·**ness** *n.* **-bly** *ad.*

kíss-and-téll *a.* (회고록 따위가) 과거의 지인(知人)에 관한 비밀을 폭로하는〔들춰내는〕.

kíss áss 《비어》 아첨꾼; 아첨.

kíss-áss *a.* 《비어》 아첨하는, 빌붙는.

kíss cùrl 《영》 =SPIT CURL.

kiss·er [kísər] *n.* 키스하는 사람; 《속어》 얼굴; 입; 입술; 턱.

kíss·ing *a.*, *n.* 키스하는〔하기〕. ***as easy as*** ~ one***'s hand*** 참으로 쉽게〔간단하게〕. ***be on*** ~ ***terms with*** …와 만나면 키스할 정도로 친하다.

kíssing bùg 〖곤충〗 침노린재류의 흡혈충; 키스광(狂), 키스욕(慾).

kíssing cóusin =KISSING KIN; 《속어》 친한 사람〔벗〕; 《미속어》 (플라토닉한 관계의) 친구.

kíssing crùst (구울 때 다른 빵과 밀착되어 생긴) 빵껍질의 연한 부분.

kíssing disèase 키스병, 전염성 단핵증(單核症).

Kiss·ing·er [kísəndʒər] *n.* **Henry Alfred** ~ 키신저《미국의 정치학자·정치가; 1923- 》.

kíssing gàte 《영》 (한 사람씩밖에 지나갈 수 없는) 좁게 열리는 문.

kíssing kín 〔**kínd**〕 인사로 뺨에 키스를 나눌 정도의 먼 친척, 먼〔소원한〕 친척(kissing cousin); 《미속어》 그대로 베낀 것, 꼭 닮은 것.

kíss·ing·ly *ad.* (키스하듯이) 살짝, 가볍게, 부드럽게.

kíss-in-the-ríng *n.* Ⓤ 키스놀이《남녀가 안을 향해 둥글게 원을 그리고, 밖에 있는 술래가 원 중의 한 이성 뒤에 손수건을 떨어뜨리면, 그가 그것을 주워들고 술래를 쫓아가 자신이 있던 자리로 가기 전에 붙잡아 키스를 함》.

kíss-me-quìck *n.* **1** 야생의 팬지. **2** 앞이마에 늘어뜨리는 애교머리. **3** 뒤통수에 쓰는 챙 없는 모자《19세기 후반에 유행했음》.

kíss-òff *n.* **1** 《미속어》 해고, 파면(dismissal); 절연, 손을 끊음: give the ~ 해고하다. **2** 죽음; 〖당구〗 가벼운 접촉.

kis·sol·o·gy [kisɑ́lədʒi/-sɔ́l-] *n.* 키스학. ㊞ **-gist** *n.* 키스학 연구가.

kíssy-fàce [kísi-], **-fàcey** [-fèisi], **-póo** [-púː] *n.* 《학생속어》 키스, 포옹: ***play*** ~ (마구

잡이로〔남 앞에서〕) 키스하다; 《속어》 (…와) 사이좋게 지내다; (…에게) 아양 떨다, 알랑거리다. **—** *vt.* …에게 키스하다. **—** *a.* 키스하고 싶은.

kist[1] [kist] *n.* 《Sc.》 상자, 돈궤, 금고; 선반《구급용품을 두는》; 관(棺).

kist[2] *n.* =CIST.

KIST Korea Institute of Science and Technology (한국 과학 기술 연구원, 키스트).

Ki·swa·hi·li, ki-Swa·hi·li [kìswɑːhíːli] *n.* 스와힐리말(Swahili).

kit**[1] [kit] *n.* **1** 연장통〔주머니〕; 도구 한 벌; 다 갖춰진 여행〔운동〕 용구; (조립) 재료〔부품〕 일습; (특별한 경우의) 장구〔복장〕 일습: a first-aid ~ 구급상자 / a doctor ~ 의사 가방 / a golfing ~ 골프용품. **2** 《영방언》 나무통《버터·물·생선 등을 넣는》; 시장바구니. **3** 〖군사〗 장구; 배낭: ~ inspection (군인의) 복장 검사. **4** 《구어》 한 벌, 전부, 모두. **5** 〖컴퓨터〗 맞춤짝. ***the whole ~ (***and caboodle*** 〔***boodle, boiling***〕) 《구어》 이것저것〔너나없이〕 모두, 전부. **—** (**-tt-**) *vt., vi.* 《영》 (…에게) 장비를〔복장을〕 갖추(게 하)다《*out; up*》.

kit[2] *n.* 새끼 고양이《kitten의 간약형》.

kit[3] *n.* 작은 바이올린《옛날의 댄스 교사용》.

kít bàg 〖군사〗 배낭; 여행용 가방.

Kít-Cat (**Clùb**) [kítkæ̀t(-)] (the ~) 키트캣 클럽《1703년 런던에 설립된 Whig당원의 클럽》.

kít-cat (**pórtrait**) 두 손을 포함한 반신보다 작은 초상화《91×71cm》.

kit·chee-kit·chee-kit·chee [kítʧiːkítʧiː-kítʧiː] *n.* 간질간질간질《간질일 때의 의성음》.

†**kitch·en** [kíʧən] *n.* 부엌, 조리장, 취사장, 주방; (호텔 따위의) 조리부; 《음악속어》 타악기 부문; 《Sc.》 부식물(副食物). **—** *a.* 〖한정적〗 **1** 부엌(용)의; 주방에서 일하는《사람》. **2** 천한, 교양 없는《말 따위》; 여러가지 섞인: ~ Dutch 《S.Afr.》 영어가 섞인 아프리칸스어.

kítchen càbinet 부엌 찬장; (종종 K- C-) 《미구어》 (대통령·주지사 등의) 사설 고문단.

kítch·en·er *n.* **1** 요리인; (특히 수도원 등의) 취사원. **2** 《영》 요리용 화덕.

kitch·en·et(**te**) [kìʧənét] *n.* (아파트 따위의) 간이 부엌, 작은 부엌.

kítchen èvening 《Austral.》 (여자 친구들이) 결혼 전의 신부를 위해 부엌용품과 같은 선물을 들고 와서 하는 축하 파티(kitchen tea, 《미》 kitchen shower).

kítchen gàrden (가정용) 채마밭.

kítchen gàrdener 채소 재배 농가.

kítchen knìfe 부엌칼.

kítchen·màid *n.* (요리사 밑에서 일하는) 가정부.

kítchen mìdden 〖고고학〗 패총, 조개무지.

kítchen pàper 《영》 =PAPER TOWEL.

kítchen phýsic 《우스개》 (환자용) 자양물, 영양식.

kítchen políce 〖미군사〗 취사(반) 근무《종종 가벼운 벌로서 과해짐; 생략: KP》; 취사병.

kítchen rànge (취사용) 화덕, 레인지.

kítchen shòwer 《미》 =KITCHEN EVENING.

kítchen sínk 부엌의 개수대. ***everything*** 〔***all***〕 ***but*** 〔***except***〕 ***the*** ~ 《구어·우스개》 생각할 수 있는 것 모두, 무엇이나 다.

kítchen-sínk *a.* 《영》 (생활상의 지저분한 면을 묘사하여) 극단적으로 리얼리스틱한《그림·연극 등》.

kítchen stùff (특히 채소 등의) 요리 재료; 부엌 찌꺼기.

kítchen tèa 《Austral.》 =KITCHEN EVENING.

kítchen ùnit 싱크대·찬장·서랍·레인지를 합한 부엌 세트.

kítchen·wàre *n.* Ⓤ 부엌 세간.

Kítch·in cỳcle [kítʃin-] 〖경제〗 키친 순환《약 40개월 주기의 경기 파동》.

kite** [kait] *n.* **1** 연: draw in a ~ 연을 (끌어) 내리다. **2** 〖조류〗 솔개. **3** 사기꾼, 욕심꾸러기. **4** (*pl.*) 〖해사〗 (미풍이 불 때만 다는) 가벼운 돛. **5** 《상업속어》 융통 어음, 공어음. (as***) ***high as a*** ~ 《구어》 몹시 취하여, 고주망태가 되어. ***fly*** 〔***send up***〕 ***a*** ~ ① 연을 날리다. ② 《상업속어》 융통 어음을 발행하다; 《비유》 의향〔여론〕을 살피다(cf. trial balloon); 《미속어》 편지를 내다, 옥중으로〔에서〕 몰래 편지를 넣다〔내다〕, (돈·원조 요청의) 항공우편을 내다. ***Go fly a*** ~. 《속어》 저리 꺼져, 네 멋대로 해; 시시한 소리 하지 마라. **—** *vi., vt.* 《구어》 솔개처럼 날(리)다; 《상업속어》 융통 어음으로 돈을 마련하다, 공어음을 발행하다.

kíte ballóon 연 모양의 계류 기구《생략: K.B.》.

kíte·màrk *n.* 카이트마크《영국 규격 협회(BSI)의 증명 표시》.

ki·ten·ge [kiːtéŋge] *n.* =KHANGA.

kith [kiθ] *n.* 〖다음 용법뿐임〗 ~ ***and kin*** 친척, 지기(知己), 일가친척, 일가붙이.

KITSAT-A [kítsætéi] *n.* 한국의 인공위성 우리별 1호의 국제 호칭《1992년 발사》.

kitsch [kitʃ] *n.* 《G.》 저속한 작품〔공예품〕; (그런 작품에 보이는) 저속한 허식성. ㊞ **kítschy** *a.* 저속한, 악취미의.

kit·ten** [kítn] *n.* 새끼 고양이; (널리 작은 동물의) 새끼; 《영》 말괄량이. ***have (***a litter of***) ~***s*** =***have a*** ~ 《구어》 심히 걱정〔당황〕하다; 《미속어》 발끈하다, 몹시 흥분하다. **—** *vi., vt.* (고양이가 새끼를) 낳다; 재롱부리다, 아양 떨다. ㊞ ~**·ish** *a.* 새끼 고양이 같은; 말괄량이의; 아양을 부리는. ~**·like** *a.*

kítten hèels 키튼 힐《여성의 굽이 낮고 뾰족한 구두》.

kit·ti·wake [kítiwèik] *n.* 갈매기의 일종.

kit·tle [kítl] 《Sc.》 *a.* 간지러워하는; 다루기 힘든, 믿을 수 없는, 변덕스러운.

kíttle càttle 《미에서는 방언》 변덕스러워서 다루기 힘든 사람들〔것〕; 《미속어》 믿을 수 없는 놈〔녀석들〕.

Kítt Péak [kít-] 키트 피크《미국 Arizona주 남부의 산; 세계 최대급 천문대가 있음》.

Kit·ty [kíti] *n.* 키티《여자 이름; Katherine의 애칭》.

kit·ty[1] *n.* 새끼 고양이(kitten); 《소아어》 야옹, 고양이.

kit·ty[2] *n.* 〖카드놀이〗 (딴 돈에서 자릿값·팁 등으로 떼어놓는) 적금(통); 건 돈 전부(pool²); 〖일반적〗 공동 출자금〔적립금〕.

kítty-còrner(**ed**) *a., ad.* = CATERCORNER.

Kítty lìtter 《미》 cat litter의 상표명.

ki·va [kíːvə] *n.* 키바《Pueblo 인디언의 (반(半)) 지하 예배장》.

Ki·wa·ni·an [kiwɑ́ːniən] *n.* Kiwanis의 회원.

Ki·wa·nis [kiwɑ́ːnis] *n.* 키와니스 클럽《미국·캐나다의 실업가 사교 단체》.

ki·wi [kíːwiː] *n.* **1** 〖조류〗 키위, 무익조(無翼鳥) (apteryx). **2** 《구어》 (항공 관계의) 지상 근무원; (K-) 《구어》 뉴질랜드 사람. **3** =KIWI FRUIT.

kiwi 1, 3

kíwi frùit 〔**bèrry**〕 〖식물〗 양다래, 키위(프루트) 《뉴질랜드산 과일; 중국 원산》.

kj., kJ kilojoule(s). **KJV, K.J.V.** King

James Version. **K.K.K., KKK** Ku Klux Klan. **KKt** 〚체스〛 king's knight. **KKtP** 〚체스〛 king's knight's pawn. **kl.** kiloliter(s).

Klan [klæn] *n.* =Ku KLUX KLAN; 그 지방 지부.

Kláns·man [klǽnzmən] (*pl.* **-men** [-mən]) *n.* Ku Klux Klan 단원.

klatch, klatsch [klɑːtʃ, klætʃ] *n.* 《구어》 잡담회, 간담회. ⓒⓕ coffee klat(s)ch.

klax·on [klǽksən] *n.* 전기 경적(警笛), 클랙슨; (K-) 그 상표 이름.

kleb·si·el·la [klèbziélə, klèpsi-] *n.* 〚세균〛 클렙시엘라균, 협막간균(莢膜桿菌).

Kleen·ex [klíːneks] *n.* 클리넥스《tissue paper의 일종; 상표명》.

Klein [klain] *n.* **Calvin** (**Richard**) ~ 클라인《미국의 의상 디자이너; 1942- 》.

Kléin bòttle 〚수학〛 클라인 항아리《Felix *Klein* (1849-1925)은 독일의 수학자》.

Klein·i·an [kláiniən] *a.*, *n.* 〚정신분석〛 클라인 학파의(지지자)《Melanie *Klein*(1882-1960)은 독일의 여류 아동 정신분석학자》.

Klem·pe·rer [klémpərər] *n.* **Otto** ~ 클렘페러《독일의 지휘자 · 작곡가; 1885-1973》.

klepht [kleft] *n.* (그리스의) 산적, 게릴라.

klep·to [kléptou] (*pl.* **~s**) *n.* 《미속어》 절도광(狂)(kleptomania).

klep·toc·ra·cy [kleptɑ́krəsi/-tɔ́k-] *n.* 도둑 정치.

klèpto·mánia *n.* Ⓤ (병적인) 도벽, 절도광. ㊞ **-ni·ac** [klèptəméiniæ̀k] *n.*, *a.* 병적 절도자(의), 도벽이 있는.

klick, klik [klik] *n.* 《미군대속어》 =KILOMETER.

Klíeg lìght [klíːg-] 클리그 등《영화 촬영용 아크등》.

Klíne·fel·ter's sỳndrome [kláinfeltərz-] 〚의학〛 클라인펠터 증후군《남성의 성염색체 이상으로 인한 선천성 질환; 왜소 고환(睾丸) · 불임(不姙) 등을 수반함》.

Klíne tèst 〔**reàction**〕 [kláin-] 〚의학〛 클라인 시험《매독 혈청의 침강 반응》.

klip·spring·er [klípsprìŋər] *n.* 〚동물〛 클립스프링어《남아프리카산의 작은 영양(羚羊)》.

klis·ter [klístər] *n.* Ⓤ 스키용의 연한 왁스.

KLM *Koninklijke Luchtvaart Maatschappij* 《D.》 (=Royal Dutch Airline).

Klon·dike [klɑ́ndaik/klɔ́n-] *n.* (the ~) 클론다이크《캐나다 Yukon강 유역; 골드러시(1897-98)의 중심적 금산지》.

klong [klɔːŋ, klɑŋ/klɔŋ] *n.* (타이의) 운하.

kloof [kluːf] *n.* 《D.》 (남아프리카의) 협곡.

klop [klɑp] *n.* 《속어》〔다음 용법으로만〕 강타. ***a ~ in the chops*** 《속어》 안면 펀치; 격렬한 공격.

klu(d)ge [kluːdʒ] *n.* 〚컴퓨터〛 클러지《조화롭지 못한 구성 요소로 된 (컴퓨터) 장치》.

kludg(e)y [klúːdʒi] *a.* 너저분한; 설계가 좋지 않은, 사용하기 불편한.

klunk [klʌŋk] *int.* 쿵!, 탕!《머리 따위를 부딪쳤을 때》. [imit.]

klutz [klʌts] *n.* 《미속어》 손재주 없는 사람, 얼간이. ㊞ **klútzy** *a.* **klútz·i·ness** *n.*

klux [klʌks] *vt.* (종종 K-) 《미구어》 때리다, 치다, 린치를 가하다.

klys·tron [klístrɑn, kláis-/-trɔn] *n.* 〚전자〛 클라이스트론《속도 변조관(管)》. [◂ *Klystron* 《상표명》]

km kilometer(s). **km.** kingdom. **KMA** Korean Military Academy (한국 육군 사관 학교). **KMAG** [kéimæg] Korea Military Advisory Group (주한 미군사 고문단).

Ḱ mart K마트《미국의 할인 연쇄점》.

Ḱ-méson *n.* 〚물리〛 K입자(粒子), K중간자 (kaon). ㊞ **Ḱ-mésic** *a.*

kmph kilometers per hour. **KMPS, kmps, km / sec** kilometer per second. **KMT** Kuomintang. **kn.** krona; krone; kronen.

ᐤ**knack** [næk] *n.* **1** 숙련된 기술; 교묘한 솜씨〔기교〕; 좋은 생각; 호흡, 요령《*of; for; in making ...*》; 교묘한 응답: the ~ *of* teaching mathematics 수학을 가르치는 요령/acquire 〔catch, get, get into, learn〕 the ~ *of* …의 요령을 익히다/There's a ~ *in doing* it. 그것을 행하는 데는 요령이 있다. **2** 버릇; 특성, 성향(性向): He has ~ *of* biting his nails. 그에게는 손톱을 깨무는 버릇이 있다.

knáck·er *n.* 《영》 폐마(廢馬) 도살업자; 폐옥(廢屋)〔폐선(廢船)〕 매입 해체업자. ㊞ **~y** [-əri] *n.* 《영》 폐마 도살장.

knáck·ered *a.* 《영속어》 기진맥진한.

knácker's yàrd 《영》 =KNACKERY.

knack·wurst, knock- [nɑ́ːkwəːrst/nɔ́k-] *n.* frankfurter 보다 짧고 굵은 매콤한 소시지.

knacky [nǽki] *a.* 요령 있는, 숙련된; 교묘한.

knag [næg] *n.* 나무 마디, 옹두리. ㊞ **∠·ged, ∠·gy** [-id], [-i] *a.* 마디가 많은; 울퉁불퉁한.

knap[1] [næp] (*-pp-*) *vt.*, *vi.* **1** 쾅쾅〔쿵쿵〕 두드리다: ~ one's knuckles against the wall 벽을 주먹으로 쾅쾅 두드리다. **2** 뚝 부러뜨리다〔부러지다〕; (돌 따위를) 모나게〔날이 서게〕 쪼개다; 조금씩 깎아내다〔깎아 다듬다〕. **—** *n.* 가볍게 두드리는 소리, 노크(소리). ㊞ **∠·per** *n.* ~하는 사람; 파쇄기(破碎機); 돌 깨는 망치.

knap[2] *n.* 《방언》 언덕 꼭대기; 언덕, 작은 야산.

ᐤ**knáp·sàck** *n.* (여행자 등의) 냅색, 배낭, 바랑.

knáp·wèed *n.* 〚식물〛 수레국화속(屬)의 일종.

knar [nɑːr] *n.* (나무줄기의) 마디, 옹두리. ㊞ **∠·ry, ~red** *a.* 마디〔옹이〕투성이의, 울퉁불퉁한 (knotty).

knaur [nɔːr] *n.* =KNAR.

ᐤ**knave** [neiv] *n.* **1** 악한, 무뢰한, 악당. **2** 〚카드놀이〛 잭(jack). **3** 《고어》 사내아이; 하인; 신분이 낮은 남자.

knav·ery [néivəri] *n.* Ⓤ 속임수; Ⓒ 무뢰한〔파렴치한〕의 짓; 부정 행위; 악행.

knav·ish [néiviʃ] *a.* 악한의, 악한 같은, 무뢰한의; 부정한. ㊞ **~·ly** *ad.* **~·ness** *n.*

ᐤ**knead** [niːd] *vt.* **1** (가루 · 흙 따위를) 반죽하다; 개다; 주무르다, (근육을) 안마하다: ~*ed* rubber 연(軟)고무/~ clay 점토를 개다〔반죽하다〕. **2** (빵 · 도자기 등을) 빚어 만들다; 혼합하다. **3** (인격을) 닦다, 도야하다. ㊞ **∠·a·ble** *a.* **∠·er** *n.* 반죽하는 기계.

knéading tròugh (나무로 된) 반죽통.

****knee** [niː] *n.* **1** 무릎, 무릎 관절; (의복의) 무릎 부분: up to the ~*s* in water 무릎까지 물에 잠기어. **2** (특히 말 · 개 따위의) 완골(腕骨); (새의) 경골(脛骨), 정강이뼈. **3** 무릎 모양의 것; 곡재(曲材); 완목(腕木); 〚건축〛 무릎같이 굽은 재목; (그래프의) 심한 굴곡부(部). ***at*** one***'s mother's ~*** 어머니 슬하에서, 어린 시절에. ***bend*** 〔***bow***〕 ***the ~ to*** 〔***before***〕 …에 무릎을 꿇고 탄원하다; …에 굴복하다. ***bring*** 〔***beat***〕 a person ***to*** his ***~s*** 아무를 굴복시키다. ***draw up the ~s*** 무릎을 세우다. ***drop the ~*** =***fall*** 〔***go*** (***down***)〕 ***on*** 〔***to***〕 one***'s ~s*** 무릎을 꿇다; 무릎 꿇고 탄원하다. ***get ~ to ~ with*** …와 무릎을 맞대고 의논하다. ***give*** 〔***offer***〕 ***a ~ to*** (권투 경기 따위에서) …을 부축하여 돕다, …곁에서 시중들다. ***gone at the ~s*** 《구어》 (말 · 사람이) 늙어빠져서; (바지가) 무릎이 구겨져〔해어져〕. ***~ to ~*** 꼭 붙여서 (~ by ~); 무릎을 맞대고. ***on bended ~***(***s***) 무릎(을) 꿇고. ***on*** one***'s ~s*** ① 무릎 꿇고, 저자세

로. ② 지쳐 빠져서. ***over in the ~s*** (말의) 무릎이 앞으로 구부러져서. ***put*** a person ***across*** one***'s*** ~ (어린애 등을) 무릎에 뉘어 놓고 (볼기를) 때리다. ***rise on the ~s*** 무릎으로 서다. ***sit ~ to ~*** 무릎을 맞대고 앉다. one***'s ~s knock*** (***together***) (무서워서) 무릎이 덜덜 떨리다.
— (*~d*) *vt.* **1** …을 무릎으로 건드리다〔차다〕. **2** 곡재(曲材)로 접합하다, …에 곡재를 대다. **3** 《구어》 (바지의) 무릎을 불룩하게 부풀리다. — *vi.* 굽히다《*over*》; 《폐어》 무릎 꿇다.

knée àction 전륜 상하동(前輪上下動) 장치《자동차 앞바퀴의 좌우가 따로따로 아래위로 움직이게 하는 장치》.

knée·bòard *n.* 니보드《무릎 위에 걸쳐 테이블로 쓰는 판》.

knée brèeches 짧은 바지.

knée·càp *n.* 〖해부〗 슬개골(patella), 종지뼈; 무릎받이《무릎 보호용》. — *vt.* (테러범 등이) …의 무릎을 쏘다.

knée·càpping *n.* (총 · 전기 드릴로) 슬개골에 구멍을 내는 처벌법; 무릎 쏘기《테러범 등의》.

knée-déep *a.* **1** 무릎 깊이의, 무릎까지 빠지는: stand ~ in water 무릎 깊이의 물에 서다. **2** (또한 **knée déep**) (곤란 등에) 깊이 빠져; (…로) 분주한《*in*》: ~ *in* trouble 〔《속어》 shit〕 분규에 휘말리어.

knée-hígh *a.* 무릎 높이의. ~ ***to a grasshopper*** 〔***duck, frog, mosquito***〕 《구어》 (사람이) 꼬마인, 아주 작은.

knée·hòle *n.* (책상 밑 따위의) 두 무릎을 넣는 빈 자리.

knéehole dèsk 양소매책상.

knée jèrk 〖의학〗 무릎〔슬개〕 반사(patellar reflex).

knée-jèrk *a., n.* 《구어》 자동적인〔예상대로의〕 (반응); 자동적으로〔예상대로〕 반응하는 (사람).

knée jòint 〖해부〗 무릎마디; 〖기계〗 토글 장치(toggle joint).

*****kneel** [ni:l] (*p., pp.* ***knelt*** [nelt] ***kneeled*** [ni:ld]) *vi.* 《~/+㊀》 무릎을 꿇다, 무릎을 구부리다: ~ (*down*) in prayer 무릎을 꿇고 기도하다. ~ ***down*** 무릎 꿇다; 굴복하다《*to; before*》. ~ ***to*** …앞에 무릎 꿇다〔굽히다〕; …을 간원하다. ~ ***up*** 무릎을 짚고 일어서다. ㊔ **∠·er** *n.* 무릎 꿇는 사람; 무릎 밑에 까는 방석(hassock); 〖건축〗 널러, 박공 밑돌.

knée-lèngth *a.* (옷 · 부츠 등이) 무릎까지 오는. — *n.* 무릎까지의 길이(의 옷).

knee·let [ní:lit] *n.* 무릎받이《보호용》.

knéeling bùs 닐링 버스《승강문을 낮게 할 수 있는 노인 · 신체장애자용 버스》.

knée·pàd *n.* (옷의) 무릎에 덧대는 것.

knée·pàn *n.* 〖해부〗 슬개골(kneecap).

knée·pìece *n. pl.* 갑옷의 무릎받이.

knée·ròom *n.* (자동차 · 비행기 등 좌석의) 무릎 공간.

knée-slàpper *n.* 《미》 (무릎을 탁 칠 만큼) 기막힌 농담.

knées-ùp *n.* 《영》 활기 넘치는 댄스파티.

knée swèll 〔**stòp**〕 〖악기〗 (풍금의) 증음기(增音器)《무릎으로 옆으로 젖힘》.

knee·sy, -sie [ní:zi] *n.* 《구어》 (남녀가 테이블 밑으로) 무릎을 맞대거나 하며 새롱거림(㊌ footsie): play *kneesies*.

knée·tòp *n.* 〖컴퓨터〗 =LAPTOP.

knée-trèmbler *n.* 《미속어》 선 자세의 성교.

knée·tùrn *n.* 〖브레이크댄싱〗 kneepads를 깔고 무릎으로 빙 도는 춤.

*****knell** [nel] *n.* **1** 종소리; 《특히》 조종(弔鐘). **2** 불길한 징조, 흉조《*of*》. ***sound*** 〔***toll, ring***〕 ***the ~ of*** …의 조종을 울리다; …의 소멸을〔종말을〕 알리다. — *vt.* 조종을 울리다; (흉한 일을) 알리다. — *vi.* (조종이) 울리다; 불길하게 들리다.

knelt [nelt] KNEEL의 과거 · 과거분사.

Knes·set, -seth [knéset] *n.* 이스라엘 국회.

knew [nju:/nju:] KNOW의 과거.

Knick·er·bock·er [níkərbɑ̀kər/-bɔ̀k-] *n.* **1** New Amsterdam (지금의 뉴욕)에 처음으로 이민 온 네덜란드인의 자손; 뉴욕 사람. **2** (k-) (*pl.*) 〖복식〗 니커보커스(knickers)《무릎 아래에서 졸라매는 낙낙한 짧은 바지》.

knickerbockers 2

knick·ers [níkərz] *n. pl.* 《구어》 =KNICKERBOCKERS; 니커보커형의 여성용 블루머. ***get*** 〔***have***〕 one***'s ~ in a twist*** 《영속어》 당혹하다, 애태우다, 성내다. — *int.* 《영속어》 제기랄, 바보같이《경멸 · 초조 등을 나타냄》.

kníckers bàndit 《미속어》 속옷 도둑.

knick·knack, nick·nack [níknæ̀k] *n.* 장식적인 작은 물건; 자질구레한 장신구, 패물, 장식용 골동품. ㊔ **~·ery** [-əri] *n.* 〔집합적〕 작은 장식품류. **~·ish** *a.*

knick·point [níkpɔ̀int] *n.* 〖지학〗 천이점(遷移點)《하상(河床)의 구배(勾配)가 급격하게 변하는 지점》.

†**knife** [naif] (*pl.* ***knives*** [naivz]) *n.* **1** 나이프, 찬칼; 식칼(kitchen ~). **2 a** 수술용 칼, 메스. **b** (the ~) 외과 수술: have a horror of *the* ~ 수술을 무서워하다. **3** 〖기계〗 (도구 · 기계 등의) 날: the *knives* of a band saw 띠톱의 날. **4** 《시어》 검(sword), 단도(dagger).
a ~ and fork ① 식탁용 나이프와 포크; 식사(meal): play *a* good 〔capital〕 ~ *and fork* 배불리 먹다. ② 《영》 먹는 사람. ***before one can*** 〔***could***〕 ***say ~ =while*** one ***would say ~*** 《구어》 순식간에; 돌연. ***be*** 〔***go***〕 ***under the ~*** 《구어》 수술을 받(고 있)다. ***cut like a ~*** (바람 따위가) 살을 에는 듯이 차다. ***get*** 〔***have***〕 one***'s ~ into*** 〔***in***〕 (아무)에 대해서 원한을 보이다〔적의를 품다〕; …에게 욕을 퍼붓다. ***have the ~ out for*** …을 노리다, …을 비난 · 공격의 목표로 삼다. ***~ in the teeth*** 적의. ***like a*** (***hot***) ***~ through butter*** 《영속어》 재빨리, 아주 간단하게. ***the night of the long knives*** 책략을 꾸미는 때. ***war to the ~*** 혈전, 사투. ***you could cut it*** 〔***the air, the atmosphere***〕 ***with a ~*** 매우 험악한 분위기이다.
— (*~d*) *vt.* **1** 나이프로 베다; 단도로 찌르다〔찔러 죽이다〕. **2** 배신하려 하다; 비겁한 수단으로 해치려고 하다. — *vi.* 《+㊀/+㊉+㊔》 (칼로 베듯이) 헤치고 나아가다: A hot sun ~*d down through* the haze. 따가운 햇빛이 안개를 뚫고 비쳤다.
㊔ **∠·lìke** *a.*

knífe·bòard *n.* **1** 나이프 가는 대. **2** 《영》 (구식 합승 마차 · 이층 버스의) 등을 맞대고 앉는 좌석.

knífe-bòy *n.* 〖영국사〗 (식탁의) 나이프 닦는 일 따위를 하도록 고용된 소년.

knífe-èdge *n.* **1** 나이프의 날; 예리한 것. **2** 〖기계〗 나이프 에지《저울 받침점이 되는 쐐기 모양의 날》. **3** 〖등산〗 칼날 같은 능선. **4** (국면을 일변시킬) 갈림길, 고비. ***on a ~*** 몹시 불안한 기분으로; 미묘하게〔아슬아슬한 고비에서〕 균형을 잡고.

knífe-èdged *a.* 칼 같은 날이 있는; 칼날같이 날카로운《능선 · 접힌 곳 · 기지(機智) 따위》.

knífe grìnder 칼 가는 사람〔기구〕.

knífe machìne 칼 가는 기계.

knífe plèat 스커트의 잔 주름.

knífe-pòint *n.* 나이프의 끝. ***at ~*** 나이프로 위협받아〔를 들이대고〕.

knífe rèst (식탁용의) 칼 놓는 대.

knífe switch 나이프 스위치《칼날형 개폐기》.

*__knight__ [nait] *n.* **1** (중세의) 기사, 무사《양가의 자제로서 국왕 · 제후를 섬기고 무용 · 의협을 중히 여기며 여성을 경애했음》. **2** (근세 영국의) 나이트작(爵), 훈작사(勳爵士)《Sir 칭호가 허용되며, baronet(준남작)의 아래에 자리하는 당대에 한한 작위》. **3** 용사, 의협심 있는 사람; 《특히》 여성에게 헌신적인 사람. **4** (도구 · 장소 등을 수반하여, 별명으로서) …에 관계하는 사람: a ~ of the air 〔blade, brush, cue, needle 〔thimble〕, pen 〔quill〕, pestle, whip〕 《우스개》 비행가〔무뢰한, 화가, 당구가, 재봉사, 문필가, 약제사, 마부〕. **5** 〖고대로마〗 기병대원, 기사; 〖고대그리스〗 아테네의 제2계급 시민. **6** 〖영국사〗 주(州) 출신 국회의원(knight of the shire). **7** 〖체스〗 나이트. ***the Knight of the Rueful Countenance*** 우수(憂愁)의 기사《Don Quixote》. ***the Knights of Columbus*** 미국 가톨릭 자선회《1822년에 창립됨》. ***the Knights of Pythias*** 피티아스 자선회《1864년 미국에서 창립된 비밀결사》. ***the Knights of the Round Table*** 원탁(圓卓)기사단.
— *vt.* …에게 나이트 작위를 수여하다. ⓒⓕ dub¹.
㊕ **∠·age** [-idʒ] *n.* **1** 〖집합적〗 기사단; 훈작사단. **2** 훈작사 명부. **∠·like** *a.*

kníght báchelor (*pl.* ***kníghts báchelor(s)***) 《영》 최하급의 훈작사(勳爵士).

kníght bánneret (*pl.* ***kníghts bánneret(s)***) (옛날의) 배너렛 기사〔작위〕《baron의 아래, 다른 knight 보다는 위》.

kníght commánder (*pl.* ***kníghts commánders***) 《영》 중급 훈작사《생략: K.C.》.

kníght-compánion (*pl.* ***kníghts-compánions, ~s***) *n.* 기사단(騎士團) 소속 기사.

kníght-érrant (*pl.* ***kníghts-***) *n.* (중세의) 무술 수련자; 협객(俠客); 돈키호테 같은 인물.

kníght-érrantry *n.* Ⓤ 무술 수련; 의협〔돈키호테〕적 행위; 무술 수련자.

kníght gránd cróss (*pl.* ***kníghts gránd cróss***) 《영》 (Bath 훈위의) 최상급 훈작사.

knight·hood [náithùd] *n.* Ⓤ 기사〔무사〕의 신분; 기사도; 기사 기질; 나이트 작위, 훈작사(勳爵士)임; (the ~) 〖집합적〗 기사단, 훈작사단.

Kníght Hóspitaler 〖역사〗 호스피털 기사단 (the Knights Hospitalers)원.

kníght·ly *a.* **1** 기사의; 기사다운; 의협적인. **2** 훈작사의. — *ad.* 《고어》 기사답게; 의협적으로. ㊕ **-li·ness** *n.* 기사다움; 기사적〔의협적〕 행위.

kníght of the róad 《영구어 · 우스개》 트럭 운전사; 노상강도; 행상인, 세일즈맨; 방랑〔부랑〕자.

Kníghts·brìdge *n.* 나이츠브리지《런던의 Hyde Park 남쪽의 지역; 고가품 상점이 많음》.

Kníghts Hóspitalers (the ~) 호스피털 기사단《11세기경 순례자 보호를 위해 예루살렘에 생긴 종교적 · 군사적 결사; 본부가 14세기에는 Rhodes섬에, 16세기에는 Malta섬에 옮겼으므로 the Knights of Rhodes, the Knights of Malta라고도 불림》.

Kníghts of Málta (the ~) 몰타 기사단(⇨ KNIGHTS HOSPITALERS).

Kníghts of Rhódes (the ~) 로즈 기사단(⇨ KNIGHTS HOSPITALERS).

kníght('s) sèrvice 기사의 봉직(奉職); 충실「한 근무.

Kníghts Témplars (the ~) **1** 〖역사〗 템플기 사단《성지 예루살렘의 보호를 위한 조직 (1118–1312)》. **2** 《미》 Freemason 비밀결사 《템플 기사단의 후계자로 자칭》.

knish [kniʃ] *n.* 〖유대요리〗 크니시《감자 · 쇠고기 등을 밀가루 반죽피로 싸서 튀기거나 구운 것》.

__knit__ [nit] (*p., pp.* **~, ∠·ted [nítid]; **∠·ting**) *vt.* **1** 《~+목/+목+전+명/+목+목》 뜨다, 짜다: ~ gloves 장갑을 짜다 / ~ a sweater *out of* wool = ~ wool *into* a sweater 털실로 스웨터를 짜다 / My mother *~ted* me a sweater. 어머니는 내게 스웨터를 짜 주셨다. **2** 《~+목/+목+부》 밀착시키다, 접합하다(join); 짜맞추다: ~ bricks *together* 벽돌을 접착시키다 / Only time will ~ broken bones. 시간이 지나야 부러진 뼈가 접합된다. **3** 《~+목/+목+부》 (애정 · 서로의 이익 따위로) 굳게 결합시키다(unite): The two families were *~ted together* by marriage. 양가는 혼인으로 결합되었다. **4** (눈살 · 이맛살을) 찌푸리다; (근육 따위를) 긴장시키다: ~ one's brows 눈살을 찌푸리다. **5** …을 짜내다, 만들어 내다: ~ a new plan 새 계획을 짜내다. **6** 〖보통 과거분사꼴로 복합어를 만들어〗 (이론 등이) 빈틈없는, 잘 짜여진: a closely-*knit* argument 빈틈없는 정연한 이론 / a well-*knit* frame 〔plot〕 균형 잡힌 체격〔잘 정리된 구상〕.
— *vi.* **1** 뜨개질을 하다. **2** 《~/+부》 밀착〔접합, 결합〕하다: The broken bone should ~ (*together*) in a couple of weeks. 부러진 뼈는 2-3주면 아물 겁니다. **3** (눈살 · 이맛살 따위가) 찌푸려지다: Her brows ~ in thought. 그녀는 골똘히 생각할 때 눈썹이 찌푸려진다. **~ *in*** 짜넣다; 섞어 짜다. **~ *up*** 《*vt.*+부》 ① (…을) 짜다, 짜깁다. ② (토론 따위를) 종결하다. ③ …을 결합하다, 종합하다. — 《*vi.*+부》 ④ (털실이) 잘 짜지다: This wool *~s up* well. 이 모사는 잘 짜진다.
㊕ **∠·ted** [-tid] *a.* 짠, 뜬, 편물(編物)의; 메리야스의: a *~ted* article 니트 제품 / *~ted* work 편물. **∠·ter** *n.* **1** 뜨개질하는 사람, 메리야스공. **2** 편물 기계, 메리야스 기계.

knít fàbric 〖복식〗 니트 패브릭《재단 가능한 직물로서의 니트 소재》.

knit·ting [nítiŋ] *n.* Ⓤ **1** 뜨개질; 뜨개질 세공; 편물; 메리야스. **2** 접합, 밀착, 결합. ***stick*** 〔***tend***〕 ***to*** one***'s*** **~** =***mind*** one***'s*** **~** 자기 일에 전념하다, 남의 일에 간섭〔개입〕하지 않다.

knítting machìne 편물 기계, 메리야스기(機).

knítting nèedle 뜨개바늘.

knít·wèar *n.* Ⓤ 뜨개질한 옷, 뜨개것.

knives [naivz] KNIFE의 복수.

°**knob** [nɑb/nɔb] *n.* **1** 혹, 마디; 원형의 덩이. **2** (문 · 서랍 따위의) 손잡이, 쥐는 곳; (깃대 따위의) 둥근 장식. **3** (석탄 · 설탕 따위의) 작은 덩어리《*of*》. **4** 《속어》 머리; 작고 둥근 언덕; (*pl.*) 구릉 지대; 《비어》 음경, 귀두. (***And***) ***the same to you with*** (***brass***) **~*s on*** 《영구어》 자네야말로 (더욱이나)《빈정대는 말대꾸》. ***with*** (***brass***) **~*s on*** 《영속어》 게다가, 그뿐만 아니라《비꼬는 투의 뜻으로》; 두드러지게, 특별히. — (**-bb-**) *vt.* …에 ~을 붙이다. — *vi.* 혹이 생기다《*out*》.
㊕ **knóbbed** *a.* ~이 있는. 「애벌 다듬질.

knob·bing [nábiŋ/nɔ́b-] *n.* (석재(石材)의)

knob·ble [nábəl/nɔ́bəl] *n.* 작은 마디, 작은 혹.

knob·b(l)y [náb(l)i/nɔ́b(l)i] *a.* 마디가 많은, 혹이 많은; 혹같이 둥글게 된. ㊕ **-bi·ly** *ad.* **-bi·ness** *n.* Ⓤ 마디가〔혹이〕 많음.

knob·ker·rie, -kie·rie [nábkèri/nɔ́b-], [-kìri] *n.* 남아프리카 Kaffir족의 무기로 끝에 혹이 붙은 곤봉.

knób·stìck *n.* **1** 끝에 혹이 붙은 곤봉〔지팡이〕. **2** =KNOBKERRIE. **3** 《영고어》 파업 방해〔파괴〕자 (blackleg, scab).

†**knock** [nɑk/nɔk] *vi.* **1** 《~/+전+명》 치다, 두드리다《*at; on*》: ~ *at* 〔*on*〕 the door 문을 두드리다, 노크하다《방문의 신호; at은 행위의 대상을, on은 두드리는 장소를 강조함; 《미》에서는 보통 on》. **2** 《+전+명》 부딪치다, 충돌하다 (bump) 《*against; into*》; 우연히 만나다《*into*》:

~ *into* a table 테이블에 부딪치다 / I ~*ed into* him on the street. 거리에서 그와 우연히 만났다. **3** (내연 기관이) 노킹을 일으키다《기화 불량으로》. **4** 《구어》 험담하다, 흠〔트집〕잡다; 《구어》 이야기〔토론〕하다. **5** 〖카드놀이〗 (gin rummy 따위에서) 손의 패를 보이고 끝내다. **— *vt.*** **1** 《~+목/+목+전+명》 **a** (세게) 치다, 때리다, 두드리다: ~ the door 문을 두드리다《*vi.* 1의 ~ *at* 〔*on*〕 the door로 함이 보통임》/ ~ a person *on* the head 아무의 머리를 때리다. SYN. ⇨BEAT. **b** (못 따위를) …에 두드려 박다《*in; into*》; (벽 따위에 구멍을) 두드려서〔깨뜨려〕 만들다《*in*》: ~ a nail *into* the wall 못을 벽에 두드려 박다 / ~ a hole *in* the wall 벽을 깨서 구멍을 만들다. **2** 《+목+전+명/+목+보》 …을 세게 쳐서 …이 되게 하다: ~ something *to* pieces 무엇을 쳐서 산산조각나게 하다 / He ~*ed* the boy senseless. 그는 아이를 때려 기절시켰다. **3** 때려 눕히다《*down; off*》. **4** 《+목+전+명》 부딪치다, 충돌시키다《*on; against*》: ~ one's foot *on* a stone 발을 돌에 부딪치다 / ~ one's head *against* a brick wall 벽돌 담에 머리를 부딪치다; 《비유》 불가능한 일에 도전하다. **5 a** 《+목+전+명》 …을 두드려서 떨다, 털어내다: ~ the dust *out of* one's clothes 옷의 먼지를 털다. **b** (감기 등을) 이겨내다, 퇴치하다: a good way to ~ colds 감기를 이기는 좋은 방법. **6** 《영속어》 깜짝 놀라게 하다, 감동시키다; 《미속어》 (관객을) 압도하다: That ~*s* me! 놀랐는데. **7** 《구어》 깎아 내리다, 흠잡다(decry). **8** 《미속어》 빌리다; 빌려주다, 주다. **9** 《CB속어》 최고 속도로 달리다. **10** 《영속어》 죽이다; 《영비어》 (여성을) 범하다, 임신시키다.

have it ~ed 《속어》 성공을 확신하다. ~ ***about*** 〔***around***〕 《*vt.*+부》 ① (파도·바람이 배를) 뒤흔들다, 번롱하다; (아무를) 들볶다, 학대하다; …을 난폭하게 다루다: be badly ~*ed about* 심하게 들볶이다. ② (생각 따위를) 의논하다. ③ (시간·생애를) 하는 일 없이 보내다, 놀고 지내다. —《*vi.*+부》 ④ 정처없이 돌아다니다, 방랑하다; 바쁘게〔여행하며〕 돌아다니다. ⑤ (좋지 않은 상대와) 교제하다; (아무와) 바람을 피우다《*together; with*》. ⑥〔진행형으로〕 (물건이) 방치되어 있다. ~ ***at an open door*** 공연한 일을 하다, 헛수고하다. ~ ***away*** 두들겨서 떼다〔벗기다〕. ~ ***back*** 《구어》 (술 따위를) 꿀꺽꿀꺽 마시다, 실컷 먹다; …을 당황케〔깜짝 놀라게〕 하다; (큰돈을) 쓰게 하다(cost): This TV set ~*ed* me *back* 500 dollars. 이 TV는 500달러나 들었다 / The sight ~*ed* him *back*. 그 광경은 그를 깜짝 놀라게 했다. ~ a person ***cold*** ① 아무를 때려서 기절시키다; 〖권투〗 녹아웃시키다. ② 아무를 깜짝 놀라게 하다. ~ a person ***dead*** 《미구어》 아무를 크게 감동시키다, 뇌쇄하다. ~ ***down*** 《*vt.*+부》 ① (아무를) 때려눕히다; (차 따위가) 받아 넘어뜨리다; 깜짝 놀라게 하다: He was ~*ed down* by a bus. 그는 버스에 받쳐 넘어졌다. ② (집 따위를) 때려부수다. ③ (수송을 위해 기계 따위를) 분해〔해체〕하다. ④ 《구어》 (의논 따위를) 잘 처리하다, 결말짓다, 논파하다. ⑤ 〖경매〗 경락〔낙찰〕시키다《*to* a bidder》. ⑥ 《구어》 (사회자가) 지명(指名)하다: ~ *down* a person *for* a song 노래하라고 아무를 지명하다. ⑦ (값을) 깎아내리다. ⑧ 《미속어》 (차장 등이 운임을) 삥땅치다, 후무리다. ⑨ 《속어》 (…에게) 소개하다《*to*》. ⑩ (전투기 따위를) 격추하다; (새 따위를) 총을 쏴서 떨어뜨리다. ⑪ (아무를) 멸시하다, 창피를 주다; 비판하다, 과소평가하다. —《*vi.*+부》 ⑫ (바람·수면이) 잔잔해지다. ⑬ (기계·도구 따위가 부피를 줄이도록) 분해〔해체〕할 수 있다. ~ a person ***down to size*** 아무를 납작하게 만들다, 분수를 알게끔 하다. ~***ed out*** 《미속어》 (술에) 곯아 떨어진, 녹초가 된. ~ ***for admittance*** 문을 두드려서 안내를 청하다. ~ ***head*** 인사하다. ~ ***heads*** 쌍방을 꾸짖다. ~ ***home*** (못 따위를) 단단히 때려박다; 철저하게 깎아내리다; (취지 따위를) 철저히 이해시키다. ~ ***in*** ① (못 따위를) 두들겨 넣다, 처박(아 넣)다: ~ *in* a wedge 〔nail〕 쐐기〔못〕을 두드려 박다. ② 《영학생속어》 폐문 후 문을 두드려서 들어가다(OPP. *knock out*). ③ 〖야구〗 (안타로 주자를) 홈인시키다: He ~*ed in* two runs. 그는 안타를 쳐서 두 주자를 홈인시켰다. ~ ***... into shape*** …을 정돈〔정리〕하다; (사람이 되게끔) 잘 가르치다. ~ a thing ***into the head*** 어떤 일을 머릿속에 주입시키다. ~ a person ***into the middle of next week*** 아무를 호되게 혼내주다. ***Knock it off!*** 《속어》 조용히 해!, 그만둬! ~ ***it over the fence*** 홈런을 때리다; 대성공을 거두다. ~ ***off*** 《*vt.*+부》 ① …을 두드려 떨어버리다, 떨어뜨리다: ~ the insect *off* one's coat 코트에서 벌레를 떨어버리다 / He accidently ~*ed* the vase *off*. 그는 실수로 꽃병을 떨어뜨렸다. ② (일·작품 따위를) 재빨리 마무리짓다. ③ 《속어》 (상대를) 격파하다, 이기다; 죽이다. ④ 《속어》 (물건을) 훔치다, 절취하다; (강도짓하러) …에 들어가다: plan to ~ *off* a bank 은행을 털려고 계획하다. ⑤ 《구어》 (금액을 …에서) 빼다, 할인하다《*from*》: ~ *off* two dollars *from* the price 2달러를 에누리하다. ⑥ 《경찰속어》 체포하다, (장소를) 급습하다. ⑦ 《속어》 임신시키다, (여자를) 범하다; 《속어》 (아무를) 죽이다. —《*vi.*+부》 ⑧ 일을 그만두다〔중단하다〕: We ~ *off* at 6. 일은 (매일) 6시에 끝난다. ⑨ 《속어》 죽다. ⑩ 《속어》 떠나다, 출발하다; 서두르다. ⑪ 성교하다《*with*》. —《*vi.*+전》 ⑫ 《구어》 (일·활동 따위를) 그만 두다, 중지하다; …하는 것을 중지하다〔끊다〕《*doing*》: ~ *off* drink*ing* 술을 끊다. ~ ***... off*** a person***'s pins*** 몹시 놀라게 하다. ~ a person ***on the head*** ① 아무의 머리를 때리다; 기절시키다; 죽이다. ② 《비유》 (계획 따위를) 깨뜨리다. ~ ***out*** 《*vt.*+부》 ① 두들겨 내쫓다〔떨어뜨리다〕; 기절시키다, 의식을 잃게 하다. ② 〖권투〗 녹아웃시키다(cf. knockout). ③ 《구어》 피곤케 하다, 지치게 하다; (피로 따위로) 병들게 하다: be ~*ed out* with excessive work 과로로 몹시 지치다. ④ (경기 따위에서) …에게 이기다; (팀 따위를) …에서 탈락〔패퇴〕시키다. ⑤ 《구어》 …을 급조하다, 재빨리 마무리짓다〔써내다〕: ~ *out* two poems a day 하루에 두 편의 시를 써내다. ⑥ (불을) 끄다; …을 불통〔불능〕케 하다, …에 손해를 주다, 파괴하다: ~ *out* the power for several hours 몇 시간 동안 정전케 하다. ⑦ (아무를) 깜짝 놀라게 하다, 광희〔감동〕시키다; (훌륭함 따위가) …을 압도하다. ⑧ 《영》 (경매에서) 공모하여 싸게 낙찰시키다. ⑨ 《구어》 (곡을) 난폭하게 연주하다. —《*vi.*+부》 ⑩ (비행기가) 고장나다. ⑪ 《영대학속어》 (폐문 후) 문을 두드려 밖으로 나가다(OPP. *knock in*). ~ ***out*** (***of the box***) 〖야구〗 (투수를) 녹아웃시키다. ~ one***self out*** 전력을 다하다; 몹시 지치다; 크게 감동하다; 즐겁게 지내다. ~ ***over*** ① 《속어》 때려눕히다, 뒤집어엎다. ② (차 따위가) 치어 넘어뜨리다. ③ (아무를) 괴롭히다; 깜짝 놀라게 하다, 감동시키다. ④ 《구어》 …에서 강도질〔도둑질〕하다; (아무)에게서 강탈하다. ⑤ …을 제거하다; 처리〔정리〕하다. ⑥ …을 재빨리 끝내다〔마무리짓다〕. ⑦ 《속어》 (경찰이) …을 덮치다; 체포하다. ⑧ 《속어》 (음식을) 먹어치우다. ~ a person***'s hat off*** 깜짝 놀라게 하다. ~ a person***'s head off*** 때려

눕히다; 《속어》 아무를 손쉽게 이기다. ~ ***the end in*** 〔***off***〕 망치다, 잡치다. ~ (***the***) ***spots out of*** 〔***off***〕 ⇨SPOT. ~ ***through*** 벽〔칸막이 등〕을 없애다. ~ ***together*** 《*vi.*+뭐》 ① (두 개의 것이) 부딪치다, 접촉하다: Fear made her knees ~ *together.* 공포로 그녀의 무릎이 와들와들 떨리며 서로 부딪쳤다. ― 《*vt.*+뭐》 ② (식사 따위를) 서둘러 만들다, …을 서둘러 조립하다; (사람들을) 서둘러 모으다. ~ ***under*** 항복하다《*to*》. ~ ***up*** 《*vt.* +뭐》 ① (공 따위를) 쳐올리다. ② 《영구어》 (문을 두드려) 깨우다: Please ~ me *up* at six tomorrow morning. 내일 아침 6시에 깨워주시오. ③ …을 서둘러 만들다: ~ *up* a meal for unexpected guests 예상치 않은 손님들을 위해 서둘러 식사를 만들다. ④ 《속어》 (아무를) 몹시 지치게 하다, 녹초가 되게 하다. ⑤ 《영구어》 (돈을) 벌다. ⑥ 《미속어》 임신시키다, 성교하다. ⑦ 〖크리켓〗 (점수를) 얻다. ⑧ (물건을) 손상시키다; (아무를) 다치게 하다; (아무를) 난처하게 하다. ― 《*vi.*+뭐》 ⑨ 몹시 지치다. ⑩ (테니스 따위의 경기 전에) 워밍업하다. ⑪ 《미속어》 마약을 놓다.

― *n.* **1** 노크, 문을 두드림〔두드리는 소리〕: There is a ~ *at* the door. 노크 소리가 들린다. **2** 타격, 구타(blow) 《*on* the head etc.》. **3** 〖야구〗 노크《수비 연습을 위한 타구》; 〖크리켓〗 타격 차례(innings). **4** 노킹《내연기관 내의》; 폭음: a ~ *in* the engine 엔진의 노킹 소리. **5** 《미구어》 비난, 악평; 《미구어》 불행, 재난; 역전(逆轉). ***get the*** ~ 《속어》 해고되다; (배우 등이) 인기가 떨어지다. ***on the*** ~ 《구어》 할부로. ***take the*** ~ 경제적 타격을 받다; 《속어》 돈에 궁해지다.

knóck·abòut *a.* 난타의; 소란스러운; 법석 떠는《희극·배우 등》; 방랑(생활)의; 막일할 때 입는, 튼튼한《의복 따위》. ― *n.* 법석떠는 희극(배우); 방랑자; 〖선박〗 소형 범선(帆船)의 일종.

knóck-bàck *n.* 《Austral. 구어》 거절, 퇴짜; 《죄수속어》 가석방 취득의 실패.

knóck·dòwn *a.* **1** 타도하는〔할 정도의〕; 압도적인: a ~ blow 큰 타격〔쇼크〕. **2** (현지) 조립식의, 분해할 수 있는《가구 따위》; (가옥이) 프리패브(prefab)의; (수출품이) 현지 조립 방식의. **3** 《영》 최저가격의; 비교적 값이 싼; (값이) 할인의. ~ ***export*** 녹다운 수출《현지 조립 수출》. ― *n.* **1 a** 때려눕힘; 타도하는 일격; 난투; 압도적인 것, 대타격《불행 등》; 《미속어》 최고급의 것; 《속어》 독한 술. **b** 값 내리기〔깎기〕; 《미속어》 (종업원이 후무린) 가게 매출금. **2** 조립식으로 된 것《가구 따위》. **3** 《미구어·Austral. 구어》 소개, 초보, 안내; 《미속어》 초대.

knóck-dòwn-(and-)drág-òut [-(ən)-] 《속어》 *a.* 가차없는, 철저한. ― *n.* 가차 없는 다툼〔싸움〕, 철저한 논쟁.

knócked-dówn [-t-] *a.* **1** 〖상업〗 (조립 가능한) 부분품으로 된, 조립식의《생략: K.D.》: ~ furniture 조립식 가구. **2** 《구어》 요약〔축약〕된: a ~ version of a Broadway musical 브로드웨이 뮤지컬의 축약판.

◇**knóck·er** *n.* **1** 두드리는 사람, 문을 두드리는 사람; 《영》 호별 방문 외판원. **2** (현관 문짝의) 노커, 문 두드리는 쇠고리. **3** 《미구어》 독설가, 혐구가. **4** 《미속어》 자식, 놈. **5** (*pl.*) 《속어》 유방, 젖통이. ***oil the*** ~ 《영속어》 문지기에게 팁을 주다. ***on the*** ~ 《영구어》 호별 방문(판매)하여. ***up to the*** ~ 《영속어》 완전히, 더할 나위 없이.

knocker 2

knócker-ùp (*pl. knóckers-*) *n.* 《영》 사람을 깨우며 돌아다니는 사람; (선거에서) 후보자를 위해 투표자를 (집에서) 끌어내는 사람.

knóck for knóck agréement 〖보험〗 녹포녹 협정《가령 A사와 B사의 계약차(車) 사이에 사고가 났을 때, 그 손해배상을 각사가 부담하고 피차 보험청구는 하지 않는다는, 자동차 보험회사 간의 협정》.

knóck·ing *n.* 노크(소리); (엔진의) 노킹.

knócking cópy 《영》 =COMPARATIVE ADVERTISING; 신문의 노골적인 비평기사.

knócking-shòp *n.* 《영속어》 갈봇집(brothel).

knóck-knèe *n.* 〖의학〗 X각(脚), 외반슬(外反膝) 《양 무릎 아랫부분이 밖으로 굽은 기형》; (*pl.*) 안짱다리, X각의 다리. ⓒⓕ bowleg. ⓜ ~**d** *a.* 안짱다리의; (걸음·의논 등이) 어기죽〔휘우뚱〕거리는; 몰골스러운.

knóck-knóck *n.* 《미》 (경찰의) 강제 침입권《강제 (가택) 수사할 수 있는 권리》.

knóck·òff *n.* (일 따위의) 중지, 마감; 퇴사 (시간); 〖기계〗 작동이 고르지 않을 때의 자동 정지 (장치); 《미속어》 오리지널 디자인을 모방한 싸구려 복제품《의류품 등》.

knóck-òn *a.* 충돌로 인해 방출되는《전자 등》. ― *n.* **1** 도미노 효과《연쇄효과》. **2** 〖럭비〗 녹온 《반칙임》.

◇**knóck·òut** *a.* **1** 〖권투〗 녹아웃의, 맹렬한 《펀치》: a ~ blow. **2** 압도적인; 굉장한, 훌륭한. **3** 〖경매〗 공모하여 헐값에 낙찰시키는. **4** 〖경기〗 실격제의, 토너먼트(식)의. ― *n.* **1** 〖권투〗 녹아웃 《생략: K.O., k.o.》. **2** 결정적인 대타격. **3** 《구어》 굉장한 것〔사람〕; 매력적인 미녀; 크게 히트한 영화〔상품〕. **4** 〖영경매〗 서로 짜고 헐값에 낙찰함. **5** 실격제 경기, 토너먼트.

knóckout dròps 《속어》 몰래 음료 속에 넣는 마취제, 《특히》 포수(抱水) 클로랄(chloral).

knóck-òver *n.* 《미속어》 강도.

knóck·ùp *n.* 약식의〔가벼운〕 연습《경기 개시 전에 하는》.

knoll[1] [noul] *n.* 작은 산, 둥그런 언덕, 둔덕, 야산, 흙무지; (해저의) 작은 해구(海丘).

knoll[2] *n.*, *v.* 《고어·방언》 =KNELL.

knop [nɑp/nɔp] *n.* (문의) 손잡이(knob); 〖건축〗 봉오리 모양의 장식, 장식 주두(柱頭)《꽃·잎 등을 새긴 기둥머리》.

knop·kie·rie [knápkìəri/knɔ́p-] *n.* 《S.Afr.》 =KNOBKERRIE.

Knos·sos, Cnos·sus [násəs/nɔ́s-] *n.* 크노소스《에게 문명의 중심지였던 Crete섬의 고도(古都)》. ⓜ **Knós·si·an** [-siən] *a.*

knot[1] [nɑt/nɔt] *n.* **1** 매듭, 고; (외과수술의 봉합사(縫合絲)의) 결절(結節): a ~ in a necktie 넥타이의 매듭/make 〔loosen〕 a ~ 매듭을 짓다〔풀다〕. **2** (장식용의) 매는 끈; 나비〔꽃〕 매듭, (견장 등의) 장식 매듭. **3** 무리, 소수의 집단; 일파《*of*》: a ~ *of* people 일단의 사람들. **4** (부부 등의) 인연, 연분, 유대(bond): a nuptial ~ 부부의 유대. **5** 혹, 군살, 사마귀; 〖의학〗 결절(結節); (초목의) 마디, 옹이; (판자·목재의) 옹이 (구멍); (나무의) 혹병(病). **6** 분규; 난문(難問), 어려운 일. ⓒⓕ Gordian knot. **7** (문제의) 요점, 골자; (이야기·극의) 줄거리의 얽힘, 중요 대목, 고비. **8** 〖해사〗 노트《1 시간에 1 해리〔약 1,852 m〕를 달리는 속도》; 측정선(測程線)의 마디. **9** 《영》 (짐을 운반할 때 어깨나 머리에) 대는 물건, 어깨받침(porter's ~). ***a*** ~ ***in a play*** 연극의 절정. ***at the*** 〔***a*** (***great***)〕 ***rate of*** ~***s*** 재빨리. ***in*** ~***s*** 삼삼오오: gather *in* ~*s* 삼삼오오 모이다. ***seek a*** ~ ***in a rush*** 〔***bulrush***〕 (등심초에서 마디를 찾다 →) 쓸데없는 소란을 피우다. ***tie the*** ~ 《구어》 결혼하다; (성직자가) 결혼식을 집행하

다. *tie* a person (*up*) *in* 〔*into*〕 *~s* 아무를 곤경에 빠뜨리다.
— (-*tt*-) *vt.* **1** 《~+목/+목+부/+목+전+명》 (끈 따위를) 매다, 묶다, …에 매듭을 짓다, …에 싸서 묶다《*in*》, …을 묶어 …으로 하다《*into*》; 결합하다: ~ a parcel 소포를 싸서 묶다/~ two pieces of strings *together* 두 가닥의 끈을 잇다/~ laundry (*up*) *in* a sheet 〔*into* a bundle〕 세탁물을 시트에 싸서 묶다〔꾸러미에 싸서 묶다〕. **2** (눈살을) 찌푸리다(knit). **3** 얽히게 하다. **4** 엮어 술을 만들다. **5** …에 마디를 만들다.
— *vi.* **1** 혹이〔마디가〕 생기다. **2** 단단히 맺어지다. **3** 매듭을 짓다. **4** (사람들이) 모이다, 작은 집단을 이루다.
Ⓜ **~·ter** *n.* 매듭짓는 사람〔기계〕; 매듭 푸는 것.

knot[2] *n.* 〚조류〛 도요새류(類).

knót gàrden 〚원예〛 장식 정원《복잡한 기하학적 디자인으로 된》.

knót·gràss *n.* 〚식물〛 마디풀. 「(dumbbell).

knót·hèad *n.* 《미속어》 아둔패기, 얼간이

knót·hòle *n.* (널판의) 옹이구멍. 「가〕 없는.

knót·less *a.* 매듭이 없는; 결절(結節)이〔마디

knot·ted [nátid/nɔ́t-] *a.* **1** 매듭이〔마디가〕 있는; (옹이가 많아) 울퉁불퉁한. **2** 얽힌; 어려운, 곤란한. ***Get ~!*** 《영속어》〔경멸·불신 등을 나타내어〕 귀찮아!, 저리 꺼져!, 바보같은 소리 마라.

knot·ting [nátiŋ/nɔ́t-] *n.* Ⓤ **1** 결절(結節). **2** (직물의) 실의 매듭 제거. **3** =KNOTWORK.

knot·ty [náti/nɔ́ti] (*-ti·er; -ti·est*) *a.* 매듭이 있는; 마디가 많은, 혹투성이의; 얽힌, 엉클어진, 해결이 곤란한: ~ wood 마디가 많은 나무/a ~ problem 어려운 문제. Ⓜ **-ti·ness** *n.* 마디투성이; 분규.

knótty píne 장식적 마디가 많은 소나무 목재《가구·천장·벽 따위에 쓰이는》.

knót·wòrk *n.* Ⓤ 합사(合絲) 장식, 매듭 세공; 편물 세공.

knout [naut] *n.* 매, 태형구(笞刑具)《옛날 러시아에서 가죽을 엮어 만든 매》; (the ~) 태형.
— *vt.* 매질하다, 태형을 가하다.

†**know** [nou] (***knew*** [nju:/nju:]; ***known*** [noun]) *vt.* **1** 《~+목/+목+*as* 보/+목+*to be* 보/+(*that*) 절/+*wh. to* do/+*wh.* 절》 알고 있다, 알다; …을 이해하다〔하고 있다〕: Let me ~ the result. 결과를 알려 주시오/She is *known as* a pop singer. 그녀는 대중가요 가수로 알려져 있다/We *knew* (*that*) they were innocent. 그들이 무죄라는 것을 우리는 알고 있었다/I don't ~ *whether* he is here (or not). 그가 이 곳에 있는지 없는지 알 수 없다/I didn't ~ *which* way *to* turn. 나는 어느 쪽으로 방향을 바꿔야 할지 몰랐다/I ~ *how to* drive a car. 차의 운전법을 알고 있다/I ~ him *to be* honest. 그가 정직하다는 건 알고 있다.

> SYN. **know** '알다'의 보통 쓰이는 말. 사실이 무엇인지를 규명하여 아는 것. **be aware of** 감각적인 의미가 강하며, 감각을 통하여 '알다'의 뜻을 나타냄.

2 …와 아는 사이이다, 면식이〔교제가〕 있다: I've *known* him since I was a child. 어릴 때부터 그를 알고 있다/How did you make yourself *known* to him? 어떻게 그와 가까워졌습니까/I ~ her by sight. 나는 그녀와 안면이 있다《이름은 잘 모르지만》/I ~ him by name 〔to speak to〕. 나는 그의 이름 정도는〔그를 만나면 인사할 정도로는〕 알고 있다. **3** …에 정통하다, 잘 알고 있다, 기억하고 있다: He ~*s* the law. 그는 법률에 정통하다/I ~ the value of time. 나는 시간이 중요함을 명심하고 있다/The actor ~*s* his lines. 배우는 대사를 기억하고 있다. **4** 《~+목/+목+전+명》 (양자를) 식별할 수 있다, 구별할 줄 알다; 보고 (그것인 줄) 알다: I ~ a gentleman when I see him. 신사는 보면 안다/~ right *from* wrong 옳고 그른 것을〔정과 사(邪)를〕 구별할 수 있다/They are so alike that you hardly ~ one *from* the other. 두 사람은 아주 닮아서 거의 구별할 수가 없다. **5 a** 《~+목/+*wh.* 절》 …의 경험이 있다, 체험하고 있다: He ~*s* hardship. 고난을 겪어 보았다/We ~ *what* it is to be poor. 빈곤이 어떤 것이라는 것을 체험으로 알고 있다. **b** 〔완료형 또는 과거형으로〕《+목+(*to*) do》 (…하는 것을) 본〔들은〕 적이 있다《원형은 《영》에서 흔히 씀》: Did you ever ~ her (*to*) wear a T-shirt and jeans? 그녀가 티셔츠에 진 바지를 입은 것을 본 적이 있느냐. **6** 《고어》〚성서·법률〛 …와 성적 교섭을 갖다, (여자를) 알다: Adam *knew* Eve. 아담은 그의 처 이브와 동침하였다. **7** 〔무생물을 주어로 하여 보통 부정문〕 (한계·예외 등을) 알다: Ambition ~*s no* bounds. 야심에는 끝이 없다/Necessity ~*s no* law. 《속담》 필요 앞에서는 법이 없다.
— *vi.* 《~/+전+명》 알고 있다, 알다: as far as I ~ 내가 아는 한/How should I ~? 내가 어찌 알겠는가/⇨ ~ about (관용구)/⇨ ~ of (관용구). ***all*** one ***~s*** (***how***) 《구어》 ① 할 수 있는 모든 것; 전력: I did *all* I *knew*. 나는 전력을 다했다. ② 〔부사적〕 될 수 있는 대로; 전력을 다해. ***before*** one ***~s where*** one ***is*** 순식간에, 어느새. ***Don't I ~ it!*** 《구어》 (분해하면서) 그런 것(쯤)은 (이미) 알고 있어! ***don't you ~*** 〔가벼운 말미구(末尾句)·삽입구로서〕 정말, 전혀: It's such a bore, *don't you* ~. 정말 지루한 일이에요. ***for all I ~*** ⇨ALL. ***God*** 〔***Heaven***〕 ***~s...*** ① (신이 알고 계시다 →) 맹세코, …이다; 틀림없이, 참으로: *God* 〔*Heaven*〕 ~*s* that it is true. 신에게 맹세코 정말입니다. ② (신만이 아신다 →)아무도 모르다, …인지 모르다: *God* 〔*Heaven*〕 ~*s* where he went. 그가 어디로 갔는지 아무도 모른다. ***he ~s*** 〔***I ~***〕 ***not what*** 〔***who***〕 =***he does*** 〔***I do***〕 ***not ~ what*** 〔***who***〕 알 수 없는 그 무엇〔누구〕. ***if you ~ what I mean*** 이해해 주신다면, 아시겠지만. ***I want to ~.*** 《미구어》 이런, 저런저런《놀라움 등을 나타냄》. ***I wouldn't ~.*** (내) 알게 뭐야. ***~ about*** …에 대해서 알고 있다《know a thing이 직접적 (경험적) 지식인 데 반해서, know *about* 〔*of*〕 a thing은 간접적·관념적 지식》: I *knew about* that last week. 지난 주에 그 일을 전해 들었다/~ *about* misery 곤궁함에 대해서 알고 있다《비교: ~ misery 곤궁함을 경험하다》. ***~ all about*** …의 일을 전부 알고 있다: I ~ *all about* that. 그 일이라면 죄다 알고 있다《알고도 남는다》. ***~ a thing or two*** =***~ how many beans make five*** =***~ the ropes*** =***~ what's what*** 사물을 잘 알고 있다, 상식이 있다. ***~ best*** 가장 잘 알고 있다. ***~ better*** 좀더 분별이〔사려가〕 있다. ***~ better than*** …할 정도로 어리석지는 않다: He ~*s better than* to do that. 그런 일을 할 만큼 어리석진〔예절이 없진〕 않다. ~ a person ***for*** 아무가 …이라고 알고 있다〔알다〕: I ~ him *for* a German. 그가 독일 사람이라는 것을 나는 안다. ***~ for certain*** 확실히 알고 있다. ~ A ***from*** B, A와 B를 구별〔식별〕할 수 있다. ***~ how*** 하는 방법을 알고 있다. ***~ of*** (…이 있는 것)을 알고〔듣고〕 있다: I ~ *of* a shop where you can get things cheaper. 물건을 더 싸게 살 수 있는 가게를 알고 있다/This is the best method I ~ *of*. 이것이 내가 아는 최선의 방법이다. ***~ oneself*** 자신을 알다: *Know* thy*self*. 너 자신을 알아라. ~ one***'s own business*** 자기의 일을 잘 알고 있

다; 쓸데 없는 짓을 삼가다. ~ ***the time of day*** 《구어》 이야기가 통하다, 빈틈이 없다, 세상을 알고 있다. ~ ***what*** one ***is about*** 만사에 빈틈이 없다. ***let*** a person ~ 알리다. ***make (...) known*** …을 알리다, 발표하다; (…에게) …을 소개하다 《*to*》. ***make*** one***self known*** (…에게) 자기 소개를 하다《*to*》; 유명해지다. ***nobody ~s what*** 〔***where, why, how, when***〕 무엇〔어디, 무엇 때문, 어떻게, 언제〕인지 아무도 모르다: *Nobody ~s what* may happen. 무슨 일이 일어날지 아무도 모른다 / He has gone *nobody* 〔*God*〕 *~s where*. 어디론가 가버렸다. ***Not if I ~ it!*** 《구어》 누가 그런 짓을 하겠느냐. (***not***) ***~ from nothing*** 《미속어》 (사물에 관해) 아무 것도 모르다 《*about*》. ***not*** ~ a person ***is alive*** 아무의 일을 괘념치 않다, 무시하다, 상대도 하지 않다. ***not*** ~ one ***is born*** 《구어》《보통 경멸》 생활의 어려움을 모르다. ***not ~ where to put*** one***self*** 〔one***'s face***〕 《구어》 (불안·걱정·당혹감 따위로) 몸 둘 바를 모르다, 있기가 매우 거북하다〔멋쩍다〕. ***not ~ whether*** one ***is coming or going*** 《영속어》 매우 당혹하다, 어찌해야 좋을지 전혀 모르다. ***Not that I ~ of*** 《구어》〖앞의 말을 받아서〗 내가 아는 바로는 …이 아니다. ***not want to*** ~ …을 무시하다, 흥미가〔관심이〕 없다. ***That's all you ~*** (***about it***). 《구어》 자네는 거의 모르고 있군 그래. ***There is no ~ing ....*** …을 알 도리가 없다: *There is no ~ing* what troubles we shall have. 어떤 귀찮은 일이 일어날지 알 도리가 없다. (***Well,***) ***what do you ~*** (***about that***)***!*** 《미구어》 그건〔이건〕 금시 초문인데; 설마, 놀랐는데. ***What do you ~?*** 《구어》 요즘 어떻게 지내나; 건강은 좀 어떤가(How are you?). ***Who ~s what*** 〔***where,*** etc.〕***...*** …은 아무도 모르다 (Nobody *~s* what 〔where, etc.〕...): He was taken *who* 〔*nobody, God*〕 *~s where*. 그는 아무도 모르는 곳에 끌려갔다. ***What's*** (***there***) ***to ~?*** 《구어》 (그런 일 따위는) 간단하지 않은가. ***you ~*** 《구어》 ① 〔문장 앞 또는 뒤에서〕 …이지요, …이니까요《다짐을 두기 위하여》: He's angry, *you ~*. 그는 화가 나 있으니까요. ② 〖삽입구로〗 저어, 에—, 바로 그《다음 말의 확인 또는 이어질 말과의 연결을 위해》: She's a bit, *you ~*, crazy. 그녀는, 에—뭐라고 할까, 약간 머리가 이상해. ***you ~ what*** 〔***who***〕 =YOUKNOW-WHAT〔-WHO〕. ***You must ~ that ...*** …으로 양해해 주시기 바랍니다; (그러면) 말씀드리지요. ***you never ~*** (앞 일은) 뭐라고 말할 수 없다; 사정에 따라서는, 글쎄 어떨른지.

— *n.* 숙지, 지식. 〖주로 다음 용법〗 ***be in the ~*** 《구어》 사정을 잘 알고 있다, 내막에 밝다.

knów·a·ble *a.* 알 수 있는, 인식할 수 있는; 알기 쉬운.

knów-àll *n., a.* 《구어》 =KNOW-IT-ALL.

knów·er *n.* **1** 알고 있는 사람, 이해하는 사람. **2** 〖철학〗 인식아(我).

knów-hòw *n.* 《구어》 (방법에 대한) 실제적인 지식; 기술 지식〔정보〕, 노하우, 비결(knack); 능력: business ~ 장사 요령 / the ~ of space travel 우주여행(의) 기술. [SYN.] ⇨ INFORMATION.

°**knów·ing** *a.* **1** 알고 있는, 아는 것이 많은, 학식이 풍부한. **2** 기민한, 빈틈없는, 교활한; 아는 체하는, 뜻이 있는 듯한《눈짓 따위》: a ~ look 아는 체하는 모양 / a ~ blade 빈틈없는 사람. **3** 숙련된. **4** 《구어》 (복장 따위가) 세련된, 센스가 있는, 멋있는. **5** 고의적인, 고의의. — *n.* [U] **1** 아는 것. **2** 지(知), 지식, 학식, 식견. ***there is no ~*** (how, etc.) 전혀 알 길이 없다. [파] **~·ly** *ad.* 알고서; 아는 체하고; 고의로: *~ly* kill 〖법률〗 고의로 죽이다. **~·ness** *n.*

knów-it-àll *a.* 《구어》 (무엇이나) 아는 체하는. — *n.* 아는 체하는 사람; (남의 의견·조언 등에) 콧방귀 뀌는 사람.

⁑**knowl·edge** [nálidʒ/nɔ́l-] *n.* [U] **1** 지식: scientific ~ 과학 지식 / every branch of ~ 모든 지식의 분야 / the ~ of the world 세상에 대한 지식, 세상을 알고 있음 / *Knowledge* is power. 《속담》 아는 게 힘 / A little ~ is a dangerous thing. =A little learning is a dangerous thing. 《속담》 선무당이 사람 잡는다. [SYN.] ⇨ INFORMATION. **2** 학식, 학문; 정통, 숙지; 견문: a good ~ *of* physics 물리학에 관한 깊은 학식. **3** 인식; 이해: the ~ *of* good and bad 선악의 분별 / a ~ *of* the truth 사실의 이해. **4** 경험: a ~ *of* life 인생 경험. **5** 보도, 소식: *Knowledge* of the disaster soon spread. 참사 소식은 곧 퍼졌다. **6** 《고어》 성교. ◇ know *v.* ***come to*** a person***'s ~*** 아무에게 알려지다. ***have some*** 〔***no***〕 ***~ of*** 다소 알고 있다〔전혀 알고 있지 못하다〕. ***It is common ~ that ...*** …라는 것은 주지의 사실이다. ***of common ~*** 널리 알려져 있는, 누구나 알고 있는: It is a matter *of common ~*. 그것은 일반이 다 아는 바다. ***out of all ~*** 상상을 초월하는. ***to*** (***the best of***) one***'s ~*** 아무가 아는 바로는; 확실히: *To my ~*, he is living alone. 내가 아는 바로는 그는 혼자 산다 / I have never seen him *to my ~*. 나는 그를 본 적이 없다. ***without*** a person***'s ~*** =***without the ~ of*** a person 아무에게 알리지 않고: He left for Paris *without the ~ of* his friends. 그는 친구들에게 알리지도 않고 파리로 떠났다.

knówl·edg(e)·a·ble *a.* 지식이 있는; 정보통의; 식견이 있는; 총명한. [파] **-bly** *ad.*

knówledge bàse 〖컴퓨터〗 지식 베이스《필요 지식을 일정 format으로 정리·축적한 것》.

knówledge-based sýstem 〖컴퓨터〗 지식 베이스 시스템《knowledge base에 의거하여 추론(推論)하는 시스템》.

knówledge-bòx *n.* 《속어》 지식의 상자, 머리, 두뇌.

knówledge engineèr 지식 공학자《전문가 체계(expert system)의 기본 설계를 하는 인공 지능 분야의 기술자》.

knówledge engineèring 지식 공학《인공두뇌의 응용 시스템을 개발하는 한 분야》.

knówledge ìndustry 지식 산업.

knówledge-inténsive ìndustry 지식 집약(형) 산업.

knówledge mánagement 〖상업〗 지식 경영《조직 내 각 개인의 지식과 교육에 관한 정보를 보존 관리하는 일》.

knówledge mòdule 놀리지 모듈《Telelearning에서 전화기와 홈 컴퓨터의 접속 장치》.

knówledge wòrker 지식 근로자《정보를 취급〔이용〕하는 직업인》.

⁑**known** [noun] KNOW의 과거분사.

— *a.* (이름이) 알려진; 이미 알고 있는: a ~ number 기지수 / a ~ fact 기지〔주지〕의 사실.

— *n.* 〖수학〗 기지수(known quantity).

knówn défect làw 〖미법률〗 결함 통고 의무법《중고차를 팔 때 그 차의 고장 난 데나 결함을 구입자에게 문서 등으로 알려야 하는 업자의 법률적 의무》. [cf.] lemon law.

knów-nòthing *n.* **1** 아무것도 모르는 사람, 무식한 사람. **2** 《드물게》 불가지론자. **3** 〖미국사〗 (K- N-) 순(純)아메리카당《미국 태생의 시민만으로 정권을 잡으려고 한 비밀조직의 정치단체 (1853-56)》; 그 당원. — *a.* 아무 것도 모르는; 불가지론적인. [파] **~·ism** *n.* [U] 불가지론.

knówn quántity 〖수학〗 기지수; 잘 알려진 사람〔것〕.

knówn rísk 〖컴퓨터〗 알려진 위험《프로젝트 초기 계획 단계나 기타 상황을 평가 후에 발견 가능한 위험》.
knów-whàt *n.* 《구어》 목표를 잃음, 목적의식.
knów-whỳ *n.* 《구어》 까닭을〔이유를, 동기를〕 아는 일.
knt. knight.
◇**knuck·le** [nʌ́kəl] *n.* **1** (특히 손가락 밑 부분의) 손가락 관절(마디); 주먹; (송아지 따위의) 무릎 도가니. **2** 【기계】 수〔암〕톨쩌귀. **3** (*pl.*) =BRASS KNUCKLES. ***near the*** ~ 《구어》 자칫 상스러워질 듯한, 아슬아슬한. ***rap*** a person ***on*** 〔***over***〕 ***the*** ~***s*** =***rap*** a person***'s*** ~***s*** =give a RAP[1] on 〔over〕 the ~s. **—** *vt., vi.* 손가락 마디로 치다〔밀다, 비비다〕; (구슬치기할 때) 손가락 관절을 땅에 대다. ~ ***down*** 항복하다《*to*》; 차분한 마음으로 착수하다, 열심히 하다. ~ ***under*** 굴복〔항복〕하다《*to*》. ㊞ ~**d** *a.*
knúckle·bàll *n.* 【야구】 너클볼《손가락 끝을 공 표면에 세워서 던지는 볼; 타자 근처에서 낙하함》. ㊞ ~**·er** *n.* 너클볼(을 잘 던지는) 투수.

knuckleball

knúckle·bòne *n.* 손가락 마디의 뼈; 양의 척골(蹠骨); (*pl.*) 양의 척골 조각을 가지고 노는 공기놀이.
knúckle bùster 《미속어》 주먹질, 주먹다짐.
knúckle-dùster *n.* **1** =BRASS KNUCKLES(로 싸우는 사람). **2** 【야구】 타자 근처로 오는 투구.
knúckle·hèad *n.* 《구어》 바보(dumbbell). ㊞ ~**·ed** [-id] *a.* 우둔한, 어리석은.
knúckle jòint 손가락 관절; 【기계】 너클조인트.
knuck·ler [nʌ́kələr] *n.* 《야구속어》 =KNUCKLEBALL.
knúckle sàndwich 《속어》 주먹으로 한방 먹임; 주먹다짐.
knúckle-wàlk *vi.* (고릴라·침팬지처럼) 앞다리의 지관절(指關節)의 등을 땅에 대고 걷다.
knucks [nʌks] *n.* 《미속어》 =BRASS KNUCKLES.
knur [nəːr] *n.* (나무의) 마디, 혹; 딱딱한 혹; (trapball 따위에 쓰이는) 나무공.
knurl [nəːrl] *n.* 마디, 혹; 손잡이; (미끄러짐을 막는) 우툴두툴함, (금속면의) 깔쭉깔쭉함. ㊞ ~**ed,** ∠**·y** *a.* 마디가 많은, 혹투성이의.
knut [nʌt] *n.* 《영·우스개》 멋쟁이(nut).
KO [kéióu] (*pl.* ~**'s**) *n.* 녹아웃, 타도. **—** (~***'d;*** ~***'ing***) *vt.* 녹아웃시키다, 타도하다.
K.O., k.o. knockout. 〔◂ *k*nock*o*ut〕
koa [kóuə] *n.* 【식물】 (하와이산) 아카시아《결이 고운 가구용 붉은 재목》.
ko·a·la [kouɑ́ːlə] *n.* 【동물】 코알라(=∠ **béar**) 《새끼를 업고 다니는 곰; 오스트레일리아산》.
Ko·bo [kɔ́ːbɔː] (*pl.* ~) *n.* 코보《나이지리아의 화폐 단위; =1/100 naira》.
ko·bold [kóubɑld, -bould/kɔ́bould] *n.* (독일 전설의) 작은 귀신, 요마; 땅의 요정.
KOC Korean Olympic Committee.
Köch·el (**nùmber**) [kə́ːʃəl(-)/-kəl(-)] 쾨헬 번호《Mozart의 작품에 붙인 번호; 생략: K.》.
Ko·dak [kóudæk] *n.* 코닥《미국 Eastman Kodak 회사제의 소형 사진기; 상표명》.
Kod·a·vi·sion [kóudəvìʒən] *n.* 코다비전《미국 Eastman Kodak사가 제작한 카메라와 리코더를 일체화한 8밀리 비디오; 상표명》.
Ko·di·ak [kóudiæ̀k] *n.* **1** 코디액《Alaska만의 서쪽 섬》. **2** 【동물】 =KODIAK BEAR. **3** 《미속어》 경관.
Kódiak bèar 【동물】 코디액 곰《알래스카산의 지상 최대의 육식 동물》.
ko·el, ko·il [kóuil] *n.* 【조류】 뻐꾸기류 일종 (long-tailed cuckoo) 《인도·오스트레일리아산》.
K. of C. Knight(s) of Columbus.
Koh·i·noor [kóuənùər] *n.* **1** (the ~) 코이누르《1849년 이래 영국 왕실 소장의 유명한 106 캐럿의 인도산 다이아몬드》. **2** (k-) 극상품, 절품(絶品)《*of*》, 《특히》 고가의 대형 다이아몬드.
kohl [koul] *n.* Ⓤ 화장 먹《아라비아 여성 등이 눈언저리를 검게 칠하는 데 쓰는 가루》.
kohl·ra·bi [kòulrɑ́ːbi] (*pl.* ~**es**) *n.* 【식물】 구경(球莖) 양배추《샐러드용》.
Ko·hou·tek [kouhóutek, kə-] *n.* 코호테크 혜성《체코의 천문학자 Lubos Kohoutek가 발견》.
Koi·ne [kɔinéi, ∠-/kɔ́iniː] *n.* Ⓤ (the ~) 코이네《기원전 5세기부터 기원전 3세기에 성립한 표준 그리스어; 신약 성서는 이것으로 기록되었음》.
Ko·jak [kóudʒæk] *n.* 《미》 주(州) 경찰관.
ko·kan·ee [koukǽni] *n.* 【어류】 소형의 북아메리카산 홍송어(=∠ **sàlmon**).
ko·la [kóulə] *n.* 【식물】 =COLA[1]; KOLA NUT.
kóla nùt 콜라 열매《청량음료의 자극제》.
ko·lin·sky, -ski [kəlínski] *n.* 【동물】 시베리아산의 담비; Ⓤ 그 모피.
kol·khoz, -khos, -koz [kɑlkɔ́ːz/kɔlhɔ́ːz] *n.* 《Russ.》 집단농장, 콜호스(collective farm); 콜호스식 농업제도. ㊞ ~**·nik** *n.* ~노동자.
Köln [*G.* kœln] *n.* 쾰른《Cologne의 독일명》.
Ko·mi [kóumi] *n.* **1** (*pl.* ~**s,** ~) 코미인《러시아 연방의 북동 지역에 사는 우랄계 민족》. **2** 코미어(語)《우랄어족에 속함》.
Kom·in·tern [kɑ̀mintə́ːrn/kɔ̀m-] *n.* =COMINTERN.
ko·mi·tad·ji, co- [kòumətɑ́ːdʒi, kɑ̀m-/kòum-, kɔ̀m-] *n.* 코미타지《발칸 제국(諸國)의 게릴라병(兵)》.
Ko·mi·teh [koumíːtei] *n.* (이란) 혁명 위원회《1979년 발족》.
Kom·so·mol [kɑ̀msəmɔ́ːl, ∠-∠/kɔ̀msəmɔ̀l] *n.* 《Russ.》 (옛 소련의) 공산 청년동맹.
ko·na [kóunə, -nɑː] *n.* 하와이의 겨울 남서풍.
Kon·drá·tieff wàve [kəndrɑ́ːtièf-, -tjəf-] 【경제】 콘드라티예프파(=**Kondrátieff cỳcle**) 《옛 소련의 N. 콘드라티예프가 주장한 50-60년을 1주기로 하는 최장기의 경기 순환 파동》.
Kon·glish [kɑ́ŋgliʃ/kɔ́ŋ-] *n.* Ⓤ 한국식 영어. 〔◂ *Ko*rean+E*nglish*〕
Kong·zi [kɔ́ːŋzíː] *n.* 공자(孔子). ⓒⓕ Confucius.
ko·nim·e·ter [kounímətər] *n.* (공기 속의 먼지 측정을 위한) 먼지 채취기.
ko·ni·ol·o·gy [kòuniɑ́lədʒi/-ɔ́l-] *n.* 진애학(塵埃學)《대기 속의 먼지 기타 불순물의 동식물에 대한 영향을 연구함》.
Kon·zern [kɑntséərn/kɔn-] *n.* 《G.》 콘체른《기업합동의 일종》; 재벌.
koo·doo [kúːduː] (*pl.* ~**s**) *n.* =KUDU.
kook [kuːk] *n.* 《미속어》 괴짜, 기인(奇人), 미치광이; 서핑의 초심자.
kook·a·bur·ra [kúkəbə̀ːrə/-bʌ̀rə] *n.* 【조류】 물총새의 일종(laughing jackass) 《우는 소리가 웃음소리 같음; 오스트레일리아산》.
kook·ie, kooky [kúːki] *a.* 《미속어》 기인(奇人)의, 괴짜의, 미친. ㊞ **kóok·i·ness** *n.*
koo·lah [kúːlə] *n.* =KOALA.
Kool-Aid [kúːlèid] *n.* 《CB속어》 알코올 음료; 맥주.
Koo·ning [kóuniŋ] *n.* =DE KOONING.
kop [kɑp/kɔp] *n.* 《S.Afr.》 언덕, (작은) 산.
ko·pec(k), ko·pek, co·peck [kóupek] *n.* 코페이카《러시아의 동화(銅貨), 또 금액의 단위(單位); 1/100루블(ruble)》.
kop·je, kop·pie [kɑ́pi/kɔ́pi] *n.* 《S.Afr.》 작은 언덕〔산〕.
Kor. Korea; Korean.
Ko·ra [kɔ́ːrɑː, -rə] *n.* 코라《류트(lute) 비슷한, 아프리카 기원의 21현(絃) 악기》.
Ko·ran [kərɑ́ːn, -rǽn/kɔːrɑ́ːn] *n.* (the ~) 코란《회교 성전》. ㊞ ~**·ic** [-ik/kɔ-] *a.*

*Ko·rea [kəríːə, kɔː-/kəríə] n. 한국《공식명은 the Republic of Korea; 생략: ROK》.
Koréa Devélopment Ínstitute 한국 개발 연구원《생략: KDI》.
◦**Ko·re·an** [kəríːən, kɔː-/kəríən] a. 한국의; 한국인〔어〕의. ***of* ~ *make*** 한국제의. **— n. 1** 한국인: a second-generation ~ 한국인 2세. **2** Ⓤ 한국어. ★관사 없음: teach *Korean*. 단 *the Korean* language. 「정, 한국지(誌).
Ko·re·a·na [kɔ̀riáːnə] n. 한국학 문헌, 한국 사
Koréan Áir 대한항공. Ⓒf KAL.
Koréan azálea 〖식물〗 산(山)철쭉.
Koréan gínseng 고려 인삼.
Koréan láwn gràss 〖식물〗 금잔디.
Ko·re·a·nol·o·gy [kɔ̀riːənálədʒi/-nɔ́l-] n. 한국학〔연구〕.
Koréan píne 〖식물〗 잣나무. 「LAWNGRASS.
Koréan vélvet gràss 〖식물〗 ＝KOREAN
Koréan Wár (the ~) 한국 전쟁《1950년 6월 25일-1953년 7월 27일》.
Koréa Stráit (the ~) 대한 해협.
Koréa·tòwn n. (미국 도시의) 한국인 거주지《특히 Los Angeles의 것이 큼》.
korf·ball [kɔ́ːrfbɔ̀ːl] n. 코프볼《농구 비슷한 남녀 혼합 구기(球技); 네덜란드에서 시작》.
Kór·sa·koff's psychósis 〔sýndrome〕 [kɔ́ːrsəkɔ̀ːfs-] 〖정신의학〗 코르사코프 정신병〔증후군〕, 건망 증후군.
ko·ru·na [kɔ́ːrənàː] (pl. ***ko·run*** [-ruːn], ***ko·runy*** [-niː]) n. 체코의 화폐 단위《기호 Kcs; ＝100 halers》.
K.O.S.B. King's Own Scottish Borderers.
ko·sher, ka·sher [kóuʃər], [kaːʃáːr] a. 〖유대교〗 유대인의 율법에 맞는, 정결한《음식·식기·음식점 따위》; 《구어》 순수한, 진짜의; 정당한, 적당한. **— n.** 《구어》 정결한 식품〔음식점〕.
Ko·sy·gin [kasíːgin/kɔs-] n. **Aleksei ~** 코시긴(1904-80)《옛 소련의 수상; 1964-80》.
Ko·tex [kóutèks] n. 코텍스《1회용 생리대; 상표명》: a ~ machine 코텍스 자동 판매기.
ko·tow, ków·tòw [kóutáu, -tàu] n. 《Chin.》 고두(叩頭)《넙죽 엎드려 머리를 조아리는 절》. **— vi.** 고두하다《*to*》; 아부하다, 빌붙다《*to*》.
KOTRA Korea Trade-Investment Promotion Agency (대한 무역 투자 진흥 공사).
kot·wal [kóutwaːl] n. 《Hind.》 (인도 도시의) 경찰서장; 도시 장관.
kot·wa·li, -lee [kóutwaːli] n. 《Hind.》 (인도의) 경찰서. 「KUMISS.
kou·mis(s), kou·myss [kúːmis] n. ＝
kour·bash, koor·bash [kúərbæʃ] n., vt. ＝KURBASH.
kow·tow [káutáu, kóu-] n., vi. ＝KOTOW.
KP 〖체스〗 king's pawn; kitchen police. **K.P.** Knights of Pythias; Knight of (the Order of) St. Patrick.
Ḱ pàrticle 〖물리〗 케이 입자〔중간자〕 (kaon).
kpc kiloparsec(s). **KPH, k.p.h.** kilos per hour. **KR** 〖체스〗 king's rook. **Kr** krypton. **kr.** kreutzer; krona; krone(n); kroner. **K.R.** King's Regiment; King's Regulations.
kraal [kraːl] n. 《S.Afr.》 (원주민의) 울타리를 친 부락; (울타리로 두른) 오두막(hut); (양·소의) 우리. **— vt.** 울타리로 두르다. 「RAD.
krad [kéiræ̀d] (pl. ~, ~**s**) n. 〖물리〗 ＝KILO-
kráft ènvelope [kræ̀ft-, kráːft-/kráːft-] 크라프트지(紙) 봉투《우편용·사무용 등》.
kráft (pàper) 크라프트지《시멘트 부대용》.
krait [krait] n. 〖동물〗 우산뱀의 일종《Bengal 산의 독사; 코브라와 동종》.
kra·ken [kráːkən] n. 크라켄《노르웨이 앞바다에 나타난다는 전설적 괴물》.
Kra·ków [*Pol.* krákuf] n. 《Pol.》 크라쿠프《폴란드 남부의 공업도시》.
Ḱ ràtion 〖미군사〗 (1일분의) 휴대 식량.
Kraut [kraut] n. 《경멸》 독일 사람〔병사, 군속〕.
Krazy Kat [kréizikæ̀t] 크레이지 캣《미국의 만화가 George Herriman(1880-1944)의 만화 주인공인 검은 고양이》.
Krébs cỳcle [krébz-] 〖생화학〗 크레브스 회로(回路)《세포내에서 효소에 의해 촉매되는 화학 반응 회로의 하나; 이를 발견한 독일태생 영국 생화학자 Hans A. Krebs(1900-81)의 이름에서》.
KREEP [kriːp] n. 크리프《달에서 채취한 황갈색의 유리 모양의 광물》.
krem·lin [krémlin] n. **1** (러시아 도시의) 성곽, 요새. **2** (the K-) (Moscow에 있는) 크렘린 궁전; (특히 대외적인 관계에서) 소련 정부 (간부).
Krem·lin·ol·o·gy [krèmlinálədʒi/-ɔ́l-] n. Ⓤ 소련 (정부) 연구(Sovietology). ㊞ **-gist** n.
Krémlin-wàtcher n. 소련 문제 전문가.
kre·o·sote [kríːəsòut] n. ＝CREOSOTE.
kreu·tzer, kreu·zer [krɔ́itsər] n. 《G.》 남독일과 오스트리아에서 쓰던 동화〔은화〕.
krieg·spiel [kríːgspìːl] n. 《G.》 (때로 K-) (장교의 전술 지도를 위한) 반상(盤上) 전쟁놀이(war game). 「여주인공.
Kriem·hild [kríːmhilt] n. *Nibelungenlied*의
Kril·i·um [kríliəm] n. 크릴륨《acrylonitrile로 만드는 토양 개량제; 상표명》.
krill [kril] (pl. ~) n. 크릴《남극해산(産)의 새우 비슷한 갑각류》.
krim·mer, crim- [krímər] n. 크림 지방산 새끼 양 모피.
kris [kriːs] n. ＝CREESE.
Krish·na [kríʃnə] n. 〖힌두교〗 크리슈나 신(神)《Vishnu의 제8화신(化身)》. ㊞ **~·ism** [-ìzəm] n. Ⓤ ~ 숭배. 「로스.
Kris(s) Krin·gle [krískríŋgəl] 《G.》 산타클
kro·mes·ky, -ki [krouméski] (pl. ***-kies, -kis***) n. 〖요리〗 러시아식 크로켓.
kro·na [króunə] n. **1** (pl. ***-nor*** [-nɔːr]) 크로나《스웨덴의 화폐 단위; ＝100 öre; 기호 Kr》; 그 은화. **2** (pl. ***-nur*** [-nəːr]) 크로나《아이슬란드의 화폐 단위; ＝100 aurar; 기호 Kr》; 그 화폐.
kro·ne [króunə] n. **1** (pl. ***-ner*** [-nər]) 크로네《덴마크·노르웨이의 화폐 단위; ＝100 öre; 기호 Kr》; 그 은화. **2** (pl. ***-nen*** [-nən]) 크로네《옛 독일 10마르크 금화; 옛 오스트리아 은화》.
Kroo, Kr(o)u [kruː] n. 크루 사람《Liberia 해안에 사는 흑인》. 「KROO.
Króo·man [-mən] (pl. ***-men*** [-mən]) n. ＝
KRP 〖체스〗 king's rook's pawn. **K.R.R.** King's Royal Rifles. **K.R.R.C.** King's Royal Rifle Corps.
Krú·ger flàp [krúːgər-] 〖항공〗 크뤼거 플랩《항공기 날개 앞쪽에 장비된 플랩》.
Kru·ger·rand [krúːgəræ̀nd] n. 크루거랜드《남아프리카 공화국의 금화; 종종 투자 수단으로 매입》.
krul·ler [krʌ́lər] n. ＝CRULLER.
Krupp [krʌp; *G.* krup] n. 크루프《독일의 철강·무기 제조업자 일가》.
kryp·ton [kríptan/-tɔn] n. Ⓤ 〖화가〗 크립톤《비활성 기체 원소; 기호 Kr; 번호 36》.
KS Korean (Industrial) Standards; 〖미우편〗 Kansas. **K.S.** 《영》 King's Scholar. **KSC** Kennedy Space Center.
Kshat·ri·ya [kʃǽtriə] n. 크샤트리아《인도 4성(姓) 중의 제2계급; 귀족과 무사》. Ⓒf caste.
K.S.L.I. King's Shropshire Light Infantry.
Kt. Knight. **kt** kiloton(s). **kt.** karat 〔carat〕;

knight; knot(s). **K.T.** Knight of (the Order of) the Thistle; Knights Templars.
KTW búllet KTW탄《강력 탄환》.
K-12 [kéi(θru)twélv] *a.*, *n.* 《미속어》 유치원부터 고등학교 졸업까지의 (학생)《kindergarten을 거쳐 제12 학년〔고3〕까지란 뜻》.
K², K 2 [kéitú:] *n.* K² 봉(峰)《(Kashmir 지방의) Karakoram 산맥에 있는 세계 제2의 고봉; 8,611m》.
Kua·la Lum·pur [kwá:ləlúmpuər] 쿠알라룸푸르《말레이시아의 수도》. 「관, 방광.
KUB kidneys, ureter, bladder 〖의학〗 신장, 요
Ku·blai Khan [kú:blaiká:n] 쿠빌라이 칸《원(元)나라의 초대 황제; 1215-94》.
ku·chen [kú:xən] (*pl.* ~) *n.* (건포도를 넣은) 독일식 과자.
ku·dos [kjú:douz, -dous, -dɑs/kjú:dɔs] *n.* Ⓤ 《구어》 명성, 영광, 영예. 「산》.
ku·du [kú:du:] *n.* 〖동물〗 얼룩영양《남아프리카
kúd·zu (**vìne**) [kúdzu:(-)] *n.* 〖식물〗 칡.
Ku·fic [kjú:fik] *n.*, *a.* =CUFIC.
Ku·gel·blitz, ku- [kú:gəlblìts] *n.* 〖기상〗 구상(球狀) 번개(ball lightning)《지름 20cm 정도의 광구(光球)로 나타나 공중을 이동하다가 소리 없이 사라지는, 매우 드문 형식의 번개》.
Kui·per [káipər] *n.* **Gerard Peter ~** 카이퍼《네덜란드 태생의 미국 천문학자; 화성의 대기 중에 이산화탄소 발견(1948), 천왕성과 해왕성에 위성이 있음을 발견(1948-49)하고, 태양계의 기원에 관한 이론에도 공헌함; 1905-73》.
Ku Klux·er [kjú:klʌ̀ksər/kjú:-] 3K 단원.
Ku Klux (**Klan**) [kjú:klʌ̀ks(klǽn)/kjú:-] 3K 단(團), 큐클럭스클랜《생략: K.K.K., KKK》.
kuk·ri [kúkri] *n.* 《Hind.》 쿠크리 칼《인도 Gurkha 족이 쓰는 날이 넓은 단도》.
ku·lak [kulá:k, -lǽk, kú:lɑ:k, -læk] (*pl.* **-la·ki** [-i]) *n.* 《Russ.》 (제정 러시아의) 부농(富農).
Kul·tur [kultúər] *n.* 《G.》 Ⓤ (특히 나치 때 국민 정신 고양(高揚)에 이용된) 정신 문화; 문화(culture); 《경멸》 독일 문화.
Kul·tur·kampf [kultúərkɑ̀:mpf] *n.* 《G.》 (때로 k-) 문화 투쟁《독일 제국 정부와 로마 가톨릭 교회와의 분쟁(1873-87)》.
ku·ma·ra [kú:mərə] *n.* 《N. Zeal.》 고구마.
ku·miss, ku·mis, ku·mys [kú:mis] *n.* 젖술《말 또는 낙타의 젖으로 만든 타타르 사람의 음료; 약용으로도 함》.
küm·mel [kíməl/kúm-] *n.* 《G.》 Ⓤ 퀴멜주(酒)《커민(cumin) 따위로 조미한 술》.
kum·quat, cum- [kʌ́mkwɑ̀t/-kwɔ̀t] *n.* 〖식물〗 금귤(의 열매).
Kun·de·ra [kʌ́ndərə] *n.* **Milan ~** 쿤데라《체코의 작가·시인; 프랑스로 망명·귀화함; 1929-》. 「《중국의 권법(拳法)》.
kung fu [kʌ̀ŋfú:, kùŋ-] 《Chin.》 쿵후(功夫)
Kuo·min·tang [kwóumìntǽŋ] *n.* 《Chin.》 (the ~) 국민당《쑨 원(孫文)에 의하여 1912년 결성》.
kur·bash [kúərbæʃ] *n.*, *vt.* 가죽 채찍《터키·이집트 등에서 옛날 형구로 쓴》(으로 때리다).
Kur·cha·to·vi·um [kə̀:rtʃətóuviəm] *n.* 〖화학〗 쿠르차토븀《element 104의 명칭의 하나; 기호 Ku》.
Kurd [kə:rd, kuərd] *n.* 쿠르드 사람《서아시아 Kurdistan에 사는 호전적인 유목민》.
Kurd·ish [kə́:rdiʃ] *a.* Kurdistan의; 쿠르드인〔어〕의. **—** *n.* Ⓤ 쿠르드어.
Kur·di·stan [kə́:rdəstæ̀n/kə̀:distá:n] *n.* (터키·이란·이라크에 걸친) 고원 지대《주민은 주로 쿠르드인》.
Kú·ril(**e**) **Íslands** [kúəril-, kurí:l-/kurí:l] (the ~) 쿠릴 열도. ★the Kuril(e)s 라고도 함.

Ku·ro·shio [kuróuʃiòu] 《Jap.》 *n.* 구로시오 (Japan Current), 일본 해류.
Kur·saal [kə́:rzəl] *n.* 《G.》 (해수욕장·온천장 등에 있는 카지노풍의) 오락관.
kurta ⇨KHURTA.
ku·ru [kú:əru:] *n.* 〖의학〗 쿠루병《New Guinea 고지인에게서 볼 수 있는 바이러스성 뇌신경병》.
ku·rus [kurú:ʃ] (*pl.* ~) *n.* 쿠루시《터키의 화폐 단위; =1/100 lira》.
Ku·wait, -weit [kuwéit] *n.* 쿠웨이트《아라비아 북동부의 회교국; 그 수도》. ㊞ **Ku·wai·ti** [kuwéiti] *a.*, *n.* ~(사람)의; ~ 사람.
Kúz·nets cỳcle [kúznits-] 〖경제〗 쿠즈네츠 순환(building cycle)《미국의 경제학자 S. Kuznets가 1930년에 발견한 15년에서 25년의 주기를 갖는 경기파동》.
kv, kV, kv. kilovolt(s). **kVA, k.V.A., kva** kilovolt-ampere(s). **kVAr, kvar** kilovar(s).
kvass [kvɑ:s] *n.* Ⓤ (러시아의) 호밀 맥주.
kvell [kvel] 《미속어》 *vi.* 마음껏 즐기다; 자랑스레 기뻐하다, 히죽히죽 웃다.
kvetch [kvetʃ] 《미속어》 *n.* 불평가; 불평, 푸념. **—** *vi.*, *vt.* 늘 불평만 하다, 투덜거리다; …라고 불평을 말하다.
kvut·za [kəvù:tsá:, -́-̀-] *n.* (이스라엘의) 소(小)집단 농장. ㉹ kibbutz. 「Windsor.
kw, kW, kw. kilowatt(s). **K.W.** Knight of
Kwangtung ⇨GUANGDONG.
kwash·i·or·kor [kwæ̀ʃiɔ́:rkɔ:r, -kər] *n.* 〖의학〗 콰시오르코르, 단백 열량 부족증《아프리카의 단백 결핍성 소아 영양 실조증》.
kwe·la [kwéilə] *n.* 크웰라《아프리카 남부의 Bantu족 사이에서 행하여지는 일종의 비트 음악》.
K.W.H., kWh, kwh(**r**), **kw-hr** kilowatt-hour.
KWIC [kwik] *n.* 〖컴퓨터〗 표제어가 문맥에 포함된 채 배열된 색인. [◂*k*ey *w*ord *i*n *c*ontext]
KWOC [kwɑk/kwɔk] *n.* 〖컴퓨터〗 표제어가 문맥 앞에 나와 배열된 색인. [◂*k*ey *w*ord *o*ut of *c*ontext]
KY 〖미우편〗 Kentucky. **Ky.** Kentucky.
ky·a·nite [káiənàit] *n.* =CYANITE.
ky·an·ize [káiənàiz] *vt.* 승홍수(昇汞水)를 붓다, 승홍수로 (재목의) 부식을 방지하다.
kyat [kjá:t, kiɑ:t] *n.* 미얀마의 화폐 단위《기호 K; =100 pyas》.
kyle [kail] *n.* 《Sc.》 좁은 수로(水路), 해협.
ky·lin [kì:lín] *n.* 기린(麒麟)《상상 속의 동물》.
ky·loe [káilou] *n.* 〖동물〗 카일로 소《스코틀랜드 고지산(高地産)의 뿔이 긴 작은 소》.
ky·mo·gram [káiməgræ̀m] *n.* (kymograph로 기록된) 동태(動態) 기록, 카이모그램.
ky·mo·graph [káiməgræ̀f, -grɑ̀:f] *n.* 카이모그래프, 동태(動態) 기록기(器)《맥박·혈압 따위의 파동곡선 기록장치》.
ky·pho·sis [kaifóusis] (*pl.* **-ses** [-si:z]) *n.* Ⓤ 〖의학〗 척주 후만증(後彎症). ㊞ **ky·phot·ic** [-fɑ́tik/-fɔ́t-] *a.*
Kyr·gyz·stan [kìərgistǽn] *n.* 키르기스스탄《CIS 구성 공화국의 하나》. 「SON.
ky·rie [kíriè i/kírii] *n.* (종종 K-) =KYRIE ELEI-
ký·rie elé·i·son [-eiléiisɑ̀n/-eiléiisɔ̀n] 《Gr.》 (종종 K- E-) 〖교회〗 자비송, 기도문《'주여 불쌍히 여기소서'의 뜻; 가톨릭 및 그리스 정교회에서 미사 첫머리에 외며, 영국국교회에서는 십계(十誡)에 대한 응창(應唱)에 쓰임》; 이에 붙인 음악.
kyte [kait] *n.* 《Sc.·N.Eng.》 배, 위(胃): fill one's ~ 배불리 먹다.

L

L, l [el] (*pl.* **L's, *Ls*, l's, *ls*** [-z]) **1** 엘《영어 알파벳의 열두째 글자》. **2** L자 모양의 것; 〚기계〛 L자관(管); 〚건축〛 (본채에 딸린) L자 모양의 곁채. **3** 12번째의 것《j를 제외하면 11번째》. **4** (L) 《미속어》 고가 철도(elevated railroad, el): an *L* station 고가 철도역. **5** 로마 숫자의 50: *LX* =60.

L 〚전자〛 (회로도 따위에서) inductor; 〚광학〛 lambert(s); large; 〚물리〛 latent heat; Latin; 《영》 learner(-driver)《임시 면허 운전자 차에 표시하는》; left; lek(s); lempira(s); 〚물리〛 length; pound(s)(⇨ £); lira(s); longitude; 〚전기〛 selfinductance. **L.** Lady; Law; Left; *liber* 《L.》 (=book); Liberal; Licentiate; 〚생물〛 Linnaean, Linnaeus; Lodge; London; Lord. **L., l.** lake; latitude; law; league; left; length; (*pl.* ***LL., ll.***) line; link; low. **l.** land; large; leaf; *libra* 《L.》 (=pound); lira(s); lire; liter(s); long; lumen. **£** *libra(e)* (=pound(s) sterling).

la[1] [lɑ(:)] *n.* 〚음악〛 라《장음계의 여섯째 음》.

la[2] [lɔ:, lɑ:/lɔ:] *int.* 《고어·방언》 저봐, 보라, 야《놀라움·강조 따위를 나타냄》.

La 〚화학〛 lanthanum. **La.** Louisiana. **L.A.** Latin America; law agent; Legislative Assembly; 《영》 Library Association; Local Agent; Local Authority; Los Angeles; low altitude. **L/A** 〚상업〛 landing account; letter of authority.

laa·ger [lɑ́:gər] 《S.Afr.》 *n.* (짐마차 따위를 둥글게 방벽으로 배치한) 야영지; 〚군사〛 (장갑차 따위의) 차량 방벽. **—** *vt., vi.* 차량 방벽진으로 배치하다, 차량 방벽진을 치다; 차량 방벽진에서 야영하다.

lab [læb] 《구어》 *n.* 연구〔실험〕실〔동(棟)〕; 실험; (경찰의) 감식, 과학 수사 연구소; 사진〔필름〕 현상소. [◂ *laboratory*]

Lab. Labor; Laborite; Labrador.

La·ban [léibən] *n.* 레이번《남자 이름》.

la·ba·rum [lǽbərəm] (*pl.* ***-ra*** [-rə]) *n.* **1** 후기 로마 제국의 군기《Constantine 대제 때의》. **2** (가톨릭교회 등의) 행렬기(旗).

láb-conceived báby =TEST-TUBE BABY.

lab·e·fac·tion [læ̀bəfǽkʃən] *n.* 《문어》 Ⓤ (정신·질서 따위의) 동요(動搖)(shake); 쇠약; 쇠미, 몰락.

⁑**la·bel** [léibəl] *n.* **1 a** 라벨, 레테르, 딱지, 쪽지, 꼬리표, 부전(附箋); (표본 따위의) 분류 표시: put ~*s* on one's luggage 화물에 꼬리표를 달다. **b** (레코드판 중앙의) 라벨, (레코드 (회사) 상표로서의) 라벨, (특정 라벨의) 레코드, (의료품의) 상표, 브랜드; 〚물리·화학〛 (물질을 동정(同定)하는) 표지(tag). **2** (풀칠을 한) 우표. **3** (사람·단체·사상 등의 특색을 나타내는) 호칭, 《비유》 부호, 표호(標號). **4** 〚건축〛 (문·창 위에 있는) 비막이 돌(dripstone). **5** 〚컴퓨터〛 이름표, 라벨《파일 식별용의 문자군(群)》. **—** (***-l-***, 《영》 ***-ll-***) *vt.* **1** 《~+목/+목+전+명/+목+보》 …에 라벨을 바르다〔붙이다〕; …에 레테르〔딱지〕를 붙이다: ~ a trunk *for* Hongkong 트렁크에 홍콩행 딱지를 붙이다/~ a bottle 'Danger' 병에 '위험'이라는 딱지를 붙이다. **2** 《+목+보/+목+(*as*) 보》 《비유》 …에 …라는 레테르를 붙이다, …에 명칭을 붙이다, 분류(分類)하다: The newspapers had unjustly ~*led* him (*as*) a coward. 신문들은 부당하게 그를 겁쟁이로 낙인찍었다. ㊕ **~·er,** 《영》 **~·ler** *n.* **~·a·ble** *a.*

la·bel·lum [ləbéləm] (*pl.* ***-bel·la*** [-bélə]) *n.* (난초과 식물의) 순형(脣形) 화판, 입술꽃잎.

la·bia [léibiə] LABIUM의 복수.

la·bi·al [léibiəl] *a.* 입술(모양)의; 〚음성〛 순음(脣音)의. **—** *n.* 순음《[p, b, m] 따위》. cf. dental. ㊕ **~·ly** *ad.* 순음으로. **~·ism** *n.* Ⓤ 순음화(化) 경향.

lá·bi·al·ìze *vt.* 〚음성〛 순음화하다. ㊕ **là·bi·al·i·zá·tion** *n.*

lábia ma·jó·ra [-mədʒɔ́:rə] 《L.》 〚해부〛 대음순(大陰脣).

lábia mi·nó·ra [-minɔ́:rə] 《L.》 〚해부〛 소음순.

la·bi·ate [léibiət, -bièit] 〚식물〛 *a.* 입술 모양의, 순형(脣形) 꽃부리의. **—** *n.* 꿀풀과의 식물.

la·bile [léibil, -bail] *a.* 변하기 쉬운, 변화를 일으키기 쉬운, 불안정한; 〚화학〛 (화합물이) 불안정한; 유연한. ㊕ **la·bil·i·ty** [ləbíləti, lei-] *n.*

la·bi·o- [léibiou, -biə] '입술'의 뜻의 결합사.

làbio·déntal 〚음성〛 *a.* 순치음(脣齒音)의. **—** *n.* 순치음《[f, v] 따위》.

la·bi·um [léibiəm] (*pl.* ***-bia*** [-biə]) *n.* 입술; (*pl.*) 〚해부〛 음순(陰脣); 〚동물〛 (곤충·갑각류 따위의) 아랫입술; 〚식물〛 (입술꽃부리의) 하순판(下脣瓣). cf. labrum.

⁑**la·bor,** 《영》 **-bour** [léibər] *n.* **1** 노동, 근로: division of ~ 분업(分業)/hard ~ (형벌의) 고역, 중노동. **2** 〔집합적〕 노동자, 《특히》 육체노동자; 노동〔근로〕 계급. cf. capital. ¶ the costs of ~ 노임/~ and management 〔capital〕 노동자와 경영자〔자본가〕, 노사〔노자〕/cheap ~ 저렴한 노동력. **3** 애씀, 노력. **4** (힘드는) 일, 고역; (*pl.*) 세상사, 속세의 일: His ~*s* are over. 그의 이 세상의 일〔일생〕은 끝났다. **5** (L-) 《영》 = LABOUR PARTY; LABOUR EXCHANGE. **6** 산고, 진통 (=∠ **pàins**); 출산: be in ~ 분만〔진통〕 중이다; 《비유》 산고를 겪고 있다. **7** 〚해부〛 배의 큰 동요. ◇ laborious *a.* ***a ~ of love*** (무보수로) 좋아서 하는 일, 사랑의 수고《데살로니가전서 I: 3》. ***the ~ of Hercules*** 몹시 힘드는 일. ***the Ministry of Labor*** 노동부.

— *vi.* **1** 《~/+전+명/+*to* do》 (부지런히) 일하다, 노동하다; 애쓰다, 노력하다: ~ *for* peace 평화를 위해 노력하다/He ~*ed to* complete the task. 그는 그 일을 완성시키려고 노력하였다. **2** 《+전+명》 고민하다, 괴로워하다(suffer) 《*under*》: ~ *under* a persistent headache 고질적인 두통에 시달리다/~ *under* the illusion that …이라는 환상〔오해〕에 사로잡혀 있다. **3** 《+전+명》 애써서 나아가다; (배가) 몹시 흔들리다; 난항(難航)하다《*through*; *in*》: The ship ~*ed in* 〔*through*〕 (the) heavy seas. 배는 거친 바다에서 난항을 거듭했다. **4** 《+전+명》 산고를 겪다: She is ~*ing with* child. 진통을 일으키고 있다. **—** *vt.* **1** 상세히 논하다: ~ the point 그 점에 관해 (지루할 정도로) 상세히 논하다. **2**

《+목+전+명》 …에게 쓸데없는 부담을 지우다, 괴롭히다: ~ the reader *with* unnecessary detail 쓸데없이 상술(詳述)하여 독자로 하여금 싫증나게 하다. **3** 《~+목/+목+부》〔~ one's way 로〕 곤란을 무릅쓰고 나아가다. ~ ***after*** (wealth) (부)를 얻으려고 애쓰다. ~ ***at a task*** 맡은 일을 부지런히 하다. ~ ***for*** (breath) (호흡)하기 괴로워하다.
— *a.* 노동의, 노동자의; (L-) 노동당의: a ~ dispute 노동 쟁의.

lábor agrèement 노동 협약《단체 교섭에 의거, 노동조합과 사용자 간에 협정하는 임금·노동 시간 등에 관한 결정》.

lab·o·ra·to·ri·al [læ̀bərətɔ́:riəl] *a.* 실험실의 「(을 이용한).

lab·o·ra·to·ry [lǽbərətɔ̀:ri/ləbɔ́rətəri] *n.* **1** 실험실, 시험실; 연구소〔실〕: a chemical ~ 화학 실험실〔연구소〕/ a hygienic ~ 위생 시험소. **2** 제약소; 〖군사〗 화약 제조소. **3** 실험 (시간)《교과 과정으로서의》: a course with two lectures and one ~ 강의 2, 실험 1의 과목. — *a.* 실험실(용)의: ~ animals 실험용 동물.

láboratory disèase 〖의학〗(특히 실험동물의) 실험용 질환, 실험병《인위적으로 동물에게 질환을 생기게 함》.

láboratory schòol 실험학교《교육 실습·공개 수업용의 대학 부속 초등〔중〕학교》. 「〔금고〕.

Lábor Bànk (노동조합이 경영하는) 노동 은행

lábor bòss 큰 노조의 간부《나쁜 뜻으로》.

lábor càmp **1** 강제 노동 수용소. **2** 계절 농업 노동자의 숙박소.

lábor cóntent 〖경제〗 (상품의 원가 중에서 차지하는 원료비에 대한) 가공〔노동〕 가치.

Lábor Dày 《미》 노동절《9월의 첫째 월요일로 유럽의 May Day에 해당》. 「of Labor.

Lábor Depàrtment (the ~) =DEPARTMENT

lá·bored *a.* **1** 힘든, 곤란한. OPP *easy*. **2** 애쓴, 공들인, 고심한 흔적이 보이는. **3** 부자연한, 억지의: a ~ style 어색한 문체 / a ~ speech 부자연스러운 연설.

la·bor·er [léibərər] *n.* 근로〔노동〕자, 인부: a day ~ 날품팔이 노동자.

Lábor Exchànge =LABOUR EXCHANGE.

lábor fòrce 노동력; 노동 인구.

lá·bor·ing [-riŋ] *a.* **1** 노동에 종사하는: the ~ class(es) 근로〔노동〕 계급. **2** 애쓰는, 고생하는; 괴로워하는. **3** 진통에 시달리는; (가슴이) 두근거리는. **4** (배가) 흔들리는. 파 **~·ly** *ad.* 애써서, 고생하여.

lábor-inténsive *a.* 노동 집약형의: ~ industry 노동 집약형 산업.

la·bo·ri·ous [ləbɔ́:riəs] *a.* 힘든, 고된, 곤란한; 일 잘하는, 부지런한(industrious); 고심한, 애쓴, 공들인《문체 등》. ◇ labor *n.* 파 **~·ly** *ad.* 애써서, 고생하여. **~·ness** *n.*

La·bor·ism [léibərìzəm] *n.* Ⓤ **1** 노동당의 강령〔주의〕. **2** 근로〔노동〕자 존중. 파 **là·bor·ís·tic** *a.* **1** 노동당의. **2** 근로〔노동〕자 존중의.

la·bor·ite [léibəràit] *n.* 근로자 옹호 단체의 일원; (L-) 근로자 옹호 정당원, 노동당원; (L-) = LABOURITE.

lábor làw 노동법.

Lábor-Mánagement Relátion Àct (the ~) 《미》 노사 관계법《Taft-Hartley Act의 공식 명》.

lábor màrket 노동 시장.

lábor mobìlity 《미》 노동 유동성.

lábor mòvement (the ~) 노동(조합) 운동.

lábor pàins 산고, 진통.

lábor pàrty 〔일반적〕 노동당.

lábor relàtions 노사(勞使) 관계.

lábor·sàving *n.*, *a.* 노력(勞力) 절약(의), 생력화(省力化)(의).

lábor skàte 《미속어》 노동조합원.

la·bor·some [léibərsəm] *a.* 힘든, 노력을 요하는; (배가) 흔들리기 쉬운.

lábor spỳ (노조 활동을 감시하는) 노동 스파이.

lábor théory of válue 노동 가치설《Marx의 경제학설; 상품의 가치는 생산에 투입된 노동량에 의해 결정된다는 설》.

lábor ùnion 《미》 노동조합.

lábor wàrd (병원의) 분만실.

labour, etc. ⇨ LABOR, etc.

Lábour Exchànge (종종 l- e-) 《영》 직업 안정국; (l- e-) (공공의) 직업 소개 (사업).

La·bour·ite [léibəràit] *n.* 《영》 노동당원, 노동당 의원.

Lábour Pàrty (the ~) 《영》 노동당.

Lab·ra·dor [lǽbrədɔ̀:r] *n.* **1** 래브라도《북아메리카 북동부의 Hudson 만과 대서양 사이의 반도》. **2** =LABRADOR RETRIEVER.

lab·ra·dor·ite [lǽbrədɔ:ràit, ⌐-⌐-] *n.* 〖광물〗 조회장석(曹灰長石).

Lábrador retríever 〔**dóg**〕 래브라도 레트리버《캐나다 원산의 새 사냥개·경찰견·맹도견(盲導犬)》.

la·bret [léibret] *n.* (미개인의) 입술 장식《입술에 구멍을 뚫고 다는 조가비·나뭇조각 등》.

la·brum [léibrəm, lǽb-] (*pl.* ***-bra*** [-brə]) *n.* 〖동물〗 상순(上脣); (조개류(類)의) 외순(外脣); 〖해부〗 관절순(脣). cf. labium. 「격 시스템).

LABS low-altitude bombing system(저공 폭

la·bur·num [ləbə́:rnəm] *n.* 〖식물〗 (유럽 원산의) 콩과의 낙엽 교목의 하나.

lab·y·rinth [lǽbərìnθ] *n.* **1** (진로·출구 등이 알 수 없는) 미궁(迷宮); 미로(maze). **2** 뒤얽혀 복잡한 것, 엉클어진 사건, 우렁잇속. **3** 〖해부〗 미로(迷路); 내이(內耳). **4** (the L-) 〖그리스신화〗 라비린토스《Crete섬의 Minos왕이 Minotaur를 감금하려고 Daedalus에게 만들게 한 미로》. 파 **làb·y·rín·thi·an, làb·y·rín·thic, làb·y·rín·thine** [-θiən], [-θik], [-θi(:)n/-θain] *a.* 미궁의〔같은〕; 복잡한, 엉클어진.

lac[1] [læk] *n.* **1** Ⓤ 랙《랙깍지진디의 분비물; 니스·붉은 도료 따위를 만듦》. **2** 랙칠을 한 기구.

lac[2] *n.* 《Ind.》 10만; 10만 루피; 다수.

LAC, L.A.C. leading aircraftsman.

La·can [*F.* lakɑ̃] *n.* **Jacques** ~ 라캉《프랑스의 구조주의적 정신 분석학자; 1901–81》.

lac·co·lith, -lite [lǽkəliθ], [-làit] *n.* 〖지학〗 병반(餠盤), 라콜리스《떡 모양의 암체(岩體)》.

lace [leis] *n.* **1** (구두·각반·코르셋 등의) 끈, 꼰 끈: shoe ~*s* 구두끈. **2** Ⓤ 레이스. **3** (금·은(銀)의) 몰; 가장자리 장식: gold 〔silver〕 ~ 금〔은〕몰. **4** Ⓤ (커피 따위에 탄) 소량의 브랜디〔진 따위〕.
— *vt.* **1** 《~+목/+목+부》 끈으로 묶다〔졸라매다〕《*up*》: ~ *up* one's shoes 구두끈을 매다 / ~ the ends of the cord 끈의 양 끝을 묶다. **2** 《+목+부/+목+전+명》 …에 끈을 꿰다: ~ a cord *through* (a hole) (구멍에) 끈을 꿰다. **3** 《+목+전+명》 〔종종 수동태로〕 섞어 짜다, 짜 넣다; 짜 맞추다《*with*》: a handkerchief ~*d with* green thread 초록색 실로 수를 놓은 손수건. **4** 《+목+전+명》 레이스〔몰〕로 장식하다: cloth ~*d with* gold 금몰로 장식된 천. **5** …에 줄무늬를 달다. **6** 《+목+전+명》 (브랜디 따위를 커피에) 가미하다《*with*》: ~ coffee *with* spirits 커피에 알코올 성분을 타다. **7** (채찍 따위로) 치다, 매질하다. — *vi.* **1** 《~/+부》 끈으로 매다〔매어지다〕, 끈이 달려 있다: These shoes ~ easily. 이 구두끈은 매기 쉽다. **2** 《~/+부》 (코르셋으로) 허리를 졸라매다: This corset ~*s*

(*up*) at the side. 이 코르셋은 옆에서 졸라매게 되어 있다. **3** 《+전+명》 끈으로 치다, 타격을 가하다, 비난하다, 헐뜯다《*into*》: ~ *into* a person 아무를 공격하다〔헐뜯다〕. **~ a person's coat** 〔***jacket***〕 《속어》 아무를 채찍으로 갈기다.
㊕ **~d** [-t] *a.* 끈이 달린, 레이스로 장식한; 알코올을 탄.

láce cùrtain 레이스 커튼《레이스나 얇은 흰 천으로 된》.

láce-cùrtain *a.* (근로자 계급에 대하여) 중산 계급의; 중산 계급 지향의, 허세 부리는, 젠체하는.

Lac·e·dae·mon [læ̀sədíːmən] *n.* Sparta의 별칭. ㊕ **Lac·e·dae·mo·ni·an** [læ̀sədimóuniən] *a., n.* =SPARTAN.

láce glàss 레이스 무늬가 있는 유리그릇.

láce pàper 레이스 무늬가 있는 종이.

láce pìllow 레이스 뜨는 판《베개 같은 것으로 무릎 위에 놓고 사용함》.

lac·er·a·ble [lǽsərəbəl] *a.* 찢을 수 있는, 잘 찢기는.

lac·er·ate [lǽsərèit] *vt.* …을 찢다, 잡아 찢다, 찢어내다; (마음 따위를) 상하게 하다, 괴롭히다: His bitter criticism ~*d* my heart. 그의 지독한 비판은 나의 마음을 갈가리 찢어 놓았다. ― [ˊ-ˋ, -rət] *a.* =LACERATED. ㊕ **lác·er·àt·ed** [-rèitid] *a.* 찢어진, 찢긴. **làc·er·á·tion** *n.* U,C 잡아 찢음, 갈가리 찢음; C 열상(裂傷), 찢어진 상처; U (감정을) 상하게 함, 고뇌.

la·cer·tian, lac·er·til·i·an [ləsə́ːrʃən], [læ̀sərtíliən, -ljən] *n., a.* 도마뱀류(의).

la·cet [leisét] *n.* (레이스 무늬를 넣은) 끈목.

láce-ùp *a.* (구두가) 끈으로 매는, 편상화의. ― *n.* (보통 *pl.*) 편상화, 부츠.

láce·wìng *n.* 〖곤충〗 풀잠자리.

láce·wòrk *n.* U 레이스 (세공), 레이스 모양의 성긴 뜨개질.

lach·es [lǽtʃiz, léitʃ-] (*pl.* ~) *n.* 〖법률〗 해태(懈怠)《의무·권리의 행사 등을 게을리하는 일》.

Lach·e·sis [lǽtʃəsis, lǽkə-/lǽki-] *n.* 〖그리스신화·로마신화〗 운명의 3여신(Fates) 중의 하나.

lach·ry·mal, lac·ri- [lǽkrəməl] *a.* 눈물의; 눈물을 흘리는; 울 것 같은: a ~ bone 누골(淚骨) / ~ glands 누선(淚腺) / a ~ vase 눈물 단지(lachrymatory) / a ~ duct 〔sac〕 누관(淚管)〔누낭(淚囊)〕. ― *n.* 눈물 단지; (*pl.*) 누선, 눈물샘.

lach·ry·ma·tion [læ̀krəméiʃən] *n.* U 눈물을 흘림, 욺.

lach·ry·ma·tor [lǽkrəmèitər] *n.* 최루 물질, 최루 가스(tear gas).

lach·ry·ma·to·ry [lǽkrəmətɔ̀ːri/-təri] *n.* C 눈물 단지《옛 로마에서 애도자의 눈물을 받아 담았다는》. ― *a.* 눈물의, 눈물을 자아내는: ~ gas 최루 가스 / a ~ shell 최루탄.

lach·ry·mose [lǽkrəmòus] *a.* 눈물 잘 흘리는; 눈물을 자아내는, 애절한. ㊕ **~·ly** *ad.*

lac·ing [léisiŋ] *n.* U,C **1** 끈으로 맴; 끈으로 결어짜기; 레이스로 장식하기. **2** 끈; 옷 가장자리 장식, 선두름, 레이스; 금〔은〕 몰. **3** 커피 따위에 타는 소량의 주류(酒類). **4** 《구어》 매질, 벌(罰).

la·cin·i·ate, -at·ed [ləsínièit, -niət], [-èitid] *a.* 가장자리에 술이 달린, 가장자리에 톱니 모양으로 들쭉날쭉한 것이 달린; 〖동물·식물〗 길고 가늘게 째진; 톱니 모양의.

lác ìnsect 〖곤충〗 랙깍지진디. cf. lac[1].

‡lack [læk] *n.* **1** U 부족(want), 결핍; 결여, 없음: ~ of confidence 불신임 / *Lack of* rest made her tired. 쉬지 못해 그녀는 지쳤다. **2** C 부족한 것: supply the ~ 부족한 것을 보충하다 / Money is the chief ~. 무엇보다도 돈이 모자란다. ***for*** 〔***by, from, through***〕 **~ *of*** …의 결핍〔부족〕 때문에: be acquitted *for* ~ *of* evidence 증거 불충분으로 석방되다. ***have*** 〔***there is***〕 ***no* ~ *of*** …에 부족이 없다, 충분하다, …이 많이 있다. ― *vi.* 《~/+전+명》 결핍하다, 모자라다《*in; for*》: She did not ~ *for* love. 그녀는 애정에 굶주리지는 않았다. cf. lacking. ― *vt.* **1** …이 결핍〔부족〕되다, …이 없다: A desert ~*s* water. 사막엔 물이 없다 / ~ courage 용기가 부족하다. **2** 《+목+전+명》 모자라다: The vote ~*ed* three *of* (be*ing*) a majority. 투표는 과반수에 세 표가 모자랐다.

> SYN. **lack** 희망하는 것이나 당연히 있어야 할 것이 없거나 존재하지 않음을 말함. **need** 꼭 있어야 할 것이 없어서 그것이 필요함을 나타냄. **want** need보다 뜻은 약하나 필요한 것이 없기 때문에, 그것을 원한다는 뜻.

lack·a·dai·si·cal [læ̀kədéizikəl] *a.* 활기 없는, 열의 없는; 생각〔시름, 비탄〕에 잠긴; 늘쩍지근한(languid); 감상적인; 짐짓 심각한: a ~ attempt 열의 없는〔형식적인〕 시도 / in a ~ manner 무기력하게. ㊕ **~·ly** *ad.* **~·ness** *n.*

lack·a·dai·sy[1] [lǽkədèizi] *n.* 무관심, 냉담; 권태, 피로.

lack·a·day, -dai·sy[2] [lǽkədèi], [-dèizi] *int.* 《고어》 아아 (슬프다)(alas)《alackaday의 간약형》. cf. alack.

lack·er [lǽkər] *n., vt.* =LACQUER.

lack·ey, lac·quey [lǽki] *n.* (제복을 입은) 종복(從僕)(footman); 《비유》 아첨꾼, 빌붙는 사람(toady). ― (*p., pp.* **~ed; ~·ing**) *vt., vi.* (…에) 종복으로서 섬기다《*for*》, 따르다; 빌붙다.

***lack·ing** [lǽkiŋ] *a.* 부족한, 부족하여《*for*》; …이 모자라는, 부족한《*in*》: Money is ~ *for* the plan. 그 계획에는 자금이 부족하다 / She's 〔I found her〕 ~ *in* common sense. 그녀는 상식이 모자란다. ― *prep.* …없이, …이 없으면, 없어서: *Lacking* any better thing, use mine. 더 좋은 것이 없으면 내 것을 쓰게.

láck-in-óffice *n.* 관직을 구하는 사람, 엽관자(office seeker).

láck·lànd *a., n.* 땅 없는 (사람).

láck·lùster *a.* 빛이〔윤기가〕 없는, (눈 따위가) 열기〔생기〕가 없는, 거슴츠레한, 흐리멍덩한; 활기 없는(dull, dim): a ~ color 윤기 없는 색깔 / a ~ stare 생기 없는〔거슴츠레한〕 시선. ― *n.* 빛〔활기〕의 결여.

láck·wìt *n., a.* 멍청이(의), 얼간이(의).

La·co·nia [ləkóuniə] *n.* 라코니아《그리스 남부에 있던 옛 나라; 수도는 Sparta》.

la·con·ic, -i·cal [ləkánik/-kɔ́n-], [-əl] *a.* 간결한《어구 따위》, 간명한; 말수 적은. ㊕ **-i·cal·ly** *ad.* 간결하게. **-i·cìsm** [-nisìzəm] *n.* =LACONISM.

lac·o·nism [lǽkənìzəm] *n.* U (어구의) 간결함; C 간결한 어구〔문장〕, 경구(警句).

lác òperon 〖생화학〗 젖당 오페론《락토오스의 대사에 관여하는 유전자군(群)》.

°lac·quer [lǽkər] *n.* U 래커《도료의 일종》; 칠(漆), 옻(Japanese ~); 〔집합적〕 칠기(漆器)(=ˊ·wàre). ― *vt.* …에 래커를〔옻을〕 칠하다; 외관을 좋게 꾸미다. ㊕ **~·er** [-rər] *n.* 옻칠장이, 래커칠하는 사람.

lácquer·wòrk *n.* 칠기(lacquerware); 칠기 제조.

lacquey ⇨ LACKEY.

lacrimal, lacry- ⇨ LACHRYMAL.

lac·ri·ma·tion, lac·ry- *n.* =LACHRYMATION.

lac·ri·ma·tor, lac·ry- *n.* =LACHRYMATOR.

lac·ri·ma·to·ry, lac·ry- *a.* =LACHRYMATORY.
la·crosse [ləkrɔ́:s, -krás/-krɔ́s] *n.* **1** Ⓤ 라크로스(하키 비슷한 구기의 일종; 캐나다의 국기(國技)). **2** (L-) 미국의 정보 위성명(구름·야간의 구애 없이 지상 촬영함).

lacrosse 1

La Crósse vìrus [ləkrɔ́:s-, -krás-/-krɔ́s-] 〖의학〗 라크로스 바이러스(태아에 장애를 일으키는 바이러스).
lact- [lækt] =LACTO-.
Lact·Àid [lǽktèid] *n.* 락트에이드(젖당 소화 「약; 상표명).
lac·tal·bu·min [læ̀ktəlbjú:min] *n.* 〖생화학〗 락트알부민(유액(乳液) 중의 알부민).
lac·tam [lǽktæm] *n.* 〖화학〗 락탐(고리 모양의 구조를 가진 분자 안의 아미드). 「유장(搾乳場).
lac·ta·ry [lǽktəri] *a.* 젖의, 젖 같은. **—** *n.* 착
lac·tase [lǽkteis, -teiz] *n.* Ⓤ 〖생화학〗 락타아제(젖당 분해 효소).
lac·tate [lǽkteit] *vi.* 젖을 내다, 젖을 빨리다(주다). **—** *n.* Ⓤ 〖화학〗 젖산염. ㊎ **lac·tá·tion** *n.* Ⓤ 젖 분비; 수유(授乳), 포유; 수유기(期).
láctate dehýdrogenase 〖생화학〗 젖산(酸) 데히드로게나아제, 젖산 탈수소 효소(탄수화물의 대사(代謝)로 피루브산(pyruvic acid)과 젖산과의 상호 변환을 촉매하는 효소; 생략: LDH).
lac·te·al [lǽktiəl] *a.* 젖의, 젖으로 된, 젖 같은(milky); 〖해부〗 유미(乳糜)를 보내는(넣는): the ~ gland 〖해부〗 젖샘. **—** *n.* (*pl.*) 〖해부〗 유미관(管). ㊎ **~·ly** *ad.*
lac·te·ous [lǽktiəs] *a.* 젖 같은; 젖(모양)의.
lac·tes·cence [læktésns] *n.* Ⓤ 젖 같은 상태, 젖빛; 〖식물〗 유액(乳液) 분비. ㊎ **-cent** [-snt] *a.* 젖 같은; 젖(유액)을 분비하는.
lac·tic [lǽktik] *a.* 〖화학〗 젖의; 젖에서 얻는; 젖산을 생성하는: ~ acid 젖산.
láctic ácid bactèria 〖세균〗 젖산균.
lac·tif·er·ous [læktífərəs] *a.* 젖을 (보)내는; 〖식물〗 유액(乳液)을 내는.
lac·to- [lǽtou, -tə] '젖, 우유'의 뜻의 결합사.
làcto·bacíllus (*pl.* **-cíl·li** [-sílai]) *n.* 젖산균.
lac·to·fer·rin [læ̀ktəférin] *n.* 〖생화학〗 락토페린(포유류의 젖단백질의 하나). 「RIBOFLAVIN.
lac·to·fla·vin [læ̀ktoufléivin] *n.* 〖생화학〗 =
lac·to·gen·ic [læ̀ktədʒénik] *a.* 최유성(催乳性)의; 젖샘 자극성의.
làcto·glóbulin *n.* 〖화학〗 락토글로불린(젖에 함유된 글로불린의 총칭).
lac·tom·e·ter [læktámətər/-tɔ́m-] *n.* 검유기(檢乳器)(비중이나 농도를 조사함).
làcto-òvo-vegetárian [-òuvou-] *n.* (야채 외에) 유제품·계란을 먹는 채식주의자, 유란(乳卵) 채식주의자.
lácto·scòpe *n.* 검유기. 「오스, 젖당.
lac·tose [lǽktous, -touz] *n.* Ⓤ 〖화학〗 락토
làcto-vegetárian *n.* (유제품은 먹지만 계란은 안 먹는) 채식주의자.
la·cu·na [ləkjú:nə] (*pl.* **-nae** [-ni:], **~s**) *n.* Ⓤ 공백, 빈 틈; 탈문(脫文), 탈락; 작은 구멍, 우묵 팬 곳; 〖식물〗 세포 사이의 빈 틈, 기포(氣泡); 〖해부〗 열공(裂孔), 소와(小窩).
la·cu·nar [ləkjú:nər] *n.* 〖건축〗 소란 반자; (*pl.* **lac·u·nar·ia** [læ̀kjənέəriə]) 소란 반자의 각 반자에 끼우는 널빤지.
la·cus·trine [ləkʌ́strin/-train] *a.* 호수의; 호상의; 호상(湖上) 생활의: the ~ age 〔period〕 호상 생활 시대/~ dwellings 호상 가옥.
lacy [léisi] (**lac·i·er; -i·est**) *a.* 끈의; 레이스(모양)의, 레이스제(製)의; 《미속어》 사내답지 못한; 《미속어》 동성애(자)의, 호모의. ㊎ **lác·i·ly** *ad.* 레이스 모양〔풍〕으로.
°**lad** [læd] *n.* **1** 젊은이, 청년(youth), 소년(boy)(미국어로는 문학적 표현). OPP. *lass.* **2** 《구어》 〖일반적〗 사나이, 남자; 〖친하게〗 녀석, 《호칭》 친구(chap): My ~! 야 친구. **3** 《Sc.》 연인, 애인. **4** 《영》 마구간지기.
lad·der [lǽdər] *n.* **1** 사다리, 사닥다리. cf. rung. ¶ a rung of a ~ 사닥다리의 한 단(분의 가로대). **2** 《비유》 출세의 발판〔수단, 방편〕; 사회적 지위: be high on the social ~*s* 사회적 지위가 높다/move up the social 〔corporate〕 ~ 사회〔회사〕의 출세 계단을 올라가다. **3** 사닥다리 모양의 물건; (편물의) 세로 올의 풀림; 《영》 (양말의) 올풀림(《미》 run). ***begin from*** 〔***start at***〕 ***the bottom of the ~*** (인생의) 밑바닥에서부터 입신(立身)출세하다. ***get*** one***'s foot on the ~*** 착수〔시작〕하다. ***get up*** 〔***mount***〕 ***the ~*** 사다리를 오르다; 《속어》 교수형을 받다. ***kick down*** 〔***away***〕 ***the ~*** 출세의 발판이 되었던 친구를〔직업을〕 버리다. **—** *vt.* **1** 사닥다리로 오르다: ~ a wall 벽을 오르다. **2** …에 사닥다리를 걸다. **3** 《영》 (양말을) 올이 풀리게 하다(《미》 run). **—** *vi.* **1** 출세하다(*to*). **2** 《영》 (양말의) 올이 풀리다.
ládder·bàck *n.* 등받이에 가로장이 많은 의자.
ládder còmpany (소방서의 사다리차를 조작하는) 사닥다리반(班).
ládder drèdge 래더 드레지(준설기).
ládder stìtch 십자수(繡) 놓기.
ládder tòurnament 사닥다리식 토너먼트.
lad·der·tron [lǽdərtràn/-trɔ̀n] *n.* 〖원자〗 래더트론(하전(荷電) 입자 가속 장치의 일종).
ládder trùck 《미》 사다리 (소방)차.
lad·die [lǽdi] *n.* 《주로 Scot.》 젊은이, 소년; 《호칭》 여보게, 자네(old chap).
lad·dish [lǽdiʃ] *a.* 젊은이다운, 소년 같은; 《구어》(남자답게) 난폭한, 공격적인. ㊎ **~·ness** *n.*
lade [leid] (**lád·ed** [-id]; **lád·en** [-n]) *vt.* **1** …을 싣다(load), 적재하다; (열차·배)에 싣다(*with*). **2** 《비유》 …에게 (짊어)지우다(*with*), 괴롭히다: be ~*n with* responsibility 책임이 지워지다. **3** (국자 따위로) 퍼넣다, 퍼내다(ladle). **—** *vi.* 짐을 싣다; (국자 따위로) 액체를 푸다.
lad·en [léidn] LADE의 과거분사. **—** *a.* **1** (짐을) 실은, 적재한(*with*); (과실이) 많이 달린(*with*): trees ~ *with* fruit 열매가 많이 열린 나무. **2** 고민하는, 괴로워하는(*with*): ~ *with* sin 죄의식으로 괴로워하는.
la-di-da, la-de-da, lah-di〔**de**〕**-dah** [lá:didá:] 《구어》 *n.* 젠체하는 사람; 으스대는 태도〔행동, 이야기〕. **—** *a.* 젠체하는, 고상한 체하는. **—** *vi.* 젠체하다, 점잔 빼다. **—** *int.* 뭐야 젠체하다니.
La·dies(') [léidiz] *n.* =LADY 3.
ládies cháin (종종 L- C-) 스퀘어 댄스의 일종.
Ládies' Dày 《미》 (종종 l- d-) (야구 따위의) 여성 우대〔초대〕일.
ládies' gállery 《영》 (하원의) 여성 방청석.
ládies' 〔**lády's**〕 **màn** 여성에게 곰살궂은 남자; 탕아(蕩兒), 난봉꾼; 여자에게 인기 있는 사내; 여성과 잘 사귀는 남자, 바람둥이.
ládies' nìght 여성의 밤((1) 영국에서, 여성이 남성용 클럽에 손님으로 참가가 허락되는 특별한 밤. (2) 미국에서, 여성이 할인 요금으로 행사에 참석할 수 있는 밤).
ládies' ròom 여성용 화장실.
ládies·wèar *n.* 여성복.
la·di·fy, la·dy·fy [léidifài] *vt.* 귀부인으로 만들다; 귀부인 취급하다.

lad·ing [léidiŋ] *n.* Ⓤ 짐 싣기, 적재, 선적; 선하(船荷), 화물. ***a bill of ~*** ⇨ BILL[1].

◇**la·dle** [léidl] *n.* 국자, 구기; (주조용의) 쇳물 바가지. **—** *vt.* ((~+목/+목+부/+목+전+명)) 국자로 퍼서 옮기다((*into*)); 국자로 퍼(떠)내다((*up; out*)); ((구어)) 가리지 않고(마구) 주다((*out*)): ~ water *out* 물을 퍼내다 / ~ soup *into* a plate 접시에 수프를 담다 / ~ *out* praise 마구 칭찬하다. ㊔ **~·ful** [-fùl] *n.* 한 국자(분).

La·do·ga [lɑ́:dəgə] *n.* **Lake ~** 라도가 호(湖)((러시아 북서부, Finland 만 북동의 유럽 최대의 호수)).

†**la·dy** [léidi] (*pl.* ***lá·dies***) *n.* **1 a** ((woman에 대한 정중한 말)) 여자분, 여성; (*pl.*) ((호칭)) 여성분, (숙녀) 여러분: *Ladies* (and Gentlemen) (신사) 숙녀 여러분, 여러분. **b** 연인(ladylove); 아내, 부인; 여주인; ((호칭))마님, 아씨; 아주머님, 아가씨((다음과 같은 경우 외에는 madam 쪽이 보통임)): my (his) young ~ 나의(그의) 약혼녀 / my dear (good) ~ ((호칭)) 당신 / your good ~ 영부인 / the ~ of the house 주부, 여주인 / the ~ of the manor 여영주(女領主) / my ~ 마님, 아씨((특히 귀부인에 대한 하인의 말)) / young ~((구어))아씨. **c** 〖형용사적〗 여류…, …부인: a ~ aviator 여류 비행사((이 용법으로는 woman도 좋음)) / a ~ dog ((우스개)) 암캐. **2 a** 귀부인, 숙녀; (기사도에서 사랑의 대상으로의) 귀부인: She is not (quite) a ~. 그녀는 도저히 숙녀라 할 수 없다(숙녀와는 거리가 멀다). **b** (L-) 레이디: our Sovereign *Lady* ((고어·시어)) 여왕.

> NOTE 영국에서는 다음의 경우 여성에 대한 경칭으로 씀. (1) 여성의 후·백·자·남작. (2) Lord (후·백·자·남작)와 Sir (baronet 또는 knight)의 부인. (3) 공·후·백작의 영애. 영애인 경우에는 first name 에 붙임.

c (L-) 〖의인화〗: *Lady* Luck. **3** (ladies('), 종종 Ladies(')) 〖단수취급〗((영)) 여성 화장실. **4** ((미속어)) 코카인. ***a ~ of easy virtue*** 허튼계집, 계명워리. ***a ~ of leisure*** 유한마담. ***a ~ of pleasure*** 갈보, 매춘부. ***a ~ of the bedchamber*** 여왕(왕비)의 궁녀. ***a ~ of the night*** (***evening***) 매춘부. ***an extra*** (***a walking***) ~ 단역 여배우. ***Our Lady*** 성모 마리아. ***our Lady with the Lamp*** =Florence NIGHTINGALE. ***the Lady of the Lake*** 호수의 미녀((Arthur왕의 전설에 나오는 Vivian을 일컬음)).

Lády àltar 성모 예배당의 제단, 성모상(像) 제단.

lády bèar ((CB속어)) 여자 교통순경.

lády·bìrd, -bùg *n.* 〖곤충〗 무당벌레.

Lády Bóuntiful 여성 자선가.

lády bréaker ((CB속어)) 시민 라디오 교신을 요청하는 여성 교신자.

lády chàir 손가마((두 사람이 손(팔)을 엇걸어서 만드는 부상자를 운반하기 위한 가마)).

Lády Chàpel 성모 예배당, 성모 마리아 예배당(堂) ((큰 교회당에 부속됨)).

Lády Dày 성모 영보 대축일((3월 25일; 천사 Gabriel이 그리스도의 잉태를 성모 마리아에게 고한 기념일)); (영국에서) quarter day의 하나.

lády fèrn 〖식물〗 참새발고사리.

lády·fìnger *n.* (손가락 모양의) 카스텔라식 과자.

lády frìend 여자 친구, 애인.

ladyfy ⇨ LADIFY.

Lády Godíva ⇨ GODIVA 2.

lády-hélp *n.* ((영)) 가정부.

lády·hòod *n.* Ⓤ 귀부인(숙녀)임(의 신분); 〖집합적〗 귀부인(숙녀)들(ladies).

lády-in-wáiting (*pl.* ***ládies-***) *n.* 시녀, 궁녀.

lády-kìller *n.* ((구어)) 레이디킬러, 색마, 멋진 호남자.

la·dy·kin [léidikin] *n.* 작은 귀부인; ((경칭)) 아가씨.

lády·lìke *a.* 귀부인다운, 고상한, 정숙한; 여자 같은((남자)); 유약한.

lády·lòve *n.* 의중(意中)의 여인, 애인, 연인, 정부.

Lády Macbéth 맥베스 부인((Shakespeare 작 *Macbeth*의 등장인물; 남편에게 왕의 살해를 부추기는 권력욕이 강한 여성)).

Lády Máyoress ((영)) 런던 시장 부인. cf. Lord Mayor.

lády páramount (the ~) 양궁 경기의 여자 선수 담당 임원.

lády's compànion 여자 손가방; 반짇고리.

lády's-fìnger *n.* 〖식물〗 손가락 모양의 열매가 달리는 식물((별노랑이 등)); 오크라(okra).

lady·ship [léidiʃìp] *n.* Ⓒ **1** 숙녀(귀부인)의 신분(품위). **2** (종종 L-) 영부인, 영양(令孃)((Lady의 존칭을 가진 부인에 대한 경칭)): your (her) *Ladyship* ((호칭)) 영부인.

lády's máid 몸종, 시녀.

lády's-slìpper *n.* 〖식물〗 개불알꽃속(屬).

lády's-smòck *n.* 〖식물〗 황새냉이류의 풀.

lády's thùmb 〖식물〗 말여뀌, 마료(馬蓼).

la·e·trile [léiətril] *n.* (종종 L-) 레이어트릴((살구·아몬드 등의 핵에서 만드는 제암제(制癌劑))).

lae·vu·lose [lí:vjəlous] *n.* Ⓤ 과당(果糖). cf. dextrose.

La·fa·yette [læfiét, -fei-, lɑ̀:-/lɑ̀:faiét] *n.* **Marquis de ~** 라파예트((프랑스의 군인·정치가; 1757–1834)).

Láf·fer cùrve [lǽfər-] 〖경제〗 래퍼 곡선((세율이 높아 감에 따라 세수(稅收)가 늘지만, 어느 점을 넘으면 오히려 세수가 줄어듦을 나타냄)).

LAFTA [lǽftə] Latin American Free Trade Association. cf. EEC, EFTA.

lag**[1] [læg] (*-gg-*) *vi.* **1** ((~/+부)) 처지다, 뒤떨어지다((*behind*)); 천천히 걷다, 꾸물거리다(linger): ~ *behind* in production 생산이 뒤지다. **2** 〖당구〗 (순번을 정하기 위해) 공을 치다. **3** (흥미·관심 등이) 점점 줄다. **—** *vt.* …에 뒤좇아 가지 못하다, …보다 늦다(뒤처지다). **—** *n.* 지연; 〖물리〗 (흐름·운동 등의) 지체(량(量)). ***~ of the tide 지조(遲潮) (시간). ***time ~*** 시간의 지체.

lag[2] *n.* (보일러 따위의) 외피; 통의 널. **—** (*-gg-*) *vt.* (보일러 따위를) 피복재(被覆材)로 싸다.

lag[3] (*-gg-*) ((속어)) *vt.* 투옥하다; 체포하다(arrest). **—** *n.* 죄수, 전과자; 복역 기간; 투옥.

lag·an [lǽgən] *n.* 〖법률〗 (해난 때) 부표(浮標)를 붙여 바다에 투하한 화물.

lág bòlt =LAG SCREW.

Lag b'O·mer [lɑ:g bəóumər/lǽg-] 〖유대교〗 33 일절(日節)((유월절의 제 2 일부터 33 일째에 해당하는 축제일)).

La·geos [léidʒəs] *n.* 레이저스((미국이 1976년에 쏘아 올린 측지 위성)).

la·ger [lɑ́:gər] *n.* Ⓤ 라거비어, 저장 맥주(=∠ **béer**)((저온에서 6주 내지 6개월 저장한 것; ale보다 약함)). cf. beer.

La·ger·kvist [lɑ́:gərkfìst, -kwìst] *n.* **Pär ~** 라게르크비스트((스웨덴의 작가·시인; Novel 문학상 수상(1951); 1891–1974)).

láger lòut 언제나 술에 취해 칠칠찮게 노는 건달.

lag·gard [lǽgərd] *n.* **1** 늦은 사람(것); 낙후자, 탈락자; 꾸물거리는 사람, 느림보. **2** (경제 활동의) 늦은 분야, (경기의) 정체 분야((전반적인 경기 회복 수준보다 뒤늦은 경제 분야)). **—** *a.* ((드물게)) (움직임·발전·반응 등이) 천천히 하는, (…이 …한 점에서) 늦은, 느린((*in; about*)). ㊔ **~·ly** *ad.* **~·ness** *n.*

lag·ger [lǽgər] *n.* =LAGGARD; 〖경제〗 지행(遲

行) 지표(lagging indicator 〔index〕).

lag·ging[1] [lǽgiŋ] *n.* 늦음, 더딤, 지체. **—** *a.* 늦은, 느린, 더딘. ㊞ **∼·ly** *ad.*

lag·ging[2] *n.* (보일러 등의) 보온 피복(被覆), 단열(재); 〖건축〗 흙막이판. 「GER.

lágging ìndicator 〔**ìndex**〕 〖경제〗 =LAG-

la·gniappe, -gnappe [lænjǽp, ´-] *n.* 《미》 (물건을 산 고객에게 주는) 경품, 덤; 팁; 〖일반적으로〗 횡재.

la·goon, la·gune [ləgúːn] *n.* 개펄, 석호(潟湖); 초호(礁湖)《환초로 둘러싸인 해면》.

La·gos [láːgous, léigɑs/léigɔs] *n.* 라고스 《Nigeria 의 옛 수도》.

La·grán·gi·an (fùnction) [ləgréindʒiən(-)] 〖물리〗 라그랑지안 함수(kinetic potential).

Lagrángian pòint 〖천문〗 칭동점(秤動點) (libration point) 《두 천체 간의 인력과 원심력이 균형을 이루는 점; 이 점에 있는 물체는 정지한 대로임》. 「(lag bolt).

lág scrèw (상부가 볼트형의) 래그 (나무)나사

la·har [láːhaːr] *n.* 〖지학〗 라하르, 화산재 이류(泥流); 이류로 생긴 잔류(殘留) 퇴적물.

LAIA Latin American Integration Association (라틴 아메리카 통합 연합) 《LAFTA 의 후신》.

la·ic, -i·cal [léiik], [léiikəl] *n.* (성직자에 대하여) 평신도, 속인(俗人)(layman). **—** *a.* 평신도의; 속인의; 세속의. ㉹ clerical. ㊞ **-i·cal·ly** *ad.* 속인처럼, 세속적으로.

la·i·cism [léiəsìzəm] *n.* Ⓤ 세속주의.

la·i·cize [léiəsàiz] *vt.* 환속〔속화〕시키다; 속인에게 맡기다; 속인에게 개방하다. ㊞ **là·i·ci·zá·tion**

laid [leid] LAY[1] 의 과거 · 과거분사. ⌊*n.* **—** *a.* 가로놓인, 눕혀진. **∼ *up*** ① 저장되어, 따로 떼어 놓아. ② (병으로) 몸져누워: be ∼ *up with* a cold 감기로 누워 있다. ③ (배가) 독(dock)에 들어와〔가〕.

láid-báck *a.* 《속어》 한가로운, 느긋한, 유유한; 구애받지 않는; 무감동한, 냉담한.

láid-óff *a.* 일시 해고된.

láid páper 평행선 무늬가 비쳐 보이는 종이.

lain [lein] LIE[1] 의 과거분사.

Laing [læŋ] *n.* **R**(**onald**) **D**(**avid**) ∼ 랭《영국의 정신과 의사(1927-89); 반(反)정신 의학의 대표적 제창자》. ㊞ **∼·ian** *a., n.* 랭설(說)의; 그 설의 지지자.

lair[1] [lɛər] *n.* 야수의 잠자리〔굴〕(den); (시장으로 보내는 도중 가축을 가두는) 우리; (사람이) 쉬는 곳, 잠자리; 잘 가는 곳. **—** *vi., vt.* (짐승이) 굴에서 자다; (짐승을) 굴에 넣다.

lair[2], **lare** [lɛər] *n.* 《Austral.속어》 화려하게 모양을 낸 남자. **—** *vi.* 한껏 모양을 내다《*up*》. ㊞ **láiry** [léəri] *a.*

lair·age [léəridʒ] *n.* 소 · 양 따위를 도중에서 쉬게 하는 일〔장소, 헛간〕.

laird [lɛərd] *n.* 《Sc.》 (대)지주, 영주.

lais·ser-al·ler, lais·sez- [*F.* lɛseale], [*F.* lɛsezale] *n.* 《F.》 (자유)방임; 방종.

lais·sez-faire, lais·ser- [lèiseiféər] *n.* 《F.》 무간섭〔방임〕주의(noninterference). **—** *a.* 무간섭주의의, 자유방임의.

lais·sez-pas·ser, lais·ser- [lèiseipæséi] *n.* 《F.》 (여권 대용의) 통행 허가증.

lai·tance [léitns] *n.* 〖토목〗 레이턴스《혼입된 과다한 양의 물 따위로 굳은 콘크리트 표면에 생기는 젖 모양의 퇴적층; 불경화층》.

la·i·ty [léiəti] *n.* (the ∼) Ⓤ 〔집합적〕 평신도, 속인(俗人) 계급(laymen)《성직자 계급에 대하여》; 문외한《전문가에 대하여》.

La·ius [léiiəs/láiəs] *n.* 〖그리스신화〗 라이오스 《Thebes 의 왕으로 Oedipus 의 아버지》.

†**lake**[1] [leik] *n.* **1** 호수. **2** (공원 따위의) 못, 연못. **3** (the L-s) =LAKE DISTRICT; (북아메리카의) 오대호 지방: ⇨ GREAT LAKES.

lake[2] *n.* 레이크《짙은 다홍색 안료(顔料)》; 진홍색.

láke bàsin 〖지학〗 호분(湖盆); 호수 유역.

Láke Dìstrict 〔**Còuntry**〕 (the ∼) 호수 지방《잉글랜드 북서부》. 「史) 이전의).

láke dwèller 호상(湖上) 생활자《특히 유사(有

láke dwèlling 호상 가옥〔주거〕.

láke·frònt *n.* 호안(湖岸)(에 연이은 땅).

lake·land [léiklənd] *n.* 호수 지방.

lake·let [léiklit] *n.* 작은 호수.

Láke Pòets (the ∼) 호반 시인《Lake District 에 산 Wordsworth, Coleridge, Southey 등》.

lak·er [léikər] *n.* 호수를 찾는 사람; (L-) 호반 시인; (특히 lake trout 따위) 호수어(魚); 호수 ⌊운항선.

láke·shòre *n.* =LAKEFRONT.

láke·sìde *n.* 호반.

Láke Stàte (the ∼) 미국 Michigan 주의 별칭.

láke tròut 〖어류〗 호수산(産)의 송어〔연어〕; (미국 5 대호산) 송어의 일종.

láke·vìew *a.* 호수가 보이는.

lakh [læk, lɑːk] *n.* 《Ind.》 =LAC[2]. 「의 모피.

La·ko·da [ləkóudə] *n.* 광택 있는 호박색 물개

laky [léiki] (***lak·i·er; -i·est***) *a.* **1** 호수(모양)의, 호수가 많은. **2** 다홍색의.

lá-la lànd [láːlàː-] 《미구어》 꿈의 나라, 비현실적인 세계《특히, 영화 · TV 산업과 연관 지어서 Los Angeles, Hollywood, 남캘리포니아를 가리킴》. 「언).

Lal·lan [lǽlən] *a., n.* 스코틀랜드 저지의(방

la(l)·la·pa·loo·za [làləpəlúːzə], **lol·la·pa·loo·sa, lol·la·pa·loo·za** [làləpəlúːzə/lɔ̀l-] *n.* 《미속어》 뛰어나게 우수한〔기발한〕 것〔사람, 사건〕; 모범으로 삼을 만한 걸작.

lal·la·tion [læléiʃən] *n.* Ⓤ r 음을 l 음처럼 발음하는 불완전한 발음(lambdacism).

lal·ly·gag [láːligæ̀g, lǽl-/lǽl-] (***-gg-***) *vi., n.* 《미속어》 **1** 빈둥거리다〔거리기〕. **2** (사람 앞에서) 껴안고 애무하다; 교미〔성교〕하다.

lam[1] [læm] (***-mm-***) *vi., vt.* 《속어》 치다, 때리다(thrash): ∼ *into* a person 《속어》 아무를 격렬히 치다〔때리다〕.

lam[2] (***-mm-***) 《미속어》 *vi.* 내빼다, 달아나다. **—** *n.* 도망. ***on the* ∼** 달아나고; 몸을 숨기고. ***take it on the* ∼** 급히 내빼다.

Lam. 〖성서〗 Lamentations (of Jeremiah).

lam. laminated.

la·ma [láːmə] *n.* 라마승(僧): Grand 〔Dalai〕 Lama 대(大)라마, 달라이 라마.

La·ma·ism [láːməìzəm] *n.* Ⓤ 라마교.

La·ma·ist, La·ma·ite [láːməist], [-ait] *n.* 라마교도.

La Man·cha [lə máːntʃə, -mǽn-] 라 만차《스페인 중남부의 고원 지방; Cervantes의 소설 *Don Quixote*의 무대》.

La·marck [ləmáːrk] *n.* **Jean de** ∼ 라마르크《프랑스의 생물학자 · 진화론자; 1744-1829》. ㊞ **∼·i·an** [-iən] *a., n.* 라마르크(의 진화설)의; 라마르크 학도. **∼·ism** *n.* 라마르크의 진화설, 용불용설(用不用說).

la·ma·sery [láːməsèri/-səri] *n.* 라마 사원.

La·maze [ləmáːz] *a.* 〖의학〗 라마즈(법)의 《Pavlov의 조건 반사를 응용한, 자연 무통 분만법》.

Lamb [læm] *n.* **Charles** ∼ 램《영국의 수필가 · 비평가; 필명은 Elia; 1775-1834》.

⁑**lamb** [læm] *n.* **1** 어린 양. **2** Ⓤ,Ⓒ 새끼 양의 고기〔가죽〕. **3** 유순한 사람, 천진난만한 사람. **4** 어린 신도. **5** 잘 속는 사람, 경험 없는 투자가. ***a wolf* 〔*fox*〕 *in* ∼*'s skin*** 양의 탈을 쓴 이리〔여

우〕, 위선자. ***like a*** ~ 어린 양과 같이 순한. ***my*** ~ 아가야. ***the Lamb*** (***of God***) 예수. — *vi.* (양이) 새끼를 낳다(yean). — *vt.* (새끼 양을) 낳다.
lam·ba·da [læmbáːdə] *n.* 람바다《남녀가 밀착하여 관능적으로 추는 빠른 템포의 춤; 또 그 곡》.
lam·bast, -baste [læmbéist] *vt.* 《속어·방언》 후려치다(beat); 몹시 꾸짖다.
lamb·da [lǽmdə] *n.* 람다《그리스어 알파벳의 열한째 자: Λ, λ; 로마자의 L, l에 해당》; 〖화학〗 람다《부피의 단위: $=10^{-3}$ cm³, 10^{-6} liter》; 〖물리〗 람다 입자(=∠ **pàrticle**)《hyperon 의 하나》; 〖유전〗 람다파지《대장균에 감염하는 박테리오파지의 하나》.
lámbda càlculus 〖컴퓨터〗 람다 계산식.
lamb·da·cism [lǽmdəsìzəm] *n.* =LALLATION.
lámbda pòint 〖물리〗 람다 점《헬륨 I에서 헬륨 II로 전이가 이루어지는 온도; 약 2.18° K》.
Lámb dìp 〖물리〗 램의 공명 진동 강하.
lamb·doid, -doi·dal [lǽmdɔid], [læmdɔ́idəl] *a.* 삼각형의, 람다꼴의.
lamb·dol·o·gy [læmdɑ́lədʒi/-dɔ́l-] *n.* [U] 〖생물〗 람다 바이러스학(學).
lam·ben·cy [lǽmbənsi] *n.* [U] 희미한〔부드러운〕 빛; (재치 따위의) 경묘(輕妙)함, 번득임.
lam·bent [lǽmbənt] *a.* (불꽃·빛 따위가) 가볍게 흔들리는, 부드럽게 빛나는; (재치 따위가) 경묘한, 번득이는. ㊕ **~·ly** *ad.*
lam·bert [lǽmbərt] *n.* 〖광학〗 람베르트《밝기의 c.g.s. 단위》.
Lam·beth [lǽmbəθ, -beθ] *n.* 램버스《런던 남부의 자치구》.
Lámbeth degrée Canterbury 대주교가 수여하는 명예 학위.
Lámbeth Pálace 램버스 궁전《Canterbury 대주교의 공저(公邸)》.
lamb·ing [lǽmiŋ] *n.* [U] 산기(産期)의 암양(羊)을 돌보기.
lamb·kin, -ling [lǽmkin], [-liŋ] *n.* 새끼 양; 《애칭》 귀여운 아기.
lámb·lìke *a.* 새끼 양 같은; 온순한; 순진한.
lam·bre·quin [lǽmbrikin, -bər-] *n.* (창·문 따위 위에) 드리운 장식 천(valance); 투구의 덧모자《중세 기사가 썼음》.
lámb·skìn *n.* [U] (털붙은) 새끼 양가죽; 무두질한 새끼 양가죽; 양피지.
lámb's-quàrter(s) *n. pl.* 〖식물〗 명아주의 일종.
lámb's wòol 새끼 양털; 새끼 양털 모직물.
lámb·tìme *n.* 《미학생속어》 봄(의 계절).
*__lame__[1] [leim] *a.* **1** 절름발이의, 절룩거리는: go 〔walk〕 ~ 절룩거리다/He's ~ *in* one leg. 그는 한쪽 다리를 절고 있다. **2** 불구의, 무능력한; (등 따위가) 뻐근한. **3** 불완전한, 불충분한(imperfect); 동닿지 않은, 어설픈, 서투른: a ~ excuse 서투른 변명. **4** 《문어》 가락이 맞지 않는: a ~ meter 다듬어지지 않은 운율. **5** 《미속어》 아무것도 모르는, (시대에) 뒤진; (농담 등이) 재미없는, 하찮은, 약한. — *vt., vi.* **1** 절름발이〔불구〕로 만들다〔가 되다〕. **2** 불완전〔불충분〕하게 하다〔되다〕. — *n.* 《미속어》 시류에 어두운 사람, 시속을 모르는 완고한 사람(square). ㊕ **∠·ly** *ad.* 절룩거리며; 불완전하게, 불안하게, 힘없이. **∠·ness** *n.* [U] 절름발이; 불구; 불완전.
lame[2] [leim; *F.* lame] *n.* (갑옷 등을 만들 때 얽어매어 하나로 만드는) 얇은 금속 판금.
la·mé [læméi/láːmei] *n.* 《F.》 [U] 금란(金襴)《금은 실을 섞어 짠 천》.
láme·bràin *n.* 《구어》 어리석은 사람, 얼간이. ㊕ **~ed** *a.* 어리석은, 우둔한.
lamed *a.* 《속어》 어리석은, 우둔한.
láme dúck 《구어》 **1** 불구자; 무능자; 폐물. **2** (채무 불이행에 의해) 제명된 증권 거래원; 파산자. **3** 《미구어》 재선거에 낙선하고 남은 임기를 채우고 있는 의원〔지사, 대통령 등〕. ㊕ **láme-dúck** *a.* ~의〔와 같은〕: a *lame-duck* bill 〔amendment, law〕 ~에 의해 제출된 법안〔수정 조항, 법률〕《성립〔실시〕될 가망이 적은》.
la·mell- [ləmél], **la·mel·li-** [ləméli] lamella 라는 뜻의 결합사.
la·mel·la [ləmélə] (*pl.* **~s, -lae** [-liː]) *n.* (세포 등의) 얇은 판, 박막(薄膜), 얇은 층〔조각〕; 〖식물〗 (버섯의) 주름. ㊕ **la·mél·lar, lam·el·late** [-lər, lǽməl-/ləmél-], [ləméleit, lǽməl-] *a.*
la·mel·li·branch [ləméləbræ̀ŋk] *a., n.* 〖동물〗 판새류의 (동물), 쌍각류(雙殼類). ㊕ **la·mèl·li·brán·chi·ate** [-brǽŋkiət, -èit] *a., n.* 판새류(瓣鰓類)의 (조개).
lamélli·fòrm *a.* 얇은 판 모양을 한, 비늘 모양의.
*__la·ment__ [ləmént] *vt.* 슬퍼하다, 비탄하다; 애도하다, 애석해하다. — *vi.* 《~/+[전]+[명]》 슬퍼〔한탄〕하다《*for; over*》. [opp.] *rejoice.* ¶ ~ *for* 〔*over*〕 the death of a friend 친구의 죽음을 슬퍼하다. ◇ lamentation *n.* — *n.* **1** 비탄, 한탄; 애도. **2** 비가(悲歌), 애가(elegy), 만가(輓歌).
°**lam·en·ta·ble** [lǽməntəbəl, ləmént-] *a.* 슬퍼할, 통탄할; 가엾은; 《경멸》 비참〔빈약〕한. ㊕ **-bly** *ad.* **~·ness** *n.*
*__lam·en·ta·tion__ [læ̀məntéiʃən/-men-] *n.* [U,C] 비탄; 애도; 통곡, 비탄의 소리; (the L-s) 〖성서〗 (Jeremiah의) 애가(哀歌)《구약성서 중의 한 편》. ◇ lament *v.*
la·mént·ed [-id] *a.* **1** 애도를 받는. **2** 유감스러운, 한탄스러운. ***the late*** ~ 고인(故人), 《특히》 망부(亡夫).
la·mia [léimiə] (*pl.* **-mi·as, -mi·ae** [-miìː]) *n.* 〖그리스신화·로마신화〗 상반신은 여자, 하반신은 뱀인 괴물《어린아이의 생피를 빨아먹는다고 함》; 요부, 마녀; 흡혈귀(vampire).
lam·i·na [lǽmənə] (*pl.* **-nae** [-nìː], **~s**) *n.* 얇은 판자〔조각〕, 박막(薄膜), 얇은 층; 〖식물〗 엽편(葉片), 잎몸. ㊕ **~·ble** *a.* 얇은 조각〔판〕으로 할 수 있는.
lam·i·nal [lǽmənl], **-nar** [-nər], **-nary** [-nèri/-nəri] *a.* 얇은 판자〔조각〕 모양의, 얇은 판자로〔조각으로〕 된; 〖음성〗 혀끝(blade)으로 조음되는. — *n.* 〖음성〗 설단음(舌端音).
láminar flów 〖유체역학〗 층류(層流)《층이 되어 흐르는 흩어짐이 없는 흐름》.
lam·i·nar·in [læ̀mənέərin] *n.* 〖화학〗 라미나린《갈색 조류(藻類)에 포함되어 있는 저장성 다당(多糖)》.
lam·i·nate [lǽmənèit] *vt.* 얇은 판자로〔조각으로〕 만들다, (금속을) 박(箔)으로 하다; …에 박판(薄板)을 씌우다; 적층판(積層板)으로 만들다《합판·전자석 따위》. — *vi.* 얇은 판자가〔조각이〕 되다. — [lǽmənèit, -nət] *a.* 얇은 판자〔조각〕 모양의. — [lǽmənèit, -nət] *n.* 박판 제품, 합판 제품. ㊕ **-nàt·ed** [-id] *a.* 얇은 조각〔판〕으로 된.
láminated gláss 합판(合板) 유리《안전유리의 하나》.
láminated plástic 〖화학〗 적층(積層) 플라스틱《종이·천 따위를 겹쳐 합성수지로 굳힌 것》.
láminated wóod 적층재(積層材), 집성재.
làm·i·ná·tion *n.* 얇은 판자로〔조각으로〕 만들기; 적층(積層); 얇은 판자〔조각〕 모양(의 것); 〖항공〗 층판(層板).
lam·i·ni·tis [læ̀mənáitis] *n.* 〖수의〗 (말의) 근판염(筋板炎), 제엽염(蹄葉炎)(founder) 《과로·과식이 원인》.
lam·i·nose, -nous [lǽmənòus], [-nəs] *a.* =LAMINATE, LAMINAR.
Lam·mas [lǽməs] *n.* 《영》 수확제(收穫祭)(=∠ **Dày**)《옛날 8월 초하루에 행하여졌음》. [cf.]

calends. *latter* ~ 결코 오지 않는 날.

lam·mer·gey·er, -gei·er [lǽmərgàiər] *n.* 〖조류〗 수염수리《유럽 최대의 맹금》.

lam·o·tri·gine [læ̀moutráidʒən] *n.* 〖약학〗 래모트라이진《간질약; 상표명》.

⁑**lamp** [læmp] *n.* **1** 등불, 램프, 남포: an electric 〔a gas〕 ~ 전등〔가스등(燈)〕/ an oil 〔《미》 a kerosene〕 ~ 석유램프 / a spirit ~ 알코올 램프 / a desk 〔a floor〕 ~ 데스크〔마루〕 스탠드. **2** (정신적) 광명, 지식의 샘. **3** 《시어》 횃불; 태양, 달, 별: the ~*s* of heaven 천체; 별. **4** (*pl.*) 《속어》 눈(eyes); 《미속어》 보는 것. ***hand*** 〔***pass***〕 ***on the*** ~ =hand on the TORCH. ***smell of the*** ~ (문장이) 밤새워 고심해서 쓴 흔적이 엿보이다. — *vt.* 등불을〔램프를〕 준비하다〔갖추다〕; 《시어》 비추다; 《미속어》 보다.

lam·pas[1] [lǽmpəs] *n.* Ⓤ 〖수의〗 (말의) 구개종(口蓋腫).

lam·pas[2] *n.* Ⓤ 무늬 있는 명주.

lámp·blàck *n.* Ⓤ 매연, 철매, 검댕, 그을음; (철매로 만든) 흑색 안료.

lámp·brùsh chrómosome 〖생물〗 램프브러시 염색체《난모(卵母) 세포 안의 거대한 염색체》.

lámp chìmney 램프의 등피.

lám·per èel [lǽmpər-] =LAMPREY.

lámp hòlder (전등의) 소켓.

lámp·hòuse *n.* 램프하우스《영사기·확대기 등의 광원이 들어 있는 부분》. 「꽃 램프.

lam·pi·on [lǽmpiən] *n.* 장식용의 작은 램프,

lámp·lìght *n.* Ⓤ 등불, 램프 빛. ㊕ **~·er** *n.* (가로등의) 점등부(夫); 《미》 점등 용구: like a ~*er* 서둘러, 빨리, 급히.

lam·poon [læmpúːn] *n.* 풍자문〔시〕, 비아냥거리는 글귀. — *vt.* (시·글로) 비아냥거리다. ㊕ **~·er, ~·ist** *n.* 풍자문 작가. **~·ery** *n.* 풍자문 쓰기; 풍자 (정신).

lámp·pòst *n.* 가로등 기둥.

lam·prey [lǽmpri] *n.* 〖어류〗 칠성장어.

lámp·shàde *n.* 램프갓, 조명 기구의 갓.

lámp·stànd *n.* 램프대, 램프스탠드.

lámp·wìck *n.* 램프의 심지, 등심.

lam·ster, lam·is·ter, lam·mis- [lǽmstər], [lǽmistər] *n.* 《미속어》 (법률로부터의) 도망자.

LAN local area network(근거리〔울안〕 통신망).

lan·ac [lǽnæk] *n.* 〖항공〗 (착륙 시의) 항공기 유도 레이더 시스템.

la·nai [lɑːnáːi, lənái] *n.* (하와이풍의) 베란다.

la·nate, -nat·ed [léinèit], [-id] *a.* 양털 모양의(woolly), 양털로 덮인.

Lan·ca·shire [lǽŋkəʃìər, -ʃər] *n.* 랭커셔《잉글랜드 북서부의 주; 주도 Preston》.

Láncashire hót·pot [-hátpàt/-hɔ́tpɔ̀t] 〖요리〗 랭커셔풍 hot pot《양고기와 감자 스튜》.

Lan·cas·ter [lǽŋkəstər] *n.* 랭커스터《(1) 영국 Lancaster 왕가(1399–1461). (2) Lancashire 의 옛 주도(州都)》.

Lan·cas·tri·an [læŋkǽstriən] *a., n.* 〖영국사〗 Lancaster 왕가의 (사람), 붉은장미당(黨)의 (당원) 《장미전쟁(Wars of the Roses) 중 Lancaster 왕가(王家)를 지지한》; Lancashire 의 (주민). ⓒⓕ Yorkist.

◦**lance** [læns, lɑːns/láːns] *n.* **1** 창. **2** 작살. **3** (*pl.*) 창기병(槍騎兵). **4** 〖의학〗 =LANCET. **5** (L-) 〖미군사〗 핵탄두를 나를 수 있는 지대지 로켓. ***break a*** ~ ***with*** …와 시합〔논쟁〕하다. — *vt.* **1** 창으로 찌르다. **2** 〖의학〗 랜싯(lancet)으로 절개(切開)하다.

lánce bombardìer 〖영군사〗 (포병대의) 상등병《bombardier 의 하위》. 「사 근무 병장.

lánce còrporal 〔《속어》 **jàck**〕 〖영군사〗 하

lánce·fish *n.* 〖어류〗 까나리.

lance·let [lǽnslit, láːns-/láːns-] *n.* 〖동물〗 활유어(蛞蝓魚)(amphioxus).

lánce·lìke *a.* 창(槍) 같은.

Lance·lot [lǽnsələt, -lɑ̀t, láːnslət/láːnslət] *n.* 아서(Arthur)왕의 원탁기사 중 으뜸가는 용사.

Lánce mìssile 랜스 미사일《미육군이 보유한 핵탄두 지대지 미사일; 주항 거리 75 km》.

lan·ce·o·lar [lǽnsiələr, láːn-], **lan·ce·o·late** [lǽnsiəlèit, -lət], **lan·ce·o·lat·ed** [-lèitid] *a.* 〖생물〗 창끝 모양의; (잎이) 피침형(披針形)의.

lanc·er [lǽnsər, láːns-/láːns-] *n.* 창수(槍手); 창기병(槍騎兵); (*pl.*) 창기병 연대; (*pl.*) 네 사람이 한패가 되어 추는 춤(곡)의 일종.

lánce sèrgeant 〖영군사〗 최하위 중사; (원래) 중사 근무 하사.

lánce snàke 〖동물〗 =FER-DE-LANCE.

lan·cet [lǽnsit, láːn-/láːn-] *n.* 〖의학〗 랜싯, 바소; 작은 창(槍); 〖건축〗 =LANCET WINDOW.

láncet àrch 〖건축〗 뾰족한 아치.

láncet wíndow 〖건축〗 바소 모양의 창(窓).

lánce·wòod *n.* 강한 탄력성이 있는 목재의 일종《열대 아메리카산; 창자루·활·낚싯대 따위에 쓰임》; 그 원목.

lan·ci·form [lǽnsəfɔ̀ːrm/láːn-] *a.* 창 모양의.

lan·ci·nate [lǽnsənèit/láːn-] *vt.* 《드물게》 찌르다; 잡아찢다. — *a.* (통증이) 찌르는 듯한.

lancet window

lán·ci·nàt·ing *a.* (아픔이) 쑤시는 것 같은, 쿡쿡 쑤시는.

làn·ci·ná·tion *n.* Ⓤ 찌름, 찢음; 격통.

Lancs(.) [læŋks] Lancashire.

⁑**land** [lænd] *n.* **1** Ⓤ 뭍, 육지. ⓄⓅⓅ *sea, water.* ¶ travel by ~ 육로로 가다 / *Land* was sighted from the crow's nest. 마스트 위에서 육지가 보였다 / About one-third of the earth's surface is ~. 지구 표면의 약 3 분의 1 은 육지이다. **2 a** Ⓤ 땅, 토지, 지면; 소유지; 〖법률〗 부동산; 〖경제〗 (생산의 장으로서의) 토지: buy ~ 땅을 사다 / arable 〔barren〕 ~ 경작지〔불모지(不毛地)〕/ waste ~ 거친 땅, 황무지 / He owns ~(*s*). 그는 지주다 / He found good ~ for growing plants. 그는 식물을 재배하기에 좋은 토지를 발견했다. **b** (*pl.*) (동일한 자연 경관〔조건〕을 갖는) 지대, 지역: forest ~*s* 산림 지대 / equatorial ~*s* 적도 지대 / no man's ~ 무인 지대. **c** (도랑 등으로 구획된) 경지, 목초지; (종종 *pl.*) 《S. Afr.》 (울짱 등으로 구분된) 경(작)지; 이랑: work the ~ 농지를 갈다.

> ⓈⓎⓃ **land** sea 에 대응하는 말. 인간의 사용·생활의 대상으로 생각할 경우(arable *land* 경작지)와, 그렇지 않을 경우(go by *land* 육로로 가다)가 있음. 태어난 land 즉 고국은 one's native *land*로 표현됨. **ground** 인간의 생활·활동 따위가 행해지는 지면: till the *ground* 땅을 갈다. a hunting *ground* 사냥터. picnic *grounds* 소풍지. **soil** 흙, 토양, 표토(表土). 비유적으로는 '국토'. **earth** '천체'에 대응하는 말. 따라서 지구 자체일 때도 있고, 지구를 구성하는 주성분인 흙을 가리킬 때도 있음. 또 land, ground 등과는 달리 소유권의 문제는 생각할 수 없음. 즉 He owns a lot of *land*. It is his *ground*. 라고는 할 수 있지만 이것들을 earth 로 바꿔 놓을 수는 없음.

3 a Ⓒ 국토, 나라, 국가: one's native ~ 모국, 고국 / from all ~*s* 각국에서. **b** Ⓒ 영토; 지방 (region); 영역, …의 세계: the ~ of dreams 꿈나라; 이상향. **c** 지역의 주민; 국민: The whole ~ mourned the passing of the king. 모든 국민은 왕의 서거를 슬퍼했다. **4** (the ~) (도회에 대한) 지방, 시골; 전원생활. **5** (총신 내부·돌절구 등의) 홈과 홈 사이의 부분. **6** 〘Lord의 완곡어; 감탄사적〙 저런, 어쩜. ***(for the) ~'s sake*** =***(for) ~('s) sake(s)*** =***my ~(s)*** 《미구어》 제발. ***go* 〔*work*〕 *on the ~*** 농부가 되다〔이다〕. ***lay* 〔*shut in*〕 *the ~*** 〖해사〗 육지가 안 보이게 되다. ***on ~*** 육지에서. ***on ~ and* (*on the*) *sea*** 땅과 바다가 다 같이. ***on ~ or at sea*** 전세계 도처에서. ***see how the ~ lies*** 사태를 미리 조사하다; 형세를 보다, 사정을 살피다. ***set* (*the*) *~*** 육지의 방위를 재다. ***the ~ of bondage*** 〖성서〗 애굽, 이집트. ***the ~ of cakes*** 스코틀랜드. ***the ~ of Nod*** 〖성서〗 ① 카인이 살던 땅《창세기 IV: 16》. ② 잠(의 나라). ***the Land of Promise*** = PROMISED LAND. ***the Land of Regrets*** 인도. ***the Land of the Leal*** 천국. ***the ~ of the living*** 이승, 현세. ***the Land of the Midnight Sun*** 노르웨이. ***the Land of the Rose* 〔*Shamrock, Thistle*〕** 잉글랜드〔아일랜드, 스코틀랜드〕. ***the lay of the ~*** 지세(地勢); 상황, 사태.

— *vt.* **1 a** 《~+목/+목+전+명》 상륙시키다, 양륙〔육태질〕하다; (항공기 등을) 착륙〔착수, 착함〕시키다; 탈것에서 내려놓다, 하차〔하선〕시키다: ~ troops *in* France 군대를 프랑스에 상륙시키다 / ~ an airplane 비행기를 착륙시키다 / ~ goods *from* a vessel 배에서 짐을 부리다 / ~ a man *on* the moon 달에 인간을 착륙시키다. **b** (낚시에 걸린 물고기를) 끌어〔낚아〕올리다; 《구어》 (애쓴 결과) 손에 넣다《직업·계약·상 따위》: ~ a trout 송어를 낚아올리다 / ~ a job 일자리를 얻다. **2 a** 《+목+부/+목+전+명》 (아무를 나쁜 상태에) 빠지게 하다: be nicely 〔properly〕 ~*ed* 〔반어적〕 곤경에 빠져 있다 / That ~*ed* me *in* great difficulties. 난 그것으로 곤란한 처지에 빠지게 되었다. **b** 《+목+전+명》 〔~ oneself〕 …에 빠지다, 처하다: He ~*ed* him*self* *in* jail for that. 그는 그것 때문에 교도소를 갈 처지가 되었다. **3 a** 《+목+전+명/+목+목》 《구어》 (타격 등을) 먹이다: ~ a punch *on* a person's head 아무의 머리에 일격을 가하다 / ~ a person a blow on the nose 아무의 코빼기에 한대 먹이다. **b** 〔종종 수동태〕 《영》 (…에게 부담·문제 등을) 지우다《*with*》: He *was ~ed with* the extra work. =The extra work *was ~ed onto* him. 가외의 일이 떠맡겨졌다. **4** (말을) 1등이 되게 하다, 결승점에 들어오게 하다. — *vi.* **1** 《~/+전+명》 상륙하다《*at; in; on*》; 착륙〔착수, 착함〕하다《*on* the lake》; 하선〔하차〕하다 《*from*》: ~ *from* a train 열차에서 내리다. **2** 《+전+명》 뛰어내리다; 떨어지다《*on*》; 조우하다 《*on*》; (나쁜 상태로) 빠지다《*in* difficulties》; 도착하다《*at*》: The boat ~*ed at* the port. 배가 항구에 도착했다. **3** (말이) 1등이 되다. ***~ all over ...*** =***~ on ...*** 《구어》 …을 몹시 꾸짖다, 혹평하다. ***~ like a cat*** =***~ on one's feet*** ⇨FOOT. ***~ on*** 착함(着艦)하다. ***~ up*** (어떤 장소·상태〔…하기〕에) 이르다《*in* London, prison; do*ing*》.

lánd àgency 《미》 land agent 의 직〔일〕.

lánd àgent 1 《미》 부동산 중개 회사〔업자〕, 토지 매매 거간(꾼), 토지 브로커. **2** 《영》 (공유지를 관리하는) 토지 관리인.

lánd àrmy 《영》 (전시하의) 농업 지원 부인회 (Women's Land Army).

lánd àrt 〖미술〗 =EARTH ART.

lan·dau [lǽndɔː, -dau/-dɔː] *n.* 앞뒤 포장을 따로따로 개폐할 수 있는 4륜마차의 일종; 동형의 구식 자동차.

landau

lan·dau·let, -lette [lændɔːlét] *n.* landau형의 소형 마차〔자동차〕.

lánd bànk 토지〔부동산〕 (개발) 은행.

lánd-bàsed [-t] *a.* 육상 기지 발진(發進)의: a ~ missile 육상 기지 발진 미사일.

lánd brèeze 육풍(陸風)《해안 부근에서 밤에 뭍에서 바다로 부는 미풍》. cf. sea breeze.

lánd brìdge 1 〖지학〗 육교(陸橋)《육지와 육지, 또는 육지와 섬을 잇는 띠 모양의 육지》. **2** 대륙 횡단 철도〔수송〕.

lánd càrriage 육운(陸運), 육상 운반.

lánd cràb 참게《번식할 때만 물에 들어감》.

lánd dràin 작은 구멍이 많은 파이프로 된 배수관《하층토의 배수용으로 씀》.

lánd·ed [-id] *a.* **1** 토지를 소유하는, 땅을 가진: a ~ proprietor 토지 소유자, 지주 / the ~ classes 지주 계급. **2** 땅의, 땅으로 된: ~ property 〔estate〕 부동산, 토지, 소유지. **3** 양륙된. **4** 궁지에 몰린, 재정 곤란에 빠진.

lánd·er *n.* 상륙자; 양륙자; (광산 입구에서) 원광(原鑛)을 받는 광부; 〖우주〗 (달 표면 등에의) 착륙선〔기〕.

lánd·fàll *n.* **1** 〖해사〗 (항해 중) 최초의 육지 발견, (바다로부터의) 육지 도착; (보인 또는 도착한) 육지; 상륙. **2** 〖항공〗 착륙. **3** 사태(沙汰). **4** (부자 친척의 사망으로) 갑작스러운 토지의 소유권 획득. ***make a good* 〔*bad*〕 *~*** 예상대로 육지를 발견하다〔발견하지 못하다〕.

lánd·fill *n.* 《미》 **1** 쓰레기 매립지. **2** 쓰레기 매립 처리(법). — *vi.* (쓰레기로) 매립하다. — *vt.* 매립하여 (토지를) 조성하다.

lánd fòrce 〖군사〗 지상 부대, 지상군.

lánd·fòrm *n.* 지형, 지세(地勢).

lánd frèeze 토지 동결《매매의 금지 등》.

lánd·gràb *n.* 토지의 횡령〔수탈〕.

lánd-gràbber *n.* **1** 토지 횡령자, 토지 불법 점유자. **2** 《Ir.》 쫓겨난 소작인의 땅을 사는〔빌리는〕 사람.

lánd grànt 《미》 무상 토지 불하《대학·철도 등을 위해 정부가 시행하는》; 그 땅. 「의) 영주.

lánd·gràve *n.* (중세 독일의) 백작; (제정 독일

land·gra·vine [lǽndgrəviːn] *n.* (중세 독일의) 백작 부인, 영주 부인; 여(女)백작.

lánd·hòlder *n.* 지주; 차지인(借地人)(tenant).

lánd·hòlding *a.* 토지 소유의. — *n.* 토지 소유; (*pl.*) 소유지.

lánd-hùnger *n.* 토지 소유열(所有熱); 영토 확장열. 「토) 확장열에 들뜬.

lánd-hùngry *a.* 토지 소유욕이 강한, 토지〔영

** **land·ing** [lǽndiŋ] *n.* **1** 상륙, 양륙. **2** 상륙장; 화물 양륙장; 부두, 플랫폼. **3** (비행기의) 착륙, 도착: make 〔effect〕 a ~ 착륙하다. **4** (여객의) 하선, 하차. **5** 〖건축〗 층계참. ***Happy ~s!*** 《구어》 ① 안녕, 행운을 빈다《비행사끼리의 용어》. ② 건배.

lánding àngle 〖항공〗 착륙 각.
lánding bèam 〖항공〗 (계기 착륙용의) 착륙빔.
lánding càrd (선원·승객에게 발부하는) 상륙 증명서〔허가서〕.
lánding cràft 〖군사〗 상륙용 주정(舟艇).
lánding field〔**gròund**〕 비행장.
lánding flàp 〖항공〗 (주익(主翼) 후연(後緣)의) 착륙용 보조 날개.
lánding fòrce (적전) 상륙 부대.
lánding gèar 〖항공〗 착륙〔착수(着水)〕 장치.
lánding lìght 〖항공〗 착륙등(燈).
lánding nèt 사내끼《낚은 고기를 떠올리는 그물》.
lánding pàd =HELIPAD.
lánding pàrty 상륙 부대.
lánding plàce 상륙장, 양륙장, 부두; (계단의) 층계참.
lánding shìp 〖미해군〗 (외양(外洋) 항해도 가능한) 대형의 상륙용 주정; 상륙용 함정.
lánding spèed 〖항공〗 착륙 속도.
lánding stàge 부잔교(浮棧橋); 돌제(突堤).
lánding strìp 가설(假設) 활주로.
lánding vèhicle 〖우주〗 (달 표면 등에의) 착륙선(着陸船)(lander).
lánd-jòbber *n.* 토지 중매인, 토지 투기자〔꾼〕.
*__land·la·dy__ [lǽndlèidi] *n.* **1** (여관·하숙의) 여주인, 안주인. cf. landlord. **2** 여자 집주인; 《드물게》 여지주.
lánd làw (보통 *pl.*) 토지(소유)법.
lánd lègs 《구어》 (항해, 비행기 여행 후) 곧 지상을 걸을 수 있는 능력.
länd·ler [léntlər] *n.* 《G.》 렌틀러《남부 독일·오스트리아 고지의 3박자의 농촌 댄스로 왈츠의 전신; 그 곡(曲)》.
lánd·less *a.* 토지가 없는, 땅〔부동산〕을 소유하지 않은; 육지가 없는.
lánd·lìne *n.* 육상 통신선, 육선(陸線); 《CB속어》 전화; 육지선《바다 또는 하늘과 뭍의 경계》.
lánd·lòcked [-t] *a.* **1** 육지로 둘러싸인: a ~ bay 내해(內海). **2** (물고기 따위가) 육봉(陸封)된《바다와 단절되어》.
*__land·lord__ [lǽndlɔ̀ːrd] *n.* **1** 지주, 집주인. **2** (하숙·여관의) 주인. cf. landlady. ㊞ **~·ism** *n.* U 지주임; 지주 기질; 지주 제도 (지지(支持)). **~·ly** *a.* 지주(특유)의.
land·lo(u)p·er [lǽndlàupər] *n.* 부랑자.
lánd·lùbber *n.* 《경멸》 풋내기 뱃사람; 물에 익숙하지 못한 사람.
lánd·man [-mən, mæ̀n] *n.* =LANDSMAN.
◇**lánd·màrk** *n.* **1** 경계표. **2** 육상 지표(地標)《항해자 등의 길잡이가 되는》. **3** 획기적인 사건.
lánd·màss *n.* 광대한 토지; 대륙.
lánd mèasure 토지 측량 단위(계(系)).
lánd mìne 〖군사〗 지뢰; =AERIAL MINE.
lánd-mòbile *a.* 〖군사〗 (미사일·무기가) 육상 이동식〔형〕인(=**lánd·mòbile, lánd mòbile**).
land·oc·ra·cy [lændάkrəsi/-ɔ́k-] *n.* U 《우스개》 지주 계급.
land·o·crat [lǽndəkræ̀t] *n.* 지주 계급의 사람.
Lánd of Enchántment (the ~) New Mexico 주의 속칭.
lánd òffice 《미》 국유지〔공유지〕 관리국.
lánd-òffice búsiness 《미구어》 인기 있는〔급성장하는〕 장사; 한 번에 하는 대량 거래, 활기 있는 영업 활동.
Lánd of Hópe and Glóry '희망과 영광의 나라'《영국의 애국가》.
lánd of mílk and hóney (the ~) 젖과 꿀이 흐르는 땅; =PROMISED LAND.
◇**lánd·òwner** *n.* 땅임자, 지주; 《구어》 죽은 사람, 묘지에 묻힌 사람. ㊞ **~·shìp** 지주임, 지주의 신분.
lánd·òwning *n.* U 토지 소유. — *a.* 지주의: the ~ classes 지주 계급.

lánd pàtent 토지 권리증.
lánd·plàne *n.* 육상 비행기. opp. *seaplane*.
lánd-pòor *a.* 토지가 많으면서도 현금에 궁색한《높은 세금 등으로》.
lánd pòwer 지상 병력; 육군국(陸軍國).
lánd ràil 〖조류〗 흰눈썹뜸부기.
lánd refòrm 토지 개혁.
lánd règistry 토지 등기; 부동산〔토지〕 등기소.
Lánd Ròver 랜드 로버《영국 Rover Group 회사 제작의 범용 4륜 구동차》.
lánd·sàiling *n.* 랜드 세일링《돛달린 3륜차를 타고 모래 위를 달리는 놀이》.
Land·sat [lǽndsæ̀t] *n.* 랜드샛《미국의 지구 자원 탐사 위성》. [◂ *Land sat*ellite]
‡**land·scape** [lǽndskèip] *n.* **1** 풍경, 경치; 조망, 전망. cf. seascape. **2** U,C 풍경화(법). **3** 〖컴퓨터〗 가로 방향. — *vt.* (…에) 조경 공사를 하다; 녹화(綠化)하다. — *vi.* 정원사 노릇을 하다.
lándscape àrchitect 조경 설계사, 정원 설계사; 풍치 도시 계획 기사.
lándscape àrchitecture 조경술〔법〕, 풍치 도시 계획법.
lándscape engineèr 조경사(造景士).
lándscape gàrdener 정원사, 조경 설계사.
lándscape gàrdening 조경술〔법〕.
lándscape màrble 랜드스케이프 대리석《풍경을 그린 듯한 무늬가 있는》.
lándscape pàinter 풍경화가(landscapist).
lándscape pàinting 풍경화(법).
lánd·scàp·er *n.* 정원사, 조경 설계사.
lánd·scàp·ist *n.* 풍경화가; 조경사, 정원사.
Lánd's Ènd (the ~) 영국 Cornwall 주의 남서쪽 끝의 갑(岬)《영국의 서쪽 끝》.
lánd sèrvice 육군 병역.
lánd shàrk 부두 사기꾼《상륙한 뱃사람을 등쳐 먹는》; =LAND-GRABBER.
lánd·sìck *a.* 〖해사〗 (배가) 뭍에 너무 다가가 움직임이 곤란한; 육지를 그리워하는.
lánd·slìde *n.* **1** 사태, 산사태. **2** 《미》 (선거 등에서의) 압도적 승리: He claims that if he were to enter the race, victory would be assured by a ~. 그가 만일 (선거) 경쟁에 뛰어든다면, 압도적으로 승리할 것이라고 주장한다. — *vi.* 산사태를 일으키다; (선거에서) 압도적 승리를 얻다.
lánd·slìp *n.* 《영》 사태(landslide).
lánds·man [-mən] (*pl.* **-men** [-mən]) *n.* **1** (바다를 모르는) 육상 생활자. opp. *seaman*. **2** 풋내기 선원.
lánd stèward 토지 관리인.
Land·sturm [G. lántʃturm] *n.* 《G.》 국가 총동원; 국민군 (소집).
lánd subsìdence 지반 침하(地盤沈下).
lánd survèyor (토지) 측량사.
lánd swèll 해안 가까이의 물결의 놀.
Land·tag [G. lánttaːk] *n.* 《G.》 (독일의) 주(州)의회.
lánd tàx 땅세, 지조(地租).
lánd-to-lánd *a.* (미사일이) 지대지(地對地)의.
lánd·wàiter *n.* 《영》 수출입세 담당 세관원.
lánd·ward *a., ad.* 육지쪽의〔으로〕; 육지에 가까운.
lánd·wards [-wərdz] *ad.* =LANDWARD.
lánd·wàsh *n.* (바닷가의) 고조선(高潮線); (바닷가로의) 파도의 밀려옴.
Land·wehr [G. lantveːr] *n.* 《G.》 〖군사〗 예비군(豫備軍).
lánd wìnd =LAND BREEZE.
lánd yàcht 사상(砂上) 요트《경주용》.
*__lane__ [lein] *n.* **1** (산울타리·벽 사이 따위의) 좁은 길, 작은 길; 골목; 뒷골목, 좁은 시골 길: It is a long ~ that has no turning. 《속담》 구부러지지 않은 길이란 없다; 쥐구멍에도 볕들 날이 있다. SYN. ⇨ ROAD. **2** (줄지어 선 사람 사이의) 통로. **3** (배·비행기 등의) 규정 항로. **4** (도로의)

차선, 차로: a 4-~ highway, 4차선 도로. **5** 〚경기〛 (단거리 경주·경영(競泳) 등의) 코스; (볼링의) 레인. ***a blind*** ~ 막다른 골목. ***up a*** ~ 골목길의 막다른 곳에. 「차선 변경.

láne chànge 〔**chànging**〕 (자동차 따위의)

láne ròute 대양 항로(ocean lane).

lang [læŋ] *a.* 《Sc.》 =LONG¹.

lang. language(s). 「이스.

lang·lauf [lɑ́:ŋlàuf] *n.* 《G.》 〚스키〛 장거리 레

lang·ley [lǽŋli] *n.* 〚물리〛 랭글리《태양열 복사의 단위; 1cm² 당 1그램 칼로리》.

Láng·muir pròbe [lǽŋmjuər-] 〚물리〛 랭뮤어 탐침(探針)《플라스마 밀도 계측용 탐침의 하나》.

lan·gouste [lɑ:ŋgú:st] *n.* 《F.》 〚동물〛 대하(大蝦)(spiny lobster).

lan·gous·tine [læ̀:gəstí:n] *n.* 《F.》 〚동물〛 (북대서양산의) 바닷가재.

†**lan·guage** [lǽŋgwidʒ] *n.* [U] **1** 언어, 말: *Language* is an exclusive possession of man. 언어는 인간 고유의 것이다.

> [SYN.] **language** 말의 사회적 제도면을 강조함. speech를 하기 위해 사용되는 기호·음성 따위의 체계 언어: the English *language* 영어. **speech** 말의 개인적 행위면을 강조함. language를 사용한 감정·의지·사상의 표현·전달 행위《특히 입으로의 언어 행위》: He couldn't understand the *speech* of the natives because it was in a foreign *language*. 그는 원주민의 말이 외국어이므로 알 수가 없었다.

2 [C] 국어, (어떤 국가·민족의) …어(語): He speaks five ~*s*. 그는 5개 국어를 한다/the French ~ 프랑스 말. ★ 단지 French라고 하기보다 딱딱한 표현. 후자는 관사가 안 붙는 점에도 주의: He speaks *French* 〔*English*〕./a dead 〔living〕 ~ 사어(死語)〔현용어〕. **3 a** 어법, 어투, 말씨; 문체; 언어 능력: fine ~ 아름답게 꾸민 말〔표현〕, 화려한 문체/in the ~ of …의 말을 빌려 말하자면. **b** 천한 말, 욕: bad ~ 상스러운 말/strong ~ 격한 말투. **4** 술어, 전문어, 용어. **5** (새·짐승 등의) 울음소리; (넓은 뜻으로) 언어 이외의 '말'《꽃말 따위》, (비(非)언어적인) 전달(수단): sign 〔gesture〕 ~ 몸짓말/the ~ of flowers 꽃말/the ~ of the eyes 눈짓말. **6** 어학; 언어학. **7** 〚컴퓨터〛 언어《정보를 전달하기 위한 일련의 표현·약속·규칙》: artificial ~ 인공 언어/machine ~ 기계 언어/object 〔target〕 ~ 목적 언어/~ processing program 언어 처리 프로그램/a ~ translator 언어 번역기. ***in plain*** ~ 솔직히 말해서. ***long*** ~ 보통의 말《부호·암호에 대해》. ***speak a different*** ~ ***from*** a person 아무와 생각하는 것이 다르다. ***speak*** 〔***talk***〕 a person***'s*** 〔***the same***〕 ~ 아무와 생각이나 태도〔취미〕가 같다. ***spoken*** 〔***written***〕 ~ 구어〔문어〕; 상용(常用)〔문장〕어. ***use*** ~ ***to*** 《영속어》 …을 욕하다.

lánguage árts 《미》 (학과목으로서의) 국어, 언어 과목《영어의 사용 능력 양성을 위한 읽기·쓰기·말하기 등》.

lánguage engineèring 언어 공학《언어 인식·언어 합성·기계 번역 등 컴퓨터로 언어를 다루는 부문; 생략: LE》.

lánguage làboratory 〔**màster**〕 어학 실습실〔교사〕. 「계획.

lánguage plànning 언어 정책, 언어 표준화

lánguage pròcessor 〚컴퓨터〛 언어 처리기.

lánguage schòol 언어〔어학〕 학교.

lánguage sìgn 〚언어〛 언어 기호.

lánguage univèrsal 언어의 보편적 특성.

langue [lɑ̃:g] *n.* 《F.》 〚언어〛 (체계로서의) 언어. [cf.] parole 2.

langue d'oc [*F.* lɑ̃gdɔk] 《F.》 중세 프랑스 남부의 로맨스 말《프로방스 말에 남아 있음》.

langue d'oïl [lɑndɔ:í:l; *F.* lɑ̃gdɔil] 《F.》 중세 프랑스 북부의 로맨스 말《현대 프랑스어의 모태》.

lan·guet, -guette [lǽŋgwet] *n.* (악기 따위의) 혀 모양의 부품; 〚일반적〛 혀 모양의 물건; 설상(舌狀) 돌기.

◇**lan·guid** [lǽŋgwid] *a.* **1** 께느른한, 늘쩍지근한, 무감동한, 흥미 없는: a ~ attempt 마음 내키지 않는 시도. **2** (날씨 따위가) 음울한; 불경기의. **3** 활기〔기력〕 없는. **4** 지지한, 진척되지 않는. ◇ languish *v.* ***be*** ~ ***about*** …에 대하여 열의가 없다. [파] **~·ly** *ad.* **~·ness** *n.*

lan·guish** [lǽŋgwiʃ] *vi.* **1** 쇠약해지다, 녹초가 되다; (식물이) 시들다, 퇴색하다. **2** (활동·장사 등이) 활기를 잃다: The economy is ~*ing*. 경제가 침체되고 있다. **3** 《+[전]+[명]》 (…한 상태로) 참혹히 살다, 괴로운 생활을 하다: ~*ing in* a foreign jail 〔*in* bed〕 외국 감옥에서〔병상에서〕 괴롭게 살고 있다. **4** (계약·의안 등이) 무시되다; 뒤로 미루어지다: a petition that ~*ed* on the governor's desk for a year 지사의 책상 위에서 1년간 방치되었던 청원서. **5** 《+[전]+[명]/+*to* do》 (…을) 연모하다, 그리워하다《*for*》; (…하기를) 소원하다: ~ *for* home 고향을 그리워하다/~ *to* return 몹시 돌아가고 싶어하다. **6** 애달픈 듯한 기색을 보이다, 감상적인 표정을 짓다〔으로 보다〕. ~ ***out 병고를 치르면서 지내다.
── *n.* **1** 기운 없는〔쇠약한〕 상태. **2** 구슬픈〔처량한〕 기색, 감상적인 표정. ◇ languor *n.*
[파] **~·er** *n.* **~·ing** *a.* **1** 점점 쇠약해 가는; 번민하는; 그리워하는: a ~*ing* look 수심에 잠긴 표정. **2** 꾸물대는, 오래 끄는: a ~*ing* illness 오래 끄는 병. **~·ing·ly** *ad.* **~·ment** *n.* [U] 쇠약, 무기력; 권태; 초췌; 번민; 동경.

lan·guor [lǽŋgər] *n.* [U] 께느른함, 권태, 피로; 무기력, 침체; 시름; 울적함; (사랑의) 번민; (날씨 따위의) 음울. ◇ languid *a.* ***hold … out of*** ~ 《Sc.》 …을 즐겁게 하다, 지루하지 않게 하다.

lan·guor·ous [lǽŋgərəs] *a.* 께느른한, 늘쩍지근한, 지친; 권태로운; 울적한. [파] **~·ly** *ad.* **~·ness** *n.* 「아시아산》.

lan·gur [lʌŋgúər] *n.* 긴꼬리원숭이의 일종《남

lan·iard [lǽnjərd] *n.* =LANYARD.

la·ni·ary [léinièri, lǽni-/lǽniəri] *a.* (이가) 찢기〔쪼개기〕에 적합한. ── *n.* 송곳니(canine tooth).

la·nif·er·ous, la·nig·er·ous [lənífərəs], [lənídʒərəs] *a.* 양털이 있는〔생기는〕.

La Niña [lɑ:ní:njə] 〚기상〛 라니냐, 반엘니뇨 현상《페루·에콰도르 연안에서 동태평양 적도역에 걸쳐 해면 수온이 평년보다 낮아지는 현상; 세계 기상·기후에 큰 영향을 미침》.

◇**lank** [læŋk] *a.* 여윈, 홀쭉한; (머리카락·풀 따위가) 길고 부드러운, 곱슬곱슬하지 않은. [파] **∠·ly** *ad.* **∠·ness** *n.*

lanky [lǽŋki] (***lank·i·er; -i·est***) *a.* (손발·사람이) 홀쭉〔호리호리〕한; 멀대 같은. [파] **lánk·i·ly** *a.* **-i·ness** *n.* 「사냥용) 암매.

lan·ner [lǽnər] *n.* 〚조류〛 **1** 매의 일종. **2** (매

lan·ner·et [lǽnərèt] *n.* 〚조류〛 수매.

lan·o·lin(e) [lǽnəlin, -li:n] *n.* [U] 라놀린《정제 양모지(羊毛脂); 연고·화장품 재료》.

lan·sign [lǽnsain] *n.* 〚언어〛 =LANGUAGE SIGN.

Lan·sing [lǽnsiŋ] *n.* 랜싱《Michigan 주의 주도·공업 도시》.

lans·que·net [lǽnskənèt] *n.* **1** [U] 카드놀이의 일종. **2** 〚역사〛 (16-17세기) 독일 용병(傭兵).

lan·ta·na [læntǽnə/-téi-, -tάː-] *n.* 〖식물〗 란타나《마편초과의 관목·초목의 총칭; 관상용》.

*__lan·tern__ [lǽntərn] *n.* **1** 랜턴, 호롱 등, 제등, 등롱(Chinese ~): a paper ~ 등롱/a dark ~ 앞쪽만 비치게 된 초롱/a ~ parade〔procession〕 제등 행렬. **2** 환등(기)(magic ~). **3** (등대의) 등(화)실(燈(火)室). **4** 〖건축〗 꼭대기탑; 채광창. **5** 〖역사〗 가등주(街燈柱)《프랑스 혁명 때 귀족을 여기에 매달아 처형》. ***the Feast of Lanterns*** (중국의) 상원절(上元節)《1월 15일》. ㊕ **~·ist** *n.* 환등사(幻燈師). 「심해성의 발광어》.

lántern fish 〖어류〗 샛비늘칫과의 물고기《주로

lántern flỳ 〖곤충〗 꽃매밋과의 곤충. 「얼굴.

lántern jàw 뾰족하게 튀어나온 턱; (*pl.*) 여윈

lántern-jàwed *a.* 턱이 홀쭉하고 긴 얼굴의.

lántern pìnion 〖기계〗 랜턴 피니언, 〖시계〗 작은 바퀴(trundle)《작은 핀 톱니바퀴》.

lántern slìde (영사용) 슬라이드.

lan·tha·nide [lǽnθənàid, -nid] *n.* 〖화학〗 란탄족(族)《란탄 계열 원소; 기호 Ln》.

lánthanide sèries (the ~) 〖화학〗 란탄 계열.

lan·tha·num [lǽnθənəm] *n.* Ⓤ 〖화학〗 란탄《희토류 원소; 기호 La; 번호 57》. 「=LANTERN.

lant·horn [lǽnthɔ̀ːrn, lǽntərn] *n.* 《영》

Lán·tian mán [lǽntjæ̀n-] 〖고고학〗 란톈 원인(藍田原人)《중국 산시성(陝西省)에서 발견된 홍적세 중기 화석 인류》.

la·nu·gi·nose, -nous [lənjúːdʒənòus/-njúː-], [-nəs] *a.* 솜털로 덮인; 솜털 같은〔처럼 부드러운〕.

la·nu·go [lənjúːgou/-njúː-] (*pl.* **~s**) *n.* 〖생물〗 (태아·신생아 따위의) 솜털, 취모(毳毛).

LANWAIR [lǽnwɛ̀ər] *n.* 육해공항(陸海空港), 육해공 터미널《철도나 버스역, 항구, 공항을 유기적으로 결합한 거대 시설 또는 그 연락 시설》. [◂ *land*+*water*+*air*]

lan·yard [lǽnjərd] *n.* **1** 〖해사〗 죔줄. **2** 〖군사〗 (대포 발사용의) 방아끈.

Lao [lau] (*pl.* **~, ~s**) *n.* 라오족(族); 라오어(語)《타이 어(語)에 가까움》.

La·oc·o·ön, -on [leiάkouὰn/-ɔ́kouɔ̀n] *n.* 〖그리스신화〗 라오콘《Troy의 Apollo 신전의 사제(司祭); 여신 Athena의 노여움을 사 아들과 함께 바다뱀에 감겨 죽었음》.

La·od·i·ce·an [leiὰdəsíːən, lèiəd-/lèioudisíən] *a., n.* (정치·종교 등에) 관심이 적은 (사람).

La·os [lάːous/láuz, láus] *n.* 라오스《인도차이나 서북부 나라; 수도 Vientiane》. ㊕ **La·o·tian** [leióuʃən, láuʃən/láuʃiən] *n., a.* 라오스 사람〔말〕(의).

Lao-tse, -tzu [láudzʌ́/-tséi], [làudzʌ́/-tsúː] *n.* 노자(老子)《604?-531 B.C.》.

*__lap__[1] [læp] *n.* **1** 무릎《앉아서 허리에서 무릎까지의 부분》. ⓒⓕ knee. **2** (스커트·의복의) 무릎(닿는) 부분; =LAPFUL. **3 a** (어린애를 안는) 어머니의 무릎, 품어 기르는 곳: sit on〔in〕 a person's ~. **b** 관리, 책임: in〔on〕 one's ~ 무릎 위에; 《비유》 아무의 책임 밑에. **4** 《시어》 산골짜기; 산의 우묵한 곳: the ~ of valley 골짜기의 깊은 곳. **5** (의복·안장 따위의) 처진 것, 자락; 귓바퀴(earlap); 돌출한 것의 일부. **6** (두 가지 것의) 겹침 (부분〔길이〕); (보석·유리용) 회전식 원반 연마기, 랩반(盤), 〖기계〗 랩, 랩 마무리용 공구. **7 a** (방사(紡絲) 전에 긴 멍석 꼴로 섬유를 가지런히 한) 연면(連綿)《따위》; (실 따위의) 한 번 감기. **b** 〖경기〗 랩, (주로(走路)의) 한 바퀴, (경영로(競泳路)의) 한 왕복; (행정(行程)·경쟁 등의) 한 구분, 단계. ⓒⓕ lap time. ¶ the last ~ of the trip 여정의 마지막 단계. **8** 〖건축〗 판자 등이 겹친 부분. ***drop*** 〔***dump***〕 ***... into*** 〔***in***〕 ***a person's ~*** …을 아무에게 맡기다. ***drop*** 〔***fall***〕 ***into a person's ~*** (행운 따위가) 아무에게 굴러들어가다: Everything falls into a person's ~. 만사가 아무의 뜻대로 되어 간다. ***in Fortune's ~*** =***in the ~ of Fortune*** 운수가 좋아서. ***in the ~ of luxury*** 온갖 사치를 다하여. ***in the ~ of the gods*** ⇨ GOD(관용구).

── (*-pp-*) *vt.* **1** 《+目+副/+目+前+名》 싸다, 입히다, 두르다, 감다, 휘감다, 걸치다《*about; around*》; 접다《*up*》: ~ *up* a letter 편지를 접다/~ a bandage *around* the leg =~ the leg *in* a bandage 다리에 붕대를 감다. **2** 《~+目/+目+前+名》 …에 겹치다; …을 부분적으로 겹치다《*on; over*》: ~ a slate *on*〔*over*〕 another 슬레이트를 다른 슬레이트 위에 겹치다. **3** 《+目+前+名/+目+副》 둘러싸다, (어린이를 안듯이) 안다, 소중하게 키우다: a house ~*ped in* woods 숲에 둘러싸인 집/Joy ~*ped* him *over*. 그는 기쁨에 싸여 있었다. **4** (경마·자동차 레이스에서) 한 바퀴 (이상) 앞서다; (코스를) 일주하다. **5** (보석·기계 부품 등을) 랩(반)으로 닦아내다; (밸브 따위를) 문질러서 맞추다《*in*》. **6** (면섬유 등을) 긴 거적 꼴로 하다. ── *vi.* **1** 《~/+副》 접혀 겹치다; 겹쳐지다, 걸어 올려지다: The shingles ~ *over* elegantly. 지붕널이 우아하게 겹쳐져 있다. **2** 씌워지다, 얹히다, 덮이다. **3** 삐어져 나오다; 코스를 일주하다.

㊕ **láp·per**[1] *n.*

*__lap__[2] [læp] *n.* **1** 핥아 먹음; 그 소리: take a ~ 한 번 핥다. **2** (뱃전·기슭을 치는) 파도 소리, (파도의) 밀어닥침. **3** (개의) 유동식(流動食). **4** 《속어》 약한 술, 싱거운 음료. **5** 《속어》 (위스키 등의) 한 모금. ── (*-pp-*) *vt.* **1** 《~+目/+目+副》 핥다, 핥아〔게걸스레〕 먹다《*up; down*》: The dog ~*ped up* the milk. 개가 우유를 말끔히 핥아 먹었다. **2** 《+目+副》 (발림말·이야기 등을) 열심히 듣다, 받아들이다《*up*》: The students ~*ped up* his illuminating lecture. 학생들은 그의 계몽적인 강연을 열심히 들었다. **3** (파도가) …을 철썩철썩 치다〔씻다〕. ── *vi.* **1** 《~/+前+名》 (파도가) 철썩철썩 밀려오다〔소리를 내다〕: ~ *against* the shore (파도가) 해안에서 물결치다. **2** 핥다, 핥아 먹다. ㊕ **láp·per**[2] *n.*

la·pac·tic [ləpǽktik] 〖의학〗 *a.* 완하제(緩下劑)의, 설사를 일으키는. ── *n.* 완하제, 설사제.

lap·ar- [lǽpər], **lap·a·ro-** [lǽpərou, -rə] '복벽(腹壁)'의 뜻의 결합사.

láparo·scòpe *n.* 복강경(腹腔鏡)《직접 보고 수술하기 위해 복벽으로 삽입하는 광학 기계》.

lap·a·ros·co·py [læ̀pərάskəpi/-rɔ́s-] *n.* 〖의학〗 복강경 검사〔수술〕(법).

lap·a·rot·o·my [læ̀pərάtəmi/-rɔ́t-] *n.* 〖의학〗 Ⓤ 개복(開腹) 수술.

La Paz [ləpάːz/lɑːpǽz] 라파스《남아메리카 볼리비아(Bolivia)의 수도》.

LAP-B [lǽpbìː] *n.* 〖컴퓨터〗 랩 비(Link Access Procedure-Balanced; 링크 접근 절차 균형)《국제 전신 전화 자문 위원회에 의하여 정의된 데이터 링크 프로토콜의 이름》.

láp bèlt (자동차 따위의 허리 부분에 매는) 좌석용 안전 벨트. ⓒⓕ safety belt. 「평판(平板).

láp·bòard *n.* Ⓒ 무릎 위에 올려놓는 책상 대용

láp compùter 휴대용 컴퓨터.

láp dànce 랩 댄스《누드 댄서가 손님 면전에서 또는 손님 무릎에 앉거나 하면서 춤추는 에로틱한 댄스》. ㊕ **láp-dànce** *vi.* **láp dàncing**

láp dissòlve 〖영화〗 랩 디졸브, 오버랩.

láp·dòg *n.* 애완용의 작은 개. ***make a ~ of*** … 을 얼러 주며 귀여워하다.

la·pel [ləpél] *n.* (보통 *pl.*) (양복의) 접은 옷깃.

㊉ ~led *a.* 옷깃이 접힌.
lapél-gràbber *n.* 《미속어》 옷깃을 잡고〔잡아당기며〕 아무의 주의를 끄는 사람; 아무의 주의를〔관심을〕 끌지 않고는 못 배기는 것《매우 매력적인 것》.
lapél mìke 옷깃에 꽂는 소형 마이크.
lap·ful [lǽpfùl] *n.* 무릎 위에 가득 안은〔앞치마 그득한〕 분량.
lap·i·cide [lǽpəsàid] *n.* 석공(石工), 비명(碑銘) 조각공.
lap·i·dar·i·an [læ̀pədέəriən] *a.* =LAPIDARY.
la·pid·ar·ist [ləpídərist] *n.* 보석에 정통한 사람, 보석 전문가.
lap·i·da·ry [lǽpədèri] *n.* Ⓤ 보석 세공인〔술〕; 보석상; 보석 감식가. **—** *a.* 돌〔보석〕의; 돌〔보석〕 세공의; 돌에 새긴; 비명(碑銘)의, 비명에 알맞은: ~ work 보석 세공 / a ~ style 【수사학】 비명체(體).
lap·i·date [lǽpədèit] *vt.* 《문어》 …에 돌을 던지다, 돌팔매질로 죽이다. ㊉ **làp·i·dá·tion** *n.* 투석(投石), 돌팔매질.
la·pid·i·fy [ləpídəfài] *vt., vi.* 석화(石化)하다〔되다〕.
lap·i·dist [lǽpədist] *n.* 보석 세공인, 보석공; 보석 감정〔전문〕가; Ⓤ 보석 가공 (기술).
la·pil·lus [ləpíləs] (*pl.* ***-pil·li*** [-lai]) *n.* 【지학】 화산력(火山礫).
lap·in [lǽpin] *n.* 토끼(rabbit), 《특히》 거세한 토끼; 그 털가죽.
lap·is laz·u·li [lǽpis-lǽzjuli, -lài/-lǽzjulài] 《L.》 【광물】 청금석(青金石); 유리(瑠璃); 청색 물감; 군청색.
láp jòint 【건축】 겹쳐 잇기. ⓒⓕ butt joint.
La·pláce trànsform [ləplɑ́ːs-] 【수학】 라플라스 변환. ⓒⓕ Fourier transform.
Lap·land [lǽplæ̀nd] *n.* 라플란드《유럽 최북부 지역》. ㊉ **~·er** *n.* ~ 사람.
La Pla·ta [ləplɑ́ːtə] **1** 라플라타《아르헨티나 동부 라플라타 하구의 도시》. **2** =Río de la PLATA.
La Pláta òtter 【동물】 라플라타 수달《아르헨티나산(産); 절멸 위기에 있음》.
láp of hónor 승자가 인사하기 위해 경기장을 한 바퀴 돌기.
Lapp [læp] *n.* Lapland 사람; Ⓤ Lapland 어.
lap·pet [lǽpit] *n.* (의복 따위의) 늘어져 달린 부분, 주름; (모자의) 귀덮개; 접은 옷깃; (칠면조 따위의) 처진 살; 귓불(lobe). ㊉ **~·ed** [-id] *a.*
lap·ping [lǽpiŋ] *n.* lap[1] 하기; 【기계】 래핑, 랩(lap) 연마《공구와 공작물 사이에 연마제를 넣어 정밀하게 마무리하는 것》.
Lap·pish [lǽpiʃ] *a., n.* Lapland(사람)의; Ⓤ Lapland 어(語).
láp pòol 랩풀《너비 5, 길이 20 피트 정도의 작은 풀》.
láp ròbe 《미》 (차에 탔을 때 쓰는) 무릎가리개.
***lapse** [læps] *n.* **1 a** (시간의) 경과, 흐름, 추이《*of*》: after a ~ *of* several years 수년이 지난 후에 / with the ~ *of* time 시간이 흐름에 따라. **b** (과거의 짧은) 기간, 시간. **2** (우연한) 착오; 실책, 실수, 잘못《*of*》: a ~ *of* the pen 〔tongue〕 잘못 씀〔말함〕 / a ~ *of* memory 기억 착오. **3** 정도(正道)에서 벗어남; 죄에 빠짐, 타락; 배교(背教): a ~ *from* virtue 배덕(背德) / a ~ *into* crime 죄를 범함. **4** (습관 따위의) 쇠퇴, 폐지. **5** 【법률】 (권리의) 소멸, 상실; (유산의) 실효. **6** (고도 증가에 따른 기온·기압 등의) 저하; (지위·수량 등의) 하강, 감소.
— *vi.* **1** 《~/+副》 (시간이) 경과하다, 모르는 사이에 지나다《*away*》: The days ~*d away.* 모르는 사이에 시일이 지났다. **2** 《~/+前+名》 조금씩 변천하다; 모르는 사이에 빠지다《*into*》; 나쁜 길로 빠지다, 잘못 생각하다, 죄를 범하다; 실수하다, 잘못하다; 저하하다; 퇴보하다, 타락하다《*into*》: ~ *into* silence 침묵하다 / ~ *from* good ways *into* bad 행실이 점점 나빠지다 / ~ *into* idleness 게으름 피우는 버릇이 붙다. **3** 《~/+前+名》 【법률】 (권리·재산 따위가) 소멸하다, 무효로 되다; 남의 손에 넘어가다《*to*》: let a person's contract ~ 아무의 계약을 실효케 하다 / Your insurance policy will ~ after 30 days. 댁의 보험 증권은 30 일 후면 무효입니다. **—** *vt.* (권리를) 잃다.
㊉ **láps·a·ble, láp·si·ble** *a.* **láps·er** *n.*
lapsed [læpst] *a.* 한물 지난; 실효한; 타락한, 배교의.
lápse ràte 【기상】 기온 저하율《고도에 비례하여 기온이 내려가는》.
láp-sìze *a.* 랩사이즈의, 무릎에 얹을 만한 크기의: a ~ computer.
láp·stòne *n.* (제화점의) 무릎돌《무릎에 얹고 가죽을 두드리는》.
lap·strake, lap·streak [lǽpstrèik], [-strìːk] *a., n.* 겹판으로 만든 (보트).
láp stràp (특히 비행기의) 좌석 벨트(seat belt); =LAP BELT.
lap·sus [lǽpsəs] (*pl.* ~) *n.* 《L.》 과오, 잘못, 실수(slip).
lapsus ca·la·mi [∠-kǽləmài, -miː] 《L.》 글씨를 잘 못 씀.
lapsus lin·guae [∠-líŋgwiː/-gwai] 《L.》 (=slip of the tongue) 실언(失言).
láp tìme 【경기】 랩타임, 도중 계시(途中計時).
láp·tòp *n.* 【컴퓨터】 랩톱《무릎에 얹어놓을 만한 크기의 휴대용 퍼스널 컴퓨터》.
La·pu·ta [ləpjúːtə] *n.* 라퓨타《Swift 작 *Gulliver's Travels* 에 나오는 부도(浮島); 주민은 터무니없는 일만 꿈꿈》.
La·pu·tan [ləpjúːtən] *n.* Laputa 섬의 주민. **—** *a.* 공상적인, 터무니없는(absurd).
láp·wìng *n.* 【조류】 댕기물떼새.
lar [lɑːr] LARES 의 단수형.
LARA, Lara Licensed Agency for Relief of Asia(공인(公認) 아시아 구제(救濟) 기관, 라라): ~ goods 라라 물자.
la ra·za [*Sp.* larɑ́θa] 《Sp.》 〖복수취급〗 멕시코계 미국인; 〖단수취급〗 멕시코계 미국 문화.
lar·board [lɑ́ːrbɔːrd] 【해사】 *n.* 좌현(左舷), 좌현측(側). ★ 현재는 보통 port[3]. ⓞⓟⓟ starboard. **—** *a.* 좌현(측)의.
LARC low-altitude ride control(저공 비행 제어).
lar·ce·ner, -ce·nist [lɑ́ːrsənər], [-nist] *n.* 절도, 도둑.
lar·ce·nous [lɑ́ːrsənəs] *a.* 절도의, 도둑질을 하는, 손버릇이 나쁜: a ~ act 절도 행위. ㊉ **~·ly** *ad.*
lar·ce·ny [lɑ́ːrsəni] *n.* Ⓤ,Ⓒ 【법률】 절도죄〔범〕 (《영》 theft). ***petty*** 〔***grand***〕 ~ 경〔중〕절도죄.
larch [lɑːrtʃ] *n.* 【식물】 낙엽송; 그 재목.
°**lard** [lɑːrd] *n.* Ⓤ 라드《돼지비계를 정제한 반고체의 기름》, 돼지기름; 《구어》 (인체의) 여분의 지방. **—** *vt.* **1** …에 라드를 바르다. **2** (맛을 돋우기 위해) 베이컨 조각을 집어넣다, 라딩하다. **3** 《+目+前+名》 (문장·담화 등을) 꾸미다, 윤색〔수식〕하다《*with*》: ~ one's conversation *with* quotations 얘기를 인용으로 꾸미다. **4** 《폐어》 풍부하게 하다. ㊉ **∠·like** *a.* =LARDACEOUS.
lar·da·ceous [lɑːrdéiʃəs] *a.* 라드 모양의; 【의학】 납질(蠟質)의, 지방 모양〔빛깔〕의.
lárd·àss *n.* 《미속어》 **1** 얼간이, 멍청이(lard-head). **2** 뚱보; 식충이.
lárd·er *n.* 고기 저장소, 식료품실; 저장 식품.
㊉ **~·er** [-rər] *n.* 《고어》 식품실 담당자.
lárd-hèad *n.* 《미속어》 얼간이, 멍청이.
lárding nèedle 〔**pìn**〕 【요리】 살코기 따위에 베이컨을 끼우는 기구.
lárd òil 라드 기름《윤활유·등유 따위》.
lar·don, lar·doon [lɑ́ːrdən], [lɑːrdúːn] *n.*

[U] (살코기 사이에 끼워 넣는) 베이컨이나 돼지고기의 가느다란 조각.

lardy [lá:rdi] (*lard·i·er, -i·est*) *a.* 라드의; 라드가 많은; 지방이 많은, 살찐. 「진, 뻰들뻰들한.

lar·dy-dar·dy [lá:rdidá:rdi] *a.* ⟪속어⟫ 바라

lar·es [lέəri:z, léir-/lέər-, lá:r-] (*sing. lar* [la:r]) *n. pl.* 〖고대로마〗 가정의 수호신⟪특히 집을 지키는 조상의 혼⟫. 「(家財), 가보.

láres and penátes 가신(家神); 중요한 가재

lar·gand·do [la:rgá:ndou] *a., ad.* ⟪It.⟫ 〖음악〗 =ALLARGANDO.

†**large** [la:rdʒ] *a.* **1** (공간적으로) 큰, 넓은(spacious): a ~ tree 큰 나무 / a ~ room 넓은 방 / be ~ of limb 손발이 크다 / (as) ~ as LIFE. [SYN] ⇨ BROAD. **2 a** (정도·규모·범위 등이) 큰, 넓은, 광범위한; (상대적으로) 큰 쪽〔종류〕의, 대…. [OPP] *small*. ¶ a ~ family 대가족 / a ~ crowd 대군중 / ~ powers 광범위한 권한 / ~ farmers 대농 / in ~ part 크게(largely) / a man of ~ experience 경험이 풍부한 사람 / ~ insight 탁견. [SYN] ⇨ BIG. **b** 과장된, 허풍이 섞인: ~ talk 허풍, 제자랑 소리. **c** ⟪폐어⟫ (사람·마음이) 도량이 넓은, 활수한(generous), 호방한(broad). [cf] petty, mean. ¶ have a ~ heart 〔mind〕 도량이 넓다. **3** (수량적으로) 상당한(considerable); 다수의(numerous); ⟪폐어⟫ 다량의, 풍부한(copious): a ~ sum of money 거액. **4 a** 〖해사〗 (바람이) 호조인, 순풍의(favorable). **b** ⟪미속어⟫ 멋진 훌륭한, 자극적인; (연예인이) 인기 있는, 유명한. **5** ⟪폐어⟫ (말·거동 등이) 상스러운, 추잡한, 무무한. **~ *for*** **…** ⟪미속어⟫ …에 열중하여, …을 열망하여. ***on the ~ side*** 어느 쪽이냐 하면 큰 쪽(의), 꽤 큰.

— *n.* 〖관용구로만 씀〗 ***at ~*** ① 마음대로, 자유로이; 붙잡히지 않고: The culprit is still *at* ~. 범인이 아직도 체포되지 않고 있다. ② 상세히, 자세히, 충분히: talk 〔write〕 *at* ~ 상세히 말하다〔쓰다〕 / go into the question *at* ~ 문제를 자세히 검토하다. ③ 전체로서; 널리, 일반적으로: people *at* ~ 일반 국민. ④ 뚜렷한 목적도 없이, 특정한 임무 없이: an ambassador *at* ~ ⟪미⟫ 무임소 대사. ⑤ 미(결)정으로: leave the matter *at* ~ 사건을 미결인 채로 두다. ⑥ ⟪미⟫ 전주(全州)〔전군(全郡)〕에서 선출되는: a congressman *at* ~ 전주 선출 의원. ⑦ 엉터리로, 만연히. ***in* (*the*) ~** 대규모로; 일반적으로. [OPP] *in little*.

— *ad.* **1** 크게. **2** 상세히. **3** 과대(誇大)하여, 뻐기어: print ~ 큰 활자체로 쓰다 / talk ~ 흰소리치다, 호언장담하다. **4** 〖해사〗 순풍을 받아. **5** 활수하게. ***by and ~*** ⇨ BY *ad.*

[파] **∠·ish** *a.* =LARGISH.

lárge cálorie 〖열역학〗 =KILOCALORIE.

lárge capácity stòrage 〖컴퓨터〗 대용량 기억 장치⟪많은 양의 데이터를 저장하는 데 사용되는 보조 기억 장치⟫.

lárge eléctron-pósitron (collíder) ⇨LEP.

lárge-éyed *a.* =WIDE-EYED.

lárge-hánded [-id] *a.* 손〔통〕이 큰; 활수한, 마음이 후한.

lárge-héarted [-id] *a.* 마음이 큰, 도량이 넓은, 너그러운; 인정 많은, 박애의. [파] **~·ness** *n.*

lárge intéstine 〖해부〗 대장(大腸).

***large·ly** [lá:rdʒli] *ad.* **1** 크게, 충분히(much). **2** 대부분, 주로(mainly): His success was ~ due to luck. 그의 성공은 주로 행운에 의한 것이었다. **3** 대규모로, 광범위하게. **4** 풍부하게, 활수(滑手)하게, 아낌없이(generously).

lárge-mínded [-id] *a.* =LARGE-HEARTED.

lárge·ness *n.* [U] 큼, 거대, 다대, 위대; 광대; 관대.

lárge páper edítion 대판(大判) 특제본, 호화판(edition de luxe).

lárger-than-lífe *a.* 실물보다 큰; 과장된; 영웅적인, 서사시적인; 스케일이 큰.

lárger trúth (저널리즘에서) 전체적인 진실, 종합적인 실정, (개개의 현상에 대하여) 전체상.

lárge-scále *a.* 대규모의, 대대적인; 대축척(大縮尺)의⟪지도 등⟫: a ~ business 〔disaster〕 대사업〔대재해〕.

lárge-scale integrátion 〖전자〗 고밀도〔대규모〕 집적 회로⟪생략: LSI⟫.

lárge-sóuled *a.* =LARGE-HEARTED.

lar·gess(e) [la:rdʒés, lá:rdʒis] *n.* (많은) 증여⟪사업 후원자의⟫, (아낌없이 주어진) 선물, 과분한 부조; 손이 큼, 활수. 「이루어진.

lárge-státured *a.* (삼림이) 교목과 관목으로

lárge-týpe edìtion 대활자판⟪약시자용⟫.

lar·ghet·to [la:rgétou] 〖음악〗 *a., ad.* ⟪It.⟫ 조금 느린; 조금 느리게⟪largo 보다 빠름⟫. — (*pl.* **~s**) *n.* 조금 느린 곡, 라르게토.

larg·ish [lá:rdʒiʃ] *a.* 약간 큰〔넓은〕.

lar·go [lá:rgou] 〖음악〗 *a., ad.* ⟪It.⟫ 장엄한〔하게〕 그리고 느린〔느리게〕. — (*pl.* **~s**) *n.* (템포가) 느린 곡, 라르고 악장(樂章).

lar·i·at [lǽriət] *n., vt.* ⟪미⟫ (마소를) 잡아 매는 올가미 밧줄(로 매다); =LASSO. 「구 집단학.

la·rith·mics [ləríðmiks] *n. pl.* 〖단수취급〗 인

lark**[1] [la:rk] *n.* 〖조류〗 종다리(skylark); ⟪미⟫ 시인, 가수: If the sky fall, we shall catch ~s. ⟪속담⟫ 하늘이 무너지면 종달새를 잡겠지⟪수고 없이 소득을 기대하지 마라⟫. ***be up* 〔*rise*〕 *with the ~ 아침 일찍 일어나다. ***catch the ~s*** ⟪미속어⟫ 번창하다.

lark[2] ⟪구어⟫ *n.* 희롱거림, 장난, 농담; 유쾌; (마음이) 들뜸(spree): It was such a ~. 퍽 재미있었다. ***for a ~*** 장난 삼아, 농담으로, 실없이. ***have a ~ with*** …을 조롱하다, …에 장난치다. ***up to*** one's **~** 장난에 팔려. ***What a ~!*** 거참 재미있군. — *vi.* 희롱거리다, 장난치다, (마음이) 들뜨다⟪*about*⟫. — *vt.* 놀리다, 희롱하다. [파] **∠·er** *n.* **lárk·i·ness** *n.*

lark·ish [lá:rkiʃ] *a.* (마음이) 들뜬.

lárk·some *a.* (마음이) 들뜬. 「물).

lárk·spùr *n.* 〖식물〗 참제비고깔(속(屬)의 식

larky [lá:rki] (*lark·i·er; -i·est*) *a.* 까부는, 장난치는, 희롱대는.

larn [la:rn] *vt., vi.* ⟪구어⟫ 깨닫게 하다, 알게 하다; ⟪속어·우스개⟫ =LEARN.

La·rousse [lərú:s] *n.* **Pierre Athanase ~** 라루스⟪프랑스의 문법학자·사전(辭典) 편찬가; 1817–75⟫.

lar·ri·gan [lǽrigən] *n.* 유피(油皮) 구두⟪나무꾼 따위가 신음⟫.

lar·ri·kin [lǽrikin] ⟪Austral.·미속어⟫ *n.* 깡패, 불량 소년. — *a.* 난폭한, 불량한.

lar·rup [lǽrəp] *vt.* ⟪방언·구어⟫ 때리다, 매질하다; 때려눕히다(beat). — *vi.* 꾸물꾸물〔덜커덕〕 움직이다. — *n.* 타격, 일격.

lar·ry[1] [lǽri] ⟪미속어⟫ *n.* (종종 L-) 허름한 상품; 구경만 하는 손님. — *a.* 시시한, 가짜의.

lar·ry[2] *n.* 〖광산〗 바닥이 열리게 되어 있는 광차(鑛車).

Lar·tigue [*F.* laʀtig] *n.* **Jacques Henri ~** 라르티그⟪프랑스의 사진 작가·화가; 1894–1986⟫.

◇**lar·va** [lá:rvə] (*pl.* **-vae** [-vi:]) *n.* 〖곤충〗 애벌레, 유충; 변태 동물의 유생(幼生)⟪올챙이 따위⟫. [파] **-val** [-vəl] *a.* 유충의; 미숙한.

lar·vi·cide [lá:rvəsàid] *n.* 유충을 죽이는 약제, 살충제. — *vt.* 살충제로 처리하다. [파] **làr·vi·cí·dal** *a.*

la·ryng- [ləríŋ], **la·ryn·go-** [-gou, -gə] '후두(larynx)'의 뜻의 결합사.

la·ryn·ge·al [ləríndʒiəl, lærindʒíːəl] *a.* 〖해부〗 후두(喉頭)의; 후두를 침범하는, 후두 치료용의. **—** *n.* 〖해부〗 후두부; 〖음성〗 후두음, 성문음(聲門音). ㊔ **~·ly** *ad.*

lar·yn·gec·to·my [lærindʒéktəmi] *n.* 〖의학〗 후두 절제(술).

la·ryn·ges [ləríndʒiːz] LARYNX의 복수꼴의 하나.

lar·yn·gi·tis [lærindʒáitis] *n.* Ⓤ 〖의학〗 후두염. ㊔ **lar·yn·gít·ic** [-dʒítik] *a.*

larỳngo·pharýngeal *a.* 〖의학〗 인후(咽喉)의.

larýngo·phòne *n.* Ⓤ 목에 대는 송화기.

la·ryn·go·scope [ləríŋgəskòup] *n.* 〖의학〗 후두경(喉頭鏡).

lar·yn·gos·co·py [læriŋgáskəpi/-gɔ́s-] *n.* Ⓤ 후두경 검사(법).

lar·yn·got·o·my [læriŋgátəmi/-gɔ́t-] *n.* Ⓤ 후두 절개(술).

lar·ynx [læriŋks] (*pl.* **~·es, la·ryn·ges** [ləríndʒiːz]) *n.* 〖해부〗 후두.

la·sa·gna [ləzáːnjə, lɑː-] *n.* Ⓤ 치즈·토마토소스·국수·저민 고기 따위로 만든 이탈리아 요리.

las·car [lǽskər] *n.* (외국 배에 승무하는) 인도인의 선원; (영국군 소속의) 인도인 포병.

las·civ·i·ous [ləsíviəs] *a.* 음탕한, 호색의, 외설적인; 도발적〔유혹적〕인. ㊔ **~·ly** *ad.* **~·ness** *n.*

lase [leiz] *vi., vt.* 〖광학〗 레이저 광선을 발하다, …에 레이저 광선을 쬐다; (결정(結晶)이) 레이저용으로 쓸 수 있다. ㊔ **lás·a·ble** *a.*

la·ser [léizər] *n.* 〖물리〗 레이저《분자〔원자〕의 고유 진동을 이용하여 전자파를 방출하는 장치》. [◂ *l*ight *a*mplification by *s*timulated *e*mission of *r*adiation]

láser bèam 레이저 빔〔광선〕; 《CB속어》 경찰의 자동차 속도 측정 장치.

láser bòmb 레이저 폭탄《(1) 레이저 유도 폭탄. (2) 레이저 수소 폭탄》.

láser càne (맹인용) 레이저 적외선 지팡이.

láser càrd 〖컴퓨터〗 레이저 카드《레이저 광선에 의해 데이터를 기록·재생할 수 있는 카드》.

láser dìsk 〖컴퓨터·TV〗 레이저 디스크《optical disk의 상표명》.

láser-drìven *a.* 〖컴퓨터〗 레이저 구동(驅動)의 《레이저 광선으로 작동되는》.

láser fùsion 〖물리〗 (대(大)출력 레이저 광선의 조사(照射)에 의한) 레이저 핵융합.

láser gùn 레이저 건《레이저 광선을 발생하는 장치》.

láser gỳro 〖공학〗 레이저 자이로(=**ríng làser**).

láser gýroscope 레이저 회전의(儀).

láser mèmory 〖컴퓨터〗 레이저 기억 장치.

láser micro·inscríption (보석 등의) 도난(盜難) 대책으로 육안으로는 안 보이는 미세한 기호를 레이저로 명각(銘刻)하는 시스템.

láser prìnter 〖컴퓨터〗 레이저 프린터.

láser ràdar 레이저 레이더.

láser rànger 레이저 거리 측정기.

láser rànging 레이저 거리 측정법.

láser rìfle 레이저총《무기 또는 기구》.

láser-scán(ning) *n.* 레이저 광선에 의한 체내 주사(走査)〔바코드 판독〕.

láser·scòpe *n.* 〖외과〗 레이저 내시경, 레이저 메스.

láser sùrgery 〖의학〗 레이저 수술《레이저 광선을 쬐어 생체 세포를 파괴》.

láser trìp·sy [-trìpsi] *n.* 〖외과〗 레이저 쇄석술(碎石術)《방광이나 신장 따위의 결석을 분쇄하여 제거하는》.

láser vìsion 〖컴퓨터〗 레이저 비전《레이저 광선을 사용하여 화상이나 음성을 정밀히 재생하는 시스템》.

°**lash**[1] [læʃ] *n.* **1 a** 챗열, 채찍의 휘는 부분. **b** 채찍질; 채찍질의 한 대; (the ~) 태형(笞刑); 통렬한 비난, 매도; (비·바람·파도 따위의) 몹시 몰아침: receive 50 *~es* 매 50대를 맞다/the ~ of waves *against* the rock 바위에 부딪치는 파도/the ~ of his conscience 그의 양심의 가책. **c** 몰아치는〔부추기는〕 힘〔것〕. **2** (동물이) 꼬리 치기. **3** 속눈썹(eyelash). **4** 〖기계〗 가동(可動) 부품 사이의 틈새. ***give a ~ with one's tongue*** 비난하며 공격하다. ***have a ~*** 《Austral.구어》 (…을) 시험해 보다, 한번 해보다《*at*》. ***under the ~*** 태형을 받아; 충격을 받아.

— *vt.* **1 a** 채찍질〔매질〕하다, 때려눕다. **b** (파도·바람이) 세차게 부닥치다, 내리치다; (바람이 비 따위를) 몰아치게 하다. **2** 《+목+전+명》 몹시 꾸짖다〔비난하다〕, 욕하다, 빈정대다: He *~ed* the students *with* harsh criticism. 그는 학생들에게 심한 꾸중을 퍼부었다. **3** (꼬리·발·부채 따위를) 획〔세차게〕 움직이다〔흔들다〕; (동물이 꼬리를) 별안간 몹시 흔들다. **4** 《+목+전+명》 **a** 자극하여 …에 빠지게 하다: ~ a person *into* a fury 아무를 격노케 하다. **b** 《~ oneself》 불끈해서 …에 빠지다: ~ one*self into* a fury 격노하다. **5** 《영》 (돈을) 낭비하다. **6** (신문 따위를) 대량으로 발행하다《*out*》. **7** 〖야구〗 …을 치다, 강타하다. **—** *vi.* **1** 채찍질〔매질〕하다《*at*》; (바람·파도가) 세차게 부딪다. **2** 비꼬다, 빈정대다; 심하게 욕설하다《*out*》: ~ *out at* a person 아무에게 폭언을 퍼붓다. **3** (비·눈물 따위가) 쏟아지다. **4** 세차게〔획〕 움직이다. **5** 《영》 낭비하다《*out*》. ***~ about*** 〔***around***〕 몸부림치며 뒹굴다. ***~ out*** 《*vi.*+부》 ① 강타하다; 달려들어 때리다《*at*》. ② 폭언을 퍼붓다, 혹평하다, 비난하다《*at; against*》. ③ (말이) 걷어차다《*at; against*》. **—** 《*vt.*+부》 ④ (돈 따위를) 활수하게 쓰다, 거금을 치르다《*on* a fur coat》.

lash[2] *vt.* 《~+목/+목+부/+목+전+명》 (밧줄·새끼줄 따위로) 묶다, 매다: ~ a thing *down* 무엇을 단단히 동여매다/~ things *together* 한데 동여매다/~ one stick *to* another 하나의 막대기를 다른 막대기에 붙들어 매다. ㊔ **~·ing·ly** *ad.*

LASH, lash[3] [læʃ] *n.* 래시선《짐 실은 거룻배째 수송하는 화물선》. [◂ *l*ighter-*a*board-*sh*ip]

lashed [læʃt] *a.* 속눈썹이 있는〔…한〕: long-~ 속눈썹이 긴.

lásh·er *n.* **1** 《영》 보(洑), 보에서 흐르는 물, 보 밑의 웅덩이. **2** 채찍〔매〕질하는 사람; 비난〔질책〕자. **3** 〖해사〗 잡아매는 밧줄.

lásh·ing[1] *n.* **1** Ⓤ 채찍질, 매질; 통매(痛罵), 질책. **2** (*pl.*) 《구어》 많음(plenty)《*of*》.

lásh·ing[2] *n.* 묶음; 밧줄, 끈.

lásh·less *a.* 속눈썹이 없는.

lásh-ùp *a., n.* 임시변통의 (것)(makeshift); 《속어》 실수(를 한).

Las·ki [lǽski] *n.* **Harold Joseph ~** 래스키《영국의 사회주의자·경제학자; 1893-1950》.

L-as·pa·rag·i·nase [élæspərǽdʒənèis] *n.* 〖생화학〗 엘 아스파라기나아제《백혈병 치료에 사용》.

lasque [lǽsk/láːsk] *n.* 지스러기 다이아몬드.

°**lass** [læs] *n.* **1** 젊은 여자, 소녀; (특히 미혼) 여성. OPP *lad.* **2** 연인(sweetheart)《여성 쪽》, 정부(情婦). **3** 《Sc.》 하녀(maidservant).

Lás·sa fèver [láːsə-] 〖의학〗 라사열《바이러스에 의한 사망률이 높은 급성 열병; 1969년 나이지리아 라사에서 발견됨》.

las·sie [lǽsi] *n.* =LASS.

las·si·tude [lǽsətjùːd/-tjùːd] *n.* Ⓤ (정신·육

체적) 나른함, 권태, 피로(fatigue); 무기력.

las·so [lǽsou, læsúː] (*pl.* ~(**e**)**s** [-z]) *n.*, *vt.* 올가미 밧줄(로 잡다)《야생말 따위를》. [파] **~·er** *n.*

lasso

†**last**[1] [læst, lɑːst/lɑːst] 〔본디 late의 최상급〕 *a.* **1** (the ~) (순서상으로) 맨 마지막의, 끝의, 최후의. [opp.] *first*. ¶ the ~ carriage of a train 열차 맨 뒤의 차량 / the tenth and the ~ volume 제 10 권 곧 최종권(最終卷).

[SYN] **last** 연속하는 것 또는 순번의 '최후의'의 뜻을 나타내는 가장 보편적인 말. **final** 그 이상은 계속되지 않는 최종적인 것을 말하며, 결정적인 뜻을 가지고 있음. 그러나 구체적인 것에는 쓰이지 않음: a *final* decision 최종 결정. **ultimate** final 보다는 형식적인 말로, 그 이상은 앞으로도 뒤로도 움직일 수 없는 궁극을 나타냄: *ultimate* truth 궁극의 진리.

2 (시간적으로) 맨 나중〔끝〕의, 최후의: the ~ day of the vacation 휴가의 맨 마지막 날. **3** 임종의; 사별(死別)〔고별〕의: the ~ days 임종; (세계의) 말기 / one's ~ days (아무의) 만년 / in one's ~ hours 〔moments〕 죽음에 임하여서 / pay one's ~ respects to a person 아무에게 고별하다. **4** (행위 · 일 등이) 마지막〔최후로〕 남은: the ~ half 후반 / one's ~ dollar 마지막 달러 / drink to the ~ drop 마지막 한 방울까지 마시다. **5** 〔관사 없이〕 바로 전의, 요전〔지난번〕의, 지난 …. [opp.] *next*. [cf.] yesterday. ¶ ~ month 지난달 / ~ year 지난해, 작년 / ~ evening 〔night〕 엊저녁〔지난밤〕 / ~ summer 작년 여름 / ~ week 지난주 / ~ Sunday =on Sunday ~ 지난 일요일에.

[NOTE] *last* day, *last* morning, *last* afternoon 이라고는 하지 않고 yesterday, yesterday morning, yesterday afternoon 이라고 함. 또 *last* evening 은 《미》식, 《영》식으로는 yesterday evening 이라 함.

6 〔전치사+the last의 형식〕 최근〔지난〕 …동안(에): *in* 〔*during*〕 *the* ~ century 전(前)세기에〔동안에〕 / *in the* ~ fortnight 요〔지난〕 2 주간에 / I have been teaching *for the* ~ four years. 나는 요 4 년 동안 교직 생활을 하고 있다 / *for the* ~ month (or so) 요 한 달(내외) 《month 앞에 one이 붙지 않음에 주의. 다음 예도 같음》 / He wrote 〔has written〕 two books *during the* ~ year. 지난 1 년 동안 그는 책 두 권을 썼다 《관사 없는(during) last year '작년(중에)' 와는 다름. 이때 구어로는 wrote…가 has written… 보다 자주 쓰임》. ★ past 에도 같은 용법이 있음. **7** (the ~) 최근의; 최신(유행)의: the ~ thing in hats 최신 유행의 모자 / The ~ (news) I heard… 최근 소식으로… 《⇨ *n.* 3》.

[SYN] **last** 연속되는 것 중 마지막에 오는 것으로, 뒤에 계속되는 것이 없을 경우. **latest** 연속되는 것 중 가장 최근의 것을 말하며, 따라서 뒤에 계속되는 것이 있음.

8 (the ~) 가장 …할 것 같지 않은〔하고 싶지 않은〕, 가장 부적당한〔어울리지 않는〕: He is the ~ man to succeed in the attempt. 그는 아무리 해도 좀처럼 성공할 것 같지 않다 / He is the ~ man (in the world) I want to see. 그는 내가 가장 만나기 싫어하는 사람이다 / You are the ~ to criticize. 자네는 비평할 자격이 없네. **9** (결론 · 결정 · 제안 등이) 최종적인, 결정적인: my ~ price 최종 가격《더 이상 깎을 수 없는》 / give the ~ explanation 최종적인 해석을 내리다. **10** (the ~) 최상의; 지극한, 대단한: of the ~ importance 극히 중요한. **11** (the ~) 최하위의, 맨 꼴찌의: the ~ boy in the class. **12** 개개〔낱낱〕의《센 뜻》: every ~ thing 이것저것 모두. ***for the ~ time*** (그것을) 최후로: see a thing *for the ~ time* 마지막으로 보다. ***if it's the ~ thing*** I do 〔he does, etc.〕 만약 그런 일을 할 수 있다면《강한 바람을 나타냄》. ***in*** one's ***~ moment***(***s***) 죽음에 임하여, 임종에. ***~ night early in the morning*** 《미구어》 오늘 아침 일찍. ***on*** one's ***~ legs*** 마지막 길에, 파멸에 가까워. ***put the ~ hand to*** …을 마무르다, 완성하다. ***take*** one's ***~*** 〔***long***〕 ***count*** 《미속어》 죽다. ***take*** one's ***~ drink*** 《Can.속어》 익사하다. ***the ~ but one*** 〔***two***〕 =***the second*** 〔***third***〕 ~ 끝에서 둘째〔셋째〕. (***the***) ***~ thing at night*** 〔부사적〕 밤늦게; 《구어》 자기 전에; 최후로. ***the ~ two*** 〔***three,*** etc.〕 마지막 두 개〔세 개 등〕.

— *ad.* **1** 최후로, 맨 나중〔끝〕에; 마지막으로, 결론으로: come ~ 맨 나중에 오다 / come in ~ 꼴찌로 들어오다 / He arrived ~ at the party. 그는 제일 나중에 파티에 왔다.

[SYN] **last** 물건의 순서 따위의 '마지막에'를 나타내는 보통 말. **lastly** 물건을 열거할 때에 last 보다 더 잘 쓰임.

2 요전, 최근(에). [opp.] *next*. ¶ since we met ~ 요전에 만난 이래 / When did you see him ~? =When did you ~ see him? 최근에 언제 그를 만났는가. ***~ but not least*** 마지막으로 말하는 것이지만〔(순서로는) 끝이지만〕 결코 가벼이 볼 것이 아닌(것인)데; 중요한 말을 하나 빠뜨렸는데. ***~ of all*** 최후로〔에〕.

— *n.* **1** 최후의 물건〔사람〕: Elizabeth I was the ~ *of* the Tudors. 엘리자베스 1 세는 튜더 왕가 최후의 군주였다. **2** 최후, 마지막, 끝, 결말, 종말; 임종, 죽음. **3** (편지 · 정보 따위의) 최근〔바로 전〕의 것: This is the ~ I received from him. 이것이 그로부터 받은 마지막 소식이다. **4** 마지막 소문〔모습, 자태〕. **5** (주 · 월의) 말: the ~ of this month 월말. ***at ~*** 마지막에, 드디어, 마침내. ***at long ~*** 기다리고 기다린 끝에, 겨우, 마침내, 결국. ***before ~*** 지지난: the night 〔month, year, etc.〕 *before ~* 지지난 밤〔달, 해 따위〕. ***hear the ~ of it*** …을 마지막으로 듣다: I shall never *hear the ~ of it*. 이 일은 언제까지나 사람들 입에 오르내릴 게다. ***look*** one's ***~ of*** …을 마지막으로 보다; …와 손을 끊다. ***see the ~ of*** …을 마지막으로 보다; …을 내쫓다; …와 손을 끊다. ***to*** 〔***till***〕 ***the ~*** 최후까지; 죽기까지.

last[2] [læst, lɑːst/lɑːst] *vi.* 《~/+[부]/+[전]+[명]》 **1** 계속〔지속, 존속〕하다, 끌다: The storm ~*ed* three days. 폭풍우는 사흘을 끌었다 / The lecture ~*ed* (*for*) two hours. 강연은 2 시간 계속되었다. [SYN.] ⇨ CONTINUE. **2** 오래 가다〔견디다〕, (튼튼하고 마디어) 오래 쓰다; (수량적으로) 오래 끌다, 족〔충분〕하다: These socks will ~ *long*. 이 양말은 오래 신을 수 있죠 / The supplies will not ~ *for* two months. 사 둔 물건〔식량〕은 2 개월을 지탱하지 못할 것이다. **3** 기운이 계속되다, 건강을 잃지 않다; 목숨이 지속되다: as long as life ~*s* 목숨이 다하기까지 / if my health ~*s* 건강이 지속된다면. — *vt.* **1** 《~+[목]/+[목]+[부]》 …보다 오래가다〔견디다〕, …

보다 오래 살다《*out*》: They ~*ed* (*out*) the famine. 그들은 기근(중)에도 생명을 보전했다/This coat will ~ the winter *out*. 이 외투는 겨울이 다 갈 때까지 입을 수 있을 것이다. **2** 《~+[목]/+[목]+[전]+[명]》…에 충분하다, 족하다 (suffice): This only ~*s* me a week. 이것은 내게 1주일분밖에 안 된다/This will ~ me (*for*) a fortnight. 이 정도면 2주간은 충분하겠지. ~ ***out*** …의 끝까지 쓸 수 있다〔충분하다〕: Our money will ~ *out* the year. 돈은 올 1년(은) 쓸 수 있겠죠.

— *n.* [U] 지속력, 내구(耐久)력, 끈기(staying power, stamina).

last³ *n.* (제화용의) 골. ***stick to*** **one's ~** 자기의 본분을 지키다, 쓸데없는 일에 참견하지 않다. — *vt.*, *vi.* 구두 골에 맞추다. [파] **∠·er** *n.* 구두 골에 맞추는 사람〔기계〕.

last⁴ *n.* 라스트《무게 단위; 보통 4,000 파운드》.

lást acròss 달려오는 열차 앞을 마지막으로 건너는 어린이 놀이(=**lást acròss the róad**).

lást ágony 죽을 때의 고통, 단말마(斷末魔).

lást cáll =LAST ORDERS.

lást crỳ (the ~) 최신 유행(의 물건).

Lást Dáy (the ~) 최후의 심판일, 세상 종말의 날(Day of Judgment).

lást dítch 최후의 방위〔저지〕선〔거점〕; 막다른 판: (fight) to the ~ 맨 마지막까지 (싸우다).

lást-dítch *a.* 절체절명의, 막판의, 마지막 희망을 건; 최후까지 버티는, 완강한. [파] **~·er** *n.* 끝까지 버티는 사람.

Las·tex [lǽsteks] *n.* 라스텍스《양말·거들·수영복에 쓰이는 고무심의 실; 상표명》.

lást-gàsp *a.* 최후로〔막판에〕 하게 되는.

lást hurráh 《미》 최후의 일〔노력·시도〕, 정치가의 최후의 선거전.

lást-ín, fírst-óut 〖회계·컴퓨터〗 =LIFO.

***last·ing** [lǽstiŋ, lɑ́:st-/lɑ́:st-] *a.* 영속하는; 오래가는〔견디는〕; 영원한, 영구(불변)한: a ~ peace 영구 평화/a ~ friendship 길이 변치 않는 우정. — *n.* **1** 영속; 《고어》 내구성(耐久性). **2** 튼튼한 나사의 일종《구두·가방 등의 안에 댐》. [파] **~·ly** *ad.* 오래 지탱하여. **~·ness** *n.*

Lást Júdgment (the ~) 최후의 심판(일).

lást lícks 《미속어》 (지는 것이 확정적인 측의) 최후의 찬스; 〖일반적〗 최후의 기회.

°**last·ly** *ad.* 최후로; 드디어, 결국(finally). [opp.] 「firstly.

lást-méntioned *a.* 최후로 든〔말한〕.

lást mínute 최후의 순간, 막판(last moment).

lást-mínute *a.* 최후 순간의, 막바지의, 임시변통의.

lást náme 성(姓)(surname).

lást óffices (the ~) 장례(식).

lást órders 《영》 (술집에서 문 닫기 전에) 마지막 술 주문을 하라는 말(last call).

lást póst 〖영군사〗 소등나팔; 장례식의 나팔 취주.

lást quárter 〖천문〗 (달의) 하현(下弦).

lást rítes (the ~) 〖가톨릭〗 종부 성사(終傅聖事), 병자(病者) 성사.

lást stráw (the ~) 참을 수 없게 되는 마지막〔한도〕, 인내의 한계를 넘게 하는 것: It's the ~ that breaks the camel's back. 《속담》 한도를 넘으면 지푸라기 하나를 더 얹어도 낙타의 등골이 부러진다. 「찬; 그 그림.

Lást Súpper (the ~) (그리스도의) 최후의 만찬.

lást thíng (the ~) 최신 유행(품); (the L- T-s) 세상의 종말을 고하는 여러 사건; (the (four) ~s) 〖기독교〗 사말(四末)《죽음·심판·천당·지옥》. — *ad.* 《구어》 ((the) ~) 최후에, 《특히》 자기 전에.

lást trúmp 〔**trúmpet**〕 (the ~) 〖기독교〗 최후의 심판의 나팔《죽은 자를 깨워 심판을 받게 함》.

lást wórd 1 (the ~) 최후의 말, 결정적인 말: have 〔say, give〕 the ~ (토론 따위에서) 결정적인 발언을 하다, 최종적인 의견을 말하다/the ~ *on* the future of science 과학의 장래에 대한 결정적 의견. **2** (the ~) 완벽한 것, 결정판; 《구어》 최신 유행품, 최신식(의 것): the ~ *in* motorcars 최신형의 자동차. **3** (the ~s, one's ~s) 임종의 말. ***famous ~s*** 임종 명언집; 《우스개》 그렇겠죠, 그럴까요《불신의 표명》.

Las Ve·gas [lɑːsvéigəs/lǽs-] 라스베이거스 《미국 Nevada 주의 도시; 도박으로 유명》.

Las Végas lìne 《미》 (the ~) 미식축구 도박에 거는 돈의 비율.

Las Végas Nìght 《미》 (공공 모금으로서 허용되는) 합법적 도박 모임.

lat [lɑːt] *n.* Latvia의 화폐 단위(1922–40).

LAT 〖천문〗 local apparent time (진(眞) 태양지방시). **Lat.** Latin; Latvia. **lat.** latitude.

LATA, La·ta [lǽtə] *n.* 《미》 (한 전화 회사가 관할하는) 전화 서비스 지역. [◂ *l*ocal *a*ccess and *t*ransport *a*rea]

la·tah, la·ta [lɑ́:tə] *n.* 라타《타인의 행동이나 말의 강박적 모방이 그 특징인 신경증적 행동 유형; 대개는 놀란 나머지 이런 현상을 일으킴; Malay에서 처음 발견》.

Lat·a·kia [lӕtəkíːə] *n.* [U] 터키산의 고급 담배.

°**latch** [lætʃ] *n.* 걸쇠, 빗장: set the ~ 빗장을 걸다/off the ~ 걸쇠를〔빗장을〕 벗기고/on the ~ (자물쇠는 안 잠근 채) 걸쇠만 걸고. — *vt.* …에 걸쇠를 걸다. — *vi.* 걸쇠가 걸리다. ~ ***onto*** 〔***on to***〕 《구어》 ① …을 파악하다; 《미》 …을 손에 넣다, 자기 것으로 하다; …을 이해하다. ② (아무)와 친하게 지내다, …에 매달리다〔달라붙다〕, …이 마음에 들다, …에 집착하다. 「붙는〕 사람.

látch·er·òn [lǽtʃər-] *n.* 《구어》 매달리는〔달라

latch·et [lǽtʃit] *n.* 《고어·성서》 구두끈.

látch·kèy *n.* 걸쇠의 열쇠, 바깥문의 열쇠; 《비유》 (부권(父權)으로부터의 자유·해방의 상징으로서의) 문의 열쇠.

látchkey chìld(**ren**) =KEY CHILD(REN).

látch·strìng *n.* 걸쇠의 끈《바깥에서 잡아당기면 열림》; 《구어》 환대. ***hang out*** 〔***draw in***〕 ***the ~ for*** 《미》 …에게 집에 자유로 드나들게 하다〔하지 않다〕.

†**late** [leit] (***lat·er***, ***lat·ter*** [lǽtər]; ***lat·est*** [léitist], ***last*** [læst, lɑːst/lɑ́:st]) *a.* ★ later, latest는 '때·시간'의, latter, last는 '순서'의 관계를 보임. **1 a** 늦은([opp.] *early*), 지각한, 더딘: a ~ arrival 지각자/be ~ *for* the train 늦어 기차를 못 타다/Spring is ~ (in) coming. 봄이 오는 것이 늦다/It is never too ~ to mend. 《속담》 잘못을 고치는 데 늦는 법은 없다. **b** 여느 때보다 늦은; 《구어》 (여성이) 생리가 늦는: (a) ~ marriage 만혼(晩婚)/a ~ breakfast 늦은 조반. **2** 철늦은, 늦되는: the ~ fruits 늦되는 과일. **3** (시각이) 늦은; 해 저물 때가 가까운; 밤늦은: ~ dinner 밤의〔늦은〕 만찬/a ~ show (텔레비전의) 심야 쇼/It's getting ~. 시간이 늦어졌다; 점점 늦어진다. **4** 끝〔마지막〕에 가까운, 말기〔후기〕의. [opp.] *early*.¶ ~ summer 늦여름/~ Latin 후기 라틴어/be in one's ~ thirties 〔teens〕 30대 후반〔10대 후반의 젊은이〕이다. ★ 비교급을 쓰면 시기가 한층 불명료하게 됨: the *later* Middle Ages 중세 말경. **5** (요) 전의, 최근의, 요즈음의: the ~ typhoon 요전의 태풍/his ~ office 그의 전(前) 사무소/the ~ prime minister 전 수상. **6** (최근에) 돌아간, 고(故)…, 작고한: the ~ Dr. A 고(故) A박사/my ~ mother 돌아가신 어머니. ***keep ~ hours*** ⇨KEEP. ***of ~ years*** 요 몇 해, 최근, 근년. (***rath-***

er (very)) ~ *in the day* (일이) 너무 늦어서, 느지막이, 뒤늦게; 기회를 놓쳐서. *the* ~ *period of* one's *life* 만년, 늘그막.

— (*lat·er; lat·est, last*) *ad.* **1** 늦게, 뒤늦게, 더디게. OPP. *early, soon.* ¶ ripen ~ 결실이 늦다, 늦게 여물다 / arrive ~ 늦게 도착하다 / We arrived an hour (one train) ~. 한 시간(한 열차) 뒤늦게 도착했다 / come ~ to work 일할 시간에 늦게 오다 / Better ~ than never. 《속담》 늦더라도 안 하느니보단 낫다. **2** (시각이) 늦어져, 날이 저물어; 밤늦어. OPP. *early.* ¶ dine ~ 늦은 정찬(正餐)을 들다. **3 a** 늦게까지, 밤늦도록: stay (sit) up ~ 밤늦도록 자지 않다 / ~ in the evening (morning) 밤(아침) 늦게. **b** (시기의) 끝 가까이(에): ~ in the nineteenth century 19세기 말에. **4** 전에, 최근까지(formerly). **5** 요즈음, 최근(lately). *as* ~ *as* 바로 …최근에: *as* ~ *as* yesterday 바로 어제. *early* (*soon*) *or* ~ 《드물게》 조만간, 언젠가는. ★ sooner or later 쪽이 일반적. ~ *in the day* 늦게; 때에 맞지 않게, 너무 늦어서. *too* ~ 시간에 못 대어, (뒤)늦어.

— *n.* 《다음 관용구로》 *of* ~ 요즘, 최근(recently). SYN. ⇨ LATELY. *till* ~ 늦게까지.

㊀ ∠·ness *n.* 늦음, 더딤, 느림, 지각.

láte bírd 밤에 놀러 다니는 사람.

láte blíght 〖식물〗 (사상균(絲狀菌)에 의한 감자·토마토 등의) 역병(疫病), 잎마름병.

láte blóomer 만성형(晩成型)의 사람, 늦깎이.

láte-blóoming *a.* 늦게 피는; 만숙(晩熟)의, 만성형의.

láte-brèaking *a.* 방금 들어온, 임시의《뉴스 따위》.

láte·còmer *n.* 지참자(遲參者); 신참자, 최근 나타난 자(물건).

lát·ed [léitid] *a.* 《고어·시어》 =BELATED.

láte devéloper 발육(발달, 성장)이 늦은 사람.

la·teen [lætíːn, lə-/lə-] 〖선박〗 *a.* (지중해의 작은 범선에 쓰는) 대삼각범(大三角帆)의: a ~ sail 대삼각범. — *n.* 삼각범선(船). 「을 단.

latéen-rìgged *a.* 〖선박〗 대삼각범(大三角帆)

láte fée 등록금의 연체료; 《영》 (전보 등의) 시간 외 특별 요금.

⁑**late·ly** [léitli] *ad.* 요즈음, 최근(of late): I haven't seen him ~. 요즘 그를 만나지 못했다 / Has he been here ~? 최근 그분이 여기에 왔습니까 / She was here *only* ~ (*as* ~ *as* last Sunday). 그녀는 바로 최근에(지난 일요일에) 이곳에 왔었다. ★ 보통 부정문·의문문에 완료시제로 쓰이며, only와 함께 또는 as ~ as의 꼴로 씀. *till* ~ 최근까지.

SYN. **lately**는 현재완료형에 쓰이는 일이 가장 많고, 과거·현재형에도 쓰이나 그런 예는 흔치 않음. **of late**는 lately와 거의 같게 쓰임. **recently**는 현재완료형과 과거형에 쓰임.

láte módel (자동차 등의) 신형. 「다(되다).

lat·en [léitn] *vt.,vi.* 늦게 하다(되다), 지연시키

la·ten·cy [léitnsi] *n.* Ⓤ 숨음, 안 보임; 잠복, 잠재; Ⓒ 잠재물; 〖정신의학〗 =LATENCY PERIOD; 〖생물·심리〗 =LATENT PERIOD.

látency pèriod 〖정신의학〗 잠재기(期); 〖생물·심리〗 =LATENT PERIOD.

látency tìme 〖컴퓨터〗 대기 시간.

láte-nìght *a.* 심야의, 심야 영업의: a ~ show (텔레비전의) 심야 프로그램.

la·ten·si·fi·ca·tion [leitènsəfəkéiʃən] *n.* 〖사진〗 잠상 보력(潛像補力)《현상 전의 잠상을 증감(增減)시키는 일》.

°**la·tent** [léitnt] *a.* 숨어 있는, 보이지 않는; 잠재적인; 〖의학〗 잠복성(기)의; 〖생물〗 잠복(휴면)의; 〖심리〗 잠재성의: ~ power 잠재(능)력 / a ~ gift 숨은 재능 / Grave dangers were ~ *in* the situation. 그 상황 속에 중대한 위험이 잠재해 있었다. ㊀ ~·ly *ad.*

SYN. **latent** 존재하고는 있으나 표면으로는 보이지 않고 숨어 있는 것을 말함. **potential** 현재는 아직 충분하지 않지만 장차 발전할 가능성을 갖고 있는 것을 말함.

látent ambigúity 〖법률〗 잠재적 다의성(多義性), 잠재적 의미 불확정《문언(文言) 자체의 뜻은 명확하나 어느 특정한 사실 관계에 적용될 경우 그 뜻이 확정 불능한 일》.

látent fúnction 〖사회〗 잠재적 기능.

látent héat 〖물리〗 잠열(潛熱), 숨은 열.

látent ímage 〖사진〗 잠상(潛像)《현상을 하면 나타나는 상》.

látent léarning 〖심리〗 잠재 학습.

látent períod 〖의학〗 (병의) 잠복기; 〖생물·심리〗 잠복기(시간)《자극으로부터 반응까지의 시간》.

látent róot 〖수학〗 행렬(matrix)의 고유 방정식의 근(根).

láte-ónset *a.* 〖의학〗 지발성(遲發性)(후발성)의, 노년이 되어 발생하는.

⁑**lat·er** [léitər] 《late의 비교급》 *a.* 더 늦은, 더 뒤(나중)의. OPP. *earlier.* ¶ in one's ~ life 만년에 / in ~ years 후년에. — *ad.* **1** 뒤에, 나중에: You can do it ~. 뒤에라도 할 수 있다; 뒤로 돌려도 좋다 / three hours ~ 3시간 후에. **2** 《미속어》 그럼, 다시, 안녕. *It's* ~ *than you think.* 생각하고 있는 만큼 시간이(기회가) 없다. ~ *on* 뒤(나중)에, 후에: I'll tell it to you ~ *on.* 나중에 얘기하지요. *See you* ~ (*on*). 《구어》 그럼 다음에 또, 안녕. *sooner or* ~ ⇨ SOON.

°**lat·er·al** [lǽtərəl] *a.* 옆의(으로의), 측면의(에서의, 으로의), 바깥쪽의; 〖생물〗 측생(側生)의; 〖음성〗 측음의: a ~ branch (친족의) 방계《형제자매의 자손》; 옆 가지 / a ~ consonant 측음《[l] 음과 같이 혀 양쪽으로부터 숨이 빠지는 음》 / ~ root 측근(側根). — *n.* 옆쪽, 측면부(部); 측면에서 생기는 것; 〖식물〗 측생(側生), 측생아(芽)(지(枝)); 〖광산〗 측갱(側坑); 〖전기〗 지선(支線); 〖음성〗 측음; 〖축구〗 =LATERAL PASS. ㊀ ~·ly *ad.*

láteral búd 〖식물〗 곁눈, 측아(側芽), 액아(腋芽) (=**áxillary búd**). 「chain).

láteral chàin 〖화학〗 측쇄(側鎖), 곁사슬(side

lat·er·al·i·ty [lætərǽləti] *n.* 좌우차(左右差), 편측성(偏側性)《대뇌·손 따위 좌우 한쌍의 기관의 좌우 기능 분화》.

lát·er·al·ìze *vt.* 《보통 수동태》 (기능을) 좌뇌(左腦)·우뇌 한쪽이 지배하다. ㊀ **làt·er·al·i·za·tion** *n.* (대뇌의) 좌우 기능 분화.

láteral líne 〖어류〗 측선(側線).

láteral páss 〖미식축구〗 래터럴 패스《골라인에서 옆 방향으로 공을 패스하기》.

láteral thínking 수평사고(水平思考)《상식·기성 개념에 구애되지 않는 여러 각도로부터의 문제 고찰법》.

Lat·er·an [lǽtərən] *n.* (the ~) **1** 라테란 대성전(大聖殿)《로마에 있는 대교회당; 가톨릭교회의 총본산》. **2** 라테란궁(宮)《중세에 교황의 궁전, 지금은 박물관》. 「會議).

Láteran Cóuncil 〖가톨릭〗 라테란 공회의(公

Láteran Tréaty (the ~) 〖역사〗 라테란 조약 《1929년 바티칸 시국(市國)을 독립국으로 발족시킴》.

láter-dáy *a.* =LATTER-DAY.

lat·er·ite [lǽtəràit] *n.* 〖광물〗 라테라이트, 홍토(紅土)《열대 지방에서 암석의 풍화로 철분을 많이 함유한 토양》. ㊀ **lat·er·it·ic** [lætərítik] *a.*

lat·er·i·za·tion [lætərizéiʃən/-rai-] *n.* 〖지

학] 라테라이트화(化) (작용).

lat·est [léitist] 〔late의 최상급〕 *a.* **1** 최신의, 최근의: the ~ fashion 〔news〕 최신 유행〔뉴스〕/the ~ thing 최신 발명품, 신기한 것. **2** 맨 뒤의, 가장 늦은, 최후의: the ~ arrival 마지막 도착자. SYN. ⇨ LAST. — *n.* (the ~) 최신의 것; 최신 뉴스〔유행〕. ***at (the) ~*** 늦어도. ***That's the ~.*** 《영구어》 (비난·비웃음 등을 나타내어) 그것 놀랍군. — *ad.* 가장 늦게.

láte·wòod *n.* 추재(秋材)(=**súmmer·wòod**).

la·tex [léiteks] (*pl.* **~·es, lat·i·ces** [lǽtəsìːz]) *n.* U,C **1** 【식물】 유액(乳液), 라텍스. **2** 【화학】 라텍스《합성고무나 플라스틱의 작은 분자와 물과의 유탁액(乳濁液)》. **3** 라텍스제 콘돔; 고무제품.

lath [læθ, lɑːθ/lɑːθ] (*pl.* **~s** [læðz, -θs, lɑːðz, -θs/lɑːθs, -ðz]) *n.* 외(椳), 욋가지; 오리목; 여윈 사람; 홀쭉한 물건. ***a ~ painted to look like iron*** 허세 부리는 겁쟁이. — *vt.* …에 욋가지를 엮다. ㊀ **~·lìke** *a.*

láth-and-plàster shéd 판잣집.

lathe [leið] 【기계】 *n.* 선반(旋盤)(turning ~); 도공용(陶工用) 녹로(轆轤). — *vt.* 선반으로 깎다〔가공하다〕.

láthe dòg 【기계】 (선반의) 돌림쇠.

lath·er¹ [lǽðər/lɑ́ːð-] *n.* 비누〔세제〕의 거품; (말 등의) 거품 같은 땀; 《구어》 흥분〔동요〕 상태, 초조, 노염. ***(all) in a ~*** 땀투성이가 되어; 《구어》 (아무가) 초조〔흥분〕하여, 노하여. ***work oneself up into a ~*** 흥분하다, 안달하다. — *vt., vi.* (면도질하기 위하여) 비누 거품을 칠하다; 거품이 일다; (말이) 땀투성이가 되다; 《구어》 때리다, (채찍·막대기로) 후려치다; 《야구속어》 (공을) 치다; 《구어》 흥분〔동요〕시키다(*up*). ㊀ **~·er** *n.* **~·ing** [-riŋ] *n.* 《구어》 강타, 질책.

lath·er² [lǽθər, lɑ́ːθ-/lɑːð-] *n.* 욋가지를 엮는 사람.

lath·ery [lǽðəri/lɑː-] *a.* 비누 거품의; 거품투성이의; 공허한.

láth·hòuse *n.* 【원예】 차양 육묘실(育苗室).

la·thi, la·thee [lɑ́ːti] *n.* 《Ind.》 (대)나무에 쇠를 입힌 곤봉《인도의 경찰봉》.

láth·ing *n.* U 외(椳) 엮기; 〔집합적〕 외(laths).

láth·wòrk *n.* =LATHING.

lathy [lǽθi, lɑ́ː-/lɑː-] (***lath·i·er; -i·est***) *a.* 외(椳) 같은; 가늘고 긴, 홀쭉한.

lat·i- [lǽtə] '넓은'의 뜻의 결합사.

lat·i·ces [lǽtəsìːz] LATEX의 복수.

la·tic·i·fer [leitísəfər] *n.* 【식물】 라텍스를 함유하는 식물 세포〔도관(導管)〕.

lat·i·cif·er·ous [læ̀təsífərəs] *a.* 【식물】 라텍스를 함유〔분비〕하는: ~ vessel 유관(乳管).

lat·i·fun·dism [læ̀təfʌ́ndizəm] *n.* 대(大)토지 소유. ㊀ **-dist** *n.* 대토지 소유자.

lat·i·fun·di·um [læ̀təfʌ́ndiəm] *n.* (*pl.* ***-dia*** [-diə]) 【역사】 (고대 로마의) 대소유지.

lat·i·me·ria [læ̀təmíəriə] *n.* 【어류】 라티메리아《아프리카 동해안의 살아 있는 coelacanth로 '살아 있는 화석'의 하나》.

Lat·in [lǽtən] *a.* **1** 라틴어의, 라틴(어)계(系)의: the ~ peoples 〔races〕 라틴계 민족《프랑스·이탈리아·스페인·포르투갈·루마니아 따위의 라틴계 말을 하는 민족》. **2** 라틴 사람의. **3** 옛 로마 사람의, 라틴 민족의. **4** Latium 의; Latium 사람의. **5** 로마 가톨릭교(회)의. — *n.* **1** U 라틴어: classical ~ 고전 라틴어《75 B.C.-A.D. 175》/late ~ 후기 라틴어《175-600 년》/low ~ 비(非)고전 라틴어《후기·중세·속(俗) 라틴어를 포함》/medieval 〔middle〕 ~ 중세 라틴어《600-1500년》/modern 〔new〕 ~ 근대 라틴어《1500 년 이후》/monks' 〔dog〕 ~ 중세의 변칙 라틴어/pig ~ 피그 라틴어《어린이들이 놀이에 쓰는 일종의 은어》. **2** C 라틴계 사람; 라틴 사람, 옛 로마 사람, Latium 사람. **3** 로마 가톨릭 교도. ㊀ **~·less** *a.* 라틴어를 모르는.

La·ti·na [lətíːnə, læ-] *n.* (미국에 사는) 라틴계 여자.

Látin álphabet 라틴 문자, 로마자(=**Róman álphabet**).

Látin América 라틴 아메리카《라틴계 언어인 스페인어·포르투갈어를 쓰는 멕시코, 중앙·남아메리카, 서인도 제도의 총칭》.

Látin American 라틴 아메리카 사람.

Látin-Américan *a.* 라틴 아메리카(사람)의.

Látin Américan Frée Tráde Associàtion 라틴 아메리카 자유 무역 연합《1961 년 발족; 생략: LAFTA; 1981 년 LAIA 로 개편》.

Lat·in·ate [lǽtənèit] *a.* 라틴어의, 라틴어에서 유래한, 라틴어와 비슷한.

Látin Chúrch (the ~) 라틴 교회, 로마 가톨릭 교회.

Látin cróss 세로대의 밑부분이 긴 보통의 십자가.

la·ti·ne [lǽtin] *ad.* 《L.》 라틴어로(는).

Lat·in·ism [lǽtənìzəm] *n.* U,C 라틴어풍(風)〔어법(語法)〕; 라틴적 성격〔특징〕.

Lát·in·ist *n.* 라틴어 학자; 라틴 문화 연구가.

la·tin·i·ty [lətínəti] *n.* (종종 L-) U 라틴어 사용 (능력); 라틴어풍(語風), 라틴어법(語法); 라틴적 특징, 라틴성(性).

lat·in·ize [lǽtənàiz] (종종 L-) *vt.* 라틴어로 번역하다; 라틴어풍(風)으로 하다, 라틴(어)화하다; 라틴 문자로 바꿔 쓰다; 고대 로마풍으로 하다; 로마 가톨릭풍으로 하다. — *vi.* 라틴어법을 사용하다. ㊀ **làt·in·i·zá·tion** *n.*

la·ti·no [lətíːnou, læ-] (*pl.* **~s**) *n.* 《미》 (종종 L-) (미국에 사는) 라틴계 사람.

Látin Quàrter (the ~) (파리의) 라틴구(區)《학생·예술가가 많이 삶》.

Látin Ríte 【가톨릭】 라틴식 전례(典禮).

Látin róck 【음악】 라틴 록《보사노바와 재즈가 혼합된 록》.

Látin schòol 라틴어 학교《라틴어·그리스어 교육을 중시하는 중등학교》.

Látin squàre 【수학】 라틴 방진(方陣)《n 종(種)의 숫자〔기호 따위〕를 n행·n 열에 각 한 번씩 나타내게끔 늘어놓은 것; 통계 분석용》.

lat·ish [léitiʃ] *a.* 좀 늦은, 늦은 듯싶은. — *ad.* 좀 늦게, 느지막하게.

la·tis·si·mus (dor·si) [lətísəməs(dɔ́ːrsai)] (*pl.* ***la·tis·si·mi (dór·si)*** [lətísəmài(-)]) 【해부】 광배근(廣背筋).

lat·i·tude [lǽtətjùːd/-tjùːd] *n.* U **1** 위도(緯度)《생략: lat.》, 위선(緯線), 씨줄. OPP. *longitude.* ¶ the north 〔south〕 ~ 북〔남〕위. **2** 어떤 위도의 곳; (*pl.*) (위도상으로 본) 지방, 지대: at 70° north ~ =in ~ 70° north 북위 70°에/the high ~*s* 고위도〔극지〕 지방/the low ~*s* 저위도〔적도〕 지방/the cold 〔calm〕 ~*s* 한대〔무풍대(無風帶)〕 지방. **3** (견해·사상·행동 등의) 폭, (허용) 범위, 자유《허용된》; (사진 노출의) 관용도(寬容度): comparative sexual ~ 상당한 성의 자유/There is much ~ of choice. 선택의 범위가 매우 넓다. **4** 《고어》 폭(幅) (breadth). **5** 《고어》 범위, 정도. **6** 【천문】 황위(黃緯). ***... degrees 〔minutes〕 of ~*** 위도 …도〔분〕. ***out of one's ~s*** 격에 안 맞게. ㊀ **làt·i·tú·di·nal** [-ənəl] *a.* 위도(緯度)〔위선〕의, 위도 방향의.

lat·i·tu·di·nar·i·an [læ̀tətjùːdənέəriən/-tjùː-] *a.* (신앙·사상 등에 관한) 자유〔관용〕주의의; 【종교】 교의(教義)·형식에 얽매이지 않는; (종종 L-) (영국 국교회 안의) 광교회(廣教會)파의. — *n.* 자유주의자; (종종 L-) 광교회파 사람. ㊀

~·ism n. Ⓤ (신교상의) 자유주의; 광교회주의.
La·ti·um [léiʃiəm] n. 지금의 로마 동남쪽에 있던 나라.
lat·ke [lá:tkə] n. 라트케《감자로 만든 유대식 팬「케이크」》.
lat·o·sol [lǽtəsɔ̀:l, -sɑ̀l/-sɔ̀l] n. 라토솔《적황색의 열대성 토양》.
la·tria [lətráiə] n. 〖가톨릭〗 하느님에게만 드리는 최고 예배.
la·trine [lətrí:n] n. (땅을 파고 만든) 변소《특히 군대 막사·공장 등의》.
-la·try [lətri] '예배, 숭배'의 뜻의 결합사: bibliolatry.
lats [læts] n. pl. 《구어》 광배근(廣背筋). 「소」.
lat·te [lá:tei] n. 라테《뜨거운 밀크를 탄 에스프레
lat·ten, lat·tin [lǽtn] n. (옛날 교회용 기구로 쓰이던) 황동(黃銅)의 합금판; 생철; 〔일반적〕 얇은 금속판.
⁎⁎lat·ter [lǽtər] 〔late의 비교급. ⓒⓕ later〕 a. **1** 뒤쪽〔나중쪽〕의, 뒤〔나중〕의, 후반의, 끝의, 말(末)의: the ~ half 후반(부) / the ~ part of the week 주(週)의 후반(부) / the ~ end 〔10 days〕 of April, 4 월 하순 / the ~ crop 그루갈이. **2** (the ~) 〖종종 대명사적〗 《속어》 (둘 중의) 후자(의)(ⓞⓟⓟ the former); (셋 중) 맨 나중의: I prefer the ~ proposition. (둘 중) 나중 제안이 좋다. **3** 요즈음의, 근래의, 작금의 (recent): in these ~ days 근래는, 요즈음은. **4** 《고어》 최후의: one's ~ end 최후, 죽음. ⓟ **~·ly** ad. 최근, 요즈음(lately); 후기〔말기〕에, 뒤에.
látter dáy (the ~) =LAST DAY.
látter-dày a. 요즈음의, 근년의, 근대의, 현대의; 뒤의, 차기(次期)의, 다음 대의.
Látter-day Sáint 말일 성도(末日聖徒)《모르몬 교도의 자칭》.
látter·mòst a. 최후의, 맨 마지막의.
látter-wìt n. 《미》 일이 지난 뒤에 떠오르는 지혜.
°lat·tice [lǽtis] n. Ⓤ,Ⓒ **1** 격자(格子), 래티스; 격자 모양으로 만든 것; 격자창(窓). **2** 격자꼴 문장(紋章); 〖물리·수학〗 격자; 〖수학〗 속(束); 〖결정〗 = SPACE LATTICE; LATTICEWORK: a ~bridge 격자교(橋). **—** vt. …에 격자를 붙이다; 격자 구조〔무늬〕로 하다. ⓟ **~d** [-t] a. 격자로 만든, 격자를 단. **~·like** a. 「스〔격자〕 보.

lattice 1

láttice bèam 〔**fràme, gìrder**〕 〖건축〗 래티
láttice ènergy 〖물리〗 격자 에너지.
láttice trùss 〖건축〗 래티스 트러스《격자형 얼
láttice·wìndow n. 격자창. 「개」.
láttice·wòrk n. Ⓤ 격자 세공〔무늬〕.
lat·tic·ing [lǽtəsiŋ] n. Ⓤ 격자 만들기〔세공〕.
LÁ túrnabout 《속어》 =AMPHETAMINE.
la·tus rec·tum [léitəsréktəm] (pl. ***la·tera rec·ta*** [léitərəréktə]) 〖기하〗 통경(通徑).
Lat·via [lǽtviə, lɑ:t-/lǽt-] n. 라트비아(공화국)《1940 년 옛 소련에 병합되었다가 1991 년 독립; 수도 Riga》. ⓟ **-vi·an** [-n] a., n. 라트비아의; 라트비아 사람〔말〕(의).
lau·an [lú:ɑ:n, -ˊ, lauá:n] n. Ⓤ 나왕재.
laud [lɔ:d] vt. 기리다, 찬미〔찬양, 칭찬〕하다. **—** n. **1** Ⓤ 기림, 찬미, 상찬; 《특히》 찬미가. **2** (~s, 종종 Lauds) 〔단·복수취급〕 〖가톨릭〗 아침 기도. ⓟ **ˊ-er** n. 칭찬하는 사람.
làud·a·bíl·i·ty n. Ⓤ 칭찬할 만함.
laud·a·ble [lɔ́:dəbəl] a. **1** 상찬〔칭찬〕할 만한, 장한, 기특한. **2** 〖의학〗 (분비 작용이) 건전한. ⓟ **-bly** ad. **~·ness** n. 「어」 아편제(劑).
lau·da·num [lɔ́:dənəm] n. Ⓤ 아편 팅크; 《폐

lau·da·tion [lɔ:déiʃən] n. Ⓤ 상찬, 찬미.
lau·da·tor [L. laudá:tɔr] n. 《L.》 찬미자.
laudator tem·po·ris ac·ti [L.ˊtémpɔrisɑ́kti:] 《L.》 과거를 찬미하는 사람.
laud·a·to·ry [lɔ́:dətɔ̀:ri/-təri] a. 찬미〔상찬〕의.
†laugh [læf, lɑ:f/lɑ:f] vi. **1** (소리를 내어) 웃다, 홍소하다: burst out ~ing 폭소하다 / ~ silently to oneself 혼자 몰래 (마음속으로) 웃다 / Don't make me ~. 《구어》 웃기지 마라; 웃기는군 / He ~s best who ~s last. =He who ~s last ~s longest. 《격언》 최후에 웃는 자가 진짜 웃는 자다, 지레〔성급히〕 기뻐하지 마라 / *Laugh* and grow 〔be〕 fat. 《속담》 소문 만복래(笑門萬福來).

> SYN. **laugh** '웃다'의 일반적인 말. 소리 내어 유쾌히 웃음. **smile** 소리를 내지 않고 웃음: an ironical *smile* 비꼬는 웃음. **chuckle** 부드럽게 낮은 소리로 웃음: *chuckle* over a story 그 이야기를 생각하고 웃다. **giggle** 억지로 참는 듯한 웃음이나, 당혹하거나 어쭙잖음에 대한 웃음. **sneer** 비꼼이나 경멸의 뜻을 품은 웃음.

2 흥겨워하다, 재미있어하다, 만족하다, 우쭐하다. **3** 《+전+명》 비웃다, 조소〔냉소〕하다《*at*》. **4** 《비유》 (초목·자연물이) 미소 짓다, 생생하다: The blue sky ~s above. 머리 위에 푸른 하늘이 미소 짓고 있다. **—** vt. **1** 〖동족목적어와 함께〗 …한 웃음을 웃다: ~ a bitter laugh 쓴웃음을 짓다. **2** 《~+목/+목+부》 웃으며 표현하다: ~ a reply 웃으며 대답하다 / ~ one's approval 웃으며 동의하다 / ~ *out* a loud applause 큰 소리로 웃어 갈채하다. **3** 《+목+전+명/+목+보》 웃어서 …시키다〔하게 하다〕; 〔~ oneself〕 웃어서 …로 되다: ~ the child *into* silence 웃어서 아이가 조용해지도록 하다 / ~ one*self* helpless 너무 웃어 어쩔줄 모르게 되다 / He ~*ed* him*self to* death. 그는 숨이 끊어질 정도로 웃었다. **~ *at*** ① …을 듣고〔보고〕 웃다: He ~*ed at* my joke 〔*at* the cartoon〕. ② …을 비웃다; …을 일소에 부치다, 무시하다: He ~*ed at* me 〔my proposal〕. 그는 나를 비웃었다〔내 제안을 일소에 부쳤다〕. ★ 수동태가 가능: I *was* ~*ed at*. 나는 비웃음을 당했다. **~ *away*** 《vt.+부》 ① (슬픔·걱정 따위를) 웃어 풀어 버리다; (때·시간을) 웃으며 넘기다〔보내다〕; (문제 따위를) 일소에 부치다. **—** 《vi.+부》 ② 계속해서 웃다. **~ *down*** 웃어대어 중지〔침묵〕시키다. **~ *in* a person*'s face*** 아무를 맞대놓고 비웃다. **~ *in* 〔*up*〕 one*'s sleeve* =~ *in* one*'s beard*** ⇨SLEEVE. **~(*s*) *like a drain*** 크게 웃다. **~ *off*** 웃어서 넘기다〔피하다〕, 일소에 부치다. **~ *on* 〔*out of*〕 *the wrong* 〔*other*〕 *side of* one*'s mouth* 〔*face*〕** 웃다가 갑자기 울상이 되다, 갑자기 풀이 죽다. **~ *out*** 깔깔 웃다, 웃음을 터뜨리다. **~ a person *out of*** ① (비웃어) 내쫓다: They ~*ed* him *out of* town. 그를 웃음가마리로 삼아 마을에서 내쫓았다. ② (웃기어) (괴로움 따위를) 잊게 하다. **~ *out of court*** 웃어 버려 문제로 삼지 않다, 일소에 부치다. **~ *over*** …을 생각하고〔읽으면서〕 웃다; 웃으며 …을 논하다. **~ one*'s head off*** 자지러지게 웃다, (남의 일을 가지고) 몹시 웃어대다.
— n. 웃음; 웃음소리; 웃는 투; 《구어》 농담, 웃음거리; (pl.) 기분 전환〔풀이〕, 장난: for ~s 《구어》 농담으로 / give a ~ 웃음소리를 내다 / raise a ~ 웃음을 자아내다, 웃기다 / burst 〔break〕 into a ~ 웃음을 터뜨리다 / have a good 〔hearty〕 ~ *at* 〔*about, over*〕 크게〔실컷〕 웃다.

have the last ~ 최후에 웃다, (불리를 극복하고) 최후의 승리를 거두다. ***have*** 〔***get***〕 ***the*** ~ ***of*** 〔***on***〕 ① …을 웃다. ② …을 되웃어 주다. ③ …을 앞지르다〔역습하다〕. ***have the*** ~ ***on one's side*** ① 이쪽이 웃을 차례가 되다; 되웃어 주다. ② 우위에 서다. ***join in the*** ~ (놀림을 받은 자가) 다른 사람과 함께 웃다.
㊕ **~·er** *n.* 웃는 사람, 잘 웃는 버릇이 있는 사람; 《미》 〖스포츠〗 완전히 일방적인 경기.

láugh·a·ble *a.* 우스운, 재미있는, 우스꽝스러운. ㊕ **-bly** *ad.* **~·ness** *n.*

láugh-ìn *n.* 희극, 웃음거리, 〖방송〗 코미디〔개그〕 프로; 웃어대며 하는 항의.

°**láugh·ing** *a.* 웃는, 웃고 있는 (듯한); 기쁜 듯한; 우스운: It is no 〔not a〕 ~ matter. 웃을 일이 아니다. ***be*** ~ ***all the way to the bank*** 쉽게 큰돈을 벌다: We'll *be* ~ *all the way to the bank* if this deal works out. 이 거래만 성사되면 우린 큰돈을 그냥 벌거야. **—** *n.* 웃기, 웃음: hold one's ~ 웃음을 참다. ㊕ °**~·ly** *ad.* 웃으며; 비웃듯이.

láughing acádemy 《속어》 정신 병원.

láughing gàs 〖화학〗 웃음 가스, 소기(笑氣) (nitrous oxide)《아산화질소, 일산화이질소》.

láughing gúll 〖조류〗 **1** 붉은부리갈매기. **2** 갈매기의 일종《우는 소리가 웃음소리 같음; 북아메리카산(産)》.

láughing hyéna 〖동물〗 얼룩하이에나《짖는 소리가 악마의 웃음소리에 비유됨》.

láughing jáckass 〖조류〗 웃음물총새《오스트레일리아산》.

Láughing Philósopher (the ~) 웃는 철인(哲人)《Democritus 또는 G.B. Shaw의 속칭》.

láughing sóup 〔**wáter**〕 《속어》 술, 샴페인.

láughing·stòck *n.* 웃음거리〔감〕: make a ~ of oneself 웃음거리가 되다.

láugh lìne 웃을 때의 눈가의 주름; 웃기는 말, 짧은 농담.

láugh·màker *n.* 《구어》 희극 작가〔탤런트〕, 코미디언.

*__laugh·ter__ [lǽftər, lɑ́ːf-/lɑ́ːf-] *n.* Ⓤ 웃음; 웃음소리: roar with ~ 크게 한바탕 웃다/burst 〔break out〕 into (a fit of) ~ 웃음보를 터뜨리다/*Laughter* is the best medicine. 웃음이 영약. ★ laugh보다 오래 계속되며 웃는 행위와 소리에 중점을 두는 말.

láugh tràck 〖TV〗 (희극 뒤에 내보내는) 방청객의 녹음된 웃음소리.

launce [læns, lɑːns/lɑːns] *n.* 〖어류〗 까나리.

Launce·lot [lǽnsələt, -lɑ̀t, lɑ́ːn-/lɑ́ːnslət] *n.* =LANCELOT.

*__launch__[1] [lɔːntʃ, lɑːntʃ/lɔːntʃ] *vt.* **1** (새로 만든 배를) 진수시키다. **2** 발진(發進)시키다; (보트를) 물 위에 띄우다; (비행기를) 날리다; (로켓·어뢰 등을) 발사하다; (글라이더를) 활공〔이륙〕시키다: ~ an artificial satellite 인공위성을 발사하다. **3 a** 《+목+전+명》 (세상에) 내보내다, 진출〔독립〕시키다; (상품 따위를) 시장에 내다; (책을) 발행하다: He *~ed* his son *into* business world. 그는 아들을 실업계에 내보냈다. **b** 《+목+전+명》 〖~ oneself〗 (사업 따위에) 손을 대다, 나서다, 착수하다《*on, upon*》 (★ 종종 수동형으로 쓰임): He *~ed* him*self on* a business career. 그는 실업계에 진출했다/He *is ~ed on* a new enterprise. 새로운 기업에 착수하고 있다. **4** 《~+목/+목+전+명》 던지다; (명령을) 내리다; (비난 등을) 퍼붓다; (타격을) 가하다, (공격을) 가하다, 개시하다: ~ threats *against* a person 아무를 협박하다. **5** 〖야구〗 홈런을 날리다. **—** *vi.* 《+부/+전+명》 **1** 나서다, (사업 등에 기세좋게) 착수하다《*forth; out; into*》, (배기 따위를) 시작하다《*into*》; 출발〔개시, 개업〕하다: ~ (*out*) *into* a new business 새 사업을 시작하다. **2** 날아 오르다, 발진하다, 발사되다: A bird *~ed off*. 새가 날아갔다. **3** 돈을 헤프게 쓰다《*out*》: How can he afford to ~ *out on* a new car? 어떻게 그는 새 차에 돈을 펑펑 쓸 여유가 있는 걸까. **4** (폭언 따위를) 퍼붓다, 격렬히 비난하다《*out; at*》. **—** *n.* 진수(식); 진수대; 발진, 발사.

launch[2] *n.* 대형 함재정(艦載艇); 론치, 기정(汽艇), 소(小)증기선.

láunch còmplex (위성, 우주선 따위의) 발사 시설.

láunch contròl cènter 발사 관제 센터《전시에 미사일이나 로켓 따위의 발사 지휘를 위해 만든 중앙 통제 시설의 일반 명칭》.

láunch·er *n.* 〖군사〗 발사통, 척탄통(擲彈筒) (=**grenáde** ~); 발사기; 캐터펄트; 로켓 발사 장치 (rocket ~).

láunch·ing *n.* (새 배의) 진수(식); (함재기의) 발진; (로켓 등의) 발진.

láunch(ing) pàd (로켓·미사일 따위의) 발사대; 《비유》 도약대, 발판; 《미속어》 마약 주사를 맞으러 가는 장소(shooting gallery).

láunching plàtform =LAUNCHING PAD; LAUNCHING SITE.

láunch(ing) shòe (기체에 단, 로켓탄의) 발사대.

láunching sìte 발사 기지; 발사장(場).

láunching wàys 〖단·복수취급〗 〖선박〗 진수대.

láunch vèhicle (우주선·인공위성 등의) 발사용 로켓.

láunch wìndow (로켓·우주선 따위의) 발사 가능 시간대(帶); 《구어》 (사업 등을 시작하는) 호기(好機).

laun·der [lɔ́ːndər, lɑ́ːn-/lɔ́ːn-] *vt.* **1** 세탁하다, 세탁하여 다리미질하다. **2** …의 더럼을 없애다, 깨끗이 하다. **3** 《구어》(정당한 것처럼) 위장하다《부정 금품 등을》, 돈세탁하다. **—** *vi.* 《+부》 세탁이 잘되다; 세탁하다: This fabric *~s well*. 이 직물은 세탁이 잘된다. ㊕ **~·a·ble** *a.* **~·er** *n.* 세탁소; 세탁자.

laun·der·ette [lɔ̀ːndərét, lɑ̀ːn-, ⌐-⌐/lɔ̀ːndərét] *n.* (동전 투입식 자동 세탁기·건조기 등을 설치한) 셀프서비스식 임대 세탁소, 빨래방. Ⓒⓕ Laundromat.

láund·er·ing [-riŋ] *n.* 세탁하기, 빨아서 다리기; 부정 자금 정화, 돈 세탁.

laun·dress [lɔ́ːndris, lɑ́ːn-/lɔ́ːn-] *n.* 세탁부(婦).

Laun·dro·mat [lɔ́ːndrəmæ̀t, lɑ́ːn-/lɔ́ːn-] *n.* 《미》 동전을 넣어 작동시키는 전기세탁기의 일종《상표명》; 그것을 설치한 곳.

*__laun·dry__ [lɔ́ːndri, lɑ́ːn-/lɔ́ːn-] *n.* **1** 〖집합적〗 세탁물. **2** 세탁소; 세탁실〔장〕. **3** 부정 금품을 합법적으로 보이기 위한 위장의 장소; 《미군대속어》 비행 훈련을 평가하는 교관회의. ***hang out the*** ~ 《미군대속어》 낙하산 부대를 강하시키다.

láundry bàg 세탁물을 넣는 자루.

láundry bàsket 빨래 바구니《뚜껑이 달린 대형의 것》.

láundry detèrgent 세탁용 세제.

láundry lìst 상세하고 긴 표〔리스트〕.

láundry·man [-mən] (*pl.* ***-men*** [-mən]) *n.* 세탁인.

láundry ròom 세탁실.

láundry·wòman (*pl.* ***-wòmen***) *n.* 세탁부(婦)(laundress).

Lau·ra [lɔ́ːrə] *n.* 로라《여자 이름》.

lau·ra [lɑ́ːvrə] *n.* 〖기독교〗 동방 교회의 대수도원.

Lau·ra·sia [lɔːréiʒə, -ʃə] *n.* 〖지리〗 로라시아 대륙《지금의 북아메리카·유럽·아시아가 합쳐 있었던 초대륙; 고생대 말기에 분리되었다 함》.

lau·re·ate [lɔ́ːriət, lɑ́r-/lɔ́ːr-] *a.* 월계관을 쓴〔받은〕; 월계수로 만든; 영예로운: a ~ crown 월계관. **—** *n.* 계관 시인(poet ~); 수상자; 월계수로 만든 왕관〔화관〕; 찬양자: a Nobel prize ~ 노벨

상 수상자. — *vt.* 영예를〔영광을〕 주다; 계관 시인으로 임명하다. ㊐ **~·ship** *n.* Ⓤ 계관 시인의 지위〔직〕.

lau·re·a·tion [lɔ̀:riéiʃən, lɑ̀r-/lɔ̀:r-] *n.* 계관 수여; 계관 시인의 임명; ⦅고어⦆ (대학의) 학위 수여.

lau·rel** [lɔ́:rəl, lɑ́:r-/lɔ́r-] *n.* **1** 〚식물〛 월계수 (bay, bay laurel 〔tree〕); 월계수와 비슷한 관목(灌木). **2** (*pl.*) (승리의 표시로서) 월계수의 잎 〔가지〕. **3** 월계관; (*pl.*) 〔단·복수취급〕 승리, 명예, 영관(榮冠): win 〔gain, reap〕 ~*s* 명예를 〔명성을〕 얻다. ***look to one's **~s** 영관을〔명예를〕 잃지 않도록 조심하다. ***rest on*** one's **~s** 이미 얻은 명예〔성공〕에 만족하다. — (**-l-**, ⦅영⦆ **-ll-**) *vt.* …에게 월계관을〔영예를〕 주다. ㊐ **-reled,** ⦅영⦆ **-relled** *a.* 월계관을 쓴〔받은〕, 영예를 얻은.

láurel wàter 로럴수(水)⦅월계수 잎을 쪄서 얻은 것으로 진통제 등에 쓰임⦆.

Lau·rence [lɔ́:rəns, lɑ́r-/lɔ́r-] *n.* 로런스⦅남자 이름⦆.

Lau·ret·ta [lərétə, lɔ:-/lɔ:-] *n.* 로레타⦅여자 이름⦆.

láu·ric ácid [lɔ́:rik-, lɑ́r-/lɔ́r-] 〚화학〛 라우르산(酸).

Lau·rie [lɔ́:ri] *n.* Lawrence, Laura의 애칭.

lau·rus·tine [lɔ́:rəstàin, lɑ́r-/lɔ́r-] *n.* 〚식물〛 = LAURUSTINUS.

lau·rus·ti·nus, -res- [lɔ̀:rəstáinəs, lɑ̀r-/lɔ̀r-] *n.* 〚식물〛 가막살나무⦅인동과의 상록관목⦆.

láu·ryl álcohol [lɔ́:ril-, lɑ́r-/lɔ́r-] 〚화학〛 라우릴 알코올⦅합성 세제·습윤제의 원료⦆.

Lau·sanne [louzǽn] *n.* 로잔⦅스위스 서부 레만 호반의 도시⦆.

laus Deo [lɔ́:s-dí:ou] ⦅L.⦆ 하느님을 찬미하라; 「하느님께 감사하라.

lav [læv] *n.* ⦅구어⦆ 변소(lavatory).

lav. lavatory.

°**la·va** [lɑ́:və, lǽvə/lɑ́:və] *n.* Ⓤ 용암, 화산암; 용암층(= ∠ **bèd**): a ~ field 용암원(原).

la·va·bo [ləvéibou, -vɑ́:-/-véi-] (*pl.* **~es, ~s**) *n.* **1** (종종 L-) 〚가톨릭〛 세수식(洗手式)⦅미사 때 신부가 손을 씻는 식⦆; 세수식용의 수건〔대야〕; 세수통. **2** (중세 수도원 벽의) 세정용(洗淨用)의 수반(水盤); (방 벽의) 장식 수반.

la·vage [ləvɑ́:ʒ, lǽvidʒ, lævɑ́:ʒ] *n.* Ⓤ,Ⓒ 세정, 〚의학〛 (위·장 따위의) 세척.

la·va·la·va [lɑ̀:vəlɑ́:və] *n.* (폴리네시아 사람의) 사라사로 만든 허리두르개.

la·va·lier(e), la·val·liere [læ̀vəlíər, lɑ̀:v-] *n.* ⦅F.⦆ 목걸이의 일종; (의복 따위에 부착하여 쓰는) 소형 마이크로폰(= ∠ **mìcrophone**).

la·va·tion [leivéiʃən, lə-/læ-] *n.* 씻음, 세정 (washing); 씻는 물, 세정수. ㊐ **~·al** *a.*

lav·a·to·ri·al [læ̀vətɔ́:riəl] *a.* 화장실의, 공중변소 같은; (유머 등이) 상스러운, 외설스러운.

***lav·a·to·ry** [lǽvətɔ̀:ri/-təri] *n.* ⦅미⦆ 세면소, 화장실; (수세식) 변기; 변소; 세면대; ⦅영에서는 고어⦆ 세면기.

lávatory páper = TOILET PAPER.

lave [leiv] *vt., vi.* ⦅시어⦆ 씻다, 잠그다; ⦅고어⦆ 목욕하다; (흐르는 물이 기슭을) 씻어 내리다; (물 따위를) 붓다, 떠내다. ㊐ **láve·ment** *n.* ⦅폐어⦆ = LAVAGE.

°**lav·en·der** [lǽvəndər] *n.* 〚식물〛 라벤더⦅방향 있는 꿀풀과(科)의 식물⦆; Ⓤ 라벤더의 말린 꽃 〔줄기〕⦅의복의 방충용⦆; 라벤더 향수; 엷은 자주색. ***lay*** a person ***out in*** ~ ⦅미속어⦆ 때려눕히다, 기절시키다; 야단치다. ***lay*** (***up***) ***in*** ~ ⦅비유⦆ (나중에 쓰기 위하여) 소중히 보존하다; ⦅속어⦆ 전당잡히다. — *a.* 라벤더(꽃)의. — *vt.* (의복 사이에) 라벤더를 넣다, …에 라벤더로 향내를 나게 하다.

lávender wàter 라벤더 향수(香水).

lav·er¹ [léivər] *n.* 〚성서〛 (유대의 사제가 손·발 씻는 데 쓴) 놋대야; ⦅고어⦆ 세례반(盤); (분수 따위의) 수반(水盤).

lav·er² *n.* 〚식물〛 김, 청태⦅따위⦆. 「류〛 종다리.

lav·er·ock [lǽvərək, léivərək] *n.* ⦅Sc.⦆ 〚조

La·vin·ia [ləvíniə] *n.* 라비니아⦅여자 이름⦆.

***lav·ish** [lǽviʃ] *a.* **1** 아낌 없는, 활수한, 헙헙한: ~ *of* 〔*with*〕 money = ~ *in giving* 돈을 잘 쓰는 / ~ *in* kindness 친절을 아끼지 않는 / He's never very ~ *with* his praises. 그는 결코 선선히 칭찬을 해주는 사람이 아니다. **2** 남아도는, 지나치게 많은, 풍부한; (소비 따위가) 분별없는: ~ chestnut hair 풍부한 밤색 머리카락 / ~ expenditure 낭비. **3** 낭비 버릇이 있는, 사치스러운. — *vt.* ⦅~+목/+목+전+명⦆ **1** (돈·애정 따위를) 아낌없이 주다, 아끼지 않다: ~ money *on* a person 아무에게 아낌없이 돈을 주다 / ~ affection *on* a child 아이에게 한없는 애정을 쏟다. **2** 낭비하다: ~ one's money *upon* 〔*on*〕 one's pleasure 〔*in* self-indulgence〕 유흥〔방종〕에 돈을 물쓰듯 하다. ㊐ **~·er** *n.* 낭비자. **~·ly** *ad.* 아낌없이, 헙헙하게; 함부로. **~·ment** *n.* **~·ness** *n.*

La·voi·sier [*F.* lavwazje] *n.* **Antoine Laurent** ~ 라부아지에⦅프랑스의 화학자; 산소를 발견; 1743-94⦆.

†**law**¹ [lɔ:] *n.* **1** (the ~) 법률, 법, 국법; (개개의) 법률, 법규: by ~ 법에 의해, 법률적으로 / the ~ of the land 국법 / enforce the ~ 법을 집행하다 / keep 〔break〕 the ~ 법을 지키다〔어기다〕 / a man of 〔at〕 ~ 법률가 / Everybody is equal before the ~. 법 앞에서는 만인이 평등하다 / His word is ~. 그의 말이 곧 법이다⦅절대 복종을 요구하는 말⦆ / A bill becomes a ~ when it passes the National Assembly. 법안은 국회를 통과하면 법률이 된다.

> SYN. **law** 가장 일반적인 말로, 법률·규칙의 뜻. **statute** 성문율(written law)로, 법령·법규의 뜻. **ordinance** ⦅미⦆ 에서는 시·읍·면의 조례(local law), ⦅영⦆ 에서는 Act of Parliament 가 아닌 법규.

2 Ⓤ 법학, 법률학: read 〔study〕 ~ 법률(학)을 공부하다. **3** (보통 the ~) 법률업, 법조계, 변호사업: be learned 〔versed〕 in the ~ 법률에 정통해 있다 / follow the ~ 법을 업으로 삼고 있다, 변호사 노릇을 하고 있다 / practice ~ 법을 업으로 삼다. **4** Ⓤ 법률적 수단, 소송, 기소: be at ~ 소송 중이다 / contend at ~ 법정에서 다투다 / go to ~ with 〔against〕... = have 〔take〕 the ~ on …을 기소〔고소〕하다. **5** Ⓒ (종교상의) 계율, 율법: the new 〔old〕 ~ 신〔구〕약. **6** Ⓒ (도덕·관습상의) 관례, 풍습. **7** Ⓤ (과학·기술·예술·철학·수학상의) 법칙, 원칙, 정률: the ~ of supply and demand 수요와 공급의 법칙 / the ~ of mortality 생자필멸의 법칙 / the ~ of self-preservation 자기 보존의 본능 / the ~ of painting 〔perspective〕 화(畫)〔원근〕법. SYN. ⇨ THEORY. **8** (the ~s) (경기의) 규칙, 규정, 룰 (rules): the ~s of tennis. **9** ⦅영⦆ Ⓤ (약한 경기자에게 주는) 선진(先進) 거리, 선발(先發) 시간; 여유, 유예: give a person five minutes' ~ 아무에게 5분간의 여유를 주다. **10** (the ~) ⦅구어⦆ 법의 집행자, 경찰(관): the ~ in uniform 제복 입은 경찰관.

at 〔***in***〕 **~** 법률에 따른〔따라〕, 법률상의. ***be a ~ unto oneself*** 자기 마음대로 하다, 관례를 무시하다. ***be bred to the ~*** 변호사〔판사〕가 되기 위한 교육을 받다. ***be good*** 〔***bad***〕 **~** (의견·판결 따

위가) 법률에 맞다〔위법이다〕. ***bend the*** ~ 《속어》 법률에 저촉될까말까 하는 방법으로 목적 달성을 도모하다. ***the first*** ~ (***of politics***) (정치가들에게) 가장 중요한 일〔점〕. ***give*** (***the***) ~ ***to*** … 을 마음대로 하다, …을 자기 뜻에 따르게 하다; (아무를) 꾸짖다. ***lay down the*** ~ 독단적인 말을 하다, 명령적으로 말하다; 야단치다《*to*》. ***take the*** ~ ***into*** one***'s own hands***(법률에 의하지 않고) 제멋대로 제재를 가하다, 린치를 가하다. ***the*** ~ ***of action and reaction*** 〖물리〗 작용 반작용의 법칙. ***the*** ~ ***of arms*** 무사의 예법. ***the*** ~ ***of conservation of energy*** 〔***mass***〕 에너지〔질량〕 보존의 법칙. ***the*** ~ ***of dominance*** 〖생물〗 우성(優性)의 법칙. ***the Law of Extradition*** 도망 범죄인 인도법. ***the*** ~ ***of mass action*** 〖화학〗 질량(質量) 작용의 법칙. ***the Law of Moses*** =***the Mosaic*** ~ 〖성서〗 모세의 율법(律法). ***the*** ~ ***of motion*** (뉴턴의) 운동의 법칙. ***the*** ~ ***of nations*** =***the international*** ~ 국제(공)법. ***the*** ~ ***of nature*** 자연의 법칙; 자연법(natural law). ***the Law of the Medes and Persians*** 〖성서〗 바꾸기 어려운 법칙〔제도 · 습관〕. ***the*** ~ ***of segregation*** 분리의 법칙. ***the*** ~ ***of thermodynamics*** 〖물리〗 열역학의 법칙. ***the*** ~ ***of war*** 전시 법규〔국제법〕. ***the*** ~***s of honor*** 예의범절; 결투의 예법.

— *vi.*, *vt.* 《구어 · 방언》 고발〔고소〕하다, 법적 조치를 취하다.

law², laws [lɔː], [lɔːz] *int.* 《방언》 뭐(라고), 큰일났군, 저런《놀람을 나타냄》. [<Lord]

LAW 〖군사〗 light anti-tank weapon(경(輕)대전차 무기).

láw-abìding *a.* 법률을 지키는, 준법의: ~ citizens 법률을 준수하는 시민. ㊐ **~·ness** *n.*

láw and órder 법과 질서, 안녕질서.

láw-and-órder [-ənd-] *a.* 법과 질서를 지키게〔중시〕하는, 치안〔단속〕 강화의.

láw bìnding 법률서 장정《law calf, law sheep, buckram 따위를 쓴 견고한 제본》.

láw·bòok *n.* 법률서, 법학관계 서적.

láw·brèaker *n.* 법률 위반자, 범죄자; 《구어》 법규에 적합하지 않은 것.

láw·brèaking *n.*, *a.* 법률위반(의).

láw càlf (법률서 따위의 장정에 쓰는) 고급 송아지가죽.

láw céntre 《영》 (무료) 법률 상담소.

láw clèrk 법학과 학생, 변호사 · 판사 등의 조수.

láw·còurt *n.* 법정.

Láw Còurts (the ~) 《영》 왕립 재판소(the Royal Courts of Justice).

Láw Dày 《미》 법의 날《1958년에 시작; 매년 5월 1일》.

láw dày 지급 기일.

láw-enfòrcement 법의 집행: ~ officers. ㊐ **láw-enfòrcer** *n.* 법의 집행자, 경찰관.

láw-enfòrcement àgency 《미》 법 집행 기관, 경찰 기관《경찰 관계 기관의 총칭》.

láw enfòrcement àgent 《미》 경찰관.

Láw Enfòrcement Àssístance Admin·istràtion (the ~) 《미》 법 집행 원조국《법무부소속국(局)의 하나》.

láw fírm 《미》 (대규모의) 법률 사무소.

láw Frènch 법률용 프랑스어《중세부터 17세기까지 England의 법률 용어로서 쓰인 Norman-French》.

***law·ful** [lɔ́ːfəl] *a.* **1** 합법의, 적법의. [opp] illegal, *illegitimate*.

> [SYN.] **lawful** 일반적인 말로, '법률 또는 법칙에 관한'의 뜻: a *lawful* husband 법률이 인정하는 남편. **legal** '법률에 관한, 법률에 위반되지 않는'이라는 소극적인 뜻을 나타냄: A *legal* act is not always a right one. 합법적 행위가 반드시 옳은 행위는 아니다. **legitimate** 법률상뿐만 아니라 관습상 · 도덕상 인정되는 정통의 뜻.

2 정당한, 타당한. **3** 법정의, 법률이 인정하는: a ~ child 적출자(嫡出子). **4** 법률에 따라 행동하는, 준법의. ㊐ **~·ly** *ad.* **~·ness** *n.*

láwful áge 〖법률〗 법정 연령, 성년.

láwful móney 법정 화폐, 법화(法貨).

láw·gìver *n.* 입법자, 법률 제정자.

láw·gìving *n.*, *a.* 입법(의).

láw-hànd *n.* 법률문서체, 공문서체.

lawk(s) [lɔːk(s)] *int.* 《영 · 비어》 =LAW².

láw·less *a.* 법(률)이 없는, 법(률)이 시행되지 않는; 무법의; 불법적인, 멋대로 구는, 제어할 수 없는; 비합법의: a ~ man =OUTLAW. ㊐ **~·ly** *ad.* **~·ness** *n.*

Láw Lòrd 《영》 법관 의원《최고 사법 기관으로서의 상원에서 재판에 임함; 종신 귀족임》. [cf.] lay lord.

láw·màker *n.* 입법자, (국회)의원.

láw·màking *n.*, *a.* 입법(의).

láw·màn [-mæ̀n] (*pl.* ***-mèn*** [-mèn]) *n.* 《미》 법의 집행관, 경찰관, 보안관.

láw mérchant (*pl.* ***láws mèrchant***)(the ~) 상관습법(商慣習法), 상사법(mercantile law); 《영》 =COMMERCIAL LAW.

***lawn¹** [lɔːn] *n.* **1** 잔디(밭): Keep off the ~. 잔디밭에 들어가지 말 것. **2** 《고어》 숲 속의 빈터(glade).

lawn² *n.* Ⓤ **1** 한랭사류(寒冷紗類), 론. **2** 《비유》 영국 국교회 bishop의 지위〔직〕.

láwn bòwling 《미》 잔디밭에서 하는 볼링.

láwn chàir 《미》 (야외용) 접의자.

láwn mòwer **1** 잔디 깎는 기계. **2** 《야구속어》 땅볼(grounder). **3** 《미서부속어》 양(羊).

lawn mower 1

láwn pàrty 《미》 원유회(園遊會) (garden party).

láwn sàle 자기 집 뜰에 불필요한 물건들을 늘어놓고 파는 일.

láwn síeve 한랭사(寒冷紗)〔명주〕로 된 체.

láwn sléeves **1** 한랭사제(製)의 소매. **2** bishop의 직.

láwn sprìnkler 〖원예〗 스프링클러, 회전 살수기(撒水器).

láwn tènnis 잔디밭에서 하는 테니스; 〖일반적〗 테니스.

láwn tràctor 트랙터식 잔디 깎는 기계.

lawny¹ [lɔ́ːni] (***lawn·i·er, -i·est***) *a.* 잔디의, 잔디 같은; 잔디가 많은〔로 덮인〕.

lawny² *a.* 한랭사(寒冷紗)의〔로 만든〕.

láw of áverages (the ~) 〖통계〗 평균의 법칙; (the ~) 세상의 통례, 세상사.

láw of défínite propórtions (the ~) 〖화학〗 정비례의 법칙《순수한 화합물에서는 원소가 항상 일정한 중량의 비율로 화합한다는 법칙》.

láw of efféct (the ~) 〖심리〗 효과의 법칙.

láw of exclúded míddle (the ~) 〖논리〗 배중률(排中律).

láw òffice 《미》 법률 사무소.

láw òfficer 법무관; 《특히》 《영》 법무 장관〔차관〕(=~ **of the Crówn**)(Attorney 〔Solicitor〕 General); 《Sc.》 검찰총장(Lord Advocate).

láw of indepéndent assórtment (the ~) 〖생물〗 독립 유전의 법칙《멘델의 유전 법칙의 하나》.

láw of lárge númbers (the ~) 〖수학〗 큰 수의 법칙《확률론의 극한 정리의 하나》.
láw of pársimony (the ~) 〖철학〗 절감의 원리(=Occam's Razor).
láw of supplý and demánd (the ~) 〖경제〗 수요 공급의 법칙.
láw of the júngle (the ~) 정글의 법칙《자연계의 적자 생존; 약육강식》.
láw of (univérsal) gravitátion (the ~) 〖물리〗 만유인력의 법칙.
Law·rence [lɔ́:rəns, lár-/lɔ́r-] *n.* 로런스. **1** 남자 이름. **2 D(avid) H(erbert)** ~ 《영국의 작가·시인; 1885-1930》. **3 T(homas) E(dward)** ~ 《영국의 고고학자·군인; 1888-1935》《'아라비아의 로런스'로 알려짐》.
law·ren·ci·um [lɔ:rénsiəm, lɑ-/lɔ-] *n.* U 〖화학〗 로렌슘《인공 방사성 원소의 하나; 기호 Lr; 번호 103번》.
laws *int.* =LAW².
láw shèep (법률서 따위의 장정에 쓰이는) 고급 양가죽.
láw schòol 《미》 로스쿨《대학원 수준의 법률가 양성 기관》.
Láw Socìety 《영》 사무 변호사회.
Láw·son critèrion [lɔ́:sn-] **1** 〖물리〗 로슨 조건《핵융합로가 실현되는 조건》. **2** 로슨 수치(=**Láwson nùmber**)《핵융합 반응 때의 에너지의 증대를 나타내는 수치》.
láw stàtion 《영속어》 경찰서.
láw stàtioner 법률가용 서류상(書類商); 《영》 법률가용 서류상 겸 대서인.
°**láw·sùit** *n.* 소송, 고소: bring in 〔enter〕 a ~ against a person 아무를 상대로 소송을 제기하다.
láw tèrm **1** 법률 용어. **2** 재판 개정기(期).
***law·yer** [lɔ́:jər, lɔ́iər] *n.* **1** 법률가; 변호사: He's a good 〔a poor, no〕 ~. 그는 법률에 밝다〔어둡다〕. ★ '변호사'의 뜻으로는 lawyer, counselor, barrister, solicitor, attorney, advocate 등이 있음. **2** 법률학자(jurist). **3** 〖성서〗 모세 율법의 해석가. **4** 〖어류〗 =BURBOT. ㊕ **~·lìke** *a.* **~·ly** *a.*
láw·yer·ing *n.* 《경멸》 변호사의 직무〔직능, 수완〕.
láwyer-lóbbyist *n.* 《미》 로비스트 변호사.
°**lax**¹ [læks] *a.* **1** (줄 등이) 느슨한, 느즈러진. OPP *tense*¹. **2** (정신·덕성 등이) 해이한, 흘게늦은, 단정치 못한, 방종한: He is ~ *in* discipline. 가정교육이 되어 있지 않다, 방종하다. **3** (생각 따위가) 애매한, 흐린. **4** (조치·방책 등이) 미지근한, 엄하지 않은. **5** (창자가) 늘어진, 설사하는(loose). **6** 〖음성〗 느즈러진. OPP *tense*¹. **7** 〖식물〗 (꽃송이가) 드문. **—** *n.* 〖음성〗 이완음(弛緩音); 《방언》 설사. ㊕ **∠·ly** *ad.* **∠·ness** *n.*
lax² *n.* 훈제(燻製)한 연어《노르웨이산》.
LAX [læks] 〖항공〗 Los Angeles International Airport (로스앤젤레스 국제공항).
lax·a·tion [lækséiʃən] *n.* U 느즈러짐, 이완, 방종, 완만; 변통(便通).
lax·a·tive [lǽksətiv] *a.* 대변을〔설사를〕 나오게 하는. **—** *n.* 하제(下劑), 완하제. ㊕ **~·ly** *ad.* **~·ness** *n.*
lax·i·ty [lǽksəti] *n.* U 느슨함, 이완; 방종; (이야기·문체 등의) 애매, 부정확; 부주의, 소홀.
⁑**lay**¹ [lei] (*p., pp.* ***laid*** [leid]) *vt.* **1 a** 《~+목/+목+전+명》 누이다, 가로눕히다: ~ a child *to* sleep 아이를 재우다. **b** 《+목+부/+목+전+명》 〔~ oneself〕 가로눕다: ~ one*self down on* the ground 땅에 (가로)눕다.
2 《+목+전+명/+목+부》 (누이듯이) 두다, 놓다: ~ one's head *on* a pillow 베개를 베다/~ a book *on* a shelf 책을 선반에 두다/She *laid* the doll *down* carefully. 인형을 조심스럽게 누였다/She *laid* her hand *on* her son's shoulder. 아들 어깨 위에 손을 얹었다. SYN. ⇨ PUT.
3 《~+목/+목+전+명》 깔다, 부설〔건조〕하다, 놓다, 판판하게 깔다: ~ a corridor *with* a carpet =~ a carpet *on* a corridor 복도에 융단을 깔다/~ a pipeline.
4 (벽돌 따위를) 쌓다, 쌓아올리다: ~ the foundations 기초를 쌓다〔만들다〕.
5 (알을) 낳다《새가 땅바닥에 알을 낳는 데서》: This hen ~*s* an egg every day. 이 닭은 매일 알을 낳는다.
6 (올가미·함정·덫을) 놓다, 장치하다; (복병을) 배치하다: ~ a trap 〔snare〕 for (…을 잡고자) 함정을 마련하다, (함정에) 빠뜨리려고 하다.
7 (계획을) 마련하다, 안출하다, 궁리하다, 짜내다; (음모를) 꾸미다: ~ a scheme 〔plan〕 계획을 세우다/~ a conspiracy 음모를 꾸미다.
8 《~+목/+목+보/+목+전+명》 옆으로 넘어뜨리다, 때려눕히다, 쓰러뜨리다: The storm *laid* all the crops flat. 그 폭풍우 때문에 모든 농작물이 쓰러졌다/A single blow *laid* him *on* the floor. 단 한 방에 그는 마루에 쓰러졌다.
9 누르다, 가라앉히다, 진정〔진압〕시키다: ~ the dust 먼지를 가라앉히다/~ a ghost 망령을 물리치다/~ a person's fears to rest 아무의 걱정을 진정시키다.
10 《~+목/+목+전+명》 …에 입히다, (표면을) 덮다, …에 씌우다, 흐트러뜨리다; …에 바르다〔칠하다〕: ~ paint *on* a floor 〔a floor *with* paint〕 마루에 페인트 칠을 하다/The wind *laid* the garden *with* leaves. 바람이 뜰에 나뭇잎을 흐트러뜨렸다.
11 식사 준비를 하다; (식탁에) 보(褓)를 씌우다; (보를) 식탁에 깔다: ~ the table =~ the cloth 식탁〔식사〕 준비를 하다.
12 《+목+전+명》 (신뢰·강세 따위를) 두다, (무거운 짐·의무·세금 등을) 과하다, 지우다: ~ emphasis *on* good manners 예의범절을 강조하다/~ one's hopes *on* a person 아무에게 희망을 걸다/~ a burden 〔duty〕 *on* a person 아무에게 무거운 짐을〔의무를〕 지우다/~ a heavy tax *on* income 소득에 중과세하다.
13 《+목+전+명》 (죄를) 짊어지우다; 돌리다, 넘겨씌우다: ~ a crime *to* his charge 죄를 그의 책임으로 돌리다/~ blame *on* a person 허물을 아무에게 뒤집어씌우다/~ an accusation *against* a person 아무를 책〔비난〕하다.
14 《~+목/+목+전+명》 제출하다, 제시〔게시〕하다, 주장〔개진〕하다: ~ a case *before* the commission 문제를 위원회에 제출하다/~ claim *to* the estate 재산 소유권을 주장하다/He laid his trouble *before* me. 그는 나에게 고민을 털어놓았다.
15 《+목+전+명》 (손해액을) 정하다, 얼마로 결정하다: The damage was *laid* at $100. 손해는 100 달러로 산정(算定)되었다.
16 《~+목/+목+전+명/+*that* 절》 (내기에) 돈을 걸다, 태우다(bet): ~ a bet 〔wager〕 내기를 하다/I ~ five dollars *on* it. 그것에 5 달러 건다/I'll ~ *that* he will not come. 그가 오지 않는다는 쪽에 걸겠다; 그는 절대로 오지 않는다.
17 (계약금·착수금을) 치르다《*on*》.
18 《+목+전+명》 〔보통 수동태〕 (극·소설의 장면을) 설정하다: The scenes of the story *is laid in* the Far East. 이야기의 장면은 극동으로 설정되어 있다.
19 《+목+전+명》 (물건을) 갖다대다: ~ hounds *on* the scent 사냥개에게 냄새를 추적하게 하다/~ an ear *to* the door 문에 귀를 대다.
20 《+목+보/+목+전+명》 (…한 상태에) 두다, (…상태로) 되게 하다; 매장하다(bury): ~

one's chest bare 가슴을 드러내다 / ~ the land fallow 땅을 놀리다 / ~ a person *in* a churchyard 아무를 묘지에 묻다 / The war *laid* the country waste. 전쟁으로 나라는 황폐해졌다 / ~ one's ethical sense 윤리 관념을 묻다.
21 《~+목/+목+전+명》 (실·참바·새끼 따위를) 꼬다; 엮다: ~ a rope 밧줄을 꼬다 / ~ yarns *into* a rope 실을 꼬아 로프를 만들다.
22 (총포를) 겨누다, 조준하다.
23 〖해사〗 육지가 보이지 않는 곳까지 오다 (opp. *raise*), 난바다로 나가다; …의 키를 잡다.
24 《속어》 (특히 남자가) …와 자다〔성교하다〕.
— *vi.* **1** 알을 낳다. **2** 내기하다, 걸다; 보증하다: You may ~ *to* that. 틀림없다. **3** (…에) 전심 종사하다《*to*》. **4** 《방언·구어》 준비하다, 꾀하다. **5** 마구 치다, 때리다《*about; at; on*》. **6** 《속어》 =LIE¹. **7** 〖해사〗 특정한 위치를〔방향을〕 잡다, 배를 어떤 상태〔위치〕에 놓다: ~ aloft 돛대 위에 자리잡다.
get a person ***laid*** 《속어》 아무와 성교하다, 자다. ~ ***aboard*** 〖해사〗 (옛날 해전에서) 뱃전이 닿다. ~ ***about*** (one) ① 전후좌우로 마구 휘둘러 치다, 맹렬히 싸우다《*with*》: He *laid about* them *with* his hands. 그들에게 맨손으로 덤벼들었다. ② 정력적으로 움직이다. ~ ***a course*** ⇨ COURSE (관용구). ~ ***aft*** 〖해사〗 후퇴하다. ~ ***apart*** 《고어》 (한옆으로) 치우다; 생략하다, 빼다. ~ ***aside*** ① 비켜〔치워, 떼어〕 두다; 저축해 두다. ② 버리다, 내버려두고 돌보지 않다. ③ (병 등이 사람을) 일을 못 하게 하다. ~ ***asleep*** 잠들게 하다; 방심시키다. ~ ***at*** …에게 덤벼들다, …을 공격하다. ~ ***... at a*** person***'s door*** ⇨ DOOR(관용구). ~ ***away*** ① 떼어〔간직해〕 두다; 저축〔비축〕하다; (상품을) layaway 로서 유치(留置)하다. ② 〔보통 수동태〕 매장하다, (파)묻다. ~ ***back*** 뒤쪽으로 기울이다〔재우다〕; 《속어》 한가로이 지내다, 긴장을 풀다. ~ ***bare*** ⇨ BARE¹. ~ ***before*** ① (사실 따위를) …에게 개진(開陳)하다; 자기의 의견을 설명하다. ② (법안 따위를 의회·위원회에) 제출하다. ~ ***by*** ① =~ aside ①. ② 〖해사〗 =~ to ①. ③ 《미》 (옥수수 따위)의 마지막 경작을 하다; 《미》 작물을 거둬들이다. ~ ***down*** ① 밑에〔내려〕 놓다; (펜 따위를) 놓다. ② (포도주 따위를) 저장하다. ③ (철도·도로 따위를) 놓다, 부설하다; 기공하다; (군함을) 건조하다. ④ (계획을) 입안(立案)하다, 세우다. ⑤ 〔종종 수동태〕 (강력히) 주장하다, 진술〔말〕하다: ~ it *down* that …이라고 주장하다. ⑥ (원칙 따위를) 규정하다; (규정을) 정하다: ~ *down* rules. ⑦ 《속어》 그만두다, 사직하다; (무기·목숨 따위를) (내)버리다: ~ *down* one's arms 무기를 버리다, 항복하다 / ~ *down* an office 사직하다 / ~ *down* one's life 목숨을 내던지다. ⑧ 지급하다; 내기하다, 걸다. ⑨ (밭에) 심다, 뿌리다: ~ *down* a field in grass 밭에 목초를 심다, 땅을 목초지로 만들다 / ~ *down* cucumbers 오이를 심다. ⑩ (…에) 적어 두다, 쓰다, 기입하다《*on*》. ⑪ (집중 포화를) 퍼붓다; 〖야구〗 (번트를) 하다. ~ ***down*** one***'s knife and fork*** 《속어》 죽다. ~ ***fast*** 구속〔속박〕하다, 감금하다. ~ ***for*** ① 《구어》 …을 숨어 기다리다; (수확·점령·공격 따위를) 준비하다. ② 《속어》 (여자가 남자)와 자다. ~ ***in*** ① 사들이다; 모아서 저장〔저축〕하다. ② 《속어》 먹다. ③ 〖원예〗 임시로 얕게 심다; 손질하다: ~ *in* by the heels 〖원예〗 가식(假植)하다. ④ 《속어》 때리다. ~ ***in for*** …을 신청〔말〕하다; …을 손에 넣으려고 꾀하다. ~ ***into*** 《구어》 …을 때리다, 꾸짖다, 호되게 비난하다. ~ ***it on*** ① 짙게 칠하다〔바르다〕. ② 《구어》 과장하다, 지나치게 칭찬하다; 몹시 발림말을 하다. ③ 《속어》 터무니없이 말하다, 바가지 씌우다. ④ 《속어》 세게 때리다〔치다〕. ~ ***it on thick*** =~ ***it on with a trowel*** 《구어》 과장하다, 지나치게 칭찬하다〔치살리다〕, 몹시 발림말을 하다. ~ ***low*** ⇨ LOW(관용구). ~ ***off*** 《*vt.*+부》 ① (종업원을) 일시 해고하다, 귀휴(歸休)시키다, (조업을) 일시 정지하다. ② 《미》 (외투 따위)를 벗다. ③ (땅을) 구분하다, 구획하다. —《*vt.*+전》 ④ (종업원을) 일시 해고하다: One hundred people were *laid off* work. 100명이 일시 해고되었다. —《*vi.*+부》 ⑤ 《구어》 그만두다, 중지하다. ⑥ 일을 쉬다, 휴양하다. —《*vi.*+전》 ⑦ 《구어》 (술·담배 따위를) 끊다, 그만두다: ~ *off* alcohol 술을 끊다 / *Lay off* teasing. 그만 놀려라. ⑧ 《구어》 〔명령형으로〕 (아무에게) 상관〔간섭〕하지 마라, 놔두어라: *Lay off* me. 혼자 있게 놔두어 달라. ~ ***on*** 《*vt.*+부》 ① (타격을) 가하다, (채찍으로) 치다. ② (그림물감·페인트 등을) 칠하다. ③ 《영》 (가스·수도 등을) 끌어들이다, 부설하다. ④ (모임·식사·차 따위를) 준비하다, 제공하다. ⑤ 《구어》 과장하다. ⑥ (세금 따위를) (부)과하다. ⑦ (명령 따위를) 내리다. ⑧ (생각 따위를) …에 나타내다; (일을) …에 알리다. ⑨(사냥개에게) 자귀 짚게 하다. —《*vi.*+부》 ⑩ 때리다; 공격〔습격〕하다. ~ ***one on*** 《속어》 몹시 취하다. ~ ***on the table*** (심의를) 무기 연기하다. ~ ***open*** ① 열다, 벗기다; 드러내다; 폭로하다. ② 절개(切開)하다. ~ ***out*** ① 《구어》 (돈을 많이) 쓰다, 내다, 투자하다. ② (세밀하게) 계획〔설계, 기획〕하다; (정확히) 배열〔배치〕하다, …의 지면을 구획하다. ③ (옷 따위를) 펼치다; 진열하다: ~ *out* one's clothes 옷을 꺼내다《*for* a party》. ④ 입관(入棺)할 준비를 하다. ⑤ 꾸짖다; 《구어》 기절시키다, 때려눕히다, 죽이다. ~ ***out on*** (노를) 힘껏 젓다. ~ ***over*** 《*vt.*+부》 ① 칠하다, 바르다. ② 《미》 연기하다. ③ 《미방언·속어》 …(보다) 더 낫다. —《*vi.*+부》 ④ 《미》 연기되다. ⑤ 《미》 (갈아타기 위해) 기다리다, 도중하차하다. ~ ***rubber*** 《속어》 (차를 급발차하여) 아스팔트에 타이어 자국을 남기다. ~ one***'s bones*** 묻히다, 죽다. ~ one***self out for*** 〔***to*** do〕 《구어》 …에 애쓰다; …의 준비를 하다, …할 각오로 있다. ~ (***the***) ***odds*** 유리한 조건을 주다. ~ ***to*** ① 〖해사〗 (이물을 바람 불어오는 쪽으로 향하고) 정선(停船)시키다〔하다〕; (배를) 독〔안전한 곳〕에 넣다. ② 때려눕히다. ③ 분발하다, 참고 계속 노력하다. ④ 전가하다, 남에게 덮어씌우다. ~ ***together*** ① 모으다. ② 비교하다, 종합하여 생각하다. ~ ***to heart*** 마음에 두다; 몹시 마음을 쓰다〔걱정하다〕. ~ ***to rest*** 〔***sleep***〕 쉬게 하다, 잠들게 하다; 묻다. ~ ***up*** ① 저축〔저장〕하다; 쓰지 않고 두다. ② 〔보통 수동태〕 (병·상처가 아무를) 일하지 못하게 하다, 죽치게 하다, 몸져 눕게 하다: *be laid up* with a cold 감기로 누워 있다. ③ 〖해사〗 계선(繫船)하다, (휴항선(休航船)을) 독에 넣다; (차를 차고에)넣어 두다: ~ *up* a ship. ④ (새끼 따위를) 꼬다, 엮다. ~ ***up for*** one***self*** (곤란 따위를) 자초하다. ***let it*** ~ 〔명령형〕 《속어》 놔두다, 잊다.
— *n.* **1** 지형, 지세; 형세, 상태; 위치, 방향. **2** 《구어》 일, 직업, 장사. **3** (활동) 방침, 계획. **4** (새끼 따위의) 꼰 마디, 꼬기, 꼬임새. **5** 《미》 값(price), 대가; (이익의) 배당. **6** (동물의) 숨은 곳, 집; 산란(産卵). **7** 《속어》 (정사(情事)의 상대로서의) 여자; 성교.

lay² [lei] *a.* 〔한정적 용법〕 **1** 속인(俗人)의, 평신도의《성직자에 대하여》. opp. *clerical.* ¶ ⇨ LAY READER. **2** (특히, 법률·의학에 대해) 전문가가 아닌, 풋내기의, 문외한의. **3** 〖카드놀이〗 으뜸패가 아닌, 보통패의.

lay³ [lei] *n.* 노래, 시《짧은 이야기체의 시(詩)·

서정시); (새의) 지저귐.
lay[4] LIE¹의 과거.
láy·abòut *n.* 《영》 부랑자, 게으름뱅이.
láy ánalyst 의사가 아닌 정신 분석가.
láy·awày *n.* (예약 할부 판매의) 유치(留置) 상품《대금 완납 때 인도함》.
láyaway plàn 예약 할부제. 「는」.
láy bròther 〔**sìster**〕 평수사〔수녀〕《노동만 하
láy-bỳ *n.* **1** 철도의 대피선; 두 배가 비킬 수 있도록 운하·수로를 넓힌 부분; 《영》 (도로에서 다른 차의 통과를 기다리는) 대피소. **2** 《미》 (옥수수 등의) 마지막 경작 작업. **3** 《주로 Austral.》 『상업』 상품 예약 구입법.
láy clérk 『영국교회』 대성당의 성가대원; 교구서기(parish clerk).
láy commúnion 속인으로서 교회원임; 평신도에 대한 성찬 수배(授拜).
láy dàys 『상업』 선적〔양륙〕 기간《이 기간 중에는 정박료 면제》; 『해사』 정박일.
láy déacon 평신도의 부제(副祭)〔집사〕.
láy-dòwn *n.* 『카드놀이』 (브리지에서) 보여 주어도 이길 수 있는 끗수; 《미속어》 실패; 《미속어》 (아편굴에서 치르는) 아편 흡인 대금.
*__lay·er__ [léiər] *n.* **1** 층(層), 켜; 『지학』 단층. **2** (한 번) 바르기, 칠하기. **3** 놓는〔쌓는, 까는〕 사람; 계획자. **4** 『경마』 여러 말에 돈 거는 사람. **5** 알 낳는 닭. **6** 『원예』 휘묻이. **7** 《영구어》 =LAYABOUT. ― *vt.* **1** 층으로 하다; 층상(層狀)으로 쌓아올리다. **2** (옷을) 껴입다. **3** 휘묻이법으로 늘리다. ― *vi.* 층을 이루다, 층으로 겹치다; (가지에서) 뿌리가 내리다; (작물이 비바람에) 쓰러지다.

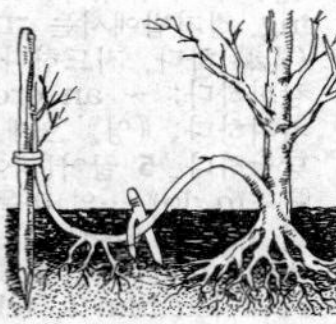
layer 6

lay·er·age [léiəridʒ] *n.* 『원예』 취목(取木), 휘묻이.
láyer càke 레이어 케이크《켜 사이에 잼·크림 등을 넣은 카스텔라》.
láy·ered *a.* 층을 이루고 있는, 켜로 된.
láyered defénse 『군사』 층상〔다층〕 방위《특히 미국의 SDI 계획에서의 대륙간 탄도탄(ICBM) 방위를 위한 4-5층의 방위선을 이름》.
láy·er·ing [-riŋ] *n.* **1** 『원예』 휘묻이(법). **2** 『지도』 (지형의) 단채색(段彩色) 표현법. **3** 껴입기《길이나 형태가 다른 옷을》. 「무」.
láyer-stòol *n.* 『원예』 휘묻이용의 원포기〔원나
lay·ette [leiét] *n.* 《F.》 갓난아기 용품 일습《배내옷·침구 따위》.
láy figure 모델 인형, 마네킹《미술가나 양장점에서 쓰는》; 《비유》 장식적〔허수아비 같은〕 사람〔물건〕, 쓸모없는 사람; (소설의) 가상 인물.
láy·ing *n.* **1** 쌓기; 놓기; 설치; (가스 따위를) 끌어들임, 부설. **2** (새끼·밧줄 등의) 꼬기. **3** 초벌칠. **4** (닭의) 산란(수)(產卵(數))《일정 기간의》. **5** (포의) 조준.
láying ón of hánds 『기독교』 안수(按手).
láy lórd 《영》 (상원의) 비법관(非法官) 의원. ⓒⓕ Law Lord.
°**láy·man** [-mən] (*pl.* **-men** [-mən]) *n.* **1** 속인, 평신도《성직자에 대해》. ⓄⓅⓅ *priest, clergyman.* **2** 아마추어, 문외한《법률·의학의 전문가에 대해》. ⓄⓅⓅ *expert.*
láy·òff *n.* (조업 단축에 따른) 일시 해고(기간), 일시 귀휴, 자택 대기; (일시적) 강제 휴업; 활동 휴지〔축소〕기; 《미속어》 실업 중인 배우.
láy of the lánd (the ~) 《미》 지세; 《비유》 형세, 정세, 실정, 실태, 현상(《영》 lie of the land). *see* 〔*find out, discover,* etc.〕 *the* ~ 형세를 보다〔확인하다〕.
°**láy·òut** *n.* **1** (지면·공장 따위의) 구획, 배치, 설계(disposing, arrangement); 기획; 배치〔구획〕도: an expert in ~ 설계〔기획〕의 전문가. **2** (신문·잡지 등의 편집상의) 페이지 배정, 레이아웃; 『컴퓨터』 판짜기, 얼개짓기, 레이아웃《워드프로세서나 DTP 프로그램에서 문서를 작성할 때 문서의 본문이나 제목, 그림, 표 등을 적당한 위치에 배치하는 것》. **3** 《미》 사태, 정세. **4** 《미》 도박용구; 한 벌의 도구, 세트. **5** 《미》 공들여 늘어놓은 것(spread); 진열: The dinner was a fine ~. 식사는 훌륭했다. **6** 《미구어》 (설비가 잘 된) 곳〔저택, 회사 등〕.
láy·òver *n.* 《미》 (여행·행동 따위의 잠시) 중단, 도중하차〔정거〕.
láy·pèrson *n.* 평신도, 속인《성직자에 대해》; 아마추어, 문외한《전문가에 대하여》.
láy rèader 『영국교회·가톨릭』 평신도 독서자(讀書者)《약간의 종교 의식 집행이 허용됨》; 일반 독자, 문외한의 독자.
láy·shàft *n.* 『기계』 부축(副軸).
láy·stàll *n.* 《영》 쓰레기 버리는 곳, 쓰레기더미.
láy·ùp *n.* **1** (잠시) 쉼〔쉬게 함〕, 휴식. **2** 『농구』 레이업 (슛)《바스켓 바로 밑에서 한 손으로 하는 점프슛》. **3** 합판(合板) 짜 맞추기《제작》. **4** 강화플라스틱 제법.
láy vícar 『영국교회』 대성당(에 딸린) 서기. 「형.
láy·wòman (*pl.* **-wòmen**) *n.* layman 의 여성
laz·ar [lǽzər, léiz-/lǽz-] *n.* 병든 거지《특히 나병의》: a ~ house 격리 병원. 《특히》 나병(癩病) 요양소.
laz·a·ret·to, -ret(te) [læ̀zərétou], [-rét] (*pl.* **~s**) *n.* 격리 병원, 한센병(病) 병원; 검역소〔선〕; 『해사』 (고물 쪽의) 식료품 저장실, 창고.
Laz·a·rus [lǽzərəs] *n.* 『성서』 나사로《요한복음 XI 및 누가복음 XVI》; (종종 l-) 거지《나병의》.
laze [leiz] *vi.* 빈둥빈둥 지내다, 게을리하다; 꾸물꾸물 움직이다《*about*; *around*》. ― *vt.* (시간·인생 등을) 빈둥빈둥 지내다《*away*》. ― *n.* Ⓤ 숨 돌림; 빈둥대며 보내는 시간.
laz·u·li [lǽzuli, -lài, lǽʒu-/lǽzjulài] *n.* =LAPIS LAZULI.
laz·u·rite [lǽzulàit, -ʒu-/-zju-] *n.* 『광물』 청금석(靑金石), 라주라이트.
⁑**la·zy** [léizi] (**-zi·er; -zi·est**) *a.* **1** 게으른, 나태한, 게으름쟁이의: a ~ correspondent 글〔편지〕 쓰기를 싫어하는 사람. ⓈⓎⓃ. ⇨IDLE. **2** 졸음이 오는, 나른한: a ~ day 졸음이 오는〔께느른한〕 날. **3** 느린, 굼뜬. ⓄⓅⓅ *industrious.* ¶ a ~ stream. ― *vi., vt.* =LAZE. ㊞ °**lá·zi·ly** *ad.* **lá·zi·ness** *n.* 게으름, 나태.
lázy·bàck *n.* (차내 의자의) 등널, 팔걸이.
lázy·bònes *n. pl.* 〔일반적으로 단수취급〕 《구어》 게으름뱅이.
lázy dáisy stìtch 『자수』 레이지 데이지 스티치《가늘고 긴 고리 끝을 작은 스티치로 꿰맨 꽃잎 모양의 스티치》. 「열탄(散裂彈).
lázy dòg 《미군대속어》 (공중에서 폭발하는) 산
lázy éye 〔**éyes**〕, **lázy-èye blíndness** 약시(弱視).
lázy jàck 『기계』 굴신(屈伸) 잭.
lázy Súsan (종종 l- s-) 회전식 쟁반(《영》 dumbwaiter) 《식탁용》.
lázy tòngs (먼뎃것을 집는) 집게.
laz·za·ro·ne [læ̀zəróunei] (*pl.* **-ni** [-ni:]) *n.* 《It.》 (Naples 의) 떠돌이, 뜨내기, 거지.
LB letter box; light bomber; 『미식축구』 linebacker. **lb., lb** [paund] (*pl.* ***lb., lbs.***) *libra* 《L.》 (=pound). **L.B.** landing barge; 《L.》

Literarum Baccalaureus (=Bachelor of Letters)(문학사); local board (지방국).

L-bànd *n.* 엘밴드《390-1550 MHz의 극초단파대; 위성 통신용》.

L bàr 〔**bèam**〕 L형 강철봉.

L/Bdr. 〖영군사〗 Lance Bombardier. **lbf** 〖물리〗 pound-force. **LBO** leveraged buyout. **lbr** labor. **lbs.** *librae* 《L.》 (=pounds). **lbw** 〖크리켓〗 leg before wicket. **LC** 〖군사〗 lance corporal; landing craft; liquid crystal. **LC, L.C.** 《영》 Lord Chamberlain; 《영》 Lord Chancellor; Lower Canada. **L/C, l/c** 〖상업〗 letter of credit. **l.c.** *loco citato* 《L.》(=in the place cited); 〖인쇄〗 lowercase. **LCC** 〖우주〗 launch control center ((케네디 우주 센터의) 우주 왕복선 발사용 발사 관제 센터). **L.C.C., LCC** London County Council. **LCD** liquid crystal digital (액정(液晶) 디지털 (시계); 〖전자〗 liquid crystal display 〔diode〕 (액정 표시(기), 액정 소자(素子)). **L.C.D., l.c.d., LCD, lcd** 〖수학〗 lowest 〔least〕 common denominator. **L.Cdr., LCDR** lieutenant commander. **L.C.F., l.c.f., LCF, lcf** lowest common factor. **L.Ch.** 《영》 Lord Chancellor. **L.C.J.** Lord Chief Justice. **L.C.L., l.c.l.** 〖상업〗 less-than-carload lot. **L.C.M., l.c.m., LCM, lcm** lowest 〔least〕 common multiple. **L.C.P.** Licentiate of the College of Preceptors. **L. Cpl., L/Cpl.** lance corporal. **LCT** Landing Craft Tank; local civil time. **LD** *Laus Deo* 《L.》 (=praise be to God); *Literarum Doctor* 《L.》 (=Doctor of Letters); learning disability(학습 곤란증); learning-disabled; 〖의학·약학〗 lethal dose(치사량)《보기: LD_{50}, LD-50은 50% 치사량》. **LD, L.D.** Low Dutch. **L.D.** Lady Day; line of departure; long distance. **Ld.** limited; Lord. **'ld** [d] 《드물게》 would. **LDC** [èldì:sí:] less developed country(후발 개발도상국, 저개발국).

L-D convèrter 〖야금〗 엘디 전로(轉爐).

LDDC least developed among developing countries (후발(後發) 개발도상국). **LDEF** 〖우주〗 long duration exposure facility (장시간 노출 위성; 본선(本船)에서 분리되어 장시간 우주 공간에서 실험을 함). **ldg** landing; leading; loading; lodging. **LDL** low-density lipoprotein(저밀도 리포 단백질).

L-Dopa *n.* Ⓤ 엘도파《파킨슨병 따위의 약이 되는 아미노산의 일종; L은 levo-》.

Ldp. ladyship; lordship. **LDPE** low-density polyethylene. **ldr.** leader.

L-dríver *n.* 《영》 가면허 운전자《L은 learner》.

ldry. laundry. **L.D.S.** Latter-day Saint; Licentiate in Dental Surgery(치과 개업 면허 소유자).

-le[1] [l] *suf.* **1** '작은 것'의 뜻: icic*le*, knuck*le*. **2** '동작하는 사람'의 뜻: bead*le*. **3** '도구'의 뜻: gird*le*, lad*le*. **4** '반복'의 뜻: dazz*le*, spark*le*.

-le[2] [l] *suf.* '…하는 경향이 있는'의 뜻을 나타냄: fick*le*, nimb*le*.

LE language engineering; leading edge. **Le** leone(s). **le., l.e.** 〖미식축구〗 left end. **£E** Egyptian pound(s).

lea[1] [li:] *n.* 《시어》 넓은 땅, 《특히》 풀밭, 초원; 목장.

lea[2] *n.* 짜는 실의 길이의 단위.

L.E.A., LEA 《영》 Local Education Authority. **lea.** league; leather.

leach[1] [li:tʃ] *vt.* 거르다; 걸러 내다, (가용물(可溶物)을) 밭다; 물에 담가 우리다. **—** *vi.* 걸러지다; 녹다, 용해하다. **—** *n.* 거르기; 거른 액체, 잿물; 여과기; 거름 잿물통.

leach[2] ⇨ LEECH[2].

leach·ate [lí:tʃeit] *n.* 침출액(浸出液), 거른 액체.

léach·ing *n.* 〖화학〗 우려냄, 침출(浸出)(물); 〖농업〗 용탈(溶脫).

leachy [lí:tʃi] (*leach·i·er; -i·est*) *a.* 다공질(多孔質)의, 물을 통과시키는《흙 따위》.

†**lead**[1] [li:d] (*p., pp.* ***led*** [led]) *vt.* **1** 《~+목/+목+전+명/+목+부》 이끌다, 인도〔안내〕하다, 데리고 가다: ~ a person *to* a place / ~ a person *in* 〔*out*〕 아무를 안〔밖〕으로 안내하다. SYN. ⇨ GUIDE. **2** 《+목+전+명》 …의 손을 잡아 이끌다, (고삐로) 끌다《말 따위를》; (댄스에서) (파트너를) 리드하다: ~ a blind man *by* the hand 장님의 손을 이끌어 주다. **3** 《~+목/+목+전+명》 인솔하다, 거느리다, …에 솔선하다; (행렬·사람들의) 선두에 서다; …의 첫째〔톱(top)〕이다, 리드하다, (유행의) 첨단을 가다: Iowa ~*s* the nation in corn production. 아이오와주는 미국 제일의 옥수수 산지다 / A baton twirler *led* the parade. 배턴 걸이 퍼레이드의 선두에 서서 갔다 / She ~*s* the class *in* spelling. 철자법에서는 그녀가 학급의 톱이다. **4** 선도(先導)하다, 지도하다; (군대 따위를) 지휘하다; 감화하다: ~ an orchestra 《미》 오케스트라를 지휘하다; 《영》 오케스트라에서 제 1 바이올린을 담당하다. **5** 끌어〔꾀어〕들이다, 유인하다. **6** 《+목+*to* do》 …의 마음을 꾀다, 꼬드겨 〔꾀어〕 …한 마음이 일어나게 하다: What *led* you *to* think so? 어떻게 그런 생각을 하게 되었는가 / Fear *led* him *to* tell lies. 그 남자는 무서워서 거짓말을 했다. **7** 《~+목/+목+전+명》 (줄·물 등을) 끌다, 통하게 하다; 옮기다: ~ water *through* a pipe / ~ a rope *through* a pulley 고패에 로프를 끼워 달다. **8** 《+목+전+명》 (길 따위가 사람을) 이르게 하다, 끌고〔데리고〕 가다; 《비유》 (어떤 결론으로〔상태로〕) 이끌다: This road will ~ you *to* the station. 이 길을 따라 가면 정거장이 나타날 겁니다 / Poverty *led* him *to* destruction. 가난 때문에 그는 몸을 망쳤다 / Unwise investments *led* the firm *into* bankruptcy. 어리석은 투자 때문에 회사가 파산하게 되었다. **9** 《~+목/+목+목》 (생활을) 보내다, 지내다; (생활을) 보내게 하다: ~ a happy life 행복하게 살다 / ~ a person a dog's life 아무에게 비참한 생활을 하게 하다 / That *led* him a miserable life. 그것 때문에 그는 비참하게 살았다. **10** 〖카드놀이〗 (특정한 패를) 맨 처음의 패로 내다. **11** 〖법률〗 (증인에게) 유도 신문을 하다; 《영》 (소송의) 수석 변호인이 되다; 〖Sc. 법률〗 증언하다. **12** (이동 목표의) 앞쪽을 겨냥하여 쏘다: ~ a duck (달아나는) 오리의 전방을 겨냥하여 쏘다. **13** 〖권투〗 (최초의 일격을) 가하다, (리드펀치로) 연타를 퍼붓기 시작하다. **—** *vi.* **1 a** 앞장서서 가다, 안내하다, 선도하다: The green car is ~*ing*. 녹색차가 선두를 달리고 있다. **b** 지휘하다. **2** 이끌다, 거느리다; (댄스에서) 파트너를 리드하다. **3 a** 〖경기〗 남을 앞지르다, 리드하다. **b** (…에서) 수위를 점하다: I ~ in French. 프랑스어는 내가 일등이다. **4** 《+전+명》 (길·문 따위가) …에 이르다, 통하다: All roads ~ *to* Rome. 《속담》 모든 길은 로마로 통한다. **5** 《+전+명》 (…로) 이끌다, (…의) 원인이 되다, 결국 (…이) 되다《*to*》: Idleness ~*s to* no good. 빈둥거리고만 있으면 결국 변변한 것이 못된다 / The incident *led to* civil war. 그 사건 때문에 결국 내전이 일어났다. **6** (말이) 끌려 가다, 따르다: The horse *led* easily. 그 말은 다루기 쉬웠다. **7** 〖카드놀이〗 맨 먼저 패를 내다; 〖음악〗

지휘자가 되다, 《영》 제 1 바이올린 연주를 맡다; 〖법률〗 (…의) 수석 변호인이 되다《for》. **8** 〖권투〗 리드펀치를 뻗다, 공세로 나오다.

~ a person ***a jolly*** 〔***pretty***〕 ***dance*** ⇨ DANCE. ~ ***astray*** ① …를 잘못된 방향으로 이끌다, 길을 잃게 하다. ② …을 미혹시키다, 타락시키다. ~ ***away*** 데리고〔끌고〕 가다; 꾀어내다, 딴 길로 끌어들이다. ~ a person ***by the nose*** ⇨ NOSE(관용구). ~ a person ***captive*** 아무를 포로로 하여 끌고 가다, 포로로 하다. ~ ***in*** ① (…으로) 끌고 들어가다, (이)끌어들이다《to》. ② 이야기〔연주〕를 …에서 시작하다《with》. ~ ***nowhere*** 《비유》 (결국은) 아무것도 안 되다, 헛일로 끝나다. ~ ***off*** 《vt.+副》 ① …을 데리고 가다, 연행하다. ② …을 시작하다, 도화선이 되다《with》. ③ 〖야구〗 (회의) 선두 타자가 되다. ―《vi.+副》 ④ …으로 시작하다, 개시하다《by; with》: He *led off by* announcing his intentions. 그는 우선 뜻하는 바를 분명히 하고 나서 이야기를 시작했다. ~ ***on*** 《vt.+副》 ① (계속해서) 안내하다. ② 《구어》 속이다; 속여서 …하게 만들다《into》: I was *led on into* buying rubbish. 속아서 쓸모없는 물건을 사고 말았다. ③ 속여서 …하게 하다《to do》: She *led* me *on to* believe.... 그녀는 나를 속여서 …이라고 믿게 했다. ④ …하게 만들다, 꾀어들이다《to do》: They *led* him *on to* steal it for them. 그들은 그가 그것을 훔치도록 부추겼다. ―《vi.+副》 ⑤ (계속해서) 앞장서서 가다〔안내하다〕. ~ ***out*** (춤추기 위해 여자를) 자리에서 끌어내다; 꾀어내다. ~ ***the van*** 선봉이 되다. ~ ***the way*** ⇨ WAY[1](관용구). ~ ***up*** 선수를 쓰다. ~ a person ***up*** 〔***down***〕 ***the garden path*** ⇨ GARDEN. ~ ***up to*** 점차 …로 유도하다; 이야기를 …로 이끌어 가다; 결국은 …란 것이 되다.

― *n.* **1** (the ~) 선도(先導), 지도; 솔선; 지휘, 지도자적 지위, 지시, 통솔(력). **2** (the ~, a ~) 본, 전례; 모범; 《구어》 문제 해결의 계기, 실마리. **3** 〖경기〗 (the ~) 리드, 앞섬, 우세; (a ~) 앞선 거리〔시간〕; 〖야구〗 (주자의) 리드; 〖권투〗 공격을 시작함; 움직이는 표적의 앞쪽을 겨냥하여 쏨: have a ~ of one length 말〔배〕 하나 길이만큼 앞서다. **4** 《구어》 실마리, 단서. **5** 〖연극〗 주연; 주연 배우; 〖음악〗 (화성(和聲)의) 주음부(主音部), 주선율: play the ~ 주역을 맡아 하다, 주연하다. **6** 개(끈는) 줄: have 〔keep〕 a dog on a ~ 개를 끈으로 매놓다. **7** 물레방아(에 물을 끌어들이는) 도랑; 빙원(氷原) 중의 물길, 통로. **8** 〖카드놀이〗 맨 먼저 내는 패, 선수(先手)(의 권리): Whose ~ is it? 누가 선수인가. **9** (신문 기사의) 첫머리, 허두; 톱기사, 〖방송〗 톱뉴스. **10** 〖전기〗 도선(導線), 리드선(a ~ wire); 안테나의 도입선; 〖광산〗 광맥, 사금(砂金)을 함유한 사층(砂層); 〖기계〗 나사 한 바퀴가 돌 때의 축이 움직이는 거리; 〖토목〗 운반 거리. **11** 광맥. **12** 〖권투〗 상대방에게 가하는 타격. **13** 움직이는 표적에 총을 겨누는 동작. ***follow the ~ of*** …의 본〔모범〕을 따르다, …의 예에 따르다. ***gain*** 〔***lose***〕 ***the ~ in a race*** 경주에서 선두에 나서다〔선두를 빼앗기다〕. ***give*** a person ***a ~*** 아무에게 모범을 보이다, 모범을 보여〔힌트를 주어〕 격려하다, 앞에 나서 아무를 격려하다. ***have a long ~ on*** …을 훨씬 리드하다. ***have the ~*** 리드하고 있다. ***take the ~*** 앞장서다, 솔선하다, 주도권을 잡다, …을 좌우하다《in; among》.

― *a.* **1** 선도하는: the ~ car 선도차. **2** (신문·방송의) 주요 기사의, 톱뉴스의: a ~ editorial 사설(社說), 논설.

*__lead__[2] [led] *n.* **1** Ⓤ 〖화학〗 납, 연《금속 원소; 기호 Pb; 번호 82》; Ⓒ 납제품: (as) dull as ~ 납같이 희미한 빛깔의; 《구어》 매우 얼빠진 / (as) heavy as ~ 매우 무거운. **2** Ⓒ 측연(測鉛) (plummet)《수심을 잼》; 낚싯봉: cast 〔heave〕 the ~ 수심을 재다. **3** (*pl.*) 《영》 지붕 이는 연판(鉛板), 연판 지붕; 창유리의 납 테두리. **4** Ⓒ 〖인쇄〗 인테르《활자의 행간에 삽입하는 납》. **5** Ⓤ 흑연(black ~); Ⓒ 연필심; Ⓤ =RED LEAD. **6** Ⓒ (납으로 된) 탄알: a hail of ~ 빗발치는 듯한 탄환. **7** Ⓒ 《고어》 납으로 만든 그릇. ***get*** 〔***shake***〕 ***the ~ out*** (***of*** ***one's pants***) 《미구어》 서두르다, (마음을 다잡고) 시작하다. ~ ***in*** one's ***pencil*** 활력, 열의, 《특히》 (성적인) 정력: put ~ *in* a person's *pencil* 《속어》 (음식물이 남자에게) 정력을 북돋우다. ***ounce of ~*** 탄환. ***swing the ~*** 《영구어》 꾀병을 부리다, 게으름 피우다; 허풍을 떨다, 과장되게 말하다. ***throw ~*** 《미속어》 쏘다, 사격하다《at》.

― *a.* 납으로 만든.

― *vt.* 납으로 씌우다; …에 납을 채워 메우다; …에 납으로 추를 달다; (지붕을) 연판으로 이다; 납(화합물)을 혼입(混入)시키다〔처리하다〕; 〖인쇄〗 (활자 조판 시 행간에) 인테르를 끼우다.

㊞ **∠·ed** [-id] *a.* 납으로 만든, 납으로 씌워진〔채워진, 처리된〕; 납중독에 걸린; (가솔린이) 유연(有鉛)의, 가연(加鉛)한.

léad ácetate [léd-] 〖화학〗 아세트산납.

léad ársenate [léd-] 〖화학〗 비산납《살충제》.

léad ballóon [léd-] 실패(한 기도(企圖)).

léad cárbonate [léd-] 〖화학〗 탄산납.

léad chrómate [léd-] 〖화학〗 크롬산납《유독의 황색 결정; 안료·산화제》.

léad cólic [léd-] 〖의학〗 =PAINTER'S COLIC.

léad dióxide [léd-] 〖화학〗 이산화납《산화제·전지의 전극에 쓰임》.

léaded gásoline [lédid-] 가연(加鉛) 휘발유《옥탄가를 높이기 위하여 납을 가함》.

°**lead·en** [lédn] *a.* **1** 납의, 납으로 만든; 납빛의. **2** 무거운; 답답한, 께느른한, 둔한, 활기 없는, 무기력한: sleep's ~ scepter 참을 수 없는 수마(睡魔). **3** 짐이 되는, 귀찮은: a ~ rule. **4** 가치 없는; 단조로운. ― *vt.* ~하게 하다. ㊞ **~·ly** *ad.* **~·ness** *n.* 무기력, 답답함.

léaden-éyed *a.* 게슴츠레한, 졸린 눈의.

léaden-héarted [-id] *a.* 무정한, 무자비한; 무기력한.

léaden séal 봉납《물건을 묶은 철사 끝에 매단 「각인(刻印) 납 조각」》.

__lead·er__ [lí:dər] *n.* **1 선도자, 지도자, 리더; 《영》 (정당의) 당수; 수령, 주장, 대장; 지휘관; 직공장; 주창자. **2** 〖음악〗 (악단의) 지휘자; 제1 바이올린〔코넷〕 수석 연주자; 제 1 소프라노의 가수. **3** 수석 변호인. **4** (마차의) 선두 말; 선두함(艦). **5** 《주로 영》 (신문의) 논설, 사설. **6** 리더《필름이나 녹음테이프의 양쪽 선단부; 화면 대신 넣는 설명 자막》. **7** (수도·스팀의) 도관, 수도관, 홈통; 도화선. **8** (대광맥에 잇따르는) 도맥(導脈). **9** 〖기계〗 으뜸굴대, 주축, 주동부(部). **10** 〖의학〗 건(腱), 근(筋). **11** 〖식물〗 애가지. **12** (낚시의) 목줄; 어살에 물고기를 끌어들이는 그물. **13** (*pl.*) 〖인쇄〗 점선(…) 또는 대시선(—). **14** 〖경제〗 =LEADING INDICATOR. **15** (손님을 끌기 위한) 특매품, 특가품; 〖법률〗 유도 신문. ㊞ **~·less** *a.*

lead·er·ene [lì:dərí:n] *n.* 강력한 여성 지도자.

lead·er·ette [lì:dərét] *n.* 〖신문〗 짧은 사설.

Léader of the Hóuse (**of Cómmons** 〔**Lórds**〕) 〖영의회〗 (하원〔상원〕) 원내 총무.

léader of the opposítion 〖영의회〗 야당 원내 총무.

__lead·er·ship__ [lí:dərʃìp] *n.* Ⓤ **1 지도, 지휘, 지도력; 통솔(력), 리더십. **2** 지휘자의 지위(임무). **3** 지도부, 수뇌부.

léader wrìter 《영》 신문의 논설 위원, 사설 기

자. cf. editorial writer.
léad-fòoted [léd-] a. 《미속어》 아둔패기의, 쓸모없는, 얼이 빠진. 「~ gasoline.
léad-frèe [léd-] a. 무연(無鉛)의(unleaded):
léad glànce [léd-] 방연광(方鉛鑛)(galena).
léad glàss [léd-] 납유리《산화납이 든》.
léad-in [líːd-] n. 〖전기〗 (안테나 등의) 도입선; (CM의) 도입부. — a. 도입의: a ~ wire.
***lead·ing**[1] [líːdiŋ] n. Ⓤ **1** 지도, 선도, 지휘, 통솔. **2** 통솔력(leadership); 지도적 수완: a man of light and ~ 계몽가, 지도자. — a. **1** 이끄는, 선도하는, 지도〔지휘〕하는, 지도적인. **2** 수위〔일류〕의, 탁월한. **3** 주요한, 주된(chief); 주역(主役)의. SYN. ⇒CHIEF. **4** 유력한: a ~ figure in economic circles 경제계의 중진.
◇**lead·ing**[2] [lédiŋ] n. Ⓤ 납 씌움〔입힘〕; 《집합적》 납세공; 납 테두리; 〖인쇄〗 인테르, 행간(行間) 잡기.
léading árticle [líːdiŋ-] (신문·잡지의) 톱기사; 〖영신문〗 사설(editorial); 《영》 =LOSS LEADER. 「활차(導滑車).
léading blóck [líːdiŋ-] 〖해사〗 리딩 블록, 도
léading búsiness [líːdiŋ-] 《집합적》 극의 주역〔대역(大役)〕.
léading càse [líːdiŋ-] 〖법률〗 (자주 언급되는 유명한) 주요 판례.
léading cóunsel [líːdiŋ-] 《영》 수석 변호인; 왕실 변호사, (순회 재판) 수석 변호인. 「선도견.
léading dóg [líːdiŋ-] 《Austral.》 (양 떼의)
léading édge [líːdiŋ-] 〖항공〗 프로펠러 앞쪽의 가장자리; 〖전기〗 (펄스의) 첫 시작; (기술·어떤 분야 등에서) 최첨단: the ~ of technology 과학 기술의 최첨단.
léading-édge a. 최첨단 기술을 사용한, 최신식의, 최신 유행의.
léading índicator(s) [líːdiŋ-] 〖경제〗 (경기 동향을 나타내는) 선행 지표.
léading lády [líːdiŋ-] 주연 여배우.
léading líght [líːdiŋ-] **1** 〖해사〗 도등(導燈), (항구·운하 등의) 길잡이 등(燈). **2** 지도적 회원; 태두(泰斗), 대가(大家).
léading mán [líːdiŋ-] 주연 남우.
léading màrk [líːdiŋ-] 〖해사〗 (배의 항구 출입 시의) 도표(導標).
léading mótive [líːdiŋ-] 행위를 일으키는 주요한 동기; =LEITMOTIV.
léading nóte [líːdiŋ-] =LEADING TONE.
léading quéstion [líːdiŋ-] 〖법률〗 유도 신문.
léading rèin [líːdiŋ-] (말·동물 따위를) 잡아 끄는 고삐, 끄는 줄; (pl.) =LEADING STRINGS.
léad-in gróove (레코드 테두리에 새긴) 도입(導入) 홈. 「기. **2** 지휘봉.
léading stàff [líːdiŋ-] **1** 쇠코뚜레에 단 막대
léading strìngs [líːdiŋ-] 끄는 줄《어린애가 걸음마 익힐 때 씀》; 지도, 보호; 감독, 속박: in ~ 아직 자립할 수 없는; 속박되어 있는, 과보호의.
léading tóne [líːdiŋ-] 《미》 〖음악〗 이끎음 (leading note, subtonic)《음계의 제 7 음》.
léad-in wíre 〖전기〗 도입선; (안테나 따위의) 인입선. 「난감 사격장.
léad jóint [léd-] 《미속어》 (유원지 따위의) 장
léad·less [léd-] a. =LEAD-FREE; 탄알을 넣지 않은. 「(sounding line).
léad lìne [léd-] 〖해사〗 측심삭(測深索), 측연줄
lead·man [líːdmən] (pl. **-men** [-mən]) n. 노동자 십장, 작업반장(foreman).
léad monóxide [léd-] 〖화학〗 일산화납.
léad nítrate [léd-] 〖화학〗 질산납.
léad·òff [líːd-] n. (일·게임의) 개시, 착수; 〖권투〗 선제의 일격(一擊); 〖야구〗 1 번 타자, 각 회의 선두 타자.
léad-òff a. 선두의, 첫 번째의: a ~ batter 〔man〕 (야구의) 선두〔1 번〕 타자/the ~ item on the agenda 의사(議事)의 제 1 항목.
léad óxide [léd-] 〖화학〗 산화납.
léad péncil [léd-] (보통의) 연필.
léad-pìpe (cínch) [léd-] 《미속어》 아주 쉬운〔확실한〕 것: It's a ~ they'll be there. 그들이 거기 가리라는 것은 확실하다. 「망〔부상〕.
léad pòison [léd-] 《미속어》 총탄에 의한 사
léad pòisoning [léd-] 〖의학〗 납중독(plumbism, saturnism); 《미속어》 총탄에 의한 사망〔부상〕.
léads and lágs [líːdz-] 〖상업〗 리즈 앤드 래그스《환시세 변동에 대처하기 위해 수출입 대금의 결제를 빨리 하거나 늦추는 일》.
léad scréw [líːd-] 〖기계〗 어미나사《선반(旋盤)의 왕복대(臺)를 움직이는 나사》. 「컬《사람》.
léad sínger [líːd-] (록 그룹 따위의) 리드 보
leads·man [lédzmən] (pl. **-men** [-mən, -mèn]) n. 〖해사〗 측연수(手), 측심원.
léad stòry [líːd-] (신문 따위의) 톱기사.
léad súlfide [léd-] 〖화학〗 황화납《반도체 따위에 씀》.
léad tetraéthyl [léd-] =TETRAETHYL LEAD.
léad tìme [líːd-] 리드 타임《(1) 제품의 고안〔계획, 설계〕에서 완성·사용까지의 시간. (2) 발주에서 배달까지의 시간. (3) 기획에서 실시까지의 준비 기간》. 「는 것, 앞서가는 것.
léad-ùp [líːd-] n. (다른 일의) 사전 준비가 되
léad wóol [léd-] 철관(鐵管)의 이음매 따위를 메우는 솜 모양의 납.
léad·wòrk [léd-] n. Ⓤ 납세공〔제품〕.
leady [lédi] (**lead·i·er; -i·est**) a. 납 같은; 납을 함유한.
†**leaf** [liːf] (pl. **leaves** [liːvz]) n. **1** 잎, 나뭇잎, 풀잎; 《집합적》 군엽(群葉)(foliage); (상품으로서의 담배·차의) 잎: come into ~ 잎이 나오다, 잎이 나기 시작하다/the fall of the ~ 낙엽이 질 때, 가을/Virginia ~ 버지니아산 담뱃잎. **2** 꽃잎(petal); 《미속어》 상추(lettuce). **3** (책종이의) 한 장《2 페이지》: turn over a ~ 책장을 넘기다. **4** 금은 따위의 박(箔): a ~ gold =gold ~ 금박(金箔). **5** (접어 여는 문의) 한쪽 문짝; 테이블의 자재판(自在板); 도개교(跳開橋)의 젖힘판; (총의) 가늠자: a folding screen with 6 *leaves* 여섯 폭짜리 병풍. **6** 〖건축〗 잎 장식; 《미속어》 공군〔육군〕 소령《잎의 기장에서》; (the ~) 코카인. ***in*** ~ 잎이 돋아, 잎이 푸르러. ***take a*** ~ ***from*** 〔***out of***〕 a person***'s book*** 아무의 예를 따르다, 아무를 본뜨다. ***turn over a new*** ~ (올바르게) 마음을 고쳐 먹다, 재출발하다, 새 생활을 시작하다. — vi. **1** 잎이 나다. **2** 책장을 대충 넘기다: ~ through a book 책을 대충 훑어보며 넘기다. — vt. 《미》 책장을 넘기다. ㊕ **∠·like** a. 잎 같은.
leaf·age [líːfidʒ] n. 《집합적》 잎, 나뭇잎(leaves, foliage); (도안 등의) 잎 장식.
léaf bèet =CHARD.
léaf bèetle 〖곤충〗 잎벌레《총칭》.
léaf bùd 〖식물〗 잎눈.
léaf bútterfly 〖곤충〗 가랑잎나비.
léaf clìmber 〖식물〗 반연(攀緣) 식물.
léaf cùrl 〖식물〗 (복숭아잎 등의) 축엽병(縮葉病).
léaf cútting 〖원예〗 잎꽂이.
léaf·cutting 〔**léaf-cutter**〕 **bée** 〖곤충〗 가위벌(upholsterer bee)《총칭》.
leafed [-t] a. 잎이 있는; 잎이 …인(leaved): a four-~ clover 네 잎 클로버. 「레의》.
léaf fàt 엽상 지방(葉狀脂肪)《특히, 돼지 콩팥 둘

léaf grèen 엽록소(chlorophyll); 엷은 녹색《어린잎 색깔》.
léaf·hòpper *n.* 【곤충】 멸구, 매미충《총칭》.
léaf ìnsect 【곤충】 가랑잎벌레.
léaf làrd leaf fat로 만든 중성 라드.
léaf·less *a.* 잎이 없는; (나무 · 가지가) 잎이 떨어진. ㊞ **~·ness** *n.*
°**leaf·let** [líːflit] *n.* **1** 작은 잎; 【식물】 작은 잎사귀《겹잎의 한 조각》; 어린잎. **2** 낱장으로 된 인쇄물; 전단 광고; (신문 따위 속에 끼워 넣는) 간단한 인쇄물, 리플릿. **3** 잎 모양으로 된 기관(器官). **—** *vi., vt.* (…에) 전단을 돌리다.
leaf·let·eer [liːflitíər] *n.* 《종종 경멸》 광고 문안 필자; 광고 돌리는 사람.
léaf mòld 〔《영》 **mòuld**〕 **1** 부엽토(腐葉土), 부식토(腐植土)(=**léaf sòil**). cf. humus. **2** 잎에 생기는 곰팡이.
léaf mùstard 【식물】 갓.
léaf-ràking *n.* (실업자에게 일자리를 주기 위한) 헛일, 무익한 일《본디는 필요 없는》.
léaf ròll (감자의) 잎말잇병(病).
léaf spòt 【식물】 반점병(斑點病).
léaf sprìng 【기계】 겹판 스프링《자동차의 차체 현가 장치에 씀》.
léaf·stàlk *n.* 【식물】 잎꼭지, 잎자루.
leafy [líːfi] (*leaf·i·er; -i·est*) *a.* **1** 잎이 우거진; 잎이 많은. **2** 잎으로 된: a ~ shade 녹음(綠陰), 나무 그늘. **3** 넓은 잎의: ~ vegetables 잎줄기 채소. **4** 잎 모양의. ㊞ **léaf·i·ness** *n.*
léafy spúrge 【식물】 흰대극.
league**¹ [liːg] *n.* **1** 연맹, 동맹, 리그; 맹약; 경기 연맹: ~ match 리그전. **2** 〔집합적〕 연맹 참가자〔단체, 국가〕(leaguers). **3** (품질 · 등급에 의한) 부류, 범주. **4** 《구어》 (동질의) 그룹, 한패. ***in ~ (with) …와 동맹〔연합, 결탁〕하여. ***out of a person's ~*** (사물 따위가) 이해할 수 없는, 힘이 미치지 않는; (문체 따위가) …의 영역 밖의: He is *out of my* ~. 그는 나 따위와 견줄 바가 안 된다. ***the League (of Nations)*** 국제 연맹(1920–46). cf. United Nations. ***the League of Women Voters*** 《미》 여성 유권자 동맹.
— *vt.* 《~+목/+목+전+명/+목+부》 〔흔히 수동태〕 동맹〔연맹, 맹약〕시키다; 단결〔연합〕시키다: *be ~d with* each other 서로 동맹을 맺고 있다/We three *were ~d together*. 우리 셋은 동맹을 맺고 있었다. **—** *vi.* 동맹〔연맹〕하다, 단결하다.
league² 리그《거리의 단위; 영국 · 미국에서는 약 3 마일》; 1 평방 리그《면적의 단위》.
Léague Agàinst Crùel Spórts (the ~) 잔학 스포츠 반대 동맹《1924 년 영국에서 설립된 수렵 등 동물을 살해하는 스포츠에 반대하는 운동을 전개하고 있는 단체》.
Léague of Réd Cróss Socíeties (the ~) 적십자사 연맹《각국 적십자사의 연합조직; 1919년 설립, 본부 Geneva; Nobel 평화상(1963)》.
lea·guer¹ [líːgər] *n.* 가맹자, 가맹 단체〔국〕; 동맹국; 【야구】 리그에 속하는 선수.
lea·guer² *n.* 《고어》 포위 공격(siege); 포위군(의 진영). **—** *vt.* 포위하다.
léague stàndings 《미》 (리그의) 팀〔선수〕 성적 일람표.
léague tàble 《영》 【스포츠】 연맹 참가 단체 성적 순위 일람표, 〔일반적〕 성적〔실적〕 대비(對比) 일람표.
Le·ah [líːə/líə] *n.* **1** 리어《여자 이름》. **2** 【성서】 레아《야곱의 첫 아내; 창세기 XXIX: 13–30》.
leak** [liːk] *n.* **1 a** 샘, 누출, 새어 들어옴; (물 · 공기 · 빛 따위의) 새는 곳〔구멍〕, 누출구: a gas ~ 가스의 누출/a ~ in a boiler 보일러의 누수/stop 〔plug〕 a ~ 새는 구멍을 막다. **b** 새는 물, 새는 가스〔증기〕; 누출량. **2** (비밀 따위의) 누설; (조직 내의) 정보가 누설되는 부분〔곳〕; (기밀의) 누설자; 누설 경로. **3** (공적인 정보를 익명으로 보도 기관에) 누설하는 일, 기밀 누설: a politically inspired news ~*s* 정치적인 의도로 행해진 정보의 누설. **4** 【전기】 누전(되는 곳), 리크. **5** 《속어》 방뇨: do〔have, take〕 a ~ 오줌 누다. ***spring* 〔*start*〕 *a ~ (배가) 새는 곳이 생기다, 새기 시작하다. **—** *vi.* 《~/+전+명/+부》 새다, 새어 나오다《*out*》; (비밀 등이) 누설되다《*out*》; 《속어》 소변을 보다: The rain began to ~ *in*. 빗물이 새기 시작했다/The roof ~*s*. 지붕이 샌다/water ~*ing from* a pipe 파이프에서 새는 물/The secret ~*ed out*. 비밀이 누설되었다. **—** *vt.* 새게 하다; (비밀 등을) 누설하다, 흘리다: This camera ~*s* light. 이 카메라는 빛이 샌다. ㊞ **~·er** *n.* **~·less** *a.*
leak·age [líːkidʒ] *n.* U,C 샘, 누출; 【전기】 누전; 누수; (비밀 등의) 누설, 드러남; 누출물; 누출량; 【상업】 누손(漏損): a ~ electric 누전.
leak·ance [líːkəns] *n.* 【전기】 리컨스《전기의 누설을 나타내는 정수; 절연 저항의 역수》.
léak·pròof *a.* 새지 않는; 《미》 비밀을 지킬 수 있는; 기밀 누설 방지의.
leaky [líːki] (*leak·i·er; -i·est*) *a.* 새기 쉬운; 새는 구멍이 있는; 오줌을 가리지 못하는; 비밀을 잘 누설하는, 비밀이 새기 쉬운: a ~ vessel 입이 가벼운 사람/~ memory 잊기 쉬운 기억. ㊞ **léak·i·ly** *ad.* **léak·i·ness** *n.* 새(게 하)기 쉬움.
leal [liːl] *a.* 《고어 · Sc.》 충실한, 성실한(loyal).
****lean**¹ [liːn] (*p., pp.* ***leaned*** [liːnd], 《영》 ***leant*** [lent]) *vi.* **1** 《+전+명》 **a** 기대다《*against; on; over*》: ~ *on* a person's arm 아무의 팔에 기대다/~ *against* a wall 벽에 기대다. **b** 의지하다, 기대다《*on, upon*》: ~ *on* others for help 남의 도움에 매달리다. **2** 《~/+전+명》 기울다, 구부러지다, 경사지다: The tower ~*s to* the south. 탑이 남쪽으로 기울어져 있다. **3** 《+전+명/+부》 상체를 굽히다; 뒤로 젖히다《*back*》; 몸을 구부리다《*over*》: ~ *back* in one's chair 상체를 뒤로 젖히면서 의자에 앉다/~ *over* to catch every word 한 마디도 놓치지 않도록 상체를 앞으로 쑥 내밀다. **4** 《+전+명》 (사상 · 감정이) 기울다, 쏠리다, …의 경향이 있다, 호의를 갖다《*to; toward*》: He ~*s to* 〔*toward*〕 socialism. 그는 사회주의에 기울어 있다. **—** *vt.* **1** 《+목+전+명》 기대도록 하다, 의지하게 하다: ~ one's stick *against* a wall 지팡이를 벽에 세우다. **2** 《+목+부》 기울이다, 구부리다: He ~*ed* his head *forward*. 머리를 앞으로 숙였다. ***~ against*** …에 대해 비우호적이다; 《미》 =~ on …. ***~ forward*** (in walking) 앞으로 구부리고 (걷다). ***~ on …*** 《구어》 …을 위협하다, 협박〔공갈〕하다; 《미》 …을 때려눕히다. ***~ out*** (of the window) (창에서) 상체를 내밀다. ***~ over backward(s)*** ⇨ BACKWARD.
— *n.* U 기울기, 경사(slope); 치우침, 구부러짐(bend).
lean**² *a.* **1** 야윈, 깡마른, 수척한(thin). OPP. *fat.* ¶ ~ as a rake 뼈와 가죽뿐인. SYN. ⇨ THIN. **2** 기름기가 적은, (고기가) 살코기의: ~ meat 살코기. **3** 내용이 하찮은, 빈약한; 영양분이 적은: a ~ diet 조식(粗食). **4** (땅이) 메마른, 수확이 적은; 흉작의: ~ crops 흉작/a ~ year 흉년/~ years 식량이 부족한 시절. **5** 이익이 적은, 수지가 안 맞는. **6** (점토 · 광석 · 석탄 · 연료 가스 따위가) 저품질의, 저품위의. **7 a** 【인쇄】 (글자 등이) 가는. **b** 힘차고 간결한 문체. **8** 【상업】 (수량 · 공급량 등이) 최저 수준인. ***~ and mean 《미속어》 (야망으로) 눈에 불을 밝히며, 기를 쓰며.

— *n.* **1** 기름기가 없는 고기, 살코기. [opp] *fat.* **2** 벌이가 시원찮은 일. [파] ∠·**ly** *ad.* ∠·**ness** *n.*

léan-búrn *a.* (엔진의) 희박 연소(稀薄燃燒)의, 연료가 적게 드는, 고연비(高燃費)의.

léan-bùrn éngine 〚자동차〛 고연비(高燃費) 엔진《연료 절감이나 배기가스 대책을 위해, 엔진에 들어가는 혼합 가스의 연료의 대공기 비율을 적게 하는 방식의 엔진》.

Le·an·der [li:ǽndər] *n.* **1** 리앤더《남자 이름》. **2** 〚그리스신화〛 레안드로스《Hero의 연인》.

léan·er *n.* 기대는〔의지하는〕 사람.

léan·ing *n.* **1** 경사. **2** 경향, 성향, 성벽(性癖); 기호, 편애(偏愛)《*to; towards*》: a youth with literary ~*s* 문학 취미의 청년/have 〔show〕 a ~ *toward* 〔*to*〕 protectionism 보호무역주의에 기울어져 있다. — *a.* 경사진. ***the Leaning Tower of Pisa*** 피사의 사탑(斜塔).

leant [lent] 《영》 LEAN¹의 과거·과거분사.

léan-tò (*pl.* ~*s*) *n.* 달개지붕〔집〕. — *a.* 달개의: a ~ roof 달개지붕.

leap** [li:p] (*p., pp.* ***leaped, leapt [lept, li:pt]) *vi.* **1** 《~/+[전]+[명]/+[부]》 껑충 뛰다, 뛰다, 도약하다, 뛰어오르다. ★ 현재는 보통 jump를 씀. ¶ ~ *down* 뛰어내리다/~ *aside* 뛰어서 비키다/~ *for* 〔*with*〕 joy 너무 기뻐 껑충껑충 뛰다/~ *into* the air 공중으로 뛰어오르다/Look before you ~. 《속담》 실행하기 전에 잘 생각하라; 유비무환. [SYN.] ⇨ JUMP. **2** (화제·상태 따위가) 비약하다, 갑자기 바뀌다; (생각 따위가 갑자기) 나다: A good idea ~*ed into* my mind. 좋은 생각이 문뜩 떠올랐다/~ *into* 〔*to*〕 fame 갑자기 유명해지다. **3** 날듯이 가다〔행동하다〕; 휙 달리다〔일어나다〕: ~ home 날듯이 귀가하다/~ *to* a conclusion 속단하다. — *vt.* **1** 뛰어넘다: ~ a ditch 도랑을 뛰어넘다. **2** 《~+[목]/+[목]+[전]+[명]》 뛰어넘게 하다《말을 뛰어넘게 할 때에는 종종 [lep]로 발음》: ~ a horse *across* a ditch 말에게 도랑을 뛰어넘게 하다. **3** (짐승의 수컷이) 흘레붙다. ~ ***at*** ① …에 냉큼〔발바투〕 달려들다. ② (제안에) 기꺼이 응하다, (기회 따위를) 재빠르게 포착하다. ~ ***out at*** …의 눈에 띄다. ~ ***over*** 뛰어넘다. ~ ***to*** one***'s feet*** (기뻐서, 놀라서) 뛰어오르다; 후다닥 일어나다. ~ ***to the eye*** 곧 눈에 띄다. ~***ed up*** 《영속어》 성을 내고. ~ ***up*** 뛰어오르다; (가슴이〔을〕) 두근거리다〔두근거리게 하다〕; 《미속어》 알랑거리다, 아첨하다.

— *n.* **1** 뜀, 도약(jump); 한 번 뛰는 거리〔높이〕: take a sudden ~ 갑자기 뛰어오르다. **2** 뛰어넘어야 할 것〔곳〕; 뛰어넘는 것〔곳〕. **3** 《비유》 비약, 급변: There has been a big ~ in sales. 매상이 비약적으로 신장했다. **4** 교미, 흘레. **5** 〚광산〛 단맥(斷脈). ***a ~ in the dark*** 무모한 짓, 모험, 폭거. ***by*** 〔***in***〕 ~***s and bounds*** 일사천리로; 급속하게. ***give a*** ~ 뛰어오르다. ***with a*** ~ 껑충 뛰어, 별안간.

léap dày 윤일《2월 29일》.

léap·er *n.* 뛰는 사람〔말〕.

léap·fròg *n.* [U] **1** 등넘기놀이《사람의 구부린 등을 뛰어넘는 놀이》: play ~. **2** 남을 따라 하는 임금 인상 투쟁. **3** 〚군사〛 교호약진(交互躍進)《각 부대가 서로 원호 사격을 하면서 전진하는 전술》. — (*-gg-*) *vt., vi.* 등넘기놀이를 하다; 앞서거니 뒤서거니 하다〔하며 전진하다〕; 앞지르다, 뛰어넘다; (장애물을) 피하여 지나가다; …에 따라 임금 인상 투쟁을 하다; (부대가) 번갈아 약진하다.

léaping héebies (the ~) 《미속어》 =HEEBIE-JEEBIES.

Léaping Léna 《야구속어》 외야수 앞에 떨어지는 플라이.

léap sècond 〚천문〛 윤초(閏秒).

leapt [lept, li:pt/lept] LEAP의 과거·과거분사.

léap yèar 〚천문〛 윤년. [cf.] common year. ¶ a ~ proposal 여성으로부터의 청혼《윤년에 한해서 허용됨》.

Lear [liər] *n.* =KING LEAR.

†**learn** [lə:rn] (*p., pp.* ~***ed*** [-d/-t, -d], ~***t*** [-t]) *vt.* **1** 《~+[목]/+(*wh.*) *to* do》 …을 배우다, 익히다, 가르침을 받다; 공부하다, 연습하다: ~ French 프랑스어를 배우다/~ (*how*) *to* swim 수영을 배우다/He has ~*ed to* drive a car. 그는 자동차 운전을 배웠다〔배워 익혔다〕.

> [SYN.] **learn** 경험·학습으로 지식을 얻다: *learn* English 영어를 이해하고 사용할 수 있게 되다. **study** learn보다 노력을 요하며 전문적 또는 특수한 것을 배우다: *study* English 영어의 문법·단어 등을 공부하다.

2 외다, 암기하다, 기억하다: ~ a poem 시를 외다. **3** 《~+[목]/+[목]+[전]+[명]/+*that*[절]/+*wh.* [절]》 듣다, (들어서) 알다: ~ the truth 진실을 알다/I ~*ed* (*from* the newspaper) *that*... …이라는〔하다는〕 것을 (신문에서) 알았다/We have yet to ~ *whether* he arrived safely. 그가 무사히 도착했는지 어떤지 우리는 아직 모른다/~ a thing *from* 〔*of*〕 a person 아무로부터 사정을 듣다. **4** 겪어 알다, 체득하다: ~ patience 인내심을 체득하다. **5** 《+*to* do》 …할 수 있게 되다: ~ *to* be more tolerant 보다 너그럽게 행동할 수 있게 되다. **6** 《+[목]+*wh. to* do》 《고어·속어·우스개》 가르치다: He ~*ed* me *how to* play chess. 체스놀이하는 법을 내게 가르쳐 주었다. — *vi.* **1** 배우다, 익히다, 가르침을 받다, 외다: ~ by experience 경험으로 배우다/He ~*s* very fast. 배우는 것이 빠르다, 기억력이 좋다. **2** 《+[전]+[명]》 듣다, (들어서) 알다《*of*》: ~ *of* an accident 사고가 있었다는 사실을 듣다.

have 〔***be***〕 ***yet to*** ~ …을 아직 모르다. ~ one***'s lesson*** ① 학과를 공부하다. ② (경험으로) 교훈을 얻다. ~ ***from*** (경험·실패 따위)로부터 배우다. ~ (***off***) ***by heart*** 〔***rote***〕 외다, 암기하다: ~ a poem *by heart* 시를 외다. ~ ***to*** one***'s cost*** 혼이 나고서야〔따끔한 맛을 보고서야〕 알다.

[파] ∠·**a·ble** *a.* 배울 수 있는.

****learn·ed** *a.* **1** [lə́:rnid] **a** 학문〔학식〕이 있는, 박학〔박식〕한: a ~ man 학자/the ~ 학자들/my ~ friend 〔brother〕 《영》 박식한 친구, 귀하《하원 의원·변호사끼리의 경칭》. **b** 학문상의, 학문적인, 학문〔학자〕의: a ~ book 학문적인 책/a ~ society 학회. **2** [lə:rnd, -t] 학습에 의해 터득한, 후천적인《기능·반응 등》. ***be ~ in*** …에 조예가 깊다, …에 밝다: He *is* ~ *in* the way of the world. 그는 세상 물정에 훤하다. [파] ~·**ly** [-nid-] *ad.* ~·**ness** [-nid-] *n.*

léarned bórrowing 학문적 차용(借用)《고전어에 약간 형태 변화를 주어 현대어로 차용하기》.

léarned hélplessness [lə́:rnd-] 〚심리〛 학습된 무력성(無力性), 학습성 무력감.

léarned proféssion [lə́:rnid-] (the ~) 학문적 직업《원래는 신학·법학·의학의 셋》.

***learn·er** [lə́:rnər] *n.* 학습자, 생도, 제자; 초학자, 초심자(初心者): an English ~/a ~*'s* dictionary 학습 사전.

léarner-drìver *n.* 《영》 가면허 운전자(L-driver).

léarner's pèrmit (자동차 운전의) 가면허(provisional licence).

***learn·ing** [lə́:rniŋ] *n.* [U] **1** 학문, 학식(學識)(knowledge), 지식; 박식(scholarship); (터득한) 기능: a man of ~ 학자/A little ~ is a dangerous thing. =A little knowledge is a dangerous thing. 《속담》 ⇨ KNOWLEDGE.

> SYN. **learning** 연구·공부로써 얻은 지식. **erudition** 박식. 주로 문과 계통의 지식에 쓰임. **lore** 어떤 특수한 분야에 대한 전문적 지식: gipsy *lore* 집시에 대한 지식. **scholarship** (대학 따위에 있어서 자격과 결부된) 전문가가 되기 위한 지식.

2 배움; 〖심리〗 학습.

léarning compùter 학습용 컴퓨터.

léarning cùrve 〖심리·교육〗 (일정 시간에 대한 숙달도를 나타내는) 숙달〔학습〕 곡선.

léarning-cùrve prìcing 숙달 곡선에 의한 가격 저하; 양산으로 인한 가격 저감칙(低減則).

léarning dífficulty 《완곡어》 학습 장애 《'mentally handicapped'의 완곡어》.

léarning disabìlity 〖정신의학〗 학습 곤란〔불능〕(증). 「(증)의.

léarning-disàbled *a.* 〖정신의학〗 학습 불능

learnt [ləːrnt] LEARN의 과거·과거분사.

◇**lease**[1] [liːs] *n.* **1** (토지·건물 따위의) 차용 계약, 차용 증서; 임대차 (계약); 임차권; 차용〔임대차〕 기간, 차지(借地) 계약 기간: by 〔on〕 ~ 임대〔임차〕로/put (out) to ~ 임대하다. **2** (건강 따위의) 허용되는 기간. ***hold*** 〔***take***〕 ***on*** 〔***by***〕 ~ 임차(賃借)하다. ***take*** 〔***get, have***〕 ***a new*** 〔***fresh***〕 ~ ***on*** 〔***of***〕 ***life*** (병·걱정 따위의) 고비를 넘기고 의욕을〔활기를〕 되찾다, (사람·물건이) 수명을 연장하다. **—** *vt.* 빌리다, 임대〔임차〕하다: a ~*d* territory 조차지(租借地). ~ ***back*** (매각〔구입〕한 부동산 등을) 임차하다〔판 사람에게 임대하다〕. ㊞ **léas·a·ble** *a.* (땅이) 임대〔임차〕할 수 있는. **léas·er** *n.* 「무늬(leash).

lease[2] *n.* 베틀의 날실이 교차하는 곳; (길쌈의)

lease[3] [liːz] *n.* 《방언》 공유지, 공동 방목장.

léase·bàck [líːs-] *n.* 부동산의 매도인이 매수인으로부터 그 부동산을 임차하는 일.

léase cràft [líːs-] 임대 우주 공장《무중력 상태나 진공을 이용하여 실험·생활·활동을 할 수 있게 설비된 우주 구조체를 임대하는 구상》.

léase·hòld [líːs-] *a.* 임차한, 조차(租借)의. **—** *n.* 차지(借地)(권); 정기 임차권. ㊞ **~·er** *n.* 차지인(人).

léase-lènd [líːs-] *n., v.* =LEND-LEASE.

léase-púrchase [líːs-] *n.* (만기 전에 구입을 희망할 때에는 지급한 임차료를 가격에서 공제하는) 임차 만기 구입 방식.

◇**leash** [liːʃ] *n.* (개 따위를 매는) 가죽끈, 사슬; 속박; 통제, 제어; (끈으로 묶인 개 따위의) 세 마리 한 조(組); 세 개〔사람〕 한 조; (길쌈의) 무늬 (lease[2]). ***hold*** 〔***have, keep***〕 ***in*** ~ (개를) 가죽끈으로 매어 두다; 〖일반적〗 속박〔제어, 지배〕하다. ***hold ... on a short*** ~ …의 행동을 속박하다. ***strain at the*** ~ (사냥개가) 뛰쳐나가려고 가죽끈을 잡아당기다; 자유를 갈망〔얻고자〕하다. **—** *vt.* 가죽끈으로 매다; 억제〔속박〕하다. 「다는 조례.

léash làw 소유지 밖에서는 개를 매어 두어야 한

leas·ing [líːsiŋ] *n.* 《고어》 거짓말(을 함), 허위.

⁑**least** [liːst] 〖little의 최상급〗 *a.* **1** 가장 작은; 가장 적은. OPP *most*. ¶ the ~ sum 최소액. **2** 《방언》 가장 젊은: Her ~ child is sick. 그녀의 막내아이가 아프다. **3** (중요성·가치·지위가) 가장 적은〔낮은〕. **4** (동식물이) 소형종의; 《방언》 (아이가) 최연소의. **5** 《미속어》 하찮은, 시시한, 뒤진. ***not the*** ~ ① 최소의 …도 없는〔않는〕(not... at all): I have*n't* got *the* ~ appetite today. 오늘은 조금도 식욕이 없다. ② 적잖은《'not'을 강하게 발음》: There is *not the* ~ danger. 적잖이 위험하다. ***the ~ bit*** 아주 조금(도).

— *ad.* 가장 적게〔작게〕: the ~ important ... 중요성(性)이 가장 적은 …/(The) ~ said, (the) soonest mended. 《속담》 말수는 적을수록 좋다(The less said the better.). ~ ***of all*** 가장 …이 아니다, 특히〔그 중에서도〕 …아니다: *Least of all* do I want to hurt you. 너를 해치고 싶은 생각은 조금도 없다/I like that ~ *of all*. 나는 그것이 가장 싫다. ***not*** ~ 특히, 그 중에서도. ***not the*** ~ 조금도 …하지 않다(not in the ~): I am *not the* ~ afraid to die. 나는 조금도 죽음을 두려워하지 않는다.

— *n.* 최소, 최소량〔액〕; (the ~) 《미속어》 최악(의 것), 최저. ***at*** (***the***) ~ =***at the*** (***very***) ~ ① 〔보통 수사 앞에 쓰이어〕 적어도, 하다못해, 그런대로: The repairs will cost *at* ~ $100. 수리비는 적어도 100 달러는 들거다. ② 〔at least로〕 어쨌든, 어떻든, 좌우간: You must *at* ~ try. 어쨌든 해 봐야 한다. ***not in the*** ~ 조금도 …하지 않은〔없는〕, 조금도 …이 아닌. ***to say the*** ~ (of it) 줄잡아 말하더라도.

léast cómmon denóminator (the ~) 〖수학〗 최소 공통 분모(分母)《생략: L.C.D.》; 《비유》 공통항(項).

léast cómmon múltiple (the ~) 〖수학〗 최소 공배수(公倍數)(lowest common multiple) 《생략: L.C.M.》.

léast·est *n.* (the ~) 《속어》 최소(最小), 최소(最少)(량)(the least). 「《생략: LSB》.

léast signíficant bít 〖컴퓨터〗 최하위 비트

léast signíficant dígit 최하위의 수《가장 우측의 숫자; 생략: LSD》.

léast squáres 〖통계〗 최소 제곱법.

léast úpper bóund 〖수학〗 상한(上限).

least·ways [líːstwèiz] *ad.* 《방언》 =LEASTWISE.

least·wise [líːstwàiz] *ad.* 《구어》 적어도, 적으나마, 하여튼(at least).

léast-wórst *ad.* 나쁜 것 중에서는 가장 나은.

⁑**leath·er** [léðər] *n.* **1** Ⓤ 무두질한 가죽, 가죽: a ~ dresser 피혁공/⇨ MOROCCO LEATHER/⇨ PATENT LEATHER. SYN. ⇨ SKIN. **2** Ⓒ 가죽제품; 가죽끈, 등자(鐙子) 가죽. **3** (the ~) 《속어》 (크리켓·축구 따위의) 공; (the ~) 〖당구〗 큐의 끝; (the ~) 《속어》 권투 글러브. **4** (*pl.*) 가죽제 짧은 바지, 가죽 각반; (오토바이 타는 사람의) 가죽옷. **5** 《구어》 사람의 피부. **6** 《속어》 지갑. ***hell for*** ~ ⇨ HELL(관용구). ~ ***and*** 〔***or***〕 ***prunella*** 보잘것없는 것, 시시한 것; 아무래도 좋은 것. ***lose*** ~ 살가죽이 벗겨지다. (***There is***) ***nothing like*** ~***!*** 자기 (것) 자랑, 자화자찬(自畫自讚). ***throw*** ~ 《미속어》 권투를 하다. **—** *vt.* **1** 무두질하다. **2** …에 가죽을 대다. **3** 부드러운 가죽으로 닦다〔훔치다〕; 가죽끈으로 치다〔때리다〕. **—** *a.* 가죽의, 가죽제의; 《미속어》 (가죽 옷을 좋아하는) 변태 성욕자의: ~ trade 변태 성욕자의 상대《집합적》.

léather·bàck *n.* 〖동물〗 장수거북《바다거북의 일종》.

léather-bòund *a.* (책이) 가죽 장정〔제본〕의.

léather-clòth *n.* 가죽 비슷하게 만든 천, 레더 클로스.

Leath·er·ette [lèðərét] *n.* 모조 가죽《상표명》.

léather·hèad *n.* **1** 《구어》 바보, 멍청이. **2** (이탈리아의) 테러 방지 특수 부대원《가죽 복면을 했음》. ㊞ **léather-hèaded** [-id] *a.* 「기의 애벌레.

léather·jàcket *n.* 〖어류〗 쥐치; 〖곤충〗 꾸정모

léather·lèaf *n.* 〖식물〗 진퍼리꽃나무.

léather·lùnged *a.* 《구어》 장시간 큰 소리로 마구 지껄이는. 「외야수.

léather·màn [-mæn] *n.* 《미야구속어》 우수한

léather mèdal 〖스포츠〗 =BOOBY PRIZE.

leath·ern [léðərn] *a.* 《영에서는 고어》 가죽의, 가죽으로 된; 혁질(革質)의.

léather·nèck *n.* 《미속어》 해병대원; 난폭한 남자.

Leath·er·oid [léðərɔ̀id] *n.* 모조〔인조〕 가죽 《종이로 만듦; 상표명》.

léather·wàre *n.* Ⓤ 가죽 제품.

léather wédding 혁혼식(革婚式)《결혼 4 주년 기념일》. 「《미국산》.

léather·wòod *n.* 〖식물〗 팥꽃나뭇과의 관목

leath·ery [léðəri] *a.* 가죽 비슷한, 피질(皮質)의; 가죽빛의; 가죽처럼 질긴.

†**leave**¹ [li:v] (*p., pp.* ***left*** [left]) *vt.* **1 a** 《~+목/+목+보/+목+전+명/+목+목》 (뒤에) 남기다, 남기고〔두고〕 가다, 놓아 두다: ~ a puppy alone 강아지를 홀로 남겨 두다/Two from seven ~*s* five. 7 빼기 2는 5/She *left* a note *for* her husband. 그 여자는 남편에게 메모를 남겨 두었다/The payment of his debts *left* him nothing to live *on*. 빚을 갚고 나니 먹고 살아갈 수가 없게 됐다. **b** 《+목+전+명》 (우편 집배원이) 배달하다: The postman *left* a letter *for* him. 집배원이 그에게 편지를 가져왔다. **c** 둔 채 잊다: Be careful not to ~ your umbrella. 우산을 잊고 놔 둔 채 오지 않도록 조심해라. **d** 《~+목/+목+보》 남겨 둔 채(로) 가다, 버리다, (아무를) 남기고 죽다: He has *left* three sons. 그는 세 아들을 남기고 죽었다/The family was *left* badly off. 그 집안은 (주인을 여의고) 생활이 어렵게 되었다/He was *left* orphan at the age of five. 그는 다섯 살 때 고아가 되었다. **e** 《+목+목/+목+전+명》 (유산·명성·기록 따위를) 남기다, 남기고 죽다: The businessman *left* his wife $10,000 by (his) will. 그 사업가는 부인에게 유언으로 1만 달러를 남겼다/He *left* debt *behind* him. 그는 빚을 남기고 죽었다.

2 a 《~+목/+목+전+명》 떠나다, 출발하다; 헤어지다: We ~ here tomorrow. 내일 여기를 떠난다/I ~ home *for* school at eight. 나는 여덟시에 집에서 학교로 출발한다/He *left* New York *for* London. 그는 뉴욕을 떠나 런던으로 향했다/I *left* him *at* the hotel door. 나는 그와 호텔 현관에서 헤어졌다/He *left* home at the age of thirteen. 그는 13세에 고향을 떠났다. **b** 지나가다, 통과하다: ~ the building on the right 건물을 오른쪽으로 보며 지나가다.

3 a (업무 따위를) 그만두다, 탈회〔탈퇴〕하다; (초·중등학교 등을) 졸업〔퇴학〕하다; (직장 등)에서 물러나다: ~ one's job 일을 그만두다, 사직하다/The boy had to ~ school. 소년은 학교를 그만둬야 했다/The cook threatened to ~ us. 요리사는 일을 그만두겠다고 우리를 위협했다. **b** 《+목/+-*ing*》 그치다, 중지하다: He *left* law to study music. 법률을 그만두고 음악을 (공부)했다/He *left* drink*ing* for nearly two years. 그는 술을 끊은 지 거의 2년이 된다/Just ~ complain*ing*. 투덜대지 좀 마라.

4 《+목+보/+목+*as* 보/+목+-*ing*/+목+*done*》 …한 채로 놔 두다, 방치하다, …인 채로 남겨 두다, (결과로서) …상태로 되게 하다: Who *left* the door open? 누가 문을 열어 놓았느냐/The insult *left* me speechless. 그 모욕에 나는 어안이 벙벙할 뿐이었다/*Leave* nothing *undone*. 무엇이든 끝까지 해내라/*Leave* things *as* they are. 현상태로 놔 두시오/Somebody has *left* the water run*ning*. 누군가 물을 틀어 놓은 채로 두었다/You must ~ your room *locked*. 방은 언제나 잠가 두어야 한다.

5 a 《+목+전+명》 (…에게) 맡기다, 위탁하다 《*with*》; 일임하다, 위임하다《*to*》: I *left* my trunks *with* a porter. 트렁크를 짐꾼에게 맡겼다/I'll ~ the decision (*up*) *to* him 〔~ him *to* decide〕. 결정은 그에게 맡기겠다〔맡겨서 결정케 하겠다〕/Much has been *left to* guesswork. 추측에 맡긴 부분이 많다. **b** 《+목+*to* do/+목+전+명》 자유로 …하게 하다, …할 것을 허용하다: *Leave* her *to* do as she likes. 그녀가 좋아하는 대로 하게 내버려 두시오/Please ~ me *to* my reflections. 생각 좀 하게 내버려 두어 주게. **c** 《미구어》 (아무에게) …시키다(let): *Leave* us go. 보내 주십시오/*Leave* him be. 가만 놔 두시오.

> NOTE **leave** 와 **let** 의 차이: 형태상으로 let 는 to 없는 부정사가 따름: I *let* him go. 이에 대해서 leave 의 뒤에는 to 있는 부정사가 오는 것이 보통임. 다만, 미국에서는 to 없는 부정사가 올 때도 있음: I *left* him (to) have it. 그로 하여금 마음대로 갖게 내버려 두었다.

— *vi.* **1** 《~/+전+명》 떠나다, 출발하다 (depart), 뜨다, 물러가다(go away): The train ~*s* at six. 기차는 6시에 떠난다/I am *leaving for* Europe tomorrow. 내일 유럽으로 떠납니다/It is time for us to ~. 이제 물러가야〔하직해야〕 할 시간이다. ★ *leave* Seoul 〖타동사〗 서울을 출발하다 ≒*leave for* Seoul 〖자동사〗 서울로 (향해서) 떠나다. **2** (직장 등에서) 물러나다, 그만두다; 《영》 졸업하다.

be left with ... ① (감정 등을) 계속 지니다; (책임 등이) 떠맡겨지다. ② (아이 등이) 맡겨지다. ***be nicely left*** 속다, 골탕먹다. ***be well*** 〔***badly***〕 ***left*** 충분한 유산을 받다〔못 받다〕. ***get left*** 《구어》버림받다; 뒤지다, 지다; 기대가 어그러지다; 좋은 기회를 놓치다. ***I*** (***will***) ***~ it*** 〔***that***〕 ***to you, sir.*** 그 일은 선생님께 맡깁니다; 처분대로 하셔도 됩니다. ~ things ***about*** 〔***around***〕(***...***) 무엇을 치우지 않고 (…에) 내버려 두다, 방치하다. ***~... alone*** ⇨ALONE. ~ a person ***alone to*** do 아무에게 마음대로 하게 내버려 두다, 아무를 믿고 …하게 내버려 두다. ***~ ... be*** 《구어》 …을 가만 놔두다. ***~ behind*** 《*vt.*+부》 ① 놔둔 채 잊다, 내버려 두고 가다: I found that the parcel had been *left behind*. 그 꾸러미는 누군가가 놔둔 채 잊고 간 것이었다. ② (처자·재산·명성 따위를) 남기다. —《*vt.*+전》 ③ (명성·기록·피해 따위를) 뒤에 남기다: He *left* a great name *behind* him. 그는 크나큰 명성을 남기고 세상을 떴다. ~ a person ***cold*** 〔***cool***〕 아무를 흥분〔감동〕시키지 않다. ***~ go*** (가진 것을) 놓다, 내놓다, 손떼다(let go); 마음 쓰지 않다, 묵인하다. ***~ go*** 〔***hold***〕 ***of*** …을 놓다, 놓아 주다, 손을 떼다. ***~ in*** 넣은 채〔그대로〕 놔 두다; 〖카드놀이〗 자기편의 으뜸패 선언을 그대로 지나가게 하다. ***~ in the air*** 미정인 상태로 두다. ***Leave it at that.*** 《구어》 (비평·행위 등을) 그쯤 해 둬. ***~ nothing*** 〔***much***〕 ***to be desired*** 더할 나위 없다〔유감된 점이 많다〕: The weather *left nothing to be desired*. 날씨는 더할 나위 없었다. ***~ off*** 《*vt.*+부》 ① (옷을) 더 이상 안 입다, 벗은 채로 있다: You had better ~ *off* your coat now. 더 이상 외투는 안 입는〔벗는〕 것이 좋을 게다. —《*vi.*+부》 ② 그만두다: Where did we ~ *off* last time? 전번에 어디서 그만두었지. —《*vi.*+전》 ③ 그만두다: He has *left off* work. 그는 벌써 일자리를 그만두었다/*Leave off* bit*ing* your nails. 손톱을 씹지 마라. ***~ on*** 입은〔둔, 건, 켠〕 채로 두다. ***~ out*** 《*vt.*+부》 ① 나간〔나온〕 채 내버려 두다. ② 빠뜨리다, 빼다《*of*》: ~ *out* a letter 한 자 빠뜨리다. ③ 생각지 않다, 고려치 않다, 잊다, 무시하다: ~ *out* a possibility 어떤 가능성을 생각지 않다. —《*vi.*+부》 ④ 떠나가다. ⑤ (그날의 수업

따위가) 끝나다. ~ (*out*) **in the cold** 〖보통 수동태〗 (아무를) 밖의 추운 곳에 방치하다; (아무를) 냉대하다. ~ A **out of** B, A 를 B 에 넣지 않다, 도외시하다. ~ **over** 《영》 ① 남기다. ② 드티다, 미루다, 연기하다. ~ **severely alone** 애써 간섭〔관계〕하지 않다. ~ **... standing** 《구어》 …을 (크게) 갈라놓다, …에 큰 차가 나게 하다. ~ a person **to himself** 〔**to his own devices**〕 아무를 멋대로 하게 내버려 두다, 방임하다: The children were *left* very much *to themselves* during the holidays. 아이들은 휴가 기간 동안 매우 자유롭게 방치되어 있었다. ~ a thing **undone** 〔**unsaid, unpaid**〕 무엇을 하지 않고〔말하지 않고, 갚지 않은 채〕 두다. ~ **well** 〔《미》 **well enough**〕 **alone** ⇨ALONE. ~ **word** 〔**a message**〕 **with** …에게 전〔말〕하다: Please ~ *word with* my secretary if you have any important news. 무슨 중대한 소식이 있으면 비서에게 전해 주시오. ***Take it, or ~ it.*** (승낙하든 안 하든) 마음대로 해라.

── *n.* 〖야구〗 (앞 사람이) 쳐 놓은 공의 위치; 〖볼링〗 제 1 투(投) 뒤에 남은 핀.

leave**² *n.* **1** Ⓤ 허가, 허락(permission): by 〔with〕 your ~ 미안하지만, 실례지만/without ~ 무단으로/Give me ~ *to* go. 나를 가게 해 주세요/You have my ~ *to* act as you like. 허락할 테니 좋을 대로 하세요/beg 〔ask〕 ~ *to* do …할 허락을 청하다. **2** Ⓤ,Ⓒ 휴가, 말미; Ⓒ 휴가 기간: (a) 30 days' ~, 30 일간의 휴가/ask *for* ~ 휴가를 신청하다/on ~ 휴가로/have 〔get〕 ~ 휴가를 얻다. **3** Ⓤ 고별, 작별(farewell). ***get** one's* ~ 면직되다. ***I beg ~ to** do* 삼가 …합니다《편지의 문투》. ***neither with your ~ nor by your ~ 네 맘에 들든 안 들든. ***take ~ of** one's **senses*** ⇨SENSE. ***take ~ to** do* 외람되이 …하다. ***take** one's ~ **of*** (작별(인사)하고) 떠나가다: She *took her ~ of* me at the door. 그녀는 문간에서 내게 작별 인사를 했다.

leave³ *vi.* (식물이) 싹을 틔우다, 잎이 나오다 (leaf) 《*out*》.

leaved *a.* **1** 잎이 달린. **2** 〖복합어〗 …의 잎이 있는, 잎이 …개의; (문 등이) …짝으로 된: a broad-~ tree 활엽수/a four-~ clover 네 잎 클로버/a two-~ door 두 짝 문.

léave·lòoker *n.* 《영》 (시(市)의) 시장(市場) 감시원.

°**leav·en** [lévən] *n.* Ⓤ **1** 효모(酵母); 발효소(醱酵素); 발효시킨 밀반죽; 팽창제(劑)《베이킹파우더 등》. **2** 《비유》 감화·영향을 주는 것, 빚어내는 힘, 원동력; 기미(氣味), 기운《*of*》: the ~ *of* reform 개혁의 기운. ***the old ~*** 〖성서〗 묵은 누룩《고린도전서 V: 6, 7》; 고칠 수 없는 낡은 습관, 구폐. ── *vt.* 《~+목/+목+전+명》 발효시키다, 부풀리다; 영향〔잠재력〕을 미치다; 기미를 띠게 하다《*with*》; (…을 넣어) 변형시키다《*with; by*》: He ~*ed* his speech *with* humor. 그는 연설에 유머를 가미했다. ㊞ **~·less** *a.*

léav·en·ing *n.* **1** 발효시키는 것; 효모. **2** 《비유》 영향(을 미치는 것), 감화.

léave of ábsence 휴직〔휴가, 휴학〕 허가; (유급) 휴가; 휴가 기간(leave): a two-year ~, 2 년 휴가.

léav·er *n.* 떠나는〔버리는〕 사람.

leaves¹ [liːvz] LEAF의 복수.

leaves² *n. pl.* 《미속어》 블루진스.

léave-tàking *n.* Ⓤ 작별, 고별(farewell).

léav·ings *n. pl.* 나머지, 지스러기, 찌꺼기. ⓒⓕ. residue.

Leb. Lebanese; Lebanon.

Leb·a·nese [lèbəníːz, -níːs] *a.* 레바논(사람)의. ── (*pl.* ~) *n.* **1** 레바논 사람. **2** 《속어》 레바논산(産)의 hashish(=Leb, leb).

Leb·a·non [lébənən] *n.* 레바논《지중해 동부의 공화국; 수도 Beirut》.

Lébanon cédar 〖식물〗 레바논 삼목(cedar of Lebanon)《히말라야 삼목의 일종》.

Le·bens·raum [léibənsràum, -bənz-] *n.* 《G.》 생활권(圈)《나치스가 주장한 정치적·경제적 발전에 필요한 영토》; (l-) 〖일반적〗 생활권.

Le·blang [ləblǽŋ] 《미속어》 *vi., vt.* (극장 입장권을) 할인하여 팔다, 입장료를 할인하다.

Le·boy·er [ləbɔ́iər] *a.* 《F.》 〖의학〗 르부아예법의, 태아 보호 분만법의.

lec·cy [léki] *n.* 《영구어》 전기(electricity).

lech [letʃ] 《구어》 *vi.* 호색하다; 색정을 느끼다; 갈망하다《*after; for*》. ── *n.* 갈망(craving), 《특히》 색욕; 호색가, 색골. ── *a.* 호색적인, 음란한.

léch·er *n.* 호색가, 음탕한 남자.

lech·er·ous [létʃərəs] *a.* 호색적인, 음란한; 색욕을 자극하는. ㊞ **~·ly** *ad.* **~·ness** *n.*

lech·ery [létʃəri] *n.* Ⓤ 호색, 음란; 색욕 (lust).

léch·ing *a.* 방종한, 방탕한.

lec·i·thin [lésəθin] *n.* Ⓤ 〖생화학〗 레시틴《신경 세포·노른자위에 들어 있는 인지질(燐脂質)》; 레시틴 함유물.

le·cith·in·ase [lésəθənèis, -z] *n.* Ⓤ 〖생화학〗 레시티나아제《인지질(燐脂質) 가수 분해 효소》.

Le Cor·bu·sier [*F.* lə kɔʀbyzje] *n.* 르 코르뷔지에《프랑스에서 활약한 스위스 태생의 건축가·화가; 본명은 Charles Édouard Jeanneret; 1887–1965》.

lect. lecture; lecturer.

lec·tern [léktərn] *n.* **1** (교회의) 강대(講臺); (성가대석의) 악보대. **2** 연사(演士)용 탁자.

lectern 1

lec·tin [léktin] *n.* 〖생화학〗 렉틴《항체처럼 특정 탄수화물과 결합하는 단백질의 총칭; 혈액형 검사의 적혈구 응집 반응에 씀》.

lec·tion [lékʃən] *n.* Ⓤ (어떤 장구(章句)의 특정된 판목(版木)에 의한) 이문(異文); 〖교회〗 (예배 때 낭독하는) 성구; 일과(lesson).

lec·tion·ary [lékʃənèri/-ʃənəri] *n.* (교회에서 낭독하는) 성구집(聖句集).

lec·tor [léktər/-tɔː] *n.* 〖교회〗 성구를 낭독하는 사람; (주로 유럽 대학의) 강사(lecturer). ㊞ **~·ship** *n.*

lec·to·type [léktətàip] *n.* 〖생물〗 (원저(原著) 발표 후에 지정된 종(種)·아종(亞種)의) 선정 기준 표본.

⁑**lec·ture** [léktʃər] *n.* Ⓒ **1** 강의, 강연, 강화(講話)《*on*》; 강의(講義)〔강연〕 원고. SYN. ⇨SPEECH. **2** 설유, 훈계, 잔소리: have 〔get〕 a ~ from … 에게서 잔소리를 듣다/read 〔give〕 a person a ~ 아무에게 설교하다, 잔소리하다. ── *vt.* **1** …에게 강의〔강연〕하다《*on; about*》. **2** 훈계하다, …에게 잔소리하다, …을 나무라다. ── *vi.* 《~/+전+명》 강의〔강연〕하다; (…에게) 잔소리하다《*at*》: ~ *on* foreign affairs 외교 문제에 대해 강의하다.

lécture hàll 강의실.

°**lec·tur·er** [léktʃərər] *n.* **1** 강연자; (대학의) 강사: a ~ *in* English *at* ... University …대학 영어 강사. **2** 훈계자.

lécture·shìp [-ʃìp] *n.* Ⓤ 강사(lecturer)의 직〔지위〕; 강좌 (유지 기금).

lécture thèater 계단식 강의실〔교실〕.

led [led] LEAD¹의 과거·과거분사. ── *a.* 지도〔지배〕받는, 끌리는: a ~ horse 끌려가는 말,

(바꿔 타기 위한) 예비 말.

LED 〖전자〗 light-emitting diode(발광(發光) 다이오드).

Le·da [líːdə, léi-/líː-] *n.* 〖그리스신화〗 레다 《Castor, Pollux, Helen, Clytemnestra 의 어머니; Zeus 가 백조의 모습으로 사랑을 나누었다 고 함》.

léd càptain 아첨꾼, 알랑쇠.

le·der·ho·sen [léidərhòuzən] *n. pl.* (Bavaria 등지의) 무릎까지 내려오는 가죽 바지.

◇**ledge** [ledʒ] *n.* **1** (벽에서 돌출한) 선반; 쑥 내민 곳. **2** 바위 턱; (해중·수중의) 암붕(岩棚), 암초. **3** 〖광산〗 광맥(lode). **4** 〖건축〗 (굵은) 동살; (배의) 횡주 연재(橫走緣材). ⊞ **~d** *a.* 선반〔불쑥 내민 곳〕이 있는.

ledge·ment *n.* =LEDGMENT.

ledg·er [lédʒər] *n.* **1** 〖부기〗 원부(原簿), 원장, 대장; 숙박부(簿): ~ balance 원장 잔고. **2** (무덤의) 대석; 〖건축〗 비계 여장, (비계 따위에) 가로로 댄 장나무(~ board). **3** =LEDGER BAIT; LEDGER LINE; LEDGER TACKLE. **—** *vi.* 〖낚시〗 ledger tackle 로 낚다.

lédger bàit 〖낚시〗 바닥 미끼《물속에 가라앉게 하는》.

lédger bòard 울짱 위에 건너지른 판판한 가로장; (계단의) 난간 판자, (발판의) 바닥판자; 〖목공〗 오리목(ribbon).

lédger lìne 〖음악〗 =LEGER LINE; 〖낚시〗 바닥 미끼를 단 낚싯줄.

lèdger tàckle 〖낚시〗 찌가 없이 봉을 던져서 하는 낚시 용구.

ledg·ment [lédʒmənt] *n.* 〖건축〗 돌림띠쇠시리.

Lee [liː] *n.* 리. **1** 남자 이름; 여자 이름. **2 David** ~ 미국의 물리학자《노벨 물리학상 수상(1996); 1931– 》. **3 Robert Edward** ~ 《미국 남북전쟁 때의 남군의 총지휘관; 1807–70》.

◇**lee** [liː] *n.* Ⓤ (the ~) 〖해사〗 바람이 불어가는 쪽(cf. weather side); (바람 등을) 피할 곳, 가려진 곳; 보호, 비호. ***by the*** ~ 돛을 친 방향과 반대쪽에 바람을 받고. ***have the*** ~ ***of...*** …의 바람 불어가는 쪽에 있다; …보다 못하다〔불리하다〕. ***under*** 〔***on, in***〕 ***the*** ~ 바람 불어가는 쪽에, 바람이 미치지 않는 곳에. ***under the*** ~ ***of*** …의 그늘에 숨어서; 바람을 피하여. **—** *a.* 바람 불어가는 쪽의(leeward); 빙하가 움직이는 쪽을 향한: the ~ side 바람이 불어가는 쪽. ◇ alee *ad.*

lée·bòard *n.* 〖해사〗 측판(側板)《바람이 불어가는 쪽으로 밀리지 않게 범선의 중앙 안쪽 뱃전에 붙인 널》.

leech[1] [liːtʃ] *n.* 〖동물〗 거머리《특히 의료용의》; 남의 돈을 빨아먹는 자, 흡혈귀, 고리대금업자; 《고어·시어》 의사, 외과의. ***stick*** 〔***cling***〕 ***like a*** ~ 찰거머리처럼 떨어지지 않다. **—** *vt.* 거머리를 붙여 피를 빨아내다; …에 달라붙어 피를〔돈을, 재산을〕 착취하다, 떼어먹을 작정으로 돈을 꾸다; 《고어》 치료하다. **—** *vi.* 달라붙어 떨어지지 않다《*on to*》. ⊞ **∠·lìke** *a.* 거머리〔흡혈귀〕와 같은.

leech[2], **leach**[2] *n.* 〖해사〗 돛의 가장자리.

LEED [liːd] *n.* 〖물리〗 리드, 저(低)에너지 전자 회절《고체 표면을 연구하는 실험 수단으로 씀》. [◂ *l*ow *e*nergy *e*lectron *d*iffraction]

Lée-Énfield (**rìfle**) [líːénfiːld(-)] 〖영군사〗 리엔필드 총《1900 년부터 쓰는 3 탄창의 착검식 라이플총》.

leek [liːk] *n.* 〖식물〗 리크, 서양부추파《Wales 의 국장(國章)》; 《널리》 파; 회색〔청색〕을 띤 녹색, 부드러운 황록색(∠ **grèen**): ~ porridge 파(로 쑨) 죽《Wales 음식》. ***eat the*** 〔***one's***〕 ~ 굴욕을 참다. ***not worth a*** ~ 한푼의 가치도 없는, 보잘것없는.

léek-gréen *a.* 푸른 빛을 띤 초록색의.

LEEP 《미》 Law Enforcement Education Program.

leer[1] [liər] *n.* 곁눈질, 추파, 스쳐봄; 짓궂은 눈. **—** *vi.* 곁눈질하다, 추파를 던지다, 스쳐보다; (짓궂게) 노려보다《*at; upon*》. ~ ***one's eye at*** … 에 추파를 던지다.

leer[2] *a.* 《영방언》 짐이 없는, 빈(empty, unladen); 허기진, 공복의, 배고픈.

leer[3] ⇨ LEHR.

leer·ing [líəriŋ] *a.* 곁눈질하는; 심술궂은 눈초리의. ⊞ **~·ly** *ad.* 곁눈질로.

leery [líəri] (***leer·i·er; -i·est***) *a.* **1** 의심 많은, 조심〔경계〕하는《*of*》. **2** 곁눈질하는. **3** 《고어·방언》 빈틈없는, 교활한. ★ leary 로도 씀. ***a*** ~ ***old bird*** 교활한 남자. ⊞ **léer·i·ly** *ad.* **-i·ness** *n.*

lees [liːz] *n. pl.* (포도주 등의) 재강(dregs); 찌꺼기(refuse). ***drain*** 〔***drink***〕 (a cup) ***to the*** ~ (잔을) 들이켜 비우다; 《비유》 고생을 겪을 대로 겪다. ***the*** ~ ***of life*** 비참한 여생.

lée shòre 바람이 불어가는 쪽의 해안《폭풍 시 배가 위험》; 곤경: on a ~ 곤란에 빠져.

leet [liːt] *n.* 〖영법률사〗 영주 재판소(court ~); 영주 재판소의 관할구〔개정일〕.

lée tìde =LEEWARD TIDE.

◇**lee·ward** [líːwərd, 《해사》 lúːərd] *a.* 〖해사〗 바람 불어가는 쪽의〔에 있는〕. opp. *windward*. **—** *ad.* 바람 불어가는 쪽으로〔에〕. **—** *n.* Ⓤ 바람 불어가는 쪽. ***on the*** ~ ***of*** …의 바람 불어가는 쪽에〔으로〕. ***to*** ~ 바람 불어가는 쪽을 향하여.

Léeward Íslands (the ~) 리워드 제도 《(1) 서인도 제도 북쪽의 군도. (2) 서인도 제도 동쪽의 구영국 식민지. (3) 남태평양 Polynesia 의 Society 군도 서쪽의 군도》.

léeward tíde 순풍조(順風潮)《바람과 같은 방향으로 흐르는 조류》.

lée wàve 〖기상〗 풍하파(風下波)(mountain wave).

lée·wày *n.* Ⓤ **1** (사상·행동 등의) 자유재량의 여지; 《구어》 (시간·공간·금전 등의) 여유, 여지: Our reporters have a lot of ~ *in* what they write. 우리의 보도 기자들은 기사 작성에 충분한 자유를 갖고 있다 / He's given me enough ~ *to* express myself. 그는 내 의견을 말할 수 있는 여유를 주었다. **2** 《영》 손실로 불리해지는 시간. **3** 〖해사〗 풍압 편위(偏位)《강풍으로 인해 배의 결질 이동》; 〖항공〗 편류(偏流)《항공기가 옆바람으로 흘러가는 진로의 빗김》. **4** 기준과 실제와의 차〔벌어짐〕; 계획〔목표〕에 대한 뒤처짐; 시간의 손실. ***have*** ~ (바람 불어가는 쪽에) 여지가 있다, (그 쪽이) 넓다; 활동의 여지가 있다. ***have much*** ~ ***to make up*** 일이 꽤 지체되어 있다; (만회에 애먹을 만큼) 아주 열세에 있다. ***make up*** (***for***) ***one's*** ~ 뒤떨어진 것을 만회하다; 곤경을 벗어나려고 하다.

†**left**[1] [left] *a.* **1** 왼쪽의, 왼편의, 좌측의: the 〔one's〕 ~ hand 왼손; 왼편 / the ~ bank of a river 강(江)의 좌안《하류를 향해서》/ to 〔on〕 the ~ hand of …의 왼쪽〔좌측〕에 / at 〔on〕 one's ~ hand 왼쪽에. **2** (종종 L-) (정치적·사상적으로) 좌파의, 혁신적인. opp. *right*. ***have two*** ~ ***feet*** (매우) 서투르다, 꼴사납다(very clumsy). ***marry with the*** ~ ***hand*** 지체 낮은 여자와 결혼하다. ***over the*** ~ ***shoulder*** =over the ~ (*n.*).

— *ad.* 왼쪽에〔으로〕, 좌편〔좌측〕에: move 〔turn〕 ~ 왼쪽으로 움직이다〔향하다〕. ***Left turn*** 〔***face***〕***!*** 좌향좌. ***Left wheel !*** 좌향 앞으로 가.

— *n.* **1** (the ~, one's ~) 왼쪽〔편〕, 좌측: turn to the ~ 왼쪽으로 돌다 / sit on a person's ~ 아무의 왼편에 앉다 / to the ~ of …의 왼편으로〔에서〕/ on 〔from〕 the ~ of …의 왼쪽〔좌측〕/ Keep to the ~ 좌측통행 / You will find the house on your ~. 집은 왼쪽에 있습니다. **2** (보통 the L-) 〖정치〗 좌파(세력), 급진

당, 혁신당, 좌익 정당 (의원); 의장석의 좌측, 좌익《유럽 여러 나라에서 급진파가 차지하는》. **3** 왼손(left hand); 왼쪽에 있는 것; 왼쪽으로 도는 모퉁이. **4** 〖군사〗 좌익《마주 보아 왼쪽》; 〖야구〗 좌익(수), 레프트; 〖권투〗 왼손(에 의한 타격); 〖연극〗 =LEFT STAGE; (댄스·행진 따위의) 왼발. ***over the*** ~ 《선행하는 말에 대한 부정·불신을 나타내어》 거꾸로 말하면, 꽁무니로부터: He's very clever fellow—*over the* ~. 매우 영리한 녀석이다—사실은 그 반대이지만. ***to the*** ~ (방법·주의가) 급진적인.

left[2] LEAVE의 과거·과거분사. ***get*** ~ 《구어》 ⇨ LEAVE[1]. ~ ***on base*** 〖야구〗 잔루(殘壘).

Léft Bánk (the ~) (파리 센 강의) 좌안(左岸) 《센(Seine) 강 남쪽 기슭; 예술가·학생이 많음》.

léft bráin 좌뇌(左腦)《대뇌의 좌반구》.

léft-clìck *vi.* 〖컴퓨터〗 (마우스의) 왼쪽 버튼을 클릭하다.

léft fíeld 〖야구〗 레프트 필드, 좌익; 《구어》 주류〔대세〕에서 동떨어진 곳. ***be*** (***way***) ***out in*** ~ 《미구어》 (완전히) 잘못되다, 틀리다; 머리가 이상하다. ***out of*** 〔***from***〕 ~ 《미속어》 뜻하지 않은 곳에서, 불의의. ㊞ **~·er** *n.* 〖야구〗 좌익수.

léft-fíeld *a.* 인습에 얽매이지 않는, 관행을 깨는.

léft·fóot *n.*, *a.* 《미속어》 프로테스탄트(의).

léft-fóoted [-id] *a.* 왼발잡이의; 서투른. ㊞ **~·ness** *n.*

léft-hánd *a.* 왼손의; 왼쪽〔왼편〕의, 좌측의; 왼쪽으로 감는; 왼손으로 하는; =LEFT-HANDED: ~ traffic 좌측통행 / (a) ~ drive 왼쪽 핸들(의 차).

*__left-hand·ed__ [léfthǽndid] *a.* **1** 왼손잡이의; 왼손으로의; 왼손용의: a ~ batter 좌완타자. **2** 서투른, 솜씨 없는. **3** 의심스러운(dubious), 애매한, 성의가 없는(insincere), 음험한: a ~ compliment 겉치레의 찬사. **4** (결혼이) 신분에 맞지 않는; 내연의, 정식이 아닌《처·관계》; 《구어》 동성애의; 《미속어》 (선박이) 상태가 좋지 않은; 《고어》 불길한. **5** (나사 등이) 왼쪽으로 감는 (counterclockwise). **—** *ad.* 왼손으로; 왼손에: He writes ~. ㊞ **~·ly** *ad.* **~·ness** *n.*

léft-hánder *n.* 왼손잡이; 레프트펀치; 기습; 〖야구〗 좌완 투수〔타자〕; =LEFT-HANDED compliment.

léft-hand rúle (the ~) 〖물리〗 (플레밍의) 왼손 법칙.

left·ie [léfti] *n.*, *a.* 《구어》 =LEFTY.

left·ish [léftiʃ] *a.* 좌파의, 좌익적인 경향의.

léft·ism *n.* Ⓤ 좌익〔급진〕주의(의 사상〔운동〕).

léft·ist *n.* (종종 L-) 좌익(사람), 좌파,급진〔혁신〕파(opp. *rightist*); 《미구어》 왼손잡이. **—** *a.* 좌파〔급진파〕의.

léft jústify 〖컴퓨터〗 왼쪽으로 행의 머리 부분을 맞추는 인자(印字) 형식; 일반 편지의 타자 형식 《워드 프로세서의 명령어》.

léft-jústify *vt.* …을 좌측으로 가지런히 하다.

léft-làid *a.* (밧줄이) 왼쪽으로 꼬인〔꼰〕.

léft-lèaning *a.* (정치적으로) 좌경의.

léft lúggage 《영》 (역의 보관소 등에) 맡긴 수화물.

léft-lúggage òffice 《영》 수화물〔휴대품〕 임시 보관소(《미》 checkroom)《Left Luggage로 표지(標識)함》.

léft·ments *n. pl.* 나머지, 찌꺼기. cf. leftover.

léft·mòst *a.* 맨 왼쪽의, 극좌의.

léft-of-cénter *a.* 중앙 좌측을 차지하는; (정치적으로) 좌파〔혁신파〕의.

léft-óff *a.* 버린, 그만둔; 벗어 버린, 쓰지 않는: ~ clothes 벗어 버린 옷.

léft·òver *n.* (종종 *pl.*) 나머지, 잔존물; 남은 밥; 시대착오의 구습〔자취〕, 흔적. **—** *a.* 나머지의; 먹다〔쓰다, 팔다〕 남은 것의.

léft shóulder 《CB속어》 반대쪽 차선(車線)의 단속〔도로 정보〕.

léft shóulder àrms 〖군사〗 좌로 어깨총《구령 또는 자세》.

léft stáge 〖연극〗 (객석을 향하여) 무대의 왼쪽 (절반 부분).

léft-tènding *a.* =LEFT-LEANING.

léft-ventrícular-ássist devìce 〖의학〗 인공 심장.

léft·ward [-wərd] *a.* 왼쪽의, 좌측의. **—** *ad.* 왼쪽에〔으로〕, 왼손에〔으로〕.

léft·wards [-wərdz] *ad.* =LEFTWARD.

léft wíng **1** (the ~) 좌익, 좌파. **2** 〖스포츠〗 좌익(左翼)(수), 레프트 윙. opp. *right wing*.

léft-wíng *a.* 좌익(左翼)의. opp. *right-wing*. ㊞ **~·er** *n.* 좌파의 사람.

lefty [léfti] 《구어》 *n.* 왼손잡이; 좌완 투수 (southpaw); 좌익《사람》; 《미구어》 왼쪽 구두, 왼손용 장갑〔글러브〕, 왼손잡이용 도구. **—** *a.*, *ad.* 왼손의〔으로〕.

†**leg** [leg] *n.* **1** 다리《특히 발목에서 윗부분 또는 무릎까지, 넓은 뜻으로는 foot도 포함》, 정강이; (식용 동물의) 다리, 발. cf. foot. **2** (책상·의자·컴퍼스 따위의) 다리; (기계 따위의) 다리, 버팀대; 〖수학〗 (삼각형의) 변《밑변 제외》. **3** (옷의) 다리 부분, 자락. **4** 의족(義足): a wooden ~ 나무 의족. **5** 〖크리켓〗 타자의 왼쪽 뒤편의 필드; 그 수비자: LEG BEFORE WICKET. **6** 〖해사〗 (갈지자 진로로 나아가는) 배의 한 직선 구간〔거리〕. **7** (전행정(全行程) 중의) 한 구간; 《구어》 (장거리 비행의) 한 노정(路程)〔행정〕: the last ~ of a trip 여행의 마지막 행정. **8** 〖경기〗 (2·3회째에 승부가 나는 경우의) 선승; (이어달리기에서) 한 구간. **9** 《영속어》 사기꾼(blackleg). **10** 《고어》 절, 인사《오른쪽 다리를 뒤로 빼고 하는》. **11** 《미군대속어·우스개》 보병(步兵).

as fast as one***'s*** **~*s would*** 〔***will***〕 ***carry*** one 전속력으로. ***be a*** ~ ***up on ...*** 《구어》 …을 쟁취하기에 유리한 상태에 있다. ***be all*** **~*s*** (***and wings***) 지나치게 성장하다, 키만 멀쑥하다. ***break a*** ~ 《구어》〖주로 명령형〗 분발하다, 잘 해내다: *Break a* ~ ! 성공을 빈다. ***change the*** ~ (말이) 보조를 바꾸다. ***fall on*** one***'s*** **~*s*** 〔***feet***〕 ① (고양이가) 높은 데서 떨어지며 용케 몸을 가누다. ② 용케 헤어나다, 용케 벗어나다, 일이 잘 되다. ***feel*** 〔***find***〕 one***'s*** **~*s*** ⇨ FOOT. ***fight at the*** ~ 비열한 방법을 쓰다. ***get a*** ~ ***in*** 《속어》 …의 신용을 얻다; (아무의) 비밀을 알다. ***get a*** 〔one***'s***〕 ~ ***over*** 《속어》 (남자가) 성교하다. ***get*** a person ***back on*** his **~*s*** 아무의 건강을 회복시키다; 아무를 (경제적으로) 다시 일으켜 세우다. ***get*** 〔***be***〕 ***on*** one***'s*** (***hind***) **~*s*** 싸우려들다, 골내다《말이 뒷다리로 서는 것에서》; 적극적〔반항적〕이 되다. ***get*** 〔***be***〕 ***on*** one***'s*** **~*s*** ① (장시간) 서 있다, 돌아다니다. ② (연설하기 위해) 일어서다. ③ (건강이 회복되어) 거닐 수 있게 되다. ④ 번성하다. ⑤ 독립하다. ***give*** a person ***a*** ~ ***up*** 아무를 거들어 말〔탈것〕에 태우다; 아무를 지원하여 어려움을 극복시키다. ***hang a*** ~ 주춤거리다, 꽁무니를 빼다. ***have*** **~*s*** (말·배·경주자가) 아주 빠르다(는 평이 있다); 참을성이 있다. ***have no*** **~*s*** 《구어》 (골프공·기획 따위가) 목표에 도달할 만한 힘이 없다. ***have the*** **~*s of*** …보다 빨리 달릴 수 있다〔빠르다〕. ***in high*** ~ 씽씽하여, 우쭐해, 신명이 나서. ***keep*** one***'s*** **~*s*** (쓰러지지 않고) 내처 서 있다〔걷다〕, 쓰러지지 않다. ***kick up*** one***'s*** **~*s*** 흥겨운 나머지 도(度)를 지나치다, 시시덕거리며 다니다. ***make a*** ~ 《고어》 (한쪽 발을 뒤로 빼고) 절을〔인사를〕 하다. ***not have a*** 〔***have no***〕 ~ ***to stand on*** (논의·주장의) 정당한 근거가 없다. ***off*** one***'s*** **~*s*** 휴식하고 (있는). ***on*** one***'s last*** **~*s*** 다 죽어가, 기진하여; 더 이상 쓸 수 없는 상태에: Our car is *on its last* ~*s*.

차는 고물이나 다름없다. ***pull*** 〔***draw***〕 a person's ~ 《구어》 아무를 속이다, 놀리다. ***put*** 〔***set***〕 one's ***best*** ~ ***foremost*** 전속력으로 달리다; 전력을 다하다. ***run off*** one's ~s ⇨ RUN[1]. ***set*** a person ***on*** his ~s (***again***) ① 아무를 일으켜 세우다. ② 원조하여 독립시키다. ③ 건강을 회복시키다. ***shake a*** ~ 《속어》 〔종종 명령형〕 서두르다; 춤추다. ***shake a loose*** 〔***free***〕 ~ 방종한 생활을 하다. ***show a*** ~ 《구어》 나타나다; (잠자리에서) 일어나다. ***stand on*** one's ***own*** ~s 독립〔자립〕하다; 자신의 힘으로 하다. ***straight as*** 〔***like***〕 ***a dog's back*** 〔***hind***〕 ~ 《속어》 구부러져 있다. ***stretch*** one's ~s 다리를 뻗다; (오래 앉아 있다가) 잠시 다리를 풀다〔산책하다〕. ***take to*** one's ~s 도망치다(run away). ***The boot is on the other*** ~. ⇨ BOOT[1]. ***tie by the*** ~ 족쇄를 채우다, 속박하다. ***try it on the other*** ~ 《속어》 최후〔비장〕의 수단을 쓰다. ***walk*** a person ***off*** his ~s 아무를 지치도록 걷게 하다. ***with*** ~s 불티나게《팔리다》. ***without a*** ~ ***to stand on*** 정당한 근거도 없이.

— (**-gg-**) *vt.* 《구어》 〔종종 ~ it〕 걷다, 달리다, 도망치다; 분발하다《*for*》; 취재하러 다니다, 일일이 다니면서 취재하다. — *vi.* 《구어》 운하벽을 발로 차서 배를 전진시켜 터널을 빠져나가다. ~ ***out*** 〖야구〗 빠른 발로 안타가 되게 하다. ~ ***up*** (아무를) 부축하여 말에 태우다; (선수의) 몸 상태가 경기 때 최상이 되도록 지도 조절하다. ㊀ **∠·less** *a.* 다리가 없는; 《속어》 몹시 취한.

leg. legal; legate; 〖음악〗 legato; legend; legislation; legislative; legislature.

°**leg·a·cy** [légəsi] *n.* 유산; 유증(遺贈) (재산); 이어〔물려〕받은 것: inherit a ~ 유산을 상속하다 / a ~ of hatred 〔ill will〕 조상 때부터 내려오는 원한.

légacy hùnter 유산을 노리고 아첨하는 사람.

légacy sỳstem 〖컴퓨터〗 레거시 시스템《비용이 많이 들거나 교체의 어려움 때문에 아직 쓰고 있는 컴퓨터 시스템》.

‡le·gal [lí:gəl] *a.* **1** 법률(상)의, 법률에 관한: the ~ profession 변호사업 / a ~ advisor 법률 고문 / a ~ person 〔man〕 법인(法人) / ~ blood 준(準)혈족. SYN. ⇨ LAWFUL. **2** 법정(法定)의, 법률이 요구〔지정〕하는: ~ interest 법정 이자 / the ~ limit 법정 제한 속도 / a ~ reserve 법정 준비금. **3** 합법의, 적법한, 정당한. cf. legitimate. opp. *illegal*. **4** (형평법(equity)에 대하여) 보통법(common law)의. cf. equitable. **5** 변호사의〔와 같은〕. **6** 〖신학〗 율법주의의. — *n.* 합법적인 것, 법률 요건; (*pl.*) 법정 투자; 《영속어》 (택시의) 팁 없는 요금〔미터 요금〕(을 내는 손님). ㊀ **~·ly** *ad.* 법률적〔합법적〕으로, 법률상.

légal áction 법적 조치, 소송.

légal áge 법정 연령, 성년(lawful age).

légal áid (비용을 부담할 수 없는 극빈자를 위한 변호사 단체의) 법률 구조(救助).

légal béagle 1 《미음운속어》 =LEGAL EAGLE. **2** 교본대로 교신(交信)하는 시민 주파수대 라디오의 교신자.

légal cáp 《미》 법률 용지《8 $^1/_2$×13−16 인치 크기의 괘선 용지》.

légal clínic (법률 구조를 위한) 법률 상담소.

légal éagle 《구어》 변호사, 《특히》 민완 변호사.

le·gal·ese [lì:gəlí:z, -lí:s] *n.* Ⓤ 난해한 법률 용어〔표현법〕.

légal exécutive (법률 사무소의) 법률 사무 전담 직원.

légal fíction 법적 의제(擬制)《회사를 법인으로 인격화하는 따위》.

légal hóliday 《미》 법정 휴일(《영》 bank holiday).

le·gal·ism [lí:gəlizəm] *n.* 〖신학〗 율법주의; 법률의 글자 뜻에 구애받는 일; 관료적 형식주의 (redtapism). ㊀ **-ist** *n.* 법률 존중주의자, 형식주의자; 〖종교〗 율법주의자. **lè·gal·ís·tic** *a.* 법률을 존중하는. **-ti·cal·ly** *ad.*

le·gal·i·ty [li:gǽləti] *n.* Ⓤ 적법, 합법, 정당함; =LEGALISM; (*pl.*) 법률상의 의무; (*pl.*) 법적 견지〔국면〕.

lè·ga·li·zá·tion *n.* Ⓤ 법률화, 적법화, 합법화; 공인, 인가.

le·gal·ize [lí:gəlàiz] *vt.* 법률상 정당하다고 인정하다, 공인하다; 적법화〔합법화〕하다.

lé·gal·ized *a.* 《CB속어》 제한 속도까지 속도를 줄인.

légal líst 법정 명단《기관 투자가들에게 적합한 투자 대상으로 지정된 증권 목록》.

légal mán 법인(legal person).

légal médicine 법의학(forensic medicine).

légal mémory 〖법률〗 법률적 기억《관행이 법적 효력을 갖추게 되는 최저 기한으로, 약 20 년》.

légal néedle 《CB속어》 (법정 제한 속도인) 25 마일(로 하는 운전).

légal pád 법률 용전(用箋)《8.5×14 인치 크기의 누런 괘선 용지철》.

légal pérson =LEGAL MAN.

légal procéedings 소송 절차.

légal represéntative 유언 집행자, 유산 관리자.

légal resérve (은행 · 보험 회사의) 법정 준비〔적립〕금.

légal separátion =JUDICIAL SEPARATION.

légal sérvice làwyer =POVERTY LAWYER.

légal-sìze(d) *a.* 법정(法定) 크기의, (종이가) 법률 문서 크기의《8 $^1/_4$ 인치×14 인치》.

légal sỳstem 법률 제도.

légal ténder 법화(法貨).

lég àrt 《미속어》 여성의 각선미를 강조한 사진 (cheesecake).

le·gate[1] [ligéit] *vt.* 유산으로서 물려주다, 유증하다(bequeath).

leg·ate[2] [légət] *n.* 로마 교황 사절, 교황 특사; 공식 사절《대사 · 공사 등》; (고대 로마의) 지방 총독 (보좌관). ㊀ **~·ship** *n.* Ⓤ ~의 직〔지위, 임기〕.

legate a la·te·re [légit-ɑ:-lá:tərèi/-lǽt-, -lá:t-] 《L.》 교황 전권 특사.

leg·a·tee [lègətí:] *n.* 〖법률〗 유산 수령인, (동산의) 수유자(受遺者): a universal ~ 전 유산 수령인.

leg·a·tine [légətin, -tàin/-tàin] *a.* 로마 교황 사절의, 교황 사절이 이끄는.

le·ga·tion [ligéiʃən] *n.* 공사〔사절〕의 파견〔임무〕; 〖집합적〗 공사관 직원, 공사 일행; 사절단; 공사관; =LEGATESHIP.

le·ga·to [ləgá:tou] *a., ad.* 《It.》 〖음악〗 레가토, 부드러운, 부드럽게, 음을 끊지 않는〔않고〕《생략: leg.》. opp. *staccato*. — (*pl.* **~s**) *n.* 레가토 주법; 레가토의 악절.

le·ga·tor [ligéitər, lègətɔ́:r/lègətɔ́:] *n.* 유증자(遺贈者), 유언자.

lég báil 《구어》 탈주, 도망. ***give*** 〔***take***〕 ~ 탈주하다, 탈옥하다(decamp).

lég befòre wícket 〖크리켓〗 타자가 발로 공을 받아 멈추기《반칙임; 생략: lbw》.

lég bỳe 〖크리켓〗 공이 타자 몸(손 이외)에 맞았을 때의 득점.

lege [ledʒ] *n.* 《미속어》 전설적〔걸출한〕 인물.

‡leg·end [lédʒənd] *n.* **1** 전설, 설화, 전해 오는 이야기; 전설적인 인물〔사물〕; Ⓤ 전설 문학; 신화: the ~s of King Arthur and his knights 아서왕과 그 기사들의 전설.

> SYN. **legend** 입으로 전해진 이야기로 역사적인 근거가 있기도 하고 없기도 함. **myth** 신에 관한 이야기. **anecdote** 유명인의 숨은 일면을 나타내는 행위나 사건을 말한 짧은 이야기.

2 〖역사〗 성인전(聖人傳)(집), (the (Golden) L-) 성인전집. 3 (메달·화폐·비(碑)·문 따위의) 명(銘)(inscription), (타자기의 키 등에 표시된) 기호. 4 (사진·삽화·풍자 만화 따위의) 설명(문)(caption); (지도·도표 따위의) 범례.

◇**leg·end·ary** [lédʒəndèri/-dəri] *a.* 전설(상)의; 전설적인; 믿기 어려운, 터무니없는. **—** *n.* 전설집, 《특히》 성인전(聖人傳); 그 작자〔편집자〕. ㊞ **lèg·en·dár·i·ly** *ad.*

lég·end·ist *n.* 전설 수집가; 성인전 작가.

lég·end·ìze *vt.* 전설화하다.

leg·end·ry [lédʒəndri] *n.* Ⓤ 《집합적》 전설집, 고담집(legends).

leg·er [lédʒər] *n.* =LEDGER.

leg·er·de·main [lèdʒərdəméin] *n.* Ⓤ 요술; 눈속임, 속임수(deception); 궤변, 억지.

le·ger·i·ty [lədʒérəti] *n.* 민활, 기민.

léger lìne [lédʒər-] 〖음악〗 덧줄.

le·ges [líːdʒiːz] LEX의 복수.

(-)**leg·ged** [légid] *a.* 다리가 있는, 다리가 …한: long-~ 다리가 긴.

leg·ger [légər] *n.* =LEGMAN.

leg·gings, leg·gins [léginz], [léginz] *n.* 1 정강이받이, 각반(脚絆), 행전. 2 레깅스《(1) 입으면 꼭 끼는 신축성이 좋은 여성용 바지. (2) 궂은 날씨에 바지 위에 입는 특수 바지》. ⓒⓕ gaiter.

lég guàrd 〖구기〗 정강이받이.

leg·gy [légi] (*-gi·er; -gi·est*) *a.* (사내아이·망아지·강아지 따위가) 다리가 긴〔껑충한〕; (여자가) 다리가 미끈한; 〖식물〗 줄기가 긴; 다리를 드러내(보이)는. ㊞ **lég·gi·ness** *n.*

leg·he·mo·glo·bin [leghíːməglòubin, -hémə-] *n.* 〖식물〗 (콩과의) 근립(根粒) 헤모글로빈《질소 고정에 필수》. [◂ *legume*+*hemoglobin*]

leg·horn [léghɔ̀ːrn] *n.* 1 이탈리아산의 세공용 밀짚 띠; 그것으로 만든 밀짚모자(~ hat). 2 [légərn, léghɔ̀ːrn/legɔ́ːn] (보통 L-) 레그혼《닭의 품종》.

leg·i·ble [lédʒəbəl] *a.* (필적·인쇄가) 읽기 쉬운(easily read); (마음속 따위를) 훤히 알 수 있는, 명료한. ㊞ **-bly** *ad.* 읽기 쉽게, 명료하게. **~·ness** *n.* **lèg·i·bíl·i·ty** *n.* Ⓤ.

◇**le·gion** [líːdʒən] *n.* Ⓤ 1 (고대 로마의) 군단《300-700명의 기병을 포함하여 3,000-6,000명의 보병으로 구성》. 2 군세(軍勢), 군단, 군대. 3 다수, 많음(multitude): a ~ *of* people 많은 군중. 4 〖생물〗 《드물게》 아강(亞綱)《동식물 분류상의》. 5 재향 군인회 (전국 연맹); (the L-) =AMERICAN LEGION; =FOREIGN LEGION. ***the Legion of Honor*** 레지옹 도뇌르 훈장《나폴레옹 1세가 제정》. ***the Legion of Merit*** 〖미군사〗 훈공장(章)《전공이 큰 미국 또는 외국 군인에게 줌》. ***My name is Legion.*** 〖성서〗 비슷한 사람은 얼마든지 있느니라《마가복음 V: 9》. **—** *a.* 《서술적》 많아서, 무수하여: Legends about him are ~. 그에 관한 전설은 아주 많다.

le·gion·ary [líːdʒənèri/-nəri] *a.* 고대 로마 군단의; 군단으로 이루어진; 《문어》 다수의, 무수한. **—** *n.* =LEGIONNAIRE.

lé·gioned *a.* 군단을 이룬, 대(隊)를 이룬.

Le·gion·el·la [lìːdʒənélə] *n.* 레지오넬라《간상(桿狀) 혹은 구상(球狀)의 호기성 그람(Gram) 음성 세균의 한 속(屬)》.

le·gion·naire [lìːdʒənέər] *n.* (종종 L-) 미국〔영국〕 재향 군인회 회원; 고대 로마의 군단병; 프랑스 외인 부대원.

legionnáires' 〔**legionnáire's**〕 **disèase** 〖의학〗 재향군인병《중증의 대엽성(大葉性) 폐렴의 하나; 1976년 미국 재향 군인회 대회에서 처음 발생을 확인한 데서》.

lég·ìron *n.* 족쇄(shackle).

legis. legislation; legislative; legislature.

leg·is·late [lédʒislèit] *vi.* 《~/+전+명》 법률을 제정하다, (…에) 필요한 법규를 제정하다《*for*》; (법적으로) 금지하다, 억제하다《*against*》: ~ *for* the preservation of nature 자연보호에 관한 법률을 제정하다/~ *against* monopolistic business practices 법률로 독점적 상거래 관행을 금지하다. **—** *vt.* 《~+목/+목+전+명》 법률에 의해 마련하다〔움직이다〕: Morality cannot be ~*d*. 도덕은 법률로 만들 수 없다/~ a person *out of* 〔*into*〕 office 법률에 의하여 아무를 퇴임〔임관〕시키다.

‡**leg·is·la·tion** [lèdʒisléiʃən] *n.* Ⓤ 1 입법, 법률 제정. 2 《집합적》 법률, 법령 제정법(制定法), 입법 조치. ◇ legislate *v.*

◇**leg·is·la·tive** [lédʒislèitiv, -lət-/-lət-] *a.* 입법(상)의, 입법권이 있는; 입법〔법률〕에 의한; 입법부의: the ~ body 〔branch〕 입법부/a ~ bill 법률안/a ~ remedy 새 법 제정에 의한 개선. **—** *n.* Ⓤ 입법권; Ⓒ 입법부. ⓒⓕ legislature. ㊞ **~·ly** *ad.* 입법상.

législative assémbly (때로 L- A-) (미국에서 양원제 시행의 일부 주(州)와 캐나다 단원제 시행의 주의) 입법부; (때로 L- A-) 하원; (the L- A-) 프랑스 혁명기의 입법 의회.

législative bránch (the ~) (정부의) 입법 부문. 「부권.

législative véto 《미》 의회 거부권, 입법부 거

◇**leg·is·la·tor** [lédʒislèitər] (*fem.* ***-tress*** [-tris], ***-trix*** [-triks]) *n.* 입법자, 법률 제정자; 입법부〔국회〕 의원. ㊞ **~·ship** *n.* 「TIVE.

leg·is·la·to·ri·al [lèdʒislətɔ́ːriəl] *a.* =LEGISLA-

leg·is·la·tress [lédʒislèitris, ˊ-ˋ-/ˋ-ˊ-], **-la·trix** [lédʒislèitriks] *n.* 여성의 입법부〔국회〕 의원, 여성 의원; 여성의 입법자.

◇**leg·is·la·ture** [lédʒislèitʃər] *n.* 입법부, 입법 기관; 《미》 《특히》 주(州)의회: a two-house ~ (상하) 양원제 입법부.

le·gist [líːdʒist] *n.* 법률통, 《특히》 로마법 전문가, 민법학자.

le·git [lidʒít] 《속어》 *a.* 합법의, 정당한, 진짜〔정식〕의(legitimate); 정극(正劇)의; 무대극의. **—** *n.* 합법적인 것, 본격적인 것; 정극(legitimate drama). ***on the*** ~ 합법적인, 진지한.

le·git·i·ma·cy [lidʒítəməsi] *n.* Ⓤ 1 합법성, 적법; 정당(성). 2 정통, 정계(正系), 적출. ⓞⓟⓟ *bastardy*.

◇**le·git·i·mate** [lidʒítəmət] *a.* 1 합법의, 적법의; 옳은, 정당한. ⓞⓟⓟ *illegitimate*. ¶ a ~ claim 정당한 요구. ⓈⓎⓃ. ⇨LAWFUL. 2 본격적인, 정통의, 정계(正系)의; 적출의: a ~ child 적출자, 본처 소생(所生). 3 합리적인(reasonable), 이론적〔논리적〕인 《귀결 따위》; 이치에 닿는; 진짜의, 진정한. ◇ legitimacy *n.* **—** [-mèit] *vt.* 합법으로 인정하다, 정당화하다; 정통으로 보다; (서자를) 적출로 인정하다. ㊞ **~·ly** *ad.* 합법적으로, 정당하게. **le·gìt·i·má·tion** *n.* Ⓤ 적법〔합법〕화, 정당화; 적출로 인정함.

legítimate dráma 〔**théater**〕 정극(正劇) 《revue, burlesque, farce, musical comedy 등에 대한》; 무대극《텔레비전·영화에 대한》.

le·git·i·ma·tize [lidʒítəmətàiz] *vt.* =LEGITIMATE.

le·git·i·mist [lidʒítəmìst] *n.* (종종 L-) 정통주의자《특히 프랑스의 부르봉 왕가 옹호자》. **—** *a.* 정통주의의, 정통 왕조파의. ㊞ **-mism** *n.* Ⓤ **le·gi·t·i·mís·tic** *a.*

le·git·i·mize [lidʒítəmàiz] *vt.* =LEGITIMATE.

㊥ **le·gìt·i·mi·zá·tion** *n.* Ⓤ =LEGITIMATION.

lég·man [-mæ̀n, -mən] (*pl.* ***-men*** [-mèn, -mən]) *n.* **1** 〖신문〗 취재〔탐방〕 기자《기사는 쓰지 않음》; 〖일반적〗 취재원, (조사를 위한) 정보 수집자. **2** 외근원의 조수, 잔심부름꾼; 《속어·비어》 여자 다리에만 흥미를 갖는 남자.

Lego [légou] *n.* 레고《덴마크 Lego 사제의 플라스틱 조립 블록 완구》.

lég-of-mútton, -o'- *a.* 양(羊) 다리꼴의, 삼각형의《돛·소매 따위》.

lég-of-mútton slèeve =GIGOT (SLEEVE).

le·gong [ləgɔ́ːŋ, -gáŋ/-gɔ́ŋ] *n.* 《Balinese》 레공《두 소녀가 추는 Bali 섬의 전통 무용》.

lég·pèrson *n.* 취재 기자, 취재자.

lég-pùll *n.* 《구어》 못된 장난, 속여 넘기기. ㊥ **~·er** *n.* **~·ing** *n.*

lég·rèst *n.* (앉아 있는 환자용) 발받침.

lég·ròom *n.* (극장·자동차 등의 좌석 앞의) 다리를 뻗는 공간.

lég shòw 각선미 따위를 보이는 쇼〔레뷰〕.

leg·ume, le·gu·men [légjuːm, ligjúːm], [ligjúːmin] (*pl.* ***~s, -mi·na*** [-minə]) *n.* 콩과(科)의 식물, 콩류《식료로서》; 꼬투리(pod).

le·gu·min(e) [ligjúːmin] *n.* Ⓤ 〖생화학〗 레구민《콩과(科) 식물의 알곡 속의 단백질》.

le·gu·mi·nous [ligjúːmənəs] *a.* 콩의; 콩이 열리는; 〖식물〗 콩과(科)의.

lég ùp 《구어》 도움, 원조; =HEAD START.

lég wàrmer 발목에서 넓적다리까지를 가리는 니트 소재의 여성용 방한구.

lég·wòrk *n.* Ⓤ 돌아다님, 뛰어다님; 취재, 탐방《legman 의 일》; (범죄의) 상세한 조사; (기획·기업의) 실제적 관리, 육체적 행동이 필요한 부분.

le·ha·yim, -cha·yim [*Heb.* ləxáːjim, -jíːm] *n.* 《Heb.》 건배, 축배.

lehr, leer [liər, lɛər/liər] *n.* 《G.》 유리 융해로 (融解爐).

le·hua [leihúːɑː] *n.* 《Haw.》 레후아《다홍색의 꽃이 피는 참나무; 태평양 제도산(產); 꽃은 하와이주의 주화(州花)》.

lei[1] [lei, léiiː] (*pl.* ***le·is***) *n.* 《Haw.》 레이, 화환《사람을 영송할 때 그 목에다 겲》.

lei[2] [lei] LEU의 복수.

Leib·niz, -nitz [láibnits] *n.* **Gottfried Wilhelm von** ~ 라이프니츠《독일의 철학자·수학자; 1646–1716》.

Lei·ca [láikə] *n.* 라이카《독일제 카메라의 이름; 상표명》.

Leices·ter [léstər] *n.* 레스터《Leicestershire 의 주도(州都)》; =LEICESTERSHIRE; 레스터종의 양; 레스터 치즈《우유로 만든 경질(硬質) 치즈》.

Leices·ter·shire [léstərʃiər, -ʃər] *n.* 잉글랜드 중부의 주(州)《생략: Leics.》.

Léi Dày 하와이의 May Day.

Lei·den, Ley·den [láidn] *n.* 레이던《네덜란드 서부의 도시》.

Léi·den·frost phenòmenon [láidənfrɔ̀ːst-] (the ~) 〖물리〗 라이덴프로스트 현상《(1) 고온 고체 표면상의 액체가 증기층을 생성하여 고체 표면에서 절연(絶緣)되는 현상. (2) 물질과 반(反)물질의 경계에서 나타난다고 하는 위와 같은 가설적 현상》.

Leigh [liː] *n.* 리《남자 이름; 여자 이름》.

L8R later《이메일·문자 메시지에서》: C U ~ =see you later.

Lei·la(h) [líːlə, léi-/líː-] *n.* 릴러《여자 이름》.

Leip. Leipzig.

Leip·zig [láipsig, -sik/-zig, -sig] *n.* 라이프치히《독일 동부의 도시; 출판업·음악의 중심지》. ***the Battle of*** ~ 〖역사〗 라이프치히의 싸움(the Battle of Nations).

leish·man·ia [liːʃmǽniə, -méin-] *n.* 리슈마니아《리슈마니아속(屬)의 주혈(住血) 편모충의 총칭》.

leish·man·i·a·sis, -man·i·o·sis [lìːʃmən-áiəsis, lài∫-/lìːʃ-], [liːʃmæ̀nióusis, -mèin-, laiʃ-/lìːʃ-] *n.* 〖의학〗 리슈마니아증(症)《leishmania에 의한 질환》.

leis·ter [líːstər] *n.*, *vt.* 작살(로 찌르다).

⁑**lei·sure** [líːʒər, léiʒ-/léʒ-] *n.* Ⓤ **1** 틈, 여가, 유유자적, 무위, 안일: have no ~ *for* reading 〔*to* read〕 느긋하게 독서할 틈이 없다. **2** 한가한 시간, 자유(로운) 시간, 형편이 좋은 때: a lady 〔woman〕 of ~ 유한부인/a life of ~ 한가한 생활. ***at*** **~** ① 틈이 있어서, 일손이 비어, 실업하여. ② 천천히, 한가하게. ***at*** **one's ~** 한가한 때에, 편리한 때에: Do it *at* your ~. 한가한 때에 해라. ***wait*** **one's ~** 틈이 날〔형편이 닿을〕 때까지 기다리다. **—** *a.* 한가한, 볼일이 없는; 유한(有閑)의; 여가의; 한가할 때 입기에 알맞은《옷》: ~ time 〔hours〕 여가/the ~ class 유한계급/~ industries 레저〔여가〕 산업. ㊥ **~d** *a.* 틈〔짬〕이 있는, 한가한; 느긋한: (the) ~*d* class(es) 유한계급. **~·ful** *a.* **~·less** *a.* 여가가〔짬이〕 없는, 분주한. **~·ness** *n.* =LEISURELINESS.

léisure cènter 레저 센터《오락·스포츠 시설을 갖춘 장소; 보통 지방 자치 단체가 경영함》.

°**léi·sure·ly** *a.* 느긋한, 유유한, 여유 있는. **—** *ad.* 천천히, 유유히. ㊥ **-li·ness** *n.*

léisure sùit 레저 슈트《셔츠 재킷과 슬랙스로 된 레저용 의복》.

léisure-tíme *a.* 여가의.

léisure·wèar *n.* 여가복《여가를 즐길 때 입는 옷》.

Leit. Leitrim.

leit·mo·tif, -tiv [láitmoutìːf] *n.* 《G.》 (악극의) 시도(示導) 동기; 주악상; (행위 따위에 일관된) 주목적, 중심 사상, 이상.

Lei·trim [líːtrìm] *n.* 리트림《아일랜드 북부의 주(州); 생략: Leit.》.

lek[1] [lek] *n.* 레크《알바니아의 화폐 단위; 기호 L; 100 qindarka》.

lek[2] *n.* 《Swed.》 멧닭 등의 새가 모여 구애하는 장소. **—** (*-kk-*) *vi.* 새가 구애 장소에 모이다.

lek·ker [lékər] 《S. Afr.구어》 *a.* 좋은, 훌륭한, 즐거운. **—** *ad.* 잘, 훌륭히; 아주.

lek·var [lékvɑːr] *n.* 《Hung.》 파이에 넣는 자두 잼.

LEM, Lem [lem] lunar excursion module (달착륙〔탐사〕선).

lem·an [lémən, líː-/lém-] *n.* 《고어》 애인, 정부(情夫), 정부(情婦).

Le Mans [ləmɑ̃́ːŋ] 르망《프랑스 북서쪽의 도시로, 매년 자동차의 24 시간 내구(耐久) 레이스가 열리는 곳》.

Le Máns stàrt 르망식 스타트《자동차 경기의 출발 방식의 하나; 경기자는 차 옆에 서 있다가 신호와 함께 뛰어올라 엔진을 시동하여 발진함》.

lem·ma [lémə] (*pl.* ***~s, ~·ta*** [-tə]) *n.* 〖논리·수학〗 보조 정리(定理), 전제(前提), 부명제(副命題), 보제(補題); (시 따위의) 주제, 제목; (사전의) 표제어; (그림의) 찬(贊); (어휘집 따위의) 표제어(headword).

lem·me [lémi] 《구어》〔발음 철자〕 let me.

lem·ming [lémiŋ] *n.* 《Norw.》 〖동물〗 나그네쥐《북유럽산》.

lem·nis·cate [lemnískət, lémniskèit] *n.* 〖기하〗 렘니스케이트, 연주형(連珠形).

lem·nis·cus [lemnískəs] (*pl.* ***-nis·ci*** [-nísai, -níski]) *n.* 〖해부〗 모대(毛帶), 융대(絨帶). ㊥ **lem·nís·cal** *a.*

⁑**lem·on**[1] [lémən] *n.* **1** 레몬, 레몬나무(=∠ **trèe**). **2** Ⓤ 레몬의 풍미〔향료〕; 레몬 음료; 레몬빛, 담황색(=∠ **yéllow**). **3** 《속어》 불쾌한 것〔일·사람〕, 시시한 것, 맛〔재미〕없는 것. **4** 《흑인

속어》 피부색이 밝은 매력적인 흑인 여자, =MULATTO; 《속어》 매력 없는 여자. cf. peach. **5** 《구어》 불량품《결함 있는 차(車) 따위》. **6** 《미속어》 (보통 *pl.*) (작은) 가슴, 유방. **7** 《미속어》 불순물이 섞인〔위조한〕 마약. **8** 《구어》 혹평, 통렬한 반박; 《군대속어》 수류탄. ***hand a*** person ***a* ~** 《구어》 (거래에서) 아무를 속이다. ***The answer is a* ~.** 《영속어》 (그런 어리석은 질문에는) 대답할 필요 없다. **—** *a.* 레몬의, 레몬이 든; 레몬 빛깔의, 담황색의. **—** *vi.* 《미속어》 (당구에서) 초심자와 같은 플레이를 하다.

lem·on² *n.* 〖어류〗 =LEMON SOLE.

◇**lem·on·ade** [lèmənéid, ´-`-/`-´-] *n.* U 레몬수; 레모네이드; 《미속어》 불순물이 든 마약.

lémon chèese 〔**cùrd**〕 레몬에 설탕·달걀 등을 넣어 가열하여 잼 모양으로 만든 식품《빵에 바르거나 파이에 넣음》.

lémon-còlored *a.* 담황색의, 레몬색의.

lémon dròp 레몬 드롭《캔디》.

lémon káli [-kǽli, -kéi-] 《영》 레몬 칼리수「(水).

lémon làw 《미속어》 불량품법《불량품, 특히 자동차의 교환·환불 청구 권리를 정한 주법(州法)》.

lémon lìme 《미》 레몬 라임《무색투명한 탄산음료》. 「산음료》.

lémon sòda 《미》 레몬 소다《레몬 맛이 나는 탄

lémon sóle 〖어류〗 가자미의 일종《유럽산》.

lémon squásh 《영》 레몬스쿼시.

lémon squèezer 레몬즙을 짜는 기구.

lem·ony [léməni] *a.* 레몬 맛이〔향기가〕 나는; 《Austral.속어》 화를 낸, 성이 난: go ~ at a person 아무에게 화를 내다.

lem·pi·ra [lempíərə] *n.* Honduras 의 화폐 단위《기호 L; 100 centavos》.

Lem·u·el [lémjuəl] *n.* 레뮤엘《남자 이름》.

le·mur [líːmər] *n.* 〖동물〗 여우원숭이.

lem·u·res [lémjəriːz] *n. pl.* (고대 로마인의 신앙에서) 야행(夜行)하는 사자(死者)의 혼령; 악령(惡靈).

le·mu·ri·form [ləmjúərəfɔ̀ːrm] *a.* 여우원숭이의〔비슷한〕.

lemur

lem·u·roid [lémjərɔ̀id] *a.*, *n.* 여우원숭이(와 같은); 〖동물〗 여우원숭이아목(亞目)의 (동물).

Le·na [líːnə] *n.* **1** 리나《여자 이름》. cf. Helena, Magdalene. **2** [《영》 léinə] (the ~) 레나강《시베리아 중동부의 강》.

†**lend** [lend] (*p.*, *pp.* ***lent*** [lent]) *vt.* **1** 《~+목/+목+목/+목+전+명》 빌려 주다, (이자를 받고) 빚을 주다, 대부〔대출〕하다; 임대(賃貸)하다. OPP *borrow*. ¶ ~ an umbrella 우산을 빌려 주다 / *Lend* me five dollars. 5 달러만 빌려 주십시오 / ~ a person money at five-percent interest = ~ money *to* a person at five-percent interest 5 푼 이자로 아무에게 돈을 빌려 주다 / I can't ~ it *to* you. 그것은 빌려 줄 수 없다. **2** 《+목+목/+목+전+명》 (조력 따위를) 주다, 제공하다; (위엄·아름다움 따위를) 더하다, 부여(賦與)하다《*to*》: ~ assistance 힘을 빌리다, 도와주다, 원조하다 / ~ enchantment 〔dignity〕 *to* …에 매력〔기품〕을 더하다 / Could you ~ me a hand with these parcels? 짐꾸리는〔푸는〕 데 도와주시겠습니까 / ~ one's aid *to* a cause 어떤 주의〔목적〕에 가세하다 / This fact ~*s* probability *to* the story. 이 사실로 보면 그 이야기는 있을 법하다. **3** 《+목+전+명》 〖~ oneself〗 …에 힘을 쏟다, 적극적으로 나서다; …에 도움이 되다, …에 적합하다: You should not ~ your*self to* such a transaction. 그런 거래에 끼어들어서는 안 된다 / The incident seemed to ~ it*self to* dramatization. 그 사건은 극화하는 데 적합한 것같이 여겨졌다. **—** *vi.* (돈을) 빌려 주다, 대부를 하다: She neither ~*s* nor borrows. 그녀는 빌려 주지도 않고 꾸지도 않는다. **~ *a* (*helping*) *hand*** ⇨ HAND. **~ *out*** (돈을 받고) …을 빌려 주다, (책 따위를) 대출하다. **—** *n.* 《구어》 꿈, 차용. 파 **∠·a·ble** *a.* 빌려 줄 수 있는: ~*able* money / ~*able* funds 대출(貸出) 자금. **∠·er** *n.* 빌려 주는 측〔사람〕; 대금(貸金)업자, 고리대금업자.

lénd·ing *n.* 빌려 주기, 대여, 대출; 빌려 주는 물건, 부속물; (*pl.*) 입체(立替)하는 돈, 빌려 입는 옷. **—** *a.* 빌려 주는.

lénding lìbrary =RENTAL LIBRARY; 《영》 (관외 대출을 하는) 공공 도서관.

lénding ràte 대출 금리.

lénd-léase *n.* 《미》 (동맹국에 대한) 군수 물자 등의 대여《2 차 대전 때의》. **—** *vt.* 무기 대여법에 의하여 대여하다. 「《1941 년 제정》.

Lénd-Léase Àct (the ~) 《미》 무기 대여법

le·nes [líːniːz, léi-] LENIS의 복수.

⁑**length** [leŋkθ, lenθ/léŋkθ] *n.* **1** U,C 길이, 장단; 세로; 키. cf. breadth, thickness. ¶ in ~ 길이에 있어서, 길이는 / a ~ *of* rope (일정한 길이의) 한 가닥의 밧줄. **2** U,C (시간의) 길이, 기간; (담화·기술 따위의) 길이; 어떤 길이(의 물건); 〖음성〗 모음(母音)·음절의 길이, 음량: one's ~ *of* days =the ~ *of* one's days 장수(長壽). **3** 거리(행동 등의) 한도, 범위, 정도; 도정(道程), 여정(旅程); 긺(OPP *shortness*): the ~ *of* a journey 여정. **4** (보트의) 1 정신(艇身); 〖경마〗 1 마신(馬身); (헤엄친 거리의 단위로서의) 풀의 길이: win by a ~ 1 정신(艇身)〔마신(馬身)〕의 차로 이기다. **5** 〖크리켓〗 투구 거리; 〖궁술〗 사정(射程). **6** 〖카드놀이〗 특정 조(組)를 특별히 많이 갖고 있기《브리지에서 4 매 이상 등》. **7** 〖복합어〗 …길이의: an ankle-~ gown 복사뼈까지 내려오는 가운. ◇ long *a.*
at arm's* ~** ① 팔 뻗친 거리에. ② 멀리하여: keep a person *at arm's* ~ 아무를 가까이하지 않다, 경원하다. ③(거래나 교섭에서) 당사자가 각기 독립을 유지하여. ***at full* ~** ① 온몸을 쭉 펴고《눕다》. ② 줄이지 않고, 상세히. ***at great* ~** 길게, 장황하게. ***at* ~** ① 드디어, 마침내. cf. at last. ② 기다랗게; 오랫동안, 장황하게; 충분히. ***at some* ~** 상당히 자세하게〔길게〕. ***come to that* ~** 거기까지 가다, 그 정도까지 하다. ***go the* ~ *of doing …까지도 하다, …할 정도로 극단에 흐르다(go so far as to do): I will not *go the* ~ *of* say*ing* such things. 그런 것까지 얘기하고 싶지 않다. ***go the whole* ~ *of*** ① 마음껏 …하다. ② 남김없이 말하다. ***go all*** 〔***any, great***〕 **~*s*** =***go to any* ~(*s*)** 〔***great* ~*s***〕 철저하게 하다, 어떠한 짓도 서슴지 않다. ***in* ~ *of time*** 때가 지남에 따라서. ***measure* one's (*own*) ~ (*on the ground*)** 큰대자로 자빠지다. ***of some* ~** 상당히 긴. ***over*** 〔***through***〕 ***the* ~ *and breadth of*** …의 전체에 걸쳐, …을 남김없이.

***length·en** [léŋkθən, lénθ-/léŋkθ-] *vt.* 길게 하다, 늘이다: ~ (out) one's speech 연설을 길게 늘이다. **—** *vi.* **1** 길어지다, 늘어나다. SYN. ⇨ EXTEND. **2** 《~/+부/+전+명》 늘어나 …으로 되다, …으로 변천하다: Summer ~*s out into* autumn. 여름이 가고 가을이 된다 / His face ~*ed*. 그의 얼굴은 우울해졌다. ***The shadows* ~.** 땅거미가 진다; 점점 늙어 간다, 죽을 때가 가까워진다. 파 **~ed** *a.* 늘어난, 길이의: a ~*ed*

stay 장기 체류. **~·er** *n.*
léngth·màn [-mæ̀n] (*pl.* ***-mèn*** [-mèn]) *n.* 《영》 (일정 구간의) 선로〔도로〕 보수〔정비〕원.
léngth·ways, -wise [-wèiz], [-wàiz] *ad.*, *a.* 세로로〔의〕; 길게, 긴.
◇**lengthy** [léŋkθi, lénθi/léŋkθi] (***length·i·er; -i·est***) *a.* 긴, 기다란; 말이 많은, 장황한. ㊀ **léngth·i·ly** *ad.* 길게, 기다랗게. **-i·ness** *n.*
le·ni·ence, -en·cy [lí:niəns], [-i] *n.* Ⓤ 너그러움, 관대함; 연민, 자비, 인자.
◇**le·ni·ent** [lí:niənt] *a.* **1** 관대한; 인정 많은, 자비로운. **2** (법률 따위가) 무른; (벌 따위가) 가벼운; 《고어》 완화하는, 위로하는. ㊀ **~·ly** *ad.*
Len·in [lénin] *n.* **1 Nikolai ~** 레닌《러시아의 혁명가; 1870–1924》. **2** (the ~) 레닌선(船) 《옛 소련의 쇄빙선》.
Len·in·grad [léningræ̀d] *n.* 레닌그라드 《Petersburg의 옛 소련 시절의 이름》.
Lén·in·ìsm *n.* Ⓤ 레닌주의.
Lén·in·ist *n.*, *a.* 레닌주의자(의).
Len·in·ite [léninàit] *n.*, *a.* =LENINIST.
le·nis [lí:nis, léi-] (*pl.* ***le·nes*** [-ni:z]) *n.* 〖음성〗 연음(軟音)《[b], [d], [g] 등》(OPP *fortis*); 무기음(표)(smooth breathing). **—** *a.* 연음의.
le·ni·tion [liníʃən] *n.* 〖음성〗 연음화(軟音化).
len·i·tive [lénətiv] *a.* 진통(성)의(soothing), 완화하는. **—** *n.* 〖의학〗 진통제, 완화제; (슬픔 등을) 진정시키는 것. ㊀ **~·ly** *ad.*
len·i·ty [lénəti] *n.* Ⓤ,Ⓒ 자비; 관대(한 조처).
le·no [lí:nou] (*pl.* **~s**) *n.* Ⓤ,Ⓒ 부드럽고 올이 성긴 얇은 면직물《일종의 gauze》.
‡**lens** [lenz] (*pl.* **~·es** [lénziz]) *n.* 렌즈; 렌즈꼴의 물건; 〖해부〗 (눈알의) 수정체.
léns·lìke *a.* 렌즈 같은, 렌즈 모양의.
léns·man [-mən] (*pl.* ***-men*** [-mən, -mèn]) *n.* 《구어》 =PHOTOGRAPHER.
◇**Lent** [lent] *n.* **1** 〖종교〗 사순절(四旬節)《Ash Wednesday 부터 Easter Eve 까지의 40일; 단식과 참회를 행함》. **2** (중세에) Martinmas 인 11월 11일부터 Christmas 까지의 기간; (*pl.*) 《영》 Cambridge 대학 춘계 보트레이스.
lent [lent] LEND의 과거 · 과거분사.
len·ta·men·te [lèntəméntei] *ad.*, *a.* 《It.》 〖음악〗 느리게〔느린〕, 렌타멘테로〔의〕.
len·tan·do [lentá:ndou] *ad.*, *a.* 《It.》 〖음악〗 차차느리게〔느린〕, 렌탄도로〔의〕(becoming slower).
lent·en [léntən] *a.* (종종 L-) 사순절(四旬節)의, 사순절에 행하여지는; 고기 없는; 검소한; 궁상스러운, 음침〔음울〕한: ~ fare 고기 없는 요리, 소식(素食) / the ~ fast 사순절의 단식.
len·tic [léntik] *a.* 〖생태〗 정수(靜水)의〔에 서식하는〕, 정수성의.
len·ti·cel [léntəsèl] *n.* 〖식물〗 피목, 껍질눈.
len·ti·cel·late [lèntəsélət] *a.* 〖식물〗 피목(皮目)이 있는, 피목이 생기는.
len·tic·u·lar [lentíkjələr] *a.* (양면 볼록) 렌즈 모양의, 렌즈콩 모양의, 양면이 볼록한; (눈알의) 수정체의; (필름 · 영사막이) lenticule 이 있는. ㊀ **~·ly** *ad.*
lentícular núcleus 〖해부〗 렌즈핵(核)《대뇌 반구의 심부(深部)로 시상(視床)의 바깥쪽에 있는 큰 회백질(灰白質)》.
len·ti·cule [léntikjù:l] *n.* 필름의 지지체면(支持體面)에 부가하는 미세한 볼록 렌즈; 영사 스크린 위의 물결무늬.
len·ti·form [léntəfɔ̀:rm] *a.* =LENTICULAR.
len·ti·go [lentáigou] (*pl.* ***-tig·i·nes*** [-tídʒənì:z]) *n.* 〖의학〗 검은 사마귀; =FRECKLE.
len·til [léntil, təl] *n.* 〖식물〗 렌즈콩, 편두(扁豆).
len·tisk, -tisc [léntisk] *n.* =MASTIC.
len·tis·si·mo [lentísəmòu] *a.*, *ad.* 〖음악〗 아주 느린〔느리게〕.
len·ti·vi·rus [léntəvàiərəs] *n.* 〖생물〗 렌티바이러스《양 따위의 뇌질환의 원인》.
Lént líly 〔**róse**〕 〖식물〗 **1** 《영》 =DAFFODIL. **2** =MADONNA LILY.
len·to [léntou] *a.*, *ad.* 《It.》 〖음악〗 느린; 느리게. **—** (*pl.* **~s**) *n.* 렌토의 악장〔악구〕.
len·toid [léntɔid] *a.*, *n.* 양철(兩凸) 렌즈 모양의 (개체).
Lént tèrm 〖영대학〗 봄 학기《크리스마스 휴가 후부터 부활절 무렵까지》.
Leo [lí:ou] *n.* **1** 리오《남자 이름》. **2** 〖천문〗 사자자리《성좌》(the Lion); (12 궁의) 사자궁(宮). **3** 〖점성〗 사자자리에 태어난 사람.
Le·on [lí:ɑn/-ən] *n.* 리언《남자 이름》.
Le·o·na [li:óunə] *n.* **1** 리오나《여자 이름》. **2** 《미속어》 엄격한〔잔소리가 많은〕 여자.
Leon·ard [lénərd] *n.* 레너드《남자 이름》.
Le·o·nar·do da Vin·ci [lì:əná:rdoudəvíntʃi, lèi-/li:ə-] ⇨ DA VINCI.
le·one [li:óun/lióuni] (*pl.* **~, ~s**) *n.* 리온《시에라리온의 화폐 단위; 기호 Le; 100 cents》.
Le·on·i·das [li:ánidəs/liɔ́nidæs] *n.* 레오니다스. **1** 남자 이름. **2** 스파르타의 왕(? –480 B.C.).
Le·o·nids, Le·on·i·des [lí:ənidz], [liánədi:z] *n. pl.* 〖천문〗 사자자리 유성군(流星群)(= **Léonids mèteors**)《11월 15일 경에 나타남》.
le·o·nine [lí:ənàin] *a.* **1** 사자의; 사자와 같은; 당당한, 용맹한. **2** (L-) 로마 교황 Leo 의〔가 만든〕.
Le·o·no·ra [lì:ənɔ́:rə] *n.* 리어노라《여자 이름》.
◇**leop·ard** [lépərd] *n.* **1** 〖동물〗 표범(panther); 표범의 털가죽; =AMERICAN LEOPARD. **2** 〖문장(紋章)〗 오른쪽 앞발을 들고 있는 사자《잉글랜드의 문장》. **3** 〔형용사적〕 표범 무늬가 있는. ***a hunting ~*** 〖동물〗 치타. ***Can the ~ change his spots?*** 표범이 그 반점을 바꿀 수 있느뇨 〖성서〗《성격은 좀처럼 못 고치는 것; 예레미야서 XIII: 23》. ㊀ **~·ess** [-is] *n.* 암표범.
léopard-skìn céase-fìre 쌍방이 점령 지역을 유지한 상태의 정전(停戰).
léopard spòt (특히 정전(停戰) 때의) 산재(散在)하는 점령 지역. 「이름》.
Le·o·pold [lí:əpòuld/líə-] *n.* 레오폴드《남자
le·o·pon [lí:əpàn/-pɔ̀n] *n.* 레오폰《수표범과 암사자 사이에 태어난 일대 잡종》.
le·o·tard [lí:ətà:rd/líə-] *n.* (종종 *pl.*) 레오타드 《체조 · 곡예 · 발레 연습 등에 입는 위아래가 붙은 스포츠 웨어의 일종》; =TIGHTS.
LEP [lep] *n.* 〖물리〗 대형 전자 · 양전자 충돌형 가속기. [◂ *l*arge *e*lectron-*p*ositron collider]
Lep·cha [léptʃə] (*pl.* **~, ~s**) *n.* (인도의) 렙차족(族); 렙차 말《티베트 미얀마 어족》.
◇**lep·er** [lépər] *n.* **1** 나(병)환자, 문둥이: a ~ village 나병 환자 마을. **2** 세상으로부터 배척당하는 사람.
léper cólony (외딴 섬 등의) 나환자 수용소.
léper hòuse 나(癩)병원(leprosarium).
lep·i·do- [lépədou, -də] '비늘'의 뜻의 결합사 《모음 앞에서는 **lep·id-**》.
le·pid·o·lite [lipídəlàit, lépədə-] *n.* Ⓤ 〖광물〗 리티아 운모(雲母), 비늘 운모.
lep·i·dop·te·ran [lèpədáptərən/-dɔ́p-] 〖곤충〗 *a.* 인시류(鱗翅類)〔나비목〕(Lepidoptera)의. **—** (*pl.* **~s, *-te·ra*** [-tərə]) *n.* 인시류의 곤충, 인시류, 나비목.
lep·i·dop·ter·al, -ter·ous [lèpədáptərəl/-dɔ́p-], [-tərəs] *a.* 〖곤충〗 인시류(鱗翅類)의.
lep·i·dop·ter·ist [lèpədáptərist] *n.* 인시류

연구가〔학자〕. 「(hare)의〔같은〕.
lep·o·rine [lépəràin, -rin/-ràin] *a.* 토끼
lep·ra [léprə] *n.* Ⓤ =LEPROSY.
lep·re·chaun [léprəkɔ̀:n, -kàn/-kɔ̀:n] *n.* 〖Ir. 전설〗(붙잡으면 보물이 있는 곳을 알려 준다는, 장난을 좋아하는) 작은 요정(妖精).
le·pro·ma [lepróumə] (*pl.* **~s, ~·ta** [-tə]) *n.* 〖의학〗 나종(癩腫), 나결절(癩結節). ㊕ **le·prom·a·tous** [leprámətəs, -próum-/-prɔ́m-, -próum-] *a.*
lep·ro·sar·i·um [lèprəsέəriəm] (*pl.* **~s, -ia** [-iə]) *n.* 나(癩)병원, 나병 요양소. 「모양의.
lep·rose [léprous] *a.* 〖생물〗 비듬 같은; 비늘
lep·ro·sy [léprəsi] *n.* Ⓤ 〖의학〗 나병, 한센병; 《비유》 (사상·도덕적인) 부패〔퇴폐, 악영향〕(의 근원)(contagion): moral ~ (감염되기 쉬운) 도덕적인 부패, 타락.
Léprosy Effèct 한센병(病) 효과《실현되지 못한 계획이 그것과 관련 있는 것들을 모두 망쳐 버리는 현상》. 「걸린.
lep·rot·ic [leprátik/-rɔ́t-] *a.* 나병의, 나병에
lep·rous [léprəs] *a.* **1** 나병의, 나병에 걸린; 불결한. **2** 비늘 모양의, 비늘〔딱지〕로 덮인(leprose). ㊕ **~·ly** *ad.* **~·ness** *n.*
-lep·sy [lépsi] '발작'의 뜻의 결합사: cata*lepsy*, epi*lepsy*, nympho*lepsy*.
lep·tin [léptən] *n.* 〖생화학〗 렙틴《지방 조직을 만드는 단백질》.
lep·to- [léptou, -tə] '작은, 자디잔, 얇은'의 뜻의 결합사《주로 동식물 용어에 씀; 모음 앞에서는 **lept-**》.
lèpto·menínges (*sing.* **lèpto·méninx**) *n. pl.* 〖해부〗 연수막(軟髓膜)《거미줄막(arachnoid)과 유막(柔膜)(pia mater)을 말함》.
lep·ton[1] [léptan/-tɔn] (*pl.* **-ta** [-tə]) *n.* 고대 그리스의 작은 동전; 현대 그리스의 화폐 단위《drachma 의 100 분의 1》.
lep·ton[2] *n.* 〖물리〗 렙톤, 경입자(輕粒子)《전자(電子)·중성 미립자 등》. ㊕ **lep·tón·ic** *a.*
lépton nùmber 〖물리〗 경입자 수《존재하는 경입자 수에서 반(反)경입자 수를 감하여 얻은 수》.
lep·to·some [léptəsòum] *n.* 여윈 사람. **—** *a.* 여윈, 마른, 수척한.
lep·to·spire [léptəspàiər] *n.* 〖세균〗 렙토스피라균. ㊕ **lep·to·spi·ral** [lèptəspáiərəl] *a.*
lep·to·spi·ro·sis [lèptəspaiəróusis] (*pl.* **-ses** [-si:z]) *n.* 〖의학·수의〗 렙토스피라증(症).
lep·to·tene [léptətì:n] *n.* 〖생물〗 세사기(細絲期)《감수 분열 전기의 최초의 시기》.
Le·pus [lépəs, lí:p-/lí:p-] *n.* 〖천문〗 토끼자리(the Hare).
Le·roy [lərɔ́i, lí:rɔi] *n.* 남자 이름.
les [lez] *n., a.* 《구어》 (종종 L-) 동성애하는 여자, 동성애의(lesbian).
LES 〖항공〗 launch escape system.
les·bi·an [lézbiən] *a.* (여성 간의) 동성애의; 《드물게》 호색적인: ~ love 여성 간의 동성애. **—** *n.* 동성애하는 여자. ㊕ **~·ism** *n.* (여성 간의) 동성애 (관계), 밴대질.
les·bie [lézbi] *n.* 《구어》 =LESBIAN.
les·bine [lézbain] *n.* 《미속어》 =LESBO.
les·bo [lézbou] (*pl.* **~s**) *n.* 《구어》 여성 동성애자(lesbian).
Lésch-Ný·han sỳndrome [lé∫náihən-] 〖의학〗 레시나이헌 증후군, 푸린(purine) 대사(代謝) 이상증《정신박약·무도병적인 운동을 특징으로 하는 사내아이의 유전성 질환》.
lése 〔**léze**〕 **májesty** [lí:z-] 〖법률〗 불경죄, 대역죄(high treason); (전통적 습관·신앙 등에 대한) 모독.
le·sion [lí:ʒən] *n.* 외상, 손상(injury); 정신적

상해; 〖의학〗 (조직·기능의) 장애; 병변; 〖일반적〗 손해. **—** *vi.* …에 상해를 입히다.
Les·ley [lésli/léz-] *n.* 레슬리《여자 이름; 《드물게》 남자 이름》.
Les·lie [lésli, léz-/léz-] *n.* 레슬리. **1** 남자 이름; 《드물게》 여자 이름. **2** 《속어》 동성애의 여자.
Le·so·tho [ləsú:tu:, -sóutou] *n.* 레소토《아프리카 남부의 왕국; 수도는 Maseru》.
†**less** [les] *a.* 〖little의 비교급〗 **1** 더 적은, 보다 적은《양(量) 또는 수에 있어서》. OPP *more.* ¶ Eat ~ meat but more vegetable. 고기를 줄이고 채소를 더 많이 잡수십시오 / *Less* noise, please! 좀더 조용히 해 주십시오 / spend ~ time at work *than* at play 일보다도 노는 데 더 많은 시간을 보내다. ★ 수에 있어서는 fewer를 쓰는 것이 원칙이나, 종종 less 도 씀《특히 수사(數詞)를 수반할 때》: *Fewer* Koreans learn Chinese than English. 중국어를 배우는 한국인은 영어를 배우는 사람보다 적다 / I have two *less* children than you. 나는 너보다 어린애가 둘 적다. **2** 한층 작은, 보다 작은, (…보다) 못한 《크기·무게·가치 따위에 있어서》. OPP *greater.* ¶ of ~ magnitude 크기가 미치지 못하는. **3** …만 못한, 그다지 중요하지 않은; 신분이 낮은.
— *ad.* 〖little 의 비교급〗 **1** 〖형용사·명사·부사를 수식〗 보다〔더〕 적게, …만 못하여: Try to be ~ exact. 그렇게 엄하게 하지 않도록 하십시오 / He was ~ a fool *than* I had expected. 그는 생각했던 것만큼 어리석지 않았다 / We go to Paris ~ frequently now. 지금은 파리에 그리 자주 가지 않는다. **2** 〖동사를 수식〗 (보다) 적게: He was ~ scared *than* surprised. 무서웠다기보다는 오히려 놀랐다. **~ *and* ~** 점점 더 적게. **~ *of*** 별로 그런 정도는 아니게〔아닌〕. ***Less of ...*** …은〔좀〕 작작 해라: *Less of* your nonsense! 같잖은 소리 좀 작작 하게나. **~ *than*** (*ad.*) 결코 …아니다(not at all)(OPP *more than*): She is ~ *than* pleased. 조금도 기뻐하지 않는다 / ~ *than* honest 정직하다고는 할 수 없는. ***little ~ than ...*** …와 거의 같은 정도로 (많은). ***more or ~*** ⇨MORE. ***never ~ than*** 훨씬, 매우: He is *never* ~ clever *than* his father. 그는 부친보다 훨씬 현명하다. ***no ~*** ① …보다 적지 않은 (것), 그 정도의 (것): We expected *no* ~. 그 정도는 각오하고 있었다. ② 〖부가적; 종종 반어적〗 바로, 확실히: He gave me $100. And in cash, *no* ~. 그는 나에게 100 달러나 주었다. 그것도 정확하게 현금으로. ③ =none the ~. ***no ~ a person than*** 다른 사람 아닌 바로: He was *no ~ a person than* the King. 그 사람은 다른 사람 아닌 바로 임금이었다. ***no ~ than*** ① …와 같은〔마찬가지의〕, …나 다름없는: It is *no ~ than* a fraud. 그것은 사기 행위나 다름없다. ② (수·양이) …(만큼)이나(as many 〔much〕 as): He has *no* ~ *than* 10 children. 그는 어린애가 10 명이나 있다. ***no ~ ... than*** …못지않게, …와 같이〔마찬가지로〕 …: He is *no* ~ clever *than* his elder brother. 그는 형만큼 영리하다. ***none the ~*** =***not the ~*** 그래도 (역시), 그럼에도 불구하고: He had some faults, but was loved *none the* ~ 〔was *not* loved *the* ~〕. 그에게는 결점이 있었지만, 그래도 역시 사랑을 받았다. ***not ... any the ~*** (그렇다고 해서) 조금도 …않다: I do*n't* think *any the* ~ of him for 〔because of〕 his faults. 결점이 있다고 해서 조금도 그를 업신여기지는 않는다. ***nothing ~ than*** ① 아주 …, 참으로 …: *nothing* ~ *than* monstrous 참으로 기괴한. ② 적어도 …이상, 꼭 …만은: We expected *nothing* ~ *than* a

revolution*n*. 우리는 적어도 혁명쯤은 예기했었다. ③ …에 지나지 않다, …에 불과하다, 바로 …이다: He is *nothing* ~ *than* an impostor. 그는 순전한 사기꾼이다. ④《드물게》 전혀 …않다: We expected *nothing* ~ *than* (=anything rather than) an attack. 설마 공격이 있으리라고는 생각도 못 하였다. ***not ~ than*** …이상; 적어도 …은, …보다 더하면 더했지 못하지 않은(as ... as): He has *not* ~ *than* 10 children. 어린애가 적어도 10명은 있다. ***still*** 〔***much, even, far***〕 ~ 〖부정적 어구 뒤에서〗 하물며〔더욱더〕 …이 아니다. [cf] still 〔much〕 more. ¶ I don't ever suggest that he is negligent, *still* ~ that he is dishonest. 나는 그가 태만하다고 말하는 것이 아니며, 정직하지 않다는 것은 더욱더 아니다. ***think ~ of*** …을 더 낮추보다.

— *n*. 보다 적은 양〔수, 액〕([opp] *more*); (the ~) 작은 편의 것, 보다 못한 사람: I shall see you *in* ~ *than* a week. 1주일 이내에 뵙겠습니다 / *Less than* ten meters is not enough. 10미터 이하로는 모자란다 / He is ~ of a fool *than* he looks. 그는 겉보기와 같이 그렇게 어리석지는 않다 / Some had more, others ~. 더 많이 갖고 있는 사람이 있는가 하면, 더 적게 갖고 있는 사람도 있었다.

— *prep*. …만큼 감한(minus), …만큼 모자라는; …을 제외하여(excluding): two months ~ three days 두 달에 3일이 모자라는 일수.

-less [lis, lès] *suf*. **1** 명사에 붙여서 '…이 없는, …을 모면한' 또는 '무한한, 무수의'의 뜻의 형용사를 만듦: child*less*, home*less*, number*less*, price*less*. **2**〖동사에 붙여서〗 '…할 수 없는, …않는'의 뜻의 형용사를 만듦: tire*less*, count*less*. **3** '…없이'의 뜻으로 드물게 부사를 만듦: doubt*less*. [파] **~·ly** *suf*.《부사를 만듦》. **~·ness** *suf*.《명사를 만듦》.

léss devéloped 기술화·산업화가 덜 된, 저개발의. ~ ***countries*** 저개발국, 발전도상국《생략: LDC》.

les·see [lesíː] *n*. 〖법률〗 (토지·가옥의) 임차인(賃借人), 차지인(借地人), 세든 사람, 차주(借主). [opp] *lessor*.

***less·en** [lésn] *vt*. **1** 작게〔적게〕 하다, 줄이다, 감하다(diminish). **2**《고어》 가벼이 보다, 얕보다, 헐뜯다. **—** *vi*. 작아지다; 적어지다, 줄다. ◇ less *a*.

Les·seps [lésəps] *n*. Vicomte **Ferdinand Marie de ~** 레셉스《프랑스의 토목 기사로 Suez 운하 건설자(1805–94)》.

◦**léss·er** *a*. 〔little의 이중 비교급〕 작은〔적은〕 편의, 소(小)…; 못한〔떨어지는〕 편의. [opp] *greater*. ¶ ~ powers 〔nations〕 약소 국가 / ~ poets 군소(群小) 시인. ★ less가 수·양의 적음을 나타냄에 대하여, lesser는 가치·중요성의 덜함을 나타낼 때가 많음. **—** *ad*. 〖보통 복합어〗 보다 적게: *lesser*-known 그다지 유명하지 않은.

Lésser Antílles (the ~) 소(小)앤틸리스 제도(Caribbees)《서인도 제도 동쪽의 군도》.

Lésser Asía 소아시아.

Lésser Béar (the ~) 〖천문〗 작은곰자리 (Ursa Minor).

Lésser Dóg (the ~) 〖천문〗 작은개자리 (Canis Minor).

lésser líght 그리 훌륭하지〔유명하지〕 못한 사람.

lésser pánda 〖동물〗 레서판다(bear cat, cat bear)《히말라야·중국·미얀마산》.

léss·ness *n*. [U] 한층 적음, 열등, 하등(inferiority).

†**les·son** [lésn] *n*. **1** 학과, 과업, 수업, 연습; 수업 시간. **2** (교과서 중의) 과(課); (한 번) 가르치기, 배우기; 가르치는〔배우는〕 양(量). **3** (*pl.*) (일련의 계통이 있는) 교수, (교육) 과정: give 〔teach〕 ~*s in* music 〔piano〕 음악을〔피아노를〕 가르치다. **4** 교훈, 훈계, 질책; 본때: valuable ~*s* of the past 과거의 귀중한 교훈 / read a person a ~ 아무에게 훈계를 하다 / It served as a ~ *to* him. 그것은 그에게 교훈이 되었다. **5** 〖교회〗 일과(日課)《조석으로 읽는 성서 중의 한 부분》: the first ~ 제 1 일과《구약에서 읽는 것》 / the second ~ 제 2 일과《신약에서 읽는 것》. ***hear*** a person ***his*** ~ 아무의 학과의 복습을 들어〔도와〕 주다. ***take*** 〔***have***〕 ***~s in*** (Latin) (라틴말)을 배우다. **—** *vt*. …에게 훈계하다〔가르치다〕《*in*》.

les·sor [lésɔːr, -´] *n*. 〖법률〗 (토지·가옥의) 임대인(賃貸人), 빌려 준 사람, 대지인(貸地人), 지주(地主), 집주인. [opp] *lessee*.

lèss-than-cárload *a*. (화물 중량이) carload 미만이어서 carload rate를 적용할 수 없는《생략: LCL》.

***lest** [lest] *conj*. **1** …하지 않도록, …하면 안 되므로(for fear that...): Be careful ~ you (*should*) fall from the tree. 나무에서 떨어지지 않도록 조심해라. **2** 〖fear, afraid 등의 뒤에서〗 …은 아닐까 하고, …하지나 않을까 하여(that...): I fear ~ he (*should*) die. 그가 죽지나 않을까 걱정이다 / There was danger ~ the secret (*should*) leak out. 비밀이 누설될 위험성이 있었다.

> [NOTE] lest로 이끌리는 절 중에서는, 주절의 시제에 불구하고《미》에서는 종종 가정법 현재를, 《영》에서는 should를 쓰나, might, would를 쓸 때도 있음. 주절이 현재시제일 때 lest의 뒤에 shall을 쓰는 것은 옛날 문체임. 《미》에서는 lest ... should의 should가 가끔 생략됨.

Les·ter [léstər] *n*. 레스터《남자 이름》.

‡**let**[1] [let] (*p., pp.* ~; ***lét·ting***) *vt*. **1** 《+[목]+*do*》 **a** …시키다, …하게 하다, …을 허락하다(allow to): He won't ~ anyone enter the house. 그는 아무도 그 집에 들여보내지 않을 것이다 / She wanted to go out, but her father wouldn't ~ her (go out). 그녀는 외출하려고 했으나 아버지가 허락하지 않았다 / Please ~ me know what to do. 무엇을 해야 할지 가르쳐 주시오. **b** 〖명령형을 써서 권유·명령·허가·가정 등을 나타냄〗: *Let* me go. 가게 해 주세요; 놓아 주세요 / *Let's* 〔*Let* us〕 start at once, shall we? 곧 떠납시다《권유》 / Don't ~*'s* start yet! 아직 출발하지는 말아 줘요《Let's의 부정》 / *Let* her come at once. 그녀를 곧 보내 주세요 / *Let* there be light. 〖성서〗 빛이 있으라 / *Let* the two lines be parallel. 두 선이 평행하다고 하자.

> [NOTE] (1) 본래 let 다음에는 to가 없는 원형 부정사가 오고, 수동태에서는 to 부정사가 왔으나, 현재는 없는 쪽이 보통임: I was *let* (to) see him. 그러나, 이런 때에는 오히려 be allowed to (do)가 쓰임.
> (2) **Let's** 와 **Let us**: '…합시다'의 뜻일 때 Let us는 일반적으로 문어적이며, 구어에서는 다음과 같이 뜻이 갈릴 때가 많음: *Let's* go. 자 가자. *Let us* go. 저희들을 가게 해 주세요.
> [SYN.] **let** 허용을 나타냄: *Let* him go. (가고 싶다고 하면) 그를 가게 하세요. **make** 강제를 나타냄: *Make* him work. (싫어해도) 그를 일하게 하세요. **have** 《미》 권유를 나타냄: *Have* him go. 그에게 가 달라고 하세요. **get** 《영》 권유를 나타냄: *Get* him to go. 그에게 가 달라고 하세요. **force** 《문어》 강한 강제를 나타냄: *Force* him to come. (무리를 해서라도) 그를 오게 하세요. [cf] oblige. **compel** 좋든

싫든 어떤 행위를 하게 하거나 어떤 상태가 되도록 하는 일.

2 《+目+前+名/+目+副》 가게 하다, 오게 하다, 통과시키다, 움직이게 하다: He ~ me *into* his study. 나를 서재로 안내했다/They ~ the car *out*. 그들은 차를 내어보냈다. ★ let 다음에 go, come 따위 동사가 생략된 것. **3** 《~+目/+目+副》 빌려 주다, 세주다: This house is to be ~. 이 집을 세놓습니다/a house to ~ 셋집/~ *out* a car by the day 하루 단위로 차를 세주다/Rooms 〔House〕 to ~. 《게시》 셋방〔셋집〕 있음 《To Lent. 라고 쓰기도 함》. **4** 《~+目/+目+副》 (액체·목소리 따위를) 쏟다, 내다, 새(나)게 하다: ~ a sigh 탄성을 발하다. **5** 《~+目/+目+前+名》 (일을) 주다, 떠맡게〔도급 맡게〕 하다《특히 입찰에 의해》, 계약하게 하다: ~ a contract 도급일을 맡기다/~ work *to* a carpenter 목수에게 일을 맡기다. **6** 《+目+보》 (어떤 상태로) 되게 하다, …해 두다: You shouldn't ~ your dog loose. 개를 풀어놓지 마라.

— *vi.* 《+前+名/+副》 빌려지다, 빌려쓸〔빌릴〕 사람이 있다(be rented); 낙찰되다: The apartment ~*s for* $100 per week. 이 아파트는 세가 일주일에 백 달러씩이다/The house ~*s well*. 이 집은 세가 잘 나간다.

~ *alone* ⇨ALONE. **~ *... be*** …을 그냥 내버려 두다, 상관치 않다: *Let* bygones *be* bygones. 과거는 묻지 마라, 지난 일은 흘려버리자/*Let* me 〔it〕 *be*. 나를〔그것을〕 상관 말아 주세요. **~ *by*** ① …에게 (곁을) 통과시키다: *Let* me *by*, please. 미안하지만 가게 해 주십시오. ② (잘못 따위를) 알고도 눈감아 주다, 봐주다. **~ *down*** 《*vt.*+副》 ① 밑으로 내리다. ② (옷단을 풀어서) 길이를 늘이다. ③ (타이어 따위의) 바람을 빼다. ④ (착륙하려고) 고도를 낮추다. ⑤ (아무를) 실망〔낙담〕시키다《종종 수동태로 쓰임》: He has *been* (badly) ~ *down*. (아무도 상대해 주는 사람이 없어) 그는 어려운 지경에 놓여 있다. **—** 《*vi.*+副》 ⑥ (항공기가) 고도를 낮추다. ⑦ 《미구어》 노력의 강도를 늦추다. **~ *a person down easily*** 〔***easy, gently***〕 (무안을 주지 않고) 아무를 온화하게 깨우치다. **~ *drive*** ⇨DRIVE. **~ *drop*** 〔***fall***〕 ① 떨어뜨리다. ② (무심코) 입 밖에 내다, 비추다, 누설하다: She ~ *drop* a hint. 그녀는 암시를 주었다. ③ 그치다, 끝내다: Shall we ~ the matter *drop*? 이 일은 이쯤 끝내기로 할까요. ④ (수선(垂線)을) …에 내리긋다《*on; to*》. **~ *fly*** ⇨FLY[1]. **~ *go*** ① 해방〔석방〕하다; 눈감아 주다, 너그러이 봐주다. ② 놓아주다, (손에서) 놓다《*of*》: Don't ~ *go* the rope. 줄을 놓아서는 안 돼/*Let go of* my hand. 손 좀 놓아주시오. ③ (총을) 발사하다, 쏘다; (독설을) 내뱉다 《*with*》; 《속어》 사정(射精)하다. ④ 해고하다. ⑤ (압력으로) 망그러지다. ⑥ (옷차림 따위에) 무관심하다; =~ oneself go; (더 이상) 논하지〔생각지〕 않기로 하다. ⑦ 감행하다《*with*》. **~*... go hang*** 《구어》 (일·옷차림 등을) 전혀 개의치 않게 되다. **~ a person *have it*** 아무에게 위해를 가하다; 《구어》 아무를 맹렬히 공격하다. **~ *in*** 《*vt.*+副》 ① 들이다(admit): *Let* him *in*. 그를 안에 들여보내라. ② (빛·물·공기 따위를) 통하다: These shoes ~ (*in*) water. 이 구두는 물이 스며든다. ③ (곤경·손실 등에) 빠뜨리다《*for*》; 속이다, 사기치다《*over*》: ~ a person *in for* a loss 아무에게 손해를 입히다. **—** 《*vt.*+前》 ④ 안에 들이다: *Let* the dog *in* the house. 개를 집안으로 들여라. **~ a person *in on ...*** (비밀 따위를) 아무에게 누설하다〔알려 주다〕; (계획 따위에) 아무를 참가시키다. **~ *into ...*** 《*vt.*+前》 ① …에 들이다〔넣다〕, …에 입회시키다. ② …에 끌

어들이다, …에게 비밀 등을 알리다: She has been ~ *into* the secret. 그녀에게는 비밀이 알려져 있다. ③ …에 끼우다, 삽입하다: ~ a plaque *into* a wall 벽에 장식판을 끼워 넣다. **—** 《*vi.*+前》 ④ 《속어》 공격하다, 욕하다, 때리다. **~ *it go at that*** 《미》 그쯤 해 두다, 그 이상 추궁〔언급〕하지 않다: I don't agree with all you say but we'll ~ *it go at that*. 자네 말을 모두 찬성하는 것은 아니네만 그쯤 해 두겠네. **~ *loose*** ⇨LOOSE *a*. ***Let me*** 〔***us***〕 ***see.*** 그런데, 뭐랄까, 글쎄요: *Let me see*—where did I leave my ball-point pen? 그런데 내 볼펜을 어디에 두었지. **~ (*...*) *off*** 《*vt.*+副》 ① (…을 형벌·일 따위에서) 면제하다: ~ a person *off* (doing) his homework 아무에게 숙제를 면제해 주다. ② (탈것에서) 내리게 하다, 내려놓다. ③ (총·포 따위를) 쏘다, 발사하다; (농담 따위를) 늘어놓다, 함부로 하다: Who ~ *off* that gun? 누가 발포했나. ④ 석방〔방면〕하다, (가벼운 벌로) 용서해 주다《*with*》; (일시적으로) 해고하다: He was ~ *off with* a fine. 벌금만 물고 석방되었다. ⑤ (액체·증기 따위를) 방출하다, 흘려 보내다; 《비어》 방귀를 뀌다: ~ *off* steam 여분의 증기를 빼다. ⑥ 《영》 (집 따위를) 분할하여〔부분적으로〕 빌려주다. **—** 《*vt.*+前》 ⑦ (탈것에서) 내려놓다. ⑧ (일·처벌 따위)에서 놓아주다〔면제하다〕. **~ *on*** 《*vi.*+副》 《구어》 ① 입 밖에 내다, 고자질하다, 비밀을 알리다〔누설하다〕, (진상을) 폭로하다 《*about; that*》: He knew the news but he didn't ~ *on*. 그는 그 소식을 알고 있었으나 아무에게도 알리지 않았다. ② 인정하다(admit). ③ (짐짓) …인 체하다《*that*》. **—** 《*vt.*+副》 ④ (아무를 차에) 태우다. **~ *out*** 《*vt.*+副》 ① 유출시키다, 엎지르다; (공기 따위를) 빼다《*of*》: He ~ the air *out of* the tires. 그는 타이어의 바람을 뺐다. ② (소리를) 지르다; 입 밖에 내다: ~ *out* a secret 〔scream〕 비밀을 누설하다〔고함을 지르다〕. ③ 외출을 허락하다《*of*》; 해방〔방면, 면제〕하다. ④ 《구어》 (말 따위를) 고삐를 늦추어 가게 하다. ⑤ (옷 따위를) 크게 하다, 늘리다, (낚싯줄 따위를) 풀어 내다: My trousers need to be ~ *out* round the waist. 바지 허리를 늘일 필요가 있다. ⑥ (모피를) 띠 모양으로 자르다. ⑦ (말 따위를) 세놓다, 임대하다. ⑧ 하청을〔외주(外注)를〕 주다. ⑨ 《미구어》 해고하다; (학교 따위) 휴가를 실시하다. **—** 《*vi.*+副》 ⑩ 맹렬히 치고 덤비다, 욕을 퍼붓다《*at*》; 《미구어》 휴가가 되다, 해산하다, 파하다, 끝나다: Be careful! That horse has a habit of ~*ting out* at people. 조심해라, 그 말은 사람을 차는 버릇이 있다. **~ *pass*** 관대히 봐주다, 불문에 부치다: He could not ~ *pass* his daughter's misconduct. 그는 딸의 비행을 봐줄 수가 없었다. **~ one*self go*** 자제심을 잃다, 제멋대로 〔마음대로〕 굴다, 열중〔열광〕하다; 감행하다; 옷차림에 무관심하다. **~ one*self in*** 들어가다: I ~ my*self in* with a latchkey. 열쇠로 자물쇠를 열고 옥내〔실내〕로 들어갔다. **~ one*self in for*** ① …일을 당하다. ② …에 버물리다〔연루되다, 말려들다〕, …에 빠지다. **~ one*self loose*** 거리낌 없이 말하다, 생각대로 하다. **~ *through*** 《*vt.*+副》 ① (사람·물건 등을) 통과시키다. ② (잘못 따위를) 묵과하다. **—** 《*vt.*+前》 ③ (장소를) 통과하게 하다. **~ *up*** 《구어》 ① 늦추다, 느즈러지다《*on*》. ② (비·바람 등이) 그치다, 잠잠해지다: Will the rain never ~ *up*? 비는 전혀 안 그칠 것인가. ③ 그만두다 《*on*》. ④ (…을) 눈감아〔봐〕 주다《*on*》. ⑤ 『야구』 체인지업을 던지다《*on*》. **~ *well*** (***enough***) ***alone*** ⇨ALONE. ***To*** **~** 《영》 셋집〔셋방〕 있음(《미》 For

Rent).
— *n.* 《영구어》 빌려 줌, 임대(lease): I cannot get a ~ for the room. 방에 세 들 사람을 구하지 못하고 있다.
let² [let] (*p., pp.* ***let·ted*** [létid], ***let; lét·ting***) *vt.* 《고어》 방해〔훼방〕하다. ~ ***and hinder*** 방해하다. — *n.* 《고어》 장애, 방해; 〖구기〗 레트《테니스 등에서, 네트를 스치고 들어간 서브 공》, 서브 다시 하기. ***without ~ or hindrance*** = ***without ~ or injury*** 〖법률〗 아무 장애〔이상〕 없이.
-let [lit] *suf.* '작은 것, 몸에 착용하는 것' 의 뜻: stream*let*, ring*let*, wrist*let*.
l'état, c'est moi [*F.* leta sɛ mwa] 《F.》 국가는 짐이다, 짐은 곧 국가이다《Louis 14 세의 말》.
letch [letʃ] *vi., n., a.* =LECH.
lét·dòwn *n.* 후퇴, 감퇴, 이완; 부진; 실망, 낙담; 굴욕; 실속(失速); 〖항공〗 (착륙을 위한) 고도 낮추기: a ~ in sales 매상(賣上)의 감소.
LETF 〖우주〗 Launch Equipment Test Facility (발사 장치 시험 시설).
le·thal [líːθəl] *a.* 죽음을 가져오는, 치사의, 치명적인: ~ ashes 죽음의 재/a ~ weapon 흉기. — *n.* 치사 유전자증(症); =LETHAL GENE. [파] **~·ly** *ad.*
léthal chámber (처형용) 가스실; (동물용) 무통(無痛) 가스 도살실.
léthal dóse (약의) 치사량《생략: LD》.
léthal géne 〔**fáctor**〕 〖생물〗 치사(致死) 유전자〔인자〕.
léthal injèction (사형 · 안락사 따위를 위한) 치사 주사.
le·thal·i·ty [liːθǽləti] *n.* [U] 치명적임; 치사율; 치사성(性).
léthal mútant 〖생물〗 치사 돌연변이체.
léthal mutátion 〖생물〗 치사 돌연변이.
le·thar·gic, -gi·cal [ləθáːrdʒik/le-], [-əl] *a.* **1** 혼수(상태)의, 기면(嗜眠)성〔증, 상태〕의: a ~ stupor 기면성 혼미. **2** 노곤한, 무기력한 (상태의); 활발치 못한, 둔감한. [파] **-gi·cal·ly** *ad.*
leth·ar·gize [léθərdʒàiz] *vt.* 기면(嗜眠) 상태〔무기력〕에 빠뜨리다, 졸리게 하다.
leth·ar·gy [léθərdʒi] *n.* [U] 혼수 (상태), 기면(嗜眠); 무기력, 활발치 못함; 무감각.
Le·the [líːθiː] *n.* 〖그리스신화〗 레테《그 물을 마시면 일체의 과거를 잊는다고 하는 망각의 강; Hades 에 있다는 저승의 강》; (l-) 망각.
Le·the·an [liːθíːən, líːθi-] *a.* Lethe 의; 과거를 잊게 하는.
lét-in nóte 〖인쇄〗 할주(割註)《본문 속에 삽입하는 주석》.
Le·ti·tia [litíʃə, -tíːʃə/-tíʃiə] *n.* 레티샤《여자 이름》.
Le·to [líːtou] *n.* 〖그리스신화〗 레토《Zeus 의 애인; Apollo 와 Artemis 의 어머니》.
lét-òff *n.* 지겨운 일이나 벌을 면함; 석방; 기회를 놓침; 〖크리켓〗 상대의 실책에 의하여 아웃이 되지 않는 일; 《구어》 넘치는 활력〔기운〕.
lét-óut *n.* 《영》 (곤란 · 의무 따위로부터) 빠져나갈 구멍, 출구; 《미속어》 해고.
lét-òut cláuse 《구어》 (합의 조건이 적용되지 않는 경우를 명기한) 예외 조항.
Let·ra·set [létrəsèt] *n.* 〖인쇄〗 레트라셋《사식(寫植) 문자; 대지에 붙어 있는 것을 하나씩 따서 씀; 상표명》.
†**let's** [lets] let us 의 간약형《권유하는 경우》.
Lett [let] *n.* 레트 사람《라트비아와 발트 해 연안에 사는 종족》; [U] 레트 말(Lettish).
Lett. Lettish.
let·ta·ble [létəbəl] *a.* 빌려 줄 수 있는, 빌려 주기에 알맞은.
†**let·ter¹** [létər] *n.* **1** 글자, 문자. [cf] character. ¶ a capital 〔small〕 ~ 대〔소〕문자. **2** 〖인쇄〗 활자(의 자체), 서체. **3** 편지, 서한; 근황(近況) 보고, …통신: by ~ 편지로, 서면으로. **4** (*pl.*) (약어로 표시된 개인의) 칭호 · 직함; 《미》 학교의 약자(略字) 마크《우수 선수에 주며 운동복에 붙임》. **5** (the ~) (내용에 대해) 글자 자체의 뜻, 자의(字義), 자구(字句): keep to 〔follow〕 the ~ of the law 〔an agreement〕 (참뜻 · 정신을 무시하고) 법문〔계약〕 조건을 글자의 뜻대로 이행하다. **6** (*pl.*) 〖단 · 복수취급〗 읽기와 쓰기; 알파벳: teach a child his ~*s* 어린아이에게 알파벳을 가르치다. **7** (*pl.*) 〖단 · 복수취급〗 문학; 학문; 학식; 교양; 문필업(the profession of ~*s*): art and ~*s* 문예/a doctor of ~*s* 문학박사/a man of ~*s* 문학가, 저술가, 학자/the profession of ~*s* 저술업/the world of ~*s* 문학계, 문단. **8** (*pl.*) 증서, 감찰(鑑札), 면허증〔장〕, …증(證), …장(狀): a ~ of credit 〖상업〗 (은행의) 신용장《생략: L/C, l/c》/~(*s*) of credence (대사〔공사〕에게 주는) 신임장. **9** 《속어》 =FRENCH LETTER.
a ~ of advice 〖상업〗 송하(送荷) 통지서, 어음발행 통지서. ***a ~ of attorney*** 위임장(a power of attorney). ***a ~ of intent*** (매매 등의) 동의서. ***a ~ of introduction*** 소개장. ***a ~ of license*** 〖법률〗 지급 기일 연기 서면 (계약), 채무이행 유예 계약(서). ***be slow at*** one's ***~s*** 학문 익히기가 더디다. ***in ~ and in spirit*** 형식과 내용 모두. ***~s of business*** 《영》 (왕의) 성직자 회의 소집장. ***~s of marque*** (***and reprisal***) 타국〔적국〕 선박 나포 허가장. ***~s of orders*** 〖가톨릭〗 성직 취임장. ***not know*** one's ***~s*** 일자무식이다, 까막눈이다. ***the ~ of the law*** 법문의 자의(字義), 법조문, 법률의 문면(文面). ***to the ~*** 문자(그)대로, 엄밀히: carry out 〔follow〕 instructions *to the* ~ 지시를 엄수〔충실히 실행〕하다. ***win*** one's ***~*** 《미》 선수가 되다.
— *vt.* **1** 《~+[목]/+[목]+[전]+[명]》 …에 글자를 넣다〔박다, 찍다〕; …에 표제를 넣다: ~ a poster 포스터에 글자를 넣다/He ~*ed* his name *on* the blank page. 공백의 페이지에 자기 이름을 써넣었다. **2** 문자로 분류하다, 인쇄하다. — *vi.* 문자를 넣다; 《미구어》 (운동 경기 따위에서 상으로) 학교 약자의 마크를 받다.
let·ter² *n.* (부동산을) 세놓는 사람, 대주(貸主), 임대인.
létter-and-télephone-call campáign [-rən-] 《미》 편지 · 전화 작전《불량 상품이나 해로운 TV프로의 폐지 · 개선을 위하여 그 제조자 · 광고주에게 하는 편지 · 전화의 항의》.
létter bàlance 우편〔편지〕 저울.
létter bòmb 우편 폭탄《폭탄을 장치한 우편물》.
létter bòok 서신철(綴)《발송 편지의 사본 등》.
létter-bòund *a.* (법률 따위의) 자구〔글자 뜻〕에 얽매인.
létter bòx (개인용의) 우편함(《미》 mail box); 우체통; (발송용 편지를 넣어 두는) 문갑.
létter·càrd *n.* 봉함엽서.
létter càrrier 우편집배원(postman, 《미》 mail carrier).
létter càse (휴대용) 서한 케이스.
létter chùte 레터 슈트《고층 건물에서 우편물을 한곳에 모으기 위해 설치함》.
létter dàter 일부인(日附印).
létter dròp 우편물 투입구.
lét·tered *a.* 학식〔교육〕이 있는(educated); 문학의 소양이 있는; 글자를 넣은, 글자를 새긴〔찍은〕.
léttered díal 문자를 넣은 다이얼《구미(歐美)의 전화》.
létter file 편지〔서류〕 꽂이.
létter·fòrm *n.* (알파벳 디자인의) 글꼴, 자체(字體); 문자의 형태; 편지지.
létter·gràm *n.* 서신 전보《요금이 싸며 보통 전보보다 늦음》.

létter·hèad *n.* 편지지 윗부분의 인쇄 문구《회사명 · 소재지 따위》; 그것이 인쇄된 편지 용지.
lét·ter·ing [-riŋ] *n.* [U] 글자 쓰기, 글자 찍기, 글자 새기기〔도안〕; 글자의 배치〔의장, 모양〕; (쓴, 인쇄한, 새긴) 글자, 명(銘)《*on*》; 편지 쓰기.
léttering pèn 레터링 펜《글자 도안용 펜촉》.
lét·ter·less *a.* 무식한, 무교육의, 문맹의.
létter lòck 글자를 맞춰 여는 자물쇠.
létter·man [-mæ̀n, -mən] (*pl.* ***-men*** [-mèn, -mən]) *n.* 《미》 (모교의 약자(略字) 마크를 부착할 수 있는) 운동선수.
létter míssive (*pl.* ***létters míssive***) (상급자가 내는) 명령〔권고, 허가〕서; (국왕이 교회에 내리는) 감독 후보자 지명서.
létter 〔letters〕 of crédence (the ~) (대사 · 공사 · 외교 사절에게 주는) 신임장.
létter of crédit 〖상업〗 (은행이 발행하는) 신용장《생략: L/C》.
létter òpener 편지 개봉용 칼.
létter pàd 편지지《한 장씩 떼어 쓰는》.
létter pàper 편지지.

> [SYN.] **letter paper** 대형《약 20cm×25cm》의 편지지《보통 실무용》. **notepaper** 소형《약 12cm×17cm》의 편지지《보통 사신(私信)용》. writing paper 라고도 함.

létter-pérfect *a.* **1** 자기 대사〔학과〕를 완전히 외고 있는. **2** (문서 · 교정지 등이) 완전한, 정확한. **3** 문자 그대로의, 축어적(逐語的)인.
létter pòst 제 1 종 우편(《미》 first-class matter).
létter·prèss *n.* **1** 활판 인쇄한 자구(字句). **2** 본문, 문자가 인쇄된 면《삽화에 대해》. **3** 철판〔활판〕 인쇄기〔법〕. **4** =COPYING PRESS.
létter pùnch 문자 타인기(打印器).
létter-quálity *a.* (복사기의 활자가) 고품질의, 깨끗해서 읽기 쉬운.
létters clóse 〖법률〗 봉함 칙허장(勅許狀).
létter·sèt *n.* 〖인쇄〗 레터셋 인쇄(법); 드라이 오프셋.
létter shèet 봉함엽서.
létter-size *a.* (종이가) 편지지 크기의, 8 $^1/_2$ ×11 인치 크기의.
létters of administrátion 〖법률〗 유산 관리장《법원에서 유산 관리인을 임명하여 유산의 관리 처분권을 부여하는 서장》.
létters pátent 〖법률〗 개봉 칙허(勅許)〔특허〕장(狀). [OPP.] *letters close.*
létters rógatory 〖법률〗 (다른 법원에 대한) 증인 조사 의뢰장(狀), (외국 법원에 대한) 증거조사 의뢰장(狀).
létters testaméntary 〖법률〗 유언 집행장
létter stòck 〖증권〗 비공개주(株).
létter télegram (국제 전보의) 서신 전보《요금은 싸나 보통 전보보다 늦음; 생략: LT》.
létter·wèight *n.* =PAPERWEIGHT; =LETTER BALANCE.
létter wrìter 1 편지 쓰는 사람, 《특히》 편지 대서인. **2** 편지틀, 모범 서간문집.
Let·tic [létik] *a.*, *n.* =LETTISH; 레트어파(語派)(의).
lét·ting *n.* 《영》 임대; 임대 아파트〔가옥〕.
Let·tish [létiʃ] *n.*, *a.* 레트 사람〔말〕(의).
let·tre de ca·chet [*F.* lɛtʀdəkaʃɛ] (*pl.* ***let·tres de ca·chet*** [—]) 《F.》 〖역사〗 구금 영장, 체포 영장《프랑스 혁명 전의》.
let·trism [létrizəm] *n.* 레트리즘, 문자주의《말뜻보다는 문자의 배열이나 의성어 등에 의한 음악적 효과를 중시한, 제2차 세계대전 후 프랑스에 일어난 문학 · 예술 운동》.
°**let·tuce** [létis] *n.* **1** 〖식물〗 상추, 양상추. **2** 《미속어》 지폐, 현찰, 달러 지폐(greenbacks).
Let·ty [léti] *n.* 레티《여자 이름》.
lét·ùp *n.* 감소, 감속(減速); 《구어》 (노력 등의) 해이(解弛); 《구어》 정지, 휴지, 중지. ***without a*** ~ 끊임없이.
leu, ley [leu], [lei] (*pl.* ***lei*** [lei]) *n.* 레우《Rumania 의 화폐 단위; 기호 L; 100 bani》.
leu·c- [lu:k/lju:k] =LEUCO-.
leu·ce·mia, -cae- [lu:sí:miə/lju:-] *n.* =LEUKEMIA. ㉺ **-mic** *a.*, *n.*
leu·cine, -cin [lú:si:n, -sin/ljú:si:n], [-sin] *n.* 〖화학〗 류신《빈혈제》.
leu·cite [lú:sait/lju:-] *n.* [U] 백류석(白榴石). ㉺ **leu·cít·ic** [lu:sítik/lju:-] *a.*
leu·co-, leu·ko- [lú:kou, -kə/ljú:-] '흰, 백(白), 백혈구, 백질(白質)' 의 뜻의 결합사.
léu·co bàse [lú:kou-/ljú:-] 〖화학〗 류코 염기(塩基)《염료를 환원하여 수용성으로 만든 무색 또는 담색(淡色)의 화합물》.
leu·co·ma, -ko- [lu:kóumə/lju:-] *n.* 〖의학〗 백반(白斑); 각막(角膜) 백반.
leu·co·maine [lú:kəmèin/ljú-] *n.* 〖생화학〗 류코마인《생물체의 대사(代謝)에 의해 생긴 질소기(基)》.
leu·con, -kon [lú:kan/ljú:kɔn] *n.* 〖생리〗 류콘《백혈구와 그 기원(起源) 세포》.
leu·co·tome [lú:kətòum/ljú:-] *n.* 〖의학〗 뇌엽(腦葉)〔백질(白質)〕 절제용 메스.
leu·cot·o·my, -kot- [lu:kátəmi/lju:kɔ́t-] *n.* 〖의학〗 전두엽(前頭葉) 백질 절제(술)(lobotomy).
leu·en·keph·a·lin [lù:enkéfəlin] *n.* 〖생화학〗 루엔케팔린《뇌에서 생성되며 진통 작용을 하는 화학 물질》.
leu·ke·mia, -kae- [lu:kí:miə/lju:-] *n.* [U] 〖의학〗 백혈병. ㉺ **-mic** *a.*, *n.* 백혈병의(환자). **-moid** *a.* 유사 백혈병(성)의.
leu·ke·mo·gen·e·sis, -kae- [lu:kì:mədʒénəsis] *n.* 〖의학〗 백혈병 유발〔발생〕. ㉺ **-gén·ic** *a.* 유(類)백혈병(성)의.
leu·ke·moid, -kae- [lukí:mɔ̀id] *a.* 〖의학〗
leuko- ⇨ LEUCO-.
leu·ko·ci·din, -co- [lù:kəsáidn, ⌐-⌐-/ljù:kəsái-] *n.* 〖세균〗 백혈구독(毒), 류코시딘.
leu·ko·cyte, -co- [lú:kəsàit/ljú:-] *n.* 백혈구. ㉺ **-cyt·oid** [-sàitoid] *a.*
leu·ko·cy·to·sis, -co- [lù:kousaitóusis/ljù:-] *n.* 백혈구 증가(증). ㉺ **-cy·tót·ic** [-tát-/-tɔ́t-] *a.*
leu·ko·der·ma, -co- [lù:kədə́:rmə/ljù:-] *n.* =VITILIGO.
lèuko·dýstrophy *n.* 〖의학〗 (진행성 유전성) 대뇌 백질(白質) 위축증.
leu·ko·pe·nia, -co- [lù:kəpí:niə/ljù:-] *n.* 〖의학〗 백혈구 감소(증). ㉺ **-pé·nic** *a.*
leu·ko·pla·kia [lù:kəpléikiə/ljù:-] *n.* 〖의학〗 백반증. ㉺ **-plá·kic** *a.*
leu·ko·poi·e·sis, -co- [lù:koupɔii:sis/ljù:-] *n.* 〖생리〗 백혈구 생성. ㉺ **-poi·et·ic** [-pɔiétik/lju:-] *a.*
leu·kor·rhea, -cor- [lù:kərí:ə/lju:-] *n.* 〖의학〗 백대하(白帶下). ㉺ **-rhé·al** *a.*
leu·ko·sis, -co- [lu:kóusis/lju:-] *n.* 〖의학〗 백혈병. ㉺ **-kót·ic** [-kátik/-kɔ́t-] *a.*
leu·ko·tri·ene [lù:koutráii:n] *n.* 〖생화학〗 류코트리엔《사람의 전장기(前臟器)에서 검출되는 물질; 과민증 반응 물질의 하나》.
lev [lef] (*pl.* ***le·va*** [lévə]) *n.* 레프《불가리아의 화폐 단위; 기호 LV; =100 stotinki》.
Lev. Leviticus.
lev·al·lor·phan [lèvəlɔ́:rfæn, -fən] *n.* 〖약학〗 레발로판《모르핀 중독의 호흡 장애 치료용》.

le·vam·i·sole [ləvǽməsòul] *n.* 〚약학〛 레바미솔《구충제; 세포의 면역성을 높이는 작용이 있어 암치료용으로 시용(試用)됨》.

Le·vant [livǽnt] *n.* **1** (the ~) 레반트《동부 지중해 연안 제국; 시리아·레바논·이스라엘 등》. **2** (l-) 염소 가죽제 모로코 피혁《제본용》 (=~ **morócco**). **3** (l-) =LEVANTER².

le·vant *vi.* 《영》 (빚·내기돈 등을 갚지 않고) 도망치다, 행방을 감추다. [파] **~·er**¹ *n.*

le·vant·er² [livǽntər] *n.* (지중해상에 부는) 강한 동풍; (L-) Levant 사람.

Lev·an·tine [lévəntàin, -tì:n, livǽntin/lévəntàin] *a.* 레반트의; 레반트 사람〔교역〕의. **—** *n.* **1** 레반트 사람〔배〕. **2** (l-) 튼튼한 능라(綾羅)의 일종.

le·va·tor [livéitər, -tɔ:r] (*pl.* ***lev·a·to·res*** [lèvətɔ́:ri:z], **~s**) *n.* **1** 〚해부〛 거근(擧筋). **2** 〚외과〛 리베이터, 기자(起子)《두개골의 침하 부분을 들어올리는 수술 기구》.

lev·ee¹ [lévi, leví:/lévi] *n.* 《영》 군주의 접견《이른 오후 남자에 한하는》; 〚역사〛 (군주의) 아침의 인견(引見); 《미》 대통령의 접견(회).

lev·ee² [lévi] *n.* 충적제(沖積堤); 하천의 제방, 둑(embankment); 부두(quay); 논두렁. **—** *vt.* 제방〔둑〕을 쌓다.

lev·el [lévəl] *n.* **1 수평, 수준; 수평선〔면〕, 평면(plane): out of the ~ 평탄하지 않은, 기복이 있는. **2** 평지, 평원(plain): a dead ~ 전혀 높낮이가 없는 평지. **3** (수평면의) 높이(height). **4** 동일 수준〔수평〕, 같은 높이, 동위(同位), 동격(同格), 동등; 평균 높이: at the ~ *of* one's eyes 눈 높이에/students at college ~ (수준이) 대학 정도의 학생/at the ~ *of* the sea 해면 높이에. **5** (지위·품질·정도 따위의) 표준, 수준: rise to a higher ~ 보다 높은 수준에 달하다/the ~ *of* living 생활수준. **6** 수준기, 수평기: take a ~ (두 지점의) 고도 차를 재다. **7** 〚광산〛 수평 갱도. ***bring a surface to a*** ~ 어떤 면을 수평하게 하다. ***find*** one***'s*** (***own***) ~ 분수에 맞는 지위를 얻다, 마땅한 곳에 자리잡다: Water *finds its* ~. 물은 낮은 곳으로 흐른다. ***on a*** ~ ***with*** …와 같은 수준으로〔높이로〕; …와 동격으로. ***on the*** ~ 《구어》 공평하게〔한〕, 정직하게〔한〕; 솔직히〔한〕; 신뢰할 수 있는: *On the* ~, I don't like him. 솔직히 말해서, 그를 좋아하지 않는다.

— *a.* **1** 수평의(horizontal); 평평한, 평탄한(even). **2** 같은 수준〔높이, 정도〕의, 동등한, 동위의《*with; to*》; 호각(互角)의, 대등한: a ~ race 백중한 경주/draw ~ *with* …와 동점(同點)이 되다. **3** 똑같은, 한결같은, 균형 잡힌(balanced), 고른, 움직이지 않는, 흔들리지 않는; 온건한; 공평한: a ~ head 분별 있는 머리/give a person a ~ look 아무를 응시하다. **4** (어조 따위가) 침착한, (판단 따위가) 냉정한: answer in a ~ tone 침착한 어조로 대답을 하다/keep 〔have〕 a ~ head (위기에 직면해서도) 냉정을 유지하다, 분별이 있다. **5** 〚음악·음성〛 평조(平調)의. **6** 《미속어》 솔직한, 정직한. ***do*** one***'s*** ~ ***best*** 전력을 다하다. ***one*** ~ ***spoonful of*** 평미리친 한 스푼〔숟가락〕 분량의.

— (***-l-***, 《영》 ***-ll-***) *vt.* **1** 《~+[목]/+[목]+[부]》 수평이 되게 하다, 평평하게 하다, 고르다: ~ ground 땅을 고르다/~ a road *down* 〔*up*〕 before building 건축하기 전에 노면을 평평하게 깎다〔돋우다〕. **2** 《~+[목]/+[목]+[부]》 평등〔동등〕하게 하다; (색칠 따위를) 일매지게 하다; (차별을) 없애다, 제거하다《*out; off*》: ~ *out* all social distinctions 모든 사회적 차별을 없애다/Death ~*s* all men. 죽음 앞에 만인은 평등하다. **3** 《~+[목]/+[목]+[전]+[명]》 수평이 되게 놓다; (시선 따위를) 돌리다《*at*》; (총을) 겨누다《*at*》; (풍자나 비난 따위를) 퍼붓다《*at; against*》《종종 수동태로 쓰임》: ~ a gun *at* a lion 사자에게 총을 겨누다/His criticism *was* ~*ed against* society as a whole. 그의 비판은 사회 전반에 걸친 것이었다. **4** 《~+[목]/+[목]+[전]+[명]》 (지면에) 쓰러뜨리다, 뒤엎다(lay low); 때려눕히다(knock down): ~ trees to make way for the highway 큰길을 내기 위하여 나무들을 베어 넘기다/He ~*ed* his opponent *with* one blow. 일격에 상대방을 때려눕혔다. **5** 〚음성〛 단음화(單音化)하다. **6** 수준 측량을 하다. **7** …을 고르게〔똑같이〕 하다; (구별을) 없애다. **—** *vi.* **1** 수평하게 되다; 같은 수준으로 하다. **2** 조준하다, 겨누다《*at*》. **3** 수준기로 고저 측량을 하다. **4** 《구어》 정말〔진정〕이다; 《구어》 숨김없이〔공정히〕 접하다, 사실 그대로 말하다, 터놓다《*with*》: Let me ~ *with* you. 정직히〔사실대로〕 말할게. **~ *down*** 〔***up***〕 표준을 낮추다〔올리다〕; 똑같이 낮추다〔올리다〕. **~ *off*** 평평하게〔한결같이〕 하다〔되다〕; (물가 따위가) 안정 상태로 되다; 〚항공〛 (착륙 직전에) 수평〔저공〕 비행 태세로 들어가다. **~ *out*** =~ off. **~ *to*** 〔***with***〕 ***the ground*** =**~ *in the dust*** (건물 따위를) 쓰러〔무너, 허물어〕뜨리다.

— *ad.* **1** 수평으로, 평평하게; 곧바로, 일직선으로. **2** 같은 높이로《*with*》. **3** 호각으로, 대등하게, 우열 없이《*with*》.

lével cróssing 《영》 평면 교차, 건널목(《미》 grade crossing).

lév·el·er, 《영》 **-el·ler** *n.* **1** 수평이 되게 하는 사람〔기구〕, 땅을 고르는 기계. **2** 평등주의자, 평등론자. **3** 수준 측량수.

[파] **~·ly** *ad.*

lével-héaded [-id] *a.* 온건한, 분별 있는.

lév·el·ing, 《영》 **-el·ling** *n.* [U] 평평하게 하기, 땅 고르기, 정지(整地); 고저 측량; 균일화, 평준화; (사회의) 평등화〔계급 타파〕 운동; 〚언어〛 (어형 변화의) 단순화, 수평화: a ~ instrument 〚측량〛 수준의(儀)/a ~ screw 수평 조정 나사.

léveling ròd 〔**stàff**〕 〚측량〛 수준 가늠자〔조척(照尺)〕, 표척(標尺), 함척(函尺).

lével-óff *n.* 〚항공〛 (순항 고도에 이르러) 수평 비행으로 이행하는 조작.

lével of significance 〚통계〛 =SIGNIFICANCE LEVEL.

lével-pég *vi.* 대항자 사이의 평형을 유지하다, 실력이 백중하다, 동점이다.

lével pégging 동점(인), 백중지세(의).

lével plàying field (상업상) 공정 경쟁의 장.

*__lev·er__ [lévər, lí:vər/lí:v-] *n.* 〚기계〛 지레, 레버; (목적 달성의) 수단, 방편: a control ~ 〚항공〛 조종간/a gearshift ~ (자동차 따위의) 변속 레버. **—** *vt., vi.* 지레로 움직이다, (…에) 지레를 사용하다, 비집어 열다《*along; out; over; up*》: ~ *up* a manhole lid 맨홀의 뚜껑을 비집어 열다/~ a stone *out* 지레로 돌을 제거하다.

lev·er·age [lévəridʒ, lí:v-/lí:v-] *n.* [U] **1** 지레의 작용〔힘〕; 지레 장치; 지레의 비(比). **2** (목적을 이루기 위한) 수단; 권력, 세력. **3** 차입 자본 이용(의 효과), 재무 레버리지(율), 레버리지. **—** *vt., vi.* (회사)에 레버리지를 도입하다; 《미》 차입 자본에 의해 투기를 하다〔하게 하다〕.

lév·er·aged *a.* 자기〔주주〕 자본에 비해 높은 비율의 차입금이 있는.

léveraged búyout 주로 차입금에 의한 회사 매수.

lev·er·et [lévərit] *n.* (그 해에 낳은) 새끼토끼.

Le·vi [lí:vai, léivi] *n.* **1** 레비《남자 이름》. **2** 〚성서〛 레위《Jacob와 Leah의 아들; 레위족의 시조》; 레위족.

lev·i·a·ble [léviəbəl] *a.* **1** 징수〔부과〕할 수 있는《세금 등》. **2** 과세하여야 할《화물 등》.

le·vi·a·than [liváiəθən] *n.* **1** (종종 L-) 〚성서〛 거대한 해수(海獸). **2** 거대한 것; 거선(巨船).

3 (L-) (전체주의) 국가《Thomas Hobbes 의 저술 *Leviathan*에서》. **—** *a.* 거대한.

lev·i·gate [lévəgèit] *vt.* 가루같이 만들다; 풀같이 만들다; (굵은 것과 섞인 잔 알갱이를) 액체 속에서 선별하다; 《고어》 닦다(polish), 매끈하게 하다. ⓟ **lèv·i·gá·tion** *n.* Ⓤ

lev·in [lévin] *n.* 《고어·시어》 전광(電光), 번개.

le·vi·rate [lévərət, -rèit, líːv-/líːvirit] *n.* 역연혼(逆緣婚)《과부가 고인의 형제와 결혼하는 관습》.

Le·vi's, Le·vis [líːvaiz] *n.* 리바이스《솔기를 리벳으로 보강한 청색 데님(denim)의 작업복 바지; 상표명》.

Le·vi Strauss [líːvaistráus] 리바이 스트라우스《미국의 의류품 회사; Levi's가 주제품》.

Le·vi-Strauss [léivistráus] *n.* **Claude ~** 레비스트로스《벨기에 태생의 프랑스 문화 인류학자; 구조 인류학의 시조; 1908-2009 》.

lev·i·tate [lévətèit] *vt., vi.* 공중에 뜨게 하다; 공중에 뜨다《심령 현상 등에서》. ⓟ **lèv·i·tá·tion** *n.* Ⓤ,Ⓒ (영적 작용에 의한) 공중부양(浮揚).

Le·vite [líːvait] *n.* 〖유대사〗 레위(Levi)족 사람, 레위 사람《특히 유대 신전에서 사제를 보좌했던》.

Le·vit·ic, -i·cal [livítik], [-əl] 〖성서〗 *a.* 레위 사람〔족〕의; 레위기(記)의, 레위기 속의 율법의〔에 정해진〕.

Le·vit·i·cus [livítikəs] *n.* 〖성서〗 레위기(記)《구약 성서 중의 한 편》.

lev·i·ty [lévəti] *n.* Ⓤ,Ⓒ 경솔, 경박, 출싹거림; 변덕(fickleness); (보통 *pl.*) 경솔한 행위, 경거망동.

le·vo- [líːvou, -və], **lev-** [liːv] '좌측으로, 좌측 선회의' 란 뜻의 결합사.

lèvo·dópa *n.* =L-DOPA.

le·vo·nor·ges·trel [lèvənɔːrdʒéstrəl] *n.* 〖약학〗 레보노르게스트렐《피임약으로 쓰이는 합성 황체 호르몬》.

lèvo·rotátion *n.* 〖광학·화학〗 좌선성(左旋性).

lèvo·rótatory *a.* 왼쪽으로 도는, 좌선성(左旋性)의.

lev·u·lose [lévjəlòus] *n.* Ⓤ 〖화학〗 좌선당(左旋糖), 과당(果糖)(fructose).

°**levy** [lévi] *vt.* **1** 《~+목/+목+전+명》 거두어들이다, 할당하다, (세금 따위를) 과〔징수〕하다: ~ a large fine 많은 벌금을 과하다/~ taxes *on* a person 아무에게 세금을 과하다. **2** …을 소집〔징집〕하다, 징발하다. **3** 〖법률〗 압류하다(seize). **4** 《+목+전+명》 (전쟁 등을) 시작하다, 행하다: ~ war *on* 〔*upon, against*〕 …에 대하여 전쟁을 시작하다, …와 전쟁하다. **—** *vi.* 과세〔징세〕하다; (돈을) 거두어들이다; 압수〔압류〕하다《*on*》. **—** *n.* Ⓤ,Ⓒ 징세, 부과, 할당; 징수액; 소집, 징집; 징발; 징모병 수(數), 소집 인원; (the levies) 소집 군대. ***a* ~ *in mass*** 〔***en masse***〕 〖군사〗 국민군 소집; 국가 총동원.

°**lewd** [luːd] *a.* 추잡한, 음란한; 외설한; 호색의. ⓟ **∠·ly** *ad.* **∠·ness** *n.*

Lew·es [lúːis] *n.* 루이스《잉글랜드 남부 East Sussex 의 주도(州都)》.

Lew·is [lúːis] *n.* **Sinclair ~** 루이스(1885-1951)《미국 작가, Nobel 문학상 수상(1930)》.

lew·is *n.* 돌을 들어올리는 철제 쐐기 모양의 집게.

Léwis ácid 〖화학〗 루이스산(酸).

Léwis báse 〖화학〗 루이스 염기.

Léwis gùn 루이스식 경기관총《제 1 차 대전 때 사용》.

lew·i·site [lúːisàit] *n.* Ⓤ 루이사이트《미란성(糜爛性) 독가스의 일종》.

lex [leks] (*pl.* ***le·ges*** [líːdʒiːz]) *n.* 《L.》 법, 법률.

lex. lexicon.

lex·eme [léksiːm] *n.* 어휘소(素), 어휘 항목《사서(辭書)적 단어》.

léx fó·ri [-fɔ́ːri] 〖법률〗 법정지법(法廷地法)《소송이 행해지는 나라의 법률》.

lex·i·cal [léksikəl] *a.* 사전(편집)의, 사전적인; 어휘의, 어구의. ⓒⓕ grammatical. ⓟ **~·ly** *ad.* 사전적〔식〕으로. **lèx·i·cál·i·ty** [-kǽl-] *n.*

léxical éntry 〖언어〗 어휘 항목 기재 사항.

léxical insértion 〖생성문법〗 어휘 삽입《문장의 파생에서 구(句) 구조 표지에 실제의 형태소를 삽입하는 일》.

léxical ítem 〖언어〗 어휘 항목《lexicon 을 이루는 단위》.

léx·i·cal·ìze *vt.* (접미사·구(句) 따위를) 항목〔어휘〕화하다《접미사 -ism 을 ism 으로 명사화하는 따위》.

léxical méaning 〖문법〗 사전적 의미《문법적 형식이나 변화에 관계되지 않는 말 그 자체의 뜻》.

lexicog. lexicographer; lexicographical; lexicography.

lex·i·cog·ra·pher, -phist [lèksəkágrəfər/-kɔ́g-], [-fist] *n.* 사전 편찬자.

lex·i·co·graph·ic, -i·cal [lèksəkougrǽfik], [-əl] *a.* 사전 편집(상)의. ⓟ **-i·cal·ly** *ad.*

lex·i·cog·ra·phy [lèksəkágrəfi/-kɔ́g-] *n.* Ⓤ 사전 편집(법).

lex·i·col·o·gist [lèksəkálədʒist/-kɔ́l-] *n.* 어의학자(語義學者).

lex·i·col·o·gy [lèksəkálədʒi/-kɔ́l-] *n.* Ⓤ 어의학(語義學).

lex·i·con [léksəkàn, -kən/-kən] *n.* **1** 사전《특히 그리스어·히브리어·라틴어의》; (특정한 작가·작품의) 어휘. **2** 〖언어〗 어휘 목록, 대요.

> SYN. **lexicon** 그리스어·라틴어·히브리어 따위의 옛 언어의 사전, 때로는 외국어 사전. **dictionary** 보통의 사전.

lex·i·co·sta·tis·tics [lèksəkoustətístiks] *n. pl.* 《단수취급》 〖언어〗 어휘 통계학. ⓟ **-sta·tís·tic, ·ti·cal** *a.*

lex·i·gram [léksəgræ̀m/-grɑ̀ːm] *n.* 단어 문자《단일 어의(語義)를 나타내는 도형〔기호〕》.

lex·ig·ra·phy [leksígrəfi] *n.* (한자 같은) 일자일어법(一字一語法).

lex·is [léksis] (*pl.* ***lex·es*** [-siːz]) *n.* (특정의 언어·작가 등의) 어휘; 용어집; 〖언어〗 어휘론.

léx ta·li·ó·nis [-tæ̀lióunis] 《L.》 (동일한 가해 수단에 의한) 복수법, 앙갚음.

ley [lei] *n.* 초지, 목초지(lea).

Leyden ⇨LEIDEN.

léyden blúe (종종 L-) 코발트블루.

Léyden jár 〖전기〗 레이던병(甁)《일종의 축전지》.

léy fàrming 곡초식 윤작 농법《곡초와 목초를 번갈아 재배하기》.

léze májesty ⇨LESE MAJESTY.

lez(z) [lez] (*pl.* ***lézz·es*** [-ziz]) *n.* 《속어》 동성애하는 여자(=**léz·zie**).

L.F. 〖전기〗 low frequency(낮은 주파). **lf.** left field(er). **L.G.** Life Guards; Low German. **l.g.** 〖축구〗 left guard. **LGM** little green man 《SF 에서 지적(知的)인 우주인》. **LGP** =LPG. **lgth.** length. **lgtn** long ton. **LH, L.H., l.h.** 〖음악〗 left hand(왼손(쓰기)). **L.H.** lower half. **L.H.A.** 《영》 Lord High Admiral.

Lha·sa [lɑ́ːsə, -sɑː, lǽsə] *n.* 라사《중국 Tibet 자치구의 수도》.

Lhása térrier 라사 테리어《사자 비슷한 작은 테리어종 개》.

L.H.C. 《영》 Lord High Chancellor. **L.H.D.** *Litterarum Humaniorum Doctor* 《L.》 (=Doctor of the Humanities 인문학 박사). **l.h.d.** lefthand drive.

L-hèad *a.* (엔진이) 흡기와 배기의 양 밸브를 실

린더의 한쪽으로 배치한, L 헤드형의, L 형의.

LH-RH 〖생화학〗 luteinizing hormone releasing hormone(황체(黃體) 호르몬 방출 인자〔호르몬〕). **Li** 〖화학〗 lithium. **L.I.** Light Infantry; Long Island.

li [liː] (*pl.* ~) *n.* (중국의) 이(里)《약 0.6 km》.

°**li·a·bil·i·ty** [làiəbíləti] *n.* Ⓤ **1** (…의) 경향이 있음, 빠지기〔걸리기〕 쉬움《*to*》: one's ~ *to* error 잘못을 저지르기 쉬움. **2** 책임이 있음; 책임, 의무, 부담: ~ *for* a debt 채무 / ~ *for* military service 병역의 의무 / ~ *to* pay taxes 납세의 의무. **3** 책임〔부담〕액. **4** Ⓒ 불리한 일〔조항, 사람〕: Poor handwriting is a ~ in getting a job. 악필은 취직하는 데 불리하다. **5** (*pl.*) 빚, 채무. OPP *assets*. ◇ liable *a.* ***limited*** 〔***unlimited***〕 ~ 유한〔무한〕 책임.

liabílity insùrance 책임 보험.

*__li·a·ble__ [láiəbəl] *a.* **1** 책임을 져야 할, 지변(지급)할 책임이 있는: You are ~ *for* the damage. 손해 배상의 책임은 당신에게 있소. **2** 부과되어야 할, (…할 것을) 면할 수 없는《*to; to* do》; …할 의무가〔책임이〕 있는: ~ *to* income tax 소득세를 물어야 할, 소득세 과세의 / ~ *to* military service 병역 의무를 지는 / be ~ *to* pay a debt 채무를 갚을 의무를 지다. **3** 자칫하면 …하는, (까딱하면) …하기 쉬운《*to* do》: All men are ~ *to* make mistakes. 무릇 인간은 잘못을 저지르기 쉽다 / be ~ *to* catch cold 감기에 잘 걸리다. SYN. ⇨ APT. ★ 주로 나쁜〔달갑지 않은〕 일이 일어나기 쉬울 때 씀. **4** 빠지기 쉬운, 걸리기 쉬운, 면하기 어려운《*to*》: ~ *to* rheumatism 류머티즘에 걸리기 쉬운 / rule ~ *to* exceptions 예외를 허용하는 규칙 / plan ~ *to* modifications 변경될 것을 예상하고 짠 계획. **5** …할 것 같은(likely): He is ~ *to* go. 그는 갈 것 같다 / It is ~ *to* rain. 비가 올 것 같다.

li·aise [liːéiz/li-] *vi.* 연락 장교의 역할을 맡다; 연락을 취하다《*with; between*》.

li·ai·son [liːeizɔ́ːŋ, líːəzàn, -zən/líeizɔn] *n.* 《F.》 **1** 〖군사〗 연락, 접촉; 〖일반적〗 섭외, 연락(사무); 연락원〔관〕《*between*》: act as (a) ~ *between* A and B, A와 B사이에서 연락관 노릇을 하다. **2** 간통, 밀통《*between; with*》. **3** 〖음성〗 연결, 연성(連聲)《특히 프랑스어에서 어미의 묵음인 자음이 다음에 오는 말의 모음과 연결되어 발음되는 것》. **4** 〖요리〗 농미료(濃味料)(thickening).

li·a·na, li·ane [liáːnə, -ǽnə/-ɑːnə], [liáːn] *n.* 열대산 덩굴 식물.

Liao·dong, -tung [ljàudɔ́ːŋ], [-túŋ] *n.* 랴오둥(遼東)《중국 랴오닝 성의 반도; 서쪽에 랴오둥만(**Liaodong Wan** [-wáːn] (the **Gúlf of Líao-túng**))이 있음》.

Liao·ning [ljáuníŋ] *n.* 랴오닝(遼寧)《중국 북동부의 성》.

*__li·ar__ [láiər] *n.* 거짓말쟁이.

líar pàradox 〖논리〗 거짓말쟁이의 역설《'나는 거짓말쟁이다' 라는 진술 자체에 포함되는 역설》.

líar('s) dìce 포커 다이스(poker dice)의 일종《상대에게 주사위를 보이지 않고 던짐》.

Li·as [láiəs] *n.* 〖지학〗 Ⓤ 흑쥐라통(黑jura統), 리아스세(世); (l-) 청색 석회암《영국 남서부산》. ㊞ **Li·as·sic** [laiǽsik] *a.*

lib [lib] *n., a.* 《구어》 권리 확장〔해방〕 운동(의): ⇨ WOMEN'S LIB.

Lib. Liberal; Liberia. **lib.** librarian; library; *liber* 《L.》 (=book).

li·ba·tion [laibéiʃən] *n.* U,C 헌주(獻酒)《술을 마시거나 땅 위에 부어서 신(神)에게 올림》; 신주(神酒); Ⓒ 《우스개》 술, 술잔치.

lib·ber [líbər] *n.* 《구어》 해방 운동 지지자; 《특히》 여성 해방 운동가.

lib·bie [líbiː] *n.* 《미구어》 =LIBBER. 「애칭」.

Lib·by [líbi] *n.* 리비《여자 이름; Elizabeth 의

lib. cat. library catalogue (장서 목록).

°**li·bel** [láibəl] *n.* U,C **1** 〖법률〗 (문서에 의한) 명예 훼손(죄), 비방〔중상〕하는 글. **2** 모욕이〔불명예가〕 되는 것, 모욕《*on*》: This photograph is a ~ *on* him. 이 사진은 그에게 불명예스러운 것이다. ***bring an action of ~ against*** …에 대하여 명예 훼손으로 고소하다. ── (*-l-*, 《영》 *-ll-*) *vt.* 중상〔비방〕하다; 명예를 훼손하다; 명예를 훼손하는 글을 공개하다; 고소하다; 《속어》 (사람의 품성 · 용모 따위를) 매우 부정확하게 말하다, …이 충분히 표현되지 않다. ㊞ **~·(l)ant** [-lənt] *n.* 〖법률〗 (종교 재판소 · 해사(海事) 재판소에서의) 민사 고소인, 원고; =libel(l)er. **li·bel·(l)ee** [làibəlíː] *n.* (종교 · 해사 재판소, 명예 훼손 소송에서의) 피고인. **lí·bel·(l)er, -(l)ist** *n.* 중상(中傷)자, 명예 훼손자. **lí·bel·(l)ous** [-ləs] *a.* 명예 훼손의, 중상적인; 중상하기를 좋아하는.

*__lib·er·al__ [líbərəl] *a.* **1** 〖정치〗 **a** 자유주의의, 자유를 존중하는; (종교 · 정치에 관하여) 자유사상의, 진보적인. OPP *conservative.* ¶ ~ democracy 자유민주주의.

> SYN. **liberal** 인습에 묶이지 않는, 새로운 것에 대해 편견에 사로잡히지 않고 자유로운 사고(思考)를 한다는 점에서 진보적. **progressive** 항상 전진 · 개선을 지향해 침체 · 복고를 나쁘게 생각하는 점에서 진보적. **advanced** 어느 누구〔무엇〕보다 앞선: He believes himself to be very *advanced* in his views. 그는 자기의 생각이 대단히 진보적이라고 믿고 있다. **radical** 급진적인, 과격한, 현존하는 여러 제도 · 관습을 인정치 않고 revolutionary(혁명적)에 꽤 가까움.

b (왕정 · 귀족주의에 대해) 민주제의, 대의제의. **2** **a** 관대한(tolerant), 도량이 넓은(broadminded), 개방적인, 편견이 없는《*in*》. OPP *illiberal*. **b** (해석 따위가) 자유로운, 자의(字義)에 구애되지 않는: a ~ translation 의역, 자유역. **3** **a** 대범한, 인색하지 않은(generous), 아끼지 않는, 활수(滑手)한. OPP *illiberal*. ¶ ~ *of* 〔*with*〕 one's money 돈을 잘 쓰는 / ~ *in* giving 활수한, 손이 큰. **b** 풍부한, 많은: a ~ table 푸짐한 성찬. **4** 교양〔생각〕을 넓히기 위한, 일반 교양의; 《고어》 신사에 어울리는. cf. professional, technical. ── *n.* 편견 없는 사람; 자유주의자, 진보주의자; (L-) 《영 · Can.》 자유당원.
㊞ **~·ness** *n.*

líberal árts (현대 대학의) 교양 과목《인문학 · 사회 과학 · 자연 과학 · 어학 따위의 모든 학과》; (중세의) 학예(學藝)《문법 · 논리학 · 수사학 · 산수 · 기하학 · 음악 · 천문학의 7 과목》.

líberal educátion 일반 교양 교육《직업 · 전문 교육에 대해 인격 교육에 중점을 둠》.

líberal féminism 자유주의적 여권 확장론《점진적 개량론》. 「유〔진보〕주의.

líb·er·al·ìsm *n.* Ⓤ (정치 · 경제 · 종교상의) 자

líb·er·al·ist *n.* 자유〔진보〕주의자. ㊞ **lìb·er·al·ís·tic** [-tik] *a.*

°**lib·er·al·i·ty** [lìbərǽləti] *n.* Ⓤ 너그러움, 관대, 관후; 활수함, 인색하지 않음; 공평무사; (*pl.*) Ⓒ 《드물게》 베푼 것, 선물. SYN. ⇨ TOLERANCE.

lib·er·al·ize [líbərəlàiz] *vt.* …의 제약을 풀다; 관대하게 하다; 자유(주의)화하다. ── *vi.* liberal 하게 되다, 개방적이 되다, 관대해지다. ㊞ **-lìz·er** *n., a.* **lìb·er·al·i·zá·tion** *n.*

°**líb·er·al·ly** *ad.* **1** 자유로이; 활수하게, 후하게; 관대하게; 개방적으로; 편견 없이. **2** 《구어》 대체

로, 대충 말하여.

líberal-mínded [-id] *a.* 마음이 넓은, 관대한.

Líberal Párty (the ~) 《영》 자유당.

líberal stúdies 《영》 (과학 · 기술 등을 전공하는 학생을 위한) 일반 교양 과정.

*__lib·er·ate__ [líbərèit] *vt.* **1** 《~+목/+목+전+명》 해방하다, 자유롭게 하다; 방면〔석방〕하다; 벗어나게 하다《*from*》. opp. *enslave*. ¶ ~ a slave 노예를 해방하다 / The new government has ~*d* all political prisoners. 새 정부는 모든 정치범을 석방하였다 / He felt ~*d from* long gloom. 그는 오랜 우울에서 해방된 기분이었다. **2** 〖화학〗 (가스 따위를) 유리(遊離)시키다; 〖물리〗 (힘을) 작용시키다. **3** 《속어》 훔치다, 약탈하다; 《미속어》 (점령지의 여성)과 성교하다. 파 **líb·er·àt·ed** [-id] *a.* 해방된, 자유로운.

°**lib·er·á·tion** *n.* U 해방; 석방, 방면; (권리 · 지위의) 평등화; 〖화학〗 유리(遊離). 파 **~·ism** *n.* U 국교(國敎) 폐지론; 해방주의. **~·ist** *n.*, *a.* 국교 폐지론자(의); 해방론자(의).

liberátion theòlogy 해방 신학. 파 **liberátion theòlogist** 해방 신학자.

lib·er·a·tor [líbərèitər] *n.* 해방자, 석방자.

Li·be·ria [laibíəriə] *n.* 라이베리아《아프리카 서부의 공화국; 수도 Monrovia》. 파 **-ri·an** *a.*, *n.* 라이베리아의 (사람).

lib·er·tar·i·an [lìbərtέəriən] *a.* 자유 의지론을 주장하는; (특히 사상 · 행동의) 자유를 주장하는, 자유론의; 자유 의지론자의. ── *n.* 자유 의지론자; 자유론자. 파 **~·ism** *n.* 자유 의지론.

li·ber·ti·cide [libə́:rtəsàid] *n.* 자유 파괴자; 《드물게》 자유 파괴. ── *a.* 자유를 파괴하는. 파 **li·bèr·ti·cíd·al** *a.*

lib·er·tin·age [líbərtì:nidʒ] *n.* =LIBERTINISM.

lib·er·tine [líbərtì:n, -tin/-tìn, -tàin] *n.* 방탕자, 난봉꾼; 《보통 경멸》 (종교상의) 자유 사상가. ── *a.* 방탕한; 《경멸》 자유 사상의, 도덕률 폐기론의; 《고어》 제약 없는. 파 **-tin·ism** [-tinìzəm] *n.* U 방탕, 난봉; (종교상의) 자유사상; (성도덕상의) 자유주의.

*__*lib·er·ty__ [líbərti] *n.* U **1** 자유(freedom), 자립; …할 자유《*to* do》: religious ~ 신앙의 자유 / ~ of action 〔choice〕 행동〔선택〕의 자유 / grant a person ~ *to* go out 아무에게 외출할 자유를 허락하다. ★ 엄밀하게는 freedom 과는 달리, 과거에 있어서 제한 · 억압 따위가 있었던 것을 암시함. **2** 해방, 석방, 방면. cf. slavery. **3** …할 권리《*to* do》. **4** C 멋대로 함, 방자, 도를 넘은 자유; (종종 *pl.*) 멋대로의〔방자한〕 행동. **5** (*pl.*) (칙허 · 시효로 얻은) 특권(privileges)《자치권 · 선거권 · 참정권 따위》. **6** 〖철학〗 의지의 자유. **7** 〖해사〗 (단기의) 상륙 허가. **8** 〖영국사〗 (특권이 인정된 시(市) 외의) 특별 행정구; 특별 자유구(區)《감옥 밖의 죄수가 살도록 허가된》. ***at*** ~ ① 속박당하지 않고; 자유로. ② 자유로 …해도 좋은: You are *at* ~ to use it. 마음대로 그것을 써도 좋다. ③ (무엇이) 쓰이지 않고. ④ (아무가) 일이 없어서, 한가하여: I'm *at* ~ for a few hours. 나는 두세 시간 한가하다. ***be guilty of a*** ~ 마음대로〔버릇없이〕 행동하다. ~ ***of conscience*** 양심의 자유. ~ ***of speech*** 〔***the press***〕 언론〔출판〕의 자유. ***set at*** ~ 해방하다, 방면하다. ***take a*** ~ =be guilty of a ~. ***take liberties with*** ① …와 무람없이 굴다, …에게 무례한 짓을 하다. ② (규칙 따위)를 멋대로 변경하다. ***take the*** ~ ***of*** do*ing* 〔***to*** do〕 실례를 무릅쓰고 …하다, 실례이지만 …하다.

Líberty Bèll (the ~) 《미》 자유의 종(鐘)《Philadelphia 에 있는 미국 독립 선언 때 친 종》.

líberty bòat 〖해사〗 상륙 허가를 받은 선원을 「나르는 보트.

Líberty bònd 《미》 (1차 대전 중 모집한) 자유〔전시〕 공채.

líberty càp 자유의 모자(cap of liberty)《고대 로마에서 해방된 노예에게 준 삼각 두건; 지금은 자유의 표상》.

líberty hàll 마음대로 행동할 수 있는 장소〔상황〕; 《특히》 손님이 마음대로 놀 수 있는 집.

líberty hòrse (서커스의) 기수 없이 재주 부리는 말.

Líberty Ísland 자유의 여신상이 있는 뉴욕항 「입구의 작은섬.

líberty·màn [-mæ̀n] (*pl.* **-mèn** [-mèn]) *n.* 《영》 〖해사〗 상륙 허가를 얻은 선원.

líberty of the súbject 국민의 자유《입헌 군주 정치하에서 국민의 여러 권리》.

líberty pòle 〖미국사〗 자유의 기둥, 자유의 나무《독립 혁명기에 영국에 항거하여 자유의 모자(liberty cap)나 깃발을 걸었던 기둥, 또는 나무》.

Líberty shìp 《미》 2차 대전 때의 표준형 수송선《약 1만톤급》.

li·bid·i·nal [libídənəl] *a.* libido의, 성적 충동의, 본능적인. 파 **~·ly** *ad.*

li·bid·i·nize [libídənàiz] *vt.* (기관(器官) 등을) 성적 만족을 주는 것으로 여기다, 리비드화하다.

li·bid·i·nous [libídənəs] *a.* 호색의, 육욕적인(lustful), 선정적인. 파 **~·ly** *ad.* **~·ness** *n.*

li·bi·do [libí:dou, -bái-/-bí:-] (*pl.* **~s**) *n.* U 애욕, 성적 충동; 〖정신의학〗 리비도《성본능의 에너지》.

LIBOR [líbər, lái-] London Inter-Bank Offered Rate(런던 은행 간 거래 금리)《국제 금융 거래의 기준이 되는 금리임》.

li·bra [láibrə, lí:-] (*pl.* **-brae** [-bri:, -brai]) *n.* **1** (고대 로마의) 중량 단위《5053 grains》. **2** (무게의) 파운드《생략: lb., lb》. **3** (영국 통화의) 파운드《생략: £》. **4** (L-) 〖천문〗 저울자리, 천칭궁(宮).

*__li·brar·i·an__ [laibrέəriən] *n.* 도서관 직원; 사서(司書). 파 **~·shìp** *n.* ~의 직〔지위〕; 《영》 =LIBRARY SCIENCE.

†**li·bra·ry** [láibrèri, -brəri/-brəri] *n.* **1** 도서관, 도서실. **2** (개인 소유의) 장서; 문고, 서고; 서재. **3** (출판사의) …총서(叢書), …문고, 시리즈. **4** 《미》 세책집, 대본집(rental library); 순회도서관(circulating ~). **5** (레코드 · 테이프 등의) 라이브러리《수집물 또는 시설》; 〖컴퓨터〗 (프로그램 · 서브루틴 등의) 도서관, 라이브러리; (신문사 등의) 자료실(morgue). ***a walking*** ~ 박물군자. ***the Library of Congress*** 《미》 국회 도서관.

líbrary bìnding 천 장정(본), 도서관용 제본《모양보다 견고성을 중시》. cf. edition binding.

líbrary càrd (도서관의) 대출 카드.

líbrary edìtion (도서관용) 특제판; (같은 장정 · 판형인 동일 저자의) 전집판.

líbrary pàste 도서관용 풀《흰색으로 진하고 접착력이 강함》.

líbrary pìctures 〖방송〗 자료 영상(library 「shots).

líbrary ràte 〖미출판〗 도서관 요금《서적이 도서관 · 교육 기관 등에 송부될 때의 우편 요금》.

líbrary schòol 도서관 학교《사서(司書) 양성을 위한》.

líbrary scíence 도서관학(《영》 librarianship).

líbrary shòts 〖방송〗 (필요할 때를 대비해서 두는) 일반적인 테마를 촬영한 필름《해양 · 기념적 건조물 · 동물 따위》.

líbrary stèps 서고용 사닥다리.

li·brate [láibreit] *vi.* (저울 바늘같이) 좌우로 흔들리다, 진동하다; 균형이 잡히다. 파 **li·brá·tion** *n.* U 진동; 〖천문〗 (행성 · 위성의) 칭동(秤動); 균형. **li·brá·tion·al** *a.*

librátion pòint 〖천문〗 칭동점(秤動點).
li·bret·tist [librétist] *n.* (가극의) 가사(歌詞)〔대본〕 작자.
li·bret·to [librétou] (*pl.* **~s, -bret·ti** [-bréti]) *n.* 《It.》 (가극 따위의) 가사, 대본.
Li·bre·ville [*F.* libʀəvil] *n.* 리브르빌《Gabon의 수도》.
Lib·ri·um [líbriəm] *n.* 리브리엄《진정제의 일종; 상표명》.
Lib·ya [líbiə] *n.* 리비아《(1) 이집트 서쪽의 아프리카 북부 지방의 옛 명칭. (2) 북아프리카의 공화국; 수도 Tripoli》.
Lib·y·an [líbiən] *a.* 리비아(사람)의. **—** *n.* 리비아 사람; 베르베르 사람; Ⓤ 베르베르 말.
Líbyan Désert (the ~) 리비아 사막.
lic. license; licensed.
lice [lais] LOUSE의 복수.
li·ce·i·ty [laisíːəti] *n.* 합법, 적법.
⁑li·cense, -cence [láisəns] 〖*v.*는 《영》《미》 모두 license, *n.*은 《영》에서 -cence가 보통〗 *n.* **1** Ⓤ,Ⓒ 면허, 인가; 관허, 특허: a ~ *to* practice medicine 의사 개업 면허 / under ~ 면허〔인가〕를 받고. **2** Ⓒ 허가증, 인가〔면허〕증, 감찰(鑑札), 면허〔특허〕장: a driver's ~ 운전면허증 / a dog ~ 개표(標) / a ~ *for* the sale of alcoholic drinks 주류 판매 인가서. **3** 《영》 (대학의) 수료 증서. **4** (문예 · 음악 · 미술 등의) 파격(破格). ⓒⓕ poetic license. **5** 멋대로 함, 방자, 방종, 분방; (행동의) 자유: have ~ *to* do …할 자유가 있다. **—** *vt.* **1** 《+目+*to* do》 …에게 면허〔특허, 인가〕를 주다, 인가〔허가〕하다: The office ~*d* me *to* sell tobacco. 관청은 내게 담배 판매를 허가했다. **2** …의 출판〔흥행〕을 허가하다. ㊀ **lí·cens·a·ble** *a.* 허가〔인가, 면허〕할 수 있는. **~·less** *a.*
lí·censed [-t] *a.* 면허를 받은, 허가〔인가〕된; 세상이 인정하는: ~ quarters 유곽 / a ~ house 주류 판매 허가점《음식점 · 여관 따위》; 유곽 / a ~ satirist 천하 공인의 풍자〔독설〕가.
lícensed práctical núrse 《미》 (주(州) 등의 정식 면허를 가진) 유자격〔준(準)〕 간호사《생략: LPN》.
lícensed prógram 〖컴퓨터〗 라이센스 프로그램《허가받아 제작 또는 판매하는 프로그램》.
lícensed víctualler 주류(酒類) 판매 면허가 있는 음식점 주인.
lícensed vocátional núrse (캘리포니아주 · 텍사스 주의) 면허를 가진 간호사(licensed practical nurse)《생략: LVN》.
li·cen·see [làisənsíː] *n.* 면허〔인가〕를 받은 사람, 감찰이 있는 사람; 공인 주류〔담배〕 판매인.
lícense nùmber (자동차) 번호판의 번호.
lícense plàte (자동차 따위의) 번호판; 개표(標)(dog license).
li·cens·er, -cen·sor [láisənsər] *n.* 허가〔인가〕자, 검열관《법률 용어로는 licensor》.
lícensing hòurs (술집의) 사전 허가 영업 시간.
lícensing láws (the ~) 《영》 사전 허가제법《주류 판매의 시간과 장소를 규제하는 법률》.
li·cen·sure [láisənʃər, -ʃùər] *n.* (전문직 종사자에 대한) 면허(증) 교부, 개업 허가; 면허 제도.
li·cen·ti·ate [laisénʃiit, -ʃièit] *n.* 면허장 소유자, 개업 유자격자; (유럽 대학의) bachelor와 doctor 사이의 학위《생략: L.》; (특히 장로교회의) 미취임의 유자격 목사. ㊀ **~·ship** *n.*
li·cen·tious [laisénʃəs] *a.* 방종〔방자〕한; 방탕한; 음탕한; (규율에) 반항적인; 《드물게》 파격적인《문체 등》. ㊀ **~·ly** *ad.* **~·ness** *n.*
li·cet [láiset] 《L.》 (=it is allowed or legal) (그것이) 허가되다〔합법적이다〕.
lich [litʃ] *n.* 《영방언》 시체.
li·chee [líːtʃiː/láitʃíː] *n.* =LITCHI.
li·chen [láikən] *n.* Ⓤ,Ⓒ 〖식물〗 지의류(地衣類) 식물; 이끼; 〖의학〗 태선(苔癬). ㊀ **~ed** *a.* 이끼가 낀, 지의〔이끼〕로 덮인. **~·ous** [-nəs] *a.* 지의의, 지의〔이끼〕 같은; 〖의학〗 태선에 걸린.
li·chen·ol·o·gy [làikənálədʒi / -nɔ́l-] *n.* 지의류학(地衣類學).
lích gàte 지붕 있는 묘지 문.
lích hòuse 시체 임시 안치소, 영안실.
lic·it [lísit] *a.* 합법의, 적법(適法)한(lawful), 정당한. ⓞⓟⓟ *illicit*. ㊀ **~·ly** *ad.* **~·ness** *n.*
lick** [lik] *vt.* **1** 《~+目/+目+前+名/+目+副/+目+補》 핥다《*off; up; from*》: The dog ~*ed* its paws. 개는 발을 핥았다 / ~ the honey *off* 〔*from*〕 one's lips 입에 묻은 꿀을 핥아먹어 치우다 / The dog ~*ed up* the spilt milk. 개는 엎질러진 우유를 다 핥아먹었다 / The cat ~*ed* the plate clean. 고양이가 접시를 깨끗이 핥아 버렸다. **2** 《~+目/+目+副》 (물결이) 스치다, 넘실거리다, (불길이) 널름거리다: The flames ~*ed up* everything. 화염이 모든 것을 삼켜 버렸다. **3** 《~+目/+目+前+名》 《구어》 때리다, 때려서 (결점 따위를) 고치다《*out of*》: be well ~*ed* 호되게 매맞다 / I cannot ~ the fault *out of* him. 아무리 때려도 나는 그의 결점을 고칠 수 없다. **4 a** 《구어》 해내다, …에게 이기다(overcome); …보다 낫다. **b** 《영》 (아무의) 이해를 벗어나다, (…에게) 알 수 없다: This ~*s* me. 이것엔 손들었다《전혀 모르겠다》. **—** *vi.* **1** 《+前+名》 (불길 따위가) 급속히 번지다; 너울거리다, 출렁이다: The waves ~*ed about* her feet. 그녀의 발 밑을 파도가 씻어갔다. **2** 《구어》 속력을 내다, 서두르다(hasten): as hard as one can ~ 전속력으로. **3** 《구어》 이기다. **~ *creation 〔***everything***〕 《미구어》 무엇보다도 낫다. **~ *into shape*** 《구어》 제구실을 하게 하다, 어연번듯이 만들다, 형상을 만들다. **~ *off*** 〔***away***〕 핥아 없애다; 핥아치우다. **~ *one's lips*** 〔***chops***〕 ⇨ CHOP². **~ *a person's shoes*** 〔***boots,*** 《속어》 ***spittle,*** 《비어》 ***ass***〕 아무에게 아첨〔굴복〕하다. **~ *one's wound*(*s*)** 상처를 치료하다; 패배로부터 다시 일어서다. **~ *the dust*** ⇨ DUST.
— *n.* **1** 핥기, 한 번 핥기. **2** 한 번 핥는 양, 소량: I don't care a ~ *about* her. 나는 그녀에 관해서는 전혀 무관심하다. **3** 한 번 닦기〔쓸기〕, (페인트 따위를) 한 번 칠하기〔칠하는 분량〕《*of*》: give the wall a ~ *of* paint 벽을 한 번 칠하다 / give the room a quick ~ 방을 한 번 휙 쓸다. **4** 함염지(含塩地)(salt ~)《동물이 소금을 핥으러 감》. **5** 《구어》 강타, 일격: give (a person) a ~ on the ear (아무의) 옆얼굴에 일격을 가하다. **6** 《구어》 빠르기, 속력: at a great ~ 굉장한 스피드로 / (at) full ~ 전속력으로. **7** 《미구어》 한바탕의 수고〔일〕: big ~*s* 《구어》 힘드는 일. **8** 《구어》 (재즈에 삽입한) 장식 악절. **9** (*pl.*) 《미》 기회, 전기(轉機); 《미흑인속어》 계획, 생각. ***get in one's ~s*** 《미구어》 열심히 일하다, 크게 노력하다. ***give a ~ and a promise*** 《구어》 날림으로 일하다.
lick·er·ish [líkəriʃ] *a.* 미식(美食)을 좋아하는, 가리는 것이 많은, 입짧은; 게걸스러운, 탐식하는; 호색의, 음탕한. ㊀ **~·ly** *ad.* **~·ness** *n.*
lick·e·ty-split [líkəti-], **lickety-cút** *ad.* 《구어》 전속력으로, 맹렬하게, 크게 서둘러.
lick·ing *n.* **1** 핥음; 한 번 핥기. **2** 《구어》 매질, 때림. **3** 《구어》 패퇴시킴. ***give*** 〔***get***〕 ***a person a good ~*** 아무를 호되게 때리다〔얻어맞다〕. **—** *ad.* 《방언》 굉장히, 몹시(exceedingly).
Líck Obsérvatory 릭 천문대《미국 California 주의 Hamilton 산에 있는 California 대학 부속 천문대》.

lick·pènny *n.* 《고어》 많은 돈이 드는 물건.

lick·spittle, -spit *n.* 아첨꾼, 알랑쇠. — *vt., vi.* 알랑거리다.

lic·o·rice [líkəriʃ, -ris/-ris] *n.* 감초(甘草); 감초(뿌리) 엑스《약용·향미료》; 감초를 넣어 만든 사탕과자.

lic·tor [líktər] *n.* 〖고대로마〗 릭토르《fasces를 가지고 집정관 등을 수행하며 죄인을 잡던 관리》.

lid [lid] *n.* **1** 뚜껑. **2** 눈꺼풀(eyelid). **3** 〖식물〗 과개(果蓋); 〖패류〗 딱지; 〖어류〗 아감딱지. **4** 규제, 억제, 단속. **5** 《속어》 모자; 《방언》 (책의) 표지. **6** 《속어》 1 온스의 마리화나 봉지. ***blow the ~ off*** (추문·좋지 않은 내막 따위를) 여러 사람 앞에 드러내다, 폭로하다. ***flip** one's **~*** 《속어》 마음껏 웃다; 분노를 폭발시키다. ***keep the ~ on*** …을 숨겨 두다. ***put the*** (***tin***) ***~ on*** 《영구어》 ① (계획·행동 따위를) 끝나게 하다, 망쳐 놓다. ② (일련의 좋지 않은 일이) 최악의 상태로 끝나다. ***with the ~ off*** 무서운 것을 보여서. — (**-dd-**) *vt.* 뚜껑을 덮다, 씌우다. [파] **~·ded** [-id] *a.* (…의) 뚜껑이〔덮개가〕 있는; 눈꺼풀이 …한. **~·less** *a.* 뚜껑이 없는; 눈꺼풀이 없는; 《고어·시어》 한잠도 자지 않는, 경계를 게을리하지 않는 (vigilant).

li·dar [láidɑːr] *n.* [U] 라이다《마이크로파 대신 펄스레이저광을 내는 레이더 비슷한 장치》. [◂ *light radar*]

li·do [líːdou] *n.* 해변 휴양지; 옥외 수영 풀.

li·do·caine [láidəkèin] *n.* 〖화학〗 리도카인《국부 마취제로 쓰이는 결정성 화합물》.

lie[1] [lai] (***lay*** [lei]; ***lain*** [lein]; ***ly·ing*** [láiiŋ]) *vi.* **1** 《+[전]+[명]/+[부]》 (사람·동물 따위가) 눕다, 드러〔가로〕눕다, 누워 있다; 엎드리다, 자다 《*down*》; (새가) 웅크리다: ~ *on* the bed 침대에 눕다/He *lay down* on the grass. 그는 잔디 위에 누웠다. **2** 《+[전]+[명]/+[부]》 기대다(recline), 의지하다《*against*》: a ladder *lying against* the wall 벽에 세워져 있는 사닥다리/~ *back* in an arm chair 안락의자의 등받이에 기대다. **3** 《+[전]+[명]》 (사람·시체가) 묻혀 있다, (지하에) 잠들고 있다: His ancestors ~ *in* the cemetery. 그의 조상은 공동묘지에 묻혀 있다. **4** 《+[전]+[명]》 (물건이) 가로놓이다, 놓여 있다: the book *lying on* the table 테이블 위에 놓여 있는 책/Snow *lay on* the ground. 눈이 지면에 쌓여 있었다. **5** 《+[전]+[명]》 (경치 따위가) 펼쳐져〔전개되어〕 있다; (길이) 뻗어 있다, 통(通)해 있다(lead)《…에서 ―까지 *between*; …을 통(通)하여 *through*; …의 옆을 *by*; …을 따라 *along*》: The valley ~*s at* our feet. 발 아래 골짜기가 펼쳐져 있다/The path ~*s along* a stream 〔*through* the woods〕. 길은 시내를 따라〔숲을 지나〕 뻗어 있다. **6** 《+[부]/+[전]+[명]/+[보]》 (…에) 있다, 위치하다: *Where* does the park ~? 공원은 어느 쪽에 있습니까/Ireland ~*s to* the west of England. 아일랜드는 영국 서쪽에 있다/The land ~*s* high. 그 지방은 높은 곳에 있다.

> [SYN] **lie** 나라·도시·바다·평야 따위 평평한 것이 '있다'. **stand** 집이나 나무 따위 입체적인 것이 '있다'. **be situated** 지리적 뜻을 포함하여 나라·도시·집 등의 소재를 나타냄. **be located** be situated의 뜻으로 《미》에서 사용함.

7 《+[전]+[명]/+[보]》 (원인·이유·본질·힘·책임 따위가) …에 있다, 존재하다, 찾을 수 있다: The remedy ~*s in* education. 그것을 구제하는 길은 교육에 있다/The real reason ~*s* deeper. 진짜 이유는 더 깊은 곳에 있다. **8** 《+[전]+[명]/+[보]》 가만히 있다, (물건이) 잠자고〔놀고〕 있다: money *lying at* the bank 은행에서 잠자고 있는 돈/~ fallow (밭 따위가) 묵고 있다/~ still 꼼짝 않고 있다/~ idle (일꾼·자본 따위가) 놀고 있다. **9** 《+[보]/+[전]+[명]/+[부]/+*done*/+*-ing*》 …상태에 있다(remain): ~ waste 황폐되어 있다/~ *in* prison 감옥살이를 하고 있다/~ *under* a charge 고발당하고 있다; 비난받고 있다/He left his papers *lying about*. 그는 서류(書類)를 흩어진 채로 두었다/~ *hid* 〔*hidden*〕 숨어 있다/~ watch*ing* television 드러누워 텔레비전을 보고 있다. **10** 《+[전]+[명]》 (사물이) …을 내리누르다, 압력을 가하다; (음식이) …의 부담이 되다《*on, upon*》; (사물이) …의 책임〔의무, 죄〕이다《*with*》: The problem *lay* heavily *upon* me. 그 문제는 나를 무겁게 내리눌렀다/The oily food *lay* heavy *on* my stomach. 기름기 있는 음식이 위에 부담을 주었다. **11** 《+[전]+[명]》 (배가) 정박하다; 《고어》 (군대가) 야영하다, 숙박하다《*in; at; near*》: The ship is *lying at* No. 2 Berth. 배는 제 2 부두에 정박 중이다. **12** 〖법률〗 (소송 따위가) 제기되어 있다; (주장 등이) 성립하다, 인정되다: Objection will not ~. 이의(異議)는 성립되지 않을 거야.

as far as in me ~s = ***as far as ~s in me*** 내 힘이 미치는〔닿는〕 한. ***~ about*** 아무렇게나〔여기저기〕 방치해 두다; (사람이) 뒹굴다; 게을러빠져 있다. ***~ ahead*** (***of …***) 〔***before …***〕 (…의) 앞〔전도(前途)〕에 가로놓여〔대기하고〕 있다: Great difficulties still ~ *ahead*. 커다란 어려움이 여전히 앞에 가로놓여 있다/Life ~*s before* you. 여러분의 인생은 이제부터다. ***~ along*** 〖해사〗 배가 (옆바람을 받고) 기울다; 네 활개를 벌리고 자다. ***~ along the land*** 〔***shore***〕 〖해사〗 해안을 끼고 항해하다. ***~ around*** = ~ about. ***~ asleep*** 드러누워 자고 있다. ***~ at** a person**'s door*** ⇨ DOOR. ***~ back against*** …에 기대다. ***~ behind*** (…의) 뒤에 위치하다; (…의) 과거에 경험으로 남아 있다; …의 원인〔배경〕이 되다. ***~ by*** ① 수중에 있다, 보관되어 있다, 쓰이지 않고 있다. ② 쉬다, 물러나 있다. ***~ close*** ① 숨어 있다. ② 한데 뭉치다〔모이다〕. ***~ down*** ① 눕다, 자다《*on*》; (개가) 엎드리다. ② 굴복하다, (모욕 따위를) 감수하다: ~ *down* under a defeat 패배를 감수하다. ***~ down on the job*** 《구어》 일부러 일하지 않다, 게으름 피우다. ***~ in*** ① 산욕(産褥)에 들다, 산원에 들어가다: The time had come for her to ~ *in*. 해산 때가 되었다. ② …에 있다(consist in): All their hopes ~ *in* him. 그들의 모든 희망이 그에게 집중되어 있다. ③ 《영구어》 평소보다 늦게까지 누워 있다. ***~ in ruins*** 〔***the dust***〕 (건물 따위가) 폐허로 되어 있다, 무너져 있다. ***~ in the way*** 방해가 되다, 방해하다, 거치적거리다. ***~ low*** ⇨ LOW[1]. ***~ off*** ① 〖해사〗 해안〔딴 배〕에서 좀 떨어져 있다. ② 잠시 일을 쉬다, 휴식하다. ***~ on*** 〔***upon***〕 ① …의 의무〔책임〕이다: It ~*s upon* them to prove. 증명하는 것은 그들 책임이다. ② …(여하)에 달리다. ③ …을 무겁게 누르다, …의 힘겨운 부담이 되다. ***~ on** a person**'s hand***(***s***) ① 팔리지〔쓰이지〕 않고 있다. ② (시간이) 남아돌아서 주체를 못 하다: Time *lay* heavy *on* his *hands*. 그는 시간을 주체 못 하고 있었다. ***~ on** one**'s face*** 〔***back***〕 엎드러〔자빠〕지다; 엎드려〔반듯이 누워〕 자다. ***~ on the head of*** …의 책임이다; …이 한 짓이다. ***~ open*** 열려 있다; (남의 눈에) 드러나〔노출되어〕 있다. ***~ out*** (토지가) 미경작 상태에 있다. ***~ over*** 연기되다; (기한이 지나도 어음이) 지급되지 않고 있다; 미처리 상태로〔눈에 띄지 않은 채로〕 남아 있다. ***~ to*** ① 〖해사〗 (이물을 바람 부는 쪽으로 돌리고) 정선(停船)하고 있다, 접근

하다. ② …에 전력을 쏟다: ~ *to* the oars 필사적으로 노를 젓다. ~ ***under*** (의심 등)을 받다, …을 당하다. ~ ***up*** ① 몸져눕다. ② 은퇴하다, 활동을 그치다, 물러나다. ③ 〖해사〗 (배가) 독(dock)에 들어가다, 선거(船渠)에 매여 있다. ~ ***with*** ① (일이, …의) 의무〔역할, 책임〕이다; (책임 등이) …에게 있다: The decision in this matter ~*s with* him. 이 일의 결정은 그가 할 일이다. ② 《고어》 …와 동침하다. ***take*** (an insult) ***lying down*** (모욕)을 감수하다.

— *n.* **1** 위치, 방향, 향(向); 상태, 형세: the ~ of the land 지세(地勢); 《비유》 형세, 사태. **2** 동물의 집〔굴〕, 보금자리; 《영》 (침대 따위에서) 편히 쉼〔휴식함〕. **3** 〖골프〗 라이《(1) 공의 위치. (2) 클럽헤드의 샤프트에 붙은 각도》.

‡**lie²** [lai] *n.* **1** (고의적인) 거짓말, 허언: tell a ~ 거짓말을 하다 / act a ~ (행위로) 속이다 / a white ~ 악의 없는 거짓말. **2** 속이는 행위, 사기(imposture); (the ~) 거짓말에 대한 비난. **3** 미신; 잘못된 관습〔신념〕. ***a direct*** ~ 뻔뻔스러운 거짓말. ***a*** ~ (***made***) ***out of*** (***the***) ***whole cloth*** =***a*** ~ ***with a latchet*** 새빨간 거짓말. ***give*** a person ***the*** ~ (***in*** his ***throat***) 아무를 (지독한) 거짓말쟁이라고 나무라다, 거짓의 가면을 벗기다. ***give the*** (***direct***) ~ ***to*** ① …의 말이 거짓말이라고 책망〔비난〕하다; …와 모순되다. ② …이 거짓임을 입증하다. ***live a*** ~ 바르지 못한 생활을 보내다, 배신을 계속하다. ***without a word of*** (***a***) ~ 《영속어》 거짓 없이, 정말로.

— (*p.*, *pp.* ***lied*** [laid]; ***ly·ing*** [láiiŋ]) *vi.* **1** 《+전+명》 거짓말을 하다: ~ *to* a person 아무에게 거짓말하다.

> NOTE lie는 언제나 의도적 기만의 함축성을 가짐. 따라서 You are *lying*. 이라든가 You are a *liar!* 따위의 표현은 다소 과장한다면 '새빨간 거짓말이다' 라든지 '이 사기꾼아' 따위의 기분을 풍기며, 상대의 성의를 정면으로 의심하는 도발적인 말로 보아야 할 때가 많음. a white (little) *lie* '악의 없는 (사소한) 거짓말'과 같은 표현이 엄연히 있는 것이 이를 뒷받침함.

2 속이다, 눈을 속이다, 현혹시키다; (계기 따위가) 고장 나 있다: Mirages ~. 신기루는 사람 눈을 속인다.

— *vt.* 《+목+전+명》 **1** 거짓말을 하여 …하게 하다《*into*》; 거짓말을 하여 (…을) 빼앗다《*out of*》: ~ a person *into* sign*ing* a document 아무에게 거짓말을 하여 서류에 서명하게 하다 / ~ a person *out of* his rights 아무에게 거짓말을 하여 권리를 빼앗다. **2** 〔~ oneself 또는 ~ one's way로〕 거짓말을 하여 …을 벗어나다《*out of*》: He ~*d* him*self* 〔his *way*〕 *out of* the accusation. 그는 거짓말을 해서 비난을 모면했다. ~ ***in*** one***'s teeth*** 〔***throat***〕 지독한〔새빨간〕 거짓말을 하다.

líe-abèd *n.* 《구어》 늦잠꾸러기.

Líe álgebra [líː-] 〖수학〗 리 대수학《노르웨이 수학자 Marius Sophus(1842-99)가 고안해 낸 대수학》.

líe-bỳ *n.* 《영》 고속도로의 대피 차선; (철도의) 측선, 대피선, 선로의 길섶.

Liech·ten·stein [líktənstàin] *n.* 리히텐슈타인《오스트리아와 스위스 사이에 있는 입헌 군주국》.

lied [liːd] (*pl.* ~·***er*** [líːdər]) *n.* 《G.》 리트, 가곡(歌曲).

Lie·der·kranz [líːdərkrɑ̀nts, -krænts] *n.* 《G.》 **1** 향기가 강한 치즈의 일종《상표명》. **2** 가곡집; 독일의 남성 합창단.

líe detèctor 《구어》 거짓말 탐지기: give a person a ~ test 아무를 거짓말 탐지기로 조사하다.

líe-dòwn *n.* 결잠, (쉬려고) 누움, 드러눕기 (데모).

lief [liːf] (*~·er*; *~·est*) *ad.* 《고어》 기꺼이, 쾌히(willingly). ★ 주로 다음의 용법으로만 쓰임. ***would*** 〔《문어》 ***had***〕 ***as*** ~ ***...*** (***as*** __), (—보다는) …하는 것이 좋다; (— 하느니 차라리) …(하는 편)이 낫다: I *would as* ~ go there *as* anywhere else. 어디 딴 곳에 가느니 차라리 그곳으로 가는 편이 좋다. ***would*** 〔***had***〕 ~***er ... than*** __ — 하느니 차라리 …하는 편이 낫다: I *would* ~*er* die *than* do it. 그런 짓을 하느니 차라리 죽는 편이 낫다.

liege [liːdʒ, liːʒ/liːdʒ] *n.* 군주, 왕후; 가신; (the ~s) 신하, 가신(의 전부). ***His Majesty's*** ~***s*** 폐하의 신하. ***My*** ~***!*** 전하, 상감마마《호칭》.

— *a.* 군주의; 신하(로서)의; 군신 관계의; 충실한: a ~ lord 〔subject〕 군주〔신하〕/ ~ homage 신하로서의 예.

líege màn, liege·man [líːdʒmən, -mæ̀n] (*pl.* ***-men*** [-mən, mèn]) *n.* (봉건제의) 신하, 충절을 맹세한 신하〔부하〕, 충실한 신봉자.

Líe gròup [líː-] 〖수학〗 리 군(群)《위상군(位相群)의 구조를 가진 실(實)해석적 다양체》.

líe-ìn *n.* 농성, 스트라이크; 《영》 아침잠, 늦잠; =LIE-DOWN.

lien¹ [liːn, líːən/liən] *n.* 〖법률〗 선취특권, 유치권(留置權)《*on*》; 담보권. ㊎ ~·**or** *n.*

li·en² [láiən, -en / -ən] *n.* 〖해부〗 비장, 지라(spleen). ㊎ **li·e·nal** [laiíːnəl, láiə-] *a.*

li·er [láiər] *n.* 가로눕는 사람.

li·erne [liə́ːrn] *n.* 〖건축〗 (둥근 천장을 잇는) 서까래.

líe shèet 《미속어》 트럭 운전 일지(log).

lieu [luː] *n.* 장소. ★ 다음 관용구로만 쓰임. ***in*** ~ ***of*** …의 대신으로(instead of).

Lieut. Lieutenant. **Lieut. Col.** 《영》 Lieutenant Colonel. **Lieut. Comdr.** Lieutenant Commander.

***lieu·ten·ant** [luːténənt/《육군》 leftén-, 《해군》 lətén-] *n.* 《생략: lieut., 복합어일 때는 Lt.》 **1** 〖미육군·공군·해병〗 중위(first ~), 소위(second ~); 〖영육군〗 중위. **2** 〖미·영해군〗 대위: ~ junior grade 《미》 해군 중위 / sub~ 《영》 해군 중위. **3** 상관 대리, 부관(deputy). **4** 《미》 (경찰·소방서의) 지서 차석, 서장 보좌. ㊎ **-an·cy** [-ənsi] *n.* Ⓤ,Ⓒ ~의 직〔지위·임기〕.

lieuténant cólonel 육군〔공군〕 중령.

lieuténant commánder 해군 소령.

lieuténant géneral 육군〔공군〕 중장.

lieuténant góvernor 《미》 (주(州)의) 부지사; 《영》 (식민지의) 부총독, 총독(總督) 대리. ㊎ **lieuténant góvernorship**

Lieut. Gen. 《영》 Lieutenant General. **Lieut. Gov.** 《영》 Lieutenant Governor.

†**life** [laif] (*pl.* ***lives*** [laivz]) *n.* **1 a** Ⓤ 생명; 생존, 삶, 생(生): the origin of ~ 생명의 기원 / the struggle for ~ 생존경쟁 / human ~ 인명 / at the sacrifice of ~ 인명을 희생으로 하여 / a matter of ~ and death 생사에 관한 중대한 문제, 사활 문제. **b** Ⓤ (육체의 죽음을 초월한) 혼, 생명; 〖종교〗 구원, 신생, 환생; (L-) 〖크리스천사이언스〗 신: the eternal 〔everlasting, immortal〕 ~ 영원한 생명. **c** 《고어》 〔친근한 부름〕 귀여운 사람; 가장 소중한〔귀중한〕 것: My ~! 《호칭》 사랑하는 님이여 / Baseball is his ~. 야구는 그의 생명이다.

2 a Ⓒ 수명, (개인의) 목숨, 평생, 생애: a long 〔short〕 ~ 장수〔단명〕/ take one's (own) ~ 자살하다 / take a person's ~ 아무를 죽이다 / How many *lives* were saved? 몇 사람이 구출되었나 / He was single all his ~. 그는 평생을

독신으로 지냈다. **b** Ⓒ (무생물의) 수명, 내구〔내용〕 기간; 〖물리〗 (소립자 따위의 평균) 수명: a machine's ~ 기계의 수명 / the ~ of a popular novel 인기 소설의 수명. **c** Ⓤ 종신형(~ sentence). **d** Ⓒ 〖보험〗 피보험자; 〘형용사적〙 생명 보험의: a good 〔bad〕 ~ 평균 예상 수명까지 살 가망이 있는〔없는〕 사람. **e** Ⓤ (야구 등에서) 생환; 〖당구〗 다시 할 기회.

3 〘집합적〙 생물: animal 〔vegetable〕 ~ 동〔식〕물 / The waters swarm with ~. 바다와 강에는 생물이 많이 살고 있다 / There seems (to be) no ~ *on* the moon. 달에는 생물이 존재하는 것 같지 않다.

4 Ⓒ 태어나서 현재까지의 기간: He had never been ill in his ~. 그는 그때까지 아파 본 적이 없었다. ★ '한평생'으로 새기면 잘못.

5 a Ⓒ,Ⓤ 생활 (상태): a simple 〔single〕 ~ 간편한〔독신〕 생활 / city 〔country〕 ~ 도시〔전원〕 생활 / lead a dismal 〔comfortable〕 ~ 쓸쓸한 〔안락한〕 생활을 하다. **b** Ⓤ 인생, 인사; (이) 세상; 실(사회)생활, 사회 활동; (the ~, 종종 the L-) 《미속어》 매춘(업계): Such is ~. =That's ~. =*Life*'s like that. 인생이란 그런 것이다 / get on in ~ 출세하다 / *Life* is but an empty dream. 인생은 헛된 꿈에 지나지 않는다.

6 Ⓒ 전기, 일대기, 언행록: Boswell's '*Life* of Johnson' 보즈웰의 '존슨전(傳)'.

7 Ⓤ 실물, 진짜; (사진 따위가 아닌) 진짜 (누드) 모델; 실물 크기(의 모양): a picture sketched from (the) ~ 사생화 / larger than ~ 실물보다 큰, 과대(誇大)의; 특출한, 유별난.

8 Ⓤ **a** 활기, 기운; 활력, 건강의 원천; 신선함: full of ~ 활기에 찬 / with ~ 기운차게 / The child is all ~. 어린아이는 생기에 차 있다. **b** (식품의) 신선도, 싱싱함; (포도주 등의) 발포성. ***as I have*** ~ 확실히, 틀림없이. ***as large*** 〔***big***〕 ***as*** ~ ① 실물 크기의, 등신대(等身大)의. ② 《우스개》 다른 사람 아닌, 정말로, 어김없이, 몸소, 자신이: There he stood, *as large as* ~. 그는 실제로 거기에 서 있었다 / Here he is, *as large as* ~. 자 여기 본인이 나타났다. ***bring*** ... ***to*** ~ ① …을 소생시키다, …의 의식을 회복시키다. ② 활기 띠게 하다. ③ 실물처럼 꾸미다, 생생하게 살리다. ***come to*** ~ 소생하다, 의식을 회복하다, 제정신이 들다; 활기 띠다. ***depart this*** ~ 〘특히 과거형으로 묘비명(銘)에 쓰여〙 이 세상을 떠나다, 죽다. ***expectation of*** ~ 〖보험〗 평균 예상 수명. ***for*** ~ ① 종신(의), 무기(의), 일생(의): imprisonment *for* ~ 종신 징역. ② 목숨을 걸고, 필사적으로. ***for*** one***'s*** ~ =***for dear*** 〔***very***〕 ~ ⇨DEAR. ***for the*** ~ ***of*** one 《구어》 〘보통 부정문에서〙 아무리 해도(…않다): I could not understand it *for the* ~ *of* me. 아무리 해도 그것을 이해할 수 없었다. ***frighten*** 〔***scare***〕 a person ***out of*** one***'s*** ~ 놀란 나머지 자지러지게〔오갈들게〕 하다. ***from the*** ~ 실물에서《사생(寫生)할 때 따위》. ***Get a*** ~***.*** 《미구어》 생활 태도를 바꿔라, 정신 차려. ***give*** ~ ***to*** …에 생기를 주다〔불어넣다〕. ***have the time of*** one***'s*** ~ 《구어》 이제까지 없던〔처음으로〕 재미를 맛보다, 일생의 추억이 될 만한 경험을 겪다. ***in after*** ~ 내세에서. ***in later*** ~ 후년(後年)에. ***in*** ~ ① 살아 있는 동안에는, 생전에, 이승에서(는): late *in* ~ 만년에. ② 〘all, no 등을 강조하여〙 아주, 전혀: with *all* the pleasure *in* ~ 아주 크게 기뻐하며 / I own *nothing in* ~. 재산은 전무(全無)다. ***in*** one***'s*** ~ 일생에, 살아 있는 동안. ~ ***and limb*** 생명과 신체: safe in ~ *and limb* 신체·생명에 별 이상 없이 / escape with ~ *and limb* 이렇다 할 부상〔손해〕 없이 도망치다. ***make*** ~ ***easy*** 문제를〔정황을〕 쉽게〔편하게〕 하다. ***not on your*** ~ 《구어》 결코 …않다〔아니다〕, 확실히 …아니다. ***on your*** ~ 반드시, 꼭(by all means). ***put*** ~ ***into*** one***'s work*** 일에 온 정성을 다 쏟다. ***see*** 〔***learn***〕 ~ 세상을 보다〔알다〕: He has *seen* nothing of ~. 그는 정말 세상 물정을 모르는 철부지이다. ***start in*** 〔***begin***〕 ~ 세상에 나오다, 태어나다. ***still*** ~ 〖회화〗 정물(靜物). ***take*** one***'s*** ~ ***in*** one***'s hands*** 그런 줄 알면서 죽음의 위험을 무릅쓰다. ***the*** ~ ***of the world to come*** =***the other*** 〔***future***〕 ~ 저승, 내세. ***this*** ~ 이승, 현세. ***to the*** ~ 실물 그대로, 생생하게, 조금도 틀림없이: a portrait drawn *to the* ~ 살아 있는 것 같은 초상화. ***true to*** ~ ① 현실적으로, 실생활에 맞게; 박진(迫眞)하여. ② 실물과 꼭같이, 실제 그대로. ***upon*** 〔***'pon***〕 one***'s*** ~ ① 목숨을 내걸고; 맹세코, 반드시. ② 어럽쇼. ***What a*** ~***!*** 이게 뭐람, 아이고 맙소사. ***with*** ~ ***and spirit*** 활발하게, 올차게. ***You*** (***can***) ***bet your*** ~ (***...***). 《구어》 틀림없이〔물론〕 (…이다). ***You've saved my*** ~***.*** 《속어》 고맙습니다.

— *a.* 긴급 구제를 위한《재정 조치 따위》, 구급(救急) 우선의. 「극히 중대한.

life-and-déath [-ən-] *a.* 사활에 관계되는,

life annùity 종신 연금.

life assùrance 《영》 생명 보험.

life bèlt 구명띠〔대〕; 안전벨트(safety belt).

life·blòod *n.* Ⓤ **1** 생혈(生血), 삶에 필요한 피; 활력〔생기〕의 근원: They are the ~ of the company. 그들은 회사의 원동력이다. **2** 입술〔눈꺼풀〕의 경련.

life·bòat *n.* 구명정, 구조선; 《미속어》 은사(恩赦), 특사(特赦), 감형, 재심.

lifeboat éthic(s) '구명 보트의 윤리'《위급 시는 도덕적 윤리보다도 사태의 긴급〔편의〕 정도를 행동 원리로 하는 사고방식》.

life brèath 생명을 유지하는 호흡; 영감을 주는 힘, 정신의 양식.

life bùoy 구명부대(浮袋).

life càr 해난 구조용 수밀(水密) 컨테이너.

life càre 라이프 케어《종신 의료 서비스를 받을 수 있는 시설》. ㉥ **life-càre** *a.*

life càst 〔**màsk**〕 생전에 뜨는 마스크. cf. death mask.

life clàss 실제 모델을 쓰는 미술 교실.

life cỳcle 〖생물〗 라이프 사이클, 생활환(環), 생활사(史); 〖컴퓨터〗 수명. 「없는 것》.

life estàte 〖법률〗 생애 부동산(권)《세습할 수

life expèctancy 기대 수명, 평균 예상 여명(餘命)(expectation of life).

life fòrce =ÉLAN VITAL.

life fòrm 생물 형태. 「을」 북돋우는.

life-gìving *a.* 생명〔활력〕을 주는, 활기를〔기운

life·guàrd *n.* **1** (수영장 따위의) 감시원, 구조원. **2** (기관차 앞면의) 배장기(排障器). **3** 호위(병), 경호원, 친위대. — *vt.* (아무의) 목숨을 지키다. — *vi.* ~로서 근무하다.

Life Guàrds 《영》 (the ~) 근위병 연대.

Life Guàrdsman 《영》 근위 기병(騎兵).

life hístory 〖생물〗 생활사(史)《발생에서 죽음에 이르기까지의 생활 과정·변화》; =LIFE CYCLE; (어떤 개인의) 일대기, 전기(傳記).

life imprísonment 종신형, 무기 금고형.

life ínstinct 생(生)의 본능.

life insùrance 생명 보험.

life ínterest 〖법률〗 종신 재산 소유권.

life jàcket 구명 재킷(life vest).

°**life·less** [láiflis] *a.* **1** 생명이 없는; 생물이 살지 않는: a ~ planet 생명이 없는 행성 / ~ matter 무생물. **2** 생명을 잃은, 죽은. **3** 기절한:

fall ~ 기절하다. **4** 활기〔생기〕가 없는; 기력이 없는; (이야기 따위가) 김빠진(dull), 시시한: a ~ story. [파] **~·ly** *ad.* **~·ness** *n.*

life·like *a.* 살아 있는 것 같은; (초상화 따위가) 실물과 똑같은, 실물 그대로의, 생생한.

life·line *n.* **1** 구명삭(索). **2** (우주 유영자·잠수부의) 생명줄. **3** 《비유》 유일한 의지. **4** (보통 L-) 〖수상(手相)〗 생명선. **5** (고립 지역으로의) 물자 보급로, 생명선《중요 항로, 수송로 따위》. **6** 생활의 최저선.

life list 들새의 관찰 기록.

*__life·long__ [láiflɔ̀ːŋ, -lɑ̀ŋ/-lɔ́ŋ] *a.* 일생〔평생〕의, 생애의: ~ education 〖교육〗 평생 교육.

life·man·ship [láifmənʃìp] *n.* [U] 홍감, 허세.

life member 종신 회원〔사원〕.

life membership 종신 회원의 신분; 종신 회원 수; 전(全) 종신 회원.

life net (소방용) 구명망(網).

life office 생명 보험 회사.

life-or-death *a.* =LIFE-AND-DEATH.

life partner 평생 반려자.

life peer (영국의) 일대(一代) 귀족.

life peerage (영국의) 일대 귀족(의 작위).

life preserver 《미》 구명구(具)《구명 재킷 따위》; 《영》 호신용 단장《끝에 납을 박음》.

life president (종종 L- P-) (아프리카 국가 등의) 종신 대통령.

lif·er [láifər] 《속어》 *n.* 무기 징역수(囚); 종신형 선고; 직업 군인; 그 일에 평생을 바친 사람.

life raft 구명 뗏목.

life ring =LIFE BUOY.

life-risking *a.* 목숨을 건.

life-saver *n.* **1** 인명 구조자; 생명의 은인; 수난〔해난〕 구조대원. **2** 《구어》 곤경에서 건져 주는 사람〔물건〕; 구명구(具).

life-saving *a.* 구명의; 《미》 수난〔해난〕 구조의: a ~ station 수난 구조소/the *Lifesaving* Service (미국의) 수난〔해난〕 구조대.

life science (흔히 ~s) 생명 과학《physical science에 대하여 생물학·생화학·의학·심리학 등》.

life sentence 〖법률〗 종신형; 무기 징역.

life-size(d) *a.* 실물대(大)의.

life space 〖심리〗 생활 공간.

life span (생물체의) 수명.

life spring 생명의 원천〔근원〕.

life story 인생담, 일대기.

life strings 생명줄, 목숨.

life·style *n.* (개인·집단 특유의) 사는 방식, 생활 양식, 라이프스타일.

lifestyle drug 생활 향상약《병의 치료보다는 생활 스타일의 향상을 위한 약》.

life support 생명 유지 장치; 연명 처치.

life-support *a.* 생명 유지를 위한; (환경 따위가 야생 동식물의) 생명을 양육하는, 생존 가능한; 〖의학〗 생명 유지 장치의〔를 부착한〕. **—** *n.* 생명 유지 장치, 생명 유지적 요법.

life-support system **1** 〖우주공학〗 생명 유지 장치《우주선 내·해저 탐험용 또는 의학용》. **2** 〖생태〗 생활 유지계(系), 생활 보지계(保持系)《생활 유지에 필요한 모든 환경 요소를 하나의 계(系)로서 취급하는 개념》.

life-support technology 생활 지원 기술《신체 장애자·노인의 생활과 건강을 위한》.

life table 〖통계〗 생명표.

life tenant 〖법률〗 생애 부동산권자.

life test 내구(耐久) 시험.

life-threatening *a.* 생명을 위협하는, 생명에 관계되는.

*__life·time__ [láiftàim] *n.* 일생, 생애, 필생, 평생; (생물의) 수명; (무생물의) 존재〔계속, 유효〕 기간; 〖물리〗 (소립자 따위의) (평균) 수명: the laugh of a ~ 최고의 큰 웃음/(It's) all in a 〔one's〕 ~. 그것도 팔자소관이다〔팔자니 어쩔 수 없다〕. **—** *a.* 생애의, 필생〔일생〕의.

life vest =LIFE JACKET.

life·way *n.* 생활 방식〔양식〕.

life·work *n.* [U] 일생〔필생〕의 사업.

life zone 생물 분포대(帶), 생활대, 생물 지리대.

LIFO [láifou] *n.* [U] 〖회계·컴퓨터〗 후입 선출(後入先出). [◂ *last-in-first-out*]

*__lift__ [lift] *vt.* **1** 《~+[목]/+[목]+[전]+[명]》 들어올리다, 올리다, 안아〔치켜〕올리다《*up*》; 《미》 (세율·물가 따위를) 올리다(raise): ~ a barbell 바벨을 들어올리다/~ a baby *in* one's arms 두 팔로 아기를 안아올리다. [SYN.] ⇨RAISE. **2** 《~+[목]/+[목]+[부]/+[목]+[전]+[명]》 (손 따위를) 위로 〔쳐들어〕 올리다; (눈·얼굴 따위를) 쳐들다; (목소리를) 높이다; (탑을) 솟게 하다《*up; from*》; (기운을) 돋우다《*up*》: ~ (*up*) one's heart 〔spirits〕 기운을 내다/~ (*up*) one's eyes 올려다보다/The church ~*s* its spire. 교회의 첨탑이 높이 솟아 있다. **3 a** 《+[목]+[부]/+[목]+[전]+[명]》 향상시키다, 고상하게 하다; …의 사회적 지위를 높이다; 출세시키다, 승진〔승급〕시키다: ~ a person (*up*) *from* obscurity 무명인(無名人)을 출세시키다. **b** 《+[목]+[부]/+[목]+[전]+[명]》 〖~ oneself〗 …의 출신이다, 향상하다: ~ one*self* (*up*) *out of* poverty 가난에서 입신(立身)하다. **4** 《~+[목]/+[목]+[전]+[명]》 (바리케이드·천막 따위를) 치우다, 철거하다, 일소〔제거〕하다; (포위 따위를) 풀다, (법정이 금령(禁令) 따위를) 해제하다: ~ a siege 포위를 풀다/~ anxiety *from* a person 아무의 불안을 불식시켜 주다/~ a tariff 관세를 폐지하다. **5** (부채를) 갚다; (잡힌 물건·화물 등을) 찾(아내)다: ~ a mortgage 잡힌 것을 찾다. **6** 《+[목]+[전]+[명]》 《구어》 (남의 문장을) 따다, 표절하다《*from*》: ~ a passage *from* Milton 밀턴의 한 구절을 표절하다. **7** 《속어》 훔치다, 후무리다: ~ a shop 가게에서 몽태치다. **8** 〖농업〗 파내다: ~ potatoes 감자를 캐내다. **9** 〖골프〗 (공을) 쳐 올리다. **10** (성형 수술로 얼굴의) 주름살을 없애다. **11** 공수(空輸)하다, 수송하다; (자동차 따위에) 동승(同乘)시키다, (승객을) 태우고 가다《*to*》: ~ tourists *to* Chicago 관광객을 시카고로 수송하다. **—** *vi.* **1** 오르다, 높아지다. **2** (구름·안개가) 걷히다, 없어지다(disperse); (비 따위가) 그치다, 멈추다, 개다; (표정이) 밝아지다: The fog ~*ed*. 안개가 걷혔다. **3** (비행기·우주선 등이) 이륙하다; 발진하다《*off*》: The space shuttle ~*ed off* without a hitch. 스페이스 셔틀은 순조롭게 발진했다. **4** (마룻바닥 따위가) 들떠 오르다, 부풀다(bulge). **5** 《~/+[전]+[명]》 들어올리려고 하다《*at*》; 들리다: ~ *at* a heavy stone 무거운 돌을 들어올리려 하다/This lid won't ~. 이 뚜껑은 잘 열리지 않는다. **6** 〖해사〗 (별·육지 따위가) 지평선 위에 뜨다〔보이다〕. **7** 배가 물결을 타다.

~ *a finger* 〔***hand***〕 〖보통 부정문으로〗 …하려고 약간의 수고를 하다: He did*n't* ~ *a finger* to help me. 그는 나를 도우려는 아무 노력도 하지 않았다. **~ *a hand*** ⇨HAND. **~ *a story*** 〖신문〗 표절하다. **~ *at*** ⇨*vi.* 5. **~ *down*** (물건·사람을) 들어서〔안아서〕 내리다. **~ one*'s face*** ① 얼굴을 쳐들다. ② 얼굴의 주름을 펴다; 화장하다. **~ one*'s hand*** 손을 들다; (손을 들어) 맹세하다. **~ *up*** (청중을) 정신적으로 고양(高揚)〔앙양〕시키다. **~ *up a cry*** 〔***a shout,*** one***'s voice***〕 외치다, 소리치다. **~ (*up*) one*'s hands*** 손을 들어 기원〔맹세〕하다. **~ *up* one*'s heel against*** …에게 발길질을 하며 덤비다. **~ *up* one*'s horn*** 뽐내다, 오만한 행동을 하다; 야심을 품다.

— *n.* **1** (들어)올리기, 오르기; 한 번에 들어올리

는 양〔무게〕, 올려지는 거리〔정도〕, 상승 거리 《*of*》: give a stone a ~ 돌을 들어올리다 / There was so much ~ *of* sea. 파도가 굉장히 높았다. **2** 정신의 앙양〔고양〕, (감정의) 고조(高潮), 활력을 주는 힘: Those words gave me quite a ~. 이 말들로 크게 기운을 얻었다. **3** 《비유》 승진, 승급, 출세(rise); (물가·경기의) 상승 《*in*》: a ~ *in* one's career 출세 / a ~ *in* prices 물가의 상승. **4** (목·머리 따위의) 높이 치켜든 자세, 오만한 태도: the proud ~ *of* her head 머리를 높이 치켜세운 그녀의 오만한 태도. **5** 조력, 도움, 거들어 주기. **6** 땅의 융기(隆起); (수문을 닫았을 때의) 증수량. **7** 《영》 승강기(《미》 elevator); 기중기; 리프트: a ski ~. **8** (구두의) 뒤축 가죽의 한 장. **9** 〖항공〗 상승력(力), 양력(揚力). **10** 공수(空輸)(력)(airlift); 공수물(物)〔객(客)〕. **11** (자동차에) 태우기, 편승(便乘). **12** 〖해사〗 활대줄; 〖광산〗 갱내용 양수펌프. **13** 절도. ***give*** a person ***a*** ~ 아무를 차에 태우다, 차에 태워 가다; 아무를 거들다. ***on the*** ~ 《미남부》 (병 따위로) 쇠약하여; 몸져누워; 자력으로 일어설 수 없어; 빈사 상태에.

líft·bàck *n.* 리프트백차(車)《크게 경사진 뒷부분의 지붕을 개폐(開閉)할 수 있는 자동차》.

líft·bòy *n.* 《영》 =LIFTMAN.

líft brìdge 승개교(昇開橋).

líft·er *n.* 들어올리는 사람〔물건〕; 《속어》 도둑놈, 들치기, 후무리는 사람.

líft·gìrl *n.* 엘리베이터 걸.

lift·ies [líftiz] *n.* (*pl.*) (키를 크게 보이도록) 바닥을 높게 한 구두.

líft·ing *n.* 들어올림: weight ~ 역도.

lífting bòdy 항공 겸용 우주선《우주에서 대기권에 재돌입, 활공, 조종하면서 착륙할 수 있는 무익(無翼) 로켓 비행기》.

líft·màn [-mæ̀n] (*pl.* ***-mèn*** [-mèn]) *n.* 《영》 승강기 운전사(《미》 elevator operator).

líft-òff *n.* (헬리콥터·로켓 따위의) 이륙 (순간·시점), 떠오름; 발사, 발진(發進). cf. takeoff.

líft pùmp 무자위(suction pump).

líft-slàb *a.* 〖건축〗 리프트슬래브 공법의, 잭 공법의《마루·지붕 따위의 콘크리트 슬래브를 평지에서 만들어, 소정의 위치에 들어올려 설치하는》.

líft trùck 적재용 트럭, 기중기 달린 소형 화물 운반차. cf. forklift, fork truck.

lig [lig] 《영구어》 *vi.* 빈둥거리다; (특히, 예능 관계 행사 등에서) 식객 노릇을 하다, 빌붙다. ── *n.* 공짜로 먹고 마시는 기회〔파티〕. ㊔ **líg·ger** *n.*

lig·a·ment [lígəmənt] *n.* 줄, 끈, 띠; 〖해부〗 인대(靭帶); 《고어》 연줄, 기반(羈絆).

lig·a·men·tal [lìgəméntl], **-ta·ry** [-təri], **-tous** [-təs] *a.* 끈〔줄〕과 같은; 〖해부〗 인대(靭帶) 모양의.

li·gan, -gen [láigən] *n.* 〖법률〗 =LAGAN.

li·gand [láigənd, líg-] *n.* 〖화학〗 리간드, 배위자(配位子).

li·gase [láigeis, -geiz] *n.* 〖생화학〗 리가아제《핵산 분자를 결합하는 효소》.

li·gate [láigeit] *vt.* 묶다, 동여매다; 〖의학〗 (혈관 따위를) 결찰(結紮)하다. ㊔ **li·gá·tion** *n.* Ⓤ 〖의학〗 결찰. **lig·a·tive** [lígətiv] *a.* 결찰의.

lig·a·ture [lígətʃər, -tʃùər] *n.* 끈, 줄, 띠; 굴레; 〖의학〗 결찰사(結紮絲); 〖인쇄〗 합자(合字)《æ, fi 등》, 연자(連字) 기호; 〖음악〗 이음줄, 슬러(slur). ── *vt.* 동이다, 묶다; 결찰 봉합하다.

li·ger [láigər] *n.* 라이거《수사자와 암범 사이의 교배 잡종》. cf. tigon. [◂ *lion*+*tiger*]

†**light¹** [lait] *n.* **1 a** Ⓤ 빛, 광선; 햇빛; 낮, 대낮; 새벽: in ~ 빛을 받아 / before ~ 날이 밝기 전에 / before the ~ fails 해지기 전에 / He left home at first ~. 그는 동이 틀 무렵에 집을 나섰다. **b** Ⓤ 밝음, 광명, 광휘, 빛남(opp. *darkness*); 《비유》 명백, 밝은 곳, 노현(露顯). **c** 얼굴의 밝음, 눈의 빛남; 〖회화〗 밝은 부분(cf. shade): The ~ of his eyes died. 눈의 빛이 사라졌다, 활기(活氣)가 없어졌다.

2 a Ⓒ 발광체, 광원; 태양, 천체. **b** 〖집합적〗 등불, 불빛; 횃불; 등대; (*pl.*) (무대의) 각광; (종종 *pl.*) 교통 신호(traffic ~): put out the ~ 불을 끄다 / before the ~*s* 각광을 받고, 무대에 나가, 출연하여. **c** Ⓒ 채광창(採光窓), 창구, 창, (온실의) 유리 지붕〔벽〕, 탈것의 창(window); 〖법률〗 채광권, 일조권.

3 a Ⓒ (발화를 돕는) 불꽃, 점화물, 불쏘시개; (담배의) 불, 점화: a box of ~*s* 한 통의 성냥 / get a ~ 불을 빌리다〔얻다〕/ strike a ~ (성냥 따위로) 불을 켜다 / set ~ to …에 불을 붙이다 / Will you give me a ~? 담뱃불 좀 빌려 주시겠습니까. **b** Ⓤ 밝음에 드러냄; 폭로(함): Other pages were never opened to the ~. 다른 페이지는 전혀 공개되지 않았다.

4 a (*pl.*) 정신적 능력, 재능, 지능, 지력(智力); 판단, 생각; 지식, 견식, 규범: according to one's (own) ~*s* 각자의 지능〔지식, 견식〕에 따라서. **b** Ⓤ (또는 a ~) (문제의 설명에) 도움이 되는 사실〔발견〕《*upon* a subject》: give 〔shed〕 ~ *on* 〔*upon*〕 …을 밝히다 / We need more ~ *on* this subject. 우리는 이 문제에 대해서 좀더 알 필요가 있다. **c** Ⓒ 견해, 사고방식; 양상(aspect), (크로스워드 퍼즐에서) 힌트에서 판명하는 말〔답〕: He saw it in a favorable ~. 그는 그것을 유리하게 해석했다〔호의적으로 보았다〕.

5 Ⓒ 지도적인 인물, 선각자, 현인, 대가(大家), 권위자: the ~*s* of antiquity 옛 성현(聖賢) / shining ~*s* 명성이 높은 대가〔권위자〕들.

6 Ⓤ 정신적인 빛; 계몽; 진실; 〖종교〗 영광(靈光), 빛(*of*); 〖성서〗 영광(榮光), 복지(福祉).

7 a Ⓤ 《시어》 시력, 시각. **b** (*pl.*) 《속어》 눈.

according to one***'s*** 〔a person***'s***〕 ***~s*** 자기〔그 사람〕의 견해〔능력〕에 따라서, 자기〔그 사람〕 나름대로. ***between the ~s*** 해 질 녘에. ***between two ~s*** 《속어》 야밤중에; 어둠을 타고. ***bring to ~*** 밝히다; 드러내다, 폭로하다. ***by the ~ of nature*** 직감으로, 자연히. ***come to ~*** 드러나다, 나타나다. ***come to ~ with ...*** 《Austral.구어》 (돈 등을) 내어 보이다, 제출하다. ***get out of the ~*** 빛을 가로막지 않다; 방해가 되지 않도록 하다. ***hide*** one***'s ~ under a bushel*** ⇨ BUSHEL¹. ***in a good*** 〔***bad***〕 ***~*** 잘 보이는〔보이지 않는〕 곳에, 좋은〔나쁜〕 면을 강조하여; 유리〔불리〕한 입장에서. ***in ~*** 빛을 받아, 비추어져. ***in the*** (***cold***) ***~ of day*** 〔***dawn, reason***〕 현실적이 되어서〔냉정하게〕 생각해 보니. ***in the ~ of*** ① …에 비추어, …을 생각하면, …의 관점〔견지〕에서: *in the ~ of* a new situation 새로운 사태에 비추어 볼 때. ② …으로, …의 모습으로: appear *in the ~ of* a knave 무뢰한으로 보이다. ***in*** its 〔his〕 ***true ~*** 있는〔사실〕 그대로, 현실의 모습으로. ***knock*** a person***'s ~s out*** ① (아무를) 호되게 때리다. ② (이야기 따위가) 아무의 간담을 서늘케 하다. ***~ and shade*** 명암, 천양지차. ***out like a ~*** 《미구어》 ① 깊이 잠들어. ② 갑자기 의식을 잃고: go *out like a ~* 깊이 잠들다; 의식을 잃다. ***see the ~*** ① 햇빛을 보다, 세상에 나오다, 출판되다(see the ~ of day). ② 이해하다, 납득하다: Now I *see the ~*. 이제야 이해가 됩니다. ③ 태어나다. ④ 《미》 기독교에 귀의하다; 개종하다. ⑤ 묘안을 얻다. ***see the ~ of the end of the tunnel*** (오랜 고난 끝에) 앞날에 광명이 보이다, 앞날을 가늠할 수 있게 되다. ***shoot the ~s*** 《영속어》 《특히

황색 신호 때의》 교통 신호를 무시하다. ***stand* 〔*get*〕 *in*** a person***'s*** ~ ① 빛을 가리어 (아무의) 앞을 어둡게 하다. ② 《구어》 (아무의) 호기를 방해하다. ***stand in*** one***'s own*** ~ (분별없는 행위로) 스스로 불리를 자초하다. ***the*** ~ ***of*** a person***'s countenance*** (아무의) 애고(愛顧), 총애, 호의. ***the*** ~ ***of God's countenance*** 신의 은총. ***the*** ~ ***of*** one***'s eyes*** 가장 마음에 드는〔사랑하는〕 사람; 소중한 물건. ***view in a new*** ~ 새로이 다시 보다. ***view in its true*** ~ 그 진상을 구명(究明)하다〔알다〕.

— *a*. **1** 밝은(bright). OPP *dark*. ¶ a ~ room 밝은 방. **2** (색이) 엷은, 연한, 엷은(pale), 희읍스름한(whitish), (커피 따위에) 크림을 넣은: ~ blue 담청색 / a ~ evening 아직 해가 안 넘어간 저녁 / a ~ complexion 흰 얼굴(빛). **3** 〖음성〗 밝은《light, file의 [l] 따위; battle, cold 따위의 어두운 [l]에 상대됨》.

— (*p., pp.* ***lit*** [lit], ~**·ed** [láitid]; 《영》에서는 과거형으로 lit, 과거분사·형용사로는 lighted, 《미》에서는 과거형으로도 lighted를 쓸 때가 많음) *vt*. **1** 《~+목/+목+부》…에 불을 켜다〔밝히다〕, …에 점화하다, 불을 붙이다; …을 태우다: ~ (*up*) a candle 〔cigarette〕 초〔담배〕에 불을 붙이다 / a ~*ed* oven 점화된 오븐. **2** 《~+목/+목+부/+목+전+명》 밝게 하다, 비추다, 조명하다; 《옛투》 불을 켜서 안내하다《*to*》: Gas lamps *lit* the street. 가스램프가 거리를 밝히고 있었다 / The hall was brightly *lit up*. 홀은 휘황하게 불이 켜져 있었다 / I ~*ed* him up the stairs *to* bed with a candle. 촛불을 밝혀 그를 위층 침실로 안내했다. **3** 《~+목/+목+부》 (얼굴 따위를) 빛내다, 밝게 하다: Her face was *lit up* by a smile. 그녀의 얼굴은 미소로 밝아졌다.

— *vi*. 《~/+부》 **1** 불이 붙다, 불이 켜지다《*up*》: The streetlights began to ~ *up*. 가로등이 켜지기 시작했다. **2** 밝아지다, 빛나다: The sky ~*s up* at sunset. 하늘은 해가 질 녘이면 밝아진다. **3** (얼굴 등이) 환해〔명랑해〕지다《*up*》: Her face *lit up* when she saw me. 나를 보자 그녀의 얼굴이 밝아졌다. ~ ***a shuck*** 〔***rag***〕 《미방언》 급히 떠나다. ~ ***up*** 《*vt.*+부》 ① ⇨ *vt*. 1, 2, 3. ② 〖보통 수동태〗 몹시 취하다. — 《*vi.*+부》 ③ ⇨ *vi*. 1, 2, 3. ④ 《영》 (사람·차 따위가) 헤드라이트를 켜다; (사람이) 가로등을 켜다.

light² *a*. **1** 가벼운, 경량의. OPP *heavy*. ¶ a ~ overcoat 가벼운 외투. **2** 경쾌한, 민첩한, 재빠른: with a ~ step 발걸음도 가볍게 / be ~ *of* foot 발걸음이 가볍다. **3** 경장(비)의, 가벼운 화물용의, 적재량이 적은, 경편(輕便)한: a ~ truck 경량 트럭 / a ~ cruiser 경순양함 / ~ cavalry 경기병(輕騎兵) / ~ infantry 경보병. **4** 짐〔부담〕이 되지 않는, 손쉬운, 쉬이 될 수 있는, 수월한: a ~ task 편한 일. **5** 경미한, 약한, (양·정도가) 적은, 소량의; (잠이) 깨기 쉬운: a ~ rain 가랑비 / a ~ sleep 엷은 잠, 선잠 / a ~ loss 경미한 손해 / a ~ eater 소식가(小食家) / The traffic is ~ today. 오늘은 교통이 혼잡하지 않다. **6** (식사가) 잘 내리는, 담박한: a ~ meal 가벼운 식사. **7** 힘들지 않은; 부드러운: a ~ blow 가벼운 타격 / a ~ touch 가볍게 손댐; 가벼운 필치. **8** (비중·밀도·농도 따위가) 낮은; (술·맥주가) 약한, 순한: ~ beer 순한 맥주. **9** (벌 따위가) 가벼운, 엄하지 않은, 관대한: a ~ punishment 가벼운 벌 / ~ expense 가벼운 지출. **10** 걱정〔슬픔 등〕이 없는; (마음이) 쾌활한, 밝은: a ~ laugh 구김살 없는 웃음 / a ~ conscience 거리낌 없는 양심. **11** 딱딱하지 않은, 오락 본위의: ~ reading 가벼운 읽을거리 / ~ music 경음악. **12** 방정맞은, 경망한, 경솔한, 변덕스러운; (여자가) 몸가짐이 헤픈(wanton), 행실이 좋지 않은(unchaste). **13** (자태 따위가) 육중하지 않은, 늘씬한, 선드러진, 아름다운; (무늬·모양이) 섬세하고 우아한; (익살 따위가) 경묘(輕妙)한. **14** (빵이) 푸하게 부푼; (흙 따위가) 무른, 푸석푸석한: ~ soil 흐슬부슬한 흙. **15** 법정 중량에 모자라는: a ~ coin 중량이 빠지는 화폐. **16** 현기증이 나는, 어지러운(giddy): feel ~ in the head 현기증이 나다; 기분이 이상하다 / I get ~ on one martini. 마티니 한 잔에 핑 돈다. **17** (인쇄·색깔 따위가) 엷은; (소리·접촉 따위가) 가벼운, 희미한; 〖음성〗 강세〔악센트〕가 없는, 약음의.

give ~ ***weight*** 무게를 속이다. ***have a*** ~ ***hand*** 〔***touch***〕 손끝이 야무지다, 손재간이 있다; 수완이 있다. ~ ***in hand*** 어거하기〔다루기〕 쉬운. ~ ***of ear*** 귀여린, 곧이듣기 잘하는. ~ ***of fingers*** 손버릇이 나쁜. ~ ***of heel*** 〔***foot***〕 발이 빠른. ~ ***on*** 《구어》 …이 부족하여. ***make*** ~ ***of*** ⇨ MAKE.

— *ad*. **1** 가볍게, 경쾌하게. **2** 경장으로: travel ~ 가뿐한 차림으로〔홀가분하게〕 여행하다. **3** 깨기 쉽게: sleep ~ 겉잠 자다. **4** 수월하게, 쉽게, 간단히: *Light* come, ~ go. 《속담》 쉬이 얻은 것은 쉬이 없어진다; 부정한 돈은 남아나지 않는다. ***get off*** ~ 벌받지 않고 면하다.

light³ (*p., pp.* ***∠·ed, lit*** [lit]) *vi*. **1** (말 따위에서) 내리다. **2** (새가) 앉다(alight). **3** 《+전+명》 우연히 만나다〔발견하다〕《*on, upon*》; (시선 등이) 멈추다《*on*》; (재앙·행운 등이) 불시에 닥쳐오다《*on*》: ~ *on* a clue 우연히 실마리를 발견하다. — *vt*. (밧줄 등을) 끌어올리다〔당기다〕(haul); 당기는 것을 돕다. ~ ***into*** 《구어》 …을 공격하다; …을 꾸짖다. ~ ***on*** one***'s feet*** 〔***legs***〕 (떨어졌을 때) 오뚝 서다; 《비유》 행운이다, 성공하다. ~ ***out*** 《구어》 전속력으로 달리다; 《구어》 (…에서) 급히 떠나다, (…으로) 도망치다《*for*》.

líght adaptàtion 〖안과〗 명순응(明順應).

líght-adàpted [-id] *a*. 〖안과〗 (눈이) 명순응한.

líght áir 〖기상〗 실바람.

líght áirplane 〔**áircraft**〕 《특히 자가용의》 경비행기(lightplane).

líght álloy 〖야금〗 경(輕)합금.

líght-ármed *a*. 〖군사〗 경장비의.

líght artíllery 〖군사〗 경포(輕砲)《구경 105 밀리 이하》.

líght blúe 담청색, 밝은 청색.

líght bómber 경폭격기.

líght bréeze 〖해사·기상〗 남실바람《풍속 4-7 마일》.

líght bùlb 백열전구.

líght chàin (면역 글로불린의) 경쇄(輕鎖), L사슬. cf. heavy chain.

líght chìp 광(光)칩《세라믹 집적회로》.

líght cóffee 라이트 커피《밀크를 많이 탄 연한 커피》.

líght créam 유지방분이 적은 크림.

líght cùrve 〖천문〗 광도 곡선.

líght-dày *n*. 〖천문〗 광일(光日)《1 광년의 1일》.

líght dùe 〔**dùty**〕 등대세.

líghted pén 라이트 펜《상단에 꼬마전구가 든 볼펜으로 어두운 데서 편리》.

líght emìtting díode 〖전자〗 발광 다이오드《전류가 흐르면 빛을 발하는; 생략: LED》.

light·en¹ [láitn] *vt*. **1** 밝게 하다, 비추다(illuminate); 점화하다. **2** 밝히다, 명백히〔알기 쉽게〕 하다. **3** (얼굴 따위를) 명랑하게 하다, (눈을) 빛내다. **4** 빛깔을 여리게 하다, 그림자를 희미하게 하다. — *vi*. **1** (눈·얼굴 등이) 밝아지다, 빛나다; 〖it을 주어로〗 번개가 번쩍하다(flash) 《*out; forth*》: It ~*ed*. 번개가 번쩍했다. **2** (하늘 따위가) 밝아지다, 개다.

light·en² *vt*. **1** (짐을) 가볍게 하다; (배 따위의 짐을) 덜다: ~ a ship *of* her cargo 실은 짐을 내려 배를 가볍게 하다. **2** 완화〔경감〕하다, 누그러

뜨리다. **3** 기운을 북돋우다, 위로하다, 기쁘게 하다. **—** *vi.* **1** (짐이) 가벼워지다. **2** (마음이) 가벼워지다, 편해지다. ㊞ **~·er** *n.*
líght éngine (열차를 달지 않은) 기관차.
líght·en·ing *n.* 〖의학〗 하강감(下降感), 경감감(輕減感)《분만 2-3 주 전의 복부 팽만감》.
líght entertáinment 경(輕)오락, 라이트 엔터테인먼트.
light·er[1] [láitər] *n.* **1** 불을 켜는 사람, 점등부(點燈夫). **2** 라이터, 점등〔점화〕기: snap on a ~ 라이터 불을 켜다. **3** 쏘시개 (나무). 「나르다.
light·er[2] *n.* 거룻배. **—** *vt.* (화물을) 거룻배로
light·er·age [láitəridʒ] *n.* 거룻배 삯; 거룻배 운반; 〖집합적〗 거룻배.
líghter·man [-mən] (*pl.* ***-men*** [-mən]) *n.* 거룻배 사공; 거룻배(lighter).
líghter-than-áir *a.* 〖항공〗 **1** 공기보다도 가벼운《기구·비행선 따위》. **2** 경(輕)항공기; a ~ craft 경항공기.
líght·fàce *n.* Ⓤ 〖인쇄〗 가는 활자. opp. *boldface.* ㊞ **~d** [-t] *a.*
líght·fàst *a.* (햇빛을 쐬어도) 바래지 않는, 내광성(耐光性)의. ㊞ **~·ness** *n.*
líght-fíngered *a.* (손끝이) 잰; 손버릇이 나쁜: a ~ gentleman 소매치기. 「이 나쁘다.
líght fíngers 버릇이 나쁜 손: have ~ 손버릇
líght flýweight 라이트 플라이급의 권투 선수《아마추어의 48 kg 이하》.
líght-fòot *a.* 《시어》 =LIGHT-FOOTED. **—** *vt.* 〔~ it 으로〕 발걸음도 가볍게 나아가다; 《미속어》 법정(法定) 속도로 운전하다.
líght-fóoted [-id] *a.* 발이 빠른, 민첩한(nimble), 발걸음이 가벼운; 《속어》 동성애의(homosexual). ㊞ **~·ly** *ad.* 민첩하게. **~·ness** *n.*
líght·fòoting *n.* 《CB속어》 법정 속도 운전.
líght guìde 빛 도파로(導波路), 빛 가이드(light pipe)《낮은 손실로 빛을 전송(傳送)할 수 있는 유리 섬유 등》.
líght gùn 〖컴퓨터〗 라이트 건《구식의 light pen; 최근에는 게임기에서 사격 신호를 입력하는 총 모양의 기구》.
líght-hánded [-id] *a.* 손재주 있는, 솜씨 좋은; 일손이 모자라는(short-handed).
líght-héaded [-id] *a.* **1** (술·높은 열 등으로) 머리가 어찔어찔한, 몽롱해진. **2** 사려 없는, 경솔한, 변덕이 많은. ㊞ **~·ly** *ad.* 경솔하게, 가볍게. **~·ness** *n.*
líght·héarted [-id] *a.* 아무 걱정 없는, 마음 편한, 낙천적인; 쾌활한, 명랑한. ㊞ **~·ly** *ad.* **~·ness** *n.*
líght héavyweight 라이트 헤비급의 권투〔레슬링〕 선수(=**líght héavy**).
líght-hòrseman [-mən] (*pl.* ***-men*** [-mən]) *n.* 경기병(輕騎兵). 「year.
líght-hòur *n.* 〖천문〗 광시(光時). cf. light-
*__light·house__ [láithàus] *n.* 등대: a ~ keeper 등대지기.
líght hóusekeeping 단출한 살림; 《미속어》 동서(同棲) 생활.
líght índustry 경공업. cf. heavy industry.
◇**líght·ing** *n.* **1** Ⓤ 채광(採光); 조명(법); 무대 조명: ~ fixtures 조명 기구. **2** 점화.
líghting-ùp tíme 점등 시각〔시간〕, (특히 차량의) 법정 점등 시각.
light·ish [láitiʃ] *a.* **1** (색깔이) 약간 밝은. **2** (무게가) 약간 가벼운〔모자라는〕.
líght-lègged *a.* 발이 빠른.
líght·less *a.* 빛이 없는, 어두운: ~ light 〖물리〗 흑광(黑光)(black light).
*__light·ly__ [láitli] *ad.* **1** 가볍게, 살짝, 가만히: push ~ 가볍게 밀다. **2** 부드럽게, 온화하게. **3** 사뿐히, 경쾌하게, 민첩하게. **4** 젠체하지〔빼지〕 않고: talk ~ 가볍게 이야기하다. **5** 경솔하게; 경시하여; 가벼이: an offer *not* to be refused ~ 가벼이 거절할 수 없는 제의(提議) / think ~ of … 을 경시하다. **6** 명랑하게, 쾌활하게; 태연하게. **7** 손쉽게, 수월하게: *Lightly* come, ~ go. 《속담》 쉬이 얻은 것은 쉬이 없어진다; 부정한 돈은 남아나지 않는다. **8** 엷게, 얕게. **9** 살짝, 조금: a ~ fried fish 살짝 기름에 튀긴 생선. ***get off*** ~ =get off LIGHT[2]. (can) ***not*** do ~ 경솔히 …할 수 없다.
líght machíne gùn 경기관총《구경 0.3 인치 이하의 공랭식(空冷式)》.
líght mèat 흰고기(white meat).
líght métal 경(輕)금속《비중 4 이하》.
líght mèter 광도계; 〖사진〗 노출계(exposure meter).
líght míddleweight 라이트 미들급의 권투 선수《아마추어의 67 kg 을 초과하고 71 kg 이하》.
líght-mínded [-id] *a.* 경솔〔경박〕한; 무책임한. ㊞ **~·ly** *ad.* 불성실하게.
líght mìneral 〖광물〗 백색 광물《비중이 2.8보다 적은 조암(造岩) 광물》. cf. dark mineral.
líght-mínute *n.* 〖천문〗 광분(光分)《빛이 1 분간에 나아가는 거리》. cf. light-second.
líght-mònth *n.* 〖천문〗 광월(光月)《빛이 한 달 동안에 나아가는 거리》.
líght músic 경음악. 「음, 연함〕.
◇**líght·ness**[1] *n.* Ⓤ 밝음; 밝기; 빛깔이 엷음〔엷
◇**líght·ness**[2] *n.* Ⓤ **1** 가벼움. **2** 민첩, 기민. **3** 능란함, 교묘. **4** 경솔; 불성실; 몸가짐이 헤픔. **5** 명랑, 경쾌. **6** 부드러움; 소화하기 쉬움. **7** 온화.
*__light·ning__ [láitniŋ] *n.* Ⓤ **1** 번개, 전광: a flash of ~ 번개 / *Lightning* never strikes in the same place twice. 《속담》 번개는 같은 장소에 두 번 치지 않는다; 같은 불행이 한 사람에게 두 번 오지 않는다. **2** 저질 위스키. **3** 《속어》 = AMPHETAMINE. ***like*** (《구어》 ***greased***) 〔《구어》 ***like a streak of***〕 ~ 번개같이, 순식간에. ***ride the*** ~ 《미속어》 전기의자에서 처형당하다. **—** *vi.* 〔종종 it 을 주어로〕 번개가 치다. **—** *a.* 번개의; 재빠른, 전광석화의; 전격적인: a ~ strike 〔operation〕 전격적 파업〔작전〕 / at〔with〕 ~ speed 순식간에.
líghtning arrèster 피뢰기.
líghtning bèetle 〔**bùg**〕 《미》 반딧불이.
líghtning condùctor 피뢰침(의 도선).
líghtning ròd 피뢰침; 《미속어》 제트 전투기.
líghtning stríke 낙뢰, 벼락; 전격 파업.
líghtning wàr 전격전.
líght óil 경유(輕油). 「부; 정부《남녀》.
líght-o'-love [láitəlʌ́v] *n.* 바람난 여자, 매춘
líght ópera 경가극(輕歌劇).
líght pèn 〖컴퓨터〗 **1** 광전펜(=**líght pèncil**)《표시 스크린에 신호를 그려 입력하는 펜 모양의 입력 장치》. **2** 바코드 판독기. 「전, 잔돈.
líght píece (보통 25 센트의) 은화, 소액의 금
líght pìpe =LIGHT GUIDE.
líght·plàne *n.* 《특히》 자가용 경비행기(light airplane).
líght plòt 무대 조명법.
líght pollùtion (천체 관측 등에 지장을 주는, 도시 야광의) 빛 공해.
líght·próof *a.* 빛을 통과시키지 않는.
líght quántum 〖물리〗 광자(光子), 광양자(光量子)(photon).
líght ráil 경궤조(輕軌條)(방식)의.
líght ràilway 《영》 경편(輕便) 철도.
líght reàction 〖식물〗 명반응(明反應)《광합성(光合成)의 제 1 단계》; 〖동물〗 (빛에 대한) 조사(照射) 반응.

lights [laits] *n. pl.* (양·돼지 등의) 폐장(肺臟)《개·고양이 먹이》.
light·sat [láitsæ̀t] *n.* 소형 경량 인공위성.
líght-scùlpture *n.* 빛의 조각《투명 소재에 전기 조명을 짜 맞춘 조각적 작품》.
líght-sècond *n.* 【천문】 광초(光秒)《빛이 1초 동안에 나아가는 거리》. cf. light-year.
líght-sénsitive *a.* 빛에 민감한, 빛을 잘 느끼는.
líght·shìp *n.* 등대선(船).

lightship

líght shòw 슬라이드나 다채로운 빛 따위를 사용한 전위 예술 표현.
líght-skìrts *n. pl.* 〔단수취급〕 허튼계집, 계명워리.
light·some[1] [láitsəm] *a.* 《고어·시어》 쾌활〔명랑〕한; 민활한; 고상한, 우아한《자태》; 경박한(frivolous). ㊞ **~·ly** *ad.* **~·ness** *n.*
light·some[2] *a.* 빛나는, 번쩍이는; 조명이 잘 된, 밝은.
líghts-óut *n.* 【군사】 소등 신호〔나팔〕; 정전; 「《미속어》 죽음.
líghts-óut fàctory 《속어》 (작업 조명이 필요 없는) 완전 자동 공장《기술 진보로 인력의 도움 없이 암흑 속에서 조업할 수 있는 미래의 공장》.
líght-strùck *a.* 【사진】 (필름 등에) 광선이 새어 들어간.
líght tàble 라이트 테이블《슬라이드 검사·투사「용》.
líght·tíght *a.* 빛을 통과시키지 않는(lightproof).
líght tìme 【천문】 (천체의 빛이 관측자에게 도달하기 까지의) 광행(光行) 시간.
líght tràcer 예광탄.
líght tràp 유아등(誘蛾燈); 【사진】 차광 장치.
líght wáter (중수(重水)에 대해) 보통 물, 경수(輕水): a ~ reactor 경수로(爐)《경수를 냉각 감속재로 쓰는 동력로》.
líght wàve 【물리】 광파(光波).
líght-wèek *n.* 【천문】 광주(光週)《빛이 1주일 동안에 나아가는 거리》. cf. light-year.
◇**líght·wèight** *n.* **1** 표준 무게 이하의 사람〔물건〕. **2** 【권투·레슬링】 라이트급 선수. **3** 《구어》 하찮은 사람. **—** *a.* 라이트급의, 경량의; 하찮은; 진지하지 못한. 「통.
líght wèll 【건축】 (건물 내의) 채광정(井), 채광
líght wélterweight 【권투】 라이트 웰터급 (선수)《아마추어의 체중 60-63.5kg》.
líght whísky 라이트 위스키《알코올 성분이 적고 향기가 순한 미국산 위스키》.
líght wíne =SOFT WINE.
Líght Withín =INNER LIGHT.
líght·wòod *n.* 《미남부》 불쏘시개용 나무, 《특히》 관솔; 가벼운 재질의 나무.
líght-ỳear *n.* 【천문】 광년《빛이 1년간에 나아가는 거리; 9.46×10^{15}m; 생략: lt-yr》.
lig·ne·ous [lígniəs] *a.* (풀이) 나무 같은, 목질의(woody).
lig·ni·fi·ca·tion [lìgnəfikéiʃən] *n.* 목질화(木質化).
lig·ni·fy [lígnəfài] *vt., vi.* 【식물】 (고등 식물이) 목질화하다.
lig·nin [lígnin] *n.* Ⓤ 【화학】 리그닌, 목질소.
lig·nite [lígnait] *n.* Ⓤ 아탄(亞炭), 갈탄(brown coal).
lig·no·caine [lígnəkèin] *n.* 【화학】 리그노카인《국부 마취제로 쓰이는 결정 화합물》.
lig·no·cel·lu·lose [lìgnəséljəlous] *n.* 【식물】 목질 섬유소. ㊞ **lig·no·cel·lu·lós·ic** *a.*
lig·nose [lígnous] *n.* 【화학】 리그노스《lignin의 한 성분》; 폭발물(의 일종).
lig·num vi·tae [lígnəm-váiti, -ví:tai] (*pl.* **~s**) 《L.》 【식물】 유창목(癒瘡木)《열대 (아메리카) 지방산의 참나무》; 그 목재.
lig·ro·in(e) [lígrouin] *n.* Ⓤ 【화학】 리그로인《석유 에테르의 일종; 용제로 쓰임》.
lig·u·la [lígjələ] (*pl.* **-lae** [-lì:], **~s**) *n.* 【식물】 =LIGULE; 【곤충】 순설(脣舌).
lig·u·late, -lat·ed [lígjələt, -lèit], [-lèitid] *a.* 【식물】 설상(舌狀)의, 혀 모양의: the ~ corolla 설상 화관(花冠).
lig·ule [lígju:l] *n.* 【식물】 소설(小舌), 설상편(舌狀片), 설상 화관(花冠).
lik·a·ble, like- [láikəbəl] *a.* 마음에 드는; 호감이 가는: a ~ person. ㊞ **-bly** *ad.* **~·ness** *n.*
†**like**[1] [laik] *vt.* **1** 《~+목/+목+(*to be*) 보》 좋아하다, 마음에 들다(be fond of): I ~ green tea. 녹차(綠茶)를 좋아한다 / I ~ my coffee hot. 커피는 따끈한 것이 좋다 / I ~ your impudence. 〖반어적〗 건방지게시리 / (Well,) I ~ that! 《구어》 〖반어적〗 괜찮군《싫다》.

SYN. **like** 가장 일반적인 말로 뜻도 약함. **love** 가장 강한 말로 구어체임: I *love* sports. 나는 스포츠를 가장 좋아한다〔사랑한다〕. **be fond of** like 보다 뜻이 강하며, 구어에서 잘 쓰임. **care for** 흔히 부정 또는 의문문으로 쓰임: Do you *care for* sweets? 과자는 좋아합니까. **prefer to** 뜻이 약하고, 잘 쓰이지 않음.

2 《+*to* do/+목+*to* do/+-*ing*/+목+-*ing*》 …하기가〔하는 것이〕 좋다: I ~ *to* play 〔play*ing*〕 tennis. 테니스하고 싶다〔하기를 좋아한다〕/ I don't ~ women *to* smoke. 여자가 담배를 피우는 것은 못마땅하다 / I ~ *to* enjoy Saturday evenings, but I don't ~ stay*ing* up late. 토요일 밤을 즐기는 것은 좋아하지만 늦게까지 노는 것은 싫다 / I don't ~ him behav*ing* like that. 그가 그렇게 행동하는 것이 마음에 안 든다. **3** 《~+목/+*to* do/+목+*to* do》 〖should 〔would〕 ~〗 바라다; …하고 싶다《*to* do》: *Would* you ~ coffee? 커피를 드시겠습니까 / I *should* 〔*would*〕 ~ *to* go. 가고 싶군 / He *would* have ~*d* *to* come alone. 그는 (될 수 있으면) 혼자 오고 싶었다 / *Would* you ~ us *to* help? 우리가 도와주었으면 싶으냐.

NOTE (1) should 〔would〕 like...는 정중하고 삼가는 듯한 표현.
(2) 구어에서는 종종 I'd like... 가 됨.
(3) to 만 남기고 동사가 생략될 때도 있음: Yes, *I'd like to.* 예, 그렇게 하고 싶습니다.

4 (음식이 사람의 체질·건강)에 맞다(suit): I like oysters, but they don't ~ me. 굴을 좋아하지만 체질에 안 맞는다. **5** 《고어·방언》 〖it 을 주어로 비인칭구문〗 …의 기호〔취미〕에 맞다: *It* ~*s* me not. 마음에 안 든다(I do not ~ it.). **—** *vi.* 마음에 들다〔맞다〕, 마음이 내키다(be pleased); 《방언》 시인하다(approve): Come whenever you ~. 언제든 좋은 때 오너라. ***as you ~ (it)*** 마음대로. ***How do you ~ ...?*** ① …은 어떤가, 좋은가 싫은가. ② …을 어떻게 할까요: *How do you* ~ your tea?—I ~ my tea iced. 차는 어떻게 할까요—얼음을 채워 주시오. ***if you ~*** ① 좋다면, 그렇게 하고 싶으면: You will come, *if you* ~. 괜찮으시다면 오십시오. ② 그렇게 말하고 싶다면 (그럴 수도 있겠지): I am shy *if you* ~. 〖shy 에 강세가 있으면〗 내가 소심하다고 말하고 싶다면 그래도 좋아, 소심하다고

해보았자지 뭐. 〖I 에 강세가 오면〗 나라면 소심하다는 말을 들어도 좋지만 (그렇지 않은 사람도 있다). ***I should ~ to see you do it.*** 〘종종 반어적〙 (어려울 테지만) 그걸 보여 주면 좋겠다. ***~ for*** 《미구어》 바라다. ***~ it or not*** 《구어》 좋아하든 안 하든, 가부간에: *Like it or not*, we've entered a new era. 좋아하든 안 하든 우리는 새로운 시대에 들어섰다.

— *n.* (보통 *pl.*) 취미, 기호: ~s and dislikes 좋은 것과 싫은 것. ***in ~*** 《미학생속어》 사랑하는 정도까지는 안 되지만 그런 대로 사이가 좋은: They're *in* ~. 서로 꽤 친하다.

****like**[2] [laik] (***more ~, most ~;*** 《주로 시어》 ***líker; lík·est***) *a.* 〘종종 목적어를 수반, 전치사로 볼 때도 있음〙 **1** (…와) 닮은(resembling), …와 같은: stars ~ diamonds 다이아몬드 같은 별 / The brothers are *as* ~ *as* two peas. 형제는 꼭 닮았다. **2** 〘한정적으로 명사 앞에서〙 같은(equal), 비슷한(similar): in ~ manner 똑같이, 마찬가지로 / I cannot cite a ~ instance. 비슷한 예가 생각나지 않는다 / a ~ sum 같은 금액 / ~ figures 〖수학〗 닮은꼴 / ~ quantities 〖수학〗 등량(等量) / *Like* father, ~ son. 《속담》 그 아비에 그 아들, 부전자전 / *Like* master, ~ man. 《속담》 주인도 주인이려니와 부하도 부하; 그 주인에 그 부하. **3** …의 특징을 나타내는, …다운, …에 어울리는: It was just ~ him to take the biggest one. 가장 큰 것을 집은 것은 과연 그답다. **4** …하게 될 것 같은, 〘~ do*ing* 의 형태로〙 …할〔일〕 것 같은: It looks ~ rain. 비가 올 것 같다 / The rain looks ~ last*ing*. 장마가 될 것 같다. **5** 《미구어·영방언》 〘to 부정사를 수반하여〙 …할 것 같은; 〘완료형의 부정사를 수반하여〙 거의 …할 뻔한(about to). cf. likely. ¶ He is ~ *to* succeed. 그는 성공할 게다 / He was ~ *to* have drowned. 하마터면 빠져 죽을 뻔했다. **6** 《방언》 아마 …일 것 같은. cf. likely. ¶ It is ~ we shall see him no more. 이제는 아마 그를 만나지 못할 게다. ***anything ~ …*** 〘보통 부정문으로〙 …따위는 도저히, 아무리 해도, 결코: I don't want *anything* ~ a fuss over it. 그 일로 속썩이는 일이란 있을 수 없다. ***feel ~ doing*** …하고 싶은 마음이(들)다: I *feel* ~ go*ing* to bed. 슬슬 자고 싶군. ***~ nothing on earth*** 매우 드문, 뛰어난. ***nothing*** 〔***none***〕 ***~*** ① …을 따를 것이 없다; …만한 것이 없다: There is *nothing* ~ doing so. 그렇게 하는 게 제일 좋다. ② 조금도 …답지 않다, 전혀 다르다: The place was *nothing* ~ home. 조금도 가정다운 데가 없었다. ***something ~*** ① 어느 정도 …같은(것), 좀 …와 비슷한 (것): This feels *something* ~ silk. 이것은 마치 비단 같은 촉감이 든다. ② 《영구어》 대략, 약: It cost *something* ~ 10 pounds. 10 파운드쯤 들었다. ③ 《속어》 〘like 에 강세를 두어〙 굉장한 것: This is *something* ~ a present. 이건 굉장한 선물이다 / This is *something* ~. 이거 굉장하군. ***That's more ~ it.*** 《구어》 그 쪽이 더 낫다. ***What is*** (he) ***~?*** (그 사람)은 인품이 어떻습니까. ***What*** does he ***look ~?*** 어떤 용모의 사람입니까.

— *prep.* …와 같이〔처럼〕, …와 마찬가지로, …답게; 이를테면 …같은(such as): Do it ~ this. 이렇게 해라 / He works ~ a beaver. 비버처럼〔고되게〕 일한다. ***~ what*** 이를테면 (어떤).

— *ad.* **1** 《구어》 대략, 거의, 얼추: The actual interest rate is more ~ 18 percent. 실제 이율은 18 %에 가깝다 / "What time is it?" "*Like* two o'clock." '몇 시지?' '2 시 되었을까'.

> SYN. **like** 유사를 나타냄: He speaks *like* an American. 그는 미국인처럼 말한다. **as** 동일성을 나타냄: He speaks English *as* an American. 그는 영어를 미국인 못지않게 한다.

2 〘~ enough 꼴로〙 《구어》 아마, 필시: *Like enough* he'll come with us. 필시 그는 우리와 함께 올 것이다. **3 a** 〘어구의 끝에 붙여〙 《비표준》 마치(as it were), 어쩐지(somehow): He looked angry ~. 어쩐지 화난 것 같았다. **b** 〘거의 무의미한 연결어로서〙 《미속어》 어머, 왠지, …같애: It's ~ cold. ***(as) ~ as not*** 《구어》 아마, 십중팔구(十中八九), 필시. ***~ as*** 《고어》 마치 …처럼(just as). ***~ so*** 《구어》 이와〔그와〕 같이. ***~ so many*** 마치 …과 같이. ***very ~*** = ***~ enough*** 〘삽입적〙 아마.

— *conj.* 《구어》 …하(는) 듯이(as); 《미》 마치 …처럼(as if): I cannot do it ~ you do. 너처럼은 못하겠다 / It was just ~ you said. 꼭 네 말대로였다 / He acted ~ he felt sick. 기분이 나쁜 듯이 행동했다. ★ 특히 미국 남부에서 널리 쓰이고 있음.

— *n.* **1** (the 〔one's〕 ~) 〘보통 의문·부정문에서〙 비슷한 사람〔것〕; 같은 사람〔것〕; 같은 종류 《*of*》: Did you ever hear 〔see〕 the ~ *of* it? 자네는 그와 같은 것을 들은〔본〕 적이 있는가 / We shall *not* see *his* ~ again. 그와 같은 사람은 다시 없을 것이다 / *Like* cures ~. 《속담》 독으로 독을 제압하다 / *Like* for ~. 《속담》 은혜는 은혜로, 원한은 원한으로. **2** (보통 the ~s) 같은 종류의 것〔사람〕; …와 같은 사람들 《*of*》: I've never seen the ~s (*of* it). 그와 같은 것은 본 적이 없다 / the ~s *of* me 나 같은(미천한) 것들 / the ~s *of* you 당신 같은 (높은) 양반들. **3** (the ~) 〖골프〗 (자기 타수가 상대의 타수와 똑같게 되는) 마지막 스트로크. ***… and the ~*** 그 밖의 같은 것, …따위 《etc. 보다 격식차린 말씨》. ***… or the ~*** 또는 그 종류의 다른 것; … 따위.

— *vi.* 《비표준》 〘~(*d*) to (have) + *pp.*〙 하마터면 …할 뻔하다(come near): She ~*d to have had* a fit. 그녀는 자칫 졸도할 뻔했다.

-like [làik] *suf.* 명사에 붙여서 '…와 같은'의 뜻: child*like*.

likeable ⇨ LIKABLE.

◇like·li·hood [láiklihùd] *n.* U (또는 a ~) **1** 있음 직한 일(probability), 정말 같음; 가능성: There is no ~ *of* his succeeding. 그가 성공할 가능성은 전혀 없다 / There's a strong ~ *that* the matter will soon be settled. 사태가 곧 해결될 가능성이 많다. **2** 《영》 유망(有望). ***in all ~*** 아마, 십중팔구.

like·li·ness [láiklinis] *n.* = LIKELIHOOD.

****like·ly** [láikli] (***like·li·er, more ~; like·li·est, most ~***) *a.* **1** 있음 직한, 가능성 있는; 정말 같은, 그럴 듯한: a ~ result 있음 직한 결과 / a ~ story 그럴 듯한 이야기 / the least ~ possibility 있을 법도 하지 않은 일.

> SYN. **likely** '있음 직한' 일상 흔히 쓰는 말로서 가장 뜻이 강함. be likely to 처럼 to 를 수반할 수가 있음. **possible** '가능한' 가장 뜻이 약함. **probable** '있음 직한' possible 보다도 가능성이 강함. possible 과 함께 to 를 수반하지 않음. 그러나 It is *likely* 〔*possible, probable*〕 that 의 형태를 취할 수 있는 점에서는 일치함.

2 …할 것 같은, …듯한(*to do*): He is ~ *to* come. 그는 아마 올 것입니다 / It is ~ *to* rain. 비가 올 것 같다 / a thing not ~ *to* happen 일어날 것 같지도 않은 일. SYN. ⇨ APT. **3** 〘반어적〙 설마: A ~ story! 설마 (그런 일이). **4** 유망한, 믿음 직한: a ~ young man 믿음 직한 젊은이. **5** 적당한, 안성맞춤의 《*for; to* do》: a ~ place *to* fish 〔build on〕 낚시질〔집짓는 데〕에는 안성맞

춤인 곳. **6** 《미방언》 핸섬한, 매력적인.

— *ad.* 〖종종 very, quite, most 와 함께〗 아마, 십중팔구. **(*as*) ~ *as not*** 아마도, 혹시 …일지도 모르는. **~ *enough*** 아마도. ***more ~ than not*** 어느 쪽이냐 하면, 아마. ***not ~*** 《구어》 설마, 천만의 말씀, 어림없는 소리: *Not* bloody ~! 그럴 수가 있나, 엿 먹어라.

líke-mínded [-id] *a.* 한 마음의, 동지의; 같은 취미〔의견〕의《*with*》: He is ~ *with* Tom. 그는 톰과 한마음이다/We're ~ on that. 그 점에서 우리는 같은 의견이다. [파] **~·ness** *n.*

°**lik·en** [láikən] *vt.* (…에) 비유하다, 견주다 《*to*》: ~ virtue *to* gold 덕(德)을 황금에 비유하다. ◇ like[2] *a.*

***like·ness** [láiknis] *n.* **1** [U] 비슷함, 닮음, 유사 《*between; to*》: There's some ~ *between* him and his cousin. 그와 그의 사촌은 좀 닮은 점이 있다. **2** [C] 닮은 얼굴, 화상, 초상, 사진: take a person's ~ 아무의 초상을 그리다. **3** 아주 닮은〔비슷한〕 사람〔것〕. **4** 〖in the ~ of로〗 겉보기, 외관; 모습: an enemy *in the ~ of* a friend 아군을 가장한 적.

líke-néw *a.* 신품〔새것〕 같은: The laminated surface keeps a ~ appearance. 래미네이트로 코팅한 표면은 늘 새것처럼 보인다.

***like·wise** [láikwàiz] *ad.* **1** 똑같이, 마찬가지로: *Likewise* (for me). 나도 동감이야. **2** 또한, 게다가 또(moreover, also, too). ◇ like[2] *a.*

li·kin [líːkíːn] *n.* [U] (중국의) 이금세(釐金稅).

***lik·ing** [láikiŋ] *n.* [U,C] **1** 좋아함(fondness) 《*for; to*》: have a ~ *for* …을 좋아하다/take a ~ *to* …이 마음에 들다, …이 좋아지다. **2** (one's ~) 기호, 취미: (not) to one's ~ 마음에 들어〔들지 않아〕, 취미에 맞는〔맞지 않는〕/Is it to your ~? 마음에 드셨습니까. **3** 《드물게》 (몸의) 상태. ***on* (*the*) ~** (해 보고) 마음에 들면.

Li·kud [líːkuːd, likúːd] *n.* 리쿠드《이스라엘의 보수 연합 정당; 1973 년 창당》.

li·ku·ta [likúːtə] (*pl.* ***ma·ku·ta*** [mɑkúːtə]) *n.* 리쿠타《콩고 민주공화국의 구화폐 단위; =1/100 zaire》.

lil [lil] *a., ad., n.* 《미방언》 =LITTLE.

***li·lac** [láilək, -lɑːk, -læk/-lək] *n.* **1** 〖식물〗 라일락, 자정향(紫丁香). **2** [U] 연보라색. **—** *a.* 엷은 자색의, 연보라색의.

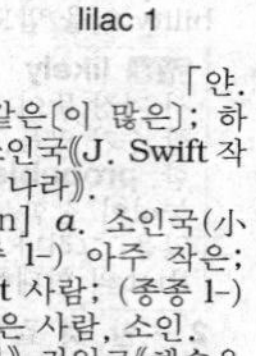

lilac 1

li·lan·ge·ni [lìləŋgéni] (*pl.* ***em·a·lan·geni*** [èməlɑːŋgéni]) *n.* 릴랑게니《스와질란드의 경화·지폐의 화폐 단위; =100 cents》.

lil·i·a·ceous [lìliéiʃəs] *a.* 나리〔백합〕의〔같은〕; 〖식물〗 백합과(科)의.

lil·ied [lílid] *a.* 《시어》 백합 같은〔이 많은〕; 하「얀.

Lil·li·put [lílipʌ̀t, -pət] *n.* 소인국《J. Swift 작 *Gulliver's Travels* 중의 상상의 나라》.

Lil·li·pu·tian [lìlipjúːʃən/-ʃiən] *a.* 소인국(小人國)(Lilliput)(사람)의; (종종 l-) 아주 작은; (종종 l-) 편협한. **—** *n.* Lilliput 사람; (종종 l-) 난쟁이(dwarf); (종종 l-) 속 좁은 사람, 소인.

Li·lo [láilou] (*pl.* **~s**) *n.* 《영》 라일로《해수욕 등에 쓰이는 플라스틱〔고무〕 에어매트; 상표명》.

LILO last in, last out (후입(後入) 후출(後出) 법). [cf] FIFO.

lilt [lilt] *vi., vt.* 쾌활한 가락으로 노래하다; 쾌활하게 연주하다; 경쾌하게 움직이다. **—** *n.* 명랑하고 쾌활한 가락〔가곡〕; 경쾌한 동작〔걸음걸이〕.

[파] **∠·ing** *a.* **∠·ing·ly** *ad.* **∠·ing·ness** *n.*

‡**lily** [líli] *n.* **1** (흰)나리, 백합; 백합꽃; 백합과 비슷한꽃《수련 등》: ⇨ TIGER LILY, WATER LILY. **2** (백합꽃처럼) 순결한 사람; 새하얀〔순백의〕 물건. **3** 〖형용사적〗 백합 같은: her ~ hand 새하얀 손. **4** 〖역사〗 (종종 *pl.*) (프랑스 왕가의) 백합 문장(fleur-de-lis). **5** 〖볼링〗 릴리(5·7·10 번 핀의 split). **6** 《속어》 나약한 남자, 동성 연애자; 《미속어》 =LULU. ***a ~ of the valley*** 〖식물〗 은방울꽃. ***the lilies and roses*** 《비유》 백합과 장미처럼 아름다운 얼굴빛, 미모. **—** *a.* 백합 같은, 백합같이 흰; 우아한, 청아한. [파] **~·like** *a.* 백합 같은.

líly-lívered *a.* 겁 많은(cowardly).

líly pàd 물에 뜬 큰 수련 잎.

líly-whíte *a.* **1** 백합처럼 흰, 새하얀. **2** 흠〔결점〕 없는, 결백한(innocent). **3** 흑인의 참정(參政)에 반대하는, 인종 차별 지지의. ***the '~' movement*** (흑인 배척의) 전 백인(全白人) 운동. **—** *n.* **1** 《미》 흑인 참정 반대 운동 조직의 일원. **2** (*pl.*) 《미속어》 시트; 귀부인의 손.

Li·ma [líːmə] *n.* 리마《페루의 수도》.

lí·ma (**bèan**) [láimə(-)] 〖식물〗 라이머콩《강낭콩의 일종》; 그 열매.

lim·a·çon [líməsɑ̀n/-sɔ̀n] *n.* 〖기하〗 리마송《주어진 점에서 주어진 원의 접선에 내린 수선(垂線) 끝의 궤적으로 이루어지는 곡선》.

li·man [limɑ́ːn, -mǽn] *n.* 리만《육지 계곡이 해수면 밑으로 침하한 여울》.

‡**limb**[1] [lim] *n.* **1** (사람·동물의) 수족, 손발, 사지의 하나, 팔, 다리; (새의) 날개; (*pl.*) 《미구어》 날씬한 여자의 다리. **2** 큰 가지. **3** 갈라진 가지〔부분〕, 돌출부; (문장의) 구(句), 절(節); (십자가의) 4 개의 가지《*of*》: a ~ *of* river 지류/a ~ *of* the sea 후미, 바닷가의 만곡부. **4** 자식, 자손; 《구어》 개구쟁이, 선머슴. **5** 《구어》 (남의) 부하, 앞잡이. ***a ~ of the devil*** 〔***of Satan***〕 악마의 앞잡이(개구쟁이·장난꾸러기 등). ***a ~ of the law*** 〔***the bar***〕 법률의 앞잡이(법률가·경찰관 등). ***escape with life and ~*** 이렇다 할 상처 없이 도망치다. **~ *from* ~** 갈기갈기《찢다 등》. ***out on a ~*** 《구어》 몹시 위태로운〔불리한〕 입장에; 궁지에 몰린. **—** *vt.* …의 사지〔가지〕를 자르다; 해체하다.

limb[2] *n.* 〖천문〗 (해·달의) 가장자리, (사분의(四分儀) 따위의) 눈금 언저리, 분도호(分度弧); 〖식물〗 잎가장자리. 「의) 가장자리가 있는.

lim·bate [límbeit] *a.* 〖동물·식물〗 (다른 색

-limbed [limd] *a.* (…한) 사지〔가지〕가 있는: crooked~ 가지가 굽은.

lim·ber[1] [límbər] *a.* 유연한; 재빠른, 경쾌한. **—** *vt., vi.* 유연하게 하다〔되다〕《*up*》; 〖스포츠〗 유연 체조를 하다. [파] **~·ly** *ad.* **~·ness** *n.*

lim·ber[2] *n.* 〖군사〗 (포차(砲車)의, 좌석을 겸한 탄약 상자가 있는) 앞차. **—** *vt.* 포차에 앞차를 연결하다《*up*》. 「의) 오수로(汚水路).

lim·ber[3] *n.* (종종 *pl.*) 〖해사〗 (배 밑바닥 양쪽

límber·nèck *n.* 〖수의〗 연경증(軟頸症)《새의 목의 근육이 약해지는 전염병》.

lim·bic [límbik] *a.* **1** 가장자리의, 주변의. **2** 〖해부〗 대뇌 변연계(邊緣系)의.

límbic sỳstem 〖해부〗 (대뇌) 변연계.

límb·less *a.* 손발이〔날개·가지가〕 없는.

lim·bo [límbou] (*pl.* **~s**) *n.* **1** (종종 L-) 〖가톨릭〗 림보, 지옥의 변방(邊方)《지옥과 천국 사이에 있으며, 기독교를 믿을 기회를 얻지 못했던 착한 사람 또는 세례를 받지 못한 어린아이 등의 영혼이 머무는 곳》. **2** 잊혀진〔불필요한〕 것이 도달하는 곳; 망각의 구렁; 중간 지역〔상태〕. **3** 감금(소), 구치(소); 교도소. **4** 림보 댄스.

límb regenerátion 〖생물〗 사지재생(四肢再生) (도마뱀·도롱뇽 등의 잘린 몸의 일부를 재생

하는 힘; 인간에의 응용을 연구 중).
Lím·burg·er (chèese) [límbə̀ːrgər(-)] 벨기에 Limburg산(産)의 치즈.
lim·bus [límbəs] (*pl.* **~·es, -bi** [-bai]) *n.* 〖동물·식물〗 (다른 부분과 색·구조가 다른) 가(장자리), 전, 주변; 지옥의 변방, 림보(limbo).
*__lime__[1] [laim] *n.* [U] **1** 석회(石灰), ⟪특히⟫ 생석회 (burnt 〔caustic〕 ~, quicklime) / ⇨ SLAKED LIME. **2** 새 잡는 끈끈이, 감탕(birdlime). **—** *vt.* **1** 석회로 소독하다, …에 석회를 뿌리다; 석회수에 담그다. **2** 끈끈이를 바르다. **3** (새를) 끈끈이로 잡다; 덫에 걸리게 하다.
lime[2] *n.* 〖식물〗 =LINDEN.
lime[3] *n.* 라임과(果)⟪레몬 비슷하며 작고 맛이 「심⟫.
lime·ade [lâiméid, ⌐⌐] *n.* [U] 라임수(水).
líme bùrner 석회 굽는 사람, 석회 제조자.
líme glàss 석회 유리.
líme-gréen *a.* 연초록색의. [파] **líme grèen** 연「초록색.
Lime·house [láimhàus] *n.* London 동부, East End의 한 지구⟪지저분한 빈민가⟫.
líme jùice 라임 과즙(果汁)⟪청량음료⟫.
líme-jùicer *n.* ⟪미속어⟫ 영국 수병(水兵), 영국배, 영국인.
líme·kìln *n.* 석회 굽는 가마.
líme·lìght *n.* **1** [U] 석회광(光)⟪석회를 산수소(酸水素) 불꽃에 대었을 때 생기는 강렬한 백광⟫. **2** 라임라이트 ⟪무대 조명용⟫. **3** (the ~) ⟪비유⟫ 주목의 대상. ***be fond of the ~*** 남 앞에 나서기를 좋아하다. ***in the ~*** 각광을 받아, 남의 이목을 끌어, 주목의 대상이 되어. **—** *vt.* 주목〔각광〕을 끌게〔받게〕 하다.
li·men [láimən/-men] (*pl.* **~s, lim·i·na** [límənə]) *n.* 〖심리〗 역(閾), 식역(識閾)(threshold).
líme pìt 석회 항아리⟪짐승 가죽을 담가서 털을 「없앰⟫.
lim·er·ick [límərik] *n.* 오행 속요(五行俗謠) ⟪약약강격(弱弱強格)의 5행 풍자시(詩)⟫.
líme·scàle *n.* 때, 물때⟪수도관 따위 내부에 끼는 흰색의 불순물⟫.
líme·stòne *n.* [U] 석회석, 석회암: ~ cave 〔cavern〕 종유(鍾乳)굴.
líme sùlfur 〖화학〗 석회황합제(石灰黃合劑)⟪살균·살충제⟫.
líme trèe =LINDEN.
líme twìg 새 잡는 끈끈이를 바른 나뭇가지; 덫, 「함정.
líme·wàsh *n., vt.* =WHITEWASH.
líme·wàter *n.* [U] 석회수.
lim·ey [láimi] *n.* (종종 L-) ⟪미속어·경멸⟫ 영국 수병, 영국인; 영국 배.
lim·i·nal [límənl, láim-] *a.* 입구의; 초기의; 겨우 지각할 수 있는, 극히 소량의; 〖심리〗 역(閾)(limen)의.
lim·ing [láimiŋ] *n.* 라이밍⟪산성비(acid rain)의 대책으로 하천·호수에 석회를 살포하여 중화시키는 일⟫.
__lim·it__ [límit] *n.* **1 (종종 *pl.*) 한계(선), 한도, 극한: to the ~ 극단적으로, 한도까지 / go to any ~ 무슨 일이든 하다 / to the utmost ~ 극한까지 / out of all ~*s* 터무니없이 / set a ~ to …을 제한하다 / know 〔have〕 no ~*s* 끝이 없다. **2** (종종 *pl.*) 경계(boundary); (*pl.*) 범위, 구역, 제한: within the ~*s* of …의 범위 안에서. **3** (the ~) ⟪구어⟫ (인내의) 한도, 극한(을 넘은 것〔사람〕): That's the ~. 더는 못 참겠다 / There is a ~ to everything. 매사에는 한도가 있다. **4** 〖상업〗 지정 가격. **5** (내기에서 한 번에 걸 수 있는) 최대액(額). **6** 〖수학〗 극한. ***at* 〔*within*〕 *your ~s*** 지정 가격으로〔이내로〕. ***go the ~*** ⟪구어⟫ 철저히 하다, 갈 데까지 가다, (여성이〔남녀가〕) 최후의 선을 넘다, (복서가) 풀라운드로 싸우다. ***off* 〔*on*〕 *~s*** ⟪미⟫ 출입 금지〔자유〕. ***the inferior* 〔*superior*〕 *~*** 최소〔최대〕 한도; 가장 가까운〔먼〕 기한. ***The sky is the ~.*** ⟪속어⟫ 무제한이다, 기회는 얼마든지 있다, (내기에) 얼마든지 걸겠다. ***within ~s*** 적당히, 조심스럽게. ***without ~*** 무제한으로, 한없이.
— *vt.* ⟪~+[목]/+[목]+[전]+[명]⟫ 제한〔한정〕하다; (어떤 수량 등으로) 제한하다⟪*to*⟫: I was told to ~ the expense *to* $20. 비용을 20달러 이내로 제한당했다 / *Limit* your answer *to* yes or no. 예 또는 아니오라고만 답하시오.
[파] **~·a·ble** *a.* **~·a·ble·ness** *n.*

lim·i·tar·i·an [lìmətέəriən] *n.* 제한하는 사람; 〖신학〗 (선택된 사람만이 구원받을 수 있다고 믿는) 제한설론자. **—** *a.* 제한설의.
lim·i·tary [límətèri/-təri] *a.* 제한된, 제한적인; 경계(상)의; 유한의.
*__lim·i·ta·tion__ [lìmətéiʃən] *n.* **1** [U] 제한, 한정, 규제; [C] (종종 *pl.*) 제한하는 것: without ~ 무제한으로 / ~*s* on imports 수입 제한. **2** [C] (흔히 *pl.*) (지력·능력 따위의) 한계, 한도, 취약점: know one's ~*s* 자기 능력의 한계를 알다. **3** [U] 〖법률〗 제한적 조건, (출소권(出訴權)·법률 효력 등의) 기한. ◇ limit *v.*
lim·i·ta·tive [límətèitiv] *a.* 한정〔제한〕하는; 「규제하는.
*__lim·it·ed__ [límitid] *a.* **1** 한정된, 유한의. **2** 좁은, 얼마 안 되는: ~ ideas 편협한 생각. **3** ⟪미⟫ (열차 등이) 승객 수·정차 역을 제한한, 특별 급행의: a ~ express 〔train〕 특급 (열차). **4** ⟪영⟫ 유한책임(회사)의⟪생략: Ltd.⟫([cf.] ⟪미⟫ incorporated); 입헌제의. **—** *n.* ⟪미⟫ 특급 열차〔버스〕. [파] **~·ness** *n.*
límited-áccess hìghway (출입 제한 방식의) 고속도로(expressway)⟪통행료가 없는 것은 freeway 라고 함⟫.
límited edítion 한정판.
límited Ènglish profícient ⟪미⟫ 기초 영어「만 아는.
límited eugénics 한정 우생학⟪세포의 유전자 구조를 바꾸어 결함아의 출생·기형·질병 등을 방지하는 시도⟫.
límited liabílity (주주 등의) 유한책임.
límited(-liabílity) cómpany ⟪영⟫ 유한책임 회사⟪회사명 뒤에 Limited 또는 약자 Ltd., Ld.를 붙임; ⟪미⟫는 Inc. 〔Incorporated〕⟫.
límited mónarchy 입헌 군주 정치〔정체〕 (constitutional monarchy).
límited pártner 유한책임 조합원.
límited pártnership 합자 회사.
límited-sérvice bànk =NONBANK.
límited wár 국지〔제한〕 전쟁, 국지전.
lím·it·er *n.* 제한하는 사람〔것〕; 〖전기〗 리미터 ⟪진폭 제한 회로⟫.
lím·it·ing *a.* 제한하는.
límiting ádjective 〖문법〗 제한적 형용사 ⟪this, some 따위⟫.
límiting fàctor (생물의 생장·인구 규모 등을 제한하는) 제한 인자.
límiting nùtrient 〖생태〗 제한적 영양 물질⟪호수의 부(富)영양화를 늦추는 물질⟫.
°__lím·it·less__ *a.* 무한의; 무제한의; 무기한의; 광대한. [파] **~·ly** *ad.*
límit lìne ⟪미⟫ 횡단보도의 흰 선.
límit màn 최대 핸디캡을 가진 경주자. 「해상력.
límit of resolútion 〖광학〗 분해능(分解能),
límit òrder 지정가 주문⟪특정 가격으로 매매의 집행을 요구하는 주문⟫.
límit pòint 〖수학〗 (집합의) 집적점(集積點)(= point of accumulation, accumulation point).
lim·i·trophe [límətrôuf] *a.* (지역 따위가) 접하는, 인접한, 국경의.

límits-to-grówth mòdel 〖경제〗 성장 한계설.

limn [lim] *vt.* (그림을) 그리다, 그림으로 그리다; 뚜렷이 윤곽을 그리다; 《고어·문어》 묘사하다《*in* words》. 「히》 초상화가.

lim·ner [límnər] *n.* 화공(畫工)(painter), 《특

lim·nol·o·gy [limnálədʒi/-nɔ́l-] *n.* Ⓤ 육수학(陸水學), 호소학(湖沼學). ㊞ **-gist** *n.* **lìm·no·lóg·i·cal, -ic** *a.* **-i·cal·ly** *ad.*

limo [límou] (*pl.* ***lim·os***) *n.* 《구어》 **1** =LIMOUSINE. **2** 〔일반적〕 대형 고급 승용차. **3** (특히 공항·터미널 사이의) 여객 송영 대형 세단, 소형 버스.

lim·o·nene [límənìːn] *n.* 〖화학〗 리모넨《각종 정유(精油)에 함유된 테르펜의 일종; 레몬 향이 남》. 「광.

li·mo·nite [láimənàit] *n.* Ⓤ 〖광물〗 갈(褐)철

Li·mou·sin [lìːmuːzǽŋ] *n.* 《F.》 리무쟁 소《프랑스 원산의 육우(beef cattle)》.

°**lim·ou·sine** [líməzìːn, ⌐-⌐] *n.* 리무진《운전석과 객석 사이에 유리 칸막이가 있는 대형 자동차》; (공항과 시내 사이의 여객 송영용) 소형 버스; (운전사가 딸린) 호화 대형 승용차.

límousine líberal 돈 많은 자유주의자.

***limp**[1] [limp] *vi.* **1** 《~/+副》 절뚝거리다; (배·비행기가) 느릿느릿 가다《고장으로》《*along*》: ~ back to port 고장으로 항구에 되돌아가다 / The old car ~*ed along.* 고물차는 느릿느릿 나아갔다. **2** (작업·경기 등이) 지지부진하다《*along*》. **3** (시가(詩歌)의) 운율이 고르지 않다, 억양이 맞지 않다. **—** *n.* **1** 발을 절기: have a bad ~ 발을 몹시 절다. **2** (시가·문장의) 서투름. ㊞ **⌐·er** *n.* **⌐·ing·ly** *ad.*

°**limp**[2] *a.* **1** (몸 따위가) 나긋나긋한(flexible), 흐느적거리는. OPP *stiff.* **2** (성격 따위가) 야무지지 못한, 무기력한. **3** 생기 없는, 휘주근한(spiritless). **4** 〖제본〗 얇은 표지의. **5** 맥빠진; 지친; 《미속어》 술 취한. ㊞ **⌐·ly** *ad.* **⌐·ness** *n.*

limp·en [límpən] *vi.* 절름발이가 되다.

lim·pet [límpit] *n.* **1** 〖패류〗 꽃양산조개. **2** 《우스개》 (지위에 집착하여) 의자에 눌어붙어 있는 관리; 흡착 기뢰. ***hold on*** 〔***hang on, cling, stick***〕 ***like a*** ~ (***to***) (…에) 들러붙다, 물고 늘어지다.

lim·pid [límpid] *a.* 맑은, 투명한(clear); 깨끗한; 명석한, 명쾌한; 조용한. ㊞ **~·ly** *ad.* **~·ness** *n.* **lim·píd·i·ty** [-əti] *n.* Ⓤ 맑음, 투명.

limp·kin [lím*p*kin] *n.* 뜸부기류의 새.

límp wrìst 암사내, 호모. 「약한; 동성애의.

límp-wrìst(ed) [-(id)] *a.* 《미속어》 암띤; 연

limy [láimi] (***lim·i·er; -i·est***) *a.* **1** 석회를 함유한, 석회질의. **2** 끈끈이를 바른; 끈적끈적한.

lin [lin] *n.* =LINN.

lin. lineal; linear; liniment.

lin·a·ble [láinəbəl] *a.* =LINEABLE. 「TOR.

lin·ac [línæk] *n.* 〖물리〗 =LINEAR ACCELERA-

lin·age, line·age [láinidʒ] *n.* Ⓤ 정렬(하기); (인쇄물) 행수(行數); (원고료) 행수에 따른 지급.

lin·al·o·ol [linǽlouɔ̀ːl, -àl, lìnəlúːl / linǽlouɔ̀l] *n.* 〖화학〗 리날로올《베르가모트 향유(bergamot oil)의 주성분으로 향수 따위에 씀》(=**lin·a·lol** [línəlɔ̀ːl, -lɑ̀l / -lɔ̀l]).

li·nar [láinɑːr] *n.* 〖천문〗 라이나《특별한 스펙트럼선을 지니는 전파성(電波星)》. [◂ *line*+*star*]

linch·pin, lynch- [líntʃpìn] *n.* 바퀴 멈추개; 바퀴의 비녀장; 《비유》 요점, 요체(要諦).

Lin·coln [líŋkən] *n.* 링컨. **1 Abraham** ~ 미국의 제 16 대 대통령(1809-65). **2** 미국제(製)의 대형 고급 승용차.

Líncoln Cénter (the ~) 링컨 센터《New York 시 Manhattan 섬의 West Side 에 건설된 무대·연주 예술의 종합 센터; Metropolitan Opera House, Avery Fisher Hall, New York 주립 극장 등이 있음》.

Líncoln Memórial (the ~) 링컨 메모리얼《Washington D.C. 의 Mall 의 한쪽에 있는 Abraham Lincoln 에 봉헌된 대리석 기념관; 1922 년 건립; 큰 hall 에는 거대한 Lincoln 좌상이 있고 그 좌우에 Gettysburg 연설과 2 기 대통령 취임 연설이 새겨져 있음》.

Líncoln's Bírthday 링컨 탄생 기념일《2 월 12 일; 미국의 다수 주에서 법정 휴일; 2 월의 제 1 월요일로 정한 주도 있음》.

Lin·coln·shire [líŋkənʃìər, -ʃər] *n.* 링컨셔《잉글랜드 동부의 주; 생략: Lincs.》.

lin·co·my·cin [lìŋkəmáisn/-sin] *n.* 〖약학〗 린코마이신《독성 항생 물질; 특히 그람 양성균에 유효》. 「톨한 리놀륨 벽지》.

lin·crus·ta [linkrʌ́stə] *n.* 린크러스타《오톨도

linc·tus [líŋktəs] *n.* 〖약학〗 빨아 먹는 기침약.

lin·dane [líndein] *n.* 린데인《살충제·제초제》.

Lind·bergh [lín*d*bəːrg] *n.* **Charles Augustus** ~ 린드버그《1927 년 최초로 대서양 무착륙 횡단에 성공한 미국인 비행사; 1902-74》.

lin·den [líndən] *n.* 〖식물〗 린덴《참피나무속(屬)의 식물; 참피나무·보리수 따위》.

Lind·say, -sey [lín*d*zi] *n.* 린지《남자 이름》.

†**line**[1] [lain] *n.* **1 a** 선, 줄; (펜·공구 따위로 그린) 선, 화선(畫線); 〖수학〗 선《점의 자취》, 직선; 〖스포츠〗 라인, =GOAL LINE; (TV의) 주사선(走査線); 〖물리〗 (스펙트럼의) 선; 〖브리지〗 득점 용지 중앙의 횡선: (as) straight as a ~ 일직선으로 / the ~ of beauty 미의 선《S자 모양의 곡선》/ the ~ of flow 유선(流線) / the ~ of force 역선(力線), 자력선(線). **b** (자연물에 나타난) 줄, 금; (인체의) 줄, 금, 주름, 《특히》 손금; (인공물의) 선, 줄, 줄무늬; 솔기: the ~*s* of the palm 손금 / ~ of fortune 운명선 / ~ of life 생명선 / She has deep ~*s* in her face. 얼굴에 깊은 주름이 있다. **c** (the ~) 적도(赤道); 경(經)〔위(緯)〕선; 경계선; 경계(border); 한계: under the ~ 적도 직하에 / cross the ~ 적도를 통과하다 / cross the ~ into Mexico 국경을 넘어 멕시코로 들어가다. **d** (*pl.*) 설계도, 〖해사〗 선체선도(船體線圖); 〖음악〗 (오선지의) 선, 일련의 음(표), 멜로디, 《미속어》 장식악절(lick). **e** (종종 *pl.*) 윤곽(outline); 얼굴 모습; (유행 여성복 등의) 형, 라인: He has good ~*s* in his face. 얼굴 윤곽이 번듯하다. **f** 〖펜싱〗 라인《상대의 몸을 상하좌우 넷으로 나눈 공격 목표 부위》.

2 a (글자의) 행; 몇 자〔줄〕; 정보, 짧은 소식《*on*》; 〖컴퓨터〗 (프로그램의) 행(行): get 〔have〕 a ~ *on* 《구어》 …에 관한 정보를 얻다 / give a ~ *on* 《구어》 …에 관한 정보를 주다 / drop 〔send〕 a person a ~ 〔a few ~*s*〕 아무에게 몇 줄 써 보내다. **b** (시의)한 행〔줄〕, 시구, (*pl.*) 단시(短詩)《*upon* a subject; *to* a person》. **c** (*pl.*) 벌과(罰課)《벌로서 학생에게 베끼게 하는 고전시》. **d** (*pl.*) (연극의) 대사; (말만의) 유창한 변설, 간살; 정해진 말〔농담〕. **e** (*pl.*) 결혼 증명서.

3 핏줄, 혈통, 가계(家系); 계열: come of a good ~ 가문이 좋다 / in a 〔the〕 direct ~ 직계의〔로서〕 / the male 〔female〕 ~ 남계〔여계〕.

4 a 열, 줄, 행렬; 《미》 (순번을 기다리는) 사람의 줄(《영》 queue); 〖군사〗 (전후의 2 열) 횡대. cf. column. ¶ a ~ of trees 한 줄로 늘어선 나무들 / the bread ~ 《미》 빵 배급의 행렬 / draw up in 〔into〕 ~ 횡대로 늘어서다 / form ~ 횡대로 정렬하다. **b** (전투의) 전선(戰線·前線), (*pl.*) 참호, 누벽(壘壁); 방어선; 전열(戰列), 전선〔전열〕 부대, 전열함(艦): go into the front ~(*s*) 전선으로 나가다 / go up the ~ 기지에서 전선으로 나

가다. **c** (the ~) 〖군사〗 상비군《보충 병력 따위에 대하여》; 《미》 전(全) 전투 부대, 함대, 정규군, 전선 장교; (기업 등의 목적을 집행하는) 라인. **d** 〖미식축구〗 스크리미지 라인(line of scrimmage)(의 선수들); (the ~) 코러스걸의 줄; (the ~) 《미속어》〔집합적〕 코러스걸, 라인댄스의 무용수. **e** 〖볼링〗 1 게임(string)《10 프레임》.

5 a 밧줄, 끈, 포승, 로프; 낚싯줄; 빨랫줄; (*pl.*) 《미》 고삐: fish with rod and ~ 낚시를 하다 / wet one's ~ 낚싯줄을 드리우다 / throw a good ~ 낚시질을 잘하다. **b** 측량 줄; 〖전기〗 전선, 전신선, (전)선로; 전선〔통신선〕망; 배관망: *Line*('s) busy. 《미》 (전화에서) 통화 중입니다 (《영》 Number's engaged.).

6 a 도정(道程), 진로, 길(course, route); 선로, 궤도; (운수 기관의) 노선; (정기) 항로; 운수 회사; 사냥개를 데리고 말로 여우를 쫓는 코스, (여우의) 냄새 자취; 〖야구〗 (타구의) 라이너(line drive); 〖골프〗 라인《홀을 향하여 쳐 나가는 공의 코스》: a main ~ 본선 / the up 〔down〕 ~ 상행〔하행〕선 / You'll find a bus stop across the ~. 선로 저쪽에 버스 정류장이 있습니다. **b** (일관 작업 등의 생산 공정의) 배열, 순서, 라인, 공정선 (production ~).

7 a (종종 *pl.*) 방침, 주의; 경향, 방향: on economical ~*s* 경제적인 수단으로 / go on the wrong ~*s* 방침을 그르치다 / take a strong ~ 강경 방침〔수단〕을 취하다 / take 〔keep to〕 one's own ~ 자기의 길을 가다, 자기 방침을 고수하다. **b** 방면, 분야; 장사, 직업(trade, profession); 기호, 취미, 장기; 전문: in the banking ~ 은행가로서 / What ~ (of business) are you in? 무슨 일을 하고 계십니까 / It is not in my ~ to interfere. 간섭하는 것은 나에게 맞지 않는다. **c** 〖상업〗 품종, 종류; 재고품, 구입(품); 《미속어》 값: a cheap ~ in hats 값싼 모자 / a full ~ of (winter wear) (겨울옷) 일습. **d** 〖보험〗 (보험의) 종류, 종목; (단일 물건에 대한) 인수액.

8 《미에서는 고어》 (*pl.*) 운명, 처지: hard ~*s* 불행, 고난.

9 〖인쇄〗 **a** = AGATE LINE. **b** 《영》 (활자 크기의) 12 포인트. **c** (망판에 의한) 중간조의 세밀도 단위《1인치 안의 선의 수로 표시》.

10 라인《(1) 〖물리〗 자속(磁束)의 단위, 1 maxwell. (2) 〖식물〗 길이의 단위, 1/12 인치》.

11 《미》 (경주 이외의 경기, 특히 미식축구 도박의) 거는 율.

12 《속어》 1 회분의 코카인 분말.

above the ~ 〖브리지〗 득점 용지의 상란(上欄)의〔에〕, 승부 성립에 직접 관계없는; 경상(經常) 지출의. ***all*** (***the way***) ***along the ~*** 전선(全線)에 걸친 (승리 등); 도처에, 모조리; 모든 시점〔단계〕에. ***along the ~s of*** = on the ~*s* of. ***be*** (***in***) ***one's ~*** (***of country***) 《구어》 전문 분야다, 익숙한 일이다. ***below the ~*** 〖브리지〗 득점 용지의 아래쪽 난의〔에〕, 승부 결정에 직접 관계되는; 표준 이하의. ***between the ~s*** 암암리에, 간접적으로; 짐작으로. ***bring ... into ~*** …을 정렬시키다, 한 줄로 하다; 동의시키다; 협력〔일치〕시키다《*with*》. ***by*** (***rule and***) ***~*** 정확히. ***come into ~*** 한 줄로 서다; 동의〔협력〕하다《*with*》; 옳게 행동하다. ***do a ~*** 《Ir.·Austral.》 (…와) 교제〔데이트〕하다《*with*》. ***down the ~*** 마을 중심부에; 완전히, 전폭적으로; 장차에는. ***draw the*** 〔***a***〕 ***~*** ① 선을 긋다. ② 구별하다《*between*》. ③ 한계를 짓다; (…의) 선을 넘지 않다, (…까지는) 하지 않다: One must *draw the ~* somewhere. 일에는〔참는 데는〕 한도가 있다 / I *draw the ~ at* murder. 살인까지는 하지 않을 것이다. ***end of the ~*** ⇨ END. ***fall in ~*** 《군대속어》 규정〔관례〕에 따르다, 협조하다. ***fall into ~*** 열에 서다, (…와) 행동을 같이하다《*with*》. ***fire a ~*** 《미속어》 코카인을 코로 들이마시다. ***get into ~*** 협력하다《*with*》. ***get out of ~*** = step out of ~. ***give*** a person ***a ~*** 아무를 (말로) 속이다. ***give a ~*** 《속어》 변명하다. ***give*** a person ***~ enough*** 《비유》 아무를 한동안 멋대로 하게〔하는 대로〕 내버려두다. ***go down the ~*** (…을) 전적으로 지지하다《*for*》; 《미속어》 차선(次善)을 취하다. ***go over the ~*** (한)도를 넘다. ***go up in*** 〔***on***〕 ***one's ~s*** 《미》 〖연극〗 자기 역할을〔대사(臺詞)를〕 잊다. ***have a ~ on*** …의 지식이 있다. ***hit the ~*** 〖축구〗 공을 가지고 상대 팀의 라인을 돌파하려고 하다; 대담〔용감〕한 일을 시도하다. ***hold the ~*** ① 현상을 유지하다, 꽉 버티다. ② 전화를 끊지 않고 기다리다: *Hold the ~*, please. 〖전화〗 끊지 말고 기다려 주세요. ③ 물러서지 않다, 고수하다. ***in ~*** ① 정렬하여. ② …와 조화〔일치〕하여《*with*》. ③ 준비를 끝내고《*for*》, 승산이 있어《*for*》, …을 받을〔얻을〕 입장에 있는《*for*》; (당칙(黨則)에) 따라; 바르게 행동하여, 바람직한, 적정 규모〔범위 내〕에; 《미속어》 (값·품질 등이) 보통인: be first 〔second〕 *in ~ for* …에 첫 번〔두 번〕째로 유망하다. ***in ~ of duty*** 직무로〔중〕: die *in ~ of duty* 순직하다. ***in*** 〔***out of***〕 ***one's ~*** 성미에 맞아〔안 맞아〕; 장기(長技)인〔능하지 못한〕: Poetry is not *in my ~*. 시에는 서투르다. ***in the firing ~*** 《구어》 비난〔공격〕을 받기 쉬운 입장에서. ***jump the ~*** 《미》 새치기하다. ***keep in ~*** 정렬해 있다〔하게 하다〕; (…에) 규칙〔관행〕을 지키다〔지키게 하다〕. ***keep the ~ on*** …을 억누르다, …을 제어〔단속〕하다. ***know when*** 〔***where***〕 ***to draw the ~*** 분수를 알다, 턱없는 짓을 안 하다. ***lay*** 〔***put, place***〕 ***it*** 〔***...***〕 ***on the ~*** ① (돈을) 전액 맞돈으로 치르다. ② 남김없이 나타내다〔보이다〕, 털어놓고〔분명히〕 이야기하다《*with*》. ③ (생명·지위·명성 등을) 걸다: *lay* one's life *on the ~ for* 〔*to* do〕 …을〔하기〕 위해 목숨을 걸다. ***~ of communication***(***s***) 〖군사〗 (기지와 후방과의) 연락선, 병참선; 통신 (수단). ***~ of fire*** 사선(射線). ***~ upon ~*** 〖성서〗 착착; 《구어》 휴업하여, 운전을 정지하여. ***off ~*** ① 일관 작업에서 벗어나. ② (기계가) 작동하지 않고. ③ 〖컴퓨터〗 오프라인으로. ***on a ~*** 평균하여, 같은 높이로; 대등하게. ***on ~*** 〖컴퓨터〗 온라인으로; 측량선상에; 《구어》 취업하여; 가동하여: go *on ~* 가동을 시작하다. ***on the ~*** ① (벽의 그림 따위가) 눈 높이만한 곳〔제일 좋은 위치〕에. ② 애매하여. ③ (명예 등을) 걸고. ④ 당장에: pay cash *on the ~* 맞돈으로 치르다. ⑤ 전화를 받고〔아〕. ***on the ~s of*** …와 같은, …와 비슷한, …에 따라서. ***on the same ~s*** 같은 방침으로. ***on these ~***s 이 방침으로《나아가다 따위》. ***on top ~*** 최고의 (가동) 상태에: stay 〔keep...〕 *on top ~*. ***out of ~*** 일렬이 아닌, 열을 흩뜨리어; 일치〔조화〕되지 않은; 관례〔사회 통념〕에 안 맞는; 주제넘은, 말을 안 듣는; 《미속어》 (값·품질 등이) 유별나게. ***reach the end of ~*** (관계 등이) 끊어지다, 끝장나다. ***read between the ~s*** 말〔글〕 속의 숨은 뜻을 알아채다. ***right along*** 〔***down***〕 ***the ~*** = all along the ~. ***shoot a ~*** 《구어》 자랑하다, 큰소리치다(boast), 입심 좋게 지껄이다. ***step on*** a person***'s ~s*** 〖연극〗 (배우가) 때아닌 대사로 공연자를 방해하다. ***step out of ~*** (집단·정당 따위의) 방침에 반대되는 행동을 하다; 예의에 어긋나는〔버릇없는〕 행동을 하다. ***the*** 〔***a***〕 ***thin red ~*** (공격에 굴하지 않는) 용감한 소수자. ***through the ~s*** 《미》 〖경마〗 = across the BOARD. ***wheel into ~*** 〖군사〗

횡대로 되다. ***with all his* ~*s*** 한 집안이 모두.
— *vt*. **1** …에 선을 긋다: ~ paper 종이에 괘를〔줄을〕 치다. **2** 선을 그어 구획하다《*off; out; in*》. **3** …에 윤곽을 잡다, …의 윤곽을 그리다. **4** (문장 따위에서) …의 대체를 묘사하다《*out*》. **5** 《+목+부/+목+전+명》 일렬로 (늘어) 세우다, 정렬시키다; 일원화〔통일〕하다: The general ~*d up* his troops. 장군은 부대를 정렬시켰다 / *Line* the boxes *up along* the wall. 벽을 따라 상자를 일렬로 세워라. **6** 《+목+전+명》 …에 나란히 세우다《*with*》: ~ a road *with* houses 길을 따라 죽 집을 짓다. **7** (군인·차량 등이) …을 따라 죽 늘어서다; 할당하다(assign)《*to*》: Trees ~*d* the street. 나무들이 도로에 줄지어 있었다. **8** 《+목+전+명》〔보통 과거분사로〕 (얼굴에) 주름살을 짓다《*by; with*》: a face ~*d with* care 걱정으로 주름진 얼굴. **9** (눈에) 아이라인을 긋다. **10** (찬송가 등을) 줄을 따라 읽다. **—** *vi*. **1** 《+부》 늘어서다, 정렬하다《*up*》: The soldiers ~*d up* for inspection. 병사들은 열병을 받기 위해 일렬로 정렬했다. **2** 〖야구〗 라이너를 치다.
~ *one* 〖야구〗 라이너를 치다. **~ *out*** 《*vt*.+부》 ① (설계도·그림 등)의 대략을 그리다. ② (깎아 내거나 하려고) …에 선으로 표시하다. ③ 《구어》 (노래를) 부르다; …을 부리다, 역을 맡아 하다. **—** 《*vi*.+부》 ④ 〖야구〗 라이너를 쳐서 아웃이 되다. **~ *through*** 줄을 그어서 지우다, 말소하다. **~ *up*** 《*vt*.+부》 ① ⇨ *vt*. 5. ② (행사 따위를) 준비하다; (출연자 등을) 확보하다. ③ (총 따위를) (표적에) 정조준하다. **—** 《*vi*.+부》 ④ ⇨ *vi*. 1. ⑤ (특히 정치적으로) 집결하다, 힘을 모으다. **~ *up against*** …에 반대하여 결속하다. **~ *up alongside* 〔*with*〕 …** …의 동맹자〔한패〕가 되다. **~ *up behind*** …뒤에 줄지어 서다; 《구어》 (정당 등이〔에〕) …을 지지하(게 하)다, 지도자로 하다〔만들다〕.
— *a*. 선의, 선으로 된.

*__line²__ [lain] *vt*. 《~+목/+목+전+명》 (의복 따위에) 안을 대다; (상자 따위의) 안을 바르다; 《비유》 (주머니·배 등을) 꽉 채우다《*with*》: ~ a garment *with* fur 의복에 털가죽 안을 대다 / ~ one's POCKET(s) 〔purse〕.

line³ *vt*. (짐승이) 교미〔흘레〕하다.

líne·a·ble *a*. 한 줄로 늘어세울 수 있는.

°**lin·e·age¹** [líniidʒ] *n*. Ⓤ (보통 명문가의) 혈통, 계통; 계보.

lineage² ⇨ LINAGE.

lin·e·al [líniəl] *a*. **1** 직계의, 정통의, 적류(嫡流)의(cf. collateral); 선조로부터의; 동족(同族)의: a ~ ascendant 〔descendant〕 직계 존속〔비속〕 / ~ promotion (관리의) 선임순(先任順) 승진. **2** 선(모양)의(linear). **—** *n*. 직계 비속. ㊕ **~·ly** *ad*.

lin·e·a·ment [líniəmənt] *n*. (each, every 에 수반될 때 이외는 *pl*.) **1** 용모, 얼굴 생김새, 인상(人相); 윤곽: fine ~*s* 단정한 용모. **2** 특징: the ~*s* of the time 세태(世態).

líne and stáff organizàtion 〖경영〗 직계 참모 조직《라인 조직의 지휘 명령 계통의 장점을 살리면서 전문적·기술적 지식을 통해 측면에서 라인 부문을 돕게끔 스태프 부문을 짜 맞춘 조직》. cf. line organization.

lin·e·ar [líniər] *a*. **1** 직선의; 선과 같은: ~ expansion 선(線)팽창. **2** 〖수학〗 1차의, 선형의. **3** 〖식물·동물〗 실 모양의, 길쭉한. **4** 〖컴퓨터〗 선형(線形), 리니어. ㊕ **~·ly** *ad*.

Línear A 선문자(線文字) A《기원전 15-12 세기경 Crete 섬에서 썼던 문자; 미해독》.

línear accélerator 〖물리〗 선형(線形) 가속장치.

línear álgebra 〖수학〗 선형(線形) 대수(학).

línear ámplifier 《CB속어》 개인용 주파수대(帶) 출력(出力)을 수백 와트 증폭시키는 일 (=línear ámp).

Línear B́ 선문자(線文字) B《기원전 14-12 세기에 쓰던 그리스어의 표기법》.

línear combinátion 〖수학〗 1차〔선형〕 결합.

línear depéndence 〖수학〗 1차〔선형〕 종속.

línear equátion 〖수학〗 1 차 방정식.

línear fúnction 〖수학〗 1차 〔선형〕 함수; =LINEAR TRANSFORMATION.

línear ÍC 〖전자〗 리니어 아이시, 리니어〔아날로그〕 집적회로. opp. *digital IC*.

línear indepéndence 〖수학〗 1차 〔선형〕 독립. ㊕ **línearly indepéndent** *a*.

línear-indúction mòtor 〖전기〗 =LINEAR MOTOR.

lin·e·ar·ize [líniəràiz] *vt*. 선 모양으로 하다; 선형(線形)으로 투영하다. ㊕ **lìn·e·ar·i·zá·tion** *n*.

línear méasure 척도, 길이.

línear mótor 〖전기〗 리니어〔선형〕모터《유도 전동기를 일직선으로 늘려 회전 운동을 직선 운동으로 바꾸는 모터》.

línear mótor càr 리니어모터를 추진력으로 한 차량.

línear perspéctive (선에 의한) 투시 화법.

línear prógramming 〖수학·경제〗 선형 계획〔법〕; 〖컴퓨터〗 선형 계획법.

línear regréssion (anàlysis) 〖통계〗 선형 회귀 분석.

línear spáce 〖수학〗 선형 공간.

línear transformátion 〖수학〗 1차 〔선형〕 변환.

lin·e·ate, -at·ed [líniət, -èit], [-èitid] *a*. 선이 있는. ㊕ **lìn·e·á·tion** *n*. Ⓤ 선을 그음; Ⓒ 윤곽; 선의 배열.

líne·bàcker *n*. 〖미식축구〗 라인배커《수비의 2열째에 위치하는 선수; 생략: LB》.

líne·brèeding *n*. 〖축산〗 (동일 품종 내의) 계통 교배〔번식〕. ㊕ **líne·brèed** *vt*.

líne contròl 〖통신〗 회선 제어(回線制御).

líne·cùt *n*. 〖인쇄〗 선화(線畫) 볼록판.

lined¹ *a*. 줄〔괘선〕을 친: ~ paper 괘지(罫紙).

lined² *a*. 안(감)을 댄.

líne dàncing 〔dànce〕 라인 댄스《여럿이 줄지어 같은 동작으로 추는 춤》.

líne dràwing 선화(線畫)《펜화·연필화 등》.

líne dríve 〖야구〗 라이너, 라인드라이브(liner¹).

líne dròp 〖전기〗 선로 전압 강하.

líne èditor 줄 편집기《저자와 긴밀히 연락하면서 편집 작업을 진행시키는 편집자》; 〖컴퓨터〗 줄(단위) 편집기.

líne engràving 줄새김, 선조(線彫)(화); 선조 동판화.

líne fèed 〖컴퓨터〗 개행 문자(改行文字)《인자(印字)〔표시〕를 다음 행의 같은 위치에 이동시키는 제어 문자; 생략: LF》.

líne fishing (그물이 아닌) 줄낚시질.

líne gràph 꺾은선 그래프.

líne-hàul *n*. 두 역 사이를 실제로 화물〔사람〕을 운반하기《적하·배달 등의 상대 개념으로》.

líne-ìn *n*. 라인 입력 단자: a ~ jack.

líne ítem 〖상업〗 품목명《주문서나 송장(送狀)에 기재되는》.

líne-ítem vèto 《미》 예산안 개별 항목 거부권 (item veto).

líne jùdge 〖스포츠〗 선심(線審).

líne màn 《Austral.·N. Zeal.》 (해안에 대기하는) 인명 구조 대원.

líne·man [-mən] (*pl*. ***-men*** [-mən, -mèn]) *n*. (전신·전화의) 가설공; 《영》 (철도의) 보선공; 〖측량〗 측선수(測線手); 〖미식축구〗 전위.

líne mànagement (생산·판매 등 기업의 기본적 활동을 담당하는) 라인 관리 (부분), 라인 관리직. 「(~) (자기의) 직속 상사.

líne mànager (기업의) 라인 관리자; (one's

líne màrk 라인 마크《어떤 특정 생산 라인의 전 품목을 포함하는 상표》.

lin·en** [línin] *n.* **1** Ⓤ 아마포(布), 리넨; 아마사(絲); (종종 *pl.*) 리넨류(類); (특히, 흰색의) 내의류: change one's ~ 내의를 갈아입다. **2** 〚집합적〛 리넨 제품((셔츠·속옷·시트 따위)): a ~ shower ((미)) (신부에게 주는) 리넨 제품의 선물. ***wash** one's **dirty** ~ **at home 〔***in public***〕 집안의 수치를 감추다〔외부에 드러내다〕. **—** *a.* 아마의, 리넨제의; 리넨처럼 흰.
línen bàsket ((영)) 빨랫감 바구니.
línen clòset ((미)) 시트와 타월을 넣는 장.
línen dràper ((영)) 리넨상(商), 셔츠류 판매상.
línen páper 리넨지(紙).
línen wédding 아마혼식((결혼 12 주년 기념)).
líne of báttle (군대·함대의) 전열(戰列).
líne of béauty ((미)) 미(美)의 선((William Hogarth 가 미의 기본으로 생각한 S 자형 곡선)).
líne of crédit 차관; 대부, 신용 공여; 최대 대부 금액.
líne of dúty 직무, 직책: in (the) ~ 직무의 일환으로서, 직무상, 직무 중에.
líne of Fáte (손금의) 운명선.
líne òfficer 〚군사〛 (전투 부대 지휘의) 병과 장교. ㊄ staff officer. 「역선(力線).
líne of fórce 〚물리〛 (전기장·자기장 따위의)
líne of scrímmage 〚미식축구〛 라인오브스크리미지((플레이 시작 때 놓인 공의 중앙을 지나 sideline 에서 sideline 까지 뻗는 가공의 선)).
líne of síght (사격·측량 따위의) 조준선(= **líne of síghting**); 〚천문〛 시선(視線)((관측자와 천체를 잇는 직선)); 〚안과〛 =LINE OF VISION; 〚방송〛 가시선((지평선에 막히지 않고 송신·수신 안테나를 잇는 직선)).
líne of (the) Sún (손금의) 성공선.
líne of vísion 〚안과〛 시선(line of sight)((눈의 중심와(中心窩)와 초점을 잇는 선)).
líne organizàtion 〚경영〛 라인〔직계〕 조직((최고위층의 의사가 경영체의 말단에까지 그 명령과 권한이 한 라인으로 이어진 조직)). ㊄ staff organization.
líne-òut *n.* 〚럭비〛 라인아웃((터치라인 밖으로 나간 공을 스로인하기)).
líne prìnter 〚컴퓨터〛 라인 인쇄기.
líne prìnting 〚컴퓨터〛 행 인쇄.
***lin·er**[1] [láinər] *n.* **1** 정기선((특히 대양 항해의 대형 쾌속선))(㊄ tramp); 정기 항공기(airliner). **2** 전열함(戰列艦). **3** 선을 긋는 사람〔기구〕; 아이섀도용 붓. **4** 〚야구〛 라이너(line drive).
lin·er[2] *n.* 안을 대는 사람; 안에 대는 것; 〚기계〛 (마멸 방지용) 입힘쇠, 덧쇠; (코트 안에 분리할 수 있게 댄) 라이너; (레코드의) 라이너 노트(= ∠ **nòte(s)**); 해설이 인쇄된 재킷.
líner pòol 땅에 판 구덩이 안쪽에 비닐을 댄 가정용 풀. 「열차.
líner tràin ((영)) (컨테이너 수송용) 쾌속 화물
líne scòre 〚야구〛 라인스코어((대전한 양 팀의 득점 수·실책 수·안타 수를 기록한 경기 기록)).
líne sègment 〚수학〛 선분(線分).
líne-shòot *vt.* ((구어)) 자랑거리를 말하다. **—** *n.* 자랑, 큰소리. ㊞ **~·er** *n.* ((구어)) 자랑꾼.
línes·man [-mən] (*pl.* ***-men*** [-mən, -mèn-]) *n.* (전신〔전화, 송전〕선의) 보선공; 〚군사〛 일선〔전방〕 보병; ((영)) (철도의) 보선공(lineman); 〚측량〛 표척수(標尺手); 〚구기〛 선심; 〚축구〛 전위(lineman).
líne spàcing 〚컴퓨터〛 줄띄(우)기. 「스펙트럼.
líne spèctrum 〚물리〛 선(線) 스펙트럼, 휘선
líne squàll 〚기상〛 선 스콜((한랭 전선을 따라 일어나는 스콜)). ㊄ squall line.
líne-ùp, líne·ùp *n.* **1** 사람〔물건〕의 열(列); 라인업, (선수의) 진용(표); 재고품. **2** 〚일반적〛 구성, 진용: the ~ of a new cabinet 새 내각의 진용. **3** (범인 판정을 위해 줄세운) 용의자의 열. **4** 〚구기〛 (시합 개시 전의) 정렬(整列).
ling[1] [liŋ] *n.* 〚어류〛 대구 비슷한 식용어.
ling[2] *n.* 〚식물〛 히스(heather)의 일종.
-ling[1] [liŋ] *suf.* ((종종 경멸)) **1** 명사에 붙여 지소사(指小辭)를 만듦: duck*ling*, prince*ling*. **2** 〚명사·형용사·부사·동사에 붙여〛 '…에 속하는〔관계 있는〕사람·물건'의 뜻의 명사를 만듦: dar*ling*, nurs(e)*ling*, young*ling*.
-ling[2] [liŋ], **-lings** [liŋz] *suf.* '방향·위치·상태' 따위를 나타내는 부사를 만듦: side*ling*, dark*ling*, flat*ling*.
lin·gam, -ga [líŋgəm], [-gə] *n.* 남근상(男根像)((힌두교의 Siva 신의 표상)).
lin·ger** [líŋgər] *vi.* **1** ((~/+전+명))(우물쭈물) 오래 머무르다, 떠나지 못하다((*about; around; on*)): ~ awhile after the party 파티가 끝난 뒤에도 잠시 동안 떠나지 않다 / Students ~*ed around* the coffee shop. 학생들은 다방에 별다른 이유 없이 오래도록 머물러 있었다. **2** ((~/+부))(겨울·의심 따위가) 좀처럼 사라지지〔떠나지, 가시지〕 않다; (습관이) 남다, 좀처럼 없어지지 않다; (병·전쟁이) 질질 (오래) 끌다; (환자가) 간신히 연명하다((*on*)): Doubt ~s. 의심이 아무리 해도 가시지 않는다 / Her misery ~*ed on* for hours. 그녀의 고통은 여러 시간 계속되었다. **3** ((+전+명)) (꾸물거려) 시간이 걸리다((*over; on, upon*)): She ~*ed over* her decision. 좀처럼 결심이 서지 않았다. **4** ((+*to* do)) 우물쭈물 망설이다, …하기로 마음을 정하지 못하다: ~ *to* bid her good night 잘 자라는 인사를 좀처럼 못 하다. **5** 근처를 서성거리다((*about*)); 어슬렁거리다: ~ on the way home 돌아오는 길에 지정거리다. **—** *vt.* **1** 질질 끌다. **2** ((+목+부)) (시간을) 우물쭈물〔어정버정〕 보내다((*away; out*)): He ~*ed out* his final years alone. 그는 만년을 고독 속에서 지냈다. **~ *on 〔***round***〕 ***a subject*** 한 가지 문제를 가지고 질질 끌다. **~ *out* one's *life*** 좀처럼 죽지 않다; 헛되이 살아가다.
lin·ge·rie [lὰːndʒəréi, lǽnʒəriː] *n.* ((F.)) Ⓤ 란제리, (주로 여성의) 속옷류; ((고어)) 리넨 제품.
lín·ger·ing [-riŋ] *a.* **1** 오래〔질질〕 끄는, 우물쭈물하는: a ~ illness 오래 끄는 병 / ~ heat 늦더위. **2** 미련이 있는 듯 싶은, 망설이는. ㊞ **~·ly** *ad.*
lin·go [líŋgou] (*pl.* **~(*e*)*s***) *n.* ((경멸)) 뜻 모를〔알 수 없는〕 말((사투리·외국어·술어 따위)); 〚언어〛 링고, 전문어(jargon).
lin·gua [líŋgwə] (*pl.* ***-guae*** [-gwiː]) *n.* ((L.)) 혀; 설상(舌狀) 기관; 언어.
língua fránca [-frǽŋkə] ((It.)) (종종 L- F-) 프랑크 말((이탈리아 말·프랑스 말·그리스 말·스페인 말의 혼합어로 Levant 지방에서 쓰임)); 〚일반적〛 (상용어(常用語) 따위에 쓰이는) 국제 (혼성) 공통어; 의사 전달의 매개가 되는 것.
lin·gual [líŋgwəl] *a.* 혀(모양)의; 〚음성〛 설음(舌音)의; 말〔언어〕의. **—** *n.* 설음; 설음자(字) ((t, d, th, s, n, l, r 등)). ㊞ **~·ly** *ad.*
Lin·gua·phone [líŋgwəfòun] *n.* 링궈폰((어학 자습용 녹음 교재; 상표명)).
lin·gui·form [líŋgwəfɔ̀ːrm] *a.* 혀 모양의.
lin·gui·ne, -ni [liŋgwíːni] *n. pl.* 링귀니((납작한 파스타(pasta); 그것을 쓴 이탈리아 요리)).
lin·guist [líŋgwist] *n.* 어학자, 언어학자; 여러 외국어에 능한 사람; (서아프리카, 특히 가나에서) 추장의 대변자. ㊞ **~·er** *n.* 통역.
lin·guis·tic, -ti·cal [liŋgwístik], [-əl] *a.* 어학(상)의, 언어의; 언어학의; 언어 연구의. ㊞ **-ti·cal·ly** *ad.*

linguístic átlas 〖언어〗 언어 지도(dialect atlas).
linguísticfórm 〖언어〗 언어 형식(speech form) 《의미를 가지는 구조상의 단위; 문(文) · 구(句) · 낱말 등》.
linguístic geógraphy 언어 지리학.
lin·guis·ti·cian [lìŋgwəstíʃən] *n.* 《드물게》 언어학자(linguist).
linguístic insecúrity 〖언어〗 언어적 불안 정도《자기가 하는 말에 대하여 자신이 없음을 이름》.
linguístic philósophy 언어철학.
linguístic rélatìvism 〖언어〗 언어 상대설〔론〕 (=**Sapír-Whórf hypóthesis**) 《사고(思考)는 언어에 의해 상대화된다는 주장》.
lin·guis·tics [liŋgwístiks] *n. pl.* 《단수취급》 어학; 언어학. cf. philology.
linguístic semántics 〖언어〗 언어학적 의미론《자연 언어의 의미의 언어학적 연구》.
linguístic stóck 〖언어〗 어계(語系); 어떤 어계의 언어를〔방언을〕 말하는 민족.
linguístic univérsal 〖언어〗 언어의 보편적 특성. cf. formal universal.
lin·gu·late [líŋgjələt, -lèit] *a.* 혀 모양의.
lin·guo·cen·tric [lìŋgwəséntrik] *a.* 자국어(自國語) 중심의. 「는 약.
lin·i·ment [línəmənt] *n.* U,C (액상의) 바르
li·nin [láinin] *n.* 〖생물〗 핵사(核絲).
◇**lin·ing** [láiniŋ] *n.* **1** C 안 대기; (옷 따위의) 안(받치기): Every cloud has a silver ~. ⇨ CLOUD. **2** U 안감. **3** C (지갑 · 위 따위의) 알맹이, 내용. **4** 내면, 내층. **5** 둑에 대는 천; 〖기계〗 라이닝《베어링 · 실린더 따위의 안쪽에 댄 것》; 〖제본〗 등붙이기; (기관(汽罐)의) 기투(汽套); 〖건축〗 판벽널. **6** (*pl.*) 《영방언》 속옷; 《특히》 속바지(drawers).
⁑**link**[1] [liŋk] *n.* **1** 사슬의 고리, 고리: a ~ in a chain. **2** 고리 모양의 것: a ~ of hair. **3** (뜨개질의) 코. **4** 연결된 것; (소시지 따위의) 한 토막; (*pl.*) 커프스 버튼(cuff ~). **5** 연결하는 사람〔물건〕; 유대(bond); 연결부, 연쇄부: ⇨ MISSING LINK. **6** 링크《측량의 단위; 1/100 chain, 7.92 인치》. **7** 〖기계〗 링크; 연동 장치; 〖화학〗 연쇄, 결합(bond). **8** (논의 · 연구 따위의) (주요) 단계. **9** 〖전기〗 퓨즈링크(가용(可溶) 부분). **10** 〖컴퓨터〗 연결, 연결로.
— *vt.* **1** 잇다, 연접하다《*to; with*》; 관련짓다, 결부하다〔하여 생각하다〕《*with; together*》: two towns ~*ed* by a canal 운하로 연결된 두 도시. SYN. ⇨ JOIN. **2** 《+목/+목+전+명》 (손을) 쥐다(clasp); (팔짱을) 끼다(hook): ~ one's arm *in* 〔*through*〕 another's 아무와 팔을 끼다. — *vi.* **1** 《~/+부/+전+명》 이어지다, 연결되다, 연합〔동맹, 제휴〕하다《*up*》: We've ~*ed up with* an American company. 우리 회사는 미국 회사와 제휴했다. **2** 팔짱을 끼고 가다, 서로 손을 잡고 가다. 「=LINKBOY.
link[2] *n.* 횃불(torch)《옛날 밤길에 들고 다니던》;
link·age [líŋkidʒ] *n.* 연합; 연쇄; 결합; 〖정치〗 연관(聯關) 외교; 〖유전〗 (동일 염색체상의 유전자의) 연관, 링키지; 〖화학〗 (원자의) 결합(방식); 〖기계〗 링크〔연동〕 장치; 〖컴퓨터〗 연계《몇 개의 program, routine을 연결하여 하나의 프로그램으로 함》.
línkage èditor 〖컴퓨터〗 연계(連繫) 편집 프로그램《여러 개의 프로그램들을 결합시켜 완전한 하나의 프로그램으로 편집하는 일》.
línkage gròup 〖유전〗 연쇄군《동일 염색체상에서 한 단위로 유전되는 일군의 유전자》.
línkage màp 〖유전〗 연쇄 지도(genetic map).
línk·bòy *n.* (옛날 밤길에) 횃불을 드는 소년.
linked [-t] *a.* 결합된, (유전자가) 연관된; 〖컴퓨터〗 연결로를 가진.
línked líst 〖컴퓨터〗 연결 리스트《각 항목이 데이터와 그 인접 항목의 포인터를 갖고 있는 리스트》.
línk·er *n.* 연결하는 사람〔물건〕; 〖컴퓨터〗 링커, 연계기.
línking vèrb 〖문법〗 연결 동사(copula)《be, appear, seem, become 등》.
línk·man [-mən] (*pl.* **-men** [-mən, -mèn]) *n.* **1** 횃불 드는 사람. **2** (축구 따위의) 링커, 센터 포워드와 백을 연결하는 선수. **3** (라디오 · 텔레비전 좌담회의) 사회자(moderator). **4** 《일반적》 중개인.
línk mòtion 〖기계〗 링크 장치, 연동 장치.
links [liŋks] *n. pl.* **1** 《단 · 복수취급》 골프장. **2** 《Sc.》 (해안의) 모래펄. 「*n.* 골퍼.
línks·man [-mən] (*pl.* **-men** [-mən, -mèn])
Línk tráiner 링크 트레이너《(1) (비행기의) 지상 훈련 장치. (2) (시청각 장치를 이용한) 모의 자동차 운전 장치; 상표명》.
línk·ùp *n.* 연결; (우주선의) 도킹.
línk vèrb =LINKING VERB.
línk·wòrk *n.* C,U 사슬 세공; 연동 장치; 연쇄.
linn [lin] *n.* 《Sc.》 폭포; 용소(龍沼); 계곡, 절벽.
Linn. Linnaean; Linnaeus.
Lin·nae·an, -ne·an [liníːən] *a.* 린네(Linnaeus)의; 린네식 동 · 식물 분류법의.
Lin·nae·us [liníːəs] *n.* **Carolus** ~ 린네《스웨덴의 식물학자; 본명 Carl von Linné; 1707–78》.
lin·net [línit] *n.* 〖조류〗 홍방울새.
li·no [láinou] *n.* 《주로 영》 =LINOTYPE; LINOLEUM.
líno·cùt *n.* 리놀륨 인각(印刻)(화(畫)).
li·no·le·ate [linóulièit] *n.* 〖화학〗 리놀레산염〔에스테르〕.
lin·o·lé·ic ácid [linəlíːik-, -léiik-] 〖화학〗 리놀레산(酸)《건성유 · 반건성유에 많이 포함된 불포화 지방산》.
lin·o·le·nate [lìnəlíːneit, -léin-] *n.* 〖화학〗 리놀렌산염〔에스테르〕. 「리놀렌산(酸).
lin·o·lé·nic ácid [lìnəlíːnik-, -léin-] 〖화학〗
◇**li·no·le·um** [linóuliəm] *n.* U 리놀륨《마루의 깔개》. ㊎ ~**ed** *a.*
Lin·o·type [láinətàip] *n.* 자동 주조 식자기, 라이노타이프《상표명》. [◂ *line of type*] — *vi., vt.* (l-) 라이노타이프로 식자하다. ㊎ **lí·no·tỳp·er, -tỳp·ist** *n.* 라이노타이프 식자공. 「산》.
lin·sang [línsæŋ] *n.* 〖동물〗 사향고양이《남양
lin·seed [línsìːd] *n.* U 아마인(亞麻仁)《아마(flax)의 씨》.
línseed càke 아마인 깻묵《가축 사료》.
línseed mèal 아마인 가루.
línseed òil 아마인유(油).
lin·sey(-wool·sey) [línzi(wúlzi)] *n.* U 삼〔무명〕과 털의 교직물; 《비유》 저질의〔이상한〕 혼합물, 혼란된 언행.
lin·stock [línstàk/-stɔ̀k] *n.* 〖역사〗 (옛 대포의 점화용) 도화간(導火桿).
lint [lint] *n.* U 린트 천《붕대용의 부드러운 베의 일종》; 실보무라지; 조면(繰綿).
lin·tel [líntl] *n.* 〖건축〗 상인방(上引枋)《창 · 입구 등 위에 댄 가로대》; 상인방돌. ㊎ **-teled, -telled** *a.* 상인방(돌)이 있는.

lintel

liny [láini] (*lin·i·er; -i·est*) *a.* 선(線)을 그은; 선이 많은; 선과 같은; 줄이 많은, 주름투성이의; 〖미술〗 선을 많이 쓴.

li·on [láiən] *n.* **1** (*pl.* **~s,** ~) 사자, 라이온: the British *Lion* 영국, 영국민 / the ~ and unicorn 사자와 일각수《영국 왕실의 문장을 받드는 짐승》. ★ 사자는 영국 왕실의 문장(紋章)으로 Great Britain의 상징. cf. lioness(암사자), cub(새끼 사자). **2** 용맹한 사람. **3** 유명한〔인기 있는〕 사람, 명물: the ~ of the day 당대의 명사; 시대의 총아(寵兒) / make a ~ of a person 아무를 치켜세우다. **4** (L-) 라이온스 클럽 회원. **5** 《영》 인기 끄는 것; (*pl.*) 명물, 명소: see 〔show〕 the ~*s* (of a place) 명소를 구경〔안내〕하다. **6** (the L-) 〖천문〗 사자자리; 사자궁(Leo). **7** 〖문장(紋章)〗 사자 무늬. **8** (사자를 새긴) 금화(金貨). ***a ~ in the way*** 〔***path***〕 앞길에 가로놓인 난관《특히 상상적인》. ***beard the ~ in his den*** ⇨ BEARD. ***like a ~*** 용맹하게. **~*'s den*** 위험하고 무서운 곳. **~*'s skin*** 헛위세. ***throw*** 〔***feed***〕 a person ***to the ~s*** 죽게 된〔곤경에 빠진〕 사람을 내버려두다. ***twist the ~'s tail*** (특히 미국 기자가) 영국의 욕을 하다〔쓰다〕.

li·on·ess [láiənis] *n.* 암사자.

li·on·et [láiənèt] *n.* 새끼 사자.

líon·hèart *n.* 용맹〔담대〕한 사람; (L-) 사자왕《영국왕 Richard 1세의 별명》. ㊎ **~·ed** [-id] *a.* 용맹한. **~·ed·ness** *n.*

li·on·hood, li·on·ship [láiənhùd], [-ʃip] 「*n.* U 인기인임.

líon-hùnter *n.* 사자 사냥꾼; 명사〔인기인〕의 뒤를 좇아다니는 사람, 명사병 환자.

lì·on·i·zá·tion *n.* U 치켜세움, 떠받듦, 명사 취급함; 《영》 명소를 안내함.

li·on·ize [láiənàiz] *vt.* 치켜세우다, 떠받들다, 명사 취급하다; 《영》 …의 명소를 보다; 명소로 안내하다. **—** *vi.* 《영》 명소를 구경하다; 유명인과 사귀고 싶어하다.

líon·lìke *a.* 사자 같은.

Líons Clùb 라이온스 클럽《Lions Clubs International의 구성체인 각지의 지부》.

Líons Clùbs Internátional 라이온스 클럽 국제 협회《1917년 창설된 국제 사회 봉사 단체》. [◂ *l*iberty, *i*ntelligence, *o*ur *n*ation's *s*afety]

líon's móuth (the ~) 매우 위험한 장소.

líon's províder 《고어》 하수인, 앞잡이; 알랑쇠(jackal).

líon's shàre (the ~) 최대의 (분배) 몫, 가장 좋은 부분, 노른자위; 단물; 대부분: take 〔win, keep〕 the ~ 가장 큰 몫을 차지하다.

lip [lip] *n.* **1 a** 입술: the upper 〔lower, under〕 ~ 윗〔아랫〕입술 / curl one's ~(*s*) (경멸하여) 입술〔입〕을 비죽거리다 / lick one's ~*s* (맛이 있어서) 입술을 핥다 / smack one's ~*s* (맛이 있어서) 입맛을 다시다 / put 〔lay〕 one's fingers to one's ~*s* (입 다물라고) 입술에 손가락을 대다. **b** (*pl.*) 입《말하는 기관으로서의》, 말. **c** 건방진〔주제넘은〕 말; 《미속어》 (특히 형사 사건 전문) 변호사: None of your ~! 건방진 소리 마라. **2** 입술 모양의 것; (식기·단지·우묵한 데·상처·포구 등의) 가장자리; (식기 따위의) 따르는 부리, 귀때; 〖해부〗 음순(陰脣); 〖식물〗 입술꽃잎, 순형 화관(脣形花冠); 〖동물〗 (고둥의) 아가리; (공구의) 날; 상처. **3** 〖음악〗 (오르간 플루트 따위의) 구멍 위쪽; (관악기의) 입을 대는 부분, (관악기 연주에서의) 입술의 위치〔쓰는 법〕. ***be on every*** one***'s ~*** 누구 입에나 오르내리다, 말들이 많다. ***be steeped to the ~s in*** a person 악덕·죄 등이 아무의 몸에 깊이 배어 있다. ***bite*** one***'s ~s*** 분노〔고뇌, 웃음 따위〕를 억제하다. ***button*** one***'s ~*** 《속어》 입을 다물고 있다, (비밀 등을) 누설하지 않다. ***carry*** 〔***keep, have***〕 ***a stiff upper ~*** (어려움 따위에) 끄떡 않다, 겁내지 않다, 지그시 참다; 꿋꿋하다. ***escape*** one***'s ~s*** (말이) 입에서 새다, 무심코 지껄이다. ***flip*** one***'s ~*** 《속어》 지껄이다, 수다 떨다. ***hang on*** a person***'s ~s*** = ***hang on the ~s of*** a person 아무의 말에 귀를 기울이다〔매료되다〕. ***hang*** one***'s ~*** 울상을 짓다. ***make*** (***up***) ***a ~*** (불평·모욕으로) 입을 비죽 내밀다. ***part with dry ~s*** 키스하지 않고 헤어지다. ***pass*** one***'s ~s*** (말이) 입에서 새다, 무심코 지껄이다; 음식물이 입에 들어가다. ***shoot out the ~*** 〖성서〗 (경멸·불쾌 때문에) 입을 삐쭉 내밀다. a person***'s ~s are sealed*** 아무의 비밀을 지키다, 함구가 되어 있다. ***wipe*** one***'s ~s of ...*** ⇨ WIPE.

— (*-pp-*) *vt.* **1** …에 입술을 대다. **2** …에 언저리를 만들다, …의 언저리가 되다; 〖골프〗 공을 쳐서 hole 변두리에 갖다대다. **3** 속삭이다. **4** (파도가 물가를) 찰싹찰싹 치다. cf. lap. **5** 《시어》 …에 키스하다. **—** *vi.* **1** (관악기를 불 때) 입술을 쓰다〔바로 대다〕《*up*》. **2** (물이) 찰싹찰싹 소리 내다; 그릇에서 넘치다《*over*》.

— *a.* **1** 입술의, 말뿐인: ~ devotion 말뿐인 신앙심 / ~ praise 〔professions〕 말뿐인 칭찬〔공언(公言)〕. **2** 〖음성〗 순음(脣音)의: a ~ consonant 순자음(脣子音).

li·pase [láipeis, líp-] *n.* 〖생화학〗 리파아제《지방 분해 효소(酵素)로 에스테라아제의 하나》.

líp·bàlm *n.* 《영》 입술 크림(《미》 chapstick).

líp cómfort 말뿐인 위안, 일시적인 위안.

líp contròl 립 컨트롤《트럼펫 등을 불 때 입술 모양을 바꿔 음색을 변화시키는 주법》.

líp-déep *a.* 겉만의, 말뿐인.

li·pec·to·my [lipéktəmi] *n.* 〖의학〗 (비만 등의) 지방 조직 절제(술), 지방 제거(술). cf. fat sucking.

li·pe·mia [lipíːmiə] *n.* 〖의학〗 지혈증(脂血症), 「지방혈(증).

líp-glòss *n.* 립글로스《입술에 윤기를 주는 화장품》; 《미속어》 거짓말.

lip·id, li·pide [lípid, lái-], [lípaid, -id, láip-] *n.* 〖생화학〗 지질(脂質). ㊎ **li·pid·ic** [lipídik] *a.*

lip·i·do·sis [lìpədóusis] (*pl.* **-ses** [-siːz]) *n.* 〖의학〗 지방(축적)증, 리피도시스《세포의 선천적 지방 대사 장애》.

líp lànguage 시화(視話), 독순(讀脣) 언어《청각 장애자가 입술 움직임으로 의사 소통하기》.

líp·lìne *n.* 입술의 윤곽, 립라인.

líp·lìner *n.* 립라이너《입술 윤곽을 그리는 연필 「형 립스틱》.

líp mìcrophone 잡음 방지식 가두 녹음용 마이크《이야기하는 사람의 입에 바싹 댐》.

Li Po [líːpóu] 이백(李白)(Li Tai-Po; 이태백)《중국 당대(唐代)의 시인; 701-762》.

lip·o- [lípou, -pə, láip-] '지방(脂肪)' 이란 뜻의 결합사《모음 앞에서는 **lip-**》: *lip*ase, *lipo*protein.

lip·o·fus·cin [lìpəfʌ́sin, làip-] *n.* 〖생화학〗 지방 갈색소, 리포푸신.

lìpo·génesis *n.* 〖생물〗 지방 생성. ㊎ **-génic** *a.*

li·pog·ra·phy [lipágrəfi, lai-] *n.* = HAPLO-GRAPHY.

li·pó·ic ácid [lipóuik-, lai-] 〖생화학〗 리포산.

lip·oid [lípɔid, láip-] *a.* 〖생화학〗 지방의, 지방 비슷한. **—** *n.* 리포이드, 유지질(類脂質).

lip·oi·do·sis [lìpɔidóusis, làip-] (*pl.* **-ses** [-siːz]) *n.* 〖의학〗 유지증(類脂症), 리포이드 대사(代謝) 이상.

li·pol·y·sis [lipáləsis, lai- / -pɔ́l-] *n.* 〖화학〗 지방 분해. ㊎ **lip·o·lit·ic** [lìpəlítik, làip-] *a.*

li·po·ma [lipóumə, lai-] (*pl.* **~s, ~·ta** [-tə]) *n.* 〖의학〗 지방종(脂肪腫). ㊎ **li·pom·a·tous** [lipámətəs, lai- / -pɔ́m-] *a.*

lip·o·phil·ic [lìpəfílik, làip-] *a.* 〖물리·화학〗 지방 친화성(親和性)의.

lìpo·poly·sáccharide *n.* 〖생화학〗 리포 다당 「류〔체〕.

lìpo·prótein *n.* U 〖생화학〗 지방〔리포〕 단백(질).

lip·o·some [lípəsòum, láip-] *n.* 【화학】 리포솜《인지질(燐脂質)의 현탁액에 초음파 진동을 가하여 생기는 미세한 피막(被膜) 입자》.

lip·o·suc·tion [lìpousʌ́kʃən/-pəu-] *n.* 지방흡입술.

lip·o·trop·ic [lìpətrápik, -tróup-, lài p- / -trɔ́p-] *a.* 【화학·생화학】 항지간성(抗脂肝性)의, 지방 친화(성)의, 지(방)향성(脂(肪)向性)의: ~ factor 항지간 인자. ㊎ **li·pot·ro·pism** [lipátrəpìzəm, lai- / -pɔ́t-] *n.*

lìpo·trópin *n.* 【생화학】 리포트로핀《뇌하수체에서 분비되는 지방 분해 호르몬》.

lipped [lipt] *a.* 입술이〔귀때가〕 있는; …한 입의, 입술 모양의: a ~ jug 귀때 항아리 / red-~ 입술이 빨간.

lip·per [lípər] *n.* 【해사】 해면의 잔물결.

Líp·pes lòop [lípəs-] 리피스루프《2 중 S 자형 플라스틱 피임 링》.

lip·ping [lípiŋ] *n.* 【의학】 골변연(骨邊緣), 골극(骨棘); 【악학】 (관악기의 취구(吹口)에) 입술 대는 법(embouchure).

líp prìnt 순문(脣紋)《입술 표면의 무늬》.

lip·py [lípi] (*-pi·er; -pi·est*) *a.* 《구어》 입술이 큰; 《구어·방언》 건방진 (말씨의), 수다스러운.

líp-rèad [-rìːd] (*p., pp. -read* [-rèd]) *vt., vi.* 시화(視話)하다, 독순술(讀脣術)로 이해하다.

líp rèader 독순술을 아는 사람, 시화자(視話者).

líp rèading 독순술, 시화(視話).

líp-ròunding *n.* 【음성】 원순화(圓脣化).

LIPS, Lips, lips [lips] *n.* 【컴퓨터】 립스《1초당 추론 연산 횟수; 문제 해결의 속도를 나타내는 척도》. [◂ *l*ogical *i*nferences *p*er *s*econd]

líp·sàlve *n.* 입술에 바르는 연고; 아첨.

líp sèrvice 입에 발린 말; 말뿐인 호의〔찬의, 경의〕: pay 〔give〕 ~ (to...) (…에게) 입에 발린 말을 하다, 말로만 동의하다.

líp·slìpper *n.* 《미속어》 (재즈의) 관악기 주자.

líp·spèaker *n.* 순화자(脣話者)《청각 장애자와 말할 수 있는 사람》.

líp-spèaking *n.* 독순술(讀脣術).

***lip·stick** [lípstìk] *n.* U,C 입술연지, 립스틱.

líp-sýnc(h) *vt., vi., n.* U 【TV·영화】 녹음〔녹화〕에 맞추어 말〔노래〕하다〔하기〕.

liq. liquid; liquor; liquor store.

liq·uate [láikweit] *vt.* 【야금】 (합금·혼합물을) 녹이다; 용해하여 분리〔석출〕하다. ㊎ **li·quá·tion** *n.* U 【야금】 용석(溶析), 용해 (분리), 액화.

liq·ue·fa·cient [lìkwəféiʃənt] *n.* 액화제, 용해제; 《특히》 【의학】 액화〔융해〕제《수은·요오드》.

liq·ue·fac·tion [lìkwəfǽkʃən] *n.* U 액화; 용해; 액화 상태: ~ of coal 석탄 액화.

liq·ue·fac·tive [lìkwəfǽktiv] *a.* 액화(성)의, 용해성의.

liq·ue·fi·a·ble [líkwəfàiəbəl] *a.* 액화〔용해〕할 수 있는.

líq·ue·fied *a.* 액화된; 《속어》 술에 취한.

líquefied nátural gàs 액화 천연가스《생략: LNG》.

líquefied petróleum gàs 액화 석유 가스《생략: LPG》.

liq·ue·fier [líkwəfàiər] *n.* 액화 가스 발생기, 기체 액화 장치 (조작인(人)).

liq·ue·fy [líkwəfài] *vt., vi.* 녹이다, 용해시키다; 액화시키다, 녹다; 액화하다.

li·ques·cence, -cen·cy [likwésəns], [-si] *n.* U 액화 (상태).

li·ques·cent [likwésənt] *a.* 액화하기 쉬운, 액화성의.

li·queur [likə́ːr/-kjúə] *n.* 《F.》 U 리큐어《달고 향기 있는 독한 술》. **—** *vt.* …에 리큐어로 맛들이다, …에 리큐어를 섞다.

****liq·uid** [líkwid] *a.* **1** 액체의, 유동체의; 유동하는. cf. fluid, gaseous, solid. ¶ ~ food 〔diet〕 유동식(食) / ~ air 액화 공기 / ~ fuel (로켓의) 액체 연료. **2** (소리·시·운동 따위가) 흐르는 듯한, 막힘 없는, 유창한(fluent). **3** 《비유》 (공기 따위가) 맑은, 투명한(transparent); (눈이) 눈물로 젖은: ~ eyes 눈물이 글썽한 눈. **4** 유동적인, 움직이기 쉬운, 불안정한(unstable); 융통성 있는: ~ principles 흔들리는 원칙. **5** 【경제】 현금으로 바꾸기 쉬운: ~ assets 〔capital〕 【상업】 유동 자산〔자금〕. **6** 【음성】 유음(流音)의《[l, r] 등》. ◇ liquidity *n.* liquidize *v.*

— *n.* **1** U,C 액체, 유동체. cf. gas, solid.

> SYN. **liquid** '액체'라는 뜻의 가장 일반적인 말. **fluid** '유동체·액체'라는 과학적인 말. **liquor** 액·알코올 음료의 뜻으로 쓰임.

2 C 유음, 유음 문자《[l, r]; 때로 [m, n, ŋ] 포함》; 구개화음《스페인어의 ñ, ll 등》. ㊎ **~·ly** *ad.* 액상(液狀)으로, 유동하여, 유창하게. **~·ness** *n.* =LIQUIDITY.

líquid áir (공기를 압축·냉각시킨) 액체 공기《냉각제로 사용》.

liq·ui·date [líkwidèit] *vt.* (빚을) 청산하다, 갚다, 변제하다; (회사 따위를) 정리〔해산〕하다, 일소하다, 폐지하다; 끝내게 하다, 종결시키다; (정치적으로) 숙청하다; 《완곡어》 죽이다, (사람을) 없애다(murder); (증권 따위를) 현금으로 바꾸다. **—** *vi.* 청산하다; 정리하다; 파산하다. ㊎ **-dà·tor** [-tər] *n.* 청산인.

lìq·ui·dá·tion *n.* U,C (빚의) 청산, 상환; (파산자의) 정리; 폐지, 일소, 타파, 종료; 제거, 살해, 근절. ***go into*** ~ (회사가) 청산〔파산〕하다.

líquid chromatógraphy 【화학】 액체 크로마토그래피《물질 분석법의 하나》.

líquid-còoled *a.* (기관이) 수랭식(水冷式)의.

líquid crýstal 【화학】 액정(液晶).

líquid crýstal displáy 【컴퓨터】 액정 표시 장치《생략: LCD》.

líquid díet 유동식(流動食).

líquid fíre 【군사】 (화염 방사기에서 발사되는) 액화(液火).

líquid gláss 물유리《규산나트륨의 농(濃)수용액》.

li·quid·i·ty [likwídəti] *n.* U 유동성; 유창함.

liquídity prèference 【경제】 유동성 선호《자산을 증권·부동산이 아니라 현금·당좌예금 등으로 보유하려는 것》.

liquídity ràtio 【경제】 유동성 비율.

liquídity tràp 【경제】 유동성 함정《(1) 이자율의 폭락과 채권 수요의 전무(全無)로 재산을 화폐 형태로 소유하려는 경제 상태. (2) 단기 융자에 자금이 흡수되어 장기 자본 조달이 어려운 경제 상태》.

liq·uid·ize [líkwidàiz] *vt.* 액화(液化)하다; (과일·채소를) 주스로 만들다.

liq·uid·iz·er [líkwidàizər] *n.* (요리용(用)) 믹서(《미》 blender).

líquid làser 【전자】 액체 레이저.

líquid lúnch 《속어》 음료(飮料) 중심의 점심; 유동식(流動食) 점심.

líquid méasure 액량(단위)《gill, pint, quart, gallon 등》. cf. dry measure.

líquid mémbrane 【약학】 액상막(膜).

líquid óxygen 액체 산소.

líquid petrolátum 〔**páraffin**〕 【화학】 유동파라핀.

líquid propéllant 【로켓】 액체 추진제.

líquid prótein 액상 단백《농축 단백질 조제; 체중 감량용으로 지금은 쓰이지 않음》.

líquid refréshment 《우스개》 음료, 《특히》 알코올음료.

liq·ui·dus [líkwidəs] *n.* 【물리·화학】 액상선(液相線). cf. solidus.

***liq·uor** [líkər] *n.* **1** C 독한 증류주《맥주·포도주에 대하여 brandy, whisky 따위》; 〔일반적〕 알코올음료, 술: the ~ traffic 주류 판매 / ⇨ MALT

LIQUOR / intoxicating ~ 〖일반적〗 술 / spirituous ~(*s*) 증류주(酒), 화주(火酒) / vinous ~ 포도주 / be in ~ 술에 취해 있다 / hold one's ~ well 술을 마셔도 흐트러지지 않다. **2** Ⓤ 액(체)(SYN. ⇨ LIQUID), 분비액; (각종 공업용) 용액. **3** 고아낸[달인] 물: meat ~ 육수(肉水). **4** [영+láikwɔːr] Ⓤ (약물의) 용액; 물약. ***take*** [***have***] ***a*** ~ (***up***) ⟪구어⟫ 한잔하다[마시다]. — *vt.* **1** (엿기름, 약초 등을) 용액에 담그다; (가죽 제품에) 기름을 바르다. **2** ⟪구어⟫ …에게 독한 술을 먹이다, 취하게 만들다⟪*up*⟫: be ~*ed up* 술에 취해 있다. — *vi.* ⟪구어⟫ 독주를 많이 마시다, 취하다⟪*up*⟫.

liq·uo·rice [líkəriʃ, -ris/-ris] *n.* =LICORICE.

liq·uor·ish [líkəriʃ] *a.* =LICKERISH; 술을 좋아하는; 알코올성의. ㊎ **~·ly** *ad.* **~·ness** *n.*

líquor stòre ⟪미⟫ 주류 판매점; ⟪영⟫ =OFF-LICENCE.

líquor-úp [-rʌ̀p] *n.* Ⓤ ⟪속어⟫ 음주, '한잔'.

li·ra [líərə] (*pl.* ***li·re*** [líərei], **~*s***) *n.* 리라⟪이탈리아의 화폐 단위; 그 은화⟫.

Li·sa [líːsə, -zə/líːzə, lái-] *n.* 리자⟪여자 이름; Elizabeth의 애칭⟫.

Lis·bon [lízbən] *n.* 리스본⟪Portugal의 수도⟫.

Li·se, Li·sette [líːsə, -zə], [lizét] *n.* 리제, 리젯⟪여자 이름; Elizabeth의 애칭⟫.

lisle [lail] *n.* 라일 실(=∠ **thrèad**)⟪외올의 무명실⟫; 그 직물. — *a.* 라일 실의.

LISP [lisp] *n.* 〖컴퓨터〗 리스프⟪리스트 처리 루틴⟫. [◂ *list* processor [processing]]

lisp [lisp] *vi., vt.* 불완전하게 발음하다⟪어린애가 [s, z]를 [θ, ð]로 발음하는 따위⟫; 혀가 잘 돌지 않는 소리로 말하다⟪*out*⟫. — *n.* **1** 혀가 잘 돌지 않는 소리, 혀짤배기소리: speak with ~ 혀꼬부라진 소리로 말하다. **2** 나뭇잎[흐르는 물]의 살랑[졸졸]거리는 소리. ㊎ **∠·er** *n.* **∠·ing** *n., a.* **∠·ing·ly** *ad.*

lis pen·dens [lis-péndenz] 〖법률〗 ⟪L.⟫ 계쟁 중인 소송; (법원에 의한) 계쟁물의 관리; 소송 계속의 고지(告知).

lis·som(e) [lísəm] *a.* 유연한, 부드러운; 민첩한(agile). ㊎ **~·ly** *ad.* **~·ness** *n.*

‡list[1] [list] *n.* **1** 목록, 표, 일람표, 명세서, 리스트; (상장주의) 일람표, 전 상장주(全上場株). **2** 명부; 가격표; =LIST PRICE: ⇨ FREE LIST / a ~ of members 회원 명부(名簿) / an active [a reserve, a retired] ~ 현역[예비역, 퇴역] 군인 명부 / close the ~ 모집을 마감하다 / on [in] the ~ 명부[표]에 올라 / draw up [make] a ~ 목록[표]를 작성하다 / lead [head] (up) a ~ 수위를 차지하다. **3** 〖컴퓨터〗 목록, 죽 보(이)기 ⟪특정 순서로 배열된 데이터의 집합⟫. ***first on the*** ~ 제일 첫째의[로]; 수석의[으로]: He has passed *first on the* ~. 그는 수석으로 합격했다. ***on the danger*** ~ ⇨ DANGER LIST. ***on the sick*** ~ 병으로 앓고[휴양 중]. — *vt.* **1** 목록으로 만들다. **2** 목록[표]에 싣다; 명부에 올리다; (증권을) 상장하다. **3** ⟪고어⟫ =ENLIST. **4** 〖~ oneself〗 스스로를 (…의) 일원으로 하다⟪*as*⟫. — *vi.* **1** ⟪+전+명⟫ 카탈로그에 실리다: This radio ~*s at* $25. 이 라디오는 카탈로그에 25 달러로 나와 있다. **2** ⟪고어⟫ =ENLIST.

list[2] *n.* **1** (천의) 가장자리, 변폭(邊幅), 식서(飾緖); 조붓한 헝겊; (동물의) 색줄무늬. **2** (*pl.*) ⇨ LISTS. **3** 두둑, 이랑. — *vt.* (판자 따위)의 끝을 가늘고 길게 베어내다; (밭이 되는 땅)에 lister[2]로 이랑을 세우다[씨를 뿌리다]; ⟪고어⟫ …에 가장자리 천을 달다[만들다].

list[3] *n.* (선박·건물 따위의) 기울기, 경사⟪*to*⟫. — *vi.* (짐이 무너지거나 침수로 배 따위가) 기울다(tilt). — *vt.* 기울게 하다.

list[4] (3인칭 단수 현재 ~, **∠·*eth***; 과거 ~, **∠·*ed***) ⟪고어⟫ *vt.* **1** …의 마음에 들다: I did as him ~. 그의 마음에 들도록 했다. **2** …을 바라다, …하고 싶어하다. — *vi.* 바라다, 하고 싶어하다, 탐내다: The wind bloweth where it ~*eth*. 〖성서〗 바람이 임의로 분다⟪요한복음 III:8⟫. — *n.* ⟪고어⟫ 바람, 좋아함.

list[5] *vt., vi.* ⟪고어⟫ 듣다, 경청하다⟪*to*⟫.

líst bròker direct mail 용(用)의 예상객 리스트를 임대하는 업자.

líst·ed [-id] *a.* **1** (증권 따위가) 상장된: a ~ company 상장(上場) 회사 / ~ securities 상장 유가 증권. **2** 표에 실려[나와] 있는; (전화번호·가입자 성명이) 전화번호부에 실려 있는.

lísted stóck 상장 주식.

†lis·ten [lísən] *vi.* **1** ⟪~/+전+명⟫ 귀를 기울이다, 경청하다⟪*to*⟫: *Listen to* me. 내 말을 들으시오. ★ 부정사 또는 현재분사를 뒤에 붙일 수 있음: I ~*ed to* her sing [singing]. 그 여자가 노래하는 것을 들었다.

> SYN. **listen** 주의해서 (이해하려고) 듣는 경우에 쓰임. **hear** 귀에 들어와 듣다.

2 ⟪~/+전+명⟫ (귀여겨)듣다, 따르다(yield) ⟪*to*⟫: ~ *to* reason 사리에 따르다. **3** ⟪+보⟫ ⟪미구어⟫ (…처럼[정당하게, 확실하다고]) 들리다 (sound): It ~*ed* very well. 그것은 멋있는 이야기였다. — *vt.* ⟪고어⟫ …을 경청하다. **~ *for*** …을 들으려고 귀를 기울이다: ~ *for* a footstep 발소리를 들으려고 귀를 곤두세우다. **~ *in*** ① (라디오 따위를) 청취하다⟪★ 이 뜻으로는 좀 예스러움⟫; (전화 따위를) 엿듣다. ② (정규 학생 외의 사람이) 청강하다. **~ *out*** 〖보통 명령형으로〗 …을 주의해서 잘 듣다⟪*for*⟫: Listen *out for* your name to be called. 당신 이름이 호명되는 것을 잘 듣도록 하시오. — *n.* ⟪구어⟫ 들음: have a ~ 듣다, 경청하다. ㊎ **~·a·ble** *a.* 듣기 쉬운[좋은].

°lis·ten·er [lísənər] *n.* **1** 듣는 사람, 경청자: a good ~ 잘[열심히] 듣는 사람. **2** (라디오의) 청취자; (대학의) 청강생(auditor): ~ research 청취자 조사. **3** ⟪미속어⟫ 귀.

lístener-frìendly *a.* (라디오·TV의 프로그램이) 시청자 위주인[구미에 맞는].

lístener-ín [-rín] (*pl.* ***lís·ten·ers-ín*** [-nərz-]) *n.* 라디오 청취자; 도청자.

lis·ten·er·ship [lísnərʃip] *n.* 〖집합적〗 (라디오 방송의) 청취자 수; (레코드 앨범의) 감상자 수.

lísten-ìn *n.* (라디오 등의) 청취; 도청, 엿듣기.

lís·ten·ing *n.* 경청; 〖군사〗 청음(聽音); (정보 따위의) 청취, 들음. — *a.* 조심스러운; 경청하는; 열중한.

lístening devìce 도청 장치.

lístening-ín *n.* Ⓤ 라디오 청취.

lístening pòst 〖군사〗 청음초(聽音哨)⟪소리로 적정을 정찰⟫; 〖일반적〗 정보를 얻을 수 있는 곳.

líst·er[1] *n.* **1** 리스트[카탈로그] 작성자. **2** 세액(稅額) 사정자(査定者).

líst·er[2] *n.* 〖농업〗 동력 경운기, 배토(培土)[이랑 파는] 농구(=∠ **plòw**); 자동 파종(播種) 장치부 동력 경운기(=∠ **plànter,** ∠ **drill**).

lis·te·ria [listíəriə] *n.* 〖세균〗 리스테리아⟪세균의 일종으로 고열·마비 등을 가져옴⟫.

lis·te·ri·o·sis [listìərióusis] (*pl.* **-o·ses** [-siːz]) *n.* 〖수의·의학〗 리스테리아 감염증.

Lis·ter·ism [lístərìzəm] *n.* Ⓤ (*or* l-) 〖의학〗 (석탄산에 의한) 리스터 소독법.

lis·ter·ize [lístəràiz] *vt.* 〖의학〗 (수술할 부위를) 소독하다⟪리스터 소독법으로⟫. ㊎ **-iz·er** *n.*

líst·ing[1] *n.* Ⓤ 표에 올림; 표의 작성; 표의 기재

사항〔항목〕; 일람표, 목록; 〖컴퓨터〗 목록 작성, (데이터를) 죽 보(이)기, 리스팅《파일을 프린트해서 읽을 수 있도록 한 리스트》.
líst·ing² *n.* **1** (천의) 가장자리. **2** lister²에 의한 이랑 일구기〔두렁 만들기, 파종〕.
°**líst·less** *a.* …할 마음이 없는, 열의 없는, 무관심한, 냉담한; 께느른한, 늘쩍지근한, 멍한, 게으른. ㊞ **~·ly** *ad.* **~·ness** *n.*
líst príce (카탈로그 따위에 기재된) 표시 가격《실제 가격에 대하여》, 정가(定價).
líst procéssing 〖컴퓨터〗 리스트 처리.
líst procéssor 〖컴퓨터〗 리스트 프로세서《리스트 처리를 위해 설계된 시스템》.
líst rènting 다이렉트 메일(direct mail)용의 잠재 고객 명부의 대출.
lists [lists] *n.* 〔단·복수취급〕 (창(槍) 시합을 위해) 울로 에두른 투기장; 〔일반적〕 투기장; (투기장의) 울; 《비유》 투쟁〔경쟁, 논쟁〕의 장. ***enter the ~*** 다툼에 참가하다《*against*》.
LISTSERV [lístsə̀ːrv] 〖컴퓨터〗 리스트서브《mailing list manager의 하나》.
líst sỳstem (비례 대표제 선거의) 명부식.
Liszt [list] *n.* **Franz von ~** 리스트《헝가리의 작곡가; 1811-86》.
lit¹ [lit] LIGHT¹·³의 과거·과거분사.
lit² 《구어》 *n.* Ⓤ 문학(literature). ─ *a.* 문학의 (literary): a ~ course 〔student〕.
lit. literal(ly); literary; literature; liter(s).
lit·a·ny [lítəni] *n.* **1** 〖가톨릭〗 호칭(呼稱)기도《일련의 탄원 기도로, 사제·성가대 등이 선창하고 신자들이 응답하는 형태》. **2** (the L-) 탄원《성공회 기도서에 규정된 연도 형식의 기원》. **3** 연도를 닮은 낭창. **4** 장황한 이야기.
Lit. B. =LITT. B.
lít cándles 《미속어》 경찰차 지붕의 붉은 등.
li·tchi [líːtʃiː/làitʃíː] *n.* 〖식물〗 여지; 그 열매.
lit-crit [lítkrìt] *n.* 《구어》 문학 비평, 문예 평론(가).
Lit. D. =LITT. D.
-lite, -lyte [làit] '돌'이라는 뜻의 결합사: chryso*lite*, meteoro*lite*.
li·te pen·den·te [láitiː-pendéntiː] 《L.》 심리 중.
‡li·ter, 《영》 **-tre** [líːtər] *n.* 리터《1,000 cc; 생략: l., lit.》.
lit·er·a·cy [lítərəsi] *n.* Ⓤ 읽고 쓰는 능력; (전수 받은) 교육, 교양. OPP *illiteracy*.
líteracy tèst 《군대 등에서》 (투표 자격 요건으로서의) 읽기 쓰기 능력 검사; 《일반적》 읽기 쓰기 능력 테스트.
li·te·rae hu·ma·ni·o·res [lítəriː-hjuːmæniɔ́ːriːz] 《L.》 인문학(人文學)《특히 Oxford 대학의 B.A. 학위를 얻고자 하는 사람에게 과하는 고전 연구 과정 및 그 시험; 보통 greats라 함; 생략: Lit. Hum.》.
lit·er·age [lítəridʒ] *n.* (용적〔총〕) 리터 수(數).
°**lit·er·al** [lítərəl] *a.* **1** 문자의, 문자상의; 문자로 표현된: a ~ error 오자(誤字), 오식(誤植) / a ~ coefficient 〖수학〗 문자 계수. **2** 글자 그대로의, 어구에 충실한. OPP *free.* ¶ a ~ translation 축어역, 직역: in the ~ sense 〔meaning〕 of the word 그 낱말의 글자 그대로의 뜻으로. **3** (사람·성질 따위가) 자구〔글뜻〕에 구애되는, 상상력〔융통성〕이 없는, 멋없는. **4** (문자·말 그대로) 사실에 충실한, 과장〔꾸밈〕이 없는; 엄밀한, 정확한: the ~ truth 틀림없는 사실 / a ~ flood of books 문자 그대로 책의 홍수. ─ *n.* 오자, 오식; 〖컴퓨터〗 리터럴, 상수. ㊞ **~·ism** *n.* Ⓤ **1** 자구에 구애받음; 직역(주의), 직역조(調). **2** 〖미술〗 (극단적) 사실주의. **~·ist** *n.* 자구에 얽매이는 사람; 직역주의자; 〖미술〗 극단적 사실주의자.
~·ness *n.*
lit·er·al·is·tic [lìtərəlístik] *a.* 문자에 구애되는, 직역주의의; 〖미술〗 사실주의의.
lit·er·al·i·ty [lìtərǽləti] *n.* 글자 뜻대로임; 자구대로의 해석〔의미〕.
lít·er·al·ìze *vt.* literal로 하다; (비유 따위를) 글자 뜻대로 해석하다.
***lit·er·al·ly** [lítərəli] *ad.* **1** 글자 뜻 그대로; 축어적으로; 글자에 구애되어: translate ~ 직역하다. **2** 아주, 정말로, 사실상; (과장하여) 완전히, 글자 그대로: The city was ~ destroyed. 그 도시는 완전히 파괴되었다.
líteral-mìnded [-id] *a.* 산문적인 머리의, 상상력이 결여된; 현실적인 고려의.
‡lit·er·ary [lítərèri/lítərəri] *a.* **1** 문학의, 문필의, 문예의; 학문의: the ~ column 문예란 / ~ works 〔writings〕 문학 작품 / ~ property 판권, 저작권 / ~ criticism 문학 평론. **2** 문학에 통달한〔훤한〕; 문학 취미의: a ~ man 문학자; 학자. **3** 문학에 종사하는, 문필을 업으로 삼는: ~ pursuit(s) 문필업 / ~ society 문학계〔회〕. **4** 문어적인. cf. colloquial. ¶ ~ style 문어체. ㊞ **lít·er·àr·i·ly** *ad.* 문학상(으로). **-i·ness** *n.*
líterary ágency 저작권 대리업.
líterary ágent 저작권 대리인〔업자〕《(1) 저자를 대신하여 출판사를 찾는 사람. (2) 출판사를 위해 마땅한 원고·저자를 물색하는 사람》.
líterary crític 문학 비평가.
líterary exécutor 〖법률〗 (고인의 유언에 따른) 유저(遺著) 관리자, 사망한 저작자의 미발표 작품의 관리를 위탁 받은 사람.
lit·er·ate [lítərət] *a.* 읽고 쓸 수 있는(OPP *illiterate*); 학식〔교양〕이 있는, 지식〔능력〕 있는; 문학적 소양이 있는. ─ *n.* 교육 받은 사람, 학자; 〖영국교회〗 학위 없이 성직 취임이 허락된 사람. ㊞ **~·ly** *ad.* **~·ness** *n.*
lit·e·ra·ti [lìtəráːti, -réi-/-ráː-] *n. pl.* 《L.》 문학자들; 학자들; 지식 계급.
lit·e·ra·tim [lìtəréitim/-ráː-] *ad.* 《L.》 한자 한자, 글자 그대로; 본문 그대로.
lit·er·a·tion [lìtəréiʃən] *n.* (음성·말의) 문자화.
lit·er·a·tor [lítərèitər] *n.* 문학자, 저술가.
‡lit·er·a·ture [lítərətʃər, -tʃùər/-tʃər] *n.* Ⓤ **1** 문학, 문예: English ~ 영문학 / light ~ 통속〔대중〕 문학 / polite ~ 순(純)문학 / study (Korean) ~ (한국) 문학을 연구하다. **2** 문학 연구; 작가 생활, 저술: take to ~ 문학에 투신하다. **3** 문헌; 조사〔연구〕 보고서, 논문: the ~ *on* sports 스포츠에 관한 문헌 / the ~ of chemistry 화학 문헌〔논문〕 / professional ~ 전문(학술) 논문. **4** 《고어》 학문, 학식. **5** 《구어》 (광고의) 안내, 인쇄물: ~ *on* 〔*about*〕 this washing machine 이 세탁기의 안내 책자.
lith- [liθ], **lith·o-** [líθou, -θə] '돌'이란 뜻의 결합사《모음 앞에서는 lith-》: *litho*graphy.
-lith [liθ] '돌로 만든 것, 결석, 돌'이란 뜻의 명사를 만드는 결합사: aero*lith*.
Lith. Lithuania; Lithuanian. **lith.** lithograph; lithographic; lithography.
lith·arge [líθɑːrdʒ, -´/-´] *n.* Ⓤ 〖화학〗 일산화(一酸化)납, 밀타승(密陀僧).
lithe [laið] *a.* 나긋나긋〔낭창낭창〕한, 유연한. ㊞ **´·ly** *ad.* **´·ness** *n.* **´·some** [-səm] *a.*
lith·ia [líθiə] *n.* Ⓤ 〖화학〗 산화리튬.
li·thi·a·sis [liθáiəsis] *n.* 〖의학〗 결석증(結石症).
líthia wáter 산화리튬수《통풍약》.
lith·ic [líθik] *a.* 돌의, 석질〔석제〕의; 〖의학〗 결석(結石)의, 방광 결석의; 〖화학〗 리튬의.
-lith·ic [líθik] '…석기 문화의'란 뜻의 형용사를 만드는 결합사.
lith·i·fi·ca·tion [lìθəfikéiʃən] *n.* 〖지학〗 고화

(固化) 작용, 석화 작용.
lith·i·fy [líθəfài] *vt., vi.* 석화(石化)하다.
lith·i·um [líθiəm] *n.* Ⓤ 〚화학〛 리튬《가장 가벼운 금속 원소; 기호 Li; 번호 3》; 리튬염《조울병(躁鬱病)약》.
líthium cárbonate 〚화학〛 탄산리튬.
líthium flúoride 〚화학〛 플루오르화(化)리튬.
litho(g). lithograph; lithographic; lithography.
li·thog·e·nous [liθádʒənəs/-θɔ́-] *a.* 암석 기원(起源)의; (산호충이) 결석 형성성(形成性)의.
lith·o·graph [líθəgræ̀f, -grɑ̀ːf] *n.* 석판 인쇄, 석판화. **—** *vt.* 석판으로 인쇄하다. ⓜ **li·thog·ra·pher** [liθágrəfər/-θɔ́g-] *n.* 석판공(工).
li·thog·ra·phy [liθágrəfi/-θɔ́g-] *n.* Ⓤ 리소그래피, 석판 인쇄(술). ⓜ **lith·o·graph·ic, -i·cal** [lìθəgræ̀fik], [-əl] *a.* **-i·cal·ly** *ad.*
lith·oid, li·thoi·dal [líθɔid], [liθɔ́idəl] *a.* 돌 같은, 돌 모양의.
li·thol·o·gy [liθálədʒi/-θɔ́l-] *n.* Ⓤ 암석학; 〚의학〛 결석학(結石學). ⓜ **lìth·o·lóg·ic, -i·cal** *a.* **-ically** *ad.*
lith·o·phyte [líθəfàit] *n.* 산호충(珊瑚蟲); 암생(岩生) 식물. ⓜ **lìth·o·phýt·ic** [-fít-] *a.*
lith·o·pone [líθəpòun] *n.* 〚화학〛 리토폰《백색 안료》.
lítho·prìnt *vt.* =LITHOGRAPH. **—** *n.* 석판 인쇄물. ⓜ **~·er** *n.*
lith·o·sphere [líθəsfìər] *n.* (the ~) 〚지학〛 리소스피어, 암석권(岩石圈), 지각(地殼).
li·thot·o·my [liθátəmi/-θɔ́t-] *n.* Ⓤ 〚의학〛 (방광 결석의) 절석술(切石術). ⓜ **-mist** *n.* 절석수술자. **lìth·o·tóm·ic, -i·cal** *a.*
(lithótomy) stìrrups 〚의학〛 등자(鐙子)《산부인과의 검진이나 출산 때에 발목을 들어 올리는 진찰대의 부속품》.
lith·o·trip·sy [líθətrìpsi] (*pl.* ***-sies***) *n.* (신장 결석 파쇄기로의) 결석 파쇄 제거.
lith·o·trip·ter [líθətrìptər] *n.* (충격파에 의한) 신장 결석 파쇄기.
li·thot·ri·ty [liθátrəti/-θɔ́t-] *n.* 〚외과〛 방광 쇄석술(碎石術). ⓜ **-ri·tist** *n.*
Lith·u·a·nia [lìθuéiniə/-θju-] *n.* 리투아니아《유럽 동북부, 발트해 연안의 공화국의 하나》.
Lith·u·a·ni·an [lìθuéiniən/-θju-] *a., n.* 리투아니아의; 리투아니아 사람〔말〕(의).
Lit. Hum. [lít-hʌ́m] *literae humaniores* 《L.》 (=humane literature).
lithy [láiði] (***lith·i·er; -i·est***) *a.* 《고어》 유연한 (lithe). 「는.
lit·i·ga·ble [lítigəbəl] *a.* 법정에서 투쟁할 수 있
lit·i·gant [lítəgənt] *a.* 소송하는, 소송의; 소송에 관계가 있는: the ~ parties 소송 당사자. **—** *n.* 소송 당사자, 소송 관계자.
lit·i·gate [lítəgèit] *vt., vi.* 제소하다, 법정에서 다투다, 소송하다; 《고어》 논쟁하다. ⓜ **lìt·i·gá·tion** *n.* Ⓤ 소송, 기소. **-gà·tor** *n.* 소송자, 기소자.
li·ti·gious [litídʒəs] *a.* 소송〔논쟁〕하기 좋아하는; 소송해야 할; 소송(상)의. ⓜ **~·ly** *ad.* **~·ness** *n.*
lit·mus [lítməs] *n.* Ⓤ 리트머스《자줏빛 색소》. [ON *litr* color, dye+*mosi* moss] 「적인.
lít·mus·less *a.* 긍정도 부정도 하지 않는, 중립
lítmus pàper 〚화학〛 리트머스 시험지.
lítmus tèst 〚화학〛 리트머스 시험; 《비유》 그것만 보면 사태가〔본질 등이〕 뚜렷해지는 한 가지 일.
li·to·tes [láitətìːz] *n.* Ⓤ 〚수사학〛 곡언법(曲言法)《보기: very good 대신에 not bad 라고 하는
litre ⇨LITER. 」따위》.
Litt. B. *Litterarum Baccalaureus* 《L.》 (=Bachelor of Letters 〔Literature〕)(문학사).

Litt. D. *Litterarum Doctor* 《L.》 (=Doctor of Letters 〔Literature〕)(문학 박사).
***lit·ter** [lítər] *n.* **1** Ⓒ 들것; 들것 모양의 것, 침상 가마. **2** Ⓤ (짐승의) 깔짚, 깃; 마구간 두엄. **3** Ⓒ 어수선하게 흩어진 물건, 잡동사니; 찌꺼기, 쓰레기; 난잡, 혼란: The room was in a (state of) ~. 방은 어질러져 있었다 / No ~, please. 쓰레기 버리지 말 것《게시》. **4** Ⓒ (동물의) 한배 새끼: at a ~ 한배에《몇 마리 낳다 등》/ in ~ (개·돼지 따위가) 새끼를 밴〔배어〕.
— *vt.* **1** 《(+목+부)》 (마구간·마루 등)에 짚을 깔다《*down*》; (짐승)에게 깔짚〔깃〕을 깔아 주다 《*down*》: ~ *down* a horse 말에 깃을 깔아 주다. **2** 《~+목/+목+전+명/+목+부》 흩뜨리다, 어지르다, 어수선하게 하다《*up; with*》: Bits of paper ~*ed* the floor. 종이쪽들이 마루에 흩어져 있었다 / ~ the place *with* bottles and cans 빈병과 깡통을 버려 장소를 어질러 놓다 / Dirty clothes ~*ed up* the room. 더러운 옷들이 방에 흩어져 있었다. **3** (돼지 따위가 새끼를) 낳다. **—** *vi.* (가축 등이 깃 위에) 엎드리다, 자다; 새끼를 낳다; 쓰레기〔먼지〕를 흩뜨리다.
lit·té·ra·teur [lìtərətə́ːr] *n.* 《F.》 문학자, 문인, 학자. 「주머니.
lítter·bàg *n.* (자동차 안 따위에서 쓰는) 쓰레기
lítter·bàsket, -bìn *n.* (길가의) 쓰레기통.
lítter bòx (cat litter 를 까는) 오물통.
lítter·bùg *n.* 《미》 길거리·공공장소에 함부로 쓰레기를 버리는 사람: Don't be a ~. 쓰레기를 버리지 마시오.
lítter·lòut *n.* 《영》 =LITTERBUG. 「끼.
lítter·màte *n.* (개·돼지 따위의) 같은 배의 새
lit·tery [lítəri] *a.* 깔짚(투성이)의; 어수선한, 어지러뜨린. ⓜ **lít·ter·i·ness** *n.*
†**little** ⇨《p.1478》 LITTLE.
Líttle Américа Ross 해 남방에 있는 미국의 남극 탐험 기지《1929-59》. 「회.
Líttle Assémbly (the ~) 《구어》 (유엔) 소총
Líttle Béar (the ~) 〚천문〛 작은곰자리(Ursa Minor); (l- b-) 《CB속어》 그 지방의 경찰관.
líttle bìt 《미속어》 매춘부.
líttle bítty 《구어》 아주 작은: a ~ purse.
Líttle Bóy 리틀보이《1945 년 8 월 6 일 일본 히로시마(廣島)에 투하된 원자폭탄의 코드명》. ⓒⓕ Fat Man.
Líttle Córporal (the ~) 나폴레옹 1 세의 별명.
líttle déath (잠이 들어) 의식이 없는 상태; (오르가슴의 흥분으로) 무아(無我)의 상태, 실신.
Líttle Dípper (the ~) 《미》 〚천문〛 소(小)북두성《작은곰자리의 일곱 별》. ⓒⓕ Dipper.
Líttle Dóg (the ~) 〚천문〛 작은개자리(Canis Minor). 「자(主張者).
Líttle Énglander Little Englandism 의 주장
Líttle Énglandism 소(小)영국주의《옛 식민지를 떼어 버리고 본국의 이익만을 추구하자는 주
líttle fínger 새끼손가락. 」장》.
líttle gírls' ròom 《속어》 여자 화장실. 「뇌.
líttle gráy cèlls 《속어》 (인간의) 회색 뇌 세포,
líttle gréen mán 왜소한 녹색인, 우주인, 외계인; 이상야릇한 모양의 사람.
líttle gùy 《구어》 평범한 남자, 보통 남자. 「도.
líttle hóurs 〚가톨릭〛 1 일 4 회 또는 6 회의 기
Líttle Lèague (8-12 세의) 소년야구 리그. ⓒⓕ Boy's Baseball.
líttle magazíne 동인 잡지. 「나.
líttle máma 《미속어》 시민 라디오용 짧은 안테
líttle màn 하찮은 녀석; 《영》 근근이 해나가는 상인〔장색(匠色) 따위〕; 평범한〔보통〕 사내; 사내아이; 《흑인속어》 =CLITORIS.

(1) '작은'이라는 형용사와, (2) '조금(의)'라는 양(量)을 나타내는 형용사·부사·(대)명사가 있다. 후자의 경우, 앞에 a가 오면 긍정적이고, 오지 않으면 준(準)부정어적으로 되는 점은, 형용사·(대)명사로서의 few와 비슷하지만, few는 다음에 복수 '셀 수 있는(countable) 명사'가 오는 데 비하여, little은 언제나 단수의 물질명사·추상명사처럼 양의 대소를 묻는 '셀 수 없는(uncountable) 명사'가 온다.
비교급 less, lesser 및 최상급 least는 별항에서 취급.

lit·tle [lítl] (***less*** [les], ***less·er*** [lésər]; ***least*** [li:st]. 다만, 1, 2에서는 보통 smaller, smallest를 대용) *a.* **1** 〖셀 수 있는 명사·집합 명사를 수식하여〗 **a** (모양·규모가) 작은; (작고) 귀여운. OPP *big, large.* ¶ a ~ woman 몸집이 작은 여자 / a ~ box 작은 상자 / a ~ village 작은 마을 / a ~ farm 작은 농장 / the ~ people 〔folk〕 작은 요정들. **b** (비교 없음) 어린, 연소한(young): the ~ Joneses 존스 집안의 아이들 / one's ~ brother 〔sister〕 아우〔누이동생〕 / a ~ family 어린아이들이 있는 가정 / He is too ~ to go to school. 그는 학교에 갈 나이가 되지 않았다. SYN. ⇨SMALL. ★ 서술적 용법에서는 small이 보통: He is smaller 〔《드물게》 littler〕 than anyone else in the family. 그는 가족의 누구보다도 작다.
2 〖셀 수 있는 명사와 더불어〗 **a** 시시한, 사소한, 대수롭지 않은; 하찮은, 어린애 같은; 인색한, 비열한. OPP *great.* ¶ a ~ man with a ~ mind 소견이 좁은 남자 / We know his ~ ways. 그의 유치한 수법을 알고 있다 / Don't worry about such a ~ thing. 그런 사소한 일에 끙끙 앓을 것은 없다. **b** (the ~) 〖명사적으로; 복수취급〗 하찮은〔권력 없는〕 사람들.
3 (비교 없음) 〖한정〗 (시간·거리 따위가) 짧은, 잠시의: our ~ life 우리들의 짧은 목숨 / He will be back in a ~ while. 그는 곧 돌아올 것이다 / Won't you come a ~ way with us? 우리와 함께 잠시 가지 않으시겠습니까.
4 〖셀 수 없는 명사를 수식하여〗 《비교 변화는 ***less; least***》 **a** 〖a를 붙이지 않고 부정적으로〗 조금〔소량〕밖에 없는, 거의 없는. OPP *much.* cf. few. ¶ I have but ~ money. 돈이 조금밖에 없다 / There is ~ hope of his recovery. 그가 회복할 가망은 거의 없다 / He takes very ~ pains with his work. 그는 일에 조금도 힘을 안 쓴다 《★ little은 양을 나타내며, 다음에 셀 수 없는 명사가 오는 것이 보통이나, little pains처럼 형태적으로 복수형 명사가 올 때가 있음》.
5 〖a를 붙여 긍정적으로〗 조금은 (있는); 소량(의), 조금(의), 얼마쯤(의). OPP *much, no, none.* ¶ I have only *a* ~ [×few] money left. 돈은 조금밖에 남아 있지 않다《only 대신 but은 쓸 수가 없음》 / I had *a* ~ difficulty (in) getting a taxi. 택시를 잡는 데 좀 애먹었다 / Please wait *a* ~ while. 조금만 기다려 주십시오 / I can speak *a* ~ French. 프랑스말을 조금은 한다.

> NOTE (1) a little과 little에서 전자는 '있음', 후자는 '없음'의 관념을 강조하나 그 차이는 다분히 주관적임. cf. few.
> (2) 때로는 의례적인 말로 some 대신 a little을 씀: Let me give you a little mutton. 양고기를 좀 드리지요 / May I have a little money? 돈 좀 주실 수 없을까요.

6 〖the ~ (that) 또는 what ~로〗 있을까말까한, 적지만 전부의: I gave him *the* ~ money (*that*) I had. =I gave him *what* ~ money I had. 얼마 안 되지만 있는 돈을 전부 그에게 주었다 / *The* 〔*What*〕 ~ money he has will hardly keep him in food. 그는 돈이 거의 없고 그것으론 먹고 살아가기가 어려울 게다.
7 (목소리·소리·동작 따위가) 약한, 힘이 없는: a ~ cry 작게 외치는 소리 / give a ~ push 좀 누르다.
8 (아무가) 세력이 작은, 지위가 낮은.
9 〖긍정적〗 귀여운, 가련한, 사랑스러운《앞에 오는 형용사 또는 뒤에 오는 명사에 오는 호감의 느낌을 더함》: (my) ~ man 아가《흔히 어머니가 쓰는 호칭》 / my 〔our〕 ~ ones 나의〔우리〕 아이들 / my dear ~ mother 사랑하는 어머니 / the 〔my〕 ~ woman 집사람, 아내 / Bless your ~ heart! 《구어》 어머, 이거 참《감사·위로 등의 표시》. ***a ~ bit*** ⇨BIT[1]. ***~ game*** 《구어》 숨은 의도〔수법〕: So that's your ~ *game.* 그런 수작엔 안 넘어가. ***~ …, if any*** = ***~ or no*** …있다손치더라도 극히 조금, 거의 없는: I have ~ hope, *if any.* =I have ~ *or no* hope. 가망은 거의 없다. ***not a ~*** = ***no ~*** 적지 않은, 많은(very much)(≒much): We have *not a* ~ snow here in winter. 이곳은 겨울에 많은 눈이 온다. ***quite a ~*** 《미구어》 많은, 상당한: He saved *quite a* ~ pile (of money). 그는 상당한 돈을 모았다. ***what ~ …*** = ***the ~ …*** ***(that)*** ⇨6.
— (***less; least***) *ad.* **1** 〖a 없이 부정적으로〗 **a** 거의 …않다; 좀처럼 …않다《흔히 very가 따름》. OPP *much.* ¶ I slept *very* ~ last night. 간〔지난〕밤엔 거의 잠을 못 잤다 / ~ known writers 무명의 작가들 / We come here *very* ~ now. 지금은 좀체 여기 오지 않습니다. **b** 〖동사 앞에 와서〗 전혀 …않다; 조금도 …않다(not at all) 《believe, care, dream, expect, guess, imagine, know, question, realize, suppose, suspect, think, understand, be aware of 따위와 함께 쓰임》: He ~ *knows* what awaits him. 무엇이 자신을 기다리고 있는지 전혀 모른다 / *Little* did I *dream* of ever seeing you here. 여기에서 만나볼 줄은 꿈에도 생각 못했네.
2 〖a를 붙여 긍정적으로〗 《종종 비교급의 형용사·부사와 함께》 조금(은), 다소는, 좀(《구어》 a ~ bit): I am *a* ~ tired. 나는 좀 피곤하다 / He is *a* ~ over forty. 그는 40세를 조금 넘었다 / This hat is *a* ~ too large for me. 이 모자는 내게 좀 크다 / *A* ~ less noise, please! 조금만 조용히 해 주세요.
~ better than … …나 마찬가지의, …나 별다름 없는: He was ~ *better than* a beggar. 그는 거지나 마찬가지였다. ***~ less than …*** …와 거의 같은 정도의(nearly): She saved ~ *less than* 1,000 dollars. 그녀는 거의 천 달러나 돈을 모았다. ***~ more than*** (a pound) (1파운드) 내외〔정도〕. ***~ short of …*** 거의 …한, …에 가까운. ***not a ~*** 적잖게; 매우: She was *not a* ~ disappointed at the news. 그녀는 그 소식을 듣고 적지않이 실망했다《비교: not at all; not a bit; not in the least 전연 …않다》.
— (***less; least***) *n., pron.* **1** 〖a를 붙이지 않고 부정적으로〗 조금(밖에(…)않다). OPP *much.* ¶ *Little* remains to be said. (빠뜨리고) 안 한 말은 거의 없다 / He experienced *but* ~ of life. 그는 인생 경험이 조금밖에 없다 / I've seen very ~ of her lately. 요즘 그녀와는 거의 만나지 않았다 / Knowledge has ~ to do with wisdom. 지

식은 슬기와는 그다지 관계가 없다. ★ 본래 형용사이기 때문에 대명사 용법에서도 very, rather, so, as, too, but, how 따위 부사에 수식될 수 있음. few에 관해서도 같음.
2 〖a를 붙여 긍정적으로〗 **a** 조금(은), 얼마쯤〔간〕(≒some): I understood only *a* ~ of his speech. 그의 말은 아주 조금밖에 알 수 없었다 / Will you give me *a* ~ of that wine? 그 포도주를 조금 주시지 않겠습니까. **b** (시간·거리의) 조금; 짧은 동안, 잠시《부사적으로도 쓰임》: for *a* ~ 〔a while〕 잠시 동안 / Can't you move *a* ~ to the right? 조금 오른쪽으로 다가가 주시겠습니까.
3 〖the ~ (that) 또는 what ~로〗 얼마 안 되는 것《⇨ *a*. 6》; 하찮은 사람들: He did *the* ~ *that* 〔*what* (~)〕 he could. 그는 미력이나마 전력을 다했다.

in ~ 소규모로〔의〕; 정밀화(畫)로 그린〔그리어〕; 축사(縮寫)〔축소〕하여; 축사〔축소〕한. ⇨ in (the) LARGE(관용구). **~ *by* ~** =《영》 ***by* ~ *and* ~** 조금씩; 점차로; 서서히(gradually). **~ *if anything*** =**~ *or nothing*** (있다 하더라도) 거의 아무것도 없다, 있을까말까 하다. ***make* ~ *of* ...** …을 얕〔깔〕보다, 경시(輕視)하다; …을 거의 이해 못 하다: I could *make* ~ *of* what he said. 그가 한 말은 거의 이해할 수 없었다. ***not a* ~** 적잖은 양〔물건, 일〕, 상당한 양(의 것): He lost *not a* ~ on the race. 그는 경마에서 적잖은 돈을 날렸다. ***quite a* ~** 《미구어》 다량, 많이, 풍부: He knew *quite a* ~ about it. 그는 그것에 관해서 꽤 많이 알고 있었다. ***think* ~ *of* ...** …을 경시하다, 주저하지 않다. ***what* ~** =***the* ~ (*that*)** ⇨ 3.

líttle Máry 《영구어》 배, 위(stomach).
líttle móther (동생들을 돌보는) 어머니 역할을 하는 딸.
lít·tle·ness *n.* [U] 작음; 소량; 인색함, 편협, 쩨쩨함.
líttle pèople (the ~) (작은) 요정(妖精)들; 일반 서민.
líttle revíew (특히 비평·소개 등이 중심인) little magazine.
Líttle Rhódy [-róudi] (the ~) 미국 Rhode Island 주의 속칭.
Líttle Rússia 소러시아《우크라이나를 중심으로 한 옛 소련의 남서 지구》.
líttle schóol 《속어》 소년원, 감화원.
líttle théater 소극장; 《미》 소극장용 연극.
líttle tóe 새끼발가락.
líttle wóman (the ~) 《구어》 우처(愚妻), 아내.
lit·to·ral [lítərəl] *a.* 바닷가의, 해안의, 연해의; 〖생물〗 해안에 사는, 조간대(潮間帶)의. ***the Littoral Province*** 엔하이저우(沿海州). **—** *n.* 연해지방; 〖생태〗 연안대(帶). [파] **~·ly** *ad.*
líttoral cúrrent 〖해양〗 연안류(沿岸流).
lít úp 《속어》 화려하게 장식한; (술·마약에) 취한: get ~ 취하다 / ~ like a church 〔a Christmas tree, Broadway, Main Street, a store window, etc.〕 만취하여, 곤드레만드레가 되어.
li·tur·gic, -gi·cal [litə́ːrdʒik], [-əl] *a.* 전례(典禮)의; 전례 규정에 준거한; 성찬식의. [파] **-gi·cal·ly** *ad.*
li·túr·gics *n. pl.* 〖단수취급〗 전례학, 전례론.
lit·ur·gist [lítərdʒist] *n.* 전례(典禮)학자; 전례 식문(式文) 편집자〔작자〕; 전례 형식 엄수자; 예배식 사제〔사회(司會) 목사〕. [파] **lìt·ur·gís·tic** *a.*
lit·ur·gy [lítərdʒi] *n.* 전례(典禮); 전례식문; (the ~) 기도서; (the ~, 종종 the L-) 성찬식, 《특히》 (그리스 정교의) 성체 예의; 〖고대그리스〗 (Athens의 부유층 시민에게 과한) 공공 봉사.
liv·a·ble, live- [lívəbəl] *a.* **1** 살기에 알맞은, 살기 좋은. **2** 함께 살 수 있는. **3** (인생이) 사는 보람이 있는. **~ *with*** (아무가) 함께 생활할 수 있는; (불쾌한 행위 등) 참을 수 있는. [파] **~·ness** *n.* **lìv·a·bíl·i·ty** *n.*
†**live**[1] [liv] *vi.* **1** 《~/+[전]+[명]/+*to* do》 살다, 살아 있다, 생존하다; 오래 살다: Plants cannot ~ without moisture. 식물은 수분 없이 살아갈 수 없다 / ~ *to* a 〔the〕 ripe old age (of ninety) 《구어》 (90세의) 고령까지 오래 살다 / He ~*d to* see his grandchildren. 그는 오래 살아서 손자를 봤다 / Long ~ the Queen! 여왕 폐하 만세 / Live and let ~. 《속담》 나도 살고 남도 살게 하자, 공존공영. **2** 《~/+[전]+[명]》 살다, 거주하다; 동거〔기숙〕하다《*at; in; with*》: ~ *at* 3 A Road, A로드 3번지에 살다 / ~ *in* Seoul 서울에서 살다 / ~ *with* the Smiths 스미스 가족과 함께 살다. ★ I *am living* in Seoul. 이라고 진행형을 쓰면 '지금 서울에 거주하고 있다'는 뜻으로 일시적인 상태를 나타냄.

[SYN.] **live** '살다'란 뜻의 가장 일반적인 말. **reside** 장기간 생활의 근거지를 두다, 거주하다: He *resides* in Boston. 그는 보스턴에 살고 있다. **stay** 일시적으로 체재하다: Now we *stay* in my parents' house. 현재 일시적으로 부모님댁에 머무르고 있다. **dwell** 살고 있는 상태나, 가옥이 의식되어 있음: *dwell* in happiness 행복에 싸여 살고 있다. He *dwells* in a very modern house. 그는 아주 현대적인 집에 살고 있다.

3 《+[전]+[명]》 생활하다, 생계를 세우다, 지내다《*on, upon; off; by*》: ~ *on* a modest income 약간의 수입으로 살아가다 / ~ *on* 〔*off*〕 one's wife('s earnings) 아내의 벌이로 살다 / Most people ~ *by* working. 대부분의 사람들은 일을 해서 생활하고 있다. **4** 인생을 즐기다, 재미있게 지내다: Let us ~ while we may. 살아 있는 동안은 즐겁게 지내자. **5** 《~/+[보]》 (무생물이 원래대로) 남다, 존속하다, (사람의 기억〔기록〕에) 남아 있다; (배 따위가) 망그러지지 않고 있다: His memory ~*s*. 그의 명성은 지금도 안 잊혀지고 있다 / No boat could ~ afloat. 침몰을 면한 배는 한 척도 없었다. **6** 《+[전]+[명]》 …을 상식(常食)으로 하다《*on, upon*》. **7** 《+[부]/+[보]/+[전]+[명]》 …하게 살다, …로서 살다: ~ *happily* 행복하게 살다 / ~ single 독신 생활을 하다 / He ~*d* a saint. 그는 성자로서 살았다 / ~ *by* faith 믿음으로 살다.
— *vt.* **1** 〖동족목적어를 수반하여〗 …한 생활을 하다(pass): ~ a peaceful life 평화로운 생활을 하다. **2** 실생활로 실현하다: ~ a lie 허위의 생활을 하다 / What other people preached he ~*d*. 딴 사람이 설교한 것을 그는 실천했다. **3** (…의 역)에 몰입되어 연기하다.
As I* ~ *and breathe! 《구어》 이거 오래간만이군; 〖강조〗 절대로, 결단코. (***as sure***) ***as I* ~** 매우 확실하게. **~ *a part*** 완전히 …역〔극중 인물〕이 돼 버리다. **~ *apart*** (부부가) 별거하다; (아내와 〔남편과〕) 별거하다《*from*》. **~ *by* one's *wits*** ⇨ WIT[1]. **~ *down*** (과거의 불명예·죄과 따위를) 씻다; (슬픔 따위를) 시간이 지남에 따라서 잊어버리다. **~ *for*** …을 주요 목적으로 하여 살다, 사는 보람으로 삼다: ~ *for* nothing but pleasure 오직 쾌락을 위해 살다. **~ *free from care*** 걱정 없는 생활을 하다. **~ *from hand to mouth*** 그날 벌어 그날 먹다, 간신히 지내다〔살다〕. ~

high* 〔*well*〕 =~ *high on the hog* ⇨HOG. ~ *in (주인집에 들어가서) 숙식하며 일하다, (학생이) 기숙사에 살다(OPP *live out*). **~ *in a small way*** 검소하게 살다. **~ *in* one*self*** 고독하게 살다. **~ *in the past*** 과거 속에 살다. **~ *it up*** 《구어》 즐거이〔사치스럽게〕 놀며 지내다, 크게 법석떨다; 《미속어》 축하하다. **~ *it* (*with*)** (…를) 따라가다, (…에게) 뒤지지 않다《경쟁에서》. **~ *off*** ① …으로〔…에 의존하여〕 살다: ~ *off* the land (농사꾼이) 땅에서 난 것으로〔농작물로〕 생활을 하다; (전선의 군대가) 현지 조달한 식량에 의존하다 / He ~*s off* his earnings as an artist. 그는 예술가로서의 벌이로 생활하고 있다. ② …으로 살림을 이어가고 있다. **~ *off the tit*** 호화롭게〔과보호로〕 살다. **~ *on*** 《*vi.*+전》 ① …을 먹고 살다, …을 의지하여 살다: We ~ *on* rice. 쌀을 주식으로 한다 / ~ *on* small income 적은 수입으로 살아가다 / ~ *on* the cross 《속어》 (나쁜 짓을 하여) 세상을 부정하게 살다. ― 《*vi.*+부》 ② 계속해 살다, (명성 따위가) 남다. **~ *on air*** 《비유》 '공기'를 먹고 살다, 아무것도 안 먹고 있다. **~ *out*** 《*vi.*+부》 ① 집에서 다니며 근무하다, (학생이) 기숙사에 있지 않다(OPP *live in*). ― 《*vt.*+부》 ② (평생을) 살아가다; (환자가 어떤 고비를) 잘 넘기다: ~ *out* one's natural life 천수를 다하다 / ~ *out* the night 그 밤을 무사히 잘 넘기다. **~ *out of a suitcase* 〔*trunk, box,* etc.〕** 여행 가방 속의 일상 용품으로 생활하다; 거처를 정하지 않고 살아가다. **~ *out of cans* 〔*tins*〕** 《구어》 통조림만 먹고 지내다. **~ *over again*** (인생을) 다시 살다, 반복하다, (과거지사를 상기하여) 다시 한번 경험하다. **~ *through*** …을 헤쳐 나가다, 버티어 내다. **~ *together*** 동거하다. **~ *to* one*self*** 고독하게 지내다; 이기적으로 살다. **~ *under*** …의 지배 아래 살다, …의 셋집살이〔소작인〕이다. **~ *up to*** …에 부끄럽지 않은 생활을 하다, (이상·표준)에 따라 생활〔행동〕하다; (주의·주장)을 실천하다; (선언·약속 등)을 지키다; (수입)을 전부 쓰다: ~ *up to* a person's expectation 아무의 기대에 부응하다. **~ *well*** ① 사치스럽게 살다. ② 올바른 생활을 하다. **~ *with*** …와 함께 살다〔동거하다〕; …의 집에 기숙〔기식〕하다; (현상(現狀) 따위)를 받아들이다, 참다, …에 견디다. **~ *within* one*self*** 자기 일에만 몰두하다. ***We* 〔*You*〕 *live and learn.*** 별일을 다 보겠네, 살며 배우는 거지《놀라운 새로운 것을 듣거나 알았을 때》. ***where* a person *~s*** 《미속어》 아무의 급소에: The word goes right *where I* ~. 나의 급소를 찌르는 말이다.

⁑**live²** [laiv] *a.* **1** 살아 있는(OPP *dead*); 《우스개》 진짜인, 산 (채로의): a ~ fence 산울타리 / a ~ bait (낚시용) 산 미끼 / a ~ animal weight (동물의) 생체 중량 / a real ~ burglar 진짜 강도.

> NOTE **live**는 한정적으로만 쓰여 명사 앞에 놓이고, **alive**는 서술적으로 쓰임: a *live* fish 활어(活魚). The fish is still *alive.* 물고기는 아직 살아 있다.

2 a 생생한, 팔팔한, 발랄한, 활기 있는; 빈틈없는; (사람이) 활동적인: a ~ person 활동가. **b** 탄력 있는《테니스 공 따위》. **3** (불·숯 따위가) 불타고 있는; 불이 일고 있는, 현재 활동 중인《화산》(active); (감정 따위가) 격렬한. **4** 더러워지지 않은, 신선한《공기》; (색이) 선명한, 생생한; 막 뽑은《깃 따위》: ~ air. **5** 유효한, 작용하는; 미사용의, 아직 폭발하지 않은《폭탄》, 아직 긋지 않은《성냥》; 핵분열 물질이 든; (광물이) 아직 파내지 않은, 미채굴의; 땅에 솟은《바위 따위》: a ~ match 아직 켜지 않은 성냥 / a ~ shell 실탄; 불발탄 / a ~ cartridge 실탄. **6** (물이) 흐르고 있는. **7** (기계가) 돌고 있는, 운전 중인, 동력〔운동〕을 전하는, 운전하는: a ~ machine 움직이고 있는 기계. **8** (전깃줄 등이) 전류가 통하고 있는; (전기 기구가) 작동하고 있는. OPP *dead.* **9** 〖야구·미식축구〗 플레이 속행 중인《공》; 〖인쇄〗 인쇄〔사용〕 중〔예정〕인《활자》, 아직 짜지 않은《원고》. **10** 〖방송〗 생방송의, 현장 중계의; 실연(實演)의, 영화가 아닌; 실제의, 목전의《관중·청중》; (관중〔청중〕이) 반응이 있는: a ~ broadcast 생방송 / a ~ program 생방송 프로 / ~ coverage 생중계. **11** 새로운, 현재 유행하는, 왕성히 논의 중인; 당면한, 목하의: ~ ideas 새로운 사상 / a ~ question 〔issue〕 당면한 문제. **12** 《미속어》 대단한, 예쁜.
― *ad.* 생중계로, 실황으로.

liveable ⇨LIVABLE.

líve-áction [láiv-] *a.* **1** 《구어》 생중계의, 실황의, 녹음〔녹화〕가 아닌, 실연(實演)의. **2** 애니메이션의, 동화(動畫)의.

líve áxle [láiv-] 〖기계〗 활축(活軸).

líve báll [láiv-] 〖미식축구〗 플레이 중인 공.

líve-bèarer [láiv-] *n.* 태생어(魚).

líve-bèaring [láiv-] *a.* 〖동물〗 태생(胎生)의 (viviparous).

lìve bírth [làiv-] 정상 출산.

líve cènter [láiv-] 〖기계〗 (선반의) 주축 센터.

-lived [livd, laivd] '수명이 …한' 뜻의 형용사를 만드는 결합사: long-~ 오래 사는, 명이 긴; 영속〔지속〕하는.

líved-ìn *a.* (집·방이) 사람이 살고 있는, 살던데라 편한; 《구어》 (얼굴이) 곱게 늙은.

líve-ìn [lív-] *a.* (주인집에서) 숙식하며 일하는 (cf. live-out); 동거하고 있는《애인》; (특정 장소에의) 거주에 관한. ― *n.* (항의 표시로 직장 등에서의) 농성; 동거하는 상대.

*****live·li·hood*** [láivlihùd] *n.* Ⓒ 생계, 살림: earn 〔gain, get, make〕 a ~ by writing 문필로 생계를 세우다 / pick up 〔eke out〕 a scanty ~ 가난〔구차〕한 생활을 하다.

líve lóad [láiv-] 〖토목·건축〗 활하중(活荷重), 적재 하중(荷重)(OPP *dead load*).

líve·lòng [lív-] *a.* 《시어》 《때를 나타내는 말에 붙여서》 온〔꼬박〕…, …내내: (all) the ~ day 하루 종일 / the ~ night 꼬박 하룻밤.

⁑**live·ly** [láivli] (*-li·er; -li·est*) *a.* **1** 생기〔활기〕에 넘친, 기운찬, 팔팔한, 활발한, (곡 따위) 밝고 명랑한, 활기찬: a ~ child 씩씩한 어린이 / ~ music 활기찬 음악 / The streets were ~ *with* shoppers. 거리는 쇼핑 나온 사람들로 활기에 차 있었다. **2** (감정 등이) 열정적인, 격렬한: ~ interest 강렬한 흥미 / ~ imagination 왕성한 상상력. **3** (묘사가) 생생한, 박력 있는; (색채가) 선명한, 밝은. **4** (기회·때가) 다사다난한, 다망한; 《우스개》 아슬아슬한, 손에 땀을 쥐게 하는, 위태로운: have a ~ time (of it) 아슬아슬〔조마조마〕한 경험을 하다 / make it 〔things〕 ~ for a person 아무를 애먹이다. **5** (미풍·공기가) 상쾌한, 신선한. **6** (술이) 거품이 이는. **7** (공이) 잘 튀는; (배가) 물결에 가볍게 흔들리는, 키가 잘 듣는: a ~ ball 〖야구〗 치면 잘 나가는 공. ***Look ~!*** (더) 씽씽하게 움직여라〔일해라〕. ― *ad.* 기운차게, 활발하게. 파 **-li·ly** *ad.* **-li·ness** *n.*

liv·en [láivən] *vt., vi.* 명랑〔쾌활〕하게 하다, 활기차게 하다《*up*》; 활기 띠다, 들뜨다《*up*》. 파 **~·er** *n.*

líve óak [láiv-] 〖식물〗 떡갈나무의 일종《미국 남부산(產)》.

líve óne [láiv-] 《미속어》 활기찬〔재미나는〕 곳〔사람〕; 괴짜, 별난 사람; 돈 잘 쓰는 사람; 잘 넘어가는〔봉잡히기 쉬운〕 사람.

líve-òut [lív-] *a.* 통근하는《하인》. cf. live-in. ¶ ~ system 통근제.

líve párking [láiv-] 《미속어》 운전자가 탄 채 세운 주차, 엔진을 건 채 두는 주차.

*__liv·er__[1] [lívər] *n.* **1** 〖해부〗 간장(肝臟); 간(肝)《음식으로서의》; 간장병(病), 담즙증: a ~ complaint 간질환. **2** 적〔다〕갈색(=~ **brówn** 〔**còlor, maròon**〕). ***a hot*** 〔***cold***〕 ~ 열정〔냉담〕. ***white*** 〔***lily***〕 ~ 겁 많음. ★ 예전에 간장을 감정의 근원으로 생각했음. ㊖ **~·less** *a.*

liv·er[2] *n.* 생활자; 거주자: a ~ in a town 도시 생활자 / a fast 〔loose〕 ~ 방탕자 / a good ~ 덕 있는 사람; 미식가 / a hearty ~ 대식가.

líver-còlored *a.* 간 빛〔적갈색〕의.

líve recórding [láiv-] 생녹음.

(-)lív·ered *a.* 간장이 …한: white-~ 겁 많은.

líver èxtract 간장 진액〔엑스〕《빈혈에 유효》.

líver flùke 간장에 기생하는 흡충(吸蟲).

liv·er·ied [lívərid] *a.* 제복을 입은《사환 등》.

liv·er·ish [lívəriʃ] *a.* 간장병의; 성미가 까다로운, 화를 잘내는. ㊖ **~·ness** *n.*

líver òil 간유.

Liv·er·pool [lívərpùːl] *n.* 리버풀《잉글랜드 중서부 Merseyside 주의 주도(州都); 항구 도시》.

Liv·er·pud·li·an [lìvərpʌ́dliən] *a.*, *n.* Liverpool의 (시민).

líver ròt 〖수의〗 간질(肝蛭)병 《양·소의 간에 기생하는 흡충에 의한 질병》.

líver sàusage =LIVERWURST.

líver spòts (얼굴의) 기미《간질환에 의한》.

líver·wòrt *n.* 〖식물〗 우산이끼.

liv·er·wurst [lívərwə̀ːrst, -wùərst/-wə̀ːst] *n.* 《미》 간(肝)소시지(liver sausage).

◇**liv·ery**[1] [lívəri] *n.* **1** U,C **a** 일정한 옷《하인·고용인 등에게 해 입힌》; (조합원 등의) 제복; 옷차림: in ~ 제복 차림인 / out of ~ (고용인이) 평복차림의. **b** (특수한) 옷차림: the green ~ of summer 여름의 (나무들의) 푸른 치장 / the ~ of grief 〔woe〕 상복(喪服). **2** C (London 의) 동업 조합(livery company); 〖집합적〗 동업 조합원; 동업 조합원의 자격: take up one's ~ 동업 조합원이 되다. **3** U (사육료를 받고서의) 말의 사육; 말〔마차〕 대여업; 《폐어》 말먹이의 정량(定量): stand at ~ (말이) 사육료를 내고 사육되고 있다. **4** 《미》 =LIVERY STABLE; 보트〔자전거·자동차〕 대여업자. **5** U (토지 등 재산의 새 소유자에게의) 인도, 양여. ***change*** ~ 《스포츠속어》 소속 팀을 바꾸다, 이적하다.

liv·ery[2] *a.* 간(장) 비슷한; 간장병의; 성을 잘내는; 간장 빛의.

lívery còmpany (London의) 동업 조합.

lívery cùpboard (장식적인) 찬장; 《고어》 양식을 넣어 두는 찬장.

lívery·man [-mən] (*pl.* ***-men*** [-mən, -mèn]) *n.* (London의) 동업 조합원; 《고어》 정복〔제복〕을 착용한 하인.

lívery stàble 〔**bàrn**〕 말〔마차〕 대여소; 말 보관소.

lives [laivz] LIFE 의 복수.

líve stéam [láiv-] (보일러에서 갓 생긴 고압의) 사용되지 않은 증기.

líve·stòck [láiv-] *n.* U 〖집합적〗 가축류. cf. dead stock. ¶ ~ farming 〔raising〕 목축(업), 축산.

líve tàg [láiv-] 〖광고·TV〗 녹음〔녹화〕된 CM 끝에 아나운서가 덧붙이는 짧은 맺음말.

líve·tràp [láiv-] *vt.* (동물을) 올가미로 생포하다.

líve·wàre [láiv-] *n.* 컴퓨터 운용자〔요원〕. cf. hardware, software.

líve·wèight [láiv-] *n.* 생(生)체중《도살 전 가축의 체중》.

líve wíre [láiv-] 전기가 통해 있는 도선(導線) 〔전선〕; 《구어》 활동가, 정력가; 《미속어》 돈 씀씀이가 헤픈 사람.

liveyere ⇨ LIVYER.

liv·id [lívid] *a.* 납빛〔흙빛〕의, 검푸른, 창백한; 멍이 든; 붉은 기미가 도는; 기분이 으스스한; 《미·영구어》 격노한. ㊖ **~·ly** *ad.* **~·ness** *n.*

li·víd·i·ty [-əti] *n.* 납빛, 흙빛.

liv·ing [líviŋ] *a.* **1** 살아 있는, 생명 있는(opp *dead*); 생명의 특징을 갖춘, 생체의: all ~ things 모든 생물 / a ~ model 산 모범.

> SYN. **living** be 동사와 함께, 또는 '사람이나 물건을 나타내는' 명사 앞에 쓰임. **alive** be 동사와 함께 쓰며, 또 명사의 뒤에 오는 수도 있음: the greatest writer *alive* 살아 있는 최고의 작가.

2 (the ~) 〖명사적·집합적〗 산 사람, 현존자. **3** 현대의, 현존한; (동식물이) 현생하고 있는: a ~ language 현대어(語)(opp *a dead language*) / ~ English 현대 영어. **4** 팔팔한, 활기 있는, 힘찬; 생명을〔활기를〕 주는: a ~ interest 강한 관심 / ~ faith 열렬한 신앙. **5** (물이) 흘러 그치지 않는; (석탄 등이) 불타고 있는; (암석 등이) 자연 그대로의; (광물 등) 미채굴의(live). **6** (초상화 등이) 빼쏜, 생생한. **7** 생활에 관한, 생활의, 생계의: ~ conditions 생활 상태 / ~ quarters 거소(居所), 거주 지구. **8** 〖강조〗 다름 아닌, 아주(very). ★ 서술적으로도 한정적으로도 쓰임: The animal is *living*. 그 동물은 살아 있다. a *living* animal 살아 있는 동물. ***in the land of the*** ~ 살아 있는, 현존하여. ***the*** ~ ***doll*** 《미속어》 아주 좋은〔유쾌한, 도움이 되는〕 사람. ***the*** ~ ***end*** 《속어》 최고의 사람〔것〕.

— *n.* **1** U 생존, 생활, 살아가기: plain ~ and high thinking 검소한 생활과 고원한 사색. **2** (a ~, one's ~) 생계, 생활비: earn 〔gain, get, make, obtain〕 a ~ as an artist 화가로서 생계를 꾸려 나가다 / *Living* is expensive here. 여긴 생활비가 많이 든다. **3** 〖단수형뿐〗 성직자의 녹(祿); 《고어》 재산. ***be fond of good*** ~ 미식(美食)을 좋아하다. ***style*** 〔***rate***〕 ***of*** ~ 삶의 방식. ㊖ **~·ly** *ad.* **~·ness** *n.* 생기(vigor).

líving déath 생지옥, 비참한 생활.

líving dóll 《미속어》 아주 좋은〔기분 좋은, 도움 되는〕 사람.

líving fóssil 살아 있는 화석, 화석 동물《실러캔스 등》; 《구어》 시대에 뒤진 사람.

líving héll 생지옥.

líving-ín *a.* (고용인 등이) 주인집에서 숙식하는.

líving légend 살아 있는 전설적인 인물.

líving-óut *a.* 통근하는(live-out).

líving pícture 활인화(活人畫).

líving quàrters (배나 공공시설 따위의) 숙소, 거주 구역.

líving ròom 거실, 거처방(sitting room, parlor).

líving spàce 생활권(圈), 생활 공간; (주거의) 거주 부분.

líving stàndard 생활수준(standard of living).

Liv·ing·stone [líviŋstən] *n.* **David** ~ 리빙스턴《영국인 아프리카 탐험가; 1813–73》.

líving théater (the ~) (텔레비전·영화에 대해) 연극.

líving únit 온 가족이 사용하는 아파트〔집〕.

líving wáge 최저 생활 임금.

líving wíll 〖법률〗 생전(生前) 유서《불치의 병에 걸렸을 경우 등에 생명 유지 장치 등으로 연명(延命) 처치를 강구하지 않도록 의사나 관계자들에게 통고하는 문서》. cf. right-to-die.

li·vrai·son [*F.* livrɛzɔ̃] *n.* 《F.》 (분할되어 발행되는 책의) 분책.

li·vre [líːvər] (*pl.* **~s** [-z]) *n.* 리브르《옛날 프랑스의 화폐 단위 및 은화》.

Livy [lívi] *n.* 리비우스《로마의 역사가 Titus Livius의 영어명; 59 B.C.-A.C. 17》.

liv·yer, liv(e)·yere [lívjər], [livjέər, ⌐-] *n.* 《Can.》(북동부에서 어획기에만 오는 어부에 대하여) 정주자(定住者).

Lix·i·scope [líksəskòup] *n.* 릭시경(鏡), 저선량(底線量) 엑스선 화상경(畫像鏡).

lix·iv·i·ate [liksívièit] *vt.* …을 용제에 담가 가용물(可溶物)을 추출하다, 여과하다.

Liz, Li·za [liz], [láizə] *n.* 리즈, 라이자《여자 이름; Elizabeth의 애칭》.

liz *n.* 《미속어》(여자) 동성애자(lesbian).

liz·ard [lízərd] *n.* **1** 〖동물〗 도마뱀; 도마뱀 가죽; 《미속어》 지갑; 달러; (the L-) 〖천문〗 도마뱀자리. **2** =LOUNGE LIZARD; 《미속어》 (…을) 섭렵하는 놈, (…에) 열중한 놈; 《미속어》 (틀려 버린) 경주마. ***a house*** ~ 〖동물〗 도마뱀붙이.

liz·zie [lízi] *n.* 《속어》(값싼) 소형 자동차.

Liz·zy [lízi] *n.* 리지《여자 이름; Elizabeth의 애칭》. ㊀ Liza.

liz·zy *n.* 《미속어》 =LIZ.

L.J. Lord Justice.

Lju·blja·na [lù:bliá:nə] *n.* 류블랴나《슬로베니아 공화국의 수도》.

Lk. 〖성서〗 Luke.

'll [l] will, shall의 간약형(形)《보기: I'*ll*》.

LL. Late Latin; law Latin; lending library; limited liability; Lord Lieutenant; lower left; Low Latin. **ll.** leaves; lines; *loco laudato* 《L.》(=in the place quoted).

lla·ma, la·ma [lá:mə] (*pl.* **~s,** 〔집합적〕 ~) *n.* 〖동물〗 야마, 아메리카 낙타; Ⓤ 야마의 털.

llama

lla·ne·ro [la:nέərou] (*pl.* **~s**) *n.* llano의 주민.

lla·no [lá:nou/lǽn-] (*pl.* **~s**) *n.* (남아메리카의) 대초원.

LL. B. *Legum Baccalaureus* 《L.》(=Bachelor of Laws). **LLC** Limited Liability Company; 〖컴퓨터〗 Logical Link Control.

LL. D. *Legum Doctor* 《L.》(=Doctor of Laws).

LLDC least less developed countries (후발 개발도상국).

Llew·el·lyn [lu:élin] *n.* 루엘린《남자 이름》.

LL.JJ. 《영》 Lords Justices (고등 법원 판사).

LL. M. *Legum Magister* 《L.》(=Master of Laws).

Lloyd [lɔid] *n.* 로이드《남자 이름》.

Llòyd Géorge David ~ 로이드 조지《영국의 정치가; 1863-1945》.

Lloyd's [lɔidz] *n.* **1** (런던의) 로이드 해상 보험 협회. **2** =LLOYD'S REGISTER.

Llóyd's Líst 로이드 해보(海報).

Llóyd's Régister 로이드 선급(船級) 협회(the ~ of Shipping); 로이드 선박 통계〔등록부〕.

Llóyd's S. G. Pólicy 로이드 S. G. 보험 증권, 로이드 협회 발행의 해상 보험 증권.

Llóyd's únderwriter 로이드 보험자《인수 담당 전문가》.

LLTV low-light (level) TV(저광량(低光量) 텔레비전).

LM [lem] *n.* 달 착륙선(lunar module).

L.M. Licentiate in Medicine; Licentiate in Midwifery; long meter 〔measure〕; Lord Mayor; lunar module. **L.M.G.** light machine gun. **L.M.P.** 〖의학〗 last menstrual period. **LMS** 《영》 local management of schools(학교 자주 관리; 1988년의 교육 개혁법에 따라 공립학교의 재정 및 행정상의 관리를 각 학교에 위임함). **L.M.S.** London Missionary Society. **LMT** local mean time. **Ln** 〖화학〗 lanthanide. **ln** 〖수학〗 natural logarithm. **LNA** 〖전자〗 low-noise amplifier (저잡음 증폭기). **LNB** low noise blocker (저소음 제거 장치)《위성 방송용 파라볼라 안테나의 돌출부에 있는》. **Indg.** landing. **Indry.** laundry. **LNG** liquefied natural gas(액화 천연가스).

°**lo** [lou] *int.* 《고어》 보라, 자. ***Lo and behold!*** 이건 또 어찌된 일인가, 이상하기도 하여라.

LOA length overall (전장(全長)).

loach [loutʃ] *n.* 〖어류〗 미꾸라지.

‡**load** [loud] *n.* **1** 적하(積荷), (특히 무거운) 짐; 〖일반적〗 지고 있는 것, 얹어 있는 것: the ~ of fruit on a tree 나무에 열려 있는 과일/bear a ~ 짐을 지다. SYN. ⇨BURDEN. **2** 《비유》(정신적인) 무거운 짐, 부담; 근심, 걱정: a ~ of responsibility 책임의 부담/a ~ of care 심로(心勞)/have a ~ on one's mind 〔conscience〕 마음〔양심〕에 걸리는 일이 있다/take a ~ off one's mind 마음의 무거운 짐을 벗다. **3** (차 따위의) 적재량, 한 차, 한 짐, 한 바리; 《미속어》 취하기에 충분한 술의 양(jag): two truck-~s of vegetables 두 트럭분의 채소/have a ~ on 취해 있다. **4** 일의 양, 분담량: a teaching ~ 책임 수업 시간 수. **5** Ⓤ 〖물리·기계·전기〗 부하(負荷), 하중(荷重); 〖유전〗 유전 하중(荷重)《유해 유전자의 존재로 인한 생존 능력의 저하》: moving 〔rolling〕 ~ 이동 하중/static ~ 정(靜)하중/working ~ 사용 하중. **6** 〖상업〗 부가료《배달료·출장료 등》; 물품세. **7** (화약·필름 등의) 장전; 장탄. **8** 〖컴퓨터〗 로드, 적재《(1) 입력 장치에 데이터 매체를 걺. (2) 데이터나 프로그램 명령을 메모리에 넣음》. **9** 《미속어》 정액: shoot 〔drop〕 one's ~ 《비어》 사정하다. **10** 〔~s of… 또는 a ~ of로〕 《구어》 많은 양, 잔뜩, 흠씬: He has *~s of* money. 그는 많은 돈을 가지고 있다.

a ~ of hay 《미속어》 장발의 머리; 무료〔팁은 안 주는〕 단체객. ***a ~ of postholes*** 《CB속어》 빈 트럭. ***a ~ of rocks*** 《CB속어》 벽돌을 실은 트럭. ***a ~ of sticks*** 《CB속어》 재목을 실은 트럭. ***carry the ~*** (집단 활동에서) (가장) 책임을 다하고〔부지런히 하고〕 있다. ***get a ~ of*** 《속어》(주의해서) …을 듣다; …을 보다. ***get a ~ off one's chest*** 털어놓고 마음의 짐을 덜다. ***take a ~ off*** (one's ***feet***) 《구어》 걸터앉다, 드러눕다, 편히 하다. (***What***) ***a ~ of*** (***old***) ***cobblers*** 〔***cock***〕***!*** 《미속어》 너절하군, 허튼소리 그만해.

— *vt.* **1** 《~+목/+목+전+명》(짐을) 싣다, (사람을) 태우다; (탈것이 승객·짐을) 태우다: ~ a train 기차에 짐을 싣다〔손님을 태우다〕/~ a plane *with* cargo 비행기에 짐을 싣다/~ the freight 〔children〕 *into* the car 화차에 짐을 싣다〔차에 아이들을 태우다〕/The tanker is *~ing* oil. 탱커가 기름을 싣고 있다. **2** 《~+목/+목+전+명》 …에 많이 올려놓다; …에 마구 채워넣다《*with*》; 〖야구〗(누를) 만루로 하다: air *~ed with* oxygen 산소를 다량으로 함유한 공기/His hit *~ed* the bases. 그의 안타로 만루가 되었다. **3** 《+목+전+명》 …에게 마구 주다《*with*》; …에게 무거운 짐〔부담〕을 지우다; …를 괴롭히다《*with* something; *on* a person》: ~ a person *with* compliments 아무에게 찬사를 늘어놓다/a man *~ed with* anxieties 근심거리로 괴로워하는 사람/~ more work *on* her 그녀에게 더 많은 일을 하게 하다. **4** (총에) 탄환을 재다(charge); 《구어》〔수동태〕(아무가) 총에 탄환을 재놓고 있다(be charged); (카메라)에 필름을 넣다, (필름을) 카메라에 넣다; …에 loading coil을 장하(裝荷)하다. **5** 〖컴퓨터〗(프로그램·자료를) 보조〔외부〕 기억 장치에서 주기억 장치로 넣

다, 적재하다. **6** 〖기계·전기〗 …부하(負荷)를 걸다; 〖전자〗 (회로)의 출력을 증가시키다. **7** (순보험료)에 제(諸)비용을 부가하다. **8** (아무)에게 편견을 갖게 하다; (어구)에 (쓸데없는) 감정〔감상〕적인 뜻을 가하다; (기대하는 답을 유도하기 위해 질문)의 표현을 조작〔조절〕하다. **9 a** (주사위·스틱 등)에 납 따위를 메우다; 증량제(增量劑)를 가하다; (빳빳하게 하기 위해 종이·섬유 등)에 첨가제를 가하다; (콘크리트)에 원자 번호가 큰 물질을 가하다《방사선 차폐 능력을 높이기 위해》. **b** (술 등)에 섞음질하다; (가격 등을 실제 이상으로) 불리다. ―*vi.* **1** 《~/+副》 짐을 싣다, 짐을 지다; 사람을 태우다; 짐을 하나 가득 싣다《*up*》: The bus ~*s* at the left door. 버스는 왼쪽 문으로 사람을 태운다. **2** 《+前+名》 타다《*into*》. **3** 《+前+名》 (짐 따위로) 가득 차다《*with*》: The ship ~*ed with* people only in 15 minutes. 배는 단 15분 만에 만원이 됐다. **4** 총에 장전하다, (총이) 장전되다. ~ ***down*** (***with...***) (차 따위)에 (…을) 잔뜩 싣다; (아무에게 무거운 짐·책임 따위)를 걸머지게 하다; (…으로) 괴롭히다. ~ ***up*** …에 짐을 잔뜩 싣다《*with*》; 가득 채워 넣다; 잔뜩 먹다〔마시다〕: Time to ~ *up!* (차를 타기 위해) 짐을 갖고 나갈 시간이오.

㊊ **∠·age** [-idʒ] *n.* 적재량. 「排水量)〔톤수〕.

lóad displàcement 〖해사〗 만재 배수량(滿載

lóad dràft 〖해사〗 만재 흘수선(吃水線).

lóad·ed [-id] *a.* **1** load 된; 짐을 실은; 잔뜩 올려놓은《*with*》; 탄약을 잰, 장전한《총·카메라·필름 등》: a ~ bus 만원 버스 / a table ~ *with* food 음식을 그득 올려놓은 식탁 / return home ~ *with* honors 금의환향하다. **2** 《속어》 돈이 듬뿍 있는; 취한; 《미속어》 마약을 먹은〔함유한〕《사람·물건》; 위험을 안은. **3** (납 등을) 박아 넣은; (술 따위를) 섞음질을 한, 위스키를 섞은; 《비유》 (질문·논의 등이) 유도적인, 함축하는 바가 있는: a ~ cane 꼭대기에 납을 박은 지팡이《무기》/ ~ dice 협잡 주사위《어느 수가 나오게 납을 박아 넣은》. ~ ***for bear*** 《미속어》 ① 화가 나 있는; 남의 평판에 찬물을 끼얹으려고 노리는; 덤벼들 자세로 있는. ② (난관·공격·비난 등에 대해) 만반의 준비를 갖추고 있는.

lóad·er *n.* **1** 짐을 싣는 사람; 〖기계〗 로더, 적재기(積載機); 장전기(裝塡器); 장전자(者). **2** 〖컴퓨터〗 로더, 적재기《외부 매체에서 프로그램 등을 주기억에 올리기 위한 (상주(常駐)) 루틴》. **3** 〖복합어〗 …장전 장치의 총〔포〕: breech*loader*.

lóad fàctor 〖전기〗 부하율(負荷率); 〖항공〗 좌석 이용률.

lóad·ing *n.* Ⓤ **1** 짐 싣기, 선적(船積), 하역; 짐, 뱃짐; 장전(裝塡), 장약(裝藥); 증량〔첨가〕제; 충전재. **2** 〖전기〗 장하(裝荷); 〖항공〗 익면(翼面) 하중(wing ~); 〖심리〗 인자 부하(因子負荷); 로딩《비디오테이프를 VTR에 세트하여 녹화·재생할 수 있는 상태로 하는 것》; 〖컴퓨터〗 로딩. **3** 〖상업〗 = LOAD, 《특히》 (생명 보험의) 부가 보험료; 《Austral.》 부가급, 수당.

lóading bày 〔**dòck**〕 하역장.

lóading brìdge 로딩 브리지《공항의 터미널 빌딩에서 항공기까지를 잇는》.

lóading còil 〖전기〗 장하(裝荷) 코일.

lóading gàuge (화차의) 화물 적재 한계.

lóading prògram〔**ròutine**〕 〖컴퓨터〗 적재 프로그램〔루틴〕.

lóad lìne 〔**wàterline**〕 〖해사〗 만재 흘수선.

lóad lòck 〖물리〗 로드 록《진공장치에 예비 배기실을 두고 전체의 진공을 깨지 않고 시료(試料)를 꺼내고 넣고 할 수 있는 방법》. 「원.

lóad·màster *n.* 〖항공〗 기상(機上) 수송 담당

LoADS low altitude defense system(저공 방위 시스템)《ABM으로 대기권 내에서 요격》.

loadsa [lóudzə] *a.* 《영속어》 많은(loads of).

lóad shédding 전력(電力) 평균 분배(법).

lóad·stàr *n.* =LODESTAR.

lóad·stòne, lóde·stòne *n.* 천연 자석; 흡인력이 있는 것; 사람을 끄는 것.

loaf**[1] [louf] (*pl.* ***loaves [louvz]) *n.* **1** (일정한 모양으로 구워 낸 빵의) 덩어리, 빵 한 덩어리. ⓒⓕ slice, roll. ¶a brown ~ 흑빵 한 덩어리 / two *loaves* of bread 두 덩어리의 빵 / Half a ~ is better than no bread 〔none〕. 《속담》 반이라도 없는 것보다 낫다. **2** (원뿔꼴의) 설탕 덩어리; =LOAF CAKE; 〖일반적〗 (식빵 모양의) 찜구이 요리: meat ~ 식빵 모양의 섭산적 요리. **3** 《영》 (양배추·상추의) 둥근 통; 《속어》 머리, 두뇌. ***half a*** ~ 〖성서〗 《구어》 (바라는 것 따위의) 반. ***use one's*** ~ (***of bread***) 《속어》 머리를 쓰다, 상식을 활용하다. ―*vi.* 《영》 (양배추가) 둥글게 되다, 결구(結球)하다.

loaf[2] *vi.* 《~/+副/+前+名》 놀고 지내다, 빈둥거리다; 빈들빈들 돌아다니다《*about*》: ~ *through* life 빈둥거리며 일생을 지내다 / ~ *on* a person 《구어》 (남의) 집에서 놀고 지내다. ―*vt.* 《+目+副》 (시간을) 빈둥거리며 보내다, 빈둥거리며 지내다《*away*》: ~ one's life *away* 일생을 놀고 지내다. ―*n.* 놀고 지냄, 빈둥〔핀둥〕거림. ***on the*** ~ 빈들거리고.

lóaf càke 《미》 막대 모양의 케이크.

Loaf·er [lóufər] *n.* (moccasin 비슷한) 간편화(靴)《상표명》.

lóaf·er *n.* 빈들〔핀들〕거리는 사람, 게으름뱅이.

lóaf súgar 막대〔각〕 설탕.

loam [loum] *n.* Ⓤ 옥토(沃土); 〖일반적〗 비옥한 흑토; 롬《모래·점토·짚 따위의 혼합물로서 거푸집·회반죽 따위를 만듦》. ―*vt.* 롬으로 덮다〔채우다〕. ㊊ **∠·less** *a.* **loamy** [lóumi] *a.* 롬(질(質))의. **loám·i·ness** *n.*

loan** [loun] *n.* **1** Ⓤ 대부, 대여(貸與)《돈·물건의》: I asked them for the ~ of the money. 나는 그들에게 돈의 대부를 부탁했다 / May I have the ~ of your word processor? 당신의 워드 프로세서를 빌릴 수 있을까요. **2** 대부금, 융자; 공채, 차관(借款): a domestic 〔foreign〕 ~ 내국〔외국〕채 / public 〔government〕 ~*s* 공〔국〕채 / issue a ~ 공채를 발행하다 / raise a ~ 공채를 모집하다. **3** 대차물. **4** 일시적 의무〔근무〕. **5** 외래의 풍습《따위》; 〖언어〗 (말의) 차용(借用); =LOANWORD. ***on ~ 대부하여; 차입하여, 빌려. ―*vi., vt.* 빌려 주다, 대부하다《*out*》. ★ '절차를 밟아 장기간 대출하다' 등의 뜻 이외에서는 《영》에서는 lend를 씀이 보통.

㊊ **∠·a·ble** *a.* 대부할〔빌려 줄〕 수 있는.

lóan càpital 차입 자본. 「전람회.

lóan collèction (그림 따위를 빌려 모아 여는)

lóan còmpany (개인에게 융자하는) 금융 회사.

loan·ee [louníː] *n.* 빌리는 사람, 채무자.

lóan·er *n.* 대부자, 대여자; (수리 기간 중 손님에게 빌려 주는) 대체품《대차(代車) 따위》. 「자.

lóan hòlder 공채 증서 보유자, 채권자, 저당권

lóan·ing 《Sc.》 *n.* 작은 길(lane); (소의) 젖 짜는 곳, 착유소(搾乳所).

lóan òffice 대금(貸金) 취급소; 전당포; 신규공채 청약소.

lóan-òut *n.* 《미속어》 (계약된 영화배우를 다른 회사에) 임시로 출연케 하는 일.

lóan shàrk 《구어》 고리대금업자(usurer).

lóan-shàrking *n.* 《구어》 고리대금업.

lóan·shìft *n.* 〖언어〗 차용 대용《외국어의 영향에 의한 말과 뜻의 변화》; 차용 대용어《그런 영향을 받은 말》.

lóan translàtion 〖언어〗 차용(借用) 번역 어구.

lóan vàlue 〖보험〗 대부가액(貸附價額)《생명 보험 증권을 담보로 계약자가 빌릴 수 있는 최고 금액》.

lóan·wòrd *n.* 외래어, 차용어.

◇**loath** [louθ, louð/louθ] *a.* 〘서술적〙 싫어하고, (…하는 것이) 마음에 내키지 않는《*to* do; *that*…; *for* a person *to* do》: My wife is ~ *for* our daughter *to* marry him. 아내는 딸이 그와 결혼하는 것을 싫어하고 있다. ***nothing*** **~** 싫어하기는커녕, 기꺼이. ㊞ **∠·ness** *n.*

*__loathe__ [louð] *vt.* 몹시 싫어하다, 진저리를 내다; (지겨워서) 구역질이 나다; 질색하다: I ~ snakes. ★ dislike, hate, abhor보다도 뜻이 강한 말.

loath·ful [lóuðfəl] *a.* 《Sc.》 싫어하는(reluctant); 《드물게》 =LOATHSOME.

loath·ing [lóuðiŋ] *n.* Ⓤ 몹시 싫어함, 혐오, 지겨움. ㊞ **~·ly** *ad.*

loath·ly[1] [lóuðli, lóuθ-/lóuð-] *a.* =LOATHSOME. ㊞ **-li·ness** *n.*

loath·ly[2] [lóuθli, lóuð-/lóuð-] *ad.* 마지못하여.

loath·some [lóuðsəm, lóuθ-/lóuð-] *a.* 싫은, 지긋지긋한; 불쾌한(disgusting); 역겨운(sickening). ㊞ **~·ly** *ad.* **~·ness** *n.*

loaved [louvd] *a.* (양배추 따위가) 둥글게 된, 결구(結球)한.

loaves [louvz] LOAF[1]의 복수.

lóaves and físhes 〖성서〗 일신의 이익, 현세의 이득《요한복음 Ⅵ: 26》.

lob[1] [lab/lɔb] *n.* **1 a** 〖스포츠〗 로브《(1) (테니스 등) 높고 완만한 공을 보냄; 그 공. (2) 〖크리켓〗 언더핸드의 슬로볼》. **b** 높이 반원을 그리듯 던진〔쏜〕 것; 〖야구〗 높은 플라이; 《미속어》 가볍게 던짐. **2 a** 《영방언》 솜씨가 무딘 자; 《미속어》 굼벵이, 얼간이. **b** 《속어》 공연히 부지런한 죄수〔고용인〕. **—** (***-bb-***) *vt.* (공을) 로브로 보내다〔치다〕, 높이 원을 그리듯 던지다〔쏘다〕; 《구어》 던지다. **—** *vi.* **1** (테니스 따위에서) 공을 로브로 보내다, 높이 반원을 그리다. **2** 천천히 무겁게〔힘겹게, 어쭙잖게〕 걷다〔달리다, 움직이다〕《*along*》; 《Austral.속어》 도착하다《*in*》.

lob[2] *n.* =LOBWORM.

LOB 〖야구〗 left on bases(잔루(殘壘)).

lo·bar [lóubər, -baːr] *a.* 폐의; 〖해부〗 (폐장의) 엽(葉)의; 〖의학〗 (대)엽의; 〖식물〗 (잎의) 열편(裂片)의.

lo·bate, lo·bat·ed [lóubeit], [-id] *a.* lobe가 있는〔를 닮은, 의 모양을 한〕; 〖조류〗 발가락 사이에 물갈퀴가 있는.

lo·bá·tion *n.* Ⓤ 〖생물〗 분열 형성; 〖식물〗 (잎의) 째어짐, 결각(缺刻); =LOBULE.

lob·ber [lábər/lɔ́b-] *n.* 느릿느릿 걷는 사람; 〖테니스〗 로빙하는 사람.

‡**lob·by** [lábi/lɔ́bi] *n.* **1** (호텔·극장의) 로비, (입구의) 넓은 방, 넓은 복도《대기실·휴게실·응접실 등에 사용》. **2 a** 원내(院內)의 대기실, 로비《의원의 원외자와의 회견용》; 〖영의회〗 투표자 대기 복도. **b** 로비에서 청원〔진정〕 운동을 하는 사람들, 원외단(團), 압력 단체. **—** *vt.* 《~+목/+목+전+명》 (의회 로비에서 의원에게) 압력을 가하다, 로비 운동하다; (의안을) 억지로 통과시키다〔시키려 하다〕: ~ a bill *through* Congress 압력을 주어 의회에서 법안을 통과시키다. **—** *vi.* 의회에 작용하다; 진정(陳情)하다, (의안의) 통과를 위해 운동하다. ㊞ **~·er** *n.* **~·ing, ~·ism** *n.* (원외로부터의) 의안 통과〔부결〕 운동, 원외 활동, 진정 운동, 압력 행사. **~·ist** *n.* 원외 활동원, 《특히》 보수를 받고 원외 운동을 대행하는 사람, 로비스트.

lóbby correspóndent 《영》 의회 출입 기자, 정치부 기자.

lob·by·gow [lábigàu/lɔ́b-] *n.* 《미속어》 = ERRAND BOY.

Lóbbying Regulátion Àct 《미》 로비 활동 규제법《1946 년 성립》.

lobe [loub] *n.* 둥근 돌출부; 귓불; 〖식물〗 (떡갈나무 잎처럼 째어져 갈라진) 둥근 돌출부; 〖해부〗 엽(葉)《폐엽(肺葉)·간엽(肝葉) 따위》; 〖항공〗 (소시지형(形) 계류 기구 등의 안정용) 공기주머니; 〖기계〗 로브, 돌출부; 〖전기〗 로브《안테나의 지향성이 강한 고리꼴 부분》: the ~*s* of the lungs 폐엽. ㊞ **∠·less** *a.*

lo·bec·to·my [loubéktəmi] *n.* Ⓤ 〖의학〗 폐엽(肺葉) 절제술(切除術).

lobed [loubd] *a.* 〖해부〗 엽(葉)이 있는; 〖식물〗 열편(裂片)이 있는, 잎가가 열게 째진.

lo·be·lia [loubíːljə] *n.* 〖식물〗 로벨리아《숫잔대속(屬)》.

lo·be·line [lóubəliːn, -lin] *n.* 〖약학〗 로벨린《호흡 촉진제·금연용 약에 씀》.

lob·lol·ly [láblàli/lɔ́blɔ̀li] *n.* 《미방언》 진구렁, 진창; 된 죽; 〖식물〗 테다소나무(=∠ **píne**).

lóblolly bòy〔**màn**〕《영·미》 해군 군의관의 조수.

lo·bo [lóubou] (*pl.* **~s**) *n.* 〖동물〗 큰 회색 이리《미국 서부산》.

lo·bot·o·mize [ləbátəmàiz, lou-/-bɔ́t-] *vt.* 〖의학〗 …에게 lobotomy를 베풀다. ㊞ **~d** *a.* lobotomy를 받은; 《비유》 생기 없는, 멍청한.

lo·bot·o·my [ləbátəmi, lou-/-bɔ́t-] *n.* 뇌전두엽(腦前頭葉) 절제술(leucotomy).

lob·scouse [lábskàus/lɔ́b-] *n.* Ⓤ 고기·야채·비스킷 등을 재료로 한 스튜《선원의 요리》.

◇**lob·ster** [lábstər/lɔ́b-] *n.* **1** 〖동물〗 바닷가재《큰 식용 새우》, 대하(大蝦)(spiny ~); (일반적으로) 갑각류의 총칭. ★미국 연안의 대서양산은 큰 집게발이 있고, 태평양산은 spiny lobster로 집게발이 없음. **2** 〖요리〗 로브스터. **3** 〖영국사〗 《경멸》 영국 군인《군복이 붉은 데서》. **4** 《미속어》 얼굴이 붉은 사람; 얼간이. **5** 《미속어》 좋은 '봉', 잘 속는 녀석; 《영속어》 음경, 페니스. (***as***) ***red as a*** **~** 얼굴이 새빨간. **—** *vi.* lobster를 잡다.

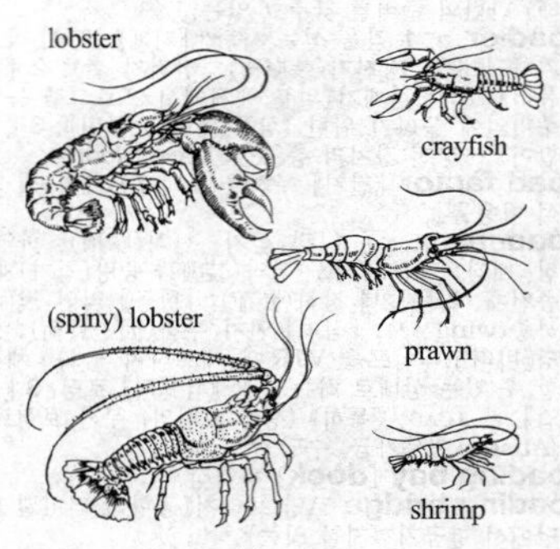

lobsters

lóbster-éyed *a.* 퉁방울눈의, 눈이 툭 불거진.

lóbster jòint (파이프 등의) 자재(自在) 접합부(接合部).

lóbster·man [-mən] (*pl.* ***-men*** [-mən, mèn]) *n.* lobster 포획업자〔어부〕.

lóbster pòt〔**tràp**〕 새우잡이 통발.

lóbster shìft〔**trìck**〕《미구어》 (기자의) 야근.

lob·u·lar [lábjələr/lɔ́b-] *a.* 소열편(小裂片)의; 작은 잎 모양의.

lob·ule [lɑ́bjuːl/lɔ́b-] *n.* 〖식물〗 소열편(小裂片); 〖해부〗 소엽(小葉); 귓불.

lób·wòrm *n.* 갯지렁이. 「락선, 병참선).

LOC 〖군사〗 lines of communication(후방 연

lo·cal [lóukəl] *a.* **1** 공간의, 장소의: ~ situation 공간적 위치/a ~ adverb 〖문법〗 장소의 부사. **2** (특정한) 지방의, 고장의, 지구의; 한 지방 특유의: a ~ paper 지방 신문/a ~ custom 지방의 풍습. **3 a** 좁은 지역에 한정되는; 《비유》 편협한; 〖의학〗 국소의, 국부의: a ~ pain 국부적인 아픔/a ~ disease 국부 질환. **b** (전화가) 근거리의, 시내의; 동일 구내의, '시내 배달'《겉봉에 쓰는 주의서》; 〖컴퓨터〗 울안의《통신 회선을 통하지 않고 직접 채널을 통하여 컴퓨터와 접속된 상태》. **4** (버스 · 열차 따위가) 역마다 정거하는, 보통〔완행〕의, 작은 구간을 왕래하는: a ~ train 〔bus, etc.〕 (정거장마다 서는) 보통 열차〔버스 따위〕/ a ~ express 《미》 준(準)급행 (열차). **5** 〖수학〗 자취(locus)의.

> NOTE local 은 '전역 · 전국' 에 대한 '특정 지역의, 지방적' 의 뜻이고, 수도에 대한 '지방의, 시골의' 의 뜻인 provincial 과 다름.

— *n.* **1** 보통〔완행〕 열차〔버스〕. **2** 지방 사람, 그 고장 사람; 그 고장 개업의〔변호사〕; =LOCAL PREACHER. **3** (신문의) 시내 잡보, 지방 기사; 〖라디오 · TV〗 (전국 방송이 아닌) 지방 프로그램; (사건의) 현장; 지방 우표《한 지방에만 통용》. **4** 《미》 (노동조합 따위의) 지부; (흔히 *pl.*) 그 고장 구단〔팀〕; (the ~) 《영구어》 근처의 술집〔영화관〕. **5** (*pl.*) 《영》 =LOCAL EXAMINATIONS. **6** 〖의학〗 국부 마취법, 국부 마취약. 「RIE.

lo·cal [loukǽl, -kǽl] *a.* 《구어》 =LOW-CALO-

lócal áction 〖법률〗 속지적(屬地的) 소송《특정 지역에 관련된 원인에 의한 소송》; 국지 행위《불법 침입 등》.

lócal anesthésia 〖의학〗 국소 마취(법).

lócal anesthétic 〖의학〗 국소 마취약.

lócal área nétwork 〖컴퓨터〗 근거리 통신망 《생략: LAN》.

lócal área wíreless nètwork 〖컴퓨터〗 근거리 무선 통신망.

lócal authórity 《영》 지방 자치 단체.

lócal bús 〖컴퓨터〗 로컬버스《범용(汎用) 버스를 통하지 않고 CPU와 직결된 고속 데이터 선로》.

lócal cáll 〖전화〗 시내 통화.

lócal cólor 지방색, 향토색; 〖미술〗 고유색《물체 자체가 지닌 색》; (그림 등의) 부분적 색채.

lócal-cóntent *a.* (자동차 생산 등의 부품의) 현지 조달률의: ~ legislation 〔bill〕 =DOMESTIC-CONTENT BILL.

lócal déath 〖의학〗 국소사(局所死)《몸 · 조직 일부의 죽음》. opp. *somatic death.* 「경기.

lócal Dérby 동일 지구의 대표 팀 사이의 (축구)

lo·cale [loukǽl, -kɑ́ːl/-kɑ́ːl] *n.* 《F.》 (사건 · 환경 등에 관련된 특정의) 현장, 장소; (극 · 영화 등의) 무대, 배경, 장면.

lócal examinátions 《영》 지방 시행 시험《대학이 각 지방에서 행함》.

lócal góvernment 지방 자치; 《미》 지방 자치체(의 행정관들). 「은하군(銀河群).

lócal gróup (종종 L- G-) 〖천문〗 국부(局部)

lo·cal·ism [lóukəlìzəm] *n.* Ⓤ **1** 지방적임, 지방색. **2** Ⓒ 지방 사투리, 방언. **3** 향토 편애, 지방 제일주의; 지방 근성, 지방적 편협. ㊞ **-ist** *n.* **lò·cal·ís·tic** *a.*

lo·cal·ite [lóukəlàit] *n.* 그 고장 사람〔주민〕.

lo·cal·i·ty [loukǽləti] *n.* **1** 위치, 장소, 소재; 현장; 부근; 산지(產地). **2** (어느 장소에) 있음; 장소 감각; (풍습 따위의) 지방성. ***a sense of*** ~ 〖심리〗 장소의 감각, 방향감: have *a* good *sense* 〔《구어》 bump〕 *of* ~ 장소 감각이 좋다.

lò·ca·li·zá·tion *n.* Ⓤ 국한; 국부화; 지방 분권; 지방화; 국지(局地) 해결; 위치 측정〔추정〕: ~ of industry 산업의 지방 분산화.

lo·cal·ize [lóukəlàiz] *vt.* **1** 한 지방에 그치게 하다, 국한하다; (군대를) 나누어 배치하다: ~ a war 전쟁을 국지(局地)에서 그치게 하다. **2** (전설 따위의) 기원의 장소를 밝혀내다. **3** 지방화하다, 지방적 색채를 띠게 하다. **4** (주의 등을) 집중하다 《*upon*》: anger ~*d on* the new tax 새로운 세금에 집중된 분노. **—** *vi.* 특정 지역에 모이다. ㊞ **-ìz·a·ble** *a.* **lò·cal·iz·a·bíl·i·ty** *n.*

ló·cal·ized *a.* 국부〔국소(局所)〕적인.

ló·cal·ìz·er *n.* 〖항공〗 로컬라이저《계기 착륙용 유도 전파 발신기》.

lócal líne (철도의) 지방 노선. opp. *main line.*

ló·cal·ly *ad.* 장소로 보아, 그 고장의 성격으로 보아, 위치적으로; 이〔그〕 땅에, 가까이에; 지방적〔국부적〕으로; 지방주의로.

lócal óption 지방 선택권《주류 판매 등에 관해 지방 주민이 투표로 결정하는 권리》.

lócal páper 지방 신문, 지방지.

lócal préacher 지방 설교사《특정 지역에서의 설교가 허용된 평신도》.

lócal rádio (라디오의) 지방 방송.

lócal tìme 〖천문〗 지방시(時), 현지 시간.

lócal véto (지방 주민의) 주류 판매 거부권.

lócal yókel 《CB속어》 시(市)경찰관《주(州)경찰관 또는 고속도로 순찰자에 대해》.

Lo·car·no [loukɑ́ːrnou] *n.* 로카르노《스위스 남동부의 읍》. ***the spirit of*** ~ 로카르노 정신《특히 독일 · 프랑스 간의 숙원(宿怨) 포기를 뜻함》.

Locárno Páct (the ~) 로카르노 조약《1925년 Locarno에서 영 · 프 · 독 · 이 · 벨기에 사이에 체결된 안전 보장 조약》.

lo·cate [lóukeit, -ˊ-/-ˊ] *vt.* **1** 《~+목/+목+전+명》 (…에) …의 위치를 정하다, (점포 · 사무소 등을) …에 두다(establish); 〔수동태 또는 ~ oneself〕 위치하다, …에 있다, 몸을 두다: ~ our European office *in* Paris 유럽 사무소를 파리에 두다/Where *is* Cincinnati ~*d?* 신시내티는 어디에 있느냐/~ one*self behind* the curtain 커튼 그늘에 몸을 숨기다. SYN. ⇨ LIE[1]. **2** …의 위치〔장소〕를 알아내다, 찾아내다: ~ a leak in a pipe 파이프의 새는 곳을 발견하다. **3** …의 위치〔장소〕를 가리키다〔정하다〕, …의 위치를 결정〔지정〕하다: ~ a decimal point 소수점의 위치를 정하다. **4** 《미》 (토지 · 광구의) 소유권을 (측량하여) 주장하다; (토지를) 점유하다. **5** 《미》 (집이나 직업을) 정하다. **—** *vi.* 《+전+명》 《미》 (어떤 장소에) 거주〔정주〕하다《*in*》; 가게를 차리다. ◇ location *n.* ㊞ **lo·cát·a·ble** *a.*

lo·cat·er, -ca·tor [loukéitər, ˊ--] *n.* 《미》 토지〔광구〕 경계 설정자; 위치 탐사 장치, 청음기, 레이더(radiolocator).

lo·ca·tion [loukéiʃən] *n.* **1** Ⓒ 장소, 위치, 부지, 소재, 입지; 거주지, 활동 장소: a good ~ for a new school 학교 신설에 알맞은 장소/a house in a fine ~ 자리가 좋은 집. **2** Ⓒ 지역; 특정 지구: a mining ~ 탄광 지대. **3** Ⓤ 있는 곳 찾아내기; 위치 선정; 《미》 (도로의) 노선 설정; 측량 설계. **4** Ⓒ 〖영화〗 로케이션, 야외 촬영 (지): on ~ 야외 촬영 중이다/shoot ~ scenes 야외 촬영 장면을 찍다. **5** Ⓤ (토지 · 가옥의) 임대. **6** 〖컴퓨터〗 (기억) 자리. **7** 《Austral.》 목장, 농장; 《S. Afr.》 (전의) 원주민〔흑인〕 거주 지정 구역. **~ *in space*** (우주 비행사의) 우주 공간에서의 위치 판단. ㊞ **~·al** *a.* **~·al·ly** *ad.*

loc·a·tive [lɑ́kətiv/lɔ́k-] 〖문법〗 *a.* 처격(處格)

의, 위치를 가리키는〔나타내는〕. **—** *n.* [U] 처격, 위치격(格)(의 말).

locator ⇨ LOCATER.

loc. cit. [lák-sít/lɔ́k-] 《L.》 = LOCO CITATO.

loch [lɑk, lɑx/lɔk, lɔx] *n.* 《Sc.》 호수; 후미, 내포(內浦), 협호(峽湖).

lo·chia [lóukiə, lák-/lɔ́k-] (*pl.* ~) *n.* 〖의학〗 오로(惡露)《분만 후의 배설물》. (파) **ló·chi·al** *a.*

Loch Ness [lák nés, lɑ́x-/lɔ́k-, lɔ́x-] 네스 호(湖)《스코틀랜드 Highland 남동부의 호수》.

Lóch Néss mónster (the ~) 네스 호(湖)의 괴수(怪獸), 네시(Nessie).

lo·ci [lóusai, -kiː, -kai/lóusai] LOCUS의 복수.

⁑**lock**[1] [lɑk/lɔk] *n.* **1** 자물쇠. [cf.] key. ¶ open a ~ with a key 자물쇠를 열쇠로 열다. **2** (차의) 제륜(制輪) 장치; (총의) 발사 기구; 안전장치; 〖기계〗 기갑(氣閘)(air ~). **3** (운하 따위의) 수문, 갑문. **4** 뒤얽힘; (교통 혼잡으로) 꼼짝 못할 상태, 정체. **5** 〖레슬링〗 로크, 굳히기; 지배, 통어; 《미속어》 확실; 《영》 (자동차 앞바퀴의) 방향 전환, 핸들을 꺾음: at full ~ 핸들을 최대한으로 꺾고. **6** 구치소; 《영》 성병 병원(~ hospital). **7** 〖컴퓨터〗 잠금. **~, *stock, and barrel*** (총의 각 부분 모두 →) 완전히, 모조리, 전부. ***on*** 〔***off***〕 ***the*** **~** 자물쇠를 잠그고〔잠그지 않고〕. ***under*** **~** ***and key*** 자물쇠를 채우고, 안전하게; 투옥되어.

— *vt.* **1** …에 자물쇠를 채우다, 잠그다; 닫다(shut): ~ the door 문에 자물쇠를 채우다 / It is too late to ~ the stable door after the horse has bolted 〔been stolen〕. 소 잃고 외양간 고친다, 사후 약방문. **2 a** 《+[목]+[부]/+[목]+[전]+[명]》 거두어〔챙기어〕 넣다《*away; up*》; 가두다《*up; in; into*》; 《비유》 (비밀 등을 마음에) 깊이 간직하다《*up; in*》; 〔보통 과거분사꼴로〕 에워싸다(enclose); 《미속어》 갇혀 있다: ~ *up* 〔*away*〕 the documents *in* the safe 서류를 금고에 챙기어 넣다 / ~ *up* a prisoner *in* a cell 죄수를 독방에 가두다 / The ship *was* ~*ed in* ice. 배는 얼음에 갇히었다. **b** 《+[목]+[부]/+[목]+[전]+[명]》 〔~ oneself〕 …에 틀어박히다《*up*》: He usually ~*s* him*self* (*up*) *in* his study. 그는 대체로 혼자 서재에 틀어박혀 있다. **3** 《~+[목]/+[목]+[전]+[명]》 짜 맞추다, 짜 맞추어 못 움직이게 하다; …에 맞붙다; 잡다, 붙들다; 끌어안다: ~ arms 팔을 꽉 끼다 / ~ a child *in* one's arms 어린애를 꽉 껴안다. **4** 고착시키다, 고정하다; (차바퀴 등을) 제동하다; 〖인쇄〗 (조판을) 쐐기로 죄다〔고정하다〕; (자본을) 고정시키다: ~*ed-up* capital 고정 자본. **5** …에 수문을 설치하다; (배를) 수문으로 통과시키다《*up; down; through*》.

— *vi.* **1** (문 따위에) 자물쇠가 걸리다, 잠기다, 닫히다; 빠져들다, 서로 얽히다《*into* each other; *together*》; 움직이지 않게 되다, (차 바퀴가) 회전을 멈추다, 로크하다. **2** (차 바퀴가) 전타(轉舵)〔선회 조작〕할 수 있다. **3** 갑문을 설치하다; (배가) 수문을 통과하다. **4** 〖군사〗 (열의 앞뒤) 간격을 좁혀서 전진하다. **~ *horns*** ⇨ HORN. **~ *into place*** (기어 따위가) 걸리다. **~ *off*** (수로를) 막다. **~ *on to…*** 〖항공〗 (레이더 등이) …을 발견하고 자동적으로 추적하다〔시키다〕. **~ *out*** (고의로〔깜박〕 자물쇠를 잠그어) …에서 내쫓다, 안에 들이지 않다《*of*》; (공장을) 폐쇄하다; (노무자)의 노무 제공을 일시적으로 거부하다: He ~*ed* himself *out* (*of* the house). (열쇠를 잊은 채 잠가 버려서) (집에) 못 들어가게 되었다. **~ *the wheels*** 〔***brakes***〕 (브레이크를 걸어) 바퀴의 회전을 멈추다, 차바퀴〔브레이크〕를 로크시키다. **~ *up*** ① (문·창에) 자물쇠를 잠그다, 문단속하다; 폐쇄하다. ② 감금하다, 가두다; (돈·비밀 따위를) 거두어 넣다. ③ (자본 등을 장기물(長期物)에 투자하거나 하여) 고정시키다; 〖인쇄〗 (조판을) 쐐기로 죄다. ④ 《미속어》 (성공 따위를) 확실히 하다.

(파) **∠·a·ble** *a.* **~ed**[1] [-t] *a.* 끼워져 있는, 짜 맞춘. **∠·less** *a.*

lock[2] *n.* **1** (머리의) 타래, 타래진 머리털; (양털 등의) 타래. **2** (*pl.*) 〖시어〗 두발. **3** (잡초·양털 따위의) 소량, 한 줌. (파) **~ed**[2] *a.* 머리숱〔털〕이 있는: golden-~*ed* 금발 머리의.

lock·age [lɑ́kidʒ/lɔ́k-] *n.* [U,C] 수문의 구축·사용·개폐; (배의) 수문 통과; 수문 통과세; 수문설비; 갑정(閘程)《수문 상하 수면의 수위 차》.

lóck and kéy còncept 〖생화학〗 열쇠와 열쇠 구멍의 개념《특정 약제〔효소〕가 특정한 수용체와〔기질(基質)과〕 1 대 1 의 대응으로 결합하는 것》.

lóck-awày *n.* 《영》 장기 증권.

lóck·dòwn *n.* 《미》 (감방 안으로의) 엄중한 감금; 구류 상태; 구류 기간.

Locke [lɑk/lɔk] *n.* **John ~** 로크《영국의 철학자; 1632-1704》.

lócked-ín [lɑ́kt-] *a.* 고정된, 변경할 수 없는, 물러날 수 없는; (자본 이득이 나면 과세되므로) 투자금을 움직일 수 없는〔움직이지 않는〕.

lock·er** [lɑ́kər/lɔ́k-] *n.* **1** 로커, (자물쇠가 달린) 장. **2** 〖해사〗 (선원 각자의 옷·무기 따위를 넣는) 장, 함; 격납용 칸. **3** 자물쇠를 채우는 사람〔것〕, 세관의 창고지기. **4** 《미》 냉동식품 저장고(庫). ***go to 〔***be in***〕 ***Davy Jones's*** **~** 바다에서 익사하다. ***have not a shot in the*** **~** 빈털터리이다, 무일푼이다; 조금도 가망이 없다. ***laid in the*** **~*s*** 죽어서.

lócker pàper 냉동식품용의 부드러운 포장지.

lócker plànt 식품 급속 냉동 저장소.

lócker ròom (특히 체육관·클럽의) 라커룸《옷 따위를 넣음》.

lócker-ròom *a.* (경의실(更衣室)에서 주고받는) 추잡스러운《말·농담》.

lock·et [lɑ́kit/lɔ́k-] *n.* 로켓《사진·머리털·기념품 등을 넣어 목걸이 등에 다는 작은 금합(金盒)》; (칼집의) 벨트 멈추개.

lóck gàte 수문, 갑문(閘門).

Lock·heed [lɑ́khiːd/lɔ́k-] *n.* 록히드(사) (~ Corp.)《미국의 군수 회사로 1932 년 설립; 항공기·미사일·우주·전자 공학이 주력 분야》.

Lock·i·an [lɑ́kiən/lɔ́k-] *a.* John Locke의, 로크 철학의.

lóck-ìn *n.* **1** 변경 불능이 됨, 움직이지 않게 됨, 고정화; 속박, 제약, 꼼짝 못함. **2** (항의 집단 등이) 건물 등을 점거함, 점거. **3** 감금, 연금.

lóck·ing *n.* (브레이크댄스의) 로킹《매우 과장된 동작의 코미디 댄스》; 〖컴퓨터〗 잠금.

lóck·jàw *n.* [U] 〖의학〗 (파상풍(tetanus) 초기의) 개구(開口) 장애, 아관 강직(牙關強直)(trismus); 《널리》 파상풍.

lóck·kèeper *n.* 갑문지기(=**lóck-màster**).

lóck nùt 〖기계〗 로크너트《(1) 다른 너트에 겹치는 보조 너트. (2) 세게 죄면 스스로 작동하여 느슨해지는 것을 방지하는 구조의 너트》.

lóck-òn *n.* [U,C] (레이더 등에 의한) 자동 추적; 잠수함과 구조선 사이의 기밀(氣密) 수중 통로의 연결.

lóck·òut *n.* [U,C] 공장 폐쇄, 로크아웃; 〖일반적〗 내쫓음; (수중 시설의) 공기압으로 물의 침입을 막아 주는 개구부(開口部); 〖컴퓨터〗 잠금(deadlock).

lócks·man [-mən] (*pl.* **-men** [-mən, -mèn]) *n.* 갑문지기.

lóck·smìth *n.* 자물쇠 제조공〔장수〕. (파) **~·ing** *n.* 열쇠장이의 일.

lóck·stèp *n.* (죄수 따위의) 간격을 좁힌 일렬 행진, 밀집 행진법; 고정된〔융통성 없는〕 방식.

—*a.* 딱딱한, 융통성 없는.
lóck stìtch 재봉틀 박음질, 겹박음질.
lóck·ùp *n.* **1** 자물쇠를 잠금, 폐쇄; 문 닫는 시간; 구치(소); 《영》 (야간에 열쇠로 잠그는) 임대 점포〔차고, 창고〕. **2** 【인쇄】 조판의 고정, 죔(질한 조판); (자본의) 고정; 고정 자본(액); 《미속어》 확실(한 것); 【자동차】 로크업《설계 불량으로 인한 차륜의 갑작스러운 회전 정지》. —*a.* 《영》 자물쇠가 걸리는.
Lóck-Up CDs [-sí:dí:z] 《미》 고정 CD《매각하지 않는다는 암묵을 받은 CD(예금 증권)》.
lóck wàsher 【기계】 로크〔스프링〕 와셔; 【생물】 (전위로 단백질 분자에 생기는) 나선 구조.
lo·co[1] [lóukou] (*pl.* **~s, ~es**) *n.* **1** 【식물】 =LOCOWEED. **2** 【수의】 =LOCO DISEASE. **3** 《속어》 미친 사람. ***gone*** **~** 《미구어》 지랄, 미친 짓. —*a.* (가축이) 로코병에 걸린; 《속어》 미친(crazy). —*vt.* 로코초(草)로 중독시키다; 《속어》 머리를 돌게 하다. ㊞ **~ed** *a.* 《미속어》 머리가 돈, 미친.
lo·co[2] *n., a.* 《구어》 =LOCOMOTIVE.
lo·co *n.* 《L.》 【경제】 현장도(渡) 조건.
lo·co- [lóukou, -kə] '이동'의 뜻의 결합사.
lo·co ci·ta·to [lóukou-saitéitou, -sitá:tou] 《L.》 위의 인용문 중《생략: loc. cit. 또는 l.c.》.
lóco disèase 【수의】 로코병(locoism).
Lo·co·fo·co [lòukoufóukou] (*pl.* **~s**) *n.* 【미국사】 (1835년경의) 민주당 급진파(의 사람); 【일반적】 민주당원; (l-) (예전에 쓰인) 그으면 쉬이 점화하는 성냥〔여송연〕. ㊞ **~·ìsm** *n.*
lo·co·ism [lóukouìzəm] *n.* 【수의】 로코병(loco disease)《가축이 로코초(草)를 먹고 걸리는 신경병》.
lóco·man [-mən] *n.* 《영구어》 철도원, 《특히》 기관사.
lo·co·mo·bile [lòukəmóubəl, -bi:l/-bail] *n.* 자동 추진차〔기관〕. —*a.* 자동 추진식의; 이동할 수 있는: a ~ crane 이동 크레인.
lo·co·mote [lòukəmóut] *vi.* (특히 제힘으로) 움직여 다니다.
lo·co·mo·tion [lòukəmóuʃən] *n.* **1** 운동, 이동, 전위(轉位); 운동력, 이동력. **2** 여행, 교통 기관.
°**lo·co·mo·tive** [lòukəmóutiv/⌐⌐⌐] *n.* **1** 기관차(=⌐ **èngine**); 《고어》 =LOCOMOBILE. **2** (*pl.*) 《영속어》 다리(legs): Use your ~*s.* 걸어라. **3** 《미학생속어》 (천천히 약하게 시작하여 점차 빠르고 세어지는) 기관차식 응원법. —*a.* **1** 이동〔운동〕하는; 자동 추진식의; 운전의; 운동〔이동〕성의: a ~ tender 탄수차(炭水車) / ~ faculty 〔power〕 이동력 / ~ organs 이동 기관(器官)《다리 등》. **2** 《우스개》 여행의, 여행을 좋아하는: a ~ person. **3** 경기를 자극할 만한, 경제 성장을 촉진하는. ㊞ **~·ly** *ad.* **~·ness** *n.*
locomótive engineèr 《미》 =ENGINE DRIVER.
lo·co·mo·tor [lòukəmóutər] *n.* 운동〔운전〕력이 있는 자〔것〕; 이동 발동기; 이동물(移動物), 기관차. —*a.* =LOCOMOTORY.
locomótor atáxia 【의학】 보행성 운동 실조(失調)(증).
lo·co·mo·to·ry [lòukəmóutəri] *a.* 운동〔이동〕하는〔에 관한〕; (몸의) 운동 기관(器官)의.
lo·co·weed [lóukouwì:d] *n.* 【식물】 로코초(草)(crazyweed)《미국 남서부 평원에 많은 콩과의 식물; 가축에 유독(有毒)함》; 《미속어》 대마(大麻), 마리화나.
loc·u·lar [lákjələr / lɔ́k-] *a.* 【생물】 소포(小胞)의, 소방(小房)의.
loc·ule [lákju:l / lɔ́k-] *n.* 【생물】 =LOCULUS.
loc·u·lus [lákjələs/lɔ́k-] (*pl.* **-li** [-lài]) *n.* 《L.》 **1** 【동물·해부·식물】 실(室), 포실(胞室). **2** 고분(古墳) 안의 현실(玄室).
lo·cum [lóukəm] *n.* 《구어》 =LOCUM TENENS.
lócum-ténency [-tínənsi, -tén-] *n.* 《L.》 대리로서의 직무, 대리 자격.
lócum té·nens [-tí:nenz, -téninz] (*pl.* ***lócum te·nén·tes*** [-tənénti:z]) 《L.》 임시 대리인, 《특히》 대리 목사; 대진(代診).
lo·cus [lóukəs] (*pl.* ***lo·ci*** [lóusai, -ki:, -kai/lóusai], ***-ca*** [-kə]) *n.* 《L.》 【법률】 현장, 장소, 위치, 소재지; 중심(지); 【수학】 자취; 【유전】 (염색체 중에서 어느 유전자가 접하는) 자리.
locus ci·ta·tus [⌐sitéitəs] 《L.》 인용구(句).
locus clas·si·cus [⌐klǽsikəs] (*pl.* ***lo·ci clas·si·ci*** [lóusai-klǽsisài]) 《L.》 표준구(句), 전거가 있는 구.
locus in quo [⌐in-kwóu] 《L.》 (사건) 현장.
locus stan·di [⌐stǽndi, -dai] (*pl.* ***lo·ci standi*** [lóusai-]) 《L.》 인정된 입장; 【법률】 제소권(提訴權), 고소권.
lo·cust [lóukəst] *n.* **1** 【곤충】 메뚜기, 누리; 《미》 매미. **2** 【식물】 **a** =LOCUST BEAN. **b** 쥐엄나무 비슷한 상록 교목(=⌐ **trèe**)《콩과》. **c** 아카시아의 일종, 그 목재. **3** 탐욕한 사람; 파괴적인 인물.
lócust bèan 【식물】 carob의 꼬투리.
lócust yèars (메뚜기의 해를 입은 것 같은) 불황과 고난의 시대.
lo·cu·tion [loukjú:ʃən] *n.* Ⓤ 말투, 말씨; 어법, 표현; Ⓒ 어구, 관용어법(idiom).
lo·cu·tion·ary [loukjú:ʃənèri/-əri] *a.* 【언어】 발어(發語)의《발화(發話)의 물리적 행위에 관한 것을 이름》.
locútionary áct 【언어】 발화(發話) 행위.
loc·u·to·ry [lákjətɔ̀:ri/lɔ́kjətəri] *n.* (수도원 등의) 담화실; (수도원의) 면회용 격자창.
lode [loud] *n.* 광맥; 풍부한 원천(源泉); =LODESTONE; 《영방언》 길, 수로(水路), 수도(watercourse).
lo·den [lóudn] *n.* Ⓤ 두꺼운 방수포(防水布); 암녹색.
lóde·stàr *n.* 길잡이가 되는 별; (the ~) 북극성; 지도 원리, 지침; 희망의 목표. ★ loadstar로도 씀.
lodestone ⇨ LOADSTONE.
***lodge** [lɑdʒ/lɔdʒ] *n.* **1** (일시적인 숙박을 위한) 오두막집, 사냥막, 로지, 산막; (저택·학교·공장 따위의) 문지기집, 수위실; (북아메리카 원주민의) 천막집, 그 안에 사는 일가〔일족〕. **2** 지부(支部) 또는 집회소《비밀 결사 따위의》; 【집합적】 지부 회원들; 《영》 (노동조합의) 지부. **3** 《영》 Cambridge 대학의 학부장 저택〔관사〕; (the L-) (Canberra에 있는) 오스트레일리아의 수상(首相) 관저. **4** 해리(海狸)〔수달〕의 굴; 【광산】 선광장. **5** (관광지의) 여관; (캠프 등의) 중심 시설.
—*vi.* **1** 《+전+명》 숙박〔투숙〕하다, 묵다; 하숙하다《*at; with*》: ~ *at* a person's 〔*with* a person's family〕 아무 집에 하숙하다. **2** 《+전+명》 (화살·창 등이) 꽂히다; 박히다, (탄알 등이) 들어가다: The bullet has ~*d in* his left leg. 탄알이 그의 왼쪽 다리에 박혔다. **3** (농작물이 바람에) 쓰러지다. **4** (사냥감이) 굴로 도망쳐 들어가다. —*vt.* **1** 숙박〔투숙〕시키다, 묵게 하다; 하숙시키다. **2** 【well, ill 따위와 함께 과거분사꼴로】 (숙박·하숙 따위) 설비가 좋다〔나쁘다(따위)〕: The hotel is *well* ~*d.* 그 호텔은 설비가 좋다. **3** 수용하다, …의 그릇이〔용기가〕 되다, …을 넣다; 【수동형】 (…에) 들어 있다《*in*》. **4** 숨기다, 보호하다. **5** 《~+목/+목+전+명》 (탄알 등을) 쏘아 박다; (화살 등을) 꽂다; 타격하다: ~ a bullet *in* a person's heart 아무의 가슴에 탄알을 쏘아 박다. **6** 《~+목/+목+전+명》 (돈 따위를) 맡기다; (보관·안전을 위하여) 의탁(依託)하다, (권능 따위를) 맡기다《*in; with*》: ~ money *in* a bank 〔*with* a person〕 돈을 은행에〔아무에게〕 맡기다 / ~ power *in* 〔*with*, *in*

the hands of〕 a person 아무에게〔의 손에〕 권한을 맡기다. **7** 《~+목/+목+전+명》 (정보·반론·고충 따위를) …에 제기〔제출〕하다, 신고하다《*before; with; against*》: ~ a complaint *against* a person *with* 〔*before*〕 the police 아무의 일로 경찰에 신고하다. **8** (사냥감을 굴로) 몰아넣다. **9** (비바람 따위가 농작물을) 쓰러뜨리다. ~ ***out*** 〖철도〗 승무원이 도착역의 숙사에서 묵다.

lodgement ⇨ LODGMENT.

lodg·er [ládʒər/lɔ́dʒər] *n.* 숙박인, 하숙인, 동거인, 세들어 있는 사람. ***take in ~s*** 하숙인을 두다〔치다〕.

***lodg·ing** [ládʒiŋ/lɔ́dʒ-] *n.* **1** 하숙, 셋방 듦; 숙박, 투숙: board and ~ 식사 제공의 하숙/dry ~ 잠만 자는 하숙. **2** 숙박소, (임시의) 주소; (*pl.*) 셋방, 하숙방; (흔히 *pl.*) Oxford 대학 학부장 저택: live in ~*s* 하숙하고 있다/take (up) 〔make〕 one's ~*s* 숙소를 정하다, 하숙하다. **3** 숙박(의 편의): ask for a night's ~ 하룻밤 드새기를 부탁하다.

> NOTE '하숙방·셋방'인 경우에는 방 하나라도 보통 복수형이 쓰임. 단, 하숙의 설비·숙박의 행위 따위는 복수로 안 함.

lódging hòuse 하숙집: a common ~ (식사 없는) 숙박만의 하숙집.

> SYN. **lodging house** 통상 주(週) 얼마씩으로 방을 빌려 주는 곳. 미국에서는 별로 쓰이지 않음. **boarding house** 방을 빌려 줄 뿐만 아니라 식사도 제공하는 곳.

lódging-ròom *n.* 침실.

lódging tùrn 〖철도〗 (승무원이 도착역에서 일박하는) 외박 근무.

lodg·ment, 《영》 **lodge-** [ládʒmənt/lɔ́dʒ-] *n.* **1** 숙박; 숙소, 하숙. **2** 〖군사〗 점령, 점령 후의 응급 방어 공사; 거점, 발판; 안정된 지위. **3** (토사 따위의) 퇴적, 침전. **4** (항의 따위의) 제기; 〖법률〗 (담보 따위의) 공탁; 예금. ***effect*** 〔***find, make***〕 ***a*** ~ 진지를 점령하다, 발판을 마련하다.

lo·ess [lóues, les, lʌs/lóuis] *n.* 〖지학〗 뢰스, 황토(黃土)《바람에 날려온 loam 질의 퇴적토》. ㊕ **~·i·al, ~·al** *a.*

L. of C. 〖군사〗 line of communication(병참선(線)).

lo-fi [lóufái] 《구어》 *a.* (녹음 재생이) 하이파이가 아닌; 충실도가 낮은. ─ *n.* 하이파이가 아닌 재생 장치, 그 소리. [◂ *low fi*delity]

LOFT [lɔːft, lɑft/lɔft] *n.* 〖천문〗 저주파 전파 망원경《0.5-1 MHz의 주파수대의 전파 관측을 함》. [◂ *low f*requency radio *t*elescope]

◇**loft** [lɔːft, lɑft/lɔft] *n.* **1** (물건을 두는) 고미다락, 더그매; (헛간·마구간의) 다락《건초 따위를 저장하는》; (교회·강당 따위의) 위층, 위층의 관람석(gallery); 《미》 (상관(商館)·창고 따위) 맨 위층. **2** 비둘기장; 비둘기 떼. **3** 〖골프〗 골프채 두부의 경사; (공을) 올려치기; 〖볼링〗 로프트《레인에 구르지 않고, 공중으로 던져져 파울라인을 넘어 레인에 강하게 떨어지는 투구》. **4** 〖미식축구〗 높게·멀리 던져져 체공 시간이 긴 패스.

─ *vt.* **1** 더그매에 저장하다. **2** (비둘기를) 기르다, 비둘기장에 넣다. **3** 〖골프〗 (공을) 높이 쳐올리다, (골프채에) 경사를 만들다; (장애를) 공을 높이 쳐서 넘기다; 〖볼링〗 파울 라인을 넘어서 레인에 떨어지게 던지다. **4** (위성 등을) 쏘아올리다. ─ *vi.* **1** 〖골프〗 공을 높이 쳐올리다, (장애를) 공을 높이 쳐서 넘다. **2** (공같이) 높이 날다.

lóft àrtist 창고 위층을 아틀리에로 쓰고 있는 예술가〔화가〕.

lóft convèrsion 다락방의 거주용 개조.

lóft bómbing 〖항공〗 로프트 폭격법《저공으로 목표에 접근하여 급상승하면서 폭탄을 투하함으로써 비행기의 안전을 꾀함》.

lóft·er *n.* 〖골프〗 로프터(=**lófting ìron**)《쳐올리는 데 쓰는 머리가 쇠로 된 골프채》.

lóft jàzz 창고·다락방에서 연주되는 참신하고 반(反)상업적인 재즈.

lofty** [lɔ́ːfti, lɑ́fti/lɔ́fti] (loft·i·er; -i·est***) *a.* **1** 높은, 치솟은: a ~ peak 고봉(高峰). SYN. ⇨ HIGH. **2** 지위가 높은, 고위의. **3** 고상한, 고결한. **4** 거만한, 거드름 부리는: ~ contempt 〔disdain〕 고고(孤高)〔오만〕한 태도. **5** 〖해사〗 (범선이) 특히 높은 돛대를 가진. ㊕ **lóft·i·ly** *ad.* 높게; 고상하게; 거만하게. **-i·ness** [-inis] *n.*

log[1] [lɔːg, lɑg/lɔg] *n.* **1** 통나무, (제재용의) 원목; 땔나무: in the ~ 통나무 그대로/(as) easy as rolling off a ~ (통나무를 굴리듯이) 아주 쉬운. **2** 《비유》 멍텅구리, 바보. **3** 〖해사〗 측정기(測程器)《항해의 속도·거리를 재는》: heave 〔throw〕 the ~ 측정기로 배의 속력을 재다. **4** 항해〔항공〕 일지; (트럭의) 운행〔업무〕 일지; 여행일기. **5** (라디오·TV의) 방송 프로그램 진행 기록. **6** 〖영화〗 (숏 마다의) 촬영 기록〔일지〕; 〖기계〗 운전 기록; (유정 굴착의) 파 가며 기록하는 지질 구조에 관한 기록; (일반 활동의) 기록; 〖컴퓨터〗 경과 기록《컴퓨터 시스템 사용이나 데이터 변경 등의》; 〖통신〗 교신 기록장. **7** 《Austral.》 (노동조합의) 개선 요구. **8** (~s) 《Austral.속어》 **a** (변변찮게 지은) 감옥. **b** 바보. ***like a*** ~ 어쩔 수 없이, 기절하여, 멍하게. ***roll ~s for*** (동료)를 위해 애쓰다, (동료끼리) 서로 칭찬하다.

─ (*-gg-*) *vt.* **1** 통나무로 자르다; 나무를 베어 넘기다; (토지에서) 목재를 벌채하다. **2** (배·비행기로 예정 속도를) 내다, (어느 시간·거리)의 항해를〔비행을〕 (기록)하다《*up*》; (거리·속도 등)의 기록을 달성하다. ─ *vi.* 나무를 베어 통나무를 만들다; 목재를 벌채하다. ~ ***in*** 〔***on***〕 〖컴퓨터〗 로그 인〔온〕하다《소정의 절차를 밟아 컴퓨터의 사용을 개시하다》. ~ ***off*** 〔***out***〕 〖컴퓨터〗 로그 오프〔아웃〕하다《소정의 절차를 밟아 컴퓨터의 사용을 끝내다》.

log[2] *n.* =LOGARITHM.

log- [lɔːg, lɑg/lɔg], **lo·go-** [lɔ́ːgou, -gə] '말, 사고(思考)'의 뜻의 결합사《모음 앞에서는 log-》.

-log ⇨ -LOGUE.

log. logic; logistic.

lo·gan·ber·ry [lóugənbèri/-bəri] *n.* 로건베리(의 열매)《raspberry 와 blackberry 와의 잡종》.

lógan stòne ⇨ LOGGAN STONE.

log·a·rithm [lɔ́ːgərìðəm, -rìθm, lɑ́g-/lɔ́g-] *n.* 〖수학〗 로가리듬, 로그, 대수(對數): common 〔natural〕 ~*s* 상용〔자연〕 로그〔대수〕. ***the table of ~s*** 로그표, 대수표.

log·a·rith·mic, -mi·cal [lɔ̀ːgəríðmik, -ríθ-, lɑ̀g-/lɔ̀g-], [-əl] *a.* 대수(對數)의. ㊕ **-mi·cal·ly** *ad.*

logaríthmic fúnction 〖수학〗 로그 함수.

logaríthmic scále 로그자; 로그 눈금.

lóg·bòok *n.* 항해〔항공〕 일지; (비행기의) 항정표; 업무 일지(log); 《영》 =REGISTRATION BOOK.

lóg càbin 통나무집.

lóg chìp 〖해사〗 측정판(測程板).

loge [louʒ] *n.* 《F.》 (극장의) 우대석, 특별 관람석.

lóg·gan 〔**lóg·an**〕 **stòne** [lɑ́gən-/lɔ́g-] 흔들바위(rocking stone).

logged [lɔ(ː)gd, lɑgd] *a.* **1** 움직임이 둔해진. **2** (재목·배 따위가) 물에 젖어 무거워진(waterlogged); (땅이) 질퍽질퍽한.

log·ger [lɔ́ːgər, lɑ́g-/lɔ́g-] *n.* 벌목꾼; 통나무 적재기(機); 통나무 운반 트랙터; (온도·압력 등의) 자기(自記) 계측기(器); 〖컴퓨터〗 log 하는

장치.

lógger·hèad *n.* **1** (포경선의) 작살 밧줄을 감는 둥근 기둥. **2** 〖공학〗 끝이 둥근 철봉《달구어서 tar 따위를 녹이는 데 씀》. **3** 〖동물〗 붉은거북 (= ∠ **tùrtle**)《대서양산》; 〖조류〗 때까치의 일종 《북아메리카산(產)》. **4** 《고어·방언》 얼간이, 바보. ***at ~s*** (…의 일로) 논쟁하여, 다투어, 싸워 《*with; over; on*》. ***fall*** 〔***get, go***〕 ***to ~*** 서로 때리기 시작하다. ***join*** 〔***lay***〕 ***~s together*** 이마를 모으고 협의하다.

log·gia [lάdʒə, lóudʒiə/lɔ́dʒ-] (*pl.* ***~s, -gie*** [-dʒe]) *n.* 《It.》 〖건축〗 로지아《한쪽에 벽이 없는 복도 모양의 방》.

loggia

log·ging [lɔ́:giŋ, lάg-/lɔ́g-] *n.* Ⓤ 벌목(량); 벌채 반출(업); 〖컴퓨터〗 log하기.

lóg hòuse = LOG CABIN.

log·ia [lóugiə, lάgiə/lɔ́g-] LOGION의 복수.

⁑log·ic [lάdʒik/lɔ́dʒ-] *n.* Ⓤ **1** 논리, 논법. **2** 조리, 올바른 논리, 도리: That's not ~. 조리에 닿지 않는다. **3** 논리학 (서적): deductive 〔inductive〕 ~ 연역〔귀납〕 논리학 / symbolic ~ 기호 논리학. **4** 이치로 따지기, 설득력; 딴소리 못 하게 하는 힘, 강제; 당연한 결과: the irresistible ~ of facts 사실이 지니는 불가항력. **5** 〖컴퓨터〗 논리《계산용 회로 접속 따위의 기본 원칙, 회로 소자의 배열》; = LOGIC CIRCUIT.

***log·i·cal** [lάdʒikəl/lɔ́dʒ-] *a.* 논리적인; (논리상) 필연의; 논리(학)상의; 분석적인; 〖컴퓨터〗 논리(적); 《해커속어》 동일하게 본, 편의적인: a ~ person 논리적인 사람 / have a ~ sense 논리적으로 생각할 수가 있다 / the ~ result 필연적 결과 / ~ actuality 논리적 현실〔실재〕. ㊞ **~·ly** *ad.* 논리상, 논리적으로. **~·ness** *n.*

-log·ic [lάdʒik/lɔ́dʒ-], **-log·i·cal** [lάdʒikəl/lɔ́dʒ-] -logy로 끝나는 말의 형용사를 만드는 결합사: philo*logical*.

lógical átomism 〖철학〗 논리적 원자론《모든 명제는 독립된 단일 요소로 분석할 수 있다는》.

lógical dríve 〖컴퓨터〗 논리 드라이브《하드 디스크 따위를 몇 개의 독립된 드라이브로 사용하는 경우의 각 드라이브》.

log·i·cal·i·ty [lὰdʒikǽləti/lɔ̀dʒ-] *n.* Ⓤ 논리에 부합됨, 논법〔추리〕의 정확함.

lógical necéssity 논리적 필연성.

lógical operátion 〖컴퓨터〗 논리 연산.

lógical pósitivism 〔**empíricism**〕 〖철학〗 논리적 실증주의.

lógic ànalyzer 〖전자〗 조직 애널라이저《논리 IC, 마이크로프로세서 따위의 논리 회로가 바로 동작하고 있는가를 조사하는 시험 장치》.

lógic arrày 〖컴퓨터·전자〗 논리 배열《고객의 특별 요구 사항에 쉽게 대응하기 위하여, 대량 생산된 칩 위에 전자 회로를 구성한 것》.

lógic bòmb 〖컴퓨터〗 논리 폭탄(logic time bomb)《일정한 조건이 충족되었을 때에 실행되도록 몰래 장치한, 보통 컴퓨터 시스템에 파괴적인 결과를 초래케 하는 명령군》.

lógic chópping 이핑계저핑계 대기.

lógic cìrcuit 〖컴퓨터〗 논리 회로.

lógic gàte 〖전자〗 논리 게이트.

lo·gi·cian [loudʒíʃən] *n.* 논리학자, 논법가.

lógic lèvel 〖전자〗 논리 레벨《전자 논리 회로에서 0 또는 1 을 나타내는 전압의 레벨》.

lógic prògramming 〖컴퓨터〗 논리 프로그래밍.

lógic tíme bòmb = LOGIC BOMB.

lo·gie [lóugi] *n.* 가짜 보석《연극에 씀》.

lóg-in *n.* 〖컴퓨터〗 로그인(log-on) 《log in 하기》.

lo·gi·on [lóugiὰn, lάgiὰn/lɔ́giɔ̀n] (*pl.* ***log·ia*** [-iə], ***~s***) *n.* (복음서에 실려 있지 않은) 예수의 말; (종교가·성인 등의) 어록, 금언.

-lo·gist [∸lədʒist] *suf.* -logy(…학(學))에서 '…학자, …연구자'의 뜻의 명사를 만듦: geo*logist*, philo*logist*.

lo·gis·tic¹, -ti·cal [loudʒístik, lə-], [-tikəl] *a.* 병참학〔술〕의: a ~ command 병참 사령부.

lo·gis·tic² *n.* Ⓤ 기호 논리학.

logístic cúrve 〖수학〗 로지스틱 곡선《인구 증가 따위의 수학적 모델로 씀》.

lo·gís·tics *n. pl.* 〔단·복수취급〕 **1** 〖군사〗 병참술〔학〕; 병참 (업무). **2** (업무의) 상세한 계획〔조정, 실시〕. **3** (어떤 조직에서의) 원료에서 완성품까지의 재료의 종합 관리. **4** 기호 논리학; 계산법. ㊞ **-ti·cian** *n.*

lóg·jàm *n.* 《미》 강으로 떠내려가서 한곳에 몰린 통나무; 정체(停滯), 막힘, 봉쇄.

lóg lìne 〖해사〗 측정(測程)줄, 로그라인.

lóg·nórmal *a.* 〖수학〗 로그 정규(正規)의《변수인 대수가 정규 분포하는》. ㊞ **~·ly** *ad.* **lòg·nor·málity** *n.*

LOGO, Logo [lóugou] *n.* 〖컴퓨터〗 로고 《turtle을 사용하는 graphics나 재귀(再歸) 명령의 사용 등을 특징으로 하는 프로그래밍 언어; 주로 교육·인공 지능 연구용》.

lo·go *n.* **1** (상표명·회사명(名)의) 의장(意匠) 문자, 로고(logotype). **2** = LOGOTYPE 1.

logo- ⇨ LOG-.

lo·go·cen·trism [lòugəséntrizəm] *n.* 로고스 중심주의《문자 언어를 경시하고 음성 언어를 중시하는 태도》.

lóg-òff *n.* 〖컴퓨터〗 로그오프(log-out).

log·o·gram [lɔ́:gəgrӕm, lάg-/lɔ́g-] *n.* 어표(語標)《dollar를 $로 나타내는 따위》; 약호 《shilling을 s.로 나타내는 따위》; 일종의 글자 수수께끼.

log·o·gram·mat·ic [lɔ̀:gəgrəmǽtik, lὰg-/lɔ̀g-] *a.* logogram의〔을 사용한〕.

log·o·graph [lɔ́:gəgrӕf, -grὰ:f, lάgə-/lɔ́g-] *n.* = LOGOGRAM; 〖인쇄〗 LOGOTYPE.

lo·gog·ra·pher [lougάgrəfər/lɔgɔ́g-] *n.* (Herodotus 이전의 고대 그리스의) 산문 사가(史家); (직업적) 연설 기초자.

lógo lìne = TAG LINE.

lo·gom·a·chy [lougάməki/lɔgɔ́m-] *n.* 언쟁, 말다툼, 설전; 글자맞추기 놀이.

log·o·ma·nia [lɔ̀:gəméiniə, lὰg-/lɔ̀g-] *n.* = LOGORRHEA.

lóg-òn *n.* 〖컴퓨터〗 로그온(log-in).

log·o·phile [lɔ́:gəfàil, lάg-/lɔ́g-] *n.* 언어〔어휘〕 애호가.

lògo·phóbia *n.* Ⓤ 언어 공포〔불신〕.

log·or·rhea [lɔ̀:gəríːə, lὰg-/lɔ̀g-] *n.* 〖의학〗 병적 다변증, 어루증(語漏症).

lo·gos [lóugas, -gous, lάgas/lɔ́gɔs] (*pl.* ***lo·goi*** [-gɔi]) *n.* (종종 L-) 〖철학〗 로고스, (우주의) 이법(理法), 이성; (L-) 〖신학〗 삼위일체의 제 2 위, 예수; 하느님의 말씀(the Word).

lògo scréen 〖컴퓨터〗 로고 화면《컴퓨터의 운영 체제나 응용 프로그램 등의 프로그램을 처음 실행하면 나오는 화면》.

lògo·thérapy *n.* 〖정신의학〗 언어 치료《실존 분석적 정신 요법》.

lógo·tỳpe *n.* **1** 〖인쇄〗 연자 활자《the, and 따위 한 단어 또는 한 음절을 하나의 활자로 주조한 것》. ⓒⓕ ligature. **2** = LOGO 1. ㊞ **-tỳpy** *n.*

lóg-òut *n.* 〖컴퓨터〗 로그아웃(log-off)《log out 하기》.

lóg·ròll 《미》 *vt., vi.* (의안을) 협력하여 통과시키다; 서로 칭찬하다; 서로 돕다; 통나무 굴리기에 가담하다. [파] **~·er** *n.* 협력하여 의안을 통과시키는 의원. **~·ing** *n.* [U] (협력해서 하는) 통나무 굴리기; (정치적인) 결탁; 서로 칭찬하기; 〖일반적〗 협력.

-logue, -log [lɔ̀ːg, lὰg/lɔ̀g] '담화'의 뜻의 결합사: mono*logue*.

lóg·wòod *n.* 〖식물〗 로그우드《서인도 제도산 콩과의 작은 교목》; 그 심재(心材)《염료의 원료》.

lo·gy [lóugi] (*-gi·er; -gi·est*) 《미》 *a.* 굼뜬, 동작이 느린; 머리가 둔한; 탄력 없는.

-lo·gy [ˊlədʒi] **1** '…학, …론(論)' 따위의 뜻의 명사를 만드는 결합사: ethno*logy*. **2** '말, 담화'의 뜻의 명사를 만드는 결합사: eu*logy*.

loid [lɔid] 《속어》 *n., vt.* 셀룰로이드 조각(으로 자물쇠를 열다).

◇**loin** [lɔin] *n.* **1** (*pl.*) 허리, 요부(腰部): a fruit 〔child〕 of one's *~s* 자기 자식 / come 〔spring, be sprung〕 from a person's *~s* 아무의 자식으로 태어나다. **2** [U] (소 따위의) 허리고기. ***gird*** (***up***) ***one's ~s*** (특히 싸움에 대비하여) 마음을 단단히 다잡다; (마음을 다잡고) 기다리다; 시련에 대처할 각오를 하다. 「한 옷.

lóin·clòth *n.* (미개인 등의) 허리에 두르는 간단

Loire [*Fr.* lwaːʀ] *n.* (the ~) 루아르 강《프랑스 최대의 강》.

Lo·is [lóuis] *n.* 로이스《여자 이름》.

***loi·ter** [lɔ́itər] *vi.* **1** (도중에) 빈둥거리다, 지체하다, 늑장 부리다: ~ on one's way 도중에서 지정거리다. **2** 《+[부]/+[전]+[명]》 어슬렁어슬렁 걷다, 느릿느릿 움직이다, 쉬엄쉬엄 가다《*about; along*》: ~ *along* 건들건들 가다 / They were *~ing around* the park. **3** 《+[전]+[명]》 편둥거리며 보내다, 빈들빈들 지내다(loaf); 늑장 부리며 일하다: Don't ~ *on* the job. 일을 늑장 부리며 하지 마라. **4** 〖항공〗 체공 시간을 최대로 하는 비행 방식을 취하다. **—** *vt.* 《(+[목]+[부])》 (시간을) 빈둥거리며 보내다《*away*》: ~ *away* the afternoon. [파] **~·er** *n.* **~·ing·ly** *ad.* 어슬렁어슬렁, 늑장 부리며. 「의 신》.

Lo·ki [lóuki] *n.* 〖북유럽신화〗 로키《파괴·재난

Lok Sa·bha [lóːksʌbhaː] (인도 국회의) 하원 (the House of the People).

LOL laughing out loud; lots of love《이메일·문자 메시지에서》.

Lo·la, Lo·le·ta [lóulə], [louliːtə] *n.* 롤라, 롤리타《여자 이름; Charlotte, Dolores 의 애칭》.

Lo·li·ta [louliːtə] *n.* 성적으로 조숙한 소녀《Vladimir Navokov 의 소설 *Lolita* 의 주인공 Lolita 에서》.

loll [lal/lɔl] *vi.* 《+[전]+[명]/+[부]》 축 늘어져 기대다; (혀가) 축 늘어지다《*out*》; 야무지지 못하게 행동하다〔움직이다〕, 빈둥거리다《*about*》: She was *~ing in* a chair, with her arms hanging over the sides. 그녀는 두 팔을 옆으로 드리운 채 의자에 축 늘어져 있었다 / The dog's tongue was *~ing out*. 개의 혀가 축 늘어져 있었다. **—** *vt.* 《+[목]+[부]》 (혀 따위를) 축 늘어뜨리다《*out*》: The dog *~ed* its tongue *out*.

lollapalooza, -sa ⇨ LA(L)LAPALOOZA.

Lol·lard [lálərd/lɔ́l-] *n.* 〖영국종교사〗 14-15 세기의 John Wycliffe 파의 교도. [파] **~·ism, ~·ry, ~y** [-ìzəm], [-ri], [-i] *n.* 위클리프주의.

lol·ling·ly [láliŋli/lɔ́l-] *ad.* 축 늘어져; 빈둥거려, 느긋하게.

lol·li·pop, -ly- [lálipὰp/lɔ́lipɔ̀p] *n.* 롤리팝《막대기 끝에 붙인 사탕(sweetmeat)》; 《영》 아동(兒童) 교통 정리원이 갖는 교통 지시판.

lóllipop màn 《영구어》 아동 교통 정리원.

lóllipop wòman 《영구어》 주부 교통 정리원.

lol·lop [láləp/lɔ́l-] *vi.* 《구어》 터벅터벅〔비실비실〕 걷다(slouch)《*along*》. **—** 《미속어》 *n.* 강타; (스푼에 담는 음식의) 수북함. 「통칭》.

Lol·ly [láli/lɔ́li] *n.* 롤리《여자 이름; Laura의

lol·ly *n.* **1** 《영구어》 =LOLLIPOP. **2** 《Austral.》 단과자, 엿. **3** 한턱냄; 촌지(寸志); 《영속어》 [U] 돈. ***do the*** 〔***one's***〕 **~** 《Austral.구어》 짜증 내다.

lol·ly·gag [láligæg/lɔ́l-] *vi., n.* =LALLYGAG.

lollypop ⇨ LOLLIPOP.

lólly wàter 《Austral.구어》 (착색) 청량음료.

Lo-Lo [lóulóu] *n.* 수직형 하역 방식《크레인·데릭(derrick)을 사용하는 컨테이너선의 하역 방식》. [◂ lift on, lift off]

Lom·bard [lámbaːrd, -bərd, lʌ́m-/lɔ́m-] *n.* 롬바르드족(族)《6 세기에 이탈리아를 정복한 게르만 민족 중의 일족》; Lombardy 사람; 금융업자, 은행가, 돈놀이하는 사람([cf] Lombard Street). **—** *a.* 롬바르드족의, Lombardy(사람)의.

Lom·bar·dic [lambáːrdik, lʌm-/lɔm-] *a.* =LOMBARD; 〖미술·건축〗 Lombardy 식의.

Lómbard Strèet 롬바드가(街)《은행이 많기로 유명한 런던의 거리》; 영국의 금융계; 〖일반적〗 금융계〔시장〕. [cf] Wall Street. ***(It's all) ~ to a China orange.*** 십중팔구 틀림없음, 확실함.

Lom·bardy [lámbərdi, lʌ́m-/lɔ́m-] *n.* 롬바르디아《이탈리아 북부의 주》.

Lómbardy póplar 〖식물〗 양버들.

Lo·mé [louméi] *n.* 로메《아프리카 서부 Togo 공화국의 수도》.

Lomé Convention [ˊ-ˊ] 로메 협정《1975 년 Lomé 에서 체결된 EEC 와 ACP 제국 간의 경제 발전 원조 협정》.

Lo·mond [lóumənd] *n.* (Loch ~) 로몬드 호《스코틀랜드 서부의 호수》.

Lo·mo·til [loumóutl] *n.* 로모틸《설사약의 하나; 특히 여행자용; 상표명》.

lon. longitude. **Lond.** London; Londonderry.

Londin: , London: *Londiniensis* 《L.》 (=of London)《Bishop of London 의 서명에 씀》. [cf] Cantuar.

‡**Lon·don** [lʌ́ndən] *n.* 런던《영국의 수도(首都)》. ***Greater ~,*** the City of ~, the County of ~, Middlesex 및 Essex, Kent, Surrey, Hertfordshire 따위 각 주(州)의 일부를 포함한 지역. ***the City of ~,*** the County of ~ 중앙부의 구시가지《상업의 중심지, 흔히 the City라 불림》. ***the County of ~,*** the City of ~ 및 28 개 자치구(metropolitan boroughs)로 된 행정구. [파] **~·er** *n.* 런던 사람.

Lóndon Áirport 런던 공항《Heathrow Airport 의 통칭》.

Lóndon Brídge Thames강 북쪽의 the City of London과 남쪽의 Southwark를 잇는 다리.

Lóndon bróil 〖요리〗 런던 브로일《소의 옆구리 살을 구운 스테이크; 비스듬히 얇게 썰어 내놓음》.

Lóndon Cóunty Cóuncil (the ~) 런던 시의회《1965 년 이후는 Greater London Council; 생략: L.C.C.》.

Lon·don·der·ry [lʌ́ndəndèri/ˊ-ˊ-ˊ-] *n.* 북아일랜드의 주; 그 주도.

Lón·don·ìsm *n.* [U] 런던식 말투〔습관, 사투리〕.

Lóndon ívy (the ~) (이전의) 런던의 농무(濃霧)〔매연〕.

Lón·don·ìze *vt.* 런던식〔풍〕으로 하다.

Lóndon partícular (the ~) (이전의) 런던 특유의 안개.

Lóndon príde 〖식물〗 바위취《범의귓과》.

lóndon smóke (종종 L-) 우중충한 잿빛.

°**lone** [loun] *a.* 《문어》〖한정형용사〗 **1** 혼자의, 외톨의, 짝이 없는, 외로운; 고독을 좋아하는: a ~ traveler 외로운 나그네 / a ~ flight 단독 비행. SYN. ⇨ALONE. **2** 고립돼 있는, 사람이 살지 않는, 인적이 드문, 외진, 외딴: a ~ pine 외소나무 / a ~ house 외딴집. **3** 호젓한, 쓸쓸한. **4** 배우자가 없는, 독신의, 과부의. ★ lonely 보다도 한층 시적인 말. **—** *n.* 〖다음 관용구로〗 (*on* 〔*by*〕) one*'s* ~ 혼자(서)만, 단독(單獨)(으로). ㊞ ∠·ness *n.*

lóne hánd 〖카드놀이〗 자기편의 도움 없이 이길 수 있는 유리한 패(를 가진 사람); 단독 행동(을 하는 사람): play a ~ 혼자 힘으로 일하다.

***lone·ly** [lóunli] (*-li·er; -li·est*) *a.* **1** 외로운, 고독한, 외톨의, 짝이 없는. SYN. ⇨ALONE. **2** 인가에서 멀리 떨어진, 외진, 호젓한, 사람 왕래가 적은: a ~ road 인적이 없는 길. **3** (사람 또는 상황이) 쓸쓸한: feel ~ 쓸쓸함을 느끼다 / a ~ life 외로운 생활. ㊞ **lóne·li·hood,** °**-li·ness** *n.* 쓸쓸함, 적막; 외로움, 고립.

lónely héarts 친구〔배우자〕를 구하는 고독한 (중년의) 사람들(의).

lónely páy 《미속어》 (자동화에 따른 노동 시간 감소로 인한) 수입 감소를 메우기 위한 임금 인상.

lon·er [lóunər] *n.* 《구어》 혼자 있는〔있고 싶어 하는〕 사람〔동물〕; 단독 행동하는〔자립적인〕 사람.

***lone·some** [lóunsəm] *a.* 《문어》 **1** 쓸쓸한, 인적이 드문; 외로운, 고독한. **2** 쓸쓸한 기분을 주는: a ~ road 쓸쓸한 길. ★ lonely 보다 뜻이 강함. SYN. ⇨ALONE. **—** *n.* 혼자《다음 어구에서》: ⇨HIGH LONESOME. *on* 〔*by*〕 *one's* ~ 《구어》 혼자서. ㊞ **~·ly** *ad.* **~·ness** *n.* 「별칭.

Lóne Stár Stàte (the ~) 미국 Texas 주의

lóne wólf 독불장군; 고립주의자; (파티에서) 상대가 없는 외톨이; 독신자; 단독범; 프리랜서의 기자; 독립 사업가; 단독 행동을 좋아하는 사람.

†**long**[1] [lɔːŋ, lɑŋ/lɔŋ] (*~·er* [lɔ́ːŋgər, lɑ́ŋ-/lɔ́ŋg-]; *~·est* [-ŋgist]) *a.* **1** (공간적으로) 긴, 길이가 긴; 〖크리켓〗 투수〔타자〕로부터 먼. OPP. *short.* ¶ a ~ distance 장거리 / a ~ hit 〖야구〗 장타 / take the ~ way home 먼 쪽의 길을 걸어〔택하여〕 집에 돌아오다. ◇length *n.* **2** 길이가 …인, …길이의: be five feet ~ 길이 5피트다 / How ~ is it? 길이가 얼마나 되나. **3** (너비·가로 따위에 대하여) 길이〔세로〕의; (길이가) 긴 쪽의; (모양이) 길쭉한, 가늘고 긴; 《구어》〖이름 앞에 붙여서〗 키 큰, 키다리인: *Long* Smith 키다리 스미스. **4** (시간적으로) 긴, 오랜, 오래 계속되는; (시간·행위 따위가) 길게 느껴지는, 길게 끄는, 지루한: The days are getting *~er*. 해가 길어져 간다 / a ~ story 긴〔복잡한〕 얘기 / a ~, boring speech 길게 끄는 지루한 연설 / Spring is ~ (*in*) com*ing* this year. 올해는 봄이 오는 게 더디다 / Don't be ~! 꾸물거리지 마라. **5** (시간적으로) 좋이 …한〔나 되는〕, 능준한; 〖일반적〗 다량의, 다수의, 큰: two ~ hours 장장〔좋이〕 두 시간 / a ~ figure 〔price〕 《속어》 다액(多額), 고가(高價) / a ~ family (아이가 많은) 대가족. **6** 《구어》〖서술적〗 충분히 갖고 있는(*on*): He's ~ *on* common sense. 그는 상식이 풍부하다. **7** 보통 이상으로 큰. **8** (시간적·공간적으로) 멀리까지 미치는; (기억이) 오래전의 일까지 상기하는: take ~ views 〔a ~ view〕 (of life) 먼 장래 일을 생각하다 / a ~ memory 좋은 기억력. **9** 〖음성〗 (모음·음절이) 장음의; 장(長)모음의; 〖일반적〗 강음의, 장음(절)의. **10** 〖상업〗 (앞으로의 가격 등귀가 예상되는) 강세의(bullish): The market is ~. 시장은 강세이다. **11** 판돈의 차가 큰; 판돈이 큰 쪽의; 가능성이 적은, 위험한: take a ~ chance 위험을 알면서〔흥하든 망하든〕 해보다. **12** (음료가) 소다가 든; 《구어》 속이 깊은 컵에 따른. *at ~ weapons* 접전치 않고. *be ~ on* ⇨6. *have a ~ tongue* 수다쟁이다. *in the ~ run* ⇨RUN[1]. *make a ~ neck* 〔*arm*〕 목을 길게 늘이다〔팔을 뻗치다〕.

— *ad.* **1** 오랫동안; …부터 훨씬《앞 또는 뒤》: He has been ~ dead. 그가 죽은 지 오래다. **2** 온 …동안, 쭉, 내내: all day ~ 온종일 / all one's life ~ 한평생. **3** 〖상업〗 강세로. *any ~er* 〖의문·부정·조건절에서〗 이젠, 이 이상. *as* 〔*so*〕 *~ as* …하는 한(에서는), …동안은. *at* (*the*) *~est* (기껏) 길어봤자〔길어야〕. *~ after* …의 훨씬 후에; …후 오래도록. *~ ago* 지금부터 훨씬 이전〔옛날〕에. ★ I said, "I saw this man *long ago*." → I said that I had seen that man *long before*. *~ before* ① 훨씬 이전에; …하기 훨씬 전에. ② …하기까지에는 오래〔오랜〕: It was ~ *before* he came. 시간이 꽤 지나서야 그가 왔다. *no ... ~er = not ... any ~er* 이젠 … 아니다. *so ~* 《구어》 안녕(good-bye).

— *n.* **1** 오랫동안, 장시간. **2** 《영속어》 (the ~) 여름휴가. **3** 〖음성〗 장모음, 장음절; 〖음악〗 =LONGA. **4** 긴 것《전신 부호의 '—' 따위》; 장황한 이야기; (*pl.*) 장기 채권; (의류의) 장신용[L] 사이즈; (*pl.*) 《구어》 긴 바지. **5** (*pl.*) 〖상업〗 강세. OPP. *shorts*. *before ~* 머지〔오래지〕 않아, 곧. *for ~* 〖의문·부정·조건절에서〗 오랫동안: Did you stay in Seoul *for* ~? 서울에 오래 머물러 있었느냐. *take ~* 장시간을 요하다: It will not *take* ~ to get there. 거기 가는 데 오래 걸리지 않을걸. *The ~ and* (*the*) *short of it is that ...*, 요컨대〔결국〕 …이다.

㊞ ∠·ness *n.*

***long**[2] *vi.* 《+전+명 / +전+명+*to* do / +*to* do》 간절히 바라다, 열망하다《*for; to* do》; 동경하다, 그리워하다, 사모하다: ~ *for* peace 평화를 갈망하다 / I *~ed for* him *to* say something. 그가 무언가 말해 주기를 간절히 바랐다 / I ~ *to* go home. 집에 몹시 가고 싶다.

long. longitude.

lon·ga [lɑ́ŋgə/lɔ́ŋ-] *n.* 〖음악〗 롱가《정량 기보법(定量記譜法)에서 두 번째 긴 음표; 기호 ㅋ》.

lóng-ácting *a.* (약품 등이) 장시간 작용하는, 지속적 작용성의.

lóng-agó *a.* 옛날의.

lon·gan [lɑ́ŋgən/lɔ́ŋ-] *n.* 〖식물〗 용안(육(肉)).

lóng àrm 긴 팔; (손이 안 닿는 곳에 페인트를 칠한다든지 할 때 쓰는) 긴 보조봉(棒): have a ~ 권력이 멀리까지 미치다 / make a ~ (…을 잡으려고) 팔을 뻗다.

lóng-awáited [-id] *a.* 대망(待望)의.

lóng báll 〖야구〗 홈런; 〖축구〗 롱 패스.

Lóng Bèach 롱비치《California 주 로스앤젤레스 시 근처의 항만 도시·해수욕장》.

lóng·bìll *n.* 〖조류〗 부리가 긴 새; 《특히》 도요새.

lóng bíll 〖상업〗 많이 밀린 셈〔계산서〕; 장기(長期) 어음《30 일 이상의》.

lóng·bòat *n.* (범선 적재의) 대형 보트.

lóng·bòw [-bòu] *n.* 큰〔긴〕 활. *draw* 〔*pull*〕 *the ~* 흰소리치다, 허풍 떨다. 「《분자》.

lóng-chàin *a.* 〖물리〗 긴 원자 연쇄를 가진

lóng·clòth *n.* [U] (엷고 가벼운) 상질(上質) 무명《주로 유아 의류·속옷용》.

lóng dáte 〖상업〗 장기의 지급〔상환〕 기일.

lóng-dáted [-id] *a.* 〖상업〗 장기의《어음·채권 등》.

lóng dístance 장거리 전화《통화》; 그 교환원〔교환국(局)〕: by ~.

lóng-dístance *a.* 《미》 먼 곳의, 장거리(전화)

의; ((영)) 장기에 걸친((일기 예보 등)): a ~ (telephone) call 장거리 전화(((영)) a trunk call) / a ~ flight 장거리 비행 / a ~ cruise 원양 항해. **—** *vt.* …에게 장거리 전화를 걸다〔로 알리다〕. **—** *ad.* 장거리 전화로: talk ~ with …와 장거리 전화로 이야기하다.
lóng-dístance càrrier 장거리 전화업자.
lóng divísion 〖수학〗 장제법(長除法)((12 이상의 수로 나누는)).
lóng dózen 큰 다스((13 개)).
lóng-dráwn, -dráwn-óut *a.* 길게 늘인, 잡아늘인; 오래 계속되는〔끄는〕.
lóng drínk (소다수 등을 탄) 술((하이볼 따위)).
longe ⇨ LUNGE[2]. 「한(stupid).
lóng-éared *a.* 긴 귀를 가진; 나귀 같은; 우둔
lóng éars ((비유)) 밝은 귀; 나귀; 바보.
lónged-fòr *a.* 대망(待望)의.
lon·ge·ron [lándʒərən/lɔ́n-] *n.* ((F.)) (보통 *pl.*) 〖항공〗 (비행기 동체의) 세로 뼈대.
lon·geur [lɔːŋgə́ːr, lɑŋ-/lɔŋ-] *n.* =LONGUEUR.
lon·gev·i·ty [lɑndʒévəti/lɔn-] *n.* [U] 장수; 수명; 장기 근속: ~ pay 〖미군사〗 연공가봉(加俸).
lon·ge·vous [lɑndʒíːvəs, lɔːn-/lɔn-] *a.* 장수의〔하는〕.
lóng fáce 우울한〔침울한〕 얼굴: pull 〔make, wear, have〕 a ~ 우울〔침울〕한 얼굴을 하다〔하고 있다〕.
lóng-fáced [-t] *a.* 얼굴이 긴; 슬픈 듯한, 우울한; 엄숙한.
Long·fel·low [lɔ́ːŋfèlou, lɑ́ŋ-/lɔ́ŋ-] *n.* **Henry Wadsworth** ~ 롱펠로((미국의 시인; 1807-82)).
lóng fíeld 〖크리켓〗 타자로부터 가장 먼 외야; =LONG OFF, LONG ON.
lóng fínger 가운뎃손가락, (*pl.*) 집게손가락과 가운뎃손가락과 약손가락.
lóng gàme 〖골프〗 나는 거리를 겨루는 게임.
lóng gréen ((미속어)) (달러) 지폐; ((속어)) 현금, 현찰, ((특히)) 큰돈; ((방언)) 사제 담배.
lóng·hàir ((구어)) *n.* 지식인; 장발족; 긴 머리를 한 예술가, ((특히)) 남자 히피; 예술 애호가, ((특히)) 고전 음악의 작곡〔연주, 애호〕가; 고전 음악. **—** *a.* 장발의; 고전 음악을 사랑하는; (음악이) 고전적인; 인텔리 같은. [파] **~ed** *a.* =longhair.
lóng·hànd *n.* [U] (속기(速記)에 대하여) 보통의 쓰기. [cf.] shorthand.
lóng hául 장기간; (화물의) 장거리 수송; 장기에 걸친 곤란〔일〕. ***for* 〔*over, in*〕 *the* ~** ((구어)) 긴 안목으로 보면, 결국은(in the long run).
lóng-hàul *a.* 장기간의; 장거리(수송)의.
lóng·hèad *n.* **1** 〖해부〗 장두(長頭)의 사람; 장두. **2** 선견(先見): have a ~ 선견지명이 있다.
lóng·héaded [-id] *a.* **1** 〖해부〗 장두(長頭)의. **2** 머리가 좋은, 선견지명(先見之明)이 있는. [파] **~·ly** *ad.* **~·ness** *n.*
lóng-hèralded [-id] *a.* 전부터 예고되었던.
lóng hítter ((미속어)) 주호(酒豪), 술고래.
lóng hóme (one's ~) 묘, 무덤: go to one's ~ 죽다.
lóng hóp 〖크리켓〗 튀어서 멀리 나는 공.
lóng·hòrn *n.* **1** 롱혼((19 세기에 멕시코·미국 남서부에 많았던 스페인 원산의 뿔이 긴 소)); ((미속어)) 텍사스 사람; (L-) 롱혼종(種)((영국 원산의 육우)). **2** (원통형의) 치즈의 일종.
lóng hòrse 〖체조〗 뜀틀((기구·경기)).
lóng hóurs (the ~) 밤 11 시·12 시((시계가 종을 오래 치는 시간)). [cf.] small hours.
lóng hòuse (남양 원주민의) 길게 붙은 공동 주택, 일자(一字)집.
lóng húndred 120.
lóng húndredweight ((영)) 112 파운드.
lon·gi·corn [lándʒikɔ̀ːrn/lɔ́ndʒ-] *a.* 촉각이 긴. **—** *n.* 하늘소, 천우(天牛).
long·ies [lɔ́ːŋiz, lɑ́ŋ-/lɔ́ŋ-] *n. pl.* **1** ((구어)) (여성용) 긴 속옷, (어린이용) 긴 바지. **2** 장편 영화.
***long·ing** [lɔ́ːŋiŋ, lɑ́ŋ-/lɔ́ŋ-] *n.* [U,C] 동경, 갈망, 열망((*for*)). **—** *a.* 간절히 바라는, 동경하는. [파] **~·ly** *ad.* 간절히 원하여, 열망〔동경〕하여.
lóng ínterest 〖증권〗 (강세가 예상되는) 보유 주식 수.
long·ish [lɔ́ːŋiʃ, lɑ́ŋ-/lɔ́ŋ-] *a.* 좀 긴, 기름한.
Lòng Ísland 롱아일랜드((New York 주 동남부의 섬)).
***lon·gi·tude** [lándʒətjùːd/lɔ́ndʒitjùːd] *n.* [U] **1** 경도(經度), 경선((생략: lon(g).)). [cf.] latitude.¶ ten degrees fifteen minutes of east ~ 동경 10 도 15 분. **2** 〖천문〗 황경(黃經)(celestial ~). **3** ((우스개)) 세로, 길이.
lon·gi·tu·di·nal [lɑ̀ndʒətjúːdənəl/lɔ̀ndʒitjúː-] *a.* 경도(經度)의, 경선(經線)의, 날줄의, 세로의; (성장·변화 따위의) 장기적인((연구)). **—** *n.* (선체 따위의) 세로 뼈대; 〖철도〗 세로 침목. [파] **~·ly** *ad.* 세로로; 길이는.
longitúdinal redúndancy chèck cháracter 〖컴퓨터〗 세로 중복도 검사 문자.
longitúdinal sùrvey 추적 조사((같은 조사 대상에 관한 일정 기간에 걸친 조사·통계 따위)).
longitúdinal wáve 〖물리〗 종파(縱波), 소밀파(疎密波). [cf.] transverse wave.
Lóng Jóhn ((미속어)) 키다리.
lóng jòhns (손목·발목까지 덮는) 긴 속옷.
lóng júmp (the ~) ((영)) 멀리뛰기.
lóng-lásting *a.* 장기에 걸친, 오래 지속되는, 장시간〔장기간〕 효과가 있는.
lóng·lèaf (píne), lóng-lèaved píne 〖식물〗 왕솔나무((미국 남부산)); 왕솔나무 목재.
lóng-légged *a.* 다리가 긴; ((비유)) 빠른.
lóng-lífe *a.* (우유·전지 따위가) 오래 보존할 수 있는, 장시간 사용 가능한, 오래가는, 수명이 긴. 「배 (선원).
lóng·lìne *n.* 〖어업〗 (긴) 주낙. [파] **-lìn·er** *n.* 주낙
lóng-líning *n.* 연승 어업, 주낙 어업.
lóng-líved [-láivd, -lívd/-lívd] *a.* 장수의; 영속하는. [파] **~·ness** *n.* 「잃어버린.
lóng-lòst *a.* 오랫동안 만나지 못한, 오랫동안
lóng màn 〖미식축구〗 롱맨(deep receiver)((하나의 패스 플레이로, 가장 깊숙한 지점까지 달리는 리시버)).
Lóng Márch (the ~) 장정(長征)((1934-36 년, 중국 공산당의 옌안(延安)에 이르기까지의 9,600 km 에 걸친 대행군)).
lóng méasure 척도(尺度), 길이의 단위; [스스] 〖운율〗 =LONG METER.
lóng méter 〖운율〗 보통 강약격 8 음절 4 행으로 된 찬미가조(調)((생략: L.M.)). 「주의) 큰 병.
lóng néck ((미구어)) 목이 긴 병에 든 맥주, (맥
lóng ódds (내기·도박 등에서) 크게 차이가 나게〔균형이 맞지 않게〕 거는 돈〔율〕.
lóng óff 〖크리켓〗 투수의 왼쪽 후방의 야수.
lóng ón 〖크리켓〗 투수의 오른쪽 후방의 야수.
Lóng Párliament (the ~) 〖영국사〗 장기 의회((1640-60)).
lóng períod còmet 장주기(長周期) 혜성.
lóng píg (식인종의 먹이로서의) 인육(人肉).
lóng play 엘피판.
lóng-pláying *a.* 엘피판의: a ~ record 엘피
lóng position (주식의) 매입 보유. ⌊판.
lóng príce 높은〔비싼〕 값.
lóng púll 장기(에 걸친 일·시련); 장거리 (여행); (술 등의) 덤.
lóng pùrchase 〖증권〗 강세 매입.

lóng púrse 부(富).
lóng-ránge *a.* 장거리에 달하는; 장기에 걸친; 원대한: a ~ gun 장거리포(砲) / a ~ plan 장기 계획.
lóng·rèach *a.* 멀리 미치는, 먼 데까지 걸치는, 세력 범위가 넓은. 「구원 투수.
lóng relíef pìtcher 〖야구〗 긴 이닝을 던지는
lóng róbe (the ~) **1** 긴 옷《성직자 · 법관의 제복》. [cf.] short robe. **2** 〔집합적〕 성직자, 법률가.
lóng rùn 장기간; 장기 흥행.
lóng-rún *a.* 장기간의〔에 걸친〕(long-term); 긴 안목으로 본; 장기 흥행의.
lóng-rúnning *a.* 장기간에 걸친.
lóng sále 〖증권〗 실주(實株) 매도, 현물(주(株))매도. [cf.] short sale.
lóng sérvice (군대의) 장기 복무.
lóng·shìp *n.* (북유럽에서 사용한) 갤리(galley) 비슷한 배.
lóng·shòre *a.* 연안의, 연안에서 일하는; 해항〔항만〕의: ~ fishery 연해(沿海) 어업. **—** *ad.* 연안에서.
lóngshore drìft 〖지학〗 연안 표류《파도로 인해 생기는 연안에 있는 퇴적물의 이동》.
lóngshòre·man [-mən] (*pl.* ***-men*** [-mən, -mèn]) *n.* **1** 《미》 항만 노동자(docker), 부두 인부. **2** 연안 어부.
lóng·shòring *n.* 항만 노동. 「편 소설.
lóng-shórt stòry 보통보다 긴 단편 소설, 중
lóng shòt **1** 〖영화〗 원경(遠景) 촬영. **2** 모험을 건 도박; 대담한〔가망 없는, 어려운〕 기도. **3** 〖경마〗 승산 없는 말. ***by a* ~** 크게, 훨씬. **~ *chance*** 위험한 도박〔내기〕; 뜻하지 않은 호기. ***not ... by a* ~** 전혀 …않은.
lóng síght 원시(遠視); 선견지명, 멀리〔앞일을〕 내다봄: have ~ 먼 데를 잘 보다; 선견지명이 있다.
lóng-síghted [-id] *a.* 원시의; 먼 데를 볼 수 있는; 선견지명〔탁견(卓見)〕이 있는, 현명한. [파] **~·ly** *ad.* **~·ness** *n.*
long·some [lɔ́ːŋsəm, lɑ́ŋ-/lɔ́ŋ-] *a.* 기다란. [파] **~·ly** *ad.* **~·ness** *n.*
lóng·spún *a.* 기다란, 지루한. 「러 해의.
lóng·stánding *a.* 오래 계속되는〔된〕, 오랜, 여
lóng stòp 〖크리켓〗 wicketkeeper의 바로 후방의 야수; (바람직하지 않은 것을) 막판에 저지〔억지〕하는 사람〔것〕, 최후의 수단.
lóng-súffering *a.* 인내심이 강한. **—** *n.* 인고(忍苦), 참을성 많음. [파] **~·ly** *ad.* 참을성 있게.
lóng súit **1** 〖카드놀이〗 그림이 같은 짝을 4장 이상 맞춰 쥐고 있을 때의 그 가진 패. [cf.] short suit. **2** 《구어》 유리한 입장; 장점, 전문, 장기.
lóng-tàiled tít 〖조류〗 제주오목눈이《유럽 · 아시아 북부산(產)》.
lóng-tèrm *a.* 장기의: a ~ contract 장기 계약 / a ~ loan 장기 대부. [파] **~·er** *n.* 장기 복역수.
lóng-tèrm mémory 〖심리〗 장기(간) 기억.
lóng·tìme *a.* 오랜, 오랫동안의. [파] **-tìmer** *n.* 고참자; 장기 복역수.
lóng tóm 사금을 이는 긴 홈통; (보통 L- T-) 장거리포; 《속어》 〔일반적〕 포, 대포; (종종 L- T-) 《속어》 고성능 망원렌즈; 〖조류〗 제주오목눈이(longtailed tit). 「L/T, l.t.》.
lóng tón 롱톤, 영국톤《=2,240 파운드; 생략:
lóng tóngue 다변, 수다.
lóng-tóngued *a.* 수다스러운.
longue ha·leine [lɔ̃ːgæléin] 《F.》 오랫동안의 노력: a work of 〔*de*〕 ~ 부단한 노력을 요하는 일〔저작〕.
lon·guette [lɔŋgét, lɑŋ-/lɔŋ-] *a.*, *n.* 〖복식〗 미디(midi)의 (스커트, 드레스).
lon·gueur [lɔːŋgə́ːr, lɑŋ-/lɔŋ-] *n.* (흔히 *pl.*) (책 · 극 · 음악 따위의) 장황하고 지루한 대목.

lóng únderwear 《미속어》 통속적〔감상적〕으로 연주하는 재즈; (즉흥 연주를 못 하는) 서투른 재즈 연주자; (미리) 써 둔 편곡; 클래식 음악.
lóng vác 《영구어》 =LONG VACATION. 「휴가.
lóng vacátion 《영》 (대학 · 법정 따위의) 여름
lóng víew 장기적 전망, 장기적 요인을 중시하는 연구 방법, 장기적 시야에 입각한 고찰.
lóng wáist (의복의) 낮은 웨이스트(라인).
lóng-wáisted *a.* [-id] (의복이) 웨이스트라인을 낮게 한; (사람 · 배 따위가) 동체가 긴.
lóng wàve 〖통신〗 장파. [opp.] *short wave.*
long·ways [lɔ́ːŋwèiz, lɑ́ŋ-/lɔ́ŋ-] *a.*, *ad.* 긴〔길게〕; 종(從)의〔으로〕.
lóng-wéaring *a.* 《미》 =HARD-WEARING.
lóng wéekend 장기 주말 연휴《주말에 하루나 이틀의 휴일이 추가된》.
lóng·wínded [-id] *a.* 숨이 긴; 《비유》 장광설의, 이야기가 긴. [파] **~·ly** *ad.* **~·ness** *n.*
lóng-wíre antènna 〔**àerial**〕 〖통신〗 장도파(長導波) 안테나〔공중선〕《길이가 파장의 수 배임》.
long·wise [lɔ́ːŋwàiz, lɑ́ŋ-/lɔ́ŋ-] *a.*, *ad.* =LENGTHWISE.
lóng·wòol *n.* 털이 길고 거친 양.
loo[1] [luː] (*pl.* **~s** [-z]) *n.* 〖카드놀이〗 루《벌금을 판돈에 합치는 게임》; 루의 판돈〔벌금〕. **—** *vt.* (루에서 진 사람)에게 벌금을 물리다.
loo[2] (*pl.* **~s** [-z]) *n.* 《영구어》 화장실(toilet).
loo·by [lúːbi] *n.* 덩치 큰 사내; 데퉁바리; 바보.
Loo·choo [luːtʃúː] *n.* =RYUKYU.
loo·fa(h) [lúːfə] *n.* 〖식물〗 수세미외.
loo·gan [lúːgən] 《미속어》 *n.* 얼간이, 멍청이; 프로복서; 졸때기, 깡패; 맥주.
loo·ie, loo·ey [lúːi] *n.* 《미공군속어》 중위, 소위. [◂ lieutenant]
†**look** [luk] *vi.* **1** 《~/+[부]/+[전]+[명]》 보다, 바라보다, 주시하다, 시선을 향하다; 《구어》 (놀라) 눈을 크게 뜨다《*at*》: ~ *off* 눈을 돌리다 / *Look at* the man 〔me〕! 저 사람〔나(의 얼굴)〕을 봐라 / ~ *through* the papers 서류를 훑어보다; 서류 속을 뒤지다 〔찾다〕. ★ look at은 현재분사(때로는 원형 부정사)를 수반할 수 있음: They *looked at* him *swimming* 〔*swim*〕. 그들은 그가 수영하는 것을 보았다. [SYN.] ⇨ SEE.
2 《~/+[전]+[명]/+*that* [절]》 생각해 보다, 검토하다, 조사하다; 조심〔주의〕하다《*at; to*》. [cf.] see. ¶ ~ deeper 더 깊이 검토하다 / a way of ~*ing at* things 사물(事物)을 보는 방법 / *Look* (*to* it) *that* everything is ready. 만반의 준비를 갖추도록 하라.
3 a 《+(*to be*) [보]/+[전]+[명]》 …하게 보이다, …인〔한〕 것처럼 보이다〔생각되다〕, …한 모습〔표정〕을 하고 있다; …할 것 같다《*like*》. [cf.] appear. ¶ He ~*s* pale. 그는 얼굴이 창백하다 / He came in, ~*ing* anxious. 그는 근심스러운 얼굴로 들어왔다 / They ~ (*to be*) happy. 그들은 행복해 보인다《to be를 쓰는 것은 주로 《미》》 / He ~*s* (*like*) a good man. 그는 호인일 것 같다《like를 넣는 것은 주로 《미》》. [SYN.] ⇨ SEEM. **b** 〖~ *oneself*로〗 (모습 · 용태 따위가) 여느때와 다를 바 없다: You're not ~*ing* quite your*self*. 아무래도 여느 때의 자네같지 않군(몸이 불편한 것 아냐). **c** 〖~ as if로〗 (마치 …인 것처럼) 보이다: He ~*ed as if* he hadn't heard. 그는 듣지 못한 것같이 보였다. / He ~*ed as though* he knew it. 그는 마치 그것을 알고 있는 것처럼 보였다.
4 《~/+[전]+[명]》 (집 등이) …향(向)이다, …에 면하다《*upon; onto; into; over; down; toward*》; (상황 · 사태가) …쪽으로 기울다: Which way

does the house ~? 그 집은 어느 쪽으로 향해 있느냐/It ~*s to* the east. 동향(東向)입니다/Conditions ~ *toward* war. 정세는 전쟁 쪽으로 기울고 있다.

— *vt.* **1** (감정·의지 따위를) 눈으로 나타내다〔알리다〕: He ~*ed* his thanks. 그는 눈으로 감사의 뜻을 나타냈다/He ~*ed* a query at me. 그는 묻고 싶은 듯한 눈으로 나를 보았다. **2** 《+목+전+명/+목+부》 응시하다, 주시하다; 살피다, 관찰하다, 조사하다: He ~*ed* me full *in* the face 〔straight *in* the eyes〕. 그는 정면(正面)으로 내 얼굴〔눈〕을 쏘아보았다/~ a person *through and through* 아무를 철저히 조사하다. **3** 《+목+전+명》 응시〔주시〕함으로써〔쏘아봄으로써〕 …하게 하다《*into; out of; to*》: He ~*ed* her *into* silence. 그는 그녀를 노려보아 침묵시켰다. **4** …에 어울리게 보이다: ~ one's years 나이에 어울리는 것 같다. **5** 《+*to* do》 기대하다; 기도하다, 꾀하다: I ~ *to* hear from you again. 또 편지를 기다리겠습니다/America is ~*ing to* decrease its military budget. 미국은 국방 예산의 삭감을 꾀하고 있다. **6** 《+*wh.* 절》 확인하다, …을 조사해 보다: *Look what* time it is. 몇 시인가 보아라.

Look! 자, 보아라, 어때. ~ ***about*** 《*vi.*+부》 ① (주위를) 둘러보다: He ~*ed* all *about* to see what had happened. 그는 무슨 일이 일어났나 하고 주위를 둘러보았다. — 《*vi.*+전》 ② …의 주변을 둘러보다. ③ …의 신변을 주의하다. ④ …을 신중히 생각하다. ~ ***about for*** …을 여기저기 둘러보며 찾다. ~ ***after*** ① …을 보살피다〔돌보다〕; …을 감독하다: ~ *after* young people 젊은이의 뒤를 돌보다/*Look after* yourself. 《구어》 잘 있어요《헤어질 때 따위에》. ② …에 주의를 기울이다, 관심을 갖다: ~ *after* one's own interests 자기 이익에 집착하다. ③ …을 눈으로 좇다. ~ ***ahead*** 앞〔진행 방향〕을 보다; 앞일을 생각하다; (보트 젓는 사람이 진행 방향을) 돌아보다. ~ ***alive*** 활발히 움직이다, 빨리 하다, 서둘다: *Look alive!* 《구어》 꾸물거리지 말고 빨리 해. ~ ***around*** =look round. ~ ***at*** ① ⇨ *vi.* 1. ② ⇨ *vi.* 2. ③ 〖To ~ at 으로〗 …의 상태로〔모양으로〕 미루어 판단하면: *To* ~ *at* him, you'd never think he is a millionaire. 겉보기만으로는 그가 백만장자라고 결코 여겨지지 않을 게다. ④ (의사·기사 등이) …을 검사하다: The doctor ~*ed at* his throat. 의사는 그의 목을 살폈다. ⑤ …을 고찰하다: ~ *at* a problem from all sides 모든 면에서 문제를 고찰하다. ⑥ 〖will not, won't, wouldn't 와 함께〗 …을 거들떠보려고도 않다, 상대하지 않다: He *wouldn't* ~ *at* my proposal. 그는 나의 제안을 거들떠보려고 하지 않았다. ⑦ 〖명령형으로〗 …을 보고 교훈으로 삼아라: *Look at* John. He worked himself to death. 존을 보아라, 그는 과로로 죽었어. ~ ***away*** 눈길〔얼굴〕을 돌리다《*from*》. ~ ***back*** ① 뒤돌아〔돌아다〕 보다. ② 회고하다《*on, upon; to; at*》: He ~*ed back* fondly *on* his school days. 그는 학창 시절을 그리워하면서 회고했다. ③ 〖종종 never, not와 함께〗 주저하다; 순조롭지 못하게 되다, 후회하다: You must *not* ~ *back* at this stage. 이 단계까지와서 물러서서는 안 된다. ~ ***beyond the grave*** 사후(死後)의 일을 생각하다. ~ ***big*** 젠체하다. ~ ***black*** 암담해 보이다, 위협〔파국〕으로 나타나다; 노려보다. ~ ***blue*** 우울해 보이다, 비관적이다. ~ ***daggers at*** ⇨ DAGGER. ~ ***down*** 《*vi.*+부》 ① 내려다보다; 아래를 보다《*at*》: She ~*ed down* in embarrassment. 그녀는 당황한 나머지 고개를 떨구었다. — 《*vi.*+전》 ② …을 내려다보다: ~ *down* a well 우물을 내려다보다. ~ ***down on*** 〔***upon***〕 …을 경멸하다, …을 낮추어보다; …에 냉담하다. opp. *look up to.* ~ ***down*** one***'s nose*** 내려다보다, 뽐내다; …을 깔〔얕〕보다《*at*》. ~ ***for*** ① …을 찾다: ~ *for* a job 일자리를 찾다. ② 〖보통 진행형으로〗 《구어》 (골치 아픈 일을) 자초하게 될 것 같다: You*'re* ~*ing for* trouble if you drive that fast. 그렇게 차를 빨리 몰다가는 골치 아픈 일이 생길 거야. ③ 오기를 기다리다, 기대하다. ~ ***forth*** (창 따위에서) 밖을 보다. ~ ***forward*** 앞쪽을 보다; 장래를 생각하다. ~ ***forward to*** a thing 〔do***ing***〕 …을 기대하다, …을 즐거움으로 기다리다; 〖불안 따위의 수식어와 함께〗 …을 걱정하다. ***Looking good!*** 《미속어》 좋군, 대단하군. ***Look here!*** 이봐, 어이; 좀 들어봐라. ~ ***in*** 《*vi.*+부》 ① 속〔안〕을 살짝 들여다보다. ② (장소를) 잠깐 들르다《*at*》; (사람을) 잠깐 방문하다, 궁금해서 잠깐 들르다《*on, upon*》: Please ~ *in on* me *at* my office tomorrow. 내일 사무실로 나를 찾아 주십시오. — 《*vi.*+전》 ③ …의 속을 들여다보다: He ~*ed in* the shopwindow. 그는 가게 윈도를 살짝 들여다보았다. ④ (책 따위를) 쭉 훑어보다〔살펴보다〕. ~ ***into*** …을 들여다보다; …을 조사〔연구〕하다. ~ ***it*** 그것같이 보이다: He's a king, but he doesn't ~ *it*. 그는 왕이지만 왕같이 안 보인다. ~ ***like*** …와 (모양이) 비슷하다; …인 것같이 보이다〔여겨지다〕, …할 것 같다: What does it ~ *like?* 어떤 모양의 것이냐/It ~*s like* rain(*ing*)./*Looks like* you are wrong. 《구어》 아무래도 네가 잘못한 것같이 보인단 말야《it 이 생략된 구문》. ~ ***off*** …에서 눈을 떼다. ~ ***on*** 〔***upon***〕 《*vi.*+부》 ① 방관하다, 구경하다. ② (책 따위를) 함께 보다《*with*》. — 《*vi.*+전》 ③ …에 면하고 있다. ④ …을 (바라)보다: He always ~*s on* the bright 〔sunny〕 side of things. 그는 언제나 사물의 밝은 면을 본다. ⑤ 간주하다, 여기다, 생각하다《*as*》: We ~ *on* him *as* an impostor. 우리는 그를 사기꾼으로 생각하고 있다. ⑥ (어떤 감정을 가지고) 바라보다《*with*》: She ~*ed on* me *with* apprehension. 그녀는 나를 근심스럽게 바라보고 있었다. ~ ***out*** 《*vi.*+부》 ① 밖을 보다. ② (밖의 …을) 보다《*at*》: I was ~*ing out at* the view. 밖의 경치를 보고 있었다. ③ 〖보통 명령형으로〗 주의〔조심〕해라; (…하도록) 주의해라《*that*》: *Look out!* The tree is falling. 조심해라, 나무가 넘어진다/*Look out that* you don't catch cold. 감기 걸리지 않도록 조심하세요. ④ (건물 따위가) …을 면하고 있다, (…)향이다《*on, upon; over*》: The room ~*s out on* the sea. 그 방은 바다를 면하고 있다. — 《*vt.*+부》 ⑤ 《영》 …을 살펴서 고르다: She ~*ed out* some old clothes for the bazaar. 그녀는 바자회를 위해 몇 벌의 헌 옷들을 골랐다. ~ ***over*** 《*vi.*+부》 ① 멀리 바라보다, 전망하다. — 《*vi.*+전》 ② …을 (대충) 훑어보다, …을 조사하다; (장소를) 시찰하다. ③ …너머로 보다: ~ *over* a person's 〔one's〕 shoulder 아무의 어깨너머로〔고개를 돌려〕 보다. — 《*vt.*+부》 ④ (…을 자세히) 조사〔점검〕하다: Please ~ *over* the papers before you submit them. 제출하기에 앞서 서류를 점검하십시오. ~ ***round*** 《*vi.*+부》 ① 둘러보다. ② (보려고) 뒤돌아보다. ③ (쇼핑 따위를 하기에 앞서) 잘 조사하다, 보고〔살피고〕 다니다. ④ 구경하고 다니다, 방문하다: Would you like to ~ *round?* 구경해 보시렵니까. — 《*vi.*+전》 ⑤ …의 주위를 보다. ⑥ …을 보고 다니다, 조사하다. ~ one***'s age*** 제 나이로 보이다. ~ ***sharp*** 〔***smart***〕 조심하다; 〖명령형으로〗 정신 차려, 빨리해. ~ ***the part*** 정말 그 역(役)에 잘 어울리다,

적역〔제격〕이다. ~ **through** 《vi.+전》 ① …을 통하여 보다: ~ *through* a telescope 망원경으로 보다. ② …을 대강〔얼추〕 조사하다〔살피다〕, 다시 조사하다: ~ *through* a book 책을 대강 살피다. ③ (아무를) 보고도 못 본 척하다: She ~*ed* right *through* me. 그녀는 나를 보고도 전혀 모르는 체했다. ④ …을 꿰뚫어보다. —《vt.+부》 ⑤ 충분히 조사하다〔살피다〕, 자세히 점검하다. ~ **to** ① …에〔을〕 조심〔주의〕하다; …을 지켜보다: *Look to* your valuables. 귀중품을 조심하여라. ②〖~ to it that 으로〗(…하도록) 주의하다: *Look to it that* you don't make that mistake again. 그 잘못을 두 번 다시 되풀이하지 않게 주의하여라. ③ …에게 의지하다, 기대다《*for*》; (…해 주기를) 바라다《*to* do》: I ~ *to* him *for* help. 그의 도움을 기대하고 있다 / We were ~*ing to* you *to* make the keynote speech. 기조연설을 해 주실 것으로 기대하고 있었습니다. ④ (건물 따위가) …쪽을 면하다. ~ **toward(s)** ①《미》…쪽으로 향해 있다; …로 기울다. ②《구어》…을 위해 축배를 들다, …의 건강을 빌다. ③ …에 기대하다. ~ **up** 《vi.+부》 ① 올려다보다, 얼굴을 쳐들다《*at*》: ~ *up at* the stars 별을 쳐다보다. ② (경기 따위가) 좋아지다, 상승 기세를 타다. ③ 기운을〔원기를〕 내다: *Look up!* The future is bright. 기운 내라, 앞날은 밝다. —《vt.+부》 ④ (사전에서 낱말을) 찾다《*in*》: *Look up* the word *in* your dictionary. 그 낱말을 사전에서 찾아보아라. ⑤ 탐방하다, 방문하다. ***not to be ~ed at*** =***not much to ~ at*** 보기에 시원치 않다〔매력이 없다〕. ~ ***up and down*** 《vt.+부》 ① 자세히〔뚫어지게〕 보다: She ~*ed* me *up and down*. 그녀는 나를 뚫어지게 보았다. —《vi.+부》 ② 샅샅이 뒤지다《*for*》. ~ ***up to*** …을 올려다보다; …을 우러러보다〔존경하다〕. opp. *look down on*. ***Look you*** 〔***here***〕***!*** 주의해, 이봐. ***to ~ at*** (...) 보기에는, 외양으로 판단하건대: fair *to ~ at* 보기에는 아름다운. ***would*** 〔***will***〕 ***do as soon as ~ at you*** 《구어》 곧바로 (나쁜〔불쾌한〕 일을) 할 것이다.

— *n.* **1** 봄, 얼핏 봄《*at*》: get a good ~ 찬찬히 보다 / have a ~ *for* …을 찾다 / have 〔give, get, cast, throw, shoot, steal, take〕 a ~ *at* …을 얼핏 보다, …을 훑어보다. **2** 눈 (표정), 얼굴 (표정); 안색: a vacant ~ 멍한 눈 / a black 〔dirty〕 ~ 악의에 찬 눈초리, 험상궂은 얼굴. **3** (*pl.*) 용모, 생김새, 《구어》 미모: good ~*s* 미모 / lose one's ~*s* 용색(容色)이 가시다. **4** (종종 *pl.*) 외관, 모양; (패션의) 형; 패션: the ~ *of* the sky 날씨 / Things are taking on an ugly ~. 사태는 험악한 상태로 돼 가고 있다. ***for the ~ of the thing*** 《구어》 보기에, 외관상. ***if ~s could kill*** 잡아먹을 듯한 얼굴을 하고 있다.

lóok-ahèad *n.* 〖컴퓨터〗 예견〔예지〕능력《미리 다른 가능성·단계 등을 예지하여 처리할 수 있는 능력》.

lóok-alìke 《미》 *a.*, *n.* 꼭 닮은 (사람, 것).

lóok-and-sày méthod 일견해독법(一見解讀法)《음과 철자를 결부시키기보다는 낱말 전체를 시각적으로 인식하도록 하는 독법의 교수법》.

lóok-down rádar 〖군사〗 (항공기에 탑재하는) 아래쪽 탐사 레이더《저공의 이동체를 탐사함》.

lóok·er *n.* 보는 사람; 돌봐주는 사람; 《영》 검사자; 《미속어》 상품을 구경만 하는 손님; 풍채가 …한 사람; 《구어》 잘생긴 사람, 《특히》 아름다운 여자(good-~).

lòoker-ón [-rán/-rɔ́n] (*pl.* ***lóokers-***) *n.* 구경꾼, 방관자(onlooker, spectator): *Lookers-on* see most of the game. 《속담》 구경꾼이 더 잘 본다.

lóok-ìn *n.* **1** 잠깐 (들여다) 봄. **2** 짧은 방문, 잠깐 들름: make a ~ *on* a person 〔*at* a person's home〕. **3** 《구어》 (남에게 지지 않고) 참가하기〔할 기회〕, 승리할 가망성, 승산: have a ~ 이길 것 같다. **4** 〖축구〗 필드 가운데로 비스듬히 달리는 자기편 선수에게 재빨리 패스하기.

(-)lóok·ing *a.* 〖복합어〗 …으로 보이는: angry-~ 화난 듯한 얼굴의 / good-~ 잘생긴. — *n.* 봄; 탐구(探求).

lóoking glàss 거울, 체경(mirror); 거울 유리; (L- G-) 미공군 전략 항공군의 공중 사령부기(司令部機).

lóoking-glàss *a.* 《구어》 거꾸로〔정반대〕의.

lóoking-ìn *n.* 텔레비전의 시청.

lóok in páss 〖미식축구〗 tight end로 던져지는 타이밍이 빠른 패스플레이의 하나.

lóok·ism *n.* 외관〔외모〕에 의한 차별〔편견〕.

lóok·it 《미구어》 *vt.* 〖감탄사적〗 봐라(look at). — *int.* 들어라, 들어봐.

***look·out** [lúkàut] *n.* **1** 감시, 망보기, 경계, 조심: on the ~ *for* …에 눈을 번뜩이며, …을 찾으면서 / keep a ~ *for* …을 감시〔경계〕하다. **2** 망보는 사람, 간수; 망보는 곳, 망루. **3** 조망, 전망. **4** 《영》 가망, 전도: The ~ is rather grim. 전도는 매우 어둡다. **5** 《구어》 임무, 자기의 일〔관심사〕; 걱정거리: That's not my (own) ~. 내가 알 바 아니다. ★ 2 이외에는 보통 단수로 쓰임.

Lóokout Bóok 《미》 입국 금지자 명단.

lóok-òver *n.* 음미(吟味), 조사, 점검: give it a ~ 그것을 훑어보다.

lóok-sày méthod =LOOK-AND-SAY METHOD.

lóok-sèe *n.* 《속어》 대충 전망함; 검사, 시찰; 《미속어》 (거리의 의사가 지니는 휴대용) 의사 면허증; 총포 소지 허가증; (병사의) 통행증; 〖일반적〗 허가〔면허〕증, 감찰.

lóok·ùp *n.* 조사, 검사; 〖컴퓨터〗 조사, 룩업《키로써 항목이 구별되어 있는 배열이나 표에서 데이터 항목을 골라내는 프로그래밍 기법》.

°**loom**¹ [luːm] *n.* **1** 베틀, 직기(織機): a power ~ 동력 직기. **2** 직기 기술. **3** (보트의) 노의 자루. — *vt.* 직기로 짜다.

°**loom**² *vi.* **1** 《~/+부》 어렴풋이 보이다, 아련히 나타나다〔떠오르다〕: Through the fog a ship ~*ed* (*up*). 안개 속에서 배 한 척이 아련히 나타났다. **2** 《~/+부》 불쑥 거대한 모습을 드러내다: A ferry ~*ed up* in the fog. 나룻배가 안개 속에서 불쑥 나타났다. **3** 《~/+보》 중대하게〔을씨년스레〕 느껴지다, 급박한 양상을 보이다: War is ~*ing* ahead. 전쟁 위협이 다가와 있다 / That worry ~*ed* large in our minds. 우리는 마음속으로 그것이 큰 걱정이었다. — *n.* 아련히 나타남; (안개 속 등에 나타난) 거대한 모습.

loom³ *n.* =LOON².

L.O.O.M. 《미》 Loyal Order of Moose《1888년 Kentucky 주에 설립된 우애 조합》.

loon¹ [luːn] *n.* **1** 게으름뱅이, 불량배; 미친 사람; 바보, 얼간이. **2** 《Sc.》 젊은이, 청년; 《Sc.》 매춘부. **3** 《고어》 하인, 심부름꾼: lord and ~ 《고어》 귀천(貴賤). — *a.* 《속어》 =LOONY.

loon² *n.* 〖조류〗 아비(阿比)《아비속의 물새의 총칭》: (as) crazy as a ~ 꼭 미친 것 같은 《아비가 위험을 피할 때의 동작과 기묘한 울음소리에서》.

loon²

loon³ *vi.* 《영》 들레다, 시시덕거리다, 허튼짓을 하며 지내다.

lóon pànts 〔**tròusers**〕 (특히 1960년대에 입은) 나팔바지(=**loons** [lu:nz]).

loony, loo·ney, lu·ny [lú:ni] 《구어》 *a.* 미친, 미치광이의, 머리가 돈(crazy); 바보 같은, 어리석은. **—** *n.* 미친 사람(lunatic).

lóony bìn 《구어》 정신 병원, 정신병 병동.

*****loop**[1] [lu:p] *n.* **1 a** (끈·실·철사 등의) 고리; 고리 장식; (깃대를 꿰는) 고리; (피륙의) 변폭; (밧줄 등을 꿰는) 고리; 고리 모양의 손잡이〔멈춤쇠〕; (the ~) 피임 링(IUD). **b** 〖철도·전신〗 환상선(環狀線), 루프선《본선에서 갈라졌다가 다시 본선과 합치는》; 〖전자〗 폐〔환상〕회로; 〖통신〗 =LOOP ANTENNA; 루프《양 끝을 이어 환상으로 만든 반복 영사용 필름〔재생용 테이프〕》. **2 a** 만곡선, 만곡; 〖수학〗 자폐선(自閉線); 〖지문〗 말굽문. **b** 〖물리〗 (정상 진동〔파〕에 있어서의) 마디(node)와 마디 사이의 부분; 파복(波腹)《그 진폭이 극대가 되는 곳》. **c** 〖스케이트〗 루프《한쪽 스케이트로 그린 곡선》; 〖항공〗 공중제비 (비행); 〖테니스〗 루프《top spin이 걸린 타구》. **3** (the L-) Chicago 시의 중심 상업 지구; (일반적으로 도시의) 중심 지구, 도심. **4** 《미속어》 〖스포츠〗 연맹, 리그, 연맹 가맹 팀이 본거지로 하는 여러 도시; (야구·복싱 등의) 회(回), (골프의) 홀《티에서 컵까지의 경기 단위로서의》. **5** 〖컴퓨터〗 루프, 순환《프로그램 중의 반복 사용되는 일련의 명령; 그 명령의 반복 사용》. ***knock*** 〔***throw***〕 ***... for a ~*** 《미속어》 ① (아무를) 당황케 하다, 놀라게 하다. ② (아무를) 흥분케 하다, 환희로 들뜨게 하다. ③ (아무를) 호되게 힐책하다, (물건을) 때려 부수다, 쓸모없게 만들다. ④ 잘 대처하다. ***up the ~*** 《영속어》 미쳐서; 미치광이의.

— *vt.* **1** (철사 등)을 고리로 만들다; 호를 그리듯이 움직이게 하다; 〖전자〗 (도체를) 접속시켜 폐〔환상〕회로로 하다. **2** …에 변폭을 붙이다. **3** 《+목+부》 (고리로) 죄다, 동이다《*up; back*》; 고리로 매다《*together*》: ~ *up* draperies 피륙을 둥글게 감다 / ~ letters *together* 편지를 고리로 매다. **—** *vi.* 고리를 이루다, 고리 모양이 되다; 호(弧)를 그리듯이 움직이다, 자벌레처럼 나아가다; 〖항공〗 공중제비하다. ***~ the ~*** 〖항공〗 공중제비하다; (오토바이 따위로) 공중 곡예를 부리다.

loop[2] *n.* 《고어》 =LOOPHOLE.

lóop anténna 〔**àerial**〕 루프 안테나.

lóop diurètic 〖약학〗 계제(係蹄)〔루프〕 이뇨제《헨레 계제(loop of Henle)의 나트륨 재흡수를 억제하는 이뇨제》.

looped [-t] *a.* 고리로 된, 고리 달린; 《미속어》 「술 취한(drunk).

lóop·er *n.* 고리를 짓는 사람〔물건〕; 〖곤충〗 자벌레(inchworm); (재봉틀 따위의) 실고리를 만드는 장치; 메리야스의 코를 만드는 기계; 〖야구〗 (크게〔높게〕) 호(弧)를 그리는 공《투구(投球)·타구(打球)》; 《미속어》 (골프의) 캐디.

lóop·hòle *n.* (성벽 등의) 총구멍, 총안(銃眼); 공기 빼는 구멍; 엿보는 구멍; 도망길, 빠지는 구멍; (법률 따위의) 허점: Every law has a ~. 《속담》 어떤 법이든 빠져나갈 구멍은 있다. **—** *vt.* (벽 따위에) 총안을 만들다.

lóop knòt (가장 간단한) 결삭법의 일종.

lóop lìne 〖철도·통신〗 환상선, 루프선.

lóop of Hén·le [-hénli] 〖해부〗 헨레 루프〔계제(係蹄)〕《신장의 요세관(尿細管)의 U자형의 굴곡; 독일의 병리학자 G. J. Henle(1809-85)의 이름에서》.

lóop stìtch 〖복식〗 루프 스티치《chain stitch 등, 고리를 만들어 하는 바느질의 총칭》.

lóop-the-lóop *n.* 〖항공〗 공중제비; (오토바이 따위의) 공중 곡예.

loopy [lú:pi] (***loop·i·er; -i·est***) *a.* 고리가 많은; 《구어》 머리가 돈, 취하여 이상해진; 《Sc.》 교활한.

†**loose** [lu:s] *a.* **1** 매지 않은, 풀린, 흐트러진, 떨어진, 벗어진. OPP. *fast*[1]. ¶ a ~ dog 묶어 놓지 않은 개 / shake oneself ~ 내둘러〔흔들어〕 풀다. **2** 포장하지 않은, 병〔통〕조림이 아닌: ~ coffee (병에 담지 않고) 달아서 파는 커피 / ~ coins 〔cash〕 푼돈, 잔돈. **3** 고정돼 있지〔붙박이지〕 않은, 흔들리는; (염료·염색물 따위가) 물이 잘 들지 않는, (색이) 바래기 쉬운: ~ teeth 흔들리는 이. **4** (의복 따위가) 헐거운, 거북하지 않은, 낙낙한. OPP. *tight*. **5** (직물 등이) 올이 성긴; (흙 따위가) 푸석푸석한; (대형 따위가) 산개된: in ~ order 〖군사〗 산개 대형으로. **6** (표현·말·생각 등이) 치밀하지 못한, 엉성한, 산만〔조잡〕한, 허술한, 부정확한, (번역이) 자의(字義)대로가 아닌: a ~ thinker 생각이 치밀하지 못한 사람 / a ~ tongue 수다꾼. **7** (사람·성격이) 느슨한, 야무지지 못한, 흐리터분한; 신뢰할 수 없는. **8** 몸가짐이〔행실이〕 나쁜; 《미속어》 이상한, 머리가 돈. **9** 설사의, 설사기가 있는: (have) ~ bowels 설사(를 하다). **10** (근육이) 물렁한; (골격이) 단단하지 못한. **11** 자유로운, 해방된: get ~ (*from*...) (…에서) 도망치다. **12** 《구어》 침착한, 여유 있는; 너글너글한, 돈을 잘 쓰는. **13** 《미속어》 돈이 없는, 쪼들리는. **14** 〖화학〗 유리(遊離)된. **15** (자금 등이) 자유로이 쓸 수 있는; 유휴의; 용도 미정의: ~ funds 유휴 자금. **16** 〖크리켓〗 빈틈〔결점〕이 있는. ★ 발음을 lose [lu:z]와 혼동 말 것. ***at a ~ end*** =***at ~ ends*** ⇨ LOOSE END. ***be on a ~ pulley*** 놀고 있다, 빈둥거리고 있다. ***break ~*** 탈출하다, 속박에서 벗어나다: The dog broke ~. 매어 둔 개가 도망쳤다. ***cast ~*** ⇨ CAST. ***cut ~*** ⇨ CUT. ***let ~*** 놓아〔풀어〕주다, 해방하다; 마음대로 하게 하다: *let* ~ one's anger 분노를 터뜨리다 / *let* oneself ~ 《구어》 거리낌 없이 말하다, 마음대로 하다. ***~ in the bean*** 〔***the upper story***〕 《미속어》 머리가 돈〔이상한〕. ***set ~*** 놓아주다, 해방하다. ***turn ~*** 놓아주다, 해방하다; 발포하다; 공격하다; 거침 없이 말하다. ***with a ~ rein*** 고삐를 늦추고; 자유롭게 하여. ***work*** 〔***come***〕 ***~*** (나사 따위가) 느슨해〔헐거워〕지다.

— *ad.* 《흔히 복합어로》 느슨하게(loosely): ⇨ LOOSE-FITTING. ***hold ~*** 냉담한 태도를 취하다. ***play fast and ~*** ⇨ FAST[1]. ***sit ~ to*** …에 사로잡히지 않다, 그다지 영향을 받지 않다.

— *n.* **1** 해방; 방임, 방종. **2** 발사(發射); 깍지 떼기《활쏘기에서》. **3** (the ~) 〖럭비〗 포워드가 산개해서 하는 경기. ***be on the ~*** ① 자유롭다, 속박되지 않고 있다; (죄수 따위가) 도망치다. ② 흥겨워 떠들어 대다; 행실이 나쁘다. ***give*** (***a***) ***~ to*** 《영》 (감정 따위를) 쏠리는 대로 내맡기다, (상상 따위를) 자유로 구사하다.

— *vt.* **1** 풀다, 끄르다; 늦추다. **2** 《+목+전+명》 놓아〔풀어〕주다, 자유롭게 하다: ~ a boat *from* its moorings 배를 계류(繫留)에서 풀어놓다. **3** 《+목+전+명 / +목+부》 (총·활을) 쏘다, 놓다《*off*》: ~ an arrow *at* an enemy 적에게 화살을 쏘다 / ~ *off* a pistol 권총을 발사하다. **4** (돛을 풀어서) 펼치다. **—** *vi.* **1** 헐거워지다. **2** 《+부 / +전+명》 총포를 쏘다《*off; at*》: ~ *off at* a flock of ducks 오리 떼에 발포하다. **3** 사면하다. **4** (수업이) 끝나다. **5** 닻을 올리다, 출범하다. ~ one***'s hold of*** (누른) 손을 늦추어 주다; 손을 떼다.

㊞ **∠·ness** *n.* **1** 느슨함, 헐거움. **2** 부정확, 조잡함, 산만함. **3** 방탕, (몸가짐이) 단정치 못함. **4** 설사.

lóose bóard wàlk 《CB속어》 울퉁불퉁한 길.

lóose-bódied *a.* (옷 따위가) 느슨한, 헐거운.

lóose-bòx *n.* 《영》 =BOX STALL.
lóose cánnon 《미속어》 **1** (어쩔 수 없는) 위험한 사람〔것〕; (제멋대로 엉뚱한 말을 해서) 주위에 혼란을 일으키는 사람. **2** 허풍선이.
lóose chánge 마음대로 쓸 수 있는 용돈.
lóose cóver 《영》 (의자 따위의) 씌우개, 커버 (《미》 slipcover).
lóose énd 1 (끈·깔개 따위의) 묶지〔고정되지〕 않은 끝〔가〕; 쇠고리〔걸쇠〕가 벗겨진 부분: cut the ~ of a package string 소포를 묶은 끈의 여분을 잘라내다. **2** (보통 *pl.*) (일 따위에서) 미결 부분: tie 〔clear〕 up (the) ~*s* 매듭〔결말〕을 짓다, 마무리하다. ***at a* ~** = 《미》 ***at* ~*s*** 미해결인 채; 혼란하여; (직업 없이) 빈들빈들하여, 장래의 목표도 없이, (하는 일이 없어) 자신을 주체 못하여.
lóose fish 난봉꾼.
lóose-fítting *a.* (옷 따위가) 낙낙한, 헐거운. opp. *close-fitting*.
lóose-jóinted [-id] *a.* **1** 관절〔이은 곳〕이 헐거운; 자유로이 움직이는; 짜임새가 느슨한. **2** 근골이 가냘픈. ㊕ **~·ness** *n.*
lóose júice 《CB속어》 알코올음료.
lóose-lèaf *a.* 가제식(加除式)의, 루스리프식의 《장부 따위의 페이지를 마음대로 뺐다 끼웠다 할 수 있는》: a ~ binder 루스리프식 노트. **—** *n.* 가제식 출판물.
lóose-límbed *a.* 수족이 자유로이 움직이는, 사지(四肢)가 유연한, 운동을 잘하는.
lóose-lípped [-t] *a.* =LOOSE-TONGUED.
°**loose·ly** [lú:sli] *ad.* 느슨하게, 헐겁게; 헐렁하게, 느즈러지게; 뿔뿔이; 막연히; 엉성하게, 부정확하게; 단정치 못하게, 방탕하게: live ~ 방종한 생활을 하다.
lóose-mínded [-id] *a.* 머리가 산만한, 마음이 해이한.
lóose mórals 품행이 단정치 못함.
*__loos·en__ [lú:sən] *vt.* **1** 풀다, 끄르다, 떼어놓다, 놓아주다; 분해〔해체〕하다, 흩뜨리다. **2** 늦추다, 느즈러뜨리다, 느슨하게 하다: ~ one's girdle 〔bodice〕 띠〔보디스〕를 늦추다. **3** …의 손을 늦추다; (규제 따위를) 완화하다, 관대하게 하다: ~ a person's tongue 아무로 하여금 마음대로 입을 놀리게〔지껄이게〕 하다. **4** (기침을) 누그러뜨리다; (장(腸)에) 변(便)이 통하게 하다. **—** *vi.* **1** 뿔뿔이 흩어지다, 풀리다, 분해〔해체〕되다. **2** 늦추어지다, 느슨해지다, 느즈러지다. opp. *tighten*. **~ a person's *hide*** 《속어》 아무에게 채찍질하다. **~ *up*** 《미구어》 (*vi.*+副) ① (경기 등을 하기에 앞서) 근육을 풀다. ② 편안히 쉬다, 마음 편히 갖다. ③ 《미》 인색하게 굴지 않고 돈을 내다. ④ 《미》 흉금을 터놓고 이야기하다. **—** (*vt.*+副) ⑤ (규칙 등을) 완화하다, 느슨하게 풀다. ⑥ 〖~ oneself up 으로〗 (운동 따위를 하기에 앞서) 몸을 풀다. ㊕ **~·er** *n.* 느슨하게 하는 사람〔것〕.
lóose-príncipled *a.* 무절조한, 정견(定見)이 없는, 흐리멍덩한.
lóose séntence 〖수사학〗 산열문(散列文)《주절이 끝난 뒤에 종속절이나 기타 수식 어구가 계속되는 문장; 담화체에 많음》. opp. *periodic sentence*.
lóose·strìfe *n.* 〖식물〗 부처꽃; 큰까치수염.
lóose-tóngued *a.* 입이 가벼운, 수다스러운.
loos·ish [lú:siʃ] *a.* 느슨한〔풀릴〕 듯한, 죄는 맛이 없는 듯한, 단정치 못한 듯한.
loot [lu:t] *n.* Ⓤ 약탈물, 전리품; 약탈 (행위); 부정 이득; 《구어》 선물, 구입품; 《속어》 돈, 재산, 값나가는 물건. **—** *vt.*, *vi.* 약탈하다; 부정 이득을 보다. ㊕ **∠·er** *n.* 약탈자; 부정 이득자. **∠·ing** *n.* 약탈.
lop[1] [lap/lɔp] (*-pp-*) *vt.* (+目+副) (가지 따위를) 치다; (나무를) 잘라내다; (목·손발 등을) 베다, 자르다《*off; away*》; 《고어》 (아무)의 목〔손발〕을 베다: ~ branches *off* 〔*away*〕 가지를 치다 / ~ *off* a page 한 페이지를 삭감하다. **—** *vi.* 가지를 치다; 베어〔잘라〕내다. **—** *n.* 가지치기, 베어내기; 잘라낸 가지.
lop[2] (*-pp-*) *vi.* 휘늘어지다, 매달리다; 빈둥거리다《*about*》; 기대다, 덜렁 드러눕다; (토끼 따위가) 깡충깡충 뛰어가다. **—** *vt.* 늘어뜨리다, 매달다. **—** *a.* 늘어진, 매달린: ~ ears 늘어진 귀. **—** *n.* (종종 L-) 귀가 처진 토끼.
lop[3] (*-pp-*) *n.*, *vi.* 잔물결(이 일다).
lope [loup] *vi.*, *vt.* (말 따위가) 천천히 뛰다〔뛰게 하다〕; 성큼성큼 달리다 〔달리게 하다〕. **—** *n.* 성큼성큼 달리기.
lóp èar =LOP².
lóp-éared *a.* (토끼 따위의) 귀가 늘어진.
lo·per·a·mide [loupérəmàid] *n.* 〖약학〗 로페라미드《지사제(止瀉劑)로 씀》.
loph·o·phore [láfəfɔ̀:r, lóuf-/lɔ́uf-] *n.* 〖동물〗 (외항류(外肛類) 동물의 입 주위의) 총담(總擔). ㊕ **lòph·o·phór·ate** [-fɔ́:rət] 〖동물〗 *a.* 총담의. **—** *n.* 촉수관(觸手冠) 동물.
lop·o·lith [lápəliθ / lɔ́p-] *n.* 〖지학〗 분반(盆盤), 분상암체(盆狀岩體).
lop·py [lápi/lɔ́pi] *a.* 휘늘어진, 매달린, 야무지지 못한.
lóp·sìded [-id] *a.* 한쪽으로 기운, 균형이 안 잡힌, 남다른 데가 있는: ~ trade 편(片)무역. ㊕ **~·ly** *ad.* **~·ness** *n.*
loq. *loquitur* 《L.》 (=he *or* she speaks).
lo·qua·cious [loukwéiʃəs] *a.* 말 많은, 수다스러운; (새·물 소리 따위가) 떠들썩한, 시끄러운. ㊕ **~·ly** *ad.* **~·ness** *n.*
lo·quac·i·ty [loukwǽsəti] *n.* Ⓤ 다변(多辯), 수다; 떠들썩함, 훤소(喧騷).
lo·quat [lóukwɑt, -kwæt/-kwɔt] *n.* 비파나무(의 열매).
loq·ui·tur [lákwitər/lɔ́k-] *vi.* 《L.》 〖연극〗 (아무가) 말하다《생략: loq.》. ★ 배우 이름 뒤에 붙여서 쓰는 무대 지시어.
lor, lor' [lɔ:r] *int.* 《영속어》 아이고, 이런: O *Lor!*
Lo·ra [lɔ́:rə] *n.* 로라《여자 이름》.
lo·ral [lɔ́:rəl] *a.* 〖생물〗 새의 눈과 윗부리 사이 부분의.
lo·ran [lɔ́:rən] *n.* 로란《장거리 항법에 사용하는 자기 위치 측정 장치 ; 두 개의 무선국에서 오는 전파의 도착 시차를 이용함》. cf. shoran. [◂ *long-range navigation*]
lor·cha [lɔ́:rtʃə] *n.* 서양형 선체의 중국배.
*__lord__ [lɔ:rd] *n.* **1** 지배자, 군주; 〖역사〗 영주; 주인. **2** 《영》 귀족; 상원 의원《미국에서는 senator》; (L-) 경(卿)《영국의 후·백·자·남작과 공·후작의 아들 및 archbishop, bishop 등의 존칭》 (⇨관용구 중의 *my Lord*). **3** (보통 the L-) 하느님; (보통 our L-) 주, 그리스도: *Lord* knows who…. 누구인가는 하느님만이 안다. **4** 《시어·우스개》 남편. **5** 대가, 왕자. cf. king. ¶ a cotton 〔steel〕 ~ 면업〔강철〕왕. **6** 축하연의 사회자. **7** 〖점성〗 사성(司星). **8** 《시어》 소유자. cf. landlord. ***act the* ~** 원님〔부자〕 티를 내다. ***be* ~ *of*** …을 영유(領有)하다. ***drunk as a* ~** ⇨DRUNK. (***Good*** 〔***O***(***h***)〕) ***Lord!*** =***Lord bless me*** 〔***my soul, us, you***〕***!*** =***Lord have mercy*** (***upon us***)***!*** 아아!, 오오! 《놀라움을 나타내는 감탄사》. ***in the year of our Lord*** (2000) 서기 (2000) 년에. ***live like a* ~** 왕후처럼〔사치스럽게〕 지내다. **~ *and master*** 《시어·우스개》 남편, 가장. ***my Lord*** [milɔ́:rd] 각하(閣下), 예하(猊下)《후작 이하의 귀족, bishop, Lord Mayor 및 고등법원 판사에 대하여 부르는 경칭; 발음에 주의》. ***swear like a* ~** (By God!, Damn it! 따위의) 천한 말을 함부로 입에 담다, 함부로 매도하다. ***the* ~ *in waiting*** 《영》 여왕 시종. ***the Lord***

of hosts 만군의 주(主)《Jehovah 를 말함》. ***the Lord of Lords*** 〔~s〕 그리스도. ***the Lord of Misrule*** 〖영국사〗 크리스마스 연회 따위의 사회자. ***the Lord President of the Council*** 《영》 추밀원(樞密院) 의장. ***the ~s of (the) creation*** 만물의 영장《인간》; 《우스개》 남자. ***treat like a ~*** 원님 대우하다, 융숭하게 대하다.
—*vi.* 거만하게 굴다, 잘난 체하다; 주인 행세하다, 뽐내다. —*vt.* 《~+[목]/+[목]+[전]+[명]》 〖~ it 으로〗 마구 뽐내다, 건방을 떨다; 주인 행세하다, 좌지우지하다《*over*》: He ~*s it over* his household. 그는 횃대 밑 사내 구실밖에 못한다.
★ 수동태에서는 it 이 없어짐: I will not *be ~ed over*. 내게 건방을 떠는 것은 못 참아.

Lórd Bíshop 주교《공식 호칭》.

Lòrd Chámberlain (the ~) 《영》 궁내부 장관.

Lórd Chìef Jústice (the ~) 《영》 수석 재판관.

Lórd Commíssioner 《영》 (해군성 · 재무부 등의) 최고 집행 위원.

Lòrd Háw-Haw [-hɔ́:hɔ̀:] 호호경(卿)《제 2 차 대전 중 독일에서 영국으로 선전 방송을 한 William Joyce 의 가명》.

Lòrd Hígh Ádmiral 〖영국사〗 해군 장관.

Lórd (High) Cháncellor (the ~) 《영》 대법관《생략: L.H.C., L.C.》.

lórd-in-wáiting *n.* 《영》 (왕가(王家) · 왕세자가(家)의) 시종《귀족 출신의 남자》.

Lórd Lieuténant 《영》 (1922 년까지의) 아일랜드 총독; 주(county)지사. 「지질한 귀족.

lord·ling [lɔ́:rdliŋ] *n.* 소군주, 소공자, 소귀족;

°**lórd·ly** (*-li·er; -li·est*) *a.* 군주〔귀족〕다운, 당당한; 숭고한, 위엄이 있는; 오만한. —*ad.* 군주〔귀족〕답게; 오만하게. [파] **-di·ly** *ad.* **-li·ness** *n.*

Lòrd Máyor (the ~) 《영》 (런던 등 대도시의) 시장《부인은 Lady Mayoress》: the ~*'s* Show 런던 시장 취임 피로 행렬. 「(食人)의.

lórd-of-the-flíes *a.* 동물적〔야수적〕인, 식인

lor·do·sis [lɔ:rdóusis] *n.* 〖의학〗 척추 전만증(前彎症). [파] **lor·dot·ic** [-dátik/-dɔ́t-] *a.* 전만증의; (포유류 암컷의 교미 시) 전만 자세의.

Lòrd Prívy Séal (the ~) 《영》 옥새 상서.

Lórd Protéctor (the ~) 〖영국사〗 호민관《공화정 시대의 Oliver Cromwell 과 그의 아들 Richard 의 칭호》. 「시장.

Lòrd Próvost (the ~) 스코틀랜드 대도시의

Lords [lɔ:rdz] *n.* Lord's Cricket Ground(런던의 크리켓 경기장)의 약칭.

Lórd's Commíssioners (the ~) 《영》 (해군성 · 재무부 따위의) 최고 위원회 위원.

Lórd's dày (the ~) 주일《일요일》.

°**lord·ship** [lɔ́:rdʃip] *n.* [U] **1** 귀족〔군주〕임. **2** 주권; 영주의 권력; 지배《*over*》; 영유《*of*》; 영지. **3** (종종 L-) 《영》 《호칭》 각하: your 〔his〕 ~ 각하《귀족 및 재판관, 또는 보통 사람 · 동물 등에 대해 농으로도 쓰임》.

Lòrd spíritual (the ~) 《영》 성직 관계의 상원 의원. [cf.] Lord temporal.

Lórd's Práyer [lɔ́:rdzprɛ́ər] (the ~) 〖성서〗 주기도문《마태복음 VI:9-13》.

Lórd's Súpper (the ~) 성찬식; 주(主)〔최후〕의 만찬.

Lórd's táble (the ~) 성찬대; 제단.

Lórds·town sỳndrome [lɔ́:rdztàun-] 자동 조립 라인에서 일하는 근로자의 욕구 불만 증상 《Ohio 주 Lordstown 에 GM 사(社)의 완전 자동화 조립 공장이 있음》.

Lòrd Témporal (the ~) 《영》 귀족 상원 의원 《Lord spiritual 이외의 의원》.

°**lore**[1] [lɔ:r] *n.* [U] **1** (특정 사항에 관한 전승적 · 일화적) 지식, 구비(口碑), 민간 전승. [cf.] folklore. ¶ the ~ of herbs 약초에 관한 지식 / doctor's ~ 전승 의학 / ghost ~ 요괴전, 괴담집. **2** 〔일반적〕 학문, 지식, 박학. [SYN.] ⇨LEARNING. **3** 《고어》 교수(敎授), 교훈. ***bird ~*** 새에 관한 학문. ***Gypsy ~*** 집시 연구.

lore[2] *n.* 〖조류〗 새의 눈과 부리 사이.

Lo·re·lei [lɔ́:rəlài] *n.* 《G.》 〖전설〗 로렐라이《라인 강을 다니는 뱃사람을 노래로 유혹하여 파선시켰다고 하는 마녀》.

Ló·rentz fòrce [lɔ́:rents-] 〖물리〗 로렌츠의 힘《자장〔전장〕 속을 운동하는 하전(荷電) 입자에 작용하는 힘》.

Ló·renz cùrve [lɔ́:rənz-] 〖경제〗 로렌츠 곡선 《소득 분포의 불평등을 나타내는 도표》. 「이름》.

Lo·ren·zo [lərénzou, lɔ:-/lɔ-] *n.* 로렌조《남자

Lo·ret·ta [lərétə, lɔ:-] *n.* 로레타《여자 이름》.

lor·gnette [lɔ:rnjét] *n.* 《F.》 손잡이 달린 안경; (손잡이 달린) 오페라글라스.

lorgnette

lor·gnon [lɔ:rnján/-jɔ́n] *n.* 《F.》 **1** 안경, 《특히》 코안경. **2** = LORGNETTE.

lor·i·cate [lɔ́:rikèit, lár-/lɔ́r-] *a.* 〖동물〗 각(殼)으로 덮인.

lor·i·keet [lɔ́:rikì:t, lár-, ⌐-⌐/lɔ́r-] *n.* 〖조류〗 진홍잉꼬류. [cf.] lory.

lo·ris [lɔ́:ris] *n.* 〖동물〗 로리스, 늘보원숭이.

lorn [lɔ:rn] *a.* 《시어》 버려진(abandoned), 고독한, 의지할 데 없는(forlorn). [파] **∠·ness** *n.*

Lor·na [lɔ́:rnə] *n.* 로나《여자 이름》.

Lor·raine [ləréin, lɔ:-/lɔ-] *n.* **1** 로레인《여자 이름》. **2** 로렌《프랑스 북동부의 지방》.

‡lor·ry [lɔ́:ri, lári/lɔ́ri] *n.* **1** 《영》 화물 자동차, 트럭(《미》 truck[1]). [SYN.] ⇨WAGON. **2** 무개(無蓋)화차. **3** (광산 · 철도의) 광차: a coal-~ 석탄 광차. **4** 4 륜 짐마차. ***fall off the back of a ~*** 《구어 · 우스개》 도둑 맞다. —*vt.* ~로 나르다.

lórry-hòp *vi.* 《영구어》 (lorry 1을 이용하여) 무전여행을 하다. [cf.] hitchhike.

lo·ry [lɔ́:ri] *n.* 〖조류〗 진홍잉꼬. 「sight(조준선).

LOS 〖미식축구〗 line of scrimmage; line of

los·a·ble [lú:zəbəl] *a.* 잃기 쉬운.

Los Al·a·mos [lɔ(:)sǽləmòus, las-] 로스앨러모스《미국 New Mexico주 북부 도시; 원자력 연구의 중심지》.

Los An·ge·les [lɔ:sǽndʒələs, -li:z, la-/lɔsǽndʒəli:z] 로스앤젤레스《미국 California주 남서부의 대도시; 생략: L.A.》. [파] **Los An·ge·le·no, Los An·ge·le·an** [-ændʒəlí:nou], [-ændʒəlí:ən] 로스앤젤레스 사람(Angeleno).

†lose [lu:z] (*p., pp.* ***lost***) *vt.* **1** 잃다, (사람 모습 따위를) 놓쳐 버리다, 두고 잊어버리다. **2** 없애다, 상실하다; (여자가 애를) 사산(死産)〔유산〕하다; (시간 · 노력 따위를) 낭비하다(waste), 손해보다; 빼앗기다: ~ life 목숨을 잃다 / ~ one's reason 이성을 잃다, 욱하다. **3** (시계가 …이나) 늦다, 느리다. [opp.] *gain.* ¶ My watch ~*s* two minutes a day. 내 시계는 하루에 2분 덜 간다. **4** 못 잡다; (열차 따위를) 늦어서 놓치다; (기회를) 놓치다; (말 따위를) 못 듣다(miss), 못 보고 놓치다; (상품 따위를) 못 타다; (싸움 · 경기에서) 승리를 놓치다([opp.] *win*); (동의를) 부결당하다: ~ a game 승부〔경기〕에 지다. **5** …의 기억을 잃다, 잊어버리다: I've just *lost* his name. 그의 이름을 깜박 잊었다. **6** (공포 따위의

감정을) 벗어나다; (병 따위를) 면하다: ~ one's fear 무섭지 않게 되다. 7 《+[목]+[전]+[명]》〖~ oneself 또는 수동태〗 **a** 몰두〔열중〕하다, 자기자신을 잊다: ~ one*self in* a book 책에 몰두하다/*be lost in* conjectures 억측〔상상〕에 빠지다. **b** 길을 잃다; 보이지 않게 되다; 자취를 감추다: ~ one*self in* the woods 숲속에서 길을 잃다/Soon the moon *lost* it*self in* the clouds. 이윽고 달은 구름 속으로 자취를 감췄다. **8** 《+[목]+[전]+[명]/+[목]+[목]》 (아무에게 …을) 잃게 하다: The delay *lost* the battle *for* them. 그 늦은 것 때문에 그들은 전투에 졌다/That mistake *lost* him his job. 그 실수로 그는 직장을 잃었다. **9** 〖보통 수동태〗 죽이다, 멸망시키다, 파괴하다: Ship and crew *were lost*. 배도 승무원도 다 침몰하였다. **—** *vi.* **1** 《~/+[전]+[명]》 줄다, 감소하다, 가치가 떨어지다, 쇠하다, 감퇴하다: The invalid is *losing*. 환자는 쇠약해지고 있다/~ *in* value 〔speed〕 가치〔속도〕가 떨어지다. **2** 《~/+[전]+[명]》 손해 보다, 손해 입다《*by*》: ~ heavily 크게 손해 보다/I have not *lost by* it. 그것으로 별로 손해 본 것은 없다. **3** 《~/+[전]+[명]》 지다, 뒤지다; 실패하다: I *lost* (*to* him). 나는 (그에게) 졌다. **4** 《+[전]+[명]》 (시계가) 늦다: This watch ~*s by* twenty seconds a day. 이 시계는 하루 20초 늦는다. **5** 《미속어》 (기기가) 고장 나다. ◇ loss *n.* **~ *a patient*** (의사가) 환자 하나를 잃다; 환자 한 사람을 죽게 하다. **~ *out*** 《구어》 (애석하게도) 지다, 실패하다, (큰) 손해를 보다. **~ *out on*** 《구어》 …에게 지다, …을 놓치다(miss). **~ *out to*** 《구어》 …에게 지다〔훨씬 뒤지다〕. **~ *one's breakfast*** 〔***cookies, dinner, lunch, meal, supper***〕 《속어》 게우다, 토하다. **~ *one's character*** 신용을 잃다. **~ *one's*** 〔***the***〕 ***place*** 지위를 잃다; (책의) 읽던 곳을 모르게 되다. **~ *way*** 〖해사〗 속력이 줄다, 속도가 줄다; (배 따위가) 서다. ***stand to ~ nothing*** 아무것도 잃을 염려가 없다.

lo·sel [lóuzəl, lú:-, láz-/lóu-] 《고어·방언》 *n.* 방탕한 사람, 무뢰한. **—** *a.* 쓸모없는.

°**los·er** [lú:zər] *n.* **1** 손실(損失)자; 분실자; 실패자; 패자([opp] *gainer*); 〖경마〗 진 말: a good 〔bad〕 ~ 지고도 태연한〔투덜거리는〕 사람/*Losers* are always in the wrong. 《속담》 이기면 충신, 지면 역적. **2** 《미구어》 전과자; (형사상의) 유죄 확정자: a two-time ~ 전과 2범자. **3** 《미속어》 폐를 끼치는 사람, 멍청이. **4** 〖야구〗 패전투수. **5** 《영》〖당구〗 =losing HAZARD. ***You shall not be the ~ by it.*** 그 일로 네게 손해를 끼치진 않겠다.

los·ing [lú:ziŋ] *a.* 손해 보는, 지는, 실패하는: a ~ pitcher 패전 투수/a ~ game 이길 가망이 없는 승부〔경기〕. **—** *n.* 실패, 상실; (*pl.*) (투기 따위에서의) 손실. [파] **~·ly** *ad.* 「a ~.

lósing báttle 승산 없는 싸움〔노력〕: fight

lósing strèak 연패(連敗). [opp] *winning streak.* ¶ a six-game ~ 6연패.

‡**loss** [lɔ:s, las/lɔ́s] *n.* [U] **1** 잃음, 분실, 상실: ~ of face 체면을 잃음/the ~ *of* health 〔opportunities〕 건강〔기회〕의 상실/the ~ *of* sight 실명(失明). **2** [C] 손실, 손해; 손실물〔액, 량〕. [opp] *gain.* ¶ suffer great 〔heavy〕 ~*es* 큰 손해를 보다/a total ~ 완전한 손실/That is my ~. 손해 보는 것은 나다. **3** 감소, 감손(減損), 줆: ~ in weight 감량(減量). **4** 소모, 소비, 낭비(waste): ~ *of* time 시간의 낭비. **5** 실패, 패배. **6** [C] 〖군사〗 (사상자·포로 등의) 손해, (흔히 *pl.*) 그 손해수; 〖보험〗 (보험금을 지급하게 되는) 사망〔상해, 손해 따위〕, (그에 의거하여 지급하는) 보험 금액: the ~ *of* life 인명의 손실 (수). ◇ lose *v.* ***at a ~*** ① 난처하여, 쩔쩔매어, 어쩔 줄 몰라서《*about; to* do》: I was *at a ~* (*to* know) what to do. 나는 어쩔 줄 몰랐다. ② 밑지고, 손해를 보고: sell *at a ~* 손해를 보고 팔다. ***be no ~*** 아무런 손해〔손실〕도 되지 않다: He *is no ~*. 그가 없어도 아무런 타격도 없다. ***cut* one's *~es*** 손해를 보기 전에 부실 기업〔거래〕에서 손을 떼다. ***for a ~*** 우울하여, 몹시 지쳐서; 곤란한 상태로. ***without ~ of time*** 즉시로, 당장.

löss [les, lʌs, lə:s] *n.* =LOESS. 「인.

lóss adjúster 《영》 (보험의) 손해 사정〔감정〕

lóss lèader 〖상업〗 (손님을 끌기 위한) 특매품, (손해를 보며 싸게 파는) 특가품.

lóss·less *a.* 〖전기〗 무(無)손실의; 〖컴퓨터〗 (화상·음성 데이터의 압축이) 손실이 없는, 가역(可逆)인. 「계속 적자인.

lóss·màker *n.* 《영》 적자 기업. [파] **-màking** *a.*

lóss ràtio 〖보험〗 손해율《지급 보험금의 수입 보험료에 대한 비(比)》.

lossy [lɔ́:si, lási/lɔsi] *a.* 〖전기〗 (소재(素材)·전송 경로가) 손실(loss)이 많은.

†**lost** [lɔ:st, last/lɔst] LOSE의 과거·과거분사. **—** *a.* **1** 잃은, 잃어버린, 분실한; 이미 보이지〔들리지〕 않는, 행방불명의: ~ territory 실지(失地). **2** 진《싸움 따위》; 빼앗긴, 놓쳐 버린《상품 따위》. **3** 낭비된, 허비된《시간 따위》: ~ labor 헛수고. **4** 길을 잃은; 타락한: a ~ child 길〔집〕 잃은 아이, 미아/~ sheep 길 잃은 양《죄인》. **5** 어찌 할 바를 모르는(bewildered). **6** 몰두한, 열중한, (…에) 마음이 팔린(absorbed)《*in*》; (…을) 느끼지 않는《*to*》. **7** 죽은, 파멸〔사멸〕된: a ~ ship 난파선(難破船). ***be*** 〔***get***〕 **~** ① 분실하다, 없어지다. ② 길을 잃다; (어찌)할 바를 모르다. ③ 열중하다, 몰두하다《*in*》. ***be ~ in*** (thought) (사색)에 잠겨〔빠져〕 있다. ***be ~ on*** 〔***upon***〕 … 에〔게〕 효과가 없다: The advice *was ~ on* him. 그 충고는 그에게 효과가 없었다. ***be ~ to*** ① (이미) …을 느끼지 않다; …의 영향을 받지 않다: He *is ~ to* all sense of duty 〔shame〕. 그는 책임감〔수치심〕이 전혀 없다. ② 놓쳐 버리다, 다시 오지 않다, …의 가능성이 없다, …에서 빠져나가다: The opportunity *was ~ to* him. 그는 기회를 못 잡았다/The ship *was ~ to* sight. 배는 보이지 않게 되었다. ***Get ~!*** 《속어》 냉큼 꺼져 버려〔나가라〕. ***the ~ and found*** 유실물 취급소. [파] **∠·ness** *n.* 「식표.

lóst-and-fóund bàdge 《속어》 (군인의) 인

lóst cáuse 실패한〔실패할 것이 뻔한〕 주의〔주장, 목표, 운동〕.

lóst clúster 〖컴퓨터〗 파손 클러스터《하드 디스크나 플로피 디스크 등의 저장 장치에서 디스크에 데이터를 저장해 두는 부분인 클러스터가 외부에서 가한 충력으로 인해서 손상된 것》.

Lóst Generátion (the ~) 잃어버린 세대《1차 대전 후의 불안정한 사회에서 살 의욕을 잃은 세대》.

lóst mótion **1** 〖기계〗 헛돌기, 공전(空轉). **2** 시간〔에너지〕의 낭비. 「실물취급소.

lóst próperty 유실물(遺失物): a ~ office 유

lóst ríver 없어지는 강《도중에서 사막·지하 수맥에 흡수됨》.

lóst sóul 영원한 단죄를 받은 혼〔사람〕; 《우스개》 일상생활을 제대로 영위 못 하는 사람, 어찌할 바를 모르는 처지에 있는 사람.

Lot [lat/lɔt] *n.* **1** 로트《남자 이름》. **2** 〖성서〗 롯《Abraham의 조카; Sodom 멸망으로 일족이 퇴거할 때 뒤를 돌아다본 그의 아내는 소금 기둥이 되었음; 창세기 XIII:1-12, XIX:1-26》.

‡**lot** [lat/lɔt] *n.* **1** 제비; [U] 제비뽑기, 추첨; 제비를 뽑아 배당〔당첨〕된 물건, 당첨: cast 〔draw〕

~*s* 제비를 뽑아서 결정하다. **2** 〔일반적〕 Ⓒ 몫(share). **3** 《미》 한 구획의 토지; 땅, 부지; 《미》 촬영소, 스튜디오; 《미속어》 (야구의) 다이아몬드: a vacant ~ 빈 터, 공지 / one's house and ~ 《미》 가옥과 대지 / a building ~ 건축 부지 / a parking ~ 《미》 주차장. **4** (상품 · 경매품 따위의) 한 무더기, 한 짝〔벌〕, 한 품목, 로트. **5** (사람 등의) 한 떼, 사람들. **6** ⓊⒸ 운, 운명(destiny): It falls to one's ~ *to* do... =It's one's ~ *to* do... =The ~ falls to 〔on〕 one *to* do... 아무가 …할 운명으로 되어 있다. SYN. ⇨ FORTUNE. **7** (종종 *pl.*) 《구어》 많음, 듬뿍; 《구어》 (the ~) 전부. **8** 《구어》 놈, 자식: a bad ~ 나쁜 녀석. **9** ⓊⒸ 《영》 과세(課稅). ***across ~s*** 《미》 특정 용도의 토지〔목초지〕를 가로질러, 지름길을 이용해. ***a ~ of*** = ***~s of*** = ***~s and ~s of*** = ***a good*** 〔***great***〕 ***~ of*** 《구어》 많은. SYN. ⇨ MANY. ***by*** 〔***in***〕 ***~s*** 따로따로 나누어《상품을 팔다 따위》. ***cast*** 〔***throw***〕 ***in*** one's ***~ with*** …와 운명을 같이하다.

— (*-tt-*) *vt.* **1** 《+목+부》 (상품 등을) 나누다, 분류하다《*out*》: ~ *out* apples by the basketful 사과를 한 바구니씩 나누다. **2** 할당〔배당〕하다. **3** (토지 따위를) 구분하다, 가르다. — *vi.* 제비뽑기를 하다. ~ ***on*** 〔***upon***〕 《방언》 …을 기대하다 〔믿다〕.

— *ad.* (a ~, ~s) 《구어》 〔동사 · 형용사 · 부사를 수식하여〕 **1** 대단히, 크게: a ~ more 〔better〕 아주 많은〔좋은〕 / I care ~s about my family. 가족들의 일이 매우 염려된다 / Thanks a ~. 대단히 감사합니다. **2** 종종, 빈번히: go out a ~ 빈번히 외출하다.

lo·ta(h) [lóutə] *n.* 《Ind.》 둥근 물단지《놋쇠나 구리로 만든》.

loth [louθ, -louð/louθ] *a.* =LOATH.

Lo·thar·io [louθέəriòu/-θá:r-] (*pl.* **~s**) *n.* (종종 l-) 탕아, 색마, 난봉꾼《Nicholas Rowe 의 극중 인물에서》.

Lo·thi·an [lóuðiən] *n.* 로디언《1975 년에 신설된, 스코틀랜드 Forth 만(灣) 남쪽에 위치하는 주(region)》.

lót hòpper 《미속어》 (영화의) 엑스트라.

lo·tic [lóutik] *a.* 〖생태〗 유수(流水)의〔에 사는〕, 동수성(動水性)의. cf. lentic.

lo·tion [lóuʃən] *n.* ⓊⒸ **1** 바르는 물약; 세제; 화장수, 로션: ⇨ EYE LOTION. **2** 《속어》 술.

lotos ⇨ LOTUS.

lots [lɑts/lɔts] *ad.* 《구어》 대단히; 〔비교급과 함께〕 훨씬 더(much). — *n.* ⇨ LOT.

lot·ta [lɑ́tə/lɔ́tə] *a.* 《미속어》 많은. [◂a lot of]

°**lot·tery** [lɑ́təri/lɔ́t-] *n.* 복권 뽑기; 추첨; 운, 재수: a ~ ticket 복권.

lóttery whèel (북 모양의) 회전식 추첨기.

Lot·tie, Lot·ty [lɑ́ti/lɔ́ti] *n.* 로티《여자 이름; Charlotte 의 애칭》.

lot·to [lɑ́tou/lɔ́t-] (pl. **~s**) *n.* Ⓤ 숫자를 맞추는 카드놀이의 일종.

lo·tus, lo·tos [lóutəs] *n.* **1** 〖그리스신화〗 로터스, 망우수(忘憂樹)《그 열매를 먹으면 황홀경에 빠져 속세의 시름을 잊는다고 함》; 그 열매. **2** 연(꽃); 벌노랑이속(屬)의 식물. **3** 〖건축〗 연꽃 무늬.

lótus-èater *n.* 〖그리스신화〗 lotus 의 열매를 먹고 괴로움을 잊었다는 사람; 〖일반적〗 안일을 일삼는 사람, 쾌락주의자.

lótus-èating *n.* Ⓤ, *a.* 열락(에 빠진).

lótus lànd 열락의 나라, 도원경(桃源境), 도원향(桃源鄕).

Lotus 1-2-3 〖컴퓨터〗 로터스 1-2-3《스프레드시트를 기본으로 데이터베이스, 그래프 기능 등이 통합되어 있는 IBM PC 용의 통합 소프트웨어》.

lótus posìtion 〔**pòsture**〕 〖요가〗 연화좌(蓮花座); 〖선(禪)〗 결가부좌(結跏趺坐).

Lótus Sútra =SADDHARMA-PUNDARIKA.

Lou [lu:] *n.* 루. **1** 남자 이름《Louis 의 애칭》. **2** 여자 이름《Louisa, Louise 의 애칭》.

louche [lu:ʃ] *a.* 《F.》 수상쩍은; 교활한; 평판이 나쁜.

****loud** [laud] *a.* **1** (소리 · 목소리가) 시끄러운, 큰(clamorous); (사람이) 큰 목소리의, 목소리가 큰; (물건이) 소리가 큰, 큰 소리를 내는.

> SYN. **loud** 큰 소리로 청각에 자극을 주는. **aloud** 들리도록 소리 내어: read *aloud* 소리 내어 읽다.

2 성가신, 시끄러운: be ~ *in* praises 크게 칭찬하다 / be ~ *in* demands 귀찮게 요구하다. **3** 뻔뻔스러운; 야비한: a ~ lie 새빨간 거짓말. **4** 《구어》 (빛깔 · 의복이) 야한(showy), 화려한, 야단스러운: ~ clothes 화려한 옷. **5** 《방언》 (냄새가) 지독한, 강한.

— *ad.* **1** 큰 소리로: Don't talk so ~. 그렇게 큰 소리를 내지 마라. **2** (의복 · 태도 따위가) 야하게, 천하게. **3** (악취가) 강하게, 불쾌히. ~ ***and clear*** 분명하게, 명료하게. ***Louder!*** 《미》 (청중이 연사에게) 좀더 큰 소리로 하시오, 안 들려요. ***... out*** ~ (분명하게) 소리를 내어 ….

loud·en [láudn] *vi., vt.* 목소리가 커지다〔를 크게 하다〕, 소란스러워지다〔스럽게 하다〕.

lóud-háiler *n.* 고성능 확성기(《미》 bullhorn).

loud·ish [láudiʃ] *a.* 목소리가 좀 높은, 좀 시끄러운; 좀 지나치게 화려한.

***loud·ly** [láudli] *ad.* 큰 소리로; 소리 높게, 떠들썩하게; 눈에 띄게, 야단스레, 화려하게; (냄새가) 지독하게.

lóud-mòuth [-màuθ] (*pl.* **~s** [-màuðz]) *n.* 《구어》 큰 소리로 지껄이는 사람, 안 해도 좋을 말을 하는 사람, 잘난 체 큰소리치는 사람.

lóud-móuthed [-máuðd, -máuθt] *a.* 《구어》 큰 목소리의, 시끄러운, 큰 소리로 말하는.

lóud·ness *n.* Ⓤ 큰 소리, 시끄러움; 좀 지나치게 화려함.

°**lóud·spèaker** *n.* 확성기.

lóudspeaker vàn 《영》 (확성기를 갖춘) 선전차(《미》 sound truck).

lóud-spóken *a.* 목소리가 큰.

Lóu Géh·rig's disèase [lú:gérigz-] 〖의학〗 루게릭 병《근(筋)위축성 측삭(側索) 경화증》.

lough [lɑk, lɑx/lɔk, lɔx] *n.* 《Ir.》 =LOCH.

Lou·ie [lú:i] *n.* 루이. **1** 남자 이름《Louis 의 애칭》. **2** 여자 이름《Louisa, Louise 의 애칭》.

lou·ie, lou·ey [lú:i] *n.* =LOOEY.

Lou·is [lú:is] *n.* **1** 루이스《남자 이름》. **2** (프랑스의 왕) 루이《1 세부터 18 세까지 있음》. **3** (l-) [lú:i] (*pl.* ~) =LOUIS D'OR.

Lou·i·sa, Lou·ise [lu:í:zə], [lu:í:z] *n.* 루이자, 루이즈《여자 이름》.

lou·is d'or [lù:idɔ́:r] (*pl.* ~) 《F.》 루이도르《(1) 혁명 전의 프랑스 금화. (2) 혁명 후 발행된 20 프랑 금화》.

Lou·i·si·ana [lu:ì:ziǽnə, lù:i-/lu:ì:-] *n.* 루이지애나《미국 남부의 주; 생략: La.》. ㊕ **-si·an·an, -an·i·an** [-ziǽnən], [-ǽniən] *a., n.* ~의 (사람).

Louisiána Púrchase (the ~) 미국이 1803 년 프랑스로부터 매입한 루이지애나 지역.

Lóuis Qua·tórze [-kətɔ́:rz] 루이 14 세 시대(풍)의《건축 · 장식 양식 따위》.

Lóuis Quínze [-kǽnz] 루이 15 세 시대(풍)의, (그 시대의) 로코코풍의.

Lóuis Séize [-séz] 루이 16 세 시대(풍)의《로코코 양식의 반동으로 직선적인 고전주의에의 과도기를 나타냄》.

Lóuis Tréize [-tréz] 루이 13 세 시대(풍)의

《건축은 르네상스 초기 것보다 중후하고 기품이 있고, 가구·실내 장식은 기하학적 의장(意匠)을 썼음》.

***lounge** [laundʒ] *vi.* **1** 빈둥거리다, 어정버정 지내다. **2** 어슬렁어슬렁 걷다《*about; along*》. **3** 《+[전]+[명]》 척 눕다 〔기대다〕: ~ *in* an armchair 안락의자에 느긋이 기대다. **—** *vt.* 《+[목]+[부]》 (시간을) 하는 일 없이 보내다《*away; out*》: We ~*d away* the afternoon at the seashore. 우리는 해변에서 오후 시간을 빈둥빈둥 지냈다. **—** *n.* **1** 어슬렁어슬렁 거닒. **2** (호텔 따위의) 로비, 사교실, 휴게실, 담화실; 거실. **3** 일종의 긴의자, 안락의자. **4** =COCKTAIL LOUNGE; 《영》 =LOUNGE BAR. 「바.

lóunge bàr 《영》 (퍼브(pub)〔호텔〕 내의) 고급

lóunge càr 《미》 〖철도〗 (안락의자·바 따위를 갖춘) 특등 객차.

lóunge chàir 안락의자(easy chair).

lóunge lìzard 《구어》 (부자 여자를 찾아 어슬렁거리는) 건달(lizard), 제비족; 멋쟁이; 밥벌레.

loung·er [láundʒər] *n.* 어슬렁어슬렁 걷는 사람; 게으름뱅이(idler).

lóunge sùit 《영》 신사복(《미》 business suit).

loung·ing·ly [láundʒiŋli] *ad.* 빈둥빈둥.

loupe [lu:p] *n.* 루페《보석 세공·시계 수리용 확대경》.

lour [lauər] *vi., n.* =LOWER[2].

lour·ing [láuriŋ, láuər-] *a.* =LOWERING[2].

loury [láuri, láuəri] *a.* =LOWERY.

°**louse** [laus] *n.* **1** (*pl.* ***lice*** [lais]) 〖곤충〗 이; (새·물고기·식물 등의) 기생충. **2** (*pl.* ***lóus·es***) 《구어》 비열한 놈, 인간쓰레기. **—** *vt.* 이를 없애다. ~ ***up*** 《속어》 …을 상하게 하다, 못 쓰게 만들다(spoil). 「본(草本).

lóuse·wòrt *n.* 〖식물〗 송이풀속(屬)의 각종 초

lousy [láuzi] (***lous·i·er; -i·est***) *a.* **1** 이투성이의. **2** 《구어》 **a** 천한, 치사한. **b** 나쁜, 심한, 변변치 않은; 정 떨어지는, 비참한; 몸이 불편한; 서투른《*at; in*》: She's a ~ writer. 그녀는 삼문문사(三文文士)이다. **3** 〖부정문에서 강조어로〗 …조차도. **4** (견이) 보풀이 인. ~ ***with ...*** 《속어》 …이 득시글거리는; 듬뿍 있는. **—** *ad.* 《미속어》 몹시, 엉망으로. (파) **lóus·i·ly** *ad.* **-i·ness** *n.*

lout [laut] *n.* 메부수수한 사람, 시골뜨기.

lout·ish [láutiʃ] *a.* 버릇없는, 촌뜨기 같은. (파) ~**·ly** *ad.* ~**·ness** *n.*

lou·ver, -vre [lú:vər] *n.* **1** 지붕창, (통풍용의) 옥상(屋上)의 창; (통풍용의) 미늘창. **2** (*pl.*) 미늘살, 루버(=~ **bòards**); (자동차·비행기 엔진의) 냉각용 공기 흡입구. (파) **lóu·vered** *a.*

louver 1

Lou·vre [*Fr.* lu:vʀ] *n.* (the ~) 루브르 박물관《파리의》.

°**lov·a·ble** [lʌ́vəbəl] *a.* 사랑스러운, 애교 있는, 매력적인. (파) **-bly** *ad.* ~**·ness** *n.* 「초》.

lov·age [lʌ́vidʒ] *n.* 〖식물〗 당귀류의 일종《약

lov·as·ta·tin [lʌ̀vəstéitin] *n.* 〖약학〗 로바스타틴《항(抗)콜레스테롤 약》.

†**love** [lʌv] *n.* **1** [U] 사랑, 애정(affection), 호의(好意)《*for; of; to; toward(s)*》: ~ *of* truth 진리애 / ~ *of* (one's) country 애국심. **2** [U] 연애, 사랑; 사모하는 정; 성욕, 색정; 성교. **3** [U] (신의) 자애; (신에 대한) 경모(敬慕). **4 a** [C] 애인, 연인《흔히 여성》. [cf.] sweetheart, lover. **b** 〖my ~로 부부 사이의 호칭에 써서〗 여보, 당신. **c** 〖여자끼리 또는 여자·어린이의 호칭에 써서〗 당신, 너, 얘야. **5** (L-) 연애〔사랑〕의 신, 큐피드(Cupid). [cf.] Eros. **6** [U] 좋아함, 애호, 취미, 기호(fondness). **7** [C] 《구어》 유쾌한 사람, 예쁜〔귀여운〕 것〔사람〕; (*pl.*) 아이들: What ~*s of* tea cups! 찻잔들이 참 예쁘기도 해라. **8** [U] 〖테니스〗 러브, 영점, 무득점: ~ all 러브 올《0대 0》/ at ~ 러브 게임으로. ***fall*** 〔***be***〕 ***in ~ with*** … 을 사랑하(고 있)다, …에게 반하다. ***for ~*** 좋아서, 호의로; 거저, 무료로; (내기를) 걸지 않고. ***for ~ or*** 〔***nor***〕 ***money*** 〖부정을 수반하여〗 아무리 해도 (…않다): You can *not* get it *for ~ or money*. 어떤 방법을 다 써도 그것은 입수 못 합니다. ***for the ~ of*** …때문에, …까닭에. ***for the ~ of Heaven*** 〔***God***〕 제발. ***Give*** 〔***Send***〕 ***my ~ to*** …에게 안부 전해 주십시오. ***have a ~ of*** …을 좋아하다. ***make ~*** 애정 행위를 하다; …와 자다, 성교하다《*to*》; 구애하다, …을 설득하다《*to*》. ***no ~ lost between*** 《구어》 서로 미워하는: There's *no ~ lost between* those two. 그들 두 사람은 서로 미워하고 있다《예전엔 서로 사랑하고 있었다는 뜻으로도 썼음》. ***out of ~*** 사랑하는 마음에서; 좋아하는 까닭에. ***out of ~ with*** …이 싫어서, …에 대한 사랑이 식어서.

— *vt.* **1** 사랑하다; 사모하다, …에 반해 있다: Love me, ~ my dog. 《속담》 아내가 귀여우면 처갓집 말뚝 보고도 절한다. **2** 《~+[목] / +-*ing* / +*to* do》 애호하다, (매우) 좋아하다: ~ music 음악을 좋아하다 / ~ play*ing* bridge 브리지놀이를 좋아하다 / She ~*s to* go dancing. 그녀는 춤추러 가기를 좋아한다. [SYN.] ⇨LIKE[1]. ★ 구어문에서 love 는 like very much 의 뜻으로 쓰임. 또 I'd *love* to go. 따위 형식은 흔히 여성이 씀. **3** 애무하다; 성교하다. **4** (동식물이 …을) 좋아하다, 필요로 하다. **—** *vi.* 연애하고 있다, 사랑하고 있다: *Love* little and ~ long. 《속담》 애정은 가늘고 길게. ***I ~ my love with an A*** 〔***a B,*** etc.〕 ***because*** she ***is a—*** 〔***b—,*** etc.〕. 나는 그녀가 정말 좋다, 그녀의 A 〔B, etc.〕가 말이야, 그녀는 a— 〔b—, etc.〕하거든《forfeits 란 놀이에서 쓰는 말》. ***Lord ~ you!*** 맙소사《남의 잘못 등에 대해서》. ***Somebody up there ~s me.*** 《속어》 운이 좋다. (파) **~·a·ble** *a.* =LOVABLE. 「광, 열중.

lóve affàir (일시적) 연애 사건, 정사(情事); 열

lóve àpple 《고어》 토마토(tomato).

lóve àrrows 망상금홍석(網狀金紅石), 러브애로우《침상(針狀)의 금홍석이 투명한 수정 속에 들어 있는 것》. 「염주식 목걸이.

lóve bèads (사랑과 평화를 상징하는 히피들의)

lóve-begótten *a.* 사생(私生)의, 서출(庶出)의.

lóve·bìrd *n.* **1** 〖조류〗 모란잉꼬. **2** (*pl.*) 《구어》 몹시 정다운 부부〔연인들〕.

lóve·bìte *n.* 키스 자국, 키스마크. 「해군 함정.

lóve bòat 《미속어》 남녀 혼합 승무원이 탑승한

lóve-bòmbing *n.* 《미》 (cult의 신자 획득을 위한 계획적인) 애정 공세.

lóve bòmbs 《속어》 과장된 애정 표현, 애정 공격: drop ~*s* on a person 아무에게 지나치게 애정을 표시하다, 아무에게 짐짓 친숙하게 굴다.

lóve chìld 사생아.

lóved òne 가장 사랑하는 사람, 연인; (*pl.*) 가족, 친척; (종종 L- O-) 사망한 가족〔친척〕, 고인(故人).

lóve drùg 《미속어》 최음제(催淫劑).

lóved-ùp *a.* (환각제로 인해) 황홀경에 빠진.

lóve fèast 애찬(愛餐)《초기 기독교도의 회식》; 이를 본뜬 종교적 의식; 우정의 술잔치.

lóve·fèst *n.* 《속어》 야합(野合).

lóve gàme 〖테니스〗 영패, 러브게임.

lóve hàndle (보통 love handles) 《미속어》 러브 핸들《특히 여성이 남성의 허리둘레의 군살을 가리킬 때 말함》. 「relations.

lóve-hàte *n.* [U], *a.* 격렬한 애증(愛憎)(의): ~

lóve·hòle *n.* 《속어》 여성의 성기, 질.
lóve-ìn *n.* 《속어》 (히피족 등의) 사랑의 모임.
lóve-in-a-míst *n.* 〖식물〗 니겔라.
lóve-in-ídleness *n.* 〖식물〗 팬지.
lóve ìnterest (영화 따위에서) 주인공의 연인; (영화·소설 등의 테마나 삽화(插話)로서의) 연애.
lóve jùice **1** 정액, 애액(愛液). **2** 최음약, 미약(媚藥).
lóve knòt 사랑 매듭《사랑 표시로 리본을 매는 방법》.
Lóve·lace [-leis] *n.* Ⓤ 난봉꾼, 색마《Samuel Richardson의 소설 중의 인물에서》.
lóve·less *a.* 사랑 없는; 귀염성 없는. ⊞ **~·ly** *ad.* **~·ness** *n.*
lóve lètter 연애편지, 러브레터.
lóve-lìes-bléeding *n.* 〖식물〗 줄맨드라미.
lóve lìfe 《구어》 성(性)생활.
lóve·lòck *n.* **1** (이마에 늘어뜨린) 애교머리. **2** 옛 상류 사회의 남성이 목·어깨에 늘어뜨린 머리.
lóve·lòrn *a.* 실연(失戀)한; 사랑에 번민하는.
‡**love·ly** [lʌ́vli] (*-li·er; -li·est*) *a.* **1** 사랑스러운, 귀여운, 아름다운, 굉장히 예쁜. SYN. ⇨BEAUTIFUL. **2** 《구어》 멋진, 즐거운, 유쾌한(delightful): have a ~ time 즐겁게 시간을 보내다. **3** 인품이 좋은, 애교 있는: a ~ woman 좋은 여자〔분〕. ★ '아름다운 여성'의 뜻도 있음. **4** (정신적으로) 뛰어난, 훌륭한: a ~ character 고상한 인품. *~ and ...* 《구어》 기분이 좋을 정도로 …한. **—** (*pl. -lies*) *n.* **1** 《구어》 (특히 쇼걸 등의) 미녀. **2** 매우 즐거운〔만족스러운〕 사람〔물건〕. **—** *ad.* 《속어》 참 잘; 훌륭히, 멋지게. ⊞ **-li·ly** *ad.* **-li·ness** *n.*
lóve·màking *n.* Ⓤ (여자에게) 구애함; 구혼(courtship); 성애 행위, 성교.
lóve màtch 연애결혼.
lóve·màte *n.* 연인, 애인.
lóve nèst 사랑의 보금자리.
lóve-phìlter *n.* 미약(媚藥).
lóve plày (남녀가) 서로 희롱하기, (성교 시의) 전희(前戲).
lóve pòtion =LOVE-PHILTER.
‡**lov·er** [lʌ́vər] *n.* **1** 연인, 사랑하는 사람《단수일 때에는 보통 남성》. **2** (여성 쪽에서 보아) 애인, 연인; 구혼자, 약혼자. **3** (*pl.*) 연인 사이《종종 육체관계가 있는》: a pair of ~*s* =two ~*s* 사랑하는 한 쌍. **4** 애호자, 찬미자, 기호자(嗜好者): a ~ *of* music 음악 애호자. ⊞ **~·less** *a.* 연인이 없는. **~·lìke** *a.* **~·ly** *ad., a.* 사랑하는 사이같이〔같은〕.
lóver bòy 〔**màn**〕 《속어》 매력적인 남자, 《특히》 남자 애인.
lóver's knòt =LOVE KNOT.
lóvers' láne 사랑의 산책길《공원 등에서 연인들이 둘만이 될 수 있는 후미진 길》.
lóver's léap 실연한 남자나 여자가 투신자살하는 낭떠러지.
lóve scène 러브신, 정사 장면.
lóve sèat 2인용 의자〔소파〕, 러브시트.
lóve sèt 〖테니스〗 한 게임도 따지 못한 세트.
lóve·sìck *a.* 상사병의, 사랑에 번민하는. ⊞ **~·ness** *n.* 상사병.
lóve·some [-səm] *a.* 《고어·방언》 매력적인, 아름다운; 다정스러운; 요염한.
lóve sòng 사랑의 노래, 연가; (새의) 구애가(歌).
lóve stòry 연애 소설〔이야기〕.
lóve tòken 사랑의 표시(로서의 선물).
lóve tríangle (애정의) 삼각관계.
lóve·wòrthy *a.* 사랑할 만한.
lov·ey [lʌ́vi] *n.* 《영구어》 《호칭》 여보, 당신.
lóvey-dóv·ey [-dʌ́vi] 《구어》 *a.* (맹목적으로) 사랑한, 홀딱 반한; 지나치게 감상적인, 매우 달콤한. **—** *n.* =LOVEY; 우애(友愛).
‡**lov·ing** [lʌ́viŋ] *a.* **1** 애정을 품고 있는, 사랑하고 있는, 애정이 깊은. **2** 애정을 나타내는, 애정이 깃들인: ~ glances 애정 어린 눈빛 / Your ~ friend 당신의 친구로부터 《편지의 끝맺음 말》. **3** 충실한, 충성스러운: Our ~ subjects 충성스러운 짐(朕)의 신민. ⊞ **~·ly** *ad.* 애정을 기울여. **~·ness** *n.*
lóving cùp 친목의 잔《연회 따위에서 돌려가며 마시는 큰 술잔; 지금은 우승배(杯) 따위에 쓰임》.
lóv·ing·est *a.* 깊이 애정이 깃든, 몹시 사랑하는.
lóving-kíndness *n.* Ⓤ 친애, 정, 《특히 신의》 자애, 인자.
†**low**¹ [lou] *a.* **1** 낮은《키·고도·온도·위도·평가 따위》. OPP. *high.* ¶ ~ temperature 저온 / ~ marks 낮은 점수〔성적〕 / ~ atmospheric pressure 저기압 / the ~ income bracket 저소득층. **2** (신분·태생이) 낮은(humble), 비천한, 하층의: a man of ~ birth 태생이 비천한 사람. **3** 저급의, 상스러운; 추잡〔외설〕한: a ~ talk 야비한 이야기. **4** (생물 따위가) 하등인, 미개한, 미발달의: ~ organisms 하등 생물. **5** (가격이) 싼; (수량·힘·함유량 등이) 적은, 근소한; 《구어》 (돈지갑이) 빈(*in; on*): ~ in price 값싸게 / run ~ 결핍하다. **6** (기분이) 침울한(depressed), 기운이 없는〔꺾인〕; 몸이 약한, 의기소침한: be in ~ spirits =feel ~ 풀이〔기가〕 죽다. **7** (머리를 깊이 숙이는) 공손한《인사》, 부복(俯伏)한; 《드물게》 겸손한; 《드물게》 죽은, 매장된, 숨은: Many were ~ after the battle. 그 싸움에서 많이 죽었다. **8** (물 등이) 얕은; 조수가 삔, 썰물의. **9** (조각 새김이) 얕은. **10** (드레스의) 깃이 깊이 팬. **11** (음식이) 나쁜, 영양가가 낮은: a ~ diet 조식(粗食). **12 a** 저음의. OPP. *loud.* **b** (속력이) 느린; (차 따위) (최)저속의, 로《기어》. **13** 〖음성〗 혀의 위치가 낮은(broad). **14** (L-) 〖교회〗 저(低)교회파의. cf. Low Church. **15** 〖주로 비교급〗 근년의, 최근의, 후기의: of a ~*er* date 더 근년의. **16** 〖권투〗 (타격이) 벨트 아래인. ***be ~ in one's pocket*** 주머니 사정이 나쁘다, 호주머니가 비다. ***bring ~*** ① (부(富)·건강·위치 따위를) 감소시키다, 쇠하게 하다, 영락케 하다. ② (아무를) 욕보이다. ***fall ~*** 타락하다. ***get ~*** 《미속어》 취하다, 기분이 좋아지다. ***lay ~*** ① …을 멸망시키다; 죽이다. ② 때려눕히다, 타도하다. ③ …을 욕보이다. ***lie ~*** ① 웅크리다; 쓰러져 있다; 죽어 있다. ② 부끄러워하다. ③ (사건이 조용해질 때까지) 몸을 숨기다. ④ 눈에 띄지 않게 하다, 조용히 있다. ⑤ 때를 기다리다〔노리다〕.
— *ad.* **1** 낮게: crouch ~ 낮게 웅크리다. **2** 저음으로; 낮은 소리로: talk ~ 목소리를 죽이어 이야기하다. **3** 기운 없이, 의기소침하여. **4** 천하게, 야비〔비열〕하게. **5** 싸게; 싼값으로: buy ~. **6** 적은 노름돈으로: play ~ 푼돈으로 내기를 하다. **7** 조식(粗食)을 하여. **8** 수〔지〕평선 가까이; 적도 가까이. **9** 근년에, 최근. ***aim ~*** 낮은 데를 겨누다〔노리다〕. **~ *down*** 훨씬 아래에; 냉대하여. ***play it ~*** (***down***) ***upon*** …을 냉대하다.
— *n.* **1** 낮은 것. **2** (자동차의) 저속〔로(low)〕 기어: go into ~ 저속 기어로 바꾸다. **3** 〖기상〗 저기압, 저압부; 최저 기온. **4** 〖증권〗 바닥(시세)(OPP. *high*); 〖카드놀이〗 최하점의 으뜸패. **5** 〖단수뿐〗 《미》 최저 기록〔수준, 숫자〕, 최저 가격: at a new 〔an all-time〕 ~ 최저 기록의〔으로〕. **6** (경기의) 최하점, 가장 낮은 득점. **7** 《미속어》 마약의 불쾌한 작용.
⊞ **~·ish** *a.*
low² *vi., vt.* (소가) 음매 울다(moo); 울부짖듯이 말하다《*forth*》. **—** *n.* Ⓤ 소 우는 소리.
low³, **lowe** [lou] 《Sc.》 *n.* 불꽃. **—** *vi.* 불타다.
LOW 〖군사〗 launch on warning (경보 즉시 발사; 핵 공격이 감지되는 즉시 착탄 전에 보복 공격하는 미국의 핵전략).

lów·bàll *n.* 〖카드놀이〗 로볼 《draw poker의 일종; 가장 나쁜 패를 가진 이가 이김》. **—** *vt., vi.* 고의로 싼값을 붙이고 뒤에서 여러 명목으로 값을 올리다, 과소평가〔산정〕하다. **—** *a.* 실제보다 싸게 어림한; (잔의) 운두가 낮은.
lów béam (자동차 헤드라이트의) 하향 근거리용 광선, 로 빔. cf. high beam.
lów blóod prèssure 〖의학〗 저혈압.
lów blów 〖권투〗 로 블로《벨트 아래를 치는 반칙》; 〖일반적〗 비열〔치사〕한 짓.
lów·bórn *a.* 태생〔출신〕이 미천한.
lów·bòy *n.* 다리가 짧은 옷장. cf. highboy.
lów·bréd *a.* 본데〔버릇〕없이 자란, 뱀뱀이가〔버릇이〕 없는. opp. *highbred.*
lów·bròw *a., n.* 《구어》 교양〔지성〕이 낮은 (사람). opp. *highbrow.*
lów-brówed *a.* **1** 이마가 좁은. **2** 《구어》 교양이 낮은. **3** 돌출한《바위 따위》; (건물이) 출입구가 좁은, 어두컴컴한.
lów-cál [-kǽl, -kӕl] *a.* 《구어》 =LOW-CALORIE.
lów-cálorie *a.* 저칼로리의《식사》.
lów cámp 예술적으로 진부한 소재를 무의식적으로 그냥 사용하는 일.
Lów Chúrch (the ~) 저(低)교회파《영국 국교 중 의식을 비교적 경시하고 복음을 강조함》. opp. *High Church.*
Lów Chúrchman 저교회파의 사람.
lów-cláss *a.* =LOWER-CLASS.
lów comédian 저속한 희극 배우〔코미디언〕.
lów cómedy 저속한 코미디〔희극〕.
lów-cóst *a.* 값이 싼, 싼값의.
Lów Cóuntries (the ~) 지금의 베네룩스(Benelux)의 총칭.
lów-cóuntry *a.* Low Countries 의.
lów-cút *a.* (옷의) 목둘레를 깊이 판; (구두가) 얕은.
lów-dénsity lipoprótein 〖생화학〗 저(低)밀도 리포 단백질《혈중 콜레스테롤을 운반; 생략: LDL》.
lów-dówn *a.* 《구어》 용렬〔비열〕한; 천한; 타락한; 〖재즈〗 매우 감정적인. **—** [ㅅ] *n.* (the ~) 《구어》 실정, 진상, 내막(dope). ***get*** 〔***give***〕 ***the ~ on*** …의 내막을 알다〔알리다〕.
Lów Dútch =LOW GERMAN.
lów éarth òrbit 〖우주〗 저(低)지구 궤도《보통 지상 144-900 km의 원(圓)궤도》.
Low·ell [lóuəl] *n.* 로웰. **1** 남자 이름. **2 James Russell** ~ 미국의 외교가 · 시인 · 평론가(1819-91).
lów-ènd *a.* 《구어》 (같은 종류 중에서) 값이 싼 쪽의, 저가격대의.
‡**low·er**[1] [lóuər/lə́-] *vt.* **1 a** 낮추다, 내리다, 낮게 하다(opp. *heighten*); (보트 따위를) 내리다; (눈을) 떨구다, (총포 등)의 (발)사각을 낮추다; 〖음성〗 (혀 · 모음을) 낮추다: ~ one's voice 목소리를 낮추다 / ~ prices 값을 내리다. **b** (음식을) 삼키다(swallow); 《구어》 (술을) 마시다, (마셔서 병을) 비우다. **c** 〖~ oneself 로; 보통 부정문에서〗 아집〔고집〕을 꺾다, 몸을 굽히다, 굴복하다: He would*n't* ~ him*self* to apologize. 그는 고집을 꺾고 사과하려 하지 않았다. **2** …의 힘〔체력〕을 줄이다〔약화하다〕; 싸게 하다, 낮추다; 〖음악〗 …의 가락을 낮추다. **3** (품위 따위를) 떨어뜨리다(degrade); 억누르다, 꺾다, 납작하게 하다(humble): ~ one's dignity 품위를 떨어뜨리다. **—** *vi.* **1** 내려가다, 낮아지다; 하향하다; 줄다; 싸지다, 하락하다: The prices ~*ed.* 값이 내렸다. **2** 〖해사〗 보트를〔돛을〕 내리다.
— *a.* 〖low[1]의 비교급〗 **1 a** 낮은〔아래〕 쪽의; 하부의; 남부의; (L-) 〖지학〗 낮은 층〔오래된 쪽〕의, 전기(前期)의. **b** 하류의, 하구(河口)에 가까운; 보다 현재에 가까운. **2 a** 하급의, 하등의, 열등한; 하원의. opp. *higher, upper.* ¶ the ~ classes 〔orders〕 하층 계급 / a ~ boy 《영》 (public school의) 하급생 / ~ animals 하등 동물. **b** (값이) 보다 싼.
— *n.* 아래턱 의치(義齒); (배 · 열차 등의) 하단 침대.
low·er[2], **lour** [láuər] *vi.* **1** 《+전+명》 얼굴을 찌푸리다, 못마땅한 얼굴을 하다《*at; on, upon*》: He ~*s at* people when he is annoyed. 그는 짜증이 날 때에 사람에게 못마땅한 얼굴을 해 보인다. **2** (날씨가) 나빠지다, 찌푸리다. **—** *n.* **1** 찡그린 얼굴(scowl). **2** 찌푸린 날씨.
Lówer Califórnia California 만과 태평양 사이의 반도《멕시코령》.
Lówer Cánada 캐나다 퀘벡 주(州)의 구칭.
lówer cáse 〖인쇄〗 소문자용 케이스(opp. *upper case*): in ~ 소문자로.
lówer·càse [lóuər-] *vt.* 소문자로 인쇄하다〔짜다〕; 〖교정〗 (대문자를) 소문자로 바꾸다《생략: l.c.》. **—** *a.* 〖인쇄〗 소문자의, 소문자로 인쇄한〔짠, 쓴〕; 《속어》 2류의, 확 눈에 띄지 않는. **—** *n.* 소문자 (활자).
lówer chámber (the ~) =LOWER HOUSE.
lówer cláss 1 하층 계급, 노동자 계급. **2** (the ~es) 하층 사회(의 사람들).
lówer-cláss [lóuər-] *a.* 하층 계급의; 열등한, 저급(低級)한.
lówer·clássman [-mən] (*pl.* **-men** [-mən, -mèn]) *n.* 《미》 4 년제 학교의 1, 2 학년생(underclassman).
lówer cóurt 하급 법원.
lówer críticism (the ~) 본문 비평《성서의 자구만에 관한 비평》. cf. higher criticism.
lówer déck 〖해사〗 하갑판; (the ~) 《영》 〖집합적〗 수병; 〖신문〗 (톱 다음의) 부표제.
Lówer Éast Síde (the ~) 로어 이스트사이드《많은 유럽 이주민이 처음 정착했던 뉴욕 시 맨해튼의 남단 지역의 동쪽》.
Lówer Émpire (the ~) 동로마 제국.
Lówer Fórty-éight 〔**48**〕 (알래스카 · 하와이를 제외한) 미국 본토 48 주.
lówer fúngus 〖세균〗 하등 균류《주로 무성 생식으로 증식하는 균류의 총칭》.
lówer gróund flóor 《영》 (건물의) 지하층(basement).
lówer hóuse (the ~, 종종 the L- H-) 양원제의 하원(下院). opp. *upper house.*
low·er·ing[1] [lóuəriŋ] *a.* 저하〔타락〕시키는; 체력을 약화시키는. **—** *n.* 저하, 저감(低減).
low·er·ing[2] [láuəriŋ] *a.* 기분이 좋지 않은, 음울한; 날씨가 찌푸린. ㊞ **~·ly** *ad.* 침울〔찌무룩〕하게; 험악해져.
lówer mánagement 1 하급 관리. **2** 하급 관리층〔자〕. cf. middle management, top management.
lówer·mòst [lóuər-] *a.* 최하의, 최저의, 맨 밑바닥의.
lówer órders (the ~) =LOWER CLASS 2.
lówer régions (보통 the ~) 지옥(hell); 《우스개》 지하층, 하인방.
lówer schòol 《영》 public school 의 5 학년 이하의 학급; 《미》 (상급 학교에의 전 단계로서의) 하급 학교.
lówer wórld (the ~) 하계(下界); 현세(現世), 이승; 지옥, 저승.
low·ery [láuəri] *a.* =LOWERING[2].
lów·est 〖low[1]의 최상급〗 *a.* 최하의, 최저의; 최소의. ***at the ~*** 적어도.
lówest cómmon denóminator (the ~) 〖수학〗 최소 공분모《생략: L.C.D.》; 《비유》 공통항(項).
lówest cómmon múltiple (the ~) 〖수학〗 최소 공배수《생략: L.C.M.》.

lówest térms 〖수학〗 줄인〔기약(既約)〕 분수.
lów explósive (흑색 화약 등과 같이) 폭발력이 약한 화약.
lów-fát *a.* (식품 · 요리법이) 저(低)지방의.
lów-fát mílk 저지방유《전유(全乳)와 탈지유의 중간, 지방분을 줄인 우유》.
lów-fí [-fái] *n.* 《구어》 =LO-FI.
lów-flỳing *a.* 저공 비행의.
lów fréquency 〖통신〗 장파(長波), 저주파(低周波)《30-300 kHz.; 생략: L.F.》.
lów-fréquency *a.* 〖통신〗 장파의, 저주파의.
lów géar 저속〔로〕 기어.
Lów Gérman 저지(低地) 독일어《북부 독일어의 방언》. cf. High German.
lów-gráde *a.* 저급한, 하급의, 품질이 낮은.
lów-ímpact *a.* (몸 · 환경 따위에) 부담을 주지 않는, 영향이 적은.
lów-íncome *a.* 저수입의, 저소득의.
low·ing [lóuiŋ] *n.* Ⓤ 소의 울음소리. **—** *a.* 음매하고 우는.
lów-inténsity cónflict 저수준 분쟁(=**lów-inténsity wárfare**)《민족 해방 투쟁 · 게릴라전 · 국제 테러리즘 등에 대한 미국 정부의 대응하는 규모; 보통의 전쟁에 비하여 규모나 정도가 낮은 전쟁; 생략: LIC》.
lów-kéy, -kéyed *a.* **1** 삼가는 투의, 감정을 겉에 드러내지 않은, 저자세의. **2** 〖사진〗 화면이 어두워 콘트라스트가 낮은.
low·land [lóulənd] *n.* **1** (주로 *pl.*) 저지. **2** (the L-s) 스코틀랜드 남동부의 저지 지방. **—** *a.* 저지의; (L-) 스코틀랜드 저지(방언)의. 파 **~·er** *n.* 저지인; (L-er) 스코틀랜드 저지(低地) 지방인.
Lów Látin 저(低)라틴어《비속 라틴어 · 후기 라틴어 · 중세 라틴어》.
lów-lével *a.* 저지(低地)의; 저위의, 낮은 수준의; 신분이〔지위가〕 낮은 (사람의); 〖원자〗 방사성이 낮은.
lów-lével lánguage 〖컴퓨터〗 저급 언어《인간의 언어보다 기계 언어에 가까운 프로그램 언어》.
lów-lével wàste 저(低)레벨 (방사성) 폐기물.
lów·lìfe (*pl.* **-lìfes**) *n.* 《미속어》 저속한〔타락한〕 인간; 사회의 하층민.
lów·lìght *n.* (흔히 *pl.*) (밝은색의 머리카락 속의) 어두운 빛의 머리카락 오라기, 진하게 물들인 부분; 특히 불쾌한 사건〔부분〕; 《구어》 (사건 등의) 두드러지지 않은〔흥미를 끌지 못하는〕 부분.
lów-líved [-láivd, -lívd/-lívd] *a.* 미천〔야비〕한, 하층 생활을 하는.
lów-lòader *n.* 적재함이 낮게 된 트럭《화물 적재가 용이함》.
°**lów·ly** (*-li·er; -li·est*) *a.* **1** 낮은《신분 · 지위 따위》; 비천한(humble); 야비한. **2** 겸손한(modest), 자기를 낮추는. **3** 초라한. **4** 간소한; 저급한; (생물 등이 상대적으로) 미진화(未進化)의. **—** *ad.* 천하게; 겸손하게; 낮은 소리로; 싼값으로. 파 **lów·li·ness** *n.* 신분이 낮음; 비열함; 겸손.
lów-lýing *a.* 낮은, 저지의.
lów-máintenance *a.* 유지하기 쉬운, 유지비가 적게 드는.
Lów Máss 〖가톨릭〗 (합창 · 음악을 수반하지 않는) 평(平)미사. cf. High Mass.
lów-mínded [-id] *a.* 비열한, 야비한. 파 **~·ly** *ad.* **~·ness** *n.*
lów-néck(ed) [-(t)] *a.* (여성복이) 목부분이 깊이 파인.
lów·ness *n.* Ⓤ 낮음; 미천; 야비; 헐값; 원기가 없음; 미약.
lów-númbered *a.* 이른 번호의.
lów-páid *a.* 저(低)임금의《일 · 근로자 따위》.
lów pítch 〖음악〗 국제 표준음.
lów-pítched [-t] *a.* 저음역(低音域)의; 저조(低調)의; 물매〔경사〕가 뜬.
lów póint 최악의 상태, 저조.
lów pósture 저자세(low profile).
lów-pówered *a.* 저출력의, 마력이 낮은; (렌즈의) 배율이 낮은.
lów pòwer télevision ⇨ LPTV.
lów-préssure *a.* 저압의; 저기압의; 만사태평한, 유장(悠長)한; 온건하고 설득력이 있는, 부드러운 분위기의.
lów prófile 저자세(인 사람), 겸손한 태도 · 방법(을 취하는 사람). ***keep*** 〔***maintain***〕 ***a*** **~** 저자세이다.
lów-prófile tíre 〖자동차〗 편평(扁平) 타이어《높이에 비해 폭이 넓음》.
lów-próof *a.* 알코올 도수가 낮은〔약한〕.
lów relíef 얕은 돋을새김.
lów-rént *a.* 임대료가 싼; 비천한, 저속한.
lów-rent hóme (빈곤자용의) 집세가 싼 주택.
lów-resolútion *a.* 〖컴퓨터〗 (화면 · 프린터 따위가) 저해상도(低解像度)의.
lów·rìder *n.* 《미속어》 **1** 차대(車臺)를 낮게 한 차; 그 차를 운전하는 사람; 핸들을 높게 한 오토바이를 운전하는 사람. **2** 슬럼가(街)의 (난폭한) 젊은이; (동료 죄수로부터 돈을 갈취하는) 교도소 내의 깡패.
lów·rìding *n.* 차대를 극단적으로 낮게 한 차를 몰고 다님.
lów-ríse *a.*, *n.* 층수가 적은 (건물): ~ apartment house 저층 아파트.
lów séason (the ~) (행락 따위의) 비수기, 시즌오프.
lów silhouétte =LOW PROFILE.
lów-slúng *a.* 나지막한〔하게 만든〕; 지면〔바닥〕에 비교적 가까운.
lów-spírited [-id] *a.* 의기소침한, 기운 없는, 우울한. 파 **~·ly** *ad.* **~·ness** *n.*
lów-súlfur crúde òil 저황(低黃) 원유.
Lów Súnday 부활절(Easter) 다음의 최초의 일요일.
lów-tár *a.* (담배가) 저(低)타르의, 타르 함유량이 적은. **—** [⌐⌐] *n.* 저타르 담배.
lów tèa 《미》 =PLAIN TEA. cf. high tea.
lów-téch *a.* =LOW-TECHNOLOGY.
lów-technólogy *a.* (일용품 생산에 이용되는 정도의) 수준이 낮은 공업 기술의. cf. high-technology.
lów ténsion 〖전기〗 저전압(低電壓).
lów-ténsion *a.* 저전압(低電壓)의.
lów-tést *a.* (휘발유가) 끓는점이 높은, 휘발도가 낮은.
lów-tícket *a.* (물건이) 값이 싼, 저가격대(低價格帶)의.
lów tíde 썰물(때); 최저점.
low·veld [lóufelt, -velt] *n.* (종종 L- *or* Low-Velt) 《S.Afr.》 Transvaal 주에서 Swaziland 까지의 저지대.
lów wáter (하천 · 호수의) 썰물〔간조〕 때; 《비유》 부진〔궁핍〕 상태. ***in*** (***dead***) **~** 돈에 궁하여, 의기소침하여.
lów-wáter màrk 간조표(干潮標); 《비유》 최저(도), 최악 상태, 부진〔궁핍〕의 밑바닥《생략: L.W.M.》.
Lów Wéek 부활절 다음의 일요일부터 시작되는 1주일간.
lox[1] [lɑks/lɔks] (*pl.* **~**, **⌐·es**) *n.* 연어의 훈제(燻製).
lox[2] *n.* Ⓤ 액체 산소. **—** *vt.* (로켓)에 액체 산소를 공급하다. [◂ *l*iquid *ox*ygen]
lox·o·drom·ic [lɑ̀ksədrɑ́mik/lɔ̀ksədrɔ́mik] *a.* 등사 항법(等斜航法)〔등사 곡선〕의.
lox·y·gen [lɑ́ksədʒən, -dʒèn/lɔ́k-] *n.* Ⓤ 액체 산소. [◂ *l*iquid *oxygen*]
****loy·al** [lɔ́iəl] *a.* **1** (국가 · 군주 등에) 충성스러운

《*to*》. cf. filial. **2** (약속·의무에) 성실한, 충실한. SYN. ⇨SINCERE. **3** 정직한, 고결한. **—** *n.* (보통 *pl.*) 충신, 애국자; 성실한 사람. ⊕ **~·ism** *n.* Ⓤ 충성; 충의. **~·ly** *ad.*

loy·al·ist [lɔ́iəlist] *n.* 충성스러운 사람, 충신; (L-) 〚영국사〛 왕〔보수〕당원; (L-) 〚미국사〛 (독립전쟁 때의) 독립 반대자; (L-) (스페인 내란 때의) 반(反)프랑코 측의 사람. 「성실, 충실.

⁑loy·al·ty [lɔ́iəlti] *n.* Ⓤ **1** 충의, 충절. **2** 충성,

lóyalty càrd 고객 카드《자동 판독식 자기(磁氣) 카드로, 물품 구입액에 따라 점수를 매기고 이를 누적하여 장래 구입 대금의 충당 또는 할인의 기초로 삼는 것》.

lóyalty òath 《미》 (공직 취임자에게 요구되는 반체제 활동을 안 한다는) 충성 선서.

Loy·o·la [lɔióulə] *n.* **Ignatius ~** 로욜라《스페인의 성직자, Jesuit회(會)의 창설자; 1491–1556》.

loz·enge [lázindʒ/lɔ́z-] *n.* **1** 마름모 (모양의 것); 마름모꼴의 무늬; 마름모꼴의 창유리; 보석의 마름모꼴의 면(面). **2** 〚의학〛 정제(錠劑). **3** 일종의 마름모꼴 과자.

LP** [élpí:] (*pl.* ***Lps, Lp's) *n.* (레코드의) 엘피판《상표명》. [◂ *Long-Playing*]

LP linear programming; line printer. **L.P.** Labor Party; Lord Provost. **L.P., l.p.** low pressure. **l.p.** large paper; long primer.

L-PAM [élpǽm] *n.* 〚화학〛 l-페닐알라닌 머스터드《나이트로젠 머스터드의 일종; 제암제; 상표명》. [*l-p*henyl *a*lanine *m*ustard]

LPCVD 〚화학〛 low-pressure chemical vapor deposition (감압 CVD(화학적 기상(氣相) 성장법)). **LPG** liquefied petroleum gas. **LPGA** Ladies Professional Golf Association(여자 프로 골프 협회).

LP gàs 액화 석유 가스, LP가스, LPG.

L-plàte *n.* 《영》 (임시 면허 운전자의 차에 표시하는) L자(字)의 표지판. [◂ *Learner plate*]

L-plàter *n.* 《영》 임시 면허 운전자.

LPM, lpm 〚컴퓨터〛 lines per minute 행/분. **LPN, L.P.N.** licensed practical nurse. **LPPE** 〚화학〛 low-pressure polyethylene (저감법 폴리에틸렌). **lpt** 《해커속어》 line printer (1행분의 글자를 단위로 인자하는 장치). **LPTV** low power television (저출력 TV). **L.R.** living room; Lloyd's Register; log run; lower right. **Lr.** 〚화학〛 lawrencium. **LRBM** long-range ballistic missile. **LRC** 〚컴퓨터〛 longitudinal redundancy check character. **L.R.C.S.** League of Red Cross Societies (적십자사 연맹). **LRF** 〚생화학〛 luteinizing hormone-releasing factor. **LRL** Lunar Receiving Laboratory. **LRSI** 〚우주〛 low-temperature reusable surface insulation (저온용 내열(耐熱) 타일). **LRT** light-rail transit(경궤도 노면 전차). **LRTNF** 〚군사〛 long-range theater nuclear force (장거리 전역 핵전력). **LRU** 〚군사〛 line replaceable unit(라인 교환식 유닛; 작전 지역 부근에서 고장 부분을 유닛째 교환 수리하는). **LRV** Light Rail Vehicle; lunar roving vehicle. **L.S.** Licentiate in Surgery; Linnaean Society. **L.S., l.s.** left side; letter signed; *locus sigilli* 《L.》 (=the place of the seal); long shot. **LSA** Linguistic Society of America (미국 언어학회). **LSAT** Law School Admissions Test. **LSB** 〚컴퓨터〛 least significant bit (최하위 비트).

LSD [èlèsdí:] *n.* **1** 〚미해군〛 대형 상륙용 주정. [◂ *Landing Ship Dock*] **2** 〚약학〛 엘에스디 (=~ 25 [twéntifáiv])《정신 분열 같은 증상을 일으키는 환각제》. [◂ *ly*sergic acid *d*iethylamide]

L.S.D., l.s.d. =£.s.d.; Lightermen, Stevedores & Dockers.

£.s.d. [élèsdí:] *n.* **1** (영국 구통화 제도의) 파운드·실링·펜스《보통 구두점은 £5 6s. 5d.》. **2** 《구어》 금전, 돈, 부(富): a matter of ~ 금전 문제, 돈만 있으면 되는 일/a worshiper of ~ 금전의 노예. [《L.》 *librae, solidi, denarii* (=pounds, shillings, pence)]

L.S.De·ism [élesdí:izəm] *n.* 《우스개》 금력 숭배, 배금주의(⇨ £.s.d.).

L.S.E. London School of Economics and Political Science(런던대학 사회 과학부). **LSI** large-scale integration(고밀도 집적회로). **L.S.O., LSO** London Symphony Orchestra(런던 교향악단). **LSS** Lifesaving Service (수난(水難) 구조대); 〚우주〛 life support system (생명 유지 장치).

LST [èlèstí:] *n.* 군대·전차 등의 상륙에 쓰이는 함정. [◂ *l*anding *s*hip *t*ank]

LST, l.s.t. local standard time (지방 표준시). **LSV** lunar surface vehicle. **L.S.W.R.** London & South-Western Railway. **'lt** wilt[1]; shalt. **LT** letter telegram. **Lt.** Lieutenant. **l.t.** left tackle; local time; long ton. **L.T.A.** Lawn Tennis Association; London Teachers' Association. **Lt. Col., LTC** Lieutenant Colonel. **Lt. Comdr., Lt. Cdr.** Lieutenant Commander. **LTD** laser target designator (레이저 목표 조사기(照射機)). **Ltd., ltd.** [límitid] limited. **Lt. Gen., LTG** Lieutenant General. **Lt. Gov.** Lieutenant Governor. **L. Th.** Licentiate in Theology. **LTJG** Lieutenant Junior Grade. **L.T.L.** 〚상업〛 less-than-truckload. **LTR** living together relationship (동서(同棲), 내연 관계). **ltr.** letter; lighter. **LTTE** Liberation Tigers of Tamil Eelam(타밀일람 해방의 호랑이; 스리랑카 타밀족의 독립을 지향하는 과격파 조직). cf. Tamil Tigers.

Lu[1] [lu:] *n.* 루. **1** 남자 이름《Louis의 애칭》. **2** 여자 이름《Louisa, Louise의 애칭》.

Lu[2] 〚화학〛 lutetium. **LU** 〚물리〛 loudness unit (음량의 단위).

Lu·an·da [luǽndə, -á:n-/-ǽn-] *n.* 루안다《앙골라의 수도·항구 도시》.

lu·au [lu:áu] *n.* C,U 하와이식 연회(宴會).

lub. lubricant; lubricating.

Lu·ba [lú:bə] (*pl.* **~, ~s**) *n.* **1** 루바족《자이르 남동부에 사는 흑인족의 하나》. **2** Ⓤ 루바어《Bantu어의 하나, 특히 칠루바(Tshiluba)어》.

lub·ber [lʌ́bər] *n.* (덩치 큰) 뒤틈바리, 투미한 사람; 〚해사〛 풋내기 선원. ⊕ **~·ly** *a., ad.* 되통스러운, 메떨어진; 선원답지 않은; 어설프게, 볼품없게.

lúbber's hòle 〚해사〛 장루(檣樓) 승강구.

lúbber('s) lìne 〔**màrk**〕 〚해사·공항〛 방위 기선(基線).

lube [lu:b] 《구어》 *n.* 윤활유(=∠ **òil**); =LUBRICATION. [◂ *lub*ricating oil]

lúbe jòb 《미》 기름 치기, 주유(注油).

lu·bra [lú:brə] 《Austral.》 *n.* 원주민 여자; 《속어》 〚일반적〛 여자.

lu·bri·cant [lú:brikənt] *a.* 미끄럽게 하는. **—** *n.* 미끄럽게 하는 것; 윤활유, 윤활제.

lu·bri·cate [lú:brəkèit] *vt., vi.* **1** …에 기름을 바르다, 기름을 치다; 미끄럽게 하다, 윤활제로서 소용되다. **2** 《구어》 술을 권하다; 뇌물을 주다, 매수하다; 《속어》 술을 마시다, 취하다.

lúbricating óil 윤활유.

lù·bri·cá·tion *n.* Ⓤ 미끄럽게 함, 윤활; 주유(注油), 급유; 마찰을 감소시킴.
lu·bri·ca·tive [lú:brəkèitiv] *a.* 미끄럽게 하는, 윤활성의.
lu·bri·ca·tor [lú:brəkèitər] *n.* 미끄럽게 하는 것〔사람〕; 기름치는 사람; 윤활 장치; 주유기; 윤활유; 〖사진〗 광택제.
lu·bric·i·ty [lu:brísəti] *n.* Ⓤ 미끄러움; (정신의) 불안정, 동요; 붙잡을 데가 없음; 음탕(lewdness); 호색 문학.
lu·bri·cous, -cious [lú:brikəs], [-ʃəs] *a.* 미끄러운, 미끄러지기 쉬운; 붙잡기 곤란한(elusive), 불안정한; 교활한(tricky); 음탕한.
lu·bri·to·ri·um [lù:brətɔ́:riəm] 《미》 *n.* (주유소 내의) 윤활유 교환장(場); 주유소(=**lù·bri·ca·tó·ri·um**).
Lu·can [lú:kən] *a.* 성(聖) 누가(St. Luke)의.
Lu·cas [lú:kəs] *n.* 루카스《남자 이름》. 「魚)).
luce [lu:s] *n.* 〖어류〗 창꼬치(pike)(의 성어(成
lu·cen·cy [lú:sənsi] *n.* Ⓤ 광휘, 투명(성).
lu·cent [lú:sənt] *a.* 빛나는(luminous), 번쩍이는; 반투명의. ㊕ **~·ly** *ad.*
lu·cern(e) [lu:sə́:rn] *n.* 〖식물〗 《영》 자주개자리(《미》 alfalfa).
lu·ces [lú:si:z] LUX 의 복수.
Lu·cia [lú:ʃiə, -siə/-siə] *n.* 루시아《여자 이름》.
Lu·cian [lú:ʃən, -siən] *n.* **1** 루션《남자 이름》. **2** 루키아노스《2 세기 그리스의 풍자 작가》. ㊕ **Lu·ci·an·ic** [lù:ʃiǽnik/-si-] *a.* 루키아노스(풍)의, 야유적인.
°**lu·cid** [lú:sid] *a.* **1** 맑은, 투명한. **2** 명료한, 알기 쉬운; 투철한; 두뇌가 명석한. **3** 〖의학〗 본〔제〕정신의, 의식이 명료한: a few ~ moments 제정신의 순간. **4** 《시어》 빛나는, 밝은. **5** 〖천문〗 육안으로 보이는; 〖동물·식물〗 매끄럽고 윤이 나는. ㊕ **~·ly** *ad.* **~·ness** *n.*
lúcid dréam 〖심리〗 명석몽(明晳夢), 자각몽(自覺夢)《꿈꾸고 있는 것을 자각하면서 꾸는 꿈》.
lúcid ínterval 〖의학〗 평정기(平靜期)《미치광이가 잠깐 정신이 든 동안》; 소란 중의 고요한 한때, 폭풍우 중의 일시 잠잠한 때.
lu·cid·i·ty [lu:sídəti] *n.* Ⓤ **1** 밝음; 맑음, 투명. **2** 명백, 선명; 명석; 광명, 광휘. **3** 본〔제〕정신, (발광자 따위의) 평정(平靜).
Lu·ci·fer [lú:səfər] *n.* **1** 샛별, 금성(Venus). **2** 마왕, 사탄(Satan), 악마. **3** (l-) 황린(黃燐) 성냥(=**lúcifer màtch**). (*as*) ***proud as*** ~ (마왕처럼) 오만한.
lu·cif·er·ase [lu:sífərèis] *n.* Ⓤ 〖생화학〗 루시페라아제, 발광(發光) 효소.
lu·cif·er·in [lu:sífərin] *n.* 〖생화학〗 루시페린《반딧불 따위의 발광(發光) 물질》.
lu·cif·er·ous [lu:sífərəs] *a.* 《드물게》 빛나는, 번쩍이는; 밝게 하여 주는; 계발적(啓發的)인.
lu·cif·u·gous [lu:sífjəgəs] *a.* 〖생물〗 햇빛을 싫어하는, 배일성(背日性)의.
Lu·cil(l)e [lusí:l] *n.* 루실《여자 이름; 애칭 Lucy》.
Lu·cin·da [lu:síndə] *n.* 여자 이름《애칭 Lucy》.
Lu·cite [lú:sait] *n.* 투명 합성수지《비행기의 창·반사경 등 유리 대용으로 쓰임; 상표명》.
Lu·cius [lú:ʃəs/-siəs] *n.* 루시어스《남자 이름》.
⁑**luck** [lʌk] *n.* **1** Ⓤ 운(chance), 운수: good 〔bad, ill, hard〕 ~ 행운〔불운〕. SYN. ⇨ FORTUNE. **2** Ⓤ 행운, 요행: wish a person ~ 아무의 행운을 빈다. **3** Ⓒ 행운을 가져오는 것, 재수좋은 물건《술잔 따위》. ***as ~ would have it*** ① 운 좋게, 요행〔다행〕히도. ② 공교롭게, 운수 나쁘게《뜻에 따라 good, ill 을 luck 의 앞에 붙여 구별할 수도 있음》. ***be in ~'s way*** 운이 좋아지고 있다. ***break ~*** ⇨ BREAK. ***change one's ~*** 《미남부》 (백인 남자가) 흑인 여자와 성교하다. ***down on one's ~*** 운이 기울어, 불행하여. ***for ~*** 재수 있기를 빌며, 운이 좋도록. ***Good ~ (to you)!*** ⇨ GOOD. ***have the ~ of the devil*** 〔***the devil's own ~, the ~ of the Irish***〕 《구어》 되게 운이 좋다. ***in*** 〔***out of, off***〕 ***~*** 운이 좋아서〔나빠서〕. ***Just*** 〔***It is just***〕 ***my ~!*** 제기랄 또 글렀다《일이 잘 안될 때 말함》. ***Luck favored me, and*** (I won). 다행히도 (나는 이겼다). ***no such ~*** 운 나쁘게 …이 아닌. ***push*** 〔***press, crowd***〕 ***one's ~*** 《구어》 운을 과신하다, 계속 순조로우리라 믿다. ***take pot ~*** 마침 그곳에 있는 것으로 식사(食事)하다. ***try one's ~*** 운을 시험해 보다, 되든 안 되든 해보다《*at*》. ***worse ~*** 〔삽입구로서〕 공교롭게, 재수 없게도.
— 《미구어》 *vi.* 운 좋게 잘되다〔성공하다〕《*out*》; 운 좋게 우연히 만나다〔맞닥뜨리다〕《*out; on; onto; into*》; 〔반어적〕 아주 운이 나쁘다, (특히 전쟁터 등에서) 죽다《*out*》.
***luck·i·ly** [lʌ́kili] *ad.* 운 좋게; 〔문장 또는 절을 수식하여〕 요행히(도): *Luckily* she was at home. 요행히도 그녀는 집에 있었다 / I had time enough for reading, ~. 운 좋게 나는 독서할 시간은 충분히 있었다.
luck·i·ness [lʌ́kinis] *n.* Ⓤ 요행, 행운.
°**lúck·less** *a.* 불운의, 불행한; 혜택이 없는. ㊕ **~·ly** *ad.* **~·ness** *n.*
lúck mòney 《영》 =LUCKPENNY.
lúck·pènny *n.* Ⓤ 《영》 재수 좋으라고 지니는 돈, 판 사람이 산 사람에게 재수 좋으라고 주는 돈.
⁑**lucky** [lʌ́ki] (***luck·i·er; -i·est***) *a.* **1** 행운의, 운 좋은: He is ~ at cards. 그는 카드놀이에 운이 좋다 / a ~ dog 〔beggar〕 행운아 / one's ~ day 운 좋은 날, 길일(吉日) / a ~ guess 〔hit, shot〕 요행수 / You should be so ~! 《구어》 미안하게 되었습니다, 안됐군《그럴 리가 없다》.

> SYN. **lucky** 구어적인 표현. 그때의 우연한 행운을 나타내며 lucky 하지 않은 경우의 확률이 퍽 컸음을 시사함: By a *lucky* chance I escaped death. 요행히도 구사일생했다. **fortunate** 약간 딱딱한 표현. 그때의 행운 외에도 주위 사정이 유리했음을 나타냄: I was *fortunate* enough to pass the examination. 시험에 합격하여 운이 좋았다고 생각합니다. **happy** 그 행운에 의해서 초래된 행복한, 또는 유리한 결과에 초점을 둠: a *happy* choice of members 행운의 멤버 선택《그 때문에 좋은 결과를 얻었음을 나타냄》.

2 행운을 가져오는; 재수 좋은, 상서로운: a ~ penny (구멍을 뚫어 시계줄 따위에 다는) 행운의 동전 / ~ charm 행운의 부적. **3** 시의(時宜)를 얻은, 때를 맞춘.
— *n.* **1** 운이 좋은 것; 행운을 가져오는 것. **2** 《영속어》 도망. **3** 《Sc.》 (부를 때 쓰는 말로) 할머니. ***cut*** 〔***make***〕 ***one's ~*** 도망하다. ***touch ~*** 《구어》 행운을 만나다.
lúcky bág 〔《영》 **díp**〕 (손을 넣어서 물건을 집어내는) 복주머니(grab bag) 《통을 사용하면 lucky tub》; 《비유》 해봐야 아는 것; 〖해사〗 유실물 담아두는 것.
lu·cra·tive [lú:krətiv] *a.* 유리한, 수지 맞는, 돈이 벌리는〔되는〕(profitable); 〖법률〗 무상으로 얻은: a ~ business 유리한 사업. ㊕ **~·ly** *ad.* **~·ness** *n.*
lu·cre [lú:kər] *n.* Ⓤ 이익, 이득(profit); 《보통 경멸》 금전: filthy ~ 부정 이득.
Lu·cre·tia [lu:krí:ʃiə] *n.* **1** 루크레시아《여자

이름》. **2** 루크레티아《로마 전설의 정부(貞婦)의 이름》. **3**〖일반적〗정절의 귀감, 열녀.

lu·cu·brate [lúːkjəbrèit] *vi.* **1** (등불 밑에서) 밤 늦도록 공부하다, 형설(螢雪)의 공(功)을 쌓다; 힘들여 공부하다; 명상하다. **2** 학구적 저작을 하다, 고심하여 저작하다. ㊞ **-brà·tor** *n.* 등불 밑에서 공부〔저작〕하는 사람; 애써 저작하는 사람.

lu·cu·bra·tion [lùːkjəbréiʃən] *n.* Ⓤ《주로 문어》 **1** (특히 야간) 근로, 연찬(研鑽). **2** (학술 논문 등의) 노작(勞作), 연구 성과. **3** (종종 *pl.*) (특히 현학적인) 문학적 노작, 역작, 야심작.

lu·cu·lent [lúːkjələnt]《드물게》*a.* 빛나는, 번쩍이는; 투명한; (설명 따위가) 명료한, 명백한(clear); 설득적인. ㊞ **~·ly** *ad.*

Lu·cul·lan, -cul·li·an [luːkʌ́lən], [lùːkəlíːən] *a.* 부유한; 호화로운; 호사스러운.

lu·cus a non lu·cen·do [lúːkəs-ei-nán-luːséndou]《L.》역설적인〔모순된 언설에 의한〕 어원설(語源說); 터무니없는 억설, 조리가 안 서는 말.

Lu·cy [lúːsi] *n.* 루시. **1** 여자 이름. **2** 1974년 에티오피아 동부에서 발견된 원인(原人)의 화석에 붙인 이름.

Lúcy Stón·er [-stóunər] 여성의 여권 옹호론자,《특히》여성이 결혼 후에도 결혼 전의 성(姓)을 사용할 것을 주장하는 사람.

lud [lʌd] *n.*《영》=LORD. ***My*** ~ 재판장님《변호인이 재판관을 부를 때》.

Lud·dite [lʌ́dait] *n., a.* **1** (영국의 산업 혁명에 반대하고 기계 파괴 등 폭동을 일으킨 직공단원) 러다이트(의). **2** (l-) 기계화나 자동화에 반대하는 사람(의), 기술 혁신 반대자(의). ㊞ **Lúd·dit·ish** *a.* **Lúd·dìsm, Lud·dit·ism** [lʌ́daitìzəm] *n.*

lude [luːd] *n.*《미속어》=QUAALUDE.

°**lu·di·crous** [lúːdəkrəs] *a.* 익살맞은, 우스운; 바보 같은. ㊞ **~·ly** *ad.* **~·ness** *n.*

lu·do [lúːdou] *n.*《영》Ⓤ 일종의 주사위놀이.

Lu·el·la [luːélə] *n.* 루엘라《여자 이름》.

lu·es [lúːiːz] *n.*《L.》〖의학〗매독(syphilis) (=**~ vénerea**); 역병(疫病); 전염병.

lu·et·ic [luːétik] *a.* 매독의〔에 걸린〕. ㊞ **-i·cal·ly** *ad.*

luff [lʌf]〖해사〗*n.* (배가) 바람을 안고 나아가기; 세로돛의 앞깃;《영》이물의 만곡부(彎曲部): spring the 〔her〕 ~ 키를 느슨하게 풀고 배를 바람 불어오는 쪽으로 나아가게 하다. **—** *vi., vt.* 이물을 바람 불어오는 쪽으로 돌리다;〖요트경주〗(상대편의) 바람 불어오는 쪽으로 나아가다. ~ ***the helm*** 바람 불어오는 쪽으로 이물을 돌리다.

luf·fa, -fah [lúːfə, lʌ́fə/lʌ́fə] *n.* =LOOFA(H).

Luft·waf·fe [lúftvὰːfə] *n.*《G.》(나치스 시대의) 독일 공군.

lug[1] [lʌg] *n.* **1** Ⓤ 세게 끌기〔당기기〕. **2** Ⓤ (*pl.*)《미속어》젠체하는 태도, 뽐냄. **3**《미속어》헌금(의 요구); (정당의 비용을 위한) 강제 기부금. **4**〖해사〗=LUGSAIL. **5** =LUGWORM. ***put on ~s***《미》젠체하다, 뽐내다. ***put*** 〔***drop***〕 ***the ~ on*** a person《미속어》아무에게 기부금을 강요하다. **—** (***-gg-***) *vt., vi.* **1** 힘껏 끌다《*at*》, 질질 끌다; 무리하게 끌고 가다《*about; along*》. **2**《구어》(관계없는 이야기 등을) 느닷없이〔무리하게〕 들고 나오다, 꺼내다《*in; into*》. **3** 무거운 듯이 움직이다. ~ ***in*** 〔***out***〕〖경마〗(말이 코스의) 안쪽으로 붙다〔바깥쪽으로 벗어나다〕.

lug[2] *n.* **1**《영구어·Sc.》귀, 귓불. **2** 자루, 손잡이. **3**〖공학〗돌기, 돌출부; 불쑥 나온 끝. **4**《속어》《특히》(덩치 큰) 얼간이, 촌놈.

lug[3] *n.* =LUGWORM.

lúg bòlt 귀 달린 볼트.

luge [luːʒ] *n.*《F.》루지《스위스식의 1 인용의 경주용 썰매; 1964 년 동계 올림픽 종목으로 채택》. **—** *vi.* ~로 미끄러져 내리다. 「상표명」.

Lu·ger [lúːgər] *n.* 루거《독일제의 반자동 권총;

lug·ga·ble [lʌ́gəbəl] *n.* 질질 끌어〔겨우〕 나를 만큼 무거운 것.

***lug·gage** [lʌ́gidʒ] *n.* 여행용 휴대품; 소형 여행 가방, 수화물; (상품으로서의) 여행 가방류;《미속어》눈밑의 처진 살. 「보관함.

lúggage lòcker (공항·역 따위) 수화물 일시

lúggage ràck (열차 등의) 선반, 그물선반.

lúggage vàn《영》=BAGGAGE CAR.

lug·ger [lʌ́gər] *n.*《해사》(lugsail을 단) 작은 범선.

lúg·hòle *n.*《미속어》귓구멍.

lúg nùt (자동차 바퀴용의) 큰 너트.

lug·sail [lʌ́gsèil,《해사》-səl] *n.*〖해사〗러그세일《상단보다 하단이 긴 네모꼴의 세로돛》.

lu·gu·bri·ous [luːgjúːbriəs] *a.* 애처로운, 가엾은(sad); 슬퍼하는; 우울한. ㊞ **~·ly** *ad.* **~·ness** *n.*

lúg·wòrm *n.* 갯지렁이《낚싯밥》.

Lu·ing [lúːiŋ] *n.* 루잉《가축 소의 한 품종; 스코틀랜드 Luing섬 산(産)의 육우》.

Lu·kacs [lúːkaːtʃ] *n.* **George** ~ 루카치《헝가리의 문학사가·철학자·미학자; 1885-1971》.

Lu·kan [lúːkən] *a.* =LUCAN.

Luke [luːk] *n.* **1** 루크《남자 이름》. **2**〖성서〗성 누가(St. ~)《사도 Paul의 친구였던 의사》. **3**〖성서〗누가복음《신약 성서 중의 한 편》.

°**luke·warm** [lúːkwɔ́ːrm] *a.* **1** (물이) 미적지근한, 미온의: ~ water. **2** (수단이) 미온적인; 열의가 없는, 냉담한, 마음이 내키지 않는(half-hearted): a ~ support 열의 없는 지지(支持). **—** *n.* 열의가 없는 사람. ㊞ **~·ly** *ad.* **~·ness** *n.*

LULAC《미》League of United Latin-American Citizens (라틴 아메리카 시민 연맹).

°**lull** [lʌl] *n.* **1** (비·바람·폭풍우 등의) 진정, 잠잠함, 뜸함: a ~ *in* the storm 폭풍우의 일시적인 그침/a ~ *in* the wind 바람이 멎음. **2** 일시적인 고요함〔중지〕; (병의) 소강(小康), 중간 휴식; 일시적 불경기: a ~ *in* the talk 이야기의 중단된 사이. **3** 기분 좋게 들리는 소리: the ~ of falling waters 폭포수 떨어지는 소리. **4**《고어》자장가. **—** *vt.* **1** (어린아이를) 달래다, 어르다, 재우다. **2**〖보통 수동형〗(폭풍우를) 가라앉히다; (고통 따위를) 진정시키다, 누그러뜨리다. **3** 안심시키다. **4**《+목+전+명》속이어〔달래어〕 …하게 하다《*to; into*》: ~ a person *into* contentment 아무를 속여 만족시키다/~ a baby *to* sleep 어린아이를 얼러서 재우다. **—** *vi.* 가라앉다, 자다.

°**lull·a·by** [lʌ́ləbài] *n.* **1** 자장가(cradlesong). **2** 졸음이 오게 하는 노래〔소리〕; 살랑살랑 부는 바람소리. **—** *vt.* 자장가를 불러 재우다;〖일반적〗달래다.

lúll·ing *a.* 달래듯〔어르듯〕한. ㊞ **~·ly** *ad.*

Lu·lu [lúːlu] *n.* 룰루《여자 이름》.

lu·lu《미속어》*n.* 뛰어난 사람〔물건〕, 일품, 미인; (의원 등에게 주는) 특별 수당.

LULU locally unwanted 〔undesirable〕 land uses《쓰레기 처리장, 교도소, 도로 따위》.

lum·ba·go [lʌmbéigou] (*pl.* **~s**) *n.* Ⓤ〖의학〗요통(腰痛). ㊞ **-gi·nous** [-dʒinəs] *a.*

lum·bar [lʌ́mbər, -baːr/-bə] *a.*〖해부〗허리(부분)의: the ~ vertebra 요추(腰椎). **—** *n.* 허리 동맥〔정맥〕; 요신경; 요추(골). ㊞ **~·less** *a.*

lúmbar púncture〖의학〗요추천자(腰椎穿刺)(spinal tap)《골수 채취나 약제 주입 등을 위해 요추부에 침을 꽂음》.

***lum·ber**[1] [lʌ́mbər] *n.* Ⓤ **1**《미·Can.》재목, 제재목(《영》timber)《통나무·들보·판자 등》;

《야구속어》 배트. **2** 잡동사니, 거추장스러운 것〔사람〕; (말의) 군더더기 살. **3** 《속어》 집, 방, 《특히》 장물 은닉처, (범죄자의) 은신처. ***(be) in*** ~ ① 《속어》 투옥되어 (있다). ② 《구어》 궁지에 처해 (있다): (*be*) *in* dead ~ 매우 난처한 입장에 (있다). **—** *vt.* **1** 《미》 …의 재목을 베어내다. **2** 어수선하게 쌓아 올리다. **3** 《+목+부/+목+전+명》 (장소를 잡동사니 따위로) 채우다, 방해하다《*up; with*》: Don't ~ *up* my shelf *with* your rubbish. 잡동사니로 내 선반의 자리를 차지하지 말게. **4** 《영구어》 (골치 아픈 책임 따위를) 떠맡기다, 폐를 끼치다《*with*》. **—** *vi.* **1** 《미》 재목을 베어내다, 제재하다. **2** 무용지물이 되다. **3** 잡동사니로 장소를 메우다. **—** *a.* 재목으로 된; 재목을 매매하는, 제재용의. ㊕ **~·er** *n.* 제재업자. **~·less** *a.*

lum·ber[2] *vi.* 쿵쿵 걷다; 무겁게 움직이다; (기차 따위가) 우르르하며 움직이다《*along; past;* 《폐어》 *by; up*》.

lúm·ber·ing[1] [-riŋ] *n.* Ⓤ 제재(업).

lúm·ber·ing[2] *a.* 쿵쿵거리며 (무거운 듯이) 나아가는〔움직이는〕; (무거워서) 다루기 힘든; 방대한; 둔중한, 둔감한. ㊕ **~·ly** *ad.* 쿵쿵거리며, 묵직하게. 「=LUMBER JACKET.

lúmber·jàck *n.* 재목 벌채인, 벌채 노동자;

lúmber jàcket 벌목꾼의 작업복을 본뜬 웃옷.

lúmber·man [-mən] (*pl.* ***-men*** [-mən, -mèn]) *n.* 벌목꾼〔감독〕; 제재업자; 《미속어》 지팡이 짚은 거지.

lúmber·mìll *n.* 제재소(sawmill).

lúmber ròom 《영》 광, 헛간.

lúm·ber·some [-səm] *a.* =CUMBERSOME.

lúmber·yàrd *n.* 《미》 재목 쌓아 두는 곳, 저목장(《영》 timberyard).

lum·bo·sa·cral [lʌ̀mbousǽkrəl, -séik-] *a.* 〖해부〗 요추(腰椎)와 천추부(薦椎部)의.

lum·brous [lʌ́mbrəs] *a.* =LUMBERING[2].

lu·men [lú:mən] (*pl.* ***-mi·na*** [-mənə], **~s**) *n.* 〖물리〗 루멘《광속(光束)의 단위; 생략: lm》; 〖해부〗 (혈관 따위의 관상(管狀) 기관 내의) 관강(管腔); (요도관 등의) 내강(內腔). ㊕ **lú·mi·nal, ~·al** *a.*

Lu·mière [lu:mjέər] 《F.》 *n.* 뤼미에르《Auguste Marie Louis Nicolas ~ (1862-1954)와 Louis Jean ~ (1864-1948)의 프랑스인 형제; 영화 촬영기·영사기를 발명》.

lu·mi·naire [lù:mənέər] *n.* (전등·갓·소켓 따위 한 벌로 된) 조명 기구.

Lu·mi·nal [lú:mənəl] *n.* 루미날《phenobarbital의 상표명》.

lúminal árt 채색 전광에 의한 시각 예술.

lu·mi·nance [lú:mənəns] *n.* 발광성; 발광상태; 〖물리〗 명시도(明視度)《발광체 표면의 밝기》, 휘도(輝度).

lu·mi·nant [lú:mənənt] *a.* 빛나는, 빛을 내는〔발하는〕. **—** *n.* 발광체(發光體).

lu·mi·na·ry [lú:mənèri/-nəri] *n.* 발광체《특히, 태양·달 따위》; (인공의) 조명등; 《비유》 선각자, 지도자, 유명인, 기라성(綺羅星). **—** *a.* 광명의, 발광(發光)하는. 「하다.

lu·mi·nesce [lù:mənés] *vi.* 냉광(冷光)을 발

lu·mi·nes·cence [lù:mənésns] *n.* Ⓤ 발광, 〖물리〗 (열을 수반하지 않는) 루미네선스, 냉광(冷光).

lu·mi·nes·cent [lù:mənésnt] *a.* 발광(성)의; 루미네선스의: ~ creatures 발광 생물.

lu·mi·nif·er·ous [lù:məníf ərəs] *a.* 빛을 내는〔전하는〕; 발광(성)의, 빛나는.

lu·mi·nist [lú:mənist] *n.* 빛을 효과적으로 취급하는 화가.

lúminist árt =LUMINAL ART.

lu·mi·nol [lú:mənoul, -nɔ:l] *n.* 〖화학〗 루미놀《혈흔(血痕)의 검출에 쓰임》.

lu·mi·nos·i·ty [lù:mənásəti/-nɔ́s-] *n.* Ⓤ 광명, 광휘; (천체의) 광도(光度); (방사(放射) 에너지의) 발광 효율; 발광체〔물〕; 〖물리〗 (물체·색채의) 밝기.

°**lu·mi·nous** [lú:mənəs] *a.* **1** 빛을 내는〔쏘인〕, 빛나는; (방 따위가) 밝은; 〖물리〗 불꽃〔광속〕의 《광감각에 의해 평가하는 경우》: a ~ body 〔organ〕 발광체〔기관(器官)〕. **2** 명료한, 총명한, 명석한. **3** 계발적(啓發的)인. ㊕ **~·ly** *ad.* **~·ness** *n.*

lúminous efficiency 〖광학〗 (복합 방사의) 발광 효율.

lúminous énergy 〖광학〗 가시광(선)《파장 약 3,900-7,700 옹스트롬, 속도 약 299,792km/s의 것》. 「도《기호 *Mv*》.

lúminous éxitance 〖광학〗 광속(光束) 발산

lúminous flúx 〖광학〗 광속(光束)《단위는 보통 lumen 으로 표시; 기호 *Φ*v》.

lúminous inténsity 〖광학〗 광도(光度)《보통 candle 로 표시; 기호 *I*v》.

lúminous páint 발광〔야광〕 도료.

lu·mi·some [lú:məsòum] *n.* 〖생물〗 루미솜《발광 생물 세포 속의 발광 과립》.

lum·mox [lʌ́məks] *n.* 《구어》 손재주가 없는 사람, 뒤틈바리(lump), 얼뜨기, 얼간이.

lump**[1] [lʌmp] *n.* **1** 덩어리, 한 조각; 각설탕 1개: a ~ of sugar 각설탕 (1개)/a ~ of clay 한 덩어리의 찰흙/He's a ~ of selfishness. 그는 이기심 덩어리〔이기적〕이다/The articles were piled in a great ~. 물건은 산더미처럼 쌓여 있었다. **2** 혹, 종기, 부스럼, 응어리(swelling)《*on* the forehead, *in* her left breast》: I got a ~ *on* my head. 머리에 혹이 났다. **3** 대다수, 여럿, 무더기, 많음. **4** 《구어·우스개》 땅딸보; 멍청이, 바보, 얼간이; 《속어·방언》 튼실한 놈〔사람〕. **5** (*pl.*) 《미구어》 때림, 당연한 응보, 거칠게 다루기, 벌, 비판. **6** 《미속어》 맞아죽음. **7** (the ~) 《영》〖집합적〗 (일괄해 맞돈을 받는) 임시 (건설) 노동자. ***all of a ~ ① 한 덩어리가 되어, 통틀어. ② 온통 부어올라. ***by*** 〔***in***〕 ***the*** ~ ① 통틀어서, 전부. ② 전체로서 보면. ***feel*** 〔***have***〕 ***a*** ~ ***in*** one's 〔***the***〕 ***throat*** (감동하여) 목이 메다, 가슴이 뿌듯해지다. ***get*** 〔***take***〕 one's **~s** 《미구어》 톡톡히 혼나다. ***give*** one's **~s** 《미구어》 몹시 혼내 주다. ***in a*** 〔***one***〕 ~ 동시에.

— *a.* 한 덩어리〔묶음〕의, 총괄의: ~ sugar 각설탕/~ work 일괄적인 도급일.

— *vt.* **1** 한 묶음으로 하다, 총괄〔일괄〕하다. **2** 《~+목/+목+부/+목+전+명》 한결같이 취급하다; 총괄하여 말하다《*together; with; under* a title, etc.》: Let us ~ all the expenses. 비용은 모두 하나로 합칩시다/The expenses ought to be ~*ed together*. 경비는 일괄 계산되어야 한다/They ~*ed* the old thing *with* the new. 그들은 헌것과 새것을 함께 합쳤다/~ several things *under* one name 여러 것을 한 명목하에 통합하다. **3** 한 덩어리로 만들다: ~ dough 반죽을 덩어리로 만들다. **4** 《+목+전+명》 …에 덩어리를 만들다, 부풀게 하다: His pockets were ~*ed with* balls. 그의 주머니마다 공으로 불룩했다. **5** (있는 금액을) 전부 걸다《*on* a horse》.

— *vi.* **1** 한 덩어리〔한 떼〕가 되다. **2** 무거운 걸음으로 가다《*along*》; 털썩 주저앉다《*down*》.

lump[2] *vt.* 《구어》 참다, 인내하다: If you don't like it, you may 〔can〕 ~ it. 설사 싫더라도 참으시오. ***like it or*** ~ ***it*** 《구어》 좋아하든 않든. ***Lump it!*** 얌전히〔조용히〕 있어라.

lump[3] *n.* =LUMPFISH.

lump·ec·to·my [lʌmpéktəmi] *n.* 〖의학〗 유방의 종양(腫瘍) 제거 (수술).
lum·pen [lʌ́mpən] *a.* ((G.)) 계급의식이 빈약한; 룸펜의, 떠돌이 생활을 하는. ── (*pl.* ~, ~*s*) *n.* lumpenproletariat 에 속하는 자.
lum·pen·prol(e) [lʌ́mpənpròul] *n.* =LUMPEN.
lum·pen·pro·le·tar·i·at [lʌ́mpənpròulitέəriət] *n.* ((G.)) Ⓤ 계급의식이 부족하여 혁명 세력이 되지 못하는 부랑(노동자)층.
lúmp·er *n.* **1** ((미)) =STEVEDORE. **2** ((영)) 소청부인(小請負人), 중매인(仲買人). **3** (생물 분류상) 병합파의 분류학자((분류군을 소수로 묶으려는)).
lúmp·fish (*pl.* ~(**es**)) *n.* 〖어류〗 성대류(類)((북대서양산(產))).
lúmp·ing *a.* ((구어)) 많은, 수많은; 무거운; 커다란. ㊥ ~·**ly** *ad.* 어슬렁어슬렁, 느릿느릿.
lump·ish [lʌ́mpiʃ] *a.* 덩어리 같은, 작달막하고 무거운; 멍청한; 손재주 없는; (우)둔한, 바보 같은. ㊥ ~·**ly** *ad.* ~·**ness** *n.*
lúmp·sùcker *n.* =LUMPFISH.
lúmp súm (일괄해서 한번에 지급하는) 총액, 일괄〔일시〕 지급(의 금액); 일괄 도급: in a ~ 일괄하여, 상당한 대금을 현금으로.
lúmp-súm *a.* 일괄해서 …의: ~ return (보험금·소득세의) 일괄 환불.
lump·us [lʌ́mpəs] *n.* ((구어)) 바보, 얼간이.
lumpy [lʌ́mpi] (***lump·i·er; -i·est***) *a.* 덩어리(투성이)의; 바람으로 파도가 이는((바다 등)); 거친; 땅딸막하고 굼뜬; 모양이 보기 싫은; 우툴두툴한; 미련한; 딱딱한((문체 등)); ((미속어)) 서툴게 연주된((재즈)); ((미속어)) 불만스러운. ㊥ **lúmp·i·ly** *ad.* **-i·ness** *n.*
lúmpy jáw 〖수의〗 (가축 따위의) 턱혹병, 방선균병(放線菌病)(actinomycosis).
Lu·na [lú:nə] *n.* **1** 〖로마신화〗 달의 여신; 달. ⓒⓕ Diana, Artemis. **2** (종종 l-) 〖야금〗 은(silver). **3** (l-) 〖곤충〗 =LUNA MOTH.
lu·na·base [lú:nəbèis] *n., a.* 〖천문〗 달의 바다 부분〔평탄부〕(의). OPP. *lunarite.*
lu·na·cy [lú:nəsi] *n.* Ⓤ 정신 이상, 광기(狂氣); 〖법률〗 심신 상실; Ⓒ 미친 지랄, 바보짓.
lúna mòth 〖곤충〗 일종의 큰 나방((미국산(產))).
lu·na·naut [lú:nənɔ̀:t] *n.* =LUNARNAUT.
Lúna Párk 루나 파크((New York 시 Coney Island에 있는 유원지)); 〔일반적〕 유원지.
◊**lu·nar** [lú:nər] *a.* **1** 달의, 태음(太陰)의(ⓒⓕ solar); 달 비슷한; 달의 작용에 의해서 일어나는((조수의 간만 등)): ~ overshoes 월면화(月面靴)/a ~ rocket 달 로켓. **2** 초승달 모양의; 반달 모양의; 차가운 빛깔의, 푸르스름한, 엷은. **3** 〖해부〗 반달 모양의 뼈의. **4** 〖야금·의학〗 은(銀)의, 은을 함유하는.
lúnar cálendar (태)음력.
lúnar cáustic 〖의학·화학〗 (막대 모양의) 질산은(窒酸銀).
lúnar cólony 달 식민지((미래에 건설할)).
lúnar cýcle 〖천문〗 태음 주기(Metonic cycle).
lúnar dáy 태음일((약 24 시간 50 분)).
lúnar dístance 〖해사〗 월거(月距)((달과 태양〔별〕과의 각거리(角距離))).
lúnar eclípse 〖천문〗 월식.
lúnar excúrsion mòdule (우주선 모선에서 분리된) 달 착륙선((생략: LEM)).
lúnar férry 달 페리((지구 주위 궤도상의 우주 스테이션과 달 주위 궤도상의 스테이션, 또는 월면 사이를 왕복할 연락선)).
lúnar fúel tànker 달 연료 탱커((달 주위 궤도상의 우주 정거장이나 월면에 연료를 나를 탱커)).
lu·nar·i·an [lu:nέəriən] *n.* (상상의) 달 세계 주민; 달 전문가〔물리학자〕. ── *a.* 달의〔에 사는〕.
lu·na·rite [lú:nəràit] *n., a.* 〖천문〗 달 고지(高地) 부분(의). OPP. *lunabase.*
lúnar lánder 달 착륙선.
lúnar máss 〖천문〗 달의 질량(質量)((7.35×10^{25}g)).
lúnar módule 달 착륙선((생략: LM)).
lúnar mónth 태음월(太陰月), 음력 한 달((29일 12 시간 44 분; 통속적으로는 4 주간)).
lu·nar·naut [lú:nərnɔ̀:t] *n.* 달(을 탐색하는 우주) 비행사.
lúnar nódes 〖천문〗 달의 교점((달 궤도와 황도(黃道)의 교차점)).
lúnar observátion 〖해사〗 월(月)거리법((월거리(lunar distance)를 관측해 행하는 항법)).
lúnar órbit 〖천문〗 **1** 달의 공전(公轉) 궤도. **2** (달 탐사기의) 달 둘레를 도는 궤도.
Lúnar Órbiter ((미)) (아폴로 계획 준비를 위해 발사된) 달 탐색 무인 탐사기.
lúnar pólitics 가공적인 문제, 비현실적인 일.
lúnar próbe 달 탐사(기(機))(moon probe).
lúnar ráinbow 〖기상〗 달 무지개(moonbow)((월광에 의한)).
lúnar róver 월면 작업차.
lu·nar·scape [lú:nərskèip] *n.* 달 표면; 월면의 풍경, 월면 사진.
lúnar spácecraft 달 로켓.
lúnar tréaty 달 조약((1971 년 옛 소련이 유엔에 제안한 달의 평화적 이용에 관한 조약)).
lúnar yéar 태음년((lunar month 에 의한 12 개월; 약 354 일 8 시간)).
lu·nate [lú:neit] *a.* (초승)달 모양의. ㊥ ~·**ly** *ad.*
◊**lu·na·tic, -i·cal** [lú:nətik], [-əl] *a.* **1** 미친, 발광한, 정신 이상의(insane). **2** (행동 따위가) 미치광이 같은, 어이없는(frantic, mad). **3** 정신병자를 위한. ── *n.* 미치광이, 〖법률〗 정신 이상자; 괴짜, 우자(愚者). ㊥ **lu·nát·i·cal·ly** *ad.*
lúnatic asýlum 정신 병원((지금은 보통 mental hospital 〔home, institution〕이라 함)).
lúnatic frínge (보통 the ~) 〔집합적〕 (정치 운동 따위의) 소수 과격파, 열광적인 지지파.
lu·na·tion [lu:néiʃən] *n.* 태음(太陰)월(lunar month)((음력의 (한)달)).
†**lunch** [lʌntʃ] *n.* **1** Ⓤ,Ⓒ 점심, 중식(中食).

> SYN. **lunch** 보통의 점심, 가벼운 식사. **luncheon** 점심으로서 특별히 격식을 차린 오찬을 뜻하며 lunch 보다 기품 있는 말.

2 경(輕)식사(((미)) 시간에 관계없이, ((영)) 주식(dinner)과 조반 중간에 먹는)). **3** 간이식당. ***out to*** ~ 점심하러 외출 중이어서; ((미속어)) 흐리멍텅한, 시류에 뒤진, 머리가 돈. ── *a.* ((미속어)) 얼뜬, 무능한, 모자라는. ── *vi.* 런치를〔점심을〕 먹다. ── *vt.* …에게 점심을〔런치를〕 대접하다. ~ ***in*** 〔***out***〕 집〔밖〕에서 점심을 먹다. ㊥ ∠·**er** *n.* ∠·**less** *a.*
lúnch bòx **1** 도시락(통). **2** ((속어)) 남성 성기.
lúnch brèak =LUNCH HOUR.
lúnch·bùcket *n.* 도시락(lunch box). ── *a.* ((미속어)) 노동자 계급의 (이익을 옹호하는).
lúnch còunter ((미)) (음식점의) 런치용 식탁; 간이식당.
***lunch·eon** [lʌ́ntʃən] *n.* **1** 점심, 중식(中食)(lunch), (특히 회합에서의 정식의) 오찬(회): a ~ party 오찬회. SYN. ⇨ LUNCH. **2** ((미)) 경식사((시간에 관계없는)). ── *vi.* 점심을 먹다. ㊥ ~-**less** *a.*
lúncheon bàr ((영)) =SNACK BAR.
lunch·eon·ette [lʌ̀ntʃənét] *n.* 경〔간이〕식당; (학교·공장 따위의) 식당.
lúncheon mèat 고기와 곡류 따위를 갈아 섞어 조리한 (통조림) 식품.
lúncheon vòucher ((영)) (고용주가 지급하는) 점심 식권((지정된 식당에서만 사용 가능함)).
lúnch hòur 점심 시간, 점심 휴게 시간.

lúnch làdy 《미》 (학교 어린이의) 여자 급식 담당원.

lúnch pàil 도시락(통). 「내식당.

lúnch·ròom *n.* 경(輕)〔간이〕식당, (학교의) 구

lúnch·tìme *n.* [U,C] 점심시간.

lúnchtime abòrtion 《구어》 진공 흡인식 임신 중절《단시간 내에 끝내므로》.

lune [lu:n] *n.* 〖수학〗 활꼴, 반월형(半月形); 《드물게》 반달〔초승달〕 모양의 것; 《시어》 달; (*pl.*) 광기(狂氣)의 발작.

lu·nette [lu:nét] *n.* 초승달 모양의 것; 〖축성(築城)〗 안경보(眼鏡堡); 〖건축〗 반월창(窓)《천장의 채광창(窓)》; 반(半)편자; 루넷《둥근 지붕이 벽과 접한 부분의 반원형 벽간(壁間)》; 요철 양면 렌즈; (시계의) 평면 유리 뚜껑; (단두대의) 목 끼우는 구멍; (말의) 눈가리개.

⁑**lung** [lʌŋ] *n.* **1** 〖해부〗 폐, 허파; 〖동물〗 폐낭: a ~ attack 〔disease, trouble〕 폐병 / have good ~s 목소리가 크다, 성량이 있다. **2** 《미》 인공 심폐 (장치); (잠수함의) 탈출 장치; 《비유》 신선한 공기를 주는 것. **3** (보통 ~s) 《영》 (대도시 안팎의) 공기가 맑은 공터, 공원. ***at the top of*** **one's** ***~s*** 목청껏. ***~s of oak*** =LUNGWORT. ***the ~s of London*** 런던 시내 또는 부근의 빈터·광장·공원. ***try*** **one's** ***~s*** 힘껏 소리치다.

lunge¹ [lʌndʒ] *n.* (펜싱 따위의) 찌르기 (thrust); 돌출; 돌입, 돌진, 약진《*at; out*》; 〖체조·무용〗 허리를 낮추고 무릎을 구부린 자세에서 한쪽 발을 한껏 내밂. **—** *vi.* (칼 따위로) 찌르다《*at; out*》; 돌진하다; (차 등이) 갑자기 나타나다; 〖권투〗 스트레이트로 치다《*at; on*》. **—** *vt.* (무기를) 쑥 내밀다; 《고어》 차다《*out*》. [파] **lúng·er**¹ *n.*

lunge², **longe** [lʌndʒ] *n.* 말 다루는 끈《말을 원형으로 뛰게 할 때 쓰는》; 원형 조마장(調馬場). **—** *vt.* 말 다루는 끈으로〔원형 조마장에서〕 조교(調敎)하다.

lunged [lʌŋd] *a.* 폐가 있는; 〖복합어를 이루어〗 폐가 …인: weak-~ 폐가 약한.

lung·er² [lʌ́ŋər] *n.* 《미구어》 폐병 환자.

lúng·fish *n.* 〖어류〗 폐어(肺魚).

lung·ful [lʌ́ŋfùl] (*pl.* **~s, lungs·ful**) *n.* 폐 가득한 양, 《특히》 폐 그득히 들이마신 담배 연기.

lun·gi, lun·gyi, lung·ee [lúŋgi, lúndʒi/lúŋgi] *n.* 《Ind.》 허리에 감는 천.

lúng-pòwer *n.* [U] **1** 발성력, 성량(聲量); (발성력으로 본) 폐의 힘. **2** (도시의) 녹지대, 공원.

lúng sàc 폐낭. 「(肺線蟲).

lúng·wòrm *n.* (포유류의) 폐 기생충, 폐선충

lúng·wòrt *n.* 〖식물〗 지칫과의 식물; 《영》 이끼의 일종《폐병에 효험이 있다고 함》.

lu·ni- [lú:ni] '달의' 뜻의 결합사: *lunisolar*.

lú·ni·fòrm *a.* (반)달 모양의. 「의 하나.

Lu·nik [lú:nik] *n.* 《Russ.》 옛 소련의 달 로켓

lu·ni·log·i·cal [lù:nəládʒikəl/-lɔ́dʒ-] *a.* 달 연구의, 《특히》 달 지질 연구의. 「의한.

lùni·sólar *a.* 태양과 달과의; 해와 달의 인력에

lunisólar périod 〖천문〗 태음 태양 주기《태음력과 태양력이 일치하는 주기: 532년》. 「差).

lunisólar precéssion 〖천문〗 일월 세차(歲

lùni·tídal *a.* 태음조(太陰潮)의, 월조(月潮)의.

lunitídal ínterval 월조(月潮)〔태음조〕 간격《어떤 지점에서 달이 자오선을 통과한 때부터 고조(高潮) 또는 저조(低潮)까지의 시간》. 「의) 대어.

lun·ker [lʌ́ŋkər] *n.* 《구어》 큰 것, 《특히 낚시

lunk·head [lʌ́ŋkhèd] *n.* 《미구어》 멍텅구리 (blockhead), 바보. [파] **~·ed** [-id] *a.* 우둔한, 어리석은.

Lun·o·khod [lù:nəxɔ́:t] *n.* 《Russ.》 루노호트 《옛 소련의 자동 무인 월면 탐사차》.

lu·nu·la [lú:njələ] (*pl.* **-lae** [-lì:]) *n.* 초승달 모양(의 것); 〖수학〗 활꼴(lune); 〖천문〗 위성.

lu·nu·lar [lú:njələr] *a.* 초승달 모양의.

lu·nu·late, -lat·ed [lú:njəlèit], [-tid] *a.* 초승달 반문(斑紋)이〔얼룩무늬가〕 있는, 초승달 꼴

luny ⇨ LOONY. 「의.

Lu·pin [*F.* lypɛ̃] *n.* **Arsène ~** 뤼팽《프랑스의 M. Leblanc이 지은 탐정 소설의 주인공》.

lu·pin, lu·pine¹ [lú:pin] *n.* 〖식물〗 루핀; (*pl.*) 그 종자《식용임》.

lu·pine² [lú:pain] *a.* 이리의, 이리처럼 잔인한 (wolfish); 맹렬한; 탐식(貪食)하는.

lu·pous [lú:pəs] *a.* 〖의학〗 낭창성(狼瘡性)의.

lu·pus [lú:pəs] *n.* 〖의학〗 낭창(狼瘡)《결핵성 피부병》; (L-) 〖천문〗 이리자리(the Wolf).

lúpus er·y·the·ma·tó·sus [-èrəθi:mə-tóusəs, -θèmə-] 〖의학〗 홍반성 낭창(紅斑性狼瘡)《비늘 모양의 붉은 반점이 생기는 만성 피부병; 생략: LE》.

lurch¹ [lə:rtʃ] *n.* (경기의) 대패(大敗); 불리한 입장, 곤경. ***leave*** **a person** ***in the ~*** 아무를 궁지에 내버려두다.

◇**lurch**² *n.* (배·차 등의) 갑작스러운 기울어짐; 비틀거림(stagger), 갈지자 걸음; 《미》 경향, 버릇, 기호(嗜好). **—** *vi.* 급히 한쪽으로 기울다, 기울어지다; 비틀거리다, 비틀거리며 걷다. **~ *against*** (a post) 비틀거리며 (기둥)에 기대다. **~ *toward*** …쪽으로 비틀거리다.

lúrch·er *n.* 배회하는 사람; 좀도둑; 사기꾼; 간첩; 밀렵자; 《영》 밀렵용으로 훈련된 잡종견.

◇**lure** [luər/ljúər] *n.* **1** 유혹물; 매혹, 매력, 사람의 마음을 끄는 것: the ~ *of* adventure 모험의 매력. **2** 가짜 미끼; 후림새(decoy)《매잡이가 매를 불러들이는 데 쓰는 새 모양의 것》. **3** (물고기의) 유혹 장치《아귀의 대가리의 촉수 모양의 돌기 따위》. **—** *vt.* **1** 《~+[목]/+[목]+[부]/+[목]+[전]+[명]》 (매를) 불러들이다; 유혹하다, 유인해〔꾀어〕 내다, 불러내다《*away; into; on*》: The desire for quick profits ~*d* them *into* questionable dealings. 그들은 손쉽게 이익을 올리려는 데 눈이 멀어 수상쩍은 거래에 손을 댔다 / Don't ~ him *away from* his studies. 공부하는 그를 꾀어내지 마라. **2** 후림새로 낚아〔꾀어〕들이다. [cf.] bait, decoy. [파] **lúr·er** [-rər] *n.*

> [SYN] **lure** 원래는 짐승을 꾀어들이는 뜻이었으나, 전하여 욕망을 부추기어 남을 나쁜 일에 꾀는 것을 말함. **allure** 사람을 쾌락이나 이익으로 유혹하는 뜻으로서 반드시 유해하고 위험한 것만은 아님.

Lur·ex [lúəreks] *n.* 루렉스《플라스틱에 알루미늄을 씌운 섬유; 의복·가구용; 상표명》.

lur·gy, -gi [lə́:rgi] *n.* (보통 the dreaded ~) 병《영국 라디오 코미디 프로 *The Goon Show*에서 나와 유행어가 된 가공적인 전염병》.

◇**lu·rid** [lú:ərid/ljúər-] *a.* **1** 소름 끼치는, 무서운. **2** 색이 칙칙한; 현란한, 선정적인, 쇼킹한. **3** (범죄 등이) 아주 지독한, 무도한. **4** (하늘·번개·구름 따위가) 빛나는, 타는 듯이 붉은; (눈·표정 따위가) (분노 등으로) 이글이글 타는. **5** (안색 등이) 창백한, 생기 없는, 흙빛인; (식물이) (말라서) 잿빛인. ***cast*** 〔***throw***〕 ***a ~ light on facts*** 〔***character***〕 사실〔성격〕을 비극적으로〔무시무시하게〕 보이게 하다. [파] **~·ly** *ad.* **~·ness** *n.*

◇**lurk** [lə:rk] *vi.* 《~/+[전]+[명]》 **1** 숨다, 잠복하다; 숨어 기다리다《*about; in; under*》: a ~*ing* place 잠복처 / ~ *in* the mountains 산 속에 잠복하다. **2** 남몰래 가다, 잠행하다, 살금살금 걷다 《*about; around*》; (시선 등이) 살며시 움직이다: His eyes ~*ed* toward his daughter. 그의 눈은 딸 쪽으로 슬며시 옮겨갔다. **3** (가슴속에) 잠

재하다: a ~*ing* sympathy 가슴속 깊이 품은 연민의 정/Some suspicion ~*ed in* his mind. 어떤 의심이 그의 심중에 도사리고 있었다. — *n.* **1** 《영》 잠복, 밀행; 《영속어》 잠복 장소, 거처. **2** 《영》 협잡, 사기. **3** 《Austral.속어》 (잘하기 위한) 작전, 계략; 일. **4** 〖컴퓨터〗 러크《인터넷 뉴스 그룹에 자기의 글을 기고하지는 않고 그룹을 배회하거나 메시지를 정기적으로 읽는 것》. ***on the*** ~ 《영》 숨어서〔남이 모르게〕 노리고〔탐지하고〕 (spying). [파] ∠·er *n.*

lúrk·ing *a.* 숨어 있는; 잠복(용)의. [파] ~·ly *ad.* 몰래, 숨어서.

lus·cious [lʌ́ʃəs] *a.* 감미로운《맛·향기 따위》; 농후한, (여자가) 관능적〔뇌쇄적, 육감적〕인; 현란한; 쾌적한; (매우) 달콤한; 끈질긴, 악착같은, 지루한《표현 등》. [파] ~·ly *ad.* ~·ness *n.*

lush¹ [lʌʃ] *a.* 푸르게 우거진; 푸른 풀이 많은, 무성한; 싱싱한; 풍부한(abundant), 철철 넘치는; 경기가 좋은; 관능적인; 화려한. [파] ~·ly *ad.* ~·ness *n.*

lush² 《속어》 *n.* [U] 술; 모주꾼, 주정뱅이, 알코올 중독. — *vi.*, *vt.* (술을) 마시다, 먹이다. ~***ed*** (***up***) 《속어》 취한.

lúsh ròller 《속어》 취한(醉漢)만을 노리는 도둑.

lushy [lʌ́ʃi] (***lush·i·er; -i·est***) *a.* 《속어》 술 취한(drunk).

Lu·si·ta·nia [lùːsətéiniə] *n.* **1** 이베리아 반도의 지명《지금의 포르투갈에 해당함》. **2** (the ~) 루시타니아호《1915년 5월 7일 독일 잠수함에 격침된 영국 여객선; 이를 계기로 미국이 제1차 대전에 참전함》. [파] **-ni·an** *a.*, *n.* 루시타니아〔포르투갈〕의; 루시타니아〔포르투갈〕인.

◇**lust** [lʌst] *n.* [U,C] **1** (강한) 욕망, 갈망《*of; after; for*》: a ~ *for* power 권력욕. **2** (종종 *pl.*) 육욕, 색욕(色慾), 관능적인 욕구: the ~*s of* the flesh 육욕. **3** 〖종교〗 번뇌. **4** 《폐어》 환희, 희망. — *vi.* **1** (명성·부 따위를) 갈망〔열망〕하다《*after; for*》. **2** 색정을 일으키다〔품다〕《*after* a woman》. [파] ∠·er¹ *n.* 갈망자; 호색한.

***lus·ter**², 《영》 **-tre**¹ [lʌ́stər] *n.* [U] **1** 광택, 윤; 광채. **2** 영광, 영예, 명예: add ~ to …에 빛〔영광〕을 더하다/shed 〔throw〕 ~ on …에 광채를 비추다. **3** (광을 내는) 유약, 잿물. **4** (솜과 털의) 광택 있는 모직물. **5** [C] 샹들리에(의 드리운 장식), 가지 달린 촛대. — *vt.* (천·도자기 따위)에 윤〔광〕을 내다; 영예〔광휘〕를 주다 〔더하다〕. — *vi.* 윤〔광〕이 나다; 빛나다. [파] ~·less *a.* 광택이 없는.

lus·ter³ *n.*, 《영》 ***-tre***² =LUSTRUM.

lús·tered *a.* 광택 있는.

lúster·wàre *n.* [U] 광채가 있는 일종의 도자기.

lust·ful [lʌ́stfəl] *a.* 호색의, 음탕한(lewd); 《고어》 튼튼한, 강장한. [파] ~·ly *ad.* ~·ness *n.*

lust·i·hood [lʌ́stihùd] *n.* 《고어》 원기왕성, 활력; 성적(性的) 능력, 정욕.

lus·tra [lʌ́strə] LUSTRUM의 복수.

lus·tral [lʌ́strəl] *a.* 깨끗이 하는, 불제(祓除)의; 5년 마다의; 5년에 한 번의.

lus·trate [lʌ́streit] *vt.* 불제(祓除)하다, 깨끗이 하다. [파] **lus·trá·tion** *n.*

lus·trine, lus·tring [lʌ́striːn], [-triŋ] *n.* 번지르르한 비단류(類).

lus·trous [lʌ́strəs] *a.* 광택 있는, 번쩍이는, 빛나는; 저명한. [파] ~·ly *ad.* 반들반들하게, 빛나서. ~·ness *n.*

lus·trum [lʌ́strəm] (*pl.* ***~s, -tra*** [-trə]) *n.* 대재계(大齋戒)《특히 고대 로마에서 5년마다 행한》; (고대 로마의) 인구 조사; 5년간.

◇**lusty** [lʌ́sti] (***lust·i·er; -i·est***) *a.* 튼튼한; 강장한; 원기왕성한, 활발한; (사람이) 몸집이 큰(massive), 뚱뚱한; (음식 따위가) 풍부한, 푸짐한; 호색인, 색욕이 왕성한; 《고어》 즐거운, 유쾌한. [파] **lúst·i·ly** *ad.* 원기 있게, 활발하게; 왕성하게; 진심에서. **lúst·i·ness** *n.* 강장, 원기왕성.

lu·sus na·tu·rae [lúːsəs-nətjúəriː/-tjúəri] 《L.》 자연의 변덕, 조화의 장난(freak of nature); 기형아; 〖생물〗 기형물(a jest of nature).

lu·ta·nist, lu·te·nist [lúːtənist] *n.* 류트(lute) 주자(奏者).

◇**lute**¹ [luːt] *n.* 류트《14-17세기의 기타 비슷한 현악기》. — *vi.*, *vt.* 류트를 〔(곡을) 류트로〕 타다.

lute² *n.* (관(管)의 이음매에 바르는) 봉니(封泥)《가스·액체가 새는 것을 막음》. — *vt.* …에 봉니를 바르다.

lu·te·al [lúːtiəl] *a.* 〖해부〗 황체(黃體)의.

lute¹

lu·te·ci·um [luːtíːʃiəm] *n.* =LUTETIUM.

lu·te·in [lúːtiin] *n.* 〖생화학〗 루테인《혈청·노른자위 따위의 황색소(黃色素)》.

lu·te·in·ize [lúːtiənàiz] 〖생화학〗 *vt.* …에 황체를 형성시키다. — *vi.* 황체를 형성하다. [파] **lù·te·in·i·zá·tion** *n.*

lú·te·in·iz·ing hórmone [lúːtiənàiziŋ-] 〖생화학〗 황체(黃體) 형성(화(化)) 호르몬《생략: LH》.

lúteinizing hórmone-releasing hórmone 〔fàctor〕 〖생화학〗 황체 형성(화) 호르몬 방출 호르몬〔인자〕《생략: LHRH, L(H)RF》.

lu·te·o·ly·sin [lùːtiəláisin] *n.* 〖생화학〗 루테올리신《황체의 퇴행·변성을 일으키는 물질》.

lu·te·o·troph·ic, -trop·ic [lùːtiətráfik, -tróuf-/-trɔ́p-], [-pik] *a.* 황체를 자극하는.

lu·te·o·tro·phin, -pin [lùːtiətróufin], [-pin] *n.* 〖생화학〗 황체(黃體) 자극 호르몬(=**luteotróphic hórmone**).

lu·te·ous [lúːtiəs] *a.* 진한 주황빛의.

lúte·strìng *n.* **1** lute¹의 현(絃). **2** =LUSTRINE.

Lu·te·tian [luːtíːʃiən] *a.* Lutetia《Paris의 옛 이름》의, 파리의(Parisian).

lu·te·ti·um [luːtíːʃiəm] *n.* [U] 〖화학〗 루테튬《희토류(稀土類) 원소; 기호 Lu; 번호 71》.

Luth. Lutheran.

Lu·ther [lúːθər] *n.* **Martin** ~ 루터《독일의 신학자, 종교 개혁을 최초로 주창(主唱)하였음; 1483-1546》.

Lu·ther·an [lúːθərən] *a.*, *n.* Martin Luther의; 루터 교회의 (신자). [파] **~·ism, Lú·ther·ism** [-rənìzəm], [-θərìzəm] *n.* [U] 루터(교회)의 신조, 루터주의. **~·ìze** *vi.*, *vt.*

lu·thi·er [lúːtiər] *n.* 현악기〔류트〕 제작자.

lu·ti·no [lutíːnou] (*pl.* ***~s***) *n.* 황화(黃化)개체《새장에 기르는 사랑새 같은 새로, 깃의 황색이 그 종(種)의 표준보다 많은 것》. [cf] albino.

lut·ist [lúːtist] *n.* =LUTENIST; 류트(lute) 제조인.

lutz [lʌts] *n.* (*or* L-) 〖피겨 스케이팅〗 러츠 점프《한쪽 스케이트의 바깥날로 뛰어 올라 공중에서 한 바퀴 돌고 다른 쪽 스케이트의 바깥날로 착빙함》.

luv [lʌv] *n.* 〔발음철자〕 《영》 여보, 당신(love) 《호칭》.

lux [lʌks] (*pl.* ~·es [lʌ́ksiz], ***lu·ces*** [lúːsiːz]) *n.* 〖광학〗 럭스《조명도의 국제 단위; 생략: lx》.

Lux. Luxemb(o)urg.

lux·ate [lʌ́kseit] *vt.* 〖의학〗 (관절 따위를) 삐다, 탈구(脫臼)시키다. [파] **lux·á·tion** *n.* [U] 〖의학〗 탈구.

luxe [luks, lʌks] *n.*, *a.* 《F.》 화려(한); 호화(스러운), 사치(스러운). [cf] deluxe. ***an edition***

de ~ 호화판 (장정). ***a train de*** ~ 특별 열차.
Lux·em·b(o)urg [lʌ́ksəmbə̀:rg] *n*. 룩셈부르크((독일 · 프랑스 · 벨기에에 둘러싸인 대공국(大公國)); 그 수도.
lux·on [lúksɑn/-sɔn] *n*. 〖물리〗 룩손((광속으로 운동하는 질량 제로인 입자의 총칭)).
lux·u·ri·ance, ((고어)) **-an·cy** [lʌgʒúəriəns, lʌkʃúər-/lʌgzjúər-], [-si] *n*. Ⓤ 번성, 무성; 다산(多産); 풍부; (문체의) 화려.
°**lux·u·ri·ant** [lʌgʒúəriənt, lʌkʃúər-/lʌgzjúər-] *a*. **1** 번성한, 울창한; 다산의, 풍요한, (땅이) 비옥한(fertile). **2** 풍부한((상상력 따위)). **3** 화려한, 현란한((의장 · 장식 · 문체 따위)): ~ prose 문식(文飾)이〔비유가〕 풍부한 문체. ㊕ **~·ly** *ad*.
lux·u·ri·ate [lʌgʒúərièit, lʌkʃúər-/lʌgzjúər-] *vi*. 번성하다, 무성하다; 호사하다, 사치스럽게 지내다; 탐닉하다, 즐기다((*in; on*)). ㊕ **lux·ù·ri·á·tion** *n*.
*__lux·u·ri·ous__ [lʌgʒúəriəs, lʌkʃúər-/lʌgzjúər-] *a*. **1** 사치스러운, 호사스러운(luxuriant). **2** 사치를〔화려한 것을〕 좋아하는. **3** 안일을 좋아하는; (관능적인) 쾌락을 추구하는, 방종한. ◇ luxury *n*. ㊕ **~·ly** *ad*. **~·ness** *n*.
__lux·u·ry__ [lʌ́kʃəri, lʌ́gʒə-/lʌ́kʃəri] *n*. Ⓤ **1 사치, 호사: live in ~ 호사스럽게 지내다. **2** Ⓒ (종종 *pl*.) 사치품, 고급품. **3** 즐거움, 쾌락, 유쾌, 향락. **4** ((고어)) 색욕(色慾); ((미)) 고급 대형 승용차. ◇ luxurious, luxuriant *a*.
— *a*. 사치〔호화〕스러운; 고급의: ~ tax 사치세.
Lu·zon [lu:zɑ́n/-zɔ́n] *n*. 루손 섬((필리핀 군도의 주도(主島))).
LV luncheon voucher. **lv.** leave(s); livre(s).
LVN, L.V.N. licensed vocational nurse.
LVT landing vehicle, tracked. **LW** long wave. **L.W., LW** low water. **Lw** 〖화학〗 lawrencium ((현재는 Lr가 보통)). **LWIR** long-wave infrared(장파장 적외선). **L.W.M., l.w.m.** low-water mark. **lwop** leave without pay. **L.W.V.** League of Women Voters.
lx 〖광학〗 lux. **LXX** Septuagint.
-ly[1] [li] *suf*. 형용사 · 명사에 붙여서 부사를 만듦: bold*ly*, month*ly*.
-ly[2] *suf*. **1** 명사에 붙여서 '…와 같은, …다운' 의 뜻의 형용사를 만듦: friend*ly*, man*ly*. **2** ((드물게)) 형용사에 붙여서 '…의 경향이 있는' 이란 뜻의 형용사를 만듦: kind*ly*, sick*ly*.
ly·ase [láieis, -z] *n*. 〖생화학〗 리아제((탈(脫)탄산 효소(=**dècarbóxylase**) 등의 효소)).
ly·can·thrope [láikənθròup, laikǽnθroup] *n*. 〖의학〗 이리가 되었다고 믿고 있는 정신병자; 이리가 된 사람.
ly·can·thro·py [laikǽnθrəpi] *n*. Ⓤ **1** (전설 · 이야기에서) 인간이 마법으로 이리로 변신하는 일〔능력〕. ⓒⓕ werewolf. **2** 〖의학〗 낭광(狼狂) ((자신을 이리 따위의 야수라고 여기는 정신병)).
ly·cée [li:séi/lí:sei] *n*. ((F.)) 리세((프랑스의 국립 고등학교 또는 대학 예비교)).
ly·ce·um [laisí:əm/-síəm] *n*. ((L.)) **1** 학원, 학회, 강당. **2** ((미)) 문화 회관; 문화 강좌; (강연 · 공개 토론 · 음악회 따위를 여는) 문화 단체〔운동〕. **3** =LYCÉE. **4** (the L-) (아리스토텔레스가 철학을 가르쳤던) 아테네의 학원; 아리스토텔레스파의 철학과 그 문하생. ⓒⓕ academy, porch.
lych [litʃ] *n*. ((영고어)) =LICH.
lých gàte =LICH GATE.
lych·nis [líknis] *n*. 〖식물〗 선옹초속(屬).
Ly·cia [líʃiə/lísiə] *n*. 리키아((고대 소아시아의 한 지방)).
ly·co·pene [láikəpì:n] *n*. 〖생화학〗 리코펜((토마토 따위의 붉은 색소)).
ly·co·pod, ly·co·po·di·um [láikəpɑ̀d/-pɔ̀d], [làikəpóudiəm] *n*. 석송속(石松屬)의 식물. 「의 상표명)).
Ly·cra [láikrə] *n*. 라이크라((스판덱스(spandex)
Ly·cur·gus [laikə́:rgəs] *n*. 리쿠르고스((B.C. 9 세기경의 고대 스파르타의 입법자)). 「약)).
lydd·ite [lídait] *n*. 〖화학〗 리다이트((고성능 폭
Lyd·ia [lídiə] *n*. 리디아. **1** 여자 이름. **2** 소아시아 서부에 있었던 부유한 옛 왕국.
Lyd·i·an [lídiən] *a*. Lydia(사람)의; Lydia 말의; (음악이) 애조 띤, 감미로운; 요염한, 관능적인, 육감적인(sensual); 부드러운, 유약한; 환락적인. — *n*. Lydia 사람; Ⓤ Lydia 말.
Lýdian áirs 애조, 애곡(哀曲).
Lýdian stóne 규판석(硅板石), 시금석.
lye [lai] *n*. Ⓤ 잿물; (세탁용) 알칼리액.
ly·ing[1] [láiiŋ] LIE[1] 의 현재분사. — *a*. 드러누워 있는. ***low-~ land*** 저지(低地). — *n*. Ⓤ 드러누움; 드러눕는 장소, 침소.
ly·ing[2] LIE[2]의 현재분사. — *a*. 거짓말을 하는; 거짓의, 허위의: a ~ rumor 근거 없는 소문. — *n*. Ⓤ 거짓말하기; 거짓말, 허언, 허위. ㊕ **~·ly** *ad*. 거짓으로, 거짓말을 하여.
lýing-ín (*pl*. ***lýings-, ~s***) *n*. Ⓤ,Ⓒ 해산 자리에 눕기; 분만, 해산. — *a*. 산부인과의: a ~ chamber 〔hospital〕 산실〔산부인과 병원〕.
lýing-in-státe *n*. (헌화를 위한) 유해의 일반 공개.
Lyle [lail] *n*. 라일((남자 이름)).
Ly·man [láimən] *n*. 라이먼((남자 이름)).
Lýme disèase [láim-] 라임병((발진 · 발열 · 관절통 · 만성 피로감 · 국부 마비 등을 보이는 감염 질환; 전엔 Lyme arthritis 라고 했음)).
lýme gràss 〖식물〗 갯보리류(類).
Lymes·wold [láimzwould] *n*. 라임즈월드((영국산의 부드럽고 순한 맛의 블루치즈; 상표명)).
lymph [limf] *n*. 〖생리〗 림프(액); (상처 따위에서 나오는) 진물; 〖의학〗 두묘(痘苗)(vaccine ~); ((고어)) (시내 · 샘의) 맑은 물; ((고어)) 수액(樹液): a ~ gland 림프샘. ㊕ **∠·ous** *a*.
lymph- [limf], **lym·pho-** [límfou, -fə] '림프' 란 뜻의 결합사.
lym·phad·e·ni·tis [limfæ̀dənáitis, lìmfəd-/limfæ̀d-] *n*. 〖의학〗 림프샘염(炎).
lym·phad·e·nop·a·thy [limfæ̀dənɑ́pəθi, lìmfəd-/-nɔ́p-] *n*. 〖의학〗 림프샘 장애〔질환〕, 림프샘증.
lymphadenópathy sỳndrome 〖의학〗 (에이즈의) 림프샘 장애 증후군.
lym·phan·gi·og·ra·phy [limfæ̀ndʒiɑ́grəfi/-ɔ́g-] *n*. 〖의학〗 림프관 조영〔촬영〕(법). ㊕ **lym·phàn·gio·gráph·ic** *a*.
lym·phan·gi·tis [lìmfændʒáitis] *n*. 〖의학〗 림프관염.
lym·phat·ic [limfǽtik] *a*. **1** 〖생리〗 림프(액)의; 림프를 통〔분비〕하는: a ~ gland 〔vessel〕 림프샘〔관〕. **2** (사람이) 림프질(質)〔체질〕의((선병질(腺病質)로 피부가 창백한)): a ~ temperament 림프질. **3** 둔중한, 지둔(遲鈍)한(sluggish), 무기력한. — *n*. 〖해부〗 림프샘; 림프관(管). ㊕ **-i·cal·ly** *ad*.
lýmph nòde 〖해부〗 림프샘.
lýmpho·blàst *n*. 〖해부〗 림프아구(芽球)((림프구에 발육하는 모세포)). ㊕ **lỳmpho·blástic** *a*.
lýmpho·cỳte *n*. 〖해부〗 림프구(球).
lym·pho·cy·to·sis [lìmfəsaitóusis] *n*. 〖의학〗 림프구 증가(증). 「진.
lýmpho·gràm *n*. 〖의학〗 림프관(管) 조영 사
lỳmpho·granulóma (*pl*. ***~s, -ma·ta***) *n*. 〖의학〗 (서혜(鼠蹊)) 림프 육아종(肉芽腫). ㊕

∼·tous [-təs] *a.*
lymphogranulóma ve·né·re·um [-vəníəriəm] 〖의학〗 서혜〔성병성〕 림프 육아종《제 4 성병; 생략: LGV》.
lym·phog·ra·phy [limfágrəfi/-fɔ́g-] *n.* =LYMPHANGIOGRAPHY.
lymph·oid [límfɔid] *a.* 림프(성(性))의; 림프(구(球)) 모양의.
lym·pho·kine [límfəkàin] *n.* 〖생화학〗 림포카인《항원(抗原)에 의해 활성화된 림프구(球)가 방출하는 가용성(可溶性) 단백 전달 물질의 총칭》.
lym·pho·ma [limfóumə] (*pl.* **∼s, -ma·ta** [-tə]) *n.* 〖의학〗 림프종(腫).
lym·pho·poi·e·sis [lìmfoupɔiíːsis] (*pl.* **-ses** [-siːz]) *n.* 〖의학〗 림프구〔세포·조직〕 형성. ㊥ **-ét·ic** [-ét-] *a.*
lýmpho·retícular *a.* 〖해부〗 림프 세망내피성(細網內皮性)의(reticuloendothelial).
lym·pho·sar·co·ma·tous [lìmfəsàːrkóumətəs] *a.* 〖의학〗 림프 육종(肉腫)의.
lỳmpho·tóxin *n.* 림포톡신《동물 세포 내에서의 바이러스의 증식을 저해하는 물질》.
lymph·ous [límfəs] *a.* =LYMPHOID.
lýmph vèssel 〖생리〗 림프관(管).
lyn·ce·an [linsíːən] *a.* 스라소니의; 스라소니(눈) 같은, 안광이 예리한.
◇**lynch**[1] [lintʃ] *vt.* …에게 린치를 가하다, 사적 제재에 의해 죽이다《특히 교수형》. ㊥ **∠·er** *n.*
lyn·chet [líntʃit], 《영》 **lynch**[2] *n.* (선사 시대의 경작지의 흔적이 남아 있는 구릉지의) 단지(段地).
lýnch·ing *n.* 린치(를 가함), 폭력적인 사적 제재《특히 교수형》.
lýnch làw 사형(私刑), 린치《미국 Virginia 주의 치안판사 Captain William Lynch가 형벌을 함부로 가한 데서》.
lýnch mòb 린치를 가하기 위해 모인 집단.
Lynd [lind] *n.* **Robert ∼** 린드《아일랜드 태생의 영국 수필가·비평가; 1879–1949》.
Lyn·da [líndə] *n.* 린다《여자 이름》.
Lyn·don [líndən] *n.* 린든《남자 이름》.
Lynn [lin] *n.* 린. **1** 남자 이름《Lincoln의 애칭》. **2** 여자 이름《Caroline, Carolyn의 애칭》.
lynx [liŋks] (*pl.* **∼·es,** 〔집합적〕 ∼) *n.* **1** 〖동물〗 스라소니; Ⓤ 스라소니의 모피(毛皮). **2** ((the) L-) 〖천문〗 살쾡이자리. ◇ lyncean *a.*

lynx 1

lýnx-èyed *a.* 눈이 날카로운, 눈이 좋은.
Ly·on [láiən] *n.* 스코틀랜드의 문장원 장관(紋章院長官) (=**Lyon King of Arms**). [◂ lion 의 옛 철자]
ly·on·naise [*F.* ljɔnɛ] *a.* 리옹식의《(특히 감자 등을) 얇게 썬 양파와 함께 기름에 튀긴》.
Ly·ons [láiənz] *n.* 리옹《프랑스 남동부의 도시; 프랑스명은 Lyon》.
ly·o·phile [láiəfàil] *a.* 〖화학〗 =LYOPHILIC; 냉동 건조의; 냉동 건조에 의해서 얻어지는 (=∼**d**). ― *vt.* =LYOPHILIZE.
ly·o·phil·ic [làiəfílik] *a.* 〖화학〗 (콜로이드가) 친액성(親液性)의, 친화력(親和力)이 강한: ∼ colloid 친액(성) 콜로이드.
ly·oph·i·lize [laiáfəlàiz/-ɔ́f-] *vt.* …을 냉동 건조하다(freeze-dry). ㊥ **-lìz·er** *n.* (저장을 위한 조직·혈액 따위의) 냉동 건조기〔장치〕. **ly·òph·i·li·zá·tion** *n.* Ⓤ
ly·o·pho·bic [làiəfóubik] *a.* 〖화학〗 (콜로이드가) 소액성(疎液性)의, 친화력이 약한: ∼ colloid 소액(疎液)(성) 콜로이드.
Ly·ra [láiərə] *n.* 〖천문〗 거문고자리(the Lyre).
ly·rate, ly·rat·ed [láiəreit, -rət], [-id] *a.* 〖생물〗 수금(竪琴) 같은. ㊥ **-rate·ly** *ad.*
lyre [láiər] *n.* **1** (고대 그리스의) 리라(lyra), 칠현금(七絃琴). **2** (the ∼) 서정시; 〖음악〗 (취주악대용의) 악보꽂이; (the L-) 〖천문〗 =LYRA.

lyre 1

lýre·bìrd *n.* 〖조류〗 금조(琴鳥)《오스트레일리아산; 수컷 꼬리가 lyre 모양임》.
lýre·flòwer *n.* 〖식물〗 금낭화(錦囊花)(bleeding heart).
lyr·ic [lírik] *n.* **1** 서정시(=∠ **pòem**). ⓒⓕ epic. **2** (*pl.*) 서정시체(抒情詩體)〔운문(韻文)〕. **3** 노래. **4** (*pl.*) (유행가 따위의) 가사(歌詞). ― *a.* 서정시의, 서정적인; lyre에 맞춰 노래하는; 음악적인, 오페라풍의: a ∼ poet 서정 시인 / ∼ poetry 서정시.
lyr·i·cal [lírikəl] *a.* 서정시조(調)의, 서정미가 있는(lyric); 감상적인; 고양된. ㊥ **∼·ly** *ad.* **∼·ness** *n.*
lýric dráma (the ∼) 가극.
lyr·i·cism [lírəsìzəm] *n.* 서정시체(體)〔조, 풍〕; Ⓤ (용어·표현의) 과장, 고조된 감정; Ⓤ 정서의 발로(發露), 감상(感傷).
lýr·i·cist *n.* 서정 시인; (노래·가극 따위의) 작사가.
lýric théater 오페라 극장; (the ∼) 오페라.
lyr·ist [láiərist] *n.* **1** lyre 탄주자(彈奏者). **2** [lírist] =LYRICIST.
ly·sate [láiseit] *n.* 〖생화학〗 (세포 따위의) 용해〔분리〕물.
lyse [lais] *vi., vt.* 〖면역·생화학〗 용해〔분리〕하다.
Ly·sen·ko·ism [liséŋkouìzəm] *n.* 리셍코 학설《유전은 획득 형질(獲得形質)에 의한다는 옛 소련 농학자 T.D. Lysenko(1898–1976)의 학설》.
ly·sér·gic ácid [laisə́ːrdʒik-, li-] 〖화학〗 리세르그산: ∼ diethylamide =LSD 2.
ly·sér·gic ácid di·eth·yl·ámide [-daièθəlǽmaid, -éθələmàid] *n.* 〖화학〗 리세르그산(酸) 다이에틸아미드(⇨LSD).
ly·sim·e·ter [laisímətər] *n.* 라이시미터, 침루계(浸漏計)《토양 속에 물을 침투시켜서 수용성 물질의 양을 측정함》. ㊥ **ly·si·met·ric** [làisəmétrik] *a.*
ly·sin [láisn] *n.* 〖생화학〗 리신, 세포 용해소(溶解素)《적혈구나 세균을 용해하는 항체》.
ly·sine [láisiːn, -sin] *n.* 〖생화학〗 리신《아미노산(酸)의 일종》.
ly·sis [láisis] (*pl.* **-ses** [-siːz]) *n.* Ⓤ,Ⓒ 〖의학〗 (열·질환의) 소산(消散), 환산(渙散); 〖생화학〗 (세균·세포의) 용해, 용균(溶菌).
-ly·sis [ləsis] '분해, 해체, 파괴, 마비' 따위의 뜻의 결합사: ana*lysis*, para*lysis*.
ly·so·cline [láisəklàin] *n.* 〖생태〗 용해층《그 층보다 깊은 곳에서는 수압에 의해 어느 화학 물질이 용해를 일으키는 심해의 층》.
ly·so·gen [láisədʒən, -dʒèn] *n.* 〖생물〗 용원(溶原), 용원균(菌).
ly·so·gen·ic [làisədʒénik] 〖생물〗 *a.* (바이러스가) 용원성(溶原性)인(temperate); (세균이)

prophage를 보유하는. ㊞ **-ge·nic·i·ty** [-dʒənísəti] *n.*

lysogénic convérsion 〖생물〗 용원화(溶原化) 변환.

ly·sog·e·nize [laisádʒənàiz/-sɔ́dʒ-] *vt.* 〖세균〗 용원화(溶原化)하다. ㊞ **ly·sòg·e·ni·zá·tion** *n.*

ly·sog·e·ny [laisádʒəni/-sɔ́dʒ-] *n.* 〖세균〗 용원성(溶原性).

Ly·sol [láisɔːl, -sal/-sɔl] *n.* 리졸《소독약; 상표명》.

ly·so·lec·i·thin [làisəlésəθən] *n.* 〖생화학〗 리소레시틴《레시틴에서 지방산 1개가 빠진 것; 강력한 계면 활성 작용과 세포 독성을 가짐》.

ly·so·some [láisəsòum] *n.* 〖생화학〗 리소좀《세포질 내의 과립(顆粒)으로, 많은 가수분해 효소를 함유함》. ㊞ **lỳ·so·sóm·al** *a.* **-sóm·al·ly** *ad.*

ly·so·staph·in [làisəstǽfin] *n.* 〖생화학〗 리소스타핀《포도상 구균에서 얻어지는 항균성(抗菌性) 효소》.

ly·so·zyme [láisəzàim] *n.* 〖생화학〗 라이소자임《박테리아 용해 효소의 일종》.

lys·sa [lísə] *n.* 〖의학〗 광견병(rabies).

lys·tro·sau·rus [lìstrəsɔ́ːrəs] (*pl.* **-ri**) *n.* 〖고생물〗 리스트로사우루스《트라이아스기에 서식한 포유류형 파충류》.

-lyte [làit] '분해물'이란 뜻의 결합사: electro*lyte*.

lyt·ic [lítik] *a.* 세포 용해(소)의, 리신의. ㊞ **-i·cal·ly** *ad.*

Lyt·ton [lítn] *n.* 리턴. **1 Edward George Earle ~ Bulwer**, 1st Baron ~ of Kneb-worth 영국의 소설가 · 극작가 · 정치가(1803 - 73). **2 Edward Robert Bulwer ~**, 1st Earl ~ 영국의 시인 · 극작가 · 외교가《1의 아들로, 필명은 Owen Meredith; 1831 - 91》.

-lyze [làiz] -lysis에 대응하는 타동사를 만드는 결합사: ana*lyze*. ★ -lyse 로도 씀.

L.Z., LZ landing zone.

M

M, m [em] (*pl.* **M's, Ms, m's, ms** [-z]) **1** 엠《영어 알파벳의 열셋째 글자》. **2** 13번째(의 것)《j를 빼면 12번째》. **3** (로마 숫자의) 1,000: *M*CMLXXXIX =1989. **4** 〖인쇄〗 =EM. **5** M자 모양의 것. **6** 《속어》 모르핀(morphine).

M 〖물리〗 Mach; magnitude; 〖통화〗 markka; 《Austral.》 〖영화〗 Mature (16세 이상); 〖논리〗 middle term; 〖화학〗 molar. **M, M., m, m.** 〖통화〗 mark(s); *meridies* 《L.》 (=noon); million(s). **M., M** Majesty; Manitoba; Marquis; Marshal; Master; Medicine; Medieval; Medium; mega-; Member; Meridian; metal; 〖음악〗 mezzo; Middle; Militia; molecular weight; moment; Monday; 《속어》 money; Monsieur; 《속어》 morphine; 《영》 motorway; Mountain. **m.** maiden (over); male; manual; mare; married; martyr; masculine; 〖기계〗 mass; 〖음악〗 measure; medicine; medieval; medium; meridian; meter(s); middle; midnight; mile(s); milli-; mill(s); minim; minute(s); 《영》 〖기상〗 mist; 〖처방〗 mix; modification of; modulus; molar; month(s); moon; morning; mountain; mouth.

M'- ⇨ MAC- (보기: *M'*Donald).

*'**m** **1** [m] =AM. **2** [əm] =MA'AM: Yes'*m*. 예, 부인〔선생님〕/ No'*m*. 아니요, 마님. **3** [im, əm] 《구어》 =HIM.

m- [ém] *pref.* =META-.

ma [mɑː] *n.* 《구어》 엄마; 아줌마.

Ma 〖화학〗 masurium; 〖음악〗 major. **mA, ma, ma.** 〖전기〗 milliampere(s). **m/a** my account. **M.A.** *Magister Artium* 《L.》 (=Master of Arts); 〖심리〗 Mental Age; Military Academy. **M.A.A.** Master of Applied Arts.

MAAG Military Assistance Advisory Group.

Maa·lox [mάːlɑks] *n.* 〖약학〗 말록스《소화성 궤양 · 위염 치료용 내복약》.

***ma'am** [mæm, mɑːm, 약 məm] *n.* **1** 《구어》 마님, 아주머니《하녀가 여주인에게, 점원이 여자 손님에게 쓰는 호칭》; 선생님《여자 교사에 대한 호칭》: Is Jack present? — Yes, ~ [jésm]. 잭 있습니까. —예 있습니다, 선생님. **2** [mæ(ː)m, mɑːm] 《영》 여왕〔공주〕에 대한 존칭. [◂ *madam*]

「Astronautics.

M.A. and A. Master of Aeronautics and

má-and-pá [-ən-] *a.* =MOM-AND-POP.

maar [mɑːr] (*pl.* **~s, *maa·re*** [mάːrə]) *n.* 《G.》 〖지학〗 마르《평평한 폭렬(爆裂)분화구 (자리)》.

M.A. Arch. Master of Arts in Architecture.

Maas·tricht [mάːstrikt] *n.* 마스트리히트《네덜란드 남동부의 도시》.

Máastricht Trèaty 마스트리히트 조약《1991년 Maastricht에서 개최되어 EC에서 이듬해 조인된 통화 · 정치 · 경제적 통합을 내용으로 한 조약》.

Mab [mæb] *n.* 맵《여자 이름; Mabel의 애칭》.

MAB Marine Amphibious Brigade (미해병대 수륙전(水陸戰) 여단). **M.A.B.** Metropolitan Asylums Board. **M.A.B.E.** Master of Agricultural Business and Economics.

Ma·bel [méibəl] *n.* 메이벌《여자 이름; Mab의 애칭》.

Má Béll 《미》 Baby Bell의 모회사인 AT & T의 별칭.

mábe (pèarl) [méib(-)] 반구형의 양식 진주.

MAC [mæk] *n.* 자치체 원조 공사《Municipal Assistance Corporation; 1975년 New York 시의 재정 위기 완화를 위해 설치》.

Mac[1] [mæk] *n.* 《미구어》 야, 이봐, 자네《이름을 모르는 남자를 부르는 말》.

Mac[2] *n.* 맥. **1** 남자 이름. **2** 《구어 · 우스개》 스코틀랜드 사람; 아일랜드 사람.

Mac[3] *n.* =MACINTOSH.

mac[1] [mæk] *vi.* 《속어》 (McDonald's에서) 식사하다. **~ *out*** 《속어》 (McDonald's에서 fast food 따위를) 배불리 먹다, 실컷 먹다.

mac[2], **mack** [mæk] *n.* MAC(K)INTOSH; 《미구어》 =MACKINAW.

Mac- [mək, mæk], **M'-, Mc-, M^c-** *pref.* '…의 아들'이란 뜻《[k, g]의 앞에서는 [mə, mæ]》. ★ 스코틀랜드 · 아일랜드계 성에 붙음: *Mac*Arthur, *Mac*Donald, *Mc*Kinley. cf. Fitz-, O'.

MAC Military Armistice Commission; 《미》 Military Airlift Command (군사 공수 사령부). **Mac.** 〖성서〗 Maccabees. **M.A.C.** Master of Arts in Communication. **M.Ac.** Master of Accounting.

ma·ca·bre, -ber [məkάːbrə, -bər], [-bər] *a.* 섬뜩한, 기분 나쁜; 죽음을 주제로 하는; danse macabre의〔를 연상케 하는〕.

ma·ca·co [məkάːkou, -kéi-] (*pl.* **~s**) *n.* 〖동물〗 여우원숭이(lemur).

mac·ad·am [məkǽdəm] *n.* Ⓤ 〖토목〗 (롤러로 굳히는 도로용) 쇄석(碎石), 밤자갈; 머캐덤 도로(=**∠ ròad**)《쇄석을 아스팔트나 피치로 굳힌》.

mac·a·da·mia [mæ̀kədéimiə] *n.* (Australia 산) 마카다미아 나무〔열매〕(=**Quéensland nút**).

mac·ád·am·ìze *vt.* (도로를) 머캐덤 공법으로 포장(鋪裝)하다. ㊞ **mac·àd·am·i·zá·tion** *n.* Ⓤ 머캐덤 공법〔포장〕.

Ma·cao [məkáu] *n.* 마카오《중국 남동 해안의 도시; 포르투갈 영토로 있다가 1999년 중국으로 반환됨》. ㊞ **Mac·a·nese** [mæ̀kəníːz, -s] *n.*

ma·caque [məkǽk, -kάːk] *n.* 〖동물〗 짧은꼬리원숭이《아시아 · 아프리카산》.

***mac·a·ro·ni, mac·ca-** [mæ̀kəróuni] *n.* **1** 마카로니, 이탈리아 국수. cf. spaghetti. **2** (*pl.* **~(e)s**) (18세기 영국의) 유럽 대륙풍에 젖은 멋쟁이; 《고어》 〔일반적〕 멋쟁이(fop). **3** 《속어》 이탈리아인.

mac·a·ron·ic [mæ̀kəránik / -rɔ́n-] *a.* 마카로니의; 《고어》 뒤범벅의(mixed); (라틴말 또는 그 어미를 현대말에 섞은) 아속 혼효체 광시(雅俗混淆體狂詩)의; 두 나라 말이 뒤섞인. **—** *n.* (*pl.*) 아속〔2개국어〕 혼효체 광시. ㊞ **-i·cal·ly** *ad.*

macaróni chéese 〖요리〗 마카로니 치즈《치즈 소스로 조미한 마카로니 요리》.

macaróni mìlls 《미속어》 제재소(saw mill).

macaróni wèstern = SPAGHETTI WESTERN.

mac·a·roon [mæ̀kərúːn] *n.* 마카롱《달걀흰

자 · 아몬드 · 설탕으로 만든 작은 과자》.
Mac·Ar·thur [məkɑ́:rθər] *n.* **Douglas** ~ 맥아더《미국 육군 원수; 1880-1964》.
Ma·cart·ney [məkɑ́:rtni] *n.* 〖조류〗 매카트니 꿩(fireback).
ma·cás·sar (òil) [məkǽsər(-)] (종종 M-) 마카사르 향유《머릿기름》.
Ma·cau·lay [məkɔ́:li] *n.* **Thomas Babington** ~ 매콜리《영국의 역사 · 평론 · 정치가; 1800-59》.
ma·caw [məkɔ́:] *n.* **1** 〖조류〗 마코앵무새《라틴아메리카산》. **2** 〖식물〗 야자의 일종 (=∼ **pàlm** 〔**trèe**〕) 《라틴아메리카산》.

macaw 1

Mac·beth [məkbéθ, mæk-] *n.* 맥베스《Shakespeare의 4대 비극 중의 하나; 그 주인공》.
Macc. 〖성서〗 Maccabees.
Mac·ca·bae·us [mækəbí:əs] *n.* **Judas** 〔**Judah**〕 ~ 마카바이오스《유대의 애국자로 Maccabees의 지도자; ?-160 B.C.》.
Mac·ca·be·an, -bae·an [mækəbí:ən] *a.* 마카베가(家)의; 마카바이오스의.
Mac·ca·bees [mǽkəbi:z] *n. pl.* **1** (the ~) 시리아 왕의 학정으로부터 유대를 구한 기원전 2세기의 유대 애국자의 일족(一族). **2** 〔단수취급〕 〖성서〗 마카베오서(書)《Apocrypha 중의 두 편임; 생략: Mac(c).》.
mac·ca·boy, -co- [mǽkəbɔ̀i], **mac·ca·baw** [-bɔ̀:], **ma·cou·ba** [məkú:bə] *n.* [U] (서인도 Macouba산의) 코담배.
mac·chi·net·ta [mɑ̀:kinétə] *n.* 드립(drip)식 커피포트.
Mac·Don·ald [məkdɑ́nəld/-dɔ́n-] *n.* **James Ramsay** ~ 맥도널드《영국 정치가; 1866-1937》.
Mace [meis] *n.* 최루 신경 가스《상표명》. — *vt.* (보통 m-) (폭도 따위를) ~로 공격〔진압〕하다.
mace[1] [meis] *n.* **1** 갈고리 달린 철퇴《중세의 갑옷을 부수는 무기》. **2** 권표(權標), 직장(職杖)《직권의 상징》; (the M-) 영국 하원 의장의 직장; =MACE-BEARER. **3** (옛날의) 당구봉. **4** (M-) 《미》 유도식 지대지 제트 추진 핵 미사일. **5** 《야구속어》 배트(bat).
mace[2] *n.* [U] 육두구 껍질을 말린 향료.
mace[3] 《속어》 *n.* 사기; 사기꾼. — *vt.* 사기 치다; 강요하다, 공갈치다.
máce-bèarer *n.* 권표 봉지자(權標捧持者).
Maced. Macedonia(n).
mac·é·doine [mæsədwɑ́:n] *n.* 《F.》 (젤리로 굳힌) 야채를〔과일을〕 섞은 샐러드; 잡동사니.
Mac·e·do·nia [mæsədóuniə, -njə] *n.* 마케도니아《옛 그리스의 북부 지방》; 마케도니아(공화국). [파] **-ni·an** [-n] *a., n.* 마케도니아의 (사람).
mac·er [méisər] *n.* 《Sc.》 법정의 공무원.
mac·er·ate [mǽsərèit] *vt.* **1** (식물 따위를 액체에) 담가서 부드럽게 하다, 불게 하다; 잘게 부수다〔찢다, 자르다〕. **2** (단식 · 걱정 따위로) 야위게 하다. — *vi.* 야위다, 쇠약해지다; 부드러워지다, 붇다. ***be ~d with care*** 고생으로 야위다〔수척해지다〕. [파] **mác·er·àt·er, -à·tor** *n.* ~하는 것; 펄프 제조기. **màc·er·á·tion** *n.* [U]
Mach [mɑ:k, mæk] *n.* **1 Ernst** ~ 마흐《오스트리아의 물리학자; 1838-1916》. **2** 〖물리〗 =MACH NUMBER.
mach. machine; machinery; machining; machinist.
mach·er [mǽxər] *n.* 《Yid.》《미경멸》 거물, 대장.
ma·chete [məʃéti, -tʃé-] *n.* (라틴 아메리카 원주민의) 날이 넓은 큰 칼《주로 사탕수수를 자르거나 가지치기용으로 씀》.
Mach·i·a·vel·li [mækiəvéli] *n.* **Niccolò** ~ 마키아벨리《이탈리아의 정치가; 1469-1527》.
Mach·i·a·vel·li·an [mækiəvéliən] *a.* 마키아벨리(류)의; 권모술수의; 음험한, 교활한. — *n.* 권모술수가, 책모가.
Mach·i·a·vel·lism [mækiəvélizəm] *n.* [U] 마키아벨리즘〔주의〕. [파] **-list** *n.* 마키아벨리주의자, 책모가.
ma·chic·o·late [mətʃíkəlèit] *vt.* 총안(銃眼)을 만들다. [파] **-làt·ed** [-id] *a.*
ma·chìc·o·lá·tion, ma·chi·cou·lis [mɑ̀:ʃəkú:li] *n.* 〖축성(築城)〗 (입구 · 통로 위에) 돌출된 총안《돌 · 뜨거운 물을 성벽 아래로 퍼붓기 위한 구조물》; 총안이 있는 쑥 내민 복도.
machin. machine; machinery; machinist.
mach·i·nate [mǽkənèit] *vt., vi.* 모의하다, (음모를) 꾀하다(plot). [파] **-nà·tor** [-ər] *n.* 모사, 음모가(plotter).
mach·i·na·tion [mækənéiʃən] *n.* **1** [U] 《드물게》 음모를 획책함, 책동. **2** (보통 *pl.*) 간계, 음모.
****ma·chine** [məʃí:n] *n.* **1** 기계; 기계 장치: the age of ~ 기계 (문명) 시대 / by ~ 기계로《무관사》. **2** 자동차, 자전거; 비행기; 재봉틀(sewing ~); 타자기; 《영》 동력 인쇄기: ~ cotton (재봉틀용) 무명실. **3** 기구, 기관: the social ~ 사회기구. **4** (정당 등의) 조직; 그 지배 집단, 파벌. **5** 기계적으로 일하는 사람; (어떤 일에) 아주 적당한 사람. **6** (옛날) 무대의 안 보이는 곳의 장치; 〖문학〗 모든 것을 해결하는 초자연력(의 도입). ***like a well-oiled*** ~ 매우 순조롭고 능률있게. ***the god from the*** ~ =DEUS EX MACHINA. — *a.* 기계(용)의; 기계에 의한; 정밀한, 규격화된: ~ parts 기계 부품. — *vt.* 《~+[목]/+[목]+[보]/+[목]+[부]》 기계에 걸다〔로 가공하다, 로 만들다〕; 인쇄기에 걸다; …을 재봉틀에 박다; 기계화하다; 정밀하게 만들다, 규격화하다《*down*》: ~ a thing smooth 기계로 물건의 표면을 매끄럽게 다듬다. — *vi.* 기계로 가공되다.
ma·chín(e)·a·ble *a.* (재료를) 공작 기계로 성형할 수 있는, 공구로 가공할 수 있는; (우편 · 소포 등을) 기계로 분류할 수 있는.
machíne àge (the ~) 기계 (문명) 시대.
machíne àrt 기계 예술, 머신 아트《기계 공학 · 전자 공학 따위의 장치를 사용한 예술》.
machíne bòlt 〖기계〗 머신볼트, 누름볼트.
machíne chéck interrùpt 〖컴퓨터〗 기계 검사 가로채기.
machíne còde 〖컴퓨터〗 =MACHINE LANGUAGE; 기계어 부호.
machíne còver 사무실의 사무기기를 덮어 두는 플라스틱제 덮개.
machíne finish (종이의) 초지기(抄紙機)에 달린 롤러로 광을 내는 마무리 공정.
machíne gùn 기관총〔포〕, 기총. [파] ~·**er**
machíne-gùn *vt.* 기관총으로 쏘다〔소사(掃射)하다〕. — *a.* 기관총의〔과 같은〕; 빠르고 단속적인.
machíne hèad 기타 등 현악기의 줄 감는 금속제 부분.
machíne-hòur *n.* 기계의 1시간당 작업량.
machíne-indepéndent *a.* 〖컴퓨터〗 특정 기계에 의하지 않는.
machíne intèlligence =ARTIFICIAL INTELLIGENCE.
machíne lànguage 〖컴퓨터〗 기계어.

machíne lèarning 〖컴퓨터〗 기계 학습《과거의 작동 축적을 통해 자신의 동작을 개선할 수 있는 슈퍼컴퓨터의 능력》.
machíne·lìke *a.* 기계 같은; 정확한.
machíne-màde *a.*기계로 만든(OPP. *handmade*); 틀에 박힌, 일정한 양식의.
machíne·man [-mən, -mæ̀n] (*pl.* ***-men*** [-mən, -mèn]) *n.* 기계공; 《영》〖인쇄〗 인쇄공(pressman); 착암기 취급자.
machíne-médiated lèarning 컴퓨터 따위 기계를 매체로 한 학습.
machíne músic 신시사이저 · 컴퓨터를 이용하는 팝뮤직의 총칭. 「(burp gun).
machíne pìstol 자동 권총; 소형 경(輕)기관총
machíne pòlitics 《경멸》 조직 정치《정치 조직으로 선거 승리나 입법을 꾀하는 일》.
machíne-réadable *a.* 〖컴퓨터〗 컴퓨터로 처리〔해독〕할 수 있는.
machíne rífle 자동 소총(automatic rifle).
machíne·ròom *n.* 《영》 인쇄실(《미》 pressroom).
⁑**ma·chin·ery** [məʃíːnəri] *n.* Ⓤ **1** 기계류(machines): a great deal of ~ 많은 기계류/install ~ in a factory 공장에 기계를 설치하다. **2** (시계 따위의) 기계 장치; (기계의) 가동 부분: the ~ *of* a watch 시계의 구조. **3** (정치 등의) 기관, 기구, 조직: the ~ *of* the law 사법 기관/the ~ *of* government 정치 기구. **4** (극 · 소설 등의) 구성, 취향; 조작, 꾸밈.
machíne scréw 〖기계〗 기계〔작은〕 나사.
machíne scùlpture 기계 조각.
machíne-sèwed *a.* 재봉틀로 박은.
machíne shòp 〔**shèd**〕 기계(로 공작을 하는) 공장. 「(延)작동 시간.
machíne tìme (컴퓨터 등의) 총작동 시간, 연
machíne tòol 공구, 공작 기계. ㊕ **machíne-tòoled** *a.* 공작 기계로 만들어진(듯한).
machíne translàtion (컴퓨터 등에 의한) 기계 번역. 「식하는 일.
machíne vìsion 기계가 물체를 시각적으로 인
machíne-wàsh *vt.* 세탁기로 빨다. ㊕ **~-a·ble** *a.*
machíne wòrd 〖컴퓨터〗 기계어. 「work.
machíne wòrk 기계로 하는 일. cf. hand
machíning cènter 〖기계〗 복합 공작 기계《수치 제어를 이용함》.
ma·chin·ist [məʃíːnist] *n.* 기계 기술자, 기계 제작자〔수리공〕; (공작)기계공; 〖일반적〗 기계 운전자; 《영》 재봉틀 직공; 〖미해군〗 기관 준위(准尉); 《미》 (정당의) 간부제 지지자; 《고어》 (극장의) 무대 장치 담당자.
ma·chis·mo [mɑːtʃíːzmou] *n.* 《Sp.》 사내다움, 남성으로서의 의기〔자신〕.
Mach·me·ter [máːkmiːtər, mǽk-] *n.* 〖물리〗 마하계기(計器). 「음속에 대한 비》.
Mách nùmber 〖물리〗 마하(수)《물체 속도의
ma·cho [máːtʃou] (*pl.* **~s**) *n.* 《Sp.》 (건장한) 사나이(= **~ màn**); = MACHISMO. **—** *a.* 사내다운, 늠름한, 남자다움을 강조한. 「jects.
MACHO 〖물리〗 massive compact halo ob-
mácho·dràma *n.* 《미속어》 사내다움을〔남성 우위를〕 강조한 영화〔극〕.
Mách('s) prìnciple 〖물리〗 마흐의 원리《절대 공간의 존재를 부정하고 관성계(慣性系)는 우주 전체의 물질 분포에 준거하여 정해진다는 설》.
macht·pol·i·tik [máːktpoulitiːk] *n.* 《G.》 (종종 M-) 무력〔무단〕 정치.
Ma·chu Pic·chu [máːtʃuːpíːktʃuː] *n.* 마추픽추《페루 중남부의 고대 잉카 요새 도시 유적》.
-ma·chy [ˊməki] '싸움'이란 뜻의 결합사: logo*machy*.

Mac·in·tosh [mǽkintɑ̀ʃ/-tɔ̀ʃ] *n.* 〖컴퓨터〗 매킨토시《미국 Apple Computer사가 제작한 32비트 퍼스널 컴퓨터명; 상표명》.
Mack [mæk] *n.* **1** 맥《남자 이름》. **2** 《구어》 여봐《이름을 모르는 남자에 대한 호칭》.
mack[1] *n.* 《영구어》 = MAC(K)INTOSH.
mack[2] *n.* 《속어》 매춘 알선업자, 유객(誘客)꾼.
mack[3] *n.* 굴뚝과 마스트의 기부(基部)가 겹친 구조. [◂ *ma*st+sta*ck*]
Mac·ken·zie [məkénzi] *n.* 매켄지. **1** (the ~) 캐나다 서부 지방에서 북극해로 흐르는 강. **2** 그 강이 흐르는 캐나다의 지방.
mack·er·el [mǽkərəl] (*pl.* **~**(**s**)) *n.* 고등어《북대서양산》. 「은 강풍.
máckerel bréeze 〔**gále**〕 고등어낚시에 좋
máckerel gùll 〖조류〗 제비갈매기(tern).
máckerel píke 〖어류〗 꽁치.
máckerel shárk 〖어류〗청상아리.
máckerel ský 〖기상〗 조개구름(이 덮인 하늘).
mack·i·naw [mǽkənɔ̀ː] *n.* **1** 《미》 바둑판무늬 담요(= **Máckinaw blànket**); 그것으로 만들어 입는 짧은 상의(= **Máckinaw còat**). **2** (옛날의) 평저선(平底船)(= **Máckinaw bòat**).

mackinaw 1

mac(**k**)**·in·tosh** [mǽkintɑ̀ʃ/-tɔ̀ʃ] *n.* Ⓤ 고무 입힌 방수포(防水布); Ⓒ 방수 외투《생략: mac(k)》.
mack·le [mǽkəl] 〖인쇄〗 *n.* 이중 인쇄; 잘못된 인쇄; 얼룩. **—** *vt., vi.* …에 얼룩이 묻다〔을 묻히다〕, 잘못 인쇄하다; 인쇄가 흐리다〔흐려지다〕.

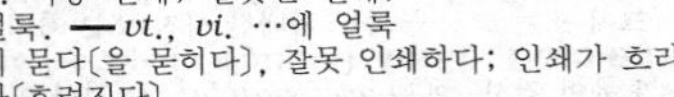

máck·man [-mæ̀n, -mən] *n.* 《속어》 = MACK[2].
ma·cle [mǽkəl] *n.* 〖광물〗 쌍정(雙晶); (광물의) 얼룩, 변색. ㊕ **~d** *a.*
Mac·lean [məkléin] *n.* Sir **Fitzroy Hew** ~ 매클린《영국의 외교관 · 군인; 2차 대전시 유고슬라비아 빨치산의 특명 부대장으로 활약; 영화 '007'의 모델이 되었음; 1911-96》. 「름》.
Mac·leod [məkláud] *n.* 매클라우드《남자 이
Mac·mil·lan [məkmílən] *n.* **Harold** ~ 맥밀런《영국의 정치가; 1894-1986》. 「주.
Mâ·con [*F.* makɔ̃] *n.* Ⓤ 《F.》 프랑스산 포도
ma·con [méikən] *n.* Ⓤ (제2차 세계 대전 중의) 양고기 베이컨.
macr- [mǽkr], **mac·ro-** [mǽkrou, -rə] '긴, 큰'의 뜻의 결합사. OPP. *micr-, micro-.*
mac·ra·me, -mé [mǽkrəmèi] *n.* 《F.》 Ⓤ 매듭실 장식, 마크라메 레이스.
mac·ro[1] [mǽkrou] *a.* 큰, 눈에 띄는; 대량〔대규모〕의; 현미경을 필요로 하지 않는.
mac·ro[2] *n.* 〖컴퓨터〗 = MACROINSTRUCTION.
màcro·análysis *n.* 〖화학〗 보통량(量) 분석; 〖경제〗 거시(적) 분석. OPP. *microanalysis.*
màcro·biósis *n.* 장수(長壽), 긴 수명(longevity). 「수〔건강〕식품.
màcro·biótic *a.* 장수식(長壽食)의: ~ food 장
màcro·biótics *n. pl.* 〔단수취급〕 장수식 연구〔이론〕《동양의 음양설에 의한 식품의 배합》.
mac·ro·ce·phal·ic, -ceph·a·lous [mæ̀krousəfǽlik], [-séfələs] *a.* 대두(大頭)〔장두(長頭)〕의.
mac·ro·ceph·a·ly [mæ̀krouséfəli] *n.* Ⓤ 이상 대두(大頭); 〖의학〗 대두증.
màcro·chémistry *n.* 거시 화학《현미경 · 미량 분석이 불필요함》.

mácro·clìmate *n.* 〖기상〗 대기후(大氣候)《나라 전체 또는 대륙 등 광범위한 지역의 기후》.
mácro·còde *n.* 〖컴퓨터〗 모듬 (명령) 부호, 모듬 명령(macroinstruction).
mac·ro·cosm [mǽkrəkɑ̀zəm/-kɔ̀z-] *n.* **1** (the ~) 대우주, 대세계. OPP. *microcosm.* **2** 전체, 총체, 복합체. ㊀ **màc·ro·cós·mic** [-mik] *a.*
mac·ro·cyte [mǽkrəsàit] *n.* 〖의학〗 대적혈구(大赤血球)《빈혈증에 생김》. ㊀ **màc·rocýt·ic** [-sít-] *a.* 대적혈구성의; 대구성(大球性)의. 「증.
macrocýtic anémia 〖의학〗 대적혈구성 빈혈
mac·ro·cy·to·sis [mæ̀krousaitóusis] (*pl.* **-ses** [-si:z]) *n.* 〖의학〗 대적혈구증, 대구증(大球症).
màcro-económic mòdel 거시적 경제 모델.
màcro·económics *n. pl.* 《단수취급》 〖경제〗 거시 경제학. OPP. *microeconomics.* ㊀ **-económic** *a.* **-ecónomist** *n.*
màcro·ecónomy *n.* 거시 경제《경제 사회 전체의 총체적이고 대규모의 경제 시스템》.
màcro·engineéring *n.* 거대 프로젝트 공학.
màcro·evolútion *n.* 〖생물〗 대진화(大進化)《종(種) 수준보다 훨씬 큰 문(門)의 분화 따위》.
mácro·fòssil *n.* 〖고생물〗 (육안으로 관찰할 수 있는) 대형 화석(化石).
màcro·gámete *n.* 〖생물〗 대배우자(大配偶者), 자성(雌性) 배우자.
màcro·glóbulin *n.* 〖생화학〗 매크로 글로불린《분자량이 약 90 만 이상의 면역 글로불린》.
mac·ro·gol [mǽkrəgɔ̀:l,-gɔ̀l/-gɔ̀l] *n.* 〖약학〗 매크로골《연고나 화장품의 기제(基劑)로 씀》.
ma·cro·graph [mǽkrəgræ̀f, -grɑ̀:f] *n.* 실물 크기 또는 그것을 약간 확대한 사진 또는 화상.
ma·crog·ra·phy [məkrágrəfi/-krɔ́g-] *n.* U **1** 육안 검사. OPP. *micrography.* **2** (정신 이상에 의한) 이상대서(異常大書).
màcro·instrúction *n.* 〖컴퓨터〗 모듬 명령 (macro)《어셈블리 언어의 명령의 하나》. 「즈.
mácro lèns (카메라의) 접사(接寫) 촬영용 렌
màcro·linguístics *n.* 《단수취급》 대(大)언어학《언어 연구 부문의 총칭》. 「*n.*
màcro·meteorólogy *n.* 거시 기상학. ㊀ **-gist**
mac·rom·e·ter [məkrámətər/-rɔ́m-] *n.* 〖광학〗 (원거리 측정용) 측거기(測距器).
màcro·mólecule, mácro·mòle *n.* 〖화학〗 고분자(高分子), 거대 분자.
màcro·mútant *a.* 복합 돌연변이 되고 있는 〔에 의한〕. **—** *n.* 복합 돌연변이체〔종(種)〕.
mac·ron [méikrɑn, mǽk-/mǽkrɔn] *n.* 〖음성〗 (모음 위쪽에 붙는) 장음부호(¯)《보기: cāme, bē》.
màcro·nútrient *n.* 〖식물〗 다량 영양소 〔원소〕《식물 생장에 크게 요구되는 원소; 탄소, 수소, 산소, 질소 등》. 「대 사진(술).
màcro·photógraphy *n.* (낮은 확대율의) 확
màcro·phýsics *n. pl.* 《단수취급》 거시적 물리학. OPP. *microphysics.*
mac·ro·phyte [mǽkrəfàit] *n.* 〖생물〗 대형 수생(水生) 식물. 「*microscale.*
mácro·scàle *n.* 대규모, 거시적 규모. OPP.
mac·ro·scop·ic, -i·cal [mæ̀krəskápik/-skɔ́p-], [-əl] *a.* 육안으로 보이는(OPP. *microscopic*); 천문학적 차원〔숫자〕의; 〖물리·수학〗 거시적인.
màcro·socíetal *a.* 거시적 사회의: a discussion of ~ changes 거시적 사회 변화에 대한
màcro·sociólogy *n.* 거시 사회학. 「토론.
mac·ro·spore [mǽkrəspɔ̀:r] *n.* 〖식물〗 대포자(大胞子), 큰 홀씨(megaspore).

mácro·strùcture *n.* 매크로 구조〔조직〕《확대하지 않고 보이는 금속·신체의 일부 따위》.
mácro·thèory *n.* 매크로 이론.
mácro vìrus 〖컴퓨터〗 매크로바이러스《어플리케이션 소프트의 매크로를 써서 만든 바이러스》.
M.A.C.T. Master of Arts in College Teaching.
mac·u·la [mǽkjələ] (*pl.* **-lae** [-lì:]) *n.* 《L.》 (광석의) 반점, 흠; (피부의) 모반(母斑); (태양의) 흑점; 〖해부〗 (망막의) 황반(黃斑)(=∼ **lùtea**). ㊀ **~r** [-lər] *a.* 흠〔반점〕이 있는.
mácular degenerátion 〖해부〗 (망막의) 황반변성(黃斑變性).
mac·u·late [mǽkjələt] *vt.* 얼룩지게 하다; 더럽히다. **—** [-lit] *a.* =MACULAR. ㊀ **-làt·ed** *a.*
màc·u·lá·tion *n.* U 《고어》 반점이 있음; 오점을 찍음; C (표범 따위의) 반점; 오점; 오욕.
mac·ule [mǽkju:l] *n.* 〖해부〗 (피부의) 반점; 〖인쇄〗 =MACKLE.
Ma·cy's [méisiz] *n.* 메이시스《미국의 백화점》.
MAD[1] [mæd] *n.* 〖군사〗 자기(磁氣) 이상 탐지 장치《항공기가 장비하는 대(對)잠수함 탐지기의 일종》. [◂ *m*agnetic *a*nomaly *d*etector]
MAD[2] [mæ(:)d] mutual assured destruction (상호 확증 파괴) 《타국으로부터의 핵공격에 대비하여, 상대를 확실히 궤멸시킬만한 핵보복 전력을 보유하여 상호 억지를 도모하려는 냉전 시대의 미국 전략》.
ﾟmad [mæd] (**-dd-**) *a.* **1** 미친, 실성한: a ~ man / He must be ~ *to* do that. 저런 짓을 하다니 그 사람 틀림없이 돈 모양이군. SYN. ⇨ CRAZY. **2** (개가) 광견병에 걸린; (동물이) 광포한: a ~ dog 광견, 미친개. **3** 열광적인, 열중인, 열을 올리고 있는《*for; after; about; on*》; 몹시 탐내고 있는《*for; after*》: He is ~ *about* her. 그는 그녀에게 홀딱 반하여 열을 올리고 있다 / He was ~ *for* a new car. 그는 새 차를 몹시 갖고 싶어했다. **4** 앞뒤를 헤아리지 않는, 무모한, 바보 같은: ~ efforts 무모한 노력. **5** 《구어》 성난, 골난《*at; about; with*》: Don't be ~ *at* me. 나한테 화내지 마라. **6** (태도 등이) 미친 듯한, 격한; (비·바람 등이) 맹렬한: ~ haste 몹시 덤빔. **7** 떠들어대는, 크게 들뜬: have a ~ time 들떠서 흥청거리다. **8** 《부사적》 《속어》 미친 듯이, 몹시: ~ keen 되게 열심인. **9** 《복합어로서》 '…에 열중〔몰두〕한, 미친 듯이 …싶어하는'의 뜻: He is absolutely money-~. 그는 완전히 돈에 미쳤다. (*as*) **~ *as a hatter*** ⇨ HATTER. (*as*) **~ *as a* (*March*) *hare*** ⇨ HARE. (*as*) **~ *as a hornet*** 〔***hops, a wet hen***〕 《구어》 몹시 화내어. ***be* ~ *with joy*** 〔***drink, jealousy***〕 몹시 기뻐하다〔취하다, 질투로 미치다〕. ***drive*** 〔***send***〕 a person **~** 아무를 미치게 하다; 골나게 하다. ***go*** 〔***run***〕 **~ *after*** 〔***over***〕 …에 열중하다. ***like* ~** 《구어》 미친 듯이; 맹렬히. **~ *as* ~** 《구어》 대단히 화가 나서. **—** (**-dd-**) *vt., vi.* 《미》 성나게 하다, 성내다; 《고어》 발광시키다〔하다〕; 광란하다. **—** *n.* 《미구어》 분개, 노염. ***have a* ~ *on*** …에 성〔화〕내고 있다. ***get*** one***'s* ~ *up*** 〔***out***〕 화를〔성을〕 내다.
Mad. madam.
Mad·a·gas·can [mæ̀dəgǽskən] *a., n.* Madagascar(사람)의; Madagascar 사람.
Mad·a·gas·car [mæ̀dəgǽskər] *n.* 마다가스카르《아프리카 남동의 섬나라; 공화국; 수도 Antananarivo; 구칭 the Malagasy Republic》.
ﾟmad·am [mǽdəm] *n.* **1** (*pl.* **mes·dames** [meidɑ́:m, -dǽm/méidæm]) (종종 M-) 아씨, 마님, …부인, 여성…: *Madam* Chairman 여성 의장〔단장〕/ *Madam* President 대통령 부인.

NOTE (1) 본디 부인에 대한 존칭이었으나 지금은 미혼 여성에게도 씀: May I help you, ~?

⇨ HELP. (2) Madam 또는 Dear Madam 으로 (미지의) 여성 앞으로의 편지 허두에 '근계(謹啓)' 따위의 뜻으로도 씀.

2 (*pl.* **~s**) (종종 the ~) 《구어》 주부, 아주머니; 《완곡어》 여자 포주. **3** 《영구어》 중뿔나게 나서는 처녀, 되바라진 계집아이; 《구어》 남을 부리기 좋아하는 여자: a proper (little) ~ 되바라진 여자.

mad·ame** [mǽdəm, mədǽm mədɑ́:m, mæ-/mǽdəm] (*pl.* ***mes·dames [meidɑ́:m, -dǽm]) *n.* 《F.》 **1** (흔히 M-) 아씨, 마님, …부인《프랑스에서는 기혼부인에 대한 호칭·경칭; 영어의 Mrs.에 해당함; 생략: Mme., (*pl.*) Mmes.》: *Madame* Curie 퀴리 부인. **2** (M-) 〖프랑스사〗 공주.

Mádame Tussáud's ⇨ TUSSAUD'S.

mád ápple 〖식물〗 가지(eggplant).

mad·a·ro·sis [mæ̀dəróusis] *n.* 〖의학〗 눈썹 탈모증.

mád·bàll *n.* 《미속어》 (점쟁이의) 수정 구슬.

mád-bráined *a.* 격하기 쉬운, 앞뒤 생각 없는, 무모한.

mád·càp *n.* 무분별한 사람, 《특히》 무모한 아가씨, 바람기 있는 처녀. **—** *a.* 무분별〔무모〕한, 경솔한, 충동적인, 혈기에 찬.

mad·cap·pery [mǽdkæ̀pəri] *n.* 무모(無謀), 경솔, 무턱대고 함.

mád-cow diséase 광우병(狂牛病)《소가 걸리는 병으로 뇌조직이 스폰지처럼 구멍이 뚫림》, 해면양(海綿樣) 뇌질환, 스크라피(scrapie)병.

MADD 《미》 Mothers Against Drunk Drivers (음주 운전 반대 어머니회).

mad·den [mǽdn] *vt.* 발광시키다; 성나게 하다. **—** *vi.* 발광하다; 격하다; 성내다.

mád·den·ing *a.* 미치게 하는, 미칠 듯한, 미친 듯이 날뛰는; (바람 등이) 맹렬한; 화나게 하는, 불쾌한. ㊞ **~·ly** *ad.*

mad·der [mǽdər] *n.* 〖식물〗 꼭두서니; 〖염색〗 인조 꼭두서니 물감; 꼭두서니색, 진홍색.

mad·ding [mǽdiŋ] *a.* 《드물게》 발광한; 광란의: far from the ~ crowd 광란의 속세를 멀리 떠나서.

mad·dish [mǽdiʃ] *a.* 미친 것 같은.

mád-dòctor *n.* 《고어》 정신병 전문 의사. ★ mad doctor는 미친 의사.

mád-dóg *vt.* (협박하듯이) 노려보다; 호통치다.

****made** [meid] MAKE의 과거·과거분사. ★ 보통 be ~ *of* (wood, *etc.*)는 재료의 형태를 보존하고 있는 경우, be ~ *from* (grapes, *etc.*)은 재료의 형태를 분간할 수 없을 때 씀. **—** *a.* **1** 만들어진; 조작한: a ~ story 〔excuse〕 꾸며낸 이야기〔변명〕. **2** 인공적인, 인공의; 매립한《땅 따위》; 여러 가지 섞은《요리 등》: ~ fur 인조 모피/~ land 〔ground〕 매립지/a ~ road 포장도로. **3** 성공이 확실한; 《미속어》 갑자기 출세한, 유명해진, 부자가 된: a ~ man 성공한〔이 확실한〕 사람. **4** 〖합성어〗 …로 만든, …제의; 몸집이 …한: a Swiss-~ watch 스위스제 시계/hand-~ 손으로 만든/ready-~ 기성품의/slightly-~ 날씬한 몸매의/a well-~ chair 잘 만들어진 의자/home-~ goods 국산품. ***have*** (***got***) 〔***get***〕 ***it*** ~ 《구어》 성공이 확실하다, 잘 될 조건이 갖추어져 있다. **~ *for*** …에 아주 잘 어울리는; 꼭 알맞은: ~ *for* each other 아주 잘 어울리는《두 사람》/He is ~ *for* adventure. 그는 타고난 모험가다/a day ~ *for* a picnic 소풍가기에 더할 나위 없는 날. **~ *of money*** 《구어》 굉장한 부자인. **~ *out of* (*the*) *whole cloth*** 사실무근의, 정말 엉터리인.

máde dísh (고기·야채 그 밖의 여러 가지를) 섞어 조리한 요리.

máde-for-TV *a.* 텔레비전용으로 만든.

Ma·dei·ra [mədíərə] *n.* 마데이라《대서양의 군도 이름; 포르투갈령》; (*or* m-) 이 곳에서 나는 백포도주.

Madéira càke 《영》 =POUND CAKE.

Madéira tópaz 〖광물〗 =CITRINE.

Mad·e·leine, Mad·e·line [mǽdəlin] *n.* 매들린《여자 이름》.

mad·e·leine [mǽdəlin, mæ̀dəléin] *n.* 작은 카스텔라.

°**mad·e·moi·selle** [mæ̀dəmwəzél, mæmzél/mæ̀dmwə-] (*pl.* **~s** [-z], ***mes·de·moi·selles*** [mèidə-]) *n.* 《F.》 **1** (M-) …양, 마드무아젤《영어의 Miss에 해당함; 생략: Mlle., (*pl.*) Mlles.》. **2** 프랑스인 여자 (가정교사).

máde·óver *a.* 다시 만든.

máde-to-méasure [-tə-] *a.* 몸에 맞게 만든《옷·구두 따위》.

máde-to-órder [-tə-] *a.* 주문해 만든, 맞춘 (opp. *ready-made, ready-to-wear*); 꼭 맞는: a ~ suit 주문복.

máde-úp *a.* **1** 만든, 만들어낸; 조작한; 결심한; 화장한; 메이크업한: a ~ story 꾸며낸 이야기/a ~ tie (처음부터) 매어 있는 넥타이. **2** 완성된; 포장(鋪裝)된; 〖인쇄〗 정식 조판한. **3** 결심한, 결의가 굳은.

Madge [mæ:dʒ] *n.* 매지《여자 이름; Margaret의 애칭》.

Mád Hátter's disèase 〖의학〗 미나마타병《유기 수은 중독증》.

mád·hòuse *n.* (옛날의) 정신 병원; 너저분한 장소, 혼란한 장면.

mad·ia [mɑ́:diə] *n.* 〖식물〗 마디아《해바라기 비슷한 식물》.

mádia óil 마디아유《올리브유 대용》.

Mad·i·son [mǽdəsən] *n.* **James** ~ 매디슨《미국 제4대 대통령; 1751-1836》.

Mádison Ávenue 1 미국 뉴욕 시의 광고업 중심가. **2** 광고업(계).

Mad·i·son·ese [mæ̀disəní:z] *n.* 광고에 쓰는 특수 용어.

Mádison Squáre Gárden 뉴욕에 있는 옥내 스포츠센터.

mád ítch 가성(假性) 공수병.

***mad·ly** [mǽdli] *ad.* 미친 듯이; 결사적으로; 맹렬히; 바보같이; 무모하게; 《구어》 몹시, 극단적으로.

Mad(m). Madam.

mad·man** [mǽdmən, -mæ̀n] (*pl.* ***-men [-mən, -mèn]) *n.* 미친 사람《남자》, 광인.

mád mòney 《구어》 여자의 소액 비상금《데이트시 상대와 싸워 혼자 귀가할 때의 택시비 따위》; (불시의 출비·충동구매용의) 비상금; 사천.

mad·ness** [mǽdnis] *n.* Ⓤ **1** 광기(狂氣), 정신 착란. **2** 열광; 격노. **3** 미친 짓, 바보짓. **4** 광견병(rabies). ***love to ~ 열애하다.

Mad·oc [mǽdək] *n.* 매덕《남자 이름》.

Ma·don·na [mədɑ́nə/-dɔ́nə] *n.* (보통 the ~) 성모 마리아; 그 상(像): ~ and Child 어린 그리스도를 안은 성모 마리아의 (화)상.

Madónna lìly 〖식물〗 흰 백합.

Ma·dras [mədrǽs, -drɑ́:s] *n.* **1** 마드라스《인도 남동부의 주》. **2** (m-) Ⓤ 마드라스 무명.

ma·dra·sa(h) [mədrǽsə] *n.* 〖이슬람교〗 마드라사, 학원《이슬람 법학 따위를 배우는 고등 교육기관; 대개 모스크에 부속됨》.

ma·dre [mɑ́:drei] *n.* 《Sp.》 어머니(mother).

mad·re·pore [mǽdrəpɔ̀:r/ˋ-ˊ] *n.* 〖동물〗 녹석(綠石)《산호의 일종》.

Ma·drid [mədríd] *n.* 마드리드《스페인의 수도》.

mad·ri·gal [mǽdrigəl] *n.* 짧은 연가(戀歌); 서정 단시, 소곡(小曲); 〖음악〗 마드리갈《무반주 합창곡의 일종》; 〖일반적〗 가곡, 무반주 합창곡. ㊞ **mad·ri·gal·i·an** [mæ̀drəgǽliən, -géil-] *a.* **~·ist** *n.* 마드리갈 가수〔작곡가〕.

mad·ri·lene [mǽdrəlèn, -lèin, ˋ-ˊ] *n.* Ⓤ 토마토를 넣은 마드리드풍(風)의 콩소메.

mád scíentist 미치광이 과학자《SF나 괴기물

에서 과학을 악용하는 과학자》.
ma·du·ro [mədúərou] *a.*, *n.* (*pl.* **~s**) 《Sp.》 짙은 갈색의 맛이 독한 (궐련).
mád·wòman (*pl.* **-wòmen**) *n.* 미친 여자.
mád·wòrt *n.* 〚식물〛 **1** =ALYSSUM. **2** 냉이의 일종. **3** 이전에 꼭두서니 대신 쓰인 지칫과의 1년초.
Mae [mei] *n.* 메이 《여자 이름; Mary 의 애칭》.
M.A.E. Master of Aeronautical 〔Aerospace〕 Engineering; Master of Art Education; Master of Arts in Education 〔Elocution〕.
Mae·ce·nas [miːsíːnəs, mai-/-næs] *n.* **1** 로마의 문학·예술 보호자(70?-8 B.C.)《Virgil 및 Horace 의 친구》. **2** (*pl.* **~·es**) (문학·미술의) 보호자.
M.A.Ed. Master of Arts in Education.
mael·strom [méilstrəm/-strɔm, -stroum] *n.* **1** 큰 소용돌이; (the M-) 노르웨이 근해의 큰 화방수. **2** 《비유》 큰 동요, 대혼란.
m(a)e·nad [míːnæd] *n.* 〚그리스신화〛 마이나드 《Bacchus 의 시녀(bacchante)》; 광란하는 여자.
M. Aero. E. Master of Aeronautical Engineering.
ma·es·to·so [maistóusou] *a.*, *ad.* 《It.》 〚음악〛 장엄한(majestic); 장엄하게.
mae·stro [máistrou] (*pl.* **~s, -stri** [-triː]; *fem.* **-tra** [-trə]) *n.* 《It.》 대음악가, 대작곡가, 명지휘자; (예술 따위의) 대가, 거장(巨匠).
Mae·ter·linck [méitərlìŋk] *n.* **Comte Maurice** ~ 마테를링크 《벨기에의 문호; 1862-1949》.
Máe Wést [méi-] (종종 m- w-) 《속어》 해상 구명조끼; 《미군대속어》 (낙하산의) 중앙조리개 《낙하 속도 증가 장치》; 《운율속어》 유방(breast). ★ 유방이 큰 여배우 이름에서. 「륙전 부대).
MAF 《미》 Marine Amphibious Force (해병 수
MAFF 《영》 Ministry of Agriculture, Fisheries, and Food (농수산식품부).
Maf·féi gàlaxy [mɑːféii-] 마페이은하 《은하계를 에워싸는 국부(局部) 은하군(群)의 하나》.
Ma(f)·fia [máːfiːə, mǽf-] *n.* 《It.》 **1 a** (the ~) 마피아단(團) 《19세기에 시칠리아 섬에 근거지를 두었던 폭력단; 이탈리아·미국을 중심으로 하는 국제적 범죄 조직》. **b** 〔일반적〕 폭력 혁명주의자의 비밀 결사, 테러단; (마약 밀매매·도박 등을 주도하는) 폭력 조직. **2** (m-) (과격한 반정부 감정; 법적 구속과 억압에 대한) 반항 정신. **3** (종종 m-) (일정 분야·사업에서) 유력자 집단, 파벌: the California ~ 레이건 대통령 측근 그룹.
maf·fick [mǽfik] *vi.* 《영구어》 떠들썩하게 흥겨워 떠들다.
Ma·fi·ol·o·gy [màːfiálədʒi/mæfiɔ́l-] *n.* 마피아 (범죄 조직) 연구.
ma·fi·o·so [màːfióusou] (*pl.* **-o·si** [-óusiː]) *n.* 《It.》 마피아의 일원.
mag[1] [mæg] *n.* 《영속어》 반(半)페니 (주화).
mag[2] *n.* 《구어》 =MAGAZINE.
mag[3] *n.*, *vi.* =CHATTER.
mag[4] *a.* 〚컴퓨터〛 자기(磁氣)의, 자성(磁性)을 띤: ~ tape 자기 테이프. **—** *n.* 자성체. [◂ *magnetic*]
mag. magazine; magnesium; magnetic; magnetism; magneto; magnitude.
⁑**mag·a·zine** [mæ̀gəzíːn, ⌐-⌐/⌐-⌐] *n.* **1** 잡지. **2** 창고(안의 저장물), 《특히》 탄약〔화약〕고 (안의 탄약〔화약〕); 무기〔군수 물자〕 저장고. **3** (연발총의) 탄창; (연료 자급 스토브의) 연료실. **4** 〚영화·사진〛 필름 감는 틀. **5** 자원지(資源地), 보고(寶庫). **6** 《미속어》 6개월의 금고형(禁錮刑). **7** 〚TV·라디오〛 〔종종 ~ show〕 뉴스 매거진 《최신 화제를 다룬 정시(定時)의 뉴스 프로》; (인터뷰·해설·오락 따위를 섞은) 버라이어티 프로. [파] **~·dom** [-dəm] *n.* 잡지계(界).
magazíne-fòrmat *a.* (텔레비전 프로가) 잡지 형식의, 잡지식 구성의.
magazíne sèction (일간 신문의) 일요판 《투서·서평·읽을거리·십자말풀이 따위를 게재》.
màg·a·zín·ist *n.* 잡지 기고자〔편집자〕.
mag·con [mǽgkɑn/-kɔn] *n.* 〚천문〛 달·행성의 지표의 자성(磁性) 물질의 응축. [◂ *mag*netic *con*centration] 「lene 의 애칭》.
Mag·da [mǽgdə] *n.* 마그다 《여자 이름; Magda-
Mag·da·la [mǽgdələ] *n.* 〚성서〛 막달라 《팔레스타인 북쪽의 마을》.
Mag·da·len [mǽgdəlin] *n.* **1** 마그달린 《여자 이름》. **2** (때때로 m-) 갱생한 창녀; (m-) 매춘부 갱생원. **3** 난민 수용소.
Mag·da·lene [mǽgdəlin] *n.* **1** 마그달렌 《여자 이름》. **2** (the ~) [mǽgdəliːn, mæ̀gdəlíːni] 〚성서〛 막달라 마리아(Mary ~) 《누가복음 VII-VIII》. **3** (m-) =MAGDALEN 2.
Mag·da·le·ni·an [mæ̀gdəlíːniən] *a.* 〚고고학〛 (구석기 시대 최종기의) 마들렌기(期)의.
Mág·de·burg hémisphere [mǽgdəbə̀ːrg-] 〚물리〛 마그데부르크 반구(半球). 「박학한 사람.
mage [meidʒ] *n.* 《고어》 마법사(magician);
Ma·gel·lan [mədʒélən/-gél-] *n.* **1 Ferdinand** ~ 마젤란 《포르투갈의 항해가; 1480?—1521》. ***the Strait of*** ~ 마젤란 해협. **2** 미국 NASA가 1989년 쏘아 올린 금성 탐사기명(名).
Mag·el·lán·ic Clóud [mæ̀dʒəlǽnik-/mæ̀gi-] 〚천문〛 마젤란운(雲).
ma·gen·ta [mədʒéntə] *n.*, *a.* [U] 〚화학〛 빨간 아닐린 물감, 마젠타; 아닐린 빨강(의), 자홍색(의).
Mag·gie [mǽgi] *n.* **1** 여자 이름 《Margaret 의 애칭》. **2** (*or* m-) 《미속어》 자동 피스톨.
Mággie's dràwers 《미군대속어》 표적을 빗나간〔서투른〕 사격(에 대해 흔드는 붉은 기).
mag·got [mǽgət] *n.* **1** 구더기. **2** 변덕; 공상. **3** 《미속어》 담배(꽁초). ***enough to gag a*** ~ 《미구어》 기분 나쁠 정도인〔의〕, 역겨워질 지경인〔의〕. ***have a*** ~ ***in*** one***'s head*** 〔***brain***〕 《구어》 변덕스러운 생각을 품다; 망상을 품다. ***when the*** ~ ***bites*** 마음이 내킬 때에. [파] **~y** [-i] *a.* 구더기 천지의; 변덕스러운; 《Austral.》 노한, 기분이 나쁜: go ~*y* 화내기 시작하다.
Ma·ghreb, -ghrib [mʌ́grəb] *n.* (the ~) 머그레브 《북아프리카 북서부 곧 모로코·알제리·튀니지, 때론 리비아를 포함하는 지방》.
Ma·gi [méidʒai] (*sing.* **-gus** [-gəs]) *n. pl.* **1** (the three ~) 〚성서〛 (동방의) 박사들 《마태복음 II: 1》. **2** (the ~) (옛 페르시아의) 마기승족(僧族). **3** (m-) 마술사들.
Ma·gi·an [méidʒiən] *a.* **1** 마기승족의. **2** (m-) 마술의. **—** *n.* =MAGUS. [파] **~·ism** *n.* [U] 마기교(Zoroastrianism).
⁑**mag·ic** [mǽdʒik] *a.* **1** 마법의, 마법에 쓰는; 기술(奇術)의: ~ arts 마술/a ~ wand 요술 지팡이/~ words 주문(呪文)/do ~ tricks 요술을 부리다. **2** 마법과 같은, 이상한; 매력적인: ~ beauty 기막힌 아름다움. **3** 《해커속어》 미지(未知)의, 이상한; 고도의. **—** (**-ick-**) *vt.* 마법을 걸다; 마법으로 바꾸다〔만들다〕; 마법으로 지우다. **—** *n.* [U] **1** 마법, 마술, 주술(呪術): black 〔white〕 ~ (해로운〔무해한〕) 마술 《악마의 힘을 빌린〔빌리지 않은〕》. **2** 기술(奇術), 요술. **3** 매력, 불가사의한 힘 《*of*》: the ~ *of* music 음악의 매력. ***as*** (***if***) ***by*** ~ =***like*** ~ 즉석에서, 신기하게 《듣다 등》. ***natural*** ~ 마력에 의하지 않은 마술, 기술. ***play*** ~ 요술을 부리다.
*__mag·i·cal__ [mǽdʒikəl] *a.* 마법으로 일어난 (듯한), 마법에 걸린 듯한, 이상한; 매혹적인; 마법

〔마술〕의. ★ 보어로도 쓰임. ¶ The effect was ~. 효과는 즉각적이었다. [파] ~·ly *ad.*

mágic búllet **1** 마법의 탄환《박테리아·바이러스·암세포만을 파괴하는 약제》. **2** (복잡한 문제의) 해결책〔수단〕.

mágic cárpet (하늘을 나는) 마법 융단.

mágic círcle 마법의 원《원 안의 사람은 마술에 걸림》.

Mágic Éye 매직 아이《라디오·텔레비전 등의 동조(同調) 지시관; 상표명》; (m- e-) 광전지 (photoelectric cell).

mágic fígure =MAGIC NUMBER 3.

mágic hánd 매직 핸드(manipulator)《원자로 따위의 원격 조종 기계의 손》.

ma·gi·cian** [mədʒíʃən] *n.* **1** 마법사, 마술사. **2** 기술사, 요술쟁이. **3** 마술적인 기량이 있는 사람: a ~ with words 말의 마술사. ***the Magician of the North Sir Walter Scott 의 별칭.

mágic lántern (구식) 환등(幻燈)기.

Mágic Márker 매직펜《상표명》.

mágic múshroom 독버섯의 하나《환각 유발 물질을 함유함》.

mágic númber **1** 〖물리〗 마법수《특별히 안정된 핵종(nuclide)의 원자번호나 중성자 수》. **2** 〖야구〗 매직넘버《프로 야구의 종반에서, 제2위 팀이 나머지 경기를 전승해도 제1위 팀이 우승할 수 있는 승수(勝數)의 숫자》. **3** 사람들에게 큰 영향력이 있는 수〔숫자〕.

mágic réalism 〖미술〗 환상적 사실주의.

mágic spót 〖생화학〗 매직 스폿《구아노신사인산(四燐酸)을 일컬음; 리보솜 RNA의 합성을 방해하는 것으로 생각됨》.

mágic squáre 마방진(魔方陣)《수의 합이 가로·세로·대각선이 같은 숫자 배열표》.

mag·i·cube [mǽdʒikjùːb] *n.* 〖사진〗 플래시 └의 일종.

ma·gilp [məgílp] *n.* [U] =MEGILP.

Má·gi·not lìne [mǽʒənòu-] (the ~) **1** 마지노선《프랑스 동쪽 국경에 있던 요새》. **2** 《비유》 절대적이라 맹신되고 있는 방어선.

Máginot-mìnded [-id] *a.* 현상 유지에 급급한: a ~ politician.

mag·is·te·ri·al [mæ̀dʒəstíəriəl] *a.* magistrate의 주교〔교사〕에 어울리는; (의견·문장 따위가) 권위 있는, 주요한; 엄연한, 거만한, 고압적인《의견 등》; 공평한. [파] ~·ly *ad.*

mag·is·te·ri·um [mæ̀dʒəstíəriəm] *n.* 〖가톨릭〗 교도권(敎導權).

mag·is·tery [mǽdʒəstèri/-təri] *n.* 〖연금술〗 자연의 변성력(變成力)〔치유력〕, 현자(賢者)의 돌 (philosopher's stone).

mag·is·tra·cy [mǽdʒəstrəsi] *n.* magistrate의 직; (the ~) magistrate들; magistrate의 관할 구역.

mag·is·tral [mǽdʒəstrəl] *a.* =MAGISTERIAL; 〖약학〗 (약제·처방전이) 의사 처방의; 특별 조제의 ([opp] *officinal*): ~ method (학교 교사로서의) 교수법 / ~ staff (학교의) 교직원. [파] ~·ly *ad.*

°**mag·is·trate** [mǽdʒəstrèit, -trət] *n.* **1** (사법권을 가진) 행정 장관, 지사, 시장. **2** 치안 판사 《justice of the peace나 police court의 판사 등》. ***a civil ~*** 문관. ***the chief*** 〔***first***〕 ~ 원수, 대통령. [파] **mag·is·trat·i·cal** [mæ̀dʒəstrǽtikəl] *a.* **~ly** *ad.* **~·shìp** *n.* [U] ~의 직〔지위·임기〕. **-tra·ture** [-trèitʃər/-trə-] *n.* ~의 직〔권위〕.

mágistrates' cóurt (magistrate가 경범죄 재판이나 예심(豫審)을 하는) 경범죄〔하급〕 재판소, 치안판사 재판소.

Mag·le·mo·si·an, -se·an [mæ̀gləmóusiən, -ʃən, -ʒən/-móuziən] *a.* 마글레모제 문화《중석기 시대 중기의 북유럽 문화》의.

mag·lev, mag-lev [mǽglev] *n.* 자기 부상식

(磁氣浮上式) 고속 철도. [◂ *magnetic levitation*]

mag·ma [mǽgmə] (*pl.* **~s, ~·ta** [-tə]) *n.* 연괴(軟塊)《광물·유기물의》; 〖지학〗 마그마. [파] **-mat·ic** [mægmǽtik] *a.*

magn- [mǽgn], **mag·ni-** [mǽgnə] '대(great, large)' 의 뜻의 결합사: *magni*fy. [opp] *micro-*.

magn. magnetic; magnetism; magneto.

Mag·na C(h)ar·ta [mǽgnə-káːrtə] 《L.》 **1** 〖영국사〗 마그나카르타, 대헌장《1215년 John 왕이 국민의 권리와 자유를 인정한 것》. **2** 〔일반적〕 권리·자유를 보장하는 기본적 율령(律令)〔문서〕.

mag·na cum lau·de [mǽgnə-kʌm-lɔ́ːdi] 《L.》 (대학 졸업 성적의 3단계 우등 중) 제2위 우등으로. [cf] cum laude.

mag·na est ve·ri·tas, et prae·ve·le·bit [mǽgnə-est-vérətæ̀s, et-prìːvəlíːbit; *L.* máːgnɑ-ɛst-wéːritàːs, ɛt-praɛwɑlɛ́bit] 《L.》 진리는 위대하며, 또한 널리 퍼지리라(=Truth is mighty and will prevail.).

mag·na·li·um [mægnéiliəm] *n.* [U] 〖야금〗 마그날륨《알루미늄과 마그네슘의 합금》.

mag·na·nim·i·ty [mæ̀gnəníməti] *n.* [U,C] 도량, 아량, 너그러움; 배짱이 큼; (*pl.*) 관대한 행위. [SYN.] ⇨ TOLERANCE.

mag·nan·i·mous [mægnǽnəməs] *a.* 도량이 넓은, 관대한, 아량 있는; 고결(高潔)한. [파] **~·ly** *ad.* **~·ness** *n.*

°**mag·nate** [mǽgneit, -nət] *n.* 《종종 경멸》 실력자, 권력자; 거물, …왕; 〖역사〗 귀족: an oil ~ 석유왕 / a coal ~ 석탄왕.

mag·ne·sia [mægníːʒə, -ʃə/-ʃə] *n.* [U] 〖화학〗 마그네시아, 고토(苦土); 산화 마그네슘. ***carbonate of*** ~ 탄산마그네시아. [파] **~n** [-ʃən] *a.*

magnésia álba 〖화학〗 탄산마그네시아(magnesium carbonate).

mag·ne·site [mǽgnəsàit] *n.* 〖광물〗 고토석(苦土石), 마그네사이트.

°**mag·ne·si·um** [mægníːziəm, -ʒəm, -ʃiəm/-ziəm] *n.* [U] 〖화학〗 마그네슘《금속 원소; 기호 Mg; 번호 12》. 「마그네슘.

magnésium cárbonate 〖화학〗 탄산(炭酸)

magnésium chlóride 〖화학〗 염화마그네슘.

magnésium hydróxide 〖화학〗 수산화(水酸化)마그네슘.

magnèsium lìght 〔**flàre**〕 마그네슘 광(光) 《야간 촬영·불꽃·신호 따위에 쓰임》.

magnésium óxide 〖화학〗 산화 마그네슘.

magnésium súlfate 〖화학〗 황산마그네슘.

‡**mag·net** [mǽgnit] *n.* **1** 자석, 자철, 지남철, 마그넷: a bar ~ 막대자석 / a horseshoe 〔U〕 ~ 말굽〔U형〕자석 / a natural 〔permanent〕 ~ 천연〔영구〕 자석. **2** 사람 마음을 끄는 사람〔물건〕.

mag·net- [mægníːt, -nét/mægníːt, məg-], **mag·ne·to-** [-tou, -tə] '자력(磁力); 자기(磁氣), 자성(磁性)(magnetic) 따위' 의 뜻의 결합사: *magneto*chemistry.

***mag·net·ic** [mægnétik] *a.* **1** 자석의, 자기의; 자기를〔자성(磁性)을〕 띤: a ~ body 자성체. **2** 마음을 끄는, 매력 있는: a ~ personality 매력 있는 인물. **3** 《고어》 최면술의(mesmeric), 최면력 있는. [파] **-i·cal·ly** [-kəli] *ad.* 「폭기.

magnétic ámplifier 〖전자〗 자기(磁氣) 증

magnétic anómaly 〖지학〗 (지구 자기장(磁氣場)의) 자기(磁氣) 이상.

magnétic áxis 〖물리〗 자축(磁軸).

magnétic béaring 〖해사〗 자침(磁針) 방위.

magnétic bóttle 〖물리〗 (플라스마를 가둬 두는) 자기병(磁氣甁).

magnétic búbble 〖전자〗 자기(磁氣) 버블《자성체(磁性體) 속에 발생하는 원주 상 자기 구역》. cf. bubble memory.
magnétic búbble mémory 〖컴퓨터〗 자기(磁氣) 버블 메모리《자기 버블의 유무나 위치를 이용하여 정보를 기억하는 기억 소자(素子)》.
magnétic cárd 〖컴퓨터〗 자기(磁氣) 카드.
magnétic círcuit 〖물리〗 자기(磁氣) 회로.
magnétic cómpass 〖해사〗 자기(磁氣) 컴퍼스〔나침의〕.
magnétic córe 〖컴퓨터〗 자기(磁氣) 알맹이, 자심(磁心)《기억 소자의 일종》; 〖전기〗 자심; 자극 철심(磁極鐵心).
magnétic-córe mémory 〖컴퓨터〗 자기 코어 기억 장치《초기 컴퓨터에 사용되었던 자기 코어를 이용하여 만든 주기억 장치》.
magnétic cóurse (선박·비행기의) 자침로「(磁針路).
magnétic declinátion 〔**deviátion**〕 〖측량〗 (지구) 자기 편각(偏角), 자침편차(declination).
magnétic detéctor 〖통신〗 자침 검파기.
magnétic dípole móment 〖전기〗 자기 쌍극자(雙極子) 모멘트.
magnétic dísk 〖컴퓨터〗 자기디스크.
magnétic domáin 〖물리〗 (강자성체(強磁性體)의) 자기(磁氣) 구역.
magnétic drúm 〖컴퓨터〗 자기 드럼.
magnétic élement 〖지학〗 (지구 표면의) 자기 요소; 〖공학〗 자기 소자(素子).
magnétic equátor 자기 적도(aclinic line).
magnétic explorátion 〖지학〗 자기 탐광(探鑛)(법).「(磁界).
magnétic fíeld 〖물리〗 자기장(磁氣場), 자계
magnétic flúx 〖물리〗 자기력선속(磁氣力線束).
magnétic flúx dènsity 〖전기〗 자기력선속 밀도(magnetic induction).
magnétic fórce 〖물리〗 자기력.
magnétic héad (테이프 리코더 따위의) 자기 헤드.「한 방향.
magnétic héading 〖해사〗 자침(磁針)이 향
magnétic inclinátion 〖지학·측량〗 (자(磁))복각(伏角)(dip).
magnétic indúction 〖물리〗 자기(磁氣) 유도; 자기력선속 밀도(magnetic flux density).
magnétic ínk 자기 잉크.
magnétic levitátion propúlsion sỳstem 자기 부상 추진 시스템《초고속 철도에 쓰임》. cf. maglev.
magnétic média 자기 매체《데이터 기록용 tape·disk 따위》.「자기 자오선.
magnétic merídian 〖지학〗 자북(磁北)선,
magnétic míne 〖해군〗 자기(磁氣) 기뢰《해저에 부설함》.
magnétic mírror 〖물리〗 자기경(鏡)《자기병속 자장이 갑자기 강해진 곳; 하전입자를 반사시킴》.「(netic flux density).
magnétic móment 〖전기〗 자기 모멘트 mag-
magnétic néedle 자침(磁針).
magnétic nórth 자북(磁北).「(磁率).
magnétic permeabílity 〖물리〗 투자율(透
magnétic phóto àlbum 자기(磁氣) 사진 앨범《점착성(粘着性)이 있어 사진을 직접 붙일 수 있는》.「전축의》.
magnétic píckup 자기(磁氣) 픽업《중·고급
magnétic póle 〖물리〗 자극(磁極); 자기극(磁氣極).
magnétic poténtial 〖전기〗 자위(磁位).
magnétic quántum nùmber 〖물리〗 자기(磁氣) 양자 수.
magnétic recórder 자기 녹음기.
magnétic recórding 자기 녹음; 자기 기록.
magnétic résonance 〖물리〗 자기 공명(共鳴).
magnétic résonance ìmaging 〖의학〗 자기 공명(共鳴) 단층 촬영《생략: MRI》.
magnétic résonance scànner 〖의학〗 자기 공명 단층 촬영 장치, MR 스캐너.
mag·nét·ics *n. pl.* 〔단수취급〕 자기학.
magnétic stórm 자기(磁氣) 폭풍.
magnétic strípe 〖물리〗 자기대(帶)《현금카드·신용카드 따위에 붙인 흑갈색의 띠》.
magnétic susceptibílity 〖물리〗 자화율(磁化率); 대자율(帶磁率).
magnétic tápe 〖전자〗 자기 테이프.
magnétic tápe ùnit 〔**drìve**〕 〖컴퓨터〗 자기 테이프 장치.
magnétic variátion 〖지학〗 자기 편차〔편각〕.
magnétic wíre 자기 강선(鋼線)《자기 녹음용 와이어》.
°**mag·net·ism** [mǽgnətìzəm] *n.* Ⓤ 자기(磁氣); 자기성(磁氣性); 자력; 자기학(磁氣學); 사람의 마음을 끄는 힘, (지적·도덕적) 매력; 최면술: induced ~ 유도 자기 / terrestrial 〔earth〕 ~ 지구 자기(磁氣) / the ~ of France 프랑스의 매력. ㊕ **-ist** *n.* 자기학자; 최면술사.
mag·net·ite [mǽgnətàit] *n.* Ⓤ 〖광물〗 자철광, 마그네타이트.
màg·ne·ti·zá·tion *n.* Ⓤ **1** 자성을 띰. **2** 〖전기〗 외부 자계에 의해 여기(勵起)된 자기(磁氣) 모멘트의 단위 부피당 값《기호 M》.
mag·net·ize [mǽgnətàiz] *vt.* 자력을 띠게 하다, 자기화(磁氣化)하다, 여자(勵磁)하다; (마음을) 끌다; 매혹하다. ── *vi.* 자기화하다. ㊕ **-tìz·er** *n.* **-tìz·a·ble** *a.*
mág·ne·tiz·ing fórce [mǽgnətàiziŋ-] 〖물리〗 자화력(磁化力), 자기장 강도(磁氣場強度).
mag·ne·to [mægníːtou] (*pl.* **~s**) *n.* 〖전기〗 (내연 기관의) 고압 자석 발전기, 마그네토.
magnèto·calóric effèct 〖물리〗 자기 열량 효과.「전도.
magnèto·cárdiogram *n.* 〖의학〗 자기식 심
magnèto·cárdiograph *n.* 〖의학〗 자기 심전계(心電計).
magnèto·chémistry *n.* 자기 화학.
magnèto·dísk *n.* 〖천문〗 마그네토디스크《행성의 자기권(磁氣圈) 주변에 있는 장(長)원통형의 자기선(線) 구역》.
magnèto·eléctric, -trical *a.* 자기 전기(磁氣電氣)의. ㊕ **magnèto·electrícity** *n.* Ⓤ 자기 전기(학).
magnèto·encéphalogram *n.* 핵자기(核磁氣) 뇌 촬영도《뇌의 핵자기〔자계〕 촬영 기록; 생략: MEG》. ㊕ **-encephalógraphy** *n.*
magnéto·flùid dynámics 〖물리〗 = MAGNETOHYDRODYNAMICS.
magnéto·gasdynámics *n. pl.* 〔단수취급〕 자기(磁氣)〔전자기(電磁氣)〕 기체 역학(力學); = MAGNETOHYDRODYNAMICS.
mag·ne·to·gram [mægníːtəgræ̀m] *n.* 자기력(磁氣力) 기록.「*n.* 자기력 기록기.
mag·ne·to·graph [mægníːtəgræ̀f, -grɑ̀ːf]
magnèto·hydrodynámics *n. pl.* 〔단수취급〕 자기(磁氣)〔전자기(電磁氣)〕 유체(流體) 역학(力學)(hydromagnetics)《생략: MHD》; 자기 유체 역학 발전, 전자기(電磁氣) 유체 발전.
mag·ne·tom·e·ter [mæ̀gnətámətər/-tɔ́m-] *n.* 자기력계(磁氣力計), 자기계(磁氣計). ㊕ **-try** [-tri] *n.* Ⓤ 자기〔자기력〕 측정.「(磁力).
magneto·mótive fórce 〖물리〗 기자력(起
mag·ne·ton [mǽgnətàn/-tɔ̀n] *n.* 〖물리〗 자자(磁子); 마그네톤.

magnèto-óptics *n. pl.* 〖단수취급〗 자기광학.
magnéto·pàuse *n.* 자기권계면(圈界面)《지구의 자기권과 행성간 공간과의 경계 영역》.
magnéto·phòne *n.* 마그네토폰《마이크로폰의 일종》.
magnéto·plàsma·dynámics *n. pl.* 〖단수취급〗 =MAGNETOHYDRODYNAMICS.
magnèto·resístance *n.* 〖물리〗 자기(磁氣) 저항.
magnèto·resístive hèad 〖컴퓨터〗 자기 저항 헤드(=**MŔ hèad**)《코일의 전자 유도의 변화에 자기 저항 효과를 이용한 헤드; 기록 밀도를 올려 더욱 고속화 가능》.
mag·ne·to·scope [mægní:təskòup] *n.* 자력(磁力)〔자기(磁氣)〕 검출기.
magnéto·shèath *n.* 〖지학〗 자기초(磁氣鞘), 자기권의 외피층.
mag·ne·to·sphere [mægní:təsfìər] *n.* (지구 따위의) 자기권《대기권의 최상층부》.
magnèto·státic *a.* 정(靜)자기의, 정자기장의.
magnèto·státics *n. pl.* 〖단수취급〗 정자기학(靜磁氣學).
mag·ne·to·stric·tion [mægnì:toustríkʃən] *n.* 〖물리〗 Ⓤ 자기 변형《자력에 의한 신축》.
magnèto·táctic *a.* 〖생물〗 magnetotaxis의.
magnéto·tàil *n.* 〖지학〗 자기권(磁氣圈) 꼬리《자기권 안에서, 태양풍(太陽風)에 의해 태양으로부터 먼 쪽으로 길게 뻗은 부분》.
magnèto·táxis *n.* 자기 주성(走性), 주자성(走磁性), 향자장성(向磁場性)《자기장(場)에 반응하여 생물이 나타내는 운동》.
magnèto·télephone *n.* 자석식 전화.
mag·ne·tron [mǽgnətràn/-trɔ̀n] *n.* 마그네트론, 자전관(磁電管)《단파용 진공관》.
mágnet schòol 《미》 마그넷 스쿨《훌륭한 설비와 광범위한 교육 과정을 특징으로 하며 인종 구별 없이, 또 기존의 통학 구역에도 구애됨이 없이 통학할 수 있는 대규모 학교》.
mágnet stèel 자석강《영구 자석 제조용》.
mag·ni·cide [mǽgnəsàid] *n.* 요인 암살.
mag·ni·fi·a·ble [mǽgnəfàiəbəl] *a.* 확대할 수 있는.
mag·nif·ic, -i·cal [mægnífik], [-əl] 《고어》 *a.* 장엄한, 숭고한, 당당한; 호언장담의, 과대한.
Mag·nif·i·cat [mægnífikæ̀t, mɑ:gnífikɑ̀:t/ mægnífikæ̀t] *n.* 〖성서〗 성모 마리아 찬가《누가복음 I: 46-55》; (m-) 〖일반적〗 찬가. ***sing ~ at matins*** 때에 맞지 않는 일을 하다; 때와 장소를 분별하지 못하다.
mag·ni·fi·ca·tion [mæ̀gnəfikéiʃən] *n.* Ⓤ,Ⓒ 확대(한 것), 과장; 칭찬, 찬미; 확대도〔사진〕; 〖광학〗 배율(倍率).
mag·nif·i·cence** [mægnífəsəns] *n.* Ⓤ 장대, 장엄(한 아름다움), 장려, 훌륭함; (M-) 《경칭》 폐하, 전하, 각하. ***in ~ 장대하게.
****mag·nif·i·cent** [mægnífəsənt] *a.* **1** 장대한 (grand), 장엄한, 장려한: a ~ spectacle 장관(壯觀). **2** 당당한, 훌륭한, (생각 따위가) 고상한, 격조 높은: a ~ manner 의젓한 태도. **3** 엄청난, 막대한: a ~ inheritance 막대한 유산. **4** 《구어》 굉장한, 멋진, 근사한: a ~ opportunity. **5** (M-) 위대한《고인의 칭호로서》. ㊞ **~·ly** *ad.* 훌륭하게, 멋지게; 당당하게.
mag·nif·i·co [mægnífikòu] (*pl.* **~(e)s**) *n.* (옛날 Venice의) 귀족; 〖일반적〗 귀인, 고관(grandee); 큰 인물, 거물.
mag·ni·fi·er [mǽgnəfàiər] *n.* 확대하는 물건〔사람〕, 과장하는 사람; 확대경〔렌즈〕, 돋보기.
****mag·ni·fy** [mǽgnəfài] *vt.* **1** 《~+목/+목+전+명》 (렌즈 따위로) 확대하다; 크게 보이게 하다: ~ a thing *with* a lens 렌즈로 물건을 확대하다 / A loudspeaker *magnifies* the human voice. 확성기는 사람의 목소리를 크게 한다. **2** 과장하다: Don't ~ the danger. 그 위험성을 과장하지 마라. **3** 《고어》 (신을) 찬미하다. **4** 한층 더 자극적으로 만들다〔표현하다〕, 증대시키다: ~ the conflict to get one's point across (극작가 등이) 자기 의도를 알리기 위해 갈등을 더 자극적으로 표현하다. **—** *vi.* (렌즈 등이) 확대력이 있다, 확대되어 보이다. **~ one*self against*** …에 대하여 거드름 부리다〔뽐내다〕.
mágnifying glàss 확대경, 돋보기.
mágnifying pòwer 〖광학〗 배율(倍率).
mag·nil·o·quence [mægníləkwəns] *n.* Ⓤ 과장된 말투〔문체〕; 호언장담, 흰소리.
mag·nil·o·quent [mægníləkwənt] *a.* 호언장담하는, 흰소리치는, 허풍떠는; 과장한. ㊞ **~·ly** *ad.*
mag·ni·tude** [mǽgnətjù:d/-tjù:d] *n.* Ⓤ **1** (길이·규모·수량) 크기, 양. **2** 중대(성), 중요함; 위대함, 고결. **3** 〖천문〗 등급, 광도(光度). **4** 〖수학〗 크기. **5** (지진의) 마그니튜드, 진도(震度). ***of the first ~ 가장 중요한; 일류의; 〖천문〗 일등성의. ***order of ~*** ⇨ ORDER OF MAGNITUDE.
°**mag·no·lia** [mægnóuljə, -liə] *n.* 〖식물〗 **1** 목련·자목련·백목련 따위 목련속(屬)의 꽃나무; 그 꽃. **2** =TULIP TREE.
Magnólia Státe (the ~) Mississippi 주의 속칭.
mag·non [mǽgnɑn/-nɔn] *n.* 〖물리〗 마그논《스핀파(波)(spin wave)를 양자화한 준(準)입자》.
mag·nox[1] [mǽgnɑks/-nɔks] *n.* 마그녹스(=~ **reàctor**)《영국이 초기에 개발한 탄산가스 냉각 원자로》.
mag·nox[2] *n.* 마그네슘 합금의 일종《산화하지 않는 마그네슘》.
mag·num [mǽgnəm] *n.* 《L.》 큰 술병《약 1.5리터들이》; 그 양; 매그넘 탄약통〔화기(火器)〕《반경에 비해 강력함》; 손목뼈.
mágnum bó·num [-bóunəm] 《L.》 (감자·plum의) 대형 우량 품종.
mágnum ópus [-óupəs] 《L.》 (문학·예술 따위의) 대작, 걸작; (개인의) 주요 작품; 큰사업.
ma·goo [məgú:] *n.* 《속어》 (희극 등에서 얼굴에 내던지는) 커스터드; 중요 인물, 위인; 바보, 얼간이, 쓸모없는 사람.
ma·got [məgóu] *n.* **1** 사기〔상아〕로 만든 괴상한 상(像). **2** =BARBARY APE.
mag·pie [mǽgpài] *n.* Ⓒ **1** 까치《총칭》; 까치를 닮은 새. **2** 수다쟁이 (idle chatterer); 잡동사니 수집가. **3** 《영군대속어》 과녁의 밖에서 둘째 둘레(에 명중한 탄환), 그 득점.

magpie 1

M. Agr. Master of Agriculture.
Ma·gritte [*F.* magʀit] *n.* **René ~** 마그리트《벨기에의 화가; surrealism의 지도자; 1898-1967》.
Mag·say·say [mɑ:gsáisai] *n.* **Ramon ~** 막사이사이《필리핀의 정치가; 1907-57》.
mags·man [mǽgzmən] (*pl.* ***-men*** [-mən]) *n.* 《영속어》 사기꾼, 협잡꾼.
mág-strìpe *a.* 자기 판독식의《현금카드나 신용카드에 붙은 갈색의 자기대(磁氣帶)》: a ~ ID card 자기 판독식 신분증. [◂*magnetic stripe*]
mág tápe 《구어》 =MAGNETIC TAPE.
MAGTF 〖군사〗 Marine Air Ground Task Force.
mag·uey [mǽgwei] *n.* 〖식물〗 용설란.
Ma·gus [méigəs] (*pl.* ***-gi*** [-dʒai]) *n.* Magi

의 한 사람; (m-) 조로아스터교(敎)의 사제, (고대의) 점성술사, 마술사.

mág whèel 마그네슘 합금으로 만든 자동차 바퀴《스포츠카의 노출된 은색 차륜》.

Mag·yar [mǽgjɑːr, mɑ́ːg-/mǽg-] (*pl.* ~**s**) *n.* 마자르[헝가리] 사람; Ⓤ 마자르 말. — *a.* 마자르 사람[말]의.

Ma·ha·bha·ra·ta, -tum [məhɑ́ːbɑ́ːrətə], [-rətəm] *n.* 《Sans.》 마하바라다(摩訶婆羅多)《옛 인도의 서사시》.

ma·ha·lo [mɑːhɑ́ːlou] *n.* 《Haw.》 고맙습니다 「(thanks).

ma·ha·ra·ja(h) [mɑ̀ːhərɑ́ːdʒə] *n.* (인도의) 대왕, 《특히》 인도 토후국의 왕.

ma·ha·ra·nee, -ni [mɑ̀ːhərɑ́ːni] *n.* maharaja(h)의 부인; ranee보다 고위의 왕녀, 《특히》 인도 토후국의 여왕.

ma·ha·ri·shi [mɑ̀ːhəríːʃi, məhɑ́ːrəʃi] *n.* (때로 M-) (힌두교의) 도사(導師)(의 칭호); 지도자, 정신적 지도자.

ma·hat·ma [məhɑ́ːtmə, -hǽt-] *n.* 《Sans.》 (인도의) 대성(大聖); (M-) 인도의 성자(의 이름에 붙이는 경칭); 《일반적》 (…계의) 거장(巨匠): *Mahatma* Gandhi. ㊞ ~**·ism** *n.*

Ma·ha·ya·na [mɑ̀ːhəjɑ́ːnə] *n.* 《Sans.》 【불교】 대승(불교). ⓒⓕ Hinayana. ¶ ~ Buddhism 대승불교. ㊞ **-ya·nist** [-jɑ́ːnist] *n.*

Mah·di [mɑ́ːdi] *n.* 【회교】 구세주. ㊞ **Máh·dism** *n.* Ⓤ Mahdi 강림의 신앙.

Ma·hi·can [məhíːkən] *n.* =MOHICAN.

mah-jong(g) [mɑ̀ːdʒɔ́ːŋ, -dʒɑ́ŋ, -ʒɔ́ːŋ, -ʒɑ́ŋ/mɑ̀ːdʒɔ́ŋ] *n.* Ⓤ, *vi.* 《Chin.》 마작(麻雀)(에서 이기다).

Mah·ler [mɑ́ːlər] *n.* **Gustav** ~ 말러《보헤미아 태생의 오스트리아의 작곡가·지휘자; 1860–1911》.

mahl·stick [mɑ́ːlstìk, mɔ́ːl-/mɔ́ːl-] *n.* 팔받침 (maulstick)《화가가 화필 쥘 때 괴는》.

◇**ma·hog·a·ny** [məhɑ́gəni/-hɔ́g-] *n.* **1** 【식물】 마호가니; Ⓤ 마호가니재(材); Ⓤ 적갈색. **2** (the ~) 《고어》 (마호가니재의) 식탁. ***have*** one***'s knees under*** a person***'s*** ~ 아무와 같이 식사하다. ***put*** [***stretch***] one***'s legs under*** a person***'s*** ~ 아무의 환대를 받다. ***with*** one***'s knees under the*** ~ 식탁에 앉아서.

Ma·hom·et, -ed [məhɑ́mit/-hɔ́m-], [-id] *n.* =MUHAMMED.

Ma·hom·e·tan, -hom·i·dan [məhɑ́mitən/-hɔ́m-], [-dən] *a., n.* =MUHAMMEDAN.

Ma·hound [məháund, -húːnd] *n.* **1** 《고어》 =MUHAMMED. **2** [-húːn] 《Sc.》 악마.

ma·hout [məháut] *n.* (인도의) 코끼리 부리는 「사람.

Mah·rat·ta, Ma·ra·tha [mərǽtə], [mərɑ́ːtə] *n.* 마라타 사람《인도 서부·중부의 호전적 민족》.

⁑**maid** [meid] *n.* **1** 《문어》 소녀, 아가씨(girl). **2** 하녀, 가정부; 시녀(lady's ~); 여급. ★ 종종 복합어에 쓰임: bar~, house~. **3** 미혼 여성, 독신녀《old ~의 형태로만 쓰임; old miss는 틀린 영어》. **4** 《고어》 처녀. ***a*** ~ ***of all work*** 잡역부(婦); 《비유》 여러 가지 일을 하는 사람. ***a*** ~ ***of honor*** 공주[여왕]의 시녀; 《미》 신부의 들러리 《미혼의 여성》. ⓒⓕ best man. ***the Maid of Orléans*** 오를레앙의 소녀(Joan of Arc).

mai·dan [maidɑ́ːn] *n.* 《Ar.》 (인도·파키스탄 등지의) 광장, 연병장.

maid·el [méidəl] *n.* 소녀; 처녀.

◇**maid·en** [méidn] *n.* **1** 《고어·시어》 소녀; 처녀; 미혼 여자; 《영》 처녀 연설(~ speech); 1년째의 목본(木本). **2** (종종 M-) (옛날 스코틀랜드의) 단두대. **3** 【크리켓】 =MAIDEN OVER. **4** 【경마】 이겨본 적이 없는 경주마(끼리의 경마). — *a.* 《한정용법으로만》 **1** 소녀의; 미혼 여성용의; 처녀의. **2** 《비유》 처음의, 처녀…: a ~ flight 처녀 비행/a ~ work 처녀작/a ~ battle 첫출진(出陣). **3** 아직 시험해 보지 않은, 신참의: a ~ soldier 전투 경험이 없는 병사/a ~ sword 새 칼. **4** 이겨본 적이 없는 (경주마의): ~ stakes 처음으로 출전한 말에 거는 돈/a ~ horse 이겨본 적이 없는 경주마/a ~ race 이겨본 적이 없는 말끼리의 레이스.

máiden assíze 《영》 심리 안건이 없는 순회 「재판.

máiden áunt 《옛투》 미혼 아주머니.

máiden·hàir (**fèrn**) 【식물】 애디앤텀(adiantum)《섬공작고사리·공작고사리 등의 고사리류》.

máidenhair trèe 【식물】 은행나무(gingko).

máiden·hèad *n.* 《-head는 -hood의 쌍생(雙生)접미사》 **1** Ⓤ =MAIDENHOOD. **2** Ⓒ 처녀막(hymen); 처녀성(virginity). **3** 《고어》 순결, 신선함.

maid·en·hood [méidnhùd] *n.* Ⓤ 처녀성(virginity); 처녀 시절; 청신(freshness), 순결.

maid·en·ish [méidniʃ] *a.* 처녀티 나는, 처녀인 「체하는.

máiden lády 미혼 여성, 노처녀.

máiden·lìke *a., ad.* 처녀다운[답게], 조심스러운[스럽게], 얌전한[하게], 숙부드러운[럽게].

máid·en·ly *a.* **1** 처녀(시절)의: ~ years. **2** =MAIDENLIKE. ㊞ **-li·ness** *n.* Ⓤ 처녀다움, 음전함.

máiden náme 여성의 결혼 전의 성(姓).

máiden óver 【크리켓】 무득점의 오버.

máiden pìnk 【식물】 각시패랭이꽃. 「연설.

máiden spéech 《영》 (특히 의회에서의) 처녀

máiden vóyage 【해사】 처녀항해.

maid·hood [méidhùd] *n.* =MAIDENHOOD.

máid-in-wáiting (*pl.* ***máids-***) *n.* (여왕·왕녀의 미혼) 궁녀, 시녀.

maid·ish [méidiʃ] *a.* =MAIDENISH.

Máid Márian (morris dance의 중심인물인) 5월의 여왕; Robin Hood의 애인.

máid·sèrvant *n.* 하녀. ⓒⓕ manservant.

Maid·stone [méidstən, -stòun] *n.* 메이드스톤《잉글랜드 동남부 Kent 주의 주도(州都)》.

ma·ieu·tic, -ti·cal [meijúːtik], [-əl] *a.* (소크라테스의) 산파법의《마음속의 막연한 생각을 문답식으로 유도하여 명확하게 인식시키는 방법》.

mai·gre [méigər] *a.* 【가톨릭】 고기 없는, 소찬의; 단식(일)의.

maihem ⇨ MAYHEM.

⁑**mail**[1] [meil] *n.* **1** 《집합적》 우편물, 우편: I had a lot of ~ this morning. 오늘 아침에는 많은 우편물이 왔다/All the ~*s* were robbed. 우편물은 모두 도난당했다. ★ 영국에서는 외국으로 가는 우편에만 쓰며, 국내 우편은 post. **2** (종종 *pl.*) 우편 (제도): send by ~ 우송하다. **3** 《영》 우편물 수송 열차[선, 비행기], 우편 배달인; 《고어》 우편 행낭. **4** (M-) …신문: The Daily *Mail*. ***by*** ~ 《미》 우편으로(《영》 by post). ***carry the*** ~ 《미속어》 계획을 잘 완수하다. ***copy the*** ~ 《CB속어》 시민 밴드를 청취[모니터]하다. ***first*** [***second***]***-class*** ~ 제1[제2]종 우편. ***haul the*** ~ 《미속어》 (뒤늦음을 만회하기 위해) 스피드업하다. ***pack the*** ~ 《미속어》 빨리 달리다, 급히 여행하다. ***pay the*** ~ 벌금을 물다. ***up*** ~ 배달 준비가 된 우편물《우편 용어》. — *vt.* 《~+목/+목+목/+목+전+명》 《미》 우송하다; 투함하다(《영》 post): ~ a person a parcel =~ a parcel *to* a person 아무에게 소포를 우송하다.

mail[2] *n.* 쇠미늘 갑옷(coat of ~), 갑옷; (거북·새우 따위의) 갑각(甲殼), 등딱지. — *vt.* …에게 쇠미늘 갑옷을 입히다, 무장시키다.

máil·a·ble *a.* 《미》 우송할 수 있는, 우송이 인가된. ㊞ **màil·a·bíl·i·ty** *n.*

máil·bàg *n.* 《미》 우편 행낭; 우편 배달용 가방 (《영》 postman's bag, delivery pouch).

máil·bòat *n.* 《미》 우편선(《영》 post boat).
máil bòmb (열면 폭발하는) 우편 폭탄.
máil bòmbing 〖컴퓨터〗 우편 폭탄 보내기《어떤 사람에게 단시간 내에 대량의 e-mail을 쇄도하게 하여 상대방 컴퓨터의 정상 가동을 막는 것》.
mail·box [méilbɑ̀ks/méilbɔ̀ks] *n.* 《미》 우체통(《영》 postbox); (개인용의) 우편함(《영》 letter box); 〖컴퓨터〗 편지 상자《전자 우편을 일시 기억해 두는 컴퓨터 내의 기억 영역》.
máil càll (군대에서의) 우편물 배포.
máil càr 《미》 (철도의) 우편차.
máil càrrier 《미》 (우체국 상호 간의) 우편물 운반인; =MAILMAN; 우편물 수송차.
máil·càrt *n.* 《영》 우편차《손수레》; 유모차.
máil·càtcher *n.* 《미》 열차 진행 중에 행낭을 우편차에 싣는 장치.
máilchùte *n.* 우편물 전송 슈트《빌딩의 위층에서 우편물을 아래층의 우체통으로 떨어뜨리는 장치》.
máil·clàd *a.* 쇠미늘 갑옷을 입은.
máil clèrk 《미》 우체국 직원; (회사·관청 따위의) 우편물 취급 담당.
máil còach (옛날의) 우편 마차; 우편차.
máil còver 《미》 메일커버《반역이 의심되는 특정 수취인에게 배달되는 모든 우편물에 대해 그 발신인의 성명·주소·발신지·날짜 등을 기록하는 일; 현재는 폐지됨》.
máil dròp 《미》 **1** 우편함; 우체통의 편지 넣는 곳. **2** (거처와 다른) 수취인의 주소.
mailed *a.* **1** 갑옷을 입은, 장갑된. **2** 〖동물〗 단단한 비늘로 덮인; (새의 가슴이) 미늘 모양 무늬로 된.
máiled físt (the ~) 무력(에 의한 위협), 위압, 철권제재(鐵拳制裁).
máil·er *n.* **1** 우편 발신인; 우편 이용자; 우편물 발송계. **2** =MAILING MACHINE; 《고어》 =MAILBOAT. **3** 〖상업〗 통신문과 함께 보내는 선전 전단.
máil flàg 〖해사〗 우편기(旗).
Máil·gràm *n.* 《미》 메일그램《Teletype형 전자 우편; 상표명》.
máil·ing[1] *n.* Ⓤ 우송; 우편물; 1회에 발송하는 동일 우편물《카탈로그 따위》.
máil·ing[2] *n.* 《Sc.》 소작〔임대〕 농지; 소작료.
máiling làbel 수신인 기입용 라벨.
máiling lìst 우편물 수취인 명부; 〖컴퓨터〗 우편 리스트.
máiling lìst mànager 〖컴퓨터〗 우편 리스트 매니저《우편 목록을 관리·운영하는 소프트웨어》.
máiling machìne 우편물 처리기《무게 달기, 소인 찍기, 수취인 주소·성명 인쇄 등》.
máiling slèeve 우편물 우송 보호통《양끝에 뚜껑이 없음》.
máiling tùbe (신문·잡지 등을 우송하기 위한) 마분지통(筒)《양끝에 뚜껑이 있음》.
mail·lot [mɑːjóu, mæ-] *n.* 《F.》 (무용·체조용) 타이츠; (원피스식의 어깨끈이 없는) 여자 수영복.
mail·man [méilmæ̀n] (*pl.* ***-mèn*** [-mèn]) *n.* 《미》 우편집배원(《영》 postman).
máil·mèrge *n.* 〖컴퓨터〗 메일머지《내용이 똑같은 편지를 받는 사람의 이름만 달리하여 여러 명에게 보낼 때 사용하는 방법》.
máil òrder 통신 판매 (주문).
máil-òrder *a.* 통신 판매제〔회사〕의. **—** *vt.* 통신 판매로 보내다〔사다〕.
máil-order hòuse 〔**firm**〕 통신 판매점〔회사〕.
máil pèrson 우편집배원《mailman에 대한 남녀 포괄 용어》.
máil·pìece *n.* 《영》 우편물, 우송품, 봉함 우편물《보통은 mailing piece》.
máil·plàne *n.* 우편 비행기.
máil·pòuch *n.* 《미》 우편물 가방(mail bag).
máil sèrver 메일 서버《전자 메일 배송(配送)을 관리하는 호스트 컴퓨터》.
máil·shòt *n.* 《영》 =MAILING.

máil·ster [-stər] *n.* 우편 배달용 3륜차.
máil tràin 우편 열차.
maim [meim] *vt.* **1** (아무를) 불구가 되게 하다, (손·발 따위를 끊어) 병신을 만들다: He was badly ~*ed* in the accident. 그는 그 사고로 심한 불구가 되었다. **2** (물건을) 상처 내다, 망가뜨리다, 못쓰게 만들다. **3** 〖법률〗 (상해죄가 되도록) …에게 폭행을 가하다, 상해를 입히다. ㊎ **~ed** *a.* 불구의, 상한.
main[1] [mein] *a.* **1** 주요한, 주된(principal); (제일) 중요한; 주요 부분을 이루는: the ~ body 〖군사〗 주력, 본대; (서류의) 본문; 선체(船體) / the ~ force 〖군사〗 주력 / a ~ event 〔《속어》 go〕 주요 경기, 메인이벤트《권투 등의》 / the ~ office 본사, 본점 / the ~ plot (연극 따위의) 본 줄거리 / the ~ point (토론 따위의) 요점 / the ~ road 주요 도로; 간선 도로; 본선(本線). SYN. ⇨ CHIEF. **2** 최대의, 온 힘을 다하는《힘·노력 등》; 광대한; 《영방언》 현저한: by ~ force 〔strength〕 전력을 다해 / the ~ sea 대해(大海). **3** 〖문법〗 주부(主部)의. ***for the ~ part*** 대부분은; 대체로.
— *n.* **1** (수도·가스 등의) 본관(本管), 간선; (보통 *pl.*) (건물로의 전력용) 본선; (철도의) 간선로; (~s) 〖형용사적〗 《영》 본선으로부터의, 콘센트를 사용하는: a gas 〔water〕 ~ 가스〔급수〕 본관 / ~*s* voltage 본선의 전압 / a ~*s* radio (전지식이 아닌) 콘센트 사용 라디오. **2** 《시어》 (the ~) 큰 바다, 대양(大洋). **3** 주요 부분; 요점. **4** (큰) 힘. **5** 〖해사〗 큰 돛대. **6** 《고어》 (the M-) = SPANISH MAIN. ***in*** 〔***for***〕 ***the ~*** 대개는, 주로. ***turn on the ~*** 《우스개》 울음을 터뜨리다. ***with*** 〔***by***〕 ***might and ~*** 전력을 다하여. **—** *vt.* 《속어》 (헤로인 따위를) 정맥에 놓다.
main[2] *n.* 닭싸움, 투계(cockfighting); 활〔권투〕 경기; 부르는 수《hazard에서 주사위를 던지기 전에 말하는 5에서 9까지의 수》, 주사위를 흔듦.
main·boom [méinbùːm] *n.* 〖해사〗 mainsail의 아랫자락을 펴는 둥근 나무.
máin bráce 〖해사〗 main yard를 돌리기 위해 단 굵은 줄. ***splice the ~*** 《속어》 선원들에게 술을 한턱내다; 《구어·우스개》 (곤란 따위를 겪은 뒤에) 유쾌하게 한잔하다.
máin chánce 절호의 기회; 사리(私利), 이익. ***have*** 〔***keep***〕 ***an eye to the ~*** 자기 이익에 약빠르다, 사리를 도모하다.
máin cláuse 〖문법〗 주절(主節). OPP *subordinate clause.*
máin cóurse 주요 요리; 〖해사〗 (가로돛배의) 주범(主帆).
máin cróp 〖농업〗 (조생(早生)이나 만생(晩生)과 구별하여) 한창 출회(出廻)될 시기에 수확되는 작물〔품종〕.
máin déck 〖해사〗 주(主)갑판.
máin drág 《구어》 중심가, 번화가.
Maine [mein] *n.* 메인《미국 북동부의 주; 생략: Me.; 주도는 Augusta》. ***from ~ to California*** 미국 전역에 걸쳐서. ㊎ **Máin·er** *n.*
máin·fràme *n.* 〖컴퓨터〗 메인프레임, 대형 컴퓨터; 〖전기〗 본(本)배선반(盤).
main·land [méinlæ̀nd, méinlənd/-lənd] *n.* 대륙, 본토《부근의 섬·반도와 구별하여》. ㊎ **~·er** *n.* 본토 주민.
Máin Lìne 《미》 **1** Philadelphia 서부의 상류 주택 지역. **2** 저명인사들이 사는 주택 지역.
máin líne 1 (철도·도로·항공로·버스 노선 등의) 간선, 본선(OPP *local line*); 《속어》 정맥(에의 마약 주사). **2** 《미속어》 돈; 부자들; (교도소) 식당; (TV 방송국 간의) 동축(同軸) 케이블.
Máin-Líne *a.* Main Line의. ㊎ **-Lín·er** *n.*
máin·lìne *vi.* 《속어》 정맥에 마약을 주사하다. **—** *a.* 간선(연도)의; 중심적 위치를 차지하는, 주

요한; 주류〔체제 측〕의.

máin·lìner *n.* 간선을 운행하는 탈것; 《속어》 마약을 정맥 주사하는 사람; 《미속어》 엘리트.

***main·ly** [méinli] *ad.* **1** 주로(chiefly). **2** 대개, 대체로(mostly), 대부분.

máin màn 《구어》 중심인물, 주력 선수; 대들보, 두목; 《미구어》 남자 친구, 애인, 남편; 《구어》 친한 친구.

máin·màst *n.* 〖해사〗 큰돛대.

máin mémory 〖컴퓨터〗 주기억 장치(main storage).

main·per·nor [méinpərnər] *n.* 《고어》 〖법률〗 보석(保釋) 보증인.

máin plàne 〖항공〗 주익(主翼).

máin·prìze *n.* 〖법률〗 조건부 석방 영장; 보석 보증; 증인의 보증.

máin quéen 《미속어》 (아주 가까운) 여자 친구; 호모의 여자역.

máin rìgging 〖해사〗 큰돛대 삭구(索具).

máin róyal 〖해사〗 큰돛대의 로열(돛).

máin·sàil *n.* 큰돛대의 돛, 주범(主帆).

máin·shèet *n.* 〖해사〗 주범의 돛을 조종하는 아딧줄〔로프〕.

máin·sprìng *n.* **1** (시계 따위의) 큰 태엽. **2** 주요 동기〔원인〕.

máin squéeze 《미속어》 **1** (조직의) 중요 인물, 우두머리, 보스, 상사. **2** 마누라; 애인, 그녀.

máin·stày *n.* **1** 〖해사〗 큰돛대의 버팀줄. **2** 의지물(物), 대들보; 주요한 생업.

máin stém 《미속어》 큰 거리, 중심가(main drag); 본선; 본류(本流).

máin stóre 〔**stórage**〕 〖컴퓨터〗 주기억 장치.

máin·strèam *n.* (강의) 본류, 주류; (활동·사상의) 주류; (사회의) 대세: the ~ of American culture 미국 문화의 주류. **—** *a.* 〖한정적〗 주류의. **—** *vt.*, **1** 《미》 (장애아를) 보통 학급에 넣다, 특별〔차별〕 교육을 하지 않다. **2** 《+목+전+명》 …을 주류〔대세〕에 끌어들이다〔참여시키다〕: ~ young people *into* the labor force 젊은이들을 노동력에 끌어들이다. **—** *vi.* 주류〔대세〕에 참여하다.

máinstream cùlture 주류(主流) 문화《어떤 사회에서, 우세한 가치관이나 행동 양식》.

máin-strèaming *n.* (장애 아동 따위의) 특별〔차별〕 교육 철폐(론).

máinstream smóke (흡연에서) 담배 끝에서 나오는 연기에 대하여 직접 마시는 연기.

Máin Strèet 《미》 중심가, 큰 거리; 지방 도시의 전형적 사회〔사고 방식, 생활, 습관〕.

máin·strèet *vt.* 《미·Can.》 중심가에서 선거 운동을 하다.

****main·tain** [meintéin, mən-] *vt.* **1** 지속〔계속〕하다, 유지하다(keep up): I wanted to ~ my friendship with her. 그녀와의 우정을 계속 유지하고 싶었다 / ~ a speed of 50 miles an hour, 1시간 50마일의 속도를 유지하다. SYN. ⇨ SUPPORT. **2** 속행하다, 계속하다: ~ an attack 공격을 속행하다. **3** (권리·주장 따위를) 옹호하다, 지지하다: ~ one's rights 자기의 권리를 지키다. **4** (보수(補修)하여) 간수하다, 건사하다, 보존하다: ~ the house 〔roads〕 집 간수〔도로 보수〕를 게을리하지 않다. **5** 부양하다, 보육하다; (생명·체력 등을) 지탱하다: ~ one's family 가족을 부양하다 / ~ a son at the university 대학 다니는 아들의 바라지를 하다. **6** 《~+목/+*that* 절/+목+*to be* 보》 주장하다; 단언하다, 언명하다: ~ one's innocence = ~ *that* one is innocent 자기의 무죄를〔결백을〕 주장하다 / He ~*ed* the theory *to be* wrong. 그는 그 이론은 잘못이라고 주장했다. **7** 〖~ oneself〗 자활하다. ㊕ **~·a·ble** *a.* **~·er** *n.* = MAINTAINOR.

maintáined schóol 《영》 공립학교.

main·tain·or [meintéinər] *n.* 〖법률〗 불법 소송 방조자.

main·te·nance** [méintənəns] *n.* U,C **1** 유지, 지속《*of*》: health ~ 건강 유지 / the ~ *of* peace 평화의 유지 / *Maintenance of* quiet is necessary in a hospital. 병원에서는 조용히 해야 한다. **2** 보수 (관리), 건사, 보존, 정비《*of*》: cost *of* ~ 유지비 / car ~ 차량 정비. **3** 부양(비); 생계, 생활비; 생활필수품: ⇨ SEPARATE MAINTENANCE / His small income provides only a ~. 그의 적은 수입으로는 겨우 생계나 꾸려나갈 뿐이다. **4** 주장; 옹호. **5** 〖법률〗 불법 원조《소송 당사자에게 국외자가 주는》. ***a ~ shop 정비 공장. **~ *of membership*** 〖노동〗 조합원 유지 협정. **~ *of way*** 〖철도〗 보선(保線).

máintenance drùg 중독 치료용 마약《금단 증상을 완화하기 위한 합법적 마약》.

máintenance-frèe *a.* 정비〔유지·관리〕가 필요 없는.

máintenance màn (빌딩 따위의) 보수 담당원; 정비원〔공〕.

máintenance of mémbership 조합원 자격의 유지《노동조합원으로 있는 피고용자가 조합원 자격을 상실하면 해고된다고 하는 제도》.

máintenance òrder 〖법률〗 부양비 지급 명령《처자식을 부양하라는》.

máintenance thèrapy 〖의학〗 유지 요법《탐닉증(耽溺症)에 대한 치료법의 하나로 금단 증상의 완화·해독 효과 증진을 기할 수 있음》.

máin·tòp *n.* 〖해사〗 주범(主帆) 망대《메인마스트의 아래 돛대 정상에 있는》.

máin-topgállant *n.* 메인마스트의 위돛대, 그 돛〔활대〕.

máin-topgállant màst *n.* 메인마스트의 위돛대.

màin-tópmàst *n.* 메인마스트의 가운데 돛대《lower mainmast 위에 닮》.

màin-tópsail *n.* 메인마스트의 가운데 돛대에 다는 돛《mainsail 위에 닮》.

máin vérb 〖문법〗 본동사, 주동사《보통의 동사를 조동사와 구별하는 명칭》.

máin yàrd 큰 돛대의 아래 활대.

mai·son de san·té [*F.* mɛzɔ̃dəsɑ̃te] 개인〔사립〕 병원; 정신 병원.

mai·so(n)n·ette [mèizənét] *n.* 《F.》 작은 집; 《영》 셋방, 대실(貸室), (종종 상하층 공용의) 복식 아파트(《미》 duplex apartment).

mai tai [máitài] 《Tahitian》 마이타이술《럼주·레몬 따위의 칵테일》.

maî·tre d' [mèitərdí:, mèitrə-/mètrə-] (*pl.* **~s**) 《구어》 = MAÎTRE D'HÔTEL.

maî·tre d'hô·tel [mèitərdoutél, mèitrə-/mètrə-] (*pl.* ***maî·tres d'-*** [mèitərzdoutél, mèitrəz-/mètrəz-]) 《F.》 집사(執事), 하인의 우두머리; 호텔 지배인; 〔일반적〕 급사장(headwaiter); 〖요리〗 소스의 일종.

°**maize** [meiz] *n.* 《영》 **1** 옥수수; 그 열매(《미》 Indian corn). ★ 미국·캐나다 등지에서는 그냥 corn이라고 함. **2** U 옥수숫빛《황색》.

Maj. Major. **maj.** major; majority.

***ma·jes·tic, -ti·cal** [mədʒéstik], [-əl] *a.* 장엄한, 위엄 있는(dignified), 웅대한, 당당한. ㊕ **-ti·cal·ly** *ad.*

maj·es·ty** [mǽdʒəsti] *n.* U **1** 위엄(dignity); 장엄: ~ *of* bearing 당당한 태도. **2** 권위: the ~ *of* the law 법의 권위. **3** 주권(sovereignty). **4** 왕; 〔집합적〕 왕족; (M-) 폐하. **5** 〖미술〗 후광에 둘러싸인 예수〔마리아, 신(神)〕의 상(像); 당당한 위풍. ***His 〔***Her***〕 (***Imperial***) ***Majesty*** 황제〔황후〕 폐하《생략: H.I.M., H.M.》. ***His Majesty's guests*** 《속어》 죄수. ***His Majesty's ship*** 제국(帝國) 군함《생략: H.M.S.》. ***Their*** (***Imperial***) ***Majesties*** 양(兩) 폐하《생략:

T.I.M., T.M.). *Your Majesty* 폐하《호칭》.
Maj. Gen. Major General.
maj·lis, mej·lis, maj·les, mej·liss [mɑ́ːdʒlis, medʒlís] *n.* (종종 M-) (북아프리카·서남아시아의) 집회, 협의회, 법정; 《특히》 이란·이라크의 국회.
ma·jol·i·ca [mədʒɑ́likə, -jɑ́l-/-dʒɔ́l-, -jɔ́l-] *n.* U,C 마욜리카 도자기《이탈리아산 칠보 도자기》.
ma·jor [méidʒər] *a.* **1** (둘 중에서) 큰 쪽의, 보다 큰, 과반의, 대부분의; 보다 중요한. opp *minor*. ¶ the ~ part of …의 대부분, 과반수 / a ~ vote 다수표 / the ~ opinion 다수 의견 / a ~ improvement 전면적인 개량. **2** 주요한, 중요한, 일류의: a ~ poet 일류 시인 / a ~ question 중요한 문제 / the ~ industry 주요 산업 / a ~ company 대(大)회사. **3** 성년의, 성년이 된. **4** 《영》(학교 같은 데서 성이 같은 사람 중) 연장(年長)의: Smith ~ 형〔나이 많은〕 쪽의 스미스. **5** 〖음악〗 장조의: the ~ scale 장음계 / a ~ interval 장음정 / ~ third 장(長) 3도. **6** 〖미대학〗 전공의《과목 등》: a ~ field of study 전공 분야. **7** 중한《병》, 생명의 위험을 수반하는《수술》: a ~ operation 대수술. **8** 〖논리〗 대전제의. **—** *n.* U **1** 소령《해군 제외; 생략: Maj.》; 《미》 총경; 《군대속어》 원사(元士)(sergeant ~). **2** 〖법률〗 성년자, 성인《미국 21세 이상, 영국 18세 이상》. **3** 〖미대학〗 전공 과목〔학생〕: take history as one's ~ 역사학을 전공하다 / a politics ~ 정치학 전공 학생. **4** 〖음악〗 장조; 〖논리〗 대전제. **5** (능력·지위의) 거물, 유력자; (지위·중요성에서) 상위자; 강대한 조직. **6** (the ~s) 《미》 =MAJOR LEAGUES; 메이저《국제 석유 자본》. **—** *vi.* 《+전+명》 〖미대학〗 전공하다《*in*》: ~ *in* economics 경제학을 전공하다. ㊞ **~·ship** *n.* U 소령의 직위.
májor ángle 〖수학〗 우각(優角).
májor áxis 〖수학〗 (원뿔 곡선의) 긴 지름.
Ma·jor·ca [mədʒɔ́ːrkə, məjɔ́ːrkə] *n.* 마요르카(섬)《지중해 서부 Baleares 제도 중에서 가장 큰 섬; 스페인령》.
májor cúrrency 주요 통화《달러·마르크·파운드·엔 따위》.
ma·jor·do·mo [mèidʒərdóumou] (*pl.* **~s**) *n.* **1** (이탈리아·스페인의 왕가·대귀족의) 청지기, 가령(家令), 집사장(長). **2** 《우스개》 하인 우두머리. **3** 《미남서부》 (농장·목장의) 감독자.
ma·jor·ette [mèidʒərét] *n.* 《미》 밴드걸(drum ~)《행진이나 응원단 따위의》.
májor géneral 소장(少將).
májor histocompatibílity còmplex 〖면역〗 주요 조직 적합 유전자 복합체《생략: MHC》.
ma·jor·i·tar·i·an [mədʒɔ̀ːrətέəriən, -dʒɑ̀r-/-dʒɔ̀r-] *n.*, *a.* 다수결주의(자)(의); 《미》 말 없는 다수의 일원(silent ~). ㊞ **~·ism** *n.* 다수결주의.
ma·jor·i·ty [mədʒɔ́ːrəti, -dʒɑ́r-/-dʒɔ́r-] *n.* **1** 〖단·복수취급〗 대부분, 대다수: the great ~ 대다수 / a ~ decision 다수결 / The ~ *in* council are against it. 회의에서 대다수가 반대이다. **2** C 다수당, 다수파. opp *minority*. **3** 〖단·복수취급〗 (전 투표수의) 과반수, 절대다수(absolute ~). cf. plurality. ¶ an overall ~ 절대다수. **4** (보통 a ~) (이긴) 득표 차: by a large ~ 많은 차로 / He was elected by a ~ of 2,000. 그는 2,000표 차로 당선되었다. **5** U 〖법률〗 성년《보통 미국 21세, 영국 18세》: reach 〔attain〕 one's ~ 성년에 달하다. **6** U 소령의 지위〔직〕. ◇ major *a.* ***be in the ~ (by ...)*** (몇 사람〔표〕만큼) 다수이다; 과반수를 차지하다. ***in the ~ of case*** 대개의 경우에. ***join 〔go over to, pass over to〕 the (great 〔silent〕) ~*** 죽다.
majórity lèader 《미》 (상원·하원의) 다수당 원내 총무.
majórity rùle 다수결 원칙.
majórity vèrdict (배심원의 과반수에 의한) 다수 평결.
majórity whìp 《미》 다수당 원내 부총무.
májor kéy 〔móde〕 〖음악〗 장조.
májor léague 1 《미》 메이저리그《2대 프로야구의 하나; National League 또는 American League 중 하나를 말함》. cf. minor league. **2** (프로 스포츠의) 대(大)리그.
májor-léaguer *n.* 《미》 메이저리그의 선수.
má·jor·ly *ad.* 주로, 첫째로; 오로지; 중대하게; 지극히.
májor-médical *n.*, *a.* 《미》 고액 의료비 보험(의).
májor órder (흔히 *pl.*) 〖가톨릭〗 상급 성품(聖品)〔성직〕《사제(司祭), 부제(副祭) 또는 차(次)부제의 성직》. cf. minor order.
májor párty 대정당, 다수당.
májor pénalty 〖아이스하키〗 메이저 페널티《반칙 선수를 5분간 퇴장시키는 벌》.
májor pìece 〖체스〗 큰 말《퀸(queen) 및 루크(rook)를 말함》. cf. minor piece.
májor plánet 〖천문〗 대행성《(1) minorplanet에 대하여 태양계의 8행성의 하나. (2) 지구형 행성에 대하여 목성(木星)형의 4행성, 곧 목성·토성·천왕성·해왕성의 하나》.
májor prémise 〔prémiss〕 〖논리〗 대전제.
Májor Próphets 〖성서〗 (the ~, the m- p-) 구약 중의 4대 예언자《Isaiah, Jeremiah, Ezekiel, Daniel》; (the ~) 대예언서(書).
májor scále 〖음악〗 장음계.
májor séminary 〖가톨릭〗 6년제 신학 대학《major order 양성을 위한 학교》. cf. minor seminary.
májor súit 〖카드놀이〗 (브리지에서) 하트 또는 스페이드의 짝패.
májor térm 〖논리〗 대명사(大名辭).
ma·jus·cule [mədʒʌ́skjuːl, mǽdʒəskjùːl/mǽdʒəskjùːl] *a.* 대문자(大文字)(체)의; 대문자로 쓰여진. opp *minuscule*. **—** *n.* 대문자(체).
mak·ar [mǽkər] *n.* 《Sc.》 예술가, 《특히》 시인(詩人).
make [meik] (*p.*, *pp.* ***made*** [meid]) *vt.* **1** 《~+목/+목+목/+목+전+명》 만들다, 제작〔제조〕하다; 짓다; 건설〔건조, 조립〕하다; 창조하다: God *made* man. 하느님이 인류를 창조하셨다 / I am not *made* that way. 나는 그런 인간이 아니다 / I *made* him a new suit. =I *made* a new suit *for* him. 그에게 양복을 새로 맞춰 주었다 / Wine is *made from* grapes. 포도주는 포도를 원료로 하여 만든다 / Glass is *made into* bottles. 유리는 가공이 되어서 병이 된다.

> SYN. **make** 가장 일반적이며 적용 범위가 넓은 말. 비물질적인 것도 목적어로 취함: *make* friends 친구로 삼다. *make* one's character 인격을 형성하다. **form, shape** 외부에서 모양·구성을 부여하다. 양자간에는 서로 대치가 가능하나 구성에 중점이 있을 때는 form을, 특정한 외형에 중점이 있을 때에는 shape를 씀: *form* 〔*shape*〕 clay into a cup 점토(粘土)로 컵을 만들다. *form* 〔*shape*〕 a plan 계획을 마무르다. *form* a cabinet 조각(組閣)하다. *shape* a shoe on a last 골로 구두의 모양을 만들다. **fashion** 위의 두 말과 근사하나 어떤 의도를 염두에 두고 형성하다. 형성 과정에 중점이 있음: The teacher *fashioned* the student into a fine pianist. 스승은 제자를 훌륭한 피아니스트로 만들었다. **construct, fabricate**

(설계 · 계획 따위에 맞추어서) 조립하여 만들다. fabricate에는 '인위적(人爲的)으로 만들다'라는 뜻이 부가됨: *construct* a building 빌딩을 건축하다. **manufacture** 기계를 써서 제조하다. 작업 공정, 앞으로 있을 제품의 판매 따위가 암시되어 있음.

2 a 만들어내다, 쌓아 올리다, 발달시키다; 성공시키다, 더할 나위 없게 하다; 《미속어》 부자가 되다, 유명해지다, 졸부가 되게 하다: ~ one's own life 생활 방침〔일생의 운〕을 정하다 / Her presence *made* my day. 그녀가 있어서 즐거운 날이 되었다 / ~ hay 건초를 만들다. **b** 마련〔준비〕하다; 정돈하다, 정비하다; (카드를) 치다(shuffle); 《고어》 (문 따위를) 닫다: ~ a bed 침대를 정돈하다, 잠자리를 펴다 / ~ dinner 정찬 준비를 하다 / ~ tea 차를 끓이다 / ~ the cards 카드를 치다.
3 창작하다, 저술하다; (유언장을) 작성하다; (법률을) 제정하다, (가격 등을) 설정하다; (세를) 부과하다: ~ verses 시작(詩作)하다.
4 a 《발달하여》 (…에게 있어) …이 되다; 《미구어》 (관위(官位) 등)에 이르다: He will ~ an excellent scholar. 훌륭한 학자가 될 것이다 / She will ~ (him) a good wife. 그녀는 (그에게) 좋은 아내가 될 것이다 / ~ lieutenant general 중장이 되다 / Good health and faith ~*s* a happy life. 건강과 신앙이 있으면 행복해진다. ★ She will *make* (herself) a good wife. 의 목적어 herself가 표면에 나타나지 않고, make가 자동사화하여 become의 뜻에 가까워져, a good wife는 보어가 되는 셈임. **b** (총계가) …이 되다; 구성하다; 모아서 …을 형성하다〔…이 되다〕: Ten members ~ a quorum. 10인이 정족수(定足數)이다 / Iced Coke ~*s* an excellent refresher in summer. 냉콜라는 여름철의 좋은 청량음료이다 / Two and two ~(*s*) four. 2+2=4 / One more shot ~*s* a score. 한 방만 더 쏘아 맞히면 20 (점)이 된다. **c** 《~+목/+목+목》 《순서에서》 (…번째)가 되다; (…의 일부〔요소〕)이다; …에 충분하다, …에 소용되다: That ~*s* the third time he has failed. 그의 실패는 그것으로 세 번째이다 / This length of cloth will ~ you a suit. 이 길이의 천이 있으면 너의 옷이 한 벌 될 거다. **d** 《구어》 (팀)의 일원이 되다, (리스트 · 신문 등)에 이름〔사진〕이 실리다: ~ the headlines 표제에 (이름이) 나다 / ~ the baseball team 야구 팀의 일원이 되다.
5 일으키다, 생기게 하다, …의 원인이 되다; (손해를) 입다; (소리 따위를) 내다: ~ a fire 불을 피우다 / ~ trouble 소동을 〔문제를〕 일으키다 / ~ peace 화해하다 / It ~*s* no difference (which side may win). (어느 쪽이 이기든) 마찬가지야 / It doesn't ~ (good) sense. 그런 일은 해도 (별로) 의미가 없다 / The punner ~*s* a big noise. (땅 다지는) 달구는 큰 소리를 낸다.
6 손에 넣다, 획득하다, 얻다; 〖경기〗 (…점) 올리다; (친구 · 적 등을) 만들다: He ~*s* $10,000 a year. 그의 연수입은 1만 달러이다 / ~ much money on the deal 그 거래로 큰 돈을 벌다 / ~ a fortune 재산을 모으다 / ~ friends 〔enemies〕 친구를〔적을〕 만들다 / ~ good marks at school 학교에서 좋은 성적을 올리다 / ~ one's 〔a〕 living 생계를 세우다/ ~ a name for oneself ⇨ NAME.
7 《+목+보/+목+전+명》 **a** …을 ―로 산정〔측정〕하다, 어림하다; …을 ―라고 생각하다, 간주하다: I ~ him an American. 그가 미국 사람이라고 생각한다 / What time do you ~ it? 몇 시입니까(What time is it?) / I *made* his profit one million dollars to say the least. 줄잡아도 그의 수익이 100만 달러는 되리라 추정하였다 / How far do you ~ it from here to the mountain? 여기서 산까지는 얼마나 되리라 생각하십니까. **b** (…을) ―로 보다〔추단하다〕, 판단하다《*of*》; (의문 · 주저함을) 느끼다《*of; about*》: I could ~ nothing *of* his words. 나는 그의 말을 전혀 알 수 없었다 / What do you ~ *of* this? 자네는 이를 어떻게 생각하나 / ~ no doubt of ... ⇨ DOUBT.
8 《+목+보/+목+*done*/+목+전+명》 (…을 ―으로) 하다; …을 ―로 보이게 하다; …을 ―케 하다, …을 (…에게) 하게 하다. **a** 〖명사(상당구) 보어〗 He *made* her his wife. 그는 그녀를 아내로 삼았다 / He thinks to ~ one of his sons a banker. 그는 아들 중 하나를 은행가로 만들려고 생각하고 있다 / She *made* a lawyer *of* her son. 그녀는 아들을 변호사로 만들었다. **b** 〖형용사(상당구) 보어〗 Flowers ~ our rooms cheerful. 꽃을 두면 방이 밝아진다 / This portrait ~*s* him too old. 이 초상화 속에서 그는 너무 늙어 보인다 / I took pains to ~ myself understood. 내 말을 이해시키기 위해 애먹었다 / *Make* yourself *at* home 〔comfortable〕. 자아 편히 하시오.
9 《+목+*do*》 …하게 하다: I'll ~ him *go* there whether he wants to or not. 원하든 원치 않든 그를 거기에 가게 하겠다〔보내겠다〕 / The spring-shower ~*s* the grass *grow*. 봄비는 풀을 자라게 한다 / His jokes *made* us all *laugh*. 그의 농담은 우리를 모두 웃겼다. ★ (1) 이 때의 make에는 강제의 뜻이 있을 때도 없을 때도 있음. (2) 수동형에는 to가 붙음: I *was made to* do my duty. 나는 의무를 강요당했다.
10 a (길 · 거리 등을) 가다, 나아가다, 답파(踏破)하다: ~ the round of …을 순회하다 / Some airplanes can ~ 500 miles an hour. 어떤 비행기는 1시간에 500마일 난다 / He *made* his way home. 그는 귀가 길에 올랐다. **b** …에 도착하다, 들르다; (열차 따위)의 시간에 대다, 따라붙다: We'll ~ Boston on the way to New York. 뉴욕에 가는 도중 보스턴에 들를 것이다 / ~ port 입항하다 / ~ a train 기차(시간)에 대다.
11 a 《+목/+목+목/+목+전+명》 (동작 등을) 하다, 행하다; (전쟁 등을) 일으키다; 말하다; 체결하다; 먹다(eat); (몸의 각 부분을) 움직이다; 《폐어》 행동하다(behave, act): ~ an effort 노력하다 / ~ a speech 〔an address〕 연설하다 / ~ a person an offer = ~ an offer *to* a person 아무에게 제안하다 / ~ a good dinner 푸짐한 식사를 하다. **b** 해내다, 수행하다: Now, he challenges the bar for the third time. Oh, he *made* it! 자 세 번째로 바에 도전합니다, 앗 뛰어 넘었습니다. **c** 〖목적어로서 동사에서 파생한 명사 수반〗 행하다, 하다: ~ an attempt 시도하다 / ~ amends 보상하다 / ~ an appointment (시간 · 장소를 정해) 만날 약속을 하다 / ~ a contract 계약하다 / ~ a bow 머리를 수그리다 / ~ a change 변경하다 / ~ a curtsy 인사〔절〕하다 《한쪽 발을 뒤로 빼고 무릎을 약간 굽히는 여자의 인사》 / ~ a bad start 출발을 그르치다(start badly) / ~ a choice 선택하다 / ~ a decision 결정〔결의, 재결〕하다 / ~ a demand 요구하다 / ~ a discovery 발견하다 / ~ an excuse 변명하다 / ~ a gesture 몸짓을 하다 / ~ a guess 추측하다 / ~ haste 급히 서둘다(hasten) / ~ a journey 여행하다 / ~ a living 생계를 꾸려가다 / ~ a mistake 잘못을 저지르다 / ~ a move 행동하다; 수단을 취하다; 나서다 / ~ a pause 멈추다 / ~ a present 선물하다 / ~ progress 진보〔전진〕하다 / ~ a request 요구〔부탁〕하다 / ~ a response 응답하다 / ~ a search 수색하다.

NOTE (1) 11의 관용구는 한 동사로써 바꿔 말할 수 있음: to *make* an answer ≒ to answer, to *make* efforts 〔*make* an effort〕 ≒ to endeavor, to *make* haste ≒ to hurry. 단, *make* a(n)... 처럼 목적어의 명사가 가산(可算) 명사로 취급될 때에는, 구체성이 강해짐. 예컨대 to journey는 그저 일반적인 '여행하다'이지만, to *make* a journey 〔two journeys〕는 '1회〔2회〕 여행하다'와 같이 구체적인 사례가 되며, 사례의 단복(單複)도 구분됨. (2) 위에 보인 '하다'에 해당하는 동사는 make가 가장 으뜸가며, 비슷한 기능을 가진 동사로 give, have가 있음: *give* an answer, *have* a talk. 물론 do도 있으나, 관용구 형성상 make만큼 광범위하게 쓰이지 않음: *do* work, *do* one's duty.

12 〚전기〛 (전류를) 통하다, (…의 회로를) 닫다. **13** 〚카드놀이〛 (트릭을) 이기다; (패를) 내고 이기다; (으뜸패)의 이름을 대다, 결판내다; 〚브리지〛 필요한 트릭 수를 취하여 (콘트랙트를) 성립시키다: ~ four hearts. **14** 〚해사〛 발견하다, …이 보이는 곳에 오다; 《미속어》 (사람을) 낌새채다, 발견하다, 보다: ~ a ship coming on. **15** 《속어》 훔치다, 후무리다, 제것으로 하다; (여자를) 구슬리다, 유혹하다; 〔보통 수동태〕 《미속어》 속이다, 이용하다. **16** (마약 등을) 사다: I just *made* some downs. 방금 얼마간의 진정제를 입수했다.

— *vi.* **1** 《~/+부》 (가공되어) …이 되다, 만들어지다, 제조되다; (건초가) 되다, 익다: Nails are *making* in this factory. 이 공장에서 못이 제조된다 / Hay ~*s better* in small heaps. 건초는 너무 쌓아올리지 않는 편이 잘 된다. **2 a** 《+전+명》 (어느 방향으로) 나아가다, 향해 가다, 뻗다, 향하다 《*for; toward*(*s*), etc.》; 가리키다: He *made toward*(*s*) the door. 그는 문 쪽으로 나아갔다. **b** 《+*to* do》 …하려고 하다, …하기 시작하다: As I *made to* leave the tent, I heard a sound again. 천막을 나오려는 순간 또 소리가 들렸다. **3** 행동하다: He *made* as though to strike me. 그는 마치 나를 때릴 듯이 굴었다. **4** 《+부》 (조수가) 밀려들기 시작하다; (썰물이) 빠지기 시작하다; 깊이를〔뿌리 등을〕 더하다: The tide is *making fast*. 조수가 빠르게 밀려들고 있다. **5** 듣다, 효력이 있다 《*for; against; with*》. **6** 계속하다, (…에) 달하다: The forest ~*s* up to the snow line. 숲은 설선(雪線)까지 뻗어〔덮여〕 있다. **7** 《+보》 …로 보이게 하다, …하게 행동하다; 어떤 상태가 되다: ~ free 스스럼〔무람〕없이 굴다 / ~ merry 명랑하게 행동하다 / ~ ready to depart 떠날 준비를 하다 / ~ ready 준비하다 / ~ certain 〔sure〕 확인하다. ★ (1) 이것들은 재귀목적어가 생략된 것으로서 많은 동사구를 만듦. (2) 명사〔형용사〕를 쓴 관용구로, 이 곳에 없는 것은 해당 명사〔형용사〕를 참조할 것. **8** 《+전+명》 (유리·불리하게) 영향을 미치다, 작용하다 《*for; against*》: It ~*s for* 〔*against*〕 his advantage. 그것은 그의 이익이 된다〔에 반한다〕. **9** 《구어》 《+전+명》 (돈을) 벌다: He *made* pretty handsomely *on* that bargain. 그는 그 거래로 꽤 벌었다. **10** 《속어》 응아〔쉬〕하다.

as ... as they ~'em 《구어》 아주 …하여: He's *as* clever *as they ~'em*. 아주 영리한 사람이다. ***have*** 〔***get***〕 ***it made*** 《구어》 대성공이다. **~ *a dead set*** 굴하지 않고 반대하다, 한사코 공격하다. **~ *a dent in*** …을 우그러뜨리다, 납작하게 하다; …에게 인상〔감명〕을 주다; …을 감소시키다. **~ *a fool of*** …을 바보 취급하다, …을 속이다. **~ *after ...*** 《고어》 …을 추적하다. **~ *against*** …에 거역하다, …을 방해하다, …에 불리하게 작용하다. **~ *a good price*** 좋은 값으로 팔리다. **~ *a plaything of*** …을 장난감 취급하다. **~ *as if*** 〔***as though***〕 …처럼 굴다. **~ *at*** …을 향해 나아가다, 덤벼들다: The angry woman *made at* me with her umbrella. 화난 여자는 우산으로 나를 찌르려고 하였다. **~ *away*** 급히 가버리다〔떠나다〕(make off). **~ *away with*** ① …을 가져〔데려〕가 버리다, …을 날치기하다, 훔치다. ② …을 죽이다; …을 제거하다(get rid of): ~ *away with* oneself 자살하다. ③ 다 먹어치우다; (돈을) 탕진하다. **~ *believe*** …하는 체하다, 가장하다, 흉내를 내다 《*that; to be*》 (cf. make-believe): Let's ~ *believe that* we're Red Indians. 자아 인디언 놀이를 하자. **~ *do*** (부족하지만) 그런대로 때우다〔해나가다〕: ~ *do* with ... (대용품 따위)로 변통(變通)하다 / ~ *do* without ... …없이 때우다 / ~ *do* and mend 헌 것을 수선하여 해결하다. **~ *... felt*** (힘·영향 따위를) 느끼게〔표면화〕하다, 미치다: ~ one's power *felt* 실력을 보이다, 힘을 과시하다 / The influence *made* itself *felt*. 영향이 나타났다. **~ *for*** ① …을 향하여 나아가다: ~ *for* home 집으로 향하다. ② (공격하기 위해) 돌진하다, 덤벼들다: The dog *made for* the stranger. 개는 그 낯선 사람에게 덤벼들었다. ③ (이해·행복 등에) 도움이 되다, 공헌하다, 촉진〔조장〕하다: That won't ~ *for* your success. 그것은 너의 성공에 도움이 안 될 것이다 / This ~*s for* efficiency. 이렇게 하면 능률이 오른다. **~ *free*** ⇨ *vi*. 7. **~ a thing *from*** …로 물건을 만들다 《재료·원료가 변형할 경우》(⇨ *vt*. 1). **~ *in*** …에 들어가다. **~ *... into ...*** (원료·물건·사람 등에 가공·영향을 주어) …을 ―로 만들다, …을 ―로 하다: ~ a story *into* a play 소설을 연극으로 각색하다. **~ *it*** 《구어》: ① 잘 해내다; 성공〔출세〕하다 《*in; as*》: I *made it !* 잘 해냈다 / He'll never ~ *it in* business. 그는 사업에 결코 성공하지 못할 것이다. ② (열차 시간 등에) 대어 가다, 제시간에 도착하다; (모임 따위에) 어떻게든 출석하다: You'll ~ *it* if you hurry. 서두르면 제시간에 대갈 수 있다. ③ 사정〔형편〕에 맞추다: Can you ~ *it*? 사정〔형편〕에 맞출 수 있겠느냐. ④ 《구어》 (병·부상 따위에서) 회복하다. **~ *it good upon*** a person 아무에게 우격다짐으로 제 말을 밀어붙이다. **~ *it in*** (항공기가) 잘 착륙하다. **~ *it known that*** …임을 통지〔공표〕하다. **~ *it out*** 《구어》 도망치다. **~ *it pay*** 수지가 맞게 하다. **~ *it so*** 〚해사〛 정각(定刻)에 종을 치다. **~ *it to*** (a place) (어느 곳)에 도착하다, 닿다. **~ *it together*** 《속어》 육체관계를 갖다. ***Make it two.*** 《주문시》 나도 같은 것으로 하겠습니다. **~ *it up*** 《구어》 화해하다 《*with*》; (…의 일로 아무)에게 보상하다 《*to* a person *for* something》, (아무에게) …의 벌충을 해주다; (합계) …이 되다 《*to*》. **~ *light*** 〔***little***〕 ***of*** …을 경시〔무시〕하다. **~ *like ...*** 《미구어》 …을 흉내 내다, …식으로 하다, …역을 하다. ***Make mine ....*** 《구어》 《주문시》 나는 …으로 하겠다, …으로 주시오. **~ *much of*** …을 중(요)시하다. **~ *nothing of*** ① …을 아무렇게도 생각지 않다: He ~*s nothing of* being laughed at. 그는 남이 비웃어도 대단하게 여기지 않는다. ② …을 전혀 알 수 없다: I can ~ *nothing of* his words. 그가 말하는 것을 전혀 알 수 없다. **~ ― *of ...*** ① …로 ―을 만들다 《재료가 변질하지 않을 경우》: We ~ bottles (out) *of* glass. 병은 유리로 만든다. ② (사람)을 …으로 만들다: Most fathers have once thought of *making* great men *of* their sons. 아버지는 대개 자기 아들을 훌륭한 인간으

로 만들려고 한 번은 생각한다 / ~ a friend *of* an enemy 적을 자기 편으로 만들다. ③ …을 ―이라고 생각하다: What do you ~ *of* this? 이것을 어떻게 생각하나. ④ …을 ―취급하다. ★성구에 많음. ⇨ make a fool of, etc. **~ off** (급히) 떠나다, 도망치다; 〖해사〗 (특히 바람 불어가는 쪽의) 연안에서 떨어져 항행하다. **~ off with** ① …을 갖고 도망하다〔가 버리다〕: He *made off with* all the money in the safe. 그가 금고의 돈을 몽땅 갖고 도망쳤다. ② 헛되이 하다〔쓰다〕, 엉망으로 만들다: He *made off with* a rich inheritance. 많은 유산을 탕진하였다. **~ on** 《구어》 가장하다, …인 체하다(pretend). **~ one** (**of the party**) 참가하다, 일행에 들다. **~ or break** 〔**mar**〕 성공하느냐 실패하느냐; …의 운명을 좌우하다: He is *made or marred* by his wife. 그를 살리느냐 죽이느냐는 아내에게 달려 있다. **~ out** 《*vi.*+副》 ① (일 따위를) …와 잘 해나가다《*with; in*》; (살림·생활을) (그럭저럭) 지내다〔꾸려나가다〕: How are you *making out in* 〔*with*〕 your new job? 새로운 일은 잘 해나가고 있느냐 / His wife managed to ~ *out* on his salary. 그의 아내는 그의 급료로 그럭저럭 살림을 꾸려나가고 있다. ② (결과 따위가) …이 되다(turn out): How did he ~ *out* in the examination? 그의 시험 결과는 어찌 되었느냐. ③ 이해하다, 알다: as far as I can ~ *out* 내가 아는 한에서는. ④《미속어》키스〔애무〕하다, 성교하다《*with*》. ―《*vt.*+副》 ⑤ (표·서류 등을) 작성하다, 써 넣다, 쓰다: ~ *out* a check 수표를 떼다 / ~ *out* a form 양식에 내용을 기입하다 / ~ *out* a list of members 회원 명부를 작성하다. ⑥〖보통 can, could와 함께 써서〗…을 가까스로 판독하다〔구분하다, 판별하다〕: I can't ~ *out* this inscription. 이 묘비명은 판독할 수 없다. ⑦ (아무의 생각·성격 따위를) 이해하다, 알다: I can't ~ her *out*. 그녀가 무엇을 생각하고 있는지 알 수가 없다 / I can't ~ *out* what she wants. 그녀가 무엇을 원하는지 전혀 모르겠다. ⑧ (…을) 명백히 하다, 입증〔주장〕하다, 결론짓다; 《구어》우겨대다, …라고 말하다: ~ *out* one's case 자기의 입장을 명백히 하다 / How do you ~ that *out*? 어떻게 그런 결론을 내릴 수 있느냐 / He *made out* that she was a friend of mine. 그는 (잘 모르면서) 그녀가 나의 친구라고 우겨댔다. ⑨ (아무가) …인 체하다, 마치 …인 것처럼 말하다〔행동하다〕; …으로 묘사하다.: He ~*s* himself *out* (to be) richer than he really is. 그는 실제 이상으로 자기가 부자인 체한다 / The play *made* her *out* to be naive. 연극에서 그녀는 순진한 여성으로 묘사되어 있다. **~ ... out of** ― 을 사용해 …을 만들다《재료》. **~ over** 《*vt.*+副》 ① (재산 따위를) …에게 양도하다, 이관하다; …을 기증하다《*to*》: ~ one's property *over to* one's wife 아내에게 재산을 양도하다. ② 변경〔개조〕하다, 고쳐 만들다: ~ *over* an old dress 낡은 드레스를 고쳐 만들다 / ~ *over* a page layout 지면의 레이아웃을 변경하다. ③《미구어》 (어린이에게) 강한 애정을 보이다, …을 편애하다. ―《*vi.*+副》 ④ …일로 안달복달하다, 소동을 벌이다. **~ ready** ⇨ *vi.* 7. **~ through with** …을 성취하다. **~ toward**(**s**) ⇨ *vi.* 2 a. **~ up** 《*vt.*+副》 ① (물건을) 모아 …으로 만들다〔꾸리다, 다발짓다〕《*into*》, (꾸러미·짐 따위로) 싸다; 조립하다: ~ *up* a parcel 소포를 만들다〔꾸리다〕 / ~ *up* hay *into* bundles 건초를 다발짓다 / ~ *up* a model plane 모형 비행기를 조립하다. ② (팀 따위를) 편성하다; (약을) 조제하다; (옷을) 짓다; (천 따위로) …을 만들다《*into*》: ~ *up* a baseball team 야구 팀을 편성하다 / ~ the material *up into* a skirt 천으로 스커트를 만들다 / I got my medicine *made up* at the drug store. 나는 약국에서 약을 조제토록 했다. ③ (목록·책 따위를) 만들다, 작성〔편집〕하다, 기초하다; (곡을) 만들다; (계획 따위를) 세우다: ~*up* a list of ... …의 목록을 만들다 / ~ *up* a schedule for the trip 여행 계획을 세우다. ④ (잠자리·식사 따위를) 준비하다, 정돈하다: ~ a bed *up* for the guest 손님 잠자리를 준비〔마련〕하다. ⑤ (불·보일러 따위에) 연료를 추가하다: ~ *up* the fire 불을 지피고 꺼뜨리지 않다 / The fire needs *making up*. 불에 연료를 추가해야 한다. ⑥〖종종 수동태〗 (각 부분들이) …의 (전체를) 구성하다, 형성하다, …으로 성립되다: Eleven players ~ *up* a team. 선수 11명이 하나의 팀을 구성한다 / All things in our universe *are made up* of atoms. 우리 우주의 모든 것들은 원자로 구성되어 있다. ⑦ (이야기·구실 따위를) 그럴 듯하게 지어내다, 날조하다; (노래·시 따위를) 즉석에서 창작하다: ~ *up* a story 〔an excuse〕 이야기를〔구실을〕 지어내다 / ~ *up* a poem 시를 즉흥적으로 읊다 / The story is *made up*. 그 이야기는 날조된 거짓말이다. ⑧〖종종 수동태 또는 ~ oneself〗 화장하다; (아무를) 분장시키다, 분장하다: That woman *is* very much *made up*. 저 여인은 너무 짙은 화장을 하고 있다 / She *was made up* 〔She *made* her*self up*〕 for the part of a young girl. 그녀는 젊은 여성으로 분장했다. ⑨ …을 메꾸다, (보완하여) 완전하게 하다; (필요한 것을) 조달하다, (수면 따위를) 보충하다: We need one more person to ~ *up* the number. 수를 채우기 위해서는 한 사람이 더 필요하다 / We must ~ the loss *up* next month. 다음 달에는 손실을 메워야 한다. ⑩ (청강 과목 따위를) 다시 이수하다, (시험을) 다시 치르다. ⑪ (분규·싸움 따위를) 중재하다, 해결하다《*with*》: He has *made up* his differences *with* her. 그는 그녀와의 불화를 원만히 해결했다. ⑫〖인쇄〗 (페이지·난을) 짜다, 정판하다. ⑬ (조약·약속·결혼 따위를) 맺다, 결정하다; …에 관해 결론을 내리다; (마음을) 정하다: ~ *up* one's mind 결심하다. ⑭ (수지·대차 관계를) 조정하다, 정산〔결산〕하다; (계산서·보고서 등을) 작성하다. ―《*vi.*+副》 ⑮ (…와) 화해하다, 사이가 다시 좋아지다《*with*》: Why don't you ~ *up with* her? 그녀와 화해하면 어때. ⑯ 화장하다, 분장하다《*for; as*》. ⑰ 추가 시험을 치르다. ⑱ (손해 따위를) 보상하다, (부족을) 보충하다, 메꾸다. **~ up to** ① (이성에게) 접근하다, 구애하다. ② …의 환심을 사려고 하다; …에게 아첨하다, 알랑거리다: ~ *up to* one's uncle for a new watch 삼촌에게 알랑거려 새 시계를 사달래려고 하다. ③ …에게 변상하다《*for*》: How can I ~ *up to* you *for* the loss I caused to you? 네게 입힌 손해를 어떻게 보상하면 좋을까. **~ with ...** 《미속어》〖the+명사와 함께 써서〗 (손·발 등을) 쓰다, 움직이다; (기계·도구 등을) 사용하다; (생각 따위를) 낳게〔갖게〕 하다, 제안하다; (음식을) 만들다, 준비하다, 내놓다; …을 하다: ~ *with the* feet 걷다 / ~ *with the* big ideas 굉장한 아이디어를 내놓다 / ~ *with the* joke 농담을 하다. ***That* ~*s two of us.*** ⇨ TWO. ***what* a person *is made of*** 《구어》 아무의 실력〔가치〕: see 〔show〕 *what* he is *made of* 그의 진가를 알다〔보여 주다〕.

―*n.* **1** 제작, 제조, …제(製): goods of foreign 〔home〕 ~ 외국〔국산〕 제품 / of Korean 〔American〕 ~ 한국〔미국〕제의 / our own ~ 〖상업〗 자가제 / Is this your own ~? 이것은 당신이 손수 만든 것입니까. **2** 만듦새, 지음새; 조직; 구조, 체격(build); 모양, 꼴, 종류, 형(型), 식(式): a man of sturdy 〔slender〕 ~ 튼튼한〔날씬한〕 체격의 사람 / cars of all ~*s* 여러 종류의 차. **3** 성격, 기질; 《비어》 (섹스 상대로서의) 여자: one's mental ~ 기질 / ⇨ EASY MAKE. **4** (공장 등의) 생산액, 제작량; 《속어》 훔친 물건〔돈〕. **5** 【전기】 회로의 접속〔개통〕. [cf.] break. **6** 【카드놀이】 (브리지에서) 으뜸패의 선언(을 한 짝지은 패); 패를 떼는 일〔차례〕. **7** 《미속어》 (경찰이 행하는 신원 등의) 조회; 확인: run a ~ *on* a person 아무의 신원을 조회하다. **8** 【군사】 승진; 임무. ***a ~ and amend*** 한가한 시기 《선원의 속어에서》. ***on the ~*** 《구어》 이욕〔승진〕에 열을 올려, 무절제하게 사욕을 추구하여; 형성〔성장, 증대, 진보〕 중인; 《속어》 섹스 상대를 구하여, 섹스를 하고 싶어서: space science *on the* ~ 현재 진보 중인 우주 과학 / He is always *on the* ~ in politics. 그는 언제나 정치 세력 강화에 열중하고 있다. ***put the ~ on*** (여성에게) 접근하다, 성적(性的)으로 유혹하다.

máke-and-bréak [-ən-] *a.* 【전기】 회로 단속기의; 개폐(식)의.

Máke-a-Wísh Foundàtion (the ~) 메이크 어 위시 재단 《어린이의 간절한 소망을 이룰 수 있도록 도와주는 자선 단체》.

máke-belìeve *n.* [U,C] 치레, 가장, 거짓; (아이들 놀이 따위에서의) 흉내, 놀이; 【심리】 공상벽(癖); …인 체하는 사람(pretender). ― *a.* …인 체하는, 거짓의; 가공의, 상상의: ~ sleep 꾀잠 / ~ war 가상전.

máke-dò (*pl.* **~s**) *a.*, *n.* 임시변통의 (물건), 대용의 (물건). 「말뚝」.

máke·fàst *n.* 【해사】 배를 매어 두는 계선 부표

máke-gàme *n.* 웃음거리.

máke-gòod *n.* 보상 광고 《광고에 하자가 있어 다시 한 번 바른 광고를 무료로 게재함》.

máke-or-bréak *a.* 성패 양단간의, 건곤일척의, 흥하느냐 망하느냐의: a ~ issue 성패를 판가름하는 문제.

máke·òver *n.* **1** 고쳐 지은 옷; (신문의 신판을 위한) 다시 짠〔바꾸어 낀〕 기사. **2** 개조, 개장, 새 단장; 변신, (전문가에 의한) 인상 바꾸기. **3** 공들인 화장.

‡**mak·er** [méikər] *n.* **1** 제작자, 제조업자, 메이커. **2** 《일반적》 만드는 사람: a trouble ~ 말썽꾸러기. **3** (the 〔one's〕 M-) 조물주, 신. **4** 증서 작성자, 《특히》 약속 어음 발행인. **5** 【카드놀이】 (브리지의) 선언자. **6** 《고어》 (the M-, one's M-) 조물주; 시인. ***go to*** 〔***meet***〕 ***one's Maker*** 죽다.

máke·rèady *n.* 【인쇄】 (인쇄 직전의) 판고르기.

máker-úp (*pl.* ***mákers-úp***) *n.* 【인쇄】 제판공; 《영》 제품 조립공〔포장공〕; 《영》 의복 생산업자.

°**máke·shìft** *n.* 임시변통의 수단〔방책〕, 미봉책; 임시변통물, 대용품. ― *a.* 임시변통의, 일시적인: a ~ bookcase.

°**máke·ùp, máke-ùp** *n.* **1** 조립, 마무리; 구성, 구조, 조직: the ~ of a sentence 문장의 구조 / the ~ of committee 위원회의 구성. **2** 체격; 체질, 성질, 기질: a nervous ~ 소심한 기질 / a national ~ 국민성. **3** (여자·배우 등의) 메이크업, 화장, 분장; 화장 용구; 화장품: a ~ box 화장품 통 / She wears no ~. 그녀는 전연 화장을 안 하고 있다. **4** 【인쇄】 (페이지 등의) 정판, 조판(물); (신문의) 모아짜기. **5** 겉꾸밈, 가장, 허구(虛構); 꾸며낸 이야기, 거짓말(fiction, lie). **6** 《미학생구어》 추가〔재〕시험, 보강(補講).

máke·wèight *n.* 부족한 중량을 채우는 물건; 첨가물, 메우는 것; 무가치한 사람〔물건〕; 평형추, 균형을 잡게 하는 것, 조절하는 것.

máke-wòrk *n.* [U] (노동자를 놀리지 않게 하기 위해 시키는) 불필요한 작업, (실업자를 위해) 만들어 낸 일.

mak·ing** [méikiŋ] *n.* **1** 제조, 제조 과정, 제조법, 만들기, 조립, 조직; 제작(물), 생산; 1회의 제조량. **2** 발달〔발전〕 과정; (the ~) 성공의 원인〔수단〕. **3** 구조, 구성; (the ~s) 요소, 소질, 소인(素因). **4** (*pl.*) 이익, 벌이. **5** (보통 *pl.*) 원료, 재료, 필요한 것; (*pl.*) 《미》 손으로 만 궐련의 재료. ***be the ~ of …의 성공의 원인이 되다. ***have the ~s of*** …의 소질이 있다. ***in the ~*** 제조중의; 발달중의, 수업중의, 완성 전의: a doctor *in the* ~ 수련중의 의사.

-mak·ing [mèikiŋ] 《구어》 '기분을 …하게 하는' 이란 뜻의 결합사: sick-*making* 불쾌한, 싫은 느낌의.

ma·ko [méikou, mά:-/mά:-] (*pl.* **~s**) *n.* 【어류】 청상아리(= ~ **shàrk**). 「[opp.] *bene-*.

mal- [mæl] '악(惡), 비(非)' 등의 뜻의 결합사.

Mal. 【성서】 Marachi; Malay; Malayan.

Ma·la·bo [məlά:bou] *n.* 말라보 《적도(赤道) 기니의 수도》.

màl·absórption *n.* (영양물의) 흡수 불량.

mal·ac- [mǽlək], **mal·a·co-** [mǽləkou, -kə] '유연(柔軟)' 이란 뜻의 결합사.

Ma·lac·ca [məlǽkə] *n.* 말라카 《Malaysia 를 라카(Melaka)의 구칭》. ***the Strait of ~*** 말라카 해협.

Malácca cáne 등(籐) 줄기 등으로 만든 스틱.

Mal·a·chi [mǽləkài] 【성서】 *n.* 말라기 《유대의 예언자》; 말라기서 《말라기가 쓴 구약성서의 소예언서; 생략: Mal.》. 「(孔雀石).

mal·a·chite [mǽləkàit] *n.* [U] 【광물】 공작석

mal·a·co·derm [mǽləkədə̀:rm] *n.* 말미잘 (목(目)의 강장 동물). 「체 동물학.

mal·a·col·o·gy [mæ̀ləkάlədʒi / -kɔ́l-] *n.* 연

màl·adápt *vt.* (과학상의 발견 따위를) 부적당하게 적용〔응용〕시키다 《*to* do》.

màl·adaptátion *n.* 순응 불량, 부적응. [파] **-adáptive** *a.*

màl·adápted [-id] *a.* (특정 조건·환경에) 순응〔적응〕하지 않는, 부적합한 《*to*》. 「투름.

màl·addréss *n.* 생각이 모자람, 부적응, 서

ma·lade ima·gi·naire [F. maladimaʒinɛ:ʀ] 《F.》 마음으로 앓는 사람. 「do》, 서투른.

màl·adépt *a.* 충분한 능력이 없는, 부적격인 《*to*

màl·adjústed [-id] *a.* 조절이 잘 안되는; 【심리】 환경에 적응이 안 되는 《아동·이주민 등》.

màl·adjústive *a.* 조절 불량의; 부적응의.

màl·adjústment *n.* 조절〔조정〕 불량; 부적응; (사회적·경제적) 불균형 《도시와 시골, 수요와 공급 사이 등의》.

màl·admínister *vt.* (공무 등을) 그르치다; (정치·경영을) 잘못하다.

màl·administrátion *n.* [U] 실정(失政); 부패; (공무 등의) 처리가 서투름.

màl·adróit *a.* 솜씨 없는, 서투른, 어줍은, 졸렬한. [파] **~·ly** *ad.* **~·ness** *n.*

°**mal·a·dy** [mǽlədi] *n.* **1** (만성적인) 병, 질병. [cf.] ailment, disease. **2** 《비유》 (사회의) 병폐: a social ~.

ma·la fi·de [méilə-fáidi] 《L.》 불성실한, 불성실하게, 악의를 가진, 악의를 가지고. [cf.] bona fide. 「의. [cf.] bona fides.

ma·la fi·des [méilə-fáidi:z] 《L.》 불성실, 악

Mal·a·ga [mǽləgə] *n.* [U] Málaga 《스페인 남부의 항구 도시》산(産) 포도; 말라가 포도주.

Mal·a·gasy [mæ̀ləgǽsi] *a.* Madagascar의. ― (*pl.* ~, ***-gas·ies***) *n.* 마다가스카르〔말라가시〕 사람; [U] 마다가스카르 말.

Malagásy Repúblic (the ~) 말라가시 공화국 《Madagascar의 구칭》.

ma·la·gue·na [mæləgéinjə] *n.* 《Sp.》 말라게냐《fandango 비슷한 스페인 Málaga 지방의 춤; 둘이 짝지어 춤》; 그 곡.
ma·laise [mæléiz, mə-] *n.* 《F.》 **1** (앓을 징조의) 으스스한 느낌. **2** (도덕적 · 사회적 퇴락에 대한) 막연한 불안.
Mal·a·mud [mǽləməd, -mùd] *n.* **Bernard** ~ 맬러머드《미국의 소설가; 1914-86》.
mal·a·mute, mal·e- [mǽləmjùːt] *n.* (때로 M-) 에스키모 개.
mal·a·pert [mǽləpə̀ːrt] *a., n.* 《고어》 뻔뻔스러운〔스스럼없는〕 (사람), 유들유들한 (사람).
màl·appórtioned *a.* (선거구 따위의) 의원 정수의 배분(配分)이 불균형〔불평등〕한.
màl·appórtionment *n.* 의원 정수 배분의 불균형.
Mal·a·prop [mǽləprὰp/-prɔ̀p] *n.* **1** (Mrs. M-) 멜러프롭 부인《Sheridan 작의 희극 *The Rivals*에 등장하는 노부인; 말의 오용(誤用), 혼용으로 유명》. **2** (m-) =MALAPROPISM. **—** *a.* = MALAPROPISM.
mal·a·prop·i·an [mæ̀ləprάpiən/-prɔ́p-] *a.* 익살스럽게 말을 오용(誤用)하는; (엉뚱하게) 잘못 짚은, 우스운.
mál·a·pròp·ism *n.* Ⓤ Malaprop식의 말씨, 말의 우스꽝스러운 오용(誤用); Ⓒ 그와 같은 말. ㊞ **-ist** *n.*
mal·ap·ro·pos [mæ̀læprəpóu] 《F.》 *a.* 시기가 적절하지 않은, 부적당한. **—** *ad.* 좋지 않은 시기에, 부적당하게. **—** *n.* Ⓤ 시기가 적절치 못한 것; 부적당한 사물〔언행〕.
ma·lar [méilər] *a., n.* 〖해부〗 뺨(cheek)의, 광대뼈(의).
°**ma·lar·ia** [məlɛ́əriə] *n.* Ⓤ 〖의학〗 말라리아; 《고어》 독기 있는 공기, 늪지의 독기.
ma·lar·i·al [məlɛ́əriəl], **-i·an** [-iən], **-i·ous** [-iəs] *a.* 말라리아(학질)의, 말라리아가 많이 발생하는《장소》; 독기(毒氣)의.
malárial féver 〖의학〗 말라리아열; 전염성 빈혈증; Texas fever.
ma·lar·i·ol·o·gy [məlɛ̀əriάlədʒi/-ɔ́l-] *n.* 말라리아 연구, 말라리아학(學). ㊞ **-gist** *n.*
ma·lar·k(e)y [məlάːrki] *n.* 《구어》 과장된〔허황한〕 이야기; 엉터리 같은 것(nonsense); 터무니 없는〔허튼〕 소리.
màl·assimilátion *n.* 〖의학〗 동화(同化) 불량(malabsorption).
mal·ate [mǽleit, méil-] *n.* 〖화학〗 말산염(酸塩), 말산 에스테르.
Mal·a·thi·on [mæ̀ləθáiɑn/-ɔn] *n.* 말라티온《살충제; 상표명》.
Ma·la·wi [məlάːwi] *n.* 말라위《동남 아프리카의 공화국; 1964년 독립; 수도 Lilongwe》. ㊞ **~·an** *a., n.*
Ma·lay [méilei, məléi/məléi] *n.* 말레이 사람; Ⓤ 말레이 말. **—** *a.* 말레이 반도의; 말레이 사람〔말〕의, 말레이시아의.
Ma·laya [məléiə] *n.* 말라야, 말레이 반도.
Mal·a·ya·la(a)m [mæ̀ləjάːləm/mæ̀liάː-] *n.* Ⓤ 인도 남서 해안 Malabar 지방의 언어〔문자〕.
Ma·lay·an [məléiən] *n., a.* =MALAY.
Maláy Archipélago (the ~) 말레이 제도.
Maláy fówl 닭의 일종.
Ma·lá·yo-Polynésian [məléiou-] *a.* 말레이 폴리네시아 사람〔어족〕의. **—** *n.* 폴리네시아의 말레이 사람; 말레이 폴리네시아 어족(Austronesian).
Maláy Península (the ~) 말레이 반도.
Ma·lay·sia [məléiʒə, -ʃə/-ziə] *n.* **1** 말레이 제도. **2** 말레이시아 연방(the Federation of ~) 《수도 Kuala Lumpur》.
Ma·lay·sian [məléiʒən, -ʃən/-ziən] *n.* 말레이시아인〔주민〕. **—** *a.* 말레이시아〔말레이 제도〕(의 주민)의.
Mál·colm X́ [mǽlkəm-] 맬컴 엑스《미국의 흑인 민권 운동 지도자; 1925-65》.
màl·conformátion *n.* Ⓤ 볼꼴 사나움, 볼품없음.
màl·contént *a.* 불평을 품은, (현상에) 불만인, 반항적인(rebellious). **—** *n.* 불평가, 불평분자; 반항자, 반체제 활동가.
màl·conténted [-id] *a.* =MALCONTENT.
mal de mer [mæ̀ldəmɛ́ər] 《F.》 뱃멀미.
mal de siè·cle [F. maldysjɛkl] 《F.》 삶에 대한 권태, 염세.
màl·distribútion *n.* Ⓤ 불균형 배분〔분포〕.
Mal·dives [mɔ́ːldiːvz, mǽldaivz/mɔ́ːldi(ː)vz, -daivz] *n.* 몰디브《인도양의 공화국; 수도 Male》. ㊞ **Mal·dív·i·an** *a., n.*
mal du pays [F. maldypɛi] 《F.》 향수병(鄕愁病), 홈식(homesickness).
male [meil] *a.* **1** 남성의, 남자의; 수컷의. OPP *female.* ¶ the ~ sex 남성. **2** 남성적인, 남자다운. **3** 〖식물〗 수술만 있는. **4** 〖기계〗 수…: a ~ screw 수나사. ***a ~ tank*** 중(重)전차. **—** *n.* 남자, 남성; 수; 웅성(雄性) 동식물. ㊞ **∠·ness** *n.* Ⓤ 남성(다움).
mal·e- [mǽlə] *pref.* =MAL-.
mále bónding (반(反)여성 해방 등에 일치된 생각을 갖는) 남자간의 단결〔동지 의식〕.
mále cháuvinism 남성 우월〔중심〕주의.
mále cháuvinist 남성 우월〔중심〕주의자.
mále cháuvinist píg 《경멸 · 우스개》 남성 우월주의자《생략: MCP》.
mal·e·dict [mǽlədikt] 《고어 · 문어》 *a.* 저주받은. **—** *vt.* 저주하다.
mal·e·dic·tion [mæ̀lədíkʃən] *n.* 저주(詛呪)(curse), 악담, 중상, 비방. OPP *benediction.* ㊞ **-díc·tive, -to·ry** [-təri] *a.*
mále-dóminated [-id] *a.* 남성 지배의《사회 따위》.
mal·e·fac·tion [mæ̀ləfǽkʃən] *n.* Ⓤ,Ⓒ 범죄(crime), 못된 짓.
mal·e·fac·tor [mǽləfæ̀ktər] (*fem.* ***-tress*** [-tris]) *n.* 죄인, 범인, 악인. OPP *benefactor.*
mále férn 〖식물〗 면마(綿馬)《근경(根莖)은 회충 구충제》.
ma·lef·ic [məléfik] *a.* 유해한, 재앙을 일으키는《마법 따위》. **—** *n.* 〖점성〗 흉성(凶星).
ma·lef·i·cence [məléfəsəns] *n.* 악행, 나쁜 짓; 유해, 유독(有毒).
ma·lef·i·cent [məléfəsənt] *a.* 유해한, 나쁜 《*to*》; 나쁜 짓을 하는, 범죄의. OPP *beneficent.*
ma·lé·ic ácid [məlíːik-] 〖화학〗 말레산(酸).
maléic anhýdride 〖화학〗 무수(無水) 말레산.
mále ménopause 남성의 갱년기(metapause).
malemute ⇨ MALAMUTE.
mále sàlve 남성 연고《남성 호르몬 연고를 복부나 흉부에 발라서 피임시키려는 방법》.
mále-voice chóir 남성 합창단.
ma·lev·o·lence [məlévələns] *n.* Ⓤ 악의(惡意), 적의(敵意), 해칠 마음; 악의에 찬 행위. OPP *benevolence.*
ma·lev·o·lent [məlévələnt] *a.* 악의 있는, 심술궂은. OPP *benevolent.* ㊞ **~·ly** *ad.*
mal·fea·sance [mælfíːzəns] *n.* Ⓤ,Ⓒ 〖법률〗 위법 행위, 부정, (특히 공무원의) 부정〔배임〕 행위; 나쁜 짓.
mal·fea·sant [mælfíːzənt] *a.* 부정을 행하는. **—** *n.* 부정〔범법〕 행위자, 비행 공무원; 범죄자.
màl·formátion *n.* Ⓤ,Ⓒ 볼꼴 사나움, 불구, 기형.
màl·fórmed *a.* 흉하게 생긴, 볼꼴 사나운, 기형의(deformed): ~ character 이상 성격 / ~ flowers 기형화(花).

màl·fúnction *n.* Ⓤ (기계 등의) 부조(不調), 기능 부전(不全); 〚컴퓨터〛 기능 불량. **—** *vi.* (기계·장치 등이) 제대로 움직이지 않다.
mal·gré [*F.* malgʀe] *prep.* 《F.》 …에도 불구하고(despite).
Ma·li [mɑ́:li:] *n.* 말리《아프리카 서부의 공화국; 수도 Bamako》. **—** *a.* 말리(공화국)의.
Mal·i·bu [mǽləbù:] *n.* 말리부《Los Angeles 서쪽 해양 휴양지; 고급 주택가; 서핑으로 유명》.
Mál·i·bu (bòard) 말리부보드《2.6m 정도의 유선형 서프보드》.
mal·ic [mǽlik, méilik] *a.* 사과의; 사과에서 얻은; 〚생화학〛 말산(酸)의.
málic ácid 〚생화학〛 말산(酸), 사과산.
***mal·ice** [mǽlis] *n.* Ⓤ (적극적인) 악의, 해할 마음, 적의(敵意); 원한; 〚법률〛 범의(犯意): bear ~ to 〔toward, against〕 a person for something 어떤 일로 아무에게 적의를〔원한을〕 품다.
málice afórethought 〔prepénse〕 〚법률〛 예모(豫謀)의 범의, 살의(殺意): with *malice aforethought* 예모의 악의를 가지고, 고의로/of *malice prepense* 가해 의지〔살의〕를 가지고.
***ma·li·cious** [məlíʃəs] *a.* 악의 있는, 심술궂은 《사람·행위》; 〚법률〛 부당한《체포 등》. SYN. ⇨ BAD. ㊞ **~·ly** *ad.* **~·ness** *n.*
malícious míschief 〚법률〛 고의에 의한 기물 「손괴(죄).
◇**ma·lign** [məláin] *a.* **1** 유해한; 〚의학〛 악성의 《병 따위》. **2** 악의 있는. OPP. *benign.* **—** *vt.* 중상〔비방〕하다, 헐뜯다(speak ill of); …에게 해를 끼치다. ㊞ **~·er** *n.* 비방자, 중상자. **~·ly** *ad.* 악의로, 유해하게.
ma·lig·nan·cy, -nance [məlígnənsi], [-s] *n.* Ⓤ 강한 악의, 적의, 심한 미움; 유해한 것; 〚병리〛 (질병의) 악성(도); 〚의학〛 악성 종양; 〚점성〛 불길(不吉).
***ma·lig·nant** [məlígnənt] *a.* **1** 악의〔적의〕 있는: cast a ~ glance 악의에 찬 눈으로 흘끗 보다. **2** 〚의학〛 악성의; 유해한. OPP. *benignant.* ¶ a ~ tumor 악성 종양. **—** *n.* 악의를 품은 사람; (M-) 〚영국사〛 불만분자《Charles I세 시대의 왕당파원; 반대측이 붙인 이름》. ㊞ **~·ly** *ad.*
malígnant melanóma 〚의학〛 악성 흑색종(腫)《피부암의 일종》.
malígnant pústule 〚의학〛 악성 농포(膿泡).
ma·lig·ni·ty [məlígnəti] *n.* Ⓤ 악의, 해심(害心); 원한; (병의) 악성, 불치; (흔히 *pl.*) 악의에 찬 행위〔감정〕.
malígn negléct 악의 있는 무시.
màl·imprínted [-id] *a.* 〚심리·동물〛 (동물·사람이) 생후 본능적으로 몸에 붙는 습관·행동에 결함〔이상〕이 있는《다른 종(種)의 개체에 애착을 느끼는 감정 따위》.
ma·line [məlí:n] *n.* (*or* M-) =MALINES 1.
ma·lines [məlí:n] (*pl.* ~ [-lí:nz]) *n.* 《F.》 (*or* M-) **1** 말린《벨기에산의 빳빳하고 얇은 비단 망사》. **2** =MECHLIN.
ma·lin·ger [məlíŋgər] *vi.* (특히 군인 등이) 꾀병을 부리다. ㊞ **~·er** [-rər] *n.* **~·y** [-ri] *n.*
ma·lism [méilizəm] *n.* Ⓤ 악세설(惡世說)《이 세상은 사악하다는 비관주의》.
mal·i·son [mǽləzən, -sən] *n.* 《고어》 저주(詛呪). OPP. *benison.*
mal·kin [mɔ́:lkin, mǽl-] *n.* 《영방언》 **1** (빵집의 오븐 청소용) 대걸레; (누더기를 입힌) 허수아비〔인형〕; 칠칠치 못한 여자. **2** 하녀. **3** 고양이(cat); 《Sc.》 산토끼(hare).
mall [mɔ:l / mɔ:l, mæl] *n.* **1** (나무 그늘이 있는) 산책로. **2** 보행자 전용 상점가; 쇼핑센터. **3** 〚역사〛 펠멜구희(장)(pall-mall); 펠멜용 타구봉. **4** [mæl] (the M-) 런던 St. James 공원에 있는 나무 그늘이 많은 산책로.
mal·lard [mǽlərd] (*pl.* **~s,** 〔집합적〕 ~) *n.* 청둥오리(wild duck); Ⓤ 그 고기; 《고어》 청둥오리의 수컷. cf. drake.
Malle [*F.* mal] *n.* **Louis ~** 말《프랑스의 영화감독; 누벨바그의 선구자; 1932-95》.
mal·le·a·bil·i·ty [mæ̀liəbíləti] *n.* Ⓤ (금속의) 가단성(可鍛性), 전성(展性); 순응(성), 유순(성).
mal·le·a·ble [mǽliəbəl] *a.* 펴 늘일 수 있는, 전성(展性)이〔불릴 수〕 있는; 순응성이 있는, 유순한. ㊞ **-a·bly** *n.* **~·ness** *n.*
málleable cást íron 〚야금〛 가단(성(可鍛性)을 갖게 처리된) 주철(鑄鐵). 「WROUGHT IRON.
málleable íron = MALLEABLE CAST IRON;
mal·lee [mǽli] *n.* 〚식물〛 유칼립투스속(屬)의 상록 관목《남오스트레일리아산》; 그 숲.
mal·le·o·lus [məlí:ələs] (*pl.* **-li** [-lài]) *n.* 〚해부〛 복사뼈.
mal·let [mǽlit] *n.* **1** 나무메; (croquet나 polo의) 타구봉; 타악기용 작은 망치. **2** 《미》 (엔진이 2개인) 강력한 증기 기관차.
mal·le·us [mǽliəs] (*pl.* **-lei** [-liài]) *n.* 〚해부〛 (중이(中耳)의) 망치뼈, 추골(槌骨).
máll·ing *n.* **1** 쇼핑몰에서 시간 보내기《10 대들이 상점가에 몰려와서 친구들과 만나, 식사를 하거나 진열된 상품의 눈요기 따위로 기분을 푸는 일》. **2** 몰화(化)《한 지역에 쇼핑몰의 수가 증가하여, 상점의 다양성이 없어지거나 취급 상품의 질이 떨어지는 일》. 「물.
mal·low [mǽlou] *n.* 〚식물〛 당아욱속(屬)의 식
máll ràt 쇼핑몰에 들어와서 어슬렁거리며 시간을 보내는 10 대 젊은이.
malm [mɑ:m] *n.* Ⓤ 부드러운 백악암, 백악토; Ⓤ,Ⓒ 백악 기와(=∠ **brìck**): the ~ epoch 〔series〕 〚지학〛 백(白)쥐라기〔통(統)〕.
Mal·mai·son [mælməzɔ́:ŋ, mælméizɔ:ŋ] *n.* 〚식물〛 카네이션의 일종.
malm·sey [mɑ́:mzi] *n.* Ⓤ Madeira 원산의 독하고 단 백포도주. 「의.
màl·nóurished [-t] *a.* 〚의학〛 영양부족〔실조〕
màl·nutrítion *n.* Ⓤ 영양실조〔장애, 부족〕.
màl·occlúsion *n.* Ⓤ 〚치과〛 부정 교합(不正咬合). ㊞ **màl·oc·clúd·ed** [-id] *a.*
màl·ódor *n.* 악취.
màl·ódorant *a., n.* 악취 나는 (물건); (법적·사회적으로) 인정하기 어려운, 언어도단인.
màl·ódorous *a.* 악취 있는.
ma·lo·lac·tic [mæ̀loulǽktik, mèi-] *a.* (포도주의 경우) 세균에 의해 말산(酸)이 젖산으로 변하는.
Mal·pígh·i·an túbe 〔túbule, véssel〕 [mælpí:giən-] 말피기관《곤충의 배설 기관》.
mal·pósed *a.* 위치가 잘못된〔이상한〕
màl·posítion *n.* Ⓤ 위치가 나쁨; 〚의학〛 (태아의) 이상 위치(異常位置).
mal·práctice *n.* Ⓤ,Ⓒ **1** 〚법률〛 배임〔위법〕 행위. **2** (의사의) 부정 치료, 오진(誤診); 의료 과오(過誤)〔사고〕.
malpráctice insùrance 의료 과오 보험《의사·병원이 의료 소송에 대비하여 가입하는 보험》.
malpráctice sùit 의료 과오 소송《환자가 의사·병원을 상대로 내는 손해 배상 소송》.
màl·practítioner *n.* 배임〔위법, 부정〕 행위자; 부정 치료자. 「태위(胎位) 이상.
màl·presentátion *n.* 〚의학〛 (분만 시 태아의)
Mal·raux [mælróu] *n.* **André ~** 말로《프랑스의 소설가; 1901-76》.
Mal $ Malaysian dollar(s). **M.A.L.S.** Master of Arts in Library Science.
◇**malt** [mɔ:lt] *n.* Ⓤ 맥아(麥芽), 엿기름; 《구어》 맥

주 =MALT LIQUOR; MALT WHISKY; MALTED(MILK): extract of ~ 맥아엑스. — *a.* 엿기름의〔이 든, 으로 만든〕. cf. maltose. — *vt., vi.* 엿기름으로 하다〔이 되다〕; 엿기름으로 처리하다, (술을) 엿기름으로 만들다; 엿기름을 만들다.

M.A.L.T. Master of Arts in Language Teaching.

Mal·ta [mɔ́:ltə] *n.* 몰타 섬; 몰타 공화국《1964년 독립; 수도 Valletta》.

Málta féver 몰타열, 파상열(波狀熱)(brucellosis).

malt·ase [mɔ́:lteis, -z] *n.* U 〖생화학〗 말타아제.

mált·dùst *n.* U 엿기름 찌꺼기.

málted (mílk) 맥아 분유(를 넣은 우유).

Mal·tese [mɔ:lti:z, -tí:s/-tí:z] *a.* 몰타(사람〔어〕)의. — (*pl.* ~) *n.* 몰타 사람; U 몰타어(語).

Máltese cát 몰타 고양이《털이 짧은 청회색》.

Máltese cróss 몰타 십자《십자가의 일종》.

máltese dóg 몰타섬 토종의 애완용 개.

mált èxtract 맥아엑스.

mal·tha [mǽlθə] *n.* U 맬서《천연 아스팔트의 일종》.

mált·hòuse *n.* 맥아 제조소〔저장소〕.

Mal·thus [mǽlθəs] *n.* **Thomas Robert ~** 맬서스《영국의 정치 경제학자; 1766–1834》.

Mal·thu·sian [mælθú:ʒən, -ziən/-θjú:-] *a.* 맬서스(주의)의. — *n.* 맬서스주의자. ⊕ **~·ism** *n.* U 맬서스주의, 맬서스의 인구론.

mált·ing *n.* U 맥아 제조(법); 맥아 제조소(malthouse).

mált-kìln *n.* 엿기름 말리는 가마.

mált lìquor 맥아(양조)주, 엿기름으로 만든 술《ale, beer, stout 등》.

mált·man [-mən] (*pl.* **-men** [-mən]) *n.* 엿기름 제조인(maltster).

malt·ose [mɔ́:ltous] *n.* U 〖화학〗 맥아당, 말토오스.

mal·tréat *vt.* 학대〔혹사〕하다. ⊕ **~·er** *n.* **~·ment** *n.* U 학대, 혹사, 냉대.

malt·ster [mɔ́:ltstər] *n.* 엿기름 만드는〔파는〕 사람.

mált sùgar =MALTOSE.

mált whisk(e)y 몰트 위스키.

mált·wòrm *n.* 《고어》 술꾼, 술고래(tippler).

malty [mɔ́:lti] (***malt·i·er; -i·est***) *a.* 엿기름의; 엿기름을 함유한; 《구어》 맥아주를 좋아하는; 《속어》 술취한.

mal·va·ceous [mælvéiʃəs] *a.* 〖식물〗 당아욱과의.

mal·ver·sa·tion [mælvə:rséiʃən] *n.* U 〖법률〗 독직, 배임; (공금의) 부정 소비, 유용.

mal vu [*F.* malvy] 밉보여서, 인정받지 못하여.

mam [mæm] *n.* 《영소아어·방언》 =MAMMA¹

ma·ma [má:mə, məmá:] *n.* 《소아어·구어》 =MAMMA¹; 《미속어》 여자, 성적 매력이 있는 여자, 마누라; 《미속어》 폭주족(暴走族)의 여자.

máma-and-pápa [-ən-] *a.* =MOM-AND-POP.

máma béar 《속어》 여자 경찰.

máma's bòy 《미속어·경멸》 응석꾸러기, 마마보이.

mam·ba [má:mba:, mǽmbə/mǽmbə] *n.* 〖동물〗 맘바《남아프리카산 코브라과의 큰 독사》.

mam·bo [má:mbou/mǽm-] (*pl.* **~s**) *n.* 맘보(춤); 그 음악. — *vi.* 맘보를 추다.

mam·e·lon [mǽmələn] *n.* 주발처럼 생긴 작은 산; 언덕 위에 축조된 요새.

mam·e·luk(e) [mǽməlù:k] *n.* (이슬람교국의) 노예; (M-) 중세 이집트의 노예 기병.

Ma·mie [méimi] *n.* 메이미《여자 이름; Mary, Margaret의 애칭》.

°**mam·ma**¹ [má:mə, məmá:] *n.* **1** 《소아어·구어》 엄마. OPP *papa.* **2** 《미속어》 여자, 마누라.

mam·ma² [mǽmə] (*pl.* **-mae** [-mi:]) *n.* (포유동물의) 유방; 《복수취급》 〖기상〗 유방구름(=**mam·mà·to·cú·mu·lus**).

***mam·mal** [mǽməl] *n.* 포유동물.

Mam·ma·lia [məméiliə, -ljə] *n. pl.* 포유류. ⊕ **mam·má·li·an** [-n] *n., a.* 포유동물(의).

mam·ma·lif·er·ous [mæməlífərəs] *a.* 〖지학〗 (지층이) 포유동물의 화석을 함유하고 있는.

mam·mal·o·gy [məmǽlədʒi] *n.* 포유동물학. ⊕ **-gist** *n.*

mam·ma·ry [mǽməri] *a.* 유방의: ~ cancer 유방암 / the ~ gland 유선(乳腺), 젖샘.

mam·mee [ma:méi, -mí:/mæmí:] *n.* 〖식물〗 마미《열대 아메리카산 교목》; 그 열매.

mam·mif·er·ous [mæmífərəs] *a.* 유방이 있는; 포유류의(mammalian).

mam·mi·form [mǽməfɔ̀:rm] *a.* 유방〔젖꼭지〕 모양의.

ma(m)·mil·la [mæmílə] (*pl.* **-lae** [-li:]) *n.* 유두(乳頭), 젖꼭지(nipple); 유두 모양의 돌기(突起)〔기관(器官)〕.

mam·(m)il·late [mǽməlèit] *a.* 젖꼭지가 있는, 유두 모양의 돌기가〔기관이〕 있는.

mam·mock [mǽmək] 《고어·방언》 *n.* (천) 조각, 단편. — *vt.* 조각내다; 분쇄하다.

mam·mo·gram, -graph [mǽməgræ̀m], [-græ̀f, -grɑ̀:f] *n.* 〖의학〗 유방 엑스선 사진.

mam·mog·ra·phy [mæmágrəfi / -mɔ́g-] *n.* U (유방암 검사용) 유방 뢴트겐 조영법(造影法).

mam·mon [mǽmən] *n.* U (악덕으로서의) 부(富); 배금(拜金); (M-) 〖성서〗 부(富)·탐욕의 신(神)《마태복음 VI: 24》: worshipers of *Mammon* 배금주의자들 / the *Mammon* of unrighteousness 사악한 부, 악전(惡錢). ⊕ **~·ish** *a.* 황금만능주의의, 배금주의의.

mám·mon·ìsm *n.* U 배금주의. ⊕ **-ist, -ite** [-àit] *n.* 배금주의자, 황금만능주의자.

mam·mo·plas·ty [mǽməplæ̀sti] *n.* 〖의학〗 유방 형성(술).

°**mam·moth** [mǽməθ] *n.* 〖고생물〗 매머드《신생대 제 4 기 홍적세의 거상(巨象)》; (같은 종류 중에서) 거대한 것. — *a.* 매머드와 같은; 거대한.

Mámmoth Cáve 미국 Kentucky 주에 있는 석회암 동굴.

°**mam·my, mam·mie** [mǽmi] *n.* 《소아어》 엄마; 《미남부·경멸》 (아이 보는) 흑인 유모〔할멈〕, 흑인 여자.

mámmy bòy =MOTHER'S BOY.

mámmy chàir 《해사속어》 보트에 손님을 태우거나 내리는 데 쓰는 바구니 모양의 의자.

mámmy clóth (아프리카 흑인이 몸에 감는) 선명한 빛깔의 무명천.

mámmy tràder 《W.Afr.》 시장에서 장사하는 여자.

mámmy wàgon 〔lòrry, bùs〕 《W.Afr.》 사람·짐을 실어 나르는 양쪽이 개방된 소형 버스〔트럭〕.

mam·zer, mom·zer, mom·ser [mámzər/mɔ́m-] *n.* **1** 맘제르《유대교에서 인정되지 않은 결혼으로 생긴 자식》. **2** 《미속어》 보기 싫은 놈, 늘 빌리기만 하는 녀석, 식객.

Man [mæn] *n.* (the Isle of ~) 맨섬《아일랜드와 잉글랜드 사이에 있음》.

†**man** [mæn] (*pl.* **men** [men]) *n.* **1** 남자, 사내; 남성. cf. woman. ¶ *Man* is stronger than woman. 남성은 여성보다 강하다 / *men* and women 남녀 (함께), 사람들. **2** 어른, 성년 남자. cf. boy. ¶ He is no longer a boy, but a ~. 그는 이제 아이가 아니고 어른이다. **3** 제구실 하는 남자; 사내다운 남자, 대장부; (the ~) 사내다움; 뛰어난〔어엿한〕 인물: He is every inch a ~. 그는 어느 점으로 보아도 사나이다운 사나이다 / be a ~ =play the ~ 사나이답게 행동하다 / like a ~ 사나이답게. **4** 〖단수, 관사 없이 집합적〗 인간, 사람, 인류(mankind): *Man* is mortal. =All *men* must die. 인간은 죽게 마련이다.

> NOTE *Man* hopes for peace, but *he* prepares for war. 에서와 같이, man은 성별에 관계없이 '사람'을 의미하지만, 대명사로는 he를 씀. 인간이 아니고 남성 일반을 표시할 때는 원칙적으로 men이 쓰임.

5 a 〖a, any, every, no 등과 함께〗 (누구든) 사람《성별에 관계없이》: *No* ~ knows. 아무도 모른다 / *A* ~ can only die once. 《속담》 사람은 오직 한 번 죽을 뿐이다 / *any* 〔*no*〕 ~ 누구든지 〔아무도 …아니다〕 / What can *a* ~ do in such a case? 이런 경우 어떻게 하면 좋을까. ★ 부정(不定)대명사적 용법. **b** 〖수식 어구와 함께 써서〗 (특정의 일·성격 따위를 가진) 사람, …하는 사람, …가(家): a ~ of action 활동가 / a ~ of science 과학자 / a medical ~ 의학자. **6** (보통 *pl.*) 병사, 부사관; 수병, 선원: officers and *men* 장교와 사병. **7** 하인, 머슴(manservant); 부하; 《고어》 가신(家臣); (종종 *pl.*) 노동자, 종업원: masters and *men* 주인과 하인 / The *men* are on a strike. 종업원이 파업 중이다. **8** 남편; 애인《남자》; 그이: ~ and wife 부부. **9** (one's ~, the ~) 안성맞춤인 사람, 바라는 상대자: He is the ~ for the job. 그는 그 일에 적임자다. **10** 《구어》 〖남성에 대한 호칭〗 어이, 이봐, 자네: Cheer up, ~! 이봐 기운을 내게 / Quick, ~! 어이 빨리 해. ★ 속어로는 연령·남녀 불문. **11** 《구어》 어럽쇼, 이런《놀람·열의·짜증·경멸 등의 소리》: *Man*, what a game! 저런, 이 무슨 게임이람. **12** (대학의) 재학생, 출신자: an Oxford 〔a Harvard, etc.〕 ~. **13** (체스 등의) 말(piece); 산가지(counter). **14** (the M-) 《미속어》 (흑인 쪽에서 본) 권력자, 백인 (사회); 체제(體制)(the Establishment); 경관, 형사; (재즈 밴드의) 리더; 마약 장수. **15** 《미속어》 1달러.
a ~ about town =MAN-ABOUT-TOWN. ***a ~ and a brother*** 동료, 동포. ***a ~ of*** …태생의 사람; ⇨ *n.* 5b. ***a ~ of affairs*** 사무가, 실무가. ***a ~ of all work*** 만능가, 팔방미인. ***a ~ of God*** 성인(聖人); 예언자; 성직자. ***a ~ of*** (***his***) ***hands*** 손재주가 있는 사람. ***a ~ of his word*** 약속을 잘 지키는 사람. ***a ~ of honor*** 명예를 존중하는 사람, 신사. ***a ~ of letters*** 문필가. ***a ~ of mark*** 유명인; 중요 인물. ***a ~ of*** 〔***among***〕 ***men*** 사나이 중의 사나이. ***a ~ of parts*** 《문어적》 여러 재능을 갖춘 사람. ***a ~ of the cloth*** 성직자. ***a ~ of the house*** 가장(家長), 세대주. ***a ~ of the world*** ① 세상 물정에 밝은 사람; 속물(俗物). ② 상류사회인. ***a ~ on his way*** 한창 인기 있는 인물, 유망한 사람. ***as a ~*** ① 한 남자로서, 한 인간으로서. ② =as one ~. ***as one ~*** 한 사람같이, 일제히, 만장일치로. ***be ~ enough*** (…에) 충분한 용기가〔능력이〕 있다: *Are* you ~ *enough* for the job? 자네 그 일을 할 만한 용기가〔능력이〕 있는가. ***be one's own ~*** 남의 구속을〔지배를〕 받지 않다, 자기 뜻대로 하다; 꿋꿋하다. ***between ~ and ~*** 남자끼리의. ***every ... known to ~ or*** 〔***and***〕 ***beast*** 알〔생각할〕 수 있는 한의 모든…. ***every ~ for himself*** (남을 의지하지 않고) 자신의 안전을 지키지 않으면 안 되는 혼란〔위험〕 상태. ***make ... a ~*** =***make a ~ of*** …을 훌륭한 남자로 만들다, 성공시키다. ***Man alive!*** ⇨ ALIVE. ***~ and boy*** 〖부사적〗 어릴 적부터. ***~ for ~*** 일대(對) 일로서는; 한 사람 한 사람 비교하면. ***~ to ~*** 솔직하게, 속을 터놓고(cf. man-to-man): as ~ *to* ~ 솔직하게 말하면. (***my***) ***little ~*** 얘야, 아가야《사내에 대한 호칭》. ***my ~*** 야, 여보게《손아랫사람에 대한 호칭》. ***no ~'s ~*** 독립한 사람. ***old ~*** 자네《호칭》. ***separate*** 〔***tell, sort out***〕 ***the men from the boys*** 《구어》 진짜 힘·용기 있는〔유능한〕 자와 그렇지 않은 자를 구별하다. ***the ~ in the moon*** ⇨ MOON. ***the ~ in*** 〔《미》 ***on***〕 ***the street*** 세상의 일반인, 보통 사람; 여론. ***to a*** 〔***the last***〕 ***~*** 만장일치로; 최후의 한 사람까지, 모두 다.

— (**-nn-**) *vt.* **1** 《~+목/+목+전+명》 …에 사람을〔병사를〕 배치하다, (지위 따위에 사람을) 두다, 배속하다; (배·우주선 따위에) …을 태우다: ~ a ship *with* sailors 배에 선원들을 배치하다 / a ~*ned* spaceship 유인(有人) 우주선 / ~ a space shuttle 우주 왕복선에 승무원을 태우다. **2** (사람이) …의 임무를 맡다, (임무를 위해) …에 위치하다: *Man* the guns! (각자 지정된) 포에 위치. **3** 〖주로 ~ oneself〗 《~+목/+목+전+명》 용기를 돋우다, 격려하다; 분기하다, 마음을 다잡다《*for*》: ~ *oneself* 용기를 내다 / He ~*ned* him*self for* the ordeal. 그는 그 시련을 견뎌내기 위해 마음을 다잡았다. **4** (매 따위를) 사람에게 길들게 하다(tame). ***~ it out*** 사내답게 행동하다, 훌륭히 해내다. ***~ up*** 인력을 공급하다.

-man [mən, mæ̀n] (*pl.* **-men** [mən, mèn]) *suf.* **1** '…국인(人), …의 주민'이란 뜻: English*man* [-mən] 영국인, country*man* [-mən] 시골 사람. **2** '직업이 …인 사람'이란 뜻: business*man* [-mæ̀n] 실업가, post*man* [-mən] 우편 집배원, clergy*man* [-mən] 목사; 성직자. **3** '…배〔선〕'이란 뜻: merchant*man* [-mən] 상선, India*man* 인도 무역선.

> NOTE 단수에서 [-mən]으로 발음될 경우는 복수에서도 [-mən], 단수에서 [-mæ̀n]으로 발음될 경우 복수에서는 [-mèn]이 되는 것이 보통임.

Man. Manila (paper); Manitoba. **man.** manual.

mán-abòut-tówn (*pl.* **mén-** [mén-]) *n.* (고급 나이트클럽 등에 출입하는) 사교가, 오입쟁이, 플레이보이; (런던 사교계의) 멋쟁이 신사.

man·a·cle [mǽnəkəl] *n.* (보통 *pl.*) 수갑; 속박, 구속. **—** *vt.* 수갑을 채우다; 속박하다.

⁑man·age [mǽnidʒ] *vt.* **1** (사람·말·도구 따위를) 잘 다루다, 마음대로 움직이다; (기계·배 따위를) 조종〔운전〕하다, (무기·도구를) 잘 쓰다〔사용하다〕; (말을) 조련하다, (짐승을) 길들이다: ~ a tool 도구를 사용하다 / ~ a boat efficiently 보트를 잘 조종하다 / ~ a spirited horse 마구 날뛰는 말을 잘 길들이다 / She ~*s* the child with exemplary skill. 그녀는 그 아이를 기술적으로 매우 잘 다룬다. **2** (사무를) 처리하다, 관리하다; (사업 따위를) 경영〔운용〕하다(conduct); (팀 따위를) 통솔하다; (일 따위를) 감독하다: ~ one's investments 투자 자금을 운용하다 / ~ an estate 토지를 관리하다 / ~ a household 살림을 꾸려 나가다. **3** (어려운 일을) 해내다, 실현하다: Somehow we must ~ the suppression of our baser instincts. 어떻게든 우리의 야비한 본능을 억눌러야 한다. **4** 《~+목/+*to* do》 …을 그럭저럭 해내다, 곧잘 …하다; 《웃음·태도 따위를》 겨우〔가까스로〕 짓다〔보이다〕; 〖반어적〗 멍청하게〔불행히〕도 …하다: I'll ~ it somehow. 어떻게든 해보지요 / I ~*d to* get there in time. 나는 그럭저럭 시간에 맞게 그곳에 닿았다 / She could ~ a smile. 그녀는 가까스로 (억지) 웃음을 지었다 / He ~*d to* make a mess of it. 그녀석 멍청스레 큰 실수를 저질렀어. **5** 《구어》 〖can, be able to와 함께〗 먹어치우다; 처리하다, 해치우다: *Can* you ~ another slice of cake? 케이크 한 조각 더 먹겠니. **—** *vi.* **1** 처리하다, 관리〔경영〕하다: Who will ~ while the boss is away? 사장이 부재중일 때 누가 관리〔대리〕를

하지. 2 《+전+명》 (이럭저럭) 잘 해나가다 《with》: ~ *on* one's income 수입으로 생계를 세우다 / ~ *with* a rent-a-car 렌트카로 임시 변통하다. ~ ***without*** …없이 그럭저럭 때우다: She won't be able to ~ *without* help. 그녀는 도움 없이는 해 나가지 못할걸.

màn·age·a·bíl·i·ty *n.* Ⓤ 다루기〔처리하기〕 쉬움.

man·age·a·ble [mǽnidʒəbəl] *a.* **1** 다루기〔제어하기〕 쉬운. **2** 유순한. **3** 관리〔처리〕하기 쉬운. ㊞ **-bly** *ad.* **~·ness** *n.*

mánaged (héalth) cáre 〖보험의료〗 관리 의료《특히 고용주의 의료 부담 억제 목적으로 어떤 환자 집단의 의료를 의사 집단에게 도급 주는 건강 관리 방식》.

mánaged cúrrency 관리 통화.

mánaged ecónomy 관리 경제《정부에 의해 관리된 경제》.

mánaged fúnd (관리) 운용 자금.

mánaged néws 《정치속어》 정부 발표의 뉴스 《내용을 정부 측에 유리하도록 조작한》.

‡man·age·ment [mǽnidʒmənt] *n.* **1** Ⓤ 취급, 처리, 조종, 다루는 솜씨; 통어: the skillful ~ of a gun 총을 다루는 숙련된 솜씨. **2** Ⓤ 관리, 경영; 지배, 단속: personnel ~ 인사 관리. **3** Ⓤ 경영력, 지배력, 경영 수완; 경영 방법; 경영학; 〖의학〗 치료 기술《*of*》. **4** Ⓤ 주변; 술수, 술책. **5** Ⓤ 운용, 이용, 사용. **6** Ⓤ,Ⓒ (the ~) 〔집합적〕 경영자(측), 경영진: under new ~ 새로운 경영진 하에서. OPP *labor*. ㊞ **màn·age·mén·tal** [-méntl] *a.*

mánagement accòunting (경영) 관리 회계. cf. cost accounting.

mánagement búyout 〖경영〗 (경영자에 의한) 자사주(株) 매점《매수·합병에 대한 방어책; 생략: MBO》.

mánagement còmpany (투자 신탁의 자산 운용을 행하는 관리 회사).

mánagement consùltant 경영 컨설턴트.

mánagement engineèring 경영〔관리〕 공학.

mánagement informàtion sỳstem (컴퓨터를 사용한) 경영 정보 체계《생략: MIS》.

mánagement scìence 〖경영〗 경영 과학, 관리 공학.

mánagement shàres 《영》 임원주(任員株).

mánagement tráining èxercise 경영자 훈련.

mánagement ùnion 관리직 유니온(관리직이 가입하는 노동조합).

‡man·ag·er [mǽnidʒər] *n.* **1** 지배인, 경영〔관리〕자(director); 부장; 감독; 간사; 이사; (예능인 등의) 매니저: a sales ~ 판매부장 / a stage ~ 무대 감독. **2** 〔보통 형용사를 수반하여〕 (살림 따위를) 꾸려 나가는 사람: My wife is a bad 〔poor〕 ~. 내 아내는 살림이 서투르다. **3** 〖영법률〗 관재인(管財人); (*pl.*) 〖영의회〗 양원 협의회 위원. ㊞ **~·ship** *n.* Ⓤ ~의 지위〔직·임기〕.

man·ag·er·ess [mǽnidʒəris / mæ̀nidʒərés] *n.* 여지배인〔관리인〕; 여간사; 여자 흥행주.

man·a·ge·ri·al [mæ̀nidʒíəriəl] *a.* manager 의; 취급〔조종, 경영〕의; 관리〔지배〕의; 단속〔감독〕의; 처리의: a ~ position 〔society〕 관리직 〔사회〕. ㊞ **~·ly** *ad.*

man·a·gé·ri·al·ist *n.* 관리 정책 신봉자, 통제주의자.

man·ag·ing [mǽnidʒiŋ] *a.* **1** 처리〔지배, 관리, 경영〕하는. **2** 경영을 잘하는, 잘 꾸려 나가는. **3** 오지랖 넓은, 남을 좌지우지하고 싶어하는: a ~ woman 오지랖 넓은 여자. **4** 《고어》 알뜰한, 절약하는; 인색한. **—** *n.* Ⓤ manage 하기.

mánaging diréctor 전무이사, 상무이사.

mánaging éditor 편집장, 편집주간.

mánaging pártner 업무 집행(執行) 사원. cf. sleeping partner.

Ma·na·gua [mənɑ́:gwə] *n.* **1** (Lake ~) 마나과 호(湖). **2** 마나과《니카라과의 수도》.

man·a·kin [mǽnəkin] *n.* 작은 새의 일종《연작류(燕雀類); 라틴 아메리카산》; =MANIKIN.

Ma·na·ma [mənǽmə/-nɑ́:-] *n.* 마나마《바레인의 수도》.

ma·ña·na [mənjɑ́:nə] 《Sp.》 *ad.* 내일; 언젠가, 근간에. **—** *n.* 내일; 미래가 있는 어느 날 〔때〕. **—** *int.* 자 그럼 내일 또, 안녕.

mán àpe 유인원(類人猿); 화석인류.

Man·a·slu [mǽnəslù:] *n.* 마나슬루《히말라야 산맥 중 제6위의 고봉; 해발 8,125m》.

ma·nat [mɑ:nɑ́:t] *n.* 마나트《(1) 아제르바이잔의 화폐 단위; =100 gopik. (2) 투르크메니스탄의 화폐 단위; =100 tenesi》.

mán-at-árms (*pl.* ***mén-*** [mén-]) *n.* (중세기의) 병사, 중기병(重騎兵).

man·a·tee [mǽnətì:, mæ̀nətí:/mæ̀nətí:] *n.* 〖동물〗 해우(海牛).

manatee

ma·nav·el·ins [mənǽvəlinz] *n. pl.* 《해사속어》 여러 가지 선구(류); 《속어》 (음식의) 남은 것.

Man·ches·ter [mǽntʃèstər, -tʃəs- / -tʃis-, -tʃəs-] *n.* 맨체스터《영국 서부 Greater Manchester 주의 주도; 방적업의 중심지》. ◇ Mancunian *a.* ㊞ **~·ism** *n.* Ⓤ 자유무역주의.

Mánchester Schòol (the ~) 맨체스터 학파《1830년대에 자유무역주의를 주장한》.

Mánchester térrier 맨체스터 테리어《애완견; 전에는 black-and-tan terrier 라 했음》.

man·chet [mǽntʃit] *n.* 《고어》 최고 품질의 밀가루빵; 《영방언》 방추형(紡錘型)의 빵, 흰빵《한 개》.

man·chi·neel [mæ̀ntʃəní:l] *n.* 〖식물〗 열대 아메리카산의 독 있는 나무.

Man·chu [mæntʃú:] *a.* 만주(사람, 말)의. **—** (*pl.* **~, ~s**) *n.* 만주 사람; Ⓤ 만주어.

Man·chu·ria [mæntʃúəriə] *n.* 만주《중국 동북부의 옛 지방명》. **—** *a.* 만주(풍)의. ㊞ **-ri·an** [-riən] *a., n.* 만주의; 만주인.

Manchúrian cándidate (어떤 조직·외국 기관 등에서) 세뇌 받은 사람, 꼭두각시.

man·ci·ple [mǽnsəpəl] *n.* (대학·수도원 등의) 식료품 구매계원, 조달원(steward).

Mancun. *Mancuniensis* 《L.》 (=of Manchester; Bishop of Manchester 의 서명에 씀).

Man·cu·ni·an [mænkjú:niən, -njən] *a., n.* Manchester 의 (주민).

-man·cy [mænsi] '…점(占)' 이란 뜻의 결합사: necro*mancy*.

mand [mænd] *n.* 〖언어〗 맨드《듣는 이에게 어떤 행동을 취하도록 말하는; 명령 따위》.

M & A management and administration; mergers and acquisitions (기업 인수 합병).

man·da·la [mʌ́ndələ] *n.* Ⓤ 《Sans.》 〖미술〗 만다라(曼茶羅)《기하학적 도형으로 신상(神像) 또는 신의 속성이 그려져 있음》.

man·da·mus [mændéiməs] *n.* **1** (상급법원에서 하급법원 따위에 내리는) 직무 집행 영장. **2** (옛날, 업무 집행을 명한) 칙서(勅書). **—** *vt.* 《구어》 …에게 직무 집행 영장을 보내다, 집행 영장으로 위협하다.

man·da·rin [mǽndərin] *n.* **1 a** (중국 청나라의) 상급 관리. **b** 배후 실력자로 지목되는 고관,

유력한 정치가; 보수적인 관리; (문예 세계의) 거물, 실력자, 보스. **2** (M- Chinese) [U] (중국의) 관화(官話); 베이징 관화《표준 중국어》. **3** 중국 인형《머리를 흔드는》. **4 a** 〖식물〗 만다린 귤(나무) (= ∠ **órange**). **b** 귤색, 등색; 등색 물감. — *a.* (옛날 중국의) 고급 관리(풍)의; (문체가) 지나치게 기교를 부린.

man·da·rin·ate [mǽndərənèit] *n.* 〔집합적〕 고급 관료; 고급 관료 정치.

mándarin cóllar 〖복식〗 만다린칼라《목 앞이 꼭 맞지 않고 폭이 좁고 바로 선 옷깃》.

mándarin dúck 원앙새《동아시아산》.

man·da·rine [mǽndərin] *n.* 만다린 귤(mandarin).

man·da·tary [mǽndətèri/-təri] *n.* 위임받은 사람〔나라〕, 수임자, 대리인; (UN의) 위임 통치국.

◇**man·date** [mǽndeit] *n.* **1** (공식의) 명령, 지령(command); =MANDAMUS 1: a royal ~왕의 명령. **2** (선거 구민이 의원에게 내는) 요구. **3** 위임, 위탁; 통치의 위임; 위임 통치령. **4** (교황으로부터의) 성직 수임(授任) 명령. **5** 〖법률〗 (무상) 서비스 계약. —[mǽndeit, -∠] *vt.* **1** (영토 따위)의 통치를 …에게 위임하다: a ~*d* territory 위임 통치령. **2** …에게 권한을 위양(委讓)하다. **3** (대표자·대리인)에게 명령〔지령, 요구〕하다.

man·da·tor [mændéitər] *n.* 명령자, 위임자.

man·da·to·ry [mǽndətɔ̀:ri/-təri] *a.* 명령의, 지령의; 위탁의, 위임의; 의무적인, 강제적인 (obligatory); 〖법률〗 필수의: a ~ power 위임 통치국/~ rule 〔administration〕 위임 통치/~ import quotas 강제적인 수입 할당량. —*n.* 수임자, 위임 통치국(mandatary). ㊞ **màn·da·tó·ri·ly** *ad.*

mán-dày *n.* 한 사람의 하루 노동량. [cf.] man-hour.

Man·de·la [mændélə] *n.* **Nelson** (**Rolihlahla**) ~ 만델라《남아프리카 공화국의 정치가; 27년간의 옥고를 치르고 1994년 첫 흑인 대통령이 됨; Nobel 평화상 수상(1993); 1918-2013》.

man·di·ble [mǽndəbəl] *n.* (포유동물·물고기의) 턱, 《특히》 아래턱(jaw); (새의) 윗〔아랫〕부리; (곤충의) 위턱, 큰 턱. ㊞ **man·dib·u·lar** [mændíbjələr] *a.*

man·dib·u·late [mændíbjələt, -lèit] *a.* 〖동물〗 큰 턱이 있는; 〖곤충〗 대악류(大顎類)의. —*n.* 대악류의 곤충.

man·do·la, -do·ra [mændóulə], [-dɔ́:rə] *n.* 《It.》 만돌라《대형 만돌린》.

man·do·lin, -line [mǽndəlin, ∠-∠], [mæ̀ndəlí:n, ∠-∠] *n.* 만돌린. ㊞ **man·do·lin·ist** [mæ̀ndəlínist] *n.* 만돌린 연주자.

man·dor·la [mɑ́:ndɔ:rlɑ̀:] *n.* 《미》 (예수 따위의) 전신을 싸는 후광(後光).

man·drag·o·ra [mændrǽgərə] *n.* 〖식물〗 =MANDRAKE.

man·drake [mǽndreik] *n.* 〖식물〗 **1** 《미》 =MAYAPPLE. **2** 흰독말풀.

man·drel, -dril [mǽndrəl] *n.* 〖기계〗 (선반의) 굴대, 축(軸), 맨드릴; 《영》 (광부의) 곡괭이 (pick); 〖야금〗 (주조용) 심쇠.

man·drill [mǽndril] *n.* 〖동물〗 맨드릴《서아프리카산의 큰 비비(狒狒)》.

man·du·cate [mǽndʒukèit/-dju-] *vt.* 《문어》 씹다, 먹다. [cf.] chew. ㊞ **màn·du·cá·tion** *n.* [U] 씹음; 영성체(領聖體)(Communion). **mán·du·ca·tò·ry** [-kətɔ̀:ri/-təri] *a.* 씹는 (데 적합한).

◇**mane** [mein] *n.* (사자 따위의) 갈기; (갈기 같은) 머리털. ㊞ ∠**·less** *a.*

mán·èater *n.* **1** 식인종(cannibal); 사람을 잡아먹는 동물《상어·호랑이·사자 등》. **2** 〖어류〗 백상아리. **3** 《구어》 남자마다 거덜내는 여자, 남자를 농락하고 차례로 버리는 여자; 《속어》 남자에게 함부로 접근하는 여자; 《비어》 펠라티오하는 사람. ㊞ **mán-èating** *a.*

maned [meind] *a.* 갈기가 있는: a ~ wolf 갈기가 있는 늑대《남아메리카산》.

ma·nège, ma·nege [mænéʒ, -néiʒ/-néiʒ] *n.* 《F.》 [U] 마술(馬術); [C] 마술(馬術) 연습소, 승마 학교; [U] 조련된 말의 보조(步調).

mán èngine 〖광산〗 《폐어》 갱내 승강기.

ma·nes [méini:z, mɑ́:neiz] *n. pl.* **1** (종종 M-) 마네스《고대 로마에서, 조상·죽은 이의 영혼; 지옥의 여러 신(神)》. **2** 〔단수취급〕 (위령(慰靈)〔숭배〕의 대상이 되는) 죽은 이의 영혼.

Ma·net [mænéi; *F.* manε] *n.* **Édouard** ~ 마네《프랑스의 인상파 화가; 1832-83》.

◇**ma·neu·ver,** 《영》 **-noeu·vre** [mənú:vər] *n.* **1 a** 〖군사〗 (군대·함대의) 기동(機動) 작전, 작전적 행동; (*pl.*) 대연습, (기동) 연습. **b** 기술을 요하는 조작(방법); 〖의학〗 용수(用手) 분만; 살짝 몸을 피하는 동작. **2** 계략, 책략, 책동; 묘책; 교묘한 조치. **3** (비행기·로켓·우주선의) 방향 조종. — *vi.* **1** 〖군사〗 연습하다, 군사 행동을 하다. **2** 《+[전]+[명]》 (…하기 위해) 책략을 쓰다《*for*》; (정당 등이) 전략적으로 정책〔입장〕 등을 전환하다: Politicians are ~*ing for* position. 정치가들은 유리한 지위를 얻으려고 서로 책략을 쓰고 있다. — *vt.* **1** (군대·함대를) 기동〔연습〕시키다; 군사 행동을 하게 하다. **2** 《~+[목]/+[목]+[전]+[명]》 (사람·물건을) 교묘하게 유도하다〔움직이다〕《*away; into; out of*》; (사람을) 계략적으로 이끌다; 교묘한 방법으로 (결과를) 이끌어내다: ~ a person *into* a room 책략을 써서 아무를 방 안으로 꾀어 들이다. **3** 〖~ oneself로〗 《+[목]+[전]+[명]》 …에서 빠져나오다《*out of; from*》: He ~*ed* him*self* *out of* this difficult situation. 그는 이 어려운 상황에서 교묘히 빠져나왔다. ㊞ **~·er** *n.*

ma·neu·ver·a·ble [mənú:vərəbəl] *a.* 조종〔운용·기동〕할 수 있는. ㊞ **ma·nèu·ver·a·bíl·i·ty** *n.* [U] 기동〔조작, 조종〕성.

Manéuverable Reéntry Véhicle 기동핵탄두《적 미사일 요격을 피하거나 정확히 목표에 명중하도록 유도하는 미사일 탄두; 생략: MARV》.

mán-for-mán defénse =MAN-TO-MAN DEFENSE.

mán Fríday (종종 M-) 충복(Friday 2); 심복, 측근.

man·ful [mǽnfəl] *a.* 남자다운, 씩씩한, 단호한 (resolute). ㊞ **~·ly** *ad.* **~·ness** *n.*

man·ga·nate [mǽŋgənèit] *n.* 〖화학〗 망간산염〔에스테르〕; =MANGANITE.

man·ga·nese [mǽŋgəni:s, -nì:z/mæ̀ŋgəní:z] *n.* [U] 〖화학〗 망간《금속 원소; 기호 Mn; 번호 25》.

mánganese dióxide 〔**peróxide**〕 〖화학〗 이산화(二酸化)망간《산화제·염료 제조·건전지 등에 널리 쓰임》.

mánganese nódule 망간 단괴(團塊), 다(多)금속 단괴.

mánganese stéel 망간강(鋼)《구조용 특수강》.

man·gan·ic [mæŋgǽnik, mæŋ-] *a.* 〖화학〗 망간의《특히 3가의》; 망간을 함유한, 망간에서 얻은.

man·ga·nite [mǽŋgənàit] *n.* 〖광물〗 망가나이트, 수(水)망간석; 〖화학〗 아(亞)망간산염(酸塩).

man·ga·nous [mǽŋgənəs, mæŋgǽnəs] *a.* 〖화학〗 (특히 이가(二價)) 망간의〔을 포함한〕.

mange [meindʒ] *n.* (개·소 따위의) 옴.

man·gel(-wur·zel) [mǽŋgəl(-wə̀:rzəl)] *n.* 〖식물〗 근대의 일종《사료용》.

◇**man·ger** [méindʒər] *n.* **1** 여물통, 구유. **2** 〖해사〗 (뱃머리의) 물막이칸. ***a dog in the*** ~ ⇨DOG.

mánger bòard 〖해사〗 뱃머리의 물막이 판자.

mangey ⇨ MANGY.

man·gi·ly [méindʒili] *ad.* 옴투성이로; 불결하게.

man·gle[1] [mǽŋgəl] *vt.* **1** 토막 내어 베다, 난도질하다. **2** 《비유》 망쳐 버리다, 결딴내다; (발음이 나빠) (말을) 못 알아듣게 하다. ㊕ **mán·gler** *n.* ~하는 사람; 고기 써는 기계.

man·gle[2] *n.* 압착 롤러, 맹글《세탁물의 주름을 펴는》; 《영》 (종전의) 세탁물 탈수기; 《드물게》 세탁기 탈수기. ── *vt.* 압착 롤러〔탈수기〕에 걸다.

man·go [mǽŋgou] (*pl.* ~(*e*)*s*) *n.* **1** 〖식물〗 **a** 망고《열대산 과수》; 그 열매. **b** =SWEET PEPPER. **2** 오이절임의 일종.

mán·gòd (*pl.* ~*s*) *n.* 신인(神人).

man·gold(-wur·zel) [mǽŋgould(-wə́ːrzəl)] *n.* =MANGEL(-WURZEL).

man·go·nel [mǽŋgənèl] *n.* (중세의) 전투용 큰 투석기(投石機). ⓒⓕ catapult.

man·go·steen [mǽŋgəstìːn] *n.* 〖식물〗 망고스틴《(1) 말레이 원산의 과수. (2) 그 열매. (3) 그 과피(果皮); 수렴제(收斂劑)》.

man·grove [mǽŋgròuv] *n.* 〖식물〗 맹그로브《 열대산 홍수과(紅樹科) 리조포라속의 교목·관목의 총칭; 습지나 해안에서 많은 뿌리가 지상으로 뻗어 숲을 이루어 홍수림으로도 불림》.

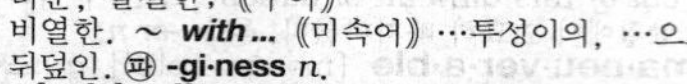

mangrove

man·gy, -gey [méindʒi] (*-gi·er; -gi·est*) *a.* 옴에 걸린; 누추한, 보잘것없는; 더러운, 불결한; 《구어》 비열한. ~ *with...* 《미속어》 …투성이의, …으로 뒤덮인. ㊕ **-gi·ness** *n.*

mán·hàndle *vt.* 인력으로 움직이다〔운전하다〕; 거칠게〔난폭하게〕 다루다.

mán·hàter *n.* 사람을 싫어하는 사람, 남자를 싫어하는 사람.

Man·hat·tan [mænhǽtn] *n.* **1** 맨해튼《뉴욕시(市)의 주요한 상업 중심 지구》; 맨해튼 섬(= ∼ Ísland). **2** (때로 m-) Ⓤ 칵테일의 일종《위스키와 감미(甘味)가 있는 베르무트의 칵테일》.

Manháttan Dístrict (the ~) 미 육군 원자력 연구기관《최초로 원자폭탄 개발; 1942-47》.

Man·hat·tan·ite [mænhǽtənàit] *n.* 맨해튼에서 태어난〔사는〕 사람.

Man·hát·tan·ìze *vt.* (도시를) 고층화(化)하다.

Manháttan Prójeсt (the ~) 《미》 맨해튼 계획《2차 대전 중의 원폭 제조 계획의 암호》.

mán héad òn 〖미식축구〗 수비 측 라인 선수가 공격 측 라인 선수와 정면으로 맞대하여 낮은 자세를 취함.

mán·hòle *n.* 맨홀; 잠입구(口); 〖광물〗 (터널 속의) 대피소; (갑판의) 소형 승강구, 해치(hatch); 《속어》 (여성) 성기.

mánhole còver 《구어》 (핫케이크·레코드판 따위) 맨홀 뚜껑 모양의 것; 《속어》 생리용 냅킨.

‡man·hood [mǽnhùd] *n.* Ⓤ **1** 인간임, 인격. **2 a** 남자임; 사나이다움(manliness): be in the prime of ~ 남자로서 한창때다. **b** 《완곡어》 (남성의) 성적 능력, 정력, 성기, 페니스. **3** 〖집합적〗 (한 나라의) 성년 남자 전체. **4** (남자의) 성년, 성인, 장년: arrive at 〔come to〕 ~ 성인이 되다.

mánhood súffrage 성년 남자 선거권.

mán-hòur *n.* 〖경영〗 인시(人時)《1인당 1시간의 노동량》. ⓒⓕ man-day.

mán·hùnt *n.* (조직적인) 범인 추적 〔수색〕; 〖일반적〗 사람의 집중적 수색.

◇ma·nia [méiniə, -njə] *n.* Ⓤ 〖의학〗 조병(躁病); Ⓒ 열중, 열광, …열, …광; 열광케 하는 것《경마 따위》: a ~ *for* 〔the ~ *of*〕 speculation 〔dancing〕 투기〔댄스〕열 / the baseball ~ 야구광.

-ma·nia [méiniə, -njə] '…광(狂), 강박 관념〔충동〕, 열광적 성벽, 심취(心醉)' 란 뜻의 결합사: biblio*mania*; klepto*mania*.

ma·ni·ac [méiniæ̀k] *a.* 미친, 발광한, 광기의(insane); 광란의. ── *n.* 미치광이; (편집광적인) 애호가: a fishing 〔car〕 ~낚시〔자동차〕광(狂).

ma·ni·a·cal [mənáiəkəl] *a.* =MANIAC. ㊕ **~·ly** *ad.*

man·ic [mǽnik, méi-] *a.* 〖의학〗 조병(躁病)의. ── *n.* 조병 환자. ㊕ **mán·i·cal·ly** *ad.*

mánic-depréssion *n.* 조울병(躁鬱病).

mánic-depréssive *a.* 〖정신의학〗 (극도의 흥분과 억울(抑鬱)이 번갈아 일어나는) 조울 상태의; 조울병의. ── *n.* 조울병 환자.

mánic-depréssive ìllness =BIPOLAR DISORDER.

Man·i·ch(a)e·an [mæ̀nəkíːən] *a.* 마니교(도)의. ── *n.* 마니교도.

Man·i·ch(a)e·ism [mǽnəkìːizəm] *n.* Ⓤ 마니교《3세기에 번영한 페르시아 종교》.

Man·i·chee [mǽnəkìː] *n.* 마니교도.

man·i·chord [mǽnəkɔ̀ːrd] *n.* =CLAVICHORD.

◇man·i·cure [mǽnəkjùər] *n.* Ⓤ,Ⓒ 미조술(美爪術), 매니큐어; 미조사(師): a ~ parlor 미조원(院). ── *vt., vi.* 매니큐어를 하다; (손·손톱을) 손질하다; 《미》 (잔디·산울타리 따위를) 짧게 가지런히 깎다. ㊕ **-cur·ist** [-kjùərist] *n.* 미조사.

***man·i·fest** [mǽnəfèst] *a.* **1** 명백한, 분명한, 일목요연한: a ~ error. SYN. ⇨ EVIDENT. **2** 〖정신의학〗 의식에 나타난, 현재(顯在)적인. ── *vt.* **1** 명백히 하다; 명시하다; 증명하다; (감정을) 나타내다, 보이다: ~ displeasure 〔contentment〕 불쾌감〔만족감〕을 얼굴에 나타내다 / ~ interest in ... …에 관심을 보이다. **2** 〖상업〗 적하(積荷) 목록에 기재하다. **3** 〖~ oneself〗 (유령·징후가) 나타나다: The tendency ~*ed* it*self* in many ways. 그 경향은 여러 가지 형태로 나타났다. ── *vi.* **1** (유령 등이) 나타나다. **2** (집회 등에서) 의견을 발표하다. ── *n.* 〖상업〗 적하 목록〔송장(送狀)〕; (비행기의) 승객 명단; 〖철도〗 (가축·식품 등의) 급행 화물 열차. ㊕ **~·a·ble** *a.* **~·er** *n.* **~·ly** *ad.*

man·i·fes·tant [mæ̀nəféstənt] *n.* 시위 운동 참가자, 시위 행위를 하는 사람.

man·i·fes·ta·tion [mæ̀nəfistéiʃən, -fes-/ -fes-, -fəs-] *n.* Ⓤ,Ⓒ 표현, 표시, 표명, 명시; 시위 행위, 데모; 정견 발표; 〖심령〗 (영혼의) 현시(顯示), 현현(顯現).

man·i·fes·ta·tive [mæ̀nəféstətiv] *a.* 명시〔표명〕하는.

mánifest déstiny 1 〖일반적〗 영토 확장론. **2** (M- D-) 〖미국사〗 (19세기 중엽 영토 확장의) 명백한 운명〔천명〕.

mánifest fúnction 〖사회〗 현재적(顯在的) 기능.

man·i·fes·to [mæ̀nəféstou] (*pl.* ~(*e*)*s*) *n.* (국가·정당 따위의) 선언서, 성명서; 포고문, 고시, 공포. ── *vi.* 성명서〔선언서〕를 발표하다.

***man·i·fold** [mǽnəfòuld] *a.* **1** (다종)다양한, 여러 가지의, 잡다한. SYN. ⇨ MANY. **2** 많은 부분으로 이루어지는, 복잡한; 용도가 넓은: a ~ writer 복사기. ── *n.* **1** 다양성; 〖수학〗 다양체, 집합체. **2** (복사기〔지〕로 복사한) 사본. **3** 〖기계〗 다기관(多岐管). **4** (*pl.*) 《영방언》 반추동물의 위의 제3실. ── *vt.* (복사기로) 여러 통 복사하다; 배가〔배증〕하다; (액체를) 다기관으로 집배(集配)하다. ── *vi.* 복사 방식으로 사본을 만들다. [◂ many +fold] ㊕ **~·er** *n.* 복사기, 등사기. **~·ly** *ad.* **~·ness** *n.*

mánifold pàper 복사지.

man·i·form [mǽnəfɔ̀ːrm] *a.* 손모양을 한.

man·i·kin [mǽnikin] *n.* 난쟁이, 꼬마둥이; 인

체 해부 모형; =MANNEQUIN.

Ma·nila [mənílə] *n.* **1** 마닐라《필리핀의 수도; 1975년 Quezon City 등과 합병(合併)해 Metropolitan Manila로 됨》. **2 a** (때로 m-) =MANILA HEMP; (m-) =MANILA ROPE [PAPER]. **b** (m-) 엷은 황갈색. **3** (때로 m-) 마닐라 엽궐련[여송연](=∠ **cigár**). **—** *a.* (m-) 마닐라지로 된; 마닐라삼으로 된.

Maníla fòlder 마닐라폴더《서류철용》.

Maníla hémp 마닐라삼《abaca의 잎에서 뽑은 섬유》.

Maníla páper 마닐라지(紙)《마닐라삼제(製) 또는 그 모조품》.

Maníla rópe 마닐라로프.

Ma·nil·la [mənílə] *n.*=MANILA.

mán in mótion 〖미식축구〗 공이 snap되기 전 back의 한 사람이 line of scrimmage와 평행되게 혹은 뒤로 이동하는 일.

Mán in the Íron Másk (the ~) 철가면(鐵假面)《Louis 14세의 치세(治世) 중, 파리의 바스티유 감옥에 감금되어 있다가 1703년에 죽은 정체가 밝혀지지 않은 죄수; 이송 중에는 언제나 검은 비로드의 복면을 썼다고 함》.

mán-in-the-stréet *a.* 평균적인 사람의, 보통 사람의: an ~ interview 가두(街頭) 인터뷰.

man·i·oc [mǽniɑ̀k, méin-/mǽniɔ̀k] *n.* 〖식물〗 =CASSAVA.

man·i·ple [mǽnəpəl] *n.* **1** (가톨릭 사제(司祭)가 왼팔에 거는) 수대(手帶). **2** (고대 로마의) 보병 중대《60-120명》.

ma·nip·u·la·ble [mənípjələbəl] *a.* 다룰 수 있는, 조종할 수 있는. ㊎ **ma·nìp·u·la·bíl·i·ty** *n.*

ma·nip·u·lar [mənípjələr] *a.* **1** (고대 로마의) 보병 중대의[에 관한]. **2** =MANIPULATIVE. **—** *n.* (고대 로마의) 보병 중대 대원.

ma·níp·u·làt·a·ble *a.* 잘 다룰 수 있는, 조종할 수 있는.

°**ma·nip·u·late** [mənípjəlèit] *vt.* **1** (사람·여론 등을) (부정하게) 조종하다; (시장·시가 등을) 조작하다: ~ public opinion 여론을 교묘히 조종하다. **2** (기계 등을) 능숙하게 다루다; (문제를) 솜씨있게 처리하다. **3** (장부·숫자·자료 등을) 속이다, 개찬하다; (부정하게) 입수하다: ~ accounts 계정을 속이다. **4** 〖의학〗 …을 손을 써서 행하다《촉진·탈구의 바로잡기 등》. **5** (성기를) 자극하다. **—** *vi.* 손으로 다루다; 교묘히 다루다; 조종하다; 처리하다.

ma·nìp·u·lá·tion *n.* Ⓤ,Ⓒ 교묘히 다루기; 〖상업〗 시장[시세] 조작; (장부·계정·보고 등의) 속임; 솜씨 있는 다루기; 〖의학〗 촉진(觸診), (태아의 위치 등의) 바로잡기, 정골(整骨); 〖컴퓨터〗 조작《문제 해결을 위해 자료를 변화시키는 과정》.

ma·nip·u·la·tive, -la·to·ry [mənípjəlèitiv, -lət-/-lət-, -lèit-], [-lətɔ̀:ri/-təri] *a.* 손으로 교묘히 다루는, 손끝의; 속임수의. ㊎ **-tive·ly** *ad.* **-tive·ness** *n.*

ma·nip·u·la·tor [mənípjəlèitər] *n.* **1** 손으로 교묘히 다루는 사람; 조종자. **2** 개찬자(改竄者), 속이는 사람. **3** 〖상업〗 시세를 조작하는 사람. **4** 머니퓰레이터《방사성 물질 등 위험물을 다루는 기계 장치》.

man·i·to [mǽnətòu] *n.* (북아메리카 인디언의) 신(神)(상(像)); 영(靈), 초자연력.

Man·i·to·ba [mæ̀nətóubə] *n.* **1** 매니토바《캐나다 중남부의 주; 생략: Manit., M.》. **2 Lake** ~ 매니토바 호(湖).

man·i·t(o)u [mǽnətù:] *n.* =MANITO.

mán jáck 《구어》 개인《남자》. Ⓒⓕ jack[1].

****man·kind** [mæ̀nkáind] *n.* Ⓤ **1** 〔집합적; 보통 단수취급, 앞에 형용사가 없으면 관사를 안 붙임〕 인류, 인간, 사람: promote the welfare of ~ 인류 복지를 증진하다. **2** [∠] 《드물게》 남성, 남자. Ⓞⓟⓟ *womankind*.

manky, mank·ey [mǽŋki] *a.* 《영구어》 나쁜, 더러운, 지독한; 불쾌한, 구역질 나는.

mán·less *a.* 사람이 없는; (여자가) 남편이 없는. ㊎ **~·ly** *ad.*

mán·lìke *a.* 남자다운; (동물이) 사람 같은; (여자가) 남자 같은. ㊎ **~·ness** *n.*

***man·ly** [mǽnli] (*-li·er; -li·est*) *a.* **1** 남자다운, 대담한, 씩씩한. **2** 남성적인, 남자를 위한: ~ sports 남성 스포츠. **3** (여자가) 남자 같은. ㊎ **-li·ness** *n.* Ⓤ 남성적임, 용감, 과단.

mán-machine sýstem 〖전자〗 **1** 인간·기계 시스템《인간과 기계·장치를 구성 요소로 하는 체계》. **2** 인간과 컴퓨터와의 대화 형식에 의해 작업을 진행시키는 시스템(=**mán-machine communicátion sýstem**).

mán-máde *a.* 인조의, 인공의; 합성의: a ~ satellite [moon] 인공위성 / ~ fibers 합성 섬유 / ~ calamities 인재(人災).

mán-mílliner (*pl.* **~s, mén-mílliners**) *n.* 여성복·모자 제조인[판매인]《남자》; 멋쟁이; 《비유》 하찮은 일에 신경 쓰는 사람.

mán-mìnute (*pl.* **~s**) *n.* 1인당 1분간의 작업량. Ⓒⓕ man-hour.

mán-mònth *n.* 1인당 1개월간의 작업량. Ⓒⓕ man-hour.

Mann [mɑ:n, mæn/mæn] *n.* **Thomas** ~ 만《독일의 소설가; 1875-1955》.

man·na [mǽnə] *n.* Ⓤ 〖성서〗 만나《옛날 이스라엘 민족이 광야를 헤맬 때 신(神)이 내려준 음식; 출애굽기 XVI: 14-36》; 마음의 양식; 하늘의 은총; 대단히 맛난 것, 감로; 만나꿀《만나나무(~ ash)에서 채취한 설사약》.

mánna ásh 〖식물〗 만나나무.

manned [mænd] *a.* (우주선 따위가) 승무원이 탄, 유인의: ~ lunar landing 유인 우주선의 달 착륙 / a ~ spacecraft [spaceship] 유인 우주선 / ~ space flight 유인 우주 비행 / a ~ maneuvering unit 우주선의 선외 활동용 조종 장치 《생략: MMU》.

mánned expedítion 〖우주〗 유인 탐사.

mánned submérsible 유인 잠수선[정]《잠수 심도 300-1,100m의 것이 많음》.

man·ne·quin [mǽnikin] *n.* 마네킹(걸); (양장점 따위에서 쓰는) 모델 인형.

****man·ner** [mǽnər] *n.* **1** 방법, 방식, 투: his ~ of speaking 그의 말투 / in a graceful ~ 우아하게 / in a singular ~ 묘한 방법으로 / after the ~ of …류(流)의, …에 따라서 / after this ~ 이런 식으로. ⓈⓎⓃ. ⇨METHOD. **2** 태도, 거동, 모양; 훌륭한 태도. **3** (*pl.*) 예절, 예의, 법식에 맞는 예법: He has no ~*s*. 그는 예의 범절을 모른다. **4** (*pl.*) 풍습, 관습, 관례: a comedy of ~*s* 풍속 희극. **5** (예술 따위의) 양식, 수법; 작풍(作風): a picture in the ~ of Picasso 피카소풍(風)의 그림 / The painter has a ~ of his own. 그 화가는 독자적인 수법을 가지고 있다. **6** 특징, 버릇, 매너리즘. **7** 《영에서는 고어》 종류: What ~ *of* man is he? 그는 도대체 어떤 사람이냐. ★이 뜻으로는 어미(語尾)에 s를 붙이지 않고 복수로 취급됨: All *manner* of things were happening. 여러 가지 일이 일어나고 있었다.

adverbs of **~** 〖문법〗 양태(樣態)의 부사《carefully, fast, so, how 따위》. ***after a*** **~** 말하자면, 어느 정도는, 썩 잘하지는 못하지만: She cooks *after a* ~. 그는 썩 잘하지는 못하지만 요리를 할 줄 안다. ***all*** **~** ***of*** 모든 종류의(all kinds of). ***by all*** **~** ***of means*** ⇨MEANS. ***by no*** **~** ***of means*** ⇨MEANS. ***develop a*** **~** ***of*** one's ***own*** 일가[일파]를 이루다. ***do*** [***make***] one's **~*s*** 절하다, 인사하다. ***in a*** **~** 어떤 의미로는; 얼마간.

in a ~ of speaking 말하자면, 어떤 의미에서는 《발언의 내용을 부드럽게 하거나 약하게 하려고 할 때》. *in like* ~ 한가지로. *in no* ~ 결코 …아니다. *in that* ~ 그와 같이. *in this* 〔*such a, what*〕 ~ 이런〔그런, 어떤〕 식으로. *to the* ~ *born* 타고난; 나면서부터 …에 알맞은: He is a soldier *to the* ~ *born*. 그는 타고난 군인이다.
[파] ~**ed** *a.* **1** 〖보통 복합어에서〗 몸가짐이 …한: well-〔ill-〕~*ed* behaviour가 좋은〔나쁜〕. **2** 《문어》 (작품 따위가) 개성이 강한, 독특한 버릇이 있는; 젠체하는: a ~*ed* literary style 독특한 문체 / a ~*ed* walk 〔speech〕 젠체하는 걸음걸이〔말투〕.

◇**man·ner·ism** [mǽnərìzəm] *n.* 매너리즘《특히 문학·예술의 표현 수단이 틀에 박힌 것》; 버릇《태도·언행 따위의》. [파] **-ist** *n.* 매너리즘에 빠진 사람《특히 작가·예술가》.

man·ner·is·tic [mæ̀nərístik] *a.* 틀에 박힌, 매너리즘의 (경향이 있는), 습관적인. [파] **-ti·cal·ly** *ad.*

mán·ner·less *a.* 버릇없는.

mán·ner·ly *a.* 예모 있는, 정중한. ── *ad.* 예의 바르게, 정중하게. [파] **-li·ness** *n.*

man·ni·kin [mǽnikin] *n.* =MANIKIN.

man·nish [mǽniʃ] *a.* (여자가) 남자 같은, 여자답지 않은; 어른 티를 내는《아이》, 어른스러운; 남성에게 적합한. [파] ~**·ly** *ad.* ~**·ness** *n.*

man·nite, man·ni·tol [mǽnait], [mǽnətɔ̀ːl, -tàl/-tɔ̀l] *n.* [U] 〖화학〗 만니톨.

ma·no [máːnou] (*pl.* ~**s**) *n.* 《Sp.》 (맷돌의) 위짝.

ma·no a ma·no [máːnouəmáːnou] (*pl. ma·nos a ma·nos* [máːnouzəmáːnouz]) *n.* **1** 《Sp.》 두 마타도르가 교대로 싸우는 투우. **2** 직접 대결, 정면 대결; 결투. ── *a.* 직접 대결의, 정면 대결의. ── *ad.* 대립하여, 겨루어.

máno dés·tra [-déstrə] 《It.》 〖음악〗 오른손, 우수(右手)《생략: m.d., M.D., d.m., D.M.》.

manoeuvre ⇨ MANEUVER.

mán-of-áll-wòrk (*pl.* ***mén-***) *n.* (가정의 잡일을 하는) 잡역부.

mán of stráw =STRAW MAN.

mán-of-wár (*pl.* ***mén-***) *n.* 군함. ★ 현재는 warship이 더 일반적.

ma·nom·e·ter [mənámətər/-nɔ́m-] *n.* 압력〔혈압〕계, 기압계.

man·o·met·ric [mæ̀nəmétrik] *a.* 압력계의; 압력계로 잰.

mán-on-mán *a., ad.* 《미·Can.》 (팀 경기에서) 맨투맨의〔으로〕.

ma non trop·po [mɑːnántrápou/-nɔ́ntrɔ́p-] 《It.》 〖음악〗 그러나 과도하지 않게.

◇**man·or** [mǽnər] *n.* 〖영국사〗 장원(莊園), 영지; 〖일반적〗 소유지; 〖미국사〗 영대 차지(永代借地); 《영속어》 경찰의 관할 구역. ***the lord of the*** ~ 영주(領主); 영지 소유 법인.

mánor hòuse 〔**sèat**〕 (장원의) 영주 저택.

ma·no·ri·al [mənɔ́ːriəl] *a.* 장원의, 영지의; 장원 부속의. [파] ~**·ism** *n.* 장원제(도).

máno si·ní·stra [-siníːstrə] 《It.》 〖음악〗 왼손, 좌수(左手)(sinistra mano)《생략: m.s., M.S., s.m., S.M.》.

man·o·stat [mǽnəstæ̀t] *n.* 〖물리〗 가스 정류량(定流量) 장치《압력 차를 이용한》.

mán-o'-wár bìrd 〔**hàwk**〕 [mǽnəwɔ́ːr-] =FRIGATE BIRD.

mán·pàck *a.* 한 사람이 운반할 수 있는 (설계의), 휴대용의: a ~ color TV 휴대용 컬러 TV.

mán-pórtable *a.* (특히 병기 따위가) 한 사람이 운반〔이동〕 가능한: a ~ missile 휴대 가능한 미사일.

mán pòwer 1 인력(人力); 동원 가능 인력, 인적 자원. **2** 〖기계〗 인력(人力)《공률(工率)의 단위; 약 1/10 마력》.

mán·pòwer *n.* 유효 총인원; 인적 자원; (한 나라의) 군사 동원 가능 총인원; (유효) 노동력; = MAN POWER.

man·qué [mɑːŋkéi; *F.* mɑ̃ke] (*fem.* ***-quée*** [─]) *a.* 《F.》 〖흔히 명사 뒤에 붙여〗 되다 만, 반거들충이의; …지망의(would-be): a poet ~ 덜된 시인; 시인 지망자.

mán·ràd *n.* 1인당 1래드(rad)의 방사선량(量), 인(人)래드《방사선 조사량(照射量)의 단위; = 100 ergs / gram》.

mán·ràte *vt.* (로켓·우주선 따위의) 유인(有人) 비행의 안전성을 보증하다.

mán·rèm *n.* 1인당 1렘(rem)의 방사선량(量); 인(人)렘《방사선 조사량(照射量)의 단위; =1 roentgen》.

mán·ròpe [mǽnròup] *n.* 〖해사〗 난간줄《사다리 옆의 붙잡고 오르내리는 밧줄》.

man·sard [mǽnsɑːrd] *n.* 〖건축〗 망사르드 지붕(=∠ **ròof**)《물매가 하부(下部)는 싸고 상부(上部)는 뜨게 2단으로 경사진 지붕》; 그런 지붕 밑의 고미다락(attic). [파] ~**·ed** [-id] *a.*

manse [mæns] *n.* 목사관(館)《스코틀랜드 교구의》; 《고어》 대저택: sons of the ~ 《특히》 장로교회 목사의 자식《가난하나 교양이 있다는 뜻》.

mán·sèrvant (*pl.* ***mén·sèrvants***) *n.* 하인, 머슴. [cf.] maidservant.

mán·shìft *n.* 집단적 근무 교대; (교대에서 교대까지의) 근무 시간, (그 시간 중의) 한 사람의 작업량.

-man·ship [mənʃìp] *suf.* '…재주, …기량(技量), …수완' 의 뜻: pen*manship*.

*__man·sion__ [mǽnʃən] *n.* **1** 대저택; 장원 영주의 저택; 《고어》 주거. **2** (보통 M-; *pl.*) 《영》 맨션(《미》 apartment house), …장(莊)《건물 이름으로》. **3** 〖천문〗 (28수의) 수(宿).

mánsion hòuse 《영》 (영주·지주(地主)의) 저택(mansion); 《미》 대저택; (the M- H-) 런던 시장 관저.

mán·sìze(d) *a.* 《구어》 **1** 어른형〔용〕의. **2** (광고문 중에서) 큰, 특대의; (일이) 힘든, 어른의 힘〔판단〕이 필요한.

mán·slàughter *n.* [U] 살인; 〖법률〗 《특히》 살의(殺意) 없는 살인, 고살(故殺)《일시적 격정에 의하는 따위》. ★ murder 보다 가벼운 죄.

mán·slàyer *n.* 살인자.

mán's mán 남자다운 남자, 남자 중의 남자.

man·sue·tude [mǽnswitjùːd/-tjùːd] *n.* [U] 《고어》 온순, 유화(mildness).

man·ta [mǽntə] *n.* **1 a** 만타《(1) 스페인·라틴 아메리카·북아메리카 남서부 등지에서 외투·어깨걸이·두건 따위에 쓰는 네모진 천; 말·짐을 덮는 캔버스 천. (2) 만타천으로 만든 외투·어깨걸이》. **b** 〖군사〗 =MANTLET. **2** 〖어류〗 쥐가오리(devilfish) (=∠ **rày**).

mán·tàilored *a.* (여성복이) 남성복 비슷한.

man·teau [mǽntou, ─∠/∠─] (*pl.* ~**s**, ~**x** [-z]) *n.* 《F.》 망토, 외투; 《고어》 =MANTUA.

man·tel [mǽntl] *n.* 벽난로 상인방(mantel-tree); 벽난로 선반; =MANTELPIECE.

mántel bòard 벽난로 선반(의 판자).

man·tel·et [mǽntlèt, -lit] *n.* 짧은 망토, 케이프; 〖군사〗 방탄 방패《휴대용》; 〖일반적〗 방탄용 차폐물.

*__man·tel·piece__ [mǽntlpìːs] *n.* **1** 벽난로의 앞 장식(chimneypiece). **2** 벽난로 선반.

mántel·shèlf (*pl.* ***-shèlves*** [-ʃèlvz]) *n.* 벽난로 선반; 〖등산〗 (암벽상의) 작은 바위 선반.

mántel·trèe *n.* 벽난로 상인방《벽난로 위에 가로놓인 나무》.

mán-the-barricáde *a.* 위급 존망의: ~ emergency 비상 사태.

man·tic [mǽntik] *a.* 점(占)의; 예언적인, 예언력이 있는. **—** *n.* 점술.

man·tid [mǽntid] *n.*, *a.* 〖곤충〗 버마재비(mantis)(의).

man·til·la [mæntílə, -tí:jə/-tílə] *n.* 만틸라《스페인·멕시코 여성의 머리·어깨를 덮는 베일》; (여성용의) 작은 망토〔케이프〕.

mantilla

man·tis [mǽntis] (*pl.* **~·es, -tes** [-ti:z]) *n.* 〖곤충〗 버마재비(mantid).

man·tis·sa [mæntísə] *n.* 〖수학〗 (로그의) 가수(假數); 〖컴퓨터〗 가수부《부동 소수점 숫자에서 숫자의 실제 유효 숫자를 나타내는 부분》. cf. characteristic.

°**man·tle** [mǽntl] *n.* **1** 《영에서는 고어》 망토, 외투; 《비유》 (권위 등을 상징하는) 옷. **2** 덮개, 싸는 것, 막, 뚜껑. **3** (가스 등의) 맨틀; (물레방아의) 홈통; 〖동물〗 (연체 동물의) 외투막(膜); 〖해부〗 대뇌피질(大腦皮質). **4** 〖지학〗 맨틀《지각(地殼)과 중심핵 사이의 층》. **5** =MANTEL. ***a widow's*** **~** 미망인복《일생을 미망인으로 지낼 맹세로서 입는》. One***'s*** **~ *falls on*** 〔***descends to***〕 another. 어떤 사람의 감화가 다른 사람에 미친다. ***take the*** **~** (***and the ring***) (미망인이) 평생 재혼 않기로 맹세하다. ***take up*** a person***'s*** **~** 아무의 제자가 되다. **—** *vt.* 망토로 싸다; 덮다, 싸다; 가리다; (볼을) 빨갛게 물들게 하다. **—** *vi.* **1** (얼굴에 홍조 따위가) 퍼지다; (얼굴이) 새빨개지다(flush). **2** (액체에) 더껑이가 생기다; (술 따위의 표면이) 거품으로〔찌꺼기로〕 덮이다. **3** (새가) 교대로 한쪽 다리를 올려 그 쪽 날개를 펴다《다리를 쉬게 하려고》.

mántle plùme 〖지학〗 맨틀 융기《지구의 맨틀에서 지표로 분출하는 원통형의 용암》.

mántle·ròck *n.* 표토(表土), 상암층(上岩層)《지각 위의 무른 암석층》.

mant·let [mǽntlit] *n.* 〖군사〗 =MANTELET.

mán-to-mán [-tə-] *a.* 남자끼리의; 흉금을 터놓은; 솔직한: a ~ talk.

mán-to-mán defénse 맨투맨 방어《농구 따위에서의 대인 방어법》. cf. zone defense.

Man·tóux tèst [mæntú:-, mǽntu:-] 〖의학〗 망투 반응(反應)〔테스트〕, 투베르쿨린 반응《결핵 검사의 일종》.

man·tra [mǽntrə, mɑ́:n-, mʌ́n-/mǽn-, mʌ́n-] *n.* 〖힌두교〗 만트라, 진언(眞言)《가지(加持) 기도에 외는 주문》.

mán·tràp *n.* 덫《특히 침입자를 잡는》, 함정; 인명에 위험한 장소; 유혹 장소《도박장 따위》; 《구어》 유혹적인 여자, 요부; 《구어》 미망인; 《속어》 여성의 성기; (잠재적인) 위험성.

man·tua [mǽntʃuə] *n.* (17-18세기경 유럽에서 유행한) 여성용 외투.

mántua-màker *n.* 여성복 양재사, 드레스메이커.

Manu [mǽnu:] *n.* 〖힌두교〗 마누《인류의 시조, '마누 법전'의 제정자로 알려짐》.

***man·u·al** [mǽnjuəl] *a.* **1** 손의; 손으로 하는〔움직이는〕; 손으로 만드는, 수세공의; 육체를 쓰는, 인력의: ~ labor 손일, 근육 노동 / a sign ~ 서명 / a ~ fire engine 수동식 소화 펌프 / a ~ worker 근육〔육체〕 노동자. **2** (책 등이) 소형의; 편람(便覽)의: a ~ text 소형 교과서 〔성구집(聖句集)〕. **3** 〖법률〗 현유(現有)의, 수중에 있는: ~ occupation 사실상의 점유. **—** *n.* **1** 소책자; 편람, 입문서: a ~ for students 학생용 참고서. **2** 〖군사〗 조전(操典), 교범(敎範). **3** 수동(手動) 소화 펌프; (풍금의) 건반. **4** (중세 교회의) 기도서, 예배 의식서. **5** 〖컴퓨터〗 **a** 안내. **b** 수동 응답《기계 장치에 의하지 않고 사람이 직접 행함》. ㊞ **~·ly** *ad.* 손으로; 수세공으로; 근육 노동으로.

mánual álphabet (농아자가 쓰는) 수화(手話) 문자(deaf-and-dumb alphabet).

mánual éxercise 〖군사〗 집총 교련.

mánual tráining 공예·수예의 훈련; (초·중학교의) 실과(實科).

mánual wórker 근육〔육체〕 노동자.

ma·nu·bri·um [mənjú:briəm/-njú:-] (*pl.* **~s, -bria** [-briə]) *n.* 〖해부·동물〗 자루 모양의 마디《뼈·세포 등》; 흉골병(胸骨柄); (중이(中耳)의) 추골병(槌骨柄).

man·u·code [mǽnjəkòud] *n.* 〖조류〗 풍조(風鳥)의 일종.

man·u·duc·tion [mæ̀njədʌ́kʃən] *n.* **1** 안내; 지도. **2** 안내〔지도〕하는 것; 입문서, 지도서.

manuf, manufac. manufactory; manufacture(d); manufacturer; manufacturing.

man·u·fac·to·ry [mæ̀njəfǽktəri] *n.* 《고어》 제조〔제작〕소, 공장《지금은 보통 factory》; 제조〔가공〕(품).

***man·u·fac·ture** [mæ̀njəfǽktʃər] *vt.* **1** 제조〔제작, 생산〕하다《특히 대규모로》: ~*d* goods 제품. SYN. ⇨MAKE. **2** 《+목+전+명》 가공하다, (재료를) 제품화하다《*into*》: ~ iron *into* wares 철로 기물을 만들다. **3** 꾸며내다, 날조하다: ~ an excuse 구실을 만들다. **4** 《경멸》 (문예 작품을) 남작하다, 기계적으로 써내다. **—** *vi.* 제조업에 종사하다. **—** *n.* Ⓤ **1** (대규모의) 제조; 제조(공)업: of home 〔foreign〕 ~ 국산〔외국제〕의. **2** Ⓒ (*pl.*) 제품: silk ~*s* 견제품(絹製品). **3** 《경멸》 (문예 작품 등의 기계적인) 남작(濫作). ㊞ **-tur·al** [-tʃərəl] *a.* 제조〔가공〕(업)의.

manufáctured gás (천연가스에 대하여) 도시가스.

manufáctured hóme 《미》 조립식 주택.

****man·u·fac·tur·er** [mæ̀njəfǽktʃərər] *n.* **1** 제조(업)자, 생산자; 공장주. **2** 제작자.

manufácturer's àgent 〖상업〗 제조업자 대리점《경합하지 않는 관련 제품 생산의 복수 제조업자의 대리점; 일정 지역 내에서 판매》.

màn·u·fác·tur·ing [-riŋ] *a.* 제조(업)의; 제조업에 종사하는: a ~ industry 제조 공업 / a ~ town 공업 도시. **—** *n.* Ⓤ 제조〔가공〕(공업)《생략: mfg.》.

man·u·mis·sion [mæ̀njəmíʃən] *n.* Ⓤ,Ⓒ (농노·노예의) 해방; 해방 증서, 석방장(狀).

man·u·mit [mæ̀njəmít] (*-tt-*) *vt.* (농노·노예를) 석방〔해방〕하다. ㊞ **~·ter** *n.*

man·u·mo·tive [mæ̀njəmóutiv] *a.* 수동의, 손으로 운전하는.

man·u·mo·tor [mæ̀njəmóutər] *n.* 수동차(手動車).

°**ma·nure** [mənjúər/-njúə] *n.* Ⓤ 거름, 비료; 똥거름: barnyard 〔farmyard〕 ~ 퇴비 / chemical ~ 화학 비료 / complete 〔general, normal〕 ~ 완전 비료 / liquid ~ 수비(水肥) / nitrogenous ~ 질소 비료. **—** *vt.* …에 비료를 주다; 《고어》 (땅을) 갈다; 《고어》 (마음을) 계발(啓發)하다. ㊞ **ma·núr·er** [-rər] *n.*

ma·nus [méinəs] (*pl.* **~**) *n.* 〖해부〗 (척추동물의) 앞발, 손; 〖로마법〗 부권(夫權)《남편이 매매혼에 의해 아내에게 갖는 절대 지배권 따위》, 재산 소유권; 〖영국법률〗 선서(자).

***man·u·script** [mǽnjəskrìpt] *n.* **1** 원고《생략: MS., *pl.* MSS.》: His work is still in ~. 그의 작품은 아직 원고인 채로 있다. **2** (인쇄에 대하여) 수서(手書). **3** 사본, 필사본. cf. print. **—** *a.* **1** 원고의. **2** 필사의; (정식 인쇄에 대하여) 타자한. **3** 사본의.

mánuscript pàper (악보용) 5선지(五線紙).
man·ward [mǽnwərd] *ad.* 《드물게》 인간 쪽을 향하여(cf. Godward); 인간에 관하여. **—** *a.* 인간에 관계한, 인간을 향한.
mán·wàtching *n.* Ⓤ 인간 행동학, 인간 행동 「의 관찰.
mán-wèek *n.* 1인당 1주간의 작업량. cf. man-hour.
man·wise [mǽnwàiz] *ad.* 인간적으로; 남성 「적으로.
Manx [mæŋks] *a.* 맨 섬(the Isle of Man)의; 맨 섬 사람[말]의. **—** *n.* **1** (the ~) 《복수취급》 맨 섬 사람. **2** Ⓤ 맨 섬 말.
Mánx cát 맨 섬 고양이(꼬리의 퇴화가 현저함).

Manx cat

Mánx·man [-mən, -mæ̀n] (*pl.* ***-men*** [-mən, -mèn]) *n.* 맨 섬 사람(남자).
†**many** ⇨(p. 1543) MANY.
mán-yèar (*pl.* ~*s*) *n.* 1인당 1년간의 작업량.
mány·fóld *ad.* 여러 배(倍)로.
mány-héaded [-id] *a.* 다두(多頭)의. ***the ~ beast*** [***monster***] 히드라(Hydra); 《경멸》 민중, 「군중.
mány-mínded [-id] *a.* 변덕스러운.
man·y·plies [méniplàiz] *n. pl.* 《단수취급》 중판위(重瓣胃)《반추 동물의 셋째 위(胃)》.
mány-síded [-id] *a.* 다방면의[에 걸친], 다재다능한; 〖수학〗 다변(多邊)의. ㊕ **~·ness** *n.*
mány-válued *a.* 〖수학〗 다가(多價)의《함수》.
man·za·nil·la [mæ̀nzəní:ljə, -ní:lə/-nílə] *n.* 《Sp.》 만사니야《스페인산의 쌉쌀한 셰리》.
man·za·ni·ta [mæ̀nzəní:tə] *n.* 〖식물〗 만자니타《상록 관목; 미국 서부산》; 그 열매.
Mao [mau] *a.* (옷이) 중국식[스타일]의: a ~ cap [jacket] 인민모[복]. 「옥시다아제.
MAO 〖생화학〗 monoamine oxidase (모노아민
Máo flú 홍콩 감기(Hong Kong flu).
MAOI monoamine oxidase inhibitors (모노아민 옥시다아제 저해약(沮害藥); 항울약(抗鬱藥)·혈압 강하제).
Mao·ism [máuizəm] *n.* 마오 쩌둥주의(사상). ㊕ **Máo·ist** *n.*, *a.*
Mao·ize [máuaiz] *vt.* …을 마오 쩌둥의 영향하에 두다, 마오 쩌둥주의로 전향시키다.
Mao·ri [máːɔri, máuri/máuri] *n.*, *a.* 마오리 사람《New Zealand 원주민》(의); Ⓤ 마오리 「말(의).
Máori·lànd *n.* 뉴질랜드. ㊕ **~·er** *n.*
mao(-)tai [máutái] *n.* Ⓤ 마오타이주(茅臺酒)《중국 구이저우 성(貴州省)산의 독한 증류주》.
Mao Tse-tung, Mao Ze·dong [máutsə-túŋ, -tsèitúŋ], [-zədúŋ, -dzə-] 마오 쩌둥(毛澤東)《중국의 정치가, 전 주석; 1893-1976》.
†**map** [mæp] *n.* **1** 지도; 천체도; 도해(圖解); 설명도; 〖생물〗 유전학적 지도. cf. atlas, chart. **2** 《속어》 얼굴, 상통(face). **3** (*pl.*) 《미속어》 =SHEET MUSIC; 《미속어》 (부도) 어음. **4** 〖수학〗 함수, 사상(寫像)(function); 〖컴퓨터〗 사상《기억장치의 각 부분이 어떻게 사용되는지를 보여주는》. ***off the ~*** 《구어》 (도시·간선 도로에서) 멀리 떨어진, 가기 힘든; 잊혀진, 존재치 않는; 중요치 않은. ***on the ~*** 《구어》 중요[유명]한: put ... *on the ~* (도시·지역)을 유명하게 하다. ***wipe ... off the ~*** (도시·지역·경쟁 상대를) 파괴[말살]하다, 지워 없애다.
— (***-pp-***) *vt.* **1** …의 지도[천체도]를 만들다; (지도 작성을 위해) (어느 지역을) 실지 조사[측량]하다. **2** …을 정확히 개설[서술]하다: 면밀히 계획하다《*out*》: ~ *out* a new career 새로운 생활의 설계를 하다. **3** 〖수학〗 사상(寫像)하다《*onto;* (*in*)*to*》. **4** (유전자를) 염색체상(上)에 위치하게 하다. **—** *vi.* (유전자가) 위치하다, 있는 것이 확인되다. ~ ***out*** (지도에) 상세히 나타내다[기록하다, 구획하다]; (일의) 계획을 세우다[작성하다]. ㊕ **∠·less** *a.* **∠·like** *a.* 지도[도표(圖表)]와 같은. **máp·pa·ble** *a.*
MAP 《미》 Military Assistance Program (대외 군사 원조 계획); modified American plan (수정 미국 방식; 호텔 요금 제도).
***ma·ple** [méipəl] *n.* **1** 단풍(丹楓)나무(속(屬)의 식물); Ⓤ 단풍나무 재목. **2** Ⓤ 단풍당(糖)(~ sugar); 담갈색. **3** (보통 *pl.*) 《속어》 볼링의 핀. ㊕ **~·like** *a.*
máple lèaf 단풍나무 잎《캐나다의 표장(標章)》.
máple súgar 단풍당.
máple sýrup 단풍 당밀《주로 캐나다의》.
máp·màker *n.* 지도 작성[제작]자. ㊕ **-màk·ing** *n.* 지도 작성. 「성자.
map·per, -pist [mǽpər], [-pist] *n.* 지도 작
map·ping [mǽpiŋ] *n.* 지도 작성; 〖수학〗 사상(寫像); 〖컴퓨터〗 매핑, 사상.
máp-rèader *n.* 독도법(讀圖法)을 아는 사람: a good [poor] ~.
máp rèference 지점(地點) 표시《지도상의 지점을 나타내는 숫자와 문자의 조합》.
Ma·pu·to [məpú:tou] *n.* 마푸투《모잠비크(Mozambique)의 수도》. 「작은 모형.
ma·quette [mækét, mə-] *n.* (조각·건축용)
ma·qui·la·do·ra [mɑːkíːlədɔ́ːrə] *n.* 마킬라도라《멕시코의 외국 회사 공장; 제품은 해외에 팖》.
ma·quil·lage [mæ̀kijɑ́ːʒ] *n.* 《F.》 메이크업, 화장(품).
ma·quis [mɑːkíː, mæ-] (*pl.* ~ [-z]) *n.* 《F.》 **1** (지중해 연안의) 관목 지대. **2** (종종 M-) (2차 대전 당시 프랑스의) 마키단, 반독(反獨) 유격대(원); 지하 운동 조직(의 일원).
ma·qui·sard [mæ̀kizáːrd] *n.* 《F.》 (종종 M-) Maquis의 일원.
MAR [mɑːr] *n.* 《미》 전 방향 동시 주사(走査) 레이더 시스템. [◂ *m*ultifunction *a*rray *r*adar]
MAR 〖컴퓨터〗 memory address register (메모리 번지 레지스터).
mar** [mɑːr] (-rr-***) *vt.* **1** 손상시키다, 훼손하다: a painting ~*red* by cracks 금이 가서 훼손된 유화. **2** 망쳐 놓다, 못쓰게 만들다; 보기 싫게 하다: The new power station ~*s* the beauty of the countryside. 새 발전소가 들어서서 시골 풍경을 망치고 있다. ***make or ~*** ⇨MAKE. **—** *n.* **1** 손상, 손해. **2** 결점; 고장《*to*》.
Mar. March; Maria. **mar.** marine; maritime, married. **M.A.R.** Master of Arts in Religion.
mar·a·bou, -bout[1] [mǽrəbùː] *n.* **1** 〖조류〗 무수리(=∠ **stòrk**)《황샛과; 열대 아시아·아프리카산》; 그 깃털《여성 모자 따위의 장식용》. **2** 순백의 생견(生絹); 그 직물.
mar·a·bout[2] [mǽrəbùːt] *n.* 〖이슬람〗 **1** (종종 M-) 도사(道士), 은자, 성자(聖者). **2** 도사의 무덤[암자].
ma·ra·ca [mərɑ́ːkə, -rǽkə] *n.* **1** 〖악기〗 마라카스《흔들어 소리 내는 리듬 악기; 보통 양손에 하나씩 가지기 때문에 복수형으로 씀》. **2** (*pl.*) 《비어》 (여자의) 가슴, 유방, 젖통이.
már·ag·ing stèel [máːrèidʒiŋ-] 마레이징강(鋼)《18-25%의 니켈을 함유한 초강력의 강철로 가열하면 경화(硬化)함》. 「생 버찌.
ma·rás·ca (chèrry) [mərǽskə-] 〖식물〗 야
mar·a·schi·no [mæ̀rəskíːnou] (*pl.* ~***s***) *n.* Ⓤ 《It.》 마라스키노《marasca로 만든 리큐어 술》; =MARASCHINO CHERRY.

maraschíno chérry maraschino로 가미한 앵두; 〚식물〛 =MARASCA.

ma·ras·mus [mərǽzməs] *n.* Ⓤ 〚의학〛 (특히 유아의) 소모(증), 쇠약. ㊕ **-mic** *a.* 쇠약성의, 소모증의.

Ma·ra·thi [mərɑ́:ti, -rǽti/-rɑ́:ti] *n.* 마라티어 《인도어파에 속하며 Maharashtra주의 공용어》. **—** *a.* Maharashtra주(민)의, 마라티어의 (= **Mahrátti**).

***mar·a·thon** [mǽrəθɑ̀n, -θən/-θən] *n.* **1** (M-) 마라톤 평야(Athens 동북방의 옛 싸움터). **2** (때로 M-) 마라톤 경주(=∼ **ràce**)《표준 거리 42.195 km》; 〚일반적〛 장거리 경주, 내구(耐久) 경쟁, 지구전(持久戰): a swimming ∼ 원영(遠泳)《경기》/ a dance ∼ 댄스의 장시간 경기 / complete a full ∼ 마라톤을 완주(完走)하다. **—** *a.* 마라톤의, 장시간에 걸친: a ∼ runner 〔speech, effort〕. ㊕ **∼·er** *n.* 마라톤 선수.

ma·raud [mərɔ́:d] *vt., vi.* 약탈하다; 습격하다 《*on, upon*》; 황폐케 하다. ***∼ing hordes*** 〔***bands***〕

many

many '다수(의)'는, 의미상으로는 few '소수(의)'와 대비(對比)되며, 용법상으로는, 수에 있어서 항상 복수 취급을 하는 점에서, 단수 취급을 하는 much '다량(의)'와 대비된다: *many* books 〔men〕/ *much* water. 다만, 비교급과 최상급에서 many나 much는 공통이다. 또 형용사적, 명사적 두 용법이 있는 점에서는 few, much, little과도 공통된다: *more* books 〔water〕, *most* of the men 〔water〕; *Many* (people) came. *Much* (work) was done.

또한 우리말 '많은'에는 '대부분의(most)'란 뜻도 있으므로 many에 대하여 '많이, 많은'이라는 역어(譯語)를 기계적으로 쓰다가는 경우에 따라 의미상의 오해를 가져올 수 있음에 주의해야 한다.

비교급 more, 최상급 most는 각기 그 항(項)에서 상세한 설명을 했다.

many [méni] (***more*** [mɔ:r]; ***most*** [moust]) *a.* **1** 〚복수명사 앞에 쓰이어〛 많은, 다수의, 숱한, 수두룩한. opp. *few.* cf. much. **a** 〚긍정문에서; 주어의 수식어로서 또는 too, so, as, how 따위와 함께 쓰여〛: *Many* people die of cancer. 암으로 죽는 사람이 많다 / Too ∼ cooks spoil the broth. 《속담》 요리사가 많으면 수프가 맛이 없다 《사공이 많으면 배가 산으로 오른다》/ There are ∼ such birds in the park. 공원에는 그러한 새들이 많다《many such 어순에 주의》/ Take as ∼ sheets as you want. 몇 장이건 원하는 대로 가지시오. **b** 〚흔히 부정·의문문에서〛: How ∼ eggs are there in the kitchen? 주방에는 달걀이 몇 개 있습니까/He does *not* have ∼ friends. 그는 친구가 그다지 많지 않다.

> NOTE (1) 긍정 평서문일 때, 구어에서는 many 대신에 a lot of, lots of, plenty of, a great 〔good〕 many, a (large) number of 따위가 흔히 쓰임: There are *a lot of* flowers in the garden. (2) 한 마디로 하는 응답에는 many를 써서는 안 됨: How ∼ books do you have? —A lot 〔Lots〕. 부정일 때에는 역으로 many만 사용함: Not ∼ 〔×a lot, ×lots〕. 별로 없습니다. (3) '많은'의 뜻은 large로 표현될 때가 많음: He has a large 〔×many〕 family. 그는 식구가 많다《many families는 '여러 가구·세대'》/ Seoul has a large population. 서울은 인구가 많다.

2 《문어》 〚many a 〔an〕에 단수형 명사를 수반하여〛 《단수취급》 여러; 수없는: ∼ *a* time 여러 번 자주 / ∼ and ∼ *a* time 몇 번이고, 여러 번〔차례〕(many times) / ∼ *a* day 며칠이고 / (for) ∼ *a* long day 실로 오랫동안 / *Many a* man has failed. 실패한 사람은 많다.

> SYN. **many** 가장 일반적인 말. 강조형은 a great many. **numerous** 거의 a great many에 가깝고 좀 형식적인 말: *numerous* visits 거듭된 방문. **innumerable** 이루 헤아릴 수 없는, 막대한: the *innumerable* stars in the sky 하늘의 무수한 별(들). **manifold** 다양한, 복잡한: *manifold* duties 잡다(雜多)한 임무. **plentiful** 풍부한. ★ **a lot of, lots of, plenty of**는 구어적인 표현. plenty of는 '충분한, 많은'이란 뜻이 포함됨.

— *n., pron.* **1** 〚흔히 there are ∼; 복수취급〛 (막연히) 많은 사람들: *There are* ∼ who dislike ginger. 생강을 싫어하는 사람은 많다《주어의 위치로 올 때에는 *Many* people dislike ginger. 와 같이 흔히 people을 붙이게 됨》. **2** 많은 것〔사람〕: Did ∼ come? 사람들이 많이 왔나 / How ∼ have you got? 얼마나 갖고 계십니까 / Do you have ∼ to finish? 끝내야 할 일이 많이 있습니까 / *Many* of the students are good swimmers. 많은 학생들이 수영을 잘한다《many of 다음에 오는 명사에는 the, these, my 따위와 같이 뜻을 한정하는 말이 붙음》. **3** (the ∼) 〚복수취급〛 대중, 서민; (소수에 대한) 다수. opp. *the few.*

a good* ∼** 꽤 많은. ***a great* ∼** 대단히 많은, 다수의. ***as* ∼...** 〚선행하는 수사와 대응하여〛 (그것과) 같은 수의: make ten mistakes in *as* ∼ pages 열 페이지에 10개의 미스를 범하다. ***as* ∼ *again (수가) 두 배의: I have five here and *as* ∼ *again.* 나는 여기 다섯 개와 또 다섯을 갖고 있다. ***as* ∼ *as...*** …와 동수의 (것, 사람); …이나 되는 (no less than): *as* ∼ *as* ten books 열 권이나 되는 책. ***as*** 〔***like***〕 ***so* ∼** 동수의, 그만큼의; …처럼: Three hours went by *like so* ∼ minutes. 세 시간이 3분간처럼 빨리 지나갔다. ***be one too* ∼** 하나만큼 더 많다; 군더더기다, 불필요하다, 방해가 되다《one은 two, three 따위가 될 때도 있음》: There are *three too* ∼. 셋이나 더 많이 있다. ***be*** (***one***) ***too* ∼ *for...*** …의 힘에 겹다〔벅차다〕: They *are* (*one*) *too* ∼ *for* me. 그들은 내 힘에 벅차다. ***have one too* ∼** 《구어》 조금 많이 마시다. ***in so* ∼ *words*** 확실히, 분명히. **∼ *a time*** (***and oft***) 《문어》 몇 번이고. ***Many's*** 〔***Many is***〕 ***the...*** (***that***)**....** …한 일이 여러 번 있다; 자주 …하곤 했지: *Many's the* time I have seen them together. 그들이 함께 있는 것을 나는 여러 번 보았다. ***so* ∼** ① 같은 수의, 동수의, 그만큼의: *So* ∼ men, *so* ∼ minds. 《속담》 각인각색(各人各色) / The twelve men gathered like *so* ∼ ghosts. 열두 명의 남자가 마치 열두 명의 유령처럼 모였다. ② 매우〔그처럼〕 많은: Were there *so* ∼? 그렇게 많은 사람이 있었던건가. ③ 몇몇(개)의: *so* ∼ apples and *so* ∼ pears 사과 몇몇과 배 몇몇. ④ 〚흔히 just와 함께〛 단순한, 겉만의(nothing more than): the appeals which are *just so* ∼ words 단지 말만 늘어놓았을 뿐인 고소.

비적. **—** *n.* 《고어》 약탈; 습격. [파] **~·er** *n.*

mar·a·ve·di [mæ̀rəvéidi] (*pl.* **~s**) *n.* 〖역사〗 마라베디《11-12세기의 스페인 금화; 옛 스페인의 동전》. ***not worth a ~*** 피천 한 닢의 가치도 없는.

mar·ble [mɑ́ːrbəl] *n.* **1** [U] 대리석《종종 냉혹 무정한 것에 비유됨》: a heart of ~ 냉혹〔무정〕한 마음. **2** (*pl.*) 대리석 조각. **3** 공깃돌《아이들의 장난감》; (*pl.*) 〖단수취급〗 공기놀이: play ~*s* 공기놀이하다. **4** 대리석 비슷한 것; 대리석 무늬. **5** (*pl.*) 《속어》 정상의 판단력; 분별. **6** (*pl.*) 《속어》 불알, 고환(testicles). ***as cold*** 〔***hard***〕 ***as ~*** 대리석같이 차가운〔단단한〕; 냉혹한. ***have all*** one**'*s* ~*s*** 《속어》 지각 있다, 빈틈이 없다, 제정신이다: He would not go to town barefooted if he *had all his* ~*s*. 그가 제 정신이라면 맨발로 읍에 가지는 않을걸. ***lose*** one**'*s* ~*s*** 《속어》 머리가 돌다, 분별을 잃다. ***make*** one**'*s* ~ *good*** 《Austral. 구어》 잘하다, …에게 비위를 맞추다《*with*》. ***pass in*** one**'*s* ~** 《Austral. 구어》 죽다. ***pick up*** one**'*s* ~*s*** 《구어》 단념하다, 포기하다. **—** *a.* **1** 대리석(제)의; 대리석 같은. **2** 단단한; (희고) 매끄러운: a ~ brow 흰 이마. **3** 냉혹한, 무정한: a ~ heart. **—** *vt.* (비누 · 책 가장자리 따위)에 대리석 무늬를 넣다; (고기를) 차돌박이로 하다. [파] **-bler** *n.*

márble càke 〖제과〗 짙고 옅은 얼룩무늬가 있는 케이크.

Márble Cìty 《속어》 묘지(marble orchard).

már·bled *a.* 대리석으로 마무리한〔덮은〕; 대리석을 많이 사용한; 대리석 무늬의; (고기가) 차돌박이인.

márble-édged *a.* 〖제본〗 책 가장자리 면을 대리석 무늬로 한.

márble·héarted [-id] *a.* 냉혹〔무정〕한.

már·ble·ìze *vt.* =MARBLE.

márble òrchard 《속어》 묘지(cemetery).

mar·bling [mɑ́ːrbliŋ] *n.* **1** [U] 대리석 무늬의 착색 (기술). **2** [C] (책 가장자리 · 종이 · 비누 따위의) 대리석 무늬.

mar·bly [mɑ́ːrbli] *a.* 대리석의〔같은〕; (건축 · 장식이) 대리석을 많이 쓴; 단단한; 냉담〔냉정〕한.

Már·burg disèase [mɑ́ːrbəːrg-] 〖의학〗 마르부르크병(病)《고열 · 출혈을 수반함》.

MARC [mɑːrk] *n.* 마크, 기계 가독(可讀) 목록《컴퓨터 처리가 가능한 출판물 데이터 베이스》. [◂ *ma*chine *r*eadable *c*atalog]

marc [mɑːrk] *n.* [U] (과일 특히 포도의) 짜고 남은 찌끼; 그 찌끼로 만든 브랜디.

Mar·can [mɑ́ːrkən] *a.* 성(聖) 마가(St. Mark)의, 마가에 의한 복음서의.

mar·can·do [mɑːrkɑ́ːndou] *a.*, *ad.* 《It.》 =MARCATO.

mar·ca·site [mɑ́ːrkəsàit] *n.* [U] 〖광물〗 백철석.

mar·ca·to [mɑːrkɑ́ːtou] *a.*, *ad.* 《It.》 〖음악〗 마르카토의〔로〕, 강세가 붙은〔를 붙여서〕.

mar·cel [mɑːrsél] *n.* 마르셀식(式) 웨이브 (= **∠ wàve**), (머리카락의) 물결 모양의 웨이브. **—** (**-*ll*-**) *vt.* 마르셀식 웨이브로 하다.

mar·cel·la [mɑːrsélə] *n.* **1** 마르셀라《일종의 능직 무명〔삼베〕》. **2** (M-) 마셀라《여자 이름》.

mar·ces·cent [mɑːrsésnt] *a.* 〖식물〗 (식물의 어떤 부분이) 떨어지지 않고 시드는〔말라 죽는〕, 고조(枯凋)〔조위(凋萎)〕하는.

March [mɑːrtʃ] *n.* 3월《생략: Mar.》. ***as mad as a ~ hare*** ⇨MAD.

march[1] [mɑːrtʃ] *n.* **1** 행진, 행군; 행진 거리: a forced ~ 강행군 / a peace ~ 평화 행진 / one day's ~ 하루의 행정(行程) / a line of ~ 진로. **2** [U] 〖군사〗 (행군의) 보조: ~ at ease 보통 속도의 보조. **3** 〖음악〗 행진곡. **4** 길고 괴로운 노정〔행로〕. **5** [U] (the ~) (사물의) 진전, 진행, 발달《*of*》: the ~ *of* the events 〔time〕 정세의 진전〔시간의 경과〕. **6** (모금 따위의) 사회〔국민〕 운동. ***be on the ~*** 행진〔진행, 발전, 진전〕 중이다. ***double ~*** 구보. ***in ~*** 〖군사〗 행군 중에. ***send*** (an army) ***on the ~*** (군대를) 출격(出擊)시키다, 출병(出兵)시키다. ***steal a ~ on*** 〔***upon***〕 … 을 앞〔꼭뒤〕지르다, …에 살그머니 다가가다. **—** *vi.* **1** 《~/+[부]/+[전]+[명]》 〖군사〗 (대열을 지어) 행진하다; (당당하게) 걷다, 빨리 전진하다: ~ *by* 〔*into; out; off*〕 행진해서 지나가다〔들어오다, 나가다, 떠나가다〕 / ~ *past* 분열 행진하다 / ~ *along* the street 가로를 행진하다 / ~ *on* a fortress 〔*against* the enemy〕 요새를〔적을〕 향해 전진하다. **2** 《~/+[부]》 (사건 따위가) 진전하다: The work is ~*ing on*. 일이 착착 진행되고 있다. **3** (나무 따위가) 나란히 늘어서 있다. **4** 《+[전]+[명]》 (말 · 행동 따위가 …와) 일치하다, 조화되다《*with*》: His words don't ~ *with* his actions. 그의 언행은 일치하지 않다. **—** *vt.* **1** …을 행진시키다, 행군시키다. **2** 《+[목]+[부]/+[목]+[전]+[명]》 (억지로) 걷게 하다, 연행하다, 구인(拘引)하다《*off; on*》: ~ the thief *off* 〔*away*〕 *to* the jail 도둑을 구치소로 연행하다. ***start ~ing*** 행진을 시작하다; 행동을 개시하다. [파] **∠·like** *a.*

march[2] *n.* **1** (보통 *pl.*) 경계; 경계 지방. **2** 변경; (변경의) 귀속 불명의 토지. **3** (the M-es) 〖영국사〗 잉글랜드와 스코틀랜드 또는 웨일스와의 경계 지방. **4** (행정관의) 관할 구역. ***riding the ~es*** 〖역사〗 (도시 등의) 경계 순시. **—** *vi.* 경계를 접하다《*with; upon*》.

March. Marchioness.

Mär·chen [mɛ́ərkən, -xən; *G.* mɛ́ːrçən] (*pl.* ~) *n.* 이야기(tale), 《특히》 동화; 민화, 전설 이야기(folk tale).

márch·er[1] *n.* 행진하는 사람.

márch·er[2] *n.* 국경 지대 거주자, 변경의 주민; (잉글랜드의) 국경 관할관, 변경 지방의 영주(= **∠ lòrd**).

Márch háre 교미기에 들어선 3월의 토끼. (***as***) ***mad as a ~*** 미치광이 같은, 광포한.

márching bànd 퍼레이드〔행진〕 밴드.

márching òrder 행진의 장비〔대형〕; 행군 장비.

márching òrders 출발〔진격〕 명령; 《구어》 작업 진행 명령; 《영구어》 해고 명령〔통지〕, (보이프렌드에 대한) 절교 (통고)(《미》 walking papers).

mar·chio·ness [mɑ́ːrʃənis, mɑ̀ːrʃənés] *n.* 후작 부인〔미망인〕; 여후작; 배의 일종. [cf.] marquis.

márch·lànd *n.* 국경 지대, 변경 지방.

Márch of Dímes (the ~) 《미》 소아마비(등)의 구제〔연구〕 모금 운동《1938년 발족》.

márch òut *n.* 〖군사〗 돌격, 출격.

march·pane [mɑ́ːrtʃpèin] *n.* 《고어》 =MARZIPAN.

márch-pàst *n.* 퍼레이드, 행렬; (특히 군대의) 분열 행진, 분열식.

Mar·cia [mɑ́ːrʃə] *n.* 마셔《여자 이름》.

Mar·co·ni [mɑːrkóuni] *n.* **Guglielmo ~** 마르코니《이탈리아의 전기 학자; 무선전신 발명; 노벨 물리학상 수상(1909); 1874-1937》.

mar·co·ni 《고어》 *n.* =MARCONIGRAM. **—** *vt.*, *vi.* 무선 전신을 치다.

mar·co·ni·gram [mɑːrkóunigræ̀m] *n.* 《고어》 =RADIOGRAM[1].

mar·co·ni·graph [mɑːrkóunigræ̀f, -grɑ̀ːf] *n.* (마르코니식) 무선 전신기.

Márco Pólo [mɑ́ːrkou-] ⇨POLO.

márc tàpes 마크테이프《컴퓨터에 직접 걸 수 있는 기계 가독(可讀) 카탈로그 테이프》.

Mar·cus [mɑ́ːrkəs] *n.* 마커스《남자 이름; 애칭 Marc, Mark》.

Márcus Au·ré·lius [-ɔːríːliəs, -ljəs] 마르쿠스 아우렐리우스《로마 황제(161-180) · 철학자; 121-180》.

Mar·di Gras [mɑ́ːrdigrɑ̀ː, -grɑ́ː/-grɑ́ː] 《F.》

참회 화요일(Shrove Tuesday)《사육제(謝肉祭) 마지막날》.

mard·y [mάːrdi] *a.* 《영방언》 응석 부리는, 응석꾸러기의; 울보의; 앵돌아진; 고집센; 헛된.

◇**mare**[1] [mɛər] *n.* 암말; (당나귀·노새 따위의) 암컷: Money makes the ~ (to) go. 《속담》 돈만 있으면 귀신도 부릴 수 있다. ***ride* 〔*go*〕 *on shanks'* ~** ⇨SHANKS' MARE. ***Whose ~'s dead?*** 《속어》 어떻게 된 거야. ***win the ~ or lose the halter*** 되든 안 되든 해보다.

ma·re[2] [mάːrei, mέəri / mάːrei] (*pl.* ***ma·ria*** [-riə]) *n.* 《L.》 바다; 〖천문〗(달·화성 따위의) 암흑부, 바다.

máre cláu·sum [mέəri-klɔ́ːsəm] 《L.》 영해 (closed sea)《외국 배를 들이지 않는 내해 따위》.

Má·rek's disèase [mǽriks-, mάː-] 〖양계〗 마레크병, 닭의 임파종(淋巴腫)증.

Máre Ím·bri·um [-ímbriəm] 《L.》 〖천문〗 (달의) 비의 바다(Sea of Showers 〔Rains〕).

máre lí·be·rum [-líbərəm, -lái-] 《L.》 공해.

ma·rem·ma [məréma] (*pl.* ***-me*** [-miː]) *n.* (특히 이탈리아 서부의) 해안의 습지대; 습지의 독기.

Ma·ren·go [məréŋgou] *n.* 마렝고. **1** 이탈리아 북서쪽의 마을《1800년 나폴레옹 1세가 오스트리아군을 대파한 곳》. **2** 나폴레옹 1세가 발행한 이탈리아의 금화.

ma·ren·go [məréŋgou] *a.* (종종 M-) 〔명사 뒤에 와서〕 〖요리〗 마렝고(버섯·토마토·올리브·포도주 따위로 만든 소스)의, 마렝고를 친: chicken ~.

ma·re nos·trum [mέəri-nάstrəm, mάːrei-/ mάːrei-nɔ́s-] 《L.》 (고대 로마의) 지중해.

máre's-nèst [mέərz-] *n.* **1** 가공의 발견, 실은 보잘것없는 발견. **2** 난잡〔혼란〕한 상태, 벌집을 쑤신 것 같은 상태.

máre's-tàil [mέərz-] *n.* **1** 〖식물〗 쇠뜨기말; 〖식물〗 =HORSETAIL. **2** (*pl.*) 〖기상〗 말꼬리 구름 《가늘게 뻗친 새털구름》.

Ma·ré·va injúnctions [mərίːvə-] 〖법률〗 마레바형(型) 압류 명령《법원이 피고의 재산 (처분)을 일시적으로 동결시키는》.

mar·fak [mάːrfæk] *n.* 《미속어》 버터.

Már·fan Sỳndrome [mάːrfæn-, -ˊ] 〖병리〗 마르팡 증후군《유전성 질환; 비정상으로 뻗은 (사지의) 뼈 등이 특징; 프랑스의 A.B. Marfan (1858-1942)에서》.

marg [mɑːrdʒ] *n.* 《구어》 마가린(margarine).

marg. margin; marginal.

Mar·ga·ret [mάːrgərit] *n.* 마거릿《여자 이름; 애칭 Madge, Mag, Maggie 따위》.

mar·gar·ic [mɑːrgǽrik] *a.* 진주의, 진주 같은.

margáric ácid 〖화학〗 진주산(眞珠酸), 마르가린산(酸).

◇**mar·ga·rine, mar·ga·rin** [mάːrdʒərin, -dʒərìːn/mὰːdʒəríːn, mὰːgə-], [mάːrdʒərin] *n.* Ⓤ 인조 버터, 마가린.

mar·ga·ri·ta [mὰːrgəríːtə] *n.* Ⓤ 마르가리타 《테킬라(tequila)와 레몬즙 등의 칵테일》.

mar·ga·rite [mάːrgəràit] *n.* 〖광물〗 진주 운모(雲母); 〖지학〗(유리질 화성암의) 쇄상정자(鎖狀晶子).

mar·gay [mάːrgei] *n.* 살쾡이《라틴 아메리카산》.

Marge [mɑːrdʒ] *n.* 마즈《여자 이름; Margaret, Margery의 애칭》; 《속어》 레즈비언의 여자역.

marge[1] *n.* 《고어·시어》 =MARGIN 1, 2.

marge[2] *n.* 《구어》 마가린(margarine).

Mar·gery [mάːrdʒəri] *n.* 마저리《여자 이름; 애칭 Marge》.

Mar·gie [mάːrdʒi] *n.* 마지《여자 이름; Margaret의 애칭》.

⁑**mar·gin** [mάːrdʒin] *n.* **1** 가장자리, 가, 변두리; (호수 등의) 물가. SYN. ⇨EDGE. **2** (페이지의) 여백, 난외: notes written in the ~ 여백에 쓴 주석. **3** (능력·상태 등의) 한계; 〖심리〗 의식의 주변: on the ~ of subsistence 근근히 살아가는/the ~ of endurance 〔sanity〕 인내의 한계 〔광기 바로 직전〕. **4** (시간·경비 따위의) 여유, (활동 등의) 여지: leave a ~ of 10 minutes, 10분의 여유를 남겨 두다/a ~ of error 잘못이 발생할 여지. **5** 〖상업〗 판매 수익, 이문; 〖경제〗(경제 활동을 계속하기 위한) 한계 수익점: a fair ~ of profit 상당한 이익. **6 a** 〖증권〗 증거금; 〖은행〗 여유액: ~ account 증거금 계정/~ call 증거금 청구. **b** 《Austral.》 특별 지급(액), 기능〔직무〕 수당. **7** (득표 따위의) 차(差). **8** 〖컴퓨터〗 여백《신호가 일그러져도 바른 정보로 인식할 수 있는 신호의 변형 한계》. ***buying on*** ~ 〖증권〗 투기 매입. ***buy on*** ~ 〖상업〗 증거금을 치르고 사다; 신용 거래를 하다. ***by a narrow*** ~ 아슬아슬하게, 간신히. ***go near the*** ~ (도덕적으로) 아슬아슬한 짓〔불장난〕을 하다. ── *vt.* **1** …에 가장자리를 붙이다. **2** …의 난(欄)외에 써 넣다; …에 방주(旁註)를 달다. **3** 〖증권〗 …의 증거금을 치르다 《*up*》. ── *vi.* 추가 증거금을 치르다《*up*》.

◇**mar·gin·al** [mάːrdʒinəl] *a.* **1** 가장자리의, 가의: a ~ space 가의 여백. **2** 난외의〔에 쓴〕: a ~ note 난외의 주, 방주(旁註). **3** 변경의, …에 인접한《*to*》; 〖심리〗 의식의 한계〔경계〕의(감각). **4** 한계의, 《특히》 최저한의; 〖경제〗 겨우 수지가 어상반한, 한계 수익점의: ~ ability 최저한의 능력/~ land 한계 토지《수지가 안 맞을 정도의 메마른 땅》/~ profits 한계 수익《생산비가 겨우 나올 정도의 이윤》/~ subsistence 최저 생활. **5** 〖영정치〗 (의석 등을) 근소한 차로 얻은: a ~ seat 〔constituency〕 불안정한 의석〔선거구〕. **6** 중요하지 않은, 이차적인《*to*》; 약간의. ㊕ **~·ly** *ad.* 가장자리에; 난외〔여백〕에; 조금, 약간. **màr·gin·ál·i·ty** *n.*

márginal cóst 〖경제〗 한계 비용.

mar·gi·na·lia [mὰːrdʒənéiliə, -ljə] *n. pl.* 방주(旁註), 난외에 써넣기; 비(非)본질적〔부대적〕인 사항.

már·gin·al·ìze *vt.* …을 무시하다, 짐짓 과소평가하다; 《특히》 사회 진보에서 처지게 하다; 사회〔집단〕의 주변적인 지위로 내쫓다. ㊕ **màr·gin·al·i·zá·tion** *n.* 주변(인)화.

márginal mán 한계인(限界人), 주변인《이질의 두 문화에 속하면서 어느 쪽에도 충분히 동화되지 않은 사람》.

márginal probabílity 〖통계〗 주변 확률.

márginal séa (the ~) 〖법률〗 영해《해안선으로부터 3.5 법정 마일 이내의 해역》.

márginal utílity 〖경제〗 한계 효용.

mar·gin·ate [mάːrdʒənèit] *a.* 가장자리〔가〕가 달린. ── *vt.* …에 가장자리〔가〕를 달다. ㊕ **-at·ed** [-id] *a.* **màr·gin·á·tion** *n.*

márgin càll 〖증권〗 (거래 증권 회사로부터 고객에 대한) 추가 증거금 납부 요구.

márgin relèase (타이프라이터의) 마진 릴리스.

márgin requìrements 〖증권〗 증거금 규정(소요)액.

mar·go·sa [mɑːrgóusə] *n.* =NEEM 2.

Mar·got [mάːrgou, -gət/-gou] *n.* 마고(트)《여자 이름》.

mar·grave [mάːrgreiv] *n.* 〖역사〗(독일의) 변경백(邊境伯), (신성 로마 제국의) 후작.

mar·gra·vine [mάːrgrəvìːn] *n.* margrave의 부인.

mar·gue·rite [mὰːrgəríːt] *n.* 《F.》 〖식물〗 마거리트《데이지의 일종》.

Ma·ria [məríːə, -ráiə] *n.* 마리아《여자 이름》.

ma·ria [máːriə] MARE²의 복수.
ma·ri·a·chi [mɑ̀ːriáːtʃi] *n.* (멕시코의) 거리의 악대(의 일원); 그 음악.
ma·riage blanc [*F.* maʀjaːʒblɑ̃] (*pl.* ***mar·i·ages blancs*** [—]) 《F.》 미완성의 결혼, 성행위를 수반하지 않는 결혼.
ma·riage de con·ve·nance [*F.* maʀjaː-ʒdəkɔ̃vnɑ̃ːs] (*pl.* ***mariages de convenance*** [—]) 《F.》 정략결혼, 타산적인 결혼.
Mar·i·an [mέəriən] *a.* 성모 마리아의; 영국〔스코틀랜드〕 여왕 메리(Mary)의; 〚로마사〛 마리우스(Marius)파의. **—** *n.* **1** 성모 마리아 숭배자. **2** (스코틀랜드 여왕) 메리파(Mary派)의 사람. **3** 〚로마사〛 마리우스 당원. **4** 메리언《여자 이름》.
Mar·i·ána Íslands [mὲəriǽnə-, mæ̀r-] (the ~) 마리아나 제도《서태평양 Micronesia 북서부의 화산 열도》.
Mariána Trénch (the ~) 마리아나 해구(海溝)《Guam 섬 남동에서 Mariana 군도 북서로 뻗은 해구; 최심부는 10,924m에 이르며 세계에서 가장 깊음》.
Mar·i·anne, -an·na [mὲəriǽn, mæ̀r-], [-ǽnə] *n.* 메리앤, 메리애나《여자 이름》.
María The·ré·sa [-təréisə, -zə] 마리아 테레지아(1717-80)《오스트리아 대공비(大公妃), 신성 로마 제국 여제(女帝)(1740-80); Marie Antoinette의 모친》.
mar·i·cul·ture [mǽrəkʌ̀ltʃər] *n.* [U] (자연 환경을 이용한) 해양〔해중〕 목장, 해중 양식〔재배〕.
Ma·rie [məríː] *n.* 마리《여자 이름》.
Marie An·toi·nette [-æ̀ntwənét] 마리 앙투아네트《프랑스 루이 16세의 왕비(1755-93); 혁명 재판에서 처형됨》.
Mar·i·et·ta [mὲəriétə] *n.* 메리에타《여자 이름》.
°**Mar·i·gold** [mǽrigòuld] *n.* **1** 매리골드《여자 이름》. **2** (m-) 〚식물〛 **a** 금잔화(金盞花), 금송화(金松花). **b** 전륜화(轉輪花)속의 식물.
mar·i·hol·ic [mæ̀rəhɔ́ːlik, -hál-, mèr-/mæ̀rihɔ́l-] *n.* 《미속어》 마리화나 중독자〔의존자〕.
ma·ri·jua·na, -hua·na [mæ̀rə*h*wáːnə, mɑ̀ːr-] *n.* [U] 삼, 대마《인도산》; 마리화나: smoke ~ 마리화나를 피우다.
Mar·i·lyn [mǽrəlin] *n.* 매럴린《여자 이름》.
ma·rim·ba [mərímbə] *n.* 마림바《목금(木琴)의 일종》. [cf.] xylophone.

marimba

Ma·ri·na [məríːnə] *n.* 마리나《여자 이름》.
ma·ri·na *n.* (해안의) 산책길; 계류장(繫留場), (요트·모터보트용의) 독(dock).
mar·i·nade [mæ̀rənéid] *n.* 마리네이드《초·포도주·식용유·향신료 따위를 섞어서 만든 절임용 액체; 조리에 앞서 생선·고기·채소 등을 이에 절임》; 마리네이드에 절인 고기〔생선〕. **—** [⌐-⌐/⌐-⌐] *vt.* =MARINATE.
ma·ri·na·ra [mɑ̀ːrənáːrə, mæ̀rənǽrə] 〚요리〛 *n.* 마리나라《토마토·양파·마늘·향신료로 만드는 이탈리아의 소스》. **—** *a.* 마리나라를 곁들인〔친〕.
mar·i·nate [mǽrənèit] *vt.* 마리네이드에 담그다; (샐러드)에 프렌치드레싱을 치다. **—** *vi.* 마리네이드 절이가 되다.
*__ma·rine__ [məríːn] *a.* **1** 바다의, 해양의; 바다에서 사는〔나는〕; 〚기상〛 해양성의: ~ ecology 해양 생태학 / ~ geology 해양 지질학 / ~ products 해산물 / a ~ cable 해저 전선 / ~ animals 해양 동물 / ~ soap 해수용 비누 / ~ plants 해초 / a ~ laboratory 임해(臨海) 실험소 / ~ vegetation 해초류. **2** 해상의; 해사(海事)의, 해운업의; 항해(용)의; 해상 근무의; 해군의, 해병대(원)의: ~ corps 해병대 / ~ transportation 해운 / ~ supplies 항해〔선박〕용품 / the ~ court 해난(海難) 심판소 / a ~ policy 해상 보험증권. **3** 선박의, 해상 무역의: a ~ barometer 선박용〔해상〕 기압계. **—** *n.* **1** (the M-s) 《미》 해병대; (때로 M-) 《미》 해병대원; (영국 해병대의) 신병《최하급》; 《영속어》 무지하고 바보짓하는 선원. **2** 〚집합적〛 (한 나라의) 선박, 해상 세력; (프랑스 등의) 해군성(省). **3** 바다〔배〕의 그림: a ~ painter 해양 화가. **4** 《속어》 빈 병. ***blue*** 〔***red***〕 **~s** 군함 승무의 포병〔보병〕. ***Tell that*** 〔***it***〕 ***to the*** 〔***horse***〕 **~*s!*** =***That will do for the ~s!*** 《구어》 그런 소리를 누가 믿는담, 거짓말 마라.
maríne archaeólogy 해양〔수중〕 고고학(underwater archaeology).
maríne árchitect =NAVAL ARCHITECT.
maríne bèlt (the ~) 영해(領海)(territorial waters).
maríne biólogy 해양 생물학.
Maríne Còrps (the ~) 《미》 해병대.
maríne engineér 〚해사〛 조선(造船) 기사, 선박 기관사.
maríne engineéring 선박 공학.
maríne glúe 머린 글루《나무 갑판의 이음매를 메운 뒤에 그 위를 바르는 타르 모양의 내수(耐水) 접착제》.
maríne insùrance 해상 보험.
maríne lóok 〚복식〛 머린 룩《세일러복 스타일의 의상》.
maríne meteorólogy 해양 기상학.
maríne phýsics 해양 물리학.
°**mar·i·ner** [mǽrənər] *n.* **1** 선원, 해원(海員)(sailor). **2** (M-) 미국의 화성·금성 탐사 우주선.
máriner's cómpass 나침반(羅針盤).
máriner's nèedle 나침.
maríne scíence 해양 과학.
maríne snów 〚해양〛 바다눈《죽은 플랑크톤이 분해되거나 작은 덩어리가 되어 눈 오듯이 바다 밑으로 가라앉는 현상》.
maríne stòre 선박용 물자《선구(船具)·양식(糧食) 따위》; 낡은 선구류(船具類)(를 취급하는 상점).
maríne superintèndent 해사 감독관, 해무(海務) 감독.
maríne technólogy 해양 공학, 해양 기술.
Mar·i·ol·a·try [mὲəriálətri/-ɔ́l-] *n.* [U] 《경멸》 (극단적인) 성모 마리아 숭배; 여성 숭배.
Mar·i·ol·o·gy [mὲəriálədʒi/-ɔ́l-] *n.* 〚기독교〛 처녀 마리아 신앙; (성모) 마리아론(論)〔학(學)〕. [파] **Mar·i·o·lóg·i·cal** *a.*
Mar·i·on [mǽriən, mέər-] *n.* 메리언《남자〔여자〕 이름》.
mar·i·on·ette [mæ̀riənét] *n.* 《F.》 **1** 마리오네트, 망석중이, 꼭두각시. **2** (M-) 마리오네트《여자 이름》.
mar·i·pó·sa lìly 〔**tùlip**〕 [mæ̀rəpóusə-, -zə-] 〚식물〛 나비나리《백합과 식물》.
Mar·i·sat [mǽrəsæ̀t] *n.* 《미》 (해군·민간 공용의) 해사(海事) 통신 위성. [◂ *maritime satellite*]
mar·ish [mǽriʃ] *n., a.* 《고어·시어》 늪(의).
ma·ri·tal [mǽrətl] *a.* 남편의; 혼인의(matrimonial), 부부간의: ~ status 배우자의 유무 / a ~ portion 결혼 지참금 / ~ vows 결혼 서약. [파] **~·ly** *ad.* 남편으로서, 부부로서.
márital thérapy 부부 요법《결혼 생활에 관한 문제를 해결하기 위한 심리 요법》.
°**mar·i·time** [mǽrətàim] *a.* **1** 바다의, 바다에 관한, 해상의; 해사(海事)의, 해운의; 해상 무역의: ~ affairs 해사 / ~ power 제해권 / ~ insur-

ance 해상 보험 / ~ law 해상법 / a ~ association 해사 협회 / a ~ nation〔people〕 해양국〔민족〕. cf. marine. **2** 해변의, 해안의; 해안에 사는〔서식하는〕; 바다에 접한. **3** 뱃사람다운. **—** *n.* (the M-s) (캐나다의) 연해주(Maritime Provinces). 「기후.

máritime clímate (대륙 기후에 대해) 해양성

Máritime Próvinces (the ~) (캐나다의) 연해주(沿海州) (the Maritimes) 《Nova Scotia, New Brunswick 및 Prince Edward Island의 3주(州)》.

Mar·i·us [méəriəs, mǽr-] *n.* **Gaius ~** 마리우스《로마의 장군·집정관; 155?-86 B.C.》.

mar·jo·ram [máːrdʒərəm] *n.* 〖식물〗 마저럼《박하 종류; 관상용·약용·요리용》.

Mar·jo·rie [máːrdʒəri] *n.* 마저리《여자 이름》.

Mark [maːrk] *n.* **1** 마크《남자 이름》. **2** 〖성서〗 마가《사도(使徒) Paul의 친구》; 마가복음《신약 성서 중의 한 편》.

†**mark**[1] [maːrk] *n.* **1 a** 표, 기호, 부호(sign); 〖컴퓨터〗 표지, 마크; 각인(刻印), 검인; (우편의) 소인(消印): punctuation *~s* 구두점 / put a ~ on …에 부호를 붙이다. **b** (글 못 쓰는 이의 서명 대신 쓰는) 기호, X표, 《우스개》 서명. **2 a** 흔적(trace), 자국; 상처 자국(the ~ of a wound); 얼룩(spot): put〔rub off〕 pencil *~s* 연필 자국을 내다〔없애다〕 / Who made these dirty *~s* on my new suit? 누가 내 새 양복을 이렇게 얼룩지게 만들었나. **b** (사상·생활 등에 주는 큰) 영향, 감화, 인상: leave one's ~ on one's students 학생들에게 영향을 주다. **c** 《비유》 (성질·감정 등을 나타내는) 표시(token), 특징(peculiarity), 표정, 특색: bow as a ~ of respect 존경의 표시로서 머리를 숙이다 / *~s* of old age on a face 얼굴에 나타난 늙은 티. **d** 《문어》 (사회적) 중요성; 명성, 저명: a man of no ~ 이름 없는 사람 / begin to make a ~ 주목받기 시작하다. **3 a** 레터르(label), 상표, 기장(badge), 표장: a ~ of rank 계급장 / a price ~ 정찰. **b** (M-) 《숫자를 수반하여》 (무기·전차·비행기 따위의) 형(型); 그 형을 나타내는 기호: a *Mark*-4 tank, M4형 탱크《an M-4 Tank로도 씀》. **4** (성적의) 평점, 점수(grade): full *~s* 만점 / get 100 *~s* in English 영어에서 100점을 따다. **5 a** 안표; (나그네 등의) 도표, 표시; 〖경기〗 출발점(의 선); 〖럭비〗 (fair catch의 경우) 공을 찰 권리를 나타내기 위해 땅에 표시하는 뒤꿈치의 자국; 〖볼링〗 1구 또는 2구로 핀을 모두 쓰러뜨리기. **b** 〖해사〗 측표(測標), =PLIMSOLL MARK. **6 a** 목표, 표적(target), 겨냥(aim), (론볼링의) 적구(的球)(jack); (the ~) 〖권투〗 명치(pit of the stomach). **b** (조소의) 대상; 《구어》 (속는) 상대, 봉: an easy〔a soft〕 ~ 얼간이, 잘 속는 사람. **7** 《미속어》 (먹을 것·돈 따위를 가로채는 데) 편한 장소; (one's ~) 마음에 드는 것; 《미속어》 (훔친) 돈. **8 a** 한계, 한계점(limit), 표준(norm). **b** 〖역사〗 경계(boundary), 변경지(frontier), (중세 게르만의) 마르크 공동체(의 공유지).

above*〔*below*〕 *the ~ 표준 이상으로〔이하로〕. ***a good ~*** (학생에게 매기는) 선행점, 미점. ***a private ~*** 자기만 아는 표시. ***beside*〔*wide of*〕 *the ~*** 과녁을 벗어나서, 빗맞아서; 얼토당토 않게. ***beyond the ~*** 과도하게. ***cut the ~*** (화살이) 과녁까지 미치지 못하다. ***fall short of the ~*** 표준〔목표〕에 못 미치다. ***get off the ~*** 스타트하다; (일을) 시작하다. (***God*〔*Heaven*〕) *bless*〔*save*〕 *the ~!*** ① 아이고 실례했소, (지나친 말을 했을 때 잘못을 빌어) 미안하오. ② 원 기가 막혀, 원 저런, 대단한데, 놀랐는데《놀람·조소·빈정댐을 나타냄》. ***have a ~ on...*** …을 좋아하다. ***hit the ~*** 적중〔성공〕하다. ***make one's ~*** ① 성과를 올리다; 야심을 이루다; 명성을 얻다. ② (글 모르는 자가 X표로) 서명하다. ***miss the ~*** 빗나가다; 실패하다. ***near*〔*close to*〕 *the ~*** 진실에 가까운; (농담 따위가) 좀 지나쳐, 아슬아슬한. ***off the ~*** 과녁을 벗어나서; 스타트를 끊어: be quick〔slow〕 *off the ~* 스타트가 빠르다〔느리다〕; 민첩하다〔하지 못하다〕. ***of ~*** 유명한: a man *of* ~ 저명 인사. ***on the ~*** (재빨리) 자리를 잡아〔착수 준비를 하여〕. ***On*** (***your***) ***~*(*s*)*!*** 〖경기〗 제자리(에 서)!: *On your ~!* Get set! Go! 제자리, 준비, 땅! ***overstep*〔*overshoot*〕 *the ~*** 《구어》 도를 지나치다. ***over the ~*** 허용범위를 넘어서. ***short of the ~*** 과녁에 미치지 못하고. ***take one's ~ amiss*** 겨냥이 빗나가다, 실패하다. ***the ~ of mouth*** 말(馬)의 나이를 알 수 있는 앞니의 오목한 부분; 연소함의 표시. ***toe the ~*** ⇨TOE. ***up the ~*** 《구어》 수준을〔목표를〕 높게 하다. ***up to the ~*** 표준에 달하여; 기대에 부응하여; (몸의 컨디션이) 매우 좋아서: I don't feel *up to the ~*. 몸의 컨디션이 좋지 않다. ***within the ~*** 예상이 어긋나지 않은.

— *vt.* **1** 《~+목/+목+전+명/+목+보》 …에 표를 하다《*with*》, 부호〔기호〕를 붙이다《*on*》; …에 흔적〔오점〕을 남기다; …에 인장〔스탬프, 각인 등〕을 찍다; …에 이름〔번호 등〕을 적다: ~ the sheep 양에 소유인을 찍다 / a face *~ed with* smallpox 얽은 얼굴 / ~ accents *on* words 낱말에 악센트 기호를 붙이다 / ~ pupils present or absent 학생들의 출결 여부를 표시하다 / the door *~ed* E.P. Smith, E.P. Smith란 표찰이 걸려 있는 문. **2** (득점 따위를) 기록하다: ~ the score in a game 경기의 점수를 기록하다. **3** (답안을) 채점하다: ~ a paper 답안을 채점하다. **4** …의 한계를 정하다, 구분하다; 명시하다. **5 a** 특징짓다, 특색을 이루다: the qualities that ~ a great leader 위대한 지도자의 특색을 이루는 자질. **b** 《보통 수동태》 《~+목/+목+전+명/+목+*as* 보》 …을 (…로) 특징지우다《*with; as*》, 두드러지게 하다《*by; with*》: A leopard *is ~ed with* black spots. 표범은 뚜렷한 검은 반점이 있다 / The tendency *is* strongly *~ed*. 그 경향은 분명하게 인정된다 / He *was ~ed as* an enemy of society. 그는 사회의 적이라는 낙인이 찍혀졌다. **6** …에 주목하다, 주의를 기울이다, (변화 따위를) 느끼다: *Mark* my words. 내 말 잘 들으시오. **7** 《+부/+목+전+명》 선정하다; 운명지우다《*out*》. **8** 〖상업〗 …에 정찰(正札)을 붙이다. **9** (축구 등에서) 상대를 마크하다. **10** 《미속어》 (봉이 될 사람·장소를) 찾다. **11** 〖사냥〗 (짐승)이 도망친〔숨은〕 곳에 표를(하여 기억)하다, (사냥감으로서) 노리다《*down*》. **—** *vi.* **1** (연필 따위로) 표를 하다. **2** (비판적으로) 주의〔주목〕하다. **3** 채점하다; 경기의 점수〔스코어〕를 기록하다. **4** 상처가〔흠이〕 나다. **~ *down*** ① 기록하다; 표적을 하다. ② …의 값을 내리다, …에 값을 내린 표를 붙이다: ~ *down* books by 10% 책값을 10% 내리다. ③ (학생 등)의 평점을 내리다. ④ ⇨*vt.* 11. **~ a person *for life*** 아무에게 평생 남을 상처를 입히다. **~ *in*** (지도 따위에 도로 따위를) 써넣다. **~ *off*** ① (경계선 따위로) 구분〔구별, 구획〕하다. ② (리스트에서 …에) 선을 그어 지우다, (표에) …의 완료〔종료〕를 표기하다; (사람·물건을) …로부터 구별하다《*from*》: What *~s* her *off from* her brother is her concentration. 그녀를 오빠와 구별지어 주는 것은 그녀의 집중력이다. **~ *out*** ① (경기장 등의) 선을 긋다, 줄을 치다. ② (아무를) 눈에 띄게 하다, 두드러지게 하다. ③ 표를 해서 지워버리다〔무효로 하다〕. ④ 경계선을 긋다. ⑤ …을 (…와)

구별하다. ~ **out for** …로 예정하다, …로 선발하다: He was ~*ed out for* promotion. 선발되어 승진했다. ~ **time** ①〚군사〛 제자리걸음을 하다. ② (좋은 기회가 올 때까지) 기다리다; (사물이) 진행되지 않다, 정돈(停頓)하다. ~ **up** ① (물건의) 값을 올리다. ② (학생·답안 등의) 평점을〔점수를〕 올리다. ③ …을 써 놓다, 가필하다, 더 써 넣다. ④ (표를 해서) …을 더럽히다, 엉망을 만들다; …의 매력〔효용〕을 떨어뜨리다; …의 오점을 남기게 하다. ⑤ (기호 따위로) …에 표를 하다. ⑥ (원고 따위의) 교정을 보다. ~ **you**《삽입적으로 써서》알겠느냐; 잘 들거라; 그렇지만.

mark² *n.* 마르크《독일의 화폐 단위》. cf. Deutsche mark, reichsmark.

Márk Ántony =ANTONY 2.

Mar·ká·ri·an gálaxy [mɑːrkɑ́ːriən-]〚천문〛 마르카리안 은하《1968년에 발견한 활동 은하》.

márk càrd〚컴퓨터〛 마크 카드《광학 판독기를 써서 데이터를 입력하기 위한 카드》: a ~ reader 마크 카드 판독기.

márk·dòwn *n.*〚상업〛 가격 인하(폭). OPP markup.

marked [-t] *a.* **1** 기호〔표〕가 있는; (부정을 하기 위해) 뒷면에 표를 한《카드》. **2** 명료한(conspicuous); 두드러진: a ~ difference 현저한 차이. **3** 저명한; 주의를 끄는: a ~ man 요주의(要注意) 인물; 유망 인물, 유명 인물. **4**〚언어〛 유표(有標)의. OPP *unmarked*. ㊞ **mark·ed·ly** [mɑ́ːrkidli] *ad.* 현저하게, 눈에 띄게, 뚜렷하게. **márk·ed·ness** *n.* 현저함; 특수성.

márked cár《미》 패트롤카(patrol car).

márk·er *n.* **1** 표를 하는 사람〔도구〕; 채점자; (당구의) 게임 계산하는 사람(counter); 감적수(監的手); 출석 점검원; 면밀한 관찰가. **2** 표시가 되는 것《서표(bookmark)·묘비·이정표 등》. **3**〚스포츠〛 득점;〚군사〛 (지상·해상에서의) 위치 표지;〚영군사〛 (폭격의 목표를 확실하게 하기 위한) 조명탄(flare);《미》 사인(sign)이 있는 약속 어음, 약식(略式) 차용증(서)(IOU). **4**〚언어〛 표지;〚유전〛 =GENETIC MARKER. **5** =MARKER BEACON. ***be not a*** ~ ***to*** 〔***on***〕《속어》 …와 비교가 안 되다.

márker bèacon〚항공〛 마커, 마커 비컨《특정 지점 상공을 알리는 지상 무선 시설》.

márker príce〚석유〛 기준 가격.

†**mar·ket** [mɑ́ːrkit] *n.* **1** 장, 저자; 장날(~ day). **2** 시장에 모인 사람들. **3** 시장, 거래처, 판로, 수요(demand): the grain〔corn〕 ~ 곡물 시장 / a ~ overt 공개 시장 / find ~*s* for new manufactures 새 제품을 위한 시장을 찾다. **4** (the ~) (특정 상품의) 매매, 거래: the ~ in cotton 솜 거래. **5** 매매의 호기(好機): lose one's ~ 상기(商機)를 잃다, 손해를 보고 팔다. **6 a** (보통 the ~) 시가, 시세: raid the ~ 시세를 혼란시키다 / The ~ has fallen. 시세〔시가〕가 하락했다. **b** 시황, 경기: a dull〔a sick〕 ~ 침체 시장 / an active 〔a brisk〕 ~ 활발한〔활기 있는〕 시황. **7**《미》 식료품 가게, 슈퍼마켓: a meat ~ 고깃간, 푸줏간. **8**〚영법률〛 공설 시장 설치권. ***at the*** ~〚증권〛 시가로; 제일 좋은 값으로. ***be in the*** ~ ***for*** (아무가) …을 사는 쪽이다, …을 사려고 하다. ***be on*** 〔***in***〕 ***the*** ~ 팔 것으로 나와 있다. ***bring*** one***'s eggs*** 〔***hogs, goods***〕 ***to the wrong*** 〔***a bad***〕 ~ 예상 착오를 하다, 오산하다. ***bring to*** ~ 팔려고 내놓다. ***come into the*** ~ 매물(賣物)로 나오다. ***engross*** 〔***forestall***〕 ***the*** ~ 주를〔상품을〕 매점하다. ***feed ... to the*** ~ (가축)을 팔기 위해 키우다. ***find a*** ~ 판로를 트다〔찾다〕. ***go badly to*** ~ 손해 보는 거래를 하다. ***go to*** ~ (시장에) 장 보러 가다;《구어》 해보다, 일을 꾀하다;《Austral. 구어》 (몹시) 성내다. ***hold the*** ~ 시장을 좌우하다. ***make a*** ~〚증권〛 경기를 돋우다. ***make a*** 〔***one's***〕 ~ ***of*** …을 써서 이익을 얻다; …을 이용하다, (아무)를 희생물〔이용물〕로 하다. ***play the*** ~ 주식 투기를 하다, 증권에 투자하다; 미두〔공거래〕를 하다. ***put*** 〔***place***〕 ***on the*** ~ =bring to ~. ***raise the*** ~ ***on***《구어》 …에 비싼 값을 부르다. ***rig the*** ~《속어》 (인위적으로) 시세를 조종〔조작〕하다.

— *vi.* 시장에서 거래하다, 장 보다, 매매하다(deal);《미》 (가정용품 따위) 물건을 사다, 쇼핑하다. **—** *vt.* **1** 시장에 (팔려고) 내놓다. **2** (시장에서) 팔다.

màr·ket·a·bíl·i·ty *n.* Ⓤ 시장성(性).

már·ket·a·ble *a.* 팔리는, 팔 수 있는; 시장성이 높은; 시장의《가격 따위》. ㊞ **-bly** *ad.* 잘 팔려서. **~·ness** *n.*

márket anàlysis〚경제〛 시장 분석.

márket bàsket **1** 시장바구니. **2**〚경제〛 마켓 바스켓《소비자 물가 지수 따위를 작성하기 위해 선정된 식품 따위 생활용품의 품목》.

márket bòat 생선을 선단(船團)에서 시장으로 운반하는 배; 상품을 시장으로 운반하는 배; 배에 물자를 공급하는 작은 배.

márket capitalizátion〔**cáp**〕〚경제〛 (유가 증권의) 시가 총액.

márket cróss 시장의 십자가 (모양의 집)《중세(中世)에 시장에 세워진 것; 여기서 고시·공고 따위가 행해졌음》.

márket dày 장날.

márket-drìven *a.* (경제가) 시장 원리에 의한; (상품 따위가) 수요 주도의.

márket ecónomy 시장 경제.

mar·ke·teer [mɑ̀ːrkitíər] *n.* 시장 상인;《영》 영국의 유럽 공동시장 참가 지지자(=**cómmon marketéer**).

már·ket·er *n.* 장 보러 가는 사람; 시장 상인; 마켓 경영자; 마케팅 담당자. cf. shopper.

márket fòrces〚경제〛 (수급을 좌우하는) 시장의 힘.

márket gàrden《영》 (시장에 내기 위한) 채원(菜園), 과수원(《미》 truck farm).

márket gàrdener 채원〔과수원〕 경영자.

márket gàrdening 시장 원예(園藝).

már·ket·ing *n.* **1** (시장에서의) 매매, 시장거래;《미》(일용품 등의 쇼핑): do one's ~ 장 보다 / go ~ 장 보러 가다. **2**〚경제〛 마케팅《제조에서 판매까지의 과정》. **3** 시장에의 출하(出荷). **4**《집합적》 시장에 나갈 상품; 시장에서의 구입품.

márketing informátion sỳstem 마케팅 정보 시스템《생략: MIS》.

márketing mànager 마케팅 매니저《시장 분석·제품 계획·판매 촉진 등의 활동을 통제하는 업무 담당자》.

márketing mìx 마케팅 믹스〔통합〕《통제 가능한 마케팅 구성 요소를 유기적으로 통합하는 일》.

márketing pròcess 마케팅 프로세스〔과정〕《기업의 사명·목표를 달성하기 위해 마케팅 기회를 확인·분석·선택하여 이용하기 위한 경영 관리 과정》.

márketing resèarch 시장 조사《market research 보다 광범위》.

márketing stràtegy 마케팅 전략.

màr·ke·ti·zá·tion *n.* 자유주의 시장 경제로 옮겨감, 시장화.

márket lèader〚상업〛 마켓 리더《(1) 특정 제품 분야 또는 특정 지역에서 시장 점유율이 최대인 기업. (2) 특정 제품 분야에서 가장 인기 있는 제품》.

márket-lèd *a.* =MARKET-DRIVEN.

márket màker〚증권〛 마켓 메이커《어떤 특정 주식을 갖고 있어 언제라도 매매에 응할 수 있는 업자》.

márket nìche 특정 시장, 한정 시장.

márket òrder 현재 시세로의 매매 주문.

márket óvert 공개 시장.
márket·plàce *n.* 시장, 장터; 상업의 중심지; (의견·아이디어 등 무형 가치 교환의) 중심지.
márket potèntial 시장의 잠재 능력.
márket prìce 시장 가격, 시가: issue at the ~ (주식의) 시가 발행.
márket resèarch 시장〔판로〕 조사《새 상품 발매 전의》.
márket resèarcher 시장 조사 전문가.
márket-rìpe *a.* 아직 충분히 익지 않은《시장에 나올 때에야 알맞게 익을 정도》.
márket segmentàtion 시장 세분화.
márket shàre 〖경제〗 시장 점유율.
márket tòwn 장이 서는 거리; (중세의) 특허에 의해 장을 열 수 있는 읍〔시〕.
márket vàlue **1** 시장 가치(OPP *book value*). **2** =MARKET PRICE.
márket vàlue ĠŃṔ 〖경제〗 시가 기준의 국민총생산.
mar·khor, -khoor [máːrkɔːr], [-kuər] (*pl.* ~(**s**)) *n.* 야생 염소《히말라야 지방산(產)》.
márk·ing *n.* **1** Ⓤ 표하기; 채점. **2** Ⓒ 표(mark), 점; (조류 등에 붙이는) 표지(標識); (새의 깃이나 짐승 가죽의) 반문(斑紋), 무늬; (우편의) 소인; (항공기 등의) 심벌 마크. ― *a.* 특징 있는, 특출한.
márking gàuge 〖목공〗 턱촌목.
márking ìnk (의류용) 불변색 잉크.
márking ìron 화인(火印), 낙인(烙印).
márking pèn 마킹 펜《펜촉이 펠트·나일론·플라스틱 등으로 된 사인펜의 일종》.
mark·ka [máːrkɑː] (*pl.* **-kaa** [-kɑː], ~**s** [-z]) *n.* 마르카《Finland의 화폐 단위; =100 pennia; 기호 M, Mk》.
Mar·kov, -koff [máːrkɔːf, -kɔːv], [-kɔːf] *n.* **Andrei Andreevich** ~ 마르코프《러시아의 수학자; 1856-1922》.
Márkov 〔Márkoff〕 chàin 〖수학〗 마르코프 연쇄.
márks·man [-mən] (*pl.* **-men** [-mən]) *n.* 사수(射手); 저격병; 사격의 명수; 〖미군사〗 2등 사수 (등급); 〖스포츠〗 사격 선수의 별칭. ㊕ ~**·ship** [-ʃip] *n.* Ⓤ 사격술〔솜씨〕, 궁술.
márks·wòman (*pl.* **-wòmen**) *n.* 여자 명사수.
márk tòoth 말(馬)의 앞니《나이를 나타내는 오목한 곳이 있음》.
Mark Twain [máːrktwéin] 마크 트웨인《미국의 작가; 1835-1910; Samuel L. Clemens의 필명》.
márk·ùp *n.* **1** 〖상업〗 가격 인상(OPP *markdown*); 가격 인상폭; (판매 가격을 정하는) 원가에 대한 가산액《보통, 판매 가격을 기준으로 백분율로 나타냄》. **2** 《미》 법안의 최종 절충 (단계). **3** 〖인쇄〗 활자 지정; 〖컴퓨터〗 마크업《텍스트 안의 특정 부분에, 그 속성을 나타내는 표지(標識)를 부가하기, 또 그 표지》.
márkup cálculator 가산율 계산기《판매가를 정할 때 도매가에 가산할 비율을 계산함》.
márkup lánguage 〖컴퓨터〗 표지 언어《특별한 표지 기능을 제공하는 인터넷 언어》.
marl[1] [mɑːrl] *n.* Ⓤ 이회(泥灰), 이회토(土)《비료용》; Ⓤ,Ⓒ 이회토로 만든 벽돌; 《시어》 흙(earth). ***the burning*** ~ 초열(焦熱)지옥의 고통. ― *vt.* (땅에) 이회토를 뿌리다.
marl[2] *vt.* 〖해사〗 marline으로 감다.
mar·la·ceous [mɑːrléiʃəs] *a.* 이회(泥灰)질의.
Marl·bor·ough [máːrlbəːrou, -bʌr-/ máːlbərə, mɔ́ːl-] *n.* **John Churchill, 1st Duke of** ~ 말보로《영국의 장군; 1650-1722》.
Márlborough Hòuse 런던에 있는 영국 왕실의 별저(別邸)《1962년 이래 영연방 센터로 됨》.
Mar·lene [mɑːrlíːn, -léinə/máːliːn] *n.* 말린《여자 이름》.
mar·lin[1] [máːrlin] (*pl.* ~(**s**)) *n.* 〖어류〗 청새치류(類).
mar·line, -lin[2] [máːrlin], **-ling** [-liŋ] *n.* 〖해사〗 (두 가닥으로 꼰) 가느다란 밧줄《로프 끝에 감아, 무지러져 풀리는 것을 막음》.
márlin(e)·spìke, -ling- *n.* **1** 〖해사〗 밧줄의 꼬임을 푸는 데 쓰는 끝이 뾰족한 쇠막대. **2** 〖조류〗 **a** =TROPIC BIRD. **b** =JAEGER[2].
márlinespike séamanship 밧줄 다루는 기술.
marl·ite [máːrlait] *n.* Ⓤ 이회토(泥灰土)의 일종.
Mar·lowe [máːrlou] *n.* **Christopher** ~ 말로《영국의 극작가·시인; 1564-93》.
márl·pìt *n.* 이회토 채취장.
márl·stòne *n.* Ⓤ 이회암(泥灰岩).
marly [máːrli] (**marl·i·er; -i·est**) *a.* 이회토 비슷한; 이회질의; 이회토로 된〔가 많은〕.
marm [mɑːrm] *n.* 《속어》 =MA'AM.
°**mar·ma·lade** [máːrməlèid, ⌐-⌐/⌐-⌐] *n.* Ⓤ 마멀레이드《오렌지·레몬 등의 껍질로 만든 잼》; 〖형용사적〗 오렌지색의(줄무늬가 있는)《고양이》; 《미속어》 =MALARKEY.
MARMAP [máːrmæ̀p] 《미》 Marine Resources Monitoring Assessment and Prediction (해양 생물 자원 조사).
mar·ma·tite [máːrmətàit] *n.* Ⓤ 철섬(鐵閃)아연광.
Már·mes mán [máːrməs-] 마머스 원인(原人)《1965년 워싱턴 주에서 발견된 11,000년 전의 것》.
mar·mite [máːrmait, mɑːrmíːt/máːmait] *n.* **1** (금속 또는 도자기의) 큰 요리 냄비; 그 냄비에 담아서 내오는 수프. **2** (M-) 마마이트《고기·수프의 조미료로 쓰는 이스트; 상표명》.
mar·mo·lite [máːrməlàit] *n.* 〖광물〗 마멀라이트《이파리 모양의 엷은 녹색의 사문석(蛇紋石)》.
mar·mo·re·al, -re·an [mɑːrmɔ́ːriəl], [-riən] 《시어》 *a.* 대리석의; 대리석같이 흰〔차가운, 매끄러운〕. ㊕ ~**·ly** *ad.*
mar·mo·set [máːrməzèt] *n.* 〖동물〗 명주원숭이《라틴아메리카산(產)》.

marmoset

°**mar·mot** [máːrmət] *n.* **1** 〖동물〗 마멋《설치류(齧齒類); woodchuck, groundhog 따위》. ★ 모르모트(guinea pig)와는 다름. **2** 수영 모자의 일종.
mar·o·cain [mǽrəkèin, ⌐-⌐] *n.* Ⓤ 크레이프(crepe)감의 일종《비단 또는 모직》.
Mar·o·nite [mǽrənàit] *n.* 〖기독교〗 마론파 교도《주로 레바논에 사는 로마 가톨릭에 귀속된 동방교회 계통의 일파》.
Máronite Chúrch 마론 교회.
ma·roon[1] [mərúːn] *n.* **1** (보통 M-) 마룬《서인도 제도의 산중에 사는 흑인; 원래는 탈주(脫走) 노예》. **2** 《드물게》 무인도에 버림받은 사람, 유배된 사람. ― *vt.* 귀양 보내다; 〖보통 수동태〗 (홍수 등이) 고립시키다: be ~*ed* on a desolate island 외딴섬으로 유배되다. ― *vi.* 버정거리다, 빈둥거리다; 《미남부》 캠프 여행을 하다, 피크닉을 가다; 노예 상태에서 도망치다. ㊕ ~**·er** *n.* 해적; 유배인(流配人).
ma·roon[2] *a.* 밤색〔고동색, 적갈색〕의. ― *n.* Ⓤ 밤색, 적갈색; Ⓒ 《주로 영》 (경보용의) 폭죽, 꽃불.
már·plòt *n.* 쓸데없는 참견으로 계획을 잡쳐 놓는 사람, 헤살꾼.
Marq. Marquess; Marquis.

marque¹ [mɑːrk] *n.* =LETTERS of ~; Ⓤ《폐어》 보복(적 약탈).

marque² *n.* (스포츠카 따위의) 형(型), 차명(車名), 모델; (차명을 나타내는) 표지, 플레이트.

mar·quee [mɑːrkíː] *n.*《영》(서커스 따위의) 큰 천막;《미》(극장 출입구의) 차양.

mar·quess [máːrkwis] *n.* =MARQUIS.

mar·quess·ate [máːrkwəsət] *n.* 후작(侯爵)〔여후작, 후작 부인, 후작 미망인, 변경백(邊境伯)〕의 영지〔신분, 작위〕.

mar·que·try, -te·rie [máːrkətri] *n.* Ⓤ 상감(象嵌) 세공, (가구 장식의) 쪽매붙임 세공.

◇**mar·quis** [máːrkwis] (*fem.* ***mar·chio·ness*** [máːrʃənis]) *n.* 후작, …후(侯); 후작의 장자의 경칭. ㊕ **~·ate** [máːrkwəzət] *n.* Ⓤ 후작의 신분〔지위〕; 후작령(領).

mar·quise [mɑːrkíːz] (*pl.* **~s** [-kíːz(iz)]) *n.*《F.》**1**《영》(외국의) 후작 부인〔미망인〕, 여(女)후작. **2** (달걀꼴·다면체의) 보석,《특히》다이아몬드; 그 보석을 박은 반지. **3**《고어》큰 천막.

mar·qui·sette [mɑ̀ːrkwəzét] *n.* Ⓤ 얇고 가벼운 천의 일종《커튼·여성 옷감 등에 씀》.

már·quois scàle [máːrkwɔiz-]〖측량〗평행선(平行線)을 긋는 기구.

már·ram (gràss) [mǽrəm(-)] =BEACH GRASS.

Mar·ra·no [mərάːnou] (*pl.* **~s**) *n.* 마라노《중세 스페인·포르투갈에서 박해에 못 이겨 기독교화한 유대〔무어〕인》.

⁑**mar·riage** [mǽridʒ] *n.* **1** Ⓤ 결혼(wedlock)《*to; with*》; 결혼 생활, 부부 관계: one's uncle by ~ 처〔시〕삼촌; 고〔이〕모부.

> SYN. **marriage** 문어체·구어체에서 공히 쓰이는 '결혼'의 뜻의 가장 일반적인 말. **matrimony** 종교·법률에서 흔히 쓰이는 말. **wedding** 주로 결혼 의식을 나타냄.

2 Ⓒ 결혼식, 혼례(wedding). **3** (밀접한) 결합(union): the ~ of form and content 형식과 내용의 융합. **4**〖카드놀이〗같은 패의 King과 Queen의 짝; 그 카드. ◇ marry *v.* ***give*** a person ***in*** ~ 아무를 시집〔장가〕보내다. ***left-handed*** ~ 신분이 다른 사람끼리의 결혼. ~ ***of convenience*** 정략결혼, 지위·재산 따위를 노린 결혼. ***mixed*** ~ 이인종과의〔이교도와의〕 결혼. ***religious*** ~ 종교〔정식〕 결혼. ***take*** a person ***in*** ~ 아무를 아내로〔남편으로〕 삼다〔맞다〕.

már·riage·a·ble *a.* 결혼할 수 있는, 결혼에 적당한《연령 따위》, 혼기의, 묘령의. ㊕ **~·ness** *n.* **màr·riage·a·bíl·i·ty** *n.* Ⓤ 결혼 적령.

márriage àrticles (재산·상속 따위에 대하여 결혼 전에 결정하는) 결혼 약정서.

márriage bèd 신혼의 잠자리, 부부의 동침.

márriage bròker (전문적인) 결혼 중매인〔업자〕.

márriage bùreau 결혼상담소.

márriage certìficate 결혼 증명서.

márriage cὸntract 혼인 전(前) 계약; =MARRIAGE SETTLEMENT.

márriage cὸunseling《미》결혼 생활 상담.

márriage encὸunter 결혼 대화《몇 쌍의 부부가 그룹을 지어 부부 사이의 문제를 솔직히 논의하여 부부 관계를 개선·강화하는 방법》.

márriage guìdance 결혼 생활 지도.

márriage lìcense (교회 등의) 결혼 허가증.

márriage lìnes《영》〖단수취급〗결혼 증명서.

márriage pènalty《미》맞벌이 부부에게 불리한 세제(稅制)《각자 수입이 있는 남녀가 부부로서 신고하는 것보다 각자 독신으로 신고하는 쪽이 유리한 취급을 받음》.

márriage pὸrtion〖법률〗=DOWER; 결혼 지참금(dowry).

márriage sèttlement 혼인(전) 계승적 부동산 처분; 부부 재산 계약.

márriage tàx《미》결혼세《맞벌이 부부에 대한 세제》.

márriage vὸws 결혼 서약.

⁑**mar·ried** [mǽrid] *a.* **1** 결혼한, 기혼의, 배우자가 있는(OPP *single*): a ~ woman 기혼 여성. **2** 부부(간)의(connubial): ~ life 결혼 생활 / ~ love 부부애. **3** 밀접한 관계에 있는, 헌신적인《*to*》;《학생속어》정해진 상대와 1년 이상 교제하고 있는. ***get*** ~ 결혼하다《*to*》. ― (*pl.* **~s**, ~) *n.*〖특히 다음 구로〗기혼자: young **~s**.

márried prìnt《영》녹음을 끝낸 영화 필름.

mar·ron [mǽrən, mərόun/mǽrən] *n.*《F.》**1** (유럽산의) 밤《요리·과자용》. **2** (*pl.*) =MARRONS GLACÉS.

mar·rons gla·cés [mærɔ́ːŋglæséi]《F.》마롱글라세《설탕에 절인 밤》.

◇**mar·row**¹ [mǽrou] *n.* Ⓤ **1**〖해부〗뼛골, 골수(medulla). cf. pith. **2 a** 정수(精髓), 알짜, 정화(精華): the pith and ~ of a speech 연설의 골자. **b** 힘, 활력(vitality): the ~ of the land 국력(國力). **3** 영양 많은 음식. **4** Ⓒ《영》서양 호박의 일종(vegetable ~). ***spinal*** ~ 척수(脊髓). ***to the*** ~ (***of*** one's ***bones***) 뼛속〔골수〕까지; 순수한, 철저한. ㊕ **~·less** *a.* 정수가 없는, 맥없는, 흐늘거리는.

「흡사, 빼쏨《*of*》.

mar·row² *n.*《영방언》짝패; 배우자, 동반자;

márrow bèan 강낭콩《알이 굵은》.

márrow·bòne *n.* 골이 든 뼈; 소의 정강이뼈《골을 먹음》; (*pl.*)《우스개》무릎; (*pl.*) =CROSSBONES. ***bring*** a person ***to*** (his) **~s** 아무를 때려눕히다, 굴복시키다. ***get*** 〔***go***〕 ***down on*** one's **~s** 무릎을 꿇다.

márrow·fàt *n.* 큰 완두의 일종(=∠ **péa**).

márrow squàsh《미》=VEGETABLE MARROW.

mar·rowy [mǽroui] *a.* 골수가 많은; (변론·문장이) 간결하고 힘찬; 내용이 있는.

†**mar·ry**¹ [mǽri] *vt.* **1** …와 결혼하다《수동태 불가》: Susan *married* Edd. 수잔은 에드와 결혼했다. **2**《~+목/+목+부/목+전+명》결혼시키다《*to*》; 시집〔장가〕보내다《*off*》;〖수동태〗…와 결혼하다《*to*》: got *married* 결혼하다 / Her father *married* Susan *off to* Edd. 수잔 아버지는 그녀를 에드에게 시집보냈다. **3** (목사가) …의 결혼식을 올리다〔주례하다〕: The minister *married* Susan and Edd. **4**《~+목/+목+전+명》굳게 결합〔합체〕시키다《*with, to*》: Common interests ~ the two countries. 공동 이해 관계는 두 나라를 결합시킨다 / ~ traditional morality *to* the latest technology 전통적인 도덕관을 최신의 과학 기술과 융합시키다. **5** (밧줄 따위를) 꼬아서 잇다. ― *vi.*《~/+보/+전+명》결혼하다, 시집가다, 장가들다, 며느리〔사위〕를 보다: ~ again 재혼하다 / ~ young 젊어서 결혼하다 / She *married out of* her class. 그녀는 지체가 맞지 않는 결혼을 했다. ◇ marriage *n.* ***a*** **~*ing man***《구어》결혼을 희망하는 남자. ~ ***above*** one***self*** 자기보다 신분이 높은 사람과 결혼하다. ~ ***beneath*** 〔***below***〕 one***self*** 자기보다 신분이 낮은 사람과 결혼하다. ~ ***for love*** 연애결혼하다. ~ ***for money*** 돈을 보고 결혼하다. **~*ing income*** 결혼하기에 충분한 수입. ~ ***into the purple*** 지체 높은 집안으로 시집을 가다. ~ ***out of ...*** 종교를 달리하는 사람과 결혼하여 (자기 종교를) 떠나다. ~ ***up*** 결혼〔약혼〕시키다; 화해시키다. ~ ***with the left hand*** ⇨ LEFT¹.

mar·ry² *int.*《고어·방언》아니, 어머, 어럽쇼, 저런, 정말《놀람·분노·단언 등을 나타냄》. ***Marry come up*** 〔***come out, go up***〕***!*** 아니 저런, 이런 일 봤나, 별꼴 다 보겠네. [＜Mary (the Virgin)]

°**Mars** [mɑːrz] n. **1** 〖천문〗 화성: the size of ~ 화성의 크기《관사가 없음에 주의》. **2 a** 〖로마신화〗 마르스《군신(軍神); 그리스의 Ares에 해당; cf. Bellona》. **b** 〖의인화〗 전쟁; 용사.
MARS manned astronautical research station (유인 우주 조사 스테이션).
Mar·sa·la [mɑːrsɑ́ːlə] n. Ⓤ 《It.》 마르살라 백포도주《Sicily섬 서부의 마르살라산(産)》.
Mar·seil·laise [mɑ̀ːrsəléiz, -seiéiz/-seiéiz] n. 《F.》 (*La* ~) 마르세예즈《프랑스의 국가(國歌)》.
Mar·seilles [mɑːrséi, -ilz] n. 마르세유《프랑스 지중해안의 항구 도시》; Ⓤ (m-) 마르세유 무명. 「유로 만들었음》.
Marséilles sòap 마르세일 비누《원래 올리브
mar·sel·la [mɑːrsélə] n. =MARCELLA.
*****marsh** [mɑːrʃ] n. Ⓤ,Ⓒ 습지, 소택지, 늪; 《미방언》 초지(草地). cf. bog, swamp.
°**mar·shal** [mɑ́ːrʃəl] n. **1 a** 〖군사〗 (프랑스 등의) 육군 원수(《미》 General of the Army, 《영》 Field Marshal). **b** 《영》 공군 원수(Marshal of the Royal Air Force): an air chief *Marshal* 공군 대장 / an air *Marshal* 공군 중장 / an air vice *Marshal* 공군 소장. **c** (각국의) 군최고 사령관; 헌병 사령관(provost ~). **2** 《미》 (연방 재판소의) 집행관, 연방 보안관, 시경찰〔소방〕서장. **3** 《영》 (법원의) 사법 서기. **4** (영국 궁정의) 전례관(典禮官); 의전계원, 의식 진행계; 의전관. **5** 《영》 문장원(紋章院) 총재(Earl Marshal). **6** (옥스퍼드 대학) 학생감의 종복(從僕). **—** (**-l-**, 《영》 **-ll-**) vt. **1** 정렬시키다, 집합시키다. **2** (사실·증거 따위를) 늘어놓다, 열거하다; (생각·논의·서류 등을) 정리하다: ~ facts 사실을 정리하다 / ~ one's arguments before debating 토론을 하기 전에 논점들을 정리하다. **3** 〖법률〗 …의 배당 순위를 정하다. **4** (예의바르게) 안내하다, 인도하다 (usher): be ~*ed* before the Queen 여왕 앞에 안내되다. **5** (문장(紋章)을) 바탕에 배열하다. **—** vi. 정렬〔집합〕하다; 정리〔정돈〕되다. ㊕ **~·cy, ~·ship** n. ~의 직〔지위〕.
márshaling yàrd 철도의 조차장(操車場); 〖무역〗 컨테이너를 정렬·보관하는 장소.
Már·shall Íslands [mɑ́ːrʃəl-] (the ~) 마셜 제도《태평양 Micronesia 동부의 산호초의 섬들》.
Márshall Plàn (the ~) 마셜 안(European Recovery Program)《미국 국무장관 G.C. Marshall의 제안에 의한 유럽 부흥 계획; 1948-52》.
mársh fèver 말라리아.
mársh gàs 메탄, 소기(沼氣).
mársh gràss 《미속어》 시금치(spinach).
mársh hàrrier 〖조류〗 개구리매.
mársh hàwk 매의 일종.
mársh·lànd n. 습지대, 소택지.
marsh·mal·low [mɑ́ːrʃmèlou, -mæ̀l-/mɑ̀ːʃmǽlou] n. **1** 〖식물〗 양아욱. **2 a** 마시멜로《전에는 양아욱의 뿌리로, 지금은 녹말·젤라틴·설탕 따위로 만드는 연한 과자》. **b** 《미속어·경멸》 백인; 《미속어》 겁쟁이; (*pl.*) 젖무덤, 불알; (*pl.*) 《미속어》 =MARSHMALLOW SHOES.
márshmallow shòes 《미속어》 (여자애들이 신는) 바닥이 두껍고 뒤축이 없는 구두.
mársh màrigold 눈동이나물류의 식물.
marshy [mɑ́ːrʃi] (***marsh·i·er; -i·est***) a. **1** 습지〔소택〕의; 늪이 많은; 늪 같은. **2** 늪에 나는: ~ vegetation 습원(濕原) 식물. ㊕ **mársh·i·ness** n.
Mar·so·khod [mɑ̀ːrsəxɔ́ːt] n. 러시아의 화성 표면 탐사차.
Márs·quàke n. 화성의 지진.
mar·su·pi·al [mɑːrsúːpiəl/-sjúː-] n., a. 〖동물〗 유대류(有袋類)(의); 주머니(모양)의.
mar·su·pi·um [mɑːrsúːpiəm] (*pl.* ***-pia*** [-piə]) n. (유대 동물의) 육아낭(育兒囊).

Mart [mɑːrt] n. 마트《여자 이름; Martha의 애칭》.
mart n. 상업 중심지(emporium); 시장; 경매실(競賣室); 《고어》 정기시(定期市)(fair); 《폐어》 매매. cf. market. **—** vt. 《고어》 매매〔장사〕하다.
Mart. Martial.
mar·tél·lo (**tòwer**) [mɑːrtélou(-)] (*or* M-) 〖역사〗 원형 포탑(砲塔)《특히 나폴레옹 전쟁 중, 잉글랜드 해안에 설치된 방어용의 포탑》.
mar·ten [mɑ́ːrtən] (*pl.* **~(s)**) n. 〖동물〗 담비 (=**~ càt**); Ⓤ 담비의 모피.
mar·tens·ite [mɑ́ːrtənzàit] n. 〖야금〗 마텐자이트《담금질 강철의 주요 경도 성분》: ~ transformation 마텐자이트 변태.
Mar·tha [mɑ́ːrθə] n. **1** 마서《여자 이름; 애칭 Mart, Marty, Mat, Matty, Pat, Pattie, Patty》. **2** 〖성서〗 마르다《Lazarus의 누이》.
Mártha's Víneyard 마서스비니어드《미국 매사추세츠주 남동 해안에 있는 섬; 피서지》.
Mar·tí [mɑːrtíː] n. **José** ~ 마르티《쿠바의 애국자·시인; 쿠바 혁명당을 조직하여 조국에 상륙했다가 스페인군에 피살됨; 1853-95》.
°**mar·tial** [mɑ́ːrʃəl] a. 전쟁의, 군사(軍事)의; 용감한, 호전적인; 군인다운; (M-) 군신(軍神) Mars의; (M-) 화성의; (M-) 〖점성〗 화성의 악영향을 받은: ⇨ MARTIAL ART / ~ rule 군정 / ~ music 군악. ㊕ **~·ism** n. Ⓤ 상무(尙武)의 정신. **~·ist** n. **~·ize** vt. …에 전쟁 준비를 갖추게 하다; …의 사기를 돋우다. **~·ly** ad. 용감하게. **~·ness** n.
mártial árt (동양의) 무술, 무도(武道)《태권도·쿵후·유도 등》. ㊕ **mártial ártist**
mártial láw 계엄령; 〖국제법〗 교전 법규.
Mar·tian [mɑ́ːrʃən] a. 군신 Mars의; 화성(인)의. **—** n. 화성인. 「n. 화성학자.
Mar·tian·ol·o·gist [mɑ̀ːrʃənɑ́lədʒist/-nɔ́l-]
Mar·tin [mɑ́ːrtən] n. **1** 마틴《남자 이름》. **2** (St. ~) 성(聖)마르탱《프랑스 Tours의 주교; 315?-399?》. **3 Dean** ~ 미국의 가수·영화배우《본명은 Dino Crocetti; 1917-95》. ***St.* ~'s Day** =MARTINMAS. ***St.* ~'s summer** 《영》 11월 중순경의 화창한 날씨. cf. Indian summer.
mar·tin n. 〖조류〗 흰털발제비.
mar·ti·net [mɑ̀ːrtənét, ⌐-⌐/⌐-⌐] n. 규율에 엄격한 사람《특히 군인》, 몹시 까다로운 사람. ㊕ **~·ish** a. **~·ism** n.
mar·tin·gale, -gal [mɑ́ːrtəngèil], [-gæ̀l] n. **1** (말의) 가슴걸이. **2** 〖해사〗 제2사장(斜檣)(jib boom)을 고정시키는 버팀줄. **3** 곱 태우기《질 때마다 거는 돈을 곱해 감》.
mar·ti·ni [mɑːrtíːni] n. **1** (때로 M-) 마티니 (=**~ còcktail**)《진·베르무트를 섞은 것에 레몬 등을 곁들인 칵테일》: dry ~ 쌉쌀한 마티니. **2** (M-) 마르티니《이탈리아의 마르티니로시 회사의 베르무트; 상표명》.
Mártin Lúther Kíng Dày 《미》 킹 목사 기념일〔탄생일〕《원래 킹 목사의 탄생일은 1월 15일이나, 1월의 제3월요일을 연방 휴일로 함》.
Mar·tin·mas [mɑ́ːrtənməs] n. 성(聖) 마르탱의 축일(St. Martin's Day)《11월 11일》.
mart·let [mɑ́ːrtlit] n. 〖조류〗 흰털발제비; 〖문장(紋章)〗 발 없는 새《분가한 넷째 아들의 문장》.
Mar·ty [mɑ́ːrti] n. =MARTHA.
°**mar·tyr** [mɑ́ːrtər] n. **1** 순교자; (주의·운동 따위의) 순난자(殉難者), 희생자(victim) 《*to*》: a ~ *to* a cause 어떤 주의〔목적〕에 한 몸을 바친 사람. **2** (병 따위에) 끊임없이 시달리는 사람《*to*》: He was a lifelong ~ *to* rheumatism. 그는 일생 동안 류머티즘으로 고생했다. ***die a ~ to one's principle*** 주의를 위해 목숨을 바치다. ***make a ~***

of …을 희생하다;괴롭히다. ***make a*** ~ ***of*** ***oneself*** (신용·평판 따위를 얻기 위해) 순교자인 체하다. **—** *vt.* (신앙·주의 때문에) 죽이다, 박해하다, 괴롭히다. ㊔ ~**·dom** [-dəm] *n.* ⓤⒸ 순교, 순국(殉國), 순난(殉難), 순사(殉死); 수난, 고통, 고난. ~**·ish** *a.* ~**·ly** *ad.*

mar·tyr·i·um [mɑːrtíriəm] (*pl.* ***-tyr·ia*** [-tíriə]) *n.* 순교자의 유물이 보존돼 있는 곳, 순교의 유적; 순교자 기념 성당; 납골실(納骨室), 매장소.

mar·tyr·ize [máːrtəràiz] *vt.* 순교자로서 죽이다, 희생시키다; 괴롭히다(torment). **—** *vi.* 순교자가 되다; 순교자인 체하다. ㊔ **màr·tyr·i·zá·tion** *n.* 「순교자 숭배.

mar·tyr·ol·a·try [màːrtərálətri/-rɔ́l-] *n.* Ⓤ

mar·tyr·ol·o·gy [màːrtərálədʒi/-rɔ́l-] *n.* Ⓤ **1** 순교사(殉教史)(학). **2** 순교자 열전(列傳); 순교록. ㊔ **-gist** *n.* 순교사학자; 순교자 열전 기자. **màr·tyr·o·lóg·i·cal** *a.* 「배당.

mar·tyry [máːrtəri] *n.* Ⓤ 순교자의 묘소·예

MARV [mɑːrv] 〖군사〗 *n.* 기동(機動) 핵탄두 (탑재 미사일). **—** *vt.* …에 기동 핵탄두를 장비하다〔붙이다〕. [◂ *Ma*neuverable *R*eentry *V*ehicle]

mar·vel** [máːrvəl] *n.* **1** 놀라운 일, 경이, 이상함: ~*s* of nature 자연의 경이 / You've done ~*s*. 놀라운 일을 했구나. **2** (보통 a~) 놀라운 것〔사람〕, 비범한 사람: a baseball ~ 야구계의 천재 / This bridge is an engineering ~. 이 다리는 공학 기술의 경이이다. **3** 《고어》 놀람, 경탄. **—** (-l-***, 《영》 ***-ll-***) *vi.* 《+전+명》 놀라다《*at*》: I ~ *at* your courage. 너의 용기를 보고 놀랐다. **—** *vt.* **1** 《+*that* 절/+*wh.* 절》 …을 기이〔이상〕하게 느끼다, …에 호기심을 품다: I ~ *that* he could do so. 그가 그런 일을 할 수 있었다니 놀랍다 / I ~ *how* you could agree to the proposal. 네가 어떻게 그 제안에 찬성을 하였는지 이상하구나. **2** 《+*that* 절》 …에 감탄하다; 놀라다, 경탄하다: I ~ *that* you were able to succeed against such odds. 자네가 그런 불리한 상황에서 성공하였다니 놀랍군 그래.

márvel-of-Perú [-əvpərúː] *n.* 〖식물〗 분꽃.

****mar·vel·ous,** 《영》 **-vel·lous** [máːrvələs] *a.* **1** 불가사의한, 이상한, 놀라운. SYN. ⇨ WONDERFUL. **2** 기적적인, 믿기 어려운(improbable). **3** 《구어》 훌륭한, 최고의, 굉장한. **4** (the ~) 〖명사적〗 괴이(怪異)함, 거짓말 같은 일. ㊔ *~**·ly** [-li] *ad.* 불가사의하게, 이상하게; 훌륭하게. ~**·ness** *n.*

mar·vie, mar·vy [máːrvi] *int.* 《미속어》 멋있는데, 근사하군.

Mar·vin [máːrvin] *n.* 마빈《남자 이름》.

Marx [mɑːrks] *n.* **Karl** ~ 마르크스《독일의 사회주의자; 1818-83》.

Marx·ian [máːrksiən] *a.*, *n.* 마르크스(주의)의; 마르크스주의자(의).

Marx·ism [máːrksizəm] *n.* Ⓤ 마르크스주의, 마르크시즘. ㊔ **-ist** *a.*, *n.*

Márxism-Léninism *n.* Ⓤ 마르크스레닌주의. ㊔ **Márxist-Léninist** *n.*, *a.*

Mary [méəri] *n.* **1** 메리《여자 이름》. **2** 〖성서〗 성모 마리아. **3** ~ ***Stuart*** 메리 스튜어트《스코틀랜드의 여왕; 1542-87》. **4** 《Austral. 속어》 원주민 여자; 《미속어》 호모의 여자역(役); 《미속어》 레스비언. **5** 《속어》 마리화나(marijuana).

Máry Ánn 《속어》 =MARY JANE; 《속어》 택시의 요금 미터《운전기사의 용어》; 《영속어》 호모, 연약한 사내; 가사를 돕는 남자.

Máry Jáne 《속어》 마리화나(marijuana).

Mary·land [mérələnd/méərilæ̀nd] *n.* 메릴랜드《미국 동부 대서양 연안의 주; 생략: Md.》.

Mary·le·bone [mǽrələbən, mǽrəbən] *n.* 런던 중서부의 지구(地區)《1965년 이후 Westminster주의 일부》.

Máry Mágdalene 〖성서〗 막달라 마리아.

Mary·mass [méərimæ̀s] *n.* 성모 영보(聖母領報) 대축일《3월 25일》.

mar·zi·pan [máːrzəpæ̀n] *n.* ⓤⒸ 설탕·달걀·밀가루·호두·으깬 아몬드를 섞어 만든 과자.

márzipan sèt 〔**làyer**〕 (the ~) 〖상업〗 마지펀층(層)《런던의 금융 기관에서 중역진 다음 지위의 전문직》.

-mas [-məs] '…축일, …제(祭)'의 뜻의 명사를 만드는 결합사: Christ*mas*.

mas., masc. masculine.

Ma·sa·da [məsáːdə] *n.* 마사다《이스라엘의 사해 남서쪽 벼랑 위에 있는 고대 유적; B.C. 2세기 후반 마카바이오스 조(朝)의 요새; 유대인의 열심당(Zealots)이 로마군에 대항한 반란(66-73 A.D.)의 최후의 성채; 현재는 발굴·복원되어 유대인의 영웅적 애국심의 상징이 됨》.

Ma·sai [mɑːsái, -´, məsái] (*pl.* ~(**s**)) *n.*, *a.* 마사이족(의)《남아프리카 Kenya 등지에 사는 유목 민족》; Ⓤ 마사이어(의).

mas·cara [mæskǽrə/-káːrə] *n.* (속)눈썹에 칠하는 물감, 마스카라. **—** *vt.* …에 마스카라를 칠하다. 「금잔디.

mas·ca·réne gràss [mæskəríːn-] (한국의)

mas·con [mǽskɑ̀n/-kɔ̀n] *n.* 매스콘《달의 지표 밑의 중량 집중 지대》. [◂ *mass*+*con*centration]

***mas·cot** [mǽskɑt, -kət/-kət, -kɔt] *n.* 마스코트, 행운의 신〔부적〕, 행운을 가져오는 물건〔사람, 동물〕.

***mas·cu·line** [mǽskjəlin] *a.* **1** 남성의, 남자의; 남자다운, 힘센, 용감한; (여자가) 남자 같은. **2** 〖문법〗 남성의. OPP *feminine*. **—** *n.* 남자; 〖문법〗 남성, 남성 명사〔대명사 따위〕. ㊔ ~**·ly** *ad.* ~**·ness** *n.*

másculine énding 〖운율〗 남성 행말(行末)《시의 행 끝 음절에 강세가 있는 것》.

másculine génder 〖문법〗 (the ~) 남성.

másculine rhýme 〖운율〗 남성운(韻)《강세가 있는 1음절만의 압운》. 「nist.

más·cu·lìn·ist *n.* 남권(男權)주의자. cf. femi-

mas·cu·lin·i·ty [mæ̀skjəlínəti] *n.* Ⓤ 남자다움, 남성미, 어기참.

mas·cu·lin·ize [mǽskjələnàiz] *vt.* 〖생물〗 (암컷·미숙한 동물을) 웅성화(雄性化)하다. ㊔ **màs·cu·lin·i·zá·tion** *n.*

mase [meiz] *vi.* 마이크로파를 증폭하다, 메이저(maser) 역할을 하다.

Mase·field [méisfiːld, méiz-] *n.* **John** ~ 메이스필드《영국의 계관(桂冠)시인·소설가·비평가; 1878-1967》.

ma·ser [méizər] *n.* 〖물리〗 메이저, 분자 증폭기(增幅器). [◂ *m*icrowave *a*mplification by *s*timulated *e*mission of *r*adiation]

Ma·se·ra·ti [*It.* mazeráːti] *n.* 마세라티《이탈리아 Officine Alfieri Maserati사가 만든 스포츠카〔고급 승용차〕》.

Mas·e·ru [mɑ̀sərúː, mǽzərúː/məséəruː] *n.* 마세루《아프리카 남부 Lesotho 왕국의 수도》.

◇**mash**[1] [mæʃ] *n.* **1** 짓이긴 것, 갈아서 빻은 것. **2** 밀기울·탄 보리 따위를 더운물에 갠 가축의 사료. **3** 매시, 엿기름 물《맥주·위스키의 원료》. **4** 《영속어》 매시트포테이토《으깬 감자》; 《N.Eng.》 (달인) 차. **5** 호물호물〔질척질척, 걸쭉걸쭉〕한 상태; 《비유》 뒤범벅, 뒤섞임, 혼합. (***all***) ***to*** (***a***) ~ 흐물흐물해지도록《끓이다》. **—** *vt.* **1** 짓찧다, 짓이기다, 찧어 섞다: ~*ed* potatoes 매시트포테이토. **2** (엿기름에) 더운물을 섞다. **3** 《Sc.》 (차를) 달이다. ~ ***in*** 《미속어》 (트럭 등의) 클러치를 힘

주어 밟다. ~ *the tea* 《영구어》 차를 휘저어 석다, 차를 달이다.

mash² 《고속어》 *vt., vi.* 반하게 하다; 구애하다, 설득하다; 농탕치다. ***be ~ed on*** …에 반하다. — *n.* 반하게 한 사람; 《미속어》 정사(情事); 《영》 난봉꾼.

MASH [mæʃ] Mobile Army Surgical Hospital (육군 이동 외과 병원).

máshed potáto(es) 매시트포테이토《삶은 감자에 우유와 버터를 넣고 으깬 음식》.

másh·er *n.* **1** 짓이기는 사람[도구]. **2** 《속어》 난봉꾼.

Mash·had [mæʃhǽd] *n.* 《Per.》 =MESHED.

mash·ie [mǽʃi] *n.* 〖골프〗 매시, 아이언 5번《쇠머리 클럽의 일종》.

máshie ìron 〖골프〗 매시 아이언, 아이언 4번.

máshie nìblick 〖골프〗 쇠머리 클럽의 일종, 아이언 6번《mashie와 niblick의 중간》.

másh nòte 짧은 연애편지.

másh tùb 〔**tùn**〕 엿기름을 만드는 통.

mashy [mǽʃi] *n.* =MASHIE.

mas·jid, mus- [mʌ́sdʒid] *n.* 《Ar.》 회교 성원 (mosque).

mask [mæsk, mɑːsk/mɑːsk] *n.* **1** 탈; 복면, 가면: an iron ~. **2** 방독면(gas ~); (보호용) 마스크《포수·심판 등이 쓰는》; 산소 마스크; 데스마스크(death ~); 수중 마스크(swim ~); (사냥 기념) 여우의 머리. **3 a** 《고어》 탈을 쓴 사람, 가장자(假裝者). **b** 가면〔가장〕 무도회; 가면극; 야단법석. **4** 《미속어》 얼굴, 낯짝; 《비유》 가장, 구실(《*for*》); 〖일반적〗 덮어가리는 것. **5** 〖축성(築城)〗 차폐물. **6** 〖사진〗 (사진·영상의 크기〔광량(光量) 따위〕를 정하는) 마스크; 〖인쇄〗 불투명 스크린; 〖전자〗 마스크《회로 패턴이 인쇄된 유리판; 집적회로 제조용》; 〖컴퓨터〗 마스크《어떤 문자 패턴의 일부분의 보존·소거의 제어에 쓰이는 문자 패턴》. ***put on*** 〔***wear, assume***〕 ***a ~*** 가면을 쓰다; 정체를 숨기다. ***throw off*** 〔***put off, drop***〕 ***one's ~*** 가면을 벗다; 정체를 드러내다. ***under the ~ of*** …의 가면을 쓰고, …을 가장하여. — *vt.* **1** …에 가면을 씌우다, 가면으로 가리다. **2** 《~+[목]/+[목]+[전]+[명]》 가리다, 감추다: ~ one's intentions 의도를 숨기다/~ one's anger *with* a grin 씩 웃으면서 노여움을 감추다. **3** 〖군사〗 차폐〔엄폐〕하다; 감시하여 적의 행동을 방해하다; (전방으로 너무 나가 우군의 사격을) 방해하다. **4** 〖요리〗 (고기 요리 등)에 온통 소스를〔조미한 국물을〕 치다; (냄새·소리·맛 따위를) 차단하다. — *vi.* 가면을 쓰다; 변장하다; 본 마음을 감추다. [파] **~·a·ble** *a.* **~·like** *a.*

másk báll 가면무도회(=**másked báll**).

masked [-t] *a.* **1** 가면을 쓴, 변장한. **2** (진상을〔진의를〕) 숨긴, 숨은. **3** 〖군사〗 차폐된; 〖의학〗 잠복성의(latent). **4** 〖식물〗 가면 모양의.

másk·er *n.* 복면을 한 사람; 가면극 배우; 가면무도회 참가자.

másk·ing *n.* [U] 가장; 〖음향〗 차폐 효과; 〖사진〗 마스킹《컬러 사진의 물리 화학적 색채 수정》; 〖연극〗 차폐물.

másking tàpe 보호 테이프《도료를 분사하여 칠할 때 다른 부분의 오손을 막기 위해 사용되는 접착 테이프》.

másk RÒM 〖컴퓨터〗 마스크 롬《반도체 ROM의 일종》.

mas·lin [mǽzlin] *n.* [U] 《영방언》 밀과 호밀로 만든 빵; 잡곡(의 혼합물).

mas·och·ism [mǽsəkìzəm, mǽz-] *n.* [U] **1** 마조히즘, 피학대 음란증. [opp] *sadism.* **2** 〖일반적〗 자기 학대(경향). [파] **-ist** *n.* 피학대 음란증 환자. **màs·och·ís·tic** [-tik] *a.* **-ti·cal·ly** *ad.*

ma·son [méisən] *n.* **1** 석수, 벽돌공; 〖곤충〗 =MASON BEE. **2** (M-) 비밀 공제(共濟) 조합원, 프리메이슨(Freemason). — *vt.* 돌로 만들다〔짓다〕; 벽돌로 축조하다.

máson bèe 〖곤충〗 진흙·모래 등으로 집을 짓는 벌.

Má·son-Díx·on lìne [méisəndíksən-] 〖미국사〗 Pennsylvania주와 Maryland주의 경계(=**Máson and Díxon's lìne**)《옛날 미국의 북부와 남부의 분계선으로 간주했음》.

Ma·son·ic [məsɑ́nik/-sɔ́n-] *a.* 프리메이슨(Freemason)의〔같은〕; (m-) 석공〔돌 세공〕의. — *n.* Freemason의 친목회.

Ma·son·ite [méisənàit] *n.* 메소나이트《단열용 경질(硬質) 섬유판(纖維板); 상표명》.

Máson jàr 식품 저장용의 아가리가 넓은 유리병.

ma·son·ry [méisənri] *n.* [U] **1** 석공술(術); 석수〔벽돌공〕의 직(職); 돌〔벽돌〕로 만든 것〔부분, 건축〕, 석조 건축(stonework); 돌 쌓기〔공사〕, 벽돌 공사. **2** (M-) 프리메이슨 조합(Freemasonry), 그 제도〔주의〕.

máson·wòrk *n.* [U] =MASONRY 1.

masque [mæsk, mɑːsk/mɑːsk] *n.* [C] (16-17세기에 성행한) 가면극; 그 각본; 가장무도회.

mas·quer [mǽskər, mɑ́ːs-/mɑ́ːs-] *n.* =MASKER.

mas·quer·ade [mæ̀skəréid] *n.* 가장〔가면〕 무도회; 가장(용 의상); 구실, 거짓 꾸밈, 허구; 은폐. — *vi.* 《~/*as*[보]》 가장〔가면〕 무도회에 참가하다〔를 열다〕; …으로 가장〔변장〕하다; …인 척하다: ~ *as* a beggar 거지인 척하다. [파] **-ád·er** *n.* 가장〔가면〕 무도회 참가자.

mass¹ [mæs] *n.* **1** 덩어리: a ~ of iron 쇳덩이. **2** 모임, 집단, 일단: a ~ of troop 일단의 병사. **3** 다량, 다수, 많음: a ~ of letters 산더미 같은 편지. **4** (the ~) 대부분, 주요부: the ~ of people 태반의 사람들. **5** (the ~es) 일반 대중(populace), 근로자〔하층〕 계급. **6** 부피(bulk); 크기(size); 〖물리〗 질량. **7** 연약(煉藥). ***be a ~ of*** …투성이다: He *is a ~ of* bruises. 온몸에 타박상 투성이다. ***in a ~*** 하나로 합쳐서, 한 덩어리가 되어. ***in the ~*** 통틀어, 대체로, 전체로. — *a.* 대량의, 대규모의; 집단의; 대중의: ~ murder 대량 학살/~ migrations 집단 이주/the ~ mind 민중 정신/~ data 〖컴퓨터〗 대량 자료. — *vt., vi.* 한덩어리로 만들다〔가 되다〕; 한 무리로 모으다〔모이다〕; 집중하다; 집합시키다〔하다〕. ***~ in*** 〖미술〗 (색채·형태 등을) 대담하게 배치하다《전체적 효과를 노려》.

mass² *n.* (*or* M-) 미사《보통 가톨릭의 성찬의 의식》; 미사곡. ***by the ~*** 맹세코, 틀림없이. ***go to ~*** 미사에 참례하다. ***Private Mass*** 평(平)미사《분향·창(唱)이 없음》. ***read*** 〔***say***〕 ***~*** 미사를 올리다.

Mass. Massachusetts.

mas·sa [mǽsə] *n.* 《미남부》 =MASTER.

Mas·sa·chu·setts [mæ̀sətʃúːsits] *n.* 매사추세츠《미국 동북부 대서양 연안의 주; 생략: Mass.》.

Massachúsetts bállot 《미》 매사추세츠식 투표용지《후보자의 이름을 소속 정당 표시와 함께 알파벳순으로 배열한 투표용지》. [cf] Indiana ballot.

Massachúsetts Ínstitute of Technólogy (the ~) 매사추세츠 공과 대학(the M.I.T.).

mas·sa·cre [mǽsəkər] *n.* 대량 학살. — *vt.* 대량 학살하다, 몰살시키다; 《구어》 호되게 무찌르다, 완패〔참패〕시키다, 압도하다.

Mássacre of the Ínnocents **1** (the ~) 〖성서〗 (Bethlehem에서 Herod 왕에 의한) 유아 대학살《마태복음 II:16-18》. **2** (the m- of the i-) 《영속어》 (의회의 폐회 직전, 시일이 없어 행해지는) 의안의 묵살〔자동 폐기〕.

máss àction 〖화학〗 질량 작용; 〖심리〗 (뇌 기능의) 양작용설(量作用說); 〖사회〗 대중 행동; 〖심리〗 (태아·신생아의) 전체 미분화 운동.

°**mas·sage** [məsɑ́:ʒ/-sɑ́:dʒ] *n.* Ⓤ 안마, 마사지. — *vt.* 마사지〔안마〕하다; 부추기다, 회유하다; 《속어》 후려갈기다. ⓟ **-ság·er** *n.* 안마사; 마사지 기계. **-ság·ist** *n.*
masságe párlor 1 안마 시술소. **2** 《우스개》 안마를 칭하면서 매춘을 행하는 곳.
máss behávior 〖심리〗 대중 행동.
máss-bèll *n.* 미사의 종(鐘).
Máss bòok 미사 책(missal).
máss càrd (주최자가 유족 등에게 보내는) 추도 미사 안내장, 미사 카드.
máss-circulátion *a.* 대량 부수 발행의: an influential ~ magazine 대량 부수 발행의 유력 잡지.
máss communicátion 매스 커뮤니케이션, 매스컴, 대량〔대중〕 전달(수단)《신문·라디오·텔레비전 따위》.
mass·cult [mǽskʌ̀lt] *n.* Ⓤ 《구어》 대중 문화.
máss dèfect 〖물리〗 (원자의) 질량 결손(缺損), 질량 차(差).
máss driver 〖우주〗 우주 기재 발사 장치.
mas·sé [mæséi/mǽsi] *n.* 《F.》 〖당구〗 마세 《큐를 세워 치기》.
massed [-t] *a.* 밀집한; 집중한, 하나로 뭉친.
mássed pràctice 〖교육〗 집중법, 집중 학습〔연습〕(법).
máss énergy 〖물리〗 질량 에너지. 「항등식.
máss-énergy equàtion 〖물리〗 질량 에너지
máss-énergy equìvalence 〖물리〗 질량 에너지의 등가(等價).
Mas·se·net [mæ̀sənéi] *n.* **Jules Émile Frédéric** ~ 마스네《프랑스의 오페라 작가; 1842–1912》. 「저작근(咀嚼筋).
mas·se·ter [mæsí:tər] *n.* 〖해부〗 교근(咬筋),
mas·seur [məsə́:r/mæ-] (*fem.* **-seuse** [-sə́:z]) *n.* 《F.》 마사지사, 안마쟁이.
máss gráve 공동묘지.
máss hystéria 집단〔대중〕 히스테리.
mas·si·cot [mǽsəkɑ̀t/-kɔ̀t] *n.* 〖광물〗 마시코트《일산화납으로 된 황색의 광물; 안료·건조제용》.
mas·sif [mæsí:f, mǽsif] *n.* 《F.》 〖지학〗 대산괴(大山塊); 단층 지괴(斷層地塊).
***mas·sive** [mǽsiv] *a.* **1** 부피가 큰(bulky), 큰; 육중한(ponderous), 무거운: a ~ pillar 굵고 육중한 기둥. **2** 단단한, 힘찬; (용모·체격·정신이) 올찬, 굳센(solid); 당당한, 훌륭한(imposing): a man of ~ character 성격이 중후한 사람. **3** 〖심리〗 용적감이 있는. **4** 대량의; (약 등이) 정량 이상의. **5** 〖지학〗 괴상(塊狀)의: a ~ rock 괴상암. **6** 〖의학〗 (병이) 조직의 넓은 범위에 미치는. ⓟ **~·ly** *ad.* **~·ness** *n.*
mássively párallel 〖컴퓨터〗 초(超)병렬의.
mássive retaliátion 〖군사〗 대량 보복(전략).
máss léave (인도에서, 항의하기 위해 다수의 종업원이 하는) 일제 휴가. 「질량 제로의.
máss·less *a.* 〖물리〗 (소립자가) 질량이 없는,
máss mán 대중 사회를 구성하는 개인, 개성을 상실한 인간. 「품의 시장》.
máss márket 대량 판매 시장《대량 생산된 제
máss-màrket *a.* 대중 시장의, 대량 판매용의. — *vt.* (상품을) 대량 판매하다.
máss márketing 판매자가 모든 잠재적 수요자에 대하여 취하는 마케팅 형태 또는 관행(慣行).
máss màrket páperback 문고본(文庫本).
máss média 매스 미디어, 대량 전달의 매체.
máss medicátion (상수도에 약품을 넣는 등의) 집단 투약.
máss médium MASS MEDIA 의 단수.
máss méeting (정치적인) 대중 집회.
máss móvement 집단 이동; 〖사회〗 대중 운동. 「추상 명사》.
máss nòun 〖문법〗 질량 명사《불가산의 물질·
máss númber 〖물리〗 질량수(質量數)《원자핵을 구성하는 핵자(核子)〔양자와 중성자〕의 수》.
máss observátion 《영》 여론(輿論) 조사《생략: M.O.》. 「한 미사.
Máss of the Resurréction 사자(死者)를 위
máss prìest 미사드리는 사제(司祭).
máss-prodúce *vt.* 대량 생산하다, 양산(量産)하다. ⓟ **-dúced** [-t] *a.* 양산된. **-dúcer** *n.*
máss prodúction 대량 생산, 양산(量産).
máss psychólogy 군중 심리(학).
máss radiógraphy X선 집단 검진〔촬영〕.
máss rátio 〖우주〗 질량비《로켓 엔진을 점화할 때의 질량과 전부 연소했을 때의 질량의 비》.
máss socíety 대중 사회.
máss spéctrograph 〖물리〗 질량 분석기.
máss spectrómeter 〖물리〗 질량 분석계.
máss spectrómetry 〖물리〗 질량 분석법
máss spéctrum 〖물리〗 질량 스펙트럼.
máss stórage devìce 〖컴퓨터〗 대용량 기억장치. 「《버스·지하철 등》.
máss tránsit (대도시권내의) 대량 수송 수단
máss tránsport (버스·전동차 등의 공공 수송 기관에 의한) 대량 수송.
massy [mǽsi] (***mass·i·er; -i·est***) *a.* 《고어·문어》 =MASSIVE. ⓟ **máss·i·ness** [-nis] *n.* = MASSIVENESS.
mast**[1] [mæst, mɑ:st/mɑ:st] *n.* **1** 돛대, 마스트. **2** 기둥, 장대; (비행선의) 계류주(繫留柱) (mooring ~). ***before 〔***afore***〕 ***the*** ~ 평선원으로서. ***at half*** ~ 《구어》 (양말이) 흘러내린, (바지가) 너무 짧은. ***at*** (***the***) ~ 상갑판 큰 돛대 밑에서《훈시·공고 등을 위해 선원이 모이는 곳》. — *vt.* (배에) 돛대를 세우다; (돛을) 올리다.
mast[2] *n.* 〖집합적〗 너도밤나무의 열매·도토리 따위《돼지의 먹이》.
mas·ta·ba(h) [mǽstəbə] *n.* 〖고고학〗 (고대 이집트의) 석실 분묘(石室墳墓).
mást cèll 〖생물〗 마스트 세포, 비만 세포.
mas·tec·to·my [mæstéktəmi] *n.* Ⓤ,Ⓒ 〖외과〗 유방 절제(술).
mást·ed [-id] *a.* 〖주로 복합어로〗 (돛대) …대박이의: three-~ 세 돛대의.
‡**mas·ter**[1] [mǽstər, mɑ́:s-/mɑ́:s-] *n.* **1** 주인; 영주(lord); 고용주(employer); (노예·가축 등의) 소유주, 임자(owner): Like ~, like man. 《속담》 그 주인에 그 머슴, 용장 밑에 약졸 없다. **2** 장(長); 가장(家長); 선장; 교장. **3** 《영》 선생, 교사(school master): the head ~ of a school 교장 선생. **4** (the M-) 주 예수 그리스도. **5** 대가, 명수, 거장(expert); 대가의 작품; 정통한〔환한〕 사람; 달인(達人), 숙련자; 솜씨 좋은 장색: He was a ~ with a bow. 활의 명수였다 / a ~ of five languages, 5개 국어에 능통한 사람. **6** (M-) …님; 도련님《하인 등이 미성년 남자를 부를 때의 경칭》; 《Sc.》 작은 나리, 서방님, 도련님《자작·남작의 장자(長子) 경칭》: young *Master* George 조지 도련님. **7** 승리자, 정복자 (victor). **8** (M-) 석사(의 학위): *Master* of Arts 문학 석사《생략: M.A., A.M.》/ *Master* of Science 이학 석사《생략: M.S., M.Sc.》. **9** 《영 법률》 판사 보좌관, 서기. **10 a** 모형(matrix), 원판, (레코드의) 원반, (테이프의) 마스터테이프. **b** (다른 장치의 작동을 컨트롤하는) 모(母)장치(Ⓒf. slave); 〖통신〗 주국(主局). ***be*** ~ ***in one's own house*** 남의 간섭을 받지 않다. ***be*** ~ ***of*** ① …을 소유하다; …을 지배하다, …을 마음대로 할 수 있다. ② …에 정통하다: *be* ~ *of* the subject 그 문제에 정통(精通)하다. ***be*** ~ ***of oneself*** 자제하

다; 침착을 잃지 않다. **be** one's **own** ~ 마음대로 할 수 있다, 남의 제재를〔속박을〕 받지 않다. ***make*** one***self*** ~ ***of*** …에 정통하다, …에 숙달하다. ~ ***and man*** 주인과 고용인, 주종(主從). ~ ***of ceremonies*** ⇨ CEREMONY. ***Master of the Horse***《영》 근위 기병대장《왕실 제3위의 고관》. ***past*** 〔***passed***〕 ~ ⇨ PAST *a*. 4. ***the old ~s*** 15세기에서 18세기의 대(大)화가들(의 작품).

— *a*. 주인의, 우두머리의; 달인의; 뛰어난 (excellent); 주된, 지배적인(commanding): a ~ plan 종합 기본 계획 / a ~ carpenter 도목수 / a ~ speech 명연설 / a ~ touch 명인의 일필(一筆)〔솜씨〕/ ~ disk 〖컴퓨터〗 마스터 디스크.

— *vt*. **1** 지배〔정복〕하다, …의 주인이 되다; (동물을) 길들이다. **2** (격정 따위를) 억누르다, 참다 (subdue): ~ one's anger. **3** …에 숙달하다, …에 정통하다: ~ English. **4** 〖녹음〗 …의 원반 디스크〔테이프, 레코드〕를 만들다.

SYN. **master** 마음대로 구사할 수 있을 정도로 습득하다, 몸에 배게 하다: *master* a foreign language 외국어에 정통하다. **acquire** 노력의 결과로 습득하다.

— *pref*. 〖동사와 결합하여〗 우두머리가〔주인이〕 되어 …하다: ~-plan a new city 새 도시 계획을 지도하다.

mast·er[2] *n*. 〖흔히 복합어로〗 …대박이(배): a four-~ 네 대박이 배.

máster áircrew 〖영공군〗 준위(准尉).

máster anténna 마스터 안테나《텔레비전의 전파를 대형 안테나로 수신하여 케이블을 통해 가입자에게 분배하는》.

máster-at-árms (*pl*. ***másters-at-árms***) *n*. 〖영해군〗 선임 위병 부사관.

máster báth 안방에 딸린 욕실.

máster bédroom 주(主) 침실《집에서 가장 큰 침실; 부부용》.

máster buílder 건축 청부업자; (뛰어난) 건축가; 도편수.

Máster·Càrd *n*. 마스터카드《미국의 대표적인 국제적 크레디트 카드 시스템; 상표명》.

máster cárd 〖카드놀이〗 (브리지에서) 으뜸패; 〖컴퓨터〗 으뜸 카드.

máster chíef pétty òfficer (미해군 · 해병대 · 연안경비대의) 최선임 부사관《우리나라의 원사에 해당》.

máster cláss 1 지배층, 지배 계급. **2** (일류 음악가가 지도하는) 상급 음악 세미나.

máster clóck (전자 · 전기 시계의) 어미 시계.

mas·ter·dom [mǽstərdəm, mɑ́:s-/mɑ́:s-] *n*. Ⓤ 지배(권); 학교 교사의 신분〔직〕.

máster file 〖컴퓨터〗 기본 파일.

°**mas·ter·ful** [mǽstərfəl, mɑ́:s-/mɑ́:s-] *a*. **1** 건방진, 오만한(domineering), 주인티를 내는. **2** 솜씨가 능숙한, 노련한, 교묘한. ⊞ **~·ly** *ad*. **~·ness** *n*.

máster glànd 〖해부〗 뇌하수체.

Máster Gúnnery Sèrgeant (미해병대의) 선임 부사관《우리나라의 상사에 해당》.

máster hànd 명수, 명인.

mas·ter·hood [mǽstərhùd, mɑ́:s-/mɑ́:s-] *n*. =MASTERSHIP.

máster kèy 맞쇠, 결쇠; (난문제의) 해결, 해결의 열쇠.

más·ter·less *a*. 주인이 없는; 방임된, 방랑의

más·ter·ly *a*., *ad*. 교묘한, 교묘하게; 명인의〔다운〕, 명인같이. 「〔하는〕.

máster máriner (상선의) 선장.

máster máson 석공의 우두머리; (종종 M-M-) 비밀 공제 조합원(Freemason)의 제3급 회원.

máster mechánic 직공장; 숙련공.

máster·mìnd *n*. 지도자, 주도자, 주모자, 조종자. — *vt*. (배후에서) 지휘〔조종〕하다.

***mas·ter·piece** [mǽstərpì:s, mɑ́:s-/mɑ́:s-] *n*. 걸작, 명작.

máster plán 종합 기본 계획, 전체 계획.

máster pólicy (보험의) 모(母)증권, 포괄 증권, 일괄 증권.

máster ráce 지배자 민족, 지상(至上) 인종《나치스 등이 생각했던》.

máster's degrèe 석사 학위《master's로도 생략》.

máster sérgeant 《미》 상사.

mas·ter·ship [mǽstərʃìp, mɑ́:s-/mɑ́:s-] *n*. Ⓤ **1** master임; master의 직〔지위〕. **2** 숙달, 정통. **3** 지배(력), 통제, 통어(력).

máster-sláve manìpulator 매직핸드《인체에 위험한 방사성 물질 따위를 다루는》.

Másters Tóurnament (the ~) 마스터스 토너먼트《골프의 세계 4대 토너먼트의 하나; 1934년부터 매년 Georgia 주의 Augusta National Golf Club에서 개최》.

máster·stròke *n*. **1** (정치 · 외교 등의) 훌륭한 솜씨〔수완〕, 멋진 조처, 대성공. **2** 〖미술〗 주선(主線); 입신(入神)의 필치.

máster swítch 〖전기〗 마스터 스위치.

máster tòuch 천재의 번뜩임, 훌륭한 수완.

máster·wòrk *n*. =MASTERPIECE.

máster wórkman 직공장; 숙련공; 명장색(名匠色).

mas·tery** [mǽstəri, mɑ́:s-/mɑ́:s-] *n*. Ⓤ **1** 지배(력) (sway), 통어(력); 정복. **2** 우월, 탁월; 수위(首位), 우세(superiority), 우승. **3** 숙달, 뛰어난 기능; 전문적 지식〔기술〕, 정통(精通). ***gain 〔***get, obtain***〕 ***the ~ of*** 〔***over***〕 …의 지배권〔력〕을 획득하다, …을 지배하다; …에 숙달〔정통〕하다.

mástery léarning 〖교육〗 완전 습득 학습.

mást·hèad *n*. 〖해사〗 돛대머리, 장두(檣頭); 장두 감시원; 《미》 발행인란《신문이나 잡지의 명칭 · 발행 장소 · 발행인 · 날짜 따위를 인쇄한 난》. — *vt*. (기 따위를) 돛대 꼭대기에 달다; (벌로서) 마스트 꼭대기에 오르게 하다.

mást hòuse 1 돛대 제작소. **2** 돛대 부근의 갑판실《전기 장치가 있는》.

mas·tic [mǽstik] *n*. Ⓤ **1** Ⓒ 〖식물〗 유향수(乳香樹). **2** 유향(乳香). **3** 회반죽의 일종. **4** 유향주《포도주의 일종》. **5** 담황색.

màs·ti·ca·bíl·i·ty *n*. Ⓤ 씹을 수 있음.

mas·ti·ca·ble [mǽstəkəbəl] *a*. 씹을 수 있는.

mas·ti·cate [mǽstəkèit] *vt*. (음식물을) 씹다, 저작(咀嚼)하다; 분쇄하다; (고무 따위를 기계에 넣어) 곤죽으로 만들다. ⊞ **màs·ti·cá·tion** *n*. Ⓤ 저작(咀嚼).

mas·ti·ca·tor [mǽstəkèitər] *n*. 씹는 사람〔것〕; 분쇄기; 고기 다지는 기계; 가죽 깃찧는 기계; (*pl*.) 《우스개》 이(齒).

mas·ti·ca·to·ry [mǽstəkətɔ̀:ri/-təri] *a*. 저작(咀嚼)의, 씹는, 씹기 알맞은. — *n*. 씹는 것 《껌 · 씹는 담배 따위》.

mas·tiff [mǽstif] *n*. 큰 맹견의 일종.

mas·ti·tis [mæstáitis] *n*. Ⓤ 〖의학〗 유선염(乳腺炎).

mas·to- [mǽstə, -tou] '유방, 유두' 란 뜻의 결합사.

mastiff

mas·to·don [mǽstədɑ̀n/-dɔ̀n] *n.* **1** 〖고생물〗 마스토돈 《신생대 제3기의 거상(巨象)》. **2** 대단히 거대한 것〔사람〕.

mastodon 1

mas·toid [mǽstɔid] 〖해부〗 *a.* 젖꼭지〔유두〕 모양의: a ~ operation 유양(乳樣)돌기 절제. — *n.* 유양돌기(=∠ **bóne**); 《구어》 =MASTOIDITIS.

mástoid céll 〖해부〗 유양돌기 봉소(蜂巢).

mas·toid·ec·to·my [mæ̀stɔidéktəmi] *n.* 〖의학〗 유양돌기 절개(切開)(수술).

mas·toid·i·tis [mæ̀stɔidáitis] *n.* 〖의학〗 유양돌기염.

mástoid prócess 〖해부〗 유양돌기(mastoid).

mas·tur·bate [mǽstərbèit] *vi.*, *vt.* (자신 또는 남에게) 수음(手淫)을 하다. [파] **-bà·tor** *n.*

màs·tur·bá·tion *n.* [U] 수음(手淫).

mas·tur·ba·to·ry [mǽstərbətɔ̀ːri / mæ̀stəbéitəri] *a.* 수음의; 자기도취적인; 독선적인.

ma·su·ri·um [məzúəriəm, -súər-/-súər-] *n.* 〖화학〗 마수륨《technetium의 구칭》.

⁑**mat**[1] [mæt] *n.* **1 a** 매트, 멍석, 돗자리, (현관에 깔린) 신바닥 문지르개(doormat); 욕실용 매트(bath ~); (레슬링·체조용의) 매트. **b** (접시·꽃병 등의) 장식용 받침, =TABLE MAT. **c** 〖건축〗 전면(全面)에 깐 기초; (발파 현장에서 파편의 비산을 막는) 로프〔쇠줄〕제 망. **d** 《미속어》 (항공모함 등의) 갑판. **2** (설탕 등을 넣는) 포대, 가마니; 그 한 포대의 양. **3** (머리카락·잡초 따위의) 뭉치, 엉킨 것: a ~ of hair 〔weeds〕. **4** (짐 꾸리는 데 채워 넣는) 속. **5** 《미속어》 여자, 마누라. ***be* (*put*) *on the* ~** 《구어》 (견책·심문을 위해) 소환되다, 꾸중 듣다. ***go to the* ~** 레슬링 경기를 하다; 격렬한 논쟁을 하다《*with*》. ***hit the* ~** 《미속어》 기상하다; 녹다운당하다. ***leave*** a person ***on the* ~** 아무를 문간에서 쫓아버리다.
— (*-tt-*) *vt.* **1** …에 매트를 깔다; 매트로 덮다. **2** 《~+[목]/+[목]+[부]》 엉키게 하다《*together*》: The swimmer's wet hair was ~*ted together*. 수영자의 머리는 젖어서 엉클어졌다. — *vi.* 엉키다.

mat[2] *n.* 《구어》 〖인쇄〗 지형(紙型), 자모(matrix).

mat[3], **matt**(**e**) [mæt] *a.* **1** 광택이 없는, 윤을 없앤. **2** (보통 matte) (표면이) 알맹이 모양인 《세균의 취락》. — *n.* 윤기 없애기; (그림틀의) 윤을 없앤 금테. — (*-tt-*) *vt.* (금속면 등을) 흐릿하게 하다; 윤〔광택〕을 없애다; (그림 등)에 장식 테두리를 붙이다.

mat. material; matinee; matins; maturity.

M.A.T. Master of Arts in Teaching.

mat·a·dor [mǽtədɔ̀ːr] *n.* 《Sp.》 투우사; 〖카드놀이〗 으뜸패의 일종; (M-) 《미》 지대지(地對地) 전술 미사일.

Ma·ta Ha·ri [mɑ́ːtəhɑ́ːri] **1** 마타 하리(1876–1917)《네덜란드 태생의 댄서; Paris에서 독일 측의 스파이로 활동하다가 프랑스 당국에 체포되어 사형되었음》. **2** 여자 스파이〔간첩〕.

mát bòard 액자용 대지(臺紙).

⁑**match**[1] [mætʃ] *n.* **1** 성냥: a box of ~*es* 성냥 한 갑/a safety ~ 안전 성냥. **2** 《고어》 화승(火繩), 도화선. ***put a* ~ *to*** …에 불을 댕기다. ***strike* 〔*light*〕 *a* ~** 성냥을 긋다.

⁑**match**[2] *n.* **1** 경기(game): play a ~.

> [SYN] **match** 경기자〔팀〕 상호간의 짝짓기 → 경기. **competition** 능력·기술 따위를 겨루는 일 → 경기. **contest** competition과 거의 같은 뜻이지만 솜씨 겨루기보다는 상 따위를 겨루는 노력에 중점.

2 a 대전 상대, 호적수《*for*》; (성질 따위가) 필적하는〔동등한〕 사람〔것〕: He is more than a ~ *for* me. 그는 나보다는 상수다. **b** 쌍의 한쪽, 꼭 닮은 것, 빼쏜 것《*to*》; 어울리는〔조화된〕 것〔사람〕《*for*》; 걸맞은 쌍〔짝〕의 사람〔것〕《2인〔둘〕 이상》: a ~ *to* this glove 이 장갑의 한 짝/The new tie is a good ~ *for* the shirt. =The new tie and the shirt are a good ~. 새 넥타이와 셔츠는 잘 어울린다. **3** 혼인, 결혼; 결혼의 상대〔후보자〕: She will make a good ~ *for* you. 그녀는 자네 부인으로서 어울리는 좋은 상대야. ***make a* ~ *of it*** 결혼하다. ***meet more than* one's ~** 강적을 만나다. ***meet* 〔*find*〕 one's ~** 호적수를 만나다; 난국〔난문제〕에 부닥치다.
— *vt.* **1** 《~+[목]/+[목]+[전]+[명]》 **a** …에 필적하다, …의 호적수가 되다: My talent does not ~ his. 나의 재능은 그에게 미치지 못한다/No one can ~ him *in* strength. 힘으론 아무도 그를 당할 수 없다. **b** 맞붙게 하다, 경쟁〔대결〕시키다《*against; with*》; 비교하다; 《미》 (일 따위를 결정하려 할 때 아무와) 동전을 던져 결정하다: The teams were well ~*ed*. 대전 팀은 전력이 비슷했다/Father ~*ed* me *with* 〔*against*〕 John in the lessons. 아버지는 공부로 나와 존을 대결시켰다/I'll ~ you to see who does it. 너와 누가 할 것인지 동전을 던져 결정하자. **2 a** (색깔·모양 따위가) …에 어울리다, 걸맞다: His tie doesn't ~ his shirt. 넥타이가 셔츠와 안 어울린다. **b** 《+[목]+[전]+[명]》 조화시키다, 맞추다《*to; with*》; …에 맞는 것을 찾아내다; …에 (적합한 사람〔것〕을) 찾아내다《*for*》: ~ wallpaper *with* the carpet 융단과 벽지를 조화시키다/~ supply *to* demand 공급과 수요를 맞추다/Please ~ this silk *for* me. 이 실크에 어울리는 것을 찾아 주세요. **c** 〖전자〗 (최대의 에너지 전도(傳導)를 일으키기 위해) 임피던스를 같게 하여 (두 교류 회로를) 잇다. **3** 《고어》 결혼시키다《*to; with*》: a well-~*ed* pair 잘 어울리는 부부. **4** (…에게 자금을) 보조하다《*to*》. — *vi.* **1** (둘이) 대등하다, 어울리다: Our talents ~. 우리의 능력은 비슷하다. **2** 《+[전]+[명]》 (물건이 크기·모양·색 등에서) (…와) 조화되다, 어울리다《*with*》: The napkins do not ~ *with* the tablecloth. 냅킨이 식탁보와 어울리지 않는다. **3** 《고어》 (…와) 혼인하다《*with*》: He ~*ed* well. 그는 좋은 배필을 얻었다/Let beggars ~ *with* beggars. 《속담》 유유상종. **~ *coins*** 동전을 던져 결정하다. **~ *up*** 《*vi.*+[부]》 ① (두 개의 것이) 일치하다, 조화되다. — 《*vt.*+[부]》 ② (…와) 일치시키다《*with*》. ③ (…와) 합해서 완전한 것〔전체〕를 만들다《*with*》: ~ *up* the two ends 양 끝을 이어 하나로 만들다. **~ *up to*** ① (예상·계산 따위에) 일치하다; …의 기대대로 되다. ② (사태 따위에) 대처하다. ***to* ~** 〔명사 다음에서 형용사구·부사구로서〕 어울리는, 조화하는; 다 갖추어진: with everything *to* ~ 모두 갖추어서/a dark suit with a hat and shoes *to* ~ 검은 슈트와 이에 어울리는 모자 그리고 구두. [파] **∠·a·ble** *a.*

mátch·bòard, mátched bóard *n.* 〖건축〗 은촉물림 판자.

mátch·bòarding *n.* [U] 은촉물림〔붙임〕.

mátch·bòok *n.* 종이 성냥《한 개비씩 뜯어 쓰게 된 성냥》.

mátch·bòx *n.* 성냥통; 《속어》 작은 집.

mátched órder 〖증권〗 통정(通情) 매매; =WASH SALE.

mátch·er *n.* 어울리는 사람〔물건〕; match-

board 제작기〔자〕.
match·et [mǽtʃit] *n.* =MACHETE.
mátch·fòlder *n.* =MATCHBOOK.
mátch·ing *a.* (색 · 외관이) 어울리는, 조화된.
mátching fùnd (수익자의 출자에 상응하여 정부 · 단체 · 개인 등이 내는) 보조금.
mátch·jòint *n.* 〚건축〛 사개.
◇**match·less** [mǽtʃlis] *a.* 무적의, 무쌍의, 비길 데 없는. ⊞ **~·ly** *ad.* **~·ness** *n.*
mátch·lòck *n.* **1** 화승총. **2** 화승식 발화 장치.
mátch·màker[1] *n.* 성냥 제조업자.
mátch·màker[2] *n.* **1** 결혼 중매인. **2** 경기의 대전 계획을 짜는 사람.
mátch·màking[1] *n.* Ⓤ 성냥 제조(업).
mátch·màking[2] *n.* Ⓤ **1** 결혼 중매. **2** 경기의 대전표 작성.
mátch·màrk *n.* (조립하기 편리하도록 기계 부품 등에 붙이는) 합표(合標), 조립 부호. **—** *vt.* …에 합표를 붙이다.
mátch plày 〚골프〛 득점 경기 《쌍방이 이긴 홀의 수대로 득점을 계산》. ⓒⓕ medal play.
mátch póint 〚경기〛 승패를 결정하는 최후의 1 점.
mátch·stìck *n.* 성냥개비.
mátch·ùp *n.* =MATCH².
mátch·wòod *n.* Ⓤ 성냥개비 재료; 산산조각. ***make ~ of ... =reduce ... to ~*** …을 분쇄하다, 산산조각을 내다.
⁑**mate**[1] [meit] *n.* **1** 상대; 《특히》 배우자(spouse) 《남편이나 아내》: a faithful ~ *to* him 그의 성실한 아내. **2** 짝〔한 쌍〕의 한쪽: Where is the ~ *to* this glove? 이 장갑의 한 짝은 어디 있나. **3** (노동자 등의) 동료, 친구; 여보게 《친밀한 호칭》. ⓒⓕ playmate, classmate, roommate. ¶ Hand me the glass, ~. 여보게, 잔 좀 이리 보내주게. **4** (상선의) 항해사 《선장을 보좌함》; 조수; 《미》 부사관: the cook's ~ 요리사 조수. ***go ~s with*** …의 동료〔친구〕가 되다. **—** *vt.* **1** 동료로 만들다; 부부가 되게 하다. **2** 짝지어 주다, 교미시키다. **3** 《+목+전+명》 일치〔합치〕시키다; 우주선을 결합하다: ~ one's words *with* deeds 언행을 일치시키다. **—** *vi.* 《+전+명》 동료가 되다, 부부가 되다, 결혼하다, 교미하다 《*with*》: Birds ~ in (the) spring. 새는 봄철에 교미한다.
mate[2] 〚체스〛 *n.* 외통장군(checkmate). **—** *vt.* 외통장군을 부르다, 지게 하다.
ma·té, ma·te[3] [mɑ́:tei, mǽt-] *n.* **1** Ⓤ 마테차(茶). **2** 그 나무. **3** 마테차 그릇.
mat·e·las·sé [mɑ́:tələsèi] *n.* 《F.》 Ⓤ 일종의 견모(絹毛) 교직. **—** *a.* 돋을무늬가 있는 《비단 따위》.
mate·lot [mǽtlou] *n.* 《F.》 《해사속어》 선원, 「마도로스.
mat·e·lote [mǽtəlòut] *n.* Ⓤ 〚요리〛 술 · 양파 따위가 든 생선 스튜.
ma·ter [méitər] *n.* **1** (때로 the ~) 《영속어》 어머니(mother). ⓒⓕ pater. **2** 〚의학〛 뇌막(腦膜).
Ma·ter Do·lo·ro·sa [méitər-dòulərόusə] 《L.》 슬픔의 성모 《그림 · 조각 등에서 십자가 밑에서 슬픔에 젖은 성모 마리아상》.
ma·ter·fa·mil·i·as [mèitərfəmíliəs] *n.* 《L.》 모친, (한 집의) 주부. ⓒⓕ paterfamilias.
⁑**ma·te·ri·al** [mətíəriəl] *a.* **1** 물질의, 물질에 관한(physical); 구체적인, 유형의: a ~ being 유형물 / ~ civilization 물질 문명 / the ~ universe〔world〕 물질계 / a ~ noun 〚문법〛 물질명사 / ~ evidence 물적 증거. **2** 육체상의〔적인〕(corporeal); 감각적인, 관능적인. ⓄⓅⓅ *spiritual.* ¶ ~ comforts 육체적 안락을 초래하는 것 《음식 · 의복 따위》 / ~ needs 생리적 요구(물) / ~ pleasure 관능적 쾌락. **3** 세속적인, 비속한. **4** 〚논리 · 철학〛 질료(質料)적인, 실체상의; 유물론의. ⓄⓅⓅ *formal.* **5** 중요한, 필수의; 〚법률〛 법정 소송에 크게 영향을 미치는, 실질적인: at the ~ time 중대한 시기에 / facts ~ *to* the interpretation 그 해석에 있어서 중요한 사실 / a ~ factor 중요한 요인. ⓈⓎⓃ. ⇨ IMPORTANT. **—** *n.* **1** (종종 *pl.*) 재료; (양복의) 감: building ~*s* 건축 자재. ⓈⓎⓃ. ⇨ SUBSTANCE. **2** 요소, 제재(題材), 자료 (data): ~ *for* thought 사고(思考)의 내용. **3** (*pl.*) 용구(用具): writing ~*s* 필기용구. ***printed ~*** 인쇄물. ***raw ~s*** 원료. ⊞ **~·ism** *n.* 〚철학〛 유물주의; 유물론. ⓄⓅⓅ *spiritualism.* **~·ist** *n.* 유물론자. **~·ness** *n.*
matérial cáuse 〚철학〛 질료인(質料因).
matérial implicátion 〚논리〛 질량내함(質量內含).
ma·te·ri·al·is·tic [mətìəriəlístik] *a.* 유물론의; 유물주의적인. ⊞ **-ti·cal·ly** *ad.*
ma·te·ri·al·i·ty [mətìəriǽləti] *n.* Ⓤ 실질이 있음, 구체성, 유형; 중요(성).
ma·tè·ri·al·i·zá·tion *n.* Ⓤ 형체 부여, 실체화, 구체화; 물질화; (영혼의) 체현; 실현, 현실(화).
ma·te·ri·al·ize [mətíəriəlàiz] *vt.* …에 형체를 부여하다, 실체〔물질〕화하다; 체현시키다; (소망 · 계획 등을) 실현하다; 물질〔실리〕적이 되게 하다. **—** *vi.* 가시화(可視化)하다; 나타나다, 사실화하다, 실현되다; (영혼 등이) 체현(體現)하다; 유형화하다.
◇**ma·té·ri·al·ly** *ad.* 크게, 현저하게; 〚철학〛 질료(質料)적으로, 실질적으로; 물질적〔유형적〕으로; 실리적으로.
matérials industry 소재(素材) 산업.
matérials-inténsive *a.* (산업 · 기술 등이) 기재〔설비〕 집약형의, 대량 기재〔설비〕를 필요로 하는.
matérials scìence 재료 과학, 재료학.
ma·te·ria med·i·ca [mətíəriə-médikə] 《L.》 〔집합적〕 약물(藥物); 약물학; 약물학 논문.
ma·té·ri·el, -te- [mətìəriél] *n.* 《F.》 (물질적) 재료, 설비; (군의) 장비(equipment), 군수품. ⓄⓅⓅ *personnel.*
*****ma·ter·nal** [mətə́:rnl] *a.* 어머니의; 모성의, 어머니다운; 어머니 쪽의; 어머니로부터 받은; 임산부의; 〚언어〛 모어(母語)의: a ~ association 어머니회(會) / ~ love 모성애. ⓒⓕ paternal. ⊞ **~·ism** *n.* 익애(溺愛). **~·ly** [-nəli] *ad.*
◇**ma·ter·ni·ty** [mətə́:rnəti] *n.* Ⓤ 어머니임, 모성(motherhood); 어머니다움; 모성애; Ⓒ 산과병원. **—** *a.* 임산부를 위한: a ~ apparatus 출산 기구 / a ~ benefit 출산 수당 / a ~ center 임산부 상담소 / ~ leave 출산 휴가 / a ~ ward 산과실, 분만실 / a ~ home 산원(産院).
matérnity allòwance 《영》 출산 수당 《maternity pay를 받지 못하는 출산 예정의 여성에게 국가가 18 주간 지급함》.
matérnity nùrse 조산사.
matérnity pày 《영》 산휴(産休) 수당 《일정 기간 이상 근무한 후에 산휴를 받은 여성에게 고용주가 통산 18 주간 지급하는 수당》.
mate·ship [méitʃip] *n.* 동료임, 동료로서의 연대〔친목, 협력〕, 동료 의식; (남자의) 우정.
matey [méiti] *a.* 《영구어》 허물 없는, 다정한, 친한 《*with*》. **—** *n.* 동료, 동무.
math [mæθ] *n.* 《미구어》 =MATHEMATICS.
math. mathematical; mathematician; mathematics.
*****math·e·mat·ic, -i·cal** [mæ̀θəmǽtik], [-əl] *a.* **1** 수학(상)의, 수리적인: *mathematical* instruments 제도(製圖) 기구 《컴퍼스 · 자 등》. **2** 매우 정확한, 엄밀한; 완전한; 명확한, 확실한. ⊞ **-i·cal·ly** *ad.*
mathemátical expectátion ⇨ EXPECTED

VALUE. 「logic).
mathemátical lógic 수리 논리학(symbolic-
mathemátical tábles 수표(數表)《대수표·삼각 함수표 등》.
°**math·e·ma·ti·cian** [mæ̀θəmətíʃən] *n.* 수학자.
*__math·e·mat·ics__ [mæ̀θəmǽtiks] *n. pl.* **1** 〖단수취급〗 수학: applied (mixed) ~ 응용 수학/pure ~ 순수 수학. **2** 〖단·복수취급〗 수학적 계산(처리, 속성), 수학의 이용.
math·e·ma·ti·za·tion [mæ̀θəmətizéiʃən/-tài-] *n.* 수식화(數式化).
maths [mæθs] *n.* 《영구어》 =MATHEMATICS.
ma·ti·co [mətíːkou] (*pl.* **~s**) *n.* 〖식물〗 마티코 《열대 아메리카산 후추속의 초목; 잎은 지혈용》.
ma·tière [*F.* matjɛːʀ] *n.* 《F.》 소재, 재료, 화재(畫材), 마티에르.
Ma·til·da, -thil- [mətíldə] *n.* **1** 마틸다《여자 이름》. **2** 《Austral.》 (총림지(叢林地) 여행자·방랑객·갱부 등이 휴대하는) 꾸러미(swag).
mat·in [mǽtən/-tin] *n.* **1** (*pl.*) 〖영국교회〗 조도(朝禱), 아침 기도《종종 mattins 라고 씀》; 〖가톨릭〗 (성무(聖務) 일과의) 조과(朝課), 아침 기도. **2** (종종 *pl.*) 《고어·시어》 (새의) 아침 노래. **—** *a.* 아침의; 아침 예배의.
mat·in·al [mǽtənəl] *a.* 아침의; 아침 기도의.
°**mat·i·nee, -née** [mæ̀tənéi/mǽtinèi] *n.* 《F.》 **1** (연극 등의) 낮 흥행, 마티네. **2** 여성 평상복의 일종.
matinée coat (**jacket**) [ㅅㅅ(ㅅ)] 마티네 코트《유아용 모직물 상의》.
matinée idol [ㅅㅅ] (나이 많은 여자에게 인기 있는) 미남 배우.
mat·ing [méitiŋ] *n.* 교배(교미)(기).
Ma·tisse [*F.* matis] *n.* **Henri ~** 마티스《프랑스의 화가·조각가; 1869-1954》.
mat·lo(w) [mǽtlou] *n.* 《영속어》 =MATELOT.
mát·man [-mən] *n.* 《속어》 레슬링 선수.
mat·rass, -ras, -trass [mǽtrəs] *n.* 목이 긴 달걀 모양의 플라스크; (분석 시험용) 유리관.
mat·ri- [mǽtrə, méit-] '어머니'란 뜻의 결합사《또는 matr-》.
ma·tri·arch [méitriɑ̀ːrk] *n.* **1** 여가장(女家長). cf. patriarch. **2** 리더격의 여성; 노부인. ⊞ **mà·tri·ár·chal** [-kəl] *a.*
ma·tri·ar·chate [méitriɑ̀ːrkət, -keit] *n.* 여가장제(사회); 모권; 모계제.
ma·tri·archy [méitriɑ̀ːrki] *n.* Ⓤ 여가장제, 여족장제; 모계 가족제.
ma·tric [mətrík] *n.* 《영구어》 =MATRIICULATION.
mat·ri·cen·tric [mæ̀trəséntrik, mèit-] *a.* 모친 중심의.
ma·tri·ces [méitrəsìːz, mǽt-] MATRIX 의 복수.
ma·tri·cide [mǽtrəsàid, méit-] *n.* Ⓤ,Ⓒ 모친 살해《죄·행위》; Ⓒ 모친 살해범. ⊞ **mà·tri·cí·dal** [-sáidl] *a.* 어머니를 죽인.
mat·ri·cli·ny [mǽtrəklàini, méit-] *n.* 〖유전〗 =MATROCLINY. 「학 지원자.
ma·tric·u·lant [mətríkjələnt] *n.* (대학의) 입
ma·tric·u·late [mətríkjəlèit] *vt., vi.* 대학 입학을 허가하다; 정규 회원으로 입회를 허가하다; 《영》 matriculation 을 치르다(에 합격하다). **—** [-lit] *n.* 대학 입학을 허가받은 사람.
ma·tric·u·lá·tion *n.* Ⓤ,Ⓒ 대학 입학 허가; 입학(식); Ⓤ 《영》 대학 입학 자격 시험《현재는 GCE로 바뀜》.
màtri·fócal *a.* 모친 중심의(matricentric).
màtri·láteral *a.* (친척이) 어머니 쪽의.
màtri·líneage *n.* 모계(母系).
màtri·líneal *a.* 모계(母系)의《사회 따위》. ⊞ **~·ly** *ad.* 「제(制).
mat·ri·liny [mǽtrəlìni, -lài-, méi-] *n.* 모계
màtri·lócal *a.* 처가 거주의《처의 가족과 동거하는 혼인 양식》.
mat·ri·mo·ni·al [mæ̀trəmóuniəl] *a.* 결혼의; 부부의: a ~ agency 결혼 상담소. ⊞ **~·ly** *ad.* 결혼에 관해서; 결혼에 의해서; 결혼 관례(법률)에 의하면.
°**mat·ri·mo·ny** [mǽtrəmòuni/-məni] *n.* Ⓤ **1** 결혼; 결혼 생활; 결혼식. SYN. ⇨ MARRIAGE. **2** 〖카드놀이〗 King 과 Queen 을 짝 짓는 놀이. ***enter into*** **~** 결혼하다.
mat·ri·po·tes·tal [mæ̀tripoutéstəl, mèit-] *a.* 〖인류〗 모권(제)의, 어머니의 혈연자에 의해 권력이 행사되는.
ma·trix [méitriks, mǽt-] (*pl.* **~·es, -tri·ces** [-trəsìːz]) *n.* 모체, 기반; 〖해부〗 자궁; 〖생물〗 세포 간질(間質); 〖광물〗 모암(母岩), 맥석(脈石); 〖인쇄〗 모형(母型), 지형(紙型); 주형(鑄型); (레코드의) 원반; 〖수학〗 행렬; 〖컴퓨터〗 행렬《입력 도선과 출력 도선의 회로망》. **—** *vt.* (신호·채널을) 매트릭스화(化)하다.
mátrix prìnter 〖컴퓨터〗 행렬 인쇄기.
mátrix sèntence 〖언어〗 모형문(母型文)《The book that I want is gone. 의 the book is gone》.
mat·ro·cli·ny [mǽtrəklàini, méit-] *n.* 〖유전〗 모계 유전, 경모성(傾母性)《자손의 형질이 모친을 닮는 것》.
°**ma·tron** [méitrən] *n.* (나이 지긋한 점잖은) 부인, 여사; 가정부; 보모; 요모(寮母); 수간호사; (교도소에서 여죄수를 감독하는) 여간수. ***a ~ of honor*** 신부를 돌보는 기혼 부인. ***jury of ~s*** ⇨ JURY[1]. ⊞ **~·age** [-idʒ] *n.* Ⓤ ~임; 〖집합적〗 ~들. **~·al** [-əl] *a.* ~의. **~·shìp** *n.* Ⓤ ~임, ~의 직(임무, 지위).
má·tron·ìze *vt.* matron 답게 하다, matron 으로서 관리(감독)하다, (젊은 여자)에게 동반하여 보살펴 주다(chaperon). **—** *vi.* matron 이 되다 (의 임무를 다하다).
má·tron·ly *a.* matron 다운; (부인이) 관록(위엄) 있는(dignified); 침착한; (젊은 여성이) 너무 뚱뚱한. **—** *ad.* matron 답게. ⊞ **-li·ness** *n.*
mat·ro·nym·ic [mæ̀trənímik] *a., n.* 모친(모계 조상)의 이름에서 딴 (이름). OPP. *patronymic.*
MATS Military Air Transport Service (군(軍) 항공 수송부).
Matt [mæt] *n.* 매트《남자의 이름; Matthew 의
Matt. 〖성서〗 Matthew; Matthias. 「애칭》.
mat·ta·more [mǽtəmɔ̀ːr] *n.* 지하실(창고).
matte[1] ⇨ MAT[3].
matte[2] [mæt] *n.* **1** 〖야금〗 매트《구리·니켈의 황화물을 정련할 때 생기는 반제품》. **2** 〖영화〗 매트《배경이나 전경(前景)의 일부를 프린트할 때 다른 것과 바꿔 넣을 수 있도록 하는 기법》.
mat·ted[1] [mǽtid] *a.* 매트를 깐, 돗자리를 깐; 헝클어진, 엉킨: ~ hair 헝클어진 머리.
mat·ted[2] *a.* 윤(광택)을 없앤, 흐린.
†**mat·ter** [mǽtər] *n.* **1** Ⓤ 물질. cf. mind, spirit. ¶ solid ~ 고체. SYN. ⇨ SUBSTANCE. **2** Ⓤ,Ⓒ (특수한) 물질; 물체: vegetable ~ 식물질/coloring ~ 색소, 염색제/a foreign ~ 이물(異物). **3** Ⓤ (논의·저술 따위의) 내용(substance); 제재(題材), 주제. **4** Ⓒ (관심·고찰의) 문제(subject), 일: money ~*s* 금전 문제/a ~ of time 시간 문제/a ~ of opinion 견해의 문제/a ~ in dispute (question) 계쟁(係爭)중인 문제/a ~ in hand 당면 문제. **5** Ⓒ 사건; (*pl.*) 사태(circumstances), 사정: a serious ~ 중대사/This is how ~*s* stand. 사태는 이와 같다/take ~*s* easy (seriously) 매사를 쉽게(진지하게) 생각하다. **6** (the ~) 지장, 장애, 사고; 어려

움, 걱정 : What's the ~ with you? 어찌 된 일인가 / Is there anything the ~ with the car? 차에 무슨 일 있느냐. 7 Ⓤ …물(物)《인쇄·출판·우편 등의》: printed ~ 인쇄물 / postal ~ 우편물 / first-class ~ 제1종 우편물. 8 Ⓤ 〖철학〗 질료(質料); 〖논리〗 명제(命題)의 본질. cf. form. 9 Ⓤ 〖의학〗 고름. 10 Ⓤ 〖인쇄〗 조판, 원고(copy). ***a ~ of*** ① …의 문제(⇨4). ② …의 범위; 몇…: He will arrive in *a ~ of* minutes. 몇 분 있으면 도착할 것이다. ③ 약, 대충: *a ~ of* five miles 〔dollars〕 약 5마일〔달러〕. ***a ~ of course*** 당연한 일. ***a ~ of life and*** 〔***or***〕 ***death*** 중대 문제, 사활의 문제. ***as a ~ of fact*** ⇨ FACT. ***as ~s stand*** =***as the ~ stands*** 목하의 상태로는. ***for that ~*** 그 일이면, 그 문제〔점〕에 관해서는. ***in ~s of*** =***in the ~ of*** …에 관해서는. ***It is*** 〔***makes***〕 ***no ~*** (whether ... or ...) (…이든 아니든) 대수로운 문제는 아니다, 아무래도 좋다. ***let the ~ drop*** 〔***rest***〕 내버려두다, 방치하다. ***no ~*** 전혀 문제될 것이 없다, 아무 것도 아니다, 걱정 없다. ***no ~ what*** 〔***when, where, which, who, how***〕***...*** 비록 무엇이〔언제, 어디에서, 어느 것이, 누가, 어떻게〕 …한다 하더라도: *No ~ how* hard he may try, ... 그가 아무리 열심히 한다 해도…. ★ 구어에서는 may try 대신 tries 를 쓰기도 함. ***There is nothing the ~*** (***with*** him). =***Nothing is the ~*** (***with*** him). (그는) 아무렇지도 않다. ***There is something the ~*** (***with*** his feet) (그의 발에) 무언가 탈이 생겼다; (그의 발은) 어딘가 이상하다. ***What ~*** (***is it***)***?*** 그러니 어떻단 말인가; 상관없지 않은가.

— *vi.* **1** 《~/+副/+전+명》 〔보통 부정·의문〕 중요하다, 문제가 되다, 중대한 관계가 있다: It *~s little* to me. 내게는 별 관계가 없다 / It doesn't *~ about* me. 나에 대해서는 아무래도 상관없다 / Your age does*n't ~*. 너의 나이는 문제가 아니다. **2** (상처가) 곪다. ***What does it ~?*** 그것이 어떻다는 말인가; 상관없지 않은가.

Mat·ter·horn [mǽtərhɔ̀ːrn] *n.* (the ~) 마터호른《알프스의 고산; 해발 4,478m》.

mátter-of-cóurse *a.* 당연한, 말할 나위 없는, 불가피한; 태연한, 침착한: in a ~ manner 〔way〕 당연한 일처럼, 아무렇지 않게, 태연히.

°**mátter-of-fáct** *a.* 사실의, 실제의; 사무적인, 인정미 없는; 평범한, 무미건조한: a ~ account of the political rally 정치 집회의 사무적인 보고 / in a ~ voice 인정미 없는 목소리로. ㊞ **~·ly** *ad.*

mátter of láw 〖법률〗 법률 문제.

mátter of récord 〖법률〗 기록 사항《법정 기록에 남아 있어서 그 제출에 의해 증명되어야 할 사실 또는 진실》.

mátter wàve 〖물리〗 물질파, 드브르이(de Broglie)파.

mat·tery [mǽtəri] *a.* 고름으로 가득 찬; 고름과 같은.

Mat·thew [mǽθjuː] *n.* **1** 매슈《남자 이름; 애칭 Matt》. **2** 〖성서〗 마태《예수의 12제자의 한 사람》; 마태복음《신약성서의》.

Mat·thi·as [məθáiəs] *n.* **1** 머사이어스《남자 이름》. **2** 〖성서〗 맛디아《뒤에 예수의 12제자의 한 사람》.

mát·ting[1] *n.* 〔집합적〕 매트, 멍석, 돗자리, 깔개; Ⓤ 그 재료.

mát·ting[2] *n.* 광 없애기; 광 없앤 면(面); (그림의) 장식 테두리.

mat·tins [mǽtənz, -tinz] *n. pl.* 《영》 =MATIN 1.

mat·tock [mǽtək] *n.* 곡괭이의 일종.

mat·toid [mǽtɔid] *n.* (미치광이에 가까운) 정신〔성격〕 이상자, 괴짜.

***mat·tress** [mǽtris] *n.* **1** (솜·짚·털 따위를 넣은) 침대요, 매트리스. **2** 〖토목〗 (호안(護岸) 공사의) 섶나무 다발, 침상(沈床).

Mat·ty [mǽti] *n.* 매티《여자 이름; Martha, Matilda의 애칭》.

mat·u·rate [mǽtʃərèit] *vi., vt.* 〖의학〗 곪다; 곪게 하다; 익다; 성숙하다〔시키다〕. ㊞ **màt·u·rá·tion** *n.* Ⓤ

ma·tur·a·tive [mətʃúərətiv, mǽtʃuərèi-/ mətjúərə-] 〖의학〗 *a.* 화농을 촉진하는. **—** *n.* 화농제.

***ma·ture** [mətjúər, -tʃúər/-tjúə, -tʃúə] *a.* **1** 익은(ripe), 성숙한; 잘 발육〔발달〕한; 다 익은 《술 따위》: a ~ woman 다 자라 어른이 된 여성 / ~ age 〔years〕 분별 있는 나이. SYN. ⇨ RIPE. **2** 심사숙고한, 신중한. **3** (어음 따위가) 만기가 된 (due); 〖지학〗 (지형적으로) 장년기의. **4** 〖의학〗 곪은. **—** *vt.* **1** 익히다; 성숙〔발달〕시키다. **2** (심사숙고하여) 완성시키다: ~ a plan 계획을 완성하다. **3** 곪게 하다. **—** *vi.* **1** 성숙하다. **2** 완성되다. **3** (어음 따위가) 만기가 되다. ㊞ **~·ly** *ad.* **~·ness** *n.*

matùre stúdent 성인 학생《고교 졸업 후 직장 생활을 하다 대학·전문대학에 입학하는 학생》.

***ma·tu·ri·ty** [mətʃúərəti, -tjuər-/-tjúərə-] *n.* Ⓤ **1** 성숙, 숙성; 완전한 발달〔발육〕; 원숙, 완성: precocious ~ 조숙 / reach 〔come to〕 ~ 성숙하다, 원숙해지다, 완전히 자라다. **2** (어음) 만기: the date of ~ 만기일. **3** 〖의학〗 화농. **4** 〖지학〗 장년기《지형 윤회 중 산형(山形)이 가장 험한 시기》. ◇ mature *v.*

matúrity márket 중·노년 시장《45세에서 65세까지의 수입이 가장 높고 충분한 여가를 가진 연령층을 대상으로 하는 미개척 시장》.

matúrity-ónset diabétes 〖의학〗 중·노년성 당뇨병. ㊞ **matúrity-ónset diabétic** *a.*

matúrity stàge 〖마케팅〗 제품 성숙〔수용〕기(期)《매상 증가 속도가 떨어지고 이윤이 안정되는 것이 특징임》; 〖경제〗 (경제 발전상) 성숙 단계.

ma·tu·ti·nal [mətjúːtənəl, mætjutáinl/mæ-tjutáinl] *a.* (이른) 아침의; 이른. ㊞ **~·ly** *ad.*

MATV master antenna television system (TV 공동 수신 방식).

ma·ty [méiti] *a.* 사교적인, 친밀한.

mat·za(h) [mǽtsə] (*pl.* **~s**) *n.* =MATZO.

mat·zo, -zoh [mɑ́ːtsə/mɔ́t-, mǽt-] (*pl.* ***-zoth*** [-tsout, -θ, -s], ***-zos, -zohs*** [-tsəz, -səs, -souz]) *n.* (종종 -zoth *or* -zo(h)s) 〔단·복수취급〕 무교병(無酵餠)《유대인이 유월절에 빵 대신 먹는》.

MAU Marine Amphibious Unit (미해병대 수륙양용전 부대).

maud [mɔːd] *n.* 회색 줄무늬의 모직 어깨걸이 《스코틀랜드의 양치는 사람이 걸치는》; 그것과 비슷한 여행용 담요.

Maud(e) [mɔːd] *n.* **1** 모드《여자 이름; Matilda의 애칭》. **2** 《미속어》 여자; 《영속어》 남창(男娼).

maud·lin [mɔ́ːdlin] *a.* 눈물 잘 흘리는, 감상적인; 취하면 우는. **—** *n.* Ⓤ 눈물 잘 흘림, 감상(感傷). ㊞ **~·ly** *ad.* **~·ness** *n.*

Maugham [mɔːm] *n.* (**William**) **Somerset ~** 몸《영국의 작가; 1874-1965》.

mau·gre, -ger [mɔ́ːgər] *prep.* 《고어》 …에도 불구하고.

Maui [máui] *n.* 마우이 섬《Hawaii 제도 북서쪽의 화산섬》.

maul, mall, mawl [mɔːl] *n.* 큰 나무망치, 메. **—** *vt.* …에 쳐서 상처를 내다; (나무를) 쳐서 빠개다; 거칠게 다루다; 혹평하다.

mául·er *n.* 물건을 난폭하게 다루는 사람; 혹평가; 《영속어》 (흔히 *pl.*) 손, 주먹; 복서, 레슬링 선수.

maul·ey, -ie [mɔ́ːli] *n.* 《속어》 주먹(fist), 손; 사인(signature).

mául·stick *n.* =MAHLSTICK.

Mau Mau [máumàu] 마우마우단(團)(원)《동아프리카의 Kenya 원주민의 민족주의적 비밀 결사(의 일원); 1950년대에 활약》. 「하다.
mau-mau [máumàu] *vi.*, *vt.* 《미속어》 위협
maund [mɔːnd] *n.* (인도·터키·이란 등지의) 무게의 단위《9.5-36.3kg》.
maun·der [mɔ́ːndər] *vi.* 종작〔두서〕없이 이야기하다, 중얼중얼하다; 멍하니 방황하다《*along*》, 꾸물거리다《*about*》. ㊕ **~·er** *n.*
Máunder mínimum (1645-1715년의) 태양의 불규칙 활동기《태양의 흑점이 거의 보이지 않았음》.
maun·dy [mɔ́ːndi] *n.* 〖교회〗 세족식(洗足式)《빈민의 발을 씻는》.
máundy mòney 〔**còins**〕《영》 세족식날 왕실로부터 하사되는 빈민 구제금.
Máundy Thúrsday 〖교회〗 세족 목요일《부활절 직전의 목요일》.
Mau·pas·sant [móupəsɑ̀ːnt] *n.* **Guy de ~** 모파상《프랑스의 작가; 1850-93》.
Mau·reen [mɔːríːn] *n.* 모린《여자 이름; 아일랜드 사람에게 많음》.
Mau·riac [*F.* mɔʀjak] *n.* 《F.》 **François ~** 모리아크《프랑스 작가; 노벨 문학상 수상(1952); 1885-1970》.
Mau·rice [mɔ́ːris, mɑ́-, mɔːríːs/mɔ́ris] *n.* 모리스《남자 이름》.
Mau·ri·ta·nia [mɔ̀ːritéiniə/mɔ̀r-] *n.* 모리타니《서북 아프리카의 공화국; 수도 Nouakchott》.
Mau·ri·tius [mɔːríʃəs, -ʃiəs/məríʃəs] *n.* 모리셔스《인도양상의 섬나라; 수도 Port Louis》.
Mau·rois [*F.* mɔʀwa] *n.* 《F.》 **André ~** 모루아《프랑스의 소설가·전기 작가; 1885-1967》.
Mau·ser [máuzər] *n.* 모제르 총《상표명》.
mau·so·le·um [mɔ̀ːsəlíːəm/-səlíəm] (*pl.* **~s, -lea** [-líːə]) *n.* 장려한 무덤, 영묘(靈廟), 능(陵); 《구어·우스개》 음침하고 큰 건물〔방〕.
mau·vaise honte [*F.* movɛːzɔ̃ːt] 《F.》 이유 없는 수줍음.
mau·vais goût [*F.* movɛgu] 《F.》 악취미.
mau·vais pas [-pɑ] 《F.》 곤란, 곤경(困境).
mau·vais quart d'heure [-kaːʀœːʀ] 《F.》 (=bad quarter of an hour) 싫은〔괴로운, 불유쾌한〕 한 순간.
mauve [mouv] *n.* Ⓤ, *a.* 엷은 자주색 염료의 일종; 담자색(淡紫色)(의), 엷은 자주(의).
ma·ven, ma·vin [méivən], [-vin] *n.* 《미속어》 전문가, 그 방면에 정통한 사람, 숙련자.
mav·er·ick [mǽvərik] *n.* **1** 《미》 (임자의) 소인(燒印)이 없는 소. **2** 독자적 입장을 취하는 지식인〔예술가·정치가 등〕; 이단자, 비동조자. **3** (M-) 매버릭《미국의 공대지 전술 미사일》. **—** *a.* (정치가가) 무소속인, 독불장군인. **—** *vi.* 무리에서 떨어지다.
ma·vis [méivis] *n.* 〖조류〗 개똥지빠귀류.
ma·vour·neen, -nin [məvúərniːn] *n.*, *int.* 《Ir.》 귀여운 사람, 당신《호칭》.
maw[1] [mɔː] *n.* 반추 동물의 넷째 위(胃); (새의) 멀떠구니; 《우스개》 사람의 밥통; 목구멍, 입; 《비유》 심연(深淵), 깊은 구렁.
maw[2] *n.* 《미중남부》 어머니(ma, mother).
mawk·ish [mɔ́ːkiʃ] *a.* 느글거리는, 역겨운(sickening); 몹시 감상적인, 눈물을 잘 흘리는. ㊕ **~·ly** *ad.* **~·ness** *n.*
mawl ⇨ MAUL.
máw·sèed *n.* 양귀비씨.
máw·wòrm *n.* 〖동물〗 회충; 위선자.
Max [mæks] *n.* 맥스《남자 이름; Maximilian, Maxwell의 애칭》.
max 《속어》 *n.* =MAXIMUM. ***to the ~*** 《미속어》 극도로, 극히, 아주; 처음부터 끝까지 내리. **—** *a.* 최대의, 최고의. **—** *ad.* 최대한으로, 최고로. **—** *vt.* 《미속어》 최대〔최고〕로 하다. **—** *vi.* 《미속어》 이기다; 전력을 다하다; 《미교도소속어》 최고 형기를 복역하다; (컴퓨터의 능력이) 한계에 이르다. **~ *out*** 《*vi.*+㊌》 ① 최고점에 달하다; 인내〔능력〕의 한계에 달하다. ② 《미학생속어》 자다. **—** 《*vt.*+㊌》 ③ (컴퓨터를) 능력껏 쓰다.
max. maximum.
maxi [mǽksi] (*pl.* **max·is**) *n.* 《구어》 긴 치마, 맥시(maxiskirt), 맥시코트; 몹시 큰 것. **—** *a.* 《구어》 맥시의; (보통보다) 대형인, 한층 긴; 《속어》 =MAXIMUM. **—** *vi.* 《미속어》 대성공하다.
max·i- [mǽksi] '최대(最大)의, 최장(最長)의' 란 뜻의 결합사: *maxi*coat.
max·i·bop·per [mǽksəbɑ́pər/-sibɔ́p-] *n.* 《미속어》 젊은이 복장을 입는 중년 남자.
max·i·coat [mǽksikòut] *n.* 맥시코트.
max·il·la [mæksílə] (*pl.* **-lae** [-liː], **~s**) *n.* 〖해부〗 악골(顎骨), 턱뼈, 위턱; 〖동물〗 (절지동물의) 작은 턱, 작은 아가미.
max·il·lary [mǽksəlèri, mæksílə-/mæksílə-] *a.* 턱의; 턱뼈의; 작은 턱의. **—** *n.* 턱뼈.
max·il·lo·fa·cial [mæksìlouféiʃəl] *a.* 〖의학〗 상악(골)안면(上顎(骨)顏面)의.
Max·im [mǽksim] *n.* **1** 맥심《남자 이름》. **2** 맥심총(=**∠ gùn**)《수냉식 기관총의 일종》.
°**max·im** [mǽksim] *n.* **1** 격언, 금언. SYN. ⇨ SAYING. **2** 처세훈(訓), 좌우명; 〖수학〗 공리; 〖철학·논리〗 격률(格率)《주관적인 실천 원칙》.
max·i·ma [mǽksəmə] MAXIMUM의 복수.
max·i·mal [mǽksəməl] *a.* 가장 효과(效果)적인〔완전한〕; 최고(값)의, 최대한의, 극대(極大)의(OPP. *minimal*). ㊕ **~·ly** *ad.*
máx·i·mal·ist *n.* 요구의 전부를 관철하려고 드는 사람, 과격주의자; (M-) 제정 말 러시아 사회주의자의 극좌 분자(Bolshevik).
Max·i·mil·ian [mæ̀ksəmíljən] *n.* 맥시밀리언《남자 이름; 애칭 Max》.
max·i·min [mǽksəmin] *n.* Ⓤ 〖수학〗 맥시민 전술《게임 이론에서 최소의 득점을 최대로 하는 전술》. [◂ *max*imum+*min*imum]
max·i·mize [mǽksəmàiz] *vt.* **1** 극한까지 증가〔확대, 강화〕하다; 〖수학〗 (함수)의 최댓값을 구하다, 최대화(化)하다. **2** 최대한으로 활용〔중요시〕하다. OPP. *minimize*. **—** *vi.* 될 수 있는 한 광의로 해석하다. ㊕ **màx·i·mi·zá·tion** *n.*
*°**max·i·mum** [mǽksəməm] (*pl.* **-ma** [-mə], **~s**) *n.* 최대, 최대한(도), 최대량〔수〕, 최고치; 〖수학〗 극대(점): the rainfall ~ 최대 강우량/increase the speed of the car to the ~ 자동차의 속도를 최고로 내다. **—** *a.* 최대의, 최고의; 극대의: the ~ value 〖수학〗 극대값/a ~ dose 〖의학〗 극량(極量)/excitement at its ~ 극도의 흥분. OPP. *minimum*.
máximum líkelihood 〖통계〗 최대로 가능성 있는 추정법.
máximum permítted mìleage 최대 허용 거리《국제 항공 운임에서; 생략: MPM》.
máximum príce (허용된) 최고 가격.
máximum-secúrity *a.* (교도소 등이) 가장 경계가 엄한.
máximum thermómeter 최고 온도계.
max·i·mus [mǽksəməs] *a.* 최대의; 최연장의; 12개가 한 세트가 되는 종을 교대로 울리는 방식의. 「OPP. *miniseries*.
máxi-sèries *n.* 장기 연속 텔레비전 프로그램.
máxi-sìngle *n.* EP판《레코드》.
max·i·skirt [mǽksiskə̀ːrt] *n.* 맥시스커트.
max·well [mǽkswel, -wəl] *n.* 〖전기〗 자기

력선속(磁氣力線束)의 단위《생략: Mx》.
Máxwell Hóuse 맥스웰 하우스《미국제 인스턴트 커피; 상표명》.
†**May** [mei] *n.* **1** 5월. **2** 《비유》 인생의 봄(prime), 청춘(youth). **3** 5월제(~ Day). **4** (m-) 산사나무(의 꽃). **5** (*pl.*) (Cambridge 대학의) 5월 시험; 5월 경조(競漕). ***the Queen of*** (***the***) ~ =MAY QUEEN. **—** *vi.* (종종 m-) 5월제를 축하하다, 5월제에 참가하다; 봄꽃을 따다.
†**may**[1] ⇨《p. 1562》 MAY[1].
may[2] [mei] *n.* 《고어》 =MAIDEN.
Ma·ya [mɑ́ːjə] (*pl.* ~(***s***)) *n.* 마야족(族)〔인(人)〕《중앙아메리카의 원주민》; Ⓤ 마야어(語). ㊕ **~n** [-n] *n., a.* 마야족(의); 마야어(의).
ma·ya [mɑ́ːjɑː, -jə] *n.* 《Sans.》 〚힌두교〛 **1** Ⓤ 환영(幻影)을 낳게 하는 힘《신(神) 따위의》, 마력; 환영, 허망. **2** (M-) 환영의 여신. ㊕ **~n** [-n] *a.*
Má·yan·ist *n.* 마야 학자; 마야 문명〔역사〕의 전문가.
Máy àpple 《미》 포도필룸속(屬)의 식물《5월에 달걀꼴의 노란 열매를 맺음》; 그 열매.
Máy Báll 《영》 메이 볼《매년 5-6월에 Oxford 와 Cambridge의 두 대학에서 개최되는 공식 댄스파티》.
‡**may·be** [méibi] *ad.* 어쩌면, 아마(perhaps): Will he come? — *Maybe*(, or ~ not). 그는 올 것인가 — 올지도 모르지(만, 안 올지도 모른다) / Let's ask somebody else, ~ Tom. 누구 다른 사람한테 물어보자, 톰에게라도 / *Maybe* you'll have better luck next time. 다음 번엔 행운이 있을 테지《이번엔 안됐다》. SYN. ⇨ PERHAPS.
Máy bèetle 〔**bùg**〕 풍뎅이의 일종.
máy·bùsh *n.* 〚식물〛 산사나무류(類)(may tree, hawthorn).
Máy Dày 5월제(祭)《5월 1일》; 노동절, 메이데이.
May·day [méidèi] *n.* Ⓒ (비행기·선박의 국제 무선 전화) 조난 구조 신호.
Máy dèw 5월(1일)의 아침 이슬《삼베를 표백하거나 미용에 효과가 있다고 믿었음》.
Máy-Decémber márriage (젊은 여자와 늙은 남자의 결혼처럼) 너무 나이 차가 나 어울리지 않는 결혼.
may·est [méiist] *aux. v.* 《고어》 MAY[1]의 직설법 2인칭 단수 현재형: thou ~ =you may.
May·fair [méifɛ̀ər] *n.* 런던의 Hyde Park 동쪽의 고급 주택지; 《비유》 런던 사교계.
May·flow·er [méiflàuər] *n.* **1** 5월에 피는 꽃. ★ 영국에서는 산사나무꽃, 미국선 암당자(岩棠子). **2** (the ~) 메이플라워호《1620년 Pilgrim Fathers가 영국에서 신대륙으로 타고 간 배》.
máy·flỳ *n.* **1** 〚곤충〛 하루살이의 일종. **2** 제물낚시의 일종(=**máy flỳ**).
may·hap [mèihǽp, ⌐⌐/⌐⌐] *ad.* 《고어》 =PERHAPS.
may·hem, mai- [méihem, méiəm/méihem] *n.* Ⓤ 〚법률〛 신체 상해《폭력으로 상해를 가함》; 〚일반적〛 무차별 폭력〔상해〕, 고의의 폭력〔상해〕.
Máy·ing *n.* (*or* m-) Ⓤ 5월제의 축하; 5월제의 꽃 꺾기.
May·nard [méinərd] *n.* 메이너드《남자 이름》.
mayn't [méiənt, meint] 《구어》 may not의 간약형.
mayo [méiou] *n.* =MAYONNAISE.
Máyo Clìnic (the ~) 메이요 클리닉《Minnesota 주 Rochester에 있는 세계 최대급(級)의 의료 센터》.
may·on·naise [mèiənéiz, ⌐⌐⌐/⌐⌐⌐] *n.* 《F.》 Ⓤ 마요네즈(소스); 그것으로 조미한 요리.
‡**may·or** [méiər, mɛər/mɛ́ə] *n.* 시장, 읍장: ⇨ LORD MAYOR. ㊕ **~·al** *a.* 시장의. **~·ship** [-ʃìp] *n.* 시장〔읍장〕의 직〔신분〕.
may·or·al·ty [méiərəlti, mɛ́ər-/mɛ́ər-] *n.* Ⓤ 시장〔읍장〕의 직〔임기〕.
may·or·ess [méiəris, mɛ́ər-/mɛ́ər-] *n.* 《미》 여시장; 《영》 시장 부인(Lady Mayor).
máy·pòle *n.* **1** (종종 M-) 5월의 기둥《5월제를 축하하기 위해서 꽃이나 리본으로 장식한 기둥》. **2** 키다리《남자》.

maypole 1

máy·pòp *n.* 〚식물〛 꽃시계 덩굴의 일종; 그 열매.
Máy quèen 5월의 여왕(the Queen of (the) May)《5월제에서 뽑힌 처녀》.
mayst [meist] *aux. v.* 《고어·시어》 =MAYEST.
May·thorn [méiθɔ̀ːrn] *n.* =HAWTHORN.
Máy·tìde, -tìme *n.* 5월(의 계절).
máy trèe 《영》 산사나무(hawthorn).
Máy Wèek Cambridge 대학의 보트레이스가 있는 5월 하순 또는 6월 초순의 주.
maz·ard [mǽzərd] *n.* 산벚나무의 일종; 《고어》 머리(head), 두개(頭蓋).
maz·a·rine [mæ̀zəríːn, ⌐⌐⌐/⌐⌐⌐] *a.* 진한 남빛의. **—** *n.* Ⓤ 진한 남빛; Ⓒ,Ⓤ 진한 남빛옷(감).
Maz·da [mǽzdə] *n.* (페르시아 신화의) 선신(善神), (암흑에 대한) 광명; 백열전등《상표명》. ㊕ **~·ìsm** *n.* =ZOROASTRIANISM.
*__maze__ [meiz] *n.* **1** 미로(迷路), 미궁(迷宮)(labyrinth); 미로 놀이. **2** 분규, 혼란. **3** 당황, 쩔쩔맴: be in a ~ 어찌할 바를 모르다. **—** *vt.* 미혹시키다, 당황케 하다; 망연자실케 하다. **—** *vi.* (미로에서) 헤매다.
ma·zel [mɑ́ːzəl] *n.* 《미속어》 운, 호운(好運).
má·zel 〔**má·zal**〕 **tòv** [-tɔ̀ːv, -tɔ̀ːf/-tɔ̀v, -tɔ̀f] 《Heb.》 축하합니다(congratulations).
ma·zer [méizər] *n.* 큰 술잔.
ma·zu·ma, me- [məzúːmə] *n.* 《미속어》 금전, 돈, 현금.
ma·zur·ka, -zour- [məzə́ːrkə, -zúər-/-zə́ː-] *n.* 마주르카《폴란드의 경쾌한 춤》; 그 춤곡.
ma·zut [məzúːt] *n.* Ⓤ 연료유(油)(fuel oil).
ma·zy [méizi] (***-zi·er; -zi·est***) *a.* 미로(迷路)와 같은, (길 따위가) 꾸불꾸불한; 복잡한; 당황한. ㊕ **-zi·ly** *ad.* **-zi·ness** *n.*
MB megabyte. ★ 기술할 때만 씀. **Mb** 〚컴퓨터〛 megabit. **mb** millibar(s); millibarn(s). **M.B.** *Medicinae Baccalaureus* 《L.》 (=Bachelor of Medicine). **MBA** 〚군사〛 main battle area. **M.B.A.** Master of Business Administration (경영 관리학 석사). **MBAS** methylene blue active substance (메틸렌 블루 활성 물질). **MBD** minimal brain dysfunction. **mbd** 〚석유〛 million barrels per day. **MBE** molecular beam epitaxy. **M.B.E.** Master of Business Economics; Master of Business Education; Member (of the Order) of the British Empire. **MBFR** Mutual and Balanced Force Reductions《NATO와 바르샤바 협정국들의 상호 균형 군축 회의》.
mbi·ra [embíərə] *n.* 〚악기〛 엠비라《나무·금속의 가늘고 긴 판을 나열하여 한쪽 끝을 튀겨 울리는 아프리카의 악기》.
MBK medications and bandage kit (의약품·붕대(繃帶) 키트). **MBO** 〚경영〛 management by objectives (목표 관리)《작업의 자주성을 중시

may¹

may의 주요한 용법에 '…해도 좋다'《허가》와 '…일지도 모른다'《가능성》가 있다. may not에는 특히 주의를 요한다. He *may not* know. '그는 모를지도 모른다'에서는 He *may not*-know. '그는 알지 못할 수도 있다'로서 not은 know를 부정하고, may 자체는 긍정이지만, You *may not* come. '오면 안 된다'《보통 must not》에서는 You *may-not* come. '오는 것이 허락되지 않는다'로서 not은 may를 부정하고 있음. may not의 결합은 대부분 전자의 용법으로 쓰이지만, 같은 어순인데도 전혀 다른 결합 관계를 갖는 사실은 주목할 만하다. 이러한 현상은 must not에서도 볼 수 있다: 〖평서문〗 You *mustn't* go. (가지 않는 것이 필요하다→)가면 안 된다. 〖의문문〗 *Mustn't* I go? (가는 것이 필요치 않은가→) 가지 않아도 되나《가지 않으면 안 될걸》.

변화형은, 아래의 현대형 외에, 다음의 고형(古形)이 있다: 현재형 2인칭 단수(thou) **mayst** [meist], **may·est** [méiist], 과거형 **might·est** [máitist].

may [mei] (***might*** [mait]; may not의 간약형 ***mayn't*** [meint], might not의 간약형 ***mightn't*** [máitnt])《부정의 간약형 mayn't는 그다지 안 쓰임》. *aux. v.* **1** 〖불확실한 추측〗 **a** …할〔일〕지도 모른다《(1) 약 5할의 확률로 일어날 것임을 나타냄. 말하는 이의 확신도는 might, may, could, can, should, ought to, would, will, must 순으로 강해짐. (2) 부정형은 may not》: It ~ rain. 비가 올지도 모른다/It ~ be true. 정말일지도 모른다, 아마(도) 정말일거다/He ~ come, or he ~ *not*. 그는 올지도 모르며 안 올지도 모른다/Mother is afraid that I ~ 〔*might*〕 catch a cold. 내가 감기에 걸릴까봐 어머니는 걱정하고 계신다《가능성이 희박할 때는 might를 씀》/**b** 〖It may be that .... 으로〗 아마 …일지도 모른다: *It ~ be that* our team will win this time. 이번엔 우리 팀이 이길는지도 모른다. **c** 〖may have+과거분사로, 과거의 불확실한 추측을 나타내어〗 …이었〔하였〕는지도 모른다: Bill ~ *have left* yesterday. 빌은 어제 떠났을 테죠/It ~ *have been* true. 사실이었을는지도 모른다 /It ~ *not have been* he 〔《구어》 him〕 who did it. 그렇게 한 것은 그가 아니었을지도 모른다.

> NOTE (1) 불확실한 추측을 나타낼 경우 may는 의문문에 쓸 수가 없음: ˣMay you be late coming home? 대신에 Are you likely to be late coming home?/Do you think you'll be late coming home? (귀가(歸家)가 늦어질 것 같은가)처럼 말함. can, could, might는 의문문에도 쓸 수 있음. (2) I think, possibly 따위를 사용해서 불확실성, 자신 없음을 강조할 경우가 많음: (*I think*) Bill may (*possibly*) be at the office by now. 빌은 지금쯤 회사에 도착해 있을 거다 / *It is possible* he may not come. 그는 안 올는지도 모른다.

2 a 〖허가·허용〗 …해도 좋다, …해도 괜찮다《(1) 부정에는 '불허가'의 뜻으로 may not이나, '금지'의 뜻의 must not이 쓰임. (2) may 대신 can이 사용될 때가 많음. (3) 간접 화법은 별도로 치고 '허가'의 뜻인 과거형에 might는 쓸 수 없으므로 was allowed to가 사용됨》: You ~ go now. 이제 가도 좋다/You ~ go wherever you like. 어디로든 너 좋아하는 곳으로 가도 좋다/I'll have another biscuit, if I ~. 괜찮으시다면 비스킷을 하나 더 먹겠습니다《문맥상 분명할 때에는 may 다음의 동사를 생략함》/Visitors ~ *not* take photographs. 《박물관 따위에서》 관람객께서는 사진 촬영을 삼가 주십시오/*May* I help you? 《점원이 손님에게》 어서 오십쇼; 무엇을 (도와) 드릴까요/*May* I smoke here? 여기서 담배를 피워도 좋습니까《이에 대한 대답은 다음 NOTE 참고》/*May* I see your passport, please. —Here you are. 여권을 보여 주시기 바랍니다 —여기 있습니다《형태는 의문문이나 이처럼 명령문에 가까운 경우엔 종종 마침표를 붙임. 이에 대한 대답은 ˣYes, you may.라고는 할 수 없음》. **b** 〖흔히 ~ well로 용인을 나타내어〗 …라고 해도 관계없다, …라고 하는 것은 당연하다《이런 뜻의 부정은 cannot》: You ~ *well* think so. 네가 그렇게 생각하는 것도 당연하다/*Well* ~ you ask why! 자네가 까닭을〔이유를〕 묻는 것도 무리는 아닐세〔당연하네〕.

> NOTE 현대에 있어서는 Can 〔*May*〕 I smoke? 에 대하여 '네 괜찮습니다'는 Yes, you *may*. 로 하면 오만하고 무뚝뚝하게 들리므로, 윗사람이 아랫사람에게 하는 말 외에는 "Yes, certainly 〔please〕."라든가 "Sure." 또는 "Of course you can."이나 "Why not?"으로 대답하는 것이 보통임. 부정은 No, you *may not*.도 쓰이나, may not은 주로 '…일〔할〕지도 모른다'의 뜻으로 쓰이므로 '…해서는 안 된다'의 뜻으로 쓰이는 일은 흔치 않으며 I'm sorry you can't. 따위를 쓰는 것이 좋음.

3 〖의문사와 더불어〗 **a** 〖불확실성을 강조하여〗 (도)대체 (무엇, 누구, 어떻게) …일까: I wonder what ~ be the cause. 그 원인은 대체 무엇일까/Who ~ you be? 누구신지요《매우 실례가 되는 말》/How old ~ she be? 그 여자는 대체 몇 살이나 됐을까. ★ 첫번째 예에서처럼 'ask 〔doubt, wonder, think〕+의문사절'의 형식이 많음. **b** 〖표현을 부드럽게 하여〗 …일까, …일지 몰라: What ~ I do for you? 무슨 일로 오셨습니까.
4 《고어》 〖능력〗 …할 수 있다《특정 표현 외에는 보통은 can을 씀》: as best one ~ 될 수 있는 한 〔대로〕, 그럭저럭/Gather roses while you ~. (장미꽃은 딸 수 있는 동안에 따거라→) 젊음은 두 번 다시 오지 않는다.
5 〖목적을 나타내는 that 절에 쓰이어〗 …하기 위해, …할 수 있도록: He is working hard (*so*) *that* 〔*in order that*〕 he ~ pass the examination. 그는 시험에 합격하고자 열심히 공부하고 있다. ★ so 없는 형식은 문어적. 미국에서는 may 대신에 흔히 will, shall, can이 쓰임.
6 〖가능을 나타내는 주절에 따르는 명사절 중에서〗: It is possible that he ~ come tomorrow. 그는 혹시 내일 올는지도 모른다.
7 〖양보〗 **a** 〖뒤에 등위접속사 but 따위가 와서〗 (비록) …일지도〔할지도〕 모르지만, …라고 해도 좋다〔좋으나〕: Times ~ change but human nature stays the same. 세월은 변할지언정 사람의 본성은 변하지 않는다. **b** 〖양보를 나타내는 부사절에서〗 비록 …일지라도, 설사 …라 할지라도: However tired you ~ be, you must do it. 아무리 지쳤더라도 너는 그것을 해야 된다/Wherever 〔No matter where〕 you ~ go, I'll follow you. 당신이 어디를 가든 저는 따라가겠어요. ★ 구어체에서는 이 may를 쓰지 않을 때가 많음.
8 〖바람·기원·저주〗 《문어》 바라건대 …하기를

〔있으라〕, …ㄹ지어다《이 용법에서는 may가 항상 주어 앞에 옴. 현대 영어에서는 I wish 따위를 씀》: Long ~ he live! 그의 장수를 빈다 / *May* you succeed! 성공을 빕니다 / *May* you be happy! 행복을 빈다 / *May* Heaven protect thee! 하느님의 가호가 있으시기를 / *May* he rest in peace! 영혼이여 고이 잠드소서. ★3인칭에 있어서 may를 생략할 경우가 많음. 이때 동사 원형을 씀에 주의: God *forgive* me! 신이여 용서하옵소서.
as best one ~ 〔***can***〕 될 수 있는 한, 최대한으로, 어떻게든. ***be that as it*** ~ = ***that is as*** ~ ***be*** 어쨌든, 그것은 어떻든(anyway). ~ (***just***) ***as well ... as*** __ ⇨ WELL². ~ ***well*** ⇨ 2 b. ***That is as*** ~ ***be.*** 그것은 사정에 따라 다르다, 그것은 이렇다 저렇다 말할 수 없다.

하는》. **mbps** megabits per second. **MBR** 〖컴퓨터〗 memory buffer register (메모리 버퍼 레지스터). **M. Brit. I.R.E.** Member of the British Institution of Radio Engineers. **M.B.S., MBS** 《미》 Mutual Broadcasting System. **MBSc** Master of Business Science. **Mbyte, mbyte** 〖컴퓨터〗 megabyte. ★ 기술할 때만 씀.

m.c. [èmsí:] *vt., vi.* 《구어》 (…의) 사회를 보다.

Mc- ⇨ MAC-.

mc megacurie; megacycle; millicurie; millicycle. **M.C.** Master of Ceremonies; Member of Congress. **MCA** monetary compensation amount; 〖컴퓨터〗 Micro Channel Architecture. **MCAT** Medical College Admissions Test. **MCB** miniature circuit breaker. **MCC** Mission Control Center. **M.C.C.** 《영》 Marylebone Cricket Club; Member of the County Council.

Mc·Car·thy·ism [məkɑ́:rθiìzəm] *n.* Ⓤ 매카시즘《극단적 반공주의; 미국 상원의원 J. R. McCarthy(1908-57)의 이름에서》.

Mc·Coy [məkɔ́i] *n.* (the ~) 《미속어》 본인, 진짜(the (real) ~). **—** *a.* 훌륭한, 일류의.

Mc·Don·ald's [məkdɑ́nəldz] *n.* 맥도널드《미국 McDonald's Corp. 계열의 햄버거 연쇄점; 1965년 설립; 상표명》.

M. Ch., M. Chir. 《L.》 *Magister Chirurgiae* (=Master of Surgery).

MCI [émsì:ái] *n.* 미국 최대의 장거리 전화 회사 《전 이름은 Microwave Communications Inc.》.

MCI 〖컴퓨터〗 machine check interrupt (기계 검사 인터럽트).

Mc·In·tosh [mǽkintɑ̀ʃ/-tɔ̀ʃ] *n.* 붉은 사과의 「일종《미국산》.

Mc·Jób *n.* (서비스 업종처럼) 단조롭고 급료가 낮은 일, 장래성이 없는 직업.

Mc·Kin·ley [məkínli] *n.* (Mount ~) 매킨리 《Alaska에 있는 북아메리카 대륙의 최고봉; 6,194 m》.

MCL, M.C.L. Marine Corps League; Master of Civil Law; Master of Comparative Law. **MCLS** 〖의학〗 mucocutaneous lymphnode syndrome.

Mc·Lu·han [məklú:ən] *n.* **Marshall** ~ 매클루언《캐나다의 사회학자 · 커뮤니케이션 이론가; 1911-80》. ㊕ **~·ism** *n.* 매클루언 이론. **~·ite** *n., a.* 매클루언 이론의 신봉자(의).

MCO mill culls out; miscellaneous charge order. **MCom** Master of Commerce.

ḿ-còmmerce *n.* 모바일(mobile) 코머스, 무선 전자 상거래.

MCP 《구어》 male chauvinist pig; Member of the College of Preceptors.

Mc·Páper *n.* **1** 《미속어》 미국의 전국지 USA Today의 별명. **2** 《미학생속어》 적당히 완성한 리포트.

MCR 《영》 Middle Common Room. **M.C.S.** Master of Commercial Science; Master of Computer Science; Military College of Science; missile control system. **Mc/s** megacycles per second. **MCSP** Member of the Chartered Society of Physiotherapy. **mCur** 〖물리〗 microcurie(s). **MD** 〖미우편〗 Maryland; Middle Dutch. **Md** 〖화학〗 mendelevium. **Md.** Maryland. **M/D, m/d** 〖상업〗 month's (after) date (일부후 …개월) **M.D.** Managing director; *Medicinae Doctor* 《L.》 (=Doctor of Medicine); Medical Department. **MDA** methylene dioxyamphetamine 《환각제》; Mutual Defense Assistance(상호 방위 원조).

Ḿ-dày *n.* 《미》 동원일, 전투 개시일: the ~ plans 동원 계획. [◂ *mobilization day*]

MDC more developed country 《developed country의 다른 말》. **MDF** medium density fiberboard. **MDiv** Master of Divinity. **MDL** Military Demarcation Line (군사 분계선(分界線)). **Mdlle.** Mademoiselle. **Mdm., Mdme.** Madame. **MDR** Minimum Daily Requirement. **MDS** multi-point distribution service (다지점(多地點) 분배 서비스) 《유료 TV의 일종》. ㊌ CATV, STV. **M.D.S.** Master of Dental Surgery. **mdse.** merchandise. **MDT** 〖컴퓨터〗 mean down time (평균 고장 시간, 평균 동작 불가능 시간); 《미》 mountain daylight time.

†me [mi:, 약 mi] *pron.* **1** 〚I의 목적격〛 나를, 나에게: Give it to *me.* **2** 《고어 · 시어》 〚재귀동사의 목적어로〛 나 자신을(myself): I laid *me* down. 나는 누웠다. **3** 〚구어의 어떤 종류의 구문에서 주격 I 대신으로〛: It is *me.* 접니다《It's *I.* 보다 보통》. **4** 《구어》 〚동명사의 의미상 주어로서〛 나의(my): Did you hear about *me* getting promoted? 내가 승진한 이야기를 들었나. **5** 〚감탄구 중에서〛: Ah 〔Dear〕 *me!* 아, 아이구, 어머나, 이런.

ME Middle East; Middle English. **Me** 〖화학〗 methyl. **Me.** Maine. **M.E.** Master of Engineering; Mechanical 〔Military, Mining〕 Engineer; Methodist Episcopal; Middle English; Most Excellent; 《미》 Movie Editor (영화란 담당 기자). **Mea.** Meath.

mea cul·pa [méiə-kʌ́lpə, mí:ə-/mí:ə-] 《L.》 (=through my fault) 내 탓으로, 〖가톨릭〗 제 탓이오; 개인 실수〔과실〕의 정식 시인.

mead¹ [mi:d] *n.* 《고어 · 시어》 =MEADOW.

mead² *n.* Ⓤ (이전의 영국의) 꿀술.

‡mead·ow [médou] *n.* **1** 풀밭, 목초지. **2** 강변의 낮은 풀밭: a floating ~ 침수가 잘되는 (목)초지 / a salt ~ 바닷물이 종종 침수하는 초원. **3** 삼림 한계선에 접하는 초원.

méadow clòver 〖식물〗 붉은토끼풀.

méadow fòxtail 〖식물〗 큰뚝새풀(목초).

méadow gràss 〖식물〗 볏과의 풀의 일종.

méadow·lànd *n.* 목초지.

méadow·làrk *n.* 〖조류〗 들종다리《찌르레깃과; 북아메리카산》.

méadow mòuse 〖동물〗 들쥐.

méadow mùshroom 〖식물〗 느타리의 일종 《미국에서 가장 흔한 식용 버섯》.

méadow·swèet *n.* Ⓒ 〖식물〗 조팝나무속의 관목; 터리풀속의 풀.

mead·owy [médoui] *a.* 목초지의; 풀밭이 많은, 목초지 같은.

◇mea·ger, 《영》 **-gre** [mí:gər] *a.* 빈약한(poor);

야윈(thin); 불충분한(scanty), 무미건조한. [파] **~·ly** *ad.* **~·ness** *n.*

†**meal**¹ [miːl] *n.* 식사; 식사 시간; 한 끼(분). [cf.] breakfast, lunch, dinner, supper. ¶ three ~*s* a day 하루 세 끼 / a square 〔light〕 ~ 충분한〔가벼운〕 식사. ★ '식사를 했느냐' 는 Did you have your *meal?* 보다는 Did you have your breakfast 〔lunch, supper〕? 와 같이 말하는 것이 보통임. ***at ~s*** 식사 때에. ***eat*** 〔***have, take***〕 ***a ~*** 식사하다. ***eat between ~s*** 간식하다. ***make a ~*** (***out***) ***of*** ① …을 (음식으로서) 먹다. ② (일 따위)를 필요 이상으로 크게 다루다〔생각하다〕, 큰 일인 것처럼 말하다. ***with a good ~ under one's belt*** 실컷 먹고. **—** *vi.* 식사를 하다.

◇**meal**² *n.* [U] (옥수수·호밀 따위의) 거칠게 간 곡식([cf.] flour); 거친 가루; =OATMEAL. **—** *vt.* (곡식을) 타다, 갈다.

mea·lie [míːli] *n.* (보통 *pl.*) 《S.Afr.》 옥수수.

méal pàck 《미》 가열하기만 하면 먹을 수 있도록 한 포장된 요리.

méals-on-whéels *n.* 〖단수취급〗 (노인·신체 장애자를 위한) 급식 택배 서비스; 《미속어》 소를 실은 트럭.

méal tìcket 식권; 《구어》 생계의 근거, 수입원(源); 《미구어》 의지가 되는 사람, 기둥감: A radio announcer's voice is his ~. 아나운서에게는 목소리가 그의 재산이다.

méal·tìme *n.* [U] 식사 시간.

mealy [míːli] (***meal·i·er; -i·est***) *a.* **1** 탄 곡식 모양의, 가루(모양)의, 푸슬푸슬한, 가루를 뿌린, 가루투성이의; 얼룩점이 있는《말 따위》; (안색 등이) 창백한(pale). **2** =MEALY-MOUTHED. 「충).

méaly·bùg *n.* 〖곤충〗 쥐똥나무벌레《포도의 해

méaly-móuthed [-ðd, -θt] *a.* 완곡하게〔듣기 좋게〕 말하는; 구변이 좋은.

⁑**mean**¹ [miːn] (*p., pp.* ***meant*** [ment]) *vt.* **1** 《~+[목]/+[목]+[전]+[명]/+*that* [절]》 (글·말 따위가) 의미하다; (아무가) …의 뜻으로 말하다, …에 관하여 말하려고 하다: What does this word ~? 이 말은 어떠한 뜻입니까 / What do you ~ *by* that? 그건 무슨 뜻이냐 / This sign ~*s that* cars must stop. 이 표지는 정차하라는 표시다. **2** 《~+[목]/+[목]+[전]+[명]/+*that* [절]》 …의 의중으로 말하다; 빗대어서 말하다: *I meant* it *for* 〔*as*〕 a joke. 농담으로 한 말이다 / I ~ *that* you are a liar. 넌 거짓말쟁이라는 말이다 / (Well,) I ~ ... 즉, 그. **3** 《~+[목]/+[목]+[목]/+*to* do/+[목]+*to* do/+[목]+*to be* [보]》 **a** 뜻하다, 의도하다; 예정〔계획〕하다, 꾀하다, …할 작정이다, …할 뜻을 품다: He ~*s* no harm. 그는 악의 같은 것은 전혀 품고 있지 않다 / I ~ (him) no harm. (그를) 해칠 생각은 전혀 없다 / He didn't ~ *to* do it. 그런 일을 할 생각은 아니었다 / I ~ them *to* obey me. 그들이 내 말에 복종해 주었으면 한다 / I ~ him *to be* a doctor. 그를 의사가 되게 할 작정이다. ★ I didn't *mean* to hurt you. '당신을 해칠 생각은 없었다' 의 경우, mean은 intend와 거의 같은 뜻이지만 약간 가벼운 기분임. [SYN.] ⇨ INTEND. **b** 〖수동태〗 나타낼 작정이다, (사람·물건을) 어떤 용무〔용도〕로 정하다, …로 하려고 생각하다 《*for*》: a gift *meant for* you 너에게 주려고 생각한 선물 / He *was meant for* 〔*to be*〕 a physician. 그는 의사로 태어났다, 의사가 되도록 키워졌다 / *Is* this figure *meant* to be a 9 or a 7? 이 숫자는 9자(字)인가〔일까〕 7자(字)인가〔일까〕. **4** 《+[목]+[전]+[명]/+*that* [절]》 《비유》 의미하다; …의 가치를 지니다, …와 동등하다; …라는 결과를 낳다, …하게 되다: His mother ~*s* the world *to* him. 그에게는 어머니가 세상과도 바꿀 수 없는 귀중한 존재이다 / This bonus ~*s that* we can at last take a long trip. 이 보너스 덕분에 마침내 먼 여행을 할 수 있게 되었다 / This ~*s* drought. 이것은 한발의 징조다. **—** *vi.* 《+[부]/+[전]+[명]》 〔well, ill을 수반하여〕 호의〔악의〕를 품다: ~ *ill* 악의를 품다 / ~ *well by* 〔*to, toward*(*s*)〕 a person 아무에게 호의를 갖고 있다. ***and I don't ~ maybe*** 확실하다, 거짓말이 아니다. ***be meant to*** do 《영》 …하지 않으면 안 된다, …하기로 되어 있다. ***do not ~ anything*** 아무런 악의도 없다. ***I see what you ~.*** 말하는 뜻을 잘 알겠다. ***~ a great deal*** 〔***much***〕 깊은 뜻이 있다. ***~ business*** 진심이다. ***~ well*** 기특한 말을〔일을〕 하다. [파] **∠·er** *n.*

*__mean__² *a.* **1 a** (재능 따위가) 뒤떨어지는, 보통의, 하찮은 : a ~ scholar 하찮은 학자 / of ~ understanding 머리가 나쁜. **b** 《드물게》 천한, 초라한《집·옷 등》: of ~ birth 태생이 비천한. **2 a** 비열한, 품위 없는, 치사한; 인색한: a ~ trick 비겁한 속임수 / ~ *about* money = ~ *over* money matters 돈에 인색한. **b** 《구어》 기질이 나쁜, 심술궂은: Don't be so ~ ! 그렇게 짓궂게 굴지 마라. **c** 《미구어》 싫은, 언짢은; 성가신: ~ business 지긋지긋한 일. **3** 《구어》 부끄러운; 기분〔몸〕이 시원치 않은. **4 a** 《미구어》 (말 따위가) 버릇이 나쁜, 어거할 수 없는; 《미속어》 골치 아픈, 싫은, 귀찮은: a ~ horse 버릇이 나쁜 말 / a ~ street to cross 건너기에 힘이 드는 도로. **b** 《미구어》 훌륭한, 대단한: He pitches a ~ curve. 그는 대단한 커브를 던진다. ***feel ~*** 부끄럽게 여기다: *feel ~ for* being stingy 돈에 인색하여 떳떳치 못한 기분이 들다. ***have a ~ opinion of*** …을 업신여기다. ***no ~*** 아주 훌륭한, 대단한: He is *no* ~ scholar. 대단한〔넘보지 못할〕 학자이다.

*__mean__³ *a.* **1** (시간·거리·수량·정도 따위가) 중간인; 중용의; 중위의, 보통의(average): take a ~ course 중용의 길을 택하다 / for the ~ time 그동안만, 일시적으로. **2** 〖수학〗 평균의: the ~ temperature 평균 온도 / ~ access time 〖컴퓨터〗 평균 접근 시간. ***in the ~ time*** 〔***while***〕 그 동안에, 그럭저럭하는 동안에; 이야기는 바뀌어. [cf.] meantime. **—** *n.* **1** (*pl.*) =MEANS. **2** (양단의) 중앙, 중간, 중위; 중등; 중용([cf.] golden mean): the happy ~ 중용의 덕. **3** 〖수학〗 평균(치); 내항(內項); 〖논리〗 중명사(中名辭)(= **∠ térm**); 〖음악〗 중음부《alto 또는 tenor》; 〖통계〗 평균: ⇨ ARITHMETIC 〔GEOMETRIC, HARMONIC〕 MEAN.

méan cálorie 평균 칼로리.

me·an·der [miǽndər] *n.* **1** (*pl.*) (강의) 구불구불함; 꼬부랑길. **2** 정처 없이 거닒; (보통 *pl.*) 우회하는 여행. **3** 〖건축〗 뇌문(雷紋). **—** *vi.* 《~/+[전]+[명]》 **1** 완만히 굽이쳐 흐르다: The brook ~*s through* fields. 개천이 벌판을 굽이쳐 흐르고 있다. **2** 정처 없이 거닐다《*along*》. **—** *vt.* 굽이쳐 흐르게 하다; (강물 등)이 굽이진 곳을 따라 흐르다.

me·án·der·ing [-dəriŋ] *n.* **1** 꼬부랑길; 정처 없이 거닒. **2** 두서없는 이야기, 만담. **—** *a.* 굽이쳐 흐르는; 정처 없이 거니는; 두서없는《이야기》; 만담하는. [파] **~·ly** *ad.* 굽이쳐서; 정처 없이.

méan deviátion 〖통계〗 평균 편차.

méan dístance (the ~) 〖천문〗 평균 거리《근일점 거리와 원일점 거리와의 평균》, (쌍성(雙星)의) 평균 거리. 「결 모양의.

me·an·drous [miǽndrəs] *a.* 구불구불한, 물

méan frée páth 〖물리〗 (기체 분자 등의) 평균 자유 행로, 〖전기〗 평균 자유 행정(行程).

mean·ie, meany [míːni] *n.* 《구어》 비열한 놈, 구두쇠; 악랄하고 불공평한 비평가; (연극 따위의) 악역.

mean·ing [míːniŋ] *n.* U,C **1** (말 따위의) 의미, 뜻(sense), 취지: a word with several ~*s* 여러 가지 의미를 가진 단어 / What's the ~ *of* this? 이것은 무슨 뜻인가; 이건 어찌된 일이냐 《화가 나서》/ Seasickness has no personal ~ for me. 나는 뱃멀미 같은 것은 모른다《나에겐 아무런 의미가 없다는 뜻에서》.

SYN. **meaning** 일반적인 말로서 다른 어느 유어(類語)와도 교환이 가능함: the *meaning* of a glance 일별(一瞥)이 뜻하는 것. **sense** 어·구의 특정한 뜻, 나아가서 그 뜻이 이해됨을 나타내는 데 두루 쓰임: be used in this *sense* 이 뜻으로 쓰이다. There's no *sense* in what he says. 그가 하는 말에는 전혀 의미가 없다. **significance** 특별히 암시된 뜻, 또는 그 중대성이 곧 파악되기 어려운 의미: The real *significance* of his words was not grasped at the time. 그의 말의 진의는 그때 이해하지 못했었다. **purport** 책·이야기 등의 취지, 행동의 목적·의도: the *purport* of one's visit 방문의 의도.

2 의의, 중요성; 의도, 목적(purport): the ~ *of* life 인생의 의의 / the ~ *of* education 교육의 목적. **3** 효력, 효능: a law with no ~ 규제력이 없는 법률, 엉성한 법. ***with*** ~ 의미심장하게, 의미 있는 듯이.
— *a.* **1** 의미 있는 듯한. **2** 《복합어》 …할 생각인〔작정인〕: well-〔ill-〕~ 선의〔악의〕의.
㊞ ~·**ly** *ad.* 의미 있는 듯이, 일부러. ~·**ness** *n.*

mean·ing·ful [míːniŋfəl] *a.* 의미심장한(significant); 뜻있는. ㊞ ~·**ly** *ad.* ~·**ness** *n.*

méaningful relátionship 좋은 결실의 교제〔관계〕.

méan·ing·less *a.* 의미 없는, 무의미한. ㊞ ~·**ly** *ad.* ~·**ness** *n.*

méan lífe 〖물리〗 (방사성 물질의) 평균 수명(=AVERAGE LIFE).

méan·ly *ad.* 천하게, 비열하게; 인색하게; 볼꼴사납게, 초라하게; 경멸하여. ***think*** ~ ***of*** …을 경멸하다.

méan·ness *n.* U,C 천함, 빈약함, 비열함, 야비; 천한 행위.

méan propórtional 〖수학〗 =GEOMETRIC MEAN.

means [miːnz] *n. pl.* **1** 《단·복수 취급》 수단, 방법《*of; to*》; 기관: a ~ *to* an end 목적 달성의 수단 / the ~ *of* communication 통신〔전달〕 기관 / The quickest ~ *of* travel is by plane. 가장 빠른 여행 수단은 비행기를 이용하는 것이다 / We have the ~ *to* prevent the disease but not *to* cure it. 그 병을 예방하는 수단〔방법〕은 있으나 그것을 치료하는 방법은 없다. **2** 《복수취급》 **a** 자금, 재력, 《특히》 돈: I don't have ~ *to* buy a house. 집을 살 만한 돈은 없다. **b** (상당한) 자산, 부(riches): a man of ~ (상당한) 자산가. ***by all*** (***manner of***) ~ ① 반드시. ② 좋고말고요, 그러시죠(certainly) 《승낙의 대답》: Shall I ask him? — *By all* ~. 그에게 부탁할까요 — 암 그러시죠. ***by any*** ~ 아무리 해도, 도무지. ***by fair*** ~ ***or foul*** 무슨 일이 있어도, 꼭. ***by*** ~ ***of*** …에 의하여, …으로, …을 써서. ***by no*** (***manner of***) ~ =***not by any*** (***manner of***) ~ 결코 …하지 않다〔이 아니다〕. ***by some*** ~ ***or other*** 이럭저럭 해서. ***live within*** 〔***beyond, above***〕 one***'s*** ~ 분수에 맞게〔지나치게〕 살다. ***the*** ~ ***of grace*** 〖신학〗 신의 은총을 받는 방법《기도·예배 따위》.

méan séa lèvel 평균 해면《해발 기준》.

méans of prodúction (마르크스 경제학에서 말하는) 생산 수단.

méan sólar dáy 〖천문〗 평균 태양일.

méan sólar tìme 〖천문〗 평균 태양시〔시간〕.

méan·spírited [-id] *a.* (마음이) 치사한, 야비한(base); 관대하지 못한, 인색한. ㊞ ~·**ness** *n.*

méan squáre 〖수학〗 평균 제곱: ~ deviation 〖통계〗 평균 제곱 편차.

mèans tést 《영》 (실업 구제를 받을 사람의) 수입〔가계〕 조사.

méans-tèst *vt.* (보조금·수당)의 지급에 관한 「자산 조사를 하다.

méan sún 〖천문〗 평균 태양《천구의 적도를 평균한 각(角)속도로 움직이는 가상의 태양》.

meant [ment] MEAN[1]의 과거·과거분사.

méan tìme 〖천문〗 평균시《(1) =MEAN SOLAR TIME. (2) =GREENWICH MEAN TIME》.

mean·time, méan·whìle [míːntàim], [-*h*wàil] *n.* (the ~) 그동안. ***for the*** ~ 당장에는, 당분간. ***in the*** ~ 이럭저럭 하는 동안에《보통 meantime이 쓰임》, 그때까지. **—** *ad.* **1** (흔히 -while) 그 사이에; 이럭저럭 하는 동안에; 이야기는 바뀌어 (한편). **2** 동시에.

méan válue thèorem 〖수학〗 평균값의 정리 (定理).

meany [míːni] *n.* =MEANIE.

meas. measure.

mea·sle [míːzəl] *n.* 〖수의〗 (돼지·소에게 낭충증을 일으키는) 촌충의 유충, 낭충(囊蟲).

méa·sled *a.* 홍역의〔에 걸린〕.

mea·sles [míːzəlz] *n.* 《주로 단수취급》 홍역, 마진(痲疹); 풍진(風疹)(German ~); 〖수의〗 (돼지·소의) 포충증(包蟲症), 낭충증: catch (the) ~ 홍역에 걸리다 / ⇨ BLACK MEASLES.

mea·sly [míːzli] (*-sli·er; -sli·est*) *a.* 홍역의, 홍역에 걸린; (돼지·소가) 포충증에 걸린; 《구어》 불충분한, 잔단, 하찮은.

meas·ur·a·ble [méʒərəbəl] *a.* **1** 잴 수 있는: at a ~ distance from the earth 지구에서 측정할 수 있는 거리를 두고. **2** 적당한, 알맞은: ~ speed 적당한 속도. **3** 중요한, 무시할 수 없는: a ~ figure 중요한 인물. ***within a*** ~ ***distance of*** …에 가까이, …에 직면하여. ㊞ ~·**ness** *n.* **mèas·ur·a·bíl·i·ty** *n.* **-bly** *ad.* **1** 눈에 띄게, 뚜렷이. **2** 적당히; 《미》 다소, 어느 정도까지.

meas·ure [méʒər] *vt.* **1** 《~+목/+목+전+명》 재다, 계량〔측정, 측량〕하다, …의 치수를 재다: ~ a room 방을 재다 / ~ boundaries 경계를 측량하다 / She ~*d* her client *for* her new clothes. 그녀는 손님이 맞추려는 새 옷의 치수를 쟀다. **2** 《~+목/+목+전+명》 (비교하여) …을 판단하다, 평가〔비교〕하다; (아무를) 자세히〔빤히〕 훑어〕보다; (우열 따위)를 재다〔겨루다〕: ~ intelligence 지력을 판단하다 / ~ this *against* that 이것과 저것을 비교하여 평가하다 / ~ a person from top to toe with one's eys 아무를 머리 끝에서 발끝까지 자세히 훑어보다 / ~ one's strength *with* another's 남과 힘을 겨루다. **3** …의 정도를 나타내다, …의 척도가 되다: Her sacrifices ~ the degree of her love. 그녀가 치른 희생을 보면 애정의 깊이를 미루어 알 수 있다. **4** 《+목+전+명》 어울리게 하다, 조정하다, 적응시키다《*to*》: ~ one's speech *to* one's listeners' reactions 청중의 반응에 따라 강연을 조절하다. **5** 《고어·시어》 답파하다, …을 가다, 횡단하다: ~ thirty miles a day 하루 30마일을 걷다. **—** *vi.* **1** 재다, 측정하다. **2** 《+보》 재어서 …이 되다, …의 길이〔폭, 무게 따위〕이다: This book ~*s* six inches by four. 이 책은 세로 6인치 가로 4인치이다.
~ ***back*** 《자동사적》 서서히 후퇴하다. ~ ***off*** 재어서 나누다; 구획〔구분〕하다: ~ *off* a yard of silk 비단을 1야드 잘라내다. ~ ***out*** 재어서 나누다〔분배하다〕, 할당하다. ~ one***'s length*** (***on the ground***) ⇨ LENGTH. ~ one***'s wits*** 재치를 겨루다 《***against***》. ~ one***'s words*** 말을 음미하다, 말을

삼가다. ~ **swords** 칼의 길이를 재다《결투 전에》; …와 싸우다, 경쟁하다《*with*》. ~ **up** 《*vt.*+[副]》 ① (…의) 치수를 재다《*for*》. ② (가능성 따위를)추정하다. ── 《*vi.*+[副]》 ③ 치수를 재다. ④ (…에) 필요한 만큼의 자격〔재능, 능력〕이 있다《*to*》. ~ **up to** ① 길이〔폭, 높이〕가 …에 달하다. ② 《미》 (표준·이상·기대 등)에 들어맞다〔달하다〕, …에 일치〔부합〕하다: He ~*s up to* his new position. 그는 새 지위에 잘 어울린다.

── *n.* **1** [U] 치수, 분량; 크기, 무게, 길이, 말수《斗數》: ~ *of* capacity 용량(容量) / His waist ~ is 26 inches. 그의 허리 치수는 26인치이다. **2** [C] 도량 단위《미터·인치·그램·쿼터 따위》; 도량법: metric ~ 미터법 / angular ~ 각도 / ⇨ DRY 〔LIQUID〕 MEASURE / SQUARE 〔CUBIC〕 MEASURE / weights and ~*s* ⇨ WEIGHT. **3** [C] 되, (줄)자, 도량형기: a yard ~ 야드자 / a tape ~ 줄자. **4** [C] (기구(器具)에 의한) 분량: a ~ *of* sugar 설탕 한 그릇〔한 눈금〕/ heaped ~ 고봉. **5** [C] (평가·판단 등의) 기준, 척도: by any ~ 어떤 기준에 비추어도 / by ~ *of* economic strength 경제력으로 판단하면. **6** [U,C] 한도, 한계, 정도; 표준, 적도(適度): a civilized sense of ~ 세련된 절도(節度) 감각 / have no ~ 한계를 모르다, 한〔끝〕이 없다 / enjoy a full ~ *of* happiness 행복을 만끽하다. **7** [C] 법안(bill), 법령. **8** (보통 *pl.*) 수단, 방책; 조처: a desperate ~ 자포자기적인 수단 / take the necessary ~*s to* preserve order 질서 유지에 필요한 조처를 취하다. **9** [C] 〖수학〗 약수(約數): ⇨ (GREATEST) COMMON MEASURE. **10** [U] 운율(韻律)(meter); 〖음악〗 박자(拍子), 가락; 소절(bar); 《시어》 선율, 곡조; (특히 템포가 느린) 무용: triple ~, 3박자. **11** (*pl.*) 지층: ⇨ COAL MEASURES. **12** [U] 〖인쇄〗 (행·페이지·난의) 폭.

above 〔***beyond,*** 《고어》 ***out of***〕 ~ 지나치게, 대단히. ***adopt*** 〔***take***〕 ~***s*** 조처를〔수단을〕 강구하다. ***a*** ~ ***of ...*** 일정(량)의 …: *a* ~ *of* meal 일정량의 식사. ***by*** ~ 치수를 재어. ***fill up the*** ~ ***of*** (부정 등을) 끝까지 해나가다; (불행 등)을 실컷 맛보다. ***for good*** ~ 덤으로, 여분으로, 분량을 넉넉하게. ***give full*** 〔***good***〕 ~ 넉넉히 재어〔달아, 되어〕 주다. ***give short*** ~ 부족하게 재어〔달아, 되어〕 주다. ***give*** 〔***show***〕 ***the*** ~ ***of*** …의 정도를〔역량을〕 나타내다, …의 표준이 되다. ***have hard*** ~***s*** 심한 처우를 당하다, 학대받다. ***have*** a person***'s*** ~ (***to an inch***) 아무의 기량〔사람됨〕을 속속들이 알고 있다. ***in*** (***a***) ***great*** 〔***large***〕 ~ 꽤 많이, 대부분. ***in a*** 〔***some***〕 ~ 다소, 얼마간. ***keep*** ~(***s***) ① 박자를 맞추다. ② 중용을 지키다. ***keep*** ~***s with*** 《폐어》 …에게 관대히 하다. ***know no*** ~ 한도를 모르다, 끝이 없다. ***made to*** ~ 치수에 맞추어 지은, 맞춤의《양복 등》. [cf.] readymade. ~ ***for*** ~ 앙갚음, 보복(tit for tat). ***sell by the*** ~ 달아 팔다. ***set*** ~***s to*** …을 제한하다. ***take*** a person***'s*** ~ 아무의 치수를 재다; 아무의 인물〔사람됨〕을 보다. ***take the*** ~ ***of*** a person***'s foot*** 아무의 인물〔역량〕을 간파하다. ***tread*** 〔***trip***〕 ***a*** ~ 댄스를 하다. ***without*** 〔***within, in***〕 ~ 과도〔적당〕하게.

méas·ured *a.* **1** 정확히 잰, 측정한. **2** 신중한, 잘 생각한《말 따위》: speak in ~ terms 신중하게 말하다. **3** 표준에 맞는. **4** 박자가 맞는, 정연한《보조 따위》; 운율이 고른, 운(韻)을 밟은; (문장이) 세련된: walk with a ~ tread 천천히 보조를 맞추어 걷다. ㊞ ~**·ly** *ad.*

measured dáywork 계측〔측정〕 일급(日給)《기본 임금과 정기적인 생산 능률 평가에 의거한 부가 임금률로 계산된 일급제》.

méas·ure·less *a.* 《문어》 무한한, 헤아릴 수 없는. ㊞ ~**·ly** *ad.*

***meas·ure·ment** [méʒərmənt] *n.* **1** [U] 측량, 측정; 측정법, 도량형법: the metric system of ~ 미터법. **2** [C] 치수, 크기, 넓이, 길이, 깊이, 두께; (*pl.*) 《구어》 (가슴·허리둘레 따위의) 치수: inside 〔outside〕 ~ 안〔바깥〕치수.

méasurement càrgo 〔**gòods, frèight**〕 용적(계산) 화물.

méasurement tòn 용적톤《40 cu. ft.》.

méas·ur·er [-rər] *n.* 재는 사람, 측정자; 계량기(器).

méas·ur·ing [-riŋ] *n., a.* 측정(의), 측량(용「(用)의).

méasuring cùp 계량 컵, 눈금을 새긴 컵.

méasuring tàpe 줄자.

méasuring wòrm 〖곤충〗 자벌레(looper).

meat** [mi:t] *n.* [U] **1** (식용 짐승의) 고기. [cf.] flesh. ¶ chilled ~ 냉장육 / ground ~ 저민 고기 / ⇨ BUTCHER'S MEAT. **2** 《미》 (게·조개·달걀·과일 등의) 먹을 수 있는 부분, 속, 알맹이, 살: ⇨ CRABMEAT / inside ~ (고기) 내장 / the ~ of a walnut 호도 속《알맹이》. **3** (책 따위의) 내용: This book is full of ~. 이 책은 내용이 충실하다. **4** 《구어》 좋아하는 것, 낙(樂), 취미: Golf's my ~. 골프는 내가 좋아하는 것이다. **5** 《고어》 음식물(food): ⇨ GREEN MEAT / ~ and drink 음식물 / One man's ~ is another man's poison. 《속담》 갑의 약은 을의 독(毒). **6** 《고어》 식사(meal): say grace before ~ 식전의 기도를 드리다. **7** 《미호모속어》 매력적인 남자; 《비어》 =VAGINA, 여자, 성교; 《비어》 =PENIS. ***beat 〔***flog, pound***〕 ***one's*** ~ 《미비어》 (남성이) 자위행위를〔수음을〕 하다, 용두질하다. ***be*** ~ ***and drink to*** a person 아무에게 더할 나위 없는 즐거움이다. ***before*** 〔***after***〕 ~ 식전〔식후〕에. ***jump on*** a person***'s*** ~ 《미속어》 아무를 몹시〔호되게〕 야단치다. ***strong*** ~ 단단한 음식; 어려운 가르침《히브리서 V: 12》. [cf.] MILK for babes.

méat and potátoes 《단·복수취급》《미구어》 **1** 주요〔기본〕 부분, 기본, 중요 개소; 주지(主旨); 실질: the ~ of this program 이 프로그램의 기본. **2** 좋아하는〔마음에 드는〕 것, 즐거움의 근원.

méat-and-potátoes [-ənd-] 《미구어》 *a.* 기본적인, 중요한; 현실적인, 일상적인.

méat-àx(e) *n.* **1** 고기를 토막치는 식칼. **2** 엄한 조치, 《특히》 예산 등의 대폭 삭감. ── *a.* (조치 등이) 대담한, 가혹한; 대폭 삭감의. ── *vt.* …에 일대 혁신을 가하다; …을 크게 삭감하다.

méat bàg 《미속어》 위, 밥통.

méat·bàll *n.* **1** 미트볼, 고기 완자. **2** 《미속어》 지겨운 녀석; 바보, 얼간이; 《미해군속어》 (무훈을 기리는) 표창 페넌트; 《속어》 (경기의) 우승 페넌트.

méat bỳ-product 식용으로 도살한 동물에서 나온 고기 이외의 유용한 부분.

méat càrd 《미속어》 식권(meal ticket).

méat chòpper 고기 저미는〔가는〕 기계.

méat clèaver 대폭 절약; 고기를 토막치는 넓적한 큰 칼. 「덕 경관. [cf.] grasseater.

méat·èater *n.* 《미속어》 (뇌물을 요구하는) 악

méat flỳ 〖곤충〗 쉬파리(flesh fly).

méat grìnder **1** 고기 저미는 기계(meat chopper). **2** (적군에 대한) 궤멸 작전. **3** 〖일반적〗 인정사정없는〔가혹한〕 제도〔조직〕. **4** 《미속어》 여성 성기; 여자.

méat·hèad *n.* 《미속어》 바보, 얼뜨기.

méat hòoks 《미속어》 손, 주먹.

méat·less *a.* (식사가) 고기 없는; 고기를 먹으면 안 되는《날》.

méat·lòaf *n.* 잘게 다진 고기와 다른 재료들을 섞어서 빵덩어리 모양으로 틀에 넣어 오븐에 구운 요리(=**méat lòaf**).

méat·màn [-mæ̀n] (*pl.* ***-mèn*** [-mèn]) *n.* 푸주한(butcher). 「butcher's shop).
méat márket 식육(食肉) 시장; 《미》 푸주(《영》
méat·pàcking *n.* Ⓤ 《미》 (도살에서 가공, 도매까지 하는) 식육 가공 도매업. ㊞ **-pàcker** *n.*
méat-píe *n.* 고기 파이, 미트파이.
méat ràck 《미속어》 (상대를 찾기 위해) 동성연애자가 모이는 곳; 보디빌딩관(館).
méat sàfe 《영》 (육류를 보관하는 금속 방충망이 달린) 찬장.
méat shòw 《미속어》 (카바레나 나이트클럽 따위의) 플로어쇼, 누드쇼. 「(high tea).
méat tèa 《영》 고기 요리(料理)에 나오는 차
me·a·tus [miéitəs] (*pl.* ***~·es, ~***) *n.* 〖해부〗 관(管), 도관(導管): the urethral ~ 요도.
méat wàgon 《속어》 병원〔구급〕차; 영구차; 《영속어》 죄수 호송차(《미속어》 paddy wagon).
méat·wàre *n.* 《컴퓨터속어》 (사람의) 신체, 몸.
meaty [míːti] (***meat·i·er; -i·est***) *a.* **1** 고기의〔가 많은〕, 근육이 우람한. **2** 내용이 충실한, 요령 있는《연설 따위》: a ~ doctoral dissertation 내용이 충실한 박사 논문. ㊞ **méat·i·ness** *n.*
mec, mech [mek] *n.* 《미구어》 =MECHANIC.
M.E.C. Member of the Executive Council.
mec·a·myl·a·mine [mèkəmíləmìːn] *n.* 〖약학〗 메카밀라민《고혈압 치료약》.
Mec·ca [mékə] *n.* 메카《사우디아라비아의 도시; Muhammad 탄생지》; (*or* m-) 동경의 땅, 사람이 잘 가는 곳; 동경의 대상; (주의·신앙·학문 따위의) 발상〔기원〕지.
Mécca bàlsam =BALM OF GILEAD.
mec·cá·no (sèt) [mekáːnou(-)] 메카노 세트《강철〔플라스틱〕 조립 세트의 장난감》; (M-) 그 상표명.
mech. mechanic(al); mechanics; mechanism; mechanized.
mech·an- [mékən], **mech·a·no-** [mékənou, -nə] '기계, 기계의'란 뜻의 결합사.
*__me·chan·ic__ [məkǽnik] *n.* **1** 기계공; (기계) 수리공, 정비사; 《고어》 직공, 장인(artisan): a car ~ 자동차 정비공. **2** 《속어》 사기 도박꾼.

> SYN. **mechanic** 기계의 정비나 수리 기술을 지닌 장인. **artisan** artist에 대하여 손을 쓰는 기술직 장인《목수·구두장이 등》. **operative** 기계를 쓰는 공장의 장인.

— *a.* 《고어》 =MECHANICAL.
__me·chan·i·cal__ [məkǽnikəl] *a.* **1 기계(상)의; 공구의; 기계로 조작하는〔만든, 움직이는〕: a ~ engineer 기계 기사〔공학자〕/ ~ products 기계 제품 / ~ power 기계력; (*pl.*) 간단한 기구류 《지레·도르래·나사·굴대 따위》. **2** 기계적인, 자동적인, 무의식의, 무감정한: Her reading is very ~. 그녀의 글 읽는 방법은 감정이 없다. **3** 기계학의, 역학의; 〖철학〗 기계론적인. **4** 《고어》 직인〔직공, 기계공(工)〕의; 《드물게》 손으로 하는 일의. ◇ machine *n.* ***the ~ equivalent of heat*** 〖물리〗 열(熱)의 일당량(當量). **—** *n.* **1** 기계적인 부분〔구조〕, 기구(機構); (*pl.*) =MECHANICS; MECHANICAL BANK. **2** 《고어》 직공(mechanic). **3** 〖인쇄〗 (사진 촬영용의) OK 대지(臺紙) (pasteup). ㊞ °**~·ly** *ad.* 기계로, 기계적으로; 무감정적으로. **~·ness** *n.* 기계적임. 무의식.
mechánical advántage 〖역학〗 역비(力比), 기계적 확대율《지레·도르래·수압기 등의 기기(機器)에 의한 힘의 확대율》; 〖공업〗 기계적 이득.
mechánical áptitude 기계를 만지는 소질〔재주〕. 「장난감 저금통》.
mechánical bánk 자동 저금통《태엽 장치의
mechánical bráin 인공두뇌. 「화(用器畫).
mechánical dráwing 기계 제도(製圖), 용기
mechánical enginéering 기계 공학.
mechánical ínstrument 자동 연주 악기.
mechánical péncil 샤프펜슬(automatic pencil, 《영》 propelling pencil). 「(走査).
mechánical scánning 〖TV〗 기계적 주사
mechánical tíssue 〖식물〗 기계 조직《식물체를 실하게 하고 보호하기 위한 조직》.
mechánical tránsport (영국 수송 부대의) 자동차대《생략: M.T.》.
mech·a·ni·cian [mèkəníʃən] *n.* 기계 기사; 기계공(mechanic); 기계학자.
*__me·chan·ics__ [məkǽniks] *n. pl.* **1** 〔단수취급〕 기계학; 역학: applied ~ 응용 역학 / ⇨ QUANTUM MECHANICS. **2** 〔단·복수취급〕 기계적인 부분; 테크닉, 기술, 기교: The ~ of writing are attained through rigorous training. 작문 기법은 엄격한 수련을 통해 습득된다.
mechánic's líen (자동차 수리·건물 공사 등의) 선취특권.
__mech·a·nism__ [mékənìzəm] *n.* **1 Ⓒ 기계(장치), 기구, 구조, 구성, 장치: the ~ of a clock 시계의 기계 / the ~ of government 행정 기구. **2** Ⓤ 〖철학·생물〗 우주 기계관, 기계론. cf. vitalism. **3** 〖예술〗 (그림·음악 등의) 법, 기법, 기교, 테크닉. **4** 〖심리〗 (사고·행동 등을 결정하는) 심리 과정: the ~ of invention 발명에 이르는 심리 과정.
méch·a·nist *n.* 기계 기사〔학자〕(mechanician); 〖철학〗 기계론자, 유물론자.
mech·a·nis·tic [mèkənístik] *a.* 기계학적인, 기계 작용의; 기계론적인; 기계론자의. 「계화.
mèch·a·ni·zá·tion *n.* Ⓤ 《특히》 (군대의) 기
mech·a·nize [mékənàiz] *vt.* **1** 기계화하다; (공장 등)에 기계설비를 도입하다. **2** 〖군사〗 (부대 등을) 기갑화하다, 기동화하다: a ~*d* unit 기계화 부대 / ~*d* forces 〔집합적〕 기계화 부대.
mech·a·no·chem·is·try [mèkənoukémistri] *n.* 기계 화학《화학 에너지의 기계 에너지로의 변환을 다룸》. ㊞ **-chém·i·cal** *a.*
mech·a·no·re·cep·tor [mèkənouriséptər] *n.* 〖생물·생리〗 물리적 자극의 수용기(受容器), 기계 수용기.
mech·a·no·ther·a·py [mèkənouθérəpi] *n.* 기계(적) 요법《마사지 따위》.
mech·a·tron·ics [mèkətrániks/-trɔ́n-] *n.* 메커트로닉스《기계공학과 전자공학의 경계(境界) 영역; 기계 제품에 일렉트로닉스를 접목시켜 고성능이며 다기능을 가진 비용·노동력 절약형 기계 개발을 목표로 함》.
Méch·lin (láce) [méklin(-)] 메클린 레이스 《벨기에 Mechlin산(産) 무늬 든 레이스》.
M. Econ. Master of Economics.
me·co·ni·um [mikóuniəm] *n.* 〖의학〗 (신생아) 태변(胎便); 〖곤충〗 용변(蛹便)《곤충의 번데기가 성충이 될 때 배출하는 액체》; 아편. 「nean).
Med [med] *n.* 《구어》 지중해 (지방)(Mediterra-
Med. Medieval. **med.** medical; medicine; medium. **M. Ed.** Master of Education.
*__med·al__ [médl] *n.* **1** 메달, 상패, 기념패, 기장, 훈장: award a ~ to a person / a prize ~ 상패. **2** 옛날 화폐〔돈〕. ***the Medal for Merit*** 《미》 공로 훈장《일반 시민에게 수여함; 1942 년 제정》. ***the Medal of Honor*** 《미》 명예 훈장《전투원의 희생적 수훈에 대해 대통령이 직접 주는 최고 훈장》. ***the Medal of Freedom*** 《미》 =PRESIDENTIAL MEDAL OF FREEDOM. ㊞ **méd·aled,** 《영》 **-alled** [-d] *a.* 메달을 받은; 기장(記章)을 단.
med·al·et [mèdəlét, médəlit/médəlèt] *n.* 작은 메달.

med·al·ist, ((영)) **-al·list** [médəlist] *n.* 메달 제작〔의장(意匠), 조각〕가; 메달 수령자〔수집가〕; 〖골프〗 medal play의 승자.

me·dal·lic [mədǽlik] *a.* 메달의〔에 관한, 에 그려진〕.

me·dal·lion [mədǽljən] *n.* 큰 메달〔상패〕; ((미)) 택시 영업 면허증(을 소지한 운전기사); (초상화 등의) 원형 돋을새김; 〖건축〗 원형의 돋을새김; (우표·지폐 등의 인물이나 금액을 나타내는) 원형 무늬.

médal plày 〖골프〗 타수(打數) 경기(stroke play)((한 코스의 타수가 가장 적은 자로부터 순위를 결정함)). cf. match play.

médal wìnner 〖스포츠〗 메달 수상자.

*__med·dle__ [médl] *vi.* **1** ((~/+전+명)) 쓸데없이 참견하다, 간섭하다((*with; in*)): My grandma is always *meddling* (*with* us, *in* our affairs). 할머니는 늘 (우리에게, 우리 일에) 참견하신다. **2** ((+전+명)) 만지작거리다, 주무르다((*with*)): Don't ~ *with* the clock. 시계를 만지작거리지 마라. ***neither make nor*** **~** ((속어)) 일체 간섭〔관계〕하지 않다. ㊞ **-dler** *n.* 오지랖 넓은 사람, 간섭자.

med·dle·some [médlsəm] *a.* (진절머리날 정도로) 간섭〔참견〕하기 좋아하는, 오지랖 넓은. ㊞ **~·ly** *ad.* **~·ness** *n.*

med·dling [médliŋ] *n.* (쓸데없는) 간섭, 참견. **—** *a.* 참견하는, 간섭하는.

Mede [miːd] *n.* 메디아의 주민, 메디아 사람(Median). ***the law of the ~s and Persians*** 〖성서〗 바꾸기 어려운 제도〔관습〕((다니엘서 VI: 8)).

Me·dea [midíːə] *n.* 〖그리스신화〗 메데아((Jason을 도와 Golden Fleece를 손에 넣게 한 여자 마술사)).

mé dècade ((미)) 자기 중심주의의 시대((사람들이 개인적 행복과 만족의 추구에 골몰한 1970 년대)). cf. me generation.

med·e·vac [médəvæ̀k] *n.* (종종 M-) 〖미군사〗 부상자 구출용 헬리콥터. **—** (**-vàck-**) *vt.* 구급 헬리콥터로 나르다. [◂ *medical-evacuation*]

Med·fly [médflài] *n.* =MEDITERRANEAN FRUIT FLY.

me·di- [míːdi], **me·di·o-** [míːdiou, -ə] '중간'의 뜻의 결합사.

Me·dia [míːdiə] *n.* 메디아((카스피 해 남쪽에 있었던 옛 왕국)).

me·dia[1] *n.* **1** MEDIUM의 복수. **2** (the ~) 〔단·복수취급〕 매스컴, 매스미디어; 〖컴퓨터〗 매체.

me·dia[2] (*pl.* **-di·ae** [-diìː]) *n.* 〖해부〗 (혈관·림프관의) 중막(中膜); 〖곤충〗 중맥(中脈); 〖음성〗 중음(中音)((유성 파열 자음)).

média blìtz 매스컴에 의한 대선전.

média behávior 매스컴 의존성((정보원(源)으로 신문·TV등에 의존하는 정도)).

média bùyer (광고 대행사의) 매체 세일즈 담당자.

média còverage (어떤 사건 따위의) 미디어의 보도 규모〔량(量)〕.

me·di·ac·ra·cy [mìːdiǽkrəsi] *n.* 미디어크라시((정보화 사회를 배경으로, 신문·방송 등이 절대적인 힘을 갖게 된 경향)).

me·di·a·cy [míːdiəsi] *n.* 개재(介在), 매개; 조정(mediation).

me·di·ae·val [mìːdiíːvəl, mèd-] *a.* =MEDIEVAL. ㊞ **~·ism** *n.* =MEDIEVALISM.

média evènt (매스컴 보도를 예상하고) 계획한 행사; (매스컴에 확대〔과장〕 보도된) 조작된 대사건; (텔레비전 등의) 특별 프로.

me·di·a·gen·ic [mìːdiədʒénik] *a.* ((미)) 매스미디어(((특히)) 텔레비전)에 맞는, 매스컴을 잘 타는: a ~ star.

média hỳpe ((미속어)) (후보자·기업 등의) 집중적 선전〔캠페인〕; 미디어 동원.

média kìt (광고 권유를 위한) 자료 한 벌((광고 요금표·독자 분석표 등)).

me·di·al [míːdiəl] *a.* 중간의, 중앙의; 평균치(値)의; 보통의, 중용의: a ~ consonant 〖음성〗 중간 자음(자(字)). ㊞ **~·ly** *ad.*

me·di·a·land [míːdiəlæ̀nd] *n.* 매스컴의 세계.

mé·dia·man [-mən] (*pl.* **-men** [-mən]) *n.* =MEDIAPERSON; (광고 대행사의) 매체 조사원.

média mìx 미디어믹스((필름·테이프 등 각종 미디어를 동시에 이용한 행사〔기획〕)).

mèdia·mórphosis *n.* 미디어에 의한 사실의 왜곡, 왜곡 보도.

Me·di·an [míːdiən] *a.* Media의, 메디아 사람〔말〕의. **—** *n.* 메디아 사람(Mede).

me·di·an *a.* 중앙〔중간〕의; 〖해부〗 정중(正中)의: the ~ artery 〔vein〕 〖해부〗 정중 동맥〔정맥〕. **—** *n.* 〖해부〗 정중 동맥〔정맥〕; 정중 신경; 〖수학〗 중앙값, 메디안; 중점(中點), 중선(中線); ((미)) =MEDIAN STRIP.

médian póint (the ~) (삼각형 또는 일반적으로 평면 상의) 중점(中點), 중심(重心).

médian stríp ((미)) (도로의) 중앙 분리대(((영)) central reserve).

média pàcket (광고 대행사 등이 작성하는) 뉴스 매체용 PR 자료((특히 주요 사건에 초점을 맞춤)).

média·pèrson *n.* (신문·라디오·텔레비전 등의) 기자, 통신원, 리포터.

média relàtions 매체 회사와의 인간 관계.

média-shỳ *a.* 매스컴을〔인터뷰를〕 싫어하는, 매스컴 공포증의.

média·spèak *n.* 미디어어(語), 매스컴어(語).

me·di·as·ti·num [mìːdiæstáinəm] (*pl.* **-na** [-nə]) *n.* 〖해부〗 (양쪽 폐 사이의) 종격(縱膈)(막). ㊞ **-tí·nal** *a.*

média stùdies 〔단수취급〕 미디어 연구.

me·di·ate [míːdièit] *vt.* (분쟁 등)을 조정〔중재〕하다, 화해시키다; (선물·정보 등)을 중간에서 전하다, 전달하다: ~ a treaty 조정하여 조약을 맺다. **—** *vi.* 중재하다((*between*)); 중간에 위치하다, 개재하다: ~ *between* A *and* B, A와 B를 조정하다. **—** [míːdiət] *a.* 중간의; 중간에 서는, 중개의; 간접의; 중개에 의한. opp. *immediate.* ㊞ **~·ly** *ad.* **~·ness** *n.*

°**mè·di·á·tion** *n.* Ⓤ 중개; 조정, 중재, 화해 (공작); 〖국제법〗 (제삼국에 의한) 거중(居中) 조정. cf. arbitration, conciliation. ㊞ **~·al** *a.*

mè·di·a·ti·zá·tion *n.* Ⓤ 병합.

me·di·a·tize [míːdiətàiz] *vt.* (공국(公國)을) 예속시키다, (큰 나라가 작은 나라를) 병합하다.

me·di·a·tor [míːdièitər] *n.* 조정자(調停者), 매개자; 중재인; (the M-) (하느님과 사람 사이의) 중보자(仲保者)((예수)).

me·di·a·to·ri·al [mìːdiətɔ́ːriəl] *a.* 중재〔조정〕의, 중재인의. ㊞ **~·ly** *ad.*

me·di·a·to·ry [míːdiətɔ̀ːri/-təri] *a.* 중재의, 조정〔매개〕의.

me·di·a·tress, -trice [míːdièitris], **-trix** [mìːdiéitriks] *n.* MEDIATOR의 여성형((특히 성모 마리아)).

Med·i·bank [médəbæ̀ŋk] *n.* ((Austral.)) 국민 건강 보험 제도. [◂ *medical*+*bank*]

med·ic[1] [médik] *n.* 〖식물〗 거여목속(屬)의 식물((자주개자리 따위)).

med·ic[2] ((구어)) *n.* 의사(doctor); 인턴, 의과 대학 학생; 〖군사〗 군의관, 위생병.

med·i·ca·ble [médikəbəl] *a.* 치료할 수 있는.

Med·i·caid [médikèid] *n.* (때로 m-) ((미)) 65세 미만의 저소득자·신체 장애자 의료 보조 제도. cf. Medicare. [◂ *medical*+*aid*]

Médicaid míll ((미)) 의료 보조 악용 병원, 보험료 부정 청구 병원.

med·i·cal [médikəl] *a.* **1** 의학의, 의술〔의료〕의; 의약의: ~ equipment 의료기구 / the ~ department 의학부(部) / ~ electronics 의학용 전자 공학 / ~ care 치료, 의료 / ~ fertilization 인공 수정 / a ~ corps 의무단 / the ~ art 의술 / a ~ college 의과 대학 / a ~ man 의사 / ~ science 의학 / a ~ compound 약제 / a ~ record 진료 기록, 카르테 / a ~ check up 건강 진단. **2** 내과의. [cf.] surgical. ¶ a ~ case 〔ward〕 내과 환자〔병동〕. ◇ medicine *n.* ***under ~ treatment*** 치료중. **—** *n.* 《구어》 **1** 의사; 의과 대학 학생 (=∠ **stúdent**). **2** 건강 진단, 신체검사. [파] **~·ly** *ad.* 의학 상; 의학〔의약〕으로, 의술로.

médical atténdant 주치의(醫).

médical cènter 《주로 미》 의료 센터《(1) 지방 자치체나 의과 대학 등이 설립한 종합 의료 센터. (2) 몇 사람의 개업의가 한 건물에 입주, 전과(全科) 진료에 가까운 체제를 갖춘 병원》.

médical certíficate 진단서, 의료 설명서.

médical examinátion 건강 진단, 신체검사.

médical exáminer 〚미법률〛 검시관(檢屍官)〔의(醫)〕 ([cf.] coroner); 학교·군대·보험 회사 등의 건강 진단의(醫); 의사 면허 자격 심사관.

médical genétics 〚의학〛 의학 유전학.

médical geógraphy 의료 지리학《지형·자연환경과 질병과의 관계를 취급》.

médical ímaging 의학 화상(畫像)《각종 기기로 체내의 상태를 화상화하는》.

med·i·cal·ize [médikəlàiz] *vt.* 치료하다; 환자〔치료 대상자〕로 받아들이다〔삼다, 간주하다〕. [파] **mèd·i·cal·i·zá·tion** *n.*

médical jurisprúdence 법의학(forensic medicine).

médical ófficer 보건소원, 진료소원; 〚미해군〛 군의관.

médical órderly 병원의 잡역부; 환자를 시중드는 간호인.

médical practítioner 《주로 영구어》 의사 (doctor).

médical schóol 의학교, (대학의) 의학부.

me·dic·a·ment [mədíkəmənt] *n.* [U] 약, 약물, 약제. **—** [mədíkəmènt, médik-] *vt.* 약물로 처리〔치료〕하다.

Med·i·care [médikὲər] *n.* [U] (때로 m-) 《미·Can.》 (노인) 의료 보장 (제도)《주로 65세 이상의 고령자(高齡者)를 대상으로 함》. [cf.] Medicaid. [◂ *medical*+*care*]

med·i·cas·ter [médikæ̀stər] *n.* 가짜 의사.

med·i·cate [médəkèit] *vt.* 약으로 치료하다; …에 약을 넣다〔섞다〕: a ~*d* bath 약탕(藥湯) 목욕 / ~*d* soap 약용 비누.

mèd·i·cá·tion *n.* [U] 약물 치료〔처리〕, 투약(법); [U,C] 약물, 의약품.

med·i·ca·tive [médəkèitiv/-dəkətiv] *a.* = MEDICINAL.

med·i·ca·tor [médəkèitər] *n.* (약제의) 투약(投藥) 기구, 약물 치료 용구《면봉·도포구 따위》.

Med·i·ce·an [mèdəsíːən, -tʃíːən] *a.* Medici 가(家)의.

med·i·chair [méditʃὲər] *n.* 〚의학〛 진찰 의자《생리(生理) 상태 측정용 센서(sensor)가 붙은 의자》. [◂ *medical*+*chair*]

Med·i·ci [médətʃiː] *n.* (the ~) 메디치가(家)《14-16세기 이탈리아 Florence의 명문으로서 문예·미술 보호에 공헌했음》.

med·i·cide [médisàid] *n.* 의사의 도움을 받은 자살; 의료 사고에 의한 살인.

me·dic·i·nal [mədísənl/me-] *a.* 의약의, 약용의, 약효 있는, 병을 고치는(curative): ~ herbs 약초 / ~ properties 약효 성분 / ~ substances 약물. [파] **~·ly** [-nəli] *ad.* 약으로서; 의약으로.

med·i·cine [médəsin/médsin] *n.* [U,C] **1** 약, 약물, 《특히》 내복약《*for*》. [cf.] drug. ¶ patent ~ 매약(賣藥), 특효약. **2** 의학, 의술; 내과 (치료) ([cf.] surgery): clinical 〔preventive〕 ~ 임상〔예방〕의학 / study ~ and surgery 내·외과를 연구하다 / domestic ~ 가정 치료; 가정약 / practice ~ (의사가) 개업하고 있다. **3** (아메리카 인디언의) 주술(呪術), 마술; 주물(呪物), 부적. **4** 《속어》 술. ◇ medicinal, medical *a.* ***give a person a dose*** 〔***taste***〕 ***of his own ~*** 상대와 같은 수로 보복하다. ***take ~(s)*** 약을 먹다. ***take one's ~*** (***like a man***) 《구어》 벌을 감수하다, 제 탓이라고 싫은 일을 참다. ***the virtue of ~*** 약효. **—** *vt.* …에게 약을 주다〔투여하다〕, 약으로 치료하다.

médicine bàll 가죽으로 만든 무거운 공《체육용》; 그 공을 사용하는 구기.

médicine càbinet 세면대의 (약품) 선반.

médicine chèst 약상자〔선반〕, 구급상자.

médicine dànce (북아메리카 인디언 등의 병마를 쫓아내기 위한) 무당춤, 주술춤.

médicine dròpper (안약 따위의) 점적기(點滴器).

médicine màn (북아메리카 인디언 등의) 주술사; medicine show에 의한 약장수.

médicine shòw 약 선전 흥행(단)《특히 19세기 미국에서 유행》.

med·i·co [médikòu] (*pl.* **~s**) *n.* 《구어》 의사; 의학생.

med·i·co- [médikou, -kə] '의학'의 뜻의 결합사.

mèdico·botánical *a.* 약용 식물학의.

mèdico·galvánic *a.* 전기 요법의.

mèdico·légal *a.* 법의학의.

me·di·e·val [mìːdiíːvəl, mèd-, mìd-/mèdiíː-] *a.* 중세(풍)의, 중고의([cf.] ancient, modern); 《구어》 낡은, 구식의: ~ history 중세사. [파] **~·ly** *ad.* 중세적으로.

Mediéval Gréek = MIDDLE GREEK.

mè·di·é·val·ìsm *n.* [U] 중세 정신〔사상〕; 중세 존중, 중세 취미〔연구〕. [파] **-ist** *n.* 중세 연구가; (예술·종교 등의) 중세 찬미자.

mè·di·é·val·ize *vt.* 중세풍으로 하다. **—** *vi.* 중세 연구를 하다; 중세의 이상〔습관 등〕을 좇다.

Mediéval Látin ⇨ LATIN.

Me·di·na [mədíːnə/me-] *n.* 메디나《사우디아라비아 북서부의 도시; 이슬람교 제2의 성지(聖地)로, Muhammad의 무덤이 있음》.

me·di·o·cre [mìːdióukər, ∠-∠-] *a.* 좋지도 나쁘지도 않은, 보통의, 평범한; 2 류의.

me·di·oc·ri·tize [mìːdiákrətàiz/-ɔ́k-] *vt.* 평범〔범용(凡庸)〕하게 하다, 시시하게 하다.

me·di·oc·ri·ty [mìːdiákrəti/-ɔ́k-] *n.* [U] 평범, 범용(凡庸); [C] 평범한 사람, 범인(凡人).

me·di·og·ra·phy [mìːdiágrəfi/-ɔ́g-] *n.* [U] (특정한 주제에 관한) 미디어 자료 일람〔목록〕표.

me·dio tu·tis·si·mus ibis [méːdiòu-tutísmus-íːbis] 《L》 중용을 지키는 것이 가장 안전하다.

Medit. Mediterranean.

med·i·tate [médətèit] *vi.* 《~/+[전]+[명]》 명상하다, 숙려(熟慮)하다《*on, upon*》: ~ deeply 깊이 명상하다 / ~ *on* one's misfortune 자신의 불운을 곰곰이 생각하다. **—** *vt.* **1** 《~+[명]/+-*ing*》 계획하다, 꾀하다, 기도(企圖)하다: ~ revenge 복수를 꾀하다 / I am *meditating* retiring. 나는 은퇴하려고 생각 중이다. **2** 《드물게》 숙고〔묵상〕하다: ~ the Muse 시상(詩想)에 잠기다. [SYN.] ⇨ THINK. ◇ meditation *n.*

med·i·ta·tion [mèdətéiʃən] *n.* [U,C] 묵상, (종교적) 명상; 숙고, 고찰; (*pl.*) 명상록: deep in ~ 묵상에 잠겨. ◇ meditate *v.*

med·i·ta·tive [médətèitiv] *a.* 묵상의, 묵상에 잠기는, 명상적인. [파] **~·ly** *ad.* **~·ness** *n.*

med·i·ta·tor [médətèitər] *n.* [C] 묵상하는 사람.

람, 명상자, 사색가; 고안자, 계획자.

*__Med·i·ter·ra·ne·an__ [mèdətəréiniən] *a.* 지중해의; 지중해 연안(특유)의, 지중해성(性) 기후의; (m-) 육지에 둘러싸인. **—** *n.* (the ~) 지중해(~ Sea); (m-) 내해(內海).

Mediterránean clímate 〖기상〗 지중해성 기후《여름에는 건조 온난하고 겨울에는 많은 비가 내림》.

Mediterránean féver 〖의학〗 지중해열(Malta fever).

Mediterránean frúit flỳ 〖곤충〗 지중해광대파리(Medfly).

Mediterránean Séa (the ~) 지중해.

__me·di·um__ [mí:diəm] (*pl.* **~s, -dia [-diə]) *n.* **1** 중간, 중위(中位): strike a HAPPY MEDIUM. **2** 매개(물), 매체; (정보 전달 등의) 매개, 수단(means), 보도 기관: Air is the ~ of sound. 공기는 소리의 매체이다/mass *media* 매스 미디어/the ~ of circulation [exchange] 통화(通貨). **3** (생물 등의) 환경, 생활 조건. **4** 무당, 영매(靈媒). **5** (그림 물감의) 용액《물·기름 등》. **6** 〖생물〗 배양기(基)(culture ~). **7** 〖논리〗 중(中)개념. **8** 〖물리〗 매질(媒質). **9** (무대에 색광을 비추기 위해) 등에 씌우는 컬러 필터. **10** 중판(中判)《종이의 크기》. ***by* [*through*] *the ~ of*** …의 매개로, …을 통하여. ***in the ~*** 중거리 촬영으로. **—** *a.* 중위[중등, 중간]의, 보통의(average); (고기 따위가) 중간 정도로 구워진(cf. rare², well-done); 〖색채〗 (light와 dark의) 중간인: a man of ~ height 중키의 사람/cook over ~ heat 뭉근한 불로 요리하다.

médium artíllery 〖미군사〗 중형포(中型砲)《구경 105-155밀리》.

médium bómber 중형 폭격기.

médium-drỳ *a.* (와인 따위가) 약간 씁쓸한.

médium fréquency 〖통신〗 중파(中波), 헥토미터파《300-3000 kilohertz; 생략: MF》; 중간 주파수.

mé·di·um·ìsm *n.* Ⓤ 영매법(靈媒法).

me·di·um·is·tic [mì:diəmístik] *a.* 무당의, 영매(靈媒)의(같은).

mé·di·um·ìze *vt.* …을 강신술의 영매(靈媒)로 삼다, 영매 상태로 이끌다.

médium-range ballístic míssile 중거리 탄도탄《생략: MRBM》.

médium-scàle integràtion 〖전자〗 중(中)규모 집적(회로)《생략: MSI》.

médium·shìp *n.* 영매의 능력[역할, 직].

médium shòt 〖영화·TV〗 7분신(分身) 촬영《무릎 위를 찍는 인물 촬영법》.

médium-sízed *a.* 중형(中型)의, 중판(中判)의, 보통형의.

médium-térm *a.* 중기(中期)의.

médium wáve 〖통신〗 중파(中波)《파장 100-1,000 m》.

med. jur. medical jurisprudence.

med·lar [médlər] *n.* 〖식물〗 서양모과나무; 그 열매. ***Japanese*** ~ 비파나무(loquat).

MEDLARS, Med·lars [médla:rz] *n.* 《미》 (컴퓨터에 의한) 의학 문헌 분석 검색 시스템. cf. MEDLINE. [◂ *Med*ical *L*iterature *A*nalysis and *R*etrieval *S*ystem]

◇**med·ley** [médli] *n.* 잡동사니, 뒤범벅; 잡다한 집단; 〖음악〗 접속곡, 혼성곡; =MEDLEY RELAY; 《고어》 잡문집(雜文集), 잡기(雜記); 난전(亂戰): a ~ *of* furniture, Korean and Western 한·양식이 뒤섞인 가구류. **—** *a.* 혼합한, 주워 모은. **—** *vt.* 뒤섞다, 혼합하다.

médley ràce [rèlay] 메들리 경주, 〖수영〗 혼영(混泳).

MEDLINE [médlain] *n.* 《미》 (이용자가 단말기에서 직접 자료를 얻어낼 수 있는) 의학 문헌 검색 시스템. [◂ *MED*LARS+on-*line*]

Mé·doc [meidák/-dɔ́k] *n.* 《F.》 Ⓤ 붉은 포도주의 일종《프랑스 남서부 Mèdoc 산(產)》.

med·speak [médspì:k] *n.* 의사(醫師)(가 쓰는) 말, 의학 용어.

med-tech [médtèk] *n.*, *a.* 의용(醫用) 기술(의). [◂ *med*ical *tech*nology]

me·dul·la [mədʌ́lə] (*pl.* **~s, -lae** [-li:]) *n.* 《L.》 〖해부〗 골수(marrow), 수질(髓質); 연수(延髓), 숨골; 〖식물〗 고갱이; 〖공학〗 털심.

medúlla ob·long·á·ta [-àblɔ:ŋgá:tə, -laŋ-/-ɔ̀blɔŋ-] 《L.》 숨골; 연수(延髓).

med·ul·lary [médəlèri, medʌ́ləri] *a.* 〖해부〗 골수[수질(髓質)]의, 연수(延髓)의; 〖식물〗 고갱이의.

médullary shéath 〖해부〗 수초(髓鞘), 미엘린 초(鞘)(myelin sheath); 〖식물〗 수관(髓冠).

medúlla spi·nál·is [-spainǽlis] 척추.

Me·du·sa [mədjú:sə, -zə] *n.* **1** 〖그리스신화〗 메두사《세 자매 괴물(Gorgons) 중 하나》. **2** (m-) (*pl.* **~s, -sae** [-si:]) 〖동물〗 해파리(jellyfish).

meed [mi:d] 《고어·시어》 *n.* 보수(reward); 포상, 상여; 충분한 몫; 당연히 받을 물건.

◇**meek** [mi:k] *a.* **1** (온)순한, 유화한(mild). ⇨ GENTLE. **2** 굴종적인, 기백[용기] 없는(spiritless). cf. humble, modest. (***as***) **~ *as a lamb* [*a maid, Moses*]** 양처럼 순한. **~ *and mild*** 온순한; 기백 없는. ㊞ **~·ly** *ad.* **~·ness** *n.*

méek-èyed *a.* 온순한 눈매의.

meer·kat, mier- [míərkæ̀t] *n.* 〖동물〗 몽구스류《작은 육식 동물; 남아프리카산》.

meer·schaum [míərʃəm, -ʃɔ:m/-ʃəm] *n.* 《G.》 Ⓤ 〖광물〗 해포석(海泡石); Ⓒ 해포석 담배 파이프.

†**meet**[1] [mi:t] (*p.*, *pp.* **met** [met]) *vt.* **1** …을 만나다, …와 마주치다(encounter); …와 스쳐 지나가다, …와 얼굴을 대하다(confront): turn aside to avoid ~*ing* a person 아무와 마주치기 싫어 외면하다. SYN. ⇨ VISIT.

> SYN. **meet** 만나다. see와 비교하여 '얼굴을 마주 대하다'라는 행위만이 강조되며, 용무에 대한 관념은 수반되지 않음: We *met* at the front door but passed each other without exchanging words. 우리는 입구에서 마주쳤으나 피차 말없이 지나쳤다. **see** 용무 따위 때문에 만나다: *See* your doctor. 의사의 진찰을 받아 봐라. **encounter** 갑자기 맞닥뜨리다, 조우하다. **join** 합치다; 아무와 '약속하여 만나다': The two roads *join* at this place. 두 길은 이 지점에서 만난다. I'll *join* you later. 나중에 여러분과 만나겠습니다.

2 (소개받아) 처음으로 만나다, …와 아는 사이가 되다: *Meet* my wife. 아내를 소개하겠네/I have already *met* Dr. Eaton. 이튼 선생과는 이미 인사를 나눈 사이다. **3** …에서 (약속하고) 만나다, 마중하다, …의 도착을 기다리다: *Meet* me in Seoul. 서울에서 만납시다/I'll ~ your train. 역까지 마중나가겠다. **4** (운명·죽음 따위에) 직면하다, 겪다; 조우하다: ~ hostility 적대시(視) 당하다/~ one's fate calmly 태연히 운명에 따르다[죽다]/She *met* her death in a traffic accident. 그녀는 교통사고로 사망했다. **5** (적·곤란 따위에) 맞서다, …에 대처하다, …에 대항하다: ~ the situation 사태에 대처하다/~ a danger calmly 태연히 위험에 맞서다/When does Yonsei ~ Korea (in football)? (축구의) 연고전(延高戰)은 언제냐. **6** (주문·요구·필요 따위에) 응하다, (의무·조건 따위를) 채우다, 충족시키다(satisfy): ~ obligations 의무를 다하다/~ objections 이의에 응하다/~ one's wishes [goal] 소망[목적]을 실현하다. **7** 지급하다(pay),

(어음 등을) 결제하다: ~ a bill 셈을 치르다 / ~ debts 빚을 갚다 / ~ expenses 비용을 치르다. **8** (길 · 강 따위가) …에서 만나다, …에서 교차하다, …와 합치다, …에 합류하다: The river ~*s* another below this bridge. 강은 이 다리 하류에서 다른 강과 만난다〔합류된다〕. **9** …에 부딪치다, …와 충돌하다: The two cars *met* each other head-on. 두 차가 정면 충돌했다. **10** …에 동의하다: We *met* him on the point. 우리는 그 점에서 그에게 동의하였다. **11** …의 앞에 모습을 나타내다: A peculiar sight *met* our eyes. 기묘한 광경이 눈에 띄었다.

— *vi.* **1** 만나다, 마주치다: We seldom ~ now. 요사이는 좀처럼 만나지 않는다. **2** 회견〔회담〕하다. **3** 《~/+副》 회합하다《*together*》; (회의 따위가) 열리다: Congress will ~ next month. 국회는 다음달 열린다 / They ~ *together* once a year. 그들은 일년에 한번씩 모인다. **4** (소개받아) 서로 아는 사이가 되다: We first *met* at a party. 우리들은 파티에서 처음 알게 되었다. **5** 합의하다, 의견이 일치하다, 합치하다. **6** 대전하다, 교전하다. **7** 《~/+前+名》 (몇 개의 길 · 선 등이) 하나로 합쳐지다, 교차하다; (양끝이) 상접하다: The two roads ~ there. 두 길은 거기에서 합쳐진다 / This belt won't ~ *round* your waist. 이 혁대는 짧아서 너의 허리에는 맞지 않을 것이다. **8** (성질 따위가) 하나로 결합하다, 조화되다; 겸비하다: Many virtues ~ in him. 여러 가지 덕을 갖추고 있다.

Fancy ~ing you here. 《구어》 (놀라움을 나타내어) 이런 곳에서 너를 만나다니. **~ *halfway*** ⇨ HALFWAY. ~ a person ***in the face*** 아무와 우연히 만나다. ~ ***in with*** …와 우연히 만나다〔마주치다〕. ~ ***the case*** ⇨ CASE. ~ ***trouble halfway*** 쓸데없이 걱정하다. ~ ***up with*** …을 따라잡다; …와 우연히 마주치다. ~ ***with*** ① (변고 따위)를 당하다, 경험하다, …을 겪다: ~ *with* an accident 사고를 당하다《일상어에서는 have an accident로 함이 보통임》. ② …을 받다: The plan *met with* approval. 그 계획은 찬성을 얻었다. ③ (아무)와 우연히 만나다. ④ 《미》 (아무와 약속하고) 만나다, …와 회견〔회담〕하다: ~ *with* union leaders 조합 간부들과 회담하다. ***more than ~s the eye*** 〔***ear***〕 보이는〔들리는〕 것 이상의 것, 숨겨진 것, 속내 사정. ***Till*** 〔***Until***〕 ***we ~ again.*** 《구어》 안녕, 또 만나. ***well met*** 《고어》 잘 오셨소, 어서 오시오(welcome).

— *n.* **1** 회합, 모임, 경기회(會)(《영》에서는 보통 meeting); 《재즈 속어》 연주회: an athletic ~ 운동회 / an air ~ 비행 대회 / a swimming 〔track〕 ~ 수영〔육상〕 경기회. **2** 모인 사람들; 《영》 (여우 사냥 출발 전의) 총집합. **3** 회합 장소. **4** 【수학】 교점, 교선; 《미》 (두 철도의) 합류〔교차〕 지점.

meet[2] *a.* 《고어》 적당한, 적합한, 어울리는《*for; to* do》. 때 **∠·ly** *ad.* 상당히; 적당히.

****meet·ing** [míːtiŋ] *n.* **1** 만남, 마주침, 면회: a chance ~ on the street 길거리에서의 우연한 마주침. **2** 모임, 회합, 집회, 집합; (the ~) 회중: a farewell 〔welcome〕 ~ 송별〔환영〕회 / a political ~ 정치 집회 / address the ~ 회중에게 인사말을 하다.

> SYN. **meeting** 일반적인 말로서 공사(公私) 어느 회합에 쓰임. **assembly** 주로 공적인 회합. **meet** 원래는 사냥의 회합, 보통 경기대회에 쓰임.

3 경기, 시합, 승부; 경마 대회, 《영》 경기회(《미》 meet): an athletic ~ 운동회. **4** 조우《*between*》; 회전(會戰); 결투. **5** 교차, 교류; 접점(接點); (강 · 도로의) 합류점: the ~ of two roads, rivers, etc. **6** (M-) (특히 Quaker 교도의) 예배회; 예배당(堂)(~ house). ***call a ~*** 회의를 소집하다. ***hold*** 〔***have***〕 ***a ~*** 회의를 열다. ***open a ~*** 개회사를 하다. ***speak in ~*** 《미》 (공식적으로) 의견을 발표하다. ***speak out in ~*** 《미구어》 솔직히 진술하다〔말하다〕, 거리낌 없이 말하다.

méeting gròund 공통의 지식〔관심〕의 영역.

méeting hòuse 공회당, 교회당; 《종종 경멸》 (Quaker 교도 · 비(非)국교도의) 예배당.

méeting of (the) mínds 합의(合意).

méeting plàce 회장, 집회소; 합류점.

mef·e·nám·ic ácid [mèfənǽmik-] 메페나믹산(酸)《백색 분말의 약성(弱性) 마취약 · 항염증제(抗炎症劑)》.

mef·lo·quine [méflоukwìn] *n.* 【약학】 메플로퀸《항말라리아제》. 「칭」.

Meg [meg] *n.* 메그《여자 이름; Margaret의 애

meg- [még], **meg·a-** [mégə] '대(大), 백만(배)'의 뜻의 결합사. ★ 모음 앞에서는 meg-.

mega [mégə] *a.* 거대한, 무지하게 큰〔훌륭한〕; 아주 많은; 최고의. **—** *ad.* 매우, 대단히; 최고로.

méga·bàng *n.* 《미속어》 거대 핵전력.

méga·bàr *n.* 【물리 · 기상】 메가바《기압의 단위; =100만 bars; 생략: mbar》.

méga·bìt *n.* 메가비트, 10^6 bits, 또는 2^{20} bits《컴퓨터의 기억용량 단위; 생략: Mb》.

méga·bùck *n.* 《미속어》 백만 달러, 거금.

méga·bỳte *n.* 메가바이트《컴퓨터의 기억용량 단위; 10^6 bytes, 또는 2^{20} bytes; 생략: MB》.

mèga·cephálic, -céphalous *a.* 【두부측정】 거대 두개(頭蓋)의, 거두(巨頭)의; 〔일반적〕 머리가 큰.

méga·chàracter *n.* (롤플레잉 게임(role-playing game) 등의) 강력한 캐릭터.

méga·chìp *n.* 【전자】 메가칩《단일 소자(素子)상에 100만 비트의 정보량을 기억시킬 수 있는 반도체 메모리, 곧 1 M bit RAM을 일컬음》.

méga·cìty *n.* 거대 도시《인구 100만 명 이상의》.

méga-corporátion *n.* 매머드〔거대〕 기업.

méga·còurtroom *n.* 거대 법정《(원고나 변호사 수가 아주 많은) 공해(公害) 재판 등의 일괄 심리를 위해 특설(特設)하는 대법정》.

méga·cùrie *n.* 【물리】 메가퀴리, 백만 퀴리《기호 MCi, mCi, mc》.

méga·cỳcle *n.* 【전기】 메가사이클, 백만 사이클《메가헤르츠(megahertz)의 구칭; 기호 mc, mc., m.c.》. 「(商談).

méga·dèal *n.* 대규모 거래〔계약〕, 대형 상담

méga·dèaler *n.* 자동차 판매업자 여럿이 모여 판매 집단을 만든 것.

méga·dèath *n.* Ⓤ 백만 명의 죽음, 메가데스《핵전쟁에서의 한 단위로 쓰임》; 대량사(大量死).

méga·dòse *n.* (약의) 대량 투여(량). **—** *vt.* 대량투여하다.

méga·fàuna *n.* 【생태】 (일정 지역의) 대형 동물상(相)《육안으로 확인되는 지상 동물군(群)》.

méga·flìck *n.* 초(超)대작 영화.

méga·flòp[1] *n.* 《속어》 대실패〔실수〕.

méga·flòp[2] *n.* 【컴퓨터】 메가플롭《컴퓨터의 연산 능력을 나타내는 단위: 1초당 백만번의 부동(浮動) 소수점 연산》.

méga·fòg *n.* 경무 확음(警霧擴音) 장치.

méga·fòlly *n.* 엄청난 바보짓.

méga·gròwth *n.* 초고도 성장.

méga·hèrtz (*pl.* ~) *n.* 메가헤르츠, 백만 헤르츠《기호 MHz》.

méga·hìt *n.* 대(大)〔초대〕 히트 작품.

méga·jèt *n.* 【항공】 초대형 제트기《점보 제트기보다 크고 빠름》.

méga·jùmp *n.* Ⓤ 대급증(大急增).

meg·a·kar·y·o·cyte [mègəkǽriəsàit] *n.* 〚생물〛 거대 핵세포(核細胞), 거핵구(巨核球). ㊕ **-kàr·y·o·cýt·ic** [-sít-] *a.*

méga·lìth *n.* Ⓤ 〚고고학〛 (유사 이전의) 거석(巨石). ㊕ **mèga·líthic** *a.* 거석의, 거석을 사용한.

megalith

megalíthic tómb 〚고고학〛 거석묘《묘실을 큰 돌로 쌓은 묘》.

meg·a·lo- [mégəlou, -lə], **meg·al-** [mégəl] '큰, 거대한'의 뜻의 결합사. ★ 모음 앞에서는 megal-.

mégalo·blàst *n.* 〚의학〛 (악성 빈혈에서 볼 수 있는) 거대 적혈구. ㊕ **mègalo·blástic** *a.*

megaloblástic anémia 〚의학〛 거대 적아구성(赤芽球性) 빈혈《악성 빈혈》.

mègalo·mánia *n.* Ⓤ 〚정신의학〛 과대망상광.

mègalo·mániac *n.* 과대망상광 환자, 과대망상자. ── *a.* 과대망상광(환자)의(=**-maníacal, -mánic**).

meg·a·lop·o·lis [mègəlápəlis/-lɔ́p-] *n.* 거대 도시; (대도시 주변의) 인구 과밀 지대. ㊕ **meg·a·lo·pol·i·tan** [mègəloupálitən/-pɔ́l-] *a., n.* ~의 (주민).

meg·a·lo·saur [mégələsɔ̀ːr] *n.* 〚고생물〛 반룡(斑龍).

meg·a·lo·sau·rus [mègələsɔ́ːrəs] *n.* 〚고생물〛 **1** (M-) 반룡속(斑龍屬). **2** 반룡.

méga·machìne *n.* (비인간적으로 기능하는) 테크놀로지 지배의 거대한 사회.

meg·a·mer·ger [mégəmə̀ːrdʒər] *n.* (기업의) 대형 합병.

méga·mèter, 《영》 **-tre** *n.* 백만 미터, 1,000 킬로미터.

Meg·an [mégən] *n.* 메건《여자 이름》.

Mégan's Làw 메건스로《성범죄자가 이사 오면 경찰은 그 인근 주민에게 알려야 한다는 미국 뉴저지 주의 법》.

mèga·pársec *n.* 〚천문〛 메가파섹《태양계 밖의 천체까지의 거리를 나타내는 단위의 하나; $=10^6$ 파섹(pc); 1 파섹 = 3.258 광년》.

méga·phòne *n.* 메가폰, 확성기; 대변자(代辯者). ── *vt., vi.* 확성기로 전하다, 큰 소리로 알리다.

méga·pròject *n.* 거대 프로젝트.

méga·ràd *n.* 메가래드, 100만 래드《방사선 흡수선량(線量)의 단위》. cf. rad.

meg·a·scop·ic [mègəskápik-/-skɔ́p-] *a.* 확대된; 육안으로 보이는, 육안으로 관찰한.

meg·a·spore [mégəspɔ̀ːr] *n.* 〚식물〛 대포자(大胞子).

méga·stàr *n.* 초(超)슈퍼스타.

méga·stòre *n.* 거대 점포.

méga·strùcture *n.* 거대 고층 빌딩.

méga·tànker *n.* 거대 유조선《특히 20만 톤 이상의》.

méga·tèchnics *n.* 거대 과학 기술.

meg·a·ton [mégətʌ̀n] *n.* 백만 톤, 메가톤《핵무기의 폭발력을 재는 단위; 1 메가톤은 TNT 백만 톤의 폭발력에 상당함; 기호 MT》. ㊕ **-tòn·nage** [-idʒ] *n.* 메가톤 수《메가톤 단위로 측정한 핵무기 파괴력》. **meg·a·ton·ic** [mègətánik/-tɔ́n-] *a.*

méga·trènd *n.* 메가트렌드《현대 사회에서 진행 중인 거대한 물결》.

meg·a·tron [mégətràn/-trɔ̀n] *n.* 〚전자〛 메가트론, 등대관(管)(=**líghthouse tùbe**)《등대 모양의 3극 진공관》.

meg·a·ver·si·ty [mègəvə́ːrsəti] *n.* 매머드 대학교《교사가 산재해 있는 multiversity》.

méga·vìtamin *a.* 비타민 대량 투여의〔에 의한〕: ~ therapy. ── *n.* (*pl.*) 대량의 비타민.

méga·vòlt *n.* 〚전기〛 메가볼트, 백만 볼트《기호 Mv》.

méga·wàtt *n.* 〚전기〛 메가와트, 백만 와트《기호 Mw》.

mé generàtion (때로 M- G-) 《미》 미 제너레이션, 자기중심 세대《me decade의 세대》.

Me·gid·do [məgídou] *n.* 메기도《이스라엘 북부의 Esdraelon 평야에 있었던 고대 도시; 교통 요충지이며 수많은 전투의 고전장; 종종 성서의 Armageddon 으로 침》.

Me·gil·lah [məgílə] *n.* **1** (*pl.* ***-gil·loth*** [-lout, -θ]) 〚성서〛 메길라《에스더서(the Book of Esther)가 수록된 유대인 두루마리 책; Purim 제(祭) 때 유대 교회에서 읽음》. **2** (*pl.* **~s**) (m-, 종종 the whole m-) 《속어》 장광설, 장황한 이야기〔설명〕.

me·gilp [məgílp] *n.* 유화(油畫)용 기름《아마인유에 테레빈유나 니스 따위를 섞은 것》.

MEGO, me·go [míːgou] (*pl.* **~s**) *n.* 《미속어》 (지겨우리 만큼) 시시한 일; 지루한 것. [◂ *my eyes glaze over*]

MÉGO·GÍGO *int.* 《미속어》 이것 정말 진절머리 나는군.

meg·ohm [mégòum] *n.* 〚전기〛 메그옴, 백만 옴《전기 저항 단위; 기호 meg, MΩ》.

meg·ohm·me·ter [mégoummìːtər] *n.* 〚전기〛 절연 저항계.

me·grim [míːgrim] *n.* **1** C,U 〚의학〛 편두통. **2** (*pl.*) 우울. **3** (*pl.*) (가축의) 어지럼증(staggers). **4** U,C 환상, 변덕.

mei·o·sis [maióusis] (*pl.* **-ses** [-siːz]) *n.* **1** Ⓤ 〚수사학〛 =LITOTES. **2** 〚생물〛 (세포핵의) 감수분열. ㊕ **mei·ot·ic** [-átik/-ɔ́t-] *a.* **-i·cal·ly** *ad.*

Me·ir [meiíər, máiər/meiíə] *n.* **Golda** ~ 메이어《러시아 태생의 이스라엘 정치 지도자; 수상(1969-74); 1898-1978》.

me·ism [míːizəm] *n.* 자기중심주의.

Méiss·ner effèct [máisnər-] 〚물리〛 마이스너 효과《초전도체를 자기장에서 전이(轉移) 온도로 냉각시키면 자성(磁性)을 잃는 현상》.

meis·ter [máistər] *n.* 전문가; …장이〔꾼〕.

Mei·ster·sing·er [máistərsìŋər] *n.* 《G.》 마이스터징거《14-16세기 독일의 시인 겸 음악가》.

meit·ne·ri·um [máitnəriəm] *n.* 〚화학〛 마이트너륨《인공 방사성 원소; 기호 Mt; 번호 109》.

Mé·ji·co [*Sp.* méxiko] *n.* 《Sp.》 =MEXICO.

MEK 〚화학〛 methyl ethyl ketone.

Mek·ka [mékə] *n.* =MECCA.

Me·kong [mèikáŋ/mìːkɔ́ŋ] *n.* (the ~) 메콩강.

Mékong Délta (the ~) 메콩 델타《메콩 강 어귀의 삼각주》.

mel·a·mine [méləmìːn] *n.* Ⓤ 〚화학〛 멜라민《석회 질소로 만드는 화합물; 도료 따위로 씀》; 멜라민 수지(樹脂)(= ∠ **rèsin**); 멜라민 수지로 만든 플라스틱.

mel·an·cho·lia [mèlənkóuliə] *n.* Ⓤ 우울증. ㊕ **-li·ac** [-liæ̀k] *n.* 우울증 환자. ── *a.* 우울증에 걸린.

mel·an·chol·ic [mèlənkálik/-kɔ́l-] *a.* 우울한; 우울증의. ── *n.* 우울증 환자.

°**mel·an·choly** [mélənkàli/-kəli] *n.* Ⓤ (습관적 · 체질적인) 우울, 울적함; 우울증. SYN. ⇨SORROW. ── *a.* **1** 우울한, 생각에 잠긴: ~ mood. **2** 슬픈, 침울한. SYN. ⇨SAD.

Mel·a·ne·sia [mèləníːʒə, -ʃə/-ziə, -ʒə] *n.* 멜라네시아《오세아니아 중부의 군도》. ㊕ **~n** [-n] *n., a.* ~ 사람〔말〕(의).

mé·lange [meilɑ́ːŋʒ, -lɑ́ːndʒ] *n.* 《F.》 혼합(물); 잡기(雜記), 문집.

me·la·ni·an [məléiniən] *a.* 흑색의; (보통 M-) 머리칼 · 피부가 검은, 흑색 인종의.

me·lan·ic [məlǽnik] *a.* 흑색의; 〚의학〛 흑색증(症)의. ── *n.* 흑색증 환자; 흑색인(종).

Mel·a·nie [méləni] *n.* 멜라니《여자 이름》.
mel·a·nin [mélənin] *n.* Ⓤ 멜라닌, 검은 색소.
mel·a·nism [mélənìzəm] *n.* Ⓤ **1** 〖인종〗 흑색증(黑色症)《머리카락·피부·눈 따위에 갈색 또는 흑색의 색소가 많음》. **2** 〖동물〗 (피부·깃털 등의) 흑색소 과다증. ⓟ **-nist** *n.* 흑색인. **mèl·a·nís·tic** *a.*
mel·a·nite [mélənàit] *n.* 〖광물〗 흑(黑)석류석. ⓟ **mel·a·nit·ic** [mèlənítik] *a.*
mel·a·nize [mélənàiz] *vt.* 멜라닌화(化)〔흑화(黑化)〕하다; 검게 하다.
me·lan·o·blast [məlǽnəblæ̀st, mélənə-] *n.* 〖생물〗 멜라닌〔흑색소(黑色素)〕 싹세포.
mel·a·noch·roi [mèlənákrouài/-nɔ́k-] *n. pl.* (때로 M-) 〖인종〗 (코카서스 인종 중에서) 얼굴이 희고 머리가 검은 종족.
me·lan·o·cyte [məlǽnəsàit, mélən-] *n.* 〖동물〗 멜라닌(형성〔색소〕) 세포, 멜라노사이트《포유류·조류의 흑색 소포(黑色素胞)》.
melánocyte-stìmulating hòrmone 〖생화학〗 멜라닌 세포 자극 호르몬《생략: MSH》.
melàno·génesis *n.* 〖동물〗 멜라닌 형성.
mel·a·no·ma [mèlənóumə] (*pl.* **~s,** **~·ta** [-tə]) *n.* 〖의학〗 흑색종(腫).
me·lan·o·phore [məlǽnəfɔ̀ːr, mélən-] *n.* 〖동물〗 (특히 어류·양서류·파충류의) 흑색소 세포, 멜라닌 색소포(色素胞).
mel·a·no·sis [mèlənóusis] *n.* Ⓤ 〖의학〗 흑색증, 흑색소 침착증(沈着症).
mel·a·not·ic [mèlənátik/-nɔ́t-] *a.* 흑색의; 〖의학〗 흑색증의〔에 걸린〕.
mel·a·nous [mélənəs] *a.* 〖인종〗 검은 머리에 거무스름한 피부를 한.
mel·a·to·nin [mèlətóunin] *n.* 〖생물〗 멜라토닌《망막이 받은 빛의 양에 반비례하여 송과선(松果腺)에서 분비되는 호르몬; 바이오리듬 조절에 중요함; 양서류에서는 흑색 소포(素胞)를 퇴색시켜 표피의 빛을 밝게 하는 작용을 함》.
Mél·ba tóast [mélbə-] (종종 m-) 얇고 바삭바삭한 토스트.
Mel·bourne [mélbərn] *n.* 멜버른《오스트레일리아 남동부의 항구 도시》.
meld[1] [meld] 〖카드놀이〗 *vt., vi.* (손에 가진 패를 보여) 득점을 선언하다. **—** *n.* 가진 패를 보임, 득점 선언; 득점이 되는 패의 짝 맞춤.
meld[2] *vt., vi.* 섞다, 섞이다; 합병〔융합〕시키다〔하다〕(merge).
mel·ee, mê·lée [méilei, -ˊ/mélei] *n.* 《F.》 치고받기, 난투, 혼전, 혼잡; 격론: the rush hour ~ 러시아워 때의 대혼잡.
me·le·na [məlíːnə] *n.* 〖의학〗 흑색변(便), 하혈.
mel·ic [mélik] *a.* (시구 따위가) 노래하는 데 적합한, 가곡(용)의; 정교한 서정시 형식의《특히 그리스 문학》.
mel·i·lite [méləlàit] *n.* 〖광물〗 황장석(黃長石), 멜릴라이트.
mel·i·nite [mélənàit] *n.* Ⓤ 〖화학〗 멜리나이트《강력한 폭약의 일종》.
mel·io·rate [míːljərèit] *vt., vi.* 좋게 하다, 개선〔개량〕하다; 좋아지다. ⓟ **-ra·tive** [-rèitiv, -rətiv] *a.* 개량에 소용되는.
mèl·io·rá·tion *n.* Ⓤ,Ⓒ 개량, 개선.
mel·io·rism [míːljərìzəm, -liə-/-liə] *n.* Ⓤ 〖철학〗 세계 개선론, 사회 개량론. ⓟ **-rist** *n.* 개선론자. **mel·io·rís·tic** [mìːljərístik] *a.* ~의.
mel·ior·i·ty [miːljɔ́ːriti:, -ljár-, -liɔ́ːr-, -liár-/-liɔ́r-] *n.* 우월(성), 탁월(성).
me·lis·ma [milízmə] (*pl.* **~s,** **~·ta** [-tə]) *n.* 〖음악〗 **1** 멜리스마《한 음절에 다수의 음표를 붙이는 장식적인 성악 양식》. **2** =CADENZA.
Me·lis·sa [milísə] *n.* 멜리사《여자 이름》.
me·lit·tin [məlítən] *n.* 〖생화학〗 멜리틴《꿀벌 독침의 독액 성분》.
mel·ler [mélər] *n.* 《미속어》 =MELODRAMA.
mel·lif·er·ous [milífərəs] *a.* 꿀이 나는; (말·음악 따위가) 감미로운(sweet).
mel·lif·lu·ent, -lu·ous [məlífluənt], [-əs] *a.* (꿀같이) 단, 감미로운; 부드럽게 흘러나오는, 유창한. ⓟ **~·ly** *ad.* **-ence** *n.* Ⓤ 감미; 유창.
Mel·lo·tron [mélətràn/-trɔ̀n] *n.* Ⓤ 멜로트론《테이프에 녹음된 소리를 사용하여 다른 악기의 소리를 내는 신시사이저(synthesizer); 상표명》. [◂ *mellow*+*electronic*]
*__mel·low__ [mélou] *a.* **1** (과일이) 익어 달콤한, 감미로운. SYN. ⇨ RIPE. **2** (포도주가) 향기로운, 잘 빚어진. **3** (가락·소리·빛깔·문체 따위가) 부드럽고 아름다운: a violin with a ~ tone 부드러운 음조의 바이올린. **4** (토질이) 부드럽고 기름진. **5** (인격이) 원숙한; 원만한. **6** 《구어》 (취해) 거나한; 명랑한. **—** *vt., vi.* ~하게 하다〔되다〕. **~ *out*** 《미속어》 (마약으로) 기분이 좋아지다; (사람이) 원만해지다. **~ *up*** 《미속어》 자리잡다, 정착하다. ⓟ **~·ly** *ad.* **~·ness** *n.*
méllow-yéllow *n.* 《속어》 LSD; 흡연용으로 건조시킨 바나나 껍질.
me·lo·de·on, -di- [milóudiən] *n.* 〖악기〗 멜로디언《리드오르간의 일종; 아코디언의 일종》.
me·lod·ic [miládik/-lɔ́d-] *a.* 선율의; 가락이 아름다운. ⓟ **-i·cal·ly** [-əli] *ad.*
me·lod·i·ca [miládikə/-lɔ́d-] (*pl.* **~s**) *n.* 멜로디카《피아노 모양의 건반이 있는 하모니카 비슷한 악기》.
me·lod·ics [miládiks/-lɔ́d-] *n. pl.* 〚단수취급〛 〖음악〗 선율법〔학〕.
◇**me·lo·di·ous** [məlóudiəs] *a.* 선율이 아름다운, 곡조가 좋은(sweet-sounding), 음악적인(musical). ⓟ **~·ly** *ad.* **~·ness** *n.*
mel·o·dist [mélədist] *n.* 선율이 아름다운 성악가(singer)〔작곡가(composer)〕.
mel·o·dize [mélədàiz] *vt.* …에 선율을 붙이다; 감미로운 선율로 하다, …의 음조를 곱게 하다. **—** *vi.* 가곡을 연주〔노래〕하다, 선율(melody)을 만들다, 작곡하다. ⓟ **-diz·er** *n.*
mel·o·dra·ma [mélədràːmə, -dræ̀mə] *n.* 음악극; 멜로드라마《해피엔드로 끝나는 달콤하고 감상적인 통속극》; 연극 같은 사건〔행동〕. ⓟ **mè·lo·drá·ma·tist** *n.* 드라마 작가.
mel·o·dra·mat·ic, -i·cal [mèlədrəmǽtik], [-əl] *a.* 멜로드라마식의, (신파) 연극 같은, 신파조(調)의, 몹시 감상적인. ⓟ **-i·cal·ly** [-əli] *ad.* **-mát·ics** *n. pl.* 〚단·복수취급〛 (신파) 연극 같은 태도〔말〕.
mel·o·dram·a·tize [mèlədrǽmətàiz, -dráːm-/-dræ̀m-] *vt.* 멜로드라마식으로 하다.
*__*mel·o·dy__ [mélədi] *n.* Ⓤ **1** 〖음악〗 멜로디, 선율(tune). **2** 해조(諧調), 아름다운 곡조. **3** 가곡, 가락, 곡조.
mel·o·ma·nia [mèləméiniə, -njə] *n.* Ⓤ 음악「광(狂).
*__mel·on__ [mélən] *n.* **1** 〖식물〗 멜론(muskmelon); 수박(watermelon): a slice of ~ 멜론 한 조각. **2** 《미속어》 (주주에의) 특별 배당, (동료간에 분배하는) 이익, 벌이. ***cut the ~*** ① 문제를 해결하다. ② =cut (up) a ~. ***cut*** **(*****up*****)** 〔***carve, split***〕 ***a ~*** 《미속어》 이익〔전리품 등〕을 나누다; (주주에게) 특별 배당하다. 「획품〕 분배.
mélon-cùtting *n.* Ⓤ 《미속어》 특별 이익〔노
mélon·hèad *n.* 《미속어》 바보, 얼간이.
mélon sèed 《미》 (New Jersey 부근 늪지대에서 쓰는) 사냥용의 작은 평저선(平底船).
mel·pha·lan [mélfəlæ̀n] *n.* 〖의학〗 멜팔란

《nitrogen mustard의 유도체; 항종양 약》.

Mel·pom·e·ne [melpámәniː/-pɔ́m-] *n.* 〖그리스신화〗 멜포메네《비극의 여신; Nine Muses의 하나》.

melt [melt] (**~·ed** [méltid]; **~·ed, mol·ten** [móultәn]) *vi.* **1** 《~/+[전]+[명]》 녹다, 용해하다; 녹아 …이 되다《*into*》: Lead ~*s in* the fire. 납은 불 속에서 녹는다 / The sugar ~*ed into* a sticky pool. 설탕은 녹아서 끈적끈적한 상태가 되었다. **2** 《+[부]/+[전]+[명]》 서서히 사라지다〔보이지 않게 되다〕《*away*》; 점차 (…로) 변하다, 녹아들다《*into*》: The fog ~*ed away*. 안개가 걷혔다 / The clouds ~*ed into* rain. 구름이 비로 변했다. **3** 《~/+[전]+[명]》 측은한 생각이 들다; (감정·마음 등이) 누그러지다; 《고어》 (용기·결심 따위가) 약해지다: Her heart ~*ed with* pity. 그녀의 마음은 측은한 생각으로 누그러졌다. **4** 찌는 듯이 덥다: I'm simply ~*ing*. 더워서 몸이 녹을 지경이다. **5** (소리가) 부드럽고 맑다. — *vt.* **1** 《~+[목]/+[목]+[전]+[명]》 녹이다, 용해하다《*down*》; 융합시키다《*into*》: Heat ~*s* ice. 열은 얼음을 녹인다 / The mist ~*ed* the hills *into* a gray mass. 안개가 끼어 산들이 회색 일색으로 보였다. **2** 《~+[목]/+[목]+[부]》 …을 소산(消散)시키다, 흩뜨리다《*away*》: The sun ~*ed away* the clouds. 태양이 구름을 흩뜨렸다. **3** (마음·감정을) 누그러지게 하다: Pity ~*ed* her heart. 측은한 생각이 그녀의 마음을 풀리게 했다. **4** 《영속어》 (돈을) 낭비하다; (수표 등을) 현금으로 바꾸다. **~ *away*** 《*vi.*+[부]》 ① 점차로〔서서히〕 사라지다〔떠나가다〕: The crowd gradually ~*ed away*. 군중은 서서히 사라졌다. — 《*vt.*+[부]》 ② (…을) 흩뜨리다, 소산〔소실〕시키다. **~ *down*** 《*vt.*+[부]》 ① (금·은·금속 따위를) 녹이다, 쇳물로 만들다, 용해하다. — 《*vi.*+[부]》 ② 폭락하다, 격감하다. **~ *in* one's 〔*the*〕 *mouth*** (고기·과자 등이) 입 안에서 살살 녹다, 아주 맛이 좋다. **~ *into tears*** 몹시〔목놓아〕 울다. **~ *up*** 《미》 녹이다.

— *n.* [U] 용해; 용해한 금속; [C] (금속의) 1회의 용해(량). ***on the*** **~** 용해 중의.

[파] **∠·a·ble** *a.* **∠·age** *n.* 용해(량); 용해물.

mélt·dòwn *n.* **1** (금속의) 용융(熔融); (아이스크림 등이) 녹음. **2** (원자로의) 노심(爐心)의 용해. **3** 《구어》 (주식·시세의) 급락, 폭락.

Méltdown Mónday (the ~) 멜트다운 먼데이(BLACK MONDAY).

mélt·ed [-id] *a.* 《미속어》 곤드레만드레 취한. **~ *out*** 《미속어》 빈털터리가 된, 거덜 난.

mélt·er *n.* 용해 장치〔기구〕, 용융실(熔融室); 용해업자.

mélt·ing *a.* **1** 녹는, 녹기 시작한. **2** 정에 움직이는, 상냥한, 인정 많은, 정에 무른. **3** 애수(哀愁)를〔눈물을〕 자아내는, 감동적인: the ~ mood 울고 싶은 심정, 감상적인 기분. — *n.* [U] 용해, 융해. [파] **~·ly** *ad.* 녹이는 듯이; 부드럽게 하는 듯이, 상냥하게.

mélting pòint (the ~) 〖물리〗 녹는점, 〖공학〗 융해점《생략: m.p.》.

mélting pòt 도가니(crucible); 잡다한 인종·문화가 뒤섞인 나라《특히 미국을 가리킴》; 그곳 주민. ***go into the*** **~** (체제 따위가) 개조〔개혁〕되다; (감정 따위가) 누그러지다. ***put*** 〔***cast***〕 ***into the*** **~** 다시 만들다, 전적으로 다시 하다. ***throw into the*** **~** 대혼란에 빠뜨리다, 범벅으로 만들다.

mel·ton [méltәn] *n.* [U] 멜턴(= **∠ clóth**)《모직물의 일종》.

mélt·wàter *n.* [U] 눈·얼음이〔《특히》 빙하가〕 녹은 물, 눈석임물.

Mel·ville [mélvil] *n.* **Herman ~** 멜빌《미국의 소설가; 1819–91》.

mem [mem] *n.* 멤《히브리어 알파벳의 제13 자(字); 로마자의 m에 해당》.

mem. member; memento; memoir; memorandum; memorial.

†**mem·ber** [mémbәr] *n.* **1** (단체·사회 따위의) 일원(一員); 회원, 단원, 의원; 《미흑인속어》 흑인, 동아리: Every ~ of the family came to her wedding. 가족 모두가 그녀 결혼식에 참석했다. **2** 구성하고 있는 부분; 신체〔동식물〕의 일부《특히 손발》. **3** 정당의 지부. **4** 〖수학〗 항(項), 변(邊); (집합의) 요소; 〖문법〗 절, 구(句); 〖건축〗 구재(構材), 부재(部材)《책상의 다리, 의자의 등 따위》. **5** 《완곡어》 남근(penis): the male 〔virile〕 ~ 남근. **6** 〖컴퓨터〗 원소, 멤버. ***a Member of Christ*** 기독교도. ***a Member of Congress*** 《미》 국회의원, 《특히》 하원 의원《생략: M.C.》. ***the unruly*** **~** 〖성서〗 능히 길들일 수 없는 것《혀를 뜻함; 야고보서 III: 5–8》.

mémber bànk 《미》 회원 은행《Federal Reserve System (연방 준비 제도) 가맹 은행》; 어음 교환 가맹 은행.

(-)mém·bered *a.* **1** 몇 개의 부분으로 된〔갈라진〕. **2** 〔보통 복합어로〕 …의 회원이 있는: many-~ 많은 회원을 가진.

mem·ber·ship** [mémbәrʃip] *n.* **1** [U] 회원 자격〔지위〕, 회원〔구성원〕임: a ~ card 회원증. **2** (a ~) 회원(총)수: The club has a ~ of 18. 클럽 회원은 18명이다. ***have a large **~** 많은 회원이 있다.

mémbership-wìde *a.* 전(全) 회원 규모의: ~ vote 전원 투표.

mémbers-ònly *a.* 회원제의.

mem·bral [mémbәrәl] *a.* (조직의) 구성원의, 「회원의.

mem·bra·na·ceous [mèmbrәnéiʃәs] *a.* = MEMBRANOUS.

°**mem·brane** [mémbrein] *n.* 〖해부〗 **1** 얇은 막(膜), 막피(膜皮), 막; (세포 생물의) 세포막: the mucous ~ 점막; (고문서의) 양피지(piece of parchment). **2** 문서의 한 장. [파] **mem·brán·al** [-әl] *a.* 막(모양)의; 세포막에 관한. **mem·bra·ne·ous, mem·bra·nous** [mәmbréiniәs], [mémbrәnәs] *a.* 막의, 막 모양의, 막질(膜質)의; 〖의학〗 이상한 막의 형성을 수반하는.

mem·brum (vi·ri·le) [mémbrәm(viráili)] 《L.》 남근, 자지(penis).

mem·con [mémkàn/-kɔ̀n] *n.* 《미구어》 (회담 등에서 적어 두는) 담화 메모. [◂ *memo*+*con*versation]

meme [miːm] *n.* 밈《생물체의 유전자처럼 재현·모방을 반복하며 이어가는 사회 관습·문화》.

me·men·to [mәméntou] (*pl.* **~(*e*)*s***) *n.* 기념물, 기념으로 남긴 물건; 추억거리; 경고(하는 것); 《우스개》 기억, 추억; 꿈 같은 기분.

meménto mó·ri [-mɔ́ːrai, -riː] 《L.》 죽음의 상징《해골 따위》; 죽음의 경고(remember that you must die).

Mem·non [mémnan/-nɔn] *n.* 멤논. **1** 〖그리스신화〗 트로이 전쟁에서 Achilles에게 살해된 에티오피아 왕. **2** 이집트왕 Amenhotep 3세의 거상(巨像)《이집트의 Thebes 부근에 있음》.

memo [mémou/mém-, míːm-] (*pl.* ***mém·os***) *n.* 《구어》 비망록, 메모: a ~ pad 메모장(帳) / make a ~ 메모하다. [◂ *memo*randum]

°**mem·oir** [mémwaːr, -wɔːr] *n.* **1** 전기(傳記), 실록; (고인의) 언행록; (보통 *pl.*) 추억의 기록, 회상〔회고〕록, 자서전. **2** 연구 보고〔논문〕(monograph); (*pl.*) 학회지, 논문집, 기요(紀要).

mem·oir·ist [mémwaːrist] *n.* 회고록 집필자.

mem·o·ra·bil·ia [mèmәrәbíliә, -ljә] *n. pl.* 《L.》 기억〔기록〕할 만한 사건; 중요 기사.

mèm·o·ra·bíl·i·ty *n.* Ⓤ 잊어서는 안 됨; Ⓒ 기억할 만한 사건〔인물〕.

°**mem·o·ra·ble** [mémərəbəl] *a.* 기억할 만한; 잊기 어려운, 잊지 못할; 외기 쉬운; 중대한, 유명한 : a ~ event 잊을 수 없는 사건. ◇ memory *n.* ㊊ **-bly** *ad.* **~·ness** *n.*

***mem·o·ran·dum** [mèmərǽndəm] (*pl.* **~s, -da** [-də]) *n.* **1** 비망록, 메모: make a ~ of an event 사건의 메모를 하다. **2** 〚외교〛 각서; 〚상업〛 각서〔위탁 판매품〕 송장(送狀): ~ trade 각서무역. **3** (조합의) 규약, (회사의) 정관(= ∸ **of association**); (거래의) 적요. **4** (회사 내의) 회보, 회장(回章): an interoffice ~ 사내 연락 통신.

***me·mo·ri·al** [məmɔ́ːriəl] *a.* **1** 기념의; 추도의: a ~ service 추도식〔회〕/ a ~ tablet (고인 추도의) 기념패(牌)《교회의 벽에 끼워 넣는》; 위패. **2** 기억의. ◇memory *n.* **—** *n.* **1** 기념물, 기념비〔관〕; 기념 행사〔식전〕: a ~ *to* the dead 위령비. **2** 〚외교〛 각서, 비공식 문서; (보통 *pl.*) (역사의) 기록, 연대기. **3** (국왕 · 의회 등에 제출하는) 진정〔청원〕서(petition). ㊊ **~·ly** *ad.*

memórial árch 〚건축〛 기념문, 개선문(triumphal arch).

Memórial 〔Decorátion〕 Dày 《미》 전몰 장병 기념일《5월의 마지막 월요일; 전에는 30일》; 〖일반적〗 현충일. ㉢ Remembrance Day.

me·mó·ri·al·ist *n.* 진정(陳情)자, 건의자; 회고록 작가.

me·mo·ri·al·ize [məmɔ́ːriəlàiz] *vt.* **1** 기념하다; …의 기념식을 하다. **2** …에(게) 청원서를 제출하다, 건의하다, …에게 진정하다. ㊊ **me·mò·ri·al·i·zá·tion** *n.*

memórial párk 《미》 묘지(cemetery).

mem·o·ried [mémərid] *a.* 추억이 많은; 〖합성어〗 기억(력)이 …한: a short-~ person 잊기 잘하는 사람.

me·mo·ri·ter [məmɔ́ːrətər, -tὲər] *a.*, *ad.* 《L.》 기억〔암기〕에 의한〔의하여〕.

***mem·o·rize** [méməràiz] *vt.*, *vi.* 기억하다, 암기하다; 명심하다. ㊊ **mèm·o·ri·zá·tion** *n.*

‡**mem·o·ry** [méməri] *n.* **1** Ⓤ 기억, 기억력; Ⓒ (개인이 가지는) 기억력: artificial ~ 기억술 / have a bad ~ 기억력이 나쁘다.

> SYN. **memory** 가장 일반적인 말로 기억하는 힘을 나타냄. **recollection** 생각해 내는 행위 또는 의식적인 노력. **remembrance** 기억하는 행위 또는 상태를 나타내나 현재는 드물게 쓰고 있음.

2 추억, 추상, 회상, 기억 내용: one's earliest *memories* 아주 어릴 때의 기억들. **3** 추도(追悼); (사후의) 명성, 평판: those who cherish his ~ 그를 추모하는 사람들 / His ~ lives on. 그의 명성은 아직까지도 살아 있다. **4** 기념(물), 유물. **5** 〚컴퓨터〛 기억 장치〔용량〕, 메모리: a main ~ 주(主)기억 장치 / ~ capacity 기억 (장치) 용량 / ~ density 기억 장치 밀도 / ~ management 기억 장치 관리. **6** (금속 · 플라스틱 등의) 소성(塑性) 복원(력)(plastic ~); 〖일반적〗 (사물 따위의) 복원 작용. ◇ memorable, memorial *a.* ***a ~ like an elephant*** 아주 좋은 기억력. ***bear*** 〔***have, keep***〕 ***in ~*** 기억하고 있다. ***beyond*** 〔***within***〕 ***the ~ of men*** 〔***man***〕 유사 이전〔이후〕의. ***bring back memories*** (지난 것들을) 생각나게 하다, 기억하게 하다. ***come to*** one***'s ~*** 머리에 떠오르다, 생각나다. ***commit ... to ~*** …을 암기하다, 기억하다. ***down ~ lane*** 옛날의, 그리운: tread 〔journey〕 *down ~ lane* 회고의 정에 젖다. ***from ~*** 기억으로, 암기로: speak *from ~* 암송하다, 기억을 더듬어 말하다. ***have a good*** 〔***bad, poor***〕 ***~*** (for dates) (날짜에 관하여) 기억력이 좋다〔나쁘다〕. ***if my ~ serves me*** 〔***doesn't fail me***〕 내 기억에 틀림이 없다면, 틀림없이. ***in ~ of*** … 의 기념으로: a monument *in ~ of* Columbus 콜럼버스 기념비. ***Keep your ~ alive.*** 잊지 않도록 해라. ***of beloved*** 〔***blessed, happy, glorious***〕 ~ 고(故)…《죽은 왕후 · 명사 따위의 이름에 붙여 덕을 기리는 말》: King Charles *of blessed ~*. ***to the best of my ~*** 내가 기억하고 있는 한. ***to the ~ of*** …의 영전에 바치어. ***within*** 〔***in***〕 ***living ~*** 지금도 사람들의 기억에 남아.

mèmory addréss règister 〚컴퓨터〛 메모리 번지 레지스터《데이터의 메모리 번지가 저장된 CPU 내의 레지스터》.

mémory bànk 〚컴퓨터〛 기억 장치, 메모리 뱅크.

mémory bòok 《미》 스크랩북(scrap book); 사인첩.

mémory bùffer règister 〚컴퓨터〛 메모리 버퍼 레지스터《기억시키거나 읽어낼 데이터를 임시 저장해 두는 CPU 내의 레지스터》.

mémory càrd 〚컴퓨터〛 메모리 카드《자기(磁氣) 테이프 대신 반도체 메모리 칩(chip)을 내장한 카드》.

mémory cèll 1 〚면역〛 기억 세포. **2** 〚컴퓨터〛 기억 소자, 메모리 셀.

mèmory chìp 메모리 칩《컴퓨터의 초소형 기억 장치》.

mémory drùm 〚컴퓨터〛 기억 드럼《학습할 사항이 주기적으로 제시되는 회전식 장치》; = MAGNETIC DRUM.

mémory màp 〚컴퓨터〛 기억 배치도. ㊊ **mémory màpping** 기억 장치 대응.

mémory spàn 〚심리〛 기억 폭, 기억 범위.

mémory tràce 〚심리〛 기억 흔적(engram) 《학습의 물질적 기초가 되는 뇌수(腦髓) 등이 지속적으로 나타내는 변화》.

mémory vèrse 성서 중 암기를 필요로 하는 말〔구〕《주일 학교 같은 데서》.

Mem·phis [mémfis] *n.* 멤피스《(1) 고대 이집트 북부, 현재의 Cairo 의 남쪽, Nile 강 유역에 있던 옛 왕국 시대의 수도. (2) 미국 Tennessee 주 남서부 Mississippi 강에 면한 도시》.

mem·sa·hib [mémsɑ̀ːhib] *n.* 《Ind.》 아씨, 마님《인도인이 서양 부인에게 쓰는 호칭》.

men [men] *n.* MAN의 복수.

men- [mén], **men·o-** [ménou, -nə] '월경(기간)' 뜻의 결합사. ★ 모음 앞에서는 men-.

MENA Middle East News Agency (중동 통신; 이집트의 국영 통신사).

***men·ace** [ménis] *vt.* 《~+목/+목+전+명》 (아무를 …으로) 위협하다, 으르다《*with*》. SYN. ⇨ THREATEN: ~ a person *with* a knife 칼로 아무를 위협하다 / The installations ~ the national existence. 그 군사 시설은 국가의 존립을 위협한다. **—** *n.* Ⓤ,Ⓒ 협박, 위협, 공갈; 《구어》 골칫거리: a ~ *to* world peace 세계 평화에 대한 위협. ㊊ **mén·ac·ing** *a.* 위협〔협박〕적인: a ~ attitude 위협적인 태도. **mén·ac·ing·ly** *ad.* 위협하듯; 험악하게, 절박하게.

menad ⇨ MAENAD.

men·a·di·one [mènədáioun] *n.* 〚생화학〛 메나디온《vitamine K_3》.

mé·nage [meinɑ́ːʒ] *n.* 《F.》 살림, 가정(家政); 가정(家庭), 세대(household).

ménage à qua·tre [∸ɑːkǽtrə] 《F.》 (각각 또는 서로 성적(性的) 관계를 갖는 남녀 두 쌍의) 4인 가족〔공동생활〕.

ménage à trois [∸ɑːtrwɑ́ː] 《F.》 (부부와 그 한쪽 애인과의) 3인 가족; '3각 관계'.

me·nag·er·ie [mənǽdʒəri, -nǽʒ-/-nǽdʒ-] *n.* 《F.》 (이동) 동물원; (구경시키기 위한) 동물.

men·a·qui·none [mènəkwínoun] *n.* 【생화학】 메나퀴논(《vitamine K_2》).

men·ar·che [mənáːrkiː] *n.* Ⓤ 【생리】 초경(初經), 초조(初潮).

Men·ci·us [ménʃiəs] *n.* 맹자(372?-289? 「B.C.).

mend [mend] *vt.* **1** 수선하다, 고치다(repair): ~ shoes 〔a tear〕 구두〔터진 데〕를 고치다〔깁다〕.

> SYN. **mend** 가장 일반적임. 비물질적인 것도 목적어로 취하며, improve '개선하다'의 뜻: You had better *mend* your manners. 좀더 얌전히 구는 것이 좋겠다. **repair** mend에 비하여 거창하며, 기술을 필요로 하는 경우가 많음: *repair* an old run-down house 오래된 낡은 집을 수리하다. **restore** 원상태로 수리〔복원〕하다. **fix** 구어로 흔히 쓰임. '본래의 기능을 발휘하도록 잘 맞추다, 조절하다'라는 뜻: *fix* a leak 지붕의 비 새는 곳을 고치다.

2 개선하다(improve); (소행·결점 등을) 고치다(reform); (잘못 따위를) 정정하다: ~ matters 〔the matter〕 사태를 개선하다〔바로잡다〕/~ a fault 결점을 고치다/Least said, soonest ~*ed*. 《속담》 '말은 적을수록 좋다'《정정하기가 쉽다는 뜻에서》/Regrets will not ~ matters. 《속담》 후회해 봤자 소용 없다; 사후 약방문. **3** (걸음을) 빨리하다; 더하다: ~ one's pace 걸음을 빨리하다, 서두르다. **—** *vi.* **1** (사태가) 호전되다; (날씨가) 회복되다, 좋아지다: Things are ~*ing*. 사태는 호전되고 있다. **2** (환자·상처 따위가) 회복되다, 좋아지다, 낫다: The patient is ~*ing* nicely. 환자는 차차 회복되고 있다. **3** 개심하다: It's never too late to ~. 《속담》 허물 고치기를 꺼리지 마라. ~ ***or end*** 개선하느냐 폐지하느냐; 죽이느냐 치료하느냐. ~ ***or mar*** 〔***break***〕 =MAKE or mar. ~ one***'s fences*** ⇨FENCE. ~ one***'s ways*** 〔***manners***〕 행실을 고치다. ~ ***the fire*** 꺼지는 불을 되살리다; 불에 나무를 지피다. **—** *n.* 수선 (부분); 개량; 차도(差度). ***be on the*** ~ (병·사태 따위가) 호전되고〔좋아지고〕 있다. ***make do and*** ~ 《구어》 오래가게 하다, 고쳐 가면서 오래 쓰다. ㊞ **~·a·ble** *a.* ~할 수 있는.

men·da·cious [mendéiʃəs] *a.* 허위의; 거짓말 잘 하는《사람 따위》: a ~ report 거짓 보고. ㊞ **~·ly** *ad.* **~·ness** *n.* **men·dac·i·ty** [-dǽsəti] *n.* Ⓤ,Ⓒ 허위, 거짓말, 거짓말하는 버릇.

Men·del [méndl] *n.* **Gregor Johann ~** 멘델《오스트리아의 사제(司祭)·생물학자·유전학자; 1822-84》.

Men·de·lé·ev's láw [mèndəléiəfs-] 【화학】 (원소의) 주기율(periodic law)《멘델레예프가 1869년 발표》.

men·de·le·vi·um [mèndəlíːviəm] *n.* Ⓤ 【화학】 멘델레븀《방사성 원소; 기호 Md, Mv; 원자 번호 101》.

Men·de·li·an [mendíːliən, -ljən] *a.* 멘델의; 멘델 법칙의: ~ factor 〔unit〕 유전자(gene). **—** *n.* 멘델학파 사람.

Mendélian inhéritance 멘델(성(性)) 유전(particulate inheritance)《염색체 유전자의 전달에 의한 유전》.

Men·del·ism [méndəlìzəm] *n.* Ⓤ 【생물】 멘델의 유전설; 멘델 법칙. ㊞ **-ist** *a.*, *n.*

Méndel's láws 【유전】 멘델의 법칙.

Men·dels·sohn [méndlsən; *G.* méndəlszoːn] *n.* **Felix ~** 멘델스존《독일의 작곡가; 1809-47》.

ménd·er *n.* 수선자, 수리자; 정정(訂正)자.

men·di·can·cy [méndikənsi] *n.* Ⓤ 거지 생활; 구걸, 동냥; 탁발.

men·di·cant [méndikənt] *a.* 구걸하는, 빌어먹는, 탁발하는: a ~ friar (가톨릭의) 탁발 수사(修士)/a ~ order 탁발 수도회. **—** *n.* 거지, 동냥아치; (종종 M-) 탁발 수사.

men·dic·i·ty [mendísəti] *n.* =MENDICANCY.

ménd·ing *n.* **1** Ⓤ 수선, 바느질. **2** 수선할 것, 바느질거리; 수선 부분.

ménding tàpe 멘딩 테이프(=**mágic tàpe**)《표면이 불투명하게 코팅되어 있어, 그 표면에 글자를 쓸 수 있는 플라스틱 접착 테이프》.

Men·e·la·us [mènəléiəs] *n.* 【그리스신화】 메넬라오스《스파르타의 왕; Helen의 남편, Agamemnon의 동생》.

men·folk(s) [ménfòuk(s)] *n. pl.* (보통 the ~) 남자들《특히 가족의》.

M. Eng. Master of Engineering.

men·go·vi·rus [méŋgouvàiərəs] *n.* 【세균】 멩고바이러스《뇌심근염(腦心筋炎)을 일으킴》.

Meng·zi [mʌ̀ŋdzíː], **Meng·tzu** [mʌ̀ŋdzə́ː], **-tze, -tes** [mʌ̀ŋdzə́ː] *n.* =MENCIUS.

men·ha·den [menhéidn] (*pl.* **~, ~s**) *n.* 【어류】 청어의 일종《비료·채유용(採油用)》.

men·hir [ménhiər] *n.* 【고고학】 멘히르, 선돌.

me·ni·al [míːniəl, -njəl] *a.* 천한, 비천한; 머슴 노릇 하는: a ~ servant 하인/a ~ occupation 천한 직업. **—** *n.* 머슴, 하인, 하녀. ㊞ **~·ly** *ad.* 하인〔종〕으로서; 천하게.

Mé·nière's sỳndrome 〔**disèase**〕 [meinjέərz-] 【의학】 메니에르 증후군, 메니에르병《알레르기성 미로수증(迷路水症); 난청·현기증·이명(耳鳴) 등을 수반함》.

me·nin·ges [miníndʒiːz] (*sing.* ***me·ninx*** [míːniŋks]) *n. pl.* 【해부】 뇌막, 수막(髓膜). ㊞ **me·nín·ge·al** [-dʒiəl] *a.* 뇌막의.

me·nin·gi·o·ma [mənìndʒióumə] (*pl.* **~s, ~·ta** [-tə]) *n.* 【의학】 수막종(髓膜腫)《종종 뇌를 압박함》.

men·in·gi·tis [mènindʒáitis] *n.* Ⓤ 【의학】 수막염(炎), 뇌막염.

me·nin·go·cele [məníŋgəsiːl] *n.* 【의학】 수막류(瘤), 수막헤르니아.

menìngo·cóccus (*pl.* ***-cócci***) *n.* 【의학】 수막염균(菌). ㊞ **-cóc·cal** [-kákəl/-kɔ́k-], **-cóc·cic** [-káksik/-kɔ́k-] *a.*

menìngo·encephalítis (*pl.* ***-lítides***) *n.* 【의학】 수막뇌염. ㊞ **-encephalític** *a.*

me·ninx [míːniŋks] (*pl.* ***me·nin·ges*** [miníndʒiːz]) *n.* (보통 *pl.*) 【해부】 수막, 뇌척수막(膜).

me·nis·cus [mínískəs] (*pl.* **~·es, -ci** [-nískai]) *n.* 초승달 모양(의 물건); 요철(凹凸) 렌즈; 메니스커스《원통 속의 액체 표면의 오목한〔볼록한〕 면》; 【수학】 초승달 도형(圖形).

Men·non·ite [ménənàit] *n.* 메노(Menno)파 교도《16세기 Friesland에서 일어난 신교의 일파; 교회의 자치, 병역 거부 따위를 특징으로 함》.

meno-[1] ⇨MEN-.

men·o-[2] [ménou, -nə] '보류'란 뜻의 결합사.

me·nol·o·gy [minálədʒi/-nɔ́l-] *n.* (성인(聖人)에 대한) 축일표(祝日表).

men·o·pause [ménəpɔ̀ːz] *n.* 폐경(閉經)(기). 갱년기(change of life, climacteric); 갱년기 장애: male ~ 남자의 갱년기(장애). ㊞ **mèn·o·páu·sal** *a.*

me·nor·ah [minɔ́ːrə] *n.* (유대교의 제식(祭式) 때 쓰는) 아홉〔일곱〕 가지 촛대.

men·or·rhea, -rhoea [mènəríːə] 【의학】 *n.* (정상적인) 월경; 월경 과다(증)(=**mèn·or·rhá·gia**).

mens [menz] *n.* 《L.》 마음, 정신.

men·sa [ménsə] (*pl.* **~s, *-sae*** [-siː]) *n.* **1** 【가톨릭】 제대(祭臺)《제단 최상부의 석판》. **2** (M-) 【천문】 멘사자리(the Table Mountain). **3** (M-) 멘사《지능 테스트에서, 전체 인구의 상위 2%에 해당되는 사람들의 국제 사교 조직》.

men·sal[1] [ménsəl] *a.* 《드물게》 =MONTHLY.
men·sal[2] *a.* 식탁의, 식탁용의.
mensch [menʃ] (*pl.* **∠·en** [-ən]) *n.* 《Yid.》 《미속어》 훌륭한〔고결한〕 사람.
mense [mens] 《영방언》 *n.* 예의 바른 행위; 친절한 대접; 사려, 분별, 단정. **—** *vt.* …에게 영예를 주다. ㊀ **∠·ful, ∠·less** *a.*
men·ses [ménsi:z] *n. pl.* 《단·복수취급》 〖생리〗 월경, 월경 기간(menstruation); 월경 분비물.
Men·she·vik [ménʃəvìk] (*pl.* **~s, -vi·ki** [-vì(:)-ki]) *n.* (*or* m-) 멘셰비키《러시아 사회 민주당의 소수파》의 당원. **—** *a.* (*or* m-) 멘셰비키의. cf. Bolshevik.
Men·she·vism [ménʃəvìzəm] *n.* 멘셰비키의 정책〔사상〕. ㊀ **-vist** *n., a.*
mén's jòhn 《구어》 남자 변소.
mén's líb 〔**liberátion**〕 (종종 M- L-) 《미》 남성 해방 운동(그룹)《전통적으로 남성에게 과(課)해져 온 역할로부터의 해방》.
mens rea [ménz-ríːə] 《L.》 (=guilty mind) 〖법률〗 범의(犯意).
mén's ròom 《미》 남자 변소. cf. ladies' room.
mens sa·na in cor·po·re sa·no [ménz-séinə-in-kɔ́ːrpəriː-séinou] 《L.》 (=a sound mind in a sound body) 건전한 신체에 건전한 정신이 깃든다《교육의 이상》.
men·stru·al [ménstruəl] *a.* 월경의; 〖천문〗 한 달에 한 번의; 《고어》 다달의(monthly): ~ periods 월경 기간 / ~ cycle 월경 주기.
ménstrual extráction (임신 초기 단계서 하는) 자궁 흡인(吸引) 중절법, 월경 추출(抽出) 중절법. cf. vacuum aspiration, Karman cannula.
men·stru·ate [ménstruèit] *vi.* 월경하다; 달거리하다. ㊀ **mèn·stru·á·tion** *n.* Ⓤ 월경, 달거리; 월경 기간.
men·stru·ous [ménstruəs] *a.* 월경의, 월경이 「있는.
men·stru·um [ménstruəm] (*pl.* **~s, -strua** [-struə]) *n.* 용매(溶媒), 용제(溶劑)(solvent).
mèn·sur·a·bíl·i·ty *n.* Ⓤ 잴 수 있음, 가측성(可測性).
men·sur·a·ble [ménʃərəbəl] *a.* 측정할 수 있는, 정량(定量)의; 〖음악〗 정률(定律)의.
men·su·ral [ménʃərəl] *a.* 도량형(度量衡)에 관한; 〖음악〗 정률의(mensurable).
men·su·ra·tion [mènʃəréiʃən] *n.* Ⓤ 측정, 측량; 〖수학〗 측정법, 구적(求積)(법). 「신사복.
méns·wèar, mén's wèar *n.* 남성용 의류,
-ment [mənt] *suf.* 동사(드물게 형용사)에 붙여서 동작·상태·결과·수단 등을 나타내는 명사를 만듦: pave*ment*, punish*ment*.
men·tal[1] [méntl] *a.* **1** 마음의, 정신의, 심적인, 내적인: opp. *bodily, physical*. ¶ ~ effort(s) 정신적 노력 / ~ culture 정신적 교양, 지적 수양 / ~ health 정신적 건강 / ~ hygiene 정신 위생(학). **2** 이지의, 이지적인, 지능의: a ~ weakness 정신박약 / ~ faculties 지능, 지력 / a ~ worker 정신 노동자. **3** 마음으로〔머리로〕 하는, 암기로 하는: ~ arithmetic 〔calculation, computation〕 암산. **4** 《구어》 정신병의〔에 관한〕: a ~ specialist 정신병 전문의(醫) / a ~ case 정신병 환자 / a ~ home 〔hospital, institution〕 정신 병원. **5** 《구어》 정신박약의; 《속어》 미친. ***make a ~ note of*** …을 기억해 두다. **—** *n.* 《구어》 정신병 환자, 정신 박약자; 《속어》 미치광이.
men·tal[2] *a.* 〖해부〗 턱의(genial).
méntal áge 〖심리〗 정신〔지능〕 연령《생략: M.A.》.
méntal blóck 〖심리〗 정신적 블록《감정적 요인에 의한 사고·기억의 차단》: get 〔have〕 a ~ about physics 물리에 대한 생각이〔머리가〕 전혀 돌아가지 않는다.
méntal bòdy 멘탈체(體)《육체에 겹쳐 영계(靈界)(mental plane)에 거주하는 몸》. cf. astral body, ethereal body. 「로서의》.
méntal crúelty 정신적 학대《특히 이혼의 사유
méntal deféctive 정신 장애자〔박약자〕.
méntal defíciency 저능, 정신박약《idiocy, imbecility, moronity를 전부 포함》.
méntal diséase 〔**disórder, íllness**〕 정신장애, 정신병. 「정신박약.
méntal hándicap 정신 발달 장애, 지적 장애,
méntal héaling 정신 요법.
méntal impáirment (이상행동을 유발하는) 정신적 결함, 정신적 장애.
men·tal·ism [méntəlìzəm] *n.* Ⓤ 〖철학〗 유심론(唯心論); 〖심리〗 멘탈리즘, 의식주의; 〖언어〗 지능론. cf. mechanism, materialism. ㊀ **-ist** *n.* **mèn·tal·ís·tic** *a.*
men·tal·i·ty [mentǽləti] *n.* Ⓤ 정신력, 지력(知力); 지성; 심성(心性); Ⓒ 심적〔정신적〕 상태〔경향〕, 심리, 정신 구조: a liberal ~ 편견에 사로잡히지 않는 정신.
méntal jób 《미속어》 정신 이상자.
méntal léxicon 〖언어〗 심적(心的) 렉시콘《머릿속의 어휘 목록》.
men·tal·ly [méntəli] *ad.* 정신적으로; 마음속으로; 지적(知的)으로: ~ deficient 〔defective, handicapped〕 정신박약의.
méntal pátient 정신병자.
méntal rátio 지능지수(intelligence quotient).
méntal reservátion 〖법률〗 심리(心理)〔의중(意中)〕 유보(留保)《진술·선서에서 중대한 관계 사항을 숨기는 일》.
méntal retardátion 정신 지체, 정신박약(mental deficiency).
méntal telépathy 정신 감응, 독심(讀心)술.
méntal tést 지능 검사, 멘탈 테스트.
men·ta·tion [mentéiʃən] *n.* Ⓤ 정신 작용〔기능〕, 지적 활동(성); 심리〔정신〕 상태.
men·thene [ménθiːn] *n.* Ⓤ 〖화학〗 멘텐《테르펜 이성체의 총칭; $C_{10}H_{18}$》.
men·thol [ménθɔːl, -θɑl/-θɔl] *n.* Ⓤ 〖화학〗 멘톨, 박하뇌(薄荷腦). ㊀ **mén·tho·làt·ed** [-θəlèitid] *a.* 멘톨을 함유한; 멘톨로 처리한.
men·ti·cide [méntəsàid] *n.* Ⓤ 〖심리〗 (세뇌 등에 의한) 심리적 살해, 정신적 박해.
men·tion [ménʃən] *vt.* **1 a** 《~+목/+목+전+명/+*that* 절》 말하다, …에 언급하다, 얘기로 꺼내다, (…의 이름을) 들다: the book I ~*ed* the other day 일전 내가 이야기한 책 / He ~*ed* all the flowers in the garden. 그는 정원에 있는 모든 꽃에 관해 말했다 / I shall ~ it *to* him. 그에게 이야기해 두겠다 / He ~*ed* (*to* me) *that* he had seen you. 그가 너를 만났다고 말하더라 / He ~*ed that* he was going to lunch. 그는 점심 먹으러 간다고 말했다. **b** 《+*-ing*/*wh.* 절》 …한 것을 (간단히) 말하다; …인가를 말하다: He ~*ed* hav*ing* met me. 그는 나를 만난 적이 있다고 말했다 / He didn't ~ *what* it was. 그는 그것이 무엇인가는 말하지 않았다. **2** 《흔히 수동태로》 (공적·업적이 있는 사람에게) 공식으로 언급하다, (이름을 들어) 칭찬하다, 경의를 표하다: She *was* ~*ed* in the report for her noble deed. 그녀는 보고서에서 그녀의 숭고한 행위에 대해 칭찬을 받았다. ***Don't ~ it.*** 천만에요(《미》 You're welcome.). ***not to ~ ...*** =***without ~ing*** …은 말할 것도 없고, …은 물론: He knows French, *not to* ~ English. 그는 영어는 물론 프랑스어도 안다. ***worth ~ing*** 특히 언급할〔말해

둘〕 만한.

—*n.* **1** Ⓤ 기재(記載), 언급, 진술, 이름을 듦: He made no ~ *of* your request. 자네 부탁 건에 대해서는 아무 말도 없었다. **2** Ⓒ 표창; 선외 가작(honorable ~): receive an honorable ~ 등외 가작에 들다; 포상을 받다. ***at the ~ of*** … 이야기가 나오자. ***make ~ of*** 《문어》 …에 언급하다, …의 이야기를 하다.
㊉ **~·a·ble** *a.* 언급할 만한 가치가 있는.

mén·tioned *a.* 〔보통 복합어로〕 언급한: above-~ 전술한, 상기(上記)의.

men·tor [méntɔːr, -tər/-tɔː] *n.* 현명하고 성실한 조언자; 스승, 은사, 좋은 지도자; (M-) 〖그리스신화〗 멘토르《Odysseus가 그의 아들을 맡긴 훌륭한 스승》. ㊉ **~·shìp** *n.*

men·tum [méntəm] (*pl.* ***-ta*** [-tə]) *n.* 〖해부〗 아래턱(chin); 〖곤충〗 하순기부(下脣基部); 〖식물〗 (열대 난의) 아래턱 모양의 입술 꽃부리.

***menu** [ménjuː, méin-/mén-] *n.* **1** 식단, 메뉴, 차림표. **2** 식품, 요리: a light ~ 가벼운 요리〔식사〕. **3** 예정(표). **4** 〖컴퓨터〗 차림표, 메뉴《프로그램의 기능 등이 일람표로 표시된 것》.

ménu bàr 〖컴퓨터〗 메뉴 막대, 메뉴 바.

ménu-dríven *a.* 〖컴퓨터〗 (소프트웨어가) 차림표〔메뉴〕 구동형(驅動型)의.

me·ow [miáu, mjáu] *n.* 야옹《고양이 울음 소리》. —*vi.* 야옹 하고 울다.

MEOW [miːáu] 《경멸》 moral equivalent of war (전쟁에 임할 때와 같은 정도의 정신적 노력).

MEP Member of the European Parliament (유럽 의회 의원(議員)). **mep, m.e.p.** 〖기계〗 mean effective pressure (평균 유효 압력).

me·per·i·dine [məpérədiːn, -din] *n.* 〖약학〗 메페리딘《합성 진통제·진경제(鎭痙劑)》.

Meph·i·stoph·e·les [mèfəstáfəliːz/-stɔ́f-] *n.* **1** 메피스토펠레스《Faust 전설, 특히 Goethe의 *Faust*에 나오는 악마》. **2** 악마(와 같은 사람); 음험한 인물. ㊉ **Mèph·is·to·phé·le·an, -li·an** [mèfəstəfíːliən, -ljən/mèfistə-] *a.* 악마 같은, 냉혹한, 냉소적인, 교활한, 음험한.

me·phit·ic, -i·cal [məfítik], [-əl] *a.* 악취 있는; 독기 있는, 유독한(noxious).

me·phi·tis [məfáitis] *n.* **1** Ⓤ (땅속으로부터의) 독기; 악취. **2** (M-) 〖로마신화〗 메피티스《역병(疫病)의 여신》.

me·pro·ba·mate [məpróubəmèit] *n.* Ⓤ 〖약학〗 메프로바메이트《정신 안정제》.

meq. milliequivalent. **Mer.** Mercury. **mer.** meridian; meridional.

mer·bro·min [mərbróumin] *n.* 〖약학〗 메르브로민《용액을 국소 방부제·살균제로 씀》. 「칭.

Merc [məːrs] *n.* 《구어》 Mercedes-Benz의 애

merc [məːrk, məːrs] *n.* 《속어》 용병(傭兵); 오직 돈만 바라고 일하는 사람. [◀ *merc*enary]

mer·ca·do [*Sp.* merkáðo] (*pl.* **~s**) *n.* 시장(market).

Mer·cál·li scále [mərkáːli-, mɛər-] 〖지학〗 (지진의) 메르칼리 진도(震度) 등급《I에서 XII까지 있음: G. Mercalli는 이탈리아의 지진학자》.

°**mer·can·tile** [mə́ːrkəntiːl, -tàil, -til/-tàil] *a.* 상인의, 장사〔상업〕의; 〖경제〗 중상주의(重商主義)의; 이익을 노리는, 장사를 좋아하는: the ~ school 중상주의 학파/~ selling 업자간 판매.

mércantile àgency 상업 신용 조사소.

mércantile làw 〖법률〗 상사법, 상관습법(=law merchant). 「MARINE.

mércantile maríne (the ~) =MERCHANT

mércantile pàper 〖상업〗 상업 어음.

mércantile sỳstem 〖경제〗 중상주의.

mer·can·til·ism [mə́ːrkəntilìzəm, -tail-] *n.* Ⓤ 중상주의; 상인 기질; 〖일반적〗 상업 본위〔주의〕. ㊉ **-ist** *n.* 중상주의자.

mer·cap·tan [mərkǽptæn/məː-] *n.* Ⓤ 〖화학〗 메르캅탄《도시 가스 착취제(着臭劑)》.

mer·cap·to·pu·rine [məːrkæ̀ptoupjuəriːn] *n.* 〖약학〗 메르캅토푸린《백혈병 등의 종양 치료제》.

Mer·ca·tor [məːrkéitər/məː-] *n.* **Gerhardus** ~ 메르카토르《네덜란드 지리학자; 1512–94》.

Mercátor('s) projéction 메르카토르식 투영도법(投影圖法)《지구 표면을 직사각형으로 나타내는》.

Mer·ce·des [mərséidiːz/mə́ːsidìːz] *n.* **1** 머시디스《여자 이름》. **2** =MERCEDES-BENZ. **3** 《미흑인속어》 매력적인 제일급 미녀.

Mercédes-Bènz *n.* 메르세데스 벤츠《독일 Daimler-Benz사제 승용차; Benz라고도 함》.

mer·ce·nary [mə́ːrsənèri/-nəri] *a.* 보수를 목적으로 하는, 돈을 위한; 탐욕적인; 고용된: a ~ soldier 용병(傭兵)/~ motive 금전상의 동기. —*n.* (외국인) 용병; 고용된 사람; 《드물게》 돈이라면 무슨 짓이든 하는 사람. ㊉ **-nàr·i·ly** *ad.* 돈을 바라고, 돈이 탐나서.

mer·cer [mə́ːrsər] *n.* 《영》 포목상, 《특히》 비단 장수, 고급 복지상. 「(silket) 가공.

mèr·cer·i·zá·tion *n.* 머서법(法)〔가공〕, 실켓

mer·cer·ize [mə́ːrsəràiz] *vt.* 〖섬유〗 머서법으로 처리하다, 광택 가공을 하다: ~*d* cotton 광택 가공 무명. 「포목.

mer·cery [mə́ːrsəri] *n.* 《영》 포목점; Ⓤ 피륙,

***mer·chan·dise** [mə́ːrtʃəndàiz] *n.* 〖집합적〗 상품, 《특히》 제품; 재고품: general ~ 잡화. —*vt., vi.* **1** 거래〔장사〕하다; (상품을) 취급〔매매〕하다. **2** …의 판매를 촉진하다; (상품·서비스)의 광고 선전을 하다. ㊉ **-dìs·er** *n.* 상인. **-dìs·ing** *n., a.* 상품화 계획; 거래(의), 판매(의), 판매 촉진(의).

mer·chant** [mə́ːrtʃənt] *n.* **1** 상인, 《특히》 무역 상인; 《영》 도매상인; 《미》 소매상인(storekeeper). **2** 《구어》 놈, 녀석(fellow); 《속어》 …광(狂): a speed ~ 스피드광. ***a ~ of death 전쟁 상인《전쟁을 이용해 사리(私利)를 취하는》; 무기 제작 회사, 병기 제조 회사. ***The Merchant of Venice*** '베니스의 상인'《Shakespeare의 희극》. —*a.* **1** 상인의, 상업의, 상선의; 외판의: a ~ seaman 상선 선원/a ~ tailor 양복감도 파는 양복점. **2** 〖제강〗 (봉강(棒鋼)·ingot 등이) 표준 규격〔형〕의: a ~ bar 표준 봉강.

mér·chant·a·ble *a.* 매매할 수 있는, 장사에 적합한, 수요가 있는.

mérchant advénturers 〖역사〗 모험 상인《중세 말기에서 근세 초기에 걸쳐 모직물 수출을 독점했던 영국의 상인 조합; Antwerp, Hamburg 등 국제 시장에 무역 거점을 가지고 있었음》.

mérchant bànk 《영》 머천트 뱅크《환어음 인수, 사채 발행을 주업무로 하는 금융 기관》. ㊉ **mérchant bànker** *n.*

mérchant fléet 〔《미》 **maríne,** 《영》 **návy**〕 〖집합적〗 (일국의) 상선, 그 상선원.

mérchant·man [-mən] (*pl.* ***-men*** [-mən]) *n.* 상선; 《고어》 상인.

mérchant prínce 호상(豪商).

mérchant séaman 상선의 선원.

mérchant sérvice 해상 무역, 해운업; (한 나라의) 전(全)상선 (승무원).

mérchant shíp 〔**véssel**〕 상선(merchantman). 「you).

mer·ci [*F.* mɛʀsi] *int.* 《F.》 고맙습니다(thank

Mer·cia [mə́ːrʃiə, -ʃə] *n.* 머시아《잉글랜드 중부의 옛 왕국》. ㊉ **-ci·an** [-n] *a., n.* ~의; ~ 사람〔말〕(의).

mer·ci beau·coup [F. mɛʀsiboku] 《F.》 대단히 고맙습니다(thank you very much).

mer·ci·ful [mə́ːrsifəl] *a.* **1** 자비로운, 인정 많은《*to*》: a ~ God 자비로우신 하느님. **2** (고통·불행 따위에 종지부를 찍어) 행복한, 다행스러운, (하느님의) 자비로 인한: a ~ death 고통 없는 죽음, 안락사. ㊞ **~·ly** *ad.* 자비롭게, 관대히; 〔문장 전체를 수식하여〕 고맙게도, 다행히(도). **~·ness** *n.*

mer·ci·less [mə́ːrsilis] *a.* 무자비한, 무정한, 냉혹한《*to*》: He's ~ *to* others. 그는 타인에 대해 무자비하다. ㊞ **~·ly** *ad.* **~·ness** *n.*

Mer·co·sur [mə́ːrkousə̀ːr] *n.* 메르코수르《아르헨티나·브라질·파라과이·우루과이 4개국의 자유무역 지대; 1995년 설립》.

mer·cu·rate [mə́ːrkjərèit] *vt.* 〖화학〗 …을 수은염으로 처리하다, 수은과 화합시키다.

mer·cu·ri·al [mərkjúəriəl/məː-] *a.* **1** (M-) Mercury 신의; (M-) 〖천문〗 수성(水星)의. **2** 민활한, 잽싼; 쾌활한; 재치 있는; 변덕스러운. **3** 수은(제)의, 수은이 든: ~ poisoning 수은 중독. — *n.* 수은제(劑), 승홍제(昇汞劑). ㊞ **~·ism** *n.* Ⓤ 수은 중독(hydrargyrism). **~·ly** *ad.* 수은제(劑)로; 민활〔쾌활〕하게, 경쾌하게. **~·ness** *n.*

mercúrial barómeter =MERCURY BAROMETER.

mercúrial gáuge 수은 압력계.

mer·cu·ri·al·i·ty [mərkjùəriǽləti/məː-] *n.* Ⓤ 민활, 쾌활, 홍분성; 변덕(fickleness); 재치 있음.

mer·cú·ri·al·ìze *vt.* **1** 〖의학〗 수은제로 치료하다; 〖사진〗 수은 증기에 쐬다. **2** 활발〔민첩, 쾌활〕하게 하다.

mercúrial óintment 수은 연고.

Mer·cu·ri·an [mərkjúəriən/məː-] *a.* 〖천문〗 수성(水星)의; 〖로마신화〗 머큐리신(神)의. — *n.* 〖점성〗 수성을 수호성(守護星)으로 하여 태어난 사람; 〖수상(手相)〗 수성운(運)이 좋은 사람《활발하여 실업계·정계에 맞음》.

mer·cu·ric [mərkjúərik/məː-] *a.* 수은의, 수은이 든; 〖화학〗 제 2 수은의.

mercúric chlóride 염화 제2수은, 승홍.

mercúric súlfide 〖화학〗 유화 수은(II), 유화 제2수은.

mer·cu·rize [mə́ːrkjəràiz] *vt.* 〖화학〗 수은과 화합시키다, 수은으로 처리하다.

Mer·cu·ro·chrome [mərkjúərəkròum/məː-] *n.* Ⓤ 〖약학〗 머큐로크롬《merbromin의 상표명》.

mer·cu·rous [mərkjúərəs, mə́ːrkjərəs/mə́ːkjur-] *a.* 〖화학〗 수은의, 수은이 든; 제1수은의.

mercúrous chlóride 염화 제1수은, 감홍(甘汞)(calomel).

mer·cu·ry [mə́ːrkjəri] *n.* **1** **a** Ⓤ 〖화학〗 수은(quicksilver)《기호 Hg; 번호 80》. **b** 〖약학〗 수은제(劑). **2** (the ~) 수은주; 온도계, 청우계. **3** (M-) 〖로마신화〗 머큐리신《신들의 사자(使者); 상인·도둑·웅변의 신》. ⓒⓕ Hermes. **4** (M-) 〖천문〗 수성: *Mercury* is the nearest planet to the sun. 수성은 태양에 가장 가까운 행성이다《관사 없음에 주의할 것》. **5** Ⓤ 활기(liveliness): He has no ~ in him. 그는 조금도 활기가 없다. **6** (종종 M-) Ⓒ《고어》 사자(使者); (정사(情事)의) 조방꾸니 역(役); 안내인(guide); (종종 M-) 보도자《신문·잡지 명칭에 쓰임》. **7** 〖식물〗 산쪽풀류. **8** (M-) 미국의 1인승 우주선《Atlas 로켓으로 발사》. **9** (M-) 머큐리《미국 Ford사제(製)의 승용차》. ***The ~ is rising.*** 온도〔경기〕가 오르고 있다; 점차 기분이 좋아져〔홍분해〕 간다.

Mercury 3

mércury àrc 수은 아크《수은 증기 속의 아크 방전(放電)》.

mércury barómeter 수은 기압계. ⓒⓕ aneroid barometer.

mércury cèll 수은 전지.

mércury chlóride 〖화학〗 염화 수은.

mércury pollútion 수은 오염〔공해〕.

mércury switch 〖전기〗 수은 스위치.

mércury-vápor làmp 수은등, 인공 태양등.

mer·cy [mə́ːrsi] *n.* **1** Ⓤ 자비, 연민, 인정: He is a stranger to ~. 그는 눈물도 인정도 없는 녀석이다. **2** Ⓒ《구어·방언》 고마운 일, 행운: What a ~ that they escaped! 그들이 도망가다니 참 운도 좋군. **3** 마음대로 하는 힘; 〖법률〗 (감형의) 자유 재량권《특히 사형 구형자에 대한》. ***at the ~ of ...*** =***at*** a person***'s ~*** …의 마음대로 되어, …에 좌우되어. ***be left to the*** (***tender***) ***mercies of*** 〖반어적〗 …의 뜻〔모진 손, 처분, 학대〕에 내맡겨지다, …에 의해 단단히 혼난다. ***be thankful*** 〔***grateful***〕 ***for small mercies*** 아주 작은 은혜에도 감사하다. ***for ~*** =***for ~'s sake*** 제발, 불쌍히 여겨서. ***have ~ on*** 〔***upon***〕 …을 가엾이 여기다, …에게 자비를 베풀다. ***in ~*** (***to***) (…을) 가긍히 여겨. ***Mercy*** (***on us***)***!*** 어이쿠, 저런, 어쩌나. ***show ~ to*** …에게 자비를 베풀다. ***That's a ~!*** (그것 참) 고마워라. ***throw*** one***self on*** a person***'s ~*** 아무의 자비를 청하다. ***without ~*** 용서〔가차〕없이, 무자비하게.

mércy flìght 구급 비행《원격지의 중환자나 부상자를 병원까지 항공기로 운반하는》.

mércy kìlling 안락사(술(術))(euthanasia).

mércy sàkes 《CB속어》 강한 감탄을 나타내는 말《FCC(연방 통신 위원회)가 금지한 four-letter word를 대신하는 표현》.

mércy sèat **1** 〖성서〗 속죄소(贖罪所)《계약의 궤의 황금 뚜껑》. **2** 하느님의 보좌(寶座).

mércy stròke (사형수나 빈사 상태에 있는 사람에게 가하는) 최후의 일격〔한 칼〕(coup de grâce).

merde [mɛərd; F. mɛʀd] *n.* 《F.》 배설물, 똥; 시시한 녀석.

mere[1] [miər] (***mér·er; mér·est***) *a.* **1** 단순한, …에 불과한, 단지〔다만, 그저〕 …에 지나지 않는: a ~ child 아직 어린아이/a ~ halfpenny 겨우 반 페니/~ politeness 단지 표면적인 정중함/The cut was the *merest* scratch. 상처는 그저 벗어진 데 불과했다. **2** 전적인, 다른 어떤 것도 아닌, 순전한: It's a ~ chance. 전혀 우연이다/That is the *merest* folly. 그야말로 어리석기 짝이 없는 짓이다. ***~ nothing*** 아무것도 아닌 것. ***of ~ motion*** 〖법률〗 자발적으로.

mere[2] 《고어·시어》 *n.* 호수, 연못, 못; 소택지.

mere[3] *n.* 《고어·영방언》 경계선(boundary).

mère [mɛər; F. mɛːʀ] (*pl.* **~s** [-z]; *F.* [—]) *n.* 《F.》 어머니(mother).

-mere [mìər] 〖생물〗 '부분, 분절'의 뜻의 결합사.

Mer·e·dith [mérədiθ] *n.* **George ~** 메러디스《영국의 시인·소설가; 1828-1909》.

mere·ly [míərli] *ad.* 단지, 그저, 다만; 전혀. ***~ because*** 단지 …이기 때문에, 다만 …때문에. ***not ~ ... but*** (***also***) …뿐 아니라 또.

me·ren·gue [məréŋgei] *n.*, *vi.* 메렝게《아이티·도미니카의 무용; 또 그 곡》(를 추다).

mer·e·tri·cious [mèrətríʃəs] *a.* 난(亂)한, 야한, 저속한; 《옛투》 갈보의〔같은〕, 음란한.

mer·gan·ser [mərgǽnsər/məː-] *n.* 〖조류〗 비오리, 톱니오리《부리가 긴 오리의 일종》.

°**merge** [məːrdʒ] *vt.* **1** ⦅~+목/+목+전+명⦆ 합병하다, 합체(合體)시키다⦅*in, into; with*⦆: The big firm ~*d* two smaller firms. 그 큰 회사는 두 개의 작은 회사를 합병했다/The two conservative parties were ~*d in* the new government. 이들 두 보수 정당은 합동하여 새 정부를 만들었다. **2** 점차 …으로 바꾸다⦅*into*⦆: Fear was gradually ~*d into* curiosity. 두려움은 차차 호기심으로 바뀌었다. **3** 서서히 …을 하나로 만들다, …을 뒤섞어 합치다, 융합〔동화〕시키다, 몰입케 하다⦅*in, into; with*⦆: ~ one's dissatisfactions *in* one's work 일에 몰입하여 불만을 해소하다. ― *vi.* ⦅+전+명⦆ 융합되다, 몰입(沒入)하다; 합병〔합동〕하다⦅*in, into; with*⦆; ⦅미속어⦆ …와 결혼하다: Twilight ~*d into* darkness. 땅거미가 짙어져서 어두워졌다. ㊐ **mer·gence** [mə́ːrdʒəns] *n.* Ⓤ 몰입; 소실(消失); 합병.

merg·ee [məːrdʒíː] *n.* (흡수) 합병의 상대방「(회사).

merg·er [mə́ːrdʒər] *n.* **1** Ⓤ,Ⓒ 〖법률〗 (회사 등의) 합병, 합동; (기업의) 흡수 합병, (재산법상의) 혼동⦅상이한 권리가 동일인에게 귀속되면서 작은 다른 권리가 소멸되는 것⦆. ⓒⓕ consolidation. ¶ giant ~ 대형 합병/horizontal 〔vertical〕 ~ 수평적〔수직적〕 합병. **2** 〖언어〗 (소리의) 융합⦅2개(이상)의 대립적인 소리가 1개의 소리로 대치(代置)되는 현상⦆.

mèrger-mánia ⦅미금융⦆ (기업간의) 합병열, 합병에 대한 적극적 자세; 합병 붐.

mérgers and acquisítions 〖경제〗 기업의 합병과 흡수⦅생략: M&A⦆.

°**me·rid·i·an** [mərídiən] *n.* **1** 〖천문·지학〗 자오선, 경선(經線): the first 〔prime〕 ~ 본초 자오선. **2** 정점, 절정; 전성기: the ~ of life 한창(일할 수 있을) 때, 장년(기). **3** ⦅고어⦆ (독특한) 환경, 취미, 능력. ***calculated to*** 〔***for***〕 ***the ~ of*** …의 취미〔습관, 능력〕 등에 알맞은. ― *a.* **1** 자오선의; 정오의, 한낮의: the ~ sun 정오의 태양. **2** 정점의, 절정의: ~ fame 명성의 절정.

merídian àltitude 〖천문〗 자오선 고도(高度).

merídian cìrcle 〖천문〗 자오환(環)⦅천체 관측용 기기⦆.

me·rid·i·o·nal [məridiənl] *a.* 남부(인)의, 남부 유럽⦅특히 남부 프랑스⦆의; 자오선의. ― *n.* 남부 유럽 사람⦅특히 남프랑스의⦆.

me·ringue [məræ̃ŋ, mə-] *n.* ⦅F.⦆ Ⓤ 머랭⦅설탕과 달걀 흰자위로 만든 과자 재료⦆; Ⓒ 그것으로 만든 과자.

me·ri·no [məríːnou] (*pl.* **~s**) *n.* ⦅Sp.⦆ **1** 메리노양(羊)(=**∠ shèep**). **2** Ⓤ 메리노 나사; 메리노 실.

merino 1

mer·i·stem [mérəstèm] *n.* Ⓤ 〖식물〗 분열조직.

me·ris·tic [mərístik] *a.* 〖생물〗 체절(體節)의, 체절의 수〔배열〕의 변화에 의한, 체절적인. ㊐ **-ti·cal·ly** *ad.*

*__mer·it__ [mérit] *n.* **1** Ⓤ,Ⓒ 우수함, 가치; 장점, 취할 점: Frankness is one of his ~*s*. 솔직함은 그의 장점의 하나다/the ~*s* or demerits of a thing 사물의 장단점. SYN. ⇨WORTH. **2** (보통 *pl.*) 공적, 공로, 훈공; (학교 등에서 벌점에 대하여) 상점(賞點); 〖신학〗 공덕(功德). **3** (보통 *pl.*) 공과, 공죄(desert), 시비(곡직): consider 〔judge〕 the case on its ~*s* 사건을 시비곡직에 따라 생각〔판단〕하다. ***make a ~ of*** ... =***take ~ to oneself for*** ... …을 제 공로인 양하다, 자랑하다. ***on one's*** (***own***) **~s** 진가에 의해서, 실력으로. ***the Order of Merit*** ⦅영⦆ 메리트 훈위(勳位)〔훈장〕⦅생략: O.M.⦆. ― *vt.* …할 만하다(deserve): He ~*s* praise. 그는 칭찬받을 만하다. ― *vi.* 〖신학〗 공덕(功德)을 얻다.

mérit bònus 능률제 보너스. ⓒⓕ merit increase.

mér·it·ed [-id] *a.* 가치 있는, 당연한, 정당한, 상응한. ㊐ **~·ly** *ad.*

mérit gòods *pl.* 〖경제〗 가치재(財), 메리트재(財)⦅소비자의 선호와는 관계없이 정부가 소비를 촉진하고 있다고 생각되는 재(財) 서비스; 의무교육·정기 건강 진단 따위⦆.

mérit ìncrease 〔**ràise**〕 능률제 승급.

mer·i·toc·ra·cy [mèritákrəsi/-tɔ́k-] *n.* 수재(秀才) 교육제⦅월반제 따위⦆; 능력주의 사회, 실력 사회; 엘리트 계층. ㊐ **mer·i·to·crat·ic** [mèritəkrǽtik] *a.*

mer·i·to·crat [méritəkræ̀t] *n.* 엘리트, 영재; 「실력자.

mer·i·to·ri·ous [mèritɔ́ːriəs] *a.* 공적 있는; 가치 있는; 칭찬할 만한, 기특한, 갸륵한. ㊐ **~·ly** *ad.* **~·ness** *n.*

mérit ràting 인사 고과(考課), 근무 평정(評定)(service rating): ~ system 인사 고과제, 사정(査定) 승진제.

mérit shòp 〖건축〗 메리트 숍⦅건설 입찰에서 조합 가입과는 관계없이, 필요조건이 가장 미비한 응찰자와 도급 계약을 맺는 일⦆.

mérit sỳstem ⦅미⦆ (임용·승진의) 실적〔실력〕 본위제, 능력 본위 임명제. ⓒⓕ spoils system.

mer·kin [mə́ːrkən] *n.* (여자의) 거웃, 인조 거웃.

merl(**e**) [məːrl] *n.* ⦅고어·시어⦆ 지빠귀류.

Mer·lin [mə́ːrlin] *n.* 멀린. **1** 남자 이름. **2** 아서(Arthur)왕 이야기에 나오는 예언자·마술사.

mer·lin *n.* 〖조류〗 도롱태⦅매의 일종⦆.

mer·lon [mə́ːrlən] *n.* (성의) 총안(銃眼)과 총안 사이의 벽 부분.

mer·lot [mə́ːrlou] *n.* 메르로⦅적포도주의 하나⦆.

°**mer·maid** [mə́ːrmèid] *n.* 인어(人魚)⦅여자⦆; 여자 수영 선수, 수영 잘하는 여자.

mérmaid's púrse 상어〔가오리〕의 알주머니.

Mérmaid Távern (the ~) 인어정(人魚亭)⦅엘리자베스 여왕 시대에 문인들이 많이 모이던 옛 London의 주정(酒亭)⦆.

mer·man [mə́ːrmæ̀n] (*pl.* **-men** [-mèn]) *n.* 인어(人魚)⦅남자⦆(ⓒⓕ mermaid); 남자 수영 선수, 수영 잘하는 남자.

Mer·nep·tah [mɛ́ərneptɑ̀ː, mərnéptɑː/mɛ́ənептɑ̀ː] *n.* 메르넵타⦅고대 이집트의 왕; Ramses II의 아들; 1225-1215 B.C.⦆(=**Ménep tàh**).

mer·o·blast [mérəblæ̀st] *n.* 〖생물〗 부분 할란(割卵), 부분할(部分割). ㊐ **mèr·o·blás·tic** *a.*

mer·o·crine [mérəkrin, -kràin, -krìːn] *a.* 〖생리〗 부분 분비의. ⓒⓕ holocrine.

mer·o·he·dral [mèrəhíːdrəl/-héd-, -híːd-] *a.* (결정(結晶)이) 면(面)이 없는.

me·ro·pia [məróupiə] *n.* 〖의학〗 부분맹(部分盲), 불완전맹(盲).

-mer·ous [∠mərəs] *suf.* 〖식물〗 '…으로 갈라진'의 뜻: tri*merous*.

Mer·o·vin·gi·an [mèrəvíndʒiən] *a.*, *n.* 메로빙거 왕조⦅프랑크(Frank) 왕국 최초의 왕조(486-751)⦆의 (왕). ⓒⓕ Carolingian.

mer·o·zo·ite [mèrəzóuait] *n.* 〖동물〗 (포자충류(胞子蟲類)의) 낭충(娘蟲).

*__mer·ri·ly__ [mérəli] *ad.* 즐겁게, 명랑하게, 유쾌하게, 흥겹게.

°**mer·ri·ment** [mérimənt] *n.* Ⓤ **1** 흥겹게 떠들기, 환락. **2** 재미있음, 즐거움.

__mer·ry__ [méri] (-ri·er; -ri·est**) *a.* **1** 명랑한, 유쾌한, 재미있는: a ~ laugh 명랑한 웃음/the *Merry* Monarch 명랑한 국왕⦅영국왕 Charles 2세의 속칭⦆. SYN. ⇨GAY. **2** 떠들썩한, 웃으며 떠

드는, 축제 기분의, 들뜬. **3** 《구어》 거나한. **4** 《고어》 즐거운: *Merry* England 즐거운 영국《예로부터의 영국의 별칭》. ◇ merriment *n.* ***(as) ~ as a cricket*** 매우 명랑한. ***I wish you a ~ Christmas.*** =***A ~ Christmas (to you)!*** 성탄을 축하합니다. ***make ~*** 흥겨워하다, 명랑하게 놀다. ***make ~ over* 〔*of*〕** …을 놀리다, 조롱하다. ***The more the merrier.*** 많을수록 더욱 즐겁다; 다다익선(多多益善). ㊕ **mér·ri·ness** *n.* 명랑, 유쾌.

mèrry-ándrew *n.* (종종 M- A-) 어릿광대, 익살꾼; 거리의 약장수의 앞잡이.

◇**mérry-go-ròund** *n.* **1** 회전목마, 메리고라운드(carrousel). **2** 급선회; (일·사회 생활 따위가) 어지럽게 돌아감, 몹시 바쁨; 《속어》 술마시며 흥청거림. ***be on a ~*** 《미속어》 몹시 바쁘다.

mérry·màker *n.* 들떠서〔흥겹게〕 떠드는 사람.

mérry·màking *n.* Ⓤ 흥겹게 떠들기, 환락. **—** *a.* 들떠서 떠드는, 명랑한.

mérry mán (*pl.* ***mérry mén***) 부하; 무법자《특히 Robin Hood의 친구〔부하〕》.

mérry·thòught *n.* 《영》 (새 가슴의) 창사골(暢思骨)(wishbone).

Mer·sey [mə́ːrzi] *n.* (the ~) 머지 강《잉글랜드 북서부에서 아이리시 해(海)로 흐르는 강; 강어귀에 Liverpool이 있음》.

Mer·sey·side [mə́ːrzisàid] *n.* 머지사이드 주(州)《잉글랜드 북서부의 주; metropolitan county의 하나; 주도 Liverpool; 1974년 신설》.

Mérsey sòund (the ~) 머지사운드(=**Líverpool sòund**)《1960년대에 Liverpool을 중심으로 결성된 the Beatles 등의 음악》.

Mer·tén·si·an mímicry [mərténziən-] 〖동물〗 머텐스 의태(擬態)《유해(有害) 동물이 무해(無害) 동물을 꼭 닮는 의태》.

Mer·thi·o·late [mərθáiəlèit] *n.* 메르티올레이트《살균 소독제; 상표명》.

Mer·vin [mə́ːrvin] *n.* 머빈《남자 이름》.

me·sa [méisə] *n.* 〖지학〗 메사, (우뚝 솟은) 대지(臺地), 암석 대지, (주위가 절벽을 이루는) 봉우리가 평평한 산.

mesa

mé·sal·li·ance [mèizəláiəns, meizǽli-] *n.* 《F.》 신분이 낮은 사람과의 결혼, 강혼(降婚). ⓒⓕ misalliance.

mesc [mesk] *n.* 《미속어》 =MESCALINE.

mes·cal [meskǽl] *n.* **1** Ⓤ 메스칼 술《용설란 액을 발효시켜 만든 멕시코의 증류주》. **2** 〖식물〗 용설란(maguey); 메스칼《선인장의 일종》.

mescál bùtton 메스칼 선인장의 정부(頂部)《멕시코 인디언이 환각제로 씀》.

mes·ca·line [méskəlìːn] *n.* 메스칼린《mescal에서 뽑은 알칼로이드; 흥분제》.

mes·dames [meidáːm, -dǽm/méidæm] MADAME 또는 MRS.의 복수.

mes·de·moi·selles [mèidəməzél, -dmwə-/-dmwə-] MADEMOISELLE의 복수.

me·seems [miːsíːmz] (*p.* ***-seemed***) *vi.* 《고어》 생각건대 …이다(it seems to me).

me·sem·bri·an·the·mum, -bry- [mizèmbriǽnθəməm] *n.* 〖식물〗 선인장국화.

mes·en·ceph·a·lon [mèsenséfəlɑ̀n/-lɔ̀n] (*pl.* ***~s, -la*** [-lə]) *n.* 〖해부〗 중뇌(midbrain). ㊕ **mès·en·ce·phál·ic** [-səfǽlik] *a.*

mes·en·ter·on [meséntərɑ̀n, mez-/meséntərɔ̀n] (*pl.* ***-tera*** [-tərə]) *n.* 〖해부〗 중장(中腸)(midgut).

mes·en·tery [mésəntèri/-təri] *n.* 〖해부〗 장간막(腸間膜).

◇**mesh** [meʃ] *n.* **1** 그물눈; (*pl.*) 망사(網絲); (*pl.*) 그물 세공, 그물: a net of two inch *~es*, 2인치 눈의 그물. **2** (*pl.*) (법률 따위의) 망; 올가미; 그물 모양의 조직(network), (대도시 따위의) 복잡한 기구: be caught in the *~es* of a woman 여자의 유혹에 걸려들다. **3** Ⓤ 〖기계〗 (톱니바퀴의) 맞물림. ***in* 〔*out of*〕 *~*** 톱니바퀴가 맞물려〔벗어져〕. ***the ~es of the law*** 법망. **—** *a.* 그물코의: ~ shoes 망사 구두. **—** *vt., vi.* **1** 그물로 잡다; 그물에 걸리다. **2** 톱니바퀴를 맞물리다〔가 맞물다〕. **3** 엉키다; 조화하다. ㊕ **~y** *a.* 그물코로 된; 그물 세공의.

Mé·sha Stéle [míːʃə-] =MOABITE STONE.

Me·shed [məʃéd/méʃed-] *n.* 메셰드, 마슈하드(Mashhad)《이란 북동부의 도시; 시아파 이슬람교도의 성지》.

meshegoss ⇨ MISHEGOSS.

me·shu·ga·zine [məʃúgəziːn] *n.* (주로 학생들이 취미로 편집·발행하는) 반(反)권위적이며 풍자적인 잡지. [◂ *meshuga*+*magazine*]

me·shu(g)·ga, -ge [məʃúgə] *a.* 《속어》 머리가 돈(crazy).

me·shug·gen·er [məʃúgənər] *n.* 《미속어》 바보, 멍청이; 미치광이.

mésh·wòrk *n.* Ⓤ 그물 세공; 망.

me·si·al [míːziəl, méz-/míːz-] *a.* 중간의, 중위(中位)의; 정중(正中)의; 〖해부〗 근심(近心)의(ⓞⓟⓟ *distal*): the ~ plane 정중면. ㊕ **~·ly** *ad.*

mes·ic [mézik, míːz-/míːz-] *a.* 〖생태〗 중습(中濕)〔적습(適濕)〕성의, 중생(中生)의; 〖물리〗 중간자의.

mes·mer·ic [mezmérik, mes-/mez-] *a.* 최면술의; 황홀케 하는, 매력적인. ㊕ **-i·cal·ly** *ad.*

mes·mer·ism [mézmərìzəm, més-/méz-] *n.* Ⓤ **1** 최면술(hypnotism); 최면 상태. **2** 홀리게 하는 매력, 매혹시키는 것. ㊕ **-ist** *n.* 최면술사.

「상태.

mès·mer·i·zá·tion *n.* Ⓤ 최면술 걸기; 최면

mes·mer·ize [mézməràiz, més-/méz-] *vt.* …에게 최면술을 걸다; 《보통 과거분사꼴로》 홀리게 하다, 매혹시키다: I was *~d* by her smile. 그녀의 미소에 매료되었다.

mesne [miːn] *a.* 《F.》 〖법률〗 가운데의, 중간의(intermediate): ~ profits 중간 이득/the ~ process (소송의) 중간 영장. **—** *n.* 〖역사〗 중간 영주(領主)(=**∠ lórd**).

mes·o- [mézou, míː-, -zə, -sou, -sə/ mésou, -sə] '중앙, 중간'이란 뜻의 결합사《모음 앞에서는 **mes-**》.

Mèso·américa *n.* 〖고고학·인류〗 메조아메리카《현재의 멕시코 중부에서 코스타리카 북서부에 걸쳐 Maya 문명이 번창했던 문화 영역》; 《일반적》 =CENTRAL AMERICA. ㊕ **-américan** *n.*

mes·o·blast [mézəblæ̀st, més-, míːzə-, -sə-/mésə-] *n.* 〖발생〗 =MESODERM.

mes·o·carp [mézəkɑ̀ːrp/més-] *n.* 〖식물〗 중과피(中果皮).

mé society 자기(自己)중심 사회.

mèso·cýclone *n.* 〖기상〗 메조사이클론, 중형 저기압《뇌우 주변에 발생하는 지름 약 16km의 저기압》.

mes·o·derm [mézədə̀ːrm, míːzə-, -sə-/mésə-] *n.* 〖발생〗 중배엽(中胚葉).

mes·o·gas·tri·um [mèzəgǽstriəm, mìːzə-, -sə-/mès-] (*pl.* ***-tria*** [-triə]) *n.* 〖해부〗 중복부(中腹部), 위간막(胃間膜). ㊕ **-gás·tric** *a.*

mes·o·lect [mézəlèkt, més-] *n.* 〖언어〗 중층(中層)방언《creole어의 상층방언(acrolect)과 하층방언(basilect)의 중간 언어 변종(變種)》.

Mes·o·lith·ic [mèzəlíθik, mí:zə-, -sə-/mésə-] *a.*, *n.* (종종 m-) 〖고고학〗 중석기 시대(의).

me·som·er·ism [mizámərìzəm, -sám-/-sɔ́m-] *n.* 〖물리〗 메조머리즘《양자 화학적 공명(共鳴) 현상〔상태〕》.

mes·o·morph [mézəmɔ̀:rf/més-] *n.* 〖심리〗 (체격이) 중배엽형(型)인 사람《다부진 체격의 사람》; 〖식물〗 중생(中生) 식물. ㊣ **mès·o·mór·phic** [-mɔ́:rfik] *a.* 〖심리〗 중배엽형의(cf. ectomorphic, endomorphic); 〖식물〗 중생 식물적인.

me·son [mí:zɑn, méz-, -sɑn/mí:zɔn] *n.* **1** 〖물리〗 중간자. **2** 〖동물〗 종행면(縱行面)《몸 중앙에서 좌우가 같게 세로로 자른 면》.

mes·o·neph·ros [mèzənéfrɑs/mèsənéfrəs] (*pl.* **-roi** [-rɔi]) *n.* 〖발생〗 중신(中腎). cf. pronephros, metanephros. ㊣ **-néph·ric** *a.*

méson fàctory 〖물리〗 중간자(中間子) 발생 장치, 중간자 공장.

méso·pàuse *n.* 〖기상〗 중간 권계면(圈界面).

mèso·pelágic *a.* 〖생태〗 중심해(中深海)의: ~ zone 중심(中深) 해수층《수심 200-1,000m 층》.

méso·phìle *n.* 내저온(耐低溫) 세균. cf. thermophile.

mes·o·phyll [mézəfil/més-] *n.* Ⓤ 〖식물〗 잎살.

mes·o·phyte [mézəfàit/més-] *n.* Ⓤ 중생(中生) 식물《적당한 습도에서 생육하는》. cf. hydrophyte, xerophyte.

Mes·o·po·ta·mia [mèsəpətéimiə] *n.* **1** 메소포타미아《Tigris 및 Euphrates강 유역의 고대 국가》; 이라크(Iraq)의 옛 이름. **2** (m-) 두 강 사이에 끼인 지역. ㊣ **-mi·an** *a.*, *n.* 메소포타미아의 (사람); (m-) 강 사이에 낀 지역의.

méso·scàle *a.* 〖기상〗 (태풍·구름 등이) 중간 규모의.

mes·o·scaph, -scaphe [mézəskæ̀f/més-] *n.* 중심해(中深海) 잠수정.

mes·o·sphere [mézəsfìər/més-] *n.* 〖기상〗 (the ~) 중간권《성층권과 열권(熱圈)의 중간; 지상 30-80km 층》.

mès·o·the·li·o·ma [mèzəθì:lióumə, mì:zə-, -sə-/mèsə-] (*pl.* **~s, ~·ta** [-tə]) *n.* 〖의학〗 중피종(中皮腫).

mèso·thórax *n.* 〖곤충〗 중흉(中胸).

mes·o·tron [mézətrɑ̀n, mí:zə-, -sə-/mésətrɔ̀n] *n.* 〖물리〗 메소트론《meson(중간자)의 구칭》.

Mes·o·zoa [mèzəzóuə/mès-] *n. pl.* 〖동물〗 중생(中生) 동물.

Mes·o·zo·ic [mèzəzóuik/mès-] *a.* 〖지학〗 중생대의(cf. Cenozoic); 중생계(中生界)의. **—** *n.* (the ~) 중생대; (the ~) 중생계《중생대의 지층》.

mes·quit(e) [meskí:t] *n.* 〖식물〗 콩과의 관목《미국 남서부산(産)》.

‡**mess** [mes] *n.* **1** Ⓤ (흔히 a ~) (장소·사람·물건 따위가) 지저분한 모양, 더러운 모양, 혼란〔무질서, 난잡〕한 상태. **2** (a ~) (사태·입장 따위) 분규〔혼란〕; 궁지. **3** 더러운 것, 흩뜨려진 것, 쓰레기 더미; (특히 개·고양이의) 똥: a ~ of papers 흩어져 있는 서류/make a ~ on the street (개가) 거리에 똥을 누다; (사람이) 거리에 구토하다/The workmen cleaned up the ~ before they left. 직공들은 떠나기 전에 쓰레기들을 말끔히 치웠다. **4** (군대 등에서) 식사를 함께 하는 동료; 그 식사, 회식; 회식실: be absent from ~ 회식에 나가지 않다. **5** 한 접시의 (유동성) 음식; 맛 없는〔없어 보이는〕 음식; (사냥개 등의) 혼합식(食). **6** 《구어》 사물에 대하여 무정견한 사람; 실수만 저지르는 사람; 《미속어》 바보, 얼간이, 이상한 놈. ***a ~ of pottage*** 〖성서〗 한 그릇의 죽《값비싼 희생으로 얻은 사소한 물질적 이익〔쾌락〕; 창세기 XXV: 29-34》: sell one's birthright for *a ~ of pottage* 목전의 작은 이익에 눈이 어두워 큰 이익을 잃다. ***at ~*** 회식 중. ***get into a ~*** 실수를 저지르다; 곤란〔궁지〕에 빠지다; 혼란하다. ***go to ~*** 회식하다. ***in a ~*** ① 더럽혀져서; 어수선하게 흩뜨려: The room was *in a ~*. 방이 어수선했다. ② 분규〔혼란〕에 빠져; 쩔쩔매어, 궁지에 빠져. ***look a ~*** 모습이 엉망이다: You *look a ~*. 네 꼴이 말이 아니다. ***lose the number of*** one's ***~*** 《속어》 죽다, 살해되다. ***make a ~ of*** 《구어》 …을 엉망으로 만들다, …을 망쳐 놓다. ***make a ~ of it*** 실수를 저지르다.
— *vt.* **1** 《~+목/+목+부》 더럽히다《*up*》; 어수선하게 흩뜨리다; 엉망으로〔못쓰게〕 만들다《*up*》; 《속어》 혼란시키다: ~ *up* a room 방을 어지럽히다/~ *up* matters 사태를 엉망으로 만들다/They ~*ed* (*up*) the deal. 거래를 엉망으로 만들었다. **2** …에 급식하다. **3** 《~+목/+목+부》 《구어》 거칠게 다루다, 후려갈기다, 혼내주다《*up*》; 《구어》 (정신적으로) 상처를 입히다: The gang ~*ed* him *up*. 악당들은 그를 거칠게 다루었다. **—** *vi.* **1** 《~/+전+명》 무모한 짓을 하다; 실수하다; 〖보통 부정·명령형으로〗 개입하다, 쓸데없이 참견하다, 끼어들어 방해하다《*in; with*》: Don't ~ *with* me now. 이제 쓸데없는 간섭은 그만둬라. **2** 함께 식사하다, 회식하다《*together; with*》. **3** 더럽히다, 흙장난을 하다; 만지작거리다, 엉망이 되다, 혼란 상태에 빠지다《*up*》. **~ *around*** 〔***about***〕 《*vi.*+부》 《구어》 ① 빈둥거리다, 게으름 피우다(loaf). ② 어리석은〔바보 같은〕 말〔짓〕을 하다. ③ (일 따위를) 일시적 기분으로 해보다; (물건을) 만지작거리다《*with*》: ~ *about with* politics 정치에 손을 대보다/~ *around with* a camera 심심풀이로 사진을 찍고 돌아다니다. ④ (…에) 참견〔간섭〕하다《*with*》. ⑤ 《미》 (아무와) 농탕치다, 성적 관계를 갖다《*with*》. **—** 《*vt.*+부》 ⑥ (아무를) 거칠게〔아무렇게나〕 다루다, 괴롭히다. ⑦ (일 따위를) 혼란케 하다: The new secretary always ~*es* my schedule *around*. 새 비서는 늘 내 스케줄을 엉망으로 만든다. **~ *over*** 《미속어》 (아무를) 혼내주다, 학대하다, …의 자유를 침해하다.

‡**mes·sage** [mésidʒ] *n.* **1** 전갈, 전하는 말, 전언: a verbal 〔an oral〕 ~ 전언/send a ~ by mail 〔wire〕 우편으로〔전보로〕 메시지를 보내다/Here's a ~ to you. 당신에게 온 전갈〔연락〕입니다. **2** 통신(문), 서신, 전보: a congratulatory ~ 축전, 축사/Wireless ~*s* told us that the ship was sinking. 배가 침몰 중이라는 무전이었다. **3** 《미》 (대통령의) 교서《*to*》: the President's ~ *to* Congress. **4** (the ~) (신·예언자의) 신탁, 계시. **5** 교훈, 호소: the ~ of H.G. Wells to his age 웰스가 그 시대에 보낸 호소. **6** (상업 방송의) 선전 광고. **7** (심부름꾼의) 용건, 사명: do 〔go on, run〕 a ~ 심부름 가다. **8** 전하고자 하는 것, 취지, 뜻, 교훈. **9 a** 〖컴퓨터〗 메시지《정보처리상의 단위》. **b** 〖유전〗 하나의 단백질을 합성하는 유전 코드의 단위. ***get the ~*** 《구어》 (암시 등의) 의미를 파악하다, 이해〔납득〕하다. ***leave a ~*** …에게 전갈을 부탁하다《*with*》. ***send a person on a ~*** 아무를 심부름 보내다. **—** *vt.* **1** 통보〔통신〕하다, 알리다. **2** …에(게) 통지하다; …에(게) 지시를 내리다.

méssage bòard 〖컴퓨터〗 메시지 보드《E 메일 글을 올리는》.

méssage hándling sỳstem ⇨ MHS.

méssage remóte cóncentrator 〖컴퓨터〗 원격 메시지 집중기.

méssage swìtching 〖컴퓨터〗 (데이터 통신에서) 메시지 스위칭《어떤 단말(端末) 장치에서 보낸 메시지를 지정된 다른 단말 장치로 보내는 방식》: a ~ unit 메시지 스위칭 장치. 「단위.
méssage ùnit 《미》 (전화 요금 계산의) 통화
mes·sa·line [mèsəlíːn, ⌐⌐] *n.* [U] 《F.》 메설린《얇고 부드러운 비단의 일종》.
méss allòwance 〖군사〗 식비 보조〔수당〕.
méss·bòy *n.* (배의) 식당 급사.
Mes·sei·gneurs, m- [*F.* mesɛɲœːʀ] *n.* MONSEIGNEUR의 복수.
mes·sen·ger [mésəndʒər] *n.* **1** 사자(使者); 심부름꾼: an Imperial ~ 칙사 / send a letter by (a) ~ 심부름꾼을 통하여 편지를 보내다. **2** (문서·전보·소포(小包) 등의) 배달인: the King's 〔Queen's〕 ~ 《영》 공문서 송달리. **3** 《고어》 예고; 전조(前兆). **4** 연줄에 다는 종잇조각; 〖해사〗 보조 밧줄. **5** 〖생화학〗 전달자(傳達子), 전령《유전 정보를 전달하는 화학물질》. ***corbie*** ~ 〖성서〗 너무 늦게 돌아와 소용이 없거나, 함흥차사격인 사자(使者)《창세기 VIII: 7》.
méssenger RNA 〖생화학〗 전령(傳令) RNA, 메신저 리보 핵산(核酸)《생략: mRNA》.
méss hàll 《미》 (군대·공장 따위의) 식당.
Mes·si·ah [misáiə] *n.* **1** 메시아《유대 사람이 대망(待望)하는 구세주; 기독교에서는 예수를 이름》. [cf] Mahdi. **2** (m-) (국가·민족 따위의) 구제주(救濟主), 해방자. ㊕ **Mes·si·an·ic** [mèsiǽnik] *a.* ~의〔에 관한〕; 구세주〔메시아〕적인.
Messiánic Jéws 예수를 자기의 구세주로 여기는 유대인.
mes·si·a·nism [mésiənìzəm, məsáiə-] *n.* (종종 M-) 메시아 신앙; (어떤 주의·운동 등의 정당성에 대한) 절대적 지지〔신념〕.
Mes·si·as [misáiəs] *n.* = MESSIAH.
mes·sieurs [meisjə́ːz, mésərz] *n. pl.* 《F.》 제군, 여러분, …귀중. ★ MONSIEUR의 복수; Mr.의 복수형으로 쓰임《생략: MM., Messrs.》.
méssing òfficer 〖군사〗 회식 보조 사관.
méss jàcket 〖군사〗 (준(準)의례적인 경우에 입는) 짧은 상의(monkey 〔shell〕 jacket).
méss kìt 〔**gèar**〕 (군대용·캠프용의) 휴대용 식기 세트.
méss·màte *n.* 식사를 함께 하는 사람, (배 또는 육해군에서의) 회식 동료, 전우.
mess·room [mésrùːm] *n.* (배 따위의) 식당
Messrs. [mésərz] *n.* messieurs의 간약형. ★ Mr.의 복수형으로 쓰임; 서신을 보낼 때 회사 이름 앞에 붙이기도 하나, 미국에서는 드묾.
méss sérgeant 〖군사〗 취사반장.
méss tàble 공동 식탁.
mess·tin [méstìn] *n.* 반합, 휴대용 식기.
mes·suage [méswidʒ] *n.* 〖법률〗 가옥《부속 건물이나 주변의 토지 따위를 포함함》.
méss-ùp *n.* 《구어》 혼란, 분규; 실패, 실책: a bit of a ~ 약간의 실수〔착오〕.
messy [mési] (***mess·i·er; -i·est***) *a.* 어질러진, 더러운; 귀찮은, 성가신, 번잡한; 《구어》 칠칠치 못한; 《미속어》 부도덕한; (너무) 감상적인. ㊕ **méss·i·ly** *ad.* **-i·ness** *n.*
mes·ti·zo [mestíːzou] (*pl.* ~**(*e*)*s;*** *fem.* ***mesti·za*** [mestíːzə]) *n.* 혼혈아《특히 스페인 사람과 북아메리카 원주민의》.
mes·tra·nol [méstrənɔ̀ːl, -nɑ̀l / -nɔ̀l] *n.* 〖약학〗 메스트라놀《먹는 피임약》.
Met [met] *n.* (the ~) 《구어》 (뉴욕 시의) 메트로폴리탄 미술관; = METROPOLITAN OPERA HOUSE; METROPOLITAN POLICE.
met [met] MEET[1]의 과거·과거분사.
met. metaphor; metaphysics; meteorological; meteorology; metrological; metropolitan.
met·a- [métə] *pref.* 'after, with, change' 따위의 뜻. ★ 모음 앞에서는 **met-**.
me·tab·a·sis [mətǽbəsis] (*pl.* ***-ses*** [-sìːz]) *n.* 〖의학〗 증변(症變), 전이(轉移)(metastasis); 〖수사학〗 주제 전이(轉移).
met·a·bol·ic, -i·cal [mètəbɑ́lik / -bɔ́l-], [-ikəl] *a.* 변화의, 변형의; 〖생물〗 물질 교대의, 신진 대사의. ㊕ **-i·cal·ly** *ad.*
metabólic páthway 〖생리〗 대사(代謝) 경로.
me·tab·o·lism [mətǽbəlìzəm] *n.* [U] **1** 〖생물〗 물질〔신진〕 대사. **2** (기본적인) 기능, 작용, 기구: changes in the country's economic ~ 그 나라 경제 기구의 변화.
me·tab·o·lite [mətǽbəlàit] *n.* 〖생화학〗 대사(代謝) 산물; 물질 대사에 필요한 물질.
me·tab·o·lize [mətǽbəlàiz] *vt.* 물질 대사로 변화시키다, 신진대사시키다. ㊕ **-lìz·a·ble** *a.*
me·tab·o·ly [mətǽbəli] *n.* = METAMORPHOSIS.
mèta·cárpal *a.* 〖해부〗 중수(中手)의. **—** *n.* 손바닥뼈.
mèta·cárpus (*pl.* ***-pi*** [-pai]) *n.* 〖해부〗 중수(中手), 《특히》 손바닥뼈.
méta·cènter, 《영》 **-tre** *n.* 〖물리〗 (부력(浮力)의) 경심(傾心), 경사의 중심, 메타센터. ㊕ **mèta·céntric** *a.*
met·a·chro·sis [mètəkróusis] *n.* 〖동물〗 (카멜레온 따위의) 변색 능력, 체색 변화.
mèta·communicátion *n.* 〖심리〗 초(超)커뮤니케이션《말이 아닌 시선·동작·몸짓·태도 따위에 의한》. 「윤리학.
mèta·éthics *n. pl.* 〖단수취급〗 도덕철학, 메타
mèta·fémale *n.* = SUPERFEMALE.
mèta·fíction *n.* 픽션을 구성하면서 그 방식 자체에 대해 말하는 소설.
méta·file *n.* 〖컴퓨터〗 메타파일《컴퓨터 그래픽에서 그래픽 출력 교환에 사용하는 중간 파일》.
mèta·gálaxy *n.* 〖천문〗 전(全)우주《은하·성운(星雲)을 포함하는》. ㊕ **-galáctic** *a.*
met·age [míːtidʒ] *n.* [U] (공공 기관에서 행하는 적하(積荷)의) 검량, 계량; 검량세(稅).
mèta·génesis *n.* 〖생물〗 순정(純正) 세대 교번. ㊕ **mèta·genétic** *a.* **-génic** *a.* **-genétically** *ad.*
met·al [métl] *n.* **1** [U,C] 금속; 금속 원소, (각종) 금속, 쇠붙이: ⇨LIGHT 〔HEAVY〕 METAL, BASE 〔NOBLE, PRECIOUS〕 METAL, SHEET METAL, TYPE METAL. **2** [U] 용해(溶解) 주철; 용해된 유리 원료. **3** 《영》 쇄석(碎石), 길에 까는 자갈(road ~). **4** (*pl.*) 《영》 레일, 궤조(軌條): leave 〔run off, jump〕 the ~*s* (열차가) 탈선하다. **5** 〖인쇄〗 활자 금속, 금속 활자; 조판: a worker in ~*s* 금속 세공사. **6** 〖군사〗 전차, 장갑차; 〖해군〗 (군함의) 장비 포수(砲數), 포력. **7** 《비유》 지금(地金), 기질, 성품(mettle): He is made of true ~. 그는 견실한 사나이다. **8** 〖문장(紋章)〗 금색, 은색. **9** 《미속어》 = HEAVY METAL 4. **—** (***-l-,*** 《영》 ***-ll-***) *vt.* **1** …에 금속을 입히다. **2** (도로에) 자갈을 깔다: a ~*ed* road. **—** *vi.* 《미속어》 heavy metal을 연주하다.
méta·lànguage *n.* [U,C] 〖언어〗 메타 언어, 언어 분석용 언어.
métal detéctor 금속 탐지기.
métal fatìgue 금속의 피로(도).
mèta·linguístics *n. pl.* 〖단수취급〗 〖언어〗 후단(後段) 언어학《언어와 다른 문화면과의 관계를 다룸》.
mét·al·ist, -al·list *n.* **1** 금속 세공사, 금속 장인. **2** 〖경제〗 (화폐로서 금속 화폐의 사용을 주장하는) 금속주의자.
metal(l). metallurgical; metallurgy.

mét·alled *a.* 포장(鋪裝)된.

***me·tal·lic** [mətǽlik] *a.* 금속[제]의; 금속성[질]의; 금속을 함유하는; 금속 특유의, 금속과 유사한; 쇳내 나는, 쇳소리의《음성》; 엄한; 냉철한: a ~ alloy 합금 / ~ sounds 금속성의 소리. ㊕ **-li·cal·ly** *ad.*

metállic cúrrency 경화(硬貨).

me·tal·li·cize [mətǽləsàiz] *vt.* 금속화하다.

metállic léns 〖전기 · 통신〗 금속 렌즈《전자파나 음파의 방향을 변경하지 않고 집중하게 하는 장치》.

metállic róad 《미》 포장도로.

metállic sóap 금속 비누《도료 건조제 · 방수가공용》.

met·al·lif·er·ous [mètəlífərəs] *a.* 금속을 산출하는[함유한]: ~ mines 광산.

met·al·line [métəlin, -làin] *a.* 금속의[비슷한](metallic); 금속을 함유한[산출하는].

met·al·(l)ize [métəlàiz] *vt.* 금속으로 입히다, 금속화하다; (고무를) 경화(硬化)시키다. ㊕ **mèt·al·(l)i·zá·tion** *n.*

me·tal·lo·en·zyme [mətǽləènzaim] *n.* 〖생화학〗 금속 효소.

metal·lo·graph [mətǽləgræ̀f, -grɑ̀ːf] *n.* 〖야금〗 금속판 인쇄(물); 금속 현미경《금속 검사용》; 금속 표면 확대도.

met·al·log·ra·phy [mètəlɑ́grəfi/-lɔ́g-] *n.* Ⓤ 금속 조직학, 금상학(金相學); 금속판 인쇄(술). ㊕ **-pher, -phist** *n.* **-lo·graph·ic, -i·cal** [mətæ̀ləgrǽfik], [-ikəl] *a.*

met·al·loid [métəlɔ̀id] *a.* 금속과 같은; 〖화학〗 반금속성(半金屬性)의, 양성(兩性) 금속의; 비(非)금속의. ── *n.* 〖화학 · 광물〗 반금속《비소 · 텔루르 따위》, 양성 금속; 《속어》 비금속.

me·tal·lo·phone [mətǽləfòun] *n.* 철금(鐵琴).

me·tal·lo·thi·o·nein [mətæ̀ləθáiəniːn] *n.* 〖생화학〗 금속 결합성 단백질《간장 내에 구리 저장 작용을 함》.

met·al·lur·gic, -gi·cal [mètələ́ːrdʒik], [-əl] *a.* 야금(술)의. ㊕ **-gi·cal·ly** *ad.*

met·al·lur·gy [métələ̀ːrdʒi/metǽlədʒi] *n.* Ⓤ 야금(학[술]). ㊕ **-gist** *n.* 야금가[학자].

métal-óxide semicondúctor 〖전기〗 산화 금속막(膜) 반도체《생략: MOS》.

métal skí 메탈 스키《경합금으로 된 스키》.

métal·smìth *n.* 금속 세공사.

métal spràỳing 금속 용사(溶射).

métal tàpe 〖전자〗 메탈 테이프《고밀도 자기(磁氣) 테이프》.

métal·wàre *n.* 《집합적》 금속 제품《특히 부엌용》.

métal·wòrk *n.* Ⓤ 《집합적》 금속 세공품; 금속 가공, 금공. ㊕ **~·er** *n.* **~·ing** *n.* Ⓤ 금속 세공술, 금공(업).

mèta·mále *n.* =SUPERMALE.

met·a·mer [métəmər] *n.* 〖화학〗 (구조[동족]) 이성체(異性體); 〖광학〗 조건 등색(等色)을 나타내는 색.

met·a·mere [métəmìər] *n.* 〖동물〗 체절(體節)(somite).

met·a·mer·ic [mètəmérik] *a.* 〖화학〗 구조[동족]이성(異性)(체)의; 〖광학〗 …조건 등색(等色)의[을 나타내는]; 〖동물〗 체절(體節)(제(制))의. ㊕ **-i·cal·ly** *ad.*

me·tam·er·ism [mətǽmərìzəm] *n.* Ⓤ 〖화학〗 구조[동족(同族)] 이성(異性); 〖광학〗 조건 등색(等色); 〖동물〗 체절성(體節性), 체절 형성[구조].

mèta·méssage *n.* 비언어적인 전갈.

met·a·mor·phic, -mor·phous [mètəmɔ́ːrfik], [-mɔ́ːrfəs] *a.* 변화의, 변성(變性)의; 변태의; 〖지학〗 변성(變成)의: ~ rock 변성암. ㊕ **-mór·phi·cal·ly** *ad.* **-phism** [-fizəm] *n.* Ⓤ 변태(metamorphosis), 변형, 변질; 〖지학〗 변성 작용.

met·a·mor·phose [mètəmɔ́ːrfouz, -fous/-fouz] *vt.* 변형시키다, 변태시키다(transform) 《*to; into*》; 〖지학〗 변성시키다. ── *vi.* 변태[변형]하다《*into*》.

met·a·mor·pho·sis [mètəmɔ́ːrfəsis] (*pl.* **-ses** [-sìːz]) *n.* 〖동물〗 변태; 〖의학〗 변성(變性), 변태; (마력 · 초자연력에 의한) 변형[변신](작용), 《일반적》 변질, 변신, 환생(幻生), 대변모.

met·a·nal·y·sis [mètənǽləsis] (*pl.* **-ses** [-sìːz]) *n.* 〖언어〗 이분석(異分析)《보기: ME *an ekename* > Mod. E *a nickname*》.

met·a·neph·ros [mètənéfrɑs / -rɔs] (*pl.* **-roi** [-rɔi]) *n.* 〖발생〗 후신(後腎). ⓒⓕ mesonephros, pronephros. ㊕ **-néph·ric** *a.*

met·a·noia [mètənɔ́iə] *n.* 심경의 변화; 개심; 개종; 전향.

met·a·pause [métəpɔ̀ːz] *n.* 남성의 갱년기.

metaph. metaphor(ical); metaphysical; metaphysician; metaphysics.

méta·phàse *n.* 〖생물〗 (유사(有絲)분열의) 중기(中期). ⓒⓕ prophase. ㊕ **mèta·phásic** *a.*

métaphase plàte 〖생물〗 중기판(中期板). ⓒⓕ equatorial plate.

°**met·a·phor** [métəfɔ̀ːr, -fər] *n.* **1** 〖수사학〗 은유(隱喩), 암유(暗喩): a mixed ~ 혼유(混喩). **2** 유사한[상징하는] 것.

> **NOTE** metaphor는 simile(직유)처럼 like, as 따위를 쓰지 않고, '비교'의 뜻이 암시만 되어 있는 비유: a heart of stone《a heart *as hard as stone*은 simile》; Life is a journey. 따위.

met·a·phor·i·cal, -phor·ic [mètəfɔ́(ː)rikəl, -fɑ́r-], [-ik] *a.* 은유적[비유적]인. ㊕ **-i·cal·ly** *ad.* 은유적으로: ~*ly* speaking 비유해서 말하면.

mèta·phósphate *n.* 〖화학〗 메타 인산염[인산 에스테르].

méta·phràse *n.* 축어역(逐語譯), 직역(直譯). ⓒⓕ paraphrase. ── *vt.* 축어역하다; 자구[말씨]를 바꾸다.

met·a·phrast [métəfræ̀st] *n.* 번안가, 번역자, (특히 산문을 운문으로 바꾸는) 전역자(轉譯者). ㊕ **mèt·a·phrás·tic, -ti·cal** [-tik], [-kəl] *a.* 직역적[축어역적]인. **-ti·cal·ly** *ad.*

mèta·phýsical *a.* **1** 형이상학의, 순수 철학의; 추상적인. **2** (종종 M-) (시인이) 형이상파(派)의: the ~ poets 형이상파 시인. **3** 세부에 걸친《고찰 따위》. **4** (종종 나쁜 의미로) 극히 추상적인, 매우 난해한; 초자연적인, 공상적인. ── *n.* (종종 M-) 형이상파 시인. ㊕ **~·ly** *ad.*

mèta·physícian, -phýsicist *n.* 형이상학자, 순정(純正)철학자.

mèta·phýsicize *vt., vi.* (대상을) 형이상학적으로 다루다[설명하다], 형이상학적으로 사고[표현]하다.

mèta·phýsics *n. pl.* 《단수취급》 형이상학, 순정[순수] 철학; 학문 이론; 우주 철학; 추상론, 탁상 공론.

mèta·plásia *n.* 〖생물 · 의학〗 화생(化生); 변질 형성.

met·a·plasm [métəplæ̀zəm] *n.* Ⓤ,Ⓒ 〖문법〗 어형 변화; 〖생물〗 (원형질에 대해) 후형질(後形質). ㊕ **mèt·a·plás·mic** [-plǽzmik] *a.*

mèta·pólitics *n. pl.* 《단수취급》 정치 철학; 《경멸》 공론 정치학.

mèta·psýchic, -psýchical *a.* 심령(心靈) 연구의.

mèta·psýchics *n. pl.* 《단수취급》 심령 연구.

mèta·psychólogy *n.* Ⓤ 〖심리〗 초(超)심리학.

mèta·sequóia *n.* 〖식물〗 메타세쿼이아《살아 있는 화석이라고 일컬어짐》.

met·a·so·ma·tism [mètəsóumətìzəm] *n.* 〖지학〗 (광물 또는 광상의) 교대 작용. ㊕ **-so·mat·ic** [-soumǽtik] *a.*

mèta·stáble *a.* 〖물리·화학·야금〗 준안정(準安定)의. **—** *n.* 준안정 원자〔분자, 이온, 원자핵〕. ㊎ **-bly** *ad.* **-stabílity** *n.*
me·tas·ta·sis [mətǽstəsis] (*pl.* ***-ses*** [-sìːz]) *n.* 〖의학〗 (환부의) 전이(轉移); 〖물리〗 전이, 천이(遷移)《소립자의 위치 또는 궤도의 변화》; 〖생물〗 물질 대사(metabolism); 〖수사학〗 (화제의) 급전환. ㊎ **mèt·a·stá·tic** *a.* **-i·cal·ly** *ad.*
me·tas·ta·size [mətǽstəsàiz] *vi.* 〖의학〗 전이(轉移)하다.
mèta·társal *n.*, *a.* 〖해부〗 척골(蹠骨)(의): ~ bone 척골. ㊎ **~·ly** *ad.*
mèta·társus (*pl.* ***-si*** [-sai]) *n.* 〖해부·동물〗 척골(蹠骨); 〖곤충〗 기부절(基附節); 〖조류〗 경골(脛骨)에서 지골(趾骨)에 이르는 부분.
me·tath·e·sis [mətǽθəsis] (*pl.* ***-ses*** [-sìːz]) *n.* 〖문법〗 소리〔글자〕 자리의 전환《보기: OE b*ri*d > Mod. E b*ir*d》; 〖의학〗 전이(轉移); 〖화학〗 복(複)분해(double decomposition). ㊎ **met·a·thet·i·cal, -thet·ic** [mètəθétikəl], [-tik] *a.* **-i·cal·ly** *ad.* **me·tath·e·size** [mətǽθəsàiz] *vt.*, *vi.*
mèta·thórax *n.* 〖곤충〗 후흉(後胸). ㊎ **-thorácic** *a.*
mé·ta·yage [mètəjáːʒ, mèi-] *n.* Ⓤ 《F.》 반타작 제도, 분익(分益) 농법.
mé·ta·yer [mètəjéi, mèi-] *n.* 《F.》 반타작 소작인, 분익(分益) 농부.
Mèta·zóa *n. pl.* 후생(後生)동물. ㊎ **mèta·zóan** *n.*, *a.* 후생동물(의).
mete[1] [miːt] *vt.* **1** 《문어》 (형벌·보수 따위를) 할당하다, 주다(allot) 《*out*》. **2** 《고어·시어·방언》 재다, 측정하다(measure).
mete[2] *n.* 경계 (표석). **~*s and bounds*** 〖법률〗 토지 경계; 한계.
met·em·pir·ic [mètempírik] *n.* **1** 초경험론자. **2** = METEMPIRICS. **—** *a.* = METEMPIRICAL.
met·em·pir·i·cal [mètempírikəl] *a.* 경험을 초월한, 선험적(先驗的)인. ㊎ **~·ly** *ad.*
mèt·empírics, -empíricism *n. pl.* 《단수취급》 초(超)경험론, 선험(先驗) 철학. ㊎ **-icist** *n.* 초경험론자.
me·tem·psy·cho·sis [mətèm*p*səkóusis, mètəmsaik-/mètempsi-] (*pl.* ***-ses*** [-sìːz]) *n.* (영혼의) 재생, 윤회전생(輪廻轉生). ㊎ **-sist** *n.*
met·en·ceph·a·lon [mètenséfəlàn / -lɔn] (*pl.* ***~s, -la*** [-lə]) *n.* 〖해부〗 후뇌(後腦); 소뇌. ㊎ **met·en·ce·phal·ic** [mètensəfǽlik] *a.*
mèt·enképhalin *n.* 〖생화학〗 메텐케펄린《뇌에서 만들어지는 진통성 물질》.
°**me·te·or** [míːtiər, -tiɔ̀ːr] *n.* **1** 유성(流星), 별똥별(shooting 〔falling〕 star); 운석, 별똥돌. **2** 《비유》 일시적으로 화려한 것. **3** 〖기상〗 대기 현상《무지개·번개·눈 따위》. ㊎ **~·like** *a.*
meteor. meteorological; meteorology.
me·te·or·ic [mìːtiɔ́ːrik, -ár-/-ɔ́r-] *a.* **1** 유성의, 별똥별의: ~ iron 운철(隕鐵) / a ~ stone 운석. **2** 유성과 같은, 잠시 반짝하는〔화려한〕; 급속한: the stock's ~ rise 주식의 급격한 상승. **3** 대기의, 기상상의: ~ water 천수(天水), 강수(降水). ㊎ **-i·cal·ly** *ad.*
meteóric shówer = METEOR SHOWER.
me·te·or·ite [míːtiəràit] *n.* 운석, 유성체, 별똥돌. ㊎ **mè·te·or·ít·ic, -i·cal** [-rít-] *a.*
me·te·or·it·ics [mìːtiərítiks] *n. pl.* 《단수취급》 유성〔운석〕학. ㊎ **-ít·i·cist** *n.*
me·te·or·o·graph [mìːtiɔ́ːrəgræ̀f, -grɑ̀ːf] *n.* (고층) 기상 기록기. ㊎ **mè·te·òr·o·gráph·ic** *a.*
me·te·or·oid [míːtiərɔ̀id] *n.* 〖천문〗 운석체, 유성체(流星體). ㊎ **mè·te·or·ói·dal** *a.*
meteorol. meteorological; meteorology.
me·te·or·o·lite, -lithe [mìːtiɔ́ːrəlàit, míːtiərə-/míːtiərə-], [-lìθ] *n.* 〖지학〗 석질운석(石質隕石).
me·te·or·o·log·ic [mìːtiərəládʒik/-lɔ́dʒ-] *a.* = METEOROLOGICAL.
me·te·or·o·log·i·cal [mìːtiərəládʒikəl/-lɔ́dʒ-] *a.* 기상의, 기상학상(上)의: a ~ balloon 〔observatory, station〕 기상 관측 기구〔기상대, 측후소〕 / a ~ report 일기 예보, 기상 통보 / ~ optics 기상 광학 / a ~ chart 일기도. ㊎ **~·ly** *ad.*
Meteorológical Óffice (the ~) 《영》 기상청(the Met) 《국방부 소속》.
meteorológical sátellite 기상 위성(衛星)(weather satellite).
me·te·or·ol·o·gy [mìːtiərálədʒi/-rɔ́l-] *n.* Ⓤ 기상학; 기상 상태《한 지방의》. ㊎ **-gist** [-dʒist] *n.* 기상학자.
méteor shòwer 〖천문〗 유성우(流星雨).
***me·ter**[1] [míːtər] *n.* **1** 미터《길이의 SI 기본 단위; =100 cm; 기호 m》. **2** 〖운율〗 Ⓒ 보격(步格), 격조; Ⓤ 운율; 〖음악〗 박자, 음조.
***me·ter**[2] *n.* (자동) 계량기, 미터《가스·수도 따위의》; 재는 사람, 《특히》 계량 담당관: an electric 〔a gas〕 ~ 전기〔가스〕 계량기. **—** *vt.* 미터로 재다; 요금 별납 우편의 증인(證印)을 찍다. **—** *vi.* 계량하다.
-me·ter [ˊmətər] *suf.* '계기', 미터법의 '미터' 또는 운율학의 '각수(脚數)'의 뜻: baro*meter*; kilo*meter*; penta*meter*.
me·ter·age [míːtəridʒ] *n.* 계량기로 재기, 측정; 미터 사용량; 미터 요금.
métered máil 요금 별납 우편.
méter-kílogràm-sécond *a.* 〖물리·화학〗 미터·킬로그램·초 단위계의, MKS 단위계의.
méter màid 여자 주차 단속원.
méte·wànd, -yàrd *n.* Ⓤ 계량〔평가〕 기준.
meth- [méθ] '메틸(methyl)'의 뜻의 결합사.
Meth. Methodist. **meth.** method; 〖약학〗 methamphetamine; 《미속어》 Methedrine.
meth·a·crýl·ic ácid [mèθəkrílik-] 〖화학〗 메타크릴산(酸).
meth·a·don, -done [méθədàn / -dɔ̀n], [-dòun] *n.* 〖약학〗 메타돈《진통제》.
méthadone màintenance 〖의학〗 메타돈 유지법〔치료법〕《헤로인 중독 등의 치료에 메타돈을 치료용 마약으로 쓰는》.
mèth·amphétamine *n.* Ⓤ 메탐페타민《각성제, 필로폰〔히로뽕〕; 속어로는 meth, speed 라고도 함》. 「생성(生成).
meth·a·na·tion [mèθənéiʃən] *n.* 〖화학〗 메탄
meth·ane [méθein/míːθ-] *n.* Ⓤ 〖화학〗 메탄, 소기(沼氣)《무미·무취·무색의 기체》.
méthane sèries 〖화학〗 메탄 계열(系列).
meth·an·o·gen [məθǽnədʒən, -dʒèn] *n.* 〖생물〗 메탄 생성 미생물《발생적으로 박테리아·동식물 세포와는 다른》.
meth·a·nóic ácid [mèθənóuik-] 〖화학〗 메탄 산(酸)(formic acid). 「학」 메탄올.
meth·a·nol [méθənɔ̀ːl, -nàl/-nɔ̀l] *n.* Ⓤ 〖화
meth·a·qua·lone [mèθəkwéiloun] *n.* 〖약학〗 메타콸론《진정·최면제; 근육 이완제》.
Meth·e·drine [méθədrìːn, -drin] *n.* 메테드린《methamphetamine hydrochloride 의 약품명; 각성제; 상표명》.
me·theg·lin [məθéglin] *n.* Ⓤ 벌꿀술의 일종.
meth·i·cil·lin [mèθəsílin] *n.* 〖약학〗 메티실린《페니실린계 항생 물질》.
mèthicíllin-resístant staphylocóccus áureus 메티실린 내성(耐性) 황색 포도구균《생략: MRSA》.

me·thinks [miθíŋks] (*p.* ***me·thought*** [miθɔ́:t]) *vi.* 《고어·시어·우스개》 나에게는 생각된다, 생각건대 …이다(it seems to me). ★ 비인칭 동사로, 주어 it는 생략됨.

me·thi·o·nine [meθáiəni:n, -nin] *n.* 〖생화학〗 메티오닌《필수 아미노산의 하나》.

***meth·od** [méθəd] *n.* **1** Ⓒ 방법, 《특히》 조직적 방법, 방식: after the American ~ 미국식으로 / a teaching ~ 교수법 / a ~ *of* learning English 영어 학습법.

> SYN. **method** 제대로 순서를 밟은 조직적 방법, 방식, 계획: the best *method* to learn English 영어를 배우는 최선의 방법. **mode** 사회적 또는 개인적 습관으로 확립된 방식: a *mode* of life 생활 양식. **manner** mode와 꼭 같은 뜻으로 쓰이는 외에, 습관으로 고정되어 있지 않은 단 한 번에 한한 방식에도 쓰임: in this *manner* 이런 식으로. **fashion** 개성적이며 특이한 방법: He does everything after his own *fashion*. 그는 모든 걸 자기 독자적인 방법으로 한다. **way** 위 네 말과 대치할 수 있는 가장 일반적인 말: the best *way* to learn English, a peculiar *way* of life, in this *way*. He does everything after his own *way*.

2 Ⓤ (일을 하는) 순서, (생각 따위의) 조리; 순서〔규율〕 바름, 질서 정연함; 체계: He works with ~. 그는 순서 있게 일을 한다 / a man of ~ 찬찬한 사람. **3** 〖생물〗 분류법. **4** (the M-) 러시아의 배우·연출가 출신인 Stanislavski의 연출론 (=**Stànislávski Sỳstem** 〔**Mèthod**〕). ***There is ~ in his madness.*** 미친 것 치고는 조리가 있다 《Shakespeare 작 *Hamlet* 중 Polonius의 대사》.
— *a.* (M-) ~ 4의: a *Method* actor 개성을 잘 나타내는 배우. ㊞ **~·less** *a.* 방법이 없는, 되는 대로의.

Method. Methodist.

°me·thod·ic, -i·cal [məθádik/-θɔ́d-], [-əl] *a.* 질서 있는, 조직적인(systematic); 규율 바른, 질서정연한(orderly); 방법론적인. ㊞ **-i·cal·ly** *ad.* **-i·cal·ness** *n.*

Meth·od·ism [méθədìzəm] *n.* Ⓤ **1** 감리교파〔메서디스트파〕의 교의〔예배〕 **2** (m-) 규율 바른 방법; 《드물게》 일정한 방식의 실천; 《드물게》 방법〔형식〕의 편중.

°Meth·od·ist [méθədist] *n.* **1** 메서디스트 교도, 감리교 신자. **2** (m-) 《경멸》 종교적으로 엄격한 사람. **3** (m-) 《드물게》 형식 존중가. **4** 〖생물〗 계통적 분류가. — *a.* 감리교도〔교파〕의. ㊞ **Method·is·tic** [mèθədístik] *a.* **1** 메서디스트 교파의. **2** (m-) 질서 있는, 엄격한. **-ti·cal** *a.* **-tical·ly** *ad.*

Méthodist Chúrch (the ~) 메서디스트 교회, 감리교회.

méth·od·ìze *vt.* 방식화〔조직화〕하다, 순서를〔조직을〕 세우다; (종종 M-) 메서디스트 교도로 만들다. — *vi.* (종종 M-) 메서디스트 교도답게 언동을 취하다. ㊞ **-ìz·er** *n.*

meth·od·ol·o·gy [mèθədálədʒi/-dɔ́l-] *n.* Ⓤ 방법론, 방법학; 〖생물〗 계통적 분류법. ㊞ **-gist** [-dʒist] *n.* **meth·od·o·log·i·cal** [mèθədəládʒikəl/-lɔ́dʒ-] *a.* 방법(론)의. **-i·cal·ly** *ad.*

meth·o·trex·ate [mèθoutrékseit] *n.* 〖약학〗 메토트렉사트(amethopterin)《급성 백혈병에 쓰임》.

me·thought [miθɔ́:t] METHINKS의 과거.

meth·ox·y·flu·rane [meθàksiflúərein/-θɔ̀k-] *n.* 〖약학〗 메톡시플루란《전신 흡입 마취제》.

meths [meθs] *n. pl.* 《영구어》 변성 알코올 (methylated spirits).

Me·thu·se·lah [miθú:zələ/-θjú:-] *n.* 〖성서〗 므두셀라《969세까지 살았다는 전설상의 사람; 창세기 V: 27》; (m-) 《종종 우스개》 《일반적》 Ⓒ (아주) 나이 많은 사람, 시대에 뒤진 사람. (**as**) ***old as*** ~ 아주 나이가 많은.

meth·yl [méθəl] *n.* Ⓤ 〖화학〗 메틸(기(基)), 목정(木精).

méthyl ácetate 〖화학〗 초산(醋酸)메틸《용제》.

méthyl álcohol 〖화학〗 메틸알코올(methanol).

meth·yl·ase [méθəlèis, -lèiz] *n.* 〖생화학〗 메틸화(化) 효소《RNA·DNA 등이 메틸화하는 데 촉매 작용을 하는 효소》.

meth·yl·ate [méθəlèit] 〖화학〗 *n.* Ⓤ 메틸레이트《메틸알코올 유도체》. — *vt.* (알코올)에 메틸을 섞다; 메틸알코올을 섞다. ㊞ **méth·yl·à·tor** *n.* **mèth·yl·á·tion** *n.* Ⓤ 메틸화.

méthylated spírit(s) 변성 알코올《마실 수 없음; 램프·히터용》.

méthyl blúe 메틸블루《청색의 산성염료; 필기용 잉크나 생체 염료에 쓰임》.

méthyl brómide 〖화학〗 브롬화메틸《무색의 유독 가스; 현미·밀 따위의 훈증제·유기합성제》.

méthyl chlóride 〖화학〗 염화메틸《유독 기체; 냉각·국부 마취용》.

meth·yl·do·pa [mèθəldóupə] *n.* 〖약학〗 메틸도파《혈압 강하제》.

meth·yl·ene [méθəli:n] *n.* 〖화학〗 메틸렌(기).

méthylene blúe 〖화학〗 메틸렌 블루《청동색 광택을 지닌 암녹색 결정; 티아진 염료의 대표적인 것》(=**mèthylthíonine chlóride**).

méthylene chlóride 〖화학〗 염화메틸렌 (=**dìchlorométhane**).

me·thyl·ic [meθílik] *a.* 〖화학〗 메틸의, 메틸을 함유한.

méthyl isocýanate 〖화학〗 이소시안 산(酸) 메틸《맹독 무색의 가연성 액체; 살충제 생산에 쓰임; 생략: MIC》.

mèthyl·mércury *n.* 〖화학〗 메틸수은《유독; 살충제용》.

méthyl methácrylate 〖화학〗 **1** 메타크릴산(酸) 메틸《무색, 휘발성, 인화성, 수용성 액체; 쉽게 중합(重合)하여 투명 플라스틱이 됨》. **2** = POLYMETHYL METHACRYLATE.

méthyl parathíon 〖약학〗 메틸 파라티온《파라티온보다 강력한 살충제》.

mèthyl·prednísolone *n.* 〖생화학〗 메틸프레드니솔론《항염제로 쓰이는 부신피질(副腎皮質) 당질(糖質) 스테로이드》.

mèthyl·testósterone *n.* 〖약학〗 메틸테스토스테론《남성 호르몬의 분비를 촉구하는 인공적인 약물로 근육 증강의 효과가 있음. 흔히 수술 후 등의 쇠약한 환자나 재생 불량성 빈혈 등의 치료에 내복약으로 쓰임》.

me·tic·u·lous [mətíkjələs] *a.* 《구어》 (주의 등이) 지나치게 세심한, 매우 신중한; 소심한; 엄밀한(*about*). ㊞ **~·ly** *ad.* 너무 세심하게, 지나치게 소심하여. **~·ness** *n.* **me·tic·u·los·i·ty** [mətikjəlásəti/-lɔ́s-] *n.*

mé·tier [méitjei, -ˊ/-ˊˊ] *n.* 《F.》 직업, 일; 전문 (분야), 장기, 장점; 전문 기술.

mé·tis [meití:s/metí:s] (*fem.* ***mé·tisse*** [meití:s/me-]) *n.* (백인과 북아메리카 원주민의) 혼혈아《특히 캐나다의》; 잡종 동물.

METO Middle East Treaty Organization.

Mét òffice 1 (the ~) = METEOROLOGICAL OFFICE. **2** Ⓤ 《집합적》 기상청 직원.

me·tol [mí:tɔ:l, -tal/-tɔl] *n.* Ⓤ 〖화학〗 메톨 《사진 현상제》; (M-) 그 상표 이름.

meton. metonymy.

Me·tón·ic cỳcle [mitánik-/-tɔ́n-] 〖천문〗 메톤 주기(周期)(lunar cycle)《달이 같은 위상을 되풀이하는 19년의 주기》.

met·o·nym [métənìm] *n.* 〖수사학〗 환유어(換喩語).

met·o·nym·ic, -i·cal [mètənímik], [-əl] *a.*

환유적(換喩的)인. ㊞ **-i·cal·ly** *ad.*

me·ton·y·my [mitánəmi/-tɔ́n-] *n.* Ⓤ 〖수사학〗 환유(換喩)《king을 crown으로 나타내는 따위》. ⓒⓕ synecdoche.

me-too [míːtúː] 《구어》 *vt.* 흉내내다, 모방하다; 편승하다. ── *a.* (경쟁 상대를) 흉내내는, 모방하는; 추종〔편승〕하는. ㊞ **~·er, ~·ist** *n.* **~·ism** *n.* Ⓤ 모방(주의), 추종. **mè·too·ís·tic** [-ístik] *a.*

met·o·pe [métəpiː, -toup/-toup, -təpi] *n.* 〖건축〗 메토프《도리아식에서 2개의 triglyphs 사이에 끼인 네모진 벽면》; 〖해부〗 앞머리〔이마〕.

metr- [métr], **met·ro-** [míːtrou, mét-, -trə] '자궁, 핵, 핵심'의 뜻의 결합사.

Met. R. the Metropolitan Railway 《London》.

met·ra·zol [métrəzɔ̀ːl, -zàl/-zɔ̀l] *n.* 〖의학〗 메트라졸《중추신경 흥분제》; (M-) 그 상표 이름.

metre ⇨ METER[1].

Met·re·cal [métrikəl] *n.* 저(低)칼로리의 대용 「식품《상표명》.

met·ric [métrik] *a.* **1** 미터(법)의; 미터법을 실시하고 있는《사람·나라》. **2** =METRICAL. ── *n.* 미터법; 측정 규준; 〖수학〗 거리, 계량. ***go*** ~ 미터법을 채용하다.

met·ri·cal [métrikəl] *a.* **1** 운율의, 운문의. **2** 측량(용)의; 〖수학〗 계량적인. **3** =METRIC. ㊞ **~·ly** *ad.*

met·ri·cate [métrikèit] *vt.* 《영》 =METRI- 「CIZE 2.

mèt·ri·cá·tion *n.* Ⓤ 미터법화(化)〔이행〕.

met·ri·cize [métrəsàiz] *vt.* **1** 운문으로 하다, 운율적으로 하다. **2** 미터법으로 고치다〔나타내다〕. ── *vi.* 미터법으로 이행(을 채용)하다.

mét·rics *n. pl.* 〔단수취급〕 운율학, 작시법.

métric spàce 〖수학〗 거리 공간.

métric sỳstem (the ~) 미터법.

métric tón 미터톤《=1,000kg》.

met·rist [métrist, míːt-/mét-] *n.* 운율학자, 운문 작가, 작시가.

me·tri·tis [mitráitis, mə-] *n.* 〖의학〗 자궁(근층(筋層))염(炎).

met·ro[1], **Met-**[1] [métrou] *n.* 《미·Can.》 도시권의 행정부. ── *a.* 《구어》 =METROPOLITAN; 도시권 행정(부)의.

met·ro[2], **mét-, Met-**[2], **Mét-** [métrou] *n.* (the ~) (Paris, Montreal이나 Washington, D.C. 등의) 지하철.

met·ro- [métrou, -rə] '계측'의 뜻의 결합사.

métro·lànd *n.* (종종 M-) (런던의) 지하철 지구《도심지》; 그 주민. ㊞ **~·er** *n.*

Métro·lìner *n.* 《미》 Amtrak의 고속 철도《특히 New York과 Washington, D.C. 사이의》.

me·trol·o·gy [mitrálədʒi, me-/-trɔ́l-] *n.* Ⓤ 도량형학; 도량형. ㊞ **-gist** *n.* **mèt·ro·lóg·i·cal** [mètrə-] *a.* 도량형(학)의. **-i·cal·ly** *ad.*

met·ro·ma·nia [mètrouméiniə] *n.* Ⓤ 작시광(作詩狂).

met·ro·ni·da·zole [mètrənáidəzòul] *n.* 〖약학〗 메트로니다졸《trichomoniasis 치료에 쓰임》.

met·ro·nome [métrənòum] *n.* 〖음악〗 메트로놈, 박절기(拍節器).

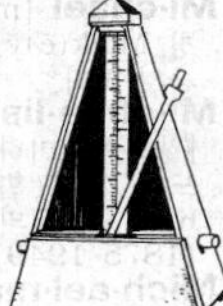
metronome

met·ro·nom·ic, -i·cal [mètrənámik/-nɔ́m-], [-kəl] *a.* 메트로놈의; (템포가) 기계적으로 규칙 바른. ㊞ **-i·cal·ly** *ad.*

me·tro·nym·ic [mìːtrəními k, mèt-] *a., n.* =MATRONYMIC.

mé·tro·pole [*F.* metʀɔpɔl] *n.* 수도(metropolis); 본국, 내지(內地).

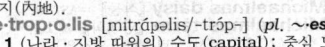

°**me·trop·o·lis** [mitrápəlis/-trɔ́p-] (*pl.* **~·es**) *n.* **1** (나라·지방 따위의) 수도(capital); 중심 도시, 주요 도시; (활동의) 중심지: a ~ of religion 종교의 중심지. **2** 〔일반적〕 (활기찬) 대도시. **3** 〖역사〗 (식민지의) 본국, 모도(母都). **4** 대본산 소재지; 대주교〔대감독〕 교구. **5** 〖생물〗 (특수한 생물의) 종속(種屬) 중심지. **6** (the ~, 종종 the M-) 《영구어·우스개》 런던.

*__met·ro·pol·i·tan__ [mètrəpálitən/-pɔ́l-] *a.* **1** 수도(권)의; 대도시의; (M-) 런던의: ~ newspapers (지방지에 대하여) 중앙지. **2** 도회인풍(風)의. **3** 〖가톨릭〗 대주교〔대감독〕 교구의, 본산의. **4** (식민지에 대하여) 본국(산(產))의. ── *n.* 수도의 주민; (대)도회지 사람; 〖가톨릭〗 대주교, 대감독(=∠ **bíshop**). ㊞ **~·àte** *n.*

metropólitan área (대)도시권(圈).

metropólitan cóunty 《영》 특별도시, 메트로폴리스 주(州)《잉글랜드의 지방 제도 개혁 때 생긴 대도시를 주도로 하는 주》.

metropólitan dístrict 《영》 특별도시 자치구《metropolitan county의 행정구》.

mètro·pólitanìsm *n.* 대도시〔수도〕임, 대도시〔수도〕적 성격.

mètro·pólitanìze *vt.* 대도시화하다, 대도시권에 편입하다. ㊞ **-politanizátion** *n.*

metropólitan mágistrate 《영》 (유급의) London시 치안판사.

Metropólitan Maníla (Quezon City 등지를 포함한) 필리핀의 수도 마닐라.

Metropólitan Muséum of Árt (the ~) 메트로폴리탄 미술관《뉴욕 시 Manhattan의 Central Park에 있는 대미술관; 1870년 창설》.

Metropólitan Ópera Hòuse (the ~) (뉴욕의) 메트로폴리탄 가극장(歌劇場)《1966년에 Lincoln Center로 이전》.

Metropólitan Políce (the ~) 《영》 런던 시경찰국(the London police).

Metropólitan Ráilway (the ~) 런던 지하철《생략: Met. R.》.

me·tror·rha·gia [mìːtrəréidʒiə, -dʒə, mèt-] *n.* 〖의학〗 (월경 시 이외의) 자궁 출혈.

-me·try [mətri] '…측정법〔술, 학〕'의 뜻의 결합사: geo*metry*, psycho*metry*.

Met·ter·nich [métərnik] *n.* **Prince von ~** 메테르니히《오스트리아의 정치가; 1773-1859》.

met·tle [métl] *n.* Ⓤ 기질; 기개, 혈기, 용기, 열의: a man of ~ 기개 있는 사람 / try a person's ~ 아무의 근성을 알아보다, 기개를 시험하다. ***on*** 〔***upon***〕 ***one's*** ~ 분발〔분기〕하여, 단단히 마음먹고. ***put*** 〔***set***〕 a person ***to*** 〔***on, upon***〕 ***his*** ~ 아무를 분발시키다. ㊞ **~d, ~·some** [-səm] *a.* 기운찬, 위세〔용기〕 있는, 혈기 왕성한 (high-mettled).

me·um [míːəm] *pron.* 《L.》 내 것.

me·um et tu·um [míːəm-et-tjúːəm/-tjúː-] 《L.》 (=mine and thine) 내 것과 네 것, 자타(自他)의 소유(권); 재산의 구별.

meu·nière [mənjέər] *a.* 《F.》 〖요리〗 뫼니에르로 한《밀가루를 발라 버터로 구운》: sole ~ 넙치 뫼니에르.

MeV, Mev, mev [mev] *n.* 메가 전자(電子) 볼트. [◂ *m*illion *e*lectron *v*olts]

mew[1] [mjuː] *n.* 야옹(meow)《고양이의 울음 소리》; 갈매기 울음 소리. ── *vi.* 야옹하고 울다.

mew[2] *n.* 갈매기(흔히 sea ~).

mew[3] *vt.* **1** 조롱 속에 넣다; 《비유》 가두다《*up*》. **2** 《고어》 (매가 깃털을) 갈다. ── *n.* 매장《깃털을 갈 동안 가두어 둠》; (새의) 둥지; 숨는 곳.

mewl [mjuːl] *vi.* **1** =MEW[1]. **2** (갓난애 따위가) 약한 울음 소리를 내다. ── *n.* (약한) 울음 소리. ㊞ **∠·er** *n.*

mews [mjuːz] *n. pl.* 〔단수취급〕《영》 (작은 길의 양쪽·빈터 주위에 늘어선) 마구간.

MEX 《자동차 국적 표시》 Mexico.

Mex. Mexican; Mexico.

Mex·i·cáli revènge [mèksikǽli-] 《속어》 멕시코 여행자가 걸리는 설사.

°**Mex·i·can** [méksikən] *a., n.* 멕시코 (사람)〔어〕의; 멕시코 사람〔어〕.

Méxican brówn 멕시코제의 흑갈색 헤로인.

Méxican promótion 〔**ráise**〕 《속어》 (실질이 없는) 이름만의 승진.

Méxican Spánish 멕시코식 스페인어.

Méxican stándoff 막다른 골목; 궁지.

Méxican Wár (the ~) 아메리카·멕시코 전쟁(1846-48).

Méxican 〔**México**〕 **wáve** **1** 파도타기 응원《관객 전체로 파도치는 모양을 나타내는 응원 방식; 1986년 월드컵 축구 Mexico 대회에서 유래》. **2** 《비유》 (통계·경제 등의) 파동.

*__Mex·i·co__ [méksikòu] *n.* 멕시코 (공화국). ***go to*** ~ 《미속어》 흠뻑 취하다.

México Cíty 멕시코시티《멕시코의 수도》.

MEZ 《G.》 중부 유럽 표준시(=**Céntral Européan tìme**). [◀ *Mitteleuropäische Zeit*]

me·zu·ma [məzúmə] *n.* =MAZUMA.

me·zu·za(h) [məzúzə] (*pl.* **~s, *-zu·zot*** [-zɔ́ːt], ***-zu·zoth*** [-zouθ]) *n.* 〖유대교〗 신명기(申命記)의 몇 절을 적어 넣은 양피지(羊皮紙)의 ⌊조각.

mezz [mez] 《미속어》 *n.* 마리화나 담배.

mez·za·nine [mézəniːn/métsəniːn] *n.* 〖건축〗 (층(層)의 높이가 낮은 발코니풍의) 중이층(中二層)(entresol); 〖미연극〗 2층 정면 좌석; 《영》 무대 밑.

mez·zo [métsou, médzou] (*fem.* ***mez·za*** [métsɑː, médzɑː]) *ad., a.* 《It.》 〖음악〗 반(의)(half); 적도(適度)의〔로〕, 알맞은(moderate). **—** *n.* 《구어》 =MEZZO-SOPRANO.

mézzo fórte 〖음악〗 조금 세게《생략: mf》.

mézzo piáno 〖음악〗 조금 여리게《생략: mp》.

mézzo-rilíevo (*pl.* **~*s***) *n.* 《It.》 반돋을 새김, 중부조(中浮彫). ⓒⓕ relievo.

mézzo-sopráno (*pl.* **~*s, -pra·ni*** [-prǽniː, -prɑ́ːniː]) *n., a.* 《It.》 Ⓤ 〖음악〗 메조소프라노(의), 차고음(次高音)(의); Ⓒ 메조소프라노 가수(의); 차고음부(의).

mézzo·tìnt *n.* 메조틴트〔그물눈〕 동판(銅版)의 일종; 메조틴트〔그물눈〕 동판술. **—** *vt.* 메조틴트〔그물눈〕 동판에 새기다. ⓜ **~·er** *n.*

MF, M.F. Middle French. **MF, mf, m.f.** medium frequency (중파). **M.F.** machine finish; Master of Forestry; 〖인쇄〗 modern face. **mf** 〖음악〗 mezzo forte; 〖전기〗 microfarad(s). **mF, mf** millifarad(s). **M.F.A.** Master of Fine Arts. **mfd.** manufactured. **mfg.** manufacturing. **M.F.H.** 《영》 Master of Foxhounds. **MFM** 〖컴퓨터〗 Modified Frequency Modulation(변형 주파수 변조). **M.F.N.** most favored nation. **mfr.** (*pl.* ***mfrs.***) manufacture(r). **M.F.R.** 〖미군사〗 Multi-Function-Array Radar. **M.F.S.** Master of Foreign Study. **mfs.** manufactures. **M.F.V.** motor fleet vessel. **Mg** 〖화학〗 magnesium. **MG, M.G., m.g.** machine gun; 《미속어》 machine gunner. **M.G.** Major General; Military Government. **MGB** 《Russ.》 *Ministerstvo Gosudarstvennoi Bezopasnosti* (=Ministry of State Security); motor gunboat. **M.G.C.** Machine-Gun Corps. **MGk(.)** Medieval 〔Middle〕 Greek. **M.G.M.** Metro-Goldwyn-Mayer. **MGr(.)** Medieval 〔Middle〕 Greek. **Mgr.** (*pl.* ***Mgrs.***) Manager; Monseigneur; Monsignor. **mgr(.)** manager. **mg(rm).** milligram(s). **mgt.** management. **MH** Medal of Honor; mobile home. **MHA** 《미》 Master of Hospital Administration. **MHC** major histocompatibility complex (주요 조직 적합 유전자 복합체). **MHD** magnetohydrodynamics. **MHG** Middle High German.

mho [mou] *n.* 〖전기〗 모《전기 전도율(傳導率)의 단위; ohm의 역철(逆綴)》.

M.H.R. Member of the House of Representatives. **MHS** message handling system 《서로 다른 정보 단말기끼리의 상호 통신을 위한 변환 시스템》. **MHW, m.h.w.** mean high water. **MHz, Mhz** megahertz.

mi [miː] *n.* 《It.》 〖음악〗 미《장음계의 제3음》, ⌈마음(音).

mi- '보다 작은〔적은〕, 열등한' 이란 뜻의 결합사.

MI 〖미우편〗 Michigan. **M.I.** 《영》 Military Intelligence (군사 정보부): *M.I.* 5, 국내 정보부/ *M.I.* 6, 국외 정보부. **mi.** mile(s); mill(s). **M.I.A., MIA** 〖군사〗 missing in action (전투중 행방불명된 병사).

Mi·ami [maiǽmi] *n.* 마이애미《미국 Florida주 남동부의 피한지(避寒地)·관광지·항구 도시》. ⓜ **~·an** *a., n.* ~의 (주민).

Miámi Béach 마이애미비치《Florida주 남동부 Miami 부근의 도시》.

mi·aow, mi·aou [miáu, mjáu] *n.* 야옹《고양이 울음 소리》. **—** *vi.* 야옹하고 울다.

mi·as·ma [maiǽzmə, mi-/mi-] (*pl.* **~*s*, ~*·ta*** [-mətə]) *n.* (늪에서 나오는) 독기, 소기(沼氣), 장기(瘴氣); 〔일반적〕 (위험한) 발산물; 악영향; 요기(妖氣); 살기(殺氣). ⓜ **mi·ás·mic** [-mik], **mi·ás·mal** [-əl], **mi·asmat·ic** [màiæzmǽtik/mìːəz-, mài-] *a.* 독기의, 유독한: *miasmatic* fever 말라리아열.

mi·aul [miául, miɔ́ːl] *n., vi.* =MIAOW, CATERWAUL.

mic [maik] *n.* 마이크(microphone).

Mic. 〖성서〗 Micah.

mi·ca [máikə] *n.* Ⓤ 〖광물〗 운모, 돌비늘.

mi·ca·ceous [maikéiʃəs] *a.* 운모 (모양)의; 운모가 든; 빤짝이는(sparkling).

Mi·cah [máikə] *n.* **1** 마이카《남자 이름》. **2** 〖성서〗 히브리의 예언자; 미가서《구약성서 중의 한 편》.

míca schìst 〔**slàte**〕 〖광물〗 운모편암(片岩) ⌈〔점판암(粘板岩)〕.

Mi·caw·ber·ism [mikɔ́ːbərìzəm] *n.* Ⓤ 공상적 낙천주의《Dickens작 *David Copperfield* 중의 인물 Micawber에서》.

mice [mais] *n.* MOUSE 의 복수; 《미속어》 (텔레비전 시청자로서의) 어린이(children).

mi·cell(e), -cel·la [misél], [-sélə] *n.* 〖물리·화학·생물〗 교질(膠質) 입자. ⓜ **mi·cél·lar** *a.* ⌊**-lar·ly** *ad.*

Mich. Michaelmas; Michigan.

Mi·chael [máikəl] *n.* **1** 마이클《남자 이름; 애칭 Mick(e)y, Mike》. **2** 〖성서〗 미카엘《대천사 중의 하나》.

Mi·cháe·lis cónstant [maikéilis-, mi-] 〖생화학〗 미하엘리스 정수(定數)《효소 반응의 속도와 기질(基質) 농도와의 관계식 정수; 기호 Km; 미국의 생화학자 Leonor *Michaelis* (1875-1949) 이름에서》.

Mich·ael·mas [míkəlməs] *n.* 미카엘 축일《9월 29일; 영국에선 사계(四季) 〔4분기(分期)〕 지급일(quarter days)의 하나》: ~ goose 미카엘 축일에 먹는 거위.

Míchaelmas dàisy 〖식물〗 =ASTER.

Míchaelmas tèrm 〖영대학〗 제1학기, 가을학기《10월초에서 크리스마스까지의》.

Michelangeli ⇨ BENEDETTI MICHELANGELI.
Mi·chel·an·ge·lo [màikəlǽndʒəlòu, mìk-] *n.* **Buonarroti** ~ 미켈란젤로《이탈리아의 조각가·화가·건축가·시인; 1475-1564》.
Miche·lin [*F.* miʃlɛ̃] *n.* 미슐링《프랑스의 타이어 제조회사》.
Míchelin Màn (the ~) 미슐링 맨《미슐링 타이어의 광고 캐릭터》.
Mich·i·gan [míʃigən] *n.* 미시간《미국 중북부의 주; 생략: Mich.》; (Lake ~) 미시간 호《5대호의 하나》.
Míchigan bánkroll 《미속어》 고액권을 한 장 얹은 가짜 돈 뭉치.
Mich·i·gan·der [mìʃigǽndər], **Mich·i·ga·ni·an** [miʃigéiniən], **Mich·i·gan·ite** [míʃigənàit] *n.* 미시간 주 사람.
Mick [mik] *n.* (*or* m-) 《속어·경멸》 아일랜드 사람.
mick[1] *n.* 《미학생속어》 학점 따기 쉬운 과목, 낙승(樂勝) 코스.
mick[2] *n.* 《Austral.구어》 (two-up에서) 코인의 앞〔뒤〕.
mick-a-nick [míkənìk] *n.* 《CB속어》 트럭 수리공.
Mick·ey [míki] *n.* 미키《남자 이름; Michael의 애칭》.
mick·ey, micky [míki] 《속어》 *n.* (*or* M-) =MICK. ***take the*** ~ (***out of...***) 《영구어》 놀리다, 들볶다; 모욕을 주다.
Míckey Fínn 《속어》 수면제를 넣은 술.
Míckey Mòuse **1** 〔명사적〕 미키 마우스《W. Disney의 만화 주인공》; 《영공군속어》 전기식 폭탄 투하 장치; 《미해군속어》 방음용 귀마개; 《미속어》 불필요한 일, 시시한 것, 싸구려 물건; (대학에서) 쉬운 과목〔강의〕; 《미속어》 당선이 확실한 입후보([cf.] Humpty-Dumpty). **2** 〔형용사적〕 (종종 m- m-) 《미속어》 (음악 등이) 감상적인; 겉만 그럴 듯한; 유치한; 싸구려의; 간단한; 시시한; 삼류의; 작은.
mìckey-móuse *vt.* 《구어》 (만화 영화 등에서) 배경 음악을 넣다. **—** *vi.* **1** 배경 음악에 동작을 맞추다. **2** 《속어》 빈둥거리다.
mick·le, muck·le [míkəl], [mʌ́kəl] 《고어·Sc.》 *a.* 많은, 다량의; 큰. **—** *ad.* 많이. **—** *n.* 대량, 다량: Many a little 〔pickle〕 makes a ~. =Every little makes a ~. 《속담》 티끌 모아 태산.
MICR 〖컴퓨터〗 magnetic ink character reader (자기 잉크 문자 판독기).
mi·cra [máikrə] MICRON의 복수.
mi·cri·fy [máikrəfài] *vt.* 축소하다, 작게 하다.
mi·cro [máikrou] *a.* 지극히 작은, 초미니의. **—** *n.* 초미니 스커트〔드레스 따위〕.
mi·cro- [máikrou, -krə] '소(小), 미(微), 〖전기〗 100만분의 1…'의 뜻의 결합사《모음 앞에서는 **micr-**》. [opp.] *macro-*.
mìcro·análysis *n.* [U,C] 〖화학〗 미량 분석; 〖경제〗 미시(적) 분석. [파] **-ánalyst** *n.* **-ánalyzer** *n.* **-analýtic, -ical** *a.*
mìcro·anátomy *n.* 미세 해부학(histology); 조직 구조. [파] **-anatómical** *a.*
mícro·bàlance *n.* 미량 천칭(天秤).
mícro·bàr *n.* 〖물리〗 마이크로바, 100만분의 1바《바는 압력 단위》.
mìcro·bárograph *n.* 〖기상〗 자기(自記) 미세기압계.
°**mi·crobe** [máikroub] *n.* 세균; 미생물: ~ bombs 〔warfare〕 세균탄〔전〕.
mícro·bèam *n.* 마이크로 전자 방사선.
mi·cro·bi·al [maikróubiəl], **-bi·an** [-biən], **-bic** [-bik] *a.* 미생물의; 세균에 의한.
micróbial céll 〖생물〗 미생물의 균체(菌體).
micróbial transformátion 〖생물〗 미생물 변환(biological conversion).
mi·cro·bi·cide [maikróubəsàid] *n.* 살균제.
[파] **mi·crò·bi·cíd·al** *a.*
mìcro·biólogy *n.* [U] 미생물학, 세균학(bacteriology). [파] **-gist** *n.* **-biológic, -ical** *a.* **-ically** *ad.*
mi·cro·bism [máikrəbìzəm] *n.* [U] (세균 따위로 인한) 부패; 화농(化膿).
mícro·blàde *n.* 〖고고학〗 =BLADELETTE.
mícro·bòok *n.* (확대경으로 읽는) 극소본(本).
mi·cro·bot [máikrəbàt/-bɔ̀t] *n.* 초(超)소형 로봇.
mìcro·bréwery *n.* 소규모〔지역〕 맥주 양조장(업자)《연산 10,000-15,000 배럴 이하의 소규모 기업으로 한 지방만의 수요를 커버함》.
mícro·bùrst *n.* 순간적 돌풍《비행기 사고의 원인이 됨》.
mícro·bùs *n.* 마이크로버스.
mìcro·calorímeter *n.* 마이크로 열량계. [파] **-calorímetry** *n.* **-calorimétric** *a.*
mícro·càmera *n.* 현미경 사진용 카메라.
mìcro·cápsule *n.* (약품의) 미소(微小) 캡슐.
Mícro·càrd *n.* 마이크로카드《책·신문 등의 축사(縮寫) 카드; 상표명》.
mi·cro·ce·phal·ic, -ceph·a·lous [màikrousəfǽlik], [-séfələs] *a.* 〖의학〗 소두(小頭)의, 이상(異狀) 소두의.
mi·cro·ceph·a·ly [màikrouséfəli] *n.* 〖인류〗 소두(小頭)《두개(頭蓋) 내 용량이 1,350cc 미만》; 〖의학〗 (이상) 소두증. 「ical *a.*
mìcro·chémistry *n.* [U] 미량 화학. [파] **-chém-**
mícro·chìp *n.* 〖전자〗 마이크로칩, 극미 박편(薄片)《전자 회로의 구성 요소가 되는 미소한 기능 회로》. [파] **~·per** *n.* 반도체 기술자.
mìcro·chronómeter *n.* 초(秒)시계.
mìcro·círcuit *n.* 〖전자〗 초소형〔마이크로〕 회로, 집적(集積) 회로(integrated circuit).
mìcro·círcuitry *n.* 〖컴퓨터〗〔집합적〕 초소형〔마이크로〕 회로.
mìcro·circulátion *n.* 〖생리〗 미소(微小) 순환; 미소 순환계. [파] **micro·círculatory** *a.*
mícro·clìmate *n.* [U] 〖기상〗 소(小)기후《한 국지(局地)의 기후》; 미(微)기후《소기후보다 더 작은 지점의 기후》. [파] **micro·climátic** *a.*
mìcro·climatólogy *n.* [U] 미(微)기후학. [파] **-gist** *n.* **-climatológical** *a.* **-ically** *ad.*
mìcro-clóse *a.* 대단히 가까운〔정밀한〕.
mi·cro·coc·cus [màikrəkákəs/-kɔ́k-] (*pl.* **-coc·ci** [-káksai/-kɔ́k-]) *n.* 〖세균〗 단(單)〔미(微)〕 구균(球菌), 구상(球狀)세균. [파] **-cóc·cal** *a.*
mícro·còde *n.* 〖컴퓨터〗 microprogramming 에서 쓰이는 코드.
mìcro·compónent *n.* 마이크로컴포넌트《minicomponent보다 더 소형인 컴포넌트형 오디오 장치》.
mìcro·compúter *n.* 〖컴퓨터〗 마이크로컴퓨터.
mìcro·cóntinent *n.* 〖지학〗 대륙형 소암반(小岩盤).
mícro·còpy *n.* 축소복사(물)《서적·인쇄물을 microfilm으로 축사(縮寫)한 것》.
mìcro-córneal léns 소각막(小角膜) 렌즈《각막만을 덮는 콘택트 렌즈》. [cf.] haptic lens.
mi·cro·cosm [máikrəkàzəm/-kɔ̀z-] *n.* **1** 소우주, 소세계. [opp.] *macrocosm.* **2** (우주의 축도로서의) 인간 (사회); 축도. ***in*** ~ 소규모로.
mi·cro·cos·mic [màikrəkázmik/-kɔ́z-] *a.* 소우주의, 소세계의. [파] **-mi·cal·ly** *ad.*
microcósmic sált 〖화학〗 인산염.
mícro·cràck *n.* 미소(微小) 균열《유리 따위》. **—** *vi., vt.* 미소 균열이 생기다〔생기게 하다〕.
mìcro·crédit *n.* 소액 융자《발전도상국에서 새 중소기업체에 저금리로 소액을 빌려 주는 것》.

mícro·crỳstal *n.* (현미경을 통해서만 볼 수 있는) 미세 결정(結晶).
mìcro·crýstalline *a.* 〖광물〗 미정질(微晶質)의.
mícro·cùlture *n.* 협역(狹域) 문화《문화 단위로서의 소집단의 문화》; (미생물·세포의) 현미경 관찰용의 배양. ㊞ **mìcro·cúltural** *a.*
mìcro·cúrie *n.* 〖물리〗 마이크로퀴리《1 퀴리의 100만분의 1》.
mi·cro·cyte [máikrəsàit] *n.* 〖생물〗 미소 세포, 미소체; 〖의학〗 소(小)적혈구. ㊞ **mì·cro·cýt·ic** [-sít-] *a.*
mìcro·disséction *n.* Ⓤ 현미(顯微) 해부.
mìcro·distribútion *n.* 〖생태〗 미소(微小) 분포.
mícro·dòt *n.* 마이크로도트《점 크기만 하게 축소한 사진》; 《속어》 농축 LSD가 든 작은 정제. ― *vt.* …의 마이크로도트를 만들다.
mìcro·éarthquake *n.* 미소(微小) 지진.
mìcro·económics *n. pl.* 〔단수취급〕 미시(적)(微視(的)) 경제학. OPP *macroeconomics.* ㊞ **-nomic** *a.*
mìcro·eléctrode *n.* 마이크로〔현미(顯微)〕 전극(電極).
mìcro·electrónics *n. pl.* 〔단수취급〕 마이크로일렉트로닉스, 극소 전자공학, 초소형 전자 기술. ㊞ **-lectrónic** *a.* **-ically** *ad.*
mìcro·electrophorésis *n.* 〖화학〗 현미경으로 관찰하는 전기 영동(泳動). ㊞ **-phorétic** *a.* **-ically** *ad.*
mìcro·élement *n.* 〖생화학〗 미량 원소(微量元素)(trace element).
mìcro·encápsulate *vt.* (약 따위를) 마이크로캡슐에 넣다. ㊞ **-encapsulátion** *n.*
mìcro·envíronment *n.* 〖생태〗 미소(微小) 환경(microhabitat). ㊞ **-environméntal** *a.*
mìcro·evolútion *n.* 〖생물〗 소진화(小進化)《미소한 유전자 돌연변이가 누적되어 한 종 내에서 여러 변종이 생기는 단기간의 진화》. ㊞ **~·ary** *a.*
mícro·fàrad *n.* 〖전기〗 마이크로패럿《전기 용량의 실용 단위; 1 farad의 100만분의 1; 기호 *μ*F》.
mícro·fìber *n.* 마이크로 파이버《직경이 수 미크론 정도의 초극세(超極細) 합성 섬유》.
mi·cro·fiche [máikrəfìːʃ] *n.* (여러 페이지분을 수록하는) 마이크로필름 카드.
mìcro·fílament *n.* 〖생물〗 (세포질 내의) 미세섬유.
mícro·film *n.* 축사(縮寫) 필름, 마이크로필름. cf bibliofilm, microcopy. ― *vt., vi.* 축사 필름에 찍다. ㊞ **~·a·ble** *a.* **~·er** *n.*
mícro·fòrm *n.* 인쇄물의 극소 축쇄(縮刷)법; 그 인쇄물; 축소 복사(microcopy). ― *vt.* 축소 복사하다.
mìcro·fóssil *n.* 〖생물〗 미화석(微化石).
mícro·fùngus 〖식물〗 극미균(極微菌), 마이크로 균.
mícro·gàuss *n.* 〖물리〗 마이크로가우스《100만분의 1 가우스》.
mi·cro·gram [máikrəgræ̀m] *n.* 마이크로그램《100 만분의 1 그램》.
mi·cro·graph [máikrəgræ̀f, -grɑ̀ːf] *n.* 가는 글씨 쓰는 기구; 현미경 사진〔그림〕(OPP *macrograph*); 미동(微動) 확대 측정기.
mi·cro·graph·ics [màikrəgrǽfiks] *n. pl.* 〔단수취급〕 (microform을 쓴) 미소축쇄(微小縮刷)(업). ㊞ **-gráph·ic**[1] *a.* **-i·cal·ly**[1] *ad.*
mi·crog·ra·phy [maikrágrəfi/-krɔ́g-] *n.* Ⓤ 현미경 관찰물의 촬영〔묘사, 연구〕(법); 현미경 검사; 세서(細書)〔세사(細寫)〕술(術). OPP *macrography.* ㊞ **mì·cro·gráph·ic**[2] *a.* **-i·cal·ly**[2] *ad.*
mícro·gràvity *n.* 마이크로 중력《특히 인력이 거의 없는 우주 궤도의 상태》.
mícro·gròove *n.* (LP판의) 좁은 홈; (M-) LP 레코드《상표명》.
mìcro·hábitat *n.* 〖생태〗 미소 서식(棲息) 구역(microenvironment).
mi·crohm [máikròum] *n.* 〖전기〗 마이크로옴(《=10^{-6}ohm, 기호 *μ*Ω》). [◂ *micr-*+*ohm*]
mìcro·ímage *n.* (마이크로필름 따위로 찍은) 축소도, 축소 사진.
mìcro·injéction *n.* Ⓤ 현미(顯微) 주사.
mìcro·instrúction *n.* 〖컴퓨터〗 마이크로 명령《컴퓨터의 기계어 명령을 실행하기 위해 수행되는 더욱 낮은 수준의 명령》.
mìcro·kérnel *n.* 〖컴퓨터〗 마이크로 커널《kernel의 기본 기능을 담당하는 module》.
mícro·kìd *n.* 컴퓨터를 좋아하는 아이.
mícro·lèns *n.* 마이크로렌즈, 극소 사진 촬영용 렌즈.
mícro·lìght, -lìte [-làit] *n.* 초(超)경량 비행기(ultralight).
mi·cro·lith [máikrəliθ] *n.* 〖고고학〗 세석기(細石器); 〖의학〗 소결석(小結石). ㊞ **mì·cro·líth·ic** *a.* 세석기 문화〔모양〕의.
mi·crol·o·gy [maikrálədʒi/-krɔ́l-] *n.* Ⓤ **1** 미물(微物) 연구(학). **2** 꼬치꼬치 캠.
mìcro·machíne *n.* 〖기계·전자〗 마이크로 기계.
mìcro·machíning *n.* 마이크로 기계 가공.
mi·cro·man·age [màikrəmǽnidʒ] *vt.* 세세한 점까지 관리〔통제〕하다. ㊞ **~·ment** *n.*
mìcro·manipulátion *n.* 극미(極微) 조작.
mìcro·manípulator *n.* 〖공학〗 미세 조작〔조정〕 장치.
mìcro·mátion *n.* 〖컴퓨터〗 COM(computer output microfilming) 등을 사용하여 컴퓨터의 처리 결과를 마이크로필름에 출력하는 방법. [◂ *micro*filming+auto*mation*]
mìcro·mechánics *n.* 〖기계·전자〗 마이크로 공학《micromachine 의 연구 개발 분야》. ㊞ **-ical** *a.*
mícro·mèsh *a.* 그물코가 극히 미세한《스타킹 따위》.
mìcro·metástasis *n.* 〖의학〗 (암세포의) 미소 전이(微小轉移).
mìcro·méteorite *n.* 〖천문〗 Ⓤ 미소 운석(微小隕石), 유성진(流星塵); 우주진(塵). ㊞ **-mète·orític** *a.*
mìcro·méteoroid *n.* 〖천문〗 미소 유성체(微小流星體).
mìcro·meteorólogy *n.* Ⓤ 미(微)기상학. ㊞ **-gist** *n.* **-meteorológical** *a.*
mi·crom·e·ter[1] [maikrámətər/-krɔ́m-] *n.* (현미경·망원경용의) 측미계(測微計), 측미척(測微尺); = MICROMETER CALIPER. ㊞ **mi·cro·met·ri·cal** [màikroumétrikəl] *a.*

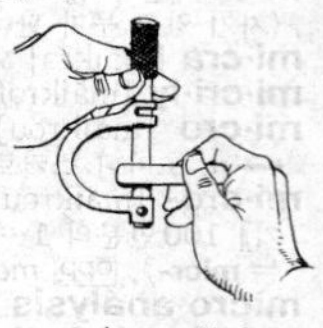
micrometer[1]

mícro·mèter[2] *n.* 마이크로미터(micron) 《= 10^{-6}m; 기호 *μ*m》.
micrómeter cáliper 〖기계〗 마이크로미터 캘리퍼, 측미경기(測微徑器).
micrómeter scréw 〖기계〗 마이크로미터 나사, 미동(微動) 측정 나사.
mi·crom·e·try [maikrámətri/-krɔ́m-] *n.* Ⓤ 측미법(測微法)〔술〕.
mìcro·mícron *n.* 마이크로미크론《= 10^{-6}micron; 기호 *μμ*》.
mi·cro·mini [màikroumíni] *a.* 초소형의 (microminiature). ― *n.* 초소형의 것; 초미니 스커트.
mìcro·míniature *a.* (전자 부품이) 초소형인, 초소형 전자 부품〔회로〕의.
mìcro·míniaturìze *vt.* (전자 기기 등을) 초소형화하다. ㊞ **mìcro·miniaturizátion** *n.*

mìcro·mínicompùter *n.* 마이크로미니컴퓨터《16비트 이상의 마이크로프로세서를 쓴 것》.
mìcro·módule *n.* 〖전자〗 마이크로모듈《인공위성 따위에 쓰는 초(超)소형 전자 회로의 단위》.
mìcro·morphólogy *n.* 〖토양〗 미(세)〔미소〕 구조; 〖생물〗 미소 형태학. ㊐ **-morphológic, -ical** *a.* **-ically** *ad.*
mi·cron [máikran/-krɔn] (*pl.* **~s, -cra** [-krə]) *n.* **1** 미크론《1m의 100만분의 1; 기호 μ》. **2** 〖물리·화학〗 마이크론《직경 0.2-10μ의 교상(膠狀) 미립자》.
mícro·nèedle *n.* 현미침(顯微針).
Mi·cro·ne·sia [màikrəní:ʒə, -ʃə/-ziə] *n.* 미크로네시아《태평양 서부 Melanesia의 북쪽에 퍼져 있는 작은 군도(群島); Mariana, Caroline, Marshall, Gilbert 따위의 제도를 포함》.
Mi·cro·ne·sian [màikrəní:ʒən, -ʃən/-ziən] *a., n.* 미크로네시아(사람, 말)의; 미크로네시아 사람〔말〕.
mi·cro·ni·zá·tion *n.* 미분화(微粉化). 「하다.
mi·cron·ize [máikrənàiz] *vt.* 미분화(微粉化)
mìcro·núcleus *n.* 〖동물〗 소핵(小核). ㊐ **-nú·cle·ar** *a.*
mìcro·nútrient *n., a.* 〖생화학〗 미량 영양소(의) 《비타민 따위》, 무기염류(無機塩類)(의).
mìcro·órganism *n.* 미생물《박테리아 따위》.
mìcro·paleontólogy *n.* 미(微)고생물학. ㊐ **-gist** *n.* **-ontológic, -ical** *a.*
mìcro·párasite *n.* 소(小)기생물〔체〕, 기생미생물. ㊐ **-parasític** *a.*
mìcro·párticle *n.* 미립자.
mìcro·páyment *n.* 소액 결제. 「증.
mìcro·phóbia *n.* 〖의학〗 미생물〔미소물〕 공포
⁑mi·cro·phone [máikrəfòun] *n.* 마이크(로폰)(mike), (라디오 따위의) 송화기(送話器). ㊐ **mì·cro·phón·ic** [-fánik/-fɔ́n-] *a.*
mìcro·phónics *n.* **1** 마이크로폰학(學). **2** 〖전자〗 마이크로폰 잡음《전자관·회로 소자(素子)·시스템의 기계적 진동으로 일어나는 전기 신호에 의한 잡음》.
mìcro·phótograph *n.* 축소 사진; 현미경 사진 (photomicrograph). ㊐ **-photográphic** *a.* **-photógrapher** *n.* **-photógraphy** *n.* 마이크로 사진술; 현미경 사진술.
mìcro·photómeter *n.* 〖광학〗 미소부 측광기 (測光器)《현미경적 미소 측광에 쓰이는 초정밀도의》.
mìcro·phýsics *n. pl.* 〔단수취급〕 미시적(微視的) 물리학. OPP *macrophysics.* ㊐ **-phýsical** *a.* **-ically** *ad.*
mi·cro·phyte [máikrəfàit] *n.* 〖식물〗 미소(微小) 식물; 박테리아. ㊐ **mì·cro·phýt·ic** *a.*
mi·crop·o·lis [maikrápələs/-krɔ́p-] *n.* (대도시의 시설을 갖춘) 소형 도시.
mìcro·populátion *n.* 〖생태〗 (특정 환경 내의) 미생물 집단; 협역(狹域) 생물 집단.
mícro·pòre *n.* 〖동물〗 (원생동물 외피에 있는) 소공(小孔); 〖화학〗 (촉매의) 마이크로 세공(細孔); 〖지학〗 미세 공극(孔隙); 〖야금〗 미소 공동 (空洞). ㊐ **mìcro·porósity** *n.*
mìcro·pórous *a.* 미공(微孔)이 있는, 미공성 (性)의. 「하다.
mícro·prìnt *n., vt.* 축소〔마이크로〕 사진 인화
mícro·prìsm *n.* 〖사진〗 마이크로 프리즘《초점 스크린 상에 있는 미소(微小) 프리즘; 초점이 맞지 않으면 상이 뿌예짐》.
mícro·pròbe *n.* 〖화학〗 마이크로 프로브《전자빔을 이용한 시료(試料)의 미량 분석용 장치》.
mìcro·prócess *vt.* (데이터를) 마이크로프로세서로 처리하다. 「장치.
mìcro·prócessing ùnit 〖컴퓨터〗 소형 처리
mìcro·prócessor *n.* 〖컴퓨터〗 마이크로프로세서《소형 전산기의 중앙 처리 장치》.
mìcro·prógram *n.* 〖컴퓨터〗 마이크로프로그램《마이크로프로그래밍에서 쓰는 통로〔루틴〕(routine)》. — *vt.* (컴퓨터에) 마이크로프로그램을 짜넣다. 「프로그래밍.
mìcro·prógramming *n.* 〖컴퓨터〗 마이크로
mìcro·publicátion *n.* **1** =MICROPUBLISHING. **2** 마이크로 출판물.
mìcro·públishing *n.* (microform에 의한) 마이크로 출판, 마이크로폼 간행. ㊐ **-públish** *vt., vi.* **-públisher** *n.*
mìcro·pulsátion *n.* 〖지학〗 지자기 미맥동(微脈動), 초단맥동(超短脈動).
mícro·quàke *n.* =MICROEARTHQUAKE.
mìcro·rádiograph *n.* 초미립자 고해상도(高解像度) 건판을 이용한 엑스선 사진《수백 배로 확대한 것》.
mícro·rèader *n.* 마이크로필름 확대 투사 장치.
mìcro·reprodúction *n.* 마이크로(필름) 복사.
mìcro·revolútion *n.* 마이크로 혁명《미세 기술의 대변혁》. 「형 로켓》.
mícro·ròcket *n.* 마이크로 로켓《실험용 극소
mícro·sàmple *n.* 현미시료(顯微試料)〔표본〕, (실험 따위에 쓰이는) 물질의 극미 표본.
⁑mi·cro·scope [máikrəskòup] *n.* 현미경; (the M-) 〖천문〗 현미경자리(=**Mi·cro·scó·pi·um**): a reading ~ 잔 글씨를 읽는 현미경. ***put ... under the*** ~ 세밀히 살피다.
°mi·cro·scop·ic, -i·cal [màikrəskápik/-skɔ́p-], [-əl] *a.* 현미경의〔에 의한〕; 현미경적인; 현미경 관찰의; 극히 작은, 극미의; 〖물리〗 미시적(微視的)인. OPP *macroscopic.* ¶ a ~ organism 미생물. ㊐ **-i·cal·ly** *ad.* 현미경(적)으로.
mi·cros·co·pist [maikráskəpist/-krɔ́s-] *n.* 현미경 (숙련) 사용자.
mi·cros·co·py [maikráskəpi/-krɔ́s-] *n.* Ⓤ 현미경 사용(법)〔검사(법)〕; 현미경에 의한 검사, 검경(檢鏡): by ~ 현미경 검사로. 「1초》.
mícro·sècond *n.* 마이크로세컨드《100만분의
mìcro·séction *n.* 검경용(檢鏡用)의 얇은 절편 (切片), 현미(顯微)절편.
micro·seism [máikrəsàizəm/⌐-⌐] *n.* 〖지학〗 맥동(脈動)《지진 이외의 원인에 의한 지각(地殼)의 미약한 진동》. ㊐ **micro·séismic, -mical** *a.* **-seismícity** *n.* 「동계(脈動計).
mìcro·séismograph *n.* 미동계(微動計), 맥
mìcro·seismómetry *n.* Ⓤ 미동(微動)〔맥동〕 측정법. 「커트.
mícro·skìrt *n.* 마이크로스커트, 초(超)미니스
mícro·slèep *n.* 〖생리〗 (깨어 있을 때의) 순간적인 잠, 깜박 졸기. 「현미경 검사용》.
mícro·slìde *n.* 마이크로슬라이드《초미생물의
Micro·soft [máikrousɔ̀:ft, -sɑ̀ft/-sɔ̀ft] *n.* 마이크로소프트. **1** 마이크로컴퓨터의 OS《상표명》. **2** 미국의 소프트웨어 회사.
Mícrosoft Wíndows 마이크로소프트 윈도《MS-DOS 위에 멀티 윈도 환경과 통일적인 GUI를 제공하는 Microsoft사의 소프트웨어》.
mi·cro·some [máikrəsòum] *n.* 〖생물〗 마이크로솜《세포질 안의 미립체(微粒體)》. ㊐ **mì·cro·só·mal, -só·mic** *a.* 「光器).
mìcro·spéctroscope *n.* 현미 분광기(顯微分
mícro·sphère *n.* 〖생물〗 중심체《중심소체(小體)를 둘러싼 투명한 부위》. ㊐ **mìcro·sphérical** *a.* 「씨.
mícro·spòre *n.* 〖식물〗 소포자(小胞子), 작은 홀
mi·cro·state [máikroustèit] *n.* 미소(微小)국가《특히 근래에 독립한 아시아·아프리카의》.

mícro·strìp *n.* 종래의 dish antenna에 대신하는 얇은 원반꼴 안테나.
mícro·strùcture *n.* Ⓤ 미(세)구조《현미경에 의해서만 볼 수 있는 조직·구조》. ⊞ **mìcro·strúctural** *a.* 「구, 한정적〔특수〕 연구.
mícro·stùdy *n.* (어떤 분야의) 극소 부분의 연
mìcro·súrgery *n.* 현미(顯微) 수술《현미경을 써서 하는 미세한 수술〔해부〕》. ⊞ **-súrgical** *a.*
mícro·swìtch *n.* 마이크로스위치《자동 제어 장치의 고감도 스위치》.
mícro·tèaching *n.* 〖교육〗 교직 실습생이 수 명의 학생을 5-20분간 가르치는 것을 녹화하여 평가하는 방식.
mícro·technìque, -tèchnic *n.* 현미경 기술《전자 현미경으로 하는 관찰·실험의 조작》.
mìcro·technólogy *n.* 마이크로 공학《초소형 전자공학》.
mìcro·téktite *n.* 〖해양〗 극미(極微) 타이트《해저 침전물 중의 미세한 우주진(塵)의 일종》.
mícro·tèxt *n.* 마이크로텍스트《microform 모양으로 된 텍스트》.
mícro·tèxture *n.* (암석·금속 따위의) 미세(微細) 구조. ⊞ **mìcro·téxtural** *a.*
mícro·thèory *n.* 마이크로 이론《개개의 작은 이론을 설명하는》.
mi·cro·tome [máikrətòum] *n.* 마이크로톰《현미경 관찰을 위해 생체 조직을 얇게 자르는 기구》.
mícro·transmìtter *n.* 극소형 발신 장치《감시·추적 따위에 쓰임》.
mi·cro·tu·bule [màikroutjúːbjuːl] *n.* 〖생물〗 미세소관(微細小管)《세포의 원형질의 극소관》.
mi·cro·vas·cu·lar [màikrouvǽskjələr] *a.* 미세혈관의.
mìcro·víllus (*pl.* **-víl·li** [-lai, -liː]) *n.* 〖생물〗 미세 융모(絨毛), 융모양(樣) 돌기. ⊞ **-víllar** *a.* **-víllous** *a.*
mícro·vòlt *n.* 〖전기〗 마이크로볼트《기전력(起電力) 또는 전위차의 단위; 1볼트의 100만분의 1;기호 μV, μv》. 「watt; 기호 μW》.
mícro·wàtt *n.* 〖전기〗 마이크로와트《$=10^{-6}$
mícro·wàve *n.* **1** 마이크로파(波), 극초단파《파장이 1m-1cm의 전자기파》. **2** =MICROWAVE OVEN.
— *vi., vt.* 전자레인지에 걸다, 전자레인지로 요리하다.
mícrowave lánding sỳstem 〖항공〗 극초단파 착륙 유도 장치《생략: MLS》.
mícrowave òven 전자레인지.
mícrowave sìckness 〖의학〗 극초단파병(病)《극초단파에 노출되어 생기는 신체 장애》.
mícro·wòrld *n.* 현미경 아래 펼쳐지는 미세한 세계.
mi·cro·zyme [máikrəzàim] *n.* 발효 미생물.
mi·crur·gy [máikrəːrdʒi] *n.* (현미경을 써서 하는) 현미 조작(법), 〖생물·의학〗 현미 해부.
mic·tu·rate [míktʃərèit] *vi.* 방뇨〔배뇨(排尿)〕하다, 오줌을 누다(urinate).
mic·tu·ri·tion [mìktʃəríʃən] *n.* Ⓤ 배뇨(排尿); 《고어》 삭뇨(數尿)《오줌이 자주 마려움》.
*****mid**[1] [mid] (**míd·most**) *a.* 중앙의, 가운데〔복판〕의, 중간의; 〖음성〗 중모음의: the ~ finger 중지(中指) / ~-October 10월 중순경 / in ~ career 〔course〕 중도에 / in ~ summer 한여름에.
mid[2], **'mid** *prep.* =AMID.
mid. middle; midshipman. 「전후》.
mìd·afternóon *n.* 이른 오후《대략 3-4 p.m.
mid·áir *n.* Ⓤ 공중, 상공: ~ collision 공중 충돌 / ~ refueling 공중 급유. ***in*** **~** 공중에 매달린 상태로.
Mi·das [máidəs] *n.* **1** 〖그리스신화〗 미다스《손에 닿는 모든 것을 황금으로 변하게 했다는 Phrygia의 왕》. **2** Ⓒ 〔일반적〕 큰 부자. ***the ~ touch*** 돈 버는 재주.
MIDAS [máidəs] Missile Defense Alarm System (미사일 경보 방어 시스템).
míd-Atlàntic *a.* **1** 중부 대서양(안)의. **2** (영어가) 영어(英語)와 미어(美語)의 중간 성격의: ~ English 영미 공통 영어. **3** (상품이) 영미 양국에 두루 쓰이게 만든.
míd-Atlàntic státes (the ~) (미국의) 중부 대서양 연안의 주《New York, Pennsylvania, New Jersey; 때로는 Delaware와 Maryland를 포함함》.
míd·bràin *n.* 〖해부〗 중뇌(中腦).
mìd·cóntinent *n.* 대륙 중앙부.
míd·cóurse *n., a.* 〖군사〗 미드코스(의)《미사일로켓의 분사가 끝나고 대기권에 재돌입할 때까지의 비행 기간; 이 사이에 궤도 수정을 함》: a ~ correction 〔guidance〕 중간 궤도 수정〔유도〕.
mid·cult [mídkʌ̀lt] *n.* Ⓤ,Ⓒ (보통 M-) 《구어》 중류사회〔중간〕 문화. [◂ *middle culture*]
*****mid·day** [míddèi, ⌐⌐] *n., a.* 정오(의), 한낮(의): at ~ 정오에 / a ~ meal 점심 식사.
mid·den [mídn] *n.* 〖고고학〗 패총, 조개무지 (kitchen ~); 《영방언》 퇴비(dunghill); 쓰레기 더미(refuse heap).
mid·der [mídər] *n.* 《영속어》 산파술; 산과학.
†**mid·dle** [mídl] *a.* **1** 한가운데의, 중간의(medial), 중앙의. **2** 중위(中位)의, 중류의, 중등의, 보통의: a man of ~ stature 〔height〕 중키〔보통키〕의 사나이 / follow 〔take〕 a 〔the〕 ~ course 중용을〔중도를〕 취하다. **3** 중세의; (M-) 〖지학〗 (지층이) 중기의(cf. Upper, Lower); (M-) 〖언어〗 중기의(cf. Old, Modern). **4** 〖논리〗 중명사(中名辭)의; 〖문법〗 중간태(態)의.
— *n.* **1** (the ~) 중앙, 한가운데, (한)복판; 중간(부분); 중도: about the ~ of the 19th century, 19세기 중엽.

> **SYN.** **middle** center처럼 엄밀하지 않고 중심 부분을 나타냄. **center** 원, 원형을 이루는 것의 주위나 선의 양극단에서 등거리에 있는 점을 나타냄. **midst** middle의 뜻으로 보통 관용구 in the *midst* of 따위로 쓰임. **heart** 중심부나 중요 지점을 나타냄.

2 (the ~, one's ~) 《구어》 (인체) 몸통, 허리: fifty inches (a)round the ~ 몸통〔허리〕 둘레 50인치. **3** 중간물, 매개물; 중재인. **4** 〖논리〗 중명사(中名辭), 매명사(媒名辭)(middle term); 〖문법〗 (그리스어 등의 동사의) 중간태(態)(middle voice); (보통 *pl.*) 〖상업〗 중급품. ***at the ~ of*** …의 중간〔도중〕에. ***be*** 〔***get***〕 ***caught in the ~*** 말싸움에 휘말리다. ***in the ~*** 《구어》 (대립하는 두 사람) 사이에 끼어, 난처한 입장에 빠져. ***in the ~ of*** …의 한가운데에; …을 한창 하는 중에, …에 몰두하여: be *in the ~ of* dinner 한창 식사 중이다. ***of ~ size*** 중 정도〔보통〕 크기의.
— *vi., vt.* 한가운데〔중앙, 중간〕에 놓다; 〖축구〗 (공을) 좌익〔우익〕에서 전위 중앙으로 차 보내다; 〖해사〗 (돛 따위를) 중앙에서부터 개다〔접다〕.
míddle áge 중년, 장년, 초로《대개 40-60세》.
*****mid·dle-aged** [mídléidʒd] *a.* 중년의.
míddle-àge(d) spréad 《구어》 중년에 살찌는 것.
Míddle Áges (the ~) 〖역사〗 중세(기).
míddle-áisle *vt.* 〔다음 관용구로만〕 **~ *it*** 《속어》 결혼시키다〔하다〕.
Míddle América 중앙아메리카; 미국의 중서부; (보수적인) 미국의 중산층.
Míddle (Atlántic) Státes (the ~) =MID-ATLANTIC STATES.
míddle·brèaker *n.* 골타는 농기구〔경운기〕.
míddle·bròw *n., a.* 《구어》 평범한 교양을 갖

춘 지성인(의). cf. highbrow, lowbrow. ㊕ ~ed a. ~ism n. 「건반).

míddle C 〖음악〗 중앙 다(1점 다; 이 음을 내는

míddle cláss 중류(중간, 중산) 계급: the upper (lower) ~(es) 중상류(중하류)층 계급.

míddle-cláss a. 중류(중산)(계급)의.

míddle cóurse 중도(中道), 중용.

míddle dístance 1 〖화화〗 (the ~) (특히 풍경화(畫)의) 중경(中景)(middle ground (plane)) (그림의 전경과 배경의 중간). cf. background, foreground. 2 〖경기〗 (육상 경기의) 중거리(보통 400-1,500m 경주). 「유·경유).

míddle dístillate 〖석유〗 중간 유분(溜分)(등

Míddle Dútch 중세 네덜란드어(12-15세기).

míddle éar 〖해부〗 중이(中耳).

míddle-èarth n. (the ~) (고어·시어) (천국과 지옥 사이에 있는) 이승, 지구(地球).

Míddle Éast (the ~) 중동(흔히 리비아에서 아프가니스탄까지의 지역을 이름).

Míddle Éastern 중동의. 「년; 생략: ME).

Míddle Énglish 중기 영어(약 1150-1500

míddle fínger 가운뎃손가락.

Míddle Flémish 중세 플랑드르어(14-16세기; 생략: MFlem). 「생략: MF).

Míddle Frénch 중세 프랑스어(14-16세기;

míddle gàme (체스 따위의) 중반전.

Míddle Gréek 중세 그리스어.

míddle gróund 1 (the ~) =MIDDLE DISTANCE 1. 2 중용, 중도; (하천이나 항해 가능 수역의) 모래톱. 「도파.

míddle-gróunder n. 중용을 택하는 사람, 중

míddle guárd 〖미식축구〗 미들가드(5인을 배치한 수비 라인 중앙에 위치하는 선수).

Míddle Hígh Gérman 중세 고지(高地) 독일어(12-15세기; 생략: MHG).

Míddle Kíngdom (**Émpire**) (the ~) 고대 이집트의 중왕국(中王國); 〖집합적〗 중국 중심부의 18성(省); 중화 제국(中華帝國), (널리) 중국.

Míddle Látin =MEDIEVAL LATIN.

míddle-lèvel a. 중간 위치의, 중간에 위치하는: ~ management 중간 관리(자)층.

míddle lífe 중년(middle age); (영) 중류 생활.

míddle línebacker 〖미식축구〗 미들 라인배커(3인으로 편성한 linebacker의 중앙에 위치한 선수).

Míddle Lów Gérman 중세 저지(低地) 독일어(12-15세기; 생략: MLG).

míddle·màn [-mæ̀n] (pl. **-mèn** [-mèn]) n. 중간 상인, 브로커; 중매인, 매개자; 중도를 가는 사람: the profiteering of the ~ 중간 상인의 폭리 취득. 「(부·국장급). cf. executive.

míddle mánagement 중간 (경영)관리(자)층

míddle mánager 중간 관리자.

míddle·mòst a. 한가운데의(midmost).

míddle nàme 1 중간 이름(first name과 family name 사이의 이름; George Bernard Shaw의 Bernard). 2 (one's ~) (구어) 두드러진 특징, 눈에 띄는 성격; 장기(長技).

míddle-of-the-róad a. 중용(中庸)의, 중도의, 온건파의(정책 따위); 만인에게 맞는(음악 따위). ㊕ ~·er n. 온건한 정책 주창자, 중도주의자. ~·ism n.

míddle pássage (the ~, 종종 M- P-) 〖역사〗 (대서양) 중앙 항로(노예 무역에 이용되던 아프리카 서해안과 서인도 제도를 잇는 항로).

Míddle Páth 〖불교〗 중도(中道)(Middle Way) (쾌락과 금욕의 양극단에 치우치지 않는 수업법(修業法)).

mid·dler n. 중간 학년의 학생(3년제 학교에서는 2년생, 4년제 학교에는 2, 3년생).

míddle relíef pìtcher 〖야구〗 중계(中繼) 구원 투수(선발 투수에 이어 1-3회 정도 던짐).

míddle-róader n. =MIDDLE-OF-THE-ROADER.

mid·dl·es·cence [mìdəlésəns] n. (사람의) 중년기; 장년. ㊕ **-és·cent** a.

míddle schòol 중학교(junior high school).

Mid·dle·sex [mídlsèks] n. 미들섹스(이전의 잉글랜드 남부의 주; 1965년 Greater London에 편입).

míddle-sízed a. 중형의, 중키의. 「STATES.

Míddle Státes (the ~) =MIDDLE ATLANTIC

míddle térm 〖논리〗 중명사(中名辭), 매명사(媒名辭); 〖수학〗 중간항(中間項)(mean).

Míddle·tòwn n. (때로 m-) (미) (전통적인 가치관·도덕관을 지닌) 전형적인 중류 도시.

míddle vòice (the ~) 〖문법〗 중간태(中間態) (그리스어 따위의 동사의).

míddle·wàre n. 〖컴퓨터〗 미들웨어(컴퓨터 설치자의 특수한 요구에 따라 만들어진 컴퓨터 제조 회사가 제공하는 소프트웨어)

míddle wátch 〖해사〗 (the ~) 한밤중의(야간) 당직(오전 0-4시의).

Míddle Wáy =MIDDLE PATH.

míddle·wèight n., a. 평균 체중인 사람(의); 〖권투·레슬링·역도〗 미들급(의).

Míddle Wést (the ~) (미) 중서부 지방.

Míddle Wéstern (미) 중서부의.

Míddle Wésterner (미) 중서부 사람.

mid·dling [mídliŋ] a. 중등의, 보통의, 2류의, 평범한; (구어·방언) (건강 상태가) 그저 그런(그만인): I feel only ~. 기분은 그저 그렇다. **—** ad. (구어·방언) 중간으로, 보통으로, 웬만큼. **—** n. (보통 pl.) (상품의) 중등품, 2급품; (밀기울 섞인) 거친 밀가루. ㊕ ~·ly ad. 가(可)도 불가(不可)도 아니고, 보통으로.

mìd·dórsal a. 〖생물〗 등 중앙(선)의(에 있는).

Middx. Middlesex. 「MIDDY BLOUSE.

mid·dy [mídi] n. 1 (구어) =MIDSHIPMAN. 2 =

míddy blòuse (여성·어린이용) 세일러복 모양의 블라우스. 「~·ern a.

Mid·éast n. (the ~) (미) =MIDDLE EAST. ㊕

mid·éngined a. (자동차에서) 엔진이 운전석 뒤(차체 중간)에 달린.

mid-Européan a. 중부 유럽의.

mid·èvening n. U 저녁때; 밤중.

mid·field n. 미드필드, 경기장의 중앙부, 필드 중앙(의 선수). ㊕ ~·er n.

Mid·gard, -garth [mídgɑ̀ːrd], [-ð] n. 〖북유럽신화〗 (사람이 사는) 이 세상, 인간계(界), 이승(this world). 「꼬마(둥이).

midge [midʒ] n. (모기·각다귀 등) 작은 곤충;

midg·et [mídʒit] n. 난쟁이, 꼬마(둥이); 초소형(超小型)의 것(자동차·보트·잠수정). **—** a. 보통(표준)보다 작은, 극소형의: a ~ car 소형차/a ~ submarine, 2인승 잠수정.

Mídg·et·màn [-mæ̀n] n. (미) 미지트맨(Minuteman이나 MX 보다 훨씬 소형이며, 핵탄두도 하나뿐인 이동식 미사일).

Míd Gla·mór·gan [-gləmɔ́ːrgən] n. 미드글러모건(웨일스 남부의 주).

míd·gùt n. 〖생물〗 (유충의) 중부 영양관(管); 중장(中腸)(태생기(胎生期) 소화관의 중앙부).

mid·héaven n. U 중천(中天), 공중; 〖천문〗 자오선(meridian).

MIDI [mídi] n. 〖컴퓨터〗 미디(전자 악기를 컴퓨터로 제어하기 위한 인터페이스). **—** a. 미디 시스템의, 미디 대응의. [◂ musical instrument digital interface]

Mi·di [miːdíː] n. (F.) 남(부); 남프랑스.

midi [mídi] n. (mini와 maxi의) 중간 길이의

스커트〔드레스〕, 미디(~ skirt). ―*a.* 미디의, 중형의.

mi·di- [mídi] '중형의'라는 뜻의 연결사.

mid·i·nette [mìdənét] *n.* 《F.》《속어》 (파리의) 여공, 여점원, (양장점의) 여자 재봉사.

míd·iron *n.* 〖골프〗 중거리용 클럽(number two iron)(iron의 2번).

mídi sỳstem 미디시스템《콤팩트 하이파이 장치》.

Midl., MidL Midlothian.

◇**mid·land** [mídlənd] *n.* **1** (보통 the ~) (나라의) 중부 지방, 내륙 지방. **2** (the M-) 미국 중부 지방. **3** (M-) 영국 중부 지방의 방언. **4** (the M-s) 잉글랜드 중부의 제주(諸州). ―*a.* (나라의) 중부(지방)의; 육지에 둘러싸인; (M-) 잉글랜드 중부(지방)의; 미국 중부 지방의; 중부 (지방) 방언의; 지중해의.

Mídland díalect (the ~) **1** 영국 중부 지방의 방언《런던을 포함하여 동부 지방(East Midland) 방언이 근대 영어의 표준이 되었음》. **2** 미국 중부 방언.

Mídland séa (the ~) 《시어》 지중해.

míd-látitudes *n. pl.* 중간 위도 지방《위도 30°-60°의 온대》.

míd·lèg *n.* 다리의 중앙부; 곤충의 가운뎃다리; 《속어》 음경(陰莖)(penis). ― [ˊˋ] *ad.* 다리의 중앙부에〔까지〕.

Míd-Lent Súnday 사순절(節)(Lent)의 넷째 일요일(Mothering Sunday).

míd-lìfe *n.* 중년(middle age).

mídlife crísis 중년의 위기《청년기가 끝난다는 자각에서 생기는》.

míd·lìne *n.* (신체 따위의) 중선(中線), 중간선.

Mid·lo·thi·an [midlóuðiən] *n.* 미들로디언《스코틀랜드의 옛 주(州)》.

míd-màshie *n.* 〖골프〗 미드매시《number three iron, 3번 아이언》.

míd·mòrning *n.* [U] 오전 중간쯤.

míd·mòst *a., ad.* 한가운데의〔에〕.

midn. midshipman.

⁑**mid·night** [mídnàit] *n.* **1** 한밤중, 밤 12시. **2** 암흑, 깜깜한 어둠: (as) dark 〔black〕 as ~ 캄캄한. ―*a.* 한밤중의: the ~ hours 한밤중의 시간 / a ~ matinée 한밤중의 흥행〔공연〕 / ~ blue 짙은 감색(紺色). ***burn the ~ oil*** 밤늦게까지 공부하다〔일하다〕. [파] **~·ly** *ad., a.*

mídnight féast (기숙사의 학생들이) 심야에 몰래 먹는 음식.

Mídnight Máss 심야의 미사《크리스마스 이브에 행해지는 미사》.

mìdnight shópper 《CB속어》 도둑(thief).

mìdnight sún (the ~) (극지 여름의) 심야 태양.

míd·nòon *n.* [U] 《드물게》 한낮, 정오.

míd·ocean rídge [mídòuʃən-] 〖지학〗 대양(大洋) 중앙 해령(中央海嶺).

mid óff 〖크리켓〗 투수의 왼쪽에 자리잡은 야수(野手)(의 위치).

míd ón 〖크리켓〗 투수의 오른쪽에 자리잡은 야수(의 위치).

míd·pòint *n.* 〔보통 단수취급〕 중심점, (선의) 중앙(지)점; (경과·활동·시간의) 중간점; 〖수학〗 중점(中點).

míd-ránge *a.* (질·크기·비용 등이) 보통의.

míd·rìb *n.* 〖식물〗 (잎의) 주맥(主脈).

mid·riff [mídrif] *n., a.* **1** 〖해부〗 횡격막(diaphragm). **2** 몸통; (옷의) 몸통 부분(의); 《미》 몸통 부분의 중앙이 트인《수영〔여성〕복》.

míd-rìse *a.* (빌딩이) 중층(中層)의《엘리베이터가 있는 보통 5-10층 건물》.

míd·sèction *n.* **1** 단면(斷面); (몸통의) 중앙부(midriff). **2** 《속어》 명치.

míd·seméster *n., a.* 학기 중간(의).

míd·shìp (the ~) *n., a.* 선체의 중앙(의).

míd·shìpman [-mən] (*pl.* ***-men*** [-mən]) *n.* 《영》 (해군 사관 학교 졸업 후의) 수습 장교; 《미》 해군 사관 학교 생도.

míd·shìps *ad., a.* 배의 중앙에〔의〕(amidships).

míd shòt 〖사진〗 중거리 촬영 (사진).

míd·sìze *a.* 중형의. ―*n.* 중형차.

◇**midst** [midst] *n.* **1** 중앙, (한)가운데: from 〔out of〕 the ~ of …의 한 가운데에서〔로부터〕. **2** 한창. ***in the ~ of us*** 〔***you, them***〕 =***in our*** 〔***your, their***〕 ~ 우리〔너희, 그(사람)〕들 사이에: To think there was a spy *in our ~!* 우리 중에 스파이가 있었다니. ***in*** 〔***into***〕 ***the ~ of*** ① …의 한가운데에〔로〕. ② 한창 …중에(during). ―*ad.* 중간에, 한가운데에. ***first, ~ and last*** 시종일관해서, 철두철미. ―*prep.* 《시어》 =AMID(ST).

'midst [midst] *prep.* =AMID(ST).

míd·stréam *n.* 강의 한가운데, 중류; (일의) 도중; (기간의) 중간쯤. ***change horses in ~*** 일의 중도(中途)에 사람이나 계획을 바꾸다.

◇**míd·súmmer** *n.* 한여름, 성하(盛夏); 하지 무렵.

Mídsummer Éve 〔**Níght**〕 《영》 Midsummer Day의 전날 밤.

mídsummer mádness 《문어》 극도의 광란《한여름의 달과 열기 때문으로 상상됨》.

Mídsummer Níght's Dréam (A ~) '한여름밤의 꿈'《Shakespeare작의 희극》.

Mídsummer('s) Dáy 세례 요한 축일(=**Sàint Jóhn's Dày**)《6월 24일; 영국에서는 사계(四季)〔4분기(分期)〕 지급일(quarter days)의 하나》.

míd-téen *a.* 십대 중반의《대개 15-17세 사이의》. ―*n.* 10대 중반의 젊은이; (~s) 13부터 19까지의 수〔값, 양, 연령〕.

míd·tèrm *n.* **1** [U] (학기·임기·임신 기간 따위의) 중간 시점. **2** (종종 *pl.*) 《미구어》 중간 고사. ―*a.* (임기·학기 등의) 중간의.

mídterm bréak (한 학기의) 중간 방학.

mídterm eléction 《미》 중간 선거《대통령의 임기 4년 중간에 행해지는 국회의원 선거; 임기 2년의 하원 의원은 중간 선거 때에 전의원이 개선되고, 임기 6년의 상원 의원은 1/3이 개선됨》.

míd·tówn *n., a., ad.* 《미》 상업 지역과 주택 지역의 중간 지구(의, 에서).

míd-Victórian *a., n.* (종종 M-) 빅토리아조 중기의 (이상을〔취미를〕 가진) (사람); 구식인〔도덕적으로 엄격한〕 (사람).

◇**míd·wáy** *a., ad.* 중도의〔에〕, 중간쯤의〔에〕(halfway). ― [ˊˋ] *n.* **1** 《미》 (박람회 따위의) 중앙로《여흥장·오락장·매점 따위가 있음》. **2** 《미속어》 복도, 통로; 《미속어》 구치소의 통로. **3** 《고어》 중도, 중간; 중용.

Míd·way Íslands [mídwèi-] (the ~) 미드웨이 군도(群島)《하와이 근처에 있는 미국령》.

míd·wèek *n., a.* 주일 중간쯤(의); (M-) (퀘이커 교도간에서는) 수요일. [파] **mìd·wéekly** *a., ad.* 주(週)의 중간쯤의〔에〕.

Míd·wést *n., a.* (the ~) 미국 중서부(의).

Míd·wéstern *a.* 미국 중서부의. [파] **~·er** *n.* 미국 중서부 사람.

míd·wìfe (*pl.* ***-wives*** [-wàivz]) *n.* 조산사, 산파; 《비유》 산파역. ― (***~d, -wived*** [-vd]; ***-wìfing, -wìving*** [-viŋ]) *vt.* 산파역을 맡다.

mid·wife·ry [midwífəri, mídwàifəri/mídwìfəri] *n.* [U] 조산술, 산과학(學)(obstetrics); (일의 실현을 위한) 유효한 조력.

míd·wínter *n., a.* 한겨울(의), 동지(무렵의).

míd·yèar *n., a.* **1** 한 해의 중간쯤(의). **2** =MIDTERM 2.

mien [miːn] *n.* [U] 《문어》 (성격·감정 따위를 나타내는) 풍채, 태도, 모습, 거동: make ~ 꾸미다, 가장하다.

miff [mif] 《구어》 *n.* 부질없는 싸움; 불끈하기; 분개. ***in a*** ~ 불끈하여. **—** *vt., vi.* 불끈(하게) 하다《*at; with*》. ㊀ **~ed** [-t] *a.* 《구어》. 「내는.

miffy [mífi] *a.* (***miff·i·er; -i·est***) 《구어》 화를 잘

MI 5 《영》 Military Intelligence, section five 《영국의 국내 정보부; 미국의 FBI에 해당》.

Mig, MIG, MiG [mig] *n.* 미그《옛 소련제 제트 전투기》. [◂ 설계자 *Mi*koyan and *G*urevich]

mig, mig·gle [mig], [míg*ə*l] *n.* 《방언》 튀김 돌의 일종《유희용》; (~s) 〖단수취급〗 그 놀이.

†**might**[1] ⇨《아래》 MIGHT[1].

might**[2] [mait] *n.* Ⓤ **1** 힘, 세력; 권력, 실력; 완력; 병력: by ~ 완력으로 / *Might* is right. 《격언》 힘이 정의다. SYN. ⇨ POWER. **2** 우세. **3** 《방언》 많음, 충분함: take a ~ of time. (with*** 〔***by***〕 (***all** one's*)) **~ *and main*** =***with all** one's* **~** 전력을 다하여, 힘껏. ㊀ **~·less** *a.*

míght-have-bèen *n.* 그렇게 되었을지도 모를 일; 더 위대한〔유명한〕 인물이 되었을지도 모를 사람. 「게; 대단히.

might·i·ly [máitəli] *ad.* 세게, 힘차게, 맹렬하

might·i·ness [máitinis] *n.* Ⓤ 위대, 강대, 강력; (M-) 《칭호로서》 각하, 전하. ***His High*** (***and***) ***Mightiness*** 〖반어적〗 각하《오만한 자를 빈정대어》.

mightn't [máitnt] MIGHT NOT의 간약형.

mighty** [máiti] (might·i·er; -i·est***) *a.* **1** 강력한. SYN. ⇨ STRONG. **2** 위대한, 강대한, 거대한: ~ works 〚성서〛 기적(miracle). **3** 《구어》 대단〔굉장〕한(great): a ~ hit 대히트, 대성공 / make a ~ bother 대단히 성가신 일을 저지르다. **—** *ad.* 《구어》 대단히, 몹시, 힘껏(very): be ~ pleased 몹시 기뻐하다.

mig·ma·ti·te [mígmətàit] *n.* 〚지학〛 혼성암.

Mi·gnon [minjɑ́n/mínjɔn; *F.* miɲɔ̃] *n.* 미뇽 《여자 이름》.

might[1]

조동사 may의 과거형. 직설법에서는 보통 시제의 일치에 따라 쓰이며, 가정법에서는 should, would, could와 함께 must와 같이 인칭·시제에 의한 어형 변화 없이 쓰인다. 아래 용법 중 1–3은 직설법, 4와 5는 가정법이다.

might [mait] (might not의 간약형 ***mightn't*** [máitnt]; 2인칭 단수 《고어》 (thou) ***might·est*** [máitist]) *aux. v.*

A may의 직설법 과거

1 〖시제의 일치에 의한 과거꼴로 종속절에 쓰이어 may의 여러 뜻을 나타냄〗 **a** 〖가능성·추측〗 …일지도 모른다: I said that it ~ rain. 비가 올지도 모른다고 말했다(<I said, "It *may* rain.") / I was afraid he ~ have lost his way. 그가 길을 잃지 않았는지 걱정하였다. **b** 〖허가·용인〗 …해도 좋다: I asked if I ~ come in. 들어가도 괜찮은지 어떤지를 물었다(<I asked, "*May* I come in?") / We thought we ~ expect a great harvest. 큰 수확을 기대할 수 있으리라고 생각했었다. **c** 〖의문문에서 불확실의 뜻을 강조해〗 (대체) …일까: I wondered what it ~ be. 그것이 대체 무엇일까 궁금히 여겼다 / She asked what the price ~ be. 그 여자는 그 가격이 대체 얼마나 되느냐고 물었다.

2 〖목적·결과의 부사절에서〗 …하기 위해, …할 수 있도록: We worked hard *so that* we ~ succeed. 우리는 성공하기 위해 열심히 일했다 / He was determined to go, come what ~. 무슨 일이 일어나든 그는 가기로 결심하고 있었다.

3 〖양보〗 **a** 〖뒤에 등위접속사 but이 와서〗 …했을(는)지도 모른다〔모르지만〕, …이었는지도 모른다〔모르지만〕: He ~ be rich *but* he was 〔is〕 not refined. 그가 부자였는지는 모르지만 세련미가 없(었)다. **b** 〖양보를 나타내는 부사절에서〗 비록〔설사〕 …였다 하더라도: However hard he ~ try, he never succeeded. 그가 아무리 노력해 보아도 잘 되지 않았다.

> NOTE 직설법의 might는 may의 과거형이기는 하지만, 오직 시제의 일치에 따라 종속절 안에서 쓰이는 것임. 실제 과거에 있어서 추측이나 허가를 뜻할 때, 「…는지도 몰랐다」는 'may 〔might〕 have+과거분사', 「…해도 좋았다」는 'was 〔were〕 allowed to' 로 나타냄. 이런 뜻으로 might를 쓰는 것은 옛 용법이며 현재는 드묾.

B may의 가정법

4 〖might+동사원형; 현재의 사실과 반대의 가정으로〗 **a** 〖허가를 나타내어〗 …해도 좋다(면); …해도 좋으련만: I would go if I ~. 가도 된다면 가는 건데. **b** 〖현재의 추측을 나타내어〗 …할는지도 모르겠는데, …할 수 있을 텐데: You ~ fail if you were lazy. 게으름을 피우면 실패할는지도 모른다 / It ~ be better if we told him the whole story. 그에게 모든 이야기를 해주는 게 좋을지도 모르겠는데. **c** 〖might have+과거분사로; 과거 사실과 반대되는 추측의 가정 귀결절에 쓰여〗 …했을지도 모를 텐데《가정법 과거완료》: I ~ *have gone* to the party, but I decided not to. (가려면야) 파티에 갈 수도 있었지만 가지 않기로 정했었다 / I ~ *have come* if I had wanted to. 올 마음이 있었으면 왔을지도 몰랐는데.

5 〖조건절의 내용을 언외(言外)에 포함한 주절만의 문장으로; 완곡히〗 **a** 〖you를 주어로 해서 의뢰를 나타내어〗 …해주지 않겠습니까: *You* ~ pass me the newspaper, please. 미안하지만 신문 좀 건네주시지 않겠습니까 / *You* ~ ask him. 그에게 물어보는 게 어때. **b** 〖비난·유감의 뜻을 나타내어〗 …해도 괜찮으련만〔좋을 텐데〕: I wish I ~ tell you. 자네에게 말해줄 수 있으면 좋겠네만 (유감이지만 말을 못 하겠다) / *You* ~ (at least) help us. (적어도) 우리를 도와줘도 괜찮으련만 / I ~ *have been* a rich. (마음만 먹었다면) 부자가 될 수 있었을 것을(이젠 늦었다). **c** 〖may보다 약한 가능성을 나타내어〗 (어쩌면) …일지도 모른다: It ~ be true. 어쩌면 사실일지도 모른다 / He ~ *have got* a train already. 그 사람은 이미 열차에 탔을지도 모른다 / Do you think he ~ *have* purposely *disappeared*? 그는 의도적으로 자취를 감추었을까요. **d** 〖may 보다 정중한 허가를 나타내어; 독립문에서는 의문문으로만〗 …해도 좋다; …해도 좋겠습니까: *Might* I ask your name? 성함을 여쭤 보아도 괜찮겠습니까 / *Might* I come in? — Yes, certainly. 들어가도 괜찮겠습니까 — 네, 들어오십쇼《응답에는 might를 쓰지 않음》. **e** 〖의문문에서, 불확실한 기분을 나타내어〗 (대체) …일까: How old ~ she be? 그녀는 대체 몇 살이나 될까. **~ *as well*** ⇨WELL[2]. **~ (*just*) *as well ... as* —** ⇨ WELL[2]. **~ *well ...*** …해도 무리는 아닐 테지〔아니었다〕, …하는 것도 당연하겠지: He ~ *well* ask that. 그가 그렇게 묻는 것도 당연할 테지.

mi·gnon *a.*, *n.* 《F.》 귀여운 (아이); 자그맣고 예쁘장한 (사람); 엷은 자줏빛(의).

mi·gnon·ette [mìnjənét] *n.* 《F.》 『식물』 목서초(木犀草)(reseda); Ⓤ 회녹색(灰綠色)(reseda); Ⓤ 손으로 뜬 무늬 레이스.

mi·graine [máigrein, mí:-] *n.* 《F.》 『의학』 편두통. ㊞ **mi·gráin·ous** *a.*

mi·grain·eur [máigreinər] *n.* 《F.》 편두통 환자.

mi·grant [máigrənt] *a.* =MIGRATORY. —*n.* 이동하는 동물; 철새(migratory bird); 이주자; 회귀어(回歸魚); 이주〔계절〕 노동자.

***mi·grate** [máigreit, -ˊ] *vi.* **1** 이주하다《*from; to*》. **2** 이동하다《새·물고기 등이 정기적으로》: The birds ~ southward in the winter. 그 새들은 겨울에는 남쪽으로 이동한다. **3** (일을 구해 계절적으로) 이동하다. **4** 퍼지다, 확산하다. —*vt.* 이주〔이동〕시키다.

> SYN. **migrate** 사람·동물이 한 지방에서 다른 지방으로 이주함. **emigrate** 사람이 (타국으로) 이주함. **immigrate** 사람이 (타국에서) 이주함.

mí·grat·ing *a.* 이주〔이동〕하는: a ~ balloon.

◇**mi·grá·tion** *n.* **1** Ⓤ,Ⓒ 이주, 이전. **2** 『동물』 (새 따위의) 이동, 옮겨가기. **3** (특히 물고기의) 회귀. **4** Ⓒ 이주자〔이동 중인 동물〕(의 떼); 철새. **5** 『화학』 (분자 내의) 원자 이동; 이온의 이동. ㊞ **~·al** *a.*

mi·gra·tive [máigrətiv] *a.* =MIGRATORY.

mi·gra·tor [máigreitər] *n.* 이주자; 철새.

mi·gra·to·ry [máigrətɔ̀:ri/-təri] *a.* **1** 이주〔이동〕하는. OPP. *resident.* ¶ a ~ bird 철새 / a ~ fish 회유어(回遊魚). **2** 방랑성〔표류성〕의.

mi·gro·naut [máigrənɔ̀:t] *n.* (받아 줄 나라가 없는) 유랑 난민.

M.I.J. Member of Institute of Journalists.

Mike [maik] *n.* 마이크《남자 이름; Michael의 애칭》.

mike[1] [maik] 《영속어》 *vi.* 게으름 피우다, 빈둥거리다. —*n.* Ⓤ 게으름 피움, 빈둥거림. ***on the ~*** 게으르게, 빈둥빈둥.

mike[2] *n.* 《구어》 마이크(microphone): a ~-side account 실황 방송. —*vt.* 마이크로 방송〔녹음〕하다; …에 마이크를 달다《*up*》.

Míke-clàss *a.* 『군사』 마이크급의, M급의《옛 소련 해군 공격형 핵잠수함의 NATO 코드명》.

míke frìght 《미》 마이크 공포증.

Mi·ko·yan [mì:koujá:n] *n.* **Anastas Ivanovich ~** 미코얀《옛 소련의 정치가; 1895-1978》.

mil [mil] *n.* **1** 『전기』 밀《=1/1000인치; 전선의 직경을 재는 단위》. **2** =MILLILITER. **3** 천, 1,000. **4** 『군사』 밀《각도의 단위, 원둘레의 1/6400》.

mil., milit. military; militia.

mi·la·dy, -di [miléidi] *n.* 마님, 아씨, 부인《유럽 대륙 사람의 영국 부인에 대한 호칭; my lady의 와전》; 유행의 첨단을 가는 여성; 상류 부인.

mil·age [máilidʒ] *n.* =MILEAGE.

Mi·lan [milǽn, -lá:n/-lǽn] *n.* 밀라노《이탈리아 북부 Lombardy의 한 주; 그 중심 도시》.

Mil·an·ese [mìləní:z, -ní:s/-ní:z] (*pl.* ~) *n.* 밀라노(Milan) 사람. —*a.* 밀라노(사람)의.

Mi·lan·ko·vich [məlǽŋkəvitʃ] *a.* 밀랑코비치설(說)의《지축의 기울기·방향 및 지구 궤도 이심률의 완만한 주기적 변동은 기후 변동에 관계한다는 설; 유고의 지질학자 Milutin Milankovich에서》.

milch [miltʃ] *a.* 젖 나는, 젖을 짜는.

mílch còw 젖소; 《비유》 돈줄, 계속적인 수입원(源), 달러박스.

****mild** [maild] *a.* **1** (성질·태도가) 온순한, 상냥한; 《폐어》 친절한《*of; in*》: ~ *of* manner 태도가 온순한 / ~ *in* disposition 마음씨가 고운. SYN. ⇨ GENTLE. **2** (기후 따위가) 온화한, 따뜻한, 화창한: ~ weather 온화한 날씨. **3** (음식·음료가) 부드러운, 자극성이 없는; (술·담배 따위가) 순한, 독하지 않은; (비누·세제 따위가) 피부에 부드러운. OPP. *strong, bitter.* ¶ a ~ curry 순한 맛의 카레 / a ~ cigarette 순한 담배. SYN. ⇨ SOFT. **4** (벌·규칙 등이) 관대한, 엄하지 않은; (항의가) 과격하지 않은, 온건한: (a) ~ punishment 관대한 처벌. **5** (병·걱정 따위가) 가벼운: a ~ case (of flu) 경증(輕症)(의 독감) / ~ regret 가벼운 후회. **6** (약이) 효력이 완만한; 자극성이 약한. ***draw it ~*** ⇨ DRAW. —*n.* 《영》 쓴 맛이 적은 맥주. ㊞ **ˊ·ness** *n.*

míld-cùred *a.* (베이컨·햄 따위가) 소금을 약간 친.

mild·en [máildən] *vi.*, *vt.* 온순〔온화, 약〕하게 되다〔하다〕.

mil·dew [míldjù:/-djù:] *n.* Ⓤ 『식물』 흰가룻병 병균, 노균병균(露菌病菌); 곰팡이(mo(u)ld). —*vt.*, *vi.* 곰팡나게 하다; 곰팡나다. ㊞ **~y** *a.* 곰팡난, 곰팡내 나는.

◇**míld·ly** *ad.* 온순하게, 온화하게, 친절히, 상냥하게; 조심해서. ***to put it ~*** 삼가서 말하면.

míld-mánnered *a.* (태도가) 온순한, 온화한.

Mil·dred [míldrid] *n.* 밀드리드《여자 이름》.

míld stéel 연강(軟鋼)《저(低)탄소강》.

†**mile** [mail] *n.* **1** (법정) 마일(statute ~)《약 1,609km; 기호 m, mi.》: ⇨ GEOGRAPHICAL 〔NAUTICAL〕 MILE / the three-~ limit 〔belt, zone〕 영해 3해리 / ~s of forests 여러 마일이나 이어진 숲. **2** (종종 *pl.*) 상당한 간격〔거리〕; (*pl.*) 《부사적》 훨씬, 몹시, 많이. **3** 1마일 경주(=ˊ ràce). ***a 100-~*** (misunderstanding) 당치(도) 않은 (오해). ***be ~s away*** ① 여러 마일 떨어져 있다. ② 생각에 잠겨 있다. ***be ~s better*** 〔***easier***〕 훨씬 좋다〔쉽다〕. ***go the extra ~*** 《미속어》 ① 한층 노력하다, 한층 더 힘내다. ② 전력을 다하다. ***miss by a ~*** 《구어》 완전히 목표를 벗어나다, 대실패하다. ***not a 100 ~s from*** …의 근처에서〔인〕, …와 별로 멀지 않은. ***run a ~*** 《구어》 잽싸게 도망치다. ***see*** 〔***tell***〕 ***... a ~ off*** 〔***away***〕 확실히〔쉽게〕 …임을 알다. ***stick*** 〔***stand***〕 ***out a ~*** 매우 두드러지게 겉으로 드러나다: His honesty *sticks out a ~*. 그의 정직함이 그대로 드러난다. ***talk a ~ a minute*** 《구어》 계속 빠르게 지껄여대다.

◇**mile·age** [máilidʒ] *n.* Ⓤ **1** 마일수(數); (마일당의) 운임; (마일수에 의한) 여비 수당; 일정 열량에 의한 자동차의 주행 거리, 연비(燃費): in actual ~ 실제의 마일수로 / a used car with a small ~ 주행 마일수가 적은 중고차. **2** 《구어》 이익, 유용성, 은혜: get full ~ out of …을 충분히 활용하다.

míleage sùrcharge 항공 운임 할증금.

míleage tìcket (마일수에 의한) 회수권.

míle-màrker *n.* 《CB속어》 주간(州間) 고속도로변의 번호 붙인 마일 표지.

mile·om·e·ter [mailámətər/-ɔ́m-] *n.* (차·자전거의) 주행 거리계(odometer).

míle·pòst *n.* 이정표; 《비유》 (역사·인생 등의) 중대 시점, 획기적 사건; 『경마』 골 앞 1마일 표지.

mil·er [máilər] *n.* 《구어》 1마일 경주 선수〔말〕.

Miles [mailz] *n.* 마일스《남자 이름》.

Mi·le·sian [milí:ʒən, -ʃən, mai-/mailí:ziən] *a.*, *n.* 《우스개》 **1** 아일랜드의(Irish); 아일랜드 사람. **2** 밀레투스《고대 그리스 도시》의 (사람).

mile·stone [máilstòun] *n.* 이정표; (인생·역사 따위의) 중대 시점, 획기적인 사건; 『연극』 상연 100회째 공연.

mil·foil [mílfɔ̀il] *n.* 『식물』 톱풀속(屬)의 식물, 《특히》 서양톱풀(yarrow).

mil·ia [míliə] MILIUM의 복수.
mil·i·ar·i·a [mìliέəriə] *n.* Ⓤ 〖의학〗 속립진(粟粒疹); 땀띠(prickly heat, heat rash). ㊞ **mìl·i·ár·i·al** *a.*
mil·i·ary [mílièri, -ljəri] *a.* 좁쌀 모양의, 좁쌀만한; 〖의학〗 속립진(粟粒疹)의.
míliary féver 속립(진)열(熱).
míliary glánd 〔**tuberculósis**〕 속립선(腺) 「〔결핵〕.
mi·lieu [miljúː, miːl-/míːljəː] (*pl.* **~s, mi·lieux** [-z]) *n.* 《F.》 주위, 환경(environment).
milíeu thèrapy 〖심리〗 (생활환경을 바꾸는) 환경 요법《정신 병원 입원 환자의 치료법의 하나》.
milit. military.
mil·i·tance [mílətəns] *n.* =MILITANCY.
mil·i·tan·cy [mílətənsi(ː)] *n.* Ⓤ 교전 상태; 호전성, 투쟁 정신.
◇**mil·i·tant** [mílətənt] *a.* 교전하고 있는; 호전〔투쟁〕적인. ── *n.* (특히 정치 활동의) 투사; 활동가; 전투원, 호전적인 사람. ㊞ **~·ly** *ad.* **~·ness** *n.*
Mílitant Téndency 《영》 노동당 내의 마르크스주의자 그룹.
mil·i·tar·i·a [mìlətέəriə] *n. pl.* 군수품 수집품《병기 · 군복 · 기장(記章) 따위》.
mil·i·tar·i·ly [mìlətέərəli, mílətèr-/mílitər-] *ad.* 군사적으로, 군사적 입장에서.
◇**mil·i·ta·rism** [mílətərìzəm] *n.* Ⓤ 군국주의(OPP. *pacifism*); 군인〔상무〕 정신; 군사 우선 정책, 군부 지배.
míl·i·ta·rist *n.* 군국주의자, 군사우선주의자; 군사 연구가〔전문가〕, 전략가. ㊞ **mìl·i·ta·rís·tic** [-tik] *a.* 군국주의(자)의, 군사우선주의의. **-ti·cal·ly** *ad.*
mil·i·ta·rize [mílətəràiz] *vt.* 군대화하다; 무장하다, 군국화하다; …에게 군국주의를 고취하다; 군용으로 하다: a ~*d* frontier 무장된 국경 지방. ㊞ **mìl·i·ta·ri·zá·tion** *n.* Ⓤ 군대화; 군국화; 군국주의 고취.
‡**mil·i·tary** [mílitèri/-təri] *a.* **1** 군의, 군대의, 군사(軍事)의, 군용의; 군인의; 군인다운〔같은〕. cf. civil. ¶ ~ affairs 군사 / ~ alliance 군사 동맹 / ~ arts 무예 / ~ authorities 군당국 / a ~ base 군사 기지 / a ~ buildup 군비 증강 / a ~ clique 군벌 / ~ coup 군사 혁명 / a ~ court 군사 법정 / ~ forces 군세, 병력 / ~ intervention 군사 개입 / a ~ junta 군사 혁명 정부 / a ~ man 군인 / ~ powers 병력 / a ~ regime 군사 정권 / a ~ review 열병식 / a ~ uniform 군복. **2** 육군의. cf. naval. **3** 호전적인, 전투적인. ***Military Armistice Commission*** 군사 정전 위원회《생략: MAC》. ***Military Assistance Advisory Group*** 군사 고문단《생략: MAAG》. ***the Military Knights of Windsor*** 《영》 윈저 기사단《가터 훈장을 받은 퇴역 군인단; 특별 수당이 지급되며 Windsor 궁 내에 살게 됨》. ── *n.* (the ~) 군, 군대, 군부; (the ~) 〔집합적〕 군인, 《특히》 육군 장교.
mílitary acàdemy (the M- A-) 육군 사관학교; 군대식 훈련을 중시하는 high school 정도의 사립학교.
mílitary attaché [⌐ ⌐] 대사관〔공사관〕부 육 「군 무관.
mílitary bánd 군악대.
mílitary chést 군자금.
Mílitary Cróss 《영》 무공(武功) 십자훈장《생 「략: M.C.》.
mílitary enginéering 군사 공학, 공병학.
mílitary góvernment (점령지의) 군정, 군사 정부.
mílitary hónours 《영》 (사관의 장례식 때에 행해지는) 군장(軍葬)의 예(禮)《특히 매장 때》.
mílitary hóspital 육군 병원.
mílitary-indústrial cómplex (군부와 군수 산업의) 군산(軍産) 복합체《생략: MIC》.
mílitary intélligence 군사 정보, (육)군 정보 「부.
mílitary láw 군법.
mílitary márch 군대 행진곡.
mílitary páce 군대 보폭《행진 때의 한 걸음의 너비; 보통 미국의 경우 2.5피트에서 3피트》.
mílitary políce (the ~) 헌병(대) 《생략: MP》.
mílitary polícemán 헌병.
mílitary schóol 군대 조직의 사립학교; 육군 사관학교(military academy).
mílitary scíence 군사(과)학; 군사 교련〔교 「육 과정〕.
mílitary sérvice 병역; 육군; 〖역사〗 (봉건시대에 차지(借地)의 대상으로서의) 군역(軍役); (*pl.*) 무공, 무훈.
mílitary téstament 〔**wíll**〕 (전쟁터 등에서의 군인의) 구두 유언.
mílitary tíme 군용(軍用) 시간《자정 12시를 기점으로 하여 다음 자정까지 0100시, 2300시 라고 표현함》.
mílitary tóp (군함의) 전투 장루(檣樓).
mil·i·tate [mílətèit] *vi.* 《+전+명》 **1** (사실 · 행동이) 작용하다, 영향을 미치다《*for; against*》: This evidence ~*s against* you. 이 증거는 네게 불리하다 / ~ *against* achievement 성취를 방해하다. **2** 《폐어》 군인이 되다; 참전하다.
mi·li·tia [milíʃə] *n.* 의용군, 시민군; 《미》 국민군《18-45세의 남자》. 「국민병, 민병.
milítia·man [-mən] (*pl.* **-men** [-mən]) *n.*
milítia·wòman (*pl.* **-wòmen**) *n.* 여자 국민병.
mil·i·toc·ra·cy [mìlitákrəsi/-tɔ́-] *n.* 《구어》 군사 정권〔정체〕. 「학〗 속립종(粟粒腫).
mil·i·um [míliəm] (*pl.* **mil·ia** [míliə]) *n.* 〖의
†**milk** [milk] *n.* Ⓤ **1** 젖; 모유, 우유: a glass of ~ 우유 한 잔 / (as) white as ~ 새하얀 / a ~ cart 우유 배달차 / a ~ diet 우유식 / cow's ~ 우유 / human ~ 사람 젖 / ⇨ DRIED MILK. **2** 젖 같은 액체《수액(樹液) 따위》, 유제(乳劑); 《속어》 정액: ~ of almond 〖약학〗 편도유(扁桃乳) / ~ of lime 〔sulfur〕 석회〔황〕유 / ~ of magnesia 〖약학〗 마그네슘 유제《하제 · 제산제》. ***as like as ~ to ~*** 《문어》 꼭 그대로, 꼭 닮은. ***bring*** a person ***to*** his ~ 아무에게 자기 분수를 깨닫게 하다, 아무를 억지로 승복〔복종〕시키다. ***come*** 〔***get***〕 ***home with the ~*** 《영속어》 (철야 파티를 끝내고) 아침에 귀가하다. ***go off ~*** (젖소 따위가) 젖이 나오지 않다. ***in ~*** (소가) 젖이 나오는 (상태의). ***in the ~*** (곡물이) 다 익지 않은. ***~ and honey*** 젖과 꿀; 풍요: a land of ~ *and honey* 〖성서〗 젖과 꿀이 흐르는〔풍요의〕 땅《민수기 XVI: 13》. ***~ and roses*** (피부 등이) 장밋빛〔앵두빛〕의. ***~ and water*** 물 탄 우유; 맥 빠진 강의; 시시한 감상(感想). cf. milk-and-water. ***~ for babes*** 〖성서〗 (서적 · 설교 · 의견 등이) 어린이 상대의 것, 초보의 것《고린도 전서 III: 2》. OPP. *strong meat*. ***spilt ~*** 엎질러진 우유, 돌이킬 수 없는 일: It is no use 〔good〕 (in) crying over *spilt* 〔*spilled*〕 ~. 《속담》 엎지른 물은 다시 담을 수 없다. ***the ~ in the coconut*** 《속어》 불가해한 사실〔시점〕; (사물의) 핵심; 요점: That accounts for *the ~ in the coconut*. 과연, 이제 알겠구나. ***the ~ of human kindness*** 따뜻한 인정. ── *vt.* **1** …의 젖을 짜다: ~ a cow 쇠젖을 짜다. **2** 착취하다, 짜내다, 밥으로 하다. **3** (식물 따위의) 즙을 짜내다; (뱀 따위의) 독액을 짜내다. **4** 《속어》 사정(射精)시키다, 수음하다. **5** (소 · 양 따위가) 젖을 먹이다, 기르다. **6** 《+목+전+명》 (아무에게서) 빼앗다: ~ a person *of* all his savings 아무의 저축한 돈을 모두 착취하다. **7** 단물을 빨다; 이익을 짜내다; (입장 등을) 가능한 한 이용하다: ~ the market 〔street〕 《미구어》 주가를 조작하여 이득을 취하다. **8** (아무에게서) 정

보를 알아내다. 9 《영속어》 (전신·전화를) 도청하다. **—** *vi.* **1** 젖이 나오다: The cows are ~*ing* well. 소의 젖이 잘 나온다. **2** (날씨가) 흐리다. ~ *... dry* (…로부터) 이익을〔정보를〕 짜내다; 철저하게 착취하다. ~ *the bull* 〔*ram*〕 가망 없는 일을 하다.

mílk-and-wáter [-ənd-] *a.* 기운이 없는; 하찮은; 생기 없는; 나약한, 맥 빠진; 매우 감상적인.

mílk bàr 밀크바《우유·샌드위치·아이스크림 따위를 파는 가게》.

mílk chócolate 밀크 초콜릿.

mílk còw 젖소.

mílk·er *n.* 젖 짜는 사람, 착유기; 젖소.

mílk fèver 〖의학〗 (산부의) 젖몸살, 유열(乳熱).

mílk flòat 《영》 우유 배달(마)차.

mílk glàss 젖빛 유리.

mílk hòuse 우유 가공 공장(의 우유 보존실).

mílk·ing *n.* 착유, 젖 짜기; 1회의 착유량.

mílking machìne 착유기.

mílking pàrlor (낙농장의) 착유실.

mílking stòol 착유용(搾油用) (세발)의자.

mílk lèg 〖의학〗 (산후(產後)에 일어나는) 백고종(白股腫)(=**whíte lèg**).

mílk-lívered *a.* 겁 많은(timid).

mílk lòaf 밀크가 든 흰 빵.

mílk·màid *n.* 젖 짜는 여자(dairymaid); 낙농장에서 일하는 여자.

***milk·man** [mílkmæ̀n, -mən/-mən] (*pl.* **-men** [-mèn, -mən]) *n.* 우유 장수; 우유 배달원; 젖 짜는 남자.

mílk of magnésia 마그네시아 유제《제산제·설사제》.

mílk pòwder 분유(dried milk).

mílk púdding 《영》 밀크 푸딩《우유·설탕·쌀 따위의 곡물을 섞어 만든 푸딩》.

mílk pùnch 술에 설탕·우유를 탄 음료.

mílk-rànch *n.* 《미》 낙농장.

mílk ròund 1 우유 배달인의 담당 구역. **2** (the ~) 《영속어》 (대학에서의) 회사 설명회; (취직자 확보를 위한) 회사 인사 담당자 방문.

mílk rùn 우유 배달; 《구어》 늘 정해진 여정〔코스〕; 《공군속어》 정기 정찰〔폭격〕 비행; 《공군속어》 (국제선에 비해) 단거리 반복 비행; 《속어》 정차 간격이 짧은 열차 운행.

mílk shàke 밀크셰이크.

mílk·shèd *n.* (특정 도시 따위에) 우유 공급(하는 근교의) 낙농지.

mílk sìckness 〖의학〗 우유병(病)《독초 먹은 소의 젖을 먹고 일으키는 병》.

mílk snàke king snake의 일종.

mílk·sòp *n.* 소심한 남자, 뱅충이(sissy); 《영》 우유에 적신 빵(조각).

mílk sùgar 〖생화학〗 젖당, 락토오스(lactose).

mílk tòast 밀크토스트《뜨거운 우유에 적신 토스트》.

mílk-tòast 《미》 *a.* (사내가) 활기 없는; 저자세인; 미적지근한; (정책 따위가) 지나치게 관대한. **—** *n.* =MILQUETOAST.

mílk tòken 《N. Zeal.》 우유권(券)《빈 병과 함께 필요한 우유만큼 매수를 현관 앞에 놓으면 그 매수만큼 우유가 배달됨》.

mílk tòoth 젖니, 유치(乳齒).

mílk tràin 《미》 이른 아침의 근거리 열차.

mílk vètch 〖식물〗 자운영속(屬)의 풀.

mílk wàgon 《미속어》 체포자〔죄인〕 호송차.

mílk·wèed *n.* 〖식물〗 유액(乳液)을 분비하는 식물.

mílk-whíte *a.* 유백색의.

mílk·wòod *n.* 〖식물〗 유액(乳液)을 분비하는 여러 가지 (열대) 식물.

mílk·wòrt *n.* 〖식물〗 애기풀속(屬)의 목초《쇠젖을 많이 나게 한다고 믿었음》.

***milky** [mílki] (**milk·i·er; -i·est**) *a.* **1** 젖 같은; 유백색의; 젖의. **2** 젖을 내는; (식물이) 유액(乳液)을 분비하는. **3** 젖을 섞은. **4** 유약(柔弱)한, 유화한. ㉺ **mílk·i·ness** *n.* (액체의) 유상(乳狀), 유상성(性); 불투명성; (외관(外觀)의) 유약.

Mílky Wáy (the ~) 〖천문〗 은하(수); (the m-w-) 소우주(galaxy).

Mill [mil] *n.* **John Stuart** ~ 밀《영국의 경제학자·철학자; 1806-73》.

mill**[1] [mil] *n.* **1** 맷돌, 제분기《바람·물·증기에 의한》; 분쇄기: ⇨ COFFEE MILL / No ~, no meal. 《속담》 부뚜막의 소금도 집어넣어야 짜다 / The ~*s* of God grind slowly. 《속담》 하늘의 응보도 때로는 늦다《늦어도 언젠가는 반드시 온다는 뜻》. **2** 물방앗간(water ~); 풍차칸(windmill); 제분소. **3** 공장, 제작〔제조〕소(factory); 제재소. cf. sawmill. ¶ ⇨ COTTON 〔PAPER, STEEL〕 MILL. **4** (단순 동작 반복의) 제작 기계《조폐기(造幣機)·연마반(硏磨盤)·압연기(壓延機) 등》; 《속어》 (자동차·배·비행기 등의) 엔진; 《속어》 타자기. **5** (일정 순서로 일을 처리하는) 관청, 사무소. **6** 《구어》 권투(시합); 치고받기. **7** 《미속어》 유치장. **8** (주화(鑄貨) 가장자리의) 깔쭉깔쭉한 이. ***draw water to one's ~ 아전인수 하다, 빈틈없이 굴다. ***in the*** ~ 준비 중에. ***through the*** ~ 고생하여, 쓰라린 체험을 쌓아; 단련받아: go *through the* ~ 시련을 겪다 / put ... *through the* ~ 시련을 겪게 하다; 시험〔테스트〕하다.

— *vt.* **1** 맷돌로 갈다, 빻다, 가루로 만들다: ~ grain 곡물을 빻다. **2** 제분기〔수차, 기계〕에 걸다, 기계로 만들다, 형(型)을 만들다〔마무르다〕; (재목 따위를) 켜다; (피륙을) 촘촘히 짜다: ~ paper 종이를 만들다. **3** (강철을) 압연하다, 프레스하다. **4** (초콜릿을) 저어서 거품 일게 하다. **5** (주화)의 가장자리를 깔쭉깔쭉하게 하다; (금속을) 밀링하다: A dime is ~*ed*. 10센트 동전은 가장자리가 깔쭉깔쭉하다. **6** 《구어》 (주먹으로) 때리다; 싸우다, 해치우다. **—** *vi.* **1** 맷돌〔제분기 따위〕로 가루로 만들다. **2** (사람·가축 등이) 떼를 지어 마구〔빙빙, 어지러이〕 돌아다니다, 이것저것 생각하다《*about; around*》. **3** 《속어》 (주먹으로) 치고받다. **4** (고래가) 갑자기 방향을 바꾸다.

mill[2] *n.* 《미》 밀《1달러의 1/1000》.

mil·lage [mílidʒ] *n.* 달러당 1,000분의 1의 과세율《특히 부동산 거래에서》.

míll·bòard *n.* Ⓤ (표지용 등의) 판지.

míll·dàm *n.* 물방아용 둑.

milled [mild] *a.* (공장에서) 가공한; (주화의 가장자리가) 깔쭉깔쭉한; 《속어》 몹시 취한.

mille·feuille [mi:lfə́:i; *F.* milfœj] *n.* 《F.》 크림을 넣은 여러 층의 파이. cf. napoleon.

mil·le·nar·i·an [mìlənέəriən] *a.* 천 년의, 천의; 천년기(期)의; 〖기독교〗 천년 왕국설(신봉자)의. **—** *n.* 천년 왕국설 신봉자. ㉺ **~·ist** *n.*

mil·le·nar·i·an·ism [mìlənέəriənìzəm] *n.* 〖기독교〗 천년 왕국설(의 신앙); 〔일반적〕 황금시대가 오리라고 믿는 일.

mil·le·nary [mílənèri/milénəri] *a.* 천의, 천으로 이루어진; 천 년의; 천인(千人)의 장(長)인; 천년기의; 천년 왕국설 신자의. **—** *n.* 천 년간; 천년기; 천년 왕국설 신자; 천년제(祭). cf. centenary.

mil·len·ni·al [miléniəl] *a.* 《고어》 천 년간의, 천년기의. ㉺ **~·ism** *n.* =MILLENARIANISM. **~·ist** *n.* =MILLENARIAN.

mil·len·ni·um [miléniəm] (*pl.* **~s, -nia** [-niə]) *n.* **1** 천 년간; 천년기; 천년제. **2** (the ~) 〖성서〗 천년 왕국(기)《예수가 재림하여 지상을 통치한다는 신성한 천 년간; 계시록 XX: 1-7》. cf. chiliasm. **3** (이상으로서의 미래의) 정의와 행복과 번영의 황금시대.

millénnium bùg 〔**pròblem**〕 〖컴퓨터〗 밀레니엄 버그《컴퓨터가 2000년을 1900년으로 잘못 인식하는 현상》.

mil·le·pede, -ped [míləpiːd], [-pèd] *n.* 〖동물〗 =MILLIPEDE.

mil·le·pore [míləpɔ̀ːr] *n.* 〖동물〗 의혈산호(擬穴珊瑚).

Mil·ler [mílər] *n.* **1 Arthur ~** 밀러《미국의 극작가 · 소설가(1915-2005); *Death of a Salesman* (1949)》. **2** 밀러《미국 Miller Brewing Co. 제의 맥주; Miller High Life가 정식명; 상표명》.

◇**míll·er** *n.* **1** 방앗간 주인, 물방앗간 주인; 제분업자: Every ~ draws water to his own mill. 《속담》 아전인수(我田引水) / Too much water drowned the ~. 《속담》 지나침은 모자람만 못하다. **2** 날개에 가루가 있는 나방. **3** 〖기계〗 프레이즈반(盤). ***drown the*** ~ (화주(火酒) · 반죽에) 물을 타다.

mil·ler·ite [mílərài t] *n.* Ⓤ 〖광물〗 침상(針狀) 니켈광, 니켈의 황화(黃化) 광물(nickel sulfide).

míller's-thúmb *n.* 〖어류〗 둑중개《담수어》; 《영방언》 작은 새.

mil·les·i·mal [milésəməl] *a.* 1,000분의 1의, 1,000분의 1로 된. **—** *n.* 1,000분의 1. ㊀ **~·ly** *ad.*

Mil·let [miléi; *F.* milɛ] *n.* **Jean François ~** 밀레《프랑스의 화가; 1814-75》.

mil·let [mílit] *n.* Ⓤ 〖식물〗 기장: African 〔Indian〕 ~ 수수 / German 〔Italian〕 ~ 조.

míllet gràss 〖식물〗 나도겨이삭.

míll hànd 제분공; 직공, 방적공.

míll hòrse 연자매 말.

míll·hòuse *n.* 제분소; 프레이즈(fraise)반(盤) 작업소.

mil·li- [míli, -lə] '1,000분의 1'의 뜻의 결합사

mìlli·ámmeter *n.* 〖전기〗 밀리암페어계(計).

mìlli·ámpere *n.* 〖전기〗 밀리암페어《1암페어의 1/1000; 기호 mA, ma》.

mil·liard [míljərd, -jɑːrd/-liɑ̀ːd, -ljɑːd] *n.* 《영》 10억(《미》 billion).

mílli·bàr *n.* 〖기상〗 밀리바《1바의 1/1000, 압력의 단위; 기호 mb》.

Mil·li·cent [míləsənt] *n.* 밀리센트《여자 이름》.

mílli·cùrie *n.* 〖물리〗 밀리퀴리《1퀴리의 1/1000; 기호 mCur》.

mílli·cỳcle *n.* 〖전기〗 밀리사이클《1사이클의 1/1000; 기호 mc》.

mílli·degrèe *n.* 1000분의 1도《온도의 단위》.

mil·lieme [miːljém] *n.* 밀리엠《(1) 이집트 · 수단의 화폐 단위; 1/1000 파운드. (2) 튀니지의 화폐 단위》.

mílli·gàl *n.* 〖물리〗 밀리갈《가속도의 단위; =1/1000 gal; 기호 mGal》.

mílli·gràm, 《영》 **-gràmme** *n.* 밀리그램《1그램의 1/1000; 기호 mg》.

mílli·hènry *n.* 〖전기〗 밀리헨리《=1/1000 henry; 기호 mH》.

mílli·lìter, 《영》 **-tre** *n.* 밀리리터《1리터의 1/1000; 기호 ml》.

mílli·mèter, 《영》 **-tre** *n.* 밀리미터《1미터의 1/1000; 기호 mm》.

mil·li·mi·cro- [mìləmáikrou, -krə] '10억분의 1'의 뜻의 결합사.

mílli·mìcron (*pl.* **~s, -cra** [-krə]) *n.* 밀리미크론《1미크론의 1/1000; 기호 mμ》.

mílli·mòle *n.* 〖화학〗 밀리몰《=1/1000 mole; 기호 mM》.

mil·line [míllàin, ⌐⌐] *n.* 〖광고〗 밀라인《발행부수 100만 부당 1 agate line의 스페이스 단위》.

mil·li·ner [mílənər] *n.* 여성모(帽) 제조인〔판매인〕《보통 여성》.

mílline ràte 〖광고〗 1 milline당의 광고료.

mil·li·nery [mílənèri / -nəri] *n.* Ⓤ 여성 모자류; 여성모 제조 판매업.

míll·ing *n.* Ⓤ **1** 맷돌로 갈기, 제분. **2** (화폐의) 가장자리를 깔쭉깔쭉하게 하기; (화폐의) 깔쭉이. **3** 《속어》 구타. **4** (금속면을) 평평하게 깎기, 프레이즈반으로 깎기; (모직물의) 축융(縮絨)(fulling).

mílling cùtter 〖기계〗 프레이즈반용(盤用) 커터.

mílling machìne 〖기계〗 프레이즈반(盤)(miller)《금속 절삭기계》; 〖방적〗 축융기(縮絨機).

mil·lion [míljən] *n.* **1** 백만. **2** 백만 달러〔파운드, 원 등〕. **3** (*pl.*) 수백만; 다수, 무수: ~s of reasons 무수한 이유 / ~s of olive trees 수백만의 올리브나무. **4** (the ~(s)) 민중, 대중(the masses): music for the ~ 대중 취향의 음악. ***a*** 〔***one***〕 ***chance in a*** ~ 천재일우의 기회. ***in a*** ~ 최고의. **—** *a.* 백만의; 무수한. ***a*** ~ ***and one*** 대단히 많은. ***a*** ~ ***to one*** 전혀 불가능한 것 같은. ***feel like a*** ~ (dollars) 《구어》 매우 건강하다〔기분이 좋다〕; 무척 상태가 좋다. ***gone a*** ~ 《Austral.구어》 아주 결딴이 나〔못쓰게 되어〕, 절망적인. ***look*** (***like***) ***a*** ~ ***dollars*** 〔《영》 ***quid***〕 《구어》 (여자 따위가) 아주 매력 있게 보이다; 아주 건강해 보이다.

mil·lion·fold [míljənfòuld] *a., ad.* 백만 배의〔로〕.

◇**mil·lion·(n)aire** [mìljənέər] (*fem.* **-(n)air·ess** [-nέəris]) *n.* 백만장자, 대부호(大富豪). ㉥ billionaire.

mil·lionth [míljənθ] *n., a.* (the ~) 백만번째(의); 100만분의 1(의). ㉥ micro-.

mil·li·pede, -le-, -ped [míləpiːd], [-pèd] *n.* 〖동물〗 노래기.

mìlli·rádian *n.* 〖수학〗 밀리라디안《1/1000 radian; 기호 mrad》.

mílli·rèm *n.* 〖물리〗 밀리렘《방사선의 생체 실효선량(生體實效線量)의 단위; 1렘의 1/1000; 기호 mrem》.

mílli·ròentgen *n.* 〖물리〗 밀리뢴트겐《1뢴트겐의 1/1000; 기호 mr, mR》.

mílli·sècond *n.* 밀리세컨드《=1/1000초》.

mílli·sìevert *n.* 〖물리〗 밀리시버트《=1/1000 sievert》.

mílli·vòlt *n.* 〖전기〗 밀리볼트《1볼트의 1/1000; 기호 mV, mv》.

míll·pònd, -pòol *n.* (물방아용) 저수지; 《우스개》 (북)대서양. (***as***) ***calm*** 〔***smooth***〕 ***as a*** ~ =***like a*** ~ (바다 따위가 거울같이) 잔잔한.

míll·ràce *n.* 물방아용 물줄기〔도랑〕.

míll·rùn *n., a.* 〖광물〗 시험 선광; =MILLRACE; 제재한 목재; 공장에서 나오는 보통품; 보통 물건〔사람〕.

míll-rún *a.* **1** 《미》 공장에서 갓 나온, 미선별〔미검사〕의. **2** 보통의, 평범한.

Mílls bòmb 〔**grenàde**〕 [mílz-] 난형(卵形) 수류탄《발명자의 이름에서》.

míll scàle 〖야금〗 흑피(黑皮)《강재(鋼材)를 열간압연(熱間壓延)할 때 표면에 생기는 산화물의 층》.

míll·stòne *n.* **1** 맷돌. **2** 분쇄기. **3** 연자매; 〖성서〗 연자맷돌《마태 복음 XVIII: 6》. (***as***) ***hard as the nether*** ~ 무자비한, 무정한. ***between the upper and the nether*** ~(***s***) 진퇴유곡하여, 궁지에 빠져. ***dive into a*** ~ =***look through*** 〔***into***〕 ***a*** ~ =***see far in*** 〔***into, through***〕 ***a*** ~ 《흔히 우스개》 감각〔시력, 통찰력〕이 매우 예리하다, 빈틈없고 약빠르다.

míll·strèam *n.* =MILLRACE.

míll·tàil *n.* 물방아를 돌리고 떨어진 물, (물방아의) 배수(排水) 도랑.

míll whèel 물방아.

míll·wòrk *n.* 물방앗간〔제조소〕의 기계 (작업); Ⓤ 목공소 제품《문 · 창틀 따위》. ㊀ **~·er** *n.*

míll·wrìght *n.* 물방아 만드는 목수; 기계 설치〔수리〕공.

Mil·ly [míli] *n.* 밀리《여자 이름》.

mil·om·e·ter [mailámətər/-lɔ́m-] *n.* =MILEOMETER.

mi·lord [milɔ́ːrd] *n.* 각하, 나리 《유럽 대륙 사람이 영국 귀족·신사에 대해 쓰는 말; my lord의 와전》; 영국 신사.

milque·toast [mílktòust] *n.* 《종종 M-》 《미》 마음 약한 사람, 겁쟁이 《만화 주인공의 이름에서》.

MILSTAR [mílstɑ̀ːr] 《미군대》 전략·전술·중계용 군사 통신 위성 계획. [◂ *mil*itary *st*rategic, *t*actical, *a*nd *r*elay satellite communications program]

milt [milt] *n.* 〖해부〗 비장, 지라(spleen); (물고기 수컷의) 이리, 어백(魚白). **—** *a.* (물고기 수컷이) 수정(授精) 가능한. **—** *vt.* (물고기 알을) 수정시키다. ⊞ **∠·er** *n.* 산란기 물고기의 수컷. **∠·y** *a.*

◇**Mil·ton** [míltən] *n.* **John ~** 밀턴 《영국의 시인; *Paradise Lost*의 작자; 1608-74》.

Mil·ton·ic, Mil·to·ni·an [miltánik/-tɔ́n-], [miltóuniən] *a.* 밀턴(시풍)의; 장중한 《문체》.

Mil·town [míltàun] *n.* 진정제 meprobamate의 상표명.

Mil·wau·kee [milwɔ́ːki] *n.* 밀워키 《위스콘신주 남동부 미시간 호반의 공업 도시》.

Milwáukee gòiter 《미속어》 밀워키 갑상선종(甲狀腺腫) 《맥주를 즐기는 사람의 나온 배》.

mim [mim] *a.* 《방언》 말이 적은, 조심스러운; 얌전〔점잔〕빼는; 새침떠는(prim).

MIM mobile intercepter missile (지상 이동식 대공 미사일). **mim., mimeo.** mimeograph(ed).

mime [maim, miːm/maim] *n.* (고대 그리스·로마의) 몸짓 익살극, 무언극; 그 배우; 어릿광대(clown); 흉내쟁이; (팬터)마임. **—** *vi.* 무언극을 하다. **—** *vt.* 흉내내다, 무언의 몸짓으로 나타내다. ⊞ **mím·er** *n.* 무언극 배우(mime); 흉내쟁이.

MIME 〖컴퓨터〗 Multipurpose Internet Mail Extensions (다목적 인터넷 전자 우편 확장).

M.I.Mech.E. Member of the Institution of Mechanical Engineers.

mim·eo [mímiòu] (*pl.* **~s**) *n.* 등사 인쇄물. **—** *vt.* =MIMEOGRAPH.

mim·e·o·graph [mímiəgræ̀f, -grɑ̀ːf] *n.* 등사판; 등사 인쇄물. **—** *vt., vi.* 등사판 인쇄하다.

mi·me·sis [mimíːsis, mai-] *n.* Ⓤ 〖수사학〗 모사(模寫), 모방; 〖생물〗 의태(擬態)(mimicry).

mi·met·ic [mimétik, mai-] *a.* **1** 모방의, 흉내내는; 겉치레의: a ~ word 의성어 《hiss, splash 등》. **2** 〖생물〗 의태의; 〖의학〗 의사(擬似)의; 〖언어〗 유추의; 〖광물〗 유사(類似)의: a ~ crystal 〖광물〗 의정(擬晶). ⊞ **-i·cal·ly** *ad.*

mimétic díagram 〖전자〗 모식도(模式圖)〔표시판〕 《공장 기계의 작동 상태 등을 램프의 명멸 등으로 표시함》.

***mim·ic** [mímik] *a.* 흉내내는, 모방의; 거짓의; 모의의(imitated); 〖생물〗 의태의: ~ coloring (동물의) 보호색 / the ~ stage 흉내극, 익살극 / a ~ warfare 모의전 / ~ tears 거짓 눈물. **—** *n.* 모방자, 흉내를 잘 내는 사람〔동물〕; 몸짓 익살광대; 모사물(模寫物); 〖동물〗 의태하는 것. **—** (*-ick-*) *vt.* 흉내내다; 흉내내며 조롱하다; 모방하다; 모사하다; 〖동물〗 의태하다. SYN. ⇨ IMITATE. ⊞ **mím·i·cal** *a.* **mím·ick·er** [-ər] *n.*

mímic bóard 미믹 보드 《컴퓨터를 이용하여 복잡한 시스템을 램프의 명멸 등으로 도식화하여 나타내는 표시판》.

◇**mim·ic·ry** [mímikri] *n.* Ⓤ 흉내, 모방; 〖생물〗 「의태; Ⓒ 모조품.

M.I.Min.E. Member of the Institution of Mining Engineers (광산 기사회 회원).

mim·i·ny-pim·i·ny [míməniрímәni] *a.* 지나치게 공손한, 지나치게 고상한; 옷에 너무 신경을 쓰는.

mim-mem [mímmém] *a.* (언어 학습이) 반복 모방 암기법의〔에 의한〕. [◂ *mim*icry＋*mem*orization]

mi·mo·sa [mimóusə, -zə] *n.* 〖식물〗 함수초(含羞草), 감응초(sensitive plant), 미모사.

Min. Minister; Ministry. **min.** minim(s); mineralogy; minimum; mining; minor; minute(s).

Mi·na [máinə] *n.* 미나 《여자 이름; Wilhelmina 「의 애칭》.

mi·na[1] (*pl.* **-nae** [-niː], **~s**) *n.* 고대 그리스의 금액의 단위 《=1/60 talent》; 무게의 단위 《약 1 파운드》.

mi·na[2] *n.* =MYNA.

mi·na·cious [minéiʃəs] *a.* 위협적인, 협박하는(minatory). ⊞ **~·ly** *ad.*

mi·nac·i·ty [minǽsəti] *n.* Ⓤ 위협(threat).

Min·a·má·ta diséase [mìnəmɑ́ːtə-] 《Jap.》 〖의학〗 미나마타병 《유기 수은 중독증》. ⓒⓕ Mad Hatter's disease, hatter's shakes.

mi·nar [minɑ́ːr] *n.* (인도 건축 등의) 작은 탑.

min·a·ret [mìnərét, ∠-∠] *n.* (회교 성원(聖院)의) 뾰족탑, 첨탑.

minaret

min·a·to·ri·al [mìnətɔ́ːriəl] *a.* =MINATORY.

min·a·to·ry [mínətɔ̀ːri/-təri] *a.* 으르는, 협박〔위협〕적인, 위협의(menacing).

mi·nau·dière [mìnoudjɛ́ər] *n.* 《F.》 화장품 따위를 넣는 작은 화장품통.

◇**mince** [mins] *vt.* **1** (고기 따위를) 다지다, 잘게 썰다; 저미다: ~*d* meat 잘게 썬 고기, 다진 고기. **2** 조심스레〔완곡히〕 말하다. ~ one's words 말을 조심스레〔완곡히〕 하다. **3** 점잔빼며 말하다; 점잔빼며 하다: ~ words in the manner of a lady 귀부인답게 점잖게 말하다. **—** *vi.* 맵시를 내며 걷다, 종종걸음치다; 점잔빼며 이야기하다. ***not ~ matters*** 〔(*one's*) ***words***〕 까놓고 말하다, 솔직히〔단도직입적으로〕 말하다. **—** *n.* Ⓤ **1** 잘게 썬〔다진〕 고기, 저민 고기(mincemeat). **2** 점잔뺀〔거드름빼는〕 걸음걸이〔말투〕; 《미속어》 촌스러운〔따분한〕 사람.

mínce·mèat *n.* Ⓤ 민스미트 《다진 고기에 잘게 썬 사과·건포도·기름·향료 등을 섞은 것; 파이 속에 넣음》. ***make ~ of*** …을 잘게 토막치다; 되게 혼내주다, 찍소리 못하게 해치우다.

mínce píe 민스미트를 넣은 파이.

minc·er [mínsər] *n.* 고기를 가는 기계; (고기 따위를) 다지는〔저미는, 가는〕 사람.

minc·ing [mínsiŋ] *a.* 점잔빼는, 점잔빼며 걷는〔말하는〕; 다지는 데 쓰는. ⊞ **~·ly** *ad.*

Míncing Làne 《영》 차(茶) 도매상〔업〕.

†**mind** [maind] *n.* **1** 마음, 정신 《물질·육체에 대하여》: ~ and body 심신 / the processes of the human ~ 인간의 마음의 작용 / apply 〔bend〕 the ~ to …에 마음을 쓰다, …에 고심하다 / A sound ~ in a sound body. 《속담》 건전한 정신은 건전한 신체에 깃든다.

> SYN. **mind** 사물을 생각하는 주체로서의 마음. body의 반의어로서 정신, 주의력; heart의 반의어로서 지성: speak one's *mind* 자기의 생각을 말하다. **heart** mind의 반의어로서 심정, 감정, 정애: My *heart* is full. 가슴이 벅차다, 감개무량하다. **soul** 혼, 영혼. 인간과 동물을

구별하는 것으로서 종교적으로는 불멸〔불사〕한다고 생각함. 윤리감, 숭고한 것에 대한 정열, 인간적 감정을 좌우 또는 장악하는 마음: put one's whole *soul* into one's work 일에 온 정신을 집중하다. **spirit** body, flesh의 반의어로서의 마음. mind, heart, soul의 모든 뜻이 포함된 넓은 의미로서의 정신. 더우기 인간에게만 속하는 것으로 제한된 것이 아니라, 초자연적 존재를 가정한 경우에도 spirit를 씀: evil *spirits* 악마.

2 지성, 이지, 머리《감정·의지에 대하여》: a person of weak ~ 지력이 약한 사람/The boy has a sharp 〔weak〕 ~. 그 소년은 머리의 회전이 빠르다〔느리다〕. **3** 사고방식, 견해; 심적 경향〔특질〕, 기질: a scientific ~ 과학적인 사고방식/the English ~ 영국인 기질/So many men, so many ~*s*. 《속담》 각인각색. **4 a** (흔히 a ~, one's ~) (…한) 생각, 의견《*about*》; 의도, 목적, 의지: be of 〔in〕 a 〔one〕 ~ with …와 의견이 같다/be of a person's ~ 아무와 같은 의견이다/be of the same ~ (앞서의) 의견을 바꾸지 않다; (복수의 사람이) 같은 생각이다/change one's ~ 의견〔생각〕을 바꾸다/the public ~ 여론. **b** (…하고픈) 마음, 성향, 바람《*for; to* do》: be of a ~ *to* do …하고 싶은 생각이 들다《*with*》/be to a person's ~ 아무의 마음에 들다/listen with a half ~〔half a ~〕 건성으로 듣다. **5** (…에 대한) 주의, 집중; 사고, 고려《*on*》: His mind is *on* horses. 말에 열중하고 있다. **6** Ⓤ 기억(력), 회상: keep in ~ 잊지 않다/go out of 〔slip〕 a person's ~ (일이) 잊혀지다/Out of sight, out of ~. 《속담》 헤어지면 마음도 멀어진다. **7** 본정신, 올바른 마음의 상태: a man of sound ~ 정신이 건전한 사람/lose one's ~ 발광하다/awake to one's full ~ 제정신이 들다, 깨어나다. **8** 〖종종 집합적〗 (마음·지성을 지닌) 사람, 인물: the greatest ~*s* of the time 당대의 일류 지성인/ (All) great ~*s* think alike. 《구어》 훌륭한 사람들은 다 같은 생각을 하는 법이다. **9** 〖가톨릭〗 기념 미사(commemoration).

after **one's** ~ 바라던 대로(의); 마음에 드는. ***a load*** 〔***weight***〕 ***off*** a person***'s*** ~ 마음이 홀가분해짐. ***at the back of*** a person***'s*** ~ 심중에, 내심. ***bear*** 〔***keep***〕 ***... in*** ~ 명심하다, 유의하다. ***be in two*** 〔***twenty***〕 ~***s*** = ***be of in two*** ~***s*** 마음이 흔들리다, 망설이다《*about*》. ***be not out of*** one***'s*** ~***'s eye*** 뇌리를 떠나지 않다. ***be to*** a person***'s*** ~ 아무의 기호에 맞다. ***blow*** a person***'s*** ~ 《구어》 몹시 흥분시키다; 《속어》 (마약·음악 등으로) 도취되다〔시키다〕, 황홀하게 만들다, 황홀해지다; 남의 의표를 찌르다, 질끔하게 하다. ***bring*** 〔***call***〕 ***to*** ~ 상기하다, 생각해 내다. ***carry ... in*** ~ …을 기억하고 있다. ***cast*** 〔***carry, throw***〕 one***'s*** ~ ***back*** 이전의 일을 상기하다. ***cross*** 〔***come into, come to, enter, pass through***〕 one***'s*** ~ (어떤 생각이) 마음에 떠오르다. ***dawn on*** a person***'s*** ~ 아무에게 점차 알게 되다. ***fix across*** one***'s*** ~ …을 명심하다. ***flash across*** one***'s*** ~ 갑자기 마음에 떠오르다. ***get one's*** ~ ***round*** (복잡하게 얽힌 일을) 겨우 이해하다. ***give*** a person ***a bit*** 〔***piece***〕 ***of*** one***'s*** ~ 《구어》 아무에게 기탄없이 말해 주다, 나무라다, 직언하다: I'll *give* him *a piece of my* ~ for telling such a lie! 저런 거짓말을 하다니, 한마디 해주어야겠다. ***give*** one***'s*** (***whole***) ~ ***to*** ⇨ set one's ~ to. ***go*** 〔***pass***〕 ***out of*** 〔***from***〕 one***'s*** ~ 잊혀지다; 《구어》 미치다. ***have a great*** 〔***good***〕 ~ ***to*** do 대단히 …하고 싶(어하)다. ***have a*** ~ ***of*** one***'s own*** (어엿한) 자기 의견〔신념〕을 갖고 있다, 독립심이 있다. ***have half a*** ~ ***to*** do …할까 말까 생각하고 있다. ***have ... in*** ~ ① …을 고려〔의도〕하고 있다. ② =bear ... in ~. ***have no*** 〔***little***〕 ~ ***to*** do …할 마음이 전혀〔거의〕 없다. ***have*** 〔***keep***〕 one***'s*** ~ ***on*** ⇨ set one's ~ on. ***in*** one***'s*** ~***'s eye*** 마음속에서, 마음에 떠올라서. ***It's all in the*** ~. 그것은 단지 공상에 지나지 않는다《「현실은 그렇지 않으니 염려할 것 없다」의 뜻》. ***keep an open*** ~ 결정하지 않고 있다. ***know*** one***'s own*** ~ 〖종종 부정문〗 의향〔마음〕이 정해져 있다, 결심이 되어 있다. ***make no*** 〔***never***〕 ~ 《속어》 아무래도 좋다, 상관없다. ***make up*** one***'s*** ~ 결심하다; 체념하다; 결단〔결론〕을 내리다. ~ ***over matter*** 물질〔육체〕적인 어려움을 이겨내는 정신력, 기력. ***off*** one***'s*** ~ 마음을 떠나, 잊혀져. ***on*** one***'s*** ~ 마음에 걸려서, 생각하여: have ... *on* one's ~ …을 염두에 두다, 근심〔고민〕하고 있다. ***open*** one***'s*** ~ ***to*** 마음〔생각〕을 …에게 털어놓다. ***out of*** one***'s*** ~ ① 미쳐서, 제정신을 잃고: She went *out of her* ~. 그녀는 미쳐 버렸다. ② (…을) 잊어서. ③ 《구어》 몹시 취해: *out of* one's tiny Chinese ~ 《우스개》 억병으로 취해. ***pay no*** ~ 《방언》 무시하다. ***pay no never*** ~ 《미속어》 무시하다. ***prey*** 〔***weigh***〕 ***on*** 〔***upon***〕 a person***'s*** ~ …이 마음에 (무겁게) 걸리다. ***put*** a person ***in the*** ~ ***for*** doing 아무에게 …할 생각이 나게 하다. ***put*** 〔***keep***〕 a person ***in*** ~ ***of ...*** 아무에게 …을 상기시키다. ***put ... out of*** one***'s*** ~ (고의로) …을 잊다. ***put*** 〔***set***〕 a person***'s*** ~ ***at rest*** ⇨ REST[1]. ***read*** a person***'s*** ~ 아무의 마음을 읽다〔생각하는 바를 알다〕. ***rush upon one's*** ~ 문뜩 마음에 떠오르다. ***set*** 〔***have***〕 one***'s*** ~ ***on*** …을 몹시 탐내다〔…에 열중하다〕. ***set*** 〔***give, put, turn***〕 one***'s*** ~ ***to*** …에 주의를 돌리다, …에 전념하다. ***slip*** one***'s*** ~ (…이) 생각나지 않다, 깜박 잊다. ***take*** a person***'s*** ~ 《미속어》 아무를 당황하게 만들다, 애먹이다. ***take*** 〔***keep***〕 a person***'s*** ~ 〔***thoughts***〕 ***off*** 아무의 주의를 …에서 딴 데로 돌리게 하다〔돌리다〕. ***time out of*** ~ ⇨ TIME. ***to*** one***'s*** ~ ① …의 생각은. ② …의 마음에 드는(after one's ~). ***with a*** ~ ***like a steel trap*** 머리 회전이 아주 빠른. ***with*** a thing ***in*** ~ 무엇을 염두에 두고.

— *vt*. **1** …에 주의를 기울이다, …에 조심하다; 유의하다: *Mind* your language. 말조심해라/*Mind* my words. 내 말을 잘 명심해라/*Mind* your own business. 참견마라, 네 일이나 잘해라. **2** …의 말에 주의를 기울이다, …의 말에 따르다: Never ~ him. 그 사람 말 따위에 신경 쓸 것 없다/You should ~ your parents. 부모님 말을 따라야 한다. **3** …을 돌보다, 보살피다: ~ a baby 아기를 돌보다. **4** 《+(*that*) 절》 …에 신경을 쓰다, 배려하다: *Mind* (*that*) you are not late. 늦지 않도록 (유의)하여라. **5** 《+*wh*. 절》 걱정하다, 신경쓰다: I don't ~ *what* people say. 남이야 뭐라 하든 개의치 않는다. **6** 《~+목/+-*ing*/+목+-*ing*/+*wh*. 절》〖주로 부정·의문·조건문에 있어서〗 꺼리다, 싫어하다, 귀찮게 여기다, …에 반대하다(object to): If you don't ~, ... 괜찮으시다면…/I do*n't* ~ hard work, but I do [dúː] ~ insufficient pay. 일이야 힘들어도 괜찮으나 보수가 적으면 곤란하다/I shouldn't ~ a cup of tea. 차 한 잔 하는 것도 괜찮겠다/I don't ~ your 〔you〕 smok*ing* here. 여기서 담배를 피우셔도 괜찮습니다/I don't ~ start*ing* right away. 곧 출발해도 나는 괜찮다/I don't ~ *where* you go. 네가 어딜 가든 나는 상관없다/You had better ~ *what* you say. 말을 조심하도록 해라. **7** 《고어·방언·Sc.》 기억하고 있다, 잊지 않고 있다. **8** 《고어·방언》 생각나게 하

다(remind). ── *vi.* 〖주로 명령문〗 **1** 정신 차리다, 주의하다, 조심하다. **2** 《~/+전+명》 신경을 쓰다, 꺼리다; 반대하다; 걱정〔염려〕하다: It was raining, but we didn't ~. 비가 오고 있었지만 우리는 개의치 않았다 / Never ~ *about* that. 그것은 걱정하지 마시오. SYN. ⇨ CARE. **3** 《+부》 (명령·규칙 따위에) 복종하다, 좇다: My dog ~*s well.* 내 개는 말을 잘 듣는다. ***Do* 〔*Would*〕 *you* ~** a person's do*ing* 〔*if* a person does〕? …을 해도 괜찮겠습니까: *Do* 〔*Would*〕 *you* ~ *my* smok*ing* 〔*if* I smoke(d)〕? 담배 피우면 안 될까요《★ 대답은 No, I don't (~). (아니, 괜찮습니다, 피우세요) 또는 Yes, I do ~. (안 되겠는데요)가 원칙》. ***Mind and*** do … 《구어》 꼭〔잊지 말고〕 …해라(Be careful to do). ***Mind how you go!*** 《영구어》 자 그럼 살펴 가십시오《헤어질 때 인사》. ***Mind out* 〔*away*〕!** 《구어》 정신 차려; 비켜. ~ ***that …*** 반드시 …하도록 유의하다. ***Mind you!*** 〖삽입구〗 알겠나, 잘 들어둬. ***Mind your helm!*** 《영구어》 정신 차려. ***never*** ~ 《구어》 ① 〖명령문〗 상관없다, 걱정 말아라, 아무것도 아니다. ② …은 물론(이지만), …은 아무래도 좋다〔좋지만〕. ***never you*** ~ 《구어》 …은 신경쓸 것 없다, …은 네 알 바 아니다. ***Would you*** ~ do*ing*? …해 주겠느냐: *Would you* ~ shutt*ing* the door? 문 좀 닫아 주지 않겠느냐.

mínd-àltering *a.* (환각제처럼) 정신에 변화를 초래하는, 기분을 크게 바꾸는 효과를 가진, 향(向)정신 작용성의.

Min·da·nao [mìndənɑ́:ou, -náu] *n.* 민다나오《필리핀에서 두 번째의 큰 섬》.

mínd-bènder *n.* 《속어》 환각제(사용자); 움찔하게 하는 것; 용케 남의 기분을 돌리는 사람, 회유하는 사람.

mínd-bènding *a.* 《속어》 환각성의; 정신에 이상을 가져오는; 움찔하게 하는, 압도적인.

mínd-blòw *vt.* 《속어》 …에게 충격을 주다, 흥분시키다. 「체험.

mínd blòwer *n.* 환각제 (사용자); 황홀해지는

mínd-blòwing *a.* 《속어》 (약·음악 등이) 환각성의, 압도하는, 자극적인.

mínd-bódy pròblem 〖철학·심리〗 심신 관계 문제《정신과 신체간의 정확한 관계성이 주요 문제인 철학과 심리학의 문제》.

mínd-bòggling *a.* 《구어》 아주 놀라운, 믿어지지 않는; 매우 난해한.

mínd cùre 〔**hèaling**〕 정신 요법.

mínd·ed [-id] *a.* **1** …할 마음이 있는, …하고 싶어(하는)《*to* do》: If you are so ~, you may do it. 그럴 마음이거든 해도 좋다. **2** 〖복합어〗 …한 마음의, …기질의, …한 성격의: high-~ 고결한 마음의 / strong-~ 의지가 강한 / absent-~ 멍청한, 정신 나간.

mínd·er *n.* **1** 〖흔히 복합어〗 돌보는〔지키는〕 사람(tender): a baby-~ 어린아이 보는 사람. **2** 《영》 양아들, 양딸.

mínd-expànder *n.* 환각제.

mínd-expànding *a.* (약품이) 환각을 일으키는, 의식을 확대하는; 지각〔사고〕 장애를 일으키는.

mínd-fùck *vt.* 《속어》 (남을) 자유자재로 조종하다. ── *n.* 남을 마음대로 다루는 사람; 사태를 혼란시키는 일.

mind·ful [máindfəl] *a.* 주의 깊은, 정신 차리는 《*of*》; 마음에 두는, 잊지 않는《*of*》. 파 **~·ly** *ad.* 주의 깊게. **~·ness** *n.*

mínd gàmes 심리 조작〔전술〕, 심리전.

mínd·less *a.* 부주의한, 조심성 없는; 분별없는, 어리석은; 유념하지 않는《*of*》: ~ *of* all dangers 모든 위험을 무릅쓰고. 파 **~·ly** *ad.* **~·ness** *n.*

mínd-nùmbing *a.* 극히 지루하고 시시한. 파 **~·ly** *ad.*

min·don [máindɑn/-dɔn] *n.* 정신소(素)《텔레파시 등 정신 전달을 맡는 물질의 가상명》.

mínd rèader 독심술사(讀心術師).

mínd rèading 독심술〔능력〕.

mínd-sèt *n.* 심적 경향, 사고〔해석〕방식; 부동(不動)의 정신 상태.

mínd's éye 마음의 눈, 심안(心眼), 상상력. OPP. *outward eye.* ***in* one's 〔*the*〕 ~** 기억〔상상〕으로.

mínd·shàre *n.* 마인드셰어《제품〔브랜드〕에 관한 소비자의 인식도》. cf. market share.

mínd-shàttering *a.* 기상천외의, 놀라운.

mínd spàcer 《미속어》 환각제.

†**mine**[1] [main] *pron.* 〖1인칭 단수의 소유대명사〗 **1** 나의 것; 나의 소유물: The game was ~. 승리는 나의 것이었다, 이겼다 / This signature is not ~. 이 서명은 내 것이 아니다 / your country and ~ 당신의 나라와 나의 나라 / What is ~ is yours. 내 것은 당신 것《마음대로 사용해 주십시오》/ *Mine* is broken English. 내가 하는 영어는 엉터리다. **2** 나의 가족들〔편지, 책임〕; 《영구어》 내 마실 것〔술〕: He is kind to me and ~. 내게도 내 가족들에게도 친절히 해 준다 / Have you received ~ of the fifth? 5일 자의 내 편지 받았나 / It is ~ to protect him. 그를 보호하는 것은 내 책임이다 / *Mine*'s a gin. 나는 진으로 하겠다. **3** 〖*of* ~으로〗 나의, 내: a friend *of* ~ 내 친구 / this book *of* ~ 나의 이 책《★ my는 a, an, this, that, no 등과 나란히 명사 앞에 쓰지 못하므로 of mine으로 하여 명사 뒤에 씀》.

── *a.* 《고어·문어》〖모음 또는 h로 시작되는 낱말 앞; 호칭하는 낱말 뒤에서〗 나의(my): ~ eyes 나의 눈 / ~ heart 내 마음 / Lady ~! 여보세요 부인〔아가씨〕.

‡**mine**[2] *n.* **1** 광산, 광갱(鑛坑), 광상(鑛床); 《영》《특히》 탄광, 철광; (the ~s) 광(산)업: ⇨ COAL 〔GOLD〕 MINE / a gold ~ 금광. **2** 풍부한 자원, 보고《*of*》: This book is a ~ *of* information. 이 책은 지식의 보고다. **3** 〖군사〗 갱도(坑道), 뇌갱(雷坑). **4** 〖군사〗 지뢰, 기뢰, 수뢰, (비행기에서 떨어뜨리는) 공뢰(空雷): ⇨ ACOUSTIC MINE / an antenna ~ 촉각 기뢰 / a floating 〔drifting, surface〕 ~ 부유(浮遊) 기뢰(機雷) / a moored ~ 계류 기뢰 / a submarine ~ 부설 기뢰. **5** 비밀 계략. ***charge a*** ~ 지뢰〔수뢰〕를 장전하다. ***lay a*** ~ 지뢰〔수뢰〕를 부설하다; 전복을 기도하다《*for*》. ***spring a ~ on*** …을 기습하다; …에 지뢰를 폭발시키다. ***strike a*** ~ 지뢰〔기뢰〕에 닿다〔밟다〕. ***work a*** ~ 광산을 채굴하다.

── *vi.* **1** 채광하다; 채굴하다. **2** 갱도를 파다. **3** 〖군사〗 갱도 건설을 위해 땅을 파다. ── *vt.* **1** 《+목+전+명》 (토지·광석을) 채굴〔채광〕하다 《*from*》; (토지)에서 수확을 올리다: ~ iron ore *from* under the sea 해저로부터 철광석을 채굴하다. **2** (천연자원 등을) 이용〔사용〕하다; 고갈시키다《*out*》. **3** …의 밑에 구멍을〔갱도를〕 내다. **4** (극의 소재 등을) 찾아내다; (사료(史料) 등을) 이용 목적으로 조사하다. **5** (비밀 수단·계략으로) 파괴하다, 전복하다(undermine). **6** 〖군사〗 …에 지뢰〔기뢰〕를 부설하다.

míne·a·ble *a.* (광석 등을) 채굴할 수 있는.

míne detèctor 지뢰 탐지기.

míne·field *n.* 〖군사〗 지뢰밭, 기뢰원(原); 《비유》 숨겨진〔눈에 안 보이는〕 위험이 많은 곳.

míne·hùnter *n.* 〖해군〗 (기뢰를 제거하는) 소해정〔함〕; 〖육군〗 (지뢰) 제거 장치.

míne·làyer *n.* 기뢰 부설함〔기(機)〕.

*__min·er__ [máinər] *n.* **1** 광부, 갱부; 광산업자. **2** 〖군사〗 지뢰 공병. **3** 채광기, 《특히》 채탄기.

__min·er·al__ [mínərəl] *n.* **1 광물, 무기물. **2** 광석

(ore). **3** (흔히 *pl.*) 《영》 광천수, 탄산수, 청량음료. ── *a.* 광물의, 광물을 함유하는; 무기물의: a ~ vein 광맥/~ resources 광물 자원.
mineral. mineralogical; mineralogy.
míneral àcid 〖화학〗 무기산.
míneral chárcoal 천연 목탄.
míneral còtton =MINERAL WOOL.
míneral dréssing 〖광물〗 선광.
mìn·er·al·i·zá·tion *n.* Ⓤ 광화(鑛化) (작용); 무기화; 석화(石化) 작용.
mín·er·al·ìze *vt., vi.* 광물화〔광화(鑛化)〕하다; 광물을 함유시키다; 광물을 연구〔채집〕하다; 채광하다. ㊎ **-ìz·er** *n.* **1** 〖화학〗 광소(鑛素), 광화제(劑); 〖지학〗 광상(鑛床) 형성 가스. **2** 탐광자, 광물 채집자.   「약 안정제용》.
míneral jèlly 석유에서 채취하는 점성 물질《폭
míneral kìngdom (the ~) 광물계(界).
míneral lànds 《미》 (연방 정부가 소유하는) 중요 부광(富鑛) 지대, 광산 지대.
min·er·al·og·i·cal [mìnərəládʒikəl/-lɔ́dʒ-] *a.* 광물학(상)의, 광물학적인. ㊎ **~·ly** *ad.*
min·er·al·o·gist [mìnərəládʒist/-lɔ́dʒ-] *n.* 광물학자.   「*n.* Ⓤ 광물학.
min·er·al·o·gy [mìnərálədʒi, -rǽlə-/-rǽlə-]
míneral òil 광물성(鑛物性) 기름; =LIQUID PETROLATUM.
míneral pìtch 아스팔트.
míneral rìght 채광권, 광업권.
míneral sprìng 광천(鑛泉).
míneral tàr 광물 타르, 말서(maltha).
míneral wàter 광수, 광천; (종종 *pl.*) 《영》 탄산수.
míneral wàx 광랍(鑛蠟).
míneral wòol 광물면(綿)(mineral cotton) 《건물용 충전재; 절연·방음·내화재용》.
míne rìde 폭주 광차(暴走鑛車)《차가 광차 모양을 한 유원지의 오락차》.
Mi·ner·va [minə́ːrvə] *n.* 미네르바. **1** 〖로마신화〗 지혜·기예(技藝)·전쟁의 여신. **2** 여자 이름. ⓒⓕ Athena.
mine's [mainz] 《구어》 mine is의 간약형.
min·e·stro·ne [mìnəstróuni] *n.* 《It.》 수프의 일종《마카로니 및 야채 따위를 넣은》.
míne·swèeper *n.* 소해정(掃海艇).
míne·swèeping *n.* Ⓤ 소해(작업); 지뢰 제거.
míne thròwer 박격포(trench mortar).
min·e·ver [mínəvər] *n.* =MINIVER.
míne wòrker 광부(miner).
Ming [miŋ] *n.* (중국의) 명(明)나라, 명조(明朝)(1368-1644); (m-) 명조의 고급 자기.
minge [mindʒ] *n.* 《방언·비어》 **1** 여성의 성기〔음모(陰毛)〕. **2** 여자.
°**min·gle** [míŋgəl] *vt.* **1** (둘 이상의 것을) 섞다; 혼합하다: The two rivers ~*d* their waters there. 두 강은 거기에서 합류했다. SYN. ⇨MIX. **2** 《+목+전+명》 …에 뒤섞다: joy ~*d with* pain 고통이 뒤섞인 기쁨. **3** 뒤섞어 만들다. **4** (사람을) 한데 모으다, 어울리게 하다. **5** 참가시키다《*with*》. ── *vi.* 《~/+전+명》 **1** (뒤)섞이다, 혼합되다《*with*》. **2** 사귀다, 어울리다, 교제하다《*with*》. **3** 참가하다《*in; with*》: ~ *in* the game 경기에 참가하다/~ *with* the crowd 군중에 가담하다; 군중 속으로 사라지다. ㊎ **mín·gler** *n.* **~·ment** *n.*
míngle-mángle *n.* 혼합, 뒤섞임; 뒤범벅.
míng trèe 분재(盆栽).   「(jerk).
min·gus [míŋgəs] *n.* 《미속어》 바보, 멍텅구리
min·gy [míndʒi] (*-gi·er; -gi·est*) *a.* 《구어》 천한; 인색한, 다라운.
mini [míni] (*pl.* **min·is**) *n.* **1** 미니《(1) minicar, miniskirt, minidress 따위. (2) miniskirt 등의 스타일〔치수〕》; (각종) 소형의 것; =SUBCOMPACT. **2** (M-) 미니《영국제 소형차》. ── *a.* (스커트 등) 무릎까지 미치지 않는, 짧은; 소형의, 약간의.   「사.
min·i- [míni, -nə] '작은, 소형의'란 뜻의 결합
min·i·a·scape [míniəskèip] *n.* 분경(盆景), 상자 안에 만든 모형 정원.
min·i·ate [mínièit] *vt.* …에 주색(朱色)을 칠하다, 주서(朱書)하다; 금(金)문자〔채색 무늬〕로 꾸미다.
°**min·i·a·ture** [míniətʃər, -tʃùər, mínətʃər/-nətʃə] *n.* **1** 모형, 축소형, 축도; 〖영화·TV〗 촬영용 소형 세트; 〖사진〗 소형 카메라; 〖문예·음악〗 소품. **2** 세밀화(畫); 세밀화법; (사본(寫本)의) 채식(彩飾). ***in* ~** ① 《명사 뒤에서》 소형〔소규모〕의. ② 세밀화로, 축소된〔하여〕. ── *a.* 세밀화의; 소형의, 작은(tiny); 축도의: a ~ railway〔train〕 (유원지의) 꼬마 철도〔기차〕. ── *vt.* 미세화로 그리다, 축사(縮寫)하다.
míniature cámera 소형 카메라《35mm 이하의 필름을 사용함》.
míniature gólf 미니어처 골프《putter만으로 하는 미니 코스의 놀이용 골프》.   「술.
míniature photógraphy 소형 카메라 사진
míniature pín·scher [-pínʃər] 미니어처 핀셔, 미니핀《작은 애완견; 체고(體高) 10-12.5인치》.
min·i·a·tur·ist [míniətʃərist, -nə-/-nə-] *n.* 세밀화가, 미니어처 화가.
min·i·a·tur·ize [míniətʃəràiz, -nə-/-nə-] *vt.* 소형화하다. ㊎ **min·i·a·tur·i·zá·tion** *n.*
míni·bàr *n.* (호텔 객실의) 주류 상비용 냉장고.
míni·bìke *n.* 《미》 소형 오토바이.
mìni·bikíni *n.* 초소형 비키니.
míni-blàck-hòle *n.* 〖천문〗 미니블랙홀《질량 10만분의 1g 정도의 가정상의 극소형 블랙홀》.
míni·bùdget *n.* (특히 재정 위기 때에 계상되는) 추가 경정 예산, 긴급 추가 경정 예산.
míni·bùs *n.* 마이크로버스《약 15인승의》.
míni·càb *n.* 《영》 소형 콜택시.
mìni·cálculator *n.* 휴대용 전자 계산기.
min·i·cam(·era) [mínəkæ̀m(ərə)] *n.* =MINIATURE CAMERA.   「트레이닝 캠프》.
míni·càmp *n.* 〖축구〗 미니캠프《봄철의 단기간
míni·càr *n.* 소형 자동차; (특히, 장난감) 미니카.
míni·cèll *n.* 〖생물〗 미니 세포《염색체 DNA가 없는 작은 박테리아 세포》.
mìni·compónent *n.* 미니컴포넌트《소형의 컴포넌트형 오디오 시스템》.
míni·compùter *n.* 〖컴퓨터〗 미니〔소형〕 컴퓨터. ⓒⓕ microcomputer.
míni·còurse *n.* (정규 학기와 학기 사이 등의) 단기 코스, 미니 코스.
míni·dòse *n.* 알갱이가 작은 내복약.   「치는》.
míni·drèss *n.* 미니드레스《길이가 무릎에 못 미
míni·fèstival *n.* 《미》 (흔히 야외에서 갖는) 소규모 축제.
miniflóppy dìsk *n.* 〖컴퓨터〗 미니플로피 디스크《플로피 디스크의 규격 중에서 지름이 5.25인치의 디스크》.
min·i·fy [mínəfài] *vt.* 작게 하다, 축소하다; 삭감하다. OPP. *magnify.* ㊎ **mìn·i·fi·cá·tion** *n.*
min·i·kin [mínikin] *n.* 아주 작은 물건〔생물〕; 《폐어》 〖인쇄〗 미니킨《활자 크기; 약 3.5 포인트》. ── *a.* 아주 작은; 가냘픈, 섬약한; 점잔빼는.
míni·làb *n.* 현상소, DP점《사진의 현상·인화 등을 하는 작은 사업소》.
min·im [mínəm] *n.* **1** 액량(液量)의 최소 단위《1드램(dram)의 1/60; 생략: min.》; 한 방울; 미량. **2** 미소한 물건. **3** 《영》 〖음악〗 2분음표. ── *a.* 최소의, 극소의.

min·i·ma [mínəmə] MINIMUM의 복수.
míni·magazìne *n.* (비교적 소수의 특정 독자층을 대상으로 하는) 미니 잡지.
min·i·mal [mínəməl] *a.* 최소의, 극미한; 최소한도의; 미니멀 아트의. **—** *n.* 미니멀 아트 작품. [파] **~·ly** *ad.*
mínimal árt 미니멀 아트《단순한 소재와 기하학적 형태에 의한 추상 예술》.
mínimal bráin dysfùnction 〖의학〗 미세 뇌기능 장애《아동의 학습·행동 기능 장애의 하나; 뇌의 미세한 상해 때문이라 여겨짐; 생략: MBD》.
mín·i·mal·ism *n.* (때로 M-) **1** 〖음악〗 미니멀 양식《최소의 장식과 악기 편성으로 일정한 패턴을 반복하여 맥동적이고 최면적인 효과를 냄; 1960년대 후반 미국에서 읾》. **2** =MINIMAL ART. **3** 〖문학〗 미니멀리즘《1980년대 미국에 나타난 아주 짧은 형식의 소설 수법》. **4** 최소한주의, 소극적 자세《극히 한정된 흥미만을 갖는 태도》.
mín·i·mal·ist *n.* **1** (M-) **a** 최소 강령주의자《제정 말 러시아 사회 혁명당 내의 온건파》([cf.] maximalist). **b** =MENSHEVIK. **2** (목표 등을) 최저한으로 억제하려는 사람; 최소한의 일만을 하는 사람. **3** 미니멀 아트 예술가.
mín·i·mal·ìze, 《주로 영》 **-ise** *vt.* 최소한으로 하다: ~ tax increases 증세(增稅)를 최소한으로 억제하다. [파] **mìn·i·mal·i·zá·tion** *n.*
mínimal páir 〖언어〗 최소 대어(對語)《bet와 bed 처럼 같은 위치의 한 가지 소리만이 다른 한 쌍의 낱말》. 「판매점.
míni·màrket *n.* 식품 잡화점, 조제(調製) 식품
míni·màrt *n.* =MINIMARKET.
min·i·max [mínəmæ̀ks] *n.* **1** 〖수학〗 미니맥스《어떤 한 조의 극대치 중의 최소치》. [cf.] maximin. **2** 〖게임이론〗 미니맥스《추정되는 최대한의 손실을 최소한으로 하는 기법, 또 그 값》. **—** *a.* 미니맥스의〔에 의거한〕.
mínimax prínciple 미니맥스 원리《어떤 행위 중의 하나를 선택할 때에는 최악의 경우의 손해가 최소로 되도록 하는 행동 선택의 원칙》.
Míni Métro 영국제 소형 승용차. 「제철소.
míni·mìll *n.* (지방에서 파쇠를 이용하는) 소규모
míni·mínded [-id] *a.* 생각이 얕은, 지각없는; 무지한, 어리석은(stupid).
min·i·mine [mínəmì:n] *n.* 미니민《벌의 독에서 빼낸 유독한 폴리펩티드》.
mìn·i·mi·zá·tion *n.* [U] 최소한도로 하기; 최저로 견적하기〔어림잡기〕; 경시.
◇**min·i·mize** [mínəmàiz] *vt.* 최소로 하다; 최저로 어림잡다; 경시하다, 얕보다. [opp.] *maximize.* ¶ ~ friction 마찰을 최소한으로 줄이다 / ~ a person's services 아무의 노력을 낮게 평가하다. **—** *vi.* 극소치로 하다. [파] **-mìz·er** *n.* (일을) 과소평가하는 사람.
⁑**min·i·mum** [mínəməm] (*pl.* **-ma** [-mə], **~s**) *n.* **1** 최소, 최소〔최저〕한도: keep one's expenditure to a 〔the〕 ~ 경비를 최저한으로 억제하다. **2** 〖수학〗 최소〔극소〕점. **—** *ad.* 최소〔최저〕한으로: twice a month ~ 최소한 한 달에 두 번. **—** *a.* 최소〔최저〕한도의, 극소의. [opp.] *maximum.*
mínimum-áccess prògramming 〖컴퓨터〗 최단 불러내기로 프로그램 짜기《불러내는 시간을 최단으로 하는》.
mínimum cómpetency tèsting 〖교육〗 최소 능력 검사《미국의 고등학교 기초 학력 심사》.
mínimum dóse 〖의학〗 (약효 발생에 필요한) 최소 투약량.
mínimum lénding ràte 《영》 (잉글랜드 은행의) 최저 대출 금리《생략: MLR》.
mínimum púrchase 《미》 (휘발유의 한번에 급유되는) 최소 구매량. 「계.
mínimum thermómeter 〖공학〗 최저 온도
mínimum tíllage, mínimum-tíll *n.* =NO-TILLAGE.
mínimum tóur prìce 여행 최저 판매 가격《항공 회사의 과당 판매 경쟁을 막기 위해 IATA가 정한 투어 최저 판매가》.
mínimum wáge =LIVING WAGE; (법정·노동 협약) 최저 임금.
min·i·mus [mínəməs] (*pl.* **-mi** [-mài]) *n.* 최소의 것, 가장 하찮은 것; 〖해부〗 새끼손가락. **—** *a.* 《영》 가장 어린《이름이 같은 학생이나 형제 중에서》. [cf.] major.
◇**min·ing** [máiniŋ] *n.* [U] **1** 광업, 채광(採鑛), 채탄. **2** 탐광. **3** 지뢰〔기뢰〕 부설. **—** *a.* 채광의, 광산의: a ~ academy 광산 전문학교 / ~ industry 광업 / ~ rights 채굴권 / a ~ claim 《미》 (발견자가 채굴권을 갖는) 광구(鑛區) / coal ~ 탄광업.
míning engineèr 광산〔채광〕 기사.
míning engineèring 광산(공)학.
míning geògraphy 광업 지리학.
min·i·nuke [mínənjù:k/-njù:k] *n.* 《미속어》 (국지 전용) 소형 핵무기.
min·ion [mínjən] *n.* **1** 앞잡이, 노예. **2** 《경멸》 총애받는 사람《부하·여자 등》. **3** 〖인쇄〗 미니언《활자의 크기; 약 7포인트》. ***a ~ of fortune*** 행운아. ***the ~s of the law*** 법률의 앞잡이《교도관·경관 등》.
min·ion·ette [mìnjənét] *n.* 《미》 〖인쇄〗 미니오넷(《영》 emerald)《6.5포인트 활자》.
míni·pàrk *n.* (도시의) 소공원.
míni·pìg *n.* 미니 돼지《연구용으로 개량된 소형 돼지》.
míni·pìll *n.* 알이 작은 먹는 피임약.
míni·plànet *n.* 〖천문〗 소행성.
míni·prògram *n.* 〖TV·방송〗 미니프로《이른바 1분 이하 정도의 짧은 연속 프로》.
míni·recèssion *n.* 〖경제〗 미니 불황《일시적·부분적인 경기 후퇴》; 일반적인 경기 후퇴.
míni-róundabout *n.* 미니로터리《노면 중앙에 작은 녹지대를 설치한 교차로》.
míni·schòol *n.* 미니스쿨《학생들에게 특별〔개별〕 지도를 하는 실험학교》.
min·is·cule [mínəskjù:l] *n., a.* =MINUSCULE.
míni·sèries *n.* 〖TV〗 미니시리즈, 단기 프로《보통, 4-14회》.
min·ish [mínij] *vt., vi.* 《고어》 줄이다, 줄다, 작게 하다, 작아지다.
míni·skì *n.* (초보자용) 짧은 스키. 「씨.
míni·skìrt *n.* 미니스커트; 《CB속어》 여성, 아가
Míni Státe 《CB속어》 Rhode Island 주.
míni·stàte *n.* 신흥 소독립국; 극소(極小) 국가 (microstate).
⁑**min·is·ter** [mínəstər] (*fem.* **-tress** [-tris]) *n.* **1** 성직자, 목사(《영》에서는 비국교파와 장로파의 성직자를 말함). **2** (종종 M-) 장관, 대신, 각료. [cf.] Secretary, Prime Minister. **3** (외국에 대하여 국가를 대표하는) 공사(公使)《대사(大使)의 아래》. **4** 하인, 종, 부하. **5** 대행자; 앞잡이. ***~ of Cabinet rank*** 《영》 각외상(閣外相)《육군상·법무상 등 2급 각료》. ***the Minister for Defense*** 국방 장관. ***the Minister of Foreign Affairs and Trade*** 외교 통상부 장관《한국의》. **—** *vi.* **1** 《+[전]+[명]》 섬기다, 봉사하다《*to*》; 보살펴 주다《*to*》: ~ *to* the sick 환자를 돌보다. **2** 《+[전]+[명]》 힘을 빌리다, 돕다; 도움이 되다; 《고어》 공헌〔이바지〕하다《*to*》: ~ *to* one's vanity 허영을 만족시키다. **3** 목사〔성직자〕로 일하다. **—** *vt.* 《고어》 주다, 공급하다.
min·is·te·ri·al [mìnəstíəriəl] *a.* **1** 장관의; 내각의; 정부 측의, 여당의: a ~ crisis 내각의 위기 / ~ level talks 각료급 회담 / the ~ bench-

es《영》 하원의 여당석. **2** 성직자의, 목사의. **3** 행정상의. **4** 대리의; 종속적인; 도움이 되는, 봉사의, 공헌하는. [파] **~·ist** *n.*《영고어》 여당 의원. **~·ly** *ad.* 목사로서; 장관으로서.

ministérial responsibílity 〖정치〗 (의원 내각제에서) 장관이 국회에 대하여 연대하여 또는 개별적으로 부담하는 정치적 책임.

mínistering ángel 구원의 천사《비유적으로, 간호사 등》.

mínister of státe (보통 M- of S-)《영》 부(副)장관《장관(Secretary of State) 다음 가는 직위로 정무차관(parliamentary secretary)의 상위; 규모가 큰 부(部)에 두며, 상당히 무거운 독립적 책임을 짐; 보통 내각에는 속하지 않음》; 〖일반적〗 장관, 각료.

mínister of the Crówn《영》 장관, 각료《총리, 각부 장관, 무임소 장관 등》.

mínister plenipoténtiary 특명 전권 공사.

mínister résident 변리 공사《전권 공사의 아래 직위》.

mínister's héad 〔**fáce**〕《미속어》 돼지머리 「《요리용》.

mínister withòut portfólio (*pl.* ***ministers without portfolios***) 무임소 장관.

min·is·trant [mínəstrənt] *a.* 섬기는, 봉사의, 보좌의. **—** *n.* 봉사자, 보좌역.

min·is·tra·tion [mìnəstréiʃən] *n.* [U] (성직자의) 직무; [C,U] 봉사, 원조, 조력. 「ISTRANT.

min·is·tra·tive [mínəstrèitiv/-trə-] *a.* =MIN-

*__min·is·try__ [mínəstri] *n.* **1** (종종 the M-) (영국·유럽의) 내각 ([cf.] cabinet); 〖집합적〗 각료: The *Ministry* has resigned. 내각은 총사직하였다. **2** (보통 M-) (영국·일본 정부 등의) 부, 성(department); 청사: the *Ministry* of Defense 국방부. **3** (the ~) 장관의 직무〔임기〕. **4** (the ~) 목사의 직무〔임기〕; 〖집합적〗 목사, 성직자. **5** [U] 봉사, 원조; 수단, 매개.

míni·sùb *n.* (해저 탐사용) 소형 잠수함.

míni·sùit *n.* 미니슈트《미니스커트와 콤비가 되는 여성용 슈트》. 「미니탱크.

míni·tànk *n.* (기동성이 우수한 경량(輕量)의)

míni·tànker *n.* 소형 탱커《액체 수송용》.

míni·tràck *n.* 〖우주〗 (때로 M-) 미니트랙《인공위성 등에서 보내는 표지(標識) 전파의 추적 장치》.

min·i·um [míniəm] *n.* [U] 〖광물·화학〗 사산화(化)삼납(Pb_3O_4), 연단(鉛丹)(red lead); 연단색《익은 고춧빛》.

míni·vàn *n.*《미》 미니밴《van과 station wagon의 특징을 조화시킨 차》.

min·i·ver [mínəvər] *n.* [U] (귀족 예복의) 흰 모피. [cf.] ermine. 「차고 비슷한》.

mìni·wárehouse *n.* 미니 창고《단층의 임대용

◇**mink** [miŋk] (*pl.* **~s,** ~) *n.* **1** [C] 〖동물〗 밍크《족제비류; 수륙 양서》; [U] 그 모피: a ~ coat 밍크코트. **2**《미속어》 매력적인 여자; (여성의) 외음부; 《미흑인속어》 걸프렌드.

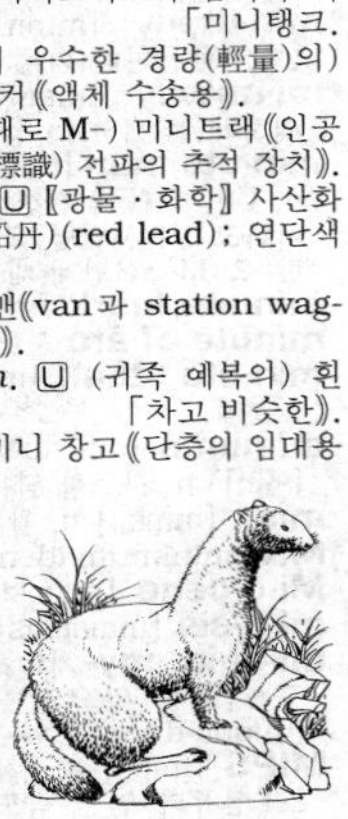

mink 1

mín·ke (**whále**) [míŋki-, -kə-] 밍크고래《길이 10m의 소형 고래》.

Min·kóws·ki wòrld 〔**ùniverse**〕 [miŋkɔ́ːf-ski-] *n.* 〖수학〗 민코프스키 세계〔우주〕《4차원 좌표로 기술되는 우주》.

Minn. Minnesota.

Min·ne·ap·o·lis [mìniǽpəlis] *n.* 미니애폴리스《미국 미네소타 주 최대의 도시》.

min·ne·sing·er [mínəsìŋər] *n.*《G.》 (*or* M-) (중세 독일의) 연애〔서정〕 시인.

Min·ne·so·ta [mìnəsóutə] *n.* 미네소타《미국 북부의 주; 생략: Minn.》. [파] **-tan** [-tən] *a.*, *n.* 미네소타의; 미네소타 주 사람.

Minnesóta Multiphásic Personálity Ìnventory 〖심리〗 미네소타 다면적(多面的) 성격 목록《2차 대전 중, 미네소타 대학에서 고안된 질문지법(質問紙法)에 의한 성격 검사; 생략: MMPI》.

min·nie [míni] *n.*《CB속어》 100파운드 미만의 적하(積荷).

min·now [mínou] *n.* (*pl.* **~s,** ~) 황어(黃魚)·피라미류; 잉엇과의 작은 물고기. ***throw out a ~ to catch a whale*** 새우로 고래를 낚다; 큰 이익을 위해 작은 이익을 버리다.

Mi·no·an [minóuən] *a.*, *n.* 크레타 문명《기원전 3000-1100년경에 번영한》(의); 고대 크레타 주민(의); 미노아인(人)(의).

⁑**mi·nor** [máinər] *a.* **1** 보다 작은, 작은 쪽의; 보다 적은 쪽의(smaller, lesser): a ~ share 작은 쪽의 몫/a ~ axis 〖수학〗 (원뿔 곡선의) 단축(短軸)/a ~ party 소수당/~ faults 경(輕)과실. **2** (비교적) 중요치 않은, 보다 중요하지 않은; 2류의; 심각하지 않은: a ~ question 사소한 문제/a ~ poet 이류 시인. **3**《미》 (대학 과목이) 부전공의: a ~ subject 부전공 과목. **4**《영》 (public school에서 이름이 같은 두 사람 중) 손아래의: Jackson ~ 작은 잭슨. **5** 미성년의. **6** 〖음악〗 단음계의, 단조의: a ~ scale 단음계/a ~ mode 단선법(短旋法)/A ~ 가 단조. **7** 〖논리〗 소(小)…. [opp] *major.* **—** *n.* **1** 미성년자. **2** 〖논리〗 소명사(小名辭); 소전제(小前提). **3** 〖음악〗 단조, 단음계. **4** (M-) 〖가톨릭〗 =MINORITE. **5**《미》 (대학의) 부전공 과목. **—** *vi.*《+[전]+[명]》 부(副)전공으로 (연구)하다《*in*》: He will ~ *in* history. 그는 역사를 부전공으로 공부할 것이다.

Mi·nor·ca [minɔ́ːrkə] *n.* 지중해 서부의 섬《스페인령》; 미노르카《닭의 일종》(∠ **fòwl**).

mínor élement **1** 〖지학〗 미량 원소. **2** 〖생화학〗 =TRACE ELEMENT. 「사(修士).

Mi·nor·ite [máinəràit] *n.* 프란체스코회의 수

⁑**mi·nor·i·ty** [minɔ́ːrəti, -nár-, mai-/mainɔ́r-, mi-] *n.* **1** [C] 소수파, 소수자의 무리, 소수당; 소수 민족: He is in a ~ of one. 그는 고립무원이다/a ~ party 소수당. **2** [U] 소수(임). **3** [U] 〖법률〗 미성년(기). [cf.] majority.

minórity cárrier 〖물리〗 (반도체 담체(擔體) 중의) 소수 담체; 〖공학〗 소수 반송자(搬送子).

minórity gòvernment 소수당 정부, 소수 여당 정권. 「소수자 집단.

minórity gròup (인종·국적·종교 등에서의)

minórity lèader《미》 소수당 원내 총무.

minórity whìp《미》 소수당 원내 부총무.

mínor kéy 〖음악〗 단조(短調); 음울한 기분, 애조. ***in a ~*** 〖음악〗 단조로; 우울한 기분으로.

mínor léague (the ~)《미》 마이너 리그《major league에 속하지 않는 2류 직업 야구단〔선수단〕 연맹》.

mínor-léague *a.*《미》 마이너 리그의; 《미구어》 2류의, 시원찮은.

mínor léaguer《미》 마이너 리그의 선수; 《미구어》 2류의 사람, 졸다리.

mínor offénse 경범죄.

mínor párty 〖정치〗 소수당.

mínor plánet 〖천문〗 소(小)행성.

mínor prémise 〖논리〗 소전제.

Mínor Próphets (the ~) 〖성서〗 소예언자《Hosea에서 Malachi까지의 12예언자》; (구약의) 소예언서.

mínor scále 〖음악〗 단음계.

mínor séntence 〖문법〗 단문(短文)《주부나 술부 또는 둘 다 없는 문장: Good morning!,

Thank you! 따위》.

mínor súit 〖카드놀이〗 작은 패《브리지에서 다이아 또는 클럽의 짝패》.

mínor térm 〖논리〗 소명사(小名辭)《3단 논법에서 결론의 주어가 되는 말》.

mínor thírd 〖음악〗 단(短) 3도.

mínor tránquilizer 〖약학〗 마이너 트랭퀼라이저《불안·긴장·신경증 치료용》.

Min·o·taur [mínətɔ̀ːr, máinə-/máin-] *n.* (the ~) 〖그리스신화〗 미노타우로스《인신우두(人身牛頭)의 괴물》.

min·ox·i·dil [minάksidìl/-nɔ́k-] *n.* 〖약학〗 미녹시딜《중증인 고혈압 치료약, 말초 혈관 확장제》.

Min. Plen. Minister Plenipotentiary.

MINS [minz] *n.* 《미》 감독이 필요한 미성년자. cf. CINS, JINS, PINS. [◂ *M*inor(s) *I*n *N*eed of *S*upervision]

min·ster [mínstər] *n.* 《주로 영》 수도원 성당; 대교회당, 대성당(cathedral).

°**min·strel** [mínstrəl] *n.* **1** (중세의) 음유(吟遊)시인〔가인〕, 음창 시인. **2** 《시어》 시인, 가수. **3** 편력 음악사. **4** (*pl.*) 순회 극단(Negro 〔nigger〕 ~s) 《흑인으로 분장한 백인이 흑인 노래와 춤을 춤》.

mínstrel shòw 민스트럴 쇼《백인이 흑인으로 분장해서 하는 춤·노래 등 연예》.

min·strel·sy [mínstrəlsi] *n.* Ⓤ 음유시인의 연예《노래·음창·탄주(彈奏) 따위》; (음유시인 등의) 시, 민요; 시가(poetry); 〖집합적〗 음유시인.

°**mint**[1] [mint] *n.* Ⓤ 〖식물〗 박하(薄荷); 박하 향미료(香味料); 박하가 든 사탕. ㊞ **∠·y** *a.*

°**mint**[2] *n.* **1** 화폐 주조소, (the M-) 조폐국. **2** 다액, 거액: a ~ of money 막대한 돈/a ~ of trouble 허다한 고생. **3** 근원, 보고, 부원(富源) (source). ***in ~ state*** 〔***condition***〕 아주 새로운, 갓 만든《서적·화폐·우표 따위》. **—** *vt.* (화폐를) 주조하다(coin); (신어(新語)를) 만들어 내다. ~ ***money*** 《구어》 =COIN money. **—** *a.* 조폐국의; (조폐국·인쇄국 등에서) 갓 나온, 아주 새로운; 《미속어》 멋있는, 훌륭한. ㊞ **∠·er** *n.*

mint·age [míntidʒ] *n.* Ⓤ (화폐의) 주조, 조폐(coinage); 주화료(鑄貨料); 주조 화폐; Ⓒ (화폐 따위의) 각인(刻印)(mintmark); Ⓤ (어구(語句)의) 신조(新造).

mínt-frèsh *a.* 갓 만든, 미(未)사용의.

mínt júlep 《미》 민트 줄렙, 박하술(julep).

mínt·màrk *n.* 화폐의 각인(刻印). **—** *vt.* (화폐)에 각인을 찍다.

mínt sáuce 박하 소스.

min·u·end [mínjuènd] *n.* 〖수학〗 피감수(被減數). cf. subtrahend.

min·u·et [mìnjuét] *n.* 미뉴에트《3박자의 느린 춤》; 그 곡.

****mi·nus** [máinəs] *prep.* **1** 〖수학〗 마이너스의, …을 뺀, …만큼 적은. OPP *plus*. ¶ 7 ~ 3 leaves 4, 7 빼기 3은 4《7-3=4》. **2** 《구어》 …을 잃고; …이 없이〔없는〕(lacking, without): a book ~ its cover 표지가 떨어져 나간 책/He came ~ his hat. 그는 맨머리로 왔다. **3** 빙점하의, 영하의: The temperature is ~ ten (degree). 온도가 영하 10도이다. **—** *a.* **1** 마이너스의; 〖전기〗 음(陰)의(negative): a ~ quantity 음의 양(量), 음수(陰數)/~ electricity 음전기/~ charge 음전하(陰電荷). **2** 《구어》 없는; 불리한; 모자라는: The profits were ~. 수익은 제로였다. **3** 미치지 못한, 뒤떨어진. **—** (*pl.* ***~·es***) *n.* **1** =MINUS SIGN. **2** 음수(陰數). **3** 부족, 손해, 결손; 《구어》 바람직하지 않은 것.

mi·nus·cule [mínəskjùːl, minʌ́skjuːl/mínəskjùːl] *a.* 아주 작은; 하잘것없는; 소문자(서체)의〔로 쓰인〕. **—** *n.* 소문자 (서체).

mínus sìgn 〖수학〗 마이너스 부호(negative sign) 《−》.

†min·ute[1] [mínit] *n.* **1** (시간의) 분《1시간의 1/60; 기호 ′》. **2** 〔단수형으로〕 잠깐 동안, 잠시; 순간(moment); (the ~) 현재; 1분간에 나아가는 거리: Just 〔Wait〕 a ~. 잠깐만 (기다려 주시오)/in a few ~*s* 금세, 곧. **3** 각서(note), 메모; (간단한) 초고(草稿); (*pl.*) 의사록(~ book): be on the ~*s* 의사록에 올라 있다/make 〔take〕 a ~ of …의 각서를 만들다, 기록해 두다. **4** (각도의) 분(~ of arc)《1/60도; 기호 ′》. ***at any*** ~ 지금 당장에라도, 언제라도: He'll turn up *any* ~. 그는 언제라도 달려올 것이다. ***at the last*** ~ 시간에 임박해 (빠듯이), 막판에 가서. ***be on the ~s*** 의사록에 올라 있다. ***by the*** ~ 1분마다. ***not for a*** 〔***one***〕 ~ 조금도 …않는(never). ***the*** ~ (***that***) ... …와 동시에, …하자마자(as soon as): He ran off *the* ~ (*that*) he saw me. 그는 나를 보자마자 도망쳤다. ***this*** ~ 지금 당장(에). ***to the*** ~ 1분도 틀리지 않고, 정각에. ***up to the*** ~ 최신의(up-to-date). **—** *vt.* **1** …의 시간을 정밀하게 재다. **2** …의 초고를 작성하다. **3** 적어 두다, 기록하다《*down*》. **4** 의사록에 적다. **—** *a.* 곧 할 수 있는, 즉석에서 만드는: a ~ pudding.

mi·nute**[2] [mainjúːt, mi-/-njúːt] (-nut·er; -est***) *a.* **1** 자디잔, 미세한; 사소한, 하찮은: ~ difference 근소한 차이. SYN. ⇨SMALL. **2** 상세한; 정밀한, 엄밀한; 세심한: a ~ observer 세심한 관찰자. ㊞ **~·ness** *n.*

mín·ute bèll [mínit-] 분시종(分時鐘)《사망·장례식을 알리는, 1분마다 울리는 조종》.

mín·ute bòok [mínit-] 메모장, 기록부, 비망록; 의사록.

mín·ute gùn [mínit-] 분시포(分時砲)《장군·사령관 장례 때 1분마다 쏘는 조포》.

mín·ute hànd [mínit-] (the ~) 시계의 장침, 분침. cf. hour hand.

°**min·ute·ly**[1] [mínitli] *ad.*, *a.* 《고어》 1분마다(의); 매분마다(의); 끊임없이.

°**mi·nute·ly**[2] [mainjúːtli, mi-/-njúːt-] *ad.* 세세하게, 상세하게, 정밀하게.

min·ute·man [mínitmæ̀n] (*pl.* ***-men*** [-mèn]) *n.* 《미》 **1** (독립전쟁 당시 즉각 출동할 수 있게 준비하고 있던) 민병. **2** 《비유》 언제든 쓸모 있는 사람. **3** (M-) 3단계 대륙간 탄도탄(ICBM)의 일종.

mín·ute màrk [mínit-] 분의 부호《′》.

mínute of árc 분(分)《1도의 1/60의 각도》.

mín·ute stèak [mínit-] (즉석요리용의) 얇은 고깃점.

mi·nu·tia [minjúːʃiə, mai-/-njúː-] (*pl.* ***-ti·ae*** [-ʃiìː]) *n.* 사소한 점, 세목; (*pl.*) 사소한 일《*of*》.

minx [miŋks] *n.* 왈가닥, 말괄량이.

MIO minimum identifiable odor.

Mi·o·cene [máiəsìːn] *n.*, *a.* 〖지학〗 마이오세(世)(의).

mi·o·sis [maióusis] *n.* =MEIOSIS; MYOSIS.

mi·ot·ic, my- [maiάtik/-ɔ́t-] *a.* 〖생리〗 동공 축소를 일으키는. **—** *n.* 축동약(縮瞳藥) (miotic drug).

MIPS [mips] *n.* 〖컴퓨터〗 100만 명령/초; 밉스《컴퓨터 연산 속도의 단위》. [◂ *m*illion *i*nstructions *p*er *s*econd]

miq·ue·let [míkəlèt] *n.* 〖역사〗 (PENINSULAR WAR의) 스페인〔프랑스〕군 게릴라 병사, 스페인군 보병.

Mir [miər] *n.* 《Russ.》 미르《옛 소련이 1986년 2월에 발사한 다목적 우주 정거장》.

mir (*pl.* ***~s, mi·ri*** [míəri]) *n.* 《Russ.》 미르《제정(帝政) 러시아의 원시 촌락 공동체》.

mi·ra·bi·le dic·tu [*L.* mirάːbilɛ-díktuː] 《L.》 말하는 것도 이상하지만.

mir·a·cle [mírəkəl] *n.* **1** 기적: by a ~ 기적적으로 / to a ~《고어》기적적으로; 신기할 정도로 훌륭히 / work 〔do, perform, accomplish〕 a ~ 기적을 행하다. **2** 경이; 불가사의한 물건〔일, 사람〕; 훌륭한 예(例): a ~ of skill 경이적인 기술. **3** 그리스도의 이적〔기적〕. **4** 기적극(~ play)《그리스도 또는 성인의 사적(事跡)·이적(異蹟)을 제재로 한 중세의 종교극》.

míracle drùg 영약, 새로 발명된 특효약.

míracle frùit 〖식물〗 적철과(赤鐵科) 관목(의 과실)《이것을 먹고 신 것을 먹으면 단맛이 남》.

míracle màn 기적을 행하는〔행한다는〕 사람; 불가능한 일을 하는 사람.

míracle míle 고급 상점가.

míracle plày (중세의) 기적극.

míracle rìce 기적의 쌀《수확량이 재래종의 2-3배 되는 신품종》.

mi·rac·u·lous [mirǽkjələs] *a.* 기적적인, 불가사의한, 초자연적인, 신기한, 놀랄 만한. SYN. ⇨ WONDERFUL. ㊕ ~·ly *ad.* ~·ness *n.*

mir·a·dor [mìrədɔ́ːr] *n.* (스페인 건축에 특유한) 전망탑; (전망용) 발코니; 달아낸 창.

mir·age [mirɑ́ːʒ/--] *n.*《F.》**1** 신기루; 아지랑이; 망상; 덧없는 희망, 공중누각. **2** (M-) (프랑스제의) 미라주 전투기.

Mi·ran·da [mirǽndə] *n.* 미란다《여자 이름》; 〖천문〗 천왕성의 제5위성. **—** *a.*《미》(피의자에) 인권 옹호적인, 범죄자에 너그러운.

Miránda cárd《미》미란다 카드《경찰관이 체포한 용의자에게 헌법상 묵비권과 변호사 입회 등을 요구할 수 있는 권리가 있음을 알려주기 위하여 휴대하는 카드》.

Miránda Rìghts《미》미란다 라이트《경찰에 체포시 묵비권과 변호사의 변호를 요구할 권리》.

Miránda rúle 〖법률〗 미란다 원칙〔준칙〕《경찰관의 위법 수집 증거 배제의 원칙》.

MIRAS [máirəs] *n.*《영》마이라스《주택을 부동산 저당 대출(loan)로 구입한 사람들에 대한 세금의 경감 제도》. [◂ *M*ortgage *I*nterest *R*elief *A*t *S*ource]

°**mire** [maiər] *n.* U 습지(濕地), 늪, 진창; 수렁; (the ~) 궁지, 곤경, 오욕(汚辱). ***drag*** a person 〔a person***'s name***〕 ***through the*** ~ 아무의 이름을 더럽히다. ***stick*** 〔***find*** oneself〕 ***in the*** ~ 궁지에 빠지다, 곤경에 부딪히다. **—** *vt., vi.* 진구렁에 빠뜨리다〔빠지다〕; 진흙으로 더럽히다〔더러워지다〕; 곤경에 몰아넣다〔몰리다〕.

Mir·i·am [míriəm] *n.* **1** 미리엄《여자 이름》. **2** 〖성서〗 Moses, Aaron의 누나.

mirk [məːrk] *n.* =MURK.

mir·ror [mírər] *n.* **1** 거울, 반사경: a driving ~《영》(자동차의) 백미러 / (as) smooth as a ~ 거울처럼 매끄러운 / look at oneself in the ~ 거울로 제 모습을 보다. **2** 있는 그대로 비추는 물건: a ~ of the times 시대를 반영하는 것. **3** 본보기, 귀감(龜鑑), 모범: a ~ of chivalry 기사도의 귀감. ***hold the*** ~ ***up to nature*** 자연 그대로 비추다. ***with*** ~***s*** 거울에 비추어서; 마법〔트릭〕으로. **—** *vt.* 비추다, 반사하다; 반영시키다; 대표하다. ㊕ ~·like *n.*

mírror bàll 미러볼《디스코룸 따위의 천장에 매단 많은 작은 거울을 붙인 회전식 장식구(球)》.

mírror ímage 경상(鏡像)《거울에 비쳤을 때의 좌우 반대의 상》.

mírror sìte 〖인터넷〗 미러사이트《어떤 FTP site와 같은 file을 갖는 site; 특정 site의 백업(back up)·혼잡을 피하기 위하여 설정》.

mírror sỳmmetry 거울 면 대칭.

mírror wrìting 경서(鏡書)《거울에 비치는 글자처럼 좌우가 바뀌게 쓰기》; 경영(鏡映) 문자.

°**mirth** [məːrθ] *n.* U 명랑, 유쾌; 환락, 환희; 들떠서 떠들어대기, 회희낙락.

mirth·ful [mə́ːrθfəl] *a.* 유쾌한, 명랑한. ㊕ ~·ly *ad.* ~·ness *n.*

mírth·less *a.* 즐겁지 않은, 음울한. ㊕ ~·ly *ad.* 「~·ness *n.*

MIRV [məːrv] *n.* 다탄두 각개 목표 재돌입 미사일. [◂ *m*ultiple *i*ndependently targeted *r*eentry *v*ehicle] **—** *vt., vi.* (…에) MIRV를 장비하다.

miry [máiəri] (***mir·i·er; -i·est***) *a.* 진창 깊은; 진흙투성이의; 더러운. ㊕ **mír·i·ness** *n.*

MIS management information system (경영 정보 시스템); marketing information system (마케팅 정보 시스템). **Mis.** Missouri.

mis-[1] [mìs] *pref.* 동사 또는 그 파생어에 붙여서 '잘못(하여), 그릇된, 나쁘게, 불리하게' 따위의 뜻을 나타냄: *mis*take, *mis*represent.

mis-[2] [mìs], **mis·o-** [mísou, -sə, máis-] '혐오(嫌惡)'의 뜻의 결합사. OPP. *phil-*.

mìs·addréss *vt.* …의 주소를 잘못 적다, (사람을 잘못 보고) 부르다, 말을 걸다.

mìs·administrátion *n.* U 실정(失政).

mìs·advénture *n.* **1** U 불운; C 불운한 일, 불행, 재난. **2** 〖법률〗 우발적 사고. ***by*** ~ 잘못하여, 운수 나쁘게. ***do*** a person ~ 아무에게 손해를 입히다. ***homicide*** 〔***death***〕 ***by*** ~ 〖법률〗 과실치사. ***without*** ~ 무사히. 「을 하다.

mìs·advíse *vt.* 그릇된 충고를 하다, 나쁜 조언

mìs·alígned *a.* 조정〔설치〕 불량의. 「는 결혼.

mìs·allíance *n.* C 그릇된 결합; 어울리지 않

mìs·állocate *vt.* 잘못〔부당하게〕 배분하다. ㊕ **mìs·allocátion** *n.* 배분 착오; 부적당한 할당.

mìs·allý *vt.* …에게 그릇된 결합〔결혼〕을 시키다.

mis·an·dry [mísændri/misǽndri, mísən-] *n.* 남성 혐오.

mis·an·thrope, mis·an·thro·pist [mísənθròup, míz-], [misǽnθrəpist, miz-] *n.* 사람을 싫어하는 사람, 염세가.

mis·an·throp·ic, -i·cal [mìsənθrɑ́pik, mìz-/-θrɔ́p-], [-kəl] *a.* 사람을 싫어하는, 염세적인. ㊕ **-i·cal·ly** *ad.*

mis·an·thro·pize [misǽnθrəpàiz, miz-] *vi.* 사람을 싫어하게 되다.

mis·an·thro·py [misǽnθrəpi, miz-] *n.* U 사람을 싫어함《성질》, 인간 불신, 염세.

mìs·applicátion *n.* U,C 오용, 남용, 악용.

mìs·applíed *a.* 오용〔악용〕된. 「용〕하다.

mìs·applý *vt.* …의 적용을 잘못하다; 악용〔오

mìs·apprehénd *vt.* (말·사람 등을) 오해하다, 잘못 생각하다(misunderstand). ㊕ **-apprehén·sion** *n.* U,C 오해, 잘못 생각하기. **-apprehén·sive** *a.* 오해하기 쉬운.

mìs·apprópriate *vt.* (남의 돈을) 남용하다; 착복〔횡령〕하다. ㊕ **-appropriátion** *n.* U,C 착복, 횡령; 악용, 남용.

mìs·arránge *vt.* …의 배열을〔배치를〕 잘못하다, 틀린 장소에 두다. ㊕ ~·**ment** *n.* U,C

mìs·attríbute *vt.* 실수하여〔잘못하여〕 다른 사람〔것〕의 탓으로 돌리다.

mìs·becóme (***-becàme, -becóme***) *vt.* 맞지 않다, 적당하지 않다, 어울리지 않다. ㊕ **-becóm·ing** *a.* 어울리지〔적합하지〕 않은(unbecoming).

mìs·begótten, -gót *a.* 사생아의, 서출(庶出)의(illegitimate);《구어》불출(不出)의, 덜된; 상스러운; 부정하게 얻은; (계획·착상이) 나쁜.

mìs·beháve *vi.* 무례한 행동을 하다; 부정한〔나쁜〕 짓을 하다; 행실이 나쁘다. **—** *vt.* 〖다음 용법뿐〗 ~ one***self*** 무례하게 굴다《*with*》. ㊕ **-beháved** *a.* 행실이 나쁜; 부정한. **-behá·ver** *n.*

mìs·behávior *n.* U 무례; 부정; 나쁜 행실;

〖미군사법률〗 (적전에서의) 군기 위반, 비행(非行).
mìs·belíef *n.* [U] 그릇된 신념, 그릇된 생각; 그릇된〔이단(異端)〕 신앙.
mìs·belíeve *vi.* **1** 그릇 믿다. **2** 이교를 믿다. ── *vt.* 믿지 않다, 의심하다(disbelieve). [파] **-be·líever** *n.* 그릇된 신앙을 가진 사람; 이교도(heretic). **-belíeving** *a.* 이단의.
mìs·beséem *vt.* 《고어》 =MISBECOME.
mìs·bestów *vt.* 부당하게 주다.
mis·bírth *n.* =MISCARRIAGE 3.
mis·bránd *vt.* …에 가짜〔틀린〕 상표를 붙이다.
mis·bránded drúg 부정 표시 의약품《허위·과대 표시 등을 한》.
misc. miscellaneous; miscellany.
mis·cálculate *vt., vi.* 계산을 잘못하다, 오산하다; 잘못〔헛〕 짚다. [파] **mìs·calculátion** *n.* [U]
mis·cáll *vt.* 이름을 잘못 부르다, 오칭하다; 《고어·방언》 …의 욕〔비방〕을 하다.
mis·cárriage *n.* [U,C] **1** 실패; 잘못(error). **2** (우편물 따위의) 불착(不着), 잘못 배달됨. **3** 유산(流産), 조산(早産)(abortion). ***a*** **~** ***of justice*** 오심(誤審).
mis·cárry *vi.* **1** (계획 따위가) 실패하다(fail). **2** (화물(貨物)·우편물 따위가) 도착하지 않다, 잘못 배달되다. **3** 유산〔조산〕하다.
mis·cást (*p., pp.* ~) *vt.* **1** (배우에게) 부적당한 역을 맡기다; (극의) 배역을 그르치다: The play is ~. 이 극은 배역이 잘못되어 있다. **2** (셈 따위에서) 합계를〔계산을〕 잘못하다.
mis·ceg·e·na·tion [misèdʒənéiʃən, mìsidʒə-] *n.* [U] 이(異)종족의 혼합〔잡혼(雜婚)〕《특히 흑·백인의》.
mis·cel·la·nea [mìsəléiniə] *n. pl.* 〔종종 단수취급〕 (특히 문학 작품의) 잡록(雜錄); 갖가지 물건, 제반 물질문명.
◇**mis·cel·la·ne·ous** [mìsəléiniəs] *a.* **1** 가지가지 잡다한, 이종(異種) 혼합의, 잡동사니의: ~ business 〔goods〕 잡무〔잡화〕. **2** 다방면에 걸친(many-sided): ~ articles 잡기(雜記), 잡록. [파] **~·ly** *ad.* **~·ness** *n.*
miscelláneous chárges òrder 해외여행에서 주로 여객 편의를 위해 항공사·여행사에서 발행하여 제공하는 유가 증권《생략: MCO》.
mis·cel·la·nist [mísəlèinist/misélə-] *n.* 잡록〔잡보〕 기자, 잡문가.
mis·cel·la·ny [mísəlèini/miséləni] *n.* 잡다, 혼합(mixture), 잡동사니(medley); (한 권에 수록된) 문집, 잡록; (*pl.*) 논문, 잡문. 「운 나쁘게.
mis·chánce *n.* [U,C] 불운, 불행, 재난. ***by*** **~**
mis·cháracterize *vt.* …의 특성〔성격〕에 대하여 잘못된 묘사를 하다.
mis·chief** [místʃif] (*pl.* **~s**) *n.* [U] **1** 해악(害惡), 해(harm): One ~ comes on the neck of another. 《속담》 엎친 데 덮친다, 설상가상. **2** 악영향; 손해, 위해: inflict great ~ on the community 사회에 큰 해독을 끼치다. **3** 해악의 원인. **4** 곤란한 점; (신체의) 고장, 병난 부분: The ~ of it is that …. 곤란한 점은 …이다. **5** 장난, 짓궂음: go 〔get〕 into ~ 장난을 시작하다 / eyes full of ~ 장난기로 가득 찬 눈 / keep children out of ~ 아이들에게 장난치지 못하게 하다 / out of (pure) ~ (그저) 장난삼아. **6** [C] 장난꾸러기. **7** (the ~) 《구어》 〔의문문에 붙여〕 도대체(the devil): What the ~ do you want? 도대체 무엇을 원하느냐. ◇ mischievous *a.* ***come to **~** 재난을 만나다, 폐가 되다. ***do oneself a*** **~** 《영구어》 상처를 입다. ***do*** a person (***a***) **~** 아무에게 위해를 가하다. ***do*** (much) **~** ***to*** …에게 (큰) 손해를 주다. ***go to the*** **~** 《구어》 타락하다. ***like the*** **~** 《구어》 몹시, 매우. ***make*** **~** ***between*** (소문을 내거나 해서) …의 사이를 이간시키다, …에 찬물을 끼얹다. ***mean*** **~** 흉계를 품다, 앙심을 갖다. ***play the*** **~** ***with*** (건강을) 해치다; (기계를) 망치다; …을 엉망으로 만들다. ***the*** **~** ***in person*** 악마의 화신. ***up to*** **~** 장난을 꾀하여: He is *up to* ~ again. 그는 다시 뭔가 못된 일을 꾸미고 있다. ***work*** **~** 재난을 가져오다; 장난을 하다.
míschief-màker *n.* (소문 등으로) 이간질하는 사람. 「간질, 이간.
míschief-màking *a., n.* 이간질하는; [U] 이
***mis·chie·vous** [místʃəvəs] *a.* **1** 유해한. **2** 장난을 좋아하는, 장난기 있는; 어딘가 행티가 있어 보이는. ◇ mischief *n.* [파] **~·ly** *ad.* **~·ness** *n.*
mísch mètal [míʃ-] 미시메탈《희토류 금속의 혼합물 합금; 라이터돌 따위로 쓰임》. 「실수.
mis·chóice *n.* 잘못된〔부적당한〕 선택, 선택의
mis·ci·ble [mísəbəl] *a.* 혼화되기 쉬운《*with*》. [파] **mìs·ci·bíl·i·ty** *n.* [U] 〖화학〗 섞임도; 혼화성(混和性).
mis·cíte *vt., vi.* 잘못 인용하다(misquote).
mis·clássify *vt.* …의 분류를 잘못하다, 다른 항목으로 잘못 분류하다. [파] **-classificátion** *n.*
mis·códe *vt.* 〖유전〗 …에 잘못된 유전 정보를 주다; 〖컴퓨터〗 (데이터 처리에서) …에 잘못된 코드를 주다.
mìs·communicátion *n.* 잘못된 전달〔연락〕, 전달〔연락〕 불량〔불충분〕.
mìs·comprehénd *vt.* 오해하다(misunderstand). [파] **-comprehénsion** *n.*
mìs·concéive *vt., vi.* 오해하다, 오인하다, 잘못 생각하다《*of*》.
mìs·concéption *n.* [U,C] 오해, 그릇된 생각.
mis·cónduct *n.* [U] **1** 몸가짐〔행실〕이 좋지 않음, 품행이 나쁨. **2** 〖법률〗 (공무원의) 부정 행위, 직권 남용; 간통(adultery); 방만한 관리〔경영〕, 부당한 조처, 서툰 시책〔전략〕. ── [╌╌] *vt.* **1** …의 조처를 그르치다, 실수(를) 하다. **2** 〔~ oneself〕 품행이 나쁘다; 간통하다《*with*》.
mìs·connéction *n.* (항공기의) 접속편을 놓침.
mìs·constrúction *n.* [U,C] (의미의) 잘못된 해석〔구성〕, 오해, 곡해.
mìs·constrúe *vt.* 잘못 해석하다, 오해하다; 곡해하다(misunderstand).
mìs·cópy *vt.* 잘못 카피〔복사〕하다. ── *n.* 미스 카피, 복사 착오.
mis·cóunt *vt., vi.* 잘못 세다, 잘못 계산하다. ── *n.* [U] 오산(誤算), 계산 착오. 「비도(非道).
mis·cre·an·cy [mískriənsi] *n.* 사악, 비열,
mis·cre·ant [mískriənt] *a.* 사악한; 《고어》 이단의, 이단을 믿는. ── *n.* 악한; 《고어》 이단자, 이교(異教)를 믿는 사람.
mìs·creáte *vt.* 기형(畸形)으로 만들다, 잘못 만들다. [파] **mìs·creátion** *n.* 잘못 만듦; 모양새〔볼품〕 없는 것.
mìs·creáted [-id] *a.* 잘못된, 모양이 기괴한, 불구의(ill-formed).
mis·cúe *vi.* 〖당구〗 (공을) 잘못 치다; 《구어》 실수하다; 〖연극〗 대사의 큐를 잘못 받다〔알다〕. ── *n.* 잘못 침; 〖야구〗 에러; 《구어》 실책, 실수.
mis·dáte *vt.* (편지·서류 등)의 날짜〔연대(年代)〕를 틀리다. ── *n.* 틀린 날짜(wrong date).
mis·déal *n.* 〖카드놀이〗 패를 잘못 도르기; 그 카드. ── (*p., pp.* **-dealt** [-délt]) *vi., vt.* 패를 잘못 도르다. [파] **~·er** *n.*
mis·déed *n.* 악행, 비행, 범죄.
mis·déem *vt., vi.* (…의) 판단을 그르치다, 오해하다; 착각하다《*for*》.
mìs·defíne *vt.* …의 정의를 잘못하다, 잘못 정의를 내리다. 「달하다.
mìs·delíver *vt.* …의 배달을 잘못하다, 잘못 배

mìs·deméan *vt.* 《드물게》〖~ oneself〗 비행을 저지르다, 몸가짐이 나쁘다. **—** *vi.* 비행을 저지르다. **—** *n.* 비행.
mis·de·mean·ant [mìsdimíːnənt] *n.* 〖법률〗 경범자; 행실〔품행〕이 나쁜 사람, 비행자.
mìs·deméanor, 《영》 **-our** *n.* U,C 〖법률〗 경범죄(cf. felony); 비행, 행실〔품행〕이 나쁨.
mìs·deríve *vt., vi.* 잘못 꺼내다, (…의) 유래를 〔어원을〕 잘못 보이다〔설명하다〕.
mìs·describe *vt.* 잘못 기술〔묘사〕하다.
mìs·descríption *n.* U,C 부정확〔불비〕한 기술(記述), 《특허》 (계약의) 오기(誤記).
mìs·díagnose *vt.* 오진(誤診)하다.
mìs·diagnósis *n.* 오진(誤診).
mìs·díal *vt., vi.* (전화번호를) 잘못 돌리다〔누르다〕. ㊈ **~·ing** *n.*
mìs·diréct *vt.* **1** 그릇 지시〔지휘〕하다. **2** (편지에) 수취인의 주소·성명을 잘못 쓰다; 길〔방향〕을 잘못 가르쳐 주다; 잘못 겨냥하다: a *~ed* letter 수취인의 주소·성명이 잘못 적힌 편지/~ a blow 헛때리다. **3** 〖법률〗 (판사가 배심원에게) 잘못 설명하다. **4** (정력·재능 등을) 그릇된 방향으로 돌리다. ㊈ **mìs·di·réc·tion** *n.* U,C
mis·dó (*-did* [-díd]; *-done* [-dʌ́n]) *vt.* 잘못하다, 실수하다. **—** *vi.* 《폐어》 나쁜 짓을 하다. ㊈ **~·er** *n.* 범인, 비행자. **~·ing** *n.* 비행, 범죄 (misdeed).
mis·dóubt 《고어》 *vt.* 의심하다; 수상쩍게 여기다《*that*》. **—** *n.* U 의심; 우려.
mise [miːz, maiz] *n.* **1** 협정, 협약. **2** 〖영법률〗 토지 권리 소송 영장(writ of right)(에 있어서의 쟁점).
mis·éducate *vt.* 잘못된 교육을 하다, …의 교육을 그르치다. ㊈ **-educátion** *n.*
mise-en-scène [*F.* mizɑ̃sɛn] (*pl.* **~s** [—]) *n.* 《F.》 연출(법); 무대 장치(stage setting); (사건 등의) 주위의 상황; 환경.
mìs·emplóy *vt.* 오용(誤用)하다; …에게 적성에 맞지 않는 일을 시키다〔주다〕. ㊈ **~·ment** *n.* U
mis·éntry *n.* (장부의) 오기.
***mi·ser** [máizər] *n.* **1** 구두쇠, 노랑이, 수전노. **2** 《고어》 비참한〔불쌍한〕 사람.
‡**mis·er·a·ble** [mízərəbəl] *a.* **1** 불쌍한, 비참한, 가련한(pitiable); 슬픈: a ~ life 비참한 일생/~ news 슬픈 소식. **2** 초라한, 볼품없는, 빈약한, 궁핍한. **3** (생활 따위가) 쓰라린, 괴로운《*with*》; (날씨가) 구질구질한: be ~ *with* hunger and cold 굶주림과 추위로 고생하고 있다/~ weather 구질구질한 날씨. **4** 비천한, 야비한; 파렴치한 (shameful); 시시한, 서투른: a ~ performance 시원찮은 연기. ◇ misery *n.* **—** *n.* 불행한 사람, 곤궁자. ㊈ ◇**-bly** *ad.* **~·ness** *n.*
Mis·e·re·re [mìzəréəri, -ríə-] *n.* 《L.》 **1** 〖성서〗 미제레레의 기도《시편 제51편》; 그 곡. **2** (m-) 애원하는 소리, 애원. **3** (m-) =MISERICORD(E) 3.
mis·er·i·cord(e) [mízərikɔ̀ːrd, mizérəkɔ̀ːrd/mizérikɔ̀ːd] *n.* **1** 특면(特免)《수도원 계율로 금지된 음식·옷이 허락되기》; 면계실(免戒室)《특면의 음식을 먹는 방》. **2** (중세 기사들이 쓴) 마지막 숨통을 끊는 단검. **3** 교회 성직자의 접의자 아래에 댄 가로대《일어설 때 몸의 의지가 됨》. 「[-nis] *n.* U 인색, 탐욕.
mí·ser·ly *a.* 인색한, 욕심 많은. ㊈ **-li·ness**
‡**mis·ery** [mízəri] *n.* U **1** (*pl.*) 불행; (정신적·육체적) 고통; 고뇌: *miseries* of mankind 인류의 불행/*Misery* loves company. 《속담》 동병상련. SYN. ⇨SUFFERING. **2** 비참한 신세, 빈곤; 비참함: live in ~ and want 매우 곤궁하게 살다. **3** 《구어》 징징거리는 사람, 불평이 많은 사람. ◇ miserable *a.* ***have a*** ~ 《미속어》 통증으로 괴로워하다. ***put ... out of*** his 〔her, its〕 ~ (사람·짐승을) 죽여서 편하게 해주다; (사실을 말해주어) 마음 편하게 해주다.
mísery ìndex 〖경제〗 궁핍 지수(窮乏指數).
mis·estéem *vt.* …을 부당하게 얕보다, 과소평가하다. **—** *n.* 과소평가.
mis·es·ti·mate [miséstəmèit] *vt.* …의 평가를 그르치다. **—** [miséstəmət] *n.* 그릇된 평가. ㊈ **mìs·es·ti·má·tion** *n.*
mìs·evolútion *n.* 〖생물〗 (세포·바이러스 입자(粒子) 등의) 이상 증식〔진화〕.
mis·fea·sance [misfíːzəns] *n.* U 〖법률〗 부당 행위, 《특히》 직권 남용; 〖일반적〗 과실.
mis·fea·sor [misfíːzər] *n.* 〖법률〗 불법 행위자, 권리 침해자.
mis·fíeld *vt., vi.* 〖미식축구〗 (볼의) 필딩 미스를 범하다. **—** *n.* 필딩 미스, 에러.
mis·fíle *vt.* 잘못된 데에 철하다〔정리하다〕.
mis·fíre *vi.* (총 따위가) 불발하다; (내연 기관이) 점화되지 않다; 빗나가다; (작품 등이) 목적하는 효과를 못 내다. **—** [⌐⌐] *n.* C 불발; 점화되지 않음; 빗나감, 실패.
mis·fit [mísfit, -⌐] *n.* U 부적합; 맞지 않는 것《옷·신발 따위》; C 주위 환경·일에 잘 적응〔순응〕 못하는 사람《*in*》. **—** [-⌐] (*-tt-*) *vt., vi.* 잘못 맞추다; 잘 맞지 않다, 적합하지 않다.
mísfit strèam 〖지학〗 부적합 하류(河流), 무능하천《강이 침식해서 골짜기를 만들기에는 너무 작은 하류(河流)》.
mis·fórm *vt., vi.* 잘못 만들(어지)다.
‡**mis·for·tune** [misfɔ́ːrtʃən] *n.* U,C **1** 불운, 불행: by ~ 운 나쁘게, 불행하게도/have the ~ to do 불행하게도 …하다. **2** 불행한 일, 재난: *Misfortunes* never come single. =One ~ rides upon another's back. 《속담》 화불단행(禍不單行), 엎친 데 덮치다. ***have*** 〔***meet with***〕 ***a*** ~ 《구어》 사생아를 낳다.
mis·fúel *vt., vi.* (차에) 다른 종류의 기름을 급유하다《특히 무연(無鉛) 가솔린의 차에 유연(有鉛) 가솔린을 넣는 따위》.
mis·gíve (*-gave* [-géiv]; *-giv·en* [-gívən]) *vt., vi.* 의심을 일으키다, 염려케 하다; 염려하다: My mind ~s me *about* the consequence. 나는 그 결과가 걱정이다.
◇**mis·gív·ing** *n.* U,C 〖부정 이외에는 종종 *pl.*〗 걱정, 불안, 염려. ***have ~s about*** …에 불안을 품다.
mis·gótten *adj.* =ILL-GOTTEN; =MISBEGOTTEN.
mis·góvern *vt.* 악정을 펴다, 통치〔지배〕를 잘못하다. ㊈ **mìs·góv·ern·ment** *n.* U 악정, 실정(失政).
mis·guíde *vt.* 〖주로 과거분사〗 잘못 지도하다 (mislead). ㊈ **-guídance** *n.* U 그릇된 지도, 오도(誤導). **-guíder** *n.*
mis·guíded [-id] *a.* 오도된, 미혹된; 잘못 안. ㊈ **~·ly** *ad.* **~·ness** *n.*
mis·hándle *vt.* 거칠게 다루다, 학대하다; 서투르게 다루다, 잘못 조처하다.
mis·hap [míshæp, -⌐] *n.* C 불운한 일, 재난; U 불운. ***without*** ~ 무사히. 「듣다《*for*》.
mis·héar (*p., pp.* **-heard** [-hə́ːrd]) *vt.* 잘못
mish·e·goss, mesh- [míʃəgɑ̀s/-gɔ̀s], [méʃ-] *n.* 《미속어》 되잖은 이야기, 미친 짓.
mìs·hít (~; *-tt-*) *vt., vi.* (구기에서) 잘못 치다. **—** [⌐⌐] *n.* 잘못 치기, 범타.
mish·mash [míʃmɑ̀ːʃ, -mæ̀ʃ/-mæ̀ʃ] *n.* 뒤죽박죽, 뒤범벅(hodgepodge, jumble); 혼란 상태. **—** *vt.* 뒤섞어 놓다.
Mish·na(h) [míʃnə] (*pl.* ***Mish·na·yoth, -yot,***

-yos [mìʃnəjóus; *Heb*. miʃnɑːjɔ́ːt]) *n*. 미슈나 《Talmud의 제1부를 구성하는 유대교의 불성문율집(不成文律集); A.D. 200년경에 편집》.

mi·shu·gah, mi·shoo·geh [míʃugɑ̀ː], [-gèi] *a*. 《미속어》 머리가 이상한, 미친.

mìs·idéntify *vt*. 잘못 확인하다, 오인(誤認)하다. ㊂ **-identificátion** *n*.

mìs·impréssion *n*. 잘못된 인상; 착각.

mìs·infórm *vt*. 잘못 전하다, 오보하다; 오해하게 하다, 잘못 가르치다《*of*》. 「傳).

mìs·informátion *n*. Ⓤ 오보(誤報), 오전(誤

mìs·infórmed *a*. 잘못된 정보를 받고 있는, 잘못 알려져 있는.

mìs·intérpret *vt*. 그릇 해석〔설명〕하다, 오해하다(misunderstand). ㊂ ~·**er** *n*.

mìs·interpretátion *n*. Ⓤ,Ⓒ 오해; 오역(誤譯).

mìs·intérpreton *n*. 오해의 산물.

MI-6 [èmáisíks] *n*. (영국 정부의) 해외 정보부, 해외 군사 정보 활동 제6부. ⓒⓕ MI-5. [◂ Military Intelligence 6]

mis·jóinder *n*. 〚법률〛 잘못된 병합(倂合).

mis·júdge *vt*., *vi*. 그릇 판단〔심판〕하다; 깔보다; 그릇 대중하다, 잘못 보다. ㊂ **mis·júdgment,** 《영》 **-júdge-** *n*. 그릇된 판단; 오심(誤審).

mis·kéy *vt*. (언어 · 데이터를) 틀리게 입력하다.

mis·knów *vt*. 잘못 이해하다, 잘 모르다, 인지할 수 없다; 오해하다(misunderstand). ㊂ **-knówledge** *n*. 「벨을 붙이다.

mis·lábel *vt*. 라벨을 잘못 붙이다, …에 틀린 라

mis·láy (*p*., *pp*. **-laid** [-léid]) *vt*. 잘못 두다〔놓다〕; 두고 잊다; 《비유》 잃다, (시야에서) 놓치다.

‡**mis·lead** [mislíːd] (*p*., *pp*. **-led** [-léd]) *vt*. **1** 그릇 인도〔안내〕하다: be *misled* by a map 지도를 의지하다가 길을 잃다. **2** 《~+목/+목+전+명》 오해하게 하다; 현혹시키다; 속이다; 나쁜 일에 꾀다: Bad companions *misled* him. 나쁜 친구가 그를 꾀어냈다/Her gentle manner *misled* him *into* trusting her. 그녀의 친절한 태도에 현혹되어 그는 그녀를 믿어 버렸다. ㊂ ~·**er** *n*.

‡**mis·lead·ing** [mislíːdiŋ] *a*. 그르치기 쉬운, 오해하기 쉬운, 오해하게 하는, 현혹시키는. ㊂ ~·**ly** *ad*. ~·**ness** *n*. 「버릇없는, 무례한.

mis·leared [mislíərd] *a*. 《Sc.》 행실이 나쁜,

mis·líke 《고어》 *vt*. 싫어하다; …의 비위에 거슬리다. ── *n*. 혐오, 반감.

mis·lo·cate [mislóukeit, ⌐-⌐/⌐-⌐] *vt*. =MISPLACE; …의 위치를 잘못 알다〔틀리다〕.

mis·mánage *vt*. 잘못 취급〔관리〕하다, 실수하다. ㊂ ~·**ment** *n*. 실수. 「결혼.

mis·márriage *n*. 어울리지 않은 결혼, 불행한

mis·mátch *vt*. 짝을 잘못 짓다; 어울리지 않는 결혼을 시키다. ── *n*. 잘못 짝짓기, 어울리지 않는 결혼.

mis·máte *vt*. 짝을 잘못 짓다; 어울리지 않는 결혼을 시키다. ── *vi*. 잘 짜여지지 않다, 조화가 잘 안되다《*with*》.

mis·méasure *vt*. 잘못 측정하다, …의 계측(計測)을 잘못하다.

mis·náme *vt*. 틀린 이름으로 부르다, 오칭(誤稱)하다; 욕하다.

mis·no·mer [misnóumər] *n*. 틀린 이름; 잘못 부름; (법률 문서 중의) 인명〔지명〕 오기(誤記).

miso- [mísou, -sə, máis-] *pref*. =MIS-².

mi·sog·a·my [miságəmi, mai-/-sɔ́g-] *n*. Ⓤ 결혼을 싫어함. ㊂ **-mist** *n*.

mi·sog·y·nist [misádʒənist/-sɔ́dʒ-] *n*. 여성(의 권리 확장)에 적개심을 가지는 사람, 여성 차별주의자.

mi·sog·y·ny [misádʒəni, mai-/-sɔ́dʒ-] *n*. Ⓤ 〚심리〛 강한 여성 혐오(증). ⓞⓟⓟ *philogyny*. ㊂ **-nous** [-nəs] *a*. 여자를 싫어하는.

mi·sol·o·gy [misálədʒi, mai-/-sɔ́l-] *n*. Ⓤ 〚심리〛 의논 혐오(증), 이론〔따지기〕 싫어하기. ㊂ **-gist** *n*.

mis·o·ne·ism [mìsouníːizəm, màis-] *n*. Ⓤ 〚심리〛 새것〔혁신〕을 싫어하기, 보수주의. ㊂ **-ist** *n*.

mis·órient *vt*. 그릇된 쪽을 향하다, 그릇된 지도를 하다. ㊂ **-órientate** *vt*., **-orientátion** *n*.

mis·per [míspər] *n*. 《경찰속어》 행방불명자, 실종자(missing person).

mìs·percéive *vt*. 잘못 지각(知覺)하다, 오인〔오해〕하다. ㊂ **-céption** *n*. 「(arsenopyrite).

mis·pick·el [míspikəl] *n*. 〚광물〛 황비철석

mis·pláce *vt*. 잘못 두다; 《구어》 둔 곳을 잊다(mislay); 《주로 과거분사꼴로》 (신용 · 애정 등을) 잘못된 대상에 두다《*to*》: ~*d* confidence 잘못 준〔예상이 빗나간〕 신뢰. ㊂ ~·**ment** *n*.

mis·pláy *n*. (경기 · 연주 등의) 실수, 졸렬한 연기〔연주〕; 〚스포츠〛 에러, 미스. ── *vt*., *vi*. 실수하다; (야구 따위에서) 공 처리를 잘못하다, 에러를 저지르다, 실수하다. 「항변을 하다.

mis·pléad *vt*., *vi*. 잘못된 변호를 하다, 부당한

***mis·print** [mísprìnt, ⌐⌐] *n*. 〚인쇄〛 오식(誤植). ── [misprínt] *vt*. 오식하다.

mis·pri·sion¹ [misprízən] *n*. Ⓤ 〚법률〛 (공무원의) 직무태만, 부정행위; 범죄 은닉; (국가 · 법정에 대한) 모욕. ~ *of felony* 〔*treason*〕 중범은닉죄.

mis·pri·sion² *n*. 《고어》 경멸, 경시《*of*》.

mis·prize, -prise [mispráiz] *vt*. 경멸하다, 경시하다, 얕잡아보다.

mìs·pronóunce *vt*. …의 발음을 잘못하다. ── *vi*. 잘못〔틀리게〕 발음하다. ㊂ **mìs·pronunciátion** *n*. Ⓤ,Ⓒ

mìs·propórtion *n*. Ⓤ 불균형.

mis·púnctuate *vt*. 구두법(句讀法)을 잘못하다, …에 틀린 구두점을 찍다.

mìs·quotátion *n*. Ⓤ,Ⓒ 틀린〔잘못된〕 인용(구).

mis·quóte *vt*., *vi*. 그릇〔잘못〕 인용하다.

mis·réad [-ríːd] (*p*., *pp*. ~ [-réd]) *vt*. 틀리게 읽다, 오독하다; 그릇 해석하다(misinterpret).

mis·réckon *vt*., *vi*. 잘못 세다, 계산을 잘못하다; 《비유》 오산하다. 「PARTICIPLE.

misreláted párticiple 〚문법〛 =DANGLING

mìs·remémber *vt*., *vi*. 잘못 기억하다; 《방언》 잘못 외다, 잊다(forget).

mìs·repórt *vt*. 잘못 보고하다; 그릇 전하다. ── *n*. Ⓤ,Ⓒ 오보(誤報), 허위 보고. ㊂ ~·**er** *n*.

mìs·represént *vt*. 잘못 전하다; 거짓 설명을 하다; 허위로 대표하다; 대표 임무를 다하지 못하다. ── *vi*. 허위 진술을 하다. ㊂ ~·**er** *n*.

mìs·representátion *n*. Ⓤ **1** 오전(誤傳), 허설(虛說); 그릇된 설명. **2** 〚법률〛 허위〔거짓〕 진술; 사칭(詐稱). ㊂ **mìs·represéntative** *a*.

mis·róute *vt*. 잘못된 루트로 보내다.

mis·rúle *n*. Ⓤ 실정(失政); 무질서, 혼란, 무정부 상태: the Lord 〔Abbot, Master〕 of *Misrule* 〚영국사〛 중세의 크리스마스 연회의 사회자. ── *vt*. 그릇된 정치를 하다. ㊂ **mis·rúl·er** *n*.

†**miss**¹ [mis] (*pl*. ~·**es** [mísiz]) *n*. **1** (M-) …양(미혼 여성의 성(명) 앞에 붙이는 경칭): *Miss* Smith 스미스 양/《문어》 the *Misses* Smith; 《구어》 the *Miss* Smiths 스미스 자매. ★ 자매를 구분할 경우 장녀는 성만 붙여 *Miss* Smith, 차녀 이하는 성명을 붙여 *Miss* Mary Smith 처럼 씀. **2** 《단독으로》 처녀, 미혼 여성《영국에서는 경멸적》: school ~*es* (놀기 좋아하는) 여학생/She's a saucy ~. 건방진 계집애다. **3** 아가씨《주로 여점원 · 웨이트리스 등에게, 또는 점원 등이 여자

손님〔주인〕에게의 호칭》: What do you want ~? 아가씨 무엇을 드릴까요. **4** (*pl.*) 〖단·복수 취급〗 여성복의 사이즈《6-20세의 여성옷》. **5** (M-) (지명 등에 붙여) 그 대표적 아가씨, 미스…: *Miss* Universe 미스 유니버스. **6** 《영》 (때로 M-) (학생이 여선생에의 호칭으로) 선생님.

miss[2] *vt.* **1** (목표를) 못 맞히다, 빗맞히다: ~ one's aim 맞히지 못하다 / ~ the point 요점을 빗맞히다. **2** (겨눈 것을) 놓치다, 잡지 못하다: ~ a catch 공을 놓치다. **3** (상품 따위를) 획득하지 못하다; (기회를) 놓치다; (버스·기차 따위를) 타지 못하다; (사람을) 만나지 못하다, 모습을 놓치다; (흥행 따위를) 구경하지 못하다; (학교·수업·회합 따위에) 출석하지 못하다, 결석하다: ~ the bus 버스를 놓치다; 호기를 놓치다 / I have ~*ed* so much school these days. 요즘 결석을 많이 했다. **4** (빠뜨리고) 보지〔듣지〕 못하다, 이해하지 못하다; …을 깨닫지 못하다: I must have ~*ed* the notice. 공고를 못 봤음에 틀림없다 / I ~*ed* the point of his speech. 그의 연설 요지를 알 수 없었다. **5** 〖종종 be ~ing〗 …을 빼먹다, (필요한 것 따위가) 빠져 있다; …을 빠뜨리다, …을 생략하다《*out*》: ~ breakfast 아침 식사를 거르다 / It's ~*ing* a couple of screws. 그것은 나사가 두 개 빠져 있다. **6** 《~+명/+-*ing*》 까딱 …할 뻔하다, 면하다: He just ~*ed* be*ing* killed. 까딱하면 죽을 뻔했다. **7** (약속·의무 따위를) 지키지〔이행하지〕 못하다, 태만히 하다: ~ an appointment 약속을 어기다. **8** 〖보통 부정·의문문〗…이 없음을 깨닫다: When did you ~ your umbrella? 우산 없어진 것을 언제 알았나. **9** 《~+명/+명+-*ing*》 …을 할 수 없어서 아쉽다〔유감이다〕; …이 없어서 적적〔서운, 허전〕하게 생각하다; 그리워하다: I ~ you badly. 네가 없어 몹시 적적하다 / I ~ you serv*ing* tea at tea breaks. 휴게 시간에 차를 대접해 드리지 못해서 유감입니다. — *vi.* **1** 과녁을 빗나가다. **2** 기회를 놓치다. **3** 실패〔실수〕하다: He never ~*es*. 실수하는 일이 없다. **~ *by a mile*** 《구어》 (답 등이) 크게 빗나가다; 《구어》 …에 대실패〔패배〕하다. **~ *fire*** ⇨FIRE. **~ *on*** 《드물게》 (묘안이) 얼른 떠오르지 않다. **~ *out*** 《*vt.*+부》 ① (…을) 생략하다, 빠뜨리다; 놓치다; 무시하다: Don't ~ my name *out* (of your list). (자네 명단에서) 내 이름을 빠뜨리지 말아 주게. — 《*vi.*+부》 ② 《구어》 기회를 잃다, 좋은 기회를 놓치다《*on*》: I ~ed *out on* the picnic. 모처럼의 소풍을 가지 못했다. **~ one's *dinner*** 음식을 토하다. **~ one's *tip*** 실수하다. **~ one's *way*** 길을 잃다. **~ *the boat*** ⇨BOAT. ***never*** 〔***not***〕 **~ *a trick*** 《구어》 호기를 놓치지 않다; 사소한 것도 놓치지 않고 듣다. ***not*** **~ *much*** 빈틈없다; (미처 못 들어도) 별 손실이 없다.

— *n.* **1** 못〔빗〕맞힘; 〖당구〗 미스, 빗맞기: A ~ is as good as a mile. 《속담》 조금이라도 빗나간 것은 빗나간 것이다, 오십보 백보. **2** 실수, 실패: It's hit or ~. 망하기 아니면 흥하기다. **3** 누락, 탈루(脫漏). **4** 면함, 벗어남. **5** 《구어》 유산(流産) (miscarriage). ***a near*** **~** ① 〖항공〗 (항공기의) 이상 접근. ② 약간 불충분함; 위기일발: Your answer is such *a near* ~. 너의 답변은 약간 불충분하다. ***give a*** **~** 〖당구〗 (일부러) 목표하는 공에 안 맞게 치다. ***give ... a*** **~** (아무를) 일부러 피하다; (식사 코스를) 빼다; (회의 등에 고의로) 결석하다. 「ary.

Miss. Mississippi. **miss.** mission; mission-

mis·sal [mísəl] *n.* (때로 M-) 〖가톨릭〗 미사 전서(典書); 〖일반적〗 (삽화가 있는) 기도서.

mis·sáy (*p., pp.* **-said** [-séd]) 《고어》 *vt., vi.* 나쁘게 말하다, 비난하다; 잘못 말하다.

míssed appróach [míst-] 〖항공〗 진입 복행 (進入復行)《어떤 이유로 착륙을 위한 진입이 안 되는 일; 또 이때에 취해지는 비행 절차》.

mis·sel [mísəl] *n.* 〖조류〗 큰개똥지빠귀 (=∠thrùsh) 《유럽산》.

Mìss Émma 《미속어》 모르핀.

mis·sénd (**-sent** [-sént]) *vt., vi.* 잘못 보내다.

mís·sènse *n.* 〖유전〗 미스센스《한 개 이상의 codon이 변하여 본래의 아미노산과 다른 아미노산을 지정하게 되는 돌연변이》. 「이.

míssense mutátion 〖생물〗 미스센스 돌연변

mis·shape [misʃéip] (**~d; ~d, -shap·en**) *vt.* 보기 흉하게 하다, 일그러진 모양〔기형〕이 되게 하다; 왜곡(歪曲)하다. ㊞ **mis·sháp·en** [-ən] *a.* 일그러진, 보기 흉한. **-sháp·en·ly** *ad.*

mis·sile [mísəl/-sail] *n.* **1** 미사일, 탄도 병기 (彈道兵器)(ballistic ~); 《특히》 유도탄(guided ~). **2** 날아가는 무기《화살·탄환·돌 등》; 《널리》 나는 물체, 비상체. — *a.* 던질〔발사할〕 수 있는; 미사일의〔에 관한〕: a ~ silo 〔site〕 미사일 지하 격납고〔기지〕 / a ~ killer 미사일 요격용 미사일 / a ~ warhead 미사일 탄두 / a nuclear ~ 핵 미사일 / a ~ vehicle 미사일 운반 기구.

mis·sil·eer [mìsəlíər/-sail-] *n.* =MISSILEMAN.

mís·sile·man [-mən] (*pl.* **-men** [-mən]) *n.* 미사일 관계자《설계자·제작자·조작자 등》.

mis·sil(e)·ry [mísəlri/-sail-] *n.* **1** 〖집합적〗 미사일. **2** 미사일 공학; 미사일 실험〔연구〕.

míssile síte ràdar ⇨MSR.

mis·ing [mísiŋ] *a.* **1** (있어야 할 곳에) 없는, 보이지 않는; 분실한: a book with two pages ~ 2페이지가 없는 책. **2** 행방불명의(lost); 결석한《*from* class》: ~ in action 전투 중에 실종된. **3** (the ~) 〖명사 취급〗 행방불명자들. ***come*** 〔***turn***〕 ***up*** **~** 《미구어》 모습을 보이지 않다, 결석〔결근〕하다.

míssing línk **1** 계열(系列) 완성상 빠져 있는 것《*in*》. **2** (the ~) 〖생물〗 멸실환(環), 미싱 링크《인류와 유인원(類人猿)의 중간에 있었다는 가상의 동물》. 「전도학, 선교학.

mis·si·ol·o·gy [mìsiálədʒi/-ɔ́l-] *n.* 〖기독교〗

mis·sion [míʃən] *n.* **1** (사절의) 임무, 직무; 〖일반적〗 사명, 천직: a sense of ~ 사명감 / *on* a ~ 사명을 띠고, 임무를 띠고. **2** (특명에 의한) 파견. **3** 사절(단); 《미》 재외공관《*to*》: an economic 〔a trade〕 ~ *to* China 중국에의 경제〔무역〕 사절단. **4** 전도, 포교; (~s) 전도 사업: foreign 〔home〕 ~s 외국〔국내〕 전도 활동 / follow the sacred ~ 선교사로서 일하다. **5** 선교회(會), 포교단; 전도구(區). **6** (특수 지역에 마련한) 사회구제 시설; 인보단(隣保團)(settlement). **7** 〖군사〗 특명(特命), (공격) 임무; 〖공군〗 (로켓의) 비행 임무〔목적〕; (우주선에 의한) 특무 비행《*to*》. ***Mission accomplished.*** 《구어》 임무 무사 완료. — *a.* 전도(단)의; (가구가) 미션 양식의: a ~ school 미션 스쿨, 종교〔전도〕 학교; 선교사 양성소 / ~ furniture 미션 양식 가구. — *vt.* **1** 파견하다《사절로서》. **2** …에게 사명을 맡기다. **3** 포교〔전도〕하다. — *vi.* 사절로 일하다.

mis·sion·ary [míʃənèri/-nəri] *a.* (외국으로 파견되는) 전도(자)의, 포교(자)의: a ~ meeting 전도〔포교〕 집회. — *n.* **1** 선교사, 전도사. **2** (주의·사상의) 주창자, 선전자(propagandist). **3** 사절, 대사. 「정상위(正常位).

míssionary posìtion (성교(性交) 체위의)

míssionary sàlesman 《미》 (생산 회사의) 선전 보급 판매원.

míssionary wòrker 《속어》 음성적·비폭력으로 파업의 파괴를 꾀하는 경영자와 한패거리의 근로자.

míssion contròl (**cènter**) (지상의) 우주(비행) 관제소.
míssion contròller (지상의) 우주 비행 관제 ⌊관.
mís·sion·er *n.* 교구 전도사.
Míssion: Impóssible '스파이 대작전'《미국 CBS TV의 스파이 액션 드라마(1966-71, 88-90); 영화화(1998)》.
mís·sion·ìze *vt.* …에 전도〔선전〕하다. **—** *vi.* 전도자로서 일하다. ㉺ **-ìz·er** *n.* **-i·zá·tion** *n.*
míssion spècialist 우주선 탑승 과학자.
míssion stàtement (회사 등의) 사명감의 선언〔선포〕《사회적 사명, 기업 목적 등의 표명》.
mis·sis [mísiz, -is] *n.* 《구어·드물게》 마님, 아씨(mistress)《하녀 등의 용어》; (the ~; one's ~) 《우스개》 (자기 또는 남의) 마누라, 아내: How's the ~? 마누라는 안녕하신가.
miss·ish [mísiʃ] *a.* 소녀처럼 새침한, 얌전 빼는.
Mis·sis·sip·pi [mìsəsípi] *n.* **1** 미국 남부의 주(州)《생략: Miss.》. **2** (the ~) 미시시피 강. ㉺ **~·an** [-ən] *a.*, *n.* 미시시피 강〔주〕의 (사람).
mis·sive [mísiv] *n.* 신서(信書), 서장(書狀), (특히 장황한) 공문서. **—** *a.* 《고어》 발송한, 보낸《문서 등》.
Mìss Lónely·hearts 인생 상담의 회답자.
Mìss Náncy 암사내, 계집애 같은 사내(아이).
Mis·sou·ri [mizúəri] *n.* **1** 미국 중부의 주《생략: Mo(.)》. **2** (the ~) 미주리 강《미시시피 강의 지류》. ***be* 〔*come*〕 *from* ~** 《미구어》 의심이 많다, (증거를 보기 전까지) 좀처럼 믿지 않다. ㉺ **~·an** [-ən] *a.*, *n.* 미주리 주의 (사람).
míss·òut *n.* (주사위 놀음에서) 판돈을 잃는 주사위 던지기.
mis·spéak (**-spoke** [-spóuk]; **-spo·ken** [-spóukən]) *vt.*, *vi.* 잘못 말하다; 잘못 발음하다.
mis·spéll (*p.*, *pp.* **-spelled** [-spélt, -spéld], **-spelt** [-spélt]) *vt.* …의 철자를 잘못 쓰다. ㉺ **~·ing** *n.* 틀린 철자.
mis·spénd (*p.*, *pp.* **-spent** [-spént]) *vt.* 〖흔히 과거분사〗 잘못 쓰다; 낭비하다.
Mìss Ríght 《구어》 이상적인 여성.
mis·státe *vt.* 잘못 말하다; 허위 진술하다. ㉺ **~·ment** *n.* 잘못된〔허위〕 진술.
mis·stép *n.* 실족(失足); 과실, (부주의로 인한) 실수; (여자가) 몸을 그르침. **—** *vi.* 잘못〔헛〕 디디다; 실수를 저지르다. 「불량 주화.
mìs·stríke *n.* 〖화폐〗 (각인·도안이 일그러진)
mis·sus [mísəz, -səs] *n.* =MISSIS.
mis·sy [mísi] *n.* 《구어》《호칭》 (친숙하게 놓으로 또는 경멸하여) 아가씨.
***mist** [mist] *n.* Ⓒ,Ⓤ **1** (엷은) 안개, 놀, 연무: a thick 〔heavy〕 ~ 농무, 짙은 안개.

> SYN. **mist** fog보다도 엷은 것. 시 따위에서 많이 쓰이며 비유적으로도 쓰임. **haze** 매우 엷은 mist를 말함. 연기, 먼지, 수증기 따위에서 생김. **fog** 아주 짙은 mist.

2 (눈의) 흐릿함, (물방울·수증기 등이 서린 유리·거울 따위의) 흐림; (추운 날의) 하얀 입김: She smiled in a ~ of tears. 그녀는 눈물로 흐려진 눈으로 미소지었다. **3** 《비유》 (a ~) (판단·이해·기억 따위를) 흐리게 하는 것: A ~ of prejudice spoiled his judgment. 편견이 그의 판단을 그르쳐 놓았다. **4** (the ~s) 《문어》 안개에 싸인 과거, 태고(太古)《*of*》. ***cast* 〔*throw*〕 *a* ~ *before* a person***'s eyes*** 아무의 눈을 흐리게 하다〔속이다〕. ***in a* ~** 어쩔 줄 몰라서, 갈피를 못 잡아. **—** *vi.* **1** 《~/+부》 안개가 끼다; (눈이) 흐려지다《*over; up*》: The scene ~*ed over*. 그 경치는 안개로 어슴푸레하였다. **2** 〔보통 it을 주어로〕 안개〔이슬비〕가 내리다: *It* is ~*ing*. **—** *vt.* 《~+목/+목+부/+목+전+명》 안개로 덮다; (눈을) 흐리게 하다: ~*ed* glasses (김이 서려) 흐린 안경 / Steam ~*ed up* the mirror. 김으로 거울이 흐려졌다 / Her eyes were ~*ed with* tears. 그녀의 눈은 눈물로 흐려졌다. ㉺ **∠·less** *a.* **∠·like** *a.*
mis·tak·a·ble [mistéikəbəl] *a.* 틀리기 쉬운, 잘못하기 쉬운, 오해받기 쉬운.
mis·take** [mistéik] *n.* **1** 잘못, 틀림: There is no ~ about it. 그것은 틀림없다 / make a ~ 실수하다, 잘못 생각하다. SYN. ⇨ ERROR. **2** 잘못된 생각, 오해. **3** 〖컴퓨터〗 실수《원치 않는 결과를 초래하는 사람의 조작 실수》. **4** 〖법률〗 착오. ***and no* ~** 《구어》 〔앞의 말을 강조하여〕 확실히, 틀림없이: She is innocent, *and no* ~! 그녀는 죄가 없다, 절대로. ***beyond* ~** 틀림없이 (undoubtedly). ***by* ~** 잘못하여, 실수로; 무심코. ***in* ~ *for …을 잘못 알아, …와 혼동하여. ***Make no* ~,** (you'll have to come here again). 알았지, (꼭 또 와야 해).
— (**-took** [-túk]; **-tak·en** [-téikən]) *vt.* **1** 《~+목/+*wh.* 절》 (길·시간 등을) 틀리다, 잘못 알다; 해석을 잘못하다〔틀리게 하다〕: ~ the road 길을 잘못 들다 / You're *mistaking how* far the responsibility goes. 너는 책임의 범위를 잘못 알고 있다. **2** 《+목+전+명》 …로 잘못 생각하다〔보다〕, 혼동하다《*for*》: He *mistook* the cloud *for* an island. 그는 구름을 섬으로 잘못 봤다 / That teacher is often *mistaken for* a student. 저 선생은 종종 학생으로 오인된다. **3** (말 따위를) 잘못 듣다; (남의 말을) 오해하다: I hate being *mistaken*. 내 말이 오해되는 것은 질색이다. **—** *vi.* 잘못 알다, 오해하다. **~ *one's man*** 상대를 잘못 보다〔얕잡아 보다〕. ㉺ **mis·ták·er** *n.*
***mis·tak·en** [mistéikən] MISTAKE의 과거분사.
— *a.* **1** (생각·지식 따위가) 잘못된, (생각이) 틀린: a ~ idea / Unless I'm (very much) ~ 내가 잘못 생각지 않았다면. **2** (사람 등이) 잘못 생각하고 있는, 오해하고 있는《*about; in*》: ~ identity 사람을 잘못 봄 / ~ kindness 귀찮은 친절 / You are ~ *about* that. 그 일에 대해서는 자네가 잘못 생각하고 있네. ㉺ **~·ly** *ad.* 잘못하여; 오해하여. **~·ness** *n.*
mis·táught *a.* 잘못 가르쳐진.
mis·téach (*p.*, *pp.* **-taught**) *vt.* 〖주로 과거분사〗 잘못 가르치다; (교과(教科)를) 틀리게 가르치다. ㉺ **~·er** *n.*
mis·ter[1] [místər] *n.* **1** (M-) …군, 씨, 선생, 님, 귀하《남자의 성·성명 또는 관직명 앞에 붙임; 흔히 Mr.로 생략》: *Mr.* (John) Smith (존) 스미스 씨 / *Mr.* President 대통령 (각하). **2** 《미구어·영방언》 나리, 선생님, 여보세요《호칭》. **3** Mr. 이외의 경칭이 없는 사람, 평민: a mere ~ 보통 사람, 무명지인. **4** 〖군사〗 하급 준위·사관 후보생·해군 소령 이하의 사관에 대한 정식 호칭. **5** 《구어·방언》 남편(husband). **—** *vt.* 《구어》 (아무를) Mister라고 부르다: Don't ~ me. '님' 자는 빼고 부르게.
míst·er[2] *n.* (원예용) 분무기.
Míster Bíg 《미속어》 (막후의) 거물, 보스, 우두머리; 최고 권력자. 「인; 우두머리.
Míster Chárlie 〔**Chárley**〕 《미흑인속어》 백
Míster Ríght 《구어》 (여성의) 이상적 남편감; 《미속어》 =MISTER BIG.
mis·tery [místəri] *n.* =MYSTERY[2].
mist·ful [místfəl] *a.* 안개가 짙은〔자욱한〕.
mis·thréad *vt.* (녹음테이프를) 제자리가 아닌 다른 곳에 틀다.
mis·tíme *vt.* **1** 시기를 그르치다, 때를 놓치다, 좋지 않은 때에 하다〔말하다〕; 박자를 틀리다. **2**

(공을) 칠 타이밍을 그르치다. ㊞ **-tímed** *a.* 시기를 놓친〔잃은〕(OPP. *timely*); 《영방언》 일상생활이나 습관에 난조를 보인.

mis·títle *vt.* 틀린 타이틀〔이름〕을 붙이다.

mis·tle·toe [mísltòu] *n.* U 〖식물〗 겨우살이《크리스마스 장식에 씀》; 그 잔가지. ***kissing under the*** ~ 겨우살이 밑에서의 키스《크리스마스에 겨우살이 밑에 있는 소녀에게 키스해도 되는 관습이 있음》.

mis·took [mistúk] MISTAKE의 과거형.

mis·tral [místrəl, mistrá:l] *n.* 미스트랄《프랑스의 지중해 연안 지방에 부는 건조하고 찬 북서풍》.

mìs·translàte *vt.* 잘못 번역하다, 오역하다. ㊞ **-translátion** *n.* U,C 오역.

mis·tréat *vt.* 학대〔혹사〕하다. ㊞ **~·ment** *n.* U

⁑mis·tress [místris] *n.* **1** 여주인, 주부. cf. master. **2** (때로 M-) 《비유》 여지배자; (…의) 여왕: a ~ of ceremonies 여자 사회자/be the ~ of …을 지배하다, …에 군림(君臨)하다/the *Mistress* of the Adriatic 아드리아 해(海)의 여왕《Venice의 속칭》/the ~ of the night 밤의 여왕《달》. **3** 여학자, 여류 명인〔대가〕: ~ of cooking 요리의 대가. **4** 《영》 여선생; 여(자)교장: a music ~. **5** 《시어》 사랑하는 여인, 연인. **6** 정부, 첩: keep a ~ 첩을 두다. **7** (M-) …부인〔여사〕《보통 Mrs.로 생략해 [mísiz]로 발음함》. cf. Mrs. **8** (M-) 《고어·방언·Sc.》 =MADAM, MISS[1]《호칭》. **9** 어떤 기술·학문을 닦은 여자; 여석사: *Mistress* of Music 음악 석사. ***be ~ of the situation*** 국면을 좌지우지하다. ***be ~ in*** one***'s own house*** (여성이) 가장(家長)으로서 남의 간섭을 받지 않다. ***be*** one***'s own ~*** 자유의 몸이다, 냉정하다. ***the Mistress of the Robes*** 《영》 여관장(女官長)《여왕의 의상 관리자》. ***the Mistress of the Seas*** 바다의 여왕《영국의 별칭》. ***the Mistress of the world*** 세계의 여왕《로마 제국의 별칭》. ㊞ **~·shìp** *n.* U ~임, ~의 관록〔지위, 직〕.

mis·tri·al [mistráiəl] *n.* 〖법률〗 오심(誤審); 무효 재판〔심리〕《절차상의 과오에 의한》; 《미》 미결정 심리《배심원의 의견 불일치에 의한》.

◇mis·trúst *n.* U 불신(용), 의혹. ── *vt., vi.* 신용하지 않다, 의심하다. ㊞ **~·ful** *a.* 신용하지 않는, 의심(이) 많은《*of*》. **~·ful·ly** *ad.* **~·ing·ly** *ad.* 신용치 않고.

misty [místi] (***mist·i·er; -i·est***) *a.* **1** 안개 낀. **2** 희미한, 또렷하지 않은, 몽롱한, (생각 등이) 애매한: a ~ idea 애매한 개념. **3** 눈물 어린. ㊞ **míst·i·ly** *ad.* **-i·ness** *n.*

místy-éyed *a.* (눈물 등으로) 눈이 흐려진; 꿈꾸는 듯한, 눈물을 잘 흘리는, 감상적인.

「하다.

mis·týpe *vt.* 타이프를 잘못 치다, 잘못 타이프

⁑mis·un·der·stand [mìsʌndərstǽnd] (*p., pp.* ***-stood*** [-stúd]) *vt.* 오해하다, 잘못 생각하다: I am *misunderstood*. 나는 오해받고 있다. ㊞ **~·er** *n.*

***mis·un·der·stand·ing** [mìsʌndərstǽndiŋ] *n.* U,C **1** 오해, 잘못 생각함: through a ~ 잘못 생각하여. **2** 의견 차이, 불화(不和).

mis·úsage *n.* U,C (어구 따위의) 오용(誤用); 학대, 혹사.

◇mis·use [misjú:z] *vt.* (…을) 오용〔남용〕하다; 학대〔혹사〕하다. ◇ misusage *n.* ── [-jú:s] *n.* 오용, 남용; 학대: ~ of authority 직권 남용.

mis·user[1] [misjú:zər] *n.* 남용자, 오용자, 악용자; 학대자.

「의) 남용(abuse).

mis·ús·er[2] *n.* 〖법률〗 (자유권·특권·특혜 등

mis·válue *vt.* …의 평가를 그르치다, 얕잡아 보다.

mis·wórd *vt.* …의 표현을 그르치다, 부적당한 말로 나타내다.

mis·wríte *vt.* 잘못 쓰다.

M.I.T. (the ~) Massachusetts Institute of Technology.

Mit·be·stim·mung [mítbəʃtìmuŋ] *n.* (독일 등에서 노동자의) 경영 참가권.

Mitch·ell [mítʃəl] *n.* 미첼. **1** 남자 이름; 여자 이름. **2 Margaret ~** 미국의 여류 소설가; *Gone with the Wind*(1936)의 작자(1900-49).

mite[1] [mait] *n.* **1** 적으나마 갸륵한 기부, 빈자(貧者)의 한 등(燈); 약간, 조금: contribute one's ~ to …을 위해 미력을 다하다. **2** 잔돈《영국에서는 통속적으로 farthing의 1/2》, 일리(一厘), 일푼. **3** 작은 것; 작은 아이, 꼬마. ***a ~ of a*** (child) 조그만 (아이). ***not a ~*** 《구어》 조금도 … 아니다.

mite[2] *n.* 진드기 (무리).

mi·ter, 《영》 **-tre** [máitər] *n.* **1** (가톨릭교의) 주교관(主敎冠)《bishop이 의식 때 씀》; bishop의 지위; 가죽 머리띠《고대 그리스 여성의》. **2** (옛 유대의) 대사제의 관. **3** 〖건축〗 =MITER JOINT. ── *vt.* **1** 주교관을 주다; bishop으로 임명하다. **2** 〖목공〗 연귀로 잇다; 연귀 이음용으로 깎다.

miter 1

míter bòx 〖목공〗 (톱을 알맞은 사각(斜角)으로 고정시키기 위한) 연귀판〔틀〕.

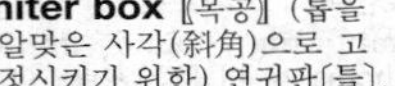

mí·tered *a.* **1** 연귀이음을 한. **2** 주교관을 쓴.

míter jòint 〖건축〗 연귀이음《액자틀의 모서리처럼 잇는 방법》.

míter squàre (연귀이음용) 45도 자.

Mith·ra, -ras [míθrə], [-ræs] *n.* 미트라《옛 페르시아의 빛과 진리의 신》.

Mith·ra·i·cism, Mith·ra·ism [miθréiəsìzəm], [míθrəìzəm] *n.* 미트라 신교(神敎). ㊞ **Mith·ra·ist** [míθrəist] *n.* 미트라 신교도.

mith·ri·da·tism [míθrədèitizəm] *n.* U 면독성(免毒性).

mith·ri·da·tize [míθrədèitaiz] *vt.* (독약의 양을 조금씩 늘려) 면독성(免毒性)을 기르다.

「제.

mit·i·cide [máitəsàid] *n.* 〖화학〗 진드기 살충

◇mit·i·gate [mítəgèit] *vt.* 누그러뜨리다, 가라앉히다, 완화하다; (형벌 따위를) 가볍게 하다, 경감하다. ── *vi.* 누그러지다, 완화하다. ㊞ **-ga·ble** [-gəbəl] *a.* **-gà·tor** [-tər] *n.* 완화시키는 사람〔것〕; 완화제.

mítigating círcumstances 〖법률〗 (손해 배상액·형기 등의) 경감 사유: plead ~ 정상 참작을 청하다.

mìt·i·gá·tion *n.* U 완화, (형벌 등의) 경감; 진정(제); C 완화시키는 것.

mit·i·ga·tive [mítəgèitiv] *a.* 완화시키는; 진정의. ── *n.* 진정제, 완화제.

mit·i·ga·to·ry [mítigèitɔ̀:ri/-təri] *a., n.* 완화의, 경감의; 완화제.

mi·to·chon·dri·on [màitəkándriən/-kɔ́n-] (*pl.* ***-dria*** [-driə]) *n.* 〖생물〗 (세포내의) 사립체(絲粒體), 미토콘드리아《세포질 속의 호흡을 맡은 소기관(小器官); 독자적인 DNA를 가짐》.

mi·to·gen [máitədʒən, -dʒèn] *n.* 〖생물〗 유약화(幼若化) 물질; 분열 촉진〔유발〕제. ㊞ **mi·to·gen·ic** [màitədʒénik] *a.*

mi·to·my·cin [màitoumáisn/-sin] *n.* 〖약학〗 마이토마이신《일본에서 발견된 제암제(制癌劑)로 기대되는 항생 물질》.

mi·tose [máitous] *vi.* 〖생물〗 유사(有絲) 분열하다.

mi·to·sis [maitóusis] (*pl.* **-ses** [-si:z]) *n.* 〖생물〗 (세포의) 유사 분열(有絲分裂), 간접 핵분열. cf. amitosis.

mi·tot·ic [maitátik/-tɔ́t-] *a.* 유사(有絲)분열의, 간접 핵분열의.

mi·trail·leuse [F. mitʀɑjø:z] *n.* 《F.》 (구식의) 후장식(後裝式) 기관총; 기관총. ⊞ **-leur** [F. mitʀɑjœ:ʀ] *n.* 기관총 사수.

mi·tral [máitrəl] *a.* 주교관(主教冠)의, 승모(僧帽) 모양의: the ~ valve 〖해부〗 (심장의) 승모판(瓣).

mitre ⇨ MITER.

mitt** [mit] *n.* **1** (야구용) 미트. **2** (손가락 부분이 없는) 여성용의 긴 장갑. **3** =MITTEN 1. **4** (종종 *pl.*) 《속어》 주먹, 손. **5** 《미속어》 수갑; 《미속어》 체포; 《미속어》 손금쟁이(~ reader); 《구어》 권투 글러브. ***give 〔***hand***〕 **a person *the frozen*** ~ 《속어》 아무를 냉대하다. ***tip one's*** ~ 《속어》 엉겁결에 속내를 보이다; 밀고(密告)하다. ── 《미속어》 *vt.* …와 악수하다; 체포하다. ── *vi.* (승리의 표시로) 머리 높이 깍지 낀 손을 들다.

°**mit·ten** [mítn] *n.* **1** 벙어리장갑. **2** =MITT 2. **3** (*pl.*) 권투 글러브; (*pl.*) 《속어》 주먹다짐. ***get the*** (***frozen***) ~ 《속어》 애인에게 차이다; 파면〔해고〕되다. ***give*** 〔***send***〕 **a person *the*** (***frozen***) ~ 《속어》 (애인)을 차다, 퇴짜놓다; 해고하다. ***handle without*** **~s** 사정없이 다루다, 혼내주다. ***the glad*** ~ 환영.

Mit·ter·rand [mí:tərὰ:ŋ, -rǽnd, mí:tə-; *F.* mitɛʀɑ̃] *n.* **François** ~ 미테랑《프랑스의 정치가 · 대통령(1981-95); 1916- 96》.

mítt-glòmmer *n.* 《미속어》 덮어놓고 악수하는 사람, 저자세의 사람, 추종하는 사람.

mit·ti·mus [mítəməs] *n.* 〖법률〗 수감(收監) 영장; 《구어》 해임, 면직, 해고 통지.

mítt rèader 《미속어》 손금쟁이, 운명 감정사.

Mit·ty [míti] *n.* =WALTER MITTY. ⊞ **Mìt·ty-ésque, Mít·ty·ish** *a.*

mitz·vah [mítsvə] (*pl.* **-voth** [-vous]) *n.* 〖유대교〗 계율; 선행, 덕행. ***bar*** ~ 성년 축하.

****mix** [miks] (*p.*, *pp.* **~ed** [-t], **~t**) *vt.* **1** 《~+목/+목+전+명/+목+부》 (둘 이상의 것을) 섞다, 혼합〔혼화〕하다; 첨가하다: ~ colors 그림물감을 섞다 / ~ water *in* 〔*with*〕 whisky 위스키에 물을 타다 / Many different races are *~ed together* in the U.S. 미국에는 여러 인종이 혼합되어 있다 / Don't ~ your drinks. 여러 가지 술을 함께 섞어 마시지 마시오.

> SYN. **mix** 가장 일반적인 말. 두 가지 이상의 것을 원료를 알 수 없을 만큼 혼합함: *mix* fruit juices 과즙을 섞다. **blend** 같은 종류의 것을 원료를 알 수 없을 만큼 섞음: *blend* whiskys 위스키를 조합하다. **mingle** mix처럼 강하지 않으며, 원료를 알 수 있을 정도로 섞음: *mingle* voices 합창하다.

2 《~+목/+목+목/+목+전+명》 섞어 만들다: ~ a salad 샐러드를 만들다 / ~ a poison 독을 조합하다 / The nurse *~ed* him a bottle of medicine 〔a bottle of medicine *for* him〕. 간호사는 그에게 물약을 한 병 타 주었다. **3** 《~+목/+목+전+명》 (사람들을) 사귀게 하다, 교제시키다: ~ people of different classes 서로 다른 계층의 사람들을 사귀게 하다 / They *~ed* the boys *with* the girls in the school. 그 학교는 남녀 공학이다. **4** 교배시키다, 잡종을 만들다. **5** 결합하다, 혼동하다. **6** 《영구어》 낭설 따위로 이간질하다. **7** 《~+목/+목+전+명》 《구어》 (남과) 싸우다, 심하게 서로 때리다《*with*》. **8** 〖레코드 · TV · 영화〗 (여러 개의 음성 · 영상을) 효과적으로 조합하다. ── *vi.* **1** 《~/+전+명》 섞이다, 혼합되다《*in; with*》: Oil will not ~ *with* water. =Oil and water won't ~. 기름은 물과 섞이지 않는다. **2** 《+부/+전+명》 교제하다, 사귀다, 어울리다, 사이가 좋다《*with*》; 관계하다《*in*》: The couple do not ~ *well*. 그 부부는 금실이 나쁘다 / ~ *in* society 〔politics〕 사교계에 드나들다〔정치에 발을 들여놓다〕. **3** 교배하다, 잡종이 되다. **4** 《미속어》 (때리며) 싸우다. ***be*** 〔***get, become***〕 **~ed** = ~ one***self up*** 머리가 혼란해지다; (못된 일 · 무리 따위에) 관계하다, 말려들다, 관련되다《*in; with*》. ~ ***in*** 《*vt.*+부》 ① (음식물 · 음료수를 만들 때) 다른 것을 넣어서 섞다. ── 《*vi.*+부》 ② 다른 사람들과 사이좋게 지내다; (파티 따위에서) 모든 사람들과 어울리다. ③ (다른 사람들과) 사귀다《*with*》. ~ ***it*** 《속어》 = ~ it up; (남에게) 장난치다, (남을) 애먹이다《*for*》. ~ ***it up*** 《속어》 뒤섞여 싸우다, 치고받고 싸우다, (권투에서 클린치 않고) 치고 싸우다. ~ ***it with*** …와 싸우다. ~ ***like oil and water*** (사람 · 일이) 물과 기름의 관계다, 조화가 잘 안 되다. ~ ***up*** ① 잘 섞다. ② 혼란〔혼동〕시키다, 뒤섞다《*with*》; (나쁜 일에) 관계하다《*in; with*》.

── *n.* **1** U,C 혼합(물); 혼합비(比): a ~ *of* two to one, 2대 1의 혼합. **2** C (요리 · 식품의) 혼합소(素), 인스턴트 식품: a cake ~. **3** U 《구어》 혼란, 뒤범벅. **4** 혼성 녹음〔녹화〕; 혼성 녹음한 레코드〔테이프〕.

míx-and-mátch [-ən-] *n.* 어울리지 않는 것끼리의 짝지움, 믹스언매치《실크블라우스에 조깅 신발을 신는 따위》.

***mixed** [mikst] *a.* **1 a** 섞인, 혼성의, 잡다한 (OPP. *pure*); 〖금융〗 (시황이) 들쭉날쭉 혼잡한, 뒤섞인, 움직임이 갖가지인: a ~ brigade 혼성 여단 / ~ motives 여러 잡다한 동기 / be ~ up 뒤섞여 있다, 혼란되어 있다. **b** 여러 잡다한 인간으로 이루어진, 수상한 인물이 섞인; 이종족간의; 남녀 혼합〔공학〕의; 〖음악〗 혼성의: a person of ~ blood 양친이 이인종인 사람 / ~ bath (남녀) 혼욕 / a ~ chorus 혼성 합창. **c** 〖음성〗 중앙의 (central)《모음》: ~ vowels 애매 모음; 혼합 모음《'y', 'œ' 등 전설(前舌)과 원순(圓脣), 후설과 비원순인 모음》. **d** 〖수학〗 (유리) 정수와 분수〔소수〕를 포함하는; (대수식이) 다항식과 유리 분수식으로 되는: ~ fraction 대분수 / ~ decimal 대소수. **2** 머리가 혼란한, 취한: have ~ feelings 생각이 착잡하다, 희비가 엇갈리다. ⊞ **∠·ness** *n.*

míxed-abílity *a.* 능력 혼성(방식)의.

míxed álphabet (암호 등에 사용하는) 환자식(換字式) 알파벳.

míxed bág 《구어》 (흔히 a ~) (사람 · 물건의) 잡동사니, 그러모은 것.

míxed bléssing 크게 유리하지만 크게 불리하기도 한 일〔사정〕, 고마운 것 같기도 하고 그렇지 않은 것 같기도 한 사람〔물건〕.

míxed-blóod *n.* 《미》 혼혈아, 튀기. 「싣는》.

míxed bóat 화객선(貨客船)《사람과 짐을 함께

míxed búd 〖식물〗 혼아(混芽)《꽃뿐만 아니라 줄기 · 잎도 나는 싹》.

míxed dóubles 〖테니스〗 남녀 혼합 복식.

míxed drínk 혼합주, 칵테일.

míxed ecónomy 혼합 경제《자본주의와 사회주의의 두 요소를 채택한》.

míxed fárming 혼합 농업.

míxed gríll 여러 종류의 구운 고기에 흔히 야채를 넣은 섞음 요리.

míxed lánguage 혼성〔혼합〕 언어《몇 개의 언어가 한데 합치어 형성된 언어; pidgin, Creole어 따위》.

míxed márket ecònomy 혼합 시장 경제.
míxed márriage 다른 종교·종족간의 결혼, 잡혼.
míxed média 혼합 매체《영상·그림·음악 등의 종합 예술 표현》.
míxed métaphor 〖수사학〗 혼유(混喩)《둘 이상의 조화가 안된〔모순된〕 metaphors의 혼용》.
míxed nérve 〖생리〗 혼합 신경《지각과 운동의 양쪽 신경 섬유로 이루어진》.
míxed núisance 〖법률〗 혼합 불법 방해《공적 불법 방해와 사적 불법 방해의 양면성을 가지는 것》.
míxed númber 〖수학〗 혼수(混數)《대소수, 「대분수를 말함》.
míxed tráin (객차와 화차의) 혼합 열차.
míxed-úp *a.* 혼란된, 뒤범벅의; 정신 착란의: a crazy ~ kid 정신 장애가 있는 아이.
míxed-úse *a.* 다목적 이용의.
míx·er *n.* **1** 혼합하는 사람; 혼합기(機); 《특히》 믹서《요리용의》. **2** (라디오·TV의) 음량 조정 기술자〔장치〕. **3** 《구어》 교제가; 《속어》 친목회: a good 〔bad〕 ~ 교제가 좋은〔서투른〕 사람. **4** 《구어》 칵테일 따위를 묽게 하는 음료《ginger ale 따위》. **5** 《영구어》 이간질하는 사람; 《구어》 말썽을 일으키는 사람(troublemaker). **6** 〖전자〗 믹싱 장치, 믹서《둘 이상의 입력 신호를 한 출력 신호로 하는 장치》.
mixi [míksi] *n.* 믹시《mini, midi, maxi의 혼「합어》.
míx-ìn *n.* 전투, 분쟁, 시비.
míx·ing *n.* 혼합, 혼화; (음성과 음악의) 혼성 또는 조정; 〖TV〗 (화면의) 조정.
míxing bòwl 《CB속어》 고속도로의 클로버형 인터체인지(cloverleaf).
míxing fàucet 온·냉수 혼합 수도꼭지.
míx·màster *n.* 《CB속어》 =MIXING BOWL.
mix·ol·o·gy [miksálədʒi/-sɔ́l-] *n.* 《속어》 칵테일 (만드는) 기술. ㊎ **-gist** *n.* 《속어》 칵테일을 잘 만드는 사람, 명(名)바텐더.
mixt [mikst] MIX의 과거·과거분사. **— *a.*** =「MIXED.
mixt. mixture.
‡mix·ture [míkstʃər] *n.* **1** Ⓤ 혼합, 혼화(混和); (여러 가지 커피 따위의) 조합(調合), 섞기. **2** Ⓒ (약·담배 따위의) 혼합물, 합제(合劑); Ⓤ (기분·감정 등의) 착잡한 상태; Ⓒ 〖화학〗 혼합물: without ~ 섞음질 않고, 순수한 / a smoking ~ 혼합 담배 / a ~ *of* sand and 〔with〕 cement 모래와 시멘트의 혼합물 / Air is not a compound, but a ~ *of* gases. 공기는 몇 가지 기체의 화합물이 아니고 혼합물이다. **3** Ⓒ 교직(交織), 혼방직물: a heather ~ 혼색(混色) 모직물의 일종. ***the ~ as before*** 〖약학〗 먼저와 같은 처방; 《비유》 구태의연한 대책〔조치〕.
míx-ùp *n.* 혼란; =MIXTURE; 《구어》 혼전, 난투.
miz·zen, miz·en [mízən] 〖선박〗 *n.* 뒷돛대의 세로돛(=∠·**sàil**); =MIZZENMAST. **— *a.*** 뒷돛대의, 뒷돛대에 치는: ~ royal 뒷돛대 / ~ yard 뒷돛대의 활대.
mízzen·màst [-mæ̀st, -mà:st/-mà:st; 《해사》 -məst] *n.* (돛대가 둘 또는 셋 있는 배의) 뒷「돛대.
mízzen·tòp *n.* 후장루(後檣樓).
miz·zle[1] [mízəl] *vi., n.* 《방언》 =DRIZZLE.
miz·zle[2] *n., vi.* 《영구어》 도망(치다). ***do a ~*** 줄행랑 놓다.
miz·zly [mízəli] *a.* 이슬비가 내리는; 이슬비「같은.
M.J. [èmdʒéi] *n.* 《미속어》 =MARIJUANA.
mk., Mk. mark. **mkd.** marked. **mksa, M.K.S.A.** meter-kilogram-second-ampere. **mkt.** market. **ML** Medieval 〔Middle〕 Latin. **M.L.** Master of Law 〔Literature〕; minelayer. **ml.** mail; milliliter(s). **M.L.A.** Member of the Legislative Assembly; Modern Language Association. **MLB** 〖미식축구〗 middle linebacker. **MLC** multilayer ceramic. **M.L.C.** Member of the Legislative Council. **MLD** median 〔minimum〕 lethal dose (반수〔최소〕 치사(흡수선)량). **M.L.F.** multilateral (nuclear) force (다변(多邊) 핵군(核軍)). **MLG** Middle Low German. **Mlle.** Mademoiselle. **Mlles.** Mesdemoiselles. **M.L.N.S.** 《영》 Ministry of Labour and National Service. **MLP** 〖로켓〗 mobile launcher platform. **MLR** minimum lending rate (Bank of England의 최저 대출 금리). **MLRS** multiple launch rocket system. **MLS** 〖항공〗 microwave landing system. **ML$** Malaysian dollar(s). **MLW** mean low water; 〖항공〗 maximum landing weight.
mm, m(')m [mm̩] *int.* 음, 응《동의·망설임·의문 따위를 나타냄》.
MM. Majesties; Messieurs. **mm.** millimeter(s). **MMC** money-market certificates (시장 금리 연동형(連動型) 예금). **MMDA** money market deposit account. **Mme(.)** (*pl.* ***Mmes(,)***) madame. **Mmes.** Mesdames. **m.m.f., MMF** magnetomotive force. **mmfd.** micromicrofarad(s). **MMIC** 〖전자〗 monolithic microwave integrated circuit (모놀리식 마이크로파 집적 회로). **MMPI** Minnesota Multiphasic Personality Inventory. **MMS** Methodist Missionary Society. **MMT** Multiple Mirror Telescope. **MMU** 〖우주〗 manned maneuvering unit. **M.Mus.** Master of Music. **MMW** 〖군사〗 millimeter wave (length) radar. **MMX** 〖컴퓨터〗 multimedia extension 《미국 Intel사(社)가 개발한 신형 PC 기술》. **MN** magnetic north. **Mn** 〖화학〗 manganese. **M.N.** magnetic north; 《영》 Merchant Navy.
MNC [émènsí:] *n.* 다국적 기업(multinational corporation).
mne·mon [ní:man/-mɔn] *n.* 기억소(記憶素) 《뇌·신경계(系)에서의 최소한의 기억량 단위》.
mne·mon·ic [nimánik/-mɔ́n-] *a.* 기억을 돕는; 기억(술)의: a ~ code 〖컴퓨터〗 연상 기호 코드 / a ~ system 기억법. **— *n.*** 기억을 돕는 공부《공식 따위》; 〖컴퓨터〗 연상 기호.
mne·món·ics *n. pl.* 〔단수취급〕 기억술.
Mne·mos·y·ne [ni:másənì:, -máz-/-mɔ́zi-] *n.* 〖그리스신화〗 므네모시네《기억의 여신; 뮤즈신의 어머니》.
mne·mo·tech·ny [nìmoutékni] *n.* 기억술.
mngr. manager. **Mngr(.)** Monsignor. **MNP** 〖컴퓨터〗 Microcom Networking Protocol (마이크로컴 통신망 프로토콜).
mo[1] [mou] (*pl.* **~s**) *n.* 《구어》 =MOMENT: Wait 〔Half〕 a ~. 잠깐 기다려.
mo[2] *n.* 《미속어》 호모(homo).
MO 〖컴퓨터〗 *megaoctet* 《MEGABYTE의 프랑스어 약자》; 《미우편》 Missouri. **Mo** 〖화학〗 molybdenum. **Mo.** Missouri; Monday. **mo.** (*pl.* ***mos.***) month(s). **M.O.** 《영》 Mass Observation; Medical Officer; Meteorological Office; *modus operandi*; money order. **M.O., m.o.** mail order; manually operated.
-mo [mòu] *suf.* 책의 크기를 나타내는 '…절(折)'의 뜻: 16*mo*, duodeci*mo*. ⓒⓕ folio, quarto.
moa [móuə] *n.* 공조(恐鳥)《멸종된 New Zealand산의 타조 비슷한 날개 없는 거대한 새》.
Mo·ab [móuæb] *n.* 모아브《사해(死海) 동쪽에 있었던 옛 왕국》.
Mo·ab·ite [móuəbàit] *n., a.* 모아브인(의)《유

대인과 적대 관계에 있었던 고대 셈족).
Móabite Stòne 모아브 비(Mesha Stele) 《B.C. 860년경 Moab왕 Mesha가 이스라엘인에게서 거둔 승리를 적은 기념비》.
mo·ai [móuai] *n.* 모아이《남태평양의 Easter 섬에 선주민이 남긴 거대석상; 6-15세기경 제작》.
*__moan__ [moun] *n.* **1** 신음 소리, 끙끙대기; (파도·바람의) 울림. SYN. ⇨ GROAN. **2** 슬퍼함(lamentation), 비탄. **3** 《구어》 불평, 불만: make one's ~ 《고어》 불평을 호소하다 / put on the ~ 《미속어》 불평하다, 투덜거리다. — *vi.* **1** 신음하다, 끙끙대다. **2** 불평을 하다. **3** (바람 등이) 윙윙거리다. — *vt.* **1** 끙끙대며 말하다. **2** 한탄[비탄]하다, 슬퍼하다: ~ one's lost child. ㊞ **∠·ful** [-fəl] *a.* 신음 소리를 내는, 구슬픈. **∠·ful·ly** *ad.* **∠·ingly** *ad.*
°**moat** [mout] *n.* (도시나 성곽 둘레의) 해자, 외호(外濠). — *vt.* …에 해자를 두르다.
*__mob__ [mɑb/mɔb] *n.* **1** 군중; 오합지졸, 폭도; 야유하는 무리; 〖형용사적〗 민중(특유)의, 폭도에 의한: ~ psychology 군중 심리. **2** (the ~) 《경멸》 대중, 민중, 하층민; 잡다한 것의 모임; 〖형용사적〗 대중 취향의: a ~ appeal. SYN. ⇨ CROWD. **3** 《속어》 악인의 무리, 갱, (the ~) 조직적 범죄 집단: ⇨ SWELL MOB. **4** (the M-) 《미속어》 마피아. **5** 《영구어》 한패, 동아리. **6** 《Austral.》 짐승 떼, (*pl.*) 큰 무리 (*of*). — (**-bb-**) *vt.* 떼를 지어 습격[야유]하다; 와글와글 모이다; (… 주위에) 쇄도하다. — *vi.* (폭도가 되어) 몰려들다.
mob·bish [mɑ́biʃ/mɔ́b-] *a.* 폭도 같은; 무질서한; 소란한.
mób·càp *n.* 여성용 실내 모자의 일종《18-19세기경에 유행한》. 「지은.
mób-hánded [-id] *a.* 《속어》 집단적인; 떼를
mo·bi·cén·tric mánager [mòubiséntrik-] 〖경영〗 직장을 전전하여 이동하는 새 형태의 경영 관리자상.
Mo·bil [moubí:l] *n.* 모빌(사) (~ Corp.) 《미국의 석유 제품 제조 회사; 국제 석유 자본의 하나; 1882년 설립》.
*__mo·bile__ [móubəl, -bi:l/-bail] *a.* **1** 움직이기 쉬운, 이동성[기동성]이 있는; 유동하는; 〖군사〗 (여기저기) 이동하는: the ~ police (경찰의) 기동대 / ~ troops 기동화 부대 / a ~ force 기동 부대. **2** (마음·표정 따위가) 변하기 쉬운; 변덕스러운; 융통성 있는; 감정이 풍부한. **3** 〖미술〗 모빌의《추상파 조각에서 쇳조각 따위를 매달아 운동을 나타내는》. — *n.* **1** 《미구어》 자동차; 〖기계〗 가동부(部); 〖미술〗 모빌 작품《움직이는 부분이 있는 조각》. **2** 이동[자동차] 전화(~ phone): I'm on a ~. 난 지금 이동 전화로 이야기하고 있다. 「결합사.
-mo·bile [moubì:l, mə-] '차(車)'의 뜻의
móbile communicátion 〖통신〗 이동 통신 《자동차·선박·비행기 등에서의 무선 통신》.
móbile compúting 〖컴퓨터〗 이동 컴퓨팅 《휴대용 단말기와 휴대용 전화를 이용하여, 이동 상태에서 네트워크를 연결해 컴퓨터를 이용하는 기계》. 「럭.
móbile cówhouse 《CB속어》 가축 운반 트
móbile éyeball 《CB속어》 운전하면서 다른 트럭을 무례하게 빤히 보는 트럭 운전수.
móbile hóme [**hóuse**] 트레일러 주택, 이동식 주택.
móbile líbrary 이동 도서관(bookmobile).
móbile párking lòt 《CB속어》 자동차 운반차.
móbile phóne [**télephone**] 이동[자동차]
móbile stàtion 〖통신〗 이동(무선)국. ⌊전화.
móbile subscríber 〖통신〗 자동차 전화 가입자. 「터.
mo·bil·ette [mòubilét] *n.* 소형 바이크; 스쿠
móbile ùnit 이동 차량《텔레비전 중계 시설 등을 갖춘 대형 트럭》.
mo·bil·i·ary [moubílièri, -ljəri/-ljəri] *a.* 가동물(可動物)의, 동산의; 가구류의.
°**mo·bil·i·ty** [moubíləti] *n.* Ⓤ **1** 가동성, 이동성, 변동성. **2** 변덕. **3** 〖사회〗 (주민의 주소·직업 따위의) 유동성, 이동. **4** (부대·함대 등의) 기동성, 기동력. **5** 〖물리〗 (입자의) 이동도(移動度).
mobílity allòwance 《영》 (신체 장애인에게 나라가 지급하는) 교통비 수당.
mobílity gàp 〖물리〗 이동도(移動度) 갭.
°**mò·bi·li·zá·tion** *n.* Ⓤ,Ⓒ **1** 〖군사〗 동원: ~ orders 동원령 / national ~ 국가 총동원. **2** (금융의) 운용, 유통. **3** 〖법률〗 (부동산의) 동산화.
mo·bi·lize [móubəlàiz] *vt.* **1** 〖군사〗 (군대·함대를) 동원하다; (산업·자원 따위를) 전시 체제로 바꾸다, 동원하다. **2** 가동성을 부여하다; (부(富) 따위를) 유통시키다. **3** (힘 따위를) 발휘하다. — *vi.* (군대·함대가) 동원되다.
mo·bil·lage [moubílidʒ] *n.* 모빌리지《자동차 여행자를 위한 캠프장》.
Mö·bi·us strip [**band, loop**] [mé:biəs∸/méː-] 〖수학〗 뫼비우스의 띠《기다란 직사각형의 종이를 한 번 비틀어 그 대변(對邊)을 붙여 만든 곡면; 면이 하나뿐임》.
Möbius transformation [∸∸] 〖수학〗 뫼비우스 변환, 일차 변환. ★ bilinear [linear fractional] transformation이라고도 함.
mób làw [**rùle**] 폭민 정치; 사형(私刑).
mo·bled [mɑ́bəld/mɔ́-] *a.* 폭 뒤집어쓴, 후드(hood)에 뒤덮인 듯한.
mob·oc·ra·cy [mɑbɑ́krəsi/mɔbɔ́k-] *n.* Ⓤ 폭민(暴民) 정치; (지배 계급으로서의) 폭민.
MOBS [mɑbz/mɔbz] 〖군사〗 multiple orbit bombardment system (다수 궤도 폭격 시스템).
mob·ster [mɑ́bstər/mɔ́b-] *n.* 《미속어》 갱의 한 사람, 폭력단원(gangster).
mo·by [móubi] 《해커속어》 *a.* 거대한; 복잡한; 초 …, 제일급의: a ~ win 대성공. — *n.* **1** …씨 《성명 앞에 붙여 재능 있는 해커에 대해 경의를[우정을] 나타냄》. **2** 〖컴퓨터〗 접근이 가능한 메모리 영역.
mo·camp [moukǽmp] *n.* 《미》 트레일러 캠프장. [◂ *motorist camp*]
°**moc·ca·sin** [mɑ́kəsin, -zən/mɔ́kəsin] *n.* **1** 북아메리카 원주민의 뒤축 없는 신; (그와 비슷한) 신의 일종. **2** 독사의 일종 《미국 남부산》.

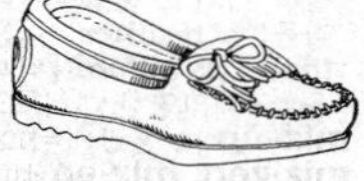
moccasin 1

móccasin flòwer 〖식물〗 개불알꽃류(類).
mo·cha [móukə] *n.* Ⓤ 모카(= ∠ **còffee**) 《아라비아 원산의 커피》; 《구어》 양질의 커피; 커피색; 아라비아 염소의 가죽《장갑용》; (M-) 이끼마노(moss agate)(= ∠ **stòne**).
*__mock__ [mɑk/mɔk] *vt.* **1** 조롱하다, 놀리다. **2** 흉내[입내]내어 조롱하다. **3** 흉내내다, 모방하다(mimic). SYN. ⇨ IMITATE. **4** 아랑곳 않다, 무시하다. **5** 속이다, 실망시키다; 헛수고시키다, (계획 따위를) 망치다: The problem ~*ed* all our efforts to solve it. 그 문제를 아무리 풀려고 애써도 허사였다. — *vi.* 《+전+명》 조롱하다, 놀리다 (*at*): He ~*ed at* my fears. 그는 내가 무서워하는 것을 놀렸다. ~ ***up*** 실물 크기의 모형을 만들다, 임시변통으로 만들다. — *n.* 조롱; 놀림감; 냉소의 대상; 흉내, 가짜. ***make a*** ~ ***of*** [***at***] …을 비웃다, 놀리다. ***put the*** ~(***s***) ***on*** 《Austral.》

=put the MOCKER(s) on. — *a*. **1** 가짜의, 거짓의, 흉내낸: ~ modesty 거짓 겸손/~ majesty 허세. **2** 모의의: a ~ battle 모의전/a ~ trial 모의 재판/with ~ seriousness 짐짓 진지한 체하며. — *ad*. 〔보통 복합어로〕 장난으로, 거짓으로: ⇨ MOCK-HEROIC.

móck·er *n*. 조롱하는 사람; 흉내내는 사람〔것〕; 〖조류〗 입내새. ***put the ~(s) on*** 《영속어》 …을 방해하다, 중지시키다; 불운을 가져오다; 조롱하다.

°**mock·ery** [mákəri, mɔ́k-] *n*. **1** Ⓤ 비웃음, 냉소, 놀림, 모멸; Ⓒ 조소의 대상; 놀림감(laughingstock): hold a person up to ~ 아무를 놀림감으로 삼다/make a ~ of …을 우롱하다, 놀리다; …이 거짓〔속임〕이었음을 보이다. **2** Ⓒ 흉내; 가짜: a ~ of an original 원작의 위작. **3** Ⓒ 헛수고, 도로(徒勞): The rain made a ~ of our efforts. 비 때문에 우리 노력이 헛되었다.

móck-fighting *n*. 모의 전투(imitation 〔resemblance〕 of a fight).

móck-heróic *a*. 영웅시(詩)를 모방한; 영웅인 체하는; 영웅을 우롱〔풍자〕한. — *n*. 영웅시체의 해학시(詩). ㊕ **-heróically** *ad*.

móck·ing MOCK의 현재분사. — *a*. **1** 조롱하는 듯한. **2** 흉내내는. ㊕ **~·ly** *ad*. 조롱하듯이; 조롱〔우롱〕하여.

mócking·bìrd *n*. 〖조류〗 입내새《미국 남부·멕시코산》.

móck móon 〖기상·천문〗 환월(幻月)(paraselene).

Mock·ney [mákni/mɔ́k-] *n*. 하층민 같은 태도를 취하는 사람.

móck órange 〖식물〗 고광나무속의 식물.

móck sún 〖기상·천문〗 환일(幻日)(parhelion).

móck tùrtle sóup 가짜 자라 수프《송아지 머리로 만듦》.

móck-ùp *n*. 〖공학〗 실물 크기의 모형, 모크업《실험·교수 연구·실습용》; 인쇄물의 레이아웃: a ~ stage 실험 단계.

mod[1] [mad/mɔd] *n*. **1** (때로 M-) 《영》 모드《1960년대의, 보헤미안적(的)인 옷차림을 즐기던 틴에이저》. ㉢ Teddy boy. **2** (시대의) 첨단을 가는 사람〔패션〕. — *a*. (종종 M-) 모드적인; 《구어》 최신(유행)의《복장·스타일·화장·음악 따위》.

mod[2] *n*. 〖물리·수학〗 =MODULUS.

M.O.D., M.o.D. 《영》 Ministry of Defence.

mod. model; moderate; 〖음악〗 moderato; modern.

mod·a·crýl·ic (fíber) [màdəkrílik(-)/mɔ̀d-] 모드아크릴 섬유. [◂ *modified acrylic*]

mod·al [móudl] *a*. 모양의, 양식의, 형태상의; 〖논리〗 양식의; 〖문법〗 법(mood)의, 상태를 나타내는; 〖철학〗 (실체에 대하여) 양상〔양태〕의; 〖음악〗 선법(旋法)의; 〖법률〗 (유언·계약 등에) 실행 방법이 지정되어 있는: a ~ legacy 용도 지정 유산. ㊕ **~·ly** *ad*. **~·ism** *n*. 〖신학〗 양태론.

módal auxíliary 법(法)조동사《may, can, must, would, should 따위》.

módal vèrb =MODAL AUXILIARY.

mo·dal·i·ty [moudǽləti] *n*. Ⓤ,Ⓒ 양식을〔방식·형태를〕 갖는 일; 〖논리〗 양식, 양상; 〖의학〗 물리 치료.

mod cons, mod. cons. [mádkánz/mɔ́dkɔ́nz] 《영구어》 (급온수(給溫水)·난방 등의) 최신 설비: a house with ~ 최신 설비가 갖추어진 집《매가(賣家) 광고 따위에서》. [◂ *modern conveniences*]

***mode** [moud] *n*. **1 a** 양식, 형식; 나타내는 방식; 하는 식, 방법, 방식《*of*》: a ~ *of* energy 에너지의 한 형태/the ~ *of* life 〔living〕 생활 양식. SYN. ⇨ METHOD. **b** (때로 the ~) 유행(형), 모드: follow the ~ 유행을 좇다/It's all the ~. 그것은 대유행이다/in ~ 유행하고 (있는)/out of ~ 유행을 지나, 구식이 되어. **c** 〖논리〗 양식, 논식(論式); 〖철학〗 양상, 양태. **d** 〖문법〗 =MOOD[2]. **e** 〖물리〗 모드《(1) 진동계의 한 상태. (2) 전자파 등의 진동 자태》. **2** 〖음악〗 선법(旋法), 음계: the major 〔minor〕 ~ 〖음악〗 장〔단〕음계. **3 a** 〖통계〗 최빈수(最頻數). **b** 〖지학〗 모드《암석의 실제 광물 조성(組成); 보통 중량〔부피〕 백분율로 표시》. **4** 〖컴퓨터〗 방식.

ModE, Mod. E. Modern English.

mod·ed [móudəd] *a*. 《속어》 수치스러운: get ~ 체면이 완전히 깎이다, 체면이 말이 아니다.

‡**mod·el** [mádl/mɔ́dl] *n*. **1** 모형, 본: a working ~ 기계의 운전 모형. **2** (밀랍·찰흙 등으로 만든) 원형: a wax ~ 밀랍 원형. **3** 모범, 본보기《*of*》: a ~ *of* what a man ought to be 모범이 될 인물/make a ~ *of* …을 본보기로 하다/the ~ *of* beauty 미의 전형(典型)/after 〔on〕 the ~ *of* …을 모범으로〔본보기로〕 하여, …을 본떠서. **4** (그림·조각·광고 사진·문학 작품 따위의) 모델: stand ~ 모델로〔모델대에〕 서다. **5** (양장점 따위의) 마네킹(mannequin); 패션 모델; (유명 디자이너가 만든) 옷, 의상; 《완곡어》 매춘부. **6** 《영속어》 아주 닮은 사람〔물건〕, 빼쏜 것: a perfect ~ of one's father 〔mother〕. **7** 방식, 방법; 설계, (자동차 등의) 형, 스타일: the latest ~ 최신형. **8** 〖컴퓨터〗 모형, 모델.

— (*-l-,* 《영》 *-ll-*) *vt*. **1** 《~+목/+목+전+명》 …의 모양〔모형〕을 만들다; (찰흙 따위로) …의 형(型)을 만들다: a beautifully ~*ed* figure 아름다운 모양의 자태/~ a figure *in* wax 밀랍으로 형을 뜨다. **2** 설계하다. **3** …의 모형을 만들다. **4** 《+목+전+명》 모방하다; (…을) 따라 만들다, 본뜨다《*after; on, upon*》: She ~*ed* herself *on* her mother. 그녀는 어머니를 본으로 삼았다. **5** (드레스 따위를) 입어 보이다, …의 모델을 하다. **6** (음영(陰影)을 준다든지 하여, 회화·조각 따위)에 입체감을 살리다. — *vi*. **1** 모형을 만들다. **2** 《~/+전+명》 (찰흙 따위로) 형을 만들다; 형을 그리다: ~ *in* clay 찰흙으로 모형을 만들다. **3** 모델이 되다; 마네킹 노릇을 하다. **4** 〖미술〗 입체감이 나다.

— *a*. **1** 모형의, 본의: a ~ plane 모형 비행기. **2** 모범의, 이상적인: a ~ school 시범 학교/a ~ wife 아내의 귀감.

㊕ **~·er,** 《영》 **~·ler** *n*. Ⓒ 모형〔소상(塑像)〕 제작자. 「(model)의 작성자.

módel bùilder 〖경제〗 경제 모델(economic model)의 작성자.

módel bùilding 〖경제〗 모델 구성《경제 이론을 방정식화하여 경제 모델을 만드는 일》.

mód·el·ing, 《영》 **-el·ling** *n*. 모델링. **1** 모형 제작(술). **2** 원형(原型) 거푸집 제작. **3** (그림 등에서 음영(陰影)에 의한) 입체감 표현법〔기술〕. **4** (조각에서) 양감(量感)(의 표현). **5** 〖컴퓨터〗 (어떤 현상의) 모형화. **6** 모델업(業), 모델의 일. **7** 〖심리〗 남의 유사(類似) 행동 관찰로 어떤 특정 행동을 유도하려는 심리 요법(imitation).

Módel T T형 포드《1909-27년의 포드사 자동차의 상품명》; 《비유》 초기의〔시대에 뒤진〕 형; 초기의《단계》; 구식인, 시대에 뒤진, 싸구려의.

módel thèory 〖논리〗 모델 이론《형식화된 시론의 모델을 취급하는 분야》.

mo·dem [móudəm, -dem/-dem] *n*. 〖컴퓨터〗 모뎀, 변복조 장치《전화나 다른 통신 회선을 통하여 컴퓨터 상호의 정보 전송을 가능하게 하는 전자 장치》. — *vt*. (정보·데이터를) 모뎀으로 송신〔수신〕하다. [◂ *mo*dulator-*dem*odulator]

mod·e·na [móudənə/mɔ́d-] *n*. Ⓤ 짙은 자주색.

‡**mod·er·ate** [mádərət/mɔ́d-] *a*. **1** 삼가는, 절제하는(temperate), 절도 있는, 온건한: be ~

in drink*ing* 술을 적당히 마시다. **2** 알맞은, 적당한; (값이) 싼: ~ prices 알맞은〔싼〕 값 / ~ speed 적당한 속도. **3** 웬만한, 보통의: a family of ~ means 중류 가정. **4** (기후 따위가) 온화한. **—** *n.* 온건한 사람; 온건주의자; (정치상의) 중도파. **—** [mádərèit/mɔ́d-] *vt.* **1** 알맞도록 하다, 온건하게 하다, 완화하다; 경감하다, 조절하다; 〖물리〗 (중성자를) 감속하다: ~ the sharpness of one's words 말을 부드럽게 하다. **2** (토론 따위를) 사회하다, …의 의장직을 맡다. **—** *vi.* **1** 누그러지다, 가라앉다; 조용해지다. **2** 조정역을 맡다, 사회하다《*on; over*》. ◇ moderation *n.* ㊥ **~·ness** *n.* 온건, 적당함.

móderate bréeze 〖기상〗 건들바람.

móderate gále 〖기상〗 센바람.

◇**mod·er·ate·ly** [mádərətli/mɔ́d-] *ad.* 적당하게, 삼가서, 알맞게; 중간 정도로.

◇**mod·er·a·tion** [màdəréiʃən/mɔ̀d-] *n.* Ⓤ,Ⓒ **1** 완화; 절제; 〖물리〗 감속: use 〔exercise〕 ~ in drinking 술을 절제하다. **2** 적당, 온건, 중용. **3** (M-s) (Oxford 대학의) B.A.의 제1차 시험《생략: Mods》. **4** (장로교회의) 목사 임명. ◇ moderate *v.* ***in*** **~** 적당히, 적절히.

mod·er·at·ism [mádərətìzəm/mɔ́d-] *n.* Ⓤ 온건주의《특히 정치상·종교상의》. ㊥ **-ist** *n.*

mod·e·ra·to [màdərá:tou/mɔ̀d-] *ad.* 《It.》 〖음악〗 중간 속도로: allegro ~ 적당히 빠르게.

mod·er·a·tor [mádərèitər/mɔ́d-] *n.* **1** 《미》 의장(chairperson). **2** (장로교회의) 대회 의장, (토론회 따위의) 사회자. **3** 조정자, 중재자; 조절기. **4** (Oxford 대학의) B.A.의 1차 시험 위원. **5** 〖물리〗 (원자로 속 중성자의) 감속제. ㊥ **~·shìp** *n.* Ⓤ

⁑**mod·ern** [mádərn/mɔ́d-] *a.* **1** 현대의, 현금(現今)의(contemporary): ~ city life 현대의 도시 생활 / ~ times 현대. **2** 근대의, 중세 이후의. **3** 현대식의, 신식의, 최신(식)의(up-to-date): ~ viewpoints 현대적인 견지. **4** 〖영교육〗 (그리스·라틴의) 고전어 이외의 과목을 중심으로 하는 (학교의). SYN. ⇨ NEW. **—** *n.* **1** 현대〔근대〕인; 현대적 사상〔감각〕을 가진 사람. **2** 〖인쇄〗 모던《세로선이 굵고 세리프(serif)가 가는 활자체》. cf. old style. ㊥ **~·ly** *ad.* **~·ness** *n.*

módern dánce 모던 댄스《자연스러운 동작에 의해서 내적인 것을 표현하려는 20세기 초에 생 ⌊긴 무용》.

módern-dày *a.* 오늘날의, 현대의.

mo·derne [moudέərn/mə-] *a.* 극단적으로 현대풍인.

Módern Énglish 근대 영어《기원 1500년 이후의 영어; 생략: ModE.》.

módern gréats (종종 M- G-) (옥스퍼드 대학의) 철학·정치학·경제학의 우등 코스, B.A. 최종 시험. 「1500년 이후》.

Módern Gréek 현대〔근대〕 그리스어《기원

Módern Hébrew 현대 히브리어《이스라엘의 공용어로, 고대 히브리어를 부활시킨 것》.

mód·ern·ism *n.* **1** Ⓤ 현대식(의 태도), 근대 사상, 근대적 방법. **2** Ⓒ 현대〔근대〕 어법. **3** Ⓤ (문학·미술 등의) 모더니즘《전통주의에 대립, 새로운 표현 형식을 추구하는》; (종종 M-) 〖종교〗 근대주의《가톨릭교 내의》. cf. fundamentalism. ㊥ **-ist** *n.* 현대〔근대〕주의자, 현대적인 사람; (종종 M-) 〖종교〗 근대주의자.

mod·ern·is·tic [màdərnístik/mɔ̀d-] *a.* 현대의; 현대적〔근대적〕인; 현대주의(자)의.

mo·der·ni·ty [madə́:rnəti, mou-/mɔd-] *n.* Ⓤ 현대성〔식〕; Ⓒ 현대적인 것.

◇**mód·ern·ìze** *vt., vi.* 현대화하다, 현대적으로 하다〔되다〕. ㊥ **mòd·ern·i·zá·tion** *n.* Ⓤ

módern jázz 모던 재즈《1940년대부터 발달》.

módern lánguages 〔단·복수취급〕 근대어. cf. CLASSICAL languages.

módern pentáthlon (the ~) 근대 5종 경기.

⁑**mod·est** [mádist/mɔ́d-] *a.* **1** 겸손한, 조심성 있는, 삼가는《*in; about*》: be ~ *in* one's speech 말을 조심하다 / He's ~ *about* his achievements. 그는 자기 업적을 자랑하지 않는다. **2** 정숙한, 얌전한, 점잖은. **3** 알맞은, 온당한: a ~ little house. **4** 수수한, 간소한. **5** (요구 따위가) 절도 있는, 줄잡은. ◇ modesty *n.* ㊥ **~·ly** *ad.* 조심성 있게; 삼가서, 적당하게. 「사람.

módest víolet 몹시 조심스러운 사람, 소심한

*****mod·es·ty** [mádəsti/mɔ́d-] *n.* Ⓤ **1** 겸손, 조심성; 겸양, 수줍음; 정숙, 얌전함. **2** 수수함, 검소, 중용. **3** 〖복식〗 모디스티(=**∠·pìece, ∠·bìt, ∠·vèst**)《드레스의 앞가슴을 넓게 팠을 때, 심한 노출(露出)을 피하기 위하여 대는 레이스 장식 따위》. ◇ modest *a.* ***in all*** **~** 자랑은 아니지만; 조심스럽게 말씀드리더라도.

módesty pànel (앉은 사람의 다리가 보이지 않게 책상 앞면에 댄) 가림판.

mo·di [móudi:, -dai] MODUS의 복수.

mod·i·cum [mádikəm/mɔ́d-] *n.* (보통 a ~) 소량, 근소, 소액《*of*》: He hasn't even *a* ~ *of* common sense. 그는 상식이라곤 티끌만큼도 없 ⌊는 사람이다.

modif. modification.

mod·i·fi·a·ble [mádəfàiəbəl/mɔ́d-] *a.* 수정〔변경, 수식, 한정, 경감〕할 수 있는.

mod·i·fi·ca·tion [màdəfikéiʃən/mɔ̀d-] *n.* Ⓤ,Ⓒ 수정, 변경, 개수, 개량; 변형, 변화, 변위(變位), 변용(變容); 〖생물〗 (환경의 영향에 의한 비유전성의) 일시적 변이; 가감, 조절, 완화; 제한; 〖문법〗 수식; 〖언어〗 의미〔음운〕 변화《전후 관계에 의한》; =UMLAUT.

mod·i·fi·ca·to·ry [mádəfikətɔ̀:ri/mɔ́difikèitəri] *a.* 수정〔변경〕의(modifying); 가감하는; 수식하는; 한정하는.

módified Américan plàn (the ~) 수정 미국 방식《방 값·조석 식대를 일일(日日)〔주당〕 정액으로 청구하는 호텔 요금 제도》.

mod·i·fi·er [mádəfàiər/mɔ́d-] *n.* 수정〔완화, 변경〕하는 사람〔물건〕; 〖문법〗 수식 어구; 〖컴퓨터〗 변경자(變更子); (부유선광(浮遊選鑛)의) 조절제.

*****mod·i·fy** [mádəfài/mɔ́d-] *vt.* **1** 수정〔변경〕하다: ~ one's opinions 의견을 수정하다. **2** 완화하다; 가감하다, 조절〔제한〕하다: ~ one's tone 어조를 조절하다. **3** 〖문법〗 수식하다: Adjectives ~ nouns. 형용사는 명사를 수식한다. **4** (기계·장치 등을) (일부) 개조하다. **5** (모음을) umlaut에 의해 변화시키다. **6** 〖철학〗 한정하다. **7** 〖컴퓨터〗 (명령의 일부를) 변경하다. **—** *vi.* 변화하다, 변경〔수정〕되다. ◇ modification *n.*

Mo·di·glia·ni [moudi:liá:ni, mòudiljá:-] *n.* Amedeo ~ 모딜리아니《이탈리아의 화가; 1884-1920》.

mo·dil·lion [moudíljən, mə-] *n.* 〖건축〗 (코린트 양식의) 소용돌이꼴 공포(拱包).

mod·ish [móudiʃ] *a.* 유행의, 최신 모드의, 당세풍(當世風)의. ㊥ **~·ly** *ad.* **~·ness** *n.*

mo·diste [moudí:st] *n.* 《F.》 (특히 유행하는) 여성복〔모자〕 제작자〔판매자〕. 「TIONS.

Mods [madz/mɔdz] *n. pl.* 《영구어》 =MODERA-

mòd·u·la·bíl·i·ty *n.* modulation의 가능성.

mod·u·lar [mádʒələr/mɔ́dju-] *a.* module의; modulus의. 「(時)계산.

módular aríthmetic 〖수학〗 모듈 산수, 시

módular coordinàtion 〖건축〗 척도 조정.

módular hòme 모듈러 홈《공장에서 방 단위로 완성된 부품을 조립하여 만든 집》.

mod·u·lar·i·ty [màdʒəlǽrəti/mɔ̀dju-] *n.* 〖공학〗 모듈 방식《생산에 규격화 부품을 씀》.
mod·u·lar·ize [mádʒələràiz/mɔ́dju-] *vt.* 〖공학〗 모듈 방식으로 하다, 모듈화하다.
mod·u·late [mádʒəlèit/mɔ́dju-] *vt., vi.* **1** 조정하다, 바루다; 조절하다, 완화하다. **2** (음성 등의) 음조를 바꾸다; 〖음악〗 전조(轉調)하다; 〖통신〗 주파수를 바꾸다, 변조하다; 《CB속어》 교신하다. ~ ***with you*** 《CB속어》 교신 고마웠습니다; 안녕(sign-off).
mòd·u·lá·tion *n.* Ⓒ,Ⓤ 조음(調音); 조절; (음성·리듬의) 변화, 억양(법); 〖음악〗 전조(轉調); 〖통신·컴퓨터〗 변조; 〖건축〗 module로 척도를 결정하는 일: amplitude ~ 진폭 변조《생략: AM》/frequency ~ 주파수 변조《생략: FM》.
mod·u·la·tor [mádʒəlèitər/mɔ́dju-] *n.* 조절하는 사람〔것〕; 〖음악〗 음계도(音階圖); 〖통신·컴퓨터〗 변조기(變調器); 〖해부〗 조절체《색의 식별에 관여하는 망막의 신경 섬유》.
mod·u·la·to·ry [mádʒələtɔ̀ːri/mɔ́djulèitəri] *a.* 조절의; 변조를 일으키는.
mod·ule [mádʒuːl/mɔ́djuːl] *n.* **1** (도량(度量)의) 단위, 기준; (공작) 치수의 단위, 기준 치수, 모듈. **2** 〖건축〗 (각 부분의) 산출 기준《원주 기부(圓柱基部)의 반경 따위》. **3** 규격화된 구성 단위; (기계·전자 기기 따위의) 기능 단위로서의 부품 집합; (가구·건축 등의) 조립 단위, 규격 구조; 〖교육〗 특정 학과의 학습 단위. **4** 모듈, …선(船)《우주선의 구성 단위》: a lunar ~ 달 착륙선/a command ~ 사령선. **5** 〖컴퓨터〗 모듈《장치나 프로그램을 몇 개로 나눈 것 중의 하나》.
módule plàte (여러 가지의 마른안주 등을 나누어 담는) 조립식 접시, 오르되브르 접시.
mod·u·lo [mádʒəlòu/mɔ́dju-] *prep., a.* 〖수학〗 …을 법(法)으로 하여〔한〕. 「척도.
mo·du·lor [mádʒələr/mɔ́dju-] *n.* 〖건축〗 조화
mod·u·lus [mádʒələs/mɔ́dju-] (*pl.* ***-li*** [-lài]) *n.* 〖물리〗 율, 계수; 〖수학〗 (정수론의) 법.
módulus of elastícity 〖물리〗 탄성률, 탄성계수(elastic modulus).
módulus of rigídity 〖물리〗 층(層)밀리기 탄성계수(shear modulus).
mo·dus [móudəs] (*pl.* ***-di*** [-diː, -dai]) *n.* 《L.》 방법, 양식(mode).
módus ope·rán·di [-ɑ̀pərǽndi, -dai/-ɔ̀pə-] 《L.》 절차, 작업 방식; 운용법; (범인의) 수법; (일의) 작용 방법.
módus vi·vén·di [-vivéndi, -dai] 《L.》 생활 양식; 잠정 협정, 일시적 타협. 「습, 풍속.
moeurs [*F.* mœːʀ] *n.* 《F.》 (특정 집단의) 풍
mog [mɑg/mɔg] *n.* 《속어》 =MOGGY; 모피 코트.
Mog·a·di·shu, -scio [mɑ̀gədí(ː)ʃuː/mɔ̀g-], [-ʃou] *n.* 모가디슈《소말리아의 수도》.
mog·gy, mog·gie [mági/mɔ́gi] 《영속어》 *n.* 집고양이; 소, 송아지.
Mo·gul [móugəl, -gʌl, mougʌ́l] *n.* **1** 무굴 사람《특히 16 세기에 인도에 침입하였던 몽골족 및 그 자손》. **2** (m-) 《구어》 중요 인물, 거물(magnate); 기관차의 일종. **—** *a.* 무굴 사람〔제국〕의.
mo·gul [móugəl] *n.* 〖스키〗 커브에 생긴 굳은 눈더미.
Mógul Émpire (the ~) 무굴 제국《인도사상 최대의 이슬람 왕조; 1526-1858》. 「of Health.
M.O.H. Medical Officer of Health; Ministry
mo·hair [móuhɛər] *n.* Ⓤ 모헤어《앙골라 염소의 털》; 모헤어직(織); 그 모조품.
Mo·ham·med [muhǽmid, -háːmid, mou-/mouhǽmid] *n.* =MUHAMMAD.
Mo·ham·med·an [muhǽmidən, mou-/mou-] *n., a.* =MUHAMMADAN. ㊎ **~·ism** *n.* 마호메트교(敎), 이슬람교. **~·ize** *vt.* 이슬람교화하다.
Mo·ha·ve [mouháːvi] (*pl.* **~(s)**) *n.* 모하비족(族)《Colorado강 연안에 살았던 북아메리카 원주민》; Ⓤ 모하비어(語).
Mohave Desert ⇨ MOJAVE DESERT.
Mo·hawk [móuhɔːk] (*pl.* **~(s)**) *n.* 모호크족《New York주에 살았던 북아메리카 원주민》; Ⓤ 모호크 말; (종종 m-) Ⓒ 피겨스케이팅의 기교의 일종.
Mo·he·gan [mouhíːgən] (*pl.* **~(s)**) *n.* **1** 모히간족의 사람《원래 Connecticut주에 살았던 북아메리카 원주민》. **2** =MOHICAN.
Mo·hi·can [mouhíːkən] (*pl.* **~(s)**) *n.* 모히칸족《Hudson강 상류에 살았던 북아메리카 원주민》. 「NUITY.
Mo·ho [móuhou] *n.* =MOHOROVIČIĆ DISCONTI-
Mo·hock [móuhɑk/-hɔk] *n.* 〖역사〗 모호크 대원《18 세기 초 런던의 밤거리를 설치던 귀족 출신 악당의 일원》. ㊎ **~·ism** *n.*
Mo·hole [móuhòul] *n.* 모홀 계획《미국 과학 아카데미의 지구 내부 구조 구명 계획》.
Mo·ho·ro·vi·čić discontinúity [mòuhəróuvətʃitʃ-] 〖지학〗 모호로비치치 불연속면, 모호면.
Móhs' scàle [móuz-] 〖광물〗 모스 경도계《광물의 경도(硬度) 측정용》.
mo·hur [móuhər] *n.* 모후르《1899 년까지 유통된 인도의 금화; =15 rupees》.
M.O.I. 《영》 Ministry of Information; Ministry of Interior. 「옛 금화.
moi·dore [mɔ́idɔːr] *n.* 포르투갈 및 브라질의
moi·e·ty [mɔ́iəti] *n.* 〖법률〗 (재산 따위의) 절반; 일부분; 몫.
moil [mɔil] *vi.* 억척같이 일하다, 애써 일하다; 세차게 돌다, 소용돌이치다; 《미》 끊임없이 동요하다. **—** *vt.* 《고어·방언》 적시다, 더럽히다. **—** *n.* 힘드는 일; 번거로움, 분규; 《미》 소란, 혼란 상태. ㊎ **~·ing·ly** *ad.*
Moi·ra [mɔ́irə] *n.* **1** 모이라《여자 이름》. **2** (*pl.* ***-rai*** [-rai]) 〖그리스신화〗 모이라《운명의 여신》. **3** (흔히 m-) (개인의) 운명. 「(moiré).
moire [mwɑːr] *n.* 《F.》 물결무늬 옷감의 일종
moi·ré [mwɑːréi, mɔ́ːrei/mwáːrei] *a.* 《F.》 물결무늬 있는, 구름무늬 있는; 물결무늬의. **—** *n.* 물결무늬; 〖인쇄〗 무아레《규칙적으로 분포된 점이나 선이 겹쳐 생기는 반문(斑紋)》; =MOIRE.
⁑**moist** [mɔist] *a.* **1** 습기 있는, 축축한: a ~ wind from the sea/~ colors 수채 그림물감. **2** 비가 많은: a ~ season. **3** 눈물 어린; 감상적인: with a ~ look in one's eyes 눈물 어린 눈초리로/eyes ~ with tears 눈물 어린 눈. **4** 〖의학〗 분비물이 많은, 습성의. ◇ moisture *n.* ~ ***around the edges*** 《미구어》 술 취한. ㊎ **~·ly** *ad.* **~·ness** *n.*
°**mois·ten** [mɔ́isn] *vt., vi.* 축축하게 하다, 축축해지다; 적시다, 젖다: ~ at one's eyes 눈물을 글썽거리다/~ one's lips 〔throat〕 목을 축이다, 술을 마시다. ㊎ **~·er** *n.*
móist gángrene 〖의학〗 습성 괴저(壞疽).
***mois·ture** [mɔ́istʃər] *n.* Ⓤ 습기, 수분; (공기 중의) 수증기, (유리 표면 따위에 엉긴) 작은 물방울; 땀. ㊎ **~·less** *a.*
móisture-sénsitive *a.* 습기 차기 쉬운, 습기로 쉬이 변질〔변색〕되는.
mois·tur·ize [mɔ́istʃəràiz] *vt., vi.* 축축하게 하다, (…에) 습기가 차게 하다, 가습하다; (화장품으로 피부에) 수분을 주다. ㊎ **-iz·er** *n.*
Mo·já·ve 〔**Mo·há·ve**〕 **Désert** [mouháːvi-]

(the ~) 모하비 사막《California주 남부의 사막》.

mo·jo [móudʒou] (*pl.* **~s, ~es**) *n.* 마법, 주술(呪術); 마귀 쫓기, 부적; 마력; 《미속어》 마약.

moke [mouk] *n.* 《영속어》 당나귀; 바보; 《미속어》 흑인; 《Austral. 속어》 볼품없는 말.

mo·ksha, mo·ksa [móukʃə], [-ksə] *n.* 〖불교 · 힌두교〗 해탈(解脫).

mol [moul] *n.* 〖화학〗 몰, 그램분자.

MOL manned orbiting laboratory (유인 궤도 실험실); 〖전자〗 maximum output level (최고 출력치). **mol.** molecular; molecule.

mo·lal [móuləl] *a.* 〖화학〗 몰(mol)의, 그램분자의; 중량 몰 농도의. cf. molar².

mo·lal·i·ty [moulǽləti] *n.* 〖화학〗 중량 몰 농도.

mo·lar¹ [móulər] *a.* 씹어 부수는; 어금니의. ── *n.* 어금니, 대구치(大臼齒)(=∠ **tòoth**): a false ~ 소(小)구치.

mo·lar² *a.* 〖물리〗 질량(상)의; 〖화학〗 그램분자의.

mo·lar·i·ty [moulǽrəti] *n.* 〖화학〗 용적 몰 농도; 〖물리〗 질량.

mo·las·ses [məlǽsiz] *n. pl.* 〖단수취급〗 당밀(《영》 treacle); 《미속어》 (손님을 끌기 위해 전시해 둔) 보기 좋은 중고차.

mold**¹, 《영》 **mould**¹ [mould] *n.* **1** 형(型), 금형, 주형(鑄型)(matrix), 거푸집; (과자 만드는) 틀; (구두의) 골; (석공 등의) 형판(型板). **2** 틀에 넣어 만든 것《주물 · 젤리 · 푸딩 따위》: a ~ of jelly 젤리 한 개. **3** 《비유》 형, 모양(shape), 모습; 인체. **4** 특성, 특질, 성격(character): a man of a gentle ~ 상냥한 사람 / be cast in a heroic ~ 영웅 기질의 사람이다 / be cast in the same ~ 똑같은 성질이다. **5** 〖건축〗 쇠시리(molding). ── *vt.* **1** 《~+목/+목+전+명》 형상짓다, 틀에 넣어 만들다, 주조〔성형〕하다: ~ Plasticine *into* a bust 세공용 점토로 흉상을 만들다. **2** 《+목+전+명》 반죽하여 만들다: ~ a face *in* 〔*out of*〕 clay 점토를 이겨 얼굴 모습을 뜨다. **3** (인격을) 도야하다, (인물 · 성격을) 형성하다: ~ one's character 인격을 도야하다. **4** (조각 따위에서) …에 장식을 하다. **5** (옷 따위가 몸)에 꼭 맞다, (몸의 선)을 뚜렷이 드러내다. **~ *upon 〔***on***〕 …의 모형에 맞추다. ⓟ **∠·a·ble** *a.*

mold², 《영》 **mould**² *n.* Ⓤ 곰팡이, 사상균. ── *vt., vi.* 곰팡나(게 하)다; 곰팡이로 덮다.

mold³, 《영》 **mould**³ *n.* Ⓤ (유기물이 많은) 옥토, 경토(耕土); 《고어 · 시어》 땅, 대지: a man of ~ (죽어서 흙으로 돌아가는) 인간. ── *vt.* 흙을〔으로〕 덮다《*up*》.

Mol·da·via [maldéiviə, -vjə/mɔl-] *n.* **1** 몰다비아《동유럽의 한 지방 · 구공국(公國). 1859년 Walachia와 합병하여 루마니아가 됨》. **2** ⇨ MOLDOVA.

móld·bòard, 《영》 **móuld-** *n.* 보습; (불도저의) 흙밀이판, (제설차의) 제설판; 콘크리트 형판(型板).

móld·ed-in [-id-] *a.* 매몰 성형된.

móld·er¹, 《영》 **móuld·er**¹ *n.* 형〔틀, 거푸집〕을 만드는 사람〔것〕; 〖인쇄〗 (복제용) 전기판.

móld·er², 《영》 **móuld·er**² *vi.* 썩어 흙이 되다, 썩어 버리다, 붕괴하다《*away*》; 하는 일 없이 때를 보내다. ── *vt.* 썩게 하다.

móld·ing¹, 《영》 **móuld-** *n.* **1** Ⓤ mold¹ 하기. **2** Ⓒ mold¹ 된 것; 《특히》 (건축의) 장식 쇠시리.

móld·ing², 《영》 **móuld-** *n.* Ⓤ 흙을 덮어 주기; 덮는 흙.

mólding bòard (빵 따위의) 반죽판.

móld lòft 현도장(現圖場)《조선소 · 항공기 제작소에서 재료 크기를 실물대로 제도하는 방》.

Mol·do·va [mɔːldóːvə] *n.* 몰도바《독립 국가연합 구성 공화국의 하나; 수도 Kishinev》.

moldy, 《영》 **mouldy** [móuldi] (***mold·i·er; -i·est***) *a.* 곰팡난, 곰팡내 나는; 케케묵은, 진부한; 《속어》 진저리 나는, 하찮은. ⓟ **móld·i·ness** *n.* Ⓤ 곰팡내가 남.

móldy fíg 《속어》 전통 재즈의 팬; 시대에 뒤진 사람〔것〕.

mole¹ [moul] *n.* 사마귀, 점, 모반(母斑).

***mole**² *n.* **1 a** 〖동물〗 두더지. **b** 두더지 가죽(mole-skin). **c** 짙은 회색. **2 a** 어두운 곳에서 일하는 사람; 《구어》 첩자, 이중간첩; 비밀 공작원. **b** 터널 굴착기.

mole³ *n.* 방파제; 방파제로 된 항구, 인공항.

mole⁴ *n.* =MOL.

mole⁵ *n.* 〖의학〗 기태(奇胎)《자궁 안에 생기는 태아막 · 태아 조직의 변성(變成) 덩어리》.

móle crìcket 〖곤충〗 땅강아지.

mol·ec·tron·ics [màliktrániks/mɔ̀liktrɔ́n-] *n. pl.* 〖단수취급〗 MOLECULAR ELECTRONICS.

mo·lec·u·lar [məlékjələr] *a.* 분자의; 분자로 된: ~ attraction 분자 인력 / a ~ model 〖화학 · 물리〗 분자 모형 / ~ force 분자력.

molécular astrónomy 분자(分子) 천문학.

molécular béam èpitaxy 〖전자〗 분자살 에피택시《초고(超高)의 진공하에서 박막(薄膜) 결정을 성장시키는 방법; 생략: MBE》.

molécular biólogy 〖생물〗 분자 생물학(new biology)《분자 레벨에서 생물학적 현상을 연구》. ⓟ **-gist** *n.*

molécular diséase 〖생화학〗 분자병.

molécular electrónics 분자 전자공학.

molécular evolútion 〖생화학〗 분자 진화《단백을 구성하는 아미노산의 변화나, 유전 핵산 분자의 변이로 본 생물의 진화》.

molécular fílm 〖화학〗 분자막.

molécular fórmula 〖화학〗 분자식.

molécular genétics 〖생물〗 분자 유전학.

mo·lec·u·lar·i·ty [məlèkjəlǽrəti] *n.* Ⓤ 분자상(分子狀), 분자성(分子性); 분자 작용.

molécular órbital 〖물리 · 화학〗 분자궤도 함수.

molécular wéight 〖화학〗 분자량.

°**mol·e·cule** [máləkjùːl/mɔ́l-] *n.* 〖화학 · 물리〗 분자; 미분자(微分子); 그램분자.

móle·hìll *n.* **1** 두더지가 파 놓은 흙두둑. **2** 작은 것; 사소한 곤란〔장애〕. ***make a mountain*** (***out***) ***of a ~*** =***make mountains out of ~s*** 침소봉대하여 말하다, 허풍떨다.

móle plòw 지하 배수로 굴착용 가래.

móle ràt 두더지 비슷한 설치류의 동물.

móle shrèw 뾰족뒤쥐의 일종.

móle·skìn *n.* **1** 두더지 가죽. **2** Ⓤ 능직(綾織) 무명의 일종. **3** (*pl.*) 능직 무명으로 만든 바지.

°**mo·lest** [məlést] *vt.* (짓궂게) 괴롭히다; 성가시게 굴다; 간섭〔방해〕하다; (여자에게 성적으로) 치근거리다. ⓟ **mo·les·ta·tion** [mòulestéiʃən] *n.* Ⓤ 방해; 박해. **mo·lést·er** *n.* 치한(癡漢).

mol·et [málit/mɔ́l-] *n.* =MULLET².

Mo·lière [mòuljέər/mɔ́liεə] *n.* 몰리에르《프랑스의 희극 작가; 본명은 Jean Baptiste Poquelin; 1622–73》.

Moll [mal/mɔl] *n.* 몰《여자 이름; Mary의 애칭》.

moll [mal/mɔl] *n.* 《구어》 (갱의) 정부(情婦)(gun ~); 매춘부; 《미》 여자(woman): ~ buzzer (부녀자 전문의) 날치기.

mol·lah [mɔ́ːlə/mɔ́lə] *n.* =MULLAH.

mol·li·fy [máləfài/mɔ́l-] *vt.* 누그러지게 하다, 완화〔경감〕하다, 진정시키다; 달래다. ⓟ **mol·li·fi·ca·tion** [màləfikéiʃən/mɔ̀l-] *n.*

Mol·li·sol [máləsɔ̀ːl, -sàl/mɔ́lisɔ̀l] *n.* 〖토양〗 몰리솔《부식질 · 칼슘 · 마그네슘 등 염기 비율이 높은 토양》.

Mol·lus·ca [məlʌ́skə/mɔ-] *n. pl.* 〖동물〗 연체 동물문(門).

mol·lus·can [məlʌ́skən/mɔ-] *a.* 연체(軟體)

동물의; 연체동물 비슷한.

mol·lus·ci·cide [məlʌ́skəsàid / mɔ-] *n.* 연체동물《(특히) 민달팽이》 구제제(驅除劑). [파] **mol·lùs·ci·cíd·al** *a.*

mol·lus·coid [məlʌ́skɔid/mɔ-] *n., a.* 연체동물 (비슷한); 의(擬)연체동물(의).

mol·lus·cous [məlʌ́skəs] *a.* =MOLLUSCAN.

mol·lus·cum [məlʌ́skəm/mɔ-] (*pl.* **-ca** [-kə]) *n.* 【의학】 연속종(軟屬腫), 연우(軟疣).

mol·lusk, -lusc [mάləsk/mɔ́l-] *n.* 【동물】 연체동물.

mol·lus·kan [məlʌ́skən/mɔl-] *a.* =MOLLUSCAN.

mol·ly [mάli/mɔ́li] *n.* =MOLLYCODDLE.

mólly·còddle *n.* 여자 같은 남자, 나약한 사내, 뱅충이; =GOODY-GOODY. **—** *vt.* 지나치게 떠받들다, 어하다.

Mo·loch [móulak, mάlək/móulɔk] *n.* 셈족의 신(神)《신자는 아이를 제물로 바쳤음》; 《비유》 희생이 따르는 일; (m-) 도마뱀의 일종.

Mól·o·tov bréadbasket [mάlətɔ̀:f-/mɔ́lətɔ̀f-] 【군사】 모자(母子) 소이탄《제2차 세계대전 때 쓴 특수 투하 폭탄》.

Mólotov cócktail 화염병《탱크 공격용》.

molt, 《영》 **moult** [moult] *vt.* (새·뱀 따위가 털·허물을) 벗다, 갈다. **—** *vi.* 털을 갈다, 허물을 벗다. **—** *n.* [U] 털갈이, 탈피; 그 시기; 빠진 털, 벗은 허물.

mol·ten [móultən] MELT의 과거분사. **—** *a.* **1** 녹은, 용해된; (동상 따위가) 주조된: a ~ image 주상(鑄像). **2** 뜨거워진; (번쩍번쩍) 빛나는. [파] **~·ly** *ad.*

mol·to [móultou/mɔ́l-] *ad.* 《It.》 【음악】 몰토, 아주(very): ~ adagio 아주 느리게.

mol. wt. molecular weight.

mo·ly [móuli] *n.* 【그리스신화】 흰 꽃에 검은 뿌리가 있다는 마법의 풀; 【식물】 노랑꽃산마늘.

mo·lyb·date [məlíbdeit] *n.* 【화학】 몰리브덴산염(酸塩).

mo·lyb·de·nite [məlíbdənàit] *n.* [U] 【광물】 몰리브덴석(石), 휘수연석(輝水鉛石).

mo·lyb·de·num [məlíbdənəm] *n.* [U] 【화학】 몰리브덴《금속 원소; 기호 Mo; 번호 42》.

molýbdenum disúlfide 【화학】 이산화 몰리브덴.

mo·lyb·dic [məlíbdik] *a.* 【화학】 3〔6〕가의 몰리브덴의〔을 함유한〕, 몰리브덴 III〔VI〕의.

molýbdic ácid 【화학】 몰리브덴산.

** **mom** [mam/mɔm] *n.* 《미구어》 =MOTHER[1].

M.O.M., m.o.m. middle of month.

MOMA [móumə] Museum of Modern Art.

móm-and-póp [-ən-] *a.* **1** (가게가) 부부〔가족〕 경영의. **2** (기업·투자·계획이) 소규모의, 영세한. **—** (*pl.* **~s**) *n.* 영세한 자영업, 작은 가게.

† **mo·ment** [móumənt] *n.* **1** 순간, 찰나, 단시간; 잠깐 (사이): Just 〔Wait〕 a ~, please. 잠깐만 기다려 주세요 / for a ~ 잠깐〔잠시〕 동안, 당장 그 때만 / in a ~ 순(식)간에 / at a ~'s notice 즉석에서. **2** (어느 특정한) 때, 기회; (*pl.*) 시기; 경우; (보통 the ~) 현재, 지금: seize the ~ 기회를 잡다 / in leisure ~s 한가한 때에 / at odd ~s 때때로, 틈을 보아 / in ~ of anger 홧김에 / in the ~ of danger 유사시에 / a critical ~ 위기. **3** 중요성: affairs of great ~ 중대 사건 / of little 〔no great〕 ~ 그다지〔조금도〕 중요하지 않은. **4** 【철학】 계기, 요소. **5** 【물리】 (보통 the ~) 모멘트, 역률(力率), 능률《*of*》; 【기계】 회전 우력(偶力). ◇ momentary, 3은 momentous *a.*

(*at*) ***any*** ~ 언제라도, 당장에라도: She will turn up *any* ~. 그녀는 당장에라도 나타날 것이다. ***at every*** ~ 끊임없이, 늘, 언제나. ***at ~s*** 때때로. ***at the*** (***very***) ***last*** ~ 마지막 순간에. ***at the*** (***very***) ~ 마침 그 때, 바로 지금. ***for the*** ~ 우선, 당장은; 마침 지금. ***have*** one***'s ~s*** 한창 좋은 때다, 더없이 행복하다. ***just this*** ~ 이제 막, 이제야. ***not for a*** 〔***one***〕 ~ 조금도 …아니다(never). ***of the*** ~ 목하의, 현재의: the man *of the* ~ 당대의 인물 / the book *of the* ~ 현재 인기 있는 책. ***the*** (***very***) ~ 〖접속사적〗 …하자마자; 바로 그 때: She went away *the* ~ he came home. 그가 집에 돌아오자마자 그녀는 가 버렸다. ***this*** (***very***) ~ 방금; 지금 곧. ***to the*** (***very***) ~ 1초도 어김없이, 제시각에, 정각에. ***upon*** 〔***on***〕 ***the*** ~ 당장에, 그 즉석에서. [파] **mo·men·tal** [mouméntəl] *a.* 【기계】 모멘트의, 운동량의.

mo·men·ta [mouméntə] MOMENTUM의 복수.

* **mo·men·tary** [móumənteri/-təri] *a.* **1** 순간의, 잠깐의, 일시적인; 덧없는(transitory): a ~ joy 찰나의 기쁨 / a ~ impulse 일시적 충동. **2** 시시각각의, 각일각의, 지금이라도 일어날 듯한: in ~ expectation 고대하여. **3** 《드물게》 끊임없이 되풀이되는. [파] ◇ **-tar·i·ly** [-rəli] *ad.* =MOMENTLY. **-tar·i·ness** *n.*

mó·ment·ly *ad.* 각일각; 이제나저제나 하고; 잠깐, 잠시.

móment of inértia 【물리】 관성 모멘트.

móment of trúth (투우사의) 최후의 일격; 《비유》 위기; 시련의 시기, 결정적 순간.

* **mo·men·tous** [mouméntəs] *a.* 중대한, 중요한, 쉽지 않은: a ~ decision 중대한 결정. [SYN.] ⇨ IMPORTANT. [파] **~·ly** *ad.* **~·ness** *n.*

◇ **mo·men·tum** [mouméntəm] (*pl.* **~s, -ta** [-tə]) *n.* [C,U] 【기계·역학】 운동량; 타성; 여세, 힘(impetus); 추진력; 【철학】 모멘트, 계기, 요소: gain 〔gather〕 ~ 탄력이 생기다, 기력을 얻다 / lose ~ 기력을 잃다.

MOMI [móumi] Museum of the Moving Image《런던에 있는 영상 박물관; 1988년 창립》.

mom·ism [mάmizəm/mɔ́m-] *n.* [U] 《구어》 여가장(女家長)주의; 과도한 모친 존중; 모친에 의한 자식의 과보호; 【정신분석】 모친 정착(定着). [cf.] Oedipus complex.

mom·ma [mάmə/mɔ́-] *n.* 《구어·소아어》 엄마.

◇ **mom·my** [mάmi/mɔ́-] *n.* 《소아어》 =MAMMY.

mómmy tràck 《미》 마미트랙, 엄마 코스《육아 출산을 위해 직장의 출퇴근 시간, 휴가 등을 탄력적으로 결정할 수 있는 여성의 변칙적 취업 형태; 그런 취업의 전문직 여성》.

mo-mo [móumòu] *n.* 《미속어》 얼간이, 반편이(moron).

mom·pa·ra [màmpά:rə/mɔ̀m-] *n.* 《S.Afr.》 머저리; 미숙자; 무능력자.

Mo·mus [móuməs] *n.* **1** 【그리스신화】 모모스《냉소〔비난〕의 신》. **2** (종종 m-) (*pl.* **~·es, -mi** [-mai]) 흠잡기 좋아하는 사람, 트집쟁이.

momzer, -ser ⇨ MAMZER.

Mon [moun] (*pl.* **~s,** 〖집합적〗 **~**) *n.* 몬족(의 한 사람)《미얀마 남부, 타이 중부에 사는 소수 민족; Pegu를 중심으로 왕국을 건설했으나 18세기 중반 미얀마인에게 제압됨》; 몬어《주로 미얀마의 Moulmein 부근에서 쓰이는 오스트로아시아 여러 언어의 하나》.

mon- [mán, móun/mɔ́n], **mon·o-** [mάnou/mɔ́n-] '단일; 【화학】 한 원자를 가진'의 뜻의 결합사《모음 앞에서는 mon-》. [opp.] *poly-*.

Mon. Monastery; Monday; Monsignor. **mon.** monastery; monetary.

mon·a·c(h)al [mάnəkəl/mɔ́n-] *a.* =MONASTIC. [파] **mon·a·chism** [mάnəkìzəm/mɔ́n-] *n.* [U] =MONASTICISM.

monacid, monacidic =MONOACID, MONOACIDIC.

Mon·a·co [mάnəkòu/mɔ́n-] *n.* 모나코 공국(公國)《프랑스 남동부의 소국》; 그 수도.

mon·ad [mánæd, móun-/mɔ́n-, móun-] *n.* 단체(unit), 단일체, 개체(unity); 〖생물〗 단세포 생물; 〖철학〗 모나드, 단자(單子); 〖화학〗 일가(一價)원소〔기〕. [파] **mo·nad·ic, -i·cal** [mənǽdik], [-əl] *a.*
mon·a·del·phous [mànədélfəs/mɔ̀n-] *a.* 〖식물〗 단체(單體) 수술의.
mon·ad·ism [mánədìzəm, móunædìzəm/mɔ́nə-, móun-] *n.* [U] 〖철학〗 모나드론(論), 단자론, 단원론.
mo·nad·nock [mənǽdnɑk/-nɔk] *n.* 〖지학〗 「잔구(殘丘).
mon·ad·ol·o·gy [mànədáləd3i/mɔ̀nədɔ́l-] *n.* 〖철학〗 =MONADISM.
Mo·na Li·sa [móunəlí:sə, -lí:zə/-lí:zə] 모나리자(*La Gioconda*) 《Leonardo da Vinci가 그린 여인상》.
mon ami [*F.* mɔ̃nami] (*fem.* ***mon amie***) 《F.》 여보게, 자네, 당신(my friend) 《호칭》.
mo·nan·drous [mənǽndrəs/mɔ-] *a.* 일부일부제(一夫一婦制)의; 〖식물〗 홑수술(꽃)의.
mo·nan·dry [mənǽndri/mɔ-] *n.* **1** 일부일부제(一夫一婦制). [cf] polyandry. **2** 〖식물〗 홑수술.
***mon·arch** [mánərk/mɔ́nək] *n.* **1** 군주, 주권자, 제왕. **2** 왕에 비할 만한 사람〔것〕, 최고 지배자, 왕자, 거물: the ~ of the textile world 섬유계의 왕 / the ~ of the forest 삼림의 왕《떡갈나무》. **3** 〖곤충〗 제주왕나빗과의 나비의 일종.
mo·nar·chal, -chi·al [məná:rkəl/mɔ-], [-kiəl] *a.* 군주의; 제왕다운; 군주에 어울리는.
◇**mo·nar·chic, -chi·cal** [məná:rkik/mɔ-], [-əl] *a.* 군주(국)의, 군주 정치의; 군주제(지지)의; 절대적 권능을 갖는. [파] **-chi·cal·ly** *ad.*
mon·ar·chism [mánərkìzəm/mɔ́n-] *n.* [U] 군주주의(제); 군주주의 창도(唱導). [파] **-chist** *n.* 군주(제)주의자. **mòn·ar·chíst·ic** [-stik] *a.*
***mon·ar·chy** [mánərki/mɔ́n-] *n.* **1** [U] 군주제, 군주 정치〔정체〕. **2** [C] 군주국: an absolute 〔a despotic〕 ~ 전제 군주국 / a constitutional 〔limited〕 ~ 입헌 군주국. [opp] *republic*.
mon·as·te·ri·al [mànəstíəriəl/mɔ̀n-] *a.* 수도원의〔적인〕.
◇**mon·as·tery** [mánəstèri/mɔ́nəstəri] *n.* 〖가톨릭〗 (주로 남자의) 수도원《여자 수도원은 보통 nunnery 또는 convent라 함》.
◇**mo·nas·tic** [mənǽstik] *a.* 수도원의; 수도사의; 수도원적인, 은둔적인, 금욕적인. **—** *n.* 수도사(monk). [파] **-ti·cal** [-əl] *a.* **-ti·cal·ly** *ad.*
mo·nas·ti·cism [mənǽstəsìzəm] *n.* [U] 수도원〔금욕〕 생활; 수도원 제도.
mon·a·tom·ic [mànətámik/mɔ̀nətɔ́m-] *a.* 〖화학〗 (분자가) 1 원자로 된; 《드물게》 일가(一價)의(monovalent).
mon·au·ral [manɔ́:rəl/mɔn-] *a.* **1** (전축·라디오·녹음 따위가) 모노럴의, 단청(單聽)의(monophonic). [cf] binaural, stereophonic. **2** 한쪽 귀(만)의, 한쪽 귀에 쓰는: ~ deafness 한쪽 귀만의 난청. [파] **~·ly** *ad.*
mon·a·zite [mánəzàit / mɔ́n-] *n.* 〖광물〗 모나자이트《희토류·토륨의 주요 광석》.
mon·dain [mɔ:ndéin; *F.* mɔ̃dɛ] (*fem.* ***-daine*** [*F.* mɔ̃dɛn]) *n.* 사교계 사람; 사교가. **—** *a.* 사교계의; 세속적인.
†**Mon·day** [mʌ́ndei, -di] *n.* 월요일《생략: Mon.》: on ~ (morning) 월요일(아침)에 / last 〔next〕 ~ =《영》 on ~ last 〔next〕 지난〔오는〕 월요일에 / (a 〔the〕) ~ morning feeling 《영구어》 (다시 일이 시작되는) 월요일 아침의 권태감. **—** *ad.* 《구어》 월요일에. [파] **~·ish** [-iʃ] *a.* 월요일 기분의, 일할 마음이 나지 않는.

Mónday màn 《속어》 세탁물 도둑.
Mónday (mórning) quárterback 《미구어》 미식 축구 경기가 끝난 뒤 에러를 비평하는 사람; 결과를 가지고 이러쿵저러쿵 비평하는 사람.
Món·days *ad.* 월요일마다〔에는 언제나〕(on Mondays).
monde [*F.* mɔ̃:d] *n.* 《F.》 세상, 사회; 상류사「회;사교계.
mond·i·al [mándiəl/mɔ́n-] *a.* 전세계의.
mon Dieu [*F.* mɔ̃djø] 《F.》 어머, 저런.
Mon·dri·an [mɔ́:ndriɑ̀:n, mán-/mɔ́n-] *n.* **Piet** ~ 몬드리안《네덜란드의 화가; 신조형(造形)주의(Neo-Plasticism)의 제창자; 1872-1944》.
M₁, M-1 [émwʌ́n] *n.* 기본 통화 공급량《현금 통화와 은행 따위의 요구불 예금을 합한 일국의 통화 공급량》. [cf] M_2, M_3.
monecious ⇨ MONOECIOUS.
Mo·nél(l) (mètal) [mounél(-)] 모넬메탈《니켈·구리 등의 합금; 산에 강함; 상품명》. 「素).
mo·neme [móuni:m] *n.* 〖언어〗 기호소(記號
mo·nen·sin [mounénsin] *n.* 모넨신《육우용 사료의 첨가물》.
M1 rìfle [émwʌ̀n-] 엠원 소총.
Mo·net [mounéi] *n.* **Claude** ~ 모네《프랑스 인상파의 풍경 화가; 1840-1926》.
mon·e·tar·ism [mánətərìzəm, mʌ́n-/mʌ́n-] *n.* [U] 통화(通貨)주의. [파] **-ist** *n.*
◇**mon·e·tary** [mánətèri, mʌ́n-/mʌ́nitəri] *a.* 화폐의, 통화의; 금전(상)의; 금융의, 재정(상)의: a ~ unit 화폐 단위 / ~ crisis 통화 위기 / the ~ system 화폐 제도 / ~ reform 화폐 개혁 / in ~ difficulties 재정 곤란으로. [SYN] ⇨ FINANCIAL. [파] **-tar·i·ly** *ad.* 「폐 공급 총량.
mónetary ággregate 화폐 유통량〔총액〕, 화
mónetary únion 화폐 동맹《상호 상대국 통화를 법화로 인정하는 나라들의 집합체》.
mon·e·tize [mánətàiz, mʌ́n-/mʌ́n-] *vt.* 화폐〔통화〕로 정하다; (금속을) 화폐로 주조하다. [파] **mòn·e·ti·zá·tion** *n.* [U] 화폐 주조; 통화 제정.
†**mon·ey** [mʌ́ni] (*pl.* **~s, món·ies** [-z]) *n.* **1** [U] 돈, 금전, 통화, 화폐; 계산 화폐(~ of account). [cf] currency, coin, bill[1], bank note. ¶ hard ~ 경화(硬貨) / small ~ 잔돈 / change ~ 환전하다 / *Money* begets ~. 《속담》 돈이 돈을 번다 / Bad ~ drives out good ~. (⇨GRESHAM'S law) / *Money* talks. 돈이 힘을 쓴다 / white ~ (위조) 은화 / make 〔earn〕 ~ 돈을 벌다 / lose ~ 손해를 보다 / *Money* makes the mare (to) go. 《속담》 ⇨MARE[1]. **2** [U] 재산, 부(wealth), 자산; 큰 부자. **3** (*pl.*) 〖법률〗 금액. **4** [C] 〖경제〗 교환의 매개물, 물품〔자연〕 화폐《남양 원주민의 조가비 따위》. **5** 임금; 상금. ***at*** 〔***for***〕 ***the*** ~ (치른) 그 값으로는: The camera is cheap *at the* ~. 카메라가 그 값으로는 싸다. ***be in the*** ~ 부자와 친해지다〔한잔하다〕; 《구어》 돈이 많이 있다, 부유하다, 번영〔성공〕하고 있다; 안전하다, (달리기·전시회 등에서 개·말 따위) 입상하다. ***be made of*** ~ 《구어》 돈을 엄청나게 많이 갖고 있다. ***be out of*** ~ 《속어》 돈이 궁하다, 자금이 없다. ***covered*** ~ 《미》 국고 예금. ***everybody's*** 〔***everyman's***〕 ~ 누구에게나 통용되는〔인기 있는〕 것. ***for love or*** ~ ⇨LOVE. ***for*** ~ 돈 때문에, 돈에 팔려서; 〖영상업〗 직접 거래로. ***for one's*** ~ ① 《구어》 …의 생각〔기분〕으로는. ② 《구어》 마음에 드는, 안성맞춤의: She is the very woman *for my* ~. 그 여자야말로 마음에 꼭 드는 여성이다. ③ 《구어》 …에 관한 한. ***get*** 〔***have***〕 ***one's ~'s worth*** 치른 돈〔노력한〕만큼 얻다, 본전을 찾다: She's *had her ~'s worth* out of that dress — she's been wearing it for years. 그녀는 이미 저 옷의 본전을 찾았다 — 여러 해 동안 그 옷을 입어 왔으니 말이지. ***keep*** a person ***in*** ~ 아무에게 돈을 대주

다. ***lie out of*** one'***s*** ~ 지급을 못 받고 있다. ***like pinching*** ~ ***from a blind man*** 아주 간단히. ***lucky*** ~ 부적처럼 몸에 지니는 돈. ***make*** ~ ***fly*** 돈을 금방 써버리다. ***make*** ~ (***out***) ***of ...*** …을 팔아 돈을 장만하다, …로 돈을 벌다, 부자가 되다. ***marry*** ~ 부자와 결혼하다. ~ ***down*** =~ ***out of hand*** =***ready*** ~ 현금: pay ~ *down* 맞돈을 치르다. ~ ***for jam*** 〔***old rope***〕《영구어》 손쉬운 벌이; 식은죽 먹기. ~ ***from home*** 쉽게 손에 넣은 물건〔돈〕. ~ ***of account*** 계산(計算) 화폐《통화(通貨)로 발행하지 않는 돈; 영국의 guinea, 미국의 mill² 등》. ***out of the*** ~ (경마·개 달리기 등에서) 입상하지 못하고. ***put*** ~ ***into*** …에 투자하다. ***put*** 〔***place***〕 ~ ***on*** …에 걸다. ***put*** one'***s*** ~ ***on a scratched horse***《구어》 절대로 이길 수 없는 것에 걸다. ***put*** one'***s*** ~ ***where*** one'***s mouth is*** ⇨MOUTH. ***raise*** ~ ***on*** … 을 저당잡히어 돈을 장만하다. (***right***) ***on the*** ~ 《미속어·Can. 속어》 딱 들어맞아, 마침 그곳〔때〕에. ***sink*** ~ 돈을 낭비하다. ***There is*** ~ ***in it.*** 좋은 벌잇감이다; 돈벌이가 된다. ***throw*** 〔***pour***〕 ***good*** ~ ***after bad*** 손해를 만회하려다 더 손해를 보다. ***throw*** one'***s*** ~ ***about*** 〔***around***〕 (부자임을 뽐내려고, 허세를 부려서) 돈을 물처럼 쓰다. ***What's the*** ~***?*** 얼맙니까.

móney-bàck *a.* (구입자가 만족하지 못할 때) 환불이 가능한, 환불 가능 조건부의.

móney-bàck guarantée 현금 환불 보증.

móney·bàg *n.* 지갑; (*pl.*)〖단·복수취급〗《구어》부(富); (*pl.*)〖단수취급〗《구어》부자.

móney bìll 재정 법안.

móney bòx 《영》 저금통; 현금함(函), 돈궤.

móney chànger 환전상; 《미》 환전기(機).

móney còwrie (미개인이 화폐로 사용했던) 자패(紫貝)의 껍질.

móney cròp 《미》 =CASH CROP.

mon·eyed, mon·ied [mʌ́nid] *a.* 부자의, 부유한; 금전(상)의: the ~ interest 〖집합적〗 재계(財界) / ~ assistance 금전적 원조. 「사람.

móney·grùbber *n.* 수전노, 축재(蓄財)하는

móney·grùbbing *n.* [U], *a.* 악착같이 돈을 모으기〔모으는〕.

móney làundering 돈세탁(money-washing)《주로 마약 거래 등 범죄에 관계되어 얻은 부정한 돈을 금융기관과의 거래나 계좌를 통하여 자금의 출처 등을 모르게 하는 것》.

móney·lènder *n.* 대금업자, 《특히》 전당포(주

móney·lènding *n.* [U] 대금(업). 「인).

móney·less *a.* 돈 없는, 무일푼의.

móney·màker *n.* 돈벌이가 되는 일; 돈벌이 능력이 있는 사람, 축재가(蓄財家).

móney·màking *n.* [U], *a.* 돈벌이(가 되는), 축재(蓄財); 조폐.

móney·màn [-mæ̀n] (*pl.* ***-mèn*** [-mèn]) *n.* 《구어》 자본가, 재정가, 투자가.

móney màrket 금융 시장.

móney òrder (송금)환(換), 《특히》 우편환: a telegraphic ~ 전신환.

móney plàyer 《속어》 (경기 등의) 각축전에 센 사람; 큰돈을 잘 버는 사람.

móney-sáving *a.* 돈을 절약하는.

móney smàsh 《야구속어》 홈런.

móney spìder =MONEY SPINNER **1**.

móney spìnner 《영》 **1** 거미의 일종《몸에 기어 다니면 돈을 번다고 함》. **2** 《구어》 돈 잘 버는 사람; 돈벌이 잘되는 것〔일〕; (소설이나 영화 등의) 히트작.

móney supplỳ 〖경제〗 통화 공급량.

móney wàges 명목 임금(nominal wages).

móney-wàshing *n.* = MONEY LAUNDERING.

móney·wòrt *n.* 〖식물〗 좁가시풀류의 덩굴풀.

'mong [mʌŋ] *prep.* 《시어》 =AMONG.

mon·ger [mʌ́ŋgər] *n.* 〖주로 결합사〗 **1** 상인, …상(商), …장수: a FISHMONGER / an IRONMONGER. **2** (소문 따위를) 퍼뜨리는 사람: a SCANDALMONGER. — *vt.* 팔다, 행상하다.

mon·go [máŋgou/mɔ́ŋ-] (*pl.* ~(***s***)) *n.* 몽고《몽골 공화국의 통화 단위; =1/100 tugrik》.

Mon·gol [máŋgəl, -goul/mɔ́ŋgəl, -gɔl] *n.*, *a.* **1** 몽골 사람(의). **2** 〖언어〗 =MONGOLIAN. **3** (종종 m-) 〖의학〗 몽골증 환자.

Mon·go·lia [maŋgóuliə, man-/mɔŋ-] *n.* 몽골.

Mon·go·li·an [maŋgóuliən, man-/mɔŋ-] *n.* **1** 〖인류〗 몽골 인종에 속하는 사람. **2** 몽골 사람; [U] 몽골말. **3** (종종 m-) 〖의학〗 =MONGOL. [cf.] Mongolism. — *a.* 몽골 사람〔인종〕의; 몽골말〔증(症)〕의. ***the*** ~ ***Republic*** 몽골 공화국.

Mongólian ídiocy 〖의학〗 =MONGOLISM.

Mongólian ídiot 〖의학〗 =MONGOL.

mongólian spót (종종 M- s-) 몽골반(斑).

Mon·gol·ic [maŋgálik/mɔŋgɔ́l-] *n.* 몽골어군 《알타이(Altaic) 어족(語族)에 속하고, Mongolian, Buryat, Kalmuck을 포함》. — *a.* 〖인종〗 =MONGOLOID.

Món·gol·ìsm *n.* (종종 m-) 〖의학〗 몽골증 (Down's syndrome)《인상이 몽골인 같은 선천적 백치》.

Mon·gol·oid [máŋgəlɔ̀id, mán-/mɔ́ŋ-] *a.* 몽골 사람 같은; 몽골 인종적인; (종종 m-) 몽골증(症)의. — *n.* 몽골 인종에 속하는 사람; (종종 m-) 몽골증 환자.

mon·goose [máŋguːs, mán-/mɔ́ŋ-] (*pl.* ***-goos·es***) *n.* 〖동물〗 몽구스《인도산의 족제비 비슷한 육식 짐승으로, 뱀의 천적(天敵)》.

mon·grel [mʌ́ŋgrəl, máŋ-/mʌ́ŋ-] *n.* (동식물의) 잡종; 《특히》 잡종의 개, 《경멸》 튀기, 혼혈아. — *a.* 잡종의; 《경멸》 혼혈아〔튀기〕의.

món·grel·ìze *vt.* 잡종으로 만들다; 《경멸》(인종·민족의 성격을) 잡종화하다.

'mongst [mʌŋst] *prep.* 《시어》 =AMONGST.

mo·ni·al [móuniəl] *n.* 〖건축〗 =MULLION.

mon·ic [mánik / mɔ́n-] *a.* 〖수학〗 (다항식의) 주계수가 1 인, 모닉의. 「름).

Mon·i·ca [mánikə/mɔ́n-] *n.* 모니카《여자 이

monied ⇨MONEYED.

mon·ies [mʌ́niz] MONEY의 복수.

mon·i·ker, -ick·er, mon·a·ker, mon·ni·ker [mánəkər/mɔ́n-] *n.* 《속어》 인명, 《특히》 별명(nickname), 별칭(alias).

mon·il·i·a·sis [mɑ̀nəláiəsis, mòun-/ mòun-, mɔ̀n-] *n.* 〖의학〗 모닐리아증(症)(candidiasis).

mo·nil·i·form [mounílǝfɔ̀ːrm/mɔ-] *a.* 〖식물·동물〗 (뿌리·줄기·과실·촉각 따위가) 염주 모양의; 〖일반적〗 염주 비슷한. [파] ~**·ly** *ad.*

mon·ism [mánizəm/mɔ́n-] *n.* [U] 〖철학〗 일원론(一元論). [cf.] dualism, pluralism. [파] **-ist** *n.* 일원론자. **mo·nis·tic, -ti·cal** [mənístik, mou-], [-əl] *a.*

mo·ni·tion [məníʃən, mou-/mou-] *n.* 충고, 훈계; 경고(warning); 고지, 포고; (법원의) 소환(장)(summons); (종교 재판소의) 계고(장).

***mon·i·tor** [mánətər/mɔ́n-] *n.* **1** 충고자, 권고자, 모니터; (풍기 문제 따위의) 감독자. **2** (학급의) 반장, 학급 위원, 지도생. **3** 경고가 되는 것; (새는 가스 따위의) 위험물 탐지 장치. **4** 모니터. **a** 〖방송〗 라디오·TV의 방송 상태를 감시하는 장치〔조정 기술자〕; 방송국의 의뢰로 방송의 인상·비평을 보고하는 사람. **b** 방사선 감시 장치; (위험방지용) 유도 방사능 검출기. **c** 〖컴퓨터〗 모니터. **d** 〖의학〗 호흡·맥박 등의 생리적 징후를 관찰·기록하는 장치. **5** 외국 방송 청취원, 외국 전

신 방수자(傍受者). **6** 모니터함《회전 포탑이 있는 저현 철갑함(低舷鐵甲艦)》; (흘수가 얕은) 연안 항해용의 전함. **7** (공장 따위의) 채광·통풍을 위해 지붕 위에 약간 돌출시켜 만든 작은 지붕(=∼ **tòp**). **8** (펌프 등의) 자유 회전 통구(筒口); 〖토목〗 수사기(水射機)《수력 채굴용의 제트 분사 장치》. **9** 〖동물〗 큰 도마뱀의 일종《동남아·아프리카·오스트레일리아산》.

— *vt., vi.* **1** (기계 등을) 감시〔조정〕하다, 모니터하다. **2** (비행기 따위를 레이더로) 추적하다. **3** 〖방송〗 모니터로 감시〔조정〕하다. **4** (외국 방송을) 청취〔방수〕하다. **5** (방사능의 강도를) 측정하다. **6** 〔일반적〕 감시하다; 검토하다. **7** (환자의 용태를) 모니터로 체크하다. 「tor의; =MONITORY.

mon·i·to·ri·al [mànətɔ́ːriəl/mɔ̀n-] *a.* moni

món·i·tor·ing [-riŋ] *n.* 〖컴퓨터〗 감시《프로그램 수행 중 일어날 수 있는 오류에 대비하는 것》.

mon·i·tor·ship [mánətərʃìp/mɔ́n-] *n.* Ⓤ 감독자의 역할〔임무, 임기〕.

mon·i·to·ry [mánətɔ̀ːri/mɔ́nitəri] *a.* 권고의, 훈계의, 경고하는. **—** *n.* (bishop이나 교황 등의) 계고장(狀). 「여성형.

mon·i·tress [mánətris/mɔ́n-] *n.* MONITOR의

◇**monk** [mʌŋk] *n.* 수사(修士). cf. friar.

monk·ery [mʌ́ŋkəri] *n.* **1** Ⓤ 수도사 생활. **2** 수도원; 〔집합적〕 수사(修士).

⁑**mon·key** [mʌ́ŋki] (*pl.* **∼s**) *n.* **1** 원숭이《좁은 뜻은 꼬리 있는 작은 원숭이》; (털이 긴) 원숭이의 모피. **2** 장난꾸러기; 남의 흉내를 잘 내는 사람; (잘 속는) 바보(dupe): You little ∼! 요 장난꾸러기야. **3** (말뚝 박는 기계의) 쇠달구(ram); (유리 제품을 만드는) 작은 도가니; (목이 긴) 둥근 오지 물병. **4** (탄광의) 작은 통기공(通氣孔). **5** 납땜용의 화학 약품. **6** 《미》 마약 중독. **7** 《영속어》 500파운드〔달러〕. **8** 《속어》 (보통) 사람; (제복·몸짓 따위가) 원숭이를 연상시키는 사람, 코러스 걸, 포터, 정장한 악단원, 토목 작업원《따위》. **9** (one's ∼) 《영속어》 노염, 화. **10** 《Austral. 속어》 양(sheep). **11** 《미속어》 수공(手工)에 종사하는 사람: a grease ∼ 기계공. ***get the* ∼ *off*** (one***'s back***) 《미속어》 마약을 끊다. ***have a* ∼ *on*** one***'s back*** 《미속어》 ① 마약 중독에 걸려 있다. ② 곤란한 습성이 붙어 버리다. ③ 곤란하게 되다. ***have*** 〔***get***〕 one***'s* ∼ *up*** 《영속어》 성나게 하다〔성을 내다〕. ***make a* ∼** (***out***) ***of...*** 《구어》 …을 웃음가마리로 만들다〔조롱하다〕; 속이다. **∼ *with a long tail*** 《속어》 저당. ***not give a* ∼*'s*** (***fart*** 〔***toss***〕) 《속어》 문제로 삼지 않다. ***put*** a person***'s* ∼ *up*** 《영구어》 아무를 성나게 하다. ***suck*** 〔***sup***〕 ***the* ∼** 《영》 술을 병째로 마시다, 술통에 빨대를 대고 마시다.

— *vt.* …의 흉내를 내다; 조롱하다(mock); 《미속어》 =∼ around. **—** *vi.* 《구어》 장난하다, 놀리다, 만지작거리다《*with*》. **∼ *around*** 〔***about***〕 빈둥거리다, 희롱거리다; (…을) 가지고 놀다《*with*》; (…에게) 장난치다, (…을) 조롱하다《*with*》: Stop ∼*ing about with* those tools! 그 기구를 만지작거리지 마라.

mónkey bàrs =JUNGLE GYM. 「키스.

mónkey bìte 《속어》 키스 자국; 자국이 남는

mónkey blòck 〖해사〗 회전고리 달린 홑활차.

mónkey brèad 〖식물〗 baobab의 열매〔나무〕《아프리카산》.

mónkey bùsiness 《구어》 **1** 기만, 사기, 수상한 행위. **2** 장난, 짓궂은 짓.

mónkey càge 《미속어》 교도소(prison). 「복.

mónkey clòthes 《미군대속어》 정장(正裝) 군

mónkey cùp 〖식물〗 =PITCHER PLANT.

mónkey dìsh 《미속어》 (샐러드용 접시 같은) 작은 접시.

mónkey èngine 말뚝 박는 기계.

mónkey-fàced ówl =BARN OWL.

mónkey flàg 《미속어》 (육해군 부대·회사·정당 등의) 기(旗).

mónkey flòwer 〖식물〗 꽈리의 일종.

mónkey-in-the-míddle *n.* 두 아이가 공을 던지고 받다가 한 아이가 공을 가로채는 놀이.

mon·key·ish [mʌ́ŋkiiʃ] *a.* 원숭이 같은; 장난 좋아하는(mischievous). ⓜ **∼·ly** *ad.*

mónkey jàcket 《구어》 =MESS JACKET; (뱃사람 등의) 짧고 꼭 끼는 상의.

mónkey màn 《속어》 공처가.

mónkey mèat 《미군대속어》 통조림 쇠고기.

mónkey-nùt *n.* 《영》 =PEANUT.

mónkey paràde 《영속어》 서로 상대를 찾아 어슬렁거리는 남녀의 무리.

mónkey pùzzle 〖식물〗 칠레삼목(杉木).

mónkey's allówance 달갑지 않은 친절; 학대. 「장난; 속임수.

mónkey·shìne *n.* (보통 *pl.*) 《미구어》 못된

mónkey sùit 《구어》 제복《모자 따위를 포함》; 정장; =TUXEDO. 「light saving time).

mónkey tìme 《미속어·방언》 서머타임(day-

mónkey trìal 원숭이 재판《인간은 원숭이에서 진화했다는 진화론파와 신이 창조했다는 천지 창조파 간에 벌이고 있는 재판》.

mónkey trìck(s) 《영구어》 장난.

mónkey wrènch 멍키 렌치, 자재(自在) 스패너; 《구어》 장애물. ***throw*** 〔***toss***〕 ***a* ∼ *into*** (계획 따위를) 방해하다.

mónkey-wrènch *vt.* 《구어》 (주로 항의의 표시로) 파괴〔방해〕하다.

mónk·fish (*pl.* **∼·es,** 〔집합적〕 ∼) *n.* 〖어류〗 **1** 전자리상어. **2** 아귀.

monk·hood [mʌ́ŋkhùd] *n.* Ⓤ 수사의 신분; 〔집합적〕 수(도)사.

monk·ish [mʌ́ŋkiʃ] *a.* 수사의; 금욕적인; 《보통 경멸》 수사 같은; 수도 생활의. ⓜ **∼·ly** *ad.* **∼·ness** *n.* 「《독초》.

monks·hood [mʌ́ŋkshùd] *n.* 〖식물〗 바꽃류

monniker ⇨ MONIKER.

mono[1] [mánou/mɔ́n-] *a.* **1** =MONAURAL. **2** =MONOPHONIC. **—** (*pl.* ***món·os***) *n.* 모노럴 녹음〔재생〕. 「MONONUCLEOSIS.

mono[2] (*pl.* ***món·os***) *n.* 《구어》 =INFECTIOUS

mono- ⇨ MON-.

mòno·ácid *n., a.* 〖화학〗 일산(一酸)(의). ⓜ **mòno·acídic** *a.*

mòno·amíne *n.* 〖생화학〗 모노아민《분자가 단일 아미노기(基)를 갖는 아민 화합물; 생물학적 활성을 지니는 신경 전달 물질》.

mòno·básic *a.* 〖화학〗 일염기(一塩基)의; 〖생물〗 단형(單型)의.

móno·bùoy *n.* 〖해사〗 모노부이《입항할 수 없는 대형 유조선 등을 계류하기 위해 앞바다에 설치한 부표》.

mòno·cáusal *a.* 〖생물〗 유일〔단일〕 원인의.

Mo·noc·er·os [mənásərəs/-nɔ́s-] *n.* 〖천문〗 외뿔소자리(the Unicorn).

móno·chòrd 〖음악〗 *n.* (중세의) 일현금(一絃琴); 일현의 음향〔청력〕 측정기.

mòno·chromátic *a.* 단색의, 단채(單彩)의; 〖의학〗 단색성(색각(色覺))의; 〖물리〗 아주 좁은 에너지 영역의 입자선(粒子線)으로 이루어지는, 단색성의, 단일 파장의.

mòno·chrómatism *n.* 단색성(單色性); 〖의학〗 단색성 색각(色覺); 전색맹(全色盲).

móno·chròme *n.* 〖광학〗 단색; 단색화(법), 단색〔흑백〕 사진; 《영》 흑백의 TV 프로〔영화〕; 〖컴퓨터〗 단색. ***in* ∼** 단색으로. **—** *a.* 단색의;

(사진·TV가) 흑백의: ~ display 〖컴퓨터〗 단색 표시 장치 / ~ monitor 〖컴퓨터〗 단색 화면(표시)기, 보임틀.　　「로 그린.

mòno·chrómic, -mical *a.* 단색의, 단색으
móno·chròmist *n.* 단색〔단채〕 화가; 모노크롬 사진사〔작가〕.
mon·o·cle [mánəkəl/mɔ́n-] *n.* 단안경, 외알 안경. ㊕ **~d** *a.* 외알 안경을 낀.

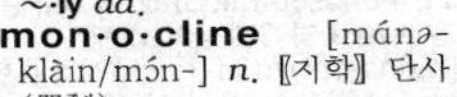
monocle

mon·o·cli·nal [mànəkláinəl/mɔ̀n-] 〖지학〗 *a.* (지층이) 단사(單斜)의; 단사층의. ── *n.* =MONOCLINE. ㊕ **~·ly** *ad.*
mon·o·cline [mánəklàin/mɔ́n-] *n.* 〖지학〗 단사(單斜).
mon·o·clin·ic [mànəklínik/mɔ̀n-] *a.* 〖결정〗 단사정계(單斜晶系)의.
mon·o·cli·nous [mànəkláinəs/mɔ̀n-] *a.* 〖식물〗 자웅 동화(同花)의, 양성화(兩性花)의.
mòno·clónal *a.* 〖생물〗 단일 세포에 유래하는 세포인〔에서 만들어진〕.
monoclónal ántibody 〖생화학〗 단(單)클론 항체(抗體), 모노클로널 항체.
mon·o·coque [mánəkòuk/mɔ́nəkɔ̀k] *n.* 모노코크(구조)《(1) 항공기의 동체에서, 외판(外板)만으로 하중에 견디게 된 구조. (2) 자동차의 차체와 차대를 일체화한 구조》.
mòno·cotylédon *n.* 외떡잎 식물, 단자엽 식물. ⓒⓕ dicotyledon. ㊕ **~·ous** *a.*
mo·noc·ra·cy [mounákrəsi, mə-/mɔnɔ́k-] *n.* Ⓤ 독재 정치(autocracy); Ⓒ 독재국.
móno·cràt *n.* 독재자(autocrat); 독재주의자, 독재 정치 지지자. ㊕ **mòno·crátic** *a.*
mo·noc·u·lar [mənákjələr/mɔnɔ́k-] *a.* 단안의, 외눈의; 단안용(單眼用)의. ── *n.* 단안용 기구《단안 현미경, 단안식 망원경 등》. ㊕ **~·ly** *ad.*
móno·cùlture *n.* Ⓤ 〖농업〗 단일 경작, 단작(單作), 일모작.
móno·cỳcle *n.* 1륜차.
móno·cỳte *n.* 〖해부〗 단핵 백혈구, 단구(單球), 단핵 세포. ㊕ **mòno·cýtic** [-sítik] *a.*
Mo·nod [mounóu] *n.* **Jacques** ~ 모노《프랑스의 생화학자; Nobel 생리의학상 수상(1965); 1910-76》.
mo·nod·ic, -i·cal [mənádik/mɔnɔ́d-], [-əl] *a.* monody의. ㊕ **-i·cal·ly** *ad.*
móno·dràma *n.* Ⓒ,Ⓤ 모노드라마, 1인극.
mon·o·dy [mánədi/mɔ́n-] *n.* (그리스 비극의) 서정적 독창부〔가(歌)〕; 추도시, 만가(輓歌); 〖음악〗 (오페라·오라토리오 등의) 독창곡; 단성부곡(單聲部曲); 《미》 (파도 따위의) 단조로운 소리. ㊕ **-dist** *n.* ~의 작가.
mo·noe·cious, -ne- [məníːʃəs/mɔ-, mə-] *a.* 〖식물〗 자웅 동주의; 〖동물〗 자웅 동체의.
mo·noe·cism, -noe·cy [məníːsizəm/mɔ-, mə-], [-si] *n.* 〖생물〗 자웅 동주〔동체〕.
móno·èster *n.* 〖화학〗 모노에스테르《에스테르기(基) 1개인 분자》.
móno·fil [-fìl], **mòno·fílament** *n.* (나일론 따위의 합성 섬유처럼 꼬임이 없는) 단섬유.
mo·nog·a·mist [mənágəmist/mənɔ́g-] *n.* 일부일처주의자.　　「일부일처의.
mo·nog·a·mous [mənágəməs/mɔnɔ́g-] *a.*
mo·nog·a·my [mənágəmi/mɔnɔ́g-] *n.* 일부일처제, 일부일처주의, 단혼(單婚)《사람·동물의》. ⓄⓅⓅ *polygamy.*
mòno·génesis *n.* Ⓤ 〖생물〗 일원(一元) 발생설; =MONOGENISM; 단성(單性) 생식; 동태(同態) 발생.
mòno·génic *a.* 〖유전〗 단일 유전자의〔에 의한, 에 관한〕《특히 대립 유전자의 한쪽》; 〖생물〗 한쪽 성만을 생기게 하는, 단성의. ㊕ **-ically** *ad.*
mo·nog·e·nism [mənádʒənìzəm/mɔnɔ́dʒ-] *n.* Ⓤ 인류 일원설. ㊕ **-nist** *n.*
mo·nog·e·ny [mənádʒəni/mɔnɔ́dʒ-] *n.* **1** =MONOGENESIS. **2** =MONOGENISM.
mon·o·glot [mánəglàt/mɔ́nəglɔ̀t] *a.*, *n.* 한 언어〔국어〕만을 말하는 (사람). ⓒⓕ polyglot.
móno·gràm *n.* 모노그램《성명 첫글자 등을 도안화(化)하여 짜맞춘 글자》. ── *vt.* …에 모노그램을 붙이다. ㊕ **mòn·o·gram·mát·ic** [-grəmǽtik] *a.*

monogram

móno·gràph *n.* (특정 테마에 관한) 전공〔연구〕 논문, 모노그래프; 〖생물〗 어떤 분류군(分類群)에 관한 정보의 집대성. ── *vt.* …에 관해 모노그래프를 쓰다.
mo·nog·ra·pher, -phist [mənágrəfər/mɔnɔ́g-], [-fist] *n.* 전공 논문 집필자.
mon·o·graph·ic, -i·cal [mànəgrǽfik/mɔ̀n-], [-əl] *a.* 전공 논문의.
mo·nog·y·nous [mənádʒənəs/mənɔ́dʒ-] *a.* **1** 일처(주의〔제〕)의. **2** 〖식물〗 홑암꽃술의. **3** 〖곤충〗 (꿀벌 따위와 같이) 생식력이 있는 암컷이 한 집단에 한 마리밖에 없는; 〖동물〗 오로지 한 암컷과 짝짓는.
mo·nog·y·ny [mənádʒəni/mɔnɔ́dʒ-] *n.* Ⓤ 일처제(一妻制), 일처주의, 일자성(一雌性). ⓄⓅⓅ *polygyny.*　　「단선체선(單船體船).
móno·hùll *n.* 〖해사〗 (catamaran에 대하여)
mòno·hýbrid *n.*, *a.* 〖유전〗 1 유전자 잡종〔단성 잡종, 단인자(單因子) 잡종〕(의).
mon·o·ki·ni [mànəkíːni/mɔ̀n-] *n.* 토플리스의 비키니; (남성용의) 극히 짧은 팬츠.
mo·nol·a·try [mənálətri/mɔnɔ́l-] *n.* Ⓤ 일신(一神) 숭배.
mòno·láyer *n.* 〖화학〗 단층(單層); 단분자층.
mòno·língual *a.*, *n.* 1개 국어를 사용하는 (사람〔책 따위〕).
mon·o·lith [mánəliθ/mɔ́n-] *n.* 한통으로 된 돌; 돌 하나로 된 비석〔기둥〕《obelisk 따위》; (정치적·사회적인) 완전한 통일체.
mòno·líthic *a.* **1** 〖건축〗 돌 하나로 된; (형틀에 흘러들어) 한 덩어리가 된; 이음매가 없는; 한 개의 반도체 결정 위에 만들어진《집적 회로》, 모놀리식 (집적) 회로로 이루어진〔를 이용한〕. **2** 하나의 단위를 이룬; 《종종 경멸》 완전히 통제된, 이질(異質) 분자가 없는《조직》, 획일적이고 자유가 없는《사회》. ── *n.* 모놀리식 (집적)회로(=~ **circuit**). ㊕ **-i·cally** *ad.* **móno·lithism** *n.*
monolíthic acóustic sènsor 〖전자〗 모놀리식 음향 센서《하나의 실리콘칩 위에 구성된 초소형 마이크로폰》.
mon·o·log·ist, -logu·ist [mánəlɔ̀ːgist, -lɑ̀g-, mənálədʒist/mɔ́nəlɔ̀g-, mənɔ́ləg-], [mánəlɔ̀ːgist, -lɑ̀g-/mɔ́nəlɔ̀g-] *n.* (연극의) 독백자; 이야기를 독점하는 사람.
mo·nol·o·gize [mənálədʒàiz/mɔnɔ́l-] *vi.* 독백하다, 혼잣말하다; 이야기를 독점하다.
mon·o·logue, 《미》 **-log** [mánəlɔ̀ːg, -lɑ̀g/mɔ́nəlɔ̀g] *n.* 〖연극〗 모놀로그, 독백, 혼자 하는 대사; 독백〔독연〕극; 독무대; (시 등의) 독백체; 장광설, 회화의 독차지: ⇨ DRAMATIC MONOLOGUE. ㊕ **mòn·o·lóg·ic, -i·cal** [-ládʒ-/-lɔ́dʒ-], [-əl] *a.*
mo·nol·o·gy [mənálədʒi/mɔnɔ́l-, mə-] *n.* 혼잣말, 혼잣말을 하는 버릇.
mòno·mánia *n.* Ⓤ,Ⓒ 한 가지 일에만 열광하기; 〖의학〗 편집광(偏執狂). ㊕ **mòno·mániac** *n.*

한 가지 일에만 열중하는 사람; 편집광자. **mòno-maníacal** *a.* 편집광적인.

mon·o·mer [mánəmər/mɔ́n-] *n.* 〖화학〗 단량체(單量體), 단위체, 모너머. cf. polymer.

mòno·metállic *a.* 한 가지 금속으로 된〔을 사용하는〕; 〖경제〗 단본위제의. cf. bimetallic.

mon·o·met·al·lism [mànəmétəlìzəm/mɔ̀n-] *n.* Ⓤ (화폐의) 단본위제. cf. bimetallism. ㊔ **-list** *n.* 단본위제론자.

mo·no·mi·al [mounóumiəl, mə-/mɔ-, mə-] *a.*, *n.* 〖수학〗 단항의; 단항식; 〖생물〗 한 낱말로 된 (명칭).

mòno·molécular *a.* 〖물리·화학〗 한 분자 두께의; 단분자(單分子)의: a ~ film 〔layer, reaction〕 단분자막〔층, 반응〕. ㊔ **~·ly** *ad.*

mòno·mórphic, -mórphous *a.* 〖생물〗 단일형의, 동형의; 동일 구조의.

mòno·núclear *a.* 〖생물〗 1 핵성(核性)의; 단핵(單核)의; 단환식(單環式)의. **—** *n.* 단핵 세포; 《특히》 단핵 백혈구.

mon·o·nu·cle·o·sis [mànənjù:klióusis/mɔ̀nənjù:-] *n.* Ⓤ 전염성 단구(單球) 증가증.

mòno·phóbia *n.* Ⓤ 〖의학〗 고독 공포증.

mòno·phónic *a.* **1** 〖음악〗 단(單)선율의(monodic). **2** (녹음·재생 따위의 장치가) 모노포닉〔모노럴〕의. cf. monaural, stereophonic.

mòno·phósphate *n.* 〖화학〗 단(單)인산염.

mon·oph·thong [mánəfθɔ̀:ŋ, -θàŋ/mɔ́nəfθɔ̀ŋ] *n.* 〖음성〗 단모음. cf. diphthong. ㊔ **mòn·oph·thón·gal** [-gəl] *a.* **món·oph·thongìze** [-gàiz] *vt.*, *vi.* (2중모음을) 단모음으로 발음하다; 단모음화하다.

mòno·phylétic *a.* 〖생물〗 단일 계통의; 동일 선조에서 발생한. opp. *polyphyletic.*

móno·plàne *n.* 〖항공〗 단엽(비행)기. cf. biplane, triplane.

mòno·plégia *n.* 〖의학〗 부분 마비, 한쪽 마비. ㊔ **-plé·gic** [-plí:dʒik, -plédʒ-] *a.*

móno·plòid 〖생물〗 *a.* (염색체가) 반수의, 일배체(一倍體)의. **—** *n.* 반수체.

móno·pòle *n.* 〖물리〗 단극(單極); (가설상의) 자기(磁氣) 단극; 〖통신〗 단극 안테나.

mo·nop·o·lism [mənápəlìzəm/-nɔ́p-] *n.* Ⓤ 전매(專賣) 제도; 독점주의〔조직〕.

mo·nop·o·list [mənápəlist/-nɔ́p-] *n.* 독점자, 전매자; 독점〔전매〕론자. ㊔ **mo·nòp·o·lís·tic** [-lístik] *a.* 독점적인, 전매의; 독점주의(자)의.

mo·nòp·o·li·zá·tion *n.* Ⓤ 독점, 전매.

***mo·nop·o·lize** [mənápəlàiz/-nɔ́p-] *vt.* 독점하다; …의 전매〔독점〕권을 얻다: ~ the conversation 대화를 독차지하다. ㊔ **-lìz·er** *n.*

mo·nop·o·ly** [mənápəli/-nɔ́p-] *n.* **1** 독점, 전매; 독점〔전매〕권; 독점 판매, 시장 독점; (남의 시간 따위를) 독차지하는 일: the ~ *of* 〔on〕 the trade 장사의 독점 / hold a ~ *of* salt 〔tobacco〕 소금〔담배〕의 전매권을 갖다 / the ~ *of* conversation 대화의 독차지. **2** 독점 사업; 전매품: a government ~ 정부의 독점 사업〔전매품〕. **3** 전매〔독점〕 회사〔조합·기업〕. **4** (M-) 모노폴리 《주사위를 사용하는 탁상 게임의 하나; 상표명》. ***make a ~ of …을 독점(판매)하다.

Monópoly mòney 《구어》 가치 없는 돈 《Monopoly 란 게임에서》.

mo·nop·so·ny [mənápsəni/-nɔ́p-] *n.* 〖경제〗 수요〔구매자〕 독점.

mon·o·psy·chism [mànəsáikizəm/mɔ̀n-] *n.* Ⓤ 심령 일원설《모든 심령은 하나라고 봄》.

móno·ràil *n.* 단궤(單軌)철도, 모노레일.

mon·or·chid [manɔ́:rkid/mɔn-] *a.*, *n.* 〖의학〗 단고환(單睾丸)증의 (사람). ㊔ **-chi·dìsm, -chìsm** *n.* 단고환증.

mòno·sáccharide *n.* 〖생화학〗 단당(單糖) (simple sugar).

mon·o·se·my [mánəsì:mi] *n.* (어구 따위의) 단의(성)(單義(性)).

mòno·séxual *a.* **1** 남녀 한쪽만의 심성을 가진, 남녀 한쪽에만 감응하는, 일성(一性) 소질의. **2** 동성만의《파티·학교 따위》.

mono·sódium glútamate 글루탐산나트륨 《화학 조미료; 생략: MSG》.

mon·o·some [mánəsòum/mɔ́n-] *n.* 〖유전〗 1염색체; 〖생물〗 단일 리보솜.

mon·o·so·mic [mànəsóumik/mɔ̀n-] 〖유전〗 *a.* 1염색체적인. **—** *n.* 1염색체성의 개체.

mon·o·stich [mánəstìk/mɔ́n-] *n.* 〖시학〗 단행시《특히 epigram에 많음》; 시의 한 행.

mòno·syllábic *a.* 단음절(어)의; 간결한《평》, 푸접 없는《대답 등》: a ~ reply. ㊔ **-ically** *ad.*

mòno·sýllabism *n.* Ⓤ 단음절어 사용 (경향).

móno·sỳllable *n.* 단음절어. ***in ~s*** (Yes 나 No 등의) 짧은 말로, 퉁명스럽게.

mòno·téchnic *a.* 단과의《학교·대학》. **—** *n.* 전문학교〔대학〕, 단과 대학.

mon·o·the·ism [mánəθi:ìzəm/mɔ́n-] *n.* Ⓤ 일신론(一神論); 일신교. cf. polytheism. ㊔ **-ist** [-θì:ist] *n.* 일신교 신자, 일신론자. **mòn·o·the·ís·tic** [-ístik] *a.*

móno·tìnt *n.* =MONOCHROME.

mon·o·tone [mánətòun/mɔ́n-] *n.* 단조(單調); 〖음악〗 단조음; 《비유》 단조로움, 변화 없음. **—** *a.* =MONOTONOUS. **—** *vt.*, *vi.* 단조롭게 읽다〔이야기하다, 노래부르다〕.

mòno·tónic *a.* 단조로운; 단조음의; 〖수학〗 단조의. ㊔ **-tónically** *ad.* **-tonícity** *n.*

mo·nót·o·nìze *vt.* 단조롭게 하다, 지루하게 「하다.

***mo·not·o·nous** [mənátənəs/-nɔ́t-] *a.* **1** (소리·목소리가) 단조로운. **2** 한결같은, 변화 없는, 지루한: ~ occupations 〔scenery〕 단조로운 일〔경치〕. **3** 반복하는, 되풀이하는. ㊔ **~·ly** *ad.* **~·ness** *n.*

°**mo·not·o·ny** [mənátəni/-nɔ́t-] *n.* 〖음악〗 단음(monotone), 단조; Ⓤ 〖일반적〗 단조로움, 천편일률, 무미건조, 지루함. 「취하는《동사》.

mòno·tránsitive *a.* 〖언어〗 직접 목적어만을

mon·o·trem·a·tous [mànətrémətəs, -trí:-/mɔ̀n-] *a.* 〖동물〗 단공류(單孔類)의.

mon·o·treme [mánətrì:m/mɔ́n-] *n.* 단공류(單孔類) 동물《오리너구리·바늘두더지 등》.

móno·tỳpe *n.* **1** (M-) 〖인쇄〗 모노타이프《자동 주조 식자기; 상표명》. cf. Linotype. **2** 〖생물〗 단형(單型). **3** 모노타이프 인쇄. **—** *vt.* 모노타이프로 짜다〔치다〕. ㊔ **mòn·o·týp·ic** [-típik] *a.*

mòno·unsáturate *n.* 〖화학〗 일가(一價)불포화 지방산.

mòno·válent *a.* 〖화학〗 일가(一價)의; 〖세균〗 특정 병균에만 저항할 수 있는. ㊔ **-len·cy** *n.* Ⓤ

mon·ov·u·lar [manávjələr, -nóuv-/mɔnóuv-] *a.* 〖생물〗 일란성(一卵性)의; 일란성 쌍생아에 특유한. cf. biovular. ¶ ~ twins 일란성 쌍생아.

mon·ox·ide [manáksaid, mən-/mɔnɔ́k-] *n.* Ⓒ,Ⓤ 〖화학〗 일산화물.

mòno·zygótic *a.* 일란성의《쌍생아 따위》.

Mon·roe [mənróu] *n.* 먼로. **1 James ~** 미국 5대 대통령(1758–1831). **2 Marilyn ~** 미국의 여배우(1926–62). ㊔ **~·ism** *n.* =MONROE DOCTRINE.

Monróe Dóctrine (the ~) 먼로주의《1823년 미국의 먼로 대통령이 제창한 외교 방침; 구미 양대륙의 상호 정치적 불간섭주의》.

Mon·ro·via [mənróuviə] *n.* 몬로비아《Liberia의 수도; 대서양에 면한 항만 도시; James Monroe 대통령 시대에 미국의 해방된 노예의 식민(植民)에 의해 건설》.

mons [mɑnz/mɔnz] (*pl.* ***mon·tes*** [mɑ́ntiːz/mɔ́n-]) *n.* 《L.》 【해부】 치구(恥丘).

Mons. Monsieur.

Mon·sei·gneur, mon- [mɔːŋseinjə́ːr; *F.* mɔ̃sɛɲœːʀ] (*pl.* ***Mes·sei·gneurs, mes-*** [mèiseinjə́ːr, -njəːrz/-sen-]) *n.* 《F.》 전하, 각하《왕족·대주교·추기경·기타 고위 인사에 대한 경칭; 생략: Mgr., Monsig., Msgr.》.

°**Mon·sieur** [məsjə́ːr] (*pl.* ***Mes·sieurs*** [meisjə́ːrz, mésərz]) *n.* 《F.》 **1** …씨, …님, …귀하《영어의 Mr.에 해당하는 경칭(敬稱); 생략: M., (*pl.*) MM.》. **2** …님, …선생《Sir에 해당하는 경칭》. ★ 복수형을 영어로 쓸 때는 [mésərz]로 발음하고 보통 Messrs.라고 씀. cf. Messrs., messieurs.

Mon·si·gnor, mon- [mɑnsíːnjər/mɔn-; *It.* monsiɲɲór] (*pl.* **~s,** ***-gno·ri*** [*It.* monsiɲɲóri]) *n.* 《It.》 【가톨릭】 몬시뇨르《고위 성직자에 대한 경칭, 또 그 칭호를 가지는 사람; 생략: Mgr., Msgr.》.

mon·soon [mɑnsúːn/mɔn-] *n.* 몬순《특히 인도양에서 여름은 남서, 겨울은 북동에서 부는 계절풍》; 〔일반적〕 계절풍; (계절풍이 부는) 계절, 우기: the dry 〔wet〕 ~ 겨울〔여름〕 계절풍.

mons pu·bis [mɑ́nz-pjúːbis/mɔ́nz-] 【해부】 《L.》 남자의 치구(恥丘).

‡**mon·ster** [mɑ́nstər/mɔ́n-] *n.* **1** 괴물; 요괴《상상의 또는 실재하는》. **2** (괴물 같은) 거대한 사람〔동물, 식물〕; 【의학】 기형(아). **3** 극악무도한 사람: a ~ of cruelty 몹시 잔인한 사람. **4** 《미속어》 초인기 가수, 음악의 슈퍼스타; (레코드·테이프 따위의) 폭발적 히트 상품. **5** 《미속어》 신경중추에 작용하는 마약. **6** 【미식축구】 정해진 수비 위치가 없는 라인배커(linebacker) (=∠ **bàck,** ∠ **màn**). ◇ monstrous *a.* **—** *a.* 거대한(gigantic), 괴물 같은: a ~ tree 거목(巨木).

mónster làne 《CB속어》 다차선 차로(車路)의 맨 왼쪽 차로.

mon·strance [mɑ́nstrəns/mɔ́n-] *n.* 【가톨릭】 성체 현시대(顯示臺).

mon·stros·i·ty [mɑnstrɑ́səti/mɔnstrɔ́s-] *n.* Ⓤ 기형(奇形), 기괴함; 지독함; Ⓒ 지독한 행위, 극악무도; 괴물(monster).

***mon·strous** [mɑ́nstrəs/mɔ́n-] *a.* **1** 괴물 같은, 기괴한, 기형의. **2** 거대한, 엄청나게 큰: a ~ sum 막대한 금액. **3** 가공할, 소름 끼치는; 극악무도한. **4** 《구어》 터무니없는, 아연할. ◇ monster *n.* **—** *ad.* 《고어·방언》 대단히, 엄청나게. ㊍ **~·ly** *ad.* 엄청나게, 대단히, 몹시. **~·ness** *n.*

mons ve·ne·ris [mɑ́nz-vénəris/mɔ́nz-] 《L.》 【해부】 여자의 치구(恥丘).

Mont. Montana.

mont·age [mɑntɑ́ːʒ/mɔn-] *n.* Ⓤ,Ⓒ 《F.》 【회화·사진】 합성 화법; 혼성화, 몽타주 사진; 【영화】 몽타주《심리적으로 관련 있는 몇 개의 화면을 급속히 연속시키는 기법》; 〔일반적〕 다른 요소가 모여서 통일적으로 느껴지는 것, 통일적 이미지; (필름) 편집; 【방송】 혼성 음향 효과.

mon·ta·gnard [mɑ̀ntənjɑ́ːrd, -njɑ́ːr/mɔ̀n-] (*pl.* ~(**s**)) *n.*, *a.* 《F.》 (종종 M-) 산지민(의) 《(1) 베트남 남부 고지의 주민. (2) Rocky 산맥 북부에 사는 인디언》.

Mon·ta·gue [mɑ́ntəgjùː/mɔ́n-] *n.* 몬터규《남자 이름》.

Mon·taigne [mɑntéin/mɔn-; *F.* mɔ̃tɛɲ] *n.* **Michel Eyquem de ~** 몽테뉴《프랑스의 철학자·수필가; 1533-92》.

Mon·ta·le [mɔːntɑ́ːlei] *n.* **Eugenio ~** 몬탈레 (1896-1981)《이탈리아의 시인; 노벨 문학상 수상(1975)》.

Mon·tana [mɑntǽnə/mɔn-] *n.* 몬태나《미국 북서부의 주; 생략: Mont.》. ㊍ **-tán·an** [-n] *a.*, *n.* ~주의 (사람).

Mon·tand [*F.* mɔ̃tɑ̃] *n.* **Yves ~** 몽탕《이탈리아 태생의 프랑스 가수·영화배우; 1921-91》.

mon·tane, mon·tan·ic [mɑntéin/mɔn-], [mɑntǽnik/mɔn-] *a.* 【생태】 산지의, 저산대(低山帶)에 사는, 산지 동식물의. **—** *n.* (삼림 한계선 아래의) 저산대(=∠ **bélt**).

Mont Blanc [mɔŋblɑ́ːŋ] 몽블랑. **1** 프랑스·이탈리아·스위스 국경에 있는 알프스 산맥 중의 최고봉(4,807m). **2** 독일의 필기구 제조 회사(Mont Blanc-Simplo사); 또는 그 제품, 특히 만년필.

mont·bre·tia [mɑntbríːʃiə/mɔnbríː-] *n.* 【식물】 붓꽃과 식물의 일종.

mont-de-pié·té [*F.* mɔ̃dpjete] (*pl.* ***monts-*** [—]) *n.* 《F.》 관영 전당포.

mon·te [mɑ́nti/mɔ́n-] *n.* **1** 몬테(=∠ **bànk**) 《스페인에서 처음 생겨난 카드 도박》. **2** 《Austral. 구어》 확실한 것(certainty).

Mon·te Car·lo [mɑ̀ntikɑ́ːrlou/mɔ̀n-] 몬테카를로《모나코의 도시; 도박으로 유명함》.

Mònte Cárlo mèthod 【수학】 몬테카를로법 《확률을 수반치 않는 문제를 이에 대응하는 확률 과정의 문제로 대치하여 해결하는 방법; 재고량 관리·표본 분포 등에 이용》.

Mon·te·ne·gro [mɑ̀ntəníːgrou/mɔ̀n-] *n.* 몬테네그로《구 Yugoslavia 연방을 구성한 공화국의 하나; 유고연방 분열 후 1992년 Serbia와 함께 신 유고연방(2002년 세르비아-몬테네그로 개명)을 선언》. ㊍ **-grin** *a.*, *n.*

Món·te·rey Báy [mɑ̀ntəréi-/mɔ̀n-] 몬터레이 만《미국 California 주 서부, 태평양 안에 있는 후미》.

Mon·tes·quieu [mɑ́nteskjùː, ∠-∠/mɔ̀nteskjúː; *F.* mɔ̃tɛskjø] *n.* **Charles ~** 몽테스키외《프랑스의 정치사상가; 1689-1755》.

Mon·tes·só·ri mèthod 〔**sỳstem**〕 [mɑ̀ntəsɔ́ːri-/mɔ̀n-] 【교육】 몬테소리 교육법《이탈리아 교육가 Maria Montessori가 제창한 유아 교육법; 자주성 신장을 중시함》.

Mon·te·ver·di [mɑ̀ntəvɛ́ərdi/mɔ̀n-] *n.* **Claudio Giovanni Antonio ~** 몬테베르디《이탈리아의 교회 음악·가극 작곡가; 1567-1643》.

Mon·te·vi·deo [mɑ̀ntəvidéiou, -vídiòu/mɔ̀n-] *n.* 몬테비데오《Uruguay 공화국 수도》.

Mon·te·zú·ma's revènge [mɑ̀ntəzúːməz-/mɔ̀n-] 《우스개》 몬테수마의 앙화《殃禍》《멕시코에서 여행자가 걸리는 이질; 멕시코 Aztec족의 최후의 황제의 이름에서》.

Mont·gom·ery [mɑntgʌ́məri/mənt-] *n.* 몽고메리. **1** 남자 이름. **2** 미국 Alabama주의 주도. **3 Bernard Law, 1st Viscount ~ of Alamein** 영국 군인(1887-1976)《제2차 세계대전 때 육군 원수를 지냄》. **4 Lucy Maud ~** 캐나다의 아동 문학가(1874-1942)《Anne 시리즈로 유명》. **5 Richard ~** 미국 독립 전쟁 때의 장군(1736-75).

†**month** [mʌnθ] *n.* **1** (한)달, 월(月): ⇨ CALENDAR 〔LUNAR〕 MONTH / a ~ ago today 지난달 오늘 / a ~ (from) today 내달 오늘 / this day ~ =(미) this day next 〔last〕 ~ 내달 〔지난달〕의 오늘 / this 〔last, next〕 ~ 이 달〔전달, 내달〕. **2** 임신한 달: She is in her eighth ~. 그녀는 임신 8개월이다. ***a ~ of Sundays*** ① 《구어》 오랫동안. ② 《속어》 좀처럼 없는 기회: Don't be *a ~ of Sundays* about it. 꾸물거리지 마라. ③ 【never와 함께】 결코 …(하지) 않다. **~ *after* ~**

매달, 매월. ~ **by** ~=~ **in,** ~ **out** 매달, 다달이. **...** ~**s after date** 『어음』 발행 일자 후 …개월 출급(出給). **...** ~**s after sight** 『어음』 일람 후 …개월 출급. **...** ~**'s date** 『어음』 …개월 출급. ***the*** ~ ***after next*** 〔***before last***〕 내후달〔전전달〕.

month·ling [mʌ́nθliŋ] *n.* 생후 1개월 된 아기; 한 달 계속되는 것.

mónth·lóng *a.* 한 달간 계속되는.

month·ly [mʌ́nθli] *a.* **1** 매달의, 월 1회의, 월정(月定)의: a ~ salary 월급/a ~ magazine 월간 잡지/a ~ payment 월부. **2** 한 달 동안의: a ~ season ticket 유효 기간 1개월의 정기권. **3** 《구어》 월경의. **—** *n.* **1** 월간 간행물. **2** (*pl.*) 《고어·구어》 월경(menses). **—** *ad.* 한 달에 한 번, 다달이. 「간).

mónthly núrse 《영》 산모 간호사(《산후 1개월

mónthly róse 『식물』 월계화(China rose).

mónth's mínd 『가톨릭』 사후 1개월째의 추도 미사.

mon·ti·cule [mántəkjùːl/mɔ́n-] *n.* 작은 산〔언덕〕; 측화산(側火山), 화산구(火山丘); 『동물·해부』 소돌기(小突起).

Mont·mar·tre [*F.* mɔ̃maʀtʀ] *n.* 몽마르트르(《Paris 북쪽 교외의 구릉 지구; 예술가의 주거가 많았음》).

Mont·par·nasse [*F.* mɔ̃paʀnas] *n.* 몽파르나스(《Paris 남부의 한 지구; 예술가의 주거가 많음》).

Mont·re·al [màntriɔ́ːl, mʌ̀nt-/mɔ̀nt-] *n.* 몬트리올(《캐나다 Quebec 주 남부의 도시》).

Móntreal Prótocol 몬트리올 의정서(《1987년 오존층 보호를 위해 몬트리올의 유엔 환경 계획 외교관 회의에서 채택》).

mon·ty [mánti/mɔ́n-] *n.* 《Austral.·N. Zeal. 속어》 확실한 것; (가능한) 충분한 양.

mon·u·ment [mánjəmənt/mɔ́n-] *n.* **1** 기념비, 기념 건조물, 기념탑. **2** (역사적) 기념물, 유적; =NATIONAL MONUMENT: an ancient ~ 옛 기념물/a natural ~ 천연기념물. **3** 무덤. **4** (기념비처럼) 영구적 가치가 있는 업적, 금자탑; (개인의) 기념비적 사업〔저작〕, 불후의 작품. **5** (고인에 대한) 추도문. **6** 유례가 없는 것: My father was a ~ *of* industry. 나의 아버지는 보기 드문 노력가였다. **7** 《고어》 옛 기록, 옛 문서. **8** 《미》 경계 표지(標識). **9** (the M-) (1666년의) 런던 대화재 기념탑. **—** *vt.* …의〔에〕 기념비를 세우다. ㊞ **~·less** *a.*

mon·u·men·tal [mànjəméntl/mɔ̀n-] *a.* **1** 기념 건조물의, 기념비의; 기념되는; 불멸의: a ~ mason 석비공(石碑工), 묘석 제작자/a ~ work 불후의 작품, 대걸작. **2** (건조물·조각 등이) 거대한, 당당한. **3** 《구어》 대단한, 어처구니없는(《어리석음 따위》); 대단히 큰. **4** 『미술』 실물 크기 이상의. cf. heroic. ㊞ **~·ize** *vt.* 영구히 전하다, 기념하다. **~·ly** *ad.* 기념비로서; 기념으로; 터무니없이. **mòn·u·men·tál·i·ty** *n.*

mony [máni/mɔ́ni] *a., pron., n.* 《Sc.》 =MANY.

-mo·ny [mòuni/məni] *suf.* '결과, 상태, 동작' 등을 나타냄: matri*mony*, testi*mony*, cere*mony*.

Mon·za [mánzə/mɔ́n-] *n.* 몬차(《이탈리아 북부의 도시; 고대 Lombardy의 수도》).

moo [muː] *vi.* (소가) 음매 하고 울다(low). **—** (*pl.* ~**s**) *n.* **1** 음매(《소 울음소리》); 《속어》 소, 쇠고기, 우유. **2** 《속어》 바보 같은 녀석〔여자〕; 《영속어》 당신(《여자에 대한 친밀한 호칭》): silly (old) ~. [imit.]

M.O.O. Money Order Office.

moo·cah [múːkaː] *n.* 《미속어》 마리화나.

mooch [muːtʃ] 《속어》 *vi.* **1** 배회하다, 살금살금 거닐다(《*about; along; around*》); 배를 천천히 움직이면서 연어 낚시질을 하다. **2** (돈·먹을 것 따위를) 달라고 조르다, 뜯다, 후무리다(《*from; on*》); 모르는 체하다. **—** *vt.* 훔치다; 조르다, 우려내다, 등쳐 먹다. **—** *n.* =moocher; 《미》 잘 속는 사람, 봉. ㊞ **~·er** *n.* 《속어》 거지, 부랑인(loafer); 공갈꾼; 좀도둑.

móo-còw *n.* 《소아어》 음매, 소.

mood[1] [muːd] *n.* **1** (일시적인) 기분, 마음가짐: people in a holiday ~ 휴일 기분의 사람들/change one's ~ 기분을 전환시키다/in a merry 〔melancholy〕 ~ 즐거운〔우울한〕 기분으로.

> SYN. **mood, humor** 일시적인 기분. 대개의 경우 두 낱말은 교환 사용이 가능하지만, mood는 특정한 개인의 마음뿐 아니라 그 장소 전체의 분위기를 말할 때에 쓰이며, humor는 주위 분위기와는 관계없이 특정 개인의 마음 상태인 때가 많음. 따라서 please a person's *humor* '아무의 비위를 맞추다' 라고는 하지만 please a person's *mood*라고는 하지 않음. **disposition** 마음의 기울음 → …하고 싶은 마음(mood, humor): be in a *disposition* 〔*mood, humor*〕 to sing 노래라도 부르고 싶은 기분이다. **temper** 주로 강한 감정에 지배된 기분으로 '찌무룩함' 따위. 기분에 좌우된 태도가 암시됨(《화를 내다 따위》): He found his boss in a pleasant *temper*. 그의 상사는 매우 기분이 좋았다. **vein** 변덕. mood, humor와 비슷하나 머지않아 다른 기분으로 바뀔 것이라는 뜻이 포함되어 있음: Ask his permission while he is in a good *vein*. 그의 기분이 좋은 때를 봐서 허락을 받아라.

2 (세상 일반의) 분위기, 풍조. **3** (*pl.*) 씨무룩함, 우울, 짜증; 《고어》 노여움. ***a man of*** ~***s*** 변덕쟁이. ***in a*** ~ 《구어》 기분이 좋지 않은. ***in no*** ~ …할 마음이 없어(《*for; to* do》). ***in the*** ~ ***for*** a thing = ***in the*** ~ ***to*** do …할 마음이 내키어.

mood[2] *n.* **1** 『문법』 법(法), 서법(敍法). ⇨(《부록》) MOOD. **2** 『논리』 논식(論式), 식; 『음악』 선법(旋法), 음계(mode).

móod drùg 무드 약(《흥분제·진정제 따위》).

móod mùsic (연극 따위에서 특정한 분위기를 자아내기 위한) 효과 음악; (레스토랑 등에서 흘러나오는) 무드 음악.

móod rìng 무드 링(《액정 쿼츠(quartz)로 만든 반지; 기분의 변화에 따라 색이 변한다고 함》).

móod swìng (조울증 따위에서 볼 수 있는) 기분의 현저한 변화.

moody [múːdi] (***mood·i·er; -i·est***) *a.* 변덕스러운; 언짢은, 뚱한(sullen); 우울한. ㊞ **móod·i·ly** *ad.* **-i·ness** *n.*

Móody's Invéstors Sèrvice 무디스 인베스터스 서비스(사)(《세계 각국에 지사를 가진 미국의 금융 정보 서비스 회사》).

Móog sýnthesizer [móug-, múːg-] 전자음 합성 장치(《상표명》).

móo jùice 《미속어》 우유(milk).

mook [muk] *n.* 잡지적인 서적, 서적풍의 잡지(《기술 서적, 비즈니스북, 요리책, 대중 소설 따위》). [◂ *magazine book*]

moo·la(h) [múːlə] *n.* 《속어》 돈(money).

mool·vee, -vie [múːlvi] *n.* 《Ind.》 이슬람교의 율법학자; 〔일반적〕 선생(《학자에 대한 존칭》).

moon [muːn] *n.* **1** (보통 the ~) 달(《천체의》); Ⓤ 달빛: ⇨ NEW 〔FULL, HARVEST, OLD〕 MOON, HALF-MOON/the age of the ~ 월령(月齡)/land on the ~ 달에 착륙하다/A bright ~ was coming up over the hills. 밝은 달이 언덕 위로 떠오르고 있었다. **2** (행성의) 위성(satellite): an artificial ~ 인공위성/Jupiter has at least sixteen ~*s*. 목성에는 위성이 적어도 16개 있다. **3**

달《음력의》, 태음월; 《시어》 =MONTH: ⇨ MOON MONTH / This is the ~ of roses. 이 달은 장미가 피는 달이다 / many ~*s* ago 여러 달 전에. **4** 달 모양의 것; 《특히》 초승달 모양의 것; (the M-) 신월기(新月旗)《터키의 국기》; 《속어》 엉덩이. **5** 《미속어》 (밀조) 위스키(moonshine). ***aim*** 〔***level***〕 ***at the*** ~ 큰 야망을 품다. ***bark at*** 〔***against***〕 ***the*** ~ ⇨ BARK[1]. ***bay*** (***at***) ***the*** ~ ⇨ BAY[3]. ***believe that the*** ~ ***is made of green cheese*** 터무니없는 일을 믿다. ***below the*** ~ 달빛 아래; 이 세상의, 덧없는 세상의. ***beyond the*** ~ 손이 닿지 않는 (곳에); 터무니없이. ***cry*** 〔***ask, wish***〕 ***for the*** ~ 불가능한 것을 바라다; 무리한 부탁을 하다. ***once in a blue*** ~ 극히 드물게, 좀처럼 … 않다. ***on the*** ~ ***cycle*** 《미속어》 (여성의) 생리 중에. ***over the*** ~ 《구어》 크게 기뻐하여. ***pay*** 〔***offer***〕 a person ***the*** ~ 아무에게 막대한 금전을 지불〔제의〕하다. ***promise*** a person ***the*** ~ 아무에게 되지도 않을 것을 약속하다. ***reach for the*** ~ 도저히 불가능한 것을 바라다〔기도하다〕. ***shoot the*** ~ 《영속어》 야반도주하다. ***the man in the*** ~ 달 속의 사람, 가공의 인물, 달의 반점(斑點)《한국에서의 '계수나무와 토끼'》: know ... no more than *the man in the* ~ …을 전혀 모르다. ― *vi.* **1** 멍하니 보다; 목적 없이 돌아다니다 《*about; around*》. **2** 멍하니 생각하다《*about*》. **3** 《미속어》 (장난으로 창문 등에서) 엉덩이를 내보이다. ― *vt.* 《+目+副》 (시간을) 멍하니 보내다《*away*》: ~ the evening *away* 저녁 때를 멍하니 보내다. ~ ***over*** …에 넋을 잃다.
㊎ ∠·less *a.* 달 없는.

°**móon·bèam** *n.* (한 줄기의) 달빛.
móon-blìnd *a.* (사람이) 야맹증에 걸린; (말이) 월맹증(月盲症)인.
móon blìndness (사람의) 야맹증; (말의) 월맹증.
móon bòot (보통 *pl.*) 두터운 방한화.
móon-bòund *a.* 달을 향하는.
móon·bòw [-bòu] *n.* 월홍(月虹), 야홍(夜虹).
móon·bùg *n.* 《구어》 월면 착륙선(lunar module).
móon·bùggy *n.* 월면(작업)차(moon car).
móon·càlf (*pl.* **-càlves**) *n.* (선천적인) 백치; 얼간이, 바보; 공상에 빠져 하는 일 없이 지내는 젊은이.
móon càr 〔**cràwler**〕 월면차(lunar rover).
móon chìld 〖점성〗 게자리 태생의 사람.
móon·cràft *n.* =MOONSHIP.
móon dàisy 〖식물〗 =OXEYE DAISY.
móon·dòwn *n.* 《미》 달이 짐.
móon·dùst *n.* 월진(月塵)《달의 흙의 고운 입자》.
móon·er *n.* 《미경찰속어》 (정서 장애자로서) 병적인 결함을 가진 범죄자.
móon·èye *n.* 〖수의〗 월맹증의 눈; 〖어류〗 문아이《북아메리카 북부산의 은색의 담수어》.
móon-èyed *a.* (공포·놀라움으로) 눈을 크게 뜬.
móon·fàce *n.* 둥근 얼굴; 〖의학〗 월상안(月狀顔)《부신피질 기능 항진 등에서 볼 수 있음》.
móon-fàced [-t] *a.* 둥근 얼굴의.
móon·fàll *n.* 달 착륙.
móon·fish *n.* 〖어류〗 전갱잇과의 물고기.
móon·flìght *n.* 달 여행〔비행〕.
móon·flòwer *n.* 〖식물〗 **1** 《미》 메꽃과의 덩굴풀《열대 아메리카 원산; 밤에 향기로운 흰 꽃이 핌》. **2** 《영》 프랑스 국화.
Moon·ie [múːni] *n.* (한국의) 통일 교회(the Unification Church), 세계 기독교 통일 신령 협회의 신자, 통일 원리 운동 지지자《통일 교회의 창시자인 한국인 문선명(文鮮明)(Rev. Sun Myung Moon; 1920-2012)의 이름에서》.
moon·ik [múːnik] *n.* (옛 소련의) 달 로켓. [◂ *moon*+sput*nik*]

móon·ing *n.* 《속어》 (달리는 차창 등에서) 엉덩이를 내보이는 장난.
moon·ish [múːniʃ] *a.* 달 같은; 변덕스러운; 통통한. ㊎ **~·ly** *ad.*
moon·let [múːnlit] *n.* 작은 달; 인공위성, 소위성.
móon lètter 《Ar.》 〖문법〗 달 문자《어두(語頭)에 올 때 전치되는 정관사 al의 *l*을 흡수 동화하지 않는 자음; bā, mīm 따위 14자》.
moon·light [múːnlàit] *n.* Ⓤ 달빛: by ~ 달빛에, 달빛을 받아 / in the 〔under〕 ~ 달빛 아래(의). ***do a*** ~ (***flit***) 《영구어》 야반도주하다. ***let*** ~ ***into ...*** 《미속어》 (총을 쏘아) …에 구멍을 내주다. ― *a.* **1** 달빛의. **2** 달밤에 일어나는〔행하는〕: the *Moonlight* Sonata 월광곡(曲)《Beethoven 작》. ― *vi.* 《구어》 부업〔아르바이트, 내직〕을 하다《특히 야간에》; 《CB속어》 경찰 단속을 피해 뒷길을 가다. ㊎ **~·er** *n.* 《구어》 본업 외에 부업을 가진 사람《특히 야간의》; 야습에 참가하는 사람; 주류 밀조자; 〖Ir. 역사〗 월광단(月光團)《1880년경의 비밀 농민단》의 단원; 《속어》 중혼자(bigamist); 《속어》 매춘부(harlot).
móonlight flìt(ting) 《영구어》 야반도주.
móon·lìghting *n.* 《구어》 Ⓤ (낮 근무와는 별도로) 밤의 아르바이트; 이중겸업; 야습.
móonlight requisítion 《미군대속어》 야간 도둑질, '야간 조달'.
móonlight schóol 《미》 (미국 남부의 시골 청년·성인의) 야간 강좌, 야학교.
moon·lit [múːnlìt] *a.* 달빛에 비친, 달빛 어린.
móon·màn [-mæ̀n] (*pl.* **-mèn** [-mèn]) *n.* 월인(月人), 달 탐험자; 달 탐험 계획 종사자.
móon mònth (히브리력(曆) 등의) 태음월.
móon-orbiting spáce stàtion 달 주회(周回) 우주 스테이션.
móon pòol 문 풀《심해 굴착선 중심부에 설치한 원통상의 공동(空洞); 기재 운반 설비임》.
móon·pòrt *n.* 달 로켓 발사 기지.
móon pròbe 달 탐사(기(機)).
móon·quàke *n.* 달의 지진.
móon·rise *n.* Ⓤ,Ⓒ 월출; 그 시각.
móon·ròck *n.* 월석《달 암석 표본》.
móon ròver 월면차(月面車).
móon·scàpe *n.* (망원경으로 보는) 달표면; 월면상(像)〔사진〕. [◂ *moon*+land*scape*]
móon·scòoper *n.* 자동 월면 물질 채집선(船).
móon·sèt *n.* Ⓤ,Ⓒ 월입(月入); 그 시각.
moon·shee [múːnʃiː] *n.* 《Ind.》 =MUNSHI.
móon·shìne *n.* Ⓤ **1** 달빛. **2** 헛소리, 쓸데없는 공상〔이야기〕. **3** 《미구어》 밀조주〔위스키〕, 밀수입주, (싼) 위스키, 술. ― *vt., vi.* 《미구어》 (술을) 밀조하다. ㊎ **-shìner** *n.* 《미구어》 **1** 주류 밀조〔밀수입〕자. **2** 밤에 불법 영업을 하는 사람; 남부 산지의 시골 사람.
móon·shìny *a.* **1** 달빛의〔같은〕, 달에 비친. **2** 공상적인, 가공의.
móon·shìp *n.* 달 여행용 우주선.
móon shòt 〔**shòot**〕 달 로켓 발사.
móon·stàtion *n.* 달 (우주) 정거장.
móon·stòne *n.* Ⓤ,Ⓒ 〖광물〗 월장석(月長石), 문스톤.
móon·strìke *n.* 월면 착륙.
móon·stròll *n.* 월면 보행(步行).
móon·strùck, -strìcken *a.* **1** 미친, 발광한《점성학에서 미치는 것은 달의 영향 때문이라고 하였음》. **2** 감상적 공상에 빠진; 멍한.
Móon tỳpe (시각 장애자의) 점자법; 그 점자《고안자 William Moon의 이름에서》.
móon·wàlk *n.* 월면 보행〔답사〕; 〖브레이크댄싱〗 문워크《실제는 뒤로 걸으면서 앞으로 나가듯이 보이는 춤》. ㊎ **~·er** *n.* 달밤에 일어나는 몽유병자; 월면 보행자.

móon·ward(s) [-wərd(z)] *ad.* 달로 향하여. **—** *a.* 달로 향하는.

móon·wàtcher *n.* 인공위성의 관측자《특히 「아마추어」).

móon·wòrk *n.* Ⓤ 월면 작업.

móon·wòrthy *a.* 달 여행에 알맞은〔견디어 「내는〕.

moony [múːni] (**moon·i·er; -i·est**) *a.* **1** 달의; 달빛의; 달빛 같은. **2** (초승)달 모양의, 둥근 (round). **3** 멍청한, 꿈결 같은, 멍한; 《영구어》 정신이 좀 이상한.

Moor [muər] *n.* **1** 무어 인《아프리카 북서부에 삶》; 8세기에 스페인을 점거한 무어 사람의 일파; (인도의) 이슬람교도(= ∠·**màn**). **2** =BLACKAMOOR.

*__moor__[1] [muər] *n.* **1** 《영》 (heather가 무성한) 황무지, 광야; (뇌조(grouse) 등의) 사냥터. **2** 《미》 습지(濕地).

◇**moor**[2] *vt., vi.* (배·비행선 등을) 잡아매다, 정박시키다〔하다〕, 계류하다; 〖일반적〗 단단히 고정하다〔되다〕. **—** *n.* 계류. ㊀ ∠·**age** [mú(ː)ridʒ/ múər-] *n.* Ⓤ,Ⓒ (배 등의) 계류; 계류장; 계류료 (料).

móor·còck *n.* 〖조류〗 붉은뇌조의 수컷.

Móore's làw [múərz-] 무어의 법칙《마이크로칩의 저장 용량이 2년마다 배로 증가한다는 법칙; Intel사(社)의 공동 창업자인 Gordon Moore가 1970년대에 예언한 말》.

móor·fòwl (*pl.* **~s,** 〖집합적〗 **~**) *n.* 〖조류〗 붉은뇌조《영국산》.

móor gàme =MOORFOWL.

móor·hèn *n.* 〖조류〗 붉은뇌조의 암컷; 쇠물닭, 「흰눈썹뜸부기.

móor·ing [-riŋ] *n.* **1** Ⓤ 계류, 정박. **2** (보통 *pl.*) 계류 장치〔설비〕; 계류장, 정박장; 정신적〔도덕적〕 지주.

móoring bùoy 〖해사〗 계류 부표.

móoring màst 〔**tòwer**〕 (비행선의) 계류주 「(柱)〔탑〕.

Moor·ish [múəriʃ] *a.* 무어인의; 무어인(양)식의《건축 따위》.

móor·ish *a.* 황야(성)의, 황야에 사는.

móor·lànd [-lænd, -lənd] *n.* 광야, 황야, 황무지.

moory [múəri] *a.* =MOORISH; 습지성(濕地性) 「의(marshy).

moose [muːs] (*pl.* **~**) *n.* **1** 〖동물〗 큰사슴. **2** 《미속어》 매춘부, 정부. **3** 덩치 큰 놈.

moose 1

moot [muːt] *n.* 〖영국사〗 (읍·면 등의 자유민의) 모임, 토론회; (법학생들의) 모의 재판. **—** *a.* 논의할 여지 있는, 미결의; 〖법률〗 추상론의: a ~ point 의문〔문제〕점 / a ~ question 미해결의 문제. **—** *vt.* 토의하다; (토의할) 의제로 삼다; 학구적〔비현실적〕인 것으로 만들어 버리다; 《고어》 (모의 법정에서) 논하다, 변론하다.

móot cóurt (법학생들의) 모의 법정〔재판〕.

móot háll 〖영국사〗 (moot 를 여는) 집회소.

*__mop__[1] [mαp/mɔp] *n.* **1** 자루걸레, 몹; 자루걸레 비슷한 물건: a ~ *of* hair 더벅머리. **2** 《미흑인속어》 결말, 최종 결과. ***be ~s and brooms*** 《속어》 얼근히 취하다. **—** (**-pp-**) *vt.* **1** 《+목+보》 대걸레로 닦다〔닦아 내다, 청소하다〕: He ~*ped* the floor dry. 그는 마루의 물기를 대걸레로 닦아 냈다. **2** 《+목+전+명》 (…을 …로) 닦다 《*with*》; (눈물·땀 따위를) 닦다《*from; with*》: She ~*ped* the sweat *from* her face *with* a handkerchief. 그녀는 손수건으로 얼굴의 땀을 닦았다. **—** *vi.* 대걸레로 청소하다, 닦아 내다 《*up*》. ***~ the floor with*** ⇨ FLOOR. ***~ up*** ① (엎지른 물을) 씻어〔닦아〕 내다. ② 《구어》 (일 등을) 끝내다, 마무리하다. ③ 《구어》 (이익 따위를) 빨아먹다; 《영속어》 게걸스럽게 먹다, 벌떡벌떡 마시다. ④ 〖군사〗 소탕하다. ***~ up on*** a person 《구어》 아무를 때려눕히다. ㊀ **móp·per** *n.*

mop[2] (**-pp-**) 《고어·문어》 *vi.* 얼굴을 찡그리다. ***~ and mow*** 얼굴을 찡그리다. **—** *n.* 찡그린 얼굴. (***make***) ***~s and mows*** 찡그린 얼굴(을 하다).

móp·bòard *n.* 《미》 =BASEBOARD.

mope [moup] *vi.* **1** 울적해하다, 침울해지다; 지향없이 어슬렁거리다, 돌아다니다《*about; around*》. **2** 내빼다, 잽싸게 도망치다. **—** *vt.* 《~+목/+목+전+명/+목+부》 〖종종 수동태나 ~ oneself〗 침울하게 하다; 우울하게 지내다 《*away*》: She is *moping* her*self* in the house. 그녀는 집에서 울적하게 지내고 있다 / He *was* ~*d to* death. 그는 완전히 풀이 죽었다 / ~ one's time *away* 울적하게 시간을 보내다. **—** *n.* 침울〔음침〕한 사람; 전혀 할 마음〔기력〕이 없는 사람; 《미속어》 바보, 얼간이; (the ~s) 우울: have (a fit of) the ~*s* 의기소침하다. ㊀ **mop·ey, mopy** [móupi] *a.* =MOPISH.

mo·ped [móupèd] *n.* 모터 달린 자전거.

mop·er [móupər] *n.* 곧잘 침울해지는 사람; 운전이 느린 사람.

mo·pery [móupəri] *n.* 《미속어》 경범죄.

mop·ish [móupiʃ] *a.* 풀이 죽은, 침울한, 의기소침한, 걱정스러운 얼굴의, 음침한. ㊀ **~·ly** *ad.* 침울하게. **~·ness** *n.*

Mopp [mαp/mɔp] *n.* =MRS. MOP.

mop·pet [mάpit/mɔ́p-] *n.* 《구어》 꼬마, 아기; 《고어》 계집애, 처녀; 여자 같은 남자; 발바리(개); 《구어》 헝겊으로 만든 인형.

mop·ping-up [mάpiŋʌ́p/mɔ́p-] *a.* 총마무리의; 〖군사〗 소탕하는: a ~ operation 소탕 작전.

mop·py [mάpi/mɔ́pi] *a.* 《구어》 덥수룩한《머리》.

móp·stìck *n.* 자루걸레의 자루.

móp-ùp *n.* 〖군사〗 소탕; (소화 작업 따위의) 마 「지막 마무리.

mo·quette [moukét] *n.* Ⓤ (의자·열차 등 좌석의) 모켓천《두껍고 보풀이 있는 융단》.

mor [mɔːr] *n.* 〖지학〗 산성 부식; 조(粗)부식; 모르《특히 한랭지 토양 표면의 유기물의 퇴적》.

MOR middle-of-the-road (만인이 좋아하는 음악). **Mor.** Morocco. **mor.** 〖제본〗 morocco.

mo·ra [mɔ́ːrə] (*pl.* **-rae** [-riː], **~s**) *n.* **1** 〖언어〗 모라《음절의 길이를 재는 단위; 보통 단모음의 길이가 이에 상당함》. **2** 〖법률〗 (불법적) 지체(遲滯), 불이행, 해태(懈怠).

mo·raine [məréin/mɔ-, mə-] *n.* 〖지학〗 빙 「퇴석(氷堆石).

__mor·al__ [mɔ́(ː)rəl, mάr-] *a.* **1** 도덕(상)의, 윤리(상)의, 도덕〔윤리〕에 관한: ~ culture 덕육(德育) / ~ standards 도덕적 기준 / ~ character 인격, 품격 / a ~ code 도덕률 / ~ principles 도의 / ~ turpitude 타락, 부도덕한 행위 / ~ virtue 덕; (종교에 의하지 않고 달할 수 있는) 자연도덕. **2** 덕육적인, 훈계〔교육〕적인: a ~ play 교훈극. **3** 윤리감을 가진; 선악의 판단이 되는: ~ faculty 선악 식별의 능력 / A baby is not a ~ being. 어린애는 잘잘못의 판단을 못한다. **4** 도덕을 지키는, 품행이 단정한, 양심적인; 순결한. opp *immoral.* ¶ a ~ man 품행 단정한 사람 / a ~ tone 기품. **5** (물질적·육체적인 데 대하여) 정신적인, 마음의, 무형의. **6** (구체적 증거보다는) 관찰〔경험〕에 의거한, 개연(蓋然)적인: ⇨ MORAL EVIDENCE / ~ impossibility 있을 수 없는 일. **7** 개연성이 많은, 공산이 큰: a ~ certainty 거의 틀림없는 일, 강한 확신.

— *n.* **1** (우화·사건 따위에 내포된) 교훈, 타이르는 말, 우의(寓意); 우화극: What's the ~ of that story? 그 이야기의 교훈은 무언가. **2** (*pl.*) 〖단수취급〗 윤리학(ethics). **3** (*pl.*) (사회적인) 도덕, 윤리; 선행, 덕행; 품행, 몸가짐: social ~*s* 공공의 도덕 / a man of loose ~*s* 몸가짐이 나쁜 사람. **4** [mərǽl/-rɑ́:l] Ⓤ 《드물게》 =MORALE. **5** (the (very) ~) 《고어》 꼭 닮은 것, 꼭 같은 것《*of*》: He is the very ~ *of* his father. 그는 아버지를 빼쏘았다. ***draw the*** ~ (우화 따위에서) 교훈을 얻다. ***point a*** ~ (예를 들어) 교훈을 강조하다.

móral cóurage (유혹·압박에 항거하는) 도덕〔정신〕적 용기.

móral cówardice 남의 비난을 두려워하는 마음.

móral deféat (이긴 것같이 보이나) 사실상의〔정신적인〕 패배.

◇**mo·rale** [mərǽl/mɔrɑ́:l] *n.* Ⓤ **1** (군대·국민 등의) 사기, 풍기; (근로자의) 근로 의욕. **2** (고조되거나 소침해지는) 의기(意氣): the uncertain ~ of an awkward teen-ager 까다로운 십대의 변하기 쉬운 의기. **3** 도덕, 도의.

móral évidence 개연적(蓋然的) 증거.

móral fíber 옳은 일을 관철하는 근성.

móral házard 〖보험〗 도덕적 위험《피보험자의 부주의·고의 따위의 인위적 요소에 기인한 보험자 측의 위험》.

móral inspirátion 〖신학〗 도덕적 신의 감응.

mór·al·ìsm *n.* Ⓤ,Ⓒ 도덕주의, 도의; 교훈, 설교; 훈언(訓言); (극단적인) 도덕의 강조; 도덕적 반성.

mór·al·ist *n.* 도덕가, 도학자; 윤리학자; 윤리 사상가, 모랄리스트. ㊞ **mòr·al·ís·tic** [-tik] *a.* 교훈적인; 도덕주의의; 도덕가의. **-ti·cal·ly** *ad.*

***mo·ral·i·ty** [mərǽləti, mɔ:-/mə-] *n.* **1** Ⓤ 도덕(성), 도의(성); Ⓒ (개인 또는 특정 사회의) 덕성, 윤리성: public ~ 공중 도덕 / commercial ~ 상도덕. **2** 선악, 정사(正邪). **3** Ⓤ 품행, 행실; (남녀간의) 풍기: doubtful ~ 의심스러운 행실. **4** Ⓤ 윤리학. **5** (어떤 사회의) 도덕(체계); (*pl.*) 도덕 원리, 처세훈. **6** Ⓒ 교훈, 우의(寓意); =MORALITY PLAY. ◇ moral *a.*

morálity plày 도덕 우화극, 교훈극《영국에서 15–16세기에 유행; 미덕·악덕이 의인화되어 등장함》.

mòr·al·i·zá·tion *n.* Ⓤ 교화, 덕화; 도덕적 해석〔설명〕; 설교.

mor·al·ize [mɔ́rəlàiz, mɑ́r-/mɔ́r-] *vt.* 교화하다;도덕을 가르치다; 도덕적으로 해석하다. ── *vi.* 도덕적 관점에서 고찰하다〔쓰다; 말하다〕, 도를 가르치다, 설교하다《*on*》; 교훈이 되다. ㊞ **-iz·er** *n.* 도학자; 교훈 작가.

móral láw 도덕법(칙), 도덕률.

◇**mór·al·ly** *ad.* **1** 도덕상으로; 도덕적으로(virtuously), 바르게. **2** 사실상, 실제로(virtually).

Móral Majórity 1 도덕적 다수파《미국의 보수적 기독교도의 정치 활동 단체; 1979년 6월 침례교 목사 Jerry Falwell이 설립》. **2** (the m- m-) 전통적 도덕관을 지지하는 다수파.

móral philósophy 〔**scíence**〕 윤리학, 도덕학.

móral préssure 도덕심에 호소한 설득, 정신적 압력.

Móral Re-Ármament 도덕 재무장 운동《생략: MRA》. cf. Oxford Group Movement; Buchmanism.

móral sénse 도의 관념, 도의심, 양심.

mórals squád (매춘·도박 따위의) 풍기 위반 단속 경찰반.

móral suppórt 정신적 원조〔지지〕.

móral theólogy 도덕〔윤리〕신학.

móral túrpitude 부도덕(한 행위), 타락(행위).

móral tútor 《영》 (대학의) 학생 생활 상담 지도 교관〔교원〕.

móral víctory 사실상의〔정신적인〕 승리.

mo·rass [mərǽs] *n.* **1** 소택지, 습지, 저습 지대. **2** 진구렁 같은〔벗어나기 어려운〕 곤경, 분규. ㊞ **~y** [-i] *a.* 늪의, 늪 같은.

mor·a·to·ri·um [mɔ̀:rətɔ́:riəm, mɑ̀r-/mɔ̀r-] (*pl.* **-ria** [-riə], **~s**) *n.* **1** 〖법률〗 모라토리엄, 지급 정지〔연기〕, 지급 유예(기간). **2** (위험한 활동의) 일시적 정지〔연기〕: ~ on nuclear testing 핵실험의 일시적 중지.

mor·a·to·ry [mɔ́:rətɔ̀:ri, mɑ́r-/mɔ́rətəri] *a.* 〖법률〗 지급 유예〔연기〕의.

Mo·ra·via [mɔ:réiviə, -rɑ́:-/məréi-] *n.* 모라비아. **1 Alberto** ~ 이탈리아의 작가(1907–90). **2** 옛 체코슬로바키아 중부의 한 지방《독일어 명은 Mähren》.

Mo·ra·vi·an [mɔ:réiviən/mə-] *a.*, *n.* 모라비아의, 모라비아 사람(의); 모라비아 교도《신교의 일파》(의); Ⓤ 모라비아 말.

mo·ray [mɔ́:rei, -ˊ/mɔ́rei, -ˊ] *n.* 〖어류〗 곰치류(類)《열대산》.

***mor·bid** [mɔ́:rbid] *a.* **1** 병적인, 불건전한, 음침한; 《구어》 우울한: a ~ interest in death 죽음에 대한 병적인 흥미. **2** 병의, 병에 기인한. **3** 섬뜩한, 소름 끼치는: ~ events 소름끼치는 무서운 사건. ㊞ **~·ly** *ad.* **~·ness** *n.*

mórbid anátomy 〖의학〗 병리 해부학.

mor·bi·dez·za [mɔ̀:rbədétsə] *n.* 《It.》 Ⓤ 〖회화〗 (피부 채색의) 박진미(迫眞美); (표현 등의) 극히 섬세하고 우미한 효과; 〖일반적〗 부드러움.

mor·bid·i·ty [mɔ:rbídəti] *n.* Ⓤ 병적임, 병적인 상태〔성질〕, 불건전성; Ⓒ (한 지방의) 이환율(=ˊ**ràte**), 환자수; (어떤 병의) 사망률.

mor·bif·ic, -i·cal [mɔ:rbífik], [-əl] *a.* 병을 일으키는, 병원(病原)이 되는.

mor·bil·li [mɔ:rbílai] *n. pl.* 〖단수취급〗 홍역.

mor·ceau [F. mɔRso] (*pl.* **~x** [F.—]) *n.* 《F.》 **1** 소량, 단편(斷片). **2** (시·음악의) 한 단장(斷章), 일절, 발췌(拔萃).

mor·da·cious [mɔ:rdéiʃəs] *a.* 신랄한, 통렬한(caustic); 쏘는 듯한. ㊞ **~·ly** *ad.*

mor·dac·i·ty [mɔ:rdǽsəti] *n.* Ⓤ 신랄함; 빈정댐.

mor·dan·cy [mɔ́:rdənsi] *n.* Ⓤ 신랄, 가혹; 빈정대기, 독설; 부식성(腐蝕性).

mor·dant [mɔ́:rdənt] *a.* **1** 찌르는 듯한, 신랄한, 빈정대는, 독설적인: ~ criticism 신랄한 비평 / a ~ speaker 독설가. **2** 색을 갖게 하는, 매염(媒染)의; 부식성이 있는《산(酸)》. **3** (개 등이) 무는 버릇이 있는. ── *n.* 〖염색〗 매염제, 착색료; 〖인쇄〗 금속 부식제; 금박 점착제(粘着劑); =MORDENT. ── *vt.* 매염제로 처리하다. ㊞ **~·ly** *ad.*

Mor·de·cai [mɔ́:rdikài, mɔ̀:dikéiai/mɔ́:dikài] *n.* **1** 남자 이름《애칭 Mordy》. **2** 〖성서〗 모르드개《Esther의 사촌 오빠; 에스더 II: 12》.

mor·dent [mɔ́:rdənt] *n.* 〖음악〗 모르덴트《주요음에서 2도 아래를 거쳐 주요음으로 되돌아가는 장식음》.

Mor·dó·vi·an Autónomous Repúblic (the ~) 모르도바 자치 공화국《러시아 연방 서부의 공화국; 수도 Saransk》.

More [mɔ:r] *n.* Sir **Thomas** ~ 모어《영국의 인문주의자·저작가(1478–1535); *Utopia*의 저자》.

†**more** [mɔ:r] *a.* 〖many 또는 much의 비교급〗 **1** (수·양 등이) 더 많은, 더 큰(opp. *less*), 더욱 훌륭한; (지위 따위) 한층 높은: He has ~ ability 〔books〕 than his brother. 그는 형〔동생〕보다 재능이〔장서가〕 많다 / Don't ask for ~ money than you deserve. 당연히 받아야 할 금액 이상의 돈을 청구하지 마라 / ~ than ten men, 10사람보다 많은 사람《'10사람'은 제외됨; 즉,

11사람 이상이라는 뜻》/ten or ~ men =ten men or ~, 10사람 또는 그 이상의 사람《'10사람'이 포함됨; 즉, at least ten men과 거의 같은 뜻임; 또한 뒤의 꼴 ten men or *more*의 more는 대명사적 용법임》. **2** 이 이상의, 여분의, 덧붙인: Give me a little ~ money. 좀더 (여분으로) 돈을 주시오/one word ~ 한 마디만 더/*More* discussion seems pointless. 이 이상 토론해 봤자 무의미할 것 같다.

— *n., pron.* **1** 보다 많은 수〔양, 정도 따위〕; 그 이상의 것〔일, 사람〕: *More* is meant than meets the eye. 언외(言外)에 더 깊은 뜻이 있다/I hope to see ~ *of* you. 더 자주〔또〕 만나뵙고 싶습니다/He is ~ *of* a poet than a novelist. 그는 소설가라기보다 오히려 시인이다. **2** 《폐어》 보다 중요한 일〔것〕, 한층 더 지위가 높은 사람: (the) ~ and (the) less.

— *ad.* 〔much의 비교급〕 **1** 보다 많이, 더욱 크게: I miss mother ~ than anybody else. 나는 그 누구보다도 어머니가 더 그립다. **2** 더욱, 그 위에. **3** 〔주로 2음절 이상의 형용사·부사에 붙여서 비교급을 만듦〕 더욱…, 한층 더…: ~ earnestly 더욱 열심히. ★다음 경우에 주의할 것: *more* beautiful flowers (1) 더욱 아름다운 꽃《more는 부사》. (2) 더욱 많은 아름다운 꽃《more는 형용사》. **4** 〔2개의 형용사·부사를 비교하여〕 오히려: She is ~ kind than wise. 그녀는 현명하다기보다는 상냥하다. ***all the*** ~ 더욱더, 한결 더. ***and*** ~ 그 외 여러 가지: He called me savage, brutal, *and* ~. 그는 나를 야만인이라느니 잔인하다느니 여러 말로 욕했다. ***and no*** ~ …에 지나지 않다, 그것뿐이다. (***and***) ***what is*** ~ 그 위에 또, 더군다나. ***any*** ~ 〔부정문·의문문·조건절에서〕 그〔이〕 이상; 이제는; 금후는. ***little*** ~ ***than*** …에 지나지 않다. ***many*** ~ 더욱 많은. ~ ***and*** ~ 더욱더 많은, 더욱더 많은 것, 점점 더. ~ ***by token*** 《Ir.》 한층 더; 또 다른 증거로서. ~ ***like …*** 오히려 …에 가까운. ~ ***like*** (***it***) 《구어》 생각하고〔바라고〕 있는 것에 (훨씬) 가까운, …이라면 더욱 좋다. ~ ***or less*** ① 다소간, 얼마간: He was ~ *or less* drunk. 그는 다소 취했었다. ② 대체로, 대략, 거의: The repairs will cost $50, ~ *or less*. 수리하는 데 대략 50달러 들겁니다. ③ 〔부정어의 뒤에 쓰여〕 조금도 …않다〔없다〕: I could *not* afford to ride, ~ *or less*. 나는 마차는 전혀 탈 수 없었다.

NOTE more or less …가 숙어로서가 아니라 more … 와 less …가 or에 의하여 접속되는 경우도 있음: Oil is *more or less* expensive depending on global production levels. 석유는 세계의 생산 수준 변화에 따라 비싸지거나 싸진다.

~ ***or less terms*** 〖상업〗 수량 과부족 용인(容認) 조건. ~ ***than*** ① …보다 많은, …이상으로(의) (⇨ *a.* 1, *ad.* 1). ② 〔명사·형용사·부사·동사 앞에서〕 《구어》 …이상의 것, (…하고도) 남음이 있을 만큼, 매우(very): His performance is ~ *than* satisfactory. 그의 활동은 더할 나위 없다/He has ~ *than* fulfilled his duty. 그는 의무를 충분히 이행했다. ~ ***… than*** — —이라기보다 오히려 … (⇨ *ad.* 4). ~ ***than a little*** 《주로 영》 《문어》 꽤, 적잖게. ~ ***than all*** 더욱이, 그중에서도; 특히. ~ ***than enough*** ⇨ ENOUGH. ~ ***than ever*** 더욱더, 점점. ~ ***than one*** 하나〔한 사람〕만 아니라《의미상으론 복수지만 동사는 단수》: *More than one* person has heard the voice. 그 목소리를 들은 사람은 한 사람만이 아니다. ***neither*** ~ ***nor less than*** …이상도 그 이하도 아니다, 꼭, 정히; …에 지나지 않다. ***never*** ~ 또다시 …하지 않다; (이미) 죽고 없다. ***no*** ~ ① 그 이상〔벌써〕 …(하지) 않다. ② 죽어서, 사망하여. ③ 〔부정문〔절〕의 뒤에서〕 …도 또한 — 안 하다: If you will *not* go there, *no* ~ will I. 자네가 안 간다면 나도 안 간다. ***no*** ~ ***than*** 단지, 겨우(only): I have *no* ~ *than* two dollars. 고작 2달러밖에 없다. ***no*** ~ ***… than*** …이 아닌 것은 …이 아닌 것과 같다: I am *no* ~ mad *than* you (are). 너와 마찬가지로 나도 미치지 않았다. ***none*** 〔***not***〕 ***the*** ~ 그래도 아직, 역시 마찬가지로; …라고 해서 더욱더 …하지 않다. ***not any*** ~ 다시는 …하지 않다; 이미 …아니다. ***not … any*** ~ ***than*** =no ~ … than. ***nothing*** ~ ***than*** …에 지나지 않다. ***not*** ~ ***than*** …보다 많지 않다, …을 넘지 않다; 많아야 …; 겨우 …: *not* ~ *than* five 많아야 5, 5 또는 그 이하. ***… or*** ~ 적어도 …(의), …또는 그 이상의〔으로〕(⇨ *a.* 1). ***still*** 〔***much***〕 ~ 〔긍정문 다음에서〕 더욱더, 하물며. ***the*** ~ =all the ~. ***the*** ~ ***… because*** 〔***for, as***〕 — —이므로 더욱더 …. ***The*** ~***, the better.*** 많으면 많을수록 좋다. ***The*** ~***, the merrier.*** 사람이 많을수록 즐겁다〔좋다〕《사람을 초대할 때 등에 하는 말》. ***the*** ~ ***…, the*** ~ — …하면 할수록 더욱 더 —: *The* ~ I know him, *the* ~ I like him. 나는 그를 알면 알수록 더욱 좋아진다. ★앞 절이 종속절, 뒷 절은 주절이며 앞의 the는 관계부사, 뒤의 것은 지시부사임. ***The*** ~ ***…, the less*** — …하면 할수록 더욱 —않다: *The* ~ she thought about it, *the less* she liked it. 생각하면 할수록 그녀는 그것이 싫어졌다. ***think*** (***all***) ***the*** ~ ***of*** …을 (더욱) 높이 평가하다, 중시하다.

-more [mɔ̀ːr] *suf.* 형용사·부사에 붙여 비교급을 만듦: further*more*, inner*more*.

Mo·reau [mɔːróu] *n.* **Gustave** ~ 모로《프랑스의 상징주의의 대표적인 화가; 1826–98》.

mo·reen [məríːn/mɔː-] *n.* Ⓤ 모린《모직 또는 면모 교직의 튼튼한 천; 커튼 따위에 씀》.

more·ish, mor- [mɔ́ːriʃ] *a.* 《구어》 더 먹고 싶어지는, 아주 맛있는.

mo·rel [mərél] 〖식물〗 *n.* 곰보버섯《식용》.

more·o·ver [mɔːróuvər, ⌐-/-⌐-] *ad.* 그 위에, 더욱이, 또한.

mo·res [mɔ́ːreiz, -riːz] *n. pl.* 사회적 관행, 습속, 관습; 도덕적 자세, 도덕관.

Mor·esque [mərésk] *a.* 무어(Moor)식의《건축·장식 등》. **—** *n.* 무어식 장식〔도안〕.

morf [mɔːrf] *n.* 《속어》 =MORPHINE.

Mor·gan [mɔ́ːrgən] *n.* **1** 모건《남자 이름》. **2** 말의 일종《마차용·승마용; 미국 원산》.

mor·ga·nat·ic [mɔ̀ːrgənǽtik] *a.* 귀천간의《결혼》; 귀천상혼(貴賤相婚)의. ⊞ **-i·cal·ly** [-kəli] *ad.* 귀천상혼에 의해.

morganátic márriage 귀천상혼《왕족과 상민 여자와의 결혼; 그 처자는 신분·재산을 요구·계승할 수 없음》.

mor·gan·ite [mɔ́ːrgənàit] *n.* 〖보석〗 장밋빛 녹주석(綠柱石)(beryl).

morgue [mɔːrg] *n.* 《F.》 **1** 시체 보관〔공시(公示)〕소; 음침한 장소; (신문사 등의) 자료집, 자료실, 조사부; (출판사의) 편집부〔실〕. **2** 《구어》 오만, 건방짐. ~ ***anglaise*** [-ɑ̃gléiz] 영국인 특유의 거만. ***still as a*** ~ 무서우리만큼 조용한.

MORI [mɔ́ri] Market and Opinion Research International (국제 시장 여론 조사 기관, 모리) 《1969년 영미 합동으로 설립》.

mor·i·bund [mɔ́ːrəbʌ̀nd, mɑ́r-/mɔ́r-] *a.* 《문어》 빈사의, 죽어 가는; 소멸해 가는; 활동 휴지(休止) 상태의, 정체한. ⊞ ~**·ly** *ad.*

mor·i·on [mɔ́ːriɑ̀n/-iən] *n.* 〖역사〗 (16–17세기에 특히 스페인의 보병이 쓰던) 모자 모양의 투

구《면갑(面甲)(visor)이 없음》.

Mo·ris·co [məɾískou] *a.* 무어풍(風)의(Moorish). **—** (*pl.* **~(e)s**) *n.* =MOOR; (스페인의) 무어인; 모리스 춤(morris dance).

morish ⇨MOREISH.

Mor·mon [mɔ́ːrmən] *n.* **1** 모르몬 교도. **2** 모르몬《*Book of Mormon* 중의 가공의 예언자》. ***the Book of ~*** 모르몬교의 성전. ***the ~ State*** 《미》 Utah 주《속칭》. **—** *a.* 모르몬교(도)의. ㊞ **~·ism** [-ìzəm] *n.* Ⓤ 모르몬교.

◇**morn** [mɔːrn] *n.* **1** 《시어》 아침, 여명: at ~ and (at) even 아침저녁으로. **2** (the ~) 《Sc.》 익일, 이튿날(morrow): the ~'s ~ 내일 아침.

Mor·na [mɔ́ːrnə] *n.* 모나《여자 이름》.

†**morn·ing** [mɔ́ːrniŋ] *n.* Ⓒ,Ⓤ **1** 아침, 오전: in the ~ 아침〔오전〕에 / It's a beautiful ~. 아름다운 아침이다 / this 〔tomorrow, yesterday〕 ~ 오늘〔내일, 어제〕아침 / on the ~ of April 1st, 4월 1일 아침에 / on Sunday 〔Monday〕 ~ 일요〔월요〕일 아침에 / ⇨GOOD MORNING. ★ 특정한 날 아침에는 보통 전치사 on을 씀. **2** 《시어》 여명(dawn); (M-) 새벽의 여신《Eos 또는 Aurora》. **3** 《비유》 초기; 여명: the ~ *of* life 인생의 아침, 청년 시대. ***from ~ till*** 〔***to***〕 ***evening*** 〔***night***〕 아침부터 저녁〔밤〕까지, 하루종일. ***of a ~*** =***of ~s*** 아침 나절에 흔히《찾아오다 따위》. ***~, noon, and night*** 낮이나 밤이나, 하루 종일, 끊일 새 없이. ***the ~ after the night before*** =MORNING AFTER. ***toward ~*** 아침녘에, 아침이 가까워져서. **—** *a.* 아침의, 아침에 하는〔쓰는, 나타나는〕: ~ coffee 아침에 마시는 커피 / a ~ draught 조반 전에 마시는 술, 아침술 / a ~ assembly 조례 / a ~ paper 조간(신문) / a ~ session 〖증권〗 전장(前場). **—** *int.* 《구어》 =GOOD MORNING.

mórning áfter (*pl.* ***mórnings áfter***) (the ~) 《구어》 숙취(宿醉).

mórning-áfter pìll (성교 후에 먹는) 경구 피임약.

mórning còat 모닝코트.

mórning dréss (남자의) 보통 예복; (여성) 실내복.

mórning gíft 결혼 다음 날 아침에 남편이 아내에게 주는 선물.

mórning-glòry *n.* **1** 〖식물〗 나팔꽃, 《널리》 메꽃과의 여러 종류. **2** 《경마속어》 연습 때에는 잘 달리나 본경기에서는 이기는 일이 없는 말.

mórning líne 경마 출마표《경마 주최측이 레이스 당일 아침에 발표》.

mórning perfórmance =MATINEE.

Mórning Práyer (영국 국교회의) 아침 기도 (matins).

mórning ròom (주간 가족용) 거실.

mórn·ings *ad.* 《고어》 아침에, 매일 아침.

mórning sìckness 〖의학〗 아침에 나는 구역질, 《특히》 입덧.

mórning stár (the ~) 샛별《금성》.

mórning sùit (남자의) 보통 예복(morning-dress).

mórning·tìde *n.* Ⓤ 《시어》 아침.

mórning wàtch 〖해사〗 아침 당직《오전 4시부터 8시까지》.

Mo·ro [mɔ́ːrou] (*pl.* **~(s)**) *n.*, *a.* 《Sp.》 모로족(의)《필리핀 군도 남부에 삶》; Ⓤ 모로 말(의).

Mo·roc·co [mərákou/-rɔ́k-] *n.* **1** 모로코《아프리카 북서안의 회교국》. **2** (m-) Ⓤ 모로코 가죽(=**morócco léather**)《무두질한 염소 가죽》. ㊞ **Mo·róc·can** [-kən] *a.*, *n.* 모로코(사람)의; 모로코 사람.

mo·ron [mɔ́ːran/-rɔn] *n.* 〖심리〗 노둔(魯鈍)한 사람《지능이 8-12세 정도의 성인; imbecile, idiot 보다는 위》; 《구어》 멍텅구리, 얼간이. ㊞ **mo·ron·ic** [məránik/-rɔ́n-] *a.* 저능의. **mo·ron·ism, mo·ron·i·ty** [mərɑ́nizəm/-rɔ́n-], [mərɑ́nəti/-rɔ́n-] *n.* 저능, 노둔.

◇**mo·rose** [məróus] *a.* 까다로운, 뚱한, 기분이 언짢은; 침울한. ㊞ **~·ly** *ad.* **~·ness** *n.*

morph[1] [mɔːrf] *n.* **1** 〖언어〗 형태. **2** 〖생물〗 (동식물의) 변형.

morph[2] *n.* 《미구어》 모르핀(morphine).

morph- [mɔ́ːrf], **mor·pho-** [mɔ́ːrfou, -fə] '형태, 조성'의 뜻의 결합사.

morph., morphol. morphology; morphological.

mor·phac·tin [mɔːrfǽktin] *n.* 〖생화학〗 모르팍틴《고등 식물의 생장 조절 작용을 갖는 플루오르 화합물》.

mor·phal·lax·is [mɔ̀ːrfəlǽksis] (*pl.* ***-lax·es*** [-lǽksiːz]) *n.* 〖생리〗 형태 조절, 형태 재편.

mor·pheme [mɔ́ːrfiːm] *n.* 〖언어〗 형태소(形態素)《뜻을 나타내는 최소의 언어 단위》. ㊞ **mor·phe·mic** [mɔːrfíːmik] *a.* 형태소의.

mor·phe·mics [mɔːrfíːmiks] *n. pl.* 〔단수취급〕 형태소론(形態素論).

Mor·phe·us [mɔ́ːrfiəs, -fjuːs] *n.* 〖그리스신화〗 모르페우스《잠의 신 Hypnos의 아들로, 꿈의 신》; 《속어》 잠의 신; 잠, 수면. ***in the arms of ~*** 잠들어서(asleep).

mor·phia [mɔ́ːrfiə] *n.* =MORPHINE.

mor·phine [mɔ́ːrfiːn] *n.* Ⓤ 〖약학〗 모르핀.

morph·ing [mɔ́ːrfiŋ] *n.* 〖영화〗 모핑《컴퓨터 그래픽스로 실사 영상을 animation처럼 변형시키는 특수 촬영 기술》.

mor·phin·ism [mɔ́ːrfənìzəm] *n.* Ⓤ 〖의학〗 모르핀 중독. ㊞ **-ist** *n.*

mor·phi·no·ma·nia [mɔ̀ːrfənouméiniə] *n.* Ⓤ 〖의학〗 모르핀 중독. ㊞ **-ni·ac** [-méiniæ̀k] *n.* 모르핀 중독자.

morpho- ⇨MORPH-.

mor·pho·gen [mɔ́ːrfədʒən, -dʒèn] *n.* 〖발생〗 몰포겐《발생 도중의 세포에 작용하여 장래의 구조를 결정하는 화학 물질》.

mòrpho·génesis *n.* 〖발생〗 형태 형성〔발생〕. ㊞ **-ge·nét·ic** *a.*

mor·phol·o·gy [mɔːrfálədʒi/-fɔ́l-] *n.* Ⓤ 〖생물〗 형태학; 〖언어〗 어형론, 형태론; 〖지학〗 지형학; 《일반적》 조직〔형태〕(의 연구). ㊞ **mor·pho·log·ic, -i·cal** [mɔ̀ːrfəládʒik/-lɔ́dʒ-], [-əl] *a.* 형태학(상(上))의; 어형론(語形論)상의. **mòr·pho·lóg·ical·ly** *ad.* **mor·phól·o·gist** [-fál-ə-/-fɔ́l-] *n.* 형태학자.

mor·phom·e·try [mɔːrfámətri / -fɔ́m-] *n.* 형태〔지형〕 계측.

mòrpho·phóneme *n.* 〖언어〗 형태 음소(音素). ㊞ **mòrpho·phonémic** *a.* 형태 음소(론)의.

mòrpho·phonémics *n. pl.* 〔단수취급〕 형태 음소론(音素論).

mòrpho·physiólogy *n.* 형태 생리학.

mor·pho·sis [mɔːrfóusis] (*pl.* ***-ses*** [mɔːr-fóusìːz]) *n.* 〖생물〗 형태 형성〔발생〕 과정; 이상 변이. ㊞ **mor·phot·ic** [mɔːrfátik/-fɔ́t-] *a.*

Mor·ris [mɔ́ːris, már-/mɔ́r-] *n.* 모리스《남자 이름》.

mor·ris *n.* 《영》 =MORRIS DANCE.

Mórris chàir 모리스식 안락의자《등널의 경사를 조절할 수 있음》.

mórris dánce 《영》 모리스 춤《전설상의 남자 주인공을 가장한 무도의 일종》.

Mórris túbe 〖군사〗 모리스식 총열《보통의 총신에 삽입할 수 있는 소구경 총신; 1881년 Richard Morris가 발명》.

mor·row [mɔ́ːrou, már-/mɔ́r-] *n.* 《고어 · 시

어) **1** 이튿날, 내일; 아침. **2** 직후, (사건의) 뒤. ***on the ~ of*** …의 직후에.

Morse [mɔːrs] *n.* **1 Samuel Finley Breese ~** 모스《미국의 전신기 발명자; 1791-1872》. **2** =MORSE CODE. **—*a.*** (종종 m-) 〖전신〗 모스식의. **—*vi., vt.*** (m-) 모스 부호를〔로〕 치다.

morse[1] *n.* 〖동물〗 =WALRUS.

morse[2] *n.* 제의(祭衣)에 달린 쇠단추.

Mórse códe (the ~) 〖전신〗 모스 부호 (=**Mórse álphabet**).

°**mor·sel** [mɔ́ːrsəl] *n.* **1** (음식·캔디 따위의) 한 입〔모금〕; 가벼운 식사. **2** 한 조각, 소량, 조금《*of*》: It wasn't a ~ *of* good. 그것은 조금도 쓸모가 없었다. **3** 식욕을 돋우는 것, 맛난 음식, (한 입의) 맛있는 음식. **4** 매력적인〔기분좋은〕 사람〔것〕. **5** 하찮은〔보잘것 없는〕 사람. **—** (*-l-*, 《영》 *-ll-*) *vt.* 세분하다; 분배하다《*out*》.

mort[1] [mɔːrt] *n.* 〖사냥〗 사냥감의 죽음을 알리는 뿔피리 소리; 죽임; 《폐어》 죽음.

mort[2] *n.* 《영방언》 많음, 대량, 다수《*of*》.

mort[3] *n.* 〖어류〗 3년된 연어.

mort[4] *n.* 《고어·미속어》 여자(girl, woman); 《고어》 연인.

mort. mortuary.

*__mor·tal__ [mɔ́ːrtl] *a.* **1** 죽을 수밖에 없는 운명의. OPP. *immortal.* ¶ Man is ~. 인간은 죽기 마련이다. SYN. ⇨ DEADLY. **2** 인간의, 살아 있는 몸의; 이 세상의: ~ knowledge 인간의 지식 / this ~ life 이 인간 세상. **3** (병 따위가) 치명적인, 생사에 관계된; 사투(死鬪)의; 〖신학〗 영원한 죽음을 초래하는, 죽음에 이르는, 용서받을 수 없는 (OPP. *venial*): a ~ wound 치명상 / a ~ combat 사투 / a ~ disease 죽을 병 / a ~ place 급소(急所) / a ~ weapon 흉기 / a ~ crime 용서받을 수 없는 범죄. **4** 죽음의; 임종의: the ~ hour 임종 / ~ agony 〔fear〕 단말마의 고통〔죽음에 대한 공포〕 / ~ remains 시체, 유해. **5** 살려줄 수 없는《적 등》: a ~ enemy 〔foe〕 불구대천의 적. **6** 《구어》 (몹시) 무서운, 터무니없는, 대단한; 《속어》 지긋지긋한, 지루한: The lecture lasted two ~ hours. 강의는 지루하게 2시간이나 계속됐다 / in a ~ fright 〔funk〕 몹시 겁에 질려서 / in ~ hurry 몹시 서둘러서 / in ~ fear 몹시 두려워서. **7** 〖any, every, no를 강조하여〗 《속어》 대저 생각할 수 있는, 가능한: *every* ~ thing the heart could wish for 바랄 수 있는 모든 것 / It's of *no* ~ use. 조금도 쓸모가 없다.
—*ad.* 《방언》 몹시, 대단히: so ~ cold.
—*n.* **1** 인간, 죽음을 면할 수 없는 것. **2** 《구어·우스개》 놈(person), 사람: a jolly ~ 재미있는 녀석. ㊕ °**~·ly** *ad.* **1** 치명적으로; 《구어》 매우, 심히. **2** 인간으로서.

°**mor·tal·i·ty** [mɔːrtǽləti] *n.* **1** Ⓤ 죽어야 할 운명〔성질〕, 죽음을 면할 수 없음. **2** (전쟁·병으로 인한) 대량 사망; 《폐어》 죽음. **3** 사망자 수, 사망률, (가축의) 폐사율(=**~ ràte**); 없어진 수〔비율〕, 실패율. **4** Ⓤ 인류.

mortálity tàble (보험의) 사망률 통계표.

mórtal lóck 《속어》 (도박 등에서) 절대 확실한 것〔사람〕.

mórtal mínd 〖신화〗 사람의 마음《생명이나 지성은 물질이며, 죽음에 종속하고 있다는 착각〔망상〕》; 〔일반적〕 망상, 환영(幻影).

mórtal sín 〖가톨릭〗 (지옥에 떨어질) 대죄.

*__mor·tar__[1] [mɔ́ːrtər] *n.* Ⓤ 모르타르, 회반죽, 반죽. **—*vt.*** …에 모르타르를 바르다, 모르타르로 접합하다〔굳히다〕.

*__mor·tar__[2] *n.* **1** 절구; 막자사발; 유발(乳鉢). **2** 〖군사〗 박격포, 구포(臼砲); 구포 모양의 발사기《구명 밧줄 발사기 따위》. **—*vt., vi.*** 박격포〔구포〕로 사격〔공격〕하다.

mórtar·bòard *n.* **1** 모르타르를 이기는 판〔흙받기〕. **2** (대학의 예복용) 각모.

mortarboard 2

mor·tary [mɔ́ːrtəri] *a.* 모르타르의〔같은〕.

°**mort·gage** [mɔ́ːrgidʒ] *n.* **1** Ⓤ 〖법률〗 (양도) 저당; 저당잡히기〔넣기〕; 담보: lend money *on* ~ 저당을 잡고 돈을 빌려 주다 / hold a ~ on …을 저당잡고 있다. **2** Ⓒ (양도) 저당권; 저당권에 든 상태. **3** (가옥·토지 구입을 위한) 융자, 대부금.
—*vt.* **1** 저당잡히다〔하다〕: ~ one's house to a person for ten thousand dollars 아무에게 집을 저당잡히고 1만 달러를 빌리다. **2** 《+목+전+명》 (생명·명예 등을) 내던지고 달려들다《*to*》: ~ one's life *to* an object 목숨을 걸고 목적을 수행하다. ㊕ **mort·ga·gee** [mɔ̀ːrgədʒíː] *n.* 〖법률〗 저당권자. **mort·gag·er, mort·ga·gor** [mɔ́ːrgədʒər], [mɔ́ːrgədʒər/mɔ̀ːgidʒɔ́ː] *n.* 〖법률〗 저당권 설정자.

mórtgage bònd 담보부 채권〔사채〕, 저당 채권.

mórtgage 〔mortgagée〕 clàuse 〖보험〗 저당권자 특약 조항《지정 저당권자에 보험금을 지급할 것을 특약한 조항》.

mórtgage dèed 담보 증권.

mórtgage insùrance 〖보험〗 저당(권) 보험《저당권 설정자의 채무 불이행에 따르는 저당 채권자의 손해를 전보하는 보험》.

mórtgage lòan 저당〔담보부〕 융자.

mórtgage ràte (은행 등의) 주택 융자 금리.

mortice ⇨ MORTISE.

mor·ti·cian [mɔːrtíʃən] *n.* 《미》 장의사(葬儀社)(undertaker)《사람》.

mor·tif·er·ous [mɔːrtífərəs] *a.* 치명적인.

mor·ti·fi·ca·tion [mɔ̀ːrtəfikéiʃən] *n.* Ⓤ **1** 〖의학〗 괴저(壞疽), 탈저(脫疽). **2** 금욕, 난행고행(難行苦行). **3** 치욕, 굴욕; 억울, 울분; Ⓒ 억울한 일. ◇ mortify *v.*

°**mor·ti·fy** [mɔ́ːrtəfài] *vt.* **1** (정욕·감정 따위를) 억제하다, 극복하다, 고행정화(苦行淨化)하다. **2** 분하게 생각하게 하다, 굴욕감을 느끼게 하다, (기분을) 상하게 하다. **3** 《드물게》 탈저(脫疽)에 걸리게 하다. **—*vi.*** 고행하다; 《드물게》 탈저에 걸리다; (조직이) 죽다. ◇ mortification *n.* ㊕ **~·ing** *a.* 약 오르는, 원통한, 분한; 금욕의, 고행의.

mor·tise, -tice [mɔ́ːrtis] 〖건축〗 *n.* 장붓구멍.
—*vt.* 장부촉이음으로 잇다《*together; in, into*》; 장붓구멍을 파다; 〖인쇄〗 활자를 짜넣기 위해 (인쇄판을) 도려내다. ***a ~ and tenon joint*** 장부촉이음.

mórtise lòck 파고 집어넣은 자물쇠.

mort·main [mɔ́ːrtmèin] *n.* **1** 〖법률〗 (부동산을 종교 단체 따위에 기부할 때) 영구히 남에게 양도할 수 없게 한 양도형식; 양도 불능의 소유권. **2** 현재를 지배하고 있는 과거의 영향. ***in ~*** 《비유》 영구히 지배를 받고.

Mor·ton [mɔ́ːrtn] *n.* 모턴《남자 이름》.

mor·tu·ary [mɔ́ːrtʃuèri/-tjuəri] *n.* **1** 시체 임시 안치소, 영안실; =MORGUE; FUNERAL PARLOR. **2** 〖역사〗 사후 헌납《교구 목사에게 바치는 죽은 사람의 재산의 일부》. **—*a.*** 죽음의; 매장의: a ~ urn 유골 단지 / a ~ monument 묘비.

MOS metal-oxide semiconductor; metal-oxide silicon; 〖미군사〗 military occupational specialty (주특기 구분). **mos.** months.

Mo·sa·ic, -i·cal [mouzéiik], [-kəl] *a.* 모세(Moses)의.

*__mo·sa·ic__ [mouzéiik] *n.* **1** Ⓤ 모자이크, 모자이크 세공, 쪽매붙임. **2** Ⓒ 모자이크 그림〔무늬〕. **3** 모자이크 지도《항공사진을 이어붙인 것》. **4** 모자이크식의 것; 그러모아 만든 것《문장 등》. **5** Ⓤ 〖식물〗 ⇨ MOSAIC DISEASE. **6** 〖TV〗 모자이크 면(面). ── *a.* 모자이크(식)의, 쪽매붙임의: a ~tile. ── (*-icked; -ick·ing*) *vt.* 모자이크로 장식하다, 쪽매붙이다. ㊎ **-i·cal·ly** *ad.*

mosáic disèase 〖식물〗 모자이크병《식물의 전염병》.

mosáic gòld **1** 모자이크 금《황화제2주석을 주성분으로 하는 인편상(鱗片狀) 결정의 황금색 안료》. **2** =ORMOLU.

mosáic ímage 모자이크 상〔이미지〕.

mo·sa·i·cism [mouzéiəsìzəm] *n.* 〖생물〗 모자이크 현상《한 개체의 서로 다른 부분에 2개 이상의 유전적 대조 형질이 나타나는》.

mo·sa·i·cist [mouzéiəsist] *n.* 모자이크 디자이너; 모자이크공(工); 모자이크(세공) 상인.

Mosáic Láw (the ~) 모세의 율법.

mo·sa·saur [móusəsɔ̀ːr] *n.* 모사사우루스《백악기 후기에 유럽·북아메리카에 있었던 바다 공룡》.

*__Mos·cow__ [máskou, -kau/mɔ́skou] *n.* **1** 모스크바《러시아 연방의 수도》. **2** 러시아 정부.

Mo·selle [mouzél] *n.* Ⓤ 모젤 포도주《프랑스 Moselle강 유역산(産)의 백포도주》.

Mo·ses [móuziz, -zis/-ziz] *n.* **1** 남자 이름《애칭 Mo, Mose》. **2** 〖성서〗 모세《히브리의 지도자·입법자》; 〖일반적〗 지도자, 입법자.

mo·sey [móuzi] 《속어》 *vi.* 배회하다, 방황하다(saunter), 불쑥 방문하다; 발을 질질 끌면서 걷다《*along; about*》; 가다, 떠나다; 도망치다. ── *n.* ~하기.

MOSFET [másfèt/mɔ́s-] *n.* 〖전자〗 금속 산화막 반도체 전장(電場) 효과 트랜지스터. [◂ *metal-oxide semiconductor field effect transistor*]

mosh [maʃ/mɔʃ] *vi.* (격렬하게) 마구 춤추다. ㊎ ∠·**er** *n.* ∠·**ing** *n.*

mo·shav [mouʃáːv] (*pl.* **-sha·vim** [mòuʃəvíːm]) *n.* 모샤브《이스라엘의 자작농 협동 마을》. ⓒⓕ kibbutz.

Mos·lem [mázləm, más-/mɔ́z-] (*pl.* **~s,** 「~) *n., a.* =MUSLIM.

Móslem Brótherhood 이슬람 형제단《이슬람 원리주의에 입각한 과격 단체》.

Móslem fundaméntalism 이슬람 원리주의《이슬람의 전통을 엄수하는 복고주의》.

mosque [mask, mɔːsk/mɔsk] *n.* 이슬람교 성원(聖院), 회교 사원(回敎寺院).

mosque

****mos·qui·to** [məskíːtou] (*pl.* ~(**e**)**s**) *n.* 〖곤충〗 모기: *Mosquitoes* spread disease. 모기는 병을 옮긴다.

mosquíto bòat 《미》 고속 어뢰정.

mosquíto cràft 〖집합적〗 쾌속 소형 함정《수뢰정(水雷艇) 등》.

mosquíto cùrtain 〔**nèt**〕 모기장.

mos·qui·to·ey [məskíːtoui] *a.* 모기가 많은, 모기투성이의.

mosquíto flèet 소함정대(隊)《수뢰정(水雷艇) 따위의 고속 소형 함정으로 이루어진》.

mosquíto hàwk **1** 《미방언》 〖곤충〗 잠자리. **2** 〖조류〗 쏙독새류.

mosquíto nèt 모기장.

mosquíto nètting 모기장감.

*__moss__ [mɔːs, mas/mɔs] *n.* **1** Ⓤ 〖식물〗 이끼; 이끼 비슷한 지의(地衣). **2** 《미속어·경멸》 흑인; 《속어》 머리, 두발; 음모. **3** (종종 the ~es) Ⓒ 《Sc.》 늪, 토탄지(土炭地). ── *vt.* 이끼로 덮다.

Mos·sad [mousáːd] *n.* 모사드《이스라엘의 비밀 정보기관》.

móss àgate 〖광물〗 이끼 마노(瑪瑙).

móss·bàck *n.* (등에 이끼가 낀) 노어(老魚), 늙은 바다거북; 《미구어》 시대에 뒤진 사람(old fogey), 극단적인 보수주의자, 반동주의자; 《미구어》 시골뜨기; 《미》 큰 들소.

Möss·bau·er effect [mɔ́ːsbauər-] 〖물리〗 뫼스바우어 효과《결정(結晶)내의 원자핵이 들뜬 상태에서 바닥 상태로 전이할 때 방출하는 감마선이 동종의 원자핵에 공명(共鳴) 흡수되는 현상》.

Mössbauer spectroscopy [ㅡㅡ] 뫼스바우어 분광.

móss·bùnker *n.* =MENHADEN.

móss grèen 황록색.

móss-gròwn *a.* 이끼 낀; 고풍의, 시대에 뒤진.

móss róse 〖식물〗 이끼장미.

móss·tròoper *n.* 17세기경 잉글랜드와 스코틀랜드의 국경을 횡행하던 도둑; 〖일반적〗 산적, 약탈자, 습격자.

mossy [mɔ́ːsi, mási/mɔ́si] (**moss·i·er; -i·est**) *a.* 이끼가 낀; 이끼 같은; 시대에 뒤떨어진, 케케묵은, 극단으로 보수적인. ㊎ **móss·i·ness** *n.*

móssy zínc 입상(粒狀) 아연《용해된 아연을 물에 흘려서 만드는 표면이 꺼칠꺼칠한 아연》.

†**most** [moust] *a.* 〔many 또는 much의 최상급〕 **1** (양·수·정도·액 따위가) 가장 큰〔많은〕, 최대〔최고〕의. ⓄⓅⓅ *least*. ¶ He won (the) ~ prizes. 가장 많은 상을 탔다. ★ 보통 the를 수반함. **2** 〔관사 없이〕 대개의, 대부분의: ~ people 대부분의 사람들/in ~ cases 대개의 경우는. ***for the ~ part*** ⇨ PART.

── *n., pron.* **1** (흔히 the ~) 최대량〔수〕, 최대한도〔금액〕: This is the ~ I can do. 이것이 내가 할 수 있는 한도다/ask the ~ for it 최고액을 청구하다. **2** 〔관사 없이〕 대부분: *Most* of Arabic speakers understand Egyptian. 아랍어를 말하는 사람들은 대부분 이집트어를 이해한다/He spends ~ *of* his time traveling. 그는 대부분의 시간을 여행으로 보낸다. **3** 〔관사 없이; 복수취급〕 대개의 사람들: a subject ~ find too difficult 대다수의 사람이 매우 어렵다고 생각하는 학과. **4** (the ~) 《미속어》 최고의 것〔사람〕: The movie was the ~. 그 영화는 최고였다. ***at (the) ~*** =***at the very ~*** 많아도〔야〕, 기껏해서. ***make the ~ of*** (기회·능력·조건 따위를) 최대한 이용〔활용〕하다; 가장 중시하다; 될 수 있는 한 좋게〔나쁘게〕 보이다〔말하다〕.

── *ad.* 〔much의 최상급〕 **1** 가장, 가장 많이: This troubles me (the) ~. 이것이 제일 곤란하다. **2** 〔보통 the와 함께 2음절 이상의 형용사·부사 앞에 붙여 최상급을 만듦〕 가장 …, 최대한으로 …: the ~ formidable enemy 가장 두려운 적. **3** 〔the를 붙이지 않고〕 대단히 …, 매우, 극히…: a ~ beautiful woman 매우 아름다운 여자/an argument ~ convincing 대단히 설득력 있는 의논. **4** 〔almost의 생략형〕 《미구어》 거의: It appeals to ~ everybody. 거의 누구의 마음에나 든다. **5** 존칭의 일부로 쓰는 말: *Most* gracious King 〔Queen〕 자비로운 폐하〔여왕 폐하〕. ***~ and least*** 《시어》 한 사람도 남기지 않고, 모두. ***~ of all*** 그중에서도, 유달리. ***one of the ~ (beautiful sights)*** 가장 (아름다운 경치)의 하나; 〔감정적〕 매우 (아름다운 경치).

-most [mòust, məst] *suf.* '가장 …'의 뜻의 형용사를 만듦: end*most*, top*most*.

móst fávored nátion 최혜국(最惠國)《생략: MFN》.

móst-fávored-nátion clàuse (국제법상의) 최혜국 조항.
Móst Hígh (the ~) 신, 상제(上帝).
Most Hon. Most Honorable.
Móst Hónorable 각하《후작 · Bath 훈위자(勳位者)에 대한 존칭; 생략: Most Hon.》.
⁑**most·ly** [móustli] *ad.* **1** 대개는, 대부분은, 보통은: These articles here are ~ made in Korea. 여기에 있는 물품의 대부분은 한국제이다. **2** 주로. cf. almost.
móst signíficant bít 〖컴퓨터〗 (자릿수가) 최상위 비트《생략: MSB》.
móst signíficant dígit 최상위 디지트; 〖컴퓨터〗 최상위 숫자《가장 왼쪽의 숫자; 생략: MSD》.
mot[1] [mou] (*pl.* **~s** [-z]) *n.* 《F.》 말, 경구, 명언. ~ **à** ~ [moutɑːmóu] 축어적으로.
mot[2] [mɑt / mɔt] *n.* 여자, 아가씨; 창녀, 여움.
M.O.T., M.o.T. **1** 《영》 Ministry of Transport 《현재는 Department of Transport》. **2** (the ~) 《영구어》 차량 검사(the M.O.T. test); 차량 검사증.
mote[1] [mout] *n.* **1** (한 점의) 티끌; 아주 작은 조각. **2** 《비유》 《고어》 오점, 흠. ~ ***and beam*** 티와 들보, 남의 작은 과실과 자기의 큰 과실. ~ ***in another's eye*** 남의 눈 속에 있는 티, 남의 사소한 결점《마태복음 VII: 3》.
mote[2] *aux. v.* 《고어》 =MAY; =MIGHT[1].
⁑**mo·tel** [moutél] *n.* 모텔《자동차 여행자 숙박소》. **—** *vi.* 모텔에 들다. [◂ *mo*tor(ists') h*otel*]
mó·tel·i·er [mouteljéi, -líər/moutéljei] *n.* 모텔 경영자.
mo·tet [moutét] *n.* 〖음악〗 모테트《종교 합창곡의 일종》.
*__moth__ [mɔːθ, mɑθ/mɔθ] (*pl.* **~s** [-ðz, -θs], ~) *n.* 〖곤충〗 **1** 나방. **2** 옷좀나방(clothes ~); (the ~) 《주로 영》 좀먹음: get the ~ (옷이) 좀먹다. **3** 《비유》 등불〔유혹〕에 모여드는 것〔사람〕; 경쾌한 비행기.
móth·bàll *n.* 둥근 방충제《둥근 나프탈렌 따위》. ***in* ~s** 넣어〔건사해〕 두어, 퇴장(退藏)하여; (함선 따위를) 예비역에 돌려; (계획 · 행동 등을) 뒤로 미루고. **—** *vt.* **1** …에 방충제를 넣다. **2** 건사해 두다; (군수품을) 장기 보존 상태로 두다, (군함 따위를) 예비역으로 돌리다; (계획 · 활동 등을) 뒤로 미루다: ~*ed* ships 예비 함선(reserve ships). **—** *a.* 건사해 두는, 쓰지 않는.
móthball fléet 예비〔대기〕 함대.
móth-èaten *a.* 좀먹은; 해어진; 《비유》 낡은, 시대에 뒤떨어진.
†**moth·er**[1] [mʌ́ðər] *n.* **1** 어머니: the ~ of two children 두 아이의 어머니 / She is now a ~. 그녀도 어머니가 되었다. **2** 친어머니; 의붓어머니, 시어머니, 장모, 양모, 계모, 서모; 《구어》 (남편이 아내를 가리켜) 애 엄마. **3** 어머니 같은 사람; 아주머니《Mrs.에 해당》; 《미속어》 (포주 등과 같은 어떤 집단의) 엄마 격인 존재. **4** 돌봐 기르는 여자; 대모(代母), 수녀원장(~ superior). **5** (the ~) 모성(애). **6** 《비유》 출처(origin), 근원, 원천(source), 생산자; 〖크리스천사이언스〗 (영원한 원리로서의) 어머니; (병아리) 보육〔사육〕기; 《미공군속어》 (무인기 · 표적기의) 모기(母機); 《미해군속어》 항공모함: an artificial ~ 사육기 / Necessity is the ~ *of* invention. 《격언》 필요는 발명의 어머니. **7** 《미속어》 여자 같은 남자, 호모; 《미비어》 =MOTHERFUCKER. **8** 근사한〔재미있는, 굉장한〕 일〔것, 사람〕.
— *a.* **1** 어머니(로서)의; 어머니 같은: ~ love 모성애. **2** 모국의, 본국의: one's ~ tongue 모국어. ***at* one's ~'s *knee*** 아주 어릴 적에. ***be* (*the*)** ~ 차를 끓여 내다. ***every* ~'s *son* (*of you*)** ⇨ EVERY. ***God's Mother*** =***the Mother of God*** 성모 마리아. ***meet* one's** ~ 《속어》 태어나다: He wished he had never *met his* ~. 태어나지 않았더라면 좋았을 것이라 생각했다. ***Some* ~s** 〔***muvvers***〕 (***do***) ***have 'em!*** 《영구어》 어쩔 수 없는 녀석이야《남의 실수 따위에 대한 절망 · 조소》. ***the* ~ *and father of* (*all*) ...** 《구어》 …중에서도 최고〔최하〕의 것. ***Your* ~ *wears Army boots!*** 《미속어 · 보통 우스개》 설마, 농담이겠지.
— *vt.* **1** …의 어머니가 되다, …의 어머니라고 말하다〔승인하다〕. **2** 어머니로서〔같이〕 돌보다〔기르다〕. **3** (작품 · 사상 따위를) 낳다; …의 작자이다, …의 저자라고 말하다.
moth·er[2] *n.* Ⓤ 초모(醋母)(=∼ **of vínegar**). **—** *vi.* 초모를 생기게 하다.
móther·bòard *n.* 〖컴퓨터〗 주기판《신호 케이블이나 전원 배선을 공통화하기 위해, 각종의 인터페이스 회로판을 배치하는 판》.
Móther Cár·ey's chícken [-kέəriz-] **1** 〖조류〗 작은바다제비. **2** 눈(snow).
Móther Cárey's góose 〖조류〗 큰바다제비.
móther céll 〖생물〗 모세포.
móther chúrch 한 지방의 가장 오래된 교회, 본산(本山); (the M- C-) 〖의인적〗 교회.
móther cóuntry 모국; (식민지에서 본) 본국.
móther·cràft *n.* Ⓤ 아이의 양육술, 육아법.
móther éarth (the ~) 〖의인적〗 대지; 《우스개》 땅바닥: kiss one's ~ 《우스개》 엎어지다.
móther figure 어머니 같은 존재.
móther·fùcker *n.* 《비어》 너절한〔오라질, 어쩔 수 없는, 쌍〕 놈〔것〕, 망할 놈; 이 녀석〔놈〕. ★ 여자에게도 쓰는 일이 있고 또 남자끼리 친근한〔농하는〕 소리로도 씀.
móther·fùcking *a.* 《비어》 비열한, 치사스러운, 불쾌한, 괘씸한, 망할, 쌍놈의.
Móther Gòddess 지(모)신(地母神)(=earth-goddess).
Móther Góose 영국 고래(古來)의 민간 동요집의 전설적 작가; 그 동요집.
Móther Góose rhỳme 《미》 Mother Goose 동요.
móther hén (어느 그룹에서) 남의 일을 잘 보살펴 주는 사람; 《특히 어머니 같은 과보호적인 태도를 보이는 사람》.
moth·er·hood [mʌ́ðərhùd] *n.* Ⓤ **1** 어머니임, 모성(애), 어머니 구실; 모권. **2** 〖집합적〗 어머니.
móther·hòuse *n.* 수녀원장의 집; 수녀원 본부.
Móther Húb·bard [-hʌ́bərd] 옛 자장가의 여주인공; 옷자락이 길고 헐렁한 여성용 가운.
móther ímage 〔**fígure**〕 전형적인〔이상화된〕 어머니 상(像).
móth·er·ing [-riŋ] *n.* **1** 육아(법). **2** 《영》 귀향(歸鄕). **—** *a.* **1** 어머니처럼 보살펴 주는. **2** 《비어》 오라질, 젠장맞을.
Móthering Súnday 《영》 귀향 일요일《Mid-Lent Sunday(사순절의 제4일요일)》.
◇**móther-in-làw** (*pl.* ***móthers-in-làw***) *n.* 장모, 시어머니; 의붓어머니.
móther-in-law apàrtment 〔**ùnit**〕 《미》 =IN-LAW APARTMENT.
móther·lànd *n.* 모국; 조국; 발상지.
móth·er·less *a.* 어머니가 없는; 작자(作者) 미상의.
móther·lìke *a., ad.* 어머니의; 어머니 같은〔같이〕, 상냥한〔하게〕.
móther lòde 〖광물〗 주맥(主脈); 주요한 원천.
◇**móth·er·ly** *a., ad.* 어머니의〔다운〕; 어머니답게; 상냥한. ㊞ **-li·ness** *n.*
móther-náked [-id] *a.* 알몸의.
Móther Nàture **1** 어머니 같은 자연《만물의 창조주로서 nature를 의인화한 말》. **2** (m- n- 또는 mother nature's) 《미속어》 마리화나.

Móther of párliaments (the ~) (의회의 모델인) 영국 의회.
móther-of-péarl *n.* [U] (진주조개 속의) 진주층(層), 진주모(母), 자개.
móther of vínegar 초모(醋母).
móther's bòy 나약한 사내 아이, 얼뜨기.
Móther's Dày ⟪미·Can.⟫ 어머니날⟪5월의 둘째 일요일⟫; (때로 m- d-) ⟪미속어⟫ 매월의 생활 보호 수당 지급일.
móther's hélp ⟪영⟫ 가정부, 아이 보는 사람.
móther's hélper 가정부; 아이 보는 사람.
móther shíp 모함(母艦); 모기(母機), (우주선의) 모선.
móther's méeting ⟪영⟫ (교구 등의) 어머니회; ⟪비유⟫ 열띤 논의.
móther's mílk 모유; 원래부터 좋아하는 것. ***drink* 〔*take, suck*〕 *... in with* one*'s* ~** 뿌리 뽑기 어렵게 …이 몸에 배어 있다.
móther supérior 수녀원장.
Móther Terésa ⇨ TERESA 2.
móther-to-bè (*pl.* ***móthers-to-bè***) *n.* 임신부.
móther tóngue 모국어; 조어(祖語)⟪다른 말이 파생되는⟫.
móther wít 타고난 지혜; 상식.
móther·wòrt *n.* 〖식물〗 익모초; 쑥.
moth·ery [mʌ́ðəri] *a.* 초모성(醋母性)의; 초모를 함유한.
móth·pròof *a.* 벌레〔좀〕 먹지 않는; 방충제를 바른. **—** *vt.* 방충식으로 (가공)하다.
mothy [mɔ́(:)θi, mɑ́θi] (***moth·i·er; -i·est***) *a.* 나방이 많은; 나방 비슷한; 벌레〔좀〕 먹은.
°**mo·tif** [moutíːf] *n.* **1** (미술·문학·음악의) 주제, 테마. **2** 의장(意匠)의 주된 요소; 〖일반적〗 주지(主旨), 특색; (행동의) 자극, 동기. **3** (잠바·트레이닝 등의 가슴) 장식, 무늬, 문자.
mo·tile [móutl, -til/-tail] *a.* 〖생물〗 운동성 있는, 자동력(自動力) 있는. **—** *n.* 〖심리〗 운동형의 사람. [파] **mo·til·i·ty** [moutíləti] *n.* [U] 운동성, 자동력(自動力).
⁑**mo·tion** [móuʃən] *n.* **1** [U] 운동, 활동; (기계 따위의) 운전: laws of ~ 〖물리〗 운동의 법칙.

> [SYN.] **motion** 구체적인 운동보다 추상적인 운동을 나타냄. **movement** 구체적으로 정해진 운동.

2 [U] 이동; (천체 따위의) 운행. **3** [C] 동작, 거동, 몸짓: a ~ *of* the hand 손짓 / her graceful ~*s* 그녀의 우미한 거동 / make a ~ 〔~*s*〕 몸짓으로 알리다. **4** [C] 동의, 발의(發議), 제의, 제안: adopt 〔carry, reject〕 a ~ 동의를 채택〔가결, 부결〕하다 / on the ~ *of* …의 동의로. **5** 〖법률〗 [C] 명령〔재정(裁定)〕 신청. **6** [C] 배변(排便); (*pl.*) 배설물. **7** [U] 〖기계〗 메커니즘, 장치. **8** 〖음악〗 선율의 변화. ***go through the* ~*s of*** …의 시늉〔짓, 몸짓〕을 하다, 마지못해 …을 해보이다. ***have a* ~** 변통(便通)이 있다. ***in* ~** 운전〔운동〕 중의, 움직이고 있는, ***of* one*'s own* ~** 스스로의 발의로; 자진하여. ***put* 〔*set*〕 *in* ~** 움직이다, 운전시키다; (일을) 시작하다.
— *vt.* ⟪+[목]+*to* do/+[목]+[목]/+[목]+[전]+[명]/+[목]+[부]⟫ …에게 몸짓으로 알리다〔지시하다〕: ~ a person *to* go ahead 아무에게 앞으로 가라고 몸짓으로 알리다 / He ~*ed* me a seat. 자리에 앉으라고 몸짓으로 알렸다 / He ~*ed* me *out*. 나가라고 몸짓으로 알렸다 / ~ a person *away* 물러나라고 아무에게 신호하다. **—** *vi.* ⟪+[전]+[명]+*to* do⟫ 몸짓으로 알리다⟪*to*⟫: ~ *to* a boy (*to* come nearer) (가까이 오라고) 소년에게 손짓하다.
[파] **~·al** [-ʃənəl] *a.* 운동의; 운동에 의한, 운동을 일으키는.
*__mo·tion·less__ [móuʃənlis] *a.* 움직이지 않는, 정지한: stand ~ 까딱도 하지 않고 서 있다. [파] **~·ly** *ad.* **~·ness** *n.*
mótion lòtion ⟪CB속어⟫ 자동차 연료.
mótion pícture 영화; (*pl.*) 영화 제작, 영화 산업.
mótion sìckness 멀미, 현기증.
mótion stùdy = TIME AND MOTION STUDY.
mo·ti·vate [móutəvèit] *vt.* …에게 동기를 주다, 자극하다(incite); 움직이다(move), 유발〔유도〕하다, 일으키다. [파] **mó·ti·và·tor** *n.*
mò·ti·vá·tion *n.* [U,C] 자극; 유도; 〖심리〗 (행동의) 동기 부여; 하고 싶은 기분, 열의, 욕구. [파] **~·ist** *n.* 구매 동기 조사원. **~·al** *a.* **mó·ti·vàtive** *a.* **~·al·ly** *ad.*
motivátional reséarch (구매 등의) 동기 조사.
⁑**mo·tive** [móutiv] *n.* **1** 동기(incentive); 동인, 행위의 원인; 목적: the ~ of a crime 범죄의 동기 / from 〔through〕 mercenary ~ 이욕지심(利欲之心)으로. **2** (예술 작품의) 주제, 제재(題材). ***of* 〔*from*〕 one*'s own* ~** 자진해서, 자의로. ***ulterior* ~** 저의, 속마음. **—** *a.* 움직이는, 운동〔행동〕의 계기가 되는, 동기가 되는; 운동의. **—** *vt.* **1** …에 동기를 주다, 유도하다(motivate). **2** (예술 작품의) 주제로 되다. [파] **~·less** *a.* 동기 없는; 이유 없는.
mótive pówer 동력; 원동〔기동〕력; 〖철도〗 기관차.
mo·ti·vic [móutəvik] *a.* 〖음악〗 동기의〔에 관한〕.
mo·tiv·i·ty [moutívəti] *n.* [U] 원동력, 동력.
mot juste [F. moʒyst] (*pl.* ***mots justes*** [—]) (the ~) 적절한 말(right word); 명언.
°**mot·ley** [mátli/mɔ́t-] *a.* 잡색의, 얼룩덜룩한; 잡다한, 뒤섞인, 혼성(混成)의: a ~ fool 잡색 옷을 입은 어릿광대. **—** *n.* 얼룩덜룩한 색; (어릿광대의) 얼룩덜룩한 옷; 뒤범벅. ***wear* (*the*) ~** 어릿광대 역을 하다.
mo·to[1] [móutou] (*pl.* **~s**) *n.* 〖음악〗 운동, 진행(motion).
mo·to[2] (*pl.* **~s**) *n.* 모터크로스의 1회 경주.
mo·to·cross [móutoukrɔ̀ːs, -krɑ̀s/-krɔ̀s] *n.* 모터크로스⟪오토바이의 크로스컨트리 경주⟫.
mo·to·neu·ron [mòutənjúərɑn/-njúərɔn] *n.* 〖생리〗 운동 뉴런. [파] **-néu·ro·nal** *a.*
⁑**mo·tor** [móutər] *n.* **1** 모터, 발동기, 내연 기관; 전동기. **2** 자동차; 모터보트; 오토바이. **3** (*pl.*) 자동차 회사(특히 General Motors사)의 주식〔사채〕. **4** 원동력, 움직이게 하는 것. **5** 〖해부〗 운동근육〔신경〕. **—** *a.* **1** 움직이게 하는, 원동의, 발동의: ~ power 원동력 / the ~ force of economic growth 경제 성장의 원동력. **2** 자동차(용)의; 자동차에 의한: a ~ trip 〔highway〕 자동차 여행〔고속도로〕 / ~ fuels 자동차용 연료 / the ~ industry 자동차 산업 / ~ freight 자동차 화물. **3** 〖생리〗 운동의; 운동 신경〔근육〕의. **—** *vt.* ⟪영⟫ 자동차로 나르다〔보내다〕. **—** *vi.* 자동차를 타다〔로 가다〕: go ~*ing* 드라이브하다.
mó·tor·a·ble [-rəbəl] *a.* (도로가) 차로 달릴 수 있는.
Mo·to·rail [móutərèil] *n.* ⟪영⟫ 모터레일⟪카페리처럼 차와 승객을 나르는 철도 서비스⟫.
mo·to·ra·ma [mòutərǽmə] *n.* 자동차 쇼.
mótor·bìcycle *n.* 오토바이; 모터 달린 자전거, 모터바이크.
mótor·bìke *n.* 모터바이크, 모터 달린 자전거, 소형 오토바이.
mótor·bòat *n.* 모터보트, 발동기선. **—** *vi.* 모터보트로 가다〔를 조종하다〕. [파] **~·er** *n.*
mótor·bòating *n.* 모터보트 놀이; 〖전자〗 모터보팅.
mótor·bùs *n.* 버스.
mótor·càb *n.* 택시.
mótor·càde *n.* ⟪미⟫ 자동차의 행렬(autocade). **—** *vi.* ⟪구어⟫ 자동차 퍼레이드를 하다.
⁑**mo·tor·car** [móutərkɑ̀ːr] *n.* **1** ⟪주로 영⟫ 자동차. **2** 〖흔히 motor car〗 〖철도〗 전동차⟪작업용⟫.

mótor càravan 《영》 취사장·침대가 딸린 자동차, 캠핑카.
mótor còach =MOTORBUS.
mótor còurt 《미》 모텔(motel).
°**mótor·cỳcle** *n., vi.* 오토바이, 자동 자전거(를 타다); 《미혹인속어》 성교. ㊖ **-cỳclist** *n.* 오토바이 타는 사람.
mó·tor·dom [-dəm] *n.* 자동차의 세계.
mótor-drìven *a.* 모터로 움직이는.
mótor·dròme *n.* 자동차〔오토바이〕 경주장.
(-)mó·tored *a.* …모터를 장비한: a bi~ airplane 쌍발 비행기.
mótor gènerator 전동 발전기.
mótor·glìder *n.* 모터 달린 글라이더.
mótor hòme (차대(車臺)에 설비한) 이동 주택.
mótor hotèl 《미》 =MOTEL.
mo·tor·i·al [moutɔ́:riəl] *a.* 운동의, 운동을 일으키는; 운동 신경의.
mo·tor·ic [moutɔ́:rik, -tár-/-tɔ́r-] *a.* 『생리』 운동(성)의(motor). ㊖ **-i·cal·ly** *ad.*
mó·tor·ing [-riŋ] *n.* Ⓤ 자동차 운전(술); 드라이브.
mótor ìnn 도시의 고층 모텔(motor hotel).
°**mó·tor·ist** [-rist] *n.* (자가용) 자동차 운전자〔여행자〕.
mó·tor·ize [-ràiz] *vt.* …에 동력 설비를 하다; 자동차화하다. ㊖ **mò·tor·i·zá·tion** *n.* 동력화, 전동화; 자동차화.
mótor lòdge 《미》 =MOTEL.
mótor lòrry 《주로 영》 화물 자동차.
mótor·man [-mən] (*pl.* ***-men*** [-mən]) *n.* **1** 《미·Can.》 (기관차·지하철 따위의) 운전사. **2** 모터 담당자.
mótor mòuth 《CB속어》 수다쟁이.
mótor nèrve 『생리』 운동 신경.
mótor néuron dìsease 『의학』 운동 뉴론 질환《근(筋) 위축성 측색경화증 등의 진행성 마비를 일으키는 신경 질환의 총칭》.
Mo·to·ro·la [mòutəróulə] *n.* 모토롤라《미국의 전자 기기 회사; 그 제품》.
mótor pàrk 《서아프리카》 주차장.
mótor pòol 《미》 모터풀《배차 센터에 모인 군용·관용 자동차군(群)》; 『미군사』 수송부.
mótor ràcing 자동차 레이스〔경주〕.
mótor sàiler 기범선(機帆船)《모터 달린 범선》.
mótor scòoter 스쿠터.
mótor shìp 발동기선, 《특히》 디젤선《생략: MS》. ⓒⓕ steamship.
mótor shòw 자동차 전시회.
mótor skìll 『심리』 운동 기능〔습숙(習熟)〕《어떤 운동을 반복 연습하여 숙련된 상태》.
mótor spírit 《영》 휘발유.
mótor torpédo bòat (고속) 어뢰정(《미》 mosquito boat, PT boat; 《영》 E-boat).
mótor trùck 《미》 트럭, 화물 자동차(《영》 motor lorry).
mótor vàn 《영》 유개 트럭.
mótor vèhicle 자동차《승용차·버스·트럭 따위의 총칭》.
mótor·wày *n.* 《영》 자동차 도로, 고속도로.
mótorway màdness 《구어》 (짙은 안개 등 악천후 하의) 고속도로에서의 과속〔난폭〕 운전.
mo·to·ry [móutəri] *a.* =MOTORIAL.
Mo·town [móutàun] *n.* 《미》 모타운. **1** Detroit의 이명《Motor Town의 단축형》. **2** 모타운 사운드《1950년대부터 Detroit의 흑인 중심으로 생긴 강한 비트를 가진 리듬 앤드 블루스》. **3** 1957년 Detroit에 설립한 레코드 회사.
motte, mott [mɑt/mɔt] *n.* 《미남서부》 (초원 지대의) 총림(叢林).
M.O.T. 〔**M.o.T.**〕 **tést** [éməutì:-] (the ~) 《영구어》 (정기적인) 차량 검사.
mot·tle [mátl/mɔ́tl] *vt.* …에 반점을 붙이다, 얼룩덜룩하게 하다. ― *n.* 얼룩, 반점, 얼룩덜룩함; 잡색 털실. ㊖ **~d** [-d] *a.* 얼룩의, 잡색의.
mot·to** [mátou/mɔ́tou] (*pl.* **~(*e*)*s) *n.* **1** 모토, 표어, 좌우명: a school ~ 교훈. **2** 금언, 격언(maxim); 처세훈. SYN. ⇨SAYING. **3** (방패나 문장(紋章)에 쓴) 제명(題銘). **4** (책·논문 따위의 첫머리에 인용한) 제구(題句), 제사(題詞). **5** 『음악』 (상징적 의미를 지닌) 반복 악구.
Mo·tzu [mòutsú:] *n.* 묵자(墨子)《기원전 5세기경의 중국의 유교 사상가》.
mouch [mu:tʃ] *vi., vt.* 《영》 =MOOCH.
moue [mu:] *n.* 《F.》 찡그린〔부루퉁한〕 얼굴.
mouf·(f)lon [mú:flan/-lɔn] (*pl.* **~**) *n.* 『동물』 야생의 양《남유럽산》.
mou·jik [mu:ʒík, ´-/´-] *n.* =MUZHIK, MUZJIK.
mou·lage [mu:lá:ʒ] *n.* (범죄 증거로서의 발·타이어 자국의) 석고 뜨기; 그 석고형(型), 물라주.
mould ⇨MOLD[1, 2, 3].
moulder ⇨MOLDER[1, 2].
moulding ⇨MOLDING[1, 2].
mouldy ⇨MOLDY.
mou·lin [mu:lǽn] *n.* 《F.》 빙하의 세로 뚫린 구멍; 물레방아, 풍차.
moult ⇨MOLT.
moul·vi [máulvi] *n.* 이슬람 법률학자.
***mound**[1] [maund] *n.* **1** 토루(土壘); 둑, 제방. **2** 흙무덤; 석가산(石假山): shell ~*s* 패총. **3** 작은 언덕, 작은 산. **4** 산더미처럼 쌓아 올린 것: a ~ of hay 한 더미의 건초. **5** 『야구』 투수판, 마운드(pitcher's ~)《투수가 서는 지면이 주변보다 조금 높은 곳》: take the ~ 『야구』 투수판을 밟다, 플레이트에 서다. ― *vt.* **1** …에 석가산〔둑〕을 쌓다; 토루로 보호하다〔둘러싸다〕. **2** 토루로〔석가산으로, 둑으로〕 쌓다; (흙을) 쌓아 올리다.
mound[2] *n.* (왕관 따위의) 보주(寶珠).
Móund Buìlders 무덤·둑을 쌓았던 유사(有史) 이전의 북아메리카 원주민.
móund dùel 『야구』 투수전.
móunds·man [-mən] (*pl.* ***-men*** [-mən]) *n.* 《야구속어》 투수.
***mount**[1] [maunt] *vt.* **1** (산·계단 따위를) 오르다(ascend), (대(臺)·무대 따위에) 올라가다: ~ a platform 등단(登壇)하다. **2** (말 따위에) 타다, 올라타다〔앉다〕, 걸터앉다: ~ a horse. **3** 《~+목/+목+전+명》 (사람을) 태우다《말·높은 곳 따위에》; (사람에게) 탈 말을 주다; 기병(騎兵)으로 하다: be ~*ed* on stilts 죽마(竹馬)에 올라타다. **4** 《~+목/+목+전+명》 (적당한 곳에) 놓다, 붙박다; (보석 따위를) 끼우다, 박아넣다, (사진 따위를 대지에) 붙이다; (수채화·지도 따위를) 표장(表裝)하다, 뒷받침을 대다; (검경물(檢鏡物)을 슬라이드에) 올려놓다; (포대·군함 따위에 포를) 갖추다, (포를 포가·군함·진지에) 설치하다, 탑재하다《*with*》: ~ a ruby *in* a ring 루비를 반지에 박아 넣다/The ship is ~*ed with* eight cannons. 그 군함은 포를 8문 탑재하고 있다. **5** 장치하다, 준비하다; (동식물 표본·검경물 따위를) 만들다, (동물을) 박제 표본으로 하다, (곤충을) 표본으로 하다; (포를) 포구를 위로 하여 발포 태세로 하다; (직기(織機)에) 실을 걸다. **6** (전람회·전시회 등을) 개최하다, (극 따위를) 상연하다. **7** (항의·데모·공격·전투 등을) 준비하다, 시작하다. **8** (옷을) 걸치다, 입다, 입어 보이다. **9** 《~+목/+목+전+명》 (경비에) 임하다, (보초·망을) 세우다《*on; over*》: ~ guard *over* a gate. **10** (동물의 수컷이 교미하려고 암컷 위에) 올라타다. ― *vi.* **1** 《+전+명/+부》 (양이나 강도가) 증가하다, 늘다《*up*》; (높은 자리·지위·수준으로) 오르다, 승진하다《*to*》; (플랫폼 따위에) 오르다: The cost of all those small purchases

~*s up*. 자잘한 구입품 비용이 늘어난다 / He ~*ed to* the chief of a police station. 그는 경찰서장으로 승진했다. **2** 《~/+전+명》 (말 따위를) 타다《*on*》: ~ *on* a horse 말을 타다. ***be well* 〔*poorly*〕 *~ed*** 좋은〔나쁜〕 말을 타다. ***~ the throne*** ⇨ THRONE.

— *n*. **1** 승(용)마, 탈것. **2** 물건을 놓는 대, 대지(臺紙); (반지 등의) 거미발; 〖군사〗 포가(砲架); (현미경의) 검경판, 슬라이드. **3** 오르기, 올리기.

:mount[2] *n*. **1** 산, 언덕; …산《보통 Mt.로 생략해 산 이름에 붙임》: *Mount* 〔*Mt.*〕 Everest. **2** (손금 보기에서) 궁(宮)《손바닥 살의 융기》.

móunt·a·ble *a*. 올라갈〔오를〕 수 있는.

†moun·tain [máuntən] *n*. **1** 산, 산악: We go to the ~*s* in summer. 여름에는 산에 갑니다. ★보통 hill 보다 높은 것을 말함; 고유명사 뒤에 쓰이고 앞에는 쓰지 않음. **2** (*pl*.) 산맥, 연산(連山): The Rocky *Mountains* 로키 산맥 / The ~*s* have brought forth a mouse. 《속담》 태산명동(泰山鳴動)에 서일필(鼠一匹)《크게 떠벌리기만 하고 실제의 결과는 작은 경우》. **3** 산적(山積), 다수, 다량: I've got ~*s of* work to do. 할 일이 태산 같다 / a ~ *of* rubbish 쓰레기 더미 / a ~ *of* a wave 산더미 같은 파도. **4** (the M-) 산악당《프랑스 혁명 당시 의사당에서 높은 자리를 차지했던 과격파》. **5** 〖형용사적〗 산의, 산같이 큰; 산에 사는, 산에 나는; 〖부사적〗 산처럼: ~-high 산과 같이 높은〔높게〕. ***make a ~* (*out*) *of a molehill*** ⇨ MOLEHILL. ***move* 〔*remove*〕 *~s*** 기적을 행하다; 최선을 다하다. ***Muhammad and the ~*** 거짓이 드러나도 태연한 사람《마호메트가 자기 앞으로 산을 부르겠다고 했으나 오지 않으므로 스스로 산에 간 고사에서》. ***Muhammad must go to the ~***. (상대방이 오지 않는다면) 이 쪽이 가지 않으면 안 될 것이다《정세에 따라 방침을 바꿀 때에 말함》. ★조건절과 결구의 주어를 바꿔 다음과 같이 해도 같은 뜻: If Muhammad will not come to the ~, (then) the ~ must go to Muhammad. ***the ~ in labor*** 애만 쓰고 보람 없는 일.

móuntain àsh 〖식물〗 마가목류.

móuntain bìke 산악 자전거.

móuntain càt =BOBCAT; 퓨마(cougar).

móuntain chàin 산맥, 연산(連山).

móuntain clìmbing 등산(mountaineering). ㊞ **móuntain clìmber**

móuntain dáylight tìme (종종 M- D-T-) 《미》 산악 하절(夏節) 시간《생략: MDT》.

móuntain déw 1 《구어》 (특히 밀조) 위스키. **2** (M- D-) 마운틴 듀《미국 Pepsi-Cola 사제의 청량음료; 상표명》.

°moun·tain·eer [màuntəníər] *n*. 등산가; 산지 사람, 산악인. **—** *vi*. 등산하다.

***moun·tain·eer·ing** [màuntəníəriŋ] *n*. Ⓤ 등산.

móuntain gòat (로키 산맥에 사는) 야생 염소.

móuntain-hígh *a*. (파도 따위가) 산더미 같은.

móuntain làurel 〖식물〗 (미국 동부산의) 칼미아.

móuntain lèather 〖광물〗 석면의 일종.

móuntain lìon 퓨마.

móuntain màn 산악 주민; 산지민; 변방 개척자.

***moun·tain·ous** [máuntənəs] *a*. **1** 산이 많은, 산지의: a ~ district 산악 지방. **2** 산더미 같은, 거대한(huge): ~ waves 큰 물결. ㊞ **~·ly** *ad*. **~·ness** *n*.

móuntain òyster 《미》 요리한 양(羊)이나 소의 불알.

móuntain rànge 산맥, 연산(連山); 산악 지방.

móuntain shèep =BIGHORN; 산지의 야생 양.

móuntain sìckness 고산병, 산악병.

moun·tain·side [máuntənsàid] *n*. 산허리, 산 중턱.

Móuntains of the Móon (the ~) 월산(月山)《나일강의 수원(水源)으로 여겼던 이집트의 전설상의 산》.

Móuntain (Stándard) Tìme 《미》 산지(山地) 표준시.

Móuntain Stàte 로키산맥 주(州)《로키산맥이 지나는 미국 서부의 8주의 하나: Montana, Idaho, Wyoming, Nevada, Utah, Colorado, Arizona, New Mexico》.

móuntain sỳstem 산계(山系).

móuntain·tòp *n*., *a*. 산꼭대기(의).

Móuntain Vìew 마운틴 뷰《California 주 서부 San Jose의 북서쪽에 있는 시; 국립 항공 연구소가 있으며, 항공 우주 산업 · 일렉트로닉스 산업이 발전》.

móuntain wìnd 저녁 무렵 산에서 골짜기로 부는 바람, 재넘이.

móuntain wìne 백포도주의 일종.

moun·tainy [máuntəni] *a*. 산이 많은, 산지(山地)의; 산지에 사는.

moun·te·bank [máuntəbæ̀ŋk] *n*. 돌팔이 (약장수, 의사); 사기꾼, 협잡꾼(charlatan). **—** *vi*. 가짜 약을 팔다; 사기를 치다. ㊞ **~·ery** [-əri] *n*. Ⓤ 사기 행위, 협잡질.

móunt·ed [-id] *a*. **1** 말 탄: a ~ bandit 마적. **2** 붙박은, 앉힌, 설치한; 대지(臺紙)에 붙인; 끼워박은; (총 · 대포 등) 발사 준비를 완료한. **3** 〖군사〗 (수송 등에) 기동력이 있는. ***~ infantry* 〔*police*〕** 기마 보병〔경관〕.

móunt·er *n*. 얹어 놓는 사람, 장치〔설치〕하는 사람, 보석 따위를 박는 사람, 표구(表具)를 하는 사람; 시계 · 반지에 보석을 박는 사람; 현미경 등에 렌즈를 끼우는 사람; 기구에 부속품을 장치하는 사람; 가구에 장식(조각 등)을 하는 사람.

Moun·tie, Mounty [máunti] *n*. 《구어》 (캐나다의) 기마 경관.

móunt·ing *n*. **1** Ⓤ (대포 따위의) 설치, 장비. **2** Ⓒ 〖군사〗 포가(砲架), 총가; (*pl*.) (장식용) 마구(馬具). **3** Ⓒ 대지(臺紙); 표장(表裝); 세공, 만들기; 박제(剝製). **4** Ⓤ 타기; 승마.

móunting blòck (말 · 버스 탈 때의) 디딤돌.

Mòunt Sáint Élsewhere 《속어》 말기 환자〔회복 불능 환자〕가 가는 별실.

Mòunt Vér·non [-vɔ́ːrnən] Potomac 강변의 George Washington의 주택 · 매장지.

***mourn** [mɔːrn] *vi*. 《+전+명》 **1** 슬퍼하다, 한탄하다《*for; over*》: ~ *for* 〔*over*〕 one's misfortune 불행을 한탄하다. **2** 죽음을 애통해 하다(grieve); 조상(弔喪)하다, 애도하다; 몽상〔거상〕(蒙喪〔居喪〕)하다《*for; over*》: ~ *for* the dead 죽은이를 애도하다. **—** *vt*. **1** 슬퍼하다. **2** (죽음을) 슬퍼하다, (사자를) 애도하다; 거상하다: ~ the loss of one's mother 어머니의 죽음을 슬퍼하다. **3** 슬퍼해 하며 말하다.

°móurn·er *n*. 슬퍼하는 사람; 애도자; 조객, 회장자(會葬者); 대곡(代哭)꾼; (전도 집회의) 간증자(干證者): the chief ~ 상주.

móurners' bènch 《미》 회개자석《전도 집회 등에서 간증자(干證者)가 앉는 자리》.

***mourn·ful** [mɔ́ːrnfəl] *a*. **1** 슬픔에 잠긴. **2** 음산한, 쓸쓸한(gloomy). **3** 애처로운, 슬픔을 자아내는: a ~ occasion 슬픈 때. SYN. ⇨ SAD. **4** (성격 따위가) 음침한, 음울한: a ~ person. ㊞ **~·ly** *ad*. **~·ness** *n*.

°móurn·ing *n*. Ⓤ **1** 비탄(sorrowing), 슬픔; 애도(lamentation). **2** 상(喪), 거상 (기간); 기중(忌中). **3** 상복, 상장(喪章), 조기(弔旗). ***be in ~*** ① 몽상(蒙喪) 중이다, 상복〔거상〕을 입고 있다. ② 《미》 눈두덩이 멍들다《얻어맞아서》; 《미》 (손톱에) 때가 끼어 있다. ***go into* 〔*put on, take to*〕 *~*** 몽상하다. ***leave off* 〔*go out of*〕 *~*** 탈상하다. **—** *a*. 슬픔의, 애도의; 상복의, 상장의. ㊞ **~·ly**

ad. 슬퍼서, 슬픈 듯이.
móurning bàdge 〔**bànd**〕 상장(喪章).
móurning clòak 『곤충』 신부나비.
móurning còach 영구차.
móurning dòve 산비둘기의 일종《북아메리카산》.
móurning pàper 까만 테를 두른 편지지.
móurning rìng (유품으로 남긴) 반지.
mouse [maus] (*pl.* ***mice*** [mais]) *n.* **1** 생쥐. **2** 겁쟁이. **3** 귀여운 아이, 예쁜이《여자에 대한 애칭》. **4** 《속어》 (얻어맞은 눈언저리의) 시퍼런 멍. **5** (내리닫이 창문의) 분동, 추. **6** 〔형용사적〕 쥐색의(~ color). **7** (*pl.* **~s**) 『컴퓨터』 마우스《바닥에 볼(ball)을 붙인 장치로, 책상 위 따위를 거쳐 CRT 화면 상의 커서(cursor)를 이동시킴》: ~ button 마우스 단추《마우스 위에 있는 단추; 누르면 명령어가 선택·실행됨》/ ~ cursor 마우스 커서〔깜박이〕/ ~ driver 마우스 돌리개《마우스의 움직임을 입력받고 처리하는 프로그램》. (***as***) ***drunk as a*** (***drowned***) ~ 고주망태가 되어. ***like a drowned*** ~ 물에 빠진 쥐 모양의, 비참한 몰골로. ~ ***and man*** 모든 생물. ***neither man nor*** ~ 살아 있는 모든 것은 모두 …않다. ── [mauz] *vt.* **1** 찾다, 몰아내다. **2** (고양이가 쥐 다루듯) 못살게 굴다, 잡아찢다(tear). **3** 『해사』 (갈고랑이 끝을) 가는 끈으로 묶다. ── *vi.* **1** (고양이 등이) 쥐를 잡다. **2** 《~+副》 찾아다니다《*about*》; 노리다《*after; for*》.
móuse còlor 쥐색.
móuse-èar *n.* 『식물』 조팝나물류; 물망초류.
móuse·hòle *n.* 쥐구멍; 좁은 출입구; 좁고 답답한 주거.
móuse màt 《영》 =MOUSE PAD.
móuse pàd 『컴퓨터』 마우스패드《마우스를 올려놓고 움직이는 판》.
móuse pòinter 『컴퓨터』 마우스 포인터《마우스를 움직일 때 화면에서 지시한 대로 움직이는 화살표 모양의 표시》.
móuse potàto 컴퓨터광(狂).
mous·er [máuzər] *n.* **1** 쥐를 잡는 동물《고양이 등》; (사냥감을 찾는 듯이) 헤매고 다니는 사람: a good ~ 쥐를 잘 잡는 고양이〔개〕. **2** 《속어》 콧수염(mustache).
móuse·tàil *n.* 미나리아재빗과의 식물.
móuse tràcking 『컴퓨터』 마우스 트래킹《마우스의 이동 거리에 대한 화면 상의 포인터의 이동 거리 지표》.
móuse·tràp *n.* **1 a** 쥐덫; 작은 집〔장소〕. **b** 후림수; (소비자의 마음을 끄는) 신제품; 『미식축구』 마우스트랩, 트랩플레이《수비의 라인맨을 고의로 자기 쪽 스크리미지 라인으로 유인하는 플레이》. **2** (쥐덫에 쓰는) 냄새 강한 치즈, 《우스개》 싸구려 치즈. ***build a better*** ~ (경쟁 상대를 이기기 위해) 구미 당기는 신제품을 만들다〔제공하다〕. ── *vt.* 함정에 빠뜨리다; 『미식축구』 (수비측 선수)에게 마우스트랩을 걸다.
mous·sa·ka, mou·sa- [mu:sáːkə, mùːsaː-káː/musáːkə] *n.* 무사카《양 또는 소의 저민 고기와 얇게 썬 가지를 포개 넣어 치즈·소스를 쳐서 구운 그리스·터키의 요리》.
mousse [mu:s] *n.* U,C 거품 이는 크림《얼리거나 젤라틴으로 굳힌 것》.
mousse·line [mu:slíːn/múːslin, mu:slíːn] *n.* 《F.》 **1** =MUSLIN. **2** 거품이 이는 크림을 섞은 올랑데즈소스(=~ **sauce**).
mousseline de laine [*F.* muslindəlɛn] 《F.》 모슬린.
mousseline de soie [*F.* -swa] 《F.》 명주 「메린스.
mous·seux [*F.* musø] *n.* 《F.》 발포(發泡)성 와인. ── *a.* (와인이) 발포성의.
mous·tache [mʌ́stæʃ, məstǽʃ/məstáːʃ] *n.* 《주로 영》 =MUSTACHE.
Mous·te·ri·an [mu:stíəriən] *a.* 『고고학』 무스테리안기(期)《구석기 시대의 한 시기》의.
mousy, mous·ey [máusi, -zi/-si] (***mous·i·er; -i·est***) *a.* 쥐 같은, 쥐같이 조용한〔겁 많은〕; 쥐 많은; 쥐냄새 나는; 쥐색의. ㊞ **móus·i·ly** *ad.* **-i·ness** *n.*
†**mouth** [mauθ] (*pl.* **~s** [mauðz], 《소유격》 **~'s** [mauθs]) *n.* **1** 입, 구강; 입 언저리, 입술: The dentist told him to open his ~ wide. 치과 의사가 입을 크게 벌리라고 그에게 말하였다 / with a smile at the corner(s) of one's ~ 입가에 미소를 띠고. **2** (보통 *pl.*) (먹여 살려야 할) 식솔, 부양가족; 짐승: many ~*s to* feed 많은 부양가족 / a useless ~ 밥벌레, 식충. **3** 입 같은 것〔부분〕《주머니·병 아가리·출입구·빨대 구멍·총구멍·강어귀 따위》: at the ~ *of* a river 강어귀에. **4** 발언, 남의 입, 소문: in everyone's ~ 소문이 자자하여 / in the ~ *of* …의 이야기에 의하면. **5** 말투, 어조: in 〔with〕 a French ~ 프랑스 말투로. **6** 말대답〔대꾸〕, 건방진 말투(cheek). **7** 찡그린 얼굴(grimace): make ~*s at* a person ⇨ 관용구. **8** 입의 감촉, 맛. **9** (재갈이 먹히는) 말의 입: a horse with a good 〔hard〕 ~ 재갈에 길든〔길들지 않은〕 말, 순한〔사나운〕 말. ***a*** ~ ***full of South*** 《미속어》 남부 사투리. ***be all*** ~ ***and trousers*** 《영구어》 말뿐이지 행동이 없다. ***blow off*** one***'s*** ~ =shoot off one's ~. ***by word of*** ~ 구두로, 말로 전하여. ***cut the*** ~ 〔***chat***〕 《미속어》 말을 하지 않다. ***down in*** 〔***at***〕 ***the*** ~ 《구어》 풀이 죽은, 의기소침한. ***from*** ~ ***to*** ~ (소문 등이) 입에서 입으로 전하여. ***give*** ~ …을 말하다〔입 밖에 내다〕《*to*》; (개 등이) 짖다. ***have a big*** ~ 큰 소리로 이야기하다; 큰소리〔허풍〕치다; 함부로 떠들어대다. ***have a foul*** ~ ① 입버릇이 나쁘다, 입이 걸다. ② (폭음한 뒤) 입안이 바싹 타다. ***have a*** ~ ***like the bottom of a birdcage*** 〔***parrotcage***〕 《영속어》 과음하여 입안이 깔깔하다〔텁텁하다〕. ***keep*** one***'s*** ~ ***shut*** 《구어》 비밀을 지키다; 입을 다물다. ***make a*** ~ 〔~***s***〕 ***at*** 입을 삐죽거리다, 얼굴을 찡그리다. ***make*** a person***'s*** ~ ***water*** ⇨ WATER. ***open*** one***'s*** ~ ***too wide*** 엄청난 값을 부르다, 지나친 요구를 하다. ***out of*** 〔***from***〕 a person***'s own*** ~ 직접 아무의 입으로부터. ***Out of the*** ~ ***comes evil.*** 《속담》 입이 화근. ***put*** one***'s money where*** one***'s*** ~ ***is*** 《구어》 자신이 말한 것에 대하여 실제 행동으로〔돈을 내어〕 증명하다. ***put*** (***the***) ***words into*** a person***'s*** ~ 아무에게 말할 것을 가르치다; 아무의 입을 빌려 말하게 하다, 아무가 말을 한 것으로 치다. ***run off at the*** ~ 《미속어》 마구 지껄여 대다; 어리석은 소리를 하다. ***shoot off*** one***'s*** ~ =***shoot*** one***'s*** ~ ***off*** ⇨ SHOOT. ***stop*** 〔***shut***〕 a person***'s*** ~ (아무를) 입막음하다. ***take the words out of another's*** ~ ⇨ WORD. ***with one*** ~ 이구동성(異口同聲)으로. ***with open*** 〔***full***〕 ~ 넋을 잃고, 어안이 벙벙하여; 솔직히; 큰 소리로.
── [mauð] *vt.* **1** (입을 크게 벌려) 거창하게 말하다; 연설조로 말하다(declaim); 지껄이다, 소리치다. **2** (소리내지 않고) 입만 움직여 말하다〔전하다〕. **3** (아무를) 비난하다. **4** (무엇을) 입에 넣다, 물다, 핥다. **5** (말을) 재갈에 길들게 하다.
── *vi.* **1** 입을 우물거리다; 얼굴을 찌푸리다《*at*》. **2** 큰 소리〔연설조〕로 말하다. **3** (강이 만·바다 등에) 흘러들다《*in; into*》. ~ ***it*** (닭싸움에서) 부리로 서로 맞쪼다. ~ ***off*** 《속어》 (건방진) 말대꾸를 하다; (의견·반론 등을) 당당히 말하다; 말참견하다. ~ ***on*** 《미속어》 …에 관해서 밀고〔폭로〕하다.
móuth·brèeder *n.* 입안에서 알이나 치어(稚魚)를 기르는 열대어.
(-)**mouthed** [mauðd, mauθt] *a.* 입이 있는;

…입의: a foul-~ man 독설가, 말버릇이 고약한 사람/a hard-~ horse 말을 잘 듣지 않는〔사나운〕 말.

mouth·er [máuðər] *n.* 흰〔큰〕소리 치는 사람.

móuth-filling *a.* (말·글이) 장황한, 과장된.

mouth·ful** [máuθfùl] *n.* **1** 한입(의 양), 한입 가득(한 양). **2** 얼마 안 되는 음식; 소량. **3** 발음하기 어려운 긴 말; 《미속어》 오랜 격론〔비난〕. **4** 《미구어》 하고 싶은 말; 당연한〔적절한〕 말; 중대한 말: say a ~ 중요한〔적절한〕 말을 하다. ***make a ~ of …을 단숨에 들이켜다.

móuth òrgan 〖음악〗 하모니카; 목적(牧笛) (panpipe)). 「(口器).

móuth·pàrt *n.* (보통 *pl.*) (절지동물의) 구기

°**móuth·pìece** *n.* **1** (악기의) 부는 구멍; (대롱·파이프 따위의) 입에 무는 부분, (물)부리; (전화의) 송화구. **2** 대변자; 《속어》 (형사) 변호사. **3** (말의) 재갈. **4** 〖권투〗 마우스피스.

móuth-to-móuth *a.* (인공호흡이) 입으로 불어넣는 식의: ~ resuscitation.

móuth·wàsh *n.* 양치질 약. 「있어 보이는.

móuth-wàtering *a.* 군침을 흘리게 하는, 맛

mouthy [máuði, máuθi/-ði] (***mouth·i·er; -i·est***) *a.* 흰〔큰〕소리치는; 고함을 치는; 수다스러운. ㊕ **móuth·i·ly** *ad.* **móuth·i·ness** *n.*

mou·ton [mú:tan/-tɔn] *n.* Ⓤ (beaver나 seal 가죽처럼 가공한) 양 가죽.

mòv·a·bíl·i·ty *n.* Ⓤ 가동성.

***mov·a·ble, move-** [mú:vəbəl] *a.* **1** 움직이는, 움직일 수 있는; 이동할 수 있는, 가동(성)의. **2** (해에 따라) 날짜가 바뀌는《부활절 따위》. **3** 〖법률〗 동산(動産)의(personal). ㉢ real. ¶~ property 동산. **—** *n.* **1** 움직일 수 있는 것. ⓄⓅⓅ *fixture*. **2** (보통 *pl.*) 가구, 가재(家財). **3** (*pl.*) 동산. ㊕ **-bly** *ad.*

móvable-dó sỳstem [-dóu-] 〖음악〗 이동도(do) 방식《각 조(調)의 주음(主音)을 도(do)로 하여 노래하는 창법(唱法)》. ㉢ fixed-do system.

móvable féast 이동 축제일《해에 따라 날짜가 변하는 Easter 따위》(ⓄⓅⓅ *immovable feast*); 《우스개》 때없이 수시로 먹는 식사.

móvable géne 〖유전〗 움직이는 유전자《DNA 사이를 전이(轉移)하는 DNA의 단위 영역 중에 존재하는 유전자》.

†**move** [mu:v] *vt.* **1 a** 《~+목/+목+부》 움직이다, 이동시키다, 옮기다: ~ troops 부대를 이동시키다/~ a piece 〖체스〗 말을 쓰다〔움직이다〕/~ a desk *away* 책상을 치우다. **b** 시동하다, 진행〔운전〕하다: ~*d* by electricity 전기로 움직이는. **2** 《~+목/+목+전+명》 이사하다〔시키다〕; (사람을) 전근〔이동〕시키다: ~ house 이사하다/~ the main office *from* Daejeon *to* Seoul 본사를 대전에서 서울로 이전하다. **3** (뒤)흔들다(stir). **4** 《~+목/+목+전+명/+목+*to* do》 감동〔흥분〕시키다, …의 마음을 움직이다, 자극하다; …의 결의를 동요시키다; …할 마음이 일어나게 하다(impel): ~ a person *to* anger 〔laughter〕 아무를 성나게 하다〔웃기다〕/be ~*d* to tears 〔action〕 감동해 눈물을 흘리다〔행동에 옮기다〕/Nothing will ~ him. 어떤 일이 있어도 그의 결심은 변하지 않을 게다/be 〔feel〕 ~*d to* do …하고 싶은 생각이 들다/What ~*d* you *to* do this? 무슨 마음으로 이런 짓을 했나. **5** 《고어》 (감정을) 뒤흔들다, 일으키다. **6** (상품을) 팔다, 처분하다. **7** …에 제소하다: ~ a court 법원에 제소하다. **8** 《~+목/+*that* 절》 제안하다, …의 동의(動議)를 내다; …이라고 제의하다: ~ *that* the case be adjourned for a week 심의의 1 주간 연기를 제의하다. **9** 〖의학〗 (창자의) 배설을 잘 되게 하다: ~ the bowels 변(便)을 순조롭게 하다. **—** *vi.* **1** 《~/+전+명》 움직이다, 몸을 움직이다, (기계 따위가) 회전〔운전〕하다; 흔들리다, 동요하다: It was calm and not a leaf ~*d*. 바람이 없어 나뭇잎 하나 흔들리지 않았다/~ *on* a hinge 경첩으로 움직이다. **2** 《~/+전+명》 행동〔활동〕하다, 조치를 강구하다; 생활하다; 활약하다, 나들이하다, 돌아다니다: ~ *against* the plan 그 계획에 반대 운동을 하다/~ *in* a matter 사건에 대해 손을 쓰다/~ *in* musical society 음악계에서 활약하다. **3** 《~/+부/+전+명》 이동하다; 이사하다; 《구어》 떠나다, 나가다 《*away; off; on*》: "*Move along*, please!" said the bus conductress. '안으로 들어가 주세요' 라고 버스 안내양이 말하였다/The earth ~*s round* the sun. 지구는 태양 주위를 돈다. **4** (상품이) 잘 나가다, 팔리다: The article is *moving* slowly. 그 상품은 잘 나가지 않는다. **5** (사건이) 진전하다, 진행하다. **6** 《+부/+전+명》 (차·배 따위가) 나아가다, 전진하다: ~ *forward* 〔*backward*〕 전진〔후퇴〕하다/The ship ~*d before* the wind. 배는 순풍을 타고 나아갔다. ⓈⓎⓃ. ⇨ADVANCE. **7** 《+전+명》 (정식으로) 제안〔신청〕하다, 요구하다《*for*》: The defense ~*d for* a new trial. 피고 측은 재심을 요구했다. **8** (변(便)이) 통하다. **9** 〖체스〗 말을 쓰다〔움직이다〕.

get moving 선뜻 떠나다, 곧 행동하다. ***~ about*** 〔***around***〕 돌아다니다; 이곳저곳 주소를 바꾸다. ***~ aside*** 옆으로 밀어 놓다; 옆으로 비키다. ***~ away*** 떠나다; 물러나다, 이사하다. ***~ back*** 물러서다; (먼저 살던 곳으로) 되돌아가다; 《미속어》 돈이 들게 하다. ***~ down*** 《*vt.*+부》 ① (계급·지위에서) 끌어내리다; 격하시키다. **—** 《*vi.*+부》 ② (지위 등이) 내려가다. ***~ for*** …의 동의를 내다, …을 신청하다. ***~ heaven and earth to*** do 온갖 수단을 다하여 …하다: Bill ~*d heaven and earth to* get a ticket for the concert. 빌은 그 음악회의 입장권을 구하려고 동분서주했다. ***~ in*** 들어오다, 개입하다; 이사해 오다: ~ *in* high 〔good〕 society 상류사회에 출입하다. ***~ in on*** 《미구어》 ① …을 습격하다. ② 작용〔공작〕하다. ③ 질책하다. ④ …에 간섭하다. ***~ off*** 떠나다; 《속어》 죽다; (상품이) 팔리다. ***~ on*** 《*vi.*+부》 ① 계속 전진하다; 공격하다. ② 전직(轉職)하다. ③ (새로운 화제로) 옮겨가다《*to*》. ④ (세월이) 흘러가다. ⑤ 《미학생속어》 구애하다. **—** 《*vt.*+부》 ⑥ 계속 나아가게 하다; 물러가게 하다. ***~ out*** 이사해 가다. ***~ over*** 좌석을 죄이다; (후배에게) 지위를 넘겨주다. ***~ a person's blood*** 아무를 격분시키다. ***~ up*** 《*vi.*+부》 ① …로 승진〔승급〕하다. ② 나아가다: *Move up to* the front 앞쪽으로 나아가 주십시오. ③ 자리를 죄이다. **—** 《*vt.*+부》 ④ 승진〔승급〕시키다. ⑤ (군대를) 전선에 내보내다. ⑥ (시일을) 앞당기다: They ~*d* their wedding date *up* a month. 그들은 결혼식 일자를 1개월 앞당겼다.

— *n.* **1** 움직임, 동작, 운동. **2** 행동, 조처: a clever ~ 현명한 조처/What's our next ~? 우리들이 취할 다음 행동은 무엇입니까. **3** 이동; 이사. **4** 진행, 추이(推移). **5** 〖체스〗 말의 움직임, 말 쓸 차례, 수; (the ~) 외통수: the first ~ 선수(先手)/It's your ~. 네가 둘 차례다. **6** 〖컴퓨터〗 옮김. ***get a ~ on*** 《구어》 출발하다; 급히 서둘다, 날쌔게 행동하다; 진척되다. ***know*** 〔***be up to***〕 ***every ~*** (***on the board***) =***know a ~ or two*** 수를 알고 있다, 빈틈이 없다. ***make a ~*** ① 움직이다, 활동하다. ② 행동하다, 수단을 쓰다. ③ 떠나다, 물러나다; (식사 등을 끝내고) 일어서다. ④ 〖체스〗 말을 움직이다, 두다. ***on the ~*** 항상 움직이고 있는, 활동하고 있는; 이동 중인; (일이) 진행 중인.

㉥ ∠·less *a.* 움직이지 않는; 정지한.

moveable ⇨ MOVABLE.

móve-ìn *n.* 이입(移入), 전입.

move·ment [múːvmənt] *n.* Ⓒ **1 a** 움직임; Ⓤ 운동, 활동; 운전 (상태). OPP *quiescence.* ¶ the ~ of heavenly bodies 천체의 운행. SYN. ⇨ MOTION. **b** 이동; 옮김, 이주, (인구의) 동태; 〖군사〗 기동, 작전 행동, 전개. **c** 마음의 움직임, 충동. **2 a** 동작, 몸짓, 몸가짐; (*pl.*) 말투, 태도, 자세: her graceful ~*s* 그녀의 우아한 몸놀림. **b** (주로 *pl.*) 행동, 동정(動靜): Nothing is known of his ~*s.* 그의 동정을 전혀 모른다. **c** (정치적 · 사회적) 운동; (보통 the M-) 여성 해방 운동: the antislavery ~ 노예 폐지 운동. **d** 운동 조직 〔단체〕. **3 a** (시대의) 동향, 추세; Ⓤ (사건 · 이야기 따위의) 진전, 변화, 파란, 활기: a play 〔novel〕 lacking in ~ 변화가 적은 연극〔소설〕. **b** 〖상업〗 (시장의) 활황, 상품 가격〔주가〕의 변동, 동향: price ~*s.* **4 a** (생각 따위가) 결론에 접근하는 과정, 생각이 굳어짐. **b** (식물의) 발아, 생장; (무생물의) 동요, 진동《*of* the waves》. **5 a** (그림 · 조각 따위의) 움직임, 동적(動的) 효과. **b** 〖음악〗 악장; 율동, 박자, 템포; 〖운율〗 율동적인 흐름〔가락〕: the first ~ *of* a symphony 교향곡의 제 1 악장. **6** (시계 따위 기계의) 작동 기구〔장치, 부품〕. **7** 변통(便通); (변통 1 회분의) 배설물: have a ~ 변이 나오다. ***in the*** ~ 풍조〔시세〕를 타고.

móvement làwyer 좌익 그룹 혹은 반체제파의 활동에 동조(同調)하는 변호사.

mov·er [múːvər] *n.* 움직이는 사람〔물건〕; 발동기; 발의자, 동의(動議) 제출자, 제안자; 《미》 이삿짐 운송업자; 〖미국사〗 (19세기의) 서부로 간 이주민. ***the first*** 〔***prime***〕 ~ 주동자, 발기인; 발동기, 원동력.

móver and sháker (도시의 정치적 · 문화적 분야에서의) 유력자, 거물.

mov·ie [múːvi] *n.* **1** 《구어》 영화; (종종 the ~) 영화관: a spy 〔war〕 ~ 스파이〔전쟁〕 영화 / make a ~ of ... =make ... into a ~ …을 영화화하다 / go to a ~ 영화보러 가다. **2** (the ~s) 〖집합적〗 영화; 영화의 상영: go to the ~*s* 영화 보러 가다. **3** (the ~s) 영화 산업; 영화 흥행. **4** 〖형용사적〗 영화의: a ~ fan 영화 팬 / a ~ theater 영화관 / a ~ star 영화 스타.

móvie càmera 《미》 영화 카메라(cinecamera).

mov·ie·dom [múːvidəm] *n.* Ⓤ,Ⓒ 영화계(filmdom).

móvie fiend =MOVIEGOER.

móvie film 영화 필름(cinefilm).

móvie·gòer *n.* 자주 영화 구경 다니는 사람, 영화 팬.

móvie·gòing *n., a.* 영화 구경(의): the ~ public 영화 팬들.

móvie hòuse 《구어》 영화관.

móvie·lànd *n.* 영화 제작지《특히 헐리우드》; 영화계(filmdom).

móvie·màker *n.* 영화 제작자.

Mo·vie·o·la [mùːvióulə] *n.* 무비올라《영화 필름 편집기; 상표명》.

Móvie·tòne *n.* 무비톤《사운드 트랙을 사용한 최초의 기법; 상표명》.

mov·ing [múːviŋ] *a.* **1** 움직이는; 이동하는. **2** 감동시키는, 심금을 울리는: a ~ story. **3** 움직이게 하는, 원동력의. ── *n.* Ⓤ 움직이는 일; 선동, 감동. ***a*** 〔***the***〕 ~ ***spirit*** 중심인물, 주창자. ~ ***of the waters*** 소란, 흥분, 변화, 난동. ㉥ ~·**ly** *ad.* 감동적으로.

móving àrm 〖컴퓨터〗 이동암《이동 머리저장판 장치에서 머리틀을 달고 움직이는 부품》.

móving áverage 〖통계〗 이동 평균.

móving-cóil *a.* 〖전기〗 가동(可動) 코일형(型)의.

móving párt (기계의) 회전부(분).

móving pávement 《영》 =MOVING SIDEWALK.

móving pícture 영화.

móving sídewalk 〔**plátform, wálk**〕 《미》 움직이는 보도(步道).

móving stáircase 〔**stáirway**〕 에스컬레이터(escalator).

móving vàn 《미》 가구 운반차, 이삿짐 트럭(《영》 pantechnicon).

móving violàtion (주행 중의) 교통 위반《과속 · 신호 위반 따위》.

mow[1] [mou] (~***ed;*** ~***ed*** or ~***n*** [moun]) *vt.* **1** (풀 · 보리 따위를) 베다, 베어내다, (들 따위의) 풀을 베다: ~ the lawn 잔디를 깎다. **2** 《+목+부》 (군중 · 군대 따위를 포화로) 쓰러뜨리다, 소탕하다《*down; off*》: Machine guns ~*ed down* the enemy. 기관총으로 적군을 소탕하였다. ── *vi.* 풀 베기를 하다.

mow[2] [mau] *n.* 마른 풀〔곡식〕더미; (광 안의) 건초〔곡식〕 두는 곳.

mow[3], **mowe** [mau, mou/mau] 《고어》 *n.* 찡그린 얼굴. cf. mop². ── *vi.* 얼굴을 찡그리다.

mow·er [móuər] *n.* 풀 베는 사람〔기계〕, (정원의) 잔디 깎는 기계(lawn ~).

mow·ing [móuiŋ] *n.* 풀베기; (풀 · 곡식의) 한 번 베어 들인 양; 《미》 목초지(牧草地).

mówing machìne 풀 베는 기계(mower).

mown [moun] MOW¹의 과거분사. ── *a.* 벤, 베어낸.

MOX 〖원자력〗 mixed oxide (혼합 산화물 연료).

moxa [máksə/mɔ́k-] *n.* Ⓤ 뜸쑥: ~ cautery 뜸.

mox·i·bus·tion [màksəbʌ́stʃən/mɔ̀k-] *n.* 뜸(요법).

mox·ie [máksi/mɔ́k-] *n.* 《미속어》 정력, 활력; 용기; 기술, 경험. [◂《상표명》 *Moxie*]

mox nix [máksníks/mɔ́ks-] 《미속어》 괜찮아, 아무래도 좋아.

moya [mɔ́iə] *n.* 〖지학〗 화산니(火山泥).

Mo·zam·bi·can [mòuzəmbíːkən] *a.* 모잠비크(사람)의. ── *n.* 모잠비크 사람.

Mo·zam·bique [mòuzæmbíːk, -zəm-] *n.* 모잠비크《아프리카 남동부의 공화국; 수도 Maputo》.

Mo·zart [móutsɑːrt] *n.* **Wolfgang Amadeus** ~ 모차르트《오스트리아의 작곡가; 1756-91》. ㉥ **Mo·zár·te·an, -ti·an** *a.*

moz·za·rel·la [màtsərélla/mɔ̀tsə-] *n.* 《It.》 모차렐라《희고 연한 이탈리아 치즈》.

moz·zet·ta [mouzétə] *n.* 〖가톨릭〗 모제타《교황 · 기타 고위 성직자가 착용하는 두건이 달린 짧은 망토》.

MP, M.P. [émpíː] (*pl.* ***M.P.s, M.P.'s*** [-z]) *n.* 《영》 국회의원. [◂ *M*ember of *P*arliament]

MP medium playing record. **M.P.** Metropolitan Police; Military Police; Mounted Police; Municipal Police. **mp** 〖음악〗 mezzo piano. **m.p.** melting point. **MPA** Master of Public Administration. **MPAA** 《미》 Motion Picture Association of America. **MPC** 〖컴퓨터〗 multimedia personal computer《multimedia 처리 기능을 갖춘 PC》; Military Payment Certificate (군표(軍票)). **MPD** multiple personality disorder (다중 인격 장애). **MPEA** 《미》 Motion Picture Export Association. **MPEG** 〖컴퓨터〗 Motion Picture Experts Groups《동화상의 포맷 명칭》. **mpg, m.p.g.** miles per gallon. **mph, m.p.h.** miles per hour. **M.Ph.** 《미》 Master of Philosophy. **MPM, mpm** meters per minute. **MPS, mps, m.p.s.** meters per second.

MP3 [émpì:θrí:] *n.* 〖컴퓨터〗 MP3《컴퓨터 음향〔음악〕 파일의 압축 방식 또는 그렇게 만들어진 파일》: ~ player, MP3 플레이어.

MPU 〖컴퓨터〗 microprocessor unit (초소형 연산 처리 장치)《Intel사 개발의 퍼스널 컴퓨터》. **MPV** multipurpose vehicle (다목적 차). **MPX** multiplex. **MQ** metolquinol 《사진 현상액》.

MQ devèloper 〖사진〗 메톨 하이드로퀴논 현상액(現像液). [◂ *met*ol and hydro*q*uinone]

†**Mr., Mr** [místər] (*pl.* ***Messrs.*** [mésərz]) *n.* **1** …씨, …선생, …님, …군, …귀하《남자의 성·성명·직명 등 앞에 붙이는 경칭》: *Mr.* (John) Smith (존) 스미스 씨 / *Mr.* and Mrs. Miller 밀러 씨 부처 / *Mr.* President 대통령 각하; 총장〔회장〕님 / *Mr.* Speaker 의장(님).

> NOTE (1) 기혼 여성이 '(우리 바깥) 주인'이라고 할 때, 예를 들어 그녀가 Mrs. Smith이면, *Mr.* Smith라고 함: *Mr.* Smith is now in France. 우리 집 주인 양반은 지금 프랑스에 가 계십니다. (2) Mr., Mrs., Dr., Mt. 따위에는 점이 없는 형이 병용됨.

2 미스터, 대표적인 남성, …의 전형(典型): *Mr.* Korea 미스터 코리아 / *Mr.* Baseball 야구의 명수. [◂ mister]

MR motivational research; map reference; 《영》 Master of the Rolls. **M/R** mate's receipt. **mr., mR** milliroentgen(s). **MRA, M.R.A.** 《미》 Moral Re-Armament.

Mr. Big [⌐⌐] 《구어》 (회사 등을 실제로 움직이는) 진짜〔숨겨진〕 실력자; (범죄 조직 등의) 흑막.

MRBM medium range ballistic missile (준중거리 탄도 미사일). **MRC, M.R.C.** 《영》 Medical Research Council. **M.R.C.A.** multirole combat aircraft (다목적 전술기).

Mr. Charlie 〔**Charley**〕 [⌐⌐] 《미속어》 =MISTER CHARLIE.

Mr. Clean [⌐⌐] 《구어》 청렴한 인사《특히 정치가》.

M.R.C.P.(**E.**〔**I.**〕) Member of the Royal College of Physicians (of Edinburgh 〔Ireland〕). **M.R.C.S.**(**E.**〔**I.**〕) Member of the Royal College of Surgeons (of Edinburgh 〔Ireland〕). **M.R.C.V.S.** Member of the Royal College of Veterinary Surgeons.

MRE [émà:rí:] *n.* 간이〔휴대〕 식량《일선 병사와 불난 곳의 소방관에게 지급되는》. [◂ *m*eals *r*eady to *e*at]

MRFA mutual reduction of forces and armaments (중부 유럽 상호 병력·군비 삭감 교섭).

Mr. Fix·it [⌐fíksit] 《구어》 (가정용품 따위) 수리를 잘하는 사람, 만능꾼; 중재자, 해결사.

M.R.G.S. Member of the Royal Geographical Society. **MRI** magnetic resonance imaging (자기(磁氣) 공명 영상법)《체내의 원자에 핵자기 공명을 일으켜 얻은 정보를 컴퓨터로 화상화하는 생체 검색 수법》. **m(-)RNA** messenger RNA.

Mr. Nice Guy [⌐⌐⌐] 《속어》 느낌이 좋은 사내, 좋은〔착한〕 사람: No more ~! 이제부터는 착한 사람이 아니다, 정도껏 해라.

Mr. Right [⌐⌐] =MISTER RIGHT.

†**Mrs., Mrs** [mísiz, míz-/mís-] *n.* **1** (*pl.* ***Mmes.*** [meidá:m]) …부인(夫人), 님, 씨, …여사《Mistress의 생략; 보통 기혼 여성의 성 또는 그 남편의 성명 앞에 붙임》: *Mrs.* (John) Smith (존) 스미스 여사《법률 관계에서는 *Mrs.* Mary Smith 메리 스미스 여사》/ Dr. and *Mrs.* Smith 스미스 박사 부처. ★ 남편이 남에게 '안사람'이라는 뜻으로는 *Mrs.* ...라고 함. 예를 들면 스미스 씨는 '안사람'의 뜻으로 *Mrs.* Smith라고 함. **2** 전형적인 기혼 부인; 미시즈《지방·스포츠 등의 대표적 여성을 나타내어》: *Mrs.* Homemaker 이상적인 주부 / *Mrs.* Universe 미시즈 유니버스. **3** (the ~) 《구어》 (자기의) 아내; (남의) 부인.

MRSA 〖의학〗 methicillin-resistant *Staphylococcus aureus* (메티실린 내성 황색 포도상 구균)《대부분의 항생 물질이 효과가 없어 면역력이 약한 환자에게는 위험함》.

Mrs. Grun·dy [⌐grʌ́ndi] 말이 많은 사람, 세간의 구설.

Mrs. Mop 〔**Mopp**〕 [⌐máp/⌐mɔ́p] 《영우스개》 잡역부(雜役婦)(charwoman).

MRT mass rapid transit (대량 수송 교통 기관). **MRTA** *Movimiento Revolucionario Tupac Amarú* 《Sp.》 (투파크 아마루 혁명 운동)《페루의 반정부 게릴라 조직》. cf. Tupac Amarú.

Mr. Universe [⌐⌐] 미스터 유니버스《근육이 발달한 힘센 남자》.

MRV moon roving vehicle; multiple reentry vehicle (다탄두 재돌입 미사일). **MS** motor ship; multiple sclerosis. **MS., ms.** Manuscript; millisecond(s). **M.S.** Master of Science; Master of Surgery; mail steamer. **M/S, m.s.** months after sight (일람 후 …개월불(拂)).

⁑**Ms.** [miz] (*pl.* ***Mses*** [mízəz]) *n.* …씨《미혼, 기혼의 구별이 없는 여성의 존칭》.

MSA 《미》 Mutual Security Act 〔Agency〕 (상호 안전 보장법〔본부〕); Master of Science in Agriculture. **MSB** 〖컴퓨터〗 most significant bit. **MSBLS** 〖우주〗 microwave scanning beam landing system (마이크로 웨이브 주사 착륙 시스템). **MSC** Manned Spacecraft Center (유인 우주본부); 《영》 Manpower Services Commission. **M. Sc.** Master of Science.

MS-DOS [émèsdɔ́:s, -dás/-dɔ́s] *n.* MS 도스《Microsoft사가 CPU i 8088용으로 개발한 퍼스널 컴퓨터의 운영 체제; 상표명》.

M.S.E. Member of the Society of Engineers. **msg.** message. **MSG** monosodium glutamate. **Msgr.** Monsignor. **M. Sgt., M/Sgt.** 《미》 Master Sergeant. **MSI** 〖컴퓨터〗 medium-scale integration (중규모 집적 회로).

m'sieur [məsjə́:r, məsjər] *n.* =MONSIEUR.

Ms. Right [⌐⌐] =MISS RIGHT.

M-16 (**rìfle**) [émsìkstí:n(-)] *n.* M-16 소총《구경 0.223인치의 자동 소총》.

MSK meter-second-kilogram(me). **m.s.l.** mean sea level (평균 해면(海面)). **M.S.M.** Meritorious Service Medal. **MSR** missile site radar (미사일 기지 레이더). **MSS** 〖컴퓨터〗 mass storage system (대용량(大容量) 기억 시스템〔장치〕). **MST** Mountain Standard Time. **M.S.T.S.** Military Sea Transportation Service. **M.S.W.** Master of Social Welfare; Master of Social Work. **MSY** maximum sustainable yield 《(자원의 재생력 범위 내에서의) (연간) 최대 산출〔생산〕량》. **Mt.** [maunt] (*pl.* ***Mts.***) Mount: ~ Everest 에베레스트 산. **MT** machine translation; megaton(s); 〖미우편〗 Montana. **M.T.** mechanical 〔motor〕 transport; Metric Ton; Mountain Time. **mt.** mount; mountain. **MTB, M.T.B.** motor torpedo boat. **MTBF** 〖전자〗 mean time between failure (평균 고장 시간 간격). **MTCR** Missile Technology Control Regime (미사일 기술 관리 수출 규제 제도; 미사일 기술의 확산 방지를 위해 1987년 미국이 제의). **M.Tech.** Master of Technology. **M'ter** Manchester. **mtg.** meeting; mortgage. **mtge.** mort-

gage. **mth.** month.
M₃, M-3 [émθríː] *n.* 〖경제〗 M_3《M_2에 각종 금융 기관의 예금·저금과 신탁 원금을 더한 한 나라의 화폐 공급량(money supply)》.
mtl. metal. **mtn.** mountain. **MTO** 〖군사〗 Mediterranean Theater of Operations (지중해 작전 지역)《제 2 차 세계대전시》. **MTOGW** 〖항공〗 maximum take-off gross weight (최대 이륙 총중량). **M.T.P.I.** Member of the Town Planning Institute. **MTR** material testing reactor. **Mt. Rev.** Most Reverend. **Mts., mts.** mountains. **MTTF** 〖컴퓨터〗 mean time to failure (평균 고장 시간)《하나의 장치를 구입한 순간에서부터 최초의 수리 작업이 발생할 때까지의 평균 시간》. **MTTR** 〖전자〗 mean time to repair 〔recovery〕(평균 수복(修復) 시간). **MTV** Music Television《24시간 인기 가수·그룹의 비디오를 방영하는 미국의 사설 방송》.
M₂, M-2 [émtúː] *n.* 〖경제〗 M_2《M_1에 각종 금융기관의 정기성 예금을 더한 통화 공급량》. ⓒⓕ M_3.
mu [mjuː/mjuː] *n.* 그리스어 알파벳의 12번째 글자《M, μ; 로마자의 M, m에 해당함》.
muc- [mjúːk], **mu·ci-** [mjúːsi], **mu·co-** [mjúːkou, -kə] '점액(mucus)'의 뜻의 결합사.
†**much** ⇨《p. 1645》MUCH.
mu·cha·cha [muːtʃáːtʃə] (*pl.* **~s**) *n.*《미남서부》소녀, 젊은 여자; 식모.
mu·cha·cho [muːtʃáːtʃou] (*pl.* **~s**) *n.*《미남서부》소년, 젊은 남자; 하인.
much·ly [mʌ́tʃli] *ad.*《우스개》대단히, 매우.
much·ness [mʌ́tʃnis] *n.* Ⓤ《고어·구어》많음. ***much of a*** **~** 엇비슷한, 대동소이한.
mu·cho [múːtʃou, mʌ́-; *Sp.* múːtʃo] *a.* 많은, 넘치는, 충분한. **—** *ad.* 매우, 몹시, 대단히.
mu·ci·lage [mjúːsəlidʒ] *n.* Ⓤ 끈적끈적한 물질, (동식물이 분비하는) 점액; 고무풀. ㊞ **mu·ci·lag·i·nous** [ˌ-lǽdʒənəs] *a.* 점액질의, 끈적끈적한; 점액을 분비하는.
mu·cin [mjúːsin] *n.* 〖생화학〗 점액소(粘液素).
muck [mʌk] *n.* Ⓤ **1** 거름, 퇴비. **2** 쓰레기, 오물; 더러운 것〔일〕; (또는 a ~)《구어》불쾌한 물건, 너절〔시시〕한 물건, 하찮은 읽을거리; 《구어》난잡. ***be in*** 〔***all of***〕 ***a*** **~** 흙투성이가 되어 있다. ***make a* ~ *of*** …을 더럽히다; …을 엉망으로〔못쓰게〕 만들다. **—** *vt., vi.* **1** 비료를〔거름을〕 주다. **2**《구어》더럽히다; 망쳐 놓다;《속어》실패하다. **~ *about*** 〔***around***〕 ①《주로 영구어》빈둥거리다; 배회하다. ② …을 만지작거리다《*with*》; …에 간섭하다. **~ *in with***《영구어》…와 일〔활동〕을 같이하다. **~ *out*** (마구간 등)의 오물을 청소하다; 청소하다.
muck·a·muck, muck·et·y·muck [mʌ́kəmʌ̀k], [mʌ́kəti-] *n.*《미속어·보통 경멸》높은 양반, 거물(high-muck-a-muck);《미북서부》음식물(food). **—** *vi.*《미북서부》음식물을 먹어 치우다, 먹다.
múck·er[1] *n.*《영속어》호되게 넘어짐; 봉변, 재난. ***come a*** **~** 쿵 넘어지다; 대실패하다. ***go a* ~** ① =come a ~. ② 돈을 허투루〔함부로〕 쓰다《*on; over*》.
múck·er[2] *n.*《미》(광산 따위의) 폐석(廢石)을 가려내는 사람;《미속어》막돼먹은 사람;《영속어》동료, 패거리.
muck·et [mʌ́kit] *n.*《미속어》=TOUPEE.
múck·hìll, múck·hèap *n.* 거름〔오물〕 더미.
muckle ⇨ MICKLE.
múck·luck *n.* =MUKLUK.
múck·ràke *vi., vt.* (저명인사 등의) 추문을 폭로하다〔캐고 다니다〕. ㊞ **-ràker** *n.* 추문 폭로자.
múck·sprèader *n.* 퇴비 살포기.
múck-ùp *n.*《영속어》혼란 (상태), 엉망진창; 실수, 실패.
「쇠; 부랑아.
múck·wòrm *n.* 똥벌레, 구더기;《비유》구두
mucky [mʌ́ki] (***muck·i·er; -i·est***) *a.* 거름의, 거름 같은; 더러운;《영구어》불유쾌한, 싫은;《영구어》(수단이) 비열한;《영구어》(날씨가) 구질구질한. ㊞ **múck·i·ness** *n.*
múcky-mùck *n.*《미속어》중요 인물, 거물.
muc·luc [mʌ́klʌk] *n.* =MUKLUK.
mùco·cutáneous *a.* 〖의학〗 피부와 점막의: ~ lymphnode syndrome 피부 점막 림프절 증후군《생략: MCLS》.
「당(多糖).
mùco·polysáccharide *n.* 〖생화학〗 무코다
mu·co·sa [mjuːkóusə, -zə/-sə] (*pl.* **-sae** [-siː, -sai, -ziː, -zai], **~s, ~**) *n.* 〖해부〗 점막.
mu·cos·i·ty [mjuːkɑ́səti/-kɔ́s-] *n.* Ⓤ 끈적끈적함, 점액성.
mu·cous [mjúːkəs] *a.* 점액(성)의; 끈적끈적한; 점액을 분비하는: a ~ cough 담이 나오는 기침/the ~ gland 점액선(腺)/the ~ membrane 점막(粘膜).
mu·cus [mjúːkəs] *n.* Ⓤ (동물의) 점액; (식물의) 진: nasal ~ 콧물.
‡**mud** [mʌd] *n.* **1** Ⓤ **a** 진흙, 진창; 〖석유〗 =DRILLING MUD: (as) clear as ~《우스개》전혀 까닭 모를, 극히 모호한. **b**《속어》커피;《미속어》거무스름하고 물컹한 것. **2 a** 시시한 것, 찌꺼기;《미속어》(카니발의 매점에 나오는) 싸구려 플라스틱 경품: sell for the ~ 헐값으로 팔다. **b** 저주스러운 사람〔것〕;《미속어》아편(opium);《무선속어》분명치 않은 신호. **3** 악의적인 비난, 욕설, 중상. ***consider*** a person ***as*** **~** 〔***as the* ~ *beneath*** one***'s feet***〕 아무를 아주 무시하다. ***fling*** 〔***sling, throw***〕 **~ *at***《구어》…의 얼굴에 똥칠하다; …을 헐뜯다, …의 욕을 하다. (***Here's***) **~ *in your eye!***《구어》축배를 듭시다. ***His name is* ~.** 그는 신용이 땅에 떨어졌다, 평이 말 아니다. ***stick in the* ~** 진창에 빠지다;《비유》궁지에 몰리다, 꼼짝 못 하게 되다; 보수적이다. **—** *vt.* 흙투성이로 하다, 더럽히다. **—** *vi.* 흙 속에 숨다.
MUD Multi-User Dungeon 〔Dimension〕《여러 명의 사용자가 같은 데이터베이스 시스템에서 동시에 즐길 수 있는 게임》.
múd·bànk *n.* 진흙 둑, 이토제(泥土堤)《해안·호안을 따라 또는 강 한가운데에 생긴 이토질(泥土質)의 융기》.
múd bàth 흙탕 목욕《류머티즘 따위에 유효》.
múd bùg《미남부》가재(crayfish).
múd·càp *a.* 진흙으로 덮은.
múd·càt *n.* 〖어류〗 (미국산) 큰 메기.
múd dàuber 〖곤충〗 나나니벌.
mud·der [mʌ́dər] *n.*《경마속어》진창길 코스를 잘 달리는 말〔선수〕.
◇**mud·dle** [mʌ́dl] *vt.* **1** 《+목+부/+목+전+명》 혼합하다; 혼란시키다, 뒤섞어 놓다《*up; together; with*》; (술로) 머리를 흐리멍덩하게 하다;《미》(음료를) 휘저어 섞다; 갈피를 못 잡게 하다; (발음을) 똑똑히 내지 않다: I often ~ *up* their names. 나는 종종 그들의 이름을 혼동한다/Don't ~ my books (*up*) *with* his. 나의 책과 그의 책을 뒤섞지 않도록 해라/Please don't ~ me *with* so many questions. 너무 여러 가지 질문을 해서 나를 혼란하게 하지 마시오. **2** (계획 따위를) 망쳐 놓다. **3** (빛깔·물을) 흐리게 하다, 진흙투성이로 만들다. **4** 《+목+부》 (시간·돈 따위를) 낭비하다《*away*》: ~ *away* a fortune 재산을 낭비하다. **—** *vi.* 갈피를 못 잡다; 실수하다. **~ *about*** 〔***around***〕 헤매다, 어정거리다; (맥없이) 비틀거리다. **~ *on*** 〔***along***〕 그럭저럭 해나가다. **~ *through*** (뾰족한 수가 없어도) 이럭

much

부정(不定)의 수량을 나타내는 말 중에서 much '다량(의); 많은' 은 반의어 little과 함께 오로지 양에만 관계되는 말(물질명사·추상명사 따위의 '불가산명사')이다. some처럼 수·양의 양쪽으로는 사용할 수 없다《some 참조》.

much [mʌtʃ] (***more*** [mɔːr]; ***most*** [moust]) *a.* 〖셀 수 없는 명사 앞에 붙여서〗 다량(多量)의, 많은. OPP *little*. cf. many. **a** 〖긍정문에서: 주어의 수식어로서 또는 too, so, as, how 따위와 함께 쓰여〗: *Much* care is needed. 많은 주의가 필요하다 / You spend *too* ~ money. 돈을 너무 쓴다 / I know *how* ~ trouble you have suffered. 자네가 얼마나 고생했는지 나는 아네. ★구어의 긍정 평서문에서는 much보다 a lot of, a good 〔great〕 deal of, plenty of 따위가 자주 쓰임. **b** 〖흔히 부정문·의문문에서〗: I do*n't* think there is ~ danger. 위험이 많다고는 생각지 않는다 / It was*n't* ~ use. 그다지 도움이 되지 못했다 / Do you take ~ sugar in your coffee? 커피에 설탕을 많이 넣으십니까 / Did your cow give ~ milk today? 댁의 소는 오늘 젖을 많이 냈습니까.
— *n.*, *pron.* 〖단수취급〗 **1** 많은 것, 다량(의 것)《긍정문에서는 보통 주어(의 일부)로서 또는 too, so, as, how 따위와 함께 쓰임》: I have ~ to say about the harm of smoking. 흡연의 해로움에 관해서는 할 말이 많습니다 / I don't see ~ of you these days. 요즈음 그리 만나 뵐 수가 없군요 / Do you have ~ to finish? 끝내야 할 일이 많습니까 / *How* ~ do you want? 얼마나 원하십니까 / He spent *as* ~ *as* 50 dollars. 그는 50달러나 썼다 / Does he know ~ about butterflies? 그는 나비에 대해 많이 알고 있습니까《긍정문에서는 흔히 a lot을 씀: He knows a lot [×much] about butterflies.》 / *Much* of what he says is true. 그의 말에는 진실이 많다.
2 a 〖be의 보어로서; 흔히 부정문에 쓰이어〗 대단한 것, 중요한 것〔일〕: The sight is *not* ~ to look at. 대단한 경치는 아니다 / This is *not* ~, but I hope you will like it. 대단한 것은 못 됩니다만 마음에 드시면 다행이겠습니다. **b** ⇨not MUCH of a ... (관용구).
by **~** 크게, 훨씬. ***come to*** **~** 〖부정·의문문에서〗 중대〔대단〕한 일이 되다, 쓸모가 있다. ***make*** **~ *of ...*** ① …을 중시〔존중〕하다. ② …에게 지나치게 친절히 하다〔마음을 쓰다〕; …을 몹시 치살리다, 응석을 받아 주다. ③ 〖부정문에서〗 …을 이해하다: I can*not make* ~ *of* his argument. 그의 논지를 알 수가 없다. ***not*** **~ *of a*** 대단한 …은 아니다: He is *not* ~ *of a* scholar. 그는 대단한 학자는 아니다. ***so*** **~ *for ...*** 《구어》 ① …은 이로써 끝내자: *So* ~ *for* that. 그것에 대해서 이만. ② 〖깎아내려〗 …은 그런 정도의 것이다: *So* ~ *for* his learning. 그의 학식이란 그 정도야. ***that*** **~** 그만큼〔정도〕: I admit *that* ~. 거기까지는 인정한다. ***this*** 〔***thus***〕 **~** 이것만은, 여기까지는: *This* ~ is certain. 이것만은 확실하다. ***too*** 〔***a bit***〕 **~ *for ...*** 《구어》 (사람·일이) …에게는 벅찬〔힘겨운〕.
— (***more; most***) *ad.* **1** 〖동사를 수식하여〗 매우, 대단히, 퍽: She talks too ~. 그녀는 너무 재잘거린다/ Thank you very ~. 매우 감사합니다《긍정문에서 끝에 much가 올 때엔 흔히 very, so, too 따위가 붙음》/ I don't ~ like jazz 〔like jazz ~〕. 재즈를 별로 좋아하지 않는다 / Do you see him ~? 그를 자주 만납니까(=... see much of him?) / You don't know how ~ I love you. 얼마나 당신을 사랑하고 있는지 모르십니다 / I ~ appreciate your help. 도와주셔서 매우 감사합니다《much는 prefer, admire, appreciate, regret, surpass 따위 동사와 연결될 경우 긍정문에서도 사용할 수 있음. 단, 위치는 동사의 앞》.
2 〖형용사·부사의 비교급·최상급을 강조하여〗 훨씬, 사뭇: She was ~ old*er* than me. 그녀는 나보다 훨씬 연상이었다 / I feel ~ *better* today. 오늘은 사뭇 기분이 좋다 / It is ~ the *best* I have seen. 내가 본 중에서 그것이 최고다.
3 〖과거분사를 강조하여〗 대단히, 매우, 몹시: He is ~ addicted to sleeping pills. 그는 이제 완전히 수면제 중독이다 / I shall be (very) ~ obliged if you will help me. 도와주신다면 대단히 감사하겠습니다 / She was ~ surprised. 그녀는 무척 놀랐다.

> NOTE (1) 긍정문에서 much는 흔히 바람직하지 않은 말들(distressed, confused, annoyed 등)과 결합됨. 부정·의문문도 역시 much를 씀: I was not ~ pleased ... / Were you ~ pleased by what you saw? (2) 형용사화한 현재분사(interesting 따위)나 과거분사에는 그 의미에 관계없이 very를 쓸 때가 많은데, 특히 마지막 예에서처럼 감정을 나타내는 과거분사에 있어서는 《구어》에서 very가 차츰 많이 쓰임. pleased, delighted, excited 따위와 같이 형용사화 경향이 센 말은 그러한 경향이 한층 더함.

4 〖일부 형용사의 원급을 수식하여〗 매우, 무척《수식되는 형용사는 비교 관념이 내포된 superior, preferable, different 따위나 서술 형용사 alert, afraid, alike, ashamed, aware 따위》: This is ~ different from 〔than〕 that. 이건 저것과는 매우 다르다 / I am ~ afraid of dogs. 개를 무척 무서워한다. ★《구어》에서는 보통 very, very much를 씀.
5 〖too나 전치사구를 수식하여〗 매우, 몹시, 아주: He's ~ *too* young. 그는 너무 젊다 / This is ~ *to my taste*. 이건 내 취향에 아주 맞는다 / ~ *to one's annoyance* 〔*disgust, sorrow, horror*〕 무척〔매우〕 난처하게〔불쾌하게, 슬프게, 섬뜩하게〕도 (=to one's *great* annoyance ...) / We are ~ *in need of new ideas*. 새로운 아이디어를 크게 필요로 하고 있다(=We are very [×much] needful of new ideas.; We need new ideas *very much*.).
6 〖유사함을 나타내는 어구를 수식하여〗 거의, 대체로: They're ~ the same. 그것들은 거의 비슷하다 / ~ of an age 거의 같은 나이 또래의 / ~ of a size 거의 같은 크기인〔로〕/ ~ of a sort 거의 같은 종류의. ***as*** **~** ① 〖선행하는 수사에 호응하여〗 (…와) 같은 양〔액수〕만큼: Here is 50 dollars, and I have *as* ~ at home. 여기 50달러 있고 집에도 그만큼 더 있다. ② 〖앞에 나온 말의 내용을 받아서〗 (바로) 그만큼〔정도〕: I've quarreled with my wife. ―I thought 〔guessed〕 *as* ~. 아내하고 싸웠다네 ― 그럴 것이라고 생각했지. ***as*** **~ *again*** (***as ...***) 그만큼 더, (…의) 2배(의): Take *as* ~ *again*. 그만큼 더 가지시오. ***as*** **~ (*...*) *as ...*** ① …정도〔만큼〕; …만큼의; 〖강조적으로〗 …(만큼)이나: Take *as* ~ (of it) *as* you like. (그것을) 원하는 만큼 가지시오 / He earns *as* ~ *as* a million won a month. 그는 월 백만 원이나 벌어들인다. ② 〖주동사 앞에 쓰이어〗 거의, 사실상: They have *as* ~ *as* agreed to it. 그들은 그 일에 사실상 동의했다. ***as*** **~ *as to say***

⇨SAY. ***It's*** 〔***That's***〕 ***a bit*** ~. 《구어》 그건 말이 지나치다, 그건 좀 심하다. ~ ***as*** 몹시 …하긴 하지만, …하고 싶은 마음은 굴뚝 같지만: *Much as* I'd like to go, I cannot. 가고 싶은 마음은 굴뚝 같지만 갈 수가 없다. ~ ***less*** ⇨LESS(관용구). ~ ***more*** ⇨MORE(관용구). ***not*** ~ 《영속어》〔상대의 물음에 대하여; 반어적으로〕 당치도 않다, 말도 안 되다. ***not*** ~ ***good at ...*** 《구어》 …가 그다지 능숙지 않다. ***not say*** ~ ***for*** 《구어》 …을 높이 평가하지 않다, …을 중히 여기지 않다. ***not so*** ~ ***as ...*** ① …조차 않다: He did*n't so* ~ *as* greet us. 그는 우리에게 인사조차 안 했다. ② …정도는 아니다《as much as ... 의 부정형》: I do*n't* like beef *so* ~ *as* you. 나는 쇠고기를 너만큼 좋아하지는 않는다. ***not so*** ~ (A) ***as*** (B) ① A라기보다는 오히려 B: His success is *not so* ~ by talent *as* by energy. 그의 성공은 재능에 의한 것이라기보다는 오히려 정력에 의한 것이다. ② B만큼 A가 아니다: I do *not* have *so* ~ money *as* you. 나는 너만큼 돈을 갖고 있지 못하다. ***not up to*** ~ 《구어》 그다지 좋지 않다, 건강이 시원치 않다. ***without so*** ~ ***as ...*** …조차 아니하고〔없이〕: He left *without so* ~ *as* saying good-bye. 그는 작별 인사조차도 없이 가 버렸다.

저럭 헤쳐〔해〕 나가다; …을 어렵사리 해내다.
— *n.* (보통 a ~) 혼란, 난잡; 어리둥절함, 멍한 상태; 혼란된 생각〔논지〕, 지리멸렬. ***in a*** ~ 어리둥절하여. ***make a*** ~ ***of*** …을 엉망으로 만들다, 실패하다, 잘못하다.

múddle·hèad *n.* 멍청이, 바보. ㊞ ~**·ed** [-id] *a.* 멍텅구리의, 얼빠진; 당황한, 얼떨떨한.

mud·dler [mʌ́dlər] *n.* (음료의) 휘젓는 막대; 아무렇게나 생각〔행동〕하는 사람.

mud·dy** [mʌ́di] (-di·er; -di·est***) *a.* **1** 진흙의; 진흙투성이의; 진창의: a ~ road 진창길/ ~ water 흙탕물. **2** (색깔·소리 따위가) 충충한, 흐린. **3** (머리가) 멍한, 혼란한. **4** (사고·표현·문체·정세 따위가) 불명료한, 애매한: ~ thinking 뚜렷하지 못한 생각. ***fish in*** ~ ***waters*** ⇨WATER.
— (***-died; -dy·ing***) *vt., vi.* **1** 진흙투성이로 하다〔되다〕, 흐리게 하다; 흐려지다. **2** 멍하게 하다, …의 머리를 혼란시키다. ㊞ **múd·di·ly** *ad.* **múd·di·ness** *n.*

múd·fish (*pl.* ***-fish·es,*** 〔집합적〕 ***-fish***) *n.* 진흙 속에서 사는 물고기《미꾸라지·모래무지 따위》.

múd·flàp *n.* (자동차 뒷바퀴의) 흙받기.

múd flàt (썰물 때 나타나는) 개펄.

múd·flòw *n.* 이류(泥流).

múd·guàrd *n.* (자동차 따위의) 흙받기.

múd hèn 〖조류〗 늪지대에 사는 새《쇠물닭, 큰물닭, 흰눈썹뜸부기 따위》.

múd·hòle *n.* 진창의 저지(低地).

mu·dir [muːdíər] *n.* (이집트의) 주지사; (터키의) 면장, 동장.

mud·ja·hi·dun [mùːdʒəhíːdən] *n.* 이슬람교의 전사, 게릴라 전사.

múd-kìcker *n.* 《미속어》 **1** 아무하고나 자는 여자. **2** (정부(情夫) 쪽에서 보아) 믿지 못할 창녀.

múd·làrk *n.* 개펄을 뒤지는 넝마주이; 부랑아; 《Austral. 속어》 진 코스를 잘 달리는 경주마.

múd·man [-mən] *n.* 진흙 인간《전신에 진흙을 바르고, 점토로 만든 기괴한 가면을 쓴 파푸아뉴기니의 원주민》.

múd·pàck *n.* (미용의) 진흙 팩.

múd píe (아이들이 소꿉장난 때 만드는) 진흙 만두.

múd·pùppy *n.* 〖동물〗 영원; 도롱뇽.

múd·ròom *n.* 물에 젖거나 흙 묻은 옷·신발 등을 두는 방〔곳〕.

múd·sìll [-sil] *n.* 땅속에 묻는 건물의 토대〔기초〕; 《미》 최하층의 빈민.

múd·slìde *n.* 진흙 사태.

múd·slìnger *n.* (정치적) 중상모략자.

múd·slìnging *n.* Ⓤ (정치 운동에서의) 중상모략 행위, 추한 싸움.

múd·stòne *n.* Ⓤ 이암(泥岩).

múd tùrtle 〖동물〗 진흙거북, 담수거북.

múd volcáno 〖지학〗 이화산(泥火山).

Múen·ster (**chéese**) [mʌ́nstər(-), mún-] *n.* 문스터《연하고 하얀 마일드 치즈》.

mues·li [mjúːzli] *n.* 뮤즐리《곡물 가루·견과·견과·꿀 따위에 우유를 넣은 스위스 요리; 흔히 아침에 먹음》.

mu·ez·zin [mjuːézən] *n.* (회교 사원의) 기도 시각을 알리는 사람.

muff¹ 1

muff¹ [mʌf] *n.* **1** 머프《양손을 따뜻하게 하는 모피로 만든 외짝의 토시 같은 것》. **2** 〖기계〗 통(筒). **3** 《비어》 (거웃 많은) 여자의 음부; 《미속어》 매춘부; 《미속어》 가발(wig).

muff² *n.* 둔재; 얼뜨기, 바보; 서투름, 실수; 〖구기〗 공을 놓치기; 운동 신경이 둔한 사람; 암사내. ***make a*** ~ ***of it*** 실수하다, 일을 그르치다. ***make a*** ~ ***of*** **oneself** 사서 웃음거리가 되다. ***make a*** ~ ***of the business*** 일을 잘못하다. — *vt., vi.* 실수하다; 그르치다; (기회를) 놓치다; (공을) 잘못 받다. ㊞ ~**ed** [-t] *a.*

muf·fin [mʌ́fin] *n.* **1** 머핀《옥수숫가루 등을 넣어서 살짝 구운 작은 빵》. **2** (*pl.*) 《비어》 (젊은 여성의) 유방.

muf·fin·eer [mʌ̀fəníər] *n.* (muffin을 식지 않게 하는) 뚜껑 달린 접시; 머핀용 양념 그릇.

°**muf·fle**¹ [mʌ́fəl] *vt.* **1** 《~+목/+목+부/+목+전+명》 (따뜻하게 하거나 감추기 위해) 싸다, 감싸다《*up; in*》: ~ oneself *up* (외투·목도리 따위로) 몸을 감아 싸다/ ~*d in* silk 명주옷을 입고. **2** (북·말굽 등을) 싸서 소음(消音)하다; (못 보게 하거나 소리를 못 내게) (사람의) 머리를 싸다: ~ one's mouth 입을 막다〔덮다〕. **3** 〔보통 과거분사 꼴로〕 (소리를) 지우다, 둔탁하게 하다; (밝기를) 약하게 하다, 어둡게 하다; 억제하다; 애매〔불명료〕하게 하다. — *n.* **1** 소음기(消音器)〔장치〕. **2** 약한 소리, 덮어 가려 죽인 소리. **3** 〖야금·화학〗 머플로(爐), 간접 가열실(室). **4** 《고어》 권투 글러브. ㊞ ~**d** *a.* (뒤덮여) 잘 들리지 않는: a ~*d* voice.

muf·fle² *n.* 코끝, 콧등《소·사슴·토끼 등의》.

***muf·fler** [mʌ́flər] *n.* **1** 머플러, 목도리. **2** (자동차·피아노 따위의) 소음기(消音器), 머플러. **3** 벙어리장갑, 권투 글러브.

muf·ti [mʌ́fti] *n.* **1** Ⓤ (특히 정복을 착용해야 할 군인의) 평상복, 사복, 신사복. OPP *uniform.* **2** 회교 법률 고문; 회교 법전 설명자. ***in*** ~ 평복으로.

mug**¹ [mʌg] *n.* **1** 원통형 찻잔, 조끼, 손잡이 있는 컵: a shaving ~ 면도용 컵. **2** 조끼 한 잔의 양《*of*》: drink a ~ *of* beer. **3** 일종의 청량음료. **4** 《속어》 입; 얼굴; 오만상; 《속어》 인상서(人相書), 수배 사진. **5** 《영속어》 얼간이, 바보; 잘 속는 사람. **6** 《미속어》 깡패, 살인 청부업자, 악한. ***put the ~ ***on*** a person 아무의 목을 죄다, 목졸라 죽이다. — (***-gg-***) *vi.* 《속어》 오만상을 찌푸리다; 표정을 과장하여 연기하다. — *vt.* **1** …의 인상서(人相書)를 만들다; 《속어》 (범죄용의자의)

사진을 찍다〔만들다〕. **2** 《속어》 뒤에서 덤벼들어 목을 조르다, 습격하다, 달려들어 강탈하다, 노상 강도짓하다. ~ ***up*** 《미해군속어》 커피를 (한 잔) 마시다. ㊕ **~·fùl** [-fùl] *n.*

mug[2] (**-gg-**) *vi., vt.* 《영구어》 맹렬히 공부하다 《*at*》. ~ ***up*** 《영속어》 (시험에 대비해서) 열심히 공부하다. ── *n.* 《영속어》 **1** 공붓벌레, 공부를 들이팜. **2** 시험.

mug·gee [mʌgíː] *n.* 《구어》 (노상에서) 강도당하는 사람, 강도의 피해자〔먹이〕.

mug·ger[1] [mʌ́gər] *n.* 《구어》 길〔옥외, 공공 장소〕에서 달려드는 강도, 노상 강도; 《미》 표정을 과장하는 배우; 《미속어》 초상(肖像) 사진가.

mug·ger[2], **-gar, -gur** [mʌ́gər] *n.* 악어의 일종 《인도 · 말레이 반도산》.

mug·ging [mʌ́giŋ] *n.* 《구어》 강도, 폭력 《행위》.

mug·gins [mʌ́ginz] *n.* 《구어》 Ⓒ 얼간이, 바보; Ⓤ 도미노놀이(dominoes)의 일종.

mug·gles [mʌ́gəlz] *n. pl.* 《미속어》 마리화나 담배(reefer).

mug·gy [mʌ́gi] (***-gi·er; -gi·est***) *a.* 무더운, 후텁지근한. ㊕ **múg·gi·ness** *n.*

múg's gàme 《구어》 바보짓; 소용없는 활동.

múg shòt 《미속어》 얼굴 사진.

múg·wòrt *n.* 산쑥속의 식물.

múg·wùmp [-wʌ̀mp] *n.* **1** 《미》 1884년 자당(自黨)에서 추천한 대통령 후보에 반대한 공화당원; 무소속 정치가, 당파에 초연한 사람. **2** 《우스개》 거물, 보스, 두목.

Mu·ham·mad, -med [muhǽməd, -háːm-/ -hǽm-] *n.* 마호메트(Mahomet, Mohammed) 《이슬람교(敎)의 개조(570-632)》.

Mu·ham·mad·an, -med- [muhǽmədn] *a.* 마호메트의, 이슬람교의: the ~ calendar 이슬람력(曆) 《서력 622 년을 기점으로 하는 태음력》. ── *n.* 이슬람교도.

Muhámmadan éra (the ~) 모하메드〔이슬람〕 기원 《서기 622 년에 시작됨》.

Mu·hám·mad·an·ìsm *n.* =ISLAM.

mu·ja·he·din [mudʒɑ̀ːhedíːn] *n.* 무자헤딘 (=**mujàheddín, mujàhidéen**) 《주로 아프가니스탄과 이란의 회교 반군》.

mu·jik [muːʒík, ⌐/⌐] *n.* =MUZHIK.

muk·luk, -lek [mʌ́klʌk], [-lək] *n.* (에스키모가 신는) 물개의 모피로 만든 장화.

muk·tuk [mʌ́ktʌk] *n.* 식용 고래 가죽.

mu·lat·to [məlǽtou, -láːt-, mjuː-/mjuːlǽt-] (*pl.* ~(**e**)**s**) *n.* (보통 1 대째의) 백인과 흑인과의 혼혈아; 〖일반적〗 흑백 혼혈아. ⓒⓕ octoroon, quadroon. ── *a.* 흑백 혼혈아의; 황갈색의.

mul·ber·ry [mʌ́lbèri/-bəri] *n.* 뽕나무; 오디; Ⓤ 짙은 자주색.

múlberry bùsh 노래하며 하는 어린이 놀이의 일종.

mulch [mʌltʃ] *n.* 까는 짚, 뿌리 덮개 《이식한 나무뿌리를 보호하는》. ── *vt.* 짚을 깔다, 뿌리를 덮다.

múlch film 제초(除草) 필름.

mulct [mʌlkt] *n.* 벌금, 과료. ── *vt.* 벌금을 과하다 《*in; of*》; 빼앗다, 사취하다 《*of*》: ~ a person (*in*) ten dollars 아무에게 10 달러의 벌금을 과하다 / ~ a person *of* his money 아무를 속여 돈을 빼앗다.

°**mule**[1] [mjuːl] *n.* **1** 노새 《수나귀와 암말과의 잡종》. ⓒⓕ hinny. **2** 바보, 아둔패기. **3** 고집쟁이, 고집통이: (as) obstinate 〔stubborn〕 as a ~ 몹시 고집통이인. **4** (특히 카나리아와 피리새와의) 잡종. **5** (운하를 따라 배를 끄는) 전기 기관차. **6** 뮬 정방기(精紡機). **7** 스윙에서 나온 춤의 일종. **8** (뒤축 없는) 슬리퍼. **9** 《미속어》 밀조(密造)한 위스키. **10** 《미속어》 마약 판매인, (마약 · 밀수품) 운반인. ── *a.* 잡종의 《동식물》.

mule[2] *vi.* =MEWL.

múle dèer 꼬리가 검은 사슴 《북아메리카산》.

múle drìver 〔**skìnner**〕 =MULETEER.

mu·le·teer [mjùːlətíər] *n.* 노새 몰이(꾼).

mu·ley [mjúːli, múli] *a.* (소가) 뿔이 없는, 뿔을 자른. ── *n.* 뿔 없는 소, 암소(cow); 《미》 뿔을 자른〔뿔 없는〕 동물.

múley sàw 《미》 제재용(製材用)의 긴 톱 《상하로 왕복함》.

mu·li·eb·ri·ty [mjùːliébrəti] *n.* 여자다움, 여자임; 여성적 기질.

mul·ish [mjúːliʃ] *a.* 노새 같은; 고집 센, 외고집의. ㊕ **~·ly** *ad.* **~·ness** *n.*

mull[1] [mʌl] *n.* 《영》 그르침, 실수; 《영구어》 혼란, 엉망진창. ***make a ~ of*** …을 그르치다; 엉망으로 만들다. ── *vt.* **1** 《영》 엉망으로 만들다; 실패하다, 그르치다. **2** 《미》 잘 섞다; 《구어》 곰곰이 생각하다. ── *vi.* 《미구어》 곰곰이〔잘〕 생각하다, 숙고하다 《*over*》.

mull[2] *vt.* (포도주 · 맥주 등을) 데워 향료 · 설탕 · 달걀노른자 따위를 넣다.

mull[3] *n.* Ⓤ 얇고 부드러운 무명 옷감, 얇은 메린스; (메린스에 발라서 쓰는) 고약.

mull[4] *n.* 《Sc.》 곶(promontory), 반도.

múlled wìne 멀드 와인 《와인에 설탕 · 향료를 넣은 뜨거운 음료; 크리스마스 같은 때에 마심》.

mul·la(h) [mʌ́lə, mú(ː)lə] *n.* 스승, 선생 《회교도 사이에서 율법학자에 대한 경칭》; 회교의 신〔율법〕학자.

mul·lein, mul·len [mʌ́lən] *n.* 〖식물〗 현삼과(玄蔘科)의 식물.

mul·ler[1] [mʌ́lər] *n.* 막자, 공이 《그림물감 · 약 등을 으깨는 데 쓰는》; 분쇄기, 연마기.

mull·er[2] *n.* 술을 데우는 사람〔기구〕.

mul·let[1] [mʌ́lit] (*pl.* **~s,** 〖집합적〗 **~**) *n.* 숭엇과의 어류.

mul·let[2] *n.* 〖문장(紋章)〗 별무늬.

múllet hèad 《미구어》 바보, 멍청이.

mul·ley [múli] *a., n.* =MULEY.

mul·li·gan [mʌ́ligən] *n.* 《미구어》 스튜의 일종 《주로 먹다 남은 고기 · 야채로 만듦》; 〖골프〗 스코어에 들지 않는 쇼트.

mul·li·ga·taw·ny [mʌ̀ligətɔ́ːni] *n.* Ⓤ (인도의) 카레가 든 수프(=⌐ **sòup**).

mul·li·grubs [mʌ́ligrʌ̀bz] *n. pl.* 〖단수취급〗 《속어》 의기소침; 복통, 산증(疝症).

mul·lion [mʌ́ljən] 〖건축〗 *n.* (유리창 등의) 멀리온, 세로 중간틀, 중간 문설주; (둥근 창의) 방사상 창살. ── *vt.* ~을 대다. ㊕ **~ed** *a.* ~이 있는.

mullions

mul·lock [mʌ́lək] *n.* 《Austral.》 〖광산〗 버력, 폐석(廢石); 하찮은 정보, 난센스; 《영방언》 쓰레기, 찌꺼기; 혼란.

mult- [mʌlt], **mul·ti-** [mʌ́lti, -tə, -tai/-ti] '많은, 여러 가지의' 란 뜻의 결합사. ⓒⓕ poly-, mono-, uni-.

mul·tan·gu·lar [mʌltǽŋgjələr] *a.* 다각(多角)의(many-angled).

múlti·àccess *a.* 〖컴퓨터〗 동시 공동 이용의, 다중 접근의.

mùlti·addréss *a.* 〖컴퓨터〗 다중 주소 방식의 《데이터 처리기의 기억 장치가 2 개소 이상의 장소에 지시 · 수량을 기억할 수 있는 (방식)》.

múlti-body cárgo àircraft 복수 동체형 화물 수송기.

múlti-cárriageway ròad 《영》 =MULTIPLE-LANE HIGHWAY.

múlti·càst *vi., vt.* 다중 전송하다 《인터넷상에서 특정한 복수의 사람들에게 동시에 정보를 전송하는 방식》.

mùlti·céllular *a.* 다세포의.

mùlti·chánnel *a.* 여러 채널을 사용한, 다중(多重) 채널의: ~ broadcasting 음성 다중 방송.
múlti·chip ÍC 〔**íntegrated cìrcuit**〕 〖전자〗 멀티칩 집적 회로.
múlti·cìde *n.* 대량 학살.
múlti·còlor *a., n.* 다색의, 다색 인쇄(의).
mùlti·cólored *a.* 다색(多色)(인쇄)의.
mùlti·cómpany *n.* 다각 경영 기업《2개 이상의 별개의 업종을 경영하는 대기업》.
mul·ti·cul·ti [mʌ̀ltikʌ́lti:, -tai] *n. pl.* 다문화(多文化)주의자들, 다문화성을 표현〔지지〕하는.
mùlti·cúltural *a.* 다문화의, 다문화적인, 여러 가지 이문화(異文化)가 병존하는.
mùlti·cúlturalism *n.* 다(多)문화(성)《몇 개의 다른 문화의 병존》; 다문화주의.
mùlti·diménsional *a.* 다차원(多次元)의.
mùlti·dísciplinary *a.* 많은 전문 분야〔영역〕에 걸친, 수개 전문 분야 집결의.
multi·dróp lìne 〖통신〗 분기선(分岐線).
mùlti·énzyme *a.* 여러 가지 효소로 된. 「스트」.
mùlti·éthnic *a.* 다민족적인, 다민족 공용의《텍
mùlti·fáceted [-id] *a.* (문제·보석 등이) 많은 측면을 가진, 다면의; 다재(多才)의.
mùlti·factórial *a.* 많은 요소로 된, 다원적인; 다인자의; 〖유전〗 다인성(多因性)의. ㊞ **~·ly** *ad.*
mul·ti·far·i·ous [mʌ̀ltəféəriəs] *a.* 가지가지의, 다종다양한, 잡다한, 다방면의: ~ activities 다방면의 활동. ㊞ **~·ly** *ad.* **~·ness** *n.*
mul·ti·fid [mʌ́ltəfid] *a.* 〖식물·동물〗 다열(多裂)의, 다판(多瓣)의.
mùlti·fílament *a.* 다섬유의.
múlti·flàsh *a.* **1** 〖사진〗 다섬광의, 복수의 플래시를 동시 사용하는: a ~ photograph 다섬광 사진. **2** 멀티플래시의《해수의 증류 탈염법의 하나》.
mùlti·fócal *a.* (렌즈가) 다초점의.
múlti·fòil *n.* 〖건축〗 다엽(多葉) 장식.
múlti·fòld *a.* =MANIFOLD.
múlti·fòrm *a.* 여러 모양을 한, 다양한; 여러 종류의, 잡다한. ㊞ **mùlti·fórmity** *n.* Ⓤ 다양성. opp *uniformity*.
mùlti·fúnction, -fúnctional *a.* 다기능의.
multi·fúnctional róbot 다기능 로봇.
múlti·gràde *n.* **1** 멀티그레이드 오일《넓은 온도 범위에서 점성이 안정된 엔진 오일》. **2** 멀티그레이드《감도가 다른 두 종류의 감광 유제를 사용한 인화지; 상표명》. 「만든.
múlti·gràin *a.* (빵이) 두 종류 이상의 곡물로
Mul·ti·graph [mʌ́ltigræ̀f, -grɑ̀:f] *n.* (복사하는 데 쓰는) 소형 윤전 인쇄기《상표명》. **—** *vt., vi.* (m-) ~로 인쇄하다.
mùlti·grávida (*pl.* **~s, -dae**) *n.* 〖산과〗 경임부(經妊婦)《2회 이상 임신 경험이 있는 여성》.
múlti·gỳm *n.* (여러 가지로 근육 단련이 가능한) 웨이트 트레이닝 장치.
mùlti·habituátion *n.* (효능상 관련성 있는) 두 종류 이상의 유사 약물의 동시 복용 습관.
múlti·hèaded [-id] *a.* 두부(頭部)가 많은, 다탄두의.
múlti·hùed *a.* =MULTICOLORED.
mul·ti·hull [mʌ́ltihʌ̀l] *a., n.* 〖해사〗 다선체선(多船體船)(의).
mùlti·índustry *a.* 다종 산업을 포함하는, 다각 경영의, 다산업형의: a ~ company 다업종(多業種) 회사.
mùlti·láteral *a.* 다변(多邊)의; 3개국 이상이 관계〔참가〕하고 있는: ~ agreement 다변적 협정/~ nuclear force 다각적 핵전력/a ~ school 종합 학교《몇 개의 다른 코스를〔교과 과정을〕 갖추고 있는 중학교》/a ~ trade 다각(적) 무역.
mùlti·láteralìsm *n.* 다국간의 상호 자유 무역(주의); 다국간 공동 정책.
mùlti·láyer(ed) *a.* 다층(성)의.
mùlti·líneal *a.* 다중선형(多重線形)의.
mùlti·língual *a., n.* 여러 나라 말을 하는 (사람), 여러 나라 말로 쓰인. ㊞ **~·ly** *ad.*
mùlti·língualism *n.* 다언어 사용.
mul·til·o·quence [mʌltíləkwəns] *n.* Ⓤ 다변(多辯), 수다. 「운, 말 많은.
mul·til·o·quent [mʌltíləkwənt] *a.* 수다스러
mùlti·márket *a.* 〖경영〗 여러 시장에 관계하는.
mùlti·média *n. pl.* 〔단수취급〕 멀티미디어《여러 미디어를 사용한 커뮤니케이션 〔오락, 예술〕》; 〖컴퓨터〗 다중 매체. **—** *a.* 다양한 전달 수단을〔선전 매체를〕 갖는, 멀티미디어의〔에 관한〕.
mul·ti·mer·ic [mʌ̀ltimérik] *a.* 〖화학〗 (분자단(團)이) 다중 결합의.
mùlti·millionáire *n.* 대부호, 천만장자.
mùlti·módal *a.* 다양한 방식〔양식〕의, 여러 가지 형태의; 〖통계〗 다(多)최빈수의.
mùlti·nátion *a.* =MULTINATIONAL.
mùlti·nátional *a.* 다국적의. **—** *n.* 다국적 기업(=~ corporàtion). ㊞ **~·ism** *n.* 다국적 기업 설립〔경영〕.
mùlti·nómial *a., n.* 〖수학〗 =POLYNOMIAL.
mùlti·nóminal *a.* 이름이 많은.
mùlti·núclear *a.* 다핵의: a ~ cell 다핵 세포.
mùlti·órbital *a.* 다궤도(多軌道)의: ~ flight 다궤도 비행. 「한 것.
múlti·pàck *n.* 포장한 여러 품목을 하나로 포장
mul·tip·a·ra [mʌltípərə] (*pl.* **-rae** [-ri:]) *n.* 〖의학〗 (두 사람 이상을 낳은) 경산부(經産婦).
mul·tip·a·rous [mʌltípərəs] *a.* 한번에 많은 새끼를 낳는; (사람이) 다산의.
mul·ti·par·tite [mʌ̀ltipɑ́:rtait] *a.* 여러 부분으로 나뉜〔갈린〕; 여러 나라가 참가한.
mùlti·párty *a.* 다수 정당의, 다당(多黨)의: ~ system 다수 정당 제도.
mul·ti·ped, -pede [mʌ́ltipèd], [-pì:d] *n.* 다족(多足) 동물. **—** *a.* 다족의, 다섯 개 이상의 발을 가진.
múlti·phàse *a.* 〖전기〗 다상(多相)의.
múlti·phòton *a.* 〖물리〗 다수의 광자(光子)를 포함한, 다광자의. 「葉式)의.
múlti·plàne *n.* 다엽(비행)기. **—** *a.* 다엽식(多
mùlti·pláyer *n.* 〔보통 형용사적〕 (컴퓨터 게임이) 멀티플레이어의《여러 사람이 플레이할 수 있는》; (갖가지 미디어를 재생할 수 있는) 멀티플레이어; (여러 장의 디스크를 장전할 수 있는) 멀티플레이어. ㊞ **múlti·plày** *a.*
***mul·ti·ple** [mʌ́ltəpəl] *a.* **1** 복합의, 복식의; 다수의, 다양한, 복잡한: ~ operation 다각 경영/~ telegram(s) 동문(同文) 전보. **2** 〖수학〗 배수의; 〖식물〗 집합성의《꽃·과실 등》; 〖전기〗 (회로가) 병렬식으로 연결된: a ~ fruit =a COLLECTIVE FRUIT. **—** *n.* 〖수학〗 배수, 배량(倍量); 〖전기〗 병렬: 12 is a ~ of 3. 12는 3의 배수/the lowest 〔least〕 common ~ 최소 공배수《생략: L.C.M.》/a common ~ 공배수. ◇ multiply *v.*
múltiple-áccess *a.* =MULTIACCESS.
múltiple ágriculture 다각(식) 농업《농작·과수 재배·양계·양돈 따위를 겸한 농업》.
múltiple áim póint sỳstem 〖미군사〗 다목표 미사일 격납 방식《미사일을 지하에서 이동시켜 적의 표적이 되는 확률을 적게 하는 방식》.
múltiple alléle 〔**allélomorph**〕 〖유전〗 복대립(複對立) 유전자〔형질〕.
múltiple-chóice *a.* 다항식 선택의: a ~ system 다항식 선택법, 선다형 시험.
múltiple crópping 〖농업〗 윤작, 다모작.
múltiple cúrrency stàndard 복수 통화 본위 제도.

múltiple èarth 〖통신〗 다중 접지(接地).
múltiple-éntry vìsa 복수 입국 사증.
múltiple fóul 〖미식축구〗 한 팀이 한 플레이 중 둘 이상의 반칙을 범함.
múltiple frúit 〖식물〗 다화과, 집합과《파인애플·뽕나무 열매 등》. 「도로.
múltiple-lane hìghway 《미》 다차선 고속
múltiple móthering 〖심리〗 다수 모성 애무《유아원·보육원 등에서 볼 수 있는 복수 보육자에 의한 모성 애무》.
múltiple myelóma 〖의학〗 다발성 골수종.
múltiple offénse 〖미식축구〗 사용하려는 플레이에 가장 적합한 formation을 사용하는 공격법.
múltiple personálity 〖심리〗 다중(多重) 성
múltiple píckup (택시의) 합승. 「격.
múltiple póinding 〖Sc.법률〗 =INTERPLEADER.
múltiple prégnancy 〖의학〗 다태(多胎) 임신.
múltiple sclerósis 〖의학〗 다발성 경화증(硬化症)《생략: MS》. 「chain store).
múltiple shóp 〔**stóre**〕 《영》 연쇄점(《미》
múltiple stár 〖천문〗 다중성(多重星)《육안으로는 하나로 보임》.
múltiple sýstem òperator 복수의 유선 텔레비전(CATV)을 소유 운영하는 회사.
múltiple únit 〖철도〗 총괄 제어(制御).
múltiple-válued *a.* 〖수학〗 다가(多價)의.
múltiple vóting 《영》 복식 투표.
mul·ti·plex [mʌ́ltəplèks] *a.* 다양의, 복합의; 〖통신〗 다중(多重) 송신의. **—** *n.* **1** 〖통신〗 다중 송신 방식. **2** 〖컴퓨터〗 다중. **3** 입체 지도 작성 장치《스테레오스코프로 보면 지형이 입체적으로 보임》. **4** 영화 센터〔빌딩〕(=~ **cìnema** 〔**thèater**〕)《같은 부지·빌딩 안에 여러 영화관이 있음》. **—** *vt., vi.* 다중 송신하다. ㊔ **~·er, ~·or** *n.* 다중 통신용 장치〔채널〕. **~·ing** *n.* 〖컴퓨터〗 다중화.
múltiplex bróadcasting 음성 다중 방송.
múltiplex telégraphy 다중 전신(電信).
mul·ti·pli·a·ble, -pli·ca·ble [mʌ́ltəplàiəbəl], [mʌ̀ltəplíkəbəl] *a.* 증가할 수 있는; 〖수학〗 곱할 수 있는, 곱이 되는.
mul·ti·pli·cand [mʌ̀ltəplikǽnd] *n.* 〖수학〗 피승수(被乘數); 〖컴퓨터〗 곱힘수. OPP *multiplier.*
mul·ti·pli·cate [mʌ́ltəplikèit] *a.* 다수로 된, 복합의, 다양한(multiple).
***mul·ti·pli·ca·tion** [mʌ̀ltəplikéiʃən] *n.* **1** Ⓤ 증가, 증식(增殖). **2** Ⓒ 〖수학〗 곱셈, 승법. OPP *division.* ◇ multiply *v.*
multiplicátion sìgn 곱셈표《×》.
multiplicátion tàble 곱셈 구구표〔단〕《보통 10×10=100 또는 12×12=144까지 있음》.
mul·ti·pli·ca·tive [mʌ́ltəplikèitiv, mʌ̀ltəplíkət-/mʌ̀ltiplíkət-] *a.* **1** 증가하는, 증식력이 있는; 곱셈의. **2** 〖문법〗 배수사(倍數詞)의. **—** *n.* 〖문법〗 배수사《double, triple 따위》.
múltiplicative ínverse 〖수학〗 역수(逆數).
mul·ti·pli·ca·tor [mʌ́ltəplikèitər] *n.* 〖수학〗 승수(乘數), 곱수; 〖전기·물리〗 배율기(倍率器).
mul·ti·plic·i·ty [mʌ̀ltəplísəti] *n.* Ⓤ (종종 a ~) 다수, 중복; 다양(성). ***a*** 〔***the***〕 **~** ***of*** 다수의, 가지각색의.
mul·ti·pli·er [mʌ́ltəplàiər] *n.* **1** 증식시키는 사람〔물건〕, 번식자. **2** 〖수학〗 승수(乘數); 〖컴퓨터〗 곱함수. OPP *multiplicand.* **3** 〖전기·물리〗 배율기; 곱셈 기계.
múltiplier effèct 〖경제〗 승수 효과.
****mul·ti·ply** [mʌ́ltəplài] *vt.* **1** 늘리다, 증가시키다, 번식시키다. SYN. ⇨INCREASE. **2** 《+목+전+명》 〖수학·컴퓨터〗 곱하다《*by*》: ~ five *by* four, 5를 4배하다. **—** *vi.* 늘다; 배가하다; 증식하다; 곱셈하다: Rats ~ rapidly. 쥐는 빨리 번식한다. **—** *n.* 〖컴퓨터〗 곱셈; 곱셈기(器).

mùlti·póint *a.* 〖컴퓨터〗 다지점 방식의《여러 대의 단말기를 하나의 통신 선로로 같이 연결하는 (방식)》. 「극 전자기(電磁機).
mùlti·pólar *a.* 〖전기〗 다극(多極)의. **—** *n.* 다
mùlti·poténtial *a.* 여러 가지 효능이 있는.
mùlti·próbe *n.* 〖우주〗 다중(多重) 탐사용 우주선《탐사기를 다수 실은 우주선》. 「처리.
múlti·pròcessing *n.* Ⓤ 〖컴퓨터〗 다중(多重)
múlti·pròcessor *n.* 〖컴퓨터〗 다중 처리기《다중 처리를 할 수 있는 장치·시스템》.
mùlti·prógramming *n.* Ⓤ 〖컴퓨터〗 (한 대의 컴퓨터로 2개 이상의) 다중 프로그램 짜기.
mùlti·prónged *a.* 뾰족한 끝이 몇 갈래인《어획용 작살 등》; 《비유》 다면적인.
mùlti·púrpose *a.* 용도가 많은, 다목적의: ~ furniture 만능 가구/a ~ robot 다기능 로봇/a ~ dam 다목적 댐.
mùlti·rácial *a.* 여러 민족의, 다민족의: a ~ society 다민족 사회. ㊔ **~·ism** *n.* 다민족 공존〔평등〕(사회). 「만능의.
múlti·ròle *a.* 많은 역할을 갖는, 다기능을 갖춘,
múlti·scàn *n.* 〖컴퓨터〗 다중훑기, 검색: ~ monitor 다중훑기 화면기.
mùlti·scréen *a.* 세 개 이상의 분할 스크린에 다른 화상을 비치는 방법의, 멀티스크린의. 「어.
mùlti·sénse *a.* 다의(多義)의: ~ words 다의
mùlti·sénsory *a.* (시각·청각 등) 여러 가지 감각이 관여하는, 다감각 응용의《교수법 등》.
mùlti·séssion *a.* 〖컴퓨터〗 멀티세션(대응)의.
múlti·skìlling *n.* 종업원이 다양한 업무를 처리할 수 있도록 훈련하기.
múlti·stàge *a.* 다단식(多段式)의; 여러 단계의, 순차적인《조사 따위》: a ~ rocket 다단식 로켓(step rocket). 「주에 걸친.
múlti·stàte *a.* 많은〔여러〕 주(州)에 관한, 여러
mùlti·stóry *a.* 여러 층의: a ~ parking garage 다층식 주차장.
mùlti·tásking *n.* 〖컴퓨터〗 다중 작업《하나의 CPU로 복수의 작업을 함》.
mùlti·thréaded *a.* 〖컴퓨터〗 멀티 스레딩의《하나의 프로세스가 복수의 스레딩으로 나뉘어 동작하는》.
mùlti·tráck *a.* 다중 트랙의《녹음테이프》. **—** *vt.* 멀티트랙으로 녹음하다.
mùlti·túbular *a.* 다관(多管)의.
mul·ti·tude** [mʌ́ltətjùːd/-tjùːd] *n.* **1** Ⓒ,Ⓤ 다수; 수가 많음: a noun of ~ 〖문법〗 군집명사《집합명사 중 구성 요소에 중점을 두며 복수 취급함: My *family* are all well. 우리 가족은 모두 잘 있다》/a ~ *of*… 다수의〔수많은〕. **2** Ⓒ 군중, 군집(群集); (the ~) 대중. ***cover a ~ of sins 여러 가지(좋지 않은) 것을 포함하다〔숨기다〕; (모든 일에 통하는) 좋은 구실이 되다: The business *covers a ~ of sins*. 장사에는 여러 가지 더러운 면이 있는 법이다. cf. 〖성서〗 1 Peter IV: 8. ***In the ~ of counselors there is wisdom.*** 구두장이 셋이 모이면 제갈량보다 낫다.
mul·ti·tu·di·nism [mʌ̀ltətjúːdənìzəm/-tjúː-] *n.* Ⓤ 다수 복리(福利)주의.
mul·ti·tu·di·nous [mʌ̀ltətjúːdənəs/-tjúː-] *a.* 다수의; 떼 지은, 떼를 이루는; 가지가지의; 여러 부분〔모양, 항목〕으로 된; 광대한, 거대한《바다 등》. ㊔ **~·ly** *ad.* **~·ness** *n.*
múlti·ùser *n.* 〖컴퓨터〗 다중 사용자《둘 이상의 사용자가 동시에 접근(access)하는》, 하나의 CPU(중앙 처리 장치)로 둘 이상의 일(job)을 해내는 시스템.
mul·ti·va·lent [mʌ̀ltivéilənt, mʌltívə-] *a.* 〖화학〗 다원자가(多原子價)의; 〖유전〗 다가(多

價)의; 많은 의미(가치)를 지닌. ― *n.* 다가 염색체(군). ⓟ **-lence** [-ləns] *n.* Ⓤ 다원자가; 다가; 의의(가치)의 다면성, 많은 의미(가치)를 지님.

múlti·vàlve *a.* (조개가) 패각이(조가비가) 많은, 3개 이상의 조가비로 이루어지는. ― *n.* 다각패(多殼貝).

mùlti·váriate *a.* (주로 통계 분석에서) 독립된 몇 개의 변수가 있는, 다변량의: ~ analysis 다변량 해석.

mul·ti·verse [mʌ́ltivə̀ːrs] *n.* 다원적 우주.

mul·ti·ver·si·ty [mʌ̀ltivə́ːrsəti] *n.* 다원(매머드) 대학《교사(校舍)가 각처에 있는 종합 대학》. [◂ *multi*+*university*]

mùlti·víbrator *n.* 〖통신〗 다조파 발진기(多調波發振器), 다중 바이브레이터.

mùlti·vítamin *a.* 종합 비타민의: a ~ capsule 종합 비타민정. ― *n.* 종합 비타민제.

mul·tiv·o·cal [mʌltívəkəl] *a.* 뜻이 애매한, 다의적(多義的)인; 시끄러운, 번거로운. ― *n.* 다의어.

「긴 종이를 겹친).

múlti·wall bàg 다중 부대《시멘트 부대처럼 질

múlti·wày 복수의 회로(통로)를 가진.

mùlti·wíndow *n.* 〖컴퓨터〗 다중 윈도, 멀티 윈도《화면을 분할하여 동시에 복수의 문서를 표시할 수 있는 디스플레이》.

「(多眼)의.

mul·toc·u·lar [mʌltákjələr/-tɔ́k-] *a.* 다안

mul·ture [mʌ́ltʃər] *n.* Ⓤ《Sc.》물방앗삯.

mum[1] [mʌm] *a.* 무언의, 말하지 않는: (as) ~ as a mouse (an oyster) 침묵을 지키고 / keep ~ about one's plan 계획에 대해 한마디도 않다. ― *n.* Ⓤ 침묵, 무언. ***Mum's the word!*** 남에게 말하지 마라. ― *int.* 말 마라!, 쉿! ― (**-mm-**) *vi.* 무언극을 하다; 가장하다.

mum[2] *n.* Ⓤ (도수가 높은) 맥주의 일종.

⁑**mum**[3] *n.*《구어》어머니;《영》=MUMMY[2].

mum[4] *n.*《구어》=CHRYSANTHEMUM.

mum[5] *n.*《주로 영》=MADAM.

°**mum·ble** [mʌ́mbəl] *vt.* **1** 《~+목/+*that* 절》 (입속에서 기도·말 따위를) 중얼(웅얼)거리다: ~ a few words 두세 마디 중얼거리다 / The old man ~*d that* he was hungry. 그 노인은 배고프다고 입속말을 했다. SYN. ⇨ MURMUR. **2** 우물우물 씹다. ― *vi.* **1** 《+전+명》 (…에게) 우물우물(중얼중얼)거리다《*to*》: ~ *to* oneself 혼자 중얼거리다. **2** (이가 없어서) 우물우물 씹다(먹다). ― *n.* 작고 똑똑지 않은 말, 중얼거림. ⓟ **múm-bling·ly** [-iŋli] *ad.* 우물우물. **-bler** *n.*

mum·ble·ty-peg, mum·ble-the-peg [mʌ́mbəltipèg], [-ðəpèg] *n.*《미》(남자 아이의) 잭나이프 던지기 놀이.

Múm·bo Júm·bo [mʌ́mbou-] **1** 서아프리카 흑인이 숭배하는 귀신. **2** Ⓒ (m- j-) 미신적 숭배물, 우상, 공포의 대상; 주술(呪術). **3** Ⓤ,Ⓒ (m- j-) 하찮은 일; 객쩍은 이야기, 뜻 모를 말.

mu·me·son [mjúːmíːzan/-zɔn] *n.* =MUON.

mumm [mʌm] *vi.* =MUM[1].

mum·mer [mʌ́mər] *n.* 〖역사〗 무언극 배우;《우스개·경멸》배우, 광대.

mum·mery [mʌ́məri] *n.* 무언극; Ⓒ,Ⓤ《경멸》야단스러운 의식, 허례; 겉치레, 허식.

mum·mied [mʌ́mid] *a.* 미라가 된. 「라화(化).

mum·mi·fi·ca·tion [mʌ̀məfikéiʃən] *n.* Ⓤ 미

mum·mi·fy [mʌ́məfài] *vt.* 미라로 만들다; 말려서 보존하다; 바짝 말리다.

°**mum·my**[1] [mʌ́mi] *n.* **1** 미라. **2** 바싹 마른 시체(물건). **3** 말라빠진 사람. **4** 갈색 그림 물감. ***beat*** a person ***to a*** ~ 아무를 때려눕히다, 몰매질하다. ― *vt.* 미라로 만들다.

⁑**mum·my**[2] *n.*《소아어》엄마(mamma).

múmmy bàg 머미백《얼굴만 나오고 몸에 밀착하는 침낭》.

múmmy clòth 미라를 싸는 천;《미》견모(絹毛)(견면(絹綿)) 교직의 크레이프 천.

múmmy whèat 이집트 밀.

mump[1] [mʌmp, mump/mʌmp]《고어·방언》*vi., vt.* 토라지다, 샐쭉하다, 부루퉁해지다.

mump[2] *vi.*《고어·방언》조르다, 구걸(비럭질) 다니다; 속이다. ⓟ **∠·er** *n.*《영방언》가짜 거지.

mump·ish [mʌ́mpiʃ] *a.* 시무룩한, 뚱한.

***mumps** [mʌmps] *n. pl.* **1** 《단수취급》(유행성) 이하선염(耳下腺炎), 볼거리. **2** 부루퉁한(성난) 얼굴.

mum·sie, -sey, -sy [mʌ́mzi] *n.* 어머니 (mother). ― *a.* 어머니다운.

mu·mu, mu-mu [múːmùː] *n.* =MUUMUU.

mun. municipal; municipality.

munch [mʌntʃ] *vt.* 우적우적 먹다, 으드득으드득 깨물다;《해커속어》…을 차례로 처리하다. ― *vi.* 《~/+전+명》 우적우적 먹다: ~ *at* an apple 사과를 우적우적 먹다.

Mun·chau·sen [mʌ́ntʃauzən, mʌntʃɔ́ː-] *n.* 허풍선이《독일인 Rudolph Raspe의 영문 소설의 주인공 이름》; 황당무계한 이야기, 거짓말, 허풍.

Múnchausen sỳndrome 〖정신의학〗 먼차우전 증후군《병을 가장하거나 자초하여 남의 동정을 사려고 하는 병적인 허언증》.

mun·chies [mʌ́ntʃiz]《미속어》*n. pl.* 가벼운 음식, 스낵; (특히 마리화나 흡연 후의) 공복감.

mun·dane [mʌndéin, ∠-] *a.* 현세의, 세속적인(earthly); 보통의; 우주의, 세계의: the ~ era 세계 창조 기원(紀元). ⓟ **~·ly** *ad.* **~·ness** *n.* **mun·dan·i·ty** [mʌndéinəti] *n.*

múndane astrólogy 〖점성〗 개인의 운세보다 국가의 운세나 천재지변을 예측하는 점. cf. natal astrology.

mung [mʌŋ] *vt.*《해커속어》(프로그램 등을) 개조하다, 대폭으로 바꾸다.

múng bèan 〖식물〗 녹두《식용·사료용》.

mun·g(e)y, mon·gee [mʌ́ndʒi] *n.*《미속어》음식물(food).

mun·go, -goe [mʌ́ŋgou] (*pl.* **~s**) *n.* Ⓤ 재생(再生) 양모《shoddy 보다 질이 좋음》. 「GOOSE.

mun·goos(e) [mʌ́ŋguːs] *n.*《고어》=MON-

mu·ni [mjúːni]《미구어》*n.* 시채(市債); 시영의 설비《극장 등》; 시영 버스(전동차).

Mu·nich [mjúːnik] *n.* **1** 뮌헨《독일 Bavaria의 도시; 독일명 München》; 굴욕적 양보《Munich Pact에서》. **2** 굴욕적인 타협 정책.

Múnich Pàct (**Agrèement**) (the ~) 뮌헨 협정《1938년 독일·이탈리아·영국·프랑스 간에 체결된 나치스에 대한 타협적 조약》.

***mu·nic·i·pal** [mjuːnísəpəl] *a.* **1** 시(市)의, 도시의, 자치 도시의, 시정(市政)(시제(市制))의, 시영의; 지방 자치의: ~ bonds 지방채(債) / ~ debts (loans) 시채(市債) / a ~ office 시청 / ~ authorities (government) 시 당국(시정) / a ~ corporation 지방 자치(단)체 / a ~ borough 《영》자치 도시 / ~ engineering 도시 공학. **2** 일국의, 내정의: ~ law 국내법. **3** 국지적인, 한정된. ⓟ **~·ly** *ad.* 시정상, 시제상.

mu·níc·i·pal·ìsm *n.* Ⓤ (시·읍 따위의) 자치제, 지방 자치주의. ⓟ **-ist** *n.* (시·읍 따위의) 자치제주의자; 시정 당국자.

°**mu·nic·i·pal·i·ty** [mjuːnìsəpǽləti] *n.* 자치체 《시·읍 등》; 시(읍) 당국; 전(全)시민(읍민).

mu·nic·i·pal·ize [mjuːnísəpəlàiz] *vt.* 시 자치제로 하다; 시유로(시영으로) 하다. ⓟ **munìc-ipalizá·tion** *n.* Ⓤ 자치제 시행; 자치제 관리 아래에 두기, 시유(市有), 시영(市營).

munícipal políce 자치 단체 경찰.

mu·nif·i·cent [mjuːnífəsənt] *a.* 인색하지 않은, 아낌없이 주는, 후한. ㊞ **-cence** *n.* Ⓤ. **~·ly** *ad.*

mu·ni·ment [mjúːnəmənt] *n.* 방어, 보호; (*pl.*) 〖법률〗 부동산 권리 증서, 증서; 공식 기록, 공문서. 「회 따위의」.

múniment ròom 《영》 기록 보관실《대학·교

°**mu·ni·tion** [mjuːníʃən] *n.* (보통 *pl.*) **1** 군수품, 《특히》 탄약: *~s* of war 군수품. **2** 필수품, 자금: *~s* for a political campaign 정치 운동 자금. **3** 〖형용사적〗 군수품의: a ~ factory 군수 공장 / the *~s* industry 군수 산업. **—** *vt.* …에 군수품을 공급하다. ㊞ **~·er** [-ʃənər] *n.* 군수 공장 직공. 「역; 어학 교사.

mun·shi [múːnʃi] *n.* 《Ind.》 (인도인) 서기, 통

munt·jac, -jak, mun·jak [mʌ́ntdʒæk], [mʌ́ndʒæk] *n.* 〖동물〗 먼책사슴《아시아 남동부에 사는 매우 작은 사슴》. 「구리의 합금」.

Múntz (métal) [mʌ́nts(-)] 먼츠메탈《아연과

Mu·ny [mjúːni] *n.* 《미구어》 (센트루이스 시 등의) 시립 극장; 시영 시설《미술관 따위》.

mu·on [mjúːɑn/-ɔn] *n.* 〖물리〗 뮤온, 뮤(*μ*)입자(중간자). ㊞ **mu·ón·ic** *a.*

mu·o·ni·um [mjuːóuniəm] *n.* 〖물리〗 뮤오늄《정전하(正電荷)의 *μ* 입자 한 개와 전자 한 개로 이루어진 뮤온》.

Mup·pet [mʌ́pit] *n.* 머펫《팔과 손가락으로 조작하는 인형; 미국의 TV 프로 *Sesame Street*에서 유행》. [◂ 고안자 Jim Henson의 조어]

mu·ral [mjúərəl] *a.* 벽의, 벽 위(속)의; 벽과 같은; 험한: a ~ painting 벽화. **—** *n.* 벽화, 벽. ㊞ **~·ist** *n.* 벽화가.

mur·der** [mə́ːrdər] *n.* **1** Ⓒ,Ⓤ 살인; 〖법률〗 고살(故殺), 모살(謀殺); 살인 사건: *Murder* will out. 《속담》 살인(비밀, 나쁜 일)은 반드시 탄로난다. **2** 《구어》 매우 위험(곤란, 불쾌)한 일(것, 상황); 가혹한 상사, 호랑이: The exam was ~. 시험은 무척 어려웠다. ***cry (***scream, shout***) (***blue***) ~ 터무니없이 큰 소리를 지르다《'큰일 났다!' '사람 살려!' 따위》. ***get away with*** ~ 《구어》 나쁜 짓을 해도 벌을 받지 않고 지나다. ***like blue*** ~ 맹렬한 스피드로, 쏜살같이. ~ ***in the first*** (***second***) ***degree*** 제1 (2)급 살인《보통 제1급은 사형, 제2급은 유기형》. ***The ~ is out.*** 비밀이 드러났다, 수수께끼가 풀렸다. **—** *vt.* **1** (아무를) 살해하다, 학살하다; 〖법률〗 모살하다. **2** 못쓰게 하다, 잡쳐 놓다: ~ Mozart 모차르트 곡을 서투르게 연주하다. **—** *vi.* 살인을 하다. ~ ***the King's English*** 서투른 영어를 쓰다.

múrder bòard 《미속어》 (후보자·계획 따위를 엄격하게 심사하는) 심사 위원회.

mur·der·ee [mə̀ːrdəríː] *n.* 피살자.

mur·der·er** [mə́ːrdərər] (*fem.* ***mur·der·ess [-ris]) *n.* 살인자; 살인범. 「순.

múrderer's ròw 〖야구〗 강타자가 계속되는 타

°**mur·der·ous** [mə́ːrdərəs] *a.* **1** 살인의, 살의가 있는: a ~ attack 살인 목적의 공격. **2** 흉악한, 잔인한: a ~ dictator 잔인한 독재자. **3** 살인적인, 무시무시한, 지독한: a ~ heat 살인적인 더위. ㊞ **~·ly** *ad.* **~·ness** *n.* 「폐하다《*up*》.

mure [mjuər] *vt.* 벽으로 둘러싸다; 가두다, 유

mu·rex [mjúəreks] (*pl.* ***mu·ri·ces*** [-rəsiːz], ***~·es***) *n.* 〖패류〗 뿔고둥《열대산; 자주색 물감을 얻음》; Ⓤ 자주색.

mu·ri·ate [mjúərièit, -riət/-riət] *n.* Ⓤ,Ⓒ 〖주로 상업용〗 염화물(chloride).

mu·ri·at·ic [mjùəriǽtik] *a.* 〖주로 상업용〗 염화수소의: ~ acid 염산(hydrochloric acid).

Mu·ri·el [mjúəriəl] *n.* 뮤리엘《여자 이름》.

mu·rine [mjúərain] 〖동물〗 *a.* 쥣과의. **—** *n.* 쥣과의 동물.

múrine týphus 〖의학〗 발진열(發疹熱).

murk [məːrk] *a.* 《고어·시어》 어두운; 음울한. **—** *n.* Ⓤ 암흑; 음울(gloom; darkness).

murky [mə́ːrki] (***murk·i·er; -i·est***) *a.* **1** 어두운; 음산(우울)한. **2** (안개·연기 따위가) 자욱한. **3** (표현 따위가) 애매한, 분명치 않은. **4** 비밀스러운, 뒤가 구린. **5** 먼지를 뒤집어 쓴, 더러워진. ㊞ **múrk·i·ly** *ad.* **-i·ness** *n.* 암흑; 음울.

***mur·mur** [mə́ːrmər] *n.* **1** 중얼거림, 속삭임: a ~ of conversation from the next room. **2** (중얼거리는) 불평: without a ~ 군말 없이. **3** (옷·나뭇잎 따위가) 스치는 소리; 솨솨 소리; (시냇물 따위의) 졸졸 소리; (연속적인) 희미한 소리. **4** 〖의학〗 (청진기에 들리는) 잡음. **—** *vi.* **1** 졸졸 소리내다, 속삭이다; 희미하게 소리내다: a *~ing* brook 졸졸 흐르는 시냇물. **2** 《+전+명》 불평을 하다, 투덜대다《*about; at; against*》: ~ *at* (*against*) an unfair treatment 불공평한 대우에 불평을 하다. **—** *vt.* 《~+목/+*that* 절》 속삭이다, 나직하게 말하다: She *~ed* a prayer. 그녀는 작은 소리로 기도했다 / She *~ed that* she was tired. 그녀는 피곤하다고 속삭이듯 말했다.

> SYN. **murmur** 확실히 알아듣기 어려울 정도의 낮은 소리로 말하다. **mumble** 알아들을 수 없을 만큼 불명료하게 말하다. **mutter** 불평 따위를 충분히 알아들을 수 없을 정도로 낮은 소리로 말하다.

㊞ **~·er** *n.* **~·ing** *a.*

mur·mur·ous [mə́ːrmərəs] *a.* 살랑거리는, 솨솨 소리내는; 속삭이는; 투덜(중얼)거리는.

mur·phy [mə́ːrfi] *n.* 《속어》 감자.

Múrphy bèd 《미》 머피 침대《접어서 반침에 넣어 둘 수 있는 침대; 미국의 발명가 W.L.Murphy (1876-1959)의 이름에서》.

Múrphy gàme 《미속어》 머피게임《콜걸의 연락처나 마약 정보가 들어 있다며 돈을 받고 대신 신문지 등이 든 봉투를 건네주는 신용 사기》.

Múrphy's Láw 머피 법칙《경험에서 얻은 몇 가지의 해학적인 지혜; '실패할 가능성이 있는 것은 실패한다' 따위》.

mur·rain [mə́ːrin/mʌ́r-] *n.* Ⓤ **1** 《고어》 역병(疫病). **2** 가축의 전염병《특히 소의》. ***A ~ on you!*** = ***Murrain take you!*** 염병할 자식(Curse you!). 「름」.

Mur·ray [mə́ːri, mʌ́ri/mʌ́ri] *n.* 머리《남자 이

murre [məːr] *n.* 〖조류〗 **1** 바다오리. **2** =RAZORBILL.

mur·rey [mə́ːri/mʌ́ri] *n., a.* 암적갈색(의).

mur·r(h)ine [mə́ːrin, -rain/mʌ́rain, -rin] *a.* 형석(螢石)(제)의, 꽃무늬 유리의.

mur·ther [mə́ːrðər] *n., vt.* 《폐어》 =MURDER.

mus. museum; music; musical.

Mus. B., Mus. Bac. *Musicae Baccalaureus* 《L.》 (=Bachelor of Music). 「CATEL.

mus·ca·del, -dell(e) [mʌ̀skədél] *n.* =MUS-

mus·ca·dine [mʌ́skədin, -dàin] *n.* 포도의 일종《미국 남부산》.

mus·ca·lure [mʌ́skəlùər] *n.* 〖생물·화학〗 파리 유인 물질《집파리의 성(性)유인 물질》.

Mus·cat [mʌskǽt/mʌ́skət, -kæt] *n.* 무스카트《오만의 수도》.

mus·cat [mʌ́skət, -kæt] *n.* 〖식물〗 머스캣종의 포도; muscatel 포도주.

mus·ca·tel [mʌ̀skətél] *n.* Ⓤ muscat으로 빚은 포도주; Ⓒ muscat 포도.

***mus·cle** [mʌ́səl] *n.* **1** Ⓒ,Ⓤ 근육, 힘줄: Physical exercises develop ~. 체조는 근육을 발달시

킨다. **2** Ⓤ 완력: a man of ~ 완력이 있는 사람 / It takes a great deal of ~ to lift this weight. 이 무게를 드는 데는 상당한 힘이 든다. **3** Ⓤ 압력, 강제: put ~ into foreign policies 강압 외교 정책을 쓰다. **4** Ⓒ 진수(眞髓), 주요 부분: cut the ~ from an article 논설의 주요부를 삭제하다. **5** Ⓤ 기름기 없는 고기(lean meat). ◇ muscular *a.* ***control*** 〔***govern***〕 ***one's*** **~*s*** 웃음을 참다. ***do not move a*** **~** 꼼짝도 하지 않다. ***have*** **~** ***with*** a person 아무에 대해 우위에 서다. ***on the*** **~** 《미속어》 툭하면 싸우려 드는〔곧 손찌검을 하는〕. **—** *vt.* **1** 《(+목+부/+목+전+명)》 …에 (억지로) 끼어들다, 힘으로 밀고 들어가다〔나아가다〕; 억지로〔힘으로〕 관철〔통과〕시키다: He was suddenly ~*d aside* as a swarm of his fellows rushed out. 친구들이 떼를 지어 쏟아져 나왔기 때문에 그는 갑자기 옆으로 밀려났다 / ~ a bill *through* Congress 법안을 밀어서 억지로 통과시키다. **2** …에 살을 붙이다, …의 근육을 발달시키다. **3** 강력하게 하다, 엄하게 하다. **—** *vi.* 《+전+명/+부》 《구어》 우격으로 나아〔지나〕가다 《*through*》; 끼어들다, 영역을 침범하다 《*into*》: ~ *through* a crowd 군중 속을 헤치고 나아가다 / ~ *into* a conversation 이야기에 끼어들다. **~ *in*** 《구어》 억지로 비집고 들어가다. **~ *out*** 억지로〔완력으로〕 내쫓다, 추방하다. 「뻣뻣해진.

múscle-bòund *a.* (과도한 운동으로) 근육이

múscle càr 《미속어》 (차체에 비해 큰 엔진을 단) 힘센 차 《특히 스포츠카》. 「이 강한.

(-)mús·cled *a.* 근육이 …한: strong-~ 근육

múscle-hèad *n.* 《미속어》 멍청이, 바보.

mús·cle·less *a.* 근육이 없는, 연약한(flaccid).

múscle·màn [-mæ̀n] (*pl.* ***-mèn*** [-mèn]) *n.* 《구어》 근육질의 남자, 《특히》 고용된 폭력단원.

múscle pìll 《구어》 근육 증강 필 《anabolic steroid(단백 동화 스테로이드)를 이름》.

múscle plàsma 〖생리〗 근장(筋漿).

múscle sènse 〖생리〗 근각(筋覺).

mus·cly [mʌ́səli] *a.* 근육의, 근육이 발달한.

mus·col·o·gy [mʌskɑ́lədʒi/-kɔ́l-] *n.* Ⓤ 선태학(蘚苔學). 「조당(粗糖), 흑설탕.

mus·co·va·do [mʌ̀skəvéidou, -vɑ́:-] *n.* Ⓤ

Mus·co·vite [mʌ́skəvàit] *n.* **1** 러시아 사람; 모스크바 주민. **2** Ⓤ (m-) 〖광물〗 백운모. **—** *a.* 러시아(사람)의; 모스크바(주민)의.

Mus·co·vy [mʌ́skəvi] *n.* 《고어》 러시아.

Múscovy dúck =MUSK DUCK.

***mus·cu·lar** [mʌ́skjələr] *a.* **1** 근육의: ~ strength 근력(筋力). **2** 근육이 늠름한; 억센; 활력 있는, 힘 있는: a ~ arm 억센 팔 / the ~ system 근육 조직. **3** (표현 · 묘사 · 행위 등이) 박력 있는; 《구어》 강력한. ◇ muscle *n.* 파 **~·ly** *ad.*

múscular Christiánity 근육적 기독교 《강건한 육체와 쾌활한 정신을 숭상》.

múscular dýstrophy 〖의학〗 근(筋)위축증.

mus·cu·lar·i·ty [mʌ̀skjəlǽrəti] *n.* Ⓤ 근육이 늠름함; 억셈, 힘셈.

múscular rhéumatism =MYALGIA.

mus·cu·la·ture [mʌ́skjələtʃər] *n.* Ⓤ,Ⓒ 〖해부〗 근육 조직.

Mus. D., Mus. Doc., Mus. Dr. *Musicae Doctor* 《L.》 (=Doctor of Music).

Muse [mju:z] *n.* **1** 〖그리스신화〗 뮤즈 《시 · 음악 · 학예를 주관하는 9여신 중의 하나》. **2** (the m-) 시적 영감, 시상, 시혼; (m-) 《시어》 시인. ***the*** (***nine***) **~*s*** 뮤즈 9여신.

°**muse** [mju:z] *vi.* **1** 《~/+전+명》 명상하다, 숙고하다, 묵상하다(reflect) 《*on, upon; over; about*》. cf. meditate, ponder. ¶ ~ *over* memories of the past 옛 추억에 잠기다. **2** 감회에 젖어〔유심히〕 바라보다 《*on*》. **—** *vt.* 깊은 생각에 잠기다; 사려깊게〔감회에 젖어〕 말하다. 파 **∠·ful** [-fəl] *a.* 생각에 잠긴. 「〔미술관〕학.

mu·se·ol·o·gy [mjù:ziɑ́lədʒi/-ɔ́l-] *n.* 박물관

mu·sette [mju:zét] *n.* 프랑스의 작은 백파이프 (bagpipe); 목가조(牧歌調)의 곡; 〖군사〗 (어깨에 걸치는) 작은 잡낭(=∠ **bàg**).

‡**mu·se·um** [mju:zí:əm] *n.* 박물관, 미술관; 기념관. [◂ Muse] 「케케묵은 사람〔물건〕.

muséum pìece 박물관 진열품; 진품; 《경멸》

mush[1] [mʌʃ] *n.* Ⓤ **1** 《미》 옥수수 죽 (같은 것). **2** 《구어》 값싼 감상(感傷), 애절한 소리; 허튼소리; 《속어》 얼굴, 입. ***make a*** **~** ***of*** 《구어》 …을 엉망으로 만들다, …을 잡쳐 놓다. **—** *vt.* 《방언》 산산이 부수다; 《미속어》 달콤한 감상에 젖게 하다. **~*ed potato*** 으깬〔곤죽이 된〕 감자. **—** *vi.* 무너지다, 찌부러지다; (비행기가) 반실속(半失速)의 상태로 날다, 고도를 회복 못 하다.

mush[2] 《미 · Can.》 *int.* 가자 《썰매 끄는 개를 추기는 소리》. **—** *n.*, *vi.* 개썰매 여행(을 하다).

mush[3] *n.* 《속어》 박쥐 우산.

mush[4] *n.* 《속어》 =MUSTACHE.

músh-mòuth *n.* 《미속어》 말이 분명치 않은 사람, 중얼중얼하는 사람, 우물거리는 사람.

°**mush·room** [mʌ́ʃru(:)m] *n.* **1 a** 버섯; 양송이. cf. toadstool. **b** 버섯 모양의 물건; 《구어》 버섯 모양의 여성 모자; 버섯 구름(=∠ **clòud**); 박쥐우산. **2** 벼락부자, 졸부. **—** *a.* 버섯 같은; 우후죽순 같은; 단명한; 갑자기 출세한: a ~ town 신흥 도시 / a ~ millionaire 벼락부자, 졸부 / ~ growth 빠른 성장. **—** *vi.* **1** 버섯을 따다: go ~*ing* 버섯 따러 가다. **2** 버섯 모양으로 되다. **3** 《+부/+전+명》 갑자기 생겨나다; 〔…로〕 발전하다; 무럭무럭 자라다; (불 · 연기 등이) 확 번지다 《*up; out; in; into; over*》: Black smoke ~*ed up over* the warehouse. 검은 연기가 창고 위에 버섯처럼 치솟아 올랐다 / It ~*ed into* a mass movement. 그것은 대중 운동으로 발전했다. **4** (탄알의) 끝이 납작해지다. 「섯 빛깔.

múshroom còlor 엷은 노란빛을 띤 갈색, 버

mushy [mʌ́ʃi] (***mush·i·er; -i·est***) *a.* **1** 죽 같은, 흐늘흐늘한; (기능이) 고르지 못한. **2** 《구어》 감상적인, 눈물을 잘 흘리는. 파 **músh·i·ly** *ad.* **-i·ness** *n.*

†**mu·sic** [mjú:zik] *n.* Ⓤ **1** 음악, 악곡. **2** 〘집합적〙 (음악) 작품; 〘집합적〙 악보〔악곡〕집; 악보: play without ~ 악보 없이 연주하다 / read ~ 악보를 읽다. **3** 듣기 좋은 소리, 음악적인 음향: the ~ of birds 새 소리. **4** 음감(音感), 음악 감상력: He has no ~ in him. 그는 음악에 대해서는 백지다. **5** 《고어》 악대, 합창대. **6** 〖사냥〗 사냥개의 짖는 소리. **7** 《미구어》 대논쟁, 큰 소동. **8** 〘형용사적〙 음악의: a ~ lesson 〔teacher〕 음악 수업〔선생〕. ***face the*** **~** 자진하여 어려움을 맡다; 자초한 결과를 깨끗이〔미련없이〕 받다. **~ *to one's ears*** (귀에〔들어〕) 기분 좋은 것. ***rough*** **~** (심술부려 떠드는) 법석. ***set*** (a poem) ***to*** **~** (시에) 곡을 달다. ***the*** **~** ***of the spheres*** 천상의 음악《천체의 운행에 따라 일어난다고 Pythagoras 학파의 사람들이 상상했던》.

‡**mu·si·cal** [mjú:zikəl] *a.* **1** 음악의, 음악용의, 음악에 관한: a ~ composer 작곡가 / a ~ director 악장, 지휘자 / a ~ instrument 악기 / ~ intervals 음정 / a ~ performance 연주 / ~ scales 음계 / a ~ soirée 음악의 밤. **2** 음악적인, 소리가 고운: a ~ voice 고운 목소리. **3** 음악에 능한; 음악을 좋아하는, 음악을 이해하는. **4** 음악이 따르는: a ~ entertainment 음악이 따르는 여흥. **—** *n.* **1** 음악(회)극, 음악 영화, 뮤지컬.

2 =MUSICALE. ***be of a ～ turn*** 음악의 재능이 있다, 음악에 취미가 있다. ㊇ **～·ly** *ad.* 음악상; 음악적으로; 장단 맞추어.
músical béds (*pl.*) 《속어》 난교(亂交).
músical bòx 《영》 =MUSIC BOX.
músical cháirs 1 의자빼앗기 놀이. **2** (장소·배치의) 무의미한 변경. ***play ～*** 서로 상대를 앞지르려 하다; 이것저것 선택에 망설이다; 섹스 상대를 빈번히 바꾸다; 형식주의적인 혼란에 빠지다.
músical cómedy 뮤지컬, 희가극.
mu·si·cale [mjù:zikǽl] *n.* 《미》 음악회《비공개의 사교적인 모임으로서의》.
músical film 음악 영화.
músical glàsses =GLASS HARMONICA.
mu·si·cal·i·ty [mjù:zikǽləti] *n.* 음악성(音樂性), 선율의 아름다움; 음악적 재능, 음악적 감성; 음악의 지식. 「하다.
mu·si·cal·ize [mjú:zikəlàiz] *vt.* 음악극으로
músical sàw 악기로 쓰는 서양식 톱.
mu·si·cas·sette [mjú:zəkəsèt, -kæ-] *n.* 음악 카세트 (테이프). 「sical box).
músic bòx 《미》 주크 박스(jukebox, 《영》 mu-
músic dirèctor 악장, 지휘자(musical direc-
músic dràma 〖음악〗 악극. ⌊tor).
músic hàll 음악당; 《영》 연예관.
⁑**mu·si·cian** [mju:zíʃən] *n.* **1** 음악가, 악사. **2** 작곡가. **3** 음악을 잘하는 사람. ㊇ **～·ly** *a.* 음악가다운. **～·shìp** *n.* 음악 기능〔기술〕.
mu·si·col·o·gy [mjù:zikálədʒi/-kɔ́l-] *n.* Ⓤ 음악학. ㊇ **-gist** [-dʒist] *n.* 음악학자. **mù·si·co·lóg·i·cal** *a.*
mu·si·co·ther·a·py [mjú:zikouθèrəpi] *n.* (정신병 등의) 음악 요법.
músic pàper 악보 용지, 5선지.
músic ròll 뮤직〔피아노〕 롤《자동 피아노를 움직이는 구멍 난 종이》.
músic stànd 보면대(譜面臺), 악보대.
músic stòol (높이를 조정할 수 있는) 연주용 의자, 피아노·오르간용 의자.
músic vìdeo 뮤직 비디오.
mus·ing [mjú:ziŋ] *a.* 꿈을 꾸는 듯한; 생각에 잠긴. **—** *n.* Ⓤ,Ⓒ 묵상, 숙고. ㊇ **～·ly** *ad.* 생각에 잠겨.
mu·sique con·crète [*F.* myzikkɔ̃kʀɛt] *n.* 《F.》 뮈지크 콩크레트, 구체 음악《녹음한 여러 가지 소리나 자연 소음을 안배한 음악》.
musk [mʌsk] *n.* Ⓤ 사향(의 냄새); Ⓒ 〖동물〗 사향노루; 〖식물〗 사향 냄새나는 여러 가지 식물《musk rose 따위》.
músk bàg (musk deer의) 사향선(麝香腺).
músk càt 사향고양이; 멋 부리는 남자.
músk dèer 사향노루.
músk dùck 물오리의 일종《교미기에 사향 냄새를 냄; 오스트레일리아산(產)》; 남아메리카 원산의 물오리의 일종《식육용 가금》.
mus·keg [mʌ́skèg] *n.* 《미》 물이끼가 나 있는 소택(沼澤).
mus·kel·lunge [mʌ́skəlʌ̀ndʒ] (*pl.* ～) *n.* 〖어류〗 창꼬치의 일종《몸길이가 약 2m에 달하는 북아메리카산(產) 식용어》.
mus·ket [mʌ́skit] *n.* (총강(銃腔)에 선조(旋條)가 없는) 구식 소총.
mus·ket·eer [mʌ̀skitíər] *n.* 〖역사〗 머스켓총병(銃兵), 보병; 유쾌한 친구.
mus·ket·ry [mʌ́skitri] *n.* 〔집합적〕 소총; 소총 부대; Ⓤ 〖군사〗 소총 사격(술).
músket shòt 소총탄; 소총의 사정(射程).
Mús·kie Àct [mʌ́ski-] 《미》 머스키법《대기오염 방지법(Clean Air Act)의 속칭》.
músk màllow 〖식물〗 사향아욱.
músk·mèlon *n.* 〖식물〗 머스크멜론.
músk·òx (*pl.* **-òx·en**) *n.* 사향소.

muskox

músk plànt 〖식물〗 사향물꽈리아재비.
músk·ràt (*pl.* ～, ～**s**) *n.* 사향뒤쥐 (=∠ **bèaver**); Ⓤ 그 모피; 《CB속어》 아이.
músk ròse 사향장미《지중해 지방산(產)》.
músk trèe 〔**wòod**〕 사향나무; Ⓤ 그 목재.
musky [mʌ́ski] (***musk·i·er; -i·est***) *a.* 사향의; 사향 냄새 나는; 사향 비슷한.
***Mus·lim, -lem** [mʌ́zlim, mús-, múz-/mús-] (*pl.* ～, ～**s**) *n., a.* 이슬람교도(의), 이슬람교의, =BLACK MUSLIM. ㊇ **～·ism** *n.* =ISLAM.
◇**mus·lin** [mʌ́zlin] *n.* Ⓤ **1** 모슬린, 메린스(*mousseline de laine*); 《미》 옥양목. **2** 《영속어》 여성: a bit of ～ 여성, 소녀.
mus·lin·et(te) [mʌ̀zlinét] *n.* Ⓤ 두꺼운 무명모슬린. 「Music).
Mus.M. *Musicae Magister* 《L.》 (=Master of
mus·quash [mʌ́skwɑʃ/-kwɔʃ] *n.* 〖동물〗 사향뒤쥐(musk rat); Ⓤ 그 모피.
muss [mʌs] 《미구어》 *vt.* 엉망〔뒤죽박죽〕으로 만들다; 짓구겨 놓다《*up*》. **—** *n.* Ⓒ,Ⓤ 엉망, 뒤죽박죽; 법석, 싸움.
mus·sel [mʌ́səl] *n.* 〖패류〗 홍합; 마합류.
Mus·so·li·ni [mùsəlí:ni, mù:s-] *n.* **Benito** ～ 무솔리니《이탈리아의 독재 정치가; 1883-1945》.
Mus·sorg·sky [musɔ́:rgski, -zɔ́:rg-] *n.* **Modest Petrovich** ～ 무소르크스키《러시아의 작곡가; 1839-81》.
Mus·sul·man [mʌ́səlmən] (*pl.* **～s, -men** [-mən]) *n., a.* 회교도(의).
mussy [mʌ́si] (***muss·i·er; -i·est***) *a.* 《미구어》 엉망〔뒤죽박죽〕의, 혼잡한; 구깃구깃한. ㊇ **múss·i·ly** *ad.* **-i·ness** *n.*
†**must**[1] ⇨ 《p. 1654》 MUST. 「액; 새 포도주.
must[2] [mʌst] *n.* Ⓤ (포도주가 되기 전의) 포도
must[3] *n.* 광포〔발정〕한 상태《교미기의 수코끼리·수낙타의》. **—** *a.* 발정한, 암내 맡고 날뛰는, 광포한. 「나다.
must[4] *n.* Ⓤ 곰팡내가 남; 곰팡이. **—** *vi.* 곰팡
***mus·tache, mous-** [mʌ́stæʃ, məstǽʃ/məstá:ʃ] *n.* 콧수염; (고양이 등의) 수염. ⓒⓕ beard, whisker. ¶ grow 〔wear〕 a ～ 콧수염을 기르다〔기르고 있다〕. ㊇ **～d** *a.*
mus·ta·chio [məstá:ʃou] (*pl.* **～s**) *n.* 《고어》 =MUSTACHE. ㊇ **～ed** *a.*
mus·tang [mʌ́stæŋ] *n.* (멕시코 등의) 야생마; 《미속어》 (사병 출신의) 해군 장교; (M-) 포드제 승용차의 일종《상표명》; 〖미공군〗 무스탕《2차 대전시의 전투기》. (***as***) ***wild as a ～*** 몹시 난폭한.
mústang gràpe 알이 잔 붉은 포도《Texas산》.
◇**mus·tard** [mʌ́stərd] *n.* **1** Ⓤ **a** 겨자, 머스터드; 겨잣빛, 짙은 황색; 〔형용사적〕 겨자(색)의: English 〔French〕 ～ 물을 탄〔초를 친〕 겨자. **b** 〖식물〗 평지, 갓: wild ～ 개구리자리(charlock). **2** 《주로 미속어》 매운맛을 가하는 것; 자극, 열의, 풍미; 정열; 〔형용사적〕 열심인, 열의 있는, 의욕 있는, 일급의. **3** 《미육군속어》 (전투기·폭격기의) 우수한 파일럿. (***as***) ***keen as ～*** 《구어》 아주 열심인; 열망하여; 이해가 빠른. ***cut the ～*** 《미속어》 기대에 부응하다, 기준〔목표〕에 이르다.
mústard gàs 겨자탄, 이페리트《독가스》.
mústard plàster 겨자씨 연고《찜질 약》.
mústard sèed 겨자씨; 《미》 작은 산탄(散彈)

(dust shot). ***a grain of*** ~ 〖성서〗 겨자씨 한 알, 작지만 발전성 있는 것《마태복음 XIII: 31》.

°**mus·ter** [mʌ́stər] *n.* 소집, 검열, 점호; 집합; 집합 인원; 점호 명부; 〖상업〗 견본. ***pass*** ~ 검열을 통과하다. **—** *vt.* 《~+목/+목+부》 모으다, (검열·점호에 선원·군인을) 소집하다; 집중하다, (힘·용기 따위를) 분발시키다《*up*》; …에 상당하다, …으로 되다: ~ *up* all one's courage 한껏 용기를 내다. **—** *vi.* 모이다, 응소(應召)하다. ~ ***in*** 《미》 입대시키다. ~ ***out*** 《미》 제대시키다.

múster bòok 점호부(點呼簿).

múster-màster *n.* 선원 명부 기재 담당관, 병

must[1]

must에는 과거·미래·완료형 및 동명사가 없고, 각 형에 had to; will 〔shall〕 have to; have had to; having to가 대용된다. 그러나 인용의 종속절 중의 must는 주절이 과거라도 had to 〔would have to, should have to〕로 바꿀 필요는 없다: I *think* that I *must* go. → I *thought* that I *must* go. 즉 must는 would나 should와 마찬가지로, 가정법(과거)같이 쓰이고 시제의 호응에 관해서는 주절의 시제의 영향을 받지 않는다. 가정법 귀결절(歸結節)에 있어서도 마찬가지다(⇨ 5 NOTE (2)).

must의 두 개의 말뜻 '하지 않으면 안 되다'와 '틀림없다' 중에서 어느 쪽으로 해석하느냐 하는 것은 문맥에 의한 판단이 중요하다.

must [mʌst, 약 məst] (must not의 간약형 ***mustn't*** [mʌ́snt]) *aux. v.* **1** 〖필요〗 …해야 한다, …할 필요가 있다《이 뜻의 부정에는 need not, do not have to, haven't got to 등을 씀》: Animals ~ eat to live. 동물은 생존하기 위해서는 먹어야 한다/We ~ hurry if we're to arrive on time. 제시간에 도착하려면 서둘러야 한다/*Must* I stay here? — No. You don't have to. 여기에 있어야 합니까 — 그럴 필요는 없다.

NOTE (1) 과거·미래·완료를 나타내는 경우에는 have to를 씀(had to, will 〔shall〕 have to, have had to, having to): She said she ~ 〔*had to*〕 find a job by summer. 그녀는 여름까지는 일거리를 찾아야 한다고 말했다《간접 화법에서는 과거라도 must를 그대로 쓸 수 가 있음》.
(2) 한 번 사용한 동사는 종종 생략됨: Well, *go* if you *must* (*go*). 글쎄 가야만 한다면 가거라.
(3) 동사가 go일 때, 방향을 제시하는 부사구가 있으면, 처음부터 생략할 때가 있음: We *must* (*go*) *away*. 우리는 떠나야 된다.

2 〖의무·강제〗 **a** …해야 한다, …하지 않으면 안 된다: You ~ do as you are told. 말한 대로 해야 한다/I ~ keep my word. 약속을 지켜야 한다. **b** 〖~ not으로, 금지를 나타내어〗 …해서는 안 된다《이 경우 not은 must가 아니라 동사를 부정함》: You ~ *not* do it. 넌 그것을 해서는 안 된다/You ~ *not* tell a lie. 거짓말을 해서는 안 된다.

3 〖주어의 주장, 강한 의지〗 꼭 …하고 싶다〔해야 한다〕, …않고는 못 배긴다《must가 강하게 발음됨》: I ~ ask your name, sir. 꼭 존함 좀 알았으면 싶은데요/He ~ always have his own way. 그는 늘 제 뜻대로 하지 않고는 직성이 안 풀린다/If you ~, you ~. 꼭 해야(만) 한다면 하는 수 없다/She said that she ~ see the manager 그녀는 지배인을 꼭 만나야 된다고 말했다《간접 화법에서는 과거라도 must를 쓸 수 있음》.

4 〖2인칭 주어〗 〖간청·요망·충고〗 (부디) …해 주기 바라다: You ~ stay to dinner. 부디 식사를 하고 가 주세요/You ~ know he is quite shrewd about money. 그가 돈벌이에는 빈틈이 없음을 알아 두는 것이 좋다.

5 〖논리적 추정〗 **a** …임〔함〕에 틀림없다, 틀림없이 …이다〔하다〕《이 때의 부정은 cannot (…일 리가 없다); 또, 이 뜻일 때의 must는 상대의 말에 대한 응답과 부가의문의 경우를 제외하고는 의문문이 없으며, Are you sure?로 대용함》: It ~ be true. 정말임에 틀림없다/You ~ know this! — *Must* I? 너는 틀림없이 이것을 알고 있을 테지 — 제가 말입니까/You ~ know this, mustn't you? 자넨 틀림없이 이걸 알고 있을 테지, 그렇지/Don't bet on horse races; you ~ lose in the long run. 경마 도박을 해서는 안 된다. 결국 손해 볼 것이 뻔하니까. **b** 〖must have+과거분사; 과거에 있어서의 추정〗 …이었음〔했음〕에 틀림없다: You look very tired. You ~ *have been* working too hard. 몹시 피곤하신 것 같군요, 틀림없이 과로 때문일 겁니다/What a sight it ~ *have been!* 틀림없이 장관(壯觀)이었을 테지/How you ~ *have hated* me! 틀림없이 나를 증오했을 테지/I thought you ~ *have lost* your way. 자넨 길을 잃었음에 틀림없다고 여겼다/That woman ~ *have stolen* it! 저 여자가 그것을 훔쳤음에 틀림없다《비교: That woman *cannot* have stolen it! 저 여자는 그것을 훔쳤을 리가 없다》. **c** 〖~ not로〗 …이 아님에 틀림없다《이 경우 not은 must가 아니라 동사를 부정함》: He *mustn't* be there. 그는 거기 없을 것임에 틀림없다/He *mustn't* have known it. 그는 그것을 몰랐음에 틀림없다.

NOTE (1) 앞으로 있을 일에 대해서 '…일〔할〕 것임에 틀림없다'는 흔히 be bound to로 표현됨: There *is bound to* be trouble. (반드시) 말썽이 있을 것임에 틀림없다.
(2) 시제의 일치에 관해서는 앞에서도 언급했듯이 종속절 중에서는 과거라도 must를 그대로 씀: The doorbell rang. I thought it *must* be Jane. 현관 벨이 울렸다. 나는 제인이 틀림없다고 생각했다. 또한, must는 가정법의 귀결절 중에서는 가정법 과거완료의 조동사 역할을 함: You *must*(=would surely) *have caught* the ball if you had run. 만약 뛰었더라면 너는 공을 잡았을 텐데.

6 〖필연성·운명〗 반드시 …하다, …은 피할 수 없다: Everyone ~ die. 누구나 반드시 죽는 법이다/Bad seed ~ produce bad corn. 나쁜 씨에서는 나쁜 열매가 생긴다.

7 《구어》 〖공교롭게 일어난 일에 대하여〗 곤란하게도 …이 일어나다, 공교롭게 …하다: Just when I was to sleep the phone ~ ring. 막 잠이 들려는데, 심술궂게도 전화가 울렸다《과거를 나타냄》/Why ~ it always rain on Sundays? 일요일만 되면 왜 언제나 비가 오는 것일까. ~ ***needs*** do ⇨ NEEDS. ***needs*** ~ do ⇨ NEEDS.

— *a.* 《구어》 절대 필요한, 필수의, 필독의: a ~ book 필독서/~ subjects 필수 과목.

— *n.* 《구어》 절대 필요한 것; 필수품, 필독서: English is a ~. 영어는 필수 과목이다/The new edition is a ~ for those who study it. 이 신판은 이 문제를 연구하는 사람에게는 필독서이다.

원(兵員) 명부 관리관.
múster ròll 병원(兵員)〔선원〕 명부, 점호부.
múster státion 〔**póint**〕 (특히 배의) 비상시 집합 장소.
musth [mʌst] *a.*, *n.* =MUST³.
múst-háve *n.* 《구어》 필휴품(必携品).
múst lìst (실행이 불가결한) 우선 사항(리스트).
†**mustn't** [mʌ́snt] must not의 간약형. 「할 것.
múst-sée *n.* 《구어》 (경치나 연예 등) 꼭 보아야
musty [mʌ́sti] (***must·i·er; -i·est***) *a.* 곰팡핀, 곰팡내 나는; 케케묵은, 진부한(stale); 무기력한, 무감동한. ㊞ **múst·i·ness** *n.* 곰팡내 남; 진부; 무기력.
mut *n.* =MUTT.
mù·ta·bíl·i·ty *n.* Ⓤ 변하기 쉬움; 변덕.
mu·ta·ble [mjú:təbəl] *a.* 변하기 쉬운; 변덕스러운, 마음이 잘 변하는. ㊞ **-bly** *ad.*
mu·ta·fa·cient [mjù:təféiʃənt] *a.* 〖유전〗 (세포 내 인자가) 돌연변이를 일으킬 수 있는.
mu·ta·gen [mjú:tədʒən] *n.* 〖생물〗 돌연변이원(原), 돌연변이 유발 요인.
mu·ta·gen·e·sis [mjù:tədʒénəsis] *n.* 〖유전〗 돌연변이 유발〔생성〕.
mu·ta·gen·ic [mjù:tədʒénik] *a.* 〖생물〗 (약품·방사선 등이) 돌연변이 유발성의. ㊞ **~·ly** *ad.*
mu·ta·ge·nic·i·ty [mjù:tədʒənísəti] *n.* 〖생물〗 돌연변이 유발력; 인위 돌연변이.
mú·ta·gen·ìze *vt.* 〖생물〗 …에 돌연변이를 일으키게 하다.
mu·tant [mjú:tnt] *a.* 변화한; 〖생물〗 돌연변이의〔에 의한〕. **—** *n.* 〖생물〗 돌연변이체.
mu·tase [mjú:teis, -teiz] *n.* 〖생화학〗 무타제 《산화와 환원을 동시에 촉매하는 효소》.
mu·tate [mjú:teit] *vt.*, *vi.* 변화하다; 〖생물〗 돌연변이를 하다; 〖언어〗 모음 변화하다.
mu·tá·tion *n.* Ⓒ,Ⓤ **1** 변화, 변전(變轉); 〖언어〗 모음 변화, 움라우트; 〖음악〗 (바이올린 등에서의) 손의 위치를 바꿈; 〖생물〗 돌연변이, 변종; 변성(變聲). **2** (세상의) 변천. **3** 〖법률〗 양수(讓受). ***the ~ of life*** 속세의 유위전변(有爲轉變). ㊞ **~·al** *a.*
mutátion plúral 〖언어〗 변(모)음 복수 《보기: man>men, goose>geese》. 「스톱.
mutátion stòp 〖음악〗 (오르간의) 배음(倍音)
mu·ta·tis mu·tan·dis [mu:téitis-mu:tǽndis] 《L.》 필요한 변경을 가하여, 준용(準用)해서.
mu·ta·tive [mjú:tətiv] *a.* 〖생물〗 변이를 일으키기 쉬운.
mú·ta·tor (**gène**) [mjú:teitər(-)] 〖유전〗 돌연변이 유발 유전자 《다른 유전자의 돌연변이율을 증가시키는 작용을 지닌 유전자》.
mutch [mʌtʃ] *n.* 《Sc.》 모자〔두건〕의 일종 《여성·어린이용》.
***mute**¹ [mju:t] *a.* **1** 무언의, 말이 없는. **2** 벙어리의, 말을 못 하는. SYN. ⇨VOICELESS. **3** 〖음성〗 발음 안 하는, 묵자〔묵음(默音)〕의 《knot의 k, climb의 b 등》: a ~ letter 묵자. **4** 말로 나타내지 않는: a ~ appeal 무언의 호소. **5** 〖법률〗 묵비권을 행사하는: stand ~ 묵비하다. **—** *n.* **1** 벙어리. **2** 〖음성〗 묵자, 묵음. **3** (악기의) 약음기(弱音器). **4** 《영고어》 (고용된) 장례식의 회장〔참례〕자. **5** (대사가 없는) 무언 배우. **6** 묵비권을 행사하는 용의자. **—** *vt.* 〖음악〗 …에 약음기를 대다. ㊞ **∠·ly** *ad.* 무언으로; 소리를 내지 않고. **∠·ness** *n.*
mute² *vi.* (새가) 똥을 누다. **—** *n.* 새똥.
mut·ed [mjú:tid] *a.* 침묵한; (소리·어조 등이) 약한; (색이) 부드러운; (음량 등이) 약해진; 〖음악〗 약음기를 단〔쓴〕: She spoke in ~ tones. 그녀는 목소리를 죽이고 말했다.
múte swán 혹고니.
°**mu·ti·late** [mjú:təlèit] *vt.* (수족 따위를) 절단하다; 병신을 만들다; 불완전하게 하다 《문서 따위를 일부 삭제하여》. ㊞ **mù·ti·lá·tion** *n.* Ⓤ,Ⓒ (수족 등을) 절단하기; 문서 훼손. **mú·ti·là·tor** [-lèitər] *n.* (수족 따위의) 절단자; 훼손자.
mu·ti·neer [mjù:təníər] *n.* 폭도; 〖군사〗 항명자. **—** *vi.* 폭동을 일으키다; 반항하다.
mu·ti·nous [mjú:tənəs] *a.* 폭동의; 반항적인, 불온한. ㊞ **~·ly** *ad.* 반항적으로.
°**mu·ti·ny** [mjú:təni] *n.* Ⓤ,Ⓒ **1** (특히 군인·수병 등의) 폭동, 반란; 〖군사〗 하극상. **2** (the M-) 《Ind.》 〖역사〗 1857년의 Bengal 원주민의 폭동 (the Indian ~). **—** *vi.* 폭동〔반란〕을 일으키다 《*against*》; 반항하다. 「〖심리〗 함묵증(緘默症).
mut·ism [mjú:tizəm] *n.* 벙어리(상태); 침묵;
mu·to·scope [mjú:təskòup] *n.* (초기의 요지경식) 활동사진 영사기.
mutt [mʌt] *n.* 《속어》 바보, 얼간이; 《경멸》 (특히 잡종의) 개, 똥개; 범인, 용의자.
Mútt and Jéff [mʌ́t-] **1** 머트와 제프 《미국의 H.C. Fisher(1884-1954)의 만화 주인공, 키다리와 작다리》. **2** 머저리 단짝; 바보스러운 대화.
⁑**mut·ter** [mʌ́tər] *n.* 중얼거림; 투덜거림, 불평. **—** *vi.* 《~/+전+명》 중얼거리다; 불평을 말하다 《*about; at; against*》: ~ *at* a person 아무에게 불평하다 / Everybody was ~*ing about* the bad food. 모두가 음식이 나쁘다고 투덜대고 있었다. **—** *vt.* 《~+목/+목+전+명》 속삭이다; 투덜대다: ~ threats *at* a person 아무에게 목소리를 낮춰 협박하다. ㊞ **~·er** *n.* **~·ing·ly** *ad.*
mut·ton** [mʌ́tn] *n.* Ⓤ 양고기; Ⓒ 《우스개》 양; (*pl.*) 당면 문제. ***a leg-of-~ sleeve 양의 발 모양의 소매 《팔꿈치까지는 꼭 맞고 어깨쪽으로는 넓어짐》. (***as***) ***dead as ~*** ⇨DEAD. (***as***) ***thick as ~*** 《속어》 머리가 나쁜, 둔한. ***eat*** 〔***take***〕 ***one's ~ with*** …와 식사를 함께 하다. ***~ dressed*** (***up***) ***as lamb*** 《구어》 잘 보이려고 무리를 한 것, 《특히》 어울리지 않게 젊게 꾸민 여자. ***to return*** 〔***get***〕 ***to our ~s*** 본론으로 돌아가서. ㊞ **mút·tony** *a.*
mútton chòp 양의 갈비 고기, 양의 고깃점.
mútton·chòps *n.* 위는 좁고 밑으로 퍼지게 기른 구레나룻(=**múttonchop whískers**).

muttonchops

mútton fist 《속어》 손이 우둘우둘한 사람.
mútton·fish *n.* 〖어류〗 대서양산의 물퉁돔의 일종.
mútton·hèad *n.* 《구어》 바보, 얼간이. ㊞ **~·ed** [-id] *a.* 《구어》 어리석은(stupid).
mu·tu·al** [mjú:tʃuəl] *a.* **1** 서로의, 상호 관계가 있는: ~ aid 상호 부조 / ~ respect 상호 존경 / a ~(-aid) society 공제 조합 / ~ insurance 〔assurance〕 상호 보험 / ~ understanding 상호 이해 / by ~ consent 쌍방의 합의에 의하여. **2** 공동의, 공통의: our ~ friend 쌍방〔공통〕의 친구. ★ 옳게는 our common friend이나 ~ friend 가 흔히 쓰임. ***Mutual Security Act 상호 안전 보장법 《미국의 대외 원조에 관한 기본법; 생략: MSA》. ㊞ ***~·ly** *ad.* 서로, 공동으로.
Mútual Assúred Destrúction 상호 확증 파괴 《미·소 쌍방의 실질적 균형의 전제가 되는 능력; 생략: MAD》. 「탁.
mútual fùnd 상호 기금; 《미》 개방형 투자 신
mútual indúction 〖전기〗 상호 유도.
mú·tu·al·ism *n.* Ⓤ 〖윤리〗 상호 부조론, 호조론(互助論); 〖생물〗 상리공생(相利共生). ㊞ **-ist** *n.* 상호 부조론자; 상리공생 생물. 「상호 의존.
mu·tu·al·i·ty [mjù:tʃuǽləti] *n.* Ⓤ 상호 관계;

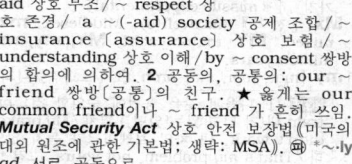

mú·tu·al·ìze *vt.* 상호적으로 하다; 《미》 (회사)의 보통주를 종업원〔고객〕과 합동 소유로 하다. **—** *vi.* 상호적이 되다. ㊎ **mù·tu·al·i·zá·tion** *n.* 상호적으로 하기〔되기〕; (보통주의) 합동 소유.

mútually exclúsive *a.* 상호 배타적인.

mútual sávings bànk 《미》 상호 저축 은행 《무자본으로 이익을 예금자에게 분배함》.

mu·tu·el [mjú:tʃuəl] *n.* =PARI-MUTUEL. 「식.

mu·tule [mjú:tʃu:l] *n.* 〖건축〗 도리아식 처마 장

muu·muu [mú:mù:] *n.* 《Haw.》 무무 《화려한 무늬의 헐거운 드레스》.

muv·ver [mʌ́vər] *n.* 《소아어》 =MOTHER[1].

MUX [mʌks] *n., a.* 〖컴퓨터〗 다중(多重)(의). [◂ *multiplex*] 「놓다. **—** *n.* 혼란, 난잡.

mux [mʌks] *vt.* 《주로 뉴잉글랜드》 엉망으로 해

Mu·zak [mjú:zæk] *n.* 영업용 배경 음악 《라디오·전화선을 통해 계약점에 송신; 상표명》.

mu·zhik, -zjik [mu:ʒí:k, ⌐-/⌐-] *n.* (제정 러시아 시대의) 농민.

muzz [mʌz] *vt.* 《구어》 멍하게 하다. **—** *vi.* 《속어》 빈둥거리다; 맹렬히 공부하다 《*over*》.

muz·zle [mʌ́zəl] *n.* **1** (동물의) 입·코 부분, 부리, 주둥이. **2** 입마개, 재갈, 부리망. **3** 총구, 포구. **—** *vt.* **1** 재갈 물리다; 말 못하게 하다; (사람·신문 등의) 언론의 자유를 방해하다; 《미속어》 키스하다, 애무하다; 《방언》 (돼지 따위가) 코로 파다. **2** 〖요트〗 (돛을) 접다.

múzzle-lòader *n.* 전장(前裝) 총〔포〕.

múzzle-lòading *a.* 전장(前裝)의, 탄약을 총구로 재는. 「M.V.).

múzzle velòcity 총포탄의 초속(初速) 《생략

muz·zy [mʌ́zi] (*-zi·er; -zi·est*) 《구어》 *a.* 멍한, 기운 없는; (술로) 머리가 띵한; 음산한. ㊎ **múz·zi·ly** *ad.* **-zi·ness** *n.*

MV main verb 본〔주〕동사. **MV, Mv** megavolt(s). **MV, m.v.** mean variation. **mV, mv** millivolt(s). **M.V., M/V** motor vessel.

MVD [émvì:dí:] *Ministerstvo Vnutrennikh Del* 《Russ.》 (=Ministry of Internal Affairs). **M.V.O.** 《영》 Member of the (Royal) Victorian Order. **MVP** 〖경기〗 most valuable player. **MW** medium wave. **Mw** megawatt. **M.W.** Most Worshipful; Most Worthy; military works. **M.W.A.** Modern Woodmen of America. **M.W.B.** Metropolitan Water Board. **MWe** megawatts electric. **MWS** 〖컴퓨터〗 management work station (관리자용 단말 장치).

MX [èméks] *n.* 〖미군사〗 차기(次期) ICBM 《대형 핵 미사일 Peacekeeper의 개발 단계에서의 가칭》. [◂ *m*issile e*x*perimental]

Mx. 〖전기〗 maxwell(s); Middlesex. **mxd.** mixed. **MY** motor yacht. **MY, my, m.y.** million years.

†**my** [mai, məi, mə] *pron.* 〔I의 소유격〕 나의.

> **NOTE** (1) 다음과 같은 용법에 주의할 것: *my* train 내(가 타고 있는〔있던〕) 열차 / *My* brakes didn't work. 내 차의 브레이크가 듣지 않았다 / That's *my* problem, not yours. 그건 내 문제이지 네 문제가 아니야 / *my* Tom 내 아들인 톰; (내 남편인) 톰; 내 귀여운 톰.
> (2) my friend, a friend of mine, one of my friends에 대하여는 ⇨ MINE.
> (3) 발음에는 약형(弱形)으로서 [mə(i)/mi] 의 발음도 있음. 자음 앞에서는 [mə], 모음 앞에서는 [məi]가 되는데, 그다지 중시할 필요는 없음. 일반적으로 약하게 발음할 때는 [mai], 강조할 때는 [mái]로 알고 있으면 됨.

— *int.* 《구어》 아이고; 야; 저런 《놀라움을 나타냄》: *My!* It's beautiful. 야, 참 아름답군. ***My!*** =***Oh My!*** =***My eye!*** =***My goodness!*** 아이고, 저런, 이것 참.

my- [mái], **my·o-** [máiou, máiə] '근육'이라는 뜻의 결합사.

my·al·gia [maiǽldʒiə] *n.* Ⓤ 〖의학〗 근육통, 근육 류머티즘. ㊎ **-ál·gic** *a.* 「리아산).

my·all [máiɔ:l] *n.* 아카시아의 일종 《오스트레일

Myan·mar [mjǽnmà:r] *n.* 미얀마 《1989년부터의 Burma의 새 국명; 정식 명칭은 the Union of ~》. ㊎ **Myan·ma·rese** [mjæ̀nmərí:z] *a., n.* 미얀마의, 미얀마인〔어〕.

my·as·the·nia [màiəsθí:niə] *n.* Ⓤ 〖의학〗 근(筋)무력증. ㊎ **-then·ic** [-θénik] *a., n.*

myasthénia grá·vis [-grǽvəs, -grá:-] 〖의학〗 중증 근육 무력증.

myc. mycological; mycology.

my·ce·li·um [maisí:liəm] (*pl.* ***-lia*** [-liə]) *n.* 〖식물〗 균사(菌絲), 균사체. ㊎ **-li·al** *a.* 「도시).

My·ce·nae [maisí:ni:] *n.* 미케네 《그리스의 옛

My·ce·nae·an [màisəní:ən] *a.* 미케네의; 미케네 문명의.

my·ce·to·ma [màisətóumə] (*pl.* ***~s, -mata*** [-tə]) *n.* 〖의학〗 균종(菌腫). ㊎ **-tó·ma·tous** *a.*

my·ce·to·zo·an [maisì:təzóuən] *a.* 동균(動菌)〔점균(粘菌)〕류〔목〕의.

-my·cin [máisn/-sin] '균류에서 채취한 항생 물질'의 뜻의 결합사.

my·co·bac·te·ri·um [màikoubæktíəriəm] (*pl.* ***-te·ria*** [-tí:riə]) *n.* 〖세균〗 마이코박테륨 《Mycobacterium 속(屬)의 호기성 세균의 총칭》.

my·col·o·gy [maikɑ́lidʒi/-kɔ́l-] *n.* Ⓤ 균학(菌學), 균류학; (어떤 지역의) 균군(菌群). ㊎ **-gist** *n.* 균(菌)학자. **mỳ·co·lóg·ic, -i·cal** *a.* **-i·cal·ly** *ad.*

my·co·plas·ma [màikouplǽzmə] (*pl.* ***~s, ~·ta*** [-tə]) *n.* 〖세균〗 바이러스와 세균의 중간 성질을 지닌 미생물 《호흡기병을 일으킴》.

my·co(r)·rhi·za [màikəráizə] (*pl.* ***~s, -zae*** [-zi:]) *n.* 〖생물〗 균근(菌根) 《균류와 고등 식물의 공생체》.

my·co·sis [maikóusis] *n.* Ⓤ 〖의학〗 사상균병.

my·co·tox·in [màikoutɑ́ksin/-tɔ́k-] *n.* 〖세균〗 미코톡신 《곰팡이균류가 내는 독성 물질; 세균전에 쓰임》.

my·cot·ro·phy [maikɑ́trəfi/-kɔ́t-] *n.* 〖식물〗 균영양(菌營養) 《균근(菌根)의 공생 등에 의한 영양 섭취법》. 「산대(瞳孔散大).

my·dri·a·sis [midráiəsis] *n.* Ⓤ 〖의학〗 동공

myd·ri·at·ic [mìdriǽtik] *a.* 동공산대(瞳孔散大)의, 산동(散瞳)의. **—** *n.* 산동제(劑).

my·e·lin, -line [máiəlin], [-lì:n] *n.* 〖생화학〗 미엘린 《수초(髓鞘)를 조직하는 지방성의 물질》. ㊎ **mỳ·e·lín·ic** [-lín-] *a.*

my·e·li·na·tion [màiələnéiʃən] *n.* 〖해부〗 수초(髓鞘) 형성.

mýelin shèath 〖해부〗 미엘린초(鞘), 수초(medullary sheath).

my·e·li·tis [màiəláitis] *n.* Ⓤ 〖의학〗 척수염.

my·e·lo- [máiəlou, -lə] '골수(骨髓), 척수(脊髓)'라는 뜻의 결합사.

my·e·lo·cele [máiəlousì:l] *n.* 〖의학〗 척수 헤르니아, 척수류(瘤).

my·e·lo·fi·bro·sis [màiəloufaibróusis] *n.* 〖의학〗 골수 섬유증(纖維症).

mỳelo·génic, my·e·log·e·nous [màiəlɑ́dʒənəs/-lɔ́dʒ-] *a.* 〖의학〗 골수성의, 골수에 생긴. 「혈병.

myelógenous leukémia 〖의학〗 골수성 백

my·e·lo·ma [màiəlóumə] (*pl.* ***~s, ~·ta*** [-tə])

n. 〖의학〗 골수종(骨髓腫). [파] **mỳ·e·lóm·a·tous** [-lám-/-lɔ́m-] *a.*

my·e·lop·a·thy [màiəlápəθi/-lɔ́p-] *n.* 〖의학〗 척수 장애. [파] **mỳ·e·lo·páth·ic** *a.*

my·e·lo·pro·lif·er·a·tive [màiəlouprəlíf-ərèitiv, -fərə-] *a.* 〖의학〗 (백혈병이) 골수 증식성(增殖性)의.

myg(.) myriagram(s). **myl**(.) myrialiter(s).

My·lar [máilɑːr] *n.* 마일라《강화(強化) 폴리에스테르필름; 상표명》.

mym(.) myriameter(s). 「~ **bìrd**).

my·na, -nah [máinə] *n.* 구관조(九官鳥)(=

Myn·heer [mainhέər, -híər] *n.* **1** Mr. 또는 Sir에 해당하는 네덜란드의 경어. **2** (m-) 《구어》 네덜란드 사람(Dutchman).

myo- ⇨ MY-. 「참견이다).

MYOB Mind your own business (쓸데없는

mỳo·cárdial *a.* 심근(心筋)(층)의. ~ ***infarction*** 〖의학〗 심근 경색.

mỳo·cardítis *n.* [U] 심근염(炎).

mỳo·cárdium (*pl.* **-dia** [-diə]) *n.* 심근.

mỳo·fíbril *n.* 〖해부〗 근원(筋原) 섬유. 「만드는).

mỳo·génic *a.* 〖생리〗 근육 조직에서 생긴〔을

mỳo·glóbin *n.* [U] 〖생물〗 미오글로빈《근육 속에 함유된 헤모글로빈》. 「기.

mýo·gràph *n.* 〖의학〗 근(筋)운동〔근수축〕 기록

my·ol·o·gy [maiálədʒi/-ɔ́l-] *n.* [U] 근학(筋學)《해부학의 한 분야》.

my·op·a·thy [maiápəθi/-ɔ́p-] *n.* 〖의학〗 근(筋) 질환, 근장애. [파] **myo·path·ic** [màiəpǽθik] *a.*

my·ope [máioup] *n.* 근시안인 사람.

my·o·pia, my·o·py [maióupiə], [máiəpi] *n.* [U] 〖의학〗 근시안, 근시. [cf.] presbyopia.

my·op·ic [maiápik/-ɔ́p-] *a.* 근시(안)의.

my·o·sin [máiəsin] *n.* 〖생화학〗 미오신《actin과 함께 근수축에 관한 중요 단백질》.

my·o·sis [maióusis] *n.* [U] 〖의학〗 동공 축소, 축동증(縮瞳症).

myo·si·tis [màiəsáitəs] *n.* 〖의학〗 근육염.

my·o·sote, my·o·so·tis [máiəsòut], [màiəsóutis] *n.* 물망초(forget-me-not); 물망초속(屬)의 식물.

my·ot·ic [maiátik/-ɔ́t-] *a., n.* 동공 축소의, 동공을 축소시키는; 동공 축소제《아편 등》.

mýo·tòme *n.* 〖발생〗 근절(筋節), 근판(筋板); 〖의학〗 근절개도(筋切開刀).

mỳo·tónia *n.* 〖의학〗 근육 긴장(증).

My·ra [máirə] *n.* 마이라《여자 이름》. 「합사.

myr·i·a- [míriə] '1만의, 무수한'의 뜻의 결

myr·i·ad [míriəd] *n.* 만(萬); 무수; 무수한 사람〔물건〕: a ~ of stars 무수한 별들. **—** *a.* 무수한; 1만의; 가지각색의: a ~ activity 다채로운 활동. [파] **~·ly** *ad.* 「~ Shakespeare.

mýriad-mínded [-id] *a.* 재간이 무궁무진한:

mýria·gràm, 《영》 **-gràmme** *n.* 1만 그램.

mýria·lìter, 《영》 **-tre** *n.* 1만 리터.

mýria·mèter, 《영》 **-tre** *n.* 1만 미터.

myr·i·a·pod [míriəpàd/-pɔ̀d] *n.* 다족류(多足類)《지네·노래기 등》. **—** *a.* 다족류의.

myr·i·o·ra·ma [mìriərǽmə, -ráːmə/-ráː-mə] *n.* 작은 그림을 조합하여 미경(美景)을 나타내는 것.

myr·me·co- [mə́ːrmikou, -kə] '개미'라는 뜻의 결합사.

myr·me·col·o·gy [mə̀ːrmikálədʒi/-kɔ́l-] *n.* 개미학(學). [파] **-gist** *n.*

Myr·mi·don [mə́ːrmədàn, -dən/-dɔ̀n, -dən] *n.* 〖그리스신화〗 뮈르미돈《Achilles의 충실한 부하》; (m-) (충실한) 부하, 수하, 앞잡이. ***the myrmidons of the law*** 법률의 앞잡이《집달관·경찰관 등》.

myrrh[1] [məːr] *n.* [U] 미르라, 몰약(沒藥)《향료·약제용》. [파] **myrrh·ic** [mə́ːrik, mírik] *a.* 몰약의. **~y** [mə́ːri] *a.* 몰약 냄새가 나는.

myrrh[2] *n.* 《미속어》 럼주(酒).

myr·tle [mə́ːrtl] *n.* 〖식물〗 도금양(桃金孃)《상록 관목》; 《미》 =PERIWINKLE[1].

⁑**my·self** [maisélf] (*pl.* ***our·selves*** [auərsélvz]) *pron.* 〔I의 복합 인칭대명사〕 **1** 〔강조적으로 써서〕 **a** 나 자신: I ~ saw it. 나는 몸소 그것을 보았다. **b** 〔I, me의 대신으로〕 나 자신(이, 을): My mother and ~ went to the seaside for the summer. 어머니와 나는 피서를 해변으로 갔다/They have never invited Mary and ~ to dinner. 그들은 만찬에 메리와 나를 한 번도 초대하지 않았다/No one knows more about it than ~. 누구도 그것을 나보다 더 잘 알고 있는 사람은 없다. **2** 〔재귀적으로〕 **a** 내 자신: I introduced ~ to him. 그에게 내 자신을 소개했다. **b** 〔전치사의 목적어로〕 내 자신: I live by ~. 혼자 살고 있다/I was beside ~. 내 정신이 아니었다. **c** 평상시의 나: I *was* not ~ yesterday. 어제는 몸이 불편했다. ***by*** **~** 단독으로, 혼자서. ***for*** **~** 손수, 나 혼자 힘으로, 나 자신을 위하여.

my·so·pho·bia [màisəfóubiə] *n.* 〖의학〗 불결 공포증.

myst. mysteries; mystery. 」결 공포증.

mys·ta·gogue [místəgɔ̀ːg, -gàg/-gɔ̀g] *n.* 비법가(秘法家), 비법 전수자. [파] **-gò·gy** [-gòudʒi] *n.* 비법 전수. **mys·ta·gog·ic, -i·cal** [mìstəgádʒik/-gɔ́dʒi-], [-əl] *a.* 비법 전수의.

⁑**mys·te·ri·ous** [mistíəriəs] *a.* **1** 신비한, 불가사의한: Mona Lisa's ~ smile 모나리자의 신비로운 미소. **2** 원인 불명의, 설명할 수 없는: a ~ murder. **3** 이유 있는 듯한, 이상한, 애매한. ◇ mystery *n.* [파] **~·ly** *ad.* **~·ness** *n.*

⁑**mys·tery**[1] [místəri] *n.* **1** [U,C] 신비, 불가사의, 비밀; 애매: be wrapped in ~ 신비에 싸여 있다. **2** (종종 *pl.*) 비전, 비결, 오묘한 수: the *mysteries* of performing tricks 요술의 오묘한 수. **3** (옛 그리스·로마 따위의 이교의) 비법, 신비 의식(儀式). **4** 성찬식〔례〕; (*pl.*) 성찬물; 성적(聖跡), 성사(聖事). **5** 괴기〔탐정, 추리〕 소설, 미스터리; 영험기(靈驗記); 수수께끼. ◇ mysterious *a.* ***dive into the mysteries of*** …의 비법을 탐구하다. ***make a*** **~** ***of*** …을 비밀로 하다, …을 신비화하다.

mys·tery[2] *n.* 《고어》 직업, 수예, 수공. ***the art and*** **~** ***of*** …의 기술과 수예《도제(徒弟) 계약서의 문구》.

mýstery bòat 〔**shìp**〕 =Q-BOAT. 」의 문구》.

mýstery dràma 〖연극〗 추리극.

mýstery plày 기적극([cf.] miracle play)《그리스도의 생·사·부활을 다룬》; 추리극.

mýstery stòry 〔**nòvel**〕 탐정〔괴기, 추리〕 소설, 미스터리.

mýstery tòur 〔**trìp**〕 참가자에게 행선지를 알리지 않는 유람 여행.

mýstery vòice 〖방송〗 비밀실의 소리《퀴즈 게임의 답을 알려 주는》.

°**mys·tic** [místik] *a.* =MYSTICAL. **—** *n.* 신비가(神秘家), 신비주의자.

mys·ti·cal [místikəl] *a.* **1** 신비적인; 비법의, 비전의, 비결의. **2** 상징적인: (a) ~ significance 상징적인 의미. **3** 신비설의; 영감(靈感)의. [파] **~·ly** *ad.* 신비하게, 불가사의하게. **~·ness** *n.*

°**mys·ti·cism** [místəsìzəm] *n.* [U] 신비; 신비교(敎); 신비설, 신비주의; 비밀.

mýs·ti·cìze *vt.* 신비화하다, 신비적으로 하다.

mys·ti·fi·ca·tion [mìstəfikéiʃən] *n.* [U] 신비화; [U] 당혹시킴; [C] 속이기.

°**mys·ti·fy** [místəfài] *vt.* 신비화하다; 불가해하

게 하다; 어리둥절하게[얼떨떨하게] 하다, 미혹시키다. [파] ~·ing·ly *ad.* 사람을 미혹시키듯이, 어리둥절하게.

mys·tique [mistíːk] *n.* (어떤 교의(敎義)·기술·지도자 등이 지닌) 신비한 매력[분위기]; 비결, 비법, 비방.

***myth** [miθ] *n.* **1** [C,U] 신화; [C] 전설: the Greek ~*s* 그리스 신화. [SYN.] ⇨ LEGEND. **2** [C] 꾸며낸 이야기. **3** [C] 가공의 인물[사물]. **4** (근거가 희박한) 사회적[신화적] 통념. **—** *vt.* 신화로 만들다.

myth. mythological; mythology.

°**myth·ic, -i·cal** [míθik], [-əl] *a.* 신화의, 신화적인; 가공의, 공상의: the mythical age 신화 시대. [파] **-i·cal·ly** *ad.*

myth·i·cism [míθəsìzəm] *n.* [U] 신화적 해석; 신화주의. [파] **-cist** *n.* 신비주의자.

myth·i·cize [míθəsàiz] *vt.* 신화화하다; 신화적으로 해석하다.

mýth·màker *n.* 신화 작자.

myth·o- [míθou, -θə] '신화(myth)'라는 뜻의 결합사.

mytho·génesis *n.* 신화의 기원[발생, 생성]; 신화화(神話化).

my·thog·ra·pher [miθágrəfər/-θɔ́g-] *n.* 신화 작가.

my·thog·ra·phy [miθágrəfi/-θɔ́g-] *n.* [U] 신화 예술《회화·조각 따위》.

my·thoi [míθɔi, mái-] MYTHOS의 복수형.

mythol. mythological; mythology.

myth·o·log·ic, -i·cal [mìθəládʒik/-lɔ́-], [-əl] *a.* 신화의; 신화학(상)의; 가공의. [파] **-i·cal·ly** [-kəli] *ad.*

my·thol·o·gize [miθálədʒàiz/-θɔ́l-] *vt.* 신화화하다; 신화적으로 해석하다. **—** *vi.* 신화를 이야기하다[만들다]; 신화에 관해서 쓰다[설명하다].

°**my·thol·o·gy** [miθálədʒi/-θɔ́l-] *n.* 〖집합적〗 신화(神話); [C] 신화집; [U] 신화학. [파] **-gist, -ger** [-dʒər] *n.* 신화학자; 신화작가[편집자].

mỳtho·mánia *n.* [U] 허언증(虛言症), 이상 과장벽(癖)《정신병의 일종》.

myth·o·poe·ia [mìθəpíːə] *n.* 신화를 만듦. [파] **myth·o·poe·ic** [-píːik], **-po·ét·ic** [-pouétik], **-i·cal** *a.*

my·thos [míθɑs, mái-/-θɔs] (*pl.* **-thoi** [-θɔi]) *n.* **1** 신화(myth), 신화 체계. **2** 〖사회〗 뮈토스《어떤 집단·문화에 특유한 신앙 양식·가치관》; (예술 작품의) 구상, 모티프.

mythy [míθi] *a.* 신화적인, 신화의.

myx·o·cyte [míksəsàit] *n.* 〖의학〗 점액 세포.

myx·(o)e·de·ma [mìksədíːmə] *n.* 〖의학〗 점액 수종(粘液水腫). [파] **-(o)e·dém·a·tous** [-démətəs, -díː-] *a.*

myx·o·ma [miksóumə] (*pl.* **~s, -ma·ta** [-mətə]) *n.* 〖의학〗 점액종(粘液腫). [파] **myx·om·a·tous** [miksámətəs/-sɔ́m-] *a.*

myx·o·ma·to·sis [mìksəmətóusis] *n.* [U] 〖의학〗 (다발성) 점액종증(粘液腫症).

myx·o·vi·rus [míksəvàirəs, ㅅ-ㅅㅅ] (*pl.* **~·es**) *n.* 믹소바이러스《RNA를 내포하며 나선상의 외각(外殼)을 갖는 중형 바이러스》.

N

N, n [en] (*pl.* **N's, *Ns*, n's, *ns*** [-z]) **1** 엔《영어 알파벳의 열넷째 글자》. **2** 〚수학〛 (n) 부정 정수(不定整數); 〚인쇄〛 =EN. **3** N 자 모양의 것. **4** 〚물리〛 (n) 중성자; 14 번째(의 것)《J를 넣지 않으면 13 번째》; 〚생물〛 *n* 《염색체 수의 반수(半數) 또는 단상(單相)》. **5** 《해커속어》 임의의 큰 수; 환경에 따라 값이 정해지는 수.

N- nuclear(핵의): *N*-powers 핵무기 보유국 / *N*-test 핵실험.

n- negative.

'n [n] *conj.* **1** =and: rock'n roll(=***'n'***). **2** =than.

N 〚체스〛 knight; newton(s); 〚화학〛 nitrogen; 〚광학〛 굴절률. **N, N., n, n.** north; northern. **N.** National(ist); 〚해군〛 navigating, navigation; Norse; North《London 우편구(區)의 하나》; November. **n** nano-; neutron; 〚화학〛 normal. **n.** navigation; navigator; nephew; night; noun. **N., n.** nail; name; *natus* 《L.》(=born); navy; net; neuter; new; *nocte* 《L.》(=at night); *nomen* 《L.》 (=name); nominative; noon; normal; *noster* 《L.》 (=our); note; noun; number.

na [nə] 《Sc.》 *ad.* =NO; NOT. **— *conj.*** =NOR[1].

NA noradrenaline; 〚광학〛 numerical aperture. **Na** 〚화학〛 *natrium* 《L.》 (=sodium). **N.A.** National Academy; National Army; National Assembly; Nautical Almanac; Naval Auxiliary; North America(n); not applicable; not available. **NA, n/a** 〚은행〛 no account (거래 없음); not applicable; not available. **NAA** National Aeronautic Association; 《미》 National Association of Accountants(전국 공인 회계사 협회); 〚물리〛 neutron activation analysis(중성자 방사화 분석). **NAACP, N.A.A.C.P.** 《미》 National Association for the Advancement of Colored People (전미 흑인 지위 향상 협회)《1909년 창설》.

N.A.A.F.I., Naa·fi [nǽfi] *n.* 《영》 군(軍) 후생 기관; 군인 매점; 군 매점의 경영 단체. [◂ *N*avy, *A*rmy and *A*ir *F*orces *I*nstitute(s)]

naan [nɑːn] *n.* 난《인도·중앙아시아의 둥글납작한 발효 빵》.

N.A.A.U. National Amateur Athletic Union.

nab [næb] (**-bb-**) *vt.* 《구어》 (범인 등을) 붙잡다, 체포하다(arrest); 잡아채다, 거머잡다(쥐다). ~ ***at*** 물다, 물어뜯다. **— *n.*** 《미속어》 경찰관.

NAB nuts and bolts. **NAB, N.A.B.** National Association of Broadcasters; New American Bible.

nabe [neib] *n.* 《미속어》 동네〔변두리〕 영화관.

Na·bis·co [nəbískou] *n.* 미국의 종합 식품 회사《구칭; the National Biscuit Co.》.

na·bob [néibɑb/-bɔb] *n.* **1** 〚역사〛 태수(太守) 《Mogul 제국 시대의 인도의 주(州)·군(郡)의》. **2** 《고어》 (인도에서 돌아간) 부호 영국인; 〚일반적〛 큰 부자, 갑부; 《구어·때때로 경멸》 명사(名士). ㊞ **~·ish** *a.* 갑부 티를 내는. **~·ery** [-əri], **~·ism** *n.* 갑부 티.

Na·bo·kov [nəbɔ́ːkəf] *n.* **Vladimir ~** 나보코프《러시아 태생의 미국 소설가·시인; 나비 수집가로도 유명; 1899-1977》.

Na·both [néibɑθ/-bɔθ] *n.* 〚성서〛 나봇《이스라엘왕 Ahab이 부러워한 포도원 주인; 열왕기상 XXI》. **~*'s vineyard*** 어떻게 해서라도 꼭 갖고 싶은 물건.

NACA National Advisory Committee for Aeronautics (전미(全美) 항공 자문 위원회) 《1958년 NASA로 개편됨》.

nac·a·rat [nǽkəræ̀t] *n.* 주황색(의 헝겊).

NACC North Atlantic Co-operation Council (북대서양 협력 협의회)《NATO와 구(舊)바르샤바 조약 가맹국 참가》.

na·celle [nəsél] *n.* 〚항공〛 나셀《항공기의 엔진 덮개》; 비행기〔비행선〕의 승무원실〔화물실〕; (기구에 매단) 곤돌라, 채롱(car).

NACODS [néikʌdz] 《영》 National Association of Colliery Overmen, Deputies, and Shotfirers.

na·cre [néikər] *n.* 진주층(層)(이 있는 조개), 자개, 금조개(mother-of-pearl). ㊞ **~d** *a.* 진주층이 있는〔과 같은〕.

na·cre·ous, na·crous [néikriəs], [néikrəs] *a.* 진주층의〔과 같은〕; 진주 광택의.

NAD [ènèidíː] *n.* 〚생화학〛 엔에이디, 니코틴(산) 아미드 아데닌 디뉴클레오티드《많은 세포의 산화 환원 반응에 관여하는 보(補)효소》. [◂ *n*icotinamide-*a*denine *d*inucleotide]

N.A.D., n.a.d. National Academy of Design; no appreciable difference 〔disease〕; nothing abnormal detected 〔discovered〕.

na·da [nɑ́ːdə] *n.* 아무것도 없음; 무(nothing).

Na·der [néidər] *n.* **Ralph ~** 네이더《미국의 변호사; 정치 개혁을 주창하고, 소비자 보호 운동을 지도; 1934- 》.

Ná·der·ism *n.* Ⓤ (미국의 Ralph Nader의) 소비자 (보호) 운동.

Na·der·ite [néidəràit] *n., a.* R. Nader풍의 (소비자 운동가).

NADGE, Nadge [nædʒ] *n.* 나지《나토(Nato) 가맹국의 자동 방공 경계 관제 조직》. [◂ *N*ato *A*ir *D*efense *G*round *E*nvironment]

nadg·ers [nǽdʒərz] *n.* (해명 안 된) 결점, 결함. ***give*** a person ***the*** ~ 아무를 초조하게 하다.

NADH 〚생화학〛 전자 전달 반응에서 NAD의 환원형(還元型). [◂ *NAD*+*H*ydrogen]

na·dir [néidər, -diər/-diə] *n.* 〚천문〛 천저(天底) (opp. *zenith*); 《비유》 최하점, 최저점; 절망 상태. ***at the* ~ *of*** …의 밑바닥에.

NADP [énèidiːpíː] *n.* 〚생화학〛 니코틴아미드 아데닌 디뉴클레오티드인산(燐酸). [◂ *N*icotin-amide *A*denine *D*inucleotide *P*hosphate]

nae [nei] *a., ad.* 《Sc.》 =NO; NOT.

NAEB National Association of Educational Broadcasters(전미 교육 방송자 협회).

naevus ⇨ NEVUS.

naff[1] [næf] *a.* 《속어》 취미가 좋지 않은, 산뜻하지 않은, 촌스러운, 유행에 뒤떨어진: That's a bit ~, isn't it? 좀 촌스럽지 않은가.

naff[2] *vi.* 〚다음 성구로〛 ~ ***off*** 서둘러 도망치다, 지체 없이 떠나다.

NAFTA North American Free Trade Agreement(북미 자유무역 협정).

nag[1] [næg] *n.* 작은 말; 《구어》 말; 늙은 말; 《미속어》 (별로 신통치 못한) 경주마.

◇**nag**[2] *n.* 잔소리(꾼); 《구어》 잔소리가 심한 여자. ── (**-gg-**) *vi.* **1** 《~/+전+명》 성가시게 잔소리하다, 바가지 긁다《*at*》: She was always ~*ging at* the maid. 그녀는 하녀에게 항상 잔소리를 해댔다. **2** 《+전+명》 괴롭히다, 초조하게 하다《*at*》: Worries ~*ged at* her. 걱정〔근심〕이 그녀를 괴롭혔다. ── *vt.* **1** 《~+목/+목+전+명/+목+*to* do》 …에게 잔소리하다; 졸라대다: ~ a person *for* a new car 새 차를 사 달라고 아무에게 조르다/He ~*ged* her *into* marry*ing* him. 그는 귀찮도록 졸라서 그녀와 결혼했다/She ~*ged* him *to* buy her a new coat. 그녀는 새 코트를 사 달라고 그에게 귀찮게 졸라댔다. **2** (걱정 따위가) 끈질기게 괴롭히다.

Na·ga [náːgə] (*pl.* ~, ~***s***) *n.* **1** 나가족《인도 북동부·미얀마 서부에 거주》. **2** 나가어《Sino-Tibetan 어족에 속함》.

na·ga·na [nəgáːnə] *n.* Ⓤ 너가너병《남아프리카의 tsetse 파리에 의한 가축 전염병》.

nág·ger *n.* 바가지 긁는 여자.

nág·ging *a.* 성가시게 잔소리하는; (아픔·기침 등이) 붙어 떨어지지 않는, 누어지지 않는; 양심을 아프게 하는, 괴롭히는: a ~ question 항상 괴롭히는 문제. ㊞ ~·**ly** *ad.*

nag·gy [nǽgi] (***-gi·er, -gi·est***) *a.* 잔소리 심한.

Na·gor·no-Ka·ra·bakh [nəgɔ́ːrnoukɑ̀ːrəbɑ́ːk] *n.* 나고르노카라바흐《Azerbaijan 공화국 남부의 자치주; 1992 년 1 월 독립을 선언하였으나 분쟁이 계속됨; 주도 Stepanakert》.

nág·wàre *n.* 〖컴퓨터〗 《속어》 내그웨어《사용자 등록이 완료될 때까지 매회 경고를 발하는 셰어웨어(shareware)의 일종》.

nah [nɑː] *ad.* 《비표준》 =NO.

Nah. 〖성서〗 Nahum.

Na·hal [nɑːhɑ́ːl] *n.* 나할《이스라엘군(軍)의 개척도 하는 전투 부대》; (종종 n-) 그 개척지.

Na·hum [néihəm] *n.* **1** 남자 이름. **2** 〖성서〗 나훔《히브리의 예언자》; (구약 성서의) 나훔서《생략: Nah.》.

NAI nonaccidental injury (불가항력적인 위해(危害)). **NAIA** National Association of Intercollegiate Athletes (전미(全美) 대학 운동 선수 협회).

nai·ad [néiæd, -əd, nái-/náiæd] (*pl.* ~***s, nai·ades*** [néiədiːz]) *n.* 〖그리스신화〗 (종종 N-) 물의 요정《강·호수·샘 따위에 산다는》; 젊은 여자 수영 선수.

na·ïf, na·if [nɑːíːf] *a.* 《F.》 =NAIVE, NAÏVE.

⁑**nail** [neil] *n.* **1** (사람의) 손톱, 발톱; (새·짐승의) 발톱. cf. claw, talon. ¶ cut 〔pare, trim〕 one's ~*s* 손톱〔발톱〕을 깎다. **2** 못; 대갈못, 징: drive a ~ 못을 박다/One ~ drives out another. 《속담》 이열치열하다. **3** 관련(coffin ~); 술; 《속어》 (마약용의) 주삿바늘. **4** 《고어》 네일《길이의 단위; 2.25 인치, 5.715 cm》. ***a ~ in one's coffin*** 수명을 재촉하는 (원인이 되는) 것《담배·술 따위》: drive 〔hammer〕 a ~ *into* 〔*in*〕 a person's *coffin* 《구어》 (사태 등이) 아무의 수명을 단축시키다〔파멸을 앞당기다〕. (***as***) ***hard*** 〔***tough***〕 ***as ~s*** 《구어》 ① 무자비한, 냉혹한. ② 의연한, 강건한. (***as***) ***right as ~s*** 올바른, 틀림없는. ***bite*** 〔***chew***〕 one***'s ~s*** 분해서〔신경질적으로〕 손톱을 깨물다. ***deaf as a ~*** 심한 귀머거리의. ***drive the ~ home*** 〔***to the head***〕 못을 충분히 박다; 철저하게 하다. ***for want of a ~*** 못 하나 부족하기 때문에; 극히 사소한 일 때문에. ***hit the*** (***right***) ***~ on the head*** 〔***nose***〕 =***hit the ~ dead center*** 바로 맞히다, (문제의) 핵심을 찌르다. ***~s in mourning*** 때가 낀 손톱. ***on the ~*** ① 현재의, 당면한《문제》. ② 즉석에서, 그 자리에서: pay *on the* ~ 즉석에서 지급하다. ***tooth and ~*** ⇨ TOOTH. ***to the*** 〔***a***〕 ***~*** 철저하게; 완전히, 끝까지.

── *vt.* **1** 《~+목/+목+전+명》 못〔징〕을 박다, 못〔핀〕으로 고정하다《*on; to*》: ~ a lid *on* 〔*to*〕 the box 상자 뚜껑을 못질하여 고정시키다. **2** 《+목+부》 못질하여 포장하다《*up*》: ~ goods *up* in a box 상품을 상자에 넣어 못질하다. **3** 《+목+전+명》 《구어》 (아무를) 꼼짝 못하게 하다, 멈추게 하다《그 자리에》; (눈길·주의 따위를) (한 곳에) 쏟다, 집중시키다《*on*》; 〖야구〗 (주자(走者)를) 터치아웃시키다; 《구어》 훔치다, 강탈하다: Surprise ~*ed* him *to* the spot. 그는 깜짝 놀라 그 자리에서 꼼짝달싹 못했다. **4** 《구어》 붙들다, 체포하다; (나쁜 짓 하는 것을) 붙잡다. **5** 《학생속어》 (거짓 등을) 들춰내다, 폭로하다. **6** 《구어》 강타하다, 때리다. ~ ***down*** ① 못으로 고정시키다; (아무를) 꼼짝 못하게 하다: ~ *down* a person *to* a promise 아무를 약속으로 꼼짝 못하게 하다. ② 결정적인〔부동의〕 것으로 하다. ③ (아무)를 실토케 하다; 확정하다, 끝까지 보고 확인하다. ~ ***it*** ① 속임수를〔거짓을〕 간파하다. ② 성공하다. ~ one***'s eyes on*** …을 응시하다. ~ ***together*** 마구〔조잡하게〕 못질하여 만들다. ~ ***to the counter*** 〔***barn door***〕 가짜임을 세상에 밝히다; (거짓말을) 폭로하다. ~ ***up*** (문·창 등을) 못질하다; (게시(揭示) 등을 벽에) 못〔핀〕으로 붙이다.

náil bàr 《미》 미조원(美爪院).

náil bìter 《속어》 신경질적인 사람; 스릴을 느끼게 하는 것.

náil-bìting *n.* Ⓤ 손톱을 깨무는 버릇《욕구 불만·짜증·긴장 등의 표시》; 앞길이 막힘, 정돈(停頓) 상태. ── *a.* 《구어》 초조〔조바심, 조마조마〕하게 하는.

náil bòmb 다이너마이트 막대에 못을 둘러 박은 수제(手製) 폭탄《도시 게릴라 따위가 씀》. ㊞ **náil bòmber**

náil·brùsh *n.* 손톱솔.

náil clìppers 손톱깎이.

náil·er *n.* **1** 못을 만드는 사람. **2** 못 박는 사람; 못 박는 자동식 기계. **3** 《구어》 뛰어난 사람〔물건〕; (경기 따위의) 명수《*at*》. **4** 《속어》 열심인 사람《*on; to*》. ㊞ ~**y** [-əri] *n.* 못 제조소.

náil file 손톱 다듬는 줄.

náil·hèad *n.* 못대가리; 〖건축〗 (Norman 건축 따위의) 못대가리 모양의 장식. ㊞ ~·**ed** [-id] *a.* 못대가리 모양의.

náil·hòle *n.* (주머니칼의 날에 팬) 손톱 홈.

náil·ing *a.* **1** 못 박는. **2** 《속어》 멋진, 훌륭한. ── *ad.* 훌륭하게.

náil·less *a.* 손톱 없는; 못이 필요 없는.

náil pòlish 〔**vàrnish, enàmel**〕 매니큐어 에나멜.

náil pùller 장도리, 못뽑이.

náil scìssors 〔**nìppers**〕 손톱 깎는 가위.

náil sèt 〔**pùnch**〕 (못대가리가 깊게 들어가도록 하는) 못 박는 기구.

náil·sìck *a.* (잦은 못질 따위로 판자가) 못으로 고정되지 않는; (배의) 못구멍에서 물이 새는.

nain·sook [néinsuk, nǽn-] *n.* Ⓤ 네인숙《인도산의 얇은 무명》.

nai·ra [náiərə] (*pl.* ~) *n.* 나이라《나이지리아의 화폐 단위》.

Nai·ro·bi [nairóubi] *n.* 나이로비《동아프리카의 Kenya 의 수도》.

nais·sance [néisns] *n.* 탄생; 창시; 생성.

◇**na·ive, na·ïve** [nɑːíːv] *a.* 《F.》 **1** 천진난만한, 순진한, 때묻지 않은, 소박한, 고지식한; 우직한, 잘 속는: It's ~ *of* you 〔You're ~〕 *to* trust everyone. 아무나 믿다니 너도 순진하다. **2** 미경

험의. **3** 특정한 실험〔투약〕을 받은 적이 없는. [파] **~·ly** *ad.*

naíve réalism 〖철학〗 소박 실재론《외적 세계를 지각한 그대로 인정하는 상식론》.

na·ive·té, -ïve- [nɑ̀ːiːvtéi/nɑːíːvtèi] *n.* 《F.》 **1** [U] 천진난만, 순진; 순진한 말〔행위〕. **2** 지나치게 고지식함, 우직.

na·ive·ty, -ïve- [nɑːíːvəti] *n.* =NAIVETÉ.

NAK 〖통신〗 negative acknowledge(텔레타이프에서, 부정 응답).

‡**na·ked** [néikid] *a.* **1** 벌거벗은, 나체의: go ~ (야만인 등이) 나체로 지내다 / swim ~ 알몸으로 헤엄치다 / strip a person ~ 아무를 발가벗기다. [SYN.] ⇨BARE¹. **2** 있어야 할 것이 없는, 잎〔나무, 털, 껍질, 날개, 비늘, 장식, 가구, 덮개, 카펫 등〕이 없는, 드러난, 노출된: a ~ electric wire 〔bulb〕 나선(裸線)〔알전구(電球)〕/ a ~ sword (칼집에서) 뽑은 칼 / a ~ hill 초목이 없는 언덕 / a ~ wall 아무것도 바르지 않은 벽 / a ~ tree =a tree ~ *of* leaves 낙엽진 나무 / a ~ room =a room ~ *of* furniture 가구 없는 방 / a life ~ *of* comfort 낙이 없는 생활. **3** 《시어》 무방비의: ~ *to* invaders 침입자 앞에 노출되어 있는. **4** 적나라한, 꾸밈 없는: the ~ truth 있는 그대로의 사실 / the ~ heart 진심. **5** 주석이 없는《인용구 따위》. **6** 〖법률〗 보강 증거가 없는: a ~ promise 허튼 약속. ***with ~ fists*** (글러브 없이) 맨손으로. [파] **~·ly** *ad.* 벌거숭이로; 적나라하게.

náked ápe 벌거벗은 원숭이, 인간(a human being)《영국의 인류학자 Desmond Morris의 저서 *The Naked Ape*(1967)에서》.

náked cáll 《미》 파는 사람이 실제로 소유하고 있는 것이 아닌 주권·증권을 매입하는 선택권.

náked cóntract 〖법률〗 무상(無償) 계약.

náked debénture 무담보 사채(社債).

náked éye (the ~) 육안(肉眼). [OPP.] *armed eye.* ¶ see a star with the ~.

náked flówer 〖식물〗 무피화(無被花), 나화(裸花), 민덮개꽃.

náked héart 진심, 참마음. 「하다.

ná·ked·ìze *vi., vt.* 벌거숭이가 되다; 벌거벗게

ná·ked·ness *n.* [U] 벌거숭이; 있는 그대로임, 적나라; 무자력(無資力), 결핍. ***the ~ of the land*** (사람·나라 등의) 무력(無力), 무방비 상태《창세기 XLII: 9》.

náked óption 선택권부(附) 주권을 소유하지 않은 증권 거래업자가 제공하는 선택권.

Na·khod·ka [nəkɔ́ːtkə/-kɔ́t-] *n.* 나홋카《시베리아 Vladivostok 남동의 항구 도시》.

Nal·go [nǽlgou] *n.* 《영》 국가·지방 공무원 협회(=**NALGO**). [◂ *N*ational *a*nd *L*ocal *G*overnment *O*fficers' Association]

na·li·díx·ic ácid [neilədíksik-] 〖화학〗 날리딕스산(酸)《비뇨 생식기 감염증 치료에 쓰이는 항생 물질》.

Nál·line Tést [nǽliːn-] Nalline《마약 길항제(拮抗劑)의 상표명》을 써서 마약 상용 여부와 그 사용량을 조사하는 검사.

na·lor·phine [nælərfìːn/nælɔ́ːfiːn] *n.* 〖약학〗 날로르핀《마약의 독성 중화·호흡 기능 촉진제》.

nal·ox·one [nəlɑ́ksoun/-lɔ́k-] *n.* 〖약학〗 날록손《모르핀 따위 마약에 대한 길항제(拮抗劑)》.

nal·trex·one [næltréksoun] *n.* 〖약학〗 날트렉손《마약 길항제》. 「AM.

Nam, 'Nam [nɑːm, næm] *n.* 《구어》 =VIETN-

NAM, N.A.M. National Association of Manufacturers (전미(全美) 제조업자 협회(協會)). **N. Am.** North American.

nam·a·ble [néiməbəl] *a.* **1** 이름 붙일 수 있는; 지명할 수 있는. **2** 이름을 말해도 되는, 입에 올려도 실례가 안 되는. **3** 유명한, 저명(著名)한.

★ nameable 로도 씀.

na·mas·te, na·mas·kar [nʌ́məstèi], [nəmʌ́skɑːr] *n.* (힌두교도의) 합장하고 머리를 조금 숙이는 인사.

nam·by-pam·by [nǽmbipǽmbi] *a., n.* **1** 지나치게 감상적인 (문장, 이야기), 마음에 들지 않는 (문장), 달콤한 (이야기). **2** 유약한, 여자 같은〔멋 부린〕 (남자). [파] **~·ìsm** *n.* [U] 지나치게 감상적임, 마음에 걸림.

†**name** [neim] *n.* **1 a** 이름, 성명; (물건의) 명칭: a common ~ 통칭 / a pet ~ 애칭.

> [NOTE] John Fitzgerald Kennedy에서, 미국식으로는 공식 문서 따위에서 John을 first name, Fitzgerald를 middlename, Kennedy를 last name 이라고 부름. 영국식으로는 (또 미국식에서도) John과 Fitzgerald가 given 〔personal, Christian〕 name 또는 forename이며, Kennedy가 family name 또는 surname임.

b (보통 the N-) 〖성서〗 하느님〔신〕의 이름《여호와》: praise *the Name* of the Lord. **2** 명성, 명망(名望); 평판《*for*》: seek ~ and fortune 명성과 부를 추구하다 / a good〔bad〕 ~ 명성〔악명〕/ leave one's ~ behind in history 역사에 이름을 남기다 / The restaurant has a ~ *for* be*ing* cheap and good. 그 식당은 값싸고 맛있기로 평판이 나 있다. **3** 《구어》 유명인, 명사: She is a ~ in show business. 그녀는 연예계에서 이름이 알려져 있다 / one of the great ~*s* of the age 당대의 저명인사 중의 한 사람 / the great ~*s* of history 역사상의 위인들. **4 a** 명목, 허명《실질에 대한》: in reality and in ~ 명실공히. **b** 〖논리·철학〗 명사(名辭); 〖문법〗 명사(名詞). **5** 가명(家名), 문중(門中); 가계(家系), 씨족: the proudest ~*s* in England 영국에서 가장 상류의 명문. **6** (보통 *pl.*) 악명, 욕: call a person (bad) ~*s* 아무를 거짓말쟁이〔도둑놈〕이라고 욕설하다; 아무의 욕을 하다. **7** 〖컴퓨터〗 이름《파일, 프로그램, 장치 따위의 이름》.

by ~ ① 이름은: Tom *by* ~ =*by* ~ Tom 이름은 톰 / I know the man *by* ~. 그 사람의 이름만은 (들어서) 알고 있습니다 / The teacher knows all the pupils *by* (their) ~(*s*). 선생은 학생 전부의 이름을 알고 있다. ② 지명(指名)하여, 이름을 들어: He was called upon *by* ~ to answer. 그는 답변하도록 지명되었다. ***by*** 〔***of, under***〕 ***the ~ of*** …라는 이름으로〔의〕, 통칭은…: a young man *by the* ~ *of* John Smith 존 스미스라는 이름의 젊은 남자 / go 〔pass〕 *by* 〔*under*〕 *the* ~ *of* …이름으로 통하다, 통칭(通稱)은 …이다. ***call a person*** (***bad***) ***~s*** ⇨6. ***clear one's*** 〔***a person's***〕 ***~*** 자신〔아무〕의 오명을 씻다. ***get a ~*** (***for oneself***) (보통 나쁜 뜻으로) 이름을 떨치다. ***Give it a ~.*** 《구어》 무엇을 좋아하는지 말해 주시오《음료나 물건을 사줄 때 등에》. ***give one's ~*** 이름을 말하다. ***have one's ~ up*** 이름을 날리다, 유명해지다. ***have the ~ of*** …라는 평판이다. ***I'll do it, or my ~ is not Smith.*** 내 이름을 걸고 꼭 하겠습니다. ***in all but ~*** 사실상, 실질적으론(virtually). ***in God's*** 〔***heaven's, Christ's, hell's***〕 ***~*** 제발; 《강조적》 도대체: Where *in heaven's* ~ have you been? 도대체 어디에 갔었느냐. ***in ~*** (***only***) 명목상: a king *in* ~ *only* 이름뿐인 왕. ***in one's*** (***own***) ***~*** 자기 명의로; (직책 따위를 떠나서) 개인으로서; 자기 혼자서, 독립하여: It stands *in my* ~. 그것은 내 명의로 되어 있다. ***in the ~ of*** =***in*** a person***'s ~*** ① 아무의 이름을 걸고, …에

맹세하여: *in the* ~ *of* God 신의 이름을 걸고, 맹세코; 제발 / This, *in the* ~ *of* Heaven, I promise. 이것은 하늘에 맹세코 약속한다. ② …의 이름으로, …의 권위(權威)에 의하여: Stop *in the* Queen's [King's] ~! =Stop, *in the* ~ *of* the State [the law]! 꼼짝 마라, 게 섰거라 / commit wrongs *in the* ~ *of* justice 정의의 이름으로 나쁜 짓을 하다. ③ …의 대신으로[대리로]; …의 명목으로;…의 명의로: The shares are *in my* ~. 주(株)는 내 명의로 돼 있다 / I am speaking *in the* ~ *of* Mr. Smith. 스미스씨의 대리로서 말하고 있는 것입니다. ④ 《강조적》 도대체: *In the* ~ *of* mercy, stop screaming! 제발 좀 큰 소리 지르지 마라 / What *in the* ~ *of* goodness [fortune] are you doing? 대체 무얼 하고 있느냐. ***lend*** **one's** ~ ***to*** …에 이름을 빌려 주다. ***make*** [***win***] ***a*** ~ (***for*** **oneself**) 이름을 떨치다, 유명해지다. ***of*** [***of no***] ~ 유명한[무명의]. ***put a*** ~ ***to*** …을 적절한 이름으로 표현하다. ***put*** **one's** ~ ***down for*** …의 후보자[응모자]로서 기명(記名)하다; …입학[입회]자로서 이름을 올리다. ***put*** **one's** ~ ***to…*** (문서 따위에) 이름을 적다. ***send in*** **one's** ~ ① (방문객이) 명함을 들여보내다, 이름을 알리다. ② (콩쿠르 따위에) 참가를 신청하다. ***take a*** [a person***'s, God's***] ~ ***in vain*** 함부로 아무[신]의 이름을 입에 올리다; 《우스개》 경솔하게 말하다. ***take*** **one's** ~ ***off*** …에서 탈퇴[탈회]하다. ***the*** ~ ***of the game*** 《구어》 중요한[불가결한] 것, 주목적, 요점, 본질. ***throw*** a person***'s*** ~ ***around*** 유명인의 이름을 잘 아는 사람인 양 함부로 입에 올리다. ***to*** **one's** ~ 자기 소유로: I don't have a penny *to my* ~. 동전 한 푼도 가지고 있지 않다. ***to the*** ~ ***of*** …의 명의로. ***use*** a person***'s*** ~ 아무를[아무의 이름을] 예로서 내세우다. ***What's in a*** ~***?*** 이름이란 게 뭐야, 중요한 건 실질이다.

— *a.* **1** 유명한, 일류의: a ~ writer [hotel] 일류 작가[호텔]. **2** 《미구어》 이름이 들어[붙어] 있는; 명칭 표시용의.

— *vt.* **1** 《~+목/+목+보》 …에[이라고] 이름을 붙이다[짓다], 명명하다: ~ a newborn baby 갓난아이의 이름을 짓다 / He was ~*d* Jack. 그는 잭이라고 이름지어졌다. **2** 《~+목/+목+보/+목+전+명/+목+*as* 보》 지명하다, 임명하다: ~ a person *for* [*to*] an office 아무를 관직에 임명하다 / ~ a person mayor 아무를 시장으로 임명하다 / He was ~*d as* chairman. 그는 의장으로 지명되었다. **3** …의 (올바른) 이름을 말하다, …의 이름을 생각해 내다: I know his face, but I cannot ~ him. 그의 얼굴은 알고 있지만 이름은 모른다. **4** 《+목+*as* 보》 고발하다: ~ a person *as* the thief 아무를 절도범으로 고발하다. **5** 《~+목/+목+전+명》 (사람 · 일시(日時) · 가격 따위를) 지정하다; (보기 따위를) 지적하다, 가리키다, 초들다(mention), 들다: ~ several reasons 몇 가지 이유를 말하다 / ~ one's price (가격을) 얼마라고 말하다 / ~ the day *for* the general election 총선거 날짜를 정하다. ~ ***for*** =《영》 ~ ***after*** …의 이름을 따서 이름을 짓다: He was ~*d for* [*after*] his uncle. 그는 삼촌의 이름을 따서 이름지어졌다. ***Name it*** [***yours***]. 마시고 싶은 것을 말하시오《술 따위를 낼 때》. ~ ***the day*** (여자가) 결혼 날짜를 승낙[지정]하다. ***not*** (***to***) ***be*** ~***d on*** [***in***] ***the same day with*** …와는 비교하여[똑같이] 논할 바가 못되다, …보다 훨씬 못하다. ***You*** ~ ***it.*** 《구어》 무엇이[누구]든지.

náme·a·ble *a.* =NAMABLE.

náme·bòard *n.* (점포의) 간판; (역 · 배 따위의) 이름을 적은 표지판.

náme-brànd *a.* 유명 브랜드의.

náme-càlling *n.* Ⓤ 욕설(을 퍼붓기), 중상, 비난, 매도. ㊕ **náme-càller** *n.*

náme·chèck *vt.* …의 이름을 인용[언급]하다. — *n.* (공공연히) 아무[사물]의 이름을 대기[신기].

náme chìld (어떤 사람의) 이름을 따서 명명된 「아이.

named *a.* 지명된, 지정된; 유명한; 각기 고유명이 있는.

náme dày 1 명명일(命名日). **2** 같은 이름의 성인(聖人)의 축일. **3** 《증권》 수도 결제일(受渡決濟日)(ticket day).

náme-dròp *vi.* 유명한 사람의 이름을 함부로 자기 친구인 양 말하고 돌아다니다. ㊕ **~·per** *n.* ~하는 사람.

náme-dròpping *n.* Ⓤ name-drop 하기.

°**náme·less** *a.* **1** 이름 없는: a ~ island. **2** 세상에 알려지지 않은, 무명의: die ~ 무명으로 죽다. **3** (사람이) 이름을 밝히지 않는, 익명의: a well-known person who shall be ~ 이름은 말하지 않겠으나 어떤 유명한 사람. **4** (작품이) 익명의; 작자불명의. **5** 형언할 수 없는: ~ fears 말할 수 없는 불안. **6** 언어도단의(abominable): a ~ crime 언어도단의 죄악. **7** 서출(庶出)의(illegitimate), 사생의. ㊕ **~·ly** *ad.* **~·ness** *n.*

***name·ly** [néimli] *ad.* 즉, 다시 말하자면(that is to say). ⓒⓕ viz. ¶ Two girls were absent, ~, Nancy and Susie. 두 소녀, 즉 Nancy와 Susie가 결석했다.

náme pàrt 《연극》 주제역(主題役)(title role).

náme·plàte *n.* 명찰; 표찰; (신문 1 면의) 지명(紙名), (정기 간행물 표지의) 지명(誌名); (상품의) 품질, 종류, 유명 상표, 명판(名板).

nam·er [néimər] *n.* 명명자; 지명자.

náme·sàke *n.* 이름이 같은 사람[것]; 《특히》 딴 사람의 이름을 받은 사람.

náme sèrver 《컴퓨터》 이름 서버《인터넷 상의 domain name server》.

náme tàg 명찰. 「테이프.

náme tàpe (개인 소유물 따위에 붙이는) 명찰

NAMH National Association for Mental Health.

Ná·mib Désert [ná:mib-] 나미브 사막《아프리카 남서부, 앙골라 남서부에서 나미비아 남단을 거쳐 대서양 연안으로 펼쳐진 사막》.

Na·mib·ia [nəmíbiə] *n.* 나미비아《구칭 South-West Africa; 1990 년 독립; 수도 Windhoek》. ㊕ **Na·míb·i·an** *a., n.*

Nan [næn] *n.* 낸《여자 이름; Anna, Ann(e)의 「애칭》.

nan[1] [næn], **nana** [nǽnə], **nan·na** [nǽnə] *n.* 《소아어》 할머니; 유모.

nan[2] [nɑn, næn] *n.* =NAAN.

NANA North American Newspaper Alliance (북아메리카 신문 연합).

Nan·cy [nǽnsi] *n.* **1** 낸시《여자 이름; Anna, Ann(e)의 애칭》. **2** (n-) 《속어》 여자 같은 남자; 동성애의 대상이 되는 남자(=**náncy bòy**). — *a.* 《속어》 유약한, 여자 같은; 동성애의.

NAND [nænd] *n.* 《컴퓨터》 부정 논리곱《양쪽이 참인 경우에만 거짓이 되며 다른 조합은 모두 참이 되는 논리 연산(演算)》: ~ gate 부정 게이트《NAND 연산을 수행하는 문》/ ~ operation 논리곱 연산. [◂ *not AND*]

NÁND cìrcuit 《컴퓨터》 NAND 회로, 부정회로.

nan·di·na, -din [nændáinə, -dínə], [nǽndin] *n.* 《식물》 =SACRED BAMBOO.

na·nism [néinizəm, nǽn-] *n.* Ⓤ 왜소(矮小), 왜생(矮生)(dwarfishness).

Nan·jing, -king [nɑ̀ndʒíŋ], [næ̀ŋkíŋ, nɑ̀:n-] *n.* 난징(南京)《중국 장쑤(江蘇)성의 성도》.

nan·keen [nænkíːn/næŋ-], **-kin** [nǽnkin], **-king** [næ̀nkíŋ] *n.* [U] 남경(南京)목면; (nankeens) 남경목면으로 만든 바지; (종종 N-) (담)황색.
Nan·na [nǽnə] *n.* 내나《여자 이름; Anna, Ann(e)의 애칭》.
nanna ⇨ NAN[1].
Nan·nette [nænét] *n.* 내네트《여자 이름; Anna, Ann(e)의 애칭》.
nan·no- [nǽnə, néinə] *pref.* =NANO-.
nànno·fóssil, nàno- *n.* 초미(超微)화석《nannoplankton의 화석》.
nànno·plánkton, nàno- *n.* 나노플랑크톤〔부유 생물〕.
Nan·ny [nǽni] *n.* **1** 내니《여자 이름; Anna, Ann(e)의 애칭》. **2** (n-) 《영구어》 유모, 아이 보는 여자, 나이 많은 하녀; 《소아어》 할머니. **3** 《구어》 = NANNY GOAT.
nánny gòat 《구어》 암염소. [cf.] billy goat.
nánny-gòat swéat 《미속어》 싸구려 위스키, 밀조주(密造酒).
nánny státe (때로 N- S-) 《경멸》 복지 국가《국가 기관이 유모처럼 개인 생활을 보호 간섭하는 데서》.
nan·o- [nǽnə, néinə] *pref.* **1** '10억분의 1'의 뜻《기호 n》. **2** '미소(微小)'의 뜻.
náno·àmp *n.* 【전기】 나노암페어《10^{-9} ampere》.
náno·àtom *n.* (원소의) 10억분의 1원자.
náno·cùrie *n.* 나노퀴리《10^{-9} curie》.
náno·gràm *n.* 나노그램《10^{-9} gram》.
náno·mèter *n.* 나노미터《10^{-9} 미터; 기호 nm》.
náno·sècond *n.* 나노초《10억분의 1초; 기호 ns, nsec》.
náno·sùrgery *n.* 【의학】 (전자 현미경을 사용하여 행하는) 극소(極小) 수술.
nàno·technólogy *n.* 미세공학《0.1-100 nanometers 크기의 극소 물체를 만들거나 측정하는 반도체 등의 미세 가공 기술》.
náno·tèsla *n.* 【물리】 나노테슬라《$=10^{-9}$ tesla》.
náno·tùbe *n.* 【화학】 나노튜브《탄소 원자가 직경 수(數) 나노미터의 원통(圓筒)을 이룬 풀러렌(fullerene) 비슷한 분자(=**cárbon ∼**)》.
Nan·sen [nǽːnsən] *n.* **Fridtjof ∼** 난센《노르웨이의 생물학자·북극 탐험가·정치가; 국제 연맹의 고등 판무관; 1861-1930》.
Nánsen pàssport 난센 여권《제 1 차 세계대전 후 난민에게 국제 연맹이 발행한 여권》.
Nantes [nænts] *n.* 낭트《프랑스 북서부의 Loire강에 임한 항구 도시》; ⇨ EDICT OF NANTES.
na·os [néiɑs/-ɔs] (*pl.* **-oi** [-ɔi]) *n.* 《Gr.》 신전(神殿), 사원; 【건축】 =CELLA.
nap**[1] [næp] *n.* 겉잠, 미수(微睡), 졸기, 낮잠. ***take* 〔*have*〕 *a* ∼** 선잠〔낮잠〕을 자다. **—** (**-pp-**) *vi.* **1** 졸다, 낮잠 자다. [SYN.] ⇨ SLEEP. **2** 방심하다, 멍청히 있다. **—** *vt.* 《+[목]+[부]》 졸며 보내다 《*away*》: I ∼*ped* the afternoon *away*. 그날 오후는 졸며 보냈다. ***catch* 〔*take*〕 a person ∼*ping 아무의 방심을 틈타다, 불시에 습격하다.
nap[2] *n.* [U] (나사(羅紗) 등의) 보풀; (식물 등의) 솜털 같은 표면; (*pl.*) 《미흑인속어》 곱슬머리. **—** (**-pp-**) *vt.* …에 보풀을 세우다.
nap[3] *n.* 냅《카드놀이의 나폴레옹》; 《영》 경마에서 필승의 예상, 필승마(馬). ***go* ∼** 냅 놀이에서 5회 전승을 노리다; 가진 돈을 모두 걸다; 대모험을 꾀하다; 자기 이름을 걸고 보증하다. **—** (**-pp-**) *vt.* 《영》 (특정 말을) 이길 말이라고 지목〔추천〕하다.
nap[4] (**-pp-**) *vt.* 《속어》 움켜쥐다, 잡아채다.
nap[5] (**-pp-**) *vt.* (요리에) 소스를 치다〔바르다〕.
NAP naval aviation pilot. **Nap.** Naples; Napoleon; Napoleonic.

Napa [nǽpə] *n.* 내파《미국 California 주의 중서부에 있는 도시; 와인의 산지로 유명》. 「용》.
napa *n.* 무두질한 (새끼)양의 가죽《장갑·의복
na·palm [néipɑːm] *n.* [U] 【화학】 네이팜《가솔린의 젤리화제(化劑)》: a ∼ bomb 【미군사】 네이팜탄《강렬한 유지(油脂) 소이탄》. **—** *vt.* …을 네이팜탄으로 공격하다. 「덜미.
nape [neip] *n.* (보통 the ∼ of the neck) 목
na·pery [néipəri] *n.* 《고어·Sc.》 [U] 식탁용〔가정용〕 리넨 제품《식탁보·냅킨 따위》.
náp hànd (nap[3]에서) 5회 전승할 것 같은 수; 《비유》 모험을 하면 승산이 있는 경우.
naph·tha [nǽfθə, nǽp-] *n.* [U] 【화학】 나프타, 석유〔용제(溶劑)〕 나프타; 석유(petroleum). [파] **náph·thous** *a.*
naph·tha·lene, -line [nǽfθəliːn, nǽp-], **-lin** [-lin] *n.* [U] 【화학】 나프탈렌.
naph·thene [nǽfθiːn, nǽp-] *n.* 【화학】 나프텐《석유 원유 중의 시클로파라핀(cycloparaffine) 탄화수소의 총칭》.
naph·thol [nǽfθɔːl, -θɑl, nǽp-/-θɔl] *n.* [U] 【화학】 나프톨《물감의 원료·방부제》.
naph·thyl·a·mine [næfθíləmiːn, næp-] *n.* 【화학】 나프틸아민《방향족 아민의 하나; 무색의 결정으로 염료(染料)에 이용》.
Na·pi·er [néipiər, nəpíər] *n.* **John ∼** 네이피어(1550-1617)《스코틀랜드의 수학자·로그(log)의 발견자》.
Na·píer·i·an lógarithm [nəpíəriən-] 【수학】 =NATURAL LOGARITHM.
Nápier's bónes 〔**róds**〕 네이피어 계산봉(棒)《John Napier가 발명한 포켓용 승제용(乘除用) 계산기》.
***nap·kin** [nǽpkin] *n.* **1** (식탁용) 냅킨(table ∼); 작은 수건; 《영방언》 손수건; 《Sc.》 네커치프. ★ 《영》에서는 냅킨을 serviette로 종종 씀. **2** 《영》 기저귀(《미》 diaper). **3** =SANITARY NAPKIN. ***hide* 〔*lay up, wrap*〕 *in a* ∼** 【성서】 안 쓰고 처박아두다, 가지고 썩히다《누가복음 XIX: 20》.
nápkin rìng 냅킨 링《각자의 냅킨을 감아 걸쳐 두는 고리》.

napkin rings

Na·ples [néiplz] *n.* 나폴리《이탈리아 남부의 항구 도시》. ◇ Neapolitan *a.* ***See* ∼ *and then die.*** 나폴리를 보고 죽어라《경치를 극찬하는 말》.
náp·less *a.* 보풀이 없는, 닳아서 해어진.
Na·po·le·on [nəpóuliən, -ljən] *n.* **1** 나폴레옹 1세(∼ Bonaparte; 1769-1821); 또는 3세 (Louis ∼; 1808-73). **2** (n-) 옛 프랑스 금화《20프랑》; 부츠의 일종; =NAP[3]; 크림과 잼 따위를 여러 켜에 넣은 파이. [파] **∼·ism** *n.* (국민에 대하여 절대권을 갖는) 나폴레옹주의. **∼·ist** *n.*
Na·po·le·on·ic [nəpòuliɑ́nik/-ɔ́n-] *a.* 나폴레옹 1세(시대)의; 나폴레옹 1세 같은〔풍의〕.
Napoleónic Wárs (the ∼) 나폴레옹 전쟁 (1796-1815). 「리아명》.
Na·po·li [*It.* nɑ́ːpoli] *n.* 나폴리《Naples의 이탈
nap·pa [nǽpə] *n.* =NAPA.
nappe [næp] *n.* **1** 【지학】 수평에 가까운 단층이나 횡와 습곡(橫臥褶曲)에 의해 꽤 멀리까지 밀려난 지괴(地塊). **2** 봇둑을 넘쳐 흐르는 물.
napped [-t] *a.* 보풀(nap)이 있는; (음식이) 소스를 쳐서 나온《*with*》. 「계〕.
nap·per[1] [nǽpər] *n.* 보풀을 세우는 사람〔기
nap·per[2] *n.* 선잠을 자는 (버릇이 있는) 사람; 《영속어》 머리(head).

nap·py[1] [nǽpi] (*-pi·er, -pi·est*) *a.* **1** (술·맥주 따위가) 거품이 이는, 독한. **2** 《Sc.》 얼근히 취한(tipsy). **3** (말이) 반항하는. **—** *n.* 《Sc.》 술, 《특히》 맥주(ale).

nap·py[2] (*-pi·er, -pi·est*) *a.* 보풀로 덮인, 솜털이 난, 곱슬곱슬한.

nap·py[3] *n.* 《영구어》 기저귀(napkin): change *nappies* 기저귀를 갈다. 「접시.

nap·py[4] *n.* 《미》 (유리 또는 도자기로 된) 작은

nap·py[5] *n.* 《미·경멸》 흑인, 니그로(Negro).

náppy-héaded [-id] *a.* 멍청한, 얼빠진.

na·prap·a·thy [nəprǽpəθi] *n.* 마사지 요법(療法)《인대·관절·근육 따위 결합 조직의 마사지와 식사 요법에 바탕을 둔 치료법》.

na·prox·en [nəpráksən/-prɔ́k-] *n.* 〖약학〗 나프록센《소염·진통·해열제》.

náp tràp 《CB속어》 휴게 지대, 모텔.

na·pu [ná:pu:] *n.* 〖동물〗 궁노루《자바산》.

narc, nark [nɑ:*r*k] *n.* 《미속어》 마약 단속관〔수사관〕(narco); 정보 제공자, 밀고자. **—** *vi.* 밀고하다.

narc- [ná:*r*k], **nar·co-** [ná:*r*kou, -kə] '혼미, 마취'의 뜻의 결합사.

nar·ce·ine [ná:*r*siì:n, -in] *n.* [U] 〖화학〗 나르세인《마취성 알칼로이드의 일종》.

nar·cis·sism, nar·cism [ná:*r*səsìzəm], [ná:*r*sizəm] *n.* [U] 자기애; 자기중심주의; 〖정신분석〗 나르시시즘, 자기도취증. [파] **nár·cis·sist, nár·cist** [-sist] *n.* 자기도취자. **nàr·cis·sís·tic** [-sístik] *a.*

narcissístic personálity 〖심리〗 자기애 인격, 자기중심성 성격.

Nar·cis·sus [nɑ:*r*sísəs] *n.* **1** 〖그리스신화〗 나르시스《물에 비친 자기 모습을 연모하다가 빠져 죽어서 수선화가 된 미모의 소년》; 미모로 자부심이 강한 청년. **2** (n-) (*pl.* ~(*·es*), *-cis·si* [-sísai, -si]) 〖식물〗 수선화; 수선화속(屬) 식물.

nar·co [ná:*r*kou] (*pl.* ~*s*) *n.* 《미속어》 =NARC.

nàrco·análysis *n.* [U] 〖정신의학〗 마취 분석《마취에 의한 심리 요법》.

nárco·bùck *n.* 《미속어》 마약 거래 자금, 마약 거래로 얻은 이익.

nàrco·demócracy *n.* 마약 조직이 정치를 조종하는 민주주의.

nar·co·lep·sy [ná:*r*kəlèpsi] *n.* [U] 〖의학〗 기면(嗜眠) 발작《지랄병의 약한 발작》.

nar·co·ma·nia [nà:*r*kəméiniə] *n.* 〖의학〗 마약 상용벽〔중독〕; 마약에 의한 정신 이상.

nar·cose [ná:*r*kous] *a.* 혼수〔혼미〕상태의.

nar·co·sis [nɑ:*r*kóusis] (*pl.* *-ses* [-si:z]) *n.* [U] (마취제 따위에 의한) 마취(법), 혼수(상태).

nàrco·sýnthesis *n.* [U] 〖정신의학〗 정신병 마취 요법.

nárco-térrorism *n.* 마약 테러리즘《마약 거래에 관여하는 자에 의한 테러》. [파] **-ist** *n.*, *a.*

◇**nar·cot·ic** [nɑ:*r*kátik/-kɔ́t-] *a.* 마취성의, 최면성의; 마약의; 마약 중독(치료)의: a ~ drug 마(취)약/a ~ addict 마약 상용자. **—** *n.* 마취제〔약〕, 마약; 최면약, 진정제; 마약 중독자.

narcótic antágonist 〖약학〗 마약 길항제(拮抗劑); 마약 효과를 방해하는 약물.

nar·cot·i·cism [nɑ:*r*kátəsìzəm/-kɔ́t-] *n.* 〖의학〗 마취 상태; 마약 중독.

nar·co·tine [ná:*r*kətì:n] *n.* [U] 〖화학〗 나르코틴《아편 알칼로이드의 일종; 해열제용》.

nar·co·tism [ná:*r*kətìzəm] *n.* [U] 마취제〔마약〕의 작용; 이상 최면; =NARCOSIS. [파] **-tist** *n.* 마약 상용자.

nar·co·tize [ná:*r*kətàiz] *vt.* 마취시키다; 마비〔진정〕시키다. **—** *vi.* 마약이〔마취제가〕 작용을 하다. [파] **nàr·co·ti·zá·tion** *n.*

nárco-tràfficker *n.* 《구어》 마약 장수〔불법 거래업자, 밀수업자〕.

nárco-tràf·i·càn·te [-træ̀fəkǽnti] *n.* 《속어》 =NARCO-TRAFFICKER. [◂ *narcotic*+《Sp.》 *traficante* (trafficker)]

nard [nɑ:*r*d] *n.* 〖식물〗 감송(甘松); [U] 감송향(香)《방향(芳香)이 있는 수지》. 「콧구멍.

nar·es [nέəri:z] (*sing.* *-is* [-is]) *n. pl.* 〖해부〗

nar·g(h)i·le, -gi·leh [ná:*r*gəli, -lèi] *n.* (중근동의) 수연관(水煙管)(hookah).

nar·i·al [nέəriəl] *a.* 〖해부〗 콧구멍(nares)의.

nark[1] [nɑ:*r*k] *n.* 《속어》 경찰의 앞잡이〔끄나풀〕, 밀정; 《미》 함정; 《미》 =KIBITZER; 《Austral.속어》 흥을 깨는 사람, 흥을 깸. **—** *vi.*, *vt.* 《영》 스파이질을 하다, 밀고하다.

nark[2] 《영속어》 *vi.*, *vt.* 짜증 내다〔나게 하다〕, 불쾌해지다〔하게 하다〕. ***feel ~ed at*** …에 고민하다. ***Nark it !*** 《영속어》 그만둬, 조용히 해. **—** *n.* 짜증내는〔나게 하는〕 사람, 불쾌해〔하게〕 하는 사

nark[3] ⇨NARC. 「람.

narked [-t] *a.* 《영속어》 짜증 내는. 「언짢은.

narky [ná:*r*ki] *a.* 《영속어》 화 잘 내는, 기분이

N-àrms *n. pl.* 핵(核)무기(nuclear arms).

nar·ra·tage [nǽrətidʒ] *n.* [U] 〖영화·TV·연극〗 나라타주《해설자가 화면〔장면〕 밖에서 소리만으로 해설을 넣는 수법》.

***nar·rate** [nǽreit, -´/nəréit, næ-] *vt.*, *vi.* 말하다, 이야기하다, 서술하다(tell); (영화·텔레비전 등의) 내레이터가 되다.

***nar·ra·tion** [næréiʃən/nə-, næ-] *n.* **1** [U] 서술, 이야기하기. **2** [C] 이야기(story). **3** [U] 〖문법〗 화법. ⇨《부록》 NARRATION. [파] **~·al** *a.*

nar·ra·tive [nǽrətiv] *a.* **1** 이야기의: a ~ poem 설화시. **2** 이야기체의, 설화식의: in ~ form 이야기의 형식으로. **3** 화술의: ~ skill 교묘한 화술. **—** *n.* **1** [C] 이야기. [SYN] ⇨STORY. **2** [U] 이야기체; 설화 문학. **3** [U] 설화(법), 화술. [파] **~·ly** *ad.*

nárrative árt =STORY ART.

nar·ra·tol·o·gy [næ̀rətálədʒi/-tɔ́l-] *n.* 설화(說話) 문학 연구〔이론〕. [파] **-gist** *n.* **nàr·ra·to·lóg·i·cal** [-təládʒikəl/-lɔ́-] *a.*

***nar·ra·tor, -rat·er** [nǽreitə*r*, -´-/nəréit-, næ-] (*fem.* *-tress* [-tris]) *n.* 이야기하는 사람, (연극·영화·TV 등의) 해설자, 내레이터.

†**nar·row** [nǽrou] (*~·er; ~·est*) *a.* **1** 폭이 좁은. [OPP] *wide*, *broad*. ¶ a ~ bridge 〔street, path〕 좁은 다리〔가로, 길〕. **2** (공간·장소가) 좁아서 답답한, 옹색한: ~ quarters 좁아서 답답한 숙소. ★ 보통 '좁은'이 단순히 '작은'이란 뜻인 때에는 small을 씀: a *small* room 좁은 방. **3** (지역·범위가) 한정된: have only a ~ circle of a few friends 몇몇 한정된 범위 내의 친구와 사귀다. **4** 마음〔도량〕이 좁은, 편협한: a ~ mind 좁은 마음/a ~ man 생각이 좁은 사람/He's ~ in his opinions. 그는 생각이 좁다. **5** 부족한, 빠듯한; 궁핍한, 돈에 쪼들리는: in ~ means 〔circumstances〕 궁핍하여/a ~ market 〖상업〗 한산한 시장. **6** 가까스로의, 아슬아슬한: a ~ victory 신승(辛勝)/win by a ~ majority 가까스로 과반수를 얻어〔근소한 차로〕 이기다. **7** (검사 등이) 정밀한, 엄밀한(minute): a ~ inspection 정사(精査)/a ~ notation 〔transcription〕 〖음성〗 정밀 표기(법). **8** 협의(狹義)의: a ~ sense of the term 그 말의 좁은 뜻. **9** 《방언》 인색한(mean): ~ *with* one's money 돈에 인색한. **10** 〖음성〗 긴장음의; 긴장된 소리의(tense): ~ vowels 긴장모음《[i:], [u:] 등》. **11** 《미》 (가축의 사료가) 단백질이 풍부한. ***have a ~ escape*** 〔***shave, squeak***〕 구사

일생하다. ***in a ~ sense*** 협의(狹義)로.

— *n.* **1** (*pl.*) 〖단 · 복수취급〗 해협. **2** 골짜기; 길의 좁은 곳, 애로(隘路). **3** (the N-s) 뉴욕만의 Staten Island 와 Long Island 사이의 해협; 다르다넬스 해협.

— *vt.* **1** 좁게 하다, 좁히다: ~ one's eyes 눈을 가늘게 뜨다, 실눈을 뜨다. **2** 《~+目/+目+副/+目+前+名》 제한하다; (범위를) 좁히다《*down*》, …의 요점에만 국한하다, …의 수를 좁히다《*to*》: ~ *down* the choice *to* four 선택 범위를 4명으로 좁히다 / ~ the area of one's search 수사 범위를 한정하다. **3** 편협하게 하다. — *vi.* 《~/+前+名》 좁아지다: The road ~*s into* a footpath. 길이 좁아져서 소로(小路)로 된다. ㊞ **~·ness** *n.* 좁음, 협소; 궁핍; 도량이 좁음.

nárrow·bànd *a.* 〖통신〗 좁은 주파수 대역(帶域)의 《데이터 송신이 비교적 더딤》.

nárrow béd 〔**céll, hóuse**〕 무덤(grave).

nárrow bóat 《영》 (폭 7 피트 이하의 운하 항행용) 거룻배.

nárrow·càst *vi.* 유선 방송하다, 한정된 지역에 방송하다.

nárrow·càsting *n.* 유선 텔레비전 방송(cable-casting).

nárrow clóth (영국에서 52 인치〔《미》 18 인치〕 이하의) 폭이 좁은 천. ㊀ broadcloth.

nárrow gáuge 〔**gáge**〕 〖철도〗 협궤《영 · 미 모두 1.435 미터 이하》. ㊀ broad gauge.

nárrow-gáuge(d), -gáge(d) *a.* 〖철도〗 협궤의; 《비유》 마음이 좁은, 편협한.

***nar·row·ly** [nǽrouli] *ad.* **1** 좁게. **2** 주의 깊게, 정밀하게. **3** 한정하여, 빠듯이. **4** 겨우, 간신히(barely).

nárrow-mínd·ed [-id] *a.* 마음〔도량〕이 좁은, 편협한. ㊞ **~·ly** *ad.* **~·ness** *n.*

nárrow móney 〖경제〗 협의의 통화《유통 현금 통화, 요구불 예금 등 협의의 통화 공급량》.

nárrow-rùled *a.* (loose-leaf, 노트 따위가) 가는 줄〔선〕의.

nárrow séas (the ~) 영국 해협(English Channel) 및 아이리시 해(Irish Sea).

nárrow wáy (the ~) 〖성서〗 정의《좁고 험한 길;마태복음 Ⅶ: 14》.

nar·thex [nɑ́ːrθeks] *n.* 〖건축〗 나르텍스《고대 기독교 회당에서 본당 입구 앞의 넓은 홀; 참회자 · 세례 지원자를 위한 공간》.

nar·w(h)al, nar·whale [nɑ́ːrwəl], [-hwèil] *n.* 〖동물〗 일각과(科)의 고래.

narwhal

nary [nέəri] *a.* 《미방언》 단 …도 없는 (not one, never a): ~ a doubt 한 점(點)의 의심도 없는. [◂ ne'er a]

NAS, N.A.S. National Academy of Sciences (전미 과학 아카데미); Naval Air Station (해군 항공 기지); 《영》 Noise Abatement Society (소음 감소 협회).

NASA [nǽsə, nɑ́ːsə] *n.* 나사, 미국 항공 우주국《1958 년 설립》. [◂ *N*ational *A*eronautics and *S*pace *A*dministration]

NASA·ese [næsəíːz] *n.* 나사 용어, 항공 우주국 용어.

°**na·sal** [néizəl] *a.* 코의; 콧소리의; 〖음성〗 비음의: ~ vowels 비모음(鼻母音)《프랑스어의 [ɑ̃, ɛ̃, ɔ̃, œ̃] 따위》/ the ~ organ 《비유》 코 / a ~ discharge 콧물. — *n.* 콧소리, 콧소리 글자《m, n, ng [ŋ] 따위》; (갑옷의) 코가림; 비부(鼻部). ㊞ **~·ism** *n.* Ⓤ 코에 걸리는 발음; 비음성(性). **~·ly** *ad.* 콧소리로.

násal bóne 〖해부〗 코뼈.

násal cávity 〖해부〗 비강(鼻腔).

na·sal·i·ty [neizǽləti] *n.* Ⓤ 비음성, 콧소리를 냄; 비강(鼻腔) 안의 반향.

na·sal·ize [néizəlàiz] *vi.*, *vt.* 콧소리로 말하다; 비음화하다. ㊞ **nà·sal·i·zá·tion** *n.* Ⓤ 비음화.

násal séptum 〖해부〗 비중격(鼻中隔).

násal spéculum 〖의학〗 비경(鼻鏡).

násal twáng 〖음성〗 콧소리(twang).

NASCAR, Nas·car [nǽskɑːr] *n.* 《미》 전국 자동차 경기 연맹. [◂ *N*ational *A*ssociation for *S*tock *C*ar *A*uto *R*acing]

nas·cent [nǽsənt, néis-] *a.* 발생하려고 하는, 발생하고 있는; 초기의, 미성숙한; 〖화학〗 발생기(期)의. ㊞ **nás·cence, nás·cen·cy** *n.* Ⓤ 발생, 기원.

náscent státe 〔**condítion**〕 〖화학〗 발생기(期) 상태《어떤 원소가 유리(遊離)한 순간의 상태》.

NASD, N.A.S.D. 《미》 National Association of Securities Dealers (전미(全美) 증권업 협회).

NASDAQ [nǽsdæk, nǽz-] *n.* NASD가 증권 시세를 컴퓨터로 알리는 정보 시스템. [◂ *N*ational *A*ssociation of *S*ecurities *D*ealers *A*utomated *Q*uotations]

nase·ber·ry [néizbèri] *n.* 사포딜라(sapodilla)의 열매.

nash [næʃ] 《미속어》 *vt.*, *vi.* 가벼운 식사를 하다, 간식을 들다. — *n.* 가벼운 식사, 스낵. ㊞ **∠·er** *n.* 늘 무엇을 먹고 있는 사람.

Nash·ville [nǽʃvil] *n.* 내슈빌《미국 Tennessee 주의 주도로, 남북 전쟁의 격전지이며 미국 country music 레코드 산업의 중심지》.

NASL North American Soccer League (북미 축구 연맹).

na·so- [néizou, -zə] *pref.* '코(의)' 의 뜻.

nàso·gástric *a.* 비강(鼻腔)과 위(胃)의; 코에서 위로 튜브를 넣은: ~ suction 비강위흡인(鼻腔胃吸引).

Nas·sau [nǽsɔː] *n.* 나소《Bahama 제도의 수도》.

Nas·ser [nɑ́ːsər, nǽs-] *n.* **Gamal Abdel ~** 나세르《이집트의 군인 · 정치가; 대통령(1956-70); 1918-70》. ㊞ **~·ism** *n.* 나세르주의.

nas·tur·tium [næstə́ːrʃəm, nə-/nə-] *n.* 〖식물〗 한련(旱蓮). ***cast ~s*** 《운율속어》 중상(中傷)하다(cast aspersions).

⁑nas·ty [nǽsti, nɑ́ːs-] (***-ti·er; -ti·est***) *a.* **1** 불쾌한, 싫은; (주거 따위가) 몹시 불결한, 더러운. ㊀ lousy. ★ disagreeable, unpleasant 의 구어적 강의(強意) 표현. **2** (맛 · 냄새 따위가) 견딜 수 없을 만큼 싫은, 역한: ~ medicine 먹기 힘든 〔쓴〕 약 / a ~ smell 악취. **3** (날씨 따위가) 험악한, 거친. **4** 어거하기 힘든, 성질〔버릇〕이 나쁜: a ~ dog 성질이 사나운 개 / ~ children 난폭한 애. **5** (문제 따위가) 애먹이는, 성가신, 다루기 어려운: ~ situation 골치 아픈 입장. **6** (병 따위가) 심한, 중한; 위험한: a ~ cut 심하게 베인 상처. **7** 심술궂은, 비열한: a ~ trick 심술궂은〔비열한〕 술책 / a ~ piece 〔bit〕 of work 심술궂은 행위, 간악한 계략; 심통 사나운 사람 / Don't be ~! 짓궂게 굴지 마라 / It's ~ *of* you 〔You are ~〕 *to* say so. 그런 말을 하다니 네가 지나치다. **8** (말 · 책 따위가) 음란한, 악취미의, 추잡한: a ~ story. ***a ~ one*** (혹평 · 거절 · 질문 따위의) 맹렬한 일격. ***get oneself into a ~ mess*** 곤란한 지경에 빠지다. ***turn ~*** 화내다. — *n.* 싫은〔질이 나쁜, 형편없는〕 것〔사람〕. ㊞ **nás·ti·ly** *ad.* **-ti·ness** *n.*

násty-níce *a.* (아무가) 겉으로만 친절한, 은근 무례한.
NAS/UWT 《영》 National Association of Schoolmasters / Union of Women Teachers.
NASW National Association of Social Workers.
Nat [næt] *n.* 냇트《남자 이름; Nathan, Nathaniel의 애칭》.
nat *n.* 《영속어》 민족주의자.
Nat. Natal; Nathan; Nathanael; Nathaniel; National(ist); Natural. **nat.** national; native; natural(ist).
na·tal [néitl] *a.* 출생〔탄생〕의; 출생시의; 《시어》 고향의.
nátal astrólogy 인사(人事) 점성학.
Nat·a·lie [nǽtəli] *n.* 내털리《여자 이름》.
na·ta·list [néitəlist] *n.* 산아〔인구〕 증가 제창자: pro-~ / anti-~. ㊞ **-lism** *n.* 산아〔인구〕 증가 정책.
na·tal·i·ty [neitǽləti, nə-] *n.* Ⓤ 출생률 〔(birthrate).
na·tant [néitnt] *a.* 〖생태〗 물에 뜨는, 떠도는; 헤엄치는. ㊞ **~·ly** *ad.* 물에 떠서.
na·ta·tion [neitéiʃən, næ-/nə-, nei-] *n.* 《문어》 Ⓤ 수영(술). ㊞ **~·al** *a.*
na·ta·tor [néitətər] *n.* 수영 선수.
na·ta·to·ri·al, na·ta·to·ry [nèitətɔ́:riəl], [néitətɔ̀:ri/-təri] *a.* 유영(游泳)하는, 유영의; 유영에 알맞은: ~ birds 물새.
na·ta·to·ri·um [nèitətɔ́:riəm] (*pl.* **~s, -ria** [-riə]) *n.* 수영장, 《특히》 실내 풀(pool).
natch [nætʃ] *ad.* 《속어》 의당, 물론, 당연히 《naturally의 간약형》.
na·tes [néiti:z] *n. pl.* 〖해부〗 엉덩이, 궁둥이.
Na·than [néiθən] *n.* **1** 네이선《남자 이름; 애칭은 Nat, Nate》. **2** 〖성서〗 나단《David 왕을 질책한 예언자》.
Na·than·a·el [nəθǽniəl, -njəl] *n.* **1** 너새니얼 《남자 이름》. **2** 〖성서〗 나다나엘 《그리스도의 제자》.
Na·than·iel [nəθǽnjəl] *n.* 너새니얼《남자 이름; 애칭: Nat, Nate》.
nathe·less, nath·less [néiθlis, nǽθ-], [nǽθ-] *ad.* 《고어》 =NEVERTHELESS.
nat. hist. natural history.
****na·tion**[1] [néiʃən] *n.* **1** 《집합적》 국민《정부 아래에 통일된 people》: the British ~ 영국 국민 / the voice of the ~ 국민의 소리, 여론.

> SYN. **nation** 정부·법률·제도·관습 따위를 공통으로 하는 인간 집단: the French *nation* 프랑스 국민. 때로 state(국가)와 대립되는 개념일 때도 있음. state 는 현실의 정치 형태인데 비하여 nation 은 언제라도 state 의 형태를 취할 수 있는 잠재적 배경, 즉 state 는 망해도 nation 은 망하는 일이 없다고 생각됨. **race** 인류〔민족〕학적 개념에 의한 분류, 인종, 민족: the Germanic *race* 게르만 민족. **people** nation 과 거의 같은 뜻이나, 제도보다 문화·관습의 공통성이 강조됨. 앞에 붙는 형용사에 따라서 집단의 대소가 크게 변화함: the French *people* 프랑스 국민. an industrialized *people* 공업화된 민족.

2 국가(state): Western ~*s* 서방 국가들. **3** (the ~s) 전 세계 국민, 전 인류. **4** 민족, 겨레, 종족(race): the Jewish ~ 유대 민족 / a ~ *without* a country 나라 없는 민족《예전의 유대인 따위》. **5** 《미》 (북아메리카 인디언의) 종족; (그들이 정치적으로 결성한) 부족 연합. **6** (the N-) 〖성서〗 (유대인이 본) 이교도(the Gentiles). ㊞ **~·less** *a.*
na·tion[2] *n.* 《방언》 =DAMNATION. **—** *ad.* 대단히(much): a ~ long time 아주 오랜 시간.
****na·tion·al** [nǽʃənəl] *a.* **1** 국민의, 온 국민의; 국민 특유의, 국민적인: a ~ character 국민성 / ~ customs 민족적 풍습. **2** 국가의, 국가적인; 한 나라의〔에 한정된〕. OPP. *international.* ¶ ~ interests 나라의 이익/~ affairs 국사(國事), 국무, 국내 문제 / a ~ news 국내 뉴스 / ~ power 〔prestige〕 국력〔국위(國威)〕. **3** 국유의, 국영의, 국립의: a ~ enterprise 국영 기업 / a ~ hospital 국립 병원 / ~ railroads 국유 철도. **4** 전국적인, 나라 전체에 걸친. OPP. *local.* ¶ a ~ hookup 전국 (중계)방송 / ~ newspaper 전국지(紙). **5** 한 나라를 상징〔대표〕하는: the ~ flower 〔game〕 국화〔국기〕 / the ~ poet 일국의 대표적 시인. **6** 애국적인(patriotic); 민족〔국가〕주의적인. **—** *n.* **1** 국민; 동국인. **2** 전국적 조직(의 본부); 전국지(紙). **3** (*pl.*) (스포츠의) 전국 대회.
nátional accóunting 국민(경제)계산(social accounting).
nátional ádvertising 전국을 대상으로 하는 광고.
Nátional Aeronáutics and Spáce Admìnistràtion 미국 항공 우주국, 나사《항공 우주에 관한 미국 정부 기관; 비군사 부문과 국제 협력 계획을 담당함; 1958 년 설립; 전신은 NACA; 생략: NASA》.
nátional ánthem 〔**áir, hýmn**〕 국가(國歌).
Nátional Assémbly (the ~) 프랑스 하원; 〖프랑스사〗 (혁명 당시의) 국민 의회.
Nátional Assístance 《영》 (전의) 국민 생활 보조금《현재의 supplementary benefits》.
Nátional Associátion for the Adváncement of Cólored Pèople (the ~) 《미》 전국 유색 인종 향상 협회《생략: NAACP》.
nátional átlas 국세 지도《국세를 나타내는 요소의 지역적 분포·변화를 나타냄》.
nátional bánk 국립 은행; 《미》 전미(全美) 은행《연방 정부 인가》.
Nátional Básketball Associàtion 미국의 프로 농구 연맹《생략: NBA》.
nátional bírd 국조(國鳥), 나라새.
nátional bránd 제조업자〔제조원〕 상표《제조업자가 붙인 상표》. cf. private brand.
Nátional Bróadcasting Cómpany NBC 방송 《미국 3 대 텔레비전 네트워크의 하나》.
Nátional Búreau of Stándard (the ~) 《미》 (상무부의) 국립 표준국.
Nátional Cáncer Ìnstitute (the ~) 《미》 국립 암 연구소《암의 기초적인 연구나 치료법의 개발을 행하는 기관; 생략: NCI》.
nátional cémetery 《미》 국립묘지.
nátional chúrch 민족〔국립, 국민〕 교회.
Nátional Cóngress (the ~) 《Ind.》 국민 회의파.
Nátional Convéntion (the ~) 〖프랑스사〗 국민의회; (n- c-) 《미》 (정당의 대통령 후보 따위를 결정하는) 전국 대회.
nátional cóstume 〔**dréss**〕 전통 의상.
Nátional Cóvenant (the ~) 〖Sc. 역사〗 국민 맹약《1638 년 장로제 옹호를 위하여 스코틀랜드 장로 교회 신도에 의해 맺어진 맹약》.
nátional dáy 국경일.
nátional débt 국채(國債).
nátional flág 〔**énsign**〕 국기(ensign).
nátional fórest 《미》 국유림《연방 정부가 관리 유지》.
Nátional Fréedom Dày 《미》 국민 자유의 날《2 월 1 일; 노예제 폐지를 정한 헌법 수정 제 13 조에 Abraham Lincoln 이 서명한 날(1865 년 2 월 1 일)을 기념》.
Nátional Frónt (the ~) 《영》 국민 전선《극우 정당; 생략: N.F.》.

Nátional Gállery (the ~) (런던의) 국립 미술관(1838년 개설).

Nátional Geográphic (the ~) 내셔널 지오그래픽(지리에 관한 지식 보급을 목적으로 하는 미국의 월간지; 1888년 창간; National Geographic Society가 발행).

nátional góvernment (때때로 N- G-)(일국의) 정부; (정당을 초월한) 거국 내각.

nátional gríd 《영》 **1** 〖전기〗 전국 전력 계통망. **2** 전국 거리 좌표계(座標系).

Nátional Guárd (the ~) 《미》 주 방위군(전시에는 정규군에 편입함).

Nátional Héalth Sèrvice (the ~) 《영》 국민 건강 보험 (제도)(생략: N.H.S.).

Nátional Hístory Musèum (the ~) 자연사 박물관(London의 South Kensington에 있는 박물관; 동물학 · 곤충학 · 고생물학 · 식물학 · 광물학의 5부분으로 나눠져 있음).

nátional hóliday 국경일, 국민적 축제일.

nátional íncome (연간) 국민 소득.

Nátional Insúrance 《영》 국민 보험 제도.

***na·tion·al·ism** [nǽʃənəlizəm] *n.* Ⓤ 국가주의; 민족주의; 국수주의; 민족자결주의; 애국심, 민족의식; 국가 독립〔자치〕주의(특히 아일랜드 자치당의); 산업 국영〔국유〕주의; 국민성.

ná·tion·al·ist *n.* 국가〔민족〕주의자; 민족자결주의자; 아일랜드 자치론자; (N-) 국가〔민족〕주의 당원. ― *a.* 국가〔민족〕주의의; 민족자결주의자의; (N-) 국가〔민족〕주의 당원의; 국민당의(특히 중화민국의).

Nátionalist Chína 중화민국.

na·tion·al·is·tic [næ̀ʃənəlístik] *a.* 민족〔국가, 국수〕주의(자)의〔적인〕; 국가의, 국가적인 (national). ㊀ **-ti·cal·ly** [-əli] *ad.*

****na·tion·al·i·ty** [næ̀ʃənǽləti] *n.* **1** Ⓤ,Ⓒ 국적; 선적: What's his ~? =What ~ is he? 그는 어느 나라 사람이오 / He is a Korean in ~, but a German in blood. 그는 국적은 한국인이지만 혈통은 독일인이다 / men of all *nationalities* 여러 나라의 사람들 / a ship of an unidentified ~ 국적 불명의 배. **2** 국민, 민족; 국가: various *nationalities* of the Americas 아메리카 대륙의 여러 민족. **3** 국가적 독립. **4** Ⓤ 국민성, 민족성; 국민적 감정, 민족의식(nationalism).

na·tion·al·ize, 《영》 **-ise** [nǽʃənəlàiz] *vt.* 국유로〔국영으로〕 하다; 전국 규모로 확대하다; 전국(민)화하다, …에 국가적〔국민적〕 성격을 부여하다; 독립국가로 하다; 귀화시키다. ㊀ **nà·tion·al·i·zá·tion** *n.* 전국화; 국민〔국풍(國風)〕화; 국유(화), 국영; 귀화; 국가화, 독립. **ná·tion·al·iz·er** [-làizər] *n.* 산업 국영〔토지 국유〕주의자.

Nátional Lábor Relátions Bòard (the ~) 《미》 전국 노동 관계 위원회.

nátional lákeshore 《미》 국립 호안(湖岸)(연방정부가 관리하는 레크리에이션 지역).

Nátional Léague (the ~) 내셔널 리그(미국 2대 프로 야구 연맹의 하나). ⓒⓕ American League.

Nátional Liberátion Frònt (the ~) 민족 해방 전선(생략: NLF).

°**ná·tion·al·ly** *ad.* 국민으로서, 국가로서; 국가적〔전국민적〕으로; 전국적으로; 거국일치하여; 공공의 입장에서.

Nátional Mediátion Bòard (the ~) 《미》 국가 조정 위원회(연방 정부의 독립 기관).

nátional mónument 《미》 (국가가 지정한) 천연기념물(명승지 · 역사적 유적 등).

nátional párk 국립공원.

Nátional Péople's Cóngress (중국의) 전국 인민 대표 대회.

Nátional Pórtrait Gàllery (the ~) 국립 초상화 미술관(London의 Trafalgar 광장에 있는 미술관; 영국사에 이름을 남긴 인물의 초상화 · 사진을 소장; 1856년 설립).

nátional próduct 〖경제〗 국민 생산. ⓒⓕ GNP.

Nátional Públic Rádio 《미》 내셔널 퍼블릭 라디오(비영리 라디오 방송국을 위해 프로를 제작 · 배급하는 조직; 생략: NPR).

Na·ti·o·nal·rat [nɑ̀ːtsiounɑ́ːlrɑ̀ːt] *n.* 국민의회(스위스 · 오스트레일리아의 이원제 의회의 하나).

Nátional Scíence Foundàtion (the ~) 전미 과학 재단(생략: NSF).

nátional séashore (종종 N- S-) 《미》 국립 「해안 공원.

Nátional Secúrity Advìser 《미》 국가 안전 보장 담당 대통령 보좌관(정식 명칭은 Assistant to the President for National Security Affairs).

Nátional Secúrity Còuncil (the ~) 《미》 국가 안전 보장 회의(대통령 직속 기구, 생략: NSC).

nátional sérvice 《영》 국민 병역, 징병(18-41세까지; 1959년 폐지); 《미》 국가에의 봉사(청년층은 어떤 형태로든지 국가에 대해 봉사 활동을 해야 한다는 사고방식).

Nátional Sócialism (독일의) 국가 사회주의. 「ⓒⓕ Nazism.

Nátional Sócialist Pàrty (the ~) (특히 Hitler가 이끈) 국가 사회당. ⓒⓕ Nazi.

Nátional Spáce Cóuncil (the ~) 《미》 국가 우주 회의(대통령 직속).

Nátional Transportátion Sáfety Bòard 《미》 국가 운수 안전 위원회(대통령 직속의 독립 기관; 생략: NTSB).

nátional tréatment 〖외교〗 내국민 대우.

Nátional Trúst (the ~) 《영》 명승(名勝) 사적(史蹟) 보존 단체(1895년 설립).

Nátional Wéather Sèrvice (the ~) 《미》 기상과(氣象課)(상무부 해양 기상국의 한 과; 생략: NWS).

na·tion·hood [néiʃənhùd] *n.* Ⓤ 국민임, 국민의 신분; 국민성, 민족성; 독립국의 지위: achieve ~ 민족의 자주독립을 달성하다.

ná·tion·ist *n.* 국가주의자.

Nátion of Islám (the ~) 이슬람 민족(Black Muslims의 정식 명칭이었으나 Islam Community in the West로 개칭함).

nátion-státe *n.* 민족〔국민〕국가.

nátion·wìde *a.* 전국적인: arouse ~ interest 전 국민의 관심을 불러일으키다. ― *ad.* 전국적으로.

NATIV North American Test Instrument Vehicle(미공군 개발의 고속 사정에서의 공기 역학 연구용 유도 미사일).

****na·tive** [néitiv] *a.* **1** 출생의, 출생지의, 본국의, 제 나라의: one's ~ place 출생지, 고향 / one's ~ country 〔land〕 모국, 본국 / a ~ speaker of English 영어를 모국어로 사용하는 사람 / one's ~ language 〔tongue〕 모국어, 자국어.

> SYN. **native** 본래부터 「어느 곳 · 나라에 태어난」이란 근원 · 태생을 강조하는 뜻: a *native* American citizen 본국 태생의 미국 시민. **natural** 손을 대지 않은, 자연 그대로의, 나면서 지니고 있는: *natural* charm 타고난 매력.

2 토산의, 그 토지에서 태어난〔산출되는〕; …원산의: a ~ Bostonian 토박이 보스턴 사람 / ~ pottery 토산의 도자기 / Tobacco is ~ *to* America. 담배는 미국의 원산(물)이다. **3** 토착의; 그 지방 고유의: a ~ word (외래어에 대해) 본래의 말 / ~ art 향토 예술 / in (one's) ~ dress 민족 의상을 입고. **4** (보통 백인 · 백인 이민의 입장에

서 보아) 원주민의; 토착민의: ~ inhabitants 원주〔토착〕민 / ~ customs 토착민의 풍습 / the ~ quarter 토민 부락. **5** 나면서부터의, 타고난, 선천적인; 본래의: ~ talent 천부(天賦)의 재능 / ~ rights 나면서부터의 권리 / ~ beauty 태어날 때부터〔본래〕의 아름다움 / That cheerfulness is ~ *to* her. 저런 쾌활함은 그녀의 타고난 성품이다. **6** 자연 산출의, 천연의, 자연 그대로의: ~ copper 자연동(銅) / ~ diamond 천연산 다이아몬드. ***go*** **~** (특히 백인이) 원주민과 같이 생활을 하다《미개지에서》. **~ *and foreign*** 국내외의.

— *n.* **1** 원주민, 토착민; 토인; 《S.Afr.》 흑인. **2** …태생의 사람, 토박이: a ~ *of* Ohio 오하이오 태생의 사람. **3** 원산의 동물〔식물〕, 자생종(自生種). **4** 《영》 영국산의 굴(oyster)《주로 양식》.

㊍ **~·ly** *ad.* 나면서부터, 천연(적)으로. **~·ness** *n.*

Nátive Américan 《미》 아메리칸 인디언(의).

nátive bèar 《Austral.》 코알라(koala).

nátive-bórn *a.* 그 토지〔나라〕 태생의, 본토박이의: a ~ Bostoner 보스턴 토박이.

nátive són 《미》 자기 주(州) 출신의 사람〔국회의원〕.

nátive spéaker 원어민(原語民). 「(土候國).

Nátive Státes (the ~) (인도 독립 전) 토후국

na·tiv·ism [néitivìzəm] *n.* Ⓤ **1** 〖철학〗 선천론, 생득설(生得說). **2** 원주민 보호주의; 토착 문화 부흥〔보호〕. ㊍ **-ist** *n., a.* **nà·tiv·ís·tic** *a.*

na·tiv·i·ty [nətívəti, nei-/nə-] *n.* Ⓤ,Ⓒ **1** 출생, 탄생: of Irish ~ 아일랜드 태생의. **2** (a 〔the〕 N-) 예수 성탄(聖誕)(의 그림〔조각〕), 크리스마스; (the N-) 성모 마리아 탄생 축일《9월 8일》, 세례자 요한 탄생 축일《6월 24일》. **3** 〖점성〗 탄생시의 성위(星位)(horoscope). ◇ native *a.*

natívity plày 예수 성탄극.

natívity scène 예수 성탄(聖誕) 그림〔조각〕.

natl. national. **NATO, Nato** [néitou] North Atlantic Treaty Organization. ⓒⓕ SEATO.

nat. ord. natural order. **nat. phil.** natural philosophy. 「um의 구칭).

na·tri·um [néitriəm] *n.* 〖화학〗 나트륨《sodi-

na·tri·u·re·sis [nèitrəjuəríːsis] *n.* 〖의학〗 나트륨뇨(尿) 배설 항진.

na·tron [néitrɑn, -trən/-trən, -trɔn] *n.* Ⓤ 소다석(石)《천연 나트륨의 함수 탄산염 광물》.

nat·ter [nǽtər] 《영구어》 *vi.* 나불나불 지껄이다;쫑알쫑알하다. **—** *n.* 지껄임; 세상 이야기. ㊍ **~ed, ~y** [-ri] *a.* 《영구어》 성마른, 괴까다로운.

nat·ter·jack [-dʒæ̀k] *n.* 〖동물〗 (유럽산의) 두꺼비《등에 노란 줄이 있으며, 뛰지 못함》.

nat·tiér blúe [nətjéi-] 연한 청색.

nat·ty [nǽti] (***-ti·er; -ti·est***) *a.* 《구어》 (복장 · 풍채가) 산뜻한, 말쑥한, 깨끗한. ㊍ **-ti·ly** *ad.* **-ti·ness** *n.*

⁑**nat·u·ral** [nǽtʃərəl] *a.* **1** 자연의, 자연계의, 자연계에 관한: a ~ phenomenon 자연현상 / the ~ world 자연계 / a ~ enemy 천적(天敵) / a ~ weapon 천연의 무기《손 · 발톱 · 이 · 주먹 따위》. **2** 천연의, 자연 그대로의, 인공(人工)에 의하지 않은, 가공하지 않은. ⓞⓟⓟ *artificial, factitious.* ¶ ~ food 자연식품 / ~ blonde (염색하지 않은) 본래의 블론드 / ~ rubber 천연고무. **3** 미개간의: land in its ~ state 미개간의 토지. **4** 타고난, 천부의. ⓞⓟⓟ *acquired.* ¶ ~ gifts 〔abilities〕 타고난 재능 / a ~ poet 천부의 시인. ⓈⓎⓃ. ⇨ NATIVE. **5** 자연 발생적인: a ~ death 자연사 / a ~ increase of population 인구의 자연 증가. **6** 본래의, 바탕 그대로의, 꾸밈없는; 평상의, 통상의, 보통의: a ~ pose 〔attitude〕 자연스러운 자세〔태도〕 / speak in a ~ voice 꾸밈없는 보통 목소리로 말하다 / as is ~ *to* him 과연 그 사람답게, 평상시의 그답게. **7** (논리상) 자연스러운, 당연한, 지당한: a common and ~ mistake 누구나 범하는 어쩔 수 없는 과오 / It is ~ that he should be indignant. =It's ~ *for* him *to* be indignant. 그가 분개하는 것도 당연하다 / only ~ 아주 당연한, 당연하다고 할 수밖에 없는. **8** (그림 따위가) 자연〔진짜〕 그대로의, 진실에 가까운, 꼭 닮은: a ~ likeness 꼭 닮음. **9 a** 낳은, 친: ~ parents 친부모. **b** (자식이) 서출(庶出)의, 사생의: a ~ child 사생아, 서자. **10** 〖음악〗 제자리의. ⓞⓟⓟ *sharp, flat.* ¶ a ~ sign 제자리표(♮). **11** 〖수학〗 자연수의, 정수의. **12** 《미흑인속어》 Afro형 머리의. ***come* ~ *to*** …에게는 쉽다〔용이하다〕《*to* a person》.

— *n.* **1** 《구어》 타고난 명수〔재사〕《*at; for*》; 《구어》 적격인 사람〔것〕, 꼭 알맞은 것《*for*》: a ~ *at* chess 타고난 장기 명수 / He's a ~ *for* the job. 그는 그 일에 적임자다. **2** 자연스러운 것. **3** (선천적인) 백치. **4** 〖음악〗 제자리표(~ sign)《♮》; (피아노 · 풍금의) 흰 건반(white key). **5** 〖카드놀이〗 그냥 이기게 되는 두 장의 패《21점 게임에서》. **6** 《구어》 금세 성공할 것 같은 것〔묘안(妙案) 따위〕. **7** 《미흑인속어》 Afro 형(型) 머리. **8** 《미속어》 7년형(刑). ***in all* one's ~** 《영》 생애(生涯).

㊍ **~·ness** *n.* 자연; 당연.

nátural áids (말타기에서) 말에게 의사를 전달하는 고삐 이외의 수단《손 · 다리 따위》.

nátural-bórn *a.* 타고난, 천부의. ⓒⓕ native-born. ¶ a ~ citizen (귀화하지 않은) 토박이 시민, 출생에 의해 시민권을 갖는 시민.

nátural brídge **1** 천연 다리. **2** (미국 Utah 주 동남부에 있는 천연기념물인) 천연의 암교(岩橋). **3** (N- B-) (미국 Virginia 주 서부의) 천연 석회암으로 된 다리.

nátural chíld **1** 〖법률〗 사생아, 서자《특히 Louisiana 주에서 부친이 법적으로 인지한》. **2** =BIOLOGICAL CHILD.

nátural chíldbirth (무통의) 자연 분만(법).

nátural-cólored *a.* 자연색의.

nátural dáy 자연일(日)《해가 떠서 질 때까지의 사이; 또는 일주야(一晝夜)》.

nátural fámily plánning 자연 가족계획《기초 체온으로 배란기를 예측하여 성교를 삼가는 것》.

nátural fréquency 〖전기 · 기계〗 고유 주파수.

nátural gás 천연가스.

nátural génder 〖언어〗 자연적 성.

nátural génerative phonólogy 〖언어〗 자연 생성 음운론.

nátural guárdian 〖법률〗 혈연 후견인. 「자.

nátural históriаn 박물학자, 박물지(誌)의 저

nátural hístory **1** 박물학, 박물지(誌). **2** (전문인이 아닌) 박물 연구. **3** 자연지(誌)〔사(史)〕. **4** (생체 · 질병 등의) 자연적인 생장〔진전〕.

nátural ínfancy 〖법률〗 유년《7세 미만》.

nát·u·ral·ism *n.* **1** Ⓤ 〖예술 · 문학〗 자연주의, 사실(寫實)주의. **2** 〖철학〗 자연〔실증, 유물〕주의. **3** 〖신학〗 자연론.

°**nát·u·ral·ist** *n.* **1** 박물학자. **2** (문학의) 자연주의자. **3** 애완용 동물 상인; 《영》 새 상인. **4** 박제사(剝製師). **—** *a.* =NATURALISTIC.

nat·u·ral·is·tic [nætʃərəlístik] *a.* 자연의; 자연주의의〔적인〕; 자연지(誌) 연구(가)의, 박물학의.

***nat·u·ral·ize** [nǽtʃərəlàiz] *vt.* **1** 《~+목/+목+전+명》 귀화시키다, (외국인)에게 시민권을 주다: be ~*d in* Canada 캐나다에 귀화하다. **2** 《~+목/+목+전+명》 (외국어 · 외국의 습관 따위를) 들여오다, 받아들이다: "Chauffeur" is a French word that has been ~*d in* English. '쇼퍼'는 프랑스 말이 영어화한 것이다. **3** 《+목

+전+명》 (식물 따위를) 이식하다《원산지에서》: ~*d* daffodils *in* open shade 탁 트인 그늘진 곳에 이식한 나팔수선화. **4** 자연을 좇게〔따르게〕 하다. **5** (신비적이 아니고) 자연율(自然律)에 의하여 설명하다, 있는 그대로 보다. **—** *vi.* **1** 귀화하다. **2** 풍토에 적응하다. **3** 박물학을 연구하다. ㉥ **nàt·u·ral·i·zá·tion** *n.* Ⓤ
nátural kíller cèll 〖면역〗 자연살 세포《바이러스 감염 세포, 종양 세포 등을 파괴할 수 있는 대형의 과립(顆粒) 림프구》.
nátural lánguage 〖컴퓨터〗 (인공 · 기계 언어에 대하여) 자연 언어.
nátural lánguage pròcessing 〖컴퓨터〗 자연 언어 처리《인간의 자연적인 언어에 표현된 정보를 처리하기 위한 컴퓨터의 사용》.
nátural láw 자연법칙; 천리(天理); (실정법에 대한) 자연법.
nátural lífe 하늘이 준 명(命), 천수.
nátural lógarithm 〖수학〗 자연로그.
nat·u·ral·ly** [nǽtʃərəli] *ad.* **1** 자연히, 자연의 힘으로, 인력을 빌리지 않고: thrive ~ 저절로 무성하다. **2** 태어나면서부터: Her hair is ~ curly. 그녀는 태어날 때부터 고수머리다. **3** 있는 그대로, 꾸밈없이; 무리 없이: Speak more ~. 더 자연스럽게 말하시오 / behave ~ 자연스럽게 행동하다. **4** 당연히, 마땅히, 물론: Will you answer his letter? — *Naturally*! 답장을 낼거냐 — 물론. **5** 진짜 그대로, 꼭 닮게. ***come ~ to =***come natural to*** ⇨ NATURAL.
nátural mágic (영(靈)이나 신의 힘을 빌리지 않고 행하는) 주술(呪術).
nátural mágnet 천연 자석(lodestone).
nátural mán 〖성서〗 영적(靈的)이 아닌 사람《고린도전서 II: 14》; 미개인.
nátural mínor scále 〖음악〗 자연 단음계.
nátural mónument 천연기념물.
nátural númber 〖수학〗 자연수.
nátural órder 자연율(律), 자연계의 질서; 〖생물〗 과(科)(family)《학술 용어가 아님》; 《영》 =NATURAL SYSTEM.
nátural pérson 〖법률〗 자연인. ㉝ artificial person.
nátural philósophy 자연 철학《지금의 natural science, 특히 물리학》.
nátural prédator 〖생물〗 천적(天敵).
nátural prémium 자연 보험(료)《연령에 따라 계약금이 바뀌는 생명 보험》.
nátural relígion 자연 종교《기적이나 하늘의 계시를 인정치 않음》.
nátural resóurces 천연〔자연〕자원.
nátural ríght (자연법에 따른 인간의) 자연권.
nátural scíence 자연 과학.
nátural scíentist 자연 과학자.
nátural seléction 〖생물〗 자연선택〔도태〕.
Nátural Státe (the ~) 미국 Arkansas 주(州)의 애칭.
nátural sýstem 〔**classificátion**〕 〖식물〗 자연 분류《비슷한 형태에 의한》.
nátural theólogy 자연 신학《신의 계시에 의하지 않은 인간 이성에 의거한 신학 이론》.
nátural uránium 천연 우라늄.
nátural vegetátion 자연 식생(植生)《한 지방에 고유하며, 인간 생활의 영향을 받지 않은 식물군(群)》.
nátural vírtues *pl.* 〖스콜라철학〗 자연의 덕(德)《하느님으로부터가 아니라, 인간 자신이 갖출 수 있는 네 가지 덕성, 정의 · 절제 · 분별 · 견인(堅忍)》.
nátural wástage (노동력의) 자연 소모, 자연적 약체화, (인원의) 점감(漸減).
nátural yéar =TROPICAL YEAR.
†**na·ture** [néitʃər] *n.* **1** Ⓤ (대)자연, 천지만물,

자연(현상); 자연계; 자연의 힘〔법칙〕; (종종 N-) 조화; 조물주: the laws of ~ 자연의 법칙 / preserve 〔destroy〕 ~ 자연을 보호〔파괴〕하다 / harness ~ 자연력을 동력에 이용하다 / *Nature* is the best physician. 자연은 가장 좋은 의사다 / *Nature's* engineering 조화의 묘(妙). ★ 종종 의인화하여 여성 취급함: Mother *Nature* 어머니이신 자연. **2** Ⓤ (문명의 영향을 받지 않은) 인간의 자연의 모습; 미개 상태: Return to ~! 자연으로 돌아가라 / a return to ~ 자연으로의 복귀. **3** Ⓤ,Ⓒ 천성, 인간성, (사람 · 동물 따위의) 본성; 성질, 자질; …기질의 사람: a man of good ~ 성질〔품성〕이 좋은〔친절한〕 사람 / the rational 〔moral, animal〕 ~ 이성〔덕성, 동물성〕 / a sanguine ~ 낙천가 / It is the ~ of dog to bark. 짖는 것이 개의 본성이다 / It is (in) his ~ to be kind to the poor. 가난한 사람에게 친절한 것은 그의 천성이다. SYN. ⇨ QUALITY. **4** (the ~) (사물의) 본질, 특질; 특징: the ~ of love 사랑의 본질 / the ~ of atomic energy 원자력의 특징. **5** 본래의 모습; 현실, 진짜. **6** (a ~, the ~) 종류; 성질: two books of the same ~ 같은 종류의 책 두 권 / Beauty is of a fading ~. 용색(容色)이란 쉽게 퇴색하는 성질의 것이다. **7** 〖예술〗 박진성, 진실미. **8** Ⓤ 체력, 활력: food enough to sustain ~ 체력 유지에 충분한 음식 / *Nature* is exhausted. 체력이 다했다. **9** 충동, 육체적〔생리적〕 요구: the call of ~ 생리적 요구《대소변 따위》 / ease 〔relieve〕 ~ 대변〔소변〕을 보다. **10** Ⓤ (식물의) 수액, 수지. **11** Ⓒ (총 · 탄환의) 크기. **12** (N-) 네이처 지(誌)《영국의 과학 전문 월간지; 1869년 창간》. ◇ natural *a.* ***against ~*** ① 부자연스러운〔하게〕, 도리에 반(反)하여: ⇨ AGAINST NATURE. ② 기적적으로. ***all ~*** 만인, 만물. ***by ~*** 날 때부터, 본래: honest *by* ~ 천성이 정직한. ***contrary to ~*** 기적적인〔으로〕, 불가사의한〔하게〕. ***draw from ~*** 실물을 사생(寫生)하다. ***in a state of ~*** ① 자연〔미개, 야생〕대로의 상태로. ② 벌거숭이로. ③ 〖기독교〗 하늘의 은총을 받지 못한 죄인의 상태로. ***in ~*** ① 현존하고(있는), 사실상: There is, *in* ~, such a thing as hell. 지옥이라는 것은 사실상 있는 것이다. ② 《최상급의 강조》 온 세상에서, 더없이, 참으로: the *most* beautiful scene *in* ~ 더없이 아름다운 경치. ③ 《의문의 강조》 도대체: *What in* ~ do you mean? 도대체 무슨 말이냐. ④ 《부정의 강조》 어디에도: There are *no* such things *in* ~. 그런 것은 어디에도 없다. ***in the course of ~*** =***in*** 〔***by, from***〕 ***the ~ of things*** 〔***the case***〕 자연의 순리대로; 당연한〔히〕; 사실상; 당연한 결과〔추세〕로서. ***in*** 〔***of***〕 ***the ~ of*** …의 성질을 가진, 본질적으로; …와 비슷하여: His words were *in the* ~ *of* a threat. 그의 말은 마치 협박과 같았다. ***let ~ take its course*** 《구어》 자연히 되어가는 대로 맡겨 두다《특히 남녀가 자연히 사랑에 빠지는 경우 등에 이름》. ***like all ~*** 《미구어》 완전히. ***pay*** one***'s debt to ~*** =***pay the debt of ~*** ⇨ PAY. ***true to ~*** 실물 그대로, 그림 따위가 살아있는 듯한, 진짜와 똑같게.
náture bòy 《미속어》 날쌔고 사나운 사나이; 《우스개》 머리카락이 긴 사나이.
náture conservàtion 자연보호.
náture cùre 자연 요법(naturopathy).
(-)ná·tured *a.* 성질(性質)이 …한: good-~ 호인인 / ill-~ 심술궂은.
náture dèity 〔**gòd**〕 자연신(神).
náture philòsophy =NATURAL PHILOSOPHY.
náture prìnting 원물(原物)(나뭇잎 따위) · 원형에서 직접 찍어 내는 인쇄법.

náture resèrve (England 등의) 조수(鳥獸) 보호구(區), 자연 보호구. 「위).
náture's cáll 《구어》 생리적 요구(대소변 따
náture stùdy 자연 공부(초등학교의 생물·물리·지리 따위).
náture tràil (숲 속 등의) 자연 산책길.
náture wòrship 자연 숭배.
na·tur·ism [néitʃərìzəm] *n.* Ⓤ 자연주의; 나체주의(nudism); 자연(신) 숭배(설). ㊕ **-ist** *n.*
na·tur·op·a·thy [nèitʃərάpəθi/-ɔ́p-] *n.* Ⓤ 자연 요법(약제를 쓰지 않는). ㊕ **na·tur·o·path** [néitʃərəpæ̀θ, nǽtʃər-] *n.* Ⓒ 자연 요법사. **na·tur·o·path·ic** [nèitʃərəpǽθik, nӕtʃər-] *a.*
N.A.U. 《미》 National Athletic Union.
°**naught, nought** [nɔːt] *n.* **1** 제로, 영(零)(cipher): get a ~ 영점을 받다. ★이 뜻으로 《영》은 nought가 일반적임. **2** 《문어》 무(無), 존재치 않음, 무가치(nothing): a man 〔thing〕 of ~ 쓸모없는 사람〔것〕. **3** 파멸(ruin); 파괴. ***all for ~*** 헛되이, 쓸데없이. ***bring ... to ~*** (계획 따위를) 망쳐 놓다, 무효로 만들다, (친절 따위를) 헛되이 하다. ***care ~ for*** …을 조금도 개의치 않다. ***come*** 〔***go***〕 ***to ~*** 헛되다, 실패〔수포〕로 돌아가다〔끝나다〕. ***of ~*** 시시한. ***set ... at ~*** 무시하다; 깔보다. **—** *a.* 파멸한, 망한; 《고어》 무가치한, 무용의; 사악한. **—** *ad.* 《고어》 조금도 …않다.
naugh·ty** [nɔ́ːti] (-ti·er; -ti·est***) *a.* **1** 장난의, 장난꾸러기의, 말을 듣지 않는; 버릇없는: Don't be ~ *to* her. 그녀에게 짓궂은 장난을 치지 마라 / It's ~ *of* you 〔You're ~〕 *to* throw your toys at people. 사람을 향해 장난감을 던지다니 버릇이 없구나. **2** 법도〔도리〕에 어긋난, 되지못한; 음탕한, 외설의, 품행이 나쁜. **3** 《고어》 사악한 (wicked). **—** *n.* 《Austral. 속어》 성교. ㊕ **-ti·ly** *ad.* **-ti·ness** *n.*
nau·pli·us [nɔ́ːpliəs] (*pl.* ***-plii*** [-pliài]) *n.* 〖동물〗 노플리우스(갑각류의 알에서 나온 직후의 유생(幼生)).
Na·u·ru [nɑːúːruː] *n.* 나우루 공화국 (오스트레일리아 동북방의 섬나라; 수도 Nauru). ㊕ **~·an** *a., n.*
°**nau·sea** [nɔ́ːziə, -siə] *n.* Ⓤ 메스꺼움, 욕지기; 뱃멀미; 〖의학〗 오심(惡心); 혐오. ***feel ~*** 메스껍다, 욕지기나다.
nau·se·ant [nɔ́ːziənt, -si-] *a., n.* 〖의학〗 오심(惡心)을 일으키는 (약).
nau·se·ate [nɔ́ːzièit, -si-] *vi., vt.* 욕지기나(게 하)다, 메스껍게 하다; 염증을 느끼(게 하)다; 싫어하다, 꺼리다(*at*). ㊕ **nàu·se·á·tion** *n.*
náu·se·àt·ing *a.* 욕지기나(게 하)는; 싫은. ㊕ **~·ly** *ad.*
nau·se·ous [nɔ́ːʃəs, -ziəs/-siəs, -ziəs] *a.* 메스꺼운; 싫은; 《구어》 욕지기가 난: feel ~ 욕지기가 나다, 구역질 나다. ㊕ **~·ly** *ad.* **~·ness** *n.*
Nau·sic·aä [nɔːsíkiə] *n.* 〖그리스신화〗 나우시카아(파이아케스인의 왕 Alcinoüs의 딸; 난파한 Odysseus를 구하여 아버지의 궁정으로 안내했음).
naut. nautical(ly). 「astro*naut*.
-naut [nɔ̀ːt] '항행자, 추진자' 란 뜻의 결합사:
nautch [nɔːtʃ] *n.* (인도의) 무희의 춤.
°**nau·ti·cal** [nɔ́ːtikəl] *a.* 해상의, 항해〔항공〕의; 선박의; 선원의, 뱃사람의: a ~ almanac 항해력(曆) / a ~ day 항해일(정오부터 다음 날 정오까지) / ~ terms 해양〔선원〕 용어. ㊕ **~·ly** *ad.* 항해상으로.
náutical archaeólogy 해양 고고학.
náutical astrónomy 항해〔항공〕 천문학.
náutical míle 해리(海里)(《영》 1853.2 m, 《미》 국제단위 1852 m를 사용).
nau·ti·lus [nɔ́ːtələs] (*pl.* **~·es, *-li*** [-lài]) *n.* **1** 〖패류〗 앵무조개 (pearly ~). **2** 〖동물〗 =PAPER NAUTILUS; (the N-) 노틸러스호(號)(미국에서 건조한 세계 최초의 원자력 잠수함).

nautilus 1

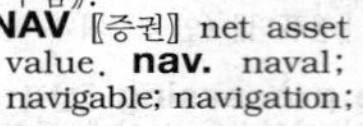

NAV 〖증권〗 net asset value. **nav.** naval; navigable; navigation; navy.
Nav·a·ho, -jo [nǽvəhòu, nάːv-] (*pl.* **~(*e*)*s***) *n.* 나바호족(族)(북아메리카 남서부에 사는 원주민의 한 종족); Ⓤ 나바호어(語). **—** *a.* 나바호족〔말〕의.
nav·aid [nǽvèid] *n.* 항해〔항공〕용 기기; 항법(航法) 원조 시설. [◂ *nav*igation *aid*]
°**na·val** [néivəl] *a.* **1** 해군의; 군함의; 해군력이 있는: a ~ base 해군 기지 / a ~ battle 해전 / a ~ bombardment 함포 사격 / a ~ power 해군국 / ~ power 해군력, 제해권 / a ~ blockade 해상 봉쇄 / ~ forces 해군력 / ~ review 해군 연습〔관함식(觀艦式)〕. **2** 《미고어》 배의. ◇navy *n.* ㊕ **~·ìsm** *n.* Ⓤ 해군 제일주의. **~·ist** *n.* **~·ly** *ad.* 해군식으로; 해군상〔해사상〕으로.
nával acàdemy 해군 사관학교.
nával árchitect 조선(造船) 기사.
nával árchitecture 조선학.
nával brigáde 해병대.
nával cadét 해군 사관생도.
nával còllege 《영》 해군 사관학교.
nával estáblishment 〖미군사〗 해군 시설〔부대〕(함대, 항공 부대, 지상 부대, 전투 함정, 보조 함정, 보조 시설, 인원, 조직, 기구 등; 해병대도 포함됨).
nával ófficer 해군 장교; 《미》 세관리.
Nával Resérve 해군 예비역. 「yard).
nával shípyard 《미》 해군 공창(《영》 dock-
nával státion 해군 보급 기지, 군항, 해군 기지.
nával stòres 해군 군수품 (무기 이외의).
nav·ar [nǽvɑːr] *n.* 〖항공〗 지상 레이더에 의해 공항 관제 공역(空域) 내의 모든 항공기의 위치·기명(機名)을 확인하며 각 항공기에 필요한 정보를 주는 시스템. [◂ *nav*igational *a*nd traffic control rad*ar*]
Na·varre [nəvάːr] *n.* 나바라(프랑스 남부에서 스페인 북부에 걸친 지역; 여기 있었던 옛 왕국).
nave[1] [neiv] *n.* 〖건축〗 (교회당의) 본당 회중석(會衆席)(중심부).
nave[2] *n.* 바퀴통(hub)(차바퀴의 중심부).
na·vel [néivəl] *n.* 배꼽; 중앙, 중심(middle); =NAVEL ORANGE. ***contemplate*** 〔***regard, gaze at***〕 ***one's ~*** 명상에 잠기다; 독선에 빠지다, 현실에서 도피하다.
nável-contemplàtion, -gàzing *n.* 독선적인 사고(思考), 현실 도피적 생각.
nável òrange 네이블(과일).
nável strìng 탯줄(umbilical cord).
nav·i·cert [néivəsə̀ːrt] *n.* (전시의) 봉쇄 해역 통과증.
na·vic·u·lar [nəvíkjələr] *a.* 주상(舟狀)의; 〖해부〗 주상골(骨)의: a ~ disease (말의) 주상골염. **—** *n.* 〖해부〗 주상골.
navig. navigation; navigator.
nàv·i·ga·bíl·i·ty *n.* Ⓤ (강·바다 등이) 항행할 수 있음; (배·비행기 등의) 내항성(耐航性).
°**nav·i·ga·ble** [nǽvigəbəl] *a.* 항행할 수 있는, 배가 통행할 수 있는(강·바다 따위); 항행에 알

맞은, 항해에 견디는《선박 따위》; 조종할 수 있는 《기구(氣球) 따위》.

*nav·i·gate [nǽvəgèit] vt. 1 (바다·하늘을) 항행하다. 2 (배·비행기를) 조종〔운전〕하다. 3 《+목+전+명》 (교섭 따위를) 진행시키다, (법안 따위를) 통과시키다: ~ a bill through Parliament 의회에서 법안을 통과시키다. 4 《구어》 (장소를) 빠져나가다, 통과하다; (시기를) 지나쳐 가다. ── vi. 1 항행하다(sail). 2 조종하다. 3 《구어》 (취한 사람·환자가) 제대로 걸어다니다. ◇ navigation n.

návigating òfficer 항해장(長); 항공사(士), 「기장(機長).

*nav·i·ga·tion [næ̀vəgéiʃən] n. Ⓤ 1 운항, 항해; 항해〔항공〕술〔학〕; 유도 미사일 조종술: aerial ~ 항공(술)/inland ~ 내국 항로〔항행〕. 2 (차의 동승자에 의한) 주행〔주로〕 지시. 3 (비디오텍스 이용에서) 다른 면〔데이터베이스, 항목〕으로 옮김. 4 《미고어》 해운, 운송; 《드물게》 배 여행; 《영방언》 수로, 운하. ◇ navigate v. ㊕ ~·al a. ~·al·ly ad.

Navigátion Àcts (the ~) 〖영국사〗 항해 조례(1651-1849).

navigátion còal =STEAM COAL.

navigátion lìght 〖해사〗 (배의) 항해등(燈); (비행기의) 표지등.

navigátion sàtellite 항해 위성《항해·항공을 돕는 위성》.

◇nav·i·ga·tor [nǽvəgèitər] n. 항해자, 항행자; 〖항공〗 항공사, 항법사(士); 항해장(長); 해양 탐험가; (항공기·미사일의) 자동 조종 장치; 《영》 =NAVVY.

NÁVSTAR Glóbal Posítioning Sỳstem [nǽvstɑ̀ːr-] n. 《미》 내브스타 전지구 위치 파악 시스템《항행 위성을 통하여 항공기·함선·육상 차량 따위의 3차원적인 정밀한 위치·속도·시간을 측정함》.

nav·vy [nǽvi] 《영》 n. 토공(土工), 인부《운하·철도·도로 따위의》; (토목 공사용) 굴착기; =STEAM SHOVEL: a steam ~ 증기 굴착기〔셔블〕/mere ~'s work (머리를 쓰지 않는) 노역(勞役).

na·vy [néivi] n. 1 (종종 N-) 해군: join the ~ 해군에 입대하다. ⓒⓕ army. 2 〔집합적〕 전 해군력《함선·병력 포함》, 해군 군인; (종종 N-) 해군부(部). 3 =NAVY BLUE. 4 《고어·시어》 함대, (상)선대. ◇ naval a. ***the Navy Department* =***the Department of the Navy*** 《미》 해군부(部). ⓒⓕ Admiralty. ***the Secretary of the Navy*** 《미》 해군장관(《영》 First Lord of the Admiralty).

návy bèan 강낭콩의 일종《흰색으로 영양이 풍부하여 미해군에서 식량으로 씀》.

návy blúe 짙은 감색《영국 해군복의 빛깔》.

návy-blúe a. 짙은 감색의.

návy chèst 《미해군속어》 똥배, 올챙이배.

Návy Cróss 《미》 해군 수훈장(殊勳章).

návy exchánge (미해군 기지 내의) 매점, 해군 PX.

Návy Lèague 《영》 해군 협회.

Návy Líst 〔《미》 Règister〕 (the ~) 《영》 해군 요람(要覽)《함선·장교 명부》.

návy yàrd 《미》 =NAVAL SHIPYARD.

naw [nɔː] ad. 〔발음철자〕 =NO 《강한 혐오·초조·이의(異議)를 나타냄》.

na·wab [nəwɑ́ːb, -wɔ́ːb] n. (Mogul 제국 시대의) 인도 태수; (N-) 인도 회교도의 명사〔귀족, 왕족〕의 존칭; =NABOB 2.

◇nay [nei] ad. 1 《고어·문어》 아니, 부(否)(no). ⓞⓟⓟ yea. 2 《고어》 (비판적인 말의 허두에) 글쎄, 그렇긴 하나… (why, well). 3 《문어》 〔접속사적〕 (…라고 하기보다) 오히려, 뿐만 아니라: It is difficult, ~, impossible. 어렵다, 아니 불가능하다. ~ ***even*** 조차도, 까지도. ~ ***more*** 그 위에, 그뿐만 아니라. ── n. 1 '아니'라는 말. 2 부정; 거절, 반대. 3 반대 투표(자). ***Let your yea be yea and your ~ be ~.*** 〖성서〗 예 할 것은 예라 고만 하고 아니오 할 것은 아니오라고만 하십시오 《야고보서 V: 12》. ***say*** a person ~ (아무(의 요구)를) 거절하다; (아무(의 행위)를) 금지하다. ***The ~s have it!*** (의회에서) 반대자 다수. (***the***) ***yeas and ~s*** ⇨ YEA. ***will not take ~*** 거절을 못하게 하다. ***yea and ~*** ⇨ YEA.

na·ya pai·sa [nəjɑ́ːpaisɑ́ː] (pl. ***na·ye pai·se*** [nəjéipaiséi]) (인도·오만·바레인의) 신(新)파이사《1/100 rupee 동화(銅貨)》.

náy·sày n., vt. 거절〔부인〕(하다). ㊕ ~·er n. 부정〔거절〕하는 사람, 회의〔냉소〕적인 시각을 가진 사람.

Naz·a·rene [næ̀zəríːn] n. 〖성서〗 나사렛 사람; (the ~) 예수; 《미》 나사렛 교도《초기 기독교도의 한 파》; 기독교도《유대인·이슬람교도들이 쓰는 경멸어》. ── a. 나사렛(사람, 교도)의.

Naz·a·reth [nǽzərəθ] n. 〖성서〗 나사렛(Palestine 북부의 도시; 예수의 성장지).

Naz·a·rite, Naz·i- [nǽzəràit] n. (옛 히브리의) 수도자; 《드물게》 나사렛 사람.

Naz·ca [nɑ́ːskɑː, -kə] a. 나스카 문화의《나스카는 페루 남서부의 소도시; 근교에 거대한 지상 그림과 선(先) 잉카기(期)의 유적이 있음》.

naze [neiz] n. 갑(岬), 곶, 해각(海角).

Na·zi [nɑ́ːtsi, nǽ-] (pl. ~s) n., a. 《G.》 나치 《전(前)독일의 국가 사회당원》(의); (pl.) 나치당(의); (보통 n-) 나치주의 신봉자(의). [《G.》 *Na*tionalso*zi*alist(=National Socialist)]

Na·zi·fi·ca·tion [nɑ̀ːtsifikéiʃən, næ̀-] n. Ⓤ (or n-) 나치화. ⓞⓟⓟ *denazification*.

Na·zi·fy [nɑ́ːtsifài, nǽ-] vt. (or n-) 나치화하다.

na·zir [nɑ́ːziər] n. (인도·이슬람교국의) 법정 관리(法廷官吏).

Na·zism, Na·zi·ism [nɑ́ːtsizəm, nǽtsi-], [-iìzəm] n. Ⓤ 독일 국가 사회주의, 나치주의(적인 운동), 나치주의자의 정권.

NB northbound. Nb 〖화학〗 niobium. N.B. New Brunswick; North Britain 〔British〕. N.B., NB, n.b. *nota bene* 《L.》 (=mark 〔note〕 well). NBA, N.B.A. 《미》 National Basketball Association; National Boxing Association. NBC National Broadcasting Company; nuclear, biological and chemical (핵·생물·화학 병기(兵器)). NbE north by east. NBER National Bureau of Economic Research (전미(全美) 경제 연구소). N.B.G., n.b.g. 《영구어》 no bloody good (전혀 가망 없음). NBI neutral beam injection (중성 입자 입사(入射)).

Ń-bòmb n. 중성자 폭탄.

NBR acrylonitrile butadiene rubber (특수 합성고무). N.B.R. North British Railway. NBS 《미》 National Bureau of Standards (규격 표준국). NbW north by west. NC nitrocellulose; 〖컴퓨터〗 numerical control (수치 제어). N.C. New Caledonia; no charge; New Church; no credit; North Carolina; 〖군사〗 Nurse Corps. n/c no charge. NCA 〖의학〗 neurocirculatory asthenia(신경순환무력증); 〖군사〗 National Command Authority 〔Authorities〕 《미》 (국가 최고 지휘부)《전쟁 최고 지도부》. NCAA, N.C.A.A. 《미》 National Collegiate Athletic Association (전미 대학 체육 협회). N.C.B. 《영》 National Coal Board. NCC 《미》 National Council of Churches(전미 기독교회 협의회). N.C.C.J. National Conference of Christians and Jews. N.C.C.L.

《영》 National Council for Civil Liberties. **N.C.C.M.** National Council of Catholic Men. **N.C.C.V.D** National Council for Combating Venereal Diseases. **N.C.C.W.** National Council of Catholic Women. **N.C.E.** New Catholic Edition. **NCI** 《미》 National Cancer Institute; non-coded information. **nCi** nanocurie(s). **NCNA** New China News Agency(신화사(新華社)). **NCO, N.C.O.** [ènsì:óu] noncommissioned officer. **N.C.R.** no carbon required. **NC-17** *no* children under *17* (admitted) (17세 미만 사절). **NCTE, N.C.T.E.** National Council of Teachers of English. **N.C.U.** 《영》 National Cyclists' Union. **n.c.v., NCV** 〖우편〗 no commercial value.

'nd [nd] *conj.* 〖발음 철자〗 =AND.

-nd 숫자 2의 뒤에 붙여서 서수(序數)를 나타냄: 2nd / 22nd. [◂ sec*ond*]

ND North Dakota; Notre-Dame. **Nd** 〖화학〗 neodymium. **N.D., N.Dak.** North Dakota. **n.d., N.D.** no date; no delivery; not dated. **NDA** new drug application (신약 신청). **NDAC** National Defense Advisory Commission (미국 국방 자문(諮問) 위원회). **NDB** 〖항공〗 nondirectional (radio) beacon (무지향성 무선 표지(標識)). **N.D.C.** 《영》 National Defense Contribution. **NDE** near death experience (임사(臨死) 체험, 죽음에 가까이 이르렀던 체험). **NDT** nondestructive testing (비파괴 검사).

né [nei] *a.* 《F.》 구성(舊姓)은, 원래의 이름은 《남성의 본명·구명(舊名) 앞에 표시함》: Mark Twain ~ Samuel Clemens 마크 트웨인, 본명은 새뮤얼 클레먼스. ★ 여성의 경우는 née. cf. nee.

NE., N.E. Naval Engineer; new edition; New England; northeast(ern). **Ne** 〖화학〗 neon. **N/E, N.E., NE** 〖상업〗 no effects. **N.E.A.** 《미》 National Editorial Association; National Education Association (전미 교육 협회); Newspaper Enterprise Association. **NEACP** 《미》 National Emergency Airborne Command Post (국가 비상 공중 지휘소).

Neal [ní:l] *n.* 닐《남자 이름》.

Ne·an·der·thal [niǽndərθɔ̀:l, -tɑ̀:l/niǽndətɑ̀:l] *a.* 네안데르탈인(人)의〔같은〕. **—** *n.* 네안데르탈《독일 서부 Düsseldorf 근처의 골짜기》; = NEANDERTHAL MAN; 《구어》 거칠고 완강하고 무딘 사람, 야인.

Neánderthal màn 네안데르탈인《독일 네안데르탈에서 유골이 발견된 구석기 시대 원시 인류》.

ne·an·throp·ic [nì:ænθrápik/-θrɔ́p-] *a.* 〖인류〗 신(新)인류의, 현생 인류의.

neap [ni:p] *a.* 소조(小潮)의, 조금의. **—** *n.* 소조(~ tide), 최저조. **—** *vi., vt.* (조수가) 소조로 되어 가다〔에 달하다〕. ***be ~ed*** (배가) 소조로 항행이 방해되다.

Ne·a·pol·i·tan [nì:əpálətən/niəpɔ́l-, nì:ə-] *a.* 나폴리(Naples)의; 나폴리 사람의. **—** *n.* 나폴리 사람; =NEAPOLITAN ICE CREAM.

Neapólitan íce crèam 3색 아이스크림류(類)(Neapolitan).

néap tìde 소조(小潮).

†**near** [niər] (*∠-er; ∠-est*) *ad.* **1** (공간·시간적으로) 가까이, 접근하여, 인접하여. OPP *far.* ¶ come 〔draw〕 ~ 접근하다, 다가오다 / The station is quite ~. 역은 바로 근방에 있다 / New Year's Day is ~. 새해가 다가왔다 / Keep ~ *to* me. 내곁을 떠나지 마시오. **2** (관계가) 가깝게, 밀접하게; 흡사하여: ~-related terms 밀접하게 관련이 있는 말. **3** 《미구어·영고어》 거의(nearly): a period of ~ 50 years, 50년 가까운 기간 / I was very ~ dead. 거의 죽은 것과 다름없었다 / He's not ~ so rich. 그는 결코 그렇게 부유하지는 않다. **4** 정밀하게, 세밀하게; 친밀하게. **5** 《드물게》 검소하게(parsimoniously); 인색하게: live ~ 검소하게 살다. (***as***) ***~ as*** (one) ***can guess*** 추측할 수 있는 한에서는. ***come*** 〔***go***〕 ***~*** 필적하다. ***Come ~er.*** 좀더 가까이〔이쪽으로〕. ***go ~ to*** do =***come*** 〔***go***〕 ***~ to*** do*ing* 거의 …할 뻔하다, 막 …하려고 하다: He *came ~ to* be*ing* run over. 하마터면 치일 뻔했다. ***~ at hand*** 곁에, 바로 가까이에; 머지않아서. ***~ by*** 가까이에: Christmas is ~ *by.* 크리스마스가 가깝다. ★ 주로 미국에서 씀. ***~ to*** … 가까이에. ⇨ *ad.* 1. ***~ upon*** 거의〔그럭저럭〕… 에 가까이: It was ~ *upon* 2 o'clock. 그럭저럭 2시가 다 되었다. ***not ~*** =not NEARLY. ***nowhere*** 〔***not anywhere***〕 ***~*** (거리, 시간, 관계 등이) 동떨어진, 전혀 …이 아닌: I'm *nowhere* ~ finishing this book. 이 책을 끝내려면〔다 읽으려면〕 멀었다.

— *prep.* **1** …의 가까이에, …의 곁에: ~ here 이 근방에 / We want to find a house *~er* (to) the station. 우리는 역에 더 가까운 집을 찾기 원한다《to가 붙으면 부사적》. **2** (시간적으로) …의 가까이에, …할〔의〕 무렵: ~ the end of the performance 극이 끝날 무렵 / ~ the end of year 연말경에. **3** (상황 등에 대해) 거의 …인 상태: ~ completion 완성 직전에. ***come*** 〔***go***〕 ***~*** do*ing* =***come*** 〔***go***〕 ***~ to*** do*ing* 거의 …할 뻔하다: He *came* ~ be*ing* drowned. 하마터면 익사할 뻔했다. ***sail ~ the wind*** ⇨ SAIL.

— *a.* **1** 가까운, 가까이의; 가까운 쪽의. OPP *far.* ¶ the ~ houses 이웃집 / the *~est* planet *to* the sun 태양에 가장 가까운 행성 / a ~ work (눈을 가까이 대야 하는) 정밀 작업 / the ~ road 지름길 / take a ~ 〔*~er*〕 view of …을 가까이 가서 보다.

> SYN. **near** '가까운'의 가장 보편적인 말. **close** 근접한, 박두한. 또 '비슷한'의 뜻으로도 씀: Spanish is *close* to French and Italian. 스페인어는 프랑스어나 이탈리아어에 가깝다. **immediate** 개재하는 것 없이 직접 접해 있는, 바로 곁의: one's *immediate* neighbor 바로 옆의 사람. in the *immediate* future 가까운 장래에. 위의 세 말은 모두 시간적·공간적으로 다 씀.

2 (시간적으로) 가까운: on a ~ day 근일〔근간〕에 / in the ~ future 가까운 장래에. **3** 근친의; 친한: one's ~ relation 근친 / a ~ friend 친한 벗 / He's one of the people *~est to* the President. 그는 대통령 측근 중 한 사람이다. **4** (이해관계가) 깊은, 밀접한: a matter of ~ consequence to me 나에게는 중요한 영향을 끼치는 문제 / a ~ concern 깊은 이해관계. **5** 실물〔원형〕에 가까운; 실물과 꼭 같은, 흡사한; (번역이) 제법 충실한: ~ coffee 대용 커피 / a ~ resemblance 아주 닮았음; 흡사 / a ~ war 전쟁과 흡사한 위협 수단 / a ~ guess 그리 빗나가지 않은 추측. **6** (말·차·《영》 도로 따위의) 좌측의. OPP *off.* ¶ a ~ wheel 운전자쪽〔좌측〕 바퀴. **7** 거의 일어날 뻔한, 아슬아슬한, 위험한: a ~ race 접전, 우열을 가리기 힘든 경주. **8** 인색한: He's ~ with his money. 돈에 인색한 사나이다. ***a ~ smile*** 아주 엷은 미소. ***a ~ translation*** 원문에 가까운 번역, 축어역(逐語譯). ***make a ~ escape*** 〔***touch, thing***〕 겨우 도망치다, 구사일생하다. ***~ and dear*** 친밀한《*to*》. a person***'s ~est and dearest*** 근친《아내·남편·자식·부

모 · 형제자매》.
— *vt.* …에 근접하다 〔다가오다〕: ~ one's end 임종이 임박하다. — *vi.* 접근〔절박〕하다: as the day ~*s* 그날이 가까워짐에 따라.
㊞ ∠·**ish** *a.* ∠·**ness** *n.* 가까움, 접근; 근친; 친함, 친밀; 근사; 인색함, 검소함.

néar-at-hánd *a.* =NEARBY.

néar béer 《미》 니어 비어《알코올분이 0.5% 이하의 맥주》.

◇**néar·bý, néar-bý** *a.* 가까운, 가까이의: a ~ village 바로 이웃 마을. — *ad.* 〖near by 라고도 씀〗 가까이에(서): *Nearby* flows a river. 바로 옆에 강이 흐르고 있다.

Ne·arc·tic [niɑ́:rktik/-ɑ́:k-] *a.* 〖생물지리〗 신북구(新北區)《Greenland 와 북아메리카의 북부 지방 및 산악 지대》의.

néar-déath expèrience 임사(臨死) 체험.

néar dístance (the ~) 〖회화〗 근경(近景).

Néar Éast (the ~) 근동(近東)《서남아시아와 아라비아 반도를 포함하는 지방》.

néar gó 《구어》 위기일발의〔아슬아슬한〕 도피, 아슬아슬한 고비.

néar-infraréd *a.* 〖물리〗 근(近)적외선의《적외 스펙트럼 중 파장이 짧고 가시광선에 가까운》. ⓒⓕ far-infrared.

⁑**near·ly** [níərli] *ad.* **1** 거의, 대략(almost): ~ dead with cold 추위로 거의 죽게 되어. **2** 긴밀하게, 밀접하게; 친밀하게: two women ~ related 근친인 두 여성. **3** (서로 닮은 정도에 관하여) 아주, 심히: a case ~ approaching this one 이것과 아주 비슷한 사건. **4** 정밀하게, 공들여: examine it ~ 세밀하게 조사하다. **5** 겨우, 간신히, 하마터면: I ~ caught them. 그들을 잡을 뻔하였다 / She ~ missed the train. 그녀는 간신히 기차를 놓치지 않고 탔다. **6** 《고어》 인색하게. ***not*** **~** 도저히 〔결코〕 …아니다: He is *not* ~ so clever as his father. 그는 재주로는 도저히 아버지를 따르지 못한다.

néar-màn [-mæ̀n] *n.* =APE-MAN.

néar míss **1** 〖군사〗 (목표의) 근방에 맞음, 지근탄(至近彈). **2** (항공기 등의) 이상(異常) 접근, 니어미스; 위기일발. **3** 목표에 가까운 성과, 일보 직전.

néar móney 준화폐《정기 예금과 정부 채권》.

néar-pánic *a.* 거의 공황 상태의, 공황 상태와 같은.

néar pòint 〖안과〗 근점(近點).

néar·shore wáters 연안 해역《해안에서 5 마일 이내의 수역(水域)》.

néar·sìde *a.*, *n.* 《영》 (말 · 차 따위의) 왼쪽(의), 자동차의 길가쪽(의).

néar sìght 〖의학〗 근시(近視).

néar·síghted [-id] *a.* 근시의; 근시안적인, 소견이 좁은. ⓞⓟⓟ *farsighted*. ㊞ **~·ly** *ad.* **~·ness** *n.*

néar-térm *a.* 머지않은 장래의.

néar thíng 《구어》 (보통 a ~) 위기일발, 아슬아슬한 일〔행동〕; 접전: The recent election was ~. 지난번 선거는 접전이었다.

néar translátion 축어역, 직역.

néar-ultravíolet *a.* 〖물리〗 근(近)자외선의《파장이 가장 긴, 특히 300-400 나노미터의》.

néar wár 전쟁 따위를 앞세운 협박 수단.

⁑**neat**[1] [ni:t] *a.* **1** 산뜻한, 아담하고 깨끗한, 정연〔말쑥, 깔끔, 단정〕한: a ~ dress 말쑥한 옷 / a ~ little house 조그마하고 아담한 집.

> **SYN.** **neat** 더럽혀지지 않고 청결한, 정연한: The room is *neat*. 방은 말쑥히 정돈되어 있다. **tidy** 청결보다 정돈에 중점을 둠. **trim** 정돈된 외양을 강조함. **clean** 청결한 상태를 강조함.

2 깨끗한 것을 좋아하는: a ~ habit. **3** (용모 · 모습 따위가) 균형 잡힌. **4** (표현 따위가) 적절한; 교묘한, 솜씨가 좋은: a ~ worker 솜씨 좋은 일꾼 / make a ~ job of it 솜씨 있게 해내다. **5** (술 따위가) 순수한, 물타지 않은: drink brandy ~ 브랜디를 스트레이트로 마시다. **6** 《드물게》 순…(net): ~ profits 순이익. **7** 《속어》 훌륭한, 멋진, 굉장한: a ~ bundle 〔package〕 멋진 여자. **(*as*) ~ *as a* (*new*) *pin*** ⇨ PIN. ㊞ ∠·**ness** *n.*

neat[2] (*pl.* **~(s)**) *n.* 소 종류; 〖집합적〗 축우(cattle), 목우. ⓒⓕ cattle. ¶ ~*'s* foot 쇠발《식용》/ ~*'s* tongue 소의 혀《식용》/ ~*'s* leather 쇠가죽. — *a.* 소 종류의.

neat·en [ní:tn] *vt.* …을 깨끗이 정돈하다.

neath, 'neath [ni:θ] *prep.* 《시어 · 방언》 =BENEATH.

néat-hánded [-id] *a.* 손재주 있는〔좋은〕.

néat·hèrd [-hə̀:rd] *n.* 《드물게》 =COWHERD.

◇**néat·ly** *ad.* **1** 산뜻하게, 깨끗이; 말쑥하게: ~ dressed 말쑥하게 차려입은. **2** 교묘하게, 적절히.

neat·nik [ní:tnik] *n.* 《구어》 옷차림이 단정한 사람.

NEATO Northeast Asia Treaty Organization (동북아시아 조약 기구).

néat's-foot òil 우각유(牛脚油)《가죽을 부드럽게 만드는 데 씀》.

neb [neb] 《Sc.》 *n.* 부리(beak); (사람의) 코, 입; (짐승의) 코 · 입 부분; 선단, 끝《특히 펜 · 연필의》.

NEB, N.E.B. 《영》 National Enterprise Board; New English Bible. **Neb., Nebr** Nebraska.

neb·bish, -bech [nébiʃ] *n.* 《속어》 무기력한 사람, 쓸모없는 사람, 등신. ㊞ **~y** *a.*

NEbE northeast by east (북동미동(東)).

ne·ben·kern [néibənkə̀:rn, -kɛ̀ərn] *n.* 〖생리〗 (정자의) 부핵(副核).

NEbN northeast by north.

Ne·bo [ní:bou] *n.* **Mount ~** 〖성서〗 느보 산《Mose 가 약속의 땅을 바라본 산(山); 신명기 XXXIV: 1-4》.

Ne·bras·ka [nəbrǽskə] *n.* 네브래스카《미국 중서부의 주; 생략: Neb(r)》. ㊞ **-kan** [-kən] *a.*, *n.* 네브래스카 주의 (사람).

Neb·u·chad·nez·zar, -rez·zar [nèbjukədnézər/-bju-], [-rézər] *n.* 〖성서〗 네부카드네자르《옛 바빌론의 왕(605-562 B.C.)》.

neb·u·la [nébjələ] (*pl.* **-lae** [-lì:], **~s**) *n.* 〖천문〗 성운; 〖의학〗 각막예(角膜翳), 흐린 눈; 요중면상물(尿中綿狀物); 분무제(噴霧劑).

neb·u·lar [nébjələr] *a.* 성운의; 흐린.

nébular hypóthesis 〔**théory**〕 〖천문〗 (태양계의) 성운설(星雲說).

neb·u·lize [nébjəlàiz] *vt.* 안개 모양으로 하다; (환부에 약액을) 분무기로 뿜다. — *vi.* (생각 따위가) 희미해지다. ㊞ **-lìz·er** *n.* (의료용) 분무기. **nèb·u·li·zá·tion** *n.*

neb·u·los·i·ty [nèbjəlɑ́səti/-lɔ́s-] *n.* Ⓤ **1** 성운 상태; 성운 모양의 물질. **2** 희미함; (사상 · 표현 등의) 애매, 모호함.

neb·u·lous, -lose [nébjələs], [-ləs, -lòus/-lòus] *a.* **1** 성운의; 성운 모양의. **2** 흐린, 불투명한; 애매한, 모호한. ㊞ **~·ly** *ad.* **~·ness** *n.*

NEC 《미》 National Electrical Code(미국 전신 코드); 《미》 National Emergency Council; National Executive Committee; neonatal necrotizing enterocolitis 〖의학〗 (신생아 괴사성 장염(壞死性腸炎)).

né·ces·saire [nèsesɛ́ər] *n.* 《F.》 (자질구레한 것을 넣는) 작은 상자, 화장품〔바느질〕 상자.

nec·es·sar·i·an [nèsəsɛ́əriən] *a.*, *n.* =NECESSITARIAN. ㊞ **~·ìsm** *n.* =NECESSITARIANISM.

nec·es·sar·i·ly [nèsəsérəli/nésəsər-] *ad.* **1** 필연적으로, 필연적 결과로서, 반드시; 부득이: It must ~ be so. 반드시 그럴 것이다. **2** 〖not 과 함께 부분 부정으로서〗 반드시 (…은 아니다): It is *not* ~ so. 반드시 그렇다는 것은 아니다 / You do*n't* ~ have to attend. 꼭 출석해야만 할 필요는 없다.

nec·es·sary [nésəsèri/-səri] *a.* **1** 필요한, 없어서는 안 될《*for*; *to*》: Medicine is ~ *for* treating disease. 병을 치료하는 데는 약이 필요하다 / Exercise is ~ *to* health. 운동은 건강에 필요하다 / Is it ~ that I (should) go? (=Is it ~ *for* me *to* go?) 내가 갈 필요가 있을까요?

> SYN. **necessary** 필요성을 강조하고 있으나 다음 말에 비하면 약하며, 없어서는 절대로 안 될 경우가 아니라도 very useful 의 의미로 사용함: the knowledge *necessary* to make the work satisfactory 일을 훌륭히 해내는 데 필요한 지식. **essential, indispensable** '불가결의'. 이 두 말은 서로 바꿔 쓸 수 있으나 essential 쪽이 '그 본질을 형성하고 있다'는 뜻으로 더 강조적임: Air is *essential* to red-blooded animals. 공기는 적혈구를 가진 동물에게는 불가결한 것이다. **requisite** 어떤 조건을 충족시키기 위해 요구되는: the subjects *requisite* for college entrance 대학 입학에 필요한 과목.

2 필연적인, 피하기 어려운(inevitable): a ~ conclusion 필연적인 결론 / a ~ evil 필요악《피할 수 없는 사회악》. **3** 필수의; 선택의 자유가 없는, 강제적인. ***if*** **~** 만일 필요하다면: I'll go, *if* ~. 필요하다면 가겠다.

— (*pl.* ***-ries***) *n.* **1** (종종 *pl.*) 필요한 것, 필수품. **2** 〖법률〗 (*pl.*) 생활필수품《식료품·의류 따위》: daily *necessaries* 일용품 / the *necessaries* of life 생활필수품. **3** (the ~) 《구어》 필요한 행동; (the ~) 《속어》 무엇보다 필요한 것, 돈. **4** 《방언》 =NECESSARY HOUSE. ***do the*** **~** 필요한 손을 쓰다. ***provide*** 〔***find***〕 ***the*** **~** 돈을 마련하다.

nécessary condítion 〖논리·철학〗 필요조건. cf. sufficient condition.

nécessary hòuse 《방언》 변소(privy).

ne·ces·si·tar·i·an [nəsèsətέəriən] *a.* 숙명〔필연〕론의. **—** *n.* 숙명〔필연〕론자. OPP. *libertarian.* ㊎ **~·ìsm** *n.* U 〖철학〗 숙명〔필연〕론.

ne·ces·si·tate [nəsésətèit] *vt.* **1** 《~+목/+-*ing*》 필요로 하다, 요하다; (결과를) 수반하다: The rise in prices ~s greater thrift. 물가 상승으로 더욱 절약을 하지 않을 수 없다 / This plan ~s borrow*ing* some money. 이 계획에 따르면 약간의 돈을 꾸지 않을 수 없게 된다. **2** 〖보통 수동태〗 《+목+*to* do》 억지로 …을 시키다, 꼼짝없이 …하게 하다: I *am* ~*d to* go there alone. 나는 그곳에 혼자 가지 않으면 안 된다. ㊎ **ne·cès·si·tá·tion** *n.* U 필요로 함, 필요화, 강제.

ne·ces·si·tous [nəsésətəs] *a.* 가난한, 궁핍한, 곤궁에 처해 있는(needy); 긴급의, 절박한; 필연적인, 피할 수 없는.

ne·ces·si·ty [nəsésəti] *n.* U **1** 필요, 필요성: urge (on a person) the ~ *for* …의 필요성을 (아무에게) 설득하다 / the ~ *of* 〔*for*〕 doing … 할 필요 / *Necessity* is the mother of invention. 《격언》 필요는 발명의 어머니 / *Necessity* knows no law. 《속담》 필요 앞에선 법도 무력, '사흘 굶어 도둑질 안 할 놈 없다' / Is there any ~ (*for* her) *to* do it at once? (그녀가) 그것을 당장 해야 할 필요가 있습니까? SYN. ⇨NEED. **2** (종종 *pl.*) 필요 불가결한 것, 필수품, 필요한 것. cf. necessary. ¶ Water is a ~. 물은 필요 불가결한 것이다 / daily *necessities* 일용 필수품. **3** 필연성; 불가피성, 인과 관계, 숙명: physical 〔logical〕 ~ 물리적〔논리적〕 필연, 숙명 / the doctrine of ~ 숙명론 / bow to ~ 숙명이라고 체념하다. **4** 궁핍: be in great 〔dire〕 ~ 몹시 궁핍해 있다 / It was ~ that made him steal. 그가 도둑질을 한 것은 가난 때문이었다. ◇ necessary *a.* ***as a*** **~** 필연적으로. ***be driven by*** **~** ***of*** do*ing* =***be under the*** **~** ***of*** do*ing* …(을) 하지 않을 수 없다. ***by*** **~** 필요하여; 필연적으로, 부득이. ***from*** (***sheer***) **~** =***out of*** (***sheer***) **~** (꼭) 필요해서; (만)부득이하여; (어떻게도) 할 수가 없어서. ***in case of*** **~** 필요한〔긴급한〕 경우에는. ***lay*** a person ***under*** **~** 아무에게 강제〔강요〕하다. ***make a virtue of*** **~** 부득이한 일을 불평 없이 행하다; 부득이한 일을 하고도 공을 세운 체하다. ***of*** **~** 필연적으로, 당연히. ***work of*** **~** (안식일에 해도 좋은) 필요한 일.

neck [nek] *n.* **1** 목: break a person's ~ 아무의 목을 부러뜨리다《위협의 말로 씀》. **2** (의복의) 옷깃. **3** (양 따위의) 목덜미살: ~ *of* mutton. **4** 〖경마〗 목길이의 차. **5** 목 모양의 부분; 《특히》 (그릇·악기 따위의) 잘록한 부분, 목; 해협, 지협; 〖건축〗 기둥 목도리《주두(柱頭)(capital)와 기둥 몸의 접합부》: the ~ of a bottle 병의 목 / a narrow ~ of land 지협. **6** 애로(bottleneck). **7** 《속어》 뻔뻔스러움, 강심장. **8** 《구어》 네킹(necking). ***break*** one***'s*** **~** 《구어》 ① 몹시 서두르다. ② 전력을 다하다. ③ 위험한〔어리석은〕 일을 하여 몸을 망치다. ***break the*** **~** ***of*** (일 따위의) 애로를 타개하다, 고비를 넘기다. ***breathe down*** (***on***) a person***'s*** **~** 아무의 적이 되어〔아무를 괴롭혀〕 궁지에 몰아넣다, 배후에 바싹 다가가다; 《비유》 (붙어다니면서) 감시하다. ***cost*** a person his ~ 아무에게 치명적이 되다. ***escape with*** one***'s*** **~** 목숨만 건져 달아나다. ***get*** 〔***catch, take***〕 ***it in the*** **~** ① 《구어》 몹시 공격을 받다, 큰 질책〔벌〕을 받다, 되게 맞다〔혼나다〕. ② (get it in the ~) 면직되다. ***harden the*** **~** 경화(硬化)하다, 저항하다. ***have a lot of*** **~** 뻔뻔스럽다. ***have the*** **~** ***to*** do 뻔뻔스럽게도 …하다. **~** ***and crop*** 〔***heels***〕 그대로, 갑자기; 온통; 깡그리, 전연. **~** ***and*** **~** (경주에서) 나란히, 비슷비슷하게, 경합하여; (경기에서) 아슬아슬하게, 막상막하로. **~** ***of the woods*** 《미구어》 삼림(森林) 속의 부락; 지역, 지방. **~** ***or nothing*** 〔***nought***〕 필사적으로, 목숨을 걸고: It is ~ *or nothing.* 죽느냐 사느냐, 성공이냐 실패냐다. ***on*** 〔***over, in***〕 ***the*** **~** ***of*** …에 뒤따라서《오다 따위》. ***risk*** one***'s*** **~** 목숨을 걸고 하다, 위험을 무릅쓰다. ***save*** one***'s*** **~** 교수형을 면하다; 목숨을 건지다. ***speak*** 〔***talk***〕 ***through*** 〔***out of***〕 (***the back of***) one***'s*** **~** 《영구어》 터무니없는 소리를 하다, 허풍 떨다. ***stick*** one***'s*** **~** ***out*** 굳이 위험〔고난, 비판〕에 몸을 내맡기다; 위험을 무릅쓰다. ***tread on the*** **~** ***of*** …을 학대하다, 유린하다, 굴복시키다. ***up to the*** 〔one***'s***〕 **~** 《구어》 (분규 따위에) 온통 휘말리어; (일에) 몰두하여; (빚에) 꼼짝 못하여《*in*》. ***win*** 〔***lose***〕 ***by a*** **~** 〖경마〗 아슬아슬하게〔목 하나 길이 차로〕 이기다 〔지다〕.

— *vt.* **1** …의 직경을 좁게 하다. **2** …의 목을 베다〔죄다〕. **3** 《구어》 껴안고 애무〔키스〕하다. **—** *vi.* **1** 좁아〔좁혀〕지다. **2** 《구어》 (남녀가) 서로 껴안고 애무〔키스〕하다, 네킹하다.

néck·àche *n.* 목이 아픔.

néck·bànd *n.* 셔츠의 깃《칼라를 붙이는 부분》; (여성의) 목걸이 끈.

néck·bèef *n.* U 도래목정.

néck·brèak *a.*, *ad.* 속력이 굉장히 빠른〔빠르게〕.

néck·brèaking *a.* =BREAKNECK.
néck·clòth *n.* (옛날 남성의) 목도리; =NECKERCHIEF; 《고어》 넥타이.
néck-déep *a., ad.* 〖형용사는 서술적〗 목까지 닿는〔닿아〕, 목까지 차는 깊이의〔에서〕: I fell ~ into trouble. 심한 곤경에 빠졌다.
necked [nekt] *a.* 목이 있는; 〖복합어를 이루어〗 목이 …인: short-~ 목이 짧은.
neck·er·chief [nékərtʃif, -tʃìːf] (*pl.* **~s,** 《미》 ***-chieves*** [-vz]) *n.* 목도리, 네커치프.
néck hàndkerchief =NECKERCHIEF.
néck·ing *n.* Ⓤ **1** 〖건축〗 기둥 목도리, 원주(圓柱) 목 부분의 쇠시리 장식. **2** 《구어》 네킹《껴안고 애무〔키스〕하는 일》.
*__neck·lace__ [néklis] *n.* **1** (보석·금줄 따위의) 목걸이. **2** 《속어》 교수형용 밧줄.
neck·let [néklit] *n.* (목에 꼭 맞는) 목걸이; 모피 목도리.
néck·lìne *n.* 네크라인《드레스의 목둘레에 판 선》.
néck·pìece *n.* 모피 목도리; (갑옷의) 목덮개.
néck-rèin *vi., vt.* 말고삐로 말의 방향을 바꾸다〔바꾸게 하다〕.
°**néck·tie** *n.* 넥타이; 《속어》 교수형용 밧줄.
nécktie pàrty 〔**sòciable, sòcial**〕 《미속어》 교살(絞殺)의 린치; 목을 매닮; 린치 집단: throw a ~ 목매다는 린치를 하다.
néck-vèrse *n.* 면죄시(免罪詩)《옛날 죄인이 성직자 앞에서 읽으면 죽음을 면할 수 있었던 라틴어 성서 중 시편 제 51 편의 장식 문자로 된 첫머리 부분》.
néck·wèar *n.* 〖집합적〗 넥타이·칼라·목도리류 등 목 장식품의 총칭.
necr- [nékr], **nec·ro-** [nékrou, -rə] '시체, 죽음, 괴사(壞死)' 의 뜻의 결합사《모음 앞에서는 necr-》.
nec·ro·bi·o·sis [nèkroubaióusis] *n.* Ⓤ 〖의학〗 변성 괴저(증).
nec·ro·gen·ic [nèkrədʒénik] *a.* 썩은 고기에서 생기는〔에 사는〕.
ne·crol·a·try [nəkrálətri, ne-/nekrɔ́l-] *n.* Ⓤ 사자(死者) 숭배.
ne·crol·o·gy [nekrálədʒi/-rɔ́l-] *n.* Ⓒ 사망자 명부; 사망 기사〔광고〕. ㊕ **-gist** *n.* 사망 기록 담당자.
nec·ro·man·cy [nékrəmæ̀nsi] *n.* Ⓤ 사령(死靈)과의 영교(靈交)에 의한 점(占), 강신술(降神術); 마술, 마법. ㊕ **-màn·cer** *n.* **nèc·ro·mán·tic** *a.*
ne·cro·pha·gia, ne·croph·a·gy [nèkrəféidʒiə], [nəkráfədʒi, ne-/nekrɔ́f-] *n.* 죽은〔썩은〕 고기를 먹음〔먹는 습관〕, 시체식(食).
ne·croph·a·gous [nəkráfəgəs, ne-/nekrɔ́f-] *a.* 죽은〔썩은〕 고기를 먹는《벌레·세균 따위》.
nec·ro·phile [nékrəfàil] *n.* 〖정신의학〗 시체 애호자, 시간자(屍姦者).
nec·ro·phil·ia, ne·croph·i·ly [nèkrəfíliə], [nəkráfəli, ne-/nekrɔ́f-] *n.* 〖정신의학〗 시체 성애(性愛), 시간(屍姦), 사간(死姦).
ne·croph·i·lism [nəkráfəlìzəm, ne-/nekrɔ́f-] *n.* 〖정신의학〗 =NECROPHILIA.
nècro·phóbia *n.* Ⓤ 시체 공포(증); 사망 공포(증).
ne·crop·o·lis [nəkrápəlis, ne-/nekrɔ́p-] (*pl.* ***-lises*** [-lisìːz], ***-les*** [-lìːz], ***-leis*** [-lèis]) *n.* 공동묘지《특히 옛 도시의》; 묘지같이 사람이 없는 거리, 사멸한 도시.
nec·rop·sy, ne·cros·co·py [nékrɑpsi/-rɔp-], [nəkráskəpi, ne-/nekrɔ́s-] *n.* Ⓤ 검시(檢屍)(autopsy), 시체 해부, 부검(剖檢).
ne·cro·sis [nəkróusis, ne-/ne-] (*pl.* ***-ses*** [-siːz]) *n.* 〖의학〗 괴사(壞死), 괴저(壞疽), 탈저(脫疽); 골저(骨疽); 〖식물〗 네크로시스《식물의 괴사》, 퇴괴(頹壞); 흑반증(黑斑症). ㊕ **ne·crot·ic** [nekrátik, nə-/-krɔ́t-] *a.* 괴사성(性)의.
nec·ro·tize [nékrətàiz] 〖의학〗 *vi.* 괴사(壞死)하다. **—** *vt.* …을 괴사시키다.
nécrotizing fasciítis 〖의학〗 괴사성 근막염.
nec·tar [néktər] *n.* Ⓤ **1** 〖그리스신화〗 신주(神酒). ⓒⓕ ambrosia. **2** 《일반적》 감미로운 음료, 감로(甘露); 과즙, 넥타. **3** 〖식물〗 화밀(花蜜); 기쁜 일. ***the Sea of ~*** 〖천문〗 신주의 바다, 넥타르의 평원《달 표면의 명칭》.
nec·tar·e·an [nektέəriən], **nec·tar·e·ous** [-tέəriəs], **nec·tar·ous** [néktərəs] *a.* nectar 의〔같은〕; 감미로운; 〖식물〗 화밀(花蜜)의.
néc·tared *a.* 《고어》 감미로운, nectar 를 가득 채운〔섞은〕.
nec·tar·if·er·ous [nèktəríf ərəs] *a.* 〖식물〗 화밀(花蜜)을 분비하는.
nec·tar·ine [nèktəríːn/néktərin] *n.* 승도(僧桃) 복숭아.
nec·tar·iv·or·ous [nèktərívərəs] *a.* 〖동물〗 화밀식성(花蜜食性)의.
nec·ta·ry [néktəri] *n.* 〖식물〗 밀조(蜜槽), 밀선(蜜腺), 꿀샘; 〖곤충〗 밀관(蜜管).
necton ⇨ NEKTON.
Ned [ned] *n.* 네드《남자 이름; Edmund, Edward 의 애칭》.
NED, N.E.D. New English Dictionary. ⓒⓕ O.E.D. **NEDC, N.E.D.C.** 《영》 National Economic Development Council.
Ned·dy [nédi] *n.* **1** Edward 의 통칭. ⓒⓕ Ned. **2** 《영》 N.E.D.C. 의 속칭. **3** (n-) 《영구어》 당나귀(donkey); 바보(fool).
nee, née [nei] *a.* 《F.》 구성(舊姓)은, 친정의 성은 …《기혼 여성의 구성을 나타내기 위해, 결혼으로 얻어진 성(姓) 다음에 표시함》: Mrs. John, ~ Adam 존 부인, 구성 애덤.
†**need** [niːd] *n.* **1** Ⓤ (*or* a ~) 필요, 소용; 욕구 《*for; of; to* do》: There is a ~ today *for* this sort of dictionary. 오늘날에는 이런 종류의 사전을 필요로 하고 있다 / He felt the ~ *of* a better education. 더 나은 교육의 필요를 느꼈다 / There is no ~ (*for* you) *to* apologize. (네가) 사과할 필요는 없다 / Is there any ~ *to* hurry? (=Is there any ~ *for* 〔*of*〕 hurrying?) 서두를 필요가 있습니까.

> SYN. **need** 없는 것에 대한 절실한 필요를 나타냄. **necessity** need 보다 강한 필요를 나타내나, need 가 갖는 감정적인 어감이 없음.

2 Ⓒ 필요한 물건(the thing needed). ★ 이 뜻으로는 보통 복수형이 쓰임: our daily ~*s* 일용필수품 / She earns enough to satisfy her ~*s*. 그녀는 자신이 필요한 물건을 살 만한 돈을 벌고 있다. **3** 결핍, 부족(want, lack): Your composition shows a ~ *of* grammar. 네 글짓기를 보니 문법 공부가 부족하구나. **4** Ⓤ 위급할 때, 만일의 경우(a situation or time of difficulty): A friend in ~ is a friend indeed. 《속담》 어려울 때의 친구야말로 참친구. **5** Ⓤ 빈곤, 궁핍(poverty): He is in (great) ~. 그는 (매우) 곤궁에 처해 있다 / Their ~ is greater than ours. 그들은 우리보다 더 곤란에 처해 있다. **6** (*pl.*) (생리적) 요구, 대〔소〕변. ***as ... as ~ be*** 필요한 만큼; 충분히. ***at ~*** 만약의 경우에, 요긴한 때에. ***be good at ~*** 요긴할 때에 도움이 되다. ***be*** 〔***stand***〕 ***in ~ of*** …을 필요로 하다, …이 필요하다(be in want of): He *is* much *in ~ of* help. 그는 매우 도움을 필요로 하고 있다. ***do*** one's ***~s*** 볼일을 보다, 용변을 보다. ***fail*** a person ***in his ~*** 곤경에 처해 있는 아무를 돌보지 않다. ***had ~*** (***to***) do …해야만 한다(ought to do). ***have ~ of*** 〔***for***〕 …을 필요로 하다(require).

have* ~ *to* do** …하지 않으면 안 되다(must do). ***if* ~ *be 〔***were***〕 《문어》 =***when*** 〔***as, if***〕 ***the* ~ *arises*** 필요하다면, 일에 따라서는, 어쩔 수 없다면(if necessary). ***in case*** 〔***time, the hour***〕 ***of* ~** 일단 유사시에는, 위급한 때에는. ***meet the* ~*s of*** …의 필요에 응하다. ***serve the* ~** 소용에 닿다, 필요에 대다. ***urge on*** 〔***upon***〕 a person ***the* ~ *of*** 〔***for***〕 아무에게 …의 필요를 역설하다.

— *vt.* 1 《~+목/+-*ing*/+목+*to* do/+목+-*ing*/+목+*done*》 …을 필요로 하다, …이 필요하다(want, require): I ~ money. 돈이 필요하다 / Do you ~ any help? 무언가 도움이 필요합니까 / This chapter ~*s* rewrit*ing* 〔to be rewritten〕. 이 장(章)은 다시 써야겠다 / It ~*s* no account*ing* for. 설명할 필요가 없다 / I ~ you *to* do.... 네가 …해 주었으면 좋겠다 / I ~ my shoes mend*ing* 〔mend*ed*〕. 구두를 수선해야겠다(=My shoes ~ mend*ing*.). **2** 《to 부정사를 수반》 …할 필요가 있다, …하지 않으면 안 되다(be obliged, must)《*to do*》: She did not ~ *to* be told twice. 그녀에게는 되풀이해 말할 필요가 없었다.

> NOTE (1) need는 다음과 같이 의문문이나 부정문에서 조동사로도 쓰임: I ~*n't* keep awake, ~ I? 다만 다음과 같은 뜻의 차가 인정됨: He *doesn't* ~ *to* be told. 그는 (벌써 알고 있으므로) 알려 줄 것까지도 없다《현상(現狀)을 강조함》/ He ~*n't* be told. 그에게는 알려 주지 않아도 된다《금후의 행위를 강조함》. (2) 2의 need는 have로 바꿔 써도 거의 같은 뜻이며, 특히 긍정문에서는 must나 have to를 쓰는 일이 많음: I ~ 〔*have*〕 *to* wax the floor. 마루에 왁스를 칠해야 한다 / Do you ~ 〔*have*〕 *to* work so late? 그렇게 늦게까지 일해야 하느냐 / I didn't ~ 〔*have*〕 *to* hurry. 나는 서두를 필요가 없었다.

3 《고어》《it을 주어로 하여 비인칭적으로》 필요하다: *It* ~*s* much skill for this work. 이 일에는 많은 기술이 필요하다. **— *vi.* 1** 궁핍하다. **2** 《고어》 필요하다: There ~*s* no apology. 변명은 필요없다 / It ~*s* not. 필요없다(It is needless). ***more than* ~*s*** 필요 이상으로. ***What* ~(*s*)?** 무슨 필요가 있을까.

— *aux. v.* 《의문문·부정문에 있어서 to 없는 원형(原形) 부정사를 뒤에 붙임. 의문문·부정문을 만드는 데 do를 취하지 않음. 과거형도 need》 …하지 않으면 안 되다, …할 필요가 있다: *Need* he go? 그는 가야 합니까 / No, he ~ not (go). 아니, 가지 않아도 좋다 / We ~ *hardly* tell you that. 우리가 네게 그것을 말해줄 필요는 없다 / You *need not have been* in such a hurry. 그렇게 서두르지 않아도 되었었는데《'need not have+과거분사'는, 그 동작이 실제는 행하여졌으나 그럴 필요가 없었던 것을 나타냄》/ There ~ be *no* hurry, ~ there? 서두를 필요 없겠지? / They told him that he ~ *not* answer. 그들은 그에게 대답할 필요 없다고 말했다《여기서의 need는 과거형》/ That is *all* you ~ know. 그 이상의 것은 알 필요가 없다 / The average is lower than it ~ be. 평균점이 필요한 것보다 낮다. ★ 3인칭 현재 단수형에도 -s를 붙이지 않음. 현재분사·과거분사는 없음.

néed·blìnd *a.* 《미》 (대학의 입학자 선발 방침에서) 지원자의 학비 지불 능력에는 상관하지 않고 성적만으로 판단하는.

néed·er *n.* 필요로 하는 사람.

néed·fire *n.* **1** 정화(淨火)《나무를 마찰해 일으킨 불; 가축병에 특효(特效)가 있다고 함》; 《Sc.》 봉화, 횃불. **2** 자연 발화(spontaneous combustion); (썩은 나무 따위의) 자연 발광(發光).

°**need·ful** [níːdfəl] *a.* **1** 필요한, 없어서는 안 될 《*to; for*》. **2** 《고어》 가난한. **— *n.*** (the ~) 필요한 것; (the ~) 《구어》 (곧 쓸 수 있는) 돈, 현금. ***do the* ~** (마땅히) 해야 할 일을 하다; 〖미식축구〗 트라이를 한 후 골킥을 하다. ㊕ **~·ly** *ad.* **~·ness** *n.*

need·i·ness [níːdinis] *n.* Ⓤ 곤궁, 빈곤.

⁑**nee·dle** [níːdl] *n.* **1** 바늘, 바느질 바늘, 뜨개바늘: a ~ and thread 실이 꿰어져 있는 바늘. **2** (주사·외과·조각·축음기 따위의) 바늘, 수술용 전기침(針); 자침(磁針), 나침(羅針); (계기류의) 지침; (소총의) 격침; needle valve 의 바늘: a phonograph ~ 축음기 바늘. ★ 시계의 바늘은 hand. **3** (침엽수의) 잎: a pine ~ 솔잎. **4** 〖결정〗 침정(針晶), 침상 결정체; 뾰족한 바위; 방첨탑(方尖塔)(obelisk); 〖동물〗 침골(針骨). **5** 〖건축〗 뻗침툇보(=∠ **béam**); 버팀, 지주. **6** 《구어》 주사(의 한 대) (shot); (the ~) 《구어》 피하 주사, 마약: use the ~ 마약을 놓다, 마약 중독이다. **7** (the ~) 《영속어》 신경의 초조, 짜증, 걱정, 당황. **8** (the ~) 《구어》 가시 돋친 말〔농담, 평(評)〕, 꼬집음; (the ~) 《구어》 자극. ***a* ~*'s eye*** =***the eye of a* ~** 바늘귀, 아주 작은 틈, 불가능한 기도(企圖)《마태복음 XIX: 24》. (***as***) ***sharp as a* ~** 매우 날카로운, 빈틈(이) 없는; 민첩한. ***get a* ~** 주사를 맞다. ***get the*** (***dead***) **~** 《영속어》 속이 울컥 치밀다, 신경이 날카로워지다. ***give*** a person ***the* ~** 《구어》 (분발시키기 위해) 아무에게 자극을 주다; 신경질이 나게 하다. ***have the pins and* ~*s*** (저려서) 따끔거리다. ***look for a* ~ *in a bottle*** 〔***bundle***〕 ***of hay*** =***look*** 〔***search***〕 ***for a* ~ *in a haystack*** 덤불 속에서 바늘을 찾다, 헛수고를 하다. ***on the* ~** 《속어》 마약 중독에 걸린; 《미속어》 마약에 취해 있는, 마약 상습인. ***take the* ~** 신경질〔짜증〕을 내다. ***thread a* ~** 바늘에 실을 꿰다. ***thread the* ~** 곤란한 〔어려운〕 일을 해내다; 〖경기〗 극히 한정된 좁은 지역으로 공을 던지다; 상대방 플레이어의 견고한 방어 지역을 누비듯 빠져나가다.

— *vt.* 1 바늘로 꿰매다〔수술하다〕. **2** 《+목+전+명》 누비고 나아가다《*between; through*》: He ~*d* his way *through* the crowd. 그는 군중을 헤치고 나아갔다. **3** 바늘로 찌르다; 바늘에 꿰다; 바늘처럼 찌르다; 《구어》 …에게 주사하다. **4** 《~+목/+목+전+명》 《구어》 (가시 돋친 말로) 놀리다, 속상하게 하다, 괴롭히다; 부추기다; 자극하여 …시키다: We ~*d* him *about* his big ears. 귀가 크다고 그를 놀려댔다 / We ~*d* her *into* going with us. 그녀를 부추기어 우리들과 동행하게 했다. **5** 《미속어》 (술에) 알코올을 타서 독하게 하다; (이야기 등에) 양념을 곁들이다; 《미속어》 술에 전류를 통하여 숙성(熟成)시키다.

— *vi.* 1 바늘을 쓰다; 바느질을 하다. **2** 〖화학·광물〗 바늘 모양으로 결정(結晶)하다. **3** 누비듯 나아가다. **4** 〖의학〗 안구(眼球)의 절개 수술을 하다.

— *a.* 《영》 (경기 따위가) 아슬아슬한, 매우 중대한(crucial).

néedle·bàr *n.* (재봉〔편물〕 기계의) 바늘대.

néedle bàth 〔**shòwer**〕 물줄기가 가느다란 샤워.

néedle bòok (책 모양으로 접는) 바늘겨레.

néedle càndy 《미속어》 주사용 마약.

néedle·còrd *n.* 니들코드《가는 골이 진 코르덴》.

néedle cràft =NEEDLEWORK.

néedle·fish *n.* 〖어류〗 가늘고 긴 물고기《동갈치 따위》.

nee·dle·ful [níːdlfùl] *n.* 바늘에 꿰어 쓸 만한 길이의 실.

néedle gàp 〖전기〗 바늘 간극.

néedle gùn (19세기 후반의) 다발식 후장총.

néedle jùniper 〚식물〛 노간주나무.
néedle làce 바늘로 뜬 레이스.
néedle machìne 자수 재봉틀.
néedle òre 〚광산〛 침광(針鑛).
néedle pàrk 《속어》 마약 상습자들이 모이는 공공장소《여기서 마약 거래를 하고 주사를 맞음》.
néedle·pòint *n.*, *a.* 바늘 끝; Ⓤ 바늘로 뜬 레이스(needle lace)(의).
nee·dler [níːdlər] *n.* needle 하는 사람;《구어》 듣기 싫은 소리를 하여 남을 짜증 나게 하는 사람, 남의 흠을〔말꼬리를〕 잡는 사람.
⁑**need·less** [níːdlis] *a.* 필요 없는, 군: a ~ remark 쓸데없는 말. ~ ***to say*** 〔***add***〕 말할 필요도 없이, 물론. ㊕ **~·ly** *ad.* **~·ness** *n.*
néedle thèrapy 침 요법(acupuncture).
néedle tìme 〚영방송〛 레코드 음악 시간.
néedle vàlve 〚기계〛 니들밸브, 침판(針瓣).
néedle·wòman (*pl.* ***-wòmen***) *n.* 바느질하는 여자, 침모.　「품); 자수. ㊕ **~·er** *n.*
°**néedle·wòrk** *n.* Ⓤ 바느(뜨개)질(기술 · 작
néed·ments *n. pl.* (여행에) 필요한 물품.
°**need·n't** [níːdnt] 《구어》 need not 의 간략형.
needs [niːdz] *ad.* 《문어》 반드시, 꼭, 어떻게든지. ★ 긍정문에서 must 와 함께 쓰임. ***must*** ~ do ① =needs must do. ② 꼭 한다고 우겨대다: He *must* ~ come. 꼭 오겠다고 우긴다. ~ ***must*** do 꼭 해야 한다, …하지 않을 수 없다: *Needs must* when the devil drives. 다급하면 하지 않을 수가 없다, 무엇보다 발등에 떨어진 불이 급하다.
néeds tèst 빈도(貧度) 조사(means test).
°**needy** [níːdi] (***need·i·er; -i·est***) *a.* 가난한, 생활이 딱한: the poor and ~ 빈곤자. ㊕ **néed·i·ly** *a.* 궁핍하여.
neem [niːm] *n.* **1** 님《님나무의 씨로 만드는 것으로 살충제로 쓰임》. **2** (또는 neem 〔nim〕 tree) 님나무《멀구슬나뭇과의 열대산 나무; margosa라
ne'er [nɛər] *ad.* 《시어》 =NEVER.　⌊고도 함》.
ne'er-do-well, 《시어》 **-weel** [nɛ́ərduːwèl], [-wìːl] *n.*, *a.* 변변치 못한 사람(의), 쓸모없는 사람(의), 밥벌레(의).
nef [nef] *n.* (소금 · 냅킨 · 숟가락 따위를 넣는) 은으로 된 배 모양의 식탁 장식.
ne·far·i·ous [nifɛ́əriəs] *a.* 못된, 사악한, 악질인, 극악한. ㊕ **~·ly** *ad.* **~·ness** *n.*
neg. negative; negatively.
neg·a·bi·na·ry [négəbàinəri] *a.*, *n.* 〚수학〛 음(陰)의 이진수(二進數)(를 나타내는).
ne·gate [nigéit] *vt.* 부정〔부인〕하다(deny); 취소하다, 무효로 하다; 〚컴퓨터〛 부정하다《부정의 작동〔연산(演算)〕을 하다》. **—** *vi.* 부정하다. **—** *n.* 부정적〔반대적〕인 것.
negater ⇨ NEGATOR.
neg·a·tine [négətiːn] *n.* 《CB속어》 =NO.
ne·gá·tion *n.* Ⓤ 부정, 부인, 취소(opp. *affirmation*); 부정적 진술〔판단, 개념〕, 논박, 반증; 반대론; 없음, 무, 비존재, 비실재(非實在); 〚논리〛 부동(不同)〔제외〕의 단정(斷定); 〚컴퓨터〛 부정(inversion). ㊕ **~·al** *a.* **~·ist** *n.* 부정론자.
⁑**neg·a·tive** [négətiv] *a.* **1** 부정의, 부인〔취소〕의. opp. *affirmative*: a ~ answer 부정의 대답. **2** 거부의, 거절하는; 금지의, 반대의: a ~ attitude 반대의 태도/the ~ side 〔team〕 (토론의) 반대측/a ~ order 〔command〕 금지령/a ~ vote 반대 투표. **3** 소극적인. opp. *positive*. ¶ a ~ character 소극적인 성격/a ~ virtue (나쁜 일을 안 할 뿐인) 소극적인 덕성. **4** 〚전기〛 음전기의, 음극의; 〚수학〛 마이너스의; 〚의학〛 음성의; 〚사진〛 음화의, 음(陰)의: a ~ quantity 음수, 음의 양(量); 《속어》 무(無). **5** 〚논리〛 (명제가) 부정을 나타내는, (주사(主辭)를) 부정하는: a ~ proposition 부정 명제. ***on*** **~** ***lines*** 소극적으로.
— *n.* **1** 부정〔거부, 반대〕의 말〔견해, 회답, 동작, 행위〕; 부정 명제: Two ~*s* make a positive. 부정이 둘이면 긍정이 된다. **2** 《고어》 거부권(veto). **3** (the ~) (토론회 등의) 반대자측. **4** 〚문법〛 부정을 나타내는 말《*no, not, never, by no means* 등》. **5** 〚수학〛 음수, 음의 양(量), 마이너스 부호; 〚전기〛 음전기, 음극판; 〚의학〛 음성: He had HIV test and the result was negative. 그는 HIV 테스트를 받았고, 결과는 음성이었다. **6** 〚사진〛 (사진 찍은) 필름, 원판, 음화. **7** 부정적〔소극적〕 측면〔요소, 소질〕. ***double*** **~** 이중(二重) 부정. ***in the*** **~** 부정〔반대〕하여〔하는〕: answer *in the* ~ 아니라고 대답하다(return a ~); 부정〔거절〕하다.
— *ad.* 《구어》 아니(오)(no).
— *vt.* **1** 부정하다: 거절〔거부〕하다; …에 반대하다. **2** 논박〔반증〕하다. **3** 무효로 하다; 중화하다. ㊕ **~·ness** *n.*　「도; 감속도.
négative acceleràtion 〚물리〛 부(負)의 가속
négative campáign 상대 후보 공격이 중점
négative cápital 부채.　⌊인 선거 운동.
négative cópy 《감탄사적》《CB속어》 통신 내용을 이해할 수 없습니다.
négative débt 자본.
négative équity 마이너스〔네거티브〕 에퀴티《주택 융자금 따위가 담보 물건의 시가 하락으로 부채액이 담보 평가액을 상회하고 있는 상황》.
négative eugénics 소극적 우생학《바람직하지 못한 유전자의 감소를 가져오는 요인 · 수단의 연구》.　「한) 안락사.
négative euthanásia (의료 조치 철거에 의
négative évidence 소극적 증거, 반증《주장 사실이 없었음을 나타내는 증거》.
négative féedback 〚컴퓨터〛 음(陰)되먹임, 음(陰) 피드백(inverse feedback).　「장률.
négative gròwth ràte (경제의) 마이너스 성
négative hallucinátion 〚심리〛 부(負)의 환각《실재하는 것이 지각 안 되는 상태》.
négative íncome tàx 정부가 저소득자에게 주는 교부금.
négative ínterest 역금리(逆金利).
négative íon 〚화학〛 음(陰)이온.
négative lógic 〚컴퓨터〛 음논리《더 많은 음의 전압이 1 을, 보다 적은 음의 전압이 0 을 나타내는 논리》.
nég·a·tive·ly *ad.* 부정〔소극, 거부〕적으로, 부인하여; 음전기를 띠고: answer ~ 아니라고 대답하다/be ~ friendly 사이가 (좋지도 않지만) 나쁘지도 않다.
négative óption 주문하지 않은 상품이 우송되었을 때의 수취인의 선택권.
négative pláte 원판, 음화(陰畫).
négative polárity 〚문법〛 부정 극성(極性)《any, ever 등처럼 흔히 부정 · 의문의 문맥에만 사용되는 어구의 문법적 특성》.　「극.
négative póle 〚전기〛 음극(陰極); (자석의) 남
négative-ráising *n.* (변형 문법에서의) 부정사 이동《think 등의 동사가 취하는 종속문 중의 부정사가 주문(主文)으로 이동하는 규칙》.
négative sígn 마이너스 부호《-》.
négative táx =NEGATIVE INCOME TAX.
négative tránsfer (**efféct**) 〚심리〛 소극적 전이(轉移).
neg·a·tiv·ism [négətivìzəm] *n.* Ⓤ 부정〔회의〕적 사고 경향; 부정주의《불가지론 · 회의론 등》; 〚심리〛 반항〔반대〕벽(癖), 거절(증). ㊕ **-ist** *n.* 부정론자; 소극주의자. **nèg·a·tiv·ís·tic** *a.*

neg·a·tiv·i·ty [nègətívəti] *n.* Ⓤ 부정적임, 소극성; (반응 따위의) 음성.

ne·ga·tor, -gat·er [nigéitər] *n.* 부정하는 사람; 〖컴퓨터〗 부정기.

neg·a·to·ry [négətɔ̀ːri/-təri] *a.* 부정〔소극〕적인, 반대하는.

neg·a·tron, neg·a·ton [négətrɑ̀n/-trɔ̀n], [négətɑ̀n/-tɔ̀n] *n.* 〖물리〗 음전자. opp *positron*. [◀ *nega*tive+elec*tron*]

Neg·ev, -eb [négev], [-eb] *n.* 네게브《이스라엘 남부에 있는 사막 지대》.

*ne·glect [niglékt] *vt.* **1** 《~+목/+-*ing*/+*to* do》 (의무·일 따위를) 게을리하다, 해야 할 것을 안 하다, 하지 않고 그대로 두다《do*ing*; *to* do》: He ~*ed* writ*ing* a letter. =He ~*ed to* write a letter. 그는 편지 쓰는 것을 잊었다. **2** 무시하다, 경시하다, 홀대하다; 간과하다: ~ an opportunity 호기를 놓치다.

> SYN. **neglect** 사람이나 무엇에 대하여 충분한 또는 당연한 주의를 하지 않는 일: *neglect* the duties of a citizen 시민으로서의 의무를 소홀히 하다. **disregard** 그것이 존재하는 것을 알면서도 일부러 무시하는 일로서, 그 점은 ignore와 같은 뜻이 될 수 있으나, 반드시 적의·무시의 감정을 품는 것은 아님: *disregard* a danger 위험을 두려워하지 않다. **ignore** 고의로 무시한다는 뜻으로, disregard에 비하여 적의·경멸 또는 무시한 편의 인격·주의력의 모자람이 풍김: *ignore* an invitation 초대에 답장도 내지 않다. **overlook** 부주의로 못 보다, (남의 나쁜 행위 따위를) 눈감아 주다: *overlook* a passage in a letter 편지의 일부 사연을 빠뜨리고 보다. **slight** (사람을) 깔〔얕〕보다, (일을) 가벼이 보고 아무렇게나 처리하다: He ignored my words because he *slighted* me. 그가 내 말을 무시한 것은 나를 얕보고 있었기 때문이다.

3 방치하다, 소홀히 하다: ~ one's family 〔appearance〕 가족〔몸치장〕을 소홀히 하다.
— *n.* Ⓤ **1** 태만, 부주의: ~ of duty 직무〔의무〕를 태만히 함. **2** 무시, 경시; 간과, 무관심. **3** 방치 (상태): die in fatal ~ 누구 한 사람 돌보지 않는 가운데 죽다. ***by*** ~ 방치해 둔 까닭으로. ***with*** ~ 아무렇게나, 되는대로.
㊕ ~·**er**, ~·**tor** *n.*

ne·glect·ful [nigléktfəl] *a.* 게으른, 태만한; 부주의한, 소홀히 하는《*of*》; 무(관)심한, 냉담한: He is ~ *of* his own safety. 그는 몸의 안전을 돌보지 않는다. ㊕ ~·**ly** *ad.* ~·**ness** *n.*

◇**neg·li·gee, nég·li·gé** [nègliʒéi, ⌐⌐⌐/⌐⌐⌐] *n.* 실내복, 네글리제, 화장복; 〖일반적〗 약복(略服), 평상복: in ~ 약복으로, 평소의 차림으로. — *a.* 수수한 복장의.

*neg·li·gence [néglidʒəns] *n.* Ⓤ **1** 태만, 등한; 부주의; 되는대로임; 무관심; 단정치 못함: an accident due to ~ 과실〔부주의〕로 인한 사고/~ of dress 복장의 난잡함. **2** (문예·미술상의) 법칙의 무시, 자유분방(奔放). **3** 〖법률〗 부주의(opp *diligence*[1]), (부주의로 인한) 과실: gross ~ 〖법률〗 중과실.

*neg·li·gent [néglidʒənt] *a.* 소홀한, 태만한《*of* one's duties》; 부주의한《*of; in*》; 되는대로의; 무관심한: She was ~ *in* carry*ing* out her duties. 그녀는 직무를 태만히 하였다/She's ~ *about* her dress. 그녀는 옷차림에 신경을 쓰지 않는다/a ~ way *of* speaking 아무렇게나 하는 (난폭한) 말투. ◇ neglect *v.* ㊕ ~·**ly** *ad.*

*neg·li·gi·ble [néglidʒəbəl] *a.* 무시해도 좋은, 하찮은, 무가치한, 사소한: be not ~ 무시할 수 없다. ㊕ -**bly** *ad.* **nèg·li·gi·bíl·i·ty** *n.*

ne·go·tia·ble [nigóuʃiəbəl] *a.* (교섭 등에 의하여) 협정할 수 있는; (증권·수표 따위가) 양도〔유통〕할 수 있는; (산·길 따위가) 다닐〔넘을〕 수 있는; 극복〔처리〕할 수 있는: a ~ bill 유통 어음/~ instruments 유통 증권. ㊕ **ne·gò·tia·bíl·i·ty** *n.* Ⓤ

Negótiable Certíficate of Depósit 〖경제〗 양도 가능 정기 예금 증서《보통 10만 달러 이상》.

ne·go·ti·ant [nigóuʃiənt] *n.* =NEGOTIATOR.

*ne·go·ti·ate [nigóuʃièit] *vt.* **1** 《~+목/+목+전+명》 협상〔협의〕하다, 교섭하여 결정하다, 협정하다: He ~*d* a loan *with* the British Government. 그는 영국 정부와 차관에 대해 협상했다. **2** 매도〔양도〕하다; 돈으로 바꾸다, 유통시키다《어음·증권 따위를》: ~ a bill of exchange 환어음을 돈으로 바꾸다. **3** 도로의 위험한 곳을 통과하다; (장애 등을) 뚫고 나아가다; (어려운 일을) 잘 처리하다. — *vi.* 《+전+명》 협상〔협의〕하다《*with*》: ~ *with* a foreign ambassador *on* a peace treaty 외국 대사와 평화 조약을 협상하다. ◇ negotiation *n.*

negótiating táble 교섭, 협의. ***be at the*** ~ 교섭〔협의〕하다.

*ne·go·ti·a·tion [nigòuʃiéiʃən] *n.* Ⓒ,Ⓤ **1** (종종 *pl.*) 협상, 교섭, 절충. **2** (증권 따위의) 양도, 유통. **3** (장애·곤란의) 극복, 뚫고 나감. ***be in*** ~ ***with*** …와 교섭 중이다. ***break off*** 〔***carry on***〕 ~***s*** 교섭을 중단〔속행〕하다. ***enter into*** 〔***open, start***〕 ~***s with*** …와 협상〔교섭〕을 개시하다. ***under*** ~ 협상〔교섭〕 중에.

ne·go·ti·a·tor [nigóuʃièitər] (*fem.* **-a·tress** [-ʃiətris], **-a·trix** [-ʃiətriks]) *n.* 협상〔교섭〕자; 거래인, 절충자, 어음 양도인.

ne·go·ti·a·to·ry [nigóuʃiətɔ̀ːri/-təri] *a.* 교섭의, 협상의.

Ne·gress [níːgris] *n.* 《종종 경멸》 NEGRO의 여성형.

Ne·gril·lo [nigrílou] (*pl.* ~(**e**)**s**) *n.* 니그릴로《중앙·남아프리카의 왜소한 준(準)흑색 인종》. cf. Negrito.

ne·grit·ic [nigrítik] *a.* (때로 N-) Negro 〔Negrito〕의.

Ne·gri·to [nigríːtou] (*pl.* ~(**e**)**s**) *n.* 니그리토《오세아니아 주 및 동남아시아의 왜소한 준(準)흑색 인종》.

Neg·ri·tude [négritjùːd/-tjùːd] *n.* (때로 n-) Ⓤ (아프리카) 흑인의 문화적 유산에 대한 자각과 자부, 흑인의 특질, 흑인성.

*Ne·gro [níːgrou] (*pl.* ~***es***; *fem.* ***Ne·gress*** [-gris]) *n.* **1** 니그로, 흑인《특히 아프리카(계)의》. cf. nigger.

> NOTE (1) 흑인은 이 말을 좋아하지 않으며 미국에서는 black person 이 일반적임. (2) 완곡하게 colored man 〔woman, people〕이라는 명칭도 종종 쓰임.

2 (흑인의 피를 이어받은) 피부가 검은 사람; 〖일반적〗 피부가 검은 사람. — *a.* **1** 니그로의; 흑인(종)의; 흑인이 사는, 흑인에 관한: a ~ car 《미》 흑인용 객차/a ~ music 흑인 음악/the ~ question 흑인 문제/a ~ trader 노예 매매인. **2** (n-) 검은; 거무스름한.

négro ànt 〖곤충〗 반불개미.

négro clòth 〔**còtton**〕 (때로 N- c-) 거친 무명의 일종.

négro·hèad *n.* Ⓤ 씹는 담배; 질이 나쁜 고무의 일종; 〖지학〗 =NIGGERHEAD.

Ne·groid [níːgrɔid] *a.*, *n.* 흑색 인종의 (사람).

Ne·gro·ism [níːgrouìzəm] *n.* (때로 n-) Ⓤ 흑인(의 권리 평등〔지위 향상〕의) 옹호; Ⓒ 흑인의 언어 풍습, 흑인 사투리.

Négro·lànd *n.* (아프리카·미국 남부의) 흑인 지역.

ne·gro·ni [nigróuni] *n.* (때로 N-) 베르무트·진 따위로 만든 칵테일.

Ne·gro·phile, -phil [ní:grəfàil], [-fil] *a.*, *n.* (때로 n-) 흑인 편을 드는 (사람). ⊕ **Ne·groph·i·lism** [nigráfəlìzəm/-gróf-] *n.* Ⓤ 흑인 편들기. **-list** *n.*

Ne·gro·phobe [ní:grəfòub] *n.* (때로 n-) 흑인에게 혐오·공포를 느끼는 사람. ⊕ **Ne·gro·pho·bia** [nì:grəfóubiə] *n.* Ⓤ 흑인 공포〔혐오〕.

Négro spíritual 흑인 영가.

Négro Státe 〖미국사〗 (남북전쟁 전의 남부의) 노예주(州).

Ne·gus [ní:gəs] *n.* 에티오피아 황제(의 존칭).

ne·gus *n.* Ⓤ 니거스주(酒)《포도주·끓는 물·설탕·레몬액 등을 섞어 만든 음료》.

NEH 《미》 National Endowment for the Humanities (전국 인문 과학 기금(基金)). **Neh.** Nehemiah.

Ne·he·mi·ah [nì:əmáiə] *n.* **1** 네헤미아《남자 이름》. **2** 〖성서〗 느헤미야《기원전 5세기의 히브리의 지도자》; 느헤미야서(=**the Bóok of ∼**)《구약성서 중의 한 편; 생략: Neh.》.

Neh·ru [néiru:/néəru:] *n.* **Jawaharlal** [dʒəwá:hərlà:l] ∼ 네루《인도 공화국의 정치가(1889-1964); 수상: 1947-64》.

Néhru jàcket 〔**còat**〕 네루복《칼라를 세운 긴 상의》.

Néhru sùit 네루복의 상의와 좁고 긴 바지의 아래위 한 벌.

N.E.I. Netherlands East Indies.

°**neigh** [nei] *n.* (말의) 울음. **—** *vi.* (말이) 울다.

neigh·bor, 《영》 **-bour** [néibər] *n.* **1** 이웃(사람), 이웃집〔근처〕 사람, 옆의 사람: my next-door ∼ 이웃집 사람 / a ∼ at dinner 식탁에서 옆자리(에 앉은) 사람 / a good 〔bad〕 ∼ 좋은〔나쁜〕 이웃; 사귀기 좋은〔나쁜〕 사람 / Love your ∼, yet pull not down your fence. 《속담》 이웃을 사랑하라, 그러나 담은 두고 지내라. **2** 이웃 나라 (사람): our ∼*s* across the Channel (영국 사람이 본) 프랑스 사람. **3** (같은) 동료, 동포: Love thy ∼*s* as thyself. 〖성서〗 이웃을 네 몸과 같이 사랑하라. **4** 동포. **5** 이웃〔가까이〕에 있는 (같은 종류의) 것: The falling tree brought down its ∼*s*. 넘어지는 나무가 그 옆의 나무들을 쓰러뜨렸다.

— *a.* 이웃의, 근처의: a ∼ country 이웃 나라 / a good ∼ policy 선린 정책.

— *vi.* 《+전+명》 **1** 서로 이웃하다《*with*》, 가까이 살다〔있다〕, 인접하다《*on, upon; with*》: He ∼*s on* 5th Street. 그는 5번가 가까이서 살고 있다. **2** 이웃간에 잘 지내다, 친하게 지내다《*with*》: I have no mind to ∼ *with* him. 나는 그와 교제할 생각은 없다. **—** *vt.* **1** …의 가까이에 살다, …에 인접하다. **2** 《드물게》 가까운 사이가 되다.

néigh·bored *a.* 이웃이〔근처가〕 …인, 주위가〔주변이〕 …인.

neigh·bor·hood [néibərhùd] *n.* Ⓤ **1** 근처, 이웃, 인근: (in) this ∼ 이 근처(에), 이곳(에서는) / that ∼ 그 (장소의) 근처, 그곳 / in my ∼ 내가 사는 근처에(는). **2** 지구, 지역; 《영》 (도시 계획의) 주택 지구: a fashionable ∼ 고급 지구. **3** 《집합적》 근처의 사람들: The whole ∼ was there. 근처의 사람들이 모두 그곳에 와 있었다. **4** 친한 사이, 이웃간의 정의, 동포감. **5** 근접, 가까움: The ∼ of this noisy airport is a serious disadvantage. 시끄러운 공항이 가까운 데 있는 것은 커다란 손해다. ***in the*** ∼ ***of*** ① …의 근처에. ② 《구어》 약, 대략…: *in the* ∼ *of* $1,000, 약 천 달러. **—** *a.* 《미》 근처의, 지방의: a ∼ store 근처의 가게.

néighborhood hòuse 《미》 인보관(隣保館) (settlement house).

néighborhood láw cènter 《영》 =LAW CENTER.

néighborhood únit 《영》 근린 주택 지구《학교·상점·공회당 등이 있는 종합적인 지역》.

Néighborhood Wátch (**gròup**) 《미》 자경단(自警團).

***neigh·bor·ing** [néibəriŋ] *a.* 이웃의, 인접〔근접〕해 있는, 가까운: ∼ countries 인접 제국.

néigh·bor·less *a.* 이웃이 없는; 고독한.

néigh·bor·ly *a.* (친한) 이웃 사람 같은〔다운〕; 우호적인, 친절한, 사교성이 있는. ⊕ **-li·ness** *n.*

néigh·bor·shìp *n.* Ⓤ 이웃〔친근〕 관계; 이웃끼리의 정의.

Neil [ni:l] *n.* 닐《남자 이름》.

Néi Móngol [néi-] 내(內)몽골(Inner Mongolia).

nein [nain] 《G.》 *ad.* 아니(no). ⓒⓕ *ja.*

†**neither** ⇨《p. 1680》 NEITHER.

néither-confírm-nor-dený pòlicy 《미》 핵무기 존재를 긍정도 부정도 하지 않는 정책.

nek·ton, nec- [néktɑn/-tɔn] *n.* 유영(游泳) 동물.

Nell [nel] *n.* 넬《여자 이름; Eleanor, Helen의 애칭》.

Nel·lie, -ly [néli] *n.* 넬리. **1** 여자 이름《Eleanor, Helen의 애칭》. **2** 《미속어》 나이든 암소. **3** (n-) 《속어》 바보, 여자 같은 놈〔호모〕. ***not on your*** ∼ 《영속어》 절대 그렇지 않은, 당치도 않은.

Nel·son [nélsən] *n.* 넬슨. **1** 남자 이름. **2 Horatio** ∼ 영국의 제독《Trafalgar 해전의 승리자; 1758-1805》: ∼'s Column 넬슨 기념비《London의 Trafalgar Square에 있음; 높이 약 56m》.

nel·son *n.* 〖레슬링〗 넬슨《목조르기, full ∼, half ∼, quarter ∼ 따위가 있음》.

ne·ma·thel·minth [nèməθélminθ] *n.* 〖동물〗 선형(線形)동물.

ne·mat·ic [nimǽtik] *a.* 〖화학〗 네마틱《가늘고 긴 분자가 상호 위치는 불규칙하지만 장축(長軸)이 모두 일정 방향으로 향한》.

nem·a·to·cide [némətəsàid, nimǽt-] *n.* 〖농업〗 살선충제(殺線蟲劑) (=**ném·a·ti·cìde**). ⊕ **nèm·a·to·cíd·al, nèm·a·ti·cíd·al** *a.*

nem·a·to·cyst [némətəsist, nimǽt-] *n.* 〖동물〗 (자포(刺胞)동물의) 자포(nettle cell).

nem·a·tode [némətòud] *n.*, *a.* 〖동물〗 선충류(線蟲類)(의).

nem·a·tol·o·gy [nèmətálədʒi/-tɔ́l-] *n.* 〖동물〗 선충학.

Nem·bu·tal [némbjətɔ̀:l, -tæ̀l] *n.* 〖약학〗 넴뷰탈《pentobarbital의 sodium salt; 상표명》.

nem. con. [ném-kán/-kɔ́n] *nemine contradicente* 《L.》 (=no one contradicting, unanimously). **nem. diss.** [ném-dís] *nemine dissentiente* 《L.》 (=no one dissenting).

Ne·mea [ní:miə] *n.* 네메아《그리스의 고대 Argolis에 있는 산골짜기로 네메아 제전의 개최지》. ⊕ **Ne·me·an** [nimí:ən, ní:mi-] *a.*

Neméan Gámes (the ∼) 네메아 제전(祭典)《고대 그리스 사람들이 2년마다 개최한 제전; 운동 경기 및 음악 콩쿠르가 행해졌음》.

Neméan líon (the ∼) 〖그리스신화〗 Hercules가 죽인 사자《열두 가지 어려운 일 중의 하나》.

Ne·mer·tea, Nem·er·tin·ea [nəmə́:rtiə], [nèmərtíniə] *n. pl.* 〖동물〗 유형(紐形)동물문.

Nem·e·sis [néməsis] *n.* **1** 〖그리스신화〗 인과응보·보복의 여신. **2** (n-) (*pl.* **-ses** [-si:z], **∼es**) **a** 벌을 주는 사람; Ⓤ 천벌, 인과응보. **b** 강적(強敵), 대적(大敵).

ne·mi·ne con·tra·di·cen·te [néməni:-kàntrədisénti/-kɔ̀n-] 《L.》 반대자 없이, 만장

일치로《생략: nem. con.》.

ne·mi·ne dis·sen·ti·en·te [-disènʃiénti] 《L.》 이의(자) 없이. =NEMINE CONTRADICENTE 《생략: nem. diss.》.

「속어」=NEMBUTAL.

nem·mie, nem·ish [némi], [némiʃ] *n.* 《미

ne·moph·i·la [nimɑ́fələ/-mɔ́f-] *n.* 『식물』 네모필라꽃《북아메리카 원산; 일년생 초본》.

NEMP nuclear electro-magnetic pulse(핵전자(電磁) 펄스).

ne·ne [néinei] (*pl.* ~) *n.* 『조류』 하와이기러기(Hawaiian goose)《하와이주의 주조(州鳥)》.

N. Eng. New England; North 〔Northern〕 England.

「LILY.

nen·u·phar [nénjəfɑ̀ːr] *n.* 『식물』 =WATER

ne·o- [níːou, níːə] '새로운, 근대' 란 뜻의 결합사.

NEO near-earth orbit (지구 근방 궤도) 《150-40,000 km》.

nèo·ántigen *n.* 『의학』 신(생)항원(抗原).

Nèo-Cámbrian *a.* 『지학』 캄브리아기(紀) 후기의.

「신가톨릭파 (교도).

Nèo-Cátholic *a.*, *n.* (영국 국교회, 프랑스의)

Ne·o·cene [níːəsìːn] 『지학』 *a.* 신(新)제 3 기(紀)의. **—** *n.* (the ~) 신제 3 기(Neogene).

nèo·clássic, -sical *a.* 『경제 · 미술 · 문예』 신고전주의(파)의. [파] **-sicism** *n.* [U] **-cist** *n.*

nèo·colónial *a.*, *n.* 신(新)식민주의의〔주의자〕.

nèo·colónialism *n.* 신식민주의《제 2 차 세계 대전 후 약소국에 대한 강대국의 정치적 · 경제적 헤게모니》.

ne·o·con [nìːoukɑ́n/-kɔ́n] *n.* 신보수주의자(neoconservative). **—** *a.* 신보수주의의.

nèo·consérvatism *n.* 《미》 신보수주의《거대한 정부에 반대하고 실업계의 이익을 지지하며 사회 개혁에 주력》. [파] **-consérvative** *a.*, *n.*

nèo·córtex *n.* 『해부』 (대뇌의) 신피질(新皮質). [파] **-tical** *a.*

nèo-Dáda, -Dádaism *n.* [U] 네오다다이즘, 반(反)예술(antiart). [파] **-Dádaist** *a.*, *n.*

nèo-Dárwinism *n.* [U] 신(新)다윈설〔주의〕. [파] **-ist** *n.*

ne·o·dym·i·um [nìːoudímiəm] *n.* [U] 『화학』 네오디뮴《희토류 원소; 기호 Nd; 번호 60》.

nèo-expréssionism *n.* 『예술』 신(新)표현주의.

nèo·fáscism *n.* 신(新)파시즘. [파] **-fáscist** *a.*, *n.*

Nèo-Fréudian *a.* 신(新)프로이트파의. **—** *n.* 신프로이트파 정신분석학자.

「신계(新界).

Ne·o·gaea, -gea [nìːədʒíːə] *n.* 『생물지리』

Ne·o·gene [níːədʒìːn] *n.* 『지학』 =NEOCENE.

nèo·glaciátion *n.* 『지학』 신빙하 작용〔형성〕.

nèo-Góthic *a.* (종종 N-) 『건축』 신고딕(양)식의.

nèo-Hegélian *a.*, *n.* (종종 N-) 신헤겔 철학의 (신봉자).

「리스주의.

nèo·Héllenism *n.* (종종 N-) [U] 『문예』 신그

nèo·impérialism *n.* [U] 신제국주의. [파] **-ist** *n.*

nèo-impréssionism *n.* (종종 N- I-) 신인상주의《19 세기 말 일어난 프랑스 회화의 한 경향》. [파] **-ist** *a.*, *n.*

「*a.*, *n.*

nèo·isolátionism *n.* [U] 신고립주의. [파] **-ist**

neither

neither 는 either 에 대응하는 부정어로서, *neither* man (형용사), *neither* (of...) (대명사), *neither*... nor (상관접속사에 쓰여진 부사) 따위가 있으며, 그 용법은 대체로, either 와 병행한다. 또한, 상관접속사 *neither*... nor — 는 '...도 —도 ~아니다' 라고 양면을 부정한다. 이는 또한 both ... and — '...도 — 도 ~하다' 라는 양면 긍정의 상관접속사와 대칭된다.

nei·ther [níːðər, nái-] *a.* 《단수명사의 앞에서》 (둘 중에서) 어느 쪽의 — 도 ...아니다〔않다〕《주어를 수식하는 경우를 제외하고 《구어》에서는 not... either 를 쓸 때가 많음》: *Neither* statement is true. 어느 쪽 주장도 진실은 아니다 / We support ~ candidate. 우리는 어느 쪽 후보도 지지하지 않는다 / There were any houses on ~ side of the road. 길 어느 쪽에도 집은 없었다 / *Neither* one of you has the right answer. 너희 중 어느 쪽도 옳은 답이 없다.

— *pron.* (둘 중의) 어느 쪽도 ...아니다〔않다〕: *Neither* (of the books) is 〔are〕 good. (그 책의) 어느 쪽 (것)도 다 좋지 않다《주어일 경우 원칙적으로 단수취급하나 《구어》에서는 복수취급》/ *Neither* of them could make up his mind 〔their minds〕. 두 사람 다 결심이 서지 않았다 / Which did you buy? — *Neither*. 너는 어느 것을 샀느냐 — 어느 것도 사지 않았다 / We are ~ of us poor. 우리들은 아무도 가난하지 않다《~ of us 는 주어와 동격으로 뜻을 강조함》. ★ neither는 둘(both)에 대응되는 부정어이므로, 셋 이상의 부정에는 none 을 씀.

— *conj.* **1** 《nor 와 결합하여 상관적(的)으로》 ...도 — 도 아니다〔않다〕: *Neither* you *nor* I am to blame. 너도 나도 잘못이 없다《동사는 제일 가까운 주어에 맞춤》/ *Neither* he *nor* his wife has 〔《구어》 have〕 arrived. 그도 그의 부인도 도착하지 않았다 / *Neither* mother *nor* daughter often knows much of the other. 어머니와 딸이 서로를 잘 모르는 일이 자주 있다《대구(對句)를 이룰 때는 관사가 안 붙을 때도 있음》.

[NOTE] (1) neither... nor — 는 양면 부정, both ... and — 는 양면 긍정: *Both* you *and* I are to blame. 당신도 나도 다 나쁘다. (2) 'neither A nor B' 가 주어일 경우 술어 동사는 흔히 B 에 일치시키지만, 《구어》에서는 B 가 단수라도 복수 동사를 쓸 때가 많음. (3) A, B 에는 원칙적으로 같은 품사 · 같은 문법 기능을 갖는 말이 옴. (4) 때로 셋 이상의 요소에 쓰이는 수가 있음: I have *neither* talent, good luck, *nor* money. 내게는 재능도, 운도, 돈도 없다.

2 《부정어 또는 부정의 절 뒤에서》 ...도 또한 — 아니다〔않다〕《neither + (조)동사 + 주어의 어순이 됨》: I do*n't* smoke, (and) ~ do I drink. 나는 흡연도 않고 술도 안 먹는다 / If you do *not* go, ~ shall I. 당신이 가지 않는다면 나도 안 가겠소 / I am *not* tired. — *Neither* am I. 나는 피곤하지 않다 — 나 역시 피곤하지 않다《비교: I am tired. — *So* am I. 난 피곤하다 — 나도 피곤하다》/ Just as I'm *not* tall, so ~ are my sons. 내가 키가 크지 않은 것과 같이 내 아들들도 키가 크지 않다.

— *ad.* 《고어 · 속어 · 방언》 《앞의 부정어에 이어 이를 강조》 ...도 또한 않다, 게다가 ...않다: I do*n't* know that, ~. 나는 그것도 모른다 / If he wo*n't* go, I won't ~. 그가 안 가면 나도 안 간다 / He has no strength, nor sense ~. 그는 힘도 없는 데다 분별도 없다 《오늘의 표준어법으로는 either 를 씀》.

be ~ one thing nor the other 이도 저도 아니어서 분명치 않다. ***~ off nor on*** 우유부단한, 마음이 변하기 쉬운; 미결정의.

nèo-Kántian *a.*, *n.* (종종 N-) 〖철학〗 신칸트학파의 (학도).
nèo-Kéynesian *a.*, *n.* 〖경제〗 신케인스주의의
nèo-Lamárckism *n.* (종종 N-) Ⓤ 〖생물〗 네오라마르키즘. ㊕ **-ist** *n.*
Nèo-Látin *n.* 근대 라틴어《1500년 이후》(New Latin); 로맨스어(Romance). **—** *a.* 로맨스어(계)의.
nèo·líberal *n.* 신(新)자유주의자. **—** *a.* 신자유주의의. ㊕ **~·ìsm** *n.*
ne·o·lith [níːəliθ] *n.* 신석기 (시대의 석기).
Ne·o·lith·ic [nìːəlíθik] *a.* 신석기 시대의: the ~ Age 〔Era, Period〕 신석기 시대.
nèo·lócal *a.* 남편이나 아내의 친인척으로부터 떨어져 사는: a ~ family.
ne·ol·o·gism [niɑ́lədʒìzəm/-ɔ́l-] *n.* **1** Ⓒ (종종 눈살이 찌푸려지는) 신조어(新造語), 신어구(新語句); (기성 어구의) 새 어의(語義); Ⓤ 신어구〔어의〕 채용〔고안〕. **2** 〖신학〗 신(新)해석(neology). ㊕ **-gist** *n.* **ne·o·lo·gi·an** [nìːəlóudʒiən] *a.*, *n.* **ne·ol·o·gis·tic, -ti·cal** [niɑ̀lədʒístik/-ɔ̀l-], [-əl] *a.*
ne·ol·o·gize [niɑ́lədʒàiz/-ɔ́l-] *vi.* 신어를 만들다〔쓰다〕; 기성의 말을 새로운 뜻으로 쓰다; 〖신학〗 신해석을 채용하다.
ne·ol·o·gy [niɑ́lədʒi/-ɔ́l-] *n.* 신(조)어구〔신어〕(의 사용·채용); 신학설, 〖신학〗 (합리적인) 신해석. ㊕ **ne·o·log·ic, -i·cal** [nìːəlɑ́dʒik/-ɔ́l-], [-əl] *a.*
nèo-Malthúsianism *n.* (종종 N-) Ⓤ 신맬서스주의《산아 제한에 의한 인구 조절론》.
Nèo-Melanésian *n.*, *a.* Ⓤ 영어와 멜라네시아어의 혼성어(의).
nèo·mónetarism *n.* 〖경제〗 신화폐주의《Friedman M.을 중심으로 전개된 현대 화폐주의》. ㊕ **-rist** *n.*
ne·o·mort [níːəmɔ̀ːrt] *n.* 식물인간.
ne·o·my·cin [nìːoumáisn] *n.* 〖생화학〗 네오마이신《방선균(菌)에서 얻은 항생 물질의 일종》.
ne·on [níːɑn/-ən, -ɔn] *n.* **1** Ⓤ 〖화학〗 네온《비활성 기체 원소의 하나; 기호 Ne; 번호 10》. **2** =NEON LAMP; 네온사인(에 의한 조명). **—** *a.* 네온의; 《구어》 저속한, 싸구려인. ㊕ **~ed** *a.*
ne·o·na·tal [nìːənéitl] *a.* 〖의학〗 (생후 1개월 이내의) 신생아(기(期))의.
ne·o·nate [níːənèit] *n.* (생후 1개월 내의) 신생아.
ne·o·na·tol·o·gy [nìːouneitɑ́lədʒi/-tɔ́l-] *n.* 신생아학(學). ㊕ **-gist** *n.*
Nèo-Názi *n.* 신나치주의자. ㊕ **~·ìsm** *n.* 신나치주의.
néon lámp 〔**líght, túbe**〕 네온램프.
néon sígn 네온사인.
néon tét·ra [-tétrə] 네온테트라《남아메리카 열대어의 일종》.
ne·on·tol·o·gy [nìːɑntɑ́lədʒi/-ɔntɔ́l-] *n.* Ⓤ 현세 생물학. OPP *paleontology.* ㊕ **-gist** *n.*
nèo·órthodoxy *n.* 〖신학〗 신정통주의《제1차 세계대전 후 자유주의 신학에 대한 반동으로 일어난, 신복음주의적 전통에 기인한 프로테스탄트 신학의 한 경향》.
nèo·páganism *n.* Ⓤ 신이교(新異教)주의, 부흥 이교주의.
nèo·péntane *n.* 〖화학〗 네오펜탄《석유·나프타 속의 휘발성 탄화수소》.
nèo-Pentecóstal *a.*, *n.* 신(新)펜테코스트파(派)의(신자)《미국의 신구교회 운동; 펜테코스트파의 신앙 강조》.
ne·o·phil·ia [nìːəfíliə] *n.* Ⓤ 새〔신기한〕 것 좋아하기.
ne·o·pho·bi·a [nìːəfóubiə] *n.* 새〔신기한〕 것 싫어하기, 새것 혐오(증).
ne·o·phyte [níːəfàit] *n.* **1** 신개종자; 신임 사제(司祭); 〖가톨릭〗 수련 수사. **2** 신참자(新參者), 초심자(beginner).
nèo·plásia *n.* 〖병리〗 신조직 형성; 종양 형성.
ne·o·plasm [níːəplæ̀zəm] *n.* 〖의학〗 신생물(新生物), 《특히》 종양(腫瘍).
ne·o·plas·tic [nìːəplǽstik] *a.* 신생물(형성)의, 종양의; 〖미술〗 네오플라스티시즘의.
nèo·plásticism *n.* 〖미술〗 신조형주의, 네오플라스티시즘.
ne·o·plas·ty [níːouplæ̀sti] *n.* 〖의학〗 이식적(移植的) 신조직 형성.
Nèo·plátonism *n.* Ⓤ 신플라톤파 철학《Plato의 철학에 동양의 신비주의가 가미된 사상》. ㊕ **-nist** *n.* **-platónic** *a.*
ne·o·prene [níːəpriːn] *n.* Ⓤ 네오프렌《합성 고무의 일종》.
nèo·réalism *n.* 신사실주의. ㊕ **-ist** *n.*
Ne·o·ri·can [nìːouríːkən] *n.*, *a.* 푸에르토리코계 뉴욕 시민(의); 그 후손(의); 그 스페인어(의).
nèo·romànticism *n.* 신낭만주의.
Nèo·sálvarsan *n.* 〖약학〗 네오살바르산《매독 치료제; 상품명》.
ne·o·stig·mine [nìːoustígmiːn, -min] *n.* 〖약학〗 네오스티그민《중증 근무력증·녹내장 치료 등에 쓰임》.
nèo-témperance *n.* 신금주(新禁酒) 운동(=**nèo-prohibítionism**)《1980년대에 금연 운동에 이어 강화됨》.
ne·o·ter·ic [nìːətérik] *a.* 현대의; 신시대의; 최신(발명)의. **—** *n.* 현대인; 현대 작가〔사상가〕.
Nèo·trópical *a.* 〖생물지리〗 신열대구(新熱帶區)의(=**Nèo·trópic**)《북회귀선 이남의 신대륙》.
néo·tỳpe *n.* 〖생물〗 신(新)기준 표본.
nèo·vascularizátion *n.* 〖의학〗 신혈관 신생《특히 종양의 신모세 혈관의 발생·생장》.
Ne·o·zo·ic [nìːouzóuik] *a.* 〖지학〗 신생대의, 신생계의《Cenozoic의 구칭》.
N.E.P., NEP, Nep [nep] 〖Russ. 역사〗 New Economic Policy. **Nep.** Neptune.
Ne·pal [nəpɔ́ːl, -pɑ́ːl, -pǽl/nipɔ́ːl, -pɑ́ːl] *n.* 네팔《인도·티베트 사이에 있는 왕국; 수도 Katmandu》.
Nep·a·lese [nèpəlíːz, -líːs/-líːz] *n.*, *a.* 네팔 사람;네팔(사람〔말〕)의.
Ne·pali [nəpɔ́ːli, -pɑ́ːli, -pǽli/nipɔ́ːli, -pɑ́ːli] (*pl.* **~, -pal·is**) *n.* 네팔 사람; 네팔어(語). **—** *a.* 네팔(사람〔어〕)의.
ne·pen·the [nipénθi] *n.* 《시어》 걱정을 잊게 하는 약; 〔일반적〕 고통을 잊게 하는 것. ㊕ **~·an** [-ən] *a.* (사물을) 잊게 하는.
ne·pen·thes [nipénθiːz] *n.* **1** =NEPENTHE. **2** (N-) 〖식물〗 네펜테스《식충 식물》.
ne·per [níːpər, néi-] *n.* 〖물리〗 네퍼《감쇠(減衰) 비율을 나타내는 상수》.
neph·a·nal·y·sis [nèfənǽləsis] *n.* Ⓤ 〖기상〗 구름 분석, 천기도 해석.
neph·e·line, -lite [néfəlìn], [-làit] *n.* 하석(霞石).
néph·e·loid láyer [néfəlɔ̀id-] 〖해사〗 네펠로이드 현탁층(懸濁層).
neph·e·lom·e·ter [nèfəlɑ́mətər/-lɔ́m-] *n.* 〖세균〗 현탁액 내 박테리아 계량기; 〖화학〗 네펠로 측정계〔기〕; 〖기상〗 네펠로미터, 혼탁계.
***neph·ew** [néfjuː/névjuː, néfjuː] *n.* **1** 조카, 생질. cf. niece. **2** 《완곡어》 성직자의 사생아; 《고어》 자손, 《특히》 손자.
neph·o- [néfou, -fə] '구름' 이란 뜻의 결합사.
neph·o·gram [néfəgræ̀m] *n.* 구름 사진.
népho·gràph *n.* 구름 사진 촬영기.
ne·phol·o·gy [nefɑ́lədʒi/-fɔ́l-] *n.* Ⓤ 〖기상〗 구름학(學).
neph·o·scope [néfəskòup] *n.* 〖기상〗 측운기(測雲器), 구름 방향계(計).

nephr- [néfr], **neph·ro-** [néfrou, -rə] '신(장)' 이란 뜻의 결합사. 「(腎臟痛).

ne·phral·gia [nəfrǽldʒiə] *n.* Ⓤ 〖의학〗 신장통

ne·phrec·to·my [nəfréktəmi] *n.* Ⓒ,Ⓤ 신장 절제(술), 신적출(腎摘出). 「nal)

neph·ric [néfrik] *a.* 〖해부·의학〗 신장의(re-.

ne·phrid·i·um [nəfrídiəm] (*pl.* ***-phrid·ia*** [-frídiə]) *n.* 〖동물〗 (무척추동물의) 배설관, 신관(腎管).

neph·rite [néfrait] *n.* 〖광물〗 연옥(軟玉)《전에 신장병에 약효가 있다고 믿었음》. ⓒⓕ jadeite.

ne·phrit·ic [nəfrítik] *a.* 신장(염)의.

ne·phri·tis [nəfráitis] *n.* Ⓤ 〖의학〗 신(장)염; =BRIGHT'S DISEASE.

neph·ro·lith [néfrəliθ] *n.* 〖의학〗 신(결)석(腎結石)(renal calculus). 「장(병)학.

ne·phrol·o·gy [nəfrɑ́lədʒi/-frɔ́l-] *n.* 〖의학〗 신

neph·ro·meg·a·ly [nèfrouméɡəli] *n.* 〖의학〗 신비대(증)(腎肥大(症)).

neph·ron [néfrɑn/-rɔn] *n.* 〖해부·동물〗 네프론, 신단위(腎單位)《척추동물의 신장 구조 단위》.

ne·phrop·a·thy [nəfrɑ́pəθi/-frɔ́p-] *n.* 〖의학〗 신장애, 신증(腎症).

ne·phro·sis [nəfróusis] *n.* Ⓤ 네프로오제, (상피성(上皮性)) 신장증(症). 「(腎口).

neph·ro·stome [néfrəstòum] *n.* 〖생물〗 신구

nephrótic sýndrome 신(腎) 증후군, 네프로시스 증후군《온몸의 부종, 단백뇨, 저 알부민 혈증 등이 특징》. 「신절개(술).

ne·phrot·o·my [nəfrɑ́təmi/-frɔ́t-] *n.* 〖해부〗

ne plus ul·tra [níːplʌs-ʌ́ltrə] 《L.》 **1** (the ~) 최고점, 극치(acme), 극점, 정점《*of*》. **2** 넘을 수 없는 한계, 극복할 수 없는 장애. **3** 《고어》《금지》 이 이상은 불가.

ne·pot·ic [nəpɑ́tik/-pɔ́t-] *a.* 조카〔생질〕 편중의; 연고자를 편애하는; 친족 등용의.

nep·o·tism [népətìzəm] *n.* Ⓤ (관직 임용 따위에서의) 친척 편중, 친족 등용. ㊎ **nèp·o·tís·tic, nèp·o·tís·ti·cal** *a.* **nép·o·tist** *n.*

°**Nep·tune** [néptjuːn/-tjuːn] *n.* **1** 〖로마신화〗 바다의 신《그리스 신화의 Poseidon》. **2** 바다, 해양. **3** 〖천문〗 해왕성. ★ 관사 없이. ***sons of*** ~ 뱃사람.

Néptune's cùp 〔**gòblet**〕 산호·해면의 일종.

Néptune's rèvel 적도제(赤道祭)《옛적에 배가 적도를 지날 때 배 안에서 벌이던 연회적(演戲的) 축제》.

Nep·tu·ni·an [neptjúːniən/-tjúː-] *a.* Neptune 의; 바다의; 〖천문〗 해왕성의; (종종 n-) 〖지학〗 수성(水成)의, 암석 수성론(자)의.

nep·tun·ism [néptjuːnìzəm/-tjuː-] *n.* 〖지학〗 암석 수성론(水成論). ㊎ **-ist** *n.*

nep·tu·ni·um [neptjúːniəm/-tjúː-] *n.* Ⓤ 〖화학〗 넵투늄《방사성 원소의 하나; 기호 Np; 번호 93》. 「(cis)형).

ne·ral [níəræl] *n.* 〖화학〗 네랄《citral 의 시스

N.E.R.C. 《영》 Natural Environment Research Council (자연 환경 조사국).

nerd, nurd [nəːrd] *n.* 《미속어》 바보, 얼간이, 촌스러운 사람. ㊎ **~·ic, ~·ish, ~y** *a.*

Ne·re·id [níəriid] (*pl.* ***~s, ~·es*** [-idiːz]) *n.* **1** 〖그리스신화〗 바다의 요정〔여신〕. ⓒⓕ Nereus. **2** 〖천문〗 해왕성의 제 2 위성. **3** (n-) 〖동물〗 갯지렁잇과의 환충(環蟲).

Ne·re·us [níəriəs, -rjuːs/-rjuːs, -riuːs] *n.* 〖그리스신화〗 네레우스《해신; 50명의 딸 Nereids 의 아버지》.

nérf(·ing) bàr [nə́ːrf(iŋ)-] (다른 차와의 충돌 때 바퀴 보호용 hot rod 의) 범퍼.

ne·rit·ic [nərítik] *a.* 〖해양·생태〗 얕은 바다의, 연안의《해안으로부터 수심 200 m까지》.

Nérnst héat thèorem [nɛ́ərnst-] 〖물리〗 네른스트의 열정리(熱定理).

Ne·ro [níərou] *n.* 네로《로마의 폭군; 37-68》.

ne·rol [níərɔːl, -rɑl, nɛ́ər-/níərɔl] *n.* 〖화학〗 네롤《무색·액상(液狀)의 불포화 알코올; 조합 향료용》.

nér·o·li (òil) [nérəli(-), níər-/níər-] Ⓤ 〖화학〗 네롤리 기름, 등화유(橙花油)《향수 제조용》.

Ne·ro·ni·an, -ron·ic [niróuniən], [-rɑ́nik/-rɔ́n-] *a.* Nero(시대)의; Nero 와 같은; 잔학한, 방탕한, 전횡(專橫)의.

Ne·ro·nize [níərounàiz] *vt.* Nero와 닮은 인물로 묘사하다; …을 네로처럼 타락시키다; …에 학정을 행하다.

nerts, nertz [nəːrts] *int.* 《미속어》 =NUTS.

NERVA [nə́ːrvə] nuclear engine for rocket-vehicle application (핵 우주 차량 개발 계획) 《1972 년에 일단 중지됨》.

nerv·al [nə́ːrvəl] *a.* 신경(계)의, 신경 조직의; 신경을 자극하는. 「맥)이 있는.

nerv·ate [nə́ːrveit] *a.* 〖식물〗 엽맥(葉脈)〔잎

ner·vá·tion *n.* Ⓤ 〖식물·동물〗 맥상(脈狀), 맥리(脈理), 맥계(脈系). 「NERVATION.

ner·va·ture [nə́ːrvətʃùər, -tʃər/-tʃə] *n.* =

nerve [nəːrv] *n.* **1** 신경; (치수(齒髓)의) 신경 조직, 〖통속적〗 치아의 신경. **2** Ⓤ 용기, 냉정, 담력, 체력, 건전한 신경 상태: A test pilot needs plenty of ~. 테스트 파일럿은 대단한 용기가 필요하다 / He didn't have enough (the) ~ *to* mention it to his teacher. 그는 그것을 선생님께 말할 용기가 없었다. **3** Ⓤ 《구어》 뻔뻔스러움, '강심장': He had the ~ *to* tell me to leave. 그는 뻔뻔스럽게도 나에게 떠나라고 말했다. **4** (*pl.*) 신경과민, 신경이상; 소심, 공포(심); 아픈〔과민한〕 곳. **5** 《시어·고어》 힘줄, 건(腱). **6** 〖식물〗 잎맥; 〖동물〗 시맥(翅脈), 날개맥. **7** (*pl.*) 《비유》 (활동의) 근원, 중추. ***a bundle of ~s*** 신경이 과민한 사람. ***a fit of ~s*** 발작적인 신경의 흥분, 안달, 짜증. ***a man of*** ~ 배짱 있는 사나이. ***be all ~s*** 몹시 신경과민이다. ***get*** 〔***jar***〕 ***on*** a person***'s ~s*** = ***give*** a person ***the ~s*** 아무의 신경을 건드리다, 아무를 짜증 나게 하다. ***get up the*** ~ 용기를 내다. ***have a fit*** 〔***an attack***〕 ***of ~s*** 신경과민이 되다, 무서워하다. ***have iron ~s*** =***have ~s of steel*** 담력이 있다, 대담하다. ***have no ~s*** = ***not know what ~s are*** (신경이 없는 것같이) 태연자약하다, 대담하다. ***have the ~ to*** do ⇨ 2, 3. ***lose*** one's ~ 기가 죽다. ***strain every ~*** 모든 노력을 다하다《*to* do》. ***What a ~!*** 참 뻔뻔스럽기도 하군.

― *vt.* 《~+목/+목+*to* do/+목+전+명》 …에게 용기를〔기운을〕 북돋우다; 〖~ oneself〗 용기를 내다: Her advice ~*d* him *to* go his own way. 그는 그녀의 충고로 용기를 얻어 자기가 뜻한 대로 일을 실행했다 / Encouragement had ~*d* him *for* the struggle. 그는 격려를 받고 투쟁에 대한 용기가 났다 / The players ~*d* them-*selves for* the match. 선수들은 용기를 내어 시합에 나갔다. ~ one***self to*** do 용기를 내어 …하다, 분발하여 …하다.

nérve àgent (군용의) 신경계에 작용하는 물질, 신경가스《따위》.

nérve blòck 〖의학〗 신경 차단《국부 마취의 일종》.

nérve cèll 신경 세포.

nérve cènter 〖의학〗 신경 중추; (조직·운동 따위의) 중추, 중심.

nérve còrd (무척추동물의) 신경삭(索).

nerved *a.* **1** 대담한, 용기 있는, 강건한. **2** 〖복합어로〗 신경이 …한: strong-~ 용기가 있는. **3**

〔복합어로〕〖식물·동물〗 잎맥〔시맥(翅脈)〕이 있는: five-~. **4** 〖경마〗 통증을 완화하기 위하여 말의 다리 신경을 절단한.
nérve ènding 〖해부〗(축삭의) 신경 종말〔말단〕.
nérve fìber 〖해부〗 신경 섬유.
nérve gàs 〖군사〗 신경가스《독가스》.
nérve gròwth fàctor 〖생리〗 신경 발육 인자《지각〔교감〕 신경 세포의 성장을 촉진하는 단백질; 생략: NGF》.
nérve ìmpulse 〖생리〗 신경 충격《신경 섬유를 따라 전도되는 화학적·전기적 변화》.
nérve-knòt *n.* 《고어》 =GANGLION.
nérve·less *a.* **1** 신경〔잎맥, 시맥(翅脈)〕이 없는. **2** 활기〔용기〕가 없는, 소심한, 힘 빠진, 무기력한; (문체 따위가) 산만한. **3** 냉정한, 침착한. ㊕ **~·ly** *ad.* **~·ness** *n.*
nérve nèt 〖동물〗 신경망.
nérve-ràcking, -wràck- *a.* 신경을 건드리는〔괴롭히는, 피로케 하는〕.
nérve trùnk 〖해부〗신경간(幹).
nérve wàr 신경전(war of nerves).
nerv·ine [nə́:rvi:n] *a.* 신경의, 신경을 진정시키는. **—** *n.* 신경 진정제.
nerv·ing [nə́:rviŋ] *n.* 〖수의·의학〗 (만성 염증의) 신경 절제(술).
neo·vo- [nə:rvou, -və] '신경(계)' 란 뜻의 결합사 《또는 **nerv-, ner·vi-**》.
ner·vos·i·ty [nə:rvásəti/-vɔ́s-] *n.* Ⓤ 신경질, 신경과민(성), 소심.
⁑**nerv·ous** [nə́:rvəs] *a.* **1** 신경(성)의, 신경 조직으로 된; 《고어》 신경에 작용하는: a ~ disease 〔disorder〕 신경병. **2** 신경질적인, 신경과민한, 흥분하기 쉬운; 소심한, 겁 많은, 불안한《*of*》: become ~ 신경질적으로 되다 / Don't be ~. 신경과민이 되지 마라, 겁내지 마라 / get ~ *on* the stage 무대 위에서 흥분하다〔얼다〕/ He was ~ that the reviewers might attack him again. 그는 비평가들이 다시 자신을 공격할까봐 벌벌 떨었다. **3** 《미속어》 강렬한, 광란적인. **4** 《고어》 힘찬, 억센: a man with ~ arms 억센 팔을 가진 남자. **5** (문체 등이) 힘찬, 간결한. ◇ nerve *n.* ***be ~ of doing*** 《영》 …을 하는 데 주눅이 들다, …할 용기가 없다. ***feel*** 〔***be***〕 ***~ about*** …을 걱정하다; …을 기분 나쁘게 여기다. ㊕ °**~·ly** *ad.* 신경질적으로; 안달이 나서. **~·ness** *n.*
nérvous bréakdown 〔**debílity, depréssion, exháustion, prostrátion**〕 신경 쇠약《neurasthenia 의 속칭》.
nérvous Néllie 〔**Nélly**〕 《미구어》 겁쟁이, 무기력한 사람.
nérvous púdding 《미속어》 젤라틴으로 만든 「푸딩.
nérvous sỳstem (the ~) 〖해부·동물〗 신경계(통): ⇨ CENTRAL NERVOUS SYSTEM.
ner·vure [nə́:rvjuər] *n.* 〖식물〗 엽맥, 잎맥; 〖곤충〗 시맥(翅脈), 날개맥.
nervy [nə́:rvi] (***nerv·i·er; -i·est***) *a.* **1** 《고어·시어》 기골이 장대한, 힘센. **2** 《구어》 용기 있는, 대담한; 냉정한, 자신만만한, 뻔뻔스러운; 신경을 건드리는. **3** 《영》 신경질적인, 과민한, 흥분하기 잘하는.
n.e.s., N.E.S. not elsewhere specified 〔stated〕 (따로 특별 기재가 없는 경우는).
Nes·ca·fé [nèskæféi/⌐-⌐] *n.* 네스카페《스위스 Nestle 사제(社製)의 인스턴트커피; 상표명》.
nes·cience [néʃiəns, nési-/nési-] *n.* Ⓤ 무지(無知)(ignorance); 〖철학〗 불가지론(agnosticism).
nes·cient [néʃiənt, nési-/nési-] *a.* 무학의, 무지한, 모르는《*of*》; 〖철학〗 불가지론(자)의. **—** *n.* 불가지론자(agnostic).
Ness [nes] *n.* (Loch ~) 네스 호《스코틀랜드 북서쪽의 호수》.
ness *n.* 《고어·방언》 갑(岬), 해각(海角)《지명에 흔히 씀》.
-ness [nis] *suf.* (복합)형용사·분사 따위에 붙여서 '성질, 상태' 를 나타내는 추상 명사를 만듦: kind*ness*, tired*ness*.
Nes·sel·rode [nésəlròud] *n.* 과실의 설탕 절임《아이스크림·푸딩 따위에 넣음》.
Nes·sie [nési] *n.* 네시《스코틀랜드의 Ness 호에 산다는 괴물》.
Nes·sus [nésəs] *n.* 〖그리스신화〗 네소스《Hercules 가 독화살로 쏘아 죽인 반인반마의 괴물》.
⁑**nest** [nest] *n.* **1** 보금자리, 둥우리《주로 새·벌레·물고기·거북 따위의》: build a ~ 보금자리를 짓다. **2** 〔집합적〕 보금자리 속의 새끼, 한배의 새끼. **3** 안식처, 휴식소. **4** (쾌적한) 은신처; (도둑 따위의) 소굴(haunt); (무기 따위의) 은닉 장소. **5** (범죄 따위의) 온상《*of*》; 〔집합적〕 (못된 장소 따위에) 갈이드나드는 한 패, 동류; (새·벌레 등의) 떼; 집단, 한 무리; 줄지어 놓은 무기: a ~ *of* crime 범죄의 온상. **6** (찬합·탁자처럼 차례로 큰 것에 끼워 넣게 된 기물의) 한 벌(세트)《*of*》: a ~ *of* tables 〔trays, measuring spoons〕 겹끼운 탁자〔쟁반, 계량용(計量用) 스푼〕. **7** 〖지학〗 광소(鑛巢). ***feather*** 〔***line***〕 ***one's*** **~** 《구어》 돈을 모으다, (특히 부정하게) 사복을 채우다; 《구어》 자기 집을 쾌적한 주거로 하다〔꾸미다〕. ***foul*** 〔***befoul***〕 ***one's own*** **~** 자기 집안〔당(黨)〕의 일을 나쁘게 말하다. ***on a*** **~** 보금자리 속에 깃들이어. ***on the*** **~** 《속어》 (남자가) 성교하여. ***rob*** 〔***take***〕 ***a*** **~** 보금자리에서 알을〔새끼를〕 훔치다.

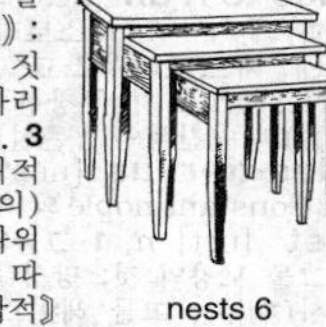
nests 6

— *vi.* **1** 보금자리를 짓다, 보금자리에 깃들이다. **2** 편안하게 살다〔자리잡다〕. **3** 새집을 찾다: go ~*ing* 새집을 찾으러 가다. **4** (상자 따위가) 차례로 끼워 넣게 되어 있다: bowls that ~ for storage 포개어 보관할 수 있는 사발. **—** *vt.* **1** 보금자리를 지어 주다, 보금자리에 깃들이게 하다; 편안하게 살도록 하다. **2** 〔과거분사꼴로〕 (상자 따위를) 차례로 포개어 넣다.
㊕ **∠·a·ble** *a.* **∠·er**[1] *n.* 보금자리에 깃들여 있는 새. **∠·ful** [-fùl] *n.* 보금자리에 하나 가득한 분량. **∠·like** *a.*
NEST Nuclear Emergency Search Team.
nést bòx (새·닭이 알을 낳도록 만들어 놓은) 둥지 상자.
nésted súbroutine 〖컴퓨터〗 내부 서브루틴《메인 프로그램 루틴으로부터 호출되어 작업을 수행하는 하나의 루틴〔경로〕 안에 중첩되어 존재하는 아래 경로》.
nést ègg **1** 밑알. **2** (저금 따위의) 밑천, 밑돈; 「비상금.
nést·er[2] *n.* 《미서부》 (불법으로) 공유지를 농장으로 만든 입주자.
°**nes·tle** [nésəl] *vi.* **1** 《고어》 깃들이다(nest). **2** 《+부/+전+명》 편히 몸을 가누다, 기분 좋게 눕다〔앉다, 쪼그리다〕《*down; in, into; among*》; 바싹 다가서다, 옆에 가까이 가다《*up to; against*》: ~ *down* in bed 침대에 편안히〔기분 좋게〕 드러눕다 / ~ *up* 〔*close*〕 *to* one's mother 어머니에게 바싹 달라붙다〔기대다〕. **3** 《+전+명》 반쯤 덮이다〔가려지다〕, 보였다 안 보였다 하다: The town ~*s among* the hills. 그 읍은 산으로 둘러싸인 곳에 자리잡고 있다. **—** *vt.* 《+목+전+명》 기분 좋게 누이다; 바싹 다가서게 하다, (젖먹이를) 껴안다, (머리·얼굴·어깨 따위를) 비벼〔갖

다] 대다《*in*》: ~ oneself *in* bed 잠자리에 편안히 드러눕다/The mother ~*d* the baby *in* her arms. 어머니는 아기를 껴안았다. ㊞ **nés·tler** *n.*

Nes·tlé [nésəl] *n.* 네슬레《인스턴트식품을 주로 하는 스위스의 다국적 기업; 그 상표명》.

nest·ling [néstliŋ] *n.* 갓 깬 새끼새, 둥우리를 떠날 수 없는 새끼; 젖먹이, 유아(乳兒).

Nes·tor [néstər, -tɔːr] *n.* **1** 네스터《남자 이름》. **2** 〖그리스신화〗 네스토르《Troy 전쟁 때의 그리스군의 현명한 노장(老將)》. **3** (종종 n-) 현명한 노인; 장로, 대가, 제 1 인자《*of*》. **4** 뉴질랜드산의 앵무새의 일종.

Nes·to·ri·an [nestɔ́ːriən] *a.* 네스토리우스(교파)의. **—** *n.* 네스토리우스 교도. ㊞ **~·ism** *n.* Ⓤ 네스토리우스교《5 세기 시리아의 성직자 Nestorius 가 주창한 예수에 있어서의 신성(神性)과 인간성의 공존설》, (중국의) 경교(景教).

Nes·to·ri·us [nestɔ́ːriəs] *n.* 네스토리우스 《Constantinople 의 대주교; ?-451 ?》.

net[1] [net] *n.* **1** 그물: a fishing ~ 어망. **2** Ⓤ 그물 모양의 것; 망상(網狀) 조직; 그물 세공; 망사(網紗), 그물 레이스; 헤어네트(hair net). **3** 올가미, 함정, 계략: walk 〔fall〕 into the ~ 올가미에 걸리다. **4** (축구 · 하키 등의) 골; 〖테니스〗 네트《네트에 맞히는 일》, =NET BALL; (종종 *pl.*) 〖크리켓〗 삼주문 주위를 그물로 둘러친 연습구역(에서 하는 연습). **5** 거미줄. **6** 연락망, 통신망, 방송망(network). **7** (the N-) 〖천문〗 그물자리(Reticulum). ***a ~ ace*** 테니스의 명수. ***a ~ cord*** 테니스의 네트를 치는 줄. ***a ~ fish*** 그물로 잡은 물고기. ***cast*** 〔***throw***〕 ***a ~*** 그물을 던지다. ***dance in a ~*** 남이 모를 테지 라고 생각하며 행동하다. ***draw in a ~*** 그물을 끌어당기다. ***lay*** 〔***spread***〕 ***a ~*** 그물을 치다. ***~ fishery*** 그물어장; 투망 어업. ***the ~ of justice*** 법망, 사직의 손.
— (***-tt-***) *vt.* **1** 그물로 잡다: ~ fish 투망으로 고기를 잡다. **2** 《속어》 올가미〔계략〕에 걸리게 하다. **3** …에 그물을 치다〔던지다〕: ~ a river 강에 그물을 치다, 강에서 투망질하다. **4** (과수 등을) 그물로 덮다〔가리다〕; 연락망을 구성하다: ~ the bed 침대 위에 모기장을 치다/~ the grapes 포도를 그물로 싸다. **5** 〖테니스〗 (공을) 네트에 치다; 〖축구 · 하키〗 (공을) 슛하다. **6** 뜨다, 짜다.
— *vi.* **1** 그물코를 뜨다; 그물을 뜨다. **2** 그물코를〔모양을〕 이루다. **3** 〖테니스〗 네트시키다; 〖축구 · 하키〗 슛하다.

net[2] *a.* 정미(正味)의, 알속의, 순수한; 에누리 없는; 궁극의, 최종적인. ⓒⓕ gross. ¶ a ~ gain 〔profit〕 순이익/a ~ price 정가(正價)/~ conclusion 최종적 결론/~ proceeds 실(지) 수령액/~ at 10 dollars 정가 10 달러로. **—** *n.* 정량(正量), 순중량, 순이익, 정가; 최종적인 결과〔득점〕; 〖골프〗 네트《gross 에서 핸디캡을 제한 수》; 궁극의 요점. **—** (***-tt-***) *vt.* 《~+목/+목+목/+목+전+명》 …의 순이익을 올리다《*from*》, 순이익을 얻다《*for*》: The sale ~*ted* the company several million(s). =The sale ~*ted* several million dollars for the company. 그 판매로 인해 회사는 수백만 달러의 순이익을 얻었다.

NET National Educational Television.

nét amóunt 〖상업〗 판매 가격.

nét ásset válue (**per shàre**) (투자 회사의) 1 주(株)당 순자산가액《생략: NAV》.

nét báll 〖테니스〗 서브할 때 네트를 스친 공.

nét·bàll *n.* 《영》 네트볼《한 팀 7 명이 행하는 농구 비슷한 경기; 영국 여성이 애호》. ㊞ **~·er** *n.*

nét bóok (할인하지 않고 파는) 정가본(本).

nét dirèctory 〖컴퓨터〗 네트 디렉터리《여러 가지 페이지의 링크를 계통적으로 모은 페이지; Yahoo가 대표적》.

nét doméstic próduct 〖경제〗 국내 순생산.

nét económic wélfare 〖경제〗 순(純)경제 복지도(度)《산업 오염 방지 비용, 레저의 증대 등 비물질 요인을 감안하여 수정한 국민 총생산으로 이루어지는 국가의 경제 척도》.

nét-fishing *n.* (주낙에 대한) 그물질, 투망질.

NETFS National Educational Television Film Service.

net·ful [nétfùl] (*pl.* **~s**) *n.* 그물 하나 가득(한 양).

Neth. Netherlands.

neth·er [néðər] *a.* 《문어 · 우스개》 아래(쪽)의, 하계(下界)의; 지하의, 지옥의, 명부의: the ~ lip 아랫입술/~ garments 바지/~ extremities 다리, 발, 하지.

Neth·er·land·er [néðərlæ̀ndər, -lənd-] *n.* 네덜란드 사람.

Neth·er·land·ish [néðərlæ̀ndiʃ] *a.* 네덜란드 사람〔어(語)〕의.

Neth·er·lands [néðərləndz] *n.* **1** (the ~) 〔단 · 복수취급〕 네덜란드(Holland)《공식명 the Kingdom of the ~; 수도 Amsterdam, 정부의 소재지는 The Hague》. ★ 형용사는 Dutch. **2** 〖역사〗 (the ~) =LOW COUNTRIES. ㊞ **-lànd·i·an** [-læ̀n-] *a.* **-lànd·ic** *a.*

Nétherlands Èast Índies (the ~) 네덜란드령 동인도 제도《현재의 인도네시아 공화국》.

neth·er·most [néðərmòust] *a.* 《문어》 맨 밑〔아래쪽〕의, 가장 깊은: the ~ hell 지옥의 밑바닥.

néther règions 지옥(nether world).

néther wòrld, néther·wòrld *n.* (the ~) **1** 명부(冥府), 저승. **2** 지옥. **3** 암흑가.

nét íncome 순이익.

net·i·quette [nétikit, -kèt] *n.* 네티켓《네트워크상에서 정보를 교환할 때의 예의》. [◂ *net*work+et*iquette*]

net·i·zen [nétəzən] *n.* 네티즌. [◂ *net*work+cit*izen*]

nét·kèeper, nét·mìnder *n.* =GOALKEEPER.

nét·man [-mæ̀n, -mən] (*pl.* **-men** [-mèn, -mən]) *n.* 테니스 경기자; 〖테니스〗 (복식 경기의) 전위.

nét nátional próduct 〖경제〗 국민 순생산《생략: NNP, N.N.P.》. ⓒⓕ gross national product.

nét nátional wélfare 순(純)국민 후생《생략: NNW》.

nét nét 《미구어》 정미(正味), 실질, 근본, 본질; 마지막 숫자, 순(이)익(bottom line).

nét·nèws *n.* 〖컴퓨터〗 네트워크상의 뉴스 정보.

nét plày 〖테니스〗 네트 바로 앞에서 하는 플레이.

nét prófit 순(이)익.

NETRC 《미》 National Educational Television and Radio Center.

Nét·scàpe Nàvigator 〖컴퓨터〗 넷스케이프 내비게이터《Netscape Communications Corporation 이 생산한 Web browser》.

nét-skìmmer *n.* 〖테니스〗 네트를 스치듯이 넘어가는 타구(打球).

nét·spèak *n.* 《구어》 넷스피크《인터넷에서 쓰는 특수한 말 · 약어 · 표현》. [◂ Inter*net*+*speak*]

nét·sùrfing *n.* 넷서핑《웹 사이트들을 여기저기 검색해 보는 것》.

nett [net] *a., n., v.* 《영》 =NET[2].

net·ted [nétid] NET[1] 의 과거 · 과거분사.
— *a.* 그물로 잡은; 그물로 싼; (창 따위가) 그물을 친; 그물(코) 모양의; 그물 세공의.

net·ter [nétər] *n.* (특히 고기잡이용의) 그물 제조자〔사용자〕; 《미구어》 테니스 선수.

net·ting [nétiŋ] *n.* Ⓤ 그물뜨기; 그물 세공〔제품〕; 투망, 그물질: wire ~ 철망.

net·tle [nétl] *n.* **1** 〖식물〗 쐐기풀; 〖일반적〗 가시가 많은 식물. **2** 초조하게〔화나게〕 하는 것. ***cast***

〔*throw*〕one's ***frock to the*** **~*s*** 목사직을 사임하다. ***grasp the*** **~** 자진하여 곤란과 싸우다.
— *vt.* 쐐기풀로 찌르다; 초조하〔화나〕게 하다: I was ~*d* by her persistency. 나는 그녀의 끈덕짐에 화가 났다. ㊞ **nét·tler** *n.*
néttle-crèeper *n.* 〚조류〛 휘파람새의 일종.
néttle-gràsper *n.* 어려운 일에 대담하게 대처하는 사람.
néttle ràsh 〚의학〛 두드러기(urticaria).
nét·tle·some [-səm] *a.* 애태우는, 짜증 나는; 화를 잘 내는.
nét tón =SHORT TON; 순(純)톤.
nét tónnage (상선의) 순톤수《과세 대상이 됨》.
net·ty [néti] (***-ti·er; -ti·est***) *a.* 그물(코) 모양의, 그물 세공의.
nét wéight (the ~) 정미(正味) 중량, 순(純) 중량《생략: nt. wt.》. cf. gross weight.
net·work [nétwə̀:rk] *n.* **1** Ⓤ 그물 세공, 망상 직물; 그물코, 그물 모양의 것. **2** Ⓒ 망상(網狀) 조직; 〚전기〛 회로망; (상점 따위의) 체인; 연락망; 개인의 정보〔연락〕망: an intelligence ~ 정보망 / a defense ~ 방어망 / a ~ *of* railroads 철도망. **3** Ⓒ 방송망, 네트워크: TV ~*s.* **4** 〚통신·컴퓨터〛 네트워크《컴퓨터나 단말 장치, 프린터, 음성 표시 장치, 전화 등이 통신 회선이나 통신 케이블 등으로 접속되는 시스템》. — *a.* (프로가) 네트워크 방송의. — *vt.* (철도 따위를) 망상 조직으로 부설하다; 방송망을 형성하다, 방송망으로 방송하다; 〚컴퓨터〛 네트워크에 접속하다. — *vi.* 서로 연락을 취하다, 정보 교환하다, 네트워킹하다《networking에서 역성(逆成)》. ㊞ **~·er** *n.*
nétwork administrator 〚컴퓨터〛 네트워크 관리자〔운영 책임자〕.
nétwork àdvertising 〚광고〛 네트워크 광고《같은 프로를 동시에 방송하는 네트워크를 통하여 행하는 광고》.
nétwork anàlysis 〚수학〛 회로(망) 해석; 〚경영〛 네트워크 분석《회로망 해석 방법을 이용하여 기술적·상업적인 프로젝트의 계획·관리를 분석하는 수법》.
nétwork compùter 〚컴퓨터〛 네트워크 컴퓨터《필요한 프로그램을 그때그때 네트워크에서 얻을 수 있도록 기능을 집약하고 값을 내린 개인용 컴퓨터》.
nétwork dátabase 〚컴퓨터〛 네트워크 데이터베이스, 망 데이터베이스《데이터가 망처럼 연결된 데이터베이스》.
nétwork drìve 〚컴퓨터〛 네트워크 드라이브《오직 네트워크만을 통해서 이용하는 드라이브》.
nét·wòrking *n.* 〚컴퓨터〛 네트워킹《여러 대의 컴퓨터나 자료 은행(data bank)이 연락하고 있는 시스템》; (타인과의 교제 등을 통한) 개인적 정보망의 형성. — *a.* 연락망의, (특히) 컴퓨터 네트워크의〔에 관한〕: ~ software 컴퓨터 통신용 소프트웨어 / a ~ system 컴퓨터 통신망.
nétwork prìnter 〚컴퓨터〛 네트워크 프린터《오직 네트워크만을 통해서 이용하는 프린터》.
network secúrity 〚컴퓨터〛 통신망 기밀 보호《통신망에 대한 부당한 접근, 우발적 또는 고의적 조작에 의한 개입이나 파괴로부터 네트워크를 보호하기 위한 수단들》.
nétwork tìme prótocol 〚컴퓨터〛 통신망 시간 프로토콜《인터넷에서 시간을 정확하게 유지시켜 주는 역할을 하는 통신 규약》.
Neuf·châ·tel [njù:ʃətél, ⌐-⌐/nə̀:ʃætél; *F.* nøʃatɛl] *n.* Ⓤ 프랑스 원산의 생치즈의 일종(= ⌐ **chèese**).
neume, neum [nju:m/nju:m] *n.* 〚음악〛 네우마《중세의 성가 악보에 쓰이던 기호》. ㊞ **neu·mat·ic** [njumǽtik/nju-], **néu·mic** *a.*
neur- [njúər/njúər], **neu·ro-** [-rou, -rə] '신경 (조직), 신경계'란 뜻의 결합사.
neu·ral [njúərəl/njúər-] *a.* **1** 〚해부〛 신경(계)의. opp. *hemal.* **2** 〚컴퓨터〛 신경의《신경 세포의 결합을 모델화한 것을 말함》: ~ net 신경망《인간의 신경 세포 반응과 유사하게 설계된 회로》. ㊞ **~·ly** *ad.*
néural árch 〚해부〛 신경궁(神經弓).
néural crést 〚발생〛 신경관(冠).
neu·ral·gia [njuərǽldʒə/njuər-] *n.* Ⓤ 〚의학〛 신경통《보통, 머리·얼굴의》. ㊞ **neu·rál·gic** [-dʒik] *a.*
néural nétwork 〚컴퓨터〛 **1** 다수의 뉴런(neuron) 결합으로 복잡한 처리를 하는 생체 작용을 현상 실험(simulation)하는 컴퓨터 시스템. **2** 신경(통신)망(neural net).
néural pláte 〚발생〛 신경판(板).
néural túbe 〚발생〛 신경관(管).
neur·a·mín·ic ácid [njùərəmínik-/njùər-] 〚생화학〛 뉴라민산(酸)《시알산(酸)의 기본 구조의 하나로, 일종의 아미노당(糖)》.
neur·a·min·i·dase [njùərəmínədèis, -z/njùər-] *n.* 〚생화학〛 뉴라미니다아제《뉴라민산을 가수 분해 하는 효소》.
neur·as·the·nia [njùərəsθí:niə/njùər-] *n.* Ⓤ 〚의학〛 신경 쇠약(증). ㊞ **-thén·ic** [-θénik] *a., n.* 신경 쇠약(증)의 (환자).
neu·ra·tion [njuəréiʃən/njuər-] *n.* =VENATION.
neu·rec·to·my [njuəréktəmi/njuər-] *n.* 〚의학〛 신경 절제(술).
neu·ri·lem·ma [njùərəlémə/njùər-] *n.* 〚해부〛 신경초(鞘)(=**nèuro·lémma**).
neu·ris·tor [njuərístər/njuər-] *n.* 〚전자〛 뉴리스터《신호를 감쇠시키지 않고 전달하는 장치》.
neu·rite [njúərait/njúər-] *n.* 〚해부〛 신경 돌기(axon).
neu·ri·tis [njuəráitis/njuər-] *n.* Ⓤ 〚의학〛 신경염. ㊞ **neu·rit·ic** [-rítik] *a.*
neuro- ⇨ NEUR-.
nèuro·áctive *a.* 〚생리〛 신경 자극성의.
nèuro·anátomy (*pl.* ***-mies***) *n.* **1** 신경 해부학. **2** (생물체의) 신경 구조. ㊞ **-anátomist** *n.* **-anatómic, -tómical** *a.*
nèuro·biólogy *n.* Ⓤ 신경 생물학《신경계의 해부·생리에 관한 생물학의 한 분야》. ㊞ **-biólogist** *n.* **-biológical** *a.*
neuro·blas·to·ma [njùərəblæstóumə/njùər-] (*pl.* ***~s, ~·ta*** [-tə]) *n.* 〚의학〛 신경아(芽) (세포)종(腫).
nèuro·chémical *a.* 신경 화학의. — *n.* 신경 화학 물질.
nèuro·chémistry *n.* Ⓤ 신경 화학. ㊞ **-chémist** *n.*
néuro·chìp *n.* 〚컴퓨터〛 뉴로컴퓨터용 칩.
nèuro·compúter *n.* 〚컴퓨터〛 뉴로컴퓨터《인간의 뇌신경의 작용을 모방하여 만든 컴퓨터》.
nèuro·depréssive *a.* 〚의학〛 신경 억제성의.
nèuro·éndocrine *a.* 〚생리·해부〛 신경 내분비(계)의.
nèuro·endocrinólogy *n.* 신경 내분비학. ㊞ **-gist** *n.*
nèuro·ethólogy *n.* Ⓤ 신경 동물 행동학.
nèuro·fíbril *n.* 〚해부〛 신경원 섬유.
nèuro·fibróma (*pl.* ***~s, ~·ta***) *n.* 〚병리〛 신경 섬유종(纖維腫)《양성 종양》.
neu·ro·fi·bro·ma·to·sis [njùəroufaibròumətóusis/njùər-] *n.* 〚병리〛 신경 섬유종증(腫症).
nèuro·génesis *n.* 신경 (조직) 발생〔형성〕.
nèuro·genétics *n.* 신경 유전학.
neu·ro·gen·ic [njùərədʒénik/njùər-] *a.* 〚의학〛 신경성의.

neu·rog·lia [njuərágliə/njuərɔ́g-] *n.* 〖해부〗 신경교(膠).
nèuro·hórmone *n.* 〖생리〗 신경 호르몬.
nèuro·húmor *n.* 〖해부〗 신경액(液)《신경 호르몬, 특히 신경 전달 물질》. ㊞ **~·al** *a.*
nèuro·hypóphysis (*pl.* **-ses**) *n.* 〖해부〗 신경성 뇌하수체.
neurol. neurological; neurology.
neu·ro·lept·an·al·ge·sia, -lep·to- [njùərəleptænəldʒíːziə, -siə/njùər-], [-lèptou-] *n.* 〖의학〗 신경 이완성 진통 상태; 신경 이완 마취(법). ㊞ **-an·al·gé·sic** *a.*
neu·ro·lep·tic [njùərəléptik/njùər-] *n.* 〖약학〗 신경 이완[차단]약. **—** *a.* 신경 이완[차단]성의.
nèuro·linguístics *n. pl.* 《단수취급》 신경 언어학.
neu·rol·o·gist [njuərálədʒist/njuərɔ́l-] *n.* 신경(병)학자, 신경과 전문 의사.
neu·rol·o·gy [njuərálədʒi/njuərɔ́l-] *n.* Ⓤ 신경(병)학. ㊞ **neu·ro·log·i·cal** [njùərəládʒikəl/-rəlɔ́dʒ-], **-lóg·ic** *a.* 신경학상의.
neu·rol·y·sis [njuərálәsis/njuərɔ́l-] *n.* Ⓤ 〖의학〗 **1** (말초) 신경 마비; 신경 조직 붕괴. **2** 신경 피로. **3** 신경 박리(剝離)(술). ㊞ **nèu·ro·lýt·ic** [-lít-] *a.*
neu·ro·ma [njuəróumə/njuər-] (*pl.* **~s, ~·ta** [-tə]) *n.* 〖의학〗 신경종(腫).
nèuro·múscular *a.* 〖생리·해부〗 신경과 근육의[에 관한], 신경근의.
neu·ron, neu·rone [njúərɑn/njúərɔn], [-roun] *n.* 〖해부〗 신경 세포, 뉴런. ㊞ **néu·ro·nal** [-rənəl] *a.* **-ron·ic** [njuəránik/njuərɔ́n-] *a.*
neu·ro·path [njúərəpæθ/njúər-] *n.* 〖의학〗 신경병 환자[소질자]. ㊞ **neu·ro·path·ic** [njùərəpǽθik] *a.*
nèuro·pathólogy *n.* Ⓤ 〖의학〗 신경 병리학. ㊞ **-gist** *n.* 신경 병리학자.
neu·rop·a·thy [njuərápəθi/njuərɔ́p-] *n.* Ⓤ 신경 장애, 신경병(질). ㊞ **-thist** *n.* 신경병 전문가[의(醫)]. **nèu·ro·páth·ic** *a.*
nèuro·péptide *n.* 〖생화학〗 신경[뉴로]펩티드《신경 세포체에서 합성되어 신경 전달[조절] 물질이나 신경 호르몬의 기능을 가짐》.
nèuro·pharmacólogy *n.* Ⓤ 신경 약리학. ㊞ **-gist** *n.* **-pharmacológic, -ical** *a.*
neu·ro·phys·in [njùəroufízin/njùər-] *n.* 〖생화학〗 뉴로피진《뇌 호르몬의 하나》.
nèuro·physiólogy *n.* Ⓤ 신경 생리학. ㊞ **-gist** *n.*
néuro-pròbe *n.* 신경침(針)《약한 전류를 통하여 환부에 자극을 주어 어깨·허리 따위의 통증을 치료함》.
nèuro·psychíatry *n.* Ⓤ 신경 정신병학. ㊞ **-tric** *a.* 신경 정신병의. **-trist** *n.* 신경정신과의(醫). **-rically** *ad.*
nèuro·psýchic, -chical *a.* 신경 정신성(性)의, 신경 심리학적인.
nèuro·psychólogy *n.* 신경심리학.
nèuro·psychósis *n.* 신경 정신병. ㊞ **-psychótic** *a.*
Neu·rop·tera [njuəráptərə/njuərɔ́p-] *n. pl.* 맥시류(脈翅類).
neu·rop·ter·an [njuəráptərən/njuərɔ́p-] *a., n.* 맥시류의 (곤충). ㊞ **neu·róp·ter·òn** [-ràn/-rɔ̀n] *n.* 맥시류의 곤충. **-róp·ter·ous** *a.* 맥시류의.
nèuro·radiólogy *n.* 신경 방사선학.
nèuro·régulator *n.* 〖생화학〗 신경 조절 물질《신경 세포 사이의 전달에 작용하는 화학 물질》.
nèuro·scíence *n.* Ⓤ 신경과학《주로 행동·학습에 관한 신경 조직 연구 제(諸)분야의 총칭》. ㊞ **-scíentist** *n.*
nèuro·secrétion *n.* 신경 분비(分泌)《신경 세포에 의한 분비 물질 방출》.
nèuro·sénsory *a.* 〖생리·해부〗 감각[지각] 신경의.
neu·ro·sis [njuəróusis/njuər-] (*pl.* **-ses** [-siːz]) *n.* 〖의학〗 신경증, 노이로제; 〖심리〗 신경 감동.
neu·ros·po·ra [njuəráspərə/njuərɔ́s-] *n.* 〖세균〗 붉은옥수수 곰팡이.
nèuro·súrgeon *n.* 신경 외과 의사.
nèuro·súrgery *n.* Ⓤ 신경 외과(학). ㊞ **-súrgical** *a.*
◇**neu·rot·ic** [njuərátik/njuərɔ́t-] *a.* 신경의, 신경계의; 신경증의; 《구어》 신경과민의, 비현실적 생각에 잠기는: They're ~ about AIDS. 그들은 에이즈에 대해 신경과민이 돼 있다. **—** *n.* 신경증 환자. ㊞ **-i·cal·ly** *ad.*
neu·rot·i·cism [njuərátəsìzəm/njuərɔ́t-] *n.* 〖의학〗 신경과민증, 신경질, 신경증적 경향.
neu·rot·o·mist [njuərátəmist/njuərɔ́t-] *n.* 신경 해부가.
neu·rot·o·my [njuərátəmi/njuərɔ́t-] *n.* Ⓤ 〖의학〗 신경 절제(술); 신경 해부학. ㊞ **nèu·ro·tóm·i·cal** [-kəl] *a.*
nèuro·tóxic *a.* 〖의학〗 신경독(성)의. ㊞ **-tox·íc·i·ty** *n.*
nèuro·tóxin *n.* 〖의학〗 신경독(毒).
nèuro·transmítter *n.* 〖생물〗 신경 전달 물질. ㊞ **-transmíssion** *n.*
neu·ro·trop·ic [njùərətrápik, -tróup-/njùərətrɔ́p-] *a.* 〖의학〗 향신경성의, 신경 친화성의: a ~ drug 향신경성 약.
neu·rot·ro·pism [njuərátrəpìzəm/njuərɔ́t-] *n.* 향신경성, 신경 조직 친화성(=**neu·rót·ro·py**).
neu·ru·la [njúərələ/njúər-] (*pl.* **~s, -lae** [-lìː, -lài]) *n.* 신경배(胚). ㊞ **néu·ru·lar** *a.*
neus·ton [njúːstɑn/njúːstɔn] *n.* 〖생태〗 뉴스톤, 수표(水表)[수면] 생물《수면에 부유하는 미생물의 군취(群聚)》. ㊞ **nústic** *a.*
neut. neuter; neutral.
neu·ter [njúːtər/njúː-] *a.* **1** 〖문법〗 중성의; (동사가) 자동의: the ~ gender 중성. **2** 〖동물〗 생식기 불완전의, 성숙해도 생식 능력이 없는; 〖식물〗 무성(無性)의: ~ flowers 중성화. **3** 중립의. ***stand*** **~** 중립을 지키다. **—** *n.* **1** 〖문법〗 중성; 중성 명사[형용사·대명사]; 자동사. **2** 중성 생물, 무성 동물[식물]; 남녀추니; 중성형(中性型) 곤충《일벌·일개미 따위》; 거세 동물, 거세된 사람. **3** 중립자. **—** *vt.* (동물을) 거세하다: a ~*ed* cat 거세된 고양이.
neu·ter·cane [njúːtərkèin/njúː-] *n.* 〖기상〗 뉴터케인《허리케인이나 전선성(前線性) 폭풍우에 속하지 않는 아열대성 저기압》.
neu·tral** [njúːtrəl/njúː-] *a.* **1** 중립의, 국외(局外) 중립의; 중립국의: a ~ nation [state] 중립국. **2** 불편부당의, 공평한; 중용의; 중간의, 무관심한: take a ~ stand 중립적 입장을 취하다. **3** (어느 쪽도) 명확하지 않은, 애매한; (색이) 우중충한, 뚜렷치 않은: a ~ tint 중간색, 회색, 쥐색. **4** 〖물리·화학〗 중성의; 〖동물·식물〗 무성[중성]의, 암수 구별이 없는; 〖전기〗 중성의《전하(電荷)가 없는》. **5** 〖음성〗 (모음이) 중간음의: a ~ vowel 중간음, 중성 모음《[ə]》. **—** *n.* **1** 국외 중립자; 중립국(민). **2** 〖기계〗 뉴트럴 기어《톱니바퀴의 공전(空轉) 위치》. **3** 중간색《회색 등》. ***in **~** (기어가) 중립의; 태도 불명으로; (두뇌 등이) 잘 움직이지 않아서: with mind *in* ~ 아무것도 생각지 않고. ㊞ **~·ly** *ad.* **~·ness** *n.*
néutral córner 〖권투〗 뉴트럴 코너.
néutral cúrrent 〖물리〗 중립적 소립자류(流).
néu·tral·ìsm *n.* Ⓤ 중립주의[태도, 정책, 표

명]. [파] **-ist** *n.* 중립주의자. **nèu·tral·ís·tic** *a.*

°**neu·tral·i·ty** [nju:trǽləti/nju:-] *n.* [U] 중립(상태); 국외(局外) 중립; 불편부당; 〚화학〛 중성: armed 〔strict〕 ~ 무장〔엄정〕 중립.

nèu·tral·i·zá·tion *n.* [U] 중립화, 중립 (상태), 중성화(化); 〚화학〛 중화(中和); 무효화.

neutralizátion nùmber 〔**vàlue**〕 〚화학〛 중화가(中和價)《시료(試料)에 함유된 산성도 지표》.

°**neu·tral·ize** [njú:trəlàiz/njú:-] *vt.* **1** 중립화하다; 중립 지대로 하다; 〚화학·전기〛 중화하다; …에 보색(補色)을 섞다: a *neutralizing* agent 중화제. **2** 무효〔무력〕하게 하다; 〚군사〛 …의 행동을 제압하다. **—** *vi.* 중화〔중립화〕하다. [파] **-iz·er** *n.* 중립시키는〔무효로 하는〕 것, 중화물〔제〕; 중화액《퍼머넌트 웨이브의》.

néutral méson =NEUTRETTO.

néutral mónism 〚철학〛 중성적〔중립적〕 일원론.

néutral mutátion 〚유전〛 중립 돌연변이.

Néutral Párticle Béam Wèapon ⇨NPBW.

néutral Réd 〚화학〛 뉴트럴 레드《산·염기 지시약; 위(胃) 기능 시험용 염료》.

néutral spírits 〔단·복수취급〕 중성 스피릿《95도 이상의 순수 알코올; 보통 다른 술과 섞어서 마심》.

néutral tínt 중간색; 연한 회색.

néutral zòne 중립 지대; 〚전기〛 중립대, 불감대; 〚스포츠〛 뉴트럴 존.

neu·tret·to [nju:trétou] (*pl.* **~s**) *n.* 〚물리〛 중성 중간자.

neu·tri·no [nju:trí:nou] (*pl.* **~s**) *n.* 〚물리〛 중성 미자(微子), 뉴트리노.

neutríno astrònomy 뉴트리노 천문학《태양 기타의 천체에서 방사된 뉴트리노의 측정을 취급하는 천문학》.

neu·tro- [njú:trou, -trə/njú:-] 'neutral' 이란 뜻의 결합사.

Neu·tro·dyne [njú:trədàin] *n.* 〚통신〛 진공관식 라디오 수신 장치《상표명》.

neu·tron [njú:tran/njú:trɔn] *n.* 〚물리〛 중성자, 뉴트론.

néutron activàtion anàlysis 〚물리〛 중성자 방사화(放射化) 분석《범죄 수사에 쓰임; 생략: NAA》.

néutron bòmb 중성자탄.

néutron pòison 중성자 독(毒)〔반응 저해물질〕《리튬 따위》.

néutron radiògraphy 〚물리〛 중성자 사진법〔라디오그래피〕.

néutron stàr 〚천문〛 중성자별.

neu·tro·phil, -phile [njú:trəfil/njú:-], [-fàil] *a.* 호중성(好中性)의, 중성(색소)호성의. **—** *n.* 〚면역〛 호중성 백혈구.

Nev. Nevada.

Ne·va·da [nəvǽdə, -vá:də/-vá:də] *n.* 네바다《미국 서부의 주; 생략: Nev., NV》. [파] **Ne·vád·an, Ne·vá·di·an** [-n], [-diən] *a., n.* Nevada 주의 (사람).

né·vé [neivéi/névei] *n.* [U] 《F.》 (빙하(氷河) 상단의) 입상(粒狀) 빙설, 반동설(半凍雪), 만년설(firn); 만년설의 벌판.

†**nev·er** [névər] *ad.* **1** 일찍이 …(한 적이) 없다, 언제나〔한번도〕 …(한 적이) 없다: It was ~ mentioned. 이제까지 화제에 오른 적이 없다 / *Never* 〔It is ~〕 too late to mend. 《속담》 ⇨ LATE / now or ~ 지금이 마지막 기회이다 / Better late than ~. 《속담》 늦더라도 안 한 것보다는 낫다 / *Never* is a long time 〔word〕. 《속담》 '결코' 라는 말은 섣불리 하는 것이 아니다. **2** 결코 …하지 않다(not at all): I ~ drink anything but water. 나는 물 이외는 절대로 아무것도 마시지 않는다 / I ~ had a cent. 나는 단 1 센트도 없었다 / *Never* mind! 괜찮아, 염려 마라. **3** 《구어》 〔의심·감탄·놀라움을 나타내어〕 설마 …은 아니겠지: You're ~ twenty. 자네 설마 스무 살은 아니겠지 / Could such things be tolerated? — *Never!* 이런 일이 용서받을 수 있을까. — 말도 안 되는 소리. **4** 〔never the+비교급〕 조금도 않다: He was ~ *the wiser* for his experience. 경험을 하고서도 그는 조금도 현명해지지 못하였다 / The patient's condition was ~ *the better*. 환자의 용태는 조금도 좋아지지 않았다.

> [NOTE] (1) 동사의 앞, 조동사 뒤에 옴: I *never* said so. 그렇게 말한 일이 없다. I have *never* seen it. 이제껏 본 일도 없다. (2) 다만, 조동사를 강조할 때에는 그 앞에 둠: You *never* can tell. 알 수 없는 일이군. (3) 글머리에 오면 주어와 동사가 도치됨: *Never* did I tell you. 네게 말한 적이 없다. (4) 종종 after, before, since, yet 등을 수반함: I have *never* yet been there. 나는 아직 거기에 간 일이 없다. (5) 복합어로 쓰임: *never*-to-be-forgotten 언제까지나 잊혀지지 않는 / NEVER-SAY-DIE.

Never! 그런 일이 절대로 있을 리가 없다. **~ *a*** (***one***) 단 하나〔한 사람〕도 …(하지) 않다. **~ *again*** 두 번 다시 …하지 않다. **~ *... but* __ =... *without* do*ing*** ─ …하지 않고는 …하지 않다, …하면 반드시 ─하다: It ~ rains *but* it pours. 《속담》 비가 오기만 하면 꼭 억수같이 퍼붓는다; 엎친 데 덮치기. **~ *ever*** 《구어》 결단코《never의 강의형》. ***Never* ~.** 걱정 없어, 염려 없어. **~ *no more*** 《속어》 =NEVERMORE. **~ *so*** 〔조건절 중에서〕 아무리 …일지라도(no matter how, ever so): though he were ~ *so* rich 그는 대단한 부자이긴 했으나. **~ *so much as*** do …조차 하지 않다(not even): She ~ *so much as* said "Good morning." 그녀는 '안녕하세요' 라고 인사도 하지 않았다. ***Never tell me!*** 농담이실 테죠. ***Well, I ~!*** =***I ~ did!*** 어유 깜짝이야, 어머나, 설마.

néver-énding *a.* 끝없는, 항구적인, 영원한.

néver-fáding *a.* 희미해지지〔꺼지지〕 않는.

néver-fáiling *a.* 끊기는 일이 없는, 무진장한; 불변의.

never·mind [nèvərmáind, ⌐-⌐] *n.* 《방언》 〔부정문〕 **1** 주의, 배려. **2** 볼일, 책임: Pay him *no* ~. 그의 일에 상관하지 마라 / It's *no* ~ of yours. 네가 알 바 아니다.

°**nèver·móre** *ad.* 앞으로는 결코 …않다, 두 번 다시 …않다.

néver-néver *n.* **1** (the ~) 《영구어》 분할불, 할부: ~ system 할부 구매법. **2** =NEVER-NEVER LAND. ***go to the land of* ~** 《속어》 의식을 잃다. ***on the* ~** 《영구어》 분할불로, 월부로. **—** *a.* 비현실적인, 공상의, 가공의; 이상의.

néver-néver lànd 〔**cóuntry**〕 오스트레일리아의 Queensland 북서부의 인구가 적은 곳; 외딴〔인적이 드문〕 곳, 불모지; 공상적〔이상적〕인 곳〔상태〕.

néver-sày-díe *a.* 지기 싫어하는, 불굴의: a ~ spirit 불굴의 정신.

⁑**nev·er·the·less** [nèvərðəlés] *ad.* 그럼에도 불구하고, 그렇지만(yet): There was no news; ~, she went on hoping. 아무 소식도 없었지만 그녀는 여전히 희망을 갖고 있었다.

néver-wás (*pl.* ***néver-wéres*** [-wə́:rz]) *n.* 일찍이 이름을 떨쳐 보지 못한 사람, 이름 없이 일생을 마친 사람.

néver-wúz(**·zer**) [-wʌ́z(ər)] *n.* 《미속어》 = NEVER-WAS.

Nev·il(le), Nev·ile, Nev·ill [névəl] *n.* 네빌《남자 이름》.

Ne·vis [ní:vis, név-] *n.* **1** 네비스《서인도 제도 동쪽 Leeward 제도 중부의 섬》. **2** [ní:vis, névis] ⇨ BEN NEVIS.

ne·void [níːvɔid] *a.* 모반(母斑)의, 반점의.
ne·vo·man·cy [níːvoumæ̀nsi] *n.* 모반점.
ne·vus, 《주로 영》 **nae-** [níːvəs] (*pl.* **-vi** [-vai]) *n.* 〖의학〗 모반(母斑)(birthmark); 《널리》 반점.
†**new** [njuː/njuː] *a.* **1** 새로운; 새로 나타난〔만들어진〕, 신(新)발견의, 신발명의. OPP *old.* ¶ a ~ book 신간(新刊) 서적 / a ~ suit of clothes 새로 맞춘 옷 / a car ~ from the factory 공장에서 갓 출고된 차.

SYN. **new** '새로운'의 가장 일반적이고 폭이 넓은 말. **novel** 신기한, 참신한: a *novel* idea 기발한 아이디어. **modern** 현대식의, 최신의: *modern* viewpoints 현대적인 사고방식〔견해〕. **original** 독창적인, 색다른. novel에 가깝다. **fresh** 갓 된, 최근의, 신규의: *fresh* footprints 새로운 발자국. a *fresh* dress 새로 맞춘 양복.

2 신식의; 처음 보는〔듣는〕: That is ~ *to* me. 그것은 처음 듣는다, 금시초문이다. **3** 아직 안 쓴, 신품의, 중고가 아닌: as good as ~ 신품과 마찬가지인. **4** (음식 따위가) 신선한, 싱싱한, 갓 나온: ~ rice 햅쌀 / ~ potatoes 햇감자. **5** 신임의, 새로 온, 풋내기의: the ~ minister 새로 온 목사님 / our ~ teacher 이번에 오신 선생님. **6** 익숙지 않은, 경험이 없는; 낯선: ideas ~ *to* us / He is ~ *to* the work. 일에 아직 익숙지 않다. **7** 새로 추가된, 또 다른. **8** (면목을) 일신한, 새로워진, 한결 더 좋은, 갱생한, 다음의(another): a ~ chapter 다음 장 / The vacation made a ~ man of him. 휴가 덕택에 그는 못 알아볼 정도로 건강해졌다. **9** (the ~) 현대〔근대〕적인; 새것을 좋아하는; 혁신적인: the ~ theater 신극(新劇). **10** (N-) 〖언어〗 근세의, 근대의: ⇨ NEW ENGLISH, NEW HIGH GERMAN. ***Anything ~ down your way?*** 《미구어》 = ***What's ~*** (***with you***)***?*** (요즘) 어떠십니까《인사말》; 뭔가 별다른 일이라도 있습니까. ***as*** 〔《미》 ***like***〕 ~ (중고품 따위가) 신품과 같아.
— *ad.* **1** 새로이; 다시 (한 번). **2** 최근, 근래. ★ 주로 과거분사를 수반하여 복합어를 만듦.
— *n.* (the ~) 새로운 것〔일〕: the old and the ~ 옛것과 새것.
㊞ **∠·ness** *n.*
NEW 〖경제〗 net economic welfare.
Nèw Áge (때로 n- a-) **1** 뉴에이지(의)《서양적인 가치관·문화에 대한 비판으로서 그에 대신한 종교·의학·철학·점성술·환경 등 여러 분야에서 전체론적인 접근을 하려는 1980년대 이후의 새로운 조류를 지칭함》. **2** =NEW AGE MUSIC. ㊞ **Néw Áger**
Néw Àge músic 〖음악〗 뉴에이지 음악《피아노·신시사이저나 통기타를 중심으로 한 연주 주체의 음악 형태; 재즈와 클래식을 기본으로 인도·브라질 등의 요소도 가미한 일종의 퓨전(fusion)》.
Néw Álchemist 유기(有機) 농업 추진자《유해 농약을 쓰지 않는》.
Néw Américan Bíble 신(新)아메리카 성서《미국의 가톨릭 학자에 의해 원전(原典)에서 직접 번역·편찬되어, 1970년에 출판된 영역판》.
Nèw Ámsterdam 뉴암스테르담《네덜란드인이 1625년 Manhattan섬에 건설한 식민 도시; 1664년 영국인에 의해 New York으로 개칭》.
néw archaeólogy 신고고학《기술적·통계적인 방법을 응용하는 고고학》. ㊞ **néw archaeólogist**
New·ark [njúːərk] *n.* 뉴어크《미국 New Jersey 주의 도시》.
néw báll gàme 《구어》 (모든 것이 변해 버린 것 같은) 새로운 상황.
Néw·bery Awàrd [njúːbèri-, -bəri-] 뉴베리 상《매년 미국의 최우수 아동 도서에 수여》.
new·bie [njúːbi] *n.* 《해커속어》 신출내기, 미숙자.
néw biólogy =MOLECULAR BIOLOGY.
néw bírth 〖종교〗 신생(新生), 재생(regeneration).
néw blóod (새 활력〔사상〕의 원천으로서의) 젊은 사람들, 신인들.
néw·blówn *a.* (꽃이) 갓 피어난.
°**néw·bórn** *a.* **1** 갓 태어난, 신생의. **2** 재생의, 갱생한. — (*pl.* ~(**s**)) *n.* 신생아.
néw bóy 〔**búg**〕 신입 사원, 신참자.
Nèw Brítain 뉴브리튼 섬《남태평양 Bismarck 제도의 주도(主島)》.
néw bróom 개혁에 열중하는 사람〔신임자〕: A ~ sweeps clean. 《속담》 새 비는 잘 쓸린다; 신관은 구악을 일소한다.
Nèw Brúnswick 뉴브런즈윅《캐나다 남동 연안의 주(州); 생략: N.B.》.
New·burg(h) [njúːbəːrg/njúː-] *a.* 뉴버그풍의《버터·포도주·생크림·계란 노른자로 만든 소스를 쓴 요리》: lobster ~ 뉴버그식 새우 요리.
Nèw Caledónia 뉴칼레도니아. **1** 오스트레일리아 동쪽의 섬. **2** 1과 인접한 섬들로 이루어진 프랑스령 군도《수도는 Nouméa》.
New·cas·tle [njúːkæ̀səl, -kɑ̀ːsəl/njúːkɑ̀ːsəl] *n.* 뉴캐슬《(1) 석탄 수출로 유명한 잉글랜드 북부의 항구 도시(=**∠ upon Týne**). (2) 잉글랜드 중서부 Staffordshire의 공업 도시(=**∠ under Lýme**)》. ***carry coals to ~*** ⇨ COAL.
Néwcastle disèase 〖수의〗 뉴캐슬병《바이러스성의 가금병(家禽病)》.
Néw Chína Néws Àgency 신화사(新華社)《중국의 국영 통신사》.
Néw Chrístian =MARRANO.
néw-cóllar *a.* 뉴칼라 근로자층의《서비스 산업에 종사하는 중류 계층》: a ~ worker.
néw·còme *a.* 새로 (들어)온, 신참의. — *n.* 신참자.
°**néw·còmer** *n.* 새로 온 사람《*to; in*》; 초심자, 신인《*to*》: a ~ *to* the big city 대도시에 방금 온 사람 / a ~ *to* politics 정계(政界)의 신인.
Néw Cómmonwealth (the ~) 신(新)영연방《1954년 이후 독립하여 영연방에 가입한 나라들》.
Néw Cóntinent (the ~) 신대륙《남북 아메리카》.
Néw Crític 신비평가《New Criticism을 하는》.
Néw Críticism (the ~) 신비평《작자보다 작품 자체를 검토하려고 하는 비평의 한 파》.
Néw Déal (the ~) 뉴딜 정책《미국의 F. D. Roosevelt 대통령이 1933-39년에 실시한 사회보장·경제 부흥 정책》; (the ~) 루스벨트 정권; (the n- d-) 혁신적 정책; (n- d-) 처음부터 새로 다시 하기, 다시 고쳐 하기. ㊞ **~·er** New Deal 정책 지지자도. **~·ish** *a.* **~·ism** *n.*
Nèw Délhi [-déli] 뉴델리《인도 공화국의 수도》.
néw drúg (안정성이나 유효성이 전문가에 의해 아직 인정되지 않은) 신약.
Néw Económic Pólicy (the ~) 신경제 정책《1921년부터 제1차 5개년 계획까지의 옛 소련의 경제 정책; 생략: NEP, Nep》.
néw económics 신경제학《케인스 경제학을 논리적으로 발전시킨 경제학설》.
néw ecónomy (the ~) 신경제《인터넷 산업 발달에 따라 형성된 경제》.
new·el [njúːəl/njúː-] *n.* 〖건축〗 (나선 계단의) 중심 기둥; 엄지기둥(=**∠·pòst**)《계단의 최상부 또는, 최하

newel

부에 설치되어 있는 난간 지주》: ~ stairs 급히 꺾인 층계.

Nèw Éngland 뉴잉글랜드《미국 북동부 Connecticut, Massachusetts, Rhode Island, Vermont, New Hampshire, Maine의 6주의 총칭》. ㊉ **~·er** ~ 사람.

Néw Énglish 신영어《1500년경의 영어(Modern English), 또는 1750년 이후의 영어》.

Nèw Énglish Bíble (the ~) 신영역 성서《신약은 1961년, 신구약 합본은 1970년 간행; 생략: N.E.B.》.

Newf. Newfoundland.

néw fáce (정계·영화계 따위의) 신인; 미용 성형을 한 얼굴.

néw-fállen *a.* 갓 내린《비 따위》.

néw·fán·gled [-fǽŋgəld] *a.* **1** 신기한; 《경멸》 최신식의, 신유행의, 유행의 첨단을 걷는. **2** 새것을 좋아하는. ㊉ **~·ly** *ad.* **~·ness** *n.*

néw·fáshioned *a.* 신형의, 새 유행의, 최신의(up-to-date). opp *old-fashioned*.

Néw Féderalism 신연방주의《(1) 미국 대통령 Nixon의 제창으로 시작된 주권(州權) 확장 정책. (2) 주(州)(이하의 지방 자치제)의 행정에 대한 연방 정부의 역할을 축소·폐지하려는 Reagan 정권의 정책》. ㊉ **Néw Féderalist** 「된.

néw·fóund *a.* 새로 발견된; 최근에 현저하게

New·found·land [njúːfəndlənd, -lǽnd, njuːfáundlənd/njúːfən*d*lənd, -lǽnd, njuːfáundlənd] *n.* 뉴펀들랜드. **1** 캐나다 동해안에 있는 섬 및 이 섬과 Labrador 지방을 포함하는 주(州)《생략: N.F., NFD, Nfd, Newf.》. **2** 그 섬 원산의 큰 개의 일종(=∠ **dóg**). ㊉ **~·er** *n.* ~ 섬의 사람〔배〕.

Néw Frontíer (the ~) 뉴 프런티어《신개척자 정신; 1960년 대통령 후보 수락 연설에서 Kennedy가 내세움》; Kennedy 정권(1961-63).

Néw Frontíersman New Frontier 정책의 주창자.

New·gate [njúːgèit, -gət/njúːgit, -gèit] *n.* 뉴게이트《런던 서문에 있던 유명한 감옥; 1902년 폐쇄》: a ~ bird 《영속어》 죄수.

Néwgate fríll 〔**frínge**〕 턱 밑에만 기른 수염.

Néwgate knócker 《영》 (생선·야채 행상인 등이 기르는) 곱슬곱슬한 귀 앞의 머리털.

néw gírl 여자 신입생, 여자 신입 사원.

néw guárd (the ~) 《때때로 the N- G-》 《미》 뉴가드《정계, 재계에서 새로이 두각을 나타내는 사람들; 현상의 개혁을 주창하는 사람들》.

Nèw Guínea 뉴기니 섬《생략: N.G.》.

Nèw Hámpshire 뉴햄프셔《미국 북동부의 주; 생략: N.H., NH》; 미국산(產) 닭의 일종. ㊉ **~·man** [-mən] *n.* ~의 주민.

Nèw Háven 뉴헤이븐《미국 Connecticut 주의 도시; Yale 대학 소재지》.

Néw Hébrew 현대 히브리어《이스라엘 국어》.

néw hígh 〖증권〗 신고가(新高價); 최고〔신〕기록.

Néw Hígh Gérman 신〔근대〕고지 독일어.

new·ie [njúːi/njúːi] *n.* 무엇인가 새로운 것.

new·ish [njúːiʃ/njúː-] *a.* 다소 새로운.

néw íssue 신규 발행 채권.

Nèw Jérsey 뉴저지《미국 동부의 주; 생략: N.J., NJ》. ㊉ **~·ite** [-àit] *n.* ~주의 사람.

Néw Jerúsalem **1** (the ~) 〖성서〗 새 예루살렘《천상의 성도(聖都); 천국; 요한 계시록 XXI: 2, 10》. **2** 지상의 낙원.

Néw Jóurnalism 신저널리즘《사건에 대한 기사 작성자의 주관적 참가나 사건·관계자에 밀착된 취재를 특징으로 함》. ㊉ **Néw Jóurnalist**

néw-láid *a.* 갓 낳은《달걀》; 《속어》 미숙한, 풋내기의.

Néw Látin =NEO-LATIN.

Néw Léarning (the ~) 신학문, 학예 부흥《문예 부흥 시대에 행해진 영국의 그리스 고전·성서의 원전(原典)에 대한 연구》.

Néw Léft (the ~) 《미》 신좌익《1960년대에서 70년대에 걸쳐 대두한》. ㊉ **Néw Léftist**

Néw Líght (종교상의) 신파, 자유주의파.

néw líne 〖컴퓨터〗 새 줄《단말기 등에서 다음 줄로 넘어가게 하는 기능》.

néw lóok **1** (the ~, 종종 the N- L-) 뉴룩《1947년 C. Dior가 내놓은 여성복 및 헤어스타일》. **2** 새로운 양식〔형, 체제 따위〕.

néw lów 〖증권〗 신저가(新低價); 최저 기록.

***new·ly** [njúːli/njúː-] *ad.* **1** 최근, 요즈음. **2** 새로이; 다시: a ~ appointed ambassador 신임 대사 / a ~ married couple 신혼부부. **3** 새로운 형식〔방법〕으로. ★ 종종 과거분사와 함께 복합어를 만듦: *newly*-decorated 신장〔개장(改裝)〕한.

néwly·wèd *a.*, *n.* 갓 결혼한 (사람); (*pl.*) 신혼부부.

New M. New Mexico.

néw-máde *a.* 갓 만들어진; 고쳐 만든.

néw mán **1** 신인; 신임자; 딴 사람; (기독교로의) 개종자: make a ~ of …을 개종시키다. **2** (N- M-) 남자 전업 주부. ***put on the ~*** 개종하다, 종교에 귀의하다.

New·mar·ket [njúːmɑ̀ːrkit/njúː-] *n.* **1** 경마로 유명한 잉글랜드 Suffolk주 서부의 도시. **2** (n-) 몸에 꼭 맞는 긴 외투(=**néwmarket còat**). **3** (n-) 《영》 카드놀이의 일종(Michigan).

néw·márried *a.* 신혼의.

néw máth 신수학 (=**néw mathemátics**) 《특히 미국에서 집합 개념에 입각한 초·중등 교육법》.

néw média 새로운 정보 전달 수단, 뉴미디어《신소재·전자 기기 등에 의한》.

Nèw Méxican 미국 뉴멕시코 주(州)의(사람).

Nèw México 뉴멕시코《미국 남서부의 주; 생략: New M., N.Mex., N.M., NM》.

néw-mínt *vt.* **1** (주화를) 새로 주조하다. **2** (말 따위에) 새로운 의미를 부가하다.

néw-mòdel *vt.* 다시〔새로〕 만들다; …의 형(型)을 새로이 하다. **—** *a.* 신형의.

new móney 〖경제〗 신규 차입 자금《국제 은행 등에 의한》.

néw móon 초승달; 〖성서〗 (히브리인(人)의) 신월제(新月祭)《이사야서 I: 13》.

néw-mówn *a.* (목초 따위를) 갓 벤.

Néw Néw Críticism 프랑스의 1960년대 이후의 새로운 비평 운동의 영향을 받은 미국의 신비평.

néw òne 《구어》 첫 체험: ~ on me 나의 첫 체험.

néw órder 새 질서, 신체제; (the N- O-) (나치스 독일의) 신질서.

Nèw Órleans 뉴올리언스《미국 Louisiana 주 남동부의 항구 도시》.

néw pénny 《영》 신(新)페니《1971년에 실시된 새 화폐; 1파운드의 100분의 1》.

Néw Pólitics 〔단수취급〕 (때때로 n- p-) 새 정치《정당 정치보다는 유권자의 적극적인 참여를 중시하는 정치》.

néw póor (the ~) 최근에 영락한 사람들, 사양족(斜陽族).

néw potáto 일찍 캔 작은 감자.

néw próduct 〖마케팅〗 신제품《새로운 상품이나 서비스》.

Néw Réalism 신사실주의(neorealism).

néw-rích *n.* (the ~) 〔집합적〕 벼락부자. **—** *a.* 벼락부자(특유)의.

Néw Ríght (the ~) 신우익. ㊉ **Néw Ríghtist**

Néw Romántic **1** 의상과 음악의 융합을 시도한 록 음악《음악 자체는 댄스 음악으로, punk rock의 일종》. **2** 〖복식〗 중세의 취향에 현대적 요소를 가미한 패션 경향《해적 룩(pirate look)은

이것의 하나》.

Néw Romànticism 화려한 의상과 전자 악기로 전개하는 New Wave 계의 록 음악.

†**news** [nju:z/nju:z] *n.* Ⓤ 〔보통 단수취급〕 **1** 뉴스(프로), 보도; (신문의) 기사(記事): foreign 〔home〕 ~ 해외〔국내〕 통신 / the latest ~ 최신 뉴스 / suppress the ~ *of* 〔*about*〕 a riot 폭동에 관한 뉴스를 억압하다 / An item of ~ in the paper caught his attention. 신문의 한 기사가 그의 주의를 끌었다. **2** 새로운 사실, 흥미로운 사건〔인물〕, 진문(珍聞), 정보: That is quite 〔no〕 ~ to me. 《구어》 그건 금시초문이다〔벌써 알고 있다〕. **3** 소식, 기별: good 〔bad〕 ~ 길〔흉〕보 / His family has had no ~ *of* his whereabouts for months. 그의 가족은 몇 달째 그의 행방에 관해 소식을 못 듣고 있다 / No ~ is good ~. 《속담》 무소식이 희소식 / The ~ *that* he had been injured was a shock to us all. = The ~ *of* 〔*about*〕 his injury was a shock to us all. 그가 부상당했다는 소식은 우리 모두에게 큰 충격이었다. **4** (N-) …신문《신문 이름》: The Daily *News* 데일리 뉴스. ***be in the ~*** 신문 기삿감이 되다; (신문 등에) 발표되다. ***break the ~ to*** …에게 (소식을) 알리다《특히 흉보를》; 《미속어》 …에 불의의 습격을 가하다. ***make ~*** 신문에 날 일을 하다.
— *vt.* 뉴스로서 전하다. — *vi.* 뉴스를 말하다.

néws àgency 통신사; 신문 잡지 판매소.

néws·àgent *n.* 《영》 신문〔잡지〕 판매업자(《미》 newsdealer).

néws ànalyst 시사 해설가(commentator).

néws·bèat *n.* 《미》 신문 기자의 담당 구역.

néws blàckout 보도 관제, 발표 금지.

néws·bòard *n.* **1** 《영》 게시판(《미》 bulletin board). **2** 헌 신문지를 재생한 판지(板紙).

néws·bòy *n.* 신문 배달원, 신문팔이.

néws·brèak *n.* 보도 가치가 있는 일〔사건〕.

néws búlletin 《영》 뉴스 방송.

néws·càst *n.*, *vi.*, *vt.* 뉴스 방송(을 하다). ㊞ **~·er** *n.* 뉴스 방송〔해설〕자. **~·ing** *n.* Ⓤ 뉴스 방송.

néws cínema 《영》 = NEWS THEATER.

néws còmmentator 〖방송〗 시사 해설자.

néws cònference 기자 회견(press conference).

Néw Scótland Yárd 런던 경찰국(Scotland Yard)의 공식명.

néws·dèaler *n.* 《미》 신문〔잡지〕 판매업자(《영》 newsagent).

néws·dèsk *n.* (신문, 라디오, TV 등 미디어의) 뉴스데스크, 뉴스 편집부.

néws èditor (일간 신문의) 기사 편집자.

néws film = NEWSREEL. 「(flash).

néws flàsh 〖라디오 · TV〗 뉴스 속보(速報)

néws·gìrl *n.* 신문 배달 소녀, 신문팔이 소녀.

néws·gròup *n.* 뉴스 그룹《인터넷 가입자 사이에서 관심이 있는 특정 주제에 대해 서로 정보를 교환할수 있는 집단》.

néws·hàwk *n.* 《미구어》 = NEWSHOUND.

néws·hèn *n.* 《미구어》 여기자.

néws hòle 《미》 (신문 · 잡지의) 기사면《광고란에 대한》.

néws·hòund *n.* 《미구어》 (신문 등의) 기자, 신문쟁이(newshawk); 《널리》 보도원.

néws jùnkie 《구어》 뉴스 · 르포르타주(reportage)를 열심히 보는 시청자.

néws·less *a.* 뉴스가 없는. ㊞ **~·ness** *n.*

néws·lètter *n.* (회사 · 단체 등의) 회보, 연보, 월보; 시사 통신, 시사 해설; (17-18세기의) 시사 회보《현대 신문의 전신》.

néws·magazìne *n.* 시사 (주간) 잡지《*Time*, *Newsweek* 따위》. 「건, 물건).

néws·màker *n.* 《미》 기삿거리가 되는 사람〔사

néws·man [-mæ̀n, -mən] (*pl.* **-men** [-mèn, -mən]) *n.* 취재(取材) 기자(《영》 pressman); = NEWSDEALER.

néws·màp *n.* 뉴스 지도《시사적인 사건에 관한 해설과 삽화를 곁들인 정기 간행 지도》.

néws·mèdia *n. pl.* 뉴스미디어《신문 · 라디오 · 텔레비전 등》.

néws·mònger *n.* 소문을 퍼뜨리기 좋아하는 사람; 수다쟁이, 떠버리; 통신자. ㊞ **~·ing** *n.*

Néw Sòuth Wáles 오스트레일리아 남동쪽의 주(생략: N.S.W.).

news·pa·per [njúːzpèipər, njúːs-/njúːs-, njúːz-] *n.* **1** 신문(지); 신문사《조직 · 기관》; = NEWSPRINT: a daily 〔weekly〕 ~ 일간〔주간〕 신문 / write to a ~ 신문에 투고하다 / a ~ office 신문사(의 건물) / He reads the ~ every day. 그는 신문을 매일 읽는다. **2** 《미속어》 30 일간의 금고형(刑). — *vi.* 신문 업무에 종사하다.

néwspaper·bòy *n.* = NEWSBOY.

néwspàper·dom *n.* 신문계.

néws·pà·per·ing [-riŋ] *n.* Ⓤ 신문 사업〔경영〕; 신문의 편집 방법; 저널리즘.

néwspaper·màn [-mæ̀n] (*pl.* **-mèn** [-mèn]) *n.* 신문인, 《특히》 신문 기자〔편집자〕; 신문 경영자. 「자.

néwspaper·wòman (*pl.* **-wòmen**) *n.* 여기

néw·spèak *n.* (종종 N-) (정부 관리 등이 여론 조작을 위해 쓰는) 일부러 애매하게 말하여 사람을 기만하는 표현법《영국의 작가 G. Orwell 의 소설 '*1984*'에 나오는 조어(造語)》. 「는 사건.

néws pèg 읽을거리 · 기삿거리가 되는 흥미 있

néws·pèople *n. pl.* 보도 관계자《신문 기자, 특파원, 리포터, 뉴스캐스터 등》.

néws·pèrson *n.* (신문) 기자, 특파원, 리포터, 뉴스캐스터.

néws·prìnt *n.* 신문 (인쇄) 용지. 「한.

néw·sprúng *a.* (갑자기) 나타난, 갑자기 발생

néws·rèader *n.* 《영》 = NEWSCASTER; 신문 독자; 뉴스 리더《유즈넷 뉴스를 읽는 프로그램》.

néws·rèel *n.* (단편의) 뉴스 영화.

néws relèase = PRESS RELEASE.

néws·ròom *n.* (신문사 · 라디오 · TV 의) 뉴스 편집실; 신문 잡지 열람실; 신문 잡지 판매소.

néws sàtellite 통신 위성.

néws sèrver 〖인터넷〗 뉴스 서버《유즈넷에서 뉴스 그룹을 관리하는 컴퓨터 사이트》.

néws sèrvice 통신사(news agency).

néws·shèet *n.* 한 장짜리 신문《접지 않은》; 회보, 사보(社報), 공보(newsletter).

néws·stàll *n.* 《영》 = NEWSSTAND.

néws·stànd *n.* 신문〔잡지〕 판매점. 「story.

néws stòry 뉴스 기사. ⓒⓕ editorial, feature

néw stár 〖천문〗 신성(nova). 「ema).

néws théater 뉴스 영화관(《영》 news cin-

Néw Stóne Àge (the ~) 신석기 시대(Neolithic Age).

New Stýle (the ~) 신력(新曆), 그레고리오력(曆)《생략: N.S.》.

néws válue 보도 가치.

néws·vèndor *n.* 신문 판매원, 신문팔이.

Néws·wèek 뉴스위크《미국의 뉴스위크 주간지; 1933 년 창간》.

néws·wèekly *n.* 주간 시사 잡지, 주간 신문.

néws·wìre *n.* **1** 뉴스 서비스《통신사가 텔렉스로 시시각각 뉴스를 신문사 따위에 보내는 시스템》. **2** 뉴스 송신〔수신〕장치《텔렉스 따위》.

néws·wòman (*pl.* **-wòmen**) *n.* 여기자; 신문 잡지의 여판매원.

néws·wòrthy *a.* 보도 가치(news value)가 있는; 기삿거리에 알맞은. [파] **-wòrthiness** *n.*
néws·wrìter *n.* 신문 기자.
néws·wrìting *n.* 뉴스라이팅《(1) 신문의 보도 기사 집필. (2) 신문 잡지 편집》.
newsy [njúːzi/njúː-] (***news·i·er; -i·est***) *a.* 《구어》 뉴스감이 많은; 화제가 풍부한; 이야기를 좋아하는, 수다스러운, 말이 많은; =NEWSWORTHY. **—** (*pl.* ***news·ies***) *n.* 《미·Austral.》 =NEWSBOY. [파] **néws·i·ness** *n.*
newt [njuːt/njuːt] *n.* 〖동물〗 영원(蠑螈)(eft, triton); 《미속어》 바보, 멍청이.
néw technólogy (특히 컴퓨터 사용을 포함
New Test. New Testament. ⌊한⌉ 신기술.
Néw Téstament (the ~) 신약성서; 〖신학〗 신약《인간에 대한 그리스도의 새 구원의 계약》.
néw theólogy 신신학《특히 19세기 말에 근대 자연 과학의 관념과의 융합을 시도한 신학》.
Néw Thóught 신사상《인간의 신성(神性)을 강조하고 올바른 사상이 질병과 과오를 억제할 수 있다고 생각하는 종교 철학의 하나》.
New·ton [njúːtn] *n.* **1 Isaac** ~ 뉴턴《영국의 물리학자·수학자; 1642-1727》. **2** (n-) 〖물리〗 힘의 mks 단위《기호 N》.
New·to·ni·an [njuːtóuniən/njuː-] *a.* 뉴턴의; 뉴턴 학설〔발견〕의: ~ mechanics 뉴턴 역학. **—** *n.* 뉴턴 학설을 믿는 사람; 뉴턴식 반사 망원경(=~ **télescope**).
néwton-mèter *n.* 〖물리〗 =JOULE.
Néwton's ríngs 〖광학〗 뉴턴 환(環)《평판 유리와 렌즈 볼록면과의 접촉에 의해 생기는 동심원(同心圓)의 빛의 간섭(干涉) 줄무늬》.
néw tówn (종종 N- T-) 교외〔변두리〕 주택 단지. [cf.] satellite town.
Néw Vérsion 신역(新譯).
néw wáve (종종 N- W-) **1** (예술 사조(思潮)·정치 운동 등의) 새 물결(의 지도〔대표〕자들), 누벨바그. **2** 뉴 웨이브《1970년대 말기의 단순한 리듬·하모니, 강한 비트 등을 특징으로 하는 록 음악》.
néw wóman (the ~) (특히 19세기 말의 자유 독립을 외친) 신여성.
Néw Wórld (the ~) 신세계, 서반구, 《특히》 남북 아메리카 대륙.
néw-wórld *a.* 신세계의, 아메리카 대륙의.
néw wórld informátion òrder 신세계 정보 질서《1980년 유네스코 총회가 통신·정보 분야에서 기자의 윤리 강령이나 기자 면허제 등을 포함시킨 결의; 미국의 유네스코 탈퇴의 한 원인이 되었음》.
Néw Wórld Òrder (the ~) 새로운 세계 질서《미국의 Bush 전(前) 대통령이 내세운 냉전 종식 후의 세계 구도; 국가라는 틀을 넘어 세계 공통의 가치와 제도를 지향하는 것》.
Nèw Yáwky [-jɔ́ːki] *a.* 《미속어》 뉴욕(New York)풍〔식〕의.
néw yéar (보통 the ~) 새해; (보통 N- Y-) 설날; =ROSH HASHANAH: *New Year*'s resolution 새해 결심 / *New Year's* gifts 새해 선물 / the *New Year's* greetings 〔wishes〕 세배, 새해 인사. (***I wish you***) ***a happy New Year!*** 새해 복 많이 받으십시오, 근하신년.
Néw Yèar's (**Dáy**) 정월 초하루, 설날《공휴일; 미국·캐나다에서는 종종 Day를 생략함》.
Néw Yèar's Éve 섣달그믐날.
‡**New York** [njùːjɔ́ːrk/njùː-] **1 a** 뉴욕 시(=**Néw Yòrk Cíty**) 《생략: N.Y.C.》. **b** =GREATER NEW YORK. **2** 뉴욕 주(=**Nèw Yórk Státe**)《생략: N.Y., NY》.
Nèw Yórk cùt 《미서부》 뉴욕식 비프스테이크《등심살이 붙어 있고 뼈가 없는》.
Nèw Yórker 뉴욕 주 사람; 뉴욕 시 시민; (the ~) 미국의 주간지의 하나.
Nèw York·ése [-jɔːrkíːz] 뉴욕 사투리.
Nèw Yórk Schòol (the ~) 〖회화〗 뉴욕파(派)《1940-50년대에 뉴욕에서 추상 표현주의를 표방한 화파》.
Nèw Yórk Státe Bárge Canàl (the ~) 뉴욕 주 운하망.
Nèw Yórk Stóck Exchànge (the ~) 뉴욕 증권 거래소《미국 제1의 증권 거래소; 생략: NYSE》.
Nèw Yórk Tímes (the ~) 뉴욕 타임스《미국의 대표적인 일간지; 1851년 창간》.
‡**Nèw Zéa·land** [-zíːlənd] 뉴질랜드《남태평양에 있는 영연방의 하나; 수도 Wellington》. **—** *a.* 뉴질랜드의; 〖생물지리〗 뉴질랜드 구〔아구(亞區)〕의. [파] **~·er** *n.* 뉴질랜드 사람.
NEXIS [néksəs] *n.* 넥시스《주로 미국의 신문·잡지·시사 통신의 온라인 검색 서비스; 상표명》.
NEXRAD [néksræ̀d] *n.* 〖항공〗 차기(次期) 기상 레이더《미국의 새로운 항공 관제 시스템의 하나로, MLS 등과 함께 쓰는》. [◂ *next*-generation weather *radar*]
NeXT [nekt] *n.* 넥스트《미국 NeXT Computer, Inc. 제의 워크스테이션〔작업 컴퓨터〕; 상표명》.
†**next** [nekst] *a.* **1** 〖시간적으로〗 다음의, 이번의, 내(來)〔오는〕…; (the ~) 그 다음의, 다음〔이듬, 이튿〕…: ~ month 내월 / the ~ week 그 다음 주 / (the) ~ day 〔morning, evening〕 그 이튿날(아침, 저녁) / ~ Friday =on Friday ~ 다음 금요일에.

> [NOTE] (1) *next* Saturday는 '이 다음 토요일'이며 반드시 내주 토요일로 한정된 것은 아님. (2) 현재를 기점(起點)으로 하여 '다음의'란 뜻인 경우에는 the를 쓰지 않고, 현재 이외의 시점을 기점으로 할 때는 the를 붙이는 것이 보통임. (3) 전치사 뒤에서는 명사 다음에 옴.

2 〖공간적으로〗 가장 가까운; 이웃의; 다음의: the ~ house 이웃집 / the building ~ *to* the corner 모퉁이에서 두번째 건물 / Turn to the right at the ~ corner. 다음 길모퉁이에서 오른쪽으로 돌아가시오. **3** 〖순서·가치 등〗 그 다음〔버금〕 가는, 차위(次位)의《*to*》: the person ~ (*to*) him in rank 계급이 그의 다음인 사람 / What's the ~ article? 다음에는 무엇을 드릴까요《점원의 말》. ***as ... as the ~ fellow*** 〔***man, woman, person***〕 《구어》 어느 누구에게도 뒤지지 않는〔못지않게〕: I am *as* brave *as the* ~ *fellow*. 용기에 있어서는 아무에게도 지지 않는다. ***get*** 〔***be***〕 **~ *to*** 〔***on***〕***...*** 《미속어》 …의 환심을 사다, …와 가까워지다. ***get ~*** (***to oneself***) 《미속어》 (자기의 어리석음 등을) 알아차리다, 깨닫다. ***in the ~ place*** 다음에; 둘째로. **~ *above*** 〔***before***〕 바로 위〔앞〕의: "Yesterday" is the day ~ *before* the present (day). '어제'는 오늘의 바로 전날이다. **~ *door but one*** 한집 걸러 옆 집에. **~ *door to ...*** ① …의 이웃에〔의〕: They lived ~ *door to* us. 그들은 우리 이웃에 살았다. ② 《비유》 …에 가까운(near to): They are ~ *door* to poverty. 가난뱅이나 진배없다. ③ 〖부정어 앞에서〗 =~ to(관용구) 2. **~ *time*** 〖접속사적〗 다음〔이번〕에 …할 때에: Come to see me ~ *time* you are in town. 이번에 상경하거든 놀러 오너라. **~ *to ...*** ① ⇨2, 3. ② 〖부정어 앞에서〗 거의 ... (almost): ~ *to* nothing 거의 제로 / It was ~ *to* impossible. 거의 불가능했다. ③ …은 별도로 하고, …을 제하고, …의 다음에는: *Next to* cake, ice cream is my favorite dessert. 케이크 다음으로 아이스크림이 내가 좋아하는 디저트이다. ④ 《미속어》 (…와) 친해져, (여성과) 깊은 사이가 되어; …을 깨닫고. ***put** a person* ~ ***to ...*** 《미속어》 아무에게 …을 알리다. ***the ~... but*** one 〔two〕 하나〔둘〕 걸러 다음의, 두〔세〕 번째의: Take *the* ~ turning *but* two on your right. 오른쪽으로 세 번째 모퉁이를 돌아가시오. ***the ~ man*** 〔***fellow, one, person***〕 《미》 다른 누구라도. (***the***) ~ ***thing*** 다음에, 두 번째로. (***the***) ~ ***thing*** one ***knows*** 《구어》 정신을 차리고 보니, 어느 틈엔가: *The* ~ *thing* he *knew* he was safe in his bed. 정신이 들고 나니 그는 침대에 안전하게 누워 있었다. ***Who's ~?*** 다음은 누구의 차례입니까, (의장 등이) 다음 질문은 누구입니까.

★ next 의 원뜻은 '가장 가까운〔가깝게〕'이며, '다음의, 다음에'는 이 원뜻이 특수화된 것임 (⇨ next above).

— *pron.* 다음 사람〔것〕, 옆의 것, 가장 가까운 사람〔것〕《형용사 용법의 next 다음에 오는 명사가 생략된 것》: *Next*(, please)! 그 다음을; 다음 분〔것〕; 다음 질문을《순서에 따라 불러들이거나 질문 등을 재촉할 때》/He was the ~ (person) to appear. 그가 다음에 나타났다. ***in my ~*** 다음 편지(~ letter)에: I will tell you *in my* ~. 다음 편지에서 말씀드리겠습니다. ***To be concluded in our ~ (issue).*** 다음 호(號) 완결.

— *ad.* **1** 다음에, 이번에: When shall I meet you ~? 다음에는 언제 만날 수 있겠소/When I ~ saw him.... 다음에 그를 만났을 때에는…/We are getting off ~. 다음에 내립니다《역 · 정류장 따위》. **2** (순서로 따져서) 다음으로, 바로 뒤에《*to*》; …의 옆에, …에 인접하여《*to*》: the largest state ~ *to* Alaska 알래스카 다음으로 큰 주/He loved his horses ~ *to* his own sons. 그는 아들들 다음으로 말을 사랑했다/He placed his chair ~ *to* mine. 의자를 내 의자 옆에 놓았다. ~ ***off*** 《미속어》 다음에(next). ~ (***to***) one***'s skin*** 피부〔살〕에 직접《to 를 생략하면 next 는 *prep.*이 됨》. ***the ~ best thing*** 다음으로 가장 좋은 것, 차선책: *The* ~ *best thing* would be to tell him truth. 그에게 진실을 말하는 것이 차선책이 될 것이다. ***What ~!*** 〔***?***〕 ⇨ WHAT.

— *prep.* …의 다음〔옆〕에, …에 가장 가까운: a seat ~ the fire 난로 옆의 자리/come 〔sit〕 ~ him 그 사람 다음에 오다〔앉다〕.

néxt bést =SECOND BEST.

néxt-bést *a.* 제 2 위의, 두 번째로 좋은, 차선(次善)의.

néxt-dòor *a.* 이웃(집)의: a ~ neighbor 바로 이웃 사람.

Nex·tel [nékstel] *n.* 넥스텔《연극 · 영화에서 혈액 대용으로 쓰는 합성 물질》.

néxt fríend (the ~) 〖법률〗 (미성년자 · 유부녀 등 법적 무능력자의) 대리인, 후견인.

néxt of kín **1** 근친자, 제일 가까운 친척. **2** 〖법률〗 최근친자《유언을 남기지 않고 사망한 사람의 재산 상속권이 있는》.

nex·us [néksəs] (*pl.* **~·es,** ~ [-səs, -su:s]) *n.* **1** (집단 · 계열 내의 개인〔개체〕끼리의) 연계(連繫), 관련, 유대; 관계; 연결〔결합〕체: the cash ~ 현금 거래 관계/the causal ~ 인과 관계. **2** (사물 · 관념 등의) 연쇄, 연합. **3** 〖문법〗 서술적 관계〔표현〕《Jespersen 의 용어로, *Dogs bark.*/I think *him honest.* 등의 이탤릭체 말 사이의 관계를 말함》.

Nez Percé [nézpə́:rs] (*pl.* ~, ~*s*) 《F.》 네즈퍼스족《Idaho 주의 중부에서 서부에 걸쳐 거주하는 북아메리카 인디언》; 네즈퍼스 말.

NF Norman-French. **nF, nf** nanofarad(s). **N.F.** 《영》 National Front; Newfoundland; new franc; Norman-French; Northern French. **N.F., n/f, N/F** 〖은행〗 no funds (예금 잔액 없음). **NFC, N.F.C.** National Football Conference. **NFD, Nfd** Newfoundland. **NFG** 《미속어》 no fucking good (몹쓸 (녀석), 못쓸 (물건), 얼빠진 (녀석)). **N.F.L.** 《미》 National Football League. **NFLd** Newfoundland. **NFPA** 《미》 National Fire Protection Association(전국 방화 협회). **N.F.S.** National Fire Service; not for sale. **N.F.U.** 《영》 National Farmers' Union. **NG** 〖미식축구〗 nose guard. **Ng.** Norwegian. **N.G., n.g.** no good. **N.G., NG** National Giro; National Guard; New Granada; New Guinea; 〖화학〗 nitroglycerin.

Ń-gàlaxy *n.* 〖천문〗 엔(형) 은하〔성운〕《별 모양의 중심핵이 있는 은하; N 은 nuclear 의 생략》.

NGF 〖생리〗 nerve growth factor. **NGk** New Greek. **NGL** natural gas liquid (액체 천연가스). **NGO** nongovernmental organization (비정부 조직). **N.G.O.** 《Ind.》 non-gazetted officer. **NGPA** Natural Gas Policy Act.

ngul·trum [əŋgʌ́ltrəm] *n.* 응굴트룸《Bhutan 의 화폐 단위; 기호 N》.

ngwee [əŋgwi:] (*pl.* ~) *n.* Zambia 의 화폐 「단위.

nH, nh nanohenry; nanohenries. **NH** 〖미우편〗 New Hampshire. **N.H.** never hinged; New Hampshire. **NHA** 《미》 National Housing Agency. **NHC** National Health Center (국립 보건원). **NHeb(.)** New Hebrew. **N. Heb.** New Hebrides. **NHG** New High German. **N.H.I.** 《영》 National Health Insurance. **NHL** 《미》 National Hockey League. **N.H.P., n.h.p.** nominal horsepower. **NHS** 《영》 National Health Service(국민 건강 보험). **NHTSA** 《미》 National Highway Traffic Safety Administration. **Ni** 〖화학〗 nickel. **N.I.** 《영》 National Insurance; Northern Ireland. **NIA** National Insurance Act.

ni·a·cin [náiəsin] *n.* Ⓤ 〖생화학〗 니아신(nicotinic acid). 「=NICOTINAMIDE.

ni·a·cin·a·mide [nàiəsínəmàid] *n.* 〖생화학〗

◇**Ni·ag·a·ra** [naiǽgərə] *n.* **1** (the ~) 나이아가라《미국과 캐나다 국경의 강》. **2** =NIAGARA FALLS. **3** (n-) 폭포; 급류; 대홍수; 쇄도: a ~ of protests 항의의 쇄도. **4** 나이아가라종《미국 동부산의 백포도의 한 품종》. ***shoot ~*** 《비유》 큰 모험을 하다.

Niágara Fálls **1** (the ~) 나이아가라 폭포. **2** 그 폭포 양안의 두 도시 이름《미국 · 캐나다 측의》.

ni·al·am·ide [naiǽləmàid] *n.* 〖약학〗 니알라마이드《우울증 치료제》.

Nia·mey [nja:méi] *n.* 니아메《Niger 의 수도》.

nib [nib] *n.* **1** (새의) 부리. **2** 깃펜의 끝; (보통의) 펜촉의 끝; 펜촉. ㊌ pen[1]. **3** 〔일반적〕 첨두, 첨단. **4** (*pl.*) 빻은 커피〔코코아〕 열매. — (***-bb-***) *vt.* 첨두를 붙이다; (깃펜) 끝을 뾰족하게 하다; (펜촉을 펜대에) 꽂다, 교환하다. ㊐ **∠·like** *a.*

◇**nib·ble** [níbəl] *vt.* 《~+목/+목+부/+목+전+명》 (짐승 · 물고기 등이) 조금씩 물어뜯다〔갉아먹다〕《*off; away*》; 갉아서 구멍 등을 내다: Caterpillars are *nibbling away* the leaves. 모충이 잎을 갉아먹고 있다/The rabbit ~*d* a hole *through* the fence. 토끼가 울타리를 갉아 구멍을 냈다. — *vi.* **1** 《~/+부/+전+명》 조금씩 갉다〔물어뜯다, 깎아내다〕, 조금씩 갉아〔베어〕 먹다; 조금씩 줄이다, 잠식하다: Inflation was *nibbling away at* her savings. 인플레로 인해 그녀의 저금이 조금씩 줄어들고 있었다. **2** 《+전+명》 입질하다《*at*》; 《비유》 (유혹 · 거래 등에)

마음이 있는 기색을 보이다《at》: She always ~s *at* our offer 〔temptation〕. 그녀는 언제나 우리 제의〔유혹〕에 마음 있어 하는 태도를 보인다. **3** 《+전+명》 흠잡다, 트집잡다《at》: ~ *at* phrases 말꼬리를 잡고 트집하다. **—** *n.* 조금씩 물어뜯기, 한 번 물어뜯기《at》; (물고기의) 입질; 〚컴퓨터〛 니블《1/2 바이트; 보통 4 비트》: have a ~ *at* …을 조금씩 갉아먹다. ㊎ **níb·bler** *n.*

Ni·be·lung·en·lied [níːbəlùŋənlìːt] *n.* 《G.》 (the ~) 니벨룽겐의 노래《13 세기 초에 이루어진 남부 독일의 대서사시(詩)》. 「알 따위》.

nib·let [níblət] *n.* 작은 낟알의 음식물《옥수수

nib·lick [níblik] *n.* 〚골프〛 쇠머리 달린 골프채의 일종, 아이언 9 번(number nine iron).

Nib·mar, NIBMAR [níbmɑːr] 옛 로디지아 등지의 백인 영토에 독립을 인정하기 전에 비례 대표제에 의한 흑인의 정치 참가를 요구하던 영국·영연방의 정책. [◂ *no* *i*ndependence *b*efore *m*ajority *A*frican *r*ule]

nibs [nibz] (*pl.* ~) *n.* (his ~) 《구어·종종 경멸》 높으신 분(들), 나리, 보스.

NIC 《영》 National Incomes Commission; 〚컴퓨터〛 Network Information Center; newly industrialized country (신흥 공업국).

ni·cad, Ni·cad [náikæ̀d] *n.* =NICKEL-CADMIUM BATTERY. [◂ *ni*ckel+*cad*mium]

Ni·caea [naisíːə] *n.* 니케아《고대 비잔틴 제국의 도시; Nicene Council 개최지》.

Ni·cae·an [naisíːən] *a.* =NICENE. **—** *n.* 니케아 주민; (4-5 세기의) Nicene Creed (니케아 신경(信經)) 신봉자.

Ni·cam, NICAM [náikæm] *n.* 나이캠《고음질의 입체 음향과 함께 비디오 신호를 보내는 TV 의 디지털 방식》. [◂ *n*ear *i*nstantaneously *c*ompanded(=compressed and expanded) *a*udio *m*ultiplex]

NICAP 《미》 National Investigators Committee on Aerial Phenomena (전국 대기(大氣) 현상 조사 위원회). **Nicar.** Nicaragua.

Nic·a·ra·gua [nìkərɑ́ːgwə/-rǽgjuə] *n.* 니카라과《중앙아메리카의 공화국; 생략: Nicar.; 수도 Managua》. ㊎ **~n** *n., a.* ~ 사람(의)

nic·co·lite [níkəlàit] *n.* Ⓤ 〚광물〛 적(赤)니켈광. 「휴양지로 유명》.

Nice[1] [niːs] *n.* 니스《프랑스 남부의 항구 도시;

Nice[2] [nais] *n.* 나이스《Nicaea 의 영어명》.

†**nice** [nais] (***nic·er; nic·est***) *a.* **1** 좋은, 훌륭한; 쾌적한, 유쾌한; 기쁜, 흐뭇한, 흡족한: a ~ day 기분 좋은〔맑게 갠〕 날씨/a ~ evening 기분 좋은 저녁; 즐거운 하룻저녁/It's ~ *that* she is coming. 그녀가 온다니 기쁘군/It's ~ to meet you. 만나뵙게 되어 반갑습니다/*Nice* 〔It's been ~〕 see*ing* 〔meet*ing*〕 you. 뵙게 되어 즐거웠습니다/very ~ weather *for* hiking 하이킹하기 아주 좋은 날씨/She's ~ *to* work with. 그녀와 함께 일하는 것은 즐겁다. **2** 아름다운, 말쑥한, 매력 있는: a ~ face 아름다운 얼굴/a ~ piece of work 잘 이루어진 일/The garden looks ~. 뜰이 깨끗하다. **3** 맛있는: ~ dishes 맛있는 요리. **opp** *nasty.*

> **SYN.** **nice** 먹어서 맛있는 것《과자·과일·생선·육류 등》에 쓰임. **sweet** 달고 맛있는 것《과자·과일·술 등》에 쓰임. **delicious** 아주 맛있음《좀 특수하며 과일·과자 등에 쓰임》.

4 인정 많은, 다정한, 친절한: He is very ~ *to* us. 매우 친절하게 대한다/*It is* very ~ *of* you 〔You're ~〕 *to* invite us. 초대해 주셔서 감사합니다. **5** 점잖은, 교양 있는, 고상한; (예의범절·말씨 등이) 적절한, 걸맞은. **6** 민감한, 정묘한, 정

밀한; 식별력을 요하는, 민감한: a ~ ear 예민한 귀/~ workmanship 훌륭한 솜씨. **7** 엄격한, 꼼꼼한; 몹시 가리는, 까다로운《in; about》: ~ *about* the choice of words 말의 선택에 까다로운/She is ~ *in* her hat. 모자에 대해서 까다롭다. **8** 미묘한, 미세한: a ~ distinction 미세한 차이/a very ~ point 실로 미묘한 점. **9** 신중을 요하는, 어려운; 수완이 필요한: a ~ issue/a ~ problem 어려운 문제. **10** 교묘한, 능숙한: a ~ shot 능숙한 사격. **11** 〖반어적〗 불쾌〔난처〕한, 큰일난, 바람직하지 않은: Here is a ~ mess. 곤란하게 되었다. ◇ nicety *n.* ***as ~ as*** **(~)** ***can be*** 더없이 좋은, 지극히 좋은. ***in a ~ fix*** 〔***mess***〕 진퇴양난으로, 몹시 난처하여. ***~ and…*** [náisən, náisn(d)] 〖때로 반어적〗 알맞게〔충분히〕 …하다; 〖다음의 형용사·부사의 뜻 강조〗 매우, 썩: It's ~ *and* warm in here. 이곳은 아주 기분 좋게 따뜻하다/He's ~ *and* drunk. 그는 몹시 취해 있다. ★ and를 생략하기도 함: This is a ~ long one. 길어서 아주 좋다. ***Nice going!*** 《구어》 〖때로는 비꼬는 투로〗 잘했다〔됐다〕, 좋기도 하구나. ***~ one*** 《구어》 〖때로는 비꼬는 투로〗 아주 좋은〔싫은, 지독한〕것〔일, 사람〕 《'이거 좋군〔지독하군〕' 처럼 감탄사적으로 씀》. ***not very ~*** 《영구어》 불쾌한, 재미없는. ***over*** 〔***too***〕 **~** 너무 잔소리가 심한. ***say ~ things*** 입에 발린 소리를 하다. ㊎ **∠·ness** *n.* 「neers.

NICE National Institute of Ceramic Engi-

níce fèllow 재미있는 녀석; 〖반어적〗 지독한

nice·ish [náisiʃ] *a.* 꽤 좋은, 짭짤한. ⌊놈.

níce-lóoking *a.* 《구어》 (얼굴이) 잘생긴, 호남자의, 미인의; (사람·물건이) 외관이 훌륭한, 아름다운, 애교가 있는; 좋아〔맛있어〕 보이는.

◇**nice·ly** [náisli] *ad.* **1** 좋게, 잘, 능숙하게; 훌륭히, 아름답게; 쾌적하게: She's doing ~. 그녀는 무사하다; 잘해 가고 있다. **2** 상냥하게, 친절하게; 호의적으로: speak ~ to a person 아무에게 다정하게 말하다. **3** 세심하게, 면밀히; 세밀〔신중〕하게, 꼼꼼히: a ~ prepared meal 정성 들인 요리. **4** 정밀하게, 꼭. ***Nicely.*** 잘 있습니다, 잘해 가고 있습니다. ***Nicely!*** (스포츠에서) 잘한다.

Ni·cene [naisíːn, ∠-] *a.* 니케아(Nicaea)의.

Nícene Cóuncil (the ~) 니케아 공의회(公議會)《교회 회의》. 「니케아 신경(信經).

Nícene Créed (the ~) 니케아 신조(信條),

níce Nélly 〔**Néllie**〕 《미속어》 점잔 빼는 사내〔여자〕; 완곡한 표현〔말〕.

níce-nélly, -Nélly, -Néllie *a.* 《미속어》 점잔 빼는; 완곡한. ㊎ **níce-néllyìsm** *n.* 점잔 빼기; 완곡한 표현〔말〕.

ni·ce·ty [náisəti] *n.* **1** Ⓤ 정확; 정밀. **2** Ⓤ (감정·취미의) 섬세, 까다로움; 고상. **3 a** Ⓤ 미묘, 기미(機微); 미묘함. **b** (보통 *pl.*) 미세한 점, 세세한 차이: a point of great ~ 매우 미묘한 점; 결정하기 어려운 점. **4** (종종 *pl.*) 고상〔우아〕한 것; 맛있는 음식. ◇ nice *a.* ***to a ~*** 정확히, 정밀히, 완벽하게(exactly); 알맞게.

◇**niche** [nitʃ] *n.* **1** 벽감(壁龕)《조각품 등을 놓는》. **2** 적소(適所), 활동 범위, (특정) 분야, 영역; 생태적 지위: She found a ~ *for* herself in this new industry. 그녀는 이 새로운 산업에서 알맞은 일자리를 찾았다. **3** 〚생태〛 생태적 지위. **4** 〚경제〛 니치, (수익 가능성이 높은) 특정 시장 분야, 시장의 틈새. ***a ~ in the temple of***

niche 1

fame 불후의 명성. — *vt.* 《~+목/+목+부》 (보통 *pp.*) 벽감에 안치하다〔놓다〕; 《~ one-self》 (알맞은 곳에) 자리잡다: She ~*d herself down* in a quiet corner. 그녀는 조용한 구석에 자리잡았다.

níche màrketing 특정 시장 분야에의 판매.

Nich·o·las [níkələs] *n.* **1** 니컬러스《남자 이름; 애칭: Nick》. **2 Saint ~** 성(聖)니콜라스《러시아·그리스·어린이·선원·여행자 등의 수호성인; ?-342》. cf. Santa Claus.

ni·chrome [náikroum] *n.* Ⓤ 니크롬; (N-) 그 상표명.

nic·ish [náisiʃ] *a.* =NICEISH.

Nick [nik] *n.* **1** 닉《남자 이름; Nicholas 의 애칭》. **2** (Old ~) 악마.

°**nick**[1] [nik] *n.* **1** 새김눈, 자른 자리(notch). **2** (접시 따위의) 흠, 깨진 곳; 【인쇄】 활자 몸체의 홈; 【생화학】 닉《DNA 나 RNA 의 한 사슬에 있는 새김눈》. **3** 《영》 (hazard 에서) 주사위를 던지는 사람이 부르는 수나 또는 그 수와 관계 있는 수의 눈이 나오기. **4** (the ~) 《영속어》 감방, 교도소. ***in good ~*** 《구어》 몸이 좋은 상태로. ***in the*** (***very***) **~** (***of time***) 마침 제때에, 아슬아슬한 때에, 때마침. — *vt.* **1** …에 새김눈을 내다; (칼날 따위에) 흠을 내다; 【생화학】 …에 닉을 내다; (말 꼬리의) 밑에 칼자국을 내다《꼬리를 치켜들게 하기 위해》. **2** 새김눈을 그어 득점을 표시하다; 적어 놓다. **3** 말로 알아맞히다; 잘 맞히다; …에 꼭 알맞다; …의 시간에 대다. **4** (hazard 에서) 주사위의 이길 눈을 굴려 내다. **5** 《속어》 **a** 속이다; …에게 터무니없는 돈을 요구하다; 《영속어》 빼앗다, 훔치다. **b** …에게서 벌금을 받다; 《미속어》 감봉(減俸)하다. **6** 방해〔억제〕하다; 《영속어》 (범인 따위를) 체포하다. — *vi.* 《+전+명》 뒤에서 공격〔비난〕하다《*at*》; (사냥·경주 등에서) 지름길로 앞지르다, 새치기하다《*in*》; (가축이) 순조로이 교미하다《*with*》; 《Austral.구어》 재빨리 떠나가다: people who ~ *at* the American system 미국의 체제를 비난하는 사람들. ~ ***it*** 잘 알아맞히다.

nick[2] *n.* 《미속어》 5 센트짜리 백통돈.

nick·el** [níkəl] *n.* **1** Ⓤ 【화학】 니켈《금속 원소; 기호 Ni; 번호 28》; 백통. **2** Ⓒ 백통돈; 《미·Can.》 5 센트짜리 백통돈; 5 센트, 잔돈; 《미속어》 5 달러 지폐〔화폐〕. **3** 《미속어》 =NICKEL BAG; 징역 5 년의 판결. ***~s and dimes 《미속어》 약간의 돈. ***not worth a plugged ~*** 《미속어》 아무 가치도 없는. — (***-l-***, 《영》 ***-ll-***) *vt.* 니켈 도금을 하다. ~ ***up*** 《미속어》 5 센트를 내고 그 이상의 음식〔물건〕을 달라고 하다.

níckel-and-díme [-ən-] 《미구어》 *vt.* **1** 인색하게 굴다, …을 인색하게 대우하다. **2** (알뜰히 굴어서) 획득하다. **3** 세세한 지출이 쌓여서 재정 위기에 빠뜨리다: We're being ~*d* to death by these small weekly expenses. 우리는 매주 생기는 이러한 소액의 경비 때문에 죽을 지경이다. **4** 작은 일로 괴롭히다, 쓸데없는 일로 괴롭히다. — *a.* 소액의, 인색한; 하찮은.

níckel bàg 《미속어》 5 달러어치의 마약.

níckel bràss 구리·아연·니켈의 합금.

níckel-cádmium bàttery 니켈 카드뮴 (축)전지《알칼리 전해액을 쓴 충전형 전지(nicad)》.

níckel defènse 《미식축구속어》 5 명의 디펜스백에 의한 방어 플레이.

nick·el·ic [nikélik, níkəl-] *a.* 【화학】 니켈의, 《특히》 제 2 니켈의.

nickélic óxide 【화학】 산화(제2) 니켈.

nick·el·if·er·ous [nìkəlífərəs] *a.* (광석이) 니켈을 함유하고 있는.

níckel nùrser 《미속어》 구두쇠.

níckel nùrsing 《미속어》 인색한; 긴축 정책의.

nick·el·o·de·on [nìkəlóudiən] *n.* 《미》 5 센트 극장〔영화관〕; =JUKEBOX. [◂ *nickel*+*melodeon*]

nick·el·ous [níkələs] *a.* 【화학】 니켈의, 《특히》 이가(二價) 니켈의, 제 1 니켈의.

níckel pláte 니켈 도금; (전기 도금된) 니켈 피막.

níckel-pláte *vt.* …에 니켈 도금하다.

níckel sílver 양은(洋銀)(German silver).

níckel stéel 니켈강(鋼).

níckel's wòrth 《CB속어》 5 분간의 교신 제한 시간.

níck·er[1] *n.* 새김눈을 내는 사람.

níck·er[2] 《방언》 *vi.* (말이) 울다(neigh); (사람이) 낄낄거리다(snicker). — *n.* 낄낄거리는 웃음.

níck·er[3] (*pl.* ~, ~*s*) *n.* 《영속어》 1 파운드 영국 화폐; 《Austral.》 돈.

nicknack ⇨ KNICKKNACK.

‡**nick·name** [níknèim] *n.* **1** 별명, 애칭《Shorty '꼬마', Fatty '뚱뚱이' 따위》. **2** Christian name의 약칭《Robert 를 Bob 라고 부르는 따위》. — *vt.* **1** 《~+목/+목+보》 …에게 별명을 붙이다; 별명〔애칭〕으로 부르다: They ~*d* him Shorty. 그들은 그에게 꼬마라는 별명을 붙였다. **2** 《드물게》 이름을 잘못 부르다(misname).

Nic·o·las [níkələs] *n.* 니콜라스《남자 이름》.

Ni·co·lette [nìkəlét] *n.* 니콜렛《여자 이름》.

Níc·ol (**prìsm**) [níkəl(-)] 【광학】 니콜프리즘《편광(偏光) 실험용으로서, 방해석(方解石)으로 만듦》.

Nic·o·ret·te [nìkərét] *n.* 니코렛《니코틴이 들어 있는 금연용 추잉 껌; 상표명》.

Nic·o·sia [nìkəsíːə] *n.* 니코시아《Cyprus 공화국의 수도》.

ni·co·tia [nikóuʃə] *n.* **1** =NICOTINE. **2** 《시》 담배.

ni·co·tian [nikóuʃən] 《고어》 *a.* 담배의〔에서 채취한〕. — *n.* 흡연자(smoker).

nic·o·tin·a·mide [nìkətínəmàid] *n.* 【화학】 니코틴(산)아미드.

nic·o·tine [níkətìːn, -tin] *n.* Ⓤ 【화학】 니코틴.

nícotine gùm 니코틴껌《니코틴을 함유한 금연용 껌》.

nícotine pàtch 니코틴 패치《니코틴을 함유한 금연용 붙이는 약》.

nic·o·tín·ic ácid [nìkətínik-] 【화학】 니코틴산(酸)(niacin).

nic·o·tin·ism [níkətiːnìzəm] *n.* Ⓤ (만성)니코틴〔담배〕 중독.

nic·o·tin·ize [níkətiːnàiz] *vt.* 니코틴 중독에 걸리게 하다; 니코틴을 첨가하다.

NICS newly industrialized countries (신흥공업국)《1988 년 이후 NIEs 를 쓰는 것이 보통》.

nic·ti·tate, nic·tate [níktətèit], [níkteit] *vi.* 눈을 깜박거리다(wink).

níctitating mémbrane 【동물】 순막(瞬膜).

nìc·ti·tá·tion, nic·tá·tion *n.* Ⓤ (눈의) 깜박거림.

NICU 【의학】 neonatal intensive care unit(신생아 집중 치료 시설).

ni·cy [náisi] (*pl.* **-cies**) *n.* 《소아어》 과자, 사탕.

NID 《영》 Naval Intelligence Division(해군 정보부). **NIDA** 《미》 National Institute of Drug Abuse(국립 약해(藥害) 연구소).

ni·da·men·tal [nàidəméntl] *a.* 【동물】 (연체동물 따위의) 난낭(卵囊)의〔을 만드는〕, 난소의: ~ gland 난포선(卵胞腺).

ni·date [náideit] *vi.* (수정란이 자궁에) 착상(着床)하다. (파) **ni·dá·tion** *n.*

nid·dle-nod·dle [nídlnádl/-nɔ́dl] *a.* (머리를) 꾸벅거리는; 불안정한. — *vi.*, *vt.* 비틀거리다, 흔들(리)다.

nide [naid] *n.* 《영》 꿩의 집(속의 새끼의 무리); 꿩의 무리.

nid·i·fi·cate, nid·i·fy [nídəfikèit], [nídəfài] *vi.* 둥우리를 만들다, 우리에 깃들이다. (파) **nid·i·fi-**

ca·tion [nìdəfikéiʃən] n. 「거리(게 하)다.
nid-nod [nídnɑ̀d/-nɔ̀d] (-dd-) vi., vt. 꾸벅
ni·dus [náidəs] (pl. -di [-dai], ~·es) n. 1 〖동물〗 둥지, (곤충 따위의) 알 스는 곳. 2 (종자·포자의) 발아공(孔); 병소(病巢); (알·결절 등의) 덩어리; 《비유》 발생처《동식물 체내의 병균·기생충 따위의》《for》. 3 두는 곳, 위치. ㊞ **ní·dal** a.
niece [ni:s] n. 1 조카딸, 질녀. cf. nephew. 2 《완곡어》 성직자의 사생아《여자》.
ni·el·lo [niélou] (pl. -li [-li:], ~s) n. 상감(象嵌)용 흑색 합금, 흑금(黑金); 흑금 상감 세공(품). ―vt. 흑금으로 상감〔장식〕하다. ㊞ **~ed** a. **ni·él·list** n. 흑금 상감공.
Níel·sen (ràting) [ní:lsən-] (TV의) 넓은 시청률《미국의 시장 조사 회사인 A.C. Nielsen Co.가 측정함》.
NIEO new international economic order(신국제 경제 질서; 개발 도상국이 주장하여 선언함).
Nier·stein·er [níərstainər] n. (라인 강변 Nierstein 산(産)의) 백포도주.
NIEs Newly Industrializing Economies(신흥 공업 경제 지역).
Nie·tzsche [ní:tʃə] n. **Friedrich Wilhelm** ~ 니체《독일의 철학자; 1844-1900》. ㊞ **~·ism** [-tʃiìzəm] n. Ⓤ 니체주의〔철학〕.
Nie·tzsche·an [ní:tʃiən] a. 니체 철학의. ―n. 니체 철학의 연구가. ㊞ **~·ism** n. =NIETZSCHEISM.
ni·fed·i·pine [nəfédəpi:n, -pən] n. 〖약학〗 니페디핀《관혈관(冠血管) 확장약; 협심증 치료에 사용》. 「**niffy** a.
niff[1] [nif] n., vi. 《영속어》 악취(가 나다). ㊞
niff[2] n. 《구어·방언》 반감(反感), 노여움: take a ~ 화내다. 「전자.
níf gène [níf-] 질소 고정(固定)에 관여하는 유
nif·ty [nífti] (-ti·er; -ti·est) a. 《구어》 익살맞은, 재치 있는, 멋들어진. ―n. 재치 있는 말; 멋진 계집아이. 「을 깨다.
nig [nig] vi. 《미구어》 =RENEGE; 《미속어》 약속
NIG Niger 《자동차 국적 표시》. **Nig.** Nigeria.
Ni·gel [náidʒəl] n. 나이절《남자 이름》.
Ni·ger [náidʒər] n. 1 (the ~) 니제르 강《서아프리카를 통하여 Guinea 만으로 들어가는》. 2 니제르《아프리카 서부의 공화국; 수도 Niamey》. ―a. ~의.
Ni·ge·ria [naidʒíəriə] n. 나이지리아《아프리카 서부의 공화국; 생략: Nig.; 수도 Abuja》. ㊞ **Ni·gé·ri·an** [-n] a., n. ~의 (사람).
nig·gard [nígərd] n. 인색한〔쩨쩨한〕 사람, 구두쇠. ―a. 《문어》 인색한, 쩨쩨한.
níg·gard·ly a. 인색한, 쩨쩨하게 구는《of》; 빈약한, 불충분한, 근소한. ―ad. 인색〔쩨쩨〕하게. ㊞ **-li·ness** n.
nig·ger [nígər] n. 1 《경멸》 (동인도·오스트레일리아 등지의) 흑인, 검둥이(Negro); 사회적으로 불우한 사람. 2 〖형용사적〗 흑인의〔과 같은〕. 3 Ⓤ 《고어》 암갈색(=∠ **bròwn**); 《미》 (제재소용의) 동력 지렛대. ***a ~ driver*** 사람을 혹사하는 사람. ***a* 〔*the*〕 *~ in the woodpile* 〔*fence*〕** 《구어》 숨은 사실〔동기, 결점, 장애(등)〕, 숨겨진 속사정〔의도〕, 숨어 있는 인물. ***a ~ lover*** 흑인 해방 지지자. ***a ~'s ~*** 《미흑인속어》 백인에게 굽실거리는 흑인. ***~ melodies*** 흑인의 노래. ***work like a ~*** 뼈빠지게〔고되게〕 일하다. ㊞ **~·dom** n. 《경멸》 Ⓤ 흑인임; 흑인 사회.
nígger·hèad n. =NEGROHEAD; 〖지학〗 니거헤드탄(炭)《석탄층 중에서 나는 둥근 탄 덩어리》; 〖지학〗 산호초가 파괴되어 생기는 검은 덩어리; 〖해사〗 윈치의 드럼.
nígger héaven 《미속어》 극장의 맨 위층의 좌석; 흑인가《뉴욕 시의 Harlem 등》.
nig·ger·ish [nígəriʃ] a. 흑인의〔과 같은〕.
nígger-pòt n. 《미남부속어》 밀주(密酒)(moonshine). 「자의.
nígger rích 《경멸》 (갑자기) 큰돈을 번, 벼락부
nígger·tòe n. 《미구어》 =BRAZIL NUT.
nig·gle [nígəl] vi. 하찮은 일에 시간을 낭비하다〔신경을 쓰다〕《about; over》; 옹졸하게 굴다; 탈잡다(carp); 괴롭히다《at》. ―vt. 인색하게 조금씩 주다; 짜증 나게 하다. ―n. 하찮은 불평, 결점. ㊞ **níg·gler** n.
nig·gling [nígəliŋ] a. 하찮은 일에 신경 쓰는, 옹졸한; 자질구레하여 귀찮은, 위축된, 좀스러운; (필적이) 읽기 어려운(cramped). ―n. 자질구레한 일, 잔손이 가는 일; 곰상스러운 태도. ㊞ **~·ly** ad.
nigh [nai] (**nigh·er** [náiər], 《고어》 **near**; **nigh·est** [náiist], 《고어》 **next**) a., ad., prep. 《고어·시어·방언》 =NEAR.
†**night** [nait] n. 1 밤, 야간, 저녁(때)(opp. day); 〖감탄사적〗 《구어》 편히 주무세요(Good night): on the ~ of the 14th of December, 12월 14일 밤에 / last ~ 간밤 / the ~ before last 지지난밤 / He stayed three ~s with us. 그는 우리 집에서 사흘 밤 묵었다. ★ night는 해 질 녘부터 해돋이까지, evening 은 일몰 또는 저녁 식사 후부터 잘 시간까지. 2 Ⓤ 야음; 〖일반적〗 어둠: *Night* falls. 해가 저문다. 3 《비유》 Ⓤ 어둠; 무지, 몽매, 맹목; 암흑〔실의, 불행〕의 시기, 암흑 상태. 4 Ⓤ 늘그막, 노령, 죽음; 무덤. 5 (때로 N-) (밤) 공연; (특정 행사가 있는) …의 밤: the first ~ 첫날(밤 공연) / a Wagner ~ 바그너의 밤. ***a dirty ~*** 비 내리는〔비바람 치는〕 밤. ***all ~* (*long*)** =***all the ~ through*** 밤새도록. ***a ~ out* 〔*off*〕** ① (하인 등의) 외출이 허락되는 밤. ② 축제의 밤; 밖에서 놀이로 새우는 밤: Let's have *a ~ out*. 오늘밤 밖에서 놀아 봅시다. **(*as*) *dark* 〔*black*〕 *as ~*** 새까만, 캄캄한. ***at dead of ~*** =***in the dead of* (*the*) *~*** 한밤중에. ***at ~*** 해 질 무렵에; 밤중(에)《특히 6시부터 12시까지》. ***at ~s*** 밤마다. ***at this time of ~*** =***at this hour of the ~*** 이렇게 늦은 밤에. ***by ~*** 밤에는; 밤중에; 야음을 틈타. ***call it a ~*** 《구어》 그날 밤의 일을 마치다; 활동을 그치다. ***C'mon, time for ~.*** 자, 잘 시간입니다. ***far into the ~*** 밤늦도록. ***for the ~*** 잠자기 위해; 그 밤은. ***Good ~!*** 편히 주무십시오; 안녕《밤에 헤어질 때의 인사》. ***have* 〔*pass*〕 *a good* 〔*bad*〕 *~*** 잠을 잘〔잘 못〕 자다. ***have* 〔*get, take*〕 *a ~ off*** 하룻밤 (일을) 쉬다. ***in the ~*** 야간에, 밤중에. ***keep* 〔*last*〕 *over ~*** (낚시·회의 등이) 아침까지 가다〔계속되다〕. ***late at ~*** 밤늦게, 오밤중에. ***make a ~ of it*** 《구어》 떠들며〔술로〕 밤을 새우다; 밤새도록 헤매고 다니다. ***make the ~ hideous*** 밤 늦게까지 법석을 떨다. ***~ after* 〔*by*〕 *~*** 매일밤, 밤마다. ***~ and day*** =***day and ~*** 밤낮(없이). ***of* 〔*o'*〕 *~s*** 《구어》 밤에, 밤에 때때로. ***on the ~ that ...*** …한 날 밤(에): *on the ~ that* I came here 내가 여기 온 날 밤. ***over ~*** 새벽까지, 하룻밤. ***spend the ~ with*** …와 하룻밤 같이 지내다. ***stay the ~*** 다음날까지 있다, 밤새다, 숙박하다. ***turn ~ into day*** 낮에 할 일을 밤에 하다, 밤새워 일하다〔놀다〕, (불을 밝혀) 낮처럼 밝게 하다. ***under* (*the*) *cover of ~*** 야음을 틈타서. ***work ~s*** 야간 근무이다.
―a. 밤의, 야간(용)의: a ~ game (야구 따위의) 야간 경기 / ~ duty 야근, 숙직 / a ~ air 밤공기, 밤바람 / a ~ train 야간열차, 밤차.
níght bàg =OVERNIGHT BAG.

níght bàseball 야간 야구 경기; 《미속어·완곡어》 애무, 성교.
níght·bìrd *n.* 밤새《올빼미·나이팅게일 따위》; 밤에 나다니는〔밤놀이하는〕 사람; 밤도둑.
níght-blìnd *a.* 밤눈이 어두운, 야맹증의.
níght blìndness 〖의학〗 야맹증(nyctalopia).
níght-blòoming céreus 〖식물〗 밤에 꽃 피는 선인장.
níght·càp *n.* 잠잘 때 쓰는 모자, 나이트캡; 《구어》 자기 전에 마시는 술; 《미구어》 당일 최종 경기, (경마의) 최종 레이스; 〖야구〗 더블헤더의 나중 ⌊경기.
níght càrt 분뇨 수거차.
níght chàir =CLOSE-STOOL. 「wear).
níght·clòthes *n. pl.* 잠옷(nightdress, night
níght·clùb *n.* 나이트클럽(nightspot). — *vi.* ~에서 놀다. ㊀ **-clùbber** *n.* ~ 단골손님.
níght còach 〖항공〗 (항공운임의) 야간 이코노미석.
níght commòde (걸상식) 실내 변기. 「법정.
níght còurt 《미》 (대도시의) 야간 형사〔즉결〕
níght cràwler 밤에 기어다니는 큰 지렁이.
níght depòsitory =NIGHT SAFE.
níght·drèss *n.* =NIGHTGOWN; NIGHTCLOTHES.
níght·ed [-id] *a.* 《고어》 캄캄해진, 길 가다 저문《나그네》.
níght èditor 〖신문〗 조간신문 편집 책임자.
níght·ery [náitəri] *n.* 《미구어》 나이트클럽.
◇**níght·fàll** *n.* Ⓤ 해 질 녘, 황혼, 땅거미(dusk): at ~ 해 질 녘에. SYN. ⇨ TWILIGHT.
níght fìghter 야간 요격 전투기.
níght flòwer 밤에 피는 꽃《달맞이꽃 따위》.
níght·flỳing *n.* Ⓤ 야간 비행. — *a.* 야간 비행의, (새가) 밤에 날아다니는.
níght·glàss *n.* 〖해사〗 야간용 망원경; (*pl.*) 야간용 쌍안경. 「光)》.
níght·glòw *n.* 〖기상〗 야광《밤의 대기광(大氣
◇**níght·gòwn** *n.* (여성·어린이용) 잠옷; =NIGHTSHIRT; 《고어》 =DRESSING GOWN.
níght-hàg *n.* (밤하늘을 날아다닌다는) 마녀; 가위; 몽마(夢魔).
níght·hàwk *n.* 쏙독새의 일종; 《구어》 밤놀이〔밤샘〕하는 사람; 밤도둑; 《미구어》 야간 택시《손님을 태우러 다니는》.
níght hèron 〖조류〗 푸른백로. 「gown).
níght·ie [náiti] *n.* 《구어》 잠옷, 네글리제(night-
Níght·in·gale [náitngèil, -tiŋ-/-tiŋ-] *n.* **1** Florence ~ 나이팅게일《영국의 간호사; 근대 간호학 확립의 공로자; 1820-1910》. **2** (a Florence ~) 병자를 간호하는 사람, 간호인.
◇**níght·in·gale** *n.* **1** 나이팅게일《유럽산 지빠귓과의 작은 새; 밤에 아름다운 소리로 욺》. **2** 《비유》 목소리가 고운 사람; 《미속어》 밀고자.

nightingale 1

níght·jàr *n.* 쏙독새《유럽산》.
níght làtch (문 따위의) 빗장의 일종《안에서는 손잡이로, 밖에서는 열쇠로 여닫음》. 「기》. ㊀ ~**·ness** *n.*
níght·less *a.* (극권(極圈)에서) 밤이 없는《시
níght lètter 〔**lèttergram**〕 (야간) 간송(間送) 전보《다음 날 아침에 배달되며, 요금이 쌈》. cf. day letter, lettergram.
níght·lìfe *n.* (환락가 등에서의) 밤의 유흥〔생활〕. ㊀ **-lifer** *n.*
níght-lìght *n.* 야간의 희미한 불빛; (병실·복도용의) 철야등; 밤샘에 쓰는 초〔등불〕; (선박의) 야간등.
níght lìne 밤낚싯줄《미끼를 끼워 밤 내내 물속에 넣어 둠》.
níght lìner 밤낚시꾼. 「〔새워〕.
níght·lòng *a., ad.* 철야의, 철야하여, 밤새우는
◇**níght·ly** *a.* **1** 밤의, 밤에 일어나는, 밤에 활동하는: ~ dew 밤이슬. **2** 밤마다의; 밤 같은; 밤 특유의. — *ad.* 밤에; 밤마다. 「꾼.
níght màn 야간 취업자〔근무자〕, 《특히》 야경
níght·man [-mən] (*pl.* ***-men*** [-mən]) *n.* 오물 수거인《밤에 변소를 치는》; =NIGHT MAN.
***níght·mare** [náitmɛ̀ər] *n.* **1** 악몽, 가위눌림: have (a) ~ 가위 눌리다. **2** 악몽 같은 경험〔사태, 상황〕; 공포〔불안〕감; 걱정거리. **3** 가위《잠자는 이를 질식시킨다는》. ㊀ **níght·màr·ish** [-mɛ̀əriʃ] *a.* 악몽〔가위〕 같은; 불유쾌한. **níght·màr·ish·ly** *ad.*
níght-níght *int.* 《구어》 (밤의 작별인사로서) 안녕(히 주무십시오)《night night, nightie-night, nightie-nightie, nighty-nighty 로도 씀》. ***go*** ~ 《소아어》 자다, 코하다.
níght nùrse 야근 간호사. 「새《속칭》.
níght òwl 《구어》 밤샘하는 사람; 쏙독새목(目)의
níght pèople 야간형 생활자; 《미속어》 사회통념에 따르지 않는 사람들(nonconformists).
níght pèrson 야간형 생활자.
níght pìece 야경(夜景)(화); 밤을 다룬 작품〔그림, 악곡〕, 야경을 그린 글〔시〕.
níght ràven 야행성(夜行性)의 새, 《특히》 푸른백로; 《시어》 밤에 우는 새, 불길한 징조.
níght·rìder *n.* 《미남부》 야간의 복면 기마 폭력단원; Ku Klux Klan 의 일원.
níght ròbe 《미》 =NIGHTGOWN.
níght ròuter 《구어》 (다음 날 아침 배달하기 위해) 야간에 수집·분류하는 우체국 직원.
níghts *ad.* 매일 밤, (거의) 밤마다.
níght sàfe 야간 금고《은행 등의 폐점 후의》.
níght·scàpe *n.* 야경(夜景), 야경화(night
níght schòol 야간 학교. ⌊piece).
níght·scòpe 암시경(暗視鏡)《어둠 속에서 물체가 보이도록 적외선을 이용한 광학 기기》.
níght sèason 《고어》 =NIGHTTIME.
níght·shàde *n.* Ⓤ 가지속(屬)의 식물. ***black*** ~ 〖식물〗 까마종이. ***deadly*** ~ 〖식물〗 =BELLADONNA. ***woody*** ~ 〖식물〗 =BITTERSWEET. — *a.* 가짓과(科)의(=**sòl·a·ná·ceous**).
níght shìft (공장 등의) 야간 근무 (시간); 〖집합적〗 야간 근무자. cf. day shift, graveyard
níght·shìrt *n.* (남자용의) 긴 잠옷. ⌊shift.
níght·sìde *n.* (신문사의) 조간 요원(opp. *dayside*); 〖천문〗 밤쪽《지구·달·행성 등의 태양과 반대쪽에 있는 어두운 부분》; 〖일반적〗 암흑면.
níght-sìght *n.* (총의) 야간 조준기.
níght sòil 똥거름, 분뇨《야간에 쳐내는》.
níght·spòt *n.* 《구어》 =NIGHTCLUB.
níght·stànd *n.* =NIGHT TABLE.
níght starvàtion 성적 기근, 성적 욕망.
níght·stìck *n.* 야경봉(棒).
níght stòol (침실용) 변기, 요강(night chair).
níght sùit 파자마, 잠옷.
níght sùpervisor 《미》 (경찰의) 야간 통제관.
níght swèat 도한(盜汗), 식은땀.
níght tàble 침대 곁 책상(=**béd·stànd**).
níght tèrror (아이의) 야경증(夜驚症).
níght·tìde *n.* Ⓤ 밤의 밀물; 《시어》 =NIGHTTIME. 「*daytime*.
níght·tìme *n., a.* Ⓤ 야간(의), 밤중(의). opp.
níght·tòwn *n.* 밤거리, 거리의 야경(夜景).
níght·vìewer *n.* 암시(暗視) 장치《어둠 속에서 물건을 식별할 수 있게 하는》.
níght-vìsion *a.* 암시(暗視)의.

níght vìsion góggles 암시(暗視) 장치《주로 적외선을 이용하는》.
níght·wàlker *n.* 밤에 배회하는 사람; 몽유병자; 밤도둑; 매춘부; 야행 동물; =NIGHT CRAWLER.
níght·wàlking *n.* Ⓤ 몽유병; 밤에 헤맴.
níght wàtch 1 야경(夜警), 야번(夜番); 〖단수 또는 집합적〗 야경꾼. **2** (보통 *pl.*) 야경 교대 시간《하룻밤을 셋이나 넷으로 나눈 그 하나》; (*pl.*) 잠 못 이루는 밤. ***in the ~es*** (불안하여) 잠 못 이루는 밤에.
níght wàtcher 〔**wàtchman**〕 야경원.
níght·wèar *n.* 잠옷(nightclothes).
níght wòrk 밤일, 야근.
nighty [náiti] *n.* 《구어》 잠옷(nightgown). ── *int.* 쉬세요, 안녕히 주무세요.
níghty-níght *int.* =GOOD NIGHT.
nig·nog [nígnàg/-nɔ̀g] *n.* 《영속어》 **1** 〖군사〗 바보, 멍청이; 신병. **2** 《경멸》 흑인, 검둥이. **3** 심술궂은 사람.
ni·gres·cent [naigrésənt] *a.* (안색·피부 따위가) 거무스레한. ㊎ **-cence** *n.* Ⓤ 검게 되기; 거무스름함.
nig·ri·fy [nígrəfài] *vt.* 검게 하다. ㊎ **nìg·ri·fi·cá·tion** *n.*
nig·ri·tude [nígrətjù:d/-tjù:d] *n.* Ⓤ,Ⓒ 검음(blackness), 암흑; 검은 것; 악명.
NIH National Institutes of Health(미국 국립 위생 연구소).
ni·hil [náihil, ní:-] *n.* 《L.》 무(無), 허무; 무가치한 것.
nihil ad rem [ˊæd-rém] 《L.》 잘못 짚은〔생각한〕, 요령부득의, 부적당한.
ni·hil·ism [náiəlìzəm, ní:-] *n.* Ⓤ **1** 〖철학·윤리〗 허무주의, 니힐리즘. **2** 〖정치〗 허무주의, 폭력 혁명〔무정부〕주의. **3** (N–) (러시아 혁명 전 약 60년간의) 폭력 혁명 운동. ㊎ **ní·hil·ist** *n.* 허무〔무정부〕주의자. **nì·hil·ís·tic** [-ístik] *a.* 허무주의(자)의; 무정부주의(자)의.
ni·hil·i·ty [naihíləti, ni:-] *n.* Ⓤ 허무, 무(無); 무가치한 것.
NII 《미》 National Information Infrastructure Initiative (전국 정보 인프라스트럭처 구상)《고도 정보 시스템 정비 구상》.
-nik [nik, nìk] *suf.* 《구어·경멸》 '…와 관계있는 사람, …한 특징이 있는 사람, …애호자' 의 뜻: beat*nik*, peace*nik*.
Ni·ke [náiki:] *n.* **1** 〖그리스신화〗 니케《승리의 여신》. **2** 〖미군사〗 나이키《지대공 유도탄의 일종》. ★ 그 상단 로켓의 종류에 따라 Nike-Ajax, Nike-Hercules, Nike-Zeus 등이 있음. **3** 나이키《미국의 스포츠화·스포츠용 의류 제조 회사; 또 그 제품의 상표명》.

Nike 1

nil [nil] *n.* **1** 무(無), 영; 〖경기〗 영점: three goals to ~, 3 대 0. **2** 〖컴퓨터〗 없음: ~ pointer 없음알리개. ── *a.* 없는, 존재하지 않는. ── *ad.* 《해커속어》 아니(no).
nil ad·mi·ra·ri [nìl-ædmirέərai] 《L.》 (=to wonder at nothing) 어떤 일에도 놀라지 않음, 태연자약한 태도.
Nile [nail] *n.* (the ~) 나일 강《아프리카 동부에서 발원, 지중해로 흘러드는 세계 최장의 강》. Ⓒⓕ Blue 〔White〕 Nile.
Níle blúe 녹색을 띤 담청색.
Níle gréen 청색을 띤 담녹색.
nil·gai, -ghai [nílgai] (*pl.* **~s,** 〖집합적〗 **~**) *n.* (인도산(産)) 영양(羚羊).
nill [nil] *vi.* 〖다음 용법뿐임〗 ***will he, ~ he*** 좋든 싫든. Ⓒⓕ willy-nilly.
níl nórm 《영》 정부가 결정한 최저 임금과 가격 인상의 표준(zero norm).
ni·lom·e·ter [nailámətər/-lɔ́m-] *n.* (종종 N–) (특히 홍수 때의) 나일 강의 수위계(水位計).
Ni·lot·ic [nailátik/-lɔ́t-] *a.* 나일 강의; 나일 강 유역 (주민)의.
nil·po·tent [nílpòutnt, ˊˊ] *a.* 〖수학〗 멱영(冪零)의《행렬·원(元)》. ㊎ **-ten·cy** [-tənsi] *n.*
nim [nim] (***nam*** [næ(:)m], ***nimmed; no·men*** [nóumən], ***nome*** [noum]; ***ním·ming***) *vt., vi.* 《고어》 훔치다, 후무리다.
nim·bi [nímbai] NIMBUS의 복수.
*__nim·ble__ [nímbəl] (**-bler; -blest**) *a.* **1** 재빠른, 민첩한: be ~ *of* foot =be ~ *on* one's feet 발이 빠르다 / I'm getting ~ *at* typ*ing.* 타자 속도가 빨라지고 있다. **2** 영리한, 이해가 빠른, 빈틈없는; 재치 있는, 꾀바른; 다재한. **3** (화폐가) 유통이 빠른: the ~ sixpence 〔ninepence, shilling〕 《고어》 유통이 빠른 돈; 박리다매. (***as***) ***~ as a goat*** 아주 재빠른. ㊎ **~·ness** *n.* **-bly** *ad.*
nímble-fíngered *a.* (소매치기가) 손이 빠른.
nímble-fóoted [-id] *a.* 발 빠른.
nímble-wítted [-id] *a.* 기민한, 영리한.
nim·bo·stra·tus [nìmboustréitəs] (*pl.* **~**) *n.* 〖기상〗 난층운, 비층구름, 비구름《생략: Ns》.
nim·bus [nímbəs] (*pl.* **-bi** [-bai], **~·es**) *n.* **1** (신·성자 등의) 후광(halo); 원광(圓光)《성인화(聖人畫) 따위의 머리 주위의》; (사람 또는 물건이 내는) 기운, 숭고한 분위기, 매력. **2** 〖기상〗 난운(亂雲), 비구름《nimbostratus 의 구칭》. **3** (N–) 님버스《미국이 쏘아 올린 기상 위성》. ㊎ **~ed** *a.*
NIMBY, Nim·by, nim·by [nímbi] *n., a.* 님비(의)《지역 환경에 좋지 않은 원자력 발전소·군사 시설·쓰레기 처리장 등의 설치에 반대하는 사람 또는 주민〔지역〕의 이기적 태도에 관해 말함》. ㊎ **Ním·by·ism** *n.* (*or* n–) 님비주의, 지역 주민 이기주의. [◂*not in my backyard*]
ni·mi·e·ty [nimáiəti] *n.* Ⓤ 과다, 과잉.
nim·i·ny-pim·i·ny [nímənipíməni] *a.* 점잔 빼는, 새침한, 얌전 빼는; 연약한.
nim·i·ous [nímiəs] *a.* 과잉의, 과도한.
ni·mo·nic [nimóunik] *a.* 〖야금〗 (내열·내압(耐壓)의) 니켈·크롬 합금의.
Nim·rod [nímrad/-rɔd] *n.* 〖성서〗 니므롯《여호와께서도 알아주시는 힘센 사냥꾼; 창세기 X: 8-9》; (보통 n–) 수렵가, 사냥꾼. 「의 애칭》.
Ni·na [ní:nə] *n.* 니나《여자 이름; Ann, Anna
nin·com·poop [nínkəmpù:p, níŋ-] *n.* 《구어》 바보, 멍청이. ㊎ **~·ery** *n.*
†**nine** [nain] *a.* 9 의, 9 명〔개〕의: It is ~ (o'clock). 9 시이다 / Only ~ (persons) appeared. 9 사람만 왔다. **~ *tenths*** 10 분의 9, 거의 전부. **~ *times out of ten*** =***in ~ cases out of ten*** 십중팔구, 대개. ── *n.* **1** 9, 9 의 숫자〔기호〕《9, ix, IX》. **2** 9 세; 9 시; 9 명. **3** 9 명〔개〕 1 조(組); 《미》 야구 팀; 〖골프〗 18 홀 코스의 전반〔후반〕. **4** 9 번째의 사람〔것〕; 〖카드놀이〗 9 끗짜리 패: the ~ of hearts 하트의 9. **5** (옷 사이즈의) 9 번, (*pl.*) 9 번 사이즈의 것. **6** (the N–) 뮤즈의 아홉 여신. Ⓒⓕ Muse. **~ *to five***, 9 시부터 5 시까지의 보통 근무 시간. (***up***) ***to the ~s*** 《구어》 완전히; 공〔정성〕들여, 화려하게: dressed 〔got〕 *up to the ~s* 성장(盛裝)하여. 「일종》.
níne-báll *n.* 《미》 나인볼《pocket billiards 의
níne dáys' 〔**níne-dáy**〕 **wónder** 곧 잊혀지는 소문〔사건〕; '남의 말도 석달': The singer

was a ~. 그 가수는 곧 잊혀졌다.

níne·fòld *a.*, *ad.* 9배의〔로〕, 아홉겹의〔으로〕.

níne·hòles *n. pl.* **1** 〖단수취급〗《미》 나인홀스《아홉 구멍에 공을 넣는 놀이》. **2** 곤란한 상황. 〖보통 다음 관용구로〗 ***in the*** **~** 곤란한 처지에, 궁지에 빠져, 곤란하여.

níne-nìne-níne *n.* 《영》 (경찰·구급차·소방서 등을 부르는) 긴급 전화번호, 999.

níne-òne-óne *n.* 《미》 (경찰·구급차·소방서 등을 부르는) 긴급 전화번호, 911: dial ~, 911 번을 돌리다.

níne·pènce [-pèns, -pəns] *n.* **1** 9펜스(의 값). **2** (16세기 아일랜드에서 통용된) 실링 화폐 《잉글랜드의 9펜스에 상당》. ***as neat*** 〔***grand, right***〕 ***as*** **~** 퍽 산뜻한〔훌륭한, 컨디션이 좋은〕.

níne·pìn *n.* **1** (*pl.*) 〖단수취급〗 나인핀스, 구주희(九柱戱)《아홉 개의 핀을 세우고 큰 공으로 이를 쓰러뜨리는 놀이》. ⓒⓕ tenpin. **2** 나인핀스용의 핀. ***fall*** 〔***be knocked***〕 ***over like a lot of ~s*** 골패짝 무너지듯하다, 우르르 겹쳐 쓰러지다.

†**nine·teen** [náintíːn] *a.* 19의; 19명〔세, 개〕의: the ~-eighties, 1980년대 / the ~-hundreds, 1900년대. — *n.* **1** 19, 19개〔명〕. **2** 19의 기호《XIX》. **3** 19번째(의 것); (사이즈의) 19번〔호〕. ***talk*** 〔***go, run, wag***〕 **~** ***to the dozen*** ⇨ DOZEN.

1984 [nàintíːnèitifɔ́ːr] *n.* (자유를 잃은 미래의 전체주의 사회의 상징으로서) 1984년《George Orwell의 소설 *Nineteen Eighty-Four*에서》.

1990 [-náinti] *n.* 〖브레이크댄싱〗 물구나무서서 한 손을 짚고 빙빙 도는 춤.

‡**nine·teenth** [náintíːnθ] *a.* 제19의, 열아홉째의; 19분의 1의. — *n.* 제19, 19번; 19분의 1(a ~ part); (월일의) 19일.

Níneteenth Améndment (the ~) 《미》 헌법 수정 제19조《여성에게 선거권을 보장한 조항; 1920년 성립》.

níneteenth hóle (the ~) 《구어·우스개》 19번 홀《18홀 후에 골퍼가 쉬는 시간》; 골프장 내의 클럽; 특히 바.

*__nine·ti·eth__ [náintiiθ] *n.*, *a.* 제90(의); 90분「의 1(의).

níne-to-fíve, 9-to-5 *n.* 《속어》 (평일 9시부터 5시까지의) 일상적인 일〔근무〕(시간); = NINE-TO-FIVER. — *vi.* (지루하고) 규칙적인 일을〔근무를〕 하다.

níne-to-fíver *n.* 《속어》 **1** 월급쟁이, 정규 시간 노동자. **2** 믿을 수 있는 (책임감이 강한) 사람. **3** 규칙적〔일상적〕인 일.

†**nine·ty** [náinti] *a.* 90의, 90개〔명, 세〕의. — (*pl.* **-ties**) *n.* **1** 90, 90개. **2** 90의 기호《xc, XC》. **3** 90세; 90달러〔파운드, 센트, 펜스 (따위)〕. **4** (the nineties) (세기의) 90년대, 90세대(歲代), 90도(度)〔점〕대(臺).

nínety-day wónder 《미속어》 3개월의 사관 양성 훈련만 받고 배속된 육〔해〕군 장교; 젊어 보이는 장교, 《특히》 육군 소위, 공군 장교; 동원되어 3개월 재교육을 받은 육군〔해군 예비역〕 군인.

nínety-níne *n.* **1** (기수의) 99; 99세. **2** 99를 나타내는 기호《99, XCIX 등》. **3** 〖복수취급〗 99명〔개〕. **4** 《미속어》 (팔면 특별 수당이 나오는) 유행에 뒤진〔상한〕 상품. — *a.* 99의; 99명〔개, 세〕의. **~** ***times out of a hundred*** 거의 언제나.

Nin·e·veh [nínəvə] *n.* 니네베《Assyria의 옛 수도》.

Nin·e·vite [nínəvàit] *n.* 니네베 사람.

Ning·xia, -sia, -hsia [nìŋʃíɑː] *n.* 닝샤(寧夏) 《(1) 중국 북서부의 옛 성(省). (2) 현재의 인촨(銀川)》.

nin·hy·drin [ninháidrin] *n.* 〖화학〗 닌히드린 《유독(有毒) 백색 결정; 아미노산 분석시약(分析試藥)》.

nin·ja [níndʒə] (*pl.* **~, ~s**) *n.* (종종 N-) **1** 《Jap.》 둔갑술을 부리는 사람. **2** 못 끝을 세운 대 《이스라엘군이 차량 타이어를 펑크내기 위해 만든 파괴 공작 장치》; (N-) 알제리 등의 보안군. — *a.* 둔갑술(사)의; 은밀한 행동의〔을 취하는〕.

nin·ny(-ham·mer) [níni(hæ̀mər)] *n.* 바보, 얼간이(simpleton).

ni·non [níːnɑn/-nɔn] *n.* Ⓤ 《F.》 얇은 비단《여성복·커튼용》.

†**ninth** [nainθ] *a.* **1** 제9의, 아홉째의. **2** 9분의 1의. ***the*** **~** ***part of a man*** 《우스개》 재봉사, 양복장이《TAILOR *n.*의 속담 Nine tailors make a man. 참조》. — *n.* **1** 제9, 9번; (월일의) 9일; 〖음악〗 9도 음정. **2** 9분의 1(a ~ part). ★ nineth는 잘못. ㊞ **~·ly** *ad.* 제9(위)로; 아홉째로.

nínth cránial nérve 〖해부〗 설인(舌咽) 신경.

Ni·o·be [náioubìː/-bi] *n.* **1** 〖그리스신화〗 니오베《사랑하던 14명의 아이들이 전부 살해당하여, 비탄하던 나머지 돌로 변했다는 여인》. **2** 자식을 잃고 비탄 속에 지내는 여자.

ni·o·bi·um [naióubiəm] *n.* Ⓤ 〖화학〗 니오브 《금속 원소; 기호 Nb; 번호 41》.

NIOSH 《미》 National Institute for Occupational Safety and Health (국립 직업 안전 건강 연구소).

Nip [nip] *n.*, *a.* 《속어·경멸》 일본 사람(의).

nip**[1] [nip] (**-pp-**) *vt.* **1** 《~+목/+목+전+명》 (집게발 따위가) 물다, 집다, 꼬집다; (개 등이) 물다: The monkey ~*ped* the child's hand. 원숭이가 어린애의 손을 물었다 / ~ a pen *between* one's lips 펜을 입술에 물다. **2** 《+목+부》 따다, 잘라내다《*off*》: ~ *off* young leaves 어린 잎을 따다. **3** (바람·서리·추위 따위가) 해치다, 얼게 하다, 이울게 하다; 저지하다, 좌절시키다. **4** 《+목+부/+목+전+명》 (옷 따위의) 치수를 줄이다《*in*》: ~ a dress *in at* the waist 옷의 허리를 줄이다〔가늘게 하다〕. **5** 《속어》 잡아채다; 훔치다; 체포하다. **6** 〖경기〗 …에게 간신히 이기다, 근소한 차로 이기다. — *vi.* **1** 《+전+명》 (집게발 따위가) 물다, 꼬집다, 집다; (개 따위가) 물다: The dog was ~*ping at* me. 그 개가 끈덕지게 나를 물고 늘어졌다. **2** (추위·바람 등이) 몸〔살〕을 에다: The wind ~*s* pretty hard today. 오늘 바람은 살을 에는 듯하다. **3** 《+부》 《영구어》 **a** 급히 가다; 몰래 떠나다, 살금살금 도망치다《*away; out; off*》: ~ *away* without a word 한 마디 (인사)말도 없이 몰래 자취를 감추다. **b** 재빨리〔날래게〕 움직이다; 뛰어오르다 《*along; in; out; over; up; down*》: When the door opened, somebody ~*ped in*. 문이 열리자마자 누군가가 재빨리 들어왔다. **~ *in 〔***out***〕 ① ⇨ *vi.* 3 b. ② 《속어》 훌쩍 뛰어들다〔나오다〕. **~ *up*** ① 급히 줍다. ② 급히 오르다; 불쑥 찾아오다. — *n.* **1** 한 번 꼬집기〔자르기, 물기〕; 작은 조각, 근소(僅少)《*of*》: a ~ *of* salt 약간의 소금. **2** 서리 피해; 모진 추위. **3** 욕, 혹평, 비꼬기. **4** (치즈의) 톡 쏘는 맛. **5** 《속어》 훔침, 소매치기. **6** 〖해사〗 (선측(船側)에 미치는) 결빙(結氷)의 강압; 밧줄의 꽉 죄인 부분. **7** (*pl.*) = NIPPER; (N-) 《영구어》 = NIPPY. ***put the ~s in*** 《Austral.구어》 융통해 주기를 부탁하다, 빌리다.

nip[2] *n.* (술 따위의) 한 모금〔잔〕, 소량; 《영》 닙 《술의 액량(液量) 단위: =1/6 gill》. — (**-pp-**) *vi.*, *vt.* (술을) 홀짝거리다.

ni·pa [níːpə] *n.* 〖식물〗 니파야자(= ∠ **pàlm**) 《동인도산(産)》; Ⓤ 니파주(酒); 니파로 인 지붕.

níp and túck 《구어》 미용 외과 수술; 호각의〔으로〕, 막상막하의〔로〕(neck and neck).

níp·per *n.* **1** 집는〔무는, 꼬집는〕 사람〔것〕; 따는

사람〔것〕. **2** (말의) 앞니; (게 따위의) 집게발. **3** 《속어》 소년, (행상을) 거드는 아이, 부랑아. **4** (*pl.*) 펜치, 못뽑이, 이 뽑는 집게, 족집게, 겸자. **5** (*pl.*) 《고어》 코안경. **6** (*pl.*) 《속어》 수갑(handcuffs). 「~**·ly** *ad.*

níp·ping *a.* 살을 에는 듯한; 비꼬는, 신랄한. ㊞

nip·ple [nípəl] *n.* **1** 유두(乳頭), 젖꼭지; (젖병의) 고무 젖꼭지, (젖 먹일 때의) 젖꼭지 씌우개(=**~ shield**). **2** 젖꼭지 모양의 돌기. **3** 〖기계〗 (파이프의) 접속용 파이프, 니플; 〖기계〗 그리스 「니플.

nípple·wòrt *n.* 〖식물〗 뽀리뱅이.

nip·py [nípi] (**-pi·er; -pi·est**) *a.* **1** 살을 에는 듯한, 차가운; 날카로운, 통렬한. **2** 《영구어》 열쌘, 기민한; (차가) 첫출발이 좋은, 가속이 붙는. **3** 《Sc.》 인색한, 구두쇠의. ── *n.* (N-) 《영구어》 니피(London 의 J. Lyons & Co. Ltd. 가 경영하는 식당 · 찻집의 웨이트리스); 〔일반적〕 싸구려 식당의 여종업원. ㊞ **níp·pi·ly** *ad.* **-pi·ness** *n.*

ni. pri. nisi prius.

níp-ùp *n.* (미용 체조에서) 누운 자세에서 벌떡 일어서는 일; 묘기.

NIRA, N.I.R.A. 《미》 National Industrial Recovery Act(전국 산업 부흥법).

NIREX, Ni·rex [náiəreks] *n.* 《영》 나이렉스 (핵폐기물 처리를 감독하는 정부 후원의 단체; 1982 년 설립). [◂ *N*uclear *I*ndustry *R*adioactive *W*aste *Ex*ecutive].

nir·va·na [niərvɑ́:nə] *n.* 《Sans.》 (*or* N-) Ⓤ 〖불교〗 열반; 〔일반적〕 해탈(의 경지); 꿈, 소원. ㊞ **nir·ván·ic** *a.*

ni·si [náisai] *a.* 《L.》 〔명사 뒤에 와서〕 〖법률〗 일정 기간 내에 당사자가 이의(異議)를 신청하지 않으면 절대적 효력을 발생하는, 가(假)…: an order 〔a rule〕 ~ 가명령 /⇨ DECREE NISI.

nísi prí·us [-práiəs] 《L.》 **1** 《미》 (배심과 1 인의 판사가 심리하는) 제 1 심(의 재판소(=**nísi prí·us còurt**)). **2** 《영》 순회 배심 재판.

Nis·(s)an [ní:sɑ:n, nísn, ni:sɑ́:n/náisæn] *n.* 유대력의 7 월.

Nís·sen hùt [nísn-] 《영》 퀀셋, 반원형의 조립 막사(《미》 Quonset hut). 「發), 의욕.

ni·sus [náisəs] (*pl.* ~) *n.* 《L.》 노력, 분발(奮

nit[1] [nit] *n.* (이 기타 기생충의) 알, 서캐; 유충.

nit[2] *n.* 《영속어》 =NITWIT.

nit[3] *n.* 〖물리〗 니트(휘도(輝度)의 단위).

nit[4] *n.* 니트(정보량의 단위: =1.44 bits).

NIT National Intelligence Test; National Invitational Tournament; negative income tax.

ni·ter, 《영》 **-tre** [náitər] *n.* Ⓤ 〖화학〗 질산칼륨, 초석(硝石); 《특히》 칠레초석.

nit·ery [náitəri] *n.* 《미구어》 나이트클럽.

nit·id [nítid] *a.* 반짝거리는, 밝은, 윤이 나는.

nit·i·nol [nítənɔ:l, -nɑ̀l/-nɔ̀l] *n.* Ⓤ 니티놀(티탄과 니켈의 상자성(常磁性) 합금). 「칭.

ni·ton [náitɑn/-tɔn] *n.* Ⓤ 〖화학〗 radon 의 구

nít·pìck *vi.* 《구어》 (하찮은 일을) 들춰내 흠을 잡다(*for*); (시시한 일을 가지고) 끙끙 앓다. ── *vt.* (시시한 일을) 꼬치꼬치 캐다, …의 흠을 잡다. ── *n.* 흠을 잡는 사람; 흠잡기. ㊞ **~·er** *n.* **~·ing** *a., n.* 《미구어》 시시한 일을 문제 삼는〔삼음〕, (남의) 흠을 들추는〔들춤〕.

nitr- [náitr] =NITRO-.

ni·trate [náitreit, -trət] *n.* 〖화학〗 Ⓤ 질산염〔에스테르〕; 〖농업〗 질산칼륨〔질산나트륨〕을 주성분으로 하는 화학 비료. ── [-treit] *vt.* 질산으로 처리하다; 니트로화(化)하다. ㊞ **ni·trá·tion** *n.* Ⓤ 질화(窒化), 니트로화.

nítrate of sóda 〖화학 · 농업〗 질산소다.

ni·traz·e·pam [naitrǽzəpæ̀m] *n.* 〖약학〗 니트라제팜(최면 · 진정제).

nitre ⇨ NITER. 「는; 초석의.

ni·tric [náitrik] *a.* 〖화학〗 질소의, 질소를 함유하

nítric ácid 〖화학〗 질산.

nítric óxide 〖화학〗 (일)산화질소.

ni·tride [náitraid, -trid] *n.* Ⓤ 〖화학〗 질소화물(=**ní·trid** [-trid]). ── *vt.* 질화하다.

ni·tri·fi·ca·tion [nàitrəfikéiʃən] *n.* Ⓤ 〖화학〗 질산화(窒酸化), 질소 화합, 질산 화성(化成) 작용.

ni·tri·fy [náitrəfài] *vt.* 〖화학〗 질소와 화합시키다, 질소(화합물)로 포화시키다; 〖공학 · 생물〗 질화(窒化)하다.

nítrifying bactéria 〖세균〗 질화 세균.

ni·trile [náitri(:)l, -trail] *n.* 〖화학〗 니트릴(일반식 RCN으로 표시되는 유기 화합물).

nítrile rùbber 니트릴 고무(합성 고무의 일종).

ni·trite [náitrait] *n.* Ⓤ 〖화학〗 아질산염.

ni·tro [náitrou] *a.* 〖화학〗 니트로의; 니트로기(基)〔화합물〕의. ── (*pl.* **~s**) *n.* 《구어》 **1** 니트로글리세린, (특히 금고 폭파용의) 니트로. **2** 니트로메탄(nitromethane). 「합사.

ni·tro- [nàitrou, -trə] '질산, 질소' 라는 뜻의 결

nìtro·bactéria *n. pl.* 〖화학〗 질산 박테리아, 질화균(窒化菌). 「의 결정 · 액체).

nìtro·bénzene *n.* Ⓤ 〖화학〗 니트로벤젠(황색

nìtro·céllulose *n.* 〖화학〗 니트로셀룰로오스.

nìtro·chálk *n.* Ⓤ 〖화학〗 니트로초크(탄산칼슘과 질산암모늄의 혼합물; 비료).

nítro-còmpound *n.* 니트로 화합물. 「ton).

nìtro·cótton *n.* Ⓤ 《특히》 면(綿)화약(guncot-

nítro explòsive 〖화학〗 니트로폭발물.

nìtro·fúran *n.* 〖화학〗 나이트로푸란(살균제).

◇**ni·tro·gen** [náitrədʒən] *n.* Ⓤ 〖화학〗 질소(기호 N; 번호 7). 「〖생화학〗 질소 효소.

ni·tro·ge·nase [naitrɑ́dʒənèis/-trɔ́dʒə-] *n.*

nítrogen bàlance 〖생화학 · 생리〗 질소 평형(흡수된 질소량과 배설 · 상실된 질소량의 차(差)).

nítrogen chlóride 〖화학〗 염화(塩化)질소.

nítrogen cỳcle 〖생물〗 질소 순환.

nítrogen dióxide 〖화학〗 이산화질소.

nítrogen fixàtion 〖화학〗 질소 고정(법).

nítrogen fixer 질소 고정균(공중 질소를 고정하는 토양 미생물).

nítrogen mùstard 〖약학〗 질소 머스터드(독가스; 악성 종양 치료약).

nítrogen narcòsis **1** 질소 중독(rapture of the deep)(잠수시 등 고압력하에서 일어나는 혈중(血中) 질소 과다로 인한 인사불성). **2** 〖의학〗 질소 마취.

ni·trog·e·nous [naitrɑ́dʒənəs/-trɔ́dʒi-] *a.* 질소의; 질소를 함유하는: ~ fertilizer 질소 비료.

nítrogen óxide 〖화학〗 산화질소, 질소 산화물.

nítrogen tetróxide 〖화학〗 사산화이질소(四酸化二窒素).

nìtro·glýcerin, -ine *n.* Ⓤ 〖화학 · 약학〗 니트로글리세린(다이너마이트 · 혈관 확장제 등에 쓰임).

nítro gròup 〔**ràdical**〕 〖화학〗 니트로기(基).

nítro·lìme *n.* Ⓤ 석회질소.

ni·trom·e·ter [naitrɑ́mətər/-trɔ́m-] *n.* 질소계(計). 「무색 액체).

nìtro·méthane *n.* 〖화학〗 니트로메탄(인화성

ni·tro·sa·mine [naitróusəmì:n, nàitrousǽmin/nàitrousəmí:n, -sǽmin] *n.* 〖화학〗 니트로사민(일반식 R_2NNO 의 구조를 갖는 화합물의 총칭; 몇 개는 강력한 발암 물질).

nìtro·tóluene *n.* Ⓤ 〖화학〗 니트로톨루엔(염료 · 의약품 합성의 중간체).

ni·trous [náitrəs] *a.* 질소의; 질소를 함유하는; 초석의; 초석을 함유하는.

nítrous ácid 〖화학〗 아(亞)질산.
nítrous óxide 〖화학〗 아산화질소《일산화이질소의 통칭; 마취제; 웃음 가스(laughing gas)라고도 함》.
nit·ty [níti] (*-ti·er; -ti·est*) *a.* 서캐투성이의.
nit·ty-grit·ty [nítigríti] *n.* (the ~) 《속어》 사물의 핵심〔본질〕; 엄연한 진실〔현실〕. ***get down to the*** ~ 핵심을 찌르다, 사실을 직시(直視)하다. — *a.* 가장 중요한.
nit·wit [nítwit] *n.* 《구어》 바보, 멍청이. [파] **-wìt·ted** [-id] *a.*
NIU network interface unit. **NIV** 〖성서〗 New International Version.
ni·val [náivəl] *a.* 눈의; 눈이 많은; 눈 속〔밑〕에서 자라는〔사는〕.
ni·va·tion [naivéiʃən] *n.* 〖지학〗 설식(雪蝕).
niv·e·ous [níviəs] *a.* 눈의; 눈 같은, 《특히》 눈처럼 흰.
nix[1] [niks] (*fem.* ***nix·ie*** [níksi]; *pl.* *~·es* [-iz]) *n.* 〖게르만 민화〗 물의 요정, 수마(水魔).
nix[2] *n.* 《속어》 무(無), 전무(全無); 거부, 거절, 금지; =NIXIE[1]. — *ad.* 〘부정의 답〙 아니(오)(no). — *a.* 개무(皆無)의, 전무한; 싫은.
nix[3] 《속어》 *int.* 그만둬, 안 돼, 싫어(no!). — *vt.* 금하다; 거절하다; 취소하다. ~ ***out*** 《미》 떠나다; 좇아 버리다.
nix[4] *int.* 《미속어》 쉿; 왔다《선생이 온다, 두목이 온다 (따위)》: *Nix,* the cops! 순경이 온다. ***keep*** ~ 누가 가까이 오는지 망보다.
nix·ie[1], **nixy** [níksi] *n.* 《미속어》 (수취인 불명으로) 배달 불능 우편물.
nix·ie[2] *n.* NIX[1]의 여성형.
Nix·on [níksən] *n.* **Richard Milhous** ~ 닉슨《미국의 제 37 대 대통령; 1913-94》.
Níxon Dóctrine (the ~) 닉슨 독트린《우방 각국의 자립을 기대하는 기본 정책》.
Ni·zam [nizá:m, -zǽm, nai-] *n.* **1** (*pl.* *~s*) 니잠《인도 Hyderabad 의 군주(의 칭호)》. **2** (n-) (*pl.* ~) (옛적의) 터키 상비병.
NJ 〖미우편〗 New Jersey. **N.J.** New Jersey.
NKGB, N.K.G.B. *Narodnyi Komissariat Gosudarstvennoi Bezopasnosti* 《Russ.》 (=People's Commissariat for State Security)(국가 안전 인민 위원회)《옛 소련의 비밀 경찰; 1943-46》. **NKVD, N.K.V.D.** *Narodnyi Komissariat Vnutrennikh Del* 《Russ.》 (=People's Commissariat for Internal Affairs) (내무 인민 위원회)《옛 소련의 비밀 경찰; 1934년 게페우(Gay-Pay-Oo)를 개편한 것; 1946년 MVD(내무부)로 개칭》. **NL, N.L.** National League; New Latin. **n.l.** 〖인쇄〗 new line. **N. Lat., N. lat.** north latitude. **N.L.C.** 《영》 National Liberal Club. **NLCS** 〖야구〗 National League Championship Series.
N-LETS [énlèts] *n.* 전 미국법 집행 텔레타이프 시스템《법무부 관할 아래 있는 범죄자나 감시인물에 대한 문의에 즉시 정보를 제공할 수 있는 시스템》. [◂ *N*ational *L*aw *E*nforcement *T*eletype *S*ystem]
NLF National Liberation Front. **NLP** 《미》 neighborhood loan program. **NLRB, N.L.R.B.** 《미》 National Labor Relations Board(전국 노동관계 위원회). **NLT** night letter. **NM** 〖미우편〗 New Mexico. **N.M.** New Mexico; night message; 〖상업〗 no mark; not marked. **nm** nanometer; nautical mile(s); nonmetallic. **NMD** 《미》 National Missile Defense(국토 미사일 방위). **N.Mex.** New Mexico. **NMI** no middle initial. **NMR** nuclear magnetic resonance. **NMR-CT** nuclear magnetic resonance-computer tomography (핵자기 공명 컴퓨터 단층진단 장치). **NMS** 〖증권〗 national market system for securities(전국 시장 제도). **NNA** 〖군사〗 neutral and non-aligned (중립 및 비동맹국). **NNE, N.N.E., n.n.e.** north-northeast. **NNNN** 《(국제 전보에서) 전보의 끝을 나타내는 기호》. **NNP** net national product (국민 순생산). **NNW** net national welfare. **NNW, N.N.W., n.n.w.** north-northwest.
†**no** ⇨《p. 1701》 NO.
⁑**No., N°, no.** [nʌ́mbər] (*pl.* ***Nos., N°s, nos.*** [-z]) *n.* 〘숫자 앞에 붙여서〙 제(…)번, 제(…)호, (…)번지《따위》: *No.* 3, 제 3 번〔호, 번지〕/ *Nos.* 5, 6 and 7. 제 5, 제 6, 제 7 번. ★ 주로 상용 또는 학술용에서 숫자 앞에 쓰임. 단, 미국에서는 번지 앞에는 쓰지 않음. ***No. 1*** =NUMBER ONE. ***No. 10*** (***Downing Street***) 영국 수상 관저《소재지의 번지》.
No 〖화학〗 nobelium. **No.** north; northern. **N.O.** 〖식물·동물〗 natural order; New Orleans. **n.o.** 〖크리켓〗 not out(아웃되지 않은 잔류 선수). **NOAA** 《미》 National Oceanic and Atmospheric Administration(해양 대기국)《상무부의 한 국(局)》.
nó-accòunt *a., n.* 《미구어》 무가치한; 하잘것없는 (사람), 무능〔무책임〕한 (사람).
No·a·chi·an, No·a·chic [nouéikiən], [nouǽkik, -éik-] *a.* 노아(Noah)의; 노아 시대의; 《비유》 아득한 옛날의. ***the Noachian deluge*** 노아의 홍수(the Flood).
No·ah [nóuə] *n.* 노아. **1** 〖성서〗 히브리 사람의 족장(族長). **2** 남자 이름.
Nóah's Árk 1 〖성서〗 노아의 방주(方舟). **2** 장난감 방주《장난감 동물이 들어 있음》. **3** 구식의 대형 트렁크〔운반 도구〕.
Nóah's bóy 《미속어》 (식탁 위에 놓인) 햄.
Nóah's níghtcap 〖식물〗 금영화(金英花).
nob[1] [nab/nɔb] *n.* **1** 《속어》 머리; 《속어》 머리에의 일격. **2** 〖카드놀이〗 (cribbage 에서) 잦히는 패와 같은 짝의 잭《이 패를 쥐면 'one for his ~' 라고 콜하여 1 점을 얻음》. — (*-bb-*) *vt.* 〖권투〗 …의 머리를 치다.
nob[2] *n.* 《영속어》 높은 양반, 고관, 부자.
nó báll 〖크리켓〗 반칙 투구《상대방에게 1 점을 줌》; 반칙 투구의 선언.
nó-báll *vt.* 〖크리켓〗 (투수)에게 반칙 투구를 선언하다.
nob·ble [nábəl/nɔ́bəl] *vt.* 《영속어》 **1** 〖경마〗 이기지 못하게 하기 위해 (말에) 독약을 먹이거나 불구로 만들다. **2** (기수를) 매수하다, 부정 수단으로 자기편에 끌어넣다; (돈 따위를) 사취하다; (사람을) 속이다; 훔치다, 후무리다. **3** (범인을) 체포하다; 유괴하다. [파] **nób·bler** *n.*
nob·by [nábi/nɔ́bi] (*-bi·er; -bi·est*) *a.* 《속어》 귀족다운, 말쑥한, 세련된, 때 벗은, 멋진; 화려한; 최상의, 일류의. [파] **-bi·ly** *ad.*
nó-bèing *n.* [U] 실재하지 않음.
No·bel [noubél] *n.* **1** 노벨《남자 이름》. **2 a** **Alfred Bernhard** ~ 노벨《스웨덴의 화학자·다이너마이트 발명자; 1833-96》. **b** =NOBEL PRIZE.
no·bel·ist [noubélist] *n.* (종종 N-) 노벨상 수상자.
no·be·li·um [noubéliəm, -bí:-/-bí:-] *n.* [U] 〖화학〗 노벨륨《인공 방사성 원소; 기호 No; 번호 102》.
Nóbel láureate 〔**mán**〕 =NOBELIST.
Nóbel príze 노벨상《Nobel 의 유언에 의해, 세계의 평화·문예·학술에 공헌한 사람들에게 수여함; 각기 Nobel Peace Prize, Nobel Prize in Physics 〔Chemistry, Physiology & Medicine,

Literature〕, Nobel Memorial Prize in Economic Science 의 6 개 부문임》.

no·bil·i·ary [noubílièri/-əri] *a.* 귀족의.

***no·bil·i·ty** [noubíləti] *n.* **1** Ⓤ 고귀(성), 숭고, 고결함, 기품; 고귀한 태생〔신분〕. **2** (the ~) 《집합적》 귀족, 귀족 계급〔사회〕. ★ 귀족에는 다음의 5 계급이 있음: duke (공작), marquis (후작), earl (백작, 대륙에서는 count), viscount (자작), baron (남작).

****no·ble** [nóubəl] (**-bler; -blest**) *a.* **1** (계급 · 지위 · 출생 따위가) 귀족의, 고귀한: a ~ family 귀족(의 가문). **2** (사상 · 성격 따위가) 고상한, 숭고한, 고결한; (행위가) 칭찬할 만한. OPP *ignoble*. ¶ a man of ~ character 고매한 인물 / It's ~ *of* her *to* spend her free time helping me. 한가한 시간에 나를 도와주다니 그녀는 참 훌륭하

no

용법을 두 가지로 대별할 수 있다: (1) 대답에 쓰는 yes, no 의 no. (2) 명사 앞에 와서 부정을 나타냄: *No* two men are the same. 세상에 똑같은 두 사람은 없다.
(1)은 우리말의 '아니오'와 크게 다른데, 그 설명은 아래의 *ad*. 2, 3 에서 대충 하고, yes 와의 사용 구분은 yes 항에 미룬다. (2)는 구문상 우리말과 크게 다른 것으로, 관련된 말에 nobody, nowhere, nothing 이 있고, 또 *no* better 따위의 부사 용법도 있다. 형용사로서의 no 는 수(數) · 양(量) 양쪽에 관계하는 점에서 all, some 과 공통점이 있으나, 명사적으로는 쓰이지 못하고 그 역할은 none 으로 충족된다.

no [nou] *a.* (비교 없음) **1** 《주어 · 목적어가 되는 명사 앞에 쓰이어》 **a** 《단수 보통 명사 앞에서》 하나〔한 사람〕도 …없는〔않는, 아닌〕, 조금도〔전혀〕 없는: Harold has *no* car. 해럴드는 차가 없다(=Harold does *not* have any car.) / Is there *a* book on the table? — No, there is *no* book there. 테이블 위에 책이 있습니까 — 아뇨, 거기엔 책이 없습니다 / *No* man is without his faults. 결점 없는 사람은 아무도 없다《Any man is not without…은 틀림》/ *No* boy can answer it. 그것에 대답을 할 수 있는 소년은 없다. **b** 《복수 명사, 셀 수 없는 명사 앞에 쓰이어》 어떤〔약간의〕 …도 없는: There is *no* (=There isn't any) bread. 빵이 전혀 없다 / I have *no* sisters. 나에겐 자매가 없다《I have *no* sister. 처럼 단수로도 쓰임》/ He paid *no* attention to other people. 남에게 전혀 주의를 기울이지 않았다(=《구어》 He didn't pay any attention ….). **c** 《there is no …ing 형태로》 …할 수 없다: *There is no* say*ing* what may happen. 무슨 일이 일어날지 전혀 알 수(가) 없다 / *There was no* hid*ing* the truth. 진상은 숨길 수 있는 것이 아니었다. **d** 《no+명사로》 …이 없는 상태: *No* news is good news. 《속담》 무소식이 희소식 / *No* customers will kill us. 손님이 없으면 장사는 끝장이다.
2 《be 동사의 보어 또는 다른 형용사 앞에 와서》 결코 …아닌〔않는〕; …는커녕 그 반대의: He is *no* fool. 그는 결코 바보가 아니다 / I am *no* match for him. 그에게는 도무지 당할 수 없다 / It's *no* joke. 웃을 일이 아니다; 큰일이다 / It is *no* distance from here. 그곳은 여기에서 얼마 안 되는 거리다 / This is *no* place for a boy at night. 여긴 밤중에 어린애가 나와 있을〔올〕 곳이 못 된다.
3 《생략문》 (게시 등에서) …금지, 사절, …반대; …없음: *No* compromise! 타협 반대 / *No* Entry. (차 · 사람) 출입금지 / *No* parking! 주차(駐車) 금지《게시》/ *No* smoking! 금연 / *No* credit! 외상 사절 / *No* gimmick! 속임수 없음 / *No* objection. 이의 없음.
in no time ⇨ TIME(관용구). ***(It is) no go.*** 《속어》 실패하다, 허사다. ***no one*** ⇨ NO ONE. ***no other than* 〔*but*〕 …** =NONE other than 〔but〕 …(관용구).

— *ad.* **1 a** 《비교급 앞에 사용되어》 조금도 …아니다〔않다〕(not at all): He was *no better* than a beggar. 그는 거지나 진배없었다 / We can go *no further*. 이 이상 더는 앞으로 나아갈 수 없다 / There were *no more* than two books on the desk. 책상 위에는 책이 두 권밖에 없었다《… not more than 이면 '기껏 많아야' (at most)의 뜻》. **b** 《다른 형용사 앞에 와서 그 형용사를 부정하여》 결코 …아니다〔않다〕: He showed *no* small skill. 그는 대단한 솜씨를 보였다 / The job is *no* easy one. 그 일은 결코 쉬운 것이 아니다. **c** 《good 과 different 앞에 와서》 …이 아니다, …하지 않다(not): He is *no good* at it. 그는 그것은 잘 못한다 / Their way of life is *no different* from ours. 그들의 생활양식은 우리의 그것과 다를 것이 없다.
2 《질문 · 의뢰 따위에 응답하여》 아뇨, 아니; 《부정의 질문에 답하여》 네, 그렇습니다《긍정의 물음이든 부정의 물음이든 관계없이 답의 내용이 부정이면 No, 긍정이면 Yes》: Is it dry? — *No*, it isn't. 말랐소 — 아뇨, 마르지 않았습니다 / Isn't it dry? — *No*, it isn't. 마르지 않았습니까 — 네, 마르지 않았습니다 / Haven't you ever visited Seoul? — *No*, I haven't. 서울에 가 본 적이 없습니까 — 네, 없습니다 / You didn't call him up, did you? — *No*, I didn't. 그에게 전화를 안 하셨죠 — 네, 안 했습니다. ★ (1) 상대방의 말을 사용한 중간의 대답《다음의 ( ) 속》은 흔히 생략이 됨: Do you like it? — *No*, (I don't.) I hate it. 좋아하니 — 아니, 싫어. (2) yes 와 no 의 사용법은 yes 항 참조.
3 《nor, not 을 수반한 강한 부정을 나타내어》 아니, 그래: Not a single person came to the party, *no*, *not* a one. 한 사람도 파티에 오지 않았다, 그렇지 단 한 사람도 말이지《이 no 용법은 (잠재적) 의문문에 대한 답에만 한함》.
4 《드물게》 《…or no 의 형태로》 …인지 어떤지, …든 아니든: Whether you like it *or no*, you must finish the work today. 마음에 들든 안 들든 오늘은 그 일을 끝마쳐야 해요《오늘날엔 not 이 보통》.
5 《놀라움 · 의문 · 낙담 · 슬픔 등을 나타내어》 설마, (아니) 뭐라고: David married Ann. — *No*. 데이비드가 앤과 결혼했네 — 설마 / *No*, I don't believe it! 설마하니, 믿을 수 없군.
No can do. 《구어》 그런 일〔짓〕은 못 한다. ***no got*** 《미속어》 갖고 있지 않다.

— (*pl.* **~es, ~s**) *n.* **1** Ⓒ,Ⓤ '아니(no)'라고 하는 말; 부정; 거절, 부인: say *no* '아니'라고 하다, 부인하다 / answer with *a* definite *no* 딱 잘라 거절하다 / I will not take *no* for an answer. 싫다는 말은 못 하게 하겠다 / Two *noes* don't make a yes. '아니다, 아니다'가 '그렇다'로 될 리 만무하다. **2** (보통 *pl.*) 반대 투표; 반대 투표자: The *noes* have it. 반대 투표자 다수 / They are going to vote *no*. 그들은 반대표를 던질 거다.

다. **3** (외관이) 당당한, 훌륭한. **4** 장대〔웅대〕한: on a ~ scale 대규모로. **5** 유명한, 훌륭한, 멋진. **6** 〖화학〗 불활성의(inert), (가스가) 희유한, (금속·보석 따위가) 귀한. ***my ~ friend*** 《영》 경(卿)《귀족 또는 Lord 칭호를 가진 사람에 대한 호칭》. ***of ~ birth*** 귀족 출신의. ***the ~ lady*** 《영》 영부인(令夫人)《귀족의 부인을 일컬을 때》. ***the ~ Lord*** 《영》 각하《상원 의원끼리 및 Lord 칭호가 있는 하원 의원에 대한 호칭》. **—*n.*** **1** 귀족, 양반. **2** 〖영국사〗 노블《영국의 옛 금화; Edward 3세 때 주조》. **3** 《미속어》 파업을 깨뜨리는 지도자; 독선가. ㊞ **~·ness** *n.* Ⓤ 고귀, 고결, 고상; 장대, 장엄.

nóble árt 〔**scíence**〕 (the ~) 권투.

Nóble Éightfold Páth (the ~) 〖불교〗 팔정도지(八正道支), 팔성(八聖)도지, 팔정도.

nóble fír 〖식물〗 전나무의 일종《미국산(產)》.

nóble gás 〖화학〗 희(稀)가스.

°**nóble·man** [-mən] (*pl.* ***-men*** [-mən]) *n.* 귀족.

nóble métal 〖화학〗 귀금속. cf. base metal.

nóble-mínded [-id] *a.* 마음이 숭고한〔고결한, 넓은〕. ㊞ **~·ly** *ad.* **~·ness** *n.*

nóble sávage (소설 등에 등장하는) 매우 순박한 사람.

no·blesse [noublés] *n.* 《F.》 Ⓤ 귀족, 귀족계급《특히 프랑스의》; 고귀한 태생〔신분〕.

noblésse ob·líge [-oublí:ʒ] 《F.》 높은 신분에 따르는 도덕상의 의무, 노블레스 오블리주.

nóble·wòman (*pl.* ***-wòmen***) *n.* 귀족 태생의 여성; 귀족의 부인.

°**no·bly** [nóubli] *ad.* **1** 훌륭하게, 고결하게, 씩씩하게. **2** 고귀하게; 귀족으로서〔답게〕: be ~ born 귀족으로 태어나다.

†**no·body** [nóubàdi, -bədi/-bədi, -bɔ̀di] *pron.* 아무도 …않다(no one): There was ~ there. 아무도 거기에 없었다 / *Nobody* knows it. 아무도 그것을 모른다 / *Nobody* in his 〔their〕 senses would do such a thing. 아무도 제정신으로 그런 일은 하지 않을 것이다. ★ nobody는 단수형으로, 받는 대명사 등도 단수형으로 괜찮으나, 구어에서는 위의 예와 같이 복수형이 되는 일도 있음. ***like ~'s business*** ⇨ BUSINESS. ***~ else*** 그 밖에 아무도 …않다. ***~ home*** 《미속어》 마음이 들떠 있다, 제정신이 아니다. ***~'s fool*** 영리한〔눈치 빠른〕 사람, 잘 속지 않는 사람, 보기보다 똑똑한 사람. **—*n.*** 보잘것없는〔하찮은〕 사람《특히 사회적으로》, 무명의〔이름 없는〕 사람. cf. somebody. ¶ He is just 〔mere〕 a ~. 그는 정말 하찮은 사람이다. ***somebodies and nobodies*** 유명무명의 사람들.

nò-bráiner *n.* 《구어》 쉽게 할 수 있는 일, 간단한 이야기; (대학의) 쉬운 과목; 바보, 얼간이.

nó-brànd *a.* 노브랜드의, 상표가 붙어 있지 않은《상품》.

nó-bùy *a.* 불매(不買)의(boycotting): the ~ campaign 불매 운동.

NOC [nak] nonofficial cover《CIA의 비공식 위장 임무자에 대한 호칭》. **NOC** National Olympic Committee(국가 올림픽 위원회). cf. IOC.

no·cent [nóusnt] *a.* 해로운, 유해한(harmful, hurtful); 《고어》 유죄의(opp. *innocent*).

no·ci·cep·tive [nòusiséptiv] *a.* 아픔을 주는《자극》; (감각 기관 따위) 아픈 자극에 반응하는, 침해수용(侵害受容)의.

nock [nak/nɔk] *n.* 활고자; 오늬; 〖해사〗 돛의 앞 쪽 위 끝. **—*vt.*** 활고자〔오늬〕를 달다; (화살을) 시위에 메우다.

no-cláim(s) bónus (자동차의 상해 보험에서) 일정 기간 무사고로 지낸 피보험자에게 적용되는 보험료의 할인.

nó-còlor *a.* 《미》 〖복식〗 두드러지지〔눈에 띄지〕 않는 중간색의.

nò-cónfidence *n.*, *a.* 불신임(의): a ~ vote 「불신임 투표.

nó-còunt *a.*, *n.* =NO-ACCOUNT.

noc·tam·bu·lant [naktǽmbjələnt/nɔk-] *a.* 밤에 걷는; 몽중(夢中) 보행하는, 몽유의.

noc·tam·bu·la·tion, -bu·lism [naktæ̀mbjəléiʃən/nɔk-], [-ˊ-lìzəm] *n.* Ⓤ 몽중 보행, 몽유병(sleepwalking). [《L.》 *nox, noctis* night + *ambulare* to walk]

noc·tam·bu·list [naktǽmbjəlist/nɔk-] *n.* 「몽유병자.

noc·ti-, noct- [náktə/nɔ́k-], [nákt/nɔ́kt] '밤'의 뜻의 결합사. ★ 모음 앞에서는 noct-.

noc·ti·lu·ca [nàktəlú:kə/nɔ̀k-] (*pl.* ***-cae*** [-si:], **~s**) *n.* 〖동물〗 야광충(夜光蟲).

noc·ti·lu·cent [nàktəlú:sənt/nɔ̀k-] *a.* 밤에 빛나는. ㊞ **-cence** *n.* Ⓤ 밤의 인광.

noctilúcent clóud 〖기상〗 야광운(夜光雲)《고위도 지방에서 여름철의 짧은 밤에 고도 약 80km 상공에 나타나는 권운(卷雲) 모양의 구름》.

noc·ti·pho·bia [nàktəfóubiə/nɔ̀k-] *n.* 〖정신의학〗 어둠 공포(증).

noc·tiv·a·gant, -gous [naktívəgənt/nɔk-], [-gəs] *a.* 밤에 돌아다니는〔나다니는〕, 야행성(夜行性)의.

noc·to·vi·sion [náktəviʒən/nɔ́k-] *n.* Ⓤ 암시(暗視) 장치《적외선을 이용하여, 안개 속이나 어둠 속의 영상을 보는 장치》.

noc·tu·a·ry [náktʃuèri/nɔ́ktjuəri] *n.* 《고어》 야간 사건의 기록.

noc·tu·id [náktʃuid/nɔ́k-] *a.*, *n.* 밤나방과(科)의 (나방).

noc·tule [náktʃu:l/nɔ́k-] *n.* 〖동물〗 집박쥐 「(pipistrelle).

noc·turn [náktə:rn/nɔ́k-] *n.* 〖가톨릭〗 저녁 기도; 〖음악〗 =NOCTURNE.

°**noc·tur·nal** [naktə́:rnl/nɔk-] *a.* **1** 밤의, 야간의. opp. *diurnal*. **2** 〖동물〗 밤에 나오는〔활동하는〕, 야행성의. **3** 〖식물〗 밤에 피는. **—*n.*** 《고어》 (별의 위치로 측정하는) 야간 시각 측정기. ㊞ **~·ly** *ad.* 야간에; 매일 밤.

noctúrnal emíssion 〖생리〗 몽정(夢精).

noctúrnal enurésis 〖의학〗 야뇨(증).

noc·turne [náktə:rn/nɔ́k-] *n.* **1** 〖음악〗 야상곡. **2** 야경(화(畫))(night scene).

noc·u·ous [nákjuəs/nɔ́k-] *a.* 유해한, 유독한. ㊞ **~·ly** *ad.* **~·ness** *n.*

nó-cùre *a.* 불치(不治)의.

nó-cut cóntract 《미·Can.》 (프로스포츠의) 무해고(無解雇) 보증 계약.

nod [nad/nɔd] (**-dd-**) *vi.* **1** 《~/+전+명/(+전+명)+*to* do》 끄덕이다; 끄덕하고 인사하다; 끄덕여 승낙〔명령〕하다《*to*; *at*》: ~ like a mandarin (머리를 흔드는 인형처럼) 연달아 끄덕이다 / She showed her consent by ~*ding to* me. 그녀는 끄덕여 동의를 표시했다 / He ~*ded* (*to* me) *to* show that he understood. 그는 (나에게) 고개를 끄덕여 납득했다는 것을 나타냈다. **2 a** 졸다, 꾸벅꾸벅 졸다; 방심〔실수〕하다: sit ~*ding* 앉은 채로 졸다. **b** 방심하다, 무심코 실수하다: (Even) Homer sometimes ~*s*. 《속담》 원숭이도 나무에서 떨어질 때가 있다. **3** 《~/+전+명》 (식물 따위가) 흔들리다, 너울거리다, 기울다: reeds ~*ding* in the breeze 바람에 나부끼는 갈대 / The building ~*s to* its fall. 그 건물은 금세 쓰러질 듯 기울어져 있다. **4** 《미속어》 (마약으로) 멍해지다, 도취하다. **—*vt.*** **1** (머리를) 끄덕이다, 끄덕끄덕하다. **2** 《~+목/+목+목/+목+전+명/+목+부/+*that* 절》 (승낙 등을) 끄덕여 나타내다; 끄덕여서 부르다〔나가게 하다〕: ~ assent 끄덕여 승낙의 뜻을 나타내다 / They didn't even ~ me goodbye. =They didn't even ~ goodbye *to* me. 그들은 나에게 고개를 끄덕여 잘 가라는 인사조차 하지 않았다 / ~ a person *away* out of doors 끄덕여 아무를 문밖으로 나가게 하다 / He ~*ded that* he understood. 그는 알아들었음을 고개를 끄덕여 나타냈다. **3** 굽히다, 휘게 하다; 기울게 하다; 흔들다; 너울거리게〔나부끼게〕하다. **4** 『축구』 (공을) 헤딩하여 아래로 떨어뜨리다. ~ **one's *head*** 끄덕여 찬성〔승인〕하다.

— *n.* **1** 끄덕임《동의 · 인사 · 신호 · 명령 따위》, 묵례: He gave us a ~ as he passed. 그는 지나가면서 우리들에게 묵례를 했다. **2** 졺, (졸 때의) 꾸벅임; 《미속어》 (마약에 의한) 도취 상태. **3** 턱짓《턱으로 부리는 권력》; (나뭇가지 따위의) 흔들림, 너울거림. **4** 《미속어》 (레이스 등에서) 전문가의 선택; 감독이 선발한 선수. **5** (the ~) 《구어》 득점에 의해 주어지는 상. ***be at* a person's ~** 아무의 지배하에 있다, 아무의 부림을 당하고 있다. ***dig* (one*self*) *a* ~** 《미구어》 자다, 수면을 취하다. ***get* 〔*give*〕 *the* ~** 《미구어》 승인되다〔하다〕, 선발되다; 승리를 얻다〔의 판정을 내리다〕. ***knock a* ~** 졸다, 꾸벅꾸벅 졸다. ***on the* ~** 《영구어》 외상〔신용〕으로《물건을 사는 것 따위》; 《영구어》 형식적 찬성으로, 암묵의 양해로; 《미속어》 (마약으로) 의식이 몽롱해져. ***the land of Nod*** 『성서』 졸음, 수면《창세기 IV: 16》.

㊔ **nód·der** *n.* **nód·ding** *a.* 고개를 숙인, 아래로 처진. **nód·ding·ly** *ad.*

N.O.D. 《영》 Naval Ordnance Department.

nod·al [nóudl] *a.* 마디 (모양)의, 결절(結節)의; 『천문』 교점의; 『수학』 맺힘점의; 『물리』 파절(波節)의. ㊔ **~·ly** *ad.* **no·dal·i·ty** [noudǽləti] *n.*

nó dáte (책의) 발행 연도〔날짜〕 없음〔불명〕《생략: n.d.》.

nó-dáy (**wórk**) **wèek** 휴업《'파업'의 완곡「한 표현》.

nódding acquáintance 만나면 묵례할 정도의 사이〔사람〕《*with*》; 피상적(皮相的)인 지식〔이해〕《*with*》.

nod·dle [nádl/nɔ́dl] *n.* 《우스개 · 구어》 머리.
— *vi., vt.* (머리를) 끄덕이다, 흔들다.

nod·dy [nádi/nɔ́di] *n.* **1** 바보, 얼간이. **2** 『조류』 제비갈매기《열대 지방산(產)의 바닷새》.

node [noud] *n.* **1** 마디, 결절; 혹. **2** 『식물』 마디《잎이 나는 곳》; 『의학』 결절; 『천문』 교점(交點). **3** 『수학』 맺힘점, 결절점《곡선 · 면이 만나는 점》; 『물리』 마디, 파절(波節)《진동체의 정지점》. **4** (조직의) 중심점; =NODUS 2. **5** 『컴퓨터』 노드《네트워크의 분기점이나 단말 장치의 접속점》.

nó-defàult *a.* 채무 불이행을 허용하지 않는.

nóde of Ran·vier [-rɑːnvjéi] 『생물』 랑비에 결절《유수(有髓) 신경 조직 수초(髓鞘)의 중단된 부분; 프랑스의 조직학자 Louis-Antoine Ranvier (1835–1922)의 이름에서》.

no·di [nóudai] NODUS 의 복수.

no·di·cal [nádikəl, nóud-/nóud-, nɔ́d-] *a.* 『천문』 교점(交點)의.

no·dose, no·dous [nóudous], [nóudəs] *a.* 마디가 있는, 결절이 많은. ㊔ **no·dos·i·ty** [noudásəti/-dɔ́-] *n.* ⓊⒸ 다절성(多節性); 마디, 혹; 결절성〔증〕.

nod·u·lar, -lat·ed [nádʒələr/nɔ́dju-], [-lèitid] *a.* 마디의, 마디가 〔혹이〕 있는; 결절 모양의; 『암석』 구상(球狀)의, 단괴상(團塊狀)의.

nod·u·la·tion [nàdʒəléiʃən/nɔ̀dju-] *n.* **1** Ⓤ 마디가〔혹이〕 생김; 『식물』 뿌리혹〔근류(根瘤)〕 착생(着生). **2** =NODULE.

nod·ule [nádʒuːl/nɔ́djuːl] *n.* 작은 마디; 작은 혹; 『식물』 뿌리혹; 『지학』 단괴(團塊).

nod·u·lose, -lous [nádʒəlòus/nɔ́dju-], [-ləs] *a.* 작은 결절이 있는; 작은 혹이 있는.

no·dus [nóudəs] (*pl.* **-di** [-dai]) *n.* **1** 마디, 결절. **2** 난점; 갈등, (극 · 이야기 줄거리의) 뒤얽힘. **3** 『의학』 결절(node).

No·el[1] [nouél] *n.* 노엘《남자 또는 여자 이름》.

No·el[2], **No·ël** [nouél] *n.* **1** Ⓤ 크리스마스. **2** (n–) 성탄절 축가(祝歌); 그 노래 속의 축하말《감탄사》.

no·e·sis [nouíːsis] *n.* Ⓤ 『철학』 순수 지성〔이성〕의 인식 작용; 『심리』 인식(cognition).

no·et·ic [nouétik] *a.* 『철학』 지력의; 순이지적인, 순수 이성에 의한; 지적 사색에 몰두하는.
— *n.* 지식인; (종종 *pl.*) 순수 이성론.

nó-fáult *n.* 《미》 (자동차 보험에서) 무과실 보험《사고가 나면 보험 계약자가 보험금 결정 전에 보상금의 일부를 신속히 받을 수 있는 형식》; 무과실 손해 배상 제도. — *a.* 무과실 보험의; 『법률』 (이혼법에서 당사자 쌍방이) 결혼 해소에 책임이 없는; 『법률』 과실이 불리한 인정 근거가 되지 않는.

nó-fírst-úse pòlicy (핵무기의) 선제(先制) 사용 포기 정책.

nó-fly zóne 비행 금지 구역〔지대〕.

nó-fríll(**s**) *a.* 여분이 없는, (항공 운임 따위가) 불필요한〔가외의〕 서비스가 없는, 실질 본위의: ~ air fare 불필요한 서비스를 뺀 항공 운임.

nó-fròst *n.* (자동 서리 제거 장치가 달린) 냉장고, 냉동고.

nog[1] [nɑg/nɔg] *n.* 나무못〔마개〕; 나무 벽돌《못을 박기 위해 벽돌 사이에 끼움》; 나뭇가지를 치고 난 뒤 남은 짧은 밑부분. — (***-gg-***) *vt.* 나무못으로 버티다〔고정시키다〕; 『건축』 (나무뼈대의 공간에) 나무 벽돌을 채우다.

nog[2], **nogg** [nɑg/nɔg] *n.* Ⓤ (원래 영국 Norfolk 에서 제조된) 독한 맥주; 《미속어》 달걀술(eggnog); 달걀을 넣은 음료.

nog·gin [nágin/nɔ́g-] *n.* **1** 작은 잔, 소형 조끼《맥주 컵》; 손잡이 달린 작은 통, 양동이, 물통. **2** 한 잔의 음료. **3** 노긴《액량의 단위; 1/4 pint, 약 0.12 *l*》. **4** 《구어》 머리; 《속어》 머저리.

nog·ging [nágiŋ/nɔ́g-] 『건축』 *n.* Ⓤ 마개 벽돌; 목골(木骨) 벽돌 쌓기《나무뼈대의 공간을 벽돌로 메워 쌓기》.

nó-gó *a.* 《속어》 **1** 진행 준비가 안 된. **2** 《영》 출입 금지의: a ~ area 출입 금지 지역.

nó-gòod *a., n.* 쓸모없는 (것 · 녀석), 무가치한「(것).

nó-góodnik *n.* 《속어》 쓸모없는〔하찮은〕 사나「이.

nó-gròwth *n., a.* 제로 성장(의).

nó-hànds *a.* 손을 쓰지 않는, 손으로 들지 않아도 되는: a ~ phone 손으로 수화기를 들 필요가 없는 전화.

nó-hít *a.* 『야구』 무안타의, 노히트노런의: a ~「game 무안타 경기.

nó-hítter *n.* 『야구』 무안타 경기(no-hit game).

No·Ho [nóuhòu] *n.* 노호《New York 시 Manhattan 의 한 지구; 전위 예술 · 패션 중심지》.

nó-hólds-bárred *a.* 《구어》 무제한의, 격심한; 철저한, 전면적인.

nó-hòper *n.* 《Austral.속어》 게으름뱅이, 쓸모없는〔무능한〕 녀석; 《영구어》 이길〔성공할〕 가망이 없는 것《말 · 사람 등》.

nó-hòw *ad.* **1** 《구어 · 방언》 〔보통 can 에 수반됨〕 결코〔조금도〕 …않다. **2** (보통 all ~) 〔서술 형용사〕 《방언》 기분이 언짢아; (기계 따위의) 상태가 나빠; 기운이 없어: feel 〔look〕 *all* ~ 기분이 좋지 않다〔안색이 나쁘다〕.

N.O.I.B.N., n.o.i.b.n. not otherwise indexed by name. **N.O.I.C.** Naval Officer in Charge.

noid [nɔid] *n.* 《속어》 편집광(偏執狂)적인 사람, 과대망상가.

noil [nɔil] (*pl.* **~**(**s**)) *n.* Ⓤ (양털 따위의) 짧은

털《방모사(紡毛絲)의 재료》; 빗질할 때 빠지는 머리털. ⓟ ~y [nɔ́ili] a.

nó-ìron a. 《구어》 다리미질이 필요 없는: a ~ blouse 다리미질이 필요 없는 블라우스.

†**noise** [nɔiz] n. C,U **1** 소리: a ~ at the door 현관을 두드리는 소리. SYN. ⇨SOUND. **2** 소음, 시끄러운 소리, 법석 떪, 소란: deafening ~s 귀청이 터질 듯한 소음. **3** (라디오·텔레비전의) 잡음. cf. snow¹. **4** 【물리】 잡음. **5** 《미구어》 수다; 허튼 소리; 홍보; 악평. **6** (pl.) 주장, (입속에서 중얼거리는) 소리; 항의〔불만〕의 소리; 《고어》 평판, 소문. **7** 【컴퓨터】 잡음《회선(回線)의 난조로 생기는 자료의 착오》. ***a big ~*** 《미속어》 (자칭) 명사(名士), 유력자(有力者). ***make a ~*** 소리를 내다; 떠들다; 소란 피우다, 불평(不平)하다 《about》; 《미속어》 트림을 하다. ***make a ~ in the world*** 세평에 오르다, 유명해지다. ***make ~s*** 의견이나 감상을 말하다. ── vt. 《+목+부》 널리 퍼뜨리다; 소문내다《about; abroad》: It is ~d abroad 〔about〕 that.... …라고 소문나 있다. ── vi. 시끄러운 소리를 내다; (큰 소리로) 수다를 떨다《of》. ~ ***it around that ...*** …이라고 퍼뜨리다.

nóise fàctor 〔**figure**〕 소음 지수(指數).

◇**nóise·less** a. 소리 없는, 소음(消音)의, 고요한; 잡음이 적은 《녹음》: a ~ typewriter. ⓟ ~·ly ad. ~·ness n.

nóise lèvel 【통신】 잡음 수준.

nóise lìmiter 【전자】 잡음 제한기(器).

nóise·màker n. 소리 내는 사람〔것〕; (특히 축제에서의) 방울·뿔피리 따위 등.

nóise màrgin 【전자】 잡음 여유.

nóise músic 노이즈 뮤직《전자 악기가 내는 잡음을 음악에 도입시켜 강조한 록 음악》.

nóise pollùtion 소음 공해.

nóise·pròof a. 방음(防音)의(soundproof).

nóise redùcer 【전자】 잡음 억제기.

nóises óff 무대 뒤에서 내는 효과음.

nóise trèatment 【항공】 (항공기 엔진의) 소음 감소 조처.

noi·sette [nwɑːzét] a. 개암나무의 열매가 든. ── n. (보통 pl.) 느와제트《고기 요리의 일종》; 【식물】 느와제트《장미의 일종》.

noi·some [nɔ́isəm] a. 해로운, 유독한; 악취가 나는, 구린; 〚일반적〛 불쾌한. ⓟ ~·ly ad. ~·ness n.

‡**noisy** [nɔ́izi] (***nois·i·er; -i·est***) a. **1** 떠들썩한, 시끄러운: Don't be ~! 조용히 해 / ~ streets 시끄러운 거리. **2** 야한, 화려한《복장·색채 따위》. cf. loud. ◇noise n. ⓟ ◇**nóis·i·ly** ad. **-i·ness** n.

nóisy minórity 소수 과격 분자, 목소리 큰 소수 분자, 소수 과격 행동파. OPP. *silent majority*.

nó-knòck 《미》 a. (경찰관이) 무단 가택 수색할 수 있는. ── n. 무단 가택 수색.

nó-knóck éntry (경찰관이, 범인이〔용의자가〕 있는 처소에) 노크 없이 덮치는 일.

no·lens vo·lens [nóulenz-vóulenz] 《L.》 싫든 좋든, 우격다짐으로(willy-nilly).

no·li me tan·ge·re [nóulai-miː-tǽndʒəri] 《L.》 (=touch me not) **1** 접촉〔간섭〕을 금하는 경고; 간섭〔접촉〕해서는 안 될 사람〔물건〕; '놀리 메탕게레'《부활(復活)한 예수가 Mary Magdalen 앞에 모습을 나타낸 그림》. **2** 【의학】 낭창(狼瘡) (lupus). **3** 쌀쌀한 표정〔태도〕. **4** 【식물】 봉선화.

noll [noul] n. 《영방언》 머리 (꼭대기).

nol·le pros·e·qui [nɑ́li-prɑ́sikwài/nɔ́li-prɔ́s-] 《L.》(=to be unwilling to prosecute) 【법률】 (원고에 의한) 고소 취하(의 법정 기록) 《생략: nol. pros.》. 「(투자 신탁).

nó-lóad a., n. 【증권】 판매 수수료 없이 매출되는

no·lo con·ten·de·re [nóulou-kənténdəri] 《L.》 (=I do not wish to contend.) 【법률】 (형사 소송에서 피고인의) 불항쟁의 답변.

nólo epis·co·pari [-epìskəpέərai] 《L.》(=I do not wish to be a bishop.) 중요 직무에의 취임 사퇴.

nó-lóse a. 《구어》 틀림없이 성공을 거두는.

nol-pros [nɑ̀lprɑ́s/nɔ̀lprɔ́s] (**-ss-**) vt. 【미법률】 고소를 취하하고 그 취지를 법정 기록에 남기다.

nom [F. nɔ̃] n. 《F.》 이름.

nom. nomenclature; nominal; nominative.

no·ma [nóumə] n. 【의학】 수암(水癌)《괴저성 구내염(壞疽性口內炎)》.

◇**no·mad, no·made** [nóumæd] n. 유목민; 방랑자. ── a. 유목(민)의; 방랑하는(wandering).

no·mad·ic [noumǽdik] a. 유목(생활)의; 유목민의; 방랑(생활)의: ~ tribes 유목 민족. ⓟ **-i·cal·ly** ad.

nó·mad·ìsm n. U 유목 (생활); 방랑 생활.

nó·mad·ìze [nóumædàiz] vi. 유목〔방랑〕 생활을 하다. ── vt. (피(被)정복 민족 등)에 방랑을 안 할 수 없게 만들다.

nó-màn [-mæ̀n] (pl. ***-mèn*** [-mèn]) n. 《미속어》 좀처럼 남의 말을 듣지 않는 사람, 동조하지 않는 사람. OPP. *yes-man*.

nó màn's lànd (사람이 살지 않는) 황무지; 소유자 부정의 토지《계쟁지》; (양군의) 최전선 사이의 무인 지대, 위험 지역; 어느 쪽에도 들지 않는 〔애매한〕 상태, 성격이 분명치 않은 분야〔입장, 생활〕; 《미군대속어》 여군 막사.

nom·arch [nɑ́mɑːrk/nɔ́m-] n. (고대 이집트·현대 그리스의) 주지사. ⓟ **-arch·y** n. (현대 그리스의) 주(州).

nom·bril [nɑ́mbril/nɔ́m-] n. 【문장(紋章)】 방패 무늬 바탕 하반부의 중심점.

nom de guerre [nɑ̀mdəgέər/nɔ̀m-] (pl. ***noms de guerre*** [-z-]) 《F.》 가명, 예명(藝名).

nom de plume [nɑ̀mdəplúːm/nɔ̀m-] (pl. ***noms de plume*** [-z-], ***nom de plumes*** [-z]) 《F.》 아호, 필명.

no·men [nóumen] (pl. ***nom·i·na*** [nɑ́mənə, nóum-/nɔ́m-, nóum-]) n. 《L.》 **1** 【고대로마】 둘째 이름, 족명(族名)《신분이 높은 사람이 갖는 세 개의 이름 가운데 둘째 이름으로 족벌을 나타냄; 보기: Gaius *Julius* Caesar》. cf. agnomen, praenomen, cognomen. **2** 【문법】 명사; 〚일반적〛 이름, 호칭.

no·men·cla·tor [nóumənklèitər] n. **1** (학명의) 명명자; 용어집(用語集), (속명(屬名)의) 명칭 일람. **2** 《고어》 손님의 이름을 호명하는 역할을 맡은 사람. **3** 【고대로마】 내객의 이름을 주인에게 알리는 하인 또는 연회의 좌석 안내인.

no·men·cla·ture [nóumənklèitʃər, nouménklə-/nouménklə-] n. (조직적) 명명법《특히 전문적인 학문의》; 〚집합적〛 전문어, 술어; (분류학적) 학명; 〚일반적〛 명칭, 목록. ⓟ **no·men·cla·tur·al** [nòumənkléitʃərəl] a.

no·men·kla·tura [nòumənklətúərə] n. 《Russ.》 노멘클라투라. **1** 옛 소련 등에서 공산당의 승인으로 임명된 지위 일람표. **2** 임명직에 있는 간부, 특권 계급.

nom·ic [nɑ́mik/nɔ́m-] a. 재래의, 보통의.

-nom·ics [nɑ́miks/nɔ́m-] suf. '…의 경제 정책' 이라는 뜻: urba*nomics* 도시 경제 정책.

nomin. nominal; nominative.

nom·i·na [nɑ́mənə, nóum-/nɔ́m-, nóum-] NOMEN 의 복수.

◇**nom·i·nal** [nɑ́mənl/nɔ́m-] a. **1 a** 이름의, 명

의상의, 공칭의: a ~ list of officers 직원 명부/~ horsepower 공칭 마력. **b** (주식 따위) 기명(記名)의: ~ shares 기명 배당주. **2** 이름뿐인, 유명무실한; 보잘것없는: a ~ sum 아주 적은 액수/~ peace 이름뿐인 평화. **3** (가격 따위) 액면(상)의, 명목(名目)의. **4** 〚문법〛 명사의, 명사적인. **5** 《미》 (로켓 발사 등이) 거의 계획대로의, 어지간히 괜찮은. **—** *n.* **1** 〚문법〛 명사 상당어, 명사류. **2** 친 종소리의 한 옥타브 위의 배음(倍音). ㊞ **~·ly** *ad.* 이름뿐으로, 명목상.

nóminal definítion 〚논리〛 유명(唯名)〔명목(名目)〕 정의(定義).

nóminal GNP 〚경제〛 명목 국민 총생산, 명목 GNP《그 기간의 화폐액으로 표시한 국민 총생산》.

nóm·i·nal·ism *n.* Ⓤ 〚철학〛 유명론(唯名論), 명목론. cf. realism. ㊞ **-ist** *n.* 유명론자, 명목론자.

nom·i·nal·is·tic [nὰmənəlístik/nɔ̀m-] *a.* 〚철학〛 유명론(자)(唯名論(者))의, 명목론(자)의.

nom·i·nal·ize [nάmənəlàiz/nɔ́m-] *vt.* 〚문법〛 (다른 품사를) 명사화하다. ㊞ **nòm·i·nal·i·zá·tion** *n.* 명사화.

nóminal válue (주권 따위의) 액면〔명목〕 가격 「(par value).

nóminal wáges 〚경제〛 명목 임금《화폐액으로 표시된 임금》. opp *real wages*.

*__nom·i·nate__ [nάmənèit/nɔ́m-] *vt.* **1** 《~+목/+목+전+명/+목+ *to* do》 (선거·임명의 후보자로서) 지명하다; 지명 추천하다《*for*》: be ~*d for* the Presidency 〔=*for* President〕 대통령 후보로 지명 추천되다/Bill Clinton was ~*d* by the Democrats *to* run against George Bush. 빌 클린턴은 조지 부시에 대항할 입후보자로 민주당에서 지명받았다. **2** 《~+목/+목+전+명/+목+*as* 보/+목+보》 임명하다: ~ a person *to* 〔*for*〕 a post 아무를 어떤 지위에 임명하다/The President ~*d* him *as* Secretary of State. =He was ~*d* by the President Secretary of State. 대통령은 그를 국무 장관으로 임명했다. **3** …의 이름을 들다〔부르다〕. **4** 《+목+*as* 보》 (회합의 일시 등을) 지정하다: ~ September 17 *as* the day of the election 9월 17일을 선거일로 지정하다. **5** 〚경마〛 (말의) 출장(出場) 등록을 하다. **—** *vi.* 《Austral.》 선거에 입후보하다, 출마하다. **—** *a.* 특정 이름을 갖는; 《Sc.》 …직에 임명된. ◇ nomination *n.*

◇**nom·i·ná·tion** *n.* Ⓤ,Ⓒ 지명〔임명〕(권), 추천; (말의) 경마 출장 등록. ***place** a person's **name in*** ~ 《문어》 아무를 지명하다.

nom·i·na·ti·val [nὰmənətáivəl/nɔ̀m-] *a.* 〚문법〛 주격의.

nom·i·na·tive [nάmənətiv/nɔ́m-] *a.* **1** 〚문법〛 주격(主格)의: the ~ case 주격. **2** [+-nei-] 지명의, 지명〔지정〕에 의한; 기명식의 《증권 따위》: Is it ~ or elective? 지명으로 할 것인가 선거로 할 것인가. **—** *n.* 〚문법〛 주격; 주어. ㊞ **~·ly** *ad.*

nóminative ábsolute 〚문법〛 (분사의) 독립 주격《유리 구문의 일종: *Mother* (being) busy, I must do everything myself.》. cf. ablative absolute. 「자, 임명자, 추천자.

nom·i·na·tor [nάmənèitər/nɔ́m-] *n.* 지명

nom·i·nee [nὰməníː/nɔ̀m-] *n.* 지명〔임명·추천〕된 사람; (연금 따위의) 수취명의인(受取名義人); (주권의) 명의인.

nom·o- [nάmou, nóum-, -mə/nɔ́m-, nóum-] '법, 법칙'이라는 뜻의 결합사.

no·moc·ra·cy [noumάkrəsi, nə-/nɔmɔ́krəsi, nou-] *n.* 법치(주의) 정치.

nom·o·gram, -graph [nάməgræ̀m, nóum-], [-græ̀f, -grὰːf] *n.* 계산 도표, 노모그램.

no·mog·ra·phy [noumάgrəfi/-mɔ́g-] *n.* 법기초(法起草) 기술; 법(의 기초)에 관한 논문; 계산 도표학; 계산 도표 작도 법칙.

no·mol·o·gy [noumάlədʒi/-mɔ́l-] *n.* 법률학, 입법학; 〚철학〛 법칙론. ㊞ **-gist** *n.*

nom·o·thet·ic, -i·cal [nὰməθétik/nɔ̀m-], [-kəl] *a.* 입법의, 법률 제정의; 법에 의거한; 보편적〔과학적〕 법칙의.

-no·my [ˊ-nəmi] '…학(學), …법(法)'의 뜻의 결합사: astro*nomy*, eco*nomy*, taxo*nomy*.

non [nɑn, noun] *ad.* 《L.》(=not) …이 아니다.

non-[1] [nάn/nɔ́n] *pref.* '무, 비(非), 불(不)'의 뜻. ★ 보통 in–, un–은 '반대'의 뜻을, non–은 '부정, 결여'의 뜻을 나타냄.

non-[2] [nάn/nɔ́n], **non·a-** [nάnə, nóunə/nɔ́nə] '9(번째)'의 뜻의 결합사. [《L.》 *nonus* [ninth]

No·na [nóunə] *n.* 노나《여자 이름》.

nòn·abílity *n.* Ⓤ 불능, 무능(inability).

nòn·abstáiner *n.* 음주가; 무절제한 사람.

nòn·accéptance *n.* Ⓤ 불승낙; 〚상업〛 어음의 인수 거절.

non·áccess *n.* Ⓤ 〚법률〛 (부부간의) 무교접(無交接)《남편의 출정·항해 따위로 인한》.

nòn·achíever *n.* 《미》 **1** 낙제생. **2** 목표를 달성하지 못한 사람〔젊은이〕.

nòn·acquáintance *n.* Ⓤ 무면식.

non·ac·tin [nanǽktən] *n.* 〚약학〛 논악틴《스트렙토마이신의 일종에서 유도한 항생 물질; 이온을 지방질에 투과시키는 능력을 가짐》.

non·ac·tin·ic [nὰnæktínik/nɔ̀n-] *a.* (방사선이) 화학 작용이 없는.

non·áddict *n.* (중독되지 아니한) 마약 사용자.

nòn·addícting, -tive [-tiv] *a.* 중독성을 초래하지 않는, 비중독성의《약 따위의》.

nón·áddítive *a.* 가산(加算)이 안 되는, 비가산적인; 〚유전〛 비상가(非相加)의.

nòn·admíssion *n.* Ⓤ 입장(入場)〔입회(入會)〕 거절. 「량이 적은.

nòn·aeróbic *a.* (스포츠에서) 몸의 산소 소비

nòn·áerosol *a.* (스프레이가) 프레온 가스를 쓰지 않는.

non·age [nάnidʒ, nóun-/nóun-] *n.* Ⓤ (법률상의) 미성년(기); 미성숙(기), 발달의 초기.

non·a·ge·nar·i·an [nὰnədʒənέəriən, nòun-/nòun-] *a.*, *n.* 90대의 (사람).

nòn·aggréssion *n.* Ⓤ 불침략: a ~ pact 〔treaty〕 불가침 조약.

non·a·gon [nάnəgὰn/nɔ́nəgɔ̀n] *n.* 9변형.

nòn·agréement *n.* Ⓤ 부동의(不同意), 승낙하지 않음.

nòn·alcohólic *a.* 알코올을 함유하지 않은.

nòn·alígn *vt.*, *vi.* 제휴하지 않다, 중립을 지키다. ㊞ **~ed** *a.* 중립을 지키는, 비동맹의: ~*ed* nations 중립국들. **~·ment** *n.* 비동맹: ~*ment* policy 비동맹 정책.

nòn·allélic *a.* 〚유전〛 비(非)대립성의《유전자》.

nòn·allergénic *a.* 비(非)알레르기성(性)의.

nó-nàme *a.* (상품이) 상표가 없는; (상표가 없는 대신) 싼값으로 판매되는; 상표가 등록되어 있지 않은. 「A, NON-B.

nón-Á, nón-B́ hepatítis =HEPATITIS NON-

nòn·appéarance *n.* Ⓤ 불참, (특히 법정에의) 불출두.

nòn·arríval *n.* Ⓤ 불착(不着).

no·na·ry [nóunəri] *a.* 아홉으로 된; 〚수학〛 9진법의. **—** *n.* 9개 한 세트〔벌, 조〕의 것; 〚수학〛 9진법의 수. 「정적인.

nòn·assértive *a.* 〚문법〛 (문·절이) 비(非)단

nòn·asséssable *a.* (주식이) 추가 납입의 의무가 없는; (주식이) 유한 책임인. ㊞ **-assessabílity** *n.*

nòn·assígnable *a.* 양도할 수 없는: a ~ L/C 양도불능 신용장.
non as·sump·sit [nán-əsʌ́mpsit/nɔ́n-] 《L.》 〖법률〗 (계약 이행 요구 소송에서) 피고인이 계약을 부인하는 항변. 「은 사람.
nòn·ástronaut *n.* 우주 비행 훈련을 받지 않
nòn-attáched *a.* …에 집착하지 않는, 물욕(物慾)이 없는.
nòn·atténdance *n.* Ⓤ 결석, 불참; (특히 의무 교육에의) 미취학.
nòn·atténtion *n.* Ⓤ 부주의, 태만.
nòn·attríbutable *a.* (원인 따위에) 돌릴 수 없는. ㊕ **nòn·attríbutably** *ad.*
nón·bánk *n.* 《미》 은행 이외의 금융 기관. — [스] *a.* ~의[에 의한].
nòn·béing *n.* 실재하지 않음(nonexistence).
nòn·belíever *n.* (신·이념·임무 등에 대한) 믿음이 결여된 사람.
nòn·bellígerency *n.* 비(非)교전 (상태); 비(非)교전국의 입장[정책].
nòn·bellígerent *n., a.* 비(非)교전국(의).
nòn-biológical *a.* (세제(洗劑) 따위가) 비(非)유기성인《효소 등을 함유하지 않은》.
nón·bónding *a.* 〖물리〗 (전자·전자 궤도가) 비결합성의《공유 결합에 관여하지 않는》.
nón·bóok *a.* 책이 아닌《마이크로필름 따위》. — *n.* 《미》 책답지 않은 책; 가치 없는 책.
nonbóok matèrials 〖출판〗 비도서 자료《시청각 자료 등 도서 이외의 모든 자료》.
non·bréathing *a.* (플라스틱 등 재료가) 통기성(通氣性)이 없는.
nón·búsiness *a.* 직업[일]과 관계없는, 본업[본분]과는 무관계한.
nòn·calóric *a.* 극히 저(低)칼로리의.
non·cámpus *a.* (대학이) 특정 캠퍼스가 없는, 특정 캠퍼스 이외의 곳에서 수업하는.
non·cándidate *n.* 비후보(자), 《특히》 불출마 표명자. ㊕ **-da·cy** *n.*
nòn-cápital *a.* 〖법률〗 (죄가) 사형에 처할 만하지 않은, 비극형(非極刑)의.
nòn-cáptive *a.* (사내(社內) 소비 목적이 아닌) 외판(外販)의.
nonce[1] [nans/nɔns] *n.* 지금, 목하, 당분간, 당면의 목적. ★ 보통 다음 꼴로 쓰임. ***for the*** ~ 당분간, 임시로; 당면의 목적을 위해. — *a.* 임시의, 1 회[그때]만의.
nonce[2] *n.* 《교도소속어》 강간 범인(rapist).
nòn·céllular *a.* 비(非) 세포성의, 세포 구조가 없는.
nòn·cértifiable *a.* 정신병자라는 증명을 할 수 없는; 《우스개》 맑은 정신의(sane). 「임시어.
nónce wòrd (그때만 쓰는) 임시로 만든 말,
non·cha·lance [nὰnʃəlɑ́ːns, nάnʃələns/nɔ́nʃələns] *n.* Ⓤ 무관심, 냉담, 태연. ***with*** ~ 냉정하게, 태연히.
non·cha·lant [nὰnʃəlɑ́ːnt, nάnʃələnt/nɔ́n-] *a.* 무관심[냉담]한; 태연한, 냉정한. ◇ nonchalance *n.* ㊕ **~·ly** *ad.*
nòn·chromosómal *a.* 〖생물〗 염색체상에 없는, 비염색체성(性)의.
nòn·cláim *n.* Ⓤ 〖법률〗 청구 해태(懈怠)《기한 내에 청구를 하지 않아 권리를 상실하는 일》.
nón·clássified *a.* 기밀 취급이 아닌.
non·cóital *a.* (성행위가) 비(非) 성기적인, 성기 결합이 아닌.
Non-Coll. Non-Collegiate.
nòn·collégiate 《영》 *a.* (연구·학력 등이) 대학 정도 이하인; (대학이) 학료제(學寮制)[학부제]가 아닌; (대학생이) 학부에 속하지 않는. — *n.* 학부에 속하지 않는 학생.
non·com [nάnkὰm/nɔ́nkɔ̀m] *n.* 《구어》 = NONCOMMISSIONED OFFICER.
noncom. noncommissioned (officer).
nòn·cómbat *a.* 전투 이외의《임무》, 전투가 필요하지 않은.
nòn·combátant *n., a.* 〖군사〗 비(非)전투원(의). 「(물질).
nòn·combústible *a., n.* 불연성(不燃性)의
nòn·commércial *a.* 비영리적인. 「안 된.
nòn·commíssioned *a.* 위임장 없는, 임명이
noncommíssioned ófficer 부사관《생략: N.C.O.》. ★ 해군에서는 petty officer.
nòn·commítment *n.* 자신의 입장을 분명히 밝히지 않음.
nòn·commíttal *a.* 확실한 의견을 말하지 않는, 언질을 주지 않는; 어물쩍거리는, 애매한《대답·진술 따위》. ㊕ **~·ly** *ad.*
nòn·commítted [-id] *a.* 무당파(無黨派)의.
nòn·commúnicable *a.* (사상·정보 등을) 전달할 수 없는; 비(非)전염성의.
nòn·commúnicant *a., n.* 〖가톨릭〗 영성체(領聖體) 받지 않은 (사람). 「이외의.
nòn-Cómmunist *a.* 비공산당원의, 공산당원
nòn·complíance *n.* 불순종, 불복종; 불승낙.
nòn·complíant *n., a.* 불복종[불순종](하는). ㊕ **-complýing** *a.*
non com·pos men·tis [nán-kάmpəs-méntis/nɔ́n-kɔ́m-] 《L.》 (=not having control of one's mind) 〖법률〗 심신 상실의, 정신 이상의, 《특히》 재산 관리 능력이 없는.
non·con [nάnkὰn/nɔ́nkɔ̀n] *n.* 《속어》 = NONCONFORMIST.
noncon. noncontent.
nòn·concúr *vi.* 동의를[협력을] 거부하다.
nòn·concúrrence *n.* Ⓤ 부동의(不同意).
nón·condénsing éngine 비복수(非復水) 기관.
nòn·condúcting *a.* 〖물리〗 전도(傳導)되지 않는, 부(不)전도의.
nòn·condúctor *n.* 부도체《열·전기·소리 따위의》, 절연체.
nòn·cónfidence *n.* Ⓤ 불신임: a vote of ~ 불신임 투표.
nòn·confórm *vi.* 복종하지 않다, 응하지 않다; 국교를 믿지 않다. ㊕ **~·er** *n.* 「불신봉.
nòn·confórmance *n.* Ⓤ 불복종; 국교(國敎)
nòn·confórming *a.* 복종하지 않는; 국교를 믿지 않는.
nòn·confórmism *n.* = NONCONFORMITY.
nòn·confórmist *n.* 일반적 사회 규범에 따르지 않는 사람; (종종 N-) 《영》 국교 불신봉자; 비국교도. — *a.* 일반 사회 규범에 따르지 않는; (종종 N-) 비국교도의.
nòn·confórmity *n.* Ⓤ 불일치, 부조화, 모순 《*with*; *to*》; 일반 사회 규범의 거부; (종종 N-) Ⓤ 국교를 따르지 않음, 비국교주의; (종종 N-) 〖집합적〗 비국교도들; (종종 N-) 비국교도의 교의[의식].
nòn·cónscious *a.* 의식적이 아닌.
non con·stat [nóun-kóunstæt] 《L.》 그것은 확실치가 않다(it is not clear).
nòn·consúmptive *a.* 자연을 파괴하지 않는, 천연자원을 낭비하지 않는.
nòn·cóntact *a.* (스포츠 경기가) 몸의 접촉이 없는[접촉을 필요로 하지 않는].
nòn·contént *n.* (영국 상원의) 반대 투표(자).
nòn·conténtiously *ad.* 논쟁적이 아니고, 온건하게. 「것.
nòn·contradíction *n.* Ⓤ 〖논리〗 모순이 없는
nòn·contríbutory *a.* 〖한정적〗 (연금·보험

제도 등이) 무갹출의, (고용자 측의) 전액 부담인; 도움이 되지 않는.

nòn-controvérsial *a.* 의논의 필요〔여지〕가 없는, 논쟁이 되지 않는.

nòn·convértible *a.* 금화로 바꿀 수 없는, 불환(不換)의: a ~ note 〔bill〕 불환 지폐.

nòn·cooperátion *n.* Ⓤ 비협력; 대정부 비협력 (운동), (특히 인도의 간디파의) 대영(對英) 비협력 (운동). ㊥ **~·ist** *n.* **nòn·coóperative** *a.* 비협력적인; 비협력 운동의. **nòn·coóperator** *n.* 비협력자; 비협력 운동 실천자.

nòn·cooperatívity *n.* 비협력, 비협조; 〖생화학〗 비협동성.

nòn·cóuntry *n.* 국가답지 않은 국가《인종이 동일하지 않거나, 자연 국경이 없거나 하는 국가》.

nòn·crédit *a.* (과목이) 졸업 학점에 들지 않은.

nòn·cróssover *n.* 〖생물〗 비교차형(非交叉型)《염색체가 교차를 하지 않는 배우자〔개체〕》.

nón·custódial *a.* (부모가) 법적으로 자식에 대한 친권(親權)이 없는, 감독권이 없는.

nòn·dáiry *a.* 우유를〔유제품을〕 함유하지 않은.

nòn·dedúctible *a.* 공제할 수 없는. ㊥ **-deductibílity** *n.*

nòn·degrádable *a.* (폐기물 따위가) 비(非)분해성의.

nòn·delívery *n.* Ⓤ 인도(引渡) 불능; 배달 불능, 무배달.

nòn·denóminated [-id] *a.* (수표가) 금액이 명기되어 있지 않은.

nòn·denominátional *a.* 특정 종교에 관계가 없는.

nòn·descrípt *a., n.* 형언키 어려운 (사람〔것〕), 구별 지을 수 없는 (사람〔것〕), 특징이 없는 (사람〔것〕), 정체 모를 (사람〔것〕); 《영속어》 보통차로 가장한 순찰차.

nòn·destrúctive *a.* 비파괴적인, (검사 등에서 그 대상 물질을) 파괴하지 않는: ~ testing 비파괴 검사《엑스선·초음파 등을 사용함》. ㊥ **~·ly** *ad.* **~·ness** *n.*

nòn·diabétic *a., n.* 당뇨병에 걸려 있지 않은 (사람).

nòn·diapáusing *a.* 〖생물〗 휴면(休眠)하지 않는; 휴면 상태에 있지 않은.

nòn·diréctional *a.* 〖음향·통신〗 무지향성(無指向性)의; 모든 방향으로 작용하는.

nòn·diréctive *a.* (정신 요법·카운슬링 따위가) 비(非)지시적인《내담자(來談者)에게 직접 지시를 하지 않고, 내담자가 자발적으로 장애를 극복하도록 유도하는 방법을 일컬음》.

nòn·disclósure *n.* 불개시(不開示), 불통지.

nòn·discriminátion *n.* 차별(대우)를 하지 않음. ㊥ **nòn·discríminatory** *a.*

nòn·disjúnction *n.* 〖생물〗 (감수분열 때 상동(相同) 염색체의) 비분리. ㊥ **~·al** *a.*

nòn·distínctive *a.* 〖음성〗 불명료한, 비변별(非辨別)적인, 이음(異音)의. ㊥ **~·ly** *ad.*

nòn·divíding *a.* 〖생물〗 세포가 분열하지 않는.

nòn·dórmant *a.* 〖식물〗 비휴면(非休眠)(상태)의, 비휴면성의.

nòn·drínker *n.* 술을 끊은 사람, 금주가.

nòn·drínking *n.* 술을 끊음, 금주.

non·dríp *a.* (페인트 따위가) 방울져 떨어지지 않는.

nòn·dríver *n.* 차를 운전하지 않는 사람.

nòndrýing óil 불건성유《올리브기름 따위》.

nòn·dúrables *n. pl.* 비(非)내구재(=**nondúrable góods**)《식품·의복류·연료 등》. OPP *durables.*

†**none**[1] [nʌn] *pron.* **1** 《보통 복수동사를 수반하여》 아무도 …않다〔없다〕, 아무것도 …않다〔없다〕: There were ~ present. 출석한 사람은 아무도 없었다/*None* appear to realize it. 아무도 눈치채지 않은 것 같다/*None* have left yet. 아직 아무도 출발하지 않았다/No news today?—*None.* 오늘은 뉴스 없느냐—하나도 없다. **2** 《~of+복수(대)명사 꼴로 단수·복수동사를 수반》 어느것도…않다〔없다〕: *None of* their promises have been kept. 그들의 약속은 하나도 지켜진 것이 없었다/*None of them is* 〔*are*〕 lost. 누구 하나 죽지 않았다. **3** 《~ of+단수(대)명사》 조금도 …않다〔없다〕: She has ~ *of* her mother's beauty. 그녀는 모친의 아름다움을 전혀 물려받지 않았다/It is ~ *of* your business. 네가 상관할 바 아니다/*None of* this concerns me. 이것은 나와는 전혀 관계가 없다. **4** 《"no+명사"의 명사 생략꼴》 전혀 …없다〔않다〕, (그러한 것을) …하지 않다: He's ~ *of* my friends. 그는 내 친구도 아무 것도 아니다/You still have money but I have ~ (=no money) left. 너에겐 아직 돈이 있지만 나에겐 한푼도 안 남았다. **~ *better*** (***than*** one) (자기가) 어느 누구보다도 잘. **~ *but*** …외는 아무도 — 않다; — 하는 것은 …의 정도다: *None but* fools have ever believed it. 바보가 아닌 이상 아무도 그것을 믿는 녀석은 없다. ***None of...!*** …일랑 마라〔그만둬라〕: *None of* your impudence! 건방진 소리 마라, 무례한 짓 마라/*None of* your nonsense! 허튼수작 마라/*None of* that! 그 따위 짓은 그만둬. **~ *other than*** 다름 아닌〔바로〕 그것〔그 사람〕: The visitor was ~ *other than* the king. 방문자는 다름 아닌 국왕 그분이었다. **~ *so*** 그다지 …않다: They are ~ *so* fond of him. 그들은 그다지 그를 좋아하지 않는다. **~ *too soon*** 〔***early***〕 상당히 〔너무〕 늦게. ***will*** 〔***would***〕 ***have*** **~ *of...*** =***want*** **~ *of...*** …을 거부하다, 인정하지 않다.

— *a.* 《고어》 조금도 …않는(=not any). ★ 원래 모음 또는 h로 시작되는 명사 앞에서 no 대신 썼음: Thou shalt have *none* other gods before me. 〖성서〗 너희는 내 앞에서 감히 다른 신을 모시지 못한다《신명기 V: 7》. 또 명사를 앞으로 내세우고 none 을 뒤에 썼음: Silver and gold have I *none.* 〖성서〗 금과 은은 나에게는 없노라《사도행전 III: 6》. ***make of* ~ *effect*** 《고어》 무효로 하다.

— *ad.* **1** 《the+비교급 또는 so, too를 수반하여》 조금도〔결코〕 …않다, (…하다고 해서) 그만큼 …한 것은 아니다: He is ~ *the better* for his experience. 경험을 쌓았다고 해서 특히 더 나아진 것도 없다/She is ~ *so* pretty. 조금도 예쁘지 않다/I arrived there ~ *too* soon. 꼭 알맞은 때에 도착했다《오히려 조금 늦을 정도로》. **2** 《단독으로 쓰이어》 조금도〔결코〕 …않다: I slept ~ last night. 어젯밤 한잠도 못 잤다. **~ *the less*** 그럼에도 불구하고, 그래도, 역시.

none[2] [noun] *n.* (종종 N-) 〖기독교〗 제 9 시의 기도, 9 시과(課)《고대 로마에서는 오후 3 시, 현재는 정오에 행하는 기도》.

nòn·éarthly *a.* 지구 밖의.

nó-nèck *n.* 《속어》 멍텅구리; 옹고집쟁이; 저속한 인간.

nòn·economíc *a.* 비경제적인, 경제적으로 중요하지 않은.

nòn·efféctive *a., n.* 효과적이 아닌, 효력이 없는; 〖군사〗 (부상 등으로) 전투력을 상실한 (군인).

nòn·effícient *a., n.* 〖군사〗 복무 자격이 없는; 미(未)교육 지원병〔의용군〕.

nòn·égo (*pl.* ~*s*) *n.* 〖철학〗 비아(非我), 객관, 객체. OPP *ego.*

nòn·enfórceable *a.* 실행〔실시, 시행, 강제〕할 수 없는. ㊥ **-enforceabílity** *n.*

nòn·éntity *n.* Ⓤ,Ⓒ **1** 존재〔실재〕하지 않음, 허무. **2** 실재하지 않는 것, 날조하기, 허구. **3** 하잘것없는 사람〔것〕.

nones [nounz] (*sing.* ***none*** [noun]) *n. pl.* **1**

〖단·복수취급〗〖고대로마〗 3·5·7·10월의 7일 및 다른 달의 5일. cf. ides. **2** (종종 N-) =NONE². 「은〕(사람 또는 사물).
nòn·esséntial *a.*, *n.* 비본질적인〔중요하지 않
non est [nán-ést/nɔ́n-] 《L.》《구어》 존재하지 않는, 부재(不在)의.
non est in·ven·tus [nán-ést-invéntəs/nɔ́n-] 《L.》〖법률〗 본인 소재 불명 보고《영장 수취인을 못 찾아 반려할 때의 문구: 생략: n.e.i.》.
nóne·sùch *n.* 비길 데 없는 것〔사람〕; 둘도 없는 사람; 〖식물〗 잔개자리.
no·net [nounét] *n.* 〖음악〗 9 중주〔창〕(곡) (cf. solo); 9 중주〔창〕단.
°**none·the·less** [nʌ̀nðəlés] *ad.* =NEVERTHELESS. 「ometry.
nón-Euclídean *a.* 비(非)유클리드의: ~ ge-
nòn·evént *n.* 기대에 어긋난 일; (미리 떠들어만 놓고) 실제로는 일어나지 않은 일; 공식적으로는 무시된 일. 「(非常勤) 이사.
nòn-exécutive diréctor (회사의) 비상근
nòn·exístence *n.* Ⓤ 존재〔실재〕치 않음〔않는 것〕, 무(無). ㊕ **-ent** *a.*, *n.* 존재〔실재〕하지 않는 (사람).
nòn·fáctive *a.* 〖언어〗 비사실적인: a ~ verb 비사실 동사《believe, suppose 따위》.
nòn-fámily *n.* 비가족(非家族)《인척·혈연관계는 없으나 함께 사는 사람들》.
nòn·fát *a.* 탈지(脫脂)한: ~ milk.
non·fea·sance [nɑnfí:zəns/nɔn-] *n.* Ⓤ〖법률〗 의무 불이행, 부작위(不作爲), 해태(懈怠).
nòn·férrous *a.* 비철(非鐵)의; 철을 함유하지 않은: ~ metals 비철금속.
nòn·fíction *n.* Ⓤ 논픽션, 소설이 아닌 산문 문학《전기·역사·탐험 기록 등》. ㊕ **~·al** *a.* **-fiction·éer** *n.* 논픽션 작가.
non·fígurative *a.* 〖미술〗 비구상(非具象)(주의)적인(nonobjective).
non·fínite *a.* 한계가 없는, 무한의; (동사형이) 비정형(非定形)의.
nòn·flámmable *a.* 불연성(不燃性)의.
nón·flówering *a.* 〖식물〗 꽃이 피지 않는, 개화기(開化期)가 없는.
nòn·flúency *n.* 눌변(訥辯).
nòn·fóod *a.* 식료품 이외의.
nòn·fréezing *a.* 얼지 않는, 부동(不凍)(성)의.
nòn·fulfíllment *n.* Ⓤ (의무·약속의) 불이행.
nong [nɑŋ/nɔŋ] *n.* 《Austral. 속어》 바보, 멍
nòn·genétic *a.* 비유전적인. 〔청이.
nòn·governméntal *a.* 비(非)정부의, 정부와 무관한; 민간의: a ~ organization 비정부 조직, 민간 공익 단체. 「않는.
nòn·grádable *a.* 〖문법〗 비교 변화를 하지
nòn·gráded [-id] *a.* 등급이 없는, 《미》 학년별로 되어 있지 않은, 학년제가 없는: a ~ school.
nòn·gráduate *n.* 졸업생이 아닌 사람.
nòn·grammátical *a.* (문장이나 표현이) 문법에 맞지 않는, 비(非)문법적인.
non gra·ta [nán-grá:tə, -gréi-/nɔ́n-] *a.* 《L.》 바람직스럽지 못한《외교 용어》.
nòn·gréen *a.* 녹색이 아닌, 푸르지 않은; 《특히》 엽록소를 함유하지 않은.
nón·héro *n.* =ANTIHERO.
nòn·hóst *n.* 〖생태〗 비숙주(非宿主) 식물.
nòn·húman *a.* 인간이 아닌, 인간 외의; 인간성에 위배되는.
nòn·idéntical *a.* 동일하지 않은, 다른(different); 이란성(二卵性)의《쌍둥이》.
no·nil·lion [nouníljən] *n.* 《영》 백만의 9제곱; 《미》 천의 10제곱.
nòn·immúne *a.*, *n.* 면역성이 없는 (사람).
non-ímpact prìnter 〖컴퓨터〗 안때림〔비충격〕 인쇄기《무소음을 목적으로 무타격으로 인자(印字)하는 프린터》. cf. impact printer.
nòn·importátion *n.* Ⓤ 수입 거부. 「의.
nòn·indúctive *a.* 〖전기〗 불유도성(不誘導性)
nòn·inféctéd [-id] *a.* 감염되어 있지 않은; 오염되어 있지 않은. ㊕ **non·inféctious** *a.* 비감염〔전염〕성의.
nòn·inflámmable *a.* 불연성(不燃性)의.
nòn·informátion *n.* 당면 문제와는 관계가 없는 정보.
nòn·insecticídal *a.* 살충력이 없는; 살충제를 쓰지 않은. 「간섭.
nòn·interférence *n.* Ⓤ (특히 정치상의) 불
nòn·intervéntion *n.* Ⓤ (외교·내정상의) 불간섭, 불개입, 방임. ㊕ **~·ist** *n.*, *a.*
nòn·intrúsion *n.* 불침입, 침입 거부; 〖교회〗 《Sc.》 성직 수여자는 교구민이 환영하지 않는 목사를 그 교구에 취임시켜서는 안 된다는 주의.
nòn·invásive *a.* 확장하지 않는, 번지지 않는, 《특히》 (암세포 따위가) 건강한 조직을 침범하지 않는, 비(非)침입성의; 〖의학〗 (진찰에서) 비침습성(非侵襲性)의, 비관혈적인《침이나 관을 체내에 삽입하지 않고 진단하는 방법》. ㊕ **~·ly** *ad.*
nòn·invólvement *n.* 무관여, 무관심, 방관(적 태도), 무간섭.
nòn-íron *a.* 《영》 다리미질이 필요 없는(drip-dry). 「문제.
nòn·íssue *n.* 그리 중요하지 않은 문제, 사소한
nòn·jóinder *n.* 〖법률〗 (어떤 소송에 공동 원고 또는 공동 피고로 해야 할 사람의) 불병합(不併合).
nòn·judgméntal *a.* 불공평한〔일방적인〕 판단을 하지 않는, (특히 도덕상의 문제로) 개인적 판단을 피하는.
nòn·júring *a.* 〖영국사〗 충성 서약을 거부하는.
nòn·júror *n.* **1** 선서 거부자. **2** (N-) 〖영국사〗 충성 선서 거부자《William 3세와 Mary에 대해 신하로서의 서약을 거부한 국교(國敎)의 성직자》.
nòn·júry *a.* 〖법률〗 배심(陪審)이 필요 없는, 배심을 뺀: ~ civil cases 배심을 뺀 민사 재판.
nòn·léaded [-lédid] *a.* (휘발유가) 4 에틸납을 함유하지 않은, 무연(無鉛)의(unleaded).
nòn·légal *a.* 비법률적인, 법률과는 관계없는. cf. illegal.
nòn·léthal *a.* 비치명적인: ~ gas (전투력만 상실시키는) 안전 독가스.
non li·cet [nán-láisit/nɔ́n-] 〖법률〗 법률상 인정되지 않는, 법에 반(反)하는《생략: n.l.》.
nòn·línear *a.* 직선이 아닌, 비선형(非線形)의.
nòn·linguístic *a.* 언어 이외의, 언어에 의하지 않은.
non li·quet [nán-láikwit/nɔ́n-] 《L.》 (=it is not clear) 〖법률〗 배심원에 의한 판결 연기(延期)의 평결. 「원시적인.
nón·líterate *a.*, *n.* 문자 문화 이전의 (사람),
nòn·líving *a.* 생명이 없는, 비(非)생물적인, 비(非)생체적인.
nòn·lógical *a.* 논리 이외의 방법에 의한, 비논리적인, 직관적인, 무의식의. cf. illogical.
nòn·márket *a.* 노동 시장에 포함되지 않은.
nòn·mátching *a.* 조화되지 않는, 어울리지 않는; 반대급부를 구하지 않는, 부족분의 보조를 필요로 하지 않는.
nòn·matérial *a.* 비물질적인, 영적인, 정신적인; 문화적인.
nonmatérial cúlture 〖사회〗 비물질적 문화《종교·예술·학문 따위 정신적 문화와 관습·규범 따위 제도적 문화를 말함》.

nòn·mémber *n.* 회원〔당원(黨員)〕 이외의 사람, 비(非)회원. ㊕ **~·shìp** *n.*
nonmémber bánk 비가맹 은행.
nòn·métal *n.* Ⓤ 〖화학〗 비금속. ㊕ **nòn·metállic** *a.* 비금속의: *nonmetallic* elements 비금속 원소.
nòn·ministérial *a.* 반(反)정부측의.
nòn·móral *a.* 도덕에 관계없는, 윤리·도덕적 범주 외의. ⓒⓕ amoral, immoral. ㊕ **~·ly** *ad.* **nòn·morálity** *n.*
nòn·móther *n.* 피임여성.
nòn·mótile *a.* 〖생물〗 자동력(自動力)이 없는: a ~ cilium 부동모(不動毛).
nòn·nátive *n.* Ⓒ, *a.* 본국〔본토〕 태생이 아닌 (사람), 외국인(의).
nòn·nátural *a.* 자연에 배치되는; 비자연의; 〖윤리·미술〗 비자연주의(자)적인.
nòn·negótiable *a.* 교섭〔협정〕할 수 없는; 〖상업〗 유통 불가능한, 양도할 수 없는.
nòn·neoplástic *a.* 〖의학〗 신생물〔종양〕이 아닌; 신생물이 원인이 아닌, 비신생물의.
nòn·nét *a.* (책이) 정가가 없는; 정가 판매가 아닌.
non no·bis [nán-nóubis/nɔ́n-] 《L.》 (여호와여 영광을) 우리에게 돌리지 마옵소서; (승리 따위를 신의 가호(加護)에 돌리는) 환희의 노래《시편 CXV: 1》.
nòn·núclear *a.* 핵폭발을 일으키지 않는, 비핵(非核)의, 핵무기를 안 가진. **—** *n.* 비핵보유국.
nonnúclear defènse 비핵 방위 구상.
non·núke tréaty [nànnjúːk-/nɔ̀n-] 《속어》 핵확산 방지 조약.
nòn-numérical *a.* 〖컴퓨터〗 비수치(非數値)의.
nó-nò (*pl.* **~'s, ~s**) *n.* 《미속어》 해서는 안 되는 일〔것〕. **—** *int.* 《소아어》 못써, 안 돼.
nòn·objéctive *a.* 〖미술〗 비객관적인, 비구상적인, 추상적인.
nòn·obsérvance *n.* Ⓤ 불준법(不遵法); 위반.
nòn·obsérvant *a.* 부주의한; 위법의.
non obs(t). 《L.》 *non obstante*.
non ob·stan·te [nán-ɑbstǽnti/nɔ́n-ɔb-] 《L.》 (=notwithstanding) …에도 불구하고《생략: non obs(t).》.
nòn·occúrrence *n.* 사건·사고가 일어나지 않음, 불발생.
nòn·offícial *a.* 비공식의; 〖약학〗 처방 외의.
nòn-óil *a.* 비유성(非油性)의; 석유(제품)을 수입하는: a ~ nation 비산유국.
nò-nónsense *a.* 근엄한, 실제〔현실, 사무〕적인, 허식을 좋아하지 않는.
nòn-operátional *a.* 현역이 아닌, 비전시 근무의; 비조업 중의; 작동하지 않는, 고장 난.
nòn·orgásmic *a., n.* 오르가슴을 느끼지 못하는 (사람), 불감증인 (사람).
non·ox·y·nol-9 [nanáksinɔ̀ːlnáin, -nɑ̀l-/nɔnɔ́ksinɔ̀l-] *n.* 〖약학〗 노녹시놀 9《살정자제(殺精子劑)》.
non·pa·reil [nɑ̀npərél/nɔ́npərəl] *a.* 비할〔비길〕 데 없는, 무류(無類)의, 천하일품의. **—** *n.* 비할 바 없는 사람〔것〕; 극상품; 〖인쇄〗 논파렐 활자《6 포인트 활자·괘선·인테르》; 초콜릿 당과(糖菓)의 일종; 〖조류〗 = PAINTED BUNTING.
non·par·ous [nɑnpǽrəs/nɔn-] *a.* 출산 경험이 없는, 비경산(非經產)의.
nòn·partícipating *a.* 불참가의; 〖보험〗 이익 배당이 없는.
nòn·participátion *n.* 불참가, 불관여.
nòn·pártisan, -zan *a., n.* 당파에 속하지 않은 (사람), 무소속의 (사람): ~ diplomacy 초당파 외교. ㊕ **~·shìp** *n.*
nòn·párty *a.* 무소속의; 불편부당의, 당파심이 없는.
nòn·pathogénic *a.* 병(病)을 유발하지 않는, 비병원성(非病原性)의.
nòn·páying *a.* 수지가 맞지 않는, 이익이 없는.
nòn·páyment *n.* Ⓤ 지급하지 않음, 지급 불능; 지급 거절.
nòn·perfórmance *n.* Ⓤ 불이행, 불실행, 불실시.
nòn·perfórming *a.* 적절히 수행〔작동〕하지 않는; 〖금융〗 (채무·차입금이) 이식이 지급되지 않는〔늦어져 있는〕, 이식 지급 불이행의.
nòn·périshable *a.* (음식물이) 잘 부패하지 않는, 보존할 수 있는: ~ food 보존 식품.
nòn·permíssive *a.* 〖생물〗 (유전 물질의) 복제를 허용하지 않는, 복제를 저해(沮害)하는.
nòn·persístent *a.* 지속성 없는《약품》; 비영속형의《바이러스》.
nón·pérson *n.* 인간 취급을 받지 못하는 사람; 중요하지 않은 인물, 존재를 무시당한 사람; 정치적으로 말살된 사람, 실각자(unperson).
nòn·pérsonal *a.* 개인적이 아닌.
non pla·cet [nán-pléisit/nɔ́n-] 《L.》 불찬성; 반대 투표《교회·대학의 집회에서》.
non-pla·cet *vt.* 《L.》 거부하다, …에 반대 투표하다.
nòn·pláying *a.* (스포츠 팀의 주장이) 경기에 참가하지 않는.
non·plus [nɑnplʌ́s, ⌐-/nɔn⌐, ⌐-] (**-s-,** 《특히 영》 **-ss-**) *vt.* 어찌할 바를 모르게 하다: He was completely ~*ed*. 그는 아주 난처했다. **—** *n.* 당혹, 난처; 곤경, 궁지. ***at* 〔*in*〕 *a* ~** 진퇴양난으로, 당혹하여. ***put* 〔*bring, drive, reduce*〕** a person ***to a* ~** 아무를 난처하게 하다, 궁지에 빠뜨리다.
non plus ul·tra [nán-plʌ̀s-ʌ́ltrə/nɔ́n-] 《L.》 = *NE PLUS ULTRA*.
nón·pòint *a.* 발생지를 특정할 수 없는; 오염원(汚染源)을 특정할 수 없는.
non·póisonous *a.* 독이 없는, 무해(無害)한.
nòn·pólar *a.* 〖물리·화학〗 (분자·액체 따위가) 무극성(無極性)의.
nòn·polítical *a., n.* 정치에 관계하지 않는 (사람), 비정치적인 (사람).
nòn·pollúting *a.* 오염시키지 않는, 무공해성의.
nòn·pórous *a.* 작은 구멍이 없는, 통기성(通氣性)이 없는.
non pos·su·mus [nan-pásəməs/nɔn-pɔ́s-] 《L.》 (=we cannot) 무능력의 신고, 행동 거절.
nòn·prescríption *a.* (약을) 처방전 없이 살 수 있는.
nòn·prínt *a.* (정보·자료가) 인쇄물이 아닌《테이프·필름 따위》.
non·pro [nɑ̀npróu/nɔ̀n-] *n., a.* 《속어》 논프로(의)(nonprofessional).
non-procédural lánguage 〖컴퓨터〗 비절차적 언어《사용자가 얻고 싶은 결과만 명시하면 자동으로 처리하기 위한 일련의 작업이 수행되도록 하는 프로그래밍 언어》.
nòn·prodúctive *a.* 비생산적인, 생산성이 낮은; (사원 등이) 생산에 직접 관계하지 않는; 비생산 부문의. ㊕ **~·ness** *n.*
nòn·proféssional *a.* 직업(적)이 아닌, 직업을 떠난; 전문이 아닌, 전문적인 훈련을 받지 않은, 논프로의. **—** *n.* 비전문가, 직업적〔전문적〕 훈련이 없는 사람, 논프로; 생무지, 생(生)꾼.
nòn·prófit *a.* 이익이 없는, 비영리적인; (사회가) 자본주의에 의하지 않은.
nòn·prófit-màking *a.* = NONPROFIT.
nòn·proliferátion *n., a.* 비증식(의); (핵무기 등의) 확산 방지(의): a ~ treaty 핵확산 방지 조약《생략: NPT》.
nòn·propríetary *a.* 등록 상표가 없는, 전매가 아닌, 독점 판매권이 없는.
non·pros [nɑ̀nprás/nɔ̀nprɔ́s] (**-ss-**) *vt.* 〖법률〗 (소송 절차를 태만히 하는 원고에게) 궐석 재판에서 패소를 선고하다.

non pros. non prosequitur.
non pro·se·qui·tur [nàn-prousékwitər/nɔ̀n-] 《L.》 ⟦법률⟧ 궐석 재판에 의한 패소 판결 《생략: non pros.》.
nòn·prótein *a.* 비(非)단백(성)의. 「등학교).
nòn·províded [-id] *a.* 《영》 공립이 아닌《초
nòn·ráted [-id] *a.* 등급이 없는, 등급 외의; ⟦미해군⟧ 부사관보다 아래 계급의.
nòn·réader *n.* Ⓒ 독서를 하지 않는〔할 수 없는〕 사람〔어린이〕, 독서 장애인.
nòn·recognítion *n.* 비승인, 비허가, 비인가.
nòn·récourse *a.* (어음 · 융자가) 상환 청구권이 없는, 무상환의.
nòn·recúrrent *a.* 재발하지 않는, 비(非)반복의.
nòn·recúrring *a.* 재발하지 않는, 정기적으로 발생하지 않는; (수입 · 지출이) 경상외(經常外)의.
nòn·refúndable *a.* 상환할 수 없는, 차환(借換)할 수 없는.
nòn·relativístic *a.* ⟦물리⟧ 비(非)상대론적인.
non·renéwable resóurces 재생 불가능 자원《석유 · 석탄 따위》.
nòn·representátional *a.* ⟦미술⟧ 비구상주의적인, 추상적인. ㊕ **~·ism** *n.*
nòn·résident *a.*, *n.* 임지(등)에 거주하지 않는 (사람, 성직자), 비거주자; (호텔의) 비체류자. ㊕ **-dence, -dency** *n.* Ⓤ 임지(任地)(따위)에 거주하지 않음; 비거주자임〔의 신분〕.
nòn·residéntial *a.* 주택용이 아닌, 주택으로는 어울리지 않는.
nòn·resístance *n.* (권력 · 법률 등에 대한) 무저항(주의), 소극적 복종.
nòn·resístant *a.* 무저항(주의)의; 저항력이 없는, 유해 물질에 침범되기 쉬운. **—** *n.* 무저항주의자; 저항력이 없는 것.
nòn·restráint *n.* 비억제, 불구속; (정신병자에 대한) 비감금 요법. 「적인.
nòn·restríctive *a.* ⟦문법⟧ 비(非)제한〔한정〕
nòn·retúrnable *a.* (빈 병 등을) 회수할 수 없는, 반환할 필요 없는.
nonretúrn vàlve =CHECK VALVE.
nòn·rígid ⟦항공⟧ *a.* 견고하지 않은, 연식(軟式)의: a ~ airship 연식 비행선. **—** *n.* 연식 비행선.
nòn·schéduled *a.* 부정기의《항공로 따위》, 임시의: a ~ airline 부정기 항공로〔항공사〕.
nòn·scíence *a.*, *n.* 자연과학 이외의 (분야).
nòn-scientífic *a.* 과학적 방법에 의하지 않는, 비과학적인; 비과학자의.
nòn·secrétor *n.* 비분비 타액 등에 ABO혈액형 항원(抗原)을 갖지 않은 사람. opp *secretor*.
nòn·sectárian *a.* 무종파(無宗派)의, 파벌성이 없는.
nón·sélf *n.* Ⓒ 비자기(非自己)《몸 안에 침입하여, 면역계(免疫系)에 의한 공격성을 유발하는 외래성 항원 물질》.
non·sense [nánsens, -səns/nɔ́nsəns] *n.* Ⓤ **1 무의미; 터무니없는 생각, 난센스. **2** 허튼말〔짓〕; 시시한 일, 하찮은 것: None of your ~! 바보짓 작작 해라. **3** ⟦유전⟧ 난센스 유전 물질. ***make* (*a*) ~ *of*** 《영》 (계획 등을) 망쳐 놓다. ***stand no ~ from*** a person 아무의 허튼수작을 보고만 있지 않다. ***take the ~ out of*** a person 아무가 착실한 행동〔생각〕을 하게 하다. **—** *a.* **1** 무의미한, 엉터리없는. **2** ⟦유전⟧ 난센스의《(1) 유전 암호가 어느 아미노산에도 대응하지 않는. (2) 그와 같은 배열에 의한》. **—** *int.* 바보같이, 그만둬.
nónsense bóok 난센스 책《익살맞은 오락책》.
nónsense códon ⟦생물⟧ 난센스 코돈《유전자상의 세 염기 배열 속에서 어느 아미노산도 지정하지 않은 배열; 단백질 합성이 중지됨》.
nónsense mutátion ⟦생물⟧ 난센스 돌연변이《돌연변이의 결과 유전자상의 염기의 하나가 교체되는 일》.
nónsense sỳllable ⟦심리⟧ 무의미 철자(綴字)《학습 실험에 사용되는 뜻없는 문자의 조합》.
nónsense vérse 희시(戱詩), 광시(狂詩).
non·sen·si·cal [nansénsikəl/nɔn-] *a.* 무의미한, 부조리한; 엉터리없는, 시시한. ㊕ **~·ly** *ad.* **~·ness** *n.* 「follow).
non seq. *non sequitur* 《L.》 (=it does not
non se·qui·tur [nán-sékwitər/nɔ́n-] 《L.》 (전제와 연결이 안 되는) 불합리한 추론〔결론〕《생략: non seq.》; (지금까지의 화제와는) 관계가 없는 이야기.
nòn·séxist *a.* 성에 의한 차별을〔《특히》 여성 멸시를〕 하지 않는. 「(無性)의.
nòn·séxual *a.* 남녀〔암수〕 구별이 없는, 무성
nón-shrínk *a.* (옷감 · 의류 등이) 줄어들지 않는, 무수축의.
nòn·signíficant *a.* 하잘것없는, 중요하지 않은; 무의미한. ㊕ **~·ly** *ad.*
non·sked [nànskéd/nɔ̀n-] *a.* 《미구어》 부정기의. **—** *n.* 부정기 항공로(의 수송기). [◂*non-scheduled*]
nón·skíd *a.* 미끄러지지 않는, 미끄럼 방지 처리를 한《타이어 등》. 「지지 않는.
nòn·slíp *a.* (길 따위가) 미끄럽지 않은, 미끄러
nòn·smóker *n.* 비(非)흡연자; 금연가; (기차의) 금연실.
non-smóker's rìght(s) 혐연권(嫌煙權).
nòn·smóking *a.* (차량 따위가) 금연의.
nòn·sócial *a.* 비사교적인; 사회적 관련이 없는. cf. unsocial.
nòn·socíety *a.* (노동자가) 조합〔단체〕에 가입하지 않은. 「이적인.
nòn·specífic *a.* 비특이성(非特異性)의, 비특
nòn·spórting *a.* 사냥개의 자질이 없는; ⟦생물⟧ 돌연변이가 일어나기 어려운.
nòn·stándard *a.* **1** (제품 등이) 표준〔기준〕에 맞지 않는. **2** (언어 · 발음 따위가) 표준어가 아닌: ~ English 〔pronunciation〕.
nonstándard análysis ⟦수학⟧ 초준해석(超準解析).
nòn·stárter *n.* (경마에서) 출발에 실패하는 말; 가망이 없는 사람〔것〕; 《구어》 고려할 가치가 없는 생각.
nòn·steróidal ⟦약학⟧ *a.* 비(非)스테로이드성(性)의. **—** *n.* 비스테로이드성 약품〔화학물〕.
nón·stìck *a.* (냄비 · 프라이팬이 특수 가공으로) 음식물이 눌어붙지 않게 되어 있는.
nón·stóp *a.* 도중에서 멎지 않는, 직행의, 도중 무착륙의; 연속의, 안 쉬는: a ~ flight 무착륙 비행, 직행편(直行便) / ~ talk 쉴 새 없는 지껄임. **—** *ad.* 직행〔무착륙〕으로; 연속해서, 쉬지 않고. **—** *n.* 직행 열차〔버스〕; 직행 운전.
nonstóre màrketing 무점포 판매 방식《통신 · 전화 · 방문 판매, 자판기 따위》.
nonstóre rètailing 무점포 판매《점포 판매에 상대되는 말》.
nòn·stríker *n.* 스트라이크 불참가자; ⟦크리켓⟧ 투수 측의 위킷(wicket)에 있는 다음 타자.
non·such [nánsʌ̀tʃ, nʌ́n-/nʌ́n-, nɔ́n-] *n.* =NONESUCH.
non·súit ⟦법률⟧ *n.* 소송 각하(却下)〔취하〕. **—** *vt.* (소송을) 기각〔취하〕하다.
nòn·suppórt *n.* 원조〔지지〕하지 않음; ⟦미법률⟧ 부양 의무 불이행. 「(소리).
nòn·syllábic *a.*, *n.* ⟦음성⟧ 음절을 이루지 않는
nòn·sýstem *n.* 충분히 조직화되지 않은 제도, 허울만 좋은 방식.

nòn·tárget *a.* 목표가〔대상이〕 아닌, 목표〔대상〕 밖의.
non-táriff bárrier 비관세 장벽《생략: NTB》.
nòn·téaching *a.* 교육〔교직〕과는 관계없는.
nòn·téchnical *a.* 전문이 아닌, 비(非)전문의; 비(非)기술적인; 정통해 있지 않은.
nòn·ténured *a.* (대학교수가) 종신 재직권이 「없는.
non·términating *a.* 끝이 없는, 무한한: the ~ decimal 무한 소수.
nón·thérmal *a.* 열에 의하지 않은, 비열(非熱)의; 〖물리〗 비열적인.
nón-thíng *n.* 존재하지 않는 것, 무(無); 무의미한〔하찮은〕 것.
nòn·títle *a.* 논타이틀의, 타이틀이 걸리지 않은.
non·tóxic *a.* 독이 없는, 중독성이 아닌.
nòn·transférable *a.* 양도할 수 없는.
nòn·trívial *a.* 적지 않은, 상당한; 중대한; 〖수학〗 비(非)자명한; 자세하지 않은.
non trop·po [nàntrápou/nɔ̀ntrɔ́pou] 《It.》 〖음악〗 과도하지 않게.
nòn-Ú *a.* 《영구어》 상류 계급답지 않은, 서민적인《U자는 upper 에서》. ── *n.* 비(非)상류인, 상류 사회적이 아님.
nón·úniform *a.* 균일하지 않은, 다양한.
nòn·únion *a.* 노동조합에 속하지 않은; 노동조합을 인정치 않는; 조합원이 만든 것이 아닌. ── *n.* 단결〔결합, 합동〕하지 않음; 〖의학〗 (골절이) 유착(癒着) 불능. ㊞ **~·ism** *n.* Ⓤ 노동조합 무시, 반(反)노조주의(적 이론〔행동〕). **~·ist** *n.* 노동조합 반대자; 비노동조합원.
nonúnion shóp 1 노조를 승인하지 않는 회사; 노조 거부 기업체. 2 비(非)유니언숍《노조가 조합원에게 고용 수락을 금하고 있는 공장》.
non·u·ple [nánjəpəl/nɔ́n-] *a.* 9개 부분으로 된, 9배〔겹〕의. ── *n.* 9배(의 양〔수·액〕). cf. decuple.
nón·úse, -úsage *n.* Ⓤ 사용치 않음, 포기.
nòn·úser *n.* 1 〖법률〗 (권리) 불행사〔포기〕, 기권. 2 비(非)사용자〔이용자〕.
nòn·vánishing *a.* 〖수학·물리〗 0(zero)이 되지 않은, 0이 아닌.
non·véctor *n.* (병원체·병원균을 매개하지 않는) 비(非)매개 동물.
nòn·vérbal *a.* 1 말에 의하지 않는, 말을 쓰지 않는; 비언어적인: ~ communication 비언어적 커뮤니케이션《몸짓·표정 따위》. 2 (문장 따위가) 동사를 포함하지〔쓰지〕 않은. 3 말이 서툰, 언어 능력이 낮은. ㊞ **~·ly** *ad.*
nòn·víable *a.* 자력으로 살아갈 수 없는, 생활〔생육〕 불능의, 발전 불가능한.
nòn·víolence *n.* 비폭력(주의), 평화적 수단(에 의한 저항), 비폭력 데모. ㊞ **-lent** *a.* **-lently** *ad.*
nòn·vócoid *n.* 〖음성〗 음성학적 자음(contoid).
nòn·vólatile *a.* 비(非)휘발성의; 〖컴퓨터〗 비휘발성《전원이 끊겨도 정보가 소거되지 않는》.
nonvólatile mèmory 〖전자〗 비(非)소멸성 기억 장치.
nòn·vóter *n.* 투표하지 않는 사람, 투표 기권자; 투표권이 없는 사람.
nòn·vóting *a.* 투표하지 않는; 투표권이 없는, 의결권이 없는.
nòn-Wéstern *a.* 비(非)서양(사회)의. 「(의).
nòn·whíte *n., a.* 비(非)백인(의), 《특히》 흑인
nòn·wórd *n.* 무의미한〔존재하지 않는, 시인되지 않은〕 말.
nòn·wóven *a.* 짠 것이 아닌, 짜지 않은 천의. ── *n.* 짜지 않은 천(~ **fábric**).
nón·yl álcohol [náni(:)l-/nɔ́n-] 〖화학〗 노닐 알코올《$C_9H_{20}O$의 화학식을 지닌 이성체의 총칭》.
nòn·zéro *a.* 0이 아닌, 0 이외의.
noodge [nu:dʒ] *n.* ＝NUDGE².

***noo·dle**¹ [nú:dl] *n.* 바보, 멍청이; 《속어》 머리. *use one's* ~ 머리를 쓰다.
noo·dle² *n.* 누들《달걀을 넣은 국수의 일종》.
noo·dle³ *vi.* 《구어》 1 (정식으로 연주하기 전에 악기를) 가볍게 타보다. 2 (끝까지) 생각해 내다.
nóodle·hèad *n.* 《구어》 바보, 멍청이, 얼간이.
nook** [nuk] *n.* 1 (방 따위의) 구석, 모퉁이(corner). 2 쑥 들어간 곳; 외진 곳, 벽지(僻地); 피난처, 숨는 곳. ***every ~ and corner 〔***cranny***〕 도처, 구석구석. ㊞ **~·ery** [-əri] *n.* 기분 좋은 장소; 은신처.
nooky¹, **nook·ie**¹ [núki] *a.* 구석이〔모퉁이가〕 많은; 구석 같은.
nooky², **nook·ey, nook·ie**² [núki] 《비어》 *n.* (성행위의 대상으로서의) 여자; 질(vagina); 성교(coitus).
†**noon** [nu:n] *n.* 1 정오, 한낮(midday): at (high) ~ (딱) 정오에/at 12 ~낮 12시에. 2 (the ~) 한창, 전성기, 절정《*of*》: at the ~ *of* one's life (남자〔여자〕의) 한창때에, 장년기에. 3 《시어》 야반(夜半); 한밤중의 달의 위치. ***at the height of ~*** 한낮에. ***the ~ of night*** 한밤중. ── *a.* 정오의, 한낮의. ── *vi.* 《미방언》 점심을 먹다, 낮휴식을 취하다; 절정에 달하다.
nóon-bàsket *n.* 《미》 (점심) 도시락.
nóon·dày *n., a.* Ⓤ 정오(의), 대낮(의): (as) clear 〔plain〕 as ~ 《구어》 아주 명백한. ***at the ~ of*** …의 한창때〔절정〕에.
****nó òne, nó-òne** *pron.* 아무도 …않다(nobody): *No one* can do it. 아무도 하지 못한다 《비교: *No one* [nóu-wʌ́n] man can do it. 아무도 혼자서는 못 한다》.
No. 1 [nʌ́mbərwʌ́n] ＝NUMBER ONE.
nóon·flòwer *n.* 〖식물〗 번행초과(蕃杏草科)의 식물. 「(시간).
nóon·ing 《미방언》 *n.* 낮, 정오; 점심; 낮의 휴식
nóon·tìde *n.* Ⓤ 정오, 한낮; 전성기, 절정《*of*》; (the ~ of night) 《시어·문어》 한밤중; 《형용사적》 정오의. 「〔대낮〕의.
nóon·tìme *n.* Ⓤ 정오, 대낮; 《형용사적》 정오
noose [nu:s] *n.* 1 올가미(snare); (the ~) 교수(絞首)에 의한 죽음. 2 자유를 제약하는 것; (부부의) 유대, 결속, 얽매임. ***have the ~ round one's neck*** 반드시 처형되게 되어 있다. ***put one's neck*** 〔***head***〕 ***into*** 〔***in***〕 ***the ~*** 자승자박하다. ***The ~ is hanging.*** 《미속어》 만반의 준비를 갖추고 있다, 모두 대기하고 있다. ── *vt.* 올가미로 잡다; 교살하다; (새끼줄로) 고리를 짓다; 올가미를 씌우다. ㊞ **nóos·er** *n.*
noo·sphere [nóuəsfiər] *n.* 〖생태〗 인지권(人智圈)《인간 활동 때문에 변화가 현저한 생물권》.
no·ot·ro·pic [nòuətróupik] *a.* (기억 개선·학습 촉진 따위의) 정신 기능을 향상시키는. ── *n.* 뇌기능 개선 약.
NOP¹ [nap/nɔp] *n.* 〖컴퓨터〗 무작동, 무연산(無演算). [◂ *no-operation*]
NOP² not our publication (당사(當社)의 출판물이 아님); 《영》 National Opinion Polls (전국 여론 조사 회사). **N.O.P., n.o.p.** not otherwise provided for.
nó-pàr(-válue) *a.* 〖상업〗 액면 가격을 명기하지 않은: a ~ stock 무액면 증권. 「opp. *yep.*
nope [noup] *ad.* 《구어》 아니, 아니요(no).
NOPEC [nóupèk] *n.* 〖경제〗 비(非) OPEC 석유 수출국《미국·영국·러시아·멕시코 등》.
nó plàce 아무 데도 …없다(nowhere); 중요하지 않은 장소, 시시한 곳.
NOR [nɔ:r] *n.* 〖컴퓨터〗 부정 논리합: ~ circuit 부정 논리합 회로/~ gate 부정 논리합

게이트《NOR 연산을 수행하는 문》/ ~ operation 부정 논리합 연산. [◂ not+or]

†**nor**[1] [nɔːr, 약 nər] *conj.* **1** 〖neither 또는 not과 상관적으로〗 …도 또한 …않다. [cf.] either… or, both…and. ¶ I have *neither* money ~ job. 돈도 직업도 없다 / *Not* a man, woman ~ child could be seen. 남자도 여자도 아이도 한 사람도 안 보였다 / *Neither* she ~ I am happy. 그녀나 나나 행복하지 않다. ★ 동사는 가장 가까운 주어와 일치함. **2** 〖앞의 부정문을 받아서 다시 부정이 계속됨〗 …도 ― 하지 않다: You do*n't* like it, ~ do I. 너도 그것을 안 좋아하지만 나도 그렇다 / I said I had *not* seen it, ~ had I. 그것을 못 보았다고 했는데, 실제로 보지 못했다. **3** 《고어·시어》 〖앞에 neither 없이〗 …도 아니다〔하지 않다〕: Thou ~ I have made the world. 이 세상을 만든 것은 너도 아니고 나도 아니다. **4** 《시어》 〖nor를 반복하여〗 …도 ― 도 …않다: *Nor* flood ~ fire shall frighten our moving onward. 물불을 가리지 않고 나아가리라 / *Nor* gold ~ silver can buy it. 금은으로도 그것은 살 수 없다. **5** 〖긍정문 뒤에 또는 문장 첫머리에서〗 그리고 …않다(and not): The tale is long, ~ have I heard it out. 그 이야기는 길어서 끝까지 들은 적이 없다 / Nor is this all. 그리고 또〔그러나〕 그것뿐만이 아니다《논설 등의 중간에 삽입하여》. ★ 2, 5는 'nor+(조)동사+주어'의 어순이 됨.

nor[2] *conj.* 《방언》 …보다도(than).

nor' [nɔːr] *n., a., ad.* 〖해사〗 =NORTH《특히 복합어로: *nor'*ward, *nor'*wester 따위》.

Nor. Norman; North; Norway; Norwegian.

No·ra [nɔ́ːrə] *n.* 노라《여자 이름; Eleanor, Honora, Leonora 등의 애칭》.

NORAD North American Aerospace Defense Command(북미 항공 우주 방위 사령부)《1957년에 창설한 미국과 캐나다의 공동 방공 기구》.

nòr·adrénalin(e) *n.* 〖생리〗 노르아드레날린 ⇨ NOREPINEPHRINE.

nòr·adrénergic *a.* 〖생리〗 노르아드레날린〔부신(副腎) 분비 호르몬〕에 의해 활성화되는.

Nor·dic [nɔ́ːrdik] *n., a.* 북유럽 사람(의); 게르만 민족《장신·장두(長頭)로 금발》(의), 백색 인종(의); 〖스키〗 노르딕(의).

Nórdic combíned 〖스키〗 노르딕 복합 경기《점프와 거리 경기의 복합 경기》.

Nórdic Cóuncil (the ~) 북유럽 이사회《Iceland, Norway, Denmark, Sweden, Finland의 경제·문화·사회의 협력 회의》.

nòr·epinéphrine *n.* 〖생리〗 노르에피네프린.

nor·eth·in·drone [nɔːréθindròun] *n.* 〖약학〗 노르에신드론《황체 호르몬; 경구 피임약》.

nor·eth·y·no·drel [nɔ̀ːrəθáinədrəl] *n.* 〖약학〗 노르에시노드렐《황체 호르몬·경구 피임약·이상 자궁 출혈 치료·월경 조정에 쓰임》.

nó-retúrn *a.* 쓰고 버리는《회수해서 다시 이용하지 않는 병 따위》.

Nor·folk [nɔ́ːrfək] *n.* 노퍽. **1** 잉글랜드 동부의 주. **2** 미국 Virginia 주의 해항《해군 기지가 있음》.

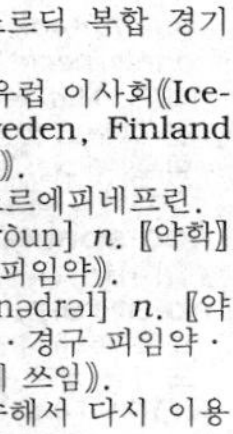

Norfolk jacket

Nórfolk dúmpling 《영》 **1** 노퍽식 찐 경단《Norfolk의 명물》. **2** 노퍽 사람.

Nórfolk jácket 〔**cóat**〕 허리에 띠가 달리고 앞뒤에 주름이 있는 남자의 헐렁한 재킷.

Nor·ge [*Norw.* nɔ́rgə] *n.* 《Norw.》 =NORWAY.

no·ria [nɔ́ːriə] *n.* (스페인·중동의) 버킷(bucket)이 달린 물방아.

nork [nɔːrk] *n.* (보통 *pl.*)《Austral.속어》 유방.

nor·land [nɔ́ːrlənd] *n.* 《방언》 북국, 북부 지방 (northland); 《Sc.》 =NORLANDER. [파] **~·er** *n.* 북국인.

norm [nɔːrm] *n.* **1** 기준; 규범; 모범. **2** 일반 표준, 수준, 평균. **3** 〖교육〗 **a** (발달·달성의) 기준, 평균. **b** (개인의 현재까지의) 평균 학력〔성적〕. **4** 〖수학〗 **a** 놈《벡터 공간을 정의역(定義域)으로 하는 음수가 아닌 실함수 값》. **b** 주어진 분할에서 서로 이웃하는 분점(分點) 간 거리의 최댓값. **5** 노르마, 기준 노동량. **6** 〖컴퓨터〗 기준. [파] **~·less** *a.*

Norm. Norman. **norm.** normal; normalized.

Nor·ma [nɔ́ːrmə] *n.* 노마《여자 이름》.

nor·ma *n.* **1** =NORM. **2** (N-) (*pl.* **-mae** [-miː]) 〖천문〗 수준기(水準器)자리(the Rule)《남쪽 하늘의 별자리의 하나》.

***nor·mal** [nɔ́ːrməl] *a.* **1** 정상의, 보통의, 통상(通常)의. [opp.] *abnormal.* ¶ a ~ temperature (인체의) 평온(平溫) / a ~ condition 정상적인 상태. [SYN.] ⇨ COMMON. **2** 표준적인, 전형적인, 정규의: ~ working hours 표준 노동 시간. **3** 〖화학〗 규정(規定)의; (실험 따위의) 처치를 받지 않은《동물 따위》; 〖수학〗 법선(法線)의; 수직의, 직각의. ◇ normalcy, normality *n.* **—** *n.* **1** 상태: return 〔be back〕 to ~ 평상〔정상〕으로 돌아가다. **2** 표준; 평균; 평온(平溫): below 〔above〕 ~ 표준〔평균〕 이하로〔이상으로〕. **3** 〖물리〗 평균량〔가(價)〕; 〖수학〗 법선, 수선(垂線): an equation of ~ 법선 방정식. **4** 〖컴퓨터〗 정규. [파] **~·ness** *n.*

nórmal-àdmit *a.* 〖교육〗 정상 능력을 갖고 입학한《아동》.

nórmal cúrve 〖통계〗 정규 곡선.

nor·mal·cy [nɔ́ːrməlsi] *n.* [U] (특히 국가의 경제·정치·사회 상태 등이) 정상임, 정상 상태 (normality).

nórmal distribútion 〖통계〗 정규 분포.

nórmal divísor 〖수학〗 정규 인자.

nórmal fáult 〖지학〗 정(正)단층.

nor·mal·i·ty [nɔːrmǽləti] *n.* **1** 정규(성), 정상 상태. **2** 〖화학〗 (용액의) 노르말 농도.

nor·mal·ize [nɔ́ːrməlàiz] *vt., vi.* 상태(常態)로 하다〔되돌아오다〕, 정상화하다, 표준에 맞추다〔대로 되다〕, 정규대로 하다〔되다〕. [파] **-iz·a·ble** *a.* **nòr·mal·i·zá·tion** *n.*

nór·mal·iz·er *n.* 표준화하는 것; 〖수학〗 정규화군(正規化群).

◦**nór·mal·ly** *ad.* **1** 정상적으로, 평소〔관례〕대로. **2** 평상 상태로는, 보통은.

nórmal magnificátion 〖광학〗 기준 배율.

nórmal schòol 사범학교《2년제 대학; 현재는 teacher's college가 보통》.

nórmal solútion 〖화학〗 규정액(液).

nórmal státe 〖물리〗 정상 상태(ground state).

nórmal tàx 보통(소득)세.

nórmal válue 〖경제〗 정상 가치《장기적으로 본 평균 가격》, 표준값.

Nor·man[1] [nɔ́ːrmən] (*pl.* **~s**) *n.* **1** 노르만 사람《10세기경 북프랑스 등에 침입한 스칸디나비아 출신의 북유럽 종족》. **2** =NORMAN-FRENCH 1. **3** 노르망디 사람《프랑스의 Normandy 지방의 주민》. **4** =NORMAN-FRENCH 2. **—** *a.* **1** 노르만족〔사람〕의. **2** 노르망디(사람)의.

Nor·man[2] *n.* 노먼《남자 이름》.

Nórman architecture 노르만 건축《로마네스크풍》.

Nórman Cónquest (the ~) 노르만 정복《1066년의 William the Conqueror에게 인솔된 노르만인의 영국 정복》.

Nor·man·dy [nɔ́ːrməndi] *n.* 노르망디《영국 해협에 면한 프랑스 북서부의 지방》.

Nórmandy Lándings (1944년 연합군의)

노르망디 상류.
Nórman Énglish 노르만 영어《노르만 정복 후, Norman-French에 영향받은 영어》.
Nor·man·esque [nɔ̀ːrmənésk] *a.* 〖건축〗 노르만 양식〔풍〕의, 로마네스크의(cf. Norman architecture).
Nórman-Frénch *n.* **1** 노르만 프렌치족《프랑스 노르망디 지방에 정착하여 민족 혼합을 이룬 스칸디나비아 등 북유럽 사람》. **2** Ⓤ **a** 노르망디 지방의 프랑스 방언. **b** 노르만 정복 후 영국의 공용어가 되었던 노르만인이 쓰던 프랑스어(語).
Nór·man·ìsm *n.* Ⓤ 노르만풍〔주의〕; 노르만 문화를 특히 좋아함.
Nór·man·ìze *vt., vi.* 노르만식으로 하다〔되다〕. ㊐ **Nòr·man·i·zá·tion** *n.* Ⓤ 노르만화(化).
Nórman stýle 〖건축〗 노르만 양식.
nor·ma·tive [nɔ́ːrmətiv] *a.* 기준을 세운, 표준의; 규범적인: ~ grammar 〖문법〗 규범 문법. ㊐ **~·ly** *ad.* **~·ness** *n.*
nor·mo·cyte [nɔ́ːrməsàit] *n.* 〖해부〗 정상 적혈구. ㊐ **-cyt·ic** [-sítik] *a.*
nor·mo·ten·sive [nɔ̀ːrməténsiv] *a., n.* 〖의학〗 정상 혈압인 (사람).
nor·mo·ther·mia [nɔ̀ːrməθə́ːrmiə] *n.* 정상 체온, 평열. ㊐ **-thér·mic** *a.*
Norn [nɔːrn] *n.* (보통 the ~s) 〖북유럽신화〗 노른《운명을 맡아보는 세 여신》.
Norse [nɔːrs] *a.* 옛 스칸디나비아(사람〔말〕)의; 노르웨이(사람〔어〕)의: ~ mythology 북유럽 신화. **—** *n.* (the ~) 〔집합적〕 옛 스칸디나비아 사람, 옛 북유럽 사람; Ⓤ 옛 스칸디나비아 어; 〔집합적〕 노르웨이 사람〔어〕: ⇨ OLD NORSE.
Nórse·land [-lənd] *n.* 노르웨이의 이칭.
Nórse·man [-mən] (*pl.* **-men** [-mən]) *n.* 옛 스칸디나비아 사람(Northman); 현대 스칸디나비아 사람, 《특히》 노르웨이 사람.
Norsk [nɔːrsk] *a., n.* =NORSE.
†**north** [nɔːrθ] *n.* **1** (보통 the ~) 북, 북방《생략: N, N., n.》: the true ~ 진북(眞北) / the magnetic ~ 자북(磁北). ★ '동서남북'은 보통 north, south, east and west 라고 함. **2 a** (보통 the N-) (어느 지역의) 북부 지방〔지역〕, 북부; (the N-) =NORTH COUNTRY. **b** (the N-) 《미》 북부 여러 주《Mason-Dixon line, Ohio 강 및 Missouri 주 이북; 남북전쟁 때의 자유주》. **c** (the N-) 북측 (선진) 나라들. **3** (the ~) (자석의) 북극; (지구의) 북극 지방. **4 a** (교회당의) 북측《제단을 향하여 좌측》. **b** (종종 N-) (브리지 따위에서) 북쪽 자리의 사람. **5** 《시어》 북풍. **6** (N-) 노스《남자 이름》. ***in the ~ of*** …의 북부에. ~ ***by west*** 〔***east***〕 북미(微)서〔동〕. ***on the ~ of*** …의 북쪽에 접하여. (***to the***) ~ ***of*** …의 북쪽에 (위치하여).
— *a.* **1** 북쪽의, 북방에 있는; 북향의. **2** 북쪽에서의(바람 따위): a ~ wind. **3** (N-) 북부의: *North* Korea 북한. ***be too far*** ~ 《속어》 지나치게 영리〔교활〕하다. **—** *ad.* 북으로, 북방으로, 북쪽에: travel ~ 북쪽으로 여행하다. ***due*** ~ 정북(正北)에. ~ ***and south*** 남북에 걸쳐《가로놓이다 따위》. ~ ***of*** …의 북쪽의〔에〕: It is two miles ~ *of* Rome. 그건 로마에서 2 마일 북쪽에 있다. **—** *vi.* 북진하다; 북으로 방향 전환하다.
Nórth África 북아프리카《모로코·알제리·튀니지·리비아·수에즈 이서(以西) 이집트 등을 포함하는 열대 삼림 지대 이북》. ㊐ **Nórth Áfrican** *a., n.* 북아프리카(사람)의; 북아프리카 사람.
Nórth América 북아메리카《미국·멕시코·캐나다》. ㊐ **Nórth Américan** *a., n.* 북아메리카(사람)의; 북아메리카 사람.
Nórth Américan Pláte 〖지학〗 북아메리카 플레이트《북아메리카를 주체로 하는 구조 지질학상의 구분의 하나》.
North·amp·ton [nɔːrθhǽmptən] *n.* 노샘프턴《(1) =NORTHAMPTONSHIRE. (2) 그 주도(州都)》.
Northámpton·shire [-ʃiər, -ʃər] *n.* 노샘프턴셔《잉글랜드 중부의 주; 생략: Northants.》.
Nórth Atlántic Cóuncil (the ~) 북대서양 조약 기구 이사회《NATO의 최고 기관》.
Nórth Atlántic Tréaty 〔**Páct**〕 (the ~) 북대서양 조약《NATO의 설립을 위해 1949년 12 개국이 체결》.
Nórth Atlántic Tréaty Organizàtion (the ~) 북대서양 조약 기구《생략: NATO》.
nórth·bòund *a.* 북쪽으로 가는: ~ trains.
Nórth Brítain 북영(北英), 스코틀랜드《생략: N.B.》.
Nórth Bríton 스코틀랜드 사람(Scot). ⌊N.B.》.
Nórth Cápe 노르곶《노르웨이 북단》; 노스곶《뉴질랜드의 북단의 곶》.
Nórth Carolína 노스캐롤라이나《미국 남동부의 주; 생략: N.C.》. ㊐ **-lín·i·an** *n., a.* 노스캐롤라이나 주〔사람〕(의).
Nórth Chánnel (the ~) 노스 해협《스코틀랜드와 북아일랜드 사이의》.
Nórth Cóuntry (the ~) **1** 알래스카 주와 캐나다의 Yukon 지방을 포함하는 지역. **2** 잉글랜드 북부 지방.
nórth-cóuntryman [-mən] (*pl.* **-men** [-men]) *n.* (또는 N-C-, N-c-) 《영》 잉글랜드 북부 지방 사람.
Nórth Dakóta 노스다코타《미국 중서부의 주; 생략: N. Dak., N.D.》. ㊐ **Nórth Dakótan** *n., a.* 노스다코타 주〔사람〕(의).
*__north·east__ [nɔ̀ːrθíːst, 《해사》 nɔ̀ːríːst] *n.* **1** (the ~) 북동《생략: NE》; (the N-) 북동부〔지방〕. **2** 《시어》 북동풍. ~ ***by east*** 〔***north***〕 북동미(微)동〔북〕《생략: NEbE〔N〕》. **—** *a.* 북동(에서)의, 북동에 있는〔에 면한〕. **—** *ad.* 북동으로〔에서〕.
Nórtheast Córridor (the ~) 북동의 회랑《미국 북동부 Boston에서 New York을 거쳐 Washington, D.C.에 이르는 인구 조밀 지대》.
north·east·er [nɔ̀ːrθíːstər, 《해사》 nɔ̀ːríːst-] *n.* 북동풍; 북동의 폭풍〔강풍〕. ㊐ **~·ly** *ad., a.* 북동의〔에〕, 북동에서(의).
°**north·east·ern** [nɔ̀ːrθíːstərn, 《해사》 nɔ̀ːríːst-] *a.* 북동(부)의; (종종 N-) 북동부 지방의.
Nórtheast Pássage (the ~) 북동 항로《유럽 및 아시아의 북해안을 따라 북대서양에서 태평양으로 나오는 항로》.
north·east·ward [nɔ̀ːrθíːstwərd, 《해사》 nɔ̀ːríːst-] *a., ad.* 북동(쪽)에 있는; 북동쪽의〔에〕. **—** *n.* (the ~) 북동쪽〔부〕. ㊐ **~·ly** *ad., a.* =northeastward. **~s** *ad.* 북동쪽에〔으로〕.
north·er [nɔ́ːrðər] *n.* 《미》 센 북풍《특히 가을·겨울에 Texas·Florida 주 및 멕시코 만에서 부는 차가운 북풍》.
°**north·er·ly** [nɔ́ːrðərli] *a.* 북쪽의; 북쪽에서 오는. **—** *ad.* 북으로(부터). ㊐ **-li·ness** *n.*
__north·ern__ [nɔ́ːrðərn] *a.* **1 북쪽에 있는, 북부에 사는; 북으로부터 오는〔부는〕: a ~ constellation 북쪽에 있는 별자리. **2** 《미》 북부 방언의《독특한》. **3** (N-) 북부 지방의, 《미》 북부 여러 주의. **4** 〖천문〗 북천(北天)의. **—** *n.* (N-) =NORTHERNER; 《미》 북부 방언; 북풍.
Nórthern blót 〖유전〗 노던법(Northern method)《특정 염기 배열을 지닌 RNA를 검출하는 방법》.
Nórthern Cróss (the ~) 북십자성《백조자리》.
Nórth·ern·er *n.* 북국〔북부〕 사람; 《미》 북부 여러 주의 사람.

Nórthern Hémisphere (the ~) 북반구.
Nórthern Íreland 북아일랜드《영국의 일부인 아일랜드 북부의 6개주》.
nórthern líghts (the ~) =AURORA BOREALIS.
nórthern·mòst *a.* 〔northern의 최상급〕 가장 북쪽의, 최북단의, 극북의.
Nórthern Rhodésia 북로디지아《현재의 Zambia 공화국; 영국 식민지 시대의 이름》.
Nórthern Spý 〖식물〗 (북아메리카산) 사과의 한 품종.
Nórthern Térritories (the ~) 서(西)아프리카의 옛 영국 보호령《현 Ghana의 일부》.
Nórthern Térritory (the ~) 노던 주(州)《오스트레일리아 중북부 연방 직할지; 수도 Darwin》.
Nórth Frígid Zòne (the ~) 북한대(寒帶).
Nórth Germánic 〖언어〗 북게르만어(군)《Iceland와 Scandinavia의 여러 말》.
north·ing [nɔ́ːrθiŋ, nɔ́ːrðiŋ/nɔ́ːθ-] *n.* Ⓤ 〖해사〗 북거(北距)《먼저 측정한 지점에서 북방에 있는 지점까지의 위도차》; 〖해사〗 북진, 북항(北航); 〖천문〗 북편(北偏). ***have*** ~ (천체가) 북진하다. ***make very little*** ~ 아주 약간 북쪽으로 치우치다.
Nórth Ísland New Zealand의 북쪽 섬.
Nórth Koréa 북한.
north·land [nɔ́ːrθlənd] *n.* 북국; 북부 지방; (N-) (지구상의) 북부 지대; (N-) 스칸디나비아 반도; (N-) (캐나다의) 극지방. ㊂ **~·er** *n.*
Northld. Northumberland.
nórth líght (아틀리에 따위의) 북쪽 광선(을 받아들이는 창문).
Nórth·man [-mən] (*pl.* **-men** [-mən]) *n.* =NORSEMAN; (때로 n-) 북방 사람.
nórth·mòst *a.* =NORTHERNMOST.
north-north·east [nɔ́ːrθnɔ̀ːrθíːst, 《해사》 nɔ́ːrnɔ̀ːríːst] *n.* (the ~) 북북동《생략: NNE》. **—** *a., ad.* 북북동의〔에〕.
north-north·west [nɔ́ːrθnɔ̀ːrθwést, 《해사》 nɔ́ːrnɔ̀ːrwést] *n.* (the ~) 북북서《생략: NNW》. **—** *a., ad.* 북북서의〔에〕.
nórth-pólar *a.* 북극의.
Nórth Póle (the ~, 종종 the n- p-) (지구의) 북극; (하늘의) 북극; (the n- p-)(자석의) 북극.
Nórth Ríding 노스 라이딩《옛 Yorkshire의 한 구; 현재 North Yorkshire의 대부분》.
Nórth Ríver (the ~) 노스리버《뉴욕 Hudson River 하류의 별칭》.
Nórth Séa (the ~) 북해《영국·덴마크·노르웨이에 에워싸인 해역》.
Nórth-Séa gàs 《영》 북해 해저의 천연가스.
Nórth Séa òil 북해 원유.
Nórth Séa óil fields 북해 유전《영국 북부에서 노르웨이에 걸친 북해에 있는 유전》.
nórth-sèeking póle (자석의) 북극(north pole).
Nórth Slópe 노스슬로프《미국 Alaska주 북부의 연안 지역; 석유나 천연가스가 풍부함》.
Nórth-Sóuth *a.* 남북의; 선진국과 발전도상국의: ~ problems 남북 문제.
Nórth-Sòuth Divíde (the ~) (일국 내의) 남북의 격차〔분열〕《예컨대 미국 남부는 북부에 비해 보수적인 점 등》.
Nórth Stár (the ~) 북극성(Polaris).
Nórth Stár Státe (the ~) 미국 Minnesota 주의 별칭.
Nórth Témperate Zòne (the ~) 북온대《북회귀선과 북극권 한계선 사이》.
North·um·ber·land [nɔːrθʌ́mbərlənd] *n.* 노섬벌랜드《잉글랜드 북동부의 주; 생략: Northum(b)., Northld.》.
North·um·bria [nɔːrθʌ́mbriə] *n.* 노섬브리아《중세기 영국의 북부에 있었던 왕국》. ㊂ **-bri·an** [-ən] *a., n.* 노섬브리아의(사람·방언); Northumberland 주의 (사람·방언).
Nórth Vietnám 북(北)베트남《통일 전 북위 17°선 이북의》.
*__north·ward__ [nɔ́ːrθwərd, 《해사》 nɔ́ːrðərd] *ad.* 북쪽에〔으로〕. **—** *a.* 북쪽에의, 북향한. **—** *n.* (the ~) 북부 (지역), 북방: to 〔from〕 the ~ 북방으로〔에서〕. ㊂ **~·ly** *ad., a.* **~s** [-z] *ad.* =northward.
*__north·west__ [nɔ̀ːrθwést, 《해사》 nɔ̀ːrwést] *n.* **1** (the ~) 북서《생략: NW》. **2** (the N-) 북서(北西) 지방, 《미》 북서부《Washington, Oregon, Idaho의 3주》, 《Can.》 북서부. **3** 《시어》 북서풍(風). ~ ***by north*** 북서미(微)북《생략: NWbN》. ~ ***by west*** 북서미(微)서《생략: NWbW》. **—** *a.* 북서(에서)의. **—** *ad.* 북서로〔에서〕.
north·west·er [nɔ̀ːrθwéstər, 《해사》 nɔ̀ːrwést-] *n.* 북서풍; 북서의 폭풍〔강풍〕.
nòrth·wést·er·ly *a., ad.* 북서의; 북서로〔에서〕. **—** *n.* 북서풍.
°__north·west·ern__ [nɔ̀ːrθwéstərn, 《해사》 nɔ̀ːrwést-] *a.* 북서의; 북서쪽에 있는; 북서로부터의; (종종 N-) 북서부 지방의.
Nórthwest Pássage (the ~) 북서 항로《북대서양에서 캐나다의 북극해 제도를 빠져서 태평양으로 나오는 항로》.
Nórthwest Térritories (the ~) 노스웨스트주《캐나다 북서부의 연방 직할지; 생략: N.W.T.》.
Nórthwest Térritory (the ~) Ohio강·Mississippi강·캐나다 국경에 에워싸인 삼각지역의 구칭.
north·west·ward [nɔ̀ːrθwéstwərd, 《해사》 nɔ̀ːrwést-] *a., ad.* 북서에 있는; 북서쪽의〔에〕. **—** *n.* (the ~) 북서쪽. ㊂ **~·ly** *a., ad.* =northwestward. **~s** [-z] *ad.* 북서쪽에〔으로〕.
Nórth Yórkshire 노스요크셔《잉글랜드 북부의 주(州)》.
nor·trip·ty·line [nɔːrtríptəliːn] *n.* 〖약학〗 노르트립틸린《항울병약(抗鬱病藥)으로 쓰임》.
Norw. Norway, Norwegian.
Nór·walk àgent [nɔ́ːrwɔːk-] 노워크 인자《장(腸)인플루엔자를 일으키는 바이러스 입자》.
nor·ward [nɔ́ːrwərd] *a., ad., n.* =NORTHWARD. ㊂ **~s** [-z] *ad.* =NORTHWARDS.
*__Nor·way__ [nɔ́ːrwei] *n.* 노르웨이《북유럽의 왕국; 수도 Oslo; 생략: Nor(w).》.
°__Nor·we·gian__ [nɔːrwíːdʒən] *a.* 노르웨이의; 노르웨이 사람〔말〕의: ~ steam 《해사속어》 인력, 근력(筋力). **—** *n.* 노르웨이 사람〔말〕《생략: Nor(w).》.
nor'-west·er [nɔːrwéstər] *n.* =NORTHWESTER; 《영해사속어》 독한 술 한 잔; (선원용의) 방수모(防水帽); (폭풍 때 입는) 길이가 긴 방수 코트.
Nor·wich [nɔ́ːritʃ, -idʒ, nár-/nɔ́ridʒ] *n.* 노리치《잉글랜드 동부 Norfolk 주의 주도(州都)》.
Nos., Nos, nos. numbers. **N.O.S., n.o.s.** not otherwise specified.
†__nose__ [nouz] *n.* **1** 코: an aquiline ~ =a Roman ~ 매부리코/the bridge of the ~ 콧대, 콧마루/a ~ ornament 코장식《코걸이 따위》/a ~ warmer 《속어》 짧은 담배 파이프. **2** 후각; 《비유》 낌새채는 힘, 직감력, 육감(*for*): a dog with a good ~ 냄새 잘 맡는 개/a ~ *for* news 뉴스를 탐지해 내는 힘/a good ~ *for* discovering …을 발견하는 예민한 제6감. **3** 돌출부; 관의 끝, 총구; 뱃머리, 이물; (비행기의) 기수; 탄두(彈頭); 〖골프〗 헤드의 끝. **4** (술 따위의) 향기, (마른 풀·차의) 냄새. **5** 주제넘게 나섬, 간섭, 쓸데없는 참견: have one's ~ *in* …에 주제넘게 나서다. **6** 《속어》 (경찰의) 앞잡이, 밀고자.

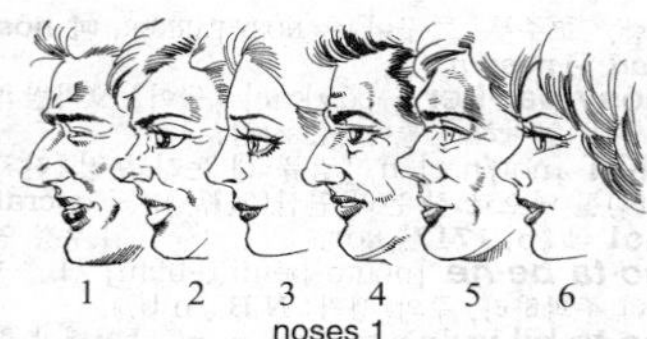

noses 1
1. aquiline nose 2. bulbous nose 3. Grecian nose 4. Roman nose 5. snub [pug] nose 6. upturned nose

(***always***) ***have one's*** ~ ***in a book*** 언제나 책만 읽고 있다. ***a*** ~ ***of wax*** 《고어》 남이 하라는 대로 하는 사람, 마음대로 되는 것. (***as***) ***plain as the*** ~ ***in*** 〔***on***〕 ***one's face*** 명명백백하여. ***at the*** (***very***) ~ ***of*** 《구어》 …의 코앞〔면전〕에서. ***before*** a person***'s*** ~ 아무의 코앞〔면전〕에서. ***bite*** 〔***snap***〕 a person***'s*** ~ ***off*** ⇨SNAP. ***bloody*** a person***'s*** ~ 아무의 자존심을 상하게 하다. ***blow*** one***'s*** ~ 코를 풀다. ***blow*** a person***'s*** ~ ***for*** him 《구어》 아무를 위해 무엇이나 해주다, 하나에서 열까지 돌봐주다. ***by a*** ~ (선거나 경마 따위에서) 근소한 차이로《이기다》. ***cannot see beyond*** (***the end*** 〔***length***〕 ***of***) one***'s*** ~ =***see no further than*** (***the end of***) one***'s*** ~ 근시이다; 앞일을 내다보지 못하다, 상상력〔통찰력〕이 없다; 기민하지 못하다. ***cock*** (***up***) ***the*** (one***'s***) ~ 코를 쑥 치켜들다(경멸·냉담의 표정). ***count*** 〔***tell***〕 ~***s*** 인원수를 세다《출석자·찬성자 따위의》. ***cut off*** one***'s*** ~ ***to spite*** one***'s face*** ⇨SPITE. ***follow*** one***'s*** ~ 곧바로 앞으로 나아가다; 본능〔직감〕에 따라 행동하다. ***get a bloody*** ~ ⇨BLOODY. ***get*** one***'s*** ~ ***down to*** 몸을 바쳐 (일)하다. ***get up*** a person***'s*** ~ 《구어》 아무를 초조하게 만들다. ***have a clean*** ~ 《미속어》 나무랄데 없다, 죄가 없다. ***have a*** (***good***) ~ (개·탐정 따위가) 냄새를 잘 맡다《***for***》. ***have*** 〔***hold, keep, put***〕 a person***'s*** 〔one***'s***〕 ~ ***to the grindstone*** ⇨GRINDSTONE. ***have*** one***'s*** ~ (***wide***) ***open*** 《미흑인속어》 …에 완전히 미쳐 있다, 성적으로 포로가 되어 있다. ***hold*** one***'s*** ~ 코를 잡고 (악취 등을) 막다. ***in spite of*** a person***'s*** ~ 《폐어》 아무의 반대를 무릅쓰고. ***keep*** one***'s*** (***big***) ~ ***out of*** 《구어》 …에 쓸데없는 참견을 하지 않다, 간섭〔탐색〕하지 않다. ***keep*** one***'s*** ~ ***clean*** 얌전하게 있다; 분규에 말려들지 않도록 하다. ***lead*** a person ***by the*** ~ 아무를 마음대로 다루다; 아무에게 최선의 행동 방침을 보이다. ***look down*** one***'s*** ~ ***at*** ⇨LOOK. ***make a long*** ~ ***at*** a person =thumb one's ~ at a person. ***make*** a person***'s*** ~ ***swell*** 아무를 부러워하게 하다. ***measure*** ~***s*** 《구어》 우연히 마주치다, 맞닥뜨리다. ***not see an inch beyond*** one***'s*** ~ 한치 앞도 못 보다, 통찰력이 없다. ~ ***to*** ~ 얼굴을 맞대고; 직면하여; 대결할 자세로. ⓒⓕ face to face. ***on the*** ~ 《속어》 조금도 어김없이, 정확하게; 시간대로; 《속어》 〖경마〗 1등할, 우승 후보의《말》; 《Austral. 속어》 싫은 (냄새나는). ***pay through the*** ~ 터무니없는 돈을 치르다. ***poke*** 〔***put, stick, thrust***〕 one***'s*** ~ ***into*** a person***'s business*** 《구어》 아무의 일에 쓸데없이 참견하다, 부질없는 간섭을 하다. ***powder*** one***'s*** ~ 《완곡어》 (여성이) 화장실에 가다. ***put*** a person***'s*** ~ ***out of joint*** 아무를 밀쳐 내고 대신 차지하다; 《구어》 아무의 기선을 제압하다〔콧대를 꺾다〕. ***rub*** ~***s*** (미개인·동물이) 코를 맞비벼 인사하다. ***rub*** a person***'s*** ~ ***in it*** 아무에게 싫어하는 것을 거침없이 말하다. ***see beyond*** (***the end*** 〔***length***〕) ***of*** one***'s*** ~ 통찰력이 있다. ***show*** one***'s*** ~ 얼굴을 내밀다. ***speak through the*** 〔one***'s***〕 ~ 콧소리로 지껄이다. ***thumb*** one***'s*** ~ (***at***) 코끝에 엄지손가락을 대고 다른 손가락을 펼쳐 …을 모욕하다; (…을) 경멸하다, 조롱하다. ***turn up*** one***'s*** ~ ***at*** …을 경멸〔멸시〕하다; …을 상대조차 않다. ***under*** a person***'s*** (***very***) ~ 아무의 코앞〔면전〕에서; 아무의 불쾌함을 아랑곳 않고. ***with*** one***'s*** ~ ***at the grindstone*** 빼빠지게 일하여. ***with*** one***'s*** ~ ***in the air*** 거만하게.

— *vt.* **1** 《~+목/+목+부》 냄새 맡다, 낌새채다, 냄새를 맡아내다; 찾아내다, 간파하다《*out*》: ~ it *out* (기자 따위가) 냄새를 맡아내다. **2** 《~+목/+목+부/+목+보》 코로 밀다〔움직이게 하다〕; …에게 코를 비벼대다: The dog ~*d* the box *aside* 〔open〕. 개는 코로 상자를 밀어냈다〔열었다〕. **3** 《+목+전+명》 (배 따위가) 조심스럽게 전진하다: The boat ~*d* her way *through* the fog. 배는 안개 속을 조심스럽게 나아갔다. **4** 《+목+부》 …에게 근소한 차로 이기다《*out*》. **5** 콧소리로 말〔노래〕하다. **6** 《+목+전+명》 (차 따위를 어떤 방향으로) 돌리다: She ~*d* the car *into* 〔*out of*〕 the parking space. 그녀는 차를 운전해 주차장에 넣었다〔에서 빼냈다〕. **7** 《고어·문어》 …에게 공공연히 반항하다. **—** *vi.* **1** 《+부/+전+명》 냄새 맡다, 냄새 맡고 다니다《*about; at*》: He is always *nosing about* 〔*around*〕. 그는 늘 낌새를 알아내려고 돌아다닌다/The dog kept *nosing about* the room. 개는 방 안을 킁킁거리며 냄새 맡고 돌아다녔다. **2** 《+전+명》 파고들다, 탐색하다《*after; for*》; 참견〔간섭〕하다《*about; into; with*》: Don't ~ *into* another's affair. 남의 일을 캐고 들지 마라. **3** 《+부/+전+명》 (배 따위가) 조심스럽게 전진하다: The boat ~*d* slowly *forward* between the rock. 배는 암벽 사이로 천천히 나아갔다/I had been *nosing along* the shores in pinnace. 소형 범선으로 해안을 따라 나갔었다. **4** (코로) 밀고 들어오다《*in*》. **5** 〖지학〗 (지층·산맥 등이) 경사(가) 지다《*in*》; 노출하다《*out*》. **6** (계단의 발판에) 디딤쇠를 붙이다. **7** 《속어》 스파이짓을 하다, 밀고하다《*on*》. ~ ***a job in everything*** 무엇이든 자기 이익이 될 것을 탐지해 내다. ~ ***down*** 〔***up***〕 (비행기가) 기수를 아래로 하고 내려가다〔위로 하고 올라가다〕. ~ ***in*** 접근하다, 전진하다《*to*》. ~ ***out*** (낌새맡아) 찾아내다, 알아내다; 《미속어》 성공하다, 잘되다, 근소한 차로 이기다. ~ ***over*** (비행기가) 곤두박이쳐 뒤집히다. ~ one***'s way*** ⇨*vt.* 3.

nóse àpe 긴코원숭이(proboscis monkey).

nóse bàg 꼴 자루《말목에 거는》; 《속어》 봉지에 넣은 음식물; 《미속어》 도시락; 방독면. ***put on the*** ~ 《속어》 (급히) 먹다.

nóse·bànd *n.* (말의) 코굴레 가죽띠.

nóse·blèed, -blèeding *n.* Ⓤ 코피, 비(鼻)출혈.

nóse bòb 《속어》 =NOSE JOB.

nóse càndy 《미속어》 코로 흡입하는 마약, 코카인.

nóse còne (미사일·로켓 따위의) 원뿔꼴 두부(頭部); 《미속어》 최고의〔굉장한〕 것.

nóse·còunt *n.* 《구어》 (인구 조사 등의) 인원수 계산; 다수결(多數決).

-nosed [nóuzd] '…코의' 란 뜻의 결합사: aquiline~ 매부리코의.

nóse·dìve, nóse dìve *n.* 〖항공〗 급강하; (시세 등의) 폭락. ***go into a*** ~ 《구어》 좌절하다, 맥이 탁 풀리다. **—** *vi.* 〖항공〗 급강하하다; 폭락하다(=**nóse-dìve**).

nóse dròps 점비약(點鼻藥).

nóse flùte (말레이 원주민이 부는) 코피리.

nóse·gày *n.* 꽃다발《특히 향기 좋은》.
nóse gèar =NOSEWHEEL.
nóse glàsses 코안경(pince-nez).
nóse·guàrd *n.* 〖미식축구〗 수비팀 포지션의 하나(=**míddle guàrd**)《5인 편성의 라인에서 좌우의 태클 사이에 위치함》.
nóse jòb 《속어》 코의 미용 성형.
nóse·mònkey *n.* =NOSE APE.
nóse·pìece *n.* (말 따위의) 코굴레 가죽띠; (수도관 따위의) 주둥이; (투구의) 코싸개; (현미경의) 대물렌즈 장치 부분; 안경의 브리지.
nóse·pìpe *n.* (용광로 따위의) 배기관(排氣管) 주둥이.
nos·er [nóuzər] 《고어》 *n.* **1** 센 맞바람: a dead ~ 강한 역풍. **2** 코에 가한 일격.
nóse ràg 《속어》 손수건, 콧수건.
nóse-rìde *vi.* (서핑에서) 서프보드(surfboard)의 앞쪽 끝에 타다〔에서 묘기를 부리다〕. ㉻ **nóse-rìder** *n.*
nóse rìng (소의) 코뚜레, (야만인의) 코걸이.
nóse tàckle 〖미식축구〗 수비 포지션의 하나《3인을 배치한 수비 라인의 중앙 선수; 생략: NT》.
nóse-thùmbing *n.* Ⓤ 비웃는 몸짓《엄지를 콧등에 대고 딴 손가락을 흔듦》.
nóse wàrmer 《영속어》 짧은 파이프.
nóse·whèel *n.* (비행기의) 앞바퀴(nose gear).
nóse whèelie 《미》 〖스케이트보드〗 체중을 앞으로 실어 뒷바퀴를 뜨게 하는 기술.
nos·ey [nóuzi] *a.* =NOSY.
nosh [nɑʃ/nɔʃ] 《구어》 *n.* 가벼운 식사, 간식; 《영》 음식. **—** *vi., vt.* 가벼운 식사를 하다, 간식하다, 먹다. ㉻ **∠·er** *n.*
nosh·ery [nɑ́ʃəri/nɔ́ʃ-] *n.* 《구어》 (간이)식당, 레스토랑.
nó-shòw *n.* (여객기 등의 좌석 예약을 하고) 나타나지 않는 사람; 입장권 등을 사고 사용하지 않는 사람〔일〕; 불참자.
nósh-ùp *n.* Ⓤ 《영속어》 푸짐한 식사, 진수성찬.
nó síde 〖럭비〗 경기 끝《심판 용어》.
nos·ing [nóuziŋ] *n.* 계단 발판의 모서리(를 보호하는 쇠판).
nó-sléep *a.* 불면의: ~ fits 불면증(에 걸리는 일).
nos·o- [nɑ́sou, -sə/nɔ́s-] '병·질병'의 뜻의 결합사《모음 앞에서는 **nos-**》: *nosology.*
no·sog·ra·phy [nousɑ́grəfi/-sɔ́g-] *n.* Ⓤ 질병 기술학(記述學).
no·sol·o·gy [nousɑ́lədʒi/nɔsɔ́l-] *n.* Ⓤ 질병 분류학〔분류표〕.
nos·tal·gia [nɑstǽldʒiə/nɔs-] *n.* Ⓤ 향수, 노스탤지어, 향수병(homesickness); 과거에의 동경, 회고의 정《*for*》. ㉻ **-gist** *n.* 노스탤지스트, 회고 취미의 사람. **-gic** [-dʒik] *a.* **-gi·cal·ly** *ad.*
nos·tol·o·gy [nɑstɑ́lədʒi/nɔstɔ́l-] *n.* 노인병학, 노년 의학. ㉻ **nos·to·log·ic** [nɑ̀stəlɑ́dʒik/nɔ̀stəlɔ́dʒ-] *a.*
Nos·tra·da·mus [nɑ̀strədéiməs/nɔ̀s-] *n.* 노스트라다무스《프랑스의 점성가; 1503-66》; 〖일반적〗 점성가, 예언자, 점쟁이.
°**nos·tril** [nɑ́strəl/nɔ́s-] *n.* 콧구멍. ***get up*** a person*'s* **~s** 《구어》 아무를 몹시 초조하게 하다. ***stink in*** a person*'s* **~s** =***stink in the ~s of*** a person 아무에게 심한 미움을 사다. ***the breath of*** one*'s* **~s** ⇨ BREATH.
nó-stríngs *a.* 《구어》 무조건의, 조건이 달리지 않은: a ~ subsidy 조건이 붙지 않은 보조금.
nos·trum [nɑ́strəm/nɔ́s-] *n.* (제조자 자찬(自讚)의) 묘약(妙藥), 만능약; 가짜 약; 매약(賣藥); (정치·사회 문제 해결의) 묘책, 묘안.
nosy [nóuzi] (***nos·i·er; -i·est***) *a.* **1** 코가 큰, 큰 코의. **2** 《구어》 덥적이는, 참견을 좋아하는, 중뿔난. **3** 악취 나는; 향기가 좋은. **—** *n.* 코 큰 사람, '코주부'; 《구어》 =NOSY PARKER. ㉻ **nós·i·ly** *ad.* **-i·ness** *n.*
nósy pár·ker [-pɑ́ːrkər] 《구어》 오지랖 넓은 사람, 참견하기 좋아하는 사람.
NOT [nɑt/nɔt] *n.* 〖컴퓨터〗 논리 부정《진위(眞僞)를 역으로 한 논리 연산(演算)》: ~ operation 부정 연산.
†**not** ⇨《p. 1717》 NOT.
no·ta be·ne [nóutə-béini, -bíːni] 《L.》 단단히 주의하라, 주의《생략: N.B., n.b.》.
no·ta·bil·ia [nòutəbíliə] *n. pl.* 주의해야 할 사항(事項), 주목할 만한 사건.
nò·ta·bíl·i·ty *n.* Ⓤ **1** 주목할 만한 일; 현저, 저명. **2** Ⓒ 《드물게》 저명인사, 명사; 현저한 일〔것〕. **3** 《영고어》 (주부로서의) 살림 수완.
***no·ta·ble** [nóutəbəl] *a.* **1** 주목할 만한; 두드러진, 현저한. **2** 저명한, 유명한: This district is ~ *for* its pottery. 이 지방은 도자기로 유명하다. **3** 〖화학〗 감지할 수 있는. **4** [종종 nɑ́təbəl/nɔ́t-] 《고어》 (주부가) 살림 잘하는. **—** *n.* 저명한 사람, 명사; 《고어》 저명한 사물; (종종 N-) 〖프랑스사〗 명사회(名士會) (Assembly of N-s) 의원(議員). ㉻ °**-bly** *ad.* 현저하게; 명료하게; 그 중에서도 특히; [종종 nɑ́təbəli/nɔ́t-] 알뜰히. **~·ness** *n.*
NOTAM [nóutəm] *n.* 〖항공〗 (승무원에 대한) 항공 정보. [◂ *Notice to airmen*]
no·tan·dum [noutǽndəm] (*pl.* **~s, -da** [-də]) *n.* 《L.》 주의 사항; 각서; 메모.
no·taph·i·ly [noutǽfəli] *n.* (취미로 하는) 은행권 수집.
no·tar·i·al [noutɛ́əriəl] *a.* 공증인의; 공증의; 공증인에 의해 작성된: a ~ deed 공정(公正) 증서. ㉻ **~·ly** *ad.* 공증인에 의해.
no·ta·ri·za·tion [nòutərizéiʃən/-ràiz-] *n.* (공증인에 의한) 공증(서).
no·ta·rize [nóutəràiz] *vt.* (공증인이) 증명〔인증〕하다; (문서를) 공증해 받다.
no·ta·ry [nóutəri] *n.* =NOTARY PUBLIC; 《고어》 서기(書記).
nótary públic (*pl.* ***nótaries públic, ~s***) 공증인《생략: N.P.》.
no·tate [nóuteit/-∠] *vt.* 기록하다, 적어 두다; 〖음악〗 악보에 적다.
no·tá·tion *n.* Ⓤ 기호법, 표시법《수·양을 부호로 나타냄》; Ⓒ 《미》 주석, 주해; 〖수학〗 기수법(記數法); 〖음악〗 기보법(記譜法); 〖컴퓨터〗 표기법; Ⓒ 《미》 각서, 기록: a broad 〔narrow〕 ~ 〖음성〗 간이〔정밀〕 표음법/chemical ~ 화학 기호법/decimal ~ 십진 기수법/make a ~ 기입하다. ㉻ **~·al** [-əl] *a.* 기호법의, 표시법의.
nót-béing *n.* Ⓤ 비존재(nonexistence).
°**notch** [nɑtʃ/nɔtʃ] *n.* **1** (V자 모양의) 새김눈, 벤자리; 오늬, (활)고자. **2** 《미》 산골짜기(길). **3** 《구어》 단(段), 단계, 급(級); 《고어》 〖크리켓〗 득점: He is a ~ above the others. 그는 다른 사람들보다 한 급수 위다. ***take*** a person ***down a ~*** 《구어》 아무의 콧대를 꺾다, 자신을 잃게 하다. **—** *vt.* **1** 《~+목/+목+전+명/+목+부》 …에 금을 내다; …에 금을 내어 ─으로 만들다《*into*》; 새긴 금으로써 세다〔기록하다〕《*up; down*》: ~ a piece of steel *into* a saw 강철에 새김눈을 내어 톱을 만들다/~ items *down* on a tally 항목을 하나하나 눈금을 내어 기록하다. **2** 《~+목/+목+부》 (경기 따위에서) 득점하다, 승리를 거두다, 획득하다《*up*》: ~ *up* a series of victories 연전연승하다. **3** (화살을 시위에) 메우다. ㉻ **∠·er** *n.* **∠y** *a.* 새긴 금이 있는; (수동식 기어 전환 장치가) 정확한 레버 조작을 필요로 하는; 〖동물·식물〗 톱니 모양의.
nótch·bàck *n.* 뒤쪽 트렁크가 차의 내부와 독립된 세단형 자동차의 형; 그런 차. Ⓒf. fastback.
nótch·bòard *n.* 《영》 =BRIDGEBOARD.

not

가장 대표적인 부정사(negative)로서, 다음의 특징이 있다.

(1) 일반의 어(語)·구(句)·준(準)동사·절(節)을 앞에서 수식한다: *Not* Tom but Bill came. / We met here, *not* at Tom's house. / Tell him *not* to come. / (It is) *not* that I am afraid. / *Not* knowing what to do, he remained silent.

(2) 조동사를 뒤에서 수식한다: He *must not* 〔*will not, cannot*〕 come.

(3) 동사 be 의 정형(定形)도 뒤에서 수식한다: I *was not* 〔They *were not*〕 there.

(4) 일반동사에 대해서는 정형을 직접 수식할 수 없고, 조동사 do 를 빌려서 do not 의 꼴로 앞에서 수식한다: I do*n't* know.

(5) have 는 완료의 조동사로서는 항상 뒤에서 수식하고, 본동사로서는 두 가지 용법이 있다: He *has not* come. / I *do not have* 〔I *have not*〕 the qualifications.

(6) 조동사(및 동사 be, have)+not 은 간약형(contraction)을 만들며, 구어에서는 특히 not 을 강조하는 경우 외에는 보통 이 형식을 쓴다: must not → mustn't, will not → won't, cannot → can't, do not → don't, is not → isn't, have not → haven't, etc. 특히 의문·부정형에서는 이 꼴을 취한다.

(7) 부정사(否定詞)가 글머리에 가깝게 놓이는 경향이 강하고, 복문(複文)에서는 본래 종속절(從屬節)에 있어야 할 not 이 주절(主節)에 나오는 경향이(특히 구어에 있어서) 강하다: I do*n't* think it's true(←I think it's *not* true.).

not [강 nɑt, 약 nt, n/강 nɔt, 약 nt, n] *ad.* **1** 〖평서문에서 조동사 do, will, can 따위 및 동사 be, have 의 뒤에 와서〗 …않다, …아니다: I do*n't* know. 나는 모른다 / I'm ~ hungry. 나는 배가 고프지 않다 / I could*n't* do it. 나는 그것을 할 수 없었다 / Did they agree? — No, they did*n't*. 그들은 동의했는가 — 아니, 하지 않았네 / I have*n't* seen him since he got married. 그가 결혼한 이래 만나지 못했다 / I have*n't* 〔do*n't* have〕 a house of my own. 내 집은 없다(《미》에서는 do*n't* have 를 씀) / Do*n't* (you) hesitate. 망설이지 마라 / Ca*n't* you come? 올 수 없느냐 / It's a fine day, is*n't* it? 날씨가 좋지.

NOTE (1) 조동사+not 은 구어에서는 부정을 강조하거나 분명히 할 필요가 있을 경우 이외에는 보통 don't, can't 처럼 단축형을 씀.
(2) not의 전이(轉移): I do*n't* think he will come. 그가 오지 않으리라 생각한다(《종속절 he will not come 의 not 이 주절로 전이; 주절의 동사가 believe, think, expect, imagine, suppose 따위일 경우》) / She does*n't* seem to like fish. 그녀는 생선을 좋아하지 않는 것 같다(《부정사 not to like 의 not 이 술어 동사 앞으로 전이; 술어동사가 seem, appear, happen, intend, plan, want 따위일 경우》).
(3) do not 의 do 를 쓰지 않는 옛 용법: I know 〔knew〕 *not*. =I do 〔did〕 *not* know.

2 a 〖술어동사·문장 이외의 말을 부정해〗 …이 아니고〔아니라〕; …아닌〔않은〕: He went to America ~ long ago. 그는 얼마 전 미국으로 갔다 / He is my nephew, (and) ~ my son. 그는 내 조카이지 아들이 아니다(=He is ~ my son but my nephew.) / He stood ~ ten yards away. 그는 10야드도 채 안 떨어진 곳에 서 있었다. **b** 〖부정사·분사·동명사 앞에 와서 그것을 부정(否定)해〗 (…하지) 않다: I asked her ~ *to* go. 나는 그 여자에게 가지 말라고 요청했다(≒ I did ~ ask 〔tell〕 her *to* go. 그 여자에게 가 달라는 요청은 안 했다) / *Not* know*ing* where to sit, he kept standing for a while. 어디 앉아야 될지 몰라서 그는 잠시 서 있었다 / He regretted ~ hav*ing* done it. 그는 그것을 하지 않은 것을 후회했다.

3 〖완곡한 또는 조심스러운 표현으로〗 …않게〔않은〕: ~ a few (수(數)가) 적지 않게, 적지 않은 / ~ a little (양·정도가) 적지 않게〔않은〕 / ~ once or twice 한두 번이 아니라 자주 / ~ seldom 왕왕, 자주(≒ often) / ~ unknown 안 알려진 게 아닌 / ~ too good 그다지 좋지 않은 / ~ *without* some doubt 다소 의구심을 가지고.

4 〖부정의 문장·동사·절 따위의 생략 대용어로서〗: I am afraid ~. (유감스럽게도) 그렇진 않은 것 같다 / Is he coming? — Perhaps ~. 그는 오는가 — 아마 안 올 테지(《Perhaps he is ~ coming.의 생략임; perhaps 외에 probably, certainly, absolutely, of course 따위도 같은 구문에 쓰임》) / Is she ill? — I think ~. 그녀는 병인가 — 병이 아니라고 생각한다(《I think she is ~ ill. 의 생략; I do*n't* think *so*.가 더 일반적임; expect, think, hope, believe, imagine, suppose, be afraid 따위 뒤에 이러한 구문을 취함.》) / Right or ~, it is a fact. 옳든 그르든 그건 사실이다(《Whether it is right or ~, … 의 생략》).

5 〖all, both, every, always 따위를 수반, 부분부정을 나타내어〗 모두가〔언제나, 아주〕 …하다는 것은 아니다, (…라고 해서) 반드시 — 하다고는 할 수 없다: I do*n't* want *all* 〔*both*〕 of them. 그것들 전부가〔양쪽 다〕 필요한 것은 아니다(《일부면〔한쪽이면〕 족하다》)(≒I do*n't* want *any* 〔*either*〕 of them. 어느 것〔쪽〕도 원하지 않는다(《전면부정》)) / *Not everybody* likes him. 모두가 그를 좋아하는 것은 아니다(《일부만》)(≒*Nobody* likes him. 아무도 그를 좋아하지 않는다(《전면부정》)) / The rich are ~ *always* happy. 부자라고 해서 반드시 행복하다고는 할 수 없다 / I do*n't quite* understand. 나는 완전히는 모른다(≒ I do*n't* understand at all. 나는 전혀 모른다(《전면부정》)).

NOTE 이 밖의 부분부정 표현에는 *not* entire, *not* whole, *not* wholly, *not* altogether, *not* absolutely, *not* completely, *not* entirely, *not* necessarily 따위가 있으며, 부분부정에 관계되는 표현으로 not … too (…도 …한다는 것은 아니다)가 있음.

6 〖다른 부정어와 병용하여〗 **a** 《속어·방언》: I did*n't* do *nothing*. 나는 아무것도 하지 않았다(《바르게는 I did*n't* do *anything*》). ★ 유례: *No* one *scarcely* knows it. 아무도 그것을 모른다(《바르게는 *Hardly anyone* knows it.》). **b** 〖부정의 효과가 상쇄되어〗: He was ~ *un*happy. 그는 불행하지는 않았다 / I rejected her offer and ~ *without* reason. 그녀의 제안을 거부했는데 이유가 없는 것도 아니었다. ★ 다음같이 부정어의 겹침은 올바름: There is *no* rule that has *no* exceptions. 예외 없는 규칙은 없다.

~ a ... 하나 〔한 사람〕의 …도 없다《no의 강조형; not a single은 더욱 힘준 형》: There was ~ *a* soul 〔*Not a* soul was〕 to be seen. 사람 하나 보이지 않았다. **~ at all** ⇨ALL. **~ ... but** — ⇨BUT *conj.* A 2. **~ but** (**what** 〔**that**〕) **...** ① 단(但) …, 그러나(however); 하긴 …이기는 하지만(although): I cannot help them; ~ *but what* my brother might. 나는 그들을 도와줄 수가 없다; 하긴 형님이면 힘이 되어 줄 수 있을지 모르지만. ② …할 수 없을 만큼 — 하지 않다〔아니다〕: He is ~ such a fool *but* (*what*) he can see it. 그것을 모를 만큼 바보는 아니다. **~ even ...** …조차도 — 않다: He did*n't even* look at it. 그는 보기조차 안 했다. **~ give** a person **the time of day** 지독히 미운 나머지 아예 무시해 버리다. **~ only** 〔**just, merely, simply**〕 **... but** (**also**) — …뿐 아니라 — 도 (또한): It is ~ *only* beautiful, *but also* useful. 그것은 아름다울 뿐 아니라 유익하기도 하다 / *Not only* did he hear it, *but* he saw it as well. 그는 그 소리를 들었을 뿐 아니라 그것을 보았던 것이다《not only가 글머리에 오면 도치가 일어남》/ *Not only* you *but* (*also*) I am guilty. 자네뿐 아니라 내게도 죄가 있다《동사의 인칭·수는 뒤의 주어에 일치》. **~ so** 그렇지 않다: You will apologize? — *Not so.* 사과할 텐가 — 그렇게는 안 해. **~ that ...** 그러나 〔그렇다고〕 …하다는 건 아니다: If he said so — ~ *that* he ever did — he lied. 만일 그가 그렇게 말했다면 — 그렇게 말했다는 건 아니지만 — 거짓말을 한 것이다. (It is) **~ that ... but that** — …하다는 게 아니라 — 하다는 것이다: It is ~ *that* I dislike it, *but that* I cannot afford it. 그것이 마음에 안 든다는 게 아니라 살 만한 여유가 없는 것이다. ***Not that I know of.*** 내가 알고 있는 한 그런 일은 없다. **~ to say ...** ⇨SAY(관용구). **so as ~ to** do …하지 않도록: He worked hard *so as ~ to* fail again. 그는 다시 실패하지 않도록 열심히 공부했다.

notched [-t] *a.* **1** 새김눈〔벤자국〕이 있는. **2** 『식물·동물』 톱니 모양을 한.

nótch filter 『컴퓨터』 노치 필터《특정 대역의 주파수만 통과시키지 않는 형태의 필터》.

nótch·wìng *n.* 잎말이나방의 일종.

‡**note** [nout] *n.* **1** 각서, 비망록, 메모(*of; for*); (*pl.*) (여행 등의) 수기, 기록; (강연 등의) 초고, 문안: speak from 〔without〕 ~*s* 원고를 보고 〔원고 없이〕 연설하다. **2** (외교상의) 각서, 통첩: a diplomatic ~ 외교 문서. **3** 짧은 편지: a ~ of invitation 초대장. **4** 주(註), 주석, 주해(*on*); 지식, 정보: a margin(al) ~ 방주(旁註) / a new edition of *King Lear* with abundant ~*s* 주석이 풍부한 '리어 왕'의 신판. **5** Ⓤ 주목, 주의: a thing worthy of ~ 주목할 만한 일. **6** 《of ~로》 저명, 특징; 분위기, 모양: a man *of* ~ 저명인사 / have a ~ *of* antiquity 고색을 띠다. **7** 중대성; 《고어》 오명. **8** 《영》 지폐(bank ~; 《미》 bill); 『상업』 어음, 증권: a ~ of hand 약속 어음 / ~*s* in circulation 은행권 발행고 / pay in ~*s* 지폐로 지불하다. **9** 표, 기호, 부호; (의사를 전달하는) 신호, 의사 표명: a ~ of exclamation 감탄부(!). **10** 『음악』 음표; (피아노 따위의) 건, 키; 음색. **11** 《고어·시어》 음조, 선율. **12** 어조, (아무의) 음성: a ~ *of* satisfaction 만족스러운 말투. **13** (새의) 울음소리. ***change* one's ~** 태도〔어조〕를 확 바꾸다. ***compare ~s*** 의견을〔정보를〕 교환하다(*with*). ***make a ~ of*** = ***take ~s of*** …을 적어두다, …을 필기〔노트〕하다《미국에서는 of 대신에 on도 씀》. ***sound a ~ of warning*** 경고를 발하다. ***sound the ~ of war*** 전의(戰意)를 전하다; 주전론을 부르짖다. ***strike*** 〔***sound***〕 ***a false ~*** 당치도 않은〔어림없는〕 짓〔말〕을 하다. ***strike the right ~*** 적절한 견해를 말하다〔태도를 취하다〕. ***take ~ of*** …에 주의〔주목〕하다.

— *vt.* **1** 《~+목/+목+부》 적어두다, 써놓다(*down*): He ~*d down* the main points of the lecture. 그는 강연의 요점을 적어두었다. **2** …에 주석을 달다. **3** 《~+목/+*that* 절/+*wh.* 절/+*wh. to* do/+목+*-ing*》 …에 주목하다, …에 주의하다, …을 알아차리다: Please ~ my words. 내 말을 잘 들어라 / *Note how* words should be used. 말을 어떻게 써야 할지 주의하여라 / *Note how to* do it. 어떻게 하는지 주의해라 / I ~*d* her eyes fill*ing* with tears. 그녀의 눈에 눈물이 넘쳐 흐르는 것을 알아차렸다 / *Note that* a day's delay will result in a fine of ten dollars. 하루 늦으면 10달러의 벌금을 물게 됨을 잊지 말도록. SYN. ⇨NOTICE. **4** 《~+목/+*wh.* 절》 가리키다, 지시〔의미〕하다: Black ashes ~*d where* the house had stood. 검은 재는 본래 집이 있었던 장소를 나타내고 있었다. **5** 《고어》 『음악』 음표로 적다, …에 음표를 붙이다. ***It should*** 〔***will***〕 ***be ~d that ....*** …의 일〔사실〕에 특히 주의할 것. ***We have ~d your order for ....*** …의 주문을 정히 배수(拜受)하였습니다. ㊞ **nót·er** *n.*

†**note·book** [nóutbùk] *n.* **1** 노트, 공책, 필기장, 수첩, 비망록. **2** 약속 어음책.

nótebook compùter 『컴퓨터』 노트북 컴퓨터.

nóte·càse *n.* 《영》 지갑(wallet).

***not·ed** [nóutid] *a.* **1** 저명한, 유명한, 이름난(*for, as*): ~ for beauty 〔*as* a pianist〕 아름다움으로〔피아니스트로〕 유명한. **2** 주목할 만한, 주목되는. **3** 악보가 붙은. ㊞ **~·ly** *ad.* 두드러지게. **~·ness** *n.*

nóte·hèad(ing) *n.* 편지지 윗부분의 소형 인쇄문자; 그것이 인쇄된 편지지《letterhead보다 인쇄가 작음》.

nóte·less *a.* **1** 무명의; 사람의 눈을 끌지 않는, 평범한. **2** 음악적이 아닌, 음조가 나쁜.

note·let [nóutlit] *n.* 짧은 편지.

No. 10 [nʌ́mbərtén] 《영구어》 =NUMBER TEN.

nóte pàd (떼어 쓰게 된) 메모 용지첩.

nóte·pàper *n.* Ⓤ 편지지, 메모 용지. SYN. ⇨ LETTER PAPER.

nóte shàver 《미속어》 고리대금업자.

°**nóte·wòrthy** *a.* 주목할 만한, 현저한. ㊞ **-wòrthily** *ad.* **-wòrthiness** *n.*

nót-for-prófit *a.* 《미》 비영리적인.

NÓT gàte 『컴퓨터』 부정 게이트《논리 연산 NOT을 수행하는 회로로서 inverter라고도 함》.

†**noth·ing** [nʌ́θiŋ] *pron.* **1** 아무것〔아무일〕도 … 아님〔하지 않음〕; 전혀 …않음〔아님〕: He said ~. 그는 아무 말도 하지 않았다 / *Nothing* is easier than to cheat him. 그를 속이는 것만큼 쉬운 일은 없다.

> NOTE (1) nothing을 수식하는 형용사는 뒤에 옴: I have *nothing particular* to do. 별로 할 일이 없다. (2) 주어로서의 nothing이나, have nothing, there is nothing은 구어에서도 쓰이나 보통 목적어, 특히 동사의 목적어로서는 구어에서 not anything을 즐겨 씀: He didn't say *anything*. 그는 아무 말도 안 했다.

2 무가치, 무의미: He has ~ in him. 그는 하찮은 인물이다.

— *n.* **1** 무(無), 공, 『수학』 영(零): Man returns to ~. 사람은 무로 돌아간다 / The sound faded to ~. 소리는 차츰 사라져버렸다. **2** 영(零)의 기

호; 하찮은 사람〔일, 물건〕; 무신론자: We won the game 8 to ~. 우리는 8:0으로 시합에 이겼다 / mere ~*s* 아주 하찮은 일들. **3** 《숫자 다음에서》 꼭: five feet ~ 정확히 5피트. ***all to*** ~ 더할 나위 없이, 충분히. ***be for*** ~ ***in*** …에 조금도 영향을 미치지 않다. ***be*** ~ ***to*** …에게는 아무것도 아니다, 무관계하다; …와는 비교가 안 되다. ***can make*** ~ ***of*** …을 전혀 이해〔처리, 해결, 이용〕할 수 없다. ***come to*** ~ 무위로 되다, 실패로 끝나다, 수포로 돌아가다. ***count*** 〔***go***〕 ***for*** ~ 쓸데가 없다, 허사다. ***do*** ~ ***but*** (sleep) (자고)만 있다. (***don't***) ***know from*** ~ (특히, 범죄와 관련되는 일에) 전혀 아는 바 없다〔모른다〕(고 주장하다). ***for*** ~ 거저, 무료로; 무익하게, 헛되이; 이유〔까닭〕 없이《싸우다 따위》: They quarreled *for* ~. 그들은 아무런 이유 없이 말다툼했다 / He did not go to college *for* ~. 그는 대학을 무익하게 다닌 것이 아니었다《'다닌 보람이 있었다'의 뜻》. ***good for*** ~ 아무짝에도 못 쓰는. ***have*** ~ ***of*** …을 상대하지 않다. ***have*** ~ ***on*** ① …을 유죄로 할 증거가 없다; 《구어》 …보다 나을 것이 없다〔훨씬 못하다〕. ② 아무것도 걸치지 않다. ③ 아무 약속도 없다. ***have*** ~ ***to do with*** ⇨DO. ***hear*** ~ ***of*** …에 관한 소식이 없다. ***in*** ~ ***flat*** ⇨FLAT. ***It has*** ~ ***in it.*** 그것에는 아무 좋은 점도 없다. ***like*** ~ ***on earth*** 〔***in the world***〕 매우, 몹시《이상한, 흉한 따위》: feel *like* ~ *on earth* 몹시 이상한 기분이다; 몹시 불쾌해지다; 당황하다. ***make*** ~ ***of*** ⇨MAKE. ***next to*** ~ 무가치에 가까운. ***no*** ~ 《구어》 전혀 아무것도 없는: There is no bread, no butter, *no* ~. 빵도 버터도 아무것도 없다. ~ ***but*** 〔***except***〕 =~ ***else than*** 〔***but***〕 …밖에 없는〔아닌〕; 다만 …뿐, …에 불과한(only). ~ ***doing*** ① (N- … !) 《구어》 (요구를 거절하여) (절대로) 안 된다, 거절한다, 무슨 말씀. ② (there is 구문으로) 성과가〔가능성이〕 없다; 아무것도 행해지고 있지 않다; 틀렸다: We drove through the town but there seemed to be ~ *doing*. 읍을 차로 통과하였으나 별로 새로운〔재미있는〕 것은 없는 듯했다. ~(,) ***if not*** 그 중에서도 …, 매우, 무엇보다도 …, …이 가장 취할 점이다《형용사 앞에서》; 완전한, 전형적인《명사 앞에서》: He's ~ *if not* critical. 비판적인 것이 그의 큰 장점이다 / They're ~ *if not* professionals. 그들은 전형적인 프로다. ***Nothing great is easy.*** 《속담》 위대한 일에 쉬운 것은 없다. ~ ***less than*** ⇨LESS. ~ ***more than*** ⇨MORE. ~ ***much*** 매우 적은, 별것 아닌. ~ ***of*** …은 전혀 …아닌: He is ~ *of* an artist. 그는 전혀 예술가다운 데가 없다. ***Nothing of the kind!*** (상대에의 응답으로) 조금도 그런 일은 없다, 천만에. ~ ***short of*** 거의〔아주〕 …한, …에 가까운: He talked ~ *short of* nonsense. 그가 말한 것은 전혀 엉터리이다. ~ ***to*** ① …와는 비교할 바가 못 되는: At tennis she is ~ *to* her sister. 테니스에서 그녀는 언니〔동생〕에게 훨씬 미치지 못한다. ② …에게는 아무것도 아닌; …와 관계없는: There is ~ *to* you. 당신과는 아무 관계도 없다. ***... or*** ~ …에 지나지 않다: It would be Tom *or* ~. 틀림없이 톰일거다. ~ ***to speak of*** 말할 것조차 없는, 사소한. ***There is*** ~ ***for it but to*** (do) …하는 수밖에 다른 도리가 없다. ***There is*** ~ ***in*** 〔***to***〕 ***it.*** 그건 새빨간 거짓말이다; 그건 대단한 일이 아니다〔간단한 일이다〕; (in 을 써서) 어슷비슷하다, 승부가 안 난다. ***There is*** ~ ***to*** the story. 그 이야기에는 알맹이가 없다. ***think*** ~ ***of*** …을 아무렇지 않게 생각하다; 예사로 …하다: *Think* ~ *of* it. 감사〔사과〕할 것까지는 없습니다, 별말씀. ***think*** ~ ***of*** doing ⇨THINK. ***to*** ~ 소멸하여, 흔적도 없이. ***to say*** ~ ***of*** …은 말할 것도 없이, …은 물론.

— *ad.* 조금도〔결코〕 …이 아니다; 《미구어》 … 도 아무것도 아니다《앞의 말을 부정하여》: It helps ~. 아무 소용도 없다 / Is it gold? — Gold ~. 그거 금이냐 — 천만에. ***be*** ~ ***like*** 〔***near***〕 ***as good as*** …에 도저히 미치지 못하다. ***care*** ~ ***about*** 〔***for***〕 …을 전혀 개의〔유의〕하지 않다. ~ ***like*** 전혀 …와 닮지 않다, …와는 거리가 멀다: It was ~ *like* what we expected. 예상한 바와는 거리가 멀었다 / There are ~ *like* enough experts. 전문가가 몹시 부족하다.

— *a.* 《구어》 시시한, 재미없는.

noth·ing·ar·i·an [nʌθiŋέəriən] *n.* 무신앙자.

nóth·ing·ness *n.* Ⓤ,Ⓒ 존재하지 않음; 무, 공(空); 무가치(한 것); 인사불성.

nó thróugh strèet 《미》 막다른 길.

†**no·tice** [nóutis] *n.* **1** Ⓤ 주의, 주목; 인지; 후대, 애고(愛顧): attract 〔deserve〕 (one's) ~ 사람의 눈을 끌다〔주목할 만하다〕. **2** Ⓒ 통지, 통고: send a ~ 통지를 내다. **3** Ⓤ (해직·퇴직·이전 따위의) 예고; 경고(warning): give a servant ~ 하인에게 해고를 통고하다 / We were given ~ *to* move out. 퇴거하라는 통고를 받았다. **4** Ⓒ 공고; 게시, 벽보: put a ~ 공고하다. **5** Ⓒ (신간·극·영화 따위의) 지상 소개, 비평; 《일반적》 심사, 비평: a theatrical ~ 극평(劇評). ***at a moment's*** ~ 그 자리에서, 즉각, 당장에. ***at*** 〔***on***〕 ***a month's*** 〔***week's***〕 ~ 1개월〔1주〕간의 예고로. ***at*** 〔***on***〕 ***short*** ~ 충분한 예고 없이; 급히. ***avoid*** ~ 남의 눈을 피하다, 눈에 안 띄게 하다. ***beneath*** one***'s*** ~ 보잘것없는, 고려할 가치도 없는. ***be under*** ~ (해고 따위의) 통고를 받고 있다. ***bring ... to*** 〔***under***〕 a person***'s*** ~ …에 아무의 주의를 끌게 하다, …을 아무의 눈에 띄게 하다. ***come into*** 〔***to, under***〕 ~ 주의를 끌다, 눈에 띄다. ***give*** ~ ***of*** …을 통지하다; …을 예고하다; …을 고시하다, …을 경고하다. ***give*** ~ ***that ...*** …이란 것을 알리다. ***give*** ~ ***to*** …에 신고하다. ***have*** ~ ***of*** …의 통지를 받다. ***post*** 〔***put up***〕 ***a*** ~ 게시하다. ***put*** a person ***on*** ~ ***that*** …라고 아무에게 통고하다. ***rise to*** ~ 세상에 알려지게 되다, 유명해지다. ***serve a*** ~ ***to*** …에 통고하다; 경고를 발하다《on》. ***sit up and take*** ~ ⇨SIT. ***take no*** ~ ***of*** …을 마음에 두지 않다; …을 무시하다. ***take*** ~ 주의하다《*that*》; 인식하다, 알게 되다《*that*》; (어린아이 등이) 사물을 알게 되다: Please *take* ~ *that* your manuscript must be in our hands by January 30. 원고가 1월 30일까지 필히 송달되도록 유의하시기 바랍니다. ***take*** ~ ***of*** …을 주목하다; …을 후대하다. ***until*** 〔***till***〕 ***further*** 〔***farther***〕 ~ 추후 통지가 있을 때까지. ***without a moment's*** ~ 일각의 여유도 없이; 다짜고짜. ***without*** ~ 예고 없이, 무단으로. ***worthy of*** ~ 주목할 만한.

— *vt.* **1** 《~+목 / 목+전+명 / +*that* 절 / +*wh.* 절 / +목+-*ing* / +목+*do*》 …을 알아채다(perceive), …을 인지하다; …에 주의하다, …을 유의하다: ~ a defect *in* a method 어떤 방법의 결점을 깨닫다 / I ~*d that* he had a peculiar habit. 그에게 이상한 버릇이 있는 것을 알게 되었다 / I didn't ~ *whether* she was there or not. 나는 그녀가 그곳에 있었는지 없었는지를 알아채지 못했다 / ~ a person go(*ing*) out 아무가 밖으로 나가는 것을 알아채다 / They ~*d* me come in. 그들은 내가 들어간 것을 알아차렸다.

SYN. **notice** 다음 말들에 비하여 뜻이 제일 가볍다. '…의 눈에 띄다': Did you *notice* her new hat? 그녀가 새 모자 쓴 것을 보았나. **note** 머릿속에 기억되도록 주목하다. 따라서 명령형으로 쓰일 때가 많음: *Note* the fine brushwork in his painting. 그의 페인트 붓놀리는 멋진 솜씨를 잘 보시오. **discern** 흔히는 애쓴 끝에 겨우 구별해 내다: In spite of the mist, we finally *discerned* the top of the hill. 안개가 자욱했으나 마침내 산봉우리를 찾아냈다. **perceive** '오관으로 감지하다. → 이해하다, 알아채다.' 실제로는 notice나 see와도 바꾸어 쓸 수 있는 약간 딱딱한 말: After examining the evidence he *perceived* 〔*noticed*, *saw*〕 its significance. 증거물을 조사해 보고 비로소 그는 그 중요성을 알았다.

2 《~+목/+목+*to* do》 《미》 (아무에게) 통지〔예고〕하다; 통고하다: The police ~*d* him *to* appear. 경찰은 그에게 출두하라고 통고했다. **3** (아무를 알아보고) 인사하다(recognize): She ~*d* him with a nod. 그녀는 그를 보고 머리를 끄덕 숙여 인사했다. **4** 정중하게 다루다. **5** …에 언급하다, …을 지적하다, (신간 따위를) 소개하다《신문지상에》, 논평하다.

***no·tice·a·ble** [nóutisəbəl] *a.* **1** 눈에 띄는, 이목을 끄는; 두드러진, 현저한. **2** 주목할 만한. ㊕ **-bly** *ad.*

nótice bòard 《영》 게시판, 고지판, 팻말.

no·ti·fi·a·ble [nóutəfàiəbəl] *a.* 통지해야 할; 신고해야 할《전염병 등》.

no·ti·fi·ca·tion [nòutəfikéiʃən] *n.* Ⓤ 통지, 통고, 고시; 최고(催告); Ⓒ 신고서, 통지서; 공고문(notice); 출생 신고; 사망 신고.

°**no·ti·fy** [nóutəfài] *vt.* **1** 《~+목/+목+전+명/+목+*to* do/+목+*that* 절/+목+*wh.* 절/+목+*wh. to* do》 …에게 통지하다, …에 공시(公示)하다; …에 신고하다《*of*》: We have been *notified that*… 우리는 …라는 통지를 받았다 / ~ the authorities *of* a fact 당국에 사실을 알리다 / The teacher *notified* pupils *to* assemble in the auditorium. 선생은 학생들에게 강당에 집합하도록 통고했다 / The committee will ~ us *when* the next meeting is to be held. 위원회는 다음 회의 개최일을 우리에게 통지해 줄 것이다 / The authorities will ~ you *when to* appear in court. 법정에 출두할 날짜와 시간은 당국으로부터 통지가 있을 것이다. **2** 《+목+전+명》 《주로 영》 (아무에게) …을 알리다, 통고하다, 공고〔발표〕하다: The sale was *notified in* the papers. 신문지상에 매각 공고가 났다. ㊕ **nó·ti·fi·er** [-ər] *n.* 통지〔통보〕자, 신고인; 고지자.

nó-tíllage, nó-tíll *n.* 무경간(無耕墾) 농법(minimum tillage, zero tillage)《갈지 않고 씨를 뿌리고, 제초제로 잡초를 없애는 방식》.

‡**no·tion** [nóuʃən] *n.* **1** 관념, 개념. SYN. ⇨IDEA. **2** 생각, 의견; 의향. **3** 이해력, 능력. **4** 변덕, 어리석은 생각. **5** (*pl.*) 《미》 방물, 자질구레한 실용품《바늘·실·리본·단추 따위》: a ~ store 잡화점 / a ~ counter 잡화 판매장. **6** (*pl.*) 《영》 Winchester 학교 특유의 말. ***common*** ~ 통념. ***have a*** (***good***) ~ ***of*** …을 (잘) 알고 있다. ***have a great*** ~ ***that*** …라고 생각하고 싶어하다. ***have a*** (***vague***) ~ ***that…*** …이라고 (막연히) 생각하고 있다, (대강) …이라고 생각하다. ***have no*** ~ ***of*** …이 무엇인지 전혀 짐작이 가지 않다. ***have no*** ~ ***of*** doing …할 의향은〔의사는〕 없다. ***take a*** ~ ***of*** doing …할 마음이 생기다. ***take a*** ~ ***to*** do 《구어》 갑자기 …하려고 생각하다〔결심하다〕. ***the first*** 〔***second***〕 ~ 〖철학〗 첫〔2 차적〕 개념. ㊕ **~·less** *a.*

no·tion·al [nóuʃənəl] *a.* 관념적인, 개념상의, 추상적인, 순이론적인(speculative); 공상적인, 《미》 변덕스러운(fanciful). ㊕ **~·ly** *ad.*

no·to·chord [nóutəkɔ̀ːrd] *n.* 〖해부〗 (척삭·척추동물의) 척삭(脊索).

No·to·gaea [nòutədʒíːə] *n.* 〖생물지리〗 남계(南界)《오스트레일리아 지역이 되는 동물 지리구의 하나》.

no·to·ri·e·ty [nòutəráiəti] *n.* Ⓤ 악명, (나쁜 의미에서의) 평판〔유명〕; (보통 *pl.*) 《영》 악명 높은 사람.

no·to·ri·ous** [noutɔ́ːriəs] *a.* (보통 나쁜 의미로) 소문난, 유명한, 이름난; 주지의: a ~ rascal 소문난 악당. ★ 좋은 의미에서의 '유명한'에는 보통 famous를 씀. ***be ~ ***for*** …으로 악명이 높다, …으로 (나쁜) 평판이 나 있다. ***It is*** ~ ***that*** *…*. …은 주지의 사실이다. ㊕ °**~·ly** *ad.* (나쁘게) 널리 알려져서. **~·ness** *n.*

nót óut 〖크리켓〗 (타자·팀이) 공격 중인; 공격 중에 얻은《득점》.

No·tre Dame [nòutrədéim, -dáːm/-dáːm] 《F.》 성모 마리아(Our Lady); 성모 성당《특히 파리의 노트르담 성당》. 「부·수).

nó-trúmp *a.*, *n.* 〖카드놀이〗 으뜸패가 없는 (승

nót-sélf *n.* 〖철학〗 비아(非我)(nonego).

nót suffícient 〖은행〗 지급 불능(의 기호)《생략: N.S.》.

Not·ting·ham [nátiŋəm/nɔ́t-] *n.* 노팅엄. **1** =NOTTINGHAMSHIRE. **2** 그 주도(州都).

Not·ting·ham·shire [nátiŋəmʃiər, -ʃər/nɔ́t-] *n.* 노팅엄셔《잉글랜드 중북부의 주; 생략: Notts.》.

°**not·with·stand·ing** [nàtwiðstǽndiŋ, -wiθ-/nɔ̀twiθ-] *prep.* …에도 불구하고(in spite of): He is very active ~ his age. 그는 나이에도 불구하고 대단히 활동적이다. ★ 본래 ~은 현재분사로 취급되었기 때문에 목적어 뒤에 위치시키는 구문도 허용된다: He is very active, his age ~. =His age ~, he is very active. SYN. ⇨in SPITE of. ── *ad.* 그럼에도 불구하고(nevertheless), 그래도; 여하튼; 역시: We were invited ~. 여하튼 우리는 초대받았다. ── *conj.* 《that 절을 수반하여》 …이라 해도(although): He bought the car ~ (*that*) the price was very expensive. 값이 비쌌음에도 불구하고 그는 그 차를 샀다.

nou·gat [núːgət, -gɑː/-gɑː] *n.* 누가《호도 따위가 든 캔디의 일종》.

°**nought** ⇨NAUGHT.

nóughts-and-crósses [-ən-] *n.* 《영》 = TICK-TAC(K)-TOE.

nou·me·non [núːmənàn/-nɔ̀n] (*pl.* **-na** [-nə]) *n.* 〖철학〗 본체, 실체. OPP *phenomenon.* ㊕ **-nal** [-nəl] *a.* ~의.

‡**noun** [naun] *n.*, *a.* 〖문법〗 명사(의): a ~ of action 동작명사《arrival, confession 따위》/ a ~ of multitude 집합(集合)명사 / a ~ clause 〔phrase〕 명사절〔구〕/ a ~ substantive 실(명)사《명사의 구칭; ~ adjective 형용사(형용사의 구칭)에 상대됨》. ㊕ **∠·al** *a.* 명사의〔적인〕.

***nour·ish** [nə́ːriʃ, nʌ́r-/nʌ́r-] *vt.* **1** 《~+목/+목+전+명》 …에 자양분을 주다, 기르다, 살지게 하다: ~ an infant *with* milk 어린애에게 우유를 주다〔우유로 키우다〕. **2** …에 비료를 주다; 육성하다, 조성하다(promote). **3** (희망·원한·노염 등을) 마음에 품다(cherish). ㊕ **~·a·ble** *a.* **~·er** *n.* **~·ing** *a.* 자양분이 있는.

°**nóur·ish·ment** *n.* Ⓤ 자양물, 음식물, 영양(물); 양육, 육성, 조장; 영양 상태; 양육〔장려〕법. cf. nutrition.

nous [nuːs, naus/naus] *n.* Ⓤ 〖철학〗 지성, 이성, 이지; 《구어》 상식, 기지; 세지(世智); 기민.

nou·veau [núːvou, -∠; *F.* nuvo] *a.* 갓〔새로〕 출현〔발달〕한.

nou·veau pau·vre [nu:vóupóuvrə] (*pl.* ***nou·veaux pau·vres*** [—]) 《F.》 최근에 가난해진〔영락한〕 사람, 사양족(斜陽族)(=**néw póor**).

nou·veau riche [nú:vourí:ʃ] (*pl.* ***nou·veaux riches*** [—]) 《F.》 벼락부자, 졸부.

nou·veau ro·man [F. nuvoʀɔmɑ̃] (*pl.* ***nou·veaux ro·mans*** [—]) 《F.》 (특히 1960년대 프랑스의) 신소설, 누보로망.

nou·velle cui·sine [nu:vélkwizí:n] 《F.》 누벨퀴진《밀가루와 지방 사용을 삼가고 담백한 소스와 신선한 야채·생선 이용을 강조하는 요리법》.

nou·velle vague [nu:vélvá:g] (*pl.* ***nou·velles vagues*** [—]) 《F.》 새물결, 누벨바그《1960년대 초에 유행한 프랑스·이탈리아 영화의 전위 운동》.

Nov. November. **nov.** novel; novelist.

no·va [nóuvə] (*pl.* ***-vae*** [-vi:], **~s**) *n.* 〖천문〗 신성(新星).

no·va·chord [nóuvəkɔ̀:rd] *n.* 〖음악〗 노바코드《피아노 비슷한 6옥타브의 전자 악기》.

No·va Sco·tia [nóuvəskóuʃə] 노바스코샤《캐나다 남동부의 반도; 이를 포함하는 주; 생략: N.S.》. ㊞ **~n** *a.*, *n.* ~의; ~ 사람(의).

no·va·tion [nouvéiʃən] *n.* Ⓤ 〖법률〗 **1** (채무·계약 등의) 경개(更改), 경신(更新). **2** 쇄신, 혁신.

***nov·el**[1] [nάvəl/nɔ́v-] *a.* 신기한(strange), 새로운(new); 기발한; 이상한: a ~ idea 기발한 생각, 참신한 아이디어 / a ~ technique 지금까지 없던 새로운 수법 / That's ~ to me. 그것은 금시초문이다. SYN. ⇨ NEW.

‡**nov·el**[2] *n.* **1** (장편) 소설; (the ~) 소설 문학: a popular ~ 통속〔대중〕 소설 / a detective ~ 추리 소설. **2** 〖로마법〗 신법령.

> SYN. **novel** 어느 정도의 상당한 길이와 복잡한 구성을 지닌 소설, 장편 소설: a historical novel 장편 역사 소설. **short story** 단편 소설《보통 1만 단어 미만》. **romance** 처음에는 중세기의 전설·기사도 이야기를 운문으로 쓴 것을 가리켰으나 현재에는 현실과 동떨어진 공상적인 이야기, 남녀 간의 애정 문제를 다룬 소설을 가리키며 realistic novel과 상대됨. **fiction** 만들어진 것이란 뜻으로 documentary(기록물)에 대비되는 말로서, novel, tale, romance 따위 전부를 포함함. 별명으로 fictitious literature 〔narrative〕라고도 하며 fantasy fiction(공상 소설), scientific fiction(과학 소설) 따위의 분야도 있음.

nov·el·ese [nὰvəlí:z/nɔ̀v-] *n.* Ⓤ (저속한) 소설의 진부한 어조〔문체〕.

nov·el·ette [nὰvəlét/nɔ̀v-] *n.* 단편〔중편〕 소설; 〖음악〗 노벨레테《자유 형식의 피아노 소곡》; 《주로 영》《종종 경멸》 감상적 3류 소설.

nov·el·et·tish [nὰvəlétiʃ/nɔ̀v-] *a.* 중편〔단편〕 소설풍의; 《영》 3류 소설 같은, 감상적인.

nóvel fòod 유전자 조작 식품.

***nov·el·ist** [nάvəlist/nɔ́v-] *n.* 소설가, 작가.

nov·el·is·tic [nὰvəlístik/nɔ̀v-] *a.* 소설적인.

nov·el·ize [nάvəlàiz/nɔ́v-] *vt.* (연극·영화 따위를) 소설화하다.

no·vel·la [nouvélə] (*pl.* ***-le*** [-lei]) *n.* 《It.》 중편소설; 《고어》 소품(小品); (*pl.* **~s**) 단편 소설.

***nov·el·ty** [nάvəlti/nɔ́v-] *n.* **1** Ⓤ 신기함, 진기함; 새로움. **2** Ⓒ 새로운 것; 색다른 것〔일〕, 새로운 경험: It's no ~ to our town. 우리 마을에 흔히 있는 일이다. **3** Ⓒ (*pl.*) 새 고안물《색다른 취향으로 제작한 장식품·장신구 따위》. **—** *a.* (최)신형의, 신제품의: a ~ shop 신제품 가게.

†**No·vem·ber** [nouvémbər] *n.* 11월《생략: Nov.》.

no·ve·na [nouví:nə] (*pl.* **~s, *-nae*** [-ni:]) *n.* 〖가톨릭〗 9일간의 기도.

no·ver·cal [nouvə́:rkəl] *a.* 계모의〔같은〕.

nov·ice [nάvis/nɔ́v-] *n.* 신참자, 초심자, 풋내기; 수련 수사(修士)〔수녀〕; 새 신자.

no·vi·ti·ate, -ci·ate [nouvíʃiət, -èit] *n.* 수습 기간; (수사·수녀의) 수도 기간; 초심자, 신참자; 수련 수사〔수녀〕; 수도자 숙소.

no·vo·bi·o·cin [nòuvoubáiəsin] *n.* 〖약학〗 노보비오신《항생물질》.

No·vo·cain(e) [nóuvəkèin] *n.* Ⓤ 노보카인《국부 마취약; 상표명》.

†**now** [nau] *ad.* **1** 지금, 현재; 목하: He isn't here right ~. 그는 지금 여기에 없다 / I'm busy ~. 나는 지금 바쁘다. **2** 지금 곧, 바로; 이제부터: Do it ~! 지금 곧 해라 / Travel ~, pay later. 지금 곧 여행을 떠나십시오, 여비는 후불로《항공 회사의 광고》/ He won't be long ~. 이제 곧 올 것이다. **3** 〖사건·이야기 등의 안에서〗 바야흐로, 그때, 이번엔, 그리고 나서: The case was ~ ready for the jury. 사건은 바야흐로 배심에 걸리게 돼 있었다. **4** 〖just·only에 수반하고, 동사의 과거형과 더불어〗 바로 금방, 이제 막, 방금: I saw him *just* ~ on the street. 방금 길에서 그를 보았다. **5** 지금쯤은, 지금까지, 이제까지: He should be finished with that assignment ~. 지금쯤은 숙제를 끝마치고 있을 것이다. **6** 현재로는, 오늘날에는; 지금에 이르러: *Now* you rarely see horse-drawn carriages. 요즈음엔 거의 마차를 볼 수 없다 / I see ~ what you meant. 지금에야 네가 말하고자 한 것을 알겠다. **7** 〖접속사적〗 한데, 그래서《화제를 바꾸기 위해》; 그런데, 실은《설명을 더하기 위해》: *Now* for the next question. 자, 그럼 다음 문제로 넘어갑니다. **8** 〖감탄사적〗 자, 애, 우선《명령에 수반》; 글쎄…, 우선, 대저《언명·의문에 수반》: *Now* let's go. 자 가자 / *Now* listen to me. 우선 내 말을 들어요 / *Now*, ~, gently, gently. 자 자, 조용히 조용히《달래는 말》/ *Now*, don't slam the door when you leave! 나갈 때 문을 쾅 닫지 말아다오. ***but*** **~** 《고어》 =just now. ***Come ~!*** ① 자 자《재촉·권유》. ② 저런, 어이 이봐《놀람·항의》. **(*every*) ~ *and then*** =(***every***) **~ *and again*** 때때로, 가끔. ***not*** **~** 이제는 이미 …아니다, 지금은 안 된다. **~ *for*** 그럼 다음은 …이다: *Now for* today's topics. 그럼 다음은 오늘의 화제를 말하겠다. **~ ~ =*there* ~** 얘얘, 이봐, 뭘《부드럽게 항의·주의하는 말》: *Now* ~, don't be so hasty. 뭘 그렇게 서두느냐. **~ ... ~** 〔***then***〕 =**~ *... and again*** 때로는 …, 또 어떤 때에는 …: *Now* here ~ there. 방금 여기였는데 벌써 저기에. ***Now or never!*** =***Now for it!*** 지금이 절호의 기회다, 때는 지금이다. ***Now then*** ① 그렇다면: *Now then*, who's next? 그럼 다음은 누구냐. ② =~ ~. ***Really ~!*** =***Now really!*** 허, 설마, 놀랍군.

— *conj.* …이니(까), …인〔한〕 이상은: *Now* (*that*) you're here, why not stay for dinner? 모처럼 왔으니 식사나 하고 가시지요.

— *n.* 〖주로 전치사 뒤에 써서〗 지금, 목하, 현재. ***as of*** **~** 지금, 현재. ***before*** **~** 지금까지도. ***by*** **~** 지금쯤은 이미. ***for*** **~** 당분간; 지금은, 지금으로서는(for the present). ***from*** **~** (***on***) =***from*** **~ *forward*** 금후, 앞으로는. ***till*** 〔***up to, until***〕 **~** 지금까지(는).

— *a.* **1** 현재의, 지금의: the ~ king 현 국왕. **2** 《구어》 최첨단의, 최신 감각의, 유행의: ~ music 〔look〕 최신 음악〔복장〕. 「for Women.

NOW, N.O.W. 《미》 National Organization

NÓW accòunt [náu-] 《미》 수표도 발행되고

이자도 붙는 일종의 당좌예금 구좌. [◀ *n*ego-tiable *o*rder of *w*ithdrawal]

now·a·day [náuədèi] *a.* 요즘의, 오늘날의.

‡**now·a·days** [náuədèiz] *ad.* 현재에는, 오늘날에는: Students ~ don't work hard. 요즘엔 학생들이 열심히 노력하지 않는다. **—** *n.* Ⓤ 현재, 현대, 오늘날: the houses of ~ 오늘날의 집들.

nó wáy 《미속어》 절대로 안 된다, 천만의 말씀이다: Bill likes me? *No way.* 빌이 날 좋아한다고, 웃기지 마라.

no·way(s) [nóuwèi(z)] *ad.* 조금도 …아니다, 결코 …않다: He was ~ responsible for the accident. 그는 그 사고에 대해 조금도 책임이 없었다.

nów·càsting *n.* 현재 예보《어떤 지역의 현재의 일기를 2-6시간의 범위로 하는 예보》.

now·el [nouél] *n.* 《고어》 =NOEL.

‡**no·where** [nóu*h*wὲə*r*] *ad.* 아무데도 …없다: He was ~ to be found. 아무데서도 그를 찾아내지 못했다. ***be*** 〔***come in***〕 ~ ① (경기에서) 입상하지 못하다; 들어갈 여지가 없다. ② (경쟁에서) 형편없이 지다. ③ 실패하다. ~ ***near*** (…와는) 거리가 먼; 여간 …이 아닌: This is ~ *near* enough food to go around. 모두에게 돌아가기에 충분한 식량이라고는 도저히 말할 수 없다. ***That will get*** 〔***carry***〕 ***you*** ~. 그런 일 해도 아무 효과도 없을 것이다. **—** *n.* **1** …할 곳(이 없음): He has ~ to go. 그는 갈 데가 없다. **2** 있을 것 같지도 않은 곳; 어딘지 모르는 곳: A man appeared from ~. 어디에서인지도 모르게 한 사나이가 나타났다. **3** 무명(의 상태): He came from ~ to win the championship. 이름도 없던 그가 선수권을 획득했다. ***come out of*** ~ 갑자기 모습을 나타내다. ***from*** ~ 《속어》 뒤진, 보다 못한, 용납이 안 되는. ***in the middle of*** ~ =***miles from*** ~ 《구어》 마을에서 멀리 떨어져. **—** *a.* 《속어》 무의미한; 가치 없는, 시시한.

nó·whères *ad.* 《미방언》 =NOWHERE.

nó·whìther *ad.* 《고어·문어》 아무 데도 …없다〔않다〕.

nó-wín *a.* 승산이 없는; 승패를 다투지 않는: a ~ situation 절망적인 상황.

nó·wìse *ad.* =NOWAY(S).

nów-it-can-be-tóld *a.* 지금이니까 말할 수 있는: I read her ~ story in weekly magazine. 주간지에서 '지금이니까 말할 수 있다'라는 유의 그녀의 수기를 읽었다.

nów·ness *n.* 현재성(性). 「〔사고(思考)〕.

nów-nówism *n.* 목전의 일만 생각하는 주의

nowt [nout] *n.* Ⓤ 《영구어·방언》 =NAUGHT.

NOx [nɑks/nɔks] *n.* =NITROGEN OXIDE(S).

Nox [nɑks/nɔks] *n.* 『로마신화』 밤의 여신.

°**nox·ious** [nákʃəs/nɔ́k-] *a.* 유해한, 유독한; 정신적으로 불건전한; 해독을 끼치는; 도덕적으로 불건전한; 불쾌한, 싫은: ~ fumes 유독 가스/a ~ movie 부도덕한 영화.

no·yau [nwaióu, ⌐-] (*pl.* ***-yaux*** [-z]) *n.* 《F.》 Ⓤ 브랜디에 복숭아씨로 맛 들인 리큐어.

Noyes [nɔiz] *n.* **Alfred** ~ 노이스 《영국의 시인; 1880-1958》.

°**noz·zle** [názəl/nɔ́z-] *n.* (끝이 가늘게 된) 대통 〔파이프·호스〕 주둥이, 노즐; 《속어》 코.

NP neuropsychiatric; neuropsychosis; noun phrase; National Police; 《미》 nurse practitioner(수습 간호사). **Np** 『화학』 neptunium. **N.P.** New Providence; Notary Public. **n.p., n/p** 『상업』 net proceeds; new paragraph; new penny, new pence; no pagination; no paging; notes payable(지급 어음); no place (of publication). **NPA** 《미》 National Production Authority; 《영》 Newspaper Publishers' Association. **NPBW** neutral particle beam weapon(중성자 빔 병기) 《SDI 계획의 일부》. **NPC** 《Chin.》 National People's Congress. **NPCF** National Pollution Control Foundation.

ǸP-complète *a.* 『수학』 다항식 알고리즘이 주어지지 않아 풀 수 없는 《문제》.

N.P.F. not provided for. **NPH** neutral protamine Hagedorn (신(新)인슐린). **n.pl.** noun plural. **N.P.L.** 《영》 National Physical Laboratory. **nplu** not people like us. **NPN** nonprotein nitrogen. **n.p. or d.** no place or date. **NPR, N.P.R.** National Public Radio. **NPT** Nonproliferation Treaty (핵확산 방지 조약). **NPV** 『회계』 net present value (정미현가 (正味現價)); no par value. **NQL** National Quarantine Laboratory. **nqu** not quite us. **nr** near. **N.R.** North Riding. **NRA, N.R.A.** 《미》 National Recovery Administration; National Rifle Association.

Ń-ràys *n. pl.* 『물리』 N 방사선《초자외선》.

NRC, N.R.C. National Research Council; 《Austral.》 『영화』 Not Recommended for Children; 《미》 Nuclear Regulatory Commission. **NRDC** 《미》 National Research Development Corporation; 《미》 Natural Resources Defense Council(천연자원 보호 협의회)《민간 싱크 탱크》.

NREM slèep [énrem-] =SYNCHRONIZED SLEEP. [◀ *n*on *r*apid *e*ye *m*ovement]

NRSV 『성서』 New Revised Standard Version. **NS, N.S.** National Society; New School; New Series; New Side; Newspaper Society; Numismatic Society. **N.S.** New Style; Nova Scotia. **N/S, n/s** nuclear ship. **Ns** 『기상』 nimbostratus. **n.s.** *nonsatis* 《L.》 (=not sufficient); not specified. **NSA, N.S.A.** 《미》 National Security Agency; National Shipping Authority; National Student Association. **NSAID** nonsteroidal anti-inflammatory drug (비스테로이드 항(抗)염증약). **NSB** 《영》 National Savings Bank. **NSC** 《미》 National Security Council; National Safety Council. **nsec** nanosecond(s). **n.s.f., NSF, N/S/F** 『은행』 not sufficient funds. **NSF, N.S.F.** 《미》 National Science Foundation. **NSM** 《영》 New Smoking Material. **N.S.P.C.A.** 《영》 National Society for the Prevention of Cruelty to Animals《지금은 R.S.P.C.A.》. **N.S.P.C.C.** National Society for the Prevention of Cruelty to Children. **NSSL** 《미》 National Seed Storage Laboratory (미국 농림부 종자 저장 연구소). **NST** National Subscription Television. **NSTA** 《미》 National Science Teachers Association(전미 과학 교사 협회). **NSTL** 《미》 National Space Technology Laboratories (국립 우주 기술 연구소). **NSU** 『의학』 nonspecific urethritis. **N.S.W.** New South Wales. **NSWP** 『군사』 non-Soviet Warsaw Pact. **NT** 『미식축구』 nose tackle. **NT, N.T.** National Trust; no trumps. **NT** New Testament; Northern Territory. **Nt** 『화학』 niton.

n't [nt] *ad.* NOT의 간약형.

N.T.B. 《미속어》 no talent bum (무능한 주정뱅이, 여자의 은행예금에만 관심이 있는 남자). **NTB** non-tariff barrier(비관세 장벽). **NTC** non-trade concern.

nth [enθ] *a.* 제 n번째의; n배(倍)의; 《구어》

《비유》 몇 번째인지 모를 정도의(umpteenth); 《구어》 최신의. ***to the ~ degree*** 〔***power***〕 n 차(次)〔n 제곱〕까지; 《비유》 극도〔최고도〕로, 최대한으로, 어디까지나, 극도로.

Nth. North. **Nthmb.** Northumberland. **Nthn., nthn.** northern. **Nthptn.** Northampton(shire). **NTP, n.t.p.** 〖물리〗 normal temperature and pressure(상온(常溫) 정상기압(正常氣壓)). **NTSB** National Transportation Safety Board. **NTSC** 〖TV〗 《미》 National Television System Committee (TV 방송 규격 심의회). **nt. wt., ntwt** net weight.

ń-týpe *a.* 〖전자〗 (반도체 · 전기 전도가) n 형(型)의.

nu [nju:/nju:] *n.* 그리스어 알파벳의 열세번째 글자《N, ν; 로마자의 N, n 에 해당》.

NU name unknown.

nu·ance [njú:ɑ:ns, -ˊ/nju:ɑ́:ns, ˊ-] *n.* 빛깔의 엷고 짙은 정도, 색조; 뉘앙스, 미묘한 차이《말의 뜻 · 감정 · 빛깔 · 소리 등의》. **—** *vt.* …에 미묘한 차이를 덧붙이다, 뉘앙스를 띠게 하다. ㊕ **~d** [-t] *a.*

nub [nʌb] *n.* 작은 덩이(lump)《특히 석탄의》; 혹, 매듭; =NUBBIN; 《구어》 요점, 골자. ***to the*** 〔***a***〕 **~** 지칠 때까지, 기진맥진할 때까지.

nub·bin [nʌ́bin] 《미》 *n.* 작은 혹, 작은 조각; (과일 · 옥수수 등의) 작고 덜 여문 것; 몽당연필 · 담배꽁초 (따위); 《속어》 젖꼭지, 유방; 《구어》 요점(要點).

nub·ble [nʌ́bəl] *n.* 작은 덩이; 작은 언덕〔섬〕. ㊕ **-bly** *a.* 덩이진, 마디〔혹〕투성이의.

nub·by [nʌ́bi] (***-bi·er; -bi·est***) *a.* 혹이〔마디가〕 많은; 작은 덩이 모양의.

Nu·bia [njú:biə/njú:-] *n.* 누비아《나일 강 유역의 고대 왕국》.

nu·bia *n.* 털실로 성기게 짠 여성용 큰 스카프.

Nu·bi·an [njú:biən/njú:-] *a.* Nubia의; 누비아인〔어〕의. **—** *n.* 누비아 주민, 《특히》 누비아 흑인; 누비아어; 누비아산(產) 아라비아 말.

Núbian Désert (the ~) 누비아 사막. 「의.

nu·bi·form [njú:bəfɔ̀:rm/njú:-] *a.* 구름 형태

nu·bile [njú:bil, -bail/njú:bail] *a.* (여자의) 결혼 적령기의, 나이 찬. ㊕ **nu·bil·i·ty** [nju:bíləti] *n.* Ⓤ 혼기(婚期), 묘령, 방년.

nu·bi·lous [njú:bələs/njú:-] *a.* 흐린, 안개가 짙은; 애매한.

nú bòdy [njú:-/njú:-] =NUCLEOSOME.

nu·chal [njú:kəl/njú:-] *a.* 목덜미의.

nu·cif·er·ous [nju:sífərəs/nju:-] *a.* 〖식물〗 견과(堅果)가 열리는.

nu·cle- [njú:kli/njú:-], **nu·cle·o-** [-kliou, -kliə] '핵 · 핵산(核酸)'이란 뜻의 결합사.

nu·cle·al [njú:kliəl/njú:-] *a.* =NUCLEAR.

nu·cle·ar [njú:kliər/njú:-] *a.* **1** 〖생물〗 (세포)핵의, 중심의, 핵을 이루는: ~ division 핵분열. **2** 〖물리〗 원자핵의; 핵무기의; 원자력 (이용)의; 핵을 보유하는, 핵무장의: a ~ charge 원자핵의 양전하(陽電荷) / a ~ (exclusion) clause 〖보험〗 원자력 재해 제외 조항 / ~ propulsion 핵추진(력) / a ~ scientist 원자 과학자 / a ~ ship 원자력선 / ~ war 핵전쟁 / ~ arms 핵무기. ***go ~*** 핵무장하다; 원자력 발전을 채용하다. **—** *n.* **1** 핵무기, 《특히》 핵미사일; 핵보유국. **2** 원자력 발전소(nuke). 「민증).

núclear állergy 핵알레르기《핵물질에 대한 과

núclear-ármed *a.* 핵장비의, 핵무장하고 있는.

núclear bómb 핵폭탄, 원수폭.

núclear chémistry (원자)핵 화학.

núclear clóud 원자운《핵폭탄 폭발 후 생기는 가스 · 먼지 · 연기로 형성되는 구름》.

núclear clúb 핵클럽《핵무기 보유국의 별칭; 미국, 러시아, 영국, 프랑스, 중국, 인도 등》.

núclear disármament 핵군축. 「NEMP.

Núclear Elèctro-Magnétic Pùlse ⇨

Núclear Emérgency Séarch Tèam 《미》 방사성 물질 긴급 탐사반《1975년 창설; 생략: NEST》.

núclear énergy 원자력, 원자핵 에너지.

núclear excúrsion 핵(에너지)반응에 대한 제어 불능.

núclear fállout 핵폭발 때의 방사능재.

núclear fámily (부모와 미혼 자녀만으로 구성된) 핵가족. ㊈ extended family.

núclear físsion 핵분열. 「INTERACTION.

núclear fórce 〖물리〗 핵력(核力); =STRONG

núclear-frèe *a.* 비핵의.

núclear-frée zòne 비핵(무장) 지대.

núclear fúel 핵연료.

núclear fúel cỳcle 〖물리〗 핵〔원자〕연료 사이클《우라늄 광석의 탐사 · 정련에서 방사성 폐기물 처리 등의 일련의 과정》. 「의 재처리.

núclear fúel repròcessing 〖물리〗 핵연료

núclear fúsion 〖물리 · 화학〗 핵융합.

núclear grápeshot 〖군사〗 소형 전술 핵무기.

nú·cle·ar·ìsm [-rìzəm] *n.* (국제 문제 대응 수단으로서의) 핵무기주의.

núclear ísomer 〖물리〗 핵이성체(核異性體).

nu·cle·ar·ize [njú:kliəràiz/njú:-] *vt.* …에 핵무기〔원자력〕를 장치하다, 핵보유국으로 하다; 《드물게》 (가족을) 핵가족화하다.

núclear magnétic résonance 〖물리〗 핵자기(核磁氣) 공명《원자핵의 자기를 이용한 분광법(分光法); 생략: NMR》.

núclear médicine 핵의학. 「膜).

núclear mémbrane 〖생물 · 해부〗 핵막(核

núclear mólecule 원자핵 분자.

Núclear Nonproliferátion Trèaty 핵확산 금지 조약《생략: NPT》.

núclear phýsicist 핵물리학자.

núclear phýsics (원자)핵물리학.

núclear píle 원자로(reactor).

núclear plànt 원자력 발전소.

núclear pówer **1** 원자력; 원자 전력: a ~ plant 원자력 발전소 / ~ generation 원자력 발전. **2** 핵(무기) 보유국.

núclear-pówered *a.* (선박이) 원자력을 이용한: a ~ submarine 원자력 잠수함.

núclear proliferátion 핵확산(核擴散).

núclear-propélled *a.* 원자력 추진의.

núclear radiátion 〖물리〗 핵방사.

núclear reáction 핵반응.

núclear reáctor 원자로(reactor).

Núclear Régulatory Commìssion (the ~) 《미》 원자력 규제 위원회《생략: NRC》.

núclear résonance 〖물리〗 핵공명(核共鳴).

núclear sáp 〖생물〗 핵액(核液).

núclear shélter 핵 대피소.

núclear-shíp bàn 핵함선 기항(寄港) 거부.

núclear súbmarine 원자력 잠수함《흔히 N-submarine, N-sub 로 생략함》.

Núclear Tést-Ban Trèaty 핵실험 금지 조약.

núclear tésting 핵실험.

núclear-típped [-t] *a.* 핵탄두를 장비한: a ~ missile.

núclear wárhead 핵탄두.

núclear wáste 핵폐기물, =RADIOACTIVE WASTE.

núclear wéapon 핵무기.

núclear wínter 핵겨울《핵전쟁 후에 일어나는 전 지구의 한랭화 현상》.

nu·cle·ase [njú:klièis, -eiz/njú:-] *n.* 〖생화학〗 뉴클레아제《핵산에 작용하는 효소》.

nu·cle·ate [njú:kliət, -klièit/njú:-] *vt., vi.* (…의) 핵을 이루다; 핵이 되다; 응집시키다〔하다〕. ── [-kliit, -èit] *a.* 핵이 있는; 핵에 기인하는. ㊀ **-àt·ed** [-id] *a.* 〖생물〗 핵을 지닌. **nù·cle·á·tion** [-éiʃən] *n.* Ⓤ 핵형성; 인공 강우법; 〖광물〗 결정핵(結晶核) 생성.

nu·clei [njú:kliài/njú:-] NUCLEUS의 복수.

nu·clé·ic ácid [nju:klí:ik-, -kléi-/nju:-] 〖생화학〗 핵산(核酸). ⓒⓕ DNA, RNA.

nucleo- ⇨ NUCLE-.

nùcleo·chronólogy *n.* 〖천문〗 원자핵 연대(법)《별의 진화에서 화학원소가 수소 원자핵으로 형성된다는 사고에 의거하여 추정하는 연대 측정》.

nùcleo·chronómeter *n.* 핵연대 측정 물질《원자핵 연대 측정에 쓰이는 화학원소〔동위원소〕》.

nùcleo·còsmo·chronólogy *n.* 핵우주 연대학《nucleochronology 에 의해 우주 혹은 그 일부의 형성 연대를 측정하는 분야》.

nùcleo·génesis *n.* =NUCLEOSYNTHESIS.

nu·cle·o·lo·ne·ma [nju:klì:ələní:mə/nju:-] *n.* 〖생물〗 인사(仁絲), 핵소체사(核小體絲)《인(仁)에서의 망상 구조의 총칭》.

nu·cle·o·lus [nju:klí:ələs / nju:-] (*pl.* **-li** [-lài]) *n.* Ⓤ 〖생물〗 세포핵의 인(仁), 핵인.

nu·cle·on [njú:kliàn/njú:kliɔ̀n] *n.* 〖물리〗 핵자(核子), 핵입자《양성자와 중성자의 총칭》.

nu·cle·on·ics [njù:kliániks/njù:kliɔ́niks] *n. pl.* 〔단수취급〕 (원자) 핵공학.

nu·cle·o·ni·um [njù:klióuniəm/njù:-] *n.* 〖물리〗 뉴클레오늄《물질과 반물질의 접촉 때 생기는 소립자》.

nu·cle·o·phile [njú:kliəfàil/njú:-] *n.* 〖화학〗 구핵(求核)(성) 시약(試藥). ── *a.* 구핵성의.

nu·cle·o·plasm [njú:kliəplæ̀zəm/njú:-] *n.* 〖생물〗 (세포의) 핵질(核質); 핵액(核液).

nùcleo·prótein *n.* 〖생화학〗 핵단백질.

nu·cle·o·side [njú:kliəsàid/njú:-] *n.* 〖생화학〗 뉴클레오시드《핵산(核酸) 또는 nucleotide 의 가수 분해로 얻어지는 화합물의 총칭》.

nu·cle·o·some [njú:kliəsòum/njú:-] *n.* 〖생물〗 뉴클레오솜《염색체의 기본 단위》.

nùcleo·sýnthesis *n.* Ⓤ 〖물리〗 (수소의 핵반응에 의한) 핵합성.

nu·cle·o·tid·ase [njù:kliətáideis, -deiz/njù:-] *n.* 〖생화학〗 뉴클레오티드 가수분해 효소.

nu·cle·o·tide [njú:kliətàid/njú:-] *n.* 〖생화학〗 뉴클레오티드《핵산(DNA, RNA)의 기본 단위》.

núcleotide sèquence 〖생화학·유전〗 뉴클레오티드 배열(base sequence).

***nu·cle·us** [njú:kliəs/njú:-] (*pl.* **-clei** [-kliài], **~·es**) *n.* **1** 핵, 심; 중심, 핵심, (집단의) 중심 부분《*of*》: the ~ *of* a story 〔speech〕 이야기〔연설〕의 요점. ⓒⓕ core, kernel. **2** (발전의) 기초, 토대. **3** 〖물리·화학〗 (원자)핵; 〖생물〗 세포핵; 〖해부〗 신경핵; 〖천문〗 혜성핵(彗星核).

nu·clide [njú:klaid/njú:-] *n.* 〖물리·화학〗 핵종(核種).

nude [nju:d/nju:d] *a.* **1** 발가벗은, 나체의; 노출된, 있는 그대로의. ⓈⓎⓃ ⇨ BARE[1]. **2** 수목이 없는 《야산 등》. **3** 장식이 없는《방 등》; 살빛의 《양말 등》. **4** 〖법률〗 법적 요건을 갖추지 않은; 무상(無償)의: a ~ pact 〔contract〕 《영》 무상 계약. **5** 〖식물〗 잎이 없는; 〖동물〗 털〔깃, 비늘 등〕이 없는. ── *n.* 〖미술〗 나체화〔상〕; (the ~) 나체 《상태》. ***in the*** **~** 나체로; 숨김없이. ── *vt.* 《미속어》 벌거벗기다. ~ ***it*** 나체가 되다; 나체주의를 실행하다. ㊀ **∠·ly** *ad.*

núde móuse 〖동물〗 누드마우스《털 없는 실험용 쥐; 흉선(胸腺)이 없어 면역 방어 기구가 없음》.

nudge[1] [nʌdʒ] *n.* (주의를 끌기 위해) 팔꿈치로 슬쩍 찌르기. ── *vt.* 팔꿈치로 슬쩍 찌르다; 조금씩 밀다; 주의를 끌다; 자극하다; 가까이 가다; …을 조금씩 밀다〔움직이다〕: ~ a person in the ribs 아무의 옆구리를 슬쩍 찌르다. ── *vi.* 살짝 찌르다〔밀다〕; 조금 움직이다. ~ a person 〔a thing〕 ***aside*** 아무를〔무엇을〕 옆으로 밀어젖히다: We ~*d* the old man *aside* and went on ahead. 노인을 밀어젖히고 앞으로 계속 나아갔다.

nudge[2] [nudʒ] *vt., vi.* (…에게) 귀찮게 말하다, 끈질기게 잔소리〔불평〕하다. ── *n.* 귀찮게 조르는〔잔소리하는〕 사람, 불평가.

nud·ie [njú:di/njú:-] 《속어》 *n.* 누드 영화〔쇼, 잡지《따위》〕, 포르노 (잡지). ── *a.* 누드를 다룬, 누드를 내세우는.

nud·ism [njú:dizəm/njú:-] *n.* Ⓤ 나체주의.

nud·ist [njú:dist/njú:-] *n.* 나체주의자: a ~ colony 〔camp〕 나체촌(村).

nu·di·ty [njú:dəti/njú:-] *n.* Ⓤ 벌거숭이; 적나라; Ⓒ 벌거벗은 것, 〖미술〗 나체상〔화〕.

nud·nick, -nik [núdnik] *n.* 《미속어》 귀찮은〔성가신〕 놈; 바보, 얼간이.

nudzh [nudʒ] *vt., vi., n.* =NUDGE[2].

nuf(f), 'nuf(f) [nʌf] *a., ad., n., int.* 《구어》 =ENOUGH.

nu·ga·to·ry [njú:gətɔ̀:ri/njú:gətəri] *a.* 무가치〔무의미〕한, 쓸모없는; 무효의.

nug·gar [nəgá:r] *n.* (Nile 강 상류의) 폭이 넓은 짐 싣는 배, 너벅선.

nug·get [nʌ́git] *n.* (광상(鑛床)에 박힌) 금괴(金塊); (천연의) 귀금속 덩어리; 뭉치; (*pl.*) 《비유》 귀중한 것, 돈; 《Austral. 구어》 땅딸막한 짐승〔사람〕: ~*s* of wisdom 귀중한〔가치 있는〕 지혜〔견식〕; 금언집. ㊀ **-gety** *a.* 덩어리진; (사람·짐승이) 땅딸막한.

N.U.G.M.W. 《영》 National Union of General and Municipal Workers.

nui·sance** [njú:səns/njú:-] *n.* **1** 폐, 성가심, 귀찮음, 불쾌: the index number of ~ 불쾌지수 / the ~ of city traffic 골치 아픈 시내 교통 사정. **2** 난처한〔성가신, 골치 아픈〕 것, 귀찮은 행위〔사람〕: Mosquitoes are a ~. 모기란 귀찮은 존재다. **3** 〖법률〗 불법 방해: a public 〔a private〕 ~ 공적〔사적〕인 불법 방해. ***abate a **~** (피해자가 자기 힘으로) 불법 방해를 제거하다. ***make a ~ of*** **oneself** =***make*** **oneself** ***a*** **~** 폐〔방해〕가 되다, (남에게) 눈총 맞다. **~ *per se*** 〖법률〗 당연한 불법 방해《때와 장소를 불문하고 당연히 불법 방해가 되는 것》. ***What a ~!*** 정말 귀찮군!

núisance tàx (과세 횟수가 많은) 소액 소비세 《보통 소비자가 부담》.

núisance válue Ⓤ 성가시게 한 만큼의 효과〔가치〕; 〖군사〗 (소규모 폭격 등의) 방해 효과.

N.U.J. 《영》 National Union of Journalists.

nù-jázz *n.* 뉴재즈《재즈와 기타 형식의 댄스 음악이 혼합된 형식》.

nuke [nju:k/nju:k] 《미속어》 *n.* **1** 핵무기 (nuclear weapon). **2** 원자력 발전소, 원자핵. ── *vt.* 핵무기로 공격하다.

núke·spèak *n.* 《구어》 **1** 핵용어, 핵문제 용어 《핵·원전 반대자 용어》. **2** 《완곡어》 핵.

null [nʌl] *a.* 효력이 없는, 무효의; 무익한; 특징이 없는; 존재하지 않는; 〖수학〗 영의; 공집합의; 〖컴퓨터〗 빈《정보의 부재》: ~ character 빈문자 《모든 비트가 0 인 문자; 자료 처리에 있어서 충전용 제어 문자》 / ~ string 빈문자열《길이가 0 인, 아무 문자도 없는 문자열》. **~ *and void*** 〖법률〗 무효의. ── *n.* 〖수학〗 영; (계기 등의) 영의 눈금, 영도; 〖컴퓨터〗 공백. ── *vt.* 영으로 하다.

nul·la bo·na [nʌ́lə-bóunə] 《L.》 〖법률〗 부재

(不在) 보고《집행관이 영장대로의 차압물을 발견 못했을 때의》. 「로; 협곡.

nul·lah [nʌ́lə] *n.* 《Ind.》 (자주 말라 붙는) 수

núll hypòthesis 〖통계〗 귀무가설(歸無假說). cf. alternative hypothesis.

nul·li·fi·ca·tion [nʌ̀ləfikéiʃən] *n.* Ⓤ 무효로 함〔됨〕, 무효화; 폐기, 취소; (종종 N-) 〖미국사〗 주(州)의 연방법 효력〔실시〕의 거부.

nul·li·fi·er [nʌ́ləfàiər] *n.* 무효로 하는 사람, 파기자(破棄者); (노력 등을) 수포로 돌아가게 하는 사람, 무가치하게 하는 사람.

◇**nul·li·fy** [nʌ́ləfài] *vt.* 무효로 하다, 파기〔취소〕하다; 무가치하게 만들다, 수포로 돌리다.

nul·lip·a·ra [nʌlípərə] (*pl.* **-rae** [-rìː]) *n.* 〖산과〗 미산부(未產婦). ⓟ **nul·li·par·i·ty** [nʌ̀ləpǽrəti] *n.*, **nul·lip·a·rous** [nʌlípərəs] *a.*

nul·li·ty [nʌ́ləti] *n.* Ⓤ 무효; Ⓒ 무효 행위, 무효 증서《따위》; Ⓤ 무, 전무(全無); Ⓒ 가치 없는 사람〔것〕: a ~ suit 혼인 무효 소송.

núll módem 〖컴퓨터〗 널 모뎀《랜이나 모뎀 등의 장비들을 쓰지 않고도 두 대의 컴퓨터를 연결하여 자료를 교환·공유할 수 있게 하는 케이블》.

núll sét 〖수학〗 공집합(空集合)(empty set).

NUM 《영》 National Union of Mineworkers.

num. numeral(s). **Num(b).** Numbers.

***numb** [nʌm] *a.* (추위 따위로) 감각을 잃은, (얼어서) 곱은(benumbed), 언; 마비된, 저린; 《미속어》 바보의: ~ *with* cold 추워서 곱은/She was ~ *with* grief. 그녀는 슬픔으로 인해 멍해 있었다. ── *vt.* 《~+목/+목+전+명》 《종종 수동태로》 감각을 없애다, 마비시키다, 곱게 하다: My lips *were* ~*ed with* cold. 내 입술은 추위로 감각이 없어졌다. ── *vi.* (감각이) 곱다, 마비되다. ⓟ **~·ly** *ad.* 감각을 잃고, 저려서, 마비되어. **~·ness** *n.* Ⓤ 저림, 마비, 곱음; 무감각.

númb-bráined *a.* 《속어》 어리석은, 바보 같은, 머리의 회전이 나쁜.

†**num·ber** [nʌ́mbər] *n.* **1 a** 수; 총수(total); 총원: a high 〔low〕 ~ 큰〔작은〕 수/in ~ 수로, 수는/in great 〔small〕 ~*s* 여럿이서〔소수로〕/ The ~ *of* students has been increasing. 학생 수가 늘어나고 있다. **b** (*pl.*) 수의 우세: win by (force of) ~*s* 수의 힘으로 이기다. **2** 숫자, 수사(數詞)(numeral); 〖컴퓨터〗 숫자. **3** 번호, 전화번호, 호수, 번지; (제) …번 《보통 숫자 앞에서는 No., no. 로 생략하고, #의 기호로 표시함. 주소를 쓸 때 번지수 앞에서는 보통 No.를 쓰지 않음》: a ~ 5 bus, 5번 버스/(The) ~ is engaged. 통화중입니다/The ~ of this card 〔room〕 is 18. 이 카드〔방〕의 번호는 18이다/a phone ~ 전화번호/#12, (제) 12호/a license ~ 등록 번호. **4** (잡지의) 호(issue); 프로그램 (중의 하나); (연주회의) 곡목: the May ~ 〔a back ~, ten ~*s*〕 of this magazine 이 잡지의 5월호〔묵은 호, 10호치〕. **5** 패, 동아리, 동료: He isn't of our ~. 그는 우리 패가 아니다. **6** (때로 *pl.*) 다수, 약간: ~*s of*... 다수의…/A (large) ~ 〔*Numbers*〕 *of* people were present. 많은 사람이 와 있었다. ★ a (large) ~ of ...나 *Numbers* of...는 모두 복수동사로 받음. **7** (*pl.*) 산수(arithmetic); 〖음악〗 음률; 운율; 운문, 시, 노래. **8** 〖문법〗 수《단복수의》, 수칭(數稱). ⇨ 《부록》 NUMBER. **9** 《미속어》 (다수 중에서 골라 낸) 사람, 물건; 《구어》 처녀, 젊은 여자: a cute ~ 예쁜 계집애. **10** 《구어》 상품, 팔 물건, 의복: The dress was a smart ~. **11** (the ~s) 《미》 =NUMBERS GAME; 《미속어》 직업 활동, 일; 《미속어》 마리화나 담배; 《미속어》 (심리적) 책략.

among the* ~ *of …의 수 안에, …의 가운데에. ***a* ~ *of*** 다수의, 몇몇의, 일군의: *a* small ~ *of* 소수의/*a* great 〔large〕 ~ *of* 다수의/*a* ~ *of* times 종종, 몇 번이나/There are *a* ~ *of* books in his study. 그의 서재에는 많은 책이 있다. ***any* ~** 꽤 많이(quite a few)《*of*》: He has shown me *any* ~ *of* kindness. 내게 여러가지로 친절하게 해 주었다. ***beyond* ~** 셀 수 없는〔없이〕, 무수한〔히〕. ***by* ~*s*** 〖영군사〗 =by the ~*s*. ***by the* ~*s*** 〖미군사〗 구령에 맞추어; 한 발짝 한 발짝 착실히; 규칙대로, 적절히, 정직하게. ***do a ...* ~** 《미속어·Can. 속어》 …한 짓을 하다, …해주다. ***do a* ~ *on*** 《미속어·Can. 속어》 속이다;비웃다, 바보 취급하다; 《미속어》 (책략 등으로) 상처를 주다, 손해를 입히다, 면목을 잃게 하다. ***do* one*'s* ~** 연기하다, 무대에 서다; 《속어》 늘 정해 놓고 하는〔예상대로의〕 행동을 하다: It's time for you to get on stage and *do your* ~. 무대에 나가 연기할 시간이다/Whenever I call, he *does his* ~ about being too busy to talk. 언제나 전화를 걸면 그는 으레〔늘〕 지금 너무 바빠서 이야기할 시간이 없다고 말한다. ***get* 〔*have*〕 a person*'s* ~** 《구어》 아무의 의중〔성격〕을 간파하다. ***have* a person*'s* ~ *on it*** 《속어》 (탄알 등이) (아무에게) 치명상을 주게 되어 있다. ***have* one*'s* ~ *up*** =one's ~ is up. ***in* 〔*by*〕 ~** 수에 있어서, 수효는; 총계해서. ***in* ~*s*** (잡지 등을) 분책(分冊)하여; 몇 번에 나누어서. ***in round* ~** 대충, 어림셈으로. ***make* one*'s* ~ *with*** a person 《속어》 아무와 연락을 하다. ***out of* ~** =***without* ~** 무수한. ***quite a* ~** 상당한 수(의), 꽤 많은. a person*'s* (***lucky***) **~ *comes up*** 《구어》 갑자기 운이 트이다. one*'s* **~ *is* 〔*goes*〕 *up*** 《구어》 수명〔운〕이 다하다; 진퇴양난이다; 《구어》 죽음이 다가오다. ***to the* ~ *of*** …수에 이르도록, …수만큼(as many as): live *to the* ~ *of* eighty 여든까지 살다.

── *vt.* **1** 세다. **2** 열거하다. **3** 《+목+전+명》 세어 넣다, …의 속에 넣다, 구성원으로〔요소로〕 간주하다《*among; in; with*》: ~ a person *among* one's friends 아무를 친구의 한 사람으로 치다. **4** (총계) …이 되다; …의 수에 달하다. **5** …의 수가 있다, (수 가운데) 포함하다. **6** 《수동태》 …의 수를 제한하다; 국한하다: His days *are* ~*ed*. 그의 여생은 얼마 안 남았다. **7** 《+목/+목+전+명》 …에 번호〔숫자〕를 매기다: ~ the page *in* a book/~ the boxes (*from*) 1 *to* 10. 상자에 1에서 10까지 번호를 매기다. **8** …년 살고 있다; …살에 달하다: He ~*s* fourscore. 그는 여든 살의 고령이다. ── *vi.* **1** 세다. **2** 《+전+명》 총계 …이 되다《*in*》: ~ *in* the thousands 천대에 달하다. **3** 《+전+명》 포함되다《*among; with*》: That record ~*s among* the top ten. 저 음반은 톱텐에 올라 있다. **~ *off*** (점호 때) 번호를 부르다, '번호' 구령을 걸다, 《명령형》 번호! ⓟ **~·er** *n.* 세는〔번호 매기는〕 사람.

númber-cónscious *a.* 숫자에 신경을 쓰는.

númber crùncher 《구어》 (복잡한 계산을 하는) 대형 컴퓨터.

númber-crùnching *a.* 《구어》 방대한 양의 계산을 하는. ── *n.* 《미속어》 **1** (컴퓨터의) 사용, 프로그래밍. **2** (10대 사이에서 고교 과정의) 수학, 통계학, 컴퓨터 과학. **3** 계산, 산술. 「계좌.

númbered accóunt 번호만을 등록하는 은행

númbering machìne 번호 인자기(印字機), 넘버링(머신).

númbering sỳstem 〖미식축구〗 숫자를 써서 경기를 나타내는 방식《선수들의 위치·지역에 번호를 붙임》.

◇**num·ber·less** [nʌ́mbərlis] *a.* **1** 셀 수 없는 (innumerable), 무수한. **2** 번호 없는.

númber lìne 〖수학〗 수직선(數直線).
númber óne 《구어》 자기(oneself); 《구어》 자기 이해(利害); 《미구어》 제 1 급〔1 류〕의 것; 《구어》 아주 훌륭한 제복〔옷〕; 《미속어》 무대의 앞쪽 《연기나 사회를 하는》; 《소아어·완곡어》 쉬, 소변: do ~s 쉬하다.
númber óne bòy 《미구어》 권력자, 《특히》 사장, 상사, 수뇌; 믿는 보좌역; =YES-MAN; 자기 비용의 옷으로 출연하는 엑스트라.
númber plàte 《영》 (자동차 따위의) 번호판 (《미》 license plate); (가옥의) 번지 표시판.
Num·bers [nʌ́mbərz] *n. pl.* 〘단수취급〙 〖성서〗 (구약의) 민수기(民數記)《생략: Num(b).》.
númber's gáme 《미정치속어》 숫자놀음《자기 주장의 보강으로, 툭하면 통계 수치를 초들기; 흔히 기만이 목적》.
númbers gáme 〔《미》 **póol, ràcket**〕 숫자 도박《신문에 난 각종 통계 숫자의 아래 세자리로 하는 불법 도박》.
númber(s) rùnner 《미》 numbers game에서 부당 이득을 취하는 사람.
númber tén 《미속어》 최악의. 「상 관저.
Númber Tén (**Dówning Stréet**) 영국 수
númber thèory 〖수학〗 정수론(theory of numbers).
númber thrée 《비어》 성교, 수음.
númber twó 제 2 실력자, 보좌역; 《소아어·완곡어》 응가, 대변.
númber wòrk 산수, 산술.
númb·fish *n.* 〖어류〗 시끈가오리.
númb-héad *n.* 《미구어》 바보, 멍텅구리. ㊎ **~·ed** [-id] *a.* 《미구어》 바보〔숙맥〕 같은.
numb·ing [nʌ́miŋ] *a.* 마비시키는, 저리게 하는; 아연〔망연〕케 하는.
numbskull ⇨ NUMSKULL. 「두꺼운) 펠트 천.
num·dah [nʌ́mdɑː] *n.* Ⓤ (인도·페르시아의
nu·men [njúːmin/njúːmen] (*pl.* ***-mi·na*** [-mənə]) *n.* (자연물 또는 장소에 깃든다고 여겨지는) 신령, 수호신; 영력.
nu·mer·a·ble [njúːmərəbəl/njúː-] *a.* 셀 수 있는, 계산할 수 있는(countable).
nu·mer·a·cy [njúːmərəsi/njúː-] *n.* Ⓤ 수량적 사고 능력, 기본적 계산력.
nu·me·raire [njùːmərέər/njùː-] *n.* 《F.》 통화 교환 비율 기준.
◇**nu·mer·al** [njúːmərəl/njúː-] *a.* 수의; 수를 나타내는: a ~ adjective 수(數)형용사. **—** *n.* **1** 숫자; 〖문법〗 수사(數詞)(⇨《부록》 NUMERAL I, II): the Arabic 〔Roman〕 ~*s* 아라비아〔로마〕숫자. **2** (*pl.*) 《미》 (학교에서 우수한 경기자 등이 붙이는) 학년이 표시된 선수 기장.
nu·mer·ary [njúːmərèri/njúːmərəri] *a.* 수의.
nu·mer·ate [njúːmərèit/njúː-] *vt.* 세다, 계산하다; (숫자를) 낱낱이 세다(enumerate). **—** [-mərət] *a.* 《영》 수리적 사고에 강한.
nù·mer·á·tion *n.* Ⓤ 계수(計數), 계산(법); 〖수학〗 명수법(命數法): decimal ~ 십진법.
nu·mer·a·tor [njúːmərèitər/njúː-] *n.* **1** 〖수학〗 (분수의) 분자. ㊀ denominator. **2** 계산하는 사람; 계산기.
nu·mer·ic [njuːmérik/njuː-] *a.* =NUMERICAL. **—** *n.* 수; 분수; 〖컴퓨터〗 수치 데이터.
◇**nu·mer·i·cal** [njuːmérikəl/njuː-] *a.* 수의, 수를 나타내는, 숫자상의; 숫자로 나타낸; 계산 기술의〔에 관한〕: in ~ order 번호순으로/the ~ strength 인원. ㊎ **~·ly** *ad.*
numérical análysis 수치 해석(법)《수치 계산을 사용해서 행하는 근사법(近似法)의 연구》.
numérical áperture 개구수(開口數)《현미경의 분해 능력을 나타냄》.
numérical contról 〖컴퓨터〗 수치 제어(數值制御)《자동화의 방법; 생략: NC》.
numérical contról machíne tòol (컴퓨터로 움직이는) 수치 제어 공작 기계.
numérically-contrólled *a.* (공작 기계 등이) 수치 제어된.
numérical taxónomy 〖생물〗 수량 분류학.
numéric kéypad 〔**pád**〕 〖컴퓨터〗 숫자 키패드《숫자나 산술 연산 기호의 키〔글쇠〕를 집합 배치한 자판의 한 구획〔별개의 자판〕》.
nu·mer·ol·o·gy [njùːmərάlədʒi/njùːmərɔ́l-] *n.* Ⓤ 수비학(數秘學), 수점(數占)《생일의 숫자·이름의 총 숫자로 운세를 점침》.
nu·me·ro uno [njúːmərouúːnou/njúː-] 《Sp.》 《구어》 최고의 것(number one); 자기.
***nu·mer·ous** [njúːmərəs/njúː-] *a.* **1** 다수의, 수많은; 많은 사람의: a ~ army 대군/the ~ voice of the people 《고어》 여론. SYN. ⇨ MANY. **2** 《고어·시어》 (문장·시가) 가락이 좋은, 운율적인. ㊎ **~·ly** *ad.* **~·ness** *n.*
Nu·mid·ia [njuːmídiə/njuː-] *n.* 누미디아《아프리카 북부의 옛 왕국》. ㊎ **-i·an** *a., n.* ~의 (사람); Ⓤ 고대 누미디아어(語).
nu·mi·nous [njúːmənəs/njúː-] *a.* 초자연적인, 신령적인, 신비적인, 장엄한. 「matical.
numis., numism. numismatic(s); numis-
nu·mis·mat·ic, -i·cal [njùːməzmǽtik, -məs-/njùːmiz-], [-əl] *a.* 화폐의; 메달의; 고전학(古錢學)(자)의.
nù·mis·mát·ics *n. pl.* 〘단수취급〙 화폐학; 고전(古錢)·메달류(類)의 연구〔수집〕.
nu·mis·ma·tist [njuːmízmətist, -mís-/njuːmíz-] *n.* 고전(古錢)·메달 연구가〔수집가〕.
nu·mis·ma·tol·o·gy [njuːmìzmətάlədʒi, -mìs-/njuːmìzmətɔ́l-] *n.* =NUMISMATICS.
Núm Lóck 〖컴퓨터〗 넘 록《키보드 오른쪽의 숫자 키패드를 방향키로 사용할 것인지를 선택함》.
Núm Lóck kèy 〖컴퓨터〗 넘 록 키《숫자 키패드를 쓸 때 누르는 키》. [◂ *Numeric Lock key*]
num·ma·ry, 《고어》 **num·mu·lary** [nʌ́məri], [nʌ́mjəlèri/-ləri] *a.* 화폐의, 화폐〔금전〕에 관한; 화폐를〔금전을〕 다루는.
num·mu·lar [nʌ́mjələr] *a.* 화폐〔돈〕에 관한; 동전 모양의; 〖병리〗 (피부 증상이) 동전 모양의.
num·mu·lite [nʌ́mjəlàit] *n.* 〖고생물〗 화폐석(貨幣石).
num·mu·lít·ic límestone [nʌ̀mjəlítik-] 〖암석〗 화폐석 석회암《화폐석이 주성분임》.
num·nah [nʌ́mnə, -nɑː] *n.* 안장 방석.
num·skull, numb- [nʌ́mskʌ̀l] *n.* 《구어》 바보, 멍텅구리.
***nun** [nʌn] *n.* **1** 수녀. ㊀ monk. **2** 흰 집비둘기의 일종; 독나방의 일종.
nun·a·tak [nʌ́nətæ̀k] *n.* (빙하 표면에서) 돌출(突出)한 암봉(岩峰).
nún bùoy 〖해사〗 마름모 부표.
Nunc Di·mit·tis [nʌ́ŋk-dimítis] 《L.》 〖성서〗 시므온(Simeon)의 노래《누가복음 II: 29-32》; (n- d-) 고별(departure), 별세. ***sing** one's **nunc dimittis*** 기꺼이 가다〔죽다〕.
nun·ci·a·ture [nʌ́nʃiətʃər] *n.* Ⓤ 로마 교황 대사〔사절〕의 직〔임기〕. 「로마 교황 대사.
nun·cio [nʌ́nʃiòu] (*pl.* **~s**) *n.* (외국 주재의)
nun·cle [nʌ́ŋkəl] *n.* 《방언》 =UNCLE.
nun·cu·pate [nʌ́ŋkjəpèit] *vt.* 구두로 하다, (유언 따위를) 구술(口述)하다. ㊎ **nùn·cu·pá·tion** *n.* Ⓤ 구두 유언.
nun·cu·pa·tive [nʌ́ŋkjəpèitiv] *a.* 〖법률〗 (유언이) 구두의, 구술의; 기록되어 있지 않은: a ~ will 〖법률〗 임종 구두 유언.

nún·hòod *n.* 수녀임, 수녀의 신분. 「녀단(團).
nun·nery [nʌ́nəri] (*pl.* **-ner·ies**) *n.* 수녀원, 수
nun·nish [nʌ́niʃ] *a.* 수녀의, 수녀다운.
nún's clóth 〔**véiling**〕 얇은 나사의 일종.
nuoc mam [nwɔ́:kmɑ́:m/nwɔ́k-] 누옥맘《생선 젓국을 원료로 한, 몹시 짠 베트남 소스》.
NUPE, N.U.P.E. 《영》 National Union of Public Employees.
nu·plex [njú:pleks/njú:-] *n.* 원자력 공업단지, 핵(核)콤비나트. [◂ *nu*clear-powered com*plex*]
nup·tial [nʌ́pʃəl, -tʃəl] *a.* 결혼(식)의. **—** *n.* (보통 *pl.*) 결혼식, 혼례(wedding).
núptial flíght 〖곤충〗 혼인 비행《흰개미·벌 등의 암수가 교미하려고 어지러이 나는 일》.
nup·ti·al·i·ty [nʌ̀pʃiǽləti, -tʃi-] *n.* 결혼율.
N.U.R. 《영》 National Union of Railwaymen.
nurd ⇨ NERD.
Nurd Chic [nə́:rdʃí(:)k] 〖복식〗 일부러 속되고 촌티나게 해서 오히려 돋보이게 한 복장.
Nu·rem·berg [njúərəmbə̀:rg/njúər-] *n.* 뉘른베르크《독일 남부의 도시; 나치스 전범의 재판을 한 곳》: the ~ trials 뉘른베르크 재판.
⁑**nurse** [nə:rs] *n.* **1** 유모(wet ~); 보모(dry ~); =NURSEMAID. **2** 간호사, 간호인. **3** 양성하는 사람; 양성소(nursery). **4** 〖식물〗 보호수《어린나무를 보호하기 위한》; 〖곤충〗 보모충《유충을 보호하는 곤충; 일벌·일개미 따위》. ***at*** **~** 유모〔보모〕에게 맡겨져. ***put*** **...** (***out***) ***to*** **~** 양아들〔양딸〕로 보내다; (재산 등을) 관재인에게 예탁하다.
— *vt.* **1** 《~+목/+목+부/+목+전+명》 아이 보다, 돌보다; …에게 젖을 먹이다, 키우다, 양육하다: ~ a plant *along* 식물을 키워 나가다/~ a baby *at* the breast 아기를 모유로 키우다/ He has been ~*d in* luxury 〔poverty〕. 그는 호사스럽게〔가난하게〕 자랐다. **2** 어르다, 애무하다, 끌어안다. **3** (원한·희망 따위를) (마음에) 품다: ~ a grudge 〔ambitions〕 원한〔야망〕을 품다. **4** 《~+목/+목+전+명》 (환자를) 간호하다, 병구완하다: ~ a patient back *to* life 환자를 간호하여 소생시키다. **5** (병을 보양하여) 고치다, 치료에 힘쓰다: ~ a cold 감기 치유를 위해 조리하다. **6** 주의하여 다루다, 소중히 하다: ~ a memento 기념품을 소중히 하다. **7** 《영》 (선거구민의) 비위를 맞추다: ~ a constituency 선거구민을 회유하다. **8** 단단히 지니다: ~ a trunk between legs 트렁크를 양다리 사이에 꽉 끼다. **9** 〖당구〗 (잇달아 cannon 을 칠 수 있도록 공을) 모으다.
— *vi.* **1** 젖을 먹이다. **2** 《~/+전+명》 (어린애가) 젖을 먹다: The baby was *nursing at* its mother's breast. 갓난아이가 엄마 품에서 젖을 먹고 있었다. **3** 간호하다, 간호사로 일하다. ***~ a fire*** 불이 꺼지지 않도록 지키다. ***~ a horse*** (나중을 위해) 처음엔 말을 달리지 않게 하다.
núrse-chìld (*pl.* **-children** [-tʃìldrən]) *n.* 수양아들〔딸〕.
núrse-clinícian *n.* =NURSE-PRACTITIONER.
núrse·hòund *n.* 〖어류〗 돔발상어의 일종.
nurse·ling [nə́:rsliŋ] *n.* =NURSLING.
núrse·màid *n.* 아이 보는 여자; 《비유》 참견하길 좋아하는 사람. 「產士).
núrse-mídwife *n.* (자격증 소유의) 조산사(助
núrse-practítioner *n.* 〖의학〗 임상 간호사(nurse-clinician) 《생략: NP》. cf. physician's assistant.
nurs·er [nə́:rsər] *n.* 유모, 양육〔양성〕자; = NURSING BOTTLE.
***nurs·ery** [nə́:rsəri] *n.* **1** 아이 방, 육아실; 탁아소(day ~); 보육원; (병원의) 신생아실. **2** 묘상(苗床), 못자리; 종묘원; 양어장; 동물 사육실. **3** 양성소, 훈련소《*of; for*》; 온상《*of; for*》: Slums are *nurseries for* young criminals. 슬럼가(街)는 나이 어린 범죄자들의 온상이다.
núrsery cànnon 〖당구〗 모인 공의 캐넌.
núrsery gàrden 묘목밭.
núrsery gòverness 보모 겸 가정교사.
núrsery·màid *n.* =NURSEMAID.
núrsery·man [-mən] (*pl.* **-men** [-mən]) *n.* 종묘원 주인〔정원사〕.
núrsery nùrse 《영》 보모. 「스).
núrsery ràce 〖경마〗 3세마(歲馬) 경주〔레이
núrsery rhỳme 〔**sòng**〕 전승 동요, 자장가.
núrsery schòol 보육원(nursery).
núrsery slòpes 〖스키〗 초보자용 (활강) 코스.
núrsery stòck 묘목밭의 어린나무.
núrsery tàle 옛날 이야기, 동화.
núrse's áide 간호 보조원.
núrse trèe 보호수《비바람으로부터 어린나무 따위를 보호하기 위한》. 「마, 언니(nurse).
nurs·ey, nurs·ie [nə́:rsi] *n.* 《소아어》 아줌
nurs·ing [nə́:rsiŋ] *a.* 수유(授乳)〔포유〕하는, 양육〔보육〕하는; 간호하는: one's ~ father 양부/ ~ mother 양모; 모유로 키우는 어머니. **—** *n.* (직업으로서의) 보육(업무), 간호(업무).
núrsing bòttle 포유〔젖〕병(甁).
núrsing hòme 《영》 개인 병원〔산원(產院)〕; (노인·병자의) 요양소.
núrsing schòol 간호 학교, 간호사 양성소.
nurs·ling [nə́:rsliŋ] *n.* **1** (유모가 기르는) 젖먹이, 유아. **2** 귀하게 자란 사람, 귀염둥이, 비장품. **3** 젖떼지 않은 새끼 짐승.
nur·tur·ance [nə́:rtʃərəns] *n.* (애정 깊은) 양육, 양호. 파 **-ant** *a.*
◇**nur·ture** [nə́:rtʃər] *n.* Ⓤ 양육; 양성, 훈육, 교육; 영양(물), 음식: nature and ~ 선천적 자질과 생육 환경, 가문과 성장(과정). **—** *vt.* 양육하다; …에 영양물을 주다; 가르쳐 길들이다, 교육하다: a delicately ~*d* girl 허약하게 자란 소녀.
N.U.S. 《영》 National Union of Students (전국 학생 연맹).
⁑**nut** [nʌt] *n.* **1** 견과《호두·개암·밤 따위》. cf. berry. **2** 어려운 일, 난문; 다루기 힘든사람. **3** 〖기계〗 너트, 고정나사. **4** 〖음악〗 (현악기의 활의) 조리개; 현악기 지판(指板) 상부의 줄을 조절하는 부분. **5** 《속어》 대가리; 괴짜, 바보, 미치광이, 열광적 애호가 〔신봉자〕(cf. nuts); 《미속어》 남자, 놈: work one's ~ 머리를 쓰다/a golf ~ 골프광(狂). **6** 《영》 멋쟁이. **7** (*pl.*) 아주 좋아하는 것; (the ~s) 〖단수취급〗 《미속어》 쾌락〔기쁨〕을 주는 것《*to; for*》: This is the ~*s to* me. 이거 참 재미있구나. **8** (*pl.*) 《영》 (석탄·버터 등의) 작은 덩이; 《비어》 (*pl.*) 불알; 《구어》 큰돈; (특히 연극·TV의) 제작비; 경관에게 주는 뇌물. ***a hard*** 〔***tough***〕 **~** ***to crack*** 어려운 것〔문제〕; 만만찮은 사람: I have *a hard* ~ *to crack* with you. 너와 잘 상의할 어려운 일이 있다. ***be*** (***dead***) **~**(***s***) ***on*** 《속어》 …에 열중하고 있다, …을 매우 좋아하다; …을 썩 잘하다. ***be ~s*** 《속어》 (머리가) 돌았다. ***be ~s to*** 〔***for***〕 (⇨ *n.* 7). ***do*** one***'s ~*** (***s***) 《영속어》 불같이 노하다, 열중하다, 허둥거리다. ***for ~s*** 《영속어》 〖부정어에 수반하여〗 조금도, 아무리 해도. ***get*** one***'s ~ off*** = get one's ROCKS off. ***go ~s*** 《속어》 돌다, 미치

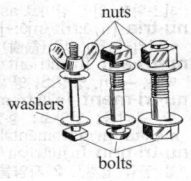

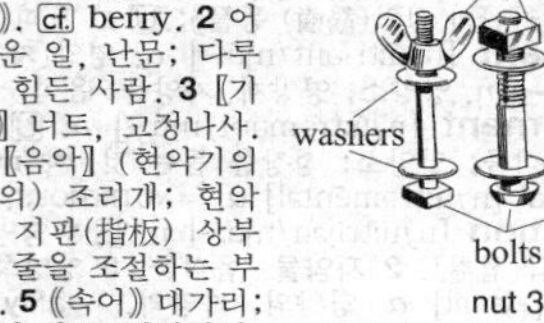

nut 3

다. **not care a** (**rotten**) ~ 조금도 상관〔개의치〕 않다. **off** one's ~ 《속어》 미쳐서; 화나서; 취하여; 틀려, 잘못되어.
— (**-tt-**) *vi.* 나무 열매를 줍다; 《영속어》 …에게 박치기를 먹이다; 《미속어》 성교하다. **go ~ting** 나무 열매를 주우러 가다.
㊞ **∠·lìke** *a.* ~와 같은.

N.U.T. 《영》 National Union of Teachers.

nu·tant [njúːtnt/njúː-] *a.* 【식물】 (줄기·꽃·열매가) 고개를 숙인.

nu·ta·tion [njuːtéiʃən/njuː-] *n.* Ⓤ 머리를 떨굼, 고개 숙임; 끄덕임; 【식물】 전두(轉頭) 운동; 【천문】 장동(章動)《지축의 미동》; 도는 팽이의 상체 운동.

nút·brówn *a.* 개암〔밤〕색의.

nút·bùtter *n.* Ⓤ 나무 열매로 만든 대용 버터.

nút·càke *n.* 견과를 넣은 케이크; =DOUGHNUT.

nút càse 《속어》 미치광이; 괴짜.

nút·cràcker *n.* (보통 *pl.*) 호두 까는 기구; 【조류】 산갈가마귀; 《미속어》 【축구】 한 선수를 상대측 선수의 하나 또는 둘이 격렬하게 부딪는 연습 방법; 《미속어》 달성하기 힘든 것. — *a.* 호두 까기 같은: a ~ face (나면서부터 또는 이가 빠지거나 해서) 합죽이처럼 된 얼굴.

nút fàctory 〔**fàrm, fòundry**〕 《미속어》 =NUT HOUSE.

nút·gàll *n.* 오배자, 《특히》 몰식자(沒食子).

nút·hàtch *n.* 【조류】 동고비.

nút hòuse 《속어》 정신 병원.

nút·mèat *n.* 《미》 (식용하는) 견과(堅果)의 살.

nút·meg [-meg] *n.* **1** 【식물】 육두구(肉荳蔻); 그 열매의 씨《약용·향료용》. **2** 잿빛이 도는 갈색. **3** (N-) Nutmeg State〔코네티컷 주〕의 주민.

nútmeg àpple 육두구나무의 열매. 「속칭.

Nútmeg Stàte (the ~) Connecticut 주의

nút òil 견과유《개암·호두 따위에서 짜냄》.

nút·pìck *n.* 호두 속을 파내는 식탁용 기구.

nút pìne (열매가 식용이 되는 각종) 소나무.

Nu·tra·Sweet [njúːtrəswìːt/njúː-] *n.* 뉴트러스위트《인공 감미료 aspartame 의 상표명》.

nu·tria [njúːtriə/njúː-] *n.* 【동물】 뉴트리아《남아메리카산의 설치(齧齒) 동물》; Ⓤ 그 모피.

nu·tri·ent [njúːtriənt/njúː-] *a.* 영양〔자양〕이 되는. — *n.* 영양소; 영양제, 자양물; 음식.

nu·tri·ment [njúːtrəmənt/njúː-] *n.* Ⓤ 영양물, 음식물; 영양소; 성장을 돕는 것. ㊞ **nu·tri·men·tal** [njùːtrəméntəl] *a.* =NUTRITIOUS.

***nu·tri·tion** [njuːtríʃən/njuː-] *n.* Ⓤ **1** 영양; 영양 공급〔섭취〕. **2** 자양물, 음식물. **3** 영양학. ㊞ **~·al** [-ʃənəl] *a.* 영양의, 자양의. **~·al·ly** *ad.* **~·ist** *n.* 영양사〔학자〕.

°**nu·tri·tious** [njuːtríʃəs/njuː-] *a.* 영양분이 있는, 영양의. ㊞ **~·ly** *ad.* **~·ness** *n.*

nu·tri·tive [njúːtrətiv/njúː-] *a.* 영양이 되는, 영양분이 있는; 영양의, 영양에 관한. — *n.* 자양 식품. ㊞ **~·ly** *ad.* **~·ness** *n.*

nútritive rátio 영양비《식료·사료 중에서 다른 영양분에 대하여 소화되는 단백질의 비율》.

nu·tri·ture [njúːtrətʃər/njúː-] *n.* Ⓤ 자양 식품; 영양 상태.

nuts [nʌts] *int.* 《속어》 〖경멸·혐오·거부·실망 등을 나타내어〗 쯧쯧, 시시하군, 제기랄, 바보같이, 어이없군《*to*》: *Nuts* (to you)! 말도 안돼. — 《속어》 *a.* 열광적인; 미친, 미치광이의: go ~ 미쳐 버리다; 열중하다. **be** (**dead**) ~ **about** 〔**on**〕 …에 열중하다; …에 능하다. **drive** a person ~ =drive a person BANANAS.

núts and bólts (흔히 the ~) (기계의) 짜임새, 구조; 운전, 실무; 실제적 부분; (사물의) 요체(要諦), 기본, 요점《*of*》.

núts-and-bólts [-ənd-] *a.* 근본적인; 실천〔실제, 기본〕적인; 자질구레한.

nút·shèll *n.* 견과(堅果)의 껍질; 극히 작은 그릇〔집〕; 작은〔짧은, 소수의〕 것; 《고어》 하찮은 물건. **in a** ~ 아주 간결하게: put ... *in a* ~ …을 짧게 말하다. — *vt.* 요약하다, 간결히 표현하다.

nutso [nʌ́tsou] *n.* 《미속어》 =NUT CASE.

nut·ter [nʌ́tər] *n.* 나무 열매를 줍는〔모으는〕 사람; =NUT-BUTTER; 《속어》 미치광이.

nut·ting [nʌ́tiŋ] *n.* Ⓤ 나무 열매〔호두〕줍기.

nút trèe 견과수, 《특히》 개암나무(hazel).

nut·ty [nʌ́ti] (**-ti·er; -ti·est**) *a.* **1** 견과(堅果)가 많은; 견과 맛이 나는. **2** 《속어》 머리가 돈, 미치광이의; 《속어》 반해서; 열중하여《*about; on; over*》. **3** 신선한; 내용이 충실한; 《영》 멋있는. ㊞ **-ti·ness** [-nis] *n.* Ⓤ 견과의 맛이 있음; 《속어》 홀딱 반함.

nút·wòod *n.* 견과수; Ⓤ 그 목재.

nux vom·i·ca [nʌ́ksvámikə/-vɔ́m-] 【식물】 마전(馬錢)《동인도산의 상록 교목》; 그 씨, 마전자(馬錢子)《스트리크닌제(劑)의 원료》.

Nu·yo·ri·can [nùːjɔːríːkən/njùː-] *a.*, *n.* 《미》 =NEORICAN.

nuz·zle [nʌ́zəl] *vt.* **1** 코로 (구멍을) 파다; 코로 비비다; (머리·얼굴·코 등을) 디밀다, 밀어넣다. **2** …에 다가붙다, …에 붙어 자다(nestle): ~ one*self* 다가붙다. — *vi.* **1** 코로 구멍을 파다; 코로 비비〔밀어〕대다《*into; against*》; 코로 냄새 맡다(sniff). **2** 다가붙다, 붙어 자다. — *n.* 포옹.

NV 【미우편】 Nevada; nonvoting; new version. **NVA** North Vietnamese Army 《베트남 전쟁 때의 월맹군》. **n.v.d.** no value declared. **NVG** night vision goggles. **N.V.M.** Nativity of the Virgin Mary. **NVQ** National Vocational Qualification. **NW, N.W.** northwest(ern); North Wales. **NWA** Northwest Airlines; 《미》 National Wrestling Alliance. **NWbN**〔**W**〕 northwest by north 〔west〕. **NWC** 《미》 National War College. **NWPC** 《미》 National Women's Political Caucus (전미 여성 정치 간부회). **N.W.P**(**rov**). Northwest Provinces《영령 인도》. **NWS** National Weather Service. **n.wt.** net weight. **N.W.T.** Northwest Territories. **nxm** 《해커속어》 nonexistent memory. **NY** 【미우편】 New York. **N.Y.** New York (State). **NYA, N.Y.A.** 《미》 National Youth Administration.

Nya·sa·land [njáːsaːlæ̀nd, naiǽsə-] *n.* 니아살랜드《Malawi 공화국의 구칭; 1964 년 독립》.

nyb·ble [níbəl] *n.* 《컴퓨터속어》 바이트(byte)의 2 분의 1, 1/2 바이트.

N.Y.C. New York City 〔Central〕.

nyct- [nikt], **nyc·ti-** [nikti], **nyc·to-** [níktou, -tə] '밤' 이란 뜻의 결합사.

nyc·ta·lo·pia [nìktəlóupiə] *n.* 【의학】 야맹(증) (nightblindness); 《오용》 주맹증(晝盲症). ㊞ **nỳc·ta·lóp·ic** [-lápik/-lɔ́p-] *a.* 야맹의.

nyc·ti·nas·ty [níktənæ̀sti] *n.* 【식물】 수면 운동, 주야(晝夜) 운동《주야의 변화에 대응하여 생기는 잎의 상하 운동이나 꽃의 개폐 운동》.

nyc·ti·trop·ic [nìktətrápik/-trɔ́p-] *a.* 【식물】 밤에 방향을 바꾸는 성질이 있는《잎》, 굴암성(屈暗性)의.

nyc·to·pho·bia [nìktəfóubiə] *n.* 【의학】 어둠〔야간〕 공포증.

Ny·dra·zid [náidrəzid] *n.* Ⓤ 나이드라지드《결핵 치료약; 상표명》. 「opp da.

nyet [et; *Russ.* n'et] *ad.* 《Russ.》 아니요(no).

nyl·ghau [nílgɔː] *n.* 영양(羚羊)의 일종(nilgai).

***ny·lon** [náilɑn/-lɔn] *n.* Ⓤ 나일론; Ⓒ 나일론

제품; (*pl.*) 여자용 나일론 양말(= ∸ **stóckings**).

*__nymph__ [nimf] *n.* **1** 〖그리스신화·로마신화〗 님프, 여정(女精). **2** 《시어》 아름다운 처녀. **3** 〖곤충〗 애벌레; 《드물게》 번데기(pupa). [파] **∸·al, ∸·lìke** *a.* 님프와 같은; 아름다운.

nym·pha [nímfə] (*pl.* **-phae** [-fiː]) *n.* 〖곤충〗 애벌레; (*pl.*) 〖해부〗 소음순(小陰脣).

nym·phae·um [nimfíːəm] (*pl.* **-phaea** [fíːə]) *n.* 님프를 모시는 사당(祠堂).

nymph·a·lid [nímfəlid] *a.*, *n.* 〖곤충〗 네발나빗과의 (나비).

nym·phe·an, nymph·ish [nímfiən, nimfíːən], [nímfiʃ] *a.* 님프의, (님프같이) 아름다운; 님프가 사는.

nymph·et [nimfét, nímfit] *n.* 조숙한〔성적으로 눈뜬〕 소녀; 정조 관념이 약한 젊은 여자.

nym·phe·ti·tis [nìmfətáitis] *n.* (성적) 조숙 공포.

nym·pho [nímfou] *n.* 《구어》 음란한〔색정증의〕 여자(nymphomaniac).

nym·pho·lep·sy [nímfəlèpsi] *n.* [U] 좋아 어쩔 줄 모름, 환희, 무아경(rapture); (이룰 수 없는 것을 바라는) 광기(狂氣)(frenzy).

nym·pho·lept [nímfəlèpt] *n.* 좋아 어쩔 줄 모르는 사람; 열광자. [파] **nym·pho·lep·tic** [nìmfəléptik] *a.* 광희(狂喜)〔열광〕하는.

nym·pho·ma·nia [nìmfəméiniə] *n.* [U] 〖의학〗 여자 음란증, (여자의) 색정광(色情狂). [파] **-ni·ac** [-niæ̀k] *a.*, *n.* 색정증의 (여자).

nýmph pìnk 암자색(暗紫色).

NYNEX [náinèks] *n.* 미국 7개 국내 지방 전화 회사의 하나.

NYP, N.Y.P not yet published(미간(未刊)) 《주문서에 대한 회신 용어》. **NYSE, N.Y.S.E.** New York Stock Exchange.

nys·tag·mus [nistǽgməs] *n.* [U] 〖의학〗 안구 진탕증(震盪症). [파] **-mic** *a.* ~의.

nys·ta·tin [nístətin] *n.* 〖약학〗 니스타틴《병원성 사상균(病原性絲狀菌)을 저지하는 항생 물질》.

NYT, N.Y.T. The New York Times.

Nyx [niks] *n.* 〖그리스신화〗 밤의 여신. [cf.] Nox.

N.Z., N. Zeal. New Zealand.

O

O[1], **o** [ou] (*pl.* **O's, Os, o's, o(e)s** [-z]) **1** 오《영어 알파벳의 열다섯째 글자》. **2** O [o]의 음《모음》. **3** O자형(의 것); 원형; =OH²: a round *O* 원(圓)(circle). **4** 15번째(의 것)《J를 빼면 14번째》. ***O for Oliver,*** Oliver의 O《국제전화 통화용어》.

◇**O**[2] *int.* 〔항상 대문자로 쓰며 콤마·감탄부 따위는 붙이지 않음〕 **1** 오!, 앗!, 저런!, 아!《놀람·공포·찬탄·비탄·애소·간망(懇望) 따위를 나타냄》. cf. oh¹. ¶ *O* indeed! 정말; 참으로 / *O* for wings! 아, 날개가 있었으면 / *O* for (a rest)! =*O* that (I may rest)! 아, (쉬고) 싶구나《문어적인 말투》/ *O* to be in England! 아, 영국에 있다면《국외에서 고국을 그리는 표현》/ *O* that I were rich! 아, 부자라면 (좋으련만). **2** 오…, …(이)여《특히 부를 때 어세를 높이는 시적 표현》: Praise the Lord, *O* Jerusalem. 주를 찬미하라, 오 예루살렘이여.

O' [ə] *pref.* 아일랜드 사람의 성 앞에 붙임《son of의 뜻》: *O'*Connor. cf. Fitz-, Mac-.

◇**o'** [ə, ou] *prep.* of의 생략; 《방언》 on의 생략: *o'*clock; man-*o'*-war; *o'*nights.

o-[1] [ə, ou] *pref.* =OB-《m 앞에서의 꼴》: *o*mit.

o-[2] [óu], **o·o-** [óuə] '알·란(卵)', '난자'란 뜻의 결합사.

-o- [ou, ə, á/ou, ə, ɔ́] **1** 복합어 제1요소 끝에 붙여 동격(同格)관계를 나타내는 연결 문자: Franc*o*-Italian, Russ*o*-Chinese. **2** -cracy, -logy 따위 그리스계 어미에 붙어 복합어를 이루는 연결 문자: techn*o*cracy, techn*o*logy.

O 〖문법〗 object; 〖화학〗 oxygen; 〖혈액형〗 ⇨ABO SYSTEM. **O.** Observer; Ocean; octavo; October; Ohio; Old; Ontario; order; Oregon; Oriental. **o** 〖전기〗 ohm. **o.** 〖약학〗 *octarius* 《L.》(= pint); octavo; off; old; only; order; 〖야구〗 out(s). **OA** 〖컴퓨터〗 office automation (사무 자동화). **o/a** 〖상업〗 on account (of); on or about. **OAA** 〖로켓〗 orbiter access arm (오비터 연락 통로). **OAEC** Organization for Asian Economic Cooperation.

oaf [ouf] (*pl.* **~s, oaves** [ouvz]) *n.* 바꾸어 놓은 아이《옛날, 못생기거나 불구인 아이를 낳으면 요마(妖魔)가 바꿔치기한 아이라고 하였음》; 《드물게》 기형〔저능〕아; 백치, 바보; 멍청이: a big ~ 덩치만 크고 쓸모없는 사람.

oaf·ish [óufiʃ] *a.* oaf 같은; 바보의. ⓕ **~·ly** *ad.* **~·ness** *n.*

Oa·hu [ouáːhuː] *n.* 오아후 섬《하와이 제도 중의 한 섬; 주도(州都) Honolulu가 있음》.

⁑**oak** [ouk] (*pl.* **~s,** ~) *n.* **1** 〖식물〗 오크《떡갈나무·참나무·가시나무 무리; 과실은 acorn》. **2** Ⓤ 오크 재목(=ˊ **tìmber**); 오크 제품《가구 따위》. **3** (특히 관(冠)의 테로 쓰는) 오크 잎; 그 어린 새잎의 빛깔. **4** 〖영대학〗 (오크제의 견고한) 바깥문짝. ***sport* one's ~** 《영학생속어》 (부재·면회사절의 표시로) 문을 닫아 두다; (일반적으로) 면회를 사절하다. **—** *a.* 오크(제)의: ~ furniture 오크제 가구. ⓕ ˊ**·lìke** *a.*

óak àpple =OAK GALL.

Óak-àpple Dày 찰스 2세 기념일(Royal Oak Day)《Charles 2세의 생일 및 왕정회복(1660)에 즈음하여 왕이 London에 입성한 5월 29일》, 왕정복고 기념일.

oak·en [óukən] *a.* 오크(제)의.

óak gàll 오크의 몰식자(沒食子), 오배자(五倍子)《예전의 잉크 원료》.

Oak·land [óuklənd] *n.* 오클랜드《California 주의 항구도시》.

óak làppet 〖곤충〗 배버들나방.

óak-leaf clùster 《미》 청동 무공 훈장.

oak·let, -ling [óuklit], [-liŋ] *n.* 오크 묘목〔어린 나무〕.

Oak·ley [óukli] *n.* 《미속어》 무료 입장권 「(Annie~).

óak·mòss *n.* 오크 나무에 붙어 사는 지의(地衣) 식물《향료용 수지를 채취》.

Óak Rídge 오크리지《미국 Tennessee주 동부의 도시; 원자력 연구의 중심지》.

Oaks [ouks] *n.* (the ~) 《영》 잉글랜드의 Surrey주 Epsom에서 매년 열리는 4살짜리 암말의 경마.

oa·kum [óukəm] *n.* Ⓤ 〖해사〗 뱃밥《낡은 밧줄을 푼 것; 누수방지용으로 틈새를 메움》. ***pick*** ~ 뱃밥을 만들다《옛날에 죄인·빈민들의 일》.

óak wìlt 〖식물〗 (색이 바래고 잎이 떨어지는) 오크 마름병〔시들병〕.

óak·wòod *n.* 오크 숲, 졸참나무 숲; 오크재(材).

OAMS Orbit Attitude Maneuvering System (궤도 조정 장치). **O. and M., O. & M.** 〖경영〗 organization and method(s). **OAO** Orbiting Astronomical Observatory (천체 관측 위성). **OAP, O.A.P.** old-age pension 〔pensioner〕. **OAPEC** [ouéipek] Organization of Arab Petroleum Exporting Countries (아랍 석유 수출국 기구).

⁑**oar** [ɔːr] *n.* **1** 노, 오어. cf. scull. **2** 노 젓는 사람(oarsman): a good 〔practiced〕 ~ 노질 잘 하는〔노질에 익숙한〕 사람. **3** 젓는 배, 보트: a pair-~ 노가 2개인 보트. **4** 《고어》 노 모양의 물건 또는 그와 같은 일을 하는 것《날개·지느러미 따위》; 휘저어 섞는 막대. ***be chained to the*** ~ 고역을 강요당하다. ***bend to the*** **~*s*** 힘껏 노를 젓다. ***have an*** **~** ***in every man's boat*** 누구의〔어떤〕 일에나 참견하다. ***have only one*** **~** ***in the water*** 《미속어》 바보다. ***have*** 〔***ply, pull, take***〕 ***the laboring*** ~ 힘든 일을 떠맡다. ***pull a good*** 〔***bad***〕 ~ 노질을 잘 하다〔이 서투르다〕. ***pull a lone*** ~ (일을) 혼자서 해 나가다. ***put*** 〔***shove, stick***〕 ***in*** one***'s*** **~** =***put*** 〔***shove, stick, thrust***〕 one***'s*** **~** ***in*** 쓸데없는 참견을 하다. ***rest*** 〔***lie, lay***〕 ***on*** one***'s*** **~*s*** 노를 수평으로 하고 잠시 쉬다; 일을 쉬다. ***row with one*** **~** (***in the water***) 바보 같은〔멍청한〕 짓을 하다, 엉뚱한 짓을 하다. ***toss*** **~*s*** (경의 표시로) 노를 세우다. ***trail the*** **~*s*** (젓지 않고) 노를 흐름에 내맡기다.

— *vi.* **1** 노를 젓다. **2** 노를 젓는 것처럼 움직이다. **—** *vt.* **1** 노를 저어 나아가다: ~ the boat forward / ~ one's way 저어 나아가다. **2** (손 따위를) 노처럼 움직이다: ~ one's arms 〔hands〕 양손을 헤엄치듯이 움직이다.

oar·age [ɔ́ːridʒ] *n.* 《시어》 Ⓤ 노로 젓기; Ⓒ 노 장치, 노 젓는 기구; 노 모양의 것. 「있는.

oared [ɔːrd] *a.* 노를 갖춘: two-~ 노가 2개

óar·lòck *n.* 《미》 놋좆, 노받이(《영》 rowlock, thole).

óars·man [-mən] (*pl.* ***-men*** [-mən]) *n.* 노 젓는 사람(rower). ㊞ **~·shìp** *n.* Ⓤ 조정술(漕艇術); 노 젓는 솜씨.

óars·wòman (*pl.* ***-wòmen***) *n.* OARSMAN의 여성형.

óar·wèed *n.* 〖식물〗 대형 갈조(褐藻) 식물, 《특히》 다시마.

oary [ɔ́ːri] *a.* 《시어》 노〔오어〕 모양의; 노와 같은 일을 하는; 노를 장비한.

OAS, O.A.S. 〖군사〗 on active service; 《F.》 〖역사〗 *Organisation de l'armée secrète* (비밀 군사조직); Organization of American States (아메리카 주 기구). **OASDHI** 《미》 Old Age, Survivors, and Disability and Health Insurance(노령자 유족 장애자 연금 및 건강 보험 (제도)) (OASDI와 Medicare의 총칭). **OASDI** Old Age, Survivors, and Disability Insurance (노령자 유족 장애인보험).

oa·sis** [ouéisis] (*pl.* ***-ses [siːz]) *n.* **1** 오아시스《사막 가운데의 녹지》. **2** 《비유》 휴식처, 위안의 장소. ***an ~ in the desert*** 답답함을 벗어나게 해주는 것; 기사회생이 되는 것. ㊞ **oa·sit·ic** [òuəsítik] *a.* 오아시스와 같은; 안식을 주는.

oast [oust] *n.* 건조로(爐)《홉(hop)·담배 등의》.

óast·hòuse (*pl.* ***-hous·es*** [-hàuziz]) *n.* 홉 건조장; = OAST.

oat** [out] *n.* **1** (보통 *pl.*) 〖식물〗 귀리, 메귀리; 메귀리속(屬) 식물의 총칭. ⓒⓕ barley. **2** 《문어》 보리피리; 목가(牧歌). ***earn one***'s ~s*** 《속어》 생활비를 벌다. ***feel*** one***'s*** 〔***its***〕 ***~s*** 《구어》 원기 왕성하다; 《미》 잘난 체하다. ***know*** one***'s ~s*** 《구어》 잘 알고 있다, 자세히 알다. ***off*** one***'s ~s*** 《구어》 식욕을 잃고; 《비유》 성욕을 잃고. ***sow*** one***'s*** (***wild***) ***~s*** 젊은 혈기로 난봉부리다. **—** *a.* 귀리로 만든; 귀리짚으로 만든. **—** *vt.* (말에게) 귀리를 주다. ㊞ **óat·lìke** *a.* 「킷류(類).

óat·càke *n.* 귀리로 만들어 딱딱하게 구운 비스

oat·en [óutən] *a.* 귀리의, 귀리로 만든; (귀리) 짚으로 만든: an ~ pipe 보리피리. 「era).

oat·er [óutər] *n.* 《미속어》 서부극(horse op-

óat gràss 〖식물〗 귀리 비슷한 잡초의 총칭; 메귀리(wild oat).

oath** [ouθ] (*pl.* **~s** [ouðz, ouθs]; 〖소유격〗 **~'s** [-θs]) *n.* **1** 맹세, 서약《*to* do; *that*》; 〖법률〗 (법정의) 선서, 선서를 한 증언〔진술〕: a false ~ 거짓 맹세(perjury) / an ~ of office = OFFICIAL OATH / an ~ of allegiance 충성의 맹세 / He took an ~ *to* give up smoking. 그는 담배를 끊겠다고 맹세했다 / I took an ~ *that* I would obey the regulations. 규칙에 따르겠다고 서약했다. **2** (분노, 욕설 등에서) 신명남용(神名濫用)《보기: God damn you! 따위》. **3** 저주, 욕설. ***know one***'s ~*** 잘 알고〔정통하고〕 있다. ***my*** (***colonial***) ***~*** 《Austral. 속어》 그렇고말고, 물론. ***on*** 〔***upon, under***〕 (***Bible***) ***~*** 맹세하고: be *under* ~ to tell the truth 진실을 말하기로 맹세하고 있다. ***on*** one***'s ~*** 맹세코, 확실히. ***put*** a person ***under*** 〔***on***〕 ***~*** 아무에게 맹세시키다. ***take*** (***an***) 〔***make*** (***an***), ***swear an***〕 ***~*** 맹세하다, 선서하다《*that*》.

***oat·meal** [óutmìːl] *n.* Ⓤ 오트밀; 곱게 탄〔빻은〕 귀리; 오트밀 죽(~ porridge)《우유와 설탕을 넣어 조반으로 먹음》.

óat òpera 《미속어》 서부극(horse opera).

oatsy [óutsi] *a.* 《속어》 위세가〔건강이〕 좋은; 고집이 센.

OAU, O.A.U. Organization for African Unity (아프리카 통일 기구).

Ob [ɔːb, ɑb/ɔb] *n.* (the ~) 오비 강《시베리아 서쪽의 강; 북극해로 흐름》.

ob- [ɑ̀b, əb/ɔ̀b, əb] *pref.* '노출, 대면, 충돌, 방향, 저항, 반대, 적의(敵意), 완전, 억압, 은폐' 따위의 뜻. ★c, f, m, p, t 앞에서는 각기 *oc-, of-, o-, op-, os-*가 됨: *oc*cur, *o*ffer, *o*mit, *op*press, *os*tensible.

OB 〖골프〗 out of bounds. **OB, O.B.** obstetrician; obstetrics; 《영》 Old Boy; 《영》 outside broadcast. **Ob., Obad.** 〖성서〗 Obadiah. **ob.** *obiit* 《L.》 (= died); *obiter* 《L.》 (= in passing, incidentally, by the way); oboe; obstetrical; obstetrics.

Oba·di·ah [òubədáiə] *n.* **1** 남자 이름. **2** 〖성서〗 오바댜《히브리의 예언자》; 오바댜서(書)《구약성서 중의 한 편》.

obb. obbligato.

ob·bli·ga·to, ob·li- [ɑ̀bligɑ́ːtou/ɔ̀b-] 〖음악〗 *a.* 《It.》 생략할 수 없는, 반드시 따르는《조주(助奏)》. ⓞⓟⓟ *ad libitum*. **—** (*pl.* **~s, *-ti*** [-tiː]) *n.* 오블리가토, 불가결한 성부; 조주; 《비유》 반주음, 배경음: with piano ~ 피아노 반주로〔의〕.

ob·bo [ɑ́bou/ɔ́-] *n.* 《영속어》 **1** 관측 기구(觀測氣球). **2** 잠복, 감시: keep ~ on …을 감시하다.

ob·con·ic, -con·i·cal [ɑbkɑ́nik/ɔbkɔ́n-], [-kəl] *a.* 〖식물〗 거꿀원뿔꼴의. 「심장꼴의.

ob·cor·date [ɑbkɔ́ːrdeit/ɔb-] *a.* 〖식물〗 거꿀

ob·duct [ɑbdʌ́kt/ɔb-] *vt.* 〖지학〗 (지각(地殼) 플레이트를) 다른 플레이트 위로 밀어올리다. ㊞ **ob·dúc·tion** *n.* 「튼함, 강건함.

ob·du·ra·bil·i·ty [ɑ̀bdjərəbíləti/ɔ̀bdju-] *n.* 튼

ob·du·ra·cy [ɑ́bdjərəsi/ɔ́bdju-] *n.* Ⓤ 억지, 완고, 외고집(stubbornness); 냉혹.

ob·du·rate [ɑ́bdjərit/ɔ́bdju-] *a.* 억지센, 완고한, 고집센; 냉혹한. ㊞ **~·ly** *ad.*

obe·ah [óubiə] *n.* = OBI.

obe·di·ence** [oubíːdiəns/əb-] *n.* Ⓤ **1** 복종; 공순; 순종; (법률·명령의) 준봉. ⓞⓟⓟ *disobedience*. ¶ active 〔passive〕 ~ 자발〔수동〕적 복종 / blind ~ 맹종. **2** (교회가 신자에게 요구하는) 귀의(歸依); 〖집합적〗 관구 내의 신도들; (교회의) 권위, 지배; 관구. ◇ obey *v.* ***demand 〔***exact***〕 ***~ from*** …에게 복종을 강요하다. ***hold… in ~*** …을 복종시키고 있다. ***in ~ to*** …에 복종〔순종〕하여. ***reduce … to ~*** …을 복종시키다.

obédience tràining (특히 개의) 복종 훈련.

***obe·di·ent** [oubíːdiənt/əb-] *a.* 순종하는, 유순한, 고분고분한, 말 잘 듣는《*to*》: Are you ~ *to* your parents? 부모 말씀에 순종하는가. ⓞⓟⓟ *disobedient*. ◇ obey *v.* ㊞ **~·ly** *ad.* 고분고분하게; 정중하게: *Obediently* yours = Yours *~ly* 여불비례《공식 서신을 끝맺는 말》.

obédient schòol 개 훈련 학교.

°**obei·sance** [oubéisəns, -bíː-] *n.* Ⓒ 경례, 절, 인사; Ⓤ 경의(敬意), 존경, 복종. ***do*** 〔***give, make, pay***〕 ***~ to*** …에게 경의를〔공손한 뜻을〕 표하다.

obei·sant [oubéisənt, -bíː-] *a.* 경의를 표하는, 공손한; 알랑거리는, 굴종적인; 절을 하고 있는. ㊞ **~·ly** *ad.*

ob·e·lisk [ɑ́bəlisk/ɔ́b-] *n.* **1** 오벨리스크, 방첨탑(方尖塔)《이집트 등지의》; 오벨리스크 모양의 것. **2** 〖인쇄〗 단검표(短劍標)(dagger)(†); (고사본(古寫本)의) 의구표(疑句標)(obelus)(−, ÷와 같은 기호). ***double ~*** 〖인쇄〗 이중 단검표(‡). **—** *vt.* …에 ~를 붙이다.

ob·e·lize [ɑ́bəlàiz/ɔ́b-] *vt.* …에 단검표〔의구표〕를 붙이다.

obelisk 1

ob·e·lus [ábələs/ɔ́b-] (*pl.* ***-li*** [-lài, -lìː]) *n.* =OBELISK 2.

Ober·on [óubəràn/-rən, -rɔ̀n] *n.* 〖중세전설〗 오베론《요정의 왕으로 Titania의 남편》; 〖천문〗 오베론《천왕성의 넷째 위성》.

obese [oubíːs] (***obe·ser; -sest***) *a.* 살찐, 뚱뚱한. [파] **~·ly** *ad.* **~·ness** *n.*

obe·si·ty [oubíːsəti] *n.* [U] 비만, 비대.

obey [oubéi/əb-] *vt.* …에 복종하다, …에 따르다; …의 명령〔가르침, 소원〕에 따르다; (이성 따위)에 따라 행동하다, (힘·충동)대로 움직이다; (기계장치가) …에 반응하다: ~ one's mother 어머니의 말을 잘 듣다 / ~ the laws of nature 자연 법칙에 따르다. ── *vi.* 복종하다, 말을 잘 듣다《*to*》. ◇ obedience *n.*

ob·fus·cate [ábfəskèit, ɑbfʌ́skeit/ɔ́bfʌskèit] *vt.* (마음·머리를) 어둡게〔몽롱하게〕 하다, (판단 등을) 흐리게 하다; 어지럽게 하다, 당혹〔혼란〕하게 하다. [파] **ob·fus·ca·tion** [àbfəskéiʃən/ɔ̀bfʌs-] *n.* [U]. **ob·fus·ca·to·ry** [ɑbfʌ́skətɔ̀ːri/ɔbfʌskéitəri] *a.*

ob-gyn, ob/gyn [óubìːdʒìːwàién, ábdʒìn/ɔ́b-] *n.* 《미속어》 산부인과 의사. [◂ *ob*stetrician-*gyn*ecologist]

obi [óubi] (*pl.* **~*s***) *n.* (*or* O-) (아프리카·서인도 제도의 흑인 간의) 주술(呪術)신앙; 거기에 쓰이는 주물(呪物); 부적.

Óbie (Awárd) [óubi(-)] 오프브로드웨이 상 (off-Broadway 賞)《매년 훌륭한 오프브로드웨이 상연 작품에 주는 상》. [◂ *o*ff-*B*roadway]

obi·it [óubiit] 《L.》 (=he 〔she〕 died) 그〔그녀〕는 죽었다《묘비 따위에 씀; 생략: ob.: *ob.* 1950, 1950년 사망》.

obit [óubit, áb-/əbít, óub-] *n.* **1** 기일(忌日). **2** [oubít] =OBITUARY. **3** 《고어》 장의(葬儀).

obi·ter [ábitər/ɔ́b-, óub-] 《L.》 *ad.* 그런데, …하는 김에, 부수적으로. ── *n.* =OBITER DICTUM.

óbiter díc·tum [-díktəm] (*pl.* ***-dic·ta*** [-díktə]) 《L.》 〖법률〗 (판사가 판결 중에 말하는) 부수적의견; 〔일반적〕 부수적 의견〔감상〕, 부언(附言).

obit·u·ar·ese [oubìtʃuəríːz/əbìtju-] *n.* 사망 기사적 문체〔어법〕.

obit·u·ar·ist [oubítʃuèrist/əbítjuər-] *n.* 사망자 약력 집필자, 사망 기사 담당기자.

obit·u·ary [oubítʃuèri/əbítjuəri] *a.* 사망(기록)의, 사망자의: an ~ notice 사망 기사〔고시〕. ── *n.* (약력을 붙여 신문에 싣는) 사망 기사, 사망 광고, 사망자 약력; 〖종교〗 기일표(忌日表), 과거장(帳).

obj. object; objection; objective.

ob·ject[1] [ábdʒikt, -dʒekt/ɔ́b-] *n.* **1** 물건, 물체, 사물: a distant 〔minute〕 ~ 먼 데에 있는 물건〔미세한 물체〕. **2** (동작·감정 등의) 대상: an ~ *of* pity 〔love〕 동정〔사랑〕의 대상 / become an ~ *for* 〔*of*〕 …의 대상〔목적〕이 되다. **3** 목적, 목표(goal); 동기: Some people work with the ~ of earning fame. 명성을 얻고자 일을 하는 사람도 있다 / attain 〔succeed in〕 one's ~ 목적을 달성하다. [SYN.] ⇨ PURPOSE. **4** 〖철학〗 대상, 객체; 객관. [opp] *subject*. **5** 〖법률〗 목적; 물건. **6** 〖문법〗 목적어: an ~ clause 목적절. **7** 《구어》 우스운 것, 불쌍한 놈; 싫은 사람〔것〕: What an ~ you look in that old hat! 그런 낡은 모자를 쓰고 무슨 꼴이냐. **8** 〖미술〗 오브제. **9** 〖컴퓨터〗 목적, 객체《정보의 세트와 그 사용 설명》. ***for that*** **~** 그런 취지로, 그것을 목표로. ***have an*** **~ *in view*** 계획을 품고 있다. ***no*** **~** …은 아무래도 좋다, …을 묻지 않음《3행 광고 따위의 용어》: Distance *no* ~. 거리 불문 / Money 〔Expense〕 *no* ~. 보수 〔비용〕에 대해서 특별한 요구 없음.

ob·ject[2] [əbdʒékt] *vi.* 《~/+[전]+[명]》 **1** 반대하다, 이의를 말하다, 항의하다《*to; against*》: If you don't ~, ... 만약 이의가 없다면… / I don't ~ *to* waiting another year. 1년 더 기다려도 좋아요 / Do you ~ *to* my smoking? 담배를 피워도 되겠습니까 / I ~. 이의 있음《영국 하원의 용어》. **2** 불평을 품다, 반감을 가지다, 싫어하다, 불만이다《*to*》: I ~ *to* all this noise. 이런 소란은 딱 질색이다 / ~ *about* 〔*to*〕 the food (손님이) 음식물에 대해 불평하다 / I'll open the window if you don't ~. 괜찮으시다면 창문을 열겠습니다. ── *vt.* **1** 《+*that* [절]》 반대하여 …라고 말하다, 반대 이유로서 …라고 주장하다: I ~*ed* (*against* him) *that* his proposal was impracticable. 그의 제안은 실행이 불가능하다고 (그에게) 반대하였다. **2** 《+[목]+[전]+[명]》 반대의 이유로 들다, 난점으로 지적하다, 비난하다: What have you got to ~ *against* him? 그의 어디가 나쁘다는 것인가. ◇ objection *n.*

óbject bàll 〖당구〗 표적구.

óbject chòice 〖정신분석〗 대상 선택《사랑의 대상으로 선택된 사람〔물건〕》.

óbject còde 〖컴퓨터〗 목적 코드《컴파일러〔옮김틀〕·어셈블러〔짜맞추개〕의 출력으로 실행 가능한 기계어의 꼴이 된 것》.

óbject dìstance 〖사진〗 촬영 거리.

óbject file 〖컴퓨터〗 목적 파일《목적 부호만을 보관하고 있는 파일》.

óbject fìnder 대상 파인더《현미경 밑 대상물을 빨리 찾기 위한 저배율(低倍率) 접안경》.

óbject glàss 〔lèns〕 〖광학〗 대물렌즈.

ob·jec·ti·fi·ca·tion [əbdʒèktəfikéiʃən] *n.* [U] 객관화; 구체화.

ob·jec·ti·fy [əbdʒéktəfài] *vt.* 객관화하다; 구체화하다, 구상화(具象化)하다.

ob·jec·tion [əbdʒékʃən] *n.* **1** [C,U] 반대; 이의, 반론; 불복(不服): by ~ 이의를 내세우고, 불복하여 / *Objection!* (의회 따위에서) 이의 있어요. **2** [C,U] 반감, 혐오. **3** [C] 반대 이유; 난점《*to; against*》: Her only ~ *to* 〔*against*〕 the plan is that it costs too much. 그 계획에 대한 그녀의 유일한 반대 이유는 비용이 너무 많이 든다는 것이다. **4** [C] 결함《*to*》; 장애, 지장《*to*》: the chief ~ *to* the book 그 책의 주된 결함. ◇ object *v.* ***feel an*** **~ *to*** ***doing*** …하고 싶지 않다, …하기를 좋아하지 않다. ***have an*** **〔*no*〕 ~ *to*** **〔*against*〕** …에 이의가 있다〔없다〕. ***make*** **〔*raise*〕 *an*** **~ *to*** **〔*against*〕 =*take*** **~ *to*** **〔*against*〕** …에 이의를 주장하다〔제기하다〕, 반대하다.

ob·jec·tion·a·ble [əbdʒékʃənəbəl] *a.* **1** 반대할 만한, 이의가 있는, 있을 수 없는. **2** 싫은, 못마땅한, 불쾌한; 부당한, 괘씸한: an ~ manner 불쾌한 태도 / That would be ~ *to* her. 그것은 그녀에게는 불쾌할 게다. [파] **-bly** *ad.*

ob·jec·ti·val [àbdʒiktáivəl, -dʒek-/ɔ̀b-] *a.* 〖문법〗 목적(격)의.

ob·jec·tive [əbdʒéktiv] *a.* **1** 객관적인([opp] *subjective*), 실재(實在)의; 편견〔선입관〕이 없는, 공평한: an ~ analysis 객관적인 분석. **2** 외적(外的)인, 물질적인; 물체계(物體界)의, 외계(外界)의: the ~ world 외계, 자연계. **3** 목적〔목표〕의. **4** 〖문법〗 목적(격)의: the ~ case 목적격. **5** 〖미술〗 구상적인; 〖문예〗 객관주의의, 사실적인. ── *n.* **1** 목적, 목표: educational ~*s* 교육목표 / attain 〔gain, win〕 an ~ 목표를 달성하다. [SYN.] ⇨ PURPOSE. **2** 〖철학〗 객체; 〖문법〗 목적격〔어〕. **3** 〖군사〗 목표 지점(objective point). **4** 〖광학〗 대물 렌즈. [파] **~·ly** *ad.* 객관적으로. **~·ness** *n.* 객관성.

objéctive cómplement 〖문법〗 목적격 보

어. cf. subjective complement.

objéctive corrélative 〖문예〗 객관적 상관물 《독자에게 어떤 감정을 환기시키는 상황·일련의 사건·사물 따위》.

objéctive dánger 〖등산〗 객관적 위험 《등산 기술과는 관계없는 낙석·(눈)사태 따위의 위험》.

objéctive génitive 〖문법〗 목적 소유격 《보기: father's murderers 의 father's》. cf. subjective genitive.

objéctive glàss 〔**lèns**〕 = OBJECTIVE *n.* 4.

objéctive idéalism 〖철학〗 객관적 관념론. cf. subjective idealism. 「목적지 따위」.

objéctive pòint 〖군사〗 목표지점 《공격·점령

objéctive spírit 〖철학〗 객관적 정신.

objéctive tést 객관적 검사〔테스트〕.

ob·jec·tiv·ism [əbdʒéktəvìzəm] *n.* U 〖철학〗 객관주의, 객관론(OPP. *subjectivism*); 객관 존중. ㊖ **-ist** *n.* **ob·jèc·ti·vís·tic** [-vístik] *a.*

ob·jec·tiv·i·ty [ɑ̀bdʒiktívəti, -dʒek-/ɔ̀b-] *n.* U 객관(적 타당)성; 객관주의적 경향〔지향〕; 객관적 실재. OPP. *subjectivity*. 「FY.

ob·jec·tiv·ize [əbdʒéktəvàiz] *vt.* = OBJECTI-

Óbject Kó·wal [-kóuəl] 〖천문〗 1977 년 발견된 토성과 천왕성 사이 소행성 《직경 160 km》.

óbject lànguage 1 〖논리〗 대상 언어 《언어 연구의 대상인 언어》. cf. metalanguage. **2** = TARGET LANGUAGE. **3** 〖컴퓨터〗 목적 언어 《프로그램이 컴파일러나 어셈블러에 의해 번역되는 언어》.

ób·ject·less *a.* 목적이 없는; 목적어를 수반하지 않는. ㊖ **~·ly** *ad.* **~·ness** *n.*

óbject lèsson 실지 교육, 실물〔직관(直觀)〕 교육〔교수〕; 교훈이 되는 좋은 실례〔본보기〕 《*in*》.

óbject lìnking and embèdding 〖컴퓨터〗 객체 연결 삽입 《윈도의 응용 프로그램 간에 데이터를 공유할 수 있는 기능; 생략: OLE》.

óbject màtter = SUBJECT MATTER.

óbject mòdule 〖컴퓨터〗 목적 모듈〔뜸〕.

óbject-òbject *n.* 〖철학〗 객관적 대상 《인식 주체의 인식에 관계없이 객관적으로 존재하는 객체》.

óbject of vírtu (*pl.* ***óbjects of vírtu***) (보통 *pl.*) 〖미술〗 수작(秀作), 일품(逸品), 진품.

ob·jec·tor [əbdʒéktər] *n.* 반대자, 항의자: a conscientious ~ 양심적 병역 거부자.

óbject-òriented [-id] *a.* 〖컴퓨터〗 객체 지향의 《자료와 절차를 일체화한 모듈〔뜸〕(module)인 객체(object)를 대상으로 처리를 행하는》: ~ language 객체 지향 언어.

óbject-òriented prógramming 〖컴퓨터〗 객체 지향 프로그래밍 《프로그래머가 데이터 타입 및 자동적으로 그와 관련된 절차도 정의할 수 있는 프로그래밍 방법론》.

óbject-plàte *n.* (현미경의) 검경판(檢鏡板).

óbject prògram 〖컴퓨터〗 목적 프로그램 《프로그래머가 쓴 프로그램을 compiler 나 assembler 에 의해 기계어로 번역한 것》. cf. source program.

óbject relàtions théory 〖정신분석〗 대상(對象)관계이론.

óbject-stàff *n.* (측량용) 함척(函尺), 준척.

ob·jet d'art [*F.* ɔbʒɛda:ʀ] (*pl.* ***ob·jets d'art*** [—]) 《F.》 예술적 가치가 있는 작은 물건, 작은 미술품〔예술품〕; 골동품.

ob·jet de ver·tu [*F.* -dəvɛʀty] (*pl.* ***ob·jets de ver·tu*** [—]) 《F.》 〖미술〗 = OBJECT OF VIRTU.

ob·jet trou·vé [*F.* -tʀuve] (*pl.* ***ob·jets trou·vés*** [—]) 《F.》 오브제트루베 《유목(流木) 처럼 사람 손이 가지 않은 미술품; 또 본래는 미술품이 아니면서 미술품 취급을 받는 공예품》.

ob·jure [əbdʒúər/-dʒúə] *vi., vt.* 《드물게》 맹세하다〔하게 하다〕.

ob·jur·gate [ɑ́bdʒərgèit/ɔ́b-] *vt.* 심하게 꾸짖다, 비난하다(reprove). ㊖ **òb·jur·gá·tion** *n.* U 질책, 비난. **ób·jur·gà·tor** [-tər] *n.*

ob·jur·ga·to·ry [əbdʒə́:rgətɔ̀:ri/-təri] *a.* 질책하는, 비난의. ㊖ **-ri·ly** *ad.*

obl. oblique; oblong.

ob·lan·ce·o·late [ɑblǽnsiələt, -lèit/ɔb-] *a.* 〖식물〗 거꿀피침형(披針形)의.

ob·last [ɑ́blæst, -lɑ:st/ɔ́blɑ:st] (*pl.* **~s, *-last·i*** [-ti]) *n.* 《Russ.》 (옛 소련의) 주(州) 《자치 공화국의 하위 행정구》.

ob·late[1] [ɑ́bleit, -´/ɔ́bleit] *a.* 〖교회〗 축성(祝聖)된(consecrated); 수도 생활에 몸을 바친. — *n.* 수도 생활에 몸을 바친 사람.

ob·late[2] *a.* 〖수학〗 구체(球體)가 편평한, 편원(扁圓)의. cf. prolate. 「(扁球面), 편구.

óblate sphéroid 〔**sphére**〕 〖수학〗 편구면

ob·la·tion [ɑbléiʃən/əb-, ɔb-] *n.* 〖교회〗 (성체의) 봉헌, 봉납; 봉납물, 공물(offering); (포도주와 빵의) 성체 봉헌; U (자선적인) 기부.

ob·la·to·ry [ɑ́blətɔ̀:ri/ɔ́blətəri] *a.* 봉납의; 공물의, 제수(祭需)의.

ob·li·gate [ɑ́bləgèit/ɔ́b-] *vt.* 〖보통 수동태〗 **1** …에게 의무를 지우다 《법률상·도덕상의》; (수입 따위를) 채무 지불(보증)에 충당하다: A witness in court *is* ~*d to* tell the truth. 법정의 증인은 진실을 말할 의무가 있다. **2** 감사의 마음을 일으키게 하다 《*to* a person *for* his kindness》. — [-git, -gèit] *a.* **1** (도덕상〔법률상〕의) 의무를 진, 어쩔 수 없는: an ~ course of action 부득이한 행동 방침. **2** (…에) 필요한, 필수의 《*to*》: This seems ~ *to* one's mental development. 이것은 정신 발달에 꼭 필요하다고 생각된다. **3** 절대적인, 무조건적인 《생존에 절대 필요한 상태에 대해》 (OPP. *facultative*): an ~ anaerobe 절대 혐기성 생물. ㊖ **-gà·tor** *n.* **~·ly** *ad.*

ob·li·ga·tion [ɑ̀bləgéiʃən/ɔ̀b-] *n.* **1** U,C 의무, 책임: sense of ~ 책임의식 / assume 〔take on〕 an ~ 의무를〔책임을〕 떠맡다 / a wife's ~ *to* her husband 남편에 대한 아내의 의무 / Civil servants have an ~ *to* serve the people. 공무원은 국민에 봉사할 의무가 있다. SYN. ⇨ DUTY. **2** 〖법률〗 채무, 채권〔채무〕 관계; 채권, 증권; (금전) 채무증서; 계약(서). **3** 은의(恩義), 의리; 의리〔은의〕를 느끼는 대상〔사람〕: repay an ~ 은혜에 보답하다. ◇ oblige *v.* ***be*** 〔***lie***〕 ***under*** (***an***) **~** (***to***) (…에게) 갚아야 할 의무〔의리〕가 있다; (…에게) …한 신세를 지고 있다. ***meet*** **one's ~s** 의무를 다하다; 약속을 지키다; 채무를 변제하다, 빚을 갚다. ***put*** 〔***place, lay***〕 **a person *under an*** **~** 아무에게 의무를 지우다; 아무에게 은혜를 베풀다. ㊖ **~·al** [-ʃənəl] *a.* **ób·li·gà·tive** *a.*

obligato ⇨ OBBLIGATO.

◇**ob·lig·a·to·ry** [əblígətɔ̀:ri, ɑ́blig-/ɔblígətəri] *a.* 의무로서 해야만 할, 의무적인; 필수(必須)의, 필수(必修)의 《과목 따위》 《*on*》; 〖생태〗 = OBLIGATE *a.* 3: make it ~ *on* a person *to* do … 할 것을 아무의 의무로 하다 / an ~ promise 이행 의무가 따르는 약속 / It's ~ *for* us to protect the world from nuclear war. 핵전쟁으로부터 세계를 지키는〔보호하는〕 것이 우리들의 의무다 / an ~ subject 필수과목. ㊖ **-ri·ly** *ad.*

ob·lige [əbláidʒ] *vt.* **1** 《+목+*to* do / +목+전+명》 〖종종 수동태〗 …을 별〔어쩔〕수 없이 …하게 하다 《*to* do》; …에게 …하도록 강요하다 《*to*》; …에게 의무를 지우다: I *am* ~*d to* go. 아무래도 가지 않을 수 없다 / The law ~*s* us *to* pay taxes. 법률에 따라 세금을 내지 않으면 안 된다 / Necessity ~*d* him *to* that action. 그는 불가피한 사정 때문에 그런 행동을 하였던 것이다. SYN. ⇨ COMPEL. **2** 《~+목 / +목+전+명》 …에게 은혜를

베풀다, …에게 친절하게 해주다, …의 소원을 이루어 주다: Will any gentleman ~ a lady? 어느 분이 부인께 자리를 양보해 주실 수 없겠습니까/*Oblige* us *with* your presence. 부디 참석해 주십시오. **3** 《수동태》 (남에게) 감사하다(하게 여기다), 은혜를 입다: I *am* much ~*d for* the ride. 차를 태워 주셔서 참으로 고맙습니다. — *vi.* **1** 호의를 보이다: An answer will ~. 답장을 주신다면 감사하겠습니다. **2** 《+전+명》 소원을 들어 주다; 기쁘게 하다《*with*》: She ~*d with* a song. 그녀는 노래를 들려 주었다. ◇ obligation *n.* ~ a person ***by*** do***ing*** 아무에게 …해 주다: Please ~ me *by* open*ing* the window. 문 좀 열어 주시오. ㊞ **oblíg·er** *n.* 은혜를 베푸는 사람.

ob·li·gee [àblədʒíː/ɔ̀b-] *n.* **1** 〖법률〗 채권자. OPP *obligor*. **2** 은혜 입은 사람. OPP *obliger*.

ob·lí·ge·ment *n.* 《주로 Sc.》 친절(한 행위).

***oblig·ing** [əbláidʒiŋ] *a.* 잘 돌봐 주는, (마음씨·주의가) 자상하게 미치는, 친절한(accommodating); 정중한. SYN. ⇨KIND². ㊞ **~·ly** *ad.* **~·ness** *n.* 「무자. OPP *obligee*.

ob·li·gor [àbləgɔ́ːr, ⌐--/ɔ̀bligɔ́ː] *n.* 〖법률〗 채

◇**ob·lique** [əblíːk, oub-, 《미군사》 əbláik/əblíːk, ɔb-] *a.* **1** 비스듬한, 기울어진(slanting): an ~ glance 곁눈/an ~ surface 경사면. **2 a** 틀린, 부정(不正)한, 바르지 못한: ~ practices 간사한 술책. **b** 빗나간, 벗어난. **3** 간접의, 에두른, 완곡한: ~ narration (speech) 간접화법. **4** 〖문법〗 사격(斜格)의. **5** 〖수학〗 사선(斜線)의, 빗각의, 빗면의: an ~ angle 빗각《예각 또는 둔각》/an ~ prism 빗각기둥. **6** 〖식물〗 (잎 따위가) 부등변의; 〖항공〗 빗각 촬영의; 〖제도〗 빗각 투영법(投影法)의. — *n.* 비스듬한 것, 사선; 〖해부〗 사근(斜筋), 《특히》 외복(外腹) 사근, 내복 사근; 〖문법〗 사격(斜格); 〖해사〗 예각으로 진로(進路)를 잡음. — *ad.* 〖군사〗 45 도 각도로. — *vi.* 비스듬히 되다(가다), 기울다, 구부러지다; 〖군사〗 반좌(우)향으로 가다. ㊞ **~·ly** *ad.* 비스듬히 (기울어); 부정하게; 완곡하게, 간접으로, 에둘러서. **~·ness** *n.*

oblíque cáse 〖문법〗 사격(斜格)《주격·호격(呼格) 이외의 명사·대명사의 격》.

oblíque orátion (**narrátion, spéech**) 〖문법〗 간접화법(indirect speech).

oblíque pláne 사면(斜面).

oblíque sáiling 〖해사〗 사항(斜航)《정북(正北)(남, 동, 서) 이외의 방향으로의 항해》.

oblíque séction 경사 단면.

oblíque stròke 사선(斜線)《/》.

ob·liq·ui·tous [əblíkwətəs] *a.* (도덕적·정신적으로) 바르지 못한, 비뚤어진, 부정(不正)한.

ob·liq·ui·ty [əblíkwəti] *n.* **1** 경사, 기울기; 경도(傾度), 빗각; 〖천문〗 황도(黃道) 경사. **2** 부정, 바르지 못한 행위(생각). **3** 에두른 말.

◇**ob·lit·er·ate** [əblítərèit] *vt.* **1** (글자 따위를) 지우다, 말살하다(blot out); (시계(視界)에서) 지우다, (덮어) 감추다; 흔적을 없애다(destroy); 망각하다: ~ one's footprints (signature) 발자국(서명)을 지우다. **2** (우표에) 소인을 찍다; 〖의학〗 …의 흔적을 없애다, 제거하다; (관강(管腔)을) 폐색하다. ◇ obliteration *n.*

ob·lít·er·àt·ed [-id] *a.* 《미속어》 몹시 취한.

ob·lit·er·á·tion *n.* Ⓤ 말살, 삭제; 흔적을 없앰; 망각; 〖의학〗 (관강(管腔)의) 폐색; 〖의학〗 제거, 소거; (기억·지각의) 상실. ◇ obliterate *v.*

ob·lit·er·a·tive [əblítərèitiv, -rət-] *a.* 말살하는, 지울 힘이 있는.

◇**ob·liv·i·on** [əblíviən] *n.* Ⓤ **1** 망각; 잊혀짐; 잊기 쉬움(forgetfulness), 건망(健忘); (세상에) 잊혀진 상태; 알아차리지 못함: a former movie star now in ~ 지금은 잊혀진 왕년의 영화 스타. **2** 무의식 상태, 인사불성. **3** 〖법률〗 대사(大赦). cf. amnesty. ***be buried in*** (***fall into, sink into***) ~ (세상에서) 잊혀지다. ***the Act*** (***Bill***) ***of Oblivion*** 일반 사면령. ***the river of*** ~ 〖그리스신화〗 황천(Hades)에 있다는 망각의 강, 레테(Lethe).

◇**ob·liv·i·ous** [əblíviəs] *a.* **1** (…이) 염두에 없는; (…을) 알아차리지 못하는, 안중에 없는《*of; to*》: I was ~ *to* the noise. 그 소리를 알아듣지 못했다. **2** 잘 잊는; (…을) 기억하지 않는《*of*》: He was ~ *of* his promise. 그는 약속을 잘 잊어버렸다. **3** 《고어·시어》 (잠 등이) 잊게 하는. ㊞ **~·ly** *ad.* **~·ness** *n.*

ob·li·vis·cence [àbləvísəns/ɔ̀b-] *n.* 망각(상태); 잊기 쉬움.

Ob·lo·mov·ism [ablóuməvìzəm/ɔb-] *n.* 게으름, 무기력《러시아의 Ivan Goncharov(1812-91)의 소설 *Oblomov*의 주인공 이름에서》.

◇**ob·long** [ábloːŋ, -laŋ/ɔ́blɔŋ] *a.* **1** 직사각형의. cf. square. **2** 장원(타원)형의; (구면이) 편장(扁長)의(prolate); (책·우표 따위가) 옆으로 긴. — *n.* 직사각형; 타원형. ㊞ **~·ish** *a.* **~·ly** *ad.* **~·ness** *n.*

ob·lo·quy [ábləkwi/ɔ́b-] *n.* Ⓤ (일반 대중에 의한) 욕지거리, 악담, 비방; 악평, 오명, (널리 알려진) 불명예(disgrace).

ob·mu·tes·cence [àbmjətésns/ɔ̀b-] *n.* 《고어》 완고한 침묵, 묵비(默秘). ㊞ **-cent** *a.*

◇**ob·nox·ious** [əbnákʃəs/-nɔ́k-] *a.* **1** 밉살스러운, 불쾌한, 싫은; 미움받고 있는《*to*》: Such behavior is ~ *to* everyone. 그런 행동은 누구나 불쾌하게 여긴다. **2** 《고어》 (위해·비난 등을) 받기(입기) 쉬운, 받아야 할《*to* harm, etc.》. ㊞ **~·ly** *ad.* **~·ness** *n.*

ob·nu·bi·late [abnjúːbəlèit/ɔbnjúː-] *vt.* 흐리게 하다, 멍하게 하다, 애매하게 하다.

obo 《미》 or best offer (또는 최고의 부르는 값).

oboe [óubou] *n.* 〖음악〗 오보에《목관악기》. ㊞ **obo·ist** [óubouist] *n.* 오보에 연주자.

ob·ol [ábəl/ɔ́bɔl] *n.* 옛 그리스의 은화《약 1 페니 반에 상당》. 「달걀꼴의.

ob·o·vate [abóuveit/ɔb-] *a.* (잎 따위가) 거꿀

ob·o·void [abóuvɔid/ɔb-] *a.* (열매가) 거꿀달걀꼴의. 「(철폐)하다.

ob·ro·gate [ábrəgèit/ɔ́b-] *vt.* (법률을) 수정

OBS 〖우주〗 operational bioinstrumentation system (생체 계측 시스템). **obs.** obscure; observation; observed; obsolete; obstetrics. **Obs., obs.** observatory.

◇**ob·scene** [əbsíːn] *a.* **1** 외설(음란)한; 추잡한: ~ language 음탕한 말/an ~ picture 춘화. **2** 《구어》 역겨운, 지긋지긋한; 꺼림칙한. ㊞ **~·ly** *ad.* **~·ness** *n.*

ob·scen·i·ty [əbsénəti, -síːn-] *n.* **1** Ⓤ 외설, 음란; (*pl.*) 음탕한 말(행위, 기사, 그림, 사진). **2** 《구어》 역겨운 일(것).

ob·scu·rant [əbskjúərənt/ɔb-] *n.* 반(反)계몽주의자, 개화 반대론자; 모호하게 말하는 사람. — *a.* 개화 반대론(자)의, 반계몽주의적인; 모호하게 하는. 「OBSCURANT.

ob·scu·ran·tic [àbskjuərǽntik/ɔ̀b-] *a.* =

ob·scú·rant·ìsm *n.* 반계몽주의, 개화 반대, 문맹 정책; 고의로 모호하게 함; (문학·미술 따위의) 난해주의. ㊞ **-ist** *n.* =OBSCURANT.

ob·scu·ra·tion [àbskjuəréiʃən/ɔ̀b-] *n.* Ⓤ 어둡게 함(됨), 모호함; 희미하게 함, 불명료화; 속임; 〖기상〗 엄폐, 식(蝕). ◇ obscure *v.*

ob·scure** [əbskjúər] (-scur·er; -est***) *a.* **1** 어두운, 어두컴컴한(dim); (빛깔 따위가) 거무스름한, 몽롱한, 어스레한; 잔뜩 흐린: an ~ back room 빛이 안 드는 뒷방 / an ~ corner 어두컴컴한 한쪽 구석. **2** (말·의미 따위가) 분명치 않은, 불명료한, 모호한, 알기 어려운: an ~ reference 〔meaning〕 분명치 않은 언급〔뜻〕/ These explanations are rather ~. 이들 설명은 매우 모호하다. **3** (사정·경위 따위가) 확실치 않은, 애매모호한. **4** 분명히 감지〔감득〕할 수 없는: an ~ pulse 극히 약한 맥박 / an ~ voice 희미한 목소리. **5** 눈에 띄지 않는, 인가에서 멀리 떨어진, 궁벽한, 호젓한: His house is in rather an ~ area. 그의 집은 좀 외진 곳에 있다.

> SYN. **obscure** 숨겨져 똑똑히 보이지 않는 것, 또는 분명치 않은 것에 비유적으로 쓰임. **vague** 명확하지 못하거나 애매한 일 등에 쓰임: a *vague* idea 막연한 생각.

6 세상에 알려지지 않은, 무명의; 신분이〔지위가〕 낮은, 미천한(humble): an ~ poet 무명 시인. **7** 〖음성〗 모호한 모음의: an ~ vowel 모호한 모음《about의 [ə] 따위》. **8** 《미해커속어》 설명서〔자료〕에 써 있지 않은; 불가해한. ***of ~ origin*** 〔***birth, background***〕 근본〔태생〕이 미천한.
— *n.* 《시어》 암흑; 야음; 《드물게》 = OBSCURITY.
— *vt.* **1** 어둡게 하다, 흐리게 하다. **2** 덮어 감추다, 가리다: Clouds ~ the sun. 구름이 태양을 가린다. **3** (명성 따위를) 가리다, (남의) 영광 따위를 빼앗다, 무색하게 하다: His son's achievements ~*d* his own. 자식의 업적 때문에 그의 업적은 빛을 잃었다. **4** (사물을) 알기 어렵게 하다, 혼란시키다; (뜻을) 불명료하게 하다; 모호하게 하다: reasoning ~*d* by emotion 감정에 의해 모호해진 논리. **5** 모호하게 발음하다, (모음을) 모호한 모음으로 바꾸다. ◇ obscuration *n.* ㊞ ~·**ly** *ad.* ~·**ness** *n.*

obscúred gláss 젖빛〔불투명〕 유리.

obscúre vówel 애매한 모음《about의 [ə] 따위》.

* **ob·scu·ri·ty** [əbskjúərəti] *n.* Ⓤ,Ⓒ **1** 어두컴컴함; 어두운 곳. **2** 불명료(한 것); 애매함, 난해함. **3** 세상에 알려지지 않음; 무명(인); 낮은 신분; 궁벽한 땅: rise from ~ to fame 낮은 신분에서 출세하다. ***retire*** 〔***sink***〕 ***into*** ~ 은퇴하다〔초야에 묻히다〕.

ob·scu·rum per ob·scu·ri·us [əbskjúərəm-pèə-əbskjúərius] 《L.》 불명확한 것을 더욱 불명확한 것으로 설명하기.

ob·se·crate [ábsəkrèit/ɔ́b-] *vt.* 《고어》 …에게 탄원〔애원〕하다(beseech).

òb·se·crá·tion *n.* 탄원, 간청; 〖교회〗 탄원(歎願) 기도, 호칭 기도《Litany에서 'by'로 시작하는 일련의 구(句)》.

ob·se·quence [ábsəkwəns/ɔ́b-] *n.* 아부, 아첨; 추종.

ob·se·qui·al [əbsíːkwiəl/ɔb-] *a.* 장례식의.

ob·se·quies [ábsəkwiz/ɔ́b-] (*sing.* ***-quy*** [-kwi]) *n. pl.* 장례식.

ob·se·qui·ous [əbsíːkwiəs] *a.* 아첨〔아부〕하는; 비굴한; 《고어》 순종하는: an ~ smile 아첨하는 웃음. ㊞ ~·**ly** *ad.* ~·**ness** *n.*

ob·serv·a·ble [əbzə́ːrvəbəl] *a.* **1** 관찰할 수 있는, 눈에 띄는. **2** 주목할 만한; 현저한. **3** 지켜야 할《규칙·관습 등》. — *n.* 관찰할 수 있는 것. ㊞ **-bly** *ad.* ~·**ness** *n.*

* **ob·serv·ance** [əbzə́ːrvəns] *n.* **1** Ⓤ (법률·규칙·관습 따위의) 준수, 지킴, 준봉《*of*》: the ~ *of* the Sabbath 안식일 엄수 / strict ~ *of* the rule 규칙의 엄수. **2** Ⓒ (지켜야 할) 습관, 관례; (수도회의) 계율; (그런 계율을 지키는) 수도회. **3** Ⓒ (보통 *pl.*) (관례대로의) 의식(거행); 〖종교〗 식전(式典), 제전; (걸맞는 방법·의식 등에 의한) 축하. **4** Ⓤ 관찰, 주목. **5** 《고어》 Ⓤ 경복(敬服), 공순(恭順). **6** = OBSERVATION. ◇ observe *v.*

˚**ob·serv·ant** [əbzə́ːrvənt] *a.* **1** 관찰력이 예리한, 주의 깊은《*of; to*》. **2** 준수하는《*of*》: ~ *of* the traffic rules 교통규칙을 지키는. — *n.* (법률 따위의) 엄수자; (O-) 〖가톨릭〗 (프란체스코회의) 수도회칙 엄수파의 수사. ㊞ ~·**ly** *ad.*

‡**ob·ser·va·tion** [àbzərvéiʃən/ɔ̀b-] *n.* **1** Ⓤ 관찰, 주목, 주시: escape ~ 남의 눈에 띄지 않다 / keep ~ on 〔upon〕 …을 주시하다. **2** Ⓤ (과학상의) 관측; 〖해사〗 천측(天測); 〖군사〗 감시, 정찰; 〖의학〗 진찰: an ~ aircraft 관측〔정찰〕기 / an ~ balloon 관측기구 / make ~*s of* the sun 태양을 관측하다. **3** Ⓤ 관찰력: a man of no ~ 관찰력이 없는 사람. **4** Ⓒ 관찰결과; (*pl.*) 관측보고《*of*》: his ~*s* on the life *of* the savages 야만인의 생태에 관한 관찰기록. **5** Ⓒ (관찰에 의한) 의견, 발언, 평(評)《*on*》: a pregnant ~ 함축 있는 견해 / general ~*s* 개설(槪說) / one's personal ~ 개인적 의견 / make an ~ *on* 〔*about*〕 …에 관하여 소견을 말하다 / She was correct in her ~ *that* the man was an impostor. 그 남자가 사기꾼이라는 그녀의 말이 옳았다. SYN. ⇨ REMARK. ◇ observe *v.* ***take an*** ~ 〖해사〗 (위치를 알기 위해) 천체를 관측하다. ***under*** ~ 감시〔관찰〕되어: come 〔fall〕 *under* a person's ~ 아무의 눈에 띄다. ㊞ ~·**al** [-ʃənəl] *a.* 관측〔감시〕의; 관찰에 의한, 실측적인. ~·**al·ly** *ad.*

observátion càr 《미》 〖철도〗 전망차.

observátion pòst 〖군사〗 감시 초소, (포격을 지휘하는) 관측소《생략: O.P.》.

observátion tràin 강변 열차《보트 레이스 팬을 위한》.

˚**ob·serv·a·to·ry** [əbzə́ːrvətɔ̀ːri/-təri] *n.* **1** 천문〔기상, 관상〕대, 측후소; 관측소. **2** 전망대; 망대, 감시소.

‡**ob·serve** [əbzə́ːrv] *vt.* **1** (법률·풍습·규정·시간 따위를) 지키다, 준수하다: ~ laws 법률을 준수하다 / ~ the traffic regulations 교통 법규를 지키다. **2** …의 관습을 지키다; (명절·축일 따위를) 축하하다, 쇠다《관습·규정에 의해》; (의식·제식을) 거행하다, 올리다: ~ Christmas 크리스마스를 축하하다. **3** (행위 등을) 유지하다, 계속하다: ~ care 주의하다 / ~ silence 침묵을 지키다. **4** 《~+목/+목+*do*/+목+-*ing*/+*wh.* 절/+*wh.*+*to* do》 관찰하다, 관측하다, 잘 보다; 주시〔주목〕하다; 감시하다: ~ an eclipse 일식〔월식〕을 관측하다 / ~ a person *do*(*ing*) his duty 아무가 의무를 다하도록 감독하다 / *Observe how* I do this 〔*how to* do this〕. 어떻게 하는지 잘 보아라. **5** 《~+목/+목+*do*/+목+-*ing*/+*that* 절》 …을 보다, 목격하다; 인지(認知)하다, …을 알아차리다: I ~*d* nothing queer in his behavior. 그의 행동에 이상한 데는 없었다 / He ~*d* the thief *open*(*ing*) the lock of the door. 그는 도둑이 문의 자물쇠를 여는 것을 봤다 / I ~*d that* he became very pale. 그가 새파랗게 질렸음을 알아차렸다. **6** 《~+목/+*that* 절》 (소견을) 진술하다, 말하다: He ~*d that* the plan would work well. 그 계획은 잘 되어 갈 것이라고 그가 말했다. — *vi.* **1** 관찰〔관측〕하다; 주시하다: ~ carefully. **2** 《+전+명》 소견을 말하다, 논평하다《*on, upon*》: No one ~*d* (*up*)*on* that. 그 일에 의견을 말하는 사람이 없었다. ◇ observance, observation *n.* ***the ~d of*** 〔***by***〕 ***all observers*** 만인의 주목을 받는 사람.

* **ob·serv·er** [əbzə́ːrvər] *n.* **1** 관찰자; 관측자; 감시자. **2** 입회인; 옵서버《회의에 배석은 하나 투표권이 없는》; 참관자. **3** 의견을 말하는 사람, 평자(評者). **4** 준수자: an ~ to his promise 약속을 지키는 사람 / an ~ *of* the Sabbath 안식일을 지키는 사람. **5** 〖군사〗 포격 관측〔지시〕반원, 대공 감시원, 〖항공〗 기상(機上) 정찰자. **6** (the

O-) 옵서버지《영국의 신문명》.

ob·sérv·ing *a.* 주의 깊은, 방심하지 않는; 관찰력이 예민한. ⓟ **~·ly** *ad.*

ob·sess [əbsés] *vt.* 〖흔히 수동태〗 (귀신·망상 따위가) 들리다, 사로잡히다; 괴롭히다《*by; with*》: She *was* ~*ed by* 〔*with*〕 jealousy. 질투심에 사로잡혔다. ― *vi.* 《미구어》 (늘) 괴로워하다, 고민하다.

°**ob·ses·sion** [əbséʃən] *n.* Ⓤ (귀신·망상·공포관념 따위가) …을 사로잡음; Ⓒ 붙어서 떨어지지 않는 관념, 강박관념, 망상: be under an ~ of …에 사로잡히다 / suffer from an ~ 망상에 시달리다 / Her ~ with comics began years ago. 그녀가 만화에 빠져들기 시작한 것은 수년전 부터였다 / have an ~ that ... …이라는 망상을 품고 있다.

ob·ses·sion·al [əbséʃənəl] *a.* 강박관념〔망상〕에 사로잡힌, 떨어지지 않는《관념 따위》; 강박관념에 의한《병 따위》. ― *n.* 강박관념에 사로잡힌 사람. ⓟ **~·ly** *ad.*

obséssional neurósis 〖정신의학〗 강박신경증.

ob·ses·sive [əbsésiv] *a.* 붙어 떨어지지 않는《관념 따위》, 강박관념의〔을 일으키는〕《*about*》; 비정상일 정도의: He's ~ *about* winning. 그는 이기는 데 집착해 있다. ― *n.* 망상에 사로잡힌 사람. ⓟ **~·ly** *ad.* **~·ness** *n.*

obséssive-compúlsive 〖정신의학〗 *a.* 강박(強迫)의: ~ neurosis =OBSESSIONAL NEUROSIS. ― *n.* 강박신경증 환자.

ob·sid·i·an [əbsídiən] *n.* Ⓤ 〖광물〗 흑요석(黑曜石): ~ dating 흑요석 연대 측정법.

ob·so·lesce [àbsəlés/ɔ̀b-] *vi.* 쇠퇴하다; 퇴화하다.

ob·so·les·cence [àbsəlésəns/ɔ̀b-] *n.* Ⓤ 노폐(화), 노후(화), 쇠미; 진부화(陳腐化); 〖생물〗 (기관의) 폐퇴, 위축, 퇴화; 〖기계〗 구식화.

ob·so·les·cent [àbsəlésənt/ɔ̀b-] *a.* 쇠퇴해 가고 있는; 〖생물〗 폐퇴한, 퇴화한. ⓟ **~·ly** *ad.*

°**ob·so·lete** [àbsəlíːt, ⌐–⌐/ɔ́bsəlìːt] *a.* **1** 쓸모없이〔못쓰게〕 된, 폐물이 된: an ~ word 폐어. **2** 쇠퇴한, 시대에 뒤진, 진부한, 구식의: ~ equipment 노후설비. **3** 〖생물〗 퇴화한. ― *n.* 폐어(廢語); 시대에 뒤진〔진부한〕 사람〔물건〕; 폐물. ― *vt.* 쓸모없게 만들다, 시대에 뒤지게 하다. ⓟ **~·ly** *ad.* 시대에 뒤져; 폐어로서. **~·ness** *n.*

ob·so·let·ism [ábsəlìːtizəm/ɔ́b-] *n.* 시대에 뒤짐; 쓰이지 않게 된 관습; 폐어.

***ob·sta·cle** [ábstəkəl/ɔ́b-] *n.* 장애(물), 방해(물)《*to*》: ~ *to* progress 진보를 막는 것 / encounter 〔meet with〕 ~*s* 장애물을 만나다.

óbstacle còurse 〖군사〗 장애물 통과 훈련장〔과정〕; 〖일반적〗 빠져나가야 할 일련의 장애.

óbstacle ràce 장애물 경주.

obstet. obstetrical; obstetrician; obstetrics.

ob·stet·ric, -ri·cal [əbstétrik], [-kəl] *a.* 산과(產科)의; 조산(助產)의; 산과학(學)의: an *obstetric* nurse 산과 간호사. ⓟ **-ri·cal·ly** *ad.*

ob·ste·tri·cian [àbstətríʃən/ɔ̀b-] *n.* 산과의(產科醫), 산부인과 의사.

ob·stét·rics *n. pl.* 〖단수취급〗 산과학(產科學).

***ob·sti·na·cy** [ábstənəsi/ɔ́b-] *n.* **1** Ⓤ 완고, 강퍅《*in*》; 고집, 끈질김; Ⓒ 완고한 언행《*against*》: with ~ 완강히, 끈질기게. **2** Ⓤ (해악·병 따위의) 뿌리 깊음, 고치기 힘듦. ◇ obstinate *a.*

***ob·sti·nate** [ábstənət/ɔ́b-] *a.* **1** 완고한, 억지센, 강퍅한, 끈질긴; 완강한《저항 따위》: ~ resistance to …에 대한 완강한 저항.

> SYN. **obstinate** 논의나 설득을 배제하고 자기의 의견·방침을 고집함으로써 '완고한'. **stubborn** 목적·방침·상태의 변화에 강력히 저항하여 '완강한'.

2 고치기 힘든《병·해악 따위》: an ~ cough 잘 낫지 않는 기침. ◇ obstinacy *n.* ***as* ~ *as a mule*** 몹시 고집불통인. ⓟ **~·ly** *ad.* **~·ness** *n.*

ob·sti·pant [ábstəpənt/ɔ́b-] *n.* 〖약학〗 설사약, 지사약(止瀉藥).

ob·sti·pa·tion [àbstəpéiʃən/ɔ̀b-] *n.* 〖의학〗 「(심한) 변비.

ob·strep·er·ous [əbstrépərəs] *a.* 시끄러운, 시끄럽게 떠드는; 날뛰는, 난폭한, 제어할 수 없는. ⓟ **~·ly** *ad.* **~·ness** *n.*

***ob·struct** [əbstrʌ́kt] *vt.* **1** (길 따위를) 막다; 차단하다: ~ a road. **2** 《~+목/+목+전+명》 (일의 진행·행동 따위를) 방해하다(hinder): ~ a bill 법안통과를 방해하다 / The crowd ~*ed* the police *in* the discharge of their duties. 군중이 경찰관의 직무집행을 방해했다. **3** (시계(視界)를) 가리다: ~ the view 전망을 가로막다. ― *vi.* 방해하다. ◇ obstruction *n.* ⓟ **~·er, ob·strúc·tor** *n.* 방해자〔물〕.

°**ob·struc·tion** [əbstrʌ́kʃən] *n.* **1** Ⓤ 폐색(閉塞), 차단, 〖의학〗 폐색(증); 방해; 장애, 지장《*to*》; 의사 방해《특히 의회의》: an ~ in a pipe / intestinal ~ 장폐색. **2** Ⓒ 장애물, 방해물. **3** 〖스포츠〗 오브스트럭션《반칙인 방해 행위》. ◇ obstruct *v.* ⓟ **~·ism** *n.* Ⓤ (의사) 방해. **~·ist** *n.* (의사) 방해자.

obstrúction guàrd (기관차의) 배장기(排障器).

ob·struc·tive [əbstrʌ́ktiv] *a.* 방해되는《*of; to*》; 의사 방해의; 〖의학〗 폐색성의. ― *n.* 방해〔장애〕물; (의사)방해자. ⓟ **~·ly** *ad.* **~·ness** *n.*

ob·stru·ent [ábstruənt/ɔ́b-] *a.* 〖의학〗 폐색을 일으키는; 〖음성〗 방해음의. ― *n.* 〖의학〗 폐색약; (체내의) 폐색물《신장 결석 따위》; 〖음성〗 방해음《폐쇄음·마찰음·파찰음의 총칭》.

ob·stu·pe·fy [abstjúːpəfài, abz-/ɔbstjúː-] *vt.* = STUPEFY.

****ob·tain** [əbtéin] *vt.* **1** 《~+목/+목+전+명》 얻다, 손에 넣다, 획득하다: ~ permission 허가를 얻다 / ~ a prize 상을 타다 / ~ a loan *of* a person 아무에게서 돈을 꾸다. **2** 《+목+목/+목+전+명》 (명성·지위 등을) 얻게 하다: His work ~*ed* him great fame. =His work ~*ed* great fame *for* him. 그 연구로 그는 명성을 얻었다 / ~ sugar *from* sugarcane 사탕수수에서 설탕을 얻는다 / Knowledge may *be* ~*ed through* study. 지식은 학습을 통해서 얻어진다. SYN. ⇨ GET. **3** 《고어》 달성하다. ― *vi.* **1** 《~/+전+명》 (널리) 행해지다, 유행하다, 통용되다: The custom still ~*s* in some districts. 그 풍습은 곳에 따라 아직도 행해지고 있다 / This view has ~*ed for* many years. 이 견해는 여러 해 동안 통용되고 있다. **2** 《고어》 성공하다. ⓟ °**~·a·ble** *a.* **~·er** *n.* **~·ment** *n.*

ob·tect·ed [abtéktid/ɔb-] *a.* 〖곤충〗 (번데기가) 피각(皮殼)이 있는.

ob·ten·tion [əbténʃən] *n.* Ⓤ 획득, 입수; 달성.

ob·test [abtést/ɔb-] *vt.* 《문어》 증인으로 부르다; …에 탄원하다. ― *vi.* 항의하다; 탄원하다.

ob·tes·ta·tion [àbtestéiʃən/ɔ̀b-] *n.* 《문어》 탄원, 하느님의 굽어보심을 바람; 항의.

ob·trude [əbtrúːd] *vt.* **1** (생각·의견 따위를 아무에게) 강요〔강제〕하다, 억지쓰다《*on, upon*》: Don't ~ your opinions *on* others. 자기의 의견을 타인에게 강요하지 마라. **2** (머리 따위를) 불쑥 내밀다. ― *vi.* 주제넘게 나서다, 중뿔나다. ~ one*self* 주제넘게 참견하다《*on, upon*》. ⓟ **-trúd·er** *n.*

ob·trun·cate [abtrʌ́ŋkeit/ɔb-] *vt.* (수목)의 윗동아리를 자르다.

ob·tru·sion [əbtrúːʒən] *n.* Ⓤ (의견 따위의) 강

요, 강제《on》; 주제넘은 참견, 중뿔남.
ob·tru·sive [əbtrúːsiv] *a.* 강요하는, 주제넘게 참견하는, 중뿔나게 구는; 튀어나온; 눈에 거슬리는. ㊞ **~·ly** *ad.* **~·ness** *n.*
ob·tund [ɑbtʌ́nd/ɔb-] *vt.* 〖의학〗 (감각·기능을) 둔화시키다; (아픔 따위를) 완화하다, 억제하다. ㊞ **bo·tún·di·ty** *n.*
ob·tund·ent [ɑbtʌ́ndənt/ɔb-] *a.* (아픔 등을) 완화하는. **—** *n.* 완화제, 진통제.
ob·tu·rate [ɑ́btjuərèit/ɔ́btuər-] *vt.* (구멍 등을) 폐색하다, 막다; (포미(砲尾)를) 밀폐하다. ㊞ **òb·tu·rá·tion** *n.* Ⓤ 폐색, 밀폐. **ób·tu·rà·tor** [-ər] *n.* 폐색물〔구〕; (포미의) 밀폐 장치.
óbturator forámen 〖해부〗 폐쇄공《치골과 좌골 사이에 있는 큰 구멍》.
ob·tuse [əbtjúːs/-tjúːs] *a.* **1** 둔한, 무딘, 끝이 뭉툭한; 〖수학〗 둔각의(OPP *acute*); 〖식물〗 (잎이) 둥그란: an ~ angle 〖수학〗 둔각. **2** 머리가 둔한, 우둔한, 둔감한: be ~ *in* understanding 이해가 더디다 / an ~ pain 둔통(鈍痛). ㊞ **~·ly** *ad.* **~·ness** *n.*
ob·tu·si·ty [ɑbtjúːsəti/ɔbtjúː-] *n.* Ⓤ 둔감, 둔함; 어리석은 것.
obv. obverse.
ob·verse [ɑ́bvəːrs/ɔ́b-] *n.* **1** 거죽, 겉, (화폐·메달 등의) 표면(OPP *reverse*, *verso*); 앞면(OPP *back*). **2** (사실 등의) 이면; (표리와 같이) 상대되는 것(counterpart). **3** (정리(定理) 등의) 역(逆). **4** 〖논리〗 환질(換質) 명제. **—** [ɑbvə́ːrs, ɑ́bvəːrs/ɔ́bvəːrs] *a.* 관찰자에 면한, 맞은편(쪽)의; 표면의; 이면의; 반대쪽의; 대응하고 있는; 〖식물〗 끝이 넓은《잎 등》, 도생(倒生)의. ㊞ **~·ly** *ad.* 표면을 드러내어; 〖식물〗 도생적으로.
ob·ver·sion [ɑbvə́ːrʒən, -ʃən/ɔbvə́ːʃən] *n.* Ⓤ 표면〔다른 면〕을 보임〔보이고 있는 것〕; 〖논리〗 환질법(換質法).
ob·vert [ɑbvə́ːrt/ɔb-] *vt.* 다른 면이 보이게 하다〔뒤집다〕; …의 외관〔양상〕을 바꾸다; 〖논리〗 (명제를) 환질(換質)하다.
°**ob·vi·ate** [ɑ́bvièit/ɔ́b-] *vt.* (위험·곤란 따위를) 없애다, 제거하다; 회피하다, 미연에 방지하다: ~ danger 위험을 피하다. ㊞ **òb·vi·á·tion** *n.* 제거; 회피.
ob·vi·os·i·ty [ɑ̀bviɑ́səti/ɔ̀biɔ́s-] *n.* (의견·결론 등이) 자명함.
⁑**ob·vi·ous** [ɑ́bviəs/ɔ́b-] *a.* **1** 명백한, 명확한, 명료한: an ~ drawback 명백한 약점. SYN. ⇨ CLEAR, EVIDENT. **2** (감정·농담 등이) 속이 들여다보이는, 뻔한: one's ~ joke 조심성 없는 농담. **3** 알기〔이해하기〕 쉬운: an ~ meaning. **4** 눈에 잘 띄는: an ~ signboard 금방 눈에 띄는 간판. ㊞ *~·**ly** *ad.* 명백하게; 두드러지게. **~·ness** *n.*
ob·vo·lute, ob·vo·lu·tive [ɑ́bvəlùːt/ɔ́b-], [ɑ́bvəlùːtiv/ɔ́b-] *a.* **1** 둘둘 만〔말린〕. **2** 〖식물〗 (잎눈이) 반씩 겹쳐져 있는.
oc- [ɑ́k, ək/ɔ́k, ək] *pref.* =OB-《c 앞에서: *occasion*》.
OC oral contraceptive; 〖경영〗 organizational climate (조직 환경〔풍토(風土)〕). **Oc., oc.** ocean. **O.C., OC** Officer Commanding; Old Catholic; oral contraceptive; on center; on course; *Ordo Cisterciensium*《L.》(=Order of Cistercians). **OC, o/c** 〖상업〗 overcharge. **o'c.** o'clock. **OCA** Olympic Council of Asia (아시아 올림픽 평의회).
oc·a·ri·na [ɑ̀kəríːnə/ɔ̀k-] *n.* 오카리나 (sweet potato)《도기(陶器)〔금속제〕의 고구마형 피리》.

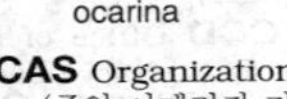
ocarina

O. Carm. Order of Carmelites. **O. Cart.** Order of Carthusians. **OCAS** Organization of Central American States (중앙 아메리카 기구). **O.C.C.** Order of Calced Carmelites.
Oc·cam, Ock·ham [ɑ́kəm/ɔ́-] *n.* **William of** ~ 오컴《영국의 스콜라 철학자; 1300?-1349?》.
Óccam's rázor 오컴의 면도날《이론 체계는 간결할수록 좋다는 원리》.
occas. occasion; occasional; occasionally.
⁑**oc·ca·sion** [əkéiʒən] *n.* **1** (특정한) 경우, 때《*on*》, 시(時); 일: *on* this happy 〔sad〕 ~ 이토록 기쁜〔슬픈〕 때에 / *on* several ~*s* 몇 번이나, 여러 번. **2** (…할) 기회, 호기(好機)《*for; to* do》, 알맞은 때: This is not an ~ *for* laughter. 지금은 웃을 때가 아니다 / I have never had an ~ *to* meet him. 이때까지 그를 만날 기회가 한 번도 없었다. SYN. ⇨ OPPORTUNITY. **3** 중요한 때, 경사스러운 때; 축전(祝典), 행사: on great ~*s* 대축제일에. **4** Ⓤ (직접적인) 이유, 근거; 유인(誘因), 원인《*of; for, to* do》: the ~ *of* an accident 사고의 계기 / There is no ~ *for* her *to* get excited. 그녀가 흥분할 이유는 없다. **5** Ⓤ 《고어》 필요; (*pl.*) 용무, 업무.
as* ~ *demands 〔***arises, requires***〕 필요에 따라; 임기로. ***be equal to the* ~** 제때에 훌륭히 일을 해내다, 임기응변으로 처리하다. ***for*** 〔***on, upon***〕 a person***'s* ~** 아무를 위하여. ***for the* ~** 임시로, 이〔그〕를 위해〔위한〕: a dress *for the* ~ 그때를 위한 (나들이)옷. ***give* ~ *to*** …을 일으키다〔야기하다〕. ***go about*** one***'s lawful* ~*s*** 《고어》 본업에 전심하다. (***have***) ***a sense of* ~** 때와 장소를 분별할 수 있는 양식(이 있다). ***have no* ~ *for*** …의 필요가 없다; …의 근거가 없다. ***have no* ~ *to*** do …할 이유〔필요〕가 없다. ***if the* ~ *rises*** 필요하다면. ***in honor of the* ~** 축하의 뜻을 표하기 위해. ***on all* ~*s*** 〔***every* ~**〕 모든 경우에. ***on*** 〔***upon***〕 **~(*s*)** 이따금; 때에 따라서(occasionally). ***on one* ~** 이따금, 때때로. ***on the first* ~** 기회 있는 대로; 가급적 빨리. ***on the* ~ *of*** …에 즈음하여, 필요한 때에. ***profit by the* ~** 호기를 잡다. ***rise to the* ~** 난국에 잘〔훌륭히〕 대처하다, 위기에 처하여 수완을 발휘하다. ***take*** 〔***seize***〕 ***the* ~ *to*** do 기회를 틈타 …하다.
— *vt.* 《~+목/+목+목/+목+전+명/+목+*to* do》 …을 야기시키다(cause), …의 원인이 되다; (걱정 등을) 끼치다; (아무)에게 …시키다: ~ a riot 소동을 일으키다 / ~ a person great anxiety 아무에게 큰 걱정을 끼치다 / Our son's behavior ~*ed* much anxiety *to* us. 아들의 처신이 우리를 몹시 걱정스럽게 했다 / The aggression ~*ed* them *to* take arms. 그 침략 행위가 그들로 하여금 무기를 들게 했다.
***oc·ca·sion·al** [əkéiʒənəl] *a.* **1** 이따금씩의, 때때로의: an ~ visitor 가끔 오는 손님 / fine except for ~ rain 맑고 때때로 비. **2** 임시의, 예비의: an ~ hand 임시 사무원, 임시공 / an ~ table 〔chair〕 (필요할 때만 쓰는) 예비 책상〔의자〕. **3** 특별한 경우를 위한《시·음악 따위》: ~ decrees 임시 (특별) 법령 / ~ verses (특별한 경우를 위한) 기념시. **4** (…의) 원인이 되는《*of*》; 우연의, 부차적인. ㊞ ⁑~·**ly** *ad.* 이따금, 가끔, 왕왕; 임시로. **oc·cà·sion·ál·i·ty** *n.*
occásional cáuse 〖철학〗 우인(偶因), 기회 원인《직전의 원인이지만 직접 원인은 아닌 것》.
oc·cá·sion·al·ìsm *n.* Ⓤ 〖철학〗 우인론(偶因論), 기회 원인론. ㊞ **-ist** *n.*
occásional lícense 《영》 (특정 시기·장소에서의) 주류(酒類) 판매 허가.
°**oc·ci·dent** [ɑ́ksədənt/ɔ́k-] *n.* **1** (the O-) 서양, 서구, 구미; 서양문명; 서유럽 제국; 서반구. OPP *Orient*. **2** (the ~) 《시어》 서방, 서(西).
°**oc·ci·den·tal** [ɑ̀ksədéntl/ɔ̀k-] *a.* **1** (O-) 서양

(제국)의. opp Oriental. ¶ *Occidental* civilization 서양문명. **2** 서양인의, 서방의. **3** (미국) 서부의. **4** 질이 떨어지는, 광택이 적은《진주·보석 따위》. opp *oriental*. **—** *n*. (보통 O-) 서양 사람. ㊞ **~·ly** *ad*. 서양적으로.

Òc·ci·dén·tal·ìsm *n*. Ⓤ 서양풍, 서양기질, 서양정신; 서양숭배; 서양문화. ㊞ **-ist** *n*., *a*. 서양문화 애호자〔숭배자〕(의).

Òc·ci·dén·tal·ìze *vt*. 서양식으로〔서구화〕하다.

oc·cip·i·tal [ɑksípətl /ɔk-] *a*. 〖해부〗 후두부〔골〕의. **—** *n*. 후두부, 후두골(=**∽ bòne**).

occípital cóndyle 〖해부·동물〗 후두과(顆).

occípital lòbe 〖해부〗 후두엽(後頭葉).

oc·ci·put [ɑ́ksəpʌ̀t/ɔ́k-] (*pl*. **~s, *oc·cip·i·ta*** [ɑksípətə/ɔk-]) *n*. 〖해부〗 후두(부).

oc·clude [əklúːd/ɔk-, ək-] *vt*. (통로·구멍 따위를) 폐색하다; 못 들어오게〔나오게〕 막다; 방해하다(prevent); 〖물리·화학〗 (금속 따위가 기체·액체·고체 따위를) 흡장(吸藏)하다; 〖기상〗 폐색하다. **—** *vi*. 〖치과〗 (아래윗니가) 맞물다; 폐색하다.

occlúded frónt 〖기상〗 폐색전선.

oc·clu·sion [əklúːʒən/ɔk-] *n*. Ⓤ 폐색, 폐쇄; 차단; 〖물리·화학〗 흡장(吸藏); 〖치과〗 (아래윗니의) 맞물림, 교합(咬合); 〖기상〗 폐색 (전선); 〖음성〗 폐쇄

oc·clu·sive [əklúːsiv/ɔk-, ək-] *a*. 폐색시키는, 폐색 작용의; 〖음성〗 폐쇄(음)의. **—** *n*. 〖음성〗 무(無)파열 폐쇄음, 불완전 파열음. ㊞ **~·ness** *n*.

oc·cult [əkʌ́lt, ɑ́kʌlt/ɔkʌ́lt, ək-] *a*. 신비로운, 불가사의의; 비밀의; 오묘한, 심오한, 초자연적인, 마술적인; 육안으로 안 보이는: ~ arts 비술(秘術)《연금술·점성술 따위》/ ~ sciences 비학《점성술 따위》. **—** *n*. (the ~) 비학(秘學), 오컬트; 신비, 신비로운 사상(事象). **—** *vt*., *vi*. 〖천문〗 엄폐하다; 숨(기)다, 안 보이(게 하)다. ㊞ **~·er** *n*. **~·ly** *ad*. **~·ness** *n*.

oc·cul·ta·tion [ɑ̀kʌltéiʃən/ɔ̀k-] *n*. Ⓤ 〖천문〗 엄폐《한 천체가 다른 천체에 의해 가려짐》; 자취를 감춤《*of*》.

occúlt bálance 불균형의 균형《미술 작품의 구성에서, 좌우 불균형이 빚어내는 시각적 균형》.

occúlting líght 〖해사〗 (등대의) 명암등.

oc·cult·ism [əkʌ́ltizəm/ɔ́kəːtìzəm, ɔ́kʌl-] *n*. Ⓤ 신비주의〔학, 론, 요법, 연구〕《점성술·강신술(降神術) 따위의》, 비밀교. ㊞ **-ist** *n*. 비밀교 신봉자; 신비학자, 비술자.

oc·cu·pan·cy [ɑ́kjəpənsi/ɔ́k-] *n*. Ⓤ 점유, 점령; 거주; 점유 기간〔건물〕, 점유부《사무실 등의》; (재산의) 사용; 〖법률〗 선점(先占), 점거.

◇**oc·cu·pant** [ɑ́kjəpənt/ɔ́k-] *n*. 점유자; 거주자; 〖법률〗 선점자(先占者), 점거자; 〖생태〗 점유〔거주(居住)〕 동물, 현주종(現住種).

‡**oc·cu·pa·tion** [ɑ̀kjəpéiʃən/ɔ̀k-] *n*. Ⓤ **1** Ⓒ 직업(vocation), 업무; 일: men out of ~ 실업자 / His ~ is farming. =He is a farmer by ~. 그의 직업은 농업이다.

> SYN. **occupation** 규칙적으로 종사하고 그것을 위해 훈련을 받는 직업. **profession** 변호사·의사·교사 등과 같이 전문적인 지식을 필요로 하는 직업. **business** 실업·상업 관계의 영리를 목적으로 하는 직업. **job** 직업을 의미하는 가장 일반적인 말.

2 소일거리, 종사하는 활동: Knitting is my favorite ~. 뜨개질이 내가 좋아하는 소일거리다. **3** 점유, 점유권〔기간〕: an~ bridge 사설 전용 교량. **4** 거주; 거주권〔기간〕. **5** 종사, 취업, 취임; 임기: during his ~ of the Presidency 그의 대통령 임기 중에. **6** 점령(기간): an army of ~ = ~ troops 점령군. ◇ occupy *v*. ㊞ **~·less** *a*.

oc·cu·pa·tion·al [ɑ̀kjəpéiʃənəl/ɔ̀k-] *a*. **1** 직업(상)의, 직업 때문에 일어나는: ~ guidance 직업 보도. **2** 점령의. ㊞ **~·ly** *ad*.

occupátional diséase 직업병.

occupátional házard 직업상의 위험.

occupátional médicine 직업병 의학.

occupátional pénsion schème 직업〔직장〕 연금제도.

occupátional psychólogy 직업 심리학.

occupátional thérapy 작업 요법《적당한 가벼운 일을 주어서 장애의 회복을 피하는 요법》.

òc·cu·pá·tion·er *n*. 《미속어》 점령군 군인; (*pl*.) 점령군.

oc·cu·pa·tion·ese [ɑ̀kjəpèiʃəníːz/ɔ̀k-] *n*. 점령군 용어.

occupátion gròupings 직업별 분류《국세조사나 시장조사를 토대로 소비자를 직업별로 분류한 것》.

oc·cu·pa·tion·naire [ɑ̀kjəpèiʃənɛ́ər/ɔ̀k-] *n*. 「점령군 당국자.

occupátion ròad 사설 전용 도로, 사도.

‡**oc·cu·py** [ɑ́kjəpài/ɔ́k-] *vt*. **1** (시간·장소 따위를) 차지하다; (시간을) 요하다: The ceremony *occupied* three hours. 식은 세 시간 걸렸다 / The building *occupies* an entire block. 건물은 한 블록 전체를 차지하고 있다. **2** 점령〔점거〕하다, 영유하다: The army *occupied* the fortress. 군대는 그 요새를 점령했다. **3** …에 거주하다, 점유하다; 사용하다; 차용하다: The building is *occupied*. 그 건물에는 사람이 살고 있다 / "*Occupied*" '사용 중'《욕실·변소 따위의 게시》. **4** (지위·일자리를) 차지하다: ~ a high position 높은 자리를 차지하다. **5** (마음을) 사로잡다; (주의를) 끌다: Golf has *occupied* his mind. 그는 골프에 미쳤다. **6** 《+목+전+명/+목+-*ing*》〔보통 수동태 또는 ~ onself〕 (일에) 종사하다, 전념하다《*in*; *with*》: ~ one*self in* physical work 육체노동에 종사하다. ◇ occupation *n*. ***be occupied*** 〔~ one***self***〕 (***in***) do***ing*** 〔***with***〕 …에 종사하고 있다; …하고 있는 중이다: He *is occupied* (*in*) writ*ing* a novel. 그는 소설을 집필 중이다. ㊞ **-pì·a·ble** *a*. **-pì·er** [-ər] *n*. 점유자; 거주〔차가〕인; 점령군의 일원.

‡**oc·cur** [əkə́ːr] (**-rr-**) *vi*. **1** (사건 따위가) 일어나다, 생기다. cf. befall. ¶ if anything should ~ 만약 어떤 일이 생긴다면; 만일의 경우에는 / When did the accident ~? 사고가 언제 일어났는가. SYN. ⇨ HAPPEN. **2** 《+전+명》 나타나다, 나오다; 눈에 띄게 되다; 존재하다《*in*》: This word ~s twice *in* the first chapter. 이 말은 제1장에 두 번 나온다 / The plant ~s only *in* Korea. 그 식물은 한국에만 있다. **3** 《+전+명》 〔종종 It ~s ... *to* do, It ~s ... *that* 꼴로〕 (머리에) 떠오르다, 생각이 나다《*to*》. cf. strike. ¶ A happy 〔bright〕 idea ~*red to* me. 명안〔묘안〕이 떠올랐다 / It ~*red to* me that .... …라고 하는 것이 머리에 떠올랐다. ㊞ **~·ring** [əkə́ːriŋ] *n*. (보통 *pl*.) 《미구어》 사건, 사변.

***oc·cur·rence** [əkə́ːrəns, əkʌ́r-/əkʌ́r-] *n*. **1** Ⓒ 사건, 생긴 일: unexpected ~*s* 뜻밖의 사건 / a happy ~ 경사. **2** Ⓤ (사건의) 발생, 일어남《*of*》: an accident *of* frequent ~ 자주 발생하는 사건. **3** Ⓤ (동물 따위가) 발견됨; (천연자원의) 산출, 존재: evidence of coal ~ 석탄이 존재한다는 증거.

oc·cur·rent [əkə́ːrənt, əkʌ́r-/əkʌ́r-] *a*. 현재 일어나고 있는(current); 우연의(incidental). **—** *n*. 일시적인 것《계속적인 것에 대해》.

OCD Office of Civilian Defense (민간 방공국); 〖의학〗 obsessive-compulsive disorder (강박성 장애). **OCDM, O.C.D.M.** Office of

Civil and Defense Mobilization (미국 민방위 동원 본부).

ocean [óuʃən] *n.* **1** 대양, 해양; (the O-) …양《5 대양의 하나》; (the ~)《문어》 바다(Sea). ★ 무관사는 시어(詩語): the Pacific *Ocean* 태평양/an ~ flight 대양횡단 비행. **2** 끝없이 넓음; (때로 *pl.*) 막대한 양, (…의) 바다《*of*》: an ~ *of* grass 초원의 바다/an ~ of pale moonlight 온통 내리비치는 어스름 달빛/They drank ~*s of* beer. 그들은 맥주를 듬뿍 마셨다. ***be tossed on an ~ of doubts*** 오리무중 속을 헤매다. ***go (and) jump in the ~ 〔lake〕*** ⇨ JUMP.

ocea·nar·i·um [òuʃənέəriəm] (*pl.* ***~s, -nar·ia*** [-riə]) *n.* 해양 수족관.

ocea·naut [óuʃənɔ̀:t] *n.* = AQUANAUT.

ócean bèd 해저(海底).

ócean devélopment 해양 개발.

ócean dispósal 해양 투기(投棄)《폐기물을 깊은 바다에 버림》. 「환 · 이용이 가능함》.

ócean ènergy 해양 에너지《전기 에너지로 변

ócean engineéring 해양 공학.

ócean flìght 양상(洋上) 비행. 「hotel.

ócean·frònt *n., a.* 임해지(臨海地)(의): an ~

ócean·gòing *a.* 외양〔원양〕 항행의. 「객선》.

ócean grèyhound 외양 쾌속선《특히 정기 여

Oce·an·ia [òuʃiǽniə, -ά:n-/-ά:n-] *n.* 오세아니아주, 대양주《오스트레일리아와 그 주변의 섬》. ㊀ **-i·an** *a., n.* 오세아니아의, 오세아니아 사람.

oce·an·ic [òuʃiǽnik] *a.* **1** 대양의, 대해의; 대양산(産)의, 원해(遠海)에 사는; 외양성(外洋性)의; (기후가) 해양성의. **2** 광대한; 막대한. **3** (O-) 대양주의.

Oce·an·i·ca [òuʃiǽnikə] *n.* = OCEANIA.

oceánic ísland 양도(洋島), 대양섬《대륙에서 멀리 떨어진 대양 속의 섬: 하와이 군도 등》.

Oceánic rídge 〖지학〗 해령(海嶺). 「해양 공학.

òce·án·ics *n. pl.* 〘단수취급〙 해양 과학, 《특히》

oceánic trénch 〖지학〗 해구(海溝).

Oce·a·nid [ousí:ənid] (*pl.* ***~s, Oce·an·i·des*** [òusiǽnədì:z]) *n.* 〖그리스신화〗 대양의 여정(女精)〔님프〕《Oceanus의 딸》.

ocean·i·za·tion [òuʃənizéiʃən/-naiz-] *n.* 〖지학〗 대양화 작용《대륙 지각(地殼)의 대양 지각화, 곧 대륙 지역의 대양 지역화》.

ócean làne 원양 항로.

ócean lìner 원양 여객선. 「상보험.

ócean maríne insùrance (외항(外航)) 해

Ócean of Stórms (달 표면의) 폭풍의 바다.

ocea·nog·ra·pher [òuʃiənάgrəfər/-nɔ́g-] *n.* 해양학자.

ocea·nog·ra·phy [òuʃiənάgrəfi/-nɔ́g-] *n.* Ⓤ 해양학. ㊀ **-no·graph·ic, -i·cal** [òuʃənəgrǽfik], [-əl] *a.*

ocea·nol·o·gy [òuʃiənάlədʒi/-nɔ́l-] *n.* Ⓤ 해양학《특히 해양 자원학 · 해양 공학》. ㊀ **-gist** *n.*

ócean ròute 원양 항로.

ócean státion vèssel 정점(定點) 관측선.

ócean sùnfish 〖어류〗 개복치.

ócean technólogy 해양 공학, 해양 기술.

ócean-thérmal *a.* 얕은 바다와 깊은 바다의 온도차에 관한〔를 이용한〕, 해양 온도차의.

ócean thérmal énergy convèrsion 해양 온도차 발전《생략: OTEC》.

ócean tràmp 원양 부정기(화물)선.

Oce·a·nus [ousí:ənəs] *n.* **1** 〖그리스신화〗 오케아노스《대양의 신; 천신 Uranus와 지신 Gaea의 아들》. **2** 대해《대륙을 둘러싼 대하(大河)로 모든 하천 · 호수 · 늪의 수원으로 생각되었음; 본질적으로는 1과 같음》. 「〔바라다보는〕.

ócean-vìew *a.* (호텔(방) 따위가) 바다를 향한

oc·el·late, -lat·ed [άsəlèit, ouséleit/ɔ́silèit], [-id] *a.* 홑눈〔안점(眼點)〕이 있는; 눈과 같은; 눈알 무늬가 있는.

oc·el·la·tion [àsəléiʃən/ɔ̀s-] *n.* 안구(眼球) 무늬(의 반점), 안구상(眼球狀) 무늬.

ocel·lus [ouséləs] (*pl.* ***-li*** [-lai]) *n.* 〖동물〗 (곤충의) 홑눈; (하등 동물의) 안점(眼點); 눈알처럼 생긴 무늬《나비 · 공작의 깃 따위의》.

oce·lot [άsəlàt, óus-/ɔ́silɔ̀t, óus-] *n.* 표범 비슷한 스라소니《라틴 아메리카산》.

och [αx/ɔx] *int.* 《Ir. · Sc.》 오오, 아아《놀람 · 불찬성 · 유감 등을 나타냄》.

ocher, ochre [óukər] *n.* Ⓤ **1** 황토(黃土), 석간주(石間硃)《그림물감의 원료》. **2** 황토색(yellow ~), 오커. **3** 《속어》 돈, 《특히》 금화. **—** *a.* 황토색의. **—** *vt.* …에 ~로 물들이다. ㊀ **ocher·ous, ochre·ous** [óukərəs], **ochr·ous** [óukrəs] *a.* 황토의; 황토를 함유한; 황토색의. **ochery, ochry** [óukəri], [óukri] *a.* 황토(색)의.

och·loc·ra·cy [αklάkrəsi/ɔklɔ́k-] *n.* Ⓤ 폭민(暴民) 정치, 우민(愚民) 정치(mobocracy). ㊀ **och·lo·crat** [άkləkræ̀t/ɔ́k-] *n.* 폭민〔우민〕 정치가. **och·lo·crat·ic, -i·cal** [àkləkrǽtik/ɔ̀k-], [-əl] *a.* 폭민 정치의.

och·lo·pho·bia [àkləfóubiə/ɔ̀k-] *n.* 〖정신의학〗 군집(群集) 공포증.

och·ra·tox·in [òukrətάksin/-tɔ́k-] *n.* 〖생화학〗 누룩곰팡이가 만드는 독소(毒素). 「색의.

ochroid [óukrɔid] *a.* 황토색의(ocherous); 황

OCI 《미》 Overseas Consultants Incorporated (해외 기술 고문단).

-ock [⌐ək] *suf.* '작은 …'의 뜻: hill*ock*.

ock·er [άkər/ɔ́k-] *n.* 《Austral. 속어》 오스트레일리아인 기질의 고집센 사람, 세련되지 않은 사람. **—** *a.* 오스트레일리아(사람)의.

Ockham ⇨ OCCAM.

†**o'clock** [əklάk/əklɔ́k] *ad.* **1** …시(時): at two ~, 2시에/It's two ~. 지금 두 시다. ★ '몇 시 몇 분'의 경우에는 보통 생략함: at half past six 〔6:30 p.m.〕, 6시 반 〔오후 6시 30분〕에. It's four minutes before 〔to, of〕 five. 5시 4분 전이다. SYN. ⇨ TIME. **2** (목표의 위치 · 방향을 시계 문자반 위에 있다고 간주하여) …시 방향: a plane flying at nine ~, 9시 방향을 날고 있는 비행기. ***know what ~ it is*** 만사를 이해하고 있다. ***like one ~*** 《구어》 활발히, 빨리. [◂ *of the clock*]

OCOG Organization Committee of the Olympic Games (올림픽 조직 위원회). **OCR** 〖컴퓨터〗 optical character reader 〔recognition〕(광학 문자 판독기). **OCS, O.C.S.** 《미》 Officer Candidate School. **Oct.** October.

oct. octavo. 「의 결합사.

oct- [αkt/ɔkt], **oc·ta-** [άktə/ɔ́k-] '8'의 뜻

oc·ta·chord [άktəkɔ̀:rd/ɔ́k-] *n.* 팔현금(八絃琴); 8음 음계, 온음계.

oc·tad [άktæd/ɔ́k-] *n.* 8개로 한 벌이 되는 것, 8개 한 벌; 〖화학〗 8가 원소. ㊀ **oc·tád·ic** *a.*

oc·ta·gon [άktəgàn, -gən/ɔ́ktəgən] *n.* 〖수학〗 8변형; 8각형; 팔각당(堂)〔정, 탑〕.

oc·tag·o·nal [αktǽgənl/ɔk-] *a.* 8변형의, 8각형의. ㊀ **~·ly** *ad.*

oc·ta·he·dral [àktəhí:drəl/ɔ̀k-] *a.* 8면이 있는, 8면체의. ㊀ **~·ly** *ad.*

oc·ta·he·dron [àktəhí:drən/ɔ̀k-] (*pl.* ***~s, -dra*** [-drə]) *n.* 8면체; 정(正)팔면체의 것〔결정체〕: a regular ~ 정8면체.

oc·tal [άktl/ɔ́k-] *a.* **1** 8진(법)의(octonary). **2** (디지털 컴퓨터용으로) 8진법으로 기호화된: ~ number system 〖컴퓨터〗 팔진법《0, 1, 2, 3,

4, 5, 6, 7 의 8 개 숫자로 값을 나타내는》. **3** (전자장치에 대하여) 전자적 접속을 위해 8 핀이 있는. **4** 8 행연(聯). — *n.* 8 진법(=∼ **notàtion**); 〖컴퓨터〗 팔진, 팔값《기수가 8 인 수체계》.

oc·tam·er·ous [aktǽmərəs/ɔk-] *a.* 8 개 부분으로 된; 〖식물〗 (윤생체(輪生體)가) 8 개로 된 《8-merous 로도 씀》.

oc·tam·e·ter [aktǽmətər/ɔk-] 〖운율〗 *a., n.* 팔보격(八步格)의 (시). 「8 일열(熱).

oc·tan [áktən/ɔ́k-] *a.* 8 일째마다의. — *n.* Ⓤ

oc·tane [áktein/ɔ́k-] *n.* Ⓤ 〖화학〗 옥탄《석유 중의 무색 액체 탄화수소》. ⓒⓕ cetane.

óctane nùmber 〔**ràting**〕 옥탄가(價).

oc·tan·gle [áktæŋgəl/ɔ́k-] *n., a.* 8 각(의), 8 각형(의).

oc·tan·gu·lar [aktǽŋgjələr/ɔk-] *a.* 8 각의, 8 각형의. 「儀)자리.

Oc·tans [áktænz/ɔ́k-] *n.* 〖천문〗 팔분의(八分

oc·tant [áktənt/ɔ́k-] *n.* 팔분원(八分圓)《중심각 45 도의 호(弧)》; 〖해사·항공〗 팔분의(八分儀); 〖천문〗 (한 천체의 다른 천체에 대한) 이각(離角) 45 도의 위치; 〖천문〗 (the O-) 팔분의자리; 〖수학〗 8 분공간.

òcta·péptide *n.* 〖화학〗 옥타펩티드《폴리펩티드(polypeptide) 고리를 이루는 8 개의 아미노산으로 이루어진 단백질 조각 또는 분자》.

oc·tar·chy [áktɑːrki/ɔ́k-] *n.* 팔두(八頭) 정치; 〖영국사〗 (the O-) 8 왕국. 「式) 건축(의).

oc·ta·style [áktəstàil/ɔ́k-] *n., a.* 8 주식(柱

Oc·ta·teuch [áktətjùːk/ɔ́ktətjùːk] *n.* 구약성서의 최초의 8 편; 8 권 한 질(帙)(의 책). ⓒⓕ Pentateuch. 「가(價)의.

oc·ta·va·lent [àktəvéilənt/ɔ̀k-] *a.* 〖화학〗 8

°**oc·tave** [áktiv, -teiv/ɔ́ktiv] *n.* **1** 8 개 한 벌의 것; 에이트《보트의 크루 따위》. **2** 〖음악〗 옥타브, 8 도음정; 옥타브의 8 개의 음; (어떤 음으로부터 세어) 제 8 음; 옥타브 화음. **3** 8 행 연구(聯句)(octet) 《sonnet 의 처음의 8 행》. **4** 〖교회〗 축일(祝日)부터 세어 8 일째〔8 일간〕. **5** 〖펜싱〗 제 8 의 자세. **6** 13.5 갤런들이 술통. — *a.* 〖음악〗 1 옥타브 높은 음의; 8 개〔인〕 한 벌〔조〕의.

óctave flùte =PICCOLO. 「름》.

Oc·ta·via [aktéiviə/ɔk-] *n.* 옥타비아《여자 이

Oc·ta·vi·us [aktéiviəs/ɔk-] *n.* 옥타비어스《남자 이름》.

oc·ta·vo [aktéivou, -tɑ́ː-/ɔk-] (*pl.* ∼**s**) *n.* 8 절판(折版), 옥타보판(版)《보통 15.3×24 cm; 생략: 8 vo, 8°, oct.》; 8 절판의 책〔종이〕《생략: O., o., oct., 8 vo; 기호: 8°》. ⓒⓕ folio. ¶ crown ∼ 사륙판(四六判) / medium ∼ 국판. — *a.* 8 절판의.

oc·ten·ni·al [akténiəl/ɔk-] *a.* 8 년마다 행해지는〔일어나는〕; 8 년간 계속되는. ㊉ ∼**·ly** *ad.*

oc·tet(te) [aktét/ɔk-] *n.* **1** 〖음악〗 8 중창(重唱), 8 중주(奏); 8 중창단, 8 중주단. **2** 〖운율〗 8 행 연구(聯句)(octave)《sonnet 의 처음의 8 행》, 8 행의 시; 8 개 한 벌의 물건. **3** 〖화학〗 옥텟, 팔중항(八重項); 팔전자계. **4** 〖물리〗 8 중항; 8 중선(線); 8 중 상태. **5** 〖컴퓨터〗 옥텟《8 비트(bit)로 구성된 바이트와 같은 단위》.

oc·til·lion [aktíljən/ɔk-] *n.* 《미》 1,000 의 9 제곱; 《영·독·프》 1,000 의 16 제곱.

oc·tin·gen·te·nary [àktindʒentíːnəri/ɔ̀k-] *n.* 800 년제(祭).

oc·to- [áktou, -tə/ɔ́k-] =OCT-.

†**Oc·to·ber** [aktóubər/ɔk-] *n.* 10 월, 시월《생략: Oct.》; 《영》 10 월에 만드는 맥주: in ∼ 10 월에 / on ∼ 6 =on 6 ∼ =on the 6th of ∼ 10 월 6 일에. ***the* ∼ *Revolution*** (러시아의) 10 월 혁명.

òcto·centénary, -ténnial *n.* =OCTINGENTENARY.

òcto·decíllion *n., a.* 《미》 1,000 의 19 제곱수(의)《1 에 0 을 57 개 붙인 수》; 《영·독·프》 1,000 의 36 제곱수(의)《1 에 0 을 108 개 붙인 수》.

oc·to·dec·i·mo [àktədésəmòu/ɔ̀ktou-] (*pl.* ∼**s**) *n.* 18 절판(折版), 옥토데시모판(의 책) (eighteenmo)《생략: 18 mo, 18°》. — *a.* 18 절판(책)의.

ócto·fòil *n.* 8 개의 잎(장식).

oc·to·ge·nar·i·an [àktədʒənέəriən/ɔ̀ktou-] *a., n.* 80 세의 (사람); 80 대의 (사람).

oc·to·nal [áktənəl/ɔ́k-] *a.* 8 진법의; 〖운율〗 8 운각(韻脚)의. 「율〗 8 운각의 (시구).

oc·to·nar·i·an [àktənέəriən/ɔ̀k-] *a., n.* 〖운

oc·to·nary [áktənèri/ɔ́ktənəri] *a.* 8 의, 8 로 되는; 8 진법의. — *n.* 8 개 한 벌; 〖운율〗 8 행시; 8 행 연구(聯句).

oc·to·ploid [áktəplɔ̀id/ɔ́k-] 〖생물〗 *a.* 8 배성(倍性)의, 8 배체(倍體)의; 8 개 부분〔면〕으로 이루어진. — *n.* 8 배체, 8 배성 세포〔개체〕; 8 개 부분으로 이루어진 것〔면〕. ㊉ **-plòi·dy** *n.*

oc·to·pod [áktəpàd/ɔ́ktəpɔ̀d] *a., n.* 〖동물〗 팔각목(八脚目)의 (동물).

°**oc·to·pus** [áktəpəs/ɔ́k-] (*pl.* ∼**·es**, ***-pi*** [-pài], ***oc·top·o·des*** [aktápədìːz/ɔktɔ́-]) *n.* 낙지, 문어; 〔일반적〕 팔각목(八脚目) 동물; 여러 면에 (유해한) 세력을 떨치는 사람〔단체〕. 「《1 팀 6 명》.

oc·to·push [áktəpùʃ/ɔ́k-] *n.* 잠수〔수중〕 하키

oc·to·roon [àktərúːn/ɔ̀k-] *n.* (흑인의 피를 1/8 받은) 흑백 혼혈아. ⓒⓕ mulatto, quadroon.

òcto·syllábic *a., n.* 8 음절의 (시구).

ócto·sỳllable *n.* 8 음절어(語)〔시구〕. — *a.* =OCTOSYLLABIC.

oc·troi [áktrɔi/ɔ́ktrwɑː] *n.* 《F.》 물품 입시세(入市稅)《프랑스·인도 등의》; 입시세 징수소; 〔집합적〕 그 담당 관원.

O.C.T.U., OCTU, Oc·tu [áktjuː/ɔ́ktjuː] 《영》 Officer Cadets Training Unit(사관 후보생 훈련대).

oc·tu·ple [áktjupəl, aktjúː-/ɔ́ktju-, ɔktjúː-] *a.* 8 배의, 8 겹의; 8 개 부분으로 된. — *n.* 8 배(의 수〔양, 액수〕); (8 명이 젓는) 경기용 보트. — *vt., vi.* 8 배로 하다〔되다〕.

óc·tyl álcohol [áktl-/ɔ́k-] 〖화학〗 옥틸 알코올《향수 제조·용제용(溶劑用)》.

OCU 〖군사〗 operational conversion unit (실전기(實戰機) 전환 훈련 부대).

oc·u·lar [ákjələr/ɔ́k-] *a.* 눈의; 눈에 의한, 시각의; 눈을 닮은: an ∼ witness 목격자 / the ∼ proof 〔demonstration〕 눈에 보이는 증거. — *n.* 접안 렌즈; 눈. ㊉ ∼**·ist** *n.* 의안(義眼) 제조자. ∼**·ly** *ad.* 「眼士).

oc·u·list [ákjəlist/ɔ́k-] *n.* 안과의사; 검안사(檢

oc·u·lo- [ákjəlou, -lə/ɔ́k-], **oc·ul-** [ákjəl/ɔ́k-] '눈' 의 뜻의 결합사.

òculo·mótor *a.* 눈알을 움직이는, 안구 운동의, 동안(動眼)의, (동)안신경의: ∼ nerve 〖해부〗 동안 신경.

òculo·násal *a.* 눈과 코의.

oc·u·lus [ákjələs/ɔ́k-] (*pl.* ***-li*** [-lài]) *n.* **1** 눈(eye): ∼ artificialis 의안(義眼). **2** 〖건축〗 원형창(圓形窓)《특히 dome 꼭대기 부분에 있는》.

OD, O.D. [òudíː] (*pl.* ∼**s**, ∼**'s**) 《속어》 *n.* (마약 따위의) 과용(자). — (*p., pp.* ***OD'd, ODed; OD'ing***) *vi.* (마약 등을) 과용하다, 마약의 과용으로 몸이 나빠지다〔입원하다, 죽다〕. [◂ *overdose*]

od [ad, oud/ɔd, oud] *n.* 독일의 과학자 Reichenbach 가 자력(磁力)·화학 작용·최면현상 등의 설명을 위해 가상한 자연력.

OD on-demand publishing. **OD, O.D.** olive

drab. **O.D., OD.** Doctor of Optometry; Officer of the Day; Officer of the Duty; Old Dutch; ordinary seaman; Ordnance Department; outside diameter ((관 등의) 바깥 지름); outside dimension; oxygen demand. **o.d., O.D.** 《L.》 *oculus dexter* (=the right eye); over drawn. **o/d, O/D, od, o.d., OD, O.D.** on demand; 〖상업〗 overdraft. **ODA** Official Development Assistance ((선진국의 개발도상국에 대한) 정부 개발 원조).

oda·lisque, -lisk [óudlisk] *n.* 여자 노예 《이슬람국 궁중의》; 첩 《특히 터키 황제의》.

odd [ɑd/ɔd] *a.* **1** 기수〔홀수〕의(OPP *even*), 2로 나누어 우수리가 남는: an ~ number 홀수 / ~ months 큰달 《31 일이 있는 달》. **2** (어림수를 들어) …여(餘)의, …남짓의, …와 얼마의, 여분의: thirty(-)~ years, 30 여 년 / a hundred-~ dollars, 100 여 달러 / 15 dollars ~, 15 달러 남짓, 15-16 달러. **3** 우수리의, 나머지의: You may keep the ~ change 〔money〕. 우수리는 그냥 넣어 두시오. **4** 외짝〔한 짝〕의, 짝이 모자라는: an ~ glove 〔stocking〕 한 짝만의 장갑〔양말〕/ an ~ player 원수(員數) 외의〔대기〕 선수. **5** (한 세트로 된 물건이) 짝이 안 맞는, (전집물이) 낙질(落帙)인, 끄트러기의, 자투리의: ~ volumes 〔numbers〕 낙질본. **6** (일부러 준비한 것이 아니라) 마침 있는, 그러모은: any ~ piece of cloth 마침 가진 천 조각 / ~ pieces of information 주워 모은 정보, 잡보(雜報). **7** (규칙적이 아니라) 그때그때의, 임시의, 우연한: an ~ hand 《영》 임시공 / at ~ times 〔moments〕 이따금, 가끔, 틈틈이, 여가에 / ~ jobs 틈틈이 하는 일, 임시일, 잡무. **8** (복장이) 약식의, 평소에 입는. **9** 기묘한, 이상한, 뜻밖의; 묘한(queer); 색다른, 이상야릇한; 특별한: an ~ young man 기묘한 젊은이 / How ~! 정말 우스꽝스럽군 / ~ in the head 머리가 이상해서〔미쳐서〕/ It's ~ you don't know it. 네가 모르다니 이상하다 / ~ size 특별 사이즈 / ~ choice 묘한 취미. **10** (장소 따위가) 궁벽한, 멀리 떨어진: in some ~ corner 어느 한 구석에. ~ ***and*** 〔***or***〕 ***even*** 홀짝 《아이들의 먹국놀이의 일종》.

— *n.* **1** 귀〔짝〕 안 맞는 물건, 끄트러기, 자투리, 나머지. **2** (the ~) 상대를 눌러 이긴 한 점; 〖영 골프〗 계산에 들지 않은 일타(一打) 《약한 편에 핸디캡으로 허용》. cf. odds. **~*s and ends*** 나머지, 그러모은 것; (온갖) 잡동사니. **~*s and sods*** 《영》 ① 《구어》 =~s and ends. ② 잡다한 사람들. 파 ∠·ness *n.* 기이(한 일); 불완전한 것.

ódd·bàll *n., a.* 《구어》 별난〔편벽된〕 자(의).

ódd-còme-shórt *n.* 《고어》 자투리, 조각; (*pl.*) 끄트러기, 주워 모은 것.

ódd-còme-shórtly *n.* 《고어》 일간(日間): one of these ~*s* 〔*odd-come-shortlies*〕 근일중에, 일간, 머지않아.

ódd-éven *a.* 《미》 (유류의) 홀수 짝수 (판매) 방식의 《짝수 날엔 짝수 번호의 차에, 홀수 날엔 홀수 번호의 차에만 판매함》: ~ check 〖컴퓨터〗 홀짝 검사(parity check).

Ódd Fèllow, Ódd·fèllow *n.* (18 세기에 영국에서 창립된) Independent Order of Odd Fellows 《생략: I.O.O.F.》라는 비밀 공제 조합의 회원 《생략: O.F.》.

ódd físh (*pl.* ~) *n.* =ODDBALL.

ódd fúnction 〖수학〗 기함수(奇函數). cf. even function.

odd·ish [ádiʃ/ɔ́d-] *a.* 좀 이상야릇〔괴상〕한.

odd·i·ty [ádəti/ɔ́d-] *n.* **1** U 기이함, 괴상함, 기묘함. **2** C 이상〔기이〕한 사람, 괴짜; 기묘한 것. **3** (보통 *pl.*) 기벽, 기습(奇習).

ódd jóbber =ODD-JOBMAN.

ódd-jòb·man [-mən] (*pl.* ***-men*** [-mən]) *n.* 임시 고용인.

ódd-lòoking *a.* 좀 이상야릇해 보이는, 기묘한.

ódd lót 〖증권〗 (일정 수에서 빼는) 단주(端株).

ódd lót·ter [-látər/-lɔ́tər] 단주 매입〔투자〕자.

ódd·ly *ad.* **1** 기묘〔기이〕하게, 이상하게: ~ enough 묘한 이야기지만, 이상하게도(strange to say). **2** 기수〔홀수〕로 짝이 맞지 않게, 나머지가 되어.

ódd mán **1** 《영》 임시 고용인. **2** (the ~) (찬반 동수일 때) 결정권(casting vote)을 쥔 사람.

ódd màn óut **1** 동전을 던져서 3 명 중에서 1 명을 뽑는 방법〔게임〕, 그 방법으로 뽑힌 사람. **2** 한 패에서 고립된 사람, 빙퉁그러진 사람, 괴짜.

ódd·ment *n.* 남은 물건; 짝이 맞지 않는 물건; (*pl.*) 잡동사니: ~ of food 〔information〕 잡다한 음식〔정보〕.

ódd párity 〖컴퓨터〗 홀수 패리티 《홀짝 맞춤(parity) 검사에서 세트된(1 의) 두값(bit)의 개수가 홀수임이 요구되는 방식(mode)》.

ódd permutátion 〖수학〗 기순열(奇順列), 기치환(奇置換). cf. even permutation.

ódd prìcing 〖상업〗 끝수 가격 《99 원 또는 990 원 따위로 표시되는 가격》.

odds [ɑdz/ɔdz] *n. pl.* **1** 〖종종 단수취급〗 차이, 우열의 차: 불평등〔불균등〕(한 것): It makes no ~. 별차이가 없다; 대수롭지 않다 / make ~ even 우열을 없애다, 비등하게 하다. **2** 우세, 승산: The ~ were against us. 형세는 우리에게 불리하다. **3** 다툼, 불화: They were usually at ~ *over* political issues. 그들은 정치문제로 항상 반목했다. **4** (경기 등에서 약자에게 주는) 유리한 조건, 접어주기, 핸디캡; 《미》 은혜: give the ~ 핸디캡을 주다. **5** 가망, 가능성, 확률: It is ~ 〔The ~ are〕 *that* he will come soon. 그는 아마 곧 올 것이다 / It is within the ~. 그렇게 될 것 같다. **6** (내기에서) 상대의 돈보다 더 많이 겂, (건 돈의) 비율: at ~ of 7 to 3, 7 대 3 의 비율로. ***a bit over*** ~ 터무니없이. ***against all*** (***the***) ~ 곤란을 무릅쓰고. ***against longer*** 〔***fearful***〕 ~ 강적에 대항하여: fight *against longer* 〔*fearful*〕 ~ 대적을 상대로 싸우다. ***ask no*** ~ 《미》 후원을 바라지 않다. ***be at*** ~ ***with*** …와 싸우고 있다, …와 사이가 좋지 않다. ***by*** (***all***) ~ =***by long*** ~ 훨씬, 뛰어나게; 모든 점으로 보아, 어떻게 보든지, 분명히. ***have the*** ~ ***on*** one***'s side*** 가망이 있다. ***lay heavy*** ~ ***that*** …이라고 단언하다, 확언하다. ***lay*** 〔***give***〕 ~ ***of*** (three) ***to*** (one) (내기에서) (상대의 하나)에 대하여 (셋)의 비율로 걸다. ***long*** ~ (내기에서) 몹시 불균형을 이룬〔차가 많은〕 건 돈〔비율〕; 낮은 확률〔가능성〕. ***over the*** ~ 《영》 한도를 넘어서, (값 따위가) 보통〔예상〕보다 (…만큼) 높게〔많이〕; 《Austral.》 터무니없는, 부당한. ***play the*** ~ 노름을〔내기를〕 하다. ***set ... at*** ~ …을 다투게 하다. ***short*** ~ 거의 비등한〔차가 적은〕 거는 돈〔비율〕; 높은 확률〔가능성〕. ***shout the*** ~ 《영속어》 마구 지껄여대다, 자랑하다, 주장하다, 초들어 말하다. ***stack the*** ~ 〖보통 수동태〗 (…가 유리〔불리〕하게끔) 부정한 공작을〔사전 준비를〕 하다. ***take*** 〔***receive***〕 ~ (내기에서) 덧붙여 걸겠다는 제의에 응하다〔덧붙여 받다〕; 유리한 조건을 획득하다. ***The*** ~ ***are against*** 〔***in favor***〕 ***...*** …의 가능성〔승산〕이 없다〔있다〕: *The* ~ *are against* you. 형세는 너에게 불리하다. ***What's the*** ~ ***?*** 《구어》 대수로운 일은 아니다, 무슨 차가 있겠나. ***What's the*** ~ ***that ... ?*** …의 가능성은 어떨까.

ódds·màker, ódds-màker *n.* 오즈 메이커 《스포츠 등의 내기에서 거는 율을 정하는 사람》.

ódds-ón *a.* 승리가〔당선이〕 확실한, 승산〔가능성〕이 있는: an ~ favorite 유력한 우승 후보말;

당선이 확실한 후보자 / an ~ best seller 베스트셀러가 될 공산이 큰 책.

ódd tríck 〖카드놀이〗 whist 에서 쌍방이 각각 6번씩 이긴 후 승부를 판가름하는 13 회째; 최후의 승부.

°**ode** [oud] *n.* 송시(頌詩), 오드, 부(賦)《특정 인물이나 사물을 읊은 고상한 서정시》. ***choral*** ~ 옛 그리스극(劇)의 합창가. ***the Book of Odes*** '시경(詩經)'《중국의》.

-ode[1] [oud] *suf.* '…와 같은 성질〔모양〕을 지닌 것' 의 뜻: phyll*ode*.

-ode[2] '길, 전극(電極)' 의 뜻의 결합사: an*ode*.

Óder-Néis·se Líne [óudərnáisə-] (the ~) 오데르나이세선《제 2 차 대전 후 폴란드와 옛 동독의 국경선; 1990 년 독일과의 사이에 인지됨》.

ode·um [oudí:əm] (*pl.* **~s, odea** [-dí:ə]) *n.* (옛 그리스·로마의) 주악당(奏樂堂); (현대의) 음악당, 극장.

od·ic [óudik] *a.* ode(풍(風))의.

Odin [óudin] *n.* 〖북유럽신화〗 오딘《예술·문화·전쟁·사자(死者) 등의 신》.

°**odi·ous** [óudiəs] *a.* 싫은, (얄)미운, 밉살스러운, 가증한; 불쾌한, 타기할 만한: an ~ smell 악취. ㊞ **~·ly** *ad.* **~·ness** *n.*

od·ist [óudist] *n.* 송시(頌詩) 작가〔시인〕.

odi·um [óudiəm] *n.* U,C 증오, 혐오; 지겨움; 비난, 악평. ***expose*** a person ***to*** ~ 아무를 비난의 대상으로 삼다.

ódium the·o·lóg·i·cum [-θiəládʒikəm/-lɔ́-] (의견이 다른) 완고한 신학자 사이의 반감〔증오〕.

O.D.M. 《영》 Ministry of Overseas Development.

odo·graph [óudəgræ̀f, -grɑ̀:f] *n.* **1** = ODOMETER. **2** (배의) 항행 기록계. **3** 보수계(步數計) (pedometer).

odom·e·ter [oudámətər/-dɔ́-] *n.* (자동차 등의) 주행 거리계.

odon·tal·gia [òudantǽldʒiə/-dɔn-] *n.* U 〖의학〗 치통(toothache). ㊞ **-gic** [-dʒik] *a.*

o·don·to- [ədántou, -tə, oud-/-dɔ́n-], **o·dont-** [ədánt, oud-/-dɔ́nt] '이' 라는 뜻의 결합사: *odont*ology, *odont*algia.

odon·to·blast [oudántəblæ̀st/-dɔ́n-] *n.* 〖해부〗 치아 모(母)세포. ㊞ **odòn·to·blás·tic** *a.*

odon·to·glos·sum [oudàntəglásəm/-dɔ̀ntəglɔ́s-] *n.* 〖식물〗 오돈토글로숨속(屬) 난초의 일종《열대 아메리카 원산》.

odónto·gràph *n.* 톱니바퀴의 윤곽을 그리는 기구.

odon·toid [oudántɔid/-dɔ́n-] *a.* 〖해부·동물〗 이빨 모양의, 이빨 모양 돌기의.

odon·tol·o·gy [òudantálədʒi, àdan-/ɔ̀dɔntɔ́l-] *n.* U 치과학; 치과 의술. ㊞ **-gist** *n.*

odor,** 《영》 **odour** [óudər] *n.* **1** 냄새, 향기; 방향(芳香); 좋지 못한 냄새, 악취: body ~ 체취, 액취(腋臭), 암내. SYN. ⇨ SMELL. **2** 《고어》 향료, 향수(perfume). **3** …의 기색〔낌새〕; 의혹: An ~ of suspicion surrounded his testimony. 그의 증언에는 어딘가 미심스러운 데가 있었다. **4** U 평판, 인기, 명성. ***be in good 〔***bad, ill***〕 ~ ***with*** …에게 평판이 좋다〔나쁘다, 좋지 않다〕. ~ ***of sanctity*** 덕망. ㊞ **~ed** *a.* 〖복합어로〗 …의 냄새가 나는: ill-~*ed* 악취가 나는. **~·ful** [-fəl] *a.* **~·less** *a.*

odor·ant [óudərənt] *n.* 취기제(臭氣劑)《도시 가스 등에 넣는》.

odor·if·er·ous [òudərífərəs] *a.* 향기로운; 구린, 코를 찌르는; 타락해 버린. ㊞ **~·ly** *ad.* 향기롭게. **~·ness** *n.*

odor·ize [óudəràiz] *vt.* 냄새〔향기〕가 나게 하다, 냄새를 첨가하다, 취기화(臭氣化)하다.

odor·ous [óudərəs] *a.* 향기로운; 악취가 나는. ㊞ **~·ly** *ad.*

ODS oxide-dispersion-strengthened.

od·yl, od·yle [ádil, óud-/ɔ́d-] *n.* = OD.

-o·dyn·i·a [ədíniə, ou-] '…통(痛)' 이라는 뜻의 결합사: om*odynia*.

Od·ys·se·an [àdəsí:ən/ɔ̀d-] *a.* **1** Odyssey 의〔와 같은〕. **2** 장기 모험 여행의.

Odys·se·us [oudísiəs, -sju:s/ədí-] *n.* 〖그리스신화〗 오디세우스《라틴명은 Ulysses》.

Od·ys·sey [ádəsi/ɔ́d-] *n.* **1** (the ~) 오디세이《Troy 전쟁 후 Odysseus 의 방랑을 노래한 Homer 의 서사시》. **2** (종종 o-) 긴〔파란만장한〕 방랑〔모험〕 여행, 지적(知的) 방황.

œ, oe, Œ, Oe [e, i:] 그리스·라틴계의 말에서 볼 수 있는 o 와 e 의 합자(合字)《지금은 고유명사 이외에는 보통 e 로 약해서 씀; 보기: Œdipus, phœnix(= phenix)》.

OE, OE., O.E. Old English. **O.E., o.e.** omissions excepted. cf. E.(& O.)E. **Oe** oersted(s).

OECD, O.E.C.D. Organization for Economic Cooperation and Development (경제 협력 개발 기구).

oe·col·o·gy [ikálədʒi/-kɔ́l-] *n.* = ECOLOGY. ㊞ **-gist** *n.* = ECOLOGIST.

oec·u·men·i·cal [èkjəménikəl/ì:k-] *a.* = ECUMENICAL.

O.E.D., OED Oxford English Dictionary《구칭: N.E.D.》.

oe·de·ma [idí:mə] (*pl.* **~·ta** [-tə]) *n.* 〖의학〗 = EDEMA.

Oed·i·pal [édəpəl, í:d-/í:d-] *a.* 〖정신의학〗 오이디푸스 콤플렉스의〔에 기초한〕. ㊞ **~·ly** *ad.*

Oed·i·pus [édəpəs, í:d-/í:d-] *n.* 〖그리스신화〗 오이디푸스《부모와의 관계를 모르고 아버지를 죽이고 어머니를 아내로 삼은 Thebes 의 왕》.

Óedipus còmplex 〖정신의학〗 오이디푸스 콤플렉스《자식이 이성의 어버이에 대하여 무의식적으로 품는 성적인 사모; 특히 아들의 어머니에 대한 성적 사모》. cf. Electra complex.

OEEC, O.E.E.C. Organization for European Economic Cooperation.

oeil-de-boeuf [*F.* œjdəbœf] (*pl.* ***oeils-de-*** [—]) *n.* 《F.》 (특히 17-18 세기 건축의) 둥근〔달걀꼴〕 창.

OEM Office for Emergency Management (비상 산업 동원 관리국)《제 2 차 대전 때의》; optical electron microscope; original equipment manufacturing 〔manufacturer〕 (주문자 상표에 의한 생산〔생산자〕; 〖컴퓨터〗 주문자 상표 부착 방식).

oenology ⇨ ENOLOGY.

oe·no·phile, oe·noph·i·list [í:nəfàil], [i:náfəlist/-nɔ́f-] *n.* 와인 애호가.

OEP 《미》 Office of Emergency Preparedness.

OER 〖군사〗 officer efficiency report (장교 근무 평가 보고(서)).

o'er [ɔ:r] *ad., prep.* 《시어》 = OVER.

Oer·li·kon [ə́:rləkàn/-kɔ̀n] *n.* 〖군사〗 엘리콘《지대공 유도탄》; (전투기용) 엘리콘 20 밀리 기관포.

oer·sted [ə́:rsted] *n.* 〖전기〗 에르스텟《자장(磁場) 강도의 단위; 기호 Oe》.

OES 《미》 Office of Economic Stabilization (경제 안정국). **O.E.S.** Order of the Eastern Star.

oe·soph·a·gus [isáfəgəs, i:s-/-sɔ́f-] (*pl.* ***-gi*** [-dʒài, -gài]) *n.* = ESOPHAGUS.

oestrogen ⇨ ESTROGEN.

oes·tro·gen·ic [èstrədʒénik] *a.* = ESTROGENIC.

oestrone ⇨ ESTRONE.

oestrous ⇨ ESTROUS.

oestrum, oestrus ⇨ ESTRUM.

oeu·vre [*F.* œ:vʀ] (*pl.* **~s** [—]) *n.* 《F.》 (한 작가·예술가 등의) 평생 작품, 전 작품; (하나의) 예술 작품.

†**of** ⇨ 《p. 1743》 OF.

오직 전치사로만 쓰이는 중요 기능어이며, 소유·소속·행위자의 '의', '…에 대한', '…에 관한', '…가운데서〔가운데〕' 등 여러 뜻으로 쓰이는데, of와 off는 본래 '떨어져서'라는 뜻을 중심으로 하는 동일한 말이었다. 그 뜻은 지금의 용법의 of에도, I borrowed some money *of* him. '그에게서 돈을 꾸었다' 든가 within ten miles *of* '…에서 10마일 이내'에 있어서와 같이 '…에서'로 새길 수 있는 (즉 from에 가까운) 경우에 분명히 남아 있는 외에도, a house built *of* wood 《재료》라든가 one *of* my friends 《부분》, the works *of* Shakespeare 《저자·행위자》 따위, 여러 경우에 '기원' 즉 '…에서'라는 배경이 느껴진다.

of에서 또 하나 중요한 점은, 이것이 형용사〔부사〕 및 동사와 결합하여 무수한 관용구를 만든다는 사실이다: 〘형용사·부사〙 short *of*, worthy *of*, suggestive *of*, independent(ly) *of*, etc.; 〘동사〙 take care *of*, think *of*, make … *of*, suspect … *of*, remind … *of*, etc. 여기서는 *of*의 여러 가지 형태를 전반적으로 보는 것이 주목적이므로, 그 상세한 것은 해당 각 항목으로 넘긴다.

of [ʌv, ɑv/ɔv; 약 əv] *prep.* **1 a** 〘기원·출처〙 …로부터, 출신〔태생〕의, …의《특정 연어(連語)를 제외하고 현재는 from이 보통》: a man *of* 〔*from*〕 Oregon 오리건 출신의 사람 / the wines *of* 〔*from*〕 France 프랑스산(產)의 포도주 / come *of* 〔*from*〕 a good family 지체 있는 집안〔명문〕의 출신이다 / I asked a question *of* [ˣ*to*] her. 그녀에게 질문을 했다 (=I asked her a question.) / You expect too much *of* 〔*from*〕 her. 자넨 그녀에게 지나치게 기대를 한다. **b** 〘원인·이유·동기〙 …로 인해, …때문에, …(으)로: be sick *of*… …에 넌더리가〔신물이〕 나다, …이 싫어지다 / be afraid *of* dogs 개를 무서워하다 / I went there (out) *of* necessity. 나는 할 수 없이 그곳으로 갔다 / die *of* cancer 암으로 죽다. ★ 외부적·원인(遠因)적·간접적 사인(死因)을 나타낼 때는 from을 씀: He died *from* a wound. 상처로 인해 죽었다.

2 a 〘거리·위치·시간〙 …에서, …로부터, …의: within ten miles 〔hours〕 *of* the city 시에서 10마일〔시간〕 이내의 거리〔곳〕에 / twenty miles (to the) south *of* Seoul 서울의 남쪽(으로) 20마일 / The arrow fell short *of* the mark. 화살은 과녁에 미치지 못하였다. **b** 〘시각〙 《미》 (…분) 전(cf. TO 4 b): It's ten minutes *of* 〔*to*〕 seven. 7시 10분 전이다.

3 〘분리·박탈·제거〙 **a** 〘동사와 함께 쓰이어〙 (…에게서) —을 (하다): cure him *of* his disease 그의 병을 고치다 / deprive a person *of* his money 아무에게서 돈을 빼앗다 / cheat him (out) *of* his money 그를 속여 돈을 빼앗다. **b** 〘형용사와 함께 쓰이어〙 …로부터, …에서: free *of* charge 무료로 / a room bare *of* furniture 가구(家具) 없는 방 / be guiltless *of* … …을 모르다, …의 경험이 없다 / independent *of* … …로부터〔에서〕 독립하여.

4 〘of+명사로 부사구를 이루어〙 《드물게》 **a** 〘때를 나타내어 흔히 습관적 행위를 보임〙 …에〔이면〕 (잘), …(같은) 때에, …의: your letter *of* May 1, 5월 1일자 귀하의 편지 / *of* old 옛날 / *of* late 최근, 요새 / *of* recent years 근년 / He died *of* a Saturday. 그는 토요일에 죽었다 / He can't sleep *of* a night. 그는 밤이면 잠을 못 잔다. **b** …히: (all) *of* a sudden 갑자기, 돌연(히) / *of* a certainty 확실히.

5 〘소유·소속〙 …의, …이 소유하는, …에 속하는: the daughter *of* my friend 친구의 딸 / industrial areas *of* Glasgow 글래스고의 공업 지대 / a disease *of* plants 식물의 병 / the Tower *of* London 런던 탑 / At the foot *of* the candle it is dark. 《속담》 등잔 밑이 어둡다.

NOTE 소유의 of는 주로 무생물에 대해 씀. the boy's pen이지 the pen of the boy라고는 안 함. 그러나 다음과 같은 경우에는 무생물이라도 종종 's가 쓰이는데 특히 신문 영어에서 흔히 쓰임. (1) 때·시간: today's menu 〔paper〕 오늘의 메뉴 〔신문〕 / a ten hours' delay, 10시간의 지체(=a ten-hour delay). (2) 인간의 집단: the government's policy 정부의 정책 / the committee's report 위원회의 보고. (3) 장소나 제도: Korea's history (=the history of Korea) / Korea's climate 한국의 기후. (4) 인간의 활동: the plan's importance 그 계획의 중요성 / the report's conclusions 그 보고의 결론. (5) 탈것: the yacht's mast 요트의 마스트《the doctor's house는 a house of the doctor's로 바꿀 수 있지만 (1)—(5)는 그렇게 바꾸지 못함》.

6 a 〘of+명사로 형용사구를 이루어〙 …의, …한 《나이·성질·색채·직업·크기·가격 따위를 나타내는 명사와 함께 쓰이며 of는 생략될 때가 많음》: a man *of* courage 용기 있는 사람(=a courageous man) / a man *of* character 인격자 / a matter *of* importance 중대한 문제(=an important matter) / a girl *of* ten (years) 열살의 소녀(=a girl (*of*) ten years old, a ten-year-old girl) / a man (*of*) his age 그와 같은 또래의 남자 / a farm *of* 100 acres, 100 에이커의 농지 / potatoes *of* my own growing 내가 재배(栽培)한 감자(=potatoes I grew myself) / We are (*of*) the same age.=We are *of* an age. 우리는 동갑내기이다 / I am glad I have been *of* some use to you. 다소라도 도움이 돼 드려 다행입니다. **b** 〘명사+of a …로〙 《앞부분의 명사+of가 형용사 구실을 함》 …(와) 같은: an angel *of a* boy 천사와 같은 소년 / a mountain *of a* wave 산더미 같은 파도.

7 〘관계·관련〙 **a** 〘명사에 수반하여〙 …에 관해서〔대해서〕, …한 점에서: a long story *of* adventures 긴 모험 이야기 / He is thirty years *of* age. 그는 30세이다 / There is talk *of* peace. 평화회담이 열린다. **b** 〘형용사에 수반하여〙 …한 점에서 (in respect of): swift 〔nimble〕 *of* foot 발이 빠른 / quick *of* eye 눈이 빠른〔밝은〕 / be slow *of* speech 말이 느리다 / be blind *of* one eye 한쪽 눈이 안 보이다, 애꾸이다《구체적으로 부분을 말할 때에는 in: be blind *in* the right eye》 / be guilty *of* murder 살인을 범하다. **c** 〘allow, approve, accuse, complain, convince, inform, remind, suspect 등의 동사에 수반하여〙: *approve of* his choice 그의 선택이 옳다고 생각하다 / *suspect* her *of* lying 거짓말을 한다고 그녀를 의심하다 / She *complains of* a headache. 그녀는 두통을 호소하고 있다.

8 〘주격 관계〙 **a** 〘동작의 행위자·작품의 작자〙 …가, …이; …의: the rise *of* the sun 해돋이, 일출 (The sun rises.의 명사화) / the works *of* Shakespeare 셰익스피어의 작품 / the stories *of* Poe 포의 단편 소설 / the love *of* God 하느님의 사랑 《God's love로 고쳐 쓸 수 있음; 9 a의 예와 비교》. **b** 〘it is+형용사+of+(대)명사(+*to* do)〙 (아무가 …하는 것은) —이다〔하다〕 《(1) 이 때의 형용사는 careless, foolish, clever, good, kind, nice, polite, rude, wise 따위 성질을 나타내는

것. (2) (대)명사는 의미상의 주어》: *It was* kind *of* you *to* do so. 그렇게 해 주시다니 친절하셨습니다 / *It was* very kind *of* you indeed! 정말이지 친절하시게도《상황으로 보아 자명할 때에는 흔히 to 이하는 생략함》.
9 〖목적격 관계〗 **a** 〖동작 명사 또는 동명사에 수반되어서〗 …을, …의: a statement *of* the facts 사실의 진술 / the love *of* God 하느님에 대한 사랑《8 a의 예와 비교》/ the ringing *of* bells 종을 울림 / the bringing up *of* a child 어린아이를 기름. **b** 〖afraid, ashamed, aware, capable, conscious, envious, fond, greedy, jealous, proud 등의 형용사에 수반되어〗 …을, …에 대하여: He is *proud of* his daughter. 그는 딸을 자랑으로 여기고 있다 / He is *desirous of* going abroad. 그는 외국에 가기를 바라고 있다 / I am *doubtful of* its truth. 나는 그 진위를 의심하고 있다.
10 〖동격 관계〗 …라(고 하)는, …인〔한〕, …의: the city *of* Seoul 서울(이라는) 시(市) / the name *of* Jones 존스라는 이름 / the fact *of* my having seen him 내가 그를 만났다는 사실 / the five *of* us 우리 다섯 사람《12 a의 five *of* us와 비교》/ the crime *of* murder 살인(이라는) 죄.
11 〖재료 · 구성 요소〗 …로 만든, …로 된, …제(製)의: a table *of* wood 목제(木製) 테이블(=a wooden table) / made *of* gold 〔wood〕 금제(金製)〔목제〕의 / built *of* brick(s) 벽돌로 지은. ★ 재료의 원모양을 잃었을 때에는 from을 씀: Brandy is made *from* grapes. 브랜디는 포도로 만든다.
12 a 〖부분〗 …의 (일부분), …중의, …중에서: many *of* the students 그 학생들 중의 다수《many of students 라고는 못 함》/ the King *of* Kings 왕(王)중(의) 왕《그리스도》/ the most dangerous *of* enemies 적 중에서도 가장 위험한 적 / five *of* us 우리들 중의 다섯 사람《the가 붙지 않는 점에 주의할 것. 붙으면 of는 동격이 되어 전부를 가리킴; 10의 예 the five *of* us와 비교》/ some *of* my money 내 돈 중의 일부 / everyone *of* you 당신들 중의 누구라도 / either *of* the two 둘중의 어느 하나〔어느 것이라도〕. **b** 〖날짜를 나타냄〗 (…의): the 30th *of* May, 5월 30일.
13 〖분량 · 단위 · 종류를 나타내어〗 (수량 · 단위를 나타내는 명사 다음에 와서) …의: a basket *of* strawberries 딸기 한 바구니; 딸기가 든 바구니 / a piece *of* furniture 가구(家具) 1점 / a pint 〔glass〕 *of* wine, 1 파인트〔글라스 한 잔〕의 포도주 / a cup *of* tea 한 잔의 차《구어에서는 a tea, two teas도 사용됨》/ a pair *of* trousers 바지 한 벌 / three pounds' worth *of* stamps, 3 파운드분〔어치〕의 우표.
of all men ① =of all PEOPLE. ② 누구보다도 먼저: He, *of all men*, should set an example. 누구보다도 먼저 그가 모범을 보여야 한다. ***of all others*** ⇨ OTHER. ***of all things*** ⇨ THING[1].

of- [ɑ̀f, əf/ɔ̀f, əf] *pref.* =OB-《f 앞에 올 때의 꼴: *of*fer》.
OF, OF., O.F. Odd Fellow; 〖인쇄〗 old face; Old French; outfield.
ofay [óufei] *n., a.* 《미흑인속어 · 경멸》 백인(의).
ofc. office. **O.F.C.** Overseas Food Corporation.
†**off** ⇨ 《p. 1745》 OFF.
off. offer; offered; office; officer; official; officinal.
óff-áir *a., ad.* (녹음 · 녹화 따위) 방송에서 직접의〔으로〕; 유선 방송의〔으로〕.
of·fal [ɔ́:fəl, ɑ́f-/ɔ́f-] *n.* **1** 부스러기, 찌꺼기. **2** U,C 고깃부스러기, (새 · 짐승의) 내장; 썩은 고기; 작은〔먹지 못하는〕 물고기. **3** (종종 *pl.*) 겨, 왕겨.
óff ártist 《미속어》 도둑(놈).
óff-bálance *a., ad.* 균형이 무너진〔무너져〕; (언제나의) 자세가 무너져; 허를 찔려, 당황하여.
óff-bálance shèet resérve (회사의) 부외(簿外)〔대차대조표 외의〕 적립금, 비밀 적립금, 비자금.
óff-báse *a.* 군사 기지 이외의.
óff-béam *a.* 《주로 영》 틀린, 부정확한.
óff·béat *a.* 상식을 벗어난, 보통이 아닌, 색다른, 엉뚱한. ── [ㅅ] *n.* 오프비트《재즈의 4박자곡으로 강세를 붙이지 않는 박자》.
óff-bòok fúnd (장부 외의) 부정 자금.
óff-brànd *a., n.* 유명 브랜드가 아닌〔무명 브랜드의〕 상품〔물건〕.
óff Bróadway 오프브로드웨이 극《뉴욕의 브로드웨이를 벗어난 소극장에서 상연하는 실험적인 연극》.
óff-Bróadway *a., ad.* 오프브로드웨이의〔에서〕; 브로드웨이에서 벗어난 지구의〔에서〕.
óff-cámera *a., ad.* (영화 · TV의) 카메라에 잡히지 않는 곳에서(의); 사생활에서(의).
óff·càst *a., n.* =CASTOFF.
óff-cénter(ed) *a.* 도안 인쇄가 종이의 중앙에서 벗어난; (레코드의) 구멍이 원심에서 벗어난; 핵심을 벗어난; 균형을 잃은. ── *ad.* 균형을 잃어.
óff chànce 만에 하나의 가능성, 도저히 있을 것 같지 않은 기회. ***on the*** ~ 혹시 …할지 모른다고 생각하고《*that; of* do*ing*》: I'll go *on the* ~ *of* seeing her. 어쩌면 그녀를 만날 수 있을 것 같아서 가야겠다.
óff-chìp *a.* 〖전자〗 오프칩의, 반도체 칩 밖의.
óff-cólor, -cólored *a.* 빛깔〔안색, 건강〕이 좋지 않은; (보석 따위) 빛이 산뜻하지 않은; 《구어》 점잖지 못한; 음탕한《농담 따위》.
óff·cùt *n.* 잘라낸 것, 지스러기《종이 · 나무 · 천 따위 조각》.
óff dày **1** 비번 날, 쉬는 날. **2** 《구어》 (one's ~) 액일(厄日), 수사나운 날.
off-drý *a.* (포도주가) 약간 쌉쌀한.
óff-dúty *a.* 비번의, 근무를 벗어난, 휴식의. OPP *on-duty*.
Of·fen·bach [ɔ́:fənbɑ̀:k, ɑ́f-/ɔ́f-] *n.* **Jacques** ~ 오펜바흐《독일 태생의 프랑스의 오페라 작곡가; 1819-1880》.
of·fence [əféns] *n.* 《영》 =OFFENSE.
***of·fend** [əfénd] *vt.* **1** 《~+목/+목+전+명》 성나게 하다; 기분을 상하게 하다; …의 감정〔정의감〕을 해치다《*at; by; with*》: Has he done anything to ~ you? 그가 당신에게 무슨 기분 상할 일이라도 했습니까 / I am ~*ed by* 〔*at*〕 his blunt speech. 그의 무례한 말에 화가 난다.

> SYN. **offend** 상식적으로 또는 예의상 당연하고도 옳은 일을 태만히 하여 감정을 해치다. 악취미가 남의 마음을 거스르는 것도 offend: tasteless billboards that *offend* the eye 눈에 거슬리는 몰취미한 간판. **affront** 상대편 면전에서 감정을 해치다, 모욕하다. **insult** 상대의 감정을 해칠 목적으로 개인의 명예를 손상시키다. affront 보다 insult가 계획적인 경우가 많음.

2 (감각적으로) 불쾌하게 하다, …에 거스르다: The noise ~*s* the ear. 그 소리는 귀에 거슬린다. **3** (법 따위를) 위반하다, 범하다: ~ a statute 규칙을 위반하다. **4** 〖성서〗 …로 하여금 죄를 범하게 하다, 그르치게 하다, 실족게 하다.
── *vi.* **1** 불쾌감을 주다, 감정을 상하다. **2** 《+전+명》 죄〔과오〕를 저지르다; 법〔규칙, 예절,

원뜻은 '떨어져'이며, 이로부터 여러 가지 뜻이 생겨난다. 반의어인 on이나 up, down 그 외의 것과 함께 전치사와 부사를 겸한 전형적인 전치사적 부사(prepositional adverb)의 하나로, get *off* (the bus) '(버스에서) 내리다' 또는 turn *off* the gas '가스를 잠그다' 따위와 같이, get, go, make, put, set, take, turn 등과 결합해서 수많은 숙어동사를 만든다《각 동사 항목 참조》.

off의 발음상 특징의 하나로는, 부사일 때는 물론이고 전치사일 때도 강하게 발음된다는 것이다. 실은 off와 of는 본디 '떨어져'라는 의미를 중심으로 하는 같은 말이었던 것이, 보통 강하게 발음되는 용법이 off, 약하게 발음되는 용법이 of로 되어 분화된 것이다. 또한, 영어의 발전 단계에서 마찰음이 강한 모음 다음에서는 무성으로, 약한 모음 다음에서는 유성이 되는 경향이 있어, off [ɔːf]와 of [ɔv]의 자음의 차이도 이러한 일반적 경향을 따르고 있다.

off [ɔːf, ɑf/ɔf] *ad.* **1** 〖위치〗 (시간·공간적으로) 떨어져, 저쪽으로, 멀리, 앞에, 앞으로: far 〔a long way〕 ~ 훨씬 멀리/a town (which is) five miles ~, 5마일 떨어진 데에 있는 읍내/Stand ~! 떨어져 있어, 접근하지 마라/The holidays are a week ~. 앞으로 1주일이면 휴가다.
2 〖이동·방향·출발〗 (어떤 곳에서) 저쪽으로, 떠나(버려), 가 버려: get ~ (차 따위에서) 내리다, 하차하다/see a friend ~ 친구를 배웅〔전송〕하다/Be ~ (with you)! 꺼져, 가 버려/Where are you ~ to? 어디(로) 가십니까/He went ~. 그는 가 버렸다《강조는 *Off* he went. 로 됨》/I've got to be ~ now. 이제 가야 한다/They're ~! 출발하였습니다《경마 등의 실황 방송》.
3 a 〖분리·이탈〗 분리하여, 떨어져, 벗어〔벗겨〕져, 빠져, 벗어나: peel ~ the skin 껍질을 벗기다/take ~ one's hat 〔clothes〕 모자를〔의복을〕 벗다/come ~ 떨어지다; (손잡이 따위가) 빠지다/fall ~ (사람·무엇이) 떨어지다/lay ~ workers 노동자를 일시 해고하다. **b** 〖절단·단절을 나타내는 동사와 함께〗 잘라 〔떼어〕 내어, 끊어 내어; 끊겨져: bite ~ the meat 고기를 (입으로) 물어 떼다〔찢다〕/break ~ diplomatic relations with ... …와 외교 관계를 단절하다/turn ~ the gas 〔radio〕 가스〔라디오〕를 잠그다〔끄다〕/Our water supply was cut ~. 수도가 끊어졌다, 단수(斷水)되었다.
4 〖분할〗 (하나이던 것을) 나누어, 갈라, 분리하여: marry ~ two daughters 두 딸을 시집보내다/block ~ all side streets 옆길〔샛길〕을 모조리 (철책으로) 봉쇄하다/Mark it ~ into equal parts. 그것을 등분하여라.
5 〖저하·감소〗 **a** 줄(이)어; 끊어져; 없어져; 빼어; 덜하여: cool ~ (열이) 식어 가다, 냉각하다/take ten percent ~, 1할 할인하다/Sales dropped ~ badly. 매상(賣上)이 몹시 줄었다. **b** (아무가) 의식을 잃고, 정상적이 아닌, 몸상태가 좋지 않아: doze ~ for a while 잠시 동안 조리치다/drop ~ 잠들다/I feel a bit ~. 몸의 상태가 좀 이상하다.
6 〖해방〗 (일·근무 등을) 쉬어, 휴가를 얻어: take time ~ for lunch 점심식사를 위한 휴식시간을 가지다/give the staff a week ~ 직원들에게 1주일 휴가를 주다.
7 a 〖동작의 완료 따위를 나타내어〗 …해 버리다, …을 다하다; …을 끝내다: drink ~ 다 마시다/finish ~ the work 일을 끝내 버리다. **b** 《+전+명》 〖관계가 끊어짐을 나타내어〗 《미》 (…와의) 관계가 끊어지다《*with*》: She has broken ~ *with* him. 그녀는 그와 관계를 끊었다.
8 〖휴지(休止)·정지〗 끊어져, 끊기어, 멈추어; 중지하여: call ~ the strike 파업을 중지하다/leave ~ work (하던) 일을 중단하다/put ~ the match 경기를 연기하다.
9 〖강조〗 끝까지 (…하다), 깨끗이, 완전히(entirely); 단숨에, 즉각: dash ~ a letter 편지를 후딱 써 버리다/pay ~ the debts 빚을 전부 갚다/clear ~ the table 식탁을 깨끗이 치우다.
10 〖well, ill 따위 양태(樣態)의 부사와 함께〗 **a** 살림살이가〔생활형편이〕 …하여: The woman is better 〔worse〕 ~. 그 여자는 전보다 생활형편이 낫다〔못하다〕. **b** 《+전+명》 (사물·돈 따위가) …상태인《*for*》: We are well ~ *for* butter. 버터는 충분히 있다/She is badly ~ *for* money. 그녀는 돈이 몹시 궁하다.
11 〖연극〗 무대 뒤에서(offstage): voices ~ 무대 뒤(에서)의 사람들 소리/Knocking is heard ~. 무대 뒤에서 노크 소리가 들린다.
12 〖형용사적〗 **a** 벗어나, 빠져; (몸의) 상태가 좋지 않아; (계산·추측 따위가), 잘못되어, 틀리어; (식품이) 상하여: The handle is 〔has come〕 ~. 손잡이가 빠져 있다/I'm feeling rather ~ today. 오늘은 좀 (기분이) 이상하다/The fish is 〔has gone〕 a bit ~. 생선이 약간 상해 있다〔버렸다〕/The contractor was ~ in his estimate. 도급업자의 견적이 잘못되어 있었다. **b** 비번(非番)인, 휴가인: I'm ~ today. 오늘은 비번이다〔쉰다〕. **c** (수도·가스·전기 따위가) 끊기어, 멈추어져. **d** (행사·약속 따위가) 취소되어: I'm afraid tomorrow's picnic is ~. 안됐지만 내일 소풍은 취소되었다. **e** (식당 따위에) 요리가 품절되어. **f** (연극 따위가) 상연(上演)이 끝나. **g** 불황으로〔인〕: The market is ~. 시장은 불황이다.
either ~ or on 어느 쪽이건, 어떻든. ***It's* 〔*That's*〕 *a bit ~.*** 《영구어》 그것은 심하다〔불만이다〕: *It's a bit ~* not apologizing to you. 네게 사과하지 않은 것은 나쁘다. **~ *and* do** 《구어》 갑자기 …하다: He ~ *and* disappeard. 그는 돌연 실종되었다. **~ *and on*=*on and* ~** 단속적으로, 때때로: It rained *on and* ~ all day. 하루 종일 비가 내리다 그치다 했다. **~ *of* 〔*from*〕...** 《미구어》 …에서 (떨어져): Take your feet ~ *of* the table! 테이블에서 발을 내려놓아라. ***Off with ...!*** …을 벗어라〔없애라〕; …을 좇아 버려라: *Off with* your hat! 모자를 벗어라/*Off with* his head! 그의 목을 베어라/*Off with* the old, on with the new. 낡은 것을 몰아내고 새것을 맞이하라. ***Off with you!*** 꺼져. ***right* 〔*straight*〕 ~** 《구어》 즉각, 곧. ***take* one*self* ~** 떠나다, 달아나다.
— *prep.* **A** 〖분리·이탈〗 **1** 〖떨어진 위치·상태를 나타내어〗 **a** …로부터〔에서〕 (떨어져, 벗어나), …을 격하여, …을 떠나(away from): three miles ~ the main road 간선도로에서 3마일 떨어져/streets ~ Myeong-dong 명동의 뒷거리/Keep ~ the grass. 잔디에 들어가지 마시오《게시》. **b** (기준적·정상적인 것·주제 따위)에서 벗어나: be ~ the mark 과녁에서 벗어나 있다, 과녁을 빗맞히다/go 〔get〕 ~ the subject (고의·실수로) 본제(本題)에서 벗어나 있다/Your remarks are ~ the point. 자네의 발언은 주제에서〔요점을〕 벗어나 있다. **c** (일·활동 따위)로부터 떨어져, …을 안 하고, 쉬고: He is ~ duty. 그는 비번이다/He is ~ work. 그는 일을 하고 있지 않다《out of work 면 '실직 상태의'의 뜻》/~ guard 방심하고. **d** (시선 따위를) …에서 떼어〔돌려〕: Their eyes weren't ~ the king for a moment. 그들은 한순간도 임금에게서 눈을 떼지 않았다. **e** …의 앞〔난〕바다에:

~ the coast *of* Busan 부산 앞바다에 / The ship sank two miles ~ Cape Horn. 그 배는 케이프 혼 2 마일 앞바다에서 침몰했다.
2 〖고정된 것으로부터의 분리를 나타내어〗 **a** (고정·붙어 있는 것)으로부터 (떨어져): ~ the hinges 경첩이 떨어져서 / take a ring ~ one's finger 손가락에서 반지를 빼다〔뽑다〕/ There's a button ~ your coat. 자네 상의의 단추 하나가 떨어져 있네. **b** 〖위에서 아래로〗 (탈것에서) 내리어; (위)에서 떨어져: get 〔step〕 ~ a bus 〔train〕 버스〔열차〕에서 내리다 / fall ~ one's horse 말에서 떨어지다《미국 구어에서는 off 뒤에 of 또는 from을 사용해 fall *off of* 〔*from*〕 a horse로 하는 때도 있음》. **c** …에 실려〔올려〕 있지 않은: ~ the record 기록에 올리지 않게, 비공식으로. **d** (본래의 상태에서) 벗어나; (심신의) 상태가 좋지 않아: ~ balance 균형을 잃고 / He was ~ his game. 그는 경기에서 컨디션이 나빴다 / He is ~ his head. 그는 머리가 돌았다.
B 〖기타〗 **3** …에서 빼어〔덜하여, 할인하여〕, …이하로(less than): at 20 % ~ the price 정가의 20 퍼센트를 할인하여 / take five percent ~ the list price 정가에서 5 퍼센트를 할인하다.
4 〖dine, eat와 함께 사용되어〗《구어》 **a** (식사(의 일부))를 (먹다), …로 (식사하다): *eat* ~ beefsteakes 비프스테이크를 먹다 / *dine* ~ some meat 식사에 고기를 좀 먹다. **b** (접시 따위)에서 집어〔떠, 퍼, 잘라〕(먹다): *eat* ~ silver plate 은접시의 음식을 먹다; 호화판 생활을 하다.
5 〖live와 함께 쓰이어〗 …에〔을〕 의지〔의존〕하여, …에 얹혀 살아; …을 희생으로 하여: make a *living* ~ the tourists 관광객을 상대로 생활하다 / He *lives* ~ his pension. 그는 연금으로 생활한다.
6 〖근원〗《구어》 …로부터, …에게서《쓰기에서는 from을 사용함》: borrow five dollars ~ a friend 친구에게서 5 달러를 빌리다 / She bought the book ~ me. 그녀는 나에게서 그 책을 샀다.
7 〖중단·휴지〗 **a** (아무가) …을 싫어하여, …이 싫어져: I am ~ fish. 생선이 싫어졌다, 생선을 안 먹고 있다. **b** (아무가) …을 안 하고〔삼가고〕, …을 끊고: go ~ narcotics 마약에서 손을 떼다 / I am ~ gambling now. 이제 노름은 안 하고 있다. ***be ~ one's food*** ① 식욕이 없다. ② 고기를 먹지 않다. ***from ~...*** 《문어》 …로부터, …에서(from): I got the idea *from* ~ television. 그 착상을 나는 TV에서 얻었다. ***play ~ side*** 〚축구·하키〛 오프사이드의 반칙을 범하다.
— *a.* **1** 먼 쪽의, 저쪽의: the ~ side of the wall 〔building〕 벽〔건물〕의 저쪽.
2 (본길에서) 갈라진; (중심에서) 벗어난, 지엽적인〔말절의〕; 틀린: an ~ road 옆길 / an ~ issue 지엽말절의 문제.
3 철이 지난, 제철이 아닌, 한산한; 흉작의, 불황의: the ~ season 제철이 아닌 시기, 한산기 / an ~ year 흉작〔불경기〕의 해, 흉년.
4 벗겨진, 끊겨진, (스위치 따위를) 끈, 중단된: The switch is in the ~ position. 스위치는 끊겨져〔꺼져〕 있다.
5 a 한가한, 비번(非番)〔난번〕의; 쉬는: one's ~ hours 휴게 시간. **b** 순조롭지〔만족스럽지〕 못한, 상태가 나쁜: an ~ day 쉬는 날; 상태가 좋지 않은 날, 재수없는〔불운의〕 날.
6 (활동 따위를) 개시하여: ~ on a spree 신이 나기 시작하여.
7 《구어》 (기회 따위가 좀처럼) 있을 법하지〔것 같지〕 않은: an ~ chance 거의 가능성이 없음 / There is an ~ chance that ... …이라는〔하다는〕 것은 있을 법하지 않다.
8 (말·차를) 탄 사람의 오른쪽의; (크리켓 타자의) 우측의. OPP *near*. ¶ the ~ front wheel 오른쪽 앞바퀴 / the ~ side of the bicycle 자전거의 우측.
9 앞〔난〕바다로 나아가는〔향하는〕.
— *n.* Ⓤ **1** 떨어져〔끊겨〕 있음. **2** (the ~) 〚크리켓〛 타자의 오른쪽 전방. OPP *on*. **3** 〚컴퓨터〛 끄기.
— *vt.* **1** 《영구어》 (교섭·약속·계획 따위)의 파기를 통고하다, 그만두다, 중지〔중단〕하다. **2** 《미속어》 …을 죽이다, …을 없애다.

습관)에 어긋나다, 범하다《*against*》: ~ *against* the custom. ***be ~ed with*** a person ***for*** (his act) 〔***at*** (his words)〕 (아무의 행위〔말〕) 때문에 아무에게 성을 내다〔발끈하다〕.
㊕ **~·a·ble, ~·i·ble** *a.* **~·ed·ly** [-idli] *ad.* **~·ing** *a.* 불쾌한.

***of·fend·er** [əféndər] *n.* (법률상의) 위반자; 범죄자; 무례한 자; 남의 감정을 해치는 것: the first ~ 초범자 / an old 〔a repeated〕 ~ 상습범.

****of·fense,** 《영》 **-fence** [əféns] *n.* **1** Ⓒ (규칙·법령 따위의) 위반, 반칙; 불법; 범죄, 죄《*against*》: a traffic ~ 교통위반 / a previous ~ 전과 / a minor ~ 경범죄 / a criminal ~ 범죄 / a first ~ 초범. **2** Ⓒ (풍습·예의범절 따위에) 어긋남; 위법 (행위): ~ *against* good manners 예의에 어긋나는 행위, 무례. **3** Ⓤ 화냄(resentment), 기분상함; Ⓒ 기분을 상하게 하는 것, 불쾌한 것: without ~ 상대방의 기분을 상하게 하지 않고 / an ~ to the ear 귀에 거슬리는 것. **4** Ⓒ 화가 나는 원인; Ⓤ 모욕. **5** [+ǽfens, ɔ́(:)-] **a** Ⓤ 공격. OPP *defense*. ¶ The most effective defense is ~. 공격은 최상의 방어. **b** Ⓒ (the ~) 공격군〔팀〕. **6** Ⓒ 〚성서〛 죄의 원인, 죄를 짓게 하는 것. **7** 《고어》 상해(傷害). ◇ offend *v.* ***commit an ~ against*** …에 위반하다, …을 범하다. ***give*** 〔***cause***〕 ***~ to*** …을 성나게 하다. ***No ~*** (***was meant***). 나쁜 뜻으로 (말)한 것은 아니다, 기분 나쁘게 생각하지 말게. ***take ~*** (***at***) (…에) 성내다: He is quick to *take* ~. 그는 금방 화를 낸다.

of·fense·ful [əfénsfəl] *a.* 괘씸한, 무례한.

of·fénse·less *a.* 남의 감정을 건드리지 않는; 악의가 없는; 공격력이 없는. ㊕ **~·ly** *ad.*

of·fen·sive** [əfénsiv] *a.* **1** 불쾌한, 싫은; 마음에 걸리는《*to*》: an ~ odor 악취 / an ~ sight 불쾌한 광경 / Tobacco smoke is ~ *to* me. 담배 연기는 싫다. **2** 무례한, 화가 나는; 모욕적인《*to*》: ~ remark 모욕적인 말 / That's ~ *to* women. 그것은 여성에게는 모욕적이다. **3** (도덕적으로) 더러운, 비열한; (취미가) 저속한; 음란한. **4** [+ǽfensiv, ɔ́(:)-] 공격적인, 공격〔공세〕의. OPP *defensive*. ¶ ~ tactics 공격 전술 / ~ weapons 공격용 무기. ***an ~ and defensive alliance [ɔ́(:)fensivəndí:fensiv] 공수 동맹.
— *n.* (the ~) 공격; (비군사적인) 공세; (적극적) 활동, 사회운동: make 〔carry out〕 an ~ against organized crime 조직 범죄 일소에 나서다 / ⇨ PEACE OFFENSIVE. ***act on*** 〔***take, assume***〕 ***the ~*** 공세(攻勢)로 나오다〔를 취하다〕.
㊕ **~·ly** *ad.* 무례하게, 공세로. **~·ness** *n.*

offénsive guárd 〚미식축구〛 가드《센터 양쪽에 위치하는 가드; 생략: OG》.

offénsive líne 〚미식축구〛 공격 라인《공격 팀제 1렬에서 공이 snap될 때 scrimmage line에 위치하는 7 인》.

offénsive táckle 〚미식축구〛 태클《공격 라인 양 끝의 안쪽에 위치하는 선수》.

****of·fer** [ɔ́:fər, ɑ́f-/ɔ́f-] *vt.* **1** 《~+목/+목+목/+목+전+명》 …을 권하다, 제공하다: ~ a person a book = ~ a book *to* a person 아무

에게 책을 권하다. **2** ((~+[목]/+[목]+[부]/+[목]+[전]+[명])) (신 등에) 바치다; (기도를) 드리다((*up*)): ~ *up* a sacrifice 희생〔제물〕을 바치다/~ (*up*) prayers *to* God 신에게 기도를 드리다. [SYN.] ⇨ GIVE. **3** ((~+[목]/+[목]+[전]+[명])) (감사·동정·복종·존경 따위를) 표현하다 ((*to*)): ~ homage 복종의 뜻을 보이다/We ~*ed* our sympathy *to* them. 우리는 그들에게 깊은 동정심을 표시했다. **4** ((~+[목]/+[목]+[목])) (안(案)·회답 등을) 제출하다, 제의하다, 제안하다; 신청하다: ~ an opinion 의견을 제출하다/We ~*ed* her a better position. 그녀에게 더 좋은 지위를 주겠다고 제의했다. [SYN.] ⇨PROPOSE. **5** ((+*to* do)) (…하겠다고) 말하다; (…하려고) 시도하다: I ~*ed to* accompany her. 그녀와 함께 가겠다고 말했다/He ~*ed to* strike me. 그는 나를 때리려고 했다. **6** (싸움·저항 따위를) 하다: ~ battle 도전하다/~ resistance 저항하다. **7** 야기하다, 생기게 하다; 나타나게 하다: The plan ~*s* difficulties. 이 안은 어려운 점이 있다/till a good chance ~*s* itself 좋은 기회가 나타날 때까지. **8** ((+[목]+[전]+[명]/+[목]+[목]+[전]+[명])) 〖상업〗 (어떤 값으로) 팔려고 내어놓다; (값·금액을) 부르다: ~ $5,000 *for* a car 자동차 값으로 5,000 달러를 부르다((사겠다고))/~ a car *for* $5,000, 자동차를 5,000달러에 내놓다/~ him ten dollars *for* a radio 그에게 라디오를 10달러에 팔겠다고 하다. **9** 결혼을 신청하다, 구혼하다. **—** *vi.* **1** 제언〔제안〕하다. **2** ((+[전]+[명])) 구혼〔청혼〕하다: ~ *to* a lady 숙녀에게 청혼하다. **3** 생기다, 나타나다: Take the first opportunity that ~*s*. 어떤 기회라도 놓치지 마라. **4** (신에게) (산)제물을 바치다. **5** ((고어)) 시도하다((*at*)). ◇ offering *n.* ***as opportunity* 〔*occasion*〕 *~s*** 기회가 있을 때. **~ *itself to view*** 출현하다. **~ one's *hand*** (악수 따위를 위해서) 손을 내밀다; 결혼을 신청하다. ***You ~.*** 당신 편에서 값을 부르시오.

— *n.* **1** 제언, 신청; 제의, 제안; 제공: a kind ~ 친절한 제의/an ~ *to* help 조력하겠다는 제의/a job ~ 구인(求人)/an ~ of food 음식 제공. **2** 바침; 기부: an ~ of $1,000, 1,000달러의 기부. **3** 〖상업〗 오퍼, 매매 제의; (매물(賣物)의) 제공; 매긴 값. **4** 결혼신청. **5** 기도, 시도. ***accept* 〔*decline*〕 *an* ~** 제안을 수락〔거절〕하다. ***be open to an* ~** 제안을 수락할 용의가 있다: I *am open to an* ~. 값을 매겨 주면 고려하겠습니다. ***make an* ~** 신청하다, 제의하다; 제공하다; 〖상업〗 값을 매기다. ***on* ~** 매물(賣物)로 나와, 깎인 값으로: cars *on* ~ 매물 자동차. [cf.] on SALE. ***special* ~** 특가 제공. ***under* ~** ((영)) (팔 집이) 값이 매겨져; 계약이 끝난.

óffer dòcument ((영)) 〖증권〗 (기업 매수 목적의) 주식 공개 대량 매입 공시 문서.

óf·fer·er, -or [-rər] *n.* 신청인, 제공자; 제의자.

óffer for subscríption ((영)) (주식의) 예약 모집〔공모〕.

◦**óf·fer·ing** [-riŋ] *n.* [C.U] **1** (신에의) 공물, 제물, 봉납(물). **2** (교회에의) 헌금, 헌납: an ~ plate (교회에서의) 헌금 접시. **3** 선물(gift). **4** 신청, 제공; 팔 물건, 매물(賣物). **5** (개설된) 강의 과목; 연극의 공연.

óffering prìce 〖증권〗 매출 가격.

of·fer·to·ry [ɔ́:fərtɔ̀:ri, ɑ́f-/ɔ́fətəri] *n.* **1** (교회에서의) 봉헌; 헌금; 그때 봉창하는 성가〔성구〕. **2** (종종 O-) 〖가톨릭〗 봉헌송(誦); 제헌경(祭獻經). [파] **òf·fer·tó·ri·al** *a.*

óff·gàs *n.* 〖화학〗 오프가스((공정(工程)이나 시설에서 배출되는 가스; 환경에 끼치는 영향이 문제시되는)).

óff-glìde *n.* 〖음성〗 경과음(經過音)((어떤 음에서 휴지 또는 후속음으로 옮아갈 때 자연히 나오는 음)).

óff·gò *n.* 출발

óff-gráde *a.* 평균(이하)의, 규격 외의((high-grade와 low-grade 중간에 해당하는 평가)).

óff guárd 〖미식축구〗 오프 가드((공격측의 태클과 가드 사이께를 뚫는 런 플레이)).

◦**óff·hánd** *a.* 즉석(卽席)의(impromptu); 준비 없이 하는; 아무렇게나 하는, 되는대로의; 손으로 만든; 선 채로의((사격)). ***in an* ~ *manner*** 대수롭지 않게, 냉담한 태도로. **—** *ad.* 그 자리에서, 즉석에서(extempore); 준비 없이; 무뚝뚝하게, 아무렇게나, 되는대로; 선 채로: decide ~ 즉석에서 결정하다. 「~·**ness** *n.*

óff·hánded [-id] *a.* =OFFHAND. [파] **~·ly** *ad.*

óff-hóur *n., a.* 휴식 시간(의), 비번 때(의), (사무·교통이) 바쁘지 않은〔한가한〕 시간(의). [OPP.] *rush hour.*

offic. official.

†**of·fice** [ɔ́:fis, ɑ́f-/ɔ́f-] *n.* **1** 임무, 직무, 직책; 역할((*of*)): act in the ~ *of* adviser 조언자 역할을 하다/the ~ *of* chairman 의장의 임무. **2** 관직, 공직; (공직의) 지위. [SYN.] ⇨ POSITION. **3** 〖보통 복합어〗 관공서, 관청; 국; (O-) ((미)) (관청 기구의) 청, 국; ((영)) 성(省): the War *Office* ((영)) (예전의) 육군성/the (Government) Printing *Office* ((미)) (정부) 인쇄국. **4** 사무소〔실〕, 오피스; 회사; 영업소; …소: a fire 〔life〕 insurance ~ 화재〔생명〕 보험회사(의 영업소)/the head 〔main〕 ~ 본사, 본점/a branch ~ 지점/an inquiry 〔information〕 ~ 안내소. **5** 사무실, 집무실; (the ~) (사무실의) 전(全)직원, 전종업원. **6** ((미)) 진료실, (개업의사의) 의원; (대학 교수의) 연구실: a dentist's ~ 치과의원/a doctor's ~ 진료실. **7** ((구어)) 일터, 꽤 오랫동안 일하는 장소; (*pl.*) ((영)) 가사실(家事室)((부엌·헛간·세탁장·식료품실 따위)). **8** 〖가톨릭〗 성무(聖務), 공식 강론(講論)((성찬식·세례식·장례식의)), 성무일도(聖務日禱); (the ~, one's ~) (종교) 의식; 예배; 〖영국교회〗 (조석) 기도. **9** (보통 *pl.*) 진력, 알선, 주선. **10** (the ~) ((구어)) (남에게) 꾀를 일러줌, 암시, (비밀) 신호. **11** ((영)) 마구간, 곳간; ((영완곡어)) 변소. ***be in an* ~** 회사에 근무하고 있다, 재직하다; (정당이) 정권을 잡고 있다. ***be in* 〔*out of*〕 ~** 재직하고〔하지 않고〕 있다. ***by* 〔*through*〕 *the good* 〔*kind*〕 *~s of*** …의 호의로〔알선으로〕. ***do*** a person ***kind ~s*** 친절하게 아무를 돌보아 주다, 호의를 다하다. ***do* 〔*exercise*〕 *the* ~ *of* …** 의 직무를 맡아 하다. ***enter upon* 〔*accept*〕 ~** 공직에 취임하다. ***give* 〔*take*〕 *the* ~** ((속어)) 신호〔암시〕를 하다〔받다〕. ***go out of* ~** 정권에서 물러나다, 하야하다. ***hold* 〔*fill*〕 (*public*) ~** (공직에) 재직하다. ***leave* 〔*resign* (*from*)〕 ~** 공직을 사임하다. ***perform the last ~s*** 매장〔장례〕식을 거행하다. ***retire from* ~** (공직에서) 은퇴하다. ***say* one's ~** 〖가톨릭〗 성무일도를 외다.

óffice automátion 오피스 오토메이션, 사무(처리의) 자동화((생략: OA)).

óffice-bèarer *n.* ((영)) =OFFICEHOLDER.

óffice blòck ((영)) =OFFICE BUILDING.

óffice bòy (사무실의) 사환.

óffice bùilding ((미)) 사무실용 큰 빌딩(((영)) office block).

óffice cléaner (사무실) 청소인.

óffice clèrk 사무원.

óffice còpy 〖법률〗 공인 등본, 공문서.

óffice gìrl 여자 사무원〔사환〕.

óffice·hòlder *n.* ((미)) 공무원, 관공리.

óffice hòurs 집무〔근무〕 시간, 영업 시간; ((미))

진료 시간.

óffice jùnior (회사의) 잡일을 맡은 젊은이.

óffice làwyer (기업 따위의) 법률고문《보통 법정에는 나가지 않음》.

óffice pàper 상업통신 용지.

óffice pàrk 오피스〔비지니스〕 파크《보통 대도시 교외에 있는 사무실 건물로서, 공원, 주차장, 오락시설, 음식점 등이 갖추어진 곳》.

óffice pàrty 오피스 파티《기업 등에서 특히 크리스마스 이브 전날〔당일〕에 행해지는 파티; 신분·지위를 가리지 않고 마음놓고 즐김》.

of·fi·cer** [ɔ́:fisər, ɑ́f-/ɔ́f-] *n.* **1** 장교, 사관. cf. soldier, private. ¶ a military 〔naval〕 ~ 육군〔해군〕 장교/an ~ of the deck 〖해군〗 당직 장교/an ~ of watch 〖해사〗 (갑판 또는 기관실의) 당직 사관. **2** (상선의) 고급 선원: the chief ~ 1등 항해사/a first 〔second〕 ~ 1등〔2등〕 항해사. **3** 공무원, 관리; 경관, 순경; 집달관: a public ~ 공무원/an ~ of the court 법원직원; 집달관/a customs ~ 세관원/an executive ~ 행정관. ★경관 등에 대한 가장 보편적인 호칭으로 씀. **4** (회사·단체·클럽의) 임원: a company ~ 회사 임원. **5** 《영》 훈공장(勳功章; O.B.E.) 4급을 받은 사람. ***an ~ of the day 〔***week***〕 일직〔주번〕 사관. ***an ~ of the guard*** 위병 사령《일직사관의 지휘를 받음; 생략: O.G.》. ***an ~ of the law*** 경찰관. ***an ~ on probation*** 사관 후보생. **—** *vt.* 〔보통 과거분사〕 **1** …에 장교를〔고급 선원을〕 배치하다. **2** 장교로서 지휘〔통솔〕하다, 관리하다; …에 지령하다: The recruits were well ~*ed.* 신병들은 잘 통솔되어 있었다.

ófficers' quàrters (주둔지의) 장교 숙소.

Ófficers' Tráining Córps 《영》 장교 교육부, 장교 양성단.

óffice sèeker 〔**hùnter**〕 엽관〔공직 취임〕운동자.

óffice wòrk 사무.

óffice wòrker 사무 종사자, 회사(사무)원, (관청 따위의) 사무직원.

****of·fi·cial** [əfíʃəl] *a.* **1** 공무상의, 관(官)의, 공식의(OPP *officious*); 직무상의; 공인의; 〖약학〗 약전에 의한: an ~ announcement 공식 발표/an ~ report 〔return〕 공보(公報)/~ duties 공무/an ~ position 공직/an ~ note (외교) 공문/~ documents 공문서/an ~ price 공정 가격/an ~ record 공인 기록/an ~ residence 관저, 관사/an ~ statement 공식 성명/an ~ visit 공식 방문/~ funds 공금(公金)/~ affairs 〔business〕 공무(公務)/~ language 공용어/one's ~ life 공적 생활. **2** 관직에 있는; 관선(官選)의: an ~ receiver 관선 파산 관리인. **3** 관청식의: ~ circumlocution 번문욕례(繁文縟禮). **—** *n.* **1** 공무원, 관공리; (회사·단체 따위의) 임원, 직원: government 〔public〕 ~s 관(공)리/a local ~ 지방 공무원/a union ~ 조합 임원. **2** (보통 ~ principal) 종교 재판소 판사. **3** (운동경기의) 심판.

Official Bírthday (the ~) 《영》 (군주의) 공식 탄생일《6월 두번째 토요일; 공휴일은 아님》.

of·fi·cial·dom [əfíʃəldəm] *n.* U 관공리의 지위; 관계, 〔집합적〕 관(공)리(사회); 관료주의.

of·fi·cial·ese [əfìʃəlí:z, -s/-z] *n.* U,C 관청용어(법)《까다로운 것이 특색》. cf. journalese.

offícial fámily (단체·정부의) 수뇌진, 간부진; (미국 대통령의) 내각(staff).

offícial gazétte 관보.

of·fi·cial·ism [əfíʃəlìzəm] *n.* U **1** 관료 〔형식〕 주의, 관리 기질. **2** 관제(官制). **3** 〔집합적〕 공무원, 관료.

of·fi·cial·ize [əfíʃəlàiz] *vt.* 관청식으로 하다, 관청의 통제〔관할〕 아래에 두다; 공표하다.

offícial líst 최신의 주가 일람표《London 의 증권거래소가 매일 발행함》.

***of·fi·cial·ly** [əfíʃəli] *ad.* **1** 공무상, 직책상. **2** 공식으로, 직권에 의해. **3** 〔문장 전체를 수식〕 (당국의) 발표로는, 표면상으로는: *Officially* the president retired, but actually he was dismissed. 표면상 사장은 사퇴했지만, 실제는 해임 당했다.

offícial óath 취임 선서.

offícial pówers 직권.

Offícial Recéiver 〖영법률〗 (법원의 중간 명령에 의한) (파산) 관재인, 수익 관리인.

Offícial Referée 〖영법률〗 (고등법원의) 공인 중재인.

Offícial Sécrets Àct 〖영법률〗 공직자 비밀엄수법.

Offícial Solícitor 〖영법률〗 (고등법원의) 공인 사무변호사《정신박약자·연소자들의 이익을 보호하기 위한 책임을 진 특별 변호사》.

of·fi·ci·ant [əfíʃiənt] *n.* 집전자, 사제(司祭).

of·fi·ci·ary [əfíʃièri/-ʃəri] *a.* 관직상의; 관직의 직함이 있는: ~ titles 관직상의 경칭《시장에 대한 Your Worship 따위》. **—** *n.* 공무원, 관료, 관공리.

of·fi·ci·ate [əfíʃièit] *vi.* **1** 《+*as* 보》 직무를 집행하다; 맡은 책임(구실)을 하다; 사회하다: ~ *as* chairman 〔host〕 의장으로서〔주최자로서〕 사회하다. **2** 《+전+명》 (성직자가) 예배·미사를 집전하다; 식(式)을 집행하다《*at*》: ~ *at* a wedding 〔marriage〕 결혼식을 집행하다. **3** (경기에서) 심판을 보다. **—** *vt.* (공무를) 집행하다, (식)의 사회를 보다, (시합 등)의 심판을 보다. ⓜ **-à·tor** [-tər] *n.* **of·fi·ci·á·tion** *n.*

of·fic·i·nal [əfísənl/ɔ̀fisáinl, ɔfísinl] *a.* **1** 약전에 의한《지금은 보통 official》. **2** 약용의《식물 따위》: ~ herbs 약초. **3** 매약(賣藥)의. OPP *magistral.* **4** 약전에 게재되어 있는《약품명》. **—** *n.* 약국방 약; 매약; 약용 식물. ⓜ **~·ly** *ad.*

of·fi·cious [əfíʃəs] *a.* **1** (쓸데없이) 참견〔간섭〕하는. **2** 《고어》 친절한, 호의적인. **3** 〖외교〗 비공식의. OPP *official.* ¶ an ~ talk 비공식 회담. ⓜ **~·ly** *ad.* **~·ness** *n.*

of·fie [ɔ́:fi, ɑ́fi/ɔ́fi] *n.* 《영속어》 =OFF-LICENSE.

off·ing [ɔ́:fiŋ, ɑ́f-/ɔ́f-] *n.* (연안에서 보이는) 앞바다. ***gain*** 〔***get, take***〕 ***an ~*** 앞바다로 나가다. ***in the ~*** 앞바다에; 가까운 장래에, 과히 멀지 않은 거리에; 슬슬 나타날〔일어날〕 것 같아. ***keep an ~*** 앞바다를 항해하다. ***make an ~*** 앞바다에 정박하다.

off·ish [ɔ́:fiʃ, ɑ́f-/ɔ́f-] *a.* 《구어》 푸접없는, 새침한, 쌀쌀한, 친하기 힘든(distant). ⓜ **~·ly** *ad.* **~·ness** *n.*

óff-ísland *n.* 앞바다의 섬. **—** *a.* 《미》 섬을 방문한, 섬사람이 아닌. **—** *ad.* 섬을 떠나: go ~. ⓜ **~·er** *n.* 《미》 섬의 일시 체류자, 섬에 살지 않는 사람.

OFF-JT 〖경제〗 off-the-job training (직장 외 훈련; 현장 밖에서의 집합 교육).

óff-kéy *a.* 음정이〔가락이, 곡조가〕 고르지 못한; 정상이 아닌, 불규칙한.

óff·lèt *n.* 방수관(放水管), 배수관.

óff-lìcense *n.* 《영》 주류판매 허가(를 받은 상점)《점포 내에서의 음주는 불가》. cf. on-license.

óff límits 《미》 출입 금지 (지역).

óff-límits *a.* 《미》 출입 금지의. cf. on-limits. ¶ a bar ~ to soldiers 군인 출입 금지의 바.

óff-lìne *a.* **1** 〖컴퓨터〗 오프라인의《컴퓨터의 중앙 처리 장치에서 독립, 또는 그것에 직결하지 않고 작동하는》. **2** 〖라디오〗 (네트워크·방송국이) 자유 프로그램제의. **3** 〖TV〗 (비디오 녹화 프로그램이) 기획〔예비 편집〕중인. **4** (철도·버스·항공

기 등이) 정기 운항 노선 외의. cf. on-line. — *ad.* 〖컴퓨터〗 따로잇기로, 오프라인으로. — *n.* 〖컴퓨터〗 오프라인.

óff-lòad *vt., vi.* =UNLOAD.

óff-méssage *a., ad.* (정치가가) 당의 공식 노선에서 벗어난〔벗어나서〕.

óff-míke *a.* 음량을 표준보다 낮추어서 녹음〔방송〕한; 마이크에서 떨어진.

óff-òff-Bróadway *n., a., ad.* Ⓤ 오프오프 브로드웨이(의〔에서〕)《오프브로드웨이보다 더 전위적인 연극; 생략: OOB》.

óff-péak *a.* 출퇴근 시간(rush hours) 외의, 한산할 때의, 피크 때가 아닌; 〖전기〗 오프피크의《부하(負荷)》.

óff-píste *a., ad.* 〖스키〗 피스트(piste)에서 벗어난〔벗어나서〕, 활강 코스 바깥의〔에서〕.

óff-plán *ad., a.* (건물 따위의 매매가) 건축 전에 설계도만을 볼 수 있는 단계에서〔의〕.

óff-prémises *a.* (가게에서는 음주를 금하는) 주류 판매의. cf. off-license.

óff-príce *a., ad.* 할인의〔으로〕.

óff-prícer *n.* 할인 판매자〔점〕.

óff·prìnt *n., vt.* (잡지 · 논문의) 발췌 인쇄(물); 발췌 인쇄를 하다.

óff·pùt *vt.* 《영구어》 당황〔곤혹〕하게 하다.

óff-pùtting *a.* 《영구어》 불쾌한; 당혹하게 하는; 혐오를 느끼게 하는; 실망케 하는; 주저하게 하는, 망설이는. ㊞ **~·ly** *ad.*

óff-ràmp *n.* 고속도로에서 일반도로로 나오는 「차로〔램프〕.

óff-róad *a.* 일반〔포장〕도로를 벗어난 (곳을 주행하는)《드라이브》; 일반〔포장〕도로 밖에서 하게 만든, 오프로드용의《설상(雪上)차, 무한궤도가 달린 트럭 등》. ㊞ **~·er** *n.* 그러한 차.

óff-ròading *n.* 일반〔포장〕도로가 아닌 곳에서 주행하는 드라이브〔레이스〕.

óff-sàle *n.* (집으로) 갖고 가는 주류의 판매(《영》 take-home sale).

óff-scéne *a.* 장면〔화면〕 외의.

óff·scòuring *n.* 부스러기, 폐물, 찌꺼기; 오물; (보통 *pl.*) 인간 폐물〔쓰레기〕, 사회로부터 버림받은 사람.

óff·scréen *a.* **1** 영화〔텔레비전〕에 나타나지 않는 (곳에서의); 사〔실〕생활의. **2** 남이 보지 않는 곳에서의. — *ad.* **1** 영화〔텔레비전〕에 나오지 않고; 사〔실〕생활에서. **2** 남이 보지 않는 곳에서.

off-scum [ɔ́ːfskʌ̀m, ɑ́f-/ɔ́f-] *n.* 남은 찌꺼기, 부스러기; 《비유》 쓸모없는 사람〔것〕.

óff-séason *a., ad.* 한산기의〔에〕, 철이 지난 (때에); (운동 따위가) 제철이 아닌 (때에): an ~ job for a baseball player 야구선수의 계절 외 부업. — *n.* 한산기, 시즌 오프, 계절 외: travel in the ~ 관광철이 아닌 때에 여행하다.

°**òff·sét** (*p., pp.* **~;** **~·ting**) *vt.* **1** 《~+목/+목+전+명》 차감 계산을 하다, …와 상쇄〔상계〕하다, …와 맞비기다, (장점으로 단점을) 벌충하다: ~ losses *by* gains 손실과 이익을 상쇄하다. **2** 〖인쇄〗 오프셋 인쇄로 하다. **3** 《+목+전+명》 (비교하기 위해) 대조하다: ~ advantages *against* disadvantages 유리한 점과 불리한 점을 대조해 보다. **4** 〖건축〗 (외벽에) 단(段)을 짓다; 《보통 수동태》 (파이프 따위를) 축〔중심선〕에서 떼어놓다. — *vi.* 갈라져 나오다, 파생하다; 〖인쇄〗 오프셋 인쇄하다.

— [ㅅ] *a.* **1** 오프셋(인쇄법)의: ~ printing 〔lithography〕 오프셋 인쇄(법). **2** 치우친.

— [ㅅ] *n.* **1** 차감 계산《*to*》, 상계하는 것, 맞비김, 벌충하기《*to; against*》. **2** 갈라짐, 분파; (가로 뻗친 산(山)의) 지맥(支脈); 〖식물〗 단복지(短匐枝), 분지(分枝). **3** 《고어》 첫출발, 시작. **4** 〖인쇄〗 오프셋 인쇄; 〖측량〗 지거(支距); 〖건축〗 (위로 갈수록 후퇴하는) 벽면의 선반, 벽단(壁段); 〖기계〗 (파이프 따위의) 한쪽으로의 치우침; 〖전기〗 (배선의) 지선.

óff·shòot *n.* **1** 분지(分枝), 가지; 지맥(支脈); 지류; 지도(支道). **2** (씨족의) 분파, 방계 자손, 분가. **3** 파생물(derivative)《*from*》, 파생적인 결과《*of*》.

óff·shòre *a.* **1** 앞바다의; 앞바다로 향하는《바람 따위》: ~ fisheries 근해 어업 / an ~ wind 앞바다로 부는 바람. **2** 해외의, 외국〔국외〕에 있는, 외국에서 등록된〔행하여지는〕, 역외(域外)의: ~ purchases 역외 매입 / ~ investment 국외 투자. — [ㅅ] *ad.* …의 앞바다로 (향하여); 해외〔외국〕에서. opp *inshore.* — [ㅅ] *prep.* 앞바다에(서).

óffshore bánking 오프쇼 금융《국제금융에서 비거주자간의 거래를 위한 조세 · 외환관리 등의 우대조치와 그 영업거점을 제공하는 일》.

óffshore cénter 비거주자를 위해 외환법 · 세법 따위의 규정을 완화하고 있는 국제금융 시장.

óffshore dríllíng 해양굴착《유정(油井)의》.

óffshore fúnd 《미》 재외(在外) 투자신탁《세부담 · 법규제가 엄하지 않은 외국에 마련한 것》.

óffshore óil 해양 석유.

óffshore patról 연안 경비〔초계〕.

óffshore technólogy 해양 공학〔기술〕《offshore oil 개발과 관련된 분야에서 주로 쓰임》.

óff·síde *a., ad.* **1** 〖축구 · 하키〗 오프사이드의〔에〕《경기자의 위치가 반칙이 되는》. opp *onside.* **2** 저속〔외설〕한〔하게〕. — *n.* 〖스포츠〗 오프사이드; 《영》 (말 · 차의) 우측.

óff·síder *n.* 《Austral.》 보조〔원조, 지지〕자.

óffside tráp 〖축구〗 오프사이드 트랩《공격측 선수를 오프사이드에 걸리게 하는 수비측 전술》.

óff-síte *a., ad.* (특정한 장소에서) 떨어진〔떨어져서〕; 대지〔용지〕밖의〔밖에서〕.

óff-spéed *a.* 보통〔예상〕보다 스피드가 떨어지는: ~ pitches 속도를 떨어뜨린 투구.

***off·spring** [ɔ́ːfspriŋ, ɑ́f-/ɔ́f-] (*pl.* **~(s)**) *n.* **1** 《집합적》 자식, 자녀; 자손, 후예. **2** (동물의) 새끼. **3** 생겨난 것, 소산(fruit), 결과(result)《*of*》.

óff·stáge *n.* (관객석에서 보이지 않는) 무대 뒤. — *a.* 무대 뒤의; 사생활의; 비공식의. — *ad.* 무대 뒤에서; 사생활에서는; 비공식적으로.

óff-stréet *a.* 큰길에서 들어간, 뒷〔옆〕골목의; 길 밖의(opp *on-street*): ~ parking 이면 도로 주차.

óff tácklé 〖미식축구〗 오프 태클《tight end에서offensive tackle의 바깥께를 달리는 런 플레이의 총칭》.

óff-the-bénch *a.* 법원 밖에서의(not on the 「bench).

óff-the-bóoks *a.* 장부 외의, 기장되지 않은.

óff-the-cúff *a., ad.* 《미구어》 (연설 등이) 즉석의〔에서〕, 준비 없는〔없이〕《연설의 요지 등을 연필로 미리 소매에 써 넣은 데서》: an ~ speech 즉석연설.

óff-the-fáce *a.* (머리 · 모자가) 얼굴을 가리지 「않는.

óff-the-jób *a.* 직장을 떠난, 실업한; 일시 귀휴한; 일 이외의, 취업시간 외의. opp *on-the-job.*

óff-the-pég *a.* 《영》 =OFF-THE-RACK.

óff-the-ráck *a.* (옷이) 기성품인(ready-made).

óff the récord 오프 더 레코드, 기자단에 참고 · 정보에 그치고 보도되지 않는다는 전제로 하는 기자 회견. opp *on the record.*

óff-the-récord *a., ad.* 비공개의〔로〕; 기록에 남기지 않는〔않고〕; 비공식의〔으로〕: an ~ report 〔briefing〕 비공개 보고〔브리핑〕.

óff-the-shélf *a.* (특별 주문이 아닌) 재고품의, 출하 대기의; 기성품인. 「즉흥〔즉석〕의.

óff-the-wáll *a.* 《미구어》 흔하지 않은, 엉뚱한;

óff-tìme *n.* 한산한 때.
óff tráck 《미속어》 상태가 나쁜 경주로.
óff·tráck *a., ad.* (경마 내기에서) 경마장 밖에서 하는, 장외의〔에서〕.
ófftráck bétting 장외 경마 도박. cf. OTB.
óff-whíte *n., a.* 회색〔황색〕을 띤 흰빛(의).
óff yèar 《미》 (대통령 선거 같은) 큰 선거가 없는 해; (농작·경기 등이) 부진한 해. 「선거.
óff-yèar *a.* off year 의: an ~ election 중간
Of·gas, OFGAS [ɔ́:fgæ̀s, ɑ́f-/ɔ́f-] *n.* 《영》 오프가스《가스 공급 사업을 감독하고 가격 통제를 행하는 정부 기관》.
O.F.M. *Ordo Fratrum Minorum* 《L.》 (=Order of Friars Minor). **O.F.S.** Orange Free State.
Of·sted, OFSTED [ɔ́:fstèd, ɑ́f-/ɔ́f-] *n.* 《영》 오프스테드《각 학교의 교육 수준을 감시하는 정부 기관》.
oft [ɔ:ft, ɑft/ɔft] *ad.* 《주로 복합어》 =OFTEN: ***an ~-quoted remark*** 자주 인용되는 말.
OFT 〖우주〗 orbital flight test (궤도 비행 테스트).
†**of·ten** [ɔ́:ftən, ɑ́f-/ɔ́f-] (***~·er, more ~; ~·est, most ~***) *ad.* **1** 자주, 종종, 가끔; 왕왕. ★ 문장 중의 정위치는 보통 동사 앞, be 및 조동사 뒤지만, 강조나 대조를 위해 문장 첫머리·문장 끝에 도 둠: He ~ comes here. 그는 자주 여기 온다/He is ~ late./He has ~ visited me./I have visited him quite ~. 여러 번 그를 방문했었다/Don't bother him too ~. 너무 자주 그에게 폐를 끼치지 마라. **2** 《복수형의 명사·대명사와 함께 써서》 대체로, 대개의 경우에: Children ~ dislike carrots. 아이들은 대체로 당근을 싫어한다.

> SYN. **often** '자주'의 뜻의 가장 일반적인 말. 횟수가 많음을 강조, 간격은 문제삼지 않음. '왕왕, 흔히(in many cases)'의 뜻으로는 frequently가 그렇게 많이 쓰이지 않음에 주의: He bought numerous pictures, *often* in oil. 그는 수많은 그림, 그것도 흔히 유화를 샀다. **frequently** 짧은 간격으로 빈번히 되풀이됨을 강조함: It happens *frequently*. 그건 자주 일어난다.

as ~ as ① …할 때마다(whenever). ② 《강조적》 …할 만큼 자주: He brushes his teeth *as ~ as* five times a day. 그는 하루 다섯 번이나 이를 닦는다. ***as ~ as not*** 종종, (거의) 두번에 한 번은: *As ~ as not*, he forgets to bring something. 종종 그는 뭔가 (필요한) 물건을 갖고 가는 것을 잊어버린다. ***more ~ than not*** 종종, (거의) 두 번에 한 번 이상은, 대개; 오히려. ***~ and ~*** 〔***again***〕 몇 번이고 자주. ***once too ~*** (하지 않아도 좋을 것을) 한 번 더, 도를 지나쳐서.
— *a.* 《고어》 여러 차례의. 「=OFTEN.
óften·tìmes, óft·tìmes *ad.* 《고어·시어》
O.G. Officer of the Guard (위병 사령); Olympic Games. **O.G., o.g.** 〖우편〗 original gum.
og·do·ad [ɑ́gdouæ̀d/ɔ́g-] *n.* 8; 8 개 1 조.
ogee, OG [óudʒi:, -ˊ] *n.* 〖건축〗 반곡(反曲)《고딕체 S자 모양의 곡선》: an ~ arch 〖건축〗 연꽃 아치, 파꽃 홍예.
og·ham, og·am [ɑ́gəm, ɔ́:g-/ɔ́g-] *n.* 오검 문자《고대 브리튼, 특히 아일랜드에서 사용된 문자》; 오검 문자의 비문(碑文). ㊞ **~·ist** *n.* ~ 각인자(刻印者). **og·ham·ic** [-gǽm-] *a.*
ogive [óudʒaiv, -ˊ] *n.* 〖건축〗 둥근 천장의 맞보; 첨정 홍예(pointed arch); 〖로켓〗 원뿔꼴 두부(頭部)《미사일·로켓 두부의 곡선부》; 〖통계〗 누적 도수 분포도. ㊞ **ogi·val** [oudʒáivəl] *a.*
ogle [óugəl] *n.* 추파; 《속어》 눈. — *vt., vi.* (…에게) 애교 있는 윙크를 하다, (…에게) 추파를 던지다(*at*). ㊞ **ógler** *n.*
OGO Orbiting Geophysical Observatory (지구 물리 관측 위성).
Ogo·nis [ɑ́gənis/ɔ́-] *n.* 오고니족《나이지리아 남동부의 나이저 강 델타 지대인 Ogoniland에 사는 소수 민족》.
OGPU, Og·pu [ɑ́gpu:/ɔ́g-] *n.* 합동 국가 보안부《(옛 소련의) 국가 비밀 경찰(Gay-Pay-Oo); 1934 년에 폐지; NKVD의 전신》.
ogre [óugər] (*fem.* ***ogress*** [-gəris]) *n.* (민화·동화의) 사람 잡아먹는 귀신《거인·괴물》; 괴물; 귀신 같은 사람; 무서운 것〔일〕. ㊞ **ógr(e)·ish** [óugəriʃ] *a.* 귀신 같은. **ógr(e)ish·ly** *ad.*
†**oh**[1] [ou] *int.* **1** 오오, 아, 어허, 앗, 아아, 여봐《놀람·공포·찬탄(讚嘆)·비탄·고통·간망(懇望)·부를 때 따위의 감정을 나타냄》: *Oh*, boy! 《속어》 아차, 아뿔싸/*Oh* dear (me)! 아이구〔어머〕 저런/*Oh* that I were young again! 아아 다시 한번 젊어졌으면/*Oh* God! 오 하느님. **2** 어이《직접적인 부름》: *Oh* Tom, get it for me. 어이 톰, 그걸 가져와. **3** 참, 응《망설이거나 말이 막힐 때》: I went with George and Clinton, *oh*, and Jim. 조지와 클린턴, 참 짐도 함께 갔지. ***Óh for...!*** …이 있으면 좋겠다: *Óh for* a cup of tea! 차 한 잔 마셨으면 좋겠다. ***Óh, no.*** 당치도 않다, 참(certainly not). ***Oh, nó.*** 이런, 끔찍해《공포 따위》. ***Oh, oh.*** 큰일났군《곤란한 사태 따위》. ***Oh-oh!*** 아하《실망·낙담》. ***Oh well!*** 뭐가 어때, 이런 일도 있군《체념》. ***Óh, yes*** 〔***yeah***〕. 그렇고 말고요, 참말이다. ***Oh, yés*** 〔***yéah***〕? (어이) 그래, 허 그런가, 설마(Really?)《불신·회의·말대답 따위》. ★ O는 언제나 대문자로 쓰고 휴식부《,》나 감탄부《!》를 붙이지 않으나, oh, Oh의 뒤에는 붙임. cf. O².
— (*pl.* ***oh's, ohs***) *n.* oh 하는 외침.
oh[2] (*pl.* ***oh's, ohs***) *n.* 제로, 영(zero): My number is double *oh* seven two. (전화번호 따위를 말할 때) 이쪽 번호는 0072 입니다.
OH 〖미우편〗 Ohio. **o.h.c.** 〖자동차〗 overhead camshaft (두상(頭上) 캠축(軸)식). **OHG, O.H.G.** Old High German.
O'Hare [ouhέər] 오헤어《미국 시카고 시 북서쪽에 있는 국제공항》.
Ohio [ouháiou] *n.* 오하이오《미국 동북부의 주; 생략: OH》. ㊞ **~·an** [ouháiouən] *a., n.* ~주의 (사람).
ohm [oum] *n.* 옴《전기 저항의 MKS 단위; 기호 Ω》. cf. mho.
ohm·age [óumidʒ] *n.* 〖전기〗 옴 수(數).
óhm-ámmeter *n.* 저항 전류계(電流計).
ohm·ic [óumik] *a.* 〖전기〗 옴의; 옴으로 잰. ㊞ **-i·cal·ly** *ad.*
óhm·mèter *n.* 〖전기〗 옴계(計), 전기 저항계.
O.H.M.S. 《영》 On His 〔Her〕 Majesty's Service(공용)《공문서 등의 무료 배달 표시》.
Óhm's láw 〖전기〗 옴의 법칙《독일 물리학자 Georg Simon Ohm (1787–1854)의 이름에서》.
oh·no·second [óunóuˊ-] *n.* 〖컴퓨터〗 《속어》 (버튼을 순간적으로 잘못 누른 따위의) 자신의 실수를 깨달은 순간.
oho [ouhóu] *int.* 오호, 야아, 저런《놀람·기쁨·놀림 따위를 나타냄》.
-oholic ⇨ -AHOLIC.
OHP overhead projector (두상(頭上) 투영기).
oi, oy [ɔ́i] *int.* 《구어》 어이《사람의 주의를 끄는 발성》. — *a.* 시끄러운, 떠들썩한.
-oid [ɔ̀id] *suf.* '…같은 (것), …모양의 (것), …질(質)의 (것)'의 뜻: alkal*oid*, cycl*oid*.
oid·i·um [ouídiəm] (*pl.* ***-ia*** [-diə]) *n.* 〖세균〗

오이디엄, 분열자(分裂子)《균사(菌絲)가 토막이 나서 생긴 주상(柱狀)의 무성포자(無性胞子)》.

OIEO 《영》 offers in excess of ... …을 초과하는 호가(呼價)《광고 용어》.

†**oil** [ɔil] *n.* **1** Ⓤ 기름; 석유; 올리브유: animal 〔vegetable, mineral〕 ~ 동물성〔식물성, 광물성〕 기름/cooking ~ 식용유/lamp ~ 등유/heavy 〔light〕 ~ 중〔경〕유/machine ~ 기계유/feed ~ to …에 기름을 붓다. **2** (종종 *pl.*) 유화 물감(~ colors); 《구어》 유화(~ painting): paint in ~s 유화를 그리다. **3** (흔히 *pl.*) 《구어》 유포(油布); 비옷, 방수복. **4** 《구어》 간살, 아첨; 《속어》 돈, 뇌물. ***burn* 〔*consume*〕 *the midnight* ~** ⇨ MIDNIGHT. **~ *and vinegar* 〔*water*〕** 기름과 초, '물과 기름'《서로 맞지 않는 것》. ***pour* ~ *on the flame*(*s*)** 불에 기름을 붓다, 싸움을〔화를〕 선동〔부채질〕하다. ***pour* 〔*throw*〕 ~ *on the troubled waters*** 파도치는 수면을 가라앉히다; 《비유》 풍파를〔싸움을〕 가라앉히다. ***smell of* ~** 애쓴 흔적이 엿보이다. ***strike* ~** ① 유맥(油脈)을 찾아내다; 《비유》 원하는 대로 찾아내다. ② (투기에서) 노다지를 잡다, (새 기업 따위가) 들어맞다〔성공하다〕.

— *vt.* **1** …에 기름을 바르다〔치다〕, 기름으로 더럽히다. **2** 기름에 담그다; 매끄럽게〔원활하게〕 하다. **3** (지방 따위를) 녹이다. **4** 《미속어》 때리다. **5** …에게 뇌물을 쓰다; (경관 등)에게 쥐어주다: ~ the knocker 《영속어》 문지기에게 팁을 주다. — *vi.* (지방 따위가) 녹다; 연료유를 싣다. ***have a well* ~*ed tongue*** 수다를 떨다. **~ *out*** 살그머니 나가다. **~ a person's *hand* 〔*palm*〕** 아무에게 뇌물을 쓰다(bribe). **~ one's 〔*the*〕 *tongue*** 아첨하다. **~ *the wheels* 〔*works*〕** ① 차바퀴에 기름을 치다. ② (뇌물을 주거나 아첨을 하여) 일을 원활하게 해 나가다.

óil-básed [-t] *a.* (안료 따위의 용제가) 유성(油性)인: an ~ paint 유성 페인트.

óil-bèaring *a.* 석유를 함유한《지층 따위》.

oil·berg [ɔ́ilbə̀ːrg] *n.* (20만 톤 이상의) 대형 탱커〔유조선〕; 해상에 유출된 대량의 원유.

óil·bìrd *n.* 〖조류〗 쏙독새의 일종(guacharo)《남아메리카산》.

óil bòmb 유지(油脂) 소이탄.

óil bùrner 오일 버너; 중유를 연료로 하는 배; 《속어》 노후선〔자동차〕.

óil càke 기름 (짜고 난) 찌꺼기, 깻묵《가축 사료·비료》.

óil·càn *n.* 기름 치는 기구; 기름통.

óil·clòth *n.* Ⓤ,Ⓒ 유포(油布), 오일클로스《식탁보·선반 씌우개 따위》; 리놀륨(linoleum).

óil còlor (보통 *pl.*) 유화 그림물감; 유화.

óil-còoled *a.* (엔진 따위가) 유냉식(油冷式)의.

óil crìsis 〔**crùnch**〕 석유 파동, 석유 위기.

óil·cùp *n.* (축받이 따위의) 기름통, 기름 컵.

óil diplòmacy (석유 수출국과 수입국 간의) 석유 외교.

óil-dollar recýcling 오일 달러 환류(還流).

óil dòllars 오일 달러(petrodollars)《중동 산유국이 석유 수출로 벌어들인 달러》.

óil drúm 석유(운반)용 드럼통.

oiled [ɔild] *a.* 기름을 칠한〔먹인〕, 기름에 담근; 《속어》 얼근히 취한. ***well* ~** 술에 취한.

óil èngine 석유 엔진.

óil·er *n.* **1** 주유자(注油者); 급유기(oilcan); 유조선, 탱커(tanker). **2** 《미》 방수복(oilskins). **3** 유정(油井). **4** 《속어》 아첨쟁이(flatterer). **5** 《미구어》 =OILMAN.

óil fènce 수면에 유출된 기름을 막는 방책.

óil fìeld 유전(油田).

óil-fìred *a.* 기름을 땔감으로 하는.

óil gàuge 〖기계〗 유량계(油量計), 유면계(油面計); 유지 비중계(油脂比重計).

óil glànd (새의) 지방 분비선, (특히 물새의 꼬리 부분에 있는) 미선(尾腺)(=**uro·pýg·i·al glànd**).

oil·ie [ɔ́ili] *n.* 《미속어》 〖정치〗 석유업계를 대표하는 로비스트.

oil·i·ly [ɔ́ilili] *ad.* 기름같이; 변설이 유창하게; 간살이 넘치게.

oil·i·ness [ɔ́ilinis] *n.* 유질(油質); 유창함; 간살이 넘침.

óil·ing *n.* Ⓤ 급유; 석유 유출로 인한 오염, (해조 따위가) 폐유에 범벅이 됨.

óil·jàck *n.* 유조선 납치. [◂ *oil* tanker hi*jacking*] ㊉ **~·er** *n.*

óil làmp 석유 램프.

óil·less *a.* 기름이 없는〔떨어진〕; 주유(注油)할〔기름을 칠〕 필요 없는.

óil·màn [-mæ̀n, -mən] (*pl.* **-mèn** [-mèn, -mən]) *n.* 유전 소유〔경영〕자; 제유업자; 기름 장수〔배달원〕; 주유계〔원〕; 《미》 석유 기업가.

óil mèal 깻묵가루《사료·비료》.

óil mìll 착유기(搾油機); 착유〔제유〕 공장.

óil mìnister (산유국의) 석유상(石油相).

óil nùt 지방견과(脂肪堅果)《기름을 짜는 호두·코코야자 따위의 견과》.

óil of lávender 라벤더유(油)(lavender oil)《라벤더 꽃에서 추출한 정유; 향수 제조용》.

óil of túrpentine 테레빈유(油)(terpentine oil)《무색의 휘발성·인화성 정유》.

óil of vítriol =SULFURIC ACID.

óil pàint 유화 그림물감; (유성) 페인트.

óil pàinting 유화; 유화 그리는 법: She's 〔It's〕 no ~. 《구어·종종 우스개》 아무래도 그림으로는 되지 않는다, 예쁘지 않다, 추하다.

óil pàlm 〖식물〗 기름야자나무《열매에서 팜유(palm oil)를 채취》.

óil pàn 〖기계〗 (내연 기관의) 오일 팬, 기름받이.

óil·pàper *n.* 유지, 동유지(桐油紙).

óil pàtch 《구어》 유전(油田)지대, 석유산출〔생산〕지대; 석유산업.

óil-plànt *n.* 유지(油脂) 식물《열매에서 기름을 채취하는 참깨·피마자 따위》.

óil plàtform (바다 위의) 석유 채굴용 플랫폼.

óil-póor *a.* 석유가 나지 않는, 석유 자원이 없는.

óil prèss 착유기(搾油機).

óil-prodúcing *a.* 석유를 산출하는: ~ countries 산유국.

óil·pròof *a.* 내유성(耐油性)의. — *vt.* 내유화(耐油化)하다.

óil-rích *a.* 석유를 풍부히 산출하는, 석유로 벼락부자가 된.

óil·rìg *n.* (특히 해저) 석유 굴착 장치.

óil sànd 〖지학〗 오일 샌드, 유사(油砂)《중질(重質) 석유를 함유하는 다공성 사암(多孔性砂岩)》.

óil·sèed *n.* Ⓤ (깨·피마자·목화처럼) 기름을 얻는 씨앗.

óil shàle 〖광물〗 석유 혈암(頁岩), 유모(油母) 혈암, 오일 셰일.

óil shòck =OIL CRISIS.

óil sílk 명주 유포(油布).

óil·skìn *n.* Ⓤ 유포(油布), 방수포; (*pl.*) 방수복.

óil slìck (해상·호수 따위에 떠 있는 석유의) 유막(油膜).

óil-slìcked [-t] *a.* (수면이) 기름으로 뒤덮인.

óil spìll (해상에서의) 석유누출, 원유누출 등에 의한 해양오염.

óil sprìng 광유천(鑛油泉); 간단한 굴착으로 광유가 용출(湧出)하는 유전.

óil·stòne *n.* 기름 숫돌.

óil·stòve *n.* 석유난로.

óil·tànker *n.* 유조선〔차〕, 탱커.

óil wèapon (산유국이 행사하는) 무기로서의 석유, 석유 공세(攻勢).

óil wèll 유정(油井).

°**oily** [ɔ́ili] (***oil·i·er; -i·est***) *a.* **1** 기름〔유질(油質)·유성(油性)·유상(油狀)〕의, 기름칠한〔투성이의〕, 기름에 담근; (피부가) 지성(脂性)의: ~

wastewater 유성〔함유(含油)〕 폐수. **2** (태도 따위가 매끄럽게) 아첨하는 것 같은; (말이) 입에 발린, 구변 좋은. **—** *ad.* 사근사근하니 아첨하는 것 같이, 구변 좋게.

oink [ɔiŋk] *n.* 돼지의 울음소리; 《미속어》 경관 (pig). **—** *vi.* 꿀꿀거리다. [imit.]

「약(膏藥).

◇**oint·ment** [ɔ́intmənt] *n.* U,C 〚약학〛 연고, 고

Oir·each·tas [érəktəs] *n.* 아일랜드 공화국의 의회《양원제(兩院制)》. cf. Dail Eireann, Seanad Eireann.

OIRO 《영》 offers in the region of ... (약 …의 호가(呼價))《부동산 따위의 광고 용어》. **OIT** 《미》 Office of International Trade (국제 무역 사무국). **O.J., o.j.** opium joint; 《미구어》 orange juice.

Ojib·wa(y) [oudʒíbwei] (*pl.* ~, ~*s*) *n.* **1** 오지브웨이족《북아메리카 인디언의 대종족으로 슈피리어호 지방에 거주》. **2** U 오지브웨이말(Chippewa).

OJT on-the-job training (직장 내 훈련). **OK** 《미》 〚우편〛 Oklahoma.

†**OK, O.K.** [óukéi, ˌ-ˊ, ˌ-ˊ/ˊ-] 《구어》 *a., ad.* 〖종종 감탄사적〗 좋아(all right); 알았어(agreed); 이제 됐어(yes)《납득·승낙·찬성 따위를 나타냄》; 호조를 띤〔띠고〕; 틀림없는 (correct), 승인필, 검사필, 교료(校了): That's ~. (그건) 됐어, 이제 걱정 마《사과에 대해서》/ That's 〔The plan's〕 ~ *with* 〔*by*〕 me. 그것은〔그 계획은〕 괜찮아, 허락하지(I agree.) / Is it ~ if I bring a friend to the party? 파티에 친구를 한 명 데려와도 되겠니.

— [ˌ-ˊ] (*pl.* ***OK's***) *n.* 승인, 동의, 허가《*on; to*》; 교료(校了): They couldn't get 〔receive〕 his ~ *on* it. 그것에 대하여 그의 승인을 얻지 못하였다 / They gave their ~ to her leave of absence. 그녀의 휴가를 허락하였다. **—** [ˌ-ˊ] (*p., pp.* ***OK'd, O.K.'d; OK'ing, O.K.'ing***) *vt.* 승인하다; …에 O.K.라고 쓰다《교료의 표시 따위로》.

oka·pi [ouká:pi] *n.* 〚동물〛 오카피《기린과(科); 중앙 아프리카산(產)》.

okapi

okay, okeh, okey [óukéi, ˌ-ˊ, ˌ-ˊ/ˊ-] *a., ad., n., vt.* 《구어》 =OK.

ÓK Corrál OK 목장《미국 Arizona 주에 있는 목장》: Gunfight at ~, OK 목장의 결투《Doc Hollyday와 Wyatt Earp가 30초 안에 세 범인을 쏘아 죽인 유명한 결투를 그린 미국 영화》.

oke[1], **oka** [ouk], [óukə] *n.* 오크《터키·이집트·그리스 등의 중량 단위; 약 2.75 파운드》.

oke[2] *a.* =OK.

Oke·fe·no·kee Swámp [òukəfənóuki-] (the ~) 오커퍼노키 습지《미국 Georgia 주 남동부에서 Florida 주 북동부에 걸쳐 있는 대소택 지대; 산림이 점재함》(=**Oke·fi·nó·kee Swámp**).

okey-doke(y) [óukidóuk(i)] *a., ad.* 《미구어》 =OK.

「오호츠크 해.

Okhotsk [oukátsk/-kɔ́-] *n.* ***the Sea of*** ~

Okie [óuki] *n.* 《미구어》 이동 농업 노동자, 《특히》 1930 년대의 오클라호마 주 출신의 방랑 농부(cf. Arkie); 오클라호마 주 사람.

Oki·na·wan [òukəná:wən, -náuən] *n.* 오키나와인(人). **—** *a.* 오키나와(인)의.

Okla. Oklahoma.

Okla·ho·ma [òukləhóumə] *n.* 오클라호마《미국 중남부의 주; 주도 Oklahoma City; 생략: Okla.》. ㊞ **~n** [-n] *a., n.* 오클라호마 주의 (사람).

Óklo phenòmenon [óuklou-] 〚지학〛 오클로 현상《우라늄 원광이 축적되는 과정에서의 천연의 핵분열 연쇄반응; 1972 년 가봉의 오클로 광산에서 처음 발견됨》.

okra [óukrə] *n.* 〚식물〛 오크라《아프리카 원산의 콩과 식물; 그 꼬투리는 수프 따위에 쓰임》.

ok·ta [áktɑ:/ɔ́k-] *n.* 〚기상〛 운량(雲量)을 나타내는 단위《전(全) 하늘의 8분의 1을 덮는 양》.

Ókun's làw [óukənz-] 〚경제〛 오컨의 법칙《실업자의 증대와 국민 총생산 저하의 상관관계를 나타냄》.

-ol [ɔ:l, ɑl/ɔl] *suf.* 〚화학〛 '수산기(水酸基)를 함유한 화합물' 이라는 뜻: glycer*ol*.

OL, OL., O.L. Old Latin; 〚전기〛 overload. **O.L.** *oculus laevus* 《L.》 (=the left eye). **Ol.** Olympiad; Olympic.

†**old** [ould] (***óld·er; óld·est;*** 〖장유(長幼)의 순서를 말할 때, 특히 《영》〗 ***éld·er; éld·est***) *a.* **1** 나이 먹은, 늙은. opp *young*. ¶ grow ~ 나이를 먹다, 늙다.

> SYN. **old** '늙은, 나이를 먹은' 의 뜻의 가장 보편적인 말로 young 및 new와 대립되는 말. '노인의' 라는 뜻으로는 aged, elderly와 유의어이며, '오래된' 이라는 뜻으로는 ancient, antique와 유의어임. **aged** old 보다 품위가 있고 나이가 강조되며 흔히 노쇠의 뜻을 풍김: my *aged* father 나이드신 내 아버지. an *aged* tree 노목(老木). **elderly** '초로의, 나이 지긋한'. 중년의 나이로서 원숙미를 나타냄. **ancient** modern의 반대어로 '고대의, 고풍의', 또는 old의 힘줌말로서 '옛날부터의' 뜻임: *ancient* civilization 고대 문명. an *ancient* custom 옛날부터의 습관. **antique** ancient와 거의 같은 뜻으로, 오래되어 희소가치가 있음을 시사할 때가 있음. 또 '구식인' 이라는 좋지 않은 뜻도 있음. *antique* furniture 제작연대가 오래된 귀중한 가구.

2 노년의, 노후의〔한〕: ~ age 노년, 노후 / I was shocked by how *old* he looked. 난 늙어버린 그의 모습에 놀랐다. **3** 〖기간을 나타내는 말, 또는 how와 함께 써서〗 (만) …세〔월, 주〕의〔인〕(of age); (사물이) …년 된〔지난〕; 〖비교급·최상급으로 써서〗 연장(年長)의, 연상(年上)의: a boy (of) ten years ~ =a ten-year-~ boy, 10살 된 소년 / How ~ is the baby?—He is three months 〔weeks〕 ~. 애는 몇 살입니까—3개월〔주〕 되었다 / one's ~*est* sister 《미》 큰누나 / He is two years ~*er* than I (am). 그는 나보다 두 살 연상이다. **4** 낡은, 오래된; 헌, 닳은, 중고의; 구(舊)(식)의, 시대에 뒤진. opp *new*. ¶ ~ shoes 헌 신발 / ~ wine 오래된 포도주 / ~ family 구가(舊家) / an ~ model 구(식)형(모델). **5** 이전의, 원래의: one's ~ job 원래하던 일 / one's ~ school 모교. **6** 예로부터의, 오랜 세월 동안의; 여느 때와 같은 예(例)의: an ~ enemy 숙적(宿敵) / ~ traditions 오랜 전통 / an ~ ailment 오래된 병 / It's the ~ story. 늘 듣는 이야기다 / the same ~ excuse 예의 그 변명. **7** 이전부터 친한, 그리운; 《구어》 친한: ~ boy 〔chap, fellow〕 = 《속어》 ~ bean 〔egg, fruit, thing, stick, top〕 (친밀한 마음으로) 여보게 / an ~ friend (of mine) (나의) 오래된 친구 / ~ England 그리운 영국. **8** 늙은이 같은; 노후한: He looks ~ for his age. 그는 나이보다 늙어 보인다. **9** 노련한, 숙련된; 노회(老獪)한; 분별 있는, 사려깊은, 침착한: an ~ sailor 노련한

선원 / an ~ hand 노련한 사람. **10** (색이) 칙칙한, 희미한, 퇴색한: ~ rose 회색을 띤 장밋빛의. **11** 《구어》〔다른 형용사 뒤에 붙여 힘줌말로서〕 굉장한: We had a fine 〔high, good〕 ~ time. 굉장히 즐거운 시간을 보냈다. **12** 〔any ~ 의 형식으로〕 어떤 …이라도: *any* ~ thing 어떤 것이라도. (***as***) ~ ***as the hills*** 〔***world***〕 매우 오래된. ***be*** ~ ***before*** one's ***time*** 늙은이 같다. ***dress*** ~ 노인 같은 복장을 하다, 점잖은 옷치장을 하다. ***for*** ~ ***sake's sake*** 옛날의 정의로. ~ ***head on young shoulders*** 젊은이답지 않은 꾀보.
— *n*. **1** 〔보통 of ~로〕 옛날, 이전: the heroes *of* ~ 옛날의 영웅 / in days *of* ~ 옛날에, 이전에는. **2** …살〔세〕 난 사람〔동물, 《특히》 경주마〕 《보통 20세 이하》: a 3-year-~ 세 살 난 어린애. **3** (the ~, (*pl*.)) 노인들; 오래된 것; 그리운 것 《풍속 따위》: ~ and young 늙은이나 젊은이나. ***of*** ~ ① ⇨1. ② 〔부사구로〕 옛날부터: I know her *of* ~. 옛날부터 그녀를 알고 있다.

óld Ádam (the ~) 《옛투》 옛날의 아담 《죄 많은 인간의 성질, 원죄를 지닌 자로서의 약함》.

óld áge 노년(기) 《대체로 65세 이상》; 〖지학〗 노년기 《침식 윤회의 최종 단계》.

óld-áge *a*. 노년의: an ~ pension 양로 연금 《생략: OAP》 / an ~ pensioner 양로 연금 수령자 《생략: OAP》.

óld ármy gàme (the ~) 《속어》 사기, 협잡 「〔사기〕 도박.

óld báchelor 독신주의 남자.

óld bág 《경멸》 할멈, 노파.

Óld Bái·ley [-béili] (the ~) 런던의 중앙 형사재판소(the Central Criminal Court).

óld bát 《경멸》 노망기 있는 할멈. 「속칭.

Óld Báy Státe (the ~) 《미》 매사추세츠 주의

óld béan 《속어》 어이, 여보게, 이 사람아 《남자끼리의 친근한 호칭》. cf. old 7.

óld bírd 《우스개》 매우 조심하는 사람, 신중한 노련가, 아저씨.

óld bóy 《영》 **1** [ˊˋ] 동창생, 교우, 졸업생(alumnus): an ~*s'* association 동창회. **2** [ˋˊ] 〔친밀히 부르는 말〕 여보게. cf. old 7. **3** (the ~) 책임자, 고용주, 보스; (the O- B-) 악마. **4** (an ~) 《구어》 정정한 노인, 나이 지긋한 남성.

óld bóys' nètwork 《영》 (public school 따위의) 교우간의 유대〔연대, 결속〕; 학벌; 동창 그룹.

Óld Cátholic 옛 가톨릭주의자 《교황 불가류설(不可謬說)을 배격하는 일파》.

Óld Chúrch Slavónic 〔**Slávic**〕 고대(古代) 교회 슬라브어 《9세기에 성서 번역에 사용되었음; 생략: OCS》.

óld-clóthesman [-mæ̀n, -mən] (*pl*. ***-men*** [-mèn, -mən]) *n*. 헌옷 장수. 「의 속칭.

Óld Cólony (the ~) 《미》 매사추세츠 주(州)

óld còuntry (the ~, one's ~) (이민의) 본국, 조국, 고국 《특히 유럽 나라》; (역사 있는) 오래된 나라; (미국에서 본) 유럽.

Óld Dárt (the ~) 《Austral.》 영국(England).

Óld Domínion (the ~) 미국 버지니아 주(州)의 속칭.

olde [ould] *a*. 《옛투》 =OLD. 「제.

óld ecònomy (인터넷 사용 이전의) 구(舊)경

old·en [óuldən] 《고어·문어》 *a*. 오래된, 옛날의: in (the) ~ days =in ~ times 옛날엔. — *vt*. 늙게〔낡게〕 하다. — *vi*. 늙다; 오래되다, 낡다. 「1150년 사이; 생략: OE》.

Óld Énglish 고대 영어(Anglo-Saxon) 《450-

óld Énglish shéepdog 영국 원산의 목양견(牧羊犬) 《털이 길고 꼬리가 짧음》.

ol·de-worl·de [óuldiwə́ːrldi] *a*. 《영구어》 《종종 우스개》 (매우) 예스러운.

Óld Fáithful **1** 올드 페이스풀 《미국 Yellowstone 국립공원에 있는 64분 30초 간격의 간헐천》. **2** 《비유》 간헐적으로 활동하는 것〔지진 등〕; 월경.

óld·fángled *a*. =OLD-FASHIONED.

óld fárt 《속어》 고리타분한 사람.

*__old-fash·ioned__ [óuldfǽʃənd] *a*. **1** 구식〔고풍〕의, 시대〔유행〕에 뒤진: ~ clothes 유행에 뒤진 옷 / ~ ideas 시대에 뒤진 생각. OPP *new-fangled*. **2** 《영구어》 (눈초리·표정 등이) 책망(비난)하는 듯한: give a person an ~ look 아무를 책망하는 듯한 눈으로 보다. ㊞ ~·**ly** *ad*. ~·**ness** *n*.

óld fláme 옛 애인.

óld fóg(e)y 시대에 뒤진 사람, 완고한 사람; 〔형용사적〕 시대〔유행〕에 뒤진.

óld-fóg(e)yish *a*. 시대〔유행〕에 뒤진, 구식의.

óld fólk's hòme =OLD PEOPLE'S HOME.

Óld Frénch 고대 프랑스어 《900-1300년 사이; 생략: OF》. 「(Satan).

óld géntleman (the ~) 《구어·우스개》 악마

óld gírl 《영》 **1** (여자) 졸업생, 교우(校友). **2** (the ~, a person's ~) 《구어》 아내, 마누라; 어머니; (the ~) 《구어》 여주인; 노파.

óld-gírl nètwork (the ~) 여자 졸업생〔교우〕 간의 연대〔결속, 유대〕, 여자 동창그룹; 동창의식; 학벌. cf. old boys' network.

Óld Glóry 《구어》 성조기(Stars and Stripes).

óld góat 《속어》 심술쟁이 영감; 색골 영감.

óld góld 낡은 금빛 《광택 나지 않는 적황색》.

óld grówth 고목; 원시림, 처녀림.

Óld Guárd **1** (the ~) Napoleon 1세의 근위대. **2** 《미》 정당 《특히 공화당》 내의 보수파, 수구세력. **3** (보통 o- g-) (어떤 주의·주장의) 오랜 옹호자들. ㊞ **Óld Guárdism**

óld hánd **1** 숙련자, 노련가, 경험자, 전문가(veteran) 《*at*》: an ~ *at* bricklay*ing* 능숙한 벽돌공. **2** 〖Austral. 역사〗 본래 죄수, 전과자.

Óld Hárry (the ~) 악마(Old Nick).

óld hát 《구어》 구식의; 시대에 뒤진; 진부한. He may be ~, but his shows draw more viewers than any other comedian. 구식이지만, 그의 코미디는 누구보다 많은 시청자들이 본다. — *n*. 시대에 뒤진 것〔사람〕, 진부한 것.

Óld Hígh 〔**Lów**〕 **Gérman** 고대(古代) 고지(高地)〔저지(低地)〕 독일어 《800-1100년간; 생략: OHG 〔OLG〕》.

óld hóme (the ~) =OLD COUNTRY.

Óld Húndred(th) (the ~) 찬송가 제 100 장 《'All people that on earth do well' 로 시작됨》.

Óld Icelándic (9-16세기의) 고대 아이슬란드어(語)(Old Norse).

old·ie, oldy [óuldi] *n*. 《구어》 낡은〔옛〕 것〔사람〕; 《특히》 낡은〔옛〕 영화〔노래, 농담, 속담〕. ~ ***but goodie*** 《구어》 옛것이지만〔유행에 뒤졌지만〕 좋은 것, 아직도 애착이 느껴지는 것〔사람〕.

Óld Írish (7-11세기의) 고대 아일랜드어.

old·ish [óuldiʃ] *a*. 좀 늙은; 예스러운.

òld lády 《구어》 (the ~, one's ~) 아내, (늙은) 마누라; (특히 함께 사는) 여자 친구; 어머니; 잔소리꾼(old maid): I haven't seen your ~ for a long time, Bill. 빌, 자네 어머니를〔부인을〕 못뵌 지 오래됐네. ***the Old Lady of Threadneedle Street*** 《영》 잉글랜드 은행 《속칭》.

òld lág 《속어》 상습범, 전과자. 「《생략: OL》.

Óld Látin (기원전 7-1세기까지의) 고대 라틴어

óld-líne *a*. 《미》 보수적인; 유서 깊은; 전설이 있는. ㊞ **-líner** *n*. 보수적 인물; 보수당원. 「속칭.

Óld Líne Státe (the ~) 《미》 메릴랜드 주의

Óld Iónic 이오니아(Ionia) 방언(方言) 《Iliad 및 Odyssey의 언어가 대표적임》.

óld máid 올드미스, 노처녀; 《구어》 깐깐하고 잔소리가 심한 사람; 〖카드놀이〗 도둑잡기〔뽑기〕.

óld-máidish *a.* 노처녀 같은; 딱딱한; 잔소리 심한.
òld mán 《구어》 **1** (the ~, one's ~) 부친; 남편; (the ~) 고용주; (흔히 O- M-) 두목, 보스(boss), 윗사람; 지배인; 대장; 선장. **2** (창녀의) 남자 포주. **3** 연극의 노인역. **4** =OLD BOY 2. **5** (the ~) 노(老)대가; 선배. ***the Old Man of the Sea*** 추근추근 붙어다니는 사람《Sindbad의 이야기에서》.
óld máster 유럽의 유명 예술가(가 그린 그림)《특히 13 세기에서 17 세기까지》.
óld-móney *a.* 몇 대에 걸친 부(富)를 가진, 조상 전래의 재산이 있는.
óld móon 하현 달(waning moon).
Óld Níck (the ~) 악마(Satan). ***full of the ~*** 《구어》 걸핏하면 문제를 일으키는, 장난으로.
Óld Nórse =OLD ICELANDIC《생략: ON》.
Óld Nórth Frénch 고대 북부 프랑스 말《특히 Normandy 및 Picardy의 방언》.
Óld Nórth Státe (the ~) 《미》 노스캐롤라이나 주(州)의 속칭.
óld òne (the ~) 《구어·우스개》 악마; 진부한 「익살〔농담〕.
óld péople's hòme 양로원.
「아 말.
Óld Pérsian (기원전 7-4 세기의) 고대 페르시
Óld Provençál (11-16세기의 문서에 나타난) 고대 프로방스말.
óld róse 1 회자색(灰紫色). **2** 〖식물〗 올드 로즈《여름에 향기 나는 작은 꽃이 열리는 옛부터 있는 타입의 장미》.
óld sált 《구어》 노련한 뱃사람.
óld sáw 옛 속담, 격언; 《속어》 진부한 농담〔이 「야기〕.
Óld Sáxon 고대 색슨어《9-10 세기에 사용된 저지대 독일어 방언; 생략: OS》.
óld schòol (one's ~) 모교(母校); (the ~) 보수파, 낡은 생각을 가진 사람들: a gentleman of the ~ 구식의 신사.
óld schòol tíe 1 (영국의 public school 출신자가 입는) 모교의 빛깔을 표시하는 넥타이. **2** public school 출신자; 그 출신자 기질. **3** 학벌〔상류계급〕 의식; 보수적인 태도〔생각〕, 냉정하고 자신 있는 태도, 독특한 어조.
Óld Scrátch (the ~) 악마(Old Harry).
óld-shòe *a.* 스스럼〔허물〕없는, 딱딱하지 않은.
Olds·mo·bile [óuldzmoubìːl] *n.* 올즈모빌《미국 GM제의 승용차의 하나》.
óld sód (the ~) 《구어》 고향, 태어난 곳.
óld sóldier 1 노병, 고참병: *Old soldiers never die; they only fade away.* 노병은 죽지 않고 사라질 뿐이다《맥아더 장군이 인용하여 유명해진 말》. **2** 《비유》 숙련자. **3** 《미속어》 빈 술병(dead soldier). ***play*** 〔***come***〕 ***the ~*** 선배 티를 내다, 노련한 체하며 지휘하다, 자기 의사를 강요하려 들다; 꾀병을 앓다; 옛 군인인 체하며 돈이나 술을 뜯어내다.
「남부.
Óld Sóuth (the ~) 《미》 (남북전쟁 전의) 옛
Óld Spárky 《미속어》 전기의자.
óld stáger 《영》 =STAGER.
old·ster [óuldstər] 《구어》 *n.* 노인; 고참, 연상, 경험자. [opp] *youngster.*
Óld Stóne Àge (the ~) 구석기 시대.
óld stóry 흔한 일〔이야기〕: the (same) ~ 예의 그 흔한 이야기〔일〕; 똑같은 변명.
óld stỳle 고문체(古文體); 〖인쇄〗 구체활자; (the O- S-) 구력(舊曆)《율리우스력(曆)》.
óld swéat 《영구어》 (정규군의) 노병, 고참병; (어느 분야의) 베테랑, 고참.
Óld Téstament (the ~) 구약 (성서).
óld-tíme *a.* 이전의, 예전(부터)의; 고참의.
óld-tímer 《구어》 *n.* 고참, 선배; 회고적(懷古的)인〔시대에 뒤진, 구식〕 사람; 노인.
óld-tím·ey [-táimi] *a.* 《구어》 =OLD-TIME; 옛날이 그리운.
「진(gin).
Óld Tóm 《속어》 설탕이나 글리세린으로 달게 한
Óld Víc (the ~) 올드 빅《런던의 레퍼토리 극장; 셰익스피어 극의 상연으로 유명함》.
óld wìfe 수다스러운 노파; 굴뚝의 검댕막이.
óld·wìfe *n.* 〖어류〗 청어류의 각종 어류; 〖조류〗 바다오리의 일종.
「신〕.
óld wíves' tàle 〔**stòry**〕 허튼 구전(口傳)〔미
óld wóman 1 노파. **2** (the ~, a person's ~) 《구어》 마누라; 모친. **3** (the ~) 《구어》 여주인; 《구어》 잔소리쟁이(old maid). **4** 소심한 남자: *old women* of both sexes (남녀 구분 없이) 귀찮게 구는 사람들; 미신가.
「(old-maidish).
òld-wómanish *a.* 노파 같은, 잔소리 많은
Óld Wórld (the ~) 구세계《유럽, 아시아, 아프리카》([cf] New World); (the ~) 동반구(東半球), 《특히》 유럽.
óld-wórld *a.* 태고의, 고대(풍)의; 시대에 뒤진; 구세계의, 《특히》 유럽의, 동반구(東半球)의: an ~ mammoth. [파] **~·ly** *ad.*
óld yèar (the ~) 묵은해.
Óld Yéar's Dày 섣달그믐날.
ole [oul] *a.* 《미구어》 =OLD.
olé [ouléi] *int., n.* 《Sp.》 잘한다《투우나 플라멩코 때의 찬탄·기쁨·격려의 소리》.
ole- [óuli], **ole·o-** [óuliou, -liə] '기름, 올레인(산(酸))'의 뜻의 결합사.
-ole [òul] '수산기(基)를 함유하지 않은 화합물'의 뜻의 결합사: aniso*le*.
OLE 〖컴퓨터〗 Object Linking and Embedding (객체 연결과 삽입).
ole·ag·i·nous [òuliǽdʒənəs] *a.* **1** 기름을 함유하는〔이 생기는〕, 유질(油質)의, 유성(油性)의, 기름기가 있는. **2** 말주변이 좋은, 간살부리는. [파] **~·ly** *ad.* **~·ness** *n.*
Ole·an [òuliǽn] *n.* 올리앤《New York 주 남서부의 도시; 정유(精油)업이 성함》.
ole·an·der [óuliæ̀ndər, ⌐-⌐-/⌐-⌐-] *n.* 〖식물〗 서양협죽도(夾竹桃)(rosebay).
ole·an·do·my·cin [òuliæ̀ndəmáisn/-sin] *n.* 〖생화학〗 올레안도마이신.
ole·as·ter [òuliǽstər] *n.* 〖식물〗 보리수나뭇과(科)의 식물《남유럽산(産)》; 야생올리브.
ole·ate [óulièit] *n.* 〖화학〗 올레산염(酸塩)〔에스테르〕, 유산(油酸)염.
olec·ra·non [oulékrənàn, òuləkréinan/oulékrənɔ̀n, òulikréinən] *n.* 〖해부〗 주두(肘頭)《척골(尺骨) 상단의 돌기》.
ole·fin [óuləfin] *n.* 〖화학〗 올레핀《에틸렌계(系) 탄화수소》. [파] **òle·fín·ic** [-fínik] *a.*
ole·ic [oulíːik, óuli-] *a.* 기름의; 기름에서 뽑은; 〖화학〗 올레산(酸)의.
oléic ácid 〖화학〗 올레산(酸)《불포화 지방산》.
ole·if·er·ous [òuliífərəs] *a.* 기름을 내는, 함유(含油)….
ole·in [óuliin] *n.* [U] 〖화학〗 올레인《올레산의 트리글리세리드(triglyceride)》; 지방의 액체 부분.
oleo [óuliòu] *n.* 《미》 =OLEOMARGARIN(E).
óleo·gràph *n.* 유화식(油畫式) 석판화. [파] **ole·og·ra·phy** [òuliágrəfi/-ɔ́g-] *n.* 유화식 석판 인쇄법. **òleo·gráphic** *a.*
òleo·márgarin(e) *n.* [U] 올레오마가린《인조버터》. [파] **-margáric** *a.*
「계(比重計).
ole·om·e·ter [òuliámətər/-ɔ́m-] *n.* 기름 비중
óleo òil 올레오 기름《동물지방에서 뽑은》.
ole·o·phil·ic [òuloufílik] *a.* 〖화학〗 친유성(親油性)의.
òleo·résin *n.* [U] 올레오레진, 수지성 유제(乳劑). [파] **~·ous** *a.*

Oles·tra [əléstrə] *n.* 올레스트라《식용유 대용으로 쓰이는 합성유; 체내에 소화·흡수되지 않음; 상표명》.

ol·e·um [óuliəm] *n.* **1** (*pl.* ***olea*** [-liə]) 기름(oil). **2** (*pl.* **~s**) 【화학】 발연(發煙) 황산.

Ó lèvel 【영교육】 보통급(ordinary level)《⇨ GENERAL CERTIFICATE OF EDUCATION》.

ol·fac·tion [ɑlfǽkʃən, oul-/ɔl-] *n.* 【생리】 후각(嗅覺), 후감(嗅感)(smelling).

ol·fac·tom·e·ter [ɑ̀lfæktɑ́mətər, òul-/ɔ̀lfæktɔ́m-] *n.* 후각계(嗅覺計)《후각의 예민함을 재는 기구》.

ol·fac·to·ry [ɑlfǽktəri, oul-/ɔl-] *a.* 후각의; 냄새의. **—** *n.* (보통 *pl.*) 【해부】 후(嗅)신경, 후각기관, 코.

olfáctory lòbe 【동물】 (뇌의) 취엽(嗅葉).

olfáctory nèrve 【해부】 후각신경, 후신경.

olfáctory òrgan 【생리】 후각기(器).

ol·fac·tron·ics [ɑ̀lfæktrɑ́niks/ɔ̀lfæktrɔ́n-] *n. pl.* 《단수취급》 취기(臭氣) 분석학〔법〕.

Ol·ga [ɑ́lgə, óul-/ɔ́l-] *n.* 올가《여자 이름》.

olib·a·num [oulíbənəm/ɔl-] *n.* =FRANKINCENSE.

ol·id [ɑ́lid/ɔ́l-] *a.* (지독한) 악취를 풍기는.

o·lig- [ɑ́lig, əlíg/ɔ́lig, ɔlíg] =OLIGO-.

ol·i·garch [ɑ́ləgɑ̀ːrk/ɔ́l-] *n.* 과두제 지배자, 과두정치의 집정자; 과두제 지지자.

ol·i·gar·chic [ɑ̀ləgɑ́ːrkik/ɔ̀l-], **-chi·cal** [-əl], **ol·i·gar·chal** [ɑ́ləgɑ̀ːrkəl/ɔ́l-] *a.* 과두〔소수〕 정치의, 소수 독재정치의.

ol·i·gar·chy [ɑ́ləgɑ̀ːrki/ɔ́l-] *n.* **1** Ⓤ 과두정치, 소수 독재정치. OPP *polyarchy*. **2** Ⓒ 과두제 국가〔사회, 단체, 기업, 교회〕. **3** 《집합적》 소수의 독재자. **4** 《미》 정부 압력자들.

ol·i·ge·mia, ol·i·gae·mia [ɑ̀ligíːmiə, ɔ̀li-] *n.* 【의학】 (출혈에 의한) 혈량〔혈액〕 감소(증); 빈혈.

ol·i·go- [ɑ́ligou, -gə, əlíg-/ɔ́l-, ɔlíg-] '소수(few), 작은(small), 부족' 의 뜻의 결합사.

Ol·i·go·cene [ɑ́ligousìːn/ɔ́l-] *a.* 【지학】 올리고세(世)의. **—** *n.* (the ~) 올리고세.

ol·i·go·clase [ɑ́ligouklèis/ɔ́l-] *n.* 【광물】 회조장석(灰曹長石)《사장석(斜長石)의 일종》.

ol·i·go·den·dro·cyte [ɑ̀ligoudéndrəsàit/ɔ̀l-] *n.* 【해부】 희(稀)〔핍(乏)〕돌기(신경)교(膠) 세포《뇌나 척수 내에 존재하는 신경세포의 일종》.

ol·i·go·den·drog·lia [ɑ̀ligoudendrɑ́gliə/ɔ̀ligoudendrɔ́g-] *n.* 【해부】 =OLIGODENDROCYTE. ㊕ **-li·al** *a.*

olig·o·mer [əlígəmər] *n.* 【화학】 올리고머, 소중합체(小重合體). ㊕ **olig·o·mér·ic** [-mér-] *a.* **olìg·o·mer·i·zá·tion** *n.*

oli·go·my·cin [ɑ̀ligoumáisən/ɔ̀l-] *n.* 【약학】 올리고마이신《항생물질의 일종》.

òligo·núcleotide *n.* 【생화학】 올리고뉴클레오티드《뉴클레오티드가 여러 개 이어져 있는 것》.

òligo·péptide *n.* 【생화학】 올리고펩티드《10개 미만의 아미노산으로 구성된》.

ol·i·goph·a·gous [ɑ̀ligɑ́fəgəs, òul-/ɔ̀l-] *a.* 【곤충】 소식(少食)〔협식(狹食)〕성(性)의《한정된 몇몇 생물만을 먹는》. ㊕ **-gy** [-fədʒi] *n.* 소식성.

oli·go·phre·nia [ɑlìgoufríniə, əlìgə-/ɔ̀ligouf-] *n.* 【의학】 정신박약(feeblemindedness).

ol·i·gop·o·ly [ɑ̀ligɑ́pəli/ɔ̀ligɔ́p-] *n.* 【경제】 (시장의) 소수 독점, 과점(寡占). ㊕ **-list** *n.* **òl·i·gòpo·lís·tic** *a.*

ol·i·gop·so·ny [ɑ̀ligɑ́psəni/ɔ̀ligɔ́p-] *n.* 【경제】 (시장의) 소수 구매 독점, 수요 독점. ㊕ **-nist** *n.* **òl·i·gòp·so·nís·tic** *a.*

òligo·sáccharide *n.* 【화학】 올리고당류(糖類).

ol·i·go·sper·mia [ɑ̀ligouspə́ːrmiə/ɔ̀l-] *n.* 【의학】 정자 감소증(精子減少症).

ol·i·go·tro·phic [ɑ̀ligoutrɑ́fik/ɔ̀ligoutrɔ́f-] *a.* 【생태】 (호수·하천이) 빈영양(貧營養)의. cf. eutrophic.

ol·i·got·ro·phy [ɑ̀ligɑ́trəfi/ɔ̀ligɔ́t-] *n.* 【생태】 호수 등의 빈(貧)영양.

ol·i·gu·ria [ɑ̀ligjúəriə/ɔ̀l-] *n.* 【병리】 요량(尿量) 감소증(=**ol·i·gu·re·sis** [ɑ̀ligjəríːsis/ɔ̀l-]). ㊕ **ol·i·gu·ret·ic** [ɑ̀ligjərétik/ɔ̀l-] *a.*

olim [oulíːm] *n. pl.* 《Heb.》 이스라엘 공화국에의 유대인 이민들.

olio [óuliòu] (*pl.* ***óli·os***) *n.* 《Sp.》 **1** 잡탕찜, 고기와 채소의 스튜. **2** 뒤섞은 것; 잡곡집(雜曲集)(medley), 잡록(雜錄)(miscellany).

ol·i·va·ceous [ɑ̀ləvéiʃəs/ɔ̀l-] *a.* 올리브색의, 황록색의.

ol·i·va·ry [ɑ́ləvèri/ɔ́livəri] *a.* 【해부】 올리브 모양의, 달갈꼴의.

Ol·ive [ɑ́liv/ɔ́l-] *n.* 올리브《여자 이름》.

***ol·ive** [ɑ́liv/ɔ́l-] *n.* **1** 【식물】 올리브(나무)《남유럽 원산의 상록수》; 올리브 열매. **2** 올리브잎으로 짠 고리, 올리브잎·가지《평화·화해의 상징》; 올리브 목재. **3** Ⓤ 올리브색. **4** (*pl.*) 고기 저민 것을 채소로 싼 스튜 요리. **—** *a.* 올리브의, 올리브색의.

olive 1

ólive brànch **1 a** 올리브 가지《평화의 상징; Noah가 방주(方舟)에서 날려 보낸 비둘기가 올리브 가지를 물고 왔다는 고사에서》. **b** 화해의 제의. **2** (보통 *pl.*) 《우스개》 자식《시편 제128편》. ***hold out the*** 〔***an***〕 **~** 화의〔화해〕를 제의하다.

ólive cròwn 올리브잎의 관《승리의 상징》.

ólive dráb 짙은 황록색; 【미육군】 녹갈색의 모〔면〕직물(의 겨울철 군복)《생략: O.D.》.

ólive gréen (덜 익은) 올리브색, 황록색.

ólive òil 올리브유.

Ol·i·ver [ɑ́ləvər/ɔ́l-] *n.* 올리버. **1** 남자 이름《애칭은 Ollie》. **2** Charlemagne 대제의 12용사 중의 한 사람. cf. Roland.

ol·i·ver *n.* 발로 밟는 쇠망치; 《미속어》 달(the moon).

Óliver Twíst 올리버 트위스트《Dickens의 동명(同名)의 소설(1839)의 주인공; 가혹한 운명에 시달리는 고아》.

Ol·ives [ɑ́livz/ɔ́l-] *n.* ***the Mount of ~*** 【성서】 올리브〔감람〕산《예루살렘 동쪽의 작은 산; 예수가 승천한 곳; 마태복음 XXVI: 30》.

ólive trèe 【식물】 올리브나무(olive).

ol·i·vet(te) [ɑ̀ləvét/ɔ́livèt] *n.* **1** (미개지에 수출하는) 모조 진주. **2** 【연극】 (1,000와트짜리 전구 한 개의) 빛의 조명.

ólive wòod 올리브나무 재목.

Oliv·ia [oulíviə/ɔ-] *n.* 올리비아《여자 이름》.

Oliv·i·er [oulívièi/əl-, ɔl-] *n.* Sir **Laurence** (**Kerr**) **~** 올리비에《영국의 배우·연출가; 1907-89》.

ol·i·vine [ɑ́ləvìːn, ⌐-⌐/ɔ̀livíːn, ⌐-⌐] *n.* 【광물】 감람석(橄欖石).

ol·la [ɑ́lə/ɔ́lə] *n.* (스페인·라틴 아메리카의) 흙으로 만든 물독, 질냄비; 스튜(stew).

ol·la po·dri·da [ɑ́ləpədríːdə/ɔ́ləpɔ-] *n.* 《Sp.》 =OLIO 1.

Ol·lie [ɑ́li/ɔ́li] *n.* 올리《남자 이름; Oliver의 애칭》.

ol·o·gist [ɑ́lədʒist/ɔ́l-] *n.* 《구어·우스개》 학자, 전문가.

ol·o·gy [ɑ́lədʒi/ɔ́l-] *n.* (보통 *pl.*) 《구어·우스

개) 학문, 과학.
-ol·o·gy [álədʒi/ɔ́l-] '…학(學), …론(論)'의 뜻의 결합사: bio*logy*.
O.L.T. overland transport (육로 수송).
Olym·pia [əlímpiə, ou-] *n.* 올림피아. **1** 여자 이름. **2** 그리스 Peloponnesus 반도 서부의 평원 《옛날에 Olympic Games가 열렸던 곳》. **3** 미국 워싱턴 주의 주도.
◇**Olym·pi·ad** [əlímpiæ̀d, ou-] *n.* **1** (옛 그리스의) 4년기(紀)《한 올림피아 경기에서 다음 경기까지의 4년간》. **2** 국제 올림픽 대회(the Olympic Games); (정기적으로 개최되는) 국제 경기 대회.
Olym·pi·an [əlímpiən, ou-] *a.* **1** 올림포스 산(상)의; 올림포스의 신과 같은; 천상(天上)의; (위풍이) 당당한; 거룩한; 초연한; 거드름빼는: ~ manners 당당한 행동. **2** 올림피아(평원)의; 올림픽 경기의. **—** *n.* **1** 〚그리스신화〛 올림포스 12신의 하나. **2** 올림픽 경기 선수. **3** 고대 올림피아 주민. **4** 초연한 사람; 학문·기예에 통달한 사람.
Olýmpian Gámes (the ~) 올림피아 경기《4년마다의 Zeus신 제사 때 Olympia에서 거행된 고대 그리스의 전민족적 경기; Isthmian Games, Nemean Games, Pythian Games와 함께 고대 그리스 4대 제전의 하나》.
***Olym·pic** [əlímpik, ou-] *a.* **1** (고대) 올림피아 경기의; (근대) 국제 올림픽 경기의. **2** 올림피아(평원)의; 올림포스 산의. **—** *n.* **1** 올림포스의 신. **2** (the ~s) =OLYMPIC GAMES.
Olýmpic èmblem 올림픽 엠블럼《올림픽 대회의 심벌 마크》.
Olýmpic Gámes (the ~) **1** (고대 그리스의) 올림피아 경기대회(Olympian Games). **2** (근대의) 국제 올림픽 경기대회(Olympiad)《1896년부터 4년마다 개최》.
Olýmpic máscot 올림픽 마스코트《서울 올림픽의 '호돌이' 따위》.
Olým·pics *n.* (올림픽 경기대회를 본떠서 하는 각종 분야의) 국제적 경기대회: the Vocational ~ 국제 기능 올림픽.
Olýmpic spónsor 올림픽 스폰서《협찬금·제품을 제공하고 대회에서의 독점권을 보증받음》.
Olýmpic sýmbol 올림픽 심벌《5륜의 올림픽 마크》. 「수촌.
Olýmpic víllage 《종종 O- V-》 올림픽 선
Olýmpic voluntéer 올림픽 자원 봉사자.
Olym·pism [əlímpìzəm, ou-] *n.* 올림픽 정신《'승패보다도 참가에 의의가 있다'는 사고방식》.
Olym·pus [əlímpəs, ou-] *n.* **1** Mount ~ 올림포스 산《그리스 신들이 살고 있었다는 산》. **2** Ⓤ (신들이 사는) 하늘(heaven).
Om [oum, ɔːm/oum, ɔm] *n.* 〚힌두교〛 옴《베다 독송의 전후나 기도 시작할 때 등에 외는 신성한 소리; '그럴지어다'라는 뜻이 내포됨》.
Om. Ostmark(s). **O.M.** 《영》 (Member of the) Order of Merit.
-o·ma [óumə] (*pl.* **~s, -o·ma·ta** [-tə]) *suf.* '종(腫)·혹'의 뜻: carcin*oma*, sarc*oma*.
OMA 《미》 orderly marketing agreement (시장 질서유지 협정).
Omah [óumɑː] *n.* =SASQUATCH.
Oma·ha [óuməhɔ̀ː, -hɑ̀ː/-hɑ̀ː] *n.* 오마하《미국 네브래스카 주 동부 미주리 강변의 도시》.
Oman [oumɑ́ːn] *n.* 오만《아라비아 동남단의 왕국; 수도는 무스카트(Muscat)》. ㊎ **Omá·ni** [-oumɑ́ːni] *a., n.*
oma·sum [ouméisəm] (*pl.* **-sa** [-sə]) *n.* 〚동물〛 겹주름위(胃)《반추동물의 제3위(胃)》.
OMB 《미》 Office of Management and Budget (관리 예산국)《1970년에 Bureau of the Budget을 대신하게 된 것》.
om·bre, -ber, hom·bre [ɑ́mbər/ɔ́m-] *n.* 옴버《17-18세기에 유행한 셋이 하는 카드놀이》.
om·bré, -bre [ɑmbréi, ´-/ɔmbréi] *a., n.* 《F.》 바림〔선염(渲染)〕의 (직물).
om·bro- [ɑ́mbrou, -brə/ɔ́m-] '비(rain)'의 뜻의 결합사. 「우량계.
om·brom·e·ter [ɑmbrɑ́mətər/ɔmbrɔ́m-] *n.*
òmbro·tróphic *a.* 〚생태〛 (이탄지(泥炭地) 따위의 습지대가) 강수(降水) 영양성의《영양 공급을 주로 강수에 의존하는 (빈(貧)영양성의)》.
om·buds·man [ɑ́mbədzmən, -mæ̀n, -budz-, -ɔ́ːm-/ɔ́mbudz-] (*pl.* **-men** [-mən, -mèn]) *n.* **1** 옴부즈맨《북유럽 등에서 정부·국가 기관 등에 대한 일반 시민의 고충을 처리하는 입법부 임명의 행정 감찰관》. **2** 〔일반적〕 (기업 노사간의) 고충 처리원; (대학과 학생간의) 상담역; 개인 권리 옹호자. ㊎ **~·ship** *n.*
om·buds·per·son [ɑ́mbədzpə̀ːrsn, -budz-/ɔ́mbudz-] =OMBUDSMAN 2.
om·buds·wom·an [ɑ́mbədzwùmən, -budz-/ɔ́mbudz-] (*pl.* **-wòm·en**) *n.* ombudsman의 여성형.
ome·ga [oumíːgə, -méi-, -mé-/óumigə] *n.* **1** 그리스 알파벳의 스물 넷째〔마지막〕 글자《Ω, ω; 로마자의 Ō, ō에 해당》. ⓒⓕ alpha. **2** 끝, 마지막, 최후(end): alpha and ~ 처음과 끝, 전체. **3** 〚물리〛 오메가 중간자(中間子)(=~ méson).
oméga-mínus pàrticle 〚물리〛 Ω⁻입자《바리온의 하나》. 「산(脂肪酸).
oméga-3 fátty ácid [-θríː-] 오메가-3 지방
***om·e·let(te)** [ɑ́məlit/ɔ́mlit] *n.* 오믈렛: a plain ~ 달걀만의 오믈렛/a savory ~ 채소가 든 오믈렛/a sweet ~ 잼〔설탕〕이 든 오믈렛/You cannot make an ~ without breaking eggs. 《속담》 계란을 깨지 않고는 오믈렛을 만들 수 없다; 희생 없이는 목적을 달성할 수 없다.
omen** [óumən/-men] *n.* Ⓒ,Ⓤ 전조, 징조, 조짐; 예언; 예감: an evil 〔ill〕 ~ 흉조. ***be of good ~ 징조가 좋다. **—** *vt.* 전조가 되다, …을 예시하다; 예언하다. ㊎ **~ed** *a.*
omen·tal [ouméntəl] *a.* 〚해부〛 망막(網膜)의.
omen·tum [ouméntəm] (*pl.* **-ta** [-tə], **~s**) *n.* 〚해부〛 장막(腸膜).
omer·tà [ouméərtə; *It.* omertá] *n.* 《It.》 말하지 않는다는 약속; 범죄 은폐, 경찰에의 비협력.
om·i·cron [ɑ́məkrɑ̀n, óum-/oumáikrən] *n.* 그리스 알파벳의 열다섯째 글자《O, o; 로마자의 O, o에 해당》. ⓒⓕ omega.
◇**om·i·nous** [ɑ́mənəs/ɔ́m-] *a.* **1** 불길한, 나쁜 징조의: an ~ sign 흉조/~ silence 기분 나쁜 침묵. **2** 전조(前兆)의《*of*》. **3** (날씨가) 험악한. ㊎ **~·ly** *ad.* 불길하게도. **~·ness** *n.*
omis·si·ble [oumísəbəl] *a.* 생략〔삭제, 할애〕할 수 있는.
omis·sion** [oumíʃən] *n.* Ⓒ,Ⓤ **1** 생략(된 것); 유루(遺漏), 탈락(부분). **2** Ⓤ 소홀, 태만; 〚법률〛 부작위(不作爲). ⓞⓟⓟ *commission*. ¶ sins of ~ 태만의 죄. ◇ omit *v.* (sins of***) ~ ***and commission*** 부작위와 작위(의 죄)《소극적인 죄와 적극적인 죄》. 「**~·ly** *ad.*
omis·sive [oumísiv] *a.* 태만한; 빠뜨리는. ㊎
‡**omit** [oumít] (**-tt-**) *vt.* **1** 《~+目/+目+前+名》 빼다, 빠뜨리다, 생략하다: ~ a letter *in* a word 단어 철자에서 글자 하나를 빠뜨리다/This chapter may be ~*ted*. 이 장은 생략해도 좋다. **2** 《+*to* do/+*-ing*》 게을리하다; …하기를 잊다, …할 것을 빼먹다, …하는 것을 게을리하다: ~ *to* write one's name 이름 쓰는 것을 잊다/He ~*ted* lock*ing* the door. 그는 문 잠그는 것을 잊었다.

◇ omission *n.* [파] **omít·ter** *n.*
om·ni- [ámni/ɔ́m-] '전(全), 총(總), 범(汎)'의 뜻의 결합사: *omni*potent.
◇**om·ni·bus** [ámnibʌ̀s, -bəs/ɔ́mnibəs] (*pl.* **~·es**) *n.* **1** 승합마차; 승합〔합승〕 자동차, 버스《생략: bus》. **2** (호텔 따위의) 전용 버스. **3** (식당의) 허드레꾼. **4** 통칙, 총칙. **5** = OMNIBUS BILL. **6** = OMNIBUS BOOK. **—** *a.* 여러 가지 물건〔항목〕을 포함하는; 총괄적인; 다목적인.
ómnibus bìll 일괄 법안.
ómnibus bòok 〔**vòlume**〕 (한 작가 또는 동일 주제의 작품을 모아 한 책으로 한) 염가판 작품집〔선집〕.
ómnibus bòx (극장 또는 오페라의) 여럿이 앉는 큰 좌석.
ómnibus clàuse 〖보험〗 총괄적 조항《자동차 보험 증권에서, 피보험자 이외의 사람에게도 미치는 조항》.
ómnibus resolùtion 일괄 결의.
Omnibus Tráde and Compétitiveness Act of 1988 (the ~) 《미》 포괄 통상(경쟁력) 법.
ómnibus tràin 《영》 역마다 서는 열차(《미》 accommodation train).
om·ni·cide [ámnisàid/ɔ́m-] *n.* (핵전쟁 등으로 인한) 생물의 전멸〔멸망〕.
òmni·cómpetent *a.* 〖법률〗 전권(全權)을 가진, 만사에 관해 법적 권한을 가진. [파] **-tence** *n.*
òmni·diréctional *a.* 〖전자〗 전(全)방향성의: ~ antenna.
omnidiréctional (rádio) ránge = OMNIRANGE.
om·ni·fac·et·ed [àmnifǽsitid/ɔ̀m-] *a.* 모든 면에 걸친.
om·ni·far·i·ous [àmnifɛ́əriəs/ɔ̀m-] *a.* 다방면에 걸친, 가지각색의, 천태만상의. [파] **~·ly** *ad.* **~·ness** *n.*
om·nif·ic [amnífik/ɔm-] *a.* 만물을 창조하는.
om·nif·i·cent [amnífəsənt] *a.* 만물을 창조하는, 무한한 창조력을 가진.
om·ni·fo·cal [àmnifóukəl/ɔ̀m-] *a.* 전(全) 초점의《렌즈》.
òmni·párity *n.* 완전한 평등.
om·nip·o·tence [amnípətəns/ɔm-] *n.* [U] 전능, 무한한 힘; (the O-) 전능의 신(God).
◇**om·nip·o·tent** [amnípətənt/ɔm-] *a.* 전능한(almighty), 무엇이든 할 수 있는, 절대력을 가진. **—** *n.* 무엇이든 할 수 있는 인물; (the O-) 전능의 신. [파] **~·ly** *ad.*
om·ni·pres·ence [àmniprézəns/ɔ̀m-] *n.* 편재(遍在)(ubiquity).
om·ni·pres·ent [àmniprézənt/ɔ̀m-] *a.* 편재하는, 동시에 어디든지 있는. [파] **~·ly** *ad.*
ómni·rànge *n.* 〖통신〗 옴니레인지, 전(全) 방향식 무선표지.
om·nis·cience, -cien·cy [amníʃəns/ɔmnísiəns], [-si] *n.* [U] 전지(全知), 박식(博識); (the O-) 전지의 신.
om·nis·cient [amníʃənt/ɔmnísiənt] *a.* 전지(全知)의, 무엇이든지 알고 있는; 박식한. ***the Omniscient*** (전지의) 신. [파] **~·ly** *ad.*
òmni·séx, -séxual *a.* 모든 성적(性的) 타입의 사람들〔활동〕의〔이 관계하는〕. [파] **-sexuálity** *n.*
om·ni·tron [ámnitràn/ɔ́mnitrɔ̀n] *n.* 옴니트론《다목적 핵파괴 장치》.
om·ni·um [ámniəm/ɔ́m-] *n.* **1** 차입된 여러 주(株)의 총괄가격. **2** 총액.
òmnium-gáth·er·um [-gǽðərəm] *n.* 뒤섞인 것; 잡다한 사람들의 모임, 어중이떠중이; 무차별 초대회.
om·niv·o·ra [amnívərə/ɔm-] *n. pl.* 잡식(성) 동물.
om·ni·vore [ámnivɔ̀ːr/ɔ́m-] *n.* 탐식가(貪食家); 잡식(성) 동물.
om·niv·o·rous [amnívərəs/ɔm-] *a.* **1** 무엇이나 먹는, 잡식성의. **2** 닥치는 대로 손대는〔탐하는〕, 무엇이든지 좋다는 식의; 남독(濫讀)하는 《*of*》: an ~ reader 남독가(濫讀家). [파] **~·ly** *ad.* 닥치는 대로. **~·ness** *n.*
om·odyn·ia [òumoudíniə, àm-/òum-, ɔ̀m-] *n.* 〖의학〗 견통(肩痛).
OMOV one member, one vote (1인 1표(의 원칙))《조합 내의 민주적 선거를 위한 원칙》.
om·phal- [ámfəl/ɔ́m-], **om·pha·lo-** [-fəlou, -lə] '배꼽, 탯줄'이란 뜻의 결합사.
om·pha·los [ámfələs/ɔ́mfəlɔ̀s] (*pl.* **-li** [-lài, -lìː]) *n.* **1** 〖고대그리스〗 (방패 한복판에 있는) 돌기(boss); (Delphi의 Apollo 신전에 있는) 원뿔꼴의 돌《세계의 중심이라고 여겼던》. **2** 중심점, 중추. **3** 〖해부〗 배꼽(navel, umbilicus).
om·pha·lo·skep·sis [àmfəlousképsis/ɔ̀m-] *n.* (신비주의의) 자신의 배꼽을 응시하며 하는 명상.
om·pha·lot·o·my [àmfəlátəmi/ɔ̀mfəlɔ́t-] *n.* 〖의학〗 탯줄절단(술).
OMR 〖컴퓨터〗 optical mark reader (광학 마크 판독기); 〖컴퓨터〗 optical mark recognition (광학 마크 인식).
OMS 〖우주〗 orbital maneuvering system.
†**on** ⇨ 《p. 1758》 ON.
on- [án/ɔ́n] *pref.* 부사 'on'을 수반하는 동사에서 형용사·명사를 만듦: *on*coming 가까이 오는/*on*looker 방관자/*on*rush 쇄도.
ON Old Norse; octane number; Ontario.
ón-agàin, óff-agàin *a.* 나타났다가 곧 사라지는, 단속적인; 여러 번 시작되는가 하면 중단되는《교섭·계획 따위》: *on-again, off-again* fads 정신 못 차리게 돌아가는 유행.
on·a·ger [ánədʒər/ɔ́n-] (*pl.* **-gri** [-grài], **~s**) *n.* **1** 〖동물〗 야생당나귀《서남 아시아산》. **2** 〖역사〗 (고대·중세의) 대형 투석기(投石器)의 일종.
ón-áir *a.* (유선에 대해) 무선(방송)의.
ón-and-óff *a.* 단속적(斷續的)인.
onan·ism [óunənìzəm] *n.* 성교중절(coitus interruptus); 자위, 수음(手淫). [파] **-ist** *n.* **ònan·ís·tic** *a.*
ón·bóard *a.* (선내〔기내, 차내〕에) 적재〔탑재〕한, 내장(內藏)한; 〖컴퓨터〗 회로 기반상(基盤上)의〔에 내장된〕: an ~ computer 〖컴퓨터〗 탑재 컴퓨터.
ón-cámera *ad., a.* (영화·TV의) 카메라가 비치는 곳에〔의〕, 카메라 프레임(frame) 내에서〔의〕. [opp] *off-camera.*
†**once** [wʌns] *ad.* **1** 한 번, 일 회, 한 차례: ~ a week 1주일에 한 번/~ a day 하루 1회(回)/*Once* bit, twice shy. 《속담》 자라 보고 놀란 가슴 소댕 보고 놀란다. **2** 〖부정문〗 (단) 한 번도 …(안 하는); 〖조건문〗 일단 …(하면), 적어도〔한 번〕 …(하면)(ever, at all): I have*n't* seen him ~. 그를 한 번도 만난 일이 없다/when 〔if〕 ~ he consents 그가 일단 승낙하면. **3** 이전에, 일찍이, 원래, 한때(formerly): There ~ lived a beautiful princess. 옛날 한 예쁜 공주님이 있었다/a ~-famous doctor 일찍이 유명했던 의사/~-thriving cities on Mediterranean coast 한때 번창했던 지중해 연안의 도시들. **4** 언제 한 번《미래》: I would like to see him ~ before I go. 내가 떠나기 전에 그를 한 번 만나보고 싶은걸. **5** 한 곱: *Once* two is two. 2곱하기 1은 2.

[NOTE] (1) '한 번, 두 번' 할 때는 one time을 쓰지 않고 once를, two times는 twice를 쓰고, '세 번'의 경우는 thrice보다 three times가 보통. (2) '이전에'의 뜻으로는 동사 앞 또는 문장 앞에, '한 번'의 뜻으로는 동사·조동사의

전치사나 부사로도 쓰이며, 자주 쓰이는 전치사적 부사(prepositional adverb)의 하나이다. 그림과 같이 '접촉'을 나타내며 그 접촉면은 상하 좌우 어느 것이든 관계없다. 이러한 사실을 가장 명확히 나타내는 한 가지 예는 a fly walking *on* the ceiling '천장을 기고 있는 파리'이며, 여기서는 '…의 위에'라는 번역은 분명히 적당하지 못하다. '접촉'을 나타내는 이 on의 성질에서, '절박' '종사' '동시성, 일시(日時)' '기초' 및 기타의 비유적 뜻이 파생하게 된다. 이런 점에서 on은 '떨어짐'을 나타내는 off와 정반대이며, 사실상 get on — get off 따위와 같이 관용구에도 짝을 이루는 것이 많다. on은 동사와 결합해서 다수의 중요 동사구를 만든다.

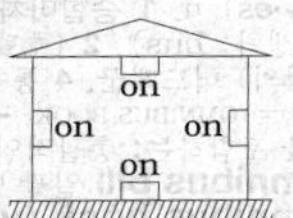

on [ɑn, ɔːn/ɔn] *prep.* **1** 〖장소의 접촉을 나타내어〗 …의 표면에, …위에, …에; …에서; …에〔을〕 타고: a book *on* the desk 책상 위의 책 / a scar *on* the face 얼굴의 흉터 / play *on* the street 거리에서 놀다 / go *on* a bicycle 자전거로 가다 / lie *on* one's side 〔back〕 모로〔반듯이〕 눕다 / Put your package down *on* the table. 꾸러미를 테이블 위에 내려놓아라.

2 〖부착·소지·착용〗 …에 붙여, …에 달리어; …(의 몸)에 지니고; …에 걸려〔매어져〕: a handle *on* the door 문의 손잡이 / put a bell *on* the cat 고양이에(게) 방울을 달다 / I have no money *on* me. 《구어》 돈을 갖고 있지 않다 / The dog is *on* the chain. 그 개는 사슬에 매여 있다 / Heroin was found *on* her. 그녀가 헤로인을 숨겨 갖고 있는 것이 발각되었다.

3 〖버팀·지점(支點)〗 **a** …로 (버티어), …을 축(軸)으로 하여: turn *on* a pivot 축을 중심으로 (하여) 회전하다 / crawl *on* hands and knees 〔*on* all fours〕 손발로 기다, 포복하다. **b** (명예 따위)를 걸고: *on* one's honor 명예를 걸고 / I swear *on* the Bible. 성서를 두고 맹세합니다.

4 〖근접〗 **a** 〖장소적으로〗 …에 접하여〔면하여〕, …을 따라〔끼고〕, …의 가에, …쪽〔편〕에: an inn *on* the lake 호반(湖畔)의 여관 / the countries *on* the Pacific 태평양 연안의 제국(諸國) / sit *on* my left 나의 왼쪽 곁에 앉다 《to my left는 '왼쪽에'의 뜻》 / *on* both sides of the river 강의 양쪽 기슭에 / *on* my right (hand) 오른쪽에. **b** (시간·무게·가격 따위가) …에 가까운, 대략, 거의: It's just *on* 6 o'clock. 거의 6시가 되었다.

> SYN. **on**은 '…면에 접하여'의 뜻이 있다: The boat is *on* the river. 보트는 강 위에 떠 있다. **over**는 '…의 위쪽(특히 바로 위)에': build a bridge *over* the river 강에 다리를 놓다. **above**는 '…의 위쪽에'이지만 반드시 바로 위를 가리키는 것은 아님: The waterfall is two miles *above* the bridge. 폭포는 다리에서 2마일 상류에 있다. **up**은 '…을 올라가, …을 올라간 곳에': The waterfall is further *up* the river. 폭포는 좀더 상류에 있다.

5 a 〖날·때·기회〗 …에, …때에: *on* Sunday(s) 일요일에 / *on* the 1st of May = *on* May 1, 5월 1일에 / *on* and 〔or〕 after the 15th (그달) 15일 이후 / *on* a weekend 주말에 / *on* various occasions 여러 기회〔때〕에 / It happened (*on*) Monday 〔August 15th〕. 그것은 월요일〔8월 15일〕에 일어났다(구어에서는 요일·날짜의 앞에서 on이 생략될 때도 있음). **b** (특정한 날의 아침·오후·밤 따위)에: *on* that evening 그날 저녁에 / *on* the morning of April 5, 4월 5일 아침에.

6 〖동명사 또는 동작을 나타내는 명사와 함께〗 …와 동시에, …하는 즉시, …하자 곧, …의〔한〕 바로 뒤에: *on* arrival 도착하자(마자) 곧 / payable *on* demand 요구가 있으면 즉시 지급하는 / *on* receipt of the money 돈을 받자 곧 / *On* arriving in Seoul, I called him up on the phone. 서울에 도착하자 곧 그에게 전화를 걸었다.

7 〖기초·근거·원인·이유·조건·의존〗 **a** …에 의(거)하여, …에 근거하여; …한 이유로〔조건으로〕, …하면: *on* equal term 평등한 조건으로 / a story based *on* fact 사실에 의거〔입각〕한 이야기 / *on* condition that ... …라는 조건으로 / act *on* her advice 그녀의 충고에 따라 행동하다 / *On* what ground do you think it is a lie? 무슨 이유로 그것을 거짓말이라고 생각하나 / The news comes *on* good authority. 그 뉴스는 확실한 소식통에서 나온 것이다. **b** …을 먹고, …로: live *on* rice 쌀을 주식(主食)으로 하다 / Cattle live 〔feed〕 *on* grass. 소는 풀로〔풀을 먹고〕 산다.

8 a 〖도중을 나타내어〗 …하는 도중〔길〕에: *on* one's 〔the〕 way home 〔to school〕 귀가(歸家)하는〔학교로 가는〕 도중에. **b** 〖동작의 방향을 나타내어〗 …을 향해, …쪽으로; …을 목표로 하여, …을 (노리어): go 〔start, set out〕 *on* a journey 여행을 떠나다 / The storm is *on* us. 폭풍이 닥쳐오고 있다 / She smiled *on* us. 그녀가 우리에게 미소를 지었다 / The army advanced *on* 〔to〕 the town. 군대는 그 시(市)를 향해 진군했다 《to는 방향을 나타내지만, on은 덮쳐드는 기분·공격의 뜻이 더함》. **c** 〖목적·용건을 나타내어〗 …을 위해: go *on* an errand 심부름을 가다 / *on* business 사업차, 상용(商用)으로. **d** 〖동작의 대상〗 …에 대하여, …을, …을〔에〕 빗대어: hit a person *on the* head 아무의 머리를 때리다 《몸·옷의 일부를 나타내는 명사 앞에 the를 붙임》 / turn one's back *on* ... …에게 등을 돌리다; …을 (저)버리다 / put a tax *on* tobacco 담배에 세금을 (부)과하다 / I am keen *on* swimming. 나는 수영에 열중하고 있다 / She shut the door *on* me. 그녀는 바로 내 코앞에서 문을 쾅 닫았다. **e** 〖작용·영향·불이익〗 (곤란하게도) …에 대하여; …을 버리어: have (a) great effect *on* ... …에 큰 영향을 미치다 / The heat told *on* him. 그는 더위에 지쳤다 / The light went out *on* us. (곤란하게도) 전깃불이 나갔다 / The noise gets *on* my nerves. 그 소음이 나의 신경을 건드린다.

9 〖관련〗 **a** 〖관계를 나타내어〗 …에 관〔대〕해서, …에 관한 《about 보다는 전문적인 내용의 것에 사용됨》: a book *on* international relations 국제관계에 관한 책 / an authority *on* pathology 병리학의 권위 / take notes *on* the lecture 《미》 강의 내용을 받아쓰다. **b** 〖종사·소속〗 …에 관계하고 (있다), …에 종사하고, …에서 일하고; …의 일원으로: They are *on* the job. 그들은 일하고 있다 / What are you (working) *on*? 지금 무슨 일을〔일에 종사〕하고 있는가 / We're *on* a murder case. 살인 사건을 담당하고 있다 / We're *on* page 42. 42 페이지를 (수업)하고 있는 중이다.

10 〖상태·방법〗 …상태로〔에〕, …하고, …중에; …하게: *on* sale 판매중 / *on* strike 파업중 / He did it *on* the sly. 그것을 몰래 하였다 / They were married *on* the quiet. 그들은 은밀히 결혼하였다 / The garage is *on* fire. 차고가 불타고 있다 / He is *on* the run from the police. 그는 경

찰로부터 도피 중이다.
11 a (투약·식이 요법 따위)를 받고: go *on* a diet 식이요법을 시작하다 / He's *on* medication. 그는 약물치료 중이다. **b** (마약 따위)를 상용(常用)하고, …에 중독되어: He's *on* drugs 〔heroin〕. 그는 마약 중독이다.
12 〖수단·기구〗 …로: go *on* foot 걸어가다 / talk *on* the phone 전화로 이야기하다 / play Beethoven *on* the piano 피아노로 베토벤을 치다 / I heard it *on* the radio. 라디오로 들었다 / A car runs *on* gasoline. 차는 휘발유로 달린다.
13 《구어》 …의 부담〔비용〕으로, …가 내는〔지불하는〕: It's *on* me. 이건 내가 낸다 / Have a drink *on* me! 내가 내기로 하고 한잔하세 / ⇨ on the HOUSE(관용구).
14 〖누적·첨가〗 …에 더하여: heaps *on* heaps 쌓이고 쌓여서 / loss *on* loss 손해에 손해를 거듭하여 / bear disaster *on* disaster 잇따른 재난을 참다.
— *ad.* 《be 동사와 결합될 경우에는 형용사로 볼 수도 있음》. **1** 〖접촉〗 위에, (탈것을) 타고. OPP. *off.* ¶ put the tablecloth *on* 테이블보를 덮다 / get *on* (올라)타다, 승차(乘車)하다.
2 〖착용·소지〗 **a** 몸에 지니고〔걸치고〕, 입고, 쓰고, 신고. OPP. *off.* ¶ with one's glasses *on* 안경을 쓰고 / put 〔have〕 one's coat *on* 코트를 입다〔입고 있다〕 《목적어가 대명사일 경우의 어순은 put 〔have〕 it *on*이 됨》 / put one's shoes *on* 신을 신다 / She had nothing *on*. 그녀는 몸에 아무것도 걸치지 않고 있었다 / *On* with your hat! 모자를 써라 / She helped me *on* with my coat. 그녀는 내가 상의를 입도록 도와주었다. **b** 〖화장을 나타내어〗: She had *on* too much eye make-up. 그녀는 눈화장이 너무 진했다.
3 〖동작의 방향〗 **a** (공간적·시간적으로) 앞(쪽)〔전방〕으로, 이쪽으로, 향하여; (시간이) 진행되어; (시계를) 더 가게〔빠르게〕 하여; (편지 따위를) 전송(轉送)하여: later *on* 나중에 / farther *on* 더 앞(쪽)으로 / come *on* 오다, 다가오다 / from that day *on* 그날부터〔이후〕 / put the clock *on* 시계를 더 가게 하다 / He is getting *on* for thirty 〔is well *on* years〕. 그는 나이 30이 다 된다〔웬만큼 나이가 들었다〕 / It was well *on* in the night. 밤이 어지간히 깊었다. **b** 진행 방향으로: move end *on* 후진(後進)하다. **c** 〖강조적〗: Come *on* in! 어서 들어오세요 《come in 보다 강조적》.
4 〖동작의 계속〗 계속해서, 쉴 사이 없이, 끊이지 않고: go *on* talking 계속해서 이야기하다 / sleep *on* 계속해(서) 자다 / Go *on* with your story. 이 야기를 계속하시오 / We hurried *on*. 우리는 계속 서둘렀다.
5 〖진행·예정〗 진행하고; 출연하고, 상연(上演)하고; 예정하고, 시작되고: I have nothing *on* this evening. 오늘 저녁은 아무 예정도 없다 / The new play is *on*. 새 연극이 상연되고 있다 / What's *on*? 무슨 일이 있었나〔시작됐나〕; 무슨 프로니.
6 〖작동중임을 나타내어〗 (기계·브레이크가) 작동되고; (전기·수도·가스가) 틀어져, 사용 상태에; (TV·라디오 따위가) 켜져, 틀어져: turn *on* the water 〔light〕 수도를 틀다〔전등을 켜다〕 / Is the water *on* or off? 수돗물이 틀어져 있는가 잠겨 있는가 / The radio is *on*. 라디오가 켜져 있다.
7 〖달라붙음〗 떼지 않고, 단단히, 꽉: cling 〔hang〕 *on* (꽉) 매달리다 / Hold *on!* 단단히〔꽉〕 붙잡아라 / If you don't hang *on*, you'll fall. 꽉 붙잡고 매달리지 않으면 떨어진다.
8 《구어》 **a** 찬성하여, 기꺼이 참가하고: I'm *on!* 좋아, 찬성이다. **b** (…의) 상대가 되기를 몹시 갈망하여, (…와) 교섭을 갖기를 몹시 원하여 《*with*》: He is *on with* Jane. 그는 제인에게 부쩍 열을 올리고 있다. ***and so on*** =and so FORTH. ***be not on*** 《영구어》 있을 수 없다, 불가능하다: It's just 〔simply〕 *not on*. 그런 일은 할 수 없다, 그건 안 된다. ***be on*** 찬성하고 있다; …을 두둔하다; 《속어》 내기에 응하다; 《영속어》 술에 취하다. ***be on about ...*** 《구어》 …에 대해 투덜거리다: What *are* you *on about?* 무엇이 불만인가. ***be on at ...*** 《구어》 (아무)에게 (…에 관하여 —하도록) 불평〔잔소리를〕 하다, 끈질기게 말하다 《*about; to* do》. ***be on to ...*** 《구어》 ① (진상·계획 따위)를 알고 있다, 알아채고 있다; (남의 기분)을 잘 알고 있다. ② (아무)와 연락을 취하다, 접촉하다. ③ =be on at. ***be well on*** (도박에) 이길 가망이 없다; (일이) 진척되고 있다; 더뎌지고 있다; 깊어지고 있다 《*in; into*》. ***on and off*** ⇨ OFF. ***on and on*** 잇따라, 쉬지 않고: We walked *on and on*. 계속해서 걸었다. ***on to ...*** =ONTO.
— *a.* 〚크리켓〛 (타자의) 좌전방의, 왼쪽 전방의.
— *n.* (the ~) 〚크리켓〛 (타자의) 좌전방, 왼쪽 전방. OPP. *off.*

뒤에 오는 것이 원칙임: I have not been there *once*. 한 번도 거기 가 본 일이 없다. If we *once* 〔If *once* we〕 lose sight of him, ... 일단 그를 놓치는 날에는….

every ~ in a while 〔《영》 ***way***〕 《미구어》 때때로. ***more than ~*** 한 번뿐이 아니라, 여러 번에 걸쳐. ***not ~ or twice*** 《시어》 한두 번이 아니고, 몇 번이고. ***~ again*** 한 번 더. ***~ and again*** 한 번뿐 아니라 몇 번이고. ***~ and away*** 한 번뿐, 이것을 마지막으로. ***~*** (***and***) ***for all*** 딱 잘라서, 단호히, 최종적으로. ***~ in a while*** 〔***way***〕 이따금, 때때로: ~ *in a* long *while* 극히 드물게, 잊어버릴 때쯤 해서. ***~ more*** 다시 한 번, 또 한 번. ***~ or twice*** 한두 번. ***~ over*** 다시 한 번. ***~ over lightly*** 《속어》 대충, 쭉 한 번 훑어보아, 서둘러서. ***~ upon a time*** 옛날(옛적)에 《옛날 이야기의 첫 머리말》. ***the ~*** 단 한 번: I've only played rugby *the* ~, and never want to play it again. 난 럭비를 딱 한 번 한 적이 있었지, 그리고 다시는 하고 싶어하지도 않았어.
— *conj.* **1** 일단〔한 번〕 …하면, …해버리면: *Once* you start, you must finish it. 일단 시작했으면 끝장을 내야 한다 / *Once* you learn the basic rules, this game is easy. 일단 기본 규칙을 기억하면, 이 게임은 쉽다. **2** …의 때는 언제나, …하자마자: *Once* (I was) back in Korea, I found myself busy with the work. 한국에 돌아오자마자 그 일로 매우 바빠졌다. ★ (I was)와 같이 once에 이끌리는 절의 동사가 be이고 주어가 주절의 그것과 일치할 때 이 부분은 종종 생략됨. ***Once ..., always ....*** 한 번 …이 되면 영원히 …로 된다: *Once* a beggar, *always* a beggar. 《속담》 동냥질 사흘 하면 그만두지 못한다.
— *n.* 한 번; (this ~, that ~, the ~) 〖부사적〗 (이번) 한 번만: *Once* is enough for me. 나에게는 한 번으로 충분하다. ***all at ~*** 갑자기 (suddenly); 모두 동시에. ***at ~*** ① 즉시, 곧: Do it *at* ~. 즉시 하라. SYN. ⇨ IMMEDIATELY. ② 동시에: Don't do two things *at* ~. 동시에 두 가지 일을 하려고 하지를 마라. ***at ~ ... and —*** … 하기도 하고 —하기도 한: *at* ~ interesting *and* profitable 재미있고 유익하기도 한 / She is *at* ~ witty *and* beautiful. 그녀는 재색(才色)을 겸비하였다. ***for that ~*** 그때에 한해서. (***just***) ***for ~*** =***for ~ in a way*** 《영》 (이번) 한 번만은

(특히). (*just*) *for this* 〔*that*〕 ~ 이번〔그때〕만은. — *a.* 예전의, 이전의(former): Lord Bradley, my ~ master 나의 전 주인인 브래들리경.

ónce-in-a-lífetime *a.* 일생에 한 번의: It was a ~ opportunity. 그것은 평생 한 번밖에 없는 기회였다.

ónce-òver *n.* 《구어》 **1** 대충 훑어봄, 대체적인 조사〔평가〕; 대강 청소함; 심하게 때려눕힘. **2** 잡다한〔겉날리는〕 일. ***give*** a person ***the*** ~ 아무를 피상적으로 조사하다.

ónce-òver-líghtly 《구어》 *n.* 대체적〔피상적〕인 처리〔조사〕; 겉날리는 일. — *a.* 데걱데걱 해치우는, 임시변통의, 표면적인, 겉치레뿐인.

onc·er [wʌ́nsər] *n.* 《영구어》 (의무적으로) 한 번만 하는 사람; 주 1 회 교회에 나가는 사람.

ón-chíp *a.* 〖전자〗 반도체 칩의, 반도체 칩 위에 회로를 집적한.

ón-chíp refrésh 〖전자〗 dynamic RAM과 같은 칩 위에 탑재한 레프레시 신호 발생회로.

on·co- [ɑ́ŋkou, -kə/ɔ́ŋ-] 〖의학〗 '종양(腫瘍)'의 뜻의 결합사: *onc*ology.

on·co·gene [ɑ́ŋkədʒiːn/ɔ́ŋ-] *n.* 〖생물〗 종양(형성) 유전자.

ònco·génesis *n.* 〖의학〗 종양(腫瘍)형성, 발암.

ònco·ge·níc·i·ty [-dʒənísəti] *n.* 〖의학〗 종양(腫瘍)형성력〔성〕, 발암성.

on·col·o·gy [ɑŋkɑ́lədʒi/ɔŋkɔ́l-] *n.* Ⓤ 〖의학〗 종양학(腫瘍學). ⓟ **-gist** *n.* **-co·log·ic, -i·cal** [ɑ̀ŋkəlɑ́dʒik/ɔ̀ŋkəlɔ́-], [-ikəl] *a.*

ón·còming *a.* 접근하는, 다가오는; 새로 나타나는; 장래의: the ~ car 다가오는 자동차/the ~ generation 신세대. — *n.* Ⓤ 접근: the ~ of a storm.

on·cor·na·vi·rus [ɑŋkɔ́ːrnəvàirəs/ɔŋ-] *n.* 〖의학〗 종양을 일으키는 RNA를 가진 바이러스의 총칭.

ón·còst *n.* 《영》 간접비(overhead).

ón-demánd *a.* 온디맨드식(式)의 《이용자의 요구에 따라 네트워크를 통하여 필요한 정보를 제공하는 식의》.

ón-demánd bòok 〖출판〗 주문본《주문으로 만드는 단 1권의 책》.

ón-demánd prìnting 주문 인쇄. ⓒⓕ on-demand book.

ón-demánd pùblishing 〖출판〗 수요 출판.

ón-demánd sỳstem 〖컴퓨터〗 즉시 응답 시스템《사용자의 요구가 있으면 즉시 정보 또는 서비스를 제공하는 시스템》.

ón-dísk *a.* 〖컴퓨터〗 디스크에 기록되어 있는.

on-dit [*F.* ɔ̃di] (*pl.* **~s** [—]) *n.* 소문, 평판, 풍문.

on·dol [ɑ́ndɑl/ɔ́ndɔl] *n.* (한국의) 온돌.

ón-dríve *vt.* 〖크리켓〗 (볼을) 우〔좌〕 타자가 좌〔우〕로 강타하다.

†**one** ⇨ 《p. 1761》 ONE.

-one [òun] *suf.* 〖화학〗 '유도체' 특히 ketone 화합물을 뜻하는 명사를 만듦: acet*one*.

1-A [wʌ́néi] (*pl.* **~'s**) *n.* 〖미군사〗 (징병 선발에서) 갑종 (합격자).

óne-ácter *n.* (연극·오페라 등) 단막물(單幕物).

1-A-O [wʌ́néióu] *n.* 〖미군사〗 (징병 선발에서) 갑종 합격한 양심적 참전 거부자.

óne-àrmed *a.* 외팔의, 한 팔의.

óne-arm(ed) bándit 《구어》 (도박용) 슬롯머신(slot machine).

óne-bágger *n.* 《야구속어》 =ONE-BASE HIT.

óne-base hít 〖야구〗 단타(單打)(single hit).

1-C [wʌ́nsíː] *n.* 〖미군사〗 (징병에서) 육해공 3군·연안 측량 조사·공중 위생 적격자.

óne-célled *a.* 〖생물〗 단세포의.

1-D [wʌ́ndíː] *n.* 〖미군사〗 (징병 선발에서) 예비군 요원·군사교련을 받는 학생.

óne-diménsional *a.* 1차원의; 깊이가 없는, 피상적인, 표면적인, 얇디얇은. ⓟ **óne-dimensionálity** *n.*

óne-égg *a.* 일란성의.

óne-éyed *a.* 애꾸눈〔외눈〕의; 시야가 좁은; 《구어》 못한, 하찮은; 《카드놀이속어》 애꾸의《보통 옆얼굴이 그려진 데서 스페이드와 하트의 잭, 다이아몬드의 킹을 말함》.

óne-eỳed mónster 《속어》 텔레비전.

óne·fòld *a.* 한 겹의; 순일(純一) 불가분의 일체를 이루는.

óne-hánded [-id] *a.* 손이 하나인, 한 손(용)의, 한 손으로 하는: a ~ catch 한 손으로 잡기. — *ad.* 한 손으로.

óne-hórse *a.* **1** (말) 한 필이 끄는. **2** 《구어》 작은; 하찮은, 빈약한: a ~ town 작은 동네. **3** 《야구속어》 마이너리그의(bushleague).

óne-hòrse ràce 어느 쪽이〔누가〕 이길 것인지가 확실한〔정해진〕 경쟁〔선거〕, 일방적 승리.

óne-idéaed, -idéa'd *a.* 한 가지 생각에만 사로잡힌, 편협한.

O'Neill [ouníːl] *n.* **Eugene** ~ 오닐《미국의 극작가; 1936년 노벨 문학상 수상; 1888-1953》.

onei·ric [ounáiərik] *a.* 꿈의〔에 관한〕; 꿈꾸는 (듯한)(dreamy).

onei·ro·crit·ic [ounàiərəkrítik] *n.* 꿈점을 치는〔해몽하는〕 사람, 해몽가. ⓟ **-crít·i·cal** *a.* **-i·cal·ly** *ad.*

onei·ro·crit·i·cism [ounàiərəkrítəsìzəm] *n.* 해몽(술)(解夢(術)).

onei·ro·man·cy [ounáiərəmæ̀nsi] *n.* 꿈점(占), 해몽술. ⓟ **-màn·cer** *n.*

óne-lég·ged [-id] *a.* 다리가 하나인, 외다리의; =ONE-SIDED.

óne-líner *n.* 《미》 재치 있는 경구(警句), 촌언(寸言), 기지 있는 익살.

óne-lìne whíp 〖영의회〗 등원 요청.

óne-màn [-mæ̀n] *a.* **1** 단독(조업, 연주)의, 개인용의: a ~ company 〔concern〕 개인회사/a ~ show 개인전, 원맨쇼. **2** (동물 등이) 한 사람만 따르는; (여자가) 한 남자만을 사랑하는: a ~ woman 한 남자만을 사랑하는 여자, 정숙한 여자.

óne-màn bánd (여러 악기를 혼자 다루는) 거리의 악사; 《비유》 무엇이든 혼자서 하는 사람〔활동, 일〕.

óne-màn óne-vòte *a.* 일인 일표의. ★ 최근에는 성차별을 없애기 위해 one-person one-vote라고 함.

óne-man pláy 〖연극〗 1인극.

óne-mìnute *n.* 《미》 하원의원이 매일 아침 공무 시작 전에 하는 짧은 담화.

óne·ness *n.* Ⓤ 단일성, 동일성; 통일성, 전체성; 일치, 조화.

óne-níghter *n.* =ONE-NIGHT STAND(의 출연자).

óne-night stánd 《구어》 **1** 하룻밤만의 흥행〔강연〕(지(地)). **2** 하룻밤〔한 번〕만의 정사(情事)(에 적합한 상대).

óne-nóte *a.* 단조로운, 천편일률적인, 변화가 없는.

1-O [wʌ́nóu] *n.* 〖미군사〗 (선발(選拔)징병에서) 국익상(上) 민간업에 적합한 양심적 병역 거부자.

óne-óff *a., n.* 《영》 1회 한(의 것), 한 개에 한하는 (것), 한 사람을 위한 (것).

óne-on-óne *a., ad.* (농구 등에서) 맨투맨(man-to-man)의〔으로〕, 1 대 1의〔로〕. — *n.* 둘이서 하는 농구.

101 [wʌ́nòuwʌ́n] *a.* 〖명사 뒤에 두어〗 (대학 과목의) 기초 (강좌), …입문〔개론〕; 《비유》 (…의) 초보〔기본〕: Ecomomics ~.

101-key kéyboard [wʌ́nòuwʌ́n-] 〖컴퓨터〗 101키 키보드(IBM 호환 퍼스컴의 표준적인 키보드).

óne-pàir *n., a.* 《영》 2층(의); 2층 방: a ~ back 〔front〕, 2층의 뒷방〔앞방〕.

부정관사 a, an과 동일한 어원이며 '하나(의), 한 개'와 같이 수사(數詞)로서의 one과, 일반적으로 사람을 나타내는 '총칭의 one'(generic 'one'), 이미 나온 바 있는 보통명사 대신에 쓰이는 one의 세 가지 주요 용법이 있다. 제3의 용법에는 다시, (1) 형용사가 붙지 않고 a(n)+명사《단수뿐》의 대용 노릇을 하는 경우와, (2) 형용사의 바로 뒤에 와서 one(s)의 형태로 원형의 명사《단수·복수》의 대용이 되는 경우가 있으며, 후자는 '지주어(支柱語)(prop word)'라고 부르기도 한다.

one [wʌn] *a.* **1** 〚흔히 한정〛 **a** 한 사람의, 하나의, 한 개의(single): ~ pound, 1 파운드 / ~ dollar and a half, 1 달러 50 센트(《~ and a half dollars보다 일반적》) / ~ or two days 하루나 이틀, 극히 짧은 날수(=a day or two) / ~ man ~ vote, 1 인 1 표(제) / ~ man in twenty, 20 인에 한 사람 / No ~ man can do it. 누구든 한 사람으로는 할 수 없다 / *One* man is no man. 《속담》 세상은 혼자 살 수 없다. ★ '1'의 뜻을 강조할 때에는 부정관사 a, an을 쓰지 않고 one을 씀: There is only one [ˣa] student in the room. 방에는 학생이 한 명밖에 없다. **b** 〚서술적〛 한 살인: He is ~. 그 아이는 한 살이다. **c** 〚수사 등을 수식하여〛 1 … (특히 정확히 말하려고 할 때 외에는 a가 보통): ~ half, 2 분의 1 / ~ third, 3 분의 1 / ~ hundred 〔thousand, million〕 백〔1,000, 100만〕 / ~ thousand (and) ~ hundred, 1,100. **d** 〚인명 앞에서〛 …라고 하는 사람(a, a certain): ~ Johnson 존슨이라고 하는 사람《형식을 차린 표현이므로, 지금은 경칭을 붙인 a Mr. 〔Dr. *etc.*〕 Johnson으로 하는 것이 일반적》.

2 〚때를 나타내는 명사를 수식한 부사구로〛 어느, 어떤: ~ day (미래 또는 과거의) 어느 날; 일찍이; 언젠가《some day는 '언젠가 훗날'이란 뜻으로 미래에 대해서만 씀》 / ~ fine Sunday 어느 맑게 갠 일요일; (개지 않았어도) 어느 일요일(날) / ~ summer night 어느 여름날 밤에(=on a summer night).

3 a (…와) 같은, 동일한(the same)《*with*》: ~ and the same person 완전히 동일한 인물《one and the same은 one의 강조형임》 / in ~ direction 같은 방향에 / We are of ~ age. 우리는 동갑이다. **b** 〚all ~ 형태로; 서술적〛 아주 같은 일인, 아무래도 좋은 일인: It is *all* ~ to me. 나에게 있어서는 전적으로 마찬가지이다〔어떤 것이든 상관없다〕.

4 일체(一體)의, 합일의, 일치한, 한마음인《*with*》: with ~ voice 이구동성으로 / My wife is ~ 〔of ~ mind〕 *with* me. 아내는 나와 일심동체이다 / We are all ~ on that point. 그 점에서는 모두 의견이 일치한다.

5 〚the, one's를 붙여서〛 단 하나〔한 사람〕의, 유일한(the only)《one에 강세를 둠, 강조형(形)은 one and only》: *the* ~ way to do it 그것을 하는 유일한 방법 / That is *my* ~ and only hope. 그것이 나의 유일한 희망이다 / This is *the* ~ thing I wanted to see. 내가 보고 싶었던 것은 단지 이것뿐이다. ★ the one에는 항상 단수명사가, the only에는 단수 또는 복수명사가 따름.

6 〚one, another, the other와 상관되어〛 한쪽의, 한편의: ~ foot in sea, and ~ foot on shore 한 발은 바다에 한 발은 해변에; 양다리 걸치고 / on (the) ~ hand ... on *the other* (hand) 한편으로는 … 또 한편으로는 / Some say ~ thing, some *another*. 이렇게 말하는 사람도 있고 저렇게 말하는 사람도 있다 / Knowing is ~ thing, and doing is quite *another*. 아는 것과 (실)행하는 것과는 전혀 별개의 문제이다.

7 《미구어》 〚형용사로 수식된 명사 앞에서〛 정말이지 …한, 드물게 보는 …한, 굉장한: She is really ~ *nice* girl. 그녀는 실로 대단한 미인이다. ***be all* ~** ① ⇨3 b. ② (사람들이) 모두 한 의견이다, 의견이 일치되고 있다. ***become* 〔*be made*〕 ~** (…와) 일체가 되다; 부부가 되다《*with*》. ***for* ~ *thing*** 하나는, 한 가지 이유는: *For* ~ *thing*, I can't speak English. 한 가지 이유는, 내가 영어를 하지 못하기 때문이다. ★ 또 한 가지 다른 이유를 들 때에는 for another라고 함. **~ *and only*** ① 유일한, 단 하나〔한 사람〕의(⇨5). ② 진짜의, 거짓 없는. **~ *of a kind*** 유일한 것. **~ *and the same*** 아주 똑〔완전히〕 같은(⇨3 a). **~ *or two*** 하나 또는 둘의; 《구어》 2, 3 〔두서넛〕의(a few). **~ *thing or* 〔*and*〕 *another*** 《구어》 이(런) 일 저(런) 일로.

—*n.* 1 Ⓤ,Ⓒ 〚흔히 관사 없이〛 (홀수의) 1, 하나, 한 사람, 한 개: ~ at a time 한 번에 한 사람〔개〕 / ~ and twenty =twenty-~, 21 / ~ fourth, 4 분의 1 / chapter ~ 〔Chapter I〕 제 1 장(the first chapter). **2** Ⓒ 1 의 숫자〔기호〕: Your *1's* look *7's*. 자네가 쓴 1 은 7같이 보이네. **3 a** Ⓤ 한 시; 한 살: at ~ 한 시에 / at ~ and forty 마흔 한 살 (때)에. **b** Ⓒ 1 달러〔파운드〕 지폐. **4** Ⓤ 《구어》 일격, 한 방; 한 잔: He gave me ~ (blow) in the eye. 그는 내 눈에 일격을 가했다. **5** (O-) 신, 하느님, 초인적인 존재: the Holy *One* 신, 그리스도 / the Evil *One* 악마. ***all in* ~** ① 일치〔동의〕하여. ② 하나로〔한 사람이〕 전부를 겸하여. ***at* ~** (…와) 일치〔동의〕하여《*with*》: I'm *at* ~ *with* you on that point. 그 점에서는 자네와 같은 의견이네. ***be* 〔*get*〕 ~ *up on*** a person 아무보다 한 발 앞서(있)다; 아무와 격차를 벌이(고 있)다. ***by* ~*s*** 하나씩. ***by* ~*s and twos*** 한 사람 두 사람씩. ***for* ~** 한 예로서, 하나로; (적어도) 나 자신은〔개인으로서는〕: I, *for* ~, shall never do so. 나로서는 〔적어도 나는〕 결코 그런 일은 안 해 / He, *for* ~, doesn't believe it. 그도 믿지 않는 한 사람이다. ***have* ~ *too many*** 《미속어》 취하게 술을 마시다, 만취하다. ***in* ~** ① =all in ~ ②. ② 《구어》 단 한 번의 시도로. ***in* ~*s and twos*** =by ones and twos. (***in***) ***the year* ~** 아주 옛날, 훨씬 이전에. ***make* ~** (한 무리·일단의) 하나가〔일원이〕 되다, 참가하다; 하나로 하다, 결혼시키다. **~ *and all*** 모조리. **~ *by* ~** 하나〔한 사람〕씩 (차례로).

—*pron.* 1 〚총칭적 인칭으로서〛 (일반적인) 사람, 세상 사람, 누구든지: *One* should always be careful in talking about ~'s 〔《미》 his〕 finances. 자신의 경제사정을 이야기할 때에는 항상 조심하여야 한다 / *One* must not neglect ~'s duty. 사람은 자기 의무를 소홀히 해서는 안 된다.

> **NOTE** (1) one을 받는 대명사는 《영》에서는 보통 one 및 그 변화꼴(one's, oneself)을 쓰고 《미》에서는 he〔때로 she〕 및 그 변화꼴(구어에서는 they)을 씀: Can ~ read this without having their emotions stirred? 《구어》 이것을 읽고 마음이 움직이지 않는 사람이 있을까. (2) 구어에서는 one보다 you, we, they, people을 쓸 때가 많음. (3) one who는 those who와 함께 '…하는〔…한〕 사람'의 뜻으로 쓰임: *One* who is not diligent will never prosper. =*Those* who are not diligent will never prosper. 부지런하지 않은 사람은 잘되지 못한다.

2 〚사전 따위에서 인칭대명사의 대표형으로〛 자기(가): as ... as ~ can 될 수 있는 대로 / make

up ~'s mind 결심하다.
3 〖단수형으로〗 **a** 〖one of+한정복수명사〗 (특정한 사람·것 중의) 하나, 한 개, 한 사람: *One of* the girls was late in coming. 여자 아이 하나가 늦게 왔다《one과 호응하여 단수동사로 받는 것이 옳지만 복수명사에 이끌려 복수동사로 받을 때도 많음》/I'd like to have ~ *of* those apples. 저 사과를 한 개 먹고 싶다/*One of* them lost *his* watch. 그들 중의 한 사람이 시계를 잃어버렸다《이 one을 받는 대명사는 문맥에 따라 he, she, it》. **b** 〖another, the other(s)와 대응하여〗 한쪽(의 것), 하나, 한 사람: *One's* as good as 〔much like〕 *another.* 하나는 또 다른 하나와 엇비슷하다/The twin girls are so much alike that I can't tell (*the*) ~ from *the other.* 그 쌍둥이 소녀는 너무도 똑같아서 (누가 누군지) 분간할 수가 없다.
4 U,C 〖any, some; no, every; such a; many a 또는 다른 형용사를 동반하여〗 (특정한) 사람, 것: *any* ~ 누구든/dear 〔little, loved〕 ~*s* 귀여운 아이들/the young ~*s* 어린아이들/a right ~ 《영구어》 바보/*many a* ~ 많은 사람들/*no* ~ 아무도 …않다〔아니다〕/*some* ~ 누군가/*such a* ~ 이와 같은 사람/the absent ~ 가족 중 없는 사람.
5 〖동일 명사의 반복을 피해 a+셀 수 있는 명사 대신 써서〗 그와 같은 사람〔물건〕, 그것: If you need a dictionary, I will lend you ~. 사전이 필요하면 내가 빌려 드리지/I want a fountain pen, but I have no money to buy ~. 만년필이 필요한데 살 돈이 없다/His principle is ~ of absolute selfreliance. 그의 주의는 절대 자기 의존주의다/Do you have any books on gardening? I'd like to borrow ~. 원예책을 가지고 계십니까. 한 권 빌리고 싶습니다.

> NOTE (1) one은 비특정의 것을 가리킬 때 쓰며 특정한 것을 지칭할 때는 it을 사용함. 단, 다음에 형용구〔절〕이 올 때의 특정어에는 that을 씀: Do you have 〔Have you〕 a watch?—No, but my brother has *one*(=a watch). He bought *it* (=the watch) yesterday. 너 시계 갖고 있니—아니, 나는 없지만 형은 가지고 있어. 어제 샀어. The capital of your country is larger than *that* (=the capital) of mine. 귀국의 수도가 우리나라의 수도보다 커요.
> (2) 다음 6과 달리 복수형은 없고 복수형에 맞먹는 것은 some임: If you like roses, I'll give you *some.* 장미를 좋아하시면 몇 송이 드리죠.

6 〖the, this, that, which 따위의 지시형용사와 더불어〗 (특정 또는 불특정의) 사람, 것: Here are three umbrellas. *Which* ~ is yours, *this* ~, (or) *that* ~, or *the* ~ on the peg? 여기 우산이 셋 있는데 어느 것이 자네 것인가? 이건가, 저건가, 아니면 못에 걸려 있는 것인가/Are these *the* ~*s* you were looking for? 이것들이 네가 찾고 있던 것이냐/Give me *the* ~ there. 저기 있는 것을 다오.

> NOTE (1) 소유격 또는 「인칭대명사의 소유격+own」 뒤에서는 one을 쓰지 못함: Your house is larger than *mine* 〔*Ted's*〕. 너의 집은 나의〔테드의〕 집보다 크다. 단, 형용사를 수반할 때는 소유격 뒤에서도 사용함: If you need a dictionary, I will lend you my old *one.* 사전이 필요하면 내 헌 것을 빌려 주지.
> (2) 셀 수 없는 명사 대신에 one을 쓰지 못함: I like red wine better than *white.* 나는 백포도주보다 적포도주가 좋다. (3) 기수사(基數詞) 뒤에서는 one을 쓰지 못함: I have three cats—one white, and two black. 고양이 세 마리를 기르는데, 한 마리는 희고 두 마리는 검다. (4) of 앞의 형용사의 비교급·최상급에는 one이 오지 않음: He is the *taller of* the two 〔the *tallest of* them all〕. 그는 둘 중에서 키가 크다〔그들 중에서 가장 키가 크다〕.

7 〖뒤에 수식어구가 와서〗 (불특정의) 사람《복수형 없음; 보통은 a man, a person을 씀》: She lay on the bed like ~ dead. 그녀는 죽은 사람처럼 침대(寢臺)에 누워 있었다/He is not ~ to complain. 그는 불평을 할 사람이 아니다/He was ~ who never told lies. 그는 결코 거짓말을 하지 않는 사람이었다.
8 U 《고어》 〖단독으로 쓰이어〗 (불특정의) 어떤 사람, 누군가(some one): *One* came running to her. 누군가가 그녀 쪽으로 달려왔다.
9 〖부정관사 a를 수반하여〗 **a** 《구어》 열광자, 열애자: He is *a* ~ for baseball. 그는 야구라면 사족을 못 쓴다. **b** 〖놀라움을 나타내어〗 《속어》 이상한 사람, 괴짜: You are *a* ~ (to do such a thing)! (그런 짓을 하다니) 자네는 정말 괴짜군.
10 〖짐짓 점잔빼거나 겸손한 뜻으로〗 나, 저(I, me): *One* is rather busy now. 제가 좀 바빠서요/I like to dress nicely. It gives ~ confidence. 나는 말쑥한 옷차림을 좋아하지. 단정해 보이니까.
~ ... after another 하나 또 하나의 …: *One* star *after another* was covered by the cloud. 별이 하나씩 하나씩 구름에 덮이어 갔다. ***~ after another*** ① 속속; 차례로, 하나〔한 사람〕씩, 잇따라(셋 이상의 것에 사용됨): I saw cars go past 〔by〕 ~ *after another.* 차들이 잇따라 지나가는 것이 보였다. ② =~ after the other. ***~ after the other*** ① (두 사람·두 개의 것이) 번갈아: He raised his hands ~ *after the other.* 그는 좌우의 손을 번갈아 들었다. ② (셋 이상의 것이) 차례로: He swallowed three cups of the water, ~ *after the other.* 그는 그 세 컵의 물을 차례로 마셨다. ***~ another*** 서로《(1) 동사·전치사의 목적어 또는 소유격 one another's로 쓰임. (2) each other와 구별 없이 사용》: All three hated ~ *another* 〔each other〕. 세 사람은 서로(를) 미워했다. ***~ of those things*** 《구어》 할 수 없는〔부득이한〕 일. ***~ ... the other*** (둘 중) 한쪽은 … 다른 한쪽은. ***~ with another*** 평균하여, 대체로: taken 〔taking〕 ~ *with another* 평균하면. ***the ~ ... the other*** 전자〔후자〕는 … 후자〔전자〕는.

óne-pàrent fámily 편친 가족, 모자〔부자〕 가족.
óne-pìece *n.*, *a.* (옷이) 원피스(의), (아래위) 내리닫이(의). ㊀ **-piecer** *n.*
óne-pìece swímsùit 원피스 수영복.
on·er [wʌ́nər] *n.* **1** 《영속어》 비길 데 없는 사람〔물건〕; 명수(*at*); 굉장한 일; 맹렬한 일격, 강타(*on*): give a person a ~ 아무에게 강타를 한방 먹이다. **2** 《영속어》 엄청난 거짓말. **3** 《구어》 (특히 크리켓의) 1 점타.
on·er·ous [ánərəs, óun-/ɔ́n-, óun-] *a.* **1** 번거로운, 귀찮은, 성가신(burdensome). **2** 〖법률〗 의무부담이 붙은《재산》. ㊀ **~·ly** *ad.* **~·ness** *n.*
‡one's [wʌnz] *pron.* **1** ONE의 소유격. **2** one is의 간약형.
1-S [wʌ́nés] *n.* 〖미군사〗 S종《학교 졸업 때까지의 징병 유예자》.
óne-séater *n.* =SINGLE-SEATER.
‡one·self [wʌnsélf] *pron.* **1** [-́] 〖재귀적〗 자기 자신을〔에게〕: talk 〔speak〕 to ~ 혼잣말을

하다/amuse ~ 재미있어 하다/kill ~ 자살하다/One is apt to forget ~. 사람은 흔히 제 분수를 잊기가 쉽다. **2** [⌐⌐]《강조적》 자신이, 스스로: One should do such things ~. 그런 것은 자기가 해야 한다/To do right ~ is the great thing. 스스로 올바로 처신하는 게 중요하다.

NOTE oneself는 각 인칭의 복합 대명사를 대표하며 실제로는 문맥에 맞추어 my*self*, your*self*, him*self*, her*self*, it*self*, our*selves*, your*selves*, them*selves* 따위의 꼴을 취하는 일이 많으나, 문장의 주어가 one일 때는 one*self*가 쓰임.

(all) by ~ ① 《종종 all by ~로》 (완전히) 혼자서, 고독하게: She was *(all) by* her*self*. 그녀는 (완전히) 외톨이였다. ② (완전히) 혼자 힘으로. ***be*** ~ ① 자제하다; 나를 잃지 않다. ② 자연스럽게[진지하게] 행동하다《젠체하지 않음》: You *are* not your*self* tonight. 너 오늘밤은 좀 이상한데. ***beside*** ~ 자신을 잃고, 흥분하여《*with*》. ***come to*** ~ 의식을 되찾다, 제정신이 들다. ***dress*** ~ 치장하다. ***for*** ~ ① 혼자 힘으로, 스스로, 자신이. ② 자기를 위하여[위한]. ***in*** ~ 본심으로는 (at heart), 원래, 기본적으로는(basically). ***of*** ~ 자기 스스로(⇨of ITSELF). ***read*** ~ ***to sleep*** 읽다가 잠들다. ***teach*** ~ 독학하다. ***to*** ~ 자신에게; 독점하여: I have a room *to* my*self*. 나 혼자서 방 하나를 쓰고 있다.

óne shòt =ONE-SHOT *n*.

óne-shòt *a*. 《구어》 한 번으로 완전[유효]한, 1회한의, 단발(로)의: a ~ sale, 1회만의 매출/a ~ cure. **—** *n*. 《구어》 한 회로 끝나는 간행물[소설, 기사, 프로]; 《구어》 1회만의 출연[상연]; 《구어》 1회만의 거래[경기 따위]; 《미속어》 한 번만 섹스를 허락하는 여자.

óne-síded [-id] *a*. **1** 한쪽으로 치우친, 불공평한: a ~ view 편견. **2** 한쪽만의; 일방적인; 한쪽만 발달한: a ~ decision 일방적인 결정/The game is ~. 경기는 일방적이다. **3** 《법률》 편무적(片務的)인: a ~ contract 편무 계약. ㊞ **~·ly** *ad*. **~·ness** *n*.

óne-sìze-fìts-áll *a*. 《구어》 (옷이) 프리 사이즈의; 무엇에나 들어맞는.

óne-spéed *a*. 변속 장치[기어]가 없는.

óne's sélf =ONESELF.

óne-stár *a*. 별이 하나인; 《군사》 준장의[인]; (호텔 등이) 별 하나급인《최저급의 호텔》.

óne-stèp *n*., *vi*. 《댄스》 원스텝(으로 추다); 그 「음악.

óne-stop shópping 한 상점에서 여러 가지 상품을 다 살 수 있는 쇼핑.

óne-tàil(ed) tést 《통계》 편측 검정(=**óne-sided tést**)《표본 통계량 값이 어떤 값보다 크거나 작을 때 그 가설을 채택치 않는 검정》.

óne tíme 《CB속어》 급한 질문[응답, 진술].

óne-tìme *a*. 이전의, 먼저의, 옛날의(former); 한 번만의: his ~ partner 이전의 동료/a ~ premier 전 수상. **—** *ad*. 이전(은).

óne-time pád 1회용 암호표의 철(綴).

óne-time prográmmable 《전자》 1회만 기입이 가능한《생략: OTP》.

óne-to-óne *a*. 1대 1의; 한 쌍이 되는, 상관적인, 대조적인; 《수학》 (집합론의) 1대 1의《대응》: a ~ correspondence, 1대 1의 대응, 상관관계.

óne-tràck *a*. 《철도》 단선인; 《구어》 하나밖에 모르는, 편협한: a ~ mind 편협한 마음; 한 가지《특히》 섹스)만 생각하는[말하는] 사람.

óne-twó *n*. 《권투》 원투(펀치) (=**⌐ púnch** [**blòw**]); 민첩하고 효과적인 행동; 《속어》 즉각적인 대답.

óne-úp *a*. 《구어》 (상대보다) 유리한, 한 발 앞선, 한 수 위의《*on*》. **—** (**-pp-**) *vt*. …의 한 수 위로 나오다, 한 발 앞서다.

òne-úp·man [-mən] *vt*. 《구어》 =ONE-UP.

one-up(s)·man·ship [wʌ̀nʌ́p(s)mənʃip] *n*. Ⓤ 《구어》 한 수 위로 나오는 술책, 일보 앞서는 [앞서고 싶어하는] 일.

óne-wáy *a*. **1** 일방통행의, (차표가) 편도(片道)의; 《통신》 한쪽 방향만의: ~ traffic 일방통행/a ~ ticket 편도 승차권(《영》 single ticket). cf. roundtrip ticket. **2** (상호적이 아니라) 한쪽으로부터만의; 일방적인: a ~ contract 일방적[편무] 계약.

óne-wáy mírror 매직 미러, 반투명경(鏡).

óne-wáy páckaging 한 번 쓰고 버리는 포장.

óne-wòman *a*. 여자 혼자서 하는[운영하는, 사용하는]; 여성 일인용의; (남자가) 한 여자만을 사랑하는.

óne wórld (국제 협조에 의한) 세계 정부.

óne-wórlder *n*. 세계 일국주의자, 국제(협력) 주의자(internationalist).

óne-wórld·ism *n*. 세계정부주의.

ONF, ONFr. Old North French.

ón·fàll *n*. 공격, 습격.

ón·flòw *n*. (세찬) 흐름, 분류.

ón-glìde *n*. 《음성》 삽입 연계음《조음(調音)이 한 음 또는 묶음에서 다음 음으로 옮겨질 때 다음 음의 처음에 발생하는 음; 예: 영어의 어두(語頭)의 b의 무성(無聲) 부분》.

ón·gòing *a*. 전진하는, 진행하는. **—** *n*. 전진, 진행; (*pl*.) (보통 기괴한 또는 부적당한) 행동, 행위, 처리. ㊞ **~·ness** *n*.

ONI Office of Naval Intelligence.

on·ion** [ʌ́njən] *n*. **1** Ⓒ,Ⓤ 《식물》 양파; 《일반적》 파: spring ~ 《식물》 실파의 일종/beef and boiled ~ 데친 양파를 곁들인 쇠고기. **2** Ⓒ 《속어》 머리, 사람. **3** Ⓒ 《미군대속어》 얼간이, 따분한 놈. **4** 《속어》 Ⓤ 서투른 계획, 실패한 모험[일]. ***know one's **~s** 《구어》 자기 일에 정통하다, 유능하다. ***off*** one's **~(s)** 《영속어》 머리가 돌아. **—** *a*. 양파의; 양파로 조리한; 양파 같은. **—** *vt*. **1** …에 양파로 맛을 내다. **2** (눈을) 양파로 비벼서 눈물이 나게 하다. ㊞ **~·lìke** *a*.

ónion rìng 양파 링《고리 모양으로 썬 양파 튀김》.

ónion·skin *n*. Ⓒ 양파껍질; Ⓤ 얇은 반 투명지《항공 편지지·타자의 카본 복사용지 따위》.

on·iony [ʌ́njəni] *a*. 양파 같은; 양파 맛이[냄새가] 나는.

ón·ìslander *n*. 섬사람.

on·kus [áŋkəs/ɔ́ŋ-] *a*. 《Austral. 속어》 나쁜 (bad), 매력 없는; 고장난.

ón·lènd *vt*., *vi*. (차입금을) 다시 빌려주다[융자하다].

ón-lìcense *n*. 《영》 점내(店內) 주류판매 허가. cf. off-license.

ón-límits *a*. 《미군사》 출입허가의《구역 따위》. 「OPP. *off-limits*.

ón-line, ón·líne, ón líne *n*. 《컴퓨터》 온라인《(1) 통신회선 등을 이용하여 사람 손을 거치지 않고 정보를 전송할 수 있는 상태. (2) 컴퓨터에서 주변장치나 외부장치가 중앙처리장치의 직접제어를 받는 상태》. **—** *a*. **1** 《컴퓨터》 온라인(식)의, (인터넷 등에) 연결된(OPP. *off-line*): ~ help 온라인 도움말/~ processing 온라인 처리/~ processing system 온라인 처리 체계/~ real-time processing 온라인 실시간 처리. **2** 《라디오》 (네트워크·방송국이 계열국에) 프로그램(일괄) 공급제의. **3** 《TV》 (비디오 녹화 프로가) 최종 편집중인. **4** 작동[운행] 중에 행해지는. **5** (도로·철도의) 주요 노선 연변에 있는: ~ industries 간선 입지 산업. **6** 《통신》 온라인(암호 통신)의. **—** *ad*. 《컴퓨터》 온라인으로.

ón-line bánking 온라인 뱅킹[은행 거래].

ón-line deláyed tíme sỳstem 《컴퓨터》

축적 처리 시스템《정보를 즉시 처리하지 않는》.

ón-line réal tíme sỳstem 〖컴퓨터〗 온라인 실시간 처리 시스템《원격지의 정보를 즉시 처리하여 단말기로 보내는 시스템》.

ón-line sérvice 〖컴퓨터〗 온라인 서비스《통신 회선을 사용한 자료틀〔데이터베이스〕 서비스》.

ón-line stórage 〖컴퓨터〗 온라인 기억 장치.

ón-line sỳstem 〖컴퓨터〗 온라인 시스템.

ón·lòoker *n.* 구경꾼, 방관자(傍觀者). SYN. ⇨ BYSTANDER

ón·lòoking *a.* 방관하는, 방관적인, 구경하는; 기대하는; 예감이 드는(foreboding). ── *n.* 방관, 구경.

†**on·ly** [óunli] *a.* **1** (the ~, one's ~) 유일한, …만〔뿐〕의: He was the ~ child in the room. 그 방 안에서 아이는 그뿐이었다 / He's my ~ brother. 그는 나의 유일한 형〔동생〕이다. **2** 비할 바 없는(best), 최상의: the ~ master 최고〔유일무이〕의 대가. **3** (an ~) 단 한 사람의: an ~ son 〔daughter〕 외동아들〔딸〕. ★He is *an only* son. 그는 외아들이다(그 외에는 딸도 없다). He is *the only* son. 그는 (딸은 있지만) 단 하나의 아들이다. He is an *only* child. 그는 단 하나의 어린애이다《형용사》. He is *only* a child. 그는 어린애에 지나지 않는다《부사》.

> SYN. **only** '하나'임을 나타내는 가장 뜻이 강한 말. **single** '하나'임을 강조하여 그 이상이 아님을 나타냄: a *single* failure 단 한 번의 실패. **sole** only보다 부드럽고 품위가 있음: the *sole* survivor 유일한 생존자. **unique** 그 종류의 것은 하나로서 진귀한 것: a *unique* experience 희한한 경험.

one and **~** 〔only의 강조형〕 ① (one's ~) 유일무이(唯一無二)의: She's my *one and* ~ friend. 그녀는 나의 유일무이한 친구다. ② 〖예능인 · 체육인 등을 소개할 때〗 천하에 단 한사람밖에 없는: And next, ladies and gentlemen, the *one and* ~ Marilyn Monroe. 신사숙녀 여러분, 다음 (소개할) 분은 불세출(不世出)의 마릴린 몬로씨입니다. ***the* ~ *thing*** 단 하나뿐인 것; 최상〔무비〕의 것; 단 한 가지 곤란한 점: *The* ~ *thing* is that they are expensive. 단지 문제는 비싸다는 것이다.

── *ad.* **1 a** 〖때를 나타내는 부사(구)를 수식하여〗 바로, 단지, 다만: He came ~ yesterday. 그는 바로 어제 왔을 뿐이다. **b** 〖수량을 수식하여〗 겨우, 불과, 그저 …만: ~ a little 그저 약간 / She has ~ one dollar. 그녀는 1 달러밖에 갖고 있지 않다 / I want ~ ten dollars. 10 달러만 갖고 싶다. ★I ~ want ten dollars. 라고 하면 '요구'의 의미가 약해져서 '10 달러 있으면 그걸로 충분하다'의 뜻이 됨. **2** 단지, 다만 …만, …일 뿐: *Only* you can guess. 너만이 추측할 수 있다 / I play tennis ~ on Sundays. 일요일에만 테니스를 친다 / Ladies *Only* 〖게시〗 여성 전용. **3** 〖술어동사를 수식하여〗 그저〔오히려〕 …할 뿐으로: The child ~ cried. 아이는 울기만 했다. **4** 〖부정사를 수식하여〗 **a** 〖목적을 나타냄〗 다만 (…하기) 위하여: She went to Hong Kong ~ *to* do some shopping. 그녀는 홍콩에 쇼핑하러 갔을 뿐이다. **b** 〖결과를 나타냄〗 결국 (…하기) 위한 것으로: I went to your house in the rain, ~ *to* find you out. 빗속에 너의 집에 갔더니, 공교롭게도 집에 없더라.

have* ~ *to do =《구어》 ~ ***have to*** do …(하기)만 하면 되다: You *have* ~ *to* wait. 기다리고 있기만 하면 된다. ***not* ~ ... *but* (*also*)** ─ ⇨ NOT. **~ ... *if* 〔*when*〕** …하여야 비로소, …의 경우만 (not ... until): You will ~ succeed *if* 〔*when*〕 you do your best. 전력을 다해야만 비로소 성공할 것이다. **~ *just*** 간신히, 겨우; 지금 막 …한: I have ~ *just* come. 지금 막 왔습니다. **~ *not*** 거의〔마치〕 …이나 마찬가지로, …이 아니라 고만 할 뿐: I was ~ *not* a boy. 거의 어린애나 마찬가지였다. **~ *too*** ① 〖glad, happy 등과 *to* do로 이어지는 꼴로〗 그저 …할〔일〕 따름, 매우: He will be ~ *too* glad *to* do so. 그가 기꺼이 그렇게 해 주겠지요. ② 유감이지만 (정말로) …: It is ~ *too* true. 유감이지만 정말 사실이다.

── *conj.* **1** …이기는〔하기는〕 하나, 그러나, 그렇지만, 다만: They look very nice, ~ we don't need them. 매우 훌륭하게는 보이나 별로 필요하지는 않다. **2** 〖종종 that을 수반하여〗 …을 제외하고는, …하지 않으면, …이 없으면(except that): I would help you with pleasure, ~ I am too busy. 기꺼이 도와 드리고는 싶지만 제가 몹시 바빠서 … / I should like to go, ~ *that* I am far off. 내가 멀리 떨어져 있지 않다면 가고 싶은데.

ónly begétter 유일한 창시자《인류의 유일한 창시자 Adam 따위》.

ón·màrch *n.* (역사 따위의) 흐름, 진행.

o.n.o., ono 《영》《광고에서》 or near(est) offer (또는 그에 가까운 값으로): For sale, ₩ 30,000 ~, 3 만원 내외로 매출하려 함.

ón-óff *a.* 〖전기〗 (스위치가) 온오프만의, 온오프식〔동작〕의: an ~ switch (전등의) 점멸(點滅) 스위치.

on·o·man·cy [ɑ́nəmæ̀nsi/ɔ́n-] *n.* Ⓤ 성명(姓名) 판단.

on·o·mas·tic [ɑ̀nəmǽstik/ɔ̀n-] *a.* 이름(name)의, 고유명사의; 〖법률〗 (서명이) 자서(自署)의. ㊞ **-ti·cal·ly** *ad.*

òn·o·más·tics *n.* 〖단 · 복수취급〗 (특정 전문 분야의) 용어연구; 고유명사 연구; (특정 분야의) 어휘체계, 용어법. ㊞ **on·o·mas·ti·cian** [ɑ̀nəməstíʃən/ɔ̀n-] *n.*

on·o·mat·o·poe·ia [ɑ̀nəmæ̀təpíːə/ɔ̀n-] *n.* Ⓤ 〖언어〗 의성(擬聲); Ⓒ 의성어《bow-wow, cuckoo 따위》; Ⓤ 〖수사학〗 성유(聲喩)(법).

on·o·mat·o·poe·ic, -po·et·ic [ɑ̀nəmæ̀təpíːik/ɔ̀n-], [-pouétik] *a.* 의성의; 의성어(語)의; 성유의. ㊞ **-i·cal·ly** *ad.*

ONR Office of Naval Research.

ón-ràmp *n.* (가로에서) 고속도로로의 진입차선, 온램프.

ón-rècord *a.* **1** (발언 따위가) 보도를 전제로 한. **2** 공식의; 공개의: ~ policy 공식 발표 정책.

ón·rùsh *n.* 돌진, 돌격; (강 따위의) 분류(奔流). ㊞ **~·ing** *a.* 돌진하는; 무턱대고 달리는.

ón-scène *a.* 현지의, 현장의.

ón-scréen *ad., a.* 영화로〔의〕, 텔레비전으로〔의〕.

ón-séason *a.* 시즌 중의: ~ airfares (여행) 시즌 중의 항공 요금. ── *ad.* 시즌 중에. ── *n.* (행락 따위의) 시즌.

ón·sèll *vt.* (자산을) 전매(轉賣)하다.

ón·sèt *n.* **1** 개시, 시작; 출발, 착수: the ~ of winter 겨울이 옴. **2 a** 공격(attack), 습격: an ~ of the enemy 적의 내습. **b** (병의) 발증, 발병: the ~ of a laryngitis 후두염의 발증. **3** 〖운율〗 어두 자음군(語頭子音群). ***at the first*** **~** 첫 시작으로. ㊞ **-sètting** *a.*

ón·shóre *ad., a.* 육지〔물가〕 쪽으로〔의〕; 육상에서〔의〕; 국내에서〔의〕.

ónshore wìnd 〖서핑〗 해풍《파도타기에 알맞지 않은 바람》.

ón·síde *a., ad.* 〖축구 · 하키〗 정규 위치의〔에〕. OPP. *offside.*

ónside kíck 〖미식축구〗 킥오프한 팀이 다시 공격권을 얻으려고 일부러 공을 짧게 참.

ón-síte *a., ad.* 현지의〔에서〕, 현장의〔에서〕: ~ inspection 현지시찰; 현장검증.

on·slaught [ánslɔ̀ːt, ɔ́ːn-/ɔ́n-] *n.* 돌격, 맹공격, 습격《*on*》: the ~ of winter 동장군의 내습. ***make an* ~ *on*** …을 맹습(猛襲)하다.
ón·stáge *a.*, *ad.* 무대의〔에서〕.
ón-stréam *ad.* 활동을 개시하여: A new plant went ~. 새 공장은 조업(操業)을 개시했다. ── [ㅅ] *a.* 조업〔제조〕 중인, 가동(稼動)하는; (파이프 · 필터 따위에서) 일정 방향으로 흐르는〔통과하는〕.
ón-strèet *a.* 노상의《주차》: *On-street* parking is not allowed. 노상주차는 금지한다. opp *off-street*.
Ont. Ontario.
ón-tárget *a.* 정확한, 적중한, 예상한 대로; (목표 · 생산 등이) 목표를 달성한.
On·tar·i·an [ɑntέəriən/ɔn-] *a.* 온타리오 주(州)〔호(湖)〕의. ── *n.* 온타리오 주 주민.
On·tar·io [ɑntέəriòu/ɔn-] *n.* **1** 온타리오《캐나다 남부의 주》. **2 Lake** ~ 온타리오 호《북아메리카 5 대호의 하나》.
ón-the-cúff *a.*, *ad.* 《미구어》 외상의〔으로〕, 크레디트의〔로〕(on credit).
ón-the-jòb *a.* 실지 작업을 통한〔행하는〕, 수습(修習)〔실습(實習)〕에서 익힌. opp *off-the-job*. ¶ ~ training 실지 훈련, 현장 연수(硏修).
ón-the-rècord *a.*, *ad.* 발언자의 이름을 보도해도 좋다는 전제의〔로〕, 공식의〔으로〕. opp *off-the-record*.
ón-the-rún *a.* 총망 중인, 분주한.
ón-the-scène *a.* (사건) 현장의: an ~ newscast 현장에서의 뉴스 보도.
ón-the-spòt *a.* 《구어》 즉석〔즉결〕의; 맞돈의; 현장(現場)에서의: ~ inspections 현장검증 / an ~ survey 현지조사.
on·tic [ántik/ɔ́n-] *a.* (본질적) 존재의, 실체적인. ㊞ **ón·ti·cal·ly** *ad.*
ón·tìme *a.* 정기적인(punctual, regular).
on·to [강 ántuː, ɔ́ːn-/ɔ́n-, 약 -tə] *prep.* **1** …의 위에: get ~ a horse 말을 타다 / step ~ the platform 연단에 오르다. **2** 《구어》 **a** (흉계 따위를) 알아차리고, 알고: I'm ~ your tricks. 너의 속임수는 알고 있다. **b** (좋은 결과 · 발견 따위에) 도달할 것 같은: You may be ~ something. 좋은 결과가 나올지도 모른다. **3** …에 꽉 달라붙어서: hold ~ a rope 밧줄에 매달리다.

> NOTE (1) on과 같은 의미로 쓰이는 일이 있음: put some shampoo *onto* one's hair 머리에 샴푸를 칠하다 / We got *onto* the bus. 우리는 버스에 올라탔다.
> (2) 「on 부 + to 전」과 같은 의미로 쓰이는 일이 있음: The front door opens *onto* the street. 현관문은 거리에 면해 있다 / Let's move *onto* the next question. 그럼 다음 문제로 넘어갑시다.

on·to- [ántə/ɔ́n-] '실재 · 유기체(體)'의 뜻의 결합사: *onto*logy.
ònto·génesis *n.* =ONTOGENY.
ònto·genétic *a.* 【생물】 개체 발생의; 눈에 보이는 형태적 특징에 근거한.
on·tog·e·ny [ɑntádʒəni/ɔntɔ́dʒ-] *n.* Ⓤ **1** 【생물】 개체 발생. **2** 개체 발생학.
on·to·log·i·cal, -ic [ɑ̀ntəládʒikəl/ɔ̀ntəlɔ́dʒ-], [-ik] *a.* 【철학】 존재론(상)의, 존재론적인. ㊞ **-i·cal·ly** *ad.*
ontológical árgument 【철학】 존재론적〔본체론적〕 증명《신의 개념으로부터 신의 존재를 증명하는 논리》.
on·tol·o·gy [ɑntálədʒi/ɔntɔ́l-] *n.* Ⓤ 【철학】 존재론〔학〕, 본체론; 《넓게는》 형이상학. ㊞ **-gist** *n.*
onus [óunəs] *n.* 《L.》 부담, 무거운 짐; 의무, 책임; 오명, 치욕; =ONUS PROBANDI: lay 〔put〕 the ~ on …에 책임을 지우다.
onus pro·ban·di [óunəs-proubǽndai, -diː] 《L.》 입증의 의무〔책임〕(the burden of proof).
on·ward** [ánwərd, ɔ́ːn-/ɔ́n-] *ad.* 앞으로, 전방에〔으로〕, 나아가서: move ~ 전진하다. ***ever* ~** 쉬지 않고 전진. ***from this day* ~** 금일 이후. ***Onward! 《구령》 앞으로 (가). ── *a.* 전방으로의; 전진적〔향상적〕인, 전진하는: an ~ movement 전진 / an ~ course 진보적 과정.
on·wards [ánwərdz, ɔ́ːn-/ɔ́n-] *ad.* =ONWARD.
ón-yèar *n.* (격년 결실의 과수가) 풍작인 해.
on·y·mous [ánəməs/ɔ́n-] *a.* (책 · 기사 따위에) 이름을 밝힌, 익명이 아닌. opp *anonymous*.
on·yx [ániks, óun-/ɔ́n-] *n.* Ⓤ 【광물】 얼룩마노(瑪瑙); 【해부】 손〔발〕톱. ── *a.* 칠흑의, 암흑의.
O.O. [dʌ́bəlóu] once over. **O/o** 【상업】 order of (…의 지시). **OOB** [òuòubíː] off-off-Broadway. **O.O.C.** Olympic Organizing Committee.
oo·cyst [óuəsist] *n.* 【동물】 접합자(接合子)(zygote), 《특히》 접합자낭(囊).
oo·cyte [óuəsàit] *n.* 【생물】 난모(卵母)세포.
O.O.D. officer of the day; officer of the deck.
oo·dles, ood·lins [úːdlz], [úːdlənz] *n.* 《단복수취급》《구어》 풍부, 많이, 듬뿍(lot).
oof, oof·tish [uːf], [úːftiʃ] *n.* 《속어》 돈, 현찰; 부(富); 힘, 파워.
oofy [úːfi] *a.* 《속어》 부자의.
oog·a·mous [ouágəməs/-ɔ́g-] *a.* 【생물】 난자생식의(卵子生殖)의, 난접합(卵接合)의. ㊞ **-a·my** *n.*
oo·gen·e·sis [òuədʒénəsis] *n.* 【생물】 난형성(卵形成).
oo·go·ni·um [òuəgóuniəm] (*pl.* **-nia** [-niə], **~s**) *n.* 【생물】 장란기(藏卵器); 【해부】 난원(卵原)세포. ㊞ **òo·gó·ni·al** *a.*
ooh [uː] *int.* 앗, 어, 아《놀람 · 기쁨 · 공포 등의 강한 감정》. ── *vi.*, *n.* 앗 하고 놀라다〔놀람〕.
oo·kin·e·sis [òuəkiníːsis] *n.* (수정(受精)할 때의) 난자내 핵변화.
oo·lite [óuəlàit] *n.* 【지학】 Ⓤ **1** 어란상암(魚卵狀岩). **2** (O-) 어란상 석회암《영국 쥐라계(系)의 상층》. ㊞ **oo·lit·ic** [òuəlítik] *a.*
ool·o·gy [ouálədʒi/-ɔ́l-] *n.* Ⓤ 조란학(鳥卵學). ㊞ **-gist** *n.* 조란학자; 조란 수집가. **oo·log·i·cal** [òuəládʒikəl/-lɔ́dʒ-] *a.*
oo·long [úːlɔ̀ːŋ, -lɑ̀ŋ/-lɔ̀ŋ] *n.* Ⓤ 우롱차, 오룡차(烏龍茶)《중국 · 대만산(産)》.
oomia(c)k, oomiac ⇨ UMIA(C)K.
oom·pah, oom-pah [ú(ː)mpɑ̀ː] *n.* 움파파《취주악대의 콘트라베이스〔튜바〕 등의 반주》. ── *a.* 움파파(음)의, 움파식의; 단순한 리듬의: an ~ band 취주악대. ── *vi.* 풍팡풍팡 울리다(= **óom·pah·pàh**).
oomph [umf] *n.* 《속어》 Ⓤ 성적 매력, 《일반적》 매력; 원기, 정력, 활력(vigor).
óomph gìrl 《속어》 성적 매력이 넘치는 여자.
-oon [úːn] *suf.* '큰 것' 따위의 뜻의 명사를 만듦: ball*oon*.
OOP 【출판】 out of print (절판).
oo·pho·rec·to·my [òuəfəréktəmi] (*pl.* **-mies**) *n.* 【의학】 난소(卵巢) 절제술.
oo·pho·ri·tis [òuəfəráitis] *n.* Ⓤ 【의학】 난소염(卵巢炎).
oops [u(ː)ps] *int.* 아이쿠, 저런, 아뿔싸, 실례《놀람 · 낭패 · 사죄 따위를 나타냄》. [imit.]
Óort('s) clòud [ɔ́ːrt(s)-] 【천문】 오르트 성운(星雲)《명왕성 밖의 궤도를 도는 혜성군》.
oo·tid [óuətìd] *n.* 【생물】 난세포(卵細胞).
°**ooze** [uːz] *vi.* **1** 《~/+전+명》 (물이) 스며나오다; 질금질금 흘러나오다; 분비물을 내다: Wa-

ter ~*d through* the paper bag. 종이 봉지에서 물이 스며나왔다. **2** 《+전+명》 (기체·소리·빛 따위가) 새다: A voice ~*s from* a keyhole. 목소리가 열쇠구멍에서 새어나오다. **3** 《+전+명》 수분을 내다, 질척거리다《*with*》: My back ~*d with* sweat. 등이 땀투성이가 되었다. **4** 《+부》 (비밀 따위가) 새다《*away; out*》: The secret will ~ *out*. 비밀이 점차 새나겠지. **5** 《+부》 (용기·흥미 따위가) 점점〔점차〕 없어지다, 사라지다《*away; out*》: His courage ~*d away* 〔*out*〕. 그의 용기가 점점 꺾여 갔다. **—** *vt.* **1** (땀·매력 따위를) 스며나오게 하다: ~ sweat 땀을 흘리다. **2** (비밀 등을) 누설하다; (매력 등을) 발산하다. ~ ***its way*** 질금질금 흘러나오다. **—** *n.* **1** Ⓤ (특히 바다밑·강바닥 따위의) 연한 개흙(slime); Ⓒ 늪지, 습지(marsh). **2** Ⓤ 완만한 흐름; 스며나옴, 분비; 분비물. **3** Ⓤ 무두질용 타닌 즙.

oozy [ú:zi] (*-zi·er; -zi·est*) *a.* **1** 진흙의〔과 같은〕, 진흙을 포함한. **2** 질척질척한; 줄줄 흐르는, 새는, 스며나오는. ㊕ **óoz·i·ly** *ad.* **-i·ness** *n.*

op[1] [ɑp/ɔp] *n.* 옵아트, 광학예술. [◂ *optical art*]

op[2] *n.* 《구어》 수술(operation); (보통 *pl.*) 군사 작전(military operation).

op[3] *n.* 《구어》 탐정, 형사, 첩보원. [◂ *operative*]

O.P., o.p. [òupí:] *n.* 《미속어·우스개》 《소유격》 남의 것: What make of car did you drive yesterday? — I drove *o.p.'s*. 어제는 어디제(製) 차를 탔니 — 남의 것이었지. [◂ *other people*] 「의 꼴》.

op- [àp, əp/ɔ̀p, əp] *pref.* =OB- 《p 앞에 올 때

Op., op. opera; operation; operator; opposite; 〖음악〗 opus. **O.P., o.p.** 〖연극〗 opposite prompt (side); out of print; 〖군사〗 observation post; overproof《주류(酒類)의》. **OPA** 《미》 Office of Price Administration. 「다〔되다〕.

opac·i·fy [oupǽsəfài] *vt., vi.* 불투명하게 하

opac·i·ty [oupǽsəti] *n.* Ⓤ 불투명(opaqueness); (전파·소리 따위를) 통하지 않음; 불투명체; 〖사진〗 불투명도; (의미의) 불명료; 애매; 우둔, 어리석음.

opah [óupə] *n.* 〖어류〗 붉은개복치《대서양산(産)의 대형 식용어》.

◇**opal** [óupəl] *n.* **1** 〖광물〗 단백석(蛋白石), 오팔. **2** (반투명의) 젖빛 유리.

opal·esce [òupəlés] *vi.* 오팔〔단백석(蛋白石)〕과 비슷한 빛을 내다.

opal·es·cence [òupəlésəns] *n.* Ⓤ 유백광(乳白光), 단백(蛋白)광.

opal·es·cent, -esque [òupəlésənt], [-ésk] *a.* 유백광(乳白光)의, 단백석(蛋白石) 빛을 내는. ㊕ **-cent·ly** *ad.*

ópal glàss 유백색〔젖빛〕 유리.

opal·ine [óupəlin, -lì:n, -làin/-làin] *a.* 단백석(蛋白石)의〔같은〕; 단백석 비슷한 빛을 발하는. **—** [-lì:n] *n.* Ⓤ 유백〔젖빛〕 유리(milk glass).

Op Amp 〖전자〗 operational amplifier (연산(演算) 증폭기).

◇**opaque** [oupéik] *a.* **1** 불투명한. opp *lucid*. ¶ an ~ body 불투명체. **2** (전파·소리 따위를) 통과시키지 않는, 부전도성(不傳導性)의. **3** 광택이 없는; (색 등이) 칙칙한. **4** 분명치 않은; 우둔한(stupid): His intentions remain ~. 그의 의도는 여전히 분명치 않다. **—** *n.* Ⓤ 불투명체; (the ~) 암흑; 〖사진〗 불투명액. **—** *vt.* 불투명하게 하다; 〖사진〗 불투명액으로 (네거티브) 일부를 바림하다〔수정하다〕. ㊕ **~·ly** *ad.* **~·ness** *n.*

opáque cóntext 〖논리〗 불투명한 문맥《어떤 표현을 동일 지시적인 표현으로 바꾸면 명제 전체의 진리값이 변하는 것》.

opáque projéctor 《미·Can.》 불투명 투영기(投影機).

óp árt =OP[1].

op. cit. [áp-sít/ɔ́p-] *opere citato* 《L.》 (=in the work cited) 앞서 말한〔인용한〕 책 중에.

ÓP còde [áp-/ɔ́p-] 〖컴퓨터〗 연산(演算) 코드《실시될 특정 연산을 지정하는 부호》.

op-con [ápkàn/ɔ́pkɔ̀n] *n.* 〖미군사〗 작전통제; (작전에 따른) 병참보급 지령; (컴퓨터에 의한) 작업〔운용〕 통제. [◂ *operational control*]

ope [oup] *a., vt., vi.* 《시어》 =OPEN.

OPEC [óupek] Organization of Petroleum Exporting Countries (석유 수출국 기구).

Op-Ed, op-ed [ápéd/ɔ́p-] 《미》 〖신문〗 (사설란 반대쪽의) 특집쪽〔면〕(=**Óp-Éd** 〔**óp-éd**〕 **pàge**) 《서명이 든 기사가 많음》. [◂ *opposite editorial page*]

†**open** [óupən] (***more ~, ~·er; most ~, ~·est***) *a.* **1** (문·입 따위가) 열린, 열려 있는, 열어 놓은. opp *shut, closed*. ¶ throw a door ~ =throw ~ a door 문을 활짝 열어젖히다 / with one's mouth wide ~ 입을 크게 벌리고.

2 (상자 등이) 뚜껑이〔덮개가〕 없는; 지붕이 없는; (상처 등이) 노출된: an ~ boat 갑판이 없는 작은 배 / an ~ car 오픈카.

3 (책·날개 따위를) 펼친: an ~ newspaper 펼친 신문 / with ~ wings 날개를 펴고.

4 (바다·평야 따위가) 훤히 트인, 광활한; 막히지 않은, 장애물이 없는: an ~ view 훤히 트인 전망 / a vast ~ ocean 광활한 바다.

5 (지위 따위가) 비어 있는, 공석의; (시간이) 한가한, 선약〔예정〕이 없는: Is the job still ~? 그 일자리는 아직 비어 있나 / ~ time 한가한 때 / I have an hour ~ on Wednesday. 수요일은 한 시간 틈을 낼 수 있습니다.

6 공개된, 공공의, 출입〔통행, 사용〕이 자유로운, 일반 사람이 참가할 수 있는: an ~ session 공개회의 / an ~ scholarship 공모(公募) 장학금 / ~ competition (참가 자유의) 공개 경기 / This job is ~ only *to* college graduates. 이 직장은 대학 졸업자들만이 취직할 수 있다.

7 이용〔입수〕 가능한: the only course still ~ 아직 남아 있는 유일한 방도(方途).

8 공공연한, 버젓이 하는: ~ disregard of law 공공연한 법률무시 / an ~ secret 공공연한 비밀.

9 (성격·태도 등이) 터놓고 대하는, 솔직한; 대범한, 활달한, 관용(寬容)적인, 관대한, 활수한; 편견이 없는; 감추지 않는《*with; about*》: an ~ manner 솔직한 태도 / He is as ~ as a child. 그는 어린애같이 천진난만하다 / an ~ mind 편견 없는 마음 / an ~ heart 공명, 솔직, 정직 / He was ~ *with* us *about* his plan. 그는 자기 계획을 우리에게 감추지 않았다.

10 (영향·공격 따위에) 노출되어 있는, …을 받아들이는; (유혹 등을) 받기 쉬운, 좌우되기 쉬운; (비난 등을) 면할 수 없는; (의심 따위의) 여지가 있는: ~ *to* doubt 의심스러운 / He's ~ *to* temptation. 그는 유혹에 빠지기 쉽다 / His behavior is ~ *to* criticism. 그의 행위는 비난을 면치 못할 것이다.

11 〖군사〗 (도시 따위의) 무방비인; 국제법상 보호를 받는: ⇨ OPEN CITY.

12 (문제가) 미해결의: an ~ question 미해결의 문제, 현안.

13 (상점·극장·의회 따위가) 열려 있는, 개점〔공연, 개회〕 중인: The shop is not ~ yet. 가게는 아직 열리지 않았다.

14 (사냥 등이) 해금(解禁) 중인; 《미》 도박〔술집〕을 허가〔개방〕하고 있는; 공허(公許)의: the ~ season 해금 기간《사냥·어로 등의》 / ⇨ OPEN

TOWN.
15 틈이 나 있는; (직물의) 올이 성긴, 촘촘치 않은; (대형이) 산개(散開)한: be slightly ~ (닫은 문에) 틈이 나 있다 / cloth of ~ texture 올이 성긴〔거친〕 천.
16 〚음성〛 (모음이) 개구(開口)(음)의; (음이) 개구적인; 개음절의; (자음이) 마찰의: an ~ consonant 개구 자음《([s, z, θ, ð]) 따위》.
17 〚음악〛 (오르간의) 음전(音栓)이 열린; (현악기에서 현이) 손가락으로 눌려 있지 않은; 개방음의, 개방현의.
18 〚인쇄〛 문자의 배열이 조잡한. [cf.] solid.
19 (항만·수로가) 얼어 붙지 않은, 얼지 않는; 〚해사〛 안개가 끼어 있지 않은; (기후가) 따뜻한, 온화한: an ~ winter 얼지 않는〔따뜻한〕 겨울 / an ~ harbor 부동항.
20 변비가 아닌, 변이 굳지 않은〔순한〕: keep the bowels ~ 변을 충분히 보아 두다.
21 〚컴퓨터〛 열린: ⇨ OPEN ARCHITECTURE.
be ~ to ① ⇨ *a*. 10. ② …을 기분좋게 받아들이다: *be ~ to* advice 충고를 순순히 받아들이다. ③ …에 개방되어 있다: The library is *~ to* all. 도서관 출입 개방. ***break ~*** (강제로) 부수고 열다. ***have an ~ hand*** 활수(滑手)하다, 손이 크다, 인색하지 않다, 헙헙하다. ***keep ~ house*** 내객을 환대하다. ***keep*** one***'s ears ~*** 귀를 기울이다. ***keep*** one***'s eyes ~*** 방심하지 않고〔주의해서〕 지키다〔지켜보다〕. ***keep*** one***'s mouth ~*** 걸신들려 있다, 걸근거리다. ***lay ~*** ⇨ LAY[1]. ***lay*** one***self wide ~ to*** 《구어》 (비난·공격 따위에) 몸을 드러내다. ***leave ~*** ① 개방한 대로 놔두다. ② 미해결의 상태로 놔두다. ***~ and above board*** 정직하고 솔직히. ***~ and shut*** 얼른 알 수 있는, 명명백백한. ***with*** (***an***) ***~ hand*** 관대하게, 활수하게, 후하게. ***with ~ arms*** 양손을 벌리고; 진심으로 (환영하여). ***with ~ eyes*** 눈을 크게 뜨고 (감시하여). ***with ~ mouth*** (뭔가 말하려고) 입을 벌리고; 어안이 벙벙해서.
— *n*. **1** (the ~) **a** 공터, 광장, 수림(樹林)이 없는 한데; 광활한 곳, 아주 너른 지대; 너른 바다. **b** 노천, 야외, 한데, 노지(露地). **2** 〚전기〛 개로(開路). **3** (경기 따위의) 오픈전; (the O-) (골프 따위의) 오픈 선수권 경기. **4** 〚컴퓨터〛 열기; 《해커속어》 여는 괄호 "(". ***come*** 〔***bring, get***〕 (***out***) ***into the ~*** 숨기지 않다, 털어놓다, 공표하다, 심중을 밝히다. ***in the ~*** 야외에서; 여러 사람 앞에서. (***out***) ***in the ~*** 공공연하게, 널리 알려져.
— *vt*. **1** 《~+[목]/+[목]+[보]/+[목]+[목]/+[목]+[전]+[명]/+[목]+[부]》 (문·창 따위를) 열다, 열어젖히다; (보자기를) 풀다, (편지 봉투를) 뜯다, 개봉하다; (책·신문 따위를) 펴다《*out; up*》; (병의) 마개를 따다〔열다〕: ~ a letter 편지를 개봉하다 / *Open* your mouth wide. 입을 크게 벌리시오《의사가》/ *Open* her the bottle. = *Open* the bottle *for* her. 그녀에게 병마개를 따 주시오 / *Open* your book *to* 〔*at*〕 page 10. 책의 10 페이지를 펴시오 / ~ *out* a newspaper 신문을 펴다. **2** 《~+[목]/+[목]+[전]+[명]/+[목]+[부]》 (토지 등을) 개간하다, 개척하다, 장애물을 제거하다; (길·통로 등을) 개설하다, 통하게 하다《*out; up*》: ~ ground 개간하다 / ~ a path *through* a forest 산림을 뚫고 길을 내다 / ~ *up* a mine 광산을 개발하다. **3** 《~+[목]/+[목]+[부]/+[목]+[전]+[명]》 …을 개방하다, 공개하다; (가게 따위를) 열다, 개업하다《*up*》: ~ a park 공원을 개방하다 / ~ (*up*) a country *to* trade 타국과 통상을 트다. **4** 《~+[목]/+[목]+[부]/+[목]+[전]+[명]》 …을 시작하다, 개시하다《*up*》; 〚법률〛 …의 모두(冒頭) 진술을 하다: ~ (*up*) a campaign 캠페인을 시작하다 / ~ fire *on* 〔*at*〕 the enemy 적을 향해 사격을 개시하다. **5** 《~+[목]/+[목]+[부]/+[목]+[전]+[명]》 털어놓다, (비밀 따위를) 폭로〔누설〕하다《*out*》: ~ one's plan 계획을 누설하다 / ~ (*out* 〔*up*〕) one's heart *to* a person 아무에게 속마음을 털어놓다. **6** 《~+[목]/+[목]+[전]+[명]》 …을 계발하다, …의 편견을 없애다, 눈을 뜨게 하다: ~ one's understanding 이해력을 넓히다 / ~ a person's eyes *to* the fact 아무에게 사실을 깨닫게 하다. **7** 〚해사〛 …이 잘 보이는 곳으로 나오다. **8** 〚의학〛 절개하다; 변을 통하게 하다. **9** (대형 따위를) 산개(散開)하다: ~ ranks 산개하다. **10** 〚컴퓨터〛 (파일을) 열다. **—** *vi*. **1** (문·창문 따위가) 열리다; 넓어지다: The door won't ~. 그 문은 아무리 해도 열리지 않는다. **2** (꽃이) 피다: The buds were beginning to ~. 봉오리가 피기 시작했다. **3** (물건이) 벌어지다, 터지다; 금이 가다: The wound *~ed*. 상처가 터졌다. **4** 《+[전]+[명]》 (방·문이 열려서) 통하다, 면(面)하다, 향하다《*into; onto; to; upon*》: ~ *upon* a little garden 작은 뜰을 향(向)해 있다 / The door *~s to* 〔*into*〕 the street. 그 문은 거리로 통한다 / The room *~s on* the garden. 방은 뜰에 면하고 있다. **5** 《~/+[보]/+[전]+[명]》 (상점 따위가) 열리다, 개점〔개업〕하다; (어떤 상태에서) 시작하다; 이야기하기 시작하다; 행동을 일으키다: School *~s* today. 오늘 개학한다 / The market *~ed* strong. 시황은 강세로 시작되었다 / The play *~s with* a brawl. 극은 말다툼으로 시작된다. **6** 《~/+[부]/+[전]+[명]》 (가까워짐에 따라) 보이기 시작하다, 뚜렷해지기 시작하다, (경치 등이) 전개되다《*out; up*》: The view *~ed* (*out*) *before* our eyes. 경치가 눈앞에 전개됐다. **7** 《~/+[전]+[명]/+[부]》 (마음·지성 등이) 눈을 뜨다, 발달하다; 《구어》 터놓고 이야기할 수 있게 되다《*out*》: His heart *~s to* my words. 그는 내가 하는 말을 알아들을 수 있다 / The stranger began to ~ *out* after he had known us. 그 낯선 사람은 우리를 알고 나서는 터놓고 이야기하기 시작했다. **8** (손·부채 따위가) 펴지다. **9** (대형이) 산개하다; 틈이 생기다, (직물 따위의) 발이 거칠어지다: Ranks ~. 대형이 산개한다. **10** 《+[전]+[명]》 책을 펴다: *Open to* 〔《영》 *at*〕 page 8. 8 페이지를 펴라.
~ an account with …와 거래를 시작하다. ***~ out*** 《*vt*.+[부]》 ① (책·도면 등을) 펼치다: I *~ed out* the folding map. 접힌 지도를 펼쳤다. **—** 《*vi*.+[부]》 ② (도로·강 등이) 넓어지다, (경치 등이) 훤히 보이다, 전개되다. ③ (인생·장사 등이) 발전하다, 확대되다. ④ 마음이 성장하다. ***~*** one***'s eyes*** 눈을 뜨다; 눈이 둥그래지다. ***~*** one***'s lips*** 입을 열다, 말하다. ***~ up*** 《*vt*.+[부]》 ① (상자·문 따위를) 열다; (길 등을) 개설하다; (토지 등을) 개발하다; (사업 따위를) 시작하다. ② (상처 따위를) 절개하다; 폭로하다. **—** 《*vi*.+[부]》 ③ 〘보통 명령문으로〙 문을 열다: *Open up!* 문을 열어라. ④ (기회 등이) 개방되어 있다: Several positions are *~ing up* to women. 몇몇 자리가 여성에게 개방되어 있다. ⑤ 보이게〔통하게, 쓰게〕 되다; 《속어》 입을 열다, (속마음을) 털어놓다.
[파] **~·a·ble** *a*. 열려지는; 열 수 있는.

ópen-áccess *a*. 《영》 OPEN-SHELF.

ópen accóunt 〚상업〛 당좌(當座) 계정 (current account).

ópen admíssions 《미》 = OPEN ENROLLMENT 2.

ópen adóption = INDEPENDENT ADOPTION.

ópen áir (the ~) 옥외, 야외.

ópen-áir *a*. 옥외의; 야외의, 노천의; 옥외를 좋아하는: the ~ market 노천시장 / an ~ school 임간(林間)〔야외〕 학교.

Ópen Áir (**Théatre**) (the ~) 런던 야외 극장《Shakespeare 등의 연극을 상연하는》.

ópen-and-shút [-ən-] *a.* 《구어》 명백한, 보고 금방 알 수 있는; 해결이 간단한.

ópen árchitecture 〖컴퓨터〗 개방형 구조《시스템 구조를 외부에 공개하는 방식. IBM PC에서 채택한 방법으로 세계 모든 기업에서 호환성을 가지는 컴퓨터를 생산》.

ópen-ármed *a.* (환영 따위의) 양팔을 편〔벌린〕; 진심에서의 : an ~ welcome 마음으로부터의 환영.

ópen bállot 공개투표, 기명투표.

ópen bár (결혼 피로연 따위에서) 무료로 음료를 제공하는 바. cf. cash bar.

ópen bóat 갑판이 없는 작은 배.

ópen bóok 펴놓은 책; 알기 쉬운〔다 알려진〕 것〔일〕.

ópen-bòok examinátion 참고서·사전 등을 봐도 되는 시험.

ópen bús 〖컴퓨터〗 오픈 버스《외부 기기를 자유로 접촉할 수 있는 버스》.

ópen cáll (특히 배우·댄서의) 공개 오디션(audition).

ópen·càst *n., ad., a.* 《영》 =OPEN-PIT.

ópen chámpion 자유참가 경쟁의 우승자.

ópen chámpionship (프로·아마 관계없이 참가하는) 오픈 선수권 경기(대회).

ópen chéck 《영》〖상업〗 보통 수표《횡선 수표(crossed check)에 대하여》.

ópen círcuit 〖전기〗 개회로(開回路).

ópen-círcuit *a.* 〖전기〗 개회로의, 《특히》 (텔레비전 방송이) 일반 수신자(受信者)를 위한.

ópen cíty (국제법상의 보호를 받는) 무방비〔비무장〕 도시.

ópen clássroom 〔**córridor**〕 《미》 자유학습(교실)《초등교육에서, 아동의 개인활동이나 자유토론을 강조하는》.

ópen clúster 〖천문〗 산개성단(散開星團)(=**galáctic clúster**).

Ópen Cóllege (the ~) 《영》 국영 방송·통신대학.

ópen commúnion 〖교회〗 (세례받지 않은 사람도 참석할 수 있는) 공개 성찬식.

ópen cóntract 《속어》 하수인을 지정하지 않은 살인 지령.

ópen cóurt 〖법률〗 공개 법정.

ópen·cùt *n., ad., a.* =OPEN-PIT.

ópen dàte (포장식품에 표시하는) 제조〔보존기간〕 날짜.

ópen-dàte *vt.* (포장식품에) 제조날짜를〔보존기간을〕 표시하다.

ópen dáting (식품의) 선도(鮮度) 보증기한 표시.

ópen dày (학교·시설 따위의) 일반 공개일.

ópen dóor (무역·이민 따위의) 문호 개방(주의); 기회 균등; (입장 따위의) 개방.

ópen-dóor *a.* (문호) 개방의; 기회 균등의: an ~ policy 문호 개방 정책.

ópen-éared *a.* 귀를 기울인, 경청하는.

ópen educátion 〖교육〗 열린 교육.

ópen-énd *a.* **1** 대출액을 정하지 않고 제공하는; 자본액을 당시의 시가로 계산하여 매매하는(opp *closed-end*); 중도 변경이 가능한. **2** 일정기간 동안 특정제품에 대한 정부의 요구량을 모두 제공하는. **3** 〖방송〗 (녹음이) 광고방송을 삽입할 부분을 비워 둔. **4** =OPEN-ENDED.

ópen-end bónd fùnd 〖증권〗 개방형 채권 펀드.

ópen-énded [-id] *a.* (다항(多項) 선택법에 의하지 않는) 자유 해답식의《질문·인터뷰 등》; (시간·인원수 등의) 제한 없는《토의 등》, 한도〔범위〕를 설정하지 않은; 전면적인《군사개입》; (상황에 따라) 변경〔수정〕할 수 있는; (봉투 등이) 끝이 개봉된 (채의); (가게 등이) 24 시간 영업의; 여러가지 해석이 가능한. ㊕ **~·ness** *n.*

ópen-ènd invéstment còmpany 오픈식 투자신탁 회사(mutual fund).

ópen-ènd invéstment trùst 오픈식 투자신탁.

ópen-énd mòrtgage 개방 담보《1회의 담보계약으로 2 차 3 차의 차관에도 적용할 수 있는 담보》.

ópen enróllment 《미》 **1** 타학구(他學區) 자유 입학제《거주지역에 구애받지 않는》. **2** (무시험의) 대학 전원 입학제(open admission).

ópen·er *n.* **1** 여는 사람, 개시자; 따는 도구, 병〔깡통〕따개. **2** 첫번 경기; (*pl.*) (포커) 내기를 하기에 족한 패. **3** 개면기(開綿機), 개모기(開毛機)《양털의》. **4** 《미속어》 완하제(緩下劑). ***for*** 〔***as***〕 **~s** 시작으로, 우선.

ópen-éyed *a.* 놀란, 눈을 동그랗게 뜬; 빈틈없는; 눈뜨고〔알고서〕 한: ~ astonishment 몹시 놀람 / ~ attention 세심한 주의.

ópen-fáced [-t] *a.* **1** 순진〔정직〕한 얼굴 생김새의. **2** 《미》 (파이·샌드위치 따위가) (소만 얹고) 위쪽이 없는(=**ópen-fàce**). **3** (시계가) 유리 뚜껑이 붙은.

ópen fíeld 〖미식축구〗 ball carrier의 전방에 수비측 선수가 없는 것.

ópen-fíeld *a.* (토지가) 구획되지 않고 공동으로 경작되는.

ópen-hánded [-id] *a.* 손이 큰, 아끼지 않는, 인색하지 않은, 헙헙한. ㊕ **~·ly** *ad.* **~·ness** *n.*

ópen hármony 〖음악〗 벌린 화성(和聲)(=**ópen posítion**).

ópen-héart *a.* 〖의학〗 심장 절개(切開)의.

ópen-héarted [-id] *a.* 숨기지 않는, 거리낌 없는, 무간(無間)한, 친절한, 너그러운. ㊕ **~·ly** *ad.* **~·ness** *n.*

ópen-héarth *a.* 〖야금〗 평로(平爐)〔반사로〕의: the ~ furnace 평로.

ópen-héarth pròcess 〖야금〗 평로법(平爐法).

ópen-héart sùrgery 〖의학〗 개흉술(開胸術).

ópen hóuse 1 공개 파티; 친척·친구들을 대접하는 모임〔집〕. **2** 《미구어》 (공장·학교·기숙사 따위의) 일반 공개일. **3** (공개되는) 모델 하우스. ***keep*** 〔***have***〕 **~** (집을 개방해서) 내객은 누구든지 환대하다《*for*》.

ópen hóusing 《미》 주택 개방제《주택매매에 있어서의 인종·종교에 대한 차별금지》.

˟ópen·ing [óupəniŋ] *n.* **1** 열기; 개방. **2** 열린 구멍, (들)창(窓), 구멍, 틈; 통로《*in*》: an ~ *in* a fence 울타리의 개구멍 / an ~ *in* the wall 벽에 낸 구멍. **3** 빈 터, 광장; 《미》 숲 사이의 공지. **4** 개시, 시작; 개회(식), 개장, 개원, 개통; 모두(冒頭) (진술): the ~ *of* a speech 연설의 서두 / the ~ *of* a day 새벽. **5** 취직 자리, 결원, 공석《*at; for; in*》: an ~ *at* a bank 은행 취직 자리 / look *for* an ~ 취직 자리를 찾다. **6** 좋은 기회, 호기(好機)《*for*》: good ~*s for* trade 교역의 호기. **7** 〖체스〗 첫 수. **8** (거래소의) 초장; 《미》 (계절마다의) 신품 매출. **9** 《속어》 강도, 강탈. ── *a.* 시작의, 개시의, 개회의: an ~ address 〔speech〕 개회사 / an ~ ceremony 개회〔개원·개교·개통〕식.

ópening gún 《구어》 (대규모 사업·행사 따위의) 제 1 단계, 시초, 첫 시작.

ópening hòurs (건물의) 개방시간; 《특히》 영업시간.

ópening líne (대사나 회화 따위의) 첫마디; (책·이야기 따위의) 첫 줄, 첫 문장.

ópening níght (연극·영화 등의) 첫날밤(의 공연).

ópening tíme (상점·도서관 등의) 업무개시 시간, 《특히》 (법률로 인가된) 술집의 개점시각; (장치가) 열리는 데 소요되는 시간.

ópen ínterest 〖상업〗 미(未)결제 거래잔고.

ópen invitátion 1 아무 때나 가도 되는 초대. **2** (범죄 따위의) 유인(誘因).

ópen léarning (자주적으로 시간을 만들어 공부하는) 자유학습, 독학, 독습; 통신 교육.

ópen létter 공개장.

ópen lóop 〖컴퓨터〗 개방 루프《피드백이나 자

동 수정장치가 없는 제어 시스템). opp closed *loop*. 「린.

ópen-lóop *a.* 〖컴퓨터〗 개방 루프의, 루프가 열

***open·ly** [óupənli] *ad.* 공공연히; 드러내놓고; 숨김없이, 솔직하게.

ópen márket 〖경제〗 공개〔일반〕시장.

ópen-màrket operátions 〖경제〗 공개시장 조작《중앙은행이 채권 등의 매매에 개입하여 금융조정을 꾀하는》.

ópen-màrket pólicy 〖상업〗 공개시장 정책.

ópen márriage 개방〔자유〕 결혼《서로 독신이었을 때와 같이 사회적·성적으로 독립된 개인을 인정하는 결혼의 형태》. cf. contract 〔serial〕 marriage.

ópen míke (바나 클럽 같은 데서) 자유로 무대에 나가 노래나 농담을 할 수 있는 시간.

ópen-mínded [-id] *a.* 편견이 없는, 허심탄회한; 너그러운. ㊕ **~·ly** *ad.* **~·ness** *n.*

ópen-móuthed [-máuðd, -máuθt] *a.* **1** 입을 벌린; (놀라서) 입을 딱 벌린. **2** 욕심 사나운. **3** 시끄러운; (사냥개가) 짖어대는. **4** (병 따위가) 주둥이가 넓은. 「지 않은.

ópen-nécked [-t] *a.* (셔츠의) 윗단추를 잠그

ópen·ness *n.* 개방 상태; 개방성, 솔직; 무사(無私), 관대.

ópen óccupancy =OPEN HOUSING.

ópen órder 〖군사〗 산개 대형; 〖상업〗 무조건 주문《품종·가격을 제시하고 다른 명세는 공급자에게 일임》; 〖증권〗 무기한 주문《매매가 성립되거나 취소가 있을 때까지 유효한 주문》. cf. GTC, GTM, GTW.

ópen óutcry (상품 거래소에서 브로커들이 큰 소리로 지르며 하는) 매매 주문.

ópen-pìt *n.*, *ad.*, *a.* 〖광산〗 노천굴(의〔으로〕); 〖토목〗 절개(切開)(식의〔으로〕)《위를 덮지 않고 열리게 만든 도로·철도 등이 통하는 호》.

ópen plán 〖건축〗 오픈 플랜《다양한 용도를 위해 낮은 칸막이로 구획지어 자유롭게 사용하는 방 」식》.

open plan office

ópen-póllinated [-id] *a.* 〖식물〗 자연수분(自然受粉)의. ㊕ **-pollinátion** *n.*

ópen pórt 개항장; 부동(不凍)항.

ópen prímary 《미》 (정당의) 공개 예선 대회 《당원자격의 유무에 관계없이 투표할 수 있는 직접 예비선거》. cf. closed primary.

ópen príson 개방형의 교도소《수감자에게 대폭적인 자유가 주어지는》.

ópen quéstion 미결 문제〔안건〕; 이론(異論)이 많은〔결론을 내릴 수 없는〕 문제; 회답자〔응답자〕의 자유 의견을 구하는 질문.

ópen-rèel tàpe 오픈릴 테이프.

ópen sándwich 오픈 샌드위치《소만 얹고 위쪽이 없는》.

ópen scóre 〖음악〗 오픈 스코어《각 파트가 따로 따로 적힌 총보(總譜)》.

ópen séa (the ~) 공해(公海)(cf. closed sea); 〖일반적〗 외양(外洋), 외해.

ópen séason 수렵〔어렵〕 허가기간; 《비유》 강한 비판을 당하는 시기.

ópen séat 현직 의원이 재출마하지 않는 선거구의 의석; 공석(空席)의 후임을 다투는 일.

ópen sécret 공공연한 비밀.

ópen sésame '열려라 참깨', 문을 여는 주문(呪文)《Ali Baba의 이야기에서》; 원하는 결과를 가져오는 불가사의한 방법, (난국) 해결의 열쇠 《*to*》: Is wealth the ~ *to* happiness? 부(富)가 행복의 문을 열어 줄까.

ópen-shélf *a.* 《미》 (도서관이) 개가(開架)식의(《영》 open-access).

ópen shélves 《미》 (도서관의) 개가식 (서가).

ópen shóp 오픈숍《비조합원도 고용하는 사업장; 그 경영자는 open-shopper 라고 함》. cf. closed shop, union shop.

ópen socíety 개방사회.

ópen sóurce 〖컴퓨터〗 공개〔오픈〕 소스《공개된 코드로 프로그램을 작성하는 일》.

ópen-spáce *a.* 〖건축〗 오픈스페이스(식)의《고정벽 대신 이동식 가구나 칸막이를 두는》.

ópen-stáck *a.* =OPEN-SHELF.

ópen stánce 〖야구·골프〗 오픈 스탠스《우(右)타자가 좌족(左足)을, 좌(左)타자가 우족(右足)을 뒤로 내민 자세》.

ópen stóck 〖상업〗 (낱개로도 살 수 있는) 세트로 된 상품《식기 따위》. 「나는 음절》.

ópen sýllable 〖음성〗 개(開)음절《모음으로 끝

ópen sýstem 〖물리·화학〗 열린 계; 〖통신〗 개방형 시스템; 〖컴퓨터〗 개방 시스템.

ópen sýstem envìronment 〖컴퓨터〗 오픈 시스템 환경《사용자가 사용할 수 있는 솔루션으로서 제품 수를 증가시키기 위한 표준》.

ópen sýstems interconnèction 〖통신〗 개방형 시스템 상호접속《생략: OSI》.

ópen-tóe(d) *a.* 발끝이〔발부리가〕 터진《구두·샌들 따위》.

ópen-tóp(ped) *a.* (자동차가) 지붕이 없는, 지붕을 접을 수 있는.

ópen tówn 《미》 (술집·도박 등을 허용하는) 방임 도시; 《구어》 무방비(無防備) 도시(cf. open city).

ópen univérsity 《미》 통신제 대학; (the O-U-) (영국의) 방송〔공개〕 대학. 「(評決).

ópen vérdict 〖법률〗 사인불명(死因不明) 평결

ópen vówel 저(低)모음, 개(開)모음.

ópen wárfare 야전(野戰).

ópen-wèight *n.* (유도의) 무제한급.

ópen·wòrk *n.* (천 따위의) 내비침 세공; (조각 등의) 도림질 세공.

***op·era**[1] [ápərə/ɔ́p-] *n.* **1** C,U 오페라, 가극: ⇨ COMIC 〔GRAND, LIGHT〕 OPERA / a new ~ 신작 오페라. **2** 오페라의 총보(總譜)〔가사〕. **3** C 오페라 극장; 가극단.

ope·ra[2] [óupərə, áp-/ɔ́p-] OPUS 의 복수형.

op·er·a·ble [ápərəbəl/ɔ́p-] *a.* 수술에 적합한, 수술할 수 있는; 실시〔사용〕 가능한; 조종하기 쉬운. ㊕ **-bly** *ad.*

opé·ra bouffe [ápərəbú:f/ɔ́p-] 《F.》 (특히 손짓·몸짓으로 웃기는) 희가극(comic opera).

ope·ra buf·fa [ápərəbú:fə/ɔ́p-] 《It.》 오페라 부파《18 세기의 이탈리아 희가극》.

ópera-clòak *n.* 관극(觀劇)〔야회〕용 여성 외투.

opé·ra co·mique [ápərəkamí:k/ɔ́pərəkɔ-] 《F.》 (대화가 포함된, 특히 19 세기의) 희가극(comic opera). 「쌍안경》.

ópera glàss(es) 오페라 글라스《관극용 작은

ópera·gòer *n.* 오페라를 자주 보러 가는 사람, 오페라 애호가.

ópera hàt 오페라 해트《접을 수 있는 실크해트》.
ópera hòod 여성의 관극〔야회〕용 후드.
ópera hòuse 가(歌)극장; 《미》 극장.
op·er·and [ápəræ̀nd/ɔ́p-] *n.* **1** 〖컴퓨터〗 셈숫자, 피연산자《연산〔컴퓨터 조작〕의 대상이 되는 값》. **2** 〖수학〗 연산수《수학적인 연산을 받는 양》.
op·er·ant [ápərənt/ɔ́p-] *a.* 움직이는, 작동하는, 일하는; 효력이 있는; 〖심리〗 자발적인, 조작적인. **—** *n.* 직공, 기사, 일하는 사람.
óperant condítioning 〖심리〗 조작적 조건화.
⁑op·er·ate [ápərèit/ɔ́p-] *vi.* **1** (기계 따위가) 작동하다, 움직이다, 일하다: This engine does not ~ properly. 이 엔진은 작동이 좋지 않다. **2** 《+전+명/+*to* do》 작용하다, 영향을 주다《*on, upon*》: Books ~ powerfully *upon* the soul both for good and evil. 책은 좋건 나쁘건 정신에 큰 영향을 미친다/Several causes ~*d to* begin the war. 몇 가지 원인으로 전쟁이 일어났다. **3** 《+전+명》 일하다; (회사 따위가) 경영되다: ~ *at* pirate 해적질을 하다. **4** 《~/+전+명》 (약 따위가) 효과를 나타내다, 듣다: The medicine did not ~ (*on* me). 약이 (나에게) 듣지 않았다. **5** 《~/+전+명》 〖의학〗 수술을 하다《*on, upon*》: ~ *on* 〔*upon*〕 a patient for a tumor 환자의 종기를 수술하다/He had his nose ~*d on.* 그는 코수술을 받았다. **6** 〖군사〗 군사행동을 취하다《*against*》, 작전하다. **7** 〖상업〗 (시세 변동을 노리고 주식을) 매매하다, 주가를 조작하다, 투기하다. **8** 《+전+명》 (사람을) 다루다, 조종하다《*with*》: a man who knows how to ~ *with* the ladies 여성을 다룰 줄 아는 남자. **—** *vt.* **1** 조작하다, 운전하다, 조종하다: ~ a switch board 배전반(配電盤)을 조작하다. **2** 《주로 미》 (공장 등을) 운영〔경영〕하다, 관리하다(run): ~ hotel. **3** (변화 등을) 일으키다, (결과를) 낳다, 성취하다. **4** …에게 수술을 하다. ◇ operation *n.*
op·er·at·ic [àpərǽtik/ɔ̀p-] *a.* 가극의; 가극풍의; 연극조의, 과장된: ~ music 가극 음악. ㊎ **-i·cal·ly** *ad.*
òp·er·át·ics *n.* 〖단·복수 취급〗 오페라 상연〔연출, 제작〕; 과장된〔연극 같은〕 행동〔몸짓〕.
óp·er·àt·ing *a.* **1** 수술의〔에 쓰는〕. **2** 경영〔운영〕상의〔에 요하는〕: ~ expenses 운영비.
óperating còst 영업비, 운전경비, 경상적 지출.
óperating ìncome 영업 수입.
óperating pròfit 영업 이익.
óperating ròom 《미》 수술실《생략: OR》.
óperating sỳstem 〖컴퓨터〗 운영 체제《자료의 입출력 등 기본적인 작동에 관계하는 소프트웨어; 생략: OS》.
óperating tàble 수술대.
óperating thèater 《영》 수술실(《미》 operating room)《원래는 계단식의 수술 교실》.
⁑op·er·a·tion [àpəréiʃən/ɔ̀p-] *n.* **1** Ⓤ 가동(稼動), 작용, 작업: a machine in ~ 가동 중인 기계/the ~ *of* breathing 호흡작용. **2** Ⓤ (약 따위의) 효력, 효과《*of*》; Ⓒ 유효 범위〔기간〕: the ~ *of* a drug 약의 효과/the ~ *of* narcotics *on* the mind 정신에 미치는 마약의 영향. **3** Ⓒ (기계 따위의) 조작, 운전: careful ~ *of* a motor car 자동차의 조심스런 운전. **4** Ⓒ (사업 따위의) 운영, 경영, 조업; 회사, 기업: The plant is in full ~. 그 공장은 완전 조업을 하고 있다/a huge multinational ~ 거대한 다국적 기업. **5** Ⓒ (법률 따위의) 실시, 시행: put a law into ~ 법을 시행하다. **6** Ⓒ 수술《*on*》: an ~ *on* abdomen 복부수술/perform an ~ *on* a patient 환자에게 수술을 하다/undergo 〔have〕 an ~ *for* cancer 암수술을 받다. **7** Ⓒ (보통 *pl.*) 군사행동, 작전; 작전본부; (공항의) 관제실(管制室): military ~*s* 군사작전/a base of ~*s* 작전기지/a field of ~*s* 작전지역/a plan of ~*s* 작전계획/*Operation* Desert Storm ⇨ Desert Storm. **8** Ⓒ (과학실험 따위의) 계획: the Atlas *Operation* 아틀라스 우주비행 계획. **9** 〖수학〗 Ⓒ 운산, 연산: a direct 〔reverse〕 ~ 정산(正算)〔역산(逆算)〕. **10** 〖컴퓨터〗 작동, 연산. **11** Ⓒ (증권시장 등의) 조작; 투기매매. ◇ operate *v.*
***come* 〔*go*〕 *into* ~** 움직이기 시작하다; 실시〔개시〕되다. ***get into* ~** 일하게 하다, 가동시키다, 활동시키다. ***in* ~** 운전 중, 작업 중, 시행 중, 활동 중; 실시되어: a law *in* ~ 시행 중인 법률.
op·er·a·tion·al [àpəréiʃənəl/ɔ̀p-] *a.* 조작상의; 〖군사〗 작전상의; 운전〔활동〕 중인; 언제든지 행동〔운영〕할 수 있도록 정비된: an ~ missile 현용(現用) 미사일. ㊎ **~·ly** *ad.*
operátional ámplifier 〖전자〗 연산(演算) 증폭기.
operátional contról 〖군사〗 작전통제, 군용(軍用)〔작업〕 통제.
operátional fatígue =COMBAT FATIGUE.
òp·er·á·tion·al·ìsm *n.* 〖철학〗 조작(操作)주의《과학적 개념을 얻는 조작을 중시함》.
òp·er·á·tion·al·ìze *vt.* 조작〔운용〕할 수 있게 하다; 〖컴퓨터〗 작동 가능한 상태로 만들다.
Operátion Bárbarossa =BARBAROSSA 2.
operátion còde 〖컴퓨터〗 명령 코드, 연산 코드.
òp·er·á·tion·ìsm *n.* =OPERATIONALISM. ㊎ **-ist** *n.*
Operátion Óverlord 오버로드 작전《연합군의 노르망디 상륙 작전의 암호명》.
operátions 〔《영》 **operátional**〕 **resèarch** 과학적 연구에 의한 경영분석이나 작전계획《생략: OR》.
operátions ròom 작전 지휘실.
◦op·er·a·tive [ápərətiv, ápərèi-/ɔ́p-] *a.* **1** 작용하는, 활동하는; 운전하는; 작업의, 생산관계의. **2** 효과적인; 〖법률〗 효력을 발생하는: an ~ dose (약의) 유효 1회량/~ words 〖법률〗 효력 발생 문언(文言); 중요한 뜻을 지닌 말. **3** 〖의학〗 수술의: ~ surgery 수술. **4** 실시(중)의; 실지의: become ~ 실시되다. **—** *n.* 직공, 공원; 《미》 형사, 탐정, 스파이. ㊎ **~·ly** *ad.* **~·ness** *n.*
⁑op·er·a·tor [ápərèitər/ɔ́p-] *n.* **1** (기계의) 조작자, 기사, (기계의) 운전자: a telegraph ~ 통신사/a wireless ~ 무선 통신원/~*s* guidance 〖컴퓨터〗 조작 지시. **2** 전화 교환원(telephone ~). **3** 〖의학〗 수술자, (수술의) 집도자(執刀者). **4** 〖경제〗 중매인(仲買人), 투기사, 사기꾼; 《구어》 약고 요령 좋은 사람, 수단꾼; 《미학생속어》 학원활동에서 걸출한 학생; 《미속어》 마약장수. **5** 경영자, 운영자: the ~*s* of a mine 광산 경영자. **6** 〖수학〗 운산 부호. **7** 〖유전〗 오퍼레이터 유전자, 작동 유전자(= ∠ **gène**). **8** 〖언어〗 작용어《Basic English에서 come, go, get, have 따위 18개의 동사》; 〖언어〗 기능어. **9** 〖컴퓨터〗 연산자(演算子); 조작원.
ópera wìndow (승용차의) 오페라 윈도《뒷 좌석 양 옆의 (열 수 없는) 작은 창》.
oper·cu·lar [oupə́ːrkjələr] *a.* operculum의〔과 같은〕. **—** *n.* 개상부(蓋狀部).
oper·cu·late, -lat·ed [oupə́ːrkjələt, -lèit], [-lèitid] *a.* operculum이 있는, 유개(有蓋)의.
oper·cu·lum [oupə́ːrkjələm] (*pl.* **-la** [-lə], **~s**) *n.* 〖식물〗 삭개(蒴蓋), 선개(蘚蓋); 〖동물〗 (물고기의) 아가미덮개; 덮개딱지《고둥의 아가리를 덮는》.
ope·re ci·ta·to [ápəriː-saitéitou/ɔ́p-] 《L.》 ⇨ OP. CIT.
op·er·et·ta [àpərétə/ɔ̀p-] (*pl.* **~s, -ti** [-tiː]) *n.* (단편) 희가극, 경가극, 오페레타. ㊎ **òp·er·ét·tist** *n.*
op·er·on [ápərɑ̀n/ɔ́pərɔ̀n] *n.* 〖유전〗 오페론

《단백질 제조에 관여하는 유전자의 한 단위》.

op·er·ose [ápəròus/ɔ́p-] *a.* 《고어·아어》 부지런한; 힘든; 공들인. ⓟ **~·ly** *ad.* **~·ness** *n.*

Ophel·ia [oufíːljə/ɔ-] *n.* 오필리아. **1** 여자 이름. **2** Shakespeare 작 *Hamlet*에 나오는 여자.

oph·i·cleide [áfəklàid/ɔ́f-] *n.* 〖음악〗 오피클라이드《저음(低音) 금관악기의 일종》; (오르간의) 리드 음전(音栓).

ophid·i·an [oufídiən/ɔ-] *a.* 뱀류(類)의; 뱀 같은. ― *n.* 뱀.

oph·i·ol·a·ter [àfiálətər/ɔ̀fiɔ́l-] *n.* 뱀 숭배자. ⓟ **-trous** [-trəs] *a.* **-try** [-tri] *n.* Ⓤ 뱀 숭배.

oph·i·o·lite [áfiəlàit, óuf-/ɔ́f-] *n.* 〖지학〗 오피올라이트《옛 해저 지각의 단편을 나타내는 것으로 여겨지는 염기성 화성암류(類)의 총칭》.

oph·i·ol·o·gy [àfiálədʒi, òuf-/ɔ̀fiɔ́l-] *n.* 〖동물〗 사류학(蛇類學). ⓟ **-gist** *n.* **òph·i·o·lóg·i·cal** [-əládʒikəl/-əlɔ́dʒ-] *a.*

Ophir [óufər] *n.* 〖성서〗 오빌《Solomon 이 금·보석 등을 얻은 곳; 금의 산지》.

oph·ite [áfait, óuf-/ɔ́f-] *n.* 〖광물〗 휘록암(輝綠岩).

oph·thal·mia [afθǽlmiə, ap-/ɔf-, ɔp-] *n.* Ⓤ 안염(眼炎).

oph·thal·mic [afθǽlmik, ap-/ɔf-, ɔp-] *a.* 눈의; 안과(眼科)의; 안염의; 눈병에 잘 듣는: an ~ hospital 안과병원. ― *n.* 안약.

ophthálmic optícian 안경사; 검안사.

oph·thal·mo·log·ic, -i·cal [afθæ̀lməládʒik, ap-/ɔfθæ̀lməlɔ́-], [-kəl] *a.* 안과학의.

oph·thal·mol·o·gy [àfθælmálədʒi, àp-/ɔ̀fθælmɔ́l-, ɔ̀p-] *n.* 안과학. ⓟ **-gist** *n.* 안과 의사.

oph·thal·mo·scope [afθǽlməskòup, ap-/ɔf-, ɔp-] *n.* 검안경(檢眼鏡)《안구내 관찰용》.

oph·thal·mos·co·py [àfθælmáskəpi, àp-/ɔ̀fθælmɔ́s-, ɔ̀p-] *n.* 〖의학〗 검안경에 의한 검사(법); 검안(檢眼).

-o·pi·a [óupiə], **-o·py** [óupi] '시력; 시각장애' 의 뜻의 결합사: ambly*opia*, dipl*opia*.

opi·ate [óupiət, -pièit] *n.* 아편제(劑); 《널리》 마취약; 진정제. ― *a.* 아편이 섞인; 마취시키는, 졸리게 하는; 진정〔억제〕하는. ― [-pièit] *vt.* 아편을 섞다; 아편으로 마취시키다; (감각을) 둔화시키다.

OPIC 《미》 Overseas Private Investment Corporation (해외 민간투자 회사)《1971 년 설립》.

opine [oupáin] *vt.*, *vi.* 《구어·우스개》 …라고 생각하다(hold), 의견을 말하다. ★ 보통 opine that ... 로 사용함.

⁑opin·ion [əpínjən] *n.* **1** Ⓒ 의견, 견해, 소견(view); (보통 *pl.*) 지론, 소신; 일반적인 생각, 여론: hold an ~ 의견을 갖고 있다 / act according to one's ~*s* 소신에 따라 행동하다 / ⇨ PUBLIC OPINION.

> SYN. **opinion** 남이 물었을 때 자기 생각의 결론으로 내놓을 수 있는 의견: my political *opinions* 나의 정론(政論). **view** opinion과 비슷하나 '자기 독자의 것으로 타인이 반드시 동조할 필요가 없다'라는 뜻을 암시하고 있는 견해. **sentiments** 감정이 섞인 생각. opinion이 생각한 결과로서의 의견인 데 반해 이것은 생각하기 전에 이미 갖고 있는 의견, 의향, 감상. **belief, conviction** 위의 셋과 달리 남에게 말할 것을 전제로 하고 있지 않은 신념, 확신.

2 〖흔히 a 〔an〕+형용사 또는 no를 붙여〗 (선악의) 판단, 평가, (세상의) 평판; 〖보통 부정문〗 호의적 평가. ★ 보통 다음의 구로 쓰임. ¶ have 〔form〕 *a* bad 〔low〕 ~ *of* …을 나쁘게 생각하다, 업신여기다 / have 〔form〕 *a* good 〔high, favorable〕 ~ *of* …을 좋게 생각하다, 신용하다 / have *no* ~ 〔*not* much of *an* ~〕 *of* …을 그다지 좋게 생각하지 않다. **3** Ⓤ 전문적인 의견, 인정, 감정; 〖법률〗 판결이유(설명): a medical ~ 의사의 소견 / ask for a second ~ 다른 사람의 의견을 구하다. ***act up to*** one***'s*** **~*s*** 소신을 단행하다. ***a matter of*** **~** 견해상의 문제, 의논의 여지가 있는 점. ***be of*** (***the***) **~ *that...*** …라고 믿다〔생각하다〕, …이라는 의견이다. ★ 《영》에서는 주로 the 를 생략함. ***give*** one***'s*** 〔***an***〕 **~** 자기의 견해를 말하다《*on*, *upon*》. ***in my*** **~** 나의 생각으로는. ***in the*** **~ *of*** …의 의견으로는, …의 주장에 의하면.

opin·ion·at·ed [əpínjənèitid] *a.* 자기 주장을 고집하는; 고집이 센; 완고한, 독선적인. ⓟ **~·ly** *ad.* **~·ness** *n.*

opin·ion·a·tive [əpínjənèitiv] *a.* **1** 의견상의, 견해(見解)상의. **2** =OPINIONATED. ⓟ **~·ly** *ad.* **~·ness** *n.*

opín·ioned *a.* **1** (특별한) 의견을 가진. **2** =OPINIONATED.

opín·ion·ist *n.* 자기 주장을 고집하는 사람.

opin·ion·naire [əpìnjənέər] *n.* (다수인의 의견을 묻는) 질문표, 앙케트.

opínion pòll 여론조사.

opínion sùrvey =OPINION POLL.

opi·oid [óupiɔ̀id] *n.* 〖약학〗 오피오이드《아편 비슷한 합성 마취약》. ― *a.* 아편 모양의.

op·i·som·e·ter [àpəsámətər/ɔ̀pisɔ́m-] *n.* 곡선계(計)《지도에서 곡선의 거리를 재는 기구》.

opis·th- [əpísθ], **opis·tho-** [əpísθou, -θə] '…을 등 쪽에 댄; 후부(後部)의'라는 뜻의 결합사.

°opi·um [óupiəm] *n.* Ⓤ **1** 아편: smoke ~. **2** 아편과 같은 것.

ópium dèn 아편굴.

ópium hàbit 아편 상용벽〔중독〕(opiumism).

ópi·um·ìsm *n.* Ⓤ 아편 중독〔상용벽〕.

ópium pòppy 〖식물〗 양귀비.

Ópium Wàr (the ~) 아편전쟁(1839-42).

OPM other people's money (투자용으로 모은 남의 돈); output per man (1인당 생산량).

opop·a·nax [əpápənæ̀ks/əpɔ́p-] *n.* Ⓤ 오포파낙스《향료 제조용 고무 수지(樹脂)의 일종》.

opos·sum [əpásəm/əpɔ́s-] (*pl.* **~*s***, ~) *n.* 〖동물〗 주머니쥐《미국산(産); 별명 possum》. ***play*** **~** 《미속어》 죽은 체하다.

opossum

opp. opportunity; opposed; opposite.

op·pi·dan [ápədən/ɔ́p-] *a.* 읍(邑)의, 시의. ― *n.* **1** 읍민, 시민(townsman). **2** (영국 Eton 학교의) 교외 기숙생. Ⓒⓕ colleger.

op·pi·late [ápəlèit/ɔ́p-] *vt.* (관 따위를) 막다; 막히게 하다.

op·po [ápou/ɔ́p-] *n.* 《영구어》 =OPPOSITE NUMBER; 《영속어》 친한 동료, 연인.

op·po·nen·cy [əpóunənsi] *n.* 반대, 대항, 적대; 대항 상태.

⁑op·po·nent [əpóunənt] *a.* **1** 반대하는, 적대하는; 대립하는. **2** 반대측의; 〖해부〗 (근육이) 길항(拮抗)적인. ― *n.* **1** (경기·논쟁 따위의) 적수, 상대, 맞수; 대항자; 반대자(opposer): a worthy ~ 호적수 / an ~ *of* the government 정부의 반대자. **2** 〖해부〗 길항근(拮抗筋).

[SYN] **opponent** 토론이나 게임 등의 반대측 사람. 따라서 심각한 적대 관계는 없음. **antagonist** 적대 관계에 있는 사람. 서로 증오 따위의 감정이 얽혀 있음. **rival** 두 사람 사이에서 어떤 일을 성취하는 데 경쟁자가 되어 서로 겨루는 사람.

◇**op·por·tune** [àpərtjúːn/ɔ́pətjùːn, ⌐-⌐] *a.* 형편이 좋은; 시의(時宜)에 알맞은, 적절한(fit): at the ~ moment 아주 적당한 때에. ◇ opportunity *n.* [파] **~·ly** *ad.* **~·ness** *n.*

op·por·tun·ism [àpərtjúːnizəm/ɔ́pətjùːn-] *n.* [U] 임기응변주의, 편의〔기회〕주의. [파] **-ist** *n.*, *a.* 편의〔기회〕주의자(의), 기회주의적. **òp·por·tun·ís·tic** [-nístik] *a.* 기회주의의.

‡**op·por·tu·ni·ty** [àpərtjúːnəti/ ɔ̀pətjúː-] *n.* [C,U] 기회, 호기; 행운; 가망《*of; to; for*》: miss a great ~ 호기를 놓치다 / find 〔make〕 an ~ 기회를 찾다〔만들다〕/ provide *opportunities for* education 교육의 기회를 부여하다 / take 〔seize〕 an ~ 기회를 잡다 / *Opportunity* makes the thief. 《속담》 틈을 주면 마가 낀다 / *Opportunity* seldom knocks twice. 《속담》 좋은 기회는 두 번 다시 오지 않는다. ◇ opportune *a.*

[SYN] **opportunity** 어떤 일을 하기 위하여 모든 상황이 흡족한 것을 나타냄. '…할 것이 허락된 기회'라는 수동적인 어감이 있음: Artists are given *opportunity* to do creative work. 예술가에게는 창조적인 일을 할 기회가 주어진다. **chance** opportunity와 비슷하나 자기에게 상황이 유리하면 남의 입장은 관계없다는 적극성이 있음. **occasion** 양식으로 판단해서 어떤 일을 하기에 적합한 때, …해야 할 때. chance와 달리 자기의 형편만을 생각하지는 않음: find an *occasion* to express one's thanks 감사의 말을 할 기회를 찾다.

equality of **~** 기회균등. ***have an*** 〔***the***〕 **~ *for*** do*ing* 〔***of*** (do)***ing, to*** do〕 …할 기회가 있다. ***lose*** 〔***miss, neglect***〕 ***no*** **~ *of*** do*ing* 〔***to*** do〕 …할 기회를 놓치지 않다.

opportúnity còst 〖경제〗 기회 비용〔원가〕《어떤 안(案)을 채택했을 경우, 포기되는 다른 안에서 얻을 수 있는 이득의 최대치》.

opportúnity gròup 신체 장애자 원조 단체.

opportúnity shòp 《Austral. · N. Zeal.》 자선(慈善)을 위한 중고품 판매점.

op·pos·a·ble [əpóuzəbəl] *a.* 반대〔대항, 대립〕할 수 있는, 마주보게〔맞서게〕 할 수 있는. [파] **op·pòs·a·bíl·i·ty** *n.* [U] 대항〔적대〕성〔력〕; 대향성(對向性).

‡**op·pose** [əpóuz] *vt.* **1** 《~+[목]/+[목]+[전]+[명]/+-*ing*》 …에 반대하다, …에 이의를 제기하다; …에 대항하다; 적대하다; 방해〔저지〕하다; (장애 따위를) 앞에 놓다: ~ the enemy 적에 대항하다 / Never ~ violence *to* violence. 폭력에 폭력으로 대항하지 마라 / They ~*d* build*ing* a nuclear power station. 그들은 원자력 발전소 건설에 반대했다. **2** 《+[목]+[전]+[명]》 (시합에서) 겨루다, 다투다: I'm *opposing* him *in* the next game. 다음 시합에서 그와 겨룬다. **3** 《+[목]+[전]+[명]》 …에 대비〔대조〕시키다; …에 대립시키다, 맞서게 하다《*to; against*》: ~ white *to* black 백을 흑과 대비하다 / You should ~ reason *to* 〔*against*〕 prejudice. 편견에는 이성으로 맞서야 한다. **4** (손가락을) 맞대다: ~ the thumb and middle finger 엄지손가락과 가운뎃손가락을 맞대다. **—** *vi.* 반대〔대항〕하다. ◇ opposition *n.* [파] **op·pós·er** *n.* 반대〔저항〕자; 《특허》 상표등록 방해자. **op·pós·ing** *a.* 대립〔대항, 적대〕하는. **op·pós·ing·ly** *ad.* 대항하여; 마주 서서.

op·pósed *a.* 반대의, 적대〔대항〕하는; 대립된; 마주 바라보는, 맞선. ***as*** **~ *to*** … 에 대립하는 것으로서(의); …과는 대조적으로〔전혀 다르게〕. ***be*** 〔***stand***〕 **~ *to*** …에 반대이다, …과 대립하다: Love *is* ~ *to* hate. 사랑은 미움의 반대이다.

op·póse·less *a.* 《시어》 저항하기 어려운.

‡**op·po·site** [ápəzit, -sit/ɔ́p-] *a.* **1** 마주보고 있는, 맞은편의, 반대쪽의; …에 면하고 있는《*to; from*》: an ~ angle 대각(對角) / the house ~ *to* 〔*from*〕 ours 우리 집 맞은편의 집. **2** 역(逆)의, 정반대의, 서로 용납하지 않는《*to; from*》; 《폐어》 적대하는: ~ meanings 정반대의 의미 / in the ~ direction 〔way〕 반대방향에 / the ~ sex 〖집합적〗 이성.

[SYN] **opposite** 둘 사이의 성질 · 뜻 · 위치 · 움직임 따위가 상반되어 대립하고 있음을 말함: the *opposite* ends of a pole 장대의 양 끝. *opposite* views 반대 (성질의) 의견. **contrary** opposite의 뜻 외에 모순 · 적대의 관념이 덧붙여지는 일이 많음: *contrary* statements 상반되는 발언. **reverse** 면(面) · 움직임 · 순서 따위가 opposite한, 즉 '뒷면의, 거꾸로의': the *reverse* side of a disc 음반의 뒷면. a *reverse* movement 거꾸로의 움직임. in the *reverse* order 역순으로.

3 〖식물〗 마주나기의, 대생(對生)의. [cf.] alternate[1]. ¶ ~ leaves 대생엽(葉). **4** (서로) 등을 지고 있는《*with*》. ***on the*** **~ *side*** ① 반대쪽에: *on the* ~ *side* of street 〔river〕 거리의 맞은편에 〔강의 맞은쪽 기슭에〕. ② 적측에.

— *n.* **1** 정반대의 사람〔사물〕; 반대말(antonym): Black and white are ~*s*. 흑과 백은 반대색이다 / He thought quite the ~. 그는 정반대로 생각했다. **2** (짝을 이루는) 딴 한쪽, 상대, 적수.

— *ad.* (…의) 반대 위치에; (…의) 맞은〔건너〕편에《*to*》: He sat down ~ *to* the teacher. 그는 선생님 맞은편에 앉았다.

— *prep.* …을 격하여 맞은편에〔의〕, …의 반대 위치〔장소, 방향〕에: I went to the post office ~ the hotel. 호텔 건너편 우체국에 갔다.

[파] **~·ly** *ad.* 반대 위치에, 마주 향하여; 등을 맞대고, 거꾸로. **~·ness** *n.* [U] 반대임.

ópposite fíeld 〖야구〗 (우타자의 경우) 라이트 필드, (좌타자의 경우) 레프트 필드.

ópposite númber (one's ~) (직장 · 부서 등에서) 대등한〔동격의〕 지위에 있는 사람〔물건〕, 대등자; 자국(自國)의 것에 대응하는 타국의 사물, 대응물《제도 · 기구 · 용어 · 출판물 따위》.

op·po·si·tion** [àpəzíʃən/ɔ̀p-] *n.* **1** [U] 반대, 반항; 방해: meet with strong ~ 거센 반대에 직면하다 / without ~ 반대〔방해〕 없이. **2** [U] 대립; 대항, 적대; 마주봄, 대치(對置): young people's ~ *to* their elders 젊은이들의 선배에 대한 반발. **3** 〖집합적〗 (종종 the O-) 반대당, 야당; 반대 세력〔그룹〕. ★ 집합체로 볼 때는 단수, 구성 요소로 생각할 때는 복수취급: The *Opposition* is 〔are〕 against the bill. 야당은 그 법안에 반대하고 있다. **4** [C] 〖논리〗 대당(對當)(법). **5** [C] 〖천문〗 충(衝)《태양과 행성이 지구를 사이에 두고 정반대 위치에 있을 때》; (달의) 망(望). **6** 〖법률〗 이의 신청. ◇ oppose *v.* ***have an **~ *to*** …에 반대이다. ***in*** **~** 야당의, 재야의. ***in*** **~ *to*** …에 반대〔반항〕하여; 〖천문〗 …에 대하여 충(衝)의 위치에 있는. ***offer*** **~ *to*** …에 반대〔저항〕하다. ***Her*** 〔***His***〕 ***Majesty's Opposition*** 《영》 반대당, 야당. [파] **~·al** *a.* **~·ist** *n.* 야당의 일원(一員); 반대자. **~·less** *a.*

op·pos·i·tive [əpázətiv/əpɔ́z-] *a.* 대항하는,

대립적인. ㊞ ~·ly *ad.*

***op·press** [əprés] *vt.* **1** 압박하다, 억압하다, 학대하다: ~ the poor 가난한 자를 학대하다. **2** 《~+目/+目+前+名》 …에 중압감을 주다, 괴롭히다, 답답하게 하다: A sense of failure ~*ed* him. 좌절감이 그를 괴롭혔다/be 〔feel〕 ~*ed with* anxiety 근심으로 마음이 무겁다. **3** (잠·피로 등이) 무겁게 덮치다. **4** 《고어》 압도하다. ◇ oppression *n.* ㊞ °**op·prés·sor** [-ər] *n.* 압제자, 박해자.

***op·pres·sion** [əpréʃən] *n.* **1** C,U 압박, 억압, 압제, 탄압, 학대: struggle against ~ 압제와 싸우다. **2** U 중압감, 압박감; 무기력, 의기소침: a feeling of ~ 압박감. **3** C,U 고난. **4** C 〖법률〗 직권 남용죄. ◇ oppress *v.*

***op·pres·sive** [əprésiv] *a.* **1** 압제적인, 압박하는, 포악한, 엄한: an ~ ruler 포악한 지배자. **2** 답답한; 숨이 막힐 듯한: ~ heat 숨막히는 듯한 더위. **3** 괴로운, 쓰라린: ~ sorrows 견디기 힘든 슬픔. ㊞ ~·ly *ad.* ~·ness *n.*

op·pro·bri·ous [əpróubriəs] *a.* 입이 건, 욕하는, 무례한; 면목이 없는, 부끄러운. ㊞ ~·ly *ad.* ~·ness *n.*

op·pro·bri·um [əpróubriəm] *n.* U **1** 불명예, 오명, 치욕. **2** 악담, 욕지거리, 비난.

op·pugn [əpjúːn] *vt.* …에 항쟁하다; 비난〔논박〕하다; 공격하다; 문제삼다. — *vi.* 반대하다; 논쟁하다《*against*》. ㊞ ~·er *n.* 반대자, 논쟁자, 반박자.

op·pug·nant [əpʌ́gnənt] *a.* 《드물게》 반대의, 적대의, 저항하는. ㊞ **-nan·cy, -nance** *n.* **op·pugná·tion** *n.*

op·ry [ápri/ɔ́p-] *n.* (*pl.* **-ries**), *a.* 《미방언》= OPERA[1].

Ops [aps/ɔps] *n.* 〖로마신화〗 옵스《풍요의 여신; 그리스 신화의 Rhea에 해당》.

ops *n.* 《영구어》 군사행동. [◂ *operations*]

OPS, O.P.S. Office of Price Stabilization (물가 안정국).

op·si·math [ápsəmæ̀θ/ɔ́p-] *n.* 만학(晩學)하는 사람, 만학도(徒). ㊞ **op·sím·a·thy** *n.*

op·sin [ápsin/ɔ́p-] *n.* 〖생화학〗 옵신《감광성 망막 색소 로돕신(rhodopsin)의 합성 단백질》.

-op·sis [ápsis/ɔ́p-] '…과 유사한 유기체〔구조〕'의 뜻의 명사를 만드는 결합사: syn*opsis*.

op·son·ic [apsánik/ɔpsɔ́n-] *a.* 〖세균〗 옵소닌의: ~ index 〖의학〗 옵소닌 지수.

op·so·nin [ápsənin/ɔ́p-] *n.* 〖세균〗 옵소닌《혈청 속에 있어 세균의 힘을 약화시켜서 백혈구의 식균(食菌)작용을 돕는 물질》.

op·ster [ápstər/ɔ́p-] *n.* 《미구어》 op art 화가 (op artist).

opt [apt/ɔpt] *vi.* 선택하다《*for; between*》; (양자 중) (…하는) 쪽을 고르다《*to* do》. ~ ***out*** (***of*** ...) (활동·단체)에서 탈퇴하다〔손을 떼다〕.

opt. optative; optical; optician; optics; optimum; optional.

Op·ta·con [áptəkàn/ɔ́ptəkɔ̀n] *n.* 옵타콘, 맹인용 점자 해독기《상표명》. [◂ *op*tical-to-*ta*ctile *con*verter]

op·tant [áptənt/ɔ́p-] *n.* 선택하는 사람, 《특히》 국적 선택자.

op·ta·tive [áptətiv/ɔ́p-] 〖문법〗 *a.* 기원(祈願)을 나타내는: the ~ mood 기원법《God save the Queen! (하느님 여왕을 도우소서) 따위》. — *n.* 기원법; 기원법의 동사. ㊞ ~·ly *ad.*

op·tic [áptik/ɔ́p-] *a.* 〖해부〗 눈의, 시력〔시각〕의; 《고어》 광학의(optical): the ~ angle 시각. — *n.* **1** 《구어·우스개》 눈. **2** 《영》 (목로 술집의) 술되. **3** (광학기계의) 렌즈, 프리즘《따위》.

°**op·ti·cal** [áptikəl/ɔ́p-] *a.* **1** 눈의, 시각의, 시력의; 시력을 돕는: an ~ defect 시력의 결함. **2** 광학(상)의; op art의: an ~ instrument 광학기기/~ path difference 광행로차(光行路差). ㊞ ~·ly *ad.* 시각적〔광학적〕으로: ~*ly* dense 〔rare〕 광학적으로 밀(密)한〔소(疏)한〕.

óptical actívity 〖화학〗 광학 활성(活性), 선광성(旋光性).

óptical árt =OP[1].

óptical astrónomy 광학(적) 천문학《망원경으로 천체를 직접 관찰하는 천문학》.

óptic(al) áxis 〖광학〗 광축(光軸)《회전 대상의 광학계(系)의 대칭축》; 광학축; 〖해부〗 시축(視軸).

óptical bár-code rèader 〖컴퓨터〗 광(光)막대 부호읽개〔판독기〕《막대 부호(bar code)를 광학적으로 읽어내는 장치》.

óptical bénch 광학대(臺)《광학기기 고정 장치》.

óptical cháracter rèader 〖컴퓨터〗 광학식 문자 판독기(器)《생략: OCR》.

óptical cháracter recognìtion 〖컴퓨터〗 광학식 문자 인식《생략: OCR》.

óptical communicátion 광(光)통신.

óptical compúter 〖컴퓨터〗 광(光)컴퓨터《빛을 이용하여 정보를 기억·처리하는 컴퓨터; 미래 컴퓨터의 주류로 예견됨》.

óptical compúting 〖컴퓨터〗 (종래의 전자 대신에) 빛을 이용한 계산.

óptical dénsity 〖광학〗 광학 농도.

óptical dísk 〖컴퓨터·TV〗 광(光)디스크(laser disk)《videodisk, compact disk, CD-ROM 따위》.

óptical fíber 〖전자〗 광(光)섬유《텔레비전·전화·컴퓨터 등의 전기신호를 빛에 실어 보내는 유리 섬유의 하나》.

óptical gláss 광학 유리.

óptical illúsion 〖심리〗 광학적 착각, (눈의) 착각, 착시(錯視).

óptical integráted círcuit 〖물리〗 광(光)집적 회로《생략: OIC》.

óptical ísolator 〖물리〗 광(光)아이솔레이터《광원을 나온 빛은 진행 방향으로 통하게 하고, 광원으로 되돌아오는 빛은 차단하는 장치》.

óptical isómerism 〖화학〗 광학이성(光學異性).

óptical láser dìsk 〖컴퓨터〗 광(光)레이저(저장)판.

óptically áctive 〖화학〗 광학 활성(체)의《물질이 평면 편광(偏光)의 편광면을 우 또는 좌로 회전시키는 '선광성(旋光性)'을 가짐》.

óptical márk rèader 〖전자〗 광학식 마크 판독기(器)《생략: OMR》.

óptical márk rèading 〖컴퓨터〗 광학 마크 판독.

óptical márk recognìtion 〖전자〗 광학 마크 인식《생략: OMR》.

óptical máser =LASER.

óptical mémory 〖컴퓨터〗 광(光)메모리, 광기억 장치《기억매체에 대하여 광학적 수단을 써서 정보를 기록·축적하는 기억장치》.

óptical mícroscope 광학 현미경.

óptical módulator 〖통신〗 광(光)변조기《빛을 제어하고 이에 정보를 싣는 장치》.

óptical móuse 〖컴퓨터〗 광마우스《광원과 수광(受光) 장치를 내장한 마우스; 격자무늬의 평판위를 통과시켜 그 지나간 격자를 광학적으로 계수(計數)하여 마우스의 이동방향·이동량을 측정함》.

óptical pèn 〖컴퓨터〗 광학 펜《인쇄된 글자를 기억시키는 데 쓰는 기구》.

óptical recórding sỳstem 광학적 기록 장치.

óptical rotátion 〖물리·화학〗 선광(도)(旋光度)《광학 활성물질을 광선이 통과할 때 편광면(偏光面)의 회전(각도)》.

óptical scánner 〖컴퓨터〗 광스캐너《빛을 주사하여 문자·기호·숫자를 판독하는 기기》.

óptical scánning 〖컴퓨터〗 광학주사(走査).

óptic ángle 시각(視角), 광축각(光軸角).

óptic áxis ⇨ OPTICAL AXIS.
óptic chiásma 〖해부 · 동물〗 시(신경)교차.
op·ti·cian [ɑptíʃən/ɔp-] *n.* 광학 기계상(商) 〔기계 제작자〕, 안경상(商), 안경사(士).
op·ti·cist [áptəsist/ɔ́p-] *n.* 《드물게》 광학자, 광학 연구자.
óptic dísk 시신경 디스크〔원판〕(blind spot).
óptic lóbe 〖해부〗 (뇌의) 시엽(視葉).
óptic nérve 〖해부〗 시신경. 「특성.
óp·tics *n. pl.* 《단수취급》 광학; 광학적 제(諸)
óptic vésicle 〖해부 · 동물〗 안포(眼胞) 《척추동물 눈의 발생 1 단계》.
op·ti·ma [áptəmə/ɔ́pt-] OPTIMUM 의 복수형.
op·ti·mal [áptəməl/ɔ́pt-] *a.* 최선〔최적〕의. ㊎ **~·ly** *ad.*
op·ti·me [áptəmì:/ɔ́ptimi] *n.* 《영》 (Cambridge 대학의 수학 최종 우등 시험의) 2 급 또는 3 급 합격자《생략: op.》. ⓒⓕ wrangler.
°**op·ti·mism** [áptəmìzəm/ɔ́p-] *n.* Ⓤ 낙천주의, 낙관주의; 낙관(론), 무사태평. ⓞⓟⓟ *pessimism.* ㊎ °**-mist** *n.* 낙천가; 낙천주의자. ⓞⓟⓟ *pessimist.*
°**op·ti·mis·tic, -ti·cal** [àptəmístik/ɔ̀pt-], [-əl] *a.* 낙관적인, 낙천적인; 낙천〔낙관〕주의의《*about; of*》: He's ~ *about* the future. 그는 장래에 대해 낙관적이다. ㊎ **-ti·cal·ly** *ad.* 낙관하여.
òp·ti·mi·zá·tion *n.* 최대의 활용〔이용〕; 최적화(最適化), 최적 조건〔상태〕; 〖수학〗 (함수의) 최적화법; 〖컴퓨터〗 최적화.
op·ti·mize [áptəmàiz/ɔ́p-] *vi.* 낙관하다. ― *vt.* 완벽하게〔가장 효과적으로〕 활용하다; 〖컴퓨터〗 (프로그램을) 최대한으로 활용하다.
op·ti·mum [áptəməm/ɔ́p-] (*pl.* **-ma** [-mə], **~s**) *n.* 〖생물〗 최적 조건《성장 · 번식 따위의》; 《일반적》 최적도(度)〔조건, 량〕; (어떤 조건에서 얻을 수 있는) 최고〔대〕한. ― *a.* 가장 알맞은, 최적의(optimal): ~ levels 적정 수준 / ~ conditions 최적 조건 / ~ population 〔temperature〕 최적 인구〔온도〕 / ~ money supply 적정 통화량.
ópt-ìn provísion 신용 카드의 사용정보를 소지자의 허가 없이 남에게 누설 못 하게 하는 규정.
op·tion** [ápʃən/ɔ́p-] *n.* **1** Ⓤ 선택권, 선택의 자유; 선택, 취사(取捨) 《*of doing; to* do》: make one's ~ 선택하다 / You have the ~ *of* marry*ing* her or not. 그녀와 결혼하고 안 하고는 너한테 달려 있다 / I had no ~ but *to* go back home. 집에 돌아가는 수밖에 없었다. **2** 선택할 수 있는 것, 옵션; 《영》 선택과목. **3** 〖상업〗 선택권, 옵션 《부동산 · 증권 · 상품 등을 계약서의 가격으로 일정기간 중 언제든지 매매할 수 있는 권리》: MGM has an ~ *on* his next script. MGM사는 그의 다음 대본의 옵션을 갖고 있다 / ⇨ LOCAL OPTION. **4** 〖미식축구〗 옵션(플레이)(~ pass 〔play〕) 《공격측 플레이어가 패스할 것인지 자신이 공을 갖고 달릴 것인지 선택할 수 있는 플레이》. **5** 〖컴퓨터〗 별도, 추가선택. ***a* 〔*the*〕 *soft* ~** 손쉬운 선택, 안이한 길: take *the soft* ~. ***at* one*'s* ~** 아무의 마음대로. ***keep* 〔*leave*〕 one*'s* ~*s open 태도 결정을 보류하다. ***leave* ... *to* a person*'s* ~** …을 아무의 자의에 맡기다. ― *vt.* …에 대한 옵션을 주다〔받다〕.
op·tion·al [ápʃənəl/ɔ́p-] *a.* 임의〔수의〕의; (과목이) 선택의: an ~ subject 선택 과목 / It is ~ with you. 그건 자네 마음대로다. ― *n.* 선택을 본인에게 맡긴 사물; 《영》 선택 과목(《미》 elective). ㊎ **~·ly** *ad.* 마음대로. **òp·tion·ál·i·ty** *n.*
óptional tóur package tour 에서 현지에서의 참가 자유 소(小)여행.
óption blócking 〖미식축구〗 부딪힌 상대가 움직이려는 방향으로 그대로 밀고 가는 블록.
óption càrd 옵션카드《특정 상점의 상품을 무이자로 구입할 수 있는 크레디트 카드》.
óption dèaler 옵션거래상《옵션거래를 하는 주식 또는 상품 브로커》. 「보유자.
op·tion·ee [àpʃəní:/ɔ̀p-] *n.* 〖상업〗 선택권
óption mòney 〖상업〗 옵션의 매주(買主)가 매주(賣主)에게 지급하는 옵션료(料).
óption páss 〖미식축구〗 패스를 할 것인지 그대로 달릴 것인지의 여부를 공을 가진 선수에게 맡기는 플레이.
óption rúnning 〖미식축구〗 running play 에서 공을 가진 선수가 스스로 주로를 골라 달리기.
op·to- [áptou, -tə/ɔ́p-] '시각, 시력, 눈, 광학적' 이란 뜻의 결합사.
òpto·acóustic *a.* 광(光)에너지를 음파로 바꾸는, 광(光)음향의.
òpto·cóupler *n.* 〖전자공학〗 광결합(光結合) 소자(素子)《발광 소자(LED 따위)와 수광(受光) 소자를 결합하여, 빛을 매개로 전기적으로 절연된 회로를 맺는 장치》. 「(光電子) 공학.
òpto·electrónics *n. pl.* 《단수취급》 광전자
òpto·kinétic *a.* 〖안과〗 눈운동의, 시각성 운동의, 시선 운동성의.
op·tom·e·ter [ɑptámətər/ɔptɔ́m-] *n.* 시력 측정 장치, 시력계(計).
op·tom·e·trist [ɑptámətrist/ɔptɔ́m-] *n.* 시력 측정자; 《미》 검안사(檢眼士). 「측정; 검안(법).
op·tom·e·try [ɑptámətri/ɔptɔ́m-] *n.* Ⓤ 시력
op·to·phone [áptəfòun/ɔ́p-] *n.* 청광기(聽光器)《빛을 소리로 바꾸어 맹인에게 글씨 따위를 읽히는 기구》.
ópt-òut[1] *n.* 〖방송〗 지역 방송국에 의한 네트워크 생방송 프로그램의 중단. 「를 끊다〔끊음〕.
ópt-òut[2] *vi., n.* (특히 지방 자치 단체가) 관계
op·u·lence, -len·cy [ápjələns/ɔ́p-], [-lənsi] *n.* Ⓤ 풍부; 부유(wealth); (음악 · 문장 등의) 현란(絢爛).
op·u·lent [ápjələnt/ɔ́p-] *a.* 부유한; 풍부한, 풍족한. ㊎ **~·ly** *ad.* 풍요〔풍족〕하게.
opus [óupəs] (*pl.* ***op·er·a*** [óupərə, áp-/ɔ́p-], **~*es***) *n.* 《L.》 작(作), 저작; 〖음악〗 작품《특히 작 품번호를 표시할 때; 생략: op.》: Beethoven ~ 68 is the *Pastoral Symphony*. 베토벤 작품 제 68 번은 전원 교향곡이다 / ⇨ MAGNUM OPUS.
opus·cule [oupʌ́skju:l/ɔp-] *n.* 《F.》 소품; 소곡(小曲).
opus·cu·lum [oupʌ́skjələm/ɔp-] (*pl.* **-la** [-lə]) *n.* 《L.》 =OPUSCULE.
Opus Dei [óupəs déii:] **1** (o- D-) =DIVINE OFFICE. **2** 오푸스 데이회《일반 직업을 가지면서 사도적(使徒的) 활동을 하는 가톨릭 신자의 회; 1928년 스페인에서 창설》.
ópus mágnum =MAGNUM OPUS.
-opy ⇨ -OPIA.
OR [ɔ:r] *n.* 〖컴퓨터〗 논리합(論理合)《둘 중 그 어느 쪽이 참이면 참으로 하고, 양쪽 다 거짓이면 거짓으로 하는 논리 연산》.
†**or**[1] ⇨《p. 1775》 OR[1].
or[2] [ɔ:r, -ər] *prep., conj.* 《고어 · 시어》 (시간적으로) …보다 전(前)에, …보다도 일찍(ere). ***or ever* 〔*e'er*〕** 《접속사》 (…하기)보다 앞서.
or[3] [ɔ:r] *n.* 《F.》 〖문장(紋章)〗 황금색, 누른 빛. ― *a.* 황금색의.
-or[1] [ər] *suf.* 동사에 붙여 '행위자, 기구' 의 뜻의 명사를 만듦: act*or*, elevat*or*.
-or[2], 《영》 **-our** [ər] *suf.* 동작 · 상태 · 성질 등을 나타내는 라틴어계 명사를 만듦: col*or*(《영》 col*our*), hon*or*(《영》 hon*our*). ★ 미식 철자는 -or 이지만 Saviour 가 '그리스도' 의 뜻일 때는 그대로 -our 임.

or[1]

and 와 짝을 이루는 등위접속사이며, A *and* B 에 있어서 and 가 A, B 의 병존을 인정하는 데 대하여 A *or* B 에 있어서는 A 와 B 중 어느 하나를 골라잡게 한다. 다만, 이 선택에 있어서 (1) Did you see Tom *or* Bill? '톰과 빌 가운데 누구를 만났나' 와 같이 A 와 B 가 서로 배제하는 경우와, (2) two *or* three times '2 · 3회' 와 같이 반드시 배제하지는 않는 경우가 있다. 후자와 같은 예로 Westerners like Englishmen *or* Germans '영국 사람이나 독일 사람과 같은 서양인' 에서는 or 와 and 사이에 별로 차이가 없다. 또한 (1)의 경우에는 흔히 억양(intonation)이 중요한 요소가 된다. or 는 either 와 더불어 상관접속사(correlative conjunction)를 이룬다. 또한 whether 와도 결합한다. or 에 맞먹는 부정형 nor 가 있다. [cf.] either.

or [ɔːr, 약 ər] *conj.* **1** 〖선택〗 **a** 〖긍정 · 의문문에 쓰이어〗 혹은, 또는, …이나 —: three *or* four miles, 3 마일이나〔또는〕 4 마일 / Answer yes *or* no. 예스냐 노냐 대답하여라 / John *or* I am to blame. 존인지 난지 어느 쪽인가가 나쁘다《동사는 가까운 주어에 일치》/ Are you coming ↗ *or* not? ↘ 자네는 올 건가 안 올 건가 / Which do you like better, tea ↗ *or* coffee? ↘ 홍차와 커피 중 어느 것을 더 좋아하십니까 / Shall we go by bus ↗ *or* train? ↘ —By bus. 버스로 갈까 열차로 갈까 — 버스로 가자《비교: Shall we go by bus *or* train? ↗ —No, let's take a taxi. 버스나 열차로 갈까 — 아니야, 택시로 가자. 선택을 묻지 않고 yes 또는 no 의 대답을 요구할 때에는 끝을 올림》. **b** 〔either 와 상관적으로〕 …나 또는 —나: *Either* he *or* I am wrong. 그나 나나 어느 쪽인가가 잘못이다(⇨ EITHER *ad.*). **c** 〔셋 이상의 선택〕 …나 —나〔건〕 ~나, …든 —든 ~든《마지막 or 외에는 보통 생략함》: translations from English, German *or* French 영어, 독일어 또는 프랑스어에서의 번역. **d** 〔부정문에서 전면부정을 나타내어〕 (…도) —도(아니다, 않다, 없다): I do*n't* want any tea *or* coffee. 나는 홍차도 커피도 마시고 싶지 않다 / She is *not* witty *or* brilliant. 그녀는 재치가 있지도 머리가 좋지도 않다 (=She is *neither* witty *nor* brilliant.) / I have *no* brothers *or* sisters. 나에겐 남자 동기도 여자 동기도 없다《부정어 no 를 되풀이할 경우에는 or 가 아니라 and: I have *no* brothers *and no* sisters.》.
2 〔불확실 · 부정확〕 …이나 —(쯤), …정도, 또는: four *or* five miles off, 4 · 5 마일 떨어져서 / there *or* thereabout(s) 그 주변 어디에, 어딘가 그 주변에.
3 〔명령문 따위의 뒤, 또는 must 를 포함하는 서술문 중에서〕《종종 or 뒤에 else 가 와서 뜻을 강조함》 그렇지 않으면: Make haste, *or* (*else*) you will be late. 서두르시오, 그렇지 않다간 늦습니다 / We *must* (either) work *or* (*else*) starve. 일하지 않으면 굶어 죽을 도리밖에는 없다.
4 〔콤마 뒤에서 환언 · 설명 · 정정 · 보완〕〔종종 ~ rather〕 즉, 바꿔 말하면: botany, *or* the study of plants 식물학, 곧 식물의 연구 / They are free, *or* at least they seem to be free. 그들은 자유이다, 아니 적어도 자유로운 것 같다 / He is cautious, *or rather* timid. 그는 신중하다기보단 (차라리) 겁쟁이이다.
5 〔양보구를 이루어〕 …든 —든《'…, —' 는 대등한 명사 · 형용사 · 동사 · 구 따위》: Rain *or* shine, I'll go. 비가 오든 해가 나든 나는 간다.
6 〔부가의문의 형태로〕《추가적인 의심을 나타내어》 아니…: I've met him somewhere. *Or* have I? 어디선가 그를 만난 일이 있다, 아냐, 그랬던가.
and/or ⇨ AND. ***either … or*** ⇨ EITHER. ***or else*** ① ⇨ 3. ② 《구어》〔경고 · 으름장 등을 나타내어〕 그러지 않았다간 혼난다. ***or … or*** 《시어》 =EITHER … or; WHETHER … or. ***or rather*** ⇨ 4. ***or so*** …쯤 〔정도〕, …내외(內外): a year *or so*, 1 년쯤 / in 5 minutes *or so* =in 5 *or so* minutes, 5 분 또는 그 정도에서《(1) 전자가 보통. (2) 단수명사 뒤에서는 or two 도 사용됨: a minute *or two*, 1분 정도》. ***… or somebody*** 〔***something, somewhere***〕 …인가 누군가〔무언가, 어딘가〕, …인지 누군지〔무언지, 어딘지〕《…는 명사 · 형용사 · 부사 · 구 따위》: He went to Busan ~ *somewhere*. 그는 부산인지 어딘지에 갔다. ***or two*** 〔단수명사 뒤에서〕 …나 그 정도, 적어도 …, 또는 그 이상: an hour *or two*, 1 시간 정도. ***or what?*** 〔의문문 뒤에서 강조를 나타냄〕 …이군, …하군: Is this a good day *or what*? 오늘은 좋은 날이군. ***or whatever*** 《구어》 …인가 무엇인가: He was called an idiot, a fool *or whatever*. 그를 천치니 바보니라고들 했다. ***whether … or*** ⇨ WHETHER.

OR operating room; 〖미우편〗 Oregon. **OR, O.R.** operations research. **O.R., o.r.** 〖상업〗 owner's risk. **O.R.** 〖군사〗 other ranks.

ora [ɔ́ːrə] os² 의 복수.

Or·a·cle [ɔ́ːrəkəl, ár-/ɔ́r-] *n.* 〖컴퓨터〗 오라클《데이터베이스 소프트웨어의 선도적인 제조자》.

◇**or·a·cle** *n.* **1** 신탁(神託), 탁선(託宣); 탁선소(所)《고대 그리스의》. **2** 〖성서〗 신의 계시; 지성소(至聖所)《유대 신전의》; (*pl.*) 성서. **3** 하느님의 사자; 사제(司祭); 신탁을 전하는 사람. **4** 예언자; 〔종종 비꼼〕 현인, 철인(哲人). **5** 예언, 성언(聖言). ***work the*** ~ 신관(神官) 등을 매수하여 희망대로의 신탁을 얻다; 술책으로〔뒷공작하여〕 자기에게 유리한 결과를 얻다.

orac·u·lar [ɔːrǽkjələr/ɔr-] *a.* **1** 신탁(神託)의. **2** 신탁 같은; 수수께끼 같은. **3** 엄숙한; 예언자적인〔인 체하는〕; 짐짓 젠체하는. **4** 매우 현명한. **5** 재수 없는, 불길한. [파] **~·ly** *ad.* **~·ness** *n.*

orac·u·lar·i·ty [ɔːrækjəlǽrəti/ɔr-] *n.* [U]

or·a·cy [ɔ́ːrəsi] *n.* 구어(口語)에 의한 표현 능력. [◂ oral+-*acy*]

＊oral [ɔ́ːrəl] *a.* **1** 구두(口頭)의, 구술의. [opp] *written.* ¶ an ~ examination 〔test〕 구두〔구술〕 시험 / ~ instruction 구두지시 / the ~ method (외국어의) 구두 교수법 / ~ pleadings 〔proceedings〕 〖법률〗 구두변론 / ~ practice 구두〔회화〕 연습 / ~ testimony 〔evidence〕 구두증언 / ~ traditions 구비(口碑). **2** 〖해부〗 입의, 구부(口部)의; (약 등이) 경구(용)의; 〖심리〗 구순기(口脣期)의; 구순애(口脣愛)의. ≠aural¹. ¶ the ~ cavity 〖의학〗 구강 / ~ polio vaccine 소아마비 내복 백신. **—** *n.* (종종 *pl.*) 《구어》 구술시험. [파] **~·ly** *ad.* 구두로, 말로; 〖의학〗 입을 통하여, 경구적으로.

Óral Appróach (the ~) (때로 o- a-) (외국어의) 구두 도입 교수법.

óral contracéption 경구(經口) 피임법.

óral contracéptive 경구 피임약.

óral hístory (역사적 중요인물과의 면담에 의한) 녹음 사료(錄音史料), 구술 역사(문헌). [파] **óral históriаn** 구술 역사가.

óral hygíenist 구강위생(기)사.

óral·ìsm *n.* 구순주의(口唇主義)《농아 교육방법의 하나; 오로지 독순(讀脣)·발화(發話)·잔존청력(殘存聽力) 훈련을 통해 행함》.
óral·ist *n.* oralism 제창자; 독순과 발화를 전달 수단으로 하는 농자(聾者). **—** *a.* 구순주의의.
Óral Láw (the ~) (유대교의) 구전 율법, 미슈나(Mishnah) 「따위》.
óral séx 구강 성교《fellatio, cunnilingus
óral socíety 구두(口頭) 사회《문자가 없는
óral súrgeon 구강 외과의(醫). ⌊사회》.
orang [ɔːrǽŋ] *n.* =ORANG-UTAN.
Or·ange [ɔ́ːrindʒ, ár-/ɔ́r-] *n.* **1** (the ~) 오렌지강《남아프리카의 큰 강》. **2** 〖역사〗 오랑예 소(小)공국. **3** 오랑예 왕가《지금의 네덜란드 왕가》.
†**or·ange** [ɔ́ːrindʒ, ár-/ɔ́r-] *n.* **1** 오렌지, 등자(橙子), 감귤류《과실·나무》. **2** Ⓤ 오렌지색, 주황색(= **∼ cólor**). ***a bitter*** 〔***Seville***〕 **~** 등자나무. ***a horned* ~** 불수감나무. ***squeeze*** 〔***suck***〕 ***an* ~** 《비유》 단물을 다 빨아먹다, 좋은 부분을 다 빼 버리다. **—** *a.* 오렌지의; 오렌지색의, 주황색의.
or·ange·ade [ɔ̀ːrindʒéid, àr-/ɔ̀r-] *n.* Ⓤ 오렌지에이드, 오렌지 즙.
órange blòssom 오렌지 꽃《신부가 다는 순결의 표시》. ***gather* ~s** 색시를 얻다.
Órange Bòok 〖컴퓨터〗 오렌지 북《사용자에 의하여 기록될 수 있는 컴팩트 디스크에 관한 공식 표준》.
Órange Bòwl (the ~) 오렌지 볼《1월 1일에 열리는 미국 대학 최우수 두 팀 간의 풋볼 경기》.
órange fìn 《영》 새끼송어.
órange-flower wáter 등화수(橙花水)《neroli의 수용액(水溶液)》.
Órange Frée Stàte (the ~) 오렌지 자유주(自由州)《남아프리카 공화국 중부의 주(州)》.
órange góods 오렌지 상품《소비량·손공(功)〔수공(手功)〕·이익률 등이 중(中) 정도의 상품; 의류 등이 이에 해당함》. cf. red goods.
Ór·ange·ìsm, Ór·ang·ìsm *n.* Ⓤ 오렌지당(黨)의 주의〔운동〕.
Órange·man [-mən] (*pl.* **-men** [-mən]) *n.* 오렌지 당원(cf. Orange Society); 북아일랜드의 신교도.
Órangemen's Dày 오렌지당(黨) 승리 기념일《7월 12일; 북아일랜드의 1690·91 양년의 전승 기념일》.
órange páper 오렌지 페이퍼《현행 정책에 대하여 개혁안을 제시하는 영국 등의 정부 문서; cf. green paper》.
órange pèel 오렌지 껍질《설탕에 절인 과자재료, 또는 약용》; 오렌지 필《니스·래커 등 속건성(速乾性) 도료를 칠한 표면이 오렌지 껍질처럼 도톨도톨한 상태》.
órange pékoe 인도·스리랑카산의 고급 홍차.
or·ange·ry [ɔ́ːrindʒəri, ár-/ɔ́r-] *n.* 오렌지밭; 오렌지의 온실.
Órange Socìety (the ~) 오렌지당(黨)《1795년 아일랜드 신교도가 조직한 비밀결사》.
órange squásh 《영》 오렌지 스쿼시《오렌지 농축 즙에 물을 탄 불발포성 음료》. 「막대.
órange stìck (뾰족한 매니큐어용의) 오렌지
Órange Súnshine 오렌지색의 LSD 정제(錠劑). cf. sunshine pill.
órange tìp 〖곤충〗 나비의 일종. 「각용》.
órange·wòod *n.* Ⓤ 오렌지 목재《상감·조
or·ang·ish [ɔ́ːrindʒiʃ, ár-/ɔ́r-] *a.* 엷은 오렌지색의, 오렌지색을 띤.
orang·u·tan, -ou·tang [ɔːrǽŋutæ̀n, ərǽŋ-/ɔːræ̀ŋuːtǽn], [ɔːrǽŋutæ̀ŋ, ərǽŋ-/ɔːræ̀ŋuːtǽŋ] *n.* 〖동물〗 오랑우탄, 성성이.
or·angy, or·ang·ey [ɔ́ːrindʒi, ár-/ɔ́r-] *a.* (색·모양·맛·향기 등이) 오렌지 비슷한〔같은〕.
orate [ɔːréit] *vi., vt.* 《우스개》 일장 연설을 하다, 연설하다; 연설조로 말하다.
ora·tion [ɔːréiʃən] *n.* **1** 연설; 식사(式辭): a funeral ~ 조사, 추도사. **2** Ⓤ 〖문법〗 화법(話法), 서술법: direct 〔indirect, oblique〕 ~ 직접〔간접〕 화법. ◇ orate *v.*
◇**or·a·tor** [ɔ́ːrətər, ár-/ɔ́r-] (*fem.* **-tress** [-tris]) *n.* 연설자, 강연자, 변사; 웅변가; 〖고(古)법률〗 원고(原告). ***the Public Orator*** (Oxford, Cambridge 대학 공식행사 때의) 대학 대표 연설자. ㊕ **∼·like** *a.*, **∼·ship** *n.*
Or·a·to·ri·an [ɔ̀ːrətɔ́ːriən, àr-/ɔ̀r-] *a.* 오라토리오회(會)의. **—** *n.* 오라토리오회 수도사.
◇**or·a·tor·i·cal** [ɔ̀ːrətɔ́ːrikəl, àrətár-/ɔ̀rətɔ́r-] *a.* 연설의, 웅변의; 연설가의; 연설가식의; 수사적(修辭的)인: an ~ contest 웅변대회 / an ~ manner 웅변조. ㊕ **∼·ly** *ad.* 연설투로; 수사학적으로.
or·a·to·rio [ɔ̀ːrətɔ́ːriòu, àr-/ɔ̀r-] (*pl.* **∼s**) *n.* C,U 〖음악〗 오라토리오, 성담곡(聖譚曲).
◇**or·a·to·ry**[1] [ɔ́ːrətɔ̀ːri, ár-/ɔ́rətəri] *n.* Ⓤ 웅변(술); 수사(修辭), 과장한 언사〔문체〕.
or·a·to·ry[2] *n.* **1** 〖종교〗 작은 예배당, 기도실《큰 교회나 사저(私邸)의》. **2** (the O-) 오라토리오회(會)《가톨릭교 수도회》.
or·a·tress, -trix [ɔ́ːrətris, ár-/ɔ́r-], [-triks] *n.* orator의 여성형.
◇**orb** [ɔːrb] *n.* **1** 구(球); 천체. SYN. ⇨ BALL. **2** (위에) 십자가가 달린 보주(寶珠)(mound²)《왕권을 상징》. **3** 《고어》 원(圓). **4** 《시어》 안구, 눈. **5** 〖천문〗 (행성의) 궤도; 《고어》 (행동의) 범위. **6** (…의) 세계. ***the* ~ *of the day*** 태양. **—** *vt.* 공 모양으로 만들다, 둥글게 하다; 《시어》 둘러〔에워〕싸다. ㊕ **∼ed** [-d, 《시어》 ɔ́ːrbid] *a.* **1** 둥근, 공 모양의. **2** 원만한, 완전한. **3** 눈이 있는.
ORB Object Request Broker (객체 요청 브로커).
or·bic·u·lar, -late [ɔːrbíkjələr], [-lət, -lèit] *a.* 공〔고리〕 모양의; 완전〔원만〕한: an ~ muscle 괄약근. ㊕ **∼·ly** *ad.* **-lat·ed** [-lèitid] *a.*
***or·bit** [ɔ́ːrbit] *n.* **1** 〖천문〗 궤도; 〖물리〗 전자(電子) 궤도: put a satellite into ~ 인공위성을 궤도에 올리다. **2** 《비유》 활동〔세력〕 범위, (인생) 행로, 생활과정: within the ~ of …의 세력권 안에. **3** 〖해부〗 안와(眼窩)(eye socket); 〖동물〗 (새·곤충의) 안검부(眼瞼部). ***go into* ~** 《속어》 잘 되어가다, 궤도에 오르다; 《속어》 욱하다, 격노하다. ***in* ~** 《미속어》 훌륭한, 굉장히 멋진; 《속어》 흥분한; 《속어》 황홀하게 된(way-out). ***out of* ~** 궤도 밖으로〔를 벗어나서〕. **—** *vt.* (인공위성 따위를) 궤도에 진입시키다: ~ a satellite. **—** *vi.* 궤도에 진입하다; 궤도를 그리며 돌다(circle). ㊕ **∼·al** [-l] *a.* 궤도의; 도시 교외를 환상으로 통하는《도로》; 안와(眼窩)의: an ~*al* flight 궤도비행.
órbital élement 〖천문〗 궤도 요소.
órbital manéuvering sỳstem 〖우주〗 오비터 궤도조정 시스템.
órbital périod 궤도주기(周期). 「전식 연마기》.
órbital sánder 회전식 샌더《샌드페이퍼의 회
órbital spéed 〔**velócity**〕 궤도속도《인공위성의 궤도진입 최저속도》.
ór·bit·er *n.* (궤도에 오른) 인공위성, 궤도 비행체; 여행이 잦은 기업가.
ór·bit·ing *a.* 궤도를 선회(旋回)하는. ***Orbiting Astronomical Observatory*** 천체관측 위성. ***Orbiting Geophysical Observatory*** 〔***Laboratory***〕 지구 물리학 연구 위성〔연구실〕. ***Orbiting Solar Observatory*** 태양 관측 위성《생략: OSO》.

orc, or·ca [ɔːrk], [ɔ́ːrkə] *n.* 범고래(grampus); 바다의 괴물, 《널리》 괴물.

O.R.C., ORC Officers' Reserve Corps; Organized Reserve Corps.

Or·ca·di·an [ɔːrkéidiən] *a., n.* (스코틀랜드 북방에 있는) Orkney 제도(諸島)의 (사람).

orch. orchestra.

***or·chard** [ɔ́ːrtʃərd] *n.* 과수원; 〖집합적〗 (과수원의) 과수; 《야구속어》 야구장; 외야.

órchard gràss 〖식물〗 새발풀《목초》.

ór·chard·ist *n.* 과수 재배자.

órchard·man [-mən] (*pl.* **-men** [-mən]) *n.* =ORCHARDIST.

or·ches·tic [ɔːrkéstik] *a.* 댄스의, 무도(舞蹈)의.

or·chés·tics *n.* 〖단·복수취급〗 무도법.

⁑**or·ches·tra** [ɔ́ːrkəstrə] *n.* **1** 오케스트라, 관현악단; 관현악단원: an amateur ~ 아마추어 관현악단/a symphony ~ 교향악단. **2** (극장의) 관현악단석, 오케스트라 박스(=~ **pìt**). **3** 《미》 (극장의) 아래층 무대 전면 좌석(parquet). **4** (고대 그리스 극장의) 합창대석; (고대 로마 극장의 무대 앞) 귀빈석.

or·ches·tral [ɔːrkéstrəl] *a.* 오케스트라(용)의, 관현악단이 연주하는: an ~ player 오케스트라 주자(奏者)/~ music 관현악. ㊕ **~·ly** *ad.*

órchestra stàlls 《영》 극장의 일층, 《특히》 무대 앞의 특등석.

or·ches·trate [ɔ́ːrkəstrèit] *vt., vi.* **1** 관현악용으로 편곡〔작곡〕하다; (발레 등에) 관현악곡을 붙이다; (조화 있게) 편성하다. **2** 《미》 조직화하다, 획책하다. ㊕ **òr·ches·trá·tion** *n.* Ⓤ 관현악 편곡〔작곡〕; 관현악 편성(법). **ór·ches·trà·tor** [-tər] *n.*

or·ches·tri·on, -tri·na [ɔːrkéstriən], [ɔ̀ːrkəstríːnə] *n.* barrel organ 비슷한 악기《오케스트라 같은 여러 소리를 냄》.

or·chid [ɔ́ːrkid] *n.* 〖식물〗 난초(의 꽃); Ⓤ 연자주색: a wild ~ 야생란. **—** *a.* 연자주색의.

or·chi·da·ceous [ɔ̀ːrkədéiʃəs] *a.* 난초과의; 난초같이 화사한〔아름다운〕.

ór·chid·ist *n.* 난초 재배가.

or·chid·ol·o·gy [ɔ̀ːrkidáləd͡ʒi/-dɔ́l-] *n.* 난초 「원예〔재배법〕.

or·chi·ec·to·my [ɔ̀ːrkiéktəmi] *n.* 〖외과〗 고환(睾丸) 절제술, 거세(去勢).

or·chil, or·chil·la [ɔ́ːrkil, -tʃil], [ɔːrtʃílə] *n.* 연자주색의 물감; 그것이 채취되는 리트머스이끼류(類)(archil).

or·chis [ɔ́ːrkis] *n.* 난초《특히 야생의》.

or·chi·tis [ɔːrkáitis] *n.* Ⓤ 고환염(睾丸炎).

or·cin [ɔ́ːrsin] *n.* =ORCINOL.

or·ci·nol [ɔ́ːrsənɔ̀ːl, -nɑ̀l/-nɔ̀l] *n.* Ⓤ 〖화학〗 오르시놀《지의류(地衣類)에서 추출되며 의약·분석 시약에 쓰임》.

Or·cus [ɔ́ːrkəs] *n.* **1** 〖로마신화〗 오르쿠스《죽음·저승의 신(神); 그리스의 Pluto, Hades에 해당》. **2** 저승, 명부(冥府).

ord. ordained; order(ly); ordinal; ordinance; ordinary; ordnance.

◇**or·dain** [ɔːrdéin] *vt.* **1** (신·운명 등이) 정하다; (법률 등이) 규정하다, 제정하다, 명하다(*that*): God has ~*ed that* we (should) die. 신은 우리 인간을 죽어야 할 운명으로 정했다. **2** 《+목+전+명/+목+보》 〖교회〗 …에게 성직을 주다, (목사로) 임명하다: be ~*ed to* priesthood 성직에 앉다/~ a person priest 아무를 성직에 임명하다. ㊕ **~·er** *n.* 임명자. **~·ment** *n.* Ⓤ (신이 정한) 운명; 서품(敍品), 성직 수임(授任).

◇**or·deal** [ɔːrdíːəl, ɔ́ːrdiːl] *n.* **1** 호된 시련, 고된 체험. **2** Ⓤ (옛날 튜턴 민족이 썼던) 죄인 판별법《열탕(熱湯)에 손을 넣게 하여 화상을 입지 않으면 무죄로 하는 따위》.

†**or·der** [ɔ́ːrdər] *n.* **1** Ⓒ (종종 *pl.*) 명령, 지휘; 훈령; (법원의) 지시; 명령서: give 〔issue〕 ~*s* 명령을 내리다/receive ~*s from* a person 아무에게서 명령을 받다/follow 〔obey〕 ~*s* 명령〔지시〕에 따르다/refuse ~*s* 명령을 거부하다/be against ~*s* 명령 위반이다. **2** Ⓤ (집회 등의) 규칙; 준법; (정치·사회적) 질서, 치안; (보통 an ~, the ~) 체제, 제도; (관례상의) 의사진행 절차: peace and ~ 안녕질서/public ~ 사회질서/a breach of ~ 질서문란/an old 〔a new〕 ~ 구〔신〕체제/keep ~ 질서를〔치안을〕 유지하다. **3** Ⓤ 순서, 순; Ⓒ 서열, 석차; 〖문법〗 어순(語順)(word ~); 《고어》 열(列): in alphabetical 〔chronological〕 ~ 알파벳〔연대〕순으로/in ~ of age 〔merit〕 연령〔성적〕순으로. **4** Ⓤ 정돈, 정리, 정열; 태세(opp. *confusion*): put one's ideas into ~ 생각을 정리하다/keep things in ~ 물건을 정리해 두다/put 〔set〕 one's documents in ~ 서류를 정리해 두다. **5** Ⓤ 상태, 형편, 정상적인〔양호한〕 상태(opp. *out of order*): be in good ~ 좋은 상태이다/a machine in smooth working 〔running〕 ~ 양호한 상태로 움직이고 있는 기계. **6** Ⓤ 도리, 이치; 인도: the ~ of nature 자연의 이치. **7** Ⓒ 천사의 계급《9계급 있음》. **8 a** (종종 *pl.*) (사회적) 지위, 신분, 계급: the higher 〔lower〕 ~*s* 상류〔하층〕 사회/all ~*s* of society 사회의 모든 계층의 사람들. **b** (종종 the ~s) (직업·목적 등이 같은 사람의) 집단, 사회; (종종 O-) 단체, 결사(結社): the military ~ 군인 사회/the clerical ~ 성직자 사회. **9** Ⓒ (종종 O-) (중세의) 기사단; (종종 O-) 교단, 수도회: a monastic ~ 수도회/the Dominican ~ 도미니크회. **10** (*pl.*) 성직; 〖신교〗 성직 안수식(按手式), 〖가톨릭〗 서품식(ordination): be in ~*s* 성직에 종사하고 있다/⇨ HOLY ORDERS. **11** Ⓒ 종류(kind), 종; 〖생물〗 (동식물 분류상의) 목(目)《class와 family의 중간급》. **12** Ⓒ 〖건축〗 양식, 주식(柱式): the Corinthian ~ 코린트식. **13** Ⓒ 훈위(勳位); 훈장: the *Order* of the Garter 가터 훈위. **14** Ⓤ 〖군사〗 대형(隊形): a close 〔an open〕 ~ 밀집〔산개〕 대형/battle ~=the ~ of battle 전투대형/in fighting ~ 전투대형으로, 전투용 군장(軍裝)으로. **15** Ⓒ 〖수학〗 차수(次數), 도(度). **16** Ⓒ 〖상업〗 주문(서); 수주(受注)〔구입〕 상품; 환, 환어음; (어음 따위의) 지정인: ⇨ MONEY 〔POSTAL, MAIL〕 ORDER. **17** Ⓒ 《영》 (박물관·극장 등의) 무료〔할인〕 입장권; (특별) 허가증: an ~ to VIEW. **18** Ⓒ 〖종교〗 의식, 제전: the ~ *of* Holy Baptism 세례식/the ~ *for* the burial of the dead 장례식. **19** 〖컴퓨터〗 순서, 명령.

orders 12

a large* 〔*big, strong, tall*〕 ~** 대량 주문; 《구어》 어려운 주문〔일〕, 난제(難題), 부당한 요구. ***be on* ~** 발주해 놓고 있다. ***be under* ~ *to do … 하라는 명을 받고 있다. ***by* ~ *of*** …의 명에 의해. ***caliber of higher* ~** 뛰어난 재간. ***call … to* ~** (의장이 발언자에게) 의사진행 절차에 위반되고 있음을 주의시키다, 정숙히 할 것을 명하다; …의 개회를 선언하다. ***draw* (*up*) *in* ~** 정렬하다〔시키다〕. ***fill an* ~** 주문대로 완수하다. ***give an* ~ *for*** (an article) (물건)을 주문하다. ***in good* 〔*poor*〕 ~** 순조롭게〔롭지 못하게〕, 고장 없이〔나

서]. ***in*** ~ ① 순서를 따라, 차례대로. ② 정연히, 정돈되어: keep ... *in* ~ …을 정리해 두다; …의 질서를 바로잡다; …에 규율을 지키게 하다. ③ 규칙에 맞아, 합당[당연]한. ④ 바람직한. ⑤ 건강하여. ***in*** ~***s*** 성직에 종사하여. ***in*** ~ ***to*** do=***in*** ~ ***that*** one ***may*** do …하기 위하여. ***in rapid*** [***slow***] ~ 재빨리 [천천히]. ***in shit*** ~《미속어》헤뜨러져, 뿔뿔이 흩어져. ***in*** [***at, on***] ***short*** [***quick***] ~ 곧, 조속히. ***in the*** ~ ***named*** 그 순서로; 이상 열거한 순으로. ***made to*** ~ 주문에 따라 만든, 맞춤의. ***moral*** ~ 기강. ***of the first*** ~《구어》제일급의, (초)일류의. ***of*** [***in***] ***the*** ~ ***of***《영》대개 …(한) 정도의. ***on*** ~ (물품이) 주문 중인, 발주를 마친. ***on the*** ~ ***of***《미》…와 거의 비슷하여. ***Order! Order!***〖의회〗규칙위반이오, 규칙위반《의사진행상 규칙위반을 의장에게 항의하는 말》. ***or*** ~ 또는 그의 지정인에게《어음·수표 따위의 문장》. ***out of*** ~ 문란하여, 어긋나, 고장이나; 규칙을 벗어나: This car is *out of* ~. 이 자동차는 고장이다. ***place an*** ~ ***with*** a person ***for*** (an article) 아무에게 (물건)을 주문하다. ***put*** [***set, leave***] one***'s affairs in*** ~ 죽기 전에 신변을 깨끗이 정리하다. ***rise to*** (***a point of***) ~ (의원이) 기립하여 발언자의 의사진행 규칙위반을 의장에게 항의하다. ***send for*** ~***s*** 주문을 받기 위해 사람을 보내다. ***take*** (***holy***) ~***s*** 목사가 되다, 성직에 앉다. ***take*** ~***s from*** a person =***take*** a person***'s*** ~***s*** 아무의 명령을 받다. ***take*** ~ ***to*** do …하게끔 적절한 수단을 취하다. ***take*** ~ ***with*** …을 처리하다[치우다], …을 정리하다. ***take things in*** ~ 일을 차례대로 하다. ***the*** ~ ***of the day*** (의회·군대 등의) 일정; 순서; (시대) 풍조, 유행. ***to*** ~ 주문에 맞추어[따라]. ***under the*** ~***s of*** …의 지휘하에; …의 명령에 의해. ***until*** [***till***] ***further*** ~***s*** 추후[별도] 지시가 있을 때까지.

— *vt.* **1** 《~+목/+목+*to* do/+목+부/+목+전+명/+*that*절》…에게 명령하다, …에게 지시하다; (특정 장소)에 가[오]도록 …에게 명하다: I ~*ed* them *to* wait. 그들에게 기다리라고 지시했다/The policeman ~*ed* me *back*. 경관은 내게 물러가라고 했다/He was ~*ed to* Africa. 그는 아프리카행을 명령받았다/He ~*ed* the luggage (*to* be) loaded into the taxi. 짐을 택시에 실으라고 말했다/He ~*ed that* no expense (*should*) be spared in the making. 그는 그 제작에 있어서는 비용을 아끼지 말라고 지시하였다《should의 생략은《미》》.

> SYN. **order** '명하다'의 일반적인 말. 사적인 뜻이 짙으며 그다지 강제적이 아님. **command** order보다 형식을 차린 명령투임. 절대적인 권위로써 명령함. **bid** order 보다 더 뜻이 약하며 문어적인 표현임. 목적어 다음에서는 부정사 to를 생략할 수 있음. **tell** bid와 같은 뜻으로, 구어적 표현에서는 bid 대신 tell을 쓰는 것이 보통임.

2 《~+목/+목+목/+목+전+명》(의사가 환자에게) (약·요법 등을) 명하다, 지시하다《*for*》: The doctor has ~*ed* me a change of air. = The doctor has ~*ed* a change of air *for* me. 의사는 나에게 전지요양을 지시했다. **3** 《~+목/+목+목/+목+전+명》주문하다, 주문해 가져오게 하다, 주문해 주다: ~ a beefsteak 비프스테이크를 주문하다/She ~*ed* her daughter a new dress. =She ~*ed* a new dress *for* her daughter. 그녀는 딸에게 새 드레스를 주문해 주었다/I've ~*ed* lunch *for* eleven o'clock. 나는 점심을 11시에 먹을 수 있도록 시켜 놓았다. **4** (신(神)·운명 등이) 정하다, 명하다. **5** 성직에 서임[임명]하다. **6** 배열하다, 정돈하다, 정리하다; 규제하다: ~ one's life for greater leisure 여가를 늘리도록 생활을 조정하다. — *vi.* 명령[주문]하다. ~ ***about*** [***around***] 사방에 심부름 보내다; 혹사하다. ~ ***abroad*** [***home***] 해외출장[귀국]을 명하다. ***Order arms!***〖군사〗세워총《구령》. ~ ***away*** [***back***] 가버리라고[물러서라고] 명하다. ~ ***from*** …에서 주문해 오다; …에 주문하다: I ~*ed* him new shoes *from* the shoemaker. 그를 위해 새 구두를 구둣방에 주문하였다. ~ ***in*** (아무를) 들어오라고 명하다; (물건을) 주문하여 (잔뜩) 손에 넣다. ~ ***off*** (***the field***)〖스포츠〗(심판이 선수에게) 퇴장을 명령하다. ~ ***out*** (폭동진압 등을 위하여 당국에서 기동대·군대를) 출동시키다. ~ ***out*** (***of***) (방 따위)에서 나가도록 명하다. ~ ***up*** 《*vi.*+부》① 주문하다. — 《*vt.*+부》② …을 주문하다. ③〖군사〗(부대 등에 …로) 출동하라는 명령을 내리다《*to*》.

órder bìll of láding 지시식 선하 증권.

órder blànk 주문 용지.

órder bòok 주문 기록 장부; (종종 O- B-)〖영의회〗의사일정표;〖군사〗명령부(簿).

órder cancellátion dàte 주문취소 기일《주문품이 조달되지 않으면 취소되는 날짜》.

órder clèrk 주문 담당계원, 수주(受注) 담당자.

or·dered *a.* **1** 정연한; 규율[질서]바른. **2**〖보통 well, badly와 함께 합성어를 이루어〗정돈된: well-~ 잘 정돈된.

órdered líst〖컴퓨터〗순서 리스트.

órder fòrm 주문 용지.

órder fulfíllment pròcess 주문조달 절차《수주에서부터 출하·입금까지의》.

órder-in-cóuncil (*pl.* ***órders-***) *n.*《영》긴급칙령《추밀원의 자문만 거쳐 시행되는》.

ór·der·ing [-riŋ] *n.* Ⓤ 배열, 순서. 「종합.

or·der·li·ness [ɔ́:rdərlinis] *n.* Ⓤ 질서정연, 순

***or·der·ly** [ɔ́:rdərli] *a.* **1** 순서 바른, 정돈된: an ~ room 정돈된 방. **2** 규율 있는, 질서를 지키는: an ~ assembly of citizens 질서 있는 시민의 모임. **3** 순종하는, 예의바른, 정숙한: ~ behavior 예의바른 태도. **4**〖군사〗명령의, 전령의, 당번의: an ~ man 당번(병). — *ad.* 순서[규율] 바르게, 정연하게. — *n.*〖군사〗전령, 연락병; (특히 군의) 병원의 잡역부, 간호병;《영》가로 청소부.

órderly bìn《영》(노상의) 휴지통.

órderly bòok〖군사〗(상관의 명령을 기록하는) 명령부(簿).

órderly márketing agreèment ⇨ OMA.

órderly òfficer〖영군사〗일직[당직] 장교.

órderly ròom〖군사〗중대 사무실[본부].

órder of báttle〖군사〗전투 서열; 전력 편성《한 부대의 식별·병력·지휘 기구·병력 배치·편성·장비·행동 등에 관한 일체의 정보》.

órder of búsiness (평의회 등의) 의제순서; (처리해야 할) 문제, 과제, 업무 예정.

órder of mágnitude 어느 수치에서 그 10 배까지의 범위, (한) 자리.

órder of the dáy (the ~) **1** 의사일정. **2**〖군사〗사령관의 포상장;〖군사〗(지휘관의) 통고, 명령 전달. **3** 시대풍조, 정세, 동향. 「표.

órder pàper (종종 O- P-)〖영의회〗의사일정

or·di·nal [ɔ́:rdənl] *n.* **1** 서수(~ number). **2** (O-)〖영국교회〗성직 수임식순(授任式順);〖가톨릭〗서품(敍品) 예식서. — *a.* **1** 순서를 나타내는. **2** 서수의. **3**〖생물〗목(目)(order)의.

órdinal númber 서수(=**órdinal númeral**)《first, second, tenth 따위》;〖수학〗순서수. cf. cardinal number.

or·di·nance [ɔ́:rdənəns] *n.* **1** 법령, 포고; (시읍면의) 조례. **2**〖교회〗의식,《특히》성찬식. ***an Imperial*** ~ 칙령.

or·di·nand [ɔ́:rdənæ̀nd] *n.* 〖교회〗 성직 수임(授任)〔서계(敍階)〕 후보자.

°**or·di·nar·i·ly** [ɔ̀:rdənέərəli, ɔ́:rdənèr-/ɔ́:dənərəli] *ad.* 〔문장 전체를 수식하여〕 통상시에(는), 보통(은〔으로〕), 대개(는): *Ordinarily*, he doesn't get up early. 대체로 그는 일찍 일어나지 않는다.

‡**or·di·nary** [ɔ́:rdənèri/ɔ́:dənəri] *a.* **1** 보통의, 통상의, 정규의: ~ language 일상언어/an ~ meeting 정례회.

> SYN. **ordinary** 별로 딴 것과 다를 바 없는 예사로움, 평범함을 뜻함. **common** '보통의'를 뜻하는 일반적인 말. 많은 것 중에 공통되는 통성(通性)을 말함.

2 범상한, 평범한(commonplace); 좀 못해 보이는: the ~ man 보통의〔평범한〕 사람. **3** 〖법률〗 직할(直轄)의. ***in an*** 〔***the***〕 ~ ***way*** 통례로, 여느 때같이〔같으면〕.
— *n.* **1** (the ~) 보통의 일, 예사, 상례; 보통의 상태〔정도〕: ability far above the ~ 비범한 재능/the little *ordinaries* of life 인생의 일상적인 일. **2** 《영》 정식(定食), 정식 식당(이 딸린 여관). **3** 《미》 유언 검인 판사 《몇몇 주에서》; (the O-) 〖종교법률〗 대감독구의 대감독, 감독구의 감독, 교구의 목사, 교구장, (감독권을 가진) 주교. **4** (종종 O-) 〖교회〗 **a** 예배 의식 순서 규정서, 의식문. **b** 미사 통상문(通常文). **5** 〖문장(紋章)〗 보통 문장《chief, pale, bend, fess, chevron, cross, saltire 등》. **6** 《영》 보통 주(株). **7** 〖역사〗 (사형수의) 교회사(敎誨士). **8** 《미》 (보통 Mr. O-) 보통의 사람. **9** (옛날의) 대소륜(大小輪) 자전거《앞바퀴가 크고 뒷바퀴가 작음》. ***by*** ~ 통상, 보통, 대개. ***in*** ~ ① 상임의, 상무(常務)의. ② 〖해사〗 (함선이) 취역하지 않는; 예비의. ***out of the*** ~ 예외적인, 이상한, 보통이 아닌: nothing *out of the* ~ 하나도 이상하지 않은 것〔일〕.
㊎ **ór·di·nàr·i·ness** *n.* 보통; 평상상태.

ordinary 9

Órdinary lèvel 〖영교육〗 보통급(O level). cf. General Certificate of Education.

órdinary lífe insùrance (간이〔단체〕 생명보험에 대하여) 보통 생명보험.

órdinary ràys 〖광학·결정〗 상광선(常光線).

órdinary resolútion (주주 총회 등의) 보통〔통상〕 결의《단순 과반수에 의한 결의》.

órdinary séaman 《영》 〖해사〗 2급 선원.

órdinary stóck 〔**sháre**〕 《영》 보통주(株) (《미》 common stock).

or·di·nate [ɔ́:rdənət, -nèit] *n.* 〖수학〗 세로좌표. cf. abscissa.

òr·di·ná·tion *n.* Ⓤ **1** 〖교회〗 성직 수임(授任)〔임명〕식, 서품식, 안수식. **2** 명령, 계율《특히 신의》. **3** 정돈, 배열; 분류.

or·di·nee [ɔ̀:rdəní:] *n.* 신임 교회 집사.

ord·nance [ɔ́:rdnəns] *n.* Ⓤ 〔집합적〕 화기, 대포; 병기(weapons), 군수품; 군수품부: an ~ officer 병기장교; 〖미해군〗 포술장(砲術長)/the Army *Ordnance* Corps 육군 병기부대/the *Ordnance* Survey 《영》 육지 측량부/an ~ map 《영》 육지 측량부 지도.

or·don·nance [ɔ́:rdənəns] *n.* **1** (건물·회화·문예작품 등의) 각 부분의〔전체적인〕 배열〔구성〕. **2** 조례, (특히 프랑스의) 법령, 포고.

Or·do·vi·cian [ɔ̀:rdəvíʃən] *n.*, *a.* 〖지학〗 오르도비스기(紀)〔계〕(의)《고생대의 제 2 기》; 그 지층군.

or·dure [ɔ́:rdʒər, -djuər/-djuə] *n.* Ⓤ 오물; 배설물; 음탕한 일; 상스러운 말.

°**ore** [ɔ:r] *n.* Ⓤ,Ⓒ **1** 광석: raw ~ 원광(原鑛)/iron ~ 철광석/~ deposits 광상(鑛床). **2** 《시어》 금속《특히 금》.

öre [ɔ́:rə] (*pl.* ~) *n.* 외레《덴마크·노르웨이 등의 화폐 단위; =1/100 krone》; 1 외레 동전.

ore·ad [ɔ́:riæ̀d] *n.* (*or* O-) 〖그리스신화·로마신화〗 산의 요정(妖精).

orec·tic [ɔ:réktik] *a.* 〖철학·의학〗 욕망〔욕구·소망〕의; 식욕이 있는.

óre drèssing 선광(選鑛).

Ore(g). Oregon.

Or·e·gon [ɔ́:rigən, -gàn, ár-/ɔ́rigən] *n.* 오리건《미국의 태평양 연안 북부의 주; 생략: Ore(g)., OR》. ㊎ **Or·e·go·ni·an** [ɔ̀:rigóuniən, àr-/ɔ̀r-] *a.*, *n.* 오리건 주(州)의 (사람).

Óregon píne 〖식물〗 미송(Douglas fir).

Óregon Tráil (the ~) 〖미국사〗 오리건 산길《Missouri 주에서 Oregon 주까지의 3,200 km 의 도로; 1840-60 년에 개척자들이 많이 이용》.

ore·ide [ɔ́:riàid] *n.* =OROIDE.

Oreo [ɔ́:riòu] *n.* 《미속어·경멸》 백인 체제를 지지하는 흑인.

Ores·tes [ɔ:résti:z/ɔrés-] *n.* 〖그리스신화〗 오레스테스《Agamemnon 과 Clytemnestra 의 아들로, 아버지를 살해한 어머니를 죽임》.

org [ɔ:rg] *n.* 《구어》 조직, 기구; 단체, 협회.

org. organ; organic; organism; organist; organization; organized; organizer.

‡**or·gan** [ɔ́:rgən] *n.* **1** 오르간, 풍금, 《특히》 파이프 오르간: an ~ builder (파이프)오르간 제조인/⇨ MOUTH ORGAN. **2** (생물의) 기관(器官), 장기(臟器), (인간의) 발성기관; 《완곡어》 자지, 남근(男根): internal ~*s* 내장(內臟)/~*s* of digestion 〔motion〕 소화〔운동〕기관. **3** 목소리 《양·질에 관해》: a fine ~ 좋은 목소리. **4** (정치적인) 기관; 기관지(誌): an intelligence ~ 정보 기관/a government ~ 정부 기관지/~*s* of public opinion 여론발표 기관《신문·라디오·TV 등》.

or·gan- [ɔ́:rgən, ɔ:rgǽn] =ORGANO-.

órgan bànk 장기(臟器)은행.

órgan-blòwer *n.* 파이프 오르간의 풀무 개폐인(開閉人)〔장치〕.

órgan dònor 장기(臟器) 제공자.

or·gan·dy, -die [ɔ́:rgəndi] *n.* Ⓤ 오건디《얇은 모슬린 천》.

or·gan·elle [ɔ̀:rgənél] *n.* 〖생물〗 세포 소기관(小器官).

órgan grìnder 배럴 오르간 연주자, 거리의 풍각쟁이.

*__or·gan·ic__ [ɔ:rgǽnik] *a.* **1** 유기체〔물〕의; 유기비료의; 〖화학〗 유기의. OPP *inorganic*. ¶ an ~ body 유기체/~ fertilizer 〔compounds〕 유기비료〔화합물〕/~ evolution 생물 진화/~ farming 유기 농업/~ matter 유기물/~ mercury poisoning 유기 수은 중독. **2** 유기적, 조직적, 계통적(systematic): an ~ whole 유기적 통일체. **3** 고유의, 근본〔본질〕적인; 구조상의; 타고난: the ~ law (국가 등의) 구성법, 기본법, 헌법. **4** 〖의학〗 기관(器官)〔장기〕의; 〖병리〗 기질성(器質性)의: an ~ disease 기질성 질환(OPP *functional disease*). ㊎ **-i·cal·ly** *ad.* 유기적으로; 기관(器官)에 의해서; 조직적으로; 근본적으로.

orgánic ácid 〖화학〗 유기산(酸).

orgánic chémistry 유기화학.

orgánic fóod 자연식품.

or·gan·i·cism [ɔ:rgǽnəsìzəm] *n.* 〖의학〗 기관설(器官說); 〖철학·생물〗 유기체설〔론〕, 생체론.

orgánic láw (국가 등의) 구성법, 기본법.
orgánic métal 〖화학〗 유기금속.
orgánic phósphorus compóund 유기인(有機燐) 화합물《살충제》.
orgánic psychósis 〖의학〗 기질성(器質性) 정신병.
*__or·gan·ism__ [ɔ́ːrgənìzəm] n. **1** 유기체[물]; (미) 생물(체). **2** 유기적 조직체《사회 따위》.
◇**ór·gan·ist** n. 오르간 연주자.
or·gan·iz·a·ble [ɔ́ːrgənàizəbəl] a. 유기화〔조직화〕되는.
⁑**or·gan·i·za·tion** [ɔ̀ːrgənizéiʃən/-naiz-] n. **1** U,C 조직(화), 구성, 편제, 편성. **2** C 기구, 체제; 〖생물〗 생물체, 유기체. **3** C 조직체, 단체, 조합: a charity 〔political, religious〕 ~ 자선〔정치, 종교〕 단체. **4** C 《미》 (정당의) 당직자 (회의); (사업체의) 경영진, 관리직(원). ◇ organize v. ***peace*** 〔***war***〕 **~** 〖군사〗 평시〔전시〕 편제. ㊕ **~·al** [-ʃənəl] a. 조직(상)의, 기관의.
organizátional clímate 조직 환경〔풍토〕《생략: OC》.
organizátional psychólogy 조직 심리학.
organizátion and méthods 〖경영〗 업무 개선 활동, 조직과 방법《실제 작업의 효율을 측정하고, 작업연구(work study)를 통하여 업무 효율화를 꾀함; 생략: O&M》.
organizátion chàrt 〖경영〗 (회사의) 기구도(機構圖), 조직도.
Organizátion for Económic Cooperátion and Devélopment (the ~) 경제 협력 개발 기구《1961 년 설립된 국제 기구; 생략: OECD》.
organizátion màn (주체성을 잃은) 조직인간, 회사 인간; 조직 순응자《흔히, 관리직》; 조직에 능한 사람.
organizátion màrketing 조직화(化) 마케팅.
Organizátion of Áfrican Únity 아프리카 통일 기구《1963 년 설립; 생략: OAU》.
Organizátion of Américan Státes (the ~) 아메리카 기구《가맹국은 미국 및 라틴 아메리카 제국의 26 개국; 1948 년 설립; 생략: OAS》.
Organizátion of Petróleum Expórting Cóuntries (the ~) 석유 수출국 기구《1960 년 결성; 본부 Vienna; 생략: OPEC》.
⁑**or·gan·ize** [ɔ́ːrgənàiz] vt. **1** 《~+목/+목+전+명》 (단체 따위를) 조직하다, 편제〔편성〕하다; 구성하다: ~ an army 군대를 편성하다/~ students *into* three groups 학생을 세 그룹으로 편성하다. **2** …의 계통을 세우다, 체계화하다; 정리하다: ~ one's knowledge in a coherent system of thought 자기의 지식을 사상 체계화하다. **3** (계획·모임 따위를) 준비하다; (회사 따위를) 창립〔설립〕하다: ~ a protest meeting 항의 집회를 준비하다/~ a traveling theater 연극의 지방순회를 계획하다. **4** 〔과거분사〕 유기체로 하다: an ~*d* body 〔matter〕 유기체. **5** (아무를) 노동조합에 가입시키다, …에 노동조합을 만들다, (…을) 조직화하다. **6** 〔~ oneself〕 《구어》 생각을 집중시키다, 기분을 가라앉히다; 《속어》 후무리다, 우려내다. **—** vi. **1** 조직〔유기〕화하다; 조직적으로 단결하다: Workers have a right to ~. **2** 《미》 (노동) 조합을 결성하다〔에 가입하다〕. ◇ organization n.
ór·gan·ized a. 정리된, 규칙바른; 조직화된; 비품 등을 갖춘; 《구어》 해야 할 일은 기민하게 하는, 부지런한.
órganized críme 조직범죄.
órganized férment 〖생화학〗 (불용성(不溶性)의) 효소, 효모.
órganized lábor 〔집합적〕 조직 노동자.
◇**ór·gan·iz·er** n. **1** 조직자; 창립위원, 창시자; (노동조합 따위의) 조직책, (흥행 따위의) 주최자. **2** 〖발생〗 형성체(形成體); 분류 서류철, 서류정리 케이스.
órgan lòft (교회의) 오르간을 비치한 2층.
or·ga·no- [ɔ́ːrgənou, -nə, ɔːrgǽn-] '기관(器官)·유기적'의 뜻의 결합사.
òrgano·chlórine n., a. 유기 염소계 살충제(의)《DDT, 앨드린 등》.
òrgano·génesis n. 〖생물〗 기관(器官) 형성, 기관 발생〔발달〕(=**or·ga·nog·e·ny** [ɔ̀ːrgənádʒəni/-nɔ́dʒ-]). ㊕ **-genétic** a. **-genétically** ad.
orgàno·hálogen a. 〖화학〗 할로겐 원소를 함유한 유기 화합물의.
or·ga·no·lep·tic [ɔ̀ːrgənouléptik, ɔːrgæ̀nə-] a. 감각을 자극하는, 감각기관이 감지할 수 있는, 감각자극에 반응하는, 기관 감각 수용성의. ㊕ **-ti·cal·ly** ad.
or·ga·nol·o·gy [ɔ̀ːrgənálədʒi/-nɔ́l-] n. 〖생물〗 기관학(器官學); =PHRENOLOGY. ㊕ **òr·ga·no·lóg·ic, òr·ga·no·lóg·i·cal** a. **òr·ga·nól·o·gist** n.
òrgano·mercúrial n. 〖화학·약학〗 유기 수은 화합물〔약제〕.
òrgano·metállic n., a. 유기금속(의).
or·ga·non, -num [ɔ́ːrgənàn/-nɔ̀n], [-nəm] n. (학술연구의) 원칙, 연구법; 사고법; (O-) Aristotle 의 논리학, 오르가논. ***Novum Organum*** (Bacon의) 신(新)논리학.
òrgano·phósphate n., a. 유기 인산염(의)《살충제 따위》.
òrgano·thérapy n. U 〖의학〗 장기(臟器)요법.
órgan pìpe 〖음악〗 (파이프 오르간의) 파이프.
órgan tránsplant 장기(臟器)이식.
or·gan·za [ɔːrgǽnzə] n. 오간자《얇고 투명한 레이온 등의 평직 옷감》「용(用)》.
or·gan·zine [ɔ́ːrgənzìːn] n. U 꼰 명주실《날실
or·gasm [ɔ́ːrgæzəm] n. U 격렬한 흥분; 오르가슴《성교시의 성쾌감의 절정》. **—** vi. 오르가슴에 이르다. ㊕ **or·gas·mic, or·gas·tic** [ɔːrgǽzmik], [ɔːrgǽstik] a.
ÓR gàte 〖컴퓨터〗 논리합 게이트《논리합 회로를 구현하는 게이트》.
or·geat [ɔ́ːrʒæt, -ʒɑː] n. U almond로 만드는 시럽.
or·gi·as·tic, -i·cal [ɔ̀ːrdʒiǽstik], [-kəl] a. 주신(酒神)(Bacchus)제(祭)의, 주신제 같은; 부어라 마셔라 법석대는; 난교(亂交)(파티)의.
org-man [ɔ́ːrgmæ̀n] (pl. ***-men*** [-mèn]) n. 《미속어》 =ORGANIZATION MAN.
or·gu·lous [ɔ́ːrgjələs/-gju-] a. 교만한, 방자하고 거만한. ㊕ **~·ly** ad.
or·gy, or·gie [ɔ́ːrdʒi] n. **1** (보통 pl.) 진탕 마시고 떠들기, 법석대기; 유흥, 방탕. **2** (보통 pl.) (고대 그리스·로마에서 비밀히 행하던) 주신제(酒神祭)《마시며 노래하고 춤추는》. **3** 난교 파티, 섹스 파티. **4** (지나치게) 열중함, 탐닉: an ~ of work (정신 없이) 기를 쓰고 일하기.
ori·el [ɔ́ːriəl] n. 〖건축〗 퇴창, 벽에서 불쑥 튀어나온 창(=**∼ wíndow**)《세로 길게, 보통 2 층의》.
⁑**ori·ent** [ɔ́ːriənt, -ènt] n. **1** (the O-) 동양《지중해의 동쪽 또는 동남지역; 아시아, 특히 동아시아》 (opp. *Occident*); 동양 여러 나라. **2** 《시어》 동방, 동쪽 하늘. **3** (특히 동양산의) 질이 좋은 진주; (질이 좋은 진주의) 광택.
— a. **1** (O-) 《고어·시어》 동양(여러 나라)의 (Oriental, Eastern). **2** 《고어》 (태양 따위가) 떠오르는, 출현하는; 발생하고 있는(nascent). **3** (진주·보석 따위가) 찬란히 빛나는, 질이 좋은.
— [ɔ́ːriènt] vt. **1** (교회 건물을) 동향(東向)으로 짓다《제단이 동쪽, 입구가 서쪽》. **2** (시체의) 발을 동쪽으로 향하게 하여 묻다. **3** 《+목+부/+목+전+명》 일정한 방향으로 향하게 하다: ~ a building *south* 〔*toward* the south〕 건물을 남

쪽으로 향하게 하다. **4** 방위를 바르게 맞추다, 바른 방향〔위치〕에 놓다. **5** …의 진상을 확인하다, 올바르게 판단하다; (이미 아는 것에 비추어) 수정하다. **6** 《~+목/+목+전+명》 (새로운 환경 따위에) 적응〔순응〕시키다; 익숙하게 하다: ~ one's ideas *to* new conditions 관념을 새 상황에 적응시키다 / help freshmen to ~ themselves *to* college and *to* life 신입생을 대학과 그 생활에 적응할 수 있도록 도와 주다. **—** *vi.* **1** 《~/+부》 동쪽으로 향하다; (어느 방향으로) 향하다: ~ *east*. **2** 환경에 순응하다. **~ one*self*** 자기 위치를 똑바로 알다; 태도를 분명히 하다; (새로운 환경에) 순응하다《*to; toward*》.

*__ori·en·tal__ [ɔ̀ːriéntl] *a.* **1** (보통 O-) 동양의; 동양식의. OPP *Occidental*. **2** 《고어·시어》 동(방)의; 동양 문명의. **3** (보석·진주 따위가) 질이 좋은, 광택 있는(orient). **—** *n.* (O-) 동양인, 아시아인; (O-) =ORIENTAL JEW. ㊞ **Ori·én·tal·ism** *n.* U 동양식; 동양 제풍(諸風); 동양학, 동양의 지식. **Ori·én·tal·ist** *n.* 동양학자, 동양(어)통.

Ori·en·ta·lia [ɔ̀ːriəntéiliə, -ljə] *n. pl.* 동양 문물(文物), 동양(문화)지(誌)《예술·문화·역사·민속 등의 자료》.

òri·én·tal·ìze *vt., vi.* (종종 O-) 동양식으로 하다〔되다〕, 동양화하다.

Oriéntal Jéw (유럽출신자와 구별하여) 중동·북아프리카계(系) 이스라엘의 유대인《일반적으로 저소득층에 속함》.

oriéntal lòok (유럽에서 본) 동양의 이미지를 따온 복식(服飾) 스타일.

Oriéntal rúg 〔**cárpet**〕 동양 융단《페르시아 양탄자 따위》.

ori·en·tate [ɔ́ːriəntèit, -en-/ɔ́(ː)rien-, -riən] *vt.* =ORIENT.

*__ori·en·ta·tion__ [ɔ̀ːriəntéiʃən, -en-/ɔ̀(ː)rien-, -riən-] *n.* U **1** 동쪽으로 향하게 함; (교회를) 성단이 동쪽이 되도록 세움; (시체의) 발을 동쪽으로 향하게 하여 묻음; (기도 등을 할 때) 동쪽을 향함. **2** (건물 등의) 방위; 방위 측정. **3** (외교 등의) 방침〔태도〕(의 결정); 적응《새로운 환경 등에 대한》; 오리엔테이션, (적응) 지도《신입생·신입사원 등의》: an ~ course 오리엔테이션 과정. **4** 〖동물〗 정위(定位), 귀소(歸巢) 본능《새 등의》; 〖심리〗 정위(력)《현재 환경·시간의 흐름 속에서 자연을 바르게 인식하는 능력》. ㊞ **~·al** *a.* **~·al·ly** *ad.*

-o·ri·en·ted [ɔ́ːrièntid/ɔ́(ː)r-] '…지향의, 좋아하는, 본위의, 중심으로 한' 의 뜻의 결합사: a male-~ world 남성 지향〔우위〕의 세계 / profit-~ 이익 추구형의 / diploma-~ 학력 편중의.

ori·en·teer·ing [ɔ̀ːrientíəriŋ, -riən-/ɔ̀(ː)r-] *n.* 오리엔티어링《지도와 나침반으로 목적지를 찾아가는 크로스컨트리 경기》. ㊞ **òri·en·téer** *vi., n.* ~에 참가하다; ~참가자.

Órient Exprèss 오리엔트 급행《Paris와 Istanbul을 잇는 호화열차》.

or·i·fice [ɔ́ːrəfis, ɑ́r-/ɔ́r-] *n.* 구멍, 빠끔한 구멍《관(管)·동굴·상처 따위의》.

or·i·flamme [ɔ́ːrəflæ̀m, ɑ́r-/ɔ́r-] *n.* (고대 프랑스의) 적색 왕기(王旗)《St. Denis의 성기(聖旗)》; 군기(軍旗), (집결지점·충성·단결의) 기치; 빛깔이 화려한 것, 야한 것.

orig. origin; original(ly); originated.

or·i·gan [ɔ́ːrigən, ɑ́r-/ɔ́r-] *n.* 〖식물〗 꿀풀과의 야생 마요라나(marjoram).

__or·i·gin__ [ɔ́ːrədʒin, ɑ́r-/ɔ́r-] *n.* **1 기원(起源), 발단, 원천; 유래; 원인《*of*》: a word *of* Greek ~ 그리스 어원의 말 / the ~(*s*) *of* civilization 문명의 기원 / a fever *of* unknown ~ 원인불명의 열 / (On) *the Origin of Species* '종(種)의 기원(에 관해서)'《Darwin의 진화론에서》.

> SYN. **origin, source** 이 두 가지 말은 보통 바꿔 쓸 수 있지만 origin은 '발생한 최초의 형태'를 나타내고, source는 '어떤 것을 발생시킨 근원, 근본, 원인, 출처'를 나타냄: the *origin* of civilization 문명의 기원('최초의 문명 비슷한 것'의 뜻). the *sources* of political unrest 정치정세 불안의 원인. **beginning** '시작, 시초'의 뜻으로 origin의 부드러운 표현으로도 쓰이지만, '시초의 부분'이라는 것이 주된 용법임: English democracy has its *beginning* (= origin) in the Magna Charta. 영국 민주주의의 시작은 마그나 카르타에 있다. about the *beginning* (≒origin) of summer 여름의 시초 무렵에. **cause** source에 다소 가깝지만 source가 '수원(水源)'의 뜻으로부터 비유적으로 '원인'의 뜻을 갖는 데 반해 cause는 effect (결과)의 반대어로서 원인 그 자체를 나타내는 비유적 색채가 없는 말임: the *cause* of much damage 많은 손해의 원인(of 이하의 much damage가 이 경우의 effect와 맞먹음). **root** '뿌리'의 뜻의 비유적 용법으로 source, cause 따위와 비슷하지만 '눈으로 보기에는 분명치 않은 원인'을 나타냄: the *root* of the trouble 분쟁의 원인.

2 U (종종 *pl.*) 태생, 가문, 혈통: of noble 〔humble〕 ~(*s*) 귀한〔천한〕 태생의 / He is a Dane by ~. 그는 덴마크 태생이다. **3** (지진의) 진원(震源); 〖수학〗 (좌표의) 원점(原點); 〖해부〗 (근육·말초신경의) 기시점(起始點). **4** 〖컴퓨터〗 원점. ◇ original *a.*

__orig·i·nal__ [ərídʒənl] *a.* **1 최초의; 본래의, 근원〔기원〕의, 고유의: the ~ state 원래 상태 / the ~ plan 원안 / the ~ inhabitants 원주민 / an ~ house 본가 / ~ bid 〖카드놀이〗 최초의 끗수. **2** 원물(原物)의, 원본의, 원형의, 원작의, 원도(原圖)의: the ~ document (증서 등의) 원본 / the ~ bill 〖법률〗 (형평법상(衡平法上)의) 최초의 소장(訴狀); 미(未)배서 어음 / the ~ edition 원판 / the ~ picture 〔text〕 원화〔원문〕《복제·번역이 아닌》. **3** 독창적인, 창의성이 풍부한: an ~ mind 창의가 풍부한 마음 / an ~ idea 신안 / an ~ writer 독창적 작가. SYN. ⇨NEW. **4** 색다른, 신기한, 기발한, 별난: an ~ person 괴짜. ◇ origin *n.* **—** *n.* **1** 원물, 원형. **2** (the ~) 원화, 원문, 원도(原圖), 원서: read Shakespeare in the ~ 셰익스피어를 원서로〔원문으로〕 읽다. **3** (사진 등의) 본인, 실물. **4** 독창적인 사람; 《구어》 괴짜, 기인. **5** 《고어》 원천, 기원. **6** 〖상업〗 원본, 정본(正本).

oríginal dáta 〖컴퓨터〗 원 데이터.

oríginal equípment manufàcturing ⇨ 「OEM.

oríginal grávity 원맥즙(麥汁) 농도《맥주 양조에서 발효 전의 맥즙 농도》. 「o.g., O.G.》.

oríginal gúm 우표 뒤에 발라 놓은 풀《생략:

*__orig·i·nal·i·ty__ [ərìdʒənǽləti] *n.* **1** U 독창성, 독창력, 창조력, 창의: a man of great ~ 독창력이 풍부한 사람. **2** U 참신, 신기〔진기〕함, 기발; 기인(奇人). **3** C 진품; U 원형〔원물〕임; 진짜(authenticity).

*__orig·i·nal·ly__ [ərídʒənəli] *ad.* 원래; 최초에; 최초부터; 독창적으로: as ~ planned 당초 계획대로 / think ~ 독창적으로 생각하다.

oríginal prínt 〖사진·미술〗 원판(原版).

oríginal prócess 〖법률〗 초심(初審)영장.

oríginal sín 〖신학〗 원죄(原罪).

oríginal wrít 〖영법률사〗 기본영장, 소송개시영장; =ORIGINAL PROCESS.

*__orig·i·nate__ [ərídʒənèit] *vt.* **1** 시작하다, 근원이 되다, 일으키다. **2** 창설하다, 창작하다, 발명〔고

안〕하다(invent). **—** *vi.* 《+전+명》 **1** 비롯하다, 일어나다, 생기다, 시작하다《*from; in; with*》: The quarrel *~d in* 〔*from*〕 a misunderstanding. 싸움은 오해에서 비롯되었다 / The idea *~d from* 〔*with*〕 him. 이 생각은 그의 착상이다. **2** 《미》 (버스 · 열차 등이) …에서 시발하다《*at; in*》: The flight *~s in* New York. 그 항공편은 뉴욕발이다. 「점; 창작, 발명; 작성.

orìg·i·ná·tion *n.* Ⓤ,Ⓒ 시작; 일어남; 기인; 기

orig·i·na·tive [ərídʒənèitiv] *a.* 독창적인, 창작력 있는; 발명의 재능이 있는; 참신한, 기발한. ㊕ **~·ly** *ad.* 「설자, 발기인, 원조.

orig·i·na·tor [ərídʒənèitər] *n.* 창작〔창시〕자, 창

ori·ole [ɔ́ːriòul] *n.* 〖조류〗 꾀꼬리의 일종; 《미》 찌르레깃과(科)의 작은 새.

Ori·on [əráiən] *n.* 〖그리스신화 · 로마신화〗 오리온《거대한 사냥꾼》; 〖천문〗 오리온자리(the Hunter).

Oríon's Bélt 〖천문〗 오리온자리의 세 별.

Oríon's Hóund (the ~) 〖천문〗 **1** 큰개자리(Canis Major). **2** 시리우스, 천랑성(天狼星) (Sirius). 「雲).

Oríon's Nébula 〖천문〗 오리온 대성운(大星

or·is·mol·o·gy [ɔ̀ːrizmáləd͡ʒi, ɑ̀r-/ɔ̀rizmɔ́l-] *n.* 술어(述語)정의학(terminology). ㊕ **-mo·lóg·i·cal** *a.* 「시어》 기도(prayer).

or·i·son [ɔ́ːrəzən, ɑ́r-/ɔ́r-] *n.* (보통 *pl.*) 《고어 ·

-o·ri·um [ɔ́ːriəm] *suf.* '…을 위한 장소〔시설〕'의 뜻: audit*orium*.

Ork. Orkney.

Órk·ney Íslands [ɔ́ːrkni-] (the ~) 오크니 제도《스코틀랜드 북동쪽에 있는 여러 섬》. ◇ Orcadian *a.*

Or·lan·do [ɔːrlǽndou] *n.* 올랜도《남자 이름》.

Or·lé·ans [ɔːrliənz/-ˊ-] *n.* **1** 오를레앙《프랑스 중부의 도시》. **2** 〖프랑스사〗 (the ~) 오를레앙가(家).

Or·lon [ɔ́ːrlɑn/-lɔn] *n.* Ⓤ 올론《나일론 비슷한 합성섬유; 상표명》. 「**dèck**).

or·lop [ɔ́ːrlɑp/-lɔp] *n.* (선박의) 최하 갑판(=ˊ∸

Or·mazd [ɔ́ːrməzd] *n.* 〖조로아스터교〗 오르마즈드, 아후라마즈다(Ahura Mazda)《선(善)과 빛의 최고신》.

or·mer [ɔ́ːrmər] *n.* 〖패류〗 전복(abalone).

or·mo·lu [ɔ́ːrməlùː] *n.* Ⓤ 도금용 금박《구리 · 아연 · 주석의 합금》; 금박 그림물감; Ⓒ 도금물(鍍金物); 《비유》 겉만 번드르르한 싸구려.

⁑or·na·ment [ɔ́ːrnəmənt] *n.* **1** Ⓤ 꾸밈, 장식: by way of ~ 장식으로서. **2** 장식품, 장신구(personal *~s*), 장식용 가구. **3** 훈장, 광채를 더해 주는 사람〔물건〕《*to*》. **4** (보통 *pl.*) (교회의) 예배식에 쓰는 기구. **5** 〖음악〗 꾸밈음. **—** [-mènt] *vt.* 《~+목/+목+전+명》 꾸미다, 장식하다(embell-ish); …의 장식이 되다: She *~ed* the table *with* a bunch of flowers. 그녀는 테이블을 한 다발의 꽃으로 장식하였다. ㊕ **~·er** *n.*

***or·na·men·tal** [ɔ̀ːrnəméntl] *a.* 장식의, 장식적인, 장식용의; 풍치〔광채〕를 더하는: an ~ plant 관상식물 / an ~ plantation 풍치림 / ~ writing 장식문자. **—** *n.* (*pl.*) 장식품, 장식〔감상〕용 식물. ㊕ **~·ist** *n.* 장식가, 의장가(意匠家). **~·ize** *vt.* 장식하다, 의장을 하다. **~·ly** *ad.* 장식용으로, 장식하여, 장식적으로. **~·ness** *n.*

or·na·men·ta·tion [ɔ̀ːrnəmentéiʃən] *n.* Ⓤ 장식, 수식; 〖집합적〗 장식품(류).

◇or·nate [ɔːrnéit] *a.* 잘 꾸민〔장식한〕; (문체가) 화려한. ㊕ **~·ly** *ad.* **~·ness** *n.*

or·nery [ɔ́ːrnəri] *a.* 《미구어》 하등의; 비열한; 상스러운; 짓궂은; 고집센; 저속한; 화를 잘 내는, 시비조의; 평범한. ㊕ **-ner·i·ness** *n.*

or·nith- [ɔ́ːrnəθ], **or·ni·tho-** [-θou, -θə] '새(鳥)'의 뜻의 결합사.

ornith. ornithological; ornithology.

or·nith·ic [ɔːrníθik] *a.* 새의, 조류의.

or·ni·thine [ɔ́ːrnəθìːn] *n.* 〖생화학〗 오르니틴《아미노산의 일종》.

or·nith·is·chi·an [ɔ̀ːrnəθískiən] *n., a.* 〖고생물〗 조반목(鳥盤目)(Ornithischia)의 (공룡).

or·ni·thol·o·gy [ɔ̀ːrnəθɑ́lədʒi/-θɔ́l-] *n.* Ⓤ 조류학. ㊕ **or·ni·tho·log·ic, -i·cal** [ɔ̀ːrnəθəlɑ́dʒik/-lɔ́dʒ-], [-əl] *a.* 조류학(상(上))의. **òr·ni·thól·o·gist** *n.* 조류학자.

or·nith·o·man·cy [ɔːrníθəmæ̀nsi/ɔ́ːniθou-] *n.* Ⓤ 새점(占).

or·ni·thop·ter [ɔ̀ːrnəθɑ́ptər/-θɔ́p-] *n.* 〖항공〗 날개를 상하로 흔들면서 날던 초기의 비행기.

or·ni·tho·rhyn·chus [ɔ̀ːrnəθəríŋkəs] *n.* 〖동물〗 오리너구리(platypus, duckbill).

or·ni·thos·co·py [ɔ̀ːrnəθɑ́skəpi/-θɔ́s-] *n.* 새점(占); 들새 관찰, 탐조(探鳥).

or·ni·tho·sis [ɔ̀ːrnəθóusis] *n.* 〖수의〗 오니토시스, 조류병(鳥類病). 「결합사.

oro-[1] [ɔ́ːrou, -rə/ɔ́r-] '산, 고도(高度)'의 뜻의

oro-[2] '입'의 뜻의 결합사. 「OROGENY.

oro·gen·ics [ɔ̀ːroudʒéniks] *n.* 〖단수취급〗 =

orog·e·ny [ɔːrɑ́dʒəni/ɔrɔ́dʒ-] *n.* Ⓤ 〖지학〗 조산(造山) 운동. ㊕ **or·o·gen·ic** [ɔ̀ːrədʒénik, ɑ̀r-] *a.*

orog·ra·phy [ɔːrɑ́grəfi/ɔrɔ́g-] *n.* 산악론〔학〕; 산악지(誌). ㊕ **oro·graph·ic, -i·cal** [ɔ̀ːrəgrǽfik, ɑ̀r-/ɔ̀r-], [-əl] *a.* ~의; 〖기상〗 지형성(地形性)의: *orographic* rain 산악비.

oro·ide [ɔ́ːrouàid] *n.* Ⓤ 〖야금〗 오로이드《구리 · 아연 등의 합금》. 「學)(orography).

orol·o·gy [ɔːrɑ́lədʒi/ɔlrɔ́l-] *n.* Ⓤ 산악학(山岳

oro·mo [ɔːróumou] *n.* **1** (*pl.* *~s*, ~)오로모족(의 한 사람)《에티오피아 및 케냐의 유목민족》. **2** Ⓤ 오로모어《쿠시어파(cushitic)에 속함》.

ÓR operátion 〖컴퓨터〗 논리합 연산.

or·o·pe·sa [ɔ̀ːrəpéisə] *n.* 소해(掃海) 장치의 일종. 「腔) 인두.

òro·phárynx *n.* 〖해부〗 인두 중앙부; 구강(口

oro·tund [ɔ́ːrətʌ̀nd/ɔ́r-] *a.* **1** 낭랑한《목소리 따위》. **2** (말 따위의) 과장된, 태깔스러운: ~ paeans 과장된 찬사. **—** *n.* 낭랑한 목소리, 구변이 좋음. ㊕ **oro·tun·di·ty** [ɔ̀ːrətʌ́ndəti/ɔ̀r-] *n.*

oro y pla·ta [ɔ́ːrouiːplɑ́ːtə] 《Sp.》 '금과 은'《미국 Montana주의 표어》.

***or·phan** [ɔ́ːrfən] *n.* 고아, 양친이 없는 아이; 《드물게》 부모 중 한 쪽이 없는 아이; 《비유》 보호〔편의〕를 박탈당한 사람; 〖컴퓨터〗 고아《(1) 하나의 문단에서 맨 마지막 하나의 문장이 잘려서 다음 페이지의 맨 위에 나타나는 현상. (2) 제조자에 의해 애프터서비스되지 않는 컴퓨터 제품》. **—** *a.* **1** 어버이 없는, 고아의. **2** 고아를 위한: an ~ asylum 〔home〕 고아원. **3** 《비유》 보호를 박탈당한, 버림받은: an ~ disease (제약 회사가 약의 생산을 꺼려서) 방치된 기병(奇病). **—** *vt.* 〖보통 수동태〗 고아로 만들다: The boy *was ~ed* during the war. 그 소년은 전쟁 중에 고아가 되었다. ㊕ **~·age** [-idʒ] *n.* Ⓤ 고아임; 보육원, 고아원; 《고어》 고아. **~·hood** [-hùd] *n.* Ⓤ 고아 신세〔몸〕. 「용 약.

órphan drùg 〖약학〗 희용(稀用)약품, 희소 질병

órphan's cóurt 《미》 고아 법원《일부 주에 있으며, 고아를 위한 유언 검인(檢認) · 후견인 선정 · 재산 관리 따위를 행함》.

Or·phe·an [ɔːrfíːən, ˊ--/ɔːfíːən] *a.* 《시어》 Orpheus 의〔같은〕; 절묘한 곡조의; 황홀케 하는.

Or·phe·us [ɔ́ːrfiəs, -fjuːs] *n.* 〖그리스신화〗 오르페우스《칠현금〔리라〕의 명수; 동물 · 나무 · 바위까지 황홀하게 하였다고 함》.

Or·phic, -i·cal [ɔ́:rfik], [-əl] *a.* **1** Orphism의. **2** Orpheus를 개조(開祖)로 하는 Dionysus 숭배의, 밀교(密敎)의; 신비적인. **3** =ORPHEAN.

Or·phism [ɔ́:rfizəm] *n.* **1** 오르페우스교(敎)《윤회(輪廻)·응보 등을 믿는 신비적인 종교》. **2** 〖미술〗 오르피즘《1912 년경 cubism에서 발달한 기법; Delaunay는 그 대표적 화가》.

or·phrey [ɔ́:rfri] *n.* [U,C] (성직복 위에 두르는) 장식띠, 금(金)자수(를 박은 천).

or·pi·ment [ɔ́:rpəmənt] *n.* [U] 〖광물〗 웅황(雄黃)《안료·화약용》.

or·pin(e) [ɔ́:rpin] *n.* 〖식물〗 자주꿩의비름.

Or·ping·ton [ɔ́:rpiŋtən] *n.* 오핑턴《닭의 일종; 영국 Kent 주 Orpington 산(産)》.

or·rery [ɔ́:rəri, ár-/ɔ́r-] *n.* 태양계의(儀).

or·ris[1], **-rice** [ɔ́:ris, ár-/ɔ́r-] *n.* 〖식물〗 흰붓꽃《붓꽃과(科)》; 그 뿌리(orrisroot).

or·ris[2] *n.* 금〔은〕 레이스〔자수〕. 「료로 씀》.

órris-pòwder *n.* 흰붓꽃의 뿌리의 분말《약·향

órris·ròot *n.* 흰붓꽃의 뿌리. 「쓰레기.

ort [ɔ:rt] *n.* (보통 *pl.*) 먹다 남은 찌꺼기; (부엌)

or·thi·con [ɔ́:rθikàn/-kɔ̀n] *n.* 〖TV〗 오르티콘《iconoscope를 개량한 영상관》.

or·tho- [ɔ́:rθou, -θə], **or·th-** [ɔ́:rθ] '정(正), 직(直)'의 뜻의 결합사《모음 앞에서는 orth-》: *ortho*dox, *orth*icon.

órtho·cènter *n.* 〖수학〗 수심(垂心).

òrtho·chromátic *a.* 〖사진〗 정색성(整色性)의 ([cf.] panchromatic): an ~ plate 〔film〕 정색 건판〔필름〕. 「정장석(正長石).

or·tho·clase [ɔ́:rθəklèis, -klèiz] *n.* [U] 〖광물〗

or·tho·clas·tic [ɔ̀:rθəklǽstik] *a.* (결정(結晶)이) 완전벽개(劈開)의.

or·tho·don·tia [ɔ̀:rθədánʃiə/-dɔ́ntiə] *n.* [U] = ORTHODONTICS.

or·tho·don·tics [ɔ̀:rθədántiks/-dɔ́n-] *n. pl.* 〘단수취급〙 치과 교정학(矯正學)(dental ~); 치열(齒列) 교정(술). 「교정의(醫).

or·tho·don·tist [ɔ̀:rθədántist/-dɔ́n-] *n.* 치열

***or·tho·dox** [ɔ́:rθədàks/-dɔ̀ks] *a.* **1** (특히 종교상의) 정설(正說)의, 정교(正敎)를 받드는, 정통파의. [OPP] *heterodox*. **2** (O-) 그리스 정교회의; (O-) 유대교 정통파의. **3** (관습상) 옳다고 인정된, 정통의; 승인〔공인〕된; 전통적인; 인습적인. **—** (*pl.* **~, ~·es**) *n.* 정통파 사람; (O-) 동방 정교회 신자.

Órthodox (Éastern) Chúrch (the ~) 동방 정교회《그리스 및 러시아 정교회 등》.

Órthodox Júdaism 정통파 유대교.

órthodox sléep 〖생리〗 정(상)수면(正(常)睡眠)《꿈을 꾸지 않는 수면상태》. [cf.] paradoxical sleep.

or·tho·doxy [ɔ́:rθədàksi/-dɔ̀k-] *n.* [U] 정설(正說), 정교(正敎); 정교신봉; 정통파적 관행; 일반적인 설에 따름.

or·tho·drom·ic [ɔ̀:rθədrámik/-drɔ́m-] *a.* 〖생리〗 순방향성(順方向性)의《신경섬유의 흥분전도가》. [파] **-i·cal·ly** *ad.* 「(正音)학자.

or·tho·ep·ist [ɔ:rθóuəpist, ɔ́:rθouèp-] *n.* 정음

or·tho·e·py [ɔ́:rθouèpi, ɔ:rθóuəpi] *n.* [U] 올바른 발음(법); 정음법(正音法), 정음학. [파] **or·tho·ep·ic, -i·cal** [ɔ̀:rθouépik], [-əl] *a.* 정음법〔학〕의; 발음이 정확한.

òrtho·férrite *n.* 오르토페라이트《컴퓨터용 결정물질의 얇은 층》.

òrtho·génesis *n.* [U] 〖생물〗 정향(定向)진화; 〖사회〗 계통 발생설. [파] **-genétic** *a.*

or·thog·o·nal [ɔ:rθágənl/-θɔ́g-] *a.* 〖수학〗 직각의, 직교(直交)하는.

or·thóg·o·nal·ìze *vt.* 〖수학〗 (벡터·함수 따위를) 직교시키다. [파] **or·thòg·o·nal·i·zá·tion** *n.*

orthógonal projéction 〖수학〗 정사영(正射影); 〖지도〗 정사(正射)도법. 「직립보행의.

or·tho·grade [ɔ́:rθəgrèid] *a.* 〖동물〗 동물이

or·tho·graph [ɔ́:rθəgræ̀f, -grɑ̀:f] *n.* 〖수학〗 정사영(正射影); (건축물의) 정사도(正射圖).

or·thog·ra·pher, -ra·phist [ɔ:rθágrəfər/-θɔ́g-], [-fist] *n.* 철자학자, 정자법(正字法) 학자; 철자를 바르게 쓰는 사람.

or·tho·graph·ic, -i·cal [ɔ̀:rθəgrǽfik], [-əl] *a.* 철자법〔정자법〕의; 철자가 바른; 〖수학〗 직각의, 수직의, 직교하는; 직각으로 투영한. [파] **-i·cal·ly** *ad.* 「PROJECTION.

orthográphic projéction =ORTHOGONAL

or·thog·ra·phy [ɔ:rθágrəfi/-θɔ́g-] *n.* [U] 바른 철자, 정자법([OPP] *cacography*), 철자법; 〖문법〗 문자론, 철자론; 〖수학〗 정사영법(正射影法): reformed ~ 개정 철자법.

or·tho·ker·a·tol·o·gy [ɔ̀:rθoukèrətálədʒi/-tɔ́l-] *n.* 〖의학〗 각막(角膜) 교정 치료. 「조절하는.

òrtho·molécular *a.* 몸의 분자성분을 영양으로

or·tho·pe·dic, -pae·dic [ɔ̀:rθəpí:dik] *a.* 〖의학〗 정형외과의; 정형술의: ~ treatment 정형(외과) 수술〔치료〕. [파] **-di·cal·ly** *ad.*

òr·tho·pé·dics, -páe- *n. pl.* 〘단수취급〙 〖의학〗 (특히 유아의) 정형외과 (수술); 치열(齒列) 교정학(dental ~). [파] **-dist** [ɔ̀:rθəpí:dist] *n.* 〖의학〗 정형외과 의사. 「PEDICS.

or·tho·pe·dy, -pae- [ɔ́:rθəpì:di] *n.* =ORTHO-

òrtho·phósphate *n.* 〖화학〗 오르토〔정(正)〕 인산염. 「산, 정(正)인산.

òrtho·phosphóric ácid 〖화학〗 오르토 인

òrtho·psychíatry *n.* [U] (특히 청소년의) 예방 정신의학. 「THOPTER.

or·thop·ter [ɔ:rθáptər/-θɔ́p-] *n.* =ORNI-

or·thop·tera [ɔ:rθáptərə/-θɔ́p-] 〖곤충〗 ORTHOPTERON의 복수.

or·thop·ter·an [ɔ:rθáptərən/-θɔ́p-] *a., n.* 〖곤충〗 메뚜기목(目)〔직시류(直翅類)〕의 (곤충).

or·thop·ter·on [ɔ:rθáptəràn, -rən/-θɔ́ptərən] (*pl.* **-tera** [-tərə]) *n.* 메뚜기목(目) 곤충.

or·thop·ter·ous [ɔ:rθáptərəs/-θɔ́p-] *a.* 〖곤충〗 메뚜기목(目)의.

or·thop·tic [ɔ:rθáptik/-θɔ́p-] *a.* 직시(直視)의, 정시(正視)의; 〖의학〗 시축(視軸) 교정의, 정시를 돕는. 「정학.

or·thóp·tics *n. pl.* 〘단수취급〙 시각(視覺) 교

or·thop·tist [ɔ:rθáptist/-θɔ́p-] *n.* 시각 교정의(醫).

or·tho·rhom·bic [ɔ̀:rθərámbik/-rɔ́m-] *a.* 〖결정〗 사방정계(斜方晶系)의(rhombic): ~ system 사방정계.

or·tho·scop·ic [ɔ̀:rθəskápik/-skɔ́p-] *a.* **1** 〖안과〗 정시(正視)의; 정상인 시력을 가진. **2** 〖광학〗 사물을 바르게 보이게 하는.

or·tho·sis [ɔ:rθóusis] (*pl.* **-ses** [-si:z]) *n.* 〖의학〗 정형 수술; =ORTHOTIC.

òrtho·státic *a.* 〖의학〗 기립성(起立性)의: ~ hypotension 〔albuminuria〕 기립성 저혈압〔단백뇨(증)〕.

or·thot·ic [ɔ:rθátik/-θɔ́t-] *n.* 〖외과〗 (변형) 교정 기구(矯正器具). **—** *a.* (변형) 교정학의; (변형) 교정(용)의《장치 따위》.

or·thot·ics [ɔ:rθátiks/-θɔ́t-] *n. pl.* 〘단수취급〙 보조구(補助具)에 의한 기능회복 훈련(법); 치열(齒列) 교정학(orthodontics). 「water).

órtho·wàter *n.* 〖화학〗 중합수(重合水)(poly-

or·to·lan [ɔ́:rtlən] *n.* 〖조류〗 **1** 촉새·멧새류(類). **2** wheatear 〔bobolink〕의 속칭.

ORV off-road vehicle.

Or·well [ɔ́ːrwel, -wəl] *n.* **George** ~ 오웰《영국의 소설가·수필가; 1903-50》. ㊕ **~·ian** [ɔːrwéliən] *a.* 오웰풍의, 《특히》 그의 작품 '1984년'의 세계와 같은《조직화되어 인간성을 잃은》. **~·ism** *n.* (선전활동을 위한) 사실의 조작과 왜곡.

ory [ɔ́ːri] *a.* 광석의〔과 같은〕, 광석을 함유한.

-o·ry [ɔ̀ːri, əri/əri] *suf.* **1** 〖명사·동사에 붙어〗 '…의, …의 성질을 가진'의 뜻의 형용사를 만듦: renunciat*ory*, provis*ory*. **2** 〖명사어미〗 '…의 장소'라는 뜻의 명사를 만듦: dormit*ory*.

oryx [ɔ́ːriks/ɔ́r-] (*pl.* **~·es,** ~) *n.* 〖동물〗 오릭스《아프리카산 영양(羚羊)의 일종》.

or·zo [ɔ́ːrzou] (*pl.* **~s**) *n.* 오르조《쌀알 모양의 수프용 파스타(pasta)》.

os[1] [as/ɔs] (*pl.* ***os·sa*** [ásə/ɔ́sə]) *n.* 《L.》 〖의학·해부〗 뼈.

os[2] (*pl.* ***ora*** [ɔ́ːrə]) *n.* 《L.》 입, 구멍, 터진 틈: per ~ 입으로(by mouth)《먹는 약의 표시》.

os[3] [ous] (*pl.* ***osar*** [óusɑːr]) *n.* =ESKER.

OS 〖컴퓨터〗 operating system (운영 체제). **O.S.** 《L.》 *oculus sinister*(=left eye)《처방전에서》; Old Saxon; Old School (보수파); Old Series; Old Style; 〖상업〗 on spot; ordinary seaman; ordnance survey; 〖복식〗 outsize. **Os** 〖화학〗 osmium. **o.s., o/s** 〖상업〗 on sample; off scene; ordinary seaman; out of stock; 〖은행〗 outstanding. **O.S.A., OSA** 《L.》 *Ordo Sancti Augustini* (=Order of St. Augustine).

Osage [óuseidʒ, -ˊ] *n.* **1** (*pl.* ~, **~s**) 오세이지 사람《북아메리카 원주민의 한 종족》; Ⓤ 오세이지 말. **2** =OSAGE ORANGE.

Ósage órange 〖식물〗 오세이지 오렌지《미국 남부산의 뽕나뭇과의 식물》; 그 열매.

OS & D over, short and damaged. **OSB, O.S.B.** 《L.》 *Ordo Sancti Benedicti* (=Order of St. Benedict).

Os·can [áskən/ɔ́s-] *n.* 〖역사〗 오스칸 사람《이탈리아 남부 지방에 살았던 고대 민족》; Ⓤ 오스칸 말. **—** *a.* 오스칸 사람〔말〕의.

OSCAR [áskər/ɔ́s-] 〖우주·통신〗 오스카《미국의 아마추어 무선가용 전파(電波) 전파(傳播) 실험위성; 아마추어 위성》. [◂ *O*rbiting *S*atellite *C*arrying *A*mateur *R*adio]

Os·car [áskər/ɔ́s-] *n.* 〖영화〗 오스카《매년 아카데미상 수상자에게 수여되는 작은 황금상(像)》; 〖일반적〗 (연간) 최우수상; (o-) 《Austral. 속어》 돈, 현금; (종종 o-) 《미속어》 총(gun): an ~ actor 〔actress〕 아카데미상을 받은 배우〔여우〕 / the ~ film 아카데미상 수상 영화.

OSCE Organization for Security and Co-operation in Europe (유럽 안전 보장 협력 기구) 《구(舊) CSCE가 1996 년에 개칭》.

os·cil·late [ásəlèit/ɔ́s-] *vi.* **1** (진자(振子)와 같이) 요동하다, 진동하다; (선풍기 따위가) 돌다. **2** (마음·의견 따위가) 동요하다, 흔들리다, 갈피를 못 잡다: ~ *between* two opinions 두 가지 의견으로 갈팡질팡하다. **3** (두 점 사이를) 왕복하다. **4** (성적·정세·환시세 따위가) 변동하다. **5** 〖물리〗 진동하다; 〖통신〗 발진(發振)하다. **—** *vt.* 진동시키다; 동요시키다. [《L.》 *oscillo* to swing]

óscillating cùrrent 〖전기〗 진동전류.

°**òs·cil·lá·tion** *n.* Ⓒ,Ⓤ 진동; 동요, 변동; 주저, 갈피를 못 잡음; 〖물리〗 (전파의) 진동, 발진(發振); 진폭(振幅). ㊕ **~·al** *a.*

os·cil·la·tor [ásəlèitər/ɔ́s-] *n.* 〖전기〗 발진기; 〖물리〗 진동자; 동요하는 사람. ㊕ **-la·to·ry** [-lətɔ̀ːri/-lətəri] *a.* 진동하는; 흔들리는; 변동하는; 〖물리〗 진동의.

os·cil·lo·gram [əsíləgræ̀m] *n.* 〖전기〗 오실로그램《oscillograph에 의한 도형》.

os·cil·lo·graph [əsíləgræ̀f, -grɑ̀ːf] *n.* 〖전기〗 오실로그래프《전류의 진동 기록 장치》.

os·cil·lo·scope [əsíləskòup] *n.* 〖전기〗 오실로스코프, 역전류 검출관《전류·빛·음향 따위의 진동상태를 가시(可視)곡선으로 나타내거나 기록하는 장치》.

os·cine [ásn, ásain/ɔ́s-] *a.*, *n.* 〖조류〗 참새목(目) 〔명금류(鳴禽類)〕의 (새)(passerine).

os·ci·ta·tion [àsətéiʃən/ɔ̀s-] *n.* 하품; 졸린 상태; 멍해 있음, 태만.

Os·co-Um·bri·an [áskouʌ́mbriən/ɔ́s-] *n.*, *a.* 오스코움브리아 방언(의)《Italic 어파에 속함》.

os·cu·lant [áskjələnt/ɔ́s-] *a.* 〖동물〗 (혈관이) 밀착한; 〖생물〗 (양 종(種)에) 공통적 특징이 있는; 중간성의; 두 종족 혼교(混交)의 중개물이 되는.

os·cu·lar [áskjələr/ɔ́s-] *a.* **1** 입의; 《고어·우스개》 키스의. **2** 〖동물〗 흡착기관의. **3** 〖수학〗 접촉하는.

os·cu·late [áskjəlèit/ɔ́s-] *vi.*, *vt.* 《고어·우스개》 입맞추다; 상접(相接)하다; 공통점을 가지다; 〖생물〗 공통성을 가지다《*with*》; 〖수학〗 접촉하다〔시키다〕: an *osculating* circle 〔plane〕 접촉원(圓)〔평면〕. ㊕ **òs·cu·lá·tion** *n.* 《고어·우스개》 입맞춤; 상접, 밀착; 〖수학〗 접촉. **os·cu·la·tory** [ˊ-lətɔ̀ːri/ˊ-lətəri] *a.* 키스의, 입맞추는; 〖수학〗 접촉하는.

ósculating órbit 〖천문〗 접촉궤도《천체의 각 순간의 위치와 속도에 대응하는 궤도》.

ósculating pláne 〖수학〗 접촉평면.

os·cu·lum [áskjələm/ɔ́s-] (*pl.* **-la** [-lə]) *n.* 입맞춤; 〖동물〗 (해면 따위의) 배수공(排水孔); (촌충 따위의) 흡착기관, 흡반(吸盤).

OSD, O.S.D. 《L.》 *Ordo Sancti Dominici* (=Order of St. Dominic).

-ose [òus, ous] *suf.* **1** '…이 많은, …을 가진, …성(性)의'의 뜻의 형용사를 만듦: verb*ose*, joc*ose*. **2** 〖화학〗 '탄수화물, 당(糖)'의 뜻의 명사를 만듦: fruct*ose*, cellul*ose*.

OSF, O.S.F. 《L.》 *Ordo Sancti Francisci* (=Order of St. Francis). **OSF** Open Software Foundation. **OSHA** [óuʃə] 《미》 Occupational Safety and Health Administration (노동 안전 위생국). **OSI** 〖통신〗 open systems interconnection (개방형 시스템간 상호접속); out of stock indefinitely.

osier [óuʒər] *n.* 〖식물〗 **1** 버드나무의 일종《가는 가지는 광주리를 겯는 재료임; 유럽산》. **2** 말채나무(dogwood). **—** *a.* 버들 세공의.

ósier bèd 버들밭.

Osi·ris [ousáiəris] *n.* 〖이집트신화〗 오시리스《명부(冥府)의 왕》.

-o·sis [óusis] *suf.* '…의 과정, (병적)상태'라는 뜻의 명사를 만듦: neur*osis*, tubercul*osis*.

-os·i·ty [ásəti/ɔ́s-] *suf.* -ose, -ous의 어미로 끝나는 형용사에서 명사를 만듦: joc*osity*.

Os·lo [ázlou, ás-/ɔ́z-, ɔ́s-] *n.* 오슬로《노르웨이의 수도·해항(海港)》.

Os·man [ázmən, ás-/ɔzmáːn, ɔs-, ɔ́zmən] *n.* ~ I 오스만 1세《오스만 제국의 시조(1299); 1259-1326》.

Os·man·li [azmǽnli, as-/ɔz-, ɔs-] (*pl.* **~s**) *n.* 오스만 제국의 신민; Ⓤ 오스만 투르크어(語). **—** *a.* 오스만 제국의, 오스만 투르크어의.

os·mic [ázmik/ɔ́z-] *a.* 〖화학〗 오스뮴의.

os·mics [ázmiks/ɔ́z-] *n. pl.* 〖단수취급〗 향기학(香氣學), 후각(嗅覺)학, 냄새의 연구.

os·mi·um [ázmiəm/ɔ́z-] *n.* 〖화학〗 오스뮴《금속 원소; 기호 Os; 번호 76》.

ósmium tetróxide 〖화학〗 4산화오스뮴.

os·mol [ázmoul, ás-/ɔ́z-] *n.* 〖화학〗 오스몰《삼

투압의 규준(規準) 단위). ⓟ **os·mol·al** [ɑzmóuləl, ɑs-/ɔz-] *a.*

os·mo·lar [ɑzmóulər, ɑs-/ɔz-] *a.* =OSMOTIC.

os·mom·e·ter [ɑzmámətər, ɑs-/ɔzmɔ́m-] *n.* 삼투압계(計).

os·mom·e·try [ɑzmámətri, ɑs-/ɔzmɔ́m-] *n.* 〖물리·화학〗 삼투압 측정. ⓟ **òs·mo·mét·ric** *a.* **òs·mo·mét·ri·cal·ly** *ad.*

òs·mo·regulátion [àzmou-, às-/ɔ̀z-] *n.* 삼투압 조절《세포나 단순한 생물이 환경에 맞게 체액이나 전해질의 단백질을 유지하는 작용》.

os·mose [ázmous, ás-/ɔ́z-] *n.* =OSMOSIS. — *vt., vi.* 〖화학〗 삼투시키다〔하다〕.

os·mo·sis [ɑzmóusis, ɑs-/ɔz-] *n.* **1** 〖물리·화학·생물〗 삼투. **2** 《비유》 (조금씩) 흡수됨, 서서히 보급됨, 침투: He never studies but seems to learn by ~. 그는 전혀 공부다운 공부를 하지 않지만, 그 환경 속에서 제물로 터득하는 것 같다.

os·mot·ic [ɑzmátik, ɑs-/ɔzmɔ́t-] *a.* 〖화학〗 삼투(성)의.

osmótic préssure 〖화학〗 삼투압.

osmótic shóck 〖생리〗 삼투압 충격《생체조직에 영향을 주는 삼투압의 급변》.

os·mund [ázmənd/ɔ́z-] *n.* 〖식물〗 고비. 「성).

OSO Orbiting Solar Observatory (태양관측위

os·pray, -prey [áspri/ɔ́s-] *n.* 〖조류〗 물수리; 백로의 깃《여성 모자 장식용》.

OSS, O.S.S. Overseas Supply Store; Office of Strategic Services (전략사무국; CIA 전신).

Os·sa [ásə/ɔ́sə] *n.* 그리스 북동부의 산. ***heap* 〔*pile*〕 *Pelion upon* ~** 곤란에 곤란을 거듭하다.

os·se·in [ásiin/ɔ́s-] *n.* 〖생화학〗 골질(骨質), 오세인《골의 교원질(膠原質)》.

os·se·ous [ásiəs/ɔ́s-] *a.* 뼈의, 골질(骨質)의.

Os·sian [áʃən, ásiən/ɔ́siən] *n.* 오시안《아일랜드, 스코틀랜드의 전설적 영웅 시인; Finn의 아들; =**Óisin**》. ⓟ **Os·si·an·ic** [àsiǽnik, àʃ-/ɔ̀s-] *a.* ~풍의; 과장한.

os·si·cle [ásikəl/ɔ́s-] *n.* 〖해부〗 소골(小骨); 〖동물〗 소골《무척추동물의 석회질의 뼈 같은 소체》.

Os·sie [ázi/ɔ́zi] *n.* **1** 《영속어》 =AUSTRALIAN. **2** (보통 *pl.*) 《구어》 (옛) 동독인. — *a.* 《영속어》 =AUSTRALIAN.

os·sif·ic [ɑsífik/ɔs-] *a.* 뼈〔骨〕를 만드는〔형성하는〕, 골화(骨化)의.

os·si·fi·ca·tion [àsəfəkéiʃən/ɔ̀s-] *n.* Ⓤ **1** 뼈로 됨〔변함〕, 골화; 골화한 부분. **2** (감정의) 경화, 냉담화, 무신경《상태》; (사상의) 고정화.

os·si·fied [ásəfàid, ɔ́s-] *a.* 골화(骨化)한; 뼈가 된; 경직화 된; 《속어》 곤드레가 된, 대취한.

os·si·frage [ásəfridʒ/ɔ́s-] *n.* 〖조류〗 독수리의 일종《라틴아메리카·유럽산》.

os·si·fy [ásəfài/ɔ́s-] *vt.* **1** 뼈로 변하게 하다, 골화(骨化)시키다; 경화시키다. **2** 무정〔냉혹〕하게 하다; 보수적으로 하다. — *vi.* **1** 골화되다; 경화되다. **2** 무정하게 되다; 보수적으로 되다.

os·so·bu·co [ásoubú:kou/ɔ́s-] *n.* 《It.》 오소부코《송아지 정강이살을 백포도주로 찐 요리》.

os·su·ary [áʃuèri, ás-/ɔ́sjuəri] *n.* 납골당; 뼈단지; 뼈동굴《고대인의 유골이 있는 동굴》.

os·te·al [ástiəl/ɔ́s-] *a.* =OSSEOUS.

os·te·i·tis [àstiáitəs/ɔ̀s-] *n.* 〖의학〗 골염(骨炎). ⓟ **òs·te·ít·ic** [-ítik] *a.*

os·ten·si·ble [ɑsténsəbəl/ɔs-] *a.* 외면(상)의; 표면의, 거죽만의, 겉치레의. opp *real, actual.* ¶ one's ~ purpose 표면상의 목적. ⓟ **-bly** *ad.* 표면상. **os·tèn·si·bíl·i·ty** *n.*

os·ten·sion [ɑsténʃən/ɔs-] *n.* 〖언어〗 =OSTENSIVE DEFINITION.

os·ten·sive [ɑsténsiv/ɔs-] *a.* **1** 실물로 나타내는〔보이는〕, 구체적으로 나타내는, 명시하는. **2** =OSTENSIBLE. ⓟ **~·ly** *ad.*

ostènsive definítion 〖언어〗 실물 지시적 정의《대상물을 가리켜 나타내는 정의》.

os·ten·so·ri·um [àstənsɔ́:riəm/ɔ̀s-] (*pl.* ***-ria*** [-riə]) *n.* =OSTENSORY.

os·ten·so·ry [ɑsténsəri/ɔs-] *n.* 〖가톨릭〗 성광(聖光)(monstrance).

os·ten·ta·tion [àstentéiʃən/ɔ̀s-] *n.* Ⓤ 허식; 겉보기; 겉치장, 과시.

◇**os·ten·ta·tious** [àstentéiʃəs/ɔ̀s-] *a.* 과시하는, 겉보기를 꾸미는, 여봐란 듯한, 야한. ⓟ **~·ly** *ad.* **~·ness** *n.*

os·te·o- [ástiou, -tiə/ɔ́s-] '뼈'를 뜻하는 결합사《모음 앞에서는 oste-》: *osteo*logy.

òsteo·arthrítis *n.* Ⓤ 〖의학〗 골관절염.

òsteo·arthrósis *n.* Ⓤ 〖의학〗 골관절증.

os·te·o·blast [ástiəblæ̀st/ɔ́s-] *n.* 〖해부〗 골아〔조골〕(骨芽〔造骨〕)세포. ⓟ **òs·te·o·blás·tic** *a.*

os·te·o·clast [ástiəklæ̀st/ɔ́s-] *n.* 〖해부〗 파골(破骨)세포, 용골(溶骨)세포; 〖외과〗 절골기(折骨器). 「포.

os·te·o·cyte [ástiəsàit/ɔ́s-] *n.* 〖해부〗 골세

òsteo·génesis *n.* 골형성.

osteogénesis ìm·per·féc·ta [-ìmpərféktə] *n.* 〖의학〗 골형성부전(증).

os·te·o·gen·ic [àstiədʒénik/ɔ̀s-] *a.* 골원성(骨原性)의, 골생성(성)의. 「의.

os·te·oid [ástiɔ̀id/ɔ́s-] *a.* 뼈 같은, 골상(骨狀)

os·te·ol·o·gy [àstiálədʒi/ɔ̀stiɔ́l-] *n.* Ⓤ 골학(骨學). ⓟ **os·te·o·log·i·cal** [àstiəládʒikəl/ɔ̀stiəlɔ́dʒ-] *a.* 골학(상)의. **-gist** *n.* 골학자.

os·te·o·ma [àstióumə/ɔ̀s-] (*pl.* **~s, *-ma·ta*** [-tə]) *n.* 〖의학〗 골종(骨腫).

os·te·o·ma·la·cia [àstiouməléiʃiə/-siə] *n.* 〖병리〗 골연화증(骨軟化症). ⓟ **-ma·lá·cic** *a.*

òsteo·myelítis *n.* Ⓤ 골수염(炎).

os·te·o·path, os·te·op·a·thist [ástiəpæ̀θ/ɔ́s-], [àstiápəθist/ɔ̀stiɔ́p-] *n.* 접골사(接骨士).

os·te·op·a·thy [àstiápəθi/ɔ̀stiɔ́p-] *n.* Ⓤ 오스테오파티〔접골〕 요법; 골병(骨病)(증), 골증. ⓟ **os·te·o·path·ic** [àstiəpǽθik/ɔ̀s-] *a.* **òs·te·o·páth·i·cal·ly** *ad.*

os·te·o·plas·tic [àstiəplǽstik/ɔ̀s-] *a.* 〖외과〗 골형성(骨形成)(술)의; 〖생물〗 뼈가 생기는.

os·te·o·plas·ty [ástiəplæ̀sti/ɔ́s-] *n.* Ⓤ 〖외과〗 골(骨)형성(술), 골의 성형외과.

os·te·o·po·ro·sis [àstioupəróusis/ɔ̀s-] *n.* Ⓤ 〖의학〗 골다공증(骨多孔症). ⓟ **-po·rót·ic** [-rátik/-rɔ́t-] *a.*

òsteo·sarcóma (*pl.* ***-mas, -ma·ta*** [-tə]) *n.* 〖의학〗 골육종(骨肉腫). 「수문(守門).

os·ti·ary [ástièri/ɔ́stiəri] *n.* 문지기; 〖가톨릭〗

os·ti·na·to [àstiná:tou/ɔ̀s-] (*pl.* **~s**) *n.* 〖음악〗 오스티나토《어떤 일정한 음형(音型)을 동일 성부(聲部)〔음고(音高)〕로 반복하기》.

os·ti·ole [ástiòul/ɔ́s-] *n.* 〖생물〗 등구멍, 작은 구멍 《조류(藻類)·균류(菌類) 따위의》. ⓟ **ós·ti·o·lar, ós·ti·o·làte** *a.*

ost·ler [áslər/ɔ́s-] *n.* (여관의) 말구종(hostler).

ost·mark [ɔ́:stmà:rk, ást-/ɔ́st-] *n.* 《G.》 동독 마르크《옛 동독(1948-90)의 백동화로 화폐 단위의 통칭; =100 페니히: 1990 년 7 월 1 일 유통 정지, 독일 마르크에 통합; 기호 OM, M》.

os·to·my [ástəmi/ɔ́s-] *n.* 〖의학〗 (배설물을 위한) 개구(開口) 수술《인공항문 성형술 등》.

OSTP 《미》 Office of Science and Technology Policy (과학 기술 정책국).

Ost·po·li·tik [*G.* ɔ́stpoliti(:)k] *n.* 《G.》 Ⓤ (통일 전에 서독의 동독·동구권에 대한) 동방정책.

os·tra·cism [ástrəsìzəm/ɔ́s-] *n.* Ⓤ **1** 〖고대 그리스〗 오스트라시즘, 도편(陶片)추방《위험인물을 투표로 국외에 추방한 일; 조가비·도기(陶器) 파편에 이름을 썼음》. **2** (마을·사회로부터의) 추방, 배척: suffer social ~ 사회에서 매장되다.

os·tra·cize [ástrəsàiz/ɔ́s-] *vt.* 도편추방을 하다; 국외로 추방〔배척〕하다, (아무를) 제처놓다. ㊖ **-ciz·er** *n.*

os·tre·i·cul·ture [ástriəkʌ̀ltʃər/ɔ́s-] *n.* Ⓤ 굴 양식(養殖)(oyster culture)(법).

°**os·trich** [ɔ́:stritʃ, ás-/ɔ́s-] *n.* **1** 〖조류〗 타조: an ~ farm (깃털을 위한) 타조 사육장. **2** 《구어》 현실〔위험〕 도피자, 무사 안일주의자, 방관자. ***bury one's head in the sand like an*** ~ (머리만 감추고 꼬리는 못 감추는) 어리석은 짓을 하다. ***have the digestion of an*** ~ 위장이 매우 튼튼하다, 대식하다. ~ ***belief*** 〔***policy***〕 눈 가리고 아웅하기, 자기 기만의 얕은 지혜.

Os·tro·goth [ástrəgɑ̀θ/ɔ́strəgɔ̀θ] *n.* 동(東)고트족《이탈리아에 왕국을 세움(493-555)》.

OS/2 〖컴퓨터〗 오에스/2《IBM-PC 계열의 컴퓨터에서 멀티태스킹과 그래픽사용자 인터페이스를 제공하기 위하여 개발, 윈도우 새 버전에 대항하는 IBM의 주력 경쟁 제품》.

Os·wald [ázwɔ:ld/ɔ́zwəld] *n.* 오스월드《남자 이름》.

ot- [out] =OTO-.

OT 〖미식축구〗 offensive tackle; *Organization Todt* (2차 세계대전 때 *Hitler* 직속의 요새 건설단). **OT, O.T.** occupational therapy; Old Testament. **OT, o.t.** overtime. **OTA** 《미》 Office of Technology Assessment (기술 평가국).

otal·gia [outǽldʒiə] *n.* Ⓤ 〖의학〗 귀앓이. ㊖ **otál·gic** *a., n.* 귀앓이의 (치료제).

OTB offtrack betting (장외 경마 도박). **OTC** Offshore Technology Conference (해양기술 회의). **O.T.C.** 〖영〗 Officers' Training Corps (장교 양성단); 〖경제〗 Organization for Trade Cooperation (무역 협력 기구); over-the-counter. **OTE** on-target 〔on-track〕 earnings 《(기본급과 성과급을 합산한) 실제 수입》. **OTEC** ocean thermal energy conversion (해양열 에너지 변환; 해양 온도차 발전). **OTH** over-the-horizon.

Othel·lo [ouθélou] *n.* 오셀로《Shakespeare 작의 비극》.

†**oth·er** ⇨《p. 1787》 OTHER.

óther-dirécted [-id] *a.* 남의 기준에 따르는, 타인 지향의, 주체성이 없는. OPP *inner-directed*. ㊖ ~**·ness** *n.*

óther·guèss *a.* 《고어》 전혀 다른 종류의, 별종의(different).

óther hálf (the ~) (특히 경제적·사회적으로) 정반대의 입장에 있는 계급〔집단〕; 《특히》 가난한 사람들; 《구어》 배우자, 반려자; (the ~) 《영속어》 술의 두 잔째, 두 잔째 술.

óth·er·ly *ad.* 다른 방식으로: ~ abled 다른 방면에 능력이 있는《'신체 장애의' 완곡한 표현》.

óth·er·ness *n.* Ⓤ,Ⓒ **1** 다름, 별남, 상위(相違); 딴 사람임; 별개의 것. **2** 〖철학〗 타성(他姓), 타자(他者).

óther párty 〖법률〗 상대방.

óther ránks *pl.* 부사관 및 병졸, 병사들.

Óther Síde (the ~) 《시어》 저승.

óther·whère *ad.* 《고어·방언》 다른 곳에, 어딘가 딴 곳에(elsewhere).

óther·whìle(s) *ad.* 《고어·방언》 또 다른 때에는; 때때로.

oth·er·wise [ʌ́ðərwàiz] *ad.* **1** 딴 방법으로, 그렇지는 않고: I cannot do ~. 달리 할 수가 없다/ He thinks ~. 그의 생각은 다르다/Judas, ~ called Iscariot 일명 이스가리옷이라는 유다. **2** 《종종 명령법·가정법 과거 따위를 수반하여》 만약 그렇지 않으면: He worked hard; ~ he would have failed. 그는 열심히 공부했다. 그렇지 않았으면 실패했을 것이다/*Otherwise* he might have won. 조건이 달랐더라면 이겼을지도 모른다/The change made them accept the ~ unpopular proposal. 변화가 생겨 여느때 같으면 인기 없는 제안이 받아들여졌다. ★명령문 뒤에서는 or (else)의 뜻으로 접속사적임. **3** 다른 (모든) 점에 서는: Irresolution is a defect in his ~ perfect character. 우유부단이 그의 유일한 결점이다.

— *a.* **1** 〖서술용법〗 **a** 딴 것의, 다른: Some are wise, some are ~. 영리한 사람도 있지만 그렇지 않은 사람도 있다. **b** 《~ than의 형태로》 …과 다르게, 달리: How can it be ~ *than* fatal? 치명적이 아니고 무엇이겠는가. **2** 〖한정용법〗 만약 그렇지 않다면 …인〔일지도 모르는〕: my ~ friends 사정이 달랐더라면 친구였을지도 모르는 사람들. ***and*** ~ 기타: books political *and* ~ 정치 및 그 밖의 책. ***or*** ~ …인지 아닌지, 또는 그 반대: We don't know if his disappearance was voluntary *or* ~. 그가 종적을 감춘 일이 자발적인 것인지 그렇지 않은 것인지 모른다.

ótherwise-mínded [-id] *a.* 의견〔성질〕이 다른, 취미가 다른; 여론에 배치되는.

óther wóman (the ~) (기혼 남성의) 애인.

óther·wórld *n.* (the ~) 저승, 내세; 공상의〔이상의〕 세계.

óther·wórldly *a.* 저승의, 내세의〔적인〕; 공상적인; 초세속적인.

Oth·man [áθmən, ouθmá:n] (*pl.* **~s**) *n.* = OTTOMAN.

OTHR over-the-horizon radar.

otic [óutik] *a.* 〖해부〗 귀의.

-ot·ic [átik/ɔ́t-] *suf.* **1** '…을 발생하는, (병에) 걸린'의 뜻으로, -osis로 끝나는 명사에 대응하는 형용사를 만듦: neur*otic*, hypn*otic*. **2** '…풍의, …와 비슷한'의 뜻의 형용사를 만듦: ex*otic*.

oti·ose [óuʃiòus, óuti-] *a.* **1** 불필요한, 무효의, 쓸모없는; 객쩍은. **2** 한가한, 일이 없는; 게으른. ㊖ **~·ly** *ad.* **~·ness** *n.*

oti·os·i·ty [òuʃiásəti, òuti-/-ɔ́s-] *n.* Ⓤ 나태, 태만; 불필요, 무용(無用).

oti·tis [outáitis] *n.* Ⓤ 〖의학〗 이염(耳炎).

otítis ex·tér·na [-ikstə́:rnə] 〖의학〗 외이염.

otítis in·tér·na [-intə́:rnə] 〖의학〗 내이염.

otítis mé·dia [-mí:diə] 〖의학〗 중이염.

oti·um cum dig·ni·ta·te [óuʃiəm-kʌm-dìgnətéiti] 《L.》 (=leisure with dignity) 유유자적, 품격이 있는 여가.

oto- [óutou, -tə] '귀'를 뜻하는 결합사《모음 앞에서는 ot-》: *oto*logy, *oto*scope.

OTOH on the other hand《이메일·문자 메시지에서》.

òto·laryngólogy *n.* Ⓤ 〖의학〗 이인후학(耳咽喉學).

oto·lith [óutəliθ] *n.* 〖해부〗 이석(耳石), 평형석(平衡石)《척추동물의 내이(內耳)에 있는 석회질 결석》. ㊖ **òto·líth·ic** *a.*

otol·o·gy [outálədʒi/-tɔ́l-] *n.* 〖의학〗 이과(耳科) (학). ㊖ **-gist** *n.* 이과의(耳科醫).

oto·plas·ty [óutəplæ̀sti] *n.* 귀 성형(술). ㊖ **òto·plás·tic** *a.*

òto·rhìno·laryngólogy *n.* Ⓤ 이비인후과학.

otor·rhea [òutərí:ə] *n.* 〖병리〗 이루(耳漏)《귀속에서 고름이 나는 병》.

òto·sclerósis *n.* 〖병리〗 이경화증(耳硬化症). ㊖ **òto·sclerótic** *a.*

oto·scope [óutəskòup] *n.* 〖의학〗 이경(耳鏡).

òto·tóxic *a.* 〖의학〗 내이(內耳)신경 독성의. ㊖ **-toxícity** *n.*

OTP 〖컴퓨터〗 one-time programmable EPROM《한 번만 입력 가능한 EPROM》. **OTS, O.T.S.** Officer's Training School; Orbit

other

주로 형용사 '다른'과 대명사 '다른 사람, 딴 것'으로 쓰이며 다음과 같은 특징이 있다: (1) 본래 비교급이므로 than을 수반할 수 있다. (2) 우리말 번역으로는 다음의 구별이 분명치 않을 경우가 많다: (a) 'the other+복수명사' 대 'other+복수명사'. (b) 'the other+단수명사' 대 'another+단수명사' (c) the others《pron.》 대 others《pron.》. (d) each other 대 one another. 총체적으로, 'the other+단수·복수명사' 및 the others는 특정의 여럿 가운데 '나머지 전체'로 생각하고 the가 없는 형식은 일정하지 않은 '다른 것'으로 생각하면 된다. 단, the other day〔night〕 '며칠 전〔며칠 전 밤〕'과 같은 관용구는 별개이다.

oth·er [ʌ́ðər] *a.* **1** 《복수명사의 앞, 또는 no, any, some, one, the 따위와 함께》 다른, (그) 밖〔이외〕의《단수명사를 직접 수식하는 경우에는 another를 씀》: ~ people 다른 사람들《the ~ people처럼 the가 붙으면 '나머지 사람들(전부)'란 뜻. ⇨3 a》/ in *some* ~ place 어딘가 다른 곳에서 / he and *one* ~ person 그와 또 한 사람 / There was *no* ~ way than to surrender. 항복할 수밖에 다른 방도가 없었다 / Do you have *any* ~ questions? 그 밖에 또 다른 질문은 없나요 / Jane is taller than *any* ~ girl(s) 〔*the* ~ girls〕 in the class. 제인은 반의 다른 어떤 소녀보다도 키가 크다《any other 뒤의 명사는 단수가 원칙임》. **2** 《~ than의 형태로; 흔히 (대)명사의 뒤 또는 서술적으로 쓰이어》 (…와는) 다른; …이외의; …아닌(not): I have no hats ~ 〔~ hats〕 *than* this (one). 모자는 이것 외에는 없다 / This is quite ~ *than* what I think. 내가 생각하고 있는 것과는 전혀 다르다 / He is ~ *than* honest. 그는 정직하지는 않다. **3 a** 《the ~ 또는 one's ~》 (둘 중) 다른 하나의, 딴; (다른) 나머지의; (셋 이상 중) 나머지〔그 밖의〕 전부의: *The* ~ three passengers were men. 나머지 세 승객은 남자였다 / Where are *the* ~ boys? 딴 아이들은 어디 있나 / There are three rooms. One is mine, one 〔another〕 is my sister's and *the* ~ (one) is my parents'. 방이 3개 있다. 하나는 내 방이고 또 하나는 누이의 방이며 나머지 방은 부모님의 방이다 / Shut your 〔*the*〕 ~ eye. 다른 눈을 감아라. ★둘 중 나머지 하나는 the other이고, 임의의 여럿 중 다른 하나는 another: Show me *another* (one). 다른 것을 보여 주세요. **b** 《the ~》 저편〔쪽〕의; …너머〔건너편〕의, 반대의(opposite): *the* ~ side of the moon 달의 반대편〔뒷면〕 / *the* ~ world ⇨OTHERWORLD / A voice at *the* ~ end of the telephone was low. 전화의 상대편 목소리는 낮았다. **4 a** (때·세대 따위가) 전의, 이전의, 옛날의: men of ~ days 옛 시대의 사람들 / customs of ~ days 예전의 습관 / in ~ times 이전(은), 옛날(엔). **b** 장래의, 미래의: In ~ days 〔times〕 men will think us strange. 미래의 사람들은 우리를 이상하게 생각할 것이다. **c** 《the ~; 날·밤·주(週) 따위를 나타내는 명사를 수식하여 부사적으로》 요전의, 얼마 전의: *the* ~ evening 〔night〕 요 전번〔며칠 전〕 저녁〔밤〕에는.

among ~ things =AMONG others. ***every ~...*** ① 다른 모든 …: *Every* ~ boy was safe. 다른 모든 소년은 무사했다. ② 하나 걸러(every second): *every* ~ day 〔week, year, door, line〕 하루〔한 주일, 한 해, 한 집, 한 행〕 걸러. ***no ~ than...*** …하는 외에〔…할 밖에〕 ― 아니다(no ― but ...): I can do *no* ~ *than* smile. 웃지 않을 수 없다. ***none ~ than*** 다름 아닌, 바로 …인: It was *none* ~ *than* Mr. Henry. 그는 다른 사람(이) 아닌 바로 헨리씨였다. ***on the ~ hand*** ⇨HAND. ***~ things being equal*** 다른 조건이 같으면: *Other things being equal*, I would choose him. 딴 조건들이 같다고 하면 그 사람을 택하겠다. ***the ~ way*** 거꾸로.

── (*pl.* **~s**) *pron.* **1** 《흔히 복수형으로; one, some, any를 수반할 때에는 단수형도 있음》 다른〔딴〕 사람, 남, 타인, 다른〔딴〕 것; 그 밖〔이외〕의 것《단독으로 단수를 가리킬 때엔 another를 씀》: These pencils are not very good. Give me some ~*s*. 이 연필은 그리 좋지(가) 않군요. 딴 것을 주세요 / Please show me *one* ~. 딴 것을 하나 보여 주세요《one other 대신 another를 써도 무방함》/ This hat doesn't suit me. Do you have *any* ~(*s*)? 이 모자는 내게 어울리지 않는군요. 딴 것은 없나요 / Think of ~*s*. 남〔딴 사람들〕 생각 좀 해라 / Surely some friend or ~ will help me. 필시 어느 친구가 나를 도와줄 것이다. **2** 《the ~》 (둘 중의) 다른 한쪽〔하나〕(의 사람·것); 《the ~s》 (셋 이상 중에서) 그 밖〔이외〕의 사람들〔물건〕 전부, 나머지 사람〔것〕(⇨ANOTHER): Each praises *the* ~. 서로 칭찬한다 / Six of them are mine; *the* ~*s* are John's. 그 중 여섯 개는 내 것이고 그 나머지는 존의 것이다 / We have two dogs; one is white, and *the* ~ black. 우리 집엔 개가 두 마리 있다. 하나는 희고 다른 하나는 검다 / Virtue and vice are before you; the one leads to misery, *the* ~ to happiness. 제군의 앞에는 선과 악이 있다. 하나〔후자〕는 불행의 길로 다른 하나〔전자〕는 행복의 길로 제군을 이끈다 《the one이 '전자', the other가 '후자'를 가리킬 때도 있음》.

among ~s ① 그 중의 한 사람〔하나〕으로서, 그 속에 끼여: Eight of us were saved, myself *among* ~*s*. 우리들 중 여덟 사람이 구출되었는데 나도 그 중의 하나였다. ② 여럿 중에서, 특히: Jones, *among* ~*s*, was there. (다른 사람들도 있었지만) 존스도 거기 있었다. ***each ~*** 서로: The boy and the girl helped *each* ~. 소년과 소녀는 서로 도왔다. ***each ~'s*** 서로의: The nations respect *each* ~'s independence. 나라끼리 서로 상대의 독립을 존중한다.

> NOTE **each other**와 **one another**: 전자는 두 개의 것에, 후자는 셋 이상의 것에 쓰임이 원칙이지만 이 구별은 결정적인 것은 아님: They looked at *one another* soberly, like two children or two dogs. 둘은 마치 어린이나 개처럼 서로 빙긋거리지도 않고 마주보고 있었다.

of all ~s ① 그 중에서도, 특히: You are the one *of all* ~*s* I have wanted to see. 너야말로 내가 만나고 싶다고 여겨왔던 사람이다. ② 하필이면: on that day *of all* ~*s* 하필이면 그 날에. ***one after the ~*** ⇨ONE. ***one from the ~*** 둘을 분간〔구분〕하여: I can't tell the twins *one from the* ~. 나는 그 쌍둥이를 분간할 수 없다. ***some ... or ~(s)*** 무언가, 누군가, 언젠가, 어딘가《some 뒤의 명사는 흔히 단수형》: *some* time 〔day〕 *or* ~ 언젠가 후일 / *Some* man *or* ~ spoke to me on the street. 누군가(모르는 이)가 거리에서 내게 말을 걸어왔다. ***this, that, and the ~*** ⇨THIS (*pron.*).

—ad. 〖~ than의 형태로〗《부정·의문문에서》 그렇지 않고(otherwise), (…와는) 다른 방법으로, 달리: I can't do ~ *than* (to) wait. 나는 기다리는 수밖에 없다 / How can you think ~ *than* logically? 어찌 논리적이 아닌 생각 따위를 할 수 있을까.

Test Satellite (궤도실험 위성).

OTT [óutìːtíː] *a.* 《주로 구어》 =OVER-THE-TOP.

ot·ta·va [outáːvə] *ad., a.* 《It.》 〖음악〗 옥타브에서〔의〕, 8도 높게〔높은〕, 8도 낮게〔낮은〕.

ottáva rí·ma [−ríːmə] 《It.》 〖운율〗 8행시체《각행 10또는 11 음절, 압운(押韻)순서는 ab ab ab cc》. 「도》.

Ot·ta·wa [átəwə/ɔ́t-] *n.* 오타와《캐나다의 수

ot·ter [átər/ɔ́t-] *n.* **1** 〖동물〗 Ⓒ 수달; Ⓤ 수달피. **2** Ⓒ 낚시 도구의 일종《담수용》; 기뢰 방어기(paravane).

ótter bòard 트롤망(網)의 확망판(擴網板).

ótter dòg 〔**hòund**〕 수달 사냥개.

ótter tràwl 트롤망(網).

Ot·to [átou/ɔ́t-] *n.* **1** 오토《남자 이름》. **2** ~ **the Great** 오토 대제(大帝)《독일왕 및 신성 로마 제국 황제; 912-973》.

ot·to *n.* Ⓤ 장미유(油)(attar).

Ot·to·man [átəmən/ɔ́t-] *a.* 오스만 제국의; 터키 사람〔민족〕의. —(*pl.* ~**s**) *n.* **1** 터키 사람. **2** (o-) 오토만, 긴의자의 일종《등받이·팔걸이가 없는》; 쿠션 달린 발판. **3** Ⓤ 일종의 견직물.

Óttoman Émpire (the ~) 오스만 제국《옛 터키 제국》.

OTV 〖로켓〗 orbital transfer vehicle (궤도간 수송기). **O.U.** Oxford University; Open University. **O.U.A.C.** Oxford University Athletic Club. **O.U.A.F.C.** Oxford University Association Football Club. **O.U.B.C.** Oxford University Boat Club.

ou·bli·ette [ùːbliét] *n.* 〖역사〗 (옛 성 따위의) 비밀 감옥, (뚜껑을 열고 드나드는) 토뢰(土牢).

O.U.C.C. Oxford University Cricket Club.

ouch[1] [autʃ] *n.* 《고어》 장식 핀, (특히 보석을 박은) 브로치; (보석반지 등의) 거미발. —*vt.* ~로 장식하다.

ouch[2] *int.* 아야, 아이쿠. —*n.* 《미속어》 상처.

óuch wàgon 《CB속어》 구급차.

O.U.D.S. Oxford University Dramatic Society. **O.U.G.C.** Oxford University Golf Club.

†**ought**[1] [ɔːt] *aux. v.*(부정 단축형: **ought·n't** [ɔ́ːtnt]) 〖항상 to가 붙은 부정사를 수반하며, 과거를 나타내려면 보통 완료형부정사를 함께 씀〗 **1** 〖의무·당연·적당·필요를 나타내어〗 …해야만 하다, …하는 것이 당연하다, …하는 편이 좋다: You ~ *to* start at once. 즉시 출발해야 한다 / Such things ~ not *to* be allowed. 그런 일이 허용되어서는 안 된다 / *Oughtn't* we *to* phone for the police? 경찰에 연락해야 되지 않겠는가 / You ~ *to* have consulted with me. 나와 의논했어야 했는데《하지 않은 것이 나쁘다》.

> SYN. **ought to**는 should 보다 의무관념이 강함. **should**는 의무 및 타당의 뜻을 말함: You *should* hear it. 너에게 들려 주고 싶다.

2 〖가망·당연한 결과를 나타내어〗 …하기로 되어 있다, (틀림없이) …할 것이다, …임에 틀림없다: It ~ *to* be rainy tomorrow. 내일은 비가 올 것임에 틀림이 없다 / She ~ *to* be there by now. 그녀는 지금쯤 도착해 있을 것이다. ★ 속어적인 용법에 had *ought* to, hadn't *ought* to가 있음. —*n.* 해야 할 일, 의무.

ought[2] *n.* 《속어》 영(naught). ~***s and crosses*** 《영》 =TICK-TAC(K)-TOE.

ought[3] ⇨ AUGHT[1].

ough·ta [ɔ́ːtə, ɔ́ːtə] 《속어》 〖발음 철자〗 =ought to(=**óught·er**).

ought·n't [ɔ́ːtnt] ought not의 간약형.

O.U.H.C. Oxford University Hockey Club.

oui [wiː] *ad.* 《F.》 =YES.

Oui·ja [wíːdʒə, -dʒi] *n.* (심령(心靈) 전달에 쓰이는) 점판(占板), 부적판(=∠ **bòard**)《상표명》.

ou·long [úːlɔ̀ːŋ, -làŋ/-lɔ̀ŋ] *n.* =OOLONG.

⁑**ounce**[1] [auns] *n.* **1** (중량 단위의) 온스《생략: oz.; 상형(常衡)에서는 1/16 파운드, 28.3495 g; 단, 금형(金衡)·약국형(藥局衡)에서는 1/12 파운드, 31.1035 g》. **2** (액량 단위의) 온스(fluid ~)《미국에서는 1/16 파인트, 29.6 cc; 영국에서는 1/20 파인트, 28.4 cc》. **3** (an ~) 극소량(a bit): He hasn't got an ~ *of* humanity. 인정이라고는 털끝만큼도 없다 / An ~ *of* practice is worth a pound of theory. 열 마디 말보다 한 번의 실천.

ounce[2] *n.* 《시어》 살쾡이(wildcat); 〖동물〗 애엽표(艾葉豹)《중앙 아시아 산지산(山地産)》.

óunce màn 《속어》 마약장수〔중개인〕.

OUP, O.U.P. Oxford University Press.

†**our** [áuər, ɑːr] *pron.* 〖we의 소유격〗 **1** 우리의, 우리들의: ~ country 우리나라 / in ~ time 현대에 있어서. **2** (O-) 〖신 등에 대한 호칭으로서〗 우리의: ⇨ OUR FATHER, OUR LADY. **3** 짐(朕)의, 과인(寡人)의《군주가 my 대신 써서》. **4** (신문의 논설 등에서) 우리의, 우리 사(社)의; (이야기 등에서) 문제의; (저자가 쓰는) 필자의: in ~ opinion 우리의 견해로는. **5** 〖화제의 인물·가족·서로 흥미나 관계있는 사람을 지칭하여〗 예(例)의, 우리, 문제의, 화제가 되어 있는: *Our* Tom works here. 예의 톰이 여기서 일하고 있다.

-our ⇨ -OR[2].

Òur Fáther 〖성서〗 우리 아버지, 하느님; 주(主)기도(Lord's Prayer)《마태복음 VI: 9-13》.

Òur Lády 성모 마리아(Virgin Mary).

Òur Lórd 우리 주, 예수.

†**ours** [áuərz, ɑːrz] *pron.* 〖we의 소유대명사〗 **1** 〖명사가 따르지 않음; 가리키는 내용에 따라 단수 또는 복수취급〗 우리의 것. **a** 〖독립적〗: This is ~. **b** 〖앞에 나왔거나 뒤에 나올 명사와 관련〗: Their *class* is larger than ~. 그들의 반은 우리 것〔반〕보다 사람수가 많다 / *Ours* is an important *task*. 우리들의 것은〔임무는〕 중요한 임무이다 / *Ours* are the large ones. **2** 〖of ~로〗 우리의. ★ our는 a, an, this, that, no 등과 나란히 명사 앞에 둘 수 없으므로 our를 of ours로 하여 명사 뒤에 둠. ¶ *a* friend *of* ~ 우리의 친구 / *this* country *of* ~ 우리의 이 나라. cf. mine[1], yours, etc.

°**our·self** [ɑːrsélf, àuər-] *pron.* 짐(朕)이 친히; 나 스스로, 본관(本官)《군주·재판관 등의 공식 용어 또는 신문 사설의 용어로서 단수의 we와 함께 씀》.

⁑**our·selves** [ɑːrsélvz, àuər-] *pron. pl.* **1** 〖강조용법〗 우리 자신. **a** 〖we와 함께 써서 동격적으로〗: We have done it ~. 우리들 자신이 했다. **b** 〖and ~로; we, us 대신 써서〗《구어》: Both our parents *and* ~ went there. 부모님과 우리 자신이 거기에 갔다. **c** 〖as, like, than의 뒤에서; we, us 대신 써서〗《구어》: You can do it better *than* ~. 너는 우리(자신)보다 더 잘 할 수 있다. **2** 〖재귀용법〗 우리 자신을〔에게〕. **a** 〖재귀동사의 목적어로 써서〗: We absented ~ from the meeting. 우리는 모임에 결석했다. **b** 〖일반동사의 목적어로 써서〗: We enjoyed ~ a good deal.

무척 재미있었다. **c** 〔전치사의 목적어로 써서〕: We must take care of ~. (남의 신세를 지지 않고) 우리 스스로를 돌봐야 한다. **3** 보통 때와 같은 (정상적인) 우리들. ★ 보통 be, feel의 보어로 쓰이는 경우가 많음. ¶ We were not ~ for some time. 우리는 잠시 동안 멍하니 있었다. ***by*** ~ 우리들만으로, 독립으로; 우리들 이외에 아무도 없이. ***for*** ~ 우리들만의 힘으로; 우리들을 위하여.

-ous [əs] *suf.* **1** '…이 많은, …성(性)의, …의 특징을 지닌, …와 비슷한; 자주 …하는, …의 버릇이 있는'의 뜻의 형용사를 만듦: danger*ous*, pomp*ous*. **2** 〖화학〗 (-ic의 어미의 산(酸)에 대하여) '아(亞)'의 뜻: nitr*ous*, sulfur*ous*.

ousel ⇨ OUZEL.

°**oust** [aust] *vt.* 《~+目/+目+前+名》 **1** 내쫓다《*from*》: He was ~*ed from* his post. 그는 그 지위에서 쫓겨났다. **2** 〖법률〗 (토지·건물 등에서) 퇴거시키다; (재산권 등을) 몰수하다, 박탈하다; (권리 등을) 빼앗다. 派 ⌐**·er** *n.* 추방; 〖법률〗 (재산 따위의) 불법몰수, 박탈.

†**out** ⇨ 《p. 1790》 OUT.

out- [àut] *pref.* 〔동사·명사 등의 앞에 붙어〕 **1** 바깥(쪽)에, 앞으로, 떨어져: *out*cast, *out*come, *out*side. **2** …보다 훌륭하여, …을 넘어서, 능가하여: *out*bid, *out*do, *out*general, *out*last, *out*rate. **3** 인명에 붙어서 동사가 되며, 보통 그 인명을 목적으로 하여 이를 능가하는 뜻을 지님: *out*-Zola (사실적인 면에서) 졸라를 능가하다. cf. out-Herod.

> NOTE 명사·형용사에서는 *óut*country로 강세가 앞에 위치하고, 동사에서는 *óutrún*으로 양쪽 또는 뒤에 강세가 오는 것이 일반적.

outa [áutə] 〔발음철자〕《구어·속어》 =out of.

òut·achíeve *vt.* …보다 우수한 성과를 올리다, …보다 출세하다.

òut·áct *vt.* (행동·연기·업무 추진 따위가) 보다 앞서다, 뛰어나다, 능가하다, 낫다.

out·age [áutidʒ] *n.* U,C **1** (정전으로 인한) 기계의 운전중지. **2** 정전〔단수〕 시간. **3** (운반·보관 중에 생긴 상품의) 감량.

óut-and-óut [-nd-] *a.* 순전한, 철저한, 탁월한. **—** *ad.* 아주; 철저하게. 派 **~·er** *n.* 《속어》 철저히 하는 사람, 완전주의자, 극단적인 사람; 출중한 사람〔물건〕.

òut·árgue *vt.* …을 논파하다, 논쟁에서 이기다.

out·a·site, -sight [àutəsáit] *a.* 《미속어》 =OUT-OF-SIGHT.

óut·bàck 《Austral.》 *n.* (미개척의) 오지(奧地). **—** [⌐⌐] *a.*, *ad.* 오지의〔로〕.

òut·bálance *vt.* …보다 더 무겁다; …을 능가하다, …보다 중요하다.

òut·bíd (*-bid, -bade; -bid, -bidden; -bid·ding*) *vt.* (경매에서) …보다 비싼 값을 매기다.

óut·bláze *vi.* (억압된 감정 등이) 끓어오르다; 격분하다. **—** *vt.* (불빛이) 보다 강하게 빛나다; (재능 따위가) 능가하다.

óut·bòard *a.*, *ad.* 〖해사〗 배 밖의〔으로〕; 뱃전의〔으로〕; 기관을 외부에 장치한.

óutboard mótor 선외(船外) 발동기.

óut·bòund *a.* 외국으로 가는, 시외로 가는. OPP *inbound*. ¶ an ~ ship 외항선.

óut bòx 《미》 =OUT-TRAY.

óut·bòx *n.* 〖컴퓨터〗 아우트박스, 전자 우편 발신함.

òut·brág *vt.* 허풍을 떨어 (아무)를 이기다〔누르다〕.

òut·bráve *vt.* 용감히 …에 맞서다; 조금도 두려워하지 않다; (아름다움·빛이) …을 압도〔능가〕하다.

***out·break** [áutbrèik] *n.* **1** U (소동·전쟁·유행병 따위의) 발발, 돌발, 창궐; (화산 따위의) 갑작스러운 분출: at the ~ of the war 전쟁이 발발했을 때. **2** U 폭동, 반란, 소요. **3** =OUTCROP 1.

òut·bréed (*p.*, *pp.* *-bred; -breeding*) *vt.* **1** 이계(異系) 교배하다. **2** 〖사회〗 …에게 족외(族外) 결혼을 시키다. **—** *vi.* 〖사회〗 족외결혼을 하다.

óut·brèed·ing *n.* 〖생물〗 이계(異系) 교배; 〖사회〗 이부족(異部族) 결혼.

òut·búild *vt.* (*-built, -build·ing*) …을 보다 견고하게〔오래 가게, 많이〕 세우다.

óut·bùilding *n.* 딴채; 헛간.

òut·búrn *vi.* 타버리다, 소실(燒失)되다. **—** *vt.* 보다 오래〔밝게〕 타다; (태워서) 소산시키다.

***out·burst** [áutbə̀ːrst] *n.* **1** (화산 따위의) 폭발, 파열. **2** (감정 따위의) 격발, (눈물 따위의) 쏟아져 나옴: an ~ of laughter 폭소. **3** 〖천문〗 아웃버스트《태양 흑점의 폭발에 수반하는 현상》.

òut·bý *ad.* 《Sc.》 =OUTSIDE, OUTDOORS.

out·bye [áutbái, úːtbái] *ad.* 옥외에; 조금 떨어져; 멀리; 환기구〔입구〕 쪽에.

óut·càll *n.* 방문, 출장《전문직 종사자가 의뢰인을 위한》; (의사의) 왕진, (매춘부의) 방문 매춘.

óut·càst *a.* (집·사회에서) 내쫓긴, 버림받은; 집없는; 폐기된. **—** *n.* 추방당한 사람, 집 없는 사람, 부랑자; 폐물.

óut·càste *n.* 《Ind.》 자기 소속 계급에서 추방당한 사람. cf. caste.

òut·cláss *vt.* …보다 고급이다; …보다 훨씬 낫다, …을 능가하다. 「의) 교환어음 (총액).

óut·clèaring *n.* U 《영》 〖상업〗 (어음 교환소

óut·còllege *a.* 《영》 대학 밖에서 사는; 대학 기숙사에 들지 않은.

⁑**out·come** [áutkʌ̀m] *n.* 결과, 과정; 성과: the ~ of the election 선거의 결과/We are anxiously awaiting the ~ of their discussion. 우리는 그 토론의 결과를 마음 졸이며 기다리고 있다. SYN. ⇨ RESULT. 「OPP *incorner*.

óut·còrner *n.* 〖야구〗 아웃코너, 외각(外角).

óut·cròp *n.* **1** 〖지학〗 노두(露頭)《광맥 등의》. **2** 《비유》 발생, 노출, 수확. **—** [⌐⌐] (*-pp-*) *vi.* 노출되다, 나타나다.

òut·cróss *vt.* 〖동물·식물〗 이계 교배(異系交配)시키다. **—** [⌐⌐] *n.* 이계교배(종). 派 **~·ing** *n.*

°**óut·crỳ** *n.* C,U **1** 부르짖음, 고함소리; 야유. **2** 강렬한 항의; 반대. **3** 외치며 팔기; 경매. ***raise an ~ against*** …에 시끄럽게 반대하다. **—** [⌐⌐] *vt.* 부르짖다, …보다 더 소리높이 외치다. **—** *vi.* 큰 소리로 외치다. 「OPP *incurve*.

óut·cùrve *n.* 〖야구〗 아웃커브, 외곡구(外曲球).

òut·dánce *vt.* …보다 춤을 잘 추다.

òut·dáre *vt.* …보다 대담한 일을 하다〔용감하다〕; (위험 따위를) 두려워하지 않고 맞서다.

òut·dáte *vt.* 낡게 하다, 시대에 뒤지게 하다.

òut·dáted [-id] *a.* 구식의, 시대에 뒤(떨어)진; 쇠퇴해 버린. 派 **~·ness** *n.*

òut·dístance *vt.* 훨씬 앞서다《경주·경마에서》; …을 능가하다.

°**out·dó** (*-did; -done*) *vt.* **1** 《~+目/+目+前+名》 …보다 낫다, 능가하다; …을 물리쳐 이기다《*in*》: ~ a person *in* patience 인내력에서 아무를 능가하다. **2** 〔~ oneself〕 이제까지보다〔의외로〕 잘 하다; 열심히 노력하다: You really *outdid* your*self*. 참으로 잘 했다. SYN. ⇨ EXCEL.

⁑**out·door** [áutdɔ̀ːr] *a.* **1** 집 밖의, 옥외의, 야외의. OPP *indoor*. ¶ ~ exercise 옥외운동/~ advertising 옥외광고. **2** 《영》 (국회에서) 원외(院外)의; (고아원·양로원 등의) 시설 외의, 원외의: an ~ agitation (의원의) 원외활동/~ relief (사회사업 시설에 수용되지 않은 사람을 위

out의 반의어(反義語)인 in '안에〔에서, 으로〕; …의 속에〔에서, 으로〕' 이 부사와 전치사를 겸하고 또한 특히 방향을 명시하는 전치사 into '…의 안〔속〕으로'가 별개의 낱말을 이루고 있는 데 반해 out '밖에〔에서, 으로〕'는 (미국식 용법의 일부를 제외하고는) 부사로만 쓰이며 전치사의 역할은 out of '…의 밖에〔으로〕; …의 안〔속〕에서'라는 복합 전치사〔전치사 상당구〕가 맡게 된다. 이 out와 out of가 한 짝이 되어 in 및 into와 대조를 이루는 구(句)를 만들 때가 많다: look *out* 〔look *out of* the window〕 밖을 내다보다〔창 밖을 내다보다〕—look *in* 〔look *into* the house〕 들여다보다〔집 안을 들여다보다〕.

이러한 뜻에서 본항(本項)에서는 **out**과 **out of**로 나누어 기술했다.

out [aut] *ad.* 《be 동사와 결합된 때에는 형용사로 볼 수도 있음》.

A 《안에서 밖으로의 방향·위치》

1 a 〔흔히 동사와 결합하여〕 밖에〔으로〕, 외부에〔로〕, 밖에 나가〔나와〕, 밖에서: bring ~ 내오다/come ~ 나오다, 나타나다/dine ~ 외식하다/go ~ into the garden 〔the corridor〕 뜰〔복도〕로 나가다/help her ~ 그녀를 구출해 내다/set ~ on a journey 여행길을 떠나다/fly ~ to Africa 비행기로 아프리카에 가다/She has her Sundays ~. 그녀는 일요일엔 외출한다〔외출이 허락된다〕. **b** 〔흔히 be 동사와 결합하여〕 (집) 밖에 나가, 외출하고, 집에 없어; (집·해안 따위에서) 떨어져, 떠나, 앞〔먼〕바다에: *be* ~ at sea 항해 중이다/Father *is* ~ on business. 아버지는 사업차〔일로〕 외출 중이시다/He *is* ~ fishing. 그는 낚시하러 갔다/The tide *is* ~. 조수가 빠져 있다《썰물이다》/The fishing boats *are* 4 km ~. 어선들은 4킬로미터 앞바다에 나와 있다/*Out* to lunch 식사 중, 식사하러 나갔음《회사 따위에서의 게시》.

2 a (밖으로) 내밀어, 나와; 뻗(치)어; 펼치어〔고〕: hold ~ one's hand 손을 내밀다/shoot ~ buds 싹이 트다, 싹이 나오다/roll ~ a carpet 양탄자를 펼치다. **b** (몸의 일부가) 내밀어, 쑥 나와: His chin jutted ~. 그의 턱은 쑥 나와 있었다/His trousers are ~ at the knees. 그의 바지는 무릎 부분이 (불룩) 나와 있다.

3 a 골라〔뽑아〕내어; 꺼내어, 집어내어; 쏟아〔만들어〕내어: find ~ a mistake 잘못을 찾아내다/pick ~ the most promising students 가장 유망한 학생들을 뽑아내다/pour ~ the water (그릇의) 물을 쏟아내다. **b** 제거하여, 제외하여: leave a word ~ 말을 생략하다.

4 빌려〔내〕주어, 대출(貸出)하여; 임대(賃貸)하여; (여러 사람들에게) 분배하여: hand things ~ 물건을 분배하다/deal ~ justice 정의를 분배하다(→법을 집행하다)/rent ~ rooms 방을 세주다/give ~ the books 책을 배포하다/The book I wanted was ~. 내가 원했던 책은 대출되어 있었다.

5 내쫓아; 정권을 떠나, 재야(在野)에; 공직〔현직〕에서 물러나(not in office): The Democrats were voted ~. 민주당은 투표 결과 퇴진하였다/The Socialists are ~ now. 사회당은 현재 야당이다.

6 《구어》 일을〔학교를〕 쉬고; 파업〔동맹휴학〕하고: walk ~ 파업을 하다/He is ~ because of sickness. 그는 병으로 쉬고 있다/The workmen are ~ (on (a) strike). 근로자들은 파업 중이다.

7 (테니스 등에서) (볼이) 아웃되어(OPP. *in*).

8 《미》 〔강조하는 뜻으로〕 《뚜렷한 뜻은 없음》: help ~(≒help)/lose ~(≒lose).

B 《출현·발생》

1 a (무엇이) 나타나, 나와, 출현하여; (어떤 일이) 일어나; 《고어》 (젊은 여성이) 사교계에 나와: Stars are ~. 별이 떠 있다/The floods are ~. 홍수가 났다/Riots broke ~. 폭동이 일어났다/The rash is ~ all over him. 그의 온몸에 뾰루지가 돋아 있다/She has come ~ lately. 그녀는 최근 사교계에 나왔다. **b** (비밀 따위가) 드러나, 탄로가 나: The secret is 〔has got〕 ~. 비밀이 드러났다〔새었다〕/The murder is ~. 살인이 탄로났다. **c** 공표되어; 발표되어서; (책이) 출판되어, 세상에 나와: His new book will be ~. 그의 새 저서가 나올 것이다. **d** 〔최상급의 형용사+명사 뒤에 와서〕 《구어》 세상에서의, 현존하는 것 중에서: This is the *best* game ~. 이것은 현존하는 최고의 게임이다.

2 a (꽃 따위가) 피어; (잎이) 나와: Flowers came ~. 꽃이 피었다/The leaves are ~. 잎이 나왔다. **b** (알이 병아리로) 깨어, 부화되어: The chicks are ~. 알에서 병아리가 깨었다.

3 a 큰 소리로; 들릴〔들을〕 수 있도록: cry 〔shout〕 ~ 큰 소리로 울다〔소리치다〕/He bawled me ~. 그는 나에게 호통을 쳤다. **b** 분명히, 똑똑히, 숨김없이(openly): tell him right 〔straight〕 ~ 생각하고 있는 바를 그에게 분명히 말하다/Speak ~! 망설이지 말고 털어놓아라.

C 《상태(常態)로부터의 이탈》

1 a (본래의 상태에서) 벗어나; 부조(不調)를 보이고; (몸의) 상태가 좋지 않아; (…점에서) 틀려 (*in*); 손해를 보고: My hand is ~. 손이 (잘) 듣지 않는다(평상시의 솜씨가 안 난다)/I am ~ ten dollars 〔ten dollars ~〕. 나는 10달러 손해를 보았다/I was ~ *in* my calculations. 내 계산이 틀려 있었다/The clock is five minutes ~. 그 시계는 5분 틀린다. **b** 《+전+명》 (남과 …일로) 불화하여, (사이가) 틀어져 (*with; over; about*): fall ~ *about* trifles 사소한 일로 사이가 틀어지다/He is ~ *with* Jack. 그는 잭과 사이가 틀어져〔벌어져〕 있다.

2 (정상 상태를) 잃고, 혼란에 빠져; 의식〔정신〕을 잃고; (권투에서) 녹아웃되어: feel put ~ 갈팡질팡하다/She passed ~ at the sight of blood. 그녀는 피를 보고 실신했다〔까무러쳤다〕.

3 《구어》 (생각·안(案) 등이) 문제가 되지 않아, 실행 불가능하여; 금지되어: The suggestion is ~. 그 제안은 받아들일 수 없다/Smoking on duty is ~. 근무 중의 흡연은 금지되어 있다.

D 《기능의 정지》

1 제 기능을 못 하게 되어: Her backhand is ~. (연습 부족으로) 그녀의 백핸드는 제 기능을 발휘하지 못하고 있다/The road is ~ because of flood. 홍수로 도로가 끊겨 있다.

2 a 없어져, 다하여; 품절되어: The wine is ~. 포도주는 이제 없다/The supplies have run ~. 물자가 바닥났다/They washed all the stains ~. 얼룩을 빨아 없앴다. **b** (불·촛불 따위가) 꺼져: put ~ the light 등불을 끄다/put ~ a fire 불을 끄다/The light went ~. 불이 나갔다/The fire has burned ~. 불이 다 탔다. **c** (기한 따위가) 다 되어, 끝나, 만기가 되어: before the week 〔year〕 is ~ 금주 중에〔연내에〕/He'll be back before the month is ~. 그는 월말까지는 돌아올 것이다. **d** 《구어》 유행하지 않게 되어, 유행이 가〔스러져〕(OPP. *in*): That style has gone ~. 그 스타일은 유행이 지났다〔한물갔다〕/Fashions go ~. 유행은 스러지는 법이다.

3 a 〖야구·크리켓〗 아웃이 되어. **b** 〖크리켓〗 퇴장이 되어.

E 《완료》

1 끝〔최후〕까지; 완전히, 철저하게; (…이) 다하여: try ~ 철저히 해보다 / write ~ 다 쓰다; 정서하다 / clear ~ the room 방을 말끔히 청소하다 / fight it ~ 끝까지 싸우다 / fill ~ a form 〔a slip〕 서식(書式)〔용지〕에 완전히 기입하다《fill in '적어 넣다'와 의미가 별로 다르지 않음》/ be talked ~ 이야기를 하여 지치다 / I'm tired 〔《미구어》 tuckered〕 ~. 기진맥진이다, 녹초가 되어 있다 / Please hear me ~. 제발 내 말 좀 끝까지 들어요 / She had her cry ~. 그녀는 속이 후련하도록 실컷 울었다.

2 (서류 따위의) 처리를 끝내어, 기결(旣決)의 (OPP *in*).

3 〖골프〗 (18 홀의 코스에서) 전반(9 홀)을 마치어, 아웃이 되어: He went ~ in 39. 그는 39 스트로크로 아웃을 끝냈다.

all ~ 《구어》 전력을 다하여; 전속력으로; 아주, 완전히. ***be ~ and about*** 〔***around***〕 (사람이 병후에) 외출〔활동, 일〕할 수 있게 되다(=be up and about). ***be ~ for*** 〔***to*** do〕 《구어》 …을 얻으려고 〔…하려고〕 힘을 쓰다: He *is* ~ *for* promotion. 그는 승진을 노리고 있다 / She *is* ~ *to* win the support. 그녀는 지지를 얻으려고 애를 쓰고 있다. ***be*** 〔***get***〕 ***~ from under*** (...) 《구어》 어려움에서 〔위기, 궁지를〕 벗어나다. ***from this*** 〔***now***〕 ***~*** 금후로는(henceforth). ***~ and away*** 훨씬(by far), 단연(코), 빼어〔뛰어〕나게(far and away): This is ~ *and away* the best. 이것이 단연코 제일 좋다. ***~ and home*** 갈 때나 올 때나. ***~ and ~*** 철저한〔하게〕, 완전한〔히〕(흔히 바람직하지 않은 뜻으로 쓰임): an ~ *and* ~ fool =a fool ~ *and* ~ 지독한 바보 / He is a scoundrel ~ *and* ~. 철저〔지독〕한 악당이다. ***~ there*** 저쪽에; 《속어》 싸움터에. ***Out you go!*** 《구어》 나가라, 꺼져.

— *prep.* 1 《영에서는 구어》 …으로부터(밖으로); …을 통하여 밖으로(through, out of): come ~ the door 〔window〕 문〔창〕에서 나오다 / look ~ the window at the river 창에서 밖의 강을 바라다보다.

2 《미》 …의 밖에, …의 바깥측에(outside): hang it ~ the window 창 밖에 그것을 매달다 / The garage is ~ this door. 차고는 이 문 바깥에 있다 / He lives ~ Elm Street. 엘름가(街) 변두리에 산다.

3 〘from ~의 형태로〙 《문어》 …에서: It arose *from* ~ the azure main. 그건 짙푸른 망망대해(大海)에서 나타났다.

— *a.* 1 밖의: the ~ edge 바깥 가장자리 / the ~ side (구기의) 바깥측; 수비측 / an ~ match 원정경기. **2** 멀리 떨어진: an ~ island 외딴섬. **3** 바깥쪽으로 움직이는: an ~ door 바깥쪽으로 열리는 문. **4** (크기 등이) 유별난, 특대(特大)의: the ~ size 특대형. **5** 〖골프〗 (18홀의 코스에서) 전반(9 홀)의, 아웃의.

— *n.* 1 (the ~) 바깥쪽, 외부. **2** (*pl.*) 공직〔현직〕을 떠난 사람; 실직한 사람; (the ~s) 《영》 야당(OPP *ins*). **3** (*pl.*) (경기의) 수비측. **4** 〖야구〗 아웃(된 선수); 아웃커브; (테니스의) 아웃된 공. **5** 외출; 출현. **6** 결점; 실수, 잘못. **7** (an ~) (일·비난 따위를 모면하기 위한) 변명, 구실. **8** 〖인쇄〗 식자(植字)의 탈락; 탈자(脫字). **9** 《방언·구어》 멀리 나감. ***be at*** 〔***on the***〕 ***~s*** (***with***) (…와) 사이가 나쁘다〔틀어지다〕. ***from ~ to ~*** 끝에서 끝까지, 전장(全長). ***make a poor ~*** 잘 되지 〔성공하지〕 않다, 신통치 않다. ***the ins and ~s*** 구석구석, 자세히; 여당과 야당.

— *vi.* 〘보통 will ~의 형식으로〙 나타나다(come out); 떠나다; (못된 일 따위가) 드러나다: Murder *will* ~. 《속담》 나쁜 짓은 반드시 드러나는 법 / The truth *will* ~. 진상은 반드시 드러난다.

— *vt.* 1 내다; 《구어》 쫓아내다: *Out* that man! 저 사람을 쫓아내라. **2** 〖권투〗 때려눕히다; 〖경기〗 아웃이 되게 하다; (테니스에서 공을) 선 밖으로 치다. **3** (불 따위를) 끄다.

— *int.* 나가, 꺼져; 말해라; 빌어먹을《노여움·슬픔·공포 따위를 나타냄》: *Out* with him! 그놈을 쫓아내라 / *Out* with it! 말해라. ***Out upon you!*** 《고어》 꺼져(Be off!); (혐오·항의 등의 표시로) 무슨 꼴이야, 오라질.

out of [áutəv] *prep. equiv.* **1** 〘운동·위치〙 …의 안에서 밖으로, …의 밖으로, …의 안으로부터(OPP *into*); …의 밖에서, …에서 떨어져《문맥상 명백할 때는 of가 생략됨: go out 밖으로 나가다》: a few miles ~ *of* 〔away from〕 Seoul 서울에서 몇 마일 떨어져(서) / come ~ *of* 〔from〕 the room 방에서 나오다《out of는 안에서 밖으로의 운동을, from은 기점(起點)을 강조함》/ Fish cannot live ~ *of* water. 물고기는 물 밖에서는 살 수 없다.

2 〘어떤 수에서의 선택〙 …에서, …중(에서): one ~ *of* many 많은 것 가운데서 하나 / (in) nine (cases) ~ *of* ten 십중팔구 / two ~ *of* every five days 닷새에 이틀 꼴〔비율〕로 / pay twenty dollars and fifty cents ~ *of* thirty dollars, 30 달러 중 20 달러 50 센트를 지불하다 / This is only one instance ~ *of* several. 이것은 몇 가지 예 중 한 예에 지나지 않는다.

3 〘범위〙 …의 범위 밖에〔범위를 넘어〕, …이 미치지 않는 곳에. OPP *within*. ¶ ~ *of* reach 손이 미치지 않는 곳에 / The plane was ~ *of* sight. 비행기는 보이지 않게 되었다 / Never let these children ~ *of* your sight. 이 아이들로부터 눈을 떼어서는 안 된다.

4 a …(상태)에서 떠나, …을〔에서〕 벗어나; …이 없어; …을 잃고: ~ *of* breath 숨이 차, 헐떡이고 / ~ *of* danger 위험을 벗어나 / ~ *of* date 시대에 뒤져 / ~ *of* doubt 의심의 여지 없이, 확실히 / ~ *of* heart 기가 죽어, 의기소침하여 / ~ *of* work 〔a job〕 실직하여. **b** (일시적으로) …이 없어져〔떨어져〕, …이 부족하여〔달리어〕: ~ *of* stock 재고가 없어 / We're ~ *of* tea. 홍차가 떨어졌다 / We have run ~ *of* sugar. 설탕이 떨어졌다.

5 〘동기·원인〙 …에서〔으로〕, …때문에: ~ *of* curiosity 호기심으로〔에서〕 / do it ~ *of* pity 〔spite〕 가엾게 여기는 마음〔원한〕에서〔으로〕 / act ~ *of* necessity 절실한 필요로 인해 행동하다.

6 〘재료를 나타내어〙 …(으)로: wine made ~ *of* grapes 포도주 / the house made ~ *of* stone 돌집 / What did he make it ~ *of?* 그는 그것을 무엇으로 만들었는가.

7 〘기원·출처·출신〙 …에서, …로부터(의); …(으)로: drink ~ *of* a cup 컵으로 마시다 / a passage ~ *of* Shakespeare 셰익스피어 작품에서 인용한 일 절 / ~ *of* one's (own) head 스스로 생각하여 / Good can never come ~ *of* evil. 악(惡)에서 선(善)은 결코 나올 수 없다.

8 〘타동사의 보어로서〙 …에서 떠나게: The footsteps on the floor frightened her ~ *of* her wits. 그녀는 마루의 발소리에 정신을 잃었다 / I helped her ~ *of* her clothes. 그녀가 옷을 벗는 것을 거들어 주었다 / The teacher talked the boy ~ *of* leaving school. 선생님은 학생에게 학교를 그만두지 말라고 설득했다.

~ of it 〔***things***〕 ① (계획·사건 등에) 관여〔관계〕하지 않고, 그것에서 제외되어: It's a dishonest scheme and I'm glad to be ~ *of it*. 그것은 부정한 계획이므로 그것에서 빠져 나와〔제외되어〕 기

쁘다. ② 《구어》 따돌림을 받아, 고립하여, 외로운: She felt ~ *of it* as she watched the others set out on the picnic. 모두 소풍을 떠나는 것을 보고 그녀는 소외된 것 같은 감정을 느꼈다. ③ 의식이 몽롱하여; 술에 취하여; 머리가 멍하여, 혼란스러워서. ④ 《미》 틀려, (진상을) 잘못 알고, 추측을 잘못하고: You're absolutely ~ *of it!* 자넨 전혀 진상을 모르는군. ⑤ 할 바를 몰라; 기운을 잃어. ⑥ 시대〔유행〕에 뒤져. ⑦ (승부 따위에서) 이길 가망이 없어.

한) 시설외〔원외〕 구조.

⁑**out·doors** [àutdɔ́ːrz] *ad.* 문 밖에서, 야외에서, 옥외에서. [opp] *indoors*. ── *a.* 야외의: an ~ man 옥외 생활〔운동〕을 좋아하는 사람. ── *n. pl.* 〖단수취급〗 옥외, 문밖; 야외.

outdóors·man [-mən] (*pl.* ***-men*** [-mən, -mèn]) *n.* 야외 스포츠 애호가; (사냥꾼 · 캠프 생활자 같이) 야외에서 많은 시간을 보내는〔허비하는〕 사람. [파] **~·shìp** *n.*

out·door·sy [àutdɔ́ːrzi] *a.* 야외 활동을 즐기는; 야외에 알맞은.

óutdoor TV 《CB속어》 드라이브인(drive-in) 영화관.

òut·dráw *vt.* (권총 등을) 더 빨리 뽑아들다; (인기 · 청중 등을) 더 많이 끌다.

óut·drìve *a., n.* 〖해사〗 =INBOARD-OUTBOARD.

óut·dròp *n.* 〖야구〗 아웃드롭.

⁑**out·er** [áutər] (최상급 ***~·most, out·most***) *a.* **1** 밖의, 외부〔외면〕의. [opp] *inner*. ¶ ~ garments 겉옷, 외투 / the ~ world 외계(外界); (바깥)세상. **2** (중심에서) 멀리 떨어진, 변두리의: in the ~ suburbs (도심에서) 먼 교외에. [SYN.] ⇨ OUTSIDE. **3** 〖철학〗 객관적인: ~ reality 객관적 현실. ── *n.* **1** (표적의) 중심권 외부, 권외 명중탄. **2** 《Austral.》 (경기장의) 지붕 없는 관람석. ***on the ~*** 《Austral. 속어》 무일푼으로; 무시당하여.

óuter bár (the ~) 《영》 (왕실 변호사가 아닌) 보통 변호사, 하급법정 변호인단.

óuter cíty 《미》 시외, 도시 교외.

óuter·còat *n.* 외투《overcoat, topcoat 따위》.

out·er·course [áutərkɔ̀ːrs] *n.* 아우터코스《에이즈(AIDS) 감염의 위험을 수반하지 않는 각종의 대체적인 성행위》. [cf.] intercourse.

óuter-diréc̀ted [-id] *a.* 외향적인; 사회의 가치기준에 따르는.

óuter éar 〖해부〗 외이(外耳).

Óuter Hóuse (the ~) 단독 심리실《Scotland 항소재판의 법정》.

óuter mán (the ~) 외모, 풍채, 복장; 육체.

Óuter Mongólia 외몽고《the Mongolian Republic의 구칭》.

óuter·mòst *a.* 가장 바깥(쪽)의, 가장 뒤쪽의, 가장 먼.

óuter plánet 〖천문〗 외행성《화성 궤도 외측의 목성, 토성, 천왕성, 해왕성, 명왕성》.

óuter spáce 대기권외, 우주《특히 행성간의》.

Óuter Spáce Trèaty 우주조약, 우주 천체조약《우주공간의 평화 이용을 주장한 국제조약》.

óuter·wèar *n.* [U] 옷 위에 덧입는 겉옷《sweater, suit, dress 등》; 외투, 비옷《따위》.

óuter wóman (the ~) (여자) 외모, 자태.

òut·fáce *vt.* 노려보아 말 못하게 하다; …에게 대담하게 대항하다; 도전하다.

óut·fàll *n.* 강어귀; 유출〔배출〕구, (물이) 흘러 떨어지는 곳(outlet).

óut·fìeld *n.* **1** 떨어진 곳에 있는 밭〔논〕; 변경; 미지의 세계. **2** 〖야구 · 크리켓〗 외야(外野); 〖집합적〗 외야수. [opp] *infield*. [파] **~·er** *n.* 외야수.

òut·fíght (*p., pp.* ***-fought***) *vt.* …와 싸워 이기다.

óut·fìghting *n.* [U] 〖권투〗 아웃복싱.

out·fit** [áutfit] *n.* **1** (여행 따위의) 채비, 장비; (배의) 의장(艤裝). **2** (특정한 활동 · 장사 등의) 도구 한 벌; 용품류; (특정한 경우의) 의상 한 벌; (여행 · 탐험 등의) 장비 일습: a carpenter's ~ 목수의 연장 한 벌 / an ~ for a bride 신부 의상 한 벌. **3** (신체적 · 정신적인) 소양, 능력. **4** (협동 활동의) 단체, 집단, 일단; 부대, 동료; 《구어》 회사: a publishing ~ 출판사. **5** 《Can.》 〖집합적〗 (한 모피회사에서 모피교역 센터로의) 연간 출하량; 그 일부. ── (-tt-***) *vt.* 《~+[목]/+[목]+[전]+[명]》 …의 채비를 하다, (…을) …에게 공급하다 《*with*》: ~ a person *with* money for his trip 아무에게 여비를 마련해 주다. ── *vi.* 몸차림을 하다, 준비하다; 《Can.》 (탐험대 등의) 가이드역을 하다. [파] **~·ter** *n.* 장신구상, 운동〔여행〕용품상: a gentlemen's *~ter* 신사용품점. **~·ting** *n.* [U] 〖집합적〗 채비, 장신구; 옷차림.

òut·flánk *vt.* 〖군사〗 (적의) 측면을 포위하다; 선수치다, 적의 허를 찌르다. [파] **~·er** *n.* 책략가.

óut·flòw *n.* **1** 유출; 유출물, 유출량. **2** 돌발; (감정 따위의) 격발.

òut·flý *vt.* …보다 더 멀리〔빨리〕 날다, 빨리 날아 피하다. ── *vi.* 날아 나오다.

òut·fóot *vt.* (배가) …보다 빨리 항해하다, …보다 빠르다; (경주 따위에서) …보다 빨리 달리다〔걷다〕.

òut·fóx *vt.* 계략으로 이기다(outsmart).

óut-frónt *a.* 《미구어》 (정치운동 등의) 전면에 선, 진보적인; 솔직한, 숨김 없는.

òut·frówn *vt.* 《고어》 노려보아 말을 못하게 하다, 위압하다.

òut·gás *vt., vi.* 기체를 제거하다, 기체가 없어지다.

òut·géneral (***-l-***, 《영》 ***-ll-***) *vt.* 작전으로〔전술로〕 이기다, 술책에 빠뜨리다.

óut·gìving *n.* 발표된 것, 발언, 공식성명; (*pl.*) 지출비용. ── *a.* 분명히 말하는〔반응하는〕; 우호적인.

òut·gó (***-went; -gone***) *vt.* …보다 멀리〔빨리〕 (나아)가다; …보다 낫다, …을 능가하다. ~ one*self* 지금까지보다 훨씬 잘 하다. ── [스] (*pl.* ***~es***) *n.* **1** 출발, 퇴출(退出). **2** 출비(出費), 지출. [opp] *income*. **3** 유출. **4** 결과.

óut·gòing *a.* **1** 나가는, 출발하는; 떠나가는; 은퇴하는: the ~ tide 썰물. **2** 사교적〔개방적〕인. ── *n.* **1** 나감; 길을 떠남, 출발; 퇴직. **2** 나가는 것; (보통 *pl.*) 출비(出費), 지출.

òut·gróss *vt.* 총수익면에서 상회하다.

óut-gròup *n.* 〖사회〗 외집단(外集團)《자기 그룹이 아닌》. [opp] *in-group*.

◇**out·grów** (***-grew; -grown***) *vt.* **1** …에 들어가지 못할 정도로 커지다, 몸이 커져서 입지 못하게 되다: My family has *outgrown* our house. 식구가 늘어서 집이 옹색해졌다. **2** …보다도 커지다〔빨리 자라다〕: ~ one's brother 형보다 커지다. **3** 성장하여 (습관 · 취미 등을) 벗어나다〔잃다〕; …의 괴로움에서 벗어나다: The boy has *outgrown* babyish habits. 자라서 어린애 같은 버릇이 없어졌다. ── *vi.* 《고어》 (잎 따위가) 벋어나오다.

óut·gròwth *n.* **1** 자연적인 발전〔산물〕, 결과; 부산물. **2** 생성물; 〖식물〗 어린 가지, 벤 나무에서 나는 움, 새싹. **3** 성장, 싹틈.

óut·guàrd *n.* =OUTPOST 1.

òut·guéss *vt.* (상대방의 의도 따위를) 미리 짐작하다, 꿰뚫어보다; 선수치다, 넘겨치다; 간파하다; …을 능가하다.

òut·gún *vt.* **1** 〖군사〗 …보다 화력이 우세하다. **2** …을 지우다, 해치우다, 패배시키다, 어기다.

òut·gúsh *vi.* 흘러나오다, 유출〔분출〕하다. ──

[스] n. 유출, 분출.
óut·hàul n. 〖해사〗 아웃홀《돛을 펼 때 사용되는 밧줄》. opp. *inhaul*.
òut·héctor vt. …을 위압하다, …보다 더 뻐기다.
òut-Hérod vt. …보다 포학하다《흔히 다음 관용구로》. ~ ***Herod*** 포학함이 헤롯 왕을 뺨치다《Shakespeare 작 Hamlet에서》. ★ 유사구가 많음: out-Solomon Solomon 지혜가 솔로몬 왕 이상이다.
òut·hít (-*tt*-) vt. 〖야구〗 (상대 팀보다) 많은 안타를 치다, 이기다.
óut·hòuse n. 딴채; 헛간; 《미》 옥외변소.
óut·ing n. **1** 산놀이, 소풍(excursion); 산책; 행락, (짧은) 유람〔위안〕 여행. **2** 앞바다. **—** *a.* 산놀이용의; 산책용의.
óuting flànnel 플란넬 비슷한 무명.
óut-ìsland n. 속도(屬島)《주도(主島)에 딸린 섬》.
òut·jóckey vt. 속이다, 선수치다, 감쪽같이 속이다(outwit).
òut·júmp vt. …보다 멋있게〔높이〕 날다; 높이 뛰어넘다.
óut·lànd n. Ⓤ (영지·장원 따위의) 변두리, 경계에 가까운 토지; Ⓤ 멀리 떨어진 땅; 《고어》 외국. **—** *a.* 변두리의, 멀리 떨어진; 《고어》 외국의.
óut·lànder n. 외국인; 외래자; 《구어》 외부사람, 국외자, 문외한.
out·land·ish [autlǽndiʃ] *a.* 이국풍(異國風)의; 이상스러운; 외진, 벽촌의; 《고어》 외국의. ㊞ **~·ly** ad. **~·ness** n.
òut·lást vt. …보다 오래 견디다〔가다, 계속하다〕; …보다 오래 살다.
*__out·law__ [áutlɔ̀ː] n. **1** 법익 피박탈자(法益被剝奪者)《법률상의 보호를 박탈당한 사람》. **2** 무법자; 상습범; 사회에서 버림받은 자. **3** 다루기 힘든 동물, 《특히》 사나운 말. **—** vt. …로부터 법의 보호를 빼앗다, 사회에서 매장하다; 불법이라고 (선언)하다, 금지하다; 법적으로 무효로 하다: an ~*ed* debt 《미》 시효가 지난 채무 / ~ drunken driving 음주운전을 금지하다. ㊞ **~·ry** [-ri] n. Ⓤ 법익 박탈; 사회적 추방 (처분); 금지, 비합법화; 무법자의 신분〔상태〕; 법률 무시.
óutlaw cóuntry ＝PROGRESSIVE COUNTRY.
óutlaw strìke (조합의 지시에 따르지 않은) 불법스트라이크(wildcat strike).
óut·lày n. Ⓒ 비용, 경비; Ⓤ 지출. **—** [스] (*p.*, *pp.* ***-laid***) vt. 소비하다, 지출하다.
*__out·let__ [áutlet, -lit] n. **1** 배출구, 출구; 배수구; 하구(河口). cf. *intake*. ¶ an ~ *for* one's anger 화풀이할 곳. **2** 팔 곳, 판로; 대리점, 직판장, 특약점. **3** 〖전기〗 콘센트. **4** (네트워크 프로그램을 방송하는) 지방국.

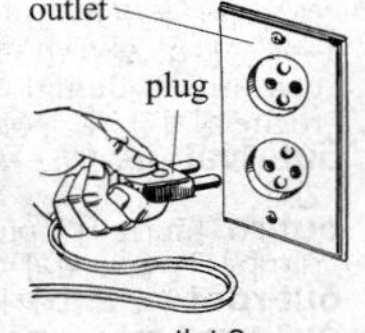

outlet 3

óutlet màll 〖상업〗 직매점이 모인 쇼핑 센터.
óutlet stòre 직영 소매점, 직매〔직영〕점, 판매대리점《메이커·도매업자가 불량품·과잉 재고품 따위를 아주 싼값으로 처분하는 직영 소매점; 정상적인 상품이나 계열이 아닌 메이커 제품을 싸게 소매하는 상점도 있음》.
òut·líe vi. 집 밖에서 자다, 노숙〔야영〕하다; 늘어나다, 퍼지다. **—** vt. …너머에〔로〕 가로놓이다〔퍼지다〕.
óut·lì·er n. **1** 집 밖에서 자는 사람, 노숙하는 사람; 본체에서 분리된 물건. **2** 근무〔영업〕 장소 밖에 주거를 가진 사람; 문외한, 국외자. **3** 〖지학〗 외좌층(外座層)《침식작용에 의하여 주위의 고기 암체(古期岩體)에 에둘리어 고립되어 있는 신기(新期)암체》. opp. *inlier*.
⁑**out·line** [áutlàin] n. (종종 *pl.*) **1** 윤곽, 외형, 약도《*of*》: the ~ *of* skyscrapers 고층건물들의 윤곽. **2** 대요, 개요, 개설, 요강《*of*》: He gave me a brief ~ *of* what had occurred. 그는 나에게 사건의 개요를 간략하게 설명했다. **3** 〖컴퓨터〗 테두리, 아우트라인. ***in*** **~** 윤곽으로 나타낸; 개략의: a map *in* ~ 약도. **—** vt. **1** …의 윤곽을〔약도를〕 그리다〔표시하다〕; …의 초안을 쓰다, 밑그림을 그리다. **2** 개설하다, …의 대요를 말하다.

*__out·live__ [àutlív] vt. **1** …보다도 오래 살다; …보다 오래 계속하다〔가다〕: ~ one's children 자식보다 오래 살다. **2** 오래 살아서 …을 잃다: ~ one's fame 만년에 명성을 잃다. **3** 무사히 헤어나다: The ship ~*d* the storm. 배는 폭풍우를 무사히 벗어났다.
⁑**out·look** [áutlùk] n. **1** 조망, 전망, 경치《*on; over*》: have a pleasant ~ 전망이 좋다. **2** 예측, 전망, 전도《*for*》: The economic ~ is bright. 경제적인 전망은 밝다 / The ~ *for* food and energy prices is good. 식량과 에너지 가격의 전망은 양호하다. **3** 사고방식, 견해, 견지, …관(觀)《*on*》: a bright ~ *on* life 밝은 인생관. **4** 망보는 곳, 파수대; 망보는 사람, 감시인. **5** 일기예보《*for*》: the ~ *for* May, 5월의 일기예보. ***on the*** **~** 경계하여, 조심하여《*for*》, 잔뜩 노리고. **—** [스] vt. 용모자태에서 …보다 낫다; 《고어》 …을 노려보다.
óutlook ènvelope ＝WINDOW ENVELOPE.
óut·lỳing *a.* 밖에 있는; 중심을 떠난; 동떨어진; 외진, 변경의.
óutlying báse 〖미군사〗 해외기지《항구적인》.
òut·machíne vt. 〖군사〗 (적보다) 기갑 장비〔부대〕가 우세하다.
òut·mán [-mǽn] (-*nn*-) vt. …보다 인원수가 많다; …에게 사람 수효로 이기다; 《고어》 …보다 사나이답다.
òut·manéuver, 《영》 **-nóeuvre** vt. 책략으로 …에게 이기다, …의 허를 찌르다.
òut·márch vt. …보다 빨리〔멀리〕 나아가다, 앞지르다.
óut màtch 원정 경기〔시합〕.
òut·mátch vt. …보다 상수이다, …보다 낫다, …을 능가하다.
òut·méasure vt. …보다 양으로〔넓이, 크기, 길이로〕 낫다, …보다 양이 많다.
óut-mìgrate vi. (집단적〔계속적〕 이주의 일부로서) 밖으로 이주〔이동〕하다. ㊞ **òut-migrátion** n.
òut·móde vt., vi. 유행에 뒤떨어지다.
òut·móded [-id] *a.* 유행에 뒤떨어진, 구식의.
óut·mòst *a.* 맨 바깥쪽〔바깥 부분〕의; 가장 먼(outermost).
óut·ness n. Ⓤ 〖철학〗 외부성, 객관성; 외견, 외면.
°**out·númber** vt. …보다 수가 많다; 수적(數的)으로 우세하다.
óut-of-bódy *a.* 자신의 육체를 벗어난; 체외유리(體外遊離)의《자기 자신을 바깥쪽에서 보는 심령현상의》: ~ phenomena 혼(魂)체외유리 현상.
óut-of-bódy expérience 체외〔육체〕 이탈 체험《생략: OBE》. cf. near-death experience.
óut-of-bòunds *a.* 〖구기〗 필드〔코스〕 밖의, 제한구역 밖의; (생각·행동이) 엉뚱한, 상궤를 벗어난.
óut-of-cóurt *a.* 법정외의, 소송에 의하지 않는, 화해에 의한.
óut-of-cóurt sèttlement 사화(私和), 법정 외에서의 화해.
óut-of-dáte *a.* 구식인, 시대에 뒤떨어진, 낡은. cf. up-to-date. ★ 보어로 쓰일 때는 out of date로 하는 것이 보통임.
óut-of-dóor *a.* ＝OUTDOOR.
óut-of-dóors *a.* ＝OUTDOOR. **—** n., ad. ＝OUTDOORS.
óut-of-hánd *a.* 손쓸 수 없는.
óut-of-pócket *a.* 현금 지급의, 맞돈의.

óut-of-prínt *a.*, *n.* 절판된 (책).
óut of ránge 〖컴퓨터〗 범위 넘음《지정된 범위를 벗어난 값》.
óut-of-régister *a.* 〖인쇄〗 (다색 인쇄에서의) 색의 엇먹음.
óut-of-schóol *a.* 《영》 과외의. ⓒⓕ extracurricular. ¶ ~ activities 과외활동.
óut-of-síght *a.* 《미속어》 발군(拔群)의, 출중한.
óut-of-státe *a.* 타주(他州)의, 주외(州外)의.
óut-of-státer *n.* 타주(他州)에서 온 사람.
óut of stóck (재고) 품절《일시적인》.
óut-of-the-móney *a.* (경기 등에서 등외(等外)로 떨어져) 상금이 없는.
óut-of-the-wáy *a.* 외딴, 벽촌의; 보통이 아닌, 괴상한, 진기한(eccentric).
óut-of-thís-wórld *a.* 현실과 동떨어진, 기상천외의, 뜻밖의.
óut-of-tówn *a.* 시외의, 지방의. ⓜ **~·er** *n.* 시외에서 온 사람, 관광객.
óut-of-wórk *a.* 실직 중인.
òut·páce *vt.* …보다 속도가 빠르다; 앞지르다.
óut·pàrty *n.* 야당.
óut·pàtient *n.* (병원의) 외래환자. ⓒⓕ inpatient.
óut·pènsion *n.* (사회복지 시설에 수용되어 있지 않은 사람이 받는) 원외(院外) 부조금〔연금〕. ⓜ **~·er** *n.*
òut·perfórm *vt.* (기계 따위가) …보다 성능이 우수하다; (사람이) …보다 기량이 위다.
òut·pláce *vt.* 《미》 (해고시키기 전에) 새 직장에 취직시키다. ⓜ **~·ment** *n.* 전직(轉職) 알선.
òut·plán *vt.* (…보다) 낫게 계획을 세우다; 계획을 잘 세워 …을 능가하다.
òut·pláy *vt.* 〖경기〗 …보다 잘 하다, 이기다, 지우다.
òut·póint *vt.* **1** (경기에서) …보다 점수를 많이 따다; 〖권투〗 …에게 판정승하다. **2** 〖해사〗 (다른 배)보다 이물을 바람 부는 쪽으로 더 돌려서 나아가다.
òut·póll *vt.* (투표 따위에서) …보다 많은 표를 얻다.
óut·pòrt *n.* (주요한 항구(세관)에서 떨어져 있는 부차적인) 항구; 《영》 London 항 이외의 항구; 출항지, 승선항; 수출항.
óut·pòst *n.* **1** 〖군사〗 전초(前哨), 전초 부대〔지점〕, 전진기지. **2** 변경의 식민〔거류〕지.
òut·póur *vt.*, *vi.* 흘러나오게 하다; 흘러나오다; 유출시키다; 유출하다. — [⌐⌐] *n.* 흘러나옴, 유출; 유출물. ⓜ **óut·pòuring** *n.* 흘러나옴, 유출(물); (감정 등의) 발로, 토로; (감정적인) 말.
òut·prodúce *vt.* 생산력에서 …보다 낫다.
òut·púll *vt.* …보다 강하게 사람들을 매료하다(outdraw).
⁑out·put [áutpùt] *n.* Ⓤ **1** 산출, 생산; 산출〔생산〕량; (문학 등의) 작품 수〔양〕: increase 〔curtail〕 ~ 생산량을 높이다〔줄이다〕. **2** 생산물; 작품. **3** 〖전기〗 출력, 발전력. **4** 〖컴퓨터〗 출력《컴퓨터 내에서 처리된 정보를 외부장치로 끌어냄; 또 그 정보》. ⓞⓟⓟ *input*. **5** 〖의학〗 (대변 이외의) 배설물. — *vt.* 산출하다; 〖컴퓨터〗 (정보를) 출력하다.
óutput dàta 〖컴퓨터〗 출력 데이터.
óutput devìce 〖컴퓨터〗 (인쇄기, VDU 등의) 출력 장치.
òut·ráce *vt.* = OUTPACE.
***out·rage** [áutrèidʒ] *n.* **1** Ⓤ 침범, 위반; 불법행위: ~ *against* the law 위법. **2** Ⓒ 난폭, 폭행, 능욕: commit an ~ on …에게 폭행을 가하다. **3** Ⓤ 무도함, Ⓒ 모욕; 유린《*upon*》. — *vt.* **1** (법률 · 도의 등을) 범하다, 어기다. **2** …에 난폭한 짓을 하다, 폭행〔학대〕하다; …에게 모욕을 주다. **3** 격분시키다, …에게 충격을 주다: I was ~*d* by his behavior. 그의 태도에 화가 났다. **4** (여자를) 범하다, 능욕하다(rape).
***out·ra·geous** [autréidʒəs] *a.* **1** 버르장머리없는, 괘씸한, 언어도단의: They have ~ manners. 그들은 버르장머리가 없다 / It's ~ that ... …이라는 것은 언어도단이다. **2** 지나친, 터무니없는: an ~ price 터무니없는 가격. **3** 난폭한, 포학〔잔인무도〕한: an ~ crime 포학한 범죄. **4** 별난, 이상한: ~ clothes 괴상한 옷. ⓜ **~·ly** *ad.* **~·ness** *n.*
òut·rán OUTRUN의 과거.
ou·trance [*F.* utʀɑ̃:s] *n.* 《F.》 《at 또는 to와 같이 쓰여》 최후, 극한.
òut·ránge *vt.* **1** …보다 착탄〔사정〕 거리가 멀다. **2** 〖일반적〗 …보다 낫다.
òut·ránk *vt.* …의 윗자리에 있다.
ou·tré [u:tréi/⌐⌐] *a.* 《F.》 상궤를 벗어난, 지나친, 과격한; 야릇한, 기괴한, 색다른.
òut·réach *vt.* …보다 멀리 미치다, …의 밖에까지 퍼지다, 넘다; 보다 낫다; (손 · 팔을) 앞으로 내밀다; …을 속이다. — *vi.* 도를 넘다, 넓어지다, (팔 따위가) 뻗다. — [⌐⌐] *n.* Ⓤ **1** 팔을 뻗음, 팔을 뻗은 거리. **2** 《미》 빈곤자 단체의 원조계획, 빈곤자 조합을 대상으로 한 구제활동.
óut·relief *n.* 《영》 시설외(外) 빈민구조, 원외(院外) 구조(outdoor relief).
òut·ríde (*-rode; -rid·den*) *vt.* …보다 잘〔빨리, 멀리〕 타다, 앞지르다; (배가 폭풍우를) 헤치고 나아가다. — *vi.* 야외에서 말을 타다.
óut·rìder *n.* (차의 앞 · 옆의) 오토바이를 탄 선도자〔호위〕, 기마 시종(侍從)《마차의 옆 · 앞의》; 선구자(harbinger); 정찰자, 척후; 《방언》 지방순회 외판원.
óut·rìgger *n.* **1** 〖해사〗 현외(舷外)장치, 아우트리거; 현외 장치가 달린 마상이; 현외로 내민 노걸이 받침쇠(가 있는 보트). **2** 〖건축〗 뒷보, 뒷도리《따위》. **3** 〖항공〗 꼬리날개를 받치는 지주(支柱). ⓜ **óut·rìgge(re)d** *a.* ~가 달린.

outrigger 1

°out·right [áutráit] *ad.* **1** 철저하게, 완전히, 충분히. **2** 솔직히, 터놓고, 공공연히: laugh ~ 터놓고 웃다. **3** 곧, 당장, 즉시(at once): buy ~ 즉석에서 돈주고 사다 / be killed ~ 즉사하다. — [⌐⌐] *a.* 솔직한, 명백한; 철저한; 무조건의: give an ~ denial 딱 잘라 거절하다 / an ~ rogue 철저한 악당. ⓜ **~·ly** *ad.* **~·ness** *n.*
òut·ríval (*-l-*, 《영》 *-ll-*) *vt.* 경쟁에서 …에게 이기다.
out·ro [áutrou] (*pl.* **~s**) *n.* 《미속어》 (intro에 대하여) 음악 뒤의 디스크자키의 말.
òut·róot *vt.* 근절하다(eradicate).
°out·rún (*-ran; -run; -running*) *vt.* **1** …보다 빨리〔멀리〕 달리다, 달리어 앞지르다; 달아나다《추격자로부터》: They managed to ~ the police. 그들은 경찰을 따돌리고 도망쳤다. **2** …의 범위를 넘다, 초과하다(exceed): Expenses *outran* income. 지출이 수입을 초과했다.
óut·rùnner *n.* 결마부《마차를 따라 뛰는》; (마차의) 부마(副馬); 선도하는 개《개썰매의》; 선구자; 앞지르는 사람.
óut·rùsh *n.* 분출, 분류(奔流).
òut·sáil *vt.* (배가) …보다 빨리 항해하다; 앞지르다.
òut·scóre *vt.* …보다 많이 득점하다.
óut·sèa *n.* 공해, 외양(外洋).
òut·séll (*p.*, *pp.* *-sold*) *vt.*, *vi.* …보다 많이〔비싸게, 빨리〕 팔다〔팔리다〕.
óut·sèrt *n.* 〖제본〗 바깥 접장.
°óut·sèt *n.* (the ~) 착수; 시작, 최초. ***at*** 〔***from***〕

the ~ 최초에〔부터〕《*of*》.

òut·shíne (*p., pp.* **-shone**) *vt.* …보다 강하게 빛나다; …보다 우수하다(surpass); …을 무색케 하다. **—** *vi.* 빛을 발하다.

òut·shóot (*p., pp.* **-shot**) *vt.* **1** …보다도 잘〔멀리〕 쏘다. **2** (싹·가지를) 내밀다. **—** *vi.* 불쑥 튀어나오다. **—** [스] *n.* Ⓤ 돌출, 발사; Ⓒ 발사물(物), 〚야구〛 아웃슈트.

óut·shòt *n.* (안채와 접해 있지만 독립된) 별채.

òut·shóut *vt.* …보다 더 큰 소리로 외치다.

out·side [áutsáid, 스] *n.* **1** (보통 the ~) 바깥쪽, 외면; 외부, 외계, 밖. OPP *inside*. ¶ from the ~ 바깥쪽에서. **2** (보통 the ~) (사물의) 외관, 표면, 겉모양; (사람의) 겉보기, 생김새: He seems gentle on the ~. 겉모습으로 보아 그는 상냥한 것 같다. OPP *inside*. **3** 《영》 (마차 따위의) 옥상석(의 승객). cf. inside. **4** (*pl.*) 한 묶음의 종이의 바깥 양쪽의 두 장. ***at the*** (***very***) ~ 기껏해야, 고작: ten people *at the* ~ 많아야 10명. ***on the*** ~ 《영》 (자동차 따위가) 중앙분리대 쪽의 차로를 이용하여: I overtook his car *on the* ~. 추월 차로로 들어가 그의 차를 앞질렀다. ~ ***in*** 뒤집어서《입다》(inside out): turn a sock ~ *in* 양말을 뒤집다. ***those on the*** ~ 국외자, 문외한.

— [스, 스] *a.* **1** 바깥쪽의, 외면의; 외부의, 밖의; 밖으로부터의: get ~ help 외부로부터의 원조를 얻다 / ~ work (회사 따위의) 작업 범위외 작업, 나가서 하는 일, 외근 / ~ measurement 바깥 치수 / an ~ antenna 옥외 안테나 / an ~ address 겉봉의 주소·성명 / the ~ lane (도로의) 바깥쪽 차로.

> SYN. **outside** 입구 등에서 한 발 나간 발의 '바깥쪽의'의 뜻. **outer** inner에 대한 말: *the outer* world 세상. **external** outer와 똑같이 쓰이나 internal에 비한 말: *external* angles 외각. **outward** 바깥쪽을 향한 뜻: an *outward* room 바깥방.

2 표면상의, 외관만의, 겉모양의. **3** 국외(자)의, (사건·문제 따위와) 관계없는; 단체〔조합·협회〕에 속하지 않은; 원외의: stand ~ 국외(자의 입장)에 서다 / an ~ broker 〚증권〛 외부〔비회원〕 브로커. **4** 극도〔극한〕의; 최고〔최대〕의: an ~ estimate 최고로 봐 준 견적 / an ~ price 최고값. **5** 《영》 (마차 따위의) 옥상석의. **6** 극히 적은〔드문〕: an ~ chance 만에 하나의 기회.

— [스] *ad.* 밖에〔으로〕, 바깥쪽〔외부〕에; 집 밖으로〔에서〕; 해상으로〔에서〕, 옥상석(席)으로; 《속어》 옥(獄)외로: take the dog ~ 개를 밖으로 데리고 나가다. ***be*** 〔***get***〕 ~ ***of*** 《미속어》 …을 양해〔이해〕하다; 《속어》 …을 먹다〔마시다〕. ***come*** ~ 방〔집〕에서 밖으로 나가다; 〔명령형〕 밖으로 나오라 《도전의 말》. ~ ***of*** = 《구어》 outside *prep.* ~ ***of a horse*** 말을 타고. ***ride*** ~ 《영》 (버스)의 옥상석에 타(고 가)다.

— [스, 스] *prep.* **1** …의 밖에〔으로, 의〕: go ~ the house 집 밖으로 나가다. **2** …의 범위를 넘어, 이상으로: go ~ the evidence 증언 이상으로 언급하다. **3** 《구어》 …을 제외하고, 이외에: No one knows it ~ two or three persons. 2, 3명을 제외하고는 아무도 그것을 모른다.

óutside bróadcast 스튜디오 밖의 방송.

óutside bróker 〚증권〛 외부〔비회원〕 브로커.

óutside diréctor 사외이사(社外理事).

óutside édge 〚스케이트〛 바깥쪽 날로 하는 활주; 《속어》 더없이 지독한 사람〔것, 행위 등〕.

óutside jób 외근(직).

óutside píece 《미우편속어》 커서 우편낭에 들어가지 않는 소포.

òut·síder *n.* **1** 부외〔국외〕자, 한패가 아닌 자; 당〔조합〕 외의 사람; 문외한, 생무지. OPP *insider*. **2** (경마 등에서) 승산이 없는 말〔기수(騎手)〕.

óutside wórk 옥외의 일, 외근. 「계.

óutside wórld (the ~) 바깥세상, 단절된 세

óut·sìght *n.* Ⓤ 외계 사물의 관찰〔지각〕(력).

òut·síng *vt.* …보다 노래를 잘하다, 큰 소리로 노래하다. **—** *vi.* 고함치다.

óut sìster (수도원에 살면서) 외부 관계의 일에 종사하는 수녀.

òut·sít (*p., pp.* **-sat; -sitting**) *vt.* …보다 오래 머무르다; 시간이 지났는데도 그냥 앉아 있다.

óut·sìze *a.* 특대(特大)의. **—** *n.* 특대(형) 《의복 따위》. ㊞ **~d** *a.*

óut·skìrts *n. pl.* (도시·읍 따위의) 변두리, 교외. ***on*** 〔***at, in***〕 ***the*** ~ ***of*** …의 변두리에.

> SYN. **outskirts**는 시가지에서 떨어진 교외의 뜻. **suburbs**는 시가지에 연속되어 있는 변두리의 뜻.

òut·sléep *vt.* 너무 자다.

òut·slíck *vt.* 《속어》 앞지르다, …보다 뛰어나다 (=**òut·slícker**).

òut·smárt *vt.* 《구어》 …보다 약다〔수가 높다〕, …을 압도하다; 속이다, 의표를 찌르다.

òut·sóar *vt.* …보다 높이 날다, …을 뛰어넘다.

óut·sòle *n.* (구두의) 바닥창.

òut·sóurce *vt., vi.* (타사 일을) 하청하다.

òut·sóurcing *n.* 부품을 외국 등에서 싸게 구입하여 조달함; 하청함.

òut·spán (**-nn-**) *vt., vi.* (소·말 따위에서) 멍에〔안장, 마구(馬具)〕를 벗기다〔떼다〕. **—** *n.* [스] 멍에를 벗기는 일〔장소, 시간〕.

òut·spéak *vt.* …을 말로 상대방을 이기다; 솔직히 말하다. **—** *vi.* 큰 소리로 말하다.

òut·spénd *vt.* …보다 많이 쓰다.

òut·spént *a.* 몹시 지친.

óut·spóken *a.* 거리낌 없는; 솔직한《말》; 숨김없이 말하는. ㊞ **~·ly** *ad.* **~·ness** *n.*

òut·spréad (*p., pp.* **-spread**) *vt., vi.* 펼치다, 퍼지게 하다, 넓히다; 퍼지다, 펴지다, 넓어지다; 늘이다; 늘어나다. **—** [스] *a.* 펼쳐진, 뻗친. **—** [스] *n.* 펼침, 퍼짐.

òut·stánd *vi.* 눈에 띄다, 돌출〔걸출〕하다; 〚해사〛 출항〔출범〕하다. **—** *vt.* 《고어》 (시간이 지나도록) 남아 있다〔눌어붙어 있다〕; …에 저항〔반대〕하고 버티다.

out·stand·ing [àutstǽndiŋ] *a.* **1** 걸출한, 눈에 띄는, 현저한: an ~ figure 탁월한 인물 / be ~ *at* mathematics 수학에 뛰어나다. **2** 돌출한. **3** 미결제의; 미해결의: ~ debts 미불(未拂)부채. **4** (주식·채권 따위가) 발행된, 발매된. **5** 저항〔대항〕하는. ㊞ **~·ly** *ad.* **~·ness** *n.* 「하다.

òut·stáre *vt.* 노려보아 (상대방을) 당황하게

óut·stàtion *n.* (본대에서) 떨어진 주둔지; (도시에서 먼) 출장소, 지소.

òut·stáy *vt.* (다른 손님보다) 오래 앉아 있다, 오래 머무르다. ~ one***'s welcome*** 오래 머물러 있어 미움을 사다.

òut·stép (**-pp-**) *vt.* (제한을) 넘다; 범하다; 지나치다(overstep).

òut·strétch *vt.* 연장〔확장〕시키다; 펴다; 내밀다; …의 한계를 넘어서 퍼지다.

òut·strétched [-t] *a.* 펼친, 편, 뻗친: with ~ arms 양팔을 쭉 뻗쳐 / lie ~ on the ground 땅바닥에 큰대자로 눕다.

òut·stríp (**-pp-**) *vt.* 앞지르다; (추적을) 벗어나다; …보다 낫다, 능가〔초월〕하다, 웃돌다.

óut·stròke *n.* 바깥쪽으로의 동작; 〚기계〛 (피스톤의) 외향행정(外向行程).

out·ta [áutə] 〖발음 철자〗《구어》=out of.
óut·tàke *n.* (영화·텔레비전의) 촬영 후 상영 필름에서 컷한 장면; 끄집어낸 것; 배기공(孔)〔갱〕.
òut·tálk *vt.* …보다 많이〔큰 소리로, 잘〕 지껄이다, 말로 이기다, 마구 지껄여 대다.
out-tech [àuttéк] *vt.* (…에 대하여) 기술적으로 우위에 서다, …을 기술적으로 이기다.
òut·téll *vt.* 분명히 말하다; 이야기를 끝내다; …보다 설득력이 있다.
òut·thínk *vt.* …보다 깊이〔빨리〕 생각하다; …의 의표(意表)를 찌르다.
òut·thrów *vt.* 내던지다; (팔 등을) 벌리다; …보다 멀리〔정확하게〕 던지다.
óut·thrùst *n.* 〖건축〗 밖으로 미는 압력; 돌출한 것. ―― [⌐⌐] *vt., vi.* 밀어내다. ―― [⌐⌐] *a.* 돌출한.
òut·tóp (*-pp-*) *vt.* …보다 높다, 보다 높이 솟다; 우수〔능가〕하다; 이기다. 「이다.
òut·tráde *vt.* (매매거래에서) …을 감쪽같이 속
òut·trável *vt.* (경계 등을) 넘어 여행하다; …보다 빨리 여행하다.
óut-tràу *n.* 기결 서류함. OPP *in-tray*.
óut·tùrn *n.* 생산량, 산출(産出)(액)(output); (과정의) 경과, 결과.
òut·válue *vt.* …보다도 가치가 있다.
òut·víe (*p., pp.* ***-vied; -vying***) *vt.* 경쟁에서 …에게 이기다. 「소리로 위압하다.
òut·vóice *vt.* …보다 큰 소리로 이야기하다, 큰
òut·vóte *vt.* (투표)수로 이기다.
óut·vòter *n.* 《영》 거주지외(外)〔부재〕 유권자.
òut·wáit *vt.* …보다 오래 기다리다. 「지르다.
òut·wálk *vt.* …보다 빨리〔멀리, 오래〕 걷다; 앞
out·ward [áutwərd] *a.* **1** 밖을 향한, 외부로의; 밖으로 가는: an ~ motion 바깥쪽으로의 움직임/an ~ voyage 외국행의 항해. SYN. ⇨OUTSIDE. **2** 외부의, 바깥쪽의. OPP *inward*. ¶an ~ room 바깥쪽 방. **3** 외관의; 표면에 나타난, 눈에 보이는: to ~ seeming 보기에는, 외견상〔표면상〕으로는/An ~ reformation took place. 눈에 띄는 개혁이 일어났다. **4** (정신계에 대해서) 육체의, 물질의: ~ things 외계의 사물/an ~ eye 육안(cf. mind's eye)/the ~ man 〖종교〗 육체. **5** (약 따위가) 외용의: For ~ application only 외용약. ***to*** (***all***) **~ *appearances*** 겉으로 보기에, 표면상으로는, 외견상. ―― *n.* **1** 외면, 외부; 외견, 외관; 《우스개》 풍채. **2** (the ~) 물질〔외적〕 세계. **3** (*pl.*) 외계. ―― *ad.* **1** 바깥쪽에〔으로, 에서〕. **2** (배가) 국외〔해외〕로. **3** 겉보기에, 외견상은; 분명히, 공공연히. ㊀ *~·**ly** *ad.* **1** 밖에, 밖으로 향하여; 외면에. **2** 외견상(은). **~·ness** *n.* 외면성; 객관적 존재, 객관성.
Óutward Bóund 모험적 훈련을 통해 협동심을 기르는 국제적 조직; 또 그 훈련 코스《상표명》.
óutward-bóund *a.* 외국행의, 해외로 향하는. ㊀ **~·er** *n.* 외항선(外航船).
out·wards [áutwərdz] *ad.* =OUTWARD.
óut·wàsh *n.* U,C 〖지학〗 빙하에서 흘러내린 퇴적물.
òut·wátch *vt.* …보다 오래 파수를 보다; 보이지 않을 때까지 지켜보다: ~ the night 밤새껏 감시하다.
òut·wéar (***-wore; -worn***) *vt.* **1** …보다 오래가다; …보다 오래 살다. **2** (시간을) 보내다. **3** 〖보통 과거분사로〗 입어 해어뜨리다, 써서 낡게 하다, 말을 되풀이하여 새로운 맛을 없애다; (풍습 따위를) 쇠퇴하게 하다; (체력 따위를) 소모시키다.
òut·wéigh *vt.* …보다 무겁다; …보다 중요하다; …보다 가치가〔세력이〕 있다.
òut·wént OUTGO의 과거.
òut·wínd *vt.* …을 숨차게 하다.
òut·wít (*-tt-*) *vt.* 선수치다, …의 의표〔허〕를 찌르다, 속이다.
óut·wòrk *n.* **1** 〖축성(築城)〗 외보(外堡), 외루(外壘). **2** U 옥외〔직장외〕 작업〔일〕. ―― [⌐⌐] (*p., pp.* ***-worked, -wrought***) *vt.* …보다 잘〔열심히, 빨리〕 일을〔연구를〕 하다, …보다 더 공부하다; 성취하다. ㊀ **~·er** *n.* 직장 밖에서 일하는 사람; 사외(社外)〔옥외〕 근무자〔노동자〕.
òut·wórn OUTWEAR의 과거분사. ―― [⌐⌐] *a.* 써서 낡은, 케케묵은, 진부한; 입어 해진; 몹시 지친.
óut yèar 《속어》 후속 연도《현재 연도 이후의 수년간을 단위로 한 회계 연도》.
òut·yíeld *vt.* …보다 많이 산출〔생산〕하다.
ou·zel, -sel [ú:zəl] *n.* 〖조류〗 지빠귀류의 작은 새, 《특히》 검은지빠귀(blackbird).
ou·zo [ú:zou] (*pl.* **~s**) *n.* U anise의 열매로 맛을 들인 그리스산 리큐르.
OV orbiter vehicle.
ova [óuvə] OVUM의 복수.
***oval** [óuvəl] *a.* 달걀 모양의, 타원형의. ―― *n.* 달걀 모양; 달걀 모양의 물건, 타원체. ㊀ **~·ly** *ad.* **~·ness** *n.* **oval·i·ty** [ouvǽləti] *n.*
Óval Òffice 〔**Ròom**〕 (the ~) 《미》 (백악관의) 대통령 집무실《방이 달걀 꼴임》.
Óval Ófficer 《미》 대통령 보좌관〔측근〕.
óval wíndow 〖해부〗 (중이(中耳)의) 난원창(卵圓窓).
ovar·i·an, -al [ouvέəriən], [-əl] *a.* 씨방의; 알집의, 난소의: ~ cancer 〖의학〗 난소암(癌).
ovar·i·ec·to·my [ouvὲəriéktəmi] (*pl.* ***-mies***) *n.* 〖의학〗 난소 절제(술)(oophorectomy).
ovar·i·ot·o·my [ouvὲəriátəmi/-ɔ́t-] *n.* 〖의학〗 난소 절개〔절제〕(술). ㊀ **-o·mist** *n.* 「ritis).
ova·ri·tis [òuvəráitis] *n.* U 〖의학〗 난소염(oopho-
ova·ry [óuvəri] *n.* 〖식물〗 씨방; 〖해부·동물〗 알집, 난소(卵巢). 「leaf 달걀꼴의 잎.
ovate [óuveit] *a.* 〖생물〗 달걀 모양의: an ~
ova·tion [ouvéiʃən] *n.* 열렬한 환영, 대단한 갈채, 대인기; 〖고대로마〗 소개선식(小凱旋式).
****ov·en** [ʌ́vən] *n.* 솥, 가마, 화덕, 오븐: an electric 〔a gas〕 ~ 전기〔가스〕오븐/a cake hot 〔fresh〕 from the ~ 갓 구워낸〔따끈따끈한〕 케이크. ***in the same*** **~** 《속어》 같은 처지〔환경〕에. ***like an*** **~** (불쾌할 정도로) 몹시 더운.
óv·en·a·ble *a.* 오븐 가열 가능한.
óvenable páperboard 오븐용(用) 판지(板紙)《전자레인지로 음식을 데울 때 쓸 수 있는 내열성 판지》. 「모양의 집을 지음》.
óven·bìrd *n.* 〖조류〗 연작(燕雀)의 일종《화덕
óven glòve 〔**mìt(t)**〕 오븐에 넣은 식기를 다루는 내열성 장갑.
óven·pròof *a.* 오븐에 사용할 수 있는《식기 등》.
óven-rèady *a.* 오븐에 넣기만 하면 되는《즉석 식품》.
óven·wàre *n.* U 오븐용 접시.
†**over** ⇨《p. 1797》 OVER.
o·ver- [òuvər, ⌐⌐] *pref.* **1** '과도히, 너무'의 뜻: *over*crowded, *over*cunning, *over*work. **2** '위의〔로〕, 외부의〔로〕, 밖의〔으로〕, 여분의〔으로〕' 따위의 뜻: *over*coat, *over*board, *over*flow, *over*come, *over*time. **3** '넘어서, 지나서, 더하여' 따위의 뜻: *over*shoot, *over*balance. **4** '아주, 완전히'의 뜻: *over*master, *over*persuade.
òver·abóund *vi.* (…이) 너무 많다, 남아돌다 《*with; in*》.
òver·abúndance *n.* U 과잉, 남아돎.
òver·abúndant *a.* 과잉의, 남아도는.
òver·achíeve *vt., vi.* 기대 이상으로 좋은 성적을 올리다. ㊀ **-achíever** *n.*
òver·áct *vt., vi.* 지나치게 하다; 과장하여 연기하다. ㊀ **òver·áction** *n.* U

전치사적 부사(prepositional adverb)의 하나로서 전치사와 부사의 양쪽으로 쓰인다: The ball went *over* (the fence). 공은 (울타리를) 넘어 날아갔다.

over의 주요 의미는 연상상(聯想上) '(…을) 넘어서'로 집약할 수 있다. '넘어서'로부터 물리적, 비유적으로 '상위'에 있음, '덮다'라는 뉘앙스를, 또한 '들「너머」' '산「너머」'에서 '바다「를 건너」', 한걸음 더 나아가 '어떤 지역이나 기간「에 걸쳐」'도 연상할 수 있으며, 또 「와」주십시오'의 이동의 어감, '과도하게'라는 뜻도 연상할 수 있겠다. 또 수량에 관해 over(=more than) …'…를 넘다'의 용법이 있다. 흔히 '…이상(의)'으로 번역되지만 우리말의 '…이상'과는 달리 '…'에 해당하는 수가 반드시 제외되는 것도 '넘다'라는 번역으로 쉽게 이해가 갈 것이다. 비슷한 말에 관해서는 on을 보라.

over [óuvər], 《시어》 **o'er** [ɔːr] *prep.*

A 《위치》

1 〔공간 위치〕 **a** 〔떨어진 바로 위의 위치를 보여〕 …(의) 위에〔의〕, …(의) 위쪽에〔의〕, …의 머리〔바로〕 위에〔의〕(OPP. *under*): the bridge ~ 〔across〕 the river 강에 걸려 있는 다리/A lamp was hanging ~ 〔above〕 the table. 램프가 테이블 위에 걸려〔매달려〕 있었다/The moon is ~ the roof of our house. 달은 우리집 지붕의 바로 위에 있다. SYN. ⇨ON. **b** (무엇이 덮치듯) …의 위를〔에〕, …위에 쑥 나와〔내밀어〕, 돌출해: She leaned ~ the fence. 그녀는 울타리 밖으로 몸을 내밀었다/The balcony juts out ~ the street. 그 발코니는 길 위로 튀어나와 있다.

2 〔접촉 위치〕 **a** …의 위를 덮어〔가리어, 걸치어〕; …의 위를《*on*》: a rug (lying) ~ 〔*on*〕 the floor 마루를 덮은 깔개/with one's hat ~ one's eyes 모자를 깊숙이 눌러쓰고/A man came to paint ~ the cracks in the wall. 벽의 균열에 칠을 하기 위해 사람이 왔다/She put her hands ~ her face. 그녀는 두손으로 얼굴을 가렸다/She wore a coat ~ her sweater. 그녀는 스웨터 위에 코트를 입고 있었다《이 때 above도 쓸 수 있지만 over가 보다 일반적임》. **b** (발이) …에 걸려〔채어〕: fall ~ a stone 돌부리에 발이 채어 넘어지다.

3 …전면(全面)에, 온 …에, 온통, …에 걸치어; …의 여기저기를, 샅샅이《종종 all을 수반하여》: *all* ~ the country 전국 도처에〔를〕/travel (*all*) ~ Europe 유럽을 샅샅이 여행하다/show a person ~ the house 아무를 집안 곳곳으로 안내하다/(*all*) ~ the world (온)세계에. ★over가 뒤에 올 때도 있는데 이 때는 부사로 볼 수도 있음: (all) the world *over* 세계 도처에.

4 〔동작을 나타내는 동사와 함께〕 …을 넘어, …을 건너; 〔상태를 나타내는 동사와 함께〕 …저편의〔에〕, …건너〔너머〕의〔에〕; 《비유》 …을 지나〔통과하여〕; (변화 따위가) …에게 닥쳐: climb ~ the wall 벽을 기어올라 타고 넘다/jump ~ a brook 〔fence〕 시내〔울타리〕를 뛰어넘다/look ~ a person's shoulder 아무의 어깨 너머로 보다/pass ~ the frontier 국경을 넘다/They live just ~ 〔across〕 the road. 그들은 길 저쪽에 살고 있다/A sudden change came ~ him. 갑작스러운 변화가 그에게 닥쳐왔다.

> SYN. **over** 떨어진 곳을 거리적으로 '넘어서' 오가는 것을 뜻함. **beyond** 거리적으로 떨어져 있는 곳을 '넘어서'의 뜻과, 이해나 한도 등을 넘는 뜻이 있음.

B 《초과》

1 〔초과〕 **a** 〔수량·정도·범위가〕 …을 넘어, …보다 많은, 더 되는《비교: more than이 일반적임》(OPP. *under*): ~ a mile, 1마일 이상《1마일은 포함 안 됨. 포함될 때엔 a mile and 〔or〕 ~로 함》/He might have been any age ~ 40. 그는 아무리 보아도 40은 넘었었다/He gave the man a dollar ~ his fare. 그는 요금에 1달러 얹어서 운전사에게 주었다. **b** (소리를) 뚫고, (소리 따위가) 한층 더 크게: We could hear their voices ~ 〔above〕 the rain. 빗소리 속에서도 그들의 목소리를 들을 수 있었다.

2 〔지배·우월·우위를 나타내어〕 …을 지배하고; …의 위〔상위(上位)〕에; (능력 따위가) …보다 나아, …을 능가하여 (OPP. *under*): reign ~ a country 일국을 지배하다/man's control ~ nature 자연에 대한 인간의 지배/win the victory ~ … …에(게) 이기다/They want a strong man ~ them. 그들은 강력한 지배자를 원하고 있다.

3 〔우선〕 …에 우선하여: He was chosen ~ all other candidates. 그는 다른 모든 후보자에 우선하여 선출되었다.

C 《기간·종사·관련》

1 〔기간〕 …동안 (죽), …에 걸쳐《비교적 짧은 특정 시기를 나타내는 말과 함께 쓰임》: We stayed there ~ Sunday. 일요일까지 거기 머물렀다《월요일 아침까지 있었다는 뜻을 함축함》/The dictionary was in production ~ a period of several years. 그 사전은 몇 해 걸려(서) 만들어졌다.

2 〔종사〕 …하면서, …에 종사하고《흔히 '이야기하다·자다'의 뜻의 동사와 함께》: talk ~ a cup of tea 홍차를 마시며 이야기하다/go to sleep ~ one's work 〔book〕 일을 하면서〔책을 읽으며〕 꾸벅꾸벅 졸다/We'll discuss it ~ our supper. 저녁 식사를 들면서 논의합시다.

3 〔관련〕 **a** …에 관해서〔대해서〕, …을 둘러싸고 (about)《about에 비해 장시간의 분쟁·언쟁을 암시함》: problems ~ his income tax 그의 소득세에 관한 문제/talk ~ the matter with … …와 그 일에 관해(서) 서로 이야기하다. **b** …의 일로: quarrel ~ money 돈 문제로 말다툼하다/She is crying ~ the loss of her son. 그녀는 아들을 잃고 울고 있다.

D 《기타》

1 a 〔거리 따위〕 …에 걸쳐; (길을) 따라(끝에서 끝까지 내내)(along): The message was sent ~ a great distance. 그 메시지는 아주 멀리까지 전해졌다. **b** …을 통하여: a pass ~ the company's line 《미》 사선(社線)의 전구간 통용 패스.

2 〔수단〕 …에 의해서, …로; …에 전해져《전화·라디오에 관해서 쓰임. 현재는 on을 쓰는 것이 보통》: speak ~ 〔on〕 the telephone 전화로 이야기하다/I heard the news ~ 〔on〕 the radio. 라디오로 그 뉴스를 들었다.

3 (나눗셈에서) …로 나누어〔제하여〕: 12 ~ 4, 12 나누기 4《12÷4》.

all ~ 《속어》 (아무)에게 미쳐〔빠져〕: He is *all* ~ her. 그녀에게 푹 빠졌다《비교: *ad.* all over》. ~ ***all*** 끝에서 끝까지, 전체에 걸쳐. cf. overall. ~ ***and above*** …에 더하여, …외에 (besides): The waiters get good tips ~ *and above* their wages. 웨이터들은 자기 급료 외에 상당한 팁을 받는다.

— *ad.* (비교 없음)《be 동사와 결합할 때는 형용사로 볼 수도 있음》.

1 a 위(쪽)에, 바로 위에; 높은 곳에, 높이: A

plane flew ~. 비행기가 머리 위로 날아갔다. **b** 위에서 아래로; 튀어〔쑥〕나와, 돌출하여, 내밀어; 기대어: lean 〔bend〕 ~ (몸을) 구부리다 / a window that projects ~ 쑥 나와 있는 창(문).
2 a 멀리 떨어진 곳에, 넘어서, 건너서; (너머) 저쪽으로: jump ~ 뛰어 넘다 / He is ~ in France. 그는 (바다 저쪽의) 프랑스에 있다 / I'll be ~ in a minute. 곧 갑니다(=I'll be right ~.) / She walked ~ to the door. 그녀는 문 쪽으로 걸어갔다 / Come ~ here, it's warmer. 이리로 오지, (여기가) 따뜻해. **b** 이쪽으로, (말하는 이의) 집으로: call a person ~ 아무를 불러들이다 / Come ~ and have a drink. 우리집에 와서 한잔하세 / I asked them ~ for dinner. 그들을 저녁 식사에 초청했다. ★to my place 〔house〕가 생략되었음.
3 건네주어; 물려주어: He made his business ~ to his son. 그는 자신의 사업을 아들에게 물려주었다 / He was turned ~ to the police. 그는 경찰에 인도되었다.
4 뒤집어, 거꾸로, 넘어져; 접(히)어: fall ~ 넘어〔쓰러〕지다 / turn ~ the page 페이지를 넘기다 / knock a pot ~ 항아리를 뒤엎다 / *Over*. 《미》 =Please turn ~. 뒷면에 계속《P.T.O.로 생략》.
5 온 …에〔이〕, 온통, 뒤덮여; 도처에, 여기저기 《흔히 all이 앞에 와서 뜻을 강조》: *all* the world ~ 온 세계 도처에 / paint a wall ~ 온 벽에 페인트를 칠하다 / travel *all* ~ 여기저기 여행하다 / He was aching *all* ~. 그는 온 삭신이 쑤시고 아팠다 / The pond was frozen ~. 못은 온통 얼어붙어 있었다.
6 처음부터 끝까지, 완전히, 자세히: read a paper ~ 신문을 죽 훑어보다 / Think it ~ before you decide. 결정하기 전에 잘 생각해 보라.
7 a (물이) 넘쳐: flow ~ 넘쳐 흐르다 / boil ~ 끓어 넘치다 / The coffee spilled ~. 커피가 넘쳐 흘렀다. **b** 《구어》 (수량을) 초과하여, 남짓; 남아: children of twelve and ~, 12살 이상의 어린이 《12살도 포함》 / I paid the bill and have 20 dollars (left) ~. 셈을 치르고 나니 20달러 남짓 남았다. **c** 〔형용사·부사 앞에서 흔히 부정문에〕 그다지, 그리: grieve ~ much 몹시 슬퍼하다 / He is *not* ~ anxious. 그는 그다지 걱정하고 있지 않다 / Do you understand now? — *Not* ~ well. 이제 알았나요 — 그다지 잘 모르겠는데요.
8 되풀이하여, 《주로 미》 다시〔또〕 한 번(again): Count them ~. 또 한 번 세어 봐라 / Go back and do it ~. 처음부터 다시 해라 / He read the book four times ~. 그는 네 번이나 그 책을 읽었다.
9 끝나, 지나(가): His sufferings will soon be ~. 그의 괴로움은 곧 끝날 것이다 / Winter is ~. 겨울이 갔다 / The good old days are ~. 즐거운 옛시절은 지나갔다 / Is the game ~ yet? 경기가 벌써 끝났습니까.
all ~ 온 …에, 온통, 전면에; 완전히; 다 끝나. ***(all) ~ again*** 다시〔또〕 한 번, 되풀이해서. ***It's all ~ with*** (him). (그 사람)은 완전히 글렀어, (그)는 곧 죽어. ***~ against ...*** ① …와 마주보고, …에 대〔면〕하여; …의 앞〔근처〕에: ~ *against* the church 교회의 바로 맞은편에. ② …와 대조〔비교〕하여: quality ~ *against* quantity 양에 대한 질 / set A ~ *against* B, A를 B와 대조시키다. ***~ and above ...*** 그 위에. ***(~ and) done with*** 완전히 끝나; 지금은 대수로운 일이 아닌. ***Over and out!*** (무선 교신에서) 통신 끝. ***~ and ~ (again)*** 몇 번이고 되풀이하여. ***~ here*** 이쪽으로. ***~ there*** 저기〔저쪽〕에(서는); 《미》 유럽에서는; 〖군사〗 전지에서는. ***Over (to you)!*** (무선 교신에서) 응답 바란다. ***~ with*** 《미구어》 (끝)마치어, 끝내어: Let's hurry and get the job ~ *with*. 서둘러 일을 마치도록 하자.
— *a*. 여분의, 과도한: ~ imagination 과도한〔지나친〕 상상력.
— *n*. **1** 〖크리켓〗 심판이 투수 교체를 명할 때까지의 일련의 투구《보통 6-8구(球)》, 그 사이에 하는 경기. **2** 여분(extra), 과도.
— *vt*. …을 (뛰어)넘다.

òver·áctive *a*. 지나치게 활약〔활동〕하는. ㊅ **~·ly** *ad*.
òver·actívity *n*. 지나친 움직임, 과도한 활동.
over·age[1] [óuvəridʒ] *n*. Ⓤ 〖상업〗 (상품의) 과잉 (공급), 과잉 생산; 잔업 수당.
over·age[2] [óuvəréidʒ] *a*. 적령기를 넘은《*for*》; (선박·기계 등이) 노후한.
***over·all** [óuvərɔ̀ːl] *n*. **1** (*pl*.) (가슴받이가 달린) 작업 바지. SYN. ⇨ COVERALL, BOILER SUIT. **2** 《영》 작업복, 덧옷《여자·어린이·의사·실험실용의》. **3** (*pl*.) 〖영군사〗 장교의 정장용(正裝用) 통좁은 바지. — *ad*. **1** 어느 곳이나. **2** 〔종종 문장 전체를 수식〕 전체적〔종합적, 일반적〕으로(보면): *Overall*, it's a good hotel. 전체적으로 보아, 좋은 호텔이다 / consider a plan ~ 종합적으로 계획을 검토하다. **3** 끝에서 끝까지: The bridge measures nearly two kilometers ~. 그 다리는 전장(全長) 약 2킬로미터이다. — *a*. **1** 전부의; 종합〔일반, 전면〕적인: ~ inflation 전면적인 인플레이션 / ~ peace 전면 강화(講和) (cf. separate peace) / ~ production 전반적인 생산고 / My ~ impression of his work is good. 그의 일에 관한 내 전반적인 평가는 양호하다. **2** 끝에서 끝까지의, 전체 길이의: ~ length 전장(全長).
óver·àlled *a*. overall(s)를 입은〔걸친〕.
óverall majórity 절대다수.
óverall páttern 〖언어〗 종합형《한 언어의 모든 방언의 음소(音素)를 설명하는 데 충분한 음소의 체계》.
òver·ambítious *a*. 지나치게 야심적인. ㊅ **~·ly** *ad*.
óver·anxíety *n*. Ⓤ 지나친 걱정.
óver·ánxious *a*. 지나치게 걱정하는. ㊅ **~·ly** *ad*. **~·ness** *n*.
òver·árch *vt*., *vi*. …의 위에 아치를 만들다; 아치형을 이루다; 전체를 지배하다.
òver·árching *a*. 머리 위에서 아치 꼴이 되어 있는; 모든 것에 우선하는, 무엇보다 중요한.
óver·àrm *a*. 〖구기〗 어깨 위로 손을 들어 공을 내리던지는; 〖수영〗 손을 물 위에서 앞으로 쭉 뻗치는.
óver·assèssment *n*. 과대평가〔사정〕.
òver·áwe *vt*. 위압하다, 무서워하게 하다.
òver·bálance *vt*. …보다도 무겁다; 보다 더 가치가 있다; 중심〔균형〕을 잃게 하다. **~ one*self*** 신체의 평형을 잃다. — *vi*. 균형을 잃다: He ~*d* and fell down. 그는 중심을 잃고 쓰러졌다. — *n*. (중량·가치 따위의) 초과(량); 불균형: an ~ of imports 수입초과.
òver·béar (***-bore; -borne***) *vt*. 위압하다, 압박하다, 억압하다, 지배하다; 눌러 으깨다〔찌그러뜨리다〕; …을 뒤집어 엎다; 〖해사〗 …보다 빨리 달리다. — *vi*. 자식을 너무 많이 낳다; 열매가 너무 많이 열리다.
°**òver·béaring** *a*. 거만〔오만〕한, 건방진, 횡포한, 뽐내는(haughty); 압도적인; 지배적인, 결정적으로 중요한. ㊅ **~·ly** *ad*.
òver·bíd (***-bid; -bid, -bid·den; -bid·ding***) *vt*. …에 가치 이상의 값을 매기다. — [⌐-⌐] *n*. (가치 이상의) 비싼 값; 에누리.
óver·bìte *n*. Ⓤ 〖치과〗 (앞니의) 피개교합(被蓋咬合).

óver·blòuse *n.* 오버블라우스.
òver·blów (*-blew; -blown*) *vt.* **1** (바람 따위가) 불어치다; 흩뜨리다, 날려 버리다; 〖음악〗 …을 세게 취주하다; 과도하게 불다. **2** 부풀리다; (이야기 등을) 여분의 것으로 늘리다. **3** 과도히 중시〔평가〕하다, 너무 칭찬하다. **—** *vi.* 〖음악〗 너무 세게 취주하다; 《고어》 (폭풍우 따위가) 자다; (노여움 따위가) 가라앉다.
òver·blówn OVERBLOW의 과거분사. **—** *a.* **1** 날려가 버린; 멎은《바람 따위》; 활짝 필 때를 지난《꽃》. **2** 잊혀진: an ~ reputation 사라진 명성. **3** 정도가 지나친. **4** 오만한.
°**óver·bòard** *ad.* 배 밖으로, (배에서) 물속으로; 《미》 열차에서 밖으로: wash … ~ (파도가) …을 배로부터 휩쓸어가다. **go** 〔**fall**〕 **~ for ….** 《구어》 극단으로 나가다, …에 열중하다《*about; for*》. **throw ~** ⇨ THROW *v.*
òver·bóil *vi.* 끓어 넘치다, 너무 끓다.
òver·bóld *a.* 지나치게 대담한, 무모한, 경솔한; 철면피의, 뻔뻔스러운.
òver·bóok *vt.* (비행기 · 호텔 등의) 예약을 너무 많이 받다; (극장 등에서) 표를 자리보다 더 많이 팔다.
òver·bórne *a.* 짓눌린, 압도된.
òver·bóught *a.* (증권 등이 과잉 구매로) 대단히 비싸진.
óver·brìdge *n.* 《영》 =OVERPASS. **—** [⌐-⌐] *vt.* …위에 다리를 놓다.
óver·brím (*-mm-*) *vt., vi.* 넘쳐흐를 정도로 붓다; 넘치다.
òver·buíld (*p., pp. -built*) *vt.* (수요 이상으로) 너무 많이 짓다; …의 위에 짓다. **—** *vi.* 수요 이상으로 집을 짓다. ~ one*self* 분수 이상으로 호화롭게 집을 짓다; 집을 지나치게 많이 짓다.
òver·búrden *vt.* …에게 과중한 짐을 지우다; 과로시키다. **—** [⌐-⌐-] *n.* 너무 무거운 짐, 과도한 부담.
òver·búrdensome *a.* 짐〔책임〕이 너무 무거운, 과중한.
òver·búsy *a.* 너무 바쁜; 지나치게 참견하는.
òver·búy (*p., pp. -bought*) *vt., vi.* 필요 이상으로 많이〔비싸게〕 사다; 지불능력 이상으로 많이 사다.
òver·cáll *vt.* =OVERBID.
òver·cáme OVERCOME의 과거.
òver·cánopy *vt.* (닫집으로) 덮다, 덮어씌우다.
òver·capácity *n.* 〖경제〗 시설 과잉.
òver·cápitalize *vt.* (회사 따위의) 자본을 과대하게 평가하다; (기업 따위에) 자본을 너무 들이다. ㊞ **óver·capitalizátion** *n.*
óver·càre *n.* Ⓤ 지나친 걱정. ㊞ **~·ful** *a.* 지나치게 조심〔걱정〕하는.
òver·cást (*p., pp. -cast*) *vt.* **1** …을 구름으로 덮다, 흐리게 하다; 어둡게 하다: Clouds began to ~ the sky. 구름은 하늘을 덮기 시작했다. **2** 〖재봉〗 …을 휘갑치다. **—** *vi.* 흐리다; 어두워지다. **—** [⌐-⌐, ⌐-⌐] *a.* **1** 흐린; 음침한: a face ~ *with* sorrow 슬픔으로 어두워진 얼굴. **2** 휘갑친. **—** [⌐-⌐] *n.* 덮개, 《특히》 하늘을 뒤덮은 구름; 〖기상〗 흐림; 고가도로를 떠받치는 기둥. ㊞ **óver·càsting** *n.* 〖재봉〗 휘갑치기.
òver·cáution *n.* Ⓤ 지나친 조심.
òver·cáutious *a.* 지나치게 조심하는, 소심한.
óver·centralizátion *n.* Ⓤ (권력의) 과도한 집중, 극단적인 중앙 집권화.
òver·cértify *vt.* 〖상업〗 (수표의) 당좌대월을 승인하다.
òver·chárge *vt.* **1** 《~+목/+목+전+명》 …에게 부당한 값을 요구하다《*for*》: He ~*d* me *for* repairing the television set. 그는 텔레비전 수리비로 내게 바가지를 씌웠다. **2** (총에 장약을) 너무 많이 장전(裝塡)하다; (전지 등에) 너무 많이 충전하다; …에 짐을 지나치게 싣다. **3** (서술 따위를) 과장하다. **—** *vi.* 부당한 대금을 요구하다; 짐을 너무 많이 싣다. **—** [⌐-⌐] *n.* **1** 지나친 값의 청구〔요구〕, 과잉 청구. **2** 적하(積荷)초과; 장전과다; 과충전(過充電).
óver·chèck *n.* (말이 고개를 숙이지 못하게 하는) 고삐.
òver·clàss *n.* 특권〔부유, 유력〕 계급, 상층계급.
òver·clássify *vt.* (서류 등을) 필요 이상으로 기밀 취급하다.
óver·clòthes *n. pl.* (옷 위에 입는) 덧옷.
òver·clóud *vt., vi.* **1** 흐리게 하다; 흐려지다. **2** 《비유》 침울하게 하다〔되다〕.
òver·clóy *vt.* 싫증나게〔넌더리나게〕 하다.
*****over·coat** [óuvərkòut] *n.* 오버(코트), 외투; 보호막《페인트 · 니스 등》. ㊞ **~·ing** *n.* Ⓤ 외투감, 외투지; 보호막.
òver·cólor *vt.* …을 지나치게 채색하다; (서술을) 지나치게 윤색하다; 과장하다.
*****over·come** [òuvərkʌ́m] (*-came; -come*) *vt.* **1** …에 이겨내다, 극복하다; 정복하다: ~ difficulties 곤란을 이겨내다. SYN. ⇨ DEFEAT. **2** 《~+목/+목+전+명》 《수동태》 압도하다, (정신적 · 육체적으로) 지게 하다: *be* ~ *by* laughter 포복절도하다 / *be* ~ *with* liquor 술에 만취되다. **—** *vi.* 이기다, 정복하다. ㊞ **-cóm·er** *n.*
òver·commít (*-tt-*) *vt.* (자신을) 약속으로 지나치게 얽매다; (물자 따위를) 보급 능력 이상으로 할당하다. ~ one*self* 언질을 지나치게 주다, 무리한 약속을 하다. ㊞ **~·ment** *n.*
òver·cómpensate *vt.* …에게 과도하게 보상하다. **—** *vi.* 〖심리〗 과잉보상하다.
óver·compensátion *n.* 과잉보상; 〖심리〗 과잉보상《열등감을 가진 사람의 지나친 반발 심리》.
òver·cónfidence *n.* Ⓤ 과신(過信), 자만.
òver·cónfident *a.* 자신만만한, 자부심이 강한. ㊞ **~·ly** *ad.*
òver·contáin *vt.* (감정 따위를) 지나치게 억제하다.
òver·cóok *vt.* 너무 익히다〔구운〕.
òver·cóoked [-t] *a.* 지나치게 익힌〔삶은, 구운〕.
òver·corréction *n.* 과잉 수정; 〖언어〗 과잉교정《문법적 오류를 피하려고 지나치게 신경을 쓴 나머지 오히려 잘못을 초래하는 일》; 〖광학〗 (렌즈 수차의) 과대한 수정.
òver·credúlity *n.* Ⓤ 너무 쉽게 믿음.
òver·crédulous *a.* 너무 쉽게 믿는.
òver·crítical *a.* 너무 비판적인, 혹평하는.
òver·cróp (*-pp-*) *vt.* 너무 많이 경작하다, (땅을) 연작(連作)하여 토질을 저하시키다.
óver·cròssing *n.* =OVERPASS.
òver·crów *vt.* …에 이기고 뽐내다, 압도하다.
òver·crówd *vt.* 《+목+전+명》 …에 사람을 너무 많이 들이다, 혼잡하게 하다, 초만원이 되게 하다《*with*》: be ~*ed with* …으로 혼잡하다 / The world market for telecommunications is already ~*ed with* businesses. 세계 통신시장에는 이미 너무 많은 기업들이 있다. **—** *vi.* 너무 혼잡하다〔붐비다〕. ㊞ **~·ed** [-id] *a.* 초만원의, 과밀한, 혼잡한: an ~*ed* city 인구과잉 도시. **~·ing** *n.* Ⓤ 대혼잡, 초만원.
òver·crúst *vt.* 외피(外皮)로〔피각(皮殼)으로〕 싸다.
óver·cùlture *n.* (대립적 문화가 존재하는 상황에서의) 지배적 문화, 상위(上位) 문화.
óver·cúnning *a., n.* Ⓤ 지나치게 교활한〔함〕. ㊞ **~·ly** *ad.* **~·ness** *n.*
òver·cúrious *a.* 너무 세심한, 주문이 너무 까다로운; 미주알고주알 캐묻는, 호기심이 지나치게 강한. ㊞ **~·ly** *ad.* **~·ness** *n.*
óver·cùrtain *vt.* 덮다, 가리다; 불명확하게 하다, 애매하게 하다.
òver·cút *vt.* 지나치게〔너무〕 컷하다〔자르다〕; 《특히》 (숲에서 나무를) 지나치게 많이 벌채〔벌목〕하다《연간 생장이나 할당량 이상으로》.
òver·dáring *a.* 대담무쌍한; 무모한, 분별없는.

òver·déar *a.* 지나치게 비싼, 비용이 너무 많이 드는.
òver·délicacy *n.* [U] 신경과민.
òver·délicate *a.* 지나친 신경질의; 너무 섬세한; 지나치게 화려한. ㊔ **~·ly** *ad.*
òver·detérmine *vt.* 복수의 요인에 의해(필요 이상의 조건을 붙여) 결정짓다.
òver·detérmined *a.* 신념(결심)이 너무 굳은; 『심리』 과잉 규정의, 중복(다원) 결정의.
òver·devélop *vt.* 과도하게 발달시키다; 『사진』 현상을 지나치게 하다. ㊔ **~·ment** *n.* [U] 발달과잉; 『사진』 현상과다.
__over·do__ [òuvərdúː] (-does; -did; -done*) *vt.* **1** …을 지나치게 하다, …의 도를 지나치다; 과장하다. **2** 《보통 수동태 또는 ~ oneself》 (몸 등을) 너무 쓰다, 과로케 하다. **3** 너무 굽다(삶다). **4** (가축 등을) 너무 살찌우다. **—** *vi.* 지나치게 하다, 도를 넘다, 무리하다. **~ *it*** (***things***) 지나치게 하다; 과장하다; 무리를 하다. **~ one*self*** (**one's *strength***) 지나치게 노력하다, (실력 이상의) 무리를 하다.
óver·dòg *n.* 지배(특권)계급의 일원. [opp] *underdog.*
òver·dóminance *n.* 『유전』 초우성(超優性)《헤테로 접합체의 적응도가 호모 접합체의 그것보다 높음》. ㊔ **-nant** *a.*
òver·dóne OVERDO의 과거분사. **—** *a.* 지나치게 구운(삶은); 과도한, 지나치게 한, 과장된; 과로의.
óver·dòor *a.* 출입구 상부에 있는. **—** *n.* 『건축』 출입구 상부의 장식.
óver·dòse *n.* (약의) 지나친 투여(投與), 과량. **—** [ˌ-ˈ] *vt.* …에 약을 너무 많이 넣다, …에게 약을 지나치게 먹이다. **—** *vi.* 마약의 과량섭취로 기분이 나빠지다(죽다). ㊔ **-dósage** *n.* 과잉투여(과량섭취)(에 의한 증상).
óver·dràft *n.* [U,C] 『상업』 (은행계정 등의) 초과인출; 당좌대월(액); (난로 따위의) 불 위의 통풍; 『야금』 (압연판(壓延板)이) 위로 휨.
óverdraft facìlity (종종 *pl.*) 당좌대월 약정.
òver·dráw (*-drew; -drawn*) *vt.* **1** (활 따위를) 너무 당기다; (지나치게) 과장하다. **2** 『상업』 (예금 따위를) 너무 많이 찾다, 차월(借越)하다; (어음을) 지나치게 발행하다. **—** *vi.* 당좌차월을 하다; (난로 따위가) 너무 잘 빨아들이다.
òver·dréss *vt., vi.* 옷을 많이 껴입다; 지나치게 옷치장을 하다. **~ one*self*** 너무 화려한 옷차림을 하다. **—** [ˈ-ˌ] *n.* (얇은) 웃옷.
òver·drínk (*-drank; -drunk*) *vt., vi.* 과음하다. **~ one*self*** 과음하여 몸을 해치다.
òver·dríve (*-drove; -driv·en*) *vt.* (말·사람 따위를) 너무 부려 먹다, …을 혹사하다, (자동차를) 폭주(暴走)시키다. **—** [ˈ-ˌ] *n.* 『자동차』 오버드라이브 장치《주행속도를 떨어뜨리지 않고 엔진의 회전 수를 줄이는 기어 장치; 연료 소비 절약형》.
òver·dúb (*-bb-*) *vt.* 겹쳐(다중) 녹음하다. **—** [ˈ-ˌ] *n.* 다중 녹음; 다중 녹음으로 겹쳐진 음성.
òver·dúe *a.* (지급) 기한이 지난, 미불의《어음 따위》; 늦은, 연착한; 전부터의 현안인; 과도한; 이미 무르익은(준비가 되어 있는).
òver·dýe *vt.* 『염색』 너무 진하게 물들이다; …에 다른 색을 물들이다.
óver·éager *a.* 지나치게 열심인, 너무 열중하는. ㊔ **~·ly** *ad.* **~·ness** *n.*
óver éasy (달걀이) 한 쪽을 프라이한 후 뒤집어 살짝 익힌. [cf.] sunny-side up.
__over·eat__ [òuvəríːt] (-ate; -eaten*) *vt., vi.* 과식하다: The food was so tasty we *overate* ourselves. 음식이 하도 맛있어 과식했다.
òver·éducate *vt.* (학생)에게 필요 이상으로 높은 교육을 시키다, 과잉교육을 하다.
òver·égg *vt.* 《다음 관용구로만》 **~ *the*** (a person's) ***pudding*** 《영구어》 일을 필요 이상 복잡하게 하다, 필요 이상 강조하다, 과장하다.
óver·eláborate *a.* 지나치게 공들인, 너무 꼼꼼한. **—** *vt., vi.* 지나치게 꼼꼼하다(공들이다).
óver-emótional *a.* 지나치게 감정적(정서적)인, 감정이 너무 풍부한. ㊔ **~·ly** *ad.*
òver·émphasis *n.* 지나친 강조.
òver·émphasize *vt., vi.* 지나치게 강조하다.
òver·emplóyment *n.* [U] 과잉고용.
òver·enthúsiasm *n.* 과도한 집중(열광, 의욕). ㊔ **-enthusiástic** *a.* **-tical·ly** *ad.*
òver·éstimate *vt.* 과대평가하다, 높이 사다. **—** *n.* 과대하게 어림침, 과대평가, 높이 사기. ㊔ **-mátion** *n.* [U,C]
òver·excíte *vt.* 지나치게 자극하다(흥분시키다). ㊔ **~·ment** *n.*
òver-éxercise *vt.* (몸을) 혹사하다; 권력을 남용하다. **—** *vi.* 몸을 혹사하다, 운동(연습)을 과하게 하다, 무리하다. **—** *n.* 운동(연습) 과잉(과다).
òver·exért *vt.* (정신력 따위를) 지나치게 쓰다. **~ one*self*** 무리한 노력을 하다. ㊔ **-exértion** *n.*
òver·explóit *vt.* (자원을) 과잉개발하다.
òver·exploitátion *n.* (천연자원의) 과잉개발, (짐승의) 남획.
òver·expóse *vt.* 지나치게 쐬다; 『사진』 (필름 따위를) 과다하게 노출하다. ㊔ **~d** *a.* **-pósure** *n.* [U] 노출과다; (연예인 등의) 광고 따위에의 지나친 등장.
òver·exténd *vt.* 지나치게 확대(확장)하다. **~ one*self*** 지급능력 이상의 채무를 지다. ㊔ **-exténsion** *n.*
óver·fàll *n.* (바다 밑의) 갑자기 깊어지는 곳; (운하나 댐 등의) 낙수하는 곳(장치); (*pl.*) 단조(湍潮)《바닷물이 역류에 부딪쳐서 생기는 해면의 물보라 파도》.
òver·famíliar *a.* 지나치게 친한. ㊔ **~d** *a.*
òver·fatígue *vt.* 과로케 하다. **—** *n.* [U] 과로.
òver·féed (*p., pp.* ***-fed***) *vt., vi.* …에 너무 많이 먹이다; 너무 많이 먹다. **~ one*self*** 과식하여 탈나게 하다.
òver·fíll *vt., vi.* 넘치도록 가득하게 하다(되다).
òver·físh *vt.* (어장)에서 물고기를 남획하다. **—** *vi.* 물고기를 남획하다.
óver·flìght *n.* 특정 지역의 상공 통과, 영공 비행(침범).
__over·flow__ [òuvərflóu] (*-flowed; -flown*) *vt.* **1 (물 따위가) …에서 넘쳐흐르다, …에 넘치다; (강 따위를) 범람시키다: The river sometimes ~*s* its bank. 그 강은 가끔 범람한다. **2** (사람이나 물건이) 다 들어가지 못하고 …에서 넘쳐 나오다: The goods ~*ed* the warehouse. 상품이 넘쳐서 창고에 다 못 들어갔다. **—** *vi.* **1** 넘치다, 넘쳐흐르다, 범람하다. **2** 《~/+[전]+[명]》 …이 남아돌다, 가득 차다; 충만하다: Her heart is ~*ing with* gratitude. 감사한 마음으로 가슴이 벅찼다. **—** [ˈ-ˌ] *n.* **1** 범람, 유출, 홍수: There seems to be an ~ from the oil tank. 기름 탱크가 넘치는 것 같다. **2** 과다, 과잉, 충만《*of*》: an ~ *of* goods (population) 상품 (인구)의 과잉. **3** (여분의 물의) 배수로(구, 관). **4** 『컴퓨터』 넘침《연산결과 등이 계산기의 기억·연산단위 용량보다 커짐》; 『시학』 구 걸침《시의 한 행의 의미·구문이 다음 행에 걸쳐 계속되는 일》. ㊔ **~·ing** *a.* 넘쳐흐르는, 넘칠 정도의: ~*ing* kindness 넘쳐흐르는 친절 / ~*ing* production 과잉생산.
óverflow méeting (만원으로 입장하지 못한 사람들을 위한) 제2집회, 별회(別會).
óverflow pìpe *n.* [C] (싱크대나 목욕통 등의 물이 넘치지 않도록 가장자리의 구멍에 연결된) 배수관.
òver·flý *vt.* (비행기가) …의 상공을 날다; (외국령)의 상공을 정찰비행하다. **—** *vi.* 영공을 날다

〔침범하다〕.

òver·fónd *a.* 지나치게 좋아하는《*of*》.

óver·frée *a.* 너무나 자의적(恣意的)인; 너무 뻔뻔스러운.

òver·fréight *vt.* …에 짐을 너무 많이 싣다. ── [∠-∠] *n.* Ⓤ 과중화물(overload).

òver·fulfíl(l) *vt.* 표준〔목표〕 이상으로 이행〔달성〕하다, 지정기일 이전에 완료〔생산〕하다. ㊕ **~·ment** *n.* Ⓤ (계획) 기한 전 완료, 표준 이상 생산.

óver·fúll *a.* 너무 가득 찬; 지나치게 많은《*of*》. ── *ad.* 과도하게.

óver·fùnding *n.* 과도한 재정자금의 조달《인플레이션 억제책으로 수요 이상의 국채 발행》.

óver·génerous *a.* 너무 관대한; 지나치게 활수한. ㊕ **-ly** *ad.* 「(金)도금하다.

òver·gíld (*p., pp.* **~·ed, -gilt**) *vt.* 전체에 금

óver·glàze *n.* (도자기의) 이중 덧칠. ── *vt.* [∸-∠] …에 덧칠하다; 은폐하다.

òver·góvern *vt.* 지나치게 속박〔통제〕하다. ㊕ **~·ment** *n.*

òver·gráze *vt.* (목초지의) 풀을 가축에게 마구 먹게 하다, …에 과도 방목하다.

óver·gròund *a., ad.* **1** 지상의〔에서〕; 표면에 드러난〔나서〕, 공공연한〔하게〕. OPP *underground*. ¶ be still ~ 아직 살아 있다. **2** 기성 사회〔문화〕로부터 인정된, 체제적인: an ~ movie 체제 지향의 영화. ── *n.* 기성사회, 체제(establishment).

òver·grów (**-grew; -grown**) *vt.* **1** …에 만연〔무성〕하다, 전면(全面)에 자라다; (다른 식물을) 살지 못하게 할 만큼 무성해지다〔퍼지다〕. **2** …보다 커지다, (체력 따위)에 걸맞지 않게 커지다(outgrow): ~ oneself 지나치게 커지다〔살찌다〕. ── *vi.* 지나치게 퍼지다, 만연하다; 너무 커지다, 너무 빨리 자라다. ◇ overgrowth *n.*

◇**òver·grówn** OVERGROW의 과거분사. ── *a.* 지나치게 자란, 너무 커진《사람 · 식물 따위》; (너무 커서) 볼꼴 사나운; (풀 따위가) 전면에 무성한〔퍼진〕.

óver·gròwth *n.* Ⓤ 무성, 만연; 너무 자람〔살찜〕; 〖의학 · 식물〗 비대, 과형성(過形成), 이상 증식〔생장〕; Ⓒ (땅 · 건물을 뒤덮듯이 자란) 풀〔것〕. ◇ overgrow *v.*

óver·hànd *a.* **1** 위에서 손을 대어 쥐는; (공 따위를) 내리던지는〔치는〕, 어깨 위로 손을 들어 던지는; 〖수영〗 손을 물 위로 쭉 뻗는. **2** 〖재봉〗 휘갑치는, 사뜨는. ── *ad.* 위에서 손을 대고; 손을 위로 치켜서; 양손을 번갈아 물 위에 빼어; 〖재봉〗 휘갑쳐서: grasp one's fork ~ 위에서 포크를 쥐다. ── *n.* 우세, 유리한 위치; 오버스로, 내리치기〔던지기〕; 〖테니스〗 내리치는 스트로크. ── *vt.* ⌊휘갑치다.

óverhand knót 외벌 매듭.

***over·hang** [òuvərhǽŋ] (*p., pp.* **-hung** [-hʌ́ŋ], **-hanged**) *vt.* **1** …의 위에 걸치다; …의 위에 쑥 내밀다: The cliff ~*s* the stream. 절벽이 강 위로 쑥 내밀고 있다. **2** (위험 · 흉사 따위가) 위협하다, 절박하다: A pestilence ~*s* the land. 나쁜 질병이 국내를 위협하고 있다. **3** (어떤 분위기가) …위에 감돌다〔퍼지다〕. ── *vi.* 위에 덮이듯 돌출하다〔쑥 내밀다, 드리우다〕. ── [∠-∸] *n.* 쑥 내밂, 돌출; 〖건축〗 현수(懸垂); 〖항공〗 돌출익(翼); 〖등산〗 오버행《경사 60° 이상의 암벽》; (유가증권 · 통화 등의) 과잉; 예산초과, ⌊초과 (부분).

òver·háste *n.* Ⓤ 성급, 경솔.

òver·hásty *a.* 경솔한, 무모한.

◇**òver·hául** *vt.* **1** 철저히 조사하다, (기계를) 분해검사〔수리〕하다; (신체를) 정밀검사하다. **2** 뒤쫓아 앞지르다(overtake); 〖해사〗 (삭구(索具)를) 늦추다. ── [∠-∸] *n.* 철저한 조사, 분해 검사〔수리〕, 오버홀; 정밀검사: go to a doctor for an ~ 정밀검사를 받으러 의사한테 가다. ㊕ **~·er** *n.*

***over·head** [óuvərhéd] *ad.* **1** 머리 위에, 높이, 상공에, 위층에: *Overhead* the moon was shining. 머리 위에 달이 빛나고 있었다. **2** 머리가 묻히도록: plunge ~ into the water 머리로부터 물속으로 뛰어들다. ── [∠-∸] *a.* **1** 머리 위의〔를 지나는〕; 고가(高架)(식)의; 위로부터의, 천장에 매달린; 머리 위에서 내리치는《타구 따위》: an ~ railway《영》 고가철도(《미》 elevated railroad) / ~ wires 가공선(架空線)〔전선〕. **2** 일체를 포함한, 경상(經常)의; 〖상업〗 모든 비용을 포함한, 총…, 간접비로서의: ~ expenses 총경비, 경상비. ── [∠-∸] *n.* **1** (보통 *pl.*) Ⓒ,Ⓤ 〖상업〗 간접비, 제경비. **2** (특히 배의) 천장; 《미》 (헛간 이층의) 건초장; 오버헤드《증류탑 따위 꼭대기에서 방출되는 액체》; ＝OVERHEAD DOOR; ＝OVERHEAD PROJECTOR. **3** 〖테니스〗 머리 위에서 내리치기, 스매시(smash). **4** 〖컴퓨터〗 오버헤드.

óverhead cósts 〖상업〗 간접비(費)(indirect costs).

óverhead dóor 오버헤드 도어《위로 수평으로 밀어올리는 차고문 따위》.

óverhead projéctor 오버헤드 프로젝터《그래프 따위를 투영하는 교육용 기기》.

óverhead tìme 〖컴퓨터〗 오버헤드 시간《operating system의 제어 프로그램이 컴퓨터를 사용하는 시간》.

***over·hear** [òuvərhíər] (*p., pp.* **-heard**) *vt.* 귓결에〔어쩌다〕 듣다; (몰래) 엿듣다, 도청하다: I accidentally ~*d* their conversation. 우연히 그들의 얘기를 들었다.

òver·héat *vt., vi.* 너무 뜨겁게 하다, 과열시키다〔하다〕; 《종종 수동태》 몹시 흥분시키다, 몹시 초조하게 하다 / Things *got* a bit ~*ed* at the meeting. 그 모임은 좀 과열되었다. ── *n.* Ⓤ 과열; 지나친 흥분.

òver·héat·ed [-id] *a.* 과열된; 과도하게 흥분한; 인플레 경향의. 「치다.

òver·hít *vi.* (테니스 등에서) 너무 강하게〔멀리〕

óver·hòurs *n. pl.* ＝OVERTIME. 「집에서 사는.

òver·hóused *a.* 집이 너무 넓은, 지나치게 큰

òver·húng OVERHANG의 과거 · 과거분사. ── [∠-∸] *a.* 위에서 매어단, 아래로 늘어뜨린: an ~ door 매어단 문.

òver·indúlge *vt.* 지나치게 방임하다, 멋대로 하게 놔두다; (욕망 따위를) 무턱대고 만족시키다. ── *vi.* 멋대로〔하고 싶은 대로〕 행동하다, 너무 열중하다. ~ one***self*** 멋대로 행동하다. 「로 굶.

òver·indúlgence *n.* Ⓤ 지나친 방임, 멋대

òver·indúlgent *a.* 지나치게 방임하는, 너무 멋대로 (하게) 하는. ㊕ **~·ly** *ad.*

òver·infláted [-id] *a.* 지나치게 팽창한〔부푼〕.

òver·inflátion *n.* Ⓤ 극단적으로 부풀게 함; 극단적인 통화팽창.

òver·ínfluence *vt.* 지나치게 위세를 부리다.

òver·insúrance *n.* Ⓤ 〖상업〗 초과보험.

òver·interpretátion *n.* 과잉〔확대〕 해석.

òver·invést *vt.* …에 과도하게 투자하다. ── *vi.* 과도한 투자를 하다. 「다청구하다.

òver·ínvoice *vi.* 청구서를 실제보다 불리다, 과

óver·ìssue *vt.* (지폐 · 주권을) 남발하다. ── *n.* (지폐 · 주권의) 남발, 한외(限外) 발행(물〔고〕); 많이 찍어 남은 인쇄물.

òver·jóy *vt.* 매우 기쁘게 하다, 미칠 듯이 기쁘게 하다. ***be* ~*ed at*** …에 미칠 듯이 기뻐 날뛰다. ㊕ **~ed** *a.* 대단히 기쁜.

òver·júmp *vt., vi.* 뛰어넘다; 지나치게 뛰다.

óver·kìll *n.* **1** (핵무기에 의한) 과잉 살상력〔파괴력〕; 과잉살육. **2** 불필요하게 강력〔잔학〕한 방법〔반응〕, (대응의) 과다, 과잉, 지나침. ── [∸-∠]

vt., vi. 과잉 살육하다. 「들이다.
òver·lábor *vt.* 일을 너무 시키다; …에 너무 공
òver·láde *vt.* 지나치게 싣다.
òver·láden *a.* 짐을 지나치게 실은, (부담 따위가) 너무 큰, 과대한; (장식 등을) 지나치게 붙인.
òver·láid OVERLAY의 과거·과거분사.
òver·láin OVERLIE의 과거분사.
óver·lànd [-læ̀nd, -lənd] *a.* 육로〔육상〕의. — *ad.* 육로로; 육상으로. — *n.* 《속어》 멀리 외떨어진 지역. — [-læ̀nd] 《Austral.》 *vt., vi.* 가축 떼를 몰아 멀리 육로를 가다; 가축 떼를 몰면서 육로를 가다.
óverland róute (the ~) 《미》 (태평양 연안에 도달하는) 대륙횡단 도로; 《영》 영국에서 지중해 경유 인도까지의 통로; 《미속어·흔히 우스개》 시간이 가장 많이 걸리는 길.
__over·lap__ [òuvərlǽp] (-pp-*) *vt.* **1** 부분적으로 덮다; 부분적으로 …위에 겹치다, 마주 겹치다; …에서 내밀다: Tiles are laid ~*ping* each other. 기와는 서로 겹쳐 이어져 있다. **2** 일부분이 일치하다; (시간 따위가) 중복하다, 맞부닥치다. — *vi.* 《~/+전+명》 부분적으로 겹쳐지다, 일부분이 일치되다; (시간 따위가) 중복되다《*with*》: Your vacation ~*s with* mine. 네 휴가는 내 휴가와 겹친다 — [ㅅㅅ] *n.* **1** 부분적 중복〔일치〕; 겹쳐진 부분, 중복도. **2** 〖영화〗 오버랩《한 장면과 다음 장면의 겹침》; 〖지학〗 오버랩《해진(海進) 등에 의해 새로 형성되는 상위 퇴적층》; 〖컴퓨터〗 오버랩, 병행. ㊎ **~·ping** *n.* 〖컴퓨터〗 겹치기.
òver·láy (*p., pp.* ***-laid***) *vt.* **1** …에 들씌우다, …에 입히다; …의 위에 깔다; …에 바르다; …에 도금하다《*with*》. **2** 〖오용(誤用)하여〗 =OVERLIE. **3** 압도〔압제〕하다. **4** 〖인쇄〗 (인쇄를 고르게 하기 위해) 통바르기를 하다. **5** …을 흐리게 하다, …을 덮어 어둡게 하다. — [ㅅㅅ] *n.* **1** 덮어 대는 것, 덮어 씌우는 것; 도금. **2** 〖인쇄〗 압통(壓筒)에 덧붙이는 종이, 통바르기. **3** 오버레이(template) 《지도·사진·도표 등에 겹쳐 쓰는 (반)투명 피복지(被覆紙)》; 〖컴퓨터〗 오버레이. **4** 《Sc.》 넥타이. 「continued ~.
óver·lèaf *ad.* (종이의) 뒷면에; 다음 페이지에:
òver·léap (*p., pp.* ***~ed, -leapt***) *vt.* **1** …을 뛰어넘다. **2** 빠뜨리다; 생략하다, 간과하다. **3** 지나치게 멀리 뛰다. ~ one***self*** 지나치게 멀리 뛰어넘다; 무리를 하여 실패하다.
òver·léarn *vt.* 숙달 후에도 계속 공부〔연습〕하다. ㊎ **~·ing** *n.* 〖심리〗 과잉학습.
òver·líe (***-lay; -lain; -lying***) *vt.* …의 위에 눕다〔자다〕; (어린애를) 깔고 누워 질식시키다.
òver·líve *vt., vi.* 《고어》 (…보다) 오래 살다(outlive), 살아남다(survive).
òver·lóad *vt.* …에 짐을 너무 많이 싣다, 너무 부담을 주다(overburden); …에 화약을 너무 많이 장전하다; 〖전기〗 …에 지나치게 부하(負荷)를 걸다, 과충전하다. — *vi.* 너무 많은 짐을 지다. — [ㅅㅅ] *n.* 지나치게 실음, 과적재; 과중한 짐; 〖전기〗 과부하(過負荷); 지나친 자극; 〖컴퓨터〗 「과부하.
óver lòan 〖경제〗 대출초과.
òver·lóng *a.* 지나치게 긴; 매우 긴. — *ad.* 너무나 오랫동안.
__over·look__ [òuvərlúk] *vt.* **1 바라보다, 내려다보다; (건물·언덕 따위가) …을 내려다보는 위치에 있다: We can ~ the sea from here. 여기서 바다가 바라다보인다. **2** 감독〔감시〕하다, 돌보다, 검열〔시찰〕하다; 훑어보다: ~ men at work 현장에서 감독하다. **3** (나무·봉우리 따위가) …보다 높이 솟다. **4** 빠뜨리고 보다; (결점 따위를) 눈감아 주다, 너그럽게 보아 주다: ~ a misspelled word 틀린 철자를 빠뜨리고 보다 / ~ a fault 과실을 눈감아 주다. SYN. ⇨ NEGLECT. **5** 노려보다; 노려보아 넋을 빼다〔마법을 걸다〕. — [ㅅㅅ] *n.* 《미》 전망이 좋은 곳; 경치, 풍경; 못본체하기, 빠뜨리고 보기. ㊎ **~·er** *n.* =OVERSEER.
óver·lòrd *n.* (봉건제 영주(lord)의 위에 있는) 대군주(大君主); 거두(巨頭), (…을) 좌지우지하는 사람《*of*》; (1951-53 년의 영국 정부에서) 각 성의 감독 조정을 맡은 상원의원. — *vt.* 전제적으로〔마음대로〕 지배하다. ㊎ **~·ship** *n.* Ⓤ 대군주의 지위〔신분〕. 「박〕하게.
óver·ly *ad.* 과도하게, 지나치게; 《Sc.》 경솔〔천
óver·man [-mən] (*pl.* ***-men*** [-mən]) *n.* **1** 직공장(職工長), 두목; (탄광의) 갱내감독; 심판계원. **2** 〖Sc. 법률〗 재결자(裁決者), 조정자. **3** [-mæ̀n] (*pl.* ***-men*** [-mèn]) 〖철학〗 (Nietzsche 의) 초인(superman). — [-mǽn] (***-nn-***) *vt.* …에 사람을 너무 많이 배치하다.
òver·mánned ⇨ OVERSTAFFED.
òver·màntel *n.* 벽로(壁爐) 위의 장식 선반. — *a.* 벽로 위(장식)의.
òver·mány *a.* 너무 많은.
òver·márk *vt.* …에게 너무 후한 점수를 주다.
òver·mást *vt.* 〖해사〗 (배)에 너무 긴〔무거운〕 돛대를 세우다. 「겨내다.
òver·máster *vt.* 압도하다, 정복하다; …에 이
òver·mástering *a.* 지배적인, 압도하는, 억제하기 힘든. ㊎ **~·ly** *ad.*
òver·mátch *vt.* …보다 더 우수하다〔낫다〕, …에 이기다, 압도하다; 너무 센 상대와 시합시키다. — [ㅅㅅ] *n.* (힘·기량에 있어서) 더 나은 사람, 우월자, 강적; 우열의 차가 심한 시합.
òver·màtter *n.* 〖인쇄〗 넘치게 짠 활자, 과잉조판한 판; (남아서) 다음 호로 돌린 원고〔기사〕.
òver·mèasure *vt.* 넘치게 재다〔달다〕, 지나치게 견적하다. — *n.* 과대한 어림치기〔평가〕; 잉여, 넘치는 양.
òver·míke *vt.* 마이크로 과도하게 증폭하다.
òver·módest *a.* 너무 조심스러운. ㊎ **~·ly** *ad.*
òver·múch *a.* 과다한, 과도의, 너무 많은. — *ad.* 과도하게; 〖부정문〗 그다지〔별로〕《…이 아니다》: He does*n't* like me ~. 그는 날 별로 좋아하지 않는다. — *n.* Ⓤ 과도, 과잉.
òver·níce *a.* 지나치게 까다로운〔꼼꼼한〕, 잔소리가 심한; 결벽성이 지나친. ㊎ **~·ly** *ad.* **~·ness** *n.* **-nícety** *n.*
__over·night__ [óuvərnàit] *a.* **1 밤을 새는, 밤새껏의: an ~ debate 밤새도록 벌이는 토론. **2** 하룻밤 사이의〔에 출현한〕, 돌연한: an ~ millionaire 벼락부자. **3** 지난밤의. **4** 일박의; 단기 여행용의; 하룻밤만 통용하는: an ~ guest 하룻밤 묵는 손님 / ~ call loan 〔money〕 〖상업〗 하룻밤 빌리는 당좌 대부금〔차입금〕. — [ㅅㅅ] *ad.* **1** 밤새껏, 밤새도록; 하룻밤: stay ~ 일박하다 / The fish will keep ~. 생선이 하룻밤은 갈 것이다. **2** 하룻밤 사이에, 돌연히: become famous ~ 하룻밤 사이에 유명해지다. **3** 전날밤에: It happened ~. 그것은 지난밤에 일어났다. — *n.* 전날밤; 일박; 《미속어》 일박〔짧은〕 여행; 《미속어》 중요하지 않은〔간단한〕 일. — *vi.* 하룻밤을 지내다.
óvernight bág 〔**cáse**〕 작은 여행용 가방.
òver·nìghter *n.* 작은 여행용 가방〔짐〕; 《미속어》 =OVERNIGHT.
óvernight pòll 심야 여론조사《TV 프로그램의 방영 후 시청자의 반응을 확인하는》.
óvernight télegram 《영》 다음 날 아침 배달 전보《요금이 쌈》.
òver·nutrítion *n.* 영양과다.
òver·óccupied *a.* 거주자 과다의, 너무 조밀한.
òver·optimístic *a.* 너무 낙관하는〔낙관적인〕. ㊎ **-óptimism** *n.* **-óptimist** *n.*

òver·órganize *vt., vi.* 지나치게 조직화하다〔되다〕, 직제(職制)를 편중하다.
óver·pàckaged *a.* 과대 포장된.
òver·párted [-id] *a.* 자신이 소화하기 벅찬 역을 맡은《연극 따위에서》.
óver·partìcular *a.* 지나치게 상세한; 지나치게 꼼꼼한.
òver·páss *vt.* **1** …을 넘다, 건너다; (시기·경험 등을) 통과하다; (한계를) 넘다; 범하다; 견디어내다, 극복하다. **2** 빠뜨리고 보다, 보아 넘기다, 무시하다. ── *vi.* 통과하다. ── [ˊ-ˋ] *n.*《미》구름다리, 육교; 고가도로; 오버패스. cf. underpass.
òver·pássed, -pást *a.* 이미 지나간; 폐지된, 과거의.
òver·páy (*p., pp.* ***-paid***) *vt.* …에 더 많이 지불하다, …에게 과분하게 보수를 주다. ⓜ **~·ment** *n.* U,C 과다 지불(금), 과분한 보수.
òver·péopled *a.* 주민 과다의, 인구과잉의.
òver·perfórm *vt.* 악보에 없는데 너무 해석적인 연주를 하다.
òver-pérmed *a.*《구어》파마를 지나치게 한.
òver·permíssive *a.* 자유방임주의의.
òver·persuáde *vt.* 무리하게 설복시키다, 설득해서 자기 편으로 끌어넣다.
òver·pítch *vt.* 【크리켓】(공을) 너무 삼주문(三柱門) 가까이에 던지다;《비유》과장하다.
òver·pláy *vt., vi.* 과장되게 연기하다; 과대평가하다, 너무 강조하다; 【경기】상대방을 이기다; (기사 등을) 과장해서 쓰다; …에 너무 의지하다; 【골프】공을 너무 세게 쳐서 green 밖으로 넘기다. ~ one*'s hand* 【카드놀이】무리하게 패를 쓰다가 지다; 제 힘을 과신해서 지나치게 하다.
óver·plùs *n.* U 나머지, 과잉, 과다.
òver·pópulate *vt.* …에 사람을 과밀하게 살게 하다, 인구과잉이 되게 하다. ⓜ **-làted** *a.* 인구과잉의. **òver·populátion** *n.* U 인구과잉.
óver·potèntial *n.* 【전기】＝OVERVOLTAGE.
òver·pówer *vt.* (힘으로) 눌러 버리다, 제압하다; 깊이 감동시키다; (육체·정신적 기능을) 무력케 하다; (기계 등에) 과잉 동력을 주다: be ~*ed* by one's emotions 감정을 억누를 수 없다.
òver·pówering *a.* 저항할 수 없는, 강렬한, 압도적인, 우세한, 막대한. ⓜ **~·ly** *ad.* 압도적으로. **~·ness** *n.*
òver·práise *vt.* 지나치게 칭찬하다. ── [ˊ-ˋ] *n.* U 과찬.
òver·prescríbe *vi., vt.* (의약·마약을) 과잉처방하다. ⓜ **òver·prescríption** *n.*
óver·prèssure *n.* U 과압, 지나친 압박; (정신적) 과로.
òver·príce *vt.* …에 너무 비싼 값을 매기다.
òver·prínt *vt.* **1** 【인쇄】겹쳐 인쇄하다, 덧인쇄하다《인쇄물 위에》; 【타이프라이터】(문자반에 없는 글자나 기호를 만들기 위하여 몇 개의 문자를) 겹쳐 치다. **2** (필요 부수 이상으로) 과다 인쇄하다; 【사진】너무 진하게 인화하다. ── [ˊ-ˋ] *n.* 거듭 인쇄; (우표·수입인지 위의) 덧인쇄한 문자〔무늬〕; 덧인쇄한 우표; 과다 인쇄.
òver·príze *vt.* 과대평가하다. ⓜ **-prízer** *n.*
òver·prodúce *vt.* 과잉생산하다. ⓜ **°-dúction** *n.* U 생산과잉. OPP *underproduction.*
òver·pronóunce *vt.* (음절·말)을 과장하여〔거드름부리며, 유난히 똑똑하게〕 발음하다. ── *vi.* 과장하여 발음하다.
óver·próof *a.* 표준 알코올량 이상의 알코올을 함유한. cf. proof spirit.
òver·propórtion *vt.* 어울리지 않게 크게 하다, …의 비율을 너무 크게 하다. ── *n.* 어울리지 않게 큼, 불균형. ⓜ **~·ate** [ət] *a.* **~·ate·ly** *ad.*
òver·protéct *vt.* …을 과(過)보호하다. ⓜ **-protéction** *n.* 과보호. **-protéctive** *a.*
òver·próud *a.* 지나치게 뽐내는, 너무 자만하는.
òver·quálified *a.* 자격과잉의,《특히》채용조건의 최저요건을 초과한.

°òver·ráte *vt.* 과대평가하다, 지나치게 어림잡다, 높이 사다;《영》(부동산을) 과대평가하여 지방세를 과하다: I think that film is ~*d.* 저 영화는 과대평가되었다고 생각한다. OPP *underrate.*
òver·réach *vt.* **1** …이상으로 퍼지다〔미치다〕; …의 위에 퍼지다. **2** (팔·몸을) 너무 뻗다, (목표 따위를) 지나쳐〔넘어서〕 가다. **3** 기만하다, 속이다, 한 수 앞지르다(outwit). ── *vi.* **1** (넘어서) 달하다, 퍼지다, 미치다. **2** 지나가다; 몸을 너무 뻗다; 《일반적》무리를 하다, 도를 넘다; (말이) 뒷발로 앞발꿈치를 차다. **3** 사람을 속이다. ~ one*self* 몸을 너무 뻗치어 평형을 잃다; 너무 무리〔노력〕하다, 무리를 하여 실패하다; 술책을 너무 부리다 실패하다. ⓜ **~·er** *n.*
òver·reáct *vi.* 과도〔과다, 과격〕하게 반응하다. ⓜ **-reáction** *n.* 과민반응.
òver·réad (*p., pp.* ***-read***) *vt.* (책을) 너무 읽다.
òver·refíne *vt., vi.* 구별을 지나치게 세세히 짓다; 지나치게 세련되다; 지나치게 정제(精製)하다. ⓜ **~·ment** *n.*
òver·rént *vt.* …의 땅세〔집세, 소작료 따위〕를 너무 비싸게 받다.
òver·represénted [-id] *a.* 대표가 너무 많은, 《특히》일정비율 이상으로 대의원을 선출한.
òver·ríde (***-rode; -ridden, -rid***) *vt.* **1** (장소를) 말을 타고 지나다; 타고 넘다; …위로 퍼지다. **2** 짓밟다, 유린하다. **3** 무시하다; 거절하다. **4** (결정 따위를) 무효로 하다, 뒤엎다: ~ one's commission 직권을 남용하다. **5** (말을) 지쳐 쓰러지도록 타다. **6** 【의학】(부러진 뼈가 다른 뼈) 위에 겹쳐지다. **7** …에 우월〔우선〕하다; (자동제어 따위를) 떼다, 분리하다. **8** 《미》(매상에 의하여) 커미션을 지불하다. **9** (대중 교통수단을) 표보다 더 먼 거리를 타다. ~ ***a veto*** 《미》대통령이 거부한 법안을 재가결하다. ── [ˊ-ˋ] *n.* (매상·이익에 따른) 커미션(overrider, overwrite); 장치가 작동치 않게 하는 시스템, (자동식 기계의) 보조적 수동장치;《미》무효로 하기.
óver·rìder *n.* override 하는 사람;《영》＝BUMPER GUARD;《미》＝OVERRIDE.
òver·ríding *a.* 최우선의; 가장 중요한; 압도적인, 지배적인; 횡포한: an ~ concern 우선적인 관심사/be of ~ importance 가장 중요하다.
óver·rípe *a.* 너무 익은, 무르익은; 쇠퇴한, 퇴폐한; 때를 놓친. ⓜ **~·ly** *ad.*
°òver·rúle *vt.* **1** 지배하다; 위압하다; 지우다. **2** (결정 등을) 위압적으로 취소하다, …의 발언을 봉쇄하다, 번복하다; 파기〔각하〕하다; 무효로 하다: ~ a decision 결정을 번복하다/A higher court ~*d* the judgment. 상급법원이 그 판결을 파기시켰다.
°òver·rún (***-ran; -run; -running***) *vt.* **1** …의 전반에 걸쳐 퍼지다; (해충이) 몰려들다, 들끓다; (잡초가) 우거지다; (병·사상 따위가) …에 급속히 퍼지다: be ~ by 〔with〕 rats 쥐가 들끓다/Weeds have ~ the garden. 정원에 온통 잡초가 우거졌다. **2** 침략하다, (침략으로) 황폐시키다; 완전히 쳐부수다, 압도하다, 괴멸시키다. **3** (하천 따위가) …에 범람하다(overflow); (물이 강변을) 넘쳐 흐르다. **4** (활주로 따위를) 지나쳐 달리다; 【야구】오버런하다; (제한 따위를) 넘다, 초과하다, 일탈하다; (목표 등을) 돌파하다: ~ one's allotted time 소정의 시간을 초과하다. **5** 【인쇄】다른 행〔줄〕에 넘기다; 증쇄(增刷)하다. **6** 【기계】(엔진을) 정규 회전속도〔압력, 전압〕 이상의 상태로 가동하다, 오버런하다. ── *vi.* **1** 널리 퍼지다, 넘치다, 범람하다; 도를 넘다. **2** (엔진이) 오버런하다. ── [ˊ-ˋ] *n.* (엔진의) 과(過)회전, 오버런; 긴급용 보조 활주로; 잉여(액), 초과(량).
òver·sáiling *a.* (건축물의 일부가) 튀어 나온;

달아낸.
óver·scále, óver·scàled *a.* 특대(特大)의.
óver·scàn *n.* 〖컴퓨터〗 과 주사, 오버스캔《화상이 완전히 화면 안에 들어가지 못하는 현상》.
òver·scóre *vt.* (어구(語句) 위에) 선을 긋다, 선을 그어 지우다.
òver·scrúpulous *a.* 너무 세심〔면밀〕한.
over·sea(s) [óuvərsí:(z)] *a.* 해외(로부터)의, 외국의; 해외로 가는〔향한〕: an ~ broadcast 대외방송/an ~ edition 해외판/~ Koreans 〔Chinese〕 해외 교포〔화교〕/an ~ base 해외기지/~ trade 해외무역. — [ˌ-ˈ] *ad.* 해외로〔에, 에서〕(abroad): go ~ 해외로 가다. — *n.* 〖단수취급〗《구어》 외국.
óverseas càp 〖미군사〗 (챙 없는) 배 모양의 「약모(略帽).
over·sée (*-saw; -seen*) *vt.* **1** 내려다보다, 바라보다; 가만히 보다, 우연히 목격하다. **2** (작업 등을) 감독하다.
óver·sèer *n.* 감독《사람》; 직공장, 단속하는 사람, 관리자; 《Austral.》 농장〔목장〕 감독; 〖영국사〗 (교구의) 민생(民生) 위원(=~ **of the póor**).
òver·séll (*p., pp.* **-sold**) *vt.* (거래 가능한 양 이상으로) 지나치게 팔다; 실제보다 높이 평가시키다〔판매하다〕, 강매하다. — *n.* 초과 판매.
òver·sénsitive *a.* 너무 민감한, 신경과민인.
òver·sét (*p., pp.* **-set; -setting**) *vt., vi.* 보석을 끼워〔상감(象嵌)으로〕 장식하다; 뒤엎다, 뒤집히다, 전복시키다〔되다〕; 혼란시키다〔되다〕; 〖인쇄〗 (판을) 너무 크게 짜다, 지나치게 식자하다. — [ˈ-ˌ] *n.* 전복, 타도(overthrow).
óver·sèw [ˈ-ˌ] (*-sewed; -sewed, -sewn*) *vt.* 휘갑치다.
òver·séxed [-t] *a.* 성욕 과잉의, 성적 관심이 「지나친.
òver·sháde *vt.* =OVERSHADOW.
over·shádow *vt.* **1** 그늘지게 하다, 가리다, 어둡게 하다: clouds ~*ing* the moon 달을 가리고 있는 구름. **2** …의 빛을 잃게 하다, 볼품없이 보이게 하다; (비교하여) …보다 중요하다〔낫다〕: Her new book will ~ all her earlier ones. 그 여자의 새 책은 모든 그녀의 이전 작품들의 빛을 잃게 할 것이다. **3** 음울하게 하다, 짓누르다.
óver·shìft *n.* 〖미식축구〗 수비측이 왼쪽 또는 오른쪽에 선수를 과다하게 배치함.
òver·shíne *vt.* 비추다; …보다 밝게 빛나다, …의 빛을 빼앗다; 능가하다, 압도하다.
óver·shìrt *n.* 오버셔츠《옷단을 바지나 스커트 밖으로 나오게 입는 헐렁한 스포츠 셔츠》.
óver·shòe *n.* (보통 *pl.*) 오버슈즈, 방수용〔방한용〕 덧신.
òver·shóot (*p., pp.* **-shot**) *vt.* (과녁 따위를) 넘어서게 쏘다; (정지선·활주로 따위)에서 서지 않고 지나쳐 가다; 도를 넘다; 너무 쏘아 짐승의 씨를 말리다; (남)보다 더 잘 쏘다; …의 위에 세차게 떨어〔쏟아〕지다. — *vi.* 지나쳐 달리다, 지나쳐 날다; 도를 넘다; 표적의 위를 넘게 쏘다. ~ one***self*** =overstep the MARK¹. — [ˈ-ˌ] *n.* 지나감, 지나친 욕심으로〔행위로〕 인한 실패; 〖공학〗 (과잉 응답 때의 정상 상태에 대한) 초과량.
òver·shót OVERSHOOT의 과거·과거분사.
— *a.* **1** 위로부터 물을 받는, 상사식(上射式)의 《물레바퀴》. **2** 위턱이 쑥 내민. **3** 과장한. **4** 《속어》 「술취한.
óvershot whèel 상사식 물레바퀴.
óver·sìde *a.* 뱃전으로부터의; (레코드) 뒷면에 녹음된: ~ delivery 현측도(舷側渡). — *ad.* 뱃전으로부터; (레코드의) 뒷면에. — *n.* (the ~) (레코드의) 뒷면, 이면.
óver·sìght *n.* 빠뜨림, 못 봄, 실패; Ⓤ 감독, 감시, 단속, 관리. ***by*** 〔***through***〕 ***an*** ~ 잘못하여, 무심결에. ***under the*** ~ ***of*** …의 감독아래.
óver·sìgned *a.* (문서 등이) 모두(冒頭)에 서명이 있는. — [ˈ-ˌ] *n.* 모두(冒頭) 서명자.
òver·símple *a.* 지나치게 단순한.
òver·símplify *vt.* 지나치게 간소화하다. ㊞ **òver·simplificátion** *n.*
òver·síng (*-sang; -sung*) *vi.* 너무 큰 소리로 노래하다; 너무 해석적인 창법을 쓰다.
óver·síze *a.* 너무 큰; 특대의. — [ˈ-ˌ] *n.* 지나치게 큰 물건; 특대품. ㊞ **~d** *a.* =oversize.
óver·skìrt *n.* 오버스커트《드레스 따위에 다시 겹쳐 입는 스커트》.
óver·slàugh *n.* Ⓤ,Ⓒ 〖영군사〗 (현직) 해임《더 중요한 임무를 맡기기 위한》; 《미》 (강의) 여울, 모래톱. — [ˌ-ˈ] *vt.* 〖영군사〗 해임하다; 《미》 승진시키지 않다, 무시하다; (법안 따위를) 방해하다.
over·sléep (*p., pp.* **-slept**) *vi., vt.* 너무 오래 자다: ~ oneself 〔one's usual time〕 지나치게 「자다.
óver·slèeve *n.* 소매 커버.
òver·slíp (*-pp-*) 《고어》 *vt.* 미끄러져 지나쳐 가다; 눈감아 주다; (기회 따위를) 잃다.
òver·smóke *vt.* …에 연기를 너무 많이 쐬다《훈제할 때》: ~ one***self*** 지나치게 담배를 피우다. — *vi.* 지나치게 담배를 피우다.
òver·sóld OVERSELL의 과거·과거분사.
òver·solícitous *a.* 마음을 지나치게 쓰는.
òver·sophísticate *n.* 너무 닳아빠진 사람, 지나치게 고상한 사람.
óver·sòul *n.* 대신령(大神靈) 《Emerson 등의 사상에서, 만물을 생성시킨다고 하는 영》.
òver·specializátion *n.* 지나친 특수화; 〖생물〗 (진화과정에서) 과도한 특수화.
òver·spénd (*p., pp.* **-spent**) *vt., vi.* 너무 쓰다; 돈을 너무 쓰다. OPP *underspend*. ~ one***self*** 자력(資力) 이상으로 돈을 쓰다. — [ˈ-ˌ] *n.* 자력을 초과하여 돈을 씀, 낭비(액). ㊞ **~·er** *n.*
óver·spìll *n.* 넘쳐흐름, 흘러 떨어짐; 과잉인구. — *vi.* 넘치다.
òver·spréad (*p., pp.* **-spread**) *vt.* 《~+목/+목+전+명》 …의 일대에 펼치다, …에 만연하다, 온통 뒤덮다, 그득 차다: The sky was ~ *with* clouds. 하늘은 구름에 덮여 있었다. — *n.* ~하기.
òver·stabílity *n.* (환경·조직 등이) 튼튼히〔빈틈없이〕 굳어져 있음, 고정(성).
òver·stáff *vt.* …에 필요 이상의 직원을 두다.
òver·stáffed *a.* 직원이 필요이상으로 많은.
òver·státe *vt.* 허풍을 떨다, 과장하다. ㊞ **~·ment** *n.* Ⓒ,Ⓤ 허풍, 과장(된 설명). OPP *understatement*.
òver·stáy *vt.* …의 시간〔기간, 기한〕 뒤까지 오래 머무르다; 〖상업〗 (시장에서의) 팔 시기를 놓치다: ~ one's market 매석(賣惜)하다가 기회를 놓치다/~ one's welcome 너무 오래 있어서 눈총을 맞다. — *vi.* 오래 머무르다. ㊞ **~·er** *n.* 《영·Austral.》 비자 기한 초과 체류자.
óver·stèer *n.* 오버스티어《핸들을 돌린 각도에 비하여 차체가 커브에서 더 안쪽으로 회전하는 조종 특성》. OPP *understeer*. — [ˌ-ˈ] *vi.* (차가) 오버스티어하다〔되다〕.
òver·stép (*-pp-*) *vt.* 지나가다, 밟고 넘다; …의 한도를 넘다, 범하다: ~ one's authority 월권 행위를 하다.
òver·stóck *vt.* 《~+목/+목+전+명》 너무 많이 공급하다; 지나치게 사들이다, …을 남아돌아가게 하다; …에 지나치게 수용하다; (젖소를) 너무 오래 젖을 짜지 않고 두다: ~ a shop 가게에 상품을 너무 많이 사들이다/~ a show window *with* various merchandise 쇼윈도에 갖가지 상품을 너무 많이 진열하다. — [ˈ-ˌ] *n.* 공급 과잉; 재고과잉; 과잉재고.

óver·stòry *n.* 상층《숲의 천개상(天蓋狀)을 이루는 나뭇잎의 층》; (집합적) 상층 형성수(樹).

òver·stráin *vt.* 너무 켕기다, 지나치게 긴장시키다; 일을 너무 시키다, 무리하게 쓰다. ― *vi.* 무리를 하다; 지나치게 긴장〔노력〕하다. ~ one**self** 너무 무리를 하다, 과로하게 되다. ― [⌐-⌐] *n.* Ⓤ 지나친 긴장〔노력〕; 과로.

òver·stréss *vt.* 지나치게 강조하다; 심한 압력을 가하다. ― *n.* 지나친 강조〔압력〕.

òver·strétch *vt.* …을 심하게 잡아당기다〔늘이다〕; 지나치게 긴장시키다; 과장하다; …에 퍼지다. ― [⌐-⌐] *n.* 『군사』 과잉 산개(散開).

òver·stréw *vt.* 전면에 흐트러뜨리다〔박아넣다〕; 여기저기를 덮다.

òver·stríct *a.* 너무 엄격한.

òver·stríde (***-strode; -strid·den***) *vt.* 타고 넘다; 넘다; …에 걸터타다; …보다 빨리 걷다, 따라앞지르다; 능가하다, …보다 낫다; 좌지우지하다, 지배하다.

òver·strúctured *a.* (목적 · 기능을 희생하고) 너무 조직화한, 계획이 지나친, (직제 · 규제 등이) 지나치게 정비된.

òver·strúng *a.* **1** 너무 긴장한, 감수성이 예민한, (신경)과민의. **2** (피아노의) 줄을 비스듬히 교차시켜 켕기게 한; 『궁술』 =HIGH-STRUNG.

óver·stùdy *n.* Ⓤ 지나친 공부. ― [⌐-⌐] *vt., vi.* 지나치게 공부〔연구〕하다. ~ one**self** 지나치게 공부하다.

òver·stúff *vt.* …에 지나치게 채워 넣다; (소파 따위에) 속을 많이 채워 넣다. ㊔ **~ed** *a.*

òver·subscríbe *vt., vi.* (공채(公債) 등을) 모집액 이상으로 신청하다. ㊔ **~d** *a.* **-scríption** *n.* Ⓤ 신청〔응모〕 초과.

òver·súbtle *a.* 너무 미세〔민감〕한.

òver·supplý *vt.* …에 지나치게 공급하다. ― [⌐-⌐] *n.* Ⓤ,Ⓒ 공급과잉.

óver·suscéptible *a.* 영향받기 쉬운; (감정적으로) 상처받기 쉬운; 마음이 너무 여린, 다정다감한.

òver·swéll *vt.* 심하게 부풀리다; 넘쳐나오다, 넘치다.

òver·swíng (*p., pp.* ***-swung***) *vi.* 『골프』 골프채를 너무 크게 휘두르다.

overt [ouvə́ːrt, ⌐-] *a.* **1** 명백한; 공공연한, 역연(歷然)한. ⓄⓅⓅ *covert.* ¶ a market ~ 공개시장 / an ~ act 공공연한 행위. **2** (지갑 따위가) 열린; (날개 따위를) 편. ㊔ **~·ly** *ad.* **~·ness** *n.*

****over·take** [òuvərtéik] (***-took; -taken***) *vt.* **1** …을 따라잡다〔붙다〕; 추월하다, (뒤떨어진 일 따위를) 만회하다: They *overtook* him at the entrance. 그들은 입구에서 그를 추월했다. **2** (폭풍 · 재난 따위가) 갑자기 덮쳐오다; 압도하다; 《Sc.》 …의 마음을 현혹시키다, 유혹하다: be *overtaken by* a storm 〔*in* a shower〕 폭풍을〔소낙비를〕 만나다 / be *overtaken with* 〔*in*〕 drink 취해 있다. ― *vi.* 《영》 차를 추월하다(pass): No *Overtaking.* 추월(追越)금지《게시》.

òver·táken OVERTAKE의 과거분사.

over·táking làne 《영》 (도로상의) 추월차로 (passing lane).

óver·tàlk *n.* 지나친 수다, 다변, 요설(饒舌).

òver·tásk *vt.* …에 무리한 일을 시키다, 과중한 부담을 지우다; 혹사하다.

òver·táx *vt.* **1** …에 지나치게 과세하다. **2** …에 과중한 짐을 지우다, 지나치게 일을 시키다. ~ one**self** 과로하다, 무리를 하다. ㊔ **-taxátion** *n.*

òver·technólogize *vt.* (비인간적으로) 과도히 기술화하다.

óver-the-áir *a.* =ON-AIR.

óver-the-cóunter *a.* 『증권』 장외(場外) 거래의《생략: OTC, O.T.C.》; 의사의 처방 없이 팔리는《약 따위》: ~ sales 직접판매 / ~ market 〔stocks〕 장외 시장〔거래주(株)〕.

óver-the-híll *a.* (인생의) 한창때를 지난; 늙은; 《속어》 나이들어 발기(勃起) 불능인.

óver-the-horízon *a.* 가시선(可視線) 밖의, 초(超)지평선의: an ~ radar 초지평선 레이더《파장 30 m 급의 단파를 사용하여, 지표와 전리층 사이를 반사시켜 수평선보다 먼 물체를 포착하는 레이더》/ ~ propagation 초지평선 전파(傳播).

óver-the-róad *a.* 장거리(도로) 수송의.

óver-the-shóulder bómbing = LOFT BOMBING.

óver-the-tóp *a.* 《구어》 (행동 · 복장 따위가) 상궤(常軌)를 벗어난, 도가 지나친, 이상한《생략: OTT》.

óver-the-tránsom *a.* 결정〔의회〕에 의한 것이 아닌.

òver·thréw OVERTHROW의 과거.

over·throw** [òuvərθróu] (-threw*** [-θrúː]; ***-thrown*** [-θróun]) *vt.* **1** 뒤집어엎다, 타도하다, 무너뜨리다; 헐다, 파괴하다; (정부 등을) 전복시키다, (제도 등을) 폐지하다: ~ the government 정부를 전복시키다 / ~ a tyrant 폭군을 타도하다. **2** 《고어》 …의 마음을 혼란시키다. **3** (공 따위를) 너무 멀리 던지다; 『야구』 (베이스의) 위를 높이 벗어나게 폭투(暴投)하다. ― *vi.* 너무 멀리 던지다. ― [⌐-⌐] *n.* **1** 타도, 전복(upset). **2** 폐위; 패배, 멸망. **3** 『야구』 폭투, 높이던지기, 폭투에 의한 득점.

óver·thrùst (fàult) *n.* 『지학』 충상단층(衝上斷層).

***over·time** [óuvərtàim] *n.* Ⓤ 규정외 노동시간; 《특히》 시간외 노동, 초과근무, 초과근무〔잔업〕 수당; 초과시간; 『경기』 연장 경기시간, 연장전. ― *a., ad.* 시간외의〔로, 에〕: ~ pay 초과근무 수당 / work two hours ~ 두 시간 잔업을 하다. ― [⌐-⌐] *vt.* …에 시간을 너무 잡다〔끌다〕《사진의 노출 따위》.

óver·tìmer *n.* 초과〔시간외〕 근무자.

òver·tíre *vt., vi.* 과로시키다〔하다〕.

òver·tóil *vt.* 일을 과도하게 시키다, 과로시키다. ― [⌐⌐] *n.* Ⓤ 과로.

°óver·tòne *n.* **1** 『음악』 상음(上音), 배음(倍音) (ⓄⓅⓅ *undertone*). **2** (주로 *pl.*) (말 따위의) 함축, 부대적 의미, 연상(聯想); (인쇄 잉크의) 윗색: a reply full of ~ 의미심장한 대답. ― [⌐-⌐] *vt.* 『사진』 너무 진하게 인화하다《양화(陽畫)를》; 『음악』 (딴 음을) 압도하다.

òver·tónnaged *a.* (배의) 톤수가 너무 큰, 너무 대형인; 적재량 초과의.

òver·tóok OVERTAKE의 과거.

òver·tóp (***-pp-***) *vt.* …의 위에 치솟다; 능가하다, …보다 낫다; 압도하다; …의 꼭대기를 덮다. ― *ad.* 머리 위에.

òver·tráde *vi.* 능력 이상으로 거래하다; 지급〔판매〕 능력 이상으로 구입하다. ― *vt.* (자력을) 초과해서 매매하다.

òver·tráin *vt., vi.* 지나치게 훈련시키다〔하다〕, 과도한 훈련으로 고단하게 하다〔해지다〕.

òver·tréat *vi.* 과잉진료하다. ㊔ **~·ment** *n.*

óver·trìck *n.* 『카드놀이』 오버트릭《선언한 이상으로 획득한 득점》.

òver·trúmp *vt., vi.* 『카드놀이』 상대보다 끗수 높은 카드를 내다.

over·ture [óuvərtʃər, -tʃùər / -tjùə] *n.* **1** (종종 *pl.*) 신청, 제안, 예비 교섭: an ~ of marriage 결혼 신청 / ~*s* of peace 평화의 제안. **2** (장로교회 의) 건의, 자문. **3** 『음악』 서곡, 전주곡(曲); (시 · 문장의) 서장(序章). ***make ~s to …*** …에 제의하다. ― *vt.* (…에) 신청〔제안〕하다; 서곡으로 도입하다.

***over·turn** [òuvərtə́ːrn] *vt.* **1** 뒤집어엎다, 전복시키다: An enormous wave ~*ed* their boat. 큰 파도가 그들의 보트를 전복시켰다. **2** 타도하

다; (법안 등을) 부결시키다: The National Assembly ~*ed* this decision. 국회는 이 결의안을 부결시켰다. —*vi.* 전복하다: The car skidded and ~*ed*. 차는 미끄러지면서 전복했다. — [óuvərtə̀:rn] *n.* **1** 전복, 타도, 붕괴(collapse); 파멸, 멸망. **2** (봄·가을에 호소(湖沼)에서 일어나는 온도차에 의한 물의) 역전.

òver·úse [-jú:z] *vt.* 지나치게 쓰다, 남용하다. — [-jù:s] *n.* Ⓤ 과도한 사용, 혹사, 남용.

òver·válue *vt.* 너무 비싸게 보다, 과대평가하다. OPP *undervalue.* —*n.* 과대평가. ㊞ **òver·valuátion** *n.*

óver·vìew *n.* 개관, 개략; 전체상(像).

òver·vóltage *n.* 〖전기〗 과(過)전압.

òver·wálk *vt.* 걸어서 지치게 하다; 《고어》…의 위를 걷다. ~ one*self* 너무 걸어서 피곤해지다.

òver·wásh *vt.* …에 물을 뒤집어 씌우다. — [-] *n.* (토지·가옥 등이) 물에 잠김.

òver·wátch *vt.* **1** 망보다, 감시하다. **2** 《미》…의 엄호사격을 하다; 〖주로 과거분사로〗 《고어》 감시로〔재우지 않아〕 피로하게 하다: ~*ed* eyes 수면부족으로 피로해진 눈. 「면을 가로질러.

óver·wàter *a., ad.* 수면(水面) 상공에서의, 수

òver·wéar (*-wore; -worn*) *vt.* (옷 따위를) 떨어질 때까지 입다; (옷이 작아 못 입을 만큼) 몸이 커지다; 지치게 하다. 「맥진하게 하다.

òver·wéary *a.* 기진맥진한, 지친. —*vt.* 기진

òver·wéather *a.* 악천후를 피할 수 있는 충분한 고도의: ~ flight. 「거드름피우다.

over·ween [òuvərwí:n] *vi.* 《고어》 자부하다,

òver·wéen·ing *a.* 뽐내는, 자신만만한; 거들먹거리는; 과도한, 중용을 잃은. ㊞ ~·**ly** *ad.*

òver·wéigh *vt.* …보다 무겁다; … 보다 가치가 있다; 압도하다, 누르다.

óver·wèight *n.* Ⓤ 초과중량, 더 나가는 무게; 우세; 지나치게 뚱뚱한 사람. — [--] *a.* 중량이 초과된; 너무 무거운; 지나치게 뚱뚱한. — [--] *vt.* =OVERBURDEN. ㊞ **òver·wéighted** *a.* 중량 초과의, 짐을 너무 실은《*with*》.

***over·whelm** [òuvər*h*wélm/-wélm] *vt.* 《~+목/+목+전+명》 **1** 〖종종 수동태〗 압도하다, 제압하다, 궤멸시키다《*by; with*》: The army *was* ~*ed by* the guerilla troops. 그 군대는 게릴라부대에 궤멸당했다. **2** …의 의기를 꺾다, 질리게〔당황하게〕 하다; 몹시 감격하게 하다《*by; with*》: They ~*ed* me *with* questions. 그들은 질문공세를 펴서 나를 당황케 했다. **3** (물결 등이) 위에서 덮치다, 물 속에 가라앉히다, 땅에 파묻다: The caravan was ~*ed by* sandstorm. 대상(隊商)은 모래폭풍으로 묻혔다.

***òver·whélm·ing** [-iŋ] *a.* 압도적인, 저항할 수 없는: by an ~ majority 압도적인 다수로/an ~ victory 압도적 승리. ㊞ ~·**ly** *ad.* 압도적으로. ~·**ness** *n.*

òver·wínd [-wáind] (*p., pp.* **-wound**) *vt.* (시계)의 태엽을 너무 감다.

òver·wínter *vi.* 겨울을 지내다, 월동하다. —*a.* 겨울 동안에 일어나는, 동기(冬期)의.

òver·withhóld *vt.* 《미》 (세금)을 초과 원천징수하다.

óver·wòrd *n.* (가사 따위의) 후렴.

over·work** [òuvərwə́:rk] (*p., pp.* ~*ed,* **-wrought**) *vt.* **1** 〖종종 ~ oneself〗 과로시키다, 너무 일을 시키다. OPP *underwork.* ¶ Don't ~ your*self* on your new job. 새 일로 너무 과로하지 마라. **2** (특정한 어구·표현 등을) 너무 많이 쓰다; 몹시 흥분시키다, 애타게 하다: The constant noise ~*ed* my nerves. 끊임없는 소음이 신경을 곤두서게 했다. **3** 표면에〔너무〕 장식하다. —*vi.* 너무 일을 하다. ~ ***an excuse 하나의〔같은〕 구실을 너무 많이 대다. —*n.* [--] Ⓤ **1** 과로, 과도한 노동. **2** 규정외〔초과〕 근무.

óver·wòrld *n.* 상류사회, 상류계층, 특권계층; 영계(靈界), 천국, 상천(上天).

òver·wórn OVERWEAR의 과거분사. —*a.* 입어서 해진; 지쳐 빠진.

óver·wràp *n.* 겉포장《담뱃갑을 싸는 셀로판 등》.

òver·wríte (*-wrote; -written*) *vt., vi.* 너무 쓰다; (문자 따위를) 다시 쓰다; 〖컴퓨터〗 (데이터·파일에) 겹쳐 쓰다; …전면에 쓰다; 고쳐 쓰다; 지나치게 공들인 문체로 쓰다; 《미》 (세일즈맨의) 매상에 따라 커미션을 받다. ~ one*self* 남작(濫作)하다; 남작하여 인기〔문체〕를 손상하다. —*n.* =OVERRIDE; 〖컴퓨터〗 겹쳐쓰기《이전의 정보는 소멸됨》.

òver·wróught OVERWORK의 과거·과거분사. —*a.* **1** 너무〔잔뜩〕 긴장한; 과로의. **2** 온통 장식품을 붙인; 지나치게 정성〔공〕을 들인.

óver·zèal *n.* Ⓤ 지나친 열성.

òver·zéalous *a.* 지나치게 열심인. ㊞ ~·**ly** *ad.* ~·**ness** *n.* 「form.

o·vi- [óuvi, -və] 'egg'를 뜻하는 결합사: *oviform.*

ovi·bo·vine [òuvibóuvain] *n., a.* 〖동물〗 사향솟과(科)(의). 「이는, 살란성(殺卵性)의.

ovi·cid·al [òuvəsáidl] *a.* (곤충 등의) 알을 죽

ovi·cide [óuvəsàid] *n.* (해충의 알을 죽이는) 살란제(殺卵劑); 《우스개》 살양제(殺羊劑).

Ov·id [ávid/ɔ́v-] *n.* 오비디우스《로마의 시인; 43 B.C.-17 A.D.?》. ㊞ **Ovid·i·an** [ouvídiən/ɔv-] *a.* 오비디우스식〔풍〕의〔같은〕《상상력이 풍부하고 발랄한》.

ovi·duct [óuvədʌ̀kt] *n.* 〖해부〗 난관(卵管), 나팔관; 〖동물〗 수란관. ㊞ **òvi·dúc·tal** [-tl] *a.*

ovif·er·ous [ouvífərəs] *a.* 〖동물〗 알이 있는〔을 낳는〕. 「이 양(羊) 같은.

ovi·form [óuvəfɔ̀:rm] *a.* 난형(卵形)의; 모양

ovine [óuvain, -vin/-vain] *n., a.* 양(의)〔같은〕). 「生)동물.

ovip·a·ra [ouvípərə] *n. pl.* 〖동물〗 난생(卵

ovip·a·rous [ouvípərəs] *a.* 〖동물〗 난생(卵生)의. cf. viviparous. ㊞ ~·**ly** *ad.* **ovi·par·i·ty** [òuvəpǽrəti] *n.* 난생.

ovi·pos·it [òuvəpázit/-pɔ́z-] *vi.* (특히 곤충이) 알을 낳다, 산란하다. ㊞ **òvi·po·sí·tion** [-pəzíʃən] *n.* 「어류」 산란관(産卵管).

ovi·pos·i·tor [òuvəpázitər/-pɔ́z-] *n.* 〖곤충·

OVIR [ouvíər] *n.* (옛 소련의) 출입국 관리국. [Russ. =*O*ffice of *V*isas and *R*egistrations]

ovoid [óuvɔid] *a., n.* 난형(卵形)의; 난형체.

ovoi·dal [ouvɔ́idl] *a.* =OVOID.

ovo·lac·tar·i·an [òuvoulæktέəriən] *n.* 유제품(乳製品)과 달걀을 먹는 채식주의자.

ovo·lo [óuvəlòu] (*pl.* **-li** [-lì:, -lài], ~**s**) *n.* 〖건축〗 동그스름한 쇠시리.

Ovon·ic [ouvánik/-vɔ́n-] 〖전자〗 *a.* (종종 o-) 오브신스키 효과(Ovshinsky effect)의〔에 관한〕. —*n.* 오보닉 장치《오브신스키 효과를 응용한; 스위치·기억소자에 씀》(= ∠ **device**).

Ovón·ics *n. pl.* 〖단수취급〗 오보닉스《오브신스키 효과를 응용한 전자공학의 한 분야》.

ovo·tes·tis [òuvətéstis] (*pl.* **-tes**) *n.* 〖동물〗 난정소(卵精巢), 난소고환(卵巢睾丸).

ovo·vi·vip·a·rous [òuvouvaivípərəs] *a.* 〖동물〗 난태생(卵胎生)의.

Ov·shín·sky effèct [ɑvʃínski-, ouv-/ɔv-] 〖전자〗 오브신스키 효과《비소·게르마늄 등을 혼입한 무정형 유리막에 나타나는 전기저항의 비선형(非線型) 효과; 미국 발명가 S. R. Ovshinsky의 이름에서》.

ovu·lar [ávjələr, óuv-/ɔ́v-, óuv-] *a.* 배주(胚珠)의; 난자의.

ovu·late [ávjəlèit, óuv-/ɔ́v-, óuv-] *vi.* 〖생리〗 배란하다. ⊕ **òvu·lá·tion** *n.* 〖생물〗 배란.
ovule [ávju:l, óuv-/ɔ́v-, óuv-] *n.* 〖식물〗 밑씨, 배주(胚珠); 〖생물〗 난자; 소란(小卵).
ovum [óuvəm] (*pl.* **ova** [óuvə]) *n.* 〖생물〗 알, 난세포, 난자; 〖건축〗 난형(卵形)장식.
ow [au] *int.* 앗 아파, 앗《돌연한 아픔 따위》.
OW, ow. Old Welsh.
owe [ou] *vt.* **1** 《~+목/+목+전+명/+목+목》 빚지고 있다, 지불할 의무가 있다: I ~ John 10 dollars. =I ~ 10 dollars *to* John. 존에게 10달러 빚이 있다.

NOTE (1) 직접목적어를 생략할 때도 있음: He *owes* not any man. 그는 아무에게도 빚을 지고 있지 않다. (2) 다음과 같은 구문도 있음: I still *owe* you *for* the gas. 당신에게 아직 휘발유 대금을 빚지고 있습니다.

2 《+목+목/+목+전+명/+목+목+전+명》 (은혜·의무 등을) 입고 있다: I ~ him a great deal. =I ~ a great deal *to* him. 그에게는 대단한 신세를 지고 있다/I ~ you my thanks *for* your help. 도와주신 데 대해 당신께 감사의 말씀을 드리지 않을 수 없습니다. **3** 《+목+전+명》 (성공 등을) …에게 돌려야 한다, …의 덕택이다: I ~ my present position *to* an accident. 이 지위에 오른 것은 우연에 의한 것이다/I ~ it *to* you that I am still alive. 내가 오늘날 아직도 살아 있는 것은 당신 덕택이오.

SYN. **owe** 사람이나 물건에 은혜나 신세를 지고 있음을 말함. **be due to** 원인 따위가 어떤 일에 기인함: His death *is due to* pneumonia. 그의 사인은 폐렴이다. **be obliged to** 도의상의 의무나 책임을 '지고 있는' 의 뜻. **be indebted to** …에게 부채나 은덕이 있다: I *am indebted to* him for his kindness. 그의 친절에 은덕을 느끼고 있다.

4 《+목+목/+목+전+명》 (어떤 감정을) …에게 품고 있다; (충성 따위를) 다할 의무를 지고 있다; (감정·경의 따위를) 표시해야 하다; …에게 감사를 느끼다: I ~ him a grudge. 그에게 원한이 있다/I ~ no thanks *to* her. 그녀에게 감사해야 할 이유는 없다/I ~ you *for* your service. 당신의 수고에 감사합니다. **—** *vi.* 《~/+전+명》 빚지고 있다: He ~*s for* three months' rent. 집세를 석 달치 안 내고 있다.
*~ **it to** one**self to** do* …하는 것이 자신에 대한 의무이다, …하는 것은 자신을 위해 당연하다. ***To whom* 〔*To what*〕 *do I ~ this honor?*** 뉘 덕에〔어떤 경위로〕 이 영광을 차지했나.
ow·el·ty [óuəlti] *n.* 〖법률〗 (공유물의 지분(持分)에 있어서의) 평등.
Ow·en [óuən] *n.* **1** 오웬《남자 이름》. **2 Robert** ~ 오언《영국의 사회 개혁가; 1771-1858》. ⊕ **~·ism** *n.* Ⓤ 공상적 사회주의.
OWI 《미》 Office of War Information (전시 정보국; 1942-45).
ow·ing [óuiŋ] *a.* **1** 빚지고 있는, 미불로 되어 있는《*to*》: large sums still ~ 아직 미불인 큰돈/I paid what was ~. 빚은 전부 갚았다/$50 ~ *to* me 내가 빌려준 50달러. **2** …에 돌려야 할, …에 기인한《*to*》: All this is ~ *to* your carelessness. 이것은 모두 당신의 부주의 탓이오. *~ **to*** ① 〖전치사구로서〗 …때문에, …로 인하여, …이 원인으로(because of): *Owing to* the snow we could not leave. 눈 때문에 출발하지 못했다. ② 〖술어로서〗 …로 인하여: My failure was ~ *to* ill luck. 실패의 원인은 운이 나빠서였다.
owl [aul] *n.* **1** 올빼미. **2** 밤을 새우는 사람, 밤에 일하는 사람, 밤에 다니는 사람(night owl). **3** 점잔빼는 사람, 진지한 체하는 사람, 약은 체하는 바보; 〖조류〗 머리가 올빼미 비슷한 집비둘기(=~ pígeon). *(as) blind* 〔*stupid*〕 *as an ~* 전혀 앞을 못 보는〔극히 아둔한〕. ***be as grave as an ~*** 점잔을 빼고 있다, 시치미를 떼다. ***bring ~s to Athens*** 쓸데없는 짓을 하다, 사족(蛇足)을 달다. ***fly with the ~*** 밤에 나다니는 버릇이 있다. ***like* 〔*as*〕 *a boiled ~*** 《미》 곤드레만드레 취하여. **—** *a.* 밤 늦게까지 움직이고 있는, 야간〔심야, 철야〕 영업의: an ~ train 《미구어》 밤열차/an ~ show 심야 쇼. ⊕ **~·like** *a.* 올빼미 같은.
owl·et [áulit] *n.* 새끼 올빼미, 작은 올빼미.
owl·ish [áuliʃ] *a.* 올빼미 같은; (안경을 끼고) 둥근 얼굴에 눈이 큰; 근엄한 얼굴을 한《똑똑한 것 같으면서 어리석은》; 야행성의. ⊕ **~·ly** *ad.* **~·ness** *n.*
ówl·lìght *n.* Ⓤ 황혼, 땅거미(twilight).
†**own** [oun] *a.* 〖주로 소유형용사 다음에 쓰임〗 **1** 〖소유를 강조하여〗 (남의 것이 아니라) 자기 자신의: This is my ~ house. 이것은 내 소유의 집입니다/I saw it with my ~ eyes. 바로 내 이 두 눈으로 보았습니다. **2** 〖독자성을 강조하여〗 (자기 자신에게) 고유한, 특유한, 독특한: The orange has a scent all its ~. 오렌지에는 독특한 향기가 있다. **3** 〖혈족관계를 강조해서〗 친…, 직접의: his ~ father 그의 친아버지/She is my ~ sister. 그녀는 나의 친누이입니다. **4** 〖행위자의 주체성을 강조해서〗 남의 도움을 빌리지 않는, 자력으로〔자신이〕 하는: He cooks his ~ meals. 그는 자취를 한다/reap the harvest of one's ~ sowing 자신이 뿌린 씨를 거두다, 자업자득이다. **—** *pron.* 〖독립하여〗 (one's ~) …자신의 것, …자신의 소유물〔입장, 책임〕, 자신의 가족: Keep it for your (very) ~. 네 것으로 받아 두어라/I can do what I will with my ~. 내 것은 어떻게 하건 내 마음대로다/Only my Sundays are my ~. 일요일만은 내 마음대로다.
be** one's **~ man ⇨MAN. ***come into** one's **~*** 당연히 받을 만한 것을 받다《재산·명예·신용·감사》; 실력에 상응하는 평가를 받다; 본래의 특성을 발휘하다. ***for its ~ sake*** 그 자신을 위해. ***get* 〔*have*〕 (*some* 〔*a bit*〕 *of*) one's *~ back*** 《구어》 (…에게) 앙갚음하다《*on*》. ***hold** one's **~*** 자기의 입장을 견지하다, 임무를 다하다, 굴하지 않다. ***of** one's **~*** ① 자기 자신의: The company has a building *of its* ~. 그 회사는 전용 빌딩을 갖고 있다. ② 독특한: Her pictures have a charm *of their* ~. 그녀의 그림은 독특한 매력이 있다. ***on** one's **~*** ① 자기 힘으로; 자기 재량〔책임〕으로; 자신의 생각으로, 자진하여: My son's been *on his* ~ for several years. 내 아들은 몇 년 동안이나 자립하고 있다. ② 단독으로, 혼자: I am (all) *on my* ~. 나는 (완전히) 혼자다.
— *vt.* **1** (법적 권리로) 소유하다; 소지하다, 갖고 있다: Who ~*s* the house? 이 집은 누구의 것인가. SYN. ⇨HAVE. **2** 《~+목/+목+전+명/+*that*절/+목+(*to be*) 보/+목+*as* 보/+목+*done*》 (죄나 사실 등을) 인정하다; …을 자기 것이라고 인정하다; …임을 인정하다; 자인(自認)하다, 고백하다: ~ one's faults 자신의 과실을 인정하다/He ~*s that* he has done wrong. 그는 자기가 잘못한 것을 인정하고 있다/He ~*ed* (*to* me) *that* he had stolen her money. 그는 그녀의 돈을 훔쳤다고 (나에게) 털어놓았다/He ~*ed* himself (*to be*) *in* the wrong. 그는 자신이 잘못하였음을 인정하였다/~ a boy *as* one's child 소년을 자기 자식으로서 인지하다/He ~*s* himself *beaten*. 그는 졌다고 자인한다. **3** …의 지배권을 인정하다; …에게 순종의 뜻을 표하다: They

refused to ~ the king. 그들은 국왕을 섬기려고 하지 않았다. — *vi.* 《(+圓+圖)》 인정하다, (…을) 자백하다《*to*》: ~ *to* a mistake 잘못을 자인하다 / I ~ *to* being uncertain about that. 나는 그것에 대해 불확실함을 인정한다. ~ a person ***body and soul*** 《구어》 (아무의) 심신을 지배하다, (아무의) 생살여탈권을 쥐고 있다. ~ ***the line*** 《영》 (사냥개가) 여우의 냄새 자취를 찾아내다. ~ ***up*** 《구어》 털어놓고(깨끗이) 자백하다《*to*》: ~ *up to* a crime 죄를 자백하다.

ówn-bránd *a.* (제조자의 이름이 아니라) 판매업자의 이름을(상표를) 단, 자가 브랜드의.

owned *a.* 〖복합어로〗 …에게 소유되어 있는: state-~ railways.

****own·er** [óunər] *n.* **1** 임자, 소유(권)자: the ~ of a house 집주인. **2** 《해사속어》 선장, 함장(captain); 〖상업〗 선주, 화주(貨主). ***at ~'s risk*** (화물 수송의) 손해는 화주 부담으로.

ówner-drìver *n.* 오너드라이버《자기 소유차의 운전자》; 개인택시 운전사.

ówn·er·less *a.* 임자가 없는; 부재지주의.

ówner-occupátion *n.* 《영》 주인 자신이 삶, 자가거주.

ówner-óccupied *a.* 《영》 주인이 사는 《집》.

ówner-óccupier *n.* 《영》 자가(自家) 거주자.

ówner-óperator *n.* 자기소유 트럭(택시) 운전사; 자기자본 경영자.

***own·er·ship** [óunərʃip] *n.* Ⓤ 소유자임(자격), 소유권: state ~ 국유(國有).

ówn góal 〖축구〗 자살골; 자기 편에게 준 손해, 자살적 행위; 《영경찰속어》 자살.

ówn-làbel *a.* 《영》 =OWNBRAND.

****ox** [ɑks/ɔks] (*pl.* ***ox·en*** [ɑ́ksən/ɔ́ks-]) *n.* **1** (거세한) 수소. cf. bull[1], bullock, calf, cow[1]. **2** 〖일반적〗 소. **3** (*pl.* ***óx·en, óx·es***) 소처럼 힘센(침착한, 둔한, 꼴사나운) 사람. ***The black ox has trod on*** a person***'s foot*** (***trampled on*** a person). 불행(노령)이 아무에게 닥쳐왔다.

ox- [ɑ́ks/ɔ́ks], **ox·o-** [-sou, -sə] '산소를 함유하는'의 뜻의 결합사.

Ox. Oxford; Oxfordshire.

ox·a·cil·lin [ɑ̀ksəsílin/ɔ̀k-] *n.* Ⓤ 〖화학〗 옥사실린《반(半)합성 페니실린》.

ox·a·late [ɑ́ksəlèit/ɔ́k-] *n.* 〖화학〗 옥살산염(塩).

ox·al·ic [ɑksǽlik/ɔk-] *a.* 〖식물〗 괭이밥의; 괭이밥에서 채취한; 〖화학〗 옥살산의.

oxálic ácid 〖화학〗 옥살산, 수산(蓚酸)(=**èth-anedióic ácid**).

ox·a·lis [ɑ́ksəlis/ɔ́k-] *n.* 〖식물〗 괭이밥.

ox·az·e·pam [ɑksǽzəpæ̀m/ɔk-] *n.* 〖약학〗 옥사제팜《정신 안정제》.

óx·blood (réd) (거무칙칙한) 진한 적색.

ox·bow [ɑ́ksbòu/ɔ́ks-] *n.* 소 멍에의 U자형 부분; (하천의) U 자형 만곡부(에 둘러싸인 토지); 우각호(牛角湖)(=**∠ láke**). — *a.* U자형의.

Ox·bridge [ɑ́ksbrìdʒ/ɔ́ks-] *n.* 옥스브리지《Oxford 대학과 Cambridge 대학》, (오래된) 명문대학. — *a.* 옥스브리지의(같은). ⊞ **Òx·brídg·e·an, -i·an** [-dʒiən] *n.*, *a.* 옥스브리지의(학생(졸업생)).

óx·càrt *n.* 우차(牛車), 달구지.

ox·en [ɑ́ksən/ɔ́k-] ox 의 복수.

ox·er [ɑ́ksər/ɔ́k-] *n.* =OX FENCE.

óx·èye *n.* **1** 쇠눈; (사람의) 왕방울눈. **2** 〖식물〗 주변화(周邊花)가 있는 국화과 식물의 총칭, 《특히》 프랑스국화(=**∠ dáisy**). **3** 《영방언》 민물도요류(類)의 작은 새.

óx-èyed *a.* 눈이 큰.

Oxf. Oxford; Oxfordshire.

Ox·fam [ɑ́ksfæm/ɔ́ks-] *n.* 옥스팸《Oxford 를 본부로 하여 발족한, 세계 각지의 빈민구제 기관》. [◄ *Ox*ford Committee for *Fam*ine Relief]

óx fènce 소우리《울타리 · 도랑 따위》.

Ox·ford [ɑ́ksfərd/ɔ́ks-] *n.* **1** 옥스퍼드《잉글랜드 남부의 도시》; =OXFORDSHIRE; 옥스퍼드 대학. cf. Cambridge. ¶ an ~ don 옥스퍼드 대학 교수. **2** =OXFORD DOWN. **3** (보통 o-) (*pl.*) 《미》 =OXFORD SHOES. **4** (보통 o-) 세로줄무늬의 셔츠 · 여성복용의 옷감(=**∠ clòth**) 《능직(綾織)의 면포 또는 레이온 천》. **5** 《영속어》 5 실링.

Óxford áccent 옥스퍼드 사투리, 뽐내는 투의 어조.

Óxford bág 대형의 보스턴백; (*pl.*) 《영》 통넓은 바지(=**Óxford tròusers**).

Óxford blúe 짙은 감색(=**dárk blùe**) 《Cambridge blue에 대하여》.

Óxford cláy 〖지학〗 옥스퍼드 점토층(粘土層)《잉글랜드 중부의 경질(硬質)의 청색 지층》.

Óxford Dówn 〖축산〗 옥스퍼드(다운)종(의 양)《영국의 뿔 없는 양》.

Óxford Énglish 옥스퍼드 영어《옥스퍼드 대학에서 쓰인다는 약간 점잔뺀 표준영어》.

Óxford fráme 정(井)자 모양의 액자.

Óxford gráy 진한 회색.

Óxford Gròup 옥스퍼드 그룹《1921 년 미국인 F. Buchman에 의해서 옥스퍼드 대학에 설립된 조직으로서, 공사(公私) 생활에 있어서 절대적 도덕성을 강조》.

Óxford Gròup mòvement (the ~) Oxford Group 운동《MRA의 전신》. cf. Buchmanism.

Óxford màn 옥스퍼드 대학 출신자.

Óxford mòvement (the ~, 종종 the O-M-) 옥스퍼드 운동《1833 년경부터 옥스퍼드 대학에서 일어난 가톨릭주의 종교운동》.

Ox·ford·shire [ɑ́ksfərdʃìər, -ʃər/ɔ́ks-] *n.* 옥스퍼드주(州)《잉글랜드 남부; 주도 Oxford》.

Óxford shóes 옥스퍼드《발등 쪽에 끈을 매는 신사화》.

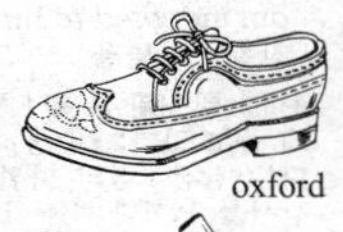
oxford

slip-on

Oxford shoes

Óxford Strèet 옥스퍼드가《런던의 West End의 상점가》.

Óxford Trácts = Tracts for the Times (⇨TRACT[2]).

óx·gàll *n.* 황소의 담즙《도료 · 약용》.

óx·hèart *n.* 〖원예〗 (심장 모양의) 버찌의 일종.

óx·hèrd *n.* 소 치는 사람.

óx·hìde *n.* Ⓒ,Ⓤ 소의 생가죽; Ⓤ (무두질한) 쇠가죽.

ox·i·dant [ɑ́ksədənt/ɔ́k-] *n.* 〖화학〗 옥시던트, 산화체, 강산화성(強酸化性) 물질.

ox·i·dase [ɑ́ksədèis/ɔ́k-] *n.* 〖생화학〗 산화효소, 옥시다아제(oxidation enzyme).

ox·i·date [ɑ́ksədèit/ɔ́k-] *vt.*, *vi.* =OXIDIZE.

òx·i·dá·tion *n.* Ⓤ 〖화학〗 산화.

oxidátion ènzyme 〖생화학〗 =OXIDASE.

oxidátion nùmber 〖화학〗 =OXIDATION STATE.

oxidátion potèntial 〖물리〗 산화전위(電位).

oxidátion-redúction *n.* 〖화학〗 산화환원.

oxidátion-redúction poténtial 〖물리〗 산화환원 전위(電位).

oxidátion stàte 〖화학〗 산화 상태, 산화수(酸化數).

ox·i·da·tive [ɑ́ksədèitiv/ɔ́k-] *a.* 〖화학〗 산화의; 산화력 있는. ⊞ **~·ly** *ad.*

ox·ide [ɑ́ksaid, -sid/ɔ́ksaid] *n.* Ⓒ,Ⓤ 〖화학〗 산화물: iron ~ 산화철. ⊞ **ox·id·ic** [ɑksídik/ɔk-] *a.*

ox·i·dim·e·try [ɑ̀ksədímətri/ɔ̀k-] *n.* 〖화학〗 산화적정(滴定).

òx·i·di·zá·tion *n.* Ⓤ 산화 (작용), 산화물.

ox·i·dize [ɑ́ksədàiz/ɔ́k-] *vt.*, *vi.* **1** 산화시키다

〔하다〕. 2 녹슬(게 하)다; (은 따위를) 그슬려 산화시키다: ~d silver 그슬린 은.

óx·i·dìz·er *n.* 〖화학〗 산화제.

óxidizing àgent 〖화학〗 산화제(劑), 산화체.

óxidizing flàme 〖화학〗 산화성 불꽃, 산화염(焰)《담청색·고온으로 산화력을 갖는 부분》.

ox·i·do·re·duc·tase [àksədouridʌ́kteis/ɔ̀k-] *n.* 〖생화학〗 산화환원 효소.

ox·ime [áksi(ː)m/ɔ́k-] *n.* 〖화학〗 옥심《NOH 기의 난용성(難溶性)·결정성 화합물의 총칭》.

ox·im·e·ter [aksímətər/ɔk-] *n.* 〖의학〗 (헤모글로빈의) 산소 농도계. 「측정(법).

ox·im·e·try [aksímətri/ɔk-] *n.* 〖의학〗 산소

Ox·i·sol [áksəsɔ̀ːl, -sàl/ɔ́ksəsɔ̀l] *n.* 〖토양〗 옥시졸《열대 지방의 풍화한 비수용성(非水溶性) 성분을 많이 함유한 토양(土壤)》. 「종.

ox·lip [ákslìp/ɔ́ks-] *n.* 〖식물〗 앵초(櫻草)의 일

Ox·on [áksan/ɔ́ksɔn] *n.* =OXFORDSHIRE.

Oxon. *Oxonia* 《L.》 (=Oxford); Oxonian; *Oxoniensis* 《L.》 (=of Oxford).

Ox·o·ni·an [aksóuniən/ɔk-] *a.* Oxford (대학)의. **—** *n.* Oxford 대학 학생〔출신자〕, 옥스퍼드 대학 (구(舊))교원; 옥스퍼드의 주민. cf. Cantabrigian.

oxo·trem·o·rine [àksoutrémərìːn,-rən/ɔ̀k-] *n.* 〖약학〗 옥소트레모린《파킨슨병의 연구용 경련제로서 실험적으로 쓰임》.

óx·tàil *n.* 쇠꼬리《수프의 재료로씀》.

ox·ter [ákstər/ɔ́ks-] 《Sc.》 *n.* 겨드랑 밑; 팔의 안쪽. **—** *vt.* 팔로〔팔을 잡아〕 부축하다; 겨드랑이에 끼다, 껴안다(hug).

óx·tòngue *n.* 쇠서《요리용》; 소의 혀; 〖식물〗 소혀 모양의 잎면이 거친 식물, 《특히》 쇠서나물.

ox·y-[1] [áksi/ɔ́k-] '예리한, 뾰족한, 급속한'의 뜻의 결합사.

ox·y-[2] '산소를 함유하는, 수산기를 함유하는 (hydroxy-)'의 뜻의 결합사.

òxy·acétylene *a.* 산소 아세틸렌 혼합물의: an ~ blowpipe 〔torch〕 산소 아세틸렌 토치《금속의 절단·용접용》/ ~ welding 산소 아세틸렌 용접.

òxy·ácid *n.* U 〖화학〗 산소산(酸素酸)(oxygen acid).

òxy·chlóride *n.* C,U 〖화학〗 산염화물. 「트.

ox·y·dant [áksidænt/ɔ́k-] *n.* 〖화학〗 옥시던

‡**ox·y·gen** [áksidʒən/ɔ́k-] *n.* U 〖화학〗 산소《비(非)금속 원소; 기호 O; 번호 8》: an ~ breathing apparatus 산소 흡입기. ㊕ **òx·y·gén·ic, ox·yg·e·nous** [-dʒénik], [aksídʒənəs/ɔks-] *a.* 산소의, 산소를 포함하는.

óxygen ácid =OXYACID.

ox·y·gen·ase [áksidʒənèis, -z/ɔ́k-] *n.* 〖생화학〗 산소첨가〔산소화〕 효소, 옥시게나아제.

ox·y·gen·ate [áksidʒənèit/ɔ́k-] *vt.* 〖화학〗 산소로 처리하다, 산소와 화합시키다, 산소화하다; (혈액)에 산소를 보내 주다: ~*d* water 과산화 수소수. ㊕ **òx·y·ge·ná·tion** *n.* U 〖화학〗 산소화, 산소 첨가 (반응).

óxygen cỳcle 〖생태〗 산소순환《대기 속의 산소가 동물의 호흡으로 이산화탄소가 되고, 광합성에 의해 다시 산소가 되는 순환》.

óxygen dèbt 〖생리〗 산소 부채《근육 따위에서, 급격한 활동이 끝난 후에도 평소수준 이상의 산소가 소비되는 현상》.

óxygen effèct 〖생물〗 (조사(照射) 때 생체조직의 산소분압(分壓)에 의한) 산소효과. 「용접.

óxygen-hýdrogen wèlding 산수소(酸水素)

ox·y·gen·ize [áksidʒənàiz/ɔ́k-] *vt.* 〖화학〗 = OXIDIZE, OXYGENATE.

óxygen lànce 〖기계〗 산소창(槍)《한쪽 끝을 가열하고 다른 쪽에서는 산소를 보내어 강재(鋼材)를 절단하는 가느다란 강관(鋼管)》.

óxygen màsk 〖의학〗 산소 마스크.

óxygen-pòor *a.* 산소가 부족한.

óxygen tènt 〖의학〗 (중환자용) 산소 텐트.

óxygen wàlker 〖의학〗 (폐병·심장병 환자용의) 소형 휴대용 산소 흡입기. 「빈.

òxy·hémoglobin *n.* 〖생화학〗 산화 헤모글로

òxy·hýdrogen *a.* 〖화학〗 산수소(酸水素)의: ~ welding =OXYGEN-HYDROGEN WELDING.

oxyhýdrogen blówpipe 〔**búrner, tórch**〕 산(酸)수소 취관(吹管)〔용접기〕.

ox·y·mo·ron [àksimɔ́ːran/ɔ̀ksimɔ́ːrɔn] (*pl.* ***-ra*** [-rə], **~*s***) *n.* 〖수사학〗 모순어법《crowded solitude, cruel kindness 등》. ㊕ **-mo·rón·ic** *a.*

ox·y·o·pia [àksióupiə/ɔ̀k-] *n.* U 〖의학〗 시력 예민.

óxy·sàlt *n.* 〖화학〗 옥시염(塩), 산소산염(塩).

òxy·súlfide, -phide *n.* 〖화학〗 산황화물.

òxy·tetracýcline 〖약학〗 옥시테트라사이클린《방선균(放線菌) *Streptomyces rimosus* 에서 생긴 항생물질; 황색의 결정성 분말; 생략: OTC》.

oxy·to·cic [àksitóusik, -tás-/ɔ̀ksitóu-] 〖의학〗 *a.* 분만을 촉진하는, 자궁 수축성의. **—** *n.* 분만 촉진〔자궁 수축〕약.

ox·y·to·cin [àksitóusin/ɔ̀k-] *n.* 〖생화학〗 옥시토신《뇌하수체(腦下垂體) 후엽(後葉) 호르몬의 일종; 자궁수축·모유(母乳) 촉진제》.

ox·y·tone [áksitòun/ɔ́k-] *a.*, *n.* 〖그리스 문법〗 마지막 음절에 양음(揚音)이 있는 (말). cf. paroxytone, proparoxytone. 「요충증.

oxy·u·ri·a·sis [àksijuráiəsis/ɔ̀k-] *n.* 〖의학〗

oy·er [óujər, ɔ́iər/ɔ́iə] *n.* 〖법률〗 청송(聽訟), 청심(聽審). ~ ***and terminer*** 《영》 (순회재판의) 형사재판, (그 재판관의) 임명서; 《미》 (일부 주(州)의) 고등 형사 재판소.

oyes, oyez [óujes, -jez] *int.* 들어라, 조용히《광고인 또는 법정의 정리(廷吏) 등이 사람들의 주의를 환기시키기 위해 외치는 소리》. **—** (*pl.* ***oyes·ses*** [-jesiz]) *n.* oyes 의 외침 소리.

oys·ter** [ɔ́istər] *n.* **1** 〖패류〗 굴; 굴과 비슷한 쌍각류(雙殼類)의 조개류; =OYSTER WHITE. **2** (닭 따위의) 골반 속의 맛이 좋은 살점. **3** 《구어》 입이 무거운 사람, 비밀을 지키는 사람. **4** (보통 one's ~) 이익을 내는 것; 생각대로 되는 것: The world is the salesman's ~. 세상은 세일즈맨의 좋은 봉이다. **5** 좋아하는 것, 취미: Golf is his ~. 골프가 그의 취미이다. ***as close as an **~** 입이 매우 무거운. ***as dumb*** 〔***silent***〕 ***as an*** **~** 통 말이 없는. **—** *vi.* 굴을 따다〔양식하다〕.

óyster bànk =OYSTER BED.

óyster bàr (바식(式)의) 굴 요릿집; 《미남부》 =OYSTER BED.

óyster bày 굴〔해산물〕 요릿집.

óyster bèd 굴 양식장. 「crow, 《영》 sea pie).

óyster·bìrd *n.* 〖조류〗 검은머리물떼새(sea

óyster càtcher =OYSTERBIRD.

óyster cràb 〖동물〗 속살이게《굴껍질에서 굴과 공생 (共生)함》. 「작은 크래커.

óyster cràcker (굴 수프에 곁들이는) 짭짤한

óyster cùlture =OYSTER FARMING.

óyster fàrm 〔**fàrming**〕 굴 양식장〔양식〕.

óyster fòrk 생굴·대합·새우 요리용 포크.

óyster·hòuse *n.* 굴 요릿집.

óys·ter·ing [-riŋ] *n.* 굴 채취〔양식〕(업); 굴껍질 모양의 미장합판 (마무리).

óyster knìfe 굴을 가르는 데 쓰는 칼.

óyster·man [-mən] (*pl.* ***-men*** [-mən]) *n.* 굴 따는 사람, 굴 장수〔양식자〕; 굴을 따는 배.

óyster pàrk 《영》 =OYSTER FARM.

óyster pàtty 굴을 넣은 파이《굴요리》.
óyster plànt 〖식물〗 선모(仙茅)(salsify).
óyster·shèll *n.* 잘게 부순 조개껍데기《사료》.
óyster whíte 잿빛 도는 백색.
óyster·wòman (*pl.* *-wòmen*) *n.* 굴 따는〔파는〕 여자.
OZ Asiana Airlines《항공 회사 코드》.
Oz [ɑz/ɔz] *n.* **1**《영구어》 =AUSTRALIA. **2** 오즈《미국 작가 F. Baum (1856-1919)의 동화에 나오는 마법의 나라》.
oz. ounce(s). **oz. ap.** 〖처방〗 ounce(s) apothecaries'.
Ózark Móuntains [óuzɑːrk-] (the ~) 오자크 산지〔고원〕(=the **Òzark Pláteau,** the **Ózarks**)《Missouri, Arkansas, Oklahoma 세 주에 걸쳐 있음》. ㊎ **Ózark·er** *n.* **Ozárk·ian** *a., n.*
Ózark Stàte 《미》 Missouri 주의 별칭.
OZMA [ázmə/ɔ́z-] *n.* 오즈마 계획《가까운 항성에서의 전파를 대형 전파 망원경으로 수신하여, 고도의 지능을 가진 우주인의 존재를 확인하려는 미국 우주실험 계획의 하나》.
ozo·ce·rite, ozo·ke·rite [ouzóukərὰit, -sə-ràit, òuzousíərait/ouzóukərit], [ouzóukərὰit, òuzoukíərait/ouzóukərit] *n.* Ⓤ 〖광물〗 지랍(地蠟), 오조세라이트.
ozone [óuzoun, -ˊ] *n.* Ⓤ 〖화학〗 오존; 《구어》(해변 등지의) 신선(新鮮)한 공기; 《비유》 기분을 돋우어 주는 힘〔것〕: an ~ apparatus 오존 발생장치.
ózone alèrt 오존 다량발생 경보.
ózone-deplèting *a.* 오존을 감소〔파괴〕하는: ~ CFC_s 오존을 파괴하는 클로로플루오로카본.
ózone deplètion 오존량 감소, 오존층 파괴.
ózone-èating *a.* 오존을 파괴하는.
ózone-frìendly *a.* 오존층을 파괴하지 않는《프레온 따위를 사용하지 않은》.
ózone hòle 오존 홀《오존층 파괴로 오존 농도가 희박해진 부분; 지상에 내려쬐는 자외선이 증가함》.
ózone làyer 오존층(ozonosphere).
ozon·er [óuzounər] *n.* 《미속어》 야외 극장〔경기장〕, 《특히》 자동차를 타고 들어가는 극장(drive-in theater).
ózone shìeld 오존층. ★전에는 ozone layer, ozonosphere 등으로 썼음.
ózone sìckness 〖항공〗 오존병(病).
ozon·ic [ouzánik/-zɔ́n-] *a.* 오존의; 오존 같은; 오존을 함유한.
ozo·nide [óuzənὰid, -zou-] *n.* 〖화학〗 오조니드, 오존화물.
ozo·nif·er·ous [òuzəníf*ə*rəs, -zou-] *a.* 오존을 함유한《공기 따위》; 오존을 발생하는.
ozon·ize [óuzənὰiz, -zou-] *vt.* 〖화학〗 (산소를) 오존화하다; 오존으로 처리하다, …에 오존을 포함하게 하다. **—** *vi.* (산소가) 오존화하다. ㊎ **-niz·er** *n.* 오존 발생기(器); 오존관(管). **òzon·i·zá·tion** [-ʃən] *n.*
ozo·nol·y·sis [òuzənálәsis, -zou-/-nɔ́l-] *n.* 〖화학〗 오존 분해.
ozo·nom·e·ter [òuzounámətər/-nɔ́m-] *n.* 오존계(計).
ozo·no·sphere [ouzóunəsfὶər] *n.* 오존층(層)(ozone shield).
ozo·nous [óuzənəs, -zou-] *a.* =OZONIC.
OZS. ounces. **oz. t.,** 《미》 **ozt.,** 《영》 **oz. tr.** troy ounce(s).
Oz·zie [ázi/ɔ́zi] *n., a.* 《영구어》 =AUSTRALIAN.

P

P, p [piː] (*pl.* **P's, *Ps*, *p's*, *ps*** [-z]) **1** 피《영어 알파벳의 열여섯째 글자》: *P* for Peter, Peter의 P《국제 전화 통화 용어》. **2** P자 모양(의 것). **3** P가 나타내는 음. **4** 열여섯 번째(의 것)《J를 제외할 경우에는 열다섯 번째》. **5** (P) 《미속어》 = PEE². **6** 〖통계〗 귀무가설(歸無假說)이 옳다고 가정할 경우에 관측값 이상의 값을 얻을 수 있는 확률. ***mind*** 〔***watch***〕 ***one's P's and Q's*** 〔***p's and q's***〕 언동을 조심하다.

P 〖유전〗 parental (generation); 〖물리〗 parity; (car) park; parking; passing; 〖체스〗 pawn; 〖수학〗 permutation; peseta(s); peso(s); petite; 〖화학〗 phosphorus; piaster(s); police; poor; 〖자동차국적표시〗 Portugal; 〖물리〗 power; 〖물리〗 pressure; 〖군사〗 prisoner. **p** 《구어》 new penny 〔pence, pennies〕; proton. **P.** pastor; *Pater* 《L.》(=Father); Pawn; Post; President; pressure; Priest; Prince; progressive. **p.** page; park; part; participle; past; pastor; 〖체스〗 pawn; pedestrian; penny 〔pennies, pence〕; per; perch(es); peseta(s); peso(s); 《It.》 〖음악〗 *piano* (=softly); pint; pipe; 〖야구〗 pitcher; pole; population; port; 《L.》 *post*(=after); principal; professional.

P- **1** 〖미육군〗 pursuit(추격기)《전투기(fighter)의 구칭》: *P*-38. **2** 〖미해군〗 patrol plane(초계기): *P*-3.

p- 〖화학〗 para-.

◇**pa**¹ [pɑː, pɔː/pɑː] *n.* 《구어·소아어》 아빠《papa의 간약형》.

pa² [pɑː] *n.* (Maori족의 방어책(柵)을 두른) 언덕 위의 마을.

PA 〖자동차국적표시〗 Panama; Pan American World Airways《항공 회사 코드》; 〖미우편〗 Pennsylvania; personal appearance. **P.A.** 〖해사보험〗 particular average; Passenger Agent; personal assistant; physician's assistant; Post Adjutant; power amplifier; Press Agent; 《영》 Press Association; prosecuting attorney; 《영》 public address (system); publicity agent; purchasing agent. **Pa** 〖물리〗 pascal; 〖화학〗 protactinium. **Pa.** Pennsyl-vania. **p.a.** participial adjective; per annum; press agent. **P.A., P/A** power of attorney; private account.

PAA Pan Amer- ican World Airways.

pa·'an·ga [pάːŋgə, pɑːάːŋgə] *n.* 파앙가《Tonga의 화폐 단위; 기호 T $; =100 seniti》.

PABA [pάːbə] *n.* =PARA-AMINOBENZOIC ACID.

Pab·lum [pǽbləm] *n.* **1** 패블럼《유아용 식품 이름; 상표명》. **2** (p-) 무미건조한 책〔사상〕《따위》, 어린애 속임수 같은〔유치한〕 것. **3** (p-) 에너지원(源).

pab·u·lum [pǽbjələm] *n.* **1** Ⓤ 음식, 영양물; 정신적 양식; (의논·논문 등의) 기초 자료: mental ~ 마음의 양식. **2** =PABLUM 2.

PABX 〖통신〗 private automatic branch exchange(자동식 구내 교환 (설비)).

PAC [pæk] *n.* 정치 활동 위원회《미국의 기업·노동조합·시민 단체 등이 선거 자금을 모아 정치 헌금을 하기 위해 설립한 조직》. [◂ *p*olitical *a*ction *c*ommittee]

pac [pæk] *n.* (한겨울용) 끈 달린 방수 부츠.

PAC Pan-Africanist Congress (범(汎)아프리카주의자 회의); Pan-American Congress (범미(汎美) 회의). **Pac.** Pacific. **P-A-C** 〖심리〗 Parent, Adult, Childhood.

pa·ca [pάːkə, pǽkə] *n.* 〖동물〗 파카《기니피그류(類)의 토끼만한 설치 동물; 고기는 식용; 라틴아메리카산》.

PACAF 《미》 Pacific Air Forces.

PACE [peis] *n.* 《미》 페이스《연방 정부 각 기관의 전문·정부 직원 채용 시험》. [◂ *P*rofessional and *A*dministrative *C*areer *E*xamination]

⁑**pace**¹ [peis] *n.* **1** (한) 걸음; 1보폭《2 ½ ft.》: He advanced twenty ~*s*. 그는 20보 전진했다. **2** 걸음걸이, 걷는 속도, 보조: go at a ~ of 3 miles an hour 시간당 3마일의 속도로 나아가다 / a fast ~ in walking 빠른 걸음 / a double-time ~ 구보 / an ordinary ~ 정상〔보통〕 걸음 / a quick ~ 속보. **3** 〔일반적〕 페이스, 속도《생활·일의》. **4** (말의) 걸음걸이, 보태(步態); 측대보(側對步)《한쪽 앞뒷다리를 동시에 드는 걸음걸이》, 《특히》 측대속보. ★ 말의 pace에는 walk, amble, trot, canter, gallop 따위가 있음. **5** 〖건축〗 (계단의) 층계참(landing); 작은 단(壇). **6** 〖야구〗 (투수의) 구속(球速); 〖문어·영화〗 템포, 속도: a CHANGE of ~. ***at a good*** ~ 잰 걸음으로, 상당한 속도로; 활발하게. ***force the*** ~ 〔***running***〕 ⇨ FORCE. ***geometric***(***al***) 〔***great***〕 ~, 2보폭《5 ft.》. ***go*** 〔***hit***〕 ~ 전속력으로 나아가다; 호화롭게 지내다, 방탕한 생활을 하다. ***go through*** one's ~***s*** 솜씨를 (드러내) 보이다. ***hold*** 〔***keep***〕 ~ ***with*** …와 보조를 맞추다, …에 뒤지지 않도록 하다. ***make*** one's ~ 걸음을 재촉하다, 보조를 빨리하다, 서두르다. ***make*** 〔***set***〕 ***the*** ~ (선두에 서서) 보조를 정하다, 정조(整調)하다《*for*》; 모범을 보이다, 솔선수범하다; 최첨단을 가다. ***mend*** one's ~ 보조를 빠르게 하다. ***off the*** ~ 선두〔1위〕보다 뒤떨어져서. ***put*** a horse 〔a person〕 ***through*** his ~***s*** 말의 보조를〔아무의 역량을〕 시험하다. ***Roman*** ~ 로마 페이스《고대 로마의 길이의 단위; 약 147 cm》. ***show*** one's ~***s*** (말이) 보태(步態)를 보이다; (사람이) 역량을 보이다. ***stand*** 〔***stay***〕 ***the*** ~ 뒤지지 않고 따라가다. ***the military*** 〔***regulation***〕 ~ 〖군사〗 표준 보폭. ***try*** a person's ~***s*** 아무의 역량을 시험하다, 인물〔인품〕을 보다.

— *vi.* **1** 《+副/+前+名》 (고른 보조로) 천천히 걷다; 왔다갔다하다《*up and down; about*》: ~ *along* a road 길을 따라 천천히 걷다 / ~ *up and down* the room 방 안을 서성거리다. SYN. ⇨ WALK. **2** (말이) 측대속보로 걷다. **—** *vt.* **1** (고른 보조로) …을 천천히 걷다, 왔다갔다하다: ~ the floor 마루 위를 천천히 걷다〔왔다갔다하다〕. **2** 《~+目/+目+副》 보측(步測)하다《*out; off*》: ~ the track 트랙을 보측하다. **3** …에게 보조를 보여주다, …의 속도를 조정하다; 정조(整調)하다; (말의) 보조를 조정하다; (말이 얼마간의 거리를) 일정한 보조로 달리다. ~ ***away*** 빈둥빈둥 시간을 보내다. ~ ***it*** 천천히 하다〔이야기하다〕.

pa·ce² [péisi] *prep.* 《L.》 …에게는 실례지만: ~ Mr. Smith 스미스씨에게는 실례지만. **~ *tua*** [-tjú:ei] (당신에게는) 실례지만.

páce bòwler [**màn**] 〖크리켓〗 속구 투수.

páce càr **1** (자동차 경주에서, 경기 개시 전) 선도차. **2** (마라톤 따위의) 선도차.

paced [peist] *a.* **1** 〖복합어로〗 걸음이 …인, …한 걸음의: slow-~ 걸음이 느린. **2** 페이스메이커가 정한 페이스의; 보측(步測)의; 리듬이〔템포가〕 맞는〔고른〕.

páce làp 페이스 랩《자동차 경주에서, 경기 개시 전에 선도차를 따라 모든 경주차가 코스를 일주하는 일》.

páce·màker *n.* **1** (다른 주자·기수 등을 위한) 보조〔속도〕 조정자, 페이스메이커. **2** 모범이 되는 사람, 선도자, 주도자. **3** 〖의학〗 페이스메이커, 심장 박동 조절 장치, 맥박 조정기《전기적 자극으로 심장의 고동을 계속시키는 장치》; 신경 조정기《두피(頭皮) 아래에 전극을 심어 전류를 흐르게 함으로써 신경증의 여러 증상을 제거하는 장치》.

páce·màking *n.*, *a.* 보조〔속도〕 조정(의).

páce nòtes 페이스노트《자동차 랠리 시합 전에 코스의 특징을 조사한 메모》.

pac·er [péisər] *n.* (고른 보조로 천천히) 걷는 사람; 보측자; 보조(步調) 조정자; 측대보로 걷고 있는 말; =PACEMAKER.

páce·sètter *n.* =PACEMAKER 1, 2.

páce·sètting *a.* 선두에 서는, 모범을 보이는, 선도적인: a ~ electronics firm 전자 산업의 첨단을 가는 회사.

pac·ey [péisi] *a.* **1** 《영구어》 빠른, 스피드가 있는; 활기 있는, 싱싱한. **2** 《미》 시류(時流)에 맞는, 최신의.

pacha, pachalic ⇨ PASHA, PASHALIC.

pa·chi·si [pətʃí:zi] *n.* Ⓤ 인도 주사위놀이.

pa·chu·co [pətʃú:kou] (*pl.* **~s**) *n.* 《미》 난폭하고 억센 멕시코계의 젊은이《손목에 문신이 있고 독특한 복장·헤어스타일을 하고 공동 사회를 이루고 있음》.

pach·y·ce·phal·o·saur [pækəsəfǽləsɔ̀:r] *n.* 〖고생물〗 파키케팔로사우루스《백악기의 북아메리카 대륙에 살았던 초식 공룡》.

pach·y·derm [pǽkidə̀:rm] *n.* 〖동물〗 후피(厚皮) 동물《코끼리·하마 등》; 《비유》 둔감한 사람.

pach·y·der·ma·tous [pækidə́:rmətəs] *a.* 〖동물〗 후피 동물의; (피부가) 비후(肥厚)한; 《비유》 둔감한, 무신경한, 낯두꺼운. ㊞ **~·ly** *ad.*

pach·y·der·mous [pækidə́:rməs] *a.* = PACHYDERMATOUS.

pach·y·san·dra [pækisǽndrə] *n.* 〖식물〗 회양목과(科) 파키산드라(*Pachysandra*) 속(屬)의 각종 식물《다년초》.

pac·i·fi·a·ble [pǽsəfàiəbəl] *a.* 달랠 수 있는.

pa·cif·ic** [pəsífik] *a.* **1** 평화로운, 평온한, 태평한(peaceful); (바다 따위가) 잔잔한: a ~ era 태평 시대. **2** 평화를 사랑하는, 화해적인, (성질·말 따위가) 온화한: ~ overtures 강화〔화해〕의 제의 / a man of ~ disposition 성질이 유순한 사람. **3** (P-) 태평양의; 미국 태평양 연안(지방)의. ***the Pacific States 미국 태평양 연안의 여러 주《California, Oregon, Washington 의 3 주》. ── *n.* (the P-) 태평양(Pacific Ocean). ㊞ **-i·cal·ly** *ad.* 평화롭게, 평화적으로; 온화하게.

pa·cif·i·cal [pəsífikəl] *a.* 《드물게》 =PACIFIC.

pa·cíf·i·cal·ly *ad.* 평화적으로, 우호적으로; 평온하게, 조용히.

pa·cif·i·cate [pəsífəkèit] *vt.* =PACIFY. ㊞ **-cà·tor** [-tər] *n.* 화해시키는 사람, 중재자, 조정자. **-ca·tò·ry** [-kətɔ̀:ri/-kətəri] *a.* 화해적인, 조정의; 유화적인.

pac·i·fi·ca·tion [pæ̀səfikéiʃən] *n.* **1** Ⓤ 강화, 화해; 화평 공작, 분쟁 제거〔해결〕, 조정; 진정, 평정; 〖군사〗 비(非)성역화《게릴라 활동의 근거지가 될 수 있는 마을·식량 공급원(源) 등의 파괴 전술》. **2** Ⓒ 강화〔평화〕 조약.

Pacífic Básin (the ~) =PACIFIC RIM.

Pacífic-básin cóuntry 태평양 해역(海域) 국가.

pacífic blockáde 〖국제법〗 (항구의) 평시(平時) 봉쇄.

Pacífic dáylight tìme 《미》 태평양 서머타임 《Pacific time의 여름 시간; 생략: PDT》.

Pacífic Íslander 남태평양에 있는 섬들의 주민, 폴리네시아인(人).

pa·cif·i·cism [pəsífəsìzəm] *n.* =PACIFISM. ㊞ **-cist** *n.*, *a.* =PACIFIST.

Pacífic Northwést (the ~) (북아메리카 대륙의) 태평양 쪽의 북서부(the Northwest) 《특히 Oregon 이북(以北), Rocky 산맥 이서(以西)》.

Pacífic Ócean (the ~) 태평양.

Pacífic Rím (the ~) 환태평양.

Pacífic-rìm *a.* 환태평양의.

Pacífic (**Stándard**) **Tìme** 《미》 태평양 표준시《Greenwich time 보다 8 시간, Eastern Standard Time 보다 3 시간 늦음; 생략: P.(S.)T., P(S)T》. cf. standard time.

pac·i·fi·er [pǽsəfàiər] *n.* 달래는 사람〔물건〕, 진정자, 조정자; (공복 등을) 채우는 것, 진정제; 《미》 고무젖꼭지.

pac·i·fism [pǽsəfìzəm] *n.* Ⓤ 평화주의, 반전론, 전쟁〔폭력〕 반대주의; 무저항주의.

pac·i·fist [pǽsəfist] *n.* 평화주의자, 반전론자; 무저항〔비폭력〕주의자. ── *a.* =PACIFISTIC.

pac·i·fis·tic [pæ̀səfístik] *a.* 평화주의〔애호〕의; 평화주의자의.

°**pac·i·fy** [pǽsəfài] *vt.* 달래다, 진정시키다, 가라앉히다; (식욕 등을) 채우다, (갈증 등을) 풀다(appease); …에 평화를 회복시키다, 진압〔진무, 평정〕하다: ~ a crying child 우는 아이를 달래다. ── *vi.* 진정되다; (마음 따위가) 풀리다, 누그러지다.

pac·ing [péisiŋ] *n.* Ⓤ 보측(步測).

‡**pack** [pæk] *n.* **1** 꾸러미, 보따리, 포장한 짐〔묶음〕, 짐짝; 팩, 포장 용기; 륙색, 배낭; 접은 낙하산: a peddler's ~ 행상인의 등짐〔보따리〕. SYN. ⇨ PACKAGE. **2** 팩《양의 단위; 양털·삼은 240 파운드, 곡물 가루는 280 파운드, 석탄은 3 부셸》. **3** (과일·생선 등의 연간·한철의) 출하량: this year's ~ of fish 금년의 생선(통조림 등의) 출하량. **4** (사냥개·이리·비행기·군함 등의) 한 떼〔무리〕; (악당 따위의) 일당, 한패: a ~ *of* thieves 도둑의 일당 / I shall dismiss the whole ~ *of* them. 나는 그들을 모조리 해고해 버리겠다. **5** (카드의) 한 벌; 《미》 (담배 등의) 한 갑: a (new) ~ of cards (새) 카드 한 벌 / a ~ of cigarettes 담배 한 갑. **6** 《경멸》 다수, 다량: a ~ of lies 거짓말투성이. **7** 부빙군(浮氷群)(ice pack). **8** 〖럭비〗 〖집합적〗 전위. **9** Cub Scouts 〔Brownie Guides〕의 편성 단위. **10** 〖의학〗 찜질(에 쓰는) 천, 습포; 강(腔)〔상처〕에 충전하는 탈지면〔거즈 따위〕; 얼음주머니(ice pack); (미용술의) 팩(용 화장품): a cold 〔hot〕 ~ 냉〔온〕습포. **11** 〖상업〗 포장(법). **12** 〖광산〗 갱도의 버팀(구조물); =PACK WALL. **13** 〖컴퓨터〗 팩《자료를 압축 기억시키는 일》. **14** 《미방언》 밀로 만든 술. **15** (판매자가 부른) 부당한 추가 요금, 부당하게 불린 값〔수량〕. ***go to the*** **~** 《Austral.속어》 의욕을 잃다; 악화하다; 쓰러지다; 깨지다. ***have a*** **~** 《미속어》 몹시 취하다.

── *a.* **1** 짐 나르는, 운반용의; 포장용의: ⇨ PACK ANIMAL / ~ equipment 포장 용구. **2** 한 떼〔무리〕가 된〔를 이룬〕.

— *vt.* **1** ⦅~+목/+목+부/+목+전+명⦆ 싸다, 꾸리다, 묶다, 포장하다⦅*up*⦆; …에[을] 채우다, 넣다: ~ *up* one's things 소지품을 꾸리다/He ~*ed* the trunk *with* the clothes. =He ~*ed* the clothes *into* the trunk. 그는 트렁크에 옷을 챙겨 넣었다. **2** ⦅~+목/+목+전+명⦆ (사람이) …을 꽉 채우다[메우다]; 채워[틀어] 넣다, 무리하게 넣다: The audience ~*ed* the hall. 청중이 홀에 꽉 찼다/~ men *into* a small room 사람들을 좁은 방에 밀어넣다. **3** ⦅~+목/+목+전+명⦆ 통조림으로 하다: Meat, fish, and vegetables are often ~*ed in* cans. 고기·생선·야채 따위는 종종 통조림으로 만들어진다. **4** (동물에) 짐을 지우다; …에 지우다⦅*with*⦆. **5** 메워 틀어막다, …에 패킹을 대다: ~ a leaking joint 물이 새는 이음매를 막다. **6** ⦅~+목/+목+전+명⦆ …을 눌러 굳히다; …의 주위에 채워 넣다: ~ dishes *in* straw 접시 주위에 짚을 채워 넣다. **7** ⦅+목+부⦆ 서둘러[지체 없이] 내보내다, 쫓아내다, 쫓아 보내다⦅*off; away*⦆: ~ a servant *off* 고용인을 해고하다/~ oneself *off* (해고된 사람 등이) 지체 없이 나가 버리다. **8** (위원회·배심원 등을) 자기편 일색으로 구성하다. **9** …에 찜질하다; (상처)에 거즈를 대다; (얼굴)에 미용 팩을 하다. **10** (포장하여) 나르다; ⦅속어⦆ (총·권총 따위를) 휴대하다(carry): ~ a piece 총을 갖고 있다. **11** …을 끝내다. **12** (카드를) 모으다; (사냥개 등을) 한데 모으다, 집합시키다. **13** ⦅구어⦆ (강타·충격 등을) 가할 수 있다; (위력 등을) 갖추고 있다. **14** 〖컴퓨터〗 압축하다⦅현행 자료를 보다 적은 두값 수(bit 수)로 압축하여 기억시키다⦆. **—** *vi.* **1** ⦅~/+부⦆ 짐을 꾸리다⦅*up*⦆; (물건이) 꾸려지다, 포장되다[할 수 있다], (상자 따위에) 담겨지다: I am going to ~ *up* now. 나는 지금부터 짐을 꾸리려는 참이다/Do these articles ~ *easily*? 이 품목들은 간단히 포장되나. **2** (땅·눈 따위가) 굳어지다; (동물이) 떼[무리]를 짓다: The ground ~*s* after the rain. 비가 온 뒤에는 땅이 굳어진다. **3** ⦅+전+명⦆ (사람이 좁은 장소에) 밀집하다, 몰려들다: More than 10,000 people ~ *in* this small land. 만 명 이상의 사람이 이 작은 지역에 살고 있다/The audience ~*ed into* the hall. 청중이 강당에 빽빽히 들어찼다. **4** ⦅+부⦆ (짐을 꾸려) 급히 나가 버리다⦅*off; away*⦆: No one knows when he ~*ed away*. 그가 언제 가출했는지 아무도 모른다. **5** 그만두다. **6** 〖럭비〗 스크럼을 짜다⦅*down*⦆. **7** ⦅속어⦆ (권총 등을) 휴대하다. ***be ~ed to the limit*** 만원이다. **~ *a* (*hard*) *punch*** ⦅구어⦆ 펀치력이 있다, 펀치가 세다; (술 따위가) 독하다; 위력이 있다, 대단한 효험이 있다; 거침없이 말하다. **~ *a wallop*** ⦅구어⦆ 강펀치를 먹일 수 있다; 대단한 효험이 있다, 강력하다(~ a punch). **~ *away*** 거두어 두다; ⦅구어⦆ (음식을) 먹어 치우다. **~ *in*** ⦅구어⦆ 포기하다, 그만두다; (작동이) 멈추다, 일을 그만두다; (아무)의 곁을 떠나다; (아무)의 관계를 끊다; (많은 관중을) 끌다. **~ *it in*** ⦅구어⦆ 끝내다, 그만하다; ⦅미속어⦆ 유리한 입장을 충분히 이용하다, 마구 벌다; 패배를 인정하다. **~ *it up*** ⦅구어⦆ 그만두다, 단념하다; ⦅미속어⦆ =~ it in. **~ (*on*) *all sail*** 돛을 전부 올리다. **~ *out*** ① …에 패킹을 하다; 만원이 되게 하다. ② …에 가득 채우다⦅*with*⦆. **~ *one's bags*** ⇨BAG¹. **~ *the mail*** ⦅미속어⦆ 빨리 달리다; 서둘러 여행을 하다. **~ *up*** ⦅*vt.*+부⦆ ① (짐을) 채워 넣다, 꾸리다, 포장하다. ② …을 그만두다: ~ *up* drinking [one's job] 금주하다[직장을 그만두다]. **—** ⦅*vi.*+부⦆ ③ (짐을 싸 가지고) 나가다. ④ ⦅구어⦆ 일을 끝내다; 은퇴하다, 일체 손을 떼다. ⑤ ⦅구어⦆ (엔진 등이) 멎다, 고장나다. ⑥ 죽다; 〔명령문〕 (입) 다물어. ***send*** a person ~***ing*** 아무를 데꺽 해고하다, 쫓아내다.

⁑pack·age [pǽkidʒ] *n.* **1** Ⓤ 짐꾸리기, 포장: ~ paper 포장지. **2 a** 꾸러미, 소포, 고리; 포장한 상품, 기계[장치]의 유닛[단위 완성품]: a ~ of goods 한 꾸러미의 상품/A small ~ reached me today. 오늘 작은 소포가 왔다. **b** 포장재(材), 포장지, (상자 등 포장용) 용기.

> SYN. **package** 판매를 위해 상자나 그릇 따위에 포장한 것. **pack** 행상인 따위가 등에 짊어지기 알맞게 꾸린 것: a mule's *pack*. **parcel** 수송할 목적으로 상자 따위에 작게 꾸린 꾸러미, 특히 소포 우편. **packet** 비교적 작은 꾸러미로, 주로 편지 따위의 묶음. **bundle** 운반·저장 따위를 위해 여럿을 한데 대충 묶은 것: a *bundle* of straw. **bunch** 같은 종류로 많은 것을 한데 묶은 것: a *bunch* of flowers. **bale** 솜·건초 따위를 네모지게 압축하여 단단히 묶은 화물: *a bale* of cotton.

3 짐 꾸리는 삯, 포장비. **4** 뭉뚱그려진 것, 일괄, 일괄 거래; 〖TV·라디오〗 (이미 만들어 놓은) 일괄 프로; =PACKAGE TOUR; 종합 정책[계획]; 〖컴퓨터〗 꾸러미, 패키지⦅범용(汎用) 프로그램⦆; (단체 교섭에서 획득한) 전체의 이익. **5** ⦅구어⦆ 아담한 것[사람]; ⦅미속어⦆ 몸매가 작고 귀여운 여자. **6** ⦅미속어⦆ 큰돈. **7** 〖전자〗 반도체 소자(素子)를 봉입하는 용기.

— *vt.* **1** 꾸리다, 포장하다, 짜임새 있게[예쁘게] 담다. **2** 일괄하다; 일괄 프로로서 제작하다; (제품)의 포장을 고안 제작하다.

— *a.* 일괄의, 패키지의: ⇨PACKAGE DEAL, PACKAGE TOUR.

㊞ **páck·ag·er** *n.* **páck·ag·ing** *n.* 짐꾸리기, 포장; 포장 재료; 발표.

páck·aged *a.* ⦅미속어⦆ 술에 취한.

páckage dèal 일괄 거래[교섭]; 일괄 거래 상품[계약].

páckaged tóur =PACKAGE TOUR.

páckage plàn 일괄안(案)⦅외교 교섭에서 많은 문제를 동시에 토의·해결하는 안⦆.

páckage stòre ⦅미⦆ 주류 소매점(⦅영⦆ off-license)⦅가게에서는 마실 수 없음⦆.

páckage tòur [**hòliday**] 패키지 투어⦅여행사 주관의 단체 여행⦆.

páck ànimal 짐 싣는 동물⦅짐을 운반하는 소·말·낙타 따위⦆.

páck dàte 상품 포장[라벨]에 표시된 가공[포장] 날짜.

páck drìll 〖군사〗 무장하고 걸어 돌아다니게 하는 벌(罰). ***no names, no ~*** ① 신중하면 벌을 받지 않는다. ② 이름은 밝힐 수 없지만.

packed [-t] *a.* **1** 만원인; 굳게 압축된. **2** 〔복합어〕 …로 꽉찬 : an action-~ movie 액션이 넘치는 영화. **3** (식품이) 팩[상자]에 든.

páсked méal 팩에 든 식품[도시락].

pácked-óut *a.* (방 따위가) 혼잡한, 만원의.

páck·er *n.* **1** 짐 꾸리는 사람; 포장업자. **2** 통조림업자[공]. **3** ⦅미⦆ 식료품 포장 출하업자⦅정육·과일 등을 포장하여 시장에 출하하는 도매업자⦆: a fruit ~. **4** 포장기[장치]. **5** ⦅미⦆ 마부, 소 치는 사람; ⦅Austral.⦆ =PACK ANIMAL.

⁑pack·et [pǽkit] *n.* **1** 소포; (편지 따위의) 한 묶음, 한 다발; ⦅영⦆ 급료 (봉투)(pay ~). SYN. ⇨PACKAGE. **2** (사람수가 적은) 일단. **3** 우편선, 정기선(~ boat)⦅우편·여객·화물용⦆. **4** 〖컴퓨터〗 다발⦅컴퓨터 정보[데이터] 통신에서 한 번에 전송하는 정보 조작 단위(량)⦆. **5** ⦅영구어⦆ (도박·투기 따위에서 번[잃은]) 큰돈; 큰 손해; 대량, 다수. **6** ⦅영속어⦆ **a** 타격, 구타. **b** 불운, 실패. ***buy*** [***catch, cop, get, stop***] ***a ~*** ⦅영속어⦆ 말썽을 일으키다; 뜻하지 않은 화를 입다, 치명상을 입

다; (탄환 등으로) 크게 다치다; 혼쭐나다. **cost a ~** 《영구어》 큰돈이 들다. **sell** a person **a ~** 《속어》 아무에게 거짓말하다. **—** *vt.* **1** 소화물〔소포〕로 하다. **2** 우편선으로 보내다. **3** 〖컴퓨터〗 (정보·자료를) 다발로 하다.

pácket bòat 〔**shìp**〕 (정부가 용선 계약한) 우편선; (연안·하천에서 여객·우편물·화물을 나르는 흘수(吃水)가 얕은) 정기선.

pácket dày 정기선 출항일; (정기선의) 우편물 마감일.

pácket drìver (데이터 통신에서의) 패킷 드라이버《패킷 형식의 데이터 전송을 하는 프로그램》.

pácket-swítched [-t] *a.* 〖통신〗 패킷 교환(방식)의.

pácket swìtching 〖통신〗 패킷 교환 (방식) 《패킷 단위의 데이터 교환 (방식)》; 〖컴퓨터〗 패킷 교환.

pácket swìtching nètwork (데이터 통신에서의) 패킷 교환망《통신할 데이터를 중계국에 모아 패킷화한 후 단말기에 전송하는 네트워크 통신 시스템》.

páck·hòrse *n.* 짐말, 핫길 말; 《고어》 악착같이 일하는 사람.

páck·hòuse *n.* 창고; 포장 작업장.

páck ìce 군빙(群氷), 총빙(叢氷)(ice pack)《바다의 부빙(浮氷)이 모여 얼어붙은 것》.

páck·ing *n.* Ⓤ **1 a** 짐꾸리기, 포장; 《미》 통조림(제조)업; 식료품 포장 출하업《정육·과일 등을 포장하여 시장에 출하하는 도매업》; 사람〔동물〕의 등에 지워서 하는 운반: ~ charges 〔paper〕 포장비〔지〕. **b** 포장용품〔재료〕, (포장용) 충전물, 패킹《삼 부스러기·솜 등》. **2 a** 〖기계〗 패킹; 〖인쇄〗 통바르기《인쇄면을 고르게 하기 위한》; 〖건축〗 틈 메우기. **b** 〖의학〗 상처 따위에 대는〔끼우는〕 것《거즈·탈지면 등》; 습포.

pácking bòx 〔**càse**〕 수송용 포장 상자, 《특히》 포장품 위에 씌우는 나무틀; 〖기계〗 =STUFFING BOX.

pácking bùsiness 《미》 통조림 제조업, 식품 포장 출하업, 《특히》 정육 출하업.

pácking cràte 포장용 나무 상자.

pácking dènsity 〖전기〗 (전자 부품의) 실장(實裝) 밀도; 〖컴퓨터〗 패킹 밀도.

pácking effèct 〖물리〗 =MASS DEFECT.

pácking fràction 〖원자〗 질량 편차율; 채우기 비율.

pácking hòuse 〔**plànt**〕 《미》 통조림 공장; 식품 가공〔포장〕 공장, 정육 포장 출하 공장.

pácking lìst 〖상업〗 포장 (내용) 명세서.

pácking matèrial 포장용 충전물.

pácking shèet 포장용 천, 포장지; 습포(濕布).

pácking slìp 〖상업〗 패킹 슬립《포장된 상품의 내용·출하지 등을 기재하여 첨부하는 집표》.

páck jòurnalism 합동 취재 보도; 합동 보도진《동일 뉴스를 합동으로 취재, 똑같이 보도하는》.

páck·man [-mən] (*pl.* ***-men*** [-mən]) *n.* 행상인(peddler).

páck ràt 1 큰 쥐의 일종《북아메리카산》. **2** 《미구어·비유》 무엇이든 모아 두는 사람; 《미구어》 늙은 시굴자(試掘者); 《미방언·속어》 좀도둑, 신용할 수 없는 사람; 《미속어》 호텔의 포터.

páck·sàck *n.* 《미》 (여행용) 배낭.

páck·sàddle *n.* 길마.

páck·thrèad *n.* Ⓤ 짐 꾸리는 (노)끈.

páck·tràin *n.* 짐나르는 동물의 행렬〔떼〕.

páck trìp 말을 타고 하는 여행.

páck·trìpper *n.* 배낭〔등짐〕을 메고 산야를 걷는〔하이킹하는〕 사람(backpacker).

páck wàll 〖광산〗 충전벽(充塡壁)《갱도의 천장을 버티는 거친 돌벽》.

Pac-Man [pǽkmæ̀n] *n.* 팩맨《일본의 Namco 제의 TV 게임; 미로 속에서 괴물을 피하면서 Pac-Man에게 먹이를 먹게 함; 상표명》.

Pác-Man defénse 《미》 〖경영〗 기업 매수에 대한 방어책의 하나《기업 매수를 획책당한 기업이 획책한 쪽의 기업을 매수하겠다고 선언하는 일》.

PACOM 《미》 Pacific Command (태평양 지구 사령부).

°**pact** [pækt] *n.* 계약, 협정, 조약: a peace ~. **—** *vt.* …와 계약〔협정〕하다, …와의 계약〔협정〕서에 서명하다.

PAC 10 [pǽktén] 팩 텐《미국 태평양 연안 10개 대학으로 구성된 풋볼 경기 연맹; 리그전을 행하며, Pacific Ten 이라고도 함》.

pacy [péisi] *a.* 《영구어》 =PACEY 1.

pad**[1] [pæd] *n.* **1** (충격·마찰·손상을 막는) 덧대는 것, 메워 넣는 것, 받침, 패드; (상처에 대는) 거즈, 탈지면《따위》; (흡수성) 패드《생리용구》. **2** 안장 대신 쓰는 방석, 안장 받침; 〖구기〗 가슴받이, 정강이받이《따위》; (웃옷의) 어깨심, 패드《padding이 정식》. **3 a** 스탬프 패드, 인주. **b** 대(臺); 발착대, 발사대, 헬리콥터 이착륙장; (노면에 박힌) 교통 신호등 제어 장치《차가 그 위를 통과하면 신호가 바뀜》: a launching ~ 로켓〔미사일〕 발사대. **4** (한 장씩 떼어 쓰게 된) 종이철(綴): a writing ~ 편지지철. **5** (동물의) 육지(肉趾), (여우·토끼 따위의) 발; 발자국. **6** 《미》 (수련 따위의) 부엽(浮葉). **7** (회중시계의) 줄. **8** (털실·방적사(絲)의) 다발, 뭉치, 꾸러미. **9 a** 〖해사〗 이물 방충재(防衝材); 〖조선〗 갑판받이; 《미속어》 (자동차의) 번호판. **b** (각종 도구를 달아〔끼워〕 쓸 수 있는) 자루, 손잡이, 핸들; =KEYPAD. **10** 《속어》 마약 상용자 소굴, 아편굴; 침상(寢床), (자기의) 방, 주거; 《미속어》 갈보집; 《속어》 이상향, 이상적인 생활. **11** 《미속어》 (경찰이 불법을 봐주고 공동으로 받는) 뇌물; 증회자(贈賄者) 명부. **12** 〖컴퓨터〗 느리개, 채우개, 패드《자료 기록란의 불필요한 부분을 빈자리 등으로 채우는 일》. ***knock 〔***hit***〕 ***the ~*** 《미속어》 잠자리에 들다, 자다. ***on the ~*** 《미속어》 (경관이) 뇌물을 받고.

— *vt.* (**-dd-**) **1** …에 덧대다〔메우다〕; …에 패드를 넣다〔대다〕, (옷 따위에) 솜을 두다, 심을 넣다: *~ded* field uniform 〖군사〗 (솜 넣고 누빈) 방한복. **2** (말에) 안장 받침을 대다. **3** 《+目+副》 (문장·연설 등을) 군말을 넣어 길게 하다 《*out*》: ~ *out* an article 기사를 부연하다. **4** (장부 등을) 허위 조작하여 불려 쓰다: a *~ded* bill 《미》 바가지 씌운 계산서. **5** …의 구석구석까지 스며들게 하다. ~ ***down*** 《속어》 자다; (총기를 가졌는지) 신체검사〔보디 체크〕를 하다. ~ ***out*** ① ⇨ 3. ② 《미속어》 자다.

pad[2] *n.* Ⓤ 걸음이 느린 말, 여행용 말(padnag); 노상강도; 퉁하는〔둔탁한〕 소리《발소리 따위》; 《고어·영방언》 통로, 도로. ***a gentleman*** 〔***knight, squire***〕 ***of the ~*** 노상강도. **—** (**-dd-**) *vt., vi.* 어슬렁어슬렁 걷다; 가만히 걷다; 도보로 가다〔여행하다〕; 짓밟다, 밟아 다지다. ~ ***it*** 〔***the hoof***〕 ⇨ HOOF. ~ ***the road*** 걸어서 지치다.

pad[3] *n.* (과일·물고기 등의) 계량(計量) 바구니.

PaD(.) Pennsylvania Dutch.

pa·dauk, pa·douk [pədáuk] *n.* 〖식물〗 자단(紫檀)(목).

pád·clòth *n.* =SADDLECLOTH.

pád·ded [-id] *a.* **1** 패드를 댄〔넣은〕; 덧댄 것 같은, 푹신한. **2** 《미속어》 훔친 물건을 몰래 숨기고 있는.

pádded bág (소포용) 쿠션 봉투《책 등을 넣어 서 보냄》.

pádded céll 다치지 않도록 벽에 완충물(緩衝物)을 댄 정신병자나 죄수의 방.

pád·ding *n.* Ⓤ 채워 넣기, 패드를 댐〔넣음〕, 심을 넣음; 심, (웃옷의) 어깨심, 충전물《헌솜·털·짚 등》; (신문·잡지의) 여백 메우는 기사(filler(s)); (저작·연설 등에서) 불필요한 삽입

어구; (경비의) 조작하여 불린 부분.
Pad·ding·ton [pǽdiŋtən] *n.* [U] 패딩턴《런던 서부의 주택 구역, 또 발착역 이름》.
⁑**pad·dle**[1] [pǽdl] *n.* **1** (카누 따위의) 짧고 폭 넓은 노; 노〔주걱〕 모양의 물건; (세탁용) 방망이; 《미》 (탁구의) 라켓, (패들 테니스의) 패들: a double ~ 양 끝에 젓는 부분이 있는 노. **2** (물레방아·외륜선의) 물갈퀴; 〖동물〗 (거북 따위의) 지느러미 모양의 발(flipper); 《미속어》 비행기의 엔진. **3** 노로 젓기, 한 번 저음: Now, let's have a ~ before we leave for home. 우리 집에 가기 전에 배나 좀 타자. **4** (수문의) 물막이 판. **5** 《미구어》 노 모양의 막대기《체벌용》; 철썩 때리기. **6** 〖컴퓨터〗 패들《깜박이(cursor) 조정 장치》. — *vi.* **1** 노를 젓다; 조용히 젓다. **2** (배가) 외륜으로 움직이다. **3** 손으로 물을 젓다, 개헤엄치다. — *vt.* **1** 노로〔외륜으로〕 움직이게 하다. **2** 노로 저어 운반하다. **3** 주걱으로 휘젓다. **4** 라켓으로 치다; 《미구어》 (체벌로서) 철썩 때리다(spank). ~ one***'s own canoe*** 독립 독행하다.
pad·dle[2] *vi.* **1** 얕은 물속에서 철벅거리(며 놀)다; 철벅철벅 (흙탕)물을 튀기다; 《미》 얕은 여울을 첨벙첨벙 건너가다: children *paddling through* the slush 눈 녹은 진창길을 철벅거리며 가는 아이들. **2** 만지작거리다《*on; in; about*》. **3** 아장아장 걷다.
páddle·bàll *n.* 패들볼《공을 라켓으로 코트의 벽면에 번갈아 치는 게임》.
páddle·bòard *n.* (파도 타기용) 부판(浮板)(surfboard); (배의) 외륜 물갈퀴.
páddle·bòat *n.* 외륜선.
páddle bòx (외륜선의) 외륜 덮개.
páddle·fish *n.* 〖어류〗 주둥이가 주걱같이 생긴 철갑상어《특히 Mississippi 강에 서식하는 것과 중국 양쯔강(揚子江)에 서식하는 것》.
pád·dler[1] *n.* **1** 물을 젓는 사람〔물건, 장치〕; 카누를 〔카약(kayak)을〕 젓는 사람. **2** 탁구 선수. **3** =PADDLE STEAMER.
pád·dler[2] *n.* 물장난하는 사람; 물장난할 때 입는 옷《어린이용》.
páddle stèamer 외륜선(side-wheeler).

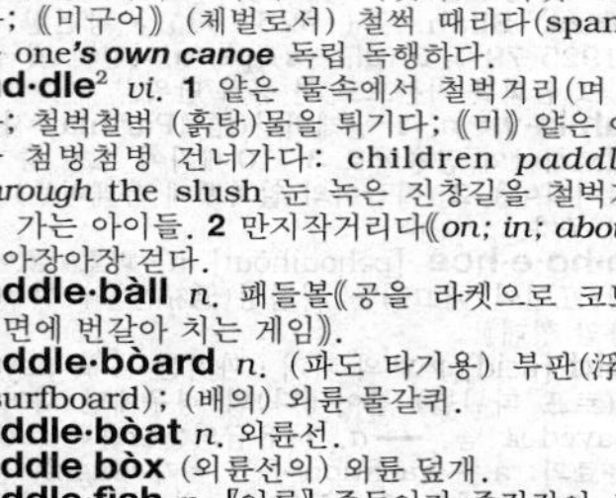
paddle steamer

páddle tènnis 패들 테니스《큰 패들로 스펀지 공을 치는 테니스 비슷한 운동》.
páddle whèel (외륜선의) 외차, 외륜.
páddle whèeler =PADDLE STEAMER.
páddling pòol (공원 등의) 어린이 물놀이터 (wading pool)《얕은 풀》.
pad·dock[1] [pǽdək] *n.* (마구간에 딸린) 작은 방목장; 경마장 부속의 울친 잔디밭《출장마를 선보이는 곳》; (자동차 경주 코스의) 발차 대기소. — *vt.* (방목장 등을) 둘러싸다; 울친 방목장 등에 넣다〔가두다〕.
pad·dock[2] *n.* 《고어·영방언》 개구리, 두꺼비.
Pad·dy [pǽdi] *n.* 패디《남자 이름; Patrick의 애칭; 여자 이름; Patricia의 애칭》; 《속어》 아일랜드(계) 사람《별명》; (p-) 《미구어》 성냄, 격노; (p-) 《속어》 경관; (p-) 《미속어》 쓸모없는 녀석, 탐탁지 않은 사람. ~***'s land*** 아일랜드.
pad·dy, padi [pǽdi] (*pl.* ***pád·dies, pád·is***) *n.* [U] 쌀, 벼; [C] 논(=~ **field**).
Páddy's hùrricane 〖해사〗 절대 무풍.
páddy wàgon 《미속어》 (죄수) 호송차(patrol wagon); 격리된 곳에 수송하는 차.
paddy·whack [pǽdi*h*wæ̀k/-wæ̀k] *n.* 《영구어》 격분, 울화통; 《미구어》 손바닥으로 치기. — *vt.* 《미구어》 철썩 갈기다.
pa·di·shah, pad·shah [pá:diʃà:], [pá:dʃà:] *n.* (종종 P-) 대왕, 제왕《이란의 Shah, 터키의 Sultan, 무굴 제국의 황제, 인도에서는 독립 전의 영국 왕의 칭호》; 실력자, …왕.
pád·lòck *n.* 맹꽁이자물쇠. — *vt.* …에 맹꽁이자물쇠를 채우다〔잠그다〕; 폐쇄하다, 출입〔사용〕을 금하다; (언론 등을) 탄압하다.
pád·nàg *n.* 걸음이 느린 말, 늙은 말; 측대보(側對步)로 걷는 말.
padouk ⇨ PADAUK.
pa·dre [pá:drei, -dri/-dri] *n.* (스페인·이탈리아 등지의) 신부, 목사; 《미구어》 군목(軍牧), 종군 신부(chaplain).
pa·dri·no [pədrí:nou] (*pl.* ~***s***) *n.* 《Sp.》 대부(godfather); 보호자, 후견인.
pa·dro·ne [pədróuni] (*pl.* ~***s, -ni*** [-ni:]) *n.* 《It.》 주인, 우두머리; (지중해의) 상선의 선장; 《미》 이탈리아 이민 노동자의 십장; (이탈리아의) 거지 아이나 거리의 악사 등의 왕초; 여인숙 주인.
pád ròom 아편굴; 침실.
pád sàw 작은 실톱《사용 후 날을 자루 속에 밀어넣게 되어 있는 것》.
pad·u·a·soy [pǽdʒuəsɔ̀i] *n.* [U] 튼튼한 견직물의 일종; [C] 그것으로 만든 옷.
pae·an [pí:ən] *n.* 기쁨의 노래, 찬가《본디 Apollo 신에게 바치던 승리 감사의 노래》; 환호성; 절찬; =PAEON.
paed-, ped- [pí:d, péd], **pae·do-, pe·do-** [pí:dou, -də, péd-] '소아, 유년 시대' 란 뜻의 결합사《특히 모음 앞에서는 paed-, ped-》.
paed·er·ast [pédəræ̀st, pí:d-] *n.* =PEDERAST.
pae·di·at·ric [pì:diǽtrik, pèd-] *a.* ⇨ PEDIATRIC.
pae·di·a·tri·cian [pì:diətríʃən, pèd-] *n.* =PEDIATRICIAN.
pàe·di·át·rics *n.* ⇨ PEDIATRICS.
pae·di·at·rist [pì:diǽtrist, pèd-] *n.* =PEDIATRICIAN.
pàedo·báptism *n.* =PEDOBAPTISM.
pae·dol·o·gy [pidɑ́lədʒi/-dɔ́l-] *n.* =PEDOLOGY.
pae·do·mor·pho·sis [pì:dəmɔ́:*r*fəsis] *n.* 〖생물〗 유형(幼形) 진화《개체 발생 초기에 계통 발생 진화에 의해 일어나는 변화》.
pa·el·la [pɑ:éil*j*ə, pɑ:jélə] *n.* 파에야《쌀·고기·어패류·야채 등에 사프란향(香)을 가미한 스페인 요리; 그것을 끓이는 큰 냄비》.
pae·on [pí:ən] *n.* 〖운율〗 (장음절 하나와 단음절 세 개로 된) 4 음절 운각(韻脚).
paeony ⇨ PEONY.
pae·san [paizá:n] *n.* 《미속어》 같은 출신지〔나라〕 사람, 동향인, 동포.
°**pa·gan** [péigən] *n.* **1** 이교도(異教徒)《기독교·유대교·마호메트교의 신자가 아닌 사람》, 《특히》 (유대교 이전의 그리스·로마의) 다신교도, 우상 숭배자. [cf] heathen. **2** 속념(俗念)〔물욕·육욕〕에 사로잡힌 사람, 신앙(심)이 없는 사람, 무종교자; 미개인. — *a.* 이교(도)의; 우상 숭배의; 무종교의. [파] ~**·dom** *n.* 이교권(圈), 이교도의 세계; 〖집합적〗 이교도. ~**·ly** *ad.*
pa·gan·ish [péigəniʃ] *a.* 이교적인, 이교를 믿는; 우상 숭배를 하는.
pá·gan·ìsm *n.* [U] 이교 (신앙), 우상 숭배; 이교 사상〔정신〕; 무종교; 관능 예찬. [파] **-ist** *a., n.*
pá·gan·ìze *vt., vi.* 이교화하다, 이교도가 되다; 이교도적으로 행동하다.
†**page**[1] [peidʒ] *n.* **1** 페이지《생략: p., *pl.* pp.》, 쪽, 면; (인쇄물의) 한 장: on ~ 5, 5 페이지에 /

open the book to 〔at〕 ~ 30, 책의 30 페이지를 펼치다 / turn the ~*s* 책장을 넘기다 / the sports ~*s* 스포츠 난〔면〕. **2** (인생 · 일생의) 에피소드, (역사상의) 사건, 시기; (*pl.*) (책 등의) 한 절(passage): a brilliant ~ in his life 그의 생애에서 빛나는 시기. **3** 〖시학 · 수사학〗 (종종 *pl.*) 책, 문서, (역사 등의) 기록, 연대기: in the ~*s* of Shakespeare 셰익스피어의 작품 중에. **4** 〖인쇄〗 페이지 조판. **5** 〖컴퓨터〗 페이지《기억 영역의 한 구획; 그것을 채우는 정보》. **—** *vt.* …에 페이지를 매기다; (책 따위의) 책장을 훌훌 넘기다. **—** *vi.* 책 따위를 휙 훑어보다《*through*》; 〖컴퓨터〗 페이지 매기기(paging)를 하다.

page² *n.* (제복 입은) 보이(~ boy), 급사; 시동(侍童), 근시(近侍); 〖역사〗 수습 기사(騎士)《기사의 수종 소년》; 신부 들러리 서는 소년; 《미》 (국회의원의 시중을 드는) 사환 (아이). **—** *vt.* (급사가 하는 식으로) 이름을 불러 (아무를) 찾다; (급사에게) 이름을 불러 (아무를) 찾게 하다; 급사로서 일하다〔시중들다〕; (아무)에게 휴대용 무선 호출기로 연락하다; (전기 기구를) 전자 원격 조작 장치로 제어〔조작〕하다. **~ *it*** 《미속어》 〖의회〗 (문서 등을) 사환 아이를 시켜 보내다.

°**pag·eant** [pǽdʒənt] *n.* **1** Ⓒ (역사적 장면을 표현하는) 야외극, 구경거리, 패전트. **2** (축제 따위의) 화려한 행렬, 가장행렬, 꽃수레. **3** (중세의) 종교극 연출 (이동) 무대; 변전(變轉)의 연속. **4** Ⓤ 성관(盛觀), 장관; 허식, 겉치레.

pag·eant·ry [pǽdʒəntri] *n.* Ⓤ 〖집합적〗 화려한 구경거리; 장관, 성관; 허식, 겉치레.

páge bòy 보이, 급사; 시동(侍童).

páge·bòy *n.* Ⓤ 안말이《안쪽으로 말아 넣은 여자 머리 모양》; =PAGE BOY.

páge dòwn kèy 〖컴퓨터〗 페이지 다운 키《일반적으로 깜박이(cursor)를 정해진 행수만큼 아래로 이동하는 키》.

páge hèading 〖컴퓨터〗 페이지 서두《페이지의 앞머리에 나타나는 페이지에 대한 서술》.

page·hood, page·ship [péidʒhùd], [-ʃìp] *n.* page²의 신분〔직〕.

páge-óne 《미속어》 *a.* 센세이셔널한, 재미있는. **—** *n.* =PAGE-ONER.

páge-óner *n.* 《미속어》 제 1 면 기사; 센세이셔널한 뉴스; 항상 제 1 면에 실릴 만한 연예인〔유명인〕.

páge prèviewing 〖컴퓨터〗 페이지 미리 보기《인쇄되었을 때의 체제를 화면에 표시하기》.

páge pròof 〖인쇄〗 페이지 조판 〔O.K.〕 교정쇄(刷).

pag·er [péidʒər] *n.* =RADIO PAGER.

páge thrée gìrl 타블로이드판 대중지의 누드 사진 모델.

Pág·et's disèase [pǽdʒəts-] 〖의학〗 파제트병, 변형성 골염(骨炎); 〖의학〗 유방 파제트병《암 질환의 일종》.

páge tùrner 기막히게 재미있는 책.

páge ùp kèy 〖컴퓨터〗 페이지 업 키《일반적으로 깜박이(cursor)를 정해진 행수만큼 위로 이동하는 키》.

pag·i·nal, pag·i·nary [pǽdʒənl], [-nèri/-nəri] *a.* 페이지의; 페이지로 된; 한 페이지씩의, 페이지마다의; 대(對)페이지의: ~ translation 대역.

pag·i·nate [pǽdʒənèit] *vt.* …에 페이지를 매기다.

pàg·i·ná·tion *n.* Ⓤ,Ⓒ 페이지 매김; 페이지를 나타내는 숫자; 페이지 수, 매수(枚數); 〖컴퓨터〗 페이지 나누기.

pag·ing [péidʒiŋ] *n.* =PAGINATION; 〖컴퓨터〗 페이징《필요시 보조 기억 장치에서 주기억 장치로 페이지를 전송하고 불필요해지면 페이지를 되돌리는 기억 관리 방법》.

pa·go·da [pəgóudə] *n.* **1** 탑《동양식(式)의 여러 층으로 된》. **2** 탑 모양의 정자; (신문 · 담배 등을 파는) 탑 모양의 노점. **3** 인도의 옛날 금화〔은화〕.

pagoda 1

pagóda trèe 1 〖식물〗 회화나무. **2** 《우스개》 돈이 열리는 나무. ***shake the*** **~** 〖영국사〗 (인도에 가서) 손쉽게 부자가 되다.

pah [pɑː] *int.* 홍, 체《경멸 · 불쾌 등을 나타냄》.

Pah·la·vi¹ [pɑ́ːləviː/-vi] *n.* 팔레비. **1 Muhammad** 〔**Mohammed**〕 **Reza** 〔**Riza**〕 **~** 이란의 국왕(1941-79)《1979년 이란 · 이슬람 혁명으로 망명함; 1919-80》. **2** 팔레비 왕조《Reza 〔Riza〕 Shah ~ (1925-41)가 창건한 왕조 (1925-79)》. **3** (*pl.* **~s**)(p-) **a** 이란의 옛 금화. **b** 그 금화를 기본으로 한 통화 단위.

Pah·la·vi² *n.* **1** 팔레비어(語)《Parthia, 사산조 페르시아의 공용어로 3-10 세기에 쓰인 중기 페르시아어》. **2** (아랍어의 알파벳에 유래하는) 팔레비 문자.

pa·ho·e·hoe [pəhóuihòui] *n.* 파호이호이 용암《표면이 매끄러운 저점성(低粘性)의 현무암질 용암 형태》.

paid [peid] PAY¹의 과거 · 과거분사. ★ pay out ((로프 따위를) 풀어내다)의 경우에만 과거형을 payed로 씀. **—** *a.* **1** 유급의; 고용된(hired); 유료의: a ~ vacation 유급 휴가 / highly-~ 높은 급료를 받는. **2** 지급〔정산, 환급〕을 끝낸《*up*》. **3** 《미구어》 술취한. ***put* ~ *to*** …의 끝장을 내다; (계획 등을) 틀어지게 하다, 좌절시키다 《…에 '지급필(paid)의 도장을 찍다'의 뜻에서》.

páid-ín *a.* 회비〔입회금 등〕 납입을 끝낸: a ~ membership of 2,000, 회비를 납부한 2,000 명의 회원.

páid-úp *a.* 회비〔입회금 등〕 납입을 끝낸; 지급을 끝낸 : ~ insurance 납입필 보험.

*__pail__ [peil] *n.* **1** 들통, 버킷. **2** 한 들통(의 양). **3** (아이스크림 등의 수송에 쓰는) 원통형 용기; 《미속어》 위(胃): a dinner ~ 《미》 도시락 통. ㊕ **∠·fùl** [-fùl] *n.* 한 들통 (가득한 양): a ~*ful* of water 물 한 들통.

pail·lard [paijɑ́ːr, peijɑ́ːr] *n.* 파이야르《쇠고기를 두드려 얇게 해서 구운 요리》.

pail·lasse [pæljǽs, ∠-, pæliǽs, ∠-∠/pǽliæs, ∠-∠] *n.* 짚을 넣은 요.

pail·lette [paijét/pəlét] *n.* 파예트《(1) 에나멜 세공용의 금속 · 금박 · 은박 조각 등. (2) 의복 · 막 등에 쓰는 반짝이는〔장식용의〕 금속 조각 · 구슬 · 보석 등. (3) 번쩍거리는 비단》, 스팽글(spangle). ㊕ **pail·létt·ed** [-id] *a.* 스팽글로 장식한.

__pain__ [pein] *n.* **1 Ⓒ (몸의 일부의) 아픔: a ~ *in* the head 두통 / ~*s* in the back 등의 통증 / feel some ~ 통증을 좀 느끼다 / have 〔feel〕 a ~ in …가 아프다.

> **SYN.** **pain** 갑자기 오는 쑤시는 듯한 아픔: a *pain* in one's ankle 발목의 쑤시는 듯한 아픔. **ache** 오래 계속되는 예리한 또는 둔한 아픔: head*ache* 두통. muscular *aches* 근육통. **agony** 장시간 계속되는 참기 어려운 괴로움, 고민: in *agony* from a wound 상처 때문에 괴로워하여. the *agony* of death 죽음의 괴로움. **anguish** 심신의 격심한 고통, 절망적 기분을 수반할 때가 많음. 고뇌.

2 Ⓤ 고통, 괴로움, 고뇌; 비탄; 근심: the ~ of parting 이별의 쓰라림 / cause 〔give〕 a person

~ 아무를 괴롭히다. **3** (보통 *pl.*) 노력, 노고, 고심; 수고: No ~*s*, no gains. 《속담》 수고가 없으면 이득도 없다(현재는 No ~, no gain. 꼴이 많음). SYN. ⇨EXERTION. **4** (*pl.*) 산고(產苦), 진통. **5** 《구어》 (a ~) 싫은 것〔일, 사람〕, 골칫거리; 불쾌감. **6** 《고어》 Ⓤ 벌, 형벌. ***a ~ in the neck*** 《구어》 =***a ~ in the ass*** 〔***arse***〕 《속어》 싫은〔지겨운〕 녀석〔것〕, 눈엣가시, 두통거리: give a person *a ~ in the neck* 아무를 지겹게〔짜증나게〕 하다. ***be at ~s to*** do=***be at the ~s of*** do*ing* …하려고 고심하다, 애써서 …하다. ***be in ~*** 괴로워하고 있다. ***feel no ~*** 전혀 고통을 느끼지 않다; 《속어》 몹시 취해 있다; 《속어》 죽어 있다. ***for*** one***'s ~s*** 수고값으로; 〖반어적〗 애쓴 보람 없이: be a fool *for* one's *~s* ⇨FOOL[1]. ***on*** 〔***upon, under***〕 ***~ of*** 위반하면 반드시 …의 처벌을 받게 된다는 조건으로: It was forbidden *on ~ of* death. 그 금지된 법을 어긴 자는 사형에 처해졌다. ***~s and penalties*** 형벌. ***spare no ~s to*** do 수고를 아끼지 않고 …하다. ***take*** (***much***) ***~s*** 수고하다, 애쓰다.

── *vt.* 괴롭히다, …에 고통을 주다; 걱정〔근심〕시키다, 비탄에 잠기게 하다: ~*ed* with the toothache 치통으로 고생하여 / My finger ~*s* me. 손가락이 아프다 / Your betrayal ~*ed* him. 너의 배반은 그를 괴롭혔다. ── *vi.* 아프다, 괴로워하다: My wound is ~*ing*. 내 상처가 아프다.

pained *a.* 아파하는, 상처 입은; 마음 아픈; 감정이 상한, 화난; 괴로워하는.

‡**pain·ful** [péinfəl] *a.* **1** 아픈, 괴로운. **2** 괴로운 듯한, 아픈 듯한. **3** 애처로운, 가슴 아픈, 불쌍한: a ~ life 고통에 찬 생애. **4** (일 따위가) 힘든, 곤란한; 진력나는, 지겨운. **5** 《고어》 수고를 아끼지 않는, 공을 들인. ㊞ *~·ly *ad.* 고통스럽게; 고생해서; 애써; 진력나서, 지겹게; 아픈〔괴로운〕 듯이. **~·ness** *n.*

páin·kìller *n.* 《구어》 진통제.

páin·kìlling *a.* 진통의, 통증을 가라앉히는.

páin·less *a.* 아프지 않은, 무통의; 《구어》 힘 안 드는, 쉬운: ~ childbirth 무통 분만. ㊞ **~·ly** *ad.* 고통 없이. **~·ness** *n.*

***pains·tak·ing** [péinztèikiŋ, péins-/péinz-] *a.* 수고를 아끼지 않는, 근면한, 성실한, 정성을 들이는(《*about*; *with* one's work》); 힘든; 공들인, 고심한(《작품》). ── *n.* Ⓤ 수고, 정성, 고심. ㊞ **~·ly** *ad.* **~·ness** *n.*

†**paint** [peint] *n.* Ⓤ (종류를 나타낼 때는 Ⓒ) **1** (*pl.*) 그림물감, 채료. **2** 페인트, 도료: give the doors two coats of ~ 문에 페인트를 두 번 바르다. **3** 도장, 채색, 착색(coloring). **4** 화장품《루주·연지·분 따위》; 도란(grease ~). **5** 장식, 허식. **6** 《미서부》 (백과 흑의) 얼룩말. (***as***) ***fresh*** 〔***pretty, smart***〕 ***as ~*** 매우 싱싱한〔예쁜, 기민한〕. ***Wet*** 〔《영》 ***Fresh***〕 ***~!*** 칠 주의《게시》.

── *vt.* **1** 《~+목/+목+보》 …에 페인트를 칠하다: ~ a gate green 대문을 초록색으로 칠하다. **2** 《~+목/+목+전+명》 (그림물감으로) 그리다: ~ a landscape *in* oils 〔watercolors〕 풍경을 유화〔수채화〕로 그리다. ★ 선으로 그리는 것은 draw. **3** 《~+목/+목+부》 …에 물감을 칠하다, 착색〔채색〕하다; 장식하다: Her eyebrows were ~*ed on*. 그녀의 눈썹은 그린 눈썹이었다. **4** 《+목+전+명》 …에 도포(塗布)하다《*with*》: ~ a cut *with* iodine =~ iodine *on* a cut 상처에 요오드팅크를 바르다. **5** (분 따위로) 화장하다: ~ oneself thick 짙게 화장하다. **6** (생생하게) 묘사〔서술〕하다; 표현하다. **7** 브라운관의 스크린에 비추다; (목표를) 레이더에 포착하다. ── *vi.* **1** 페인트로 칠하다. **2** 《~/+전+명》 (…로) 그림을 그리다: ~ *in* oils 〔watercolors〕 유화〔수채화〕를 그리다. **3** 화장하다. **4** 브라운관의 스크린에 비치다〔나타나다〕《*up*》. (***as***) ***~ed as a picture*** 짙은 화장을 하고. ***~ a black*** 〔***rosy***〕 ***picture of*** …을 비관적〔낙관적〕으로 표현하다. ~ a person ***black*** 아무를 나쁘게 말하다. ***~ from life*** 사생하다. ***~ in*** (그림에 전경(前景) 따위를) 그려 넣다; 그림물감으로 뚜렷이 나타내다. ***~ it red*** 《미》 선정적으로 기사를 쓰다. ***~ out*** 페인트로 칠하여 지우다. ***~ the lily*** 인공을 가하여 자연미를 손상시키다. ***~ the town*** 〔***city***〕 (***red***) 《구어》 (바 등을 돌며) 술을 진탕 마시며 법석을 떨다.

㊞ **∠·a·ble** *a.*

paint. painting.

páint·bàll *n.* 페인트볼, 물감 탄알(《명중하면 파열하는, 물감이 든 탄알》); 이 물감 탄알과 특수한 총을 사용해서 하는 모의 전투.

páint bòx 그림물감 상자.

páint·brùsh *n.* 화필(畫筆), 그림 붓; 페인트 솔.

páint càrd 1 (*pl.*) 《미속어》 (트럼프의) 그림패. **2** (규칙적으로 배열된) 색상 카드.

páint·ed [-id] *a.* 그린; 채색한; 페인트칠한; 연지를 바른; 색채가 선명한; 짙은 화장을 한; 《문어》 허식적인, 인공적인, 가짜의; 공허한; 불성실한: ~ china 채색 도자기. ***a ~ sepulcher*** 〖성서〗 위선자.

páinted búnting 〖조류〗 되새류(類)(painted finch)《미국 남부산》.

páinted cúp 〖식물〗 현삼과(玄參科)의 식물(Indian paintbrush)《미국산》.

Páinted Désert (the ~) 오색 사막《Arizona 주 중북부 고원 지대; 암석이 오색찬란함》.

páinted lády 〖곤충〗 작은멋쟁이《나비의 일종》.

páinted scénery (무대의) 배경.

páinted wóman 창녀; 바람둥이《여자》.

‡**paint·er**[1] [péintər] *n.* **1** 화가, 화백(artist): a lady ~ 여류 화가. **2** 페인트공, 칠장이, 도장공.

paint·er[2] *n.* 〖해사〗 배를 매는 밧줄. ***cut*** 〔***slip***〕 ***the*** 〔one***'s***〕 ***~*** (밧줄을 끊어) 표류시키다; 손떼다, 관계를 끊다《특히 식민지가 본국과》; 재빨리 도망치다.

paint·er[3] *n.* 〖동물〗 퓨마.

páinter and décorator [-ənd-] 페인트 칠과 도배를 하는 사람.

páint·er·ly *a.* 화가의; 화가 특유의; 회화 예술의; 선보다 색채를 강조하는.

páinter's cólic 〖의학〗 연독성 복통(鉛毒性腹痛)(lead colic).

páinter's pànts (큰 주머니와 고리가 달린) 페인트공 바지.

páinter stàiner 문장(紋章) 그리는 화공; 그 조합원.

páint-ìn *n.* 페인트인《황폐한 구역의 미관 회복을 호소하는 뜻으로 집단으로 건물에 페인트를 칠하거나 그림을 그리는 일 따위》.

‡**paint·ing** [péintiŋ] *n.* Ⓤ **1** Ⓒ 그림, 회화; 유화, 수채화: wall 〔ceiling〕 ~ 벽〔천장〕화. SYN. ⇨PICTURE. **2** 그림그리기; 화법; 화공의 직(職). **3** 채색, 착색. **4** 도장(塗裝), 페인트칠: blast ~ 분무 도장. **5** 그림물감, 도료, 페인트. **6** (도자기의) 그림 그려 넣기. **7** 〖컴퓨터〗 페인팅, 색칠.

páinting ròom 화실.

páint pòt 페인트 통.

paint·ress [péintris] *n.* 여류 화가.

páint ròller (자루 달린) 페인트 롤러.

páint shòp (공장 안의) 도장〔도료를 뿜어 칠하는〕 작업장.

páint strìpper 페인트 박리제(剝離劑).

páint·wòrk *n.* Ⓤ (자동차 등의) 도장 부분(의 도료).

painty [péinti] (***paint·i·er***; ***-i·est***) *a.* 그림물감〔채료, 도료〕의; 채료〔도료〕를 지나치게 칠한;

페인트〔채료, 도료〕로 더러워진.

†**pair** [pɛər] (*pl.* **~s,** 《구어》 ~) *n.* **1** 한 쌍, (두 개로 된) 한 벌: a ~ *of* shoes 〔glasses, scissors, trousers〕 구두 한 켤레〔안경 하나, 가위 한 자루, 바지 한 벌〕/this ~ (*of* shoes) 이 한 켤레(의 신)/three ~(*s*) *of* shoes 구두 세 켤레. ★ 요즈음은 보통 s를 붙임.

> SYN. **pair** 한쪽이 없으면 딴 쪽은 소용이 없는 상관관계에 있는 한 쌍. **couple** 상관관계가 없는 같은 종류의 두 개: a *couple* of apples 사과 두 개.

2 (짝진 것의) 한 짝: the ~ *to* this glove 이 장갑의 한 짝. **3** 한 쌍의 남녀, 《특히》 부부, 약혼 중의 남녀; (동물의) 한 쌍: the happy ~ 신랑 신부. **4** 〖카드놀이〗 동점의 카드 두 장 갖춤; (한곳에 맨) 두 필의 말: a carriage and ~ 쌍두마차. **5** 〖의회〗 투표를 기권하기로 타합한 반대되는 정당의 두 의원; 그 타합. **6** =PAIR-OAR. **7** (계단의) 층계: a ~ of stairs 〔steps〕 한 층계. **8** 《속어》 (여자의 보기 좋은) 젖통이, 유방. ***another* 〔*a different*〕 ~ *of shoes* 〔*boots*〕** 별(개) 문제. ***in* ~*s*** 두 개〔둘이〕 한 쌍이 되어. ***one-* 〔*two-, three-, four-*〕~ *front* 〔*back*〕** 《영》 (아파트 따위의) 2〔3, 4, 5〕층의 앞〔뒤〕쪽 방(에 사는 사람): lodge on the *two-~ front*, 3층의 앞쪽 방에 살다. ***the ~ of colors*** 〖군사〗 국기와 연대기. ***up two* 〔*three*, etc.〕 ~*s of stairs* 〔*steps*〕** 《영》 3〔4〕층에.

— *vt., vi.* **1** 한 쌍이 되다〔으로 하다〕; 짝지어 나누다: ~*ed* fins 한 쌍의 지느러미. **2** 결혼하다〔시키다〕, (동물이) 짝짓다, 짝지어주다《*with*》: Those two will ~ well. 저 두 사람은 좋은 부부가 될 것이다. **3** 〖의회〗 반대당 의원과 서로 짜고 표결에 참가하지 않다. **~ *off* 〔*up*〕** 《*vi.*+부》 ① 남녀 한 쌍이 되다; …와 짝이 되다《*with*》: The dancers ~*ed off*. 무희들은 두 사람이〔남녀〕 한 쌍이 되었다. **—** 《*vt.*+부》 ② (아무를) 남녀 한 쌍으로 하다; …와 짝이 되게 하다《*with*》: I hope to be ~*ed up with* her. 나는 그녀와 짝을 이루고 싶다.

páir annihilàtion 〖물리〗 쌍소멸(雙消滅)《소립자와 그 반(反)입자가 결합하여 다른 입자로 변하는 일》.

páir bònd 〖생물〗 일자 일웅(一雌一雄) 관계《암수 1대 1의 관계》.

páir bònding 〖생물〗 일자 일웅 관계의 형성〔상태〕.

páir creàtion =PAIR PRODUCTION.

páired-assóciate léarning 대연합(對聯合) 학습《서로 연상·상기할 수 있도록 숫자·단어 등을 짝을 지어 기억하는 연상 학습 방식》.

páir-hórse *a.* 두 필의 말이 끄는, 쌍두의.

páir·ing [-riŋ] *n.* (토너먼트에서) 대전 편성(표); 〖생물〗 (염색체) 접합(synapsis).

páiring sèason (새 등의) 교미기.

páir-òar *n., a.* (두 사람이 각자 하나씩 젓는) 쌍노 달린 보트(의).

páir-òared *a.* 두 사람이 각기 하나씩 노를 젓는, 페어의.

páir prodùction 〖물리〗 쌍생성(雙生成); 쌍방출《입자와 반(反)입자의 동시 생성》.

páir róyal 세 개 한 벌《동점패의 카드 석 장, 같은 끗수를 나타내는 주사위 세 개 따위》.

páir skàting (특히 피겨 스케이팅에서 남녀 한 쌍이 하는) 페어 스케이팅(=**páirs skàting, pairs**).

páir tràwling 어선 두척이 끄는 저인망 어업.

páir·wìse *ad.* 두 개 한 쌍이 되어, 짝을 이루어, 짝이 되어.

pai·sa [paisáː] (*pl.* **-se** [-séi], **~, ~s**) *n.* **1** 인도·네팔·파키스탄의 화폐 단위《100분의 1 rupee》. **2** [ㅗ-] (*pl.* ~) =POISHA.

pais·ley [péizli] *n.* 페이즐리 천《부드러운 모직물》; 그 제품《숄 따위》; 페이즐리 무늬《다채롭고 섬세한 곡선 무늬》. **—** *a.* 페이즐리 천으로 만든; 페이즐리 무늬의.

Pais·ley·ism [péizliìzəm] *n.* Ⓤ 북아일랜드의 신교도에 의한, 가톨릭교도와의 유화 정책에 반대하는 운동.

Pais·ley·ite [péizliàit] *n.* Paisleyism의 지지자.

Pai·ute, Pi- [paijúːt] (*pl.* **~, ~s**) *n.* Ⓒ 파이우트 족《Utah, Arizona, Nevada 및 California 주에 사는 북아메리카 인디언의 한 부족》; Ⓤ 파이우트 족의 언어.

pa·ja·ma [pədʒáːmə, -dʒǽmə] *a.* 파자마의, 파자마 차림의, 파자마 비슷한.

pajáma pànts 〖복식〗 파자마 팬츠《파자마 바지 같은, 통 넓은 여성용 여름 바지》.

pajáma pàrty 10대 소녀들이 친구 집에 모여 파자마 바람으로 밤새워 노는 모임.

‡**pa·ja·mas,** 《영》 **py·ja·mas** [pədʒáːməz, -dʒǽm-/-dʒáːm-] *n. pl.* 파자마, 잠옷; (이슬람교도 등이 입는) 통 넓은 헐렁한 바지: a suit 〔pair〕 of ~ 파자마 한 벌.

Pak [pæk] *n.* 《구어·때로 경멸》 파키스탄 사람 (Pakistani).

PAK 〖자동차국적표시〗 Pakistan. **Pak.** Pakistan.

Pak-a-Pot·ti [pǽkəpàti/-pɔ̀ti] *n.* 휴대용 변기의 일종《상표명》.

pak choi [páːktʃɔ́i] 《영》 =BOK CHOY.

pa·ke·ha [páːkəhàː] (*pl.* **~s,** ~) *n.* 《N. Zeal.》 Maori의 후손이 아닌 사람, 백인, 《특히》 유럽계 뉴질랜드 사람.

Paki, Pak·ki, Pak·ky [pǽki] *n.* 《영속어·경멸》 (영국에 이주한) 파키스탄 사람(Pakistani).

Páki-bàshing *n.* 《영속어》 파키스탄 이민에 대한 박해.

Pa·ki·stan [pǽkistæ̀n, pàːkistáːn/pàːkistáːn] *n.* 파키스탄《영연방 내의 공화국; 공식 명칭은 the Islamic Republic of ~ 파키스탄 회교 공화국; 수도는 Islamabad》.

Pa·ki·sta·ni [pæ̀kistǽni, pàːkistáːni/pàːkistáːni] (*pl.* **~, ~s**) *n.* 파키스탄 사람〔주민〕. **—** *a.* 파키스탄(사람)의.

pa·ko·ra [pəkɔ́ːrə] *n.* 야채나 고기 조각을 달걀과 밀가루로 씌워 튀긴 인도 음식.

PAL [pæl] *n.* 〖미우편〗 팰《해외로 나가는 군관계 소포를 대상으로 하는 할인 요금의 항공편》.

pal** [pæl] *n.* 《구어》 동아리, 단짝, 친구; 동료; 《호칭》 여보게, 자네; 공범: a pen ~ 펜팔. SYN. ⇨ FRIEND. **—** (**-ll-**) *vi.* 《+부/+전+명》 《구어》 친구로서 사귀다; 〔보통 ~ up〕 친해지다, 한패가 되다《*with*》: ~ *around* together 친구로〔친하게〕 지내다. ***the old ~s act 《구어》 (오랜 친구인 듯이) 친밀하게 구는 태도.

PAL 〖컴퓨터〗 peripheral availability list(이용 가능한 주변 장치의 리스트); phase alternation line(팔 방식; 독일에서 개발하여, 독일·영국·네덜란드·스위스에서 채용된 컬러텔레비전 방식); Philippine Airlines. **Pal.** Palestine.

‡**pal·ace** [pǽlis] *n.* **1** 궁전, 왕궁, 궁궐; (고관·bishop 등의) 관저, 공관; 대저택. **2** (오락장·요정·식당 따위의) 호화판 건물; (the ~) 《영》 궁정의 유력자들, 측근. **—** *a.* 궁전의; 측근의; 호화로운.

pálace càr 〖철도〗 호화 특별차.

pálace cóup =PALACE REVOLUTION.

pálace guàrd 근위병; (왕·대통령의) 측근.

Pálace of Wéstminster (the ~) 웨스트민스터 궁전《영국의 옛 왕궁으로 1834년 소실; 현재는 국회 의사당이 있음》.

pálace revolútion 궁전〔측근〕 혁명, (보통 제

2 인자에 의한) 무혈 쿠데타.
pal·a·din [pǽlədin] *n.* Charlemagne 대제의 12 용사의 한 사람; (중세의) 무예(武藝)를 닦는 사람(knight-errant); (전설적) 영웅, 무협가(武俠家); 《문어》 주의·주장의 주창자.
palae-, palaeo- ⇨ PALE-. 「(古人類學).
pàlaeo·anthropólogy, -leo- *n.* 고인류학
pálaeo·engineéring *n.* 고생물 공학《과거에 존재했던 날개 달린 공룡을 연구하는》.
pàlaeo·trópical, -leo- *a.* 〖생물지리〗 구(舊)열대구(區)의.
pa·laes·tra, -les- [pəléstrə] (*pl.* **~s, -trae** [-tri:]) *n.* (옛 그리스·옛 로마의) 체육 학교; 레슬링 도장; 체육관(gymnasium).
pal·a·fitte [pǽləfit] *n.* 항상 주거(杭上住居)《스위스·북이탈리아의 신석기 시대에, 호수에 말뚝을 박아 그 위에 세운 주거》.
pa·lais [pǽlei] (*pl.* ~ [-leiz], **~es** [-leiz]) *n.* 《F.》 궁전; 저택; 프랑스 정부 청사; 넓은 댄스홀(~ de danse).
pal·an·keen, -quin [pæ̀lənkí:n] *n.* (중국·인도의) 일인승 가마; 탈것.
pal·at·a·ble [pǽlətəbəl] *a.* **1** (음식 등이) 입에 맞는, 맛난, 풍미 좋은. **2** 기분 좋은, 바람직한, 마음에 드는. ㊕ **-bly** *ad.* **pàl·at·a·bíl·i·ty, ~·ness** *n.* Ⓤ
pal·a·tal [pǽlətl] *a.* 구개(음)의. **—** *n.* 구개골(骨); 〖음성〗 구개음《[j, ç] 따위》.
pal·a·tal·ize [pǽlətəlàiz] *vt.* 〖음성〗 구개음으로 발음하다, 구개(음)화하다《[k]를 [ç], [tʃ]로 발음하는 따위》. ㊕ **pàl·a·tal·i·zá·tion** *n.* Ⓤ 구개음화.
pal·ate [pǽlət] *n.* **1** Ⓒ 〖해부〗 구개, 입천장: the hard 〔soft〕 ~ 경(硬)〔연(軟)〕구개 / a cleft ~ 구개열(裂). **2** Ⓤ,Ⓒ 미각; 취미, 기호(liking); 심미〔감식〕안: suit one's ~ 입〔기호〕에 맞다 / have a good ~ *for* coffee 커피의 깊은 맛을 「알다.
pálate bòne 〖해부〗 구개골(口蓋骨).
pa·la·tial [pəléiʃəl] *a.* 궁전의, 대궐 같은; 호화로운; 광대한(magnificent), 웅장한, 장려(壯麗)한. ㊕ **~·ly** *ad.* **~·ness** *n.*
pa·lat·i·nate [pəlǽtənèit, -nət/-nət] *n.* 팔라틴(palatine[1])의 직위; 팔라틴령(領); (the P-) 신성 로마 제국의 선제후령(選帝侯領)《라인강 서부의》; (P-) the Palatinate 의 주민.
pal·a·tine[1] [pǽlətàin, -tin/-tàin] *a.* **1** 팔라틴 백작(령(領))의; 궁내관(宮內官)의; 자기 영토 안에서 왕권을 행사할 수 있는; 궁전의. **2** (P-) Palatinate 의. **—** *n.* **1** 팔라틴 백작(count 〔earl〕 ~)《자기 영토 안에서 왕권의 일부를 행사할 수 있었던 중세의 영주》; (고대 로마의) 궁내관(宮內官); (P-) (중세 독일〔프랑스〕의) 대법관. **2** 모피 숄《여성용》. **3** (the P-) =PALATINE HILL. ***a county*** **~** 팔라틴 백작령(領).
pal·a·tine[2] 〖해부〗 *a.* 입천장의, 구개의. **—** *n.* (*pl.*) 구개골(骨)(=**∠ bónes**).
Pálatine Híll (the ~) 팔라틴 언덕《the Seven Hills of Rome 의 중심으로서 로마 황제가 최초로 궁전을 세운 곳》. 「사.
pal·a·to- [pǽlətou, -tə] '구개'라는 뜻의 결합
pal·a·to·gram [pǽlətəgræ̀m] *n.* 〖음성〗 구개도(圖).
Pa·láu Íslands [pɑ:láu-] (the ~) 팔라우 제도《Belau 공화국의 전 이름》.
pa·lav·er [pəlǽvər, -lɑ́:v-/-lɑ́:v-] *n.* **1** 교섭, 상담《특히 옛 아프리카 원주민과 외국 무역 상인과의》. **2** Ⓤ 수다; 아첨; 《속어》 일, 용무. **—** *vt., vi.* 재잘거리다; 상담〔교섭〕하다; …에 아첨하다; 감언으로 속이다.
pa·laz·zo [pəlɑ́:tsou] (*pl.* **-zi** [-tsi:]) *n.* 《It.》 궁전, 전당; (*pl.*) =PALAZZO PANTS. ***the Palazzo Chi·gi*** [kí:dʒi] 키지 궁《이탈리아 외무부》.

palázzo pajàmas 팔라초 파자마《팔라초 팬츠와 상의〔블라우스〕로 한 벌을 이루는 여성용 약식 예복》. 「렁한 여성용 판탈롱》.
palázzo pànts 팔라초 팬츠《가랑이가 헐렁헐
pale[1] [peil] *a.* **1** (얼굴이) 핼쑥한, 창백한: You look ~. 안색이 좋지 않습니다. **2** (빛깔 따위가) 엷은: a ~ yellow 담황색 / ~ ale 《영》 알코올 함유량이 적은 맥주 / ~ wine 백포도주. **3** (빛이) 어슴푸레한, 희미한: a ~ moon 으스름 달. **4** 가냘픈, 약한, 힘없는: a ~ protest 박력 없는 항의. ◇ pallor *n.* ***turn*** **~** ① 창백해지다. ② (색이) 엷어지다. **—** *vi., vt.* 파래지(게 하)다, 창백해지(게 하)다, (색·빛 등이) 엷어지(게 하)다. **~ *before*** 〔***beside, in comparison with***〕 …앞에 무색해지다, …보다 못해 보이다. **~ *into insignificance*** 존재(의의)가 희미해지다. **—** *n.* 《미속어》 백인. ㊕ **∠·ly** *ad.* **∠·ness** *n.*
pale[2] *n.* **1** (끝이 뾰족한) 말뚝《우리를 만듦》; 울짱, 울타리. **2** 경계(boundary), 범위; 구내, 경내; 〖문장(紋章)〗 방패 복판의 세로줄. ***the*** (***English***) ***Pale*** 〖영국사〗 (옛 아일랜드의) 영령(英領) 지역《Dublin 주변》. ***within*** 〔***beyond, out of, outside, without***〕 ***the*** **~** ***of*** …의 범위 안〔밖〕에. **—** *vt.* 말뚝으로 둘러막다; …에 울타리를〔울짱을〕 만들다.
pa·le-, pa·lae- [péili, pǽli/pǽli, péili], **pa·le·o-, pa·lae·o-** [péiliou, -liə, pǽl-/pǽl-, péil-] '고(古), 구(舊), 원시'라는 뜻의 결합사. 「(fenced).
paled *a.* 목책을 두른, 말뚝〔목책〕으로 둘러막은
pále-drý *a.* 빛깔이 엷고 맛이 쌉쌀한《알코올 음료》.
pàle·ethnólogy *n.* 선사(先史) 인류학. 「료》.
pále-éyed *a.* 눈이 흐리멍덩한.
pále·fàce *n.* 백인《본래 북아메리카 원주민이 백인을 이른 말》.
pále-héarted [-id] *a.* 겁많은, 소심한.
Pále Hórse (the ~) 〖문어·성서〗 창백한〔청황색〕 말《사신(死神)의 상징》, 죽음의 사자.
paleo- ⇨ PALE-. 「GY.
paleoanthropology ⇨ PALAEOANTHROPOLO-
pàleo·biochémistry *n.* Ⓤ 고(古)생화학.
pàleo·biogeógraphy *n.* 고생물 지리학.
pàleo·biólogy *n.* 순(純) 고생물학《고생물을 생물학의 입장에서 연구하는 학문》. ㊕ **-biólogist** *n.* **-biológical, -ic** *a.*
pàleo·bótany *n.* Ⓤ 고(古)식물학.
Pa·le·o·cene [péiliəsì:n, pǽl-] 〖지학〗 *a.* 팔레오세(世)의. **—** *n.* (the ~) 팔레오세.
pàleo·clímate *n.* 고(古)기후《선사(先史) 지질 시대의 기후》.
pàleo·ecólogy *n.* 고생태학. ㊕ **-ecológical** *a.*, **-ecólogist** *n.*
pàleo·envíronment *n.* 고(古)환경《인류 출현 전의 해양 및 대륙의 환경》.
Pa·le·o·gene [péiliədʒì:n, pǽl-] 〖지학〗 *a.* 고(古)제 3 기(紀)〔계(系)〕의. **—** *n.* (the ~) 고제 3 기〔계〕《제 3 기의 전반》.
pàleo·genétics *n. pl.* 〔단수취급〕 고(古)유전학《화석이 된 동식물의 유전 연구》.
pàleo·geógraphy *n.* Ⓤ 고(古)지리학.
pàleo·geophýsics *n. pl.* 〔단수취급〕 고(古)지구 물리학.
pa·le·og·ra·phy [pèiliágrəfi, pæ̀l-/pæ̀liɔ́g-] *n.* Ⓤ 고(古)문서(학); 고서체. ㊕ **-pher** *n.* 고문서 학자. **pa·le·o·graph·ic, -i·cal** [pèiliəgrǽfik, pæ̀l-], [-ikəl] *a.* 고문서(학)의.
pàleo·hábitat *n.* (유사 이전의 동물의) 고(古)서식지.

pàleo·látitude *n.* 〖지구물리〗 고위도《과거 어느 시기에 있어서의 육괴(陸塊) 등의 위도》.
pàleo·limnólogy *n.* [U] 고육수학(古陸水學).
pa·le·o·lith [péiliəliθ, pǽl-] *n.* 구석기.
pa·le·o·lith·ic [pèiliəlíθik, pæ̀l-] *a.* 구석기 시대의. [cf.] neolithic. ¶ the *Paleolithic* era 구석기 시대.
pa·le·ol·o·gy [pèiliɑ́lədʒi, pæ̀l-/pæ̀liɔ́l-, pèil-] *n.* (유사 이전의) 고유물(古遺物) 연구.
pàleo·mágnetism *n.* [U] 고지자기(古地磁氣); 고지자기학.
pa·le·on·tol·o·gy [pèiliəntɑ́lədʒi, pæ̀l-/pæ̀liɔntɔl-, pèil-] *n.* [U] 고생물학. [파] **-gist** *n.*
pàleo·primatólogy *n.* [U] 고영장류학(古靈長類學).
pàleo·témperature *n.* 고(古)온도《선사 시대의 해양 등의 온도》.
Pa·le·o·zo·ic [pèiliəzóuik, pæ̀l-] *a.* 고생대(古生代)의. **—** *n.* (the ~) 고생대.
pàleo·zoogeógraphy *n.* 고동물 지리학.
pàleo·zoólogy *n.* [U] 고(古)동물학.
Pa·ler·mo [pəlɛ́ːrmou] *n.* 팔레르모《이탈리아 남부 Sicily 섬의 수도 겸 해항》.
Pal·es·tine [pǽləstàin] *n.* 팔레스타인《지중해 동쪽의 옛 국가; 1948 년 이후 Israel 과 아랍 지구로 나뉨》. [파] **Pal·es·tin·i·an** [pæ̀ləstíniən] *a., n.* 팔레스타인의 (사람); 팔레스타인 해방주의의; 팔레스타인 해방주의자.
Pálestine Liberátion Organizátion (the ~) 팔레스타인 해방 기구《1964 년 창설; 생략: PLO》.
palestra ⇨ PALAESTRA.
pal·e·tot [pǽlətòu, pǽltou/pǽltou] *n.* 헐렁한 외투의 일종《남녀 공용》.
pal·ette [pǽlit] *n.* **1** 팔레트, 조색판(調色板); 팔레트의 채료, (한 벌의) 그림물감. **2** (어느 화가의) 독특한 색채〔물감의 배합〕. **3** (갑옷의) 겨드랑이받이(pallette).
pálette knìfe 팔레트 나이프. 「으로, 말뚝같이.
pale·wise [péilwàiz] *ad.* 〖문장(紋章)〗 수직
pal·frey [pɔ́ːlfri] *n.* 《고어·시어》 (군마와 구별하여) 승용마, 《특히》 여성 승마용의 작은 말.
Pa·li [pɑ́ːli] *n.* [U] 팔리어《Sanskrit 와 같은 계통의 언어로서 불교 원전에 쓰임》.
pal·i·mo·ny [pǽləmòuni] *n.* 《미속어》 (동서(同棲)하다가 헤어진 여성에게 내는) 위자료. [◂ *pal* + al*imony*]
pal·imp·sest [pǽlimpsèst] *n.* [U] 거듭 쓴 양피지의 사본《씌어 있던 글자를 지우고 그 위에 다시 쓴 것》; 뒷면에도 글자를 새긴 황동 기념표.
pal·in·drome [pǽlindròum] *n.* 회문(回文)《역순으로도 같은 말이 되는 말: eye; madam》.
pal·in·drom·ic [pæ̀lindrɑ́mik, -dróum-/-drɔ́m-] *a.* **1** (글·악곡·수학 등이) 앞에서 또는 뒤에서 읽어도 동일한. **2** 〖의학〗 회귀성〔재발성〕 류머티즘.
pal·ing [péiliŋ] *n.* [U] 말뚝(을 둘러) 박기; [C] 말뚝; 《집합적》 울짱, 울타리.
pal·in·gen·e·sis [pæ̀lindʒénəsis] *n.* **1** [U] 〖철학〗 신생, 재생; 윤회(輪廻); 세례; 〖생물〗 반복 발생《진화의 전(全) 단계를 되풀이하는 개체 발생》. [cf.] cenogenesis. **2** 역사 순환설. [파] **pàl·in·ge·nét·ic** [-dʒənétik] *a.*
pal·i·node [pǽlənòud] *n.* 취소하는 시(詩); 《일반적》 (앞말) 취소, 말 바꾸기.
pal·i·nop·sia [pæ̀lənɑ́psiə/-nɔ́p-] *n.* 〖안과〗 반복시(反復視).
pal·i·sade [pæ̀ləséid] *n.* 말뚝; (방위를 위한) 울타리, 울짱; (*pl.*) (강가의) 벼랑; (the P-s) 미국 Hudson 강 서안의 암벽. **—** *vt.* …에 울타리를 치다〔두르다〕. 「(紫檀), 화류(樺榴).
pal·i·san·der [pæ̀ləsǽndər, ⌐-⌐-] *n.* [U] 자단
pal·ish [péiliʃ] *a.* 좀 창백한, 파리한.
pall[1] [pɔːl] *n.* 관〔영구차, 무덤(등)〕을 덮는 보《보통 검정·자주 또는 흰색의 벨벳》; 휘장, 장막; 《고어》 외투(cloak); 성작(聖爵) 보〔덮개〕; 〖문장(紋章)〗 Y 자꼴의 문장; 〖가톨릭〗 =PALLIUM: a ~ of darkness 어둠의 장막. **—** *vt.* …에 관덮개를 덮다; …을 덮다.
pall[2] *vi.* **1** 《+[전]+[명]》 시시해지다, 물리다, 흥미를 잃다《*on, upon*》: The lengthy lecture ~*ed upon* me. 강연이 길어 흥미를 잃었다. **2** (술 따위가) 김빠지다, 맛이 나빠지다; (음식에) 물리다. **—** *vt.* …의 맛을 없게 하다; 물리게 하다.
Pal·la·di·an[1] [pəléidiən] *a.* 〖그리스신화〗 Pallas 여신의; 지혜의, 학문의.
Pal·la·di·an[2] [pəléidiən, -lɑ́ː-] *a.* 〖건축〗 팔라디오《이탈리아의 건축가 A. Palladio(1508-80)》(양식)의.
Pal·la·di·um [pəléidiəm] (*pl.* **-dia** [-diə], **~s**) *n.* **1** Pallas 여신상《특히 Troy 의》. **2** [U,C] (p-) 수호신〔물〕; 보장.
pal·la·di·um [pəléidiəm] *n.* [U] 〖화학〗 팔라듐《금속 원소; 기호 Pd; 번호 46》.
Pal·las [pǽləs] *n.* 〖그리스신화〗 팔라스《Athena 여신의 이름; 지혜·공예의 여신》.
páll·bèarer *n.* 관 곁에 따르는 사람; 운구(運柩)하는 사람.
pal·let[1] [pǽlit] *n.* 짚 요; 초라한 침상.
pal·let[2] *n.* (도공(陶工)의) 주걱; 〖기계〗 (톱니바퀴의) 미늘, 바퀴 멈추개(pawl); (창고 등의 지게차용) 화물의 깔판; =PALETTE 1; (오르간의) 공기 조절판(瓣). 「팰릿으로 운반〔저장〕하다.
pál·let·ìze *vt.* (재료 따위를) pallet[2] 위에 얹다;
pal·lette [pǽlit] *n.* =PALETTE 3.
pállet trùck 팰릿트럭《팰릿을 오르내리게 하는 리프트가 장치된 소형 운반차》.
pal·liasse [pæljǽs, ⌐-, pæ̀liǽs, ⌐-⌐/pǽliæs, ⌐-⌐] *n.* =PAILLASSE.
pal·li·ate [pǽlièit] *vt.* **1** (병세 따위를) 누그러지게 하다, 완화하다. **2** (과실·죄 따위를) 가볍게 하다, 참작하다. **3** 변명하다; (허물 따위를) 가볍게 보이게 하다. [파] **pàl·li·á·tion** *n.* [U,C] (병 따위의) 일시적 완화; 변명; (허물 등의) 경감, 참작. **pál·li·à·tor** [-tər] *n.* =PALLIATIVE.
pal·li·a·tive [pǽlièitiv, -liə-/-liə-] *a.* **1** 완화하는, 경감하는. **2** 변명이 되는, 정상을 참작할 만한. **—** *n.* **1** 완화물〔제(劑)〕. **2** 변명; 참작할 만한 사정. **3** 고식책(姑息策). [파] **~·ly** *ad.*
pálliative cáre ùnit 《Can.》 말기 환자 병동《생략: PCU》.
°**pal·lid** [pǽlid] (**~·er; ~·est**) *a.* 윤기〔핏기〕 없는《얼굴 따위》, 핼쑥한, 창백한; 활기 없는. [파] **~·ly** *ad.* **~·ness** *n.*
pal·li·um [pǽliəm] (*pl.* **-lia** [-liə], **~s**) *n.* **1** (옛 그리스·옛 로마 사람들의) 큰 외투; 〖가톨릭〗 (교황·대주교의) 영대(領帶)《흰 양털로 짬》; 제단보(altar cloth). **2** 〖해부〗 (뇌의) 외피; 〖동물〗 (연체동물의) 외투(막).
Pall Mall [pǽlmǽl, pélmél] 펠멜가(街)《런던의 클럽 중심지》; 영국 육군성《본디 Pall Mall 가(街)에 있었음》.
pall-mall [pélmél, pǽlmǽl, pɔ́ːlmɔ́ːl/pǽlmǽl, pélmél] *n.* [U] 펠멜《구희(球戲)의 일종》; [C] 펠멜 구희장(場).
°**pal·lor** [pǽlər] *n.* [U] 창백(paleness).
pal·ly [pǽli] (**-li·er; -li·est**) *a.* 《구어》 친한, 사이좋은. **—** *n.* 친구.
***palm**[1] [pɑːm] *n.* **1** 손바닥. **2 a** 손바닥의 폭을 기준으로 한 길이의 단위; 7.5-10 cm《handbreadth라고도 함》. **b** 손목에서 손가락까지의 길

이를 기준으로 한 척도; 17.5-25 cm. **3** 손바닥 모양의 물건〔부분〕; 장갑의 손바닥; 노의 편평한 부분; 스키의 안쪽 바닥. **4** 〖해사〗 손바닥 골무《돛을 꿰맬 때 바늘을 누르는 것》. ***cross*** a person***'s*** ~ (***with silver***) 아무에게 뇌물을 살며시 쥐어주다. ***grease*** 〔***oil***〕 a person***'s*** ~ 아무에게 뇌물을 주다, 코밑에 진상하다, 매수하다. ***have an itching*** ~ 《구어》 뇌물을 탐내다, 욕심이 많다. ***hold*** 〔***have***〕 a person ***in the*** ~ ***of*** one***'s hand*** (아무를) 손에 넣고 주무르다, 장악하다, 좌지우지하다. ***in the*** ~ ***of*** a person***'s hand*** (아무에게) 지배〔장악〕되어, 좌지우지되어. ***know ... like the*** ~ 〔***back***〕 ***of*** one***'s hand*** …을 잘 알고 있다. ***read*** a person***'s*** ~ 아무의 손금을 보다. —*vt.* **1** 손바닥으로 쓰다듬다, 손에 쥐다, 손으로 다루다. **2** (손 안에) 감추다《요술 따위에서》: ~ a card 카드를 손 안에 감추다. **3** 몰래 줍다. **4** …와 악수하다. ~ ***off*** (가짜 따위를) 속여 안기다《*on, upon*》; …을 거짓으로 속이다; 가장하여 소개하다.

◇**palm**[2] *n.* **1** 〖식물〗 야자, 종려, 야자과의 식물: the date ~ 대추야자/the coconut ~ 코코야자. **2** 종려의 잎〔가지〕《승리의 상징》. **3** (the ~) 승리(triumph), 영예; 상. ***bear*** 〔***carry off***〕 ***the*** ~ 우승하다. ***give*** 〔***yield***〕 ***the*** ~ ***to*** …에게 지다, …의 승리를 인정하다. ㊂ **∠·like** *a.*

pal·ma·ceous [pælméiʃəs, pɑːl-/pæl-] *a.* 〖식물〗 야자과(科)의; 야자〔종려〕 같은.

pal·ma chris·ti [pælməkrísti] (*pl.* ***pál·mae chrís·ti*** [-miː-]) (*or* P- C-) 〖식물〗 아주까리, 피마자(castor-oil plant).

pal·mar [pǽlmər, pɑ́ːl-/pǽl-] *a.* 〖해부〗 손바닥의.

pal·ma·ry [pǽlməri, pɑ́ːl-/pǽl-] *a.* 최고의 영예를 받을 만한, 탁월한.

pal·mate, -mat·ed [pǽlmeit, -mət, pɑ́ːl-/pǽl-], [-meitid] *a.* 손바닥 모양의; 〖생물〗 장상(掌狀)의; 〖동물〗 물갈퀴가 있는. ㊂ **-mate·ly** *ad.*

pal·má·tion *n.* 손바닥 모양〔꼴〕; 〖식물〗 장상(掌狀) 분열.

Pálm Béach 팜비치《미국 Florida 주 동남 해안의 피한지》.

pálm bùtter 종려유(油)(palm oil).

pálm càt 〔**cìvet**〕 〖동물〗 사향고양이의 일종.

palm·cord·er [pɑ́ːmkɔ̀ːrdər] *n.* (손아귀에 잡히는) 소형 캠코더.

Pal·me [pɑ́ːlmə] *n.* (**Sven**) **Olof** (**Joachim**) ~ 팔메《스웨덴의 평화 운동가·정치가; 수상(1967-76, 1982-86); Stockholm 거리에서 암살됨; 1927-86》.

palm·er[1] [pɑ́lmər/pɑ́ːm-] *n.* (팔레스타인) 성지 순례자《참예(參詣)의 기념으로 종려 잎을 가지고 돌아간》; 〔일반적〕 순례(자); 제물낚시(=∠ **flỳ**); =PALMERWORM.

palm·er[2] *n.* (카드놀이 따위에서) 속임수를 쓰는 사람; 요술쟁이.

Pálmer Archipélago (the ~) 파머 제도《남아메리카 대륙과 남극 대륙 사이; 구칭 Antarctic Archipelago》.

pálmer·wòrm *n.* 모충의 일종《과수 해충》.

pal·met·to [pælmétou] (*pl.* ~(***e***)***s***) *n.* 〖식물〗 야자과의 일종《북아메리카 남부산》.

Palmétto Státe (the ~) South Carolina 주의 속칭.

pálm·fùl (*pl.* ~***s***) *n.* 손바닥 가득(한 양), 한 줌.

Pálm-grèasing *n., a.* 《속어》 뇌물(의), 증회〔수뢰〕(의).

pálm hòuse (종려·야자 따위의) 재배 온실.

pal·mi·ped, -pede [pǽlməpèd], [-pìːd] *a.* 오리발〔물갈퀴발〕의. —*n.* 물갈퀴 있는 새, 물새.

palm·ist [pɑ́ːmist] *n.* 수상가(手相家), 손금쟁이. ㊂ **pálm·is·try** [-ri] *n.* Ⓤ 손금보기, 수상술; 《우스개》 (소매치기의 교묘한) 손재주; 요술.

pal·mi·tate [pǽlmətèit, pɑ́ːl-/pǽl-] *n.* 〖화학〗 팔미트산염(酸塩).

pal·mit·ic [pælmítik, pɑːl-/pæl-] *a.* 야자(기름)에서 빼낸: ~ acid 팔미트산(酸).

pal·mi·tin [pǽlmitin, pɑ́ːl-/pǽl-] *n.* 〖화학〗 팔미틴《백색 결정성 분말; 의약용 등》.

pal·mi·to·lé·ic ácid [pæ̀lmitəlíːik, pɑ̀ːlm-/pæ̀l-] 〖화학〗 팔미톨레산《무색의 불포화 지방산》.

pálm lèaf 종려 잎《모자·부채 등의 재료》.

pálm òil 야자유(油); 《속어》 뇌물(bribe).

pálm prìnt 장문(掌紋); 손금.

Pálm Spríngs 팜 스프링스《California 주 남동부 Los Angeles 동쪽에 있는 도시·휴양지》.

pálm sùgar 〔**wìne**〕 종려당(糖)〔주〕.

Pálm Súnday 〖기독교〗 종려 주일《부활절 직전 일요일; 예수가 예루살렘에 들어간 기념일》.

pálm·top (**compúter**) 〖컴퓨터〗 팜톱 컴퓨터.

pálm trèe 야자수, 종려나무.

pálm wìne (야자의 수액을 발효시킨) 야자술.

palmy [pɑ́ːmi] (***palm·i·er; -i·est***) *a.* 야자의〔같은〕; 야자가 무성한; 번영하는; 의기양양한: one's ~ days (아무의) 전성시대. ~ ***state*** 황금시대.

pal·my·ra [pælmáiərə] *n.* 〖식물〗 팔미라야자나무(=∠ **pàlm**)《인도·말레이산》.

Pal·o·mar [pǽləmɑ̀ːr] *n.* (Mt.~) 팔로마 산《미국 California 주 남부의 산; 산정에 200 인치 반사 망원경을 갖춘 헤일(Hale) 천문대가 있음》.

pal·o·mi·no [pæ̀ləmíːnou] (*pl.* ~***s***) *n.* 갈기와 꼬리가 흰 담갈색 말《미국 남서부산》.

pa·loo·ka [pəlúːkə] *n.* 《미속어》 서투른 선수〔복서〕; 얼간이; 손재주 없는 사람.

palóoka·vìlle *n.* 《미속어》 **1** 구석진 시골 마을. **2** 망각; 불명예.

palp[1] [pælp] *n.* =PALPUS.

palp[2] *vt.* …에 손을 대다, 만져서 조사하다.

pal·pa·ble [pǽlpəbəl] *a.* 손으로 만질 수 있는; 매우 뚜렷한, 명백한, 곧 알 수 있는; 〖의학〗 촉진(觸診)할 수 있는. ㊂ **-bly** *ad.* **pàl·pa·bíl·i·ty** *n.* Ⓤ 명백함; 감지할 수 있음.

pal·pate[1] [pǽlpeit] *vt.* 손으로 만져 보다; 〖의학〗 촉진(觸診)하다.

pal·pate[2] *a.* 촉수(palpus)가 있는.

pal·pá·tion *n.* Ⓤ 촉지(觸知); 촉진.

pal·pe·bral [pǽlpəbrəl, pælpíː-] *a.* 눈꺼풀의.

pal·pi [pǽlpai] PALPUS 의 복수.

pal·pi·tant [pǽlpətənt] *a.* 심장이 뛰는, 가슴이 두근거리는.

pal·pi·tate [pǽlpətèit] *vi.* **1** 심장이 뛰다(throb), 고동하다; (가슴이) 두근거리다. **2** 떨리다《*with*》.

pàl·pi·tá·tion *n.* Ⓤ 동계(動悸), 고동; 가슴이 두근거림; 떨림; 〖의학〗 심계 항진(心悸亢進).

pal·pus [pǽlpəs] (*pl.* ***-pi*** [-pai]) *n.* (곤충 따위의) 촉수, 더듬이.

pal·sa [pɑ́ːlsə] (*pl.* ***-sen*** [-sən]) *n.* 〖지학〗 (빙하 끝부분에 생기는) 표력토(漂礫土) 둑.

pals·grave [pɔ́ːlzgrèiv, pǽlz-] *n.* 〖역사〗 (옛 독일의) 팔라틴 백작(count palatine).

pal·sied [pɔ́ːlzid] *a.* 마비된, 중풍에 걸린.

pal·stave [pɔ́ːlstèiv] *n.* 〖고고학〗 청동제(青銅製) 도끼(celt).

pal·sy [pɔ́ːlzi] *n.* Ⓤ (때로 the ~) 중풍, 마비(상태), 무기력. —*vt., vi.* 마비시키다〔되다〕.

pal·sy-wal·sy [pǽlziwǽlzi] *a.* 《속어》 자못 친밀한 듯한《태도 등》, 사이좋은. —*n.* 친우.

pal·ter [pɔ́ːltər] *vi.* **1** 《+전+명》 속이다, 말끝을 흐리다〔얼버무리다〕(equivocate); 어름어름 넘기다《*with*》: Don't ~ *with* serious matters. 중요한 문제를 경시하지 마라. **2** 《+전+명》 (값을) 깎다, 흥정하다《*with; about*》: ~ *with* a person *about* a price 아무와 흥정하여 값을 깎

다. [파] ~·**er** [-rər] *n.*

pal·try [pɔ́:ltri] (**-tri·er; -tri·est**) *a.* 하찮은, 지질한, 무가치한(petty); 얼마 안 되는《금액 따위》. [파] **-tri·ly** *ad.* **-tri·ness** *n.*

pa·lu·dal [pəlú:dəl, pǽljə-/pəljú:-, pǽljə-] *a.* 소택지의; 늪이 많은; 늪에 생기는; 말라리아성(性)의: ~ fever 말라리아열.

paly [péili] *a.* 《시어》 창백한, 핼쑥한(pale).

pal·y·nol·o·gy [pæ̀lənálədʒi/-nɔ́l-] *n.* 화분(花粉)〔포자(胞子)〕학. [파] **-gist** *n.* **pàl·y·no·lóg·i·cal, -ic** *a.*

pam [pæm] *n.* 〖카드놀이〗 (loo 게임에서) 클럽의 잭《으뜸패》; [U] (클럽의 잭을 으뜸패로 하는) 나폴레옹 비슷한 게임.

pam. pamphlet.

PAM 〖우주〗 payload assist module《통신 위성을 정지 궤도에 투입하는 추진 로켓》; 〖통신〗 pulse amplitude modulation(펄스 진폭 변조).

Pam·e·la [pǽmələ] *n.* 패멀라《여자 이름》.

Pa·mirs [pɑ:míərz] *n. pl.* (the ~) 파미르 고원《중앙 아시아 소재; 세계의 지붕이라 함》.

pam·pas [pǽmpəz, -pəs] *n. pl.* 팜파스《남아메리카, 특히 아르헨티나의 대초원》.

pámpas gràss 〖식물〗 팜파스초(草)《남아메리카 원산의 참억새 비슷한 풀》.

pam·per [pǽmpər] *vt.* 하고 싶은 대로 하게 하다, 어하다; …에게 실컷 먹이다; (식욕 따위를) 지나치게 채우다. [파] ~**ed** *a.* 응석받이로 자란, 제멋대로 하는, 방자한. ~·**er** *n.*

pam·pe·ro [pɑ:mpέərou, pæm-] (*pl.* ~**s**) *n.* 《Sp.》 남아메리카 Andes 산맥에서 대서양으로 부는 찬바람.

pamph. pamphlet.

***pam·phlet** [pǽmflət] *n.* **1** (가철한) 팸플릿, 작은 책자. **2** 시사 논문〔논평〕, 소논문.

pam·phlet·eer [pæ̀mflətíər] *n.* 팸플릿 저자; 격문의 필자. **—** *vi.* 팸플릿을 쓰다〔내다〕; (정치·종교 등에 대한) 시사 논평을 하다.

Pan [pæn] *n.* 〖그리스신화〗 판신(神), 목양신(牧羊神)《목동·산야의 신; 염소 뿔과 염소 다리를 가졌으며 피리를 붊; 로마 신화의 Silvanus에 해당됨》.

****pan**[1] [pæn] *n.* **1** 납작한 냄비: a frying ~ 프라이팬/a stew ~ 스튜 냄비. **2** (저울 따위의) 접

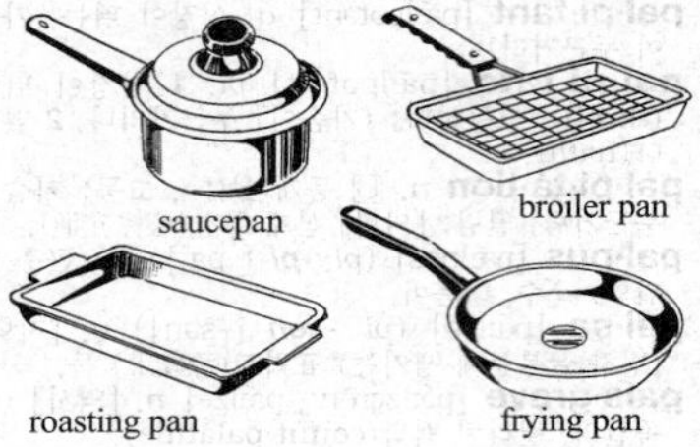

pan[1] 1

시; (구식총의) 약실; (선광용) 냄비. **3** 접시 모양으로 움푹 팬 땅, 소택지(沼澤地); 염전(塩田) (saltpan). **4** 돌쩌귀의 구멍; 암톨쩌귀, 수톨쩌귀. **5** 《속어》 얼굴, 상판; 무릎. **6** (무른 땅 아래 있는) 경반(硬盤)(hardpan). **7** 〖해사〗 작은 부빙(浮氷). **8** 《구어》 혹평(酷評). (**go**) ***down the*** ~ 《영속어》 못 쓰게 (되다), 쓸모없게 (되다). ***leap*** 〔***fall***〕 ***out of the ~ into the fire*** 작은 난(難)을 피하고 큰 난을 만나다. ***pots and ~s*** 취사 도구. ***put ... on the*** ~ 《미구어》 (사람·일을) 혹평하다, 헐뜯다. ***savor of the*** ~ 본성을 드러내다. ***shut one's*** ~ 《속어》 입을 다물다. ***turn the cat in the*** ~ 변절하다, 배신하다.

— (**-nn-**) *vt.* **1** 《[+목+전+명]》 〖광산〗 (흙·모래를) 냄비로 일다: ~ the surface dirt *for* gold 표면토(土)를 일어 금을 채취하다. **2** (사금을) 가려내다: ~ gold 금을 물에 일다. **3** 《미》 냄비로 요리하다; 졸여서 …의 엑스를 뽑다. **4** 《미속어》 손에 넣다. **5** 《구어》 혹평하다, 호되게 공격하다〔꾸짖다〕. **—** *vi.* **1** 사금이 나다: The bed ~*ned out* handsomely. 광상(鑛床)에서 사금이 담뿍 나왔다. **2** 《구어》 성공하다; …의 결과가 되다《*out*》: ~ *out* badly 결과가 실패로 돌아가다. **3** 움직이다, 일하다. ***be ~ned out*** 《미속어》 힘이 다하다, 파산하다. ~ ***out*** 《*vt.*+[부]》 ① (토사 등을) 선광(選鑛) 냄비로 일구다. ② (사금을) 가려내다. **—** 《*vi.*+[부]》 ③ 금을 내다. ④〔보통 부정·의문문에서〕 (일이) 잘 되어가다, 전개되다. ~ ***out about*** …에 관해 길게 말하다. ~ ***up*** 《미》 전액 지불하다.

pan[2] *n.* 팬(촬영)《화면에 파노라마적인 효과를 내기 위해 카메라를 상하좌우로 움직이며 하는 촬영》; 《미속어》 파노라마 사진. **—** (**-nn-**) *vt., vi.* 팬하다. [◂ *panorama*]

pan[3] [pɑ:n] *n.* 구장(betel pepper)의 잎; 그것으로 싼 씹는 것.

pan- [pæn] '전(全), 범(汎), 총(總)'의 뜻의 결합사.

Pan. Panama.

PAN [pæn] peroxyacetyl nitrate; polyacrylonitrile; *Partido de Acción Nacional* 《Mex.》 (=National Action Party)(국민 행동당).

pan·a·cea [pæ̀nəsí:ə] *n.* 만병통치약. [파] **pàn·a·cé·an** *a.*

pa·nache [pənǽʃ, -nɑ́:ʃ] *n.* [U] (투구의) 깃털 장식; 당당한 태도, 겉치레, 허세(swagger).

pa·na·da [pənɑ́:də, -néi-] *n.* [U] 빵 죽《빵이 묽게 풀릴 때까지 끓인 것》.

Pàn-Áfrican *a.* 전(全) 아프리카의; 범(汎)아프리카주의의. **—** *n.* 범아프리카주의자.

Pán-Áfricanism *n.* [U] 범(汎)아프리카주의. [파] **-ist** *n., a.*

Pan-Am [pænǽm] Pan American World Airways(팬아메리칸 항공 회사).

Pan·a·ma [pǽnəmɑ̀:, -mɔ̀:/pǽnəmɑ̀:] *n.* **1** 파나마 공화국《중앙 아메리카에 있음》; 그 수도 (=~ **City**). **2** (때로 p-) 파나마모자(~ hat). ***the Isthmus of*** ~ 파나마 지협《남·북아메리카를 이음》.

Pánama Canál (**Zòne**) (the ~) 파나마 운하 (지대).

Pánama hát 파나마모자.

Pan·a·ma·ni·an [pæ̀nəméiniən, -mɑ́:-/-méi-] *a., n.* 파나마의, 파나마 사람(의).

Pàn-Américan *a.* 범미(汎美)의《북·중앙·남아메리카의 전부를 포함》: the ~ Congress 전미(연합) 회의. [파] ~·**ism** *n.* [U] 범미주의.

Pán Américan Gámes (the ~) 범미주 경기 대회《북·중앙·남아메리카를 모두 포함한 아메리카 대륙의 스포츠 대회; 1951년 창설》.

Pàn-Américan Híghway (the ~) 팬아메리칸 하이웨이《Alaska의 Fairbanks에서 아르헨티나 남단의 Fuego 섬에 이르는 남북 아메리카를 종관(縱貫)하는 국제 도로; 총 길이 27,000 km》. 「《생략: P.A.U.》.

Pán Américan Únion (the ~) 범미 연맹

pán and tílt hèad 〖영화·TV〗 팬 앤드 틸트 헤드《카메라를 수평(pan), 상하(tilt) 어느 쪽으로도 작동할 수 있도록 카메라 삼각대 위에 장치한 회전판》.

Pàn-Ánglican *a.* 전(全) 영국 국교회(주의)의.

Pàn-Árabism *n.* [U] 범아랍주의〔운동〕.

Pàn-Ásianism *n.* [U] 범아시아주의〔운동〕. [파] **-ist** *n., a.*

pan·a·tela, -tel·la [pæ̀nətélə] *n.* Ⓒ 가늘게 만 여송연.

pàn·átheism *n.* 범무신론.

pan·a·trope [pǽnətròup] *n.* 패너트로프《확성기를 갖춘 전축》.

Pan·a·vis·ion [pǽnəvìʒən] *n.* 파나비전《대형 스크린 영화의 일종; 상표명》.

pan·broil [pǽnbrɔ̀il] *vt., vi.* 기름을 거의 치지 않은 프라이팬으로 굽다.

Pan-Cake [pǽnkèik] *n.* 팬케이크《화장품인 고형분(固形粉)의 일종; 상표명》.

◇**pán·càke** *n.* **1** 팬케이크《밀가루에 달걀을 섞어 프라이팬에 얇게 구운 것》. **2** 〖항공〗 =PANCAKE LANDING. **3** (극양(極洋) 위의) 원형의 얇은 얼음 (=∠ **ìce**). **4** =PANCAKE MAKEUP. **5** 《미속어》《특히》 여자다운 데가 없는 처녀, 소녀. **6** 비굴한 흑인. **7** 《속어》 성적 매력이 있는 여자. **(as) *flat as a* ～** 납작한. **—** *vi., vt.* 실속(失速) 수평착륙하다〔시키다〕; 납작하게 하다.

Páncake Dày 〔**Tùesday**〕 =SHROVE TUESDAY.

páncake lànding 털썩 떨어짐; 〖항공〗 수평 낙하 착륙《지면 가까이서 기체를 미리 수평으로 해서 실속(失速)시켜 낙하 착륙하는》.

páncake màkeup 팬케이크(Pan-Cake) 화장(품).

páncake ràce 팬케이크 레이스《프라이팬에서 팬케이크를 위로 던져올리며 달리는 경주》.

páncake róll 춘권(春卷)(spring roll)《표고·고기·부추 따위로 만든 소를 넣고 빚어 튀긴 중국 만두》.

pan·cha·yat [pəntʃɑ́:jət] *n.* 인도의 선거 선출제 마을 회의.

Pán·chen Láma [pɑ́:ntʃen-] 판첸 라마《Dalai Lama 에 다음가는 라마교의 부교주》.

pan·chres·ton [pænkréstn] *n.* (지나치게 단순화하여) 모든 경우에 들어맞게 만든 설명.

pan·chro·mat·ic [pæ̀nkroumǽtik] *a.* 〖사진〗 전정색(全整色)의《필름 따위》. **—** *n.* 팬크로매틱〔전색(全色)〕 건판(乾板). ㊞ **pan·chro·ma·tism** [pænkróumətìzəm] *n.* Ⓤ 전정색(성(性)).

pan·cos·mism [pænkɑ́zmizəm/-kɔ́z-] *n.* Ⓤ 〖철학〗 물질 우주설, 범우주론.

pan·crat·ic [pænkrǽtik] *a.* pancratium의; (렌즈가) 조절 자재의.

pan·cra·ti·um [pænkréiʃiəm] (*pl.* **-tia** [-ʃiə]) *n.* 권투와 레슬링을 합친 것 같은 옛 그리스의 경기.

pan·cre·as [pǽnkriəs, pǽŋ-/pǽŋ-] *n.* 〖해부〗 췌장(膵臟). ㊞ **pàn·cre·át·ic** [-ǽtik] *a.*

pan·cre·a·tec·to·my [pæ̀nkriətéktəmi, pæ̀ŋ-/pæ̀ŋ-] *n.* 〖의학〗 췌장 절제(술).

pancreátic júice 〔**secrétion**〕 췌액(膵液).

pan·cre·a·tin [pǽnkriətin, pǽŋ-/pǽŋ-] *n.* 〖생화학〗 Ⓤ 췌액소(膵液素)《소·돼지 등의 췌장에서 추출하여 소화제로 쓰임》.

pan·cre·a·ti·tis [pæ̀nkriətáitis, pæ̀ŋ-/pæ̀ŋ-] *n.* Ⓤ 췌장염.

pan·cre·a·tot·o·my [pæ̀nkriətɑ́təmi, pæ̀ŋ-/pæ̀ŋkriətɔ́t-] *n.* Ⓤ 췌장 절개(술).

pan·cu·ró·ni·um (**brómide**) [pæ̀nkjəróuniəm(-)] 〖약학〗 (브롬화) 판큐로늄《골격근 이완제》.

pan·da [pǽndə] *n.* 〖동물〗 판다《히말라야 등지에 서식하는 너구리 비슷한 짐승》; 흑백곰의 일종 (giant ～)《티베트·중국 남부산》.

pánda càr 《영구어》 (경찰의) 순찰차《특히 혹〔청〕색과 백색의》.

pánda cròssing 《영》 (교통 신호의) 누름단추식 횡단보도.

pan·da·nus [pændéinəs, -dǽn-] (*pl.* **-ni** [-nai], **～·es**) *n.* 〖식물〗 판다누스속의 각종 교목〔관목〕《관엽 식물》; 판다누스의 섬유《돗자리 등을 엮음》.

Pan·de·an, -dae·an [pændí:ən] *a.* Pan 신(神)의〔과 같은〕.

Pandéan pípes =PANPIPE.

pan·dect [pǽndekt] *n.* (종종 *pl.*) 법령 전서, 총론, 총람; (the P-s) 유스티니아누스 법전《A.D. 533년에 편찬된 로마 민법전》.

pan·dem·ic [pændémik] *a., n.* 전국적〔대륙적, 세계적〕으로 유행하는 (병)(cf. endemic, epidemic); (P-) 육욕의.

pan·de·mo·ni·um [pæ̀ndəmóuniəm] *n.* **1** (보통 P-) 악마전(殿), 복마전; 지옥. **2** ⓊⒸ 수라장, 대혼란(의 곳). ㊞ **-ni·àc, -món·ic** [-niæ̀k], [-mɑ́nik/-mɔ́n-] *a.*

pan·der [pǽndər] *n.* 뚜쟁이, (갈보의) 조방꾸니, 포주; (못된 짓의) 중개자. **—** *vi., vt.* 《～+목/+전+명》 뚜쟁이질을 하다; (…의 못된 짓 따위를) 방조하다; (취미·욕망에) 영합하다《*to*》: ～ *to* a person's low tastes 아무의 저급한 취미에 들맞추다.

p & h postage and handling. **P & I** principal and interest.

pan·dit [pʌ́ndit, pǽn-] *n.* 《Ind.》 학자, 교사; (P-) (존칭으로서) …선생; 관리.

P. &. L., P. and L., p. and l. 〖상업〗 profit and loss. **P. &. O.** Peninsular and Oriental 〔Occidental〕(Steamship Line).

pandoor ⇨ PANDOUR.

Pan·do·ra [pændɔ́:rə] *n.* 〖그리스신화〗 판도라《Prometheus 가 불을 훔쳤기 때문에 인류를 벌하기 위해 Zeus 가 지상에 보낸 최초의 여자》.

pan·do·ra, pan·dore [pændɔ́:rə], [pændɔ́:r] *n.* 기타 비슷한 옛 현악기.

Pandóra's bóx 판도라의 궤《판도라가 금(禁)을 어기고 열자, 안에서 재앙과 죄악이 튀어나와 온 누리에 퍼지고 궤 속에는 희망만이 남았다 함》; 여러 가지 재앙의 씨.

pan·dour, -door [pǽnduər] *n.* (*pl.*) 판두르병(兵)《잔인하기로 이름난 18세기의 Croatia 보병》; 잔인한 병사.

pan·dow·dy [pændáudi] *n.* 《미》 당밀이 든 사과 파이.

P. & P. 《영》 postage and packing. **P & S** 〖증권〗 purchase and sale. **P and V** pyloroplasty and vagotom(유문(幽門) 형성과 미주신경 절제).

pan·dy [pǽndi] *vt., n.* 《Sc.》 (학교에서 벌로 매나 채찍으로) 손바닥을 때리다〔때림〕. ㊞ **～·bàt** *n.* 벌주기 위해 때리는 채찍.

***pane** [pein] *n.* **1** (한 장의) 창유리(windowpane); 판벽널(panel). **2** (네모꼴의) 한 구획, (바둑판의) 눈, (미닫이의) 틀. **3** 우표의 한 시트 또는 시리즈. **—** *vt.* **1** …에 창유리를 끼우다. **2** (옷 등을) 조각조각 이어 만들다. ㊞ **～d** *a.* 창유리를 끼운; 조각조각 이어 맞춘. **∠·less** *a.* (창에) 유리가 없는.

pan·e·gyr·ic [pæ̀nədʒírik, -dʒái-/-dʒír-] *n.* 찬사, 칭찬; 송덕문(頌德文)《*upon*》. ㊞ **-i·cal** [-əl] *a.* 찬사의, 칭찬의.

pan·e·gyr·ist [pæ̀nədʒírist, -dʒái-, ∠-∠-/pæ̀nidʒír-] *n.* 찬사의 글을 쓰는 사람; 상찬자(賞讚者), 찬양자.

pan·e·gy·rize [pǽnədʒəràiz] *vt., vi.* 칭찬하다; (…의) 찬사를 하다, 상찬문(賞讚文)을 쓰다《*on, upon*》.

***pan·el** [pǽnl] *n.* **1 a** 판벽널, 머름; (창)틀. **b** 〖복식〗 패널《스커트 등의 색동 장식》; 〖항공〗 패널《낙하산 주산(主傘)의 gore 를 이루는 작은 조각》. **2** 네모꼴의 물건; 《특히》 (캔버스 대용의) 화판; 패널화《판자에 그린 그림》; 네모꼴의 사진〔그림〕; 한 컷 만화; 〖사진〗 패널판《보통보다 길이가 긺; 약 10×20cm.》. **3** 양피지 조각(parchment)《옛날 명부 따위로 쓰였음》; 등록부; 〖법률〗 배심원 명부, 배심 총원(總員); 《영》 (각 지구의) 건강 보험 의사〔환자〕 명부; 《Sc.》 형사 피고인: a ～ doctor 〔patient〕 《영》 명부에 등록되어

있는 보험 의사〔건강 보험 환자〕. **4 a** 토론자단, 강사단; 심사원단, 조사원단, (전문) 위원단《따위》; (퀴즈 프로의) 해답자단: a ~ of experts 전문가의 일단. **b** =PANEL DISCUSSION; 패널 조사《복수 인원을 대상으로 하여 정기적·계속적으로 하는 조사》; 패널 조사의 대상이 되는 한 무리의 사람. **5** 〖전기〗 배전〔제어〕반; 계기반. **6** 판돌의 면; 포석의 한 구획; (서적의 등·표지의) 패널; (울타리의) 가로대; 〖광산〗 (갱내의) 한 구획; 〖항공〗 (기체의) 칸 사이. **7** 《폐어》 안장 깔개 (pad). ***go on the*** **~** 건강 보험 의사의 진찰을 받다. ***on the*** **~** 토론자단〔심사원단〕에 참가하여; 건강 보험 의사 명부에 등록되어.

— (*-l-*, 《주로 영》 *-ll-*) *vt.* **1** 《~+목/+목+전+명》 …에 머름을 끼우다, 벽널로 장식하다: ~ the saloon *with* rosewood 객실에 자단(紫檀)의 장식 판자를 붙이다. **2** 끼워 넣다. **3** (옷등에) 세로의 색동 장식을 넣다. **4** …에 안장 깔개를 대다. **5** (배심원 등을) 선정하다; (공개 토론회의 연사를) 정하다. **6** 《Sc.》 기소(起訴)〔고발〕하다.

pa·ne·la [pənéilə] *n.* (중남미산) 저급 흑설탕.

pánel bèater (자동차의) 판금(板金) 기술자.

pánel·bòard *n.* 〖건축〗 머름; 패널 판지(板紙); 제도판(製圖板); 〖전기〗 배전반(配電盤).

pánel discùssion 공개 토론회《예정된 의제로 몇 사람의 연사가 청중 앞에서 하는》. cf. symposium.

pánel gàme =PANEL SHOW.

pánel hèating (마루·벽으로부터의) 복사식〔방사〕 난방(radiant heating).

pánel hòuse 〔**dèn**〕 《미》 갈보집.

pán·el·ing, 《주로 영》 **-el·ling** *n.* U 《집합적》 판벽널(panels).

pán·el·ist, -el·list *n.* (공개 토론회·퀴즈쇼 따위의) 토론자, 연사, (출연) 해답자.

pánel lìghting 패널 조명《형광 물질을 칠한 금속판에 전기로 가열하여 발광시키는》.

pánel pìn 대가리가 작고 가늘고 긴 못〔핀〕.

pánel shòw (라디오·TV 의) 레귤러 멤버가 해답하는 퀴즈 프로.

pánel thìef 갈보집(panel house)에서 손님의 금품을 훔치는 도둑.

pánel trùck 《미》 라이트밴《소형의 화객(貨客) 승용차》.

pánel wàll (광산에서) 두 구간의 사이; (건물의) 칸막이 벽(curtain wall).

pánel·wòrk *n.* U 판벽널〔머름, 수장판〕 세공; 〖광산〗 칸막이 작업.

pan·en·the·ism [pænénθiìzəm] *n.* U 만유내재신설(萬有內在神說).

pan·e·tela, -tel·la [pæ̀nətélə] *n.* =PANATELA.

Pàn-Européan *a.* 범유럽(주의)의.

pán·fìsh *n.* 프라이용 민물고기.

pán-frỳ *vt.* 프라이팬으로 튀기다.

pán·fùl *n.* 냄비〔접시〕 가득(한 양).

◇**pang** [pæŋ] *n.* **1** (갑자기 일어나는) 격심한 아픔, 고통. **2** 고민, 번민, 상심: feel the ~s of conscience 양심의 가책을 느끼다

pan·ga [pá:ŋgə] *n.* (동아프리카에서 쓰는) 날이 넓고 긴 칼.

Pan·gaea [pændʒí:ə] *n.* 〖지학〗 판게아《트라이아스기(紀) 이전에 존재했다는 대륙; 그 후 북의 Laurasia 와 남의 Gondwana 로 분리됨》.

pan·gen·e·sis [pændʒénəsis] *n.* U 〖생물〗 범생설(汎生說)《Darwin 의 유전에 관한 가설》. ㊞ **pan·ge·net·ic** [pæ̀ndʒənétik] *a.*

Pàn-Gérman *a.* 범게르만(인·주의)의. — *n.* 범게르만주의자. ㊞ **Pàn-Germánic** *a.* =PAN-GERMAN. **~·ìsm** *n.* U 범게르만주의.

Pan·gloss·i·an [pæŋglásiən, pæŋ-, -glɔ́:-/-glɔ́s-] *a.*, *n.* 극단으로 낙천적인(사람)《Voltaire 작 *Candide* 중의 인물 Dr. Pangloss 에서》.

pan·go·lin [pǽŋgəlin, pæŋgóulin] *n.* 〖동물〗 천산갑(穿山甲)(scaly ant-eater).

pangolin

pan·gram [pǽngrəm, pǽŋ-, -græm] *n.* 알파벳 문자 전체를 (되도록이면 한 번씩) 써서 지은 글.

pán·hàndle *n.* 프라이팬의 손잡이; (종종 P-) 《미》 좁고 길게 타주(他州)에 끼어든 지역. — *vt.*, *vi.* 《미구어》 (길에서 큰 소리로) 구걸하다(beg). ㊞ **pán·hàndler** *n.* 《미구어》 거지.

Pánhandle Státe (the ~) 미국 West Virginia 주의 별칭.

pán hèad 〖사진〗 팬헤드《수직·수평의 모든 방향으로 카메라 각도를 움직일 수 있는 삼각대 두부》.

Pàn·hellénic *a.* 범(汎)그리스(인〔주의〕)의; 《미》 전 대학 교우(校友) 클럽의. cf. Greek-letter fraternity. ㊞ **Pàn·héllenism** *n.* U 범그리스주의. **Pàn·héllenist** *n.*

pàn·húman *a.* 전 인류적인, 전 인류에 관한.

pan·ic**[1] [pǽnik] *n.* C,U **1** (원인이 분명치 않은) 돌연한 공포; 겁먹음; 당황, 낭패: be in 〔get into〕 a ~ 공포 상태에 있다〔빠지다〕/be seized with a ~ 겁먹다/There was a ~ when the theater caught fire. 극장에 불이 나자 큰 혼란이 일어났다. **2** 〖경제〗 공황, 패닉. **3** (a ~) 《속어》 아주 우스꽝스러운〔익살맞은〕 것〔사람〕. — *a.* **1** (공포 따위가) 당황케 하는, 제정신을 잃게 하는. **2** 당황한, 미친 듯한: ~ haste 몹시 허둥댐. **3** 공황적인: a ~ price 공황적인 싼값. **4** 까닭 없는(unreasonable), 도가 지나친. **5** (P-) Pan 신(神)의. ***push 〔***press, hit***〕 ***the*** **~** ***button*** 〔***switch***〕 ⇨ PANIC BUTTON. — (*-ck-*) *vt.* **1** 《~+목/+목+전+*-ing*》 공포심을 느끼게 하다, 당황하게〔허둥대게〕 하다: The school was ~*ked into* expel*ling* her. 놀랍게도 학교는 그녀를 퇴학시켰다. **2** 공황이 일어나게 하다. — *vi.* 《~/+전+명》 당황하다, 허둥대다《*at*》: Don't ~! 당황하지 마라/They ~*ked at* the first rise in international tension. 국제 간의 긴장이 고조되자 당황했다. ㊞ **pán·icky** *a.* 당황하기 쉬운, 전전긍긍하는; 공황의.

pan·ic[2] *n.* 〖식물〗 기장류(類)(=∠ **gràss**).

pánic attàck 〖정신의학〗 패닉 발작.

pánic bùtton 《구어》 (긴급할 때 누르는) 비상벨. ***push*** 〔***press, hit***〕 ***the*** **~** 《구어》 몹시 당황하다; 비상 수단을 취하다.

pánic dèck 《미공군속어》 긴급 낙하산 탈출용 좌석《조종사용》.

pan·i·cle [pǽnikəl] *n.* 〖식물〗 원추(圓錐) 꽃차례.

pánic-mònger *n.* 공포감을 일으키는 사람.

pánic ràck 《미공군속어》 (제트기 조종사의) 사출(射出) 좌석.

pánic státions *pl.* 《구어》 공황 상태, 위기; 당황: be at ~ over ... 몹시 서둘러 …을 하여야 하다; …에 몹시 당황하고 있다.

pánic-strìcken, -strùck *a.* 공황에 휩쓸린; 당황한.

pa·nic·u·late, -lat·ed [pəníkjəlèit, -lət], [-lèitid] *a.* 〖식물〗 원추꽃차례의.

panier ⇨ PANNIER.

pan·i·fi·ca·tion [pæ̀nəfikéiʃən] *n.* U 빵제조; 빵화(化).

Pàn-Íslam, -Íslamism *n.* U 범(汎)이슬람주의. ㊞ **Pàn-Islámic** *a.* 범이슬람(주의)의.

Pan·ja·bi [pʌndʒá:bi] *n.* 펀자브 사람; U 펀자

브어(語)(Punjabi).

pan·jan·drum [pændʒǽndrəm] (*pl.* **~s, -dra** [-drə]) *n.* 《경멸》 높은 양반, 나리, 어르신네.

pan·lo·gism [pǽnlədʒìzəm] *n.* 범논리주의 《우주의 근원을 로고스로 하고, 우주를 그 실현으로 보는 입장; Hegel 철학 따위》.

pan·mix·ia [pænmíksiə] *n.* Ⓤ 〖생물〗 잡혼 번식; 임의 교배《집단 내에서의 무차별 교배》. ㉺ **pan·míc·tic** [-míktik] *a.*

Pan·mun·jom [pɑ́:nmúndʒʌ́m/-dʒɔ́m] *n.* 「Ⓤ 판문점.

pan·nage [pǽnidʒ] *n.* Ⓤ 〖영법률〗 돼지 방목(권); 돼지 방목료(料); 돼지 먹이용 열매《도토리 따위》.

panne [pæn] *n.* Ⓤ 보풀이 있는 벨벳 비슷한 옷감(=∠ **vèlvet**).

pan·nic·u·lus [pəníkjələs] (*pl.* **-li** [-lài]) *n.* 〖해부〗 (지방·근육 따위의) 조직층, 《특히》 피하(皮下) 지방층.

pan·nier, pan·ier [pǽnjər, -niər] *n.* 옹구 《말·당나귀 등의 등 좌우에 걸치는》; 등광주리; 짐 바구니《오토바이 뒷바퀴 옆에 매다는》; 옛 여자 스커트를 펼치기 위해 사용한 고래수염 따위로 만든 테; 펼쳐진 스커트.

pan·ni·kin [pǽnikin] *n.* 《영》 작은 접시; 작은 냄비; (금속제의) 작은 잔.

pan·ning [pǽniŋ] *n.* 《구어》 심한 비난, 혹평.

pa·no·cha [pənóutʃə] *n.* Ⓤ (멕시코산) 막설탕; 호두를 넣은 캔디의 일종.

pan·o·ply [pǽnəpli] *n.* Ⓤ **1** 장대한 진용 배열, 장관, 장려. **2** (한 벌의) 갑주(甲冑); 완전한 장비; 〖일반적〗 (도구의) 한 벌. **3** 덮개, 방어물. **4** 정장, 성장; 훌륭한 장식〔꾸밈〕. ㉺ **pán·o·plied** *a.* 갑옷투구로 무장한.

pan·op·tic, -ti·cal [pænɑ́ptik/-nɔ́p-], [-əl] *a.* 모든 것이 한눈에 보이는, 파노라마적인.

pan·op·ti·con [pænɑ́ptikɑ̀n/-nɔ́ptikɔ̀n] *n.* **1** 《미》 원형 교도소《중앙에 감시소가 있는》. **2** 망원 현미경.

°**pan·o·rama** [pæ̀nərǽmə, -rɑ́:mə/-rɑ́:mə] *n.* 파노라마, 회전 그림; 연달아 바뀌는 광경; 전경(complete view); (문제 등의) 광범위한 조사, 개관.

pan·o·ram·ic, -i·cal [pæ̀nərǽmik], [-əl] *a.* 파노라마의〔같은〕, 파노라마식의: a ~ view 전경. ㉺ **-i·cal·ly** *ad.*

panorámic cámera 파노라마 사진기.

panorámic síght (포의) 회전식 조준경.

Pàn-Pacífic *a.* 전(全)〔범〕태평양의.

pan·pipe [pǽnpàip] *n.* 판(Pan)의 피리《관(管)을 길이의 순서대로 묶은 옛 악기》.

panpipe

pan·ple·gia [pænplí:dʒiə] *n.* 〖의학〗 전(全)마비.

pan·psy·chism [pænsáikizəm] *n.* Ⓤ 〖철학〗 범심론(汎心論)《만물에 마음이 있다는 생각》.

pàn·séxual *a.* 범(汎)성욕적인, 성(性)의 표현이 다양한; 범성(욕)설의. ㉺ **pàn·sexuálity** *n.* 범성욕주의.

Pàn-Slávism *n.* Ⓤ 범(汎)슬라브주의, 슬라브 민족 통일 운동. ㉺ **-Slávic** *a.* **-Slávist** *n.*

pan·soph·ic, -i·cal [pænsɑ́fik/-sɔ́f-], [-kəl] *a.* 만유(萬有) 지식의, 백과사전적 지식의; 전지의(omniscient). ㉺ **-i·cal·ly** *ad.*

pan·so·phism, -so·phy [pǽnsəfìzəm], [pǽnsəfi] *n.* Ⓤ 박식, 백과사전적 지식. ㉺ **-phist** *n.*

pan·sper·mia, pan·sper·ma·tism [pænspə́:rmiə], [pænspə́:rmətìzəm] *n.* Ⓤ 〖생물〗 배종(胚種) 발달설, 원자론.

Pán's pípes =PANPIPE.

***pan·sy** [pǽnzi] *n.* 〖식물〗 팬지; 《구어》 여자 같은 사내, 동성애하는 남자. **—** *a.* 여자같이 간들거리는; (물건이) 세련된, 멋진(chic).

***pant**[1] [pænt] *vi.* **1** 《~/+전+명》 헐떡거리다, 숨차다; 헐떡이며 달리다: They *~ed around* the track beside his bicycle. 그들은 그의 자전거 곁에서 헐떡이며 경주로를 달려 돌았다. **2** (심장이) 몹시 두근거리다. **3** 《+전+명/+*to* do》 갈망〔열망〕하다, 그리워하다《*for; after*》: ~ *for* liberty 자유를 갈망하다/~ *to* go abroad 외국에 가는 것을 열망하다. **4** (기차·기선이) 증기〔연기〕를 확 뿜다〔뿜으며 나아가다〕. **—** *vt.* 《~+목/+목+부》 헐떡거리며 말하다《*out; forth*》: She *~ed out* her message. 그녀는 헐떡이면서 말을 전했다. **—** *n.* **1** 헐떡거림(gasp), 숨참. **2** 심한 동계(動悸). **3** (엔진의) 배기음.

pant[2] *a.* 바지(pants)의.

pant- [pǽnt], **pan·to-** [pǽntou, -tə] '전(全), 총(總)' 따위의 뜻의 결합사.

pan·ta·graph [pǽntəgræ̀f, -grɑ̀:f] *n.* =PANTOGRAPH.

Pan·tag·ru·el [pæntǽgruèl, pæ̀ntəgrú:əl] *n.* Ⓤ 팡타그뤼엘《프랑스의 Rabelais 의 작품인 *Gargantua and Pantagruel* 중에 나오는 거칠고 풍자적인 유머가 풍부한 인물》. ㉺ **Pan·ta·gru·el·i·an** [pæ̀ntəgruéliən] *a.* 팡타그뤼엘류〔풍〕의. **Pàn·ta·grú·el·ìsm** *n.* Ⓤ 거칠고 풍자적인 유머. **-ist** *n.*

pan·ta·let(te)s [pæ̀ntəléts] *n. pl.* 여성용 헐거운 긴 속바지《19 세기의》; 그 자락의 장식.

°**pan·ta·loon** [pæ̀ntəlú:n] *n.* **1** (P-)(옛 이탈리아 희극의) 늙은이 역; 늙은 어릿광대《무언극에서 clown 의 상대역》. **2** (*pl.*) 19 세기 홀태바지; (*pl.*) 《구어》 바지(pants).

pánt·drèss *n.* culottes 식의 여성용 원피스 드레스《아래 절반이 바지 모양으로 된 원피스》.

pan·tech·ni·con [pæntéknikɑ̀n, -kən/-kən] *n.* 《영》 가구 진열〔판매〕장(場)〔창고〕; 가구 운반차(=∠ **vàn**).

pan·the·ism [pǽnθiìzəm] *n.* Ⓤ 범신론, 만유신교(萬有神敎); 다신교, 자연 숭배. ㉺ **-ist** *n.* 범신론자.

pan·the·is·tic, -ti·cal [pæ̀nθiístik], [-əl] *a.* 범신론의, 만유신교적인.

pan·the·on [pǽnθiɑ̀n, -ən, pænθí:ən/pǽnθiən, pænθí:ən] *n.* Ⓤ **1** 판테온《신들을 모신 신전》, 만신전(萬神殿); (the P-) 로마의 판테온. **2** 판테온《한 나라의 위인들의 무덤·기념비가 있는 전당》; (the P-) 파리의 판테온. **3** (한 국민이 믿는) 모든 신들. **4** 《영》 (런던의) 공중 오락장.

pan·ther [pǽnθər] (*pl.* **~s,** 〖집합적〗 **~**; *fem.* **~·ess** [-ris]) *n.* **1** 〖동물〗 **a** 《미》 퓨마(puma). **b** 표범(leopard). **c** 아메리카표범(jaguar). **2** 《구어》 흉포한 남자. **3** 《미속어》 싸구려 술, 《특히》 진.

pánther pìss〔**swèat**〕 《미속어》 싸구려, 싸구려 위스키.

pant·ie, panty [pǽnti] *n.* =PANTIES.

pántie gìrdle〔**bèlt**〕 팬티거들《팬티 모양의 코르셋》.

pant·ies [pǽntiz] *n. pl.* 《구어》 (여성·소아용) 팬티; 드로어즈(drawers).

pant·i·hose [pǽntihòuz] *n.* =PANTYHOSE.

pantiles

pan·tile [pǽntàil] *n.* 〖건축〗 왜(倭)기와

《보통의 기와를 말함》. 「을 몰아쉬며.
pant·ing·ly [pǽntiŋli] *ad.* 숨을 헐떡이며, 숨
pan·ti·slip [pǽntislìp] *n.* 팬티와 슬립이 함께 연결되어 있는 여성용 내의.
pant·i·soc·ra·cy [pæ̀ntəsákrəsi/-tisɔ́k-] *n.* Ⓤ 이상적 평등 사회, 만민 동권(同權) 정체.
pan·to [pǽntou] *n.* 《영》 =PANTOMIME.
pan·to- =PANT-. 「지배자《그리스도》.
Pan·toc·ra·tor [pæntákrətər] *n.* 전능하신
pan·to(f)·fle [pǽntəfəl, pæntáfəl, -tú:fəl/ pæntɔ́fəl] *n.* (침실용) 슬리퍼(slipper).
pan·to·graph [pǽntəgræ̀f, -grɑ̀:f] *n.* 신축 자재의 사도기(寫圖器), 축도기(縮圖器); (전동차 따위의) 팬터그래프, 집전기(集電器). ⓜ **pàn·to·gráph·ic** [-grǽfik] *a.*
pan·tog·ra·phy [pæntágrəfi/-tɔ́g-] *n.* Ⓤ 전사법(全寫法), 축사법; 전체도; 총론.
pan·tol·o·gy [pæntálədʒi/-tɔ́l-] *n.* Ⓤ 종합 백과적 지식. ⓜ **pàn·to·lóg·ic** [-təládʒik/ -lɔ́dʒ-] *a.*
pan·to·mime [pǽntəmàim] *n.* **1** 무언극, 팬터마임; 《영》 크리스마스 때의 동화극(Christmas ~). **2** Ⓤ 몸짓, 손짓. **3** (고대의) 무언극 배우. **—** *vt., vi.* 손짓·몸짓으로 (뜻을) 나타내다; 무언극을 하다. ⓜ **pan·to·mim·ic** [pæ̀ntəmímik] *a.* **pan·to·mim·ist** [pǽntəmàimist] *n.* 팬터마임 배우〔작자〕.
pan·to·mor·phic [pæ̀ntəmɔ́:rfik] *a.* 갖가지 모습〔형태·모양〕으로 되는.
pan·to·scope [pǽntəskòup] *n.* 『물리』 파노라마 사진기; 광각(廣角) 렌즈.
pan·to·scop·ic [pæ̀ntəskápik/-skɔ́p-] *a.* 광각도(廣角度)의《렌즈·사진기 등》; 시야가 넓은, 전경(全景)을 보는: a ~ camera 광각〔파노라마식〕 사진기(panoramic camera).
pan·to·thén·ic ácid [pæ̀ntəθénik-] 『생화학』 판토텐산《비타민 B 복합체의 하나》.
pan·trop·ic[1] [pæntrápik/-trɔ́p-] *a.* 『병리』 (바이러스가) 여러 가지 조직에 친화성이 있는.
pan·trop·ic[2] *a.* =PANTROPICAL.
pan·trop·i·cal [pæntrápikəl/-trɔ́p-] *a.* 전(全)열대 지역에 분포하는.
°**pan·try** [pǽntri] *n.* 식료품(저장)실, 찬방(饌房), 식기실(butler's ~); 《미속어》 위(胃).
pántry·man [-mən] (*pl.* **-men** [-mən]) *n.* (호텔 등의) 식품실 담당자, 그 조수.
pants [pænts] *n. pl.* 《구어》 바지(trousers); 《영》 속바지, (남자의) 팬츠(underpants); (여성·아이의) 팬티, 드로어즈. ***beat the ~ off*** 《속어》 완패시키다, 때려눕다. ***bore the ~ off*** a person 아무를 진력나게 하다. ***have*** 〔***take***〕 ***the ~ off*** a person 《영속어》 아무를 몹시 꾸짖다. ***in long ~*** 《미》 (아무가) 어른이 되어. ***in short ~*** 《미》 (아무가) 아직 어린아이로. ***scare*** 〔***frighten***〕 ***the ~ off*** (아무를) 겁주다, 두려워 흠칫거리게하다. ***wear the ~*** 내주장하다.
pánt·shòes *n. pl.* 판탈롱슈즈《가랑이가 넓은 바지용 구두》.
pánt·skìrt *n.* 치마바지.
pánts ràbbit 《미속어》 이(louse).
pánt·sùit *n.* 여성용 재킷과 슬랙스의 슈트(= **pánts sùit**). ⓜ **~·ed** [-id] *a.*
pánty gìrdle =PANTIE GIRDLE.
panty·hose [pǽntihòuz] *n.* 팬티스타킹.
pánty ràid 《미》 팬티 습격《대학의 남자 기숙생이 여자 기숙사에 가서 팬티를 빼앗는 장난》.
panty·waist [pǽntiwèist] *n.* 《미》 짧은 바지가 달린 유아복; 《구어》 어린애〔계집애〕 같은 사내, 열쭝이. **—** *a.* 《구어》 어린애〔여자〕 같은 뱅충맞은.

Pan·za [pǽnzə] *n.* **Sancho** ~ 산초 판사《Don Quixote 의 종자》.
pan·zer [pǽnzər; G. pántsɐ] *a.* 《G.》 『군사』 기갑〔장갑(裝甲)〕의; 기갑 부대〔사단〕의: a ~ division 기갑 사단. **—** *n.* (기갑 부대를 구성하는) 장갑차, 전차; (*pl.*) 기갑 부대.
pap[1] [pæp] *n.* Ⓤ 빵죽《유아·환자용》; 흐물흐물하게 된 것; 과일의 연한 살(pulp); 어린애 속임수; (가치·내용이 없는) 생각, 문장; 《미》 (관리의) 음성 수입. (***as***) ***soft*** 〔***easy***〕 ***as ~*** 어린애 같은. ***His mouth is full of ~.*** 그는 아직 젖비린내난다. 「것《윈뿔꼴의 언덕 따위》.
pap[2] *n.* 《방언》 젖꼭지(nipple); 젖꼭지 모양의
pap[3] *n.* 《소아어·방언》 papa 의 간약형.
°**pa·pa** [pɑ́:pə, pəpɑ́:/pəpɑ́:] *n.* 《소아어·미구어·영고어》 아빠. cf. dad. OPP. *mamma*. SYN. ⇨ FATHER.
pa·pa·cy [péipəsi] *n.* Ⓤ 로마 교황의 지위〔임기〕, 교황권; 《집합적》 교황; 교황의 계보; (보통 P-) 교황 정치〔제도〕.
pa·pa·in [pəpéiin, -páiin] *n.* Ⓤ 『생화학』 파파인《파파야 열매에 포함되어 있는 효소》.
°**pa·pal** [péipəl] *a.* 로마 교황의; 교황 제도의; 가톨릭 교회의: a ~ edict 교황령 / ~ encyclical 교황의 회칙(回勅). ⓜ **~·ly** *ad.* 「십자가》.
pápal cróss 교황 십자가《가로대가 세 개 있는
pápal infallibílity (the ~) 교황 무류설(無謬說)《교황이 신앙과 도덕상의 일에 관해 선언하는 일에는 오류가 없다는 설》.
pá·pal·ìsm *n.* Ⓤ 교황 정치; 교황제 지지(支持). ⓜ **-ist** *n.* 가톨릭 교도, 교황제 옹호자.
pá·pal·ìze *vi., vt.* 교황제를 신봉하다; 가톨릭교로 개종하다〔시키다〕.
pápal núncio (종종 P- N-) (바티칸과 정식 외교 관계가 있는 나라에 보내는) 교황 사절.
Pápal Státes (the ~) 교황령《1870 년까지 교황이 지배한 중부 이탈리아 지역》.
Pa·pan·dre·ou [pæ̀pəndréiu:] *n.* 파판드레오우. **1 Andreas** (**Georgios**) ~ 그리스의 사회주의 정치가《국방장관과 수상을 지냄; 1919–96》. **2 Georgios** ~ 그리스의 공화주의 정치가《1 의 부친이며 수상을 지냄; 1888–1968》.
Pa·pa·ni·co·láou tèst 〔**smèar**〕 [pɑ̀:pənì:kəláu-] ⇨ PAP TEST.
pa·pa·raz·zo [pɑ̀:pərɑ́:tsou] (*pl.* **-raz·zi** [-rɑ́:tsi]) *n.* 《It.》 (유명 인사를 쫓아다니는) 프리랜서 사진가. 「*a.* 『식물』 양귀비꽃과(科)의.
pa·pav·er·a·ceous [pəpæ̀vəréiʃəs/-pèiv-]
pa·pav·er·ine [pəpǽvəri:n, -péi-, -rin] *n.* 『화학』 파파베린《아편에 함유된 유독 알칼로이드》.
pa·pav·er·ous [pəpéivərəs] *a.* 양귀비의, 양귀비 같은, 최면의(soporific).
pa·paw [pɔ́:pɔ:, pəpɔ́:/pəpɔ́:] *n.* **1** 포포나무《북아메리카산 과수》; 그 열매. **2** =PAPAYA.
pa·pa·ya [pəpɑ́:jə/-páiə] *n.* 『식물』 파파야 나무《열대 아메리카산》; 그 열매.
Pa·pe·e·te [pɑ̀:piéiti, pəpí:ti] *n.* 파페에테《남태평양의 Society 제도 중, Tahiti 섬 북서부의 도시; 동 제도 및 프랑스령 Polynesia 의 수도》.
†**pa·per** [péipər] *n.* **1** Ⓤ 종이: ruled ~ 인찰지, 괘지 / get on ~ 적바림하다 / a sheet of ~ 종이 한 장 / a bit 〔piece〕 of ~ 한 쪽의 종잇조각. ★ 물질명사 취급이 원칙. 셀 때에는 sheet, piece 따위를 단위로 하는 것이 보통이나 때로는 다음과 같이 말할 경우도 있음: Fetch me *a paper*. 종이 한 장 가져다 주게. **2** Ⓤ 벽지(wallpaper), 도배지; (핀·바늘 등을 꽂아 두는) 대지(臺紙); 문구(文具). **3** Ⓒ 신문(지): a daily ~ 일간(日刊) 신문 / a morning 〔an evening〕 ~ 조〔석〕간지 / today's ~(*s*) 오늘 신문 / get into

the ~*s* 신문에 실리다; 기삿거리가 되다/read ... in the ~*s* 신문에서 …을 읽다. **4** (*pl.*) 서류, 문서, 기록; 《미속어》 주차 위반에 대한 호출장: top-secret ~*s* 극비(極秘) 문서/state ~*s* 공문서/⇨ SHIP'S PAPERS. **5** (*pl.*) 신분증명서; 신임장(信任狀): citizenship ~*s*. **6** [C] (연구) 논문, 논설: a ~ *on* currency reform 통화 개혁에 대한 논문/read a ~ (학회에서) 논문을 발표하다. **7** [C] 시험 문제〔답안〕(지); 숙제: The ~ was a very easy one. 시험 문제는 매우 쉬웠다. **8** [U] 증서, 증권, (환)어음; 지폐(~ money); 《미속어》 위조지폐: commercial 〔negotiable〕 ~ 상업〔유통〕 어음/lay 〔hang〕 ~《미속어》 부도 수표를 떼다, 가짜돈을 쓰다. **9** 종이 꾸러미, 한 꾸러미: a ~ of cigarette 담배 한 꾸러미. **10** [U] 종이 모양의 것《파피루스 따위》. **11** [U] 《속어》 무료 입장권; 〖집합적〗 무료 입장자. **12** (*pl.*) =CURL-PAPER. **13** 《미속어》 마약 봉지. ***be not worth the ~ it is printed*** 〔***written***〕 ***on*** (계약서 등이) 전혀 가치가 없다, 휴지나 마찬가지다. ***commit ... to ~*** …을 적바림하다. ***lay the ~s*** 서류를 탁자 위에 내놓다《장관이 의회 보고를 위해》. ***on ~*** 종이에 쓰인〔인쇄된〕; 서류상으로; 이론〔통계〕상으로는; 계획〔입안〕 중인; 명목상: a good scheme *on* ~ 이론상으론 좋은 계획. ***put pen to ~*** 붓을 들다, 쓰기 시작하다. ***put*** one's ***~s in*** 《미속어》 입학을〔입대를〕 지원하다; 사임하다. ***send*** 〔***hand***〕 ***in*** one's ***~s*** 《영》 (군인이) 사표를 내다. ***set a ~*** (in grammar) (문법) 문제를 내다. ***wove***(***n***) ***~*** 비추어 보면 가는 그물눈이 보이는 종이.

— *a.* **1** 종이의, 종이로 만든〔쓰는〕: a ~ napkin 종이 냅킨/a ~ screen 장지. **2** 종이 같은, 얇은, 취약한. **3** 지상의; 종이에 쓰인〔인쇄된〕; 장부상으로만의, 공론의, 가공의: a ~ army (실재하지 않는) 유령 군대/a ~ promise 명목만의 약속/~ profits 장부상으로만의 이익. **4** 무료로 입장한: ~ audience.

— *vt.* **1** 종이에 쓰다. **2** 종이로 싸다; (방에) 종이〔벽지 따위〕를 바르다, 도배하다; 종이로 뒷면을 바르다: ~ (the walls of) a room. **3** 종이를 공급하다. **4** …을 사포로 문지르다. **5** 《속어》 (극장 등을) 무료 입장권을 발행하여 꽉 채우다. **—** *vi.* 벽지를 바르다. **~ *over*** (불화·결점 등을) 숨기다, 호도(糊塗)하다, 얼버무리다; (얼룩 등을) 벽지를 발라 가리다. **~ *up*** (창·문 등에) 종이를 바르다.

páper àcid 《속어》 =BLOTTER 3.

páper·bàck *n.* 종이 표지의 (염가〔보급〕판) 책. [cf] hardback, hardcover. **—** *a.* 종이 표지〔염가본, 보급판〕의. **—** *vt.* 종이 표지판으로 출판하다. [파] **~ed** [-t] *a.*

páper bàg 종이 봉지. ***can't fight*** 〔***blow, punch***〕 one's ***way out of a ~*** 《미구어》 무기력하다, 활기 없다.

páper bìrch 〖식물〗 자작나무《북아메리카산》.

páper blockáde (선언에 불과한) 지상 봉쇄.

páper·bòard *n.* 두꺼운 종이, 보드지, 판지.

páper bóok 소송 절차에 관한 서류.

páper bóttle 페이퍼 보틀《방부 처리한 종이 용기; 식품용》.

páper·bòund *n., a.* =PAPERBACK.

páper·bòy *n.* 신문팔이 소년, 신문 배달원.

páper chàse =HARE and hounds.

páper clàmp 종이 끼우개.

páper clìp 종이 물리개, 클립.

páper-còver *n., a.* =PAPERBACK.

páper cúp 종이컵.

páper cúrrency 지폐, 은행권.

páper cúrtain 검열(에 의한 전달 방해).

páper cùtter (종이) 재단기; 〖사진〗 커터; =PAPER KNIFE.

páper fèed 〖컴퓨터〗 (프린터의) 종이 먹임.

páper·gìrl *n.* 신문팔이〔배달〕 소녀.

páper góld 〖경제〗 국제 통화 기금에서의 특별 인출권(SDR).

páper·hànger *n.* **1** 표구사; 도배장이. **2** 《미속어》 부도 수표〔어음〕 사용자.

páper·hànging *n.* 표구〔도배〕(업); (*pl.*) 《고어》 벽지, 도배지; 《미속어》 부도 수표 남발.

páper hòuse 《미속어》 (무료) 초대객으로 만원인 극장〔서커스〕.

páper knìfe (봉투 따위를 째는) 종이칼; paper cutter의 날.

pá·per·less *a.* 정보나 데이터를 종이를 쓰지 않고 전달하는.

páperless óffice 페이퍼리스 오피스《컴퓨터 따위의 정보 처리 시스템과 전자 우편 따위의 비즈니스 통신망을 이용하여 종이를 쓰지 않는 사무 합리화 시스템》.

páper·màker *n.* 제지업자.

páper·màking *n.* [U] 제지.

páper màn 《미속어》 즉흥 연주가, 서투른 연주가.

páper mìll 제지 공장.

páper mòld 지형(紙型).

páper móney 지폐([opp] *specie*); 유가 증권《수표·어음 등》.

páper múlberry 〖식물〗 꾸지나무.

páper mùslin 광택 있는 모슬린.

páper nápkin (1회용) 식탁 종이 냅킨.

páper náutilus 〖동물〗 오징어·문어 따위 두족류(頭足類).

páper plànt 〔**rèed, rùsh**〕 〖식물〗 파피루스 (papyrus).

páper prófit 가공 이익(unrealized profit)《주식·상품 등의 장부상의 매각 이익》.

páper púlp 제지용 펄프.

páper pùsher 《속어》 위조지폐 사용자.

páper qualificátions 자격 (취득) 증명서《실제의 경험에 의해 취득한 것이 아님》.

páper-róck-scíssors *n.* 가위-바위-보.

páper róund 〔**ròute**〕 (매일매일의) 신문 배달; 신문 배달 구역.

páper shéll 종이처럼 얇은 껍질.

páper-shùffler *n.* 《구어》 사무원, 하급 공무원.

páper stàiner 벽지 제조인, 벽지 인쇄〔착색〕자; 삼류 작가.

páper stàndard 지폐 본위(의 화폐 제도).

páper tápe (컴퓨터 등의) 종이 테이프《기억 장치의 입·출력 매체》.

páper-thín *a.* 종이처럼 얇은; (승리 따위가) 아슬아슬한.

páper tíger 종이호랑이; 허장성세.

páper tówel 종이 타월, 키친타월.

páper tràil (개인의 과거를 엿볼 수 있는) 기록(문건).

páper-tràin *vt.* (개 등을) 종이에 배변하도록 훈련하다.

páper trèe 〖식물〗 =PAPER MULBERRY.

páper·wàre *n.* 종이 제품; 종이로 만든 그릇《종이컵, 종이 접시 따위》.

páper wár(**fare**) 필전(筆戰), 논전.

páper wédding 지혼식(紙婚式)《결혼 1주년 기념일》.

páper·wèight *n.* 서진(書鎭), 문진.

páper·wòrk *n.* 문서(文書) 업무, 탁상 사무.

páper·wòrker *n.* =PAPERMAKER.

pa·pery [péipəri] *a.* 종이의〔같은〕, 지질의; 얇은, 취약한; 《속어》 무료 입장자로 가득 찬.

pap·e·terie [pǽpətri] *n.* 《F.》 문구함(函), 문갑, 손궤.

Pa·phi·an [péifiən] *a.* Paphos의 (주민의); 《문어》 부정한 연애의, 음란한. **—** *n.* Paphos의 주민; (때로 p-) 창녀.

Pa·phos [péifɑs/-fɔs] *n.* 파포스《Aphrodite의 신전이 있던 Cyprus 남서부의 옛 도시》.

pa·pier col·lé [*F.* papjekɔle] 《F.》 〖미술〗 =COLLAGE.

pa·pier-mâ·ché [pèipərmə∫éi, -mæ-/

pæ̀pjeimǽʃei] *n.* Ⓤ 《F.》 혼응지(混凝紙)《송진과 기름을 먹인 딱딱한 종이; 종이 세공용》. — *a.* 틀에 종이를 발라 만든 모형의; 비현실적인, 거짓의: a ~ mold 〖인쇄〗 지형(紙型).

pa·pil·i·o·na·ceous [pəpìliənéiʃəs] *a.* 〖식물〗 나비 모양의《꽃 따위》; 콩과(科)의.

pa·pil·la [pəpílə] (*pl.* **-lae** [-liː]) *n.* 〖해부〗 젖꼭지, 유두(乳頭); 젖꼭지 모양의 작은 돌기; 〖식물〗 유연한 작은 돌기; 〖병리〗 구진(丘疹), 여드름. ㊕ **pap·il·lar, pap·il·lary** [pǽpələr, pəpílər/pəpíl-], [pǽpəlèri, pəpíləri/pəpíl-] *a.* 젖꼭지(모양)의. **papil·late** [pǽpəlèit, pəpílit/pəpíləri] *a.* 젖꼭지 모양〔유두성(乳頭性)〕의.

pap·il·lo·ma [pæ̀pəlóumə] (*pl.* **~s, ~·ta** [-tə]) *n.* 〖의학〗 유두종(乳頭腫); 무사마귀, 티눈. ㊕ **~·tous** [-təs] *a.* 유두종(성)의.

papillóma·vìrus *n.* 〖의학 · 수의〗 (환상(環狀) DNA를 가진) 유두종(乳頭腫) 바이러스.

pap·il·lon [pǽpəlàn/-lɔ̀n] *n.* (P-) 스파니엘종의 개《애완용》; 《F.》 [pàːpijɔ́ːŋ] =BUTTERFLY.

pap·il·lose, pap·il·lous [pǽpəlòus], [pǽpələs] *a.* 젖꼭지 모양의 작은 돌기가 있는; 무사마귀투성이인.

pap·il·lote [pǽpəlòut] *n.* **1** =CURLPAPER. **2** (살 붙은 뼈의 끝을) 싸는 종이; (육류 등을 싸서 조리하기 위한) 기름종이: en ~ 기름종이로 싸서 요리한.

pa·pist [péipist] *n.*, *a.* 교황 절대주의자(의); 「《경멸》 가톨릭교도(의).

pa·pis·tic, -ti·cal [peipístik, pə-], [-əl] *a.* 교황 정치의, 가톨릭교의. ㊕ **-ti·cal·ly** *ad.* 가톨릭교적으로, 가톨릭교도로서.

pa·pist·ry [péipəstri] *n.* Ⓤ 《경멸》 가톨릭교 「(의 교리〔의식〕).

pa·po·va·vi·rus [pəpóuvəvàiərəs] *n.* 〖세균〗 파포바바이러스《종양원성(腫瘍原性)이 있는 45-55 nm의 정 20면체의 바이러스》.

pa(p)·poose [pæpúːs, pə-] *n.* (북아메리카 원주민의) 어린애, 〔일반적〕 젖먹이; 《미속어》 (조합원에 엎혀 일하는) 비조합원 노동자.

pap·pose, -pous [pǽpous], [-pəs] *a.* 〖식물〗 관모(冠毛)가 있는; 관모성(性)의.

pap·pus [pǽpəs] (*pl.* **-pi** [-pai, -piː]) *n.* 〖식물〗 (민들레 씨 따위의) 관모(冠毛), 솜털.

pap·py[1] [pǽpi] (**-pi·er; -pi·est**) *a.* 빵죽 같은, 흐물흐물한, 걸쭉한, 질컥질컥한(mushy); 연한, 부드러운.

pap·py[2] *n.* 《미중 · 남부》 아빠, 아버지(papa).

páppy gùy (공장 · 회사의) 고참자.

pa·preg [péipreg] *n.* 수지(樹脂)를 먹여 압축한 두꺼운 종이. [◂ *pa*per+im*preg*nated]

pap·ri·ka [pæpríːkə, pə-/pǽprikə] *n.* 단맛이 나는 고추의 일종; 이것으로 만든 향료(香料). ***Spanish*** ~ 피망《양고추》.

Páp tèst 〔**smèar**〕 [pǽp-] 팹시험〔도말(塗抹) 표본〕《자궁암 조기(早期) 검사법의 하나》.

Pap·ua [pǽpjuə] *n.* 파푸아 섬, 뉴기니 섬(New Guinea).

Pap·u·an [pǽpjuən] *a.* 파푸아(섬)의; 파푸아 사람의; 파푸아어의; 〖생물지리〗 파푸아 아구(亞區)의. — *n.* 파푸아(섬) 사람; Ⓤ 파푸아어《수백의 부족어의 총칭》.

Pápua Nèw Guínea 파푸아 뉴기니《New Guinea 동반부의 독립국; 1975년 독립; 수도 Port Moresby; 생략: P.N.G.》. ㊕ **~n** *n.*, *a.*

pap·u·la [pǽpjələ] (*pl.* **-lae** [-liː]) *n.* **1** (극피동물류의) 작은 돌기. **2** =PAPULE.

pap·ule [pǽpjuːl] *n.* 〖의학〗 **1** 구진(丘疹); 여드름, 뾰루지. **2** 〖식물〗 작은 융기(隆起), 혹. ㊕ **pap·u·lar** [pǽpjələr] *a.* 구진(성)의. **pap·u·lif·er·ous** [pæ̀pjəlífərəs] *a.* 구진을 발생시키는.

pap·u·lose, -lous [pǽpjəlòus], [-ləs] *a.* 구진의〔으로 덮인〕. 「〔종이 모양〕의.

pap·y·ra·ceous [pæ̀pəréiʃəs] *a.* 파피루스

pa·py·ro·graph [pəpáiərəgræ̀f, -grɑ̀ːf] *n.* 일종의 등사판, 복사기.

pap·y·rol·o·gy [pæ̀pərálədʒi/-rɔ́l-] *n.* Ⓤ 파피루스학. ㊕ **-gist** *n.* 파피루스학자.

pa·py·rus [pəpáiərəs] (*pl.* **~·es, -ri** [-rai, -riː]) *n.* Ⓤ **1** 〖식물〗 파피루스《고대 이집트의 제지 원료》. **2** 파피루스 종이《파피루스로 만든 종이》. **3** (*pl.*) 파피루스 사본〔고문서〕. ㊕ **pa·pý·ral** *a.*

◦**par**[1] [pɑːr] *n.* **1** 동위(同位), 동등, 동수준, 동가(equality). **2** 〖상업〗 액면 동가, 평가; 환(換) 평가: nominal 〔face〕 ~ 액면 가격/issue ~ 발행 가격. **3** 평균, 표준(도(度)), 기준량〔액〕; (건강 · 정신의) 상태; 〖골프〗 기준 타수《한 구멍 또는 특정한 골프 코스의》. ***above*** ~ 액면 (가격) 이상으로; 표준 이상으로; 건강하여. ***at*** ~ 액면 가격으로; 평가로. ***below*** ~ 액면 이하로; 표준 이하로; 건강이 좋지 않아: feel *below* ~ 기분이 좋지 않다. ***on a*** ~ (…와) 동등한, 동수준의 (*with*): We want this country to be *on a* ~ *with* our neighbors in terms of rights. 우리는 이 나라가 권리면에서 이웃 나라들과 동등해지기를 바란다. ~ ***for the course*** 《구어》 보통〔예사로운, 당연한〕 일. ~ ***of exchange*** (환의) 법정 평가. ***under*** ~ 표준 이하로; 건강이 좋지 않아서. ***up to*** ~ 〔보통 부정문으로〕 ① 표준에 달하여. ② (몸의 컨디션 · 건강이) 좋은, 보통 상태인: I don't feel *up to* ~. 《구어》 건강 상태가 좋지 않다. — *a.* 〖상업〗 액면〔평가〕의; 평균의, 보통의, 표준〔정상〕의. — (**-rr-**) *vt.* 〖골프〗 (홀을) 파로 끝내다.

par[2] *n.* 《영구어》 =PARAGRAPH.

par[3] *n.* 〖어류〗 ⇨PARR.

par- ⇨ PARA-[1].

PAR 〖전자〗 perimeter acquisition radar(주변 포착 레이더); 〖항공〗 precision approach radar (정밀 측정 진입 레이더). **par.** paragraph; parallel; parenthesis; parish.

Pa·rá [pərɑ́ː] *n.* **1** (the ~) 파라강《브라질 북부 Amazon 강 하구부(河口部)의 분류(分流)》. **2** 파라《브라질 북부의 주; 주도는 Belém》. **3** = PARÁ RUBBER.

pa·ra[1] [pɑ́ːrə, pɑːrɑ́ː/pɑ́ːrə] (*pl.* **~s, ~**) *n.* Ⓤ 유고슬라비아의 화폐 단위; 터키의 구화폐 단위.

para[2] [pǽrə] *n.* 《구어》 =PARACHUTIST; PARATROOPER; PARACOMMANDO.

para[3] [pǽrə] *n.* 《구어》 =PARAGRAPH.

Par(a). Paraguay. **para.** paragraph.

par·a-[1] [pǽrə], **par-** [pǽr] *pref.* **1** '측면, 근접, 초월, 이반' 따위의 뜻: *para*llel; *para*logism. **2** 〖화학〗 **a** 중합형(重合形)을 나타냄: *para*cymene. **b** 벤젠고리를〔벤젠핵을〕 지닌 화합물에서 1, 4- 위(位) 치환체를 나타냄《생략: P-》. **3** 〖의학〗 '병적 이상(異狀), 의사(擬似), 부(副)'의 뜻: *para*cholera. ★ 모음 앞에서는 par-.

par·a-[2] '방호(防護), 피난'의 뜻의 결합사: *para*sol.

pa·ra-[3] '낙하산'의 뜻의 결합사: *para*-troops.

-pa·ra [ˊpərə] '…산부(産婦)'의 뜻의 결합사: primi*para*, multi*para*.

pára-amino·benzóic ácid 〖생화학〗 파라아미노벤조산《비타민 B 복합체의 일종》.

pára-amino·salicýlic ácid 〖화학〗 파라아미노살리실산《결핵 치료제; 생략: PAS》.

pàra·biósis *n.* Ⓤ 〖생물〗 병체(竝體) 결합, 병체 유합(癒合); 〖생리〗 패러바이오시스《신경 세포가 일시적으로 전도성 · 흥분성을 잃음》. ㊕ **-biótic** *a.* **-biótically** *ad.*

◦**par·a·ble** [pǽrəbəl] *n.* 우화(寓話), 비유(담);

《고어》 수수께끼: teach in ~*s* 우화를 들려주어 깨우치다. ***take up** one's* ~ 《고어》 이야기〔설교〕를 시작하다. — *vi., vt.* 비유하여 이야기하다.

pa·rab·o·la [pərǽbələ] *n.* 〖수학〗 포물선; 파라볼라《집음(集音) 마이크 따위의 구형체(球形體)를 이룬 것》.

par·a·bol·ic, -i·cal [pæ̀rəbálik/-bɔ́l-], [-əl] *a.* 비유(담)의, 우화 같은; 〖수학〗 포물선의. ㊞ **-i·cal·ly** *ad.*

parabólic anténna 〔**áerial**〕 포물면 안테나, 파라볼라 안테나.

pa·rab·o·lize [pərǽbəlàiz] *vt.* **1** 비유담으로 하다, 우화화(寓話化)하다. **2** 〖수학〗 포물선(상)으로 하다. ㊞ **-lìz·er** *n.* **pa·ràb·o·li·zá·tion** *n.*

pa·rab·o·loid [pərǽbəlɔ̀id] *n.* 〖수학〗 포물면. ㊞ **pa·ràb·o·lói·dal** [-dl] *a.* 「하 시한폭탄.

par·a·bomb [pǽrəbɑ̀m/-bɔ̀m] *n.* 낙하산 투

par·a·ce·ta·mol [pæ̀rəsíːtəmɔ̀ːl, -mɑ̀l/-mɔ̀l] *n.* 〖약학〗 파라세타몰《해열 진통제》.

pa·rach·ro·nism [pərǽkrənìzəm] *n.* U,C 기시(記時) 착오《인사 · 사건 등의 연호, 날짜를 실제보다 뒤로 매기는 착오》. cf. prochronism.

°**par·a·chute** [pǽrəʃùːt] *n.* 낙하산; 〖식물〗 (민들레 등의) 풍산 종자(風散種子); 〖동물〗 (박쥐 등의) 비막(飛膜)(patagium): a ~ descent 낙하산 강하 / a ~ flare 낙하산 투하 조명탄 / ~ troops =PARATROOPS. — *vt., vi.* 낙하산으로 떨어뜨리다〔강하하다〕: ~ out 낙하산으로 탈출하다.

párachute bràke 〖항공〗 (항공기 착륙 시의) 감속〔제동〕 낙하산(=**pára·bràke**). 「돛.

párachute spìnnaker 〖해사〗 초대형 삼각

pár·a·chùt·ist, -chùt·er *n.* 낙하산병〔강하자〕; (*pl.*) 낙하산 부대.

par·a·clete [pǽrəklìːt] *n.* 변호자, 중재자; 위안자; (the P-) 〖성서〗 보혜사(保惠師), 성령(the Holy Spirit).

pàra·commándo *n.* 낙하산 강하 돌격대원.

par·a·cy·mene [pæ̀rəsáimiːn] *n.* 〖화학〗 파라시멘《시멘의 가장 일반적인 형태》. cf. cymene.

⁑**pa·rade** [pəréid] *n.* **1** 관병식, 열병; =PARADE GROUND: hold a ~ 관병식을 거행하다. **2** (사람의 눈을 끌기 위한) 행렬, 시위 행진: march in ~ 행렬 행진하다 / have a ~ (거리를) 줄을 지어 돌아다니다 / a political ~ 정치적 데모 행진 / a mannequin ~ 모델을 쓴 패션쇼. **3** U 과시, 자랑하기: make a ~ of …을 자랑스럽게 내보이다. **4** 선전 소개, 성관(盛觀): a program ~ 방송의 프로그램 소개. **5** 《영》 광장, 운동장, (해안 등의) 산책길, 유보장(遊步場)(promenade); 산책하는 사람들. **6** (성(城)의) 안뜰. **7** 〖펜싱〗 받아넘기기(parry); 방어, 수세. **8** U (사건 등의) 연속적 기술(記述). **9** (P-) …가(街): North *Parade*. ***on*** ~ (군대가) 열병을 받아; (배우 등이) 총출연하여. — *vt.* **1** 열병하다; (열병 등을 위해 군대를) 정렬시키다, 줄지어 행진시키다. **2** (거리 등을) 줄지어 돌아다니다. **3** 자랑해 보이다, 과시하다: ~ one's abilities 자기의 능력을 자랑하다. SYN. ⇨ SHOW. — *vi.* **1** (열병을 위하여) 정렬하다. **2** 《+전+명》 (줄을 지어) 행진하다: The military band ~*d through* the town. 군악대가 도심을 행진하여 지나갔다. **3** 줄지어 돌아다니다, 활보하다.

paráde gròund 연병〔열병〕장.

pa·rád·er *n.* 행진자.

paráde rést 〖미군사〗 열중쉬어의 구령; 그 자세. cf. STAND at ease.

pàra-dichlorobénzene *n.* U 파라디클로로벤젠《주로 의류 방충용; 생략: PDB》.

par·a·did·dle [pǽrədìdl] *n.* (작은 북(snare drum)의) 좌우 번갈아치는 연타.

par·a·digm [pǽrədìm/-dàim] *n.* 보기, 범례, 모범《*of*》; 패러다임《특정 영역 · 시대의 지배적인 과학적 대상 파악 방법》; 〖문법〗 어형 변화표, 활용례, 변화 계열; 〖언어〗 (선택적) 계열 범례.

par·a·dig·mat·ic [pæ̀rədigmǽtik] *a.* 모범이 되는, 예증의; 〖문법〗 어형 변화(표)의; 〖언어〗 계열〔선항(選項)〕적인. ㊞ **-i·cal·ly** *ad.*

páradigm shìft 패러다임 시프트《천동설에서 지동설로 바뀌는 것과 같은 학문 패러다임의 대변혁》. 「CAL.

par·a·di·sa·ic [pæ̀rədiséiik] *a.* =PARADISIA-

par·a·dise** [pǽrədàis, -dàiz/-dàis] *n.* **1** 천국, 낙원, 극락; (the P-) 에덴동산. **2** 안락, 지복(至福); 절경. **3** (특히 고대 페르시아의) 유원지; (동물을 사육하는) 공원. **4** 〖건축〗 (교회의) 앞뜰; 현관 2층; 《속어》 (극장의) 무대에서 먼 맨 위층 자리. **5** (작은) 방. **6** (종종 P-) 사과의 일종(=~ **àpple**) 《품질 개량용 접목의 바탕나무로 씀》. ***an Earthly ~ 지상 낙원(the Garden of Eden)《에덴 동산》.

par·a·dis·e·an [pæ̀rədísiən] *a.* 극락조(鳥)의.

páradise fish 〖어류〗 극락어《열대어》.

Páradise Lóst 실낙원《Milton의 서사시》.

par·a·di·si·a·cal, -dis·i·ac [pæ̀rədisáiəkəl, -zái-], [-dísiæ̀k] *a.* 천국의, 낙원의〔같은〕. ㊞ **-cal·ly** *ad.*

par·a·dis·i·al [pæ̀rədísiəl] *a.* =PARADISIACAL.

pára·dòctor *n.* 낙하산 강하 의사《고립 지역 환자에게》.

par·a·dos [pǽrədɑ̀s/-dɔ̀s] *n.* 〖축성(築城)〗 (참호 따위의) 후면 방호벽.

***par·a·dox** [pǽrədɑ̀ks/-dɔ̀ks] *n.* **1** 역설, 패러독스《틀린 것 같으면서도 옳은 의논》. cf. heterodox, orthodox. **2** 기론(奇論), 불합리한 연설; 자기모순된 말. **3** 앞뒤가 맞지 않는 일, 모순된 인물. — *vi.* 역설을 말하다. ㊞ **~·er, ~·ist** *n.* 역설가.

par·a·dox·i·cal [pæ̀rədɑ́ksikəl/-dɔ́ks-] *a.* 역설적인, 모순된, 불합리한(absurd), 역설을 농하는〔좋아하는〕. ㊞ **~·ly** *ad.* **~·ness** *n.* **pàr·a·dòx·i·cál·i·ty** [-kǽləti] *n.*

paradóxical sléep 〖심리 · 생리〗 역설(逆說) 수면(REM sleep).

par·a·dox·ure [pæ̀rədɑ́kʃər/-dɔ́k-] *n.* 〖동물〗 긴꼬리사향고양이(palm civet).

par·a·doxy [pǽrədɑ̀ksi/-dɔ̀ks-] *n.* U 역설적임, 모순됨, 불합리.

pára·dròp *n., vt.* (낙하산으로) 공중 투하(하다)(airdrop).

paraesthesia ⇨ PARESTHESIA.

°**par·af·fin, -fine** [pǽrəfin], [-fin, -fìːn/-fìːn] *n.* U 〖화학〗 파라핀, 석랍(石蠟)(~ wax); 파라핀유; 《영》 등유(~ oil); 〖화학〗 파라핀족 탄화수소(alkane), 메탄계(系)(~ series): a ~ lamp 석유램프. — (*p., pp.* ***-fined*** [-find, -fìːnd]; ***-fining***) *vt.* 파라핀을 입히다〔침투시키다〕, 파라핀으로 처리하다. ㊞ **pàr·af·fín·ic** [-fínik] *a.*

páraffin òil 파라핀유《윤활유》; 《영》 등유(《미》 kerosine).

páraffin sèries 〖화학〗 =METHANE SERIES.

páraffin wàx 석랍, 파라핀납(paraffin).

pára·fòil *n.* 조종 가능한 낙하산.

pàra·génesis *n.* 〖지학〗 (광물) 공생(共生). ㊞ **-genétic** *a.*

pára·glìder *n.* 패러글라이더《굴신 자재익(自在翼)이 있는 삼각 연(鳶) 꼴 장치; 우주선 등의 착륙 시 감속용으로 쓰임》.

pára·glìding *n.* 패러글라이딩《패러글라이더를 장착하고 산비탈이나 비행기에서 뛰어내려 활강하는 스포츠》.

par·a·go·ge [pæ̀rəgóudʒi] *n.* Ⓤ **1** 【문법】 어미음(語尾音) 첨가《무의미한 자음(字音)의 첨가; 보기: amid*st*》. cf. prosthesis. **2** 【의학】 접골(接骨). ㊕ **pàr·a·góg·ic** [-gádʒik/-gɔ́dʒ-] *a.*

par·a·gon [pǽrəgɑ̀n, -gən/-gən] *n.* **1** 모범, 본보기, 전형(典型), 귀감; 걸물(傑物), 일물(逸物): a ~ *of* beauty 미의 전형〔화신〕, 절세의 미인. **2** 100 캐럿 이상의 완전한 금강석; 둥글고 알이 굵은 양질(良質) 진주. **3** 【인쇄】 패러건 활자《20 포인트》. **—** *vt.* **1** 《시어》 비교하다《*with*》; …에 필적하다; 《고어》 …보다 낫다. **2** 《고어》 모범으로 삼다.

⁑**par·a·graph** [pǽrəgræ̀f, -grɑ̀:f] *n.* **1** (문장의) 절(節), 항(項), 단락《생략: par(a)., *pl.* par(a)s.》: an editorial ~ 사설(社說). **2** (교정 따위의) 패러그래프〔참조, 단락〕 부호《¶》. **3** (신문의) 단편기사; 단평《표제가 없는》. **—** *vt.* **1** (문장을) 절로〔단락으로〕 나누다. **2** …의 기사를〔단평을〕 쓰다, 신문 기삿거리로 삼다. **—** *vi.* 짧은 (신문) 기사를 쓰다. ㊕ **~·er, ~·ist** *n.* (신문의) 단평〔소논설〕 집필자, 잡보(雜報) 집필자. cf. columnist.

par·a·graph·ia [pæ̀rəgrǽfiə] *n.* 【정신의학】 착서(錯書)(증)《철자를 틀리게 적거나 생각과는 다른 글씨를 쓰는 증세》.

par·a·graph·ic, -i·cal [pæ̀rəgrǽfik], [-əl] *a.* 절(節)의, 절로 나눈, 단락이 있는; 단편 기사의; 착서(증)의.

Par·a·guay [pǽrəgwài, -gwèi] *n.* **1** 파라과이《남아메리카의 공화국; 수도 Asunción; 생략: Para.》. **2** 마테차(茶)(~ tea, maté). ㊕ **Par·a·guay·an** [pæ̀rəgwáiən, -gwéi-] *n., a.* 파라과이 사람(의).

Páraguay téa =MATÉ.

par·a·gun [pǽrəgʌ̀n] *n.* (쏘아서) 마비시키는 총. [◂ *para*lysis *gun*]

pára·influenza vìrus 【세균】 파라인플루엔자 바이러스《사람·소·말·돼지 등에게 호흡 질환을 일으킴》.

pàra·jóurnalism *n.* Ⓤ 준(準)저널리즘《미니커뮤니케이션 따위 기자의 주관적 보도가 특색》. ㊕ **-ist** *n.*

pára·jùdge *n.* 《미》 (경범죄 전문) 준(準)판사.

par·a·keet, par·ra- [pǽrəki:t] *n.* 【조류】 (작은) 잉꼬; 《미속어·경멸》 푸에르토리코 사람.

par·a·ki·ne·si·a [pæ̀rəkiní:ʒə, -kai-] *n.* 【의학】 운동 착오(증).

pára·kìte *n.* parakiting 용 낙하산 구실을 하는 연; (기상 관측용의) 꼬리 없는 연.

pára·kìting *n.* 낙하산을 모터보트나 자동차로 끌어서 비행하는 스포츠.

pára·lànguage *n.* Ⓤ,Ⓒ 준(準)언어《몸짓·표정 따위의 전달이 포함된》.

par·al·de·hyde [pərǽldəhàid] *n.* Ⓤ 【화학·약학】 파라알데히드《진통·최면제》.

pàra·légal *a.* 【미법률】 변호사 보조(원)의. **—** *n.* 변호사 보조원〔보조직〕.

par·a·leip·sis [pæ̀rəláipsis], **-lep-** [-lép-], **-lip-** [-líp-] (*pl.* **-ses** [-si:z]) *n.* 【수사학】 역언법(逆言法)《화제를 짐짓 생략함으로써 오히려 중요한 뜻이 숨겨 있음을 암시하는 표현법》.

par·a·lex·i·a [pæ̀rəléksiə] *n.* 【심리】 착독증(錯讀症).

pàra·linguístics *n. pl.* 〔단수취급〕 준(準)언어학《보디랭귀지 등의 연구》.

par·al·lac·tic, -ti·cal [pæ̀rəlǽktik], [-əl] *a.* 변위(變位)의; 【천문】 시차(視差)의.

paralláctic mótion 【천문】 시차(視差) 운동《지구 공전으로 별이 움직이는 것처럼 보이는 현상》.

par·al·lax [pǽrəlæ̀ks] *n.* 【천문】 시차(視差); 【사진】 패럴랙스《파인더와 렌즈의 시차》.

⁑**par·al·lel** [pǽrəlèl] *a.* **1** 평행의, 평행하는, 나란한《*to; with*》: ~ lines〔surfaces〕 평행선〔면〕/ The road runs ~ *to* 〔*with*〕 the sea. 길이 바다와 나란히 나 있다 / in a ~ motion *with* …와 평행으로 운동하여. **2** 같은 방향〔경향〕의, 같은 목적의《*to; with*》; 《비유》 같은 종류의, 유사한, 대응하는《*to; with*》: a ~ instance 〔case〕 유사한 경우, 유례. **3** 【전기】 병렬(竝列)의; 【음악】 평행의: ~ fifths 【음악】 평행 5도. **4** 【컴퓨터】 병렬의《동시에 복수 처리를 하는; 동시에 복수 두값(bit)을 처리하는》.

— *ad.* 평행하여《*with; to*》: a road running ~ *to* 〔*with*〕 the railway 선로와 나란히 뻗은 도로.

— *n.* **1** 평행선〔면〕, 평행물. **2** 유사(물); 필적하는 것〔사람〕, 대등한 사람《*to*》: close ~*s* 매우 닮은 것. **3** 비교, 대비 (comparison). **4** 위도권(圈), 위도선(=∠ **of látitude**): the 38th ~ (of latitude), 38도선(線), 38선. **5** 【군사】 평행호(壕); 【인쇄】 평행 부호《‖》; 【전기】 병렬《회로 따위》. **6** 【컴퓨터】 병렬. ***bear a close ~ to*** …에 아주 닮았다. ***draw a ~ between*** …을 대비〔비교〕하다. ***have no ~*** 유(례)가 없다, 비할 데 없다. ***in ~*** …와 병행(竝行)하여, 동시에《*with*》; 【전기】 병렬식으로. ***without (a) ~*** 유례없이: a triumph *without* (a) ~ 유례없는 대승리.

— (*-l-,* 《영》 *-ll-*) *vt.* **1** …에 평행시키다. **2** 《~+목/+목+전+명》 같은〔비슷한〕 것으로서 예시하다, …에 필적시키다; …에 유사〔필적, 상당〕하다: Nobody ~*s* him *in* swimming. 수영에 있어서 그에 견줄 만한 사람은 없다 / His experiences ~ mine *in* many instances. 그의 경험은 여러 경우에서 내 경험과 비슷하다 / a greed that has never been ~*ed* 지금껏 그 유례를 보지 못한 탐욕. **3** …에 병행하다: The road ~*s* the river. 도로는 강과 나란히 나 있다. **4** 《+목+전+명》 …을 (…와) 비교하다《*with*》: *Parallel* this *with* that. 이것을 그것과 비교해보라.

párallel bárs (체조의) 평행봉.

párallel círcuit 〔**connéction**〕 【전기】 병렬회로〔접속〕.

párallel computátion 【컴퓨터】 병렬 처리.

párallel compúter 【컴퓨터】 병렬 컴퓨터.

párallel cóusin 평행 사촌《친사촌, 이종 사촌》. cf. cross-cousin.

párallel cúrrency 병행 통화.

par·al·lel·e·pi·ped, -lel·o·pi·ped [pæ̀rəlèləpáipid, -pípid], **-e·pip·e·don** [-əpípədɑ̀n, -dən] *n.* 【수학】 평행 육면체.

párallel evolútion 【생물】 평행 진화(parallelism).

párallel ímport 【무역】 병행 수입《총대리점(sole agent) 등 메이커가 승인한 판매 경로 이외의 경로를 통한 수입(품)》.

párallel ínterface 【컴퓨터】 병렬 접속기《동시에 복수 두값(bit)을 전송하는 사이틀 장치》.

par·al·lel·ism [pǽrəlelìzəm] *n.* Ⓤ 평행; 유사《*between*》; 비교, 대응; 【수사학】 대구법(對句法); 【철학】 병행론; 【생물】 병행 진화; 【생태】 (단(單)계통적으로 갈라진 2계통간의) 평행 현상; 【컴퓨터】 =PARALLEL COMPUTATION.

par·al·lel·ist [pǽrəlèlist, -ləl-] *n.* 비교하는 사람; 【철학】 병행론자(竝行論者).

par·al·lel·ize [pǽrəlelàiz, -ləl-] *vt.* 평행하게 하다; 비교하다, 대응시키다.

párallel márket **1** 《영》 (통제 경제 국가에서의) 소비재 또는 외화의 비공식 매매 (시장). **2** 벤처 기업 주식의 거래가 행해지는 시장.

par·al·lel·o·gram [pæ̀rəléləgræ̀m] *n.* 【수학】 평행 사변형. ***the ~ of forces*** 【물리】 힘의 평행 사변형. ㊕ **-gram·mat·ic, -gram·mic** [-lèləgrəmǽtik], [-grǽmik] *a.*

parallélogram làw 〔**rùle**〕 (the ~) 〖수학 · 물리〗 평행 사변형의 법칙.
párallel operátion 〖컴퓨터〗 병렬(竝列) 조작.
párallel-pàrk *vt.*, *vi.* 차량 방향을 갓길 등과 나란히 주차하다.
párallel párking 1 평행 주차《차를 도로의 연석과 평행하게 주차하는 일》. **2** 《속어》 성교, 섹스.
párallel pórt 〖컴퓨터〗 병렬 포트《동시에 복수 두값(bit)을 전송하는 출입력 연결부; PC에서는 보통 프린터 포트》.
párallel prínter 〖컴퓨터〗 병렬 프린터《병렬 나들목(port)을 통해 자료를 받아 인쇄함》.
párallel prócessing 〖컴퓨터〗 병렬 처리 《CPU에서 몇 개의 프로그램 명령을 동시에 실행하는 것》.
párallel rúler 평행자.
párallel rúnning 〖공학〗 병렬 운전.
párallel slálom 〖스키〗 패럴렐 슬랄롬(dual slalom)《거의 같은 조건의 코스를 두 경기자가 동시에 활주하는 회전 경기》.
párallel transmíssion 〖통신〗 병렬 전송.
pa·ral·o·gism [pərǽlədʒìzəm] *n.* 〖논리〗 오류, 허위, 배리(背理), 반리(反理). [파] **pa·ràl·o·gís·tic** [-dʒístik] *a.*
pa·ral·o·gize [pərǽlədʒàiz] *vi.* 잘못 추론(推論)하다.
Par·a·lym·pi·an [pæ̀rəlímpiən] *n.* 국제 장애자 올림픽 출전 선수.
Par·a·lym·pics [pæ̀rəlímpiks] *n. pl.* (the ~) 파랄림픽, 국제 신체 장애자 올림픽. [◂ *para*plegic+O*lympics*]
°**par·a·lyse** [pǽrəlàiz] *vt.* 《영》 =PARALYZE.
°**pa·ral·y·sis** [pərǽləsis] (*pl.* **-ses** [-sì:z]) *n.* **1** 〖의학〗 (완전) 마비, 불수(不隨); 중풍: infantile ~ 소아마비 / cerebral ~ 뇌성 마비. **2** 활동 불능(의 상태), 무(기)력; (교통 · 거래 등의) 마비 상태, 정체: moral ~ 도덕심의 마비 / a ~ of trade 거래의 마비 상태.
parálysis ág·i·tans [-ǽdʒətæ̀nz] 〖의학〗 진전(震顫) 마비(Parkinson's disease 〔syndrome〕, shaking palsy).
par·a·lyt·ic [pæ̀rəlítik] *a.* paralysis의; 《영구어》 곤드레로 취한. **—** *n.* 마비〔중풍〕 환자.
par·a·ly·za·tion [pæ̀rəlizéiʃən] *n.* [U] 마비시킴; 무력화.
°**par·a·lyze** [pǽrəlàiz] *vt.* **1** 《~+[목]/+[목]+[전]+[명]》 마비시키다, 불수가 되게 하다: be ~*d in* both legs 두 다리가 마비되다. **2** 활동 불능이 되게 하다, 무력〔무효〕케 하다. [파] **~d** *a.* 마비된; 무력한; 무효의; 《미속어》 몹시 취한. **-lỳz·er** *n.*
pàra·mágnet *n.* 〖물리〗 상자성체(常磁性體), 정자기체(正磁氣體).
pàra·magnétic *a.* 〖물리〗 상자성(체(體))의. [cf] diamagnetic. **—** *n.* [U] 상자성체, 자기체. [파] **pàra·mágnetism** *n.* 상자성, 정자기. **-magnétically** *ad.*
Par·a·mar·i·bo [pæ̀rəmǽrəbòu] *n.* 파라마리보《Surinam의 수도》.
par·a·mat·ta, par·ra- [pæ̀rəmǽtə] *n.* [U] 파라마타 천《무명실과 털실을 섞어 짠 직물》.
par·a·me·ci·um [pæ̀rəmí:ʃiəm, -siəm/-siəm] (*pl.* **-cia** [-ʃiə, -siə/-siə], **~s**) *n.* 〖동물〗 짚신벌레.
pàra·médic¹ *n.* 낙하산 부대 위생병〔군의관〕, 낙하산 강하 위생병〔군의관〕.
pàra·médic² *n.* 준(準)의료 활동 종사자, 진료 보조원《조산사 · 검사 기사 따위》.
pàra·médical *a.* 준의료 활동의, 전문의를 보좌하는.
pàra·ménstruum *n.* 〖의학〗 파라 월경기《월경 직전의 4일과 월경 시작 후의 4일을 합한 8일간》. [파] **-ménstrual** *a.*
par·a·ment [pǽrəmənt] (*pl.* **~s, -men·ta** [pæ̀rəméntə]) *n.* 실내 장식품; (종교상의) 제복(祭服), 제식(祭式) 장식, 법의(法衣).

pa·ram·e·ter [pərǽmətər] *n.* **1** 〖수학〗 조변수(助變數), 매개(媒介) 변수; 〖통계〗 모수(母數). **2** 특질, 요소, 요인(*of*). **3** 《구어》 한정 요소, 한계, 제한 (범위). **4** 〖컴퓨터〗 매개 변수, 파라미터《(1) 인수(引數). (2) 응용의 실행이나 체계 설정에 있어 지정할 기본적 사항》. [파] **pàr·a·mét·ric, -ri·cal** [pæ̀rəmétrik], [-əl] *a.* **-ri·cal·ly** *ad.*
pa·ram·e·ter·ize, -trize [pərǽmətəràiz] *vt.* 〖수학〗 파라미터로 표시하다.
paramétric àmplifier 〖물리〗 파라메트릭 증폭기《고주파 증폭기》.
paramétric équalizer 〖음향〗 파라메트릭 이퀄라이저《대역(帶域) 통과 필터의 특정 주파수 · 진폭 등을 제어하는 장치》.
paramétric equátion 〖수학〗 매개 변수 표시 방정식.
par·a·met·ron [pæ̀rəmétrɑn, -rən/-rɔn] *n.* 〖전자〗 파라메트론《컴퓨터 따위에 쓰이는 회로》.
pàra·mílitary *a.*, *n.* 준(準)군사적인, 준군사 조직의 (일원): ~ forces 준군사 부대 / ~ operation 준군사 작전. [파] **-mílitarism** *n.* **-rist** *n.*
pa·ra·mi·ta [pɑːrʌ́mitə] *n.* 〖불교〗 바라밀(波羅密)《열반을 갈망하는 사람에게 주어진 수행》.
par·am·ne·sia [pæ̀ræmní:ʒə/-ziə] *n.* 〖심리〗 기억 착오.
par·a·mo [pǽrəmòu, pá:rə-] (*pl.* **~s**) *n.* 파라모《남아메리카 열대 지역의 해발 3천 미터 이상의 고원》.
°**par·a·mount** [pǽrəmàunt] *a.* 최고의, 지상의; 주요한; 최고권〔주권〕이 있는; 탁월한; 보다 뛰어난(*to*): of ~ importance 가장 중요한 / the lord ~ 최고권자, 국왕 / ⇨ LADY PARAMOUNT. **—** *n.* 최고 권위자, 수령, 군주. [파] **~·cy** *n.* [U] 최고권〔위〕, 주권; 지상, 최상, 탁월. **~·ly** *ad.*
par·a·mour [pǽrəmùər] *n.* 《문어》 정부(情夫), 정부(情婦), 애인.
pàra·myxovírus *n.* 〖세균〗 파라믹소바이러스 《믹소바이러스의 아군(亞群)》.
par·a·neph·ros [pæ̀rənéfrɑs/-rɔs] (*pl.* **-roi** [-rɔi]) *n.* 〖해부〗 부신(副腎)(adrenal gland). [파] **-ric** *a.*
par·a·noia, par·a·noea [pæ̀rənɔ́iə], [-ní:ə] *n.* [U] 〖정신의학〗 편집병(偏執病), 망상증, 과대망상광(狂); 《구어》 (근거 없는) 심한 공포〔의심〕. [파] **-nói·ac, -nóic** [-nɔ́iæk], [-nɔ́iik] *a.*, *n.* 편집병의 (환자).
par·a·noid [pǽrənɔ̀id] *a.* 편집〔망상〕성의; 편집증 환자의; 편협한, 과대망상적인. **—** *n.* 편집증 환자. [파] **pàr·a·nói·dal** *a.*
páranoid schizophrénia 〖심리〗 망상형 정신 분열증, 편집성 정신 분열증.
pàra·nórmal *a.* 과학적으로 알 수가 없는. [파] **~·ly** *ad.*
par·a·nymph [pǽrənìmf] *n.* 《고어 · 시어》 신랑〔신부〕의 들러리.
pàra·parésis *n.* 〖병리〗 (특히 두 다리의) 대부전(對不全) 마비, 양(兩)부전 마비.
par·a·pen·te [pǽrəpènti] *vi.* 고공(高空)에서 날개형 패러슈트로 활공 강하하다. **—** *n.* 날개형 패러슈트.
°**par·a·pet** [pǽrəpit, -pèt] *n.* [C] **1** (지붕 · 다리 등의) 난간. **2** 〖축성(築城)〗 흉벽(胸壁), 흉장(胸牆). [파] **~·ed** [-id] *a.* 난간〔흉벽〕이 있는.

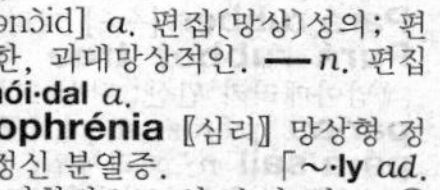

parapet 1, 2

par·aph [pǽrəf] *n.* 서명(署名)의 맺음 장식(flourish)《원래는 필적 위조를 막기 위한 것》.

pár·a·phase àmplifier [pǽrəfèiz-] 〖전자〗 단일 입력에서 푸시풀 출력(push-pull output)을 내는 증폭기.
par·a·pha·sia [pæ̀rəféiʒiə, -ʒə/-ziə] *n.* 〖심리〗 착어증(錯語症), 부전(不全) 실어(증).
par·a·pher·na·lia [pæ̀rəfərnéiljə] *n. pl.* 〖때로 단수취급〗 **1** (개인의) 자잘한 소지품〔세간〕. **2** 여러 가지 용구, 장구(裝具), 《속어》 마약 매매에 필요한 장구; 부속품, 설비(furnishings), 장치; 〖법률〗 아내의 소지품《남편이 준 의복·장신구 따위》. **3** 번잡한 절차.
par·a·phil·ia [pæ̀rəfíliə] *n.* 〖정신의학〗 성적 도착(sexual deviation).
◇**par·a·phrase** [pǽrəfrèiz] *n.* (쉽게) 바꿔 쓰기, 부연(敷衍), 의역, 석의(釋義); (스코틀랜드 교회에서 쓰는) 성서 문구를 운문으로 한 찬미가. — *vt., vi.* (쉽게) 바꿔 쓰다〔말하다〕, 말을 바꿔 설명하다, 패러프레이즈하다. [파] **-phràs·er** *n.*
par·a·phras·tic, -ti·cal [pæ̀rəfrǽstik], [-əl] *a.* 알기 쉽게 바꾸어 말한〔쓴〕, 설명적인. [파] **-ti·cal·ly** *ad.*
pàra·phýsics *n. pl.* 〖단수취급〗 파라 물리학, 초심리 물리학《parapsychology 에서 연구하는 여러 현상의 물리적 측면을 다룸》; 심령 물리학.
par·a·plane [pǽrəplèin] *n.* 파라플레인《공기 압력을 이용한 낙하산에 엔진을 장치한 것》.
par·a·plan·ner [pæ̀rəplǽnər] *n.* 《미》 행정 서기관〔사무관, 비서관〕, 준행정 계획 담당자.
par·a·ple·gia [pæ̀rəplíːdʒiə] *n.* [U] 〖의학〗 (양쪽의) 하반신 불수. [파] **pàr·a·plé·gic** [-dʒik] *a., n.* 하반신 불수의; 하반신 불수 환자.
pàra·polítical *a.* 의사(擬似) 정치적인.
par·a·prax·is [pæ̀rəprǽksis] (*pl.* **-prax·es** [-siːz]) *n.* 〖의학〗 실착(失錯) 행위, 착행(錯行)(증)《무의식적인 과실; 실언·깜박 잊기 따위》.
pàra·proféssional *n., a.* 전문직 보조원(의); 교사〔의사〕의 조수(의).
pàra·psychólogy *n.* [U] 초(超)심리학《정신감응·천리안 따위의 초자연적 심리 현상을 다룸》. [파] **-psychológical** *a.* **-psychólogist** *n.*
par·a·quat [pǽrəkwɑ̀ːt/-kwɔ̀t] *n.* 〖화학〗 패러쾃《제초제; 유해함》.
par·a·quet [pǽrəkèt] *n.* =PARAKEET.
par·a·res·cue [pǽrərèskjuː] *n.* 낙하산 강하에 의한 구조: a ~ team 낙하산 구급반. 「TREE.
Pará rubber [ㄴㄴ] 파라고무; =PARÁ RUBBER
Pará rubber tree [ㄴㄴㄴ] 파라고무나무《남아메리카 원산; 탄성 고무 원료》.
par·as [pǽrəz] *n. pl.* 《구어》 =PARATROOPS.
pára·sàil *n.* 파라세일《파라세일링용 낙하산》. — *vi.* 파라세일 비행을 하다.
pára·sàiling *n.* 파라세일링《모터보트나 자동차로 끌려가다가 하늘 높이 날아오르는 낙하산 비행 놀이〔스포츠〕》. 「리 단위《약 5.5 km》.
par·a·sang [pǽrəsæ̀ŋ] *n.* 고대 페르시아의 거
par·a·scend·ing [pǽrəsèndiŋ] *n.* 파라센딩《낙하산을 몸에 장착하고, 모터보트로 끌게 하여 상당한 높이에 이르면 예인 로프를 풀어, 낙하산으로 내려오는 스포츠; 파라세일의 일종》.
pàra·scíence *n.* 초과학《염력(念力)·심령 현상 등을 연구하는 분야》.
par·a·se·le·ne [pæ̀rəsilíːni] (*pl.* **-nae** [-niː]) *n.* 〖기상·천문〗 환월(幻月)(mock moon)《달무리에 나타나는 광륜(光輪)》. [파] **-nic** *a.*
pàra·séxual *a.* 〖생물〗 의사 유성(擬似有性)적인《생활사 등》.
pa·ra·shah [pɑ́ːrəʃɑ̀ː] (*pl.* **-shoth, -shi·oth** [-ʃòut], [-ʃìːout]) *n.* 안식일이나 축제일에 유대 교회에서 일과(日課)로서 읽는 율법의 일부분.
◇**par·a·site** [pǽrəsàit] *n.* **1** 〖생물〗 기생 동〔식〕물, 기생충〔균〕([OPP] *host*); 〖식물〗 겨우살이; 〖조류〗 탁란성(托卵性)의 새《두견이 따위》. **2** 기식자, 식객. **3** 어릿광대; (고대 그리스의) 아첨꾼, 식객. **4** 〖언어〗 기생음(音), 기생자(字)《drownd-ed 의 d 따위》. 「유해저항.
párasite dràg 〖항공〗 유해 항력(有害抗力),
par·a·sit·e·mia [pæ̀rəsàitíːmiə] *n.* 〖의학〗 기생충혈증(血症)《특히 임상적 증후가 없는 경우에 관해 이름》.
párasite stòre 〖경영〗 기생형(型) 상점《빌딩 안의 담배가게나 역의 구내매점 등》.
par·a·sit·ic, -i·cal [pæ̀rəsítik], [-əl] *a.* **1** 기생하는, 기생적인; 기생 동물〔식물〕의, 기생충의; 〖생물〗 기생체〔질〕의([cf] symbiotic); (병이) 기생충에 의한. **2** 기식하는, 식객 노릇 하는; 아첨하는. **3** 〖전기〗 와류(渦流)의; 〖라디오〗 기생(진동)의. **4** 〖언어〗 기생(음〔자〕)의. [파] **-i·cal·ly** *ad.*
par·a·sit·i·cide [pæ̀rəsítəsàid] *n.* [U] 구충제. — *a.* 기생충을 구제하는.
parasític volcáno 〖지학〗 기생 화산.
par·a·sit·ism [pǽrəsaitìzəm, -sit-] *n.* [U] 〖생태〗 기생 (상태)([cf] symbiosis); 식객 노릇; 〖의학〗 =PARASITOSIS; 비굴, 아첨.
par·a·si·tize [pǽrəsitàiz, -sai-] *vt.* 〖주로 과거분사〗 …에 기생하다; (딴 새 둥지에) 탁란(托卵)하다. [파] **-sit·i·za·tion** [pæ̀rəsitizéiʃən] *n.*
par·a·sit·oid [pǽrəsitɔ̀id, -sait-] *n.* 〖생물〗 포식(捕食) 기생자, 의사(疑似) 기생충《다른 곤충의 체내에서 성장하여 숙주를 죽이는 곤충》. — *a.* 포식 기생하는.
par·a·si·tol·o·gy [pæ̀rəsaitɑ́lədʒi, -si-/-tɔ́l-] *n.* [U] 기생충〔체〕학. [파] **-gist** *n.* **-to·log·ical, -ic** [-sàitəlɑ́dʒikəl/-lɔ́dʒ-], [-ik] *a.*
par·a·si·to·sis [pæ̀rəsaitóusis, -si-] (*pl.* **-ses** [-siːz]) *n.* 〖의학〗 기생충병, 기생체 질환.
par·a·ski·ing [pǽrəskìːiŋ] *n.* 낙하산 강하와 스키 활강을 합친 스포츠.
***par·a·sol** [pǽrəsɔ̀ːl, -sɑ̀l/-sɔ̀l] *n.* **1** (여성용) 양산, 파라솔. [cf] umbrella. **2** 〖항공〗 고익 단엽기(高翼單葉機).
par·a·sta·tal [pæ̀rəstéitəl] *a., n.* 반관(半官)의 (조직), 준(準)국영의 (회사).
par·a·su·i·cide [pæ̀rəsúːəsàid, -sjúː-] *n.* 자살극; 자살극을 벌이는 사람. 「(의).
pàra·sympathétic *n., a.* 부교감 신경(계)
parasympathétic (nérvous) sýstem 부교감 신경계(系).
par·a·sym·pa·tho·mi·met·ic [pæ̀rəsìmpəθoumimétik] *a.* 〖생리〗 (약품 등이) 부교감 신경 작용의.
pàra·sýnthesis *n.* [U] 〖언어〗 병치(倂置) 종합《복합어에서 다시 파생어를 만들기: air-conditioning, big-hearted》. [파] **pàra·synthétic** *a.*
par·a·syn·the·ton [pæ̀rəsínθətɑ̀n/-tɔ̀n] (*pl.* **-ta** [-tə]) *n.* 〖언어〗 병치 종합어《parasynthesis 로 만든 말》.
par·a·tac·tic, -ti·cal [pæ̀rətǽktik], [-kəl] *a.* 〖문법〗 병렬(竝列)의, 접속사 없이 절 따위를 늘어놓은. [파] **-ti·cal·ly** *ad.*
par·a·tax·is [pæ̀rətǽksis] *n.* 〖문법〗 병렬《접속사 없이 절·구 따위를 나란히 늘어놓기: I came—I saw—I conquered. 따위》. [OPP] *hypotaxis*.
pa·rath·e·sis [pərǽθəsis] (*pl.* **-ses** [-siːz]) *n.* 〖문법〗 동위(同位), 동격(同格)(apposition); 삽입(구); 동격 삽입법. 「파라티온《살충제》.
par·a·thi·on [pæ̀rəθáiɑn/-ɔn] *n.* [U] 〖농업〗
par·a·thor·mone [pæ̀rəθɔ́ːrmoun] *n.* [U] 〖생화학〗 부갑상선 호르몬, 상피소체(上皮小體) 호르몬(parathyroid hormone).

pàra·thýroid *a.* 〖해부〗 부갑상선(副甲狀腺)의, 갑상선에 인접한; 상피소체의. ── *n.* =PARATHYROID GLAND.

parathýroid glànd 〖해부〗 상피소체, 부갑상선.

parathýroid hòrmone 〖생리〗 부갑상선 호르몬《생략: PTH》.

pàra-tránsit *n.* (도시〔통근용〕의) 보조 교통기관《합승 택시 · 소형 합승 버스 · car pool 등》.

pára·tròops *n. pl.* 〖군사〗 낙하산 부대; 《집합적》 낙하산병. ⊕ **pára·tròop** *a.* **-tròoper** *n.* 〖군사〗 낙하산병.

pàra·týphoid *n.* Ⓤ, *a.* 〖의학〗 파라티푸스(=∠ **fèver**)(의).

pára·vàne *n.* (소해정이 끄는) 기뢰 방어기(機雷防禦器).

par avi·on [*F.* paʀavjɔ̃] 《F.》 항공편으로(by air mail)《항공 우편물의 표시》.

pára·wìng *n.* =PARAGLIDER.

pàra-xýlene *n.* 〖화학〗 파라크실렌《크실렌의 3 종의 이성체의 하나; 폴리에스테르계 섬유 제조의 중요 원료임》.

par·boil [pɑ́ːrbɔ̀il] *vt.* 반숙하다, 살짝 데치다, 따끈한 물에 담그다; 너무 가열하다; (태양 · 열 따위가 피부를) 그을리다; 《비유》 뜨끔한 맛을 보여주다, …에게 땀을 흘리게 하다.

par·buck·le [pɑ́ːrbʌ̀kəl] *n.* 오르내리 밧줄《물통 · 드럼통 따위를 올리고 내리는》. ── *vt.* 오르내리 밧줄로 올리다〔내리다〕《*up; down*》.

Par·cae [pɑ́ːrsiː, -kai] (*sing.* ***Par·ca*** [-kə]) *n. pl.* 〖로마신화〗 파르카들, 파르카이(Fates)《운명을 맡은 3 여신》.

⁑**par·cel** [pɑ́ːrsəl] *n.* **1** 꾸러미, 소포, 소화물: ~ paper 포장지 / wrap 〔do〕 up a ~ 소포를 만들다. SYN. ⇨ PACKAGE. **2** 《경멸》 한 무리, 한 떼, 한 조(組), 한 벌, 한 덩어리: a ~ *of* fools 바보들. **3** 〖상업〗 (화물의) 한 뭉치, 1회의 거래액: a ~ *of* diamonds 한 뭉치의 다이아몬드. **4** 〖법률〗 (토지의) 1 구획, 1 필(筆): a ~ *of* land, 1 구획의 토지. **5** 《고어》 일부분: by ~*s* 조금씩. ***a ~ of rubbish*** 하찮은〔시시한〕 것. ***blue the ~*** 《영속어》 돈을 몽땅 다 써 버리다. ***part and ~*** ⇨ PART. ── (**-l-,** 《영》 **-ll-**) *vt.* **1** 《+목+부》 꾸러미〔소포〕로 하다, 뭉뚱그리다《*up*》: She weighed and ~*ed up* the tea. 그녀는 차를 저울에 달아서 포장했다. **2** 《+목+부》 나누다, 구분하다, 분배하다《*out*》: the land ~*ed out* into small plots 〔for homesites〕 작은 구획〔택지용〕으로 분할된 토지. **3** 〖해사〗 범포(帆布) 오라기로 감판의 틈을 메우다; (밧줄을) 범포 오라기로 감다. ── *ad.* 《고어》 부분적으로, 얼마간, 일부(partly): ~ blind 반소경의 / ~ drunk 조금 취한 / ~ gilt 일부도금한. ── *a.* 부분적인, 얼마간의(partial); 파트타임의.

párcel bòmb 소포 폭탄; 우편 폭탄(mail bomb).

párcel-gìlt *a., n.* (안쪽만) 부분 도금한 (그릇).

pár·cel·ing, 《영》 **-cel·ling** *n.* **1** 분배, 구분하기; 포장하기. **2** 〖해사〗 (밧줄에 감기 위해 타르를 먹인) 돛에 쓰는 천.

párcel póst 소포 우편《생략: p.p., P.P.》; 우편 소포《제 4 종》: send by ~ 소포 우편으로 보내다.

párcel póst zòne (미국을 8 구분한) 소포 요금 동일 지대.

par·ce·nary [pɑ́ːrsənèri/-nəri] *n.* 〖법률〗 공동 상속, 상속 재산 공유(coparcenary).

par·ce·ner [pɑ́ːrsənər] *n.* 〖법률〗 공동 상속자(coparcener).

°**parch** [pɑːrtʃ] *vt.* **1** (콩 따위를) 볶다, 굽다; 태우다(scorch), 그을리다: ~*ed* peas 볶은 콩. **2** 바싹 말리다. **3** …를 (목)마르게 하다; (곡물 등을) 말려서 보존하다: be ~*ed* with thirst 바싹 말라 있다; 목이 타다. ── *vi.* 《~/+부》 바싹 마르다; 타다《*up*》. ⊕ **~ed** [-t] *a.*

Par·chee·si [pɑːrtʃíːzi] *n.* 파치지《pachisi 를 간단하게 한 게임; 상표명》.

párch·ing *a.* 찌는 듯한, 타는 듯한: ~ heat 염서(炎暑), 작열(灼熱). ⊕ **~·ly** *ad.*

parch·ment [pɑ́ːrtʃmənt] *n.* Ⓤ 양피지(羊皮紙); 모조 양피지; Ⓒ 양피지의 문서〔증서, 사본〕《면허장 · 수료증 등》; Ⓤ 커피 열매의 껍질; 담황색, 회황색: virgin ~ (새끼 염소 가죽의) 고급 양피지. ⊕ **~y** *a.*

párchment pàper 방수 · 방지(防脂)용의 황산지(黃酸紙).

pár cléarance 〖미상업〗 (수표의) 액면 교환.

par·close [pɑ́ːrklòuz] *n.* 〖건축〗 교회의 주요부분과 예배당 등을 가르는 칸막이.

par·course [pɑ́ːrkɔ̀ːrs] *n.* 《미》 체중 감량을 위하여 운동 시설이 배치된 건강 산책로.

Párcourse Fítness Círcuits 공원 내 등지에 설치한 야외 훈련용 코스《18 개의 기점(起點)을 차례로 걷거나 뛰면서 돎》. ★ 보통명사화하여 parcourse 라고도 함.

pard[1] [pɑːrd] *n.* 《고어》 표범(leopard).

pard[2] *n.* 《미속어》 동아리, 짝패(partner).

pard·ner [pɑ́ːrdnər] *n.* 《구어》 짝패.

⁑**par·don** [pɑ́ːrdn] *n.* **1** Ⓤ,Ⓒ 용서, 허용, 관대(forgiveness): ask for ~ 용서를 빌다 / beg a person's ~ *for* …의 일로 아무에게 사죄하다. SYN. ⇨ EXCUSE. **2** Ⓒ 〖법률〗 특사(特赦), 은사(恩赦); 〖가톨릭〗 교황의 대사(大赦); 면죄부; 대사제(大赦祭): general ~ 대사(大赦). ***A thousand ~s*** (***for*** ...) (…하여) 정말 미안합니다. ***I beg your ~.*** ① 죄송합니다《과실 · 실례를 사과할 때; 끝을 내려 발음함》. ② 실례지만… 《모르는 사람에게 말을 걸거나, 상대방의 의견에 반대할 때; 끝을 내려 발음함》: I *beg your* ~, but which way is the Myeongdong? 실례지만 명동은 어느 쪽으로 가면 됩니까. ③ (무슨 말씀인지) 다시 말씀해 주십시오《끝을 올려 발음함; 간단히 "Pardon?" "Beg your ~?" 이라고도 함》. ── *vt.* **1** 용서하다(forgive). **2** 《~+목 / +목+목 / +목+전+명》 관대히 봐주다(tolerate): *Pardon* me my offence. 잘못을 용서해 주십시오 / *Pardon* me *for* interrupting you. = *Pardon* my interrupting you. 폐를 끼쳐 미안합니다. **3** 〖법률〗 사면〔특사〕하다: The governor will not ~ your crime. 통치자는 너의 죄를 면죄하지 않을 것이다. ***Pardon me.*** =I beg your ~. ***Pardon me for living.*** 잘못했습니다, 죽을 죄를 지었습니다《야단이나 욕을 먹고 나서 비꼬는 투로 하는 말》. ***Pardon my French.*** 《속어》 아차 실례《추잡한 소리를 한 뒤에 쓰는 표현》. ***There is nothing to ~.*** 천만의 말씀(입니다). ⊕ **~·a·ble** *a.* 용서할 수 있는(excusable). **~·a·bly** *ad.* **~·a·ble·ness** *n.* **~·er** *n.* 용서하는 사람; 〖종교사〗 면죄부 파는 사람.

pare [pɛər] *vt.* **1** (과일 따위의) 껍질을 벗기다. ★ 귤 · 바나나 · 삶은 달걀의 껍질 따위처럼 손으로 벗기는 경우는 peel. **2** 《~+목 / +목+부 / +목+전+명》 (손톱을) 깎다; (불필요한 곳을) 잘라〔떼어〕 내다《*off; away*》: ~ *away* excess fat from a piece of meat 고기 조각에서 여분의 비계를 잘라 내다. **3** 《+목+부》 (비용 등을) 절감하다, 조금씩 줄이다《*away; down*》: ~ *down* one's living expenses 생활비를 절감하다. ***~ and burn*** (회비(灰肥)를 만들기 위해) 들에 불을 지르다. ***~ nails to the quick*** 손톱을 바싹 깎다.

par·e·gor·ic [pæ̀rigɔ́ːrək, -gɑ́r-/-gɔ́r-] *a.* 진통의. ── *n.* 〖약학〗 진통제; 벤조산이 함유된 아편의 장뇌 팅크《진통 진정제》; (소아용) 지사제(=∠ **elíxir**).

pa·rei·ra (**bra·va**) [pərɛ́ərə(brɑ́ːvə)] Ⓤ 파

레이라《브라질산 칡속(屬)의 덩굴성 식물 뿌리에서 뽑아낸 이뇨제, 화살촉의 독》.

paren. parenthesis.

pa·ren·chy·ma [pəréŋkəmə] *n.* Ⓤ 〖해부·동물〗 선(腺)세포 조직; 이상 발달〔발육〕 조직; 실질 (조직); 〖식물·동물〗 연조직(軟組織). ㊊ **~l, paren·chym·a·tous** [-l], [pæ̀rəŋkímətəs] *a.* **-tous·ly** *ad.*

parens. parentheses.

†**par·ent** [pέərənt, pǽr-/pέər-] *n.* **1** 어버이《아버지 또는 어머니》; (*pl.*) 양친: one's ~*s*. **2** 선조, 조상(progenitor). **3** 근원(source), 원인(cause), 근본, 기원: Industry is the ~ of success. 《격언》 근면은 성공의 근원. **4** 수호신, 보호자, 후견인; (*pl.*) 《드물게》 조상; (동식물의) 모체(母體). **5** =PARENT COMPANY. ***our first ~s*** 아담과 이브. **—** *a.* =PARENTAL: a ~ bird 어미새 / a ~ stem 원종(原種) / a ~ ship 모선. **—** *vi.* 낳다; 아이를 기르다, 육아하다. **—** *vt.* …의 부모 노릇을 하다.

°**par·ent·age** [pέərəntidʒ, pǽr-/pέər-] *n.* Ⓤ **1** 어버이임, 부모와 자식의 관계. **2** 태생, 출신, 가문, 혈통: come of good ~ 가문이 좋다.

***pa·ren·tal** [pəréntl] *a.* **1** 어버이(로서)의, 어버이다운: ~ authority 친권. **2** 〖유전〗 (잡종의) 어버이의《생략: P》. ㊊ **~·ly** *ad.*

paréntal generátion 〖유전〗 어버이 세대 《P_1, P_2 등으로 표시함》. 「tal school이라고도 함.

paréntal hóme 문제아 수용 시설. ★ paren-

paréntal lèave 신생아 양호 휴가. 「company.

párent còmpany 모(母)회사. ⓒⓕ holding

párent·cràft *n.* 자녀 양육 기술.

párent dirèctory 〖컴퓨터〗 모(母)디렉터리 《계층 구조를 갖는 자료방(directory) 체계에서 어느 자료방이 속하는 상위의 자료방》.

párent èlement 〖물리〗 어미 원소(元素)《방사성 원소의 붕괴나 원자핵 충격에 의해 동위 원소를 낳는 원소》.

par·en·ter·al [pæréntərəl] *a.* 〖의학〗 장관외(腸管外)의, 비경구(非經口)의〔적인〕《주사·투여·감염 등》. ㊊ **~·ly** *ad.*

pa·ren·the·sis** [pərénθəsis] (*pl.* **-ses** [-sìːz]) *n.* **1** 〖문법〗 삽입구. **2** (보통 *pl.*) 괄호 《( )》. **3** 막간극(interlude); 삽화, 여담; 《비유》 사이, 짬. ***by way of ~ 덧붙여, 그와 관련하여. ***in parentheses*** 괄호 안에 넣어서; 덧붙여 말하면.

pa·ren·the·size [pərénθəsàiz] *vt.* **1** (소)괄호 속에 넣다. **2** 삽입구를 (많이) 넣다, 삽입구로 하다; (이야기 등에) 섞다(*with*).

par·en·thet·ic, -i·cal [pæ̀rənθétik], [-əl] *a.* 삽입구의〔를 쓴〕; 삽입구적인; 삽화적인; 설명적인; 괄호의, 호형(弧形)의. ㊊ **-i·cal·ly** *ad.* 삽입구적으로, 부가적으로.

par·ent·hood, -ship [pέərənthùd, pǽr-/pέər-], [-ʃìp] *n.* Ⓤ 어버이임, 어버이로서의 신분; 부모와 자식의 관계. 「위·사람).

pa·ren·ti·cide [pəréntəsàid] *n.* 존속 살해《행

pár·ent·ing *n.* Ⓤ (양친에 의한) 가정교육; 육아, 양육; 출산; 임신; 생식. 「〔장모〕.

párent-in-làw *n.* 시아버지〔시어머니〕, 장인

párent lànguage 조어(祖語). 「기.

párent plàne (유도탄을 발사하는) 모(母)비행

Párent-Téacher Associàtion 사친회《생략: PTA, P.T.A.》.

par·er [pέərər] *n.* 껍질 벗기는 사람〔기구, 칼〕.

par·er·gon [pærə́ːrgɑn/-gɔn] (*pl.* **-ga** [-gə]) *n.* 부수적인 것, 부업, 액세서리.

pa·re·sis [pəríːsis, pǽrə-] (*pl.* **-ses** [-siːz]) *n.* 〖의학〗 부전(不全) 마비; 매독성 진행 마비.

par·es·the·sia, -aes- [pæ̀rəsθíːʒiə, -ziə/-ziə] *n.* Ⓤ 〖의학〗 감각〔지각〕 이상(증), 둔감각(증). ㊊ **-thet·ic** [-θétik] *a.*

pa·ret·ic [pərétik, -ríːt-] 〖의학〗 *a.* 마비(성)의. **—** *n.* (부전(不全)) 마비 환자.

pa·reu [pɑ́ːreiùː] *n.* Ⓤ 파레우《폴리네시아 사람이 허리에 두르는 옷》.

par ex·cel·lence [pɑːréksəlɑ̀ːns] 《F.》 특히; 뛰어난, 빼어난, 최우수의.

par ex·em·ple [F. parɛgzɑ̃ːpl] 《F.》 예를 들면《생략: p. ex.》. 「종).

par·fait [pɑːrféi] *n.* Ⓤ 《F.》 파르페《빙과의 일

par·fleche [pɑ́ːrfleʃ] *n.* (들소 따위의) 생가죽; 생가죽 제품.

par·fo·cal [pɑːrfóukəl] *a.* 〖광학〗 초점면(面)이 같은 (렌즈를 갖춘). ㊊ **~·ìze** *vt.*

par·get [pɑ́ːrdʒit] *n.* Ⓤ 석고(gypsum); 회반죽. **—** (**-t-,** 《영》 **-tt-**) *vt.* (벽 따위에) 회반죽을 바르다, 돋을새김 모양으로 장식적으로 하다. ㊊ **~·(t)ing** *n.* 돋을새김 모양의 장식적 회반죽 바르기〔칠〕.

párget·wòrk *n.* Ⓤ 석고〔회반죽〕 세공(細工).

par·gy·line [pɑ́ːrdʒəliːn] *n.* 〖화학〗 파르길린 《항(抗)고혈압약·우울증 치료제》.

par·he·lic, -li·a·cal [pɑːrhíːlik], [pɑ̀ːrhiláiəkəl] *a.* 환일(幻日)의.

parhélic círcle 〔**ríng**〕 〖기상〗 환일 테.

par·he·li·on [pɑːrhíːliən, -ljən] (*pl.* **-lia** [-ljə]) *n.* 〖기상〗 환일(mock sun, sundog). 「labic.

par·i- [pǽrə] '같은'의 뜻의 결합사: *paris*yl-

pa·ri·ah [pəráiə, pǽriə] *n.* (*or* P-) 남부 인도·미얀마의 최하층민; 천민; 《일반적》 (사회에서) 추방당한〔버림받은〕 사람, 부랑자. 「개.

paríah dòg (인도·아프리카 등지의) 반(半)들

Par·i·an [pέəriən] *a.* Paros 섬의; (p-) Paros 섬에서 나는 흰 대리석의〔같은, 으로 만든〕. **—** *n.* Paros 사람; (p-) 백색 도기의 일종(=∠ **wàre**).

pa·ri·e·tal [pəráiətl] *a.* 〖해부〗 체(강)벽(體(腔)壁)의; 정수리(부분)의; 〖식물〗 측막(側膜)의; 《미》 대학 구내 생활〔질서〕에 관한: ~ rules 대학 내 질서에 대한 규칙. **—** *n.* parietal의 부분, 《특히》 정수리뼈; (흔히 *pl.*) 이성(異性) 방문자에 관한 기숙사의 규칙.

paríetal bòne 〖해부·동물〗 정수리뼈.

paríetal cèll 〖동물〗 벽세포《포유류의 위점막의 염산 분비 세포》.

par·i·mu·tu·el [pæ̀rimjúːtʃuəl] *n.* 《F.》 〖경마〗 이긴 말에 건 사람들에게 수수료를 제하고 건 돈 전부를 분배하는 법; =PARI-MUTUEL MACHINE.

pari-mútuel machíne 건 돈〔배당금, 환불금〕 표시기(totalizer, totalizator).

par·ing [pέəriŋ] *n.* Ⓤ 껍질 벗기기; (손톱 등을) 깎기; Ⓒ 벗긴〔깎은〕 껍질; 대팻밥; (*pl.*) 자른〔깎은〕 부스러기; (*pl.*) 밀가루를 채친 찌끼; Ⓒ 적은 저축, 사천.

páring ìron (편자공이 쓰는) 말굽 깎는 칼.

páring knìfe (과일 등을 깎는) 작은 칼.

pa·ri pas·su [pέərai-pǽsuː, pέəri-] 《L.》 같은 보조로〔의〕, 발을 맞춰〔맞춘〕(side by side); 공정하게〔한〕.

pári pássu clàuse 〖금융〗 (무담보 사채(社債) 등에 관한) 파리 파수 조항, 평등·등비(等比) 조항. 「risian *a.*

°**Par·is**[1] [pǽris] *n.* 파리《프랑스의 수도》. ◇ Pa-

Par·is[2] *n.* 〖그리스신화〗 파리스《Troy 왕 Priam의 아들; Sparta 왕 Menelaus의 아내인 Helen을 빼앗아 Troy 전쟁이 일어났음》.

Páris blúe 패리스 블루, 감청(紺青).

Páris Chàrter 파리 헌장《1990년, CSCE 정상들이 파리에 모여 민주주의, 평화, 통합의 새 시대를 선언한 헌장》.

Páris Clùb =GROUP OF TEN.
Páris Cómmune 파리 코뮌.
Páris Convèntion 파리 조약《국제 항공에 관한 다국 간 조약》.
Páris dóll 〔**báby**〕 (양장점의) 모형 인형.
Páris gréen 밝은 녹색; 〖화학〗 패리스 그린《도료·살충제로 쓰이는 유독한 분말》.
*__par·ish__ [pǽriʃ] *n.* **1** 《주로 영》 본당(本堂), 교구(敎區)《각기 그 교회와 성직자가 있음》. **2** 지역의 교회. **3** 〔집합적〕 《미》 한 교회의 신도; 《영》 교구민(parishioners). **4** 《영》 행정 교구(civil ~) 《원래 빈민 구조법 때문에 설치했으나 지금은 행정상의 최소 구획》. **5** 《미》 루이지애나주의 군(county). **6** 《영구어》 (경찰관·택시 운전 기사 등의) 담당 구역; 전문 분야. ***all over the*** ~ 《영구어》 어디에나, 도처에(everywhere). ***go on the*** ~ 《영고어》 교구의 부조를〔돌봄을〕 받다; 《영구어》 가난하게 살다.
párish chúrch 《영》 교구 교회.
párish clérk 교회의 서무계원〔담당자〕.
párish cóuncil 《영》 교구회《행정 교구의 자치 기관》.
párish hòuse 교구 회관.
pa·rish·ion·er [pəríʃənər] *n.* 교구민. ㊕ ~·**ship** *n.*
párish lántern 《영방언》 달(moon).
párish prìest 《영》 교구 목사〔사제〕《생략: p.p.》.
párish pùmp 시골 공동 우물《쑥덕공론장; 지방 근성의 상징》.
párish-pùmp *a.* 《영》 지방적 흥미〔관점〕에서 (만)의《정치》; 「장 따위의》.
párish régister 교구 기록부《세례·결혼·매장 따위의》.
°**Pa·ri·sian** [parí(:)ʒən, -rízian/-rízian] *a.* 파리(식)의, 파리 사람의; 표준 프랑스 말의. ―*n.* 파리내기, 파리 사람; Ⓤ 파리 방언, (파리 방언에 의거한) 표준 프랑스 말. 「[아가씨].
Pa·ri·si·enne [pəri:zién] *n.* 《F.》 파리 여자
par·i·son [pǽrəsən] *n.* 용융(熔融) 예비 형성물《유리병·플라스틱 그릇 제조 과정 중의 중간체로 병(甁) 모양의 유리 덩이》.
Páris whíte 백악(白堊), 호분(胡粉).
pàri·syllábic, -ical *a.* (그리스어·라틴어의 명사가) 같은 수의 음절을 가진.
par·i·ty[1] [pǽrəti] *n.* Ⓤ 동등, 동격, 동위; 동률, 동량; 대응, 유사; 등가(等價); 〖경제〗 평가(平價); 《미》 평형 (가격), 패리티《농산물 가격과 생활필수품 가격과의 비율》; 〖물리〗 (소립자 등의) 반전성(反轉性); 〖수학〗 기우성; 〖컴퓨터〗 패리티; =PARITY BIT. ***by*** ~ ***of reasoning*** 유추에 의하여, 여러 가지 비슷한 점을 들어서. ***on a*** ~ ***with*** …와 동등〔균등〕한. ~ ***of treatment*** 동등 대우. ***stand at*** ~ 동위〔동격〕이다.
par·i·ty[2] *n.* 〖산부인과〗 출산 경력, 출산아(兒)수.
párity bìt 〖컴퓨터〗 패리티 비트.
párity chèck 〖컴퓨터〗 패리티 검사《자료 전송 중 또는 컴퓨터 조작 중의 잘못을 발견하는 검사》.
párity èrror 〖통신·컴퓨터〗 패리티 틀림.
párity pròduct 패리티 제품《같은 부류에 속하여 기본적으로는 유사한 제품; 식기 세제·불소 치약·소다수 등》.
†**park** [pɑ:rk] *n.* **1** 공원; 《미》 유원지; 자연공원, (공유의) 자연 보존 구역; (the P-) 《영》 =HYDE PARK: a national ~ 국립공원. **2** 《영》 (귀족·호족의) 사원(私園), 대정원; 〖영법률〗 사냥터. **3** 주차장. **4** 〖군사〗 군수품 저장소(에 있는 군수품); 탄환 및 예비 포병대. **5** 《미》 운동장, 경기장; 《영구어》 축구장: a baseball ~ 야구장. **6** 《미》 (산 또는 숲으로 둘러싸인) 평야, 평지. **7** 굴 양식장(oyster ~). **8** (자동 변속기의) 주차 위치.
― *vt.* **1** 공원으로〔사냥터로〕 하다, 공원으로〔사냥터로〕 둘러싸다. **2** 주차하다; (포차 등을) 한곳에 정렬시키다, 대기시키다. **3** 《구어》 **a** 두다, 두고 가다(leave); (아이 등을) 남에게 맡기다: *Park* your hat on the table. 모자를 탁자 위에 두어라. **b** 〖~ oneself〗 (잠시) 머무르다, 앉다: *Park* your*self* there. 거기 좀 있어라. ― *vi.* **1** 주차하다: Where can we ~? 어디에 주차할 수 있는가. **2** 《구어》 앉다, 안좌하다; 《미속어》 카섹스하다. ~ ***a custard*** 〔***tiger***〕 《영속어》 토하다, 게우다. ~ ***an oil*** 잘〔빈틈없이, 솜씨좋게〕 하다. ~ (***it***) ***by ear*** 《구어》 뒤를 보지 않고 소리를 들으면서〔차를 부딪치면서〕 주차하다. ~ ***one*** =~ ***it in the bleachers*** 《미야구속어》 홈런을 치다〔멀리 날리다〕. ~ ***out*** (children) ***from*** (the ground) (운동장)에서 (아이들을) 쫓아내다. ***Park your carcase***. 《미속어》 앉아라.
㊕ ∠·**ish** *a.* ∠·**like** *a.*
par·ka [pɑ́:rkə] *n.* **1** 두건 달린 긴 웃옷, 파카. **2** (에스키모 사람의) 두건 달린 모피옷.

parkas

párk-and-ríde [-ənd-] *a.* 역에 주차한 후 갈아타는 (park-ride): ~ system 파크 앤드 라이드 방식《역 주차 통근 방식》.
Párk Ávenue New York 시의 번화가로 유행의 중심지.
párk bènch òrator 《미속어》 공공 문제에 대하여 확실하게 발언하는 시민.
park·ie [pɑ́:rki] *n.* 《구어》 공원 관리인.
par·kin [pɑ́:rkin] *n.* Ⓤ 《N.Eng.》 오트밀·생강·당밀로 만든 과자.
*__park·ing__ [pɑ́:rkiŋ] *n.* Ⓤ **1** 주차, 주차 허가; 주차장; (공원 안의) 녹지: No ~ (here). 주차금지《게시》/a ~ building 주차용 빌딩. **2** 《구어》 (주차 중인) 차 안에서의 성행위. **3** 〖컴퓨터〗 둠, 파킹.
párking bày 《영》 (차 1대분의) 주차 장소〔공간〕.
párking bràke 주차 브레이크, 보조 브레이크.
párking dìsk (주차한 차 안의) 주차 시간 표시판(disk).
párking field 《미》 (넓은) 주차장.
párking lìght (자동차) 주차등.
párking lòt 《미》 주차장(《영》 car park).
párking mèter 주차 시간 자동 표시기.
párking òrbit 〖우주〗 대기(待機) 궤도.
párking tìcket 주차 위반 소환장.
Par·kin·son [pɑ́:rkinsən] *n.* 파킨슨 《(1) C(yril) Northcote ~ 영국의 역사가·경제학자(1909-93). (2) James ~ 영국의 의사·왕의 약제사(1755-1824)》.
Par·kin·so·ni·an [pɑ̀:rkinsóuniən] *a.* 〖의학〗 파킨슨 증후군〔병〕의; 파킨슨 법칙의.
Par·kin·son·ism [pɑ́:rkinsənìzəm] *n.* =PARKINSON'S DISEASE.
Pár·kin·son's disèase 〔**sỳndrome**〕 〖의학〗 파킨슨병, 진전마비(paralysis agitans).
Párkinson's láw 파킨슨 법칙《공무원의 수는 사무량에 관계없이 증가한다는 따위》.
párk kèeper 《영》 공원 관리인.
párk·lànd *n.* 공원 용지, 풍치 지구; 《영》 대저택 주위의 정원; 수림(樹林) 초원《수림·잡초가 산재함》.
párk rànger 《미》 국립〔주립〕공원 관리인.
párk-rìde *a.* =PARK-AND-RIDE.
párk·wày *n.* 《미》 공원 도로《중앙에 가로수나 조경 공사를 한 큰 길; 트럭이나 대형 차량은 통행

이 금지됨》.
parky[1] [pɑ́:rki] (**park·i·er; -i·est**) *a.* 《영속어》 싸늘한, 차가운《아침 · 공기 · 날씨 등》.
parky[2] *n.* 《영속어》 =PARK KEEPER.
Parl., parl. parliament; parliamentary.
par·lance [pɑ́:rləns] *n.* Ⓤ **1** 말투, 어법, 어조. **2** 《고어》 이야기, 토론. ***in common*** 〔***ordinary***〕 ~ 일반적인 말로는. ***in legal*** ~ 법률 용어로.
par·lan·do [pɑ:rlɑ́:ndou] *a., ad.* 《It.》 『음악』 이야기하는 듯한〔하듯이〕.
par·lay [pɑ́:rlei, -li/pɑ́:li] *vt., vi.* 《미》 (원금과 상금을) 다시 (다른 말에) 걸다; 늘리다, 확장하다; (자산 · 재능을) 활용〔이용〕하다. **—** *n.* 원금과 상금을 다시 다른 말에 걸기.
par·ley [pɑ́:rli] *n.* 회담, 상의(相議), 교섭, 협상(conference); (전쟁터에서의) 적과의 회견〔담판〕: a cease-fire ~ 휴전 교섭. ***beat*** 〔***sound***〕 ***a*** ~ (북 또는 나팔로) 적에게 화평 교섭의 뜻을 전달하다. ***hold a*** ~ ***with*** …와 교섭〔담판〕하다. **—** *vi.* 《~/+전+명》 회담〔상의〕하다, 교섭〔담판〕하다《*with*》: ~ *with* an enemy 적과 화평 교섭을 하다. **—** *vt.* (특히 외국어를) 말하다, 지껄이다; 교섭〔회담〕하다.
par·ley-voo [pɑ̀:rlivú:] 《영구어 · 우스개》 *n.* **1** Ⓤ 프랑스 말. **2** 프랑스 사람. **—** *vi.* 프랑스 말을〔외국어를〕 하다. **—** *vt.* 말하다.
⁑**par·lia·ment** [pɑ́:rləmənt] *n.* **1 a** (보통 P-) (영국) 의회: an Act of *Parliament* (의회에서 제정되고 국왕〔여왕〕의 비준을 거친) 법령 / open *Parliament* (국왕〔여왕〕이) 개원식을 행하다 / convene 〔dissolve〕 *Parliament* 의회를 소집〔해산〕하다 / *Parliament* sits 〔rises〕. 의회가 개회〔산회〕하다.

> NOTE (1) Parliament는 상원(the House of Lords)과 하원(the House of Commons)으로 구성되며, 영연방 내 다른 국가 의회에서도 통용됨. (2) 한국 국회는 the National Assembly, 미국 의회는 Congress, 일본 국회는 the Diet라고 함.

b (보통 P-) 하원: a Member of *Parliament* 하원 의원《생략 M.P., MP》 / enter 〔go into〕 *Parliament* 하원 의원이 되다 / be 〔sit〕 in *Parliament* 하원 의원이다. **2** (영국 이외의) 의회, 국회: the Dutch 〔French〕 ~ 네덜란드〔프랑스〕 의회. **3** 혁명 전의 프랑스 고등 법원. **4** 《고어》 (공식의) 토의회, 회의, 회합. **5** =PARLIAMENT CAKE. **6** 『카드놀이』 =FAN-TAN.
Párliament Áct (the ~) 《영》 의회 조례《1911년 상원의 거부권(veto)을 제한한 것》.
par·lia·men·tar·i·an [pɑ̀:rləmentέəriən] *n.* 의회법 학자; 의회 법규에 정통한 사람; (종종 P-) 《영》 하원 의원; (P-) 『영국사』 =ROUNDHEAD. **—** *a.* 의회(정치)의, 의회파의. ㊞ **~·ism** *n.* = PARLIAMENTARISM.
par·lia·men·ta·rism [pɑ̀:rləméntərìzəm] *n.* Ⓤ 의회 정치〔주의〕, 의회 제도.
°**par·lia·men·ta·ry** [pɑ̀:rləméntəri] *a.* **1** 의회의: ~ debates 의회 토론 / ~ laws 원내 법규. **2** 의회에서 제정된; 의회의 법규 · 관례에 의거한; 『영국사』 의회당(원)의: an old ~ hand 의회 법규통(通). **3** 의회(제도)를 가지는, 의회제의. **4** (말 따위가) 의회에 적당한; 《구어》 정중한: a ~ manner 정중한 태도 / ~ language 의회(에서 쓰는) 말; 격식을 차려서 하는 말. **5** 의회적인, 완만한: the ~ pace 완만한 페이스.
parliaméntary ágent 《영》 정당 고문 변호사; 의회 대리인《의회 내에서 건의안 · 청원서를 기초하며 기타 서무를 대행함》.
parliaméntary bórough 《영》 (국회의원) 선거구(constituency).
Parliaméntary Commíssioner for Administrátion 《영》 =OMBUDSMAN.
parliaméntary demócracy 의회 민주주의.
parliaméntary góvernment 의회 정치.
parliaméntary láw **1** 국회법. **2** 회칙.
parliaméntary sécretary 《영》 정무 차관. cf. permanent secretary.
parliaméntary tráin 《영》 (본래 의회에서 정한) 노동자 할인 열차.
párliament càke 생강을 넣은 쿠키.
*****par·lor,** 《영》 **-lour** [pɑ́:rlər] *n.* **1** 《미》 객실(drawing room), 거실(living room). **2** (관저 · 은행 따위의) 응접실; (호텔 · 클럽 따위의) 특별 휴게〔담화〕실《개방적이 아닌》; (수도원 등의) 면회실. **3** 《미》 …점(店); (원래는 객실처럼 설비한) 영업〔촬영, 진찰, 시술〕실: a beauty ~ 미장원 / a tonsorial ~ 《종종 우스개》 이발소 / an ice-cream ~ 아이스크림 가게 / a funeral ~ 장의사. **4** 《영》 착유소(搾乳所). **—** *a.* 객실의, 응접실에 적합한; 말뿐인: ~ tricks 《경멸》 (사교를 돕는) 숨은 재주〔여기(餘技)〕 / a ~ socialist 말뿐인 사회주의자. 「별 기숙생.
párlor bòarder 《영》 (교장댁에 동거하는) 특
párlor càr 『미철도』 특등 객차(chair car).
párlor gàme 실내 게임《퀴즈 등》.
párlor hòuse 《미속어》 고급 유곽.
párlor·màid *n.* 잔심부름하는 계집아이, (방에 딸린) 하녀. 「〔진보파〕.
párlor pìnk 《속어》 말뿐인〔온건한〕 사회주의자
par·lous [pɑ́:rləs] 《고어 · 우스개》 *a.* 위험한(perilous); 다루기 힘든; 빈틈없는(shrewd); 놀라운. **—** *ad.* 몹시, 매우. ㊞ **~·ly** *ad.*
parl. proc. parliamentary procedure.
Par·me·san [pɑ́:rməzɑ̀:n, zæ̀n, ⌐-⌐/pɑ̀:mizǽn] *a.* 파르마(Parma)《이탈리아 북부의 도시》의. **—** *n.* 파르마 치즈(= ∠ **chéese**) 《Parma 산의 냄새가 강한 경질(硬質) 치즈》.
par·mi·gia·na, -no [pɑ̀:rmədʒɑ́:nə], [-nou] *a.* 《It.》 파르마 치즈가 든.
Par·nas·si·an [pɑ:rnǽsiən] *a.* Parnassus 산의; 시(詩)의, 시적(詩的)인, 고답적(高踏的)인, 고답파(시인)의: the ~ school 고답파《1866-90년경 형식을 중시한 프랑스 시인의 일파》. **—** *n.* (the ~) 프랑스 고답파 시인, 〔일반적〕 시인. ㊞ **~·ism** *n.* 고답주의〔취미〕.
Par·nas·sus [pɑ:rnǽsəs] *n.* 그리스 중부의 산《Apollo와 Muses의 영지(靈地)》; 시인들, 시단(詩壇); 시문집, 문학 전집. (***try to***) ***climb*** ~ 시작(詩作)에 힘쓰다.
Par·nell·ism [pɑ:rnélizəm] *n.* Ⓤ 아일랜드 자치 정책《아일랜드의 정치가 C.S. Parnell(1846-91)이 제창함》. 「에 대한 보조금.
pa·ro·chi·aid [pəróukièid] *n.* 《미》 교구 학교
pa·ro·chi·al [pəróukiəl] *a.* 교구(parish)의; 지방적인; 읍면(邑面)의; 《미》 종교 단체의 원조를 받은; 《비유》 (감정 · 흥미 등이) 편협한: a ~ board 교구 위원, 빈민 구제 위원. ㊞ **~·ly** *ad.*
pa·ro·chi·al·ism [pəróukiəlìzəm] *n.* Ⓤ 교구 제도; 읍면(邑面) 제도; 지방 근성; 편협. ㊞ **-ist** *n.*
pa·ro·chi·al·i·ty [pəròukiǽləti] *n.* Ⓤ =PAROCHIALISM.
pa·ró·chi·al·ìze *vt.* …에 교구제를 실시하다; 지방적으로 하다, 편협하게 하다. **—** *vi.* 교구에서 일하다. 「가톨릭 계통》.
paróchial schòol 《미》 교구 부속 학교《보통
par·o·dist [pǽrədist] *n.* parody 작자. ㊞ **pàr·o·dís·tic** *a.*
par·o·dy [pǽrədi] *n.* (풍자적 · 해학적인) 모방 시문, 희문(戱文), 야유적으로 가사를 고쳐 부르

는 노래; 서투른 모방, 흉내. ― *vt.* 서투르게 흉내 내다; 풍자(해학)적으로 시문을 개작(改作)하다. ㊞ **pa·rod·ic, -i·cal** [pərádik/-rɔ́d-], [-kəl] *a.*

pa·rol [pəróul] *n.* 〖법률〗 **1** 소답(訴答) 서면. **2** 말. ★ 지금은 다음 관용구로 씀. ***by*** ~ 구두로. ― *a.* 구두(口頭)(구술)의: ~ evidence 증언.

pa·role [pəróul] *n.* Ⓤ **1** 가석방 (기간(허가증)), 가출소; 집행 유예; (미국 이민법에서) 임시 입국 허가; 〖법률〗 =PAROL. **2** 맹세, 서언(誓言); 〖미군사〗 포로 선서(=∠ **of hónor**). **3** 〖언어〗 구체적 언어 행위, 발화(發話). cf. langue. **4** 〖미군사〗 암호(말). cf. countersign. ***break one's*** ~ 선서를 어기다, 가석방 기간이 지나도 교도소에 돌아가지 않다. ***on*** ~ 선서(가(假))석방되어; 《구어》 감찰을 받아. ― *a.* 선서(가)석방(인)의. ― *vt.* 선서(가)석방하다; 《미》 (외국인에게) 임시 입국을 허락하다. ㊞ **pa·ról·a·ble** *a.*

pa·rol·ee [pəroulíː] *n.* 가석방자, 가출소자.

par·o·mo·my·cin [pæ̀rəmoumáisin] *n.* 〖약학〗 파로모마이신《항(抗)아메바제(劑)》.

par·o·no·ma·sia [pæ̀rənouméiʒiə, -ziə/-ziə] *n.* 〖수사학〗 (같은 음의 말로 하는) 익살 (pun), 신소리. ㊞ **-más·tic** [-mǽstik] *a.* **-ti·cal·ly** *ad.*

par·o·nym [pǽrənìm] *n.* 〖문법〗 **1** 동원(同源)(동근(同根))어, 연어(緣語)(cognate)《wise와 wisdom 등》. **2** (뜻·철자가 다른) 동음어《hair와 hare 등》. **3** 외국어로부터의 신조어(新造語). ㊞ **pa·ron·y·mous** [pərɑ́nəməs/-rɔ́n-] *a.* 같은 어원의. **pàr·o·ným·ic** *a.*

par·o·quet [pǽrəkèt] *n.* =PARAKEET.

Par·os [pέərɑs/-ɔs] *n.* (그리스의) 파로스 섬.

pa·ro·tic [pəróutik, -rá-/-rɔ́-] *a.* 귓가의, 귀 부근의.

pa·rot·id [pərátid/-rɔ́t-] 〖해부〗 *n.* 귀밑샘, 이하선(耳下腺)(=∠ **glànd**). ― *a.* 귓가의, 귀 부근의; 귀밑샘(부근)의.

par·o·ti·tis [pæ̀rətáitis] *n.* Ⓤ 〖의학〗 이하선염, 볼거리, 항아리손님(mumps). ㊞ **pàr·o·tít·ic** *a.*

par·ous [pǽrəs] *a.* 〖의학〗 (여자가) 아이를 낳은 일이 있는, 경산(經産)의.

-pa·rous [∠pərəs] '낳는, 분비(分泌)하는'의 뜻의 결합사: ovi*parous*.

par·ox·ysm [pǽrəksìzəm] *n.* 〖의학〗 (주기적인) 발작; 경련; (감정 등의) 격발《*of*》; 발작적 활동; 격동. ㊞ **par·ox·ys·mal, -mic** [pæ̀rəksízməl], [-mik] *a.* 발작(성)의.

par·ox·ýs·mal tachycárdia [pæ̀rəksízməl-] 〖병리〗 발작성 심빈박(心頻博)《갑자기 심장의 고동이 빨라지는 상태》.

par·ox·y·tone [pəráksitòun/-ɔ́ks-] *a.*, *n.* 〖그리스문법〗 끝에서 둘째 음절에 강한 악센트 (acute accent)가 있는 (말).

parp [pɑːrp] *n.* 《구어》 자동차의 경적음, 경적음 같은 소리. ― *vi.* (빵하고) 경적을 울리다.

par·quet [pɑːrkéi/∠-] *n.* **1** 나무쪽으로 모자이크한 마루. **2** 《미》 (극장의) 아래층 앞자리. **3** (유럽 여러 나라의) 검찰청; (Paris 증권 거래소의) 공인 딜러(dealers)(의 거래 장소). ― *vt.* 나무쪽으로 모자이크한 마루를 깔다.

párquet círcle 《미》 (극장의) 아래층 뒤쪽《2층 관람석 밑》.

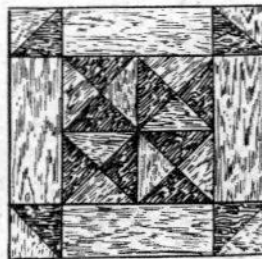
parquetry

par·quet·ry [pɑ́ːrkətri] *n.* Ⓤ 나무쪽 세공, (마루의) 쪽나무 깔기.

parr, par [pɑːr] (*pl.* ~***s,*** 〖집합적〗 ~) *n.* 〖어류〗 어린 연어(대구).

parrakeet ⇨ PARAKEET.

parramatta ⇨ PARAMATTA.

par·ri·cide [pǽrəsàid] *n.* **1** Ⓤ 어버이 살해, 근친자(존속) 살인; 군주시역(君主弑逆). **2** Ⓒ 존속 살인자. **3** Ⓤ,Ⓒ (국가의) 반역(자). ㊞ **pàr·ri·cíd·al** [-dl] *a.*

*__par·rot__ [pǽrət] *n.* **1** 〖조류〗 앵무새. **2** 앵무새처럼(기계적으로) 입내내는 사람. ― *vi.*, *vt.* (남의 말을) 앵무새처럼 되뇌(게 하)다. ㊞ ~**·lìke** *a.* ~**·ry** *n.* Ⓤ 입내; 남의 말의 되넘김, 비굴한 모방. ~**y** *a.* 앵무새 같은.

párrot·càge *n.* 앵무새 새장.

párrot-crỳ *n.* 뜻없이 되뇌는 말(외침).

párrot-fàshion *ad.* 《영구어》 뜻도 모르고 되받아, 흉내내어.

párrot fèver 〖의학〗 =PSITTACOSIS.

párrot fish 〖어류〗 비늘돔류의 물고기.

par·ry [pǽri] *vt.* (공격·질문을) 받아넘기다, (펜싱 등에서) (슬쩍) 피하다; 회피하다, 얼버무리다: ~ a question 질문을 얼버무리어 대답하다. ― *n.* 받아넘김, (펜싱 따위에서) 슬쩍 피함; 둘러댐, 얼버무림, 핑계. ㊞ **pár·ri·er** *n.*

pars. paragraphs; parentheses.

parse [pɑːrs, pɑːrz/pɑːz] *vt.* **1** 〖문법〗 (문장·어구의 품사 및 문법적 관계를) 분석(설명)하다(analyze). **2** 《해커속어》 …을 이해하다. **3** 《우스개》 (물고기에서) 뼈를 발라내다. ― *vi.* 문장의 품사 및 문법적 관계를 설명하다; (문장·어구의) 문법적 설명을 할 수 있다, 해부할 수 있다.

par·sec [pɑ́ːrsèk] *n.* 〖천문〗 파섹《천체 간의 거리를 나타내는 단위; 3.26 광년; 생략: pc》.

par·ser [pɑ́ːrsər] *n.* 〖컴퓨터〗 파서《입력된 정보를 번역·처리하는 프로그램(의 일종)》.

Par·si, -see [pɑ́ːrsiː, -∠] *n.* 〖역사〗 파시교도 《8세기에 회교도의 박해를 피해 페르시아에서 인도로 도망간 조로아스터교도의 자손》; 파시어《파시 교전(敎典)에 쓰인 페르시아 말》. ㊞ ~**·ìsm** *n.* Ⓤ 파시교《조로아스터교의 한 종파》.

par·si·mo·ni·ous [pɑ̀ːrsəmóuniəs] *a.* 인색한; 가린스러운(stingy), 지나치게 알뜰한. ㊞ ~**ly** *ad.* ~**·ness** *n.*

par·si·mo·ny [pɑ́ːrsəmòuni/-məni] *n.* Ⓤ 인색(stinginess); 극도의 절약. 「句)의 해부.

pars·ing [pɑ́ːrsiŋ/pɑ́ːziŋ] *n.* 〖문법〗 어구(語

°**pars·ley** [pɑ́ːrsli] *n.* Ⓤ 〖식물〗 파슬리. ― *a.* 파슬리로 풍미를(맛을) 낸, 파슬리를 곁들인 (=**párs·leyed**).

párslev sàuce 파슬리 소스《화이트 소스에 잘게 썬 파슬리를 곁들인 생선 요리용 소스》.

pars·nip [pɑ́ːrsnip] *n.* 〖식물〗 네덜란드(미국)방풍나물《뿌리는 식용》: Fine (Kind, Soft) words butter no ~*s.* 《속담》 입에 발린 말만으로는 아무 소용이 없다, 말 단 집에 장 단 법 없다 (甘言家醬不甘).

°**par·son** [pɑ́ːrsən] *n.* **1** 교구 목사《rector, vicar 따위》; 《구어》 〖일반적〗 성직자, (특히 개신교의) 목사(clergyman). **2** 검은(반점이 있는) 짐승. ㊞ **par·son·ic, -i·cal** [pɑːrsɑ́nik/-sɔ́n-], [-əl] *a.*

par·son·age [pɑ́ːrsənidʒ] *n.* (교구) 목사관; 《고어》 (교구 목사의) 성직록(聖職祿). 「내.

par·son·ess [pɑ́ːrsənis] *n.* 《구어》 목사의 아

párson's nóse 《영구어》 =POPE'S NOSE.

Pársons tàble (종종 p- t-) 다리가 네 귀퉁이에 달린 사각 탁자.

†**part** [pɑːrt] *n.* **1** (전체 속의) 일부, 부분; (전체에서 분리된) 조각, 단편: the rear ~ of the house 집 뒷부분/broken ~*s* of a mirror. ★ a (an)은 종종 생략되며, 사람(물건)의 수를 나타낼 때는 복수 취급: A ~ (*Part*) of the work *is*

finished. / A ~ 〔*Part*〕 of the girls *are* singing.

> SYN. **part** '일부분'을 말하는 일반적인 말. 전체 중에서 부분을 가리키는 경우. **portion** 어떤 사람이나 물건에 할당된 부분: a marriage ~ 결혼 지참금. **piece** 전체에서 떨어진 부분이지만, 그 부분은 그 자체로 완전한 것. **section** 구분하여 생긴 작은 부분의 것.

2 ((a) ~) 주요 부분, 요소, 성분: A sense of humor is ~ of a healthy personality. 유머를 이해하는 마음은 건전한 인품의 중요한 일면이다. **3** (책·희곡·시 따위의) 부, 편, 권: a novel in three ~*s*, 3부로 된 소설. **4** (*pl.*) 몸의 부분, 기관, (the ~s) 음부(private 〔privy〕 ~s); (*pl.*) (기계의) 부품, 부속품, (예비) 부품: the inward ~*s* of the body 내장 / spare ~*s* of a machine 기계의 예비 부품 / automobile ~*s* 자동차 부품. **5 a** 〖서수에 붙여〗 …분의 1 《지금은 보통 생략함》: two third ~*s*, 3분의 2 (two thirds). **b** 〖기수에 붙여〗 전체를 하나 더 많은 수로 나눈 값: two 〔three, four, *etc.*〕 ~*s* =2/3 〔3/4, 4/5 따위〕. **c** 약수(約數), 인수. **d** (조합(調合) 등의) 비율: three ~*s* of wine to one (~) of water 포도주 3에 물 1의 비율 / Take 3 ~*s* of sugar, 5 of flour, 2 of ground rice. 설탕 3, 밀가루 5, 쌀가루 2의 비율로 하라. **6** (일 따위의) 분담, 몫. **7** 직분(share), 본분(duty); 관여, 관계: It's not my ~ to interfere. 내가 간섭할 일이 아니다. **8** (배우의) 역(role); 대사(臺詞); 대본: He spoke 〔acted〕 his ~ very well. 그는 맡은 대사를〔역을〕 잘 했다. **9** (논쟁 따위의) 편, 쪽(side), 당사자의 한 쪽: an agreement between Jones on the one ~ and Brown on the other (~) 존스 측과 브라운 측 사이의 협정. **10** (*pl.*) 지역(quarter), 곳, 지구, 지방(district): in these ~*s* 이 곳에서(는) / travel in foreign ~*s* 외지(外地)를 여행하다. **11** (*pl.*) 자질, 재능(abilities): a man of (many 〔good, excellent〕) ~*s* 《문어》 유능한 인사, 재주가 많은 사람. **12** 〖음악〗 음부, 성부(聲部); 악곡의 일부《악장 등의》: sing in three ~*s*, 3부 합창을 하다. **13** 품사: the ~s of speech 〖문법〗 품사. **14** 《미》 (머리의) 가르마(《영》 parting). **15** (*pl.*) 〖컴퓨터〗 부품. ◇ partial *a*.

a good 〔***large***〕 ***~ of*** =(***a***) ***great ~ of*** …의 대부분. ***bear a ~ in*** …에 가담〔참가〕하다. ***do one's ~*** 자기 본분을 다하다. ***feel the ~*** 그러한 기분이 나다, 그렇게 느끼다. ***for one's ~*** (다른 사람은 어쨌든) …로서는: *For my* ~, I am quite satisfied with the contract. 나로서는 그 계약에 지극히 만족한다. ***for the most ~*** 대개, 대체로, 대부분은(mostly): The firm is run, *for the most* ~, by competent men. 회사는 대개 유능한 사람들이 경영한다. ***have a ~ in*** …에 간여〔관여〕하다. ***have neither ~ nor lot in*** =***have no ~ in*** …와 아무런 관계도 없다. ***in good ~*** ① 기분 좋게, 호의적으로. ② 대부분은, 크게. ***in large ~*** 크게(largely), 대부분. ***in ~*** 부분적으로, 일부분, 얼마간(partly). ***in ~s*** ① 나누어, 일부분씩; 분책으로. ② 여기저기. ***on a person's ~*** =***on the ~ of*** a person ① 아무의 편에서는〔의〕: There is no objection *on my* ~. 나로서는 이의 없다. ② 아무를 대신하여. ***~ and parcel*** 본질적인〔중요〕 부분, 요점《*of*》. ***play*** 〔***act***〕 ***a ~*** ① 역(할)을 하다《*in*》: She *played a* ~ *in* the play. 그 극에 출연했다. ② 《비유》 기만적으로 행동하다, 시치미떼다. ***play one's ~*** 맡은 바를 다하다, 본분을 다하다. ***play the ~ of*** …의 역을 맡아 하다. ***take ~ in*** (a thing, do*ing*) …에 관계〔참가, 공헌〕하다: *take* ~ *in* the Olympics 올림픽에 참가하다. ***take ~ with*** =***take the ~ of*** …(쪽)을 편들다: *take the* ~ *of* the students 학생들의 편을 들다. ***take*** a person***'s*** (words) ***in good*** 〔***ill, evil, bad***〕 ***~*** 아무의 (말)을 선의〔악의〕로 해석하다, 아무의 (말)에 대해 노하지 않다〔노하다〕. ***take*** a person***'s ~*** 아무를 편들다.

— *ad*. 일부분은, 얼마간, 어느 정도(partly): The statement is ~ truth. 그 연설은 어느 정도 진실성이 있다.

— *vt*. **1** 《~+목/+목+전+명》 …을 나누다, 분할하다; …을 가르다, 쪼다: An islet ~*s* the stream. 작은 섬이 물줄기를 둘로 가른다 / ~ a loaf *in* pieces 빵을 몇 조각으로 자르다〔가르다〕. SYN. ⇨ SEPARATE. **2** (머리를) 가르마타다: He ~*ed* his hair in the middle 〔at the side〕. 그는 머리를 한가운데〔옆〕에서 가르마를 탔다. **3** …와 관계를 끊다, 이간하다: Nothing shall ~ us. 우리는 절대로 헤어지지 않는다. **4** 《~+목/+목+전+명》 …을 갈라놓다, 떼어놓다: ~ a fight 싸움을 떼어놓다 / The Strait of Dover ~*s* England *from* the Continent. 도버 해협은 영국을 대륙에서 떼놓고 있다. **5** 《+목+전+명》 …을 구별하다: ~ error *from* crime 착오와 범죄를 구별하다. **6** 《+목+전+명》 〖야금〗 …을 분리시키다: ~ silver *from* gold 은을 금으로부터 분리하다. **7** 《고어》 …와 헤어지다, 이별하다. **—** *vi*. **1** 《~/+전+명》 깨지다, 째지다, 끊어지다, 부서지다; 갈라지다, 분리하다, 떨어지다: As the cloud ~*ed*, we saw the summit. 구름이 걷히자 산꼭대기가 보였다 / The rope ~*ed*. 밧줄이 끊어졌다 / ~ *into* small fragments 작게 부서지다. **2** 《~/+전+명/+(*as*) 보》 갈라지다; (아무와) 헤어지다, 손을 끊다, (…에서) 손을 떼다 《*from; with*》: The stream ~*s* there. 강은 그곳에서 분기된다 / Let us ~ (*as*) friends. 사이좋게 헤어지자 / ~ *from* one's friends 친구들과 헤어지다. **3** (가진 것을) 내어놓다, 내주다 《*with*》: ~ *with* one's possessions. **4** 《+전+명》 떠나다《*from*》: ~ *from* one's native shore 고국을 떠나다. **5** 《고어》 죽다. **6** 《구어》 돈을 치르다; 《고어》 분배하다. ***~ company with*** …와 갈라지다, 절교하다; 의견을 달리하다.

— *a*. 일부분(만)의, 부분적인, 불완전한: a ~ reply to the question.

part. participial; participle; particular.

part. adj. participial adjective.

°**par·take** [pɑːrtéik] (**-took** [-túk]; **-tak·en** [-téikən]) *vi*. 《+전+명》 **1** 참가〔참여〕하다, 함께 하다(participate) 《*in; of*》: ~ *in* an enterprise with a person 아무와 함께 사업을 하다 / ~ *in* each other's joys =~ *in* joys with each other 기쁨을 함께 나누다. SYN. ⇨ SHARE. **2** 《+전+명》 몫을 받다; (식사 따위를) 같이 하다《*of*》: They *partook of* our fare. 그들은 우리와 식사를 함께 했다. **3** (얼마큼) 마시다〔먹다〕《*of*》: ~ *of* refreshments 다과 대접을 받다. **4** 《구어》 말끔히 마셔 버리다, 먹어 치우다《*of*》. **5** 얼마간 (…한) 성질이 있다, (…한) 기색이 있다 《*of*》: His words ~ *of* regret. 그의 말에서 후회의 빛을 엿볼 수 있다 / The novel ~*s* somewhat *of* a fairy tale. 그 소설은 동화 같은 데가 있다. **—** *vt*. 《고어》 **1** 함께 하다, …에 관여〔참여〕하다(take part in). **2** (음식을) 같이 하다.

par·ták·er *n*. 분담자, (고락 따위를) 함께 하는 사람, 참가자, 관계자《*of; in*》. 「종(식용).

par·tan [pɑ́ːrtən] *n*. 《Sc.》 유럽산 큰 게의 일

párt·ed [-id] *a*. **1** 나뉜, 따로따로 된; 갈라진; 〖문장(紋章)〗 중앙에서 세로로 갈라진. **2** 〖보통

복합어》 〖식물〗 심렬(深裂)의《잎 따위》: a 3-~ 〔three-~〕 corolla 삼렬 화관(三裂花冠). **3** 《고어》 죽은.

par·terre [pɑːrtέər] *n.* 여러 가지 화단을 배치한 정원; 《미》 =PARQUET CIRCLE.

párt-exchànge *n.*, *vt.* 신품(新品)의 대금 일부로 중고품을 인수하기〔하다〕.

par·the·no- [pɑ́ːrθənou, -nə] '처녀'의 뜻의 결합사《모음 앞에서는 **pár·then-**》.

par·the·no·car·py [pɑ́ːrθənoukɑ̀ːrpi] *n.* 〖식물〗 단위(單爲) 결실〔결과〕《수정하지 않은 결실》. ㊕ **pàr·the·no·cár·pic** *a.*

pàrtheno·génesis *n.* Ⓤ 〖생물〗 단성 생식(單性生殖), 처녀 생식; 처녀 수태(受胎). ㊕ **pàr-theno·genétic** *a.* **-ically** *ad.*

par·the·no·gen·one [pɑ̀ːrθənoudʒénoun] *n.* 처녀 생식이 가능한 생물.

Par·the·non [pɑ́ːrθənɑ̀n, -nən/-nən] *n.* (the ~) 파르테논《Athens의 Acropolis 언덕 위에 있는 Athene 여신의 신전》.

par·the·no·spore [pɑ́ːrθənəspɔ̀ːr] *n.* 〖식물〗 단위포자(單爲胞子)《수정하지 않고 발육한 포자》. 「쪽에 있던 옛 왕국》.

Par·thia [pɑ́ːrθiə] *n.* 파르티아《카스피 해 남동

Par·thi·an [pɑ́ːrθiən] *a.* **1** Parthia의. **2** 헤어질 때의: a ~ glance 헤어질 때의〔마지막〕 일별(一瞥). — *n.* 파르티아 사람(이 쓰던 페르시아 말).

Párthian shót 〔**sháft**〕 (퇴각할 때 쏘는) 마지막 화살; (헤어질 때) 내뱉는 말.

par·ti [pɑ́ːrti] (*pl.* **~s** [-z]) *n.* 《F.》 이상적인 결혼 상대; 당파; 선택, 결단.

***par·tial** [pɑ́ːrʃəl] *a.* **1** 부분적인, 일부분의, 국부적인; 불완전한: a ~ payment 내입금(內入金)/a ~ knowledge 어설픈 지식. **2** 불공평한, 편파적인, 한쪽에 치우친(prejudiced)《*to*》. OPP. *impartial.* ¶a ~ opinion 편파적인 의견. SYN. ⇨UNJUST. **3** 특히〔몹시〕 좋아하는《*to*》: be ~ *to* sports 스포츠를 몹시 좋아하다. **4** 〖식물〗 차생(次生)의, 이차(二次)의: a ~ leaf 후생엽(後生葉). — *n.* 〖음악〗 부분음; 〖수학〗 =PARTIAL DERIVATIVE; 《구어》 =PARTIAL DENTURE. — *vt.* (보통 ~ out) (통계상의 상관에서 연관하는 변수의) 영향을 제거하다. ◇ part *n.* ㊕ **~·ness** *n.*

pártial dénture 〖치과〗 부분 의치(義齒).

pártial derívative 〖수학〗 편(偏)도함수.

pártial differéntial equátion 〖수학〗 편(偏)미분 방정식. 「微分(法)).

pártial differentiátion 〖수학〗 편미분(법)(偏

pártial eclípse 〖천문〗 부분식.

pártial fráction 〖수학〗 부분 분수.

°**par·ti·al·i·ty** [pɑ̀ːrʃiǽləti] *n.* Ⓤ 편파, 불공평, 치우침; (a ~) 특별히 좋아함(fondness), 편애《*for; to*》; Ⓤ 부분성, 국부성: have a ~ *for* sweets 단것을 좋아하다.

°**par·tial·ly** [pɑ́ːrʃəli] *ad.* **1** 부분적으로, 일부분은. **2** 불공평하게, 편파적으로. 「**síght**.

pártially síghted 약시(弱視)의. ㊕ **pártial**

pártial préssure 〖물리 · 화학〗 분압.

pártial próduct 〖수학〗 부분적(積).

pártial reinfórcement 〖심리〗 부분 강화.

Pártial Tést Bàn Tréaty 부분적 핵실험 금지 조약(Limited Test Ban Treaty).

pártial tòne 〖음악〗 부분음. 「분 진공.

pártial vácuum (내부 공기를 일부분만 뺀) 부

pártial vérdict 〖법률〗 일부 평결《소추된 몇 건의 범죄 중 그 일부에 대해서만 유죄로 하는 평결》.

par·ti·ble [pɑ́ːrtəbəl] *a.* 〖주로 법률〗 분할〔분리〕할 수 있는, 나눌 수 있는, 뗄 수 있는.

par·ti·ceps cri·mi·nis [pɑ́ːrtəsèps-krímənis] 《L.》 〖법률〗 공범자(accomplice in crime).

par·tic·i·pa·ble [pɑːrtísəpəbəl] *a.* 관여할 수

있는, 공유할 수 있는, 참가할 수 있는.

par·tic·i·pance, -pan·cy [pɑːrtísəpəns], [-pənsi] *n.* =PARTICIPATION.

par·tic·i·pant [pɑːrtísəpənt] *a.* 관여〔참여〕하는, 관계하는, 참가하는《*of*》. — *n.* 관여자, 관계〔참여〕자, 협동자, 참가자. 「찰(법).

partícipant observátion 〖사회〗 참여적 관

***par·tic·i·pate** [pɑːrtísəpèit] *vi.* **1** 《+전+명》 참가하다, 관여하다, 관계하다《*in; with*》: ~ *in* a game 〔discussion〕 경기〔토론〕에 참가하다/~ *in* a play 연극의 한 역(役)을 맡다/~ *in* profits 이익 분배에 참여하다. SYN. ⇨SHARE. **2** (…의) 성질을 띠다, (…한) 데가 있다《*of*》. — *vt.* …에 참여하다, …의 일부를 얻다. ◇ participation *n.* ㊕ **par·tíc·i·pà·tive** *a.*

partícipating insùrance 이익 배당부 보험.

partícipating preférred 〖증권〗 이익 배당 우선주.

°**par·tic·i·pá·tion** *n.* Ⓤ 관여, 참여, 관계, 참가《*in*》; 〖철학〗 감응; 분배 받기. ◇ participate *v.*

par·tic·i·pa·tion·al [pɑːrtìsəpéiʃənəl] *a.* 관객〔관중〕이 참가하는《연극 · 전시회》.

participátion spòrt 참가(하여 즐기는) 스포츠. cf. spectator sport.

par·tic·i·pa·tor [pɑːrtísəpèitər] *n.* =PARTICIPANT. ㊕ **-to·ry** [-pətɔ̀ːri/-pèitəri, -pətəri] *a.* (개인) 참가 방식의. 「주의.

partícipatory demócracy 참가〔참여〕 민주

partícipatory théater 관객 참가 연극.

par·ti·cip·i·al [pɑ̀ːrtəsípiəl] *a.* 〖문법〗 분사의, 분사적인: a ~ noun =GERUND. — *n.* 분사형용사; =PARTICIPLE. ㊕ **~·ly** *ad.*

particípial ádjective 〖문법〗 분사 형용사.

particípial constrúction 분사 구문.

°**par·ti·ci·ple** [pɑ́ːrtəsìpəl] *n.* 〖문법〗 분사《생략: p., part.》: a present 〔past〕 ~ 현재〔과거〕 분사. ⇨《부록》 PARTICIPLE.

par·ti·cle** [pɑ́ːrtikəl] *n.* **1** 미립자, 분자, 극히 작은 조각. **2** 극소(량(量)), 극히 작음: not a ~ of evidence 티끌만한 증거도 없는. **3** 〖물리〗 소립자; 〖물리〗 질점(質點). **4** 〖문법〗 불변화사(不變化詞)《관사 · 전치사 · 접속사 따위 어형 변화가 없는 것》. **5** (서류의) 조항(clause). **6** 〖가톨릭〗 제병(祭餠)의 작은 조각. ***an elementary ~ 〖물리〗 소립자. 「속기.

párticle accèlerator 〖물리〗 분자〔입자〕 가

párticle bèam 〖물리〗 **1** 입자선(粒子線), 입자빔. **2** (빔 병기로부터 발사되는) 하전(荷電) 입자선(의 선속(線束)). 「병기의 일종》.

párticle-bèam wéapon 입자 빔 병기《광선

párticle·bòard *n.* Ⓤ,Ⓒ 파티클보드《건축용 합판》. 「physics).

párticle phỳsics 소립자 물리학(high-energy

párticle velòcity 〖물리〗 입자 속도《파동을 전달하는 매질(媒質)이 있는 한 점의 속도》.

pár·ti·còlor(ed), párty- [pɑ́ːrti-] *a.* 잡색의, 여러 색으로 물들인, 얼룩덜룩한; 《비유》 다채로운, 파란이 많은.

‡par·tic·u·lar [pərtíkjələr] *a.* **1** 특별한, 특유의, 특수한: a ~ characteristic of the animal 그 동물의 한 특성/its ~ advantage 그것의 독특한 이점〔맛〕. SYN. ⇨SPECIAL. **2** 특정한, 특히 그〔이〕, 바로 그, …에 한하여: in this ~ case 특히 이 경우는 (딴것과 달라)/Why did you choose this ~ chair? 왜 특별히 이 의자를 택하였느냐/She came home late on that ~ day. 문제의 그날〔그날 따라〕 그녀는 늦게 귀가했다. SYN. ⇨DEFINITE. **3** 각별한, 특별한: be of ~ interest 특(별)히 흥미깊다/give ~ thanks

각별한 사의를 표하다 / a ~ friend of mine 특별한 친구, 각별히 친한 벗 / for no ~ reason 특히 이렇다 할 이유도 없이. **4** 상세한(detailed), 정밀한: give a full and ~ account of …에 관하여 상세히 보고〔기술〕하다. **5** 개개의, 개별적인; 각자의, 개인으로서의: my ~ interests 내 개인의 이익. **6** 꼼꼼한, 깔끔한; 까다로운《*about; in; over*》: be ~ *about* 〔*over, in*〕 …에 까다롭게 굴다. **7** 〖논리〗 특칭의.

— *n.* **1** (*pl.*) 상세, 상보, 명세서: Everybody wanted to know the ~*s*. 누구나 다 상세한 내용을 알고자 했다. **2** (하나하나의) 항목, …의 건(件): exact in every ~ 더없이 정확한. **3** 특색; 명물: the London ~ 런던의 명물《안개 따위》. **4** 〖논리〗 특수; (the ~) 구체적 사상(事象). ***from the general to the*** ~ 총론에서 각론에 이르기까지. ***go*** 〔***enter***〕 ***into*** **~s** 상세한 데에 미치다. ***in every*** ~ 모든 점에서. ***in*** ~ ① 특히, 각별히. ★ in general 에 대비됨: There is one book *in* ~ that may help you. 당신에게 도움이 되리라고 생각되는 책 한 권이 있습니다. ② 일일이, 상세히. ***Mr. Particular*** 까다로운 사람, 잔소리꾼.

partícular affírmative 〖논리〗 특수 긍정적 판단《기호 I》.

partícular áverage 〖해상보험〗 단독 해손(單獨海損).

Partícular Báptists 〖기독교〗 (17-19 세기, 영국의) 특별 침례교도.

par·tíc·u·lar·ìsm *n.* Ⓤ **1** 지방주의, 자기 중심주의, 배타주의, 자국〔자당〕 일변도주의; 《미》 (연방의) 각주 독립주의. **2** 〖신학〗 특정인 은총〔구속〕론《신의 은총이나 구속은 특정한 사람에게 한정된다는》. ㊕ **-ist** *n.*

par·tic·u·lar·i·ty [pərtìkjəlǽrəti] *n.* Ⓤ **1** 특이〔독자〕성, 특질. **2** (종종 *pl.*) 세목, 상세한 내용; 세심한 주의, 면밀. **3** 까다로움, 꼼꼼함. **4** 개인적인 일, 집안일; (종종 *pl.*) 특수한 사정.

par·tìc·u·la·ri·zá·tion *n.* 특수〔개별〕화, 특기, 상술, 열거.

par·tic·u·lar·ize [pərtíkjələràiz] *vt., vi.* 상술하다; 열거하다; 특필하다; 특수화하다.

⁑**par·tic·u·lar·ly** [pərtíkjələrli] *ad.* **1** 특히, 각별히; 현저히: I ~ mentioned that point. 특히 그 점을 언급했다 / Do you want to go? — No, not ~. 너는 가고 싶니 — 아니, 별로. SYN. ⇨ ESPECIALLY. **2** 낱낱이, 따로따로. **3** 상세히, 세목에 걸쳐: go into a matter ~ 일을 자세히 말〔논〕하다.

partícular négative 〖논리〗 특수 부정적 판단《기호 O》.

par·tic·u·late [pərtíkjəlit, -lèit] *a.* 개개의 미립자의〔로 된〕. — *n.* **1** 미립자. **2** (*pl.*) 〖환경〗 분진, 미립 물질.

partículate inhéritance 〖유전〗 입자유전(粒子遺傳).

par·tie car·rée [F. paʀtikaʀe] 《F.》 (남녀 둘씩의) 4 인조.

*****part·ing*** [pɑ́ːrtiŋ] *n.* **1** Ⓤ,Ⓒ 헤어짐, 이별; 사별, 고별: on ~ 이별에 즈음하여. **2** Ⓤ 분할, 분리; 〖야금〗 분금(分金)《합금에서 금의 분리》; 분리물. **3** Ⓒ (도로의) 분기점; 《영》 (머리의) 가르마; 분할선: the ~ of the ways (행동을 같이 해 온 사람과의) 갈림길; 도로의 분기점; 《비유》 (선택·인생의) 기로. — *a.* **1** 떠나〔저물어〕가는: a ~ guest 떠나는 손님 / the ~ day 황혼, 해질녘. **2** 이별의; 임종〔최후〕의: a ~ gift 작별의 선물 / ~ words 고별사; 임종 때의 말 / drink a ~ cup 작별의 잔을 들다. **3** 나누는, 분할〔분리〕하는. **4** 갈라지는, 분산하는: a ~ wave 부서지는 파도.

párting shòt = PARTHIAN SHOT.

par·ti pris [F. paʀtipʀi] (*pl.* ***par·tis pris*** [—]) 《F.》 선입관, 편견.

Par·ti Qué·be·cois [F. paʀtikebɛkwa] 《F.》 (캐나다의) 퀘벡당《프랑스계 주민이 Quebec 주의 분리 독립을 요구하는 정당》.

°**par·ti·san**[1], **-zan**[1] [pɑ́ːrtizən/pɑ̀ːtizǽn] *n.* **1** 한동아리, 도당, 일당; 당파심이 강한 사람; 열성적인 지지자《*of*》. **2** 〖군사〗 유격병, 빨치산. — *a.* 당파심이 강한; 〖군사〗 유격대의, 게릴라의: ~ spirit 당파심〔근성〕 / ~ politics 파벌 정치. ㊕ **~·ism, ~·ship** *n.* Ⓤ 당파심, 당파 근성; 가담.

par·ti·san[2], **-zan**[2] *n.* 〖역사〗 일종의 미늘창.

par·ti·ta [pɑːrtíːtə] (*pl.* **~s, -te** [-tei]) *n.* 《It.》 〖음악〗 파르티타《변주곡·모음곡의 일종》.

par·tite [pɑ́ːrtait] *a.* 분열된; 〖식물〗 심렬(深裂)의; 〔복합어〕 관계자〔나라〕가 …인: a tri~ pact 삼국 협정.

°**par·ti·tion** [pɑːrtíʃən, pər-] *n.* **1** Ⓤ 분할, 분배, 구분; 한 구획; 〖법률〗 공유물 분할. **2** Ⓒ 구획(선), 칸막이; 〖생물〗 격벽(隔壁), 격막(隔膜). **3** Ⓤ 〖논리〗 분할법; Ⓒ 〖수학〗 분할; 〖수사학〗 (짧은) 제 2 단(段). **4** 〖컴퓨터〗 분할《다수의 프로그램을 동시에 수행시키기 위해 주기억 장치를 몇 개의 구역으로 나눈 것. 또는 하나의 디스크를 여러 개의 논리적인 디스크로 사용하기 위해 그 영역을 몇개의 부분으로 나눈것》. — *vt.* 《+목+전+명 / +목+부》 분할〔분배〕하다, (토지 등을) 구분하다《*into*》; 칸막이하다《*off*》: ~ a room *into* two small rooms 방을 2 개의 작은 방으로 나누다 / ~ *off* a part of a room 방의 일부를 칸막이하다. ㊕ **~ed** *a.* **~·er** *n.*

par·tí·tion·ìst *n.* 분할주의자.

par·ti·tive [pɑ́ːrtətiv] *a.* **1** 구분하는. **2** 〖문법〗 부분을 나타내는: the ~ adjective 부분 형용사《any, some》. — *n.* 〖문법〗 부분사(部分詞). ㊕ **~·ly** *ad.*

pártitive génitive 〖문법〗 부분 속격(屬格).

part·let [pɑ́ːrtlit] 《고어》 *n.* **1** 암탉; (종종 Dame Partlet) 〔고유명사로〕 암탉의 의인명(名). **2** 《우스개》 노파.

⁑**part·ly** [pɑ́ːrtli] *ad.* **1** 부분적으로, 일부(는): It is ~ good and ~ bad. 좋은 점도 나쁜 점도 있다. **2** 얼마간, 어느 정도까지; 조금은: You are ~ right. 네 말도 일리는 있다. **~ *all*** 《미속어》 거의 전부. **~ *because*** 〔***for***〕 부분적인 이유이지만 …때문에.

párt mùsic 〖음악〗 화성적(和聲的)인 악곡.

⁑**part·ner** [pɑ́ːrtnər] *n.* **1** 협동자, 동반자, 한동아리, 패거리: ~*s* in crime 공범자. **2** 배우자《남편·아내》: one's life ~ = one's ~ in life 배우자. **3** (댄스 등의) 상대; (게임 등에서) 자기편, 한패; 《미구어》 (남자끼리의) 친구(들), 동무: be ~*s* with …와 짝을 이루다. **4** 〖법률〗 조합원, (합자·합명 회사의) 사원: an active 〔a working〕 ~ 근무 사원 / a dormant 〔sleeping, silent〕 ~ 익명 사원 / a limited ~ 유한 책임 사원 / a general ~ 일반〔무한 책임〕 사원. **5** (*pl.*) 〖해사〗 (마스트 따위가 갑판을 통하는 구멍을) 보강하는 (나무)테. — *vt.* **1** 《+목+전+명 / +목+부》 한동아리로〔짝이 되게〕 하다《*up* 〔*off*〕 *with*》: He was ~*ed* (*up*) *with* her in a tango. 그는 그녀와 짝이 되어 탱고를 추었다. **2** …와 짜다, …의 상대가 되다《댄스·게임 따위에서》. **3** …의 조합원〔사원〕이다. — *vi.* 《+부 / +전》 (동아리로서) 짜다, 파트너가 되다《*up* 〔*off*〕 *with*》.

párt·ner·less *a.* 한동아리〔배우자, 상대〕가 없는.

pártners dèsk 대면공용(對面共用) 책상《발밑 공간이 터져 있고 양쪽에 서랍이 달려 있어 두 사람이 마주 보고 사용하게 되어 있는 책상》.

°**part·ner·ship** [pɑ́ːrtnərʃip] *n.* **1** Ⓤ 공동, 협력, 제휴; 조합 영업: go 〔enter〕 into ~ 협력〔제휴〕하다 / in ~ with …와 협력해서〔공동으로〕; …와 합명으로〔합자로〕. **2** Ⓤ,Ⓒ 조합, 상회,

합명〔합자〕 회사: a general ~ 합명 회사 / a limited 〔special〕 ~ 합자 회사 / an unlimited ~ 합명 회사.

part·oc·ra·cy [pɑːrtákrəsi] *n.* 〖정치〗 일당 정치, 일당 정체(政體), 일당제(制).

par·ton [páːrtɑn/-tɔn] *n.* 〖물리〗 파톤《핵자(核子)의 구성 요소가 된다고 하는 가설상의 입자》.

par·took [pɑːrtúk] PARTAKE의 과거.

párt ówner 〖법률〗 공동 소유자《특히 선박의》. ㊎ **~·shìp** 공동 소유.

párt-pàyment *n.* Ⓤ 〖상업〗 일부 지불금, 선금, 계약금.

par·tridge [páːrtridʒ] (*pl.* **~s,** 〘집합적〙 **~**) *n.* 〖조류〗 반시(半翅)·자고(鷓鴣)류《유럽·아시아산 엽조(獵鳥)》; 목도리뇌조; (북아메리카산) 메추라기의 일종.

partridge

pártridge·bèrry *n.* 〖식물〗 호자덩굴류《북아메리카산》, 그 열매(= **twín·bèrry**); 철쭉과(科)의 식물.

párt-sìnging *n.* 〖음악〗 중창(법).

párt-sòng *n.* 합창곡《주로 무반주》.

párt tíme 전시간(full time)의 일부, 파트타임.

***part-time** [páːrttàim] *a.* 파트타임의, 정시제(定時制)의, 비상근의. OPP *full-time*. ¶ a ~ job 파트타임의 일 / a ~ teacher 시간 강사 / a ~ high school 정시제 고등학교 / on a ~ basis 시간급으로. **—** *ad.* 파트타임〔비상근〕으로.

párt-tímer *n.* 비상근을 하는 사람; 정시제 학교의 학생.

par·tu·ri·ent [pɑːrtjúəriənt/-tjúər-] *a.* **1** 아이를 낳는, 출산하는; 달이 찬, 만삭의. **2** (사상·문학 작품 등을) 배태(胚胎)하고 있는, 발표하려고 하는. ㊎ **-en·cy** *n.* Ⓤ

par·tu·ri·fa·cient [pɑːrtjùərəféiʃənt/-tjùər-] *a.* 분만을 촉진하는. **—** *n.* 〖약학〗 분만 촉진제.

par·tu·ri·tion [pàːrtjuəríʃən/-tjuər-] *n.* Ⓤ 〖생물〗 분만, 출산.

párt·wáy *ad.* 중도〔어느 정도〕까지.

párt·wòrk *n.* 분책(分冊)형식으로 배본되는 출판물.

†**par·ty** [páːrti] *n.* **1 a** (사교상의) 모임, 회, 파티: a garden ~ 가든 파티 / a Christmas ~ 크리스마스 파티 / a birthday ~ 생일 축하 파티 / give 〔have, hold, 《구어》 throw〕 a ~ 파티를 열다. **b** 《미속어》 섹스〔네킹〕 파티; 《미속어》 야단법석, 난장판. SYN. ⇨ COMPANY. **2** 당, 당파; 정당; (the P-) 《특히》 공산당; Ⓤ 파벌, 정당 제도〔주의〕: the opposition ~ 야당. **3** 일행, 패거리; 대(隊), 단(團); 〖군사〗 분견대, 부대: a search 〔surveying〕 ~ 수색〔측량〕대 / Mr. Adams and his ~ 애덤스씨 일행 / make up a ~ 하나의 단체를 구성하다. ★ party는 한무리로서 간주할 경우에는 단수 취급, 개개인에 중점을 둘 경우에는 복수 취급을 함: The ~ were all exhausted. 일행은 모두 지쳐 있었다. **4** 〖법률〗 (계약·소송 따위의) 당사자, 한쪽 편; 한패, 공범자《*to*》; 자기 편; 〘일반적〙 관계자, 당사자《*to*》: a ~ *to* a deal 거래의 상대 / the third ~ 제삼자〔당〕 / the *parties* (concerned) 당사자들 / a ~ interested 〖법률〗 이해관계인 / be 〔become〕 (a) ~ *to* ... (나쁜 일 등에) 관계하(고 있)다. **5** 《구어·우스개》 (문제의) 사람: an old ~ 노인 / He's quite a crafty old ~. 그 사람은 아주 교활한 영감이다. ***make*** one's **~ *good*** 자기 주장을 관철하다〔입장을 좋게 하다〕. ***the life of the ~*** 《구어》 파티에서 가장 잘 떠드는 사람; 연회의 중심인물.

— *a.* **1** 정당의, 당파의: ~ spirit 당파심 / ~ government 정당 정치. **2** 〘서술적〙 …에 관계〔관여〕하는《*to*》; 〘제한적〙 공유〔공용〕의: a ~ verdict 공동 의견〔답신〕. **3** 파티에 어울리는; 사교를 좋아하는: a ~ dress.

— *vt.* 《미속어》 연회를 열어 대접하다. **—** *vi.* 《미구어》 파티에 나가다, 파티를 열다; 《미속어》 파티에서 즐겁게 놀다, 법석 떨다. **~ *out*** 《미구어》 파티에서 지치도록 놀다.

párty ánimal 《속어》 파티를 무척 좋아하는 사람, 파티광(狂).

párty bòat (손님을 연안 낚시터로 운반해 주는) 낚싯배.

párty bòy 《미속어》 놀기만 하는 남학생; 경박한 사람.

party-colored ⇨ PARTI-COLORED.

párty-còlumn bàllot = INDIANA BALLOT.

párty decomposítion 〖정치〗 정당의 부패화, 탈정당화.

pár·ty·er, -ti·er *n.* 파티에〔를〕 잘 가는〔여는〕 사람.

párty gàme 파티에서 행해지는 게임.

párty gìrl (남자 접대역으로) 파티에 고용된 여자; 《특히》 매춘부; 《미속어》 파티에나 다니며 놀기만 하는 여학생.

párty·gòer *n.* 파티에 자주 가는 사람.

párty hàt 《미속어》 (순찰차·구급차 지붕의) 적색 경보등; 《미속어》 콘돔.

pár·ty·ìsm *n.* Ⓤ 당파심; 〘종종 복합어〙 …정당주의: one-~ 일당주의.

párty lìne 1 (전화의) 공동(가입)선(party wire). **2** (토지 등의) 경계선. **3** [⌐⌐] (정당의) 정책 방침, 당의 정치 노선. **4** (보통 the ~) (공산당의) 정책, 당 강령, 당 노선.

párty-líner *n.* 당의 정책에 충실한 사람《특히, 공산당의》.

párty lìst (비례 대표제 선거에서의) 정당 명부.

párty màn 당원, 당인.

párty píece (one's ~) (파티 등에서 하는) 장기(長技), 십팔번《익살, 농담 등》.

párty plàn sélling 파티를 열어 상품을 판매하는 방식.

párty-polítical *a.* 당파 정치의. **—** *n.* 정견(政見) 방송(= **párty-polìtical bróadcast**).

párty pólitics 당을 위한 정치 (행동)《자기 당의 이익만을 생각하는》; 당략.

párty pòop(**er**) 《미속어》 (연회의) 흥을 깨는 사람(killjoy, spoilsport, wet blanket).

párty schòol 《미구어》 파티 스쿨《공부에는 힘쓰지 않고 파티에나 다니며 논다고 여기는 대학》.

párty spírit 당파심, 애당심; 파티열(熱).

párty-spírited [-id] *a.* 당파심이 강한.

párty wáll 〖법률〗 (옆집과의) 경계벽, 공유벽.

párty whíp 〖의회〗 원내 총무.

párty wrècker 정당의 결속을 해치는 인물.

pa·rure [pərúər] *n.* (몸에 지니는) 한 벌의 보석〔장신구〕.

pár válue (증권 등의) 액면 가격(face value).

par·ve·nu [páːrvənjùː/páːvənjùː] *n., a.* 《F.》 벼락출세자〔부자〕(upstart)(의).

par·vis [páːrvis] *n.* (교회의) 앞뜰, 현관; (교회 정면의) 주랑(柱廊); 그 위에 만든 방.

par·vo·vi·rus [páːrvouvàiərəs] *n.* 〖의학〗 파르보바이러스《DNA를 함유한 바이러스》.

par·y·lene [pǽrəliːn] *n.* 〖화학〗 파릴렌《파라크실렌에서 얻는 플라스틱》.

pas [pɑː] (*pl.* ~ [-z]) *n.* 《F.》 **1** (댄스의) 스텝; 댄스. **2** (the ~) 선행권(先行權), 상석, 우선권. ***give*** 〔***yield***〕 ***the ~ to*** …을 상석에 앉히다. ***take*** 〔***have***〕 ***the ~ of*** …의 상석에 앉다; …보다 앞서다.

PAS para-aminosalicylic acid(파스)《결핵 치료제》; power-assisted steering. **P.A.S.** Pan-American Society. **Pas., pas.** 〖물리〗 pascal.

Pas·a·de·na [pæ̀sədíːnə] *n.* 패서 디나《California 주 남서부 Los Angeles 동쪽에 있는 시》.

Pas·cal [pæskǽl, pɑːskɑ́ːl] *n.* **Blaise** ~ 파스칼《프랑스의 철학자·수학자; 1623-62》.

pas·cal *n.* **1**〖물리〗파스칼《압력의 SI 조립 단위; 1 pascal = 1 newton/m², = 10μ bar; 기호 Pa., Pas., pas.》. cf. SI unit. **2** (P- *or* PASCAL)〖컴퓨터〗파스칼《ALGOL의 형식을 따르는 프로그램 언어》.

Pasch, Pas·cha [pæsk], [pǽskə]《고어》*n.* 유월절(逾越節)(Passover); 부활절(Easter).

pas·chal [pǽskəl] *a.* (때로 P-) (유대인의) 유월절(逾越節)(Passover)의; 부활절(Easter)의.

páschal lámb (때로 P-) (유대인이) 유월절(逾越節)에 바치는 어린양; (the P- L-) 예수.

pas de deux [*F.* pɑddø]《F.》〖발레〗대무(對舞), 짝춤;《비유》(쌍방 간의) 갈등, 알력,「무도.

pas de trois [*F.* pɑdtʀwɑ]《F.》〖발레〗3인

pa·se [pɑ́ːsei] *n.*〖투우〗파세《케이프 또는 빨간 천으로 소의 주의를 끌면서 조종하는 동작》.

pa·seo [pɑːséiou] (*pl.* **~s**) *n.*《Sp.》(밤의) 산책; 넓은 가로수 길; (투우사의) 입장행진(곡).

pash¹ [pæʃ]《고어·방언》*n.* 세게 침; 쿵 떨어짐. **—** *vt., vi.* 내동댕이치다; 세게 치다.

pash² *n.*《속어》= PASSION.

pash³ *n.*《Sc.》머리(head).

pa·sha, -cha [pɑ́ːʃə, pǽʃə, pəʃɑ́ː/pɑ́ːʃə] *n.* (종종 P-) 파샤《터키의 문무 고관의 존칭》. ***the ~ of three tails*** 〔***two tails, one tail***〕제 1〔제 2, 제 3〕급의 파샤《군기에 매단 말꼬리의 수에 의함》. 파 **~·lic, ~·lik** [pəʃɑ́ːlik, pɑ́ːʃəlik] *n.* U ~의 관구〔관할권〕.

pash·mi·na [pʌʃmíːnə/pǽʃminə] *n.* 파시미나《티벳 염소 등의 아랫배의 털로 짠 고급 모직물》.

Pash·to [pʌ́ʃtou] *n.* **1** U 파슈토어《아프가니스탄의 공용어로 인도유럽 어족 이란어파에 속하는 언어》. **2** (*pl.* **~s**) 파슈토어를 말하는 사람. **—** *a.* 파슈토어의.

Pash·tun [pʌʃtúːn] (*pl.* **~, ~s**) *n.* 파슈툰족《아프가니스탄 남동부와 파키스탄 북서부에 사는 Pashto어를 사용하는 민족; 아리아계로 수니파의 이슬람교도》.

pa·so do·ble [pɑ́ːsoudóublei] (*pl.* **~s** [-z])《Sp.》파소 도블레《투우사 입장 때 등의 활발한 행진곡; 이에 맞추어 추는 춤》.

PASOK Panhellenic Socialist Movement(전(全)그리스 사회주의 운동).

pasque·flow·er [pǽskflàuər] *n.*〖식물〗일본할미꽃류《아네모네속》.

pas·quin·ade [pæ̀skwənéid] *n.* 풍자문(lampoon); 풍자, 빈정거림(satire). **—** *vt.* 풍자로 공격하다, 빈정대다.

†**pass** [pæs, pɑːs/pɑːs] (*p., pp.* **~ed** [-t], 《드물게》***past*** [-t]) *vi.* **1**《~/+부/+전+명》지나다, 움직이다, 나아가다《*along; by; on; out; away,* etc.》; 가다《*to*》; 통과하다《*by; over*》; (저쪽으로) 건너다《*over*》; 옮기다, 빠져나가다《*through*》; (자동차로) 추월하다: ~ *out of* the room 방에서 나오다 / ~ *along* a street 거리를 지나가다 / ~ *through* a village 마을을 빠져 나가다 / No ~*ing* permitted. 추월 금지《도로 표지》/ Please ~ *on.* 지나가십시오. **2** (때가) 지나다, 경과하다: How quick time ~*es!* 시간이 참으로 빨리 지나는구나. **3**《+전+명》(말 따위가) (…사이에서) 주고받아지다, 교환되다《*between*》: Harsh words ~*ed between* them. 격한 말이 그들 사이에서 오갔다. **4**《+전+명》변화〔변형〕하다, (…이) 되다《*to; into*》;〖항공〗아음속에서 초음속으로 옮기다: purple ~*ing into* pink 핑크빛으로 변해 가는 보랏빛 / ~ *into* a deep sleep 깊은 잠에 빠지다 / ~ *into* a proverb 속담이 되다. **5**《+전+명》(재산 따위가) …의 손에 넘어가다, 양도되다《*to; into*》; (순서·권리 따위에 의해 당연히) 귀속하다《*to*》: The company ~*ed into* the hands of stockholders. 회사는 주주의 손으로 넘어갔다. **6**《~/+전+명》(화폐·별명 따위가) 통용되다; 인정되어 있다; (…으로) 통하고 있다《*for; as*》;《미》(혼혈아가) 백인으로 통하다: He ~*es under* the name of Gilbert. 그는 길버트란 이름으로 통하고 있다 / Cheap porcelains often ~ *for* true china in U.S.A. 미국에서는 종종 싸구려 도자기가 진짜 도자기로 통한다. **7 a**〔보통 let ... pass로〕관대히 봐주다, 불문에 부치다: He was unkind but *let* it ~. 불친절하였지만, 그것은 관대히 봐주자. **b**《+보》못 보고 지나치다: His insulting look ~*ed* unnoticed. 그의 경멸의 표정은 사람들이 눈치채지 못했다. **8** 합격〔급제〕하다; (의안 따위가) 통과하다, 가결되다, 승인〔비준〕되다; (법령이) 제정〔실시〕되다; 비난받지 않다, 너그럽게 다루어지다: His rude remarks ~*ed* without comment. 그의 폭언도 비난받지 않고 넘어갔다. **9**《+전+명》(판결·감정(鑑定) 등이) 내려지다《*for; against*》, (의견 따위가) 말해지다《*on, upon*》: The judgment ~*ed against*〔*for*〕him. 내려진 판결은 그에게 불리〔유리〕하였다. **10**《+전+명》〖법률〗(배심원의) 일원이 되다《*on*》; (배심원이) 판결〔재결〕하다: The jury ~*ed upon* the case. **11**《~/+전+명/+부》사라져 없어지다, 떠나다, 소실〔소멸〕하다; 끝나다, 그치다; 조용해지다; 죽다;《구어》기절하다《*out*》: The storm ~*ed.* 폭풍은 지나갔다 / ~ *out of* sight 안 보이게 되다 / The old customs are ~*ing.* 낡은 습관은 없어져 가고 있다 / The pain has ~*ed away*〔*off*〕. 아픔이 가셨다 / ~ *from* life 죽다. **12**《~/+전+명》(사건이) 일어나다, 생기다: Did you hear〔see〕what was ~*ing?* 일의 자초지종을 들었는가〔보았는가〕/ Nothing ~*ed between* us. 우리 사이에는 아무 일도 없었다. **13**〖구기〗자기편에 송구하다;〖카드놀이〗패스하다《손 대지 않고 다음 사람에게 넘김》;〖펜싱〗찌르다《*on, upon*》. **14**〖의학〗대변을 보다, 통변(通便)하다. **—** *vt.* **1** 통과하다, 지나가다, 넘어가다〔서다〕; (자동차가) 추월하다: Turn to the right after ~*ing* the post office. 우체국을 지나면 오른쪽으로 돌아 가시오. **2** 빠져 나가다, 건너다, 가로지르다, 넘다; …에서 나오다: ~ the Alps 알프스를 넘다 / The ship ~*ed* the channel. 배는 해협을 통과했다 / No angry words ~*ed* his lips. 그의 입에서 성난 말 한마디 나오지 않았다. **3**《+목+전+명》통하게 하다, 통과시키다, 꿰다《*through*》: ~ a rope *through* a hole 밧줄을 구멍에 꿰다. **4**《+목+전+명》(아무를) 통과시키다, 방에 들이다; (눈으로) 훑어보다, 눈길을 보내다; 열병하다; (손 따위를) 움직이다; (칼·바늘 따위로) 찌르다; (밧줄 따위로) 두르다《*round; around*》: ~ one's eyes *over* the account 계산을 대충 훑어보다 / ~ one's hand *across* one's face〔*over* the surface〕손으로 얼굴〔표면을〕어루만지다 / ~ a sword *through* a person's heart 칼로 아무의 가슴을 꿰뚫다 / ~ a rope *around* one's waist 밧줄을 허리에 감다 / ~ a person *into* a theater 아무를 극장에 들여보내다. **5**《~+목/+목+부》(시간·세월을) 보내다(spend), 지내다《*in; by*》; …을 경험하다, 당하다: ~ the time〔the days, the month〕pleasantly 유쾌하게 시간〔나날, 그 달〕을 보내다 / ~ a pleasant evening 즐거운 하룻밤을 보내다 / I ~*ed* the evening (*by*〔*in*〕) watching TV. 나

는 텔레비전을 보면서 저녁을 보냈다. **6** 《~+목/+목+목/+목+전+명》 넘겨주다, 건네주다, 돌리다《*on; around; along; to*》; (말을) 주고받다: Please ~ (me) the salt. 소금 좀 집어 주십시오《식탁에서》/ Read this and ~ it *to* him. 이것을 읽고서 그에게 넘겨주십시오. **7** 《+목+전+명》 〖법률〗 (재산 따위를) 양도하다 《*to*》: Father ~*ed* the house *to* his son. **8** 《~+목/+목+전+명》 〖법률〗 (판결을) 내리다, 선고하다《*on*》; (판단을) 내리다; (의견을) 말하다《*on, upon*》; (말·비밀 등을) 입에서 흘리다: ~ a sentence of death *on* a person 아무에게 사형을 선고하다/~ a remark 비평하다《*about*》; 말하다《*about*》/~ remarks *upon* 〔*about*〕 a person (눈앞에서) 아무의 일을 이러니저러니 말하다/Your confidence will not ~ my lips. 네 비밀은 지켜 주마. **9** (의안 따위를) 가결〔승인〕하다, 비준하다; (의안이 의회를) 통과하다: ~ a bill 법안을 가결하다/~ the House 의회를 통과하다. **10** 《~+목/+목+*as* 보》 통용시키다; (가짜 돈을) 받게 하다, 쓰다: ~ forged bank notes 위조지폐를 사용하다/He ~*ed* himself *as* an American. 그는 미국인으로 통하였다. **11** 《~+목/+목+(*as*) 보》 (시험·검사에) 합격하다; (수험자를) 합격시키다; 눈감아 주다, 묵인하다: ~ Latin 라틴어 시험에 합격하다/~ muster 검열을 통과하다/The doctor ~*ed* me (*as*) fit. 의사는 내 건강 상태가 양호하다고 합격시켜 주었다. **12** (일정한 범위 따위를) 넘다, 초과하다; …보다 낫다(excel): ~ belief 믿기 힘들다. **13** 보증하다, 맹세하다; 약속하다《*that*》. **14** 《미》 빼놓다, 생략하다; (배당 등을) 1회 거르다; 지불하지 않다; 거절하다: ~ a dividend 배당금을 지급하지 않다. **15** 〖구기〗 (공을) 보내다, 패스하다; 〖야구〗 (4구로 타자를) 베이스로 걸려 보내다; (요술·화투에서) 바꿔치다. **16** 배설하다: ~ water (on the road) (길에서) 소변 보다.

~ ***along*** 《*vi.*+부》 ① 지나가다, 통과하다: We ~*ed along* by the canal. 우리는 운하 옆을 지나갔다. ② (버스의) 가운데쯤에 들어가다, 안으로 좁히다. ━《*vt.*+부》 ③ …을 다음으로 넘기다〔알리다〕: *Pass* this notice *along*. 이 전갈을 다음 사람에게 전하시오. ~ ***away*** 《*vi.*+부》 ① 때가 지나다, 경과하다; 가다, 가 버리다. ② 끝나다; 소멸하다; 《완곡어》 죽다; 쇠퇴하다. ━《*vt.*+ 부》 ③ (때를) 보내다, 낭비하다; (재산 등을) 양도하다. ~ ***back*** 되돌려주다; (공을) 뒤로 패스하다. ~ ***by*** 《*vi.*+부》 ① 옆을 지나다; (때가) 지나가다. ━《*vt.*+부》 ② (들르지 않고) 지나치다, 모른 체하다(ignore); 못 보고 지나치다(overlook). ③ 너그럽게 봐주다; …의 이름으로 통하다; (어려운 질문 등을) 빼 버리다(omit), 피하다. ~ ***beyond*** …을 초월하다. ~ ***by on the other side of*** …을 (도와주지 않고) 내버려두다. ~ ***degree*** 《영》 (보통 성적으로) 대학을 졸업하다. ~ ***down*** 대대로 전하다(hand down); =~ along. ~ ***forward*** 〖럭비〗 앞으로 패스하다《반칙》. ~ ***from among*** (us) (우리에게서) 빠지다, 이탈하다; (우리들을 두고) 떠나다, 죽다. ~ ***in*** (어음 등을) 넘겨주다; (답안을) 제출하다. ~ ***in*** 〔*in* one***'s checks***〕 《미구어》 죽다. ~ ***into*** ① …로 변하다, …이 되다. ② (아무의 손)에 넘어가다. ③ …의 시험에 합격하다. ~ ***off*** 《*vi.*+부》 ① (감각·감정 따위가) 차츰 사라지다, 약해지다: The smell of the paint will ~ *off* in a few days. 페인트 냄새는 수일 내로 없어질 것이다. ② (의식·절차 등이) 지체 없이 행해지다: The conference ~*ed off* very well. 회의는 잘 진행되었다. ━《*vt.*+부》 ③ (가짜 따위를) 쥐어주다, 속여 넘기다; 〖~ oneself 로〗 (…로) 행세하다《*as*》: The dealer was trying to ~ *off* fakes *as* valuable antiques. 그 상인은 모조품들을 값비싼 골동품으로 속여 넘기려고 애쓰고 있었다/She ~*ed* her*self off as* a doctor. 그녀는 의사로 행세했다. ④ (난처한 입장을) 그럭저럭 모면하다, (말 따위를) 슬쩍 받아넘기다. ~ ***on*** 《*vi.*+부》 ① (그대로) 앞으로 나아가다; 통과하다. ② …으로 옮겨가다《*to*》: Now, let's ~ *on to* the next question. 그럼, 다음 질문으로 옮겨갑시다. ③ 《완곡어》 죽다. ④ 판단〔판결〕을 내리다. 감정(鑑定)하다. ⑤ 속이다. ━《*vt.*+부》 ⑥ 옮기다, 전하다《*to*》: Please ~ this information *on to* the boss. 이 정보를 보스에게 전해 주시오. ⑦ (비용 등을) 떠맡게 하다: ~ *on* the increase in costs *to* the consumer 경비의 증가분을 소비자가 떠맡게 하다. ~ one***'s eyes over*** …을 죽 훑어보다. ~ ***out*** 《*vi.*+부》 ① (밖으로) 나가다, 퇴장하다. ② 《구어》 의식을 잃다, 기절하다; 취해서 인사불성이 되다. ③ 《영》 (사관학교 따위를) 졸업하다. ━《*vt.*+부》 ④ (…을 통해서) 나가다: *Pass out* this door and turn left. 이 문으로 나가서 왼쪽으로 도세요. ⑤ (물건을) 분배〔배부〕하다. ~ ***over*** 《*vi.*+부》 ① 경과하다. ② 머리 위를 〔상공을〕 지나가다. ③ (문제 따위를) 신속히 처리하다, (문장 따위를) 쭉 훑어보다. ④ 너그럽게 봐주다. ━《*vt.*+부》 ⑤ …을 못 보고 빠뜨리다; 무시하다. ⑥ 〖종종 수동태〗 (승진 따위에서) 고려의 대상으로 삼지 않다, 제외하다《*for*》: I *was* ~*ed over for* promotion. 나는 승진에서 제외되었다. ~ one***'s hand over*** …을 어루만지다, 무마하다. ~ one***'s word*** 맹세하다, 약속하다《*to* do; *that; for*》. ~ ***the chair*** (의장·시장 등의) 임기를 완료하다, 퇴직하다. ~ ***the hat*** ⇨HAT. ~ ***the time of day*** 《구어》 (지나는 길에) 인사를 나누다, 가벼운 이야기를 나누다 《*with*》. ~ ***the word*** 명령을 전하다《*to* do》. ~ ***through*** 《*vi.*+ 전》 ① …을 통과하다. ② (학교)의 과정을 이수하다. ③ (어려운 일 따위를) 경험하다. ━《*vi.*+ 부》 ④ 통과하다. ⑤ 임시 직장에서 일하고 있다. ~ ***up*** 《구어》 ① 간과하다; 무시하다; (기회 등을) 놓치다. ② 거절〔포기, 사퇴〕하다. ③ …에 오르다. ~ ***water*** 오줌 누다.

━*n.* **1** 통행, 통과(passage); 〖항공〗 상공 비행, 급강하 비행. **2** 통행〔입장〕 허가; (보통 free ~) 패스, 무료 승차권《*on; over* a railroad, *etc.*》, 여권, 통행〔입장〕 허가《*to*》; 〖군사〗 임시 외출증; 《S.Afr.》 =PASSBOOK; 여권(passport), 통행권(券): No admittance without a ~. 패스 없는 자 입장 금지. **3** 급제, 합격; 〖영대학〗 (우등 급제에 대하여) 보통 급제 (학위): a ~ degree. **4** 상태, 형세; 위기, 난경(crisis): That is a pretty ~. 그거 야단났구나. **5** (최면사의) 손의 움직임, 안수(按手); 기술(奇術), 요술, 속임수: make ~*es* 최면술을 걸다. **6** 〖펜싱〗 찌르기; 〖구기〗 송구; 패스(하는 사람); 〖야구〗 4구(base on balls); 〖카드놀이〗 패스: make a ~ at... …을 찌르다. **7** 통로, 좁은 길, 샛길. **8** 산길, 고갯길(mountain ~); …재; 〖군사〗 요충지. **9** 수로 《특히 강 어귀의》; 나루, 도섭장(徒涉場); (어살 위의) 고기의 통로; 시도, 노력; 《구어》 구애(求愛). **10** 〖컴퓨터〗 과정《일련의 자료 처리의 한 주기》.

bring ... to a pretty 〔***fine***〕 ~ 중대〔곤란〕한 사태에 빠뜨리다. ***bring ... to*** ~ ① 《문어》 …을 야기시키다: His wife's death *brought* a change *to* ~ in his view of life. 아내의 죽음은 그의 인생관에 변화를 가져왔다. ② 실현하다, 이룩하다. ***come to a pretty*** 〔***fine***〕 ~ 중대〔곤란〕한 사태에 이르다. ***come to*** ~ 《문어》 (일이) 일어나다; 실현되다: It *came to* ~ that.... …하게 되었다.

cut off ... at the ~ ① (아무를) 도중에서 붙잡다, 잠복하여 기다리다. ② 《비유》 (결정적인 일이 일어나기 전에) 저지하다, 막다. ***get a*** ~ 급제하다. ***hold the*** ~ 주의를〔이익을〕 옹호하다. ***make a*** ~ 〔*~es*〕 ***at*** (a woman) ① (여자)에게 지분거리다, 구애하다. ② …을 찌르다; 찌르는 시늉을 하다. ***make ~es*** (손을 움직여) 최면술을 걸다. ***sell the*** ~ 지위를 물려주다; 주의를 배반하다.

pass. passage; passenger; *passim* 《L.》 (= everywhere); passive.

***pass·a·ble** [pǽsəbəl, pɑ́:s-/pɑ́:s-] *a.* **1** 통행〔합격〕할 수 있는, 건널 수 있는《강 따위》. **2** 상당한, 보통의, 괜찮은. **3** 유통될 수 있는, (화폐 따위가) 통용되는; (의안 따위가) 통과될 수 있는. ㊕ **-bly** *ad.* 그런 대로, 적당하게. **~·ness** *n.*

pas·sa·ca·glia [pɑ̀:səkɑ́:ljə, pæ̀səkǽ-/pæ̀səkɑ́:l-] *n.* 《It.》 〖음악〗 파사칼리아《조용한 3박자 춤곡》.

pas·sade [pəséid] *n.* 〖마술(馬術)〗 회전보(步)《말이 한 곳을 뛰면서 도는》; 순간의 정사(情事).

pas·sa·do [pəsɑ́:dou] (*pl.* ***~s, ~es***) *n.* 〖펜싱〗 (한쪽 발을 내딛으면서) 찌르기.

‡**pas·sage**[1] [pǽsidʒ] *n.* **1** Ⓤ 통행, 통과: The ~ *of* strangers is rare in this valley. 이 계곡은 외지인의 통행이 드물다 / force a ~ through a crowd 군중을 헤치며 나아가다 / No ~ this way. 이 길은 통행을 금함. **2** Ⓤ 이주(移住), (새의) 이서(移棲): a bird of ~ 철새; 편력자(遍歷者) / At the approach of winter the ~ of the birds began. 겨울이 가까워지자 새들의 이동이 시작되었다. **3** Ⓤ 경과, 추이, 변천: the ~ *of* time 때의 경과. **4** Ⓒ (바다·하늘의) 수송, 운반, 여행, 도항, 항해; Ⓤ 통행권, 항행권; 통행료, 뱃삯, 차비: have a rough ~ 난항(難航)하다 / make the ~ across to France 프랑스를 향해 항해하다 / book 〔engage〕 ~ by air 항공권을 예약하다 / work one's ~ 뱃삯 대신 승선 중 일하다. **5** Ⓤ (의안(議案)의) 통과, 가결(可決)(passing): the ~ of a bill. **6** Ⓒ 통로(way), 샛길; 수로, 항로; 출입구; 《영》 복도; (체내의) 관(管): Don't park your motorbike in the ~. 오토바이를 통로에 세우면 안 돼. **7** Ⓒ (인용·발췌된 시문의) 일절, 한 줄: some *~s* from Shakespeare 셰익스피어에서 인용한 몇 마디. **8** Ⓒ 《고어》 사건, (일어난) 일. **9** Ⓒ 논쟁, 토론: have 〔exchange〕 angry *~s* with a person in a debate 게거품을 뿜으며 아무와 논쟁하다. **10** (남녀 간의) 마음이 통함, 정교(情交); (*pl.*) 내밀히 하는 이야기〔주고받는 말〕, 밀담. **11** Ⓤ 〖의학〗 통변(通便)(evacuation); 《폐어》 사망. **12** Ⓒ 〖음악〗 악절. **13** 〖회화〗 (그림 따위의) 부분, 일부. ***a*** ~ ***at*** 〔***of***〕 ***arms*** 치고 받기, 싸움; 논쟁. ***on*** ~ 〖해사〗 짐을 싣고 목적지로 항행 중인. ***point of*** ~ 〖군사〗 도하(渡河)〔통과〕점. ***take*** ~ ***in*** 〔***on, on board***〕 …을 타고 도항하다.

— *vi.* **1** 나아가다, 통과〔횡단〕하다; 항해하다. **2** 칼싸움하다; 언쟁하다.

pas·sage[2] 〖마술(馬術)〗 *vi.* (말이) 비스듬히 옆걸음치며 가다; (기수가) 말을 비스듬히 옆걸음치며 가게 하다. **—** *vt.* (말을) 비스듬히 옆걸음치며 가게 하다. **—** *n.* 비스듬히 옆걸음치기.

pássage bìrd 철새(bird of passage).

pássage gràve 〖고고학〗 패시지 그레이브《묘실과 연도부를 가진 석실묘(chamber tomb)》.

pássage·wày *n.* 통로; 낭하, 복도.

pássage·wòrk *n.* 〖음악〗 패시지 워크《작품의 주제와 주제 사이를 이어 주는 기교적인 빠른 경과 부분》.

pass·a·long [pǽsəlɔ̀:ŋ, -lɑ̀ŋ] *n.* 차례로 건네줌; 《미》 (코스트 인상분의 제품 가격으로의) 전가(轉嫁).

páss-along réaders [pǽsəlɔ̀:ŋ-] 회람 독자《남이 산 것을 빌려다 보는 2차적 독자》.

pas·sant [pǽsənt] *a.* 〖문장(紋章)〗 오른쪽 앞발을 들고 있는 자세의《사자 따위》.

páss-bànd filter 〖전자〗 (라디오 회로·여광기(濾光器)의) 통과대역(帶域) 필터〔여파기(濾波器)〕.

páss·bòok *n.* 은행 통장(bankbook); (가게의) 외상 장부; 《S.Afr.》 유색인이 휴대해야 하는 신분증.

pássbook sávings accòunt 통장식 예금 계좌《입출금·거래 때마다 통장에 기록되는 방식의》.

páss chèck 입장권; 재입장권.

páss degrèe 〖영대학〗 (우등이 아닌) 보통 졸업 학위. ⓒⓕ honours degree.

pas·sé [pæséi, ´-/pɑ́:sei, pǽs-] (*fem.* ***-sée*** [—]) *a.* 《F.》 구티가 나는, 한창때가 지난; 시대에 뒤진.

passed [-t] PASS의 과거·과거분사. **—** *a.* 지나간; 통과한; (시험에) 합격한; 〖재정〗 (배당 따위가) 미불(未拂)의.

pássed bàll 〖야구〗 (포수의) 패스볼.

pássed máster =PAST MASTER.

pássed páwn 〖체스〗 앞을 막는 적의 졸이 없는 이편의 졸.

pass·ée [pæséi, ´-/pɑ́:sei, pǽs-] *a.* 《F.》 (여자가) 한물간, 한창때가 지난.

pas·sel [pǽsəl] *n.* 《미구어·방언》 (꽤) 많은 수〔집 단〕: a ~ of persons 많은 사람들.

passe·men·terie [pæsméntəri] *n.* 《F.》 Ⓤ (금·은몰 등의) 장식《옷에 닮》.

‡**pas·sen·ger** [pǽsəndʒər] *n.* 승객, 여객, 선객; 《고어》 통행인; 《영구어》 (어떤 집단 내의) 짐스러운 존재, 무능한 구성원: a ~ agent 《미》 승객 담당원 / a ~ boat 객선 / a ~ elevator 승용 엘리베이터 / a ~ machine 〔plane〕 여객기 / a ~ train 여객 열차.

pássenger càr 승용(자동)차; 객차《열차의》.

pássenger-cùm-fréight *a.* 화객차(貨客車) 혼성의.

pássenger lìst (여객기·여객선의) 승객〔탑승자〕 명부.

pássenger-mìle *n.* 좌석 마일(seat mile)《승객 1인 1마일 수송 원가》.

pássenger náme rècord 〖항공〗 여객 예약 기록.

pássenger pìgeon 철비둘기의 일종《북아메리카산(産); 지금은 멸종》.

pássenger sèat (특히 자동차의) 조수석.

passe-par·tout [pæ̀spɑ:rtú:] *n.* 《F.》 사진(을 끼는) 틀; 대지(臺紙); 곁쇠.

páss·er *n.* 통행인; 길손; 시험 합격자; 〖구기〗 공을 패스하는 사람; (제품의) 검사 합격증; 손송곳; 《속어》 위조화폐를 쓰는 사람; (이민족 집단에) 받아들여진 사람; 약품 위법 판매인.

pass·er-by, pass·er·by** [pǽsərbái, pɑ́:s-/pɑ́:s-] (*pl.* ***pass·ers-) *n.* 지나는 사람, 통행인.

pas·ser·ine [pǽsərin, -ràin/-ràin] 〖조류〗 *a.* 연작류(燕雀類)의, 참새목(目)의; 참새 비슷한. **—** *n.* 참새목의 새.

pas seul [*F.* pasœl] 《F.》 〖발레〗 독춤, 독무(獨舞)(solo dance).

páss-fáil *n., a.* 합부(合否) 판정 방식《점수 평가가 아닌, 합격·불합격만을 판정하는 평가 방식》(의).

pàs·si·bíl·i·ty *n.* Ⓤ 감수성, 감동성.

pas·si·ble [pǽsəbəl] *a.* 감수성 있는, 쉽게 감동하는.

pas·sim [pǽsim] *ad.* 《L.》 도처에, 곳곳에.

pas·sim·e·ter [pæsímətər] *n.* =PASSOMETER.

páss·ing *a.* **1** 통행〔통과〕하는; 지나가는. **2** 눈앞의, 현재의: the ~ day 〔time〕 현대 / ~ events 시사(時事) / ~ history 현대사. **3** 한때의, 잠깐 사이의: ~ joys. **4** 대충의, 조잡한; 우

연한. **5** 합격〔급제〕의; 뛰어난: a ~ mark 합격〔급제〕점. **—** *n.* Ⓤ 통과, 경과; 소실; 《시어》 죽음; (의안의) 가결, 통과; 간과, 눈감아 줌; (시험의) 합격; (사건의) 발생. ***in*** **~** …하는 김에, 내친걸음에. ***with each*** **~** ***day*** 하루하루가 지남에 따라, 매일매일. **—** *ad.* 《고어》 극히, 대단히, 뛰어나게. ㊕ **~·ly** *ad.* …하는 김에; 대충, 죽.

pássing bèll 조종(弔鐘), 죽음을 알리는 종; 《비유》 종언(終焉)의 징조.

pássing làne =OVERTAKING LANE.

pássing nòte 〔**tòne**〕 〖음악〗 지남음(音).

pássing-òut *a.* (시험·행사 등이) 일련의 훈련·교습이 끝났을 때 행해지는.

pássing shòt 〔**stròke**〕 〖테니스〗 패싱 샷《전진해 오는 상대의 왼쪽 또는 오른쪽으로 빠지는 타구》.

***pas·sion** [pǽʃən] *n.* **1** Ⓤ,Ⓒ 열정(熱情); 격정(激情); (어떤 일에 대한) 열, 열심, 열중《*for*》: a man of ~ 정열가/Golf is his ~ 그는 골프에 정신이 없다. SYN. ⇨ FEELING.

> SYN. **passion** 평상시의 자기를 잊게 할 정도의 강렬한 격정. 맹목적인, 때로 이성에 대한 정열: an ungovernable, childlike *passion* 억제할 수 없는 어린애 같은 격정. **fervor, ardor** 차츰차츰 열을 띠는 감정, 흥분, 열의: speak with *fervor* 신이 나서 말하다. **zeal** fervor, ardor와 비슷하나 구체적인 목표《사람·물건·주의 따위》가 있을 경우가 많음: missionary *zeal* 전도의 정열. **enthusiasm** 열렬한 흥미에서 생긴 열의. 위의 네 단어에 비하여 지적인 관심이 수반됨: He showed marked *enthusiasm* for his studies. 그는 연구에 두드러진 열의를 나타내었다.

2 Ⓒ (a ~) 격노, 울화; 홍분: be in a ~ 격노해 있다/fall 〔get〕 into a ~ 불끈 성을 내다/fly into a ~ 벌컥 화를 내다/put 〔bring〕 a person into a ~ 아무를 격노케 하다, 남의 부아를 돋우다/contain one's ~*s* 화를 억누르다. **3** Ⓤ 열애, 정열; 연정; 정욕(의 대상): tender ~ 연정. **4** Ⓒ 열망〔열애〕하는 것, 매우 좋아하는 것〔사람〕: have a ~ *for* …을 매우 좋아하다, …을 열애하다/Flying is his ~. 비행기 조종이 그가 제일 좋아하는 취미다. **5** Ⓤ (the P-) (십자가 위의) 예수의 수난(기)《마가복음 XIV-XV 등》; 예수 수난화〔곡〕. **6** Ⓤ 《고어》 (순교자의) 수난, 순교; 병고. ***be filled with*** **~** ***for*** …을 열렬히 사랑하다. **—** *vi.* 《시어》 정열을 느끼다〔나타내다〕.

pas·sion·al [pǽʃənl] *a.* 열정〔연정〕의; 정열적〔정욕적〕인; 갈망하는; 노하기 쉬운. **—** *n.* 순교자 수난기.

pas·sion·ary [pǽʃənèri/-nəri] *n.* =PASSIONAL.

***pas·sion·ate** [pǽʃənət] *a.* **1** 열렬한, 정열을 품은, 열의에 찬: a ~ advocate of socialism 사회주의의 열렬한 옹호자/a ~ speech 열렬한 연설. **2** (슬픔·애정 등이) 격렬한, 강렬한: ~ hatred 심한 증오. **3** 성미가 급한, 성 잘 내는. **4** 정열의, 다정한, 애욕에 빠지기 쉬운. ㊕ ◇**~·ly** *ad.* ◇**~·ness** *n.*

pássion·flòwer *n.* 〖식물〗 시계(時計)풀.

pássion frùit 〖식물〗 시계풀의 열매.

Pássion·ist *n.* 예수 수난회 수도사《18 세기 초창시》.

pássion·less *a.* 열(정)이 없는; 냉정한. ㊕ **~·ly** *ad.* **~·ness** *n.*

pássion màrk 《미구어》 키스마크(hickey).

Pássion mùsic 〖음악〗 예수 수난곡(曲).

pássion pìt 《미속어》 드라이브인 영화관.

Pássion plày 예수 수난극.

Pássion Súnday 수난 주일《사순절(四旬節)의 제 5 일요일로, 부활절의 전 일요일》.

Pássion·tìde *n.* 수난절《Passion Sunday 로부터 Holy Saturday까지의 2주간》.

Pássion Wèek 수난 주간《부활절의 전주》.

pas·si·vate [pǽsəvèit] *vt.* 〖야금〗 금속을 부동태화(不動態化)하다《화학반응을 일으키지 않도록 표면에 보호막을 입히는 따위》; 피막(皮膜)으로 보호하다. ㊕ **pás·si·và·tor** *n.*

pas·siv·a·tion [pæ̀səvéiʃən] *n.* 〖전자〗 패시베이션《반도체 칩의 겉에 실리콘 산화막(膜) 등의 보호막을 입히는 일》.

***pas·sive** [pǽsiv] *a.* **1** 수동의, 수동적인, 수세의; 〖문법〗 수동의. OPP. *active.* ¶ the ~ voice 〖문법〗 수동태. **2** 무저항의, 거역하지 않는, 순종하는: a ~ disposition 소극적인 성질. **3** 활동적이 아닌, 활기가 없는; 반응이 없는: In spite of every encouragement the boy remained ~. 아무리 고무해 줘도 소년은 도무지 해볼 마음이 생기지 않았다. **4** 〖화학〗 화합하기 어려운; 〖의학〗 수동의, 비활성(非活性)의; 〖항공〗 발동기를 쓰지 않는; 〖법률·경제〗 무이자의; (태양열) 단순 이용의《sunroom 따위》: ~ state 〖화학〗 부동태(不動態)/~ bond 〔debt〕 무이자 공채〔부채〕. **—** *n.* (the ~) 〖문법〗 수동태(=**~ vóice**), 수동형, 수동 구문; 수동적인 사람〔것〕. ㊕ **~·ly** *ad.* 피동적으로; 〖문법〗 수동태로. **~·ness** *n.*

pássive-aggréssive personálity 〖정신의학〗 수동 공격성 인격.

pássive bélt (자동차의) 자동 안전벨트.

pássive-depéndent personálity 〖정신의학〗 수동 의존성 인격.

pássive euthanásia 〖의학〗 소극적 안락사《불치 환자의 연명(延命) 치료를 정지하는 일》.

pássive hóming 〖항공〗 패시브 호밍《목표로부터의 적외선〔전파〕 방사를 이용하는 미사일 유도 방식》.

pássive immúnity 수동 면역《항체 주입 등에 의한 면역》.

pássive immunizátion 〖의학〗 수동 면역(화).

pássive-mátrix LĊĎ 〖전자〗 패시브 매트릭스형(型) 액정 표시 장치; 단순 매트릭스형 LCD. cf. active-matrix LCD.

pássive obédience 절대 복종, 묵종.

pássive resístance 〔**resíster**〕 (정부·점령군에 대한) 소극적 저항〔저항자〕, 무저항주의〔주의자〕.

pássive restráint (차의) 자동 방호 장치《자동 벨트·에어백 등》.

pássive sátellite 수동 위성《전파를 반사할 뿐인 통신 위성》. OPP. *active satellite.*

pássive smóker 간접 흡연자.

pássive smóking 간접 흡연〔끽연〕.

pássive tránsfer 〖의학〗 수동(受動) 전달《알레르기 체질자의 혈청을 정상인에게 주사하여 피부감도(感度)를 전이시키는》.

pas·siv·ism [pǽsəvìzəm] *n.* Ⓤ 수동적 (생활) 태도; 수동주의. ㊕ **-ist** *n.*

pas·siv·i·ty [pæsívəti] *n.* Ⓤ 수동(성); 복종, 무저항; 불활발; 인내; 냉정; 〖화학〗 부동(不動)상태《화학적으로 불안정한 상태》.

pas·siv·ize [pǽsəvàiz] *vt., vi.* 〖문법〗 수동태를 만들다; 수동태가 되다.

páss·kèy *n.* **1** 결쇠; 여벌쇠; 빗장 열쇠. **2** 사용(私用)의 열쇠.

páss làw 《S.Afr.》 패스법《흑인에게 신분증명서의 소지를 의무화시킨 법률; 1986 년 폐지》.

páss·less *a.* 길이 없는, 통행권이 없는, 통과할 수 없는(impassable).

páss·man [-mæ̀n, -mən] (*pl.* ***-men*** [-mèn, -mən]) *n.* 〖영대학〗 보통 급제생. cf. classman.

páss màrk 최저 합격점〔급제점〕.

pas·som·e·ter [pæsámətər/-sɔ́m-] *n.* 보수계(步數計). cf. pedometer.

Pass·o·ver [pǽsòuvər, pɑ́ːs-/pɑ́ːs-] *n.* 〖성서〗 유월절(逾越節)《출애굽기 XII: 27》; (p-) 유월절에 제물로 바치는 어린 양; 《Sc.》 빠뜨린 것.

⁑**pass·port** [pǽspɔ̀ːrt, pɑ́ːs-/pɑ́ːs-] *n.* **1** 여권, 패스포트. **2** 〖일반적〗 허가증. **3** 《비유》 (어떤 목적을 위한) 수단(*to*): a ~ *to* his favor 그의 환심을 사는 수단. **4** (선박의) 항해권(航海券).

pásspport contròl 여권의 발행 및 검사에 대한 규제; (공항·항구 등의) 여권 검사 기관.

páss-thròugh *n.* (요리 따위를) 내주는 창구 《주방과 식당 사이의》.

páss-through secùrity 〔**certìficate**〕 〖증권〗 패스스루 증권《모기지 담보 증권(mortgage-backed security, MBS)의 일종》.

pas·sus [pǽsəs] (*pl.* **~, ~·es**) *n.* 《L.》 (이야기·시의) 편(canto), 장, 절.

páss·wòrd *n.* 암호(말), 군호; 〖컴퓨터〗 암호《파일이나 기기에 접근할 권리를 가진 이용자를 식별하기 위한 문자열(文字列)》: demand 〔give〕 the ~ 암호를 요구하다〔말하다〕.

†**past** [pæst, pɑːst/pɑːst] *a.* **1** 지나간, 과거의, 이미 없어진: in ~ years 〔times〕 =in years 〔times〕 ~ 과거에, 옛날/The troubles are ~. 그 고난은 과거의 것이 되었다. **2** 방금 지난, (지금부터) …전(前): during the ~ year 과거 일년 동안 《'작년'과는 다름; 더욱이 one이 붙지 않는 점에 주의》/for the ~ month (or so) 지난 한 달 (남짓한) 동안/the ~ three weeks 지난 3주 동안/He has been sick for some time ~. 그는 근자 얼마 동안 앓고 있었다. **3** 임기가 끝난, (이)전의: a ~ president 전 회장. **4** 노련한. **5** 〖문법〗 과거(형)의: the ~ tense 과거시제. **—** *n.* **1** Ⓤ (보통 the ~) 과거, 기왕: in the ~ 과거에 있어/We cannot undo the ~. 과거의 일은 어쩔 수가 없다. **2** Ⓒ 〖보통 단수〗 과거의 사건; 경력, (특히 어두운) 이력, 과거의 생활: a woman with a ~ 과거가 있는 여자. **3** Ⓤ 〖문법〗 과거시제〔형〕. ***fling the ~ in*** a person's ***face*** 지난 허물을 두고 아무를 비난하다. ***~ and present*** 금석(今昔), 옛날과 지금.

— *prep.* **1** (시간적으로) …을 지나(서). ⓒⓕ to. ¶ ~ midnight 한밤중을 지나/half ~ eight, 8시 반/~ seventy 70 세를 넘은. **2** (공간적으로) …의 저쪽, …을 지나서, (아무)와 스쳐 지나: I went ~ the house by mistake. 잘못하여 그 집을 지나쳐버렸다. **3** (때에 있어서) …을 넘어: a woman ~ middle age. **4** …의 범위를 넘어, …이 미치지 않는(beyond): ~ hope of recovery 치유 가망이 없는/a pain ~ bearing 참을 수 없는 고통/~ endurance 참을 수 없는/It's ~ (all) belief. 그것은 (전혀) 믿을 수 없다. ***get ~*** (사람·건물 등의 옆을) 지나치다; (남의 질문을) 피하다. ***get ~ oneself*** 《구어》 화를 내다; 흥분하다. ***go ~ oneself*** 《영속어》 자기의 한도〔분수〕를 넘다. ***~ it*** 《구어》 너무 나이들어, 옛날처럼은 일을 못해. ***wouldn't put it ~*** a person ***to*** do 아무가 능히 …하고도 남으리라 생각하다: I *wouldn't put it ~* him *to* betray us. 그는 우리를 배반하고도 남음이 있으리라고 여겨진다.

— *ad.* 옆을 지나(서): hasten ~ 급하게 지나쳐 가다/The train is ~ due. 기차는 연착이다.

pas·ta [pɑ́ːstə/pǽstə] *n.* 파스타《달걀을 섞은 가루 반죽을 재료로 한 이탈리아 요리》.

paste**[1] [peist] *n.* Ⓤ **1** 풀. **2** 반죽, 가루반죽《파이 따위의 재료》. **3** 반죽해서 만든 식품, 페이스트: bean ~ 된장/fish ~ 어묵. **4** 반죽해서 만든 것; 튜브 치약; 연고; (낚시의) 반죽한 미끼, 떡밥; (도자기 제조용) 점토; 이긴 흙. **5** (모조 보석용) 납유리; 모조 보석. **6** =PASTA. **7** 〖컴퓨터〗 붙이기《사이칸(buffer)내의 자료를 파일에 복사함》. **—** *vt.* **1** 《~+목/+목+부》 풀로 바르다〔붙이다〕《*on; up; down; together;* etc.》: ~ *up* a notice 게시를 내붙이다. **2** 《+목+전+명》 …에 풀로 붙이다《*with*》; …에 종이를 바르다: ~ the wall *with* paper 벽에 종이를 바르다. ***~ in (책 속 따위에) 붙여 끼우다. ***~ up*** (벽 따위에) 풀로 붙이다; 풀칠하여 봉하다; (사진 제판·인쇄 등을 위해) 대지에 붙이다. ***~ over the cracks*** ⇨ CRACK.

paste[2] 《속어》 *vt.* 때리다, 치다; 맹렬히 포격〔폭격〕하다. **—** *n.* Ⓤ (안면 등에의) 강타.

páste·boàrd *n.* **1** Ⓤ 두꺼운 종이, 판지. **2** Ⓒ 《속어》 명함, 카드(playing card); 《속어》 차표, 입장권. **3** 《미》 빵 반죽판; 표구사의 풀칠 판. **—** *a.* 판지로 만든; 실질이 없는, 알팍한; 가짜의: ~ pearls 인조 진주. 「붙인》.

páste·dòwn *n.* 〖제본〗 면지의 바깥쪽《표지에

páste jòb 풀과 가위로 오리고 붙이는 세공(細工). ★ scissors and paste job이라고도 함.

°**pas·tel**[1] [pæstél/pǽstl] *n.* **1** Ⓤ 파스텔, 색분필. **2** Ⓒ,Ⓤ 파스텔화(법); 파스텔풍의 색조(色調). **3** Ⓒ (문예의) 산문, 만필. **—** *a.* 파스텔화(법)의; (색조가) 파스텔조(調)의; 섬세한. ⓜ **pas·tél·ist,** 《영》 **pas·tél·list** *n.* 파스텔 화가. 「감.

pas·tel[2] *n.* 〖식물〗 대청(大靑)(woad); 대청 물

pást·er *n.* 풀칠하는 사람; 붙이는 물건; (고무풀을 칠한) 종이쪽지《우표 따위》.

pas·tern [pǽstərn] *n.* Ⓤ 발회목뼈《말 따위의 발굽과 뒷발톱과의 사이》.

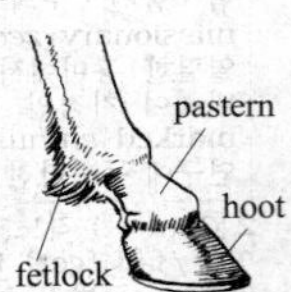

Pas·ter·nak [pǽstərnæ̀k] *n.* **Boris Leonidovich ~** 파스테르나크《옛 소련의 문학가; 1958 년 Nobel 문학상 수상을 사양; 1890-1960》.

páste-ùp *n.* 〖인쇄〗 교료지 오려 붙인 대지(mechanical)《제판용으로 촬영할 수 있게 된》; =COLLAGE.

Pas·teur [pæstə́ːr] *n.* **Louis ~** 파스퇴르《프랑스의 화학자·세균학자; 1822-95》.

pas·teur·ism [pǽstʃərìzəm, -tər-/pɑ́ːs-] *n.* (우유의) 저온 살균(법); 파스퇴르 접종(법)《특히 광견병의》. 「예방 접종.

pàs·teur·i·zá·tion *n.* Ⓤ 저온 살균법, 광견병

pas·teur·ize [pǽstʃəràiz, -tər-/pɑ́ːs-] *vt., vi.* (우유 따위를) 저온 살균하다; 파스퇴르 접종법〔광견병 예방 접종〕을 하다: ~*d* milk 저온 살균 우유.

Pastéur tréatment 광견병 예방 접종.

pas·tic·cio [pæstíːtʃou] (*pl.* ***pas·tic·ci*** [-tʃiː]) *n.* 《It.》 =PASTICHE.

pas·tiche [pæstíːʃ] *n.* 혼성곡(曲); 모조화(畫); 모방 작품《문학·미술·음악 따위의》; 긁어모은 것, 뒤섞인 것. 「지가리개.

past·ies [péistiz] *n. pl.* (스트리퍼 등의) 젖꼭

pas·til, pas·tille [pǽstil], [pæstí(ː)l/pǽstəl] *n.* Ⓤ 정제, 알약(troche); 향정(香錠); 선향(線香)《방취·살균을 위한 방향성 물질이 든》; 윤전(輪轉) 꽃불을 회전시키기 위한 화약이 든 종이통; 파스텔(로 만든 크레용).

⁑**pas·time** [pǽstàim, pɑ́ːs-/pɑ́ːs-] *n.* 기분 전환〔풀이〕, 오락, 유희, 소일거리. SYN. ⇨ GAME. ***as a ~*** 기분풀이로. 「반죽 상태(의 물질).

past·i·ness [péistinis] *n.* Ⓤ 풀 모양; 가루

past·ing [péistiŋ] *n.* Ⓒ 《구어》 강타, 펀치, 맹공격; 참패: John gots a ~ from his dad if he swears. 존은 욕을 하면 아버지께 혼쭐이 난다/Our team got 〔took〕 quite a ~. 우리 팀은 참패를 당했다.

pást máster 명인, 대가《in; at; of》; (조합·협회 따위의) 전(前) 회장.
pást místress 여자 명인〔대가〕.
pást·ness n. 과거임, 과거가 된 사실.
°**pas·tor** [pǽstər, pá:s-/pá:s-] n. **1** 목사, 목회자; 정신적 지도자. ★ 영국에서는 국교파의 목사(clergyman)에 대하여 비국교파의 목사를 이름. cf. minister. **2** 〖조류〗 찌르레기의 일종.
pas·to·ral [pǽstərəl, pá:s-/pá:s-] n. **1** 목가, 전원시; 전원곡〔극, 화〕. **2** =PASTORAL LETTER. **3** =PASTORAL STAFF. ── a. 목자(牧者)의; 목축에 적합한; 목축용의; 전원(생활)의, 목가적인; 목사의: ~ life 〔scenery, poetry〕 전원생활〔풍경, 시〕. ㊎ ~·**ly** ad. 목가적으로. 「조언.
pástoral cáre (종교 지도자·선생 등의) 충고,
pástoral cóunseling 교회 카운셀링《전문 훈련을 받은 성직자들에 의한 심리 치료법》.
pas·to·ra·le [pæ̀stərá:l, -rǽl, -rá:li/pà:stə-] (pl. **-li** [-li:], ~**s**) n. 《It.》 〖음악〗 전원곡; 목가적 가극《16-17세기의》.
Pástoral Epístles 〖성서〗 목회 서신(牧會書信)《디모데 전·후서 및 디도서》.
pás·to·ral·ism n. Ⓤ 전원 취미; 목농(牧農)주의; 목가 형식.
pás·to·ral·ist n. 전원 시인 〔극작가〕; 목자.
pas·to·ral·i·ty [pæ̀stərǽləti/pà:stərǽl-] n. (문예상의) 전원 정취.
pástoral létter 교서《bishop이 관구의 성직자에게 또는 성직자가 그 교구민에게 보내는》.
pástoral stáff 목장(牧杖)《주교·수도원장이 지니는 지팡이》.
Pástoral Sýmphony (the ~) 전원 교향곡《Beethoven 교향곡 제 6 번의 별칭》. 「신학.
pástoral theólogy 〖신학〗 목회〔사목(司牧)〕
pas·tor·ate [pǽstərət, pá:s-/pá:s-] n. **1** Ⓤ 목사의 직〔임기, 관구〕; 〖가톨릭〗 주임 신부의 직. **2** 목사단; 목사관(parsonage).
pas·to·ri·um [pæstɔ́:riəm, pɑ:s-/pɑ:s-] n. Ⓤ 《미남부》 (신교의) 목사관.
pas·tor·ship [pǽstərʃip, pá:s-/pá:s-] n. Ⓤ =PASTORATE.
pást párticiple 〖문법〗 과거분사.
pást pérfect 〖문법〗 과거완료.
pást progréssive 〖문법〗 과거진행형(past continuous).
pas·tra·mi [pəstrá:mi] n. Ⓤ 훈제(燻製) 쇠고기의 일종《등심살을 재료로 한 향기 짙은》.
°**past·ry** [péistri] n. Ⓤ,Ⓒ 가루 반죽(paste); 가루 반죽으로 만든 과자《pie, tart, turnover 등》; 〔일반적〕 구워서 만든 과자(류).
pástry·còok n. 빵〔과자〕 장수〔직공〕.
pást ténse 〖문법〗 과거 시제.
pas·tur·a·ble [pǽstʃərəbəl, pá:s-/pá:s-] a. 목장에 적합한, 목장으로 쓸 만한.
pas·tur·age [pǽstʃərədʒ, pá:s-/pá:s-] n. Ⓤ **1** 목축(업). **2** 목장, 목초(지). **3** 《Sc.》 방목권.
***pas·ture** [pǽstʃər, pá:s-/pá:s-] n. **1** Ⓤ,Ⓒ 목장, 방목장; 목초지. SYN. ⇨ MEADOW. **2** Ⓤ 목초; 《속어》 야구장(의 외야). (**fresh fields and**) ~**s new** 새로운 활동의 장(場). **put** 〔**send, turn**〕 (**out**) **to** ~ =put out to GRASS. ── vt. **1** (가축에) 풀을 뜯기다, (가축을) 방목하다. **2** (토지를) 목장으로 쓰다. ── vi. 풀을 먹다.
pásture·lànd n. Ⓤ,Ⓒ 목장, 목초지.
pás·tur·er [-rər] n. 목장주.
pásture·wòrker n. 〖야구〗 외야수(gardener).
pas·ty¹ [pǽsti] n. Ⓤ 고기만두〔파이〕.
°**pasty**² [péisti] (**past·i·er**; **-i·est**) a. 풀〔가루 반죽〕 같은; 창백한(안색); 활기가 없는.
pásty-fáced [-t] a. 창백한 얼굴의.
P.Á. sỳstem =PUBLIC-ADDRESS SYSTEM.

Pat [pæt] n. **1** 패트《남자 이름; Patrick의 애칭》. **2** 패트《여자 이름; Patricia, Martha, Matilda의 애칭》. **3** 《구어》 아일랜드 사람.
****pat**¹ [pæt] n. **1** 가볍게 두드리기. **2** (편평한 물건·손가락 따위로) 가볍게 치는 소리; 가벼운 발소리. **3** (버터 따위의) 작은 덩어리. **a ~ on the back** 격려〔칭찬〕(의 말): give 〔get〕 *a ~ on the back* 칭찬하다〔칭찬을 받다〕/ give oneself *a ~ on the back* 혼자서 흡족해 하다. ── (**-tt-**) vt. **1** 《+목+전+명/+목+보(+전+명)》 똑똑 두드리다, 가볍게 치다《손바닥·손가락 따위로》, 쳐서 모양을 만들다: I ~*ted* the dough *into* a flat cake. 가루 반죽을 쳐서 납작과자 모양으로 만들었다 / *Pat* the skin dry (*with* a tissue), 화장지로 피부를 두드려서 말리시오. **2** 《~+목/+목+전+명》 (애정·찬의 따위를 나타내어) …을 가볍게 치다: He ~*ted* her *on* the shoulder. 그는 그녀의 어깨를 톡 쳤다. ── vi. **1** 가볍게 치다《*upon; against*》. **2** 가볍게 소리내어 걷다〔뛰다〕. ~ **a person on the back** 아무의 등을 툭툭 치다《칭찬·격려의 뜻으로》; 아무를 칭찬〔격려〕하다, 아무에게 축하 인사를 하다.
pat² a. 적절한, 안성맞춤인, 마침 좋은《*to*》; 너무 능숙한, 지나치게 잘하는. ── ad. 꼭 맞게, 적절히, 잘; 즉시, 즉석에서; 완전히: The story came ~ *to* the occasion. 이야기는 그 경우에 꼭 들어맞았다. (**as**) ~ **as doughboy** 《미》 꼭 맞게, 적당하게. **have ...** (**down** 〔**off**〕) ~ 《구어》 =**know ...** ~ …을 완전히 알고 있다, 터득하고 있다. **stand** ~ 〖카드놀이〗 처음 패로 버티고 나가다; 《미구어》 (방침·결의 따위를) 끝까지 지키다, (의견을) 굽히지 않다, 끝까지 버티다.
PAT 〖미식축구〗 point after touchdown. **pat.** patent(ed); patrol; pattern. **PATA** Pacific Area Travel Association. **Pata.** Patagonia.
pat-a-cake [pǽtəkèik] n. 어린이 놀이의 일종《둘이 마주 앉아 상대의 손바닥 치기》.
pa·ta·gi·um [pətéidʒiəm] (pl. **-gia** [-dʒiə/-dʒáiə]) n. 〖동물〗 (박쥐류의) 비막(飛膜).
Pat·a·go·ni·an [pæ̀təgóuniən, -njən] a. (남아메리카 남단의) 파타고니아 지방의; 파타고니아 사람의. ── n. 파타고니아 사람〔원주민〕.
pat·a·phys·ics [pæ̀təfíziks] n. 과학의 패러디화(化)를 지향하는 복잡하고 기발한 난센스 학문《프랑스의 부조리주의 작가들에 의해 고안된 개념》. ㊎ **-phýsical** a. **-physícian** n.
****patch**¹ [pætʃ] n. **1** (옷 따위를 깁는) 헝겊 조각, 깁는 헝겊; 천 조각: be full of ~*es* 누덕누덕 기워져 있다 / put a ~ on the trousers 바지에 헝겊 조각을 대다. **2** (수리용) 쇳조각; 판자 조각: a ~ *on* the tube 튜브의 때움 조각. **3** 고약; 상처에 붙이는 헝겊; 안대: put a ~ over one eye 한쪽 눈에 안대를 하다. **4** 애교점(beauty spot) 《옛날 여자들이 예쁘게 보이거나 상처를 가리기 위해 얼굴에 붙인 검은 비단 조각 따위》. **5** 부스러기, 작은 조각, 파편: ~*es of* cloud (띄엄띄엄 떠 있는) 조각구름. **6** 큰 또는 불규칙한 반점; 〖군사〗 수장(袖章)(shoulder ~): a ~ of brown on the skin 피부에 있는 갈색 반점. **7** 작은 구획, 밭; 한 밭의 농작물; 《영》 (경찰관의) 담당 구역: a cabbage ~ 배추밭. **8** (글의) 한 절. **9** 《영》 시기, 기간. **10** 〖컴퓨터〗 패치《프로그램이나 데이터의 장애 부분에 대한 임시 교체 수정(修正)》; (전화 중계 등의) 임시 접속. **11** 《미속어》 (서커스 개최를 위한) 중개인〔주선인〕(fixer), 변호사.
be a cross ~ 몹시 화를 내다. **be not a ~ on** 《구어》 …와는 비교도 안 되다, … 보다 훨씬 못하다: He *is not a ~ on* her at swimming. 그는 수영에서는 그녀의 발뒤꿈치도 못 따라간다. **in**

~***es*** 부분적으로, 군데군데. ***strike*** 〔***hit, be going through***〕 ***a bad*** 〔***sticky***〕 ~ 《영》 불행을 당하다, 고초를 겪다.
— *vt.* **1** …에 헝겊을 대(고 깁)다; …에 조각〔쇳조각〕을 대어 수선하다《*up*》: ~ the trousers 바지를 깁다 / windows ~*ed* with rags and paper 헝겊 조각과 종이로 너덕너덕 바른 창. **2** 주워〔이어〕 맞추다, 미봉하다; 《비유》 날조하다《*up; together*》: ~ a quilt 조각들을 기워 맞추어 이불을 만들다 / a ~*ed-up* story 꾸민 이야기. **3** (사건 · 분규를) 수습하다, 가라앉히다《*up*》; (의견 차이 등을) 조정하다《*up*》. **4** (얼굴에) 애교점을 붙이다. **5** 〖컴퓨터〗 패칭하다《프로그램에 임시 교정을 하다》; (전화 등을) 임시로 접속하다.
㊞ **~·a·ble** *a.* **~·er** *n.* **~·ery** [-əri] *n.* Ⓤ 대고 깁기, 대고 깁는 재료; 쪽모이 세공; (일시적인) 겉꾸림. 「얼간이.
patch² *n.* (궁정 등의) 익살 광대; 《구어》 바보,
pátch·bòard *n.* 〖컴퓨터〗 (patch cord로 회로 접속을 하는) 패치보드(=**pátch pànel**).
pátch còrd 〖전기〗 패치코드《양 끝에 플러그가 있는 오디오 장치 등의 임시 접속 코드》.
pátch·ing *n.* 보수, 수선; 천 조각《집합적》; (라이플총 탄알을 재는) 기름 천; 〖컴퓨터〗 패칭.
patch·ou·li, -ou·ly [pǽtʃəli, pətʃúːli] *n.* 꿀풀속(屬)의 식물《인도산(產)》; 그것에서 얻은 향유, 패출리유(油).
pátch pòcket 〖양재〗 (솔기가 보이는) 바깥 포켓《옷 외부에 덧붙인》.
pátch tèst 〖의학〗 첩포(貼布) 시험《작은 베 조각에 항원(抗原)을 발라 피부에 붙여서 알레르기 반응을 보는 검사》. ⓒⓕ scratch test.
pátch·ùp *n., a.* 보수(補修)(의), 수선(한).
pátch·wòrk *n.* Ⓒ,Ⓤ 쪽모이 세공; 주워 모은 것, 잡동사니; 날림일; 미봉.
pátchwork quílt 《영》 =CRAZY QUILT.
patchy [pǽtʃi] (***patch·i·er; -i·est***) *a.* 누덕누덕 기운; 주워 모은; 어울리지 않는; 작은 땅을 합친: a ~ garden. ㊞ **pátch·i·ly** *ad.* **-i·ness** *n.*
patd. patented.
pát-down (**séarch**) 《미》 (무기 등이 없는지) 옷 위로 몸을 더듬어 하는 신체 검사(frisking).
pate [peit] *n.* 《고어 · 우스개》 머리; 정수리; 두뇌. ***a bald*** ~ 대머리. ***an empty*** ~ 멍텅구리.
pâte [pɑːt] *n.* Ⓤ 《F.》 점토(粘土); 풀(paste).
pâ·té [pɑːtéi, pæ-/pǽtei] *n.* 《F.》 파이《고기 · 물고기 · 닭고기 따위가 든》; 고기 반죽; 〖축성(築城)〗 (말굽 모양의) 호제보(護堤堡).
(**-**)**pat·ed** [péitid] *a.* 머리가 …한: long-~ 영리한, 빈틈없는 / shallow-~ 어리석은 / curly-~ 고수머리의.
pâ·té de foie gras [pɑːtéidəfwɑ̀ːgrɑ́ː, pætéi-/pǽtei-] 《F.》 지방이 많은 거위 간으로 만든 요리《진미로 침》.
pa·tel·la [pətélə] (*pl.* ***-lae*** [-liː]) *n.* 〖해부〗 슬개골(膝蓋骨), 종지뼈; 〖동물 · 식물〗 배상부(杯狀部); 〖곤충〗 기관부(基關部); 〖고고학〗 작은 접시. ㊞ **pa·tél·lar** *a.* 슬개골의. 「사(knee jerk).
patéllar réflex 〖생리〗 슬개(건)(膝蓋(腱)) 반
pa·tel·late [pətélət, -leit] *a.* 슬개골(膝蓋骨)이 있는; 슬개골 모양의.
pat·en [pǽtn] *n.* 〖가톨릭〗 성반(聖盤), 파테나《성병(聖餠)을 담는 얇은 접시》; 금속제(製)의 납작한 접시.
pa·ten·cy [péitnsi, pǽ-/péi-] *n.* Ⓤ 명백; 개방(성); 〖의학〗 개통(성)《변통(便通) 따위》.
***pat·ent** [pǽtnt, péit-/péit-] *n.* **1** (전매)특허, 특허권《*for; on*》: take out 〔get〕 a ~ *for* 〔*on*〕 a new invention 신안 특허를 얻다 / ~ pending 특허 출원중. **2** (전매)특허증. **3** (전매)특허품, 특허 물건. **4** 《미》 공유지 양도 증서; 특권. **5** 독특한 것〔방식〕; 표식, 특징《*of*》: The hand of hers is in itself a ~ *of* gentility. 그녀의 손 그 자체가 양가 출신임을 말해 주고 있다. **6** 에나멜 가죽(~ leather), (*pl.*) 칠피 구두. — *a.* **1** (전매)특허의; 특허권을 가진〔에 관한〕: a ~ agent 특허 변리사 / ⇨ LETTERS PATENT. **2** 명백한, 뚜렷한, 빤한: It was ~ to everyone that.... …은 누가 봐도 빤했다. [SYN.] ⇨ EVIDENT. **3** 개방되어 있는《장소 따위》; 열려 있는《문 · 통로 따위》; 이용〔접근〕할 수 있는: a ~ field. **4** 《구어》 신기한, 신안의, 교묘한: a ~ device. **5** 〖동물〗 흡기(吸氣) 통로가 열려 있는; 〖식물〗 (넓게) 퍼지는. **6** 《미》 극상품의《밀가루》. — *vt.* …의 (전매)특허를 얻다〔주다〕; …에게 특허권을 주다; 《비유》 전매특허로 하다. ㊞ **~·ly** *ad.* 명백히, 공공연히. **pàt·ent·a·bíl·i·ty** *n.* 특허 자격. **pát·ent·a·ble** *a.* 특허할〔받을〕 수 있는.
pátent àgent (특허 수속을 다루는) 변리사 (patent attorney).
pátent ambigúity 〖법률〗 명백한 의미 불명료《공문서의 글귀 자체에 의한 애매성》.
pátent attòrney 《미》 변리사(辨理士).
pát·ent·ed [-id] *a.* 개인〔그룹〕으로 시작한〔에 특유한〕. 「자.
pat·en·tee [pæ̀tntíː/pèit-] *n.* 특허권(소유)
pátent flóur 극상품 밀가루. 「피) 구두.
pátent léather 에나멜 가죽; (*pl.*) 에나멜〔칠
pátent médicine 특허 의약품; 매약(賣藥).
Pátent Óffice 특허청《생략: Pat. Off.》.
pa·ten·tor [pǽtntər, pæ̀tntɔ́ːr/pèitntɔː] *n.* (전매)특허권 수여자; 《오용》 PATENTEE.
pátent rìght (발명) 특허권.
pátent rólls 《영》 (1 년간의) 특허 등기부.
Pa·ter [péitər] *n.* **Walter ~** 페이터《영국의 수필가 · 비평가 · 소설가; 1839–94》.
pa·ter *n.* **1** 《영속어》 아버지. ⓒⓕ mater. **2** [pǽt-] (종종 P-) 주(主)기도문(the Lord's Prayer).
pa·ter·fa·mil·i·as [pèitərfəmíliəs, pɑ̀ːt-, pæ̀t-/pèitəmíliæ̀s] (*pl.* ***pa·tres-*** [pèitriz-]) *n.* 가장, 호주; 〖로마법〗 가부장(家父長)(권)《지금은 농담으로 쓰임》.
°**pa·ter·nal** [pətə́ːrnl] *a.* **1** 아버지(로서)의, 아버지다운, 아버지 편〔쪽〕의; 세습의; 온정주의의. ⓒⓕ maternal. ¶ ~ government 〔legislation〕 온정주의 정치〔입법〕 / be related on the ~ side 아버지 쪽의 친척이다 / ~ care 아버지로서의 보살핌 / ~ love 부성애. **2** 간섭적인, 참견하는: I hate his ~ attitude. 덥적대는 그의 태도가 질색이다. ***bid adieu to one's ~ roof*** 아버지의 슬하를 떠나다《독립하다》. ㊞ **~·ly** *ad.* 아버지로서, 아버지답게.
pa·ter·nal·ism [pətə́ːrnəlìzəm] *n.* Ⓤ (정치 · 고용 관계에서의) 온정주의; 《미》 (민간 사업에 대한) 온정적 간섭주의; 간섭 정치.
pa·ter·nal·is·tic [pətə̀ːrnəlístik] *a.* 온정〔가족〕주의의. ㊞ **-ti·cal·ly** [-əli] *ad.*
pa·ter·ni·ty [pətə́ːrnəti] *n.* Ⓤ **1** 아버지임; 부권, 부자 관계; 아버지로서의 의무; 부계(父系). **2** 《비유》 (생각 등의) 기원, 근원.
patérnity lèave (맞벌이 부부의) 남편의 출산 · 육아 휴가.
patérnity sùit =AFFILIATION PROCEEDINGS.
patérnity tèst (혈액형 등에 의한) 친부(親父) 확인 검사.
pat·er·nos·ter [péitərnɑ́stər, pɑ̀ːt-, pæ̀t-/pætənɔ́stə] *n.* **1** (특히 라틴어의) 주기도문, 주의 기도; 기도의 문구; 주문. **2** 주의 기도를 욀 때 쓰는 묵주의 큰 구슬. **3** (일정한 간격으로 낚시를 매단) 낚싯줄의 일종(=**∠ líne**); 순환 엘리베이

터《정지하지 않으므로 운행 중에 타고 내림》. ***the devil's*** ~ 중얼거리는 기도말〔혼잣말〕.

path [pæθ, pɑ:θ/pɑ:θ] (*pl.* ~**s** [pæðz, pɑ:ðz, pæθs, pɑ:θs/pɑ:ðz]) *n.* **1** 길, 작은 길, 보도(步道); 경주로; 통로: a bicycle ~. SYN. ⇨ROAD. **2** (인생의) 행로; 방침; 방향; (의논 따위의) 조리; (천체의) 궤도: the ~ of a comet. **3** 〖컴퓨터〗 길, 경로《파일을 자리에 두거나 판독할 때 컴퓨터가 거치는 일련의 경로》. ***beat a*** ~ 길을 새로 내다; 쇄도하다《*to*》. ***cross*** one***'s*** ~ 우연히 만나다; 방해하다. ***the*** ~ ***of least resistance*** =the line of least RESISTANCE.

path. pathological; pathology.

Pa·than [pətá:n, péiθən/pətá:n] *n.* 파탄족(의 사람)《Pashuto어를 사용하며 아프가니스탄 남동부, 파키스탄 북서부에 삶》. 「자.

páth·brèaker *n.* 길을 내는 사람; 개척〔선구〕

páth·brèaking *a.* 길을 새로 내는, (신분야를) 개척하는, 개척의.

pa·thet·ic, -i·cal [pəθétik], [-əl] *a.* **1 a** 애처로운, 애수에 찬: a ~ story 슬픈 이야기/a ~ scene 애처로운 광경. **b** 감동적인. **2** (노력·이자 등이) 극히 적은, 아주 불충분한; 《미속어》 우스꽝스러운. ◇ pathos *n.* ― *n.* 연민을 자아내는 표현〔태도〕. ㊞ **-i·cal·ly** *ad.*

pathétic fállacy (the ~) 감상(感傷)적 허위《angry wind, the cruel sea 등과 같이 무생물에도 감정이 있다고 하는 생각·표현법》.

pa·thét·ics *n.* 감상적 표현〔행위〕, 동정을 사기 위한 표현〔태도〕.

Path·et Lao [pá:tetlá:ou, -θət-] 파테트 라오, 라오스 애국 전선《20년간의 내란 후 1975년 라오스 인민 민주 공화국을 세운 공산주의 세력》.

páth·finder *n.* **1** 개척자, 탐험자, 파이어니어. **2** (폭격대(隊) 따위의) 선도기 (조종사); 조명탄 투하 비행기; 항공기〔미사일〕 유도용 레이더; 《미속어》 경찰의 밀정. **3** (P-) 〖우주〗 패스파인더《미국의 무인 화성 탐사선; 1997년 7월 4일 화성에 착륙하여 250일 후인 1998년 3월 10일에 기능이 완전 정지된 것으로 발표됨》.

path·ic [pǽθik] *n.* **1** 남색의 상대 (소년), 면. **2** 희생〔피해, 수난〕자. 「㊞ ~**·ness** *n.*

páth·less *a.* 길 없는, 인적 없는, 전인미답의.

páth·náme *n.* 〖컴퓨터〗 경로 이름, 경로명《path 를 포함한 파일명》.

path·o- [pǽθou, -θə], **path-** [pæθ] '고통, 병' 따위의 뜻의 결합사.

pàtho·biólogy *n.* 병리 생물학(pathology).

path·o·gen, -gene [pǽθədʒən, -dʒèn], [-dʒì:n] *n.* 병원균, 병원체. 「(론), 발병학.

pàtho·génesis *n.* Ⓤ 질병 발생론, 병인(病因)

path·o·gen·ic [pæ̀θədʒénik] *a.* 발병시키는, 병원이 되는, 병원성(性)의.

path·o·ge·nic·i·ty [pæ̀θoudʒənísəti/-θə-] *n.* (미생물이 질병을 유발하는) 병원성(病原性).

pa·thog·e·nous [pəθádʒənəs/-θɔ́dʒ-] *a.* = PATHOGENIC.

pa·thog·e·ny [pəθádʒəni/-θɔ́dʒ-] *n.* Ⓤ 발병; 병원(病原), 병인; 병원론, 발병학.

pa·thog·no·mon·ic, -i·cal [pəθàgnəmán-ik/-θɔ̀gnəmɔ́n-], [-ikəl] *a.* 〖의학〗 (질병) 특징적인, 병징적인. 「(표출 연구).

pa·thog·no·my [pəθágnəmi/-θɔ́g-] *n.* 감정

pa·thog·ra·phy [pəθágrəfi/-θɔ́g-] *n.* 〖의학〗 병적(病跡), 병력(病歷), 기록지(誌); 불행한 면을〔병고(病苦) 따위를〕 강조한 전기(傳記), 애사(哀史), 잔혹한 이야기.

pathol. pathological; pathology.

path·o·log·ic, -i·cal [pæ̀θəládʒik/-lɔ́dʒ-], [-əl] *a.* 병리학의, 병리상의; 병적인. ㊞ **-i·cal·ly** *ad.* 병리적으로.

pathológic anátomy 병리 해부(학).

pa·thol·o·gy [pəθálədʒi/-θɔ́l-] *n.* Ⓤ 병리학; 병리; 병상(病狀). ㊞ **-gist** *n.* 병리학자.

pàtho·physiólogy *n.* 〖의학〗 병리 생리학, 이상〔병태〕 생리학.

pa·thos [péiθɑs/-θɔs] *n.* Ⓤ 연민의 정을 자아내는 힘, (예술 작품 따위의) 비애감, 페이소스; 정념(情念), 파토스. cf. ethos. ◇ pathetic *a.*

pátho·tỳpe *n.* 병원형(病原型).

páth·wày *n.* 통로, 작은 길(path); 〖생화학〗 경로: metabolic ~ 대사(代謝) 경로. 「합사.

-pa·thy [ˊpəθi] '감정, 병, 요법' 등의 뜻의 결

pa·tience [péiʃəns] *n.* Ⓤ **1** 인내(력), 참을성; 끈기: a man of great ~ 참을성이 강한 사람/lose one's 〔run out of〕 ~ with …을 더는 참을 수 없게 되다/*Patience* is a virtue. 《속담》 참는 것은 미덕이다/She had the ~ *to* hear me out. 그녀는 참을성 있게 끝까지 내 이야기를 들어 주었다/Have ~! 참아라; 진정하고 있어라.

> SYN. **patience** '인내, 참음'을 나타내는 일반적인 말. 자제하면서 고통 따위를 견디는 것. **endurance** 정신적·육체적 고통에 견디는 능력을 말함: an *endurance* test 내구력 테스트. **perseverance** 간난(艱難)·신고(辛苦)를 꿋꿋이 참아 나가는 능력을 말함.

2 《영》 페이션스《혼자 하는 카드놀이(《미》 solitaire)》, (혼자 하는) 카드 점. ***be enough to try the*** ~ ***of a saint*** 아무리 참을성 많은 사람도 화낼 만하다. ***have no*** ~ ***with*** 〔***toward***〕 …은 참을 수 없다: I *have no* ~ *with* those bores. 저 따분한 사람들에겐 참을 수가 없다. ***My*** ~***!*** 《속어》 어렵쇼, 요것 봐라, 원 저런. ***out of*** ~ ***with*** …에 정떨어져. ***the*** ~ ***of Job*** (욥과 같은) 대단한 인내심《구약성서 욥기(記)》.

pa·tient [péiʃənt] *a.* **1** 인내심이 강한, 끈기 좋은〔있는〕《*with*》: Be ~ *with* children. 아이들에게는 성미 급하게 굴지 마시오. **2** 잘 견디는, 근면한, 부지런한: a ~ worker. **3** (…에) 견딜 수 있는《*of*》: He is ~ *of* insults. 그는 모욕을 잘 참는다. **4** 《영고어》 (…의) 여지가 있는《*of*》: This statement is ~ *of* criticism. 이 성명에는 비판의 여지가 있다. **5** 《드물게》 수동적인. ― *n.* **1** (의사측에서 말하는) 병자, 환자: The Smiths are ~s of mine. 나는 스미스 씨 댁의 주치의다/in-〔out-〕~ 입원〔외래〕 환자. **2** (미장원 따위의) 손님; 수동자(受動者)(OPP. *agent*). ㊞ ~**·ly** *ad.* 참을성〔끈기〕 있게.

pátient compliance (의사 지시에 대한) 환자의 수용〔순응〕 상태.

pátient-dày *n.* (병원 경영에 있어서의) 환자 1인당 1일 경비〔의료비〕. 「호.

pátient zéro 《미》 (미국내) 에이즈 환자 제1

pat·i·na[1] [pǽtənə] (*pl.* ~**s, -nae** [-nì:, -nài]) *n.* 〖고대로마〗 운두가 얕은 큰 접시; 〖가톨릭〗 =PATEN.

pat·i·na[2] *n.* Ⓤ (청동기 따위의) 푸른 녹, 동록(銅綠), 녹청(綠靑); (오래된 가구 등의) 고색(古色), 그 윤기; (오랜 세월이 지난) 외관, 풍모, 멋, 분위기. ㊞ **pat·i·nous** [pǽtənəs] *a.*

pat·io [pǽtiòu, pá:-] (*pl.* ~**s**) *n.* 《Sp.》 파티오《스페인식 집의 안뜰》.

pátio chàir (간편한) 접의자.

pa·tis·se·rie [pətísəri/-tí:s-] *n.* 《F.》 프랑스풍의 파이〔과자〕 (가게).

pat·ly [pǽtli] *ad.* 적절하게, 어울리게.

PATO Pacific Asia Treaty Organization.

Pat. Off. Patent Office.

pat·ois [pǽtwɑ:] (*pl.* ~ [-z]) *n.* 《F.》 (특히

프랑스어의) 방언, 사투리.

Patr. Patrick; Patriotic; Patron.

pat·ri- [pǽtri, péit-] '부(父)'의 뜻의 결합사.

pa·tri·al [péitriəl] *a.*, *n.* 모국의; 《영》 영국 거주권을 갖는 (사람), 귀화 영국인, 그 자손. ㊞ **pa·tri·ál·i·ty** [-triǽləti] *n.*

pa·tri·arch [péitriὰːrk] *n.* **1** 가장《matriarch에 대하여》; 족장. **2** 〖가톨릭〗 로마 교황; 초기교회의 주교; (가톨릭 교회·그리스 정교의) 총대주교; 〖모르몬교〗 교장(教長)(Evangelist). **3** 개조(開祖), (교파·학파 따위의) 창설자. **4** 원로, 장로. **5** (*pl.*) Jacob의 12 아들; 이스라엘 민족의 조상《Abraham, Isaac, Jacob과 그 선조》. ㊞ **pà·tri·ár·chal** [-əl] *a.* ~의; 존경할 만한.

patriárchal cróss 총대주교가 사용하는 십자가《‡꼴》.

pa·tri·arch·ate [péitriὰːrkət, -kèit] *n.* Ⓤ patriarch의 직권·임기·관구 또는 저택; 족장 정치.

pá·tri·àrch·ism *n.* Ⓤ 족장 정치〔조직〕.

pa·tri·archy [péitriὰːrki] *n.* Ⓤ **1** 가장〔족장〕 정치; 남자 가장제(家長制). opp *matriarchy*. **2** 교장(教長)의 관구(管區).

pa·tri·ate [péitrièit] *vt.* **1** (사람·물건을) 처음으로 본국에 보내다. **2** 《Can.》 (헌법 수정권을) 영국 정부에서 캐나다 연방 정부로 옮기다, (헌법 수정권을) 캐나다화(化)하다.

Pa·tri·cia [pətríʃə, -tríː-] *n.* 퍼트리샤《여자 이름; 애칭: Paddy, Pat, Patty, Pattie 등》.

pa·tri·cian [pətríʃən] *n.* (고대 로마의) 귀족《plebeian에 대하여》; 로마 제국의 지방 집정관; 중세 이탈리아 여러 공화국의 귀족; 〔일반적〕 귀족, 문벌가. ── *a.* 귀족의《특히 고대 로마의》; 귀족적인, 귀족다운《풍채 등》. ㊞ **~·ship** *n.* Ⓤ

pa·tri·ci·ate [pətríʃiət, -ʃièit] *n.* Ⓤ 귀족 사회, 귀족 계급; 귀족의 지위.

pat·ri·cide [pǽtrəsàid, péit-] *n.* Ⓒ,Ⓤ 부친 살해범《사람, 죄》. cf. parricide, matricide. ㊞ **pàt·ri·cíd·al** [-sáidl] *a.*

Pat·rick [pǽtrik] *n.* 패트릭. **1** 남자 이름. **2** St. ~ 아일랜드의 수호(守護) 성인(389?-461?). cf. Saint Patrick's Day.

pat·ri·cli·ny [pǽtriklàini, péit-] *n.* 〖유전〗 =PATROCLINY.

pàtri·fócal *a.* 아버지 중심의.

pàtri·líneal *a.* 부계(父系)의.

pàtri·lócal *a.* 〖사회〗 시가(媤家)에서 사는《남편의 가족과 동거하는》.

pat·ri·mo·ni·al [pæ̀trəmóuniəl] *a.* 세습 재산의; 조상 전래의, 세습적인.

patrimónial wáters〔**séa**〕 영해《보통 연안에서 200 마일 사이》.

pat·ri·mo·ny [pǽtrəmòuni/-mə-] *n.* 세습 재산, 가독(家督); 가전(家傳), 전통; 교회〔사원〕의 기본 재산: the *Patrimony* of St. Peter (고대 이탈리아의) 교황령.

◇**pa·tri·ot** [péitriət, -ὰt/pǽtriət] *n.* 애국자, 우국지사.

pa·tri·ot·eer [pèitriətíər] *n.* 사이비 애국자.

◇**pa·tri·ot·ic** [pèitriάtik/pæ̀triɔ́tik] *a.* 애국적인, 애국의, 우국의. ㊞ **-i·cal·ly** [-əli] *ad.*

***pa·tri·ot·ism** [péitriətìzəm/pǽt-] *n.* Ⓤ 애국심.

Pátriot mìssile 패트리어트 (미사일 요격) 미사일《1991년 걸프전에서 이라크의 스커드 미사일의 공중 격추에 활용》.

Pátriots' Dày 《미》 애국(愛國)의 날《1775년의 Lexington 및 Concord에서의 전투를 기념하는 Massachusetts 주와 Maine 주의 법정 축제일; 4월 19일》.

pat·ri·po·tes·tal [pæ̀trəpoutéstl] *a.* 〖인류〗 부권(제)의.

pa·tris·tic [pətrístik] *a.* (초기 기독교의) 교부(教父)의; 교부의 유저(연구)의. ㊞ **~s** *n. pl.* 《단수취급》 교부학, 교부의 유저(遺著) 연구.

pat·ro·cli·ny [pǽtrəklàini, péit-] *n.* 〖유전〗 부계(父系) 유전; 경부성(傾父性)《자손의 형질이 부친을 닮은 것》. cf. matrocliny.

pa·trol** [pətróul] *n.* **1** Ⓤ 순찰, 패트롤, 순시, 순회, 순라; 정찰, 초계(哨戒). **2** 순찰대; (척후병·비행기 따위의) 정찰대; 순시인, 순경; 초함(哨艦); =PATROL WAGON. **3** 소년단〔소녀단〕의 분대《8명으로 구성》. ***on **~** (***duty***) 순찰〔순시〕 중; 초계 중: a small craft *on* ~ *duty* 초계 중인 소함정. ── (*-ll-*) *vt.*, *vi.* **1** 순찰〔순회, 순시〕하다, 패트롤하다, 초계하다. **2** (길거리 등을) 무리지어 행진하다.

patról càr 순찰차(squad car).

patról dìstrict 《미》 순찰 지구.

patról lèader 〖군사〗 정찰〔초계〕대장; (보이스카우트의) 순찰반장.

pa·trol·ler [pətróulər] *n.* 순찰〔순시, 순회〕자.

patról·man [-mən] (*pl.* ***-men*** [-mən]) *n.* 순찰자; 《미》 순찰 경관, (주경찰의) 순경.

patról òfficer 《미》 순경, 순찰〔외근〕 경관.

pa·trol·o·gy [pətrάlədʒi/-rɔ́l-] *n.* 〖기독교〗 **1** Ⓤ 교부(신)학, 교부(教父) 문헌학. **2** Ⓒ 교부 문헌집.

patról wàgon 《미》 범인〔죄인〕 호송차(Black Maria, paddy wagon).

***pa·tron** [péitrən] (*fem.* **~·ess**) *n.* **1** (개인·사업·주의·예술 따위의) 보호자, 후원〔지지〕자: the ~ of the arts 예술의 보호자. SYN. ⇨ SPONSOR. **2** (상점·여관 따위의) 고객, 단골손님: a theater ~ 관객. **3** =PATRON SAINT. **4** 〖영국교회〗 성직 수여권자. **5** 〖고대로마〗 (법정의) 변호인; 해방된 노예의 옛 주인; 평민을 보호한 귀족. ㊞ **pa·tron·al** [péitrənl/pətróunl] *a.* 수호성인의: a ~ festival 수호성인절.

◇**pa·tron·age** [péitrənidʒ, pǽt-/pǽt-] *n.* Ⓤ **1** 보호, 후원, 찬조, 장려: under the ~ of …의 보호〔후원〕 아래. **2** 애고(愛顧), 애호, 단골《상점에 대한 손님의》. **3** 윗사람·보호자인 체하는 태도〔친절〕: with an air of ~ 은혜깨나 베푸는 듯이. **4** 《때로 경멸》 (특히 관직의) 임명〔서임〕권; 〖영국교회〗 성직 수여권, 목사 추천권.

pa·tron·ess [péitrənis] *n.* PATRON의 여성형.

◇**pa·tron·ize** [péitrənàiz, pǽt-/pǽt-] *vt.* **1** 보호하다(protect), 후원하다(support), 장려하다. **2** …의 단골손님〔고객〕이 되다. **3** …에게 선심 쓰는 체하다, 은인인 체하다.

pá·tron·ìz·ing *a.* 은인인 체하는, 생색을 내는, 좀건방진(condescending). ㊞ **~·ly** *ad.*

pátron sáint (개인·직업·토지 따위의) 수호성인, 수호신; (정당 등의) 창시자.

pat·ro·nym·ic [pæ̀trənímik] *a.*, *n.* 아버지〔조상〕의 이름을 딴 (이름), 부칭(父稱)《Johnson (=son of John), Williams(=son of William) 등》; 성, 성씨. opp *matronymic*.

pa·troon [pətrúːn] *n.* 〖미국사〗 네덜란드 통치 때의 New York 주 및 New Jersey 주에서 영주적인 특권을 가지고 있었던 지주.

pat·sy [pǽtsi] *n.* 《미속어》 죄를〔책임을〕 뒤집어쓰는 사람; 웃음거리가〔놀림감이〕 되는 사람, 어수룩한 사람, '봉'(dupe).

pat·ten [pǽtn] *n.* **1** (흔히 *pl.*) 덧나막신《쇠굽 달린 나막신; 진창에서 신 위에 덧신음》; 〔일반적〕 나막신. **2** 〖건축〗 기둥뿌리, 벽의 굽도리.

pattens 1

◇**pat·ter**[1] [pǽtər] *vi.* **1** 《~/

+전+명》 또닥또닥 소리가 나다, (비가) 후두두 내리다: Raindrops ~ *against* the windowpane. 빗방울이 후두두 창유리를 치고 있다. **2** 《~/+전+명》 가볍게〔재게〕 움직이다, 종종걸음으로 달리다〔걷다〕: He *~ed across* the garden. 그는 정원을 종종걸음으로 건넜다. — *vt.* 또닥또닥〔후두두〕 소리를 내다, (물 따위를) 철벅철벅 튀기다. — *n.* 후두두《빗소리》, 또닥또닥《발소리》: the ~ of rain on the roof 후두두 지붕을 두드리는 빗소리.

pat·ter[2] *n.* **1** Ⓤ 재게 재잘거림; 쓸데없는 이야기. **2** (도둑·거지 따위의) 은어. **3** =PATTER SONG; (흔히 conjurer's ~) (마술사의) 주문. — *vi.* 재잘대다; 《속어》 은어를 지껄이다. — *vt.* (주문 등을) 빠른 말로 외다.

pat·ter[3] *n.* pat[1] 하는 사람〔물건〕.

pat·tern [pǽtərn/pǽtən] *n.* **1** 모범, 본보기, 귀감: set the ~ 모범을 보이다/He's a ~ of all the virtues. 그는 모든 덕의 귀감이다/〖형용사적〗 a ~ wife 모범적 아내. **2** 형(型), 양식; (양복·주물 따위의) 본, 원형(原型), 모형(model), 목형(木型), 거푸집: ⇨ SENTENCE PATTERN/a locomotive of an old ~ 구식 기관차/a machine of a new ~ 신형 기계/cut out a shirt on a ~ 본을 써서 셔츠를 재단하다.

> SYN. **pattern** 원형이 존재하고 그것이 몇 번이고 반복〔모사〕되는 것 같은 형 → (셔츠 따위의) 본, (벽지 따위의) 무늬, (행동 따위의) 양식: a new *pattern* of engine 신형 엔진. **form** pattern과 같이 반복의 뜻이 없는 모양을 나타내는 가장 일반적인 말. 따라서 pattern이 주로 인공적으로 설정된 것에 쓰이는 데 대하여 form은 자연물의 모양도 포함함. form이 인공적인 사물에 쓰일 때는 '형식': the human *form* 인간의 모습. a new *form* of poetry 새 형식의 시. **shape** form이 입체적인 모양을 나타내는 데 대하여 shape는 평면에 투영된 꼴. 따라서 the *shape* of a ball은 '구(球)'가 아니라 '원'이다. 이와 같은 추상성이 shape에 비유적인 용법을 갖게 함: a fox in the *shape* of an old woman 노파 모습으로 둔갑한 여우. get one's ideas into *shape* 생각을 구체화하다. **figure** 모습, 모양. form, shape와 달리 물체(특히 사람의 모습)에만 쓰임. 외계의 사물의 실체로서의 형태라기보다도 그 사물이 눈이나 마음에 준 인상이 지니는 형태임. 따라서 사람의 심미안에 직접 호소하는 형태일 경우가 많음: a slender *figure* of a girl 소녀의 가냘픈 몸맵시.

3 (행위·사고 따위의) 형, 방식, 경향: behavior ~*s* 행동 방식. **4** 도안, 무늬, 줄무늬; 자연의 무늬: wallpaper ~*s* 벽지 무늬/~*s* of frost on the window 유리창에 생긴 성에의 무늬. **5** (옷감·무늬 따위의) 견본: a bunch of ~*s* 옷감 견본 철. **6** 《미》 한 벌 분의 옷감. **7** (비행장의) 착륙 진입로; 그 도형. **8** 〖군사〗 포격〔폭격〕 목표(의 배치); 표적상의 탄흔. **9** 기구, 조직. **10** 〖컴퓨터〗 도형(圖形), 패턴. ***after the ~ of*** …식으로, …을 본떠. ***a paper ~*** (양재의) 종이본, 형지(型紙). ***a verb ~*** 동사가 취하는 문형. ***run to ~*** 틀에 박혀 있다.

— *vt.* **1 a** 《+목+전+명》 모조하다, (…을 따라) 모방하다, (본에 따라 …을) 만들다《*after; on, upon*》: a dress *~ed upon* 〔*after*〕 a Paris model 파리의 신형을 모방해 만든 드레스. **b** 〖~ oneself로〗 …을 본보기로 삼다, 모방하다《*on, upon; after*》: He *~ed himself on* 〔*after*〕 his teacher. 그는 선생님을 본보기로 삼았다. **2** …에 무늬를 넣다. — *vi.* 모방하다《*after; on*》. ~ ***out*** 깨끗이 정돈하다, 정렬하다: the garden *~ed out* in even rows and squares of green 초목을 균형 있게 잘 배치한 정원.

páttern bòmbing 일제〔융단〕 폭격(carpet bombing).

páttern glàss 패턴 글라스《장식 무늬가 있는 「유리 제품》.

pát·tern·ing *n.* **1** 모방; 기획, 도안, 디자인, 장식. **2** (무용·체조에서의) 동작의 패턴. **3** 〖의학〗 (뇌 손상·신체 장애자에게 행하는) 수족의 근육 운동의 협동을 증진시키기 위한 물리요법. **4** 〖사회〗 (관습 등의) 양식.

páttern·màker *n.* 모형〔주형(鑄型)〕 제작자; 「(직물·자수) 도안가.

páttern pràctice 문형 연습《영어 교육에서의》.

páttern recognìtion 〖컴퓨터〗 패턴 인식(認識)《문자·도형·음성 따위의 유형을 식별·판단하는 일》.

páttern ròom 〔**shòp**〕 (주물 공장의) 주형 「제작장(場).

pátter sòng 가극 속에 익살미를 내기 위한 빠른 가사, 그 곡.

Pat·ton [pǽtən] *n.* **George S(mith)** ~ 패튼《미국의 장군; 제 2 차 대전 당시 전차 군단의 지휘자; 1885-1945》.

pat·tu, pat·too, put·too [pʌ́tu:] *n.* 파투《인도 북부산(產) 염소털로 짠 tweed 비슷한 천》; 파투 모포.

pat·ty[1], **pat·tie** [pǽti] *n.* 작은 파이(pâté).

pat·ty[2] *n.* 《미속어》 백인(paddy).

pátty-càke *n.* =PAT-A-CAKE.

pátty mèlt 쇠고기 파이에 치즈를 얹어 구운 것.

pátty pàn 파이를 굽는 작은 냄비; 〖식물〗 양호박의 일종(=**cým·ling** [símliŋ, -lin]).

pátty shèll 〖요리〗 (육류·생선·야채·과일·크림 등을 채워 넣는) 컵 모양의 파이 껍질.

pat·u·lin [pǽtjulin, -tʃə-] *n.* Ⓤ 패튤린《항생물질의 일종; 감기약》.

pat·u·lous [pǽtʃələs/-tju-] *a.* 입을 벌린, 펴진; 〖식물〗 (가지 등이) 퍼져 있는, 산개(散開)한.

patz·er [pá:tsər/pǽt-] *n.* 《미속어》 체스 애호가, 체스가 서투른 사람.

P.A.U. Pan-American Union(범미 연맹).

pau·ci·ty [pɔ́:səti] *n.* Ⓤ 소수; 소량; 결핍.

Paul [pɔ:l] *n.* **1** 폴《남자 이름》. **2 Saint** ~ 바울《예수의 사도로 신약성서 여러 서간들의 필자》.

Pául Bún·yan [-bʌ́njən] 《미》 폴 버니언《미국 전설상의 거인이며 초인적인 나무꾼》; 힘이 장사인 큰 남자.

Paul·ine[1] [pɔ́:lain, -li:n/-lain] *a.* 사도 바울의; (런던의) St. Paul's School의: the ~ Epistles 바울 서간. — *n.* St. Paul's School의 학생.

Pau·line[2] [pɔ:lí:n] *n.* 폴린《여자 이름》.

Páu·li's (**exclúsion**) **prìnciple** [pɔ́:liz-] 〖물리〗 파울리의 배타〔금제〕 원리, 파울리의 배타율. 「회 회원(Jesuit).

Pául·ist *n.* 성(聖) 바울 신봉자; (인도의) 예수

pau·low·nia [pɔ:lóuniə] *n.* 〖식물〗 오동나무.

Pául Prý 캐기 좋아하는 사람.

paunch [pɔ:ntʃ, pa:ntʃ/pɔ:ntʃ] *n.* 배, 위(胃); 《우스개》 올챙이배; 〖동물〗 혹위(rumen)《반추동물의 첫째 위》; 〖해사〗 (두껍고 튼튼한) 마찰 보호용(用) 거적(=∠ **màt**). — *vt.* 배를 째다, 내장을 도려내다. ㊞ **∠·i·ness** *n.* **∠·y** *a.* 《우스개》 배가 나온, 올챙이배의.

pau·per [pɔ́:pər] *n.* 〖역사〗 (구빈법(救貧法)의 적용을 받는) 극빈자, 피구호민; 빈민; 거지; 〖법률〗 (소송 비용을 면제받는) 빈민. — *a.* 빈민의, 빈곤한. ㊞ **~·dom** *n.* 〖집합적〗 빈민, 영세민; Ⓤ 빈궁, 빈곤. **~·ism** *n.* Ⓤ 요구호 대상자임, 빈궁; 〖집합적〗 요구호 대상자. 「*Dives costs.*

páuper cósts 《영》 빈민을 위한 소송비. OPP.

pau·per·ize [pɔ́:pəràiz] *vt.* 가난〔빈곤〕케 하

다, 빈민(피구제민)으로 만들다. ㊕ **pàu·per·i·zá·tion** *n.*

pau·piette [poupjét; *F.* popjɛt] 포페트《얇게 저민 고기·생선으로 소를 말아 굽거나 튀긴 것》.

‡**pause** [pɔːz] *n.* **1** 휴지(休止), 중지, 끊긴 동안: in the ~*s* of the wind 바람이 멈춘 사이에. **2** (이야기의) 중단; 한숨 돌림; 주저: There was a ~ before he spoke again. 한숨 돌리고 그는 다시 말을 계속했다. **3** 구절 끊기, 구두(句讀), 단락. **4**《시어》 쉼; 〖음악〗 연장, 연장 기호, 늘임표(⌣ 또는 ⌢). **5** 〖컴퓨터〗 (프로그램 실행의) 정지. ★ pose [pouz]와의 차이에 주의. ***come to a*** ~ 끊어지다. ***give*** a person ~ 아무를 주저케 하다. ***give*** [***put***] ~ ***to*** …을 중지시키다: *give* ~ *to* one's action 자기의 행동을 (일시적으로) 중지하다. ***in*** [***at***] (***a***) ~ 중지[중단]하여; 주저하여. ***make a*** ~ 잠깐 쉬다; 한숨 돌리다. ***put*** a person ***to a*** ~ 아무를 망설이게 하다: These considerations *put* me *to a* ~. 이런 생각이 나를 주저케 했다. ***without*** ~ 끊임없는, 쉬지 않고; 주저 없는[없이]. ― *vi.* **1** 휴지[중단]하다, 끊기다. SYN. ⇨STOP. **2** 《~/+전+명/+*to* do》 잠시 멈추다, 한숨 돌리다: We ~*d* upon the summit *to* look upon the scene. 산꼭대기에서 잠시 멈추고 경치를 보았다 / ~ *for* breath 멈추어 한숨을 돌리다. **3** 《+전+명》 잠시 생각하다, 천천히 논하다《*on, upon*》; 머뭇거리다《*on, upon*》: ~ *on* [*upon*] a word 어떤 낱말에 이르러 잠시 머뭇거리다[생각하다]. ㊕ **∠·less** *a.* **∠·less·ly** *ad.* **paus·al** [pɔ́ːzəl] *a.* 중지한; 끊긴, (구절(句節)을) 끊는. **páus·er** *n.* **páus·ing·ly** *ad.*

pav [pæv] *n.* 《속어》 =PAVILION; 《Austral.구어》 =PAVLOVA.

pav·age [péividʒ] *n.* Ⓤ 포장 (공사); 도로 포장세(稅).

pa·van, pa·vane [pǽvən, pəvɑ́ːn], [pəvɑ́ːn, -vǽn/pǽvən] *n.* 〖음악〗 《F.》 파반《16-17 세기의 우아한 춤》; 그 곡.

Pa·va·rot·ti [pæ̀vərɑ́ti/-rɔ́ti] *n.* **Luciano** ~ 파바로티《이탈리아의 테너 가수; 1935-2007》.

*****pave** [peiv] *vt.* 《~+목/+목+전+명》 **1** (도로를) 포장하다《*with*》: ~ a road *with* asphalt 아스팔트로 도로를 포장하다. **2** 《비유》 …을 덮다《*with*》; …을 쉽게 하다. ~ ***the way for*** [***to***] … 에의 길을 열다; …을 가능[수월]케 하다. ― *n.* 포도, 포장길.

pa·vé [pəvéi, pǽvei/pǽvei] *n.* 《F.》 **1** 포장, 포도. **2** 바탕쇠가 보이지 않게 보석을 잔뜩 박기.

‡**pave·ment** [péivmənt] *n.* **1** 포장도로(opp. *dirt road*); 포상(鋪床), 포장한 바닥. **2** 포장 재료, 포석(鋪石). **3** 《영》 (특히 포장한) 인도, 보도(《미》 sidewalk); 《미》 차도(roadway). ***hit the*** ~ 《영속어》 (술집 따위에서) 쫓겨나다; 해고당하다; 길에 나서다, 걷기 시작하다. ***on the*** ~ 거리를 걸으며; 집 없이, 버림받아. ***push the*** ~ 《영속어》 길에서 장사하다, 노점상을 하다.

pávement àrtist 거리의 화가《포도 위에 색분필로 초상화나 그림을 그려 행인들로부터 돈을 받는》.

pávement càfe 보도에 테이블을 일부 내놓고 있는 레스토랑.

pávement lìght 포도창(鋪道窓)《포장도로에 낸 지하실용 채광창》.

pávement prìncess 《CB속어》 매춘부, 밤거리의 여자.

Pave Paws [péivpɔ̀ːz] 페이브 포즈《미공군의, 해상에서 발사된 미사일을 탐지하는 조기 레이더 시스템》. [◂ *P*recision *A*cquisition of *V*ehicle *E*ntry, *P*hased *A*rray *W*arning *S*ystem]

pav·er [péivər] *n.* 포장공, 포장 기계[재료]; 콘크리트 믹서.

pav·id [pǽvid] *a.* 겁이 많은, 주뼛주뼛하는 (timid).

°**pa·vil·ion** [pəvíljən] *n.* **1** 큰 천막. **2** 간편한 임시 건물; 《영》 (야외 경기장 등의) 관람석, 선수석, 무도자석(席). **3** (공원·정원의) 누각, 정자; (본관에서 내단) 별관, 병동(病棟); (박람회 등의) 전시관: a ~ hospital 병동식 병원. **4** 《문어》 하늘, 창궁(蒼穹)(canopy). ― *vt.* …을 대형 천막으로 덮다; …에 천막을 치다; 천막(따위)에 넣다.

pav·in [pǽvən] *n.* =PAVAN.

pav·ing [péiviŋ] *n.* Ⓤ 포장(공사); 포장 재료; (*pl.*) 포도, 포석(鋪石).

páving brìck 포장용 벽돌.

páving stòne 포석(鋪石)《포장용》.

pav·ior, 《영》 **-iour** [péivjər] *n.* 포장공; (포석을 다지는) 달구; 포장 재료. cf. pave.

Pav·lov [pǽvlɑv, -lɔːf/-lɔv] *n.* **Ivan Petrovich** ~ 파블로프《러시아의 생리학자; 1849-1936》. ㊕ **Pav·lov·ian** [pævlɔ́ːviən, -lóu-] *a.* 파블로프(학설)의, 조건 반사(설)의.

pav·lo·va [pævlóuvə] *n.* (오스트레일리아·뉴질랜드의) 크림과 과일을 얹은 머랭(meringue) 과자(pav).

Pa·vo [péivou] *n.* 〖천문〗 공작자리(the Peacock).

pav·o·nine [pǽvənàin, -nin] *a.* 공작의, 공작 같은; 무지개 빛깔의.

*****paw**[1] [pɔː] *n.* **1** (발톱 있는 동물의) 발. **2** 《우스개·경멸》 (거칠거나 무딘) 사람의 손. **3** 《고어》 필적. ― *vt.* **1** (짐승이) 앞발로 할퀴다[치다], (말이) 앞발로 차다[긁다]. **2** 《~+목/+목+부》 《구어》 거칠게[함부로] 다루다; 만지작거리다《*over, about*》. ― *vi.* 《~/+전+명》 (발톱이 있는 짐승이) 앞발로 치다[할퀴다]《*at*》; (말이) 앞발로 땅을 차다.

paw[2] *n.* 《방언·구어》 아버지(papa).

pawky [pɔ́ːki] (***pawk·i·er; -i·est***) *a.* 《N.Eng.·Sc.》 교활한, 내숭스러운; (능청스레) 익살을 떠는; 《미방언》 건방진, 주제넘은. ㊕ **páwk·i·ly** [-li] *ad.* **-i·ness** *n.*

pawl [pɔːl] *n.* 〖기계〗 (톱니바퀴의 역회전을 막는) 톱니멈춤쇠. ― *vt.* 톱니멈춤쇠로 멈추다.

páwl bìtt 역회전 방지용 계주(繫柱).

pawn[1] [pɔːn] *n.* Ⓤ 전당; Ⓒ 전당물, 저당물; 볼모, 인질; 《비유》 맹세, 약속: at [in] ~ 전당[저당]잡혀 / give [put] something in ~ 전당잡히다. ***set at*** ~ 걸다; 신조로 하다. ― *vt.* 전당잡히다; 《비유》 (목숨·명예)를 걸고 맹세하다, …을 걸고 보증하다. ~ ***one's word*** 언질을 주다. ㊕ **~·ee** [pɔːníː] *n.* 전당잡는 사람, 질권자(者). **∠·er, páw·nor** [-ər] *n.* 전당잡히는 사람.

pawn[2] *n.* (체스의) 졸(卒)《생략: P》; 《비유》 (남의) 앞잡이(tool).

páwn·bròker *n.* 전당포 (주인).

páwn·bròking *n.* Ⓤ 전당포업.

Paw·nee [pɔːníː] (*pl.* ~, ~*s*) *n.* 포니족(族)《미국 Platte 강가에 살던 원주민》.

páwn·shòp *n.* 전당포.

páwn tìcket 전당표.

paw·paw [pɔ́ːpɔ̀ː] *n.* **1** 〖식물〗 =PAPAW. **2** 《영·중앙아메리카》 =PAPAYA.

páw-prìnt *n.* 동물의 발자국.

pax [pæks, pɑːks/pæks] *n.* 《L.》 **1** 〖가톨릭〗 성패(聖牌)《예수·성모 등의 상을 그린 작은 패; 미사 때 여기에 입을 맞춤》; 친구례(親口禮), 친목의 키스(kiss of peace). **2** 〖보통 감탄사〗 《영 학생속어》 벗, 우정: make [be] ~ with …와 친해지다[친하다] / *Pax! Pax!* (싸우지 마) 화해다, 화해. **3** (P-) **a** 〖로마신화〗 평화의 여신. **b** (보통 P-) (특정국의 지배에 의한 국제적) 평화. ~ ***vobis*** [***vobiscum***] 그대들에게 평화가 있으라.

P.A.X. [pæks] 〖통신〗 private automatic exchange(자동식 구내 교환 설비).

Páx Americána 미국의 지배에 의한 평화.

Páx atóm·i·ca [-ətámikə/-ətɔ́m-] 《L.》 핵무기의 균형으로 유지되는 평화.

Páx Bri·tán·ni·ca [-britǽnikə] (특히 19세기의) 영국의 지배에 의한 평화.

Páx Ec·o·nóm·i·ca [-èkənámikə/-nɔ́m-] 인간이 경제에 예속됨으로써 얻어지는 평화.

Páx Ro·má·na [-rouméinə, -má:-/-roumá:-] 팍스 로마나《(1) 로마 지배에 의한 평화. (2) 일반적으로 강국의 강제에 의한 평화》.

Páx Rússo-Americána 미국과 옛 소련의 세력 균형에 의해 유지되었던 평화.

Páx So·vi·ét·i·ca [-sòuviétikə] 옛 소련의 힘에 의해 유지되었던 평화. 「대(頸靭帶).

pax·wax [pǽkswæ̀ks] *n.* 《방언》 〖해부〗 경인

†**pay**[1] [pei] (*p., pp.* ***paid*** [peid]) *vt.* **1** (빚 따위를) 갚다, 상환하다, 청산하다: ~ one's debts 빚을 갚다 / ~ one's bill 셈을 치르다. **2** 《~+목/+목+전+명/+목+목》 (아무에게 대금·임금 따위를) 치르다, 지불〔지급〕하다《*for*》: ~ money 〔wages, a fine〕 돈〔임금, 벌금〕을 치르다 / I *paid* her $5 *for* her service. 그녀에게 일의 사례금으로 5달러 주었다 / I *paid* him money. =I *paid* money *to* him. 그에게 돈을 치렀다. **3** (비용 따위를) 지불하다; 벌충하다. **4** 《~+목/+목+목》 (일 따위가) …의 수입을 가져오다; …에게 이익을 주다: This job doesn't ~ me. 이 일은 수지가 안 맞는다《종종 me는 생략됨》/ Her part-time job ~s (her) $30 a week. 그녀는 아르바이트로 주당 30달러를 번다 / Your training will ~ you well in the future. 지금 몸을 단련해 두면 장차 효과가 있다. **5** 《~+목/+목+전+명/+목+목》 (관심을) 보이다, (경의를) 표하다; (주의를) 하다; (방문 등을) 하다: ~ attention 〔one's respect〕 *to*... …에 주의하다〔경의를 표하다〕/ ~ a person honor 〔a compliment〕 아무에게 경의를 표하다〔찬사를 보내다〕/ ~ a visit *to* a person 아무를 방문하다. **6** 《~+목/+목+전+명》 …에 앙갚음하다, 보복하다; 혼내 주다, 벌하다; 보답하다: I'll ~ you *for* this. 이 앙갚음은 반드시 할 것이다 / You've been amply *paid for* your trouble. 자네의 노고는 충분히 보상받고 있다. **7** 《~+목/+목+전+명》 〖~ one's way로〗 빚 안 지고 살다; 자기 몫을 지불하다; 이익을 내다, 수지가 맞다: I *paid* my *way through* college. 고학으로 대학을 나왔다. **8** (고통 등을 당연한 것으로서) 참다, 받다: The one who does wrong must ~ the penalty. 악을 행하는 자는 당연히 그 벌을 감수해야 한다. **9** (**~*ed***) (밧줄을) 늦추어 풀어내다《*away; out*》. **—** *vi.* **1** 《~/+전+명》 지불〔지급〕하다, 대금을 치르다《*for*》; 빚을 갚다; 변상〔변제〕하다《*for*》: ~ in full 전액을 지급하다 / We're ~*ing for* the 'telly' by monthly installments. 텔레비전 값을 월부로 붓고 있다. **2** (일 따위가) 수지맞다, 이익이 되다; 일한 보람이 있다: It ~s to advertise. 광고는 손해보지 않는다. **3** 《+전+명》 벌을 받다, 보답이 있다《*for*》: You'll ~ *for* your foolish behavior. 너는 그 어리석은 짓으로 벌을 받게 될 것이다.

I am paid in. 《속어》 오늘 밤은 잘 곳이 있다. ~ ***a call*** 방문하다. ~ ***as you go*** 《미》 (외상 않고) 현금으로 지불하다; 지출을 수입 이내로 억제하다. ~ ***away*** ① 돈을 쓰다. ② 〖해사〗 ⇨ *vt.* 8. ~ ***back*** 돈을 갚아 주다; …에 보복하다《*for*》. ~ ***down*** 맞돈으로 지불하다; (월부에서) 계약금을 치르다. ~ ***home*** 《고어》 실컷 복수하다. ~ ***in*** 《*vt.*+부》 ① (돈을) 은행(계좌)에 입금하다. **—** 《*vi.*+부》 ② 돈을 은행에 입금하다. ~ a person ***in kind*** ① 현물로 치르다. ② 《비유》 앙갚음하다. ~ ***off*** 《*vt.*+부》 ① (빚을) 전부 갚다: ~ *off* one's creditors 채권자에게 빚을 모두 갚다. ② 봉급을 주고 해고하다; 요금을 치르고 (택시 등)을 돌려보내다. ③ 《구어》 …에게 뇌물을 쓰다. ④ 《구어》 …에 대한 보복을 하다. ⑤ 수지맞다; …한 결과〔성과〕가 나다《*with*》. **—** 《*vi.*+부》 ⑥ 〖해사〗 (이물을) 바람 불어 가는 쪽으로 돌리다. ⑦ 이익을 가져오다; 성과를 올리다, 잘 되다. ~ ***out*** ① (돈·임금·빚을) 지불하다. ② 《영》 …에 보복하다, 혼쭐내다《*for*》: I've *paid* him *out for* the trick he played on me. 내게 속임수를 썼으므로 그 놈을 혼내 주었다. ③ 〖해사〗 =~ away. ~ ***over*** (돈을) 치르다. ~ ***the debt of nature*** 천명(天命)을 다하다, 죽다. ~ ***up*** 《*vt.*+부》 ① (빚·회비 따위를) 전부 지불하다, 완납하다, 청산하다. **—** 《*vi.*+부》 ② 빚 따위를 전액 지불하다. ~ a person ***well in the future*** 아무의 장래를 위해서 도움이 되다《고생 따위가》. ***the devil to*** ~ 엄벌, 심한 꾸중. ***There will*** 〔***is going to***〕 ***be hell to*** ~. 《구어》 일이 성가시게〔골치아프게〕 될 거다, 한바탕 소동이 일어날 게다. ***What's to ~?*** 어찌된 일이냐? ***Who breaks ~s.*** 나쁜 일을 하면 벌을 받는다.

— *n.* Ⓤ **1** 지불, 지급. **2** 급료, 봉급, 임금, 보수: high ~ 많은 봉급 / draw one's ~ 봉급을 타다 / get an increase in ~ 봉급이 오르다 / a ~ job 보수가 나오는 일《무료 봉사에 대하여》.

> **SYN.** **pay** 지불 → 급부금. 아래 말의 뜻의 전부를 포함함. **wage, wages** 시간당, 일당, 주당 얼마로 정하고 주로 육체노동에 지급되는 임금. **salary** 월급·연봉으로 주로 두뇌·기술 노동에 지급되는 급료. **stipend** 목사·교사 등의 급료. 연구자의 생활비를 보조하는 연구비도 가리킴. **fee** 의사·변호사·예술가 기타 전문 직업에 종사하는 자의 서비스(의 청구)에 대하여 지불되는 보수 및 각종 요금: a tuition *fee* 수업료.

3 보복, (정신적인) 보수; 보상; 벌. **4** (지불 상태에서 본) 지불인: The bank regards him as good ~. 은행에선 그의 지불 상태를 양호하다고 보고 있다. **5** 피고용인: a good 〔bad, poor〕 ~ 써서 득이〔손해가〕 되는 사람. ***in the ~ of*** …에 (남모르게) 고용되어: an informer *in the* ~ *of* the police 경찰의 밀고자〔앞잡이〕. ***without*** ~ 무보수로.

— *a.* **1** 유료의; 《미》 화폐를 넣어 사용하는: a ~ toilet 유료 변소 / a ~ telephone 요금 투입식 자동 전화. **2** 자비(自費)의: a ~ student 자비생. **3** 채광(採鑛)상 유리한, 채산이 맞는: ~ streak 유망한 광맥.

pay[2] (*p., pp.* **~*ed***) *vt.* 〖해사〗 (배 밑·이음매에) 타르·피치를 칠하다.

°**pay·a·ble** *a.* 지불〔지급〕할 수 있는; 지불해야 할《돈 등》; 이익이 되는, 유리한, 수지 맞는《사업 등》; 〖법률〗 지급 만기의. ㊕ **-bly** *ad.* 유리하게.

páy-as-you-éarn *n.* Ⓤ 《영》 원천 과세(제도) 《생략: P.A.Y.E.》.

páy-as-you-énter *n.* Ⓤ 입장·승차 때 요금을 내는 방식《생략: P.A.Y.E.》.

páy-as-you-gó *n.* **1** 맞돈〔현금〕 지급; (소득세의) 원천 과세 (제도). **2** 〖미재정〗 재원(財源)안〔세출 절감안〕 동시 제출 방식《의원 입법에서 국비 필요의 법안을 제출하는 의원은 신재원 또는 새 세출 절감안을 동시에 제출토록 하는 것》. **—** *a.* 현찰 지급〔원천 과세〕의: a ~ plan 현금 지급주의, 원천 징수 방식. ★ 또 《영》에서는 pay-as-you-earn, PAYE 라고도 함. 「TV =PAY-TV.

páy-as-you-sée *a.* (텔레비전이) 유료인: ~

páy·bàck *n.*, *a.* 환불(의); 대충(對充)(의); 원금 회수(의); 보복(의): ~ period (투자액) 회수 기간.
páy-bèd *n.* (병원의) 자기 부담[유료] 침대.
Páy Bòard ⦅미⦆ (정부의) 임금 사정 위원회.
páy·bòok *n.* 〖미군사〗 개인 급료 지급 대장.
páy·bòx *n.* ⦅영⦆ =BOX OFFICE.
páy-by-phóne *n.*, *a.* 전화 대체(對替)⦅자택이나 회사에서 전화기로 은행 컴퓨터를 호출, 자기 계좌에서 다른 계좌로 자금을 옮기는 일⦆(의).
páy càble ⦅미⦆ 유선 유료 텔레비전 방송.
páy·chèck *n.* **1** 봉급 지급 수표, 봉급, 임금. **2** (라디오 프로의) 광고주(sponsor).
páy clàim 임금 인상 요구; 실업 보상 요구.
páy·dày *n.* 지급일; 봉급날; ⦅영⦆ (증권 시장의) 청산일. ***make a*** ~ ⦅미속어⦆ 임시 수입을 얻다.
páy dìrt ⦅미⦆ **1** 함유량이 많은 수지맞는 광석[사금(砂金) 채취지]. **2** ⦅구어⦆ 뜻하지 않게 얻은 물건, 횡재, 노다지. ***hit*** ~ 진귀한 것을[노다지를] 찾아내다; 돈줄을 잡다.
P.A.Y.E. pay-as-you-earn; pay-as-you-enter.
pay·ee [peiíː] *n.* (어음·수표 따위의) 수취인.
páy ènvelope ⦅미⦆ 봉급 봉투(⦅영⦆ pay packet); 봉급.
páy·er *n.* 지급인.
páy·gràde *n.* 〖군사〗 (군인의) 급여 등급.
páy gràvel =PAY DIRT.
páy·ing *a.* 지불하는, 유료의; 유리한, 수지맞는: a ~ teller (은행의) 지급 담당자. ── *n.* 지불.
páying guèst ⦅완곡어⦆ 하숙인(boarder) ⦅생략: P.G.⦆.
páying-in bòok 예금 입금 장부, 예금 입금표철.
páying-in slíp ⦅영⦆ 예금 입금표(deposit slip).
páying lòad 유료 하중, =PAYLOAD 1.
páy·lòad *n.* **1** 〖항공〗 유효 하중(荷重)⦅수화물·화물 따위처럼 중량으로 직접 수익을 가져오는 하중⦆. **2** (기업의) 임금 부담. **3** 〖우주·군사〗 유효 탑재량, 페이로드⦅미사일의 탄두, 우주 위성의 기기·승무원, 폭격기의 탑재 폭탄 등; 그 하중⦆; 미사일 탄두의 폭발력: ~ bay (우주선의) 페이로드를 실은 격실.
páyload assíst mòdule 〖우주〗 페이로드 어시스트 모듈⦅미국의 고체 연료 로켓⦆.
páyload spécialist 우주 실험 비행사⦅우주선에 탑승하는 실험 전문가⦆.
Paym. Paymaster.
páy·màster *n.* 회계 주임, (급료) 지급 담당자; 〖군사〗 재무관; (종종 *pl.*) ⦅경멸⦆ 돈을 주고 남을 마음대로 부리는 사람.
Páymaster Géneral (*pl.* ***Páymasters Gén-***) ⦅미⦆ (육해군의) 경리감; ⦅영⦆ 재무성 지급 총감 ⦅생략: Paym. Gen.⦆.
‡**pay·ment** [péimənt] *n.* **1** [U] 지불, 지급, 납부, 납입: installment ~ = ~ by installment 분할불 / ~ in full [part] 전액[일부] 지급 / ~ in kind 현물 지급 / ~ in advance 전도금 / make a ~ (every month) (매달) 지불하다. **2** [C] 지급 금액. **3** [U] 변상(辨償)(compensation), 변제, 상환. **4** 지불액; 보수, 보상; 보복, 벌⦅*for*⦆: in ~ *for* …에 대한 보수로[보상으로]. **~ *arrangement*** 지급 협정. ***stop*** ~ 지급 불능[파산] 선언을 하다.
páyment bill 〖상업〗 지급 어음.
páyment-in-kínd *n.* ⦅미⦆ (감농(減農) 정책의 하나로 휴경(休耕) 농가에 대하여 보상으로 농민에게 지급하는) 현물(現物) 지급 ⦅생략: PIK⦆.
páy-mìstress *n.* 여성 회계 주임[급료 지급 담당자].
pay·nim [péinim] ⦅고어⦆ *n.* 이교(異教); 이교도⦅특히 회교도⦆; 이교국.
pay·nize [péinaiz] *vt.* (목재 따위에) 방부제를 침투시키다.
páy·òff *n.* [U,C] **1** 급료 지급(일); 이익 분배(의 때); ⦅구어⦆ 이익, 이득; ⦅구어⦆ 증회, 뇌물. **2** ⦅구어⦆ **a** (일체의) 청산, 보복. **b** (뜻밖의) 결말; (사건 등의) 클라이맥스; 결정적 사실[요소]. ── *a.* ⦅구어⦆ 결정적인; (마지막에) 결과를 빚어내는.
páy·òffice *n.* (특히 공채(公債) 이자의) 지급국(局).
páy·òfficer *n.* 〖군사〗 경리 장교.
pay·o·la [peióulə] *n.* ⦅구어⦆ 뇌물⦅노래 따위를 선전해 주도록 disk jockey 등에게 쥐어 주는 돈⦆; 증회, 매수.
páy·òut *n.* **1** 지급(금), 지출(금); 지급 장소: the ~ window 지급 창구. **2** 보복, 징벌.
páyout rátio 배당 성향⦅배당금의 총액을 이익으로 나눈 것⦆.
páy pàcket ⦅영⦆ =PAY ENVELOPE.
páy-per-chánnel *a.* 유료 텔레비전 가입자의 매월 시청료 납부 방식의.
páy-per-víew *a.* 유료 텔레비전 가입자의 시청 프로 수(數)에 따르는 요금 지급 방식의.
páy phòne =PAY STATION.
páy ràise [**rìse**] 임금 인상.
páy resèarch ⦅영⦆ (공무원 승급의) 민간 급여 비교 방식.
páy·ròll *n.* 임금 대장; (종업원의) 급료 총액; 종업원 명부; 종업원 수. ***off the*** ~ 실직하여, 해고되어. ***on the*** ~ ***of*** …에 고용되어.
páyroll tàx 지급 급여세⦅종업원에게 지급된 급여 총액을 기초로 하여 고용주에게 과하는⦆.
pay·sage [péisidʒ, peizáːʒ] *n.* 풍경, ⦅특히⦆ 전원 풍경; 풍경화. ㊞ **páy·sag·ist** *n.*
páy sèttlement 임금 교섭의 타결.
páy shèet ⦅영⦆ =PAYROLL.
páy slìp ⦅영⦆ =PAYSTUB.
páy stàtion 공중전화.
páy·stùb *n.* ⦅미⦆ 급료 명세표.
payt., pay't payment.
páy télephone ⦅미⦆ 공중전화.
páy tòne 〖전화〗 요금 추가 지시를 하는 신호음(音).
páy TV, páy télevision 유료 텔레비전(pay-as-you-see TV).
páy wìng ⦅미속어⦆ 투수의 던지는 쪽의 팔.
pa·zazz [pəzǽz] *n.* =PIZAZZ.
pa(z)·za·za [pəzǽzə] *n.* ⦅미속어⦆ =PIAZZA; 돈(money).
PB 〖물리·군사〗 particle beam(입자빔). **Pb** 〖화학〗 plumbum ⦅L.⦆ (=lead). **P.B.** *Pharmacopoeia Britannica* ⦅L.⦆ (=British Pharmacopoeia); Plymouth Brothers [Brethren]; Prayer Book; Primitive Baptist(s). **PB & J** peanut butter & jelly (sandwich)⦅어린이가 좋아하는 점심 메뉴⦆. **PBB** polybrominated biphenyl. **PBEC** Pacific Basin Economic Council(태평양 경제 위원회). **P.B.I.** ⦅영구어⦆ poor bloody infantry ⦅보병의 뜻⦆. **PBR** price bookvalue ratio(주가 순자산 배율). **PBS** Public Broadcasting Service(공공 방송 프로 제공 협회). **PBW** particle-beam weapon. **PBX, P.B.X.** private branch exchange(구내 교환 전화). **PC** 〖미해군〗 patrol craft; personal computer(개인용 컴퓨터); pocket calculator; 〖화학〗 polycarbonate; portable computer; printed circuit; program counter. **P.C.** Panama Canal; Parish Council(lor); Past Commander; Peace Corps; percent; percentage; ⦅영⦆ Police Constable; Post Commander; ⦅영⦆ Prince Consort; ⦅영⦆ Privy Council(lor); ⦅미⦆ Professional Corporation; ⦅Can.⦆ Progressive Conservative. **pc** parsec. **pc.** piece; price(s). **p.c.** percent; petty cash; postal card; postcard; *post cibum* ⦅L.⦆ (=after meals)⦅처방전 지시⦆; price(s) current. **P/C, p/c** percent; petty cash; prices current. **PCB** poly-

chlorinated biphenyl (폴리 염화 비페닐); 〖컴퓨터〗 printed circuit board (인쇄 회로 기판(基板)).

PC bòard 프린트 배선 기판(基板). [◂ *P*rinted *C*ircuit board]

P.C.C. Parochial Church Council. **PCE** personal consumption expenditure(개인 소비 지출). **p.c.e.** pyrometric cone equivalent.

PCI, P.C.I. *Partito Communista Italiano* 《It.》 (=Italian Communist Party). **PCM** Protein-calorie malnutrition; 〖전자〗 pulse code modulation(펄스 부호 변조).

PCM àudio PCM 방식에 의해 음성 신호를 처리하는 일. [◂ *p*ulse *c*ode *m*odulation audio]

PCMCIA 〖컴퓨터〗 Personal Computer Memory Card Interface Adapter; Personal Computer Memory Card International Association (개인용 컴퓨터 메모리 카드 규격 협회).

P-còde *n.* 〖컴퓨터〗 피 코드《원시 프로그램 코드를 실행 가능한 목적 코드로 만들기 위해 P 코드 번역기를 써서 번역한 코드》.

PCP pentachlorophenol; phencyclidine; pneumocystis pneumonia(면역 손상 폐렴).

PCR polymerase chain reaction(폴리메라아제 연쇄 반응).

PC ràdar 펄스 도플러(pulse-Doppler)형 레이더.

PCS personal communication services; punch(ed) card system. **pcs.** pieces. **PCT** 〖경찰〗 precinct(분서(分署)). **pct.** percent. **PCU** palliative care unit. **P.C.V.** 《미》 Peace Corps Volunteers(평화 봉사단). **Pd** 〖화학〗 palladium. **pd.** paid; pond. **P.D.** 《미》 Police Department; postal district; privatdocent. **P.D., p.d.** *per diem* 《L.》 (=by the day); 〖전기〗 potential difference. **PDA** personal digital assistant; 〖항공〗 predicted drift angle; 《미속어》 public display of affection. **PDB** 〖화학〗 paradichlorobenzene; President's daily briefing《미국 대통령의 매일 아침의 간단한 회의》. **PDF** 〖컴퓨터〗 Portable Document Format. **PDL** 《영》 poverty datum line(빈곤선). **pdl** poundal. **PDP** 〖전자〗 plasma display panel (플라스마 화면 표시판)《방전(放電)에 의한 발광을 이용하여 글자·화상을 표시하는 박형(薄型) 표시 장치》.

PDQ, p.d.q. [pìːdìːkjúː] 《속어》 *ad.* 곧, 즉시. [◂ *p*retty *d*amn *q*uick] — *a.* 몹시 귀여운. [◂ *p*retty *d*amn *c*ute]

PDR, P.D.R. Physicians' Desk Reference (의사용 편람)《약품 리스트가 적힌》. **PDSA** 《영》 People's Dispensary for Sick Animals. **PDT** Pacific Daylight Time.

pe [pei] *n.* 헤브라이어 자모의 17 번째의 글자.

PE 〖화학〗 polyethylene. **P.E.** petroleum engineer(석유 기사); physical education; potential energy; Presiding Elder; printer's error(오식); probable error; professional engineer; Protestant Episcopal. **P/E, p/e** price-earnings.

⁑**pea** [piː] (*pl.* **~s,** 《고어·영방언》 **~se** [piːz]) 〖식물〗 *n.* 완두(콩), 완두 비슷한 콩과 식물: split ~*s* (수프용으로 까서) 말린 완두콩 / shell ~*s* 완두콩의 꼬투리를 까다. **(*as*) *like* 〔*alike*〕 *as two ~s* (*in a pod*)** 흡사한, 꼭 닮은: The twins are (*as*) *like as two ~s* (*in a pod*). 그 쌍둥이는 정말 꼭 닮았다.

péa bràin 《미속어》 바보, 얼간이.

péa-bràined *a.* 《미속어》 어리석은.

†**peace** [piːs] *n.* Ⓤ **1** 평화, 태평: a ~ advocate 평화론자 / in time of ~ 평화시에 / in ~ and war 평시에도 전시에도 / If you want ~, prepare for war. 《격언》 평화를 원한다면 전쟁에 대비하라. **2** (보통 the ~) 치안, 안녕: break 〔keep〕 the ~ 치안을 문란케 하다〔유지하다〕 / the King's 〔Queen's〕 ~ 《영》 국내 치안 / (the) public ~ 치안. **3** (종종 P-) 강화 (조약); 화해, 화친: the *Peace* of Paris 파리 강화 조약 / *Peace* was signed between the two countries. 두 나라 사이에 강화 조약이 조인되었다 / ~ with honor (쌍방에 상처를 주지 않는) 명예로운 화해 / a ~ conference 평화 회의. **4** 평정, 평온, 안심: ~ of mind 〔soul, conscience〕 마음〔영혼, 양심〕의 평정〔편안함〕 / Do let me have a little ~. 잠깐 동안만 방해하지 말아 다오. **5** 정적, 침묵: the ~ of woods 숲의 고요함 / *Peace !* 조용히, 입닥쳐. ***at*** **~** ① 평화롭게; 마음 편히: Her mind is *at* ~. 그녀의 마음은 편안하다. ② 사이좋게《*with*》. ③ 《완곡어》 죽어서. ***be sworn of the*** **~** 보안관으로 임명되다. ***commission of the*** **~** 치안 위원회; 〔집합적〕 판사들. ***hold*** 〔***keep***〕 ***one's*** **~** 잠자코 있다, 항의하지 않다. ***in*** **~** 편안히; 안심하여: live *in* ~ 평온하게 지내다 / Leave me *in* ~. 방해하지 말아 다오. ***let*** **a person *go in*** **~** 아무를 방면(放免)하다. ***make*** **~** 화해하다; 강화하다《*with*》. ***make one's*** **~ *with*** …와 화해〔사화〕하다. ***Man of Peace*** 그리스도. **~ *and quiet*** (소란 후 따위의) 정적. **~ *at any price*** (특히 영국 의회에서의) 절대 평화주의. ***Peace be with you !*** 평안하기를 비네. ***Peace to* his** 〔**her**〕 ***ashes*** 〔***memory, soul***〕***!*** 영혼이여 고이 잠드소서. ***swear the*** **~ *against*** **a person** 〖법률〗 아무가 자기를 가해〔살해〕할 우려가 있다고 선서하고 보호를 호소하다.

°**peace·a·ble** [píːsəbəl] *a.* 평화로운, 태평한, 평온한; 평화를 좋아하는, 얌전한, 온순한. ㊞ **-bly** *ad.* 평화롭게. **~·ness** *n.*

péace·brèaker *n.* 평화〔치안〕 파괴자.

péace càmp 피스 캠프《핵병기 반대를 내세워 미군 기지 부근에 설치된 평화 운동가들의 장기 캠프》.

Péace Còrps (the ~) 평화 봉사단.

péace dìvidend 평화 배당금《군사비 삭감에 따라 복지 따위로 돌릴 수 있게 된 정부 자금》.

péace dòve 《구어》 공직자 중의 평화주의자, 비둘기파 의원.

péace estàblishment 〖군사〗 평시 편성.

péace fèeler (외교 루트를 통한) 평화 협상 타진.

peace·fest [píːsfèst] *n.* 《미구어》 평화〔강화(講和)〕 회의.

péace fòoting (군대의) 평시 편성〔편제〕, 평시 체제. OPP *war footing.*

⁑**peace·ful** [píːsfəl] *a.* **1** 평화로운, 태평한; 평화적인; 평화를 애호하는《국민 따위》. OPP *warlike.* ¶ ~ settlement of the dispute 쟁의의 평화적 해결 / ~ picketing 파업 방해에 대한 감시 / ~ uses of …의 평화(적) 이용. **2** 평온한, 온화한; 조용한; 편안한; 온건한: ~ disposition 온건한 성질 / ~ death 자는 듯한 죽음 / ~ landscape 고요한 풍경. ㊞ °**~·ly** *ad.* **~·ness** *n.*

péaceful coexístence 평화 공존.

péace·kèeper *n.* 조정자, 중재인; 평화 유지군; (P-) 〖미군사〗 차기 주력 대륙 간 탄도탄 MX의 애칭.

péace·kèeping *n.* 평화 유지《특히 적대국 간의 휴전 상태를 국제적 감시에 의해 유지하는 일》. — *a.* 평화 유지의: a ~ force 평화 유지군.

péace-lòving *a.* 평화를 사랑하는.

péace·màker *n.* **1** 조정자〔단〕, 중재인; 평화 조약 조인자. **2** 《우스개》 평화를 지키는 도구《권총·군함 따위》; 《미완곡어》 권총(revolver).

péace·màking *n., a.* Ⓤ 조정(의), 중재(의), 화해(하는).

péace màrcher 평화 행진에 참가하는 사람.
péace·mònger *n.* 《경멸》 (굴욕적) 평화론자.
péace mòvement 평화 운동 단체〔조직〕.
peace·nik [píːsnik] *n.* 《미속어》 평화 운동가, 평화 데모꾼(狂); 반전 운동가.
péace offènsive 평화 공세.
péace òffering **1** 〖유대교〗 화목제(和睦祭)의 희생 제물. **2** 화해〔화평〕의 선물.
péace òfficer 보안〔치안〕관; 경찰관.
péace pìpe =CALUMET.
péace pròcess 평화 교섭.
péace sìgn **1** 평화의 표시로 손가락으로 나타내는 V사인. **2** =PEACE SYMBOL.
péace sỳmbol 평화의 표지《*Nuclear Disarmament*의 두문자(頭文字)의 수기(手旗)신호를 도안한 ☮의 표지》.
péace·tìme *n.*, *a.* 평시(의). opp. *wartime.* ¶ ~ industries 평화 산업.
péace wòmen 《영》 핵병기 반대 여성 항의 집단.
*‡***peach**[1] [piːtʃ] *n.* **1** 〖식물〗 복숭아, 복숭아나무(~ tree). **2** Ⓤ 복숭앗빛, 노란빛이 도는 핑크색. **3** 《구어》 훌륭한〔멋진〕 사람〔것〕, 예쁜 소녀: a ~ of a cook 훌륭한 요리사. **—** *a.* 복숭앗빛의.
peach[2] *vi.* 《속어》 밀고〔고발〕하다《*against; on, upon*》.
péach·blòom, -blòw *n.* Ⓤ 자홍색; 누르스름한 핑크색; 자홍색 유약《도기용》.
péach brándy 복숭아즙으로 만든 브랜디.
péaches-and-créam [-ənd-] *a.* (얼굴이) 혈색이 좋고 매끄러운; 《속어》 근사한.
péa·chìck *n.* 새끼 공작.
péach Mélba =PÊCHE MELBA.
peachy [píːtʃi] (*peach·i·er; -i·est*) *a.* 복숭아 같은; 복숭앗빛의《볼 따위》; 《구어》〖반어적〗 훌륭한, 멋진; 멋쟁이의. ⊞ **péach·i·ness** *n.*
*****pea·cock** [píːkɑ̀k/-kɔ̀k] (*pl.* **~s,** 〖집합적〗 **~**) *n.* **1** 〖조류〗 공작《특히 수컷; 암컷은 peahen》, =PEAFOWL. **2** (the P-) 〖천문〗 공작자리(Pavo). **3** 걸치레꾼. ***play the*** **~** 뽐내다, 으스대다. **—** *vt.* 〖~ oneself〗 뽐내다, 허세〔허영〕부리다; 성장(盛裝)하다. **—** *vi.* 의기양양하게 걷다, 거만하게 굴다, 허세를 부리다. ⊞ **~·ery** *n.* 허세, 허영, 멋부림. **~·ish, ~·like** *a.* 공작새 같은, 허세부리는.
péacock blúe 광택 있는 녹색을 띤 청색; 그 인쇄 잉크용 안료(顔料).
péacock òre 〖광물〗 =BORNITE.
péa cràb 〖동물〗 속살이.
pea·fowl [píːfàul] *n.* 공작《암수 모두》.
peag(e) [piːg] *n.* =WAMPUM.
péa gréen 연둣빛, 연녹색.
pea·hen [píːhèn] *n.* 공작의 암컷.
péa jàcket (선원 등이 입는) 두꺼운 더블의 모직 상의.
*‡***peak**[1] [piːk] *n.* **1** (뾰족한) 끝, 첨단: the ~ of a beard 수염의 끝/the ~ of a roof 지붕의 꼭대기. **2** (뾰족한) 산꼭대기, 봉우리; 고봉(高峰): the highest ~ of …의 최고봉. **3** 절정, 최고점: the ~ of happiness 행복의 절정/Traffic reaches the ~ about 5 o'clock. 교통량은 5시 경에 피크에 달한다. **4** 돌출부; (군모 등의) 앞챙. **5** 〖해사〗 종범(縱帆)의 상외단(上外端); 비낀 활대의 상외단; 이물〔고물〕의 좁고 뾰족한 부분; 닻혀. **6** 〖전기·기계〗 피크《급격한 부분적 증량의 최(最)상승점》: a voltage ~ 피크 전압. **7** 갑(岬), 곶. ***the*** **~** ***of the load*** 〖철도〗 일정 기간 중 운반하는 최대량; 〖전기〗 절정 하중(荷重). **—** *vt.* **1** 최고도〔지점〕까지 올리다. **2** 〖해사〗 (노·활대 따위를) 꼿꼿이〔세로로〕 세우다; (고래가 꼬리를) 쳐들다. **—** *vi.* 뾰족해지다, 우뚝 솟다; 최고점〔한도〕에 달하다, 절정이 되다; (고래가) 꼬리를 쳐들다.
peak[2] *vi.* 여위다, 살이 빠지다. **~** ***and pine*** (상사병 따위로) 수척해지다.
peaked[1] [piːkt, píːkid/piːkt] *a.* 앞챙이 있는; 뾰족한, 봉우리를 이루는: a ~ cap 헌팅 캡. ⊞ **~·ness** *n.*
peak·ed[2] [píːkid/piːkt] *a.* (병으로) 야윈, 수척한.
péak expérience (성인(聖人) 등의) 지고(至高) 체험《신비적인 체험, 계시 따위》.
péak-frésh *a.* 제철의, 한창때의《과일·채소 따위》.
péak·ing *n.* 《속어》 마약의 효과가 정점에 달함.
péak lòad (발전소 따위의) 피크 부하(負荷), 절정(絶頂) 부하; 〖일반적〗 일정 기간 내의 최대(수송·교통)량.
péak shàving 천연 액화 가스의 피크시(時)의 공급.
péak tíme 피크 타임《텔레비전 방송 등 특정의 서비스에 대하여 수요가 최대로 되는 시간》; (텔레비전의) 골든 아워(prime time).
peaky[1] [píːki] (*peak·i·er; -i·est*) *a.* 봉우리가 있는〔많은〕; 봉우리를 이룬; 봉우리 같은, 뾰족한.
peaky[2] (*peak·i·er; -i·est*) *a.* 《구어》 수척한, 야윈; 병약한.
*◇***peal** [piːl] *n.* **1** (종의) 울림; (천둥·포성 따위의) 울리는 소리: ~*s* of laughter 와 하고 터지는 웃음소리/a ~ of thunder 천둥소리. **2** (음악적으로 음률을 맞춘) 한 벌의 종, 그 종의 주명악(奏鳴樂). ***in*** **~** (종소리가) 음률을 맞추어. **—** *vt.* 《~+목/+목+부》 (종 따위를) 울리다《*out; forth*》; (웃음·박수 따위를) 울려 퍼지게 하다; (명성 따위를) 떨치다; (소문 따위를) 퍼뜨리다《*out*》: ~ (*out*) a bell/~ one's fame. **—** *vi.* 《~/+부》 울리다, 울려 퍼지다《*out*》.
péa·lìke *a.* (모양·단단함 따위가) 완두콩 같은; (꽃이 화려한) 나비 모양을 한.
pe·an [píːən] *n.* =PAEAN.
*****pea·nut** [píːnʌ̀t] *n.* **1** 〖식물〗 땅콩, 낙화생. **2** 《속어》 하찮은 사람; (*pl.*) 하찮은 것; (*pl.*) 《속어》 아주 적은 액수, 푼돈. **—** *a.* 《속어》 하찮은.
péanut bùtter 땅콩버터. ***have*** **~** ***in*** one's ***ears*** 《CB속어》 무선을 듣고 있지 않다.
péanut gàllery 《미구어》 (극장의) 제일 싼 자리《최상층 맨 뒤의 좌석》.
péanut òil 땅콩 기름.
péanut wàgon 《미속어》 대형 트레일러를 끄는 작은 트럭.
péa pàtch 콩밭. ***tear up the*** **~** 《미속어》 난폭하게 굴다.
pea·pod [píːpɑ̀d/-pɔ̀d] *n.* 완두콩의 꼬투리 모양의 낚싯배.
*‡***pear** [pεər] *n.* 〖식물〗 서양배; 서양배나무.
péar dròp 서양배 모양의 펜던트; 서양배 모양(으로 서양배 향내가 나는) 캔디.
*‡***pearl**[1] [pəːrl] *n.* **1** 진주; (*pl.*) 진주 목걸이: an artificial 〔a false, an imitation〕 ~ 모조 진주/a cultured ~ 양식 진주/a rope of ~*s* 한 줄로 꿰 이은 진주. **2** 진주층(層), 진주모(母)(mother-of-~), 자개; 진줏(조갯)빛(~ blue). **3** 귀중한 물건, 일품; 정화(精華), 전형(典型): ~*s* of wisdom 현명한 충고, 금언(金言). **4** 진주 비슷한 것《이슬·눈물·흰 이 따위》; (철·석탄 따위의) 작은 알맹이; 〖인쇄〗 펄형 활자《5 포인트》. **5** 〖의학〗 백내장(白內障). ***cast*** 〔***throw***〕 **~*s before swine*** 〖성서〗 돼지에게 진주를 던지다《마태복음 VII: 6》.
— *a.* **1** 진주의〔로 만든〕; 진주를 박은. **2** 진주색〔모양〕의. **3** 작은 알갱이의: ~ tapioca 타피오카 알갱이.
— *vt.* **1** 진주로 장식하다, …에 진주를 박아넣다. **2** 《+목+전+명》 (진주 모양의 작은 구슬을) …에 흩뿌리다《*with*》: the trees ~*ed with* evening dew 밤 이슬로 반짝이는 나무들. **3** 《~+목/+목+전+명》 진주 모양〔빛깔〕이 되게 하다: the distant hills blue and ~*ed with*

clouds 구름에 가려 진줏빛으로 물든 파란 먼 산들. **4** (보리 따위를) 대끼다, 정백(精白)하다. **—** *vi.* **1** 진주 모양〔빛〕같이 되다; 구슬이 되다: The sweats ~*ed* on the face. 땀이 얼굴에 구슬졌다. **2** 진주를 캐다.

pearl² *vt., vi., n.* =PURL¹.

péarl àsh 〖화학〗 진주회(灰)《목탄에서 채취한 조제(粗製) 탄산칼륨》.

péarl bàrley 정맥(精麥)《작은 알로 대낀》.

péarl blúe 진줏빛《광택 있는 엷은 회청색》.

péarl bútton 진주조개로 만든 단추, 자개단추.

péarl dìver 진주조개를 캐는 잠수부(pearl fisher); 《속어》 접시닦이.

péarled *a.* **1** 진주로 꾸민〔를 박은〕. **2** (진주 같은) 구슬이 된; 진줏빛의, 진줏빛〔진주 광택〕을 띤.

péarl·er *n.* 진주조개 채취인〔배〕; 《Austral.구어》 월등히 좋은 것. 「는.

pearl·es·cent [pərlésənt] *a.* 진주 광택이 나

péarl èssence 진주정(精).

péarl fisher 진주조개 채취인(pearl diver).

péarl fishery =PEARL FISHING; 진주조개 채취

péarl fishing 진주조개 채취(업). 　　　 ⌊장(場).

péarl gráy 진주색《푸른 빛을 띤 회백색》.

Péarl Hárbor 펄 하버, 진주만《Hawaii의 Oahu섬 남안에 있는 군항》; 진주만적인 대기습.

pearl·ies [pə́ːrliz] *n. pl.* 《영》 자개 단추; 자개 단추 달린 옷《행상인 등이 입은》.

pearl·ite [pə́ːrlait] *n.* 〖야금〗 펄라이트《페라이트(ferrite)와 시멘타이트(cementite)의 공석정(共析晶) 조직》; =PERLITE.

péarl làmp 〔**bùlb**〕 젖빛 전구.

pearl·ized [pə́ːrlàizd] *a.* 진주처럼 광택을 낸.

péarl ònion 아주 작은〔진주만한〕 양파《요리에

péarl òyster 〔**shèll**〕 진주조개. 　　 ⌊곁들임》.

Péarl Ríver (the ~) **1** (중국의) 주장 강(珠江 =Zhu Jiang). **2** 펄 강《Mississippi강 중류에서 분기하여 멕시코 만으로 흐르는》.

péarl spàr 〖광물〗 진주 광택이 있는 백운석(白雲石)의 일종. 　　　　　　　「도자기》.

péarl·wàre *n.* 펄웨어《흰 바탕에 광택이 나는

péarl wédding 진주혼식《결혼 30주년 기념》.

péarl whíte (진주정(精)·진주층(層) 따위 인조 진주 제조에 쓰이는) 진주 광택의 물질; 아질산(亞窒酸) 비스무트; 연백(pearl powder); 진줏빛; 진주처럼 흰.

péarl-wòrt *n.* 〖식물〗 개미자리《총칭》.

°**pearly** (***pearl·i·er; -i·est***) *a.* 진주 같은〔모양의〕; 진주색의; 진주로 꾸민; 진주가 생기는〔많은〕. **—** *n.* 《영》 (*pl.*) 진주조개 단추가 달린 옷《행상인용》, (그 옷을 입은) 행상인. ㊞ **péarl·i·ness** *n.*

Pèarly Gátes (종종 the ~) 《우스개·구어》 천국의 문, 진주의 문《천국의 12의 문》: I'll meet you at the ~. 저 세상에서 만나세.

pearly kíng 《영》 진주조개 단추가 달린 옷(pearly)을 입은 London의 떠돌이 행상.

pearly náutilus 〖패류〗 앵무조개.

pearly quéen 《영》 pearly king의 아내.

pearly whíte 진주처럼 희고 광택 있는(색 따위); (복수) 《속어》 (새하얀) 이〔齒〕.

pear·main [pέərmein] *n.* 사과의 일종.

péar-shàped [-t] *a.* **1** 서양배 모양의. **2** (목소리가) 부드럽고 풍부한, 낭랑한.

Pear·son [píərsn] *n.* **Lester Bowles** ~ 피어슨《캐나다의 정치가; 노벨 평화상 수상(1957); 1897-1972》.

peart [piərt] *a.* 《미방언》 건전한, 활발한, 쾌활한; 똑똑한(clever)《pert의 전화(轉化)》.

péar·wòod *n.* 서양배나무 목재《장식품·소형 가구·악기용》.

°**peas·ant** [pézənt] *n.* **1** 농부, 소작농, 농군. ⓒⓕ.

farmer. **2** 《구어》 시골뜨기, 촌사람. **—** *a.* 소작농〔농민〕의; 시골뜨기의: a ~ girl 시골 소녀 / ~ folk 소농민.

Péasant Bárd (the ~) 농민 시인《스코틀랜드의 시인 Robert Burns의 속칭》.

péasant propríetor 소자작농(小自作農).

°**peas·ant·ry** [pézəntri] *n.* Ⓤ **1** (보통 the ~) 〖집합적〗 농민; 소작농, 소작인 계급; 농민〔소작인〕의 지위〔신분〕. **2** 시골티, 무무(貿貿)함.

pease [piːz] 《고어·영방언》 **1** (*pl.* ~) 완두콩(pea): ~ meal 완두콩의 굵은 가루. **2** PEA의 복수. 　　　　　　　　「꼬투리(peapod).

peas(e)·cod [píːzkɑ̀d/-kɔ̀d] *n.* 《고어》 완두

péase pùdding 《영》 콩가루 푸딩.

péa·shòoter *n.* 콩알총《장난감》; 《속어》 소구경(小口徑) 권총; 《미속어》 추격기〔전투기〕 조종사. 　　　　　　　　　「=PEASOUPER 1.

péa sòup (특히 말린) 완두 수프; 《구어》

péa-sòuper *n.* **1** 《구어》 (특히 런던의) 황색의 짙은 안개. **2** 《Can.비어》 프랑스계 캐나다인. ㊞ **péa-sòupy** *a.* 《구어》 (안개가) 누르고 짙은.

peat¹ [piːt] *n.* Ⓤ 토탄(土炭); Ⓒ 토탄 덩어리《연료용》. 　　　「스러운 여자, 쾌활한 여자.

peat² *n.* 《고어·경멸》 여자; 《폐어·호칭》 사랑

péat béd 〔**bóg**〕 토탄 늪, 토탄지(土炭地).

peat·ery [píːtəri] *n.* Ⓤ 토탄(산)지, 토탄 늪.

péat hàg 토탄(매장)지.

péat mòor =PEAT BOG.

péat mòss (토탄보다 탄화도가 낮은) 초탄(草炭); 《특히》 물이끼; 《영》 =PEAT BOG.

péat-rèek *n.* Ⓤ 토탄이 타는 연기; (맥아 건조에 토탄을 연료로 하여 만든) 스카치위스키(의 특유한 향기).

peaty [píːti] *a.* 토탄질의; 토탄이 많은.

pea·v(e)y [píːvi] (*pl.* ***-veys, -vies***) *n.* 《미》 갈고랑 장대《통나무를 움직이는 데 쓰는》.

péa wèevil 〖곤충〗 콩바구미.

peb·ble** [pébəl] *n.* **1** (물흐름의 작용으로 둥글게 된) 조약돌, 자갈(pebblestone): There are plenty of other ~*s* on the beach 〔shore〕. 《속담》 해변에는 더 많은 조약돌이 있다《기회는 얼마든지 있다》. **2** 수정; 수정으로 만든 렌즈; 두꺼운 안경 렌즈. **3** 마노(瑪瑙). **4** Ⓤ (가죽·종이 따위의) 돌결 무늬, 돌결 무늬가 있는 가죽(=∠ **lèather**). **5** =PEBBLEWARE. ***be not the only ~ ***on the beach*** 수많은 것 중의 하나에 불과하다, 달리 사람이 없는 것은 아니다《과시〔비관〕할 것 없다》. **—** *vt.* **1** …의 겉을 도톨도톨하게 하다. **2** …에 조약돌을 던지다, 작은 돌로 치다; 자갈로 덮다, 자갈로 포장하다.

pébble dàsh 〖건축〗 (외벽의 모르타르가 마르기 전에 하는) 잔돌붙임 마무리.

pébble·stòne *n.* Ⓤ,Ⓒ 조약돌.

pébble·wàre *n.* Ⓤ 여러 색의 도토를 섞어 만든 오지그릇《표면에 얼룩이 있음》.

peb·bly [pébli] (***peb·bli·er; -bli·est***) *a.* 자갈이 많은, 자갈투성이의. 　　「미립자병(微粒子病).

péb·rine [peibríːn] *n.* 《F.》 Ⓤ (누에 따위의)

pec [pek] *n.* 《구어》 =PECTORAL MUSCLE.

PEC, p.e.c. photoelectric cell.

pe·can [pikɑ́ːn, -kǽn, píːkæn/pikǽn] *n.* 〖식물〗 피칸《북아메리카산(産) 호두나무의 일종》; 그 열매《식용》; 그 재목.

pec·ca·ble [pékəbəl] *a.* 죄를 범하기 쉬운; 잘못을 저지르기 쉬운. ㊞ **pèc·ca·bíl·i·ty** *n.* Ⓤ

pec·ca·dil·lo [pèkədílou] (*pl.* ~**(e)s**) *n.* 가벼운 죄, 조그마한 과오; 작은 결점.

pec·cant [pékənt] *a.* 죄가 있는, 죄를 범하는; 사악한, 타락한; 그릇된; 〖의학〗 병적인; 병원(病

原)이 되는. [파] **~·ly** *ad.* **péc·can·cy** *n.* [C] 죄; 죄과; [U] 〖의학〗 병적임.

pec·ca·ry [pékəri] (*pl.* ***-ries,*** 〖집합적〗 ~) *n.* 〖동물〗 멧돼지류《열대 아메리카산(産)》.

pec·ca·to·pho·bia [pəkèitəfóubiə] *n.* 〖정신의학〗 죄악 공포(증).

pec·ca·vi [pekéivai, -kɑ́:vi:/-kɑ́:vi] *n.* 《L.》 참회, 죄의 승인〔고백〕. ***cry*** ~ 죄를 자백하다, 참회하다.

pêche Mel·ba [pí:tʃmélbə, péʃ-] 《F.》 피치 멜바(peach Melba)《아이스크림에 복숭아를 얹어 시럽을 뿌린 것》.

⁑**peck**[1] [pek] *vt.* **1** 《~+[목]/+[목]+[부]》 (부리로) 쪼다, 쪼아먹다, 주워먹다《*up*》: ~ corn (*out*) 낟알을 쪼아먹다. **2** 《+[목]+[전]+[명]》 (구멍 따위를) 쪼아 파다《*in*》; (새가 부리로) 쪼아 내다《*off; out of*》: ~ a hole *in* a tree 나무에 구멍을 쪼아 파다 / The bird ~*ed* seeds *off* the bird table 〔*out of* the tray〕. 그 새는 모이 그릇〔접시〕의 열매를 쪼아먹었다. **3** 《구어》 조금씩〔맛없다는 듯〕 먹다. **4** 《+[목]+[전]+[명]》 《구어》 급히〔형식적으로〕 입을 맞추다: She ~*ed* me *on* the cheek. 그녀는 내 볼에 형식적으로 입 맞췄다. **5** 《+[목]+[부]》 (피아노·타자기의 키 따위를) 두드리다 《*out*》: She ~*ed out* the orders on the typewriter. 그녀는 타자기로 주문서를 쳤다. **—** *vi.* 《~/+[전]+[명]》 **1** 쪼다《*at*》. **2** (쪼아먹듯이) 조금씩 먹다《*at*》: ~ *at* one's food. **3** 흠을 잡다, 귀찮게 잔소리하다《*at*》; 달달 들볶다《*at*》. **—** *n.* **1** 쪼기, 쪼아먹음: give a ~ 쪼아먹다. **2** 쪼아서 생긴 구멍〔흠〕. **3** 《구어》 (내키지 않는) 가벼운 키스. **4** 《속어》 음식물, 먹이, 모이. **5** 《미속어》 백인.

peck[2] *n.* **1** 펙《영국에서는 9.092 리터; 미국에서는 8.81 리터》. **2** 1 펙짜리 되. **3** 많음《*of*》: a ~ *of* troubles 많은 귀찮은 일 / He's a ~ *of* fun. 무척 재미있는 사람이다.

peck[3] *vt., vi.* 《속어》 (돌 따위를) 던지다《*at*》. **—** *n.* (돌 따위를) 던지기.

péck·er *n.* **1** 쪼는 새; 딱따구리(woodpecker). **2** 곡괭이류. **3** 코, 부리; [U] 《영구어》 활기(活氣). **4** 《속어》 자지. ***Keep your ~ up.*** 《영구어》 기운을 잃지 마라. ***put*** 〔***get***〕 a person***'s ~ up*** 《영구어》 아무의 신경을 건드리다, 아무를 불쾌하게 하다; 《속어》 발기(勃起)시키다.

pécker-chècker *n.* 《미속어》 비뇨기과 의사, (성병 검사를 위해) 남성기를 조사하는 의사.

pécker·wòod 《미속어》 *n.* 딱따구리; (남부의) 가난한〔시골뜨기〕 백인.

péck(ing) òrder (새의) 쪼는 순위; 사회적 서열, 계층 (조직).

peck·ish [pékiʃ] *a.* 《영구어》 배가 좀 고픈; 《미구어》 성마른. [파] **~·ly** *ad.* **~·ness** *n.*

Péck's Bád Bóy 《미》 무모한 사람, 지랄쟁이, 악동《미국의 작가 G.W. Peck의 *Peck's Bad Boy and His Pa*에서》.

Peck·sniff [péksnif] *n.* 위선자《Dickens의 소설 *Martin Chuzzlewit* 중의 인물 이름에서》. [파] **Peck·sníff·i·an** [-iən] *a.* 위선적인.

pécky *a.* (재목 따위가) 오래되어 반점이 생긴, 얼룩이 진; (곡물이) 얼룩이 진〔쭈그러진〕 알이 섞여 있는.

pec·tase [pékteis/-teiz] *n.* [U] 〖생화학〗 펙타아제《응결 작용 효소; 익은 과실에서 얻어짐》.

pec·tate [pékteit] *n.* 〖화학〗 펙틴산염(酸塩).

pec·ten [péktən] (*pl.* ***-ti·nes*** [-tənì:z], **~s**) *n.* 〖동물〗 빗 모양의 돌기, 즐막(櫛膜), 즐판(櫛板); 〖해부〗 치골(恥骨); 〖패류〗 가리비.

pec·tic [péktik] *a.* 펙틴(pectin)의: ~ acid 펙틴산(酸).

pec·tin [péktin] *n.* [U] 〖생화학〗 펙틴.

pec·ti·nate, -nat·ed [péktənèit], [-id] *a.* 빗살 모양의. [파] **pèc·ti·ná·tion** *n.* [U] 빗살 모양(의 구조); 빗질.

pec·to·ral [péktərəl] *a.* 가슴의, 흉근(胸筋)의; 가슴에 다는; 주관적인; 폐병의〔에 듣는〕. **—** *n.* 가슴 장식《특히 유대 고위 성직자의》; 가슴받이; 폐병약〔요법〕; =PECTORAL CROSS; 〖동물〗 가슴지느러미; 흉근(胸筋).

péctoral cróss (감독·주교 등의) 패용(佩用) 십자가.

péctoral fín 〖어류〗 가슴지느러미.

péctoral múscle 〖해부〗 흉근(胸筋).

pec·tose [péktous] *n.* [U] 〖생화학〗 펙토오제《덜 익은 과일에 함유되는 다당류의 일종》.

pec·u·late [pékjəlèit] *vi., vt.* (공금·위탁금을) 잘라 쓰다, 써 버리다; (위탁품을) 횡령하다. [파] **pèc·u·lá·tion** *n.* [U,C] 공금·위탁금 횡령, 관물(官物)·위탁물 사용(私用). **péc·u·là·tor** [-ər] *n.* 공금 사용자(私用者), 위탁금 횡령자; 관물 사용(私用)자.

⁑**pe·cu·liar** [pikjú:ljər] *a.* **1** 독특한, 고유의, 달리 없는, 독자의, 특유한《*to*》. [cf.] singular. ¶ Every society has its own ~ customs. 어느 사회에나 고유의 관습이 있다 / an expression ~ *to* Canadians 캐나다인 특유의 표현 / ~ velocity (은하(銀河)의) 고유 속도. **2** 특별한; 두드러진. [cf.] particular. ¶ a matter of ~ interest to us 우리에게 특별히 흥미 있는 일 / She has a ~ talent for lying. 그녀는 거짓말하는 데 특별한 재능이 있다. **3** 기묘한, 괴상한, 색다른, 별난: a ~ flavor 묘한〔색다른〕 맛 / a ~ fellow 괴짜 / There is something ~ about her. 그녀에게는 어딘지 별난 데가 있다. [SYN.] ⇨STRANGE. **4** 《구어》 기분이 좋지 않은. **—** *n.* **1** 사유 재산, 특권. **2** (다른 관구의 감독 지배 아래의) 특수 교구〔교회〕. **3** Peculiar People 파 사람.

pecúliar gálaxy 〖천문〗 특이(特異) 은하《이상한 모양의 은하》.

pecúliar institútion (the ~) 〖미국사〗 흑인 노예 제도(Negro slavery)《특히 남부 특유의》.

***pe·cu·li·ar·i·ty** [pikjù:liǽrəti] *n.* **1** [U] 특색, 특수성; 특권. **2** [C] 기묘, 이상. **3** [C] 버릇, 기습(奇習): *peculiarities* of speech 〔dress, behavior〕 말씨〔옷차림, 행동〕의 버릇.

°**pe·cú·liar·ly** *ad.* **1** 특(별)히: be ~ sensitive to smell 냄새에 특별히 민감하다 / a ~ interesting book 특히 재미나는 책. **2** 개인적으로. **3** 기묘하게: behave ~ 기묘한 행동을 하다.

pecúliar péople 1 (the ~) (선민(選民)으로서의) 유대인《신명기 XIV: 2》. **2** (the P- P-) 기도와 도유(塗油)로써 치병된다고 믿은 프로테스탄트의 한 파《1838년 영국에서 창시》.

pe·cu·li·um [pikjù:liəm] *n.* 사유 재산; 〖로마법〗 (노예·아내·아이들에게 주었던) 개인 재산.

pe·cu·ni·ar·i·ly [pikjù:niérəli/-kjú:niər-] *ad.* 금전에 관하여, 금전상.

°**pe·cu·ni·ary** [pikjú:nièri/-niəri] *a.* **1** 금전(상)의, 재정상의: ~ assistance 금전상의 원조 / ~ considerations 금전의 보수 / ~ embarrassment 재정 곤란. **2** 벌금을 물려야 할: a ~ offense 벌금형.

pecúniary advántage 〖법률〗 (부정한) 금전상의 이익.

ped [ped] *n.* 페드《자연의 토양 생성 과정에서 형성된 입자의 집합체》.

ped-[1] [péd, pí:d], **ped·i-** [pédi, pí:di] '발'의 뜻의 결합사.

ped-[2] [pèd], **ped·o-** [pédou, -də] '토양'의 뜻의 결합사.

ped-[3] ⇨PAED-.

-ped [pèd, pəd/pèd], **-pede** [pi:d] '…의 발을 가진 (생물)'의 뜻의 명사를 만드는 결합사: quadru*ped*.

ped. pedal; pedestal; pedestrian.

ped·a·gog·ic, -i·cal [pèdəgɑ́dʒik, -góudʒ-/

-gɔ́dʒ-], [-əl] *a.* 교육학적인, 교육학상의; 교수법의; 현학적(衒學的)인(pedantic), 학자연하는. ㊕ **-i·cal·ly** *ad.* 교육학상, 교육상.

pèd·a·góg·ics *n. pl.* 〖단수취급〗 교육학, 교수법(pedagogy).

ped·a·gogue, 《미》 **-gog** [pédəgɑ̀g, -gɔ̀ːg/-gɔ̀g] *n.* 교사, 교육자; 《경멸》 아는 체하는 사람, 현학자(衒學者). ㊕ **péd·a·gòg(u)·ism** [-izəm] *n.* Ⓤ 교사 기질, 선생인 체함; 현학(衒學).

ped·a·go·gy [pédəgòudʒi, -gɑ̀dʒi/-gɔ̀dʒi] *n.* Ⓤ 교육학, 교수법(pedagogics); 교육; 교직.

*__ped·al__ [pédl] *n.* **1** 페달, 발판《자전거·재봉틀 따위의》. **2** 〖음악〗 페달《피아노·오르간 따위의》; (파이프오르간의) 발로 밟는 건반; =PEDAL POINT. **3** 〖수학〗 수족선〔면〕(垂足線〔面〕). ― *a.* **1** 페달의; 〖수학〗 수족선의: a ~ curve 〔surface〕 수족〔페달〕 곡선〔면〕. **2** 〖동물·해부〗 발의: ~ power 발의 힘/~ extremities 발. ― (*-l-*, 《영》 *-ll-*) *vi.* 《~/+부/+전+명》 페달을 밟다; 페달을 밟아서 가다: He ~*ed off on* his bicycle. 자전거를 타고 사라졌다/~ *along* (the road) 자전거로 (길을) 달리다. ― *vt.* 《~+목/+목+부/+목+전+명》 (…의) 페달을 밟다; 페달을 밟아서 나아가게〔움직이게〕 하다: I ~*ed* my bicycle *up* (the hill). 자전거 페달을 밟아 (언덕을) 올라갔다.

pédal bìn (페달로 뚜껑을 여닫는) 휴지통.

pédal bòat =PEDA(L)LO.

pédal cỳcle 자전거(bicycle).

péd·al·er *n.* 《구어》 자전거 이용자.

pe·dal·fer [pidǽlfər] *n.* Ⓤ 〖지학〗 페달퍼《습윤(濕潤)한 지방의 철과 알루미나가 풍부한 토양》.

ped·a(l)·lo [pédəlòu] (*pl.* ~(*e*)*s*) *n.* 수상 자전거《오락용의 페달 추진식 보트〔뗏목〕》.

pédal-nòte *n.* 〖음악〗 페달 음《금관 악기의 최하 음역의 음》.

pédal pòint 〖음악〗 (최저음(最低音)의) 지속음, 페달음(音)《페달을 밟고 있는 동안의》.

pédal pùshers 여성의 스포츠용 짧은 바지《원래 자전거용》.

pédal stéel (guitàr) 페달 스틸 기타《페달로 조현(調絃)을 바꾸는 방식의 전기식 스틸 기타》.

ped·ant [pédənt] *n.* 학자연하는 사람, 현학자; 공론가; 《고어》 교사.

°**pe·dan·tic, -ti·cal** [pidǽntik], [-əl] *a.* 아는 체하는, 학자연하는, 현학적인. ㊕ **-ti·cal·ly** *ad.*

ped·an·toc·ra·cy [pèdəntɑ́krəsi/-tɔ́k-] *n.* 현학자(衒學者)들에 의한 지배; (지배자로서의) 현학자들.

ped·ant·ry [pédəntri] *n.* Ⓤ 학자연함, 아는 체함, 현학; 규칙·학설·선례 따위에 얽매임.

ped·ate [pédeit] *a.* 〖동물〗 발이 있는; 발 모양의; 〖식물〗 새발 모양의《잎》.

ped·dle [pédl] *vt.* 행상하다, 도부치다; 소매하다; (생각·계획 등을) 강요하려 들다; (지껄여) 퍼뜨리다《소문 등을》; (마약을) 밀매하다. ― *vi.* 도부치다; (하찮은 일에) 구애되다〔안달하다〕, 시간을 허비하다《*with*》. ~ ***out*** 《미속어》 고물상(古物商)에 내다 팔다. ~ one*'s ass* 《속어》 매춘(賣春)하다. ~ one*'s papers* 《미속어》 〖종종 명령형〗 쓸데없는 참견을 하지 않다.

°**ped·dler** [pédlər] *n.* 행상인; 마약 판매인; (소문 등을) 퍼뜨리는 사람; 《미속어》 역마다 정거하는 화물 열차. 「굴퉁이.

ped·dlery [pédləri] *n.* 행상; 행상품; 《비유》

ped·dling [pédliŋ] *a.* 행상의, 도부치는; 하찮은, 시시한《사물 등》; 하찮은 일에 안달하는《사람》. ― *n.* Ⓤ 행상.

-pede ⇨ -PED.

ped·er·ast [pédəræ̀st, píːd-] *n.* 남색꾼, 계간자. ㊕ **pèd·er·ás·tic** *a.* **péd·er·às·ty** [-ti] *n.* Ⓤ

(특히 소년을 상대로 하는) 남색, 항문 성교.

ped·es·tal [pédəstl] *n.* **1 a** (조상(彫像) 따위의) 주춧대, 대좌(臺座). **b** 주각(柱脚), (플로어 램프·테이블 따위의) 다리. **2** 근저, 기초(foundation). **3** 〖기계〗 축받이대(臺). ***knock*** a person ***off*** his ~ 아무의 가면을 벗기다. ***set*** 〔***put, place***〕 a person ***upon*** 〔***on***〕 ***a*** ~ 아무를 받들어 모시다〔존경하다〕. ― (*-l-*, 《영》 *-ll-*) *vt.* 대에 올려놓다, …에 대를 붙이다; 받치다, 괴다.

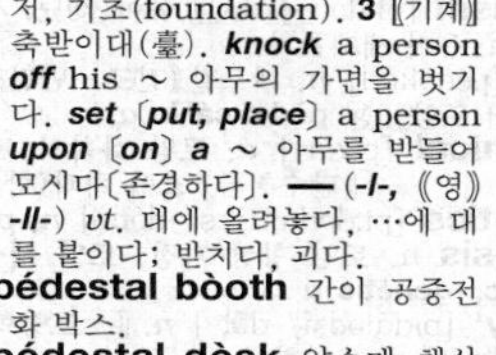

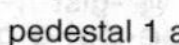

pédestal bòoth 간이 공중전화 박스.

pédestal dèsk 양소매 책상(kneehole).

pedestal 1 a

pédestal tàble 다리가 한 개인 테이블《다리는 중앙에 있음》.

*__pe·des·tri·an__ [pədéstriən] *a.* **1** 도보의, 보행하는; 보행자(용)의: a ~ bridge (보행자용) 육교. **2** (문체 따위가) 저속한, 범속한, 산문적인, 단조로운. ― *n.* **1** 보행자; 도보 여행〔경주〕자. **2** 잘 걷는 사람; 도보주의자. ㊀ equestrian.

pedéstrian cróssing 횡단보도(crosswalk).

pedéstrian ìsland (보행자용) 안전 지대.

pe·dés·tri·an·ìsm *n.* Ⓤ 도보(주의); (문체 따위의) 단조(單調)로움.

pe·dés·tri·an·ìze *vi.* 도보로 가다〔여행하다〕. ― *vt.* (도로)를 보행자(전)용으로 하다.

pedéstrian máll 《미》 보행자 몰《차량이 다니지 못하는 쇼핑 지역》. 「용 구역.

pedéstrian précinct 보행자 천국, 보행자 전

Pedi [pédi] *n.* **1** (*pl.* ~*s*, 〖집합적〗 ~) 페디족(의 1인)《남아프리카 Transvaal 주에 사는 소토(Sotho)의 한 부족》. **2** Ⓤ 페디어(語)《반투제어(諸語)에 속함》.

pedi- ⇨ PED-¹. 「아과(의사)의.

pe·di·at·ric, pae- [pìːdiǽtrik, pèd-] *a.* 소

pe·di·a·tri·cian, -at·rist [pìːdiətríʃən, pèd-], [-ǽtrist] *n.* 소아과 의사. 「(학).

pè·di·át·rics, pae- *n. pl.* 〖단수취급〗 소아과

ped·i·cab [pédikæ̀b] *n.* (동남아시아 등지의) 승객용 3륜 자전거〔택시〕.

ped·i·cel, -cle [pédəsəl, -sèl/-sèl], [pédikəl] *n.* 〖식물〗 작은 꽃자루, 소화경(小花梗); 〖동물〗 육경(肉莖), 병절(柄節).

ped·i·cel·late, pe·dic·u·late [pèdəsélət, -leit, pédəsə-], [pədíkjələt, -lèit] *a.* 〖식물〗 소화경이 있는; 〖동물〗 육경〔병절〕이 있는.

pe·dic·u·lar, -lous [pədíkjələr], [-ləs] *a.* 이투성이의, 이가 꾄. 「이 기생증(寄生症).

pe·dic·u·lo·sis [pədìkjəlóusis] *n.* Ⓤ 〖의학〗

ped·i·cure [pédikjùər] *n.* **1** Ⓤ 발 치료《티눈·물집·까치눈 따위의》; Ⓒ 발 치료 의사(chiropodist). **2** Ⓤ 페디큐어《발톱 가꾸기》. ㊀ manicure. ― *vt.* …에 페디큐어를 하다.

ped·i·form [pédəfɔ̀ːrm] *a.* 발 모양의, 족상(足狀)의《촉각 따위》.

°**ped·i·gree** [pédəgrìː] *n.* **1** 계도(系圖); (순종 가축의) 혈통표; (가축의) 종(種), 순종. **2** Ⓤ 가계(家系), 계통, 혈통; 가문, 문벌; 명문: a family ~ 가계(보(譜)), 족보. **3** Ⓤ (언어의) 유래, 어원; 일의 배경. **4** 《미》 전과 경력. ― *a.* 혈통이 분명한: ~ cattle 순종의 소. ㊕ ~**d** *a.* 유서 깊은; 가문이 좋은; 혈통이 명백한《말·개 등》.

ped·i·ment [pédəmənt] *n.* 〖건축〗 박공(벽); 〖지학〗 산기슭의 완사면(緩斜面). ㊕ **pèd·i·mén·tal** [-méntl] *a.* **péd·i·mènt·ed** [-mèntid,

-mənt-] *a.*

ped·lar, -ler [pédlər] *n.* =PEDDLER.

ped·lary [pédləri] *n.* =PEDDLERY.

pedo-[1] ⇨ PAED-.

pedo-[2] ⇨ PED-[2].

pèdo·báptism [pìːdou-] *n.* Ⓤ 유아(幼兒) 세례. ㊞ **-tist** *n.* 유아 세례론자.

ped·o·cal [pédəkæ̀l] *n.* 페도칼《건조·반건조 지대의 석회질 토양》. ㊞ **pèd·o·cál·ic** *a.*

pèdo·chémical [pèdə-] *a.* 토양 화학의, 토양 화학적인.

pe·do·don·tics [pìːdədántiks/-dɔ́n-] *n. pl.* 「《단수취급》 소아 치과(학).

pèdo·génesis *n.* 토양 형성 과정, 토양 생성론. ㊞ **-génic, -genétic** *a.*

pe·dol·o·gy[1] [pidálədʒi/-dɔ́l-] *n.* Ⓤ 토양학. ㊞ **-gist**[1] [-dʒist] *n.* 토양학자.

pe·dol·o·gy[2] *n.* Ⓤ 아동학 (연구), 육아학. ㊞ **-gist**[2] *n.* 육아학자.

pe·dom·e·ter [pədámətər/-dɔ́m-] *n.* 보수계(步數計), 보도계(步度計).

pe·do·mor·phism [pìːdəmɔ́ːrfizəm] *n.* 《생물》 유형(幼形) 보유《동물의 성체에 진화상의 조상의 유형 형질이 발견되는 현상》.

pe·do·phile [píːdəfàil] *n.* 《정신의학》 어린이에 대한 이상 성욕자. ㊞ **pe·do·phil·i·ac** [pìːdəfíliæk], **-phíl·ic** *a.*

pe·do·phil·ia [pìːdəfíliə] *n.* 《정신의학》 Ⓤ 어린이에 대한 이상 성욕.

ped·rail [pédrèil] *n.* 무한궤도(차). ⓒⓕ caterpillar.

pe·dun·cle [pidʌ́ŋkəl] *n.* 《식물》 꽃자루, 화경(花梗); 《동물》 육경(肉莖), 육병(肉柄); 《해부》 다리, 각(脚). ㊞ **-cu·lar, -cu·late** [-kjələr], [-lət, -lèit] *a.* ~이 있는; ~의 위에 생기는.

pee[1] [piː] *vi.* 《구어》 쉬하다, 오줌누다. ── *vt.* 오줌으로 적시다, 《~ oneself》 오줌을 지리다: ~ one*self* laughing 오줌이 질끔 나오도록 웃다. **~ *in the same pot*** 《속어》 같은 생활 기반을 가지고 있다; 같은 사업에 참여하고 있다. **~ *one's pants*** 《속어》 자지러지게 웃다. ── *n.* Ⓤ,Ⓒ 오줌(piss): go for 〔have〕 a ~ 오줌을 누다.

pee[2] *n.* (알파벳의) P 〔p〕; 《미속어》 'P 자(字)'《p 자로 시작되는 외국 통화; peso · piaster 따위》.

pée-èye *n.* 《미속어》 =PIMP.

°**peek** [piːk] *vi.* 살짝 들여다보다, 엿보다(peep) 《*in; out*》; 《경마속어》 3 위로 들어오다; 《컴퓨터》 (흔히 PEEK로) PEEK 명령을 써서 메모리를 조사하다. ── *vt.* (얼굴 등을) 슬쩍 비추다; 《컴퓨터》 (번지〔어드레스〕의) 자료를 읽어 내다. ── *n.* **1** 엿봄; 흘끗 봄: take 〔get〕 a ~ through a keyhole 열쇠 구멍으로 엿보다. **2** 《컴퓨터》 피크《번지의 자료를 읽어냄》. **3** 《경마속어》 3 위.

peek·a·boo [píːkəbùː] *n.* =BO-PEEP. ── *a.* 드레스의 가슴이나 겨드랑이에 구멍을 뚫은; 얇고 투명한 천으로 만든; 피커부 방식의《카드의 특정 위치에 만든 구멍을 통하는 빛에 의해 찾고자 하는 문서를 얻는 정보 검색 시스템의》.

⁑**peel**[1] [piːl] *n.* Ⓤ (과일의) 껍질, (어린 가지의) 나무껍질: candied ~ (오렌지 따위의) 설탕 절임한 과일 껍질. ── *vt.* **1** 《~+목/+목+목/+목+전+명》 (과일 등의) 껍질을 벗기다; (…의 껍질·깍지·칠 등을) 벗기다, 벗겨내다《*off; from*》: ~ a banana 바나나 껍질을 벗기다 / Please ~ me a peach. =Please ~ a peach *for* me. 복숭아 껍질을 벗겨 주시오 / ~ the bark *from* a tree 나무껍질을 벗기다.

> SYN. **peel** 과일이나 삶은 달걀 껍질 따위를 손 또는 날붙이로 벗김. **pare** 과일 등의 껍질을 날붙이로 깎음.

2 《+목+부》 《구어》 (옷을) 벗다, 벗기다《*off*》: They ~*ed off* their clothes and jumped into the water. 그들은 옷을 벗고 물속으로 뛰어들었다. ── *vi.* **1** 《~/+부》 (껍질·피부 따위가) 벗어지다; (과일 따위가) 껍질이 벗겨지다; (페인트·벽지 따위가) 벗겨지다《*off*》: He got sunburned and his skin ~*ed*. 그는 햇볕에 타서 피부가 벗겨졌다 / The walls are ~*ing* (*off*). 벽이 벗겨져 가고 있다. **2** (뱀 따위가) 허물을 벗다; 《구어》 옷을 벗다(undress)《*off*》. **3** 《구어》 그룹을 떠나다. ***keep one's eyes ~ed*** ⇨ EYE. **~ *it*** 《미속어》 전속력으로 달리다. **~ *off*** 《항공》 (급강하 폭격 또는 착륙을 위해) 편대를 벗어나다; 《일반적》 집단에서 떠나다. **~ *out*** 《미속어》 타이어 자국이 날 정도의 속력으로 달려나가다; 갑자기 가버리다〔떨어지다〕. **~ *rubber*** 〔***tires***〕 《미속어》 = ~ out.

peel[2] *n.* 나무 주걱《오븐에 빵을 넣거나 꺼내는》.

peel[3] *n.* 《영국사》 탑이 있는 석조의 성채·주택《영국과 스코틀랜드의 국경에 있는》.

péel·er[1] *n.* 껍질 벗기는 사람 〔기구〕; 《미》 허물 벗을 무렵의 게〔새우〕; 《구어》 활동가 (hustler), 수완가; 《속어》 스트리퍼.

péel·er[2] *n.* 《영고속어》 경찰관, 순경; 《영국사》 아일랜드의 경찰관.

péel·ing *n.* **1** Ⓤ 껍질벗기기. **2** (*pl.*) 벗긴 껍질 《특히 감자 따위의》.

peen, pein [piːn] *n., vt.* 쇠망치의 뾰족한 머리(로 두드리다).

peep**[1] [piːp] *vi.* **1** 《~/+전+명》 엿보다, 슬쩍 들여다보다《*at; into; through; out of; over*》: ~ *through* a keyhole 〔hedge〕 열쇠 구멍으로〔담에서〕 엿보다 / ~ *into* the room 방안을 엿보다. **2** 《~/+부》 (성질 따위가) 모르는 사이에 나타나다, (본바탕 따위가) 뜻밖에 드러나다《*out*》; (화초·해 따위가) 피기 〔나기〕 시작하다: His insincerity ~*s out* every so often. 그의 불성실함이 간혹 드러나 보인다 / The stars ~*ed* through the clouds. 별이 구름 사이로 보이기 시작했다 / The moon ~*ed out* from behind the clouds. 달이 구름 속에서 얼굴을 내밀었다. ── *vt.* 조금 보이게 하다〔드러내다〕. ── *n.* **1** 엿보기, 슬쩍 들여다보기; 흘끗 보기(glimpse). **2** (아침해 따위가) 보이기 시작함, 출현. **3** 엿보는 구멍. **4** 《미군대속어》 지프차(jeep). (at***) ***the ~ of day*** 〔***dawn, the morning***〕 샐녘(에), 새벽(에). ***have*** 〔***get, take***〕 ***a ~ at*** …을 슬쩍 들여다보다.

peep[2] *n.* **1** 삐악삐악, 찍찍《병아리·쥐 따위의 울음소리》; 삐삐《기계적·전자공학적으로 나는 높은 피치(pitch)의 소리》. **2** 작은 소리; 잔소리; 우는소리, 불평: I haven't heard a ~ out of him. 그가 우는소리하는 걸 들어 본 적이 없다. **3** 소식. **4** 《구어·소아어》 뛰뛰, 빵빵《자동차가 울리는 소리》: give (it) a ~ 뛰뛰 울리다. ***not a ~*** 한마디도 하지 않는, 아무 소리도 안 나는. ── *vi.* 삐악삐악 울다; 작은 소리로 말하다.

peep·bo [píːpbòu] *n.* =BO-PEEP.

pee-pee[1] [píːpìː] *n.* 《미》 삐악삐악《병아리, 특히 자메이카에서는 칠면조 새끼》.

pee-pee[2] *n.* **1** =PEE[1]. **2** (어린애의) 잠지.

péep·er[1] *n.* **1** 들여다보는 사람, 《특히》 몰래 들여다보는 치한(癡漢)(voyeur); 캐기 좋아하는 사람. **2** (보통 *pl.*) 《속어》 눈; (*pl.*) 《속어》 안경, 《미속어》 선글라스; 《구어》 거울; 《구어》 소형 망원경(spyglass); 《미속어》 사립 탐정.

péep·er[2] *n.* 삐악삐악〔찍찍〕 우는 새〔동물〕; 《미》 청개구리.

péep·hòle *n.* 들여다보는 구멍.

Péep·ing Tóm (종종 p- T-) 엿보기 좋아하는 호색가; 캐기 좋아하는 사람.

péep shòw 들여다보는 구경거리, 요지경; 《속어》 스트립 쇼.

péep sìght (총의) 가늠 구멍.

péep·tòe(d) *a.* (구두의) 발가락 끝이 보이는.

pee·pul [píːpəl] *n.* =PIPAL.

*__peer__[1] [piər] *n.* **1** 동료, 동등[대등]한 사람((사회적·법적으로)), 지위가 같은 사람; ((고어)) 한패: a jury of one's ~*s* 자기와 동등한 지위의 배심원((귀족은 귀족의 배심, 평민은 평민의 배심))/He has no ~ among contemporary writers. 현대 작가로서 그에 필적할 사람은 없다. **2** (*fem.* ~**·ess** [píəris]) ((영)) 귀족((duke, marquis, earl, viscount, baron)); 상원 의원: a hereditary ~ 세습 귀족. ***a ~ of the Realm*** [***the United Kingdom***] 영국 상원에 의석을 갖고 있는 귀족. ***without a ~*** 비길 데 없는, 유례(類例)없는. **—** *vt.* **1** …에 필적하다. **2** ((구어)) 귀족으로 만들다. **—** *vi.* …와 비견(比肩)하다, 어깨를 나란히 하다((*with*)).

°**peer**[2] *vi.* **1** ((~/+전+명)) 자세히 보다, 응시하다((*into; at*)): I ~*ed into* every window to find a clue. 단서를 얻기 위해 모든 창 안을 자세히 보았다. **2** ((~/+부)) 보이기 시작하다, 힐끗 보이다((*out*)): Sweat ~*ed out* on his forehead. 땀이 이마에 배었다/A waterfall ~*ed out* from among the trees. 나무들 사이로 폭포가 보이기 시작했다.

°**peer·age** [píəridʒ] *n.* **1** (the ~) ((집합적)) 귀족; 귀족 계급[사회]: be raised to [on] the ~ 귀족의 반열에 오르게 되다. **2** Ⓤ 귀족의 작위. **3** Ⓒ 귀족 명감(名鑑).

peer·ess [píəris] *n.* 귀족 부인, 여귀족: a ~ in her own right 유작(有爵) 부인, 부인 귀족.

péer gròup ((사회)) 동류(同類)[또래] 집단.

péer·less *a.* 비할 데 없는, 무쌍한, 유례없는. ㊕ **~·ly** *ad.* **~·ness** *n.*

péer prèssure ((사회)) 동료[또래] 압력((동료[또래] 집단으로부터 동일 행동을 하도록 가해지는 사회적 압력)).

péer-to-péer nètwork ((컴퓨터)) 피어투피어 통신망((각 노드(node)가 동등한 기능과 자격을 가진 네트워크)).

peeve [piːv] ((구어)) *vt., vi.* 애태우다, 안타깝게 하다, 성나게 하다. **—** *n.* 애탐; 노염; 초조(하게 하는 것); 울화(가 치밀게 하는 일); 불평, 불만. ***in a ~*** 초조하여. ㊕ **~d** *a.* ((구어)) =PEEVISH.

°**pee·vish** [píːviʃ] *a.* 성마른, 안달하는, 역정내는; 투정부리는, 까다로운, 언짢은((몸짓·말 따위)). ㊕ **~·ly** *ad.* **~·ness** *n.*

pee·wee [píːwiː] *n.* ((조류)) =PEWEE; ((미구어)) 유난히 작은 사람[것]; (동류 중) 작은 동물[가축]; (P-) (키 작은 이의 별명으로) 꼬마. **—** *a.* 작은(tiny), 보잘것없는. **—** *vi.* ((소아어)) 쉬하다.

péewee téch (전기 통신·컴퓨터 관계의) 극소형 회사.

pee·wit [píːwit] *n.* =PEWIT.

Peg [peg] *n.* 페그((여자 이름; Margaret의 애칭)).

*__peg__ *n.* **1** 나무[대]못, 쐐기; 말뚝; 걸이못; (나무) 마개; ((카드놀이)) 산가지; 천막용 말뚝; ((비어)) 자지; 하켄((등산용 자일을 거는 못)). **2** ((비유)) 이유, 변명, 구실. **3** ((구어)) 발, 다리; (목재의) 의족(義足)(을 단 사람); (*pl.*) ((미속어)) 바지: He's still on his ~*s* at 90. 90 세인데도 아직 다리가 튼튼하다. **4** ((음악)) (현악기의 현을 죄는) 주감이(pin). **5** ((야구)) ((구어)) (특히 베이스의) 송구: The ~ to the plate was late. 홈으로의 송구는 늦었다. **6**=NEWS PEG. **7** ((경제)) 가격 지지. **8** ((영)) 알코올 음료, 하이볼. **9** ((영)) 빨래집게(((미)) clothespin). ***a ~ to hang*** (a discourse [sermon, claim]) ***on*** (논의[설교, 요구])를 할 계기[구실]. ***a round ~ in a square hole*** =***a square ~ in a round hole*** 부적임자(不適任者). ***be on the ~*** ((구어)) 꾸중듣다, 벌을 받다. ***buy*** (***clothes***) ***off the ~*** ((영)) 기성복을 사다. ***come down a ~*** (***or two***) ((구어)) 코가 납작해지다, 면목을 잃다. ***put*** a person ***on the ~*** ((군대속어)) 아무를 상관 앞에 끌어내다((벌 주기 위해)). ***take*** [***bring, let***] a person ***down a ~*** (***or two***) ((구어)) 아무의 콧대를 꺾다, 체면을 잃게 하다.

— *a.* 위가 넓고 아래가 좁은, (바지 따위의) 끝이 좁은.

— (***-gg-***) *vt.* **1** …에 나무못[말뚝]을 박다. **2** 나무못[말뚝]으로 죄다[고정시키다]; ((영)) (세탁물을) 빨래집게로 빨랫줄에 고정시키다((*down; in; out; up*)). **3** ((증권)) (시세 변동을) 억제하다; ((재정)) (통화·물가를) 안정시키다((*down; at*)). **4** (경계를) 못[말뚝]으로 표를 하다; ((카드놀이)) (산가지로 득점수를) 매기다. **5** (개에게) 사냥감의 위치를 지시하다; ((구어)) (돌 따위를) 던지다; ((야구)) (공을) 던지다((*to; at*)). **6** (신문 기사를) 쓰다((*on*)). **7** ((속어)) 어림잡다((*as*)). **—** *vi.* **1** ((+전+명)) 치며 덤비다; ((구어)) 겨누다((*at*)): She ~*ged at* John with her umbrella. 그녀는 양산 끝을 존에게 들이댔다. **2** ((+부/+전+명)) 열심히 일하다((*away; along; at*)); 활동하다((*at; on; away*)); 활발히 움직이다((*down; along*)): ~ *away* at Latin 라틴어를 열심히 공부하다. **3** ((구어)) ((야구)) 공을 던지다. **4** ((속어)) 죽다, 파멸하다((*out*)). **~ *down*** ① (텐트를) 고정시키다. ② (규칙·약속 등에) 묶어놓다((*to*)). ③ (물가 등을) 낮게 억제 하다. ④ (…을) 끝까지 지켜보다; (…을 …이라고) 판단하다; 보고 확인하다. **~ *out*** ((*vt.*+부)) ① (세탁물을) 빨래집게로 고정시키다. ② (종이·가죽 따위를) 펼쳐 못으로 고정시키다. ③ (가옥·정원·채광권지 따위의) 경계를 말뚝으로 명시하다. **—** ((*vi.*+부)) ④ (말뚝을 박아) 텐트를 치다. ⑤ ((영구어)) 죽다; (기계 따위가) 멈추다; (물자 따위가) 바닥나다. ⑥ ((크리켓)) 공을 푯말에 맞혀 이기다.

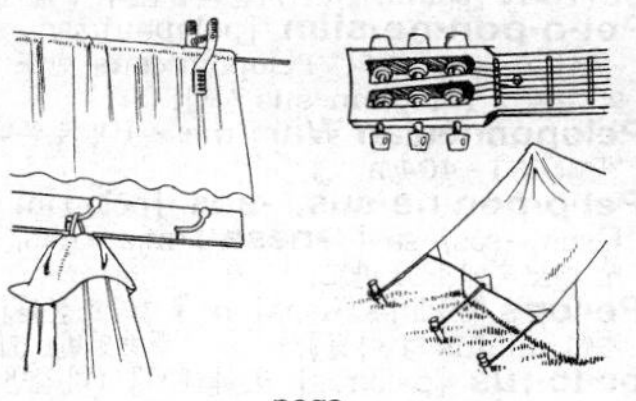

pegs

PEG ((화학)) polyethylene glycol((수용성(水溶性) 고분자 화합물)).

peg·a·moid [pégəmɔid] *n.* Ⓤ 인조 피혁의 일종.

Peg·a·sus [pégəsəs] *n.* **1** ((그리스신화)) 날개 달린 말((시신 뮤즈의 말)). **2** ((천문)) 페가수스자리 (the Winged Horse) ((생략: Peg)). **3** Ⓤ 시흥(詩興), 시재(詩才). **4** ((미)) ((우주)) 유성진(流星塵) 관측용 과학 위성. ***mount*** **one's** ~ 시를 쓰기 시작하다.

Pegasus 1

pég·bòard *n.* 나무못 말판((일종의 놀이도구; 못을 꽂을 수 있게 구멍이 뚫림)).

pég·bòx *n.* (현악기(絃樂器)의) 줄감개집.

Peg·gy[1] [pégi] *n.* 페기《여자 이름; Margaret의 애칭》. 「어》이(teeth).
Peg·gy[2] *n.* 《미속어》 외발의 사람[거지]; 《소아
pég lèg 《구어》 나무 의족(을 한 사람).
peg·ma·tite [pégmətàit] *n.* Ⓤ 〖광물〗 페그머타이트, 거정(巨晶) 화강암. ⓜ **pèg·ma·tít·ic** [-tít-] *a.*
pég tòp 1 서양배(pear) 모양의 나무 팽이. **2** (*pl.*) (위는 넓고 밑은 좁은) 팽이 모양의 바지[스커트](=**pég-tòp tróusers** [**skírt**]).
pég-tòp, pég-tòpped [-t] *a.* 위가 넓고 아래가 좁은 팽이 모양의.
peign·oir [peinwɑ́:r, ´-/péinwɑ:] *n.* 《F.》 (여성용) 화장옷; 실내복.
pein [pi:n] *n., vt.* =PEEN.
Pei·ping [pèipíŋ] *n.* Peking의 구칭.
pej·o·rate [pédʒərèit, pí:dʒ-/pí:dʒ-] *vt.* 악화[타락]시키다.
pej·o·ra·tion [pèdʒəréiʃən, pì:dʒ-/pì:dʒ-] *n.* Ⓤ (가치) 하락(depreciation); 악화; 〖언어〗 (어의(語義)의) 타락(墮落).
pe·jo·ra·tive [pidʒɔ́:rətiv, -dʒár-, pédʒərèi-, pí:dʒə-/pidʒɔ́rət-, pí:dʒər-] *a.* 가치를 떨어뜨리는; 퇴화적인; 경멸[멸시]적인. **—** *n.* Ⓤ 경멸어(의 접미사)《poet에 대한 poet*aster* 따위》. ⓜ **~·ly** *ad.*
pek·an [pékən] *n.* 〖동물〗 생선을 먹는 담비의 일종; 그 모피.
peke [pi:k] *n.* (종종 P-) 《구어》 발바리.
Pe·kin [pì:kín] *n.* =PEKING; 중국산 집오리의 일종; (p-) Ⓤ 세로줄무늬가 있는 견직물의 일종; (p-) 《경멸》 평민. 「PEKINGESE.
Pe·kin·ese [pì:kəní:z, -s] *a., n.* (*pl.* ~) =
*__Pe·king, Bei·jing__ [pì:kíŋ, pèi-/pì:kíŋ], [bèidʒíŋ] *n.* 베이징(北京)《중국의 수도》.
Pe·king·ese [pì:kiní:z, pì:kiŋí:z, -s/-ní:z] *a.* 베이징(인)의. **—** (*pl.* ~) *n.* **1** 베이징인; Ⓤ 베이징어. **2** 발바리(=peke).
Péking mán 〖인류〗 베이징 원인(北京原人) (Sinanthropus).
Pe·king·ol·o·gist [pì:kiŋálədʒist/-ɔ́l-] *n.* 베이징[중국] 정책 연구가, 중국[중공]통(通).
Pe·king·ol·o·gy [pì:kiŋálədʒi/-ɔ́l-] *n.* Ⓤ 베이징[중국] 연구, 베이징학《중국 정부의 정치·(외교) 정책 따위의 연구》. 「도산(産) 따위》.
pe·koe [pí:kou] *n.* Ⓤ 고급 홍차《스리랑카·인
pel [pel] *n.* 〖전기〗 화소(畫素), 회소(繪素)《화상(畫像) 정보를 분할했을 때의 최소 단위》. [◂ *pix element*]
pel·age [pélidʒ] *n.* Ⓤ 네발짐승의 모피.
Pe·la·gi·an [pəléidʒiən] *n.* Ⓤ Pelagius 교도. **—** *a.* Pelagius(교도)의. ⓜ **~·ism** *n.* Ⓤ Pelagius의 교의《인간의 원죄설을 부인했음》.
pe·la·gi·an *a.* 심해[원양]의; 심해[원양]에 사는. **—** *n.* 심해[원양] 동물.
pe·lag·ic [pəlǽdʒik/pe-, pə-] *a.* 대양의, 외양[원양]의; 외양[원양]에서 사는: ~ fishery 원양 어업 / ~ fish 유영어(游泳魚).
Pe·la·gi·us [pəléidʒiəs] *n.* 펠라기우스《영국의 수도사·신학자; 뒤에 이단시됨; 360?-420?》.
pel·ar·go·ni·um [pèlɑ:rgóuniəm, -lər-/-lə-] *n.* 〖식물〗 양아욱속(屬)의 식물《속칭: 제라늄》.
Pe·las·gi [pəlǽzdʒi/pelǽzgai] *n. pl.* 펠라스기족(族)《태고에 그리스·소아시아 부근에서 살던 민족》.
Pe·las·gi·an [pəlǽzdʒiən, -giən/pe-] *n.* 펠라스기 사람 [말]. **—** *a.* 펠라스기 사람[말]의.
Pe·las·gic [pəlǽzdʒik, -gik/pe-] *a.* =PELASGIAN.

pel·er·ine [pèlərí:n, pélərin/péləri:n] *n.* 좁고 긴 케이프, 숄《여성용》.
Pé·le's háir [péileiz-, pí:li:z-] 〖지학〗 화산모(火山毛)《용암이 바람에 날리며 급랭하여 양털 모양의 유리 조각으로 된 것》.
Péle's téars 〖지학〗 화산루(火山淚)《용암(熔岩)의 작은 덩이가 단단히 굳은 유리 모양의 입자》.
pelf [pelf] *n.* Ⓤ 《보통 경멸·우스개》 금전, (부정한) 재산; 《영방언》 찌꺼기, 폐물.
pel·ham [péləm] *n.* (말 굴레의) 재갈과 고삐를 잇는 연결 부분.
*__pel·i·can__ [pélikən] *n.* **1** 〖조류〗 펠리컨, 사다새. **2** (종종 P-) 《미속어》 루이지애나 주(州) 사람; 잘 빈정거리는 여자; 대식가(大食家).
pélican cròssing 보행인이 교통 신호 버튼을 누르고 건너는 횡단보도. 「별칭.
Pélican Státe (the ~) 미국 Louisiana 주의
pe·lisse [pəlí:s/pe-] *n.* 《F.》 여성용 긴 외투《특히 모피가 달린》; 어린아이의 실외복; (용기병(龍騎兵)의) 털로 안을 댄 외투.
pe·lite [pí:lait] *n.* 〖지학〗 이토암(泥土岩). ⓜ **pe·lit·ic** [pilítik] *a.*
pell [pel] *n.* Ⓤ 가죽, 모피, 양피지 두루마리.
pel·la·gra [pəléigrə, -lǽg-] *n.* Ⓤ 〖의학〗 니코틴산(酸) 결핍 증후군, 펠라그라, 옥수수 홍반(紅斑)《피부병》. ⓜ **-grin** [-grin] *n.* ~ 환자. **-grous** [-grəs] *a.*
pel·let [pélit] *n.* (종이·빵·초 등의) 둥글게 뭉친 것; 돌멩이《투석용(投石用)》; 작은 총알, (공기총 따위의) 탄알, 산탄; 작은 알약; (야구·골프 따위의) 공; (쥐 등의) 똥; (매·올빼미 따위가 내뱉는) 뼈·깃털 따위의 소화되지 않은 덩어리; 펠릿, 플라스틱 입상체(粒狀體)《플라스틱 성형품의 소재》; (화폐 등의) 둥근 돋을새김. **—** *vt.* 작은 알로 맞히다; 작은 알로 뭉치다; (씨를) 생장 촉진제로 싸다. ⓜ **~·al** *a.*
péllet bòmb 볼 폭탄《일종의 산탄 폭탄》.
péllet gùn 공기총(air gun).
pél·let·ize *vt.* 작은 알 모양으로 만들다; 《특히》 (미세한 광석을) 작은 알 모양으로 만들다.
pel·le·tron [pélətràn/-trɔ̀n] *n.* Ⓤ 〖물리〗 펠레트론《입자 가속 장치의 일종》.
pel·li·cle [pélikəl] *n.* 얇은 껍질[막]; 〖동물〗 (원생동물의) 외피; 〖식물〗 버섯의 갓의 표피; (액체 표면의) 박막, 균막(菌膜); 〖광학〗 빛의 일부는 반사하고 일부는 투과시키는 필름. ⓜ **pel·lic·u·lar, pel·lic·u·late** [pəlíkjələr], [-lət, -lèit] *a.*
pell-mell [pélmél] *ad., a.* 난잡하게[한], 엉망진창으로[인], 무턱대고 (하는); 황급히 (하는); 저돌적으로 (하는). **—** *n.* Ⓤ,Ⓒ 엉망진창, 뒤범벅; 혼란, 난잡; 난투(melee). **—** *vt.* …을 뒤범벅으로 하다. **—** *vi.* 황급히 가다.
pel·lu·cid [pəlú:sid/pe-, pi-] *a.* 투명한, 맑은; 명료한, 명백한《설명 따위》; (두뇌가) 명석한. ⓜ **~·ly** *ad.* **pel·lu·cid·i·ty** [pèlusídəti] *n.* Ⓤ
Pel·man·ism [pélmənìzəm] *n.* Ⓤ 펠만식 기억술; 〖카드놀이〗 신경 쇠약. 「으로 기억하다.
Pel·man·ize [pélmənàiz] *vt.* 펠만식 기억법
pel·met [pélmit] *n.* (커튼의) 금속 부품 덮개.
Pel·o·pon·ne·sian [pèləpəní:ʒən, -ʃən/-ʃən] *a.* (그리스의) Peloponnesus 반도(사람)의. **—** *n.* Peloponnesus 사람.
Peloponnésian Wár (the ~) 펠로폰네소스 전쟁《431-404 B.C.》.
Pel·o·pon·ne·sus, -sos [pèləpəní:səs], [-sɑs, -səs/-səs], **-nese** [-ní:z, -ní:s/-ní:s] *n.* 펠로폰네소스 반도.
Pe·lops [pí:lɑps/-lɔps] *n.* 〖그리스신화〗 펠롭스《Tantalus의 아들》. 「방위반(方位盤).
pe·lo·rus [pəlɔ́:rəs] *n.* 〖해사〗 (나침반상의)
pe·lo·ta [pəlóutə] *n.* =JAI ALAI.

pel·o·ton [pélətàn, ⌐-⌐/pèlətɔ́n] *n.* 《F.》 펠러톤(유리) (=⌐ **glàss**)《유럽 장식 유리의 하나》.

pelt[1] [pelt] *vt.* 《~+목/+목+전+명》 …에 내던지다《*with*》; 연타(連打)하다, 세차게 때리다; 공격하다《*with*》; 《비유》 (질문·악담 등을) 퍼붓다《*with*》: ~ a boy *with* snowballs 소년에게 눈덩이를 던지다. — *vi.* 《~/+부/+전+명》 돌 등을 내던지다《*at*》; (비 따위가) 억수같이 퍼붓다; 《드물게》 욕을 퍼붓다; 질주하다, 돌진하다《*along*》: The rain came ~*ing down*. 비가 세차게 퍼부었다 / It is ~*ing with* hail. 우박이 마구 쏟아진다. — *n.* **1** Ⓤ 투척; Ⓒ 강타, 연타; 난사; 억수같이 쏟아짐; 질주, 급속도, 속력(speed). **2** Ⓤ 격노. (**at**) **full** ~ 전속력으로.

pelt[2] *n.* Ⓤ **1** (양·염소 따위의) 생가죽, 모피. **2** 가죽옷. **3** 《우스개》 (털 많은 사람의) 피부(skin). — *vt.* (동물)의 가죽을 벗기다.

pel·tate [pélteit] *a.* 【식물】 (잎이) 방패 모양의: a ~ leaf 순상엽(楯狀葉). ㊞ **~·ly** *ad.*

pélt·er *n.* 내던지는 사람〔물건〕; 《우스개》 총, 권총; 《구어》 호우; 격노; 《미》 걸음이 빠른 말; 《미》 짐말. **in a** ~ 격(앙)하여.

pelt·er·er [péltərər] *n.* 피혁 상인.

Pél·tier effèct [péltjei-] 【물리】 펠티에 효과《이종(異種)의 금속 접촉면에 약한 전류가 흘렀을 때 열이 발생 또는 흡수되는 현상》.

Péltier èlement 【전자】 펠티에 소자(素子)《펠티에 효과를 이용한 전자 냉동 따위에 쓰이는 열전(熱電) 소자》.

pelt·ing [péltiŋ] *a.* 《고어》 시시한, 하찮은.

Pél·ton whèel [péltən-] 펠턴 수차(水車)《고속의 물을 동륜(動輪)의 물받이에 충돌시키는 방식의 수력 터빈》.

pelt·ry [péltri] *n.* 〔집합적〕 생가죽, 모피류; 「(한 장의) 모피.

pel·vic [pélvik] *a.* 【해부】 골반(pelvis)의. — *n.* 골반; 배지느러미.

pélvic fín 【어류】 배지느러미.

pélvic inflámmatory disèase 【의학】 골반 내 염증성 질환《생략: PID》.

pel·vis [pélvis] (*pl.* **~·es, -ves** [-vi:z]) *n.* **1** 【해부】 골반; 골반 구조: the ~ major 〔minor〕 대〔소〕골반. **2** 《구어》 하복부, 성기 주변, 허리(부근).

pel·y·co·saur [pélikəsɔ̀:r] *n.* 【고생물】 펠리코사우르《페름기(紀) 공룡의 하나》.

Pem·broke [pémbruk] *n.* =PEMBROKESHIRE; 펨브루크 개(=⌐ **Wélsh córgi**) 《귀가 쫑긋하고, 꼬리가 짧음》; =PEMBROKE TABLE.

Pem·broke·shire [pémbrukʃìər, -ʃər] *n.* 펨브루크셔《Dyfed 주의 일부》. 「있는 테이블.

Pémbroke tàble 양쪽의 일부를 접어 내릴 수

pem·(m)i·can [pémikən] *n.* Ⓤ **1** 페미컨《말린 쇠고기에 지방·과일을 섞어 굳힌 인디언의 휴대 식품》; 비상용·휴대용 보존 식품. **2** 《비유》 요지(要旨), 요강(digest). 「홍분제》.

pem·o·line [péməli:n] *n.* 【약학】 페몰린《정신

pem·phi·gus [pémfigəs, -pemfái-] *n.* Ⓤ 【의학】 천포창(天疱瘡).

†**pen**[1] [pen] *n.* **1** 펜촉(nib); 펜《펜촉과 펜대》; 만년필; 깃촉 펜(quill); 볼펜: write with ~ and ink 펜으로〔잉크로〕 쓰다《대구(對句)로 무관사》. **2** (저작 용구로서의) 펜, 붓; 필력: a writer with a facile ~ 우수한 작가. **3** 문장; 문체: a fluent ~ 유려한 문체. **4** 작가, 문사; (the ~) 문필업: the best ~*s* of the day 당대 일류의 문인들 / live 〔make one's living〕 by one's ~ 문필로 생계를 꾸려 나가다 / wield one's ~ 필력〔건필〕을 휘두르다 / The ~ is mightier than the sword. 《격언》 문(文)은 무(武)보다 강하다. **5** 《고어》 깃, 깃 대; (*pl.*) 날개. **6** 오징어의 뼈(cuttlebone). ***a knight of the*** ~ 《우스개》 문사(文士). ***draw*** one's ~ ***against*** …을 글로 공박하다. ***drive a*** ~ 쓰다. ***push a*** ~ 《속어》 사무 일을 보다, 사무원으로 일하다. ***put*** 〔***set***〕 ~ ***to paper*** =***take up*** one's ~ 《문어》 붓을 들다. — (**-nn-**) *vt.* (편지 등을) 쓰다; (시·문장을) 쓰다; 짓다.

pen[2] [pen] *n.* 우리, 어리, 축사; 〔집합적〕 우리 안의 동물; 작은 우리; =PLAYPEN; (식료품 따위의) 저장실; (서인도 제도의) 농장, 농원; 잠수함 수리독 〔대피소〕; 【야구】 불펜(bull pen). — (*p., pp.* **penned, pent; pén·ning**) *vt.* 우리〔어리〕에 넣다; 가두다, 감금하다《*up; in*》.

pen[3] *n.* 《미속어》 교도소(penitentiary).

pen[4] *n.* Ⓤ 백조의 암컷. OPP. *cob*[1].

Pen., pen. peninsula; penitent; penitentiary. **P.E.N.** (International Association of) Poets, Playwrights, Editors, Essayists and Novelists (국제 펜클럽).

pen·aids [pénèidz] *n. pl.* 【군사】 펜에이즈《항공기나 미사일의 적(敵) 영공 내에 침입을 가능토록 하는, 레이더 등에 대한 각종 방해 수단의 총칭》. [◂ *pen*etration+*aids*]

°**pe·nal** [pí:nl] *a.* 형(刑)의, 형벌의; 형법상의, 형사상의; 형을 받을 만한; 형장으로서의: the ~ code 〔law〕 형법 / a ~ offense 형사범, 형사 문제 / a ~ colony 〔settlement〕 유형지, 범죄자 식민지. ㊞ **~·ly** *ad.* 형벌로서; 형법상, 형사상 ⌊(刑事上).

pè·nal·i·zá·tion *n.* 형벌; 유죄.

pe·nal·ize [pí:nəlàiz, pén-/pí:-] *vt.* 【법률】 벌하다; 형을 과하다, …에게 유죄를 선고하다; 불리하게 하다, 궁지에 몰아넣다; 【경기】 (반칙자에게) 벌칙을 적용하다.

pénal sérvitude 【영법률】 (중노동의) 징역(형)《본디 유형(流刑)을 대신해서 과한 것》: do (ten years') ~ (10년의) 징역을 살다 / ~ for life 종신형.

pénal súm 【상업】 위약금(액).

*__pen·al·ty__ [pénəlti] *n.* **1** Ⓤ,Ⓒ 형, 형벌, 처벌: The ~ *for* disobeying the law was death. 그 법률을 위반하면 사형이었다. **2** 벌금, 과료(科料), 위약금. **3** 벌, 인과응보, 천벌, 재앙. **4** 【경기】 반칙의 벌, 페널티; 【카드놀이】 벌점. **5** 불리한 조건, (전번 승자에게 주는) 핸디캡: the ~ *of* old age 노년에 수반되는 불편. ***on*** 〔***under***〕 ~ ***of*** (위반하면) …의 벌을 받는 조건으로. ***pay the*** ~ ***of*** 벌금을 물다, …의 벌〔보복〕을 받다.

pénalty àrea 【축구】 페널티에어리어《이 구역 안에서의 수비측의 반칙은 상대방에게 페널티킥을 주게 됨》. 「대기소》.

pénalty bòx 【아이스하키】 페널티박스《반칙자

pénalty clàuse 【상업】 (계약 중의) 위약 조항.

pénalty gòal 【축구】 페널티 골《penalty kick에 의한 득점》.

pénalty kìck 【축구·럭비】 페널티킥.

pénalty pòint **1** 교통 위반 점수《보통 복수로 쓰임》. **2** (게임·스포츠에서) 반칙점, 벌점.

pénalty shòt 【아이스하키】 페널티 샷〔슛〕.

°**pen·ance** [pénəns] *n.* Ⓤ 참회, 회개; 회오의 행위, 속죄; 고행; 【가톨릭】 고백 성사. ***do*** ~ ***for*** 속죄하다. — *vt.* 속죄시키다; 보상의 고행을 시키다; 벌하다. ㊞ **~·less** *a.*

pén-and-ínk [-ənd-] *a.* 펜으로 쓴, 필사(筆寫)한: a ~ drawing 펜화(畫).

pen·an·nu·lar [penǽnjələr] *a.* 윤상(輪狀)의, 환상(環狀)에 가까운.

pe·na·tes [pənéiti:z, -ná:-/pená:-] *n. pl.* (종종 P-) 【로마신화】 페나테스《찬장의 신들》; 가정에서 중히 여기는 비품; =LARES AND PENATES.

pén-bàsed [-t] *a.* 전자펜으로 입력하는《휴대용 컴퓨터》.

pence [pens] PENNY의 복수.

pen·chant [péntʃənt] *n.* ⦅F.⦆ 경향(inclination); 취미, 기호(liking) ⦅*for*⦆.

†**pen·cil** [pénsəl] *n.* **1** 연필⦅석필도 포함⦆, 샤프펜슬(mechanical ~): a colored ~ 색연필 / write in 〔with a〕 ~ 연필로 쓰다. **2** 연필 모양의 것; (막대기 꼴의) 눈썹먹, 입술 연지; (의료용의) 질산은 막대: a diamond ~ 유리 절단기 / a lip ~ (막대기 꼴의) 입술 연지. **3** ⦅고어⦆ 화필; 화풍, 화법. **4** 〚광학〛 광선속(光線束), 광속(光束); 〚수학〛 속(束), 묶음. **—** (*-l-*, ⦅영⦆ *-ll-*) *vt.* **1** 연필로 쓰다〔그리다, 표를 하다〕: ~ down a note 각서를 연필로 쓰다. **2** 눈썹먹으로 그리다: ~*ed* eyebrows 그린 눈썹. **3** ⦅비유⦆ …에 새기다: Hardship ~*ed* her features *with* the lines of cares. 고생으로 해서 그녀 얼굴에는 많은 주름이 나 있다. **4** 〚경마〛 (말 이름을) 마권 장부에 기입하다. **~ *in*** 일단 예정에 넣어 두다.

pén·ciled *a.* 연필로〔눈썹먹으로〕 쓴〔그린〕; 광속(光束) 모양의.

pén·cil·er *n.* 연필로 쓰는 사람; ⦅영속어⦆ = BOOKMAKER.

pen·cil·i·form [pensíləfɔ̀:rm, pénsələ-/pensíl-] *a.* 연필 모양의; 평행한⦅광선 따위⦆.

pén·cil·ing *n.* Ⓤ,Ⓒ 연필로 쓰기〔그리기〕; 가는 선을 긋기; 연필로 그린 듯한 무늬.

péncil pùsher ⦅구어⦆ 필기를 업으로 하는 사람, 사무원, 필생, 서기, 기자, 작가 ⦅따위⦆.

péncil shàrpener 연필깎이.

P.E.N. Clùb [pén-] =P.E.N.

pén·cràft *n.* Ⓤ 서법, 필적; 문체; 문필업.

pend [pend] *vi.* 미결인 채로 있다; 매달리다. **—** *vt.* 매달아 두다.

◇**pend·ant** [péndənt] *n.* **1** 늘어져 있는 물건, 펜던트, 늘어뜨린 장식⦅목걸이·귀고리 따위⦆; 〚건축〛 달대공(臺工), 천장에 매단 모양의 장식; 회중시계의 용두 고리. **2** 부록, 부속물; (그림 따위의) 한쌍의 한쪽⦅*to*⦆; 매다는 램프, 샹들리에; 〚해사〛 짧은 밧줄; 〚영해군〛 삼각기(三角旗)(pennant). **—** *a.* =PENDENT.

pend·en·cy [péndənsi] *n.* Ⓤ 아래로 늘어짐, 현수(懸垂); 미결, 미정; 〚법률〛 소송 계속(係屬). ***during the ~ of*** …이 미정인 동안.

pend·ent [péndənt] *a.* **1** 매달린, 늘어진; (절벽 따위의) 쑥 내민(overhanging). **2** 미결의, 미정의. **3** 〚문법〛 불완전 구문의; (분사가) 현수적(懸垂的)인. **—** *n.* =PENDANT.

pen·den·te li·te [pendénti-láiti] ⦅L.⦆ 〚법률〛 (=during the suit) 소송중(訴訟中)에.

pen·den·tive [pendéntiv] *n.* 〚건축〛 삼각 궁륭(穹窿)⦅정방형의 평면 위에 돔을 설치할 때 돔 밑바닥 네 귀에 쌓아 올리는 구면(球面) 삼각형의 부분⦆. ***in ~*** 〚인쇄〛 (활자가) 거꾸 삼각형으로 짜인.

***pend·ing** [péndiŋ] *a.* 미정〔미결〕의, 심리 중의; 드리워진; 절박한; 〚법률〛 계쟁 중의: Patent ~ 신안 특허 출원 중 / ~ questions 현안의 제문제. **—** *prep.* …중, …의 사이; (…할) 때까지는: ~ the negotiations 교섭 중 / ~ his return 그가 돌아올 때까지는.

pen·drag·on [pendrǽgən] *n.* (종종 P-) 옛날 Britain 〔Wales〕의 왕후(王侯), 왕(king); (제족(諸族)의) 수령.

pén·drìver *n.* 작가, 문필가, 기자, 서기.

pen·du·lar [péndʒələr, -djə-/-dju-] *a.* (시계 따위의) 흔들이의〔에 관한〕.

pen·du·lous [péndʒələs, -djə-/-dju-] *a.* 매달린; 흔들리는, 흔들흔들하는; ⦅드물게⦆ (마음이) 갈팡질팡하는, 망설이는. ㊕ **~·ly** *ad.* **~·ness** *n.*

pen·du·lum** [péndʒələm, -dju-/-dju-] *n.* (시계 따위의) 흔들이, 흔들리는 추; 몹시 흔들리는 물건; 매다는 램프, 샹들리에; 마음을 잡지 못하는 사람. ***the swing of the ~ 진자(振子)의 흔들림; ⦅비유⦆ (인심·여론 따위의) 격변, (정당 따위의) 세력의 성쇠.

pe·nec·to·my [pinéktəmi] *n.* 〚의학〛 음경 절제(陰莖切除)(술).

Pe·nel·o·pe [pənéləpi] *n.* **1** 피넬러피⦅여자 이름; 애칭 Pen, Penny⦆. **2** 〚그리스신화〛 페넬로페⦅Odysseus의 아내⦆; 정숙한 아내〔여자〕.

pe·ne·plain, -plane [pí:niplèin, ⌐-⌐] *n.* 〚지학〛 준평원(準平原).

pen·e·tra·ble [pénətrəbəl] *a.* 침입〔침투, 관입, 관통〕할 수 있는⦅*to*⦆; 간파〔통찰〕할 수 있는. ㊕ **-bly** *ad.* **~·ness** *n.* **pèn·e·tra·bíl·i·ty** *n.* Ⓤ (억지로) 들어갈 수 있음, 관통할 수 있음; 침투〔관통〕성.

pen·e·tra·lia [pènətréiliə] *n. pl.* 내부, 가장 안쪽; (신전 등의) 내전; 비밀스러운 일.

pen·e·tra·li·um [pènətréiliəm] *n.* 극비 부분, 숨겨진 부분.

pen·e·tram·e·ter [pènətrǽmətər] *n.* (X선) 투과도계(透過度計).

pen·e·trance [pénətrəns] *n.* 〚발생〛 (유전자의) 침투도(度).

pen·e·trant [pénətrənt] *a., n.* 침투〔관통〕하는 (것); 침투제(劑).

***pen·e·trate** [pénətrèit] *vt.* **1** 꿰뚫다, 관통하다, 삽입하다, 침입하다: The arrow ~*d* the warrior's chest. 화살은 전사의 가슴을 꿰뚫었다. **2** (빛·목소리 따위가) …을 통과하다, 지나가다: The flashlight ~*d* the darkness. (회중전등 불) 빛이 어둠 속을 비쳤다. **3** …에 스며들다; …에 침투하다. **4** ⦅+목+전+명⦆ 〔보통 수동태〕 (…로) 깊이 감동시키다, (…에게) 깊은 감명을 주다; ⦅문어⦆ …을 (…로) 꽉 채우다⦅*with*⦆: *be* ~*d with* respect 존경하는 마음으로 꽉 차다. **5** (어둠을) 꿰뚫어 보다; (진의·진상·위장 따위를) 간파하다, 통찰하다: ~ a person's disguise 아무의 거짓말을〔정체를〕 간파하다. **6** 〚컴퓨터〛 (컴퓨터에) 부당한 정보를 넣다. **—** *vi.* **1** ⦅~/+전+명⦆ 통과하다, 꿰뚫다, 침투하다, (…에) 스며들다, (…에) 퍼지다(permeate); 간파하다, 통찰하다⦅*into; through*⦆: Bad odor ~*d* *through* the building. 악취가 건물에 온통 퍼졌다 / He could not ~ *into* its secret. 그 비밀을 알아낼 수 없었다. **2** 목소리가 잘 들리다. **3** 아무의 마음을 깊이 감동시키다, 아무를 감명시키다. ◇ penetration *n.* ㊕ **-trà·tor** *n.* 침입자〔물〕; 통찰〔간파〕자; 〚물리〛 투과도(透過度)를 재는 바늘.

◇**pén·e·tràt·ing** *a.* **1** 꿰뚫는, 관통하는. **2** 통찰력이 있는, 예리한, 예민한: a ~ observation 〔view〕 예리한 관찰〔의견〕. **3** (목소리 따위가) 잘 들리는, 새된, 날카로운. ㊕ **~·ly** *ad.* **~·ness** *n.*

◇**pèn·e·trá·tion** *n.* Ⓤ 꿰뚫고 들어감, (질(膣) 등에의) 삽입; 침투(력); 〚군사〛 (적진으로의) 침입, 돌입; (탄알 등의) 관통; 통찰(력); 간파(력)(insight), 안식(眼識); 〚정치〛 (세력 등의) 침투, 신장; 〚컴퓨터〛 침해; (전기 제품 따위의 세대수에 대한) 보급률: peaceful ~ (무역 따위에 의한) 평화적 세력 신장; (사상 따위의) 평화적 침투 / a man of ~ 통찰력 있는 사람. ◇ penetrate *v.*

penetrátion àid 〚군사〛 돌입 보조 (수단)⦅항공기·미사일이 적의 방위망을 돌파하기 위한 초저공 침투 전술⦆.

penetrátion príce pòlicy 〚경제〛 침투 가격 정책(=**penetrátion prìcing**)⦅신제품을 발매 시초부터 파격적인 저가(低價)로 판매하여 신속히 시장 점유율을 넓히는 가격 정책⦆.

pen·e·tra·tive [pénətrèitiv] *a.* 꿰뚫고 들어가는, 투입력이 있는; 몸에 스미는, 마음에 사무치는; 예민한, 통찰력이 있는; (목소리 따위가) …을 감명시키는. ㊕ **~·ly** *ad.* **~·ness** *n.*

pen·e·trom·e·ter [pènətrámətər/-trɔ́m-]

n. 〖물리〗 =PENETRAMETER; 경도계(硬度計); (반고체 물질의) 투과도계(透過度計).

pen·e·tron [pénətrɑ̀n/-trɔ̀n] n. Ⓤ 〖물리〗 =MESON.

pén fèather 펜깃(quill feather).

***pen-friend** [pénfrènd] n. 《영》=PEN PAL.

pen·ful [pénfùl] n. 만년필 가득(한 잉크).

***pen·guin** [péŋgwin, pén-/péŋ-] n. **1** 〖조류〗 펭귄. **2** (지상) 활주 연습기. **3** 《속어》 (공군의) 지상 근무원. **4** 《미속어》 성장(盛裝)은 하고 있으나 군중의 한 사람으로 나오기만 하는 배우.

pénguin sùit 《속어》 야회복; 우주복(space suit).

pén·hòlder n. 펜대; 펜걸이: a ~ grip 〖탁구〗 펜처럼 탁구채를 쥐는 법.

-pe·nia [pí:niə] '…의〔이〕 부족〔결핍〕'의 뜻의 결합사.

pe·ni·al [pí:niəl] a. 음경(penis)의.

pen·i·cil [pénəsil] n. 〖동물〗 (모충(毛蟲) 따위의) 북슬털.

pen·i·cil·la·mine [pènəsíləmi:n] n. 〖약학〗 페니실라민《페니실린에서 추출하여 납중독 등의 치료에 사용》.

pen·i·cil·late [pènəsílət, -leit] a. 〖식물·동물〗 북슬털이 있는, 털붓 모양의. ㊞ **~·ly** ad.

pen·i·cil·lin [pènəsílin] n. Ⓤ 〖약학〗 페니실린.

pen·i·cil·li·um [pènəsíliəm] (pl. **~s, -lia** [-liə]) n. 《L.》 〖세균〗 푸른곰팡이속(屬)의 곰팡이《페니실린 원료》.

pe·nile [pí:nail] a. 음경(陰莖)의, 남근(男根)의.

penin. peninsula.

***pe·nin·su·la** [pənínsjələ/-sju-] n. 반도; (the P-) 이베리아 반도《스페인과 포르투갈》; (the P-) Gallipoli 반도《터키의》.

pe·nin·su·lar [pənínsjulər/-sju-] a. 반도(모양)의; (P-) Iberia 반도의. **—** n. 반도의 주민. ㊞ **pe·nìn·su·lár·i·ty** [-lǽrəti] n. Ⓤ 반도 모양, 반도성(性); 섬나라 근성; 편협.

Penínsular Státe (the ~) 미국 Florida 주의 별칭.

Penínsular Wàr (the ~) 반도 전쟁《1808-14 년 영국과 프랑스의 전쟁》.

pe·nin·su·late [pənínsjulèit/-sju-] vt. 반도 모양으로 하다, 반도화하다.

pe·nis [pí:nis] (pl. **-nes** [-ni:z], **~·es**) n. 〖해부〗 남근(男根), 음경, 자지, 페니스.

pénis ènvy 〖정신분석〗 남근(男根) 선망《남성이 되고 싶다는 여성의 의식적·무의식적인 욕구》.

pen·i·tence [pénətəns] n. Ⓤ 후회, 참회, 개전; 속죄.

◇**pen·i·tent** [pénətənt] a. 죄를 뉘우치는, 회오하는. **—** n. 개전한 사람, 참회하는 사람; 〖가톨릭〗 고백자; (종종 P-) 〖가톨릭〗 통회자(痛悔者)《13-16 세기에 성행한 신심회원(信心會員)》. ㊞ **~·ly** ad.

pen·i·ten·tial [pènəténʃəl] a. 회오의, 참회의; 속죄의; 고행의. **—** n. 〖가톨릭〗 고해 규정서, 회죄 총칙(悔罪總則); =PENITENT. ㊞ **~·ly** ad. 회개하여; 고행으로.

peniténtial Psálms 〖성서〗 회죄(悔罪)〔통회(痛悔)〕 시편(詩篇)《죄를 뉘우치기 위해 초기 교회에서 쓰인 7 편》.

pen·i·ten·tia·ry [pènəténʃəri] n. **1** 〖가톨릭〗 고해 신부; (로마 교황청의) 내사원(內赦院); 고해소; 고행소(苦行所). **2** 감화원; 《미》 교도소; 《영》 매춘부 갱생원. **—** a. 개과(改過)의, 난행 고행의; 징치(懲治)(적)인; 징벌의; (죄가) 교도소에 들어가야 할. ***the Grand Penitentiary*** (로마 교황청의) 내사원장.

pén·knìfe n. 주머니칼《옛날에는 깃펜을 깎는 데 썼음》.

pén·lìght, -lìte n. 만년필형(型) 회중전등.

pen·man [pénmən] (pl. **-men** [-mən]) n. 필자; 서가(書家), 능서가(能書家); 습자 교사; 문사, 묵객; 《속어》 위조자: a good ~ 능필가(能筆家). ㊞ **~·ship** [-ʃip] n. Ⓤ 서법, 필법; 습자; 필적; 능서(能書).

Penn [pen] n. **William ~** 펜《영국의 퀘이커교(敎) 지도자, 미국 Pennsylvania 주(州)의 개척자; 1644-1718》.

Penn., Penna. Pennsylvania. ㊎ Pa.

pén nàme 펜네임, 필명, 아호.

pen·nant [pénənt] n. **1** 페넌트, 길고 좁은 삼각기(旗); (취역함(就役艦)의) 기류(旗旒), 기드림. **2** 〖해사〗 아랫돛대 머리에서 밑으로 드리운 짧은 밧줄; 《미》 (특히 야구의) 우승기: the ~ chasers 프로 야구단/win the ~ 우승하다.

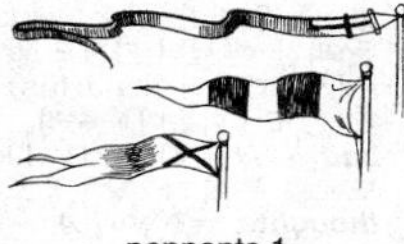

pennants 1

pénnant ràce 페넌트 레이스, 우승을 겨루는 경기.

pen·nate [péneit], **pén·nat·ed** [-id] a. (배열이) 날개 꼴인; 날개가〔깃털이〕 있는.

pen·ni [péni] (pl. **~(s)** [-ni:(z)], ***pen·nia*** [-niə]) n. Ⓤ 핀란드의 화폐 단위(=1/100 markka).

pen·nif·er·ous [penífərəs] a. 깃털이 있는.

pen·ni·form [pénifɔ̀:rm] a. 깃털 모양의.

***pen·ni·less** [pénilis] a. 무일푼의, 몹시 가난한. ㊞ **~·ly** adv. **~·ness** n.

pen·nill [pénil] (pl. ***pen·nil·lion*** [peníljən]) n. harp 반주로 부르는 즉흥시; 또, 그 춤.

Pén·nine Álps [pénain-] (the ~) 페나인 알프스《스위스와 이탈리아 국경에 있는 알프스 산맥의 일부》.

pénning gàte 위로 끌어올려 여는 수문.

pen·ni·nite [pénənàit] n. 〖광물〗 페니나이트, 고토녹니석(苦土綠泥石).

pen·non [pénən] n. 길쭉한 삼각기, 제비꼬리 같은 작은 기; 창에 다는 기; 〖일반적〗 기(旗); 《시어》 날개, 깃. ㊞ **~ed** a. 창기(槍旗)를 단.

pen·non·cel [pénənsèl] n. (중세의 기병이 창끝에 매달았던) 길고 좁은 깃발.

pen·n'orth [pénərθ] n. 《영구어》 =PENNYWORTH.

Penn·syl·va·nia [pènsəlvéinjə, -niə] n. 펜실베이니아《미국 동부의 주; 생략: Pa.,Penn (a).》.

Pennsylvánia Dútch 1 (the ~) 〖집합적; 복수취급〗 독일계 Pennsylvania 사람. **2** 그들이 쓰는 독일 방언(=**Pennsylvánia Gérman**).

Penn·syl·va·ni·an [pènsəlvéinjən, -niən] n., a. Pennsylvania 사람(의).

****pen·ny** [péni] (pl. ***pen·nies*** [-z], ***pence*** [pens]) n. **1** 페니, 1 페니의 청동화(青銅貨)《영국의 구화 단위로, 종래 1/12 shilling =1/240 pound 로 생략: d; 1971 년 2 월부터 1/100 pound 로 되어 shilling 은 폐지됨; 생략: p [pi:]》: A ~ saved is a ~ earned. 《격언》 한 푼의 절약은 한 푼의 이득/In for a ~, in for a pound. 《격언》 일단 시작한 일은 끝까지/Take care of the *pence* 〔*pennies*〕, and the pounds will take care of themselves. 《격언》 푼돈을 아끼면 큰돈은 저절로 모이는 법.

> NOTE (1) 금액을 말하는 복수는 pence; 동전(銅錢)의 개수를 말하는 복수는 pennies: Please give me six *pennies* for this *sixpence*. 이 6 펜스를 동전 6 개로 바꾸어 주시오. (2) twopence [tʌ́pəns], threepence [θrépəns, θríp-]에서 twelvepence 까지와 twentypence 는 한 단어로 쓰고, -pence 는 약하게 [-pəns] 로 발음함. 그 외의 것은 두 단

어로 떼어 쓰든지 하이픈을 넣어 [-péns]로 발음함. (3) 숫자 뒤에서는 p.로 생략하지만, 구(舊)단위에서는 d.로 생략했음: 5 p [píː] (=fivepence), 5펜스. (4) halfpenny는 [héipəni]로 발음함.

2 《미구어 · Can.구어》 1센트 동전《복수는 pennies》. **3** 피천, 푼돈: It isn't worth a ~. 그것은 피천 한 닢의 가치도 없다. **4** 〖일반적〗 금전. **5** 〖성서〗 데나리(denarius) 《고대 로마의 은화(銀貨)》. **6** 《미속어》 순경, 경관 (policeman). ***a bad*** ~ 싫은 사람〔것〕: like *a bad* ~ 싫어질 정도로, 부아가 날 정도로. ***A ~ for your thoughts.*** =《속어》 ***A ~ for'em.*** 무엇을 멍하니 생각하는가. ***a ~ plain and twopence colored*** 빛깔 없는 것은 1전, 빛깔 있는 것은 2전《싸고도 번지르르한 물건에 대한 경멸의 말》. ***a pretty ~*** 《구어》 큰돈. ***be not*** (***a***) ***~ the worse*** 〔***the better***〕 조금도 나빠지지〔좋아지지〕 않다. ***have not a ~*** (***to bless oneself with***) 매우 가난하다. ***pennies from heaven*** 하늘이 준〔뜻밖의〕 행운, 횡재. ***spend a ~*** 《영구어》 (유료) 변소에 가다. ***The ~*** (***has***) ***dropped.*** 《영구어》 뜻이 가까스로 통했다《자동판매기에 동전이 들어갔다는 뜻에서》. ***think one's ~ silver*** 자만하고 있다. ***turn*** 〔***earn, make***〕 ***an honest ~*** 정직하게 일하여 돈을 벌다. ***two*** 〔***ten***〕 ***a ~*** 《영구어》 흔한, 하찮은, 싸구려의. **—** *a.* 1 페니의, 싸구려의: a ~ book 《구어》 싸구려 모험 소설. ***in ~ numbers*** 조금씩, 짤끔짤끔, 토막토막으로.

-pen·ny [pèni, pəni] '값이 …페니〔펜스〕의'라는 뜻의 결합사: a ten*penny* supper.

pénny-a-líne *a.* 1행(行)에 1페니의; (저작이〔원고가〕) 빈약한, 싸구려의.

pénny-a-líner *n.* 한 줄에 1페니씩 받고 쓰는 사람; 삼류 작가(hack writer).

pénny-a-líning *n.* 싸구려 원고, 서푼짜리 글.

pénny ánte 푼돈 내기 포커; 《속어》 소규모 거래, 보잘것없는 장사.

pénny-ánte *a.* 하찮은, 작고 보잘것없는.

pénny arcáde (동전으로 즐길 수 있는) 오락 아케이드.

Pénny Blàck 페니 블랙《영국에서 1840년에 발행된 최초의 우표; 1페니 짜리》.

pénny dréadful (범죄 · 폭력 등을 다룬) 값싸고 선정적인 소설〔잡지〕.

pénny-hálfpenny *n.* =THREE-HALFPENCE.

pénny-in-the-slòt *n.* 《영》 1페니 동전을 넣는 자동판매기. **—** *a.* 동전으로 움직이는; 〖일반적〗 자동의.

pénny lòafer (등에 동전 장식이 있는) loafer 「신발.

pénny númber 정기 간행 탐정 소설의 1회분《가격이 1페니인 데서》. 「다.

pénny-pìnch *vt.* (…에) 돈을 쩨쩨하게 분배하

pénny pìncher 《구어》 지독한 구두쇠〔노랑이〕.

pénny-pìnching *n.*, *a.* 《구어》 인색(한); 긴축 재정(의).

pénny-pláin *a.* 《영》 검소한, 수수한.

pénny pòst 《영고어》 1페니 우편제(制).

pénny·róyal *n.* 〖식물〗 박하류(類); 박하유(油).

pénny stòck 《미》 〖증권〗 투기적 저가주(株)《한 주 값이 1$ 미만인》.

pénny·wèight *n.* U,C 페니웨이트《영국의 귀금속 · 보석의 중량 단위, 24 grains=1.552 g; 생략: dwt., pwt.》; 《미속어》 보석류; 《특히》 다이아몬드: a ~ job 보석 도둑.

pénny whìstle (장난감) 호루라기 (=**tín whìstle**)《생철 또는 플라스틱제의》.

pénny wìsdom 한 푼을 아낌.

pénny-wíse *a.* 푼돈을 아끼는: *Penny-wise* and pound-foolish. 《속담》 푼돈 아끼다 큰돈 잃기, 기와 한 장 아끼다 대들보 썩는 줄 모른다.

pénny·wòrt *n.* 〖식물〗 피막이풀속(屬) 따위의 잎이 동그란 잡초《바위의 갈라진 틈이나 습지에서 생장함》.

pénny·wòrth *n.* 1 페니어치(의 양); 1 페니짜리 물건; 소액; 조금, 근소; 거래액: a ~ of salt 소금 1 페니어치. ***a good*** 〔***bad***〕 ***~*** 유리〔불리〕한 거래, 사서 득〔손해〕 본 물건. ***get one's ~*** =***get one's money's worth*** ⇨ MONEY. ***not a ~ of*** 조금도 …이 아니다.

Pe·nob·scot [pənάbskɑt, -skət/-ɔ́bskɔt] *n.* 아메리카 인디언의 한 부족.

penol. penology.

pe·nol·o·gy [piːnάlədʒi/-nɔ́l-] *n.* U 행형학(行刑學); 교도소 관리학. ㊞ **-gist** *n.* **pè·no·lóg·i·cal** [-əl] *a.*

pen·orth [pénərθ] *n.* =PENNYWORTH. 「친구.

*__pen pal__ [pénpæ̀l] 펜팔, 편지를 통하여 사귀는

pén pìcture 〔**pòrtrait**〕 펜화(畫); (인물 · 사건 따위의) 대략적인 묘사, 간단한 기록.

pén plòtter 〖컴퓨터〗 펜플로터《컴퓨터 제어에 의해 펜으로 선을 긋기 위한 작도(作圖) 장치》.

pén·pòint *n.* 펜촉(nib); 볼펜심.

pén-pùsher *n.* 《구어》 =PEN-DRIVER.

pén·ràck *n.* 펜걸이, 필가(筆架).

pén régister (전화국에 있는) 전화 이용 상황 기록 장치《가입자의》.

pen·sée [F. pɑ̃se] (*pl.* ***-sées*** [—]) *n.* 《F.》 생각, 사고, 사상(thought); 회상; (*pl.*) 명상록, 수상록; 금언; (P-s) '팡세'《Pascal의》.

pen·sile [pénsail, -sil/-sail] *a.* 매달린, 드리워진, 대롱거리는, 흔들리는; 매달린 둥지를 짓는《새 따위》: a ~ bird.

⁑**pen·sion**[1] [pénʃən] *n.* **1** 연금, 양로 연금, 부조금: an old-age ~ 양로 연금/draw one's ~ 연금을 타다/retire 〔live〕 on a ~ 연금을 받고 퇴직하다〔연금으로 생활하다〕. **2** (학자 · 예술가 등에게 주는) 장려금, 보호금; (고용인 등에 대한 임시) 수당. **3** 런던의 Gray's Inn 법학원의 평의원회. **—** *vt.* …에게 연금을 주다. ~ ***off*** 연금을 주어 퇴직시키다.

pen·sion[2] [F. pɑ̃sjɔ̃] *n.* 《F.》 (프랑스 · 벨기에 등지의) 하숙집, 기숙사; 식사를 겸한 하숙비. ***live en ~*** 식사를 겸한 하숙 생활을 하다.

pén·sion·a·ble *a.* 연금을 받을 자격이 있는.

pen·sion·ary [pénʃənèri/-əri] *a.* 연금을 받는, 연금으로 생활하는; 연금의. **—** *n.* =PENSIONER; 고용인, 부하; 용병.

°**pén·sion·er** *n.* **1** 연금 수령자〔생활자〕; 고용인; (Cambridge 대학의) 자비생. **2** 하숙자, 기숙생.

pénsion fùnd 연금 기금.

pén·sion·less *a.* 연금이 없는〔붙지 않는〕.

pénsion plàn 연금 제도.

°**pen·sive** [pénsiv] *a.* 생각에 잠긴, 시름에 잠긴 듯한; 구슬픈. ㊞ **~·ly** *ad.* **~·ness** *n.*

pén·stòck *n.* **1** 수문(sluice); 수로, (물방아 등의) 홈통. **2** 《미》 소화전(栓)(hydrant). **3** (수력 발전소의) 수압관.

pent [pent] PEN[2]의 과거 · 과거분사.
— *a.* 갇힌(confined)《*up; in*》; 울적한.

Pent. Pentecost. **pent.** pentagon; 《시어》 pentameter. 「에서는 **pent-**》.

pen·ta- [péntə] '다섯'의 뜻의 결합사《모음 앞

pen·ta·bo·rane [pèntəbɔ́ːrein] *n.* 〖화학〗 펜타보란《항공기 · 미사일 등의 고에너지 연료용》.

pènta·chlorophénol *n.* 〖화학〗 펜타클로로페놀《목재 방부제 · 농약》.

pen·ta·chord [péntəkɔ̀ːrd] *n.* 오현금(五絃琴); 〖음악〗 오음(五音) 음계.

pen·ta·cle [péntəkəl] *n.* =PENTAGRAM; HEXAGRAM.

pen·tad [péntæd] *n.* 다섯; 다섯 개 한 벌; 5년간; 〖화학〗 5가 원소. **—** *a.* 〖화학〗 5가 원소의.

pen·ta·dac·tyl, -dac·ty·late [pèntədǽktil], [-dǽktələt, -lèit] *a.* 다섯 손가락이 있는 〔모양의〕.

pènta·décagon *n.* 〖수학〗 15각형.

pènta·dèca·péptide *n.* 〖생화학〗 펜타데카펩티드(아미노산(酸) 15개로 이루어진 단백질을 닮은 분자).

pen·ta·gon [péntəgàn/-gɔ̀n] *n.* 〖수학〗 5각형; 5변형; 〖축성(築城)〗 오릉보(五稜堡); (the P-) 미국 국방부 (건물이 오각형임). ㊫ **pen·tag·o·nal** [pentǽgənl] *a.* 5각〔변〕형의.

Pen·ta·gon·ese [pèntəgəní:z, -ní:s/-ní:z] *n.* 《미구어》 군 관계자 용어, 미국 국방부식 문체.

pen·tag·o·noid [pentǽgənɔ̀id] *a.* 5각형 모양의〔을 닮은〕.

pen·ta·gram [péntəgræ̀m] *n.* 별표(★표; 중세에는 부적으로 썼음).

pen·ta·graph [péntəgræ̀f, -grɑ̀:f] *n.* =PANTOGRAPH.

pen·ta·he·dral [pèntəhí:drəl] *a.* 5면체의.

pen·ta·he·dron [pèntəhí:drən] (*pl.* **~s,** ***-dra*** [-drə]) *n.* 〖수학〗 5면체.

pen·ta·mer [péntəmər] *n.* 〖화학〗 오량체(五量體), 펜타머.

pen·tam·er·ous [pentǽmərəs] *a.* 다섯 부문으로 나누인〔된〕; 〖식물〗 오판화(五瓣花)로 된, 오판화의.

pen·tam·e·ter [pentǽmətər] *n.* 〖운율〗 오운각(五韻脚)(의 시), 오보격(五步格); =HEROIC VERSE. **—** *a.* 오보격의.

pen·tam·i·dine [pentǽmidi:n, -din] *n.* 〖약학〗 펜타미딘(리슈마니아증, 트리파노소미아증 및 폐렴 치료약). [◂ *pent*(ane)+*amidine*]

pen·tane [péntein] *n.* Ⓤ 〖화학〗 펜탄(파라핀 탄화수소).

pen·tan·gu·lar [pentǽŋgjələr] *a.* 5각(형)의.

pen·ta·ploid [péntəplɔ̀id] 〖생물〗 *a.* (염색체 수가) 5배성(倍性)의, 5배체(倍體)의. **—** *n.* 5배성, 5배체.

pénta·prìsm *n.* 〖광학〗 5각 프리즘.

pen·tar·chy [péntɑ:rki] *n.* 오두(五頭) 정치〔정부〕; 5국 연합.

pen·ta·stich [péntəstìk] *n.* 《시어》 5행시.

pen·ta·style [péntəstàil] *n.* 〖건축〗 5주식(柱式) 건축. **—** *a.* 5주식의.

pénta·sỳllable *n.* 5음절(어).

Pen·ta·teuch [péntətjù:k/-tjù:k] *n.* 〖성서〗 모세 5경(經)(구약성서의 첫 5편).

pen·tath·lete [pentǽθli:t] *n.* 5종 경기 선수.

pen·tath·lon [pentǽθlən, -lɑn/-lən] *n.* 5종 경기(競技); =MODERN PENTATHLON. ㏄ decathlon. ㊫ **~·ist** *n.* 5종 경기 선수.

pènta·tónic *a.* 〖음악〗 5음(음계)의: ~ scale, 5음 음계.

pen·ta·ton·i·cism [pèntətánəsizəm] *n.* 〖음악〗 5음 음계 사용, 5음 음계주의.

pen·ta·va·lent [pèntəvéilənt, pentǽv-] *a.* 〖화학〗 5가(價)의.

Pen·te·cost [péntikɔ̀:st, -kàst/-kɔ̀st] *n.* 〖유대교〗 유대의 수확절, 수장절(收藏節)(=**Shabúoth**)(Passover의 둘째날로부터 50일째의 날); 〖기독교〗 성령 강림절, 오순절(Whitsunday) (Easter 후의 제 7 일요일)(생략: Pent.).

Pen·te·cos·tal [pèntikɔ́:stəl, -kás-/-kɔ́s-] *a.* Pentecost의; 오순절 교회파(20세기 초 미국에서 시작한 fundamentalist에 가까운 한 파)의. ㊫ **~·ìsm** *n.* 성령 강림 운동. **~·ist** *n.*

pént·hòuse *n.* **1** 벽에 붙여 비스듬히 내단 지붕〔작은 집〕. **2** 차양, 처마; 차양 비슷한 것(눈썹 따위). **3** (빌딩의) 옥상의 (고급) 주택; (호텔의 꼭대기 층) 특실; 옥탑(屋塔)(빌딩 옥상의 엘리베이터 기계실 · 환기 장치 따위가 있는).

Pen·ti·um [péntiəm] *n.* 펜티엄(Intel사(社) 제품의 마이크로 프로세서; 상표명).

pen·to·bar·bi·tal [pèntəbá:rbətɔ̀:l, -tæ̀l/-tæ̀l] *n.* 〖약학〗 펜토바르비탈(단시간형 진정 · 진통 · 최면약).

pentobárbital sódium 〖약학〗 펜토바르비탈 나트륨(진정 · 진통 · 최면약).

pen·tode [péntoud] *n.* 〖전기〗 5극(진공)관.

pen·tom·ic [pentámik/-tɔ́m-] *a.* 〖미군사〗 핵 공격 따위에서 5전투 그룹〔부대〕 단위의: a ~ division 펜토믹 사단(원자력으로 무장한 5개 전투단으로 편성된 사단).

pen·ton [péntɑn/-tɔn] *n.* 〖생화학〗 펜톤, 5단위 연쇄체(바이러스 입자의 단백질 외피에 함유되는 상호 의존한 5개 단위의 그룹).

pen·to·san [péntəsæ̀n] *n.* 〖생화학〗 펜토산(가수 분해에 의해 펜토오스를 생성하는 다당류).

pen·tose [péntous] *n.* 〖화학〗 펜토오스, 오탄당(五炭糖)(탄소 원자 5개의 단당류(單糖類)).

Pén·to·thal (**Sódium**) [péntəθɔ̀:l(-)/-θæ̀l(-)] *n.* 〖약학〗 펜토탈(속효성 마취제; 상표명).

pent·ox·ide [pentáksaid/-tɔ́k-] *n.* 〖화학〗 5산화물(五酸化物).

pént ròof 벽에 붙여 비스듬히 내단 지붕; 차양.

pent·ste·mon [pentstí:mən, péntstə-/pentstém-] *n.* 〖식물〗 현삼과(科)의 식물.

pént-úp *a.* 갇힌; 울적한(감정 따위): ~ fury 〔rage〕 울분.

pen·tyl [péntil, -təl] *n.* 〖화학〗 펜틸(기(基))(=**∠ ràdical** 〔**gròup**〕)(알킬기(alkyl기)의 일종).

pe·nu·che, -chi [pənú:tʃi] *n.* 나무 열매 · 흑사탕 · 버터 등과 크림이나 밀크로 만든 fudge.

pe·nult, pe·nul·ti·ma [pí:nʌlt, pinʌ́lt], [pinʌ́ltəmə] *n.* **1** 어미(語尾)에서 둘째의 음절. ㏄ antepenult. **2** 끝에서 둘째의 것.

pe·nul·ti·mate [pinʌ́ltəmət] *a.* 어미에서 둘째의 (음절의); 끝에서 둘째의 것의. **—** *n.* = PENULT.

pe·num·bra [pinʌ́mbrə] (*pl.* ***-brae*** [-bri:], **~*s***) *n.* **1** 〖천문〗 반음영(半陰影), 반영(半影)((일식 · 월식의) 그늘진 부분; 태양 흑점 주위의 반영부). **2** 주연부(周緣部); 〖회화〗 명암 · 농담(濃淡)의 경계 (부분). **3** 어느 편도 아닌 부분; 미묘한 분위기. ㊫ **~l** *a.*

pe·nu·ri·ous [pinjúəriəs/-njúər-] *a.* 다라운, 몹시 아끼는, 인색한; 빈곤한; 궁핍한(*of*). ㊫ **~·ly** *ad.* **~·ness** *n.*

pen·u·ry [pénjəri] *n.* Ⓤ 빈곤, 빈궁(destitution); 궁핍. ***reduced to*** **~** 몹시 가난하여.

pe·on [pí:ən, -ɑn/-ən] (*pl.* **~*s,*** ***-o·nes*** [peióuni:z]) *n.* **1** (라틴 아메리카의) 날품팔이 노동자; (멕시코에서) 빚 때문에 노예로 일하는 사람; (라틴 아메리카에서) 말 지키는 사람; 투우사의 조수. **2** [pí:ən, pju:n] (인도의) 보병, 토민병(土民兵); (인도 원주민의) 순경; 종복(從僕), 사환; 가난한 사람. ㊫ **~·age** [-idʒ], **~·ism** *n.* Ⓤ ~의 신분〔노역〕; 그 제도; (죄수의) 노예적 복종〔노동〕.

pe·o·ny, pae- [pí:əni] *n.* **1** 〖식물〗 모란, 작약(芍藥), 함박꽃. **2** 어두운 적색. ***a tree*** **~** 모란. ***blush like a*** **~** 낯이 빨개지다, 얼굴을 붉히다.

†**peo·ple** [pí:pəl] *n.* **1** 〘복수취급〙 **a** 〘일반적〙 사람들: a lot of ~ / streets crowded with ~ 사람들로 혼잡한 거리 / Some ~ are tall, and

others 〔other ~〕 are short. 키 큰 사람이 있는가 하면 작은 사람도 있다 / Several ~ were hurt. 몇 사람이 다쳤다 / They are good ~. 그들은 좋은 사람들이다 / you ~ 당신들. ★ 수사에 수반할 때는 person으로 대용될 경우도 많음: five ~, 5인(five persons). **b** 〖부정대명사 용법〗 세인(世人), 세상 사람들: *People* don't like to be kept waiting. 사람들은 대개가 기다리는 것을 싫어한다 / *People* say that .... 세상에서는 …라고들 말한다 / She doesn't care what ~ say. 그녀는 세상 사람들이 무어라 말하건 개의치 않고 있다. **c** (다른 동물과 구별하여) 사람, 인간 (human beings). **2** (a ~, *pl.* **~s**) 국민, 민족: the ~*s* of Asia 아시아의 여러 국민 / a warlike ~ 호전적 국민 / English-speaking ~*s* 영어 사용 제(諸)국민. SYN. ⇨ NATION. **3** (보통 the ~ 또는 one's ~) 〖복수취급〗 **a** (한 지방의) 주민, (어느 계급·단체·직업 따위의) 사람들: the ~ here 이 지방 사람들 / the village ~ 촌민(村民) / the best ~ 《구어》 상류 사회 사람들. **b** (the ~) 백성, 하층 계급: the ~'s front 인민전선 / government of the ~, by the ~, for the ~ 국민의, 국민에 의한, 국민을 위한 정치. **c** (one's ~) 《구어》 가족; 친척, 일족: my ~ at home 고향 사람들, 근친, 일가 / Will you meet my ~? 우리 집 가족들을 만나보시지요. **d** (one's ~) 교구민; 종자(從者)들. **4** (P-) 〖미법률〗 (형사 재판의) 검찰 측: *People* v. John Smith (검찰 측 대(對)) 존스미스 사건. **5** (분류학상의) 한 떼의 동물(creatures); 《시어》 살아 있는 것, 생물. ***as ~ go*** 일반적으로 말하자면. ***go to the ~*** (정치 지도자가) 국민의 신임을 묻다. ***of all ~*** 많은 사람 중 하필이면; 특히.

— *vt.* **1** 《~+목/+목+전+명》 …에 사람을 살게 하다〔식민하다〕; (동물을) 많이 살게 하다《보통 수동형으로》: The place *is* ~*d with* the sick. 거기에는 병자가 산다. **2** …에 살다《보통 과거분사형으로》: The country is thickly 〔sparsely〕 ~*d*. 그 나라는 인구 밀도가 높다〔낮다〕.

péople càrrier 피플 캐리어《좌석이 세 줄 있어서 보통차보다 많은 사람이 타는 자동차》.

péople·hòod *n.* (정치적이 아닌 문화적·사회적 일체감을 강조하는) 민족성, 민족의식.

péople jòurnalism 유명인·화제의 인물을 다루는 사진 중심의 잡지.

péople·less *a.* 사람이 없는, 무인(無人)의.

péople méter 피플미터《시청률 조사를 위해 조사 대상 가정의 텔레비전에 장착한 모니터 장치》.

péople mòver 초단거리 대량 수송 수단, (한정된 구역의) 사람 수송 수단《자동 모노레일, 움직이는 보도(步道) 따위》.

péople pèrson 《구어》 교제를〔사람을〕 좋아하는 사람, 사교적인 사람.

Péople's Chárter (the ~) 〖영국사〗 국민헌장.

Péople's Cómmissar (옛 소련의) 인민 위원《1946년까지; 그 후 1991년 소련 붕괴 때까지는 minister》.

péople's cómmune (중국의) 인민 공사.

Péople's Dáily (the ~) (중국의) 인민 일보.

people's demócracy 인민 민주주의.

Péople's Liberátion Ármy 중국 인민 해방군《중국의 정규군》.

péople snìffer 숨어 있는 사람을 냄새로 탐지하는 장치.

Péople's párty (the ~) 〖미국사〗 인민당《1891-1904; 통화 증발, 철도 국유화, 토지 소유의 제한 등을 주장》.

péople's repúblic (흔히 P- R-) 인민 공화국《보통 사회〔공산〕주의 국가》.

peóple-wàtching *n.* 《구어》 인간 관찰《혼잡한 공공장소에서 왕래하는 사람들을 관찰하면서 혼자 즐기는 것》.

Pe·o·ria [pióːriə] *n.* 피오리어《미국 일리노이주 중북부의 도시》. ***play in ~*** 《미구어》 일반인들에게 받아들여지다.

pep [pep] 《구어》 *n.* U 원기; 기력: full of ~ 기운이 넘치는. — (**-pp-**) *vt.* 원기를 북돋우다, 격려하다《*up*》. [◂ *pepper*]

PEP [piːp] personal equity plan; 《영》 Political and Economic Planning.

pep·er·i·no [pèpəríːnou] *n.* U 〖지학〗 응회암(凝灰岩)의 일종.

pep·los, -lus [pépləs] *n.* 페플로스《고대 그리스 여성이 입던 주름 잡힌 긴 상의》.

pep·lum [pépləm] (*pl.* **~s, -la** [-lə]) *n.* 허리만 두르는 짧은 장식 스커트.

pe·po [píːpou] (*pl.* **~s**) *n.* 페포《박과(科) 식물의 열매》.

pep·per [pépər] *n.* **1 a** 후추; 〖식물〗 후추나무: black 〔white〕 ~ 검은〔흰〕 후춧가루 / round ~ 껍질째로의 후추. **b** 고추. **2** U,C 자극성 (있는 것). **3** U 신랄함(pungency); 혹평; 성급함. ***Chinese* 〔*Japanese*〕 ~** 산초나무. — *vt.* **1** …에 후춧가루를 뿌리다, …에 후춧가루로 양념하다. **2** …에 뿌려대다, …에 흩뜨리다《*with*》: a face ~*ed with* freckles 주근깨투성이인 얼굴. **3** 《+목+전+명》 (질문·총알 등을) …에 퍼붓다《*with*》: The enemy ~*ed* our lines *with* gunfire. 적은 우리 전선에다 포탄을 퍼부었다. **4** 비웃다, 욕을 퍼붓다; 공격하다; 호되게 벌주다. **5** 《야구속어》 …에 속구(速球)를 던지다; 《골프·야구속어》 날카롭게 치다, 강타하다.

pépper-and-sált [-rən-] *a., n.* 희고 검은 점이 뒤섞인 (옷감); (머리가) 희끗희끗한.

pépper·bòx *n.* **1** (식탁용) 후춧가루통; 《우스개》 (후춧가루통 비슷한) 작은 탑. **2** 성급한 사람.

pépper·còrn *n.* (말린) 후추 열매; 《비유》 신통찮은 물건: ~ rent 중세(中世)에 지대(地代) 대신으로 바친 후추 열매; 〖일반적〗 명목(名目) 지대〔집세〕.

Pépper Fòg 페퍼 포그《최루가스(pepper gas); 「상표명」》.

pépper gàme 〖야구〗 게임 전의 토스 배팅.

pépper·gràss *n.* 〖식물〗 다닥냉이무리의 식물《샐러드용 야채》.

pépper mìll (손으로 돌리는) 후추 빻는 기구.

pep·per·mint [pépərmìnt] *n.* U 〖식물〗 박하; 박하유(=∼ **òil**); 페퍼민트《술》; 박하 정제(錠劑); C 박하사탕.

pépper pòt **1** 후춧가루통. **2** 고추가 든 서인도 제도식의 고기 스튜; 《속어》 자메이카 섬 사람《별명》. **3** 《속어》 성급한 사람.

pépper shàker **1** 후춧가루통. **2** 《CB속어》 언 노면에 재를 뿌리는 트럭.

pépper sprày 페퍼 스프레이《눈에 뿜으면 몹시 아픈 물질로 종종 경찰이 사용함》.

pépper trèe (남아메리카 원산의) 옻나뭇과의 식물; (뉴질랜드 원산의) 목련과 식물.

pépper-ùpper *n.* 《속어》 기운을 북돋우는 것〔사람〕.

pépper·wòrt *n.* =PEPPERGRASS.

pep·pery [pépəri] *a.* 후추의, 후추 같은; 매운, 알알한; 신랄한, 통렬한, 열렬한《연설 따위》; 화잘 내는, 성급한. 파 **-per·i·ly** *ad.* **-i·ness** *n.*

pép pìll 《구어》 각성제《특히 amphetamine》.

pep·py [pépi] (**-pi·er; -pi·est**) *a.* **1** 《구어》 원기 왕성한, 기운이 넘치는. cf. pep. **2** 《미속어》 (엔진·차 따위가) 가속(加速)이 빠른, 고속 운전할 수 있는.

pép ràlly 《구어》 기세를 올리기 위한 집회, 궐기대회.

Pép·si-Cóla [pépsi-] *n.* 펩시콜라《미국 Pepsi Co.제 청량음료; 상표명》.

Pep·si·fi·ca·tion [pèpsifikéiʃən] *n.* (특히 패스트푸드 산업에서 보이는) 미국식 상업주의.

pep·sin(e) [pépsin] *n.* Ⓤ 펩신《위액 속의 단백질 분해 효소》; 펩신제.
pep·sin·o·gen [pepsínədʒən, -dʒèn] *n.* 〖생화학〗 펩시노겐《펩신의 효소원(源)》.
pép tàlk 《구어》 (감정에 호소하는) 격려 연설, 격(檄).
pép·tàlk *vi.* 격려 연설을 하다. **—** *vt.* 격려 연설로 사기를 돋우다.
pep·tic [péptik] *a.* 소화를 돕는; 펩신의: ~ glands 위액 분비선(腺) / ~ juice 소화액. **—** *n.* 소화제; 건위제(健胃劑); (*pl.*) 소화 기관.
péptic úlcer 〖의학〗 (위·십이지장의) 소화성 궤양.
pep·ti·dase [péptədèis, -dèiz] *n.* 〖생화학〗 펩티다아제《펩티드를 아미노산으로 분해하는 효소》.
pep·tide [péptaid] *n.* 〖생화학〗 펩티드.
péptide bònd 〖화학〗 펩티드 결합.
pep·tize [péptaiz] *vt.* 〖화학〗 콜로이드 모양〔교질 용액〕으로 만들다, 해교(解膠)하다.
pep·tone [péptoun] *n.* Ⓤ 펩톤《단백질이 펩신에 의해 가수 분해된 것》.
pep·to·nize [péptənàiz] *vt.* 펩톤화하다; 펩신 따위를 섞어 (음식물을) 인공적으로 소화시키다. ㊞ **pèp·to·ni·zá·tion** *n.*
Pe·quot [pí:kwɑt/-kwɔt] *n.* **1** (*pl.* **~*s*,** 〔집합적〕 ~) 피쿼족(의 1인)《뉴잉글랜드 지방 남부에 있던 알곤킨의 인디언》. **2** Ⓤ 피쿼어《알곤킨어족에 속함》.
⁑**per** [pəːr, 약 pər] *prep.* 《L.》 **1** 〔수단·행위자〕 …에 의하여, …으로: ~ post 〔rail〕 우편으로〔철도로〕 / ~ steamer 배편으로 / ~ Mr. Han 한씨에 의해 / ~ bearer 심부름꾼에 들려. **2** 〔배분〕 …에 대해, …마다: $10 ~ man 〔week〕, 1인〔주〕당 10달러 / sixty miles ~ hour 시속 60마일 / the crops ~ acre 에이커당 수확. **3** …에 의하면; 《구어》 … 에 따라서: ~ inventory 목록에 의하면 / ~ your advice 충고대로. ★ 라틴어 관용구 속에 쓰일 때는 보통 이탤릭체로 함. ***as*** ~ ① 〖상용문〗 …에 의하여: *as* ~ enclosed account 동봉 계산서대로. ② …와 같이: *as* ~ usual 《구어·우스개》 평상시와 같이.
per- [pər, pə̀ːr, pə́ːr] *pref.* **1** '완전히, 끝까지 (…하다)'의 뜻: *per*fect, *per*vade. **2** '매우, 몹시'의 뜻: *per*fervid. **3** 〖화학〗 '과(過)'의 뜻: *per*oxide.
Per. Persia(n). **per.** period; person.
per·ac·id [pəræ̀sid] *n.* 〖화학〗 과산(過酸).
per·a·cid·i·ty [pə̀ːrəsídəti] *n.* Ⓤ (위(胃) 따위의) 산(酸)과다.
per·ad·ven·ture [pə̀ːrədvéntʃər, pèr-] *ad.* 《고어》 아마; 우연히, 뜻밖에도. ***if*** ~ 혹시 …하는 일이 있으면. ***lest*** ~ …하는 일이 없도록. **—**《고어·문어》 *n.* Ⓤ 의심, 의문; 우연; 불안, 걱정; 우연한〔불확실한〕 일. ***beyond*** 〔***without***〕 (***a*** 〔***all***〕) ~ 틀림없이, 확실히, 꼭.
per·am·bu·late [pəræ̀mbjəlèit] *vt., vi.* **1** 소요〔배회〕하다, 바장이다; 순회하다; 답사하다. **2** 《영》 (어린이를) 유모차에 태우고 밀고 가다. ㊞ **per·am·bu·la·to·ry** [-lətɔ̀ːri/-təri] *a.* 순회〔순시, 답사〕의.
per·àm·bu·lá·tion *n.* Ⓤ 배회, 순회; Ⓒ 순회〔답사, 측량〕구(區); Ⓒ 답사 보고서.
per·am·bu·la·tor [pəræ̀mbjəlèitər] *n.* 《영》 유모차(《미》 baby carriage)《생략: pram》; 답사〔순찰〕자; =ODOMETER.
per an·num [pər-ǽnəm] 《L.》 1년에 대해, 1년마다(yearly)《생략: per an(n)., p.a.》.
P/E ràtio 〖경제〗 주가 수익 비율《주당 시가를 주당 이익으로 나눈 값》.
per·bo·rate [pəːrbɔ́ːreit] *n.* 〖화학〗 과붕산염(過硼酸塩).
per·bro·mate [pəːrbróumeit] *n.* 〖화학〗 과브롬산염.
per·cale [pəːrkéil] *n.* Ⓤ 배게 짠 무명《시트 따위용》.
per·ca·line [pə̀ːrkəlíːn] *n.* Ⓤ 무명 수자직(繻子織)의 일종《안감·장정(裝幀)용》.
per cap·i·ta [pəːr-kǽpitə] 《L.》 1 인당의, 머릿수로 나눈: income ~, 1인당 수입.
per·ceiv·a·ble [pərsíːvəbəl] *a.* 지각〔감지, 인지〕할 수 있는. ㊞ **-bly** *ad.*
⁑**per·ceive** [pərsíːv] *vt.* **1** 《~+목/+목+-*ing*/+목+do》 (오관으로) 지각(知覺)하다, 감지하다; …을 눈치채다, 인식하다: ~ an object loom*ing* through the mist 안개 속에 뭔가 아련히 나타나는 것이 보이다 / You will ~ the fish *rise* out of the water. 물고기가 수면에서 뛰어오르는 것을 보게 될 거다. SYN. ⇨NOTICE, RECOGNIZE. **2** 《~+목/+*that* 절/+목+(*to be*)보》 이해하다, 파악하다: We ~*d* by his face *that* he had failed in the attempt. 그의 얼굴에서 그 시도가 실패했음을 알았다 / On entering his house, she at once ~*d* him (*to be*) a methodical person. 그의 집에 들어서자마자, 그녀는 그가 꼼꼼한 사람임을 알게 되었다. ◇ perception *n.* ㊞ **per·céiv·er** *n.*
per·ceived nóise dècibel 감각 소음 데시벨, PN 데시벨《생략: PNdB, PNdb》.
⁑**per·cent, per cent** [pərsént] (*pl.* ~, ~*s*) *n.* **1** 퍼센트, 100분《기호 %; 생략: p.c., pct.》: 5 ~, 100분의 5 / a 〔one〕 hundred ~ =cent ~, 100 퍼센트. **2** 《구어》 백분율(percentage). **3** (*pl.*) 《영》 (일정 이율의) 공채: funds in the three ~*s*, 3분 이자 공채 자금. **—** *a.* 백분의: a five ~ increase, 5퍼센트의 증가 / get 5 ~ interest, 5분 이자를 얻다 / make 10 ~ discount for cash 현금에는 1할 할인하다. **—** *ad.* 백에 대하여: at a rate of 25 cents ~, 100에 대해 25센트의 비율로 / We agreed with her suggestions a hundred ~. 그녀의 제안에 전적으로 동의했다.
*__per·cent·age__ [pərséntidʒ] *n.* **1** Ⓤ,Ⓒ 백분율, 백분비. **2** Ⓤ,Ⓒ 비율, 율. **3** Ⓤ (백분율의) 수당·수수료·구문·할인액·이율·조세《따위》. **4** Ⓤ 《속어》 이익, 벌이; 부정 이득. **5** 〔보통 부정문〕 (*pl.*) 《구어》 이익; (이길) 가망. There's no ~ in being passive. 수세로만 있으면 가망이 없다. ***play the ~s*** 앞을 내다보고 행동하다.
percéntage pòint 1퍼센트.
per·cen·tile [pərséntail, -tl/-tail] *n., a.* 〖통계〗 변수 구간의 100분의 1(의), 백분위수(百分位數)(의).
per cent·um [pər-séntəm] 《L.》 백(百)에 대해.
per·cept [pə́ːrsept] *n.* 〖철학〗 지각(知覺)의 대상; 지각 표상(表象).
°**per·cep·ti·ble** [pərséptəbəl] *a.* **1** 인지〔지각〕할 수 있는. **2** 눈에 뜨이는, 상당한. ㊞ **-bly** *ad.* **per·cèp·ti·bíl·i·ty** *n.* Ⓤ 지각〔감지, 인식〕할 수 있는 것〔성질, 상태〕; 《드물게》 지각력, 이해력.
*__per·cep·tion__ [pərsépʃən] *n.* **1** Ⓤ,Ⓒ 지각(작용); 인식; 지각력; Ⓒ 지각 대상. **2** Ⓤ 〖법률〗 (세·작물·이익금의) 점유 취득, 징수. **3** 견해. ◇ perceive *v.* ㊞ **~·al** [-əl] *a.* =PERCEPTIVE.
per·cep·tive [pərséptiv] *a.* 지각〔감지〕하는, 지각력 있는; 통찰력이 있는, 명민한. ㊞ **~·ly** *ad.* **~·ness** *n.* **per·cep·tiv·i·ty** [pə̀ːrseptívəti] *n.* Ⓤ 지각(력).
per·cep·tu·al [pərséptʃuəl] *a.* 지각의; 지각있는. ㊞ **~·ly** *ad.*
percéptual defénse 〖심리〗 지각적 방위《바람 직하지 않은 것을 무의식적으로 보고 듣지 않음》.
percéptual strátegy 〖언어〗 지각 처리 방식《듣는 사람이 말을 이해할 때 행하는 심리적 처리》.

*__perch__¹ [pəːrtʃ] *n.* **1** (새의) 횃대(roost): take one's ~ (새 따위가) 횃대에 앉다. **2** ⦅비유⦆ 높은 지위, 안전한 지위, 편안한 자리. **3** (마차 따위의) 채; 마부석; (탄약차의) 차 꼬리; 막대, 장대; 직물 검사대(臺)⦅직물을 걸어놓고 검사하기 위한⦆. **4** (야구장의) 좌석. **5** ⦅영⦆ 퍼치⦅길이의 단위, 약 5.03 m; 면적의 단위, 약 25.3 m²⦆. ***Come off your ~.*** ⦅구어⦆ 거만하게 굴지 마라. ***hop*** ⦅***tip over, drop off***⦆ ***the ~*** ⦅구어⦆ 죽다. ***knock*** a person ***off*** his ~ 아무를 지우다, 해치우다, 아무의 콧대를 꺾다. ― *vi.* ⦅+전+명⦆ (새가) 횃대에 앉다; (사람이) 앉다, 자리를 차지하다 ⦅*on, upon*⦆: A bird ~*es on* a twig. 새가 가지에 앉는다. ― *vt.* **1** ⦅+목+전+명⦆ (새를) 횃대에 앉게 하다; 〘보통 수동태〙 (불안정한〔높은, 좁은〕 곳에) 놓다, 앉히다: The house *is* ~*ed on* a hilltop. 그 집은 언덕 꼭대기에 위태롭게 서 있다. **2** 〘~ oneself〙 …에 앉다, 좌정하다: He ~*ed* him*self* on a high stool. 그는 높은 걸상에 앉았다.

perch² (*pl.* ~**-es,** 〘집합적〙 ~) *n.* 〖어류〗 농어류의 식용 담수어.

per·chance [pərtʃǽns, -tʃɑ́ːns/-tʃɑ́ːns] *ad.* ⦅고어·시어⦆ 우연히, 어쩌다가; 아마. ***if*** 〔***lest***〕 ~ 만일 …하면 (안 되므로).

pérch·er *n.* **1** ⦅특히⦆ 나무에 앉는 새. **2** ⦅속어⦆ 빈사 상태에 있는 사람.

Per·che·ron [pə́ːrtʃərɑ̀n, -ʃə-/-ʃərɔ̀n] *n.* ⦅F.⦆ 프랑스 북부 Perche 원산의 복마(卜馬).

per·chlo·rate [pəːrklɔ́ːreit] *n.* 〖화학〗 과염소산염(過塩素酸塩).

per·chlo·ride [pəːrklɔ́ːraid] *n.* 〖화학〗 과염화물.

per·cip·i·ent [pərsípiənt] *a.* 지각하는, 지각력〔통찰력〕 있는, 의식적인. ― *n.* 지각자; 천리안, 감식안. ㊞ **-ence, -en·cy** [-sípiəns], [-i] *n.* Ⓤ 지각(력).

Per·ci·val [pə́ːrsəvəl] *n.* 퍼서벌. **1** 남자 이름 ⦅애칭 Percy⦆. **2** Arthur 왕 이야기에 등장하는 궁정 기사.

Per·co·dan [pə́ːrkədæ̀n] *n.* 〖약학〗 페르코단 ⦅진통·진해제(鎮咳劑); 상표명⦆.

per·co·late [pə́ːrkəlèit] *vt.* 거르다, 여과하다, 스며나오게 하다; 침투(浸透)시키다. ― *vi.* ⦅~/+전+명⦆ 여과되다; 스며나오다, 침투하다; (커피가) 퍼컬레이터에서 끓다; ⦅미구어⦆ 활발해지다; ⦅미속어⦆ 원활하게 움직이다: Rainwater ~*s into* loose sands. 빗물이 무른 모래땅에 스며든다. ― [-lit, -lèit] *n.* 여과액, 〖약학〗 침출액(浸出液). ㊞ **pèr·co·lá·tion** *n.* Ⓤ 여과(濾過); 침투.

per·co·la·tor [pə́ːrkəlèitər] *n.* **1** 여과기, 추출기(抽出器); 여과기 달린 커피 끓이개, 퍼컬레이터; 여과하는 사람〔것〕. **2** ⦅미속어⦆ 주최자의 집세를 돕기 위해 손님이 돈을 내는 파티(shake).

percolator 1

per con·tra [pər-kɑ́ntrə/-kɔ́n-] ⦅L.⦆ 이에 반해, 도리어; 〖부기〗 반대측에서〔의〕, (거래소 따위의) 상대편에서〔의〕.

per cu·ri·am [pər-kjúəriæ̀m/-riəm] 〖법률〗 전재판관에 의하여〔의한〕(by the court) ⦅무기명 판결·법관의 소견을 가리킴⦆.

per·cuss [pərkʌ́s] *vt., vi.* 두드리다; 〖의학〗 「타진하다.

per·cus·sion [pərkʌ́ʃən] *n.* Ⓤ,Ⓒ **1** 충격, 충돌. **2** (충돌에 의한) 진동, 격동; 음향. **3** 〖음악〗 타악기(의 연주); (*pl.*) (악단의) 타악기부(部). **4** (총의) 격발 (장치). **5** 〖의학〗 타진(법).

percússion càp 뇌관.

percússion fùse 격발 신관.

percússion instrument 〖음악〗 타악기.

per·cús·sion·ist *n.* 타악기 연주자.

percússion lòck 뇌관 장치.

percússion pòwder 뇌관 화약.

percússion tòol (전기·압착 공기 등을 동력으로 하는) 충격 공구(工具).

per·cus·sive [pərkʌ́siv] *a.* 충격의, 충격에 의한⦅울림·악기 등⦆; 〖의학〗 타진(打診)(법)의. ㊞ ~**·ly** *ad.* ~**·ness** *n.*

per·cus·sor [pərkʌ́sər] *n.* 〖의학〗 타진추(打診槌)(plexor).

per·cu·ta·ne·ous [pə̀ːrkjuːtéiniəs] *a.* 〖의학〗 피부를 통해서의, 경피적(經皮的)인⦅주사 따위⦆. ㊞ ~**·ly** *ad.*

Per·cy [pə́ːrsi] *n.* 퍼시⦅남자 이름⦆.

per di·em [pər-díːəm, -dáiəm] ⦅L.⦆ 하루에 대해(per day), 날로 나누어; 일급(의, 으로); 일당 임차〔임대〕료, 일당.

°**per·di·tion** [pərdíʃən] *n.* Ⓤ 멸망, 파멸; 지옥에 떨어짐; 지옥.

per·du(e) [pəːrdjúː/pəːdjúː] *a.* 보이지 않는, 숨은; 잠복한; 은밀히 행동하는⦅보초 등⦆. ***lie*** ~ 잠복하다. ― [ˊ-, -ˊ] *n.* ⦅폐어⦆ 결사대(원), 척후, 보초.

per·dur·a·ble [pəːrdjúərəbəl/-djúər-] *a.* 오래가는; 영속의; 불변의, 불멸〔불후〕의. ㊞ **-bly** *ad.* **per·dùr·a·bíl·i·ty** *n.*

per·dure [pərdjúər/-djúə] *vi.* 영속하다; (오래) 견디다.

père [pɛər] (*pl.* ~**s** [-z]) *n.* ⦅F.⦆ 아버지⦅성에 붙여 씀⦆. Ⓒⓕ fils. ¶ Dumas ~ 대(大)뒤마.

per·e·gri·nate [pérəgrinèit] *vt., vi.* (도보로) 여행〔편력〕하다; 외국에 살다. ㊞ **pèr·e·gri·ná·tion** *n.* Ⓤ,Ⓒ 여행, 편력. **pér·e·gri·nà·tor** [-tər] *n.* ⦅고어⦆ 편력〔여행〕자.

per·e·grine [pérəgrin, -grìːn, -grɑ̀in/-grin] *a.* 유랑성의; 순회의; 〖생물〗 널리 분포하고 있는; ⦅고어⦆ 외국의, 이국풍의; 편력 중인. ― *n.* **1** 해외거주자, ⦅특히⦆ 고대 로마의 외국인 거주자; 〖조류〗 송골매(=ˊ **fálcon**); ⦅고어⦆ 여행〔편력〕자. **2** (P-) 남자이름.

pe·réi·ra bàrk [pərɛ́ərə-] 브라질산 다목의 수피(樹皮)⦅강장·해열제⦆.

pe·rei·rine [pərɛ́əriːn] *n.* Ⓤ 페레이린⦅강장·해열제로 쓰며, pereira bark 에서 추출⦆.

per·emp·to·ry [pərémptəri, pérəmptɔ̀ːri] *a.* 단호한, 독단적인, 엄연한; 거만한, 강제적인; 〖법률〗 확정된, 최종적인, 결정적인, 절대의: a ~ decree 최종 판결 / a ~ mandamus 〔writ〕 강제 집행 영장. ㊞ **-ri·ly** *ad.* **-ri·ness** *n.*

perémptory chállenge 〖법률〗 전단적(專斷的) 기피, 이유 불요(不要)의 기피⦅이유를 제시할 필요 없이 일정수까지의 배심원 기피로서, 형사 피고인의 권리⦆.

perémptory excéption 〔**pléa**〕 〖법률〗 결정적 답변.

per·en·nate [pérənèit, pəréneit] *vi.* 〖식물〗 여러 해 생육하다, 계절이 바뀌어도 시들어 죽지 않다. ㊞ **pèr·en·ná·tion** *n.*

°**per·en·ni·al** [pəréniəl] *a.* 연중 끊이지 않는, 사철을 통한; 여러 해 계속하는, 영원한⦅젊음 따위⦆; 〖식물〗 다년생의, 숙근성(宿根性)의(Ⓒⓕ annual, biennial); 1년 이상 사는⦅곤충⦆. ― *n.* 〖식물〗 다년생 식물; (여러 해) 계속되는 것, 재발하는 것. ㊞ ~**·ly** *ad.* **per·èn·ni·ál·i·ty** [-ǽləti] *n.* Ⓤ 여러 해 계속함, 영속성.

pe·ren·ni·ty [pərénəti] *n.* 영속성(永續性).

pe·res·troi·ka [pèrəstrɔ́ikə] *n.* ⦅Russ.⦆ 페레스트로이카⦅Gorbachev 의 경제 재건 정책⦆. [◂ pere-(re-)+stroika(construction)]

perf. perfect; perforated; performance.

*__per·fect__ [pə́ːrfikt] *a.* **1** 완전한, 더할 나위 없

는, 결점이 없는, 이상적인: a ~ wife 더할 나위 없는 아내/a ~ crime 완전 범죄/The weather was ~. 날씨는 그만이었다. SYN. ⇨ COMPLETE. **2** 숙달한, 우수한《*in*》: be ~ *in* one's duties 직무에 숙달해 있다. **3** 정확한, 순수한, 조금도 틀림이 없는: a ~ circle 완전한 원/a ~ copy 진짜와 똑같은 사본(寫本). **4** 《구어》 지독한, 굉장한: ~ nonsense 아주 실없는 소리/a ~ stranger 전혀 낯선 사람. **5** 〖문법〗 완료의. **6** 〖식물〗 완전화(花)의, 양성화(兩性花)의. **7** 〖음악〗 (음정·종지(終止)가) 완전한: a ~ octave 완전 8도. **—** *n.* 〖문법〗 완료 시제: the present 〔future, past〕 ~ 현재〔미래, 과거〕 완료. ***the ~ tenses*** 완료 시제. ⇨《부록》 PERFECT TENSE.

— [pə(:)rfékt] *vt.* **1** 완성하다; 수행하다. **2** 완전히 하다; 개선〔개량〕하다. **3** 《+목+전+명》 〖~ oneself〗 …에 숙달하다: He has ~*ed* him*self in* English. 그는 영어를 완전히 자기 것으로 만들었다. ◇ perfection *n.*

㊕ *~·ly *ad.* 완전히, 더할 나위 없이. **~·ness** *n.* =PERFECTION, 《특히》 도덕적 완성.

per·fec·ta [pərféktə] *n.* 〖경마〗 쌍승식(雙勝式)(exacta).

pérfect bínding 〖제본〗 무선철(無線綴)《실·철사를 안 쓰고 접착제만으로 접합하는 제본 형식》.

pérfect cádence 〖음악〗 완전 종지(법).

pérfect competítion 〖경제〗 완전 경쟁.

per·féct·ed [-id] *a.* 완성된. ㊕ **~·ly** *ad.* 완전히.

per·féct·er *n.* **1** 완성자, 개량자. **2** =PERFECTING PRESS.

pérfect gáme 〖야구·볼링〗 퍼펙트 게임, 완전시합: pitch a ~ (투수가) 완전 시합을 이루다.

pérfect gás 〖물리〗 완전 기체, 이상 기체.

per·fect·i·ble [pə:rféktəbəl] *a.* 완전히 할〔완성시킬〕 수 있는. ㊕ **per·fèct·i·bíl·i·ty** *n.* 완전히 할 수 있음, 완전성〔론〕.

perfécting prèss 〖인쇄〗 양면 인쇄기(perfecter).

per·fec·tion** [pərfékʃən] *n.* Ⓤ **1** 완전, 완벽; 완비; 극치, 이상 (상태): remain in ~ 온전한 채로 남아 있다/She's the ~ of beauty. 그녀는 미의 극치이다. **2** 완성, 마무름; 성숙: busy with the ~ of detail 세부의 마무리에 바쁜/bring ... to ~ …을 완성하다/come to ~ 완성〔성숙〕하다. **3** 숙달, 탁월: attain ~ 완전한 경지에 달하다. **4** Ⓒ 완전한 물건〔사람〕: the ~ of rudeness 버릇없음의 표본. **5** (*pl.*) 재예(才藝); 미점: I constantly discover new ~*s* in his art unobserved before. 나는 볼 때마다 지금까지 몰랐던 그의 예술에 있어서의 미점을 발견한다. ◇ perfect *v.* ***to **~** 완전히, 더할 나위 없이: He sang it *to* ~. 그 노래를 완전하게 불렀다. ㊕ **~·ism** *n.* Ⓤ **1** 〖철학〗 완전론《사람은 현세에서 도덕·종교·사회·정치상 완전한 영역에 도달할 수 있다는 학설》. **2** 완전주의, 깊이 골몰하는 성격. **~·ist** *n.* 완전론자; 완벽주의자; (P-)(1848–79년 New York 주에 있었던) Oneida 공산촌(共産村)의 단원.

per·fec·tive [pərféktiv] *a.* 〖문법〗 동작의 완료를 표시하는; 《고어》 완전하게 하는; 향상〔진보〕의 도상에 있는. **—** *n.* 〖문법〗 완료상(相)(=~ **áspect**). ㊕ **~·ly** *ad.* **~·ness** *n.*

pérfect númber 〖수학〗 완전수.

per·fec·to [pərféktou] (*pl.* **~s**) *n.* 《Sp.》 퍼펙토《양 끝이 가늘고 뾰족한 중간형의 여송연》.

per·fec·tor [pərféktər] *n.* =PERFECTING PRESS.

pérfect párticiple 〖문법〗 완료 분사(past participle)《생략: perf. part.》.

pérfect pítch 〖음악〗 절대 음감(absolute pitch).

pérfect rhýme 완전 각운(脚韻)《dear와 deer 처럼 동음 또는 동철자로 뜻이 다른 것》.

pérfect squáre 〖수학〗 완전제곱(정수(整數)의 제곱으로 이루어진 수; 1, 4, 9, 25 따위).

pérfect yéar 〖유대력〗 355일의 평년, (또는) 385일의 윤년.

per·fer·vid [pə:rfə́:rvid] *a.* 매우 열심인, 열렬한, 백열적인.

per·fid·i·ous [pərfídiəs] *a.* 불신의, 불성실한; 배반하는, 딴마음이 있는. ㊕ **~·ly** *ad.* **~·ness** *n.*

per·fi·dy [pə́:rfədi] *n.* Ⓤ,Ⓒ 불신〔불성실, 배반〕(행위).

per·flu·o·ro·chem·i·cal [pərflù:ərəkémikəl] *n.*, *a.* 수소를 플루오르로 치환(置換)한 화합물(의)《인공 혈액용》.

per·fo·li·ate [pərfóuliət, -èit] *a.* 〖식물〗 줄기가 잎을 꿰뚫은, 관생(貫生)의: a ~ leaf.

per·fo·rate [pə́:rfərèit] *vt.* 구멍을 내다, 꿰뚫다, (우표 따위에) 미싱 바늘구멍을 내다, (종이에) 눈금 바늘구멍을 내다; (숫자 뚫는 기계로) 구멍 글자를 내다: a ~*d* line 절취선. **—** *vi.* 구멍 내다, 꿰뚫다《*into; through*》. **—** [-rit, -rèit] *a.* 미싱 바늘 구멍이 뚫린, 관통된. ㊕ **pèr·fo·rá·tion** *n.* Ⓤ 구멍을 냄, 관통; Ⓒ (찍어 낸) 구멍, 눈금, 미싱 바늘 구멍. **pér·fo·rà·tive** [-tiv] *a.* 구멍을 내는, 꿰뚫는; 꿰뚫을 수 있는. **pér·fo·rà·tor** [-tər] *n.* 구멍을 내는 사람〔기구, 기계〕; 개찰 기구《가위》.

pér·fo·ràt·ed *a.* 구멍이 있는〔난〕; 재봉〔바늘〕 구멍이 있는《종이·우표 따위》; 〖의학〗 천공(穿孔)된: a ~ ulcer.

pérforated inítials 수표에 구멍글자로 인쇄한 기업명 등의 이니셜〔머리글자〕.

pérforated tápe 천공 테이프.

per·force [pərfɔ́:rs] *ad.* 《문어》 억지로, 무리로, 강제적으로; 부득이, 필연적으로. **~ *of*** …의 힘에 의해. **—** *n.* 《드물게》 〖다음 관용구로〗 ***by ~*** 억지로, 무리하게. ***of ~*** 부득이, (그때의) 추세로, 필연적으로.

‡**per·form** [pərfɔ́:rm] *vt.* **1** 실행하다, 이행하다, 수행하다, 다하다: ~ a task 〔one's duties〕 일을〔임무를〕 다하다/~ one's promise 약속을 이행하다.

SYN. **perform** 정해진 조건을 예정대로 성취하다→이행〔연기〕하다. 결과보다는 남에게 보이고 싶을 만큼 실수 없는 과정에 중점을 둠. **accomplish, achieve** perform과 비슷하나, 중간 과정에서의 솜씨는 고려하지 않음. 여러 가지 곤란에도 굴하지 않고 일을 성취시켰다는 칭찬의 뜻이 포함됨. achieve 쪽이 보다 큰 곤란의 극복을 암시함. **execute** 목적·일·계획·명령 따위를 달성시켰다는 순수한 사실만이 고려되며, 솜씨나 곤란의 극복 따위는 고려하지 않음. 따라서 사무적이며 냉정한 말. **discharge** 의무를 이행하여 무거운 짐을 벗었다는 안도감이 내포된 말.

2 (기술이 필요한 일을) 행하다, 하다: ~ a surgical operation 외과 수술을 행하다. **3** (연극을) 공연하다, (연극의 역(役)을) 연기하다(act); (음악을) 연주하다; (악기를) 켜다, 타다: ~ a piece of music (on the violin) 곡을 (바이올린으로) 연주하다. **—** *vi.* **1** 일을 하다, 명령〔약속〕을 실행하다, 일을〔임무를〕 해 내다. **2** 《~/+전+명》 극을 공연하다; 연기하다《*on; in*》; 연주하다, 노래부르다: ~ before a large audience 많은 관중 앞에서 연기하다〔연주하다, 노래부르다〕/~ skillfully *on* the flute 피리를 잘 불다. **3** (동물 등이) 재주를 부리다: The seals ~*ed* well at the circus. 물개가 서커스에서 재주를 잘 부렸다. **4** (기계가) 작동하다. **5** 《속어》 시끄럽게 떠들어대다; 《Austral.속어》 화가 나 미친 듯이 되다.

㊞ **~·a·ble** *a.* ~할 수 있는.

*‡***per·form·ance** [pərfɔ́ːrməns] *n.* **1** Ⓤ 실행, 수행, 이행, 성취; 변제: faithful in the ~ of one's duty 〔promise〕 직무〔약속〕의 수행〔이행〕에 충실한. **2** 일, 작업; 행위, 동작. **3** (항공기·기계 따위의) 성능; 운전; 목표 달성 기능: of good ~ 성능이 좋은. **4** 성적, 성과: a fine ~ 좋은 성과, 대(大)기록. **5** Ⓤ,Ⓒ 선행, 공적. **6** Ⓒ 상연, 연극, 연기; 흥행: No entrance during ~. 상연 중 입장 금지 / give a ~ of *Hamlet* 햄릿을 상연하다. **7** Ⓒ 공연, 흥행물, 곡예: two ~*s* a day, 1일 2회 공연. **8** 〖언어〗 언어 운용. **9** 〖컴퓨터〗 성능《컴퓨터 체계의 기능 수행 능력 정도》.

perfórmance appràisal (근로자와 경영자 간의) 직무 수행 평가.

perfórmance àrt 퍼포먼스 아트《육체의 행위를 음악·영상·사진 등을 통하여 표현하려는 1970년대의 예술 양식; body art, video art 등》.

perfórmance bònd 〖상업〗 계약 이행 보증금.

perfórmance pày 능력급(能力給).

perfórmance-relàted [-id] *a.* (임금 따위가) 능력에 의한, 능력(급)과 관계된: ~ pay 능력급.

perfórmance review =PERFORMANCE APPRAISAL.

perfórmance tèst 〖심리〗 작업 검사《연장을 써서 하는 비(非)언어적 지능 검사》.

perfórmance thèater 실험 연극《배우 중심으로 운영되는 새로운 형의 연극》.

per·for·ma·tive [pərfɔ́ːrmətiv] *n.* 〖철학〗 수행문(遂行文)《그 글로 표현하면 그 글이 나타내는 행위의 수행이 되는 글; 보기: I promise to marry you.》. **—** *a.* 수행적(遂行的)인: ~ verbs 수행적 동사《promise, christen 따위》.

per·fórm·er *n.* **1** 행위자, 실행〔이행, 수행, 성취〕자. **2** 연예인; 연주자, 가수. **3** 명인, 선수.

per·fórm·ing *a.* 실행〔이행〕하는; (동물이) 재주 부릴 줄 아는; 공연을 요하는.

perfórming árts (the ~) 공연〔무대〕 예술《연극·음악·무용 따위》.

perf. part. perfect participle.

*‡***per·fume** [pə́ːrfjuːm, pərfjúːm/pə́ːfjuːm] *n.* Ⓤ,Ⓒ **1** 향기, 방향(芳香)(fragrance). **2** 향료, 향수(scent). **—** [-́, -̀] *vt.* **1** 향기를 풍기다〔피우다〕. **2** …에 향기가 나게 하다, 향수를 바르다: ~ one's handkerchief 손수건에 향수를 뿌리다. **—** *vi.* 방향을 발하다. ㊞ **per·fum·er** [pərfjúːmər, pə́ːrfjuːmər] *n.* **1** 향료〔향수〕 제조인, 향수 판매상. **2** 향내를 풍기는 사람〔물건〕.

per·fum·ery [pərfjúːməri] *n.* **1** 〔집합적〕 향료류(香料類); 향수. **2** Ⓒ 향료 제조(소); 향료 판매점. **3** 향수 조합(기술).

per·func·to·ry [pəːrfʌ́ŋktəri] *a.* 형식적인, 마지못한, 겉치레인; 기계적인, 아무렇게나 하는, 열의 없는, 피상적인. ㊞ **-ri·ly** *ad.* **-ri·ness** *n.*

per·fuse [pərfjúːz] *vt.* 전면에 쏟아 붓다〔뿌리다〕; 그득하게 하다《*with*》; 흩뿌리다; 〖의학〗 (기관·조직)의 속을 관류(灌流)하다. ㊞ **-fú·sion** [-ʒən] *n.* Ⓤ 살포; 살수(세례); 살포액; 〖의학〗 관류, 국소(局所) 관류. **-fú·sive** [-siv] *a.* 살포하는, 살수용의.

per·fú·sion·ist *n.* 〖의학〗 관류기사(灌流技師)《심장 절개 수술 중 혈액의 산소화·인공심폐를 관리함》.

pergola

per·go·la [pə́ːrgələ] *n.* 《It.》 퍼골라《덩굴을 지붕처럼 올린 정자나 작은 길》; 덩굴시렁.

perh. perhaps.

*‡***per·haps** [pərhǽps, prǽps] *ad.* 아마, 형편에 따라서는, 혹시, 어쩌면: *Perhaps* he has lost it. =He has ~ lost it. 아마 그는 그것을 잃었을 것이다.

> SYN. **perhaps, maybe, possibly** '…일〔할〕는지도 모르겠다, 형편에 따라서는'. 이 세 말은 추측에 들어맞을 가망이 반밖에 안 되어 말하는 이에게 별로 자신이 없을 경우에 쓰임: *Perhaps* 〔*Maybe, Possibly*〕 he knows. 그는 알고 있을지도 몰라(모르고 있을지도 모르나). Quite *possibly* it's true. 그것이 사실이라는 것도 충분히 생각할 수 있다. 또한 구어(口語)에 있어서 maybe는 미국에서, perhaps는 영국에서 즐겨 쓰는 경향이 있다. **probably** '아마' '십중팔구'는 추측함에 있어서 말하는 이에게 상당한 자신이 있을 때 쓰임: *Probably* 〔*Very probably*〕 he will succeed. 아마 그는 성공할 것이다.

— *n.* 우연한 일, 가정, 미지수: fearful of ~*es* 불확실함을 두려워하여.

pe·ri [píəri] *n.* (페르시아 신화의) 요정(妖精), 선녀, 미인.

per·i- [péri] *pref.* '주변, 근처'의 뜻.

per·i·anth [périæ̀nθ] *n.* 〖식물〗 꽃덮개.

per·i·ap·sis [pèriǽpsis] (*pl.* **-ap·si·des** [-ǽpsidìːz]) *n.* 〖천문〗 근점(近點).

per·i·apt [périæ̀pt] *n.* 호부, 부적(amulet).

per·i·as·tron [pèriǽstrən, -trɑn/-trɔn] (*pl.* **-tra** [-trə]) *n.* 〖천문〗 근성점(近星點)《이중성(二重星)의 궤도, 또는 행성과 위성의 궤도가 가장 가까워지는 점》.

per·i·car·di·al, -di·ac [pèrikɑ́ːrdiəl], [-diæ̀k] *a.* 〖해부〗 심낭의, 심막(pericardium)의, 심장 주위의.

per·i·car·di·tis [pèrəkɑːrdáitis] *n.* Ⓤ 〖의학〗 심낭염, 심막염.

per·i·car·di·um [pèrəkɑ́ːrdiəm] (*pl.* **-dia** [-diə]) *n.* 〖해부〗 심낭(心囊), 심막(心膜).

per·i·carp [pérəkɑ̀ːrp] *n.* 〖식물〗 과피(果皮). ㊞ **pèr·i·cár·pi·al** [-piəl] *a.*

péri·cènter *n.* 〖천문〗 근점《지구·태양 이외의 주성(主星)의 주위 궤도를 도는 천체가 주성으로부터 가장 가까운 점》.

per·i·chon·dri·um [pèrəkɑ́ndriəm/-kɔ́n-] (*pl.* **-dria** [-driə]) *n.* 〖해부〗 연골막(軟骨膜).

per·i·clase [pérəklèis, -z] *n.* 〖광물〗 페리클레이스《천연 마그네슘; 대리석·석회암 중에 존재》.

Per·i·cle·an [pèrəklíːən] *a.* Pericles 시대《고대 그리스 전성기》의.

Per·i·cles [pérəklìːz] *n.* 페리클레스《아테네의 정치가; 495?-429 B.C.》.

pe·ric·o·pe [pərikəpi] *n.* (책으로부터의) 발췌, (성서로부터의) 인용구.

per·i·cra·ni·um [pèrəkréiniəm] (*pl.* **-nia** [-niə]) *n.* 〖해부〗 두개골막(頭蓋骨膜); 《고어·우스개》 두개골, 뇌; 《고어·우스개》 머리, 기지(機智).

per·i·cyn·thi·on [pèrəsínθiən] *n.* 〖천문〗 =PERILUNE.

per·i·derm [pérədə̀ːrm] *n.* Ⓤ 〖식물〗 주피(周皮); 〖동물〗 (극피동물의) 포피(胞皮); 〖발생〗 태아표피(胎兒表皮), 주피.

per·i·dot [pérədòu, -dɑ̀t/-dɔ̀t] *n.* Ⓤ 〖광물〗 감람석(橄欖石)《8월의 탄생석; olivine의 일종》.

per·i·do·tite [pèrədóutait, pərídətàit/pèridóutait] *n.* 감람암(岩).

per·i·ge·an, -ge·al [pèrədʒíːən], [-dʒíːəl] *a.* 근지점의.

per·i·gee [pérədʒìː] *n.* 〖천문〗 근지점《달·행성이 지구에 가장 가까워지는 지점》. OPP. *apogee.*

per·i·gon [pérəgɑ̀n/-gɔ̀n] *n.* 주각(周角)《360도》.

pe·rig·y·nous [pərídʒənəs] *a.* 〖식물〗 중위「(中位)씨방의.

pe·rig·y·ny [pərídʒəni] *n.* 〖식물〗 중위씨방.

per·i·he·li·on [pèrəhí:liən, -ljən] (*pl.* **-lia** [-liə, -ljə]) *n.* 〖천문〗 근일점. OPP. *aphelion.*

per·il** [pérəl] *n.* U,C 위험, 위난; 모험: in the hour of ~ 위험한 때 / the ~*s* of such an alliance 이러한 동맹에 따르는 위험 / Glory is the fair child of ~. 《속담》 호랑이굴에 가야 호랑이 새끼를 잡는다. SYN. ⇨ DANGER. ***at all **~(*s*)** 온갖 위험을 무릅쓰고. ***at one's*** **~** 위험을 무릅쓰고, 목숨을 걸고: Touch that *at your* ~. 거기 손대면 위험해. ***at the* ~ *of*** …을 (내)걸고. ***by*** 〔***for***〕 ***the* ~ *of my soul*** 맹세코. ***in* ~ *of*** …의 위험에 빠져서: *in* ~ *of* one's life 목숨이 위태로운 지경에 빠져서. ***the* ~*s of the sea*** 〖보험〗 해난(海難). **—** (**-l-,** 《영》 **-ll-**) *vt.* 위험에 빠뜨리다, 위험하게 하다, 내걸다.

°**per·il·ous** [pérələs] *a.* 위험한, 위험이 많은, 모험적인. ㊞ **~·ly** *ad.* 위험을 무릅쓰고, 위험하게. **~·ness** *n.*

péril pòint 〖경제〗 임계점(臨界點), 임계 세율《국내 산업을 저해 않는 한도의 최저 관세》.

per·i·lune [pérəlù:n] *n.* 〖천문〗 (달을 도는 인공 위성의) 근월점(近月點). OPP. *apolune.*

pe·rim·e·ter [pərímətər] *n.* 둘레, 주계(周界), 주변; 주변의 길이; (일정 지역의) 경계선; 〖군사〗 (전선의) 돌출부; 〖일반적〗 한계(outer limits); 〖광학〗 시야계(視野計); 청각 영역계. ㊞ **per·i·met·ric, -ri·cal** [pèrəmétrik], [-kəl] *a.* **-ri·cal·ly** *ad.*

pe·rim·e·try [pərímətri] *n.* U (시야계(計)에 의한) 시야 측정〔시험〕.

per·i·morph [pérəmɔ̀:rf] *n.* 〖광물〗 외포(外「包) 광물.

per·i·na·tal [pèrənéitl] *a.* 분만 전후의, 주산기(周產期)의《임신 20주 이후 분만 28일 사이》.

per·i·na·tol·o·gy [pèrəneitálədʒi/-tɔ́l-] *n.* (출산 전후의) 출산기 의료, 출산 의료학.

per·i·ne·um [pèrəní:əm] (*pl.* **-nea** [-ní:ə]) *n.* 〖해부〗 회음(會陰)(부).

per·i·neu·ri·um [pèrənjúəriəm/-njúr-] (*pl.* **-ria** [-riə]) *n.* 신경주(위)막. ㊞ **pèr·i·néu·ri·al** 「*a.*

pèri·núclear *a.* 〖생물〗 핵 주위의.

****pe·ri·od** [píəriəd] *n.* **1** 기간, 기(期): for a short ~ 잠시 동안 / by ~*s* 주기적으로 / at stated ~*s* 정기적으로 / for a 〔the〕 ~ of five years = for a five-year ~, 5년간 / a ~ of change 〔rest〕 변화〔휴지〕기 / a transition ~ 과도기. **2** 시대; 치세(治世), 성대(聖代); (발달 과정의) 단계; (the ~) 현대, 당세: the custom of the ~ 당시〔현대〕의 풍습.

> SYN. **period** 길이에 관계없이 구분된 시간·기간을 나타내는 색채 없는 말. **epoch** 기억될 만한 획기적인 사건이 있었던 기간 또는 그 시작: an *epoch* of revolution 혁명 시대. **era** 지금까지와는 질서를 달리한 새로운 시대. **age** 중심되는 인물·물질이 관련됨: the Stone *Age* 석기 시대.

3 (학교의) 수업 시간, 교시(校時); 경기의 구분《전반·후반 따위》: the second ~ 제2교시. **4** 말기, 종결; 문미(文尾)의 휴지(休止): *Period!* 끝《더 말할 필요 없음》/ come to a ~ 끝나다. **5** 〖문법〗 마침표, 종지부, 생략점, 피리어드(full stop). **6** 〖수사학〗 = PERIODIC SENTENCE; (*pl.*) 미문(美文): The orator spoke in stately ~*s*. 변사는 장중한 미문조(調)로 말했다. **7** 〖수학〗 주기, (순환 소수의) 순환절(節); 〖천문·물리〗 주기; 자전〔공전〕 주기; 〖지학〗 기(紀); 〖음악〗 악절; 〖의학〗 주기, 시기, 단계; 월경(menses): She's got ~ pains. 그녀는 생리통이 있다. ***put a* ~ *to*** …에 종지부를 찍다, …을 종결시키다.
— *a.* (가구·의상·건축 따위가) 어느 (과거) 시대의, 역사물의: ~ furniture / a ~ novel 〔play〕 역사 소설〔극〕.

pe·ri·od·ic [pìəriádik/-ɔ́dik] *a.* 주기적인, 정기의, 정시의; 간헐적인, 이따금의; 〖수사학〗 종합문의, 도미문(掉尾文)의, 미문(美文)의: a ~ wind 계절풍.

periódic ácid 〖화학〗 과(過)요오드산.

***pe·ri·od·i·cal** [pìəriádikəl/-ɔ́d-] *a.* 주기적인; 정기적인; 정기 간행의; 간헐적인. **—** *n.* 정기 간행물《일간지 제외》, 잡지. ㊞ **~·ism** *n.* 정기 간행물〔잡지〕 집필〔출판〕업. **~·ly** *ad.* 주기〔정기〕적으로.

periódical décimal 〖수학〗 = REPEATING「DECIMAL.

periódic fúnction 〖수학〗 주기 함수.

pe·ri·o·dic·i·ty [pìəriədísəti] *n.* U 정기적임, 주기성; 주기수(數); 주율(週律); 〖의학〗 (발작 따위의) 주기성; 〖천문〗 정기 현출(定期現出); 〖화학〗 (원소의) 주기표에서의 위치; 〖전기〗 주파.

periódic láw 〖화학〗 (원소의) 주기율.

periódic mótion 〖물리〗 주기 운동.

periódic séntence 〖수사학〗 도미문(掉尾文)《주절이 문미에 있는 글》.

periódic sýstem 〖화학〗 주기계(週期系).

periódic táble 〖화학〗 (원소의) 주기표.

periódic variátion 〖천문〗 주기 변화.

per·io·dide [pəráiədàid, -did] *n.* 〖화학〗 과(過)요오드화물.

pe·ri·od·i·za·tion [pìəriədizéiʃən/-daiz-] *n.* U (역사 등의) 시대 구분.

périod of gráce 유예 기간.

périod of revolútion 〖천문〗 공전 주기.

périod of rotátion 〖천문〗 자전 주기.

per·i·o·don·tal [pèriədántl/-dɔ́n-] *a.* 〖치과〗 치주(齒周)〔치근막〕의〔에 일어나는〕. ㊞ **~·ly** *ad.*

per·i·o·don·tics, -don·tia [pèriədántiks/-dɔ́n-], [-ʃiə] *n.* 〖치과〗 치주 요법학(齒周療法學), 치주병학.

per·i·o·don·ti·tis [pèrioudantáitis/-dɔn-] *n.* 〖치과〗 치주염(齒周炎), 치근막염(齒根膜炎).

per·i·o·don·tol·o·gy [pèrioudantálədʒi/-dɔntɔ́l-] *n.* 〖치과〗 치주 요법학〔술〕.

périod pìece 과거의 어느 시대를 소재로 한 작품, 역사물《영화·극·소설 따위》; 《구어·우스개》 구식 사람〔물건〕.

per·i·os·te·um [pèriástiəm/-ɔ́s-] (*pl.* **-tea** [-tiə]) *n.* 〖해부〗 골막. ㊞ **-te·al** [-tiəl] *a.*

per·i·os·ti·tis [pèriastáitis/-ɔs-] *n.* U 〖의학〗 골막염. ㊞ **pèr·i·os·tít·ic** [-títik] *a.*

per·i·o·tic [pèrióutik, -átik/-ɔ́tik] *a.* 〖해부〗 내이(內耳) 주변의.

per·i·pa·tet·ic [pèrəpətétik] *a.* 걸어 돌아다니는, 순회하는; (P-) 소요(逍遙)학파의. **—** *n.* **1** 《우스개》 걸어 돌아다니는 사람; 도붓장수, 행상인; (P-) 소요학파의 학도(學徒). **2** (*pl.*) 소요. ㊞ **-i·cal·ly** *ad.*

per·i·pa·tet·i·cism [pèrəpətétəsizəm] *n.* U **1** (P-) 소요〔아리스토텔레스〕학파의 철학《그가 Lyceum의 숲을 거닐면서 제자들을 가르쳤으므로》. **2** 소요벽(癖); 소요, 산책; 순회.

per·i·pe·teia, -tia [pèrəpətáiə, -tí:ə], **pe·rip·e·ty** [pərípəti] *n.* (문학 작품에 있어서) 사태의 격변; 〖일반적〗 운명의 급변.

pe·riph·er·al [pərífərəl] *a.* 주위의, 주변의; 외면의; 그다지 중요하지 않은, 말초적인; 〖해부〗 말초(성)의; 〖컴퓨터〗 주변 장치의: a ~ equipment. **—** *n.* 〖컴퓨터〗 주변 장치(~ unit)《중앙

처리 장치에 대하여 입출력 장치, 보조 기억 장치의 총칭). ⓟ ~·ly *ad.* 「RIPHERAL *n.*
perípheral devíce 〔**únit**〕 『컴퓨터』 =PE-
pe·riph·er·al·ism [pəríf*ə*rəlìzəm] *n.* 『심리』 말초(末梢)주의.
pe·ríph·er·al·ìze *vt.* 주변에 두다; 별로 중요시하지 않다. 「신경계.
perípheral nérvous sỳstem 『의학』 말초
perípheral vísion 주변 시야《시선의 바로 바깥쪽 범위》; 주변시(력).
pe·riph·ery [pəríːfəri] *n.* 주위《특히 원형의》; 외면, 바깥 둘레; 주위의 지방; (신경의) 말초.
per·i·phon·ic [pèrəfánik/-fɔ́n-] *a.* (음향 장치가) 다중 채널의.
per·i·phrase [pérəfrèiz] *vt., vi.* 넌지시〔에둘러〕 말하다. **—** *n.* =PERIPHRASIS.
pe·riph·ra·sis [pəríf*r*əsis] (*pl.* **-ses** [-sìːz]) *n.* 『수사학』 완곡법(婉曲法); 에두르는 표현.
per·i·phras·tic [pèrəfrǽstik] *a.* 에둘러 말하는, 완곡한, 용장(冗長)한; 『문법 · 수사학』 완곡한: a ~ conjugation 『문법』 조동사의 도움을 빌리는 활용《went 대신의 did go》/ a ~ genitive 전치사에 의한 소유격《Caesar's 대신의 of Caesar 따위》. ⓟ **-ti·cal·ly** *ad.*
pe·riph·y·ton [pəríf*ə*tàn/-tɔ̀n] *n.* 『생태』 부착 생물《수생 식물체 표면에 부착하는 원생동물》.
per·i·plast [pèrəplǽst] *n.* 『생물』 원형질막 (plasma membrane); 『식물』 외피(外被).
per·i·plus [pérəplʌ̀s, -pləs, -plùːs] (*pl.* **-pli** [-plài, -pliː]) *n.* 주변항해, 주항(周航); 주변 여행; 주항기(周航記); 주변 여행기.
per·i·scope [pérəskòup] *n.* (잠수함의) 잠망경; (참호의) 전망경(展望鏡). ⓟ **per·i·scop·ic, -i·cal** [pèrəskápik/-skɔ́p-], [-əl] *a.* 잠망경의〔같은〕; 전망용의《렌즈 등》; 전망적인, 객관적인.
per·ish** [périʃ] *vi.* 《~/+전+명》 멸망하다, (비명(非命)에) 죽다; 썩어 없어지다, 사라지다; 썩다, 타락하다: ~ *by* the sword 칼로 망하다 / ~ *in* battle 전사하다 / Houses ~*ed in* flame. 집이 화염에 싸여 무너졌다. SYN. ⇨DIE. **—** *vt.* **1** 《+목+전+명》 〔보통 수동태〕《영구어》 몹시 괴롭히다: *be* ~*ed with* thirst 목이 말라 죽을 지경이다. **2** (작물 따위를) 못 쓰게 하다. ***Perish the thought! 집어치워, 그만둬. **—** *n.* 《Austral.구어》 궁핍 상태: do a ~ 죽다, (갈증 · 식량 부족으로) 죽을 지경이 되다. ⓟ **~·er** *n.* 사멸하는〔시키는〕 것; 《영속어》 무모한 도박꾼; 《영속어》 골치 아픈〔귀찮은〕 녀석〔아이〕.
°pér·ish·a·ble *a.* 썩기 쉬운; 말라 죽는; 죽을 운명의. **—** *n.* (*pl.*) 썩기 쉬운 것《특히 야채 · 생선 등》. ⓟ **~·ness** *n.* **pèr·ish·a·bíl·i·ty** *n.*
pér·ish·ing *a.* **1** 죽는, 멸망하는, 썩어 가는. **2** 《영구어》 지독한《추위 등》, 격심한; 《영속어》 싫은, 귀찮은. **3** 〔부사적〕《영구어》 지독히, 몹시: It's ~ cold. 지독히 춥다. ⓟ **~·ly** *ad.*
per·i·spome, -spom·e·non [pérəspòum], [pèrəspóumənən, -nàn] *a.* (그리스 문법에서) 어미에 억양 음표(音標)가 있는. **—** (*pl.* **-spome·na** [-nə]) *n.* ~과 같은 말.
Pe·ris·so·dac·ty·la [pərìsoudǽktələ] *n. pl.* 『동물』 기제류(奇蹄類), 홀발톱류《코뿔소 · 말 따위》. cf. Artiodactyla.
pe·ris·so·dac·tyl(e) [pərìsoudǽktəl] *a.* 『동물』 (코뿔소 · 맥 · 말 따위) 기제류(奇蹄類)의.
per·i·stal·sis [pèrəstɔ́ːlsis, -stǽl-/-stǽl-] (*pl.* **-ses** [-siːz]) *n.* 『생리』 (소화관 등의) 연동(蠕動). ⓟ **-stál·tic** [-tik] *a.*
peristáltic púmp 연동 펌프《탄력성이 있는 관을 연동 수축시켜 액체를 보내는 펌프》.
per·i·stome [pérəstòum] *n.* 『식물』 (이끼류(類)의) 치모(齒毛); 『동물』 입가, 입술. ⓟ **pèr·i·stó·mi·al, -stó·mal** [-miəl], [-məl] *a.*
per·i·style [pérəstàil] *n.* 『건축』 주주식(周柱式); 열주랑(列柱廊); 기둥으로 둘러싸인 안마당. ⓟ **pèr·i·stý·lar** [-lər] *a.*
per·i·to·ne·um [pèrətəníːəm] (*pl.* **~s, -nea** [-níːə]) *n.* 『해부』 복막(腹膜). ⓟ **pèr·i·to·né·al** [-əl] *a.* 「막염.
per·i·to·ni·tis [pèrətənáitis] *n.* U 『의학』 복
pe·ri·tus [pəríːtəs] (*pl.* **-ti** [-tiː]) *n.* 전문가, (특히 로마 가톨릭의) 상담역이 되는 신학자.
per·i·wig [périwìg] *n.* 가발. **—** (**-gg-**) *vt.* 가발을 쓰다. ⓟ **~ged** *a.* 가발을 쓴.
per·i·win·kle[1] [périwìŋkəl] *n.* 『식물』 협죽도과(科)의 식물; 밝은 자색을 띤 청색(=∠ **blúe**).
per·i·win·kle[2] *n.* 『패류』 경단고둥 종류.
per·jure [pə́ːrdʒər] *vt.* 위증(僞證)케 하다; 맹세를 저버리게 하다. ~ *oneself* 거짓 맹세하다, 위증하다; 맹세를 깨뜨리다. ⓟ **~d** *a.* 위증한, 맹세를 저버린. **-jur·er** [-dʒərər] *n.* 거짓 맹세하는 사람, 위증자.
per·ju·ri·ous [pəːrdʒúəriəs] *a.* 거짓 맹세하는, 위증의. ⓟ **~·ly** *ad.*
per·ju·ry [pə́ːrdʒəri] *n.* U,C 『법률』 거짓 맹세, 위증(죄); 맹세를 깨뜨림; C 새빨간 거짓말: commit ~ 위증죄를 범하다.
perk[1] [pəːrk] *vi.* **1** 《+부》 (낙담 · 병(病) 뒤에) 생기가 나다, 건강해지다; 활기 띠다《*up*》: The patients all ~*ed up* when we played the piano for them. 환자들은 우리가 피아노를 쳐 주자 생기가 났다. **2** 힘차게 행동하다; 목을 곧게 세우다. **3** 뻔뻔스럽게 나서다; 거드름 부리다, 멋을 내다. **—** *vt.* 《+목+부》 **1** (옷을) 멋지게 입다; 차려입다《*up; out*》: The boys were ~*ed out* in their new suits. 소년들은 새옷을 차려입고 멋내고 있었다. **2** (머리 · 귀 등을) 곧추 쳐들다《*up; out*》: ~ one's head *up* 머리를 척 쳐들다, 새치름하다, 거드름 부리다. **3** 기운나게 하다, 원기를 회복시키다: I need a drink to ~ me *up*. 기운차리게 한잔 해야겠다. **~ *it*** 빼기다, 주제넘게 나서다. ~ ***oneself up*** 으쓱대다; 의기양양해하다. **—** *a.* 활발한, 쌩쌩한, 발랄한, 건방진, 뻔뻔스러운; 깔끔한. ⓟ **∠·ing·ly** *ad.* **∠·ish** *a.*
perk[2] *n.* (보통 *pl.*) **1** 《미》 임직원의 특전《주로 상급 관리직 임직원에게 주어지는 혜택》. **2** (급료 이외의) 임시 수입; 팁, 촌지. ★ perquisite의 간약형. **3** 《속어》 퍼코댄(Percodan).
perk[3] *vt., vi.* 《구어》 (커피가) percolator 에서 끓다〔끓이다〕; 《미속어》 유연하게 움직이다; 《Austral.구어》 토하다, 게우다《*up*》. **—** *n.* 《구어》 =PERCOLATOR; percolator 에 끓인 커피.
perky [pə́ːrki] (***perk·i·er; -i·est***) *a.* 의기양양한; 쾌활한; 젠체하는, 건방진. ⓟ **pérk·i·ly** *ad.* **-i·ness** *n.*
per·lite [pə́ːrlait] *n.* U 『지학』 진주암(眞珠岩); 펄라이트《단열재 · 토양 개량용》. ⓟ **per·lit·ic** [pəːrlítik] *a.*
per·lo·cu·tion [pə̀ːrləkjúːʃən] *n.* 『언어』 =PERLOCUTIONARY ACT.
per·lo·cu·tion·ary [pə̀ːrləkjúːʃənèriː/-əri] *a.* 『언어』 발화(發話)가 가져오는, 발화 매개적인 《말한 이가 듣는 이에게 영향을 주는 일》.
perlocútionary áct 『언어』 발화(發話)가 가져오는〔발화 매개적〕 행위.
perm [pəːrm] 《구어》 *n.* 파마(permanent wave). **—** *vt., vi.* (머리를) 파마하다.
perm. permanent.
per·ma·cul·ture [pə́ːrməkʌ̀ltʃər] *n.* 퍼머컬처《자원 유지 · 자족(自足)을 의도하는 농업 생태계의 개발》.

per·ma·frost [pə́ːrməfrɔ̀ːst/-frɔ̀st] *n.* [U] (한대·아(亞)한대의) 영구 동토층(凍土層).

Perm·al·loy [pə̀ːrmǽlɔi, pə́ːrməlɔ̀i/pə̀ːmǽlɔi] *n.* [U] 퍼멀로이《니켈과 철의 합금; 전선의 철심용; 상표명》.

°**per·ma·nence** [pə́ːrmənəns] *n.* [U] 영구, 영속(성); 불변, 내구(성).

per·ma·nen·cy [pə́ːrmənənsi] *n.* **1** [U] = PERMANENCE. **2** [C] 영속적(永續的)인 사람〔것, 지위〕, 종신관(終身官).

****per·ma·nent** [pə́ːrmənənt] *a.* **1** 영구한, 영속하는; 불변의, 내구성의: ~ peace 항구적 평화 / one's ~ address 본적 / a ~ neutral country 영세 중립국 / ~ residence 영주(永住) / ~ use 상용(常用). [SYN.] ⇨ EVERLASTING. **2** 상설의, 상치(常置)의. [opp.] *temporary.* ¶ a ~ committee 상임 위원회. **—** *n.* 영구 불변의 것; 《미구어》 = PERMANENT WAVE: Give her a ~. 그 손님에게 파마를 해드려요. ㊎ °**~·ly** *ad.* **~·ness** *n.*

Pérmanent Cóurt of Arbitrátion (the ~) 상설 중재 재판소《Hague Tribunal의 공식 명칭》.

Pérmanent Cóurt of Internátional Jústice (the ~) 상설 국제 사법 재판소《World Court의 공식명》.

pérmanent dúrable pàper = ACID-FREE PAPER.

Pérmanent Fíve mèmbers (the ~) UN의 안보 회의 상임 이사국《미국·영국·러시아·프랑스·중국의 5개국》.

pérmanent mágnet 〖물리〗 영구 자석.

pérmanent préss (양복바지 주름의) 영구 가공.

pérmanent sécretary 《영》 사무 차관. [cf.] parliamentary secretary.

pérmanent sét 〖물리〗 영구 변형(變形).

pérmanent tíssue 〖식물〗 영구 조직《세포 분열이 끝난 조직; [cf.] meristem》.

pérmanent tóoth 영구치(永久齒). [cf.] milk tooth.

pérmanent wáve 파마.

pérmanent wáy 〖영철도〗 (철도의) 궤도.

per·man·ga·nate [pəːrmǽŋgənèit] *n.* [U] 〖화학〗 과망간산염(塩): potassium ~ 과망간산 칼륨.

per·man·gán·ic ácid [pə̀ːrmæŋgǽnik-] 〖화학〗 과망간산.

pèr·me·a·bíl·i·ty *n.* [U] 침투성; 투과성; 〖물리〗 도자성(導磁性), 투자율(透磁率); 〖항공〗 (기구 가스의) 침출량(浸出量).

per·me·a·ble [pə́ːrmiəbəl] *a.* 침투성〔투과할 수〕 있는《*to*》. ㊎ **-bly** *ad.* **~·ness** *n.*

per·me·ance [pə́ːrmiəns] *n.* [U] 침투, 투과; 〖물리〗 투자도(透磁度).

per·me·ant [pə́ːrmiənt] *a.* 침투의, 배어〔스며〕드는.

per·me·ase [pə́ːrmièis, -z] *n.* 〖생화학〗 투과(透過) 효소, 페르미아제《생체막의 선택이 투과에 관계하는 단백질 성분》.

°**per·me·ate** [pə́ːrmièit] *vt.* **1** 스며들다, 침투하다, 투과하다. **2** 충만하다, 퍼지다: The air is ~*d with* smoke. 연기가 공중에 퍼졌다 / Cynicism ~*d* his report. 그의 보고는 시종 비꼬는 투였다. **—** *vi.* 침투하다, 퍼지다, 고루 미치다 《*in; into; through; among*》. ㊎ **pèr·me·á·tion** [-ʃən] *n.* [U] 침투; 보급.

per men·sem [pər-ménsəm] 《L.》 (by the month) 매월, 달로 나누어, 월별로, 한 달에 대하여.

Per·mi·an [pə́ːrmiən] 〖지학〗 *a.* 페름기〔계〕의: the ~ period 페름기. **—** *n.* (the ~) 페름기〔계〕.

per mil(l) [pə́ːr-míl, pər-] 《L.》 천(千)마다,

per·mil·lage [pərmílidʒ] *n.* 천분율. [cf.] percentage.

per·mis·si·ble [pəːrmísəbəl] *a.* 허용할 수 있는; 지장 없을〔무방한〕 정도의《잘못 따위》. ㊎ **per·mìs·si·bíl·i·ty** *n.* **per·mís·si·bly** *ad.* 허가를 얻어, 허용되어.

****per·mis·sion** [pəːrmíʃən] *n.* [U] 허가, 면허《*to* do》; 허용, 인가: ask for 〔grant, give〕 ~ 허가를 청하다〔해 주다〕 / get 〔obtain〕 ~ *to* do …하는 허가를 얻다 / without ~ 허가를 받지 않고, 무단히 / with your ~ 허락을 얻어, 허락을 얻을 수 있다면 / You have (my) ~ 〔I will give you ~〕 *to* do it. 그것을 해도 좋다. ◇ permit *v.*

per·mis·sive [pəːrmísiv] *a.* 허가하는; 허용된; 자유인, 수의의; 관대한, 응석을 받아 주는; 〖생물〗 (세포가 유전 물질이나 바이러스 등의) 복제(複製)를 허용하는. **—** *n.* = PERMISSIVIST. ㊎ **~·ly** *ad.* **~·ness** *n.*

permíssive áction línk 〖군사〗 (대통령) 허가제(許可制) 핵탄두 안전장치 해제 기구.

permíssive legislátion 〖법률〗 소극적 입법《법적 권한을 부여할 뿐 그 행사를 명하지 않는 제정법》.

permíssive socíety 용인(容認) 사회, (성(性) 따위에 대해) 관대한 사회.

per·mis·siv·ist [pəːrmísivist] *n.* 허용〔관용〕주의자. ㊎ **-ism** *n.*

****per·mit** [pəːrmít] (**-tt-**) *vt.* **1** 《~+[목]/+[목]+*to* do/+[목]+[목]》 허락하다, 허가하다, 인가하다: Smoking is not ~*ted* in the room. 이 방에서는 금연이다 / *Permit* me *to* ask you a question? 한 가지 질문해도 괜찮을까요 / He wouldn't ~ me any excuse. 그는 나에게 어떤 변명도 허락하려 들지 않았다. **2** 《~+[목]/+[목]+[전]+[명]》 (상관하지 않고) …하도록 내버려두다, 방임〔묵인〕하다: I do not ~ noise *in* my room. 내 방에서는 소음을 내지 못하게 하고 있다 / Don't ~ yourself *in* dissipation. 방탕해서는 안 된다. **3** (사정이) …을 가능케 하다, 용납하다: Circumstances do not ~ my leaving to a summer resort. 여러 가지 사정으로 나는 피서를 갈 수 없다. **—** *vi.* **1** (사물이) 허락하다, 가능케 하다: if circumstances ~ 사정이 허락한다면, 형편이 좋다면. **2** 《~/+[전]+[명]》 허락하다, 여지가 있다《*of*》: It ~*s of* no delay. 일각도 지체할 수 없다 / It ~*s of* no excuse. 변명할 여지가 없다. ◇ permission *n.* **—** [pə́ːrmit, pərmít] *n.* **1** 면허〔허가〕장; 증명서: a residence ~ 거주 허가증. **2** 허가, 면허. ㊎ **~·ter** *n.* 허가〔인가〕자.

per·mit·tiv·i·ty [pə̀ːrmitívəti, -mə-] *n.* 〖물리·전기〗 유전율(誘電率).

per·mu·tate [pə́ːrmjutèit, pərmjúːtèit] *vt.* 교환하다, 교체하다, 항목 등을 달리 바꿔 배열하다.

per·mu·ta·tion [pə̀ːrmjutéiʃən] *n.* [U,C] **1** 바꾸어 넣음, 교환; 변경; (특히 축구 도박 팀의) 대전 편성. **2** 〖수학〗 순열; 치환(置換). ㊎ **~·al** *a.*

permutátion gròup 〖수학〗 치환군(置換群).

per·mute [pərmjúːt] *vt.* 변경〔교환〕하다, 바꾸어 넣다; 〖수학〗 순열로 배치하다, 치환하다. ㊎ **-mút·able** *a.* **-mút·er** *n.*

°**per·ni·cious** [pəːrníʃəs] *a.* 유해한, 유독한, 치명적인, 악성의; 파괴적인(ruinous). ㊎ **~·ly** *ad.* **~·ness** *n.*

pernícious anémia 〖의학〗 악성 빈혈.

per·nick·e·ty [pərníkəti] 《구어》 *a.* 옹졸한, 잔소리가 많은, 까다로운; 다루기가 힘든. ㊎ **-ti·ness** *n.*

per·noc·ta·tion [pə̀ːrnɑktéiʃən/-nɔk-] *n.* [U,C] 철야, 밤샘.

Per·nod [pɛərnóu/⌐-] *n.* 페르노《프랑스 원산의 리큐어; 상표명》.

per·nor [pə́ːrnər, -nɔːr] *n.* 〖법률〗 (토지) 수익 취득자〔수령자〕.

per·o·ne·us [pèrəníːəs] *n.* (*pl.* **-nei** [-níːai]) 〖해부〗 비골근(腓骨筋).

per·o·ral [pərɔ́ːrəl] *a.* 경구(經口)의〔적인〕《면역 따위》; 입 주위의. [파] **~·ly** *ad.*

per·o·rate [pérərèit] *vi.* (연설에서) 결론을 맺다; 장광설을 늘어놓다, 열변을 토하다. **—** *vt.* 열심히 말하다. [파] **pèr·o·rá·tion** *n.* [U,C] **pér·o·rà·tor** [-tər] *n.* 길게 연설하는 사람, 열변가.

per·ox·ide [pərάksaid/-rɔ́k-] *n.* [U] 〖화학〗 과산화물, 《일반적》 과산화수소(hydrogen ~) (=~ **of hýdrogen**). **—** *vt.* (머리털 등을) 과산화수소로 표백하다. [파] **pèr·ox·íd·ic** [-ídik] *a.*

peróxide blónde 《옛투》 (과산화수소로 머리를 탈색한) 금발 여인.

per·ox·y·a·cé·tyl nítrate [pərὰksiəsíːtəl-/-rɔ̀ks-] [U] 〖화학〗 질산 과산화아세틸《smog 속의 독성이 강한 요소》.

perp. perpendicular; perpetual.

per·pend[1] [pərpénd] *vt.*, *vi.* 《고어·우스개》 곰곰이 생각하다, 숙고하다.

per·pend[2] [pə́ːrpənd] *n.* 〖석공〗 이음돌.

◇**per·pen·dic·u·lar** [pə̀ːrpəndíkjələr] *a.* 직각을 이루는《*to*》; 수직의, 직립한; (P-) 〖건축〗 수직식의; 깎아지른, 험한, 절벽의; 《우스개》 선 채로의. [cf.] vertical. ¶ *Perpendicular* style 〖건축〗 수직식《영국 고딕 말기의 양식》/ a ~ line 수직선. **—** *n.* [U,C] 수선(垂線); 수직면; 급사면, 절벽; 수직 측정기; 직립의 위치〔자세〕; 품행의 방정; 〖건축〗 수직식; 《영속어》 서서 먹기〔마시기〕 (파티): out of (the) ~ 경사져서. [파] **~·ly** *ad.* **pèr·pen·dìcu·lár·i·ty** [-lǽrəti] *n.* [U] 수직, 직립.

per·pent [pə́ːrpənt] *n.* =PERPEND[2].

per·pe·tra·ble [pə́ːrpətrəbəl] *a.* (나쁜 짓·실책을) 저지를 수 있는.

per·pe·trate [pə́ːrpətrèit] *vt.* (나쁜 짓·죄를) 행하다, 범하다: ~ a pun 〔joke〕 《구어》 (장소도 가리지 않고) 농지거리하다. **~ *a fraud on*** a person 《미속어》 아무에게 본심을 털어놓지 않다, 아무에 대해 정직〔솔직〕하게 말하지 않다. [파] **pèr·pe·trá·tion** *n.* [U,C] **pér·pe·trà·tor** [-tər] *n.* 범죄자, 가해자, 흉행자(兇行者).

***per·pet·u·al** [pərpétʃuəl] *a.* **1** 영구의, 영속하는, 항구적인, 종신의: ~ snows 만년설 / a country of ~ spring 상춘(常春)의 나라 / ~ income 종신 수입 / ~ punishment 종신형. **2** 부단한, 끊임없는, 중지하지 않는: a ~ stream of visitors 계속 들이닥치는 손님들 / her ~ chatter 그녀의 쉴새 없는 수다. [SYN.] ⇨CONTINUAL. **3** 〖원예〗 사철 피는 : a ~ rose. **—** *n.* [U] 사철 피는 식물《특히 장미》; 다년초. [파] **~·ly** *ad.* **1** 영구히, 영속적으로; 종신토록. **2** 끊임없이. **~·ness** *n.*

perpétual cálendar 만세력.

perpétual chéck 〖체스〗 비김수, 영구 장군.

perpétual mótion 〖물리〗 (기계의) 영구 운동.

per·pet·u·ance [pərpétʃuəns] *n.* =PERPETUATION.

◇**per·pet·u·ate** [pərpétʃuèit] *vt.* 영속시키다, 불멸〔불후(不朽)〕케 하다. [파] **per·pèt·u·á·tion** *n.* [U] 영속시킴, 불후케 함, 영구화〔보존〕. **per·pét·u·à·tor** [-tər] *n.*

per·pe·tu·i·ty [pə̀ːrpətjúːəti/-tjúː-] *n.* **1** [U] 영속, 영존(永存); 불멸; 영원. [opp.] *temporality.* **2** [C] 영속물, 영대물(永代物); (재산의) 영구 구속; 종신 연금; [C] 영대 재산〔소유권〕. ***a lease in*** **~** 영대 차지권(借地權). ***in*** 〔***to, for***〕 **~** 영구히, 영원히.

***per·plex** [pərpléks] *vt.* **1** 《~+[목]/+[목]+[전]+[명]》 당혹케 하다, 난감〔난처〕하게 하다; 혼란에 빠뜨리다《*at; with*》: His strange silence ~*es* me. 그의 기묘한 침묵이 나를 당혹하게 한다 / ~ a person *with* a difficult question 어려운 질문으로 아무를 난감하게 하다.

> [SYN.] **perplex** '어떻게 해야 좋을지 갈피를 못 잡게 하다'. 이 말이 딱 들어맞는 고상한 말: Such contradictions *perplex* the historian. 이러한 모순된 사실(史實)은 역사가를 당혹하게 한다. **bewilder** 침착성을 잃을 만큼 당황하게 하다. 어리둥절하게 하다: So many questions *bewildered* him. 그 많은 질문을 받고 그는 당황하였다. **puzzle** 어쩔 줄 모르게 하다. 주로 머리, 즉 지적인 곤혹에 씀. '머리를 짜내게 하다'. **confound** 생각하고 있던 것과 전혀 다른 결과·상황을 당하여 낭패케 하다.

2 (사태·문제 따위를) 복잡케 하다, 시끄럽게 하다: ~ an issue 문제를 복잡하게 만들다. **—** *n.* 《고어》 =PERPLEXITY.

per·pléxed [-t] *a.* 당혹한, 어찌할 바를 모르는; 혼란한, 복잡한: feel ~ *about* …에 당혹하다. [파] **per·pléx·ed·ly** [-idli] *ad.*

per·pléx·ing *a.* 난처하게〔당혹케〕 하는; 복잡한, 까다로운. [파] **~·ly** *ad.*

***per·plex·i·ty** [pərpléksəti] *n.* [U] 당혹; 혼란; [C] 난처한 일, 난국: in ~ 당혹하여 / to one's ~ 《독립구》 난처하게도.

per pro(c). *per procurationem* 《L.》 (=bythe agency).

per pro·cu·ra·ti·o·nem [pəːr-prὰkjərèiʃióunem/-prɔ̀k-] 《L.》 〖법률〗 대리로(서) 《생략: per pro(c)., p. p.》.

per·qui·site [pə́ːrkwəzit] *n.* 팁, 임시 수당; 부수입; (고용인에게 주는) 행하(行下), 정표; 《구어》 (지위에 따른) 부수입, 특권. 「사.

per·qui·si·tion [pə̀ːrkwəzíʃən] *n.* 철저한 수

Per·ri·er [périər/périèi] *n.* 페리에《프랑스산의 발포성 천연 미네랄 워터; 상표명》.

per·ron [pérən] *n.* 〖건축〗 바깥 층계《교회 따위의 현관 앞에 있는》; 승강구의 층계.

Per·ry [péri] *n.* 페리《남자 이름》.

per·ry *n.* [U] 《영》 배로 빚은 술.

Pers. Persia(n). **pers.** person; personal; personally. 「감).

perse [pəːrs] *a.*, *n.* 짙은 청색〔자주색〕의 (옷

per se [pəːr-séi, -síː] 《L.》 그 자체로서, 본질적으로.

***per·se·cute** [pə́ːrsikjùːt] *vt.* **1** (종교·주의 따위를 이유로) 박해하다, 학대하다: The Nazis ~*d* the Jews. 나치스는 유대인을 박해했다. **2** 《~+[목]/+[목]+[전]+[명]》 성가시게 요구하다, 괴롭히다 《*with; by*》: ~ a person *with* questions 질문 공세로 아무를 괴롭히다. ◇ persecution *n.* [파] **-cù·tive** [-tiv] *a.* 박해〔학대〕하는. **-cù·tor** [-tər] *n.* 박해자, 학대자.

◇**per·se·cu·tion** [pə̀ːrsikjúːʃən] *n.* [U,C] **1** (특히 종교상의) 박해: suffer ~ 박해를 받다 / the ~*s* of Christians by the Romans 로마인의 기독교도 박해. **2** 성가시게〔끈질기게〕 졸라댐, 괴롭힘. ◇ perse·cute *v.*

persecútion còmplex 〔**mània**〕 〖심리〗 피해〔박해〕 망상.

Per·se·ids [pə́ːrsiidz] *n. pl.* (the ~) 〖천문〗 페르세우스자리 유성군(流星群).

Per·seph·o·ne [pəːrséfəni] *n.* **1** 〖그리스신화〗 페르세포네《Zeus 와 Demeter 의 딸; Hades 의 아내로 명부(冥府)의 여왕》. **2** 봄(의 여신)《의인화》.

Per·sep·o·lis [pəːrsépəlis] *n.* 페르세폴리스《고대 Persia 의 수도; Iran 남부에 유적이 있음》.

Per·se·us [pə́ːrsiəs, -sjuːs] *n.* **1** 〖그리스신화〗 페르세우스《Zeus 의 아들로 Medusa를 퇴치한 영웅》. **2** 〖천문〗 페르세우스자리.

Perseus 1

*__per·se·ver·ance__ [pə̀ːrsəvíərəns] *n.* Ⓤ **1** 인내(력), 참을성, 버팀: with ~ 참을성 있게. SYN. ⇨ PATIENCE. **2** 〖신학〗 (영원한 구원에 이르는) 궁극의 구제. ◇ persevere *v.* ⊞ **pèr·se·vér·ant** *a.* 견인불발의.

per·sev·er·ate [pərsévərèit] *vi.* 이상하게 오래 행동하다; 〖심리〗 (이상한) 반복 행동을 하다. ⊞ **per·sèv·er·á·tion** *n.* 〖심리〗 고집, 보존증(保存症). **per·sév·er·à·tive** *a.*

*__per·se·vere__ [pə̀ːrsəvíər] *vi.* 참다, 견디다, 버티다《*in; with*》. **—** *vt.* 유지하다, 버티다. ◇ perseverance *n.*

per·se·ver·ing [pə̀ːrsəvíəriŋ] *a.* 참을성 있는, 끈기 있는. ⊞ **~·ly** *ad.*

Per·shing [pə́ːrʃiŋ] *n.* 〖미육군〗 퍼싱《야전용의 화력 지원용 탄두 미사일》.

Per·sia [pə́ːrʒə, -ʃə/-ʃə] *n.* 페르시아《1935 년에 Iran 으로 개칭》.

◦**Per·sian** [pə́ːrʒən, -ʃən/-ʃən] *a.* 페르시아의; 페르시아어(語)〔사람〕의. **—** *n.* Ⓒ 페르시아 사람; = PERSIAN CAT; Ⓤ 페르시아어; (*pl.*) =PERSIAN BLINDS.

Pérsian blínds *pl.* 〖건축〗 =PERSIENNES.

Pérsian cárpet =PERSIAN RUG.

Pérsian cát 페르시아 고양이《머리가 둥글고 털이 긺》.

Pérsian Émpire (the ~) 페르시아 제국《기원전 6 세기에 Cyrus 가 건국; 기원전 4 세기 Alexander 대왕에 의해 멸망》.

Pérsian Gúlf (the ~) 페르시아 만(灣).

Pérsian lámb 페르시아산의 어린 양; 그 모피.

Pérsian lílac 〖식물〗 멀구슬나무.

Pérsian mélon 페르시아 멜론《머스크 멜론의 일종》.

Pérsian rúg 페르시아 융단(Persian carpet).

Pérsian wálnut 〖식물〗 호두.

per·si·ennes [pə̀ːrziénz, -si-/-si-] *n. pl.* 덧문, 널빤지발(Persian blinds).

per·si·flage [pə́ːrsəflàːʒ, pɛ̀ər-] *n.* 《F.》 Ⓤ 야유, 희롱; 농담.

per·sim·mon [pəːrsímən] *n.* 감(나무).

__per·sist__ [pəːrsíst, -zíst/-síst] *vi.* **1 《+전+명》 고집하다, 주장하다, 집착하다《*in*》: ~ *in* one's belief 자기의 신념을 밀고 나아가다/~ *in* folly 잘못을 고치려고 하지 않다. **2** 《~/+전+명》 지속하다, 존속하다, 살아남다: The legend has ~*ed for* two thousand years. 그 전설은 2000년 동안 이어져 오고 있다. SYN. ⇨ CONTINUE. ⊞ **~·er** *n.*

per·sist·ence, -en·cy [pəːrsístəns, -zíst-/-síst-], [-ənsi] *n.* Ⓤ 끈덕짐, 고집, 완고, 버팀; 영속, 지속(성), 내구(력).

persístence of vísion 잔상(殘像).

*__per·sist·ent__ [pəːrsístənt, -zíst-/-síst-] *a.* **1** 고집하는, 완고한, 끈덕진, 버티는: ~ efforts 끈덕진 노력. **2** 영속하는, 끊임없는: a ~ headache 계속적인 두통. **3** 〖식물〗 잎이 지지 않는, 상록의. OPP. *deciduous*. **4** (화학 약품이) 분해가 잘 안 되는, 안정된; (바이러스 따위) 잠복기가 긴. ⊞ **~·ly** *ad.*

persístent crúelty 《영속어》 (배우자에 대한) 영속적 학대.

persístent vègetative státe 〖의학〗 장기 식물인간 상태.

per·snick·ety, -i·ty [pərsníkəti] *a.* 《구어》 까다로운, 귀찮은, 안절부절 못하는, 소심한(pernickety).

†**per·son** [pə́ːrsən] *n.* **1 a** 사람《개인으로서의》, 인간, 《경멸》 놈, 녀석: No ~ saw it. 그것을 본 사람은 아무도 없다/a private ~ 사인(私人)/a very important ~ 요인, 거물《생략: VIP》/Who is this ~? 이 녀석은 누구냐. **b** 인물, 인격; 중요 인물; 《고어》 (극 따위의) 등장인물, (소설의) 인물: a very interesting ~ 아주 흥미 있는 인물/He asserted the dignity of his own ~. 그는 자기 인격의 존엄성을 주장했다. **2** Ⓤ 몸, 신체; (the ~) 《완곡어》 성기(性器); 용자(容姿), 풍채: an offense against the ~ 폭행/a lady of a fine ~ 용모 단려한 부인/It was her fortune, not her ~, that induced him to wish to marry her. 그가 그녀와의 결혼을 바란 것은 그녀의 용모가 아니라 재산 때문이었다. **3** Ⓤ 〖문법〗 인칭: the first 〔second, third〕 ~, 1〔2, 3〕 인칭. **4** 〖종교〗 (3 위 일체의) 위(位), 위격(位格). **5** 〖법률〗 (자연인·법인의) 인(人): artificial 〔legal, juridical, juristic〕 ~ 법인/a natural ~ 자연인. **6** 〖철학〗 (자의식을 가진) 이성적 존재; 〖사회〗 (사회적 관계나 행동 양식에서 본) 개인. **7** 〖동물〗 개체. **8** 《폐어》 (배우가 쓴) 가면, 가장.

in* ~** ① 본인 자신이, 몸소: He had better go *in* ~. 본인이 가는 것이 좋다. ② 그 사람 자신은; (사진이 아닌) 실물로: She looks better *in* ~ than on the screen. 그녀는 영화에서보다 실물이 더 곱다. ***in one***'s own*** 〔***proper***〕 **~** =***in* ~** ①. ***in the* ~ *of* ...** …라는 사람으로〔이 되어〕; …의 대신으로: a faithful servant *in the* ~ *of* James 제임스라는 이름의 충실한 하인/I acted *in the* ~ *of* him. 그를 대신해서 행동했다. ***on*** one***'s* ~** 몸에 지녀, 휴대하여. ***the three* ~*s of the Godhead*** 신의 3 위《성부·성자·성령》.

-per·son [pə̀ːrsən] '사람' 의 뜻의 결합사. ★ 주로 성(性)차별을 피하기 위해 -man, -woman 대신, 특히 여성에 대해 씀: sales*person*.

per·so·na [pərsóunə] (*pl.* ***-nae*** [-niː]) *n.* 《L.》 **1** (*pl.*) (극·소설 따위의) 등장인물. **2** 사람, 인물. **3** (*pl.* **~s**) 〖심리〗 페르소나, 외적 인격《가면을 쓴 인격》.

pér·son·a·ble *a.* 풍채가 좋은, 품위 있는, 잘생긴. ⊞ **~·ness** *n.*

◦**per·son·age** [pə́ːrsənidʒ] *n.* 명사, 요인; 사람, 개인; (극·소설 중의) 인물; 《고어·우스개》 자태, 몸매, 풍채.

per·so·na gra·ta [pərsóunə-gráːtə, -gréi-, -grǽtə/-gráː-, -gréi-] (*pl.* **~, *per·so·nae gra·tae*** [pərsóuniː-gráːtiː, -gréi-/-gráː-, gréi-]) 《L.》 마음에 드는 사람; 〖외교〗 주재국 정부에 평판이 좋은 외교관, 선호 인물 (외교관).

__per·son·al__ [pə́ːrsənəl] *a.* **1 개인의, 자기만의, 나의, 일신상의, (특정) 개인을 위한: a ~ history 이력/a ~ matter 〔affair〕 사사(私事)/~ errors 개인적인 오류/one's ~ stuff 사물(私物)/a ~ letter 친전(親展) 편지, 사신(私信). SYN. ⇨ PRIVATE. **2** 본인 스스로의, 직접의: a ~ call 〔interview〕 직접 방문〔면회〕. **3** (특정) 개인에 관한, 남의 사사에 관한; 인신공격의: ~ tastes 개인 개인의 취미/~ abuse 〔remarks〕 인신공격/become 〔get〕 ~ 《구어》 (이야기 따위가) 개인적인 일에까지 언급하게 되다, 빈정대는 투가 되다/Don't be too ~. 너무 사적인 것에 이르지 않도록 해 주시오. **4** (물건에 대하여) 인격적인, 인간의: imagine a ~ creator of the universe 우주의 인격으로서의 창조자를 상상하다/~ factors 인간적 요소. **5** 신체의; 용모〔풍

채)의: ~ ornaments 장신구/~ injury 인신상해(人身傷害)/~ appearance 용모, 풍채. **6** 〖문법〗 인칭(人稱)의: ⇨ PERSONAL PRONOUN. **7** 〖법률〗 인적인, 대인(對人)의; 동산(動産)의: ⇨ PERSONAL RIGHTS/〖법률〗 PERSONAL ESTATE 〔PROPERTY〕/PERSONAL SERVICE/~ principle 〖법률〗 속인(屬人)주의(OPP. *territorial principle*).
— *n.* **1** 〖문법〗 인칭 대명사. **2** (*pl.*) 동산. **3** (*pl.*) 인물 비평, 인신공격. **4** (신문의) 인사〔개인 소식〕란. **5** 《영화속어》 (배우의) 무대 인사. **6** 《구어》 =PERSONAL FOUL.

pérsonal áction 〖법률〗 인적(人的) 소송《계약위반자·불법행위자에 대한》. 「기초 공제.

pérsonal allówance (개인 소득세에 대한)

pérsonal assístant 개인 비서《생략: PA》.

pérsonal bést (스포츠에서) 자기 최고 기록.

pérsonal chéck 개인 수표. 「〔광고〕란.

pérsonal cólumn (신문·잡지의) 개인 소식

pérsonal compúter 〖컴퓨터〗 개인용 컴퓨터, 퍼스널 컴퓨터《생략: PC》.

pérsonal dígital assístant 개인용 정보 단말기《전자 시스템 수첩, 퍼스널 통신기 따위를 말함; 생략: PDA》.

pérsonal dístance (동물·사람의) 개인 영역, (개체가 갖는) 접근 허용 거리. 「(私物).

pérsonal efféects 〖법률〗 개인 소지품, 사물

pérsonal equátion 〖천문〗 (관측상의) 개인 (오)차; 〖일반적〗 개인적 경향〔개인차〕에 의한 판단〔방법〕의 차이.

pérsonal estáte 〔**próperty**〕 〖법률〗 동산(動産), 인적 재산; 소지품.

pérsonal exémption 인적 공제.

pérsonal flotátion device 《미》 1인용 부표(浮漂) 용구《구명동의 따위; 생략: PFD》.

pérsonal fóul 〖스포츠〗 퍼스널 파울《농구 등 단체 경기에서, 신체상의 접촉 반칙》.

pérsonal hýgiene 스스로 몸을 깨끗이 가꾸기, 위생 관념; 개인 위생.

pérsonal identificátion nùmber 〖금융〗 개인 식별 번호, (은행카드의) 비밀 번호《생략: PIN》.

per·son·al·ism [pə́:rsənəlìzəm] *n.* Ⓤ 개성〔인격, 인물〕주의; 개인 특유의 언동. ㊀ **-ist** *n.*, *a.* **pèr·son·al·ís·tic** *a.*

per·son·al·i·ty [pə̀:rsənǽləti] *n.* Ⓤ **1** 개성, 성격, 인격, 인물, 《특히》 매력 있는 성격: dual 〔double〕 ~ 이중인격/a man with little ~ 개성이 뚜렷하지 않은 남자/He has a lot of ~. 그는 아주 매력 있는 인물이다. SYN. ⇨ CHARACTER. **2** 사람으로서의 존재; 인간(성): respect the ~ of a child 아이의 인간성을 존중하다. **3** (사람의) 실재(성): doubt the ~ of Shakespeare 셰익스피어의 실재를 의심하다. **4** Ⓒ (어떤 개성을 가진) 인물, 개인; 명사: a TV ~ 텔레비전의 인기 배우. **5** (보통 *pl.*) 인물 비평, 《특히》 인신공격: indulge in *personalities* 인신공격만을 일삼고 있다. **6** (장소·사물 따위의) 분위기; 〖지리〗 지역의 특성. **7** Ⓤ 《드물게》 동산(personalty).

personálity cùlt 개인 숭배.

personálity disòrder 〖정신의학〗 인격 장애.

personálity ìnventory 〖심리〗 인격 목록표, 성격 특성 항목표《행동이나 태도에 관한 질문으로 성격을 객관적으로 파악하려는 인격 검사》.

personálity tést 〖심리〗 성격 검사.

per·son·al·ize [pə́:rsənəlàiz] *vt.* **1** 개인화하다; …에 이름을〔머리글자를〕 넣다〔붙이다〕; 개인 전용으로 하다. **2** 인격화〔성격화〕하다; 의인화하다. ㊀ **pèr·son·al·i·zá·tion** *n.*

per·son·al·ly [pə́:rsənəli] *ad.* **1** 몸소, 스스로: I will thank him ~. 직접 그를 만나서 인사하겠다. **2** 나 개인적으로(는), 자기로서는: *Personally*, I don't care to go. 나로서는 가고 싶지 않다. **3** 자기의 일로서, 빗대어: take his comments ~ 그의 말을 자기에게 빗댄 것으로 받아들이다. **4** 인품으로서(는), 개인으로서: I like him ~, but dislike the way he conducts business. 그의 인품은 좋아하지만, 사업하는 방법이 마음에 들지 않는다.

pèrsonal órganizer 전자수첩, 시스템 수첩.

pérsonal pénsion 개인 연금.

pérsonal prónoun 〖문법〗 인칭 대명사.

pérsonal represéntative 〖법률〗 인격 대리인《유언 집행인 또는 유산 관리인》.

pérsonal réscue enclòsure 《미》 〖우주〗 =BEACH BALL. 「적 권리.

pérsonal ríghts 〖법률〗 대인권(對人權), 개인

pérsonal secúrity 생명 신체의 안전; 보증인, 인적 담보.

pérsonal sérvice 〖법률〗 교부(交付) 송달.

pérsonal shópper (백화점 등의) 고객 상대 구매 상담원. 「카세트 플레이어.

pérsonal stéreo (휴대용) 초소형 스테레오

pérsonal táx 대인세(對人稅)《소득세, 법인세, 주민세 등의 직접세》.

pérsonal tráiner (가정 방문하여 지도하는) 계약 스포츠〔건강 체조〕 트레이너, (일대일로 지도하는) 개인 트레이너.

per·son·al·ty [pə́:rsənəlti] *n.* Ⓤ 〖법률〗 동산 (personal estate 〔property〕). OPP. *realty*.

Pérsonal Verificátion Términal Sýstem 개인 확인 단말기《미리 등록된 본인 지문과 대조하여 본인을 확인하는》.

per·so·na non gra·ta [pərsóunə-nan-grá:tə/-nɔn-] (*pl.* **~, *per·so·nae non gratae*** [pərsóuni:-nan-grá:ti:/-nɔn-]) 《L.》 마음에 안 드는 사람; 〖외교〗 주재국 정부가 기피하는 외교관.

per·son·ate [pə́:rsənèit] *vt.* (극중 인물의) 역을 맡아 연기하다, …으로 분장하다; …이라고 속이다, …인 체하다, …의 이름을 사칭하다; 의인화(擬人化)하다; (작품 등)에 개성을 나타내다. — *vi.* 역을 맡아 하다, 연기(演技)하다. — [-nit, -nèit] *a.* 가장〔변장〕의; 〖식물〗 가면 모양의《화관(花冠)》; 변태의; 《고어》 거짓의, 가장된(feigned). ㊀ **pèr·son·á·tion** *n.* Ⓤ (극의) 역을 맡아 하기; 분장; 인명〔신분〕사칭. **pér·son·à·tive** [-tiv] *a.* (연극에서) 역을 연기하는. **pér·son·à·tor** [-tər] *n.* Ⓤ 연기〔분장〕자, 배우; (신분) 사칭자.

pérson-dày *n.* 〖경영〗 인일(人日)《한 사람이 보통의 활동을 하는 평균적인 하루를 나타내는 시간의 단위》. 「질, 개성.

per·son·hood [pə́:rsənhùd] *n.* Ⓤ 개인적 특

pérson-hòur *n.* 〖경영〗 인시(人時), 맨 아워《한 사람의 1 시간 분량의 작업량 단위》.

°**per·son·i·fi·ca·tion** [pə:rsɑ̀nəfikéiʃən/-sɔ̀-] *n.* Ⓤ,Ⓒ 의인(擬人), 인격화; 〖수사학〗 의인법; 구현, 체현; (the ~) 권화(權化), 화신.

per·son·i·fy [pə:rsɑ́nəfài/-sɔ́-] *vt.* 사람으로 간주하다, 인성(人性)을 부여하다, 인격화〔의인화〕하다; 구체화〔체현〕하다; 상징하다(typify); …의 화신〔전형〕이 되다. ㊀ **-fi·er** [-fàiər] *n.* 의인화〔체현〕하는 사람〔것〕, 화신(化身), 권화.

pèrson·kínd *n.* 〖집합적〗 인간, 인류《성차별을 피하여 mankind 대신 쓰이는 말》.

*__per·son·nel__ [pə̀:rsənél] *n.* 〖집합적〗 (관청·회사 따위의) 전직원, 인원; 〖군사〗 병원(兵員), 요원; (회사·관청 등의) 인사부〔국, 과〕. — *a.* 직원의, 인사의: a ~ carrier 병사 수송차/a ~ manager (회사의) 인사 담당 이사; 《미》 대학의

취직 지도 주임/the ~ department 인사부〔과〕.

personnél àgency 직업 안정소.

per·son·o·lo·gy [pə̀ːrsənálədʒi/-ɔ́l-] *n.* 관상학(觀相學).

pérson-to-pérson *a.* **1** 직접의, 무릎을 맞대고 하는. **2** 개별의: ~ diplomacy 개인 대 개인 외교. **3** 〖전화〗 (장거리 전화가) 지명 통화의: a ~ call 지명 통화. cf. station-to-station. ── *ad.* (장거리 전화를) 지명 통화로; 마주 보고.

pérson-yèar *n.* **1** 〖경영〗 인년(人年)《한 사람이 1년간에 하는 작업량의 단위》. **2** (인구 통계에서) 1인당 수명을 계산하는 단위년(單位年).

per·spec·tive** [pəːrspéktiv] *n.* **1** Ⓤ 원근(화)법, 투시 화법; Ⓒ 투시화〔도〕: angular 〔linear〕 ~ 사선〔직선〕 원근 화법. **2** 원경(遠景), 경치, 조망. **3** Ⓒ 전망; 시각, 견지; U,C 상관관계; (사물의) 균형: see things in their (right) ~*s* 사물을 옳게 보다; 사물의 경중(輕重)〔균형〕을 틀림없게 보다/The event has thrown the universe into a fresh ~. 이 사건으로 세상에 전혀 새로운 전망이 펼쳐졌다. SYN. ⇨ VIEW. **4** 가망, 전도. ***in ~ 원근 화법에 의하여; 올바른 견해로〔균형으로〕. ***out of*** ~ 원근법에서 벗어나; 불균형하게. ── *a.* 투시(화법)의, 원근 화법의〔에 의한〕: ~ representation 원근〔투시〕 화법. ㊞ **~·ly** *ad.* 원근법에 의해; 명료하게.

Per·spex [pə́ːrspeks] *n.* 방풍 유리《항공기 따위의 투명부에 씀; 상표명》.

per·spi·ca·cious [pə̀ːrspəkéiʃəs] *a.* 이해가 빠른, 총명한, 통찰력〔선견지명〕이 있는. SYN. ⇨ CLEVER. ㊞ **~·ly** *ad.* **~·ness** *n.*

per·spi·cac·i·ty [pə̀ːrspəkǽsəti] *n.* Ⓤ 명민, 총명; 통찰력.

per·spi·cu·i·ty [pə̀ːrspəkjúːəti] *n.* Ⓤ (언어·문장 따위의) 명석함, 명료함, 명쾌함.

per·spic·u·ous [pəːrspíkjuəs] *a.* (문체 등이) 명쾌한, 명료한. ㊞ **~·ly** *ad.* **~·ness** *n.*

***per·spi·ra·tion** [pə̀ːrspəréiʃən] *n.* Ⓤ 발한(작용)(sweating); 땀; (땀 날 정도의) 노력.

per·spir·a·to·ry [pərspáiərətɔ̀ːri/-təri] *a.* 발한(發汗)(작용)의, 땀의: ~ glands 한선(汗腺), 땀샘.

***per·spire** [pərspáiər] *vt., vi.* 땀을 흘리다, 발한(發汗)하다; 증발(蒸發)하다〔시키다〕, 분비하다(exude); (땀 날 정도로) 노력하다. cf. sweat. ◇ perspiration *n.*

per·suád·a·ble *a.* =PERSUASIBLE.

****per·suade** [pəːrswéid] *vt.* **1** 《+目+*to* do/+目+전+명》 설득하다, 권유〔재촉, 독촉〕하여 …시키다: We could not ~ him *to* wait. 그에게 기다리도록 권하였으나 듣지 않았다/He ~*d* her *into* 〔*out of*〕 going to the party. 그는 그녀가 파티에 가도록〔가지 말도록〕 설득하였다. OPP. *dissuade*. SYN. ⇨ URGE. **2 a** 《+目+전+명/+目+*that* 절》 …을 납득시키다, …을 믿게 하다《*of*》: How can I ~ you *of* my sincerity 〔*that* I am sincere〕? 저의 성실함을 어떻게 하면 믿어 주실지. **b** 《+目+전+명》 〖~ oneself 로〗 …을 확신하다《수동태로도 쓰이며 '…을 확신하고 있다'의 뜻이 됨》: I ~*d* my*self* 〔I *was* ~*d*〕 *of* his innocence. 그가 무죄임을 확신했다〔확신하고 있었다〕. **c** 《+目+*that* 절》 〖~ oneself 로〗 …임을 확신하다《수동태로도 쓰이며 '…임을 확신하고 있다'의 뜻이 됨》: I ~*d* my*self* 〔I *was* ~*d*〕 *that* he was innocent. 그가 무죄임을 확신했다〔확신하고 있었다〕. ◇ persuasion *n.* ㊞ **per·suád·er** *n.* 설득자; 《구어》 강제 수단《박차·채찍·권총 따위》.

per·sua·si·ble [pərswéisəbəl] *a.* 납득시킬 수 있는, 이르는 말을 듣는.

****per·sua·sion** [pərswéiʒən] *n.* **1** Ⓤ 설득; 설득력. **2** Ⓤ 확신, 신념; 신앙. **3** Ⓒ 신조; 종파(宗派): He is of the Roman Catholic ~. 그는 가톨릭 신자다. **4** Ⓤ 《우스개》 종류, 성별, 계급; 인종: the male ~ 남성/a man of the Jewish ~ 《우스개》 유대 사람. ◇ persuade *v.*

°**per·sua·sive** [pərswéisiv] *a.* 설득 잘하는, 설득력 있는, 구변이 좋은. ── *n.* 설득하는 것; 동기, 유인. ㊞ **~·ly** *ad.* **~·ness** *n.*

pert [pəːrt] *a.* 방자한, 건방진, 오지랖 넓은《젊은 여자》; (옷 따위) 멋진, 세련미 있는; 활발〔민첩, 팔팔〕한. ㊞ **∠·ly** *ad.* **∠·ness** *n.*

PERT [pəːrt] program evaluation and review technique《복잡한 프로젝트를 계획·통제·관리하는 방식》. **pert.** pertaining.

°**per·tain** [pərtéin] *vi.* 《+전+명》 속하다, 부속하다《*to*》; 관계하다《*to*》; 적합하다, 어울리다《*to*》: a disease which ~*s to* uncleanness 불결에 붙어다니는 질병/Your remark does not ~ *to* the question. 너의 발언은 이 문제와 관계없다/He owns the house and the land ~*ing to* it. 그는 가옥과 이에 딸린 땅을 소유하고 있다.

per·ti·na·cious [pə̀ːrtənéiʃəs] *a.* **1** 집요한, 완고한, 외고집의; 끈기 있는, 불굴의. **2** (사람·병 등이) 끈질긴, 집요한; 지독한: a ~ fever 좀처럼 내려가지 않는 신열/~ salesman 끈질긴 외판원. ㊞ **~·ly** *ad.* **~·ness** *n.* =PERTINACITY.

per·ti·nac·i·ty [pə̀ːrtənǽsəti] *n.* Ⓤ 집요함, 완고, 외고집; 끈덕짐, 불요불굴, 집착력.

°**per·ti·nent** [pə́ːrtənənt] *a.* **1** 타당한, 적절한《*to*》, 요령 있는. OPP. *impertinent*. SYN. ⇨ PROPER. **2** …에 관한《*to*》. ── *n.* (보통 *pl.*) 〖Sc. 법률〗 부속물. ㊞ **~·ly** *ad.* 적절하게. **-nence, -nen·cy** *n.* Ⓤ 적절, 적당.

°**per·turb** [pərtə́ːrb] *vt.* **1** 교란하다, 혼란하게 하다; 마음을 어지럽히다, 불안하게 하다. **2** 〖물리·천문〗 섭동(攝動)을 일으키다. ㊞ **~·a·ble** *a.* **~·edly** *ad.* **~·er** *n.*

per·tur·ba·tion [pə̀ːrtərbéiʃən] *n.* **1** Ⓤ (마음의) 동요, 혼란; 낭패, 불안. **2** 혼란〔동요〕의 원인. **3** 〖천문〗 섭동(攝動). ㊞ **~·al** *a.*

per·tur·ba·tive [pə́ːrtərbèitiv, pərtə́ːrbə-tiv] *a.* **1** 《고어》 동요〔교란〕시키는. **2** 〖천문〗 섭동의.

per·tus·sis [pərtʌ́sis] *n.* Ⓤ 백일해(whooping cough). ㊞ **per·tús·sal** *a.* 백일해의. **-tús·soid** *a.* 백일해 비슷한.

Pe·ru [pərúː] *n.* 페루《남아메리카의 공화국; 수도 Lima》. ◇ Peruvian *a.*

Peru. Peruvian.

Pe·ru·gia [pərúːdʒə, -dʒiə] *n.* **1** 페루자《이탈리아 Umbria주 중부의 도시로 주도》. **2 the Lake of** ~ 페루자 호. ㊞ **Pe·rú·gian** *a., n.*

pe·ruke [pərúːk] *n.* (17-18세기의) 남자 가발(wig).

pe·rus·al [pərúːzəl] *n.* U,C 읽음, 숙독, 정독; 《드물게》 음미, 정사(精査). ◇ peruse *v.*

pe·ruse [pərúːz] *vt.* **1** 숙독〔정독〕하다. **2** (안색·마음 따위를) 읽다(scan). **3** 《드물게》 음미하다. ◇ perusal *n.* ㊞ **pe·rús·er** *n.*

peruke

Pe·ru·vi·an [pərúːviən] *a.* 페루(Peru)의; 페루 사람의. ── *n.* 페루 사람.

Perúvian bárk 기나피(皮)(cinchona).

perv [pəːrv] 《Austral.속어》 *n.* =PERVERT; 색정적인 눈. ── *vi.* 색정적인 눈으로 보다.

***per·vade** [pərvéid] *vt., vi.* …에 널리 퍼지다,

고루 미치다, 보급하다; …에 가득 차다; 스며들다; 세력을 떨치다: Spring ~*d* the air. 봄 기운이 대기에 넘쳐 있었다. ⓟ **per·vád·er** *n.* **per·vá·sion** [-ʒən] *n.* Ⓤ 보급, 충만; 침투.

per·va·sive [pərvéisiv] *a.* (특히 좋지 않은 것이) 널리 퍼지는, 침투하는, 어디에나 있는, 널리 스며 있는: a ~ smell of damp 온통 퍼져 있는 습한 냄새. ⓟ **~·ly** *ad.* **~·ness** *n.*

◇**per·verse** [pərvə́ːrs] *a.* **1** 외고집의, 심술궂은, 성미가 비꼬인, 빙퉁그러진, 완미한. **2** 사악한; 불법의; 잘못된: a ~ verdict 〖법률〗 부당한 재결《법관의 지시·증거에 반(反)하는 것》. **3** 마음대로 안 되는. ◇ perversity *n.* ⓟ **~·ly** *ad.* **~·ness** *n.*

per·ver·sion [pərvə́ːrʒən, -ʃən] *n.* Ⓤ,Ⓒ (의미의) 곡해; 악용, 남용; 타락; 전도(轉倒), 도착(倒錯): a ~ of the facts 사실의 곡해. ◇ pervert *v.* ***sexual*** **~** 〖심리〗 성적 도착, 변태 성욕.

per·ver·si·ty [pərvə́ːrsəti] *n.* Ⓤ,Ⓒ 심술궂음, 외고집.

per·ver·sive [pərvə́ːrsiv] *a.* 전도(轉倒)시키는; 나쁜 길로 이끄는; 곡해하는《*of*》; 그르치게 하는; 도착(倒錯)의.

◇**per·vert** [pəːrvə́ːrt] *vt.* **1** (상도(常道)에서) 벗어나게 하다. **2** 악용하다, 곡해하다: ~ a person's words 아무의 말을 곡해하다. **3** 나쁜 길로 이끌다. ◇ perversion *n.* — [pə́ːrvəːrt] *n.* 타락자; 배교자; 변절자; 〖심리〗 성욕 도착자: a sexual ~ 성적 도착자. ⓟ **~·er** *n.* **~·i·ble** *a.*

per·vért·ed [-id] *a.* 〖의학〗 이상의, 변태의, 도착의; 〖일반적〗 사도(邪道)에 빠진, 비꾸러진: a ~ version of an occurrence 사건에 대한 비뚤어진 해석. ⓟ **~·ly** *ad.* **~·ness** *n.*

per·vi·ous [pə́ːrviəs] *a.* **1** (빛·물 따위를) 통과시키는, 통하게 하는《*to*》. **2** (도리 등이) 통하는, 아는, 감수력 있는《*to*》. OPP *impervious.* ¶ Glass is ~ *to* light. 유리는 빛을 통과시킨다 / ~ *to* reason 도리를 아는. ⓟ **~·ness** *n.* 통과성, 투과성.

pes [piːz] (*pl.* ***pe·des*** [píːdiːz, péd-]) *n.* 〖해부·동물〗 발, 족부(足部), 발 모양의 부분〔기관〕.

Pe·sa(c)h [péisaːx] *n.* 〖유대교〗 유월절(逾越節)(Passover).

Pes·ca·do·res [pèskədɔ́ːris, -riːz/-riz] *n. pl.* (the ~) 평후(澎湖) 열도《타이완 서쪽의 군도》.

pe·se·ta [pəséitə] *n.* 《Sp.》 페세타《스페인·안도라의 화폐 단위; =100 centimos; 생략: pta, P》; 페세타 은화.

pe·se·wa [pəséiwaː] (*pl.* ~(*s*)) *n.* 페세와《가나의 화폐 단위; =1/100 cedi》.

pes·ky [péski] (***-ki·er; -ki·est***) 《미구어》 *a.* 성가신, 귀찮은. — *ad.* 심하게, 극단적으로. ⓟ **pés·ki·ly** *ad.* **-ki·ness** *n.*

pe·so [péisou] (*pl.* ~*s*) *n.* 《Sp.》 **1** 페소《필리핀·멕시코 및 중남미 여러 나라의 화폐 단위》. **2** 페소 은화; 《미속어》 미 달러.

pes·sa·ry [pésəri] *n.* 〖의학〗 페서리《자궁 위치 교정용·피임용 기구》; 질좌약(膣坐藥).

◇**pes·si·mism** [pésəmìzəm] *n.* 비관; 비관설〔론〕, 염세관(厭世觀), 염세 사상. OPP *optimism.* ⓟ ◇**-mist** *n.* 비관론〔주의〕자, 염세가.

***pes·si·mis·tic** [pèsəmístik] *a.* 비관적인, 염세적인; 염세론의: take a ~ view of …을 비관하다. ⓟ **-ti·cal·ly** [-tikəli] *ad.*

pes·si·mize [pésəmàiz] *vi.* 비관하다; 염세관을 품다. OPP *optimize.* — *vt.* 《해커속어》 …을 최악의 것으로 하다: The manufacturer bought some software and ~*d* it, as usual. 제조업자가 어떤 소프트웨어를 샀으나, 여느 때처럼 그것을 엉망으로 만들어 버렸다.

pes·si·mum [pésəməm] (*pl.* **~s, -ma** [-mə]) *n.* 최악의 상태〔환경, 조건〕. OPP *optimum.*

◇**pest** [pest] *n.* **1** 유해물; 해충; 《구어》 골칫거리: a garden ~ 식물의 기생충. **2** Ⓤ,Ⓒ 《드물게》 악역(惡疫); 페스트, 흑사병. ***Pest on*** 〔***upon***〕 ***him !*** 저런 염병할 놈. ⓟ **∠·y** *a.*

Pes·ta·loz·zi [pèstəlátsi/-lɔ́tsi] *n.* **Johann H.** ~ 페스탈로치《스위스의 교육 개혁자; 1746-1827》. ⓟ **Pès·ta·lóz·zi·an** [-ən] *a., n.* Ⓤ 페스탈로치(식)의 (교육론 신봉자).

◇**pes·ter** [péstər] *vt.* 《~+목/+목+전+명/+목+*to* do》 괴롭히다, 고통을 주다: He is always ~*ing* me for money 〔*to* help〕. 그는 언제나 돈을〔도와〕 달라고 졸라댄다 / ~ a person *with* complaints 불평을 하여 아무를 괴롭히다. ~ ***the life out of*** a person 아무에게 대단한 폐를 끼치다, 아무를 견딜 수 없을 정도로 괴롭히다. — *n.* 훼방, 방해, 성가신 사람, 골칫거리. ⓟ **~·er** *n.*

péster pòwer 페스터 파워《어린이가 부모를 졸라 물건을 사게 하는 힘》.

pést·hòle *n.* 전염병이 발생하기 쉬운 장소; 유해한 장소.

pést·hòuse *n.* (페스트 환자의) 격리 병원.

pest·i·cide [péstəsàid] *n.* Ⓤ 농약《살충제·살균제·제초제·살서제(殺鼠劑) 따위》. ⓟ **pèst·i·cíd·al** [-əl] *a.*

pes·tif·er·ous [pestífərəs] *a.* 전염성의, 감염하기 쉬운; 역병에 걸린; 유독한, 유해한, 위험한; 《구어》 성가신, 귀찮은. ⓟ **~·ly** *ad.* **~·ness** *n.*

pes·ti·lence [péstələns] *n.* Ⓤ,Ⓒ 악역(惡疫); 페스트; 유행병; 《고어》 폐해.

pes·ti·lent [péstələnt] *a.* **1** 치명적인; 전염성의《병 등》; 유해한《사상 등》. **2** 《구어》 성가신, 귀찮은. ⓟ **~·ly** *ad.* **~·ness** *n.*

pes·ti·len·tial [pèstələ́nʃəl] *a.* 악역(惡疫)의, 악역을 발생시키는; 유해한, 폐해가 많은; 귀찮은. ⓟ **~·ly** *ad.* **~·ness** *n.*

pes·tle [pésl] *n.* 막자; 빻는 기계, 공이; 《영방언》 (육용 동물의) 다리. — *vt., vi.* 막자로 갈다; 공이로 찧다.

pes·tol·o·gy [pestálədʒi/-tɔ́l-] *n.* Ⓤ 해충학.

****pet**[1] [pet] *n.* **1** 페트, 애완동물《개·고양이·작은 새 따위》: a ~ shop 애완동물 상점. **2** 총아, 마음에 드는 사람; 《구어》 매우 멋진〔훌륭한〕 것《여성어》. **3** 《호칭》 우리 아기. ***be a perfect ~*** 아주 귀엽다. ***make a ~ of*** …을 귀여워하다. — *a.* **1** 마음에 드는, 총애하는, 애완의: a ~ kitten 애완 고양이. **2** 득의의, 가장 좋아하는: one's ~ theory 지론(持論). **3** 애정을 나타내는. **4** 《우스개》 최대의, 특별한. one***'s ~ aversion*** 〔***hate***〕 《우스개》 아주 싫은 것〔사람〕. — (***-tt-***) *vt.* **1** 귀여워하다, 총애하다, 애무하다; 응석부리게 하다: We cannot ~ anything much without doing it mischief. 무엇이든 너무 귀여워하면 해가 되는 법이다. **2** 《구어》 (이성을) 껴안고 키스하다, 페팅하다. — *vi.* 《구어》 페팅하다. ⓟ **pét·ting** *n.* 애무.

pet[2] *n.* 부루퉁함, 뚱함. ***in a ~*** 부루퉁하여. ***take*** (***the***) ***~*** (까닭 없이) 성내다, 실쭉하다. — (***-tt-***) *vi.* 실쭉하다, 부루퉁해지다.

PET [pet] 〖화학〗 polyethylene terephthalate (폴리에틸렌 테레프탈레이트)《폴리에틸렌 수지; 특히 식품 팩에 씀》; 〖의학〗 positron emission tomography 〔tomograph〕(양전자 방사 단층 촬영). **Pet.** 〖성서〗 Peter. **pet.** petroleum.

PETA [píːtə] 《미》 People for the Ethical Treatment of Animals.

「P》: *peta*meters.

pet·a- [pétə] *pref.* 〖단위〗 페타《$=10^{15}$; 기호

***pet·al** [pétl] *n.* **1** 〖식물〗 꽃잎. **2** (*pl.*) 《속어》

음순(陰脣): the inner ~s 소음순. ⊞ ~(l)ed *a.* 꽃잎이 있는; 〖복합어〗 …판(瓣)의: six-~, 6 판의. ~·like *a.* 「양)의, 꽃잎에 붙은.

pet·al·ine [pétəlin, -làin/-làin] *a.* 꽃잎(모

pet·al·oid [pétəlɔ̀id] *a.* 꽃잎 모양의.

pétal skìrt 〖복식〗 꽃잎처럼 천을 겹쳐서 만든 스커트. ★ 드레스의 경우는 petal dress.

pé·tanque [peitáːŋk] *n.* 페탕크(철구(鐵球)로 하는 bowls 비슷한 프랑스의 구기(球技)).

pe·tard [pitáːrd/pe-] *n.* 〖역사〗 폭약의 일종 《성문 따위의 파괴용》; 꽃불, 폭죽. ***hoist with*** 〔***by***〕 one***'s own*** ~ ⇨ HOIST².

pet·a·sos, -sus [pétəsəs] *n.* 페타소스《고대 그리스 사람이 쓴 운두가 낮고 챙이 넓은 모자; 특히 그림 · 조각 등에서 Hermes 또는 Mercury 가 쓴 날개 있는 모자》. 「용).

PÉT bóttle PET 병《주로 탄산음료 용기로 사

pet·cock [pétkɑ̀k/-kɔ̀k] *n.* 작은 콕〔마개〕《증기 따위를 빼는》.

Pete [piːt] *n.* Ⓤ 피트《남자 이름; Peter의 애칭》. ***for*** ~***'s sake*** 제발.

pete *n.* 《미속어》 금고.

péte bòx 《미속어》 =PETE.

pe·te·chia [pətíːkiə, -ték-] (*pl.* ***-chi·ae*** [-kiìː]) *n.* 점상(點狀) 출혈; 일혈점(溢血點).

Pe·ter [píːtər] *n.* **1** 피터《남자 이름》. **2** 〖성서〗 베드로《예수의 12 제자 중의 한 사람; Simon Peter 라고도 부름》; 베드로서(書)《신약성서 중의 한편; 생략: Pet.》. **3** 표트르(Pyotr) 대제《러시아 황제; 1672-1725》. ***rob*** ~ ***to pay Paul*** 한쪽에서 빼앗아 다른 쪽에 주다, 빚으로 빚을 갚다.

pe·ter¹ *n.* 《속어》 독방; 《속어》 금고; 《속어》 (법정의) 증인석; 《비어》 음경(陰莖); 《미속어》 (실신시키는) 주사, 정제(錠劑).

pe·ter² *vi.* 《구어》 (광맥 등이) 다하다, 없어지다 《*out*》; 점차 소멸하다《*out*》.

péter·man [-mən] (*pl.* ***-men*** [-mən]) *n.* 어부; 《속어》 금고털이; 《속어》 도둑, 강도.

Péter Pán **1** 피터팬《J. M. Barrie 작 동화의 주인공》. **2** 언제까지나 아이 같은 어른.

Péter Pàn cóllar 〖복식〗 피터팬 칼라《여성 · 아동복의 작고 둥근 깃》.

Péter Pàn sỳndrome 피터팬 증후군《사회적으로 자립하려 하지 않는 현대 남성의 병적인 특징》.

Péter Prìnciple (the ~) 피터의 원리《계층 사회의 구성원은 각자의 능력을 넘는 수준까지 출세한다는 것》.

pe·ter·sham [píːtərʃəm] *n.* 피터샴. **1** Ⓤ 두꺼운 골무늬 나사의 일종; 그것으로 만든 외투《따위》. **2** Ⓒ 골이 진 비단〔무명〕 리본《모자끈 따위에 씀》. 「지에 나는.

pet·i·o·lar [pétiələr] *a.* 〖식물〗 잎꼭지의; 잎꼭

pet·i·o·late [pétiəlèit] *a.* 〖생물〗 잎꼭지가 있는. ⊞ **-làt·ed** [-id, -əd] *a.*

pet·i·ole [pétiòul] *n.* 〖식물〗 잎꼭지, 엽병 (leafstalk); 〖동물〗 육경(肉莖).

pet·it [péti] *a.* 《F.》 (주로 법률 용어로) 작은; 가치 없는; 시시한, 사소한(little).

pe·tit bour·geois [pətíːbúərʒwɑː] (*pl.* ***pe·tits bour·geois*** [-z]) 《F.》 프티 부르주아(의), 소시민.

pe·tite [pətíːt] *a.* 《F.》 〖petit의 여성형〗 작은, 몸집이 작은《여자에 말함》. **—** *n.* 자그마한 여성용의 옷사이즈.

pe·tite bour·geoi·sie [pətíːtbuərʒwɑːzíː] 《F.》 소시민 계급, 프티 부르주아 계급.

pet·it four [pétifɔ́ːr] (*pl.* ***pet·its fours*** [-z]) 《F.》 소형의 케이크.

pe·ti·tion** [pətíʃən] *n.* **1** 청원, 탄원, 진정; (신에의) 기원: a ~ to the king 〔House〕 국왕〔의회〕에 보내는 탄원서 / a ~ in bankruptcy 〖법률〗 파산 신청 / on ~ 청원에 의하여 / make (a) ~ 청원하다 / grant 〔reject〕 a ~ 청원을 승낙〔기각〕하다. **2** 청원〔탄원, 진정〕서; (법정에의) 신청(서), 소장(訴狀): a ~ of appeal 공소장 / file a ~ *against* 〔*for*〕 …에 반대〔찬성〕하는 탄원서를 제출하다. ***a ~ ***of revision*** 〖법률〗 상고장. ***put up a*** ~ (to heaven) (하늘에) 기원하다. ***the Petition of Right*** 〖영국사〗 권리 청원《1628년 의회가 Charles I에게 승인시킴》; 〖영법률〗 대(對)정부 권리 회복 소원(訴願). **—** *vt.* 《~+목/+목+전+명/+목+*to* do/+목+*that* 절》 …에 청원〔탄원, 진정, 신청〕하다; …에 기원하다《*for*》: ~ the mayor 시장에게 청원하다〔청원서를 보내다〕 / They ~*ed* the governor *for* help 〔*to* help them, *that* he (should) help them〕. 그들은 지사에게 도움을 청했다. **—** *vi.* 《+전+명/+*to* do》 원하다, 빌다《*for*》: ~ *for* pardon 용서를 빌다 / ~ *to* be allowed to go 가게 해 달라고 빌다. ⊞ **~·a·ry** [-èri/-əri] *a.* ~의. **~·er** *n.*

pe·ti·tio prin·ci·pii [pitíʃiòu-prinsípiài] 《L.》 〖논리〗 미해결〔미증명〕의 전제에 기초를 두고 입론하는 오류. cf. BEG the question.

pétit júry 〖법률〗 소배심(小陪審)《12 명으로 된 보통의 배심》. cf. grand jury.

pétit lárceny =PETTY LARCENY.

pe·tit mal [pétimáːl, -mǽl/-mǽl] 《F.》 (지랄병의) 가벼운 발작. cf. grand mal.

pétit pòint [péti-] =TENT STITCH.

pé·tit tréason [péti-] 〖영법률〗 소(小)반역죄 《아내가 남편을, 종이 주인을 살해하는 따위》. cf. high treason.

pét náme 애칭. 「유괴.

pet·nap·(p)ing [pétnæ̀piŋ] *n.* Ⓤ 개 · 고양이

pét péeve 늘 불평의 원인이〔씨가〕 되는 것, 특히 싫은〔화가 나는〕 것〔일〕.

petr- [pétr] '바위, 돌, 석유'의 뜻의 결합사.

Pe·trarch [píːtrɑːrk/pét-] *n.* **Francesco** ~ 페트라르카《이탈리아의 시인; 1304-74》.

Pe·trár·chan sónnet [pitrɑ́ːrkən-/pet-] 〖시학〗 (Petrarch가 창시한) 이탈리아식 소네트.

pet·rel [pétrəl] *n.* 〖조류〗 바다제비류. ***snow***(***y***) ~ 눈새. ***storm***(***y***) ~ ① =petrel. ② 나타나면 궂은 일이 생긴다고 생각되는 사람.

pet·ri- [pétri] =PETR-.

pét·ri dìsh [píːtri-] 페트리 접시《세균 배양용》.

pet·ri·fac·tion, pet·ri·fi·ca·tion [pètrəfǽkʃən], [-fikéiʃən] *n.* Ⓤ **1** 돌로 되게 함, 석화(石化) (작용); 화석. **2** 망연자실; 무기력.

pet·ri·fac·tive [pètrəfǽktiv] *a.* 석화(石化)하는, 석화력이 있는.

Pétrified Fórest (the ~) 페트리파이드 포레스트《Painted Desert의 나무 화석이 많은 지역》.

pet·ri·fy [pétrəfài] *vt.* **1** 돌이 되게 하다; 돌같이 굳게 하다; 경화〔경직〕시키다. **2** 깜짝 놀라게 하다; 망연자실하게 하다《주로 수동태》; 생기를 잃게 하다. **—** *vi.* 돌이 되다; 돌처럼 굳어지다; 깜짝 놀라다, 망연자실하다; 무정해지다. ⊞ **-fied** *a.* ~한〔된〕; 《미속어》 곤드레만드레로 취한.

Pe·trine [píːtrain, -trin] *a.* 사도 베드로(의 교의(敎義))의.

pet·ro- [pétrou, -rə] =PETR-.

pètro·chémical *n.* 〖화학〗 석유 화학 제품. **—** *a.* 석유 화학(제품)의: ~ industry 석유 화학공업.

pètro·chémistry *n.* Ⓤ 석유 화학; 암석 화학.

pétro·dòllars *n. pl.* 오일 달러. **—** *a.* 오일 달러의.

petrog. petrography.

pètro·génesis *n.* 암석 생성〔기원〕(론). ⊞ **-ge·nétic** *a.*

pet·ro·glyph [pétrəglìf] *n.* 암석 조각(彫刻)《특히 유사 이전에 된 것》.

pet·ro·gram [pétrəgræ̀m] *n.* (특히 선사 시대인이 그린) 암석 선화(線畫), 선각화(線刻畫).

pet·ro·graph [pétrəgræ̀f, -grɑ̀ːf] *n.* =PETROGLYPH.

pe·trog·ra·phy [pitrɑ́grəfi/-trɔ́g-] *n.* Ⓤ 암석 기술학(記述學); 암석 분류학. ㊕ **-pher** *n.* **pet·ro·graph·ic** [pètrəgræ̀fik] *a.*

pètro-inflátion *n.* 석유 인플레이션《OPEC의 유가(油價) 인상에 의한 세계적 규모의 인플레》.

***pet·rol** [pétrəl] *n.* Ⓤ **1** 《영》 가솔린(《미》 gasoline), 정유(精油), 경유: a ~ engine 가솔린 엔진/a ~ motor 경유 발동기. **2** 《고어》 석유. ── (-*ll*-) *vt.* 《영》 가솔린으로 청소하다.

petrol. petrology.

pet·ro·la·tum [pètrəléitəm] *n.* Ⓤ 〖화학〗 바셀린; 광유(鑛油).

pétrol bòmb 《영》 화염병(Molotov cocktail).

***pe·tro·le·um** [pətróuliəm] *n.* Ⓤ 석유: crude [raw] ~ 원유, 중유/a ~ engine 석유 발동기.

petróleum éther 석유 에테르.

petróleum jélly =PETROLATUM.

pet·rol·ic [pitrɑ́lik/-trɔ́l-] *a.* 석유의; 《영》 가솔린의.

pet·ro·lif·er·ous [pètrəlífərəs] *a.* 석유를 산출하는: ~ countries 산유국.

pet·rol·ize [pétrəlàiz] *vt.* 석유화하다, 석유 본위로 하다, 석유에 의존시키다.

pe·trol·o·gy [pitrɑ́lədʒi/-trɔ́l-] *n.* Ⓤ 암석학. ㊕ **pet·ro·log·ic, -i·cal** [pètrəlɑ́dʒik/-lɔ́dʒ-], [-əl] *a.* **pe·trol·o·gist** [pitrɑ́lədʒist/-trɔ́l-] *n.* 암석학자.

pétrol stàtion 《영》 가솔린 스테이션; 주유소(filling station).

pétrol tànk 《영》 (차의) 연료 탱크(gas tank).

pètro·pólitics *n.* (산유국에 의한) 석유 정치 [외교].

pétro·pòwer *n.* 산유국들의 경제력[정치력]; 석유 산출국, 산유국.

pétro·pròfit *n.* 석유 수익, 석유 수출로 번 돈.

pet·rous [pétrəs, píːt-] *a.* 바위의, 바위 같은, 딱딱한; 〖해부〗 암상부(岩狀部)의, (측두골의) 추체부(椎體部)의.

pe-tsai [pèitsái] *n.* 《Chin.》 배추(= **Chínese cábbage, ∠ càbbage**).

PÉT scànner 포지트런 스캐너《촬영 시점의 뇌 활동을 볼 수 있는 X선 단층 촬영 화상 장치》.

°**pet·ti·coat** [pétikòut] *n.* **1** 페티코트《스커트 속에 입는》; (*pl.*) 소아복, 여성복. **2** 《구어》 여자, 계집아이; (*pl.*) 여성; (종종 the ~) 여성 사회[세력]. **3** 스커트 모양의 물건[덮개]. ***wear*** [***be in***] **~*s*** 여성[어린아이]이다, 여성답게 행동하다. ── *a.* 여자의, 여성적인; 페티코트를 입은: a ~ affair 정사(情事); 염화(艶話)/~ government 내주장, 여인 천하《가정·정계에서의》. ㊕ **~·ed** [-id] *a.* 페티코트를 입은; 여자다운. **~·ism** *n.* Ⓤ 여성 세력, 여인 천하.

pétticoat ínsulator 〖전기〗 치마꼴의 뚱딴지 [애자(碍子)].

pet·ti·fog [pétifɑ̀g, -fɔ̀ːg/-fɔ̀g] (-*gg*-) *vi.* 궤변을 늘어놓다; 되잖은 이치를 늘어놓다. ㊕ **~·ger** [-ər] *n.* 궤변꾼, 엉터리 변호사. **~·gery** [-əri] *n.* Ⓤ 협잡적인 수단, 속임.

pét·ti·fòg·ging *a.* 협잡적인, 속이는, 되잖은 이치를 말하는; 시시한. ── *n.* Ⓤ 협잡, 속임, 궤변.

pétting zòo (어린이들이 동물을 쓰다듬을 수 있는) 동물원.

pet·ti·pants [pétipæ̀nts] *n. pl.* 《미》 여자의 무릎까지 오는 팬티.

pet·tish [pétiʃ] *a.* 토라진; 골내기 잘하는. ㊕ **~·ly** *ad.* **~·ness** *n.*

pet·ti·toes [pétitòuz] *n. pl.* 돼지족《식용》; 《우스개》 사람의 발(가락)《특히 아이의》.

°**pet·ty** [péti] (-*ti·er*; -*ti·est*) *a.* **1** 사소한, 대단찮은: ~ troubles 시시한 걱정거리/~ expenses 잡비. **2** 마음이 좁은(narrow-minded), 쩨쩨한: ~ malice 쩨쩨한[더러운] 악의. **3** 소규모의: a ~ current deposit 소액 당좌 예금/a ~ farmer 소농/~ states 약소국/~ people 하층민. ── *n.* (*pl.*) 변소. ㊕ **-ti·ly** *ad.* 인색[비열]하게. **-ti·ness** *n.*

pétty áverage 〖법률〗 사소한 해손(海損).

pétty bourgèois =PETIT BOURGEOIS.

pétty bourgeoisíe (the ~) =PETITE BOURGEOISIE.

pétty cásh 잔돈, 용돈; 소액 지급 자금.

pétty cásh bòok 용돈[잡비] 출납부; 소액 현금 지급 장부.

pétty críme 경범죄.

pétty júror 〖법률〗 소배심원. ⓒⓕ grand juror.

pétty júry =PETIT JURY.

pétty lárceny 좀도둑질; 가벼운 절도죄.

pétty òfficer (해군의) 부사관; (상선의) 하급 선원.

pétty òfficer fírst cláss 〖미해군〗 중사.

pétty òfficer sécond cláss 〖미해군〗 하사.

pétty prínce 소국(小國)의 군주.

pétty sèssions 《영》 즉결[간이] 재판소.

pétty tréason 〖영법률〗 =PETIT TREASON.

pet·u·lance, -lan·cy [pétʃələns], [-si] *n.* Ⓤ 성마름, 토라짐, 불쾌(한 언동).

°**pet·u·lant** [pétʃələnt] *a.* 성마른, 화 잘내는, 까다로운; 《드물게》 건방진. ㊕ **~·ly** *ad.*

pe·tu·nia [pitjúːniə, -njə/-tjúː-] *n.* 〖식물〗 피튜니아; Ⓤ 암자색(暗紫色).

pe·tun·(t)se, -tze [pətúntsə] *n.* Ⓤ 자니(磁泥)《중국산(産)의 도자기용 백도토》.

pew [pjuː] *n.* (교회의) 신도석; 걸상; 〖일반적〗 《구어》 의자, 자리: a family ~ 교회 안의 가족석/take a ~ 자리에 앉다. ── *vt.* 좌석을 설비하다. ㊕ **∠·age** [-idʒ] *n.* 〖집합적〗 (교회의) 좌석; 좌석료. **∠·less** *a.*

péw cháir 접는 식의 보조 의자.

pe·wee [píːwiː] *n.* 딱새의 일종《미국산》.

péw·hòlder *n.* 교회의 지정석 임차인[소유주].

pe·wit, pee·wit [píːwit] *n.* 〖조류〗 댕기물떼새(lapwing); 댕기물떼새의 우는 소리; 갈매기의 일종; 《미》 =PEWEE.

péw òpener (교회의) 좌석 안내인.

péw rènt (교회의) 좌석료.

pew·ter [pjúːtər] *n.* Ⓤ 백랍(白鑞)《주석과 납·놋쇠·구리 따위의 합금》; 〖집합적〗 백랍제의 기물 [술잔]; 《미속어》 돈; 《영속어》 상금(prize money); Ⓒ (우승)컵, 트로피. ㊕ **~·er** [-tərər] *n.* Ⓤ 백랍 세공장이.

pe·yo·te, -yotl [peióuti], [-tl] *n.* 〖식물〗 (멕시코·미국 남서부산의) 선인장의 일종; Ⓤ 그것에서 채취하는 환각제.

pf. perfect; pfennig; 〖음악〗 pianoforte; 〖증권〗 preferred; proof. **p.f.** *piu forte* 《It.》(=a little louder). **PFC** 《미》 Priority Foreign Coun-tries(우선 협상국). **PFC. Pfc.** Private First Class. **PFD** 《미》 personal flotation device (1인용 부표용구)《구명대 따위》. **pfd.** 〖증권〗 preferred.

pfen·nig [fénig/pfén-] (*pl.* **~s, -ni·ge** [-nigə]) *n.* 페니히《독일의 동전; 1 마르크의 1/100》.

Pfi·zer [fáizər] *n.* 파이저(사)(~, Inc.)《미국의 대의약품·화장품 제조 회사; 1942년 설립》.

PFLP Popular Front for the Liberation of Palestine. **PFP** Partnership for Peace(평화를 위한 협력 협정)《1994년 1월 10일 NATO 수뇌가 조인》.

P.G., PG [píːdʒíː] *a.* 《속어》 임신한. ★ pregnant를 생략한 완곡어.

PG 《미》 parental guidance (부모의 지도를 요하는)《미성년자 부적당 영화》; 〖생화학〗 prostaglandin. **Pg.** Portugal; Portuguese. **pg.** page. **PGA** Professional Golfers' Association. **PGCE** 《영》 Postgraduate Certificate of Education. **Pg Dn** 〖컴퓨터〗 page down. ★ 기술할 때만 씀. **PGM** 〖군사〗 precision-guided munition (정밀 유도 병기).

PGP [píːdʒìːpíː] *n.* 〖컴퓨터〗 송신 내용을 암호화하는 프로그램. [◂ *p*retty *g*ood *p*rivacy]

PG-13 [pìːdʒíːθə̀ːrtíːn] 《미》 〖영화〗 13세 미만의 어린이에게는 부모 동반이 요구됨. cf. PG.

Pg Up 〖컴퓨터〗 page up. ★기술할 때만 씀.

pH [pìːéitʃ] *n.* 〖화학〗 피에이치, 페하《수소 이온 농도를 나타내는 기호》.

ph 〖화학〗 phenyl. **ph** phot(s). **P.H.** pinch hitter; public health; (Order of the) Purple Heart. **PHA** 《미》 Public Housing Administration.

Pha·ë·thon [féiəθən, -θɑ̀n/-θən] *n.* 〖그리스 신화〗 파에톤《Helios (태양신)의 아들; 아버지 마차를 잘못 몰아 Zeus의 번갯불에 맞아 죽음》.

pha·e·ton [féiətn/féitn] *n.* **1** 쌍두 4륜 마차. **2** 페이튼형 자동차.

phaeton 1

phage [feidʒ] *n.* =BACTERIOPHAGE.

-phage [fèidʒ, fɑ̀ːʒ] '먹을 것, 세포를 괴멸하는 세포'의 뜻의 결합사: bacterio*phage*.

phag·o·cyte [fǽgəsàit] *n.* 〖생리〗 식세포《백혈구 따위》. ㊕ **phag·o·cyt·ic** [ˌ-sítik] *a.*

phag·o·cy·to·sis [fæ̀gəsaitóusis] (*pl.* **-ses** [-siːz]) *n.* 식작용(食作用)《식세포의》.

phag·o·ma·nia [fæ̀gəméiniə] *n.* 탐식광(貪食狂).

phag·o·pho·bi·a [fæ̀gəfóubiə] *n.* 공식증(恐食症), 거식증(拒食症), 신경성 식욕 부진증.

phag·o·some [fǽgəsòum] *n.* 〖생물〗 식포(食胞), 탐식액포(貪食液胞).

-pha·gous [ˊ-fəgəs] '먹는'의 뜻의 결합사: anthropo*phagous*.

-pha·gy [ˊ-fədʒi] '먹는 일, 상식(常食)'의 뜻의 결합사: anthropo*phagy*.

pha·lange [fǽləndʒ, fəlǽndʒ/fǽlændʒ] *n.* 〖동물·해부〗 지골(指骨), 지골(趾骨)(phalanx). ㊕ **pha·lan·ge·al** [fəlǽndʒiəl] *a.*

pha·lan·ger [fəlǽndʒər] *n.* 〖동물〗 팔란저속(屬)의 동물《오스트레일리아산(産) 유대(有袋)동물》.

pha·lan·ges [fəlǽndʒiːz/fæ-] =PHALANX [PHALANGE]의 복수꼴.

Pha·lan·gist [fəlǽndʒist] *n.* 팔랑헤당원《레바논의 기독교도 우파 무장 그룹》.

phal·an·stery [fǽlənstèri/-stəri] *n.* 팔란스테르《프랑스의 푸리에(Fourier)가 제창한 사회주의적 생활 공동체; 그 공동 주택》; 팔란스테르와 유사한 공동체(의 주택).

pha·lanx [féilæŋks, fǽl-/fǽl-] (*pl.* **~·es, pha·lan·ges** [fəlǽndʒiːz/fə-]) *n.* **1** (고대 그리스의) 방진(方陣)《창병(槍兵)을 네모꼴로 배치하는 진형》. **2** 밀집 대형; 동지들. **3** phalanstery의 한 단위. **4** (보통 *pl.* **pha·lan·ges**) 〖해부·동물〗 지골(指骨), 지골(趾骨). **5** 〖식물〗 웅예속(雄蕊束), 수술다발. **in ~** 밀집하여, 결속하여.

phal·a·rope [fǽləròup] *n.* 〖조류〗 깝작도요류(類).

phal·lic [fǽlik] *a.* 음경(陰莖)의; 남근 숭배의; 남근 모양의, 남근을 상징하는. ㊕ **phál·li·cal** *a.* **-li·cal·ly** *ad.*

phal·li·cism, phal·lism [fǽləsìzəm], [fǽlizəm] *n.* Ⓤ 남근 숭배, 생식력 숭배.

phál·li·cist, phál·list *n.* 남근 숭배자.

phállic phàse 〖정신분석〗 남근기(男根期)《관능적 쾌락이 성기 중심으로 되어 있는 3세에서 5세 무렵까지》.

phal·lo·crat [fǽləkræ̀t] *n.* 남성 우월주의자.

phal·lus [fǽləs] (*pl.* **-li** [-lai], **~·es**) *n.* 남근상(像); 〖해부〗 음경; 음핵.

phan·er·o·gam [fǽnərəgæ̀m] *n.* 〖식물〗 꽃식물. cf. cryptogam.

phan·er·o·gam·ic, -og·a·mous [fæ̀nərəgǽmik], [-ɑ́gəməs/-ɔ́g-] *a.* 꽃식물의.

phan·er·o·phyte [fǽnərəfàit, fənér-] *n.* 〖식물〗 지상 식물.

Phan·er·o·zo·ic [fæ̀nərəzóuik] *n., a.* 〖지학〗 현생대(顯生代)(의)《고생대·중생대·신생대로 이루어짐》.

phantasize ⇨ FANTASIZE.

phan·tasm [fǽntæzəm] *n.* 곡두, 환영(幻影); 유령; 환상, 공상.

phan·tas·ma [fæntǽzmə] (*pl.* **~·ta** [-tə]) *n.* =PHANTASM.

phan·tas·ma·go·ria [fæntæ̀zməgɔ́ːriə] *n.* 주마등같이 변하는 광경《환영·꿈·공상 따위의》; 환등의 일종《화면이 변하는》. ㊕ **-gór·i·al** [-l] *a.* **-gór·ic** [-ik] *a.*

phan·tas·mal, -tas·mic [fæntǽzməl], [-mik] *a.* 환영의; 유령의; 공상의, 환상적인.

phantast ⇨ FANTAST.

phantasy ⇨ FANTASY.

°**phan·tom** [fǽntəm] *n.* **1** 환영(幻影), 유령, 허깨비. **2** 환각, 착각, 망상. **3** 영상(影像). **4** (P-) 〖미군사〗 팬텀 전폭기《기종은 F-4 등이 있음》. **5** 《미속어》 위명(僞名)으로 고용된 사람; 일하지 않고 〔안 해도 되는 일을 가지고〕 급료를 받고 있는 사람. **6** 〖의학〗 (인체 또는 그 일부의) 모형. **—** *a.* **1** 환상의, 망상의; 유령의: a ~ ship 유령선/~ pregnancy 상상 임신. **2** 실체가 없는, 겉뿐인.

phántom círcuit 〖전기〗 중신 회선(重信回線).

phántom límb 〖의학〗 환지(幻肢)《절단 후에도 아직 수족(手足)이 있는 것 같은 느낌》: ~ pain 환지통(痛).

phántom órder 《미》 (지령에 의해 발효하는) 가발주(假發注) 계약《병기·군수품류》.

phántom prégnancy 상상 임신(pseudocyesis). ★false pregnancy 라고도 함.

phántom túmor 일시적인 종창(腫脹).

phántom vìew 팬텀도(圖), 국부(局部) 투시도, 형영도(形影圖).

phar. pharmaceutical; pharmacist; pharmacology; pharmacopoeia; pharmacy.

Phar·aoh [fέərou] *n.* (고대 이집트의) 왕, 파라오; (종종 p-) 〖일반적〗 전제적인 국왕, 혹사자(酷使者). ㊕ **Phar·a·on·ic, -i·cal** [fὲəreiɑ́nik/fɛərɔ́n-], [-əl] *a.*

Pháraoh's sérpent 사왕(蛇玉)《불티가 구불구불 뱀 모양이 되는 꽃불의 일종》.

Phar. B. *Pharmaciae Baccalaureus* 《L.》 (=Bachelor of Pharmacy). **Phar. D.** *Pharmaciae Doctor* 《L.》 (=Doctor of Pharmacy).

Phar·i·sa·ic, phar·i·sa·i·cal [fæ̀rəséiik], [-əl] *a.* 바리새인〔주의〕의; (p-) 허례를 중시하는; 위선의. ㊕ **-i·cal·ly** [-ikəli] *ad.*

Phar·i·sa·ism [fǽrəseiìzəm] *n.* Ⓤ 〖성서〗 바리새주의, 바리새파(派); (p-) (종교상의) 형식주의; 위선, 독선. ㊕ **-ist** *n.*

Phar·i·see [fǽrəsìː] *n.* Ⓤ 바리새인(人); (p-)

(종교상의) 형식주의자; 위선자. [파] **~·ism** *n.* ⌊=PHARISAISM.

pharm. =PHAR.

phar·ma·ceu·tic, -ti·cal [fɑ̀ːrməsúːtik/-sjúːt-], [-əl] *a.* 제약(학)의, 약사(藥事)의; 약제(藥劑)의. **—** *n.* (-tical) 조제약, 의약, 약. [파] **-ti·cal·ly** *ad.* ⌈(pharmacy); 제약학.

phàr·ma·céu·tics *n. pl.* 〔단수취급〕 조제학

phar·ma·ceu·tist [fɑ̀ːrməsúːtist/-sjúː-] *n.* 조제자, 약사(藥師). ⌈TIST.

phar·ma·cist [fáːrməsist] *n.* =PHARMACEU-

phar·ma·co·dy·nam·ics [fɑ̀ːrməkədainǽmiks] *n. pl.* 〔단수취급〕 약효학, 약력학(藥力學).

phar·ma·co·ge·net·ics [fɑ̀ːrməkədʒinétiks] *n. pl.* 〔단수취급〕 약물 유전학《약물이 유전에 미치는 영향을 연구함》.

phar·ma·cog·no·sy [fɑ̀ːrməkágnəsi/-kɔ́g-] *n.* 생약학.

phar·ma·co·ki·net·ics [fɑ̀ːrməkoukinétiks] *n.* 약물 동력〔동태〕학《약물의 체내에서의 흡수·분포·대사(代謝)·배설의 연구》.

pharmacol. pharmacology.

phar·ma·col·o·gy [fɑ̀ːrməkáləd͡ʒi/-kɔ́l-] *n.* [U] 약리학(藥理學), 약물학. [파] **phar·ma·co·log·i·cal** [˗-kəládʒikəl/-lɔ́dʒi-] *a.* **phar·ma·col·o·gist** [˗-kálədʒist/-kɔ́l-] *n.* 약리학자.

phar·ma·co·poe·ia, -pe·ia [fɑ̀ːrməkəpíːə] *n.* 약전(藥典), 조제서(調劑書); 약종(藥種), 약물류(stock of drugs). [파] **~l** [-l] *a.* 약전의, 약종의, 약물의.

phar·ma·co·ther·a·py [fɑ̀ːrməkouθérəpi] *n.* 〖의학〗 약물 요법.

phar·ma·cy [fáːrməsi] *n.* **1** [U] 조제술, 약학; 제약업. **2** [C] 약국([cf.] drugstore); 약종상.

pha·ros [fɛ́ərɑs/-rɔs] *n.* 《시어·문어》 등대; 항로 표지(beacon); (the P-) 파로스 등대《옛날 알렉산드리아 만의 Pharos 섬에 있었음. 세계 7대 불가사의의 하나》.

pha·ryn·gal [fəríŋgəl] *a.* =PHARYNGEAL.

pha·ryn·ge·al [fərínd͡ʒiəl, fæ̀rindʒíːəl] *a.* 〖해부〗 인두(咽頭)의: the ~ artery 경(頸)동맥.

phar·yn·gi·tis [fæ̀rindʒáitis] *n.* [U] 〖의학〗 인두염(咽頭炎).

pha·ryn·go- [fəríŋgou, -gə] '인두(咽頭)(pharynx)의' 뜻의 결합사. ★ 모음 앞에서는 **pharyng-**.

pha·ryn·go·scope [fəríŋgəskòup] *n.* 〖의학〗 인두경(鏡). [파] **phar·yn·gos·co·py** [fæ̀riŋgáskəpi/-gɔ́s-] *n.* 인두경 검사(법).

phar·yn·got·o·my [fæ̀riŋgátəmi/-gɔ́t-] *n.* [U] 〖의학〗 인두 절개술.

phar·ynx [fǽriŋks] (*pl.* **~·es, pha·ryn·ges** [fəríndʒiːz]) *n.* 〖해부〗 인두.

***phase** [feiz] *n.* **1** (발달·변화의) 단계, 국면: enter on 〔upon〕 a new ~ 새로운 국면으로 들어가다.

> [SYN.] **phase** 변화하는 과정의 한 양상을 가리키며 관찰자는 특별히 시사되지 않음. **aspect** 관찰자의 시점(視點)에서 볼 수 있는 면을 강조하며, 사물의 한 국면밖에 보고 있지 않다는 시야의 한계를 시사함. **side** 관찰자와는 관계없이 사물·현상·문제 따위가 지니고 있는 면: Few men know this *side* of his character. 그의 성격의 이런 면을 아는 사람은 거의 없다. **facet** 한 국면. 전체의 이해를 돕기 위한 많은 면의 하나. 몇 개의 facets를 동시에 볼 수 있는 가능성이 시사됨. **angle** 관찰자의 의도적인 관찰법, 관점이 강조됨.

2 (물건·문제 따위의) 면(面), 상(相): the best ~ of one's character 성격의 가장 좋은 면. **3** 〖천문〗 (달 기타 천체의) 상(相), 위상(位相), 상(像): the ~*s* of the moon 달의 위상(位相)《초승달·반달·만월 따위》. **4** 〖물리〗 (음파·광파·교류 전류 따위의) 위상, 상. **5** 〖의학〗 반응 시기. **6** 〖컴퓨터〗 위상, 단계. **7** 《해커속어》 페이즈, 일어나는 시간《변칙적인 자고 일어나는 주기의 시작》. ***in*** **~** ① 〖물리〗 …와 위상이 같아《*with*》. ② 동조하여, 일치하여《*with*》. ***out of*** **~** ① 〖물리〗 위상을 달리하여. ② 조화되지 않아, 동조적이 아니고, 불일치하여.

— *vt.* **1** (단계적으로) 실행하다《*out*》. **2** 《미》 (국면에) 순응시키다, 조정하다. **3** 예정하다. **4** 위상에 맞추다. **~ *down*** …을 단계적으로 축소〔삭감〕하다. **~ *in*** 취(取)하다; 단계적으로 도입하다. **~ *out*** 단계적으로 제거하다; 점차로 철거〔폐지, 삭감〕하다.

pháse àngle 〖전기·물리〗 위상각(位相角).

pháse(-contrast) mìcroscope 〖광학〗 위상차(位相差) 현미경. ⌈레이더의.

phásed-arráy *a.* 〖군사〗 위상 단열(位相段列)

phásed-arráy ràdar 〖전자·군사〗 페이즈드 어레이형(型) 레이더, 위상 단열(位相段列) 레이더.

pháse dìagram 〖대수〗 상(相)평형그림.

pháse·dòwn *n.* [U,C] 단계적 삭감 〔축소〕.

phásed withdráwal 〖군사〗 단계적 철퇴〔철수〕.

pháse·ìn *n.* [U,C] 채용; 단계적 도입.

pháse modulàtion 〖전자〗 위상 변조.

pháse·òut *n.* [U,C] (단계적) 제거, 점차 해소; 단계적 철퇴〔삭감〕. [opp.] *phase-in.*

pháse spàce 〖물리〗 위상(位相) 공간.

pháse zéro (정책·개발 계획 등의) 준비 단계, 제로 단계《실시 단계 이전의 상황》.

pha·sic [féizik] *a.* 국면의, 형세의; 〖천문〗 변상(變相)의; 〖물리〗 위상(位相)의.

pha·sis [féisis] (*pl.* ***pha·ses*** [-siːz]) *n.* 상(相), 형상; 면, 방면.

phat [fæt] *a.* 《구어》 썩 좋은, 멋진.

phat·ic [fǽtik] *a.* 〖언어〗 (말이) 교감(交感)적인, 사교적인: ~ communion 교감적〔사교적〕 언어 사용《인사 따위》.

Ph. B. *Philosophiae Baccalaureus* 《L.》 (=Bachelor of Philosophy). **Ph. C.** Pharmaceutical Chemist. **Ph. D.** [píːèitʃdíː] *Philosophiae Doctor* 《L.》 (=Doctor of Philosophy).

***pheas·ant** [fézənt] (*pl.* **~s,** 〔집합적〕 **~**) *n.* 꿩: cock ~ 장끼 / hen ~ 까투리.

phéasant-éyed *a.* (꽃이) 꿩의 깃털 모양의 반점이 있는.

pheas·ant·ry [fézəntri] *n.* 꿩 사육장. ⌈식물.

phéasant's-èye *n.* [U] 〖식물〗 복수초속(屬)의

Phe·be [fíːbi] *n.* 피비《여자 이름》. ⌈조직.

phel·lem [féləm, -lem] *n.* [U] 〖식물〗 코르크

phel·lo·derm [félədə̀ːrm] *n.* 〖식물〗 코르크 피층(皮層). [파] **phèl·lo·dér·mal** *a.* ⌈형성층.

phel·lo·gen [félədʒən] *n.* [U] 〖식물〗 코르크

phe·nac·e·tin(e) [fənǽsətin] *n.* 〖약학〗 페나세틴《해열 진통제》.

phen·cy·cli·dine [fensáiklidìːn, -sík-, -din] *n.* 〖약학〗 펜시클리딘《마취약; 마약으로도 쓰임; 생략: PCP》.

phene [fiːn] *n.* 〖생물〗 유전적 표현형《유전적으로 결정되어 있는 생물 개체의 특징 및 성질》.

phen·el·zine [fénəlzìːn] *n.* 〖약학〗 페넬진《항울 약(抗鬱藥)》.

phen·éth·yl álcohol [fenéθəl-] 〖화학〗 페네틸 알코올(phenylethyl alcohol)《무색, 점성, 미(微)수용성 액체; 장미의 미향이 있어 모든 장미향료에 쓰임》.

phe·net·ics [finétiks] *n. pl.* 《단수취급》 『생물』 표현학《진화의 과정을 무시하고 여러 특징의 외면적인 전체적 유사성에 의거한 분류를 행함》.
Phenicia(n) ⇨ PHOENICIA(N).
phenix ⇨ PHOENIX.
phen·met·ra·zine [fenmétrəzìːn] *n.* 『약학』 펜메트라진《비만증 치료용의 식욕 억제제》.
phe·no- [fíːnou, -nə], **phen-** [fíːn] 'benzene 의〔으로부터의〕' 의 뜻의 결합사. ★ 모음 앞에서는 phen-.
phèno·bárbital *n.* 『약학』 페노바르비탈《수면제·진정제》.
phèno·bárbitone *n.* 《영》 『약학』 페노바르비톤(phenobarbital).
phe·no·copy [fíːnəkàpi/-kɔ̀pi] *n.* 『유전』 표현형 모사(模寫).
phe·nol [fíːnoul, -nɑl/-nɔːl] *n.* [U] 『화학』 페놀, 석탄산(酸). ㊖ **phe·nol·ic** [finóulik, -nál-/-nɔ́l-] *a.* **phe·no·lize** [fíːnəlàiz] *vt.* 석탄산으로 처리하다.
phenólic résin 『화학』 페놀 수지《열경화성》.
phe·nol·o·gy [finálədʒi/-nɔ́l-] *n.* [U] 생물 계절학(季節學).
phe·nol·phthal·ein [fìːnɔːlfθǽliːn/-nɔlfθǽliin] *n.* 『화학』 페놀프탈레인《지시약·하제(下劑)》.
phe·nom [finám/-nɔ́m] *n.* 《미구어》 천재, 굉장한 사람《스포츠계 따위에서》.
phe·nom·e·na [finámənə/-nɔ́m-] PHENOMENON 의 복수.
phe·nom·e·nal [finámənl/-nɔ́m-] *a.* **1** 놀라운, 경이적인, 굉장한: ~ speed 굉장한 속도/make a ~ recovery 놀랍도록 빨리 회복하다. **2** 현상(現象)의〔적인〕, 현상에 관한: the ~ world 현상〔자연〕계. **3** 인지〔지각〕할 수 있는, 외관상의. ㊖ **~·ly** *ad.* 현상적으로; 지각할 수 있도록, 명백히; 이상하게, 드물게, 비상하게.
phe·nóm·e·nal·ìsm *n.* [U] 『철학』 현상론(現象論); 실증〔경험〕주의. [cf.] positivism.
phe·nóm·e·nal·ist *n.* 현상론자; 실증〔경험〕주의자.
phe·nom·e·nal·is·tic [finàmənəlístik/-nɔ̀m-] *a.* 현상론의. ㊖ **-ti·cal** *a.*
phe·nóm·e·nal·ìze *vt.* 현상으로서 생각하다〔다루다〕.
phe·nom·e·nis·tic [finàmənístik/-nɔ̀m-] *a.* =PHENOMENALISTIC.
phe·nom·e·no·log·i·cal [finàmənəládʒikəl/-nɔ̀m-] *a.* 현상학의; 현상론의. ㊖ **~·ly** *ad.*
phe·nom·e·nol·o·gy [finàmənálədʒi/-nɔ̀minɔ́l-] *n.* [U] 『철학』 현상학. ㊖ **-gist** *n.*
phe·nom·e·non** [finámənàn, -nən/-nɔ́minən] (*pl.* ***-e·na [-nə]) *n.* **1** 현상: a natural ~ 자연현상. **2** 사상(事象), 사건. **3** 『철학』 현상, 외상(外象). [cf.] noumenon. **4** (*pl.* **~s**) 놀라운 사물; 비범한 사람: an infant ~ 신동.
phèno·thíazine *n.* 『화학』 페노티아진《살균·구충약》; 『약학』 (정신 분열 치료용의) 페노티아진 유도체.
phe·no·type [fíːnətàip] *n.* 『생물』 표현형(型)《유전자(군)에 의해 발현된 형질의 형(型)》; 공통의 표현형을 가진 개체군(個體群). ㊖ **phè·no·týp·ic, -i·cal** [-típ-] *a.* **-i·cal·ly** *ad.*
phen·tol·a·mine [fentáləmìːn/-tɔ́l-] *n.* 『약학』 펜톨아민《항고혈압제 등으로 사용》.
phen·yl [fénl, fíːnl/fíːnail, fén-] *n.* 『화학』 페닐기(基).
phènyl·álanine *n.* [U] 『생화학』 페닐알라닌《필수 아미노산의 일종》.
phen·yl·bu·ta·zone [fènlbjúːtəzòun, fìːn-] *n.* 『약학』 페닐부타존《관절염·통풍(痛風)용의 진통·해열·소염제》.
phènyl·éthyl álcohol 『화학』 =PHENETHYL ALCOHOL.
phen·yl·ke·to·nu·ria [fènlkìːtounjúəriə] *n.* [U] 『의학』 페닐케톤 요증(尿症)《유전성 대사(代謝) 질환으로 유아기에 지능 장애가 나타남; 생략: PKU》.
pher·o·mone [férəmòun] *n.* 『생화학』 페로몬, 유인(誘引) 물질. ㊖ **phèr·o·món·al** *a.*
phew [fjuː, pfjuː, whjuː] *int.* 체《불쾌·놀람 따위를 나타냄》. **—** *vi.* 체라고 하다.
Ph. G. Graduate in Pharmacy.
phi [fai] *n.* 그리스 알파벳의 21째 글자《Φ, ϕ; 로마자의 ph에 해당》.
phi·al [fáiəl] *n.* 작은 유리병; 《특히》 약병. [cf.] vial.
Phí Béta Káppa (우수한 성적의) 미국 대학생 및 졸업생 클럽《1776년 창설》; 그 회원.
Phi Bete [fáibéit] 《미구어》 =PHI BETA KAPPA.
phil- [fil] =PHILO-.
-phil [fil] =-PHILE.
Phil. Philadelphia; 『성서』 Philemon; Philip; 『성서』 Philippians; Philippine. **phil.** philhar-monic; philological; philology; philoso-pher; philosophical; philosophy.
Phila. Philadelphia.
Phil·a·del·phia [fìlədélfiə] *n.* 필라델피아《미국 Pennsylvania 주의 도시; 생략: Phil., Phila.》.
Philadélphia chrómosome 『의학』 필라델피아 염색체《만성 골수성 백혈병 환자의 배양 백혈구에 보이는 미소한 염색체》.
Philadélphia láwyer 《미구어》 민완 변호사, 수완 있는 법률가.
Philadélphia pépper pòt 『요리』 톡 쏘는 매운 맛을 낸 반추 동물의 위·야채 따위를 넣은 진한 수프.
phi·lan·der [filǽndər] *vi.* 여자를 쫓아다니다, 엽색하다; 여자를 희롱하다. ㊖ **~·er** [-dərər] *n.* 연애 유희자(남자).
phil·an·thrope [fílənθròup] *n.* 《고어》 =PHILANTHROPIST.
phil·an·throp·ic, -i·cal [fìlənθrápik/-θrɔ́p-], [-əl] *a.* 박애(주의)의, 인정 많은, 인자한, 자선의. ㊖ **-i·cal·ly** *ad.*
phi·lan·thro·pist [filǽnθrəpist] *n.* 박애가〔주의자〕, 자선가. ㊖ **-pìsm** *n.* [U]
phi·lan·thro·pize [filǽnθrəpàiz] *vi.* 자선을 베풀다; 자선 사업에 종사하다. **—** *vt.* …에게 자선을 베풀다.
phi·lan·thro·poid [filǽnθrəpɔ̀id] *n.* 《미구어》 자선 단체의 임원.
phi·lan·thro·py [filǽnθrəpi] *n.* [U] 박애, 인자(仁慈), 자선; [C] (종종 *pl.*) 자선 행위〔사업, 단체〕, 자선 선물.
phi·lat·e·ly [filǽtəli] *n.* [U] 우표 수집〔연구, 애호〕. ㊖ **phil·a·tel·ic, -i·cal** [fìlətélik], [-əl] *a.* ~의. **phi·lát·e·list** *n.* 우표 수집〔연구〕가.
Phil·by [fílbi] *n.* **'Kim'** ~ 필비《영국의 간첩; 1963년 옛 소련으로 망명; 1912-88》. [◂ 본명 Harold Adrian Russell Philby]
-phile [fàil] '사랑하는, 사랑하는 사람' 의 뜻의 형용사·명사를 만드는 결합사: Anglo*phil(e)*, biblio*phil(e)*.
Philem. 『성서』 Philemon.
Phi·le·mon [filíːmən, fai-/-mɔn] *n.* 『성서』 빌레몬서《신약성서 중의 한 편》.
phil·har·mon·ic [fìlhaːrmánik, fìlər-/-mɔ́n-] *a.* 음악 애호의; 《특히》 교향악단의: a ~ orchestra 교향악단/a ~ society 음악 협회. **—** *n.* 음악 애호가, 음악 협회; 음악회《음악 협회가 개최하는》, 교향악단.
philharmónic pítch 『음악』 연주회용 표준 음고(音高).
phil·hel·lene, phil·hel·len·ist [filhéliːn], [filhélənist, filhelíːn-] *n.* 그리스 애호가〔심취자〕. ㊖ **phil·hel·le·nic** [fìlhelénik, -líːn-/-líːn-] *a.* 그리스 애호의, 친(親)그리스의. **phil·hel·len·ism** [filhélənìzəm] *n.* 그리스 애호, 친(親)그리

스; 그리스 독립주의.

-phil·ia [fíliə] *suf.* '…의 경향, …의 병적 애호' 의 뜻: hemo*philia.*

-phil·i·ac [fíliæ̀k] '…의 경향이 있는 사람, …에 대하여 병적인 식욕·기호를 가진 사람' 의 뜻의 결합사.

phil·i·beg [fíləbèg] *n.* =FILIBEG.

Phil·ip [fílip] *n.* **1** 필립(남자 이름; 애칭은 Phil). **2** 〖성서〗 빌립(예수의 12 사도 중 한 사람).

Phílip Mórris 1 필립모리스(사)(~ Cos., Inc.) (미국 최대의 담배 제조 회사). **2** 필립 모리스(필립 모리스사제의 궐련; 상표명).

Phi·lip·pa [filípə] *n.* 필리파(여자 이름; 애칭은 Pippa).

Phi·lip·pi [filípai, fíləpài] *n.* Macedonia의 옛 도읍. ***meet at*** ~ 위험한 회합의 약속을 지키다. ***Thou shalt see me at*** ~. 두고 보자, 원수 갚을 날이 있으리라(Shakespeare작 *Julius Caesar* 에서).

Phi·lip·pi·ans [filípiənz] *n. pl.* 〖단수취급〗 〖성서〗 빌립보서(신약성서 중의 한 편).

Phi·lip·pic [filípik] *n.* Demosthenes가 마케도니아 왕 Philip을 욕한 12 연설의 하나; Cicero가 Mark Anthony를 공격한 연설의 하나; (p-) 격렬한 탄핵 연설, 통론(痛論).

Phil·ip·pine** [fíləpìːn, fìləpíːn] *a.* 필리핀(사람)의. ***the ~ ***Islands*** =***the*** ~***s*** 필리핀 군도. ***the Republic of the*** ~***s*** 필리핀 공화국(수도는 Metropolitan Manila).

phil·ip·pine, -pi·na [fíləpìːn], [fìləpíːnə] *n.* 핵이 둘 있는 호두류의 과실; 두 핵을 둘이 나누어 먹고 약속을 맺어 그 약속을 잊으면 벌로서 선물을 주는 유희(적 습관); 그 선물.

Phi·lis·tine [fíləstìːn, filísti(ː)n/fílistàin] *n.* 필리스틴 사람(옛날 Palestine의 남부에 살던 민족이며 유대인의 강적); (우스개) 잔인한 적(집달관·비평가 등); (*or* p-) 속물, 교양 없는 사람. ***fall among the*** ~***s*** 학대받다; 봉변당하다. — *a.* 필리스틴(사람)의; (*or* p-) 속물적인, 교양 없는. ㊕ **-tin·ism** [fíləstiːnìzəm/fílistin-] *n.* Ⓤ 필리스틴 사람의 기질; (*or* p-) 속물 근성, 무교양; 실리주의.

Phíl·lips cúrve [fílips-] 필립스 곡선(인플레이션과 실업률의 상관을 나타냄).

Phíllips hèad 십자 홈이 파진 나사못 대가리.

phil·lu·men·ist [filúːmənist] *n.* 성냥갑 (레테르) 수집가. ㊕ **-me·ny** [-məni] *n.*

Phil·ly [fíli] *n.* 미국 Philadelphia 시의 속칭.

phil·o- [fílou, -lə] '사랑하는, 사랑하는 사람' 의 뜻의 결합사.

phil·o·bib·lic [fìləbíblik] *a.* 책〔문학〕을 좋아하는; 애서벽(愛書癖)이 있는; 성서 연구에 몰두하는. 「(愛書家).

phil·o·bib·list [filəbíblist, -báib-] *n.* 애서가

philo·den·dron [fìlədéndrən] (*pl.* ~***s, -dra*** [-drə]) *n.* 필러덴드론속(屬)의 (관엽) 식물(토란과; 열대아메리카 원산).

phi·log·ra·phy [filágrəfi/-lɔ́g-] *n.* (유명인의) 자필 서명 수집.

phi·log·y·ny [filádʒəni/-lɔ́dʒ-] *n.* Ⓤ 여자를 좋아함, 여성 숭배. OPP *misogyny.* ㊕ **-nist** *n.* 여자를 좋아하는 사람. **-nous** [-nəs] *a.*

philol. philological; philology.

phil·o·log·i·cal [fìləlάdʒikəl/-lɔ́dʒ-] *a.* 언어학〔문헌학〕의. ㊕ ~**·ly** [-kəli] *ad.*

phi·lol·o·gist [filálədʒist/-lɔ́l-] *n.* 언어학자 (linguist); 문헌학자.

phi·lol·o·gize [filálədʒàiz/-lɔ́l-] *vi., vt.* 언어학〔문헌학〕을 연구하다; …을 언어학적〔문헌학적〕으로 연구하다.

phi·lol·o·gy [filálədʒi/-lɔ́l-] *n.* Ⓤ **1** 문헌학; 언어학(linguistics): the comparative ~ 비교 언어학/English ~ 영어학. **2** (드물게) 학문·문학을 좋아함.

phil·o·math [fíləmæ̀θ] *n.* 학문을 좋아하는 사람, 학자, (특히) 수학자.

phil·o·mel [fíləmèl] *n.* (*or* P-) (시어) =NIGHT-INGALE.

Phil·o·me·la [fìləmíːlə] *n.* 〖그리스신화〗 필로멜라(나이팅게일이 된 왕녀); (p-) =NIGHTINGALE.

phil·o·pe·na [fìləpíːnə] *n.* =PHILIPPINE.

phìlo·progénitive *a.* 아이를 좋아하는; 다산(多産)의. ㊕ ~**·ness** *n.* 「phy.

philos. philosopher; philosophical; philoso-

phi·los·o·phas·ter [filὰsəfǽstər/-lɔ̀s-] *n.* 철학자인 체하는 사람, 사이비철학자.

phi·los·o·pher** [filάsəfər/-lɔ́s-] *n.* **1** 철학자; (고어) 연금술사(鍊金術師): a natural ~ 자연철학자, 물리학자. **2** 현인, 달관한 사람: You're a ~. 넌 체념이 빨라(따위). ***take things like a ~ 세상을 달관하다. ***the*** ~***s'*** 〔~***'s***〕 ***stone*** 연금술사의 돌(보통의 금속을 금으로 만드는 힘이 있다고 믿어 옛날 연금술사가 애써 찾던 것).

°**phil·o·soph·ic, -i·cal** [fìləsάfik/-sɔ́f-], [-əl] *a.* **1** 철학(상)의, 철학에 관한. **2** 철학에 통달한. **3** 이성적인; 냉정한. **4** 달관한: with ~ resignation (철학적으로) 달관하여; 체념하여. **5** (드물게) 물리학(상)의. ◇ philosophy *n.* ㊕ **-i·cal·ly** *ad.* 철학적으로; 달관하여, 체관(諦觀)하여.

philosóphical análysis 〖철학〗 철학적 분석.

phi·los·o·phism [filάsəfìzəm/-lɔ́s-] *n.* Ⓤ 사이비 철학, 곡학(曲學), 궤변. ㊕ **-phist** *n.*

phi·los·o·phize [filάsəfàiz/-lɔ́s-] *vi.* 철학적으로 연구〔사색〕하다; 철학자인 체하다. — *vt.* 철학적으로 해석〔설명〕하다. ㊕ **-phìz·er** *n.* 사색가, 철학적으로 연구하는 사람, 천박한 이론가.

***phi·los·o·phy** [filάsəfi/-lɔ́s-] *n.* **1** Ⓤ 철학; 지식애: the Kantian ~ 칸트 철학/metaphysical ~ 형이상학/empirical ~ 경험철학/practical ~ 실천철학. **2** Ⓒ 철학 체계; 철학서. **3** 철리, 원리, (근저) 사상: the ~ of grammar 문법의 원리. **4** 철학적 정신, 철인적 태도; 침착, 냉정; Ⓤ 달관, 도를 깨달음; 체념; Ⓒ 인생관: a ~ of living 처세법(철학)/meet misfortunes *with* ~ 불행을 냉정히 맞아들이다.

philósophy of lífe 인생철학, 인생관; (베르그송 등의) 생(生)의 철학.

phil·o·tech·nic [fìlətéknik] *a.* 공예를〔기술을〕 애호하는.

-ph·i·lous [-fələs] '…을 좋아하는' 의 뜻의 결합사: photo*philous.*

Phil. Soc. Philological Society.

phil·ter, (영) **-tre** [fíltər] *n.* Ⓤ 미약(媚藥), 춘약(春藥). — *vt.* 미약으로 반하게 하다.

phi·mo·sis [faimóusis] (*pl.* ***-ses*** [-siːz]) *n.* 〖의학〗 포경; 질(膣)폐쇄증.

Phin·e·as [fíniəs] *n.* 피니어스(남자 이름).

phit [fit] *n.* (총탄의) 핑하는 소리.

phiz, phiz·og [fiz], [fízɔ(ː)g, -⌐] *n.* (구어) 얼굴; 표정: a ~ snapper (미속어) 사진사. [◂ *phy*-siognomy]

phleb- [fléb, fliːb], **phleb·o-** [flébou, -bə] '정맥(靜脈)' 의 뜻의 결합사.

phle·bi·tis [fləbáitis] *n.* Ⓤ 〖의학〗 정맥염(炎). ㊕ **phle·bit·ic** [-bítik] *a.*

phleb·o·gram [flébəgræ̀m] *n.* 〖의학〗 (조영제(造影劑) 주사 후의 X선 촬영에 의한) 정맥파(靜脈波) 곡선. 「정맥학.

phle·bol·o·gy [fləbάlədʒi/-bɔ́l-] *n.* 〖의학〗

phle·bot·o·mize [fləbάtəmàiz/-bɔ́t-] *vi., vt.*

(환자의) 피를 뽑다, 사혈(瀉血)하다.

phle·bot·o·my [fləbátəmi/-bɔ́t-] *n.* Ⓤ 〖의학〗 자락(刺絡)《팔꿈치 관절의 정맥을 찔러 나쁜 피를 빼는 옛 의료법》, 사혈(瀉血)(bloodletting). ㊞ **-mist** *n.* 자락의(醫), 사혈자.

Phleg·e·thon [flégəθàn, flédʒə-/-giθɔ̀n] *n.* 〖그리스신화〗 플레게톤《명계(冥界)의 불의 강》; (p-) 불의〔같이 번쩍이는〕 흐름.

phlegm [flem] *n.* Ⓤ **1** 담(痰), 가래(cf. saliva); 《고어》 점액(粘液); 점액질. **2** 냉담, 무기력; 느릿함; 냉정, 침착. ㊞ **∠·less** *a.*

phleg·mat·ic, -i·cal [flegmǽtik], [-əl] *a.* **1** 쉬이 흥분치〔격하지〕 않는; 차분한, 침착한: a *phlegmatic* temperament 차분한 기질. **2** 점액질인; 담(痰)이 많은. ㊞ **-i·cal·ly** *ad.* 무기력하게, 냉담하게.

phleg·mon [flégmɑn/-mɔn] *n.* Ⓤ 〖의학〗 봉와직염(蜂窩織炎)《결합 조직의 화농성 염증》.

phlegmy [flémi] (***phlegm·i·er; -i·est***) *a.* 담〔가래〕의, 담 같은, 담을 함유한.

phlo·em, phlo·ëm [flóuem] *n.* 〖식물〗 (유관속(維管束)을 조직하는) 인피부(靭皮部), 체관, 사관(篩管).

phlo·gis·tic [floudʒístik/flɔ-] *a.* 연소(燃素)의, 열소(熱素)의; 〖의학〗 염증(성)의.

phlo·gis·ton [floudʒístɑn, -tən/flɔdʒístən] *n.* Ⓤ 연소, 열소(熱素), 플로지스톤《산소를 발견하기 전까지, 연소할 때 방출된다고 믿어졌던 가공의 물질》.

phlor·i·zin [flɔ́:rəzin, flá-/flɔ́:ri-] *n.* Ⓤ 〖생화학〗 플로리진《과수의 근피에서 나는 희고 쓴 물질》.

phlox [flɑks/flɔks] (*pl.* **~,** ***∠·es***) *n.* 〖식물〗 플록스《꽃창포과(科)의 화초》.

phlyc·te·na, -tae- [fliktí:nə] (*pl.* ***-nae*** [-ni:]) *n.* 〖의학〗 플릭텐, 작은 수포(水疱).

Phnom Penh, Pnom Penh [*p*nάmpén, pənɔ́:m-/*p*nɔ́m-] 프놈펜《Cambodia 의 수도》.

-phobe [fòub] '…을 두려워하는, …을 두려워하는 사람' 의 뜻의 형용사·명사를 만드는 결합사: hydro*phobe*, Russo*phobe*.

pho·bia [fóubiə] *n.* (특정 사물·활동·상황에 대한) 병적 공포〔혐오〕, 공포병〔증〕.

-pho·bia [fóubiə] '…공(恐), …병(病)' 의 뜻의 결합사: Anglo*phobia*.

pho·bic [fóubik] *a.* 병적 혐오의, 병적 공포증의. **—** *n.* 병적 공포증의 사람.

-pho·bic [fóubik], **-ph·o·bous** [fəbəs] '…이 싫은, 친화성이 결여된' 의 뜻의 결합사: photo*phobic*.

phóbic reàction 〖심리〗 공포 반응.

pho·bo·pho·bia [fòubəfóubi:ə] *n.* 〖정신의학〗 공포증 공포《공포증에 걸리는 것은 아닐까 하고 두려워하는 상태》.

Pho·bos [fóubəs, -bɑs/-bɔs] *n.* 포보스. **1** 〖그리스신화〗 Ares 아들로 군을 패배케 하는 '공포' 의 의인(擬人)신. **2** 〖천문〗 화성의 제 1 위성.

pho·co·me·lia [fòukoumí:liə, -ljə] *n.* 〖의학〗 해표지증(海豹肢症). ㊞ **-lic** [-lik] *a.*

pho·com·e·lus [foukámiləs/-kɔ́m-] (*pl.* **~·*es***) *n.* 〖의학〗 해표지증(海豹肢症)의 기형아〔환자〕. cf. thalidomide baby.

Phoe·be [fí:bi] *n.* **1** 〖그리스신화〗 포이베《달의 여신; Artemis, Diana 의 호칭의 하나》; 《시어》 달. **2** (p-) 〖조류〗 딱새 무리의 작은 새《미국산》.

Phoe·bus [fí:bəs] *n.* 〖그리스신화〗 포이보스《해의 신; Apollo 의 호칭의 하나》; 《시어》 태양.

Phoe·ni·cia, Phe- [finí(:)ʃə] *n.* 페니키아《지금의 시리아 연안에 있던 도시 국가》.

Phoe·ni·cian, Phe- [finí(:)ʃən] *a.* 페니키아(사람)의. **—** *n.* 페니키아 사람; Ⓤ 페니키아 말.

phoe·nix, phe- [fí:niks] *n.* 피닉스. **1** (종종 P-) (이집트 신화의) 불사조《500 년 또는 600 년에 한 번씩 스스로 타 죽고, 그 재 속에서 다시 태어난다는 영조(靈鳥)》; 불사의 상징; 불사〔불멸〕의 것〔사람〕. **2** 대천재(大天才); 절세의 미인; 일품(逸品). **3** (P-) 〖천문〗 봉황새자리. **4** (P-) 미국 애리조나 주의 주도. **5** (P-) 〖군사〗 미 해군의 F-14 Tomcat 전투기용 공대공 미사일. ***rise like the ~ from the ashes*** 불사조처럼 재생하다, 타격에서 다시 일어나다.

phoenix 1

phon [fɑn/fɔn] *n.* 〖물리〗 폰《음 강도의 단위》.

phon- [fóun] = PHONO-.

phon. phonetic(s); phonology.

phòn·asthénia *n.* 〖의학〗 (발성이 곤란한) 음성 쇠약〔무력〕(증).

pho·nate [fóuneit] *vt., vi.* 목소리를 내다, 발성〔발음〕하다. ㊞ **pho·na·tion** [founéiʃən] *n.*

****phone**[1] [foun] 《구어》 *n.* **1** 전화(기); 수화기: hang up the ~ 수화기를 내려놓다, 전화를 끊다 / Who's on the ~? 누구로부터의 전화지 / You are wanted 〔Someone wants you〕 on the ~. 자네에게 전화가 왔네. [◂ tele*phone*] **2** 이어폰. [◂ ear*phone*] **—** *vt.* 《~+목/+목+부/+목+목》 …에게 전화를 걸다; 전화로 불러내다 《*up*》; 전화로 이야기하다: I'll ~ him (*up*) tonight. 오늘 밤 그에게 전화하겠다 / I ~*d* her the news. 전화로 그녀에게 그 뉴스를 이야기했다. **—** *vi.* 《+전+명》 전화를 걸다《*to*》: You should ~ *to* your teacher soon. 곧 선생님에게 전화를 거는 것이 좋겠다. **~ *for ...*** (의사·택시·경찰 등)을 전화로 부르다. **~ *in*** (자택 등에) 전화를 걸다; (정보 따위를) 전화로 알려 주다.

phone[2] *n.* 음성, 단음(單音)《모음 또는 자음》.

-phone [fòun] '음(音)' 의 뜻의 결합사: gramo*phone*, micro*phone*.

phóne bòok 전화번호부.

phóne bòoth 〔《영》 **bòx**〕 (공중)전화 박스.

phóne càll 전화 걸기: make a ~ 전화 걸다.

phóne·càrd *n.* 《영》 cardphone 용 삽입 카드, 공중전화 카드. 「프로(《미》 call-in).

phóne-ìn *n.* (TV·라디오의) 시청자 전화 참가

pho·ne·mat·ic [fòunəmǽtik] *a.* = PHONEMIC.

pho·neme [fóuni:m] *n.* 〖음성〗 음소(音素), 포님《한 언어 안에서 유사한 기능을 가진 단음(單音) 또는 한 무리의 유음(類音); 가령 leave, feel, truly, solely 에 있는 여러 l 은 서로 유음이며, 영어에서 하나의 음소로서 취급됨》. cf. allophone.

pho·ne·mic [fəní:mik, fou-] *a.* 〖음성〗 음소(phoneme)의. ㊞ **-mi·cal·ly** *ad.* 「론 학자.

pho·ne·mi·cist [fəní:məsist, fou-] *n.* 음소

pho·ne·mi·cize [fəní:məsàiz, fou-] *vt.* (음성을) 음소화하다; 음소 표기하다. ㊞ **pho·nè·mi·ci·zá·tion** *n.* 「cf. morphemics.

pho·né·mics *n. pl.* 〔단수취급〕 〖언어〗 음소론.

phóne nùmber 전화번호.

phóne phrèak (전자 장치를 써서) 전화 회선을 무료로 쓰는 사람(= **phóne frèak**).

phóne sèx 폰 섹스.

phonet. phonetics.

phóne·tàpping *n.* 전화 도청.

◇pho·net·ic, -i·cal [fənétik, fou-], [-əl] *a.* 음성의, 음성상의, 음성을 표시하는; 음성학의: ~

notation 음성 표기(법) / ~ spelling 표음식 철자(법) / ~ signs 〔alphabet, symbols〕 음표 문자, 음성 기호 / ~ value 음가(音價). ⊕ **-i·cal·ly** *ad.* 발음대로; 음성학상.
pho·ne·ti·cian [fòunətíʃən] *n.* 음성학자.
pho·net·i·cism [fənétəsìzəm, fou-] *n.* Ⓤ 음성 기호법.
pho·nét·i·cist *n.* 음성학자; 표음식 철자법 주장자.
pho·net·i·cize [fənétəsàiz, fou-] *vt.* 음성 기호로 나타내다.
pho·nét·ics *n. pl.* 〚단수취급〛 음성학, 발음학.
pho·ne·tist [fóunətist] *n.* 음성학자; 음성기호 사용론자.
Phone·vi·sion [fóunvìʒən] *n.* Ⓤ 텔레비전 전화《서로 보면서 통화할 수 있는 전화선을 이용한 유료 텔레비전 방식; 상표명》.
pho·ney [fóuni] *a., n.* =PHONY.
phon·ic [fánik, fóun-/fɔ́n-, fóun-] *a.* 음의; 음성(상)의; 유성(有聲)의(voiced).
phon·ics [fániks/fɔ́n-, fóun-] *n. pl.* 〚단수취급〛 발음 중심의 어학 교수법; 음향학; =PHONETICS.
pho·no [fóunou] (*pl.* **~s**) *n.* =PHONOGRAPH.
pho·no- [fóunou, -nə] '음(音), 성(聲)'의 뜻의 결합사.
phòno·angiógraphy *n.* 〚의학〛 (혈류음을 모니터하는) 혈관음(音) 검사(법).
phòno·cárdiogram *n.* 〚의학〛 심음도(心音圖).
phòno·cárdiograph *n.* 〚의학〛 심음계(心音計). ⊕ **-cardiógraphy** *n.* 심음도 검사(법). **-cardiográphic** *a.*
phòno·chémistry *n.* 음파(音波)화학《(초)음파의 화학적 영향을 연구하는》.
phóno·film *n.* 발성 영화.
phonog. phonography.
pho·no·gen·ic [fòunədʒénik] *a.* 음향 효과가 좋은《홀·편곡 따위》; 울림이 쾌적한.
pho·no·gram [fóunəgræ̀m] *n.* 표음 문자(cf. ideogram); 속기의 표음자; (축음기의) 레코드; 전화 전보; 《미》 (한자(漢字)의) 해성(諧聲) 문자; 《미》 동음 철자(同音綴字). ⊕ **phò·no·grám·(m)ic** *a.* **-(m)i·cal·ly** *ad.*
°**pho·no·graph** [fóunəgræ̀f, -grɑ̀ːf] *n.* 《미》 축음기(《영》 gramophone); 《영》 (에디슨이 발명한) 납관식(蠟管式) 축음기. **—** *vt.* 축음기에 취입하다, 축음기를 틀다.
pho·nog·ra·pher, -phist [founágrəfər/-nɔ́g-], [-fist] *n.* (표음) 속기자; 축음기 기사.
pho·no·graph·ic [fòunəgræ̀fik] *a.* 축음기의; 속기(문자)의; 표음 문자의. ⊕ **-i·cal·ly** *ad.*
pho·nog·ra·phy [founágrəfi, fə-/-nɔ́g-] *n.* Ⓤ 표음식 철자〔쓰는〕법; 표음 속기법〔술〕.
phonol. phonology.
pho·no·lite [fóunəlàit] *n.* 〚광물〛 향석(響石), 향암(響岩).
pho·nol·o·gist [fənálədʒist, fou-/-nɔ́l-] *n.* 음운〔음성〕학자.
pho·nol·o·gy [fənálədʒi, fou-/-nɔ́l-] *n.* Ⓤ (한 언어의) 음운론; 음성학. ⊕ **pho·no·log·ic, -i·cal** [fòunəládʒik/-lɔ́dʒ-], [-əl] *a.*
pho·nom·e·ter [fənámətər, fou-/-nɔ́m-] *n.* 〚물리〛 측음기(測音器); 음파 측정기.
pho·nom·e·try [fənámətri, fou-/-nɔ́m-] *n.* Ⓤ 〚물리〛 측음(법); 음 분석.
pho·non [fóunɑn/-nɔn] *n.* 〚물리〛 포논, 음향양자(量子), 음자(音子).
pho·no·phile [fóunəfàil] *n.* 레코드 애호가〔수집가〕.
pho·no·pho·bia [fòunəfóubiə] *n.* 〚의학〛 음성 공포증《음성이나 큰 소리에 대한 병적 공포》.
pho·no·phore, -pore [fóunəfɔ̀ːr], [-pɔ̀ːr] *n.* 전신 전화 공통 장치.
phóno·rècord *n.* 레코드판.
pho·no·scope [fóunəskòup] *n.* (악기의) 검현기(檢絃器)《현(絃)의 상태를 검사하는 장치》.
pho·no·tac·tics [fòunətæ̀ktiks] *n. pl.* 〚단수취급〛 〚언어〛 음소 배열론.
pho·no·type [fóunətàip] *n.* 〚인쇄〛 음표 활자; 음표 활자로 인쇄한 것.
pho·no·typy [fóunətàipi] *n.* Ⓤ 표음식 속기법.
Pho·no·vi·sion [fóunəvìʒən] *n.* 포노비전《Phonevision의 시스템; 상표명》.
pho·ny [fóuni] (*-ni·er; -ni·est*) 《구어》 *a.* 가짜의, 엉터리의. **—** *n.* 가짜, 엉터리; 사기꾼. **—** *vt.* 위조하다; 속이다; 날조하다(*up*): We cannot ~ *up* data. 데이터를 날조할 수는 없다.
-pho·ny [fəni, fòuni] '음, 목소리'의 뜻의 결합사: tele*phony*.
phóny màn 모조 보석 장수.
phoo·ey [fúːi] *int.* 《구어》 피, 체, 흥《거절·경멸·혐오 등을 나타냄》.
pho·rate [fɔ́ːreit/fɔ́r-] *n.* 〚화학〛 포레이트《종자 처리용 살충제로 쓰는 강독성 유기인(燐) 화합물》.
phor·bol [fɔ́ːrbɔːl, -bɑl/-bɔl] *n.* 〚화학〛 포르볼《4 고리를 갖는 화합물; 에스테르는 croton 유(油)에 포함되어 발암 촉진 작용이 있음》.
Phor·cys [fɔ́ːrsis] *n.* 〚그리스신화〛 포르퀴스《바다의 신》.
-phore [fɔ̀ːr] '…을 버티는 것, 나르는 것'의 뜻의 결합사: sema*phore*.
-ph·o·rous [ˊfərəs] '…을 버티는, 지탱하는'의 뜻의 결합사: gono*phorous*.
phos·gene [fásdʒiːn, fáz-/fɔ́z-, fɔ́s-] *n.* Ⓤ 〚화학〛 포스겐《제 1 차 세계 대전 때 독가스로 씀》.
phos·gen·ite [fásdʒənàit, fáz-/fɔ́z-, fɔ́s-] *n.* 〚광물〛 각연광(角鉛鑛).
phos·ph- [fásf/fɔ́sf] =PHOSPHO-.
phos·phate [fásfeit/fɔ́s-] *n.* Ⓤ 〚화학〛 인산염(塩); 인산 광물〔비료〕; 인산이 든 탄산수. ⊕ **phos·phat·ic** [fasfæ̀tik/fɔs-] *a.*
phósphate róck 인회암(燐灰岩).
phos·pha·tide [fásfətàid, -tid/fɔ́sfɑtàid] *n.* 〚생화학〛 인지질(燐脂質). ⊕ **phòs·pha·tíd·ic** [-tíd-] *a.*
phos·pha·tu·ria [fàsfətjúəriə/fɔ̀sfətjúər-] *n.* 〚병리〛 인산염뇨증(燐酸塩尿症).
phos·phene [fásfiːn/fɔ́s-] *n.* 〚생리〛 안내(眼內) 섬광《안구에 압력을 가했을 때의 자각 광감(光感)》.
phos·phide [fásfaid/fɔ́s-] *n.* Ⓤ 〚화학〛 인화물(燐化物): hydrogen ~ 인화 수소.
phos·phine [fásfiːn/fɔ́s-] *n.* Ⓤ 〚화학〛 수소화인, 포스핀.
phos·phite [fásfait/fɔ́s-] *n.* Ⓤ 〚화학〛 아인산염(亞燐酸塩).
phos·pho- [fásfou, -fə/fɔ́s-] '인(燐)'의 뜻의 결합사.
phòspho·prótein *n.* Ⓤ 인(燐)단백질.
phos·phor [fásfər, -fɔːr/fɔ́sfə] *n.* Ⓤ 〚물리〛 형광체, 인광체(燐光體); 《고어》 인(燐); (P-) 《시어》 샛별(morning star, Venus).
phos·pho·rate [fásfərèit/fɔ́s-] *vt.* 인과 화합시키다, 인을 가하다; 인광을 내게 하다.
phósphor brónze 인청동(燐青銅).
phos·pho·resce [fàsfərés/fɔ̀s-] *vi.* 인광을 내다.
phos·pho·res·cence [fàsfərésəns/fɔ̀s-] *n.* Ⓤ 인광(을 냄), 발광성. cf. fluorescence.
phos·pho·res·cent [fàsfərésənt/fɔ̀s-] *a.* 인광을 내는, 인광성의: a ~ lamp 형광등.
phos·phor·ic [fasfɔ́ːrik, -fár-/fɔsfɔ́rik] *a.* 인(燐)의, 인을 함유한.
phosphóric ácid 인산.
phos·pho·rism [fásfərìzəm/fɔ́s-] *n.* Ⓤ 〚의학〛 만성 인(燐)중독.
phos·pho·rite [fásfəràit/fɔ́s-] *n.* Ⓤ 〚광물〛

인회토(燐灰土), 인광(燐鑛). 「의 뜻의 결합사.
phos·pho·ro- [fásfərou, -rə/fɔ́s-] '인(燐)'
phos·phor·o·graph [fasfárəgræ̀f, -grà:f/fɔsfɔ́r-] *n.* (인광(燐光)을 발하는 도료로 그린) 인화(燐畫).
phos·phor·o·scope [fasfɔ́:rəskòup, -fár-/fɔsfɔ́r-] *n.* 〖물리〗 인광계(計).
phos·pho·rous [fásfərəs, fasfɔ́:rəs/fɔ́sfə-] *a.* 인광을 발하는; 인의, 인을 함유한: ~ acid 아인산.
°**phos·pho·rus** [fásfərəs/fɔ́s-] (*pl.* **-ri** [-rai]) *n.* **1** 〖화학〗 인(燐) 《비금속 원소; 기호 P; 번호 15》. **2** 《드물게》 인광체. **3** =PHOSPHOR.
phósphorus necrósis 〖의학〗 인산 괴사(壞死) 《옛날 성냥 제조공에게 많던 위턱뼈의 병》.
phósphorus pentóxide 〖화학〗 5 산화인(酸化燐).
phósphorus trichlóride 〖화학〗 3 염화인, 염화인(PCl_3)《투명, 휘발성, 발연성 액체; 염소화(塩素化)제로서 유기 합성에 쓰임》.
phos·phu·ret·(t)ed [fásfjərètid/fɔ́s-] *a.* 〖화학〗 인과 화합한. 「RUSNECROSIS.
phós·sy jàw [fási-/fɔ́si-] 《구어》 =PHOSPHO-
phot [fat, fout/fɔt, fóut] *n.* 포트《조명 단위; 1 cm² 당 1 lumen》. 「tography.
phot. photographer; photographic; pho-
pho·tic [fóutik] *a.* 빛의, 광선의, 빛에 관계되는.
phótic dríver 광음파 군중 퇴산(退散) 장치《스트로보광(光)과 초음파를 이용한 치안 무기》.
phótic région 〔**zóne**〕 유광층(有光層); 〖생물〗(해면 아래의) 투광대(透光帶).
phó·tics *n. pl.* 〘단수취급〙 광학(光學).
pho·tism [fóutizəm] *n.* Ⓤ 〖심리〗 포티즘《촉각이나 청각 등 시각 이외의 감각 자극에 의해 생기는 시감각(視感覺)》.
⁑**pho·to** [fóutou] (*pl.* **~s**) 《구어》 *n.* 사진. ── *vt., vi.* 사진을 찍다. ── *a.* 사진의. 「결합사.
pho·to- [fóutou, -tə] '빛, 사진, 광전자' 의 뜻의
phòto·actínic *a.* 〖사진〗 감광성의, 광활성(光活性)의, (감광물에 대하여) 화학 변화를 주는.
phòto·áctive *a.* 〖생물〗 광활성(光活性)의.
phòto·ánalyst *n.* (특히 군사 정찰 위성의) 사진 분석가, 고공(高空) 사진 해석 전문가.
pho·to·bath·ic [fòutəbǽθik] *a.* (해수층이) 태양 광선이 미치는 깊이의.
phòto·biólogy *n.* 광(光)생물학《빛 또는 방사 에너지가 생물에 미치는 영향을 연구하는》. ㊐ **-biólogist** *n.* **-biológical, -biológic** *a.*
phòto·biótic *a.* 〖동물·식물〗 (생존상) 빛을 필요로 하는; 광생성(光生性)의.
phòto-bléachable *a.* 〖화학〗 광표백성의: a ~ dye 광표백 색소.
phóto bòoth 즉석 사진 부스.
phòto·bótany *n.* 광식물학.
phóto·càll *n.* 《영》 =PHOTO OPPORTUNITY.
phòto·cáthode *n.* 〖전자〗 광전(光電) 음극《입사(入射)하는 광자(光子) 에너지에 의해 활성화되어 전자를 방출하는》.
phóto·cèll *n.* 〖전기〗 광전지, 광전관.
phòto·cerámics *n. pl.* 〘단수취급〙 사진 디자인에 의한 제도(製陶).
phòto·chémical *a.* 광화학(光化學)(작용)의.
photochémical smóg 광화학 스모그.
phòto·chémistry *n.* Ⓤ 광화학《빛의 화학 작용을 취급하는 화학의 한 분야》.
phòto·chrómic *a.* (유리 등) 광변색성(光變色性)의; 광변색에 관한〔을 이용한〕. ── *n.* 광변색성 물질.
photochrómic gláss 포토크로믹 글라스, 조광(照光) 유리《보통 때는 투명하고 빛을 받으면 색이 변하는 유리; 안경에 씀》.

phòto·chrómism *n.* Ⓤ 〖물리〗 광변색 현상《빛의 조사(照射)로 색을 바꾸며, 다시 본디색으로 되돌아오는 현상》.
phóto·chròmy *n.* Ⓤ 천연색〔색채〕 사진술.
phòto·chrónograph *n.* 동체(動體) 사진(기); 〖물리〗 포토크로노그래프. 「술.
phòto·chronógraphy *n.* Ⓤ 동체(動體) 사진
phòto·coagulátion *n.* Ⓤ 〖의학〗 광응고(술)《레이저 광선 등에 의한 망막의 혈액 응고술》.
phòto·compóse *vt.* 〖인쇄〗 사진 식자하다. ㊐ **-compóser** [-ər] *n.* 사진 식자기. **-composí·tion** *n.* 사진 식자.
phòto·condúctive *a.* 광전도성의; 빛에 노출되어 전하(電荷)를 잃는. ㊐ **-conductívity** *n.* 광전도성. **-condúctor** *n.* 광전도체. 「복사기.
phóto·còpier *n.* (문서·서류 등을 복사하는)
phóto·còpy *n.* (서류 등의) 복사. ── *vt.* (서류 등을) 복사하다. ㊐ **phóto·còp·i·a·ble** *a.*
phòto·cóupler *n.* 〖전자〗 **1** 광접합 소자(素子); 광결합기(光結合器). **2** =OPTICAL ISOLATOR.
phóto·cùrrent *n.* Ⓤ 〖물리〗 광(光)전류.
phòto·degráde *vt., vi.* 광에 의해 분해하다. ㊐ **-degrádable** *a.* 광분해성의《살충제 따위》.
phòto·detéctor *n.* 〖전자〗 광(光)검출기《광전 효과를 이용하여 방사 에너지를 전기 신호로 바꾸는 장치》.
phòto·díode *n.* 〖전자〗 광전(光電) 다이오드, 〖공학〗 광(光)다이오드, 감광성 반도체 소자(素子).
phòto·disintegrátion *n.* Ⓤ 〖물리〗 원자핵의 광(光)붕괴, 광분해. 「(光解離)〔광분해〕시키다.
phòto·dissóciate *vt.* 〖화학·물리〗 광해리
phóto·dràma *n.* 극영화. ㊐ **phòto·dramátic** *a.* 「*ad.*
phòto·dynámic *a.* 광(光)역학적인. ㊐ **-ically**
phòto·dynámics *n. pl.* 〘단수취급〙 광역학.
photodynámic thèrapy 〖의학〗 광에너지 요법《레이저에 의한 암 치료법의 하나》.
phòto·elástic *a.* 광탄성(光彈性)의. ㊐ **-elastícity** *n.* Ⓤ 광탄성(학).
phòto·eléctric, -trical *a.* 〖물리〗 광전자(光電子)의; 광전 효과의: a ~ cell 〔tube〕 광전지〔광전관〕/ ~ effect 광전 효과. ㊐ **-trical·ly** *ad.*
photo·electrochémical céll 〖화학·물리〗 광전기 화학 전지. 「子).
phòto·eléctron *n.* 〖화학·물리〗 광전자(光電
phòto·emíssion *n.* Ⓤ 〖물리〗 광전자 방출.
phòto·emítter *n.* 〖물리〗 광전자 방출 물질.
phòto·engráve *vt.* 사진 제판하다; …의 사진 판화를 만들다. ㊐ **-gráver** *n.*
phòto·engráving *n.* Ⓤ,Ⓒ 사진 제판(술), 사진 볼록판(版)(화(畫)).
phòto·éssay *n.* 〖사진〗 포토 에세이《사진을 중심으로 한 수필〔작품, 기사〕》. 「정; 대접전.
phóto físnish 〖경기〗 (결승점에서의) 사진 판
phòto·fínishing *n.* Ⓤ 〖사진〗 인화(印畫)의 완성《현상·인화·확대 등》.
phòto·físsion *n.* Ⓤ 〖물리〗 광핵분열《고(高)에너지 광자의 흡수로 일어나는 핵분열》.
Phóto-Fit *n.* 《영》 포토 피트《몽타주 사진 작성법; 상표명》.
phóto·flàsh *a.* 섬광 전구의〔에 의한〕. ── *n.* =PHOTOFLASH LAMP. 「용》.
phótoflash lámp 〔**búlb**〕 섬광 전구《사진
phóto·flòod lámp 〔**búlb**〕 촬영용 일광등(溢光燈), 사진 촬영용 조명 전구.
pho·to·flu·o·rog·ra·phy [fòutoufluərágrəfi, -flɔ:r-/-rɔ́g-] *n.* X선 형광 촬영〔투시〕(법).
pho·tog [fətág/-tɔ́g] *n.* 《구어》 사진사.
photog. photograph; photographer; photo-

graphic; photography.

pho·to·gen [fóutədʒən, -dʒèn] *n.* 〖생물〗 발광(發光) 동물〔식물〕의 발광원〔발광 기관〕.

pho·to·gene [fóutədʒìːn] *n.* 잔상(殘像)(afterimage).

pho·to·gen·ic [fòutədʒénik] *a.* 사진 촬영에 적합한《얼굴 등》; 〖생물〗 발광성의; 〖의학〗 광원성(光源性)의; 〖사진〗 감광성의. ㊞ **-i·cal·ly** *ad.*

phòto·geólogy *n.* 사진 지질학《항공 사진을 조사하여 지질학적 특징을 파악하는》.

pho·to·glyph [fóutəglìf] *n.* 사진 조각판.

pho·to·gram [fóutəgræ̀m] *n.* 감광지 위에 물체를 놓고 빛에 쐬어 만드는 실루엣 사진; 《드물게》 사진.

pho·to·gram·me·try [fòutəgræ̀mətri] *n.* Ⓤ 사진 측량〔제도〕법. ㊞ **-grám·me·trist** *n.* **-gram·met·ric** [-grəmétrik] *a.*

⁑**pho·to·graph** [fóutəgræ̀f, -grɑ̀ːf] *n.* 사진: have 〔get〕 one's ~ taken (자기의) 사진을 찍게 하다 / take a ~ of …을 사진 찍다. ── *vt.* **1** 사진을 찍다; …의 사진으로 찍다. **2** (…의 인상을) 깊이 마음에 새기다. ── *vi.* **1** 사진 찍다. **2** 《+副》 〔보통 well, badly 등을 수반하여〕 사진발이 …하다: I always ~ *badly* 〔*well*〕. 늘 사진발이 잘 받지 않는다〔받는다〕.

*__pho·tog·ra·pher__ [fətágrəfər/-tɔ́g-] *n.* 사진사, 촬영자.

*__pho·to·graph·ic, -i·cal__ [fòutəgræ̀fik], [-əl] *a.* 사진의, 사진용의, 사진에 의한〔관한〕; 사진 같은, 사진같이 정밀한《묘사 따위》, 기계적인, 모방한: a ~ memory 상세한 기억 / a ~ studio 촬영소 / ~ paper 인화지, 감광지 / a ~ plate 사진 건판(乾板). ◇ photography *n.* ㊞ **-i·cal·ly** *ad.* 사진으로; 사진과 같이.

pho·to·graph·i·ca [fòutougræ̀fikə] *n. pl.* 사진 애호가의 수집품.

*__pho·tog·ra·phy__ [fətágrəfi/-tɔ́g-] *n.* Ⓤ 사진술; 사진 촬영.

phòto·gravúre *n.* 〖인쇄〗 그라비어 사진〔인쇄〕. ── *vt.* 그라비어 인쇄로 복사하다.

phòto·interpretátion *n.* 사진 해독(법), 사진해석《특히 군사 정보기관에서 행하는 공중 사진의 해독; 생략: PI》.

phòto·ionizátion *n.* Ⓤ 〖물리〗 광전리(光電離), 광(光)이온화.

phòto·jóurnalism *n.* 사진 보도를 주체로 하는 신문 · 잡지(업); 사진 뉴스. ㊞ **-ist** *n.*

phòto·kinésis *n.* Ⓤ 〖생물〗 광(光)활동성, 광선 운동《빛의 자극에 의해 일어나는 운동》. ㊞ **-kinét·ic** *a.*

pho·to·litho [fòutəlíθou] (*pl.* **-líth·os**) *n.* = PHOTOLITHOGRAPHY; PHOTOLITHOGRAPH. ── *a.* = PHOTOLITHOGRAPHIC.

phòto·líthograph *n.*, *vt.* 사진 석판(화(畫)); 사진 석판〔평판〕으로 하다. ㊞ **-lithográphic** *a.* **-lithógraphy** *n.* Ⓤ 사진 석판술, 사진 평판(平版); 〖전자〗 포토리소그래피《감광성의 회로 기판에 회로도를 찍고 화학 처리를 하여 집적 프린트 배선 회로를 제작하는 과정》.

phòto·luminéscence *n.* Ⓤ 〖물리〗 광(光)루미네슨스, 광발광(光發光)《빛의 자극에 의한 발광》.

pho·tol·y·sis [foutáləsis/-tɔ́l-] *n.* Ⓤ 〖화학·식물〗 광분해(光分解). ㊞ **pho·to·lyt·ic** [fòutəlítik] *a.* **-i·cal·ly** *ad.*

phóto·màp *n.* (공중 촬영에 의한) 사진 지도. ── (*-pp-*) *vt.*, *vi.* …의 사진 지도를 만들다.

phóto·màsk *n.* 포토마스크《포토리소그래피에서 웨이퍼 표면에 씌워 필요한 부분만 감광시키기 위해 사용되는 회로 패턴이 담긴 음판 필름》.

phòto·mechánical *a.* 〖인쇄〗 사진 제판(법)의. ㊞ **~·ly** *ad.*

pho·tom·e·ter [foutámətər/-tɔ́-] *n.* 광도계(光度計); 〖사진〗 노출계(計).

pho·to·met·ric, -ri·cal [fòutəmétrik], [-əl] *a.* 광도계의, 광도 측정의. ㊞ **-ri·cal·ly** *ad.*

pho·tom·e·try [foutámətri/-tɔ́-] *n.* Ⓤ 광도 측정(법); 측광(測光)(법); 측광학.

phòto·mícrograph *n.* 현미경 사진; 미소(微小) 사진. ㊞ **-micrógraphy** *n.* 현미경 사진술.

phòto·míicroscope *n.* 사진용 현미경, 현미경 사진기.

phòto·montáge *n.* Ⓤ,Ⓒ 합성 사진 (제작법), 몽타주 사진, 포토몽타주.

phòto·múltiplier *n.* 〖전기〗 광전자 증폭관(增幅管).

phòto·múral *n.* (벽의 전면을 꾸미는) 벽면 사진, 사진 벽화.

pho·ton [fóutan/-tɔn] *n.* 〖물리〗 광양자(光量子), 광자(光子)《빛의 에너지》.

phòto·néutron *n.* Ⓤ 〖물리〗 광(光)중성자.

pho·ton·ics [foutániks/-tɔ́n-] *n. pl.* 〔단수취급〕 포토닉스《빛을 이용한 정보 전달을 다루는 과학 기술 · 학문》.

phòto·nóvel *n.* 사진 소설《대화가 만화에서처럼 풍선 모양 안에 들어 있음》.

phòto·núclear *a.* 〖물리〗 원자핵에 대한 광자(光子) 작용의: ~ reaction 광핵(光核) 반응.

phòto-óffset *n.*, *vt.* Ⓤ 〖인쇄〗 오프셋 사진 인쇄(로 하다).

phóto opportúnity 《미 · Can.》 (정부 고관 · 유명 인사 등이) 사진사에게 주는 사진 촬영 기회; 사진 촬영에 할당된 시간(photocall).

phòto·périod *n.* 〖생물〗 광주기(光周期).

phòto·périodism, -odícity *n.* Ⓤ 〖생물〗 광주기성(光周期性); 〖농업〗 일장 효과(日長効果).

phòto·pháse *n.* 〖생물〗 감광기(感光期).

pho·toph·i·lous [foutáfələs/-tɔ́f-] *a.* (식물 따위가) 빛을 좋아하는, 호광성(好光性)의.

pho·to·pho·bia [fòutəfóubiə] *n.* 〖의학〗 수명(羞明)《광선 공포증》, 광선 혐기(嫌忌).

phóto·phòne *n.* 광선 전화기.

pho·to·phore [fóutəfɔ̀ːr] *n.* 〖생물〗 (심해어 따위에서 볼 수 있는) 발광기(發光器), 발광포(胞).

phòto·phosphorylátion *n.* 〖생화학〗 광인산화(光燐酸化).

phóto·pìgment *n.* 〖생화학〗 광색소.

phóto·pìle *n.* 태양광(太陽光) 전지.

phóto·plày *n.* 극영화. ㊞ **~·er** *n.* 영화배우.

phóto·plàywright *n.* 영화 극작가.

phòto·polarímeter *n.* 망원 사진 편광계《망원경 · 촬영기 · 편광계를 합친 천체 관측 장치》.

phòto·polymerizátion *n.* Ⓤ 〖화학〗 광중합(光重合).

phóto·prìnt *n.* 사진 인쇄〔인화〕.

phòto·próduct *n.* 광화학 반응의 생성물.

phòto·próton *n.* 〖물리〗 광양자(光陽子).

phòto·reactivátion *n.* 〖생화학〗 광회복(光回復)《빛에 의한, 세포 내(특히 DNA)의 손상 회복》.

phòto-réalism *n.* 포토리얼리즘《사진처럼 사실적인 회화 · 조각의 스타일》. ㊞ **-realístic** *a.*

phòto·recéptor *n.* 〖생물〗 광(光)수용기.

phòto·recónnaissance *n.* Ⓤ 〖군사〗 공중사진 정찰.

phòto·recórder *n.* 사진 기록 장치.

phòto·resíst *n.* 〖전자〗 포토레지스트《반도체 공업에서 미세 가공에 사용되는 감광제(感光劑)》.

phóto·scàn *n.* 〖의학〗 포토스캔《포토스캐너로 얻은 사진》. ── *vt.*, *vi.* 포토스캐너로 진단하다.

phòto·sénsitive *a.* 감광성(性)의: ~ glass 감광 유리. ㊞ **-sensitívity** *n.* Ⓤ 감광성, 광전 감도.

phòto·sensitizátion *n.* Ⓤ 감광화(感光化)(현상), 광감작(光感作).

phòto·sénsitize *vt.* 감광화하다, 광감작하다.

phóto·sènsor *n.* 감광 장치.

phóto·sèt *vt.* 〖인쇄〗 사진 식자하다(photocompose). ㊞ **-sètter** *n.* 사진 식자기.

phóto shòot (모델 · 배우 따위의 커머셜용) 촬영회.

Phóto Shòp 〖컴퓨터〗 포토샵《스캐너로 입력한 사진의 합성 · 수정 또는 색상을 바꾸거나 형태를 바꾸는 등 그래픽 사용자가 주로 사용하는 프로그램; 상표명》.

phòto·spéctroscope *n.* 분광(分光) 사진기.

pho·to·sphere [fóutəsfìər] *n.* 〖천문〗 광구(光球)《태양 · 항성 등의》.

Pho·to·stat [fóutəstæ̀t] *n.* 복사 사진기《건판을 사용치 않고 직접 감광지에 찍는》; 직접 복사 사진; (P-) 직접 복사 장치《상표명》. **—** *vt.*, *vi.* 복사 사진기로 찍다, 사진 복제하다. ㊍ **phò·to-stát·ic** *a.*

phóto·stòry *n.* 해설이 달린 사진.

phóto sỳndicate (신문이나 정기 간행물에의) 사진 공급 기관.

pho·to·syn·thate [fòutəsínθeit] *n.* 〖생화학〗 광합성 산물(產物).

phòto·sýnthesis *n.* Ⓤ 〖생물〗 광합성.

phòto·sýnthesize *vt.*, *vi.* 〖생물〗 광합성하다.

phòto·synthétic *a.* 〖생물〗 광합성의: ~ bacteria 광합성 세균.

phóto·sỳstem *n.* 〖생화학〗 (엽록체의) 광화학계(系).

pho·to·tax·is, pho·to·taxy [fòutətǽksis], [-tǽksi] *n.* Ⓤ 〖생물〗 주광성(走光性): positive 〔negative〕 *phototaxis* 향(向)〔배(背)〕광성. ⓒⓕ heliotaxis.

phòto·téchnic *a.* 사진 기술의.

phòto·télegraph *n.* 사진 전송(기); 전송 사진. **—** *vt.*, *vi.* (사진 따위를) 전송하다. ㊍ **phòto·telégraphy** *n.* Ⓤ 사진 전송술; 전송 사진.

phòto télephone (사진 등을) 전화 팩스로 전송하다.

phòto·télescope *n.* 〖천문〗 사진 망원경.

phòto·therapéutics *n. pl.* 《단수취급》 = PHOTOTHERAPY.

phòto·thérapy *n.* Ⓤ 〖의학〗 광선 요법.

phòto·thérmal, -thérmic *a.* 광열의; 빛과 열을 내는; 광열 효과에 관한.

phóto·tìmer *n.* 〖사진〗 자동 노출 조절 장치; 경주 판정용 사진 촬영 장치.

pho·tot·o·nus [foutátənəs/-tɔ́t-] *n.* 〖생물〗 광긴장성(光緊張性), 감광성. ㊍ **pho·to·ton·ic** [fòutətánik/-tɔ́n-] *a.*

phòto·topógraphy *n.* = PHOTOGRAMMETRY.

phòto·transístor *n.* 광트랜지스터《감광성 반도체 소자(photodiode)와 트랜지스터의 기능을 겸비한 장치》.

pho·to·troph [fóutətràf, -tròuf/-trɔ̀f] *n.* 광(光)영양 생물《에너지원으로 빛을 이용하는》.

pho·to·trop·ic [fòutətrápik, -tróup-/-trɔ́p-] *a.* 〖생물〗 굴광성(屈光性)의, 향광성(向光性)의. ㊍ **-i·cal·ly** *ad.* **pho·tot·ro·pism** [foutátrəpìzəm, -tóutrou-/-tɔ́t-] *n.* Ⓤ 〖생물〗 굴광성, 향광성. ⓒⓕ heliotropism.

phóto·tùbe *n.* 〖전자〗 광전관(光電管).

pho·to·type [fóutətàip] *n.*, *vt.* Ⓤ 포토타이프(로 인쇄하다).

phòto·týpesetting *n.* 〖인쇄〗 사진 식자, 사식(寫植). ㊍ **-týpesetter** *n.* 사진 식자기.

phòto·typógraphy *n.* Ⓤ 사진 제판술; 사진 식자.

phòto·voltáic *a.* 〖물리〗 광기전성(光起電性)의.

photovoltáic céll 〖물리〗 광전지.

phòto·zincógraphy *n.* Ⓤ 사진 아연 볼록판법(版法).

phr. phrase.

phras·al [fréizəl] *a.* 구(句)의, 구에 관한, 구로 된: a ~ verb 〖문법〗 동사구. ★ 동사와 부사가 결합한 것. verb-adverb combination 이라고도 함.

****phrase** [freiz] *n.* **1** 〖문법〗 구(句): an adjective 〔adjectival〕 ~ 형용사구 ⇨《부록》 PHRASE. **2** 관용구(idiom): a set 〔stock〕 ~ 상투적인 문구, 진부한 문구 / an idiomatic ~ 숙어. **3** 말씨, 말솜씨, 어법, 표현(법): felicity of ~ 말솜씨의 교묘함. **4** (연설에서의) 강조구. **5** (*pl.*) 빈말. **6** 경구, 명구; 간결한 말: In a ~, he's a dishonest man. 한마디로 말해서 그는 정직하지 못하다. **7** 〖음악〗 작은 악절(樂節). **8** 〖댄스〗 연속 동작의 한 단위. ***in a simple* ~** 간단한 말로 (하면). ***make* ~** 경구를 말하다, 공론에 빠지다. ***turn a* ~** 그럴듯한 말을 하다, 명문구를 만들어내다. **—** *vt.* **1** (어떤 특정한 표현으로) 말하다; 말로 표현하다, 진술하다: He ~*d* his criticisms carefully. 그는 조심스레 그의 평을 말하였다 / He ~*d* a cutting attack against them. 그들에 대해 통렬한 비난의 말을 퍼부었다. **2** 〖음악〗 각 악절로 나누다.

phráse bòok 숙어〔관용구〕집: an English-Spanish ~ 영어 · 스페인어 (대조) 숙어집.

phráse·màker *n.* 명언〔경구(警句)〕의 명인, 뜻 없는 미사여구를 늘어놓는 사람.

phráse màrker 〖문법〗 구 구조 표지 《글의 phrase structure 를 나타낸 것》.

phráse·mònger *n.* 미사여구를 늘어놓는〔빈말하는〕 사람; 다변가.

phra·se·o·gram [fréiziəgræ̀m] *n.* (속기술 따위의 구(句)를 나타내는) 기호, 구문자(句文字).

phra·se·o·graph [fréiziəgræ̀f, -grɑ̀ːf] *n.* phraseogram 이 나타내는 구; = PHRASEOGRAM.

phra·se·ol·o·gist [frèiziálədʒist/-ɔ́l-] *n.* 어법〔관용구〕 연구가; 미사여구를 늘어놓는 사람.

phra·se·ol·o·gy [frèiziálədʒi/-ɔ́l-] *n.* Ⓤ 말씨, 어법; 표현; 문체; 술어; 《집합적》 어구: legal ~ 법률용 문체, 법률 전문어. ㊍ **phra·se·o·log·i·cal** [frèiziəládʒikəl/-lɔ́dʒ-] *a.* 말씨의, 어법의.

phráse strùcture 구〔연어(連語)〕 구조.

phráse-strùcture gràmmar 〖문법〗 구구조(句構造) 문법《구 구조 규칙으로 이루어진 문법》.

phras·ing [fréiziŋ] *n.* Ⓤ 어법; 말씨; 표현법; 〖음악〗 구절법.

phra·try [fréitri] *n.* 〖그리스사〗 씨족《phyle 중의 소구분》; 씨족의 집단《원시 민족의 종족 중의》.

phreak [friːk] *n.* = PHONE PHREAK; 《구어》 네트워크 침입자.

phréak·ing *n.* 《구어》 전화 회선망의 부정 사용; 《일반적》 네트워크 등에의 침입.

phre·at·o·phyte [friǽtəfàit] *n.* 〖생태〗 지하수 식물《뿌리를 깊이 내려 지하수나 그 부근 흙에서 물을 흡수하는》.

phren. phrenological; phrenology.

phre·net·ic [frinétik] *a.* 정신 착란의; 열광적인, 광신적인. **—** *n.* 정신 착란자; 열광자. ㊍ **-i·cal** *a.* **-i·cal·ly** *ad.*

phren·ic [frénik] *a.* 〖해부〗 횡격막의; 〖생리〗 심적인, 정신 활동의.

phre·ni·tis [frináitis] *n.* Ⓤ 〖의학〗 뇌염, 뇌염에 의한 일시적인 정신 착란.

phre·no·log·i·cal [frènəládʒikəl/-lɔ́dʒ-] *a.* 골상학(骨相學)의. ㊍ **~·ly** *ad.*

phre·nol·o·gy [frinálədʒi/-nɔ́l-] *n.* Ⓤ 골상학. ㊍ **-gist** *n.* 골상학자.

phren·sy [frénzi] *n.*, *vt.* = FRENZY.

Phryg·ia [frídʒiə] *n.* 프리지아《소아시아에 있었던 고대 국가》.

Phryg·i·an [frídʒiən] *a.* 프리지아(사람)의. ***a* ~ *cap*** = LIBERTY CAP. **—** *n.* 프리지아 사람; Ⓤ 프리지아어(語).

PHS, P. H. S. 《미》 Public Health Service.

phthal·ein [*f*θǽliːn] *n.* Ⓤ 〖화학〗 프탈레인.

phthal·in [*f*θǽlin] *n.* Ⓤ 〖화학〗 프탈린.

phthis·ic [tízik, θíz-/θáis-] *n.* = PHTHISIS. **—** *a.* = PHTHISICAL.

phthis·i·cal [tízikəl, θíz-/θáis-] *a.* 〚의학〛 폐결핵의.
phthi·sis [θáisis, tái-] (*pl.* **-ses** [-si:z]) *n.* Ⓤ 폐결핵; 소모성 질환.
phu·goid [fjú:gɔid] *a.* 〚항공·우주〛 (대기 중에서 항공기·로켓 등의) 세로 진동이 오래 끄는.
phut(**t**) [fʌt] *ad.*, *n.* 빵〔뽕〕(하는 소리). ***go*** 〔***be gone***〕 ~ 《구어》 실패하다, 못 쓰게 되다; 피로해지다; (타이어가) 펑크 나다.
phy·col·o·gy [faikálədʒi/-kɔ́l-] *n.* Ⓤ 조류학(藻類學). ㉺ **-gist** *n.*
phy·co·my·cete [fàikoumáisi:t] *n.* 〚식물〛 조균류(藻菌類)의 균, 조균(藻菌). ㉺ **-my·ce·tous** [-maisí:təs] *a.* 조균류의〔에 관한〕.
phy·la [fáilə] PHYLUM 의 복수.
phy·lac·tery [filǽktəri] *n.* **1** 성구함(聖句函) 《성서의 구절을 기록한 양피지를 넣은 작은 가죽 상자》. **2** 생각나게 하는 사람〔것〕. **3** 부적(符籍), 수호부. ***make broad the*** 〔one***'s***〕 ~ 〔***phylacteries***〕 신앙이 독실한 체하다, 도덕가인 체하다.
phy·le [fáili:] (*pl.* **-lae** [—]) *n.* 〚그리스사〛 종족. ⓒⓕ phratry.
phy·let·ic [failétik] *a.* 〚동물〛 문(門)(phylum)의; 〚생물〛 계통 발생적인; 종족의: ~ line 계통. ㉺ **-i·cal·ly** *ad.* 「*phyl*(*l*).
-phyl(**l**) [fil] '잎(leaf)' 의 뜻의 결합사: chloro-
Phyl·lis [fílis] *n.* **1** 여자 이름. **2** 《시어》 아름다운 시골 처녀, 연인.
phyl·lo- [fílou,-lə], **phyll-** [fil] '잎' 의 뜻의 결합사: *phyllo*pod. ★모음 앞에서는 phyll-을 씀.
phyl·lode [fíloud] *n.* 〚식물〛 (아카시아 등의) 헛잎, 가엽(假葉). ㉺ **phyl·lo·di·al** [filóudiəl] *a.*
phýllo (**dòugh**) [fáilou(-)] 《미》 얇게 민 밀가루 반죽 《pastry를 만듦》.
phyl·loid [fílɔid] *a.* 잎 모양의.
phyl·lo·pod [fíləpàd/-pɔ̀d] *a.*, *n.* 〚동물〛 엽각목(葉脚目)의 (동물). ㉺ **-lop·o·dan** [filápədən/-lɔ́p-] *a.*, *n.* **-lóp·o·dous** *a.*
phyl·lo·tax·is, -taxy [filətǽksis], [-tǽksi] *n.* 〚식물〛 엽서(葉序), 잎차례; 엽서 연구.
-phyl·lous [fíləs] '잎이 …인, …잎의' 의 뜻의 결합사.
phyl·lox·e·ra [filəksíərə, filáksərə/filɔksíərə] (*pl.* **-e·rae** [-ri:]) *n.* 〚곤충〛 포도나무 뿌리의 진디《해충》.
phy·lo- [fáilou, -lə], **phyl-** [fáil] '종족, 부족, 문(門)' 의 뜻의 결합사.
phỳlo·génesis, phy·lóg·e·ny [failádʒəni-/-lɔ́dʒ-] *n.* Ⓤ 〚생물〛 계통 발생(론), 계통학. ⓞⓟⓟ *ontogeny*.
phỳlo·genétic, phỳlo·génic *a.* 계통 발생의; 종족의: a *phylogenetic* tree 계통수(樹).
phylogenétic classificátion 〚생물〛 계통 발생적 분류.
phy·lon [fáilɑn] (*pl.* **-la** [-lə]) *n.* 〚생물〛 종족.
phy·lum [fáiləm] (*pl.* **-la** [-lə]) *n.* 〚생물〛 문(門)《동식물 분류의 단위》; 〚언어〛 어족(語族)(family).
phys. physical; physician; physicist; physics; physiological; physiology. **phys. ed.** physical education.
phys·i- [fízə], **phys·i·o-** [fíziou, -ə] '천연, 신체, 물리, 생리학의' 란 뜻의 결합사.
phys·i·at·rics [fiziǽtriks] *n. pl.* 《단수취급》 물리 요법, 물리 의학, 자연 요법.
phys·i·at·rist [fiziǽtrist] *n.* 물리 요법의(醫), 자연 요법 전문의.
phys·ic [fízik] *n.* **1** Ⓤ 《고어》 의술, 의업. **2** 《구어》 약, 의약; 《특히》 하제(下劑). **—** (**-ick-**) *vt.* …에게 약을 먹이다; …에게 하제를 쓰다; 치료하다, 고치다.
⁑phys·i·cal [fízikəl] *a.* **1** 육체의, 신체의: ~ beauty 육체미 / a ~ checkup 건강 진단 / ~ constitution 체격 / ~ exercise 체조, 운동 / ~ force 완력 / ~ strength 체력.

> SYN. **physical** 넓은 생물학적 관점에서 본 것. 따라서 동물에 대해서도 쓰이며 비난의 뜻은 없음: *physical* strength 체력. **bodily** 인간의 육체에 대하여 쓰며, 비난의 뜻이 포함될 때가 있음: *bodily* comfort 육체적 안락. **corporeal** 형태를 구비한 물질로서의 육체를 강조함.

2 물질의, 물질적인(ⓞⓟⓟ *spiritual*, *mental*[1], *moral*); 형이하(形而下)의(ⓞⓟⓟ *metaphysical*): the ~ world 물질계 / ~ evidence 물적 증거. **3** 물리학(상)의, 물리적인: a ~ change 물리적 변화. **4** (비유적·추상적·관념적 따위에 대하여) 실제의, 눈에 보이는. **5** 자연의, 자연에 관한. **—** *n.* 신체검사.
phýsical anthropólogy 자연 인류학.
phýsical chémistry 물리 화학.
phýsical cúlture 신체 문화《위생·육체 단련·각종 스포츠 따위》; =PHYSICAL EDUCATION.
phýsical educátion 〔**tráining**〕 체육《생략: P.E.〔P.T.〕》.
phýsical examinátion 신체검사, 건강진단.
phýsical fítness (양호한) 몸의 컨디션(physical condition).
phýsical geógraphy 지문학(地文學), 자연지리학. 「**-ist** *n.*
phýs·i·cal·ìsm *n.* 〚철학〛 물리(학)주의. ㉺
phys·i·cal·i·ty [fizikǽləti] *n.* (발달 단계의) 신체적 특징; physical한 성질〔상태〕; 육체 제일주의; 육체적 적응 (능력).
phýsical jèrks 《구어·우스개》 체조, 운동.
°phýs·i·cal·ly *ad.* **1** 물리적으로, 자연의 법칙에 따라: It's ~ impossible. 그것은 물리적으로 불가능하다. **2** (관념적·추상적·비유적·사회적 따위에 대하여) 실제로, 눈에 보이는 형태로서. **3** 물질적으로; 경제적으로. **4** 육체적으로: ~ and mentally 심신 공히.
phýsically chállenged 《미완곡어》 신체에 장애를 가진: the ~ 〖집합적〗 신체 장애자.
phýsical médicine 〚의학〛 물리 의학《지압·마사지·운동·물리 요법 등을 포함》.
phýsical meteorólogy 물리 기상학《대기 중의 빛·전기·음향·열 따위의 물리적 현상을 연구하는》.
phýsical oceanógraphy 해양 물리학.
phýsical scíence (생명 과학을 제외한 물리학·화학·천문학 따위의) 자연 과학.
phýsical thérapist 물리〔이학〕 요법사.
phýsical thérapy 물리요법(physiotherapy).
phýsical tòrture 육체적 고문; 《속어》 체조, 트레이닝.
phýsic gàrden 약초원(藥草園).
***phy·si·cian** [fizíʃən] *n.* **1** 《미》 의사: one's (family) ~ 단골 의사 / consult a ~ 의사의 치료를〔진찰을〕 받다. **2** 내과의(사). ⓒⓕ surgeon. **3** 치료〔구제〕자. SYN. ⇨ DOCTOR.
physícian's assístant (면허를 가진) 의료 조수, 의료 보조자. 「觀); 물리 우주관.
phys·i·cism [fízəsìzəm] *n.* Ⓤ 유물관(唯物
°phys·i·cist [fízəsist] *n.* 물리학자; 유물론자.
phys·i·co·chem·i·cal [fizikoukémikəl] *a.* 물리 화학의〔에 관한〕. ㉺ **~·ly** *ad.*
⁑phys·ics [fíziks] *n. pl.* 《단수취급》 물리학; 물리적 현상〔과정, 특성〕; 《고어》 자연 과학 (natural science): nuclear ~ 핵물리학.
phys·io [fíziòu] (*pl.* **-i·os**) *n.* 《구어》 =PHYSIOTHERAPIST; PHYSIOTHERAPY.

physio- ⇨ PHYSI-.
phys·i·oc·ra·cy [fìziákrəsi/-ɔ́k-] *n.* Ⓤ 농본주의, 중농주의. ⓒⓕ mercantilism.
phys·i·o·crat [fíziəkræ̀t] *n.* (종종 P-) 중농주의자. ㊎ **phỳs·i·o·crát·ic** *a.* (종종 P-) 중농주의(자)의.
phys·i·og·nom·ic, -i·cal [fìziəgnámik/-ənɔ́m-], [-əl] *a.* 인상(학)의; 관상술의, 외관의. ㊎ **-i·cal·ly** *ad.* 인상학상; 인상상.
phys·i·og·no·my [fìziágnəmi/-ɔ́nə-] *n.* **1** Ⓤ 인상학, 골상학, 관상학; Ⓒ 인상; 《비어》 상판, 얼굴. **2** Ⓤ (토지 따위의) 형상, 지상(地相); 외관, 외면; 특색, 특징; 〖생물〗 상관(相觀). ㊎ **-mist** *n.* 인상학자, 관상가.
phys·i·og·ra·phy [fìziágrəfi/-ɔ́g-] *n.* Ⓤ 자연지리학, 지문학; 자연 현상지(現象誌); 《미》 지형학; 기술적(記術的) 자연 과학. ㊎ **-pher** *n.* **phys·i·o·graph·ic, -i·cal** [fìziəgrǽfik], [-əl] *a.*
physiol. physiological; physiologist; physiology.
phys·i·ol·a·try [fìziálətri/-ɔ́l-] *n.* Ⓤ 자연 숭배.
phys·i·o·log·ic, -i·cal [fìziəládʒik/-lɔ́dʒ-], [-əl] *a.* 생리학(상)의, 생리적인. ㊎ **-i·cal·ly** *ad.*
physiológical psychólogy 생리학적 심리학(psychophysiology).
physiológical sáline 〖생리〗 생리적 염류 용액.
physiológical sált solùtion 〖생리〗 생리적 식염액〔수〕.
phys·i·ol·o·gist [fìziálədʒist/-ɔ́l-] *n.* 생리학자.
°**phys·i·ol·o·gy** [fìziálədʒi/-ɔ́l-] *n.* Ⓤ 생리학; 생리 기능〔현상〕.
phys·i·om·e·try [fìziámətri/-ɔ́m-] *n.* 신체의 생리 기능 측정.
phỳsio·pathólogy *n.* Ⓤ 생리 병리학.
phỳsio·thérapy *n.* Ⓤ 〖의학〗 물리 요법. ㊎ **-pist** *n.* 물리 요법가.
°**phy·sique** [fizíːk] *n.* Ⓤ 체격, 체형; (토지 따위의) 지형, 지상(地相), 지세: a man of strong ~ 체격이 튼튼한 사람.
phy·so·stig·mine [fàisoustígmiːn, -min] *n.* 〖생화학〗 피소스티그민《칼라바르 콩에 함유된 결정성·미(微)수용성 알칼로이드; 의약용》.
Phy·tin [fáitin] *n.* 파이틴《백색 분말의 마그네슘 칼슘염; 주로 이노시톨(inositol)의 합성이나 칼슘 보합제로서 쓰임; 상표명》.
phy·to- [fáitou, -tə], **phyt-** [fáit] '식물'의 뜻의 결합사.
phỳto·aléxin *n.* 〖생화학〗 파이토알렉신, 식물성 알렉신《식물에 포함된 외독(外毒)에 대해 저항하는 물질》.
phỳto·chémistry *n.* 식물 화학. ㊎ **-ist** *n.* **-chémical** *a.*
phỳto·chròme *n.* 〖생화학〗 파이토크롬《식물이 환경의 광조건을 감지하여 개화나 생장을 조절하는 색소 단백질》.
phy·to·cide [fáitəsàid] *n.* 식물 고사제(枯死劑), 제초제. ㊎ **-cid·al** [ˋ-sáidl] *a.*
phỳto·génesis *n.* 식물 발생(론). ㊎ **-genétic, -ical** *a.* 식물 발생(론)의. **-ically** *ad.*
phỳto·geógraphy *n.* Ⓤ 식물(植物) 지리학.
phy·tog·ra·phy [faitágrəfi] *n.* Ⓤ 기술(記述) 식물학. ㊎ **-pher** *n.*
phỳto·hórmone *n.* 식물 호르몬.
phỳto·pathólogy *n.* Ⓤ 식물 병리학. ㊎ **-pathológic, -ical** *a.*
phy·toph·a·gous [faitáfəgəs/-tɔ́f-] *a.* 〖동물〗 식물을 먹는, 초식(성)의. ㊎ **-gy** [-dʒi] *n.* 초식(성).
phỳto·plánkton *n.* 식물 플랑크톤.
phỳto·sociólogy *n.* Ⓤ 식물 사회학.
phy·tot·o·my [faitátəmi/-tɔ́t-] *n.* Ⓤ 식물 해부(학).
phỳto·tóxic *a.* 식물 독소(毒素)의; 식물에 유해한. ㊎ **-toxícity** *n.* 살초성(殺草性), 식물 독성.
phỳto·tóxicant *n.* 식물에 유해한 물질.
phỳto·tóxin *n.* (식물이 만들어 내는) 식물 독소.
phy·to·tron [fáitətràn/-trɔ̀n] *n.* 파이토트론《식물을 일정한 기후 상태에서 키워 관찰하는 장치》.
pi[1] [pai] *n.* 그리스 알파벳의 16째 글자《Π, π; 로마자의 p에 해당》; 〖수학〗 파이《원주율, 약 3.1416; 기호 π》.
pi[2] *n.* 〖인쇄〗 뒤섞어 놓은 활자; 《비유》 뒤죽박죽, 혼란. ― *vt.* (활자를) 뒤죽박죽으로 섞다.
PI, P. I. Philippine Islands; 《미》 principal investigator(주임 연구원).
pi·ac·u·lar [paiǽkjələr] *a.* 속죄의; 속죄를 요하는; 죄많은; 극악한. ㊎ **~·ly** *ad.* **~·ness** *n.*
Pi·af [piáːf, píːɑːf] *n.* **Edith ~** 피아프《프랑스의 샹송 가수; 1915–63》.
piaffe [pjæf] *n., vi., vt.* 〖마술(馬術)〗 피애프《trot와 비슷하며, 그것보다 느린 보조》(로 나아가다〔가게 하다〕).
Pia·get [pjɑːʒéi] *n.* **Jean ~** 피아제《스위스의 심리학자; 아동 심리학 연구로 유명; 1896–1980》. ㊎ **Pia·get·ian** [pjɑːʒéiən] *a., n.*
pia ma·ter [páiə-méitər] 《L.》 〖해부〗 연뇌막(軟腦膜), 유막(柔膜). ⓞⓟⓟ *dura mater.*
pi·a·nette, pi·a·ni·no [pìːənét/piə-], [pìːəníːnou/piə-] *n.* 업라이트 피아노.
pi·a·nism [píənìzəm, piǽnizəm, pjǽn-/píənìzəm] *n.* 피아노 연주 기술; 피아노를 위한 편곡.
pi·a·nis·si·mo [pìːənísəmòu] 〖음악〗 *ad.* 《It.》 피아니시모로, 매우 약하게《생략: pp.》. ⓒⓕ fortissimo. ― *a.* 최약주(最弱奏)의. ― (*pl.* **-mi** [-mìː], **~s**) *n.* 최약음으로 연주하는 악구.
‡**pi·an·ist** [piǽnist, píːən-, pjǽn-/pí(ː)ən-] *n.* 피아니스트, 피아노 연주자: She is a good ~.
pi·a·nis·tic [pìːənístik/piə-] *a.* 피아노의〔에 관한〕; 피아노 연주에 능한〔적합한〕. ㊎ **-ti·cal·ly** *ad.*
‡**pi·ano**[1] [piǽnou, pjǽnou] (*pl.* **~s** [-z]) *n.* 피아노: a (concert) grand ~ (연주회용) 그랜드 피아노/play (on) the ~ 피아노를 치다.
pi·a·no[2] [piáːnou] 〖음악〗 *ad.* 《It.》 피아노로, 약하게, 부드럽게《생략: p.》. ⓞⓟⓟ *forte.* ― *a.* 약음의, 부드러운. ― (*pl.* **~s**) *n.* 피아노의 악구(樂句)〔악절〕.
piáno accòrdion 피아노 아코디언.
piáno bàr 피아노 바《피아노의 생(生)연주를 들려주는 바》.
pi·an·o·for·te [piǽnəfɔ̀ːrt, piæ̀nəfɔ́ːrti/piæ̀noufɔ́ːti] *n.* =PIANO[1].
Pi·a·no·la [pìːənóulə] *n.* 자동 연주 피아노《상표명》; (p-) 아주 쉬운 것(cinch).
piáno òrgan 핸들을 돌리며 치는 오르간(hand organ).
piáno plàyer 피아니스트; 자동 피아노의 키를 작동시키는 기계 장치.
piáno ròll 피아노 롤《자동 피아노용 구멍난 롤종이》.
piáno stòol 피아노용 의자(music stool).
piáno trío 〖음악〗 피아노 삼중주(곡).
piáno wìre 피아노 줄〔현〕.
pi·as·ter, 《영》 **-tre** [piǽstər] *n.* 터키·이집트·베트남 등지의 화폐 (단위); 스페인 및 스페인계 라틴아메리카의 옛 은화.
Pi·at [píːæt, -ɑːt, páiæt] *n.* 대전차(박격)포. [◂ *p*rojector *i*nfantry *a*n*t*itank]
pi·az·za [piǽzə, -áːzə/-ǽtsə] *n.* **1** 광장, 시장《특히 이탈리아 도시의》. **2** 〖건축〗 회랑《광장의 주위와 건물 정면에 위치한》, 복도; 《방언》 베란다(verandah), 현관(porch).
pi·bal [páibəl] *n.* 〖기상〗 탐측 기구(探測氣球)(로하는 관측).
pi·broch [píːbrɑx, -brɑk/-brɔ-] *n.* 스코틀랜드 고지 사람이 백파이프로 연주하는 씩씩한 곡.

pic¹ [pik] (*pl.* ***pix*** [piks], ***~s***) *n.* 《미속어》 사진, 영화. [◂ *picture*]

pic² [pi(:)k] *n.* picador의 창(槍).

pi·ca¹ [páikə] *n.* Ⓤ 〚인쇄〛 파이카《12 포인트 크기의 활자》; 〚교회〛 규율집(集).

pi·ca² *n.* Ⓤ 〚의학〛 이미(증)(異味(症))《벽토·숯 따위를 먹으려는 도착된 식욕》.

pic·a·dor [píkədɔ̀ːr] *n.* 기마(騎馬) 투우사.

pic·a·nin·ny [píkənìni] *n.* ＝PICKANINNY.

pic·a·resque [pìkərésk] *a.* 악한을 제재로 한 《소설 등》. **—** *n.* (보통 the ~) 악한 소설.

pic·a·ro [pí(:)kəròu] (*pl.* ***~s***) *n.* 《Sp.》 악한; 보헤미안.

pic·a·roon [pìkərúːn] *n.* 악한, 도둑; 산적, 해적(선). **—** *vi.* 도둑질〔해적질〕하다.

Pi·cas·so [piká:sou, -kǽ-/-kǽ-] *n.* **Pablo** ~ 피카소《스페인 태생의 화가·조각가; 1881–1973》.

pic·a·yune [pìkəjúːn] *n.* (옛날 미국 남부에서 유통했던) 스페인 소화폐; 《미》 소액 화폐, 5센트 화폐; 보잘것없는 물건〔사람〕. **—** *a.* 보잘것없는, 무가치한. ㊞ **pìc·a·yún·ish** *a.*

Pic·ca·dil·ly [pìkədíli] *n.* 런던의 번화가의 하나.

Píccadilly Círcus 피커딜리 광장《런던 번화가의 중심; 극장가》.

pic·ca·lil·li [píkəlìli] *n.* Ⓤ 야채의 겨자 절임.

pic·ca·nin·ny [píkənìni] *n.* ＝PICKANINNY.

pic·co·lo [píkəlòu] (*pl.* ***~s***) *n.* 〚악기〛 피콜로《높은 음이 나는 작은 피리》. ㊞ **~·ist** *n.* 피콜로 연주자.

pice [pais] *n.* 〔단·복수취급〕 옛 인도의 동전《anna의 1/4》.

pic·e·ous [písiəs, pái-] *a.* 피치(pitch)의, 피치 같은; 가연성의; (주로 동물이) 광택이 있는 흑갈색의.

pich·i·ci·a·go [pìtʃisiá:gou, -éi-] (*pl.* ***~s***) *n.* 〚동물〛 작은 armadillo《남아메리카 남부산(產)》.

†**pick** [pik] *vt.* **1** 《~+목/+목+전+명》 따다, 뜯다(pluck), 채집하다: ~ flowers 〔fruit〕 꽃〔과일〕을 따다 / ~ a thread *from* 〔*off*〕 one's coat 웃옷에서 실밥을 뜯다. **2** 《~+목/+목+전+명》 (고기를) 손으로 뜯다; (뼈에서) 고기를 뜯어내다 《*off*》: I *~ed* the meat *from* 〔*off*〕 the bone. 뼈에서 고기를 뜯어냈다. **3** (모이·벌레 따위를) 쪼(아먹)다: ~ worms. **4** (거드름을 피우며) 조금씩 입에 넣다: ~ a meal 거드름 피우며 식사하다. **5** (새의) 깃털을 잡아뽑다: ~ a fowl. **6** 《~+목/+목+전+명》 (지갑·포켓에서) 훔치다, 소매치기하다: ~ a pocket 회중품을 소매치기하다 / ~ a person's pocket *of* a purse 아무의 주머니에서 지갑을 훔치다(⇨PICKPOCKET). **7 a** 골라잡다: ~ one's words 말을 신중히 하다 / ~ only the best 제일 좋은 것만 고르다. **b** 《~+목/+목+전+명》 〔~ one's way 〔steps〕로〕 (발디딜 데를 골라) 조심스럽게 나아가다: He crossed the room, *~ing* his *way through* a tangle of wires. 그는 뒤얽혀 있는 전깃줄 사이를 주의깊게 한 걸음씩 걸어서 방을 가로질렀다. **8** (기회를) 붙잡다. **9** 《~+목/+목+전+명》 계기를 만들다; (싸움을) 걸다(provoke)《*with*》: ~ a fight / ~ a quarrel *with* a person 아무에게 싸움을 걸다. **10** (흠을) 들추어내다: ~ flaws 흠잡다. **11** 《~+목/+목+전+명》 (부리 따위로) 쪼다, (손가락으로) 쑤시다, 후비다; 뽑아내다: ~ teeth 이를 이쑤시개로 쑤시다 / ~ one's nose 코를 후비다 / ~ a thorn *out of* one's finger 손가락의 가시를 뽑아내다. **12** 《~+목/+목+전+명》 (뾰족한 것으로) …에 구멍을 파다: ~ rock 바위에 구멍을 뚫다 / ~ the ground *with* a pickax 곡괭이로 땅을 파다. **13** (자물쇠를) 비틀어〔억지로〕 열다: ~ a lock. **14** 풀다, 찢다, 째다: ~ fibers 섬유를 풀어 헤치다. **15** (기타 따위를) 손가락으로 켜다: ~ a guitar. **—** *vi.* **1** 《~/+부/+전+명》 후비다, 쑤시다, 쪼다: Hens are busily *~ing about in* the yard. 암탉들이 뜰안에서 이리저리 분주히 모이를 쪼고 있다. **2** 《~/+전+명》 (새 등이) 쪼아먹다; 《속어》 조금씩 먹다《*at*》: She had no appetite and only *~ed at* her food. 그녀는 식욕이 없어서 음식을 아주 조금만 집어 먹었다. **3** 골라내다; 찾아내다. **4** 훔치다, 소매치기하다.

have a bone to ~ with ⇨BONE. ***~ acquaintance with*** a person 아무와 (우연히) 알게 되다〔친해지다〕. ***~ a crow with*** a person 《미속어》 아무에게 톡톡히 따지다. ***~ and choose*** 신중히 고르다, 선발하다. ***~ and steal*** 좀도둑질하다, 후무리다. ***~ apart*** ＝~ to pieces. ***~ at*** ① …을 손가락으로 당기다; …에 손(가락)을 대다. ② …을 쑤시다. ③ …을 조금씩 먹다. ④ 《구어》 …을 볶아대다, …에게 잔소리하다; …의 흠을 잡다. ***~ away*** …에 구멍을 뚫다; …을 따다, 꺾다. ***~ fault*** 흠을 들추어내다. ***~ in*** (그림에 그림자 따위를) 그려 넣다; 《영방언》 (세탁물 등을) 거두어들이다. ***~ off*** ① 따다, 쥐어뜯다. ② 한 사람씩 겨누어 쏘다. ③ 〚야구〛 (주자를) 견제구로 터치아웃시키다. ***~ on*** ① (제물로서) 골라내다. ② …의 흠을 들추어내다; 《구어》 …을 비난〔혹평〕하다, …을 괴롭히다(annoy); 지분거리다. ***~ out*** ① 골라내다. ② 분간하다, 식별하다: ~ *out* a well-known face in a crowd 군중 속에서 잘 아는 얼굴을 분간하다. ③ (의미를) 알다: ~ *out* the meaning of a passage 문장의 뜻을 이해하다. ④ 〔종종 수동태〕 …을 (밝은 색 등으로) 돋보이게 하다《*in*; *with*》: The tree in the painting *was ~ed out in* dark blue. 그 그림의 나무는 검은 청색으로 그려져 있어서 돋보였다. ⑤ (악곡을) 듣고 왼 대로 연주하다. ⑥ 쪼아내다, 파내다; (가시 따위를) 뽑아내다. ***~ over*** ① (물건을) 자세히 점검하다《골라내기 위해》: ~ *over* the shirts on the bargain tables 싸구려 판매장의 셔츠를 열심히 고르다. ② …을 점검하여 곧 쓸 수 있도록 준비하다. ③ (불쾌한 일을) 계속 이야기〔생각〕하다. ~ a person***'s brains*** 아무의 아이디어〔지혜〕를 빌리다: I've decided to ~ Phil's *brains* about this computer I'm thinking of buying. 내가 사려고 마음먹은 이 컴퓨터에 대해 필의 의견을 듣기로 했다. ***~ to pieces*** ⇨PIECE. ***~ sides*** 경기의 편을 짜다. ***~ spirit*** 원기를 되찾다. ***~ the winning horse*** 우승마〔승리자〕를 알아맞히다. ***~ up*** 《*vt.*+부》 ① 집어 들다〔올리다〕, 줍다: ~ *up* the receiver 수화기를 집어 들다. ② (차 따위에) 태우다; 차로 마중 나가다; (물건을) 도중에서 받아〔사〕 가다: I'll ~ you *up* at your hotel. 호텔로 마중 나가겠습니다 / I'll ~ it *up* on my way to school. 학교에 가는 도중에 받아 가겠습니다. ③ (이야기·활동 따위를) 다시 시작하다: We *~ed up* the discussion after a break. 잠시 쉰 다음에 토론을 계속했다. ④ (건강·원기를) 회복하다; (용기를) 돋우어 일으키다; (아무를) 기운차리게 하다. ⑤ (속력을) 더하다, 내다: ~ *up* speed (차 따위가) 스피드를 내다. ⑥ 〔~ oneself up〕 (넘어졌다가) 일어나다, 다시 일어서다. ⑦ (명예·상·수입 따위를) 얻다, 손에 넣다, 벌어들이다: ~ *up* $500 a week 한 주에 500 달러를 벌어들이다 / ~ *up* a degree (힘 안 들이고) 학위를 얻다. ⑧ (한 번 잃었던〔놓쳤던〕 자국·냄새를) 발견하다. ⑨ (범인을) 붙잡다, 연행하다, 검거하다. ⑩ (아무를) 호되게〔엄하게〕 꾸짖다《*for*》. ⑪ (지식·외국어 따위를) 귀동냥으로 익히다, 몸에 배게 하다: Where did you ~ *up* that information? 그

정보는 어디서 손에 넣었지. ⑫ …을 사다, 무난히 〔싸게〕 손에 넣다: ~ *up* a bargain 특가품을 손에 넣다. ⑬ (무선·레이더·탐조등 따위로) 포착하다, 방수(傍受)하다: He ~*ed up* an SOS signal. 그는 SOS 신호를 수신했다. ⑭ (조난자를) 구출하다. ⑮ (대금의) 지불을 떠맡다. ⑯《구어》(여자를 잠깐 만난 후) 친한 사이가 되다, (여자를) 낚다. ⑰ (병에) 걸리다, 옮다, (버릇 따위가) 배다, 들다: I seem to have ~*ed up* a cold. 아무래도 감기에 걸린 것 같다. ⑱ (잘못 따위를) 찾아내다, 끄집어내다. ⑲ (아무가 말한 것을) 정정하다《*on*》: May I just ~ you *up on* what you said now? 당신이 방금 말한 것을 약간 정정해도 좋을지요. ⑳ (방을) 치우다, 정돈하다. ── 《*vi.*+副》 ㉑ (병자·날씨 따위가) 회복하다, 원래의 상태로 돌아가다. ㉒ (경기·건강·성적 따위가) 향상하다, 호전되다, 원상 복귀하다: Auto sales are ~*ing up*. 자동차 판매량이 늘어나고 있다. ㉓ (중단된 후) 이야기(따위)를 이어서 계속하다: We ~*ed up* where we had left off. 우리는 (이야기가) 중단됐던 데서부터 다시 시작했다. **~ *up a livelihood*** 생활비를 얻다. **~ *up and leave*** 《구어》 짐을 꾸려서 지체 없이 떠나다. **~ *up on*** … ① (경주 따위에서) 따라붙다; 따라오다. ②《미구어》 …을 눈치 채다, 깨닫다, …을 이해하다. **~ *up with*** …와 아는 사이가 되다. ── *n.* **1** 쪼는 기구, 후비는 물건《이쑤시개 따위》; 곡괭이; 자동 채굴기. **2** (뾰족한 물건으로) 한 번 치기. **3** Ⓤ 선택(권). **4** 정화(精華), 정수(精粹): the ~ *of* the flock 한무리 가운데서 가장 좋은 것. **5** 선택된 것〔사람〕: He is our ~ *for* President. 그는 우리가 뽑은 대통령 후보다. **6** (악기의) 채, 픽. **7** 〖회화〗 다듬기; 작(作). **8** 〖인쇄〗 오점, 활자의 더러워짐. **9** 한 번에 거둬들인 수확량; 따낸 것. ***have*** 〔***get***〕 ***the ~ of*** …의 정수를〔가장 좋은 것을〕 선택하다. ***take one's ~*** …속에서 자유로 고르다《*from; of*》.

pick·a·back [píkəbæ̀k] *ad.* 등에 업고, 업히고, 목말 태우고〔타고〕. ── *a.* 어깨〔등〕에 탄.

píckaback plàne 탑재 비행기《대형기에 탑재되어 공중에서 이탈 발진하는》.

píck-and-míx [-ənd-] *a.* 추려 모은, 그러모은. ── *vi., vt.* 추려 모으다, 그러모으다.

píck-and-shóvel [-ənd-] *a.* 몹시 힘이 드는 〔애먹는〕.

pick·a·nin·ny [píkənìni] *n.* 흑인 아이; 《S.Afr.·Austral.》《보통 경멸》 원주민 아이.

píck·àx *n., vt., vi.* 곡괭이(로 파다).

picked[1] [pikt] *a.* 정선한, 골라 뽑은; (털 따위를) 잡아 뜯은. 「〔가시〕있는; 뾰족한.

pick·ed[2] [píkid, pikt] *a.* 《고어·방언》 바늘

pick·el [píkəl] *n.*《G.》〖등산〗 피켈.

píck·er *n.* 쪼(아먹)는 사람〔동물, 기계〕; 도둑, 소매치기(pickpocket); 《미속어》 훔쳐보는 사람(voyeur); 선별하는 사람; 현악기를 켜는 사람; 곡괭이; 털 훑는 기계, 소모기(梳毛機); 수확기(收穫機).

pick·er·el [píkərəl] (*pl.* **~s,** 〖집합적〗 **~**) *n.* 〖어류〗《미》 작은 창꼬치류; 《영》 새끼창꼬치.

píckerel·wèed *n.* 〖식물〗 물옥잠과(科)의 일종 《미국산(產)》.

pícker-úpper *n.* (물건을) 줍는 사람; (정보, 뉴스) 수집가; 히치하이커를 편승시켜 주는 운전사; 기운을 돋우는 음식물.

◇**pick·et** [píkit] *n.* **1** 말뚝, 긴 말뚝. **2** 〖군사〗 전초(前哨), 경계초(哨); 초계기〔정〕: an inlying ~ 보초 교대병/an outlying ~ 경계초(哨), 전초대(前哨隊). **3** (노동 쟁의 등의) 피켓, 감시원 《노동 쟁의 때 방해자를 감시하는 조합원》. **4** 익형(杙刑), 말뚝형(刑)《옛날에 한 발로 말뚝 위에 서게 한 형벌》. ── *vt.* **1** 말뚝을 박다, 말뚝으로

울타리를 치다. **2** 경계병을 배치하다; …에 감시원을 배치하다; 전초선을 치다. **3** 말뚝에 매다. **4** 감시원을 두다. ── *vi.* 감시를 서다《노동 쟁의 등에서》; 보초 서다; 감시원이 되다.

pícket·bòat *n.* 초계정, 당직정(當直艇); 함재(艦載) 수뢰정.

píck·et·er *n.* (쟁의 중의) 감시원.

pícket fénce 말뚝 울타리, 울짱.

píck·et·ing *n.* 피케팅, (노동 쟁의 때의) 감시원 〔피켓〕을 배치하기.

pícket lìne 〖군사〗 전초선; 피켓의 경계선, 피켓 라인《노동 쟁의의》; 말을 잡아매는 밧줄(tether).

pícket shìp 초계함, 미사일 감시선.

píck·ing *n.* **1** Ⓤ pick 하는 일. **2** 채집〔취득〕(물, 양). **3** (*pl.*) 따고 남은 것; 이삭, 잔물. **4** (*pl.*) (직위를 이용한) 부정 수입; 장물. **5** (*pl.*) (보도에 까는) 조개껍질 가루; 설구운 벽돌. **6** (광석의) 대강 고르기; 〖인쇄〗 전기판(版) 마무리.

pícking devìce 〖컴퓨터〗 피킹 장치《display 화면상의 한 점을 지정하기 위한 장치》.

*****pick·le** [píkəl] *n.* **1** (*pl.*) 절인 것《오이지 따위》, 피클: mixed ~*s*. **2** Ⓤ (야채·생선 따위를) 절이는 물《소금물·초 따위》. **3** Ⓒ《구어》 곤경, 당혹: be in a (sad 〔sorry, nice, pretty〕) ~ 곤경에 처해 있다. **4** Ⓤ (금속 따위를 닦는) 묽은 산(酸) 용액. **5** Ⓒ 《구어》 장난꾸러기: Stop that, you little ~ ! 이 장난꾸러기야, 그만두지 못하겠니. **6** 《속어》 만취. **7** 《Sc.·영북부》 (낟알의) 한 알; 소량. ── *vt.* **1** 소금물에 절이다, 담그다《오이지 따위를》: ~*d* onions. **2** 묽은 산 용액으로 닦다. **3** 〖해사〗 (아무의) 등을 매질한 뒤 소금을 〔초를〕 바르다《처벌의 일종》. **4** (그림)에 고색(古色)을 띠게 하다. 派 **~d** *a.* **1** 소금물〔초〕로 절인. **2** 《속어》 만취한. **~r** *n.* ~하는 사람〔재료〕; 《미속어》 술고래, 알코올 중독자.

píckle-pùss *n.* 《미속어》 성미가 까다로운 사람, 무뚝뚝한 사람, 음흉한 사람. 「구〕; 도둑.

píck·lòck *n.* 자물쇠를 (비틀어) 여는 사람〔도

píck·man [-mən] (*pl.* **-men** [-mən, -mèn]) *n.* 곡괭이를 사용하는 노동자.

píck-me-ùp *n.* 《구어》 (피로) 회복약, 흥분〔강장〕제, 알코올 음료(pickup); 유쾌한 일, 좋은 소식.

píck'n'míx [-ən-] *a., vi., vt.* =PICK-AND-MIX.

píck-òff *n.* **1** 〖야구〗 견제에 의한 척살(刺殺). **2** 〖전자〗 픽오프《기계 운동을 신호로 바꾸는 감지 장치》. 「치기(하다).

*****pick·pock·et** [píkpɑ̀kit/-pɔ̀k-] *n., vi.* 소매

píck·pròof *a.* (자물쇠 따위가) 비정상 수단으로는 못 열게 만든〔된〕. 「다로운.

pick·some [píksəm] *a.* 가리는 것이 많은, 까

píck·thànk *n.* 《고어》 알랑쇠(sycophant).

píck·ùp *n.* **1** 습득물, 횡재; 《구어》 우연히 알게 된 사람, 《특히》 오다가다 만난 사람의 상대; 자동차 편승 여행자(를 태우기). **2** 《구어》 잘 되어감, 개선, 진보; 경기 회복. **3** 《미구어》 (자동차의) 가속 (성능); (상품 따위의) 집배; 픽업(=∠ trùck)《소형 트럭》. **4** 〖구기〗 픽업《공이 바운드한 직후에 잡음〔침〕》. **5** 〖전기〗 (전축·텔레비전 따위의) 픽업《소리·빛을 전파로 바꾸는 장치》; 수신〔방송〕 장치; 스튜디오 이외의 방송 현장. **6** 《미구어》 =PICK-MEUP. **7** 수소문, 정보. **8** 즉석 요리. ── *a.* 있는 재료만으로 만든《요리 따위》, 긁어모은; 선발된《팀 따위》; 우연히 알게 된; 집배의; 집어〔끌어〕올리는: ~ service (세탁물 따위의) 집배 서비스/~ tongs 집게/a ~ device 〖농업〗 걷어올림 장치.

píckup ròpe (글라이더의) 이륙용 견인 로프.

Pick·wick [píkwik] *n.* Dickens 작 *Pickwick*

*Papers*의 주인공《성실 · 소박하며 덤벙거리는 정정한 노인》; (p-) 《미》 (석유램프의 심지를 집어 올리는) 심지돋우개.

Pick·wick·i·an [pikwíkiən] *a.* (선의와 익살에 넘친) Pickwick 식의; 그 경우만의 (특수한) 뜻으로 쓰인《말 따위》. ***in a ~ sense*** 그 경우만의 특별한〔우스운〕 의미로. **—** *n.* Pickwick 클럽 회원; *Pickwick Papers*의 애독자.

Pickwíckian sỳndrome 〖병리〗 Pickwick 증후군《지나친 수면, 다혈증을 수반하는 극단의 비만증》.

picky [píki] (***pick·i·er; -i·est***) *a.* 《미구어》 까다로운; 매우 곰상스러운.

pic·lo·ram [píkləræ̀m, pái-] *n.* 피클로람《고엽제, 제초제》.

pic·nic [píknik] *n.* **1** 피크닉, 소풍: go (out) on 〔for〕 a ~ 피크닉 가다. **2** 저마다 먹을 것을 가져오는 연회. **3** 〖no ~으로〗《구어》 유쾌한〔즐거운〕 일; 쉬운 일: It's *no* ~ finishing the work in a day. 하루에 그 일을 마친다는 것은 장난이〔쉬운 일이〕 아니다. **4** 돼지의 어깨판 살코기. ***as pretty as a ~*** 아주 예쁘다. ***seem(s) like a ~*** 즐겁다, 기쁘다. ***take a ~*** 도시락을 가져가다. **—** (*p., pp.* ***pic·nicked*** [-t]; ***pic·nick·ing***) *vi.* 소풍 가다; (각자 먹을 것을 가져와) 피크닉 식으로 식사하다: go *picnicking* 피크닉 가다. ㊞ **píc·nick·er** [-ər] *n.* 피크닉 가는 사람, 소풍객. **píc·nicky** [-i] *a.* 피크닉의.

pícnic àrea 피크닉 에어리어《도로변이나 공원 등에 설치된 피크닉할 수 있는 장소》.

pícnic bàsket 〔**hàmper**〕 피크닉 바스켓〔바구니〕.

pi·co- [píːkou, -kə, pái-] '피코, 1조분의 1《10^{-12}》'의 뜻의 결합사《생략: p》: *pico*gram.

pìco·fárad *n.* 〖전기〗 피코패럿《10^{-12} farad; 기호 pF》.

píco·gràm *n.* 〖물리〗 피코그램《10^{-12} gram; 기호 pg》.

pic·o·line [píkəlìːn, -lin] *n.* 〖화학〗 피콜린《콜타르 · 골유(骨油) 속의 악취가 나는 액체; 용매 · 유기(有機) 합성용》.

píco·mèter *n.* 피코미터《10^{-12} meter》.

píco·mòle *n.* 〖화학〗 피코몰《10^{-12} mole》.

pi·cor·na·vi·rus [pikɔ̀ːrnəváiərəs] *n.* 피코르나바이러스《리보핵산을 함유하는 일군의 바이러스; 폴리오바이러스 따위》.

pìco·sécond *n.* 〖물리〗 피코세컨드, 피코초(秒)《10^{-12}초》.

pi·cot [píːkou] 《F.》 *n.* 피코《편물 · 레이스 따위의 가장자리 장식의 작은 동그라미》. **—** *vi., vt.* 피코로 가장자리 장식을 하다.

pic·o·tee [pìkətíː] *n.* 〖식물〗 (카네이션 · 튤립 · 장미 따위의) 꽃잎에 빨간 가두리가 있는 꽃.

píco·wàve *vt.* (부패 방지를 위해) 음식물에 감마선을 쏘이다.

pic·quet [píkit] *n., v.* 《영》 = PICKET.

pic·ric [píkrik] *a.* 〖화학〗 피크르산(酸)의: ~ acid 피크르산《염료 · 화약용》.

pic·rite [píkrait] *n.* 휘석 감람암(輝石橄欖岩).

pic·rol [píkroul/-rɔl] *n.* 〖화학〗 피크롤《약품 속의 방부제 물질》.

pic·ro·tox·in [pìkrətɑ́ksin/-tɔ́k-] *n.* 〖약학〗 피크로톡신《쓴맛이 나는 맹독의 결정(結晶); 해독용》.

Pict [pikt] *n.* 픽트 사람《옛날 스코틀랜드 북동부에 살던 민족》.

pict. pictorial; picture.

Pict·ish [píktiʃ] *a.* 픽트족(族)의, 픽트어의. **—** *n.* Ⓤ 픽트 말.

pic·to·gram [píktəgræ̀m] *n.* = PICTOGRAPH.

pic·to·graph [píktəgræ̀f, -grɑ̀ːf] *n.* 그림 문자《원시 시대의 벽면 등에 그린》, 상형 문자; 그림 문자로 된 문서; 〖수학〗 그림 그래프. ㊞ **pic·to·graph·ic** [pìktəgrǽfik] *a.*

pic·tog·ra·phy [piktɑ́grəfi/-tɔ́g-] *n.* Ⓤ 그림〔상형〕 문자 기술법.

***pic·to·ri·al** [piktɔ́ːriəl] *a.* 그림의; 그림을 넣은; 그림으로 나타낸; 그림 같은: ~ art 회화(술) / a ~ magazine 화보 / a ~ puzzle 그림 퀴즈. ◇ picture *n.* **—** *n.* 화보, 그림이 든 잡지〔신문〕. ㊞ **~·ly** *ad.* 그림으로서; 그림같이.

pic·tó·ri·al·ìsm *n.* 회화〔영상〕의 사용〔창작〕. ㊞ **-ist** *n.*

pic·tó·ri·al·ìze *vt.* 회화화(化)하다, 그림으로 표현〔설명〕하다.

†**pic·ture** [píktʃər] *n.* **1** 그림, 회화; 초상화 《*of*》: a ~ postcard 그림엽서 / a satellite ~ 위성사진 / draw 〔paint〕 a ~ 그림을 그리다 / sit for one's ~ (자기의) 초상화를 그리게 하다.

> SYN. **picture** 어원은 painting과 같으나 '사물의 모습을 그리어 낸 것' 이란 뜻으로 아래 두 말 외에 사진 · 영화까지 포함하는 가장 일반적인 말. **painting** (붓과 채료를 써서) 칠한 것 → 유화, 수채화. **drawing** (연필 · 펜 · 목탄 · 크레용 따위로) 그은 선 → 소묘(素描), 데생; 도면.

2 사진: May I take your ~? 당신 사진을 찍어도 좋습니까 / I had my ~ taken. (아무에게) 내 사진을 찍게 했다. **3** (a ~) 그림같이 아름다운 사람〔것, 풍경, 장면〕; 경치, 미관: She was a ~ in her new blue dress. 푸른색의 새 드레스를 입은 그녀는 한 폭의 그림 같았다. **4** 꼭 닮은 것; 화신: She is the ~ *of* her dead mother. 그녀는 돌아가신 어머니를 꼭 닮았다 / He is the very ~ *of* health. 그는 바로 건강의 화신이다. **5** 심상(心像): a clear ~ *of* how he had looked that day 마음에 생생히 떠오르는 그 날 그의 모습. **6** 영상(映像): the ~ in a mirror 거울에 비친 상. **7** (생생한) 묘사: give a ~ *of* …을 묘사하다. **8** (the ~) 상황, 사태, 정세; 상황 파악, 사태의 이해: Do you get the ~? 사정을 아시겠습니까. **9** (*pl.*) 영화: go to the ~*s* 영화 보러 가다. cf. movies. **10** (컴퓨터의 디스플레이, TV, 영사 스크린 등의) 그림. ◇ pictorial, picturesque *a.* ***be a ~*** 아름답다. ***come into the ~*** 문제가 되다; 등장하다; 관여하다. ***in the ~*** 두드러지게; 중요하여; 충분히 알려져. ***out of the ~*** 관계없는, 중요치 않은; 당치 않은. ***paint a ~*** 상황을 설명하다. ***put*** a person ***in the ~*** 아무에게 정보를 제공하다, 알리다: Please *put* me *in the* ~ about the matter. 그 건에 관하여 나에게 최신 정보를 알려 주십시오. ***take ~s*** 《CB속어》 (속도 제한 실시로) 레이더식 속도 측정기를 쓰다.
— *vt.* **1** 그리다, 그림으로 그리다. **2** 《~+목/+목+전+명/+목+-*ing*》 마음에 그리다, 상상하다: He ~*d* the scene *to* himself. 그 장면을 마음에 그려 보았다 / I couldn't ~ myself do*ing* such a thing. 내 자신이 그런 짓을 하리라고는 상상도 못 했다. **3** 묘사하다; 표시하다: He ~*d* the blessed life of Heaven. 그는 천국의 축복된 생활을 그려 보였다 / agony ~*d* on his face 그의 얼굴에 나타난 고뇌. **4** 영화화하다: ~ a best seller 베스트셀러를 영화화하다.

pícture bòok (특히 어린이들의) 그림책.

pícture-bòok *a.* 그림책 같은, 그림처럼 깨끗한; 완벽한(picture-perfect).

pícture càrd = FACE CARD.

pic·ture·dom [píktʃərdəm] *n.* Ⓤ 영화계(界).

pícture·dròme *n.* 《영》 영화관.

pícture èlement 〖TV〗 텔레비전 화면을 구성하는 최소 단위의 점.

pícture fràme (사진 · 그림) 액자.

pícture hàt 챙이 넓은 여성모《깃털 · 꽃 따위로 장식한》.

pícture mòunting 표구(表具).

pícture-pérfect *a.* 전혀 결점이 없는, 완벽한; 그림으로 그린 것처럼 멋진.

Pícture·phòne *n.* 텔레비전 전화《상표명》.
pícture póstcard 그림엽서.
pícture pùzzle =JIGSAW PUZZLE. 「가로장.
pícutre ràil 벽에 액자를 걸기 위해 붙인 나무
pícture shòw 회화 전람회; 《미구어》 영화(관).
*__pic·tur·esque__ [pìktʃərésk] *a.* **1** 그림과 같은, 아름다운. **2** (말·문체 등이) 생생한. **3** 보고 재미있는〔즐거운〕: a ~ Indian 보기에 멋진 인디언. ◇ picture *n.* ㊕ **~·ly** *ad.* **~·ness** *n.*
pícture thèater 《영》 영화관.
pícture tùbe (TV) 수상관(受像管), 브라운관.
pícture wíndow 전망창《붙박이한》.
pícture wrìting 그림 문자; 상형 문자; 그림 문자 기록.
pic·tur·ize [píktʃəràiz] *vt.* 그림으로 그리다〔나타내다〕; 영화화하다. ㊕ **pic·tur·i·zá·tion** *n.*
PICU perinatal intensive care unit 《분만 시설과 신생아 집중 치료 시설을 갖춘 모자 센터》.
pic·ul [píkəl] (*pl.* **~, ~s**) *n.* 피컬, 담(擔)《중국·타이 등의 무게의 단위; 약 60.52kg》.
pícul stìck 메고 가는 채.
PID [pid, píːàidíː] *n.* 〖의학〗 골반 내 염증 질환. [◂ *p*elvic *i*nflammatory *d*isease]
pid·dle [pídl] *vi.*, *vt.* **1** 《고어》 보잘것없는 일을 하다; 시간을 낭비하다. **2** 《구어·소아어》 오줌누다, 쉬하다.
píd·dling *a.* 보잘것없는, 사소한.
pidg·in [pídʒən] *n.* 혼합어; 《영구어》 장사, 일.
pídgin Énglish 피진 영어《영어 단어를 상업상 편의로 중국어(또는 Melanesia 원주민어)의 어법에 따라 쓰는 엉터리 영어》.
‡**pie**[1] [pai] *n.* Ⓒ,Ⓤ **1** 파이. **2** 크림샌드위치; 잼샌드위치. **3** 《미구어》 굉장히 좋은 것; 지극히 쉬운 일. **4** 《미속어》 뇌물, (정치적인) 부정 이득. ***be as good as ~*** 《미구어》 아주 기분이 좋다. ***cut a ~*** 《미구어》 쓸데없이 참견하다. ***easy as ~*** 《미구어》 아주 간단한. ***eat humble ~*** =eat SHIT. ***have a finger in the ~*** ⇨FINGER. ***~ in the sky*** 《구어》 그림의 떡; 천국, 극락, 유토피아.
pie[2] *n.* 〖조류〗 까치(magpie).
pie[3] *n.* 《Ind.》 파이 동전《anna 의 1/12》.
pie[4], **pye** [pai] *n.* 〖가톨릭〗 (영국 종교 개혁 전의) 기도 행사서.
pie[5] (*p.*, *pp.* **~d; ∠·ing**) *n.*, *vt.* =PI[2].
pie·bàld *a.* (백색과 흑색의) 얼룩의, 잡색의; 혼합한. **—** *n.* 《특히》 얼룩말; 잡종 동물; 혼혈인.
†**piece** [piːs] *n.* **1** 조각, 단편. ⓒⓕ bit. ¶ in ~*s* 산산이 부서져서, 뿔뿔이 / break 〔tear〕 … in 〔to, into〕 ~*s* 산산이 부수다, 갈기갈기 찢다 / come to ~*s* 산산이 부서지다 / fall to ~*s* 떨어져서 박살나다 / a ~ *of* bread 〔cloth〕 빵〔천〕 한 조각 / a ~ *of* paper 〔wood〕 종잇조각〔나뭇조각〕, 종이 한 장 / a ~ *of* chalk 분필 한 자루. **2** (한 벌인 물건 중의) 일부, 부분, 부분품: There's one ~ missing. (부분품이) 한 개 없어졌다 / a ~ *of* furniture 가구 한 점. SYN. ⇨PART. **3** (하나로 뭉뚱그려진 물건의) 일부(분), 한 구획; 약간의〔작은〕 물건: a bad ~ *of* road (길의) 나쁜 곳 / a ~ *of* water 작은 호수. **4** 〖추상명사를 특수화하는 경우〗: a ~ *of* information 하나의 정보 / a useful ~ *of* advice 유익한 충고 / a rare ~ *of* luck 좀처럼 잡을 수 없는 행운 / What a ~ *of* folly 〔impudence〕! 얼마나 어리석은〔뻔뻔스러운〕 짓이냐. **5** 화폐: a ~ of gold 금화 / penny ~ 페니 동화 한 개. **6** 총, 포(砲); 《미속어》 권총: a fowling ~ 엽총 / a field ~ 야포. **7** (문학·예술상의) 작품: a fine ~ of sculpture 훌륭한 조각 / a sea ~ 바다의 그림. **8** (장기·체스 따위의 졸 이외의) 말. **9** (옷감·지물 따위의 거래 단위인) 한 필, 한 통. **10** 견본, 정례(定例). **11** 《비어》 성교; (성적 대상으로서의) 여자, =VAGINA. **12** 《영방언》 간단한 점심: eat a ~ 간식하다. **13** 《미속어》 이권, 몫.
all of a ~ 시종일관한《성격 따위》. ***all to ~s*** 산산이; 《구어》 완전히, 충분히; 《구어》 아주. ***a ~ of ass*** 《미속어·비어》 ① (성의 대상으로서의) 여자. ② 성교. ***a ~ of cake*** 《구어》 간단히 할 수 있는 일, 손쉬운 일. ***a ~ of flesh*** 인간, 《특히》 여자, 년. ***a ~ of goods*** 《우스개》 인물, 미인《여자·어린애에 대해 말함》. ***a ~ of work*** ① 작품. ② 힘든 일; 《속어》 소동. ***by the ~*** 일한 분량에 따라, 삯일로. ***cut to*** 〔***in***〕 ***~s*** 난도질하다; 혹평하다. ***give*** a person ***a ~ of*** one's ***mind*** ⇨MIND. ***go to ~s*** 산산조각이 나다; 엉망이 되다. ***in one ~*** 이은 데 없이. ***of a*** 〔***one***〕 ***~*** 같은 종류의; 일치하여《*with*》. ***pick*** 〔***pull***〕 ***… to ~s*** …을 분해하다, 갈기갈기 찢다; 《구어》 혹평하다, 마구 욕하다. ***pick up the ~s*** ① 파편을 주워 모으다. ② 사태를 수습하다. ***~ by ~*** 하나씩 하나씩, 조금씩. ***speak*** 〔***say, state***〕 one***'s ~*** 자기 의견을〔견해를〕 말하다; 불평〔불만〕을 하다; 구혼하다. ***take to ~s*** 산산조각을 내다, 풀다, 해체하다.
— *vt.* **1** 《~+목/+목+부》 이어 수선〔수리〕하다, 바대를 대다《*up*》; 이어 보태어 완성하다; 보충하다《*out*》: ~ a quilt (천을) 이어붙여 누비이불을 만들다 / ~ a hole in the coat 상의의 (터진) 구멍에 천조각을 대어 깁다. **2** 《+목+부/+목+전+명》 접합하다; 연결하다, 결합하다; 서로 이어 만들다《*together*》: ~ *together* a jigsaw 지그소 퍼즐을 이어서 풀다 / ~ one thing *to* another 서로 이어 맞추다. **—** *vi.* 《구어》 간식하다. ***~ in*** 덧붙이다, 삽입〔첨가〕하다. ***~ on*** 접합하다; 이어 보태다《*to*》. ***~ out*** 이어맞추어 마감질하다; 이어 보태어 크게 하다: ~ *out* a set of china 〔a theory〕 부족분을 보충하여 한 벌의 도자기를 갖추다〔어떤 이론을 만들어내다〕.
㊕ **∠·a·ble** *a.* 접합할 수 있는.
píece còncept 개수제(個數制)《항공기의 운송 수화물 허용 개수 및 사이즈의 제한》.
pièce de ré·sis·tance [*F.* pjɛsdəʀezistɑ̃ːs] 《F.》 가장 주되는 요리《정찬(正餐)의》, 주요 요리; 《비유》 주요 사건; 주요한 작품.
píece-dỳe *vt.* (짜고 나서) 염색하다.
píece-dỳed *a.* 짜서 염색한. ⓒⓕ yarn-dyed.
píece gòods 피륙; (자풀이로 파는) 옷감.
píece·mèal *ad.* 하나씩; 차차, 차츰; 조각조각으로. **—** *a.* 조각난, 조금씩의. ***at ~ rate*** 성과급으로. **—** *n.* 〖보통 다음 관용구로〗 조금. ***by ~*** 조금씩, 서서히.
píece ràte 성과급 (임금); 단가.
píeces of éight 스페인의 옛 동전.
píece·wìse [-wàiz] *ad.* 〖수학〗 구분적으로: ~ continuous functions 구분적 연속 함수.
píece·wòrk *n.* Ⓤ 일한 분량대로 지급받는 일, 청부일, 삯일. ⓒⓕ timework. ㊕ **~·er** *n.* 삯일꾼.
píe chàrt 〖통계〗 (원을 반지름으로 구분하는) 파이 도표.
píe·crùst *n.*, *a.* Ⓤ 파이의 껍질(처럼 부서지기 쉬운): a promise like ~ 곧 깨지는 약속.
pied [paid] *a.* 얼룩덜룩한, 잡색의; 얼룩옷의.
pied-à-terre [*F.* pjetatɛːʀ] *n.* 《F.》 일시적인 휴식처, 임시 숙소《출장이 잦은 사람이 출장지에 마련한 아파트 따위》.
pied·mont [píːdmɑnt/-mənt, -mɔnt] *a.* 산록(山麓)에 있는. **—** *n.* **1** 산록 지대; 산록 완사면. **2** (P-) **a** 피드몬트《북아메리카 Appalachian 산맥과 대서양 연안 사이에 있는 고원》. **b** 피에몬테(Piemonte)의 영어 이름《이탈리아 북서부의 주》.
pi(e)-dog [páidɔ̀ːg/-dɔ̀g] *n.* =PYE-DOG.
Píed Píper **1** (the ~) (하멜린의) 피리 부는

사나이《마을 안의 쥐를 퇴치한 사례금을 받지 못한 앙갚음으로 마을 아이들을 피리로 꾀어내어 산속에 숨겨 버렸다는 독일의 전설 중의 인물》. **2** 무책임한 약속을 하는 지도자. 「적인.

píe-èyed *a.* 《속어》 술 취한; 상상 속의, 비현실

píe-fàced [-t] *a.* 《구어》 밋밋하고 둥근 얼굴을 한, 멍청한 얼굴의(을 한); 어리석은, 얼빠진.

píe-in-the-ský *a.* 《구어》 극락 같은, 유토피아적인; 그림의 떡인. ⓟ **~·er** *n.* 「행상인.

píe·man [-mən] (*pl.* **-men** [-mən]) *n.* 파이

píe·plànt *n.* 《미》 식용 대황(大黃)《파이의 재료》.

***pier** [piər] *n.* **1** 부두, 잔교(棧橋): a landing ~ 상륙용 잔교. **2** 방파제. **3** 교각, 교대(橋臺). **4** 〖건축〗 창 사이의 벽; 각주(角柱). **5** 돌〔콘크리트, 쇠 따위의〕 받침대.

pier 4

pier·age [píəridʒ] *n.* Ⓤ 부두세(稅).

Pierce [piərs] *n.* **1** 피어스《남자 이름》. **2** Franklin ~ 피어스(1804-69)《미국의 14 대 대통령(1853-57); 민주당》.

****pierce** [piərs] *vt.* **1** 꿰찌르다, 꿰뚫다, 관통하다: The spear ~*d* his shoulder. 창이 그의 어깨를 꿰찔렀다/The bullet ~*d* the wall. 탄환이 벽을 관통했다. **2** 《~+목/+목+전+명》 …에 구멍을 내다, (구멍을) 뚫다: have one's ears ~*d* (귀고리를 달기 위해) 귀에 구멍을 뚫다/~ a hole *in* the keg 통에 구멍을 뚫다. **3** 돌파하여 침입하다: ~ the enemy's lines 적의 전선을 돌파하다. **4** 간파하다, 통찰하다: ~ a disguise 변장한 것을 알아내다. **5** 〖종종 수동태〗 (마음을) 찌르다: Sorrow ~*d* his heart. =His heart *was* ~*d with* sorrow. 그의 마음은 슬픔으로 찢어질 지경이었다. **6** (추위·고통 등이) …에 스며들다, (소리가) …에 날카롭게 울리다: A sharp cry ~*d* his ear. 날카로운 외침 소리가 그의 귀를 울렸다. ── *vi.* **1** 《+전+명》 들어가다, 뚫다, 관통하다《*into; through*》: The dazzling light ~*d into* his eyes. 현란한 빛이 그의 눈에 들어왔다. **2** 《+전+명》 간파하다: ~ *into* one's meaning 아무의 저의를 알아차리다. **3** 마음에 사무치다. ⓟ **∠·a·ble** *a.* 꿰뚫을 수 있는. **píerc·er** *n.* ~하는 사람〔것〕; (곤충의) 산란관(管).

pierced [-t] *a.* 구멍이 뚫린, 《특히》 장식용 구멍이 난《장신구 따위》; 귓불에 구멍을 낸《귀》.

pierc·ing [píərsiŋ] *a.* **1** 꿰찌르는, 꿰뚫는. **2** 뼈에 사무치는. **3** 날카로운, 도려내는 듯한; 높고 날카로운, 귀를 찢는 듯한; 통찰력 있는: a ~ eye 혜안/a ~ shriek 새된 목소리. ⓟ **~·ly** *ad.*

píer glàss 체경(體鏡)《창 사이의 벽에 거는 큰 거울》.

píer·hèad *n.* 부두의 쑥 내민 끝.

Pi·e·ri·an [paiíəriən] *a.* 피에리아의《Pieria는 Muse 여신의 탄생지》; Muse 신의; (시적인) 영감의.

Piérian Spríng 시적 영감의 원천.

Pi·er·rot [pí:ərðu/píərou] (*fem.* ***Pier·rette*** [piərét]) *n.* 《F.》 (종종 p-) 피에로, 어릿광대.

pi·et [páiit] *n.* 《고어》 까치(magpie).

Pie·tà [pì:eitá:, pjeitá:/pìetá:] *n.* 《It.》 피에타《예수의 시체를 안고 슬퍼하는 마리아상》.

Pi·e·tism [páiətìzəm] *n.* **1** 〖종교사〗 경건파《17 세기 말 독일의 루터 교회의 일파》; 그 주의. **2** Ⓤ (p-) 경건; 경건한 체함. ⓟ **-tist** *n.* 경건파 교도; (p-) 경건한 체하는 사람.

Pi·e·tis·tic, -ti·cal [pàiətístik], [-əl] *a.* 경건파(교도)의; (p-) 경건한; 경건한 체하는.

***pi·e·ty** [páiəti] *n.* Ⓤ **1** (종교적인) 경건, 신앙심. **2** (나라·군주·어버이 등에 대한) 충성심; 충성, 경애; 효심(filial ~). **3** 신앙심〔충성심〕 깊은 언동. ◇ pious *a.*

pi·e·zo·e·lec·tric·i·ty [paiì:zouilèktrísəti, -i:lek-] *n.* Ⓤ 〖물리〗 압(壓)전기, 피에조 전기; 압전 현상. ⓟ **pi·è·zo·e·léc·tric** *a.*

pi·e·zom·e·ter [pàiəzámətər, pì:ə-/pàiizɔ́m-] *n.* 〖물리〗 압력계의 일종; 내(耐)압력계《물체의 내압력을 재는》. ⓟ **-e·try** *n.* 압력 측정.

pif·fle [pífəl] *vi.* 《구어》 쓸데없는 짓을 하다; 실없는 말을 지껄이다. ── *n.* Ⓤ 바보 같은 짓; 쓸데없는 말(nonsense). ⓟ **-fler** *n.*

pif·fling [pífliŋ] *a.* 《구어》 하찮은, 시시한.

****pig** [pig] *n.* **1** 돼지; 《미》 돼지 새끼.

> SYN. **pig** 영국에서는 '돼지'를 뜻하는 가장 일반적인 말. **hog** 본래 식용 암돼지를 말하지만, 영국에서는 비유적으로 쓰이며, 미국에선 일상어로서 쓰임. **swine** 문어적으로, 비유적으로 쓰이는 수가 많음.

2 Ⓤ 돼지고기, 《특히》 새끼 돼지의 고기. ★ roast ~ 이외는 pork. **3** 《구어》 돼지 같은 사람; 불결한 사람, 탐욕스러운 사람, 완고한 사람, 꿀꿀이. **4** Ⓤ 금속〔쇠, 납〕의 주괴(鑄塊), 금속 덩어리; 무쇠(~ iron); 장갑차; 《미속어》 가죽 지갑. **5** 《속어》 순경. **6** 《속어》 행실이 나쁜 여자; 《미속어》 쓸모없는 경주마(競走馬); 《영구어》 곤란한〔불쾌한〕 일. **7** 〖부사·형용사적; 강조〗 대단히, 아주, 대단한: ~-ignorant. ***a*** **~** 〔***piggy***〕 ***in the middle*** 새중간에 끼어 꼼짝 못하는 사람. ***bleed like a*** (***stuck***) **~** 피를 많이 흘리다. ***bring*** 〔***drive***〕 one***'s ~s to a fine*** 〔***a pretty, the wrong***〕 ***market*** 팔아서 손해보다, 기대가 어그러지다, 헛다리 짚다. ***buy a ~ in a poke*** 〔***bag***〕 잘 보지도 않고〔알지도 못하고〕 물건을 사다; 경솔하게 떠맡다. ***drive*** one***'s ~ to market*** 코골다. ***go to ~s and whistles*** 《속어》 난봉부리다. ***in a*** 〔***the***〕 ***~'s eye*** 〔***ear, ass***〕 《속어》 결코 …않는: *In a ~'s eye*, I will! 결코 하지 않겠다. ***in a ~'s whisper*** 매우 작은 소리로. ***in ~*** (암퇘지가) 새끼를 밴. ***make a ~ of*** oneself 욕심부리다; 《구어》 돼지처럼 많이 먹다. **~ *between sheets*** 《미》 햄 샌드위치. **~ *in a blanket*** ① 소시지를 속에 넣고 싼 팬케이크. ② 쌀과 저민 고기를 양배추 잎에 싸서 구운 식품. ③ 기타 다른 것을 넣고 싸서 만든 음식. ★ *pl.* 은 ~s in blankets. **~*'s eyes*** 《속어》 작은 눈. ***Pigs may fly.*** = ***Pigs might*** 〔***could***〕 ***fly*** (***if they had wings***). 그런 일은 있을 수 없다. ***please the ~s*** 《우스개》 경우에 따라서, 순조롭게 된다면《Please God 의 대용》. ***roast ~*** 애저(猪) 통구이; 돼지고기 구이.

── (***-gg-***) *vi.* **1** (돼지가) 새끼를 낳다; 돼지처럼 자식을 낳다. **2** 돼지처럼 우글거리다; 돼지 같은 생활을 하다. ── *vt.* (금속을) 덩어리로 하다; (돼지가 새끼를) 낳다; 《구어》 걸신들린 듯 먹다. **~ *it*** 우글우글 섞여 살다; 《미속어》 달리기를 그만두다, 달리는 속도가 떨어지다, 천천히 달리다. **~ *out*** 《속어》 걸신들린 듯 먹다, 과식하다.

píg bòard 앞이 좁고 뒤가 넓은 서핑 보드.

píg·bòat *n.* 《미군대속어》 잠수함.

píg brìstles 돼지 강모(剛毛).

****pi·geon**[1] [pídʒən] (*pl.* **~s,** 〖집합적〗 ~) *n.* **1** 비둘기; 집비둘기: ⇨ CARRIER PIGEON; HOMING PIGEON; WOOD PIGEON.

> SYN. **pigeon** '비둘기'를 나타내는 일반적인 말. **dove** 주로 시 따위의 문학적 표현에 쓰이는 일이 많음. 그러나 본래 dove 는 pigeon 보다 작은 것을 말함.

2 =STOOL PIGEON; 〖사격〗 =CLAY PIGEON. 3 짙은 자회색(紫灰色). 4 (아름다운) 젊은 처녀. 5 《구어》 잘 속는 사람, '봉', 멍청이(dupe); 풋내기; 《미속어》 가짜〔무효〕표, 빈탕 제비〔마권〕. 6 《영구어》 일, 장사, 관심사. 7 《CB속어》 속도위반으로 체포된 운전수. ***pluck a ~*** 멍청한 사람에게서 돈을 우려 내다. ***put* 〔*set*〕 *the cat among the ~s*** ⇨ CAT. — *vt.* 1 전서(傳書) 비둘기로 통신하다. 2 (아무를) 속여서 빼앗다《*of*》.

pi·geon² *n.* 〖비전문어법〗 =PIDGIN.

pígeon blòod 암적색(暗赤色)(pigeon's blood); 《구어》 간장(soy).

pígeon brèast 〔**chèst**〕 〖의학〗 새가슴 (chicken breast). 「로 한》.

pígeon dròp 《미속어》 신용 사기《신용을 미끼

pígeon Ènglish 〖비전문어법〗 =PIDGIN ENGLISH.

pígeon-fàncier *n.* (진귀종) 비둘기 사육자.

pi·geon·gram [pídʒəngræ̀m] *n.* 전서(傳書) 비둘기가 날라다 주는 편지.

pígeon hàwk 〖조류〗 송골매《미국산(產)》.

pígeon-héarted [-id] *a.* 마음 약한; 겁많은.

pígeon·hòle *n.* 1 비둘기장의 드나드는 구멍; 비둘기장의 칸; 〖해사〗 삭구(索具)를 꿰는 여러 개의 구멍. 2 (책상·캐비닛 등의) 작은 칸, 분류용〔정리용〕 선반; 협소한 방. — *vt.* 1 (서류 등을) 정리함에 넣다, 분류 정리〔보존〕하다, 기억해 두다. 2 정리함에 넣고 뒤로 미루다〔잊다〕, 묵살하다. 3 (책상 등의) 정리용 선반을 달다.

pígeon-lívered *a.* 온순한, 마음 약한.

pígeon mìlk =PIGEON'S MILK. 「매.

pígeon pàir 《영》 남녀 쌍둥이; (한집안의) 남

pi·geon·ry [pídʒənri] *n.* 비둘기장.

pígeon's blòod =PIGEON BLOOD. 「격.

pígeon shòoting 비둘기 사냥; 공중 표적 사

pígeon's mìlk 1 비둘기가 새끼에게 먹이기 위해 토해 내는 젖 모양의 액체. 2 《우스개》 All Fools' Day에 아이를 속여서 가지러 보내는 애당초 있지도 않은 물건. 「짱다리의.

pígeon-tòed *a.* 발〔발가락〕이 안으로 굽은; 안

pígeon·wìng *n.* 비둘기 날개(모양의 날개); 《미》 댄스의 변형 스텝의 일종《뛰어올라 양 발을 마주 치는》; 피겨스케이트의 선곡 활주형(旋曲滑走型).

pìg-éyed *a.* 눈이 작고 쑥 들어간.

píg·fish *n.* 벤자리(류의 물고기).

pig·gery [pígəri] *n.* 1 불결(한 곳). 2 《영》 = PIGPEN. 3 〖집합적〗 돼지. 4 탐욕.

pig·gie [pígi] *n., a.* 《구어·소아어》 =PIGGY; 《영》 자치기(tipcat)《놀이》.

pig·gin [pígin] *n.* 《방언》 한쪽에 손잡이가 달린 물통; 자루가 긴 국자.

pig·gish [pígiʃ] *a.* 돼지 같은; 욕심 많은, 게걸스레 먹는; 불결한; 이기적인; 고집이 센. ㊞ **~·ly** *ad.* **~·ness** *n.*

pig·gy [pígi] *n.* 《구어·소아어》 돼지 새끼; 《소아어》 어린아이의 손〔발〕가락. — *a.* =PIGGISH, (어린애가) 더 먹고 싶어하는; (돼지가 새끼를) 밴.

píggy·bàck *a.* 어깨〔등〕에 탄; 피기백(방식)의 《(1) 〖철도〗 화물을 트레일러〔컨테이너〕에 실은 채 저상(低床) 화차로 수송하는. (2) 〖우주〗 수송기〔로켓〕에 싣고 거기에서 발사〔수송〕하는. (3) 〖광고〗 동일 커머셜 시간 내에 주된 커머셜에 곁들여 방송하는》; 부가〔추가〕의. — *ad.* 어깨〔등〕에 타고〔태워서〕, 목말 타고〔태워〕, 업고; 〖철도·우주·광고〗 피기백 방식으로. — *n.* 목말, 업음; 〖철도〗 피기백 방식. — *vt.* 등으로〔어깨로〕 나르다; 피기백 방식으로 수송하다; 《비유》 덤으로 지우다; 편승하다. — *vi.* 트레일러〔컨테이너〕를 피기백 방식으로 수송하다; 《비유》 기대다, 업다, 편승하다.

píggy-bàcking *n.* 편승식(便乘式) 상법, 편승식 선전《유명한 사람이나 물건에 곁들여서 하는》.

píggy-back promótion 경품부 판매 촉진 (on-pack promotion)《경품이 원상품과 별도로 포장 첨부된 방식; 경품이 원상품 포장 안에 포장되었을 때는 in-pack promotion이라 함》.

píggy bànk 돼지 저금통《어린이용》; 《CB속어》 (유료 도로의) 요금 징수소.

pig·gy·wig (**·gy**) [pígiwìg(i)] *n.* (동요 속의) 새끼 돼지; 지저분한 아이; 자치기(tipcat)《놀이》.

píg·hèaded [-id] *a.* 고집이 센; 성질이 비뚤어진. ㊞ **~·ly** *ad.* **~·ness** *n.* 「장소, 천국.

píg hèaven 《미속어》 경찰서; 《미속어》 이상의

píg 〔**píggy**〕 **in the míddle** 《영》 =KEEPAWAY.

píg ìron 〖야금〗 선철(銑鐵), 무쇠; 주철(鑄鐵);

píg Làtin ⇨ LATIN. ⌊《미방언》 싸구려 위스키.

píg lèad [-lèd] 납덩이, 거푸집에 부은 납.

pig·let, pig·ling [píglit], [-liŋ] *n.* 돼지 새끼; 작은 돼지.

°**pig·ment** [pígmənt] *n.* Ⓤ,Ⓒ 그림물감; 〖공학·화학〗 안료(顔料); Ⓤ 〖생물·화학〗 색소. — *vt.* …에 색칠하다, 물감을〔도료를〕 칠하다. — *vi.* 물들다. ㊞ **~·ed** [-id] *a.* 착색한. **pig·ment·al, pig·mentary** [pigméntl], [pígməntèri/-təri] *a.* 그림물감의; 색소(분비)의; 색소를 함유하는.

pig·men·ta·tion [pìgməntéiʃən] *n.* Ⓤ 염색, 착색; 〖생물〗 색소 형성; 〖생리〗 색소 침착(沈着).

pígment cèll 〖생물〗 색소 세포.

píg mètal 지금(地金), 금속괴(塊).

Pigmy ⇨ PYGMY.

píg·nùt *n.* 1 땅콩《유럽산》. 2 호두나무의 일종《북아메리카산》; 그 열매《돼지 사료》.

píg·pèn *n.* 《미》 돼지우리; 더러운 곳.

Pigs [pigz] *n.* the **Báy of ~** 피그스만《쿠바의 남서안만; 1961년 4월 17일 미국이 지원한 반(反) Castro 군이 상륙을 기도했다가 실패》.

pigs' fèet 〖요리〗 돼지 족(足)을 삶아서 소금물·설탕·향료 따위에 절인 것. ★ pickled pigs' feet라고도 함.

píg·skìn *n.* 1 Ⓤ 돼지 가죽; 무두질한 돼지 가죽; peccary 가죽. 2 《구어》 안장. 3 《미구어》 미식 축구공. ㊞ **~·ner** *n.* 《미구어》 미식축구 선수.

píg·stìck *vi.* 멧돼지 사냥을 가다《말·창을 사용》.

píg·stìcker *n.* 1 멧돼지 사냥꾼. 2 창; 큰 나이프. 3 《미방언》 구식의 어린이용 썰매《앞이 위로 구부러진》.

píg·stìcking *n.* Ⓤ (말과 창으로 하는) 멧돼지 사냥; 돼지 도살(屠殺). 「〔방〕.

píg·stỳ *n.* 1 돼지우리(pigpen). 2 누추한 집

píg swèat 《미속어》 맥주, 싸구려 술.

píg·swìll *n.* Ⓤ 꿀꿀이죽《돼지 먹이로 주는 음식 찌끼》; 멀겋고 맛없는 수프〔커피 따위〕.

píg·tàil *n.* 1 땋아 늘인 머리; (옛 중국인의) 변발(辮髮). 2 가늘게 꼰 담배. 3 〖전기〗 접속용 구리줄. ㊞ **~ed** *a.* 땋아 늘인 머리의.

píg·wàsh *n.* =PIGSWILL.

píg·wèed *n.* 〖식물〗 명아주·비름 등의 잡초.

pi-jaw [páidʒɔ̀:] *n.* 《영속어》 (장황하고 진력나는) 설교. — *vt.* …에게 설교하다.

PIK, p.i.k. payment in kind (현물(現物) 지급) 《미국이 1983년 도입한 농작물 경작 제한 정책》.

pi·ka [páikə] *n.* 〖동물〗 새앙토끼(mouse hare, piping hare)《북반구 고산에 사는》. 「莉).

pi·ka·ke [pí:kəkèi] *n.* 《Haw.》 〖식물〗 말리(茉

pike¹ [paik] *n.* 1 미늘창, (17 세기까지 쓰던) 창. 2 창끝; 물미 박은 지팡이(pikestaff); 《영방언》 곡괭이(pickax); 바늘, 가시. — *vt.* 창으로 찌르다〔찔러 죽이다〕; 찌르다.

pike² *n.* 《N.Eng.》 (호수 지방의) 뾰족한 산봉우리, 첨봉(尖峰)《지명에 쓰임》. 「(= **nórthern ~**).

pike³ (*pl.* **~s,** 〖집합적〗 **~**) *n.* 〖어류〗 창꼬치

pike⁴ *n.* (유료 도로의) 요금 징수소; 통행 요금; (흔히 공영(公營)의) 유료 도로(turnpike); 철도 노선. ***come down the*** ~ 《미구어》 나타나다. ***hit the*** ~ 여행하다, 길을 가다〔걷다〕.
pike⁵ 《구어》 *vi.* 훌쩍 가 버리다, 떠나가다, 나아가다《*along*》; 죽다; 주저하다, 뒷걸음질치다《*on*》.
pike⁶ *n.* (새우형 다이빙에서) 허리를 구부리고 발을 뻗는 자세.
piked [-t] *a.* pike¹가 달린, 끝이 뾰족한.
pike·let¹ [páiklit] *n.* 《영》 핫케이크의 일종(crumpet).
pike·let² *n.* 〖어류〗 어린〔작은〕 창꼬치.
píke·man¹ [-mən] (*pl.* ***-men*** [-mən]) *n.* (16-17세기의) 창병(槍兵), 창수(槍手); 곡괭이로 파는 광부〔노동자〕.
píke·man² (*pl.* ***-men***) *n.* (유료 도로의) 통행료 징수원.
pik·er [páikər] *n.* 《미구어》 쩨쩨한 노름꾼; (증권 시장의) 소액 투기꾼; 겁쟁이; 구두쇠; 스포츠 등이 서투른 사람; 《Austral.속어》 야생 황소.
píke·stàff (*pl.* ***-staves*** [-stèivz], ~***s***) *n.* 창자루; 석장(錫杖)《물미 박은 지팡이; 옛날 도보 여행자용》. (***as***) ***plain as a*** ~ 극히 명백한.
pil- [páil], **pil·i-** [páili, píli] '모발, 털'의 뜻의 결합사.
pi·laf, -laff [pilá:f, pí:la:f/pílæf] *n.* [U] 필래프, 육반(肉飯)《쌀에 고기·야채를 섞어 기름에 볶은 다음 수프로 쪄서 향료를 넣은 요리》: chicken ~ 닭고기 필래프.
pi·lar [páilər] *a.* 털의, 털로 덮인.
pi·las·ter [pilǽstər] *n.* 〖건축〗 벽기둥《벽면에 드러나게 만든 (장식용) 기둥》.
Pi·late [páilət] *n.* **1 Pontius** ~ 〖성서〗 빌라도《예수를 처형시킨 Judea의 로마 총독》. **2** 도덕적 책임을 회피하는 사람.
pi·la·to·ry [pailéitəri] *a.* 모발의 성장을 자극하는, 양모의. **—** *n.* 양모〔식모(植毛)〕제(劑).
pi·lau, pi·law [pilɔ́:, -láu/piláu] *n.* =PILAF.
pilch [piltʃ] *n.* 《영고어》 (플란넬의) 기저귀 커버.
pil·chard, pil·cher [píltʃərd], [píltʃər] *n.* 〖어류〗 정어리《서유럽산 또는 태평양산》.
pil·crow [pílkrou] *n.* 단락 기호(¶).
pile¹ [pail] *n.* **1** 쌓아올린 것, 더미: a ~ of books 책 더미/a ~ of hay 건초 더미. **2** 쌓아올린 화장용(火葬用) 장작; (가공용의) 쇠막대 다발(fagot): a funeral ~. **3** 《구어》 대량; 대건축물(군(群)): a large ~ *of* brickwork 벽돌로 쌓은 대건조물. **4** 《구어》 큰돈, 재산: make one's 〔a〕 ~ (일할 필요가 없을 만큼) 큰돈을 벌다. **5** 〖전기〗 전퇴(電堆)《두 가지 금속판을 헝겊에 싸서 겹쳐 전기를 발생시키는 것》, 전지(電池): a dry ~ 건전지. **6** 〖물리〗 원자로(atomic ~). **7** 〖군사〗 걸어총(stack of arms). **8** 《고어》 화폐의 뒷면. ***cross and*** 〔***or***〕 ~ =HEAD(S) or tail(s).
— *vt.* **1** 《~+[목]/+[목]+[부]》 겹쳐 쌓다, 쌓아올리다《*up; on*》: ~ logs 장작을 쌓다/~ lumber *up* 목재를 쌓아올리다/*Pile* more bricks *on.* 벽돌을 더 쌓아올려라. **2** 《+[목]+[전]+[명]》 (…을) …위에 산더미처럼 쌓다《*with*》: ~ a table *with* dishes 상 위에 접시를 쌓다. **3** 《+[목]+[부]》 축적하다, 모으다《*up*》: ~ *up* a fortune 한밑천 장만하다. **4** 〖군사〗 (총을) 서로 엇걸다; 〖해사〗 (배를) 좌초시키다《*up*》; (차량·항공기를) 충돌시키다《*up*》. **5** 〖원자〗 원자로로 처리하다. **—** *vi.* **1** 《+[부]》 쌓이다《*up*》: Money continued to ~ *up.* 돈이 계속 모였다. **2** 《+[전]+[명]》 우르르 들어가다〔나오다〕《*into; out of*》: ~ *into* 〔*out of*〕 a room. **3** 《미속어》 재빨리 뒤쫓아가다. ~ ***arms*** 걸어총하다. ~ ***in*** ① 밀어〔눌러〕 넣다. ② 가득 차다, 채워지다: We can all ~ *in,* if we squash up a bit. 조금씩만 밀면 다 들어갈 수 있다. ③ 《구어》 몹시 공격하다, 게걸스레 먹다. ~ ***it on*** (***thick***) 《구어》 과장해서 말하다. ~ ***on*** 〔***up***〕 ***the agony*** 《주로 영구어》 (윤색하여) 비애감을 필요 이상으로 돋우다. ~ ***Pelion on*** 〔***upon***〕 ***Ossa*** 고난에 고난이 겹치다, 엎친 데 덮치다. ~ ***up*** 《*vt.*+[부]》 ① …을 쌓아올리다. ② (물건·돈 따위를) 축적하다, 모으다. **—**《*vi.*+[부]》 ③ 쌓이다. ④ (자동차가) 연쇄 충돌하다.
pile² *n.* (보통 *pl.*) 말뚝, 파일; 화살촉; 고대 로마 보병의 투창; 〖문장(紋章)〗 쐐기꼴의 무늬; 풀잎(blade): a house of ~*s* (남방 원주민 등의) 말뚝을 박고 그 위에 지은 집. **—** *vt.* …에 말뚝을 박다〔박아 보강하다, 버티다〕; …에 창끝〔화살촉〕을 달다.
pile³ *n.* **1** 솜털, 깃털; 양모, 모피; 털의 결〔난 상태〕. **2** (양복감·주단 등의) 보풀; 파일 직물〔천〕.
pile⁴ *n.* 치질의 종기; (보통 *pl.*) 〖의학〗 치질, 치핵(痔核)(hemorrhoids). ***blind*** ~***s*** 수치질.
pi·le·ate, -at·ed [páiliət, -èit, píl-], [-èitid] *a.* (버섯 등이) 갓이 있는; (새가) 도가머리 있는.
píleated wóodpecker 〖조류〗 붉은 도가머리가 있는 딱따구리(cock of the wood)《북아메리카산(產)》.
piled *a.* (직물에) 보풀이 있는.
píle drìver 말뚝 박는 기계(의 조작자); 큰 힘으로 치는〔두드리는〕 사람; 〖레슬링〗 (말뚝박듯이 하는) 정수리 치기; 《구어》 맹타, 강타; 《속어》 (발기한) 음경.
pi·le·ous [páiliəs, píl-] *a.* (부드러운) 털이 많은, 털로 덮인.
píle shòe 파일 촉〔슈〕《말뚝 끝에 씌우는 금속》.
pi·le·um [páiliəm, píl-] (*pl.* ***-lea*** [-liə]) *n.* 《L.》 〖조류〗 부리에서 목까지의 머리 부분.
píle·ùp *n.* 《구어》 (지겨운 일 등의) 산적(山積), 여러 개가 겹침; 여러 개를 찌부러뜨리기; 몇 대의 자동차를 한꺼번에 찌부러뜨리기; (차량의) 연쇄 충돌; 체선(滯船).
pi·le·us [páiliəs, píl-] (*pl.* ***-lei*** [-liài]) *n.* **1** 〖식물〗 버섯의 갓. **2** 〖동물〗 해파리의 갓. **3** 〖기상〗 엷은 삿갓구름. **4** (고대 로마인의) 밀착모(密着帽).
píle·wòrt *n.* 〖식물〗 **1** 미나리아재비의 일종(celandine). **2** 미국산 현삼류(類) 다년초.
pil·fer [pílfər] *vt., vi.* 훔치다, 좀도둑질하다; 도용하다. [파] ~***ed*** *a.* 《미방언》 술취한. ~***·er*** [-rər] *n.* 좀도둑.
pil·fer·age [pílfəridʒ] *n.* [U] 좀도둑질, 훔치기; 장물(贓物).
pil·gar·lic [pilgá:rlik] *n.* 《방언》 대머리; 《경멸·우스개》 가련한 사람. [파] ***-gár·licky*** *a.*
pil·grim [pílgrim] *n.* **1** 순례자, 성지 참배자: ~*s* to Mecca/Canterbury ~*s*. **2** 나그네, 방랑자(wanderer). **3** (P-) 〖미국사〗 the Pilgrim Fathers의 한 사람; (the P-s) =PILGRIM FATHERS. **4** (어느 지역의) 신참자. **—** *a.* 순례의; 방랑자의. **—** *vi.* 순례〔유랑〕하다.
pil·grim·age [pílgrəmidʒ] *n.* **1** 순례 여행; 긴 여행: make 〔go on〕 a ~ to …로 성지 순례를 떠나다. **2** 《비유》 인생행로, 생애. **3** 정신적인 편력. ***the Pilgrimage of Grace*** 은총의 순례《Henry 8세의 종교 개혁에 대하여 1536년 잉글랜드 북부에서 일어난 반란》. **—** *vi.* 순례의 길에 오르다, 행각에 나서다.
Pílgrim Fáthers (the ~) 〖미국사〗 1620년 Mayflower 호로 미국에 건너가 Plymouth에 주거를 정한 102명의 영국 청교도단.
pílgrim shèll =SCALLOP SHELL.
Pílgrim's Prógress (the ~) 천로역정(天路歷程)《J. Bunyan 작의 우의(寓意) 소설》.
pi·li [páilai] PILUS의 복수.
pili- ⇨ PIL-: *pili*ferous.
pi·lif·er·ous [pailífərəs] *a.* 〖식물〗 털이 난, 털이 있는.
pil·i·form [píləfɔ̀:rm] *a.* (머리)털 모양의, (머리)털 같은.

pil·ing [páiliŋ] *n.* Ⓤ 말뚝박기 (공사); 말뚝 재료로 만든 구조물; 말뚝감〔재목〕; 《집합적》 말뚝.

Pil·i·pi·no [pìləpíːnou] *n.* 필리핀의 표준어《Tagalog 어(語)를 기초로 했음》.

*__pill__[1] [pil] *n.* **1** 환약, 알약, 정제(錠劑). ⓒⓕ tablet. **2** 《비유》 싫은 것〔일〕; 《속어》 싫은 사람: a bitter ~ (to swallow) 참아야만 할 싫은 것〔일〕. **3** 공 모양의 것. **a** 《속어》 (야구·골프 등의) 공. **b** 《우스개》 (대포·소총의) 탄알; 폭탄. **c** (~s) 《비어》 불알; 엉터리, 하찮은 일. **4** (*pl.*) 《영속어》 당구, 축구, 테니스《따위》. **5** 《속어》 궐련, 담배; 아편의 알; 《미》 각성제《특히 Nembutal》. **6** (the ~, the P-) 《구어》 경구(經口) 피임약: go 〔be〕 on the ~ 피임약을 먹기 시작하다〔상용하다〕. **7** (종종 *pl.*) 《구어》 의사. **8** 〖섬유〗 필《보풀이 뭉친 것》. ***a ~ to cure an earthquake*** 무익한 대책. ***sugar*** 〔***sugarcoat, sweeten, gild***〕 ***the ~*** 당의(糖衣)를 입히다; 싫은 일을 받아들이기 쉽게 하다, 싫은 일의 고통을 완화시키다.
— *vt.* **1** 알약으로 만들다. **2** …에게 알약을 먹이다. **3** 《미속어》 반대 투표하다(blackball); 배척〔제명〕하다. — *vi.* (스웨터 따위에) 보풀이 뭉치다.

pill[2] *vt.* 《고어》 약탈하다; 《고어·방언》 (껍질을) 벗기다, 까다(peel).

pil·lage [pílidʒ] *n.* Ⓤ 약탈, 강탈《특히 전쟁 중의》; 약탈물. — *vt., vi.* 약탈〔강탈〕하다. ⓟ **-lager** [-ər] *n.* 약탈자, 강탈자.

*__pil·lar__ [pílər] *n.* **1** 기둥; 표주(標柱), 기념주; 대각(臺脚). **2** 기둥 모양의 것; 불기둥; 물기둥; 〖광산〗 광주(鑛柱); (시계의 두 기판(基板) 사이에서 기계 부분을 버티는) 기둥. **3** 《비유》 (국가·활동의) 대들보, 주석(柱石), 중진《*of*》: a ~ *of* the Liberal Party 자유당의 중진. **4** 《영》 =PILLAR BOX. ***a ~ of*** (***a***) ***cloud*** 〔***of fire***〕 〖성서〗 구름〔불〕 기둥, 하느님의 인도. ***from ~ to post*** =***from post to ~*** 여기저기 정처 없이, 잇따라《몰리다 따위》. ***the Pillars of Hercules*** 헤르쿨레스의 기둥《Gibraltar 해협 동쪽 끝 양쪽에 서 있는 2 개의 바위》; 《비유》 땅 끝, 한계점. — *vt.* **1** 기둥으로 장식하다〔버티다〕. **2** …의 주석이 되다. ⓟ **~ed** *a.* 기둥이 있는; 기둥 모양으로 된.

píllar bòx 《영》 (기둥 모양의 빨간) 우체통.

pil·lar·et [pìlərèt] *n.* 작은 기둥.

píll·bòx *n.* **1** (판지로 만든) 환약 상자. **2** 《영우스개》 자그마한 탈것〔건물〕; 게딱지 같은 집. **3** (위가 납작한) 테 없는 여자용 모자. **4** 〖군사〗 토치카.

píll bùg 〖동물〗 쥐며느리(wood louse).

píll·hèad *n.* 《속어》 안정제나 각성제 상용자.

pil·lion [píljən] *n.* (같이 타는 여성용의) 뒤안장; (오토바이의) 뒷자리: a ~ passenger 오토바이 동승자. — *ad.* ~에《타다》: ride ~ (on a motorcycle) (오토바이의) 뒤에 동승하다.

pil·lo·ry [píləri] *n.* **1** 칼《죄인의 목과 양손을 끼워 사람 앞에 보이게 한 판자의 옛 형구》. **2** 《비유》 오명(汚名), 웃음거리. ***be in the ~*** 웃음거리가 되다. — *vt.* 칼을 씌워 여러 사람 앞에 보이다; 웃음거리로 만들다.

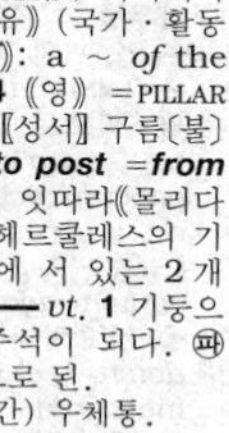

pillory 1

*__pil·low__ [pílou] *n.* **1** 베개; 베개가 되는 물건《쿠션 따위》; (특수 의자 등의) 머리 받침대. **2** = PILLOW BLOCK; 레이스 짜는 대(臺); 〖해사〗 (bowsprit 의) 기대(基臺). **3** 《미속어》 권투용 글러브; 《미야구속어》 베이스. ***take counsel of*** 〔***consult*** (***with***)〕 one***'s ~*** 하룻밤 자면서 심사숙고하다. — *vt.* **1** 베개 위에 올려놓다《*on; in*》; 베개로 받치다: ~ one's head *on* one's arm 팔베개를 베다. **2** 밑에서 받치다. — *vi.* 베개 위에 올라 있다; 베개를 베다.

píllow bìter 《속어》 여자역의 남성 호모〔동성애자〕.

píllow blòck 〖기계〗 굴대받이.

píllow·càse *n.* 베갯잇.

píl·lowed *a.* 《속어》 임신한.

píllow fight (아이들의) 베개던지기 놀이; 《비유》 시시한 싸움〔논쟁〕, 모의전.

píllow làce 손으로 뜬 레이스(bobbin lace).

píllow láva 〖지학〗 베개〔침상(枕狀)〕 용암.

píllow mòney 호텔에서 손님이 베개 밑에 두는 팁.

píllow shàm 《미》 장식용 베갯잇.

píllow slìp =PILLOWCASE.

píllow tàlk (잠자리에서의 부부의) 다정한 이야기.

pil·lowy [píloui] *a.* 베개 같은; 폭신폭신한.

píll pòpper 《속어》 마약 정제(錠劑) 상용자.

pi·lo·car·pine [pàiləkáːrpiːn, -pin, pìl-] *n.* 〖약학〗 필로카르핀《발한(發汗)·동공(瞳孔) 수축·이뇨제》.

pi·lose [páilous] *a.* 〖동물·식물〗 (연한) 털이 많은, 유모(有毛)의. ⓟ **pi·los·i·ty** [pailásəti/-lɔ́s-] *n.* Ⓤ 〖동물·식물〗 다모성.

__pi·lot__ [páilət] *n.* **1 수로 안내인, 도선사(導船士); 《고어》 키잡이: In a calm sea every man is a ~. 《속담》 잔잔한 바다에서는 모두가 수로 안내인이 될 수 있다. **2** 〖항공〗 (비행기·우주선 등의) 조종사: ⇨TEST PILOT. **3** 지도자, 안내인; 《미속어》 (스포츠 팀 등의) 감독; 《미속어》 기수(騎手). **4** 항로 안내서, 수로지(誌); 나침반 교정기; 《미》 (기관차의) 배장기(排障器)(cowcatcher). **5** =PILOT LIGHT. **6** (문제 해결의) 지침, 지표. **7** 〖기계〗 안내봉(棒)《인접한 두 부분의 중심 부분을 정하는》. **8** =PILOT FILM; PILOT TAPE; PILOT BURNER. ***drop the ~*** 좋은 충고자〔지도자〕를 배척하다. ***take on a ~*** 수로 안내를 부탁하다.
— *vt.* **1** (배·비행기 등을) 조정〔조타〕하다. **2** 《~+목/+목+전+명》 …의 (수로) 안내를 하다, 인도하다: ~ a tanker *into* 〔*out of*〕 a harbor 탱커를 수로 안내하여 입항〔출항〕하게 하다. **3** 《~+목/+목+전+명》 (일을) 진행하다, 달성하다, 주재하다; (특히 법안을) 통과시키다: ~ a bill *through* Parliament 법안을 의회에서 통과시키다. **4** 시험적으로 쓰다〔행하다〕, 시험하다.
— *a.* 지도〔안내〕의; 시험적인, 예비의; 표지〔지표〕의〔가 되는〕: ~ farm 시험 농장.

pi·lot·age [páilətidʒ] *n.* Ⓤ **1** 수로 안내(료). **2** 지도. **3** 항공기 조종(술); 《미》 조종사 급료〔수당〕.

pílot ballòon 〖기상〗 측풍 기구(測風氣球).

pílot bìscuit 〔**brèad**〕 (배에서 먹는) 건빵(hardtack).

pílot bòat 수로 안내선.

pílot bùrner (가스스토브 따위에서 항상 점화시켜 두는) 점화용 불씨, 점화용 보조 버너.

pílot càr 선도차.

pílot cèll 표시 전지《많은 전지의 전체 능력을 조사하는 시험용 전지》.

pílot chàrt 항해도, 항공도.

pílot chùte =PILOT PARACHUTE.

pílot clòth 감색(紺色) 양복감《선원용》.

pílot ègine (선로의 안전을 확인하기 위한) 선도 기관차.

pílot film (텔레비전의 스폰서 모집용) 견본 필름.

pílot·fish *n.* 방어류의 물고기《흔히 상어가 있는 곳에서 볼 수 있음》.

pílot flàg 수로 안내를 요청하는 신호기.

pílot·hòuse *n.* 〖해사〗 조타실(wheelhouse).

pí·lot·ing *n.* (선박·항공기의) 육지 부근에서 육표(陸標)·부표(浮標) 등에 의해 진로 방향을 정하기; pilot 의 일.

pi·lo·ti(s) [piláti/-lɔ́ti] *n.* 《F.》 〖건축〗 필로티《건물의 높은 지주(支柱); 밑을 툭 틔워 놓음》.

pílot jàck pilot flag 로서 게양하는 union jack 《영국에서는 가장자리에 흰 테를 두른 영국기》.

pílot jàcket =PEA JACKET.

pílot làmp 표시등.

pílot·less *a.* 수로 안내인이 없는, 자동 조종의: a ~ plane 무인기.

pílot lìght 1 =PILOT BURNER. **2** =PILOT LAMP. ***Somebody blew out*** a person'***s ~s.*** 《미속어》 아무는 바보다.

pílot òfficer 《영》 공군 소위.

pílot pàrachute 〖항공〗 보조 낙하산.

pílot plànt 시험〔실험〕 공장.

pílot tàpe (스폰서 모집용) 견본 비디오테이프.

pílot wàters 〖해사〗 도선(導船)(이 필요한) 해면〔구역〕.

pílot whàle 〖동물〗 머리가 큰 고래류(blackfish).

pi·lous [páiləs] *a.* =PILOSE.

pil·sner, -sen·er [pílznər, -sənər] *n.* (종종 P-) 필젠 맥주《홉(hop)의 풍미를 살린 약한 맥주》; 필젠 글라스《바닥 쪽으로 좁고 발이 달린 맥주잔》(=∠ glàss).

Pílt·down màn [píltdaun-] 〖인류〗 필트다운인《그 두개골이 1912년 영국 East Sussex 주의 Piltdown에서 발견된 선사인(先史人); 후에 가짜로 판명됨》.

pil·u·lar, pil·u·lous [píljələr], [-ləs] *a.* 환약(모양)의.

pil·ule [píljuːl] *n.* 작은 알약.

pi·lus [páiləs] (*pl.* ***pi·li*** [-lai]) *n.* 〖동물·식물〗 털, (박테리아 등의) 섬모(纖毛).

pily [páili] *a.* 솜털의; 폭신폭신한; 보풀이 있는.

PIM 〖컴퓨터〗 personal information manager 《메모·전화번호부·예정표 따위의 개인 정보 관리를 도와주는 소프트웨어》.

Pi·ma [píːmə] (*pl.* **~, ~s**) *n.* 피마족(族)《미국 남서부의 인디언》; 피마어(語). ⊞ **~n** *a.* Pima의; 피마 어군(語群)의.

pi·ma *n.* (때때로 P-) 피마면(綿)《미국 남서부에서 이집트면(綿)을 고강도 섬유용으로 개량한 것》(=∠ **cótton**).

pim·e·lode [píməloud] *n.* 《영》 =CATFISH.

pi·men·to [piméntou] (*pl.* **~s, ~**) *n.* **1** = ALLSPICE. **2** =PIMIENTO.

pimĕnto chéese 피망가루를 넣은 치즈.

pí-méson *n.* 〖물리〗 파이 중간자(pion).

PIMFY please in my front yard 《수익성 사업 따위를 자기 지역에 유치하려는 현상》.

pi·mien·to [pimjéntou] (*pl.* **~s**) *n.* 《Sp.》 피망《스페인산(産) 고추의 일종》 열매.

pi·mo·la [pimóulə] *n.* 피망을 다져 넣은 올리브

pimp [pimp] *n.* 갈보집 주인, 포주; 뚜쟁이, 유객꾼; 악당; 《속어》 남창(男娼); 《미속어》 (광산 따위의) 젊은 잡역부; 《Austral.속어》 고자쟁이. **—** *a.* 《미속어》 연약한. **—** *vi.* 뚜쟁이질을 하다; 남에게 기대어 살다; 남을 이용하다; 《Austral. 속어》 고자질하다《*on*》. **—** *vt.* …에게 의존하다.

pim·per·nel [pímpərnèl, -nəl] *n.* 〖식물〗 별봄맞이꽃.

pímp·ing *a.* 하찮은, 인색한, 비열한; 병약한, 허약한.

pimp·ish [pímpiʃ] *a.* 《속어》 화려한 옷을 입은, (복장이) 화려한, 야한.

pim·ple [pímpəl] *n.* 여드름, 구진(丘疹), 뾰루지; 작은 돌기; 《우스개》 작고 우스꽝스러운 것; 《속어》 머리(head); 《속어》 언덕, 작은 산; 《미속어》 안장(saddle). ⊞ **~d, pím·ply** [-i] *a.* 여드름이 난〔투성이의〕.

pímple lìght 《미속어》 트럭 트랙터의 주차등.

pimp·mo·bile [pímpmoubìːl, -mə-] *n.* 《미속어》 (pimp가 타는) 화려하게 장식된 대형 고급차.

pin [pin] *n.* **1** 핀, 못바늘; 장식 바늘. **2** (핀이 달린) 기장(記章); 브로치. **3** 마개(peg); 못; 빗장(bolt); 열쇠의 열쇠 구멍에 들어가는 부분. **4** 〖해사〗 (밧줄 등을 비끄러매는) 말뚝(belaying pin); (보트의) 노 끼우는 쇠; (현악기의) 주감이; 빨래 무집게; 쐐기; 〖목공〗 열장장부촉(dovetail); (수류탄의) 안전핀(safety ~). **5** 볼링의 표적〔표주〕, 핀. **6** (보통 *pl.*) 《구어》 다리(legs). **7** 〖골프〗 hole을 표시하는 깃대. **8** 〖보통 부정형〗 소량, 보잘것없는 것: There is not a ~ to choose between the two. 그 두 개는 차이가 없다. **9** 《영》 4.5갤런들이 맥주 통. **10** 밀방망이(rolling pin); (고리 던지기 놀이의) 표적봉(棒). **11** 《미속어》 가느다란〔몽톡한〕 마리화나 담배. **12** 《폐어》 (과녁의) 중심(center). **13** 〖체스〗 핀《queen, rook, bishop 등으로 공격하여 상대방의 말을 움직이지 못하게 하기》; 〖레슬링〗 폴(fall). **14** 〖전자〗 바늘, 핀《진공관이나 집적 회로를 전자회로에 접속하기 위한》. (***as***) ***bright*** 〔***clean, neat***〕 ***as a new*** ~ 매우 산뜻〔말쑥〕한. ***a split*** ~ 〖기계〗 분할 핀《고정용》. ***be on*** one'***s last ~s*** 죽어가고 있다. ***be on*** one'***s ~s*** 서 있다; 건강하다. ***be quick*** 〔***slow***〕 ***on*** one'***s ~s*** 《구어》 발이 빠르다〔늦다〕. ***can*** 〔***could***〕 ***hear a*** ~ ***drop*** 바늘 떨어지는 소리가 들릴 정도로 조용하다. ***for two ~s*** 만일에 기회가 있으면, 당장에, 쉽게. ***not care a*** ~ 〔***two ~s***〕 조금도 개의치 않다. ***not matter*** 〔***worth***〕 ***a*** ~ 조금도 관련이 없다〔가치가 없다〕. ***on*** 〔***in***〕 ***a jolly*** 〔***merry***〕 ~ 즐거운 기분으로. ***~s and needles*** 손발이 저려 따끔따끔한 느낌: be on ~*s and needles* 흠칫하다, 마음 졸이다. ***pull the*** ~ 《미속어》 일을 그만두다, 도회에서 떠나다; 아내를〔가족 등을〕 버리다, 인연을 끊다. ***put in the*** ~ 정지〔중지〕하다〔시키다〕; 술을 끊다. ***stick ~s into*** a person 아무를 괴롭히다; 자극하다.

— *a.* 핀의, (가죽의) 표면이 입상(粒狀)인.

— (**-nn-**) *vt.* **1** 《~+목/+목+부/+목+전+명》 핀으로 꽂다, 마개로 막다《*up; together; on; to*》: ~ *up* a notice 게시물을 (핀으로) 꽂다 / ~ papers *together* 종이를 핀으로 꿰매다 / ~ a rose *on* a dress 옷에 장미꽃을 핀으로 꽂다. **2** 《+목+부/+목+전+명》 꽉 누르다; 못 박다 《*down; against*》; (아무를) …으로 속박하다, …을 강요하다《*to*》: The snowslip ~*ned* him *down.* 눈사태에 깔려 꼼짝을 못했다 / He ~*ned* me *against* the wall. 그는 나를 벽에 밀어붙였다. **3** 《+목+전+명》 찔러서 뚫다; (작은 구멍을) 내다: ~ a hole *in* a plate. **4** 《+목+부》 …을 명확히 정의하다《*down*》: The subject is not easy to ~ *down.* 그 문제를 정확히 정의하기는 어렵다. **5** 《미속어》 (여성에게) 애정·약혼의 증표로 대학 사교 클럽의 장식핀을 주다. **6** 《속어》 체포하다. **7** 《미속어》 (이성을) 쫓아다니다; (남의) 의도를 간파하다, 알다, 조사하다. **8** 〖체스〗 (상대편 말을) 움직이지 못하게 공격하다; 〖레슬링〗 폴(fall)로 제압하다. ~ (***...***) ***down*** ① 핀으로 꽂다; (아무를) 억누르다, 옥박다. ② (약속 따위로) 묶어 두다, 속박하다《*to*》. ③ (아무에게) 상세한 설명을〔명확한 의견·태도를〕 요구하다《*to*》. ④ (사실 따위를) 분명히 밝히다〔설명하다, 구명하다〕. ~ ***in*** (틈 따위를) 메우다. ~ something ***on*** a person 《구어》 아무에게 무엇의 책임을 지우다: *Pin* it *on* a dead man. 그것은 죽은 사람의 탓으로 돌리면 된다. ~ a person'***s ears back*** ⇨ EAR[1]. ~ one'***s ears back*** 《속어》 주의 깊게 듣다, 귀를 기울이다. ~ one'***s faith*** 〔***hope***〕 ***on*** …을 신뢰하다, 굳게 믿다, …을 유일한 희망으로 삼다. ~ a person ***to a promise*** 아무에게 확약시키다.

PIN [pin] *n.* (은행 카드의) 비밀 번호, 개인별 식별 번호(=∠ **còde**). ★ 일상적으로는 ID number. [◂ *p*ersonal *i*dentification *n*umber]

pi·ña [píːnjə] *n.* 《Sp.》 파인애플; (라틴 아메리카에서) 파인애플 음료; =PIÑA CLOTH.

píña clòth 파인애플 잎의 섬유로 짠 얇은 천《스

카프 · 손수건 · 속옷감》.

píña co·lá·da [-kouláːdə] 《Sp.》 파인애플 과즙 · 코코넛 · 럼주를 섞은 알코올 음료.

pin·a·fore [pínəfɔ̀ːr] n. (가슴받이가 달린) 앞치마, 에이프런; 에이프런 드레스《에이프런 모양의 여성복》(= ∠ drèss). [파] ~d a.

pinafore

pi·nas·ter [painǽstər] n. 〖식물〗 (남유럽, 특히 지중해 연안산(産)의) 해송(海松).

Pi·na·tu·bo [pìnətúːbou] n. **Mount** ~ 피나투보 산《필리핀 Luzon 섬 중부의 화산(1,745 m); 1380년의 분화 이래 휴면하였다가 1991년 6월에 20세기 최대급 분화가 있었음》.

pín·bàll n. 핀볼(의 공), 코린트게임(의 공).

pínball machìne 〔**gàme**〕 《미》 핀볼놀이기, 코린트게임기(《영》 pin table).

pín·bòne n. (네발짐승의) 관골(髖骨), 궁둥이뼈.

pín bòy 〖볼링〗 핀을 정리하는 사람.

PINC [pink] n. 《영》 부동산 수익 증서.

pince-nez [pǽnsnèi] (pl. ~ [-z]) n. 《F.》 코안경. [파] ~**ed** a.

pin·cers [pínsərz] n. pl. **1** 펜치(nipper), 못뽑이, 족집게(a pair of ~); 〖동물〗 (게 따위의) 집게발. **2** = PINCERS MOVEMENT; 《속어》 눈(eye).

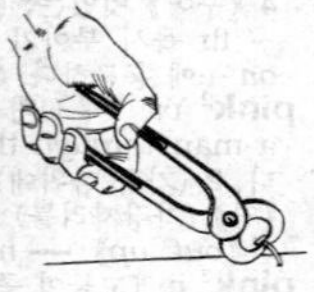
pincers 1

píncer(s) mòvement 〖군사〗 협공 (작전).

pin·cette [pænsét] (pl. ~**s** [-s]) n. 《F.》 핀셋(tweezers).

***pinch** [pintʃ] vt. **1** 《~+[목]/+[목]+[전]+[명]》 꼬집다, (두 손가락으로) 집다, (사이에) 끼다, 물다, 끼워 으깨다: He ~*ed* the boy's cheek. 그는 소년의 뺨을 꼬집었다/I ~*ed* my finger *in* the doorway. 문틈에 손가락이 끼었다. **2** 《+[목]+[부]》 (곁가지 등의 성장 촉진을 위해 어린싹 등을) 잘라내다, 따내다《*back; down; off; out*》: ~ *out* young shoots 새싹을 따다. **3** (장갑 · 구두 따위가) 빡빡하게 죄다, 꽉 끼다; 좁게 하다: These shoes ~ my toes. 구두가 꽉 끼어 발이 아프다. **4** 《~+[목]/+[목]+[전]+[명]》〔보통 수동태〕 답답하게 하다, 괴롭히다; 쇠약하게 하다; (추위 · 고통 등으로) 움츠러들게 하다, 위축시키다; (서리 등이 식물을) 시들게 하다; 줄게 하다, 곤궁하게 하다: A heavy frost ~*ed* the flowers. 된서리로 꽃이 시들었다/*be* ~*ed for* money 돈이 없어 곤란받다/*be* ~*ed with* cold 추위로 오그라들다/a face ~*ed with* hunger 굶어서 여윈 얼굴. **5** 《~+[목]/+[목]+[전]+[명]》 빼앗다《*from; out of*》; 《속어》 훔치다: Who's ~*ed* my dictionary? 누가 내 사전을 훔쳐갔나/~ money *from* the till 돈궤에서 돈을 훔쳐내다. **6** 〖경마〗 (말을) 몰아대다(urge); 〖해사〗 (배가) 바람을 거슬러 나아가게 하다. **7** (가루 따위를) 조금 집어서 넣다. **8** (무거운 물건을) 지레로 움직이다. **9** 《+[목]+[전]+[명]》〔종종 수동태〕《구어》 체포하다: He *got* ~*ed for* parking violation. 그는 주차 위반으로 걸려들었다. **10** 〖해사〗 (보트 등을) 옆바람을 받으며 키를 잡다.
— *vi.* **1** (구두 등이) 죄다, 빡빡해서 아프다. **2** 콕콕 쑤시다. **3** 《~/+[전]+[명]》 인색하게 굴다: He even ~*es on* necessities. 그는 필수품을 사는 데도 인색하게 군다. **4** 《+[부]》 (광맥이) 가늘어지다, 소멸하다: The vein of iron ore ~*ed out*. 철광맥(鐵鑛脈)이 바닥났다. **5** 〖해사〗 지나치게 바람 부는 쪽으로 몰다. ***know*** 〔***feel***〕 ***where the shoe*** ~***es*** 곤란한 점을 알고 있다. ~ ***and save*** 〔***scrape***〕 인색하게 굴어 돈을 모으다. ~ ***pennies*** 《미》 극도로 절약하다《*on*》.
— *n.* **1 a** 꼬집음, (두 손가락으로) 집음, 사이에 끼움: He gave me a ~. 그는 나를 꼬집었다. **b** 두 손끝으로 집을 만한 양, 조금: a ~ of salt 소량의 소금. **2 a** (the ~) 압박, 고통, 곤란; 위기; 심한 통증, 격통(激痛): the ~ *of* hunger 〔poverty〕 굶주림〔가난〕의 고통. **b** 《영》 = TRAM PINCH; 〖광산〗 핀치《광맥 · 층이 없어짐》. **3** 《미속어》 포박, 체포; 《속어》 도둑질; 《구어》 (경찰의) 급습. **4** = PINCH BAR. ***at*** 〔***in, on***〕 ***a*** ~ 만약의 경우에, 위급한 고비에 당면하여. ***feel the*** ~ 경제적 곤경에 빠지다. ***when*** 〔***if***〕 ***it comes to the*** ~ 만일의 〔위급한〕 경우에는. ***with a*** ~ ***of salt*** ⇨ SALT.
— *a.* 〖야구〗 대신의, 핀치히터의: a ~ homer 대타 홈런.

pínch bàr 받침대가 달린 지레.

pínch·bèck n. [U] 금색동(金色銅)《구리와 아연의 합금; 금의 모조용》; [C] 값싼 보석류; 가짜, 위조품. — *a.* 금색동의; 가짜의; 값싸고 번지르르한.

pínch·bòttle n. 허리가 잘록한 술병.

pínch·còck n. 핀치콕《고무관 따위에서 나오는 수량(水量)을 조절하는 물림쇠의 일종》.

pín·chèck n. 매우 작은 바둑판무늬; 또 그 직물.

pinched [-t] a. 바싹 죈, 옹색한, 여윈; (재정적으로) 어려운.

pínch effèct 〖물리〗 핀치 효과.

pínch·er n. 집는〔따는〕 사람〔물건〕; (pl.) = PINCERS.

pínch hít 〖야구〗 대타(代打).

pínch-hít (p., pp. **-hit**; **-hitting**) *vi.*, *vt.* 〖야구〗 핀치히터로 나가다; 《미》 (절박한 경우에) 대역(代役)을 하다《*for*》.

pínch hítter 1 〖야구〗 핀치히터, 대(代)타자. **2** 《비유》 대역, 대리자《*for*》.

pínch·pènny n., a. 구두쇠(의).

pínch rúnner 〖야구〗 핀치러너, 대주자(代走者).

pín cùrl 핀컬《핀 또는 클립을 꽂아 만드는 곱슬머리》.

pín·cùshion n. 바늘겨레.

pin·dan [píndən, -dæn/-dæn] n. 《Austral.》 반(半)건조 지대.

Pin·dar [píndər] n. 핀다로스《그리스의 서정시인; 522?~443? B.C.》.

Pin·dar·ic [pindǽrik] a. Pindar(풍)의; (시가) 형식적이며 정연한. — *n.* (보통 pl.) 핀다로스(풍)의 시(詩).

pin·dling [píndliŋ] a. 《미방언》 아주 작은; 약한, 병약한; 《영서부》 화를 잘내는.

pin·down [píndàun] n. **1** 〖군사〗 핀다운《적의 핵 미사일 발사장 상공에 많은 핵탄두를 연속으로 폭발시켜 적의 반격 핵미사일 발사를 불가능하게 하는 전법》. **2** 《영》 (문제 아동의) 장기간 독방 구금, 학대《격리 · 의식(衣食)의 제한 따위》.

***pine**¹ [pain] n. **1** 〖식물〗 솔, 소나무(~ tree): a ~ forest 송림(松林). **2** [U] 소나무 재목: ⇨ DOUGLAS PINE, OREGON PINE, WHITE PINE. **3** 《구어》 파인애플(pineapple).

°**pine**² *vi.* **1** 《~/+[부]》 (슬픔 · 사랑으로) 파리〔수척〕해지다, 한탄하며 지내다《*away; out*》: Disappointed in love, she has ~*d away*. 그녀는 실연으로 몹시 수척해졌다. **2** 《+[전]+[명]/+*to* do》 연모〔갈망〕하다《*for; after*》: She secretly ~*d for* his affections. 그녀는 남모르게 그를 연모했다/He ~*s to* return home. 그는 고향으로 돌아가기를 갈망하고 있다. — *vt.* 《고어》 한탄하다. — *n.* 《고어》 갈망.

pin·e·al [píniəl, páin-, painíːəl] *a.* 솔방울 모양의; 〖해부〗 송과선(松果腺)의. ***a ~ body*** 〔***gland, organ***〕 〖해부〗 (뇌의) 송과선, 송과체(體).

pi·ne·al·ec·to·my [pìniəléktəmi, pàiniəl-] *n.* 〖의학〗 송과체 절제(술).

*__pine·ap·ple__ [páinæ̀pəl] *n.* **1** 〖식물〗 파인애플; 그 열매. **2** 《군대속어》 폭탄, 수류탄; 상고머리.

píneapple clòth = PIÑA CLOTH.

píne bárren 소나무가 점재한 불모의 모래땅《미국 남서부 등지의》.

píne còne 솔방울.

píne·lànd *n.* (종종 ~s) 소나무로 뒤덮인 지대, 소나무 생육 지역.

píne màrten 〖동물〗 솔담비《유럽·북아메리카·아시아산(産)》.

pi·nene [páiniːn] *n.* 〖화학〗 피넨《terpene의 일종》.

píne nèedle (보통 *pl.*) 솔잎.

píne nùt 잣; 북아메리카 서부의 소나무 열매《식용》.

pin·ery [páinəri] *n.* 파인애플 밭〔온실〕; 솔밭.

píne stràw 《미중부》 마른 솔잎.

píne tàr (소나무 재목을 증류해서 채취한) 파인타르《지붕 재료·피부병 약》.

Píne Trèe Stàte (the ~) 미국 Maine 주의 별칭.

pi·ne·tum [painíːtəm] (*pl.* ***-ta***) *n.* (각종) 소나무 재배원(園), 송원(松園).

píne·wòod *n.* (종종 *pl.*) 솔밭; [U] 소나무 재목.

piney ⇨ PINY.

pín·fàll *n.* 〖레슬링〗 핀폴《양 어깨가 카운트 3을 세는 동안 매트에 닿는 일》.

pín·fèather *n.* 새의 솜털. [파] **~ed, ~y** *a.*

pín·fire *a.* (탄약통이) 공이식(式)인; 공이식 화기(火器)의: a ~ cartridge 공이식 약포(藥包). — *vt.* (발병이 난 말을) 마취시켜 전기 바늘로 치료하다.

pín·fish *n.* 〖어류〗 등에 침상(針狀) 돌기가 있는 물고기《특히 대서양 연안산 도미과의 물고기》.

pin·fold [pínfòuld] *n.* (길 잃은 가축을 가두어 두는) 우리; 〔일반적〕 (소·양 따위의) 우리; 감금소(所). — *vt.* 우리에 넣다.

ping [piŋ] *n.* **1** 핑《총알 따위가 공중을 지나는 소리》. **2** 〖방송〗 땡《시보(時報)의 마지막 소리》. [cf] pip⁴. **3** (내연 기관의) 노크 (소리)(knock). — *vi.* 핑〔땡〕 소리가 나다; 휙 날다; = PINK⁴.

PING 〖컴퓨터〗 Packet Internet Groper《인터넷과의 접속을 확인하기 위한 도구》.

píng·a·ble *a.* (인터넷에서) 사이트가 작동하고 있는, PING에 응답하는.

ping·er [píŋər] *n.* (물속의 정위(定位) 표시용) 파동음 발진(發振) 장치; 타이머가 달린 벨.

pin·go [píŋgou] (*pl.* ***~s, ~es***) *n.* 북극 지방의 얼음을 핵으로 하는 화산 모양의 작은 언덕.

°**ping-pong** [píŋpàŋ, -pɔ̀ːŋ/-pɔ̀ŋ] *n.* 탁구, 핑퐁(table tennis); 《구어·비유》 주거니받거니 하기; (P-P-) 탁구 용품《상표명》. — *vt., vi.* 《구어·비유》 왔다갔다하다, 주거니받거니 하다; 《미》 병원에서 (의료 보험) 환자에게〔환자가〕 불필요한 진찰을〔정밀 검사를〕 받게 하다〔받다〕.

píng-pòng diplómacy 핑퐁 외교《1971년 중국의 초청으로 미국 선수단이 베이징(北京)을 방문함으로써 열린 미국·중국의 외교 개선》.

Píng-Pong párents 《미》 핑퐁 부모《이혼 후에 아이를 탁구공처럼 자기들 사이를 오가게 하는 부모》.

pin·guid [píŋgwid] *a.* 기름 같은, 기름기 많은; (땅이) 기름진. [파] **pin·guíd·i·ty** *n.*

pin·guin [píŋgwin] *n.* pineapple과 비슷한 서인도산(産) 식물; 그 열매.

pín·hèad *n.* **1** 핀의 대가리. **2** 《비유》 사소한〔하찮은〕 물건. **3** 《속어》 바보; 멍청이.

pín·héaded [-id] *a.* 《구어》 머리가 나쁜, 멍청한. [파] **~·ness** *n.*

pín hèel 핀처럼 가느다란 굽을 댄 펌프스(pumps).

pín·hòlder *n.* (꽃꽂이의) 침봉.

pín·hòle *n.* 작은 구멍; 바늘구멍; (작은 돌기·구멍 등) 재료의 결함; 〖양궁〗 금빛의 작은 표적.

pínhole càmera 핀홀 카메라.

pin·ion¹ [pínjən] *n.* 새 날개의 끝 부분; 날개털; 칼깃; 《시어》 날개; 〖조각〗 앞날개. — *vt.* **1** (날지 못하도록) 날개 끝을 자르다; 두 날개를 동여매다. **2** (사람의 양팔을) 묶다; (사람을) 속박하다《*to*》. **3** 《+[목]+[전]+[명]》 단단히 붙들어매다《*to*》: be ~*ed to* bad habits (족쇄처럼) 나쁜 버릇을 버리지 못하다.

pin·ion² *n.* 〖기계〗 피니언 톱니바퀴《작은 톱니바퀴》; 톱니가 있는 축: a lazy ~ (두 톱니바퀴 사이의) 유동 톱니바퀴.

pin·ion³ *n.* = PIÑON.

‡**pink¹** [piŋk] *n.* **1** 분홍색, 핑크색(옷). **2** (종종 P-) 《구어》 좌익에 기운 사람. [cf] red. **3** (the ~) 정화(精華), 전형(典型); 최고 상태, 최고도: the ~ of perfection 완전 극치 / the ~ of fashion 유행의 정수(精粹). **4** 패랭이꽃, 석죽. **5** 멋쟁이, 맵시꾼. **6** 여우 사냥꾼의 분홍색 웃옷(~ coat)(의 천); 여우 사냥꾼. **7** 《미속어》 백인; 《Austral.》 싸구려 포도주; 《미속어》 자동차 소유권 증서, 《비유》 운전 자격. **8** 《미속어》 환각제(LSD). ***in the ~*** (***of condition*** 〔***health***〕) 《구어》 아주 기력이 왕성하여〔건강하여〕. — *a.* **1** 연분홍색의. **2** 《구어》 좌경사상의. **3** 흥분한, 성난. **4** 《구어》 멋있는; 《속어》 몹시, 대단한: have a ~ fit 몹시 부아가 나다; 몹시 당황하다. ***get ~ on*** …에 흥분하다. [파] **∠·ly** *ad.* 핑크색으로.

pink² *vt.* **1** 《+[목]+[전]+[명]》 찌르다, 꿰뚫다: ~ a man *through* the heart 사람의 심장을 꿰뚫다. **2** (가죽 따위에) 구멍을 뚫어 장식하다《*out*》; 《영》 (가장자리를) 톱니 모양으로 자르다, 장식하다《*out; up*》. — *n.* 작은 구멍; 눈(eye).

pink³ *n.* (고물이 좁은) 범선의 일종(pinkie).

pink⁴ *vi.* (엔진이) 노킹하다, 통통거리다(knock).

pínk bùtton 《영속어》 증권 회사 사원.

pínk chàser 《미흑인속어》 백인 여자를 쫓아다니는 흑인 남자.

pínk cóat 여우 사냥꾼의 심홍색 웃옷(pink).

pínk-cóllar *a.* (전통적으로) 여성만이 종사하는 직종의, 여성이 차지하는 직종에 종사하는 노동자의: ~ jobs 여성의 적직(適職).

pínk disèase 〖병리〗 핑크병《젖먹이 유아의 손·발가락 끝의 동통증》.

pínk dóllar (the ~) 《미》 핑크 달러《동성애자들이 쓴 돈》.

pínk élephant (종종 *pl.*) 술이나 마약에 의한 환각.

pínk·èye *n.* **1** 삼눈《일종의 전염성 결막염》. **2** (말의) 유행성 감기.

pínk gín 핑크 진《진에 칵테일용 쓴 술을 섞은 음료》.

pink·ie¹ [píŋki] *n.* 《미·Sc.》 새끼손가락.

pink·ie² *n.* 〖해사〗 = PINK³.

pínk·ing *n.* [U] 핑킹《천·가죽 따위의 가장자리를 톱니 모양으로 잘라 꾸민 장식》.

pínking shèars 〔**scìssors**〕 〖양재〗 핑킹용 (用) 가위.

pínk ínk 〔집합적〕 《속어》 (에로틱한) 연애 소설.

pink·ish [píŋkiʃ] *a.* 핑크색〔분홍색〕을 띤.

pínk lády 1 칵테일의 일종《진·브랜디·레몬주스·달걀 흰자를 섞은 것》. **2** 《속어》 다르본(Darvon) 《마약 진통제》, 세코날.

pín knòt (재목의) 직경 0.5 인치의 옹이.

pinko [píŋkou] (*pl.* ***pink·o(e)s***) *n.* 《미속어·경멸》 빨갱이, 좌경한 사람(pink).

pínk póund (the ~) 《영》 핑크 파운드《동성애자들이 쓴 돈》.

pínk rhododéndron = CALIFORNIA ROSEBAY.

pínk sálmon 〖어류〗 곱사송어(= **húmpback sàlmon**).

pínk slíp 《미구어》 **1** 해고 통지. **2** (몇 주에서 발행하는) 자동차 운전 가(假)면허. ***get the*** ~ 해고당하다, 목잘리다. ***give*** a person ***the*** ~ 해고하다; 《미속어》 소유권을 아무에게 양도〔인도〕하다.
pínk·slíp *vt.* 《미구어》 목자르다, 해고하다.
pínk spót 〖의학〗 정신 분열증 환자의 소변에서 특징적으로 나타나는 mescaline 과 흡사한 물질.
Pink·ster, Pinx·ter [píŋkstər] *n.* 《미방언》 =WHITSUNTIDE.
pínkster flòwer =PINXTER FLOWER.
pínk stèrn 〖해사〗 뾰족한 고물.
pínk téa 《미구어》 정식 연회, (여성들의) 차 마시는 모임; 엘리트들만의 모임〔파티〕.
pinky[1] [píŋki] *a.* 연분홍빛을 띤.
pinky[2] *n.* =PINKIE[1]. 「인 흑인 처녀.
pinky[3] *n.* 《미속어》 피부가 거무스름하고 매력적
pín mòney 〖일반적〗 용돈; (아내나 딸 등에게 주는) 용돈. cf. pocket money.
pinn- [pín], **pin·ni-** [píni] '날개, 깃, 지느러미' 란 뜻의 결합사.
pin·na [pínə] (*pl.* **~s, -nae** [-niː]) *n.* 〖동물〗 날개 · 지느러미 또는 이에 상당하는 기관(器官); 〖식물〗 겹잎의 우편(羽片); 〖해부〗 귓바퀴(auricle). ㊕ **pín·nal** *a.*
pin·nace [pínis] *n.* 〖해사〗 피니스 《함선에 싣는 중형 보트》, 함재정; 〖역사〗 (모선(母船)에 부속된) 두대박이의 작은 배.
°**pin·na·cle** [pínəkəl] *n.* 〖건축〗 작은 뾰족탑; 뾰족한 산봉우리; (the ~) 정점, 절정: the ~ of power 권세의 절정. ― *vt.* 작은 뾰족탑을 붙이다; 높은 곳에 두다; 작은 뾰족탑 모양으로 하다; …의 절정을 이루다. ㊕ **~d** *a.* 작은 뾰족탑 모양으로 솟은; 작은 뾰족탑이 있는; 높은 곳에 있는.
pin·nate, -nat·ed [píneit, -nət], [-eitid] *a.* 〖식물〗 우상(羽狀)의, 새의 깃 모양의, 깃꼴잎이 달린; 〖동물〗 날개 · 지느러미류를 가진, 깃 모양의. ㊕ **~·ly** *ad.*
pin·nat·i- [pinǽtə] '우상(羽狀)으로, 새의 깃 모양으로' 란 뜻의 결합사.
pin·nat·i·fid [pinǽtəfid] *a.* 〖식물〗 (잎이) 우상(羽狀)으로 분열한, 새의 깃 모양으로 분열한. ㊕ **~·ly** *ad.* 「狀) 조직.
pin·na·tion [pinéiʃən] *n.* Ⓤ (식물의) 우상(羽
pin·ner [pínər] *n.* 핀을 꽂는 사람〔물건〕; 《영구어》 =PINAFORE; (보통 *pl.*) (17-18 세기에 쓰던) 긴 lappets 가 달린 여자용 두건.
pin·ni·ped [pínəpèd] *a., n.* 〖동물〗 (바다표범 따위의) 기각류(鰭脚類)의 (동물). ㊕ **pìn·ni·pé·di·an** [-píː-] *a.*
pin·nule [pínjuːl] *n.* **1** 〖식물〗 (이회(二回) 깃꼴 겹잎의) 소엽(小葉). **2** 〖동물〗 작은지느러미; (갯나리류(類)의) 깃가지. **3** 〖측량〗 (alidade 의) 후시준판(後視準板).
PÍN nùmber =PIN.
Pi·noc·chio [pinóukiòu] *n.* 피노키오《이탈리아의 작가 Carlo Collodi 가 지은 동화의 주인공인 나무 인형》.
pi·noc(h)·le [píːnʌkəl, -nɑkəl/-nʌkəl] *n.* Ⓤ bezique 비슷한 카드놀이; 이 게임에서 spade 의 queen 과 diamond 의 jack 으로 된 짝《40 점》.
pi·no·cy·to·sis [pìnəsaitóusis, pàin-] (*pl.* **-ses** [-siːz]) *n.* 〖생물〗 음(飮)세포 작용《생세포가 외계의 용액을 섭취하는 현상의 하나》. ㊕ **-tót·ic** [-tɑ́t-/-tɔ́t-] *a.* **-i·cal·ly** *ad.*
pi·no·le [pinóuli] *n.* 볶은 옥수숫가루〔밀가루 따위〕《멕시코 · 미국 남서부에서 단맛 · 향미를 내어 우유에 타서 마심》.
pi·ñon [pínjən] (*pl.* **~s, -ño·nes** [pinjóuniːz]) *n.* 열매를 먹는 각종 소나무(nut pine)《북아메리카 서부 · 멕시코산(産)》; 그 열매.
Pi·not [piːnóu] *n.* 《F.》 포도주 양조용의 포도 품종《Pinot Blanc, Pinot Noir 등》; 그것으로 만든 포도주.
Pinot Blanc [∸bláːŋ] 《F.》 백포도주용의 Pinot 종 포도; 그것으로 만든 백포도주.
Pinot Noir [∸nwáːr] 《F.》 적포도주용의 Pinot 종 포도; 그것으로 만든 적포도주.
pín·pòint *n.* 핀〔바늘〕 끝; 아주 작은 물건; 소량; 정확〔정밀〕한 위치 결정; 작은 표적; 정밀 조준 포격(=∸ **bòmbing**). ― *a.* 정확하게 목표를 정한; 아주 자세한, 정밀한. ― *vt.* 핀을 꽂아 …의 위치를 나타내다; 정확히 …의 위치를 지적하다; 정밀 폭격을 하다.
pínpoint óiler 주사기식 주유기; 미량(微量) 주유기(=**Syrínge óiler**).
pín·prìck *n.* **1** (핀으로) 콕 찌름; 핀으로 찌른 (것 같은) 작은 구멍. **2** 따끔하게 찌르는 말; 성가시게 굴기: a ~ policy 성가시게 구는 정책. ― *vt.* 콕콕 찌르다.
PINS [pinz] *n.* 《미》 감독이 필요한 자; 문제아. [◂ *P*erson(s) *I*n *N*eed of *S*upervision]
píns and néedles ⇨ PIN (관용구).
pín·sètter *n.* **1** =PIN BOY. **2** (볼링의) 핀을 나란히 놓는 기계. 「에 의한 마약 주사.
pín·shòt *n.* 《미속어》 안전핀과 안약 용기(容器)
pín spòt 〖연극〗 핀스폿《무대의 극히 일부분만을 조명하는 좁은 광선의 스포트라이트》.
pín·spòtter *n.* =PINSETTER.
pín·strìpe *n.* **1** 세로의 가는 줄무늬. **2** 그 무늬의 옷(=∸ **sùit**)《전통적으로 실업가가 입음》. **3** 부자. ㊕ **~d** [-t] *a.*
pín·strìper *n.* 《미구어》 (엘리트) 실업가, 기업경영자〔중역〕. 「로 꾸미기.
pín·strìping *n.* (자동차 등에) 가는 세로줄 무늬
pint [paint] *n.* **1 파인트《(1) 액량의 단위; =1/2 quart, 4 gills; 생략: pt.; 《미》 0.473 *l*; 《영》 0.568 *l*. (2) 건량(乾量)의 단위; =1/2 quart; 생략: pt.; 《미》 0.550 *l*; 《영》 0.568 *l*》. **2** 1 파인트들이 그릇. **3** 《영구어》 1 파인트의 맥주〔우유〕.
pin·ta[1] [píntə] *n.* Ⓤ (라틴 아메리카에 많은) 열대 백반성 피부병. 「주 따위〕.
pin·ta[2] [páintə] *n.* 《영구어》 1 파인트의 우유〔맥
pín·tàil *n.* 〖조류〗 고방오리《유럽 · 아시아 · 북아메리카산(産)》(=**pín-tailed dúck**).
pín·tàiled *a.* 〖조류〗 꽁지 가운데 깃이 길게 나온; 꽁지깃이 뾰족한.
pín the táil on the dónkey 꼬리 없는 당나귀 그림을 벽에 붙이고 눈을 가린 아이가 번호를 매긴 꼬리를 핀으로 꽂는 놀이《가장 가까운 데에 꽂으면 이김》(=**pín the dónkey's táil**).
pin·tle [píntl] *n.* (경첩 · 키 따위의) 축(軸); (포를 끌기 위한 포차의) 견인 고리.
pin·to [píntou] *a.* 《미》 얼룩빼기의, 반문(斑紋)이 있는. ― (*pl.* **~s, ~es**) *n.* 《미서부》 (흑백의) 얼룩말; 얼룩덜룩한 강낭콩(=∸ **bèan**); =PINTA[1]; 《미방언》 관(棺). 「하찮은.
pínt-sìze(d) *a.* 《구어》 자그마한, 소형의; 작고
pín tùck 〖복식〗 핀 턱《가늘고 길게 누빈 주름》.
pín·ùp, pín-ùp *a.* 《구어》 벽에 꽂는〔거는〕; 벽에 핀으로 꽂아 장식할 만한; 인기 있는. ― *n.* (벽에 장식하는) 인기 있는 미인 등의 사진; 벽에 핀으로 꽂아 장식할 만한 미인〔미남〕; 벽램프. 「핀업 사진.
pínup gírl 핀업에 적합한 미녀;
pínup bóard 핀 · 압핀 등으로 서류 등을 꽂아 두는 게시판《표면이 코르크나 펠트(felt)로 됨》.
pín·whèel *n.* **1** 팔랑개비《장난감》. **2** 회전 불꽃(Catherine wheel); 〖기계〗 핀 톱니바퀴.

pinwheel 1

pín·wòrm *n.* 〖동물〗 요충.

pín wrènch 게눈 스패너《대가리에 구멍이 있는 볼트에 끼워 돌릴 수 있는 핀이 달렸음》.

pinx. *pinxit* 《L.》 (=he 〔she〕 painted it).

pinx·it [píŋksit] *vt.* 《L.》〘이름 뒤에 붙여〙…작〔필, 그림〕, (아무개가) 그리다, …그림《그림 설명 다음에 씀; 생략: *pinx.*, *pxt.*》. [cf] fecit.

pínx·ter flòwer [píŋkstər-] 연분홍색 철쭉《북아메리카 동부 원산》.

piny, piney [páini] (***pin·i·er; -i·est***) *a.* 소나무의〔같은〕; 소나무가 무성한.

Pin·yin [pínjín] *n.* (종종 p-) 《Chin.》 병음(倂音) 《베이징(北京) 방언에 입각한 중국어의 로마자 표기법의 한 방식》. [cf] Wade(-Giles) system.

pin·yon [pínjən] *n.* =PIÑON.

PIO 〖군사〗 public information officer 〔office〕 (정훈〔공보〕 장교〔정훈실〕).

pi·o·let [pi:əléi] *n.* 《F.》 (등산용) 소형 피켈.

pi·on [páiɑn/-ɔn] *n.* 〖물리〗 파이(π) 중간자 (pi-meson).

*__pi·o·neer__ [pàiəníər] *n.* **1** (미개지·신분야 따위의) 개척자. **2** 선구자《*in; of*》, 솔선자; 주창자, 선봉. **3** 〖군사〗 (부대 선발(先發)) 공병(engineer). **4** 〖생물〗 (나지(裸地)에 최초로 침입 정착하는) 선구(先驅) 동물〔식물〕. **5** (P-) 미국의 행성 탐사용 인공행성; 행성 탐사 계획; 피오니르 《옛 소련의 소년 소녀단원》. **—** *a.* 초기의; 개척자의: the ~ days 초창기. **—** *vt.* **1** (미개지·신분야 등을) 개척하다; (도로 등을) 개설하다. **2** 선도하다, 지도하다. **3** 제창하다. **—** *vi.* 개척자가 되다《*in*》; 솔선하다《*in*》.

pionéering índustry 첨단(尖端) 산업(frontier industry).

pi·on·ic [paiánik/-ɔ́n-] *a.* 〖물리〗 파이 중간자의〔에 관한〕.

pi·on·i·um [paióuni(:)əm] *n.* 〖물리〗 파이오늄 《뮤 중간자(muon)와 파이 중간자(pion)로 된 의사(疑似) 원자〔준(準)원자〕》.

píon thèrapy 〖의학〗 파이 중간자 요법《파이 중간자를 암세포에 방사하여 세포를 파괴하는》.

pi·os·i·ty [paiásəti/-ɔ́s-] *n.* 지나치게 경건함, 경건한 체함; 믿음이 독실한 체함.

__pi·ous__ [páiəs] *a.* **1 신앙심이 깊은; 경건한. [opp] *impious*. **2** (세속적인 데 대해) 종교적인. [opp] *secular*. ¶ ~ literature 종교 문학. **3** 경신(敬神)을〔종교를〕 빙자한; 위선적인: a ~ fraud 종교를 빙자한 사기; 선의의 거짓. **4** 《구어》 훌륭한, 칭찬할 만한. **5** 《고어》 충성〔효성〕스러운. **6** 훌륭한, 가치 있는《기도(企圖)·노력 등》. **7** 〖특히 다음 관용구로〗 실현성 없는: a ~ hope. ◇ piety *n.* [파] **~·ly** *ad.* **~·ness** *n.*

Pip [pip] *n.* 핍《남자 이름; Philip의 애칭》.

pip[1] *n.* (사과·귤 따위의) 씨; 《미속어》 굉장한 물건〔사람〕. ***squeeze*** a person ***until*** 〔***till***〕 ***the ~s squeak*** 《구어》 아무를 죽는 소리를 낼 때까지 죄어치다; 강제적으로 시키다〔부려먹다〕; 《특히》 많은 세금을 물게 하다. **—** *a.* 《미속어》 훌륭한, 매력적인. **—** (***-pp-***) *vt.* (과일의) 씨를 골라내다. [파] **∠·less** *a.*

pip[2] *n.* (카드·주사위 따위의) 점, 눈; (영국 육군 견장의) 별; (은방울꽃·아네모네 따위의) 근경(根莖); 파인애플 껍질의 비늘꼴의 잔 조각; 〖레이더〗 =BLIP.

pip[3] *n.* (the ~) 가금(家禽)의 혀·목의 병; (the ~) 《속어·우스개》 (사람의) 가벼운 병, 《속어》 기분이 언짢음; 《속어》 매독. ***get the ~*** 기분이 나빠지다. ***give*** a person ***the ~*** 《속어》 아무를 기분 나쁘게 하다. ***have the ~*** 《속어》 기분이 나쁘다, 성이 나 있다. **—** (***-pp-***) *vt.*, *vi.* 《영속어》 기분 나쁘게 하다〔나빠지다〕.

pip[4] *n.* (방송 시보(時報)나 통화 중 신호음 따위의) '삐' 소리: *Pip*, ~, ~, ping! 삐삐삐 땡 《시보의 소리》.

pip[5] (***-pp-***) 《영구어》 *vt.* 배척하다; …에 반대하다; (계획 등을) 좌절시키다, 훼방 놓다; 총알〔화살〕로 쏘다; 죽이다; 앞지르다, 지우다〔지게 하다〕; (아무를) 낙제시키다; (시험에) 낙제하다. **—** *vi.* 죽다《*out*》. **~ *at*** 〔***on***〕 ***the post*** 막판에서 완전히 이기다.

pip[6] (***-pp-***) *vt.* (껍질을) 깨고 나오다《병아리 따위가》. **—** *vi.* 삐악삐악 울다, 껍질을 깨고 나오다; (알이) 깨지다.

pip[7] *n.* 《영》 (신호에서) p자(字).

pip·age, pipe·age [páipidʒ] *n.* [U] (물·기름·가스 따위의) 파이프 수송; 〘집합적〙 수송관; (파이프에 의한) 수송료(料).

pí·pal (trèe) [páipəl(-), pí:-/pí:-] 〖식물〗 (인도의) 보리수(bo 〔bodhi〕 tree).

__pipe__ [paip] *n.* **1 파이프, 관(管), 도관(導管), 통(筒): a water ~ 수도관/a steam 〔gas〕 ~ 스팀〔가스〕관/a distributing ~ 배수관. **2** (담배) 파이프(tobacco ~), 담뱃대; (한 대 피우는) 담배: light a ~ 파이프에 불을 붙이다, 한 대 붙여 물다/smoke a ~ 한대 피우다. **3** 피리, 관악기; 파이프오르간의 관(organ ~); (*pl.*) =BAGPIPE; 〖해사〗 호적(號笛); 호각(소리). **4** 노랫소리, 새의 지저귀는 소리, 새된 목소리; 피리 소리. **5** (생체의) 도관, (인체의) 관상(管狀) 기관; 맥관; (*pl.*) 《구어》 기관(氣管), 성대, 목소리. **6** 〖식물〗 줄기; 〖광산〗 관상광(管狀鑛); (분화구·간헐천 등의) 관상(管狀) 부분. **7** (주물 윗부분의) 원추형으로 패인 곳. **8** =PIPE DREAM. **9** 큰 술〔기름〕 통; 그 큰 통의 용량(《미》 126 gallons, 《영》 105 gallons). **10** 《속어》 편한 일, 확실한 일; 《미속어》 (대학의) 쉬운 학과. **11** 《미속어》 전화; (거래·사교상의) 대화. **12** 《미속어》 음경(penis); (마약을 주사하는) 굵은 정맥. **13** 〖컴퓨터〗 파이프《표준 입력을 다른 프로세스의 표준 출력과 연결시키는 것》. ***pull at*** one***'s ~*** 담배를 피우다; 《비어》 수음(手淫)하다. ***put*** a person***'s ~ out*** 남의 담뱃불을 끄다; 남의 성공을 방해 놓다. ***Put that in your ~ and smoke it.*** 천천히 잘 생각해 봐라《꾸짖은 후에 하는 말》. ***smoke the ~ of peace*** (북아메리카 원주민이) 화친의 표시로 담배를 돌려가며 피우다. ***tune*** one***'s ~s*** 울다.

— *vi.* **1** 피리를 불다. **2** 짹짹 지저귀다; 빽빽 울다; (바람이) 윙윙 불다; 큰 소리로 말하다. **3** 〖해사〗 (갑판장이) 호각으로 신호하다. **4** 〖광산〗 관 모양으로 파다. **5** (주물에) 패인 데가 생기다.

— *vt.* **1** 《~+[목]/+[목]+[전]+[명]》 (물·가스 등을) 파이프를 통해 나르다: ~ water *from* the lake 호수에서 물을 끌다. **2** …에 파이프를 설치하다, 배관하다. **3** 《+[목]+[전]+[명]》 (라디오·텔레비전을) 유선 방송하다, (통신을) 동축(同軸) 케이블로 보내다; 《미속어》 전해 주다, 알리다: ~ music *into* stores 상점에다 유선 방송으로 음악을 흘리다. **4** (피리를) 불다. **5** 고함지르다, 외치다. **6** 노래하다, 지저귀다. **7** 《+[목]+[전]+[명]/+[목]+[부]》 〖해사〗 (선원을) 호각을 불어 부르다〔집합시키다〕: ~ all hands *on* deck 호각을 불어 갑판에 전원 집합시키다/~ the crew *aboard* 호각을 불어 선원을 승선시키다. **8** (옷과 과자 따위에) 파이프 모양의 장식테를 두르다. **9** 《+[목]+[보]》 피리를 불어 …을 유인하다〔이끌다〕: ~ a person *asleep* 피리를 불어 아무를 잠들게 하다. **10** 《속어》 (진기한 것 등을) 보다(look at), 알아채다(notice). **11** (식물을) 줄기의 관절부에서 잘라서 번식시키다. **~ *away*** 〖해사〗 호각을 불어 …에 출발을 명하다. **~ *down*** ① 〖해사〗 호각을 불어 종업(終業)을 명하다. ② 《구어》 낮은 소리로 말

하다; 입을 다물다, 조용해지다; 수굿해지다. ~ ***off*** 《미속어》 …을 블랙리스트에 기재하다; …을 경찰에 고발하다. ~ ***one's eye*(*s*)** ⇨EYE. ~ ***up*** 취주〔노래〕하기 시작하다, 갑자기 큰 소리를 지르다; 《속어》 지껄이다; (바람이) 점점 심해지다.
pípe bànd 《영》 취주 악대.
pípe bòmb (쇠)파이프 폭탄.
pípe clày 파이프 백색 점토(粘土)《담배 파이프 제조용; 가죽 제품을 닦는 데도 쓰임》; 〖군사〗 복장〔교련〕에 엄격함; 형식주의.
pípe-clày *vt.* 파이프 백색 점토로 표백하다; 《비유》 닦아 윤을 내다, 정돈하다.
pípe clèaner 담배 파이프 청소용구, 《특히》 꼰 철사에 섬유털을 단 것.
pípe cùtter 파이프 절단기. 「《미속어》 술취한.
piped [-t] *a.* 파이프로 보내는; 유선 방송되는;
pípe drèam 《구어》 (아편 흡연자가 그리는 것 같은) 공상, 몽상, 꿈 같은 계획, 허풍.
pípe·fish (*pl.* **~, ~·es**) *n.* 〖어류〗 실고기.
pípe fitter 배관공.
pípe fitting 관 이음쇠; 도관(導管) 부설, 배관.
pipe·ful [páipfùl] *n.* 파이프 가득(한 분량); (파이프 담배) 한 대분.
pípe·làyer *n.* (수도관·가스관) 배관공.
pípe·lìne *n.* 도관(導管), 송유관; 송유관로(路), 가스 수송관; (정보 따위의) 루트, 경로; (상품의) 유통〔공급〕 경로, 제조 과정. ***in the*** ~ 수송〔수배〕 중; 진행〔준비〕 중. **—** *vt.* 도관으로 보내다〔공급하다〕. **—** *vi.* 도관을 설치하다.
pípe·lìning *n.* **1** 〖컴퓨터〗 파이프라인 방식, 파이프라이닝《여러 개의 연산 장치를 설치하여 명령 실행을 개시한 후에 계속해서 다음 명령의 실행을 중복시키는 일》. **2** 파이프라인의 부설(기술〔작업〕). 「(主奏者).
pípe májor (bagpipe 대(隊)의) 파이프 주주자
pip em·ma [pípémə] 《영구어》 오후에(P.M.).
pípe òpener 준비 운동.
pípe òrgan 파이프오르간. [cf] reed organ.
°**pip·er**[1] [páipər] *n.* **1** 피리 부는 사람; = BAGPIPER. **2** 〖어류〗 성대류. **3** 숨가빠 하는 말(horse); 《영》 짐승을 꾀어 오는 데 쓰는 개. **(*as*) *drunk as a*** ~ 《구어》 만취하여. ***pay the*** ~ 비용〔책임〕을 부담하다; 응보를 받다: He who *pays the* ~ calls the tune. 《속담》 피리 부는 사람에게 돈을 준 자는 곡을 청할 권리가 있다, 비용을 부담하는 자에게 결정권이 있다 / They that dance must *pay the* ~〔fiddler〕. 《속담》 춤을 추는 자는 피리 부는〔바이올린 켜는〕 자에게 돈을 지불해야 한
pip·er[2] *n.* 《속어》 상당히 중요한 인물. 「다.
pípe ràck (담배) 파이프걸이.
pípe-ràck *a.* (상점이) 점내(店內) 장식 등을 간소화하여 상품을 싸게 제공하는, 파이프랙식의.
pi·per·a·zine [pipérəzìːn, -zin, pai-/pipérə-, pai-] *n.* [U] 〖화학〗 피페라진《통풍(痛風) 치료·농약 등에 쓰임》.
pi·per·i·dine [pipérədìːn, pai-/pipéri-, pai-] *n.* [U] 〖화학〗 피페리딘《용제(溶劑)·의약으로 쓰임》.
pip·er·ine [pípəriːn] *n.* 〖화학〗 피페린《백색 결정상의 알칼로이드; 살충제·건위제로 쓰임》.
pi·per·o·nal [pipérənæ̀l, pai-, pípərə-] *n.* [U] 〖화학〗 피페로날《향수 원료》.
pi·per·o·nyl bu·tox·ide [pipérənìlbjutáksaid, pai-, pípərə-/-tɔ́ks-] 〖화학〗 피페로닐 부톡시드《살충제의 촉진용》.
pípe smòker 《미》 아편 중독자. 「란 팔〔다리〕.
pípe·stèm *n.* 담배 파이프의 대; 말라서 가느다
pípe·stòne *n.* [U] 홍점토(紅粘土)의 일종《아메리카 인디언이 담배 파이프를 만드는 재료》.
pípe stòp (오르간에서 플루트의 음색을 내는) 순관(脣管) 음전.

pi·pet(**te**) [paipét, pi-/pi-] 〖화학〗 *n.* 피펫《극소량의 액체를 재거나 옮기는 데 쓰는 눈금 있는 관》. **—** (**-tt-**) *vt.* 피펫으로 계량하다〔옮기다〕.
pípe·wòrk *n.* 파이프 모양의 광맥; (오르간 따위의) 파이프 기구(機構).
pípe wrènch 파이프렌치, 관 집게.
pi·pi [píːpi] *n.* 《소아어》 쉬, 오줌(urine).
pip·ing [páipiŋ] *n.* **1** [U,C] 피리를 붊; 관악(管樂); [C] 피리 소리; [U,C] 날카로운 소리; (작은 새의) 드높은 지저귐; 《속어》 울; [U,C] 울음소리. **2** [U,C] 〖집합적〗 관(管); 관계(管系), 배관(配管); 관 모양의 것; 관 모양의 가장자리 장식, (옷·과자 따위의) 파이핑. **—** *a.* **1** 피리를 부는; 날카로운 소리를 내는, 드높은. **2** 《고어》 태평한: the ~ time(s) of peace 태평세대. **3** 펄펄 끓는, 갓 구워〔삶아〕 만든. **—** *ad.* 〖다음 관용구로〗 ~ ***hot*** (음식물 따위가) 몹시 뜨거운.
pip·is·trel(**le**) [pìpəstrél] *n.* 〖동물〗 집박쥐.
pip·it [pípit] *n.* 〖조류〗 할미새; 《특히》 논종다리(titlark).
pip·kin [pípkin] *n.* 작은 옹기병〔냄비〕; 들통.
pip·pe·roo [pìpərúː] (*pl.* **~s**) *n.* 《미속어》 굉장한 사람〔물건〕.
pip·pie [pípi] *n.* 유산 상속으로 부자가 된 사람.
pip·pin [pípin] *n.* 사과의 일종; 〖식물〗 (사과·귤따위의) 씨(pip[1]); 《속어》 굉장한 물건〔사람〕(pip[1]).
pip·py [pípi] *a.* (사과 따위의) 씨가 많은.
píp·squèak *n.* 짧고 새된 소리〔목소리〕, (삐삐 울리는) 경적; 《속어》 꼬마, 개구쟁이, 하잘것없는 녀석; 《속어》 (항공기의 위치 확인용) 무선 장치.
pipy [páipi] (***pip·i·er; -i·est***) *a.* 관(管)모양의; 관이 있는; 날카로운《소리 따위》.
pi·qua·da [piká:də] *n.* 고문용 전기 바늘.
pi·quan·cy [píːkənsi] *n.* [U] 얼얼한〔짜릿한〕 맛; 신랄; 통쾌.
pi·quant [píːkənt] *a.* **1** 얼얼한《맛 따위》. **2** 야무진, 통쾌한; 《고어》 신랄한, 통렬한. [파] **~·ly** *ad.* **~·ness** *n.*
°**pique**[1] [piːk] *n.* [U] 화, 불쾌, 찌무룩함. ***in a fit of*** ~ =***out of*** ~ 홧김에. ***take a*** ~ ***against*** a person 아무에게 악감을 품다. **—** *vt.* …의 감정을 상하게 하다, 성나게 하다; (호기심 따위를) 자극하다; 자랑하다; 〖군사〗 급강하 폭격하다: be ~*d* at …에 불끈하다 / ~ oneself on〔upon〕 (자기의 장점 따위를) 자랑하다. **—** *vi.* 남의 감정을 상하게 하다, 성나게 하다. 「*vi.* ~를 따다.
pique[2] *n.* piquet[1] 놀이에서 30점을 따기. **—** *vt.*,
pi·qué, pi·que [pi(ː)kéi/píːkei] *n.* 《F.》 [U] 골무늬의 무명, 피케.
pi·quet[1] [pikét, -kéi] *n.* 《F.》 카드놀이의 일종《두 사람이 32장의 패로 함》.
pi·quet[2] [píkit] *n.* 〖군사〗 =PICKET.
pi·ra·cy [páiərəsi] *n.* [U,C] 해적 행위; 저작권〔특허권〕 침해; 무허가〔무면허〕로 하는 행위《해적 방송 따위》; =CAPTURE. [cf] pirate. ¶ literary ~ (저작의) 표절.
pi·ra·gua [pirá:gwə, -rǽg-] *n.* 《Sp.》 마상이; 두대박이 너벅선(pirogue).
pi·ra·nha [pirá:njə] *n.* 〖어류〗 피라니아《남아메리카 아마존·오리노코 강 산의 담수어; 사람·짐승을 떼 지어 뜯어먹음》.
pi·ra·ru·cu [pirá:rəkù:] *n.* 〖어류〗 피라루쿠《남아메리카 아마존 강에 서식하는 세계 최대의 담수어; 식용함; 몸길이 5 m, 무게 400 kg》.
***pi·rate** [páiərət] *n.* **1** 해적; 해적선. **2** 표절자, 도작자(盜作者), 저작권〔특허권〕 침해자: a ~ publisher 해적판 출판자. **3** (다른 차의 손님을 태우거나 부당 요금을 받는) 불법 버스(운전사);

해적 방송국. **4** 훔치는 사람, 약탈자. **—** *vt.* **1** …에게 해적 행위를 하다; 약탈하다. **2** 저작권〔특허권〕을 침해하다; 표절하다; (타사의 종업원을) 빼돌리다. **3** 표절해서 만들다: a ~*d* edition 해적판, 위조 출판물. **—** *vi.* 해적 행위를 하다.

Pírate Còast (the ~) Trucial Oman 의 구칭.

pírate lòok 〖복식〗 해적 룩《중세 취향을 가미한 패션으로, New Romantic 의 하나》.

pírate ràdio 해적 방송, 무허가 방송《특히 공해상에서의》: a ~ station 해적 방송국, 해적국.

pírate tápe 해적판 테이프.

pi·rat·ic, -i·cal [paiərǽtik, pə-], [-əl] *a.* 해적의, 해적질하는; 저작권 침해의, 표절의. ㉺ **-i·cal·ly** *ad.*

PIRG public interest research group.

pirn [pəːrn] *n.* (직기의) 씨실을 감는 나무관(管)《이것을 북 속에 넣음》; 《Sc.》 (낚싯대의) 릴(reel).

pi·rogue [piróug] *n.* 마상이, 통나무배.

pi·rosh·ki, -rozh- [pirɔ́ːʃki, -rɑ́ʃ-/-rɔ́ʃ-] *n. pl.* 《Russ.》 고기 등을 넣은 러시아식 파이.

pir·ou·ette [pìruét] *n.* 《F.》 (발레의) 발끝으로 돌기; (말타기에서) 급선회. **—** *vi.* 발끝으로 맴돌다; 급선회하다.

Pi·rox·i·cam [pairɑ́ksikæ̀m/-rɔ́k-] *n.* [U] 〖약학〗 피록시캄《소염(消炎) 진통제; 상표명》.

Pi·sa [píːzə] *n.* 피사《이탈리아 중부의 도시》. ***the Leaning Tower of*** ~ 피사의 사탑.

pis al·ler [*F.* pizale] (*pl.* **~s** [-z]) 《F.》 응급책; 최후 수단, 편법.

pis·ca·ry [pískəri] *n.* 〖법률〗 어업권《남의 어구(漁區) 안에서의》; 어장. ***the common of*** ~ 입어권(入漁權).

pis·ca·tol·o·gy [pìskətɑ́lədʒi/-tɔ́l-] *n.* [U] 《드물게》 어로술〔학〕.

pis·ca·tor [piskéitər] *n.* 어민, 낚시꾼.

pis·ca·to·ry, pis·ca·to·ri·al [pískətɔ̀ːri/-təri], [pìskətɔ́ːriəl] *a.* 물고기의; 어부〔어업〕의; 낚시질의〔을 좋아하는〕; 어업에 종사하는: ~ rights 어업권. ㉺ **-ri·al·ly** *ad.*

Pis·ce·an [písiən] *a., n.* 〖점성〗 물고기자리(태생)의 (사람).

Pis·ces [páisiːz, pís-] *n. pl.* 〖동물〗 어류《총칭》; 〔단수취급〕 〖천문〗 물고기자리; 쌍어궁(雙魚宮) ([cf] zodiac); 물고기자리 태생의 사람. **—** *a.* 물고기자리 태생의.

pis·ci- [písə, páisi/písi] '물고기' 란 뜻의 결합사.

pis·ci·cide [písəsàid, páisə-/písi-] *n.* (어떤 수역의) 어류 절멸; 살어제(殺魚劑). ㉺ **pis·ci·cí·dal** *a.*

pis·ci·cul·tur·al [pìsikʌ́ltʃərəl] *a.* 양어(養魚)(법)의. ㉺ **~·ly** *ad.*

pis·ci·cul·ture [písikʌ̀ltʃər] *n.* [U] 양어(법), 수산 양식. ㉺ **pìs·ci·cúl·tur·ist** [-rist] *n.* 양어가.

písci·fòrm *a.* 물고기 모양의.

pis·ci·na [pisáinə, -síː-/-síː-] (*pl.* **~e** [-niː], **~s**) *n.* 양어지(池); 〖고대로마〗 목욕하는 못; 〖교회〗 (석조의) 성배 세반(聖杯洗盤); 세수반(洗手盤). ㉺ **~l** *a.*

pis·cine¹ [páisiːn, písain/písain] *a.* 물고기의, 어류의〔에 관한〕.

pis·cine² [písiːn] *n.* =PISCINA.

pis·civ·o·rous [pisívərəs] *a.* 〖동물〗 물고기를 먹는.

pis·co [pískou] (*pl.* **~s**) *n.* 《Sp.》 페루산 브랜디.

pi·sé [piːzéi] *n.* 《F.》 [U] 〖건축〗 이긴 흙.

Pis·gah [pízgə] *n.* **1** (Mount ~) 〖성서〗 (사해(死海) 북동의) 피스가 산《모세가 이 산의 정상인 Mt. Nebo 에서 약속의 땅 Canaan 을 바라보았음; 신명기 XXXIV: 1-4》. **2** 앞길을 바라볼 수 있는 기회〔지점〕: a ~ prospect 〔sight, view〕 확실한 전망.

pish [piʃ] *int.* 피, 체《경멸 · 혐오를 나타냄》. **—** *vt., vi.* 피하다. ~ ***away*** 〔***down***〕 피하고 멸시하다, '콧방귀 뀌다'.

pi·shogue [piʃóug] *n.* 《Ir.》 마술, 주문.

pi·si·form [páisəfɔ̀ːrm] *a.* 완두 모양〔크기〕의; 〖해부〗 두상(豆狀)의: ~ bones 〖해부〗 (손목의) 두상골(骨). **—** *n.* 두상골.

pis·mire [písmaiər] *n.* 개미(ant); 하찮은 녀석.

pi·so·lite [páisəlàit] *n.* 두석(豆石)《수성암 속의 동심 구조로 된 완두만한 돌》. ㉺ **pì·so·lít·ic** [-lít-] *a.*

piss [pis] 《비어》 *vt., vi.* 소변보다; (피 따위를) 오줌과 함께 배출하다; 오줌으로 적시다; 《속어》 (비가) 억수로 쏟아지다: ~ oneself laughing '배꼽을 빼다'. ***He should be ~ed on from the great height.*** 호되게 꾸짖어 주어라, 경멸할 가치도 없는 녀석이다. ~ ***about*** 〔***around***〕 어리석게 굴다; 되는 대로 다루다; 시간을 헛되이 보내다; …을 엉망으로 만들다. ~ ***away*** 낭비하다. ~ ***off*** 《속어》 ① 〔보통 과거분사로〕 …을 진저리나게 하다, 질리게 하다. ② 《영》 〔흔히 명령형〕 곧 나가다: *Piss off!* 썩 나가라. ~ ***on …*** …을 경멸적으로 다루다.

— *n.* [U] 소변(urine); 《영》 싸구려 맥주; 《Austral.》 맥주: take 〔have, do〕 a ~ 소변보다/ frighten 〔scare, etc.〕 the ~ out of a person 호되게 겁내주다. ***a piece of*** ~ 수월한 일, 아무렇지도 않음. ***go on the*** ~ 《영》 과음하다. ~ ***and vinegar*** 건강함, 활발함. ~ ***and wind*** 알맹이 없는〔하찮은〕 이야기, 호언장담. ***take the*** ~ (***out of …***) …을 조롱하다, 놀려대다.

— *int.* 체, 빌어먹을《혐오를 나타냄》.

pissed [-t] *a.* 《비어》 〔서술적〕 흠뻑 취하여, 억병으로 취하여. (***as***) ~ ***as a newt*** =~ ***out of*** one***'s mind*** 〔***head***〕 곤드레만드레 취하여. ~ ***off*** 진저리가〔짜증이〕 나서; 화가 나서: I was ~ (*off*) at him. 나는 그에게 화를 냈다. ~ ***up to the eyebrows*** 곤드레만드레로.

píss hárd-on 《미속어》 (주로 오줌이 마려워서 생기는) 새벽녘의 남근(男根) 발기.

pis·soir [*F.* piswaːʀ] (*pl.* **~s** [—]) *n.* 《F.》 (길가의) 공중변소.

píss·pòt *n.* 실내 변기, 요강.

píss-ùp *n.* 《속어》 혼란, 혼잡; 통음(痛飮). ***not be able to organize a ~ in a brewery*** 멍청하다, 요령이 좋지 않다.

pissy [písi] (**piss·i·er; -i·est**) *a.* 《속어》 오줌 범벅인, 지린; 하잘것없는; 열등한; 싫은, 역겨운.

pis·tach·io [pistǽʃiòu, -tɑ́ːʃ-] (*pl.* **~s**) *n.* 〖식물〗 피스타치오《남유럽, 소아시아 원산의 옻나뭇과 관목》; 그 열매《식용》(=**∠ nùt**); (피스타치오 같은) 향기로운 맛; [U] 담황록색(=**∠ grèen**).

piste [piːst] *n.* 《F.》 밟아서 다져진 길《짐승의 길 등》; 〖스키〗 피스트《다져진 활강 코스》; 〖펜싱〗 피스트《경기하는 바닥면》.

pis·til [pístəl] *n.* 〖식물〗 암술([cf] stamen); 암술의 무리. ㉺ **pis·til·lary** [pístəlèri] *a.*

pis·til·late [pístələt, -lèit] *a.* 암술이 있는, 암술만의. [opp] *staminate.* ¶ ~ flowers 암꽃.

pis·tol** [pístəl] *n.* 피스톨, 권총: a revolving ~ 연발 권총. ★ 보통 revolver 또는 automatic pistol 이라고 함. ***hold a ~ 〔***gun***〕 ***to*** a person***'s head*** ① 아무의 머리에 권총을 들이대다. ② 아무를 위협하여 강행케 하다. **—** (**-l-,** 《영》 **-ll-**) *vt.* 권총으로 쏘다〔상처를 입히다〕. ㉺ **~·like** *a.*

pis·tole [pistóul] *n.* 스페인의 2 escudos 옛 금화; 이것과 거의 값이 같았던 유럽 각지의 옛 금화.

pis·to·leer, -lier [pìstəlíər] *n.* 《고어》 권총 사용자, 권총병(兵).

pis·tol·graph [pístəlgræ̀f, -grɑ̀ːf] *n.* 속사(速寫) 사진(기).

pístol-whip *vt.* 권총으로 때리다.

°pis·ton [pístən] *n.* 〖기계〗 피스톤; 〖음악〗 (금

관 악기의) 판(瓣); 《미속어》 트롬본: ~ pin 【기계】 피스톤핀.

píston ègine 【기계】 피스톤 기관.

píston rìng 【기계】 피스톤 링.

píston ròd 【기계】 피스톤 로드, 피스톤간(杆).

píston slàp (자동차 엔진 등의) 마모된 피스톤이 실린더 벽에 부딪쳐 나는 소리.

pit**[1] [pit] *n.* **1 a** (땅의) 구덩이, 구멍. **b** 갱(坑); 【광산】 곧은바닥, 탄갱; 채굴장, 채석장; 차량 정비 작업용 구덩이: ⇨STONE PIT / a chalk ~ 백악갱(白堊坑) / a clay ~ 점토 채굴장. **c** 지하 온실, 움; 《영우스개》 침상, 침실: in my ~. **2** (몸·물건 표면의) 우묵한 곳; (얼굴의) 마맛자국; 겨드랑이 밑(armpit); 명치(the ~ of the stomach); 【식물】 (세포벽의) 벽공(壁孔). **3** (종종 the ~s) (자동차 경주차의 급유·타이어 교환 따위를 하는) 피트; (볼링장의) 핀의 뒤쪽 길; (점프 경기의 착지용) 모래밭. **4** 투견장, 투계장 《따위》, (동물원 등의) 맹수 우리. **5 a** (the ~) 《영》 (극장의) 일층석(의 관객) 《지금은 특히 일층 후부. cf. stall》. **b** (극장의) 오케스트라석, 피트 《무대의 바로 앞》. **6 a** 《미》 (곡물 거래소의) 칸 막은 판매장; 곡물 거래소를 본뜬 카드놀이 게임: a grain ~ 곡물 매장. **b** (카지노의) 도박용 탁자가 있는 곳. **7 a** (the ~) 지옥, 나락, 묘혈. **b** (프로야구 리그의) 최하위; (the ~s) 《미속어》 최악의 장소〔사태〕, 어쩔 수 없는 녀석. **c** 함정(pitfall); 뜻하지 않은 위험. **8** 피트 《광학식 비디오 디스크 표면의 미세한 홈》. **9** 【군사】 피트 《핵탄두의 부분 명칭; 폭약을 넣은 부분의 안쪽》. ***be at the ~'s brink 다 죽어 가고 있다. ***dig a ~ for*** …를 함정에 빠뜨리려고 하다. ***shoot*** 〔***fly***〕 ***the ~*** (싸움닭·사람 등이) (막) 도망가려 하다.

— (**-tt-**) *vt.* **1** 움푹 들어가게 하다, …에 구덩이를 파다, 갱을 뚫다: the ~*ted* surface of the moon 움푹움푹한 달 표면. **2** 《+목+전+명》 〔보통 과거분사〕 …에 곰보를 만들다: a face ~*ted with* smallpox 얽은 얼굴. **3** 《+목+전+명》 (개·닭을) 싸움 붙이다, 맞붙게 하다 《*against*》; (사람·힘·지혜 따위를) 경쟁시키다 《*against*》: ~ a dog *against* another 개를 다른 개와 싸움 붙이다 / You can ~ your brains *against* his strength. 너의 지혜는 그의 힘에 맞설 수 있다. **4** 갱에 넣다, 움에 저장하다. **5** 함정에 빠뜨리다. — *vi.* 움폭 들어가다, 파인 데가 생기다; (피부 따위가) 누르면 들어가다.

pit[2] 《미》 *n.* (살구·복숭아 등의) 씨(stone). cf. pip[1]. — (**-tt-**) *vt.* …의 씨를 빼다.

pi·ta[1] [píːtə] *n.* 피타삼 《로프·세공물 등에 씀》; 피타삼이 채취되는 식물 《용설란·실유카 등》.

pi·ta[2] *n.* 피타(=∠ **brèad**) 《지중해·중동 지역의 납작한 빵》.

pit-a-pat [pítəpæ̀t, ∸-∠] *ad.* 팔딱팔딱 《뛰다 따위》; 두근두근 《가슴이 뛰다 따위》. ***go ~*** (가슴이) 두근두근하다; 종종걸음치다. — *n.* 팔딱팔딱, 두근두근. — (**-tt-**) *vi.* 두근두근〔팔딱팔딱〕 하다, 종종걸음치다.

pít bòss (카지노의) 도박대 책임자〔감독자〕; 《미속어》 (광산의) 현장 감독, 반장.

pít bùll (térrier) =AMERICAN STAFFORDSHIRE TERRIER.

****pitch**[1] [pitʃ] *vt.* **1** 《~+목/+목+부/+목+목/+목+전+명》 던지다; 내던지다 《*out*》: ~ a ball 공을 던지다, 투구하다 / ~ oneself 《방언·구어》 걸터앉다 / ~ a drunkard *out* 취객을 쫓아내다 / ~ a beggar a penny 거지에게 1 페니를 던져주다 / ~ a letter *into* the fire 편지를 불속에 던지다. SYN. ⇨THROW. **2** 【야구】 (시합)에서 투수를 맡다, 등판하다: ~ a no-hit game (투수가) 안타를 허용하지 않고 게임을 끝내다. **3** (건초를) 쌓아올리다. **4** 《+목+보》 …의 높이를 정하다: ~ one's hopes too high 너무 과분한 소망을 품다. **5** 《+목+보/+목+전+명》 【음악】 …의 음의 높이를 조정하다; 어떤 스타일로〔감정을 넣어〕 말하다: ~ one's voice *high* 목청을 높이다 / ~ a tune *in* a low key 음조(音調)를 낮추다. **6** 《+목+전+명》 …의 위치를 정하다, …에 놓다, 세우다: ~ poles *on* the line 장대를 선상에 세우다. **7** (땅에) 단단히 고정시키다, 처박다, 세우다: ~ a stake 말뚝을 처박다 / ~ wicket 【크리켓】 삼주문을 세우다. **8** (천막을) 치다; (주거를) 정하다: ~ a tent. **9** (물품을) 시장으로 내다, 진열하다; 《미속어》 (한길 등에서) 팔다, 강매하다. **10** (길에) 돌을 깔다. **11** 【카드놀이】 카드를 내어 (으뜸패를) 정하다. **12** (돌을) 네모지게 자르다; (돌을) 깔다. **13** 《~+목/+목+전+명》 【골프】 (공을) 피치샷하다: He ~*ed* the ball *onto* the green. 그는 피치샷으로 공을 그린에 올려놓았다. **14** 《미속어》 (파티를) 열다. — *vi.* **1** 《+전+명》 던지다; 【야구】 (투수가) 투구〔등판〕하다: ~ *for* a team 팀의 투수를 하다. **2** 《+부/+전+명》 거꾸로 떨어지다〔뛰어들다〕, 곤두박이치다; 앞으로 넘어지다: He ~*ed down* (the cliff). 그는 (절벽에서) 거꾸로 떨어졌다 / ~ *on* one's head 곤두박이치다. **3** (지층 따위가) 아래로〔한쪽으로〕 기울다. **4** (배·항공기가) 뒷질하다, 앞뒤로 흔들리다. cf. roll. **5** 【골프】 피치샷을 하다. **6** 천막〔진영〕을 치다. **7** (잘 생각지 않고) 고르다, 결정하다 《*on, upon*》. **8** 《미속어》 (큰길 따위에서) 장사하다; 이성에게 모션을 걸다; 허풍떨다. **9** (it ~es) 《영남서부》 눈이 내려 쌓이다. **10** 【크리켓】 (공이) 바운드하다. ***be in there ~ing*** 《미구어》 부지런히〔열심히〕 하고 있다. ~ ***a yarn*** 〔***a tale***〕 《영속어》 꾸민 이야기를 하다, 허풍떨다. ~ ***in*** 《구어》 열심히〔힘차게〕 하기 시작하다; 《구어》 참가〔협력〕하다; 공헌하다; 게걸스레 먹기 시작하다. ~ ***into*** 《구어》 심하게 공격하다〔꾸짖다〕; (일에) 힘차게 착수하다; (음식을) 허겁지겁 먹다. ~ ***it strong*** ⇨STRONG. ~ ***on*** 〔***upon***〕 …을 선정하다; (우연히) …를 만나다; …에 부딪치다. ~ ***out*** 【야구·미식축구】 pitchout 하다. ~ ***up*** 【크리켓】 (공을) 타자 가까이에서 바운드시키다. ~ ***woo*** ⇨WOO.

— *n.* **1** 던짐; 던져진 양(量). **2** 【야구】 투구, 투구 솜씨〔거리, 위치〕; 【골프】 =PITCH SHOT. **3** U,C 경사지; 경사도; 비탈, 물매; 【지학】 피치 《광맥이 수평선과 이루는 각》: the ~ of a roof. **4** 【음악】 U,C 가락, 음률의 높이, 고저: a high 〔low〕 ~ 높은〔낮은〕 음조. **5** 태도, 품위. **6** 정도, 도(度); 점, 정점, 한계; 높이; (매 따위의) 날아오르는 높이: be at the highest 〔lowest〕 ~ of …의 절정〔나락〕에 있다. **7** (비행기·배의) 뒷질. cf. roll. **8** 【기계】 피치 《톱니바퀴의 톱니와 톱니 사이의 거리; 나사의 나사산과 나사산 사이의 거리》; 【항공】 피치 《(1) 비행기·프로펠러의 일회전분의 비행 거리. (2) 프로펠러 날개의 각도》. **9** 【크리켓】 양 삼주문 사이의 간격; 《영》 (축구·하키 따위의) 경기장(《미》 field). **10** 《주로 영속어》 (거지·노점상 등의) 고정 위치; 노점 상인. **11** (노점 상인 등의) 선전으로 떠드는 소리. **12** 계획, 관점: tackle a problem again, using a new ~ 새로운 관점에서 다시 문제에 달라붙다. **13** 【보트】 노를 젓는 속도, 피치; 상태, 정황. **14** 【컴퓨터】 피치 《(1) 글월 처리에서 1 인치에 인자(印字)할 수 있는 문자 수. (2) =DOT PITCH》. ***make a*** 〔***one's***〕 ***~*** 《구어》 교묘한 말로 (자기) 선전을 하다; 환심을 사려들다. ***queer the ~ for*** a person ⇨QUEER. ***take up*** one's ~ 분수를 지키다.

***pitch**[2] *n.* U **1** 피치 《원유·콜타르 따위를 증류시킨 뒤에 남는 검은 찌꺼기》: He who touches ~ shall be defiled therewith. 《속담》 근묵자흑

(近墨者黑). **2** 〖화학〗 역청(瀝青)물질. **3** 송진; 수지(樹脂). ***as black*** 〔***dark***〕 ***as ~*** 새까만, 캄캄한. **—** *vt.* …에 피치를 칠하다; …에 송진을 칠하다.

pítch àccent 〖음성〗 악센트. cf. stress accent.

pítch-and-pútt *n.* 〖골프〗 피치 앤드 퍼트《보통 9개의 홀을 가진 소규모 코스; 그 코스에서 행하는 시합》; 《비유》 얼마 안 되는〔짧은〕 거리.

pítch-and-tóss [-ən-] *n.* Ⓤ 돈던지기 놀이.

pítch·bènd *n.* 〖음악〗 피치벤드《신시사이저로 연주 중인 음의 음정을 바꾸는 장치》.

pítch bláck 〔**dárkness**〕 칠흑, 암흑.

pítch-bláck, -dárk *a.* 새까만, 캄캄한.

pítch·blènde *n.* Ⓤ 〖광물〗 역청 우라늄광.

pítch chìsel 〖석공〗 (돌의 표면을 잘라내는) 날

pítch còal 역청탄, 유연탄. ⌊폭이 넓은 정.

pitched [-t] *a.* (전투 따위가) 정정당당한; (지붕이) 경사진, 물매가 있는; 간격이 있는; 특정 장소에 떨어지게 던진.

pítched báttle **1** 호각의 격전; (양군의 사전 작전 · 포진에 의한) 회전(會戰). **2** 대격전; 전면 충돌〔대결〕; 《구어》 (다수인의 의논 따위에서의) 대충돌, (오랜) 격론.

*__pitch·er__[1] [pítʃər] *n.* **1** (귀 모양의 손잡이와 주둥이가 있는) 물 주전자; =PITCHERFUL: You are a little ~! 너는 정말 귀가 밝다 / Little ~*s* have long ears. 《속담》 애들은 귀가 밝다 / *Pitchers* have ears. 《속담》 낮말은 새가 듣고 밤말은 쥐가 듣는다 / The ~ goes (once) too often to the well. = The ~ goes so often to the well that it is broken at last. 《속담》 꼬리가 길면 밟힌다 / Whether the ~ strikes the stone, or the stone the ~, it is bad for the ~. 《속담》 어느 쪽이 먼저 싸움을 걸든 약한 쪽이 지기 마련. **2** 〖식물〗 낭상엽(囊狀葉)《주머니 모양의 잎으로 벌레를 잡음》.

pitcher[1] 1

*__pitch·er__[2] *n.* **1** 던지는 사람; 〖야구〗 투수: a ~'s duel 투수전 / the ~'s mound 피처즈마운드 / the ~'s plate 투수판(板). **2** (보리 · 건초 따위를 차에) 던져 쌓는 사람. **3** 《영》 포석(鋪石), 까는 돌. **4** 《영》 노점 상인. **5** 〖골프〗 아이언 7번.

pitch·er·ful [pítʃərfùl] (*pl.* **~s, pítch·ers·fùl**) *n.* 물주전자 하나 가득한 양(量).

pítcher plànt 〖식물〗 낭상엽식물《사라세니아속(屬) 등의 주머니 모양의 잎을 가진 식충 식물》.

pítch-fàrthing *n.* =CHUCK-FARTHING.

pítch·fòrk *n.* 건초용 포크, 갈퀴; 〖음악〗 음차(音叉), 소리굽쇠(tuning fork). ***It rains ~s.*** 비가 억수같이 내린다. **—** *vt.* (포크 · 갈퀴 따위로) 긁어 올리다; 갑자기 밀어 넣다; (아무를) 억지로 끌어앉히다《어떤 지위 따위에》《*into*》.

pítch·ing *n.* Ⓤ 포석(鋪石); 돌바닥; 〖야구〗 투구, 피칭; 〖항공〗 (배 · 비행기의) 뒷질. opp. *rolling*.

pítching machíne 〖야구〗 (타격 연습용) 투구기(投球機). 「ber eight iron).

pítching nìblick 〖골프〗 8번 아이언클럽(num-

pítching pénnies 동전 던지기《놀이의 일종》.

pítch·man [-mən] (*pl.* **-men** [-mən]) 《미》 *n.* 노점 상인, 행상인; 《구어》 (텔레비전 · 라디오 등에서) 상품〔주의 주장〕을 선전하는 사람.

pítch·òut *n.* 피치아웃《(1) 〖야구〗 주자(走者)가 도루(盜壘)할 것을 예상하고 타자가 치지 못하게 공을 빗던지기. (2) 〖미식축구〗 스크리미지 라인 뒤쪽에서 옆으로 던지는 패스》.

pítch pìne 송진을 채취하는 소나무, 《특히》 리

pítch pìpe 〖음악〗 율관(律管). ⌊기다소나무.

pítch·pòle *vi.* (보트 따위의 작은 배가) 파도에 부딪쳐 거꾸로 뒤집히다.

pítch shót 〖골프〗 피치샷. 「岩).

pítch·stòne *n.* Ⓤ 역청암(瀝青岩), 송지암(松脂

pítch·wòman *n.* 《구어》 상품을 선전하는 여성.

pitchy [pítʃi] (***pitch·i·er; -i·est***) *a.* pitch[2] 가 많은〔와 같은〕, 진득진득한; 역청을 칠한; 새까만, 캄캄한. ㊞ **pítch·i·ness** *n.*

pít còal 석탄. cf. *charcoal*.

◇**pit·e·ous** [pítiəs] *a.* 불쌍한, 비참한, 가엾은, 측은한; 《고어》 인정 많은. ㊞ **~·ly** *ad.* **~·ness** *n.*

◇**pít·fàll** *n.* **1** (사람 · 동물 등을 잡는) 함정. **2** 《비유》 생각지 않은 위험, 함정, 마수, 유혹.

◇**pith** [piθ] *n.* Ⓤ **1** (초목의) 수(髓), 심; (오렌지 따위의) 껍질 안쪽의 유조직(柔組織); 〖해부〗 골, 수; 《고어》 척수. **2** 체력; 정력, 기력, 원기; (문장 따위의) 힘, 필세(筆勢): a man of ~ 정력가. **3** 심수(心髓), 급소, 요점; 중요 (부분): the matter of ~ and moment 극히 중요한 문제 / the ~ (and marrow) of a speech 연설의 요점. ***to the ~*** 골수까지; 근본부터, 완전히. **—** *vt.* …의 골을 제거하다; 척수를 끊어 죽이다《소 따위를》.

pít·hèad *n.* 〖광산〗 곧은바닥의 굿문.

pith·e·can·thrope [piθikǽnθroup] *n.* =PITHECANTHROPUS.

Pith·e·can·thro·pus [piθikǽnθrəpəs, -kənθróu-] (*pl.* **-pi** [-pai]) *n.* 〖인류〗 피테칸트로푸스《원인속(猿人屬); 유인원(類人猿)과 사람의 중간》, 자바 직립 원인(Java man).

Pithecánthropus eréc·tus [-iréktəs] 〖인류〗 직립 원인.

pith·e·coid [píθikɔ̀id, piθíːkɔid] *a.* 원숭이〔유인원〕의〔같은〕. 「자(sola topee).

píth hèlmet 자귀풀(sola) 심으로 만든 차양 모

píth·less *a.* 골 없는; 기력 없는.

pít·hòle *n.* 작은 구멍; 작고 오목한 것; 마맛자국; 〖광산〗 갱, 굿; 무덤.

pithy [píθi] (***pith·i·er; -i·est***) *a.* 골이 있는; 《비유》 (표현 등이) 힘찬, 함축성 있는; 간결한. ㊞ **píth·i·ly** *ad.* **píth·i·ness** *n.*

◇**pit·i·a·ble** [pítiəbəl] *a.* 가련한, 불쌍한; 비루한, 비참한. ★ pitiful 보다 다소 뜻이 강하고 종종 경멸의 뜻을 내포함. ㊞ **-bly** *ad.* **~·ness** *n.*

pit·i·er [pítiər] *n.* 불쌍히 여기는〔동정하는〕 사람.

◇**pit·i·ful** [pítifəl] *a.* **1** 인정 많은, 동정적인. **2** 가없은, 처량한, 불쌍한. **3** 보잘것없는; 천한. ㊞ **~·ly** [-fəli] *ad.* **~·ness** *n.*

◇**pit·i·less** [pítilis] *a.* 무자비한, 몰인정한, 냉혹한. ㊞ **~·ly** *ad.* **~·ness** *n.*

Pit·man [pítmən] *n.* Sir **Isaac** ~ 피트먼《표음(表音) 속기술을 발명한 영국인; 1813-97》.

pít·man [-mən] (*pl.* **-men** [-mən]) *n.* **1** 갱부; 탄갱부(coal miner). **2** (*pl.* **~s**) 《미》 〖기계〗 (기관의) 연접봉(棒)(connection rod); =WALKING BEAM.

pi·ton [píːtɑn/-tɔn] *n.* 《F.》 뾰족한 산꼭대기; (등산용의) 바위에 박는 못, 마우어하켄.

Pí·tot tùbe [píːtou-] 피토관(管), 유체 총압관(流體總壓管)《유속(流速) 측정에 사용》.

pit·pat [pítpæ̀t] *ad.*, *n.*, *v.* =PIT-A-PAT.

pít pòny (옛날 갱내에서 석탄 운반에 쓰였던) 갱내용 망아지.

pit·prop [pítprɑ̀p/-prɔ̀p] *n.* (갱도의) 지주.

pít ròad (자동차 경주장의 트랙과 피트를 잇는) 피트로드.

pít sàw 큰 내릴톱《통나무를 그 위와 아래(또는 구덩이 속)에서 두 사람이 켜는》. 「top sawyer.

pít sàwyer pit saw를 아래에서 켜는 사람. cf.

pít stòp (자동차 경주에서 급유 · 정비를 위한)

도중 정차; 《구어》(자동차 여행 중 식사나 휴식을 위한) 정차; 그런 정차 장소.

Pitt [pit] *n.* **William** ~ 피트《영국의 정치가 부자; the Elder ~ (1708-78)와 the Younger ~ (1759-1806)》.

pit·ta [pítə] 《영》 =PITA².

pit·tance [pítns] *n.* 〖역사〗 (수도원 따위에) 기부, 시여(施與); 약간의 음식〔수입, 수당〕; 약간, 소량《주로 a mere pittance의 형식으로 쓰임》.

pit·ted [pítid] *a.* 얽은 자국〔작은 구멍〕이 있는; 핵(核)을 제거한.

pit·ter-pat·ter [pítərpæ̀tər] *n., ad.* 후두두 《비 따위의 소리》; 타닥타닥(하는 소리): His heart went ~. 그의 심장이 두근거렸다. **—** *vi.* 후두두 소리를 내다〔떨어지다〕.

pit·ting [pítiŋ] *n.* 〖야금〗 **1** 점식(點蝕)피팅《금속표면이 부식하여 생긴 작은 둥근 구멍》. **2** 닭싸움 시키기. 「좌석의 관객(pit).

pit·tite [pítait] *n.* 《영》 (극장의) 아래층 뒤쪽

Pitts·burgh [pítsbəːrg] *n.* 피츠버그《미국 Pennsylvania 주의 철공업 도시》.

pi·tu·i·tary [pitjúːətèri/-tjúːitəri] *a.* 점액(粘液)의〔을 분비하는〕; 〖해부〗 뇌하수체의. **—** *n.* 〖해부〗 뇌하수체; 뇌하수체제(劑): intermediate lobe of ~ 뇌하수체 중엽(中葉).

pitúitary bòdy〔**glànd**〕 〖해부〗 뇌하수체.

pi·tu·i·tous [pitjúːətəs/-tjúː-] *a.* 점액이 많은, 점액의〔같은〕.

Pi·tu·i·trin [pitjúːətrin/-tjúː-] *n.* 〖약학〗 피투이트린《뇌하수체 후엽(後葉)호르몬 제제(製劑); 상표명》.

pít vìper 〖동물〗 살무사 아과(亞科)의 독사의 총칭《위턱 양쪽에 온도를 감지하는 오목한 기관이 있음; 살무사·방울뱀 따위》.

pity [píti] *n.* **1** Ⓤ 불쌍히 여김, 동정: feel ~ *for* …을 불쌍히〔가엾이〕 여기다/have〔take〕 ~ *on*, …을 딱하게 여기다/for ~'s sake 제발; 그만 둬, 무슨 꼴이야, 당치도 않은/in ~ *for*〔*of*〕 …을 가엾게 여겨/out of ~ 딱하게 여겨서/Nobody wants ~ *from* others. 남의 동정을 받고 싶어할 사람은 없다/*Pity* is akin to love. 《속담》 연민은 애정으로 통한다. SYN. ⇨SYMPATHY. **2** Ⓒ 애석한 일, 유감스러운 일; 유감의 이유: It's a ~ (that) you missed the party. 네가 파티에 못 나온 것은 유감스러운 일이다/The ~ (of it) is that he was not elected. 유감스러운 것은 그가 낙선한 사실이다/What a ~! 정말 가엾다〔유감스럽다〕. ◇ pitiful, piteous *a.* ***It's a ~ to*** do =***The ~ is to*** do …하다니 애석〔분〕하다: *It is a ~ to* give up the plan. 그 계획을 포기한다는 것은 애석한 일이다. (***The***) ***more's the ~.*** 더욱 유감이다; 《삽입구로서》 유감스럽게도, 불행하게도.

— *vt.* 《~+목/+목+전+명》 불쌍히 여기다, 애석하게 여기다: a person to be *pitied* 동정받아야 할 사람, 불쌍히 여겨야 할 사람/I ~ you. 《경멸》 당신은 불쌍한〔가련한〕 사람이야/We ~ her *in* her distress. 우리들은 그녀가 어려움에 처한 것을 불쌍히 여기고 있다. **—** *vi.* 동정을 느끼다.

pít·y·ing *a.* 불쌍히 여기는, 동정하는. ㊕ **~·ly** *ad.* 「(粃糠疹).

pit·y·ri·a·sis [pìtəráiəsis] *n.* Ⓤ 〖의학〗 비강진

più [pjuː] *ad.* 《It.》 〖음악〗 좀 더, 더욱: ~ allegro 더 빠르게. 「자의 칭호》.

Pi·us [páiəs] *n.* 피오《로마 교황·이탈리아 성직

piv·ot [pívət] *n.* **1** 〖기계〗 피벗, 선회축(旋回軸), 추축(樞軸); (맷돌 따위의) 중쇠; (부채 따위의) 사북. **2** 추요부(樞要部), 중심점, 요점. **3** 가장 중요한 사람; 〖스포츠〗 중심이 되는 선수〔위치〕《농구의 센터 등》; 〖군사〗 기준병, 향도. **4** 피벗《(1) 〖골프〗 (공 칠 때) 허리틀기. (2) 〖농구〗 한쪽 발을 축으로 하여 다른 발로 돌기. (3) 〖댄스〗 체중을 딛고 돌던 발에서 다른 발로 옮기는 것처럼 하는 스텝》. **—** *a.* 축이 되는: a ~ man (방향 바꾸기의) 기준병. **—** *vt.* 추축(樞軸) 위에 놓다; …에 추축을 붙이다. **—** *vi.* 추축으로 회전하다; 선회하다; (…에 의하여) 결정되다《*on, upon*》.

piv·ot·al [pívətl] *a.* 추축의; 중추의, 중요한. ㊕ **~·ly** *ad.*

pívot brìdge 피벗다리, 선회교(旋回橋).

pívot jòint 〖해부〗 회전〔환상〕 관절. 「센터》.

pívot·màn [-mæ̀n] *n.* 중견 선수《특히 농구의

pix¹ [piks] PIC의 복수.

pix² *n., vt.* =PYX.

pix·el [píksəl] *n.* 〖컴퓨터·TV〗 픽셀, 화소(畫素)《비디오 화면 표시 체계에서 독립적으로 처리할 수 있는 화상의 최소 요소》. [◂ *pix*+*el*ement]

pix·ie, pixy [píksiː] *n.* (특히 장난을 좋아하는) 작은 요정; 장난꾸러기. **—** *a.* 장난치는, 장난기 있는(=~·ish).

píxie hát 뾰족모자《요정(妖精)이 쓰는 것 같은》.

pix·i·lat·ed [píksəlèitid] *a.* 머리가 좀 이상한, 별나고 우스운; 좀 취한.

pizz. 〖음악〗 pizzicato.

piz·za [píːtsə] *n.* 《It.》 피자(=~ **pie**).

Pízza Hút 피자 헛《미국의 피자 레스토랑 체인; 경영 모체는 Pepsi Co사(社)》.

pízza pàrlor 《미》 =PIZZERIA.

pi(z)·zazz [pəzǽz] *n.* Ⓤ 《속어》 **1** 정력, 활력. **2** 야함, 화려함; 야단스러운 선전.

piz·ze·ria [pìːtsəríːə] *n.* 《It.》 피자 가게.

piz·zi·ca·to [pìtsikáːtou] (*pl.* ***-ti*** [-tiː]) 〖음악〗 *n.* 피치카토곡〔악절〕《활을 쓰지 않고 손가락으로 현을 퉁기는 연주법; 생략: pizz.》. **—** *a., ad.* 피치카토의〔로〕.

P.J. Police Justice; Presiding〔Probate〕 Judge.

pjs, pj's, P.J.'s, p.j.'s [píːdʒèiz] *n. pl.* 《미구어》 =PAJAMAS.

PK psychokinesis. **pk.** pack; park; peak; pike; peck(s). **PKF** UN peacekeeping forces(유엔 평화 유지군). **pkg(s).** package(s). **PKO** UN peacekeeping operations(유엔 평화 유지 활동). **pkt.** packet; pocket. **PKU** phenylketonuria. **pkwy.** parkway.

PKZIP [pìːkéizip] *n.* 〖컴퓨터〗 disk operating system(DOS)용의 데이터 압축 소프트웨어.

PL product liability; programming language; public law. **pl.** place; plate; 〖군사〗 platoon; plural. **P.L.** Paradise Lost; 〖해상보험〗 partial loss(분손); perfect liberty; Poet Laureate; Public Library. **P/L** profit and loss. **PLA** Palestine Liberation Army(팔레스타인 해방군). **P.L.A.** Port of London Authority(런던항(港) 관리소); People's Liberation Army.

plàc·a·bíl·i·ty *n.* Ⓤ 관용, 온화(溫和).

plac·a·ble [plǽkəbəl, pléik-] *a.* 달래기 쉬운; 회유하기 쉬운; 온화한; 관대한. ㊕ **-bly** *ad.*

plac·ard [plǽkaːrd, -kərd] *n.* **1** 플래카드. **2** 간판, 벽보, 게시. **3** 포스터(poster); 전단; 꼬리표, 명찰. **—** [plækáːrd] *vt.* **1** …에 간판을〔벽보를〕 붙이다. **2** 간판으로〔벽보로〕 알리다〔공시하다〕. **3** 게시하다, 간판 모양으로 내걸다.

pla·cate [pléikeit, plǽk-/pləkéit] *vt.* 달래다 (soothe); 화해시키다; 《미》 회유하다. ㊕ **pla·cá·tion** *n.*

pla·ca·to·ry [pléikətɔ̀ːri, plǽk-/pləkéitəri, pléik-] *a.* 달래는, 회유적〔유화적〕인.

place [pleis] *n.* **1** 장소, 곳; (특정 목적을 위한) 장소, …장(場): I have no ~ to go. 나는 갈 곳이 없다/This is no ~ for children. 이 곳은 아이

들이 올 데가 아니다/a market ~ 시장/a ~ of worship 교회/a ~ of amusement 오락장〔지〕.
2 (신체 따위의) 국소, 부분; (책 따위의) 한 구절; (음악의) 한 절, 악구(樂句): a sore ~ on my cheek 볼의 부은 부분/I've lost my ~. 나는 어디까지 읽었는지 모르겠다.
3 시, 읍, 면; 지역, 지방: one's native ~ 출생지, 고향/go to ~*s* and see things 여러 곳을 구경하고 다니다.
4 건(축)물, 관(館); 실(室), 사무실; 주소, 주거; 저택; 시골집, (시골의) 별장; 《미속어》 집합소: Come round to my ~. 우리 집에 놀러 오게.
5 〔고유명사로서〕 (P-) 광장; 네거리; …가(街).
6 있어야 할 장소; 입장, 처지, 환경, 경우; 직분, 본분; 분수: You must keep him in his ~. 그를 무람〔버릇〕없이 굴게 해서는 안 된다/if I were in your ~ 내가 너의 처지에 있다면/It is not my ~ to (do). …하는 것은 내가 할〔나설〕 바가 아니다.
7 지위, 신분; 높은 지위; 관직, 공직; 직(職), 일자리, 직장(job): lose one's ~ 지위를 잃다/look for a ~ 일자리를 찾다. SYN. ⇨ POSITION.
8 Ⓤ 공간, 여지: time and ~ 시간과 공간/The world has no ~ for an idler. 세상에는 게으름뱅이가 들어설 여지가 없다.
9 좌석, 자리, 위치: find a ~ 자리를 찾다/Go back to your ~. 제자리로 돌아가시오/~ of honor 상석, 윗자리.
10 적당한 기회, 호기; 지당한 이유.
11 〖수학〗 위(位), 자리: in the third decimal ~ 소수 셋째 자리에.
12 〔보통 단수형으로; 서수사와 함께〕 **a** 순서: in the second 〔last〕 ~ 둘째〔최후〕로/Adults take second ~ to children in amusement parks. 유원지에서 어른은 어린이 다음. **b** 〖경기〗 선착〔입상〕 순위《경마 따위에서 1, 2, 3등, 《미》에서는 특히 2등》: get a ~ (3위내에) 입상하다; 《미》 2위로 입상하다.
13 〖축구〗 =PLACE KICK.
14 〖천문〗 (임의(任意)의 시각의) 천체의 위치.
all over the ~ 사방에, 도처에; 난잡하게, 어수선하게; 흐트러져. ***another*** ~ 딴 장소; 《영》 (하원에서 본) 상원, (상원에서 본) 하원. ***a*** ~ ***of arms*** 군대 집합소, 화약고. ***be no*** ~ ***for*** …이 나설 자리가 아니다; …의 여지가 없다. ***fall into*** ~ 제자리에 들어앉다; (사실·이야기·일 따위가) 제대로 맞다, 앞뒤가 들어맞다; 잘 이해되다. ***from*** ~ ***to*** ~ 이리저리로, 여기저기로. ***give*** ~ ***to*** …에게 자리를 양보하다, …와 교대하다, …을 위해 길을 비키다. ***go*** ~***s*** 《구어》 여기저기 여행하다; 《구어》 성공〔출세〕하다. ***have a*** ~ ***(in …)*** (…에) 위치〔자리〕를 차지하다, 존재하다. ***in high*** ~***s*** 지위가 높은 사람들 사이에. ***in*** ~ ① 그〔같은〕 자리에. ② 적소에; 적절한. OPP. *out of* ~. ③ =IN PLACE. ***in*** ~***s*** 여기저기에. ***in*** a person***'s*** ~ =***in*** ~ ***of*** …의 대신에. ***in the first*** ~ ① (이유 따위를 열거할 때) 첫째로, 우선. ② 애초부터. ***know*** one***'s*** ~ 자기 분수를 알다. ***make*** ~ ***for*** 《드물게》 …이 들어갈〔…을 위한〕 여지를 만들다; …에게 자리를 양보하다; …에게 교체당하다. ***out of*** ~ 제자리를 얻지 못한〔에 놓이지 않은〕, 부적절한(OPP. *in* ~); 실직하여. ~ ***in the sun*** 볕이 쬐는 곳; 유리한 위치〔입장〕. ***put*** 〔***keep***〕 a person ***in*** his (***proper***) ~ (아무에게) 분수를 알게 하다. ***put*** one***self in*** a person***'s*** ~ 아무의 입장에서 생각하다. ***take*** ~ 개최되다, (사건이) 일어나다, 생기다. ***take*** a person***'s*** ~ 아무에 대신하다; 아무의 지위를 차지하다. ***take*** one***'s*** ~ 언제나와 같은 그〔특정한〕 위치에 앉다; (어떤 특정한) 지위를 차지하다, …라고 생각되다. ***take the*** ~ ***of*** …에 대신하다. ***the other*** ~ 저 세상, 지옥; 《영》 옥스퍼드〔케임브리지〕 대학에서 본 케임브리지〔옥스퍼드〕 대학. ***upon the*** ~ 즉석에서.
— *vt.* **1** 《~+目/+目+전+명》 두다, 놓다; 명중시키다; 배치〔배열〕하다, 정돈하다; (광고를) 신문〔잡지〕에 싣다; (심의 따위를 하기 위해) (계획 따위를) 제출하다, 의제로서 내놓다: ~ a television transmitter 텔레비전 송신기를 설치하다/~ gatekeepers *at* level crossings 건널목에 건널목지기를 두다/*Place* the names in alphabetical order. 이름을 알파벳순으로 배열해 주시오. SYN. ⇨ PUT. **2** 《+目+전+명》 직위에 앉히다; 임명하다; (아무)에 일〔집〕을 찾아 주다: He was ~*d in* the government service. 그는 공무원이 되었다. **3** 《+目/+目+전+명》 (주문을) 내다, …을 주문하다〔신청하다〕; (돈을) 맡기다, 투자하다; (상품·주식 따위를) 팔아 치우다: ~ a telephone call 전화 통화를 신청하다/She ~*d* the order *for* the pizza an hour ago. 그녀는 피자를 한 시간 전에 주문했다/~ two million dollars *in* an enterprise, 200만 달러를 사업에 투자하다. **4** 《+目+전+명》 (신용·희망 따위를)두다, 걸다: ~ confidence *in* 〔*on*〕 him 그를 믿다. **5** 《~+目/+目+전+명》 (아무의 신분·성격 따위를) 판정하다, 평가하다; 기억에 되살리다, 생각해내다, 알아차리다; …의 등급을〔위치를〕 정하다: He is a difficult man to ~. 그는 어떤 사람인지 분간하기 힘들다〔정체를 알 수 없다〕/I know his face, but I can't ~ him. 그의 얼굴은 알겠는데 누구였더라/~ health *among* the greatest gifts of life 건강을 인생 최대의 선물로 여기다. **6** 〔보통 과거분사로〕 〖경마〗 …의 순위를 정하다: His horse *was* not ~*d*. 그의 말은 입상하지 못했다《1~3등에 못 들었다》. **7** (발성 기관과 잘 공명하도록, 목소리를) 소리넓이에 맞추다. **8** 〖야구·테니스〗 마음먹은 방향으로 치다; 〖미식축구·축구·럭비〗 placekick으로 득점하다. — *vi.* …등〔착〕이 되다; (경마 등에서) 3등 안에 들다; 《미》 (특히 경마·경견(競犬)에서) 2등이 되다.

pláce bèt (경마 따위에서) 복승식으로 거는 방식(《미》 2등까지, 《영》 3등까지).

pla·ce·bo (*pl.* ~***s***, ~***es***) *n.* 《L.》 **1** [plaːtʃéibou] 〖가톨릭〗 죽은 이를 위한 저녁 기도. **2** [pləsíːbou] **a** 〖의학·약학〗 위약(僞藥)《환자를 안심시키기 위해 주는 약》. **b** 약효는 없으나 생체에 유효한 약제의 효용 실험을 위해 대조약으로서 투여하는 물질. **c** 《비유》 위안(의 말, 행위), 아첨, 알랑거림.

placébo effèct 플라세보 효과《위약(僞藥)의 투여에 의한 심리 효과 따위로 실제로 환자의 용태가 좋아지는 일》.

pláce-brìck *n.* 충분히 굽지 않은 벽돌.

pláce càrd (공식 연회 따위에서의) 좌석표.

pláce hìtter 〖야구〗 마음먹은 방향으로 공을 칠 수 있는 타자.

pláce·kìck *n.* 〖미식축구·럭비·축구〗 플레이스킥《공을 땅에 놓고 참》. cf. dropkick, punt[2]. — *vt., vi.* 플레이스킥하다. ⓜ ~·**er** *n.*

pláce·less *a.* 정해진 장소가 없는; 한 장소에 한정되지 않은; 실업 중의, 일자리가 없는. ⓜ ~·**ly** *n.*

pláce·man [-mən] (*pl.* **-men** [-mən]) *n.* 《영·보통 경멸》 관리; 교만한 하급 관리.

pláce màt 식탁용 접시받침《일인분 식기 밑에 깖》.

pláce·ment *n.* Ⓤ 놓음, 배치; 직업 소개; 취직 알선; 채용; (구직자에게 주는) 일자리; (인원의) 배치; 공을 땅 위에 놓기《placekick을 위해》, 그 위치, 그에 의한 득점; 〖테니스〗 플레이스먼트; 투자: a ~ agency 직업 소개소.

plácement tèst (신입생의) 학급 배치〔분반〕시험.
pláce-nàme *n.* 지명(地名).
pla·cen·ta [pləséntə] (*pl.* **~s, -tae** [-tiː]) *n.* 〖해부〗 태반; 〖식물〗 태좌(胎座). ㊕ **-tal** [-tl] *a.*
placénta prévia [-príːviə] (*pl.* ***placéntae pré·vi·ae*** [-príːviiː]) 〖의학〗 전치(前置)태반.
pla·cen·tate [pləsénteit] *a.* 〖동물·해부〗 태반이〔태좌(胎座)가〕 있는.
plac·en·ta·tion [plæsəntéiʃən] *n.* Ⓤ,Ⓒ **1** 〖동물·해부〗 태반 형성〔구조〕. **2** 태좌 배열〔형식〕.
pláce of sáfety òrder 《영》 〖사회복지〗 아동 보호명령《보호자의 학대 또는 태만으로부터 어린 이를 보호하기 위한》.
plac·er[1] [pléisər] *n.* 두는〔배치하는〕 사람; 입상자, …착(着)(입상)의 사람: the third-~, 3위 입상자.
plac·er[2] [plǽsər] *n.* 〖광산〗 충적 광상(沖積鑛床), 사광(砂鑛); 함광(含鑛) 자갈; 세광소(洗鑛所): ~ gold 사금(砂金).
plácer mìning [plǽsər-] 사광(砂鑛) 채광.
pláce sètting (식사 때) 각자 앞에 놓인 식기 한 벌〔일습(一襲)〕.
pla·cet [pléisit/-set] *n.* 《L.》 가(可), 찬성; 찬성(표). ***non* ~(*s*)** 불찬성(표).
°**plac·id** [plǽsid] *a.* **1** 평온한, 조용한(calm): a ~ lake 잔잔한 호수. **2** 침착한; 매우 만족한. ㊕ **~·ly** *ad.* **pla·cid·i·ty** [pləsídəti] *n.* Ⓤ
plac·ing [pléisiŋ] *n.* (처분 설명·경과 보고 없는 한 회사의) 자본 매출.
plácing-óut *n.* Ⓤ 어린애의 양육을 남에게 위탁하는 제도.
plack·et [plǽkit] *n.* (스커트 따위의) 옆을 튼 데; 《고어》 (스커트의) 포켓.
plac·oid [plǽkɔid] *a.* (비늘이) 방패 모양의.
pla·fond [pləfɑ́n/-fɔ́n] *n.* 《F.》 〖건축〗 장식한 천장; 천장 그림〔조각〕.
pla·gal [pléigəl] *a.* 〖음악〗 벗어난, 변격(變格)의. **~ *cadence*** 〔***close***〕 벗어난 마침, 변격 종지(終止).
plage [plɑːʒ] *n.* 《F.》 바닷가; 《특히》 해변의 행락지〔유원지〕.
pla·gi·a·rism [pléidʒiərìzəm] *n.* Ⓤ 표절(剽竊), 도작(盜作); Ⓒ 표절물. ㊕ **-rist** *n.* 표절자. **plà·gia·rís·tic** [ˋ-rístik] *a.*
pla·gi·a·rize [pléidʒiəràiz] *vt., vi.* (남의 문장·설 등을) 표절하다. ㊕ **-rìz·er** *n.*
pla·gi·a·ry [pléidʒiəri] *n.* 표절; 도작(盜作); 《고어》 표절자.
pla·gi·o- [pléidʒiou, -dʒiə] '비스듬한, 측면의'란 뜻의 결합사.
plàgio·céphaly *n.* 〖의학〗 사두(斜頭)(증)《머리 모양이 비대칭으로 변형된 두개골 기형》.
pla·gi·o·clase [pléidʒiəklèis] *n.* 〖광물〗 사장석(斜長石).
plàgio·trópic *a.* 〖식물〗 사행(斜行)하는, 경사굴성(傾斜屈性)의, 사립(斜立)〔사생(斜生)〕의.
*__plague__ [pleig] *n.* **1** 역병(疫病), 전염병. **2** (흔히 the ~) 페스트, 흑사병, 선(腺)페스트(bubonic ~): The Great *Plague* (of London) 런던 대역병/the black〔white〕 ~ 페스트〔폐결핵〕. **3** 재앙, 천재, 천벌, 저주(curse). **4** 《구어》 말썽꾸러기; 귀찮은 일. **(*A*) ~ *on*** 〔***upon***〕 (it 〔him〕)*!* =***Plague take*** (it 〔him〕)*!* 염병할 것, 빌어먹을 (것, 놈), 제기랄. ***pneumonic* ~** 폐(肺)페스트. ***What a*** 〔***the***〕 **~*!*** 도대체, 대관절, 어마. **—** *vt.* **1** 역병〔재앙 따위〕에 걸리게 하다. **2** 《~+목/+목+전+명/+목+*to* do》 애태우다, 괴롭히다; 《구어》 성가시게〔귀찮게〕 하다: be ~*d to* death 넌덜나게 귀찮다/~ a person *to* do something 아무에게 무엇을 해달라고 귀찮게 조르다. ㊕ **plá·guer** *n.* **ˊ~·some** [-səm] *a.* 《구어》 성가신, 귀찮은.
plágue spòt **1** 역병(疫病) 유행지; 악덕〔폐습〕의 중심지. **2** 〖의학〗 역병〔페스트〕 발진, 반상 출혈(斑狀出血)《선(腺)페스트 환자에 생김》.
plágue-strìcken *a.* 역병(疫病)이 유행하는.
pla·guey, pla·guy [pléigi] 《방언·구어》 *a.* 성가신, 귀찮은; 대단한, 지독한. **—** *ad.* 귀찮게; 지독하게. ㊕ **plá·gui·ly** *ad.*
plaice [pleis] (*pl.* **~, pláic·es**) *n.* 가자미·넙치류.
plaid [plæd] *n.* 격자무늬의 스카치 나사; Ⓒ 그것으로 만든 어깨걸이《스코틀랜드 고지 사람이 왼쪽 어깨에 걸침》; Ⓤ 격자무늬. **—** *a.* 격자무늬의. ㊕ **ˊ~·ed** [-id] *a.* 격자무늬의; ~를 걸친.
‡**plain**[1] [plein] *a.* **1** 분명한, 명백한; 똑똑히 보이는〔들리는〕; 평이한, 간단한, 알기 쉬운: in ~ English 쉬운 영어로/in ~ speech 〔words〕 쉬운 말로, 쉽게 말하자면/in ~ view 훤히 보이는 (데서)/It is ~ that he will fail. 그가 실패할 것은 뻔하다. SYN. ⇨CLEAR. **2** 솔직한, 꾸밈〔숨김, 거짓〕 없는; 뽐내지 않는: You will forgive my ~ speaking. 솔직히 말씀드림을 용서하십시오/a ~ manner 꾸밈 없는 태도. **3** 순전한, 철저한; 순수한, 섞이지 않은: ~ folly 지극히 어리석은 짓. **4** 무지(無地)의, 장식〔무늬, 빛깔〕이 없는; 평직(平織)의: ~ beige material 무지(無地)의 베이지색〔회갈색〕 원단. **5** 보통의, 교양이 없는, 무람없는. **6** 검소한, 간소한, 수수한, 소박한, 간단하게 조리한: a ~ meal 검소한 식사/~ living 간소한 생활/~ cooking 간단한 요리(법). **7** (얼굴이) 예쁘지〔아름답지〕 않은: a ~ face 〔woman〕. **8** 《고어》 판판한, 평탄한, 트인: ~ land. **9** 〖카드놀이〗 상수패가 아닌, 보통 패의. ***to be* ~ *with you*** 〔독립구로서〕 솔직히 말해서.
— *ad.* **1** 분명히, 알기 쉽게; 솔직히: speak 〔write〕 ~. **2** 아주: He is (just) ~ heady. 그는 아주 취해 있다.
— *n.* **1** 평지, 평야, 평원, 벌판, 광야: ⇨the GREAT PLAINS. **2** 《시어》 싸움터. **3** (the P-) 〖프랑스사〗 평원당《혁명 시대, 국민 의회의 온건파》. **4** 무지(無地)의 천. **5** 〖당구〗 검은 점이 없는 흰 공(을 쓰는 경기자).
㊕ *****ˊ~·ly*** *ad.* **1** 명백히; 솔직히. **2** 검소하게, 수수하게. **ˊ~·ness** *n.* **1** 명백함; 솔직함. **2** 검소, 간소. **3** (얼굴이) 예쁘지 않음.
plain[2] *vi.* 《영시어·고어》 불평하다, 푸념하다.
pláin bònd 〖상업〗 무담보 채권.
plain·chant [pléintʃæ̀nt, -tʃɑ̀ːnt/-tʃɑ̀ːnt] *n.* =PLAINSONG.
pláin chócolate 《영》 플레인 초콜릿《우유를 넣지 않고 단맛을 내지 않은》.
pláin clóthes 평복, 통상복.
pláin·clóthes *a.* 사복〔평복〕의.
pláin·clóthes·man [-mən, -mæ̀n] (*pl.* ***-men*** [-mən, -mèn]) *n.* 사복형사(=**pláin-clóthes màn**).
pláin déaling 솔직〔정직, 공정〕한 거래〔관계〕.
pláin flóur 화학약품〔베이킹파우더〕 따위를 넣지 않은 밀가루.
pláin fóod 조식(粗食), 검소한 음식.
pláin Jáne 《구어》 평범한 여자, 매력 없는 여자.
pláin-Jáne *a.* 《구어》 간소한, 검소한, 수수한, 장식 없는.
pláin-lòoking *a.* (외모가) 잘나지 못한, 보통으로 생긴(《미》 homely).
pláin pèople 보통 사람, 평민; (보통 P- P-) 간소한 생활을 하며 오랜 관습을 지키는 기독교의 한 파.
pláin sáiling **1** 순조로운 항해. **2** (일의) 순조로운 진행; 용이함(plane sailing).
pláin sèrvice 약식 예배《음악을 뺀》.
Pláins Ìndian 평원 인디언(Buffalo Indian).
pláins·man [-mən] (*pl.* ***-men*** [-mən]) *n.* 평원의 주민《Great Plains 따위의》.

pláin·sòng *n.* 단(單)선율 성가《무반주로 제창하는 초기 기독교 시대로부터의 교회 음악》; 〖음악〗 정한 가락; 소박하고 단조로운 멜로디.
pláin·spóken *a.* 솔직히 말하는; 노골적인(outspoken). ⓜ **~·ness** *n.*
plaint [pleint] *n.* U,C 《시어·고어》 비탄, 탄식; 불평(complaint); 〖영법률〗 고소; 고소장.
pláin tèa 홍차와 버터가 딸린 빵만 나오는 오후의 식사(《미》 low tea).
pláin·tèxt *n.* 평문(平文)《ciphertext의 원문》; 〖컴퓨터〗 플레인 텍스트《text file의 내용》.
plain·tiff [pléintif] *n.* 〖법률〗 원고(原告), 고소인. OPP *defendant*.
pláin tíme 규정 내 노동 시간.
pláin-tìp (**cigarétte**) 필터 없는 담배.
plain·tive [pléintiv] *a.* 애처로운, 슬픈 듯한, 애조를 띤; 호소하는 듯한. ⓜ **~·ly** *ad.* **~·ness** *n.*
pláin-vanílla *a.* 장식 없는, 간소한, 수수한; 실제적인: ~ family cars 보통의 패밀리카.
pláin wàter 담수, 맹물.
pláin wéave 〔**wéaving**〕 평직(平織).
plait [pleit, plæt/plæt] *n.* (천의) 주름(pleat); 변발(辮髮); 엮은 밀짚(braid); 땋은 끈. **—** *vt.* …에 주름잡다, 접다(fold); 땋다, 엮다: *~ed* work 엮음질 세공.
pláit·ing *n.* 엮기, 뜨기, 걷기; 엮은〔뜬, 짠, 주름잡은〕 것; 《집합적》 주름, 플리츠(pleats).
†**plan** [plæn] *n.* **1** 계획, 플랜, 안(案), 계략: a rough ~ 대략적인 계획 / a ~ of campaign 작전 계획 / a desk ~ 탁상 계획 / a five-year ~, 5개년 계획 / hit upon 〔think out〕 a good ~ 좋은 안이 생각나다〔을 세우다〕 / make 〔form, lay〕 ~(*s*) for the future 장래의 계획을 세우다.

> SYN. **plan** 머릿속에 생각하고 있는 것이 실현되었을 때의 예상도. 도면으로 그리면 설계도가 됨. **design** 계획자가 지니는 의도·기획·기호가 강조됨. **scheme** 기획의 실현을 위해 용의주도한 과정까지 고려한 계획. 나쁜 기획이면 '음모'가 됨: a business *scheme* 사업 계획. **project** 현재의 용법으로는 규모가 큰, 사회성이 있는 계획: a housing *project* 주택 계획.

2 도면, 설계도, 평면도, 약도, 도표, (시가지 등의) 지도. cf. elevation. ¶ *~s* for a new school 새 학교를 지을 설계도 / the ~ of a garden 정원의 설계도 / ⇨ GROUND 〔FLOOR〕 PLAN. **3** 모형, 초안; 윤곽, 개략. **4** (원근 화법의) 투시면. **5** 투; 식(式), 풍(風); 방법, 방식: ⇨ INSTALLMENT PLAN. ***according to*** **~** (예정된) 계획대로 (되면): Everything will go *according to* ~. 만사가 예정〔계획〕대로 될 것이다.
— (**-nn-**) *vt.* **1** 《~+목/+목+부》 계획하다, 궁리하다, 입안하다; 꾀하다: ~ a trip 여행하기로 정하다 / ~ one's vacation 휴가 계획을 짜다 / ~ (*out*) a new book on chemistry 화학에 관한 새로운 책을 기획하다. **2** 설계하다, …의 설계도를 그리다: ~ a house. **3** 《+*to* do》 마음먹다, …할 작정이다: We are *~ning to* visit Europe this summer. 이번 여름에는 유럽 여행을 할 작정이다. **—** *vi.* **1** 《+전+명》 계획하다〔을 세우다〕: ~ *for* a dinner party 만찬회 계획을 세우다. **2** 《+전+명》 《구어》 **a** …하려고 생각하다, 예정〔작정〕이다《*on*》: I'm *~ning on* visiting Tokyo. 도쿄를 방문할 예정이다. **b** (…할 것을) 예측하다: We didn't ~ *on* his being late. 그가 늦으리라고는 예상조차 하지 않았다. **~ *out*** 생각해내다, 안을 세우다, 기획하다.
plan- [pléin] '평평하게, 평면의'의 뜻의 결합사.
plán Á 《구어》 제1안, 원안.
pla·nar [pléinər] *a.* 평면(상)의, 2차원의. 「아.
pla·nar·i·an [plənέəriən] *n.* 〖동물〗 플라나리
pla·nar·i·za·tion [plənὲərizéiʃən] *n.* 〖전자〗 평탄화《초대규모 집적 회로를 만들 때, 미세 가공을 쉽게 하기 위하여 반도체 표면 구조를 되도록 평탄하게 하는 일》. 「화 작용.
pla·na·tion [pleinéiʃən, plə-] *n.* 〖지학〗 평탄
Plán B 《구어》 (제1안이 실패했을 경우의) 제2안, 대안(代案).
planch·et [plǽntʃit] *n.* 화폐 판금(板金)《찍어내어 화폐로 만드는 금속판》.
plan·chette [plænʃét, -tʃét/plɑːnʃét] *n.* 플랑셰트, 점치는 판《작은 바퀴 두 개와 연필이 하나 달린 심장 모양의 판; 여기에 한 손을 얹고, 움직인 궤적(軌跡)으로 점을 침》.
Plánck('s) cónstant [plɑ́ːŋk(s)-] 〖물리〗 플랑크 상수(常數)《양자 역학의 기본 상수; 기호 *h*》.
plane[1] [plein] *n.* **1** 평면, 면, 수평면: an inclined ~ 사면. **2** (지식 따위의) 수준, 정도, 단계; 국면, 상태: a high ~ of civilization 고도의 문명 / on the same ~ as …와 같은 정도〔동렬(同列)〕로. **3** 비행기(airplane), 수상기(hydroplane): a passenger ~ 여객기 / by ~ = in 〔on〕 a ~ 비행기로, 공로로(by ~은 무관사). **4** 〖항공〗 날개, 익판(翼板): an elevating ~ 승강익(昇降翼). **5** 결정체의 일면. **6** 〖광산〗 본갱도(本坑道). **7** 대패, 평삭기(平削機). **8** 흙손. **9** 〖컴퓨터〗 판.

plane[1] 7

— *a.* 편평한, 평탄한; 평면 도형의. cf. flat. ¶ a ~ surface 평면 / a ~ figure 평면 도형.
— *vt.* **1** 편평하게〔매끄럽게〕 하다: ~ the way 길을 고르다. **2** …에 대패질하다, 편평하게 깎다 《*away; down*》. **—** *vi.* **1** (비행기가 엔진을 안 쓰고) 활공하다, (수상기가) 이수하다. **2** 비행기로 가다〔여행하다〕. **3** (배가) 수면에서 떠오르다 《고속으로 달릴 때》. **4** 대패질하다. **5** 편평하게 깎이다.
ⓜ **⌐·ness** *n.* 평탄(flatness).
plane[2] *n.* 플라타너스(~ tree).
pláne ángle 〖수학〗 평면각.
pláne chàrt 평면 항법에서 쓰이는 해도(海圖).
pláne fígure 〖수학〗 평면도형.
pláne geómetry 〖수학〗 평면 기하학.
pláne ìron 대팻날.
pláne·lòad *n.* 비행기 한 대의 탑재량.
pláne polarizátion 〖광학〗 평면 편광(偏光)《편광면이 동일 평면에 한정되어 있는 빛》.
plan·er [pléinər] *n.* 대패질하는 사람; 대패, 평삭반(平削盤); 〖인쇄〗 조판된 활자를 판판하게 고르는 데 쓰는 나무토막.
pláner sàw 〖목공〗 대패톱《절단면이 매끄러워 대패질이 필요 없는 둥근 톱》.
pláne sáiling 평면 항법; =PLAIN SAILING 2.
pláne·sìde *n., a.* 비행기 옆(에서의).
pláne survéying 〖측량〗 평면측량《지표면을 평면으로 간주하여 실시하는 소구획 측량》.
plan·et**[1] [plǽnit] *n.* **1** 〖천문〗 행성《태양〔항성〕 주위를 공전(公轉)하는 대형 천체》; (the ~) 지구; 《본디》 하늘을 이동하는 천체《달·태양도 포함했었음》. cf. major 〔minor〕 planets, inferior 〔superior〕 planets. ¶ primary 〔secondary〕 *~s* 행성〔위성〕. **2** 〖점성〗 운성(運星)《사람의 운명을 좌우한다는》. **3** 《비유》 선각자, (지적) 지도자; (선구가 되는) 훌륭한〔위대한〕 것. ***our

〔*this*〕 ~ 지구(the earth). ★ 문맥에 따라서는 '문제의 행성'도 됨.

> NOTE 태양계의 행성의 이름은 태양에서 가까운 것부터 Mercury (수성), Venus (금성), Earth (지구), Mars (화성), Jupiter (목성), Saturn (토성), Uranus (천왕성), Neptune (해왕성), Pluto (명왕성)이며, the earth 이외는 신화에 나오는 신의 이름을 쓰고 있어서 일반적으로 관사를 안 붙임: Venus is a beautiful star. 금성은 아름다운 별이다. 다만, 신의 이름과 구별하기 위하여 동격적으로 the planet Venus ('행성 Venus' 즉 금성)과 같이 할 때도 있음.

plan·et² *n.* 사제(司祭)가 입는 의식용의 소매 없는 제의(chasuble). 「올려놓고 작도함).

pláne tàble (측량용) 평판(平板)《3각(脚)에

pláne-tàble *vt., vi.* 평판(平板) 측량하다.

plan·e·tar·i·um [plæ̀nətέəriəm] (*pl.* **~s, -ia** [-iə]) *n.* 〖천문〗 플라네타륨, 행성의(儀); 별자리 투영기; 천문관(館).

plan·e·tary [plǽnətèri/-təri] *a.* 〖천문〗 행성의〔같은〕; 행성의 작용에 의한; 〖점성〗 행성의 영향을 받은; 방랑〔유랑〕하는; (위치가) 일정치 않은; 이 세상의, 지구(상)의, 세계적인(global); 〖기계〗 유성 기어식의; (전자가) 원자핵 주위를 도는: ~ motions 행성 운동 / ~ year 행성년 / a ~ probe 행성 탐색 인공위성 / the ~ system 태양계(the solar system). **—** *n.* 유성 기어 장치.

plánetary hóur 행성 시간《해가 떠서 질〔해가 져서 뜰〕 때까지의 시간의 1/12》. 「雲).

plánetary nébula 〖천문〗 행성상(狀) 성운(星

plánetary perturbátion 〖천문〗 행성 섭동(攝動)《태양계 안의 천체의 운동에 다른 행성의 인력(引力)이 끼치는 미소한 효과》. 「ogy).

plánetary scíence 〖천문〗 행성학(planetol-

plánetary wáve 〖기상〗 행성파《편서풍의 긴 파장 · 대진폭의 진동》.

plan·e·tes·i·mal [plæ̀nətésəməl] *n., a.* 〖천문〗 미행성체(微行星體)(의).

planetésimal hypóthesis 〖천문〗 미행성설(微行星說)《미행성이 합체하여 행성이나 위성이 되었다는 설》.

Plánet Fìnder 플래닛 파인더《NASA가 2010년까지 발사 계획인 행성 탐색 위성; 목성 궤도로 올라가 1~2 m 의 반사경을 90 m 로 펼치는 간섭 관측기》.

plánet gèar 〔**whèel**〕 〖기계〗 유성 기어.

plan·et·oid [plǽnətɔ̀id] *n.* 〖천문〗 소(小)행성(asteroid). 「〖천문〗 행성학.

plan·e·tol·o·gy [plæ̀nətálədʒi/-tɔ́l-] *n.* Ⓤ

pláne trèe 플라타너스.

plánet-strìcken, -strùck 《고어》 *a.* **1** 행성의 영향을 받은; 저주받은. **2** 당황한; 공포에 질린.

plánet-wìde *a.* 전 지구적인, 지구적 규모의, 지구 전체에 미치는(worldwide). 「따위의 윤곽).

plán·fòrm *n.* 〖항공〗 평면 도형《위에서 본 날개

plan·gent [plǽndʒənt] *a.* 밀려와 부딪치는《파도 따위》; 울려 퍼지는; 구슬프게 울리는《종 따위》. ㊞ **~·ly** *ad.*

plán·hòlder *n.* 연금 가입자. 「결합사.

pla·ni- [pléinə, plǽnə] '평평한, 평면'의 뜻의

pla·ni·form [pléinəfɔ̀ːrm, plǽn-] *a.* 평평한.

plan·i·fy [plǽnəfài] *vt.* (경제 등을) 계획화하다. ㊞ **plàn·i·fi·cá·tion** [plæ̀nəfə-] *n.*

pla·nim·e·ter [plənímətər/plæ-] *n.* 측면기(側面器), 구적계(求積計), 플래니미터.

pla·nim·e·try [plənímətri/plæ-] *n.* Ⓤ 면적 측정, 측면법(側面法), 평면 측량〔기하학〕. Ⓒf. stereometry.

pláning hùll 〖해사〗 부상성(浮上性) 선체《일정 속도를 초과하면 진행 중 수면에서 부상하는》.

pláning mìll 제재소, 목공소.

plan·ish [plǽniʃ] *vt.* (금속을) 두드려서〔롤러를 굴려서〕 편평하게 하다, (나무를) 대패질하다; (금속을) 닦다; 윤을 내다.

plan·i·sphere [plǽnəsfìər, pléin-/plǽn-] *n.* 평면 구형도(球形圖); 〖천문〗 평면 천체도, 성좌 일람표.

◇**plank** [plæŋk] *n.* **1** 널, 두꺼운 판자《보통 두께가 2-6인치, 폭 9인치 이상; board 보다 두꺼움》; 의지가 되는 것. **2** 정당 강령(platform)의 항목〔조항〕. **3** 《미》 (생선, 특히 shad 를 굽는) 요리판. **4** 《미속어》 안타(安打). ***walk the*** **~** 뱃전에서 내민 판자 위를 눈을 가린 채 걷게 하다《17세기경 해적이 포로를 죽이던 방법》; 《구어》 강요에 의해 사직하다. **—** *vt.* **1** 판자로 깔다: ~ (the floor of) the study 서재를〔의 바닥을〕 판자로 깔다. **2** 《미》 (생선이나 고기를) 판자 위에 얹어놓고 요리하(여 내놓)다; (고기 따위를) 다져서 부드럽게 하다. **~ *down*** 《미구어》 ① 털썩 내려놓다: The bellboy ~*ed down* the baggage. 보이는 짐을 털썩 내려놓았다. ② (돈을) 맞돈으로 치르다: I ~*ed down* the money. 나는 맞돈으로 치렀다. **~ *it*** 마루방〔땅바닥〕에서 자다.

plánk bèd (교도소 따위의) 판자 침대.

plánk·ing *n.* Ⓤ 판자깔기; 《집합적》 붙이는 판자, 바닥에 까는 판자; 선체 겉판자. 「물.

plank·ter [plǽŋktər] *n.* 〖생물〗 플랑크톤 생

plank·tol·o·gy [plæŋktálədʒi/-tɔ́l-] *n.* Ⓤ 부유(浮游) 생물학.

plank·ton [plǽŋktən] *n.* 플랑크톤, 부유 생물. ㊞ **plank·ton·ic** [plæŋktánik/-tɔ́n-] *a.*

plank·to·troph·ic [plæ̀ŋktoutráfik/-trɔ́f-] *a.* 〖생물〗 플랑크톤을 먹이로 하는.

plán·less *a.* 도면 없는; 무계획한, 계획적이 아닌. ㊞ **~·ly** *ad.* **~·ness** *n.*

plánned ecónomy 계획 경제.

plánned obsoléscence 계획적 진부화《계획적으로 제품이 곧 구식이 되게 만드는 일》.

plánned párenthood (산아 제한에 의한) 가족 계획, 계획 출산.

plan·ner [plǽnər] *n.* 계획〔입안〕자; 사회 경제 계획 감독〔참여, 창도〕자: a city ~ 도시 계획자.

plan·ning [plǽniŋ] *n.* (특히 경제적 · 사회적인) 계획, 입안. 「의 하락.

plánning blìght 개발 계획에 의한 부동산 가격

plánning permìssion 〔**consènt**〕 《영》 건축 허가《지방 자치 단체로부터 받는 건물의 신축, 증 · 개축에 관한 허가》.

pla·no- [pléinou, -nə] = PLAN-.

plàno-cóncave *a.* (렌즈가) 평요(平凹)의《한 면만 오목한》.

plàno-cónvex *a.* (렌즈가) 평철(平凸)의《한 면만 볼록한》. 「쇄〗 평판인쇄(술).

pla·nog·ra·phy [plənágrəfi/-nɔ́g-] *n.* 〖인

pla·nom·e·ter [plənámətər/-nɔ́m-] *n.* 〖기계〗 평면계, 플라노미터. 「《생략: PPI》.

plán posítion ìndicator 평면 위치 표시기

†**plant** [plænt, plɑːnt/plɑːnt] *n.* **1** (동물에 대한) 식물, 초목: ⇨ FLOWERING 〔POT, WATER〕 PLANT. **2** (수목에 대한) 풀(herb); 묘목, 모종; 삽목(揷木)(용의 자른 가지): cabbage ~s 양배추의 모종. **3** 농작물. **4** Ⓤ (식물의) 생육(growth). **5** 공장, 제조 공장, 플랜트; 공장 설비, 기계 장치, 기계 한 벌: ⇨ PILOT PLANT / a waterpower ~ 수력 발전소 / an isolated ~ 사설 발전소 / ~ export 플랜트 수출. **6** (대학 · 연구소 따위의) 건물, 설비; 《Austral.》 (가축 상인 · 목장 · 수리반 따위의) 설비와 인원, 장비:

physical ~*s* 시설/~ and equipment investment 설비 투자/the heating ~ for a home 가정의 난방 설비 (일습). **7** 《속어》 계략, 책략, 사기, 협잡. **8** 《속어》 탐정, (경찰의) 첩자; 함정, 덫; 의도적으로 흘린 비밀 정보; 은신처; 장물을 감추어 둔 장소, 숨겨 둔 장물. **9** 〚연극〛 관중에 섞인 배우의 한통속. **10** 〚연극〛 복선(伏線). **11** 자세. ***in*** **~** 자라(고 있)는. ***lose*** **~** 말라 죽다, 시들다. ***miss*** **~** 싹이 안 나다, 잘못 심다.

— *vt.* **1** 《~+목/+목+전+명》 심다, (씨를) 뿌리다; (식물을) 이식(移植)하다: ~ seeds 씨를 뿌리다/~ rosebushes *in* the garden 뜰에 장미나무를 심다. **2** 《+목+전+명》 (…을) …에 심다《*with*》: ~ a garden *with* rosebushes. **3** 《+목+전+명》 (사상·관념 따위를) 주입하다 (implant), 가르치다: ~ love for learning *in* growing children 자라는 아이들에게 공부하는 재미를 몸에 배게 하다. **4** 《+목+전+명》 (종마·종우 따위를) 도입하다: ~ blood horses *in* Australia 오스트레일리아에 종마를 도입하다. **5** 《+목+전+명》 (굴 따위를) 양식하다; (치어(稚魚)를) 놓아 기르다, (강 따위에) 방류(放流)하다 《*with; in*》: ~ a river *with* fish =~ fish *in* a river 강에 물고기를 방류하다. **6** (식민지·도시 따위를) 창설〔건설〕하다; …에 식민시키다(settle): ~ a colony 식민지를 건설하다/~ settlers *in* a colony 식민지에 이민을 살게 하다. **7** 《~+목/+목+전+명》 **a** 놓다, 설치하다; (사람을) 배치하다; 《속어》 (꿍꿍이속이 있어서 정보를) 흘리다: ~ a pole *in* the ground 땅에다 기둥을 세우다/~ a detective *before* the house of the suspect 용의자 집 앞에 형사를 잠복시키다/A microphone was ~*ed in* his desk. 그의 책상에 마이크가 설치되(어 있)었다/~ a false story *in* the papers 허위 사실을 신문에 흘리다. **b** 〔~ oneself로〕 …에 앉다, 좌정하다: He ~*ed* him*self* in an armchair. 그는 안락의자에 앉았다. **8** 《+목+전+명》 찌르다, 쳐서 박다《*in; on*》; (탄알을) 쏘아대다; (타격 따위를) 주다: ~ a blow *on* a person's ear 아무의 귀에 한방 먹이다. **9** 《+목+전+명》 (좋지 못한 물건을) 떠맡기다, 강매하다《*on*》: ~ something *on* a person. **10** 《+목+전+명》 《속어》 (장물 등을) 파묻다, 감추다, (남에게 혐의가 가도록) 몰래 두다: The pickpocket ~*ed* the wallet *on* a passerby. 소매치기는 그 지갑을 지나가는 행인 호주머니에 넣었다. **11** 《속어》 (금덩어리 등을) 묻어 두다《광산 살 사람을 꾀려고》; (사기 따위를) 꾀하다. **12** 《속어》 (아무를) 버리다. **—** *vi.* 나무를 심다, 이식하다; 식민하다. **~ *on*** a person (위조품 따위를) 아무에게 안기다. **~ *out*** ① (화분에서) 땅으로 옮겨 심다. ② (모종을) 간격을 두고 심다. ③ 초목을 심어 (남의) 눈을 가리다.

㊕ **~·a·ble** *a.* 경작이 가능한; 식민할 수 있는; 건설〔개척〕할 수 있는.

Plan·tag·e·net [plæntǽdʒənit] *n.* 〚영국사〛 플랜태저넷 왕가(의 사람)(1154-1485).

plánt agréement (산업 전체가 아닌) 공장 수준의 노동 협약.

plan·tain[1] [plǽntən] *n.* 〚식물〛 질경이.

plan·tain[2] *n.* 바나나의 일종《요리용》.

plan·tar [plǽntər] *a.* 〚해부〛 발바닥(sole)의: a ~ wart 발바닥사마귀.

***plan·ta·tion** [plæntéiʃən] *n.* **1** 재배지, 농원, 농장《특히 열대·아열대 지방의》: a coffee 〔rubber, sugar〕 ~ 커피〔고무, 설탕〕 재배원. **2** 《영》 식림지, 조림지, 인공림. **3** 식민(지); 이민. **4** (식민지 따위의) 건설, 설립, 창설.

plánt·er *n.* **1** 씨 뿌리는 사람〔기계〕, 심는 사람, 경작자, 재배〔양식〕자: a potato ~ 감자 파종기. **2** 《미》 (미 남부의) 대농장 주인. **3** 〚미국사〛 개척 이민(colonist); 〚Ir.역사〛 17 세기에 몰수지에 이민한 잉글랜드〔스코틀랜드〕 사람, 19 세기에 추방된 농민의 토지에 이주한 사람. **4** 장식용 화분. **5** 《미》 수중목(木)《강바닥에 서 있는》.

plánter's púnch 럼주·레몬주스·설탕 따위로 만든 음료.

plánt fòod 비료(fertilizer).

plánt hìre 대형 기계의 임차(賃借).

plánt hòrmone 식물 호르몬(phytohormone).

plan·ti·grade [plǽntəgrèid] *a.* 〚동물〛 발바닥 전체를 땅에 대고 걷는, 척행류(蹠行類)의. **—** *n.* 척행 동물《인간·원숭이·곰 따위》.

plánt·ing *n.* Ⓤ **1** 심기, 재배; (식수) 조림; 씨뿌리기. **2** 〚건축〛 기초 바닥층; 일단의 공장 시설의 설계.

plánt kìngdom (the ~) 식물계; 〔집합적〕 식물. ★ vegetable kingdom 이라고도 함. ⓒⓕ animal 〔mineral〕 kingdom.

plant·let [plǽntlit, plɑ́ːnt-/plɑ́ːnt-] *n.* 작은 식물; 묘목, 모종.

plánt lòuse 〚곤충〛 진디(aphis); 진디 비슷한 습성을 가진 곤충《나무진디 따위》.

plan·toc·ra·cy [plæntɑ́krəsi/plɑːntɔ́k-] *n.* Ⓤ (지배 계급으로서의) 농장주(主); 농장주 지배.

plánt pathòlogy 식물 병리학.

plánts·man [-mən] (*pl.* ***-men*** [-mən]) *n.* 묘목원 주인, 묘목상; 화초 재배자, 원예가; 식물 애호가.

plaque [plæk] *n.* (금속·도자기 따위의) 장식판; (벽에 끼워 넣는) 기념 명판(銘板); 소판(小板)꼴의 브로치〔배지〕; 〚의학·세균〛 반(斑), 플라크; 〚치과〛 치석(齒石); 〚해부〛 혈소판(血小板).

pla·quette [plækét] *n.* 작은 plaque; (책표지 장정 등의) 돋을새김.

plash[1] [plæʃ] *n.* **1** 절벅절벅, 철벙, 철썩철썩(splash)《물소리》. **2** 웅덩이(puddle). **3** (빛·색깔 등의) 반점, 얼룩. **—** *vt.* (수면)을 요동시켜 절벅절벅〔찰싹찰싹〕 소리 내다; …에 액체를 튀기다〔끼얹다〕. **—** *vi.* 절벅절벅〔찰싹찰싹〕 소리 나다; (물이) 튀다.

plash[2] *vt.* 《영》 =PLEACH.

plashy [plǽʃi] *a.* 습지의, 질척질척한; 진흙투성이의; 철썩철썩〔절벅절벅〕 소리 나는.

-pla·sia [pléiʒə, -ʒiə, -ziə], **-pla·sy** [plèisi, plæ̀si, pləsi] '형성, 생장, 발달'의 뜻의 명사를 만드는 결합사.

plasm [plǽzəm] *n.* =PLASMA.

plasm- [plǽzm], **plas·mo-** [plǽzmou, -mə] '혈장(血漿), 원형질'의 뜻의 결합사.

plas·ma [plǽzmə] *n.* Ⓤ 〚생리〛 혈장(血漿), 피장; 유장(乳漿)(whey); 〚생물〛 원형질; 〚광물〛 농녹옥수(濃綠玉髓); 〚물리〛 플라스마, 전리 기체《원자핵과 전자가 분리된 가스 상태》; 《미속어》 로켓 연료. ㊕ **plas·mat·ic, plas·mic** [plæzmǽtik], [plǽzmik] *a.*

plásma cèll 〚해부〛 원형질 세포.

plásma displày (컴퓨터·TV 의) 플라스마 화면 표시《가스 방전에 의한 플라스마광(光)으로 화상을 나타냄》.

plásma dìsplay pánel ⇨ PDP.

plásma èngine 〚로켓〛 플라스마 엔진《플라스마를 전자(電磁)적으로 가속·분사하여 추력(推力)을 얻음》.

plàsma mémbrane 〚생물〛 원형질막(膜).

plas·ma·pher·e·sis [plæ̀zməfərí:sis, -férəs-] *n.* 〚의학〛 혈장 사혈(瀉血)〔반출〕.

plásma scrèen (컴퓨터·TV 의) 플라스마 화면.

plas·ma·sphere [plǽzməsfìər] *n.* 〚지학〛 플라스마권(圈).

plas·mid [plǽzmid] *n.* 〚유전〛 플라스미드《염색체와는 따로 증식할 수 있는 유전 인자》.

plas·min [plǽzmin] *n.* 〚화학〛 플라스민, 단백

질 분해 효소.

plas·mo·di·um [plæzmóudiəm] (*pl.* **-dia** [-diə]) *n.* 〖생물〗 변형체(變形體); 〖동물〗 말라리아 병원충(蟲): ~ falciparum 근래에 인도에서 창궐한 치사율이 높은 말라리아 병원충의 변종.

plas·mog·a·my [plæzmágəmi/-mɔ́g-] *n.* 〖생물〗 세포질 접합, 원형질 융합.

plas·mol·y·sis [plæzmáləsis/-mɔ́l-] *n.* Ⓤ 〖식물〗 원형질 분리.

plas·mo·lyze [plǽzməlàiz] *vt., vi.* 원형질 분리를 일으키게 하다〔일으키다〕.

plas·mon [plǽzmɑn/-mɔn] *n.* 〖발생〗 세포질 유전자; 〖물리〗 플라스몬《전자(電子) 가스의 종파 양자(縱波量子)》.

plas·teel [plǽstiːl] *n.* 플라스틸《초강력·비금속 재료》. [◂ *plastic*+*steel*]

***plas·ter** [plǽstər, plɑ́ːs-/plɑ́ːs-] *n.* **1** Ⓤ 회반죽, 벽토; 분말 석고; 깁스; =PLASTER OF PARIS: a ~ figure 석고 모형 / in ~ 깁스를 하고. **2** Ⓤ,Ⓒ 고약, 경고(硬膏); 《영》 반창고(sticking ~). **3** 《미속어》 달러 지폐; 미행자; 소환 영장.
— *vt.* **1** …에 회반죽을〔모르타르를〕 바르다: ~ a wall 벽에 모르타르를 바르다 / a ~*ed* house 모르타르를 바른 집. **2** 《+목+전+명》 (…을) …에 처덕처덕 두껍게 바르다《*with*》: ~ one's face *with* powder 얼굴에 분을 짙게 뒤바르다. **3** 《+목+전+명》 (…을) …에 온통 발라 붙이다《*with*》: a trunk ~*ed with* hotel labels 호텔의 라벨이 더덕더덕 붙은 트렁크. **4** …에 고약을〔반창고를〕 붙이다; (아픔을) 덜다; 《우스개》 …의 치료비를 내다. **5** 《+목+부》 뒤발라 반반하게 하다: ~ one's hair *down* 머리를 (기름 따위로) 뒤발라 붙이다. **6** (포도주 등을) 석고 처리하다: ~ wine 포도주에 석고 분말을 혼합하다《신맛을 없애기 위해》. **7** 《속어》 …에 큰 피해를 주다, 대패시키다, 맹폭(猛爆)하다. ~ a person ***with praise*** 〔***flattery***〕 아무를 마구 칭찬하다〔아무에게 무턱대고 아첨하다〕.
㉮ **~ed** *a.* 《속어·우스개》 취한. **~·er** *n.* 석고 기술자; 미장이.

pláster·bòard *n.* 석고판《석고를 심(心)으로 넣은 벽의 초벽용 판지》.

pláster cást 〖조각〗 석고상, 석고 모형; 〖의학〗 깁스(붕대).

plás·ter·ing [-riŋ] *n.* Ⓤ 회반죽 바르기〔공사〕; 석고 세공; 고약 붙이기; (포도주의) 석고 처리; 《구어》 대패(大敗).

pláster of Páris 〔**páris**〕 구운석고《물을 섞으면 단시간 내에 굳어짐》.

pláster sáint (나무랄 데 없는) 훌륭한 사람, 성인군자.

pláster·wòrk *n.* 〖건축〗 미장 공사.

plas·tery [plǽstəri, plɑ́ːs-/plɑ́ːs-] *a.* 회반죽〔석고〕 같은; 회반죽투성이의.

***plas·tic** [plǽstik] *a.* **1** 형성력이 있는; 형체를 만드는; 빚어 만들 수 있는; 조형적인; 창조력이 있는: ~ substances 가소(可塑) 물질《점토·합성수지 따위》. **2** 플라스틱의〔으로 만든〕; 이겨서 만든. **3** (찰흙 따위로 만든) 소상(塑像)의; 소상술(術)의: ~ figures 〔images〕 소상(塑像). **4** 유연한; 온순한, 감수성이 강한, 가르치기 쉬운: a ~ character 감화되기 쉬운 성질. **5** 〖생물〗 생활 조직을 형성하는; 성형적인; 〖외과〗 성형의: ~ exudation 성형 분비물. **6** 진짜가 아닌, 가짜의; 합성적인, 인공적인; 비인간적인. ◇ plasticity *n.* — *n.* (종종 *pl.*) 〔단수취급〕 플라스틱, 합성수지; 플라스틱 제품; (*pl.*) 〔단·복수취급〕 =PLASTIC SURGERY. ㉮ **-ti·cal·ly** *ad.*

plástic árt (보통 the ~) 조형(造形) 미술.

plas·ti·cate [plǽstikèit] *vt.* (물리적으로) 가소화(可塑化)하다.

plás·ti·càt·ed [-id] *a.* 모조의, 진짜가 아닌; 합성의, 인공적인.

plástic bómb 플라스틱 폭탄.

plástic búllet (폭도 진압 등에 사용되는) 플라스틱 탄환.

plástic cárd 플라스틱 카드《크레디트 카드 따위》.

plástic cláy 소성 점토(塑性粘土).

plástic crédit 〖상업〗 크레디트 카드에 의한 신용《대출·지불 따위》.

plástic defórmation 〖물리〗 소성(塑性) 변형.

plástic explósive 가소성(可塑性) 폭약; = PLASTIC BOMB.

plástic flów 〖물리〗 소성(塑性) 흐름.

plástic fóam =EXPANDED PLASTIC.

Plas·ti·cine [plǽstəsiːn] *n.* Ⓤ 소상(塑像)용 점토《상표명》.

plas·tic·i·ty [plæstísəti] *n.* Ⓤ **1** 〖물리〗 가소성(可塑性), 성형력(成形力). **2** 〖회화〗 묘사 대상의 3 차원적 재현성(再現性), 입체감. **3** 유연성; 적응성(adaptability).

plas·ti·cize [plǽstəsàiz] *vt.* 가소화(可塑化)시키다, 가소성을 갖게 하다, 플라스틱으로 처리하다; 유연성〔적응성〕을 갖게 하다. — *vi.* 유연해지다, 적응성이 생기다. ㉮ **plàs·ti·ci·zá·tion** *n.*

plas·ti·ciz·er [plǽstəsàizər] *n.* 가소제(可塑劑)《가소성을 갖게 하는 물질》.

plástic mémory 소성 복원(塑性復原)《가열하면 원형으로 돌아가는 플라스틱의 경향》.

plástic móney 크레디트 카드. ⓒⓕ plastic credit.

plástic operátion 성형 수술.

plástic súrgeon 성형외과 의사.

plástic súrgery 성형외과.

plástic wòod 성형재(成形材); (P- W-) 그 상표 이름.

plástic wráp 식품 포장용 랩(plastic kitchen wrap).

plas·tid [plǽstid] *n.* 〖생물〗 색소체, 플래스티드《세포와 같은 기본적 구성 단위》.

plas·ti·sol [plǽstəsɔ̀ːl, -sɑ̀l/-sɔ̀l] *n.* 플라스티솔《수지와 가소제의 혼합물》.

plas·to- [plǽstou, -tə] '형성, 발달, 가소성(可塑性), 세포질, 플래스티드'의 뜻의 결합사.

plas·to·gene [plǽstədʒiːn] *n.* 〖생물〗 색소체 유전자.

plàsto·quinóne *n.* 〖생화학〗 플라스토퀴논《녹색 식물이나 조류(藻類)에 존재하는 비타민 K와 관련된 물질》.

plas·tron [plǽstrən] *n.* (여성복의) 가슴 장식; 풀 먹인 셔츠의 가슴; (펜싱용의) 가죽으로 된 가슴받이; (옛날 갑옷의) 철로 만든 가슴받이; 〖동물〗 (거북의) 복갑(腹甲).

-plas·ty [plæ̀sti] '형성, 성장, 성형외과'의 뜻의 결합사.

-plasy ⇨ -PLASIA.

plat[1] [plæt] *n.* (칸 막은) 토지; (화단 따위로 쓰는) 작은 땅; 《미》 (토지의) 도면, 토지 측량도; 《미》 지도. — (*-tt-*) 《미》 *vt.* 설계하다; …의 도면을〔지도를〕 만들다(plot).

plat[2] *n., vt.* (*-tt-*) =PLAIT.

plat[3] [plɑː] *n.* 《F.》 (요리) 한 접시, 메뉴의 품목.

plat. platform; plateau; platoon.

Pla·ta [plɑ́ːtə] *n.* **Río de la** [ríːoudelə] ~ 라플라타 강《아르헨티나와 우루과이 사이를 흐름》.

plat·an, -ane [plǽtən] *n.* =PLANE[2].

Plat·a·nus [plǽtənəs] *n.* **1** Ⓤ 플라타너스과(科). **2** (p-) 플라타너스, 버즘나무.

plat du jour [plɑ̀ːdəʒúːər] (*pl.* ***plats du jour*** [plɑ̀ːz-]) 《F.》 (레스토랑의) 오늘의 특별 요리.

†**plate** [pleit] *n.* **1** 접시(dish)《보통 납작하고 둥근 것》; 접시 모양의 것: ⇨ DINNER 〔SOUP〕 PLATE. **2** 금은제〔도금〕의 식기류.★ 2의 경우 그 하나를 가리킬 때는 a piece of *plate*가 됨. **3** (요리의) 한 접시, 일품; 1 인분(의 요리); 《Austral.》 (파티 따위에 갖고 온) 과자〔샌드위치 따위〕 한 접시: a ~ of beef and vegetables 쇠고기와 야채를 곁들인 요리 / dinner at three dollars a ~,

1 인분 3 달러의 식사 / clean 〔empty〕 one's ~ (한 접시를 다) 먹어 치우다. **4** (교회의) 헌금 접시(에 모여진 돈); (경마 따위의) 금은 상배(賞盃); =PLATE RACE. **5** (금속 따위의) 판; 판금, 늘인 쇠; (이름 따위를 쓴) 표찰; 간판; 장서표(bookplate); =LICENSE PLATE. **6** 〖사진〗 감광판; 금속판, 전기판, 스테로판(板); 목〔금속〕판화; 도판; 〖인쇄〗 판; 1 페이지 크기의 인쇄도, 플레이트: a negative ~ 원판, 네가. **7** (파충류·물고기 따위의) 갑(甲); 철갑 갑옷. **8** 판유리(~ glass). **9** (the ~) 〖야구〗 본루(home ~), 투수판(pitcher's ~). **10** 〖치과〗 의치상(義齒床)(dental ~); 《구어》 의치; (경마의) 가벼운 편자; (흔히 *pl.*) 《운율속어》 발(~s of meat). **11** 소의 갈비 밑의 얇은 고기. **12** 《미》 〖전자〗 플레이트, (진공관의) 양극(anode). **13** 〖건축〗 (벽 위에 얹힌) 도리, 평면판; 《영》 =PLATE RAIL. **14** 《미속어》 유행옷으로 멋을 낸 사람; 매력적인 여자. **15** 〖지학〗 플레이트《지각과 맨틀 상층부의 판상 부분》. ***give-and-take*** ~ 경마 대회의 현상의 일종. ***on a*** ~ 《구어》 손쉽게, 간단히, 힘 안 들이고: I won't give you the answers *on a* ~. 자네에게 쉽게 해답을 가르쳐 주지 않겠네. ***on*** one's ~ 《구어》 (업무 따위) 해야 할 일을 떠맡아: I have a lot 〔too much〕 *on my* ~. 할 일을 많이〔지나치게〕 떠맡고 있다. ***read*** one's ~ 《속어》 식전 기도를 하다; 머리를 숙이고 말없이 먹다. ***selling*** ~ 우승한 말을 일정 가격으로 파는 경마.

— *vt.* **1** …에 도금하다: ~*d* spoons. **2** 판금으로 덮다; (군함 따위를) 장갑하다, …에게 철갑 갑옷을 입히다. **3** 얇은 판이 되게 두들겨 펴다; (날붙이를) 두들겨 표면을 매끈하게 하다. **4** 〖인쇄〗 연판〔전기판〕으로 뜨다. **5** 〖제지〗 (종이에) 광택을 내다. **6** (미생물을) 배양기로 배양하다. **7** 〖야구〗 (득점을) 올리다.

[파] ∠·like *a.*

pláte àrmor 철갑 갑옷; (군함 등의) 장갑판.

pla·teau [plætóu/∠-] (*pl.* **~s, ~x** [-z]) *n.* **1** 고원, 대지(臺地); (심해 밑의) 해대(海臺). **2** (위가 평평한) 여자용 모자. **3** 큰 접시, 쟁반; 장식용 접시. **4** 〖교육〗 학습 고원(高原)《학습 정체기 등》, 플래토; 슬럼프. — *vi.* 안정 수준〔상태〕에 달하다; 《특히》 상승이〔진보가〕 멈추다.

pláte blòck 〖우표 수집〗 가에 일련번호가 든 우표 시트.

pláte cùlture 〖세균〗 평판(平板) 배양.

plat·ed [pléitid] *a.* **1** 《종종 합성어》 도금(鍍金)한: ~ spoons / gold-~. **2** 〖편물〗 (겉은) 털실과 (안은) 무명실로 짠. **3** 〖군사〗 장갑(裝甲)의.

pláted média 〖전자〗 플레이티드 미디어《표면에 금속 자성체를 바르고, 표면을 반반하게 하여 기록 밀도를 높인 자기 디스크 매체》.

plate·ful [pléitfùl] *n.* 한 접시 가득(한 양).

pláte gláss (고급의) 두꺼운 판유리. [cf.] sheet glass.

pláte ìron 철판.

pláte·làyer *n.* 《영》 선로공(工), 보선공(《미》 tracklayer).

plate·let [pléitlit] *n.* 작은 판; 〖해부〗 혈소판(血小板)(blood ~).

pláte lùnch 접시 하나에 담은 런치.

pláte·màker *n.* 〖인쇄〗 (특히 오프셋 인쇄용의) 제판기; 제판 기계공.

pláte·man [-mən] (*pl.* **-men** [-mən]) *n.* (클럽·호텔 따위의) (은)식기 관리자.

pláte màrk (금은 그릇에 찍은) 각인; 〖인쇄〗 판화(版畵)의 가장자리에 난 동판 자국.

pláte màtter (통신사에서 신문사에 배부하는) 스테로판 뉴스.

plat·en [plǽtn] *n.* 〖인쇄〗 플래튼, (인쇄기의) 압반(壓盤); 〖기계〗 (평삭반(平削盤) 따위의) 테이블; (타자기의) 롤러; 〖고무〗 열판(熱板).

pláte prìnting 동판〔요판〕 인쇄.

pláte pròof 〖인쇄〗 연판 교정(쇄).

plat·er [pléitər] *n.* **1** 도금공; 금속판공. **2** 〖경마〗 열등한 말. **3** 〖제지〗 광택기(=**pláte càlender**).

pláte ràce 《영》 (건 돈보다 상배(賞杯) 따위를 다투는) 현상 경마.

pláte-ràck *n.* 《영》 물기 빼는 접시걸이.

pláte ràil (장식용의) 접시 선반; 〖영철도〗 판(板)레일《바퀴가 벗어나지 못하게 바깥쪽에 턱이 있는 초기의 철판 레일》.

pláte tectónics 〖지학〗 플레이트 텍토닉스《지각(地殼)의 표층이 판상(板狀)을 이루어 움직이고 있다는 학설》.

plat·form [plǽtfɔ̀ːrm] *n.* **1** 단(壇), 고대(高臺), 대지(臺地); 교단, 연단. **2** (정거장의) 플랫폼. **3** (the ~) (미국에서는 객차의, 영국에서는 주로 버스의) 승강단, 덱(vestibule); 층계참. **4** 〖군사〗 포상(砲床), 포좌; 〖우주〗 플랫폼《우주선의 위치 제어 장치》. **5** (the ~) 강연, 연설; 단상의 강연자. **6** (정당의) 강령, 정강《그 각 조항을 plank 라 함》; 주의; 《드물게》 교의; (행동·결정 따위의) 기반, 근거, 기준; 《미》 정강 선언《후보자 지명 대회에서의》. **7** 토론회(장). **8** 〖해사〗 너벅선, 평갑판. **9** =PLATFORM SOLE; =PLATFORM SHOE. — *vt.* **1** 신다, 놓다. **2** …에 승강대를 설치하다. — *vi.* 단상에서 연설하다.

plátform brìdge 과선교(跨線橋).

plátform càr 〖철도〗 대차(臺車)(flatcar).

plátform pàrty 식전(式典)〔회의〕에서 단상의 좌석에 앉는 저명인〔중역〕.

plátform ròcker 《영》 좌대(座臺)가 있는 흔들의자.

plátform scále 앉은뱅이저울.

plátform shòe (코르크·가죽제의) 창이 두꺼운 여자 구두.

plátform sòle (코르크·가죽제의) 두꺼운 창.

plátform tènnis 플랫폼 테니스《철망을 둘러친 나무대(臺) 위에서 하는 paddle tennis》.

plátform tìcket 《영》 (역의) 입장권.

plat·i·na [plǽtənə, plətíːnə] *n.*, *a.* 백금(빛의).

plat·ing [pléitiŋ] *n.* [U] **1** (금·은 따위의) 도금(coating), 금〔은〕입히기: a ~ bath 도금 탱크, 도금액 통. **2** 도금술(術); 도금용 금속; (군함 따위의) 장갑. **3** (금속에 의한) 표면 피복(被覆). **4** 현상 경마〔경기〕.

pla·tin·ic [plətínik] *a.* 〖화학〗 (제 2) 백금의; 백금을 함유한: ~ chloride 염화 제 2 백금.

plat·i·nif·er·ous [plæ̀tənífərəs] *a.* 백금을 함유한.

plat·in·i·rid·i·um [plæ̀tənirídiəm, -nair-] *n.* [U] 〖광물〗 백금 이리듐.

plat·i·nize [plǽtənàiz] *vt.* …에 백금을 입히다; 백금과 합금으로 하다.

plat·i·no·cy·a·nide [plæ̀tənousáiənàid, -nid] *n.* [U] 시안화 백금산염(酸塩)《형광 물질》.

plat·i·noid [plǽtənɔ̀id] *a.* 백금 모양의, 백금 비슷한. — *n.* [U] 플라티노이드《(1) 양은의 하나; 구리·니켈·아연·텅스텐〔알루미늄〕 등의 합금. (2) 백금속(屬)의 금속; palladium, iridium 따위》.

plat·i·no·type [plǽtənoutàip] *n.* 백금 사진판; 백금 사진(법).

plat·i·nous [plǽtənəs] *a.* 〖화학〗 (제 1) 백금의: ~ chloride 염화 제 1 백금.

plat·i·num [plǽtənəm] *n.* [U] 〖화학〗 백금, 플라티나《금속 원소; 기호 Pt; 번호 78》; 백금색《은빛보다 약간 푸르스름한 밝은 회색》. — *a.* LP 레코드가 100 만 장 팔린.

plátinum bláck 〖화학〗 백금흑(黑)《금속 백금의 극히 미세한 흑색 분말; 촉매용》.

plátinum blónde 백금색, 백금색 머리의 여자《염색한 경우가 많음》.

plátinum hàndshake (정년 전의 명예퇴직자에게 지급하는) 고액의 퇴직금. [cf.] golden

handshake.
plátinum métal 〖화학〗 (osmium, iridium, palladium 등의) 백금속(白金屬).
plat·i·tude [plǽtətjù:d/-tjù:d] *n.* [U] 단조로움, 평범함, 진부함; [C] 평범한 의견, 상투어.
plat·i·tu·di·nar·i·an [plæ̀tətjù:dənɛ́əriən/-tjù:d-] *a.* 평범한, 진부한. **—** *n.* 평범〔진부〕한 얘기를 하는 사람.
plat·i·tu·di·nize [plæ̀tətjú:dənàiz/-tjú:-] *vi.* 평범〔진부〕한 이야기를 하다.
plat·i·tu·di·nous [plæ̀tətjú:dənəs/-tjú:-] *a.* 시시한 말을 하는, 평범한, 진부한. [파] **~·ly** *ad.* **~·ness** *n.*
Pla·to[1] [pléitou] *n.* 플라톤《그리스의 철학자; 「427 ? - 347 ? B.C.》.
PLATO, Pla·to[2] *n.* 컴퓨터를 사용한 개인 교육 시스템. [◂ *P*rogrammed *L*ogic for *A*utomatic *T*eaching *O*peration]
Pla·ton·ic [plətánik, pleit-/-tɔ́n-] *a.* **1** 플라톤의; 플라톤 학파〔철학〕의. **2** (보통 p-) 순정신적〔우애적〕인; (보통 p-) 정신적 연애를 신봉하는; 이상적〔관념적〕인, 비실행적인. **—** *n.* 플라톤 학파의 사람; (*pl.*) 정신적 연애 감정〔행위〕. [파] **-i·cal·ly** [-əli] *ad.*
Platónic lóve 플라톤적 사랑, 이상주의적 사랑; (때때로 p-) 정신적 연애.
Platónic yéar 〖천문〗 플라톤년(年)《세차(歲差)운행이 한 바퀴 돈다고 상상되는 25,800 년》.
Pla·to·nism [pléitənìzəm] *n.* [U] 플라톤 철학〔학파〕; 플라톤주의; (때때로 p-) 정신적 연애 (platonic love). [파] **-nist** *n.* 플라톤 학파 사람. **Plà·to·nís·tic** *a.*
Pla·to·nize [pléitənàiz] *vi.* 플라톤 철학을 받들다; 플라톤류(流)로 논하다. **—** *vt.* 플라톤 철학을 기초로 풀이하다; 플라톤류로 하다.
pla·toon [plətú:n] *n.* 〖군사〗 (보병·공병·경관대의) 소대; 일조(一組), 일단(一團); 〖미식축구〗 공격〔수비〕 전문의 선수들; (야구 등에서) 한 포지션을 교대로 수비하는 복수 선수. **—** *vt., vi.* 소대로 나누다; (선수를) 딴 선수와 교대로 한 포지션에 세우다; 《미속어》 (스포츠에서) 특정 역할이나 위치를 전문으로 하다, 특정 경기에 전문으로 내보내다〔나오다〕.
platóon sérgeant 〖미육군〗 중사(中士)(sergeant first class)《생략: PSG》.
Platt·deutsch [plɑ́:tdɔ̀itʃ] *n.* 《G.》 (북독일의) 저지(低地) 독일 방언(Low German).
plat·ter [plǽtər] *n.* **1** (타원형의 얕은) 큰 접시. **2** 《미속어》 (야구의) 본루. **3** 《미속어》 음반, 레코드; (스포츠용) 원반. **4** 《미속어》 〖경마〗 능력이 열등한 경주마(plater). **5** 〖컴퓨터〗 플래터《하드 디스크의 자료 기록 부분인 자성체(磁性體)를 코팅한 원반》. ***on a*** (***silver***) **~** 손쉽게, 전혀 애쓰지 않고. [파] **~·fùl** *n.*
platy [pléiti] *a.* plate 비슷한; 〖지학〗 판상(板狀)의.
plat·y- [plǽti], **plat-** [plǽt] '넓은, 평평한'의 뜻의 결합사.
plat·y·ce·phal·ic [plæ̀tisəfǽlik] *a.* (두부(頭部) 측정에서 높이의 길이 지수가 70 이하인) 편평두개(偏平頭蓋)의.
plat·y·hel·minth [plæ̀tihélminθ] *n.* 〖동물〗 편형(扁形)동물. [파] **-hel·mín·thic** *a.*
Plat·y·hel·min·thes [plæ̀tihelmínθi:z] *n. pl.* 〖동물〗 편형동물 문(門)《분류명》.
plat·y·pus [plǽtipəs] *n.* 〖동물〗 오리너구리.

platypus

plat·yr·rhine [plǽtiràin, -rin] *a.* 〖동물·인류〗 광비(廣鼻)의. **—** *n.*
코가 넓고 납작한 사람; 광비 원숭이〔동물〕.
pla·tys·ma [plətízmə] (*pl.* **~s, ~·ta** [-tə]) *n.* 〖해부〗 (목 양쪽의 어깨 상부에서 턱까지의) 활경근(闊頸筋).
plau·dit [plɔ́:dit] *n.* (보통 *pl.*) 박수, 갈채; 칭찬, 「찬탄.
plau·si·ble [plɔ́:zəbəl] *a.* **1** (이유·구실 따위가) 그럴 듯한, 정말 같은. **2** 그럴 듯한 말을 하는, 말재주가 좋은: a ~ liar. [파] **-bly** *ad.* **~·ness** *n.* **plàu·si·bíl·i·ty** *n.*
†**play** [plei] *vi.* **1** 《~/+[전]+[명]/+[부]》 놀다, (…의) 놀이를 하다《*at*》: ~ (*at*) hide-and-seek 숨바꼭질하다/~ *at* keeping shop 가게 놀이를 하다/His children are ~*ing about*. 그의 아이들은 뛰놀고 있다.
2 《+[전]+[명]》 장난치다; (…을) 가지고 놀다 (trifle)《*with*》: ~ *with* fire 불장난을 하다/He isn't a man to be ~*ed with*. 그는 놀림을 당할 상대가 아니다.
3 《~/+[전]+[명]/+[부]》 경쾌하게 날아다니다, 춤추다; 가볍게 흔들리다; 나부끼다; (빛 따위가) 비치다, 번쩍이다《*on; over; along*》: Leaves ~ in the breeze. 나뭇잎이 산들바람에 가볍게 나부낀다/The light ~*ed* strangely *over* the faces of the actors. 조명이 배우들의 얼굴을 비쳐 기묘한 효과를 냈다/Her hair ~*ed on* her shoulders. 그녀의 머리카락이 어깨 위에서 치렁거렸다/A smile ~*ed on* her lips. 미소가 그녀 입가에 감돌았다/The sun ~*s on* the water. 햇빛이 물 위에 반짝이고 있다/A butterfly was ~*ing about*. 나비 한 마리가 날아다니고 있었다.
4 (기계 따위가) 원활하게 움직이다, 운전하다 (work): The piston rod ~*s* in the cylinder. 피스톤축은 실린더 안을 왔다갔다 한다.
5 《~/+[전]+[명]》 (분수·펌프 따위가) 물을 뿜다; (탄환 따위가) 연속 발사되다: The fire engines were ready to ~. 소방차는 언제나 물 뿜을 준비가 되어 있었다/The machine guns ~*ed on* the building. 그 건물을 향해 기관총이 발사되었다/The fountain in the park ~*s* on Sundays. 공원의 분수는 일요일에 물을 뿜어낸다.
6 《+[전]+[명]/+*as* [보]》 게임을 즐기다, 경기에 참가하다; (…와) 대전하다《*against*》: ~ *at* first base 〔*as* first baseman〕, 1 루를 지키다/~ *against* another team 다른 팀과 경기하다.
7 《~/+[전]+[명]》 도박을 하다, 내기를 하다(gamble): ~ *for* money 돈내기를 하다.
8 《+[부]/+[보]》 (…한) 행동을 하다, …한 체하다; 말한 대로 하다: ~ fair 〔dirty〕 정정당당〔비겁〕하게 행동하다/~ dead 죽은 체하다.
9 《~/+[전]+[명]》 (사람이) 연주하다, 취주하다, 타다〔켜다, 치다〕: ~ by ear 암보(暗譜)로 연주하다/Will you ~ for us ? 연주해 주시지 않으시렵니까/~ *on* the piano 피아노를 치다.
10 《~/+[부]/+[전]+[명]》 (악기가) 울리다, 곡을 연주하다, (녹음이) 재생되다: The piano is ~*ing*. 피아노가 연주 중이다/The strings are ~*ing well*. 현악기 연주가 훌륭하다/records ~*ing at* 33 $^1/_3$ per minute, 1 분간에 33 $^1/_3$ 회전하는 레코드.
11 《+[전]+[명]》 **a** (…에) 출연하다, (…으로) 연기하다《*in*》: (…의 상대역으로) 연기하다《*opposite*》: He has often ~*ed in* comedies. 그는 종종 희극에 출연하고 있다/She ~*ed opposite* Charles Chaplin in that film. 그녀는 그 영화에서 찰리 채플린의 상대역을 맡아 했다. **b** (연극·영화 따위가) 상연〔상영〕되고 있다《*in; at*》; (TV에서) 방영되고 있다《*on*》: The movie is ~*ing at* several theaters. 그 영화는 몇몇 극장에서 상영되고 있다/I saw Hamlet when it ~*ed in*

London. 나는 '햄릿'이 런던에서 상연되었을 때 구경했다 / What's *~ing on* television tonight? 오늘 저녁 TV에서는 무엇이 방영됩니까.
12 《+부》 (각본 따위가) 상연하기에〔무대에 올려놓기에〕 알맞다: That drama will ~ *well.* 저 각본은 무대에 올리면 좋은 연극이 될 것이다.
13 '놀고 있다', 일이 없다, 놀고〔게으름피우고〕 지내다; (파업으로) 일을 쉬고 있다.
14 《+전+명》 끊임없이〔되풀이하여〕 작용하다〔영향을 끼치다〕: The shock *~ed on* his nerves.
15 《+부》 (구장 따위가) 경기에 알맞다: The stadium *~ed well* 〔*badly*〕. 경기장은 상태가 좋았다〔나빴다〕.
★ 경우에 따라서 뜻이 자명한 때에는 목적어를 생략하여 play를 자동사로 쓰며, *play* tennis, *play* the piano, *play* the record 따위의 뜻이 됨.
— *vt.* **1** (게임 · 경기를) 하다, …하며 즐기다: ~ tennis 테니스를 하다 / ~ a match 한 판 겨루다 / ~ cards 카드놀이를 하다.
2 (경기에서) …하다; 〖크리켓〗 (볼을) 치다; 〖체스〗 (말을) 움직이다; 〖카드놀이〗 (패를) 내놓다; 《비유》 (유리한 수를) 이용하다; (친 공을) 잡다: ~ the ball too high 공을 너무 높이 쳐올리다 / ~ a stroke 한 번 치다, 일격을 가하다.
3 《~+목 / +목+전+명 / +목+*as* 보》 (아무를) 게임에 내보내다〔참가시키다〕, 팀에 넣다; (포지션으로) 기용하다; (아무와) 겨루다, 맞상대하다: The coach *~ed* Tom *at* forward. 코치는 톰을 포워드로 기용했다 / Will you ~ me *at* chess? 체스 한 판 두겠어요 / I will ~ you *for* drinks. 지면 한잔 사기로 하고 상대하겠습니다 / ~ a person *as* a pitcher 아무를 투수로 기용하다.
4 (돈을) 걸다《내기에》; (말 따위에) 걸다: ~ the horses 경마에 걸다.
5 《~+목 / +*that* 절》 …놀이하다; …을 흉내 내며 놀다: ~ cowboys 카우보이놀이를 하다 / ~ house 소꿉놀이하다 / Let's ~ (*that*) we are pirates. 해적놀이하자.
6 《~+목 / +목+전+명》 (연극을) 상연하다 (perform); (배역을) 맡아 하다, …으로 분장하다; (본분 · 역할 따위를) 다하다《*in*》; 〔일반적〕 …인 체 거동하다: ~ *The Tempest* '템페스트'를 상연하다 / ~ Hamlet 햄릿 역을 맡아 하다 / ~ the hostess 여주인 노릇을 하다 / ~ the man 〔fool〕 사내답게〔바보스레〕 행동하다 / ~ an important part *in* an international conference 국제회의에서 중요한 역할을 맡아 하다.
7 《미》 (극을) …에서 공연〔흥행〕하다: They *~ed* New York for a month. 뉴욕에서 한 달 동안 공연했다.
8 《~+목 / +목+목 / +목+전+명》 연주하다: ~ the flute 플루트를 불다 / ~ a record 음반을 틀다 / *Play* me Chopin. = *Play* Chopin *for* 〔*to*〕 me. 쇼팽의 곡을 들려주시오 / ~ an overture *on* the piano 피아노로 서곡을 연주하다.
9 《+목+부》 음악을 연주하여 …시키다: ~ the congregation *in* 〔*out*〕 주악으로 회중을 마중〔배웅〕하다 / The band *~ed* the troops *past*. 취주악대 연주에 맞춰 군대가 분열 행진을 했다.
10 (자유롭게) 움직이다, 사용하다; 다루다; 휘두르다: ~ a stick 막대기를 휘두르다, 치고 돌아가다 / ~ a good knife and fork 나이프와 포크를 잘 쓰다, 포식하다.
11 《+목+목 / +목+전+명》 (어떤 행위를) 하다, 행하다(execute): ~ a person a joke = ~ a joke *on* a person 아무에게 장난치다, 아무를 놀리다.
12 …에 근거를 두고 행동하다, …에 의존하다: ~ a hunch 직감에 의존하다.
13 《+목+전+명》 (빛 따위를) 내다, 발사하다, 향하게 하다: ~ one's flashlight *along* one's way 회중전등으로 가는 길을 비추다 / ~ a hose *on* a fire 불에 호스로 물을 뿌리다 / ~ guns *on* the enemy's lines 적진을 향하여 발포하다.
14 (낚시에 걸린 물고기를) 퍼드덕거려 지치도록 내버려두다: ~ a fish.
15 〖신문〗 (기사 · 사진 따위를) 크게 다루다, 특집하다: ~ the news big on the front page 그 소식을 제 1 면에 크게 다루다.
16 《미속어》 …와 데이트하다; 애고(愛顧)하다, …의 단골이 되다.
be ~ed out 기진맥진하다; 다 써 버리다. ***~ about*** 〔***around***〕 돌아다니며 놀다; 가지고 놀다《*with*》; 《구어》 (이성과) 성적 관계를 가지다, 성생활이 문란하다《*with*》. ***~ along*** 애태우다; (아무를) 자기 이익이 되도록 조종하다; (즉각) 협력하다《*with*》; …와 동의하는 체하다《*with*》. ***~ at*** ① …을 하고 놀다; …놀이하다: ~ *at* soldiers 병정놀이하다. ② …을 장난삼아 하다, 해보다, 가지고 놀다. ③ …을 즐거운 체 가장하다. ④ (게임을) 하다. ***~ away*** (돈을) 도박에서 잃다; (재산을) 다 써 버리다; (시간 따위를) 소비하다. ***~ back*** ① 〖크리켓〗 한쪽 발을 뒤로 빼고 치다; (공을) 되돌려보내다. ② (녹음 · 녹화 테이프를) 재생하다. ***~ both ends*** (***against the middle***) 《미》 양다리를 걸치다; (대립자를 다투게 하여) 어부지리를 얻다《*in*》. ***~ double*** 양다리를 걸치다. ***~ down*** 《*vt.*+부》 ① 가볍게 다루다, 경시하다(cf. ~ up). —《*vi.*+부》 ② (영합하기 위해) 기세를 누그러뜨리다, 아첨하다《*to*》. ***~ false*** ⇨ FALSE. ***~ fast and loose*** ⇨ FAST[1]. ***~ a person for*** …을 위해서 아무를 이용하다; 《구어》 아무를 …라고〔…을 갖고 있다고〕 생각〔취급〕하다. ***~ for love*** 〔***money***〕 (카드놀이 등을) 내기 없이〔돈을 걸고〕 하다. ***~ for time*** 질질 끌어 시간을 벌다. ***~ forward*** 〖크리켓〗 한쪽 발을 앞으로 내딛고 치다. ***~ God*** 신같이 굴다, 건방지게 굴다. ***~ in*** ① 연주하면서 (사람 등을) 안으로 인도하다. ② 〔~ oneself in 으로〕 (시합 · 게임 따위에서) 서서히 실력을 발휘하다. ***~ into each other's hands*** 상호 이익을 도모하다, 짜고 행동하다, 한통속이 되다. ***~ into one another's hands of*** = ***~ into*** a person***'s hands*** …의 이익이 되도록 행동하다; …의 계략에 빠지다. ***~ it ...*** …하게 행동하다: ~ *it* cool 냉정하게 행동하다, 태연자약하다 / ~ *it* smart 《미》 현명하게 행동하다. ***~ it by ear*** ⇨ EAR[1]. ***~ it*** (***low***) ***on ...*** = ***~ it*** (***low***) ***down on ...*** 《속어》 …의 약점을 이용하다, 비열한 수단으로 앞지르다. ***~ it safe*** ⇨ SAFE. ***~ off*** 《*vt.*+부》 ① (무승부 · 중단된 시합의) 결승전을 치르다. ② (아무에게) 창피를 주다. ③ (가짜를) 쥐어 주다. ④ 발사하다. —《*vi.*+부》 ⑤ (무승부 시합 따위의) 결승전을 치르다. ***~ a person off against*** another 아무를 누구와 반목시켜 어부지리를 얻다. ***~ on*** 〔***upon***〕 ① …에 영향을 끼치다. ② …을 이용하다〔틈타다〕: ~ *on* a person's fear 아무의 공포심을 이용하다. ③ …로 익살을 부리다: ~ *on* words. ④ 〖크리켓〗 자기편의 wicket에 공을 쳐서 아웃되다; 〖축구〗 (선수를) 온사이드에 넣다. ***~ on down*** 《미속어》 (한 장소에서 다른 장소로) 가다, 옮기다《*to*》. ***~ out*** ① 끝까지 연주하다; (시합 따위를) 끝까지 하다. ② 연주하면서 (사람들을) 내보내다. ③ (아무를) 녹초가 되게 하다; (물건을) 시대〔유행〕에 뒤지게 하다. ④ 다 써 버리다. ⑤ (밧줄 따위를) 끌어내다, 풀어 주다. ⑥ (감정 따위를) 행동으로 나타내다. ***~ out time*** 〖스포츠〗 (수세인 팀이) 상대방에게 득점을 허용하지 않고 끝까지 버티다. ***~ politics*** 농간을 부리다. ***~ safe*** ① 안전제일로 행동하다, 보수적으로 행동하다. ② 〔명령형〕 안

~ 전 운전(하라). ~ one's ***hand for all it is worth*** 전력을 다하다. ~ one's ***last card*** 더 이상 해볼 도리가 없게 되다, 백계무책이다. ~ ***the game*** ⇨ GAME. ~ ***up*** 《*vt.*+[부]》 ① …을 중시하다, 강조하다, 《미》 선전하다([cf.] ~ down). ② 《영》 …을 화나게 하다, 괴롭히다; …에게 귀찮게 하다. ―《*vi.*+[부]》 ③ 연주를 시작하다. ④ 분투하다, 〔명령형〕 힘내라. ⑤ (기계·신체 따위가) 컨디션이 나빠지다. ⑥ (아이가) …에 장난치다 《*toward*》. ⑦ 《구어》 (환부 따위가) 아프다. ~ ***up to*** …을 지지하다, …에 동조하다, …에 조연하다; 《구어·비유》 …에게 아첨 떨다. ~ ***with*** …을 가지고 놀다; 《미속어》 …와 협력하다(~ ball with): ~ *with* edged tools 위험한 짓을 하다. ~ ***with oneself*** 자위행위를 하다. ***What are you ~ing at?*** 《구어》 뭣하는 짓이냐《바보짓이나 위험한 짓을 하는 사람에게 하는 말》.

― *n.* **1** [U] 놀이, 유희: The children are *at* ~. 아이들은 놀고 있다 / All work and no ~ makes Jack a dull boy. 《속담》 공부만 하고 놀지 않으면 아이는 바보가 된다, 잘 배우고 잘 놀아라.

> [SYN.] **play** '놀이'의 일반적인 말. 육체적·정신적 놀이의 총칭. **sport** 옥외에서의 육체적 운동이나 놀이를 나타냄. **game** 어떤 룰에 따라 승부를 정하는 육체적·정신적인 '놀이'를 말함. **recreation** 근로 뒤의 피로를 풀기 위하여 행하는 '놀이'의 뜻.

2 [C] 장난(fun), 농담(joking): I said it in ~, not in earnest. 농담으로 한 말이지 진심은 아니었다. **3** [C] 내기, [U,C] 도박, 노름(gambling): lose much money in one evening's ~ 하룻밤 노름으로 큰돈을 잃다. **4** [U] (유희·승부의) 솜씨, 경기 태도; [C] 경기: There was a lot of rough ~*s* in the football match yesterday. 어제 축구 경기에서는 거친 플레이가 많았다. **5** (경기·승부에서의) 하나하나의 동작; (…할) 차례: That was a good ~. 지금 것은 좋은 솜씨〔수〕였다 / It's your ~. 자네 차례야. **6** [U] 행동, 행위: foul ~ 비열한 행위. **7** [U] 활동, 활동의 자유〔여지〕; (기계의 부분 상호 간 따위의) 틈: allow full ~ to one's imagination 상상을 자유로이 활동케 하다. **8** [U] (빛·빛깔 따위의) 움직임, 어른거림, 번쩍임: the ~ of sunlight upon water 수면에서의 햇빛의 어른거림. **9** [C] 연극; 각본, 희곡(drama): a musical ~ 음악극. **10** (기사·사진의) 신문 지상에서의 취급. **11** [U] 쉼, 휴업; 파업. (***a***) ***high*** ~ 거는 돈이 많은 내기. ***a ~ of words*** 말재롱; 궤변. ***be mere child's*** ~ 아이들 장난 같다, 누워 떡 먹기다. ***bring*** 〔***call***〕 ***... into*** ~ …을 이용하다, 활동시키다. ***come into*** ~ 움직이기〔활동하기〕 시작하다. ***give full*** 〔***free***〕 ~ ***to*** …을 충분히〔마음껏〕 발휘하다. ***hold*** 〔***keep***〕 a person ***in*** ~ 아무를 일하게 놔 두다. ***in*** ~ ① 장난〔농담〕으로(⇨2). ② 〖구기〗 경기 중에, (공이) 살아; 일하고, 영향을 끼치고. ***make a*** 〔***one's***〕 ~ ***for*** …을 손에 넣으려고 고심하다〔책략을 쓰다〕; (여자〔남자〕 아이를) 온갖 수단을 써서 유혹하려 하다. ***make good*** ~ 기세 좋게 나아가다〔행동하다〕. ***make*** ~ ① 〖경마·사냥〗 추격하는 사람을 애태워 괴롭히다. ② 한창 일하다. ③ (…을) 효과적으로 이용하다《*with*》. ④ 〖권투〗 상대방에게 맹격을 가하다. ⑤ 서둘러 나아가다. ***make ~ with*** (흥을 돋우기 위해) 연극조로 말하다, 화려하게 이용하다, 과장해서 말하다《보통 play에 great, much 등의 수식어가 따름》. ***out of*** ~ ① 실직하여; 〖구기〗 아웃이 되어. ② 취급해서 안 되는. ~ ***of colors*** (다이아몬드의 표면 따위가) 오색이 찬란하게 번쩍임. ***That is pretty ~.*** = ***That is a pretty bit of ~.*** 너무 심한데, 큰일인데.

pla·ya [pláiə] *n.* 《Sp.》 〖지학〗 플라야《큰비가 내린 뒤에 물이 괴는 사막의 분지》.

pláy·a·ble *a.* play 할 수 있는.

pláy·àct *vi.* 연기하다; 가장하다, 체하다; 과장된 몸짓을 하다; 속임수를 쓰다; 불성실하게 굴다. ― *vt.* 실연하다; 극화〔각색〕하다. [파] ~**·ing** *n.* [U] 연극(을 함); 《비유》 '연극', 가면(pretense).

pláy-àction páss 〖미식축구〗 쿼터백이 러닝 플레이를 하는 척 백패스하는 플레이.

pláy·àctor *n.* 《흔히 경멸》 배우.

pláy-awày *n.* 《영속어》 주말을 시골에서 보내기.

***play·back** [pléibæ̀k] *n.* (레코드·테이프 등 특히 녹음〔녹화〕 직후의) 재생; (녹음·녹화의) 재생 장치(=~ **machìne**).

pláyback-only vídeo machìne 재생 전용 비디오.

pláy·bìll *n.* (연극의) 광고 전단; 《미》 (극의) 프로그램; (P-) 플레이빌《연극 프로그램의 상표명》.

pláy·bòok *n.* 각본; 〖미식축구〗 플레이북《팀의 공수(攻守) 포메이션을 수록한 책》.

pláy·bòx *n.* 《영》 **1** 장난감 상자. **2** (기숙생의) 사물함.

pláy·bòy *n.* **1** 명랑한〔인기 있는〕 사내. **2** (돈과 시간이 있는) 바람둥이, 한량, 플레이보이. **3** 《Ir.》 겉만 번드레한 사람, 만만찮은 사람.

pláy-by-pláy *a., n.* (경기 따위의) 자세한 보도(의), 실황 방송(의): a ~ broadcast of a game 경기 실황 방송.

pláy·clòthes *n.* (*pl.*) 운동복, 레저웨어; 실내복.

pláy·dàte *n.* (영화 등의) 날짜와 시간을 지정한 상영; (어린이의 부모들끼리 정하는) 어린이를 놀게 하는 약속.

pláy·dày *n.* 휴일《일요일을 제외한 학교 따위의》; 비공식 경기; 《영》 (탄갱부 따위의) 휴업일; 〖연극〗 상연일.

pláy dòctor 〖연극〗 각본 감수자〔수정자〕.

Play-Doh [pléidòu] *n.* 플레이도《어린이 공작용 합성 점토; 상표명》.

pláy dòugh 공작용 점토.

pláy·dòwn *n.* 《주로 Can.》 결승(決勝) 경기(play-off).

pláyed-óut *a.* 《구어》 지친, 기진한; 더는 해볼 수 없는; 빈털터리가 된; 진부한.

****play·er** [pléiər] *n.* **1** 노는 사람〔동물〕; 게으름뱅이; 도락 삼아 하는 사람《*at* farming》. **2** 경기자, 선수; 《영》 (크리켓 등의) 직업 선수. **3** 배우(actor); 연주자. **4** (자동 피아노 따위의) 자동 연주 장치; 레코드플레이어. **5** 도박꾼(gambler); 《미속어》 혼음(混淫)을 일삼는 자, 《특히》 펨프.

Pláyer of the Yéar 〖스포츠〗 연간 최우수 선수.

pláyer piáno 자동 피아노.

pláy·fèllow *n.* = PLAYMATE.

pláy·field *n.* 운동장, 경기장.

°**play·ful** [pléifəl] *a.* **1** 쾌활한; 놀기 좋아하는, 농담 좋아하는. **2** 장난의, 희롱하는, 농담의, 우스꽝스러운. [파] ~**·ly** *ad.* ~**·ness** *n.*

pláy·gàme *n.* 유희; 어린이 놀이.

pláy·gìrl *n.* (쾌락을 찾아) 놀러 다니는 여자, 플레이걸.

pláy·gòer *n.* 연극 좋아하는 사람; 연극 구경을 자주 가는 사람.

pláy·gòing *n.* [U] 연극 구경.

****play·ground** [pléigràund] *n.* (학교 등의) 운동장; (아이들의) 놀이터, 공원; 행락지, 휴양지: the ~*s* of Europe 유럽의 휴양지《스위스의 별칭》.

pláy·gròup *n.* 사설 보육소.

pláy·hòuse *n.* **1** 극장(theater). **2** (아이들의) 놀이집, 어린이 오락관. **3** 《미》 장난감 집.

pláying càrd (카드 따위의) 패.

pláying field 경기장, 운동장.

pláy·lànd *n.* 놀이터, 유원지; (유흥 중심의) 관광 도시.

pláy·let [pléilit] *n.* 짧은 연극, 촌극.

pláy·lìst *n.* (라디오 방송국의) 방송 예정 녹음 리스트.

pláy·màker *n.* (농구·하키 따위에서) 공격의 선도적인 선수.

pláy·màte *n.* 놀이친구.

pláy·òff *n.* 〚경기〛 (비기거나 동점인 경우의) 결승 경기; (시즌 종료 후의) 우승 결정전 시리즈.
pláy on wórds 언어 유희, 신소리, 결말.
pláy·pàrk *n.* 놀이터; 유원지.
pláy·pèn *n.* **1** 유아 안전 놀이울《보통 접이식 울》. **2** 행락지; 어떤 활동의 장〔영역〕. **3** 《해커속어》 프로그램(전문)가의 작업방.

playpen 1

pláy·pìt *n.* 《영》 작은 모래 놀이터.
pláy·rèader *n.* 각본을 읽고 상연 가치를 평가하는 사람.
pláy·ròom *n.* 오락실(rumpus room).
pláy·schòol *n.* =PLAYGROUP; 보육〔유치〕원
play·some [pléisəm] *a.* 장난치는, 희롱하는.
pláy·strèet *n.* 보행자 천국.
pláy·sùit *n.* (여성·어린이의) 운동복, 레저웨어.
pláy thèrapy 〚정신의학〛 놀이 요법, 유희 요법.
pláy·thìng *n.* 장난감〔노리개〕 (취급받는 사람): make a ~ of a person 아무를 놀림감으로 하다.
pláy·tìme *n.* Ⓤ **1** 노는 시간; 방과 시간. **2** (연극의) 흥행〔개막〕 시간.
pláy·wèar *n.* 놀이옷, 레저복.
pláy·wrìght *n.* 각본가; 극작가; 각색자.
pláy·write *vi.* 《미속어》 극작(劇作)하다. ㊞ **-writer** *n.* =PLAYWRIGHT. **-writing** *n.* 극작.
pla·za [plɑ́:zə, plǽzə] *n.* 《Sp.》 (도시·읍의) 광장, (특히 스페인 도시의) 네거리; 시장(marketplace); 《미》 쇼핑센터; 《미》 (고속도로변의) 서비스 에어리어(service ~).
plbg. plumbing. **PLC** product life cycle; Public Limited Company.
◇**plea** [pli:] *n.* **1** 탄원, 청원(entreaty); 기원: make a ~ for …을 탄원하다. **2** 변명(excuse); 구실, 핑계(pretext): on 〔under〕 the ~ of … 을 구실 삼아, …이라는 핑계로. **3** 〚법률〛 항변, 답변(서), 소송의 신청(allegation); 소송: enter a ~ of guilty 〔not guilty〕 (피고인이) 자기가 저지른 죄를 인정하다〔부인하다〕. ◇ plead *v.* ***cop a*** ~ ⇨ COP².
pléa bàrgain(ing) 〚법률〛 유죄 답변 거래〔홍정〕《검찰 측으로부터 가벼운 구형 등을 받기로 하고 그 대신 피고 측이 유죄를 인정하는 따위의 거래〔홍정〕》.
pleach [pli:tʃ] *vt.* (가지와 가지를) 얽히게 하다; (산울타리)의 가지를 얽어 수리하다; 엮다, 엮다; 짜다(plait); (머리를) 땋다.
*****plead** [pli:d] (*p., pp.* ***pléad·ed,*** 《미구어·방언》 ***ple(a)d*** [pled]) *vt.* **1** 변호하다, 변론하다: ~ a person's case 아무의 사건을 변호하다/get a lawyer to ~ one's cause 변호사에게 자기의 소송 변호를 의뢰하다. **2** 《~+목/+*that* 절》 이유로서 내세우다〔주장하다〕: The thief ~*ed* poverty. 그 도둑은 가난을 범행 이유로 내세웠다/She ~*ed* ignorance of the law. 그녀는 법을 몰랐다고 변명했다/He ~*ed that* I was to blame. 그는 나에게 책임이 있다고 주장했다. ── *vi.* **1** 《~/+전+명》 변론하다《*for*》: (…에 대하여) 항변하다《*against*》: ~ *for* the accused 〔defendant〕 피고인을〔피고를〕 변호하다/~ *against* increased taxation 증세에 항의하다. **2** 《+전+명/+전+명+*to* do》 탄원하다, 간청하다《*with; for*》: ~ *with* him *for* pity 〔more time〕 동정을〔유예를〕 그에게 간청하다/~ *for* another chance *to* show one's ability 능력을 나타낼 기회를 다시 한 번 달라고 간청하다. ~ ***guilty*** 〔***not guilty***〕 (피고인이) 죄상을 인정하다〔인정치 않다〕. ~ ***the fifth*** 〔***a five***〕 《미속어》 발언을 거부하다, 이유의 진술을 거부하다.
㊞ **∠·a·ble** *a.* **∠·er** *n.* **1** (법정의) 변호인; 신청인. **2** 주선하는 사람, 탄원자.
pléad·ing *n.* **1** Ⓤ 변론, 변명. **2** Ⓤ 소송 절차, 소송 서류의 작성. **3** (*pl.*) 〚법률〛 고소장, 소장(訴狀), 항고장. **4** 탄원. ── *a.* 소원(所願)의, 탄원적인. ㊞ **~·ly** *ad.* 탄원적으로.
pleas·ance [plézəns] *n.* 유원(遊園)《대저택에 딸린》, 산책길; Ⓤ 《고어》 향락, 쾌락, 만족.
⁑**pleas·ant** [plézənt] (***more*** ~, ~***·er; most*** ~, ~***·est***) *a.* 《중심적인 뜻: 유쾌한 기분이 되게 하는》 **1** (사물이) 즐거운, 기분좋은, 유쾌한: a ~ afternoon 유쾌한 오후/~ news 유쾌한 소식/the ~ season 쾌적한 계절/lead a ~ life 인생을 즐겁게 보내다/have 〔spend〕 a ~ time 즐겁게 시간을 보내다/It was a ~ surprise. 그것은 뜻밖의 즐거움이었다.

> SYN. **pleasant, pleasing** '마음을 기쁘게 하는, 쾌적한' 이란 점에서 같으나 pleasant가 객관성이 있는 표현임에 비해 pleasing은 '자기에게 쾌적한' 이란 주관적인 표현. **agreeable** 자기의 기호·취미에 꼭맞는→쾌적한, 유쾌한. **enjoyable** 즐길 수 있는, 즐거운: Fishing is *enjoyable* by both young and old. 낚시질은 젊은이나 늙은이나 다 즐길 수 있다.

2 (날씨가) 좋은: ~ weather 좋은 날씨. **3** 호감이 가는, 상냥한; 쾌활한: a ~ companion 상냥한 벗/make oneself ~ to (visitors) (방문객)에게 상냥하게 대하다. ㊞ **~·ness** *n.*
***pleas·ant·ly** [plézəntli] *ad.* **1** 즐겁게, 유쾌하게, 쾌적하게. **2** 상냥하게, 쾌활하게.
pleas·ant·ry [plézəntri] *n.* Ⓤ 기분 좋음; 익살; Ⓒ 농담; (흔히 *pl.*) 의례적인 말《인사 따위》.
†**please** [pli:z] *vt.* **1** 기쁘게 하다, 만족시키다(satisfy), …의 마음에 들다: ~ the eye 눈을 즐겁게 하다/We can't ~ everybody. 모든 사람을 다 만족시킬 수는 없다. **2** 〖it를 주어로 하여〗 …의 기쁨〔희망〕이다, …의 좋아하는 바다: *It* ~*d* him to go with her. 그는 기꺼이 그녀와 동행하였다. **3** 〖as, what 등이 이끄는 관계사절 안에서〗 …하고 싶어하다, 좋아하다: Take as much 〔many〕 *as* you ~. 얼마든지 좋아하는 것을 가지시오/Go *where* you ~. 가고 싶은 곳으로 가시오. ★ "go where you *please to go*"가 생략된 것으로 보면 됨. **4** 《+목+전+명/+목+*to* do/+*that* 절》 〖수동태〗 기꺼이, 마음에 들어《*at; by; with; about; in*》: I *was* ~*d at* 〔*with*〕 your success. 네가 성공한 것을 듣고 기뻤다/I'll *be* ~*d to* come. 기꺼이 가겠습니다〔오겠습니다〕/I *am* ~*d that* you have consented. 승낙해주셔서 기쁘게 생각합니다. **5** 〖~ oneself로〗 자기 좋을 대로 하다: *Please* your*self!* 너 좋을 대로 해라! ── *vi.* **1** 남을 기쁘게 하다, 호감을 주다: She is anxious to ~. 그녀는 남의 호감을 사려고 애쓰고 있다/manners that ~ 호감이 가는 몸가짐. **2** 〖as, when, if 따위가 이끄는 종속절에서〗 좋아하다, 마음에 들다, 하고 싶어하다: Act *as* you ~. 좋을 대로 하여라/You can come *when* 〔*if*〕 you ~. 마음 내킬 때〔내키거든〕 오세요. ◇ pleasing *a.*
if you ~ ① 〖물건을 부탁하여〗 제발, 미안합니다만: Pass me the salt, *if you* ~. 미안합니다만, 소금 좀 집어 주시겠습니까. ② 〖물건을 부탁하여〗 될 수 있다면, 죄송합니다만: I will have another cup of tea, *if you* ~. 죄송합니다만, 차 한 잔 더 부탁합니다. ③ 〖어떤 일을 전달할 때, 비꼬는 투로〗 글쎄 말입니다, 놀랍게도: Now, *if*

you ~, he expects me to pay for it. 그리고 말입니다, 저 분은 내가 그 대금을 치를 거라고 생각하고 있습니다. ④ 마음이 내키거든(⇨*vi.* 2). **~ God** 《문어》 하느님의 뜻이라면, 순조롭게 나간다면. ***what* one ~s** 제 좋아하는 것, 멋대로 하는 일.

— *ad.* 〖감탄사적으로〗 **1** 〖보통 명령문에서〗 부디, 제발. ★ 때로 위협적인 투의 의미로 쓰이는 일도 있음: *Please* come in. 들어오십시오 / You will ~ leave the room. 방에서 나가 주시오. **2 a** 〖의문문에서〗 죄송하지만, 아무쪼록: Would you mind opening the window, ~? 죄송하지만 창문 좀 열어 주시겠습니까 / May I ~ use your phone? 전화 좀 써도 될까요. **b** 〖권유에 대한 응답으로서〗 (부디) 부탁드립니다: "Would you like another cup of tea?" — "*Please* 〔Yes, ~〕. 차 한 잔 더 드시겠습니까? — 부탁드립니다. **3** 〖완곡하게 상대방의 주의를 환기시켜〗 미안합니다만, 실례합니다만: *Please*, mister, I don't understand. 미안합니다만, 선생님, 이해가 안 가는데요.

⁑**pleased** [pli:zd] *a.* 기뻐하는, 만족한, 마음에 든: a ~ expression 만족한 표정. ***as ~ as Punch*** ⇨PUNCH³. ***be ~ in*** …을 좋아하다.

***pleas·ing** [plí:ziŋ] *a.* **1** 즐거운, 기분좋은, 유쾌한(agreeable), 만족한. SYN. ⇨PLEASANT. **2** 호감이 가는, 붙임성 있는; 애교 있는. ㊕ **~·ly** *ad.* **~·ness** *n.*

pleas·ur·a·ble [pléʒərəbəl] *a.* **1** (사물이) 즐거운, 기쁜. **2** (사물이) 기분좋은, 만족한. ㊕ **-bly** *ad.* 즐거운〔만족한〕 듯이. **plèas·ur·a·bíl·i·ty** *n.* **~·ness** *n.*

⁑**pleas·ure** [pléʒər] *n.* **1** Ⓤ 기쁨, 즐거움(enjoyment); 쾌감, 만족(satisfaction).

> SYN. **pleasure** 정신적 또는 육체적인 만족감을 나타냄. **delight** 표정·동작 따위에 나타난 기쁨. **joy** 정신적인 깊은 기쁨·행복감을 나타냄.

2 즐거운 일, 유쾌한 일: It is a ~ to talk to her. 그녀와 이야기하는 것은 즐겁다. **3** 오락, 위안, 즐거움. **4** Ⓤ,Ⓒ (관능적) 쾌락, 방종: a life given up to ~ 향락의 생활. **5** Ⓤ 〖특히 소유격을 수반하여〗 희망, 의향, 욕구(desire): make known one's ~ 자기의 의향을 전하다 / ask a visitor's ~ 손님의 용건을 묻다.

at* (one's) ~** 하고 싶은 대로. ***consult* a person's ~** 아무의 형편을 듣다. ***do* a person *the ~ of* do*ing …하여 아무를 기쁘게 하다: Will you *do* me *the* ~ *of* join*ing* me in a drink? 제가 함께 한잔할 기회를 주시겠습니까. ***during* one's ~** 마음이 내키는 동안에. ***for* ~** 재미로《딴 이유 없이》: draw pictures *for* ~. ***give ~ to*** …을 기쁘게 하다. ***have* 〔*take*〕 (*a*) *~ in* do*ing*** …하는 것을 기쁨으로 알다; (기꺼이) …하다: He *takes* great ~ *in* driv*ing* in the country. 그는 시골을 드라이브하기를 좋아한다 / I *take* ~ *in* send*ing* you a copy. 한 부를 보내드리겠습니다. ***have the ~ of*** (do*ing*)…(함)을 만족히 생각하다, …을 청하다《경어》: May we *have the* ~ *of* your presence? 참석해 주시겠습니까 / I *have the* ~ *of* present*ing* our lecturer. 오늘의 강사를 소개해 드리겠습니다. ***It is our ~ to*** do …. ① 짐(朕)은 …하기를 원하노라《군주의 용어》. ②《구어》 …하는 것은 기쁜 일입니다. ***show ~*** 기쁜 얼굴을 하다. ***take* one's ~** 《완곡어》 육욕에 빠지다, 즐기다. ***What is your ~, madam?*** 무엇을 보여드릴까요, 부인《점원 용어》. ***with ~*** 기꺼이, 쾌히.

— *vt.* …에 즐거움〔기쁨〕을 주다, 만족시키다; 《특히》 …에게 성적 쾌감을 주다. — *vi.* 《+전+명》 즐기다; 《구어》 (휴가 등을 취하여) 오락을 구하다, 놀다: I ~ *in* your company. 함께 있게 되어 기쁩니다.

pléasure bèach 해안의 유원지〔휴양지〕.

pléasure bòat 〔cràft〕 유람선, 놀잇배.

pléasure dòme 아방궁, 호화 저택〔호텔〕《따위》; 행락지.

pléasure gròund 유원지.

pléasure·less *a.* 즐겁지 않은, 즐겁게 해주지 「않는.

pléasure prìnciple 〖심리〗 (불쾌를 피하고 쾌락을 구하려는) 쾌락 욕구 원칙.

pléasure-sèeker *n.* 쾌락〔오락〕을 찾는 사람, 휴가 중인 사람, 행락객(holidaymaker).

pleat [pli:t] *n.* (스커트 따위의) 주름, 플리트; 주름 모양의 것. cf. plait. — *vt.* 주름을〔플리트를〕 잡다. ㊕ **~·er** *n.* 주름을 잡는 사람; (재봉틀의) 주름 잡는 장치.

pleb [pleb] *n.* 《속어》 **1** 평민, 서민《plebeian의 간약형》. **2** 《미》 =PLEBE. 「beian).

pleb·by [plébi] *a.* 《영구어》 천박한, 야비한(ple-

plebe [pli:b] *n.* 《미》 육군〔해군〕 사관학교의 최하급생, 신입생; 〖고대로마〗 평민(the plebs).

ple·be·ian [plibí:ən] *n.* 〖고대로마〗 평민, 서민《patrician에 대하여》; 대중; 야비〔비천〕한 사람. — *a.* 평민의; 하층 계급의; 하등의; 보통의; 비속한(vulgar). ㊕ **~·ism** *n.* Ⓤ 서민적 기질, 서민풍(風). **~·ize** *vt.* 평민으로〔천하게〕 만들다.

ple·bette [pli:bét] *n.* 《미》 육군〔해군〕 사관학교 여자 최하급생〔신입생〕.

ple·bi·o·col·o·gist [plì:biəkálədʒist/-kɔ́l-] *n.* 대중에게 아첨하는사람.

pleb·i·scite [plébəsàit, -sit] *n.* (국가적 중요 문제에 관한) 국민〔일반〕 투표(referendum): by ~ 국민 투표로《무관사》. ㊕ **ple·bis·ci·tary** [pləbísətèri/-təri] *a.*

plebs [plebz] (*pl.* ***ple·bes*** [plí:bi:z]) *n.* (the ~) 〖집합적〗 〖고대로마〗 평민, 서민; 〖일반적〗 대중; (공동체의) 주민의 의사 표명; 〖고대로마〗 평민회에서 의결한 법률.

ple·cop·ter·an [plikáptərən/-kɔ́p-] *n., a.* 〖곤충〗 강도래(stone fly); 강도래목(目)의.

plec·tog·nath [pléktɑgnæ̀θ/-tɔg-] *a., n.* 〖어류〗 복어류(類)의 (물고기)《복어·개복치 등》.

plec·trum [pléktrəm] (*pl.* ***-tra*** [-trə], **~s**) *n.* (현악기 연주용) 채, 픽(pick). 「분사.

pled [pled] 《미구어·방언》 PLEAD의 과거·과거

pledge** [pledʒ] *n.* **1** Ⓤ 서약(vow), 언질: redeem 〔honor〕 a ~ 약속을 이행하다 / take a ~ to stand by each other 상부상조하겠다고 맹세하다. SYN. ⇨PROMISE. **2** Ⓤ 저당, 담보, 전당; Ⓒ 저당〔담보〕물: keep a watch as a ~ 시계를 담보물로 잡아 두다 / in ~ 전당잡혀 (있다) / give 〔lay, put〕 … in ~ …을 담보로 넣다; …을 전당 잡히다 / take … out of ~ 전당잡혔던 …을 찾다. **3** Ⓒ 보증, (우정 따위의) 증거(token): as a ~ of friendship 우정의 표시로서 / a ~ of love 〔affection, union〕 사랑의 징표《둘 사이에서 태어난 아이》. **4** 《미》 (클럽 따위에의) 입회 서약(자), 가(假)입회(자). **5** 축배(toast). **6** (정당 당수의) 공약. **7** (the ~) 금주 맹세: take 〔sign〕 the ~ 금주 맹세를 하다. ***give a ~ for …에게 언질을 주다. ***make a ~*** 서약하다. ***under ~ of*** …이라는 약속〔보증〕 아래.

— *vt.* **1** 《~+목 / +목+전+명 / +*to* do / +목+목 / +*that* 절》 서약〔약속〕하다: ~ one's support 지지를 약속하다 / ~ allegiance *to* the flag 국기에 충성을 서약하다 / He ~*d to* keep the secret. 그는 그 비밀을 지키겠다고 맹세했다 / He ~*d* me his support. 그는 나에게 지원을 약속했다 / We ~*d that* we would do our best.

우리는 최선을 다하기로 서약했다. **2** **a** 《+목+전+명/+목+*to* do》 (아무에게) 서약시키다, (아무를) 약속으로 묶다: be ~*d to* secrecy 비밀을 지킬 것을 약속하다 / ~ the signatory powers *to* meet the common danger 가맹국들에게 공동 위험에 대처토록 서약시키다. **b** 《+목+전+명》 〖~ oneself로〗 …을 맹세하다: ~ one*self to* secrecy 굳게 비밀을 지킬 것을 맹세하다. **c** 《+목+*to* do》 〖~ oneself로〗 (…하도록) 맹세하다: He ~*d* him*self to* support them. 그는 그들을 원조하겠다고 맹세했다. **3** 《~+목/+목+목》 (언질을) 주다, (명예를) 걸다: I ~ (you) my honor. 명예를 걸고 맹세합니다. **4** 《미》 비공인 회원으로서 입회시키다, 그룹에 넣어 주다. **5** 《~+목/+목+전+명》 전당잡히다(pawn), 담보로 넣다: ~ a watch *for* $10, 10 달러에 시계를 전당잡히다. **6** (…을 위해) 축배하다(toast). **7** …의 기부를 신청하다: ~ $10, 10 달러의 기부금을 신청하다. **—** *vi.* 《+전+명》 서약하다; 보증인이 되다: ~ *for* one's friend 친구의 보증인이 되다. **~ one's word** 맹세하다, 보증하다: I ~ *my word* that... …을 맹세한다.
㊕ **∠·a·ble** *a.* 저당잡힐 수 있는; 보증〔서약〕할 수 있는; 축하할 만한. **∠·less** *a.*

pledg·ee [pledʒíː] *n.* 〖법률〗 동산 질권자; 질권자, 저당권자; 저당잡은 사람.

Plédge of Allégiance (the ~) 충성의 맹세 《'I pledge allegiance to the flag'로 시작하는 미국민의 국가에 대한 충성의 서약》.

pledg·er, pledg(e)·or [plédʒər], [pledʒɔ́ːr] *n.* **1** 전당잡힌 사람; 〖법률〗 저당권 설정자. **2** (금주 등의) 서약자. **3** 축배를 드는 사람.

pledg·et [plédʒit] *n.* Ⓤ 〖의학〗 면산사(綿撒絲), 탈지면, 거즈(gauze); 〖해사〗 뱃밥.

-ple·gia [plíːdʒiə, -dʒə] 〖의학〗 '마비(paralysis)'라는 뜻의 결합사: para*plegia*.

Ple·iad [plíːəd, pláiəd/pláiəd] (*pl.* **~s, -ia·des** [-ədìːz]) *n.* **1** (~es) 〖천문〗 묘성(昴星); 플레이아데스 성단(星團) 《황소자리의 산개(散開) 성단》. **2** ((the) ~es) 〖그리스신화〗 Atlas의 일곱 딸《신들이 묘성으로 자태를 바꾸어 놓았다 함》. **3** (p-) 일곱 개로 된 화려한 물건의 한 벌, 일곱 사람으로 이루어진 뛰어난 사람들의 일단; (the ~) (특히 프랑스의) 플레이아데스파 《Ronsard 이하의 일곱 시인》.

pléin áir [plén-] 〖미술〗 외광파(外光派)의, 옥외주의(屋外主義)의(open-air). ㊕ **plèin·áir·ism** *n.* **~·ist** *n.*

plei·o- [pláiou, pláiə], **ple·o-** [plíːou, plíːə], **pli·o-** [pláiou, pláiə] '더욱'의 뜻의 결합사.

Plei·o·cene [pláiəsìːn] *n., a.* =PLIOCENE.

plei·o·phyl·ly [pláiəfìli] *n.* 〖식물〗 (잎의 수가 정상을 넘는) 다엽성(多葉性), 증엽성(增葉性).

plei·ot·ro·py [plaiátrəpi/-ɔ́t-] *n.* 〖유전〗 다면발현(多面發現) 《1 개의 유전자가 2 개 이상의 형질 발현에 관여하거나 영향을 주는 현상》.

plei·o·typ·ic [plàiətípik] *a.* 〖생물〗 다면적인 《한 자극이 여러 방면으로 많은 반응을 일으키는》, (세포의 증식 속도·성장에) 특징적인.

Pleis·to·cene [pláistəsìːn] 〖지학〗 *a.* 플라이스토세(世)의, 홍적세(洪積世)의. **—** *n.* (the ~) 홍적세; (the ~) 홍적통(洪積統) 《지층》.

plen. plenipotentiary.

ple·na [plíːnə] PLENUM의 복수.

ple·na·ry [plíːnəri, plén-/plíːn-] *a.* 충분〔완전〕한; 무조건의, 절대적인; 전원 출석의; 전권을 가진; 〖법률〗 정식의, 본식의(OPP *summary*): a ~ meeting 〔session〕 전체 회의, 총회, 본(本)회의 / ~ powers 전권. ㊕ **plé·na·ri·ly** *ad.*

plénary indúlgence 〖가톨릭〗 대사(大赦).

plénary inspirátion 〖신학〗 완전 영감(靈感) 《성서가 다루는 모든 문제는 영감에 의한 것이라고 하는》.

plench [plentʃ] *n.* 플렌치《무중력 상태에서 사용하는 pliers와 wrench를 합친 도구》.

ple·nip·o·tent [plənípətənt] *a.* 전권을 가진 (plenipotentiary).

plen·i·po·ten·ti·ary [plènipəténʃièri, -ʃəri/-ʃəri] *n.* 전권 대사; 전권 위원〔사절〕. **—** *a.* 전권을 가진; 전권 위원〔대사〕의; 전권을 부여하는; 절대적인《권력 따위》, 완전한. ***an ambassador extraordinary and ~*** 특명 전권 대사. ***the minister ~*** 전권 공사.

plen·ish [pléniʃ] *vt.* 《주로 Sc.》 …을 채우다; …을 저장하다; …에 가축을 넣다; (집에) 가구를 비치하다; 《주로 방언》 …을 보충하다.

plen·i·tude [plénətjùːd/-tjùːd] *n.* Ⓤ 충분, 완전; 충실; 풍부; 〖의학〗 (위(胃) 따위의) 포만; (권력 등의) 절정: the moon in her ~ 〖문장(紋章)〗 만월.

plen·i·tu·di·nous [plènətjúːdənəs/-tjúːd-] *a.* 충분〔풍부〕한; 살찐, 뚱뚱한.

plen·te·ous [pléntiəs] *a.* 《시어》 많은, 윤택한, 풍부한. ㊕ **~·ly** *ad.* **~·ness** *n.*

°**plen·ti·ful** [pléntifəl] *a.* 많은, 윤택한, 충분한, 풍부한. cf. abundant, copious. OPP *scanty*. ¶ a ~ harvest 풍작. SYN. ⇨ MANY. ㊕ **~·ly** *ad.* **~·ness** *n.*

⁑**plen·ty** [plénti] *n.* 많음, 가득, 풍부, 다량, 충분《*of*》: a year *of* ~ 풍년 / the days 〔years〕 *of* ~ 물자가 풍부한 시대 / There is ~ *of* time 〔meat〕. 시간이〔고기가〕 충분히 있다 / I've had ~, thank you. 많이 먹었습니다, 고맙습니다. ***in ~*** ① 충분히, 많이, 풍부하게. ② 유복하게: live *in* ~ 유복하게 지내다. **~ *more*** 더〔아직도〕 많은 《*of*》: There is 〔We have〕 still ~ *more of* food in the kitchen. 부엌에는 음식물이 아직 많이 있다. **~ *of*** 많은, 충분한: You'll arrive there in ~ *of* time. 충분히 제시간에 댈 수 있다. ★ 의문·부정 구문에서는 보통 enough로 대용함: Is there *enough* food? plenty of를 쓰는 것은 《미》. **—** *a.* 《구어》 〖보통 서술적〗 많은, 충분한: That 〔Six potatoes〕 will be ~. 그것으로〔감자 여섯 개로〕 충분하겠지요 / (as) ~ as blackberries 매우 많아서 / 〖부가어적〗 have ~ helpers 거들어 줄 사람들이 많이 있다 / ~ time 충분한 시간. SYN. ⇨ MANY. **—** *ad.* 《구어》 듬뿍, 충분히, 아주: It is ~ large enough. 그거라면 크기는 충분하다 / ~ good enough 더할 나위 없이 충분히.

ple·num [plíːnəm] (*pl.* **~s, -na** [-nə]) *n.* **1** 물질이 충만한 공간. OPP *vacuum*. **2** 충실, 충만; (보통 법인·입법부의) 총회, 전체 회의. **—** *a.* 완전 이용의.

plénum sỳstem 강제 환기 시스템《대기압보다 높은 기압으로 공기를 실내에 보내는 환기법》.

pleo- ⇨ PLEIO-.

ple·o·chro·ic [plìːəkróuik] *a.* 〖결정〗 (이방(異方) 결정체가) 다색성(多色性)인.

ple·och·ro·ism [pliákrouìzəm/-ɔ́k-] *n.* Ⓤ 〖결정〗 다색성(多色性).

ple·o·mor·phism [plìːəmɔ́ːrfizəm] *n.* Ⓤ 〖생물〗 다(多)형태성. ㊕ **-mór·phic** [-fik] *a.*

ple·o·nasm [plíːənæ̀zəm] *n.* 〖수사학〗 Ⓤ 용어법(冗語法); Ⓒ 용어구(冗語句), 장황한 말, 중복어 《a false lie 따위》. ㊕ **plè·o·nás·tic** [-nǽstik] *a.*

ples·sor [plésər] *n.* 〖의학〗 =PLEXOR.

pleth·o·ra [pléθərə] *n.* Ⓤ 과다(過多), 과잉; 〖의학〗 다혈증〔질〕; 적혈구 과다증.

ple·thor·ic [pleθɔ́ːrik, -θár-, pléθər-/pleθɔ́r-] *a.* 과다한; 과대한; 다혈증의, 적혈구 과다의. ㊕

-i·cal·ly [-əli] *ad.*

ple·thys·mo·graph [pləθízməgræ̀f, -grɑ̀:f] *n.* 〖의학〗 체적(변동) 기록기, 지체(肢體) 용적계.

pleu·ra [plúərə] (*pl.* **-rae** [-ri:]) *n.* 〖해부〗 늑막; 흉막: a costal 〔pulmonary〕 ~ 늑골〔폐〕 흉막.

pleu·ral [plúərəl] *a.* 〖해부〗 흉막의; 〖동물〗 측판(側板)의.

pléural cávity 〖해부〗 흉(막)강(腔).

pleu·ri·sy [plúərəsi] *n.* [U] 〖의학〗 늑막〔흉막〕염: dry 〔wet, moist〕 ~ 건성〔습성〕늑막염. [파] **pleu·rit·ic** [pluərítik] *a.*

pleu·ro·dont [plúərədɑ̀nt/-dɔ̀nt] 〖해부·동물〗 *a.* (이가) 면생(面生)의; (동물이) 면생치(面生齒)를 가진. ── *n.* 면생치 동물.

pleu·ro·dyn·ia [plùərədíniə] *n.* 〖병리〗 흉막통(胸膜痛), 측흉통(側胸痛).

pleu·ron [plúərɑn/-rɔn] (*pl.* **-ra** [-rə]) *n.* 〖동물〗 (갑각류 따위의) 측판(側板).

pleu·ro·pneu·mo·nia [plùərounju:móunjə/-nju:-] *n.* [U] 〖의학〗 흉막 폐렴.

pleu·rot·o·my [pluərɑ́təmi/-rɔ́t-] *n.* 〖외과〗 흉막절개(술).

pleus·ton [plú:stən, -stɑn/-tən, -tɔn] *n.* 〖생태〗 부표(浮漂) 생물.

plex·i·form [pléksəfɔ̀:rm] *a.* 망상(網狀)의; 복잡한.

Plex·i·glas [pléksəglæ̀s, -glɑ̀:s/-glɑ̀:s] *n.* 플렉시 유리《비행기 창문 따위에 쓰는 아크릴 수지; 상표명》.

plex·im·e·ter [pleksímətər] *n.* 〖의학〗 타진판(打診板).

plex·or [pléksər] *n.* 〖의학〗 타진추(打診槌)(plessor).

plex·us [pléksəs] (*pl.* **~·es, ~**) *n.* **1** 〖해부〗 (신경·혈관의) 총(叢), 망(網), 망상(網狀)조직: the pulmonary ~ 폐신경총(肺神經叢). **2** (사정 따위가) 복잡한 상태, 엉킴.

plf., plff. plaintiff.

pli·a·ble [pláiəbəl] *a.* 휘기 쉬운, 나긋나긋한, 유연한; (나쁜 의미로) 융통성 있는; 유순〔온순〕한, 고분고분한; 적응성 있는. [파] **-bly** *ad.* **pli·a·bíl·i·ty** *n.* [U] 유연성; 적응성. **~·ness** *n.* 유연(성); 유순.

pli·an·cy [pláiənsi] *n.* =PLIABILITY.

pli·ant [pláiənt] *a.* =PLIABLE. [파] **~·ly** *ad.*

pli·ca [pláikə] (*pl.* **-cae** [-si:, -ki:]) *n.* 〖해부〗 주름살, 습벽(褶襞); 〖의학〗 규발병(糾髮病).

pli·cate, pli·cat·ed [pláikeit, -kət], [-id] *a.* 〖동물〗 주름살 있는; 〖식물〗 (잎이) 접부채 모양의; 〖지학〗 습곡(褶曲)이 있는.

pli·cá·tion *n.* 접음(folding), 주름; 〖지학〗 습곡; 〖의학〗 습벽 형성(술).

plic·a·ture [plíkətʃər] *n.* =PLICATION.

pli·er [pláiər] *n.* 휘는 사람〔것〕; (*pl.*) 《때로 단수취급》 집게, 펜치(pincher): a pair of ~s 펜치 하나.

◇**plight**[1] [plait] *n.* 곤경, 궁지; 어려운 입장〔처지, 상태〕: in a sorry 〔miserable, piteous, woeful〕 ~ 비참한 처지에 / What a ~ to be in! 이거 큰 곤경에 빠졌구나.

plight[2] *n.* 《문어》 서약, 맹세; 약혼. ── *vt.* 《고어》 서약〔맹세〕하다; 《보통 ~ oneself로》 …와 약혼하다《*to*》; …에게 결혼을 맹세하다: She ~*ed* her*self to* him. 그녀는 그와 약혼했다. ***be ~ed to*** …와 약혼 중이다. ***~ed lovers*** 서로 사랑을 언약한 남녀. **~ one's *faith*** 〔***promise, words, honor***〕 굳게 약속하다.

plim·soll [plímsəl, -soul] *n.* (*pl.*) 《영》 고무창의 즈크 신(《미》 sneakers)《운동용》.

Plímsoll màrk 〔**lìne**〕 〖해사〗 재화(載貨)〔만재(滿載)〕 흘수선표.

Pli·ni·an [plíniən] *a.* 〖지학〗 (분화가) 가스·화산재 등을 하늘 높이 분출하는.

plink [pliŋk] *vi., vt.* 찌르릉 소리를 내다, 찌르릉하고 울다〔울리다〕.

plinth [plinθ] *n.* 〖건축〗 주초(柱礎), (원기둥의) 방형 대좌(方形臺座); (조상(彫像)의) 대좌; (건물의) 토대 언저리, 징두리돌; 굽도리.

Pliny [plíni] *n.* 플리니우스. **1** (***Gaius Plinius Secundus***) 대플리니우스(Pliny the Elder)《로마의 정치가·박물학자·백과사전 편집자; '박물지'; 23-79》. **2** (***Gaius Plinius Caecilius Secundus***) 소플리니우스(Pliny the Younger)《로마의 정치가·웅변가·저술가; 1의 조카로 양자; 62?-113》. [파] **Plín·i·an** *a.*

Pli·o·cene [pláiəsì:n] 〖지학〗 *a.* 플라이오세(世)의. ── *n.* (the ~) 플라이오세; (the ~) 플라이오통(統)《지층》.

Pli·o·film [pláiəfìlm] *n.* (레인코트·포장용의) 투명 고무 방수 시트《상표명》.

plis·sé, -se [pli:séi] *a., n.* 《F.》 [U] 크레이프(crape)처럼 보이게 화학 처리를 한 (천).

PLL 〖전자〗 phase-lock loop(위상(位相)로크 루프; 발신기의 출력 신호 위상과 기준 신호 위상을 일치시키는 전자 회로).

P.L.O. Palestine Liberation Organization.

◇**plod** [plɑd/plɔd] (***-dd-***) *vi.* 《+[부]/+[전]+[명]》 **1** 터벅터벅 걷다(trudge)《*on; along*》: The old man ~*ded along* (the road). 노인은 (길을) 터벅터벅 걸어갔다. [SYN.] ⇨ WALK. **2** 끈기 있게 일〔공부〕하다(drudge)《*away; at*》: ~ *along* with work 꾸준히 일하다 / He ~*ded away at* the day's work. 그는 그 날의 일을 끈기 있게 하였다. **3** (사냥개가) 애써 사냥감의 냄새를 맡다. ── *vt.* 지척거리다, 터벅터벅 걷다. **~ one's** (***weary***) ***way*** 지친 다리를 끌고 가다, 애쓰며 나아가다. ── *n.* **1** 무거운 발걸음; 무거운 발소리. **2** 끈기 있게 일함〔공부함〕; 노고. [파] **∠·der** *n.* 터벅터벅 걷는 사람; 끈기 있게 일하는 사람; 꾸준히 공부〔노력〕하는 사람.

plód·ding *a.* 터벅터벅〔무거운 발걸음으로〕 걷는; 끈기 있게 일〔공부〕하는; 단조로운. [파] **~·ly** *ad.*

ploi·dy [plɔ́idi] *n.* 〖생물〗 (염색체의) 배수성(倍數性).

PL/1 [pí:èlwʌ́n] 〖컴퓨터〗 Programming Language One《범용(汎用) 프로그래밍 언어의 하나》.

plonk[1] ⇨ PLUNK.

plonk[2] [plɑŋk/plɔŋk] *n.* 《속어》 싸구려 포도주, (일반적) 술; 《미속어》 따분한 〔재미없는, 불쾌한〕 녀석.

plonk·er [plɑ́ŋkər/plɔ́ŋk-] *n.* 《영속어》 음경, 페니스.

plop [plɑp/plɔp] (***-pp-***) *vt., vi.* **1** 풍덩 물에 떨어지다〔떨어뜨리다〕, 펑하고 튀(기)다; 부글거리며 가라앉(히)다. **2** 《+[전]+[명]》 쿵하고 떨어지다〔앉다, 넘어지다〕: ~ *into* a sofa 소파에 털썩 앉다. ── *n.* 풍덩, 쿵, 퐁당《소리》; 풍덩 (떨어짐). ── *ad.* 풍덩하고, 쿵하고; 느닷없이, 갑자기.

plo·sion [plóuʒən] *n.* 〖음성〗 파열(explosion).

plo·sive [plóusiv] *n., a.* 〖음성〗 파열음(의).

⁑**plot** [plɑt/plɔt] *n.* **1** 음모; (비밀) 계획; 책략: hatch 〔frame, lay〕 a ~ (against ...) (…에 대한) 음모를 꾸미다. **2** (극·소설 따위의) 줄거리, 각색, 구상: The ~ thickens. 사건이〔얘기가〕 얽혀 재미있게 되어 간다. **3** 소구획, 작은 지면(地面), 소지구: a garden ~ 정원지. **4** (도상(圖上)의) 포격 목표 표시; 도면, 겨냥도; 《미》 부지도(敷地圖), 평면도.

── (***-tt-***) *vt.* **1 a** 《~+[목]/+*to* do》 도모하다, 꾀하다, 계획하다: ~ treason 반역을 꾀하다 / ~ *to* kill a person 아무의 암살을 꾀하다. **b** 《~+*wh. to* do》 (…할 것인가를) 꾀하다, 도모하다: They ~*ted how to* obtain the secret documents. 그들을 어떻게 하면 그 비밀 문서를 입수할 수 있는지를 꾀했다. **2** (시·소설 따위의) 줄거

리를 만들다, 구성하다. 3 (토지를) 구분〔구획〕하다《*out*》: a ground ~*ted out* for sale 분양지. 4 …의 도면을〔겨냥도·설계도를〕 만들다; (비행기·배 따위의 위치·진로를) 도면에 기입하다; (모눈종이 따위에) 좌표로 위치를 결정하다; 그래프로 (계산을) 하다: ~ a diagram 도표로 적다〔나타내다〕. —*vi.* 1 《~/+전+명》 꾀하다, 음모를 꾸미다, 작당하다《*for; against*》: ~ *for* a person's assassination 아무의 암살 음모를 꾸미다. 2 (문학적) 구상을 짜다. 3 좌표에 의해 위치가 결정되다. ㊎ ~·ful *a.*

plót·less *a.* 계획이 없는; (소설 따위가) 구상이〔줄거리가〕 없는. ㊎ ~·ness *n.*

plót·lìne *n.* (극·소설 따위의) 줄거리(plot); (보통 *pl.*) (연극·영화에서) 스토리를 전개시키는 대사.

plót-pròof *a.* 음모에 의해서 위협을 받지 않는.

plot·tage [plátidʒ/plɔ́t-] *n.* 부지(敷地).

plót·ter *n.* 1 음모자, 밀모자; 계획자, 구상을 짜는 사람. 2 지도〔도면〕 작성자〔기(機)〕. 3 〖컴퓨터〗 도형기《작도 장치》. 「정리.

plót·ting [plátiŋ/plɔ́t-] *n.* Ⓤ 제도(製圖); 구획

plótting bòard 〖해사〗 위치 기입판(板), 추적반(盤); 〖군사〗 (사격용) 위치 표정판(標定板).

plótting pàper 모눈종이, 그래프 용지.

plot·ty [pláti/plɔ́ti] *a.* 《구어》 (소설 등이) 줄거리가 복잡한.

plough ⇨PLOW.

plóugh·man's lùnch [pláumənz-] 《영》 (주로 pub 등에서 내놓는) 가벼운 점심.

plov·er [plʌ́vər, plóuv-/plʌ́v-] (*pl.* ~, ~*s*) *n.* 〖조류〗 물떼새.

⁑plow, 《영》 **plough** [plau] *n.* 1 쟁기; 쟁기 모양의 기구, 제설기(機)(snow~); 배장기(排障器)(《미》 cowcatcher). 2 경작, 농업; 《영》 경작지, 논밭: 100 acres of ~, 100 에이커의 경작된 토지 / be at 〔follow, hold〕 the ~ 농업에 종사하다. 3 (the P-) 〖천문〗 북두칠성, 큰곰자리. 4 《영속어》 낙제: take a ~ 낙제하다. ***go to*** one's ~ 자기의 일을 하다. ***put*** 〔***lay, set***〕 one's ***hand to the*** ~ 일을 시작하다, 일에 착수하다. ***under the*** ~ 경작되어〔된〕.

—*vt.* 1 《~+목/+목+전+명/+목+부》 (쟁기·괭이로) 갈다(till); …에 두둑을 만들다; 갈아 일구다, 쟁기로 갈아 젖히다; 〖목공〗 …에 홈을 파다: ~ a field 밭을 갈다 / ~ manure *in* the land 땅을 갈아 비료를 묻다 / ~ roots *out* 뿌리를 캐내다. 2 《~+목/+목+부》 (얼굴에) 주름살을 짓다; (주름을) 새기다: wrinkles ~*ed in* the face 얼굴에 새겨진 주름살 / The plane ~*ed up* the airstrip during its forced landing. 비행기는 불시착하면서 활주로에 도랑을 새겨 놓았다. 3 《~+목/+목+전+명》 〖~ one's way 로〗 (…의 물결〔길〕을) 가르며〔헤치고〕 달리다〔나아가다〕: ~ one's *way through* a crowd 군중을 헤치고 나아가다. 4 《+목+전+명》 (돈 따위를) 투자〔투입〕하다, 재투자하다《*into*》: ~ profits back *into* new plants 새 공장에 이윤을 재투자하다. 5 《영속어》 낙제시키다. 6 《속어》 성교하다; 《미속어》 (여자를) 강간하다; 《미속어》 …와 성관계가 있다. —*vi.* 1 《~/+부》 갈다; (토지가) 경작에 적합하다: This field ~*s well*. 이 밭은 경작에 적합하다. 2 《+부/+전+명》 (진창·눈 속을) 힘들여〔헤치고〕 나아가다; 수면을 가르고 나아가다; 심하게 충돌하다《*into*》; (책 따위를) 힘들여 읽다 《*through*》: They ~*ed on to* their destination. 그들은 목적지를 향해 힘들여 나아갔다 / The truck ~*ed into* a parked car. 그 트럭은 주차 중인 차를 들이받았다 / He ~*ed through* the pile of books. 그는 산더미처럼 쌓인 책들을 꾸준히 읽어 나갔다. 3 《영속어》 낙제하다. ~ ***a*** 〔one's〕 ***lonely furrow*** = ~ one's ***furrow alone*** ⇨FURROW. ~ ***around*** 《미속어》 마음〔속〕을 떠보다. ~ ***back*** (파헤친 풀을) 쟁기로 도로 묻다《비료로서》; (이익을) 재투자하다. ~ ***into*** ① (일 등에) 정력적으로 착수하다. ② (…에) 세게 부딪치다, (차 따위가) 돌입하다; (…에) 찔러 넣다. ~ ***out*** (그루터기 따위를) 캐내다. ~ ***under*** 갈아서 메우다, 파묻다; 《구어》 소멸〔매몰〕시키다, 압도〔파괴〕하다. ~ ***up*** 갈아 젖히다〔일구다〕. ~ ***with*** a person's ***heifer*** 남의 재산을 횡령〔이용〕하다, 부정한 수단으로 얻은 정보를 이용하다. ㊎ ~·a·ble *a.* ~·er *n.* 《고어》 =PLOWMAN.

plów·bàck *n.* 〖경제〗 (이익의) 재투자; 재투자자금.

plów bèam 쟁기의 잡줏.

plów·bòy *n.* 1 쟁기 멘 소를〔말을〕 끄는 남자. 2 농원 노동자, 농부; 시골 사람.

plów·hèad *n.* =PLOWSHARE.

plów·lànd *n.* 1 경작 적지(適地), 경작지, 논밭. 2 〖영국사〗 중세 토지의 면적《1년에 한 쟁기로 경작할 수 있는 지적(地積); 지금의 120 에이커》.

plów·lìne *n.* 경작 말의 고삐; 밭고랑〔쟁기로 간 뒤〕의 바닥. 「부; 시골뜨기.

plów·man [-mən] (*pl.* ***-men*** [-mən]) *n.* 농

Plów Mònday 주현절(主顯節)(Epiphany)(1월 6일) 후의 첫 월요일.

plów·shàre *n.* 보습, 쟁기날.

plów·tàil *n.* 자부지, 쟁기의 손잡이; 《비유》 농경: be at the ~ 농업에 종사하다.

plów wìnd [-wìnd] 《미구어》 폭이 좁고 직선으로 통과하는 돌풍.

plów·wrìght *n.* 쟁기 제작〔수리〕공.

ploy [plɔi] *n.* 《구어》 일, 직업; 《구어》 홍정, 책략, 계획; 《영구어》 오락, 들떠 즐김.

P.L.P. 《영》 Parliamentary Labour Party.

P.L.R., PLR 《영》 Public Lending Right.

pls 〖컴퓨터〗 please. **PLSS** 〖우주〗 portable life support system(휴대 생명 유지 장치); 〖군사〗 precision location strike system(정밀 위치 파악 공격 시스템). **plt.** pilot. **plu.** plural.

pluck** [plʌk] *vt.* 1 《~+목/+목+부/+목+전+명》 뜯다, 잡아 뽑다《*out; up*》; …의 깃털〔털〕을 뜯다; (과실을) 따다: ~ flowers 꽃을 꺾다〔따다〕 / ~ *out* 〔*up*〕 weeds 잡초를 뽑아내다 / ~ (feathers *from*) a chicken 닭털을 뜯다. 2 《+목+부》 잡아 찢다《*away; off*》; 〖지학〗 (빙하가 암석을) 깎아내다: ~ *away* the wrappings 포장지를 잡아 찢다. 3 《~+목/+목+전+명/+목+부》 잡아당기다, 확 당기다; …을 끌어내리다《*down*》: ~ a person's sleeve 아무의 소매를 확 잡아당기다 / ~ a person *by* the ear 아무의 귀를 잡아당기다 / ~ a person *down* from his high position 아무를 높은 지위에서 끌어내리다. 4 (현악기를) 뜯다. 5 《속어》 휙 잡아채다, 빼앗다, 사취하다. 6 《영고어》 낙제시키다: get 〔be〕 ~*ed* 낙제하다. —*vi.* 《+전+명》 1 확 당기다 《*at*》: ~ *at* her skirt 스커트 자락을 잡아당기다 《주의를 끌기 위해》. 2 잡으려고 하다, 붙들려고 하다《*at*》: A drowning man ~*s at* a straw. 《속담》 물에 빠진 자는 지푸라기라도 붙든다. ~ ***down ⇨*vt.* 3. ~ ***off*** 잡아뜯다, 잡아떼다. ~ ***up*** 뿌리째 뽑다, 근절하다. ~ ***up*** one's ***courage*** 〔***spirits, heart***〕 용기를 내다, 분발하다.

—*n.* 1 Ⓤ 잡아뜯음; Ⓒ 휙 당김: give a ~ at …을 확 잡아당기다. 2 Ⓤ 용기, 담력, 원기, 결의. 3 Ⓤ (동물의) 내장. 4 Ⓤ 《영고어》 낙제. ㊎ ~ed [-t] *a.* 《구어》 용기〔담력〕 있는: hard-~*ed* 무자비한. ~·er *n.* ~하는 사람〔기계〕.

plúck·less *a.* 용기〔원기〕 없는.

plucky [plʌ́ki] (***pluck·i·er; -i·est***) *a.* 용기 있는, 원기 왕성한, 담력 있는, 단호한; 대담한. ㊎

plúck·i·ly *ad.* 대담하게, 원기 있게; 단호하게. **-i·ness** *n.*

plug** [plʌg] *n.* **1** 마개; 틀어막는 것; 〖치과〗 충전물(充塡物). **2** 〖군사〗 화문전(火門栓), 총구(銃口)마개; 소화전(fire ~); 뱃바닥 마개; 《구어》 (수세식 변소의) 방수전(放水栓); 〖기계〗 점화전(點火栓), 플러그(spark ~); 〖지학〗 암전(岩栓)《사화산(死火山)의 화구를 막고 있는 경화 화성암(硬化火成岩)》. **3** 〖전기〗 (콘센트에 끼우는) 플러그; 《구어》 소켓 **4** 《구어》 (라디오·TV 프로 사이에 넣는) 짧은 광고 방송, 선전 (문구). **5** 씹는〔고형(固形)〕 담배. **6** 《미구어》 안 팔리는 상품; (*pl.*) 팔다 남은 물건; 무가치한 것. **7** 《미속어》 늙어빠진 말; 《미속어》 시원치 않은 권투 선수. **8** 《미구어》 실크 해트(~ hat). **9** 《속어》 일격. **10** 《미속어》 위조 경화(硬貨), 가짜돈. **11** 〖컴퓨터〗 플러그. ***pull the **~** (불치 환자의) 생명 유지 장치를 떼어 내다; 《속어》 (잠수함이) 잠수하다; 《미속어》 (일에서) 손을 떼다; 《미속어》 (…의) 비밀을 폭로하다《*on*》; 《미속어》 말썽을 일으키다.

— (**-gg-**) *vt.* **1** 《~+[목]/+[목]+[부]/+[목]+[전]+[명]》 …에 마개를 하다, 막다《*up*》; …으로 마개를 하다, 채우다: ~ a gap / ~ a cavity in a tooth *with* cotton 솜을 충치 구멍에 메우다. **2** 《속어》 (주먹으로) 한 대 치다; …에 총알을 쏘아 박다. **3** 《속어》 …에 밀어〔끼워〕 넣다, …와 성교하다. **4** 《구어》 (방송 따위에서) 끈덕지게 광고하다〔(노래 등을) 들려주다〕; (상품·정책을) 되풀이 선전하다. **—** *vi.* **1** 《+[부]/+[전]+[명]》 《구어》 부지런히 일하다〔노력하다〕《*along; away; at*》: ~ *along* 일을 계속하다 / ~ *away at* one's lessons (학과를) 꾸준히 공부하다. **2** 《+[전]+[명]》 《속어》 치다, 쏘다: ~ *at* a person 아무를 치다. **~ *for*** … 을 구하다. **~ *in*** 《*vt.*+[부]》 ① (기구를) 플러그에 꽂다. ② (기구를) 플러그에 꽂아 전류를 통하게 하다. ③ …을 더하다, 추가하다; 가담시키다. ④ 관계가 있다. **—** 《*vi.*+[부]》 ⑤ (플러그로 연결되어) 전류가 통하다. **~ *into*** ① (기구 따위가) …와 연결되다, 접속하다. ② 《미구어》 (…에 대하여) 친근감을 느끼다, …을 좋아하다; …을 이해하다: Some kids just don't ~ *into* sports. 스포츠를 싫어하는 아이도 있다. ③ 《미속어》 이용하다, 손에 넣다. **~ *up*** 《*vt.*+[부]》 ① (구멍 따위를) 틀어 막다. **—** 《*vi.*+[부]》 ② (구멍 따위가) 막히다.

plúg and pláy 〖컴퓨터〗 플러그 앤 플레이《하드웨어 장치가 사용자의 중재 없이 포트에 꽂기만 하면 운영체제에 의해 자동적으로 인식되고 구성·사용할 수 있는 상태》.

plúg·bòard *n.* 〖전자〗 (전화 교환대 등의) 플러그판, 배선반(配線盤).

plúg-compátible *a.* 〖컴퓨터〗 플러그가 공통이며 호환성(互換性)의: a ~ peripheral 호환식 주변 기기. 「《미속어》 화가 난.

plugged *a.* (구멍·관(管) 따위가) 막혀 버린;

plúgged-ìn *a.* 플러그로 접속한; 《비유》 유행에 민감한, 앞선; 《비유》 흥분한; 생활의 중요 부분을 전기 통신에 의존하는: a ~ society 전기 통신망으로 연결된 사회《특히 CATV 따위로 쇼핑도 할 수 있는》.

plúg·ger *n.* 〖치과〗 충전(充塡) 기구; 《미구어》 꾸준히 일〔공부〕하는 사람; 《미구어》 끈덕지게 선전〔광고〕하는 사람; 《미속어》 (스포츠 등의) 팬, 열광자; 《미속어》 살인 청부업자.

plúg·ging *n.* [U] 마개를 함; 〖치과〗 충전(充塡); 〖집합적〗 마개〔충전〕 재료.

plúg hát 《미구어》 실크 해트. 「멍.

plúg·hòle *n.* 《영》 (욕조·싱크대 등의) 마개 구

plúg-ìn *a.*, *n.* 플러그 접속식의 (전기 제품).

plúg nìckel 가짜 5 센트 동전; 무가치한 것.

plug·o·la [plʌgóulə] 《미속어》 *n.* (라디오·TV 따위로 선전해 달라고 하는) 뇌물; 추천의 말.

plúg swìtch 〖전기〗 플러그 스위치.

plúg tobàcco 막대 모양의 씹는 담배.

plúg-ùgly *n.* 《미구어》 깡패, 건달; 폭한; 《미속어》 프로 복서. **—** *a.* 《구어》 몹시 추한.

plum**[1] [plʌm] *n.* **1** 〖식물〗 플럼, 서양자두; 그 나무. **2** (제과용) 건포도. **3** 〖건축〗 (콘크리트 절약용) 큰 돌(displacer). **4** =SUGARPLUM. **5** 가장 좋은 것, 정수(精粹); 《특히》 수지맞는 일. **6** (푸른 빛깔을 띤) 짙은 보라색, 감색. **7** 《미》 (보수로서의) 임관(任官); 《영속어》 10 만 파운드의 돈(을 가진 사람); 《구어》 (거액의) 특별 배당. ***have a* ~** 〔marbles***〕 ***in*** **one*'s mouth*** 짐짓 상류 사회의 말투를 쓰다. ***take all the* ~*s*** 가장 좋은 것을 자기를 위해 남겨두다. **—** *a.* **1** 결실이 많은, 보상 있는, 이익이 되는. **2** 건포도가 든《케이크 따위》. 「**3** 짙은 자색의.

plum[2] *a.*, *ad.* =PLUMB.

plum·age [plú:midʒ] *n.* 〖집합적〗 깃털, 우모(羽毛), 깃; 아름다운 옷, 예복.

plúm·aged *a.* (…의) 깃털이 있는: bright-~ 깃털이 선명한 / full-~ 깃털이 다 난(full-fledged).

plu·mas·sier [plù:məsíər] *n.* (F.) 우모(羽毛) 세공인〔세공상(細工商)〕. 「(구조가) 깃털 모양의.

plu·mate [plú:meit, -mət] *a.* 〖동물·식물〗

°plumb [plʌm] *n.* 연추(鉛錘), 추; 측추(測錘), 측연(測鉛)(plummet); 수직, 연직(鉛直). ***a* ~ *block*** 축대(軸臺), 축받이. ***off*** 〔***out of***〕 **~** 수직이 아닌; 기울어진.

— *a.* 연추의; 똑바른, 곧은; 수직〔연직〕의; 정확한; 《구어》 순전한, 완전한: ~ nonsense 〔foolishness〕 정말 바보 같은 일.

— *ad.* 수직〔연직〕으로; 정연하게, 정확히; 《미구어》 전혀, 전연: fall ~ down 수직으로 낙하하다, 곤두박이치다 / ~ southward 정남(正南)으로 / ~ crazy 완전히 머리가 돌아. **~ *in the face of*** …의 바로 정면에.

— *vt.* **1** (연추로) …의 수직을 조사하다; 수직되게 하다《*up*》. **2** (추로) 재다《물 깊이 따위를》, 측량하다. **3** 알아차리다, 이해하다, 추량(推量)하다. **4** 《구어》 …에 배관(配管)하다, …의 배관 수리 공사를 하다; 납땜해 봉하다. **—** *vi.* 수직으로 서다〔늘어지다〕; 《구어》 배관공으로 일하다. **~ *the depths* (*of…*)** (슬픔·고독 따위가) 극에 달하다.

plumb- [plʌ́mb], **plum·bo-** [plʌ́mbou, -bə] '납'의 뜻의 결합사.

plum·bag·i·nous [plʌmbǽdʒənəs] *a.* 흑연의; 흑연 같은; 흑연을 함유한.

plum·ba·go [plʌmbéigou] (*pl.* **~s**) *n.* [U] 흑연, 석묵(石墨); 석묵〔흑연〕으로 그린 그림; 〖식물〗 갯길경잇과의 식물.

plúmb bòb 측량추(plummet).

plum·be·ous [plʌ́mbiəs] *a.* 납의, 납으로 된; 납 비슷한; 무거운; 납빛의; 납을 씌운.

°plumb·er [plʌ́mər] *n.* 배관공(配管工); 《미구어》 비밀 정보의 누설을 막는 사람. **—** *vt.* 《미속어》 망쳐 놓다, 때려부수다.

plúmber blòck 축받이(plummer block).

plúmber's hèlper 〔**frìend**〕 《미구어》 (배수관 따위를 뚫기 위한) 긴 자루 달린 흡인용 고무컵(plunger). 「는) 기다란 강삭(鋼索).

plúmber's snàke 《미구어》 (배수관 등을 뚫

plumb·ery [plʌ́məri] *n.* [U] 납세공, 납공업; 연관업; 배관; [C] 연관류 제조소, 납공장.

plum·bic [plʌ́mbik] *a.* 〖화학〗 납의, 납을 함유한, 제 2 납의(cf. plumbous); 〖의학〗 납에 의한, 연독(鉛毒)에 의한. **~ *oxide*** 산화납.

plum·bif·er·ous [plʌmbífərəs] *a.* 납을 산출하는; 납을 함유한.

°**plumb·ing** [plʌ́miŋ] *n.* [U] **1** (수도·가스의) 배관 공사; 연관 공사; (급배수(給排水)) 위생 공사. **2** 연관 공업; 연관류(鉛管類) 제조; 연관류. **3** 수심 측량. **4** 《미속어》 트럼펫; 《미속어》 소화관(消化管), 배. **5** 《미》 비밀 공작 지원 활동.

plum·bism [plʌ́mbizəm] *n.* [U] 〖의학〗 납중독, 연독증(鉛毒症).

plúmb·less *a.* 《문어》 측량 불가능한, 헤아릴 수 없는(fathomless). 「선(測鉛線).

plúmb lìne 추선(錘線), 다림줄; 연직선, 측연

plúm bòok 《미구어》 (대통령이 임명권을 갖는) 연방 정부 관직〔포스트〕 일람 《약 5,000 개의 관직명(名)이 게재되어 있음》.

plum·bous [plʌ́mbəs] *a.* 〖화학〗 납의, 납을 함유한, 제 1 납의. [cf] plumbic.

plúmb rùle (목수의) 다림줄 먹통, 수직 여부를 알아보는 자, 추규(錘規). 「Pb》.

plum·bum [plʌ́mbəm] *n.* 〖화학〗 연, 납《기호

plúm cáke 건포도를 넣은 케이크.

plúm dúff 건포도를 넣은 푸딩.

plume** [plu:m] *n.* **1** 깃털. **2** 깃털 장식; (모자·투구 등의) 앞에 꽂은 깃털, 꼬꼬마; 깃펜〔화살〕의 깃. **3** 명예의 표상. **4** 깃털 모양의 것: a ~ of smoke 〔water〕 (폭발에 의한) 버섯 구름〔물기둥〕. **5** 〖동물〗 깃 모양의 털; 〖식물〗 관모, 갓털. ***borrowed ~s 남에게서 빌린 지식; 빌려 입은 옷.

plumes 2

— *vt.* **1 a** (새가 부리로) 깃털을 다듬다. **b** 〖~ oneself 로〗 (새가 날려고) 날개를 다듬다〔고르다〕: A bird was *pluming* it*self*. 새가 날려고 날개를 다듬고 있었다. **2** 《+[목]+[전]+[명]》 〖~ oneself 로〗 **a** …을 자랑하다《*on, upon*》: She was *pluming* her*self upon* her beauty. 그녀는 자기의 미모를 뽐내고 있었다. **b** (빌린 옷으로) 차려입다. **3** 깃털을 뽑다; 박탈하다, 벌거벗기다. [파] **∠·less** *a.*

plumed *a.* (…의) 깃털이 있는〔로 꾸민〕: white-~ 깃털이 하얀. 「린 싹, 새싹.

plume·let [plú:mlit] *n.* 작은 깃털; 〖식물〗 어

plúm·ery *n.* 깃털, 〔집합적〕 날개. 「이.

plúm·mer (**blòck**) [plʌ́mər(-)] 〖기계〗 축받

plum·met [plʌ́mit] *n.* 낚싯봉; 다림추, 측연(測鉛)(plumb), 다림줄, 추규(錘規); 《비유》 무거운 짐, 중압(重壓): ~ level 추(錘)수준기. **—** *vi.* 수직으로 떨어지다, 뛰어들다(plunge); 갑자기 내려가다; 봉을 단 낚시줄로 낚시하다.

plum·my [plʌ́mi] (**-mi·er; -mi·est**) *a.* **1** 서양자두 같은〔가 많은〕; 건포도가 든. **2** 《구어》 그럴싸한; 《구어》 (볼이) 통통한; 《구어》 (음성이) 낭랑한.

plu·mose, plu·mous [plú:mous], [-məs] *a.* 깃털을 가진; 깃털 모양의. [파] **plu·mos·i·ty** [plu:mɑ́səti/-mɔ́s-] *n.*

***plump**[1] [plʌmp] *a.* **1** 부푼, 부드럽고 풍만한, 살이 잘 찐(fleshy): a baby with ~ cheeks 볼이 포동포동한 아기. **2** 불룩한, 속이 가득 찬. **3** (금액이) 대단한, 충분한. **—** *vi.* 《~/+[부]》 불룩해지다, 포동포동 살찌다《*out; up*》: She has *~ed out* 〔*up*〕. 그녀는 살쪘다. **—** *vt.* 《~+[목]/+[목]+[부]》 불룩하게 만들다, 살찌게 하다《*out; up*》: ~ *out* 〔*up*〕 a pillow 베개를 불룩하게 만들다. [파] **∠·ly**[1] *ad.* **∠·ness** *n.*

***plump**[2] *vi.* **1** 《~/+[전]+[명]/+[부]》 털썩 떨어지다〔주저앉다〕, 갑자기 뛰어들다《*against; down; into; upon*》: ~ *against* a wall 벽에 탁 부딪치다/~ *down* on a chair 의자에 털썩 주저앉다/~ overboard 물속에 풍덩 떨어지다. **2** 《+[전]+[명]》 《영》 (연기(連記) 투표권으로) 단 한 사람에게 투표하다《*for*》; 전적으로 찬성하다〔지지하다〕《*for*》; 마음으로부터 지지〔찬성〕하다《*for*》: ~ *for* one's favorite candidate 자기가 좋아하는 후보자에게만 투표하다. **—** *vt.* **1** 《~+[목]/+[목]+[전]+[명]/+[목]+[부]》 털썩 떨어뜨리다, 탁 던지다: ~ a stone *into* a pond 연못에 텀벙 돌을 던지다/~ a load *down* on a deck 짐을 갑판 위에 털썩 내려놓다. **2** 《구어》 (진실 따위를) 퉁명스럽게〔느닷없이〕 말하다《*out*》; 지지〔칭찬〕하다.

— *n.* 털썩 떨어짐; 털썩하는 소리.

— *a.* 노골적인, 정직한; (말씨 등이) 퉁명스러운; 순전한, 새빨간《거짓말 등》: a ~ lie 속들여다보이는 빤한 거짓말.

— *ad.* 털썩; 텀벙; 느닷없이, 불시에; 정면으로부터, 외곬으로; 노골적으로, 솔직하게; 곧바로, 바로 아래로: Say it out ~! 빨랑빨랑 말해 버려/come ~ upon the enemy 불시에 적을 습격하다. [파] **∠·ly**[2] *ad.* 거침없이, 노골적으로.

plump[3] *n.* 《방언·고어》 무리, 동아리; (식물의) 군락(群落): a ~ of spears 창(槍)부대.

plúmp·er[1] *n.* 입에 무는 것《이 없는 사람이 볼 등을 불룩하게 하기 위한》.

plúmp·er[2] *n.* **1** 털썩 〔풍덩〕 떨어짐, 낙마(落馬). **2** 《영》 단기명(單記名) 투표(자)《2 명 이상 선출된 경우의》. **3** 《방언》 새빨간 거짓말. 「동한.

plump·ish [plʌ́mpiʃ] *a.* (알맞게) 살찐, 포동포

plúm púdding 건포도·설탕 조림의 과일을 넣은 연한 과자《크리스마스용》.

plumpy [plʌ́mpi] (**plump·i·er; -i·est**) *a.* 불룩한, 포동포동 살찐. 「요리용 토마토》.

plúm tomáto 플럼토마토《서양자두처럼 생긴

plúm trèe 〖식물〗 서양자두나무.

plu·mule [plú:mju:l] *n.* 〖식물〗 어린싹, 유아(幼芽); 〖동물〗 솜털. [파] **plu·mu·lose** [plú:mə-lòus] *a.*

plumy [plú:mi] (**plum·i·er; -i·est**) *a.* 깃털 있는; 깃털 같은; 깃털로 꾸민.

***plun·der** [plʌ́ndər] *vt.* **1** 《~+[목]/+[목]+[전]+[명]》 (사람·장소)로부터 약탈〔수탈〕하다《*of*》: The pirates began to ~ the town. 해적들은 그 마을을 약탈하기 시작했다/~ a person *of* his property 아무로부터 재산을 빼앗다. **2** (물건을) 약탈하다, 빼앗다, 훔치다; (공공의 금품을) 횡령하다, 사적(私的)으로 소비하다. **3** 무단 사용하다, 표절하다. **—** *vi.* 노략질하다. **—** *n.* [U] **1** 약탈(품). **2** 《구어》 벌이, 이득. **3** 《미방언》 사재(私財), 가재, 동산. **4** 《방언》 수화물. [파] **~·age** [-ridʒ] *n.* [U] 약탈; 〖법률〗 선하(船荷) 횡령; 횡령한 뱃짐. **~·er** [-rər] *n.* 약탈자; 도둑. **~·ous** [-rəs] *a.* 약탈하는, 약탈적인.

****plunge** [plʌndʒ] *vt.* **1** 《~+[목]/+[목]+[전]+[명]/+[목]+[부]》 던져 넣다, 던지다, 찌르다: ~ one's hands *into* cold water 〔one's pockets〕 양손을 찬물에〔주머니에〕 집어넣다/~ a dagger *in* 단도를 세게 찌르다/A sudden stop ~*d* passengers *forward*. 급정거로 인해 승객들은 고꾸라지듯 앞으로 쏠렸다. **2** 《+[목]+[전]+[명]》 (어떤 상태·행동에) 빠지게 하다, 몰아넣다: ~ a country *into* war 나라를 전쟁으로 몰아넣다. **3** 〖원예〗 (화분을) 전까지 땅에 묻다. **—** *vi.* **1** 《~/+[전]+[명]/+[부]》 뛰어들다, 잠수하다, 돌입하다《*into; up; down*》: ~ *into* water 〔danger〕 물〔위험〕에 뛰어들다/He ran to the river and ~*d in*. 그는 강으로 달려가 뛰어들었다. **2** 《~/+[전]+[명]》 돌진하다, 맹진하다: ~ *through*

a crowd 군중을 헤치고 돌진하다. **3** 《+전+명》 착수하다, 갑자기 시작하다《*into*》: ~ *into* war 전쟁에 돌입하다 / ~ *into* the whole story 갑자기 자초지종을 말하기 시작하다. **4** (말이 앞으로 곤두박질치듯) 뒷다리로 하늘을 차다; (배가) 뒷질하다(pitch), 앞뒤로 흔들리다. **5** (산길·지층 따위가) 갑자기 내리받이가 되다. **6** 《구어》 큰 도박을 하다. **7** 《+전+명》 빚을 지다: ~ *into* debt 빚지다. ***be ~d in*** …에 잠기다, …에 몰두하다: *be ~d in* grief 슬픔에 잠겨 있다 / *be ~d in* meditation 명상에 잠기다.
— *n.* **1 a** 뛰어듦, 돌입, 돌진; 하락: take a ~ 뛰어들다《*into*》, 급강하하다. **b** 던져 넣음, 처박음. **c** (말이 앞으로 곤두박질치듯) 뒷다리로 하늘을 참; (배의) 뒷질, 피칭. **2 a** 다이빙, 수영, 풀; 《미》 (풀 따위의) 다이빙할 수 있는 곳《깊이》. **b** 궁지. **3 a** 《구어》 무모한 투기, 큰 도박. **b** 〖미식축구〗 중앙 돌파. ***at a ~*** 진퇴양난에 빠져. ***take the ~*** 과감히 하다, 모험을 하다; 결혼하다.

plúnge bàth 큰 목욕통; 전신 목욕.

plúnge bòard (수영의) 뜀판, 다이빙보드.

plúnge pòol 용소(龍沼)(의 물), 플런지 풀《특히 사우나를 한 다음에 뛰어드는 작은 풀》.

plung·er [plʌ́ndʒər] *n.* 뛰어드는 사람; 잠수자, 잠수 인부; 돌입〔돌진〕자; 돌입물; (후장총(後裝銃)의) 공이, 격침; 〖기계〗 (피스톤의) 플런저; 고무제의 흡인식 청소봉(棒); 《구어》 무모한 도박꾼〔투기꾼〕; 〖서핑〗 갑자기 무너지는 파도.

plúnging fire 〖군사〗 감사(瞰射), (높은 곳에서 포화 따위를) 내려쏘기.

plúnging 〔**plúnge**〕 **néckline** (여성복의) 가슴이 깊이 팬 네크라인.

plunk, plonk [plʌŋk], [plɑŋk/plɔŋk] *vt.* **1** 퉁 소리를 내다, (기타 따위를) 퉁기다. **2** 《+목+부/+목+전+명》 홱 내던지다; 쿵하고 넘어뜨리다〔떨어뜨리다〕: ~ *down* a cent, 1센트를 탁 던지다 / ~ a stone *at* a dog 개한테 돌을 탁 던지다 / ~ one*self down* on a bench 벤치에 털썩 앉다. **3** 《미》 확 밀다, 느닷없이 때리다; 힘껏 찌르다; 《구어》 …을 쏘다. — *vi.* 《~/+부》 퉁 울리다; 쿵하고 떨어지다《*down*》; 《구어》 지지하다《*for*》: ~ *down* somewhere and take a nap 아무데나 누워 뒹굴며 낮잠을 자다. ***~ down*** 쿵하고 놓다〔떨어지다〕(⇨ *vi.*); (돈을) 지급하다 (plank down 〔out〕).
— *n.* 땡하고 울림〔울리는 소리〕; 쿵하고 던짐〔떨어짐〕, 그 소리; 《미구어》 강타; 《미속어》 1달러.
— *ad.* 퉁(소리를 내고); 쿵(하고); 《구어》 틀림없이, 바로, 꼭.
㊀ **∠·er** *n.* ~하는 사람〔물건〕; (낚시의) 미끼《첨벙하고 물 위에 떨어지는》.

plu·per·fect [plu:pə́ːrfikt] *n.*, *a.* 〖문법〗 과거완료(의), 대(大)과거(의): the ~ tense 대과거, 과거완료 시제.

plup(f). pluperfect. **plur.** plural; plurality.

⁑plu·ral [plúərəl] *a.* 〖문법〗 복수의; 〖일반적〗 두 개 이상의, 복수의. OPP *singular*. ¶ the ~ number 〖문법〗 복수 / ~ offices 겸직, 겸임. — *n.* 〖문법〗 Ⓤ 복수; Ⓒ 복수형(의 말). ***in the ~*** 복수형으로.

plú·ral·ism *n.* **1** Ⓤ 〖교회〗 몇몇 교회의 성직 겸임; 겸직, 겸임. **2** 〖철학〗 다원론(多元論). OPP *monism*. **3** 〖사회〗 =CULTURAL PLURALISM. **4** 〖정치〗 국가 다원론. **5** Ⓤ 복수성(性); 복식 투표. ㊀ **-ist** *n.* 〖교회〗 몇 교회의 성직 겸임자; 겸직자; 〖철학〗 다원론자.

plú·ral·ist [-ist] *n.* (두 개 이상의 직책을 가진) 겸임자; 〖종교〗 여러 교회를〔절을〕 겸해서 맡아 보는 성직자; 〖철학〗 다원론자.

plu·ral·is·tic [plùərəlístik] *a.* 〖교회〗 몇몇 교회의 성직을 겸임하는; 겸직의; 〖철학〗 다원론의. ㊀ **-ti·cal·ly** *ad.*

plu·ral·i·ty [pluərǽləti] *n.* **1** Ⓤ 복수, 복수성〔상태〕; 〖철학〗 수다성(數多性). **2** Ⓒ 다수, 대다수, 과반수《*of*》; 《미》 초과 득표 수《당선자와 차점자의 득표 차》 (cf. majority); 최고 득표이나 총투표 수의 과반수에 미달하는 득표 수. **3** Ⓤ 〖교회〗 몇몇 교회의 성직 겸임; 겸직.

plú·ral·ìze *vt.* 복수(형으)로 만들다; 복수로 나타내다, 배가(倍加)하다. — *vi.* 복수가 되다; 몇몇 교회를 겸하여 맡다; 겸직〔겸임〕하다. ㊀ **-ìz·er** *n.* **plù·ral·i·zá·tion** *n.*

plú·ral·ly *ad.* 복수(꼴)로; 복수로서; 복수의 뜻으로.

plúral márriage 일부다처, 일처다부.

plúral socíety 복합 사회《복수의 인종으로 이루어진 사회》.

plúral vóte 복식 투표(권)《(1) 두 표 이상의 투표(권). (2) 둘 이상의 선거구에서의 투표(권)》. ㊀ **plúral vóter, plúral vóting**

plu·ri- [plúəri] '다수(多數)의, 둘 이상의'라는 뜻의 결합사: *pluri*syllable(다(多)음절어).

plu·rip·o·tent [pluərípətənt] *a.* 〖생물〗 다능성(多能性)의.

plùri·présence *n.* Ⓤ 〖신학〗 동시에 두 곳 이상에서 임재(臨在)함, 편재(遍在).

⁑plus [plʌs] *prep.* **1** 〖수학〗 플러스, …을 더하여〔더한〕. OPP *minus*. ¶3 ~ 2 equals 5. 3에 2를 더하면 5. **2** 《미구어》 …에 덧붙여서, …외에(besides): We want something ~ the men, that is, money. 사람 외에 필요한 것이 있는데 그것은 즉 돈이다. **3** 《구어》 …이 덧붙여져서, …을 덧붙여: the debt ~ interest 이자가 붙은 부채. **4** …을 벌어; …을 입은: I'm ~ a dollar. 난 1달러 벌었다 / He was ~ a coat. 웃옷을 입고 있었다.
— *a.* **1** 〖수학〗 더하기의, 양수〔플러스〕의. **2** 〖전기〗 양(극)의: the ~ pole 양극. **3** 〖식물〗 (균사체가) 웅성(雄性)의. **4** 여분의(extra): a ~ value 여분의 가치 / a ~ factor 플러스 요인. **5** 《구어》 …의약간 위의, 상위의; 보통 이상의; 《구어》 플러스 알파의: His mark was B ~. 그의 점수는 B 플러스였다 / style ~ 보통 이상의 스타일 / All the boys are 10 ~. 10살 이상이다. ***on the ~ side of the account*** 〖상업〗 대변(貸邊)에.
— (*pl.* ***plús·es, plús·ses***) *n.* **1** 〖수학〗 플러스 부호(~ sign)《+》. **2** 양수, 양의 양(量). **3** 여분, 나머지; 이익; 플러스 알파. **4** 〖골프〗 (우세한 자에게 주는) 핸디캡.
— 《구어》 *vt.* 더하다, 보태다, 얻다; 늘리다.

PLUS 《미》 parent loan for undergraduate students(대학생 부모에 대한 학비 원조 대부금).

plus ça change [F. plysaʃɑ̃:ʒ] 《F.》 〖속담의 전구(前句)〗 (인성·제도 등이) 근본적으로 변하지 않음. [《F.》 ~, *plus c'est la même chose* 겉은 아무리 변해도 속은 언제나 그대로이다]

plús còunt 〖로켓〗 발사 후의 초읽기.

plús fóurs 플러스 포즈《예전에, 특히 골프용이던 낙낙한 반바지》.

plush [plʌʃ] *n.* Ⓤ 견면(絹綿) 벨벳, 플러시천; (*pl.*) 플러시천으로 만든 바지《마부용》; 《미속어》 호화로운 장소〔것〕. — *a.* 플러시천으로 만든, 플러시천의〔과 같은〕; 《구어》 사치스러운, 호화로운; 《구어》 값비싼. — *vi.* 《미속어》 호화롭게 지내다.

plush·ery [plʌ́ʃəri] *n.* 《미속어》 호화로운 호텔〔나이트클럽 (따위)〕.

plushy [plʌ́ʃi] (***plush·i·er; -i·est***) *a.* 플러시천의〔과 같은〕, 플러시천으로 덮은; 《구어》 호화로운, 값비싼.

plus·sage [plʌ́sidʒ] *n.* 다른 것과 비교해서 많은 양, 여분의 양.

plús sìght 〖측량〗 정시(正視).

plús sìgn 〖수학〗 플러스 기호《+》.

plús sìze (여성복의) 큰 치수, L사이즈.
plús tìck 〖증권〗 =UPTICK.
plús twós 플러스 투스《plus fours보다 짧고 「좁은 반바지》.
Plu·tarch [plú:tɑ:rk] *n.* 플루타르크《그리스의 전기 작가; 46?-120?; '영웅전'으로 유명》.
plu·tar·chy [plú:tɑ:rki] *n.* =PLUTOCRACY.
plute [plu:t] *n.* 《미속어》 =PLUTOCRAT.
plu·te·us [plú:tiəs] (*pl.* **-tei** [-tiài]) *n.* 〖동물〗 플루테우스《성게·거미불가사리류의 유생(幼生)》.
Plu·to¹ [plú:tou] *n.* 플루토. **1** 〖그리스신화〗 플루톤《명부(冥府) 신》. [cf.] Hades, Dis. **2** 〖천문〗 명왕성.
Plu·to² *n.* 플루토《영국·프랑스 사이의 송유관》. [◂ *P*ipe*l*ine *u*nder *t*he *o*cean]
plu·toc·ra·cy [plu:tákrəsi/-tɔ́k-] *n.* [U] 금권 정치〔지배, 주의〕; [C] 금권 정체〔국가, 사회〕; 재벌, 부호 계급.
plu·to·crat [plú:təkræ̀t] *n.* 부호 정치가, 금권 주의자; 《구어》 부자, 재산가.
plu·to·crat·ic, -i·cal [plù:təkrǽtik], [-əl] *a.* 금권 정치(가)의; 재벌의.
plu·to·de·moc·ra·cy [plù:tədimákrəsi/-mɔ́k-] *n.* 《경멸》 금권 민주주의(국).
plu·tol·a·try [plu:tálətri/-tɔ́l-] *n.* [U] 황금 숭배, 배금(拜金)주의.
plu·ton [plú:tɑn/-tɔn] *n.* 〖지학〗 마그마에 의 「한 심성암체(深成岩體).
Plu·to·ni·an [plu:tóuniən] *a.* Pluto¹의; 명계(冥界)〔하계(下界)〕의〔와 같은〕; (p-) 〖천문〗 명왕성의; (종종 p-) 〖지학〗 =PLUTONIC.
Plu·ton·ic [plu:tánik/-tɔ́n-] *a.* Pluto¹의 (Plutonian); (p-) 〖지학〗 (지하) 심성(深成)의; (p-) 〖지학〗 화성론의: ~ rocks 심성암; 화성암/~ theory 지각 화성론(地殼火成論).
plu·to·nism [plú:tənìzəm] *n.* **1** 〖지학〗 심성론(深成論), 화성론(火成論). **2** 〖의학〗 플루토늄 중독(증). [파] **-nist** *n.*
plu·to·ni·um [plu:tóuniəm] *n.* [U] 〖화학〗 플루토늄《방사성 원소; 기호 Pu; 원자 번호 94》.
plu·ton·o·my [plu:tánəmi/-tɔ́n-] *n.* 정치 경제학(political economy); 경제학(economics).
Plu·tus [plú:təs] *n.* 〖그리스신화〗 플루토스《부(富)의 신(神)》.
plu·vi·al [plú:viəl] *a.* 비의; 비가 많은, 다우(多雨)의; 〖지학〗 비의 작용에 의한. **—** *n.* 다우기(多雨期).
plu·vi·om·e·ter [plù:viámətər/-ɔ́m-] *n.* 우량계(rain gauge). [파] **plù·vi·o·mét·ric, -ri·cal** [-métrik], [-əl] *a.* 우량계의; 우량 측정의. **plù·vi·óm·e·try** [-mətri/-ɔ́m-] *n.* [U] 우량 측정(법).
plu·vi·ous, -ose [plú:viəs] [-vious] *a.* 비의; 비가 많은; 비에 의한.
ply**¹ [plai] (plied; ply·ing***) *vt.* **1** (무기·연장 따위를) 부지런히 쓰다, 바쁘게 움직이다: ~ one's needle 부지런히 바느질하다. **2** …에 열성을 내다, 열심히 일하다: ~ a trade 장사를 열심히 하다/~ one's book 책을 정독(精讀)하다/~ an oar 노를 힘껏 젓다. **3** 《+[목]+[전]+[명]》 (질문·간청 등을 …에게) 자꾸 하다, 집요하게 하다: ~ a person *with* questions 아무에게 귀찮게 질문하다. **4** 《+[목]+[전]+[명]》 (…을) 아무에게 자꾸 주다 《*with*》: ~ a person *with* food 음식을 자꾸만 권하다. **5** (물길을) 왕복하다: the boats ~*ing* the Mississippi 미시시피강을 오르내리는 배들. **6** 《+[목]+[전]+[명]》 맹렬히 공격하다: ~ a cow *with* a whip 채찍으로 소를 자꾸 때리다. **7** 《+[목]+[전]+[명]》 (장작 따위를 불에) 자꾸 지피다: ~ a fire *with* fuel. **—** *vi.* **1** 《+[전]+[명]》 부지런히 일하다, 열을 내다《*at*》: ~ *at* a trade 장사에 열을 내다/I *plied at* Cicero. 나는 키케로를 열심히 공부했다/~ *with* the oar 부지런히 노를 젓다. **2** 《+[전]+[명]》 (배·차 등이 일정한 코스를) 정기적으로 왕복하다《*between; from ... to* __》: The bus *plies from* the station *to* the hotel. 그 버스는 정거장과 호텔 사이를 왕복한다. **3** 《+[전]+[명]》 (짐꾼·택시 따위가) 손님을 기다리다 《*in; at; for*》: a taxi driver ~*ing for* hire 손님을 기다리고 있는 택시 운전수. **4** 〖해사〗 바람을 거슬러 항해하다. **5** 걸어다니며 팔다, 행상하다. **6** 서두르다, 돌진하다.
ply² *n.* **1** 주름; (밧줄의) 가닥; 두께; (몇)겹: a three-~ rope 세 가닥의 밧줄. **2** 경향, 성벽, 버릇. ***take a*** ~ 경향을 띠다, 버릇이 들다. **—** *vt.* (실을) 꼬다; 구부리다(bend); 접다(fold).
Plym·outh [plíməθ] *n.* 플리머스. **1** 잉글랜드 남서부의 군항. **2** 미국 Massachusetts 주의 도시. **3** 미국제 자동차의 하나《상표명》.
Plýmouth Bréthren 〔**Bróthers**〕 (the ~) 플리머스 교우파(敎友派)《1830년경 영국의 Plymouth와 Dublin에서 일어난 Calvin파의 종파; 생략: P.B.》.
Plýmouth Còlony (the ~) 〖미국사〗 (Pilgrim Fathers가 1620년에 건설한 미국 Massachusetts 주의) 플리머스 식민지.
Plýmouth Róck Pilgrim Fathers가 처음 상륙했다는 미국 Plymouth에 있는 바위《사적(史跡)》; 플리머스록《닭의 품종》.
plý·wòod *n.* [U] 합판, 베니어판.
*__*P.M., p.m.__ [pí:ém] 오후《*post meridiem* 《L.》 (=afternoon)의 간약형》: at 11:00 *p.m.* 오후 11시에/the 9 *p.m.* train 오후 9시 열차. [cf.] A.M., a.m.
PM push money. **Pm** 〖화학〗 promethium. **pm.** premium; premolar. **P.M.** Past Master; Paymaster; permanent magnet; Police Magistrate; Postmaster; postmortem; Prime Minister; Provost Marshal. **p.m.** phase modulation; postmortem. **PMA** paramethoxyamphetamine《amphetamine에서 만들어지는 강력한 환각제》.
P màrker 〖문법〗 구(句) 구조 표지.
P.M.G. Pall-Mall Gazette; Paymaster General; Postmaster General; Provost Marshal General. **PMH, pmh** production (per) manhour(1인 1시간당 생산고). **pmk.** postmark. **PMLA** Publications of the Modern Language Association (of America). **PMMA** polymethyl methacrylate《특수 수지의 하나》. **P.M.O.** postal money order. **PMS** 〖의학〗 premenstrual syndrome. **pmt.** payment. **P.N.** 《미》 practical nurse. **P/N, p.n.** promissory note (약속 어음). **PNC** Palestine National Council (팔레스타인 민족 평의회). **PNdB, PNdb** perceived noise decibel(s) (감각 소음 데시벨). **PNE** peaceful nuclear explosion(평화적인 핵 폭발). **P.N.E.U.** 《영》 Parents' National Education Union (전국 양친(兩親) 교육 동맹). **pneum.** pneumatic(s).
pneu·ma [njú:mə/njú:-] *n.* 《Gr.》 [U] 정신, 영(靈); (P-) 성령(the Holy Ghost).
pneu·mat- [njú:mət, nju:mǽt/njú:mət, nju:mǽt], **pneu·ma·to-** [njú:mətou, nju:mǽt-/njú:mət-, nju:mǽt-] '공기, 호흡, 정신(精神)'이라는 뜻의 결합사.
pneu·mat·ic [njumǽtik/nju:-] *a.* 공기의; 기체의; (압축) 공기 작용에 의한, 공기식의; 압축 공기를 넣은, 공기가 들어 있는; 〖동물〗 기강(氣腔)〔기낭(氣囊)〕이 있는, 함기성(含氣性)의; 〖신학〗 영적(靈的)인; (여자 체격이) 균형 잡힌, 가슴이 불룩한: a ~ brake 공기 브레이크/a ~ cushion 공기 베개〔방석〕/a ~ drill 공기 드릴

〔착암기〕/ a ~ tire 공기가 든 타이어, 고무 타이어. **—** *n.* 공기 타이어(가 달린 탈것); 영적(靈的)존재. ㊕ **-i·cal·ly** *ad.*
pneumátic cáisson 〖토목〗 공기 케이슨.
pneumátic dispátch 기송(氣送)《우편물·소포 따위를 기송관(管)(pneumatic tube)으로 발송하는》. 「(air hammer).
pneumátic hámmer 뉴매틱 해머, 공기 해머
pneu·mát·ics *n. pl.* 〖단수취급〗 〖물리〗 기체 역학《공기 등의 기체 역학적 성질을 연구하는 물리학의 한 부문》.
pneumátic súbway 《미》 공기 지하철《압축 공기를 동력으로 하는 지하철》.
pneumátic tróugh (가스 채취용) 물통.「管).
pneumátic túbe (우편물 등의) 기송관(氣送
pneu·ma·tol·o·gy [njùːmətálədʒi/njùːmətɔ́l-] *n.* Ⓤ 영물(靈物)학; 〖신학〗 성령론.
pneu·ma·tol·y·sis [njùːmətáləsis/njùːmətɔ́l-] *n.* 〖지학〗 기성(氣成) 작용.
pneu·ma·tom·e·ter [njùːmətámətər/njùːmətɔ́m-] *n.* 〖의학〗 폐활량계.
pneu·mat·o·phore [njumǽtəfɔ̀ːr, njúmətə-/njúːmətə-] *n.* 〖동물〗 기포체(氣泡體); 〖식물〗 호흡근(根).
pneumàto·thérapy *n.* Ⓤ 〖의학〗 변압(變壓) 공기 요법, 기밀실(氣密室) 요법.
pneu·mo- [njúːmou, -mə/njúː-] '폐, 공기, 호흡' 이란 뜻의 결합사.
pnèumo·bacíllus (*pl.* **-li** [-lai]) *n.* 폐렴 간균.
pneu·mo·coc·cus [njùːməkákəs/njùːməkɔ́k-] (*pl.* **-cóc·ci** [-sai, -siː]) *n.* 폐렴 쌍구균(雙球菌).
pneu·mo·co·ni·o·sis [njùːməkòunióusis/njùː-] (*pl.* **-ses** [-siːz]) *n.* Ⓤ 〖의학〗 진폐증(塵肺症)《석탄·석면 등 광물성 분말에 의한》.
pneu·mo·cýs·tis pneumónia [njùːməsístis-/njùː-] 〖병리〗 뉴머시스티스성 폐렴《고령자, 허약아, 에이즈 환자 등 면역계가 손상된 사람에게 보이는 폐렴; 원충 Pneumocystis carinii에 의함; 생략: PCP》. 「PNEUMATICS.
pnèumo·dynámics *n. pl.* 〖단수취급〗 =
pnèumo·gástric *a.* 폐와 위(胃)의; 미주(迷走) 신경(성)의(vagal). **—** *n.* 미주 신경(= ∠ **nérve**).
pneu·mo·graph [njúːməgrӕf, -grɑ̀ːf/njúː-] *n.* 〖의학〗 호흡(곡선)기록기(= **pnéu·ma·to·gràph**).
pneu·mol·o·gy [njuːmálədʒi/njuːmɔ́l-] *n.* 폐장학(肺臟學).
pneu·mo·nec·to·my [njùːmənéktəmi/njùː-] *n.* Ⓒ,Ⓤ 폐절제(술).
°**pneu·mo·nia** [njumóunjə/njuː-] *n.* Ⓤ 〖의학〗 폐렴. ***acute* 〔*chronic*〕 ~** 급성〔만성〕 폐렴. ***single* ~** 한쪽 폐렴. ***septic* ~** 패혈성(敗血性) 폐렴.
pneu·mon·ic [njumánik/njumɔ́n-] *a.* 폐의; 폐를 침범하는; 폐렴의; 폐렴에 걸린.
pneu·mo·ni·tis [njùːmənáitis/njùː-] (*pl.* **-nit·i·des** [-nítədìːz]) *n.* 〖의학〗 (간질성) 폐렴.
pneu·mo·no·ul·tra·mi·cro·scop·ic·sili·co·vol·ca·no·co·ni·o·sis [njúːmənəʌ̀ltrəmàikrəskápiksílikəvɑlkèinoukòunióusis/njúː-skɔ́p-vɔl-] *n.* 〖의학〗 = PNEUMOCONIOSIS. ★ 가장 긴 단어로 흔히 인용됨.
pneu·mo·tho·rax [njùːməθɔ́ːræks/njùː-] *n.* 〖의학〗 기흉(氣胸)(증(症)〔술(術)〕): artificial 〔spontaneous〕 ~ 인공〔자연〕 기흉. 「은 인물).
PNG, P.N.G. persona non grata (달갑지 않
ṕ-ń jùnction 〖전자〗 (반도체의) pn 접합(接合).
PNL perceived noise level. 감각 소음 레벨《항공기 소음의 가장 일반적인 표현 방법》.
Pnom Penh ⇨ PHNOM PENH.
PNR passenger name record; point of no return. **pnxt.** pinxit.

Po[1] [pou] *n.* (the ~) 포 강(江)《북이탈리아의》.
Po[2] 〖화학〗 polonium. 「강(chamber pot).
po [pou] (*pl.* **~s**) *n.* 《소아어》 실내 변기, 요
po. pole. **P.O., p.o.** personnel officer; petty officer; pilot officer; postal order; 《영》 post office; post-office box; purchase order.
po., p.o. 〖야구〗 put-out(s).
poach[1] [poutʃ] *vt.* **1** 침입하다《밀렵(密獵)〔밀어(密漁)〕하려고》; 밀렵〔밀어〕하다. **2** 도용하다, 빼내다, 가로채다, 스카우트하다. **3** 짓밟다; 밟아 진창으로 만들다; (진흙 등을) 짓이기다; (점토 등)에 물을 넣어 농도를 고르게 하다. **4** 《영방언》 (막대기·손가락 등을) 찔러 넣다(*into*). **5** 〖경주〗 (유리한 위치를) 부정 수단으로 얻다; 〖테니스〗 (partner가 칠 공을) 옆에서 뛰어나와 치다. **—** *vi.* **1** 《~/+전+명》 밀렵〔밀어(密漁)〕하다 (*for*); 침입하다(*on, upon*): go out ~*ing* 밀렵〔밀어〕하러 가다 / ~ *for* game 짐승을〔새를〕 밀렵하다 / ~ *on* a neighbor's land 이웃집 땅에 침입하다. **2** 진창에 빠지다; (길 따위가) 진창이 되다. **3** (경주 등에서) 부정 수단을 쓰다; 〖테니스〗 공을 가로채어 치다. **~ *on another's preserves*** 남의 사냥터에서 밀렵하다; 남의 세력권을 침범하다. ㊕ **∠·er**[1] *n.* 밀렵자, 밀어자; 침입자; 남의 구역을 침범하는 장사꾼.
poach[2] *vt.* 데치다; (깬 달걀을) 흩뜨리지 않고 뜨거운 물에 삶다: a ~*ed* egg 깨어 삶은 달걀, 수란. ㊕ **∠·er**[2] *n.* 수란짜, 수란 냄비.
poachy [póutʃi] (***poach·i·er; -i·est***) *a.* 침수된, 습지의. ㊕ **póach·i·ness** *n.*
POB, P.O.B. post-office box.
po·bla·ci·on [pòublɑːsióun] (*pl.* **-o·nes** [-óunes]) *n.* 《Sp.》 (칠레의) 빈민굴.
po·bla·dor [pòublɑːdɔ́ːr] (*pl.* **-do·res** [-dɔ́ːres]) *n.* poblacion의 주민.
PÓ Bóx = POST-OFFICE BOX.
P.O.C. port of call.
po·chard [póutʃərd, -kərd/póutʃəd, pɔ̀tʃ-] (*pl.* **~s,** ~) *n.* 〖조류〗 흰죽지《오리의 일종》; 그 동류(同類)의 각종 오리.
po·chette [pouʃét] *n.* 《F.》 **1** 조끼의 작은 호주머니. **2** 손잡이가 없는 작은 핸드백.
pock [pɑk/pɔk] *n.* **1** 천연두, 그로 인한 발진; 마맛자국. **2** 작은 구멍. **3** 《비어》 매독. **—** *vt.* 곰보로 하다, 곰보 모양으로 구멍을 뚫다; 곰보 무늬를 만들다. ㊕ **~ed** *a.*
†**pock·et** [pákit/pɔ́k-] *n.* **1 a** 포켓, 호주머니; 쌈지, 지갑: a trouser ~ 바지 주머니 / search 〔fish in〕 one's ~ 호주머니 속을 뒤지다. **b** 회중품, 소지금, = POCKET MONEY; 자력(資力): a light ~ 넉넉하지 못한 호주머니. **c** 〖동물〗 (캥거루의) 주머니; 〖해사〗 포켓《돛에 범포(帆布)를 덧댄 주머니 모양의 것》. **2 a** 〖당구〗 포켓《대의 귀퉁이나 양쪽에 있는 공받이》; 〖야구〗 (미트의) 포켓 《공 받는 부분》. **b** 광석 덩어리; 광혈(鑛穴); 광맥류(鑛脈瘤). **3 a** 오목한 곳, 에워싸인 곳, 막다른 골목; 《미》 골짜기, 산간; 〖항공〗 = AIR POCKET. **b** 〖경마·경주〗 포켓《딴 말〔사람〕에게 둘러싸인 불리한 위치》; 〖미식축구〗 포켓(cup)《passer를 지키기 위해 만드는 blocker의 벽》; 주위에서 고립된 그룹〔지구〕; 〖군사〗 적 점령하의 고립 지대; 〖볼링〗 포켓《헤드핀과 그 옆 핀과의 사이》. **4** (홉·양털 등의) 한 부대《168-224 lb》. ***an empty* ~** 한 푼 없음〔없는 사람〕. ***be* 〔*live*〕 *in each other's* ~*s*** 《구어》 (두 사람이) 노상 함께 있다. ***be in* 〔*out of*〕 ~** 돈이 있다〔없다〕; 이득을〔손해를〕 보고 있다: We *are* 10 dollars *in* 〔*out of*〕 ~ over the transaction. 우리는 그 거래에서 10 달러 흑자〔적자〕를 보았다. ***burn a hole in***

one's ~ ⇨HOLE. **have** a person **in** one's ~ …을 완전히 제것으로 하고 있다, 아무를 마음먹은 대로 하다: *have* the audience *in one's* ~ 청중을 완전히 장악하다. **in** a person's ~ 아무가 하라는 대로 되어: I don't live *in his* ~. 그의 앞잡이가 아니다. **keep** one's **hands in** one's ~**s** 일하지 않고 있다, 게으름 피우다. **line** one's ~**s** 〔**purse**〕 (부정 수단으로) 큰돈을 벌다, 사복을 채우다. **live beyond** one's ~ 경제력〔수입〕 이상의 생활을 하다. **out of** ~ ① (쇼핑 · 내기 · 장사 따위에서) 손해를 보고 있는. ② (돈이) 수중에 없는. ③ 외출하고 있는, 자리를 비우고 있는. **pay out of** one's **own** ~ 자기 개인 돈으로 치르다. **pick a** ~ (휘중품을) 소매치기하다. **put** 〔**dip**〕 one's **hand in** one's ~ 돈을 쓰다. **put** one's **pride in** one's ~ 자존심을 억누르다〔겉으로 나타내지 않다〕. **sit in** a person's ~ 아무의 바로 옆에 앉다. **suffer in** one's ~ (금전상의) 손해를 보다, 돈이 나가다. **suit every** ~ 누구라도 마련할 수 있는.

— *vt.* **1** 포켓에 넣다; 감추다, 챙겨 넣다; 저장하다: ~ the money. **2** 자기것으로 하다, 착복하다: He ~*ed* all the profits. 이익금을 전부 가로챘다. **3** (감정 따위를) 숨기다, 억누르다: He ~*ed* his pride and said nothing. 그는 자존심을 억누르고 아무 말도 안 했다. **4** (모욕 등을) 꾹 참다: ~ one's anger 분을 참다. **5** 〖당구〗 (공을) 포켓에 넣다; 〖기계〗 상자〔구멍〕에 넣다. **6** 〖경마 · 경주〗 (주자를) 앞과 양쪽을 둘러싸서 방해하다. **7** 《미》 (의안 따위를) 묵살하다. **8** …에 포켓을 달다. **9** 《주로 수동태로》 가두다: Energy ~*ed* in matter is let loose on certain occasions. 물질에 갇혀 있는 에너지는 때에 따라 방출된다. ~ one's **pride** =put one's pride in one's ~ (⇨*n.*).

— *a.* 포켓용〔형〕의; 소형의, 작은: a ~ guide 포켓형의 안내서 / a ~ glass 회중경(懷中鏡).

[파] ~**·a·ble** *a.* 호주머니에 넣을 수 있는; 슬쩍 착복〔횡령〕할 수 있는; 숨길 수 있는.

pócket báttleship (나치스 독일의 1만 톤급) 「소형 전함.

pócket bèlt 〖복식〗 포켓 벨트《하나 또는 두 개의 포켓이 있는 벨트》.

pócket bìlliards 《보통 단수취급》 =POOL² 4.

pócket·bòok *n.* **1** (돈)지갑; 《미》 핸드백. **2** 《미》 자력(資力), 재원. **3** 포켓형의 염가판《문고판 등》; 《영》 수첩. — *a.* 경제적 이해에 관한; 금전적인: a ~ issue 생활에 관계되는 경제 문제.

pócket bòrough 〖영국사〗 (한 사람 또는 한 집안의) 독점 선거구《1832 년 폐지》.

pócket cálculator 휴대용 계산기.

pócket edìtion 포켓판(版)의 책; 소형의 것.

pock·et·ful [pákitfùl/pɔ́k-] (*pl.* ~**s, póck·ets·fùl**) *n.* 한 주머니 가득; 《구어》 많음: a ~ of money 상당한 금액, 한 재산. 「리카산(産)》.

pócket gòpher 〖동물〗 뒤쥐(gopher)《북아메

pócket-hándkerchief *n.* 손수건; 작은 것: 「a ~ garden.

pócket·knìfe *n.* 주머니칼.

póck·et·less *a.* 포켓이 없는.

pócket léttuce 《미속어》 돈, 사례(lettuce).

pócket lìtter 《미속어》 호주머니에 든 물건.

pócket mòney 용돈; 《영》 아이들에게 주는 1 주일분의) 용돈. [cf.] pin money.

pócket of póverty 빈곤〔곤궁〕 지구. 「공원.

pócket pàrk (고층 건물들 사이에 있는) 미니

pócket párt 추록(追錄)《기간(旣刊)의 책에 새 정보를 실은 것》.

pócket pìece 운수 좋으라고 지니고 다니는 돈.

pócket-sìze(d) *a.* 포켓형의, 소형의; 《구어 · 비유》 좁은, (규모가) 작은《시장》.

pócket vèto 《미》 (대통령 · 주지사의) 의안에 대한 묵살〔거부〕.

pócket-vèto *vt.* (의안을) 묵살하다.

pock·ety [pákiti/pɔ́k-] *a.* **1** 포켓 같은. **2** 갇힌, 갑갑한. **3** 〖광산〗 광맥류(鑛脈瘤)의.

póck·màrk *n.* 마맛자국. — *vt.* 마맛자국(모양의 구멍)을 내다. [파] **-màrked** [-t] *a.* 얽은, 그런 구멍이 난《얼굴 · 월면(月面) 등》.

pocky [páki/pɔ́ki] (***pock·i·er; -i·est***) *a.* 마맛자국의〔이 있는〕.

po·co [póukou] *ad., a.* 《It.》 〖음악〗 조금(의): ~ largo 〔presto〕 약간 느리게〔빠르게〕. ~ **a** ~ 〖음악〗 서서히.

po·co·cu·ran·te [pòukoukjurǽnti/-kju-] *a., n.* 무사태평한, 무관심〔대범〕한 (사람). [파] **-tism** [-tizəm] *n.* [U] 무사태평, 무관심, 대범.

°**pod**¹ [pad/pɔd] *n.* **1** (완두콩 따위의) 꼬투리; 누에고치; 〖어류〗 창꼬치(pike)의 새끼; 메뚜기의 알주머니. **2** (목이 좁은 장어를 잡는) 자루그물; 《구어》 배(belly); (바다표범 · 고래 · 상어 등의) 작은 떼. **3** 〖항공〗 엔진 · 짐 따위를 넣어 두기 위한 날개〔동체〕 밑에 단 유선형의 용기; 〖우주〗 우주선의 분리가 가능한 구획; 《미속어》 마리화나. **in** ~ 《속어》 임신하여. — (**-dd-**) *vi.* 꼬투리가 되다〔맺다, 생기다〕《*up*》; 꼬투리처럼 부풀다. — *vt.* (콩의) 꼬투리를 까다(shell); 껍질을 벗기다; (바다표범 등을) 몰아서 모으다. ~ **up** 《속어》 임신하여 배가 부르다.

pod² *n.* (송곳 등의) 세로 홈.

p.o.'d [píːòud] *a.* =PISSED off.

pod- [pád/pɔ́d] '발, 발굽, 줄기' 의 뜻의 결합사.

-pod [pàd/pɔ̀d] '발(이 있는)' 의 뜻의 결합사.

POD, P.O.D. pay on death; 〖상업〗 pay on delivery (현물 상환불); Pocket Oxford Dictionary; port of debarkation; 《미》 Post Office Department《뒤에 U.S.P.S.》.

-po·da [⁻pədə] 〖동물〗 '…발을 가진 동물' 이라는 뜻의 결합사: Cephalo*poda* 두족류.

po·dag·ra [poudǽgrə, pádəg-/poudǽg-] *n.* [U] 〖의학〗 족통(足痛); 통풍(痛風)《특히 발의》. [cf.] gout. [파] **-ral, -ric, -rous** [-rəl], [-rik], [pədǽgrəs] *a.*

pod·ded [pádid/pɔ́d-] *a.* 〖식물〗 꼬투리가 있는〔생기는, 되는〕; 콩과의; 《비유》 생활이 넉넉한, 유복한; 있기에 편한.

pod·dy [pádi/pɔ́di] *n.* 《Austral.》 (젖뗀) 송아지, 새끼 양; 《영속어》 배가 뚱뚱한 사람.

po·des·ta [poudéstə/pɔ-] 《It.》 *n.* **1** (중세 이탈리아 도시의) 장관, 행정관. **2** (이탈리아 파시스트당에서 임명된) 시장《단 Rome과 Naples 제외》.

podgy [pádʒi/pɔ́dʒi] (***podg·i·er; -i·est***) *a.* 《영구어》 땅딸막한. [파] **pódg·i·ness** *n.*

po·di·a·try [pədáiətri, pou-] *n.* [U] 《미》 〖의학〗 발 치료, 족병학(足病學)(chiropody). [파] **-trist** *n.* 족병학자.

po·di·um [póudiəm] (*pl.* ~**s, -dia** [-diə]) *n.* 〖건축〗 맨 밑바닥의 토대석(土臺石); 요벽(腰壁); (원형 극장의 중앙 광장과 관객석과의) 칸막이 벽; 연단(演壇), (오케스트라의) 지휘대; 성서대(聖書臺); 〖동물〗 다리, (하등 동물의) 발; 〖식물〗 잎꼭지.

podo- [pádou, -də/pɔ́d-] =POD-.

pod·o·phyl·lin [pàdəfílin/pɔ̀d-] *n.* [U] 〖화학〗 포도필린(=⁓ **résin**)《하제(下劑)》.

pod·o·phyl·lum [pàdəfíləm/pɔ̀d-] (*pl.* **-phyl·li** [-fílai], ~**s**) *n.* 매자나뭇과 약용 식물의 땅속줄기 · 작은 뿌리를 말린 것《하제 · 담즙 유동 촉진제로 씀》. 「의 결합사.

-po·dous [⁻pədəs] '…한 발을 가진' 이라는 뜻

Po·dunk [póudʌŋk] *n.* 《미구어》 전형적인 시골 거리, 협소한 곳.

pod·zol [pádzal/pɔ́dzɔ(ː)l] *n.* [U] 〖지학〗 포드졸, 회백토(灰白土)《한대 습윤지의 토양》.

Poe [pou] *n.* **Edgar Allan** ~ 포《미국의 시인 · 소설가; 1809-49》.

POE, P.O.E. port of embarkation; port of entry.

†**po·em** [póuəm] *n.* **1** (한 편의) 시. ⓒⓕ poetry. ¶ compose 〔write〕 a ~ 시를 짓다〔쓰다〕. **2** 운문(韻文), 시적인 문장. **3** 시취(詩趣)가 풍부한 것, 훌륭한 것. ◇ poetic *a.* ***a lyric*** ~ 서정시. ***an epic*** ~ 서사시. ***a prose*** ~ 산문시.

poe·nol·o·gy [piːnálədʒi/-nɔ́l-] *n.* =PENOLOGY.

po·e·sy [póuəsi, -zi/-zi] (*pl.* ***-sies***) *n.* **1** 《고어 · 시어》〖집합적〗 시(poetry, poems), 운문. **2** 《고어 · 시어》 작시(법). **3** 《고어 · 시어》 시재(詩才).

‡**po·et** [póuit] (*fem.* **~·ess** [-is]) *n.* **1** 시인; 가인(歌人). **2** 시적 재능을 가진 사람.

poet. poetic; poetical(ly); poetics; poetry.

po·et·as·ter [póuitæ̀stər/ˊ-ˋ-] *n.* 삼류 시인.

po·et·ess [póuitis] *n.* 여류 시인.

‡**po·et·ic** [pouétik] *a.* **1** 시의, 시적인: ~ diction 시어, 시어법/a ~ drama 시극. **2** 시의 소재가 되는; (장소 등) 시로 읊은, 시로 유명한. **3** 시인(기질)의; 시를 좋아하는: ~ feeling 시정(詩情)/~ genius 시재(詩才). **4** 운문으로 쓴; 낭만적인; 창조적인. ◇ poem *n.* **—** *n.* =POETICS.

°**po·et·i·cal** [pouétikəl] *a.* =POETIC; 이상화된. ★ 보통 '시의'의 뜻으로는 poetical, '시적인'의 뜻으로는 poetic을 씀. ⓜ **~·ly** *ad.* **~·ness** *n.*

po·et·i·cism [pouétəsìzəm] *n.* (산문 중의) 시적 어법, 예스러운〔진부한〕 표현.

po·et·i·cize [pouétəsàiz] *vt.* 시로 짓다, …을 시화(詩化)하다, 시적으로 표현하다. **—** *vi.* 시를 짓다; 시적으로 쓰다〔말하다〕.

poétic jústice 시적인 정의(正義)《이야기 등에 서의 권선징악》.

poétic lícence 시적 허용《시에서 보통의 형식 · 문법 · 사실 등을 위반할 수 있는 자유》.

po·ét·ics *n. pl.* 〖단수취급〗 시학(詩學), 시론; 시정(詩情).

po·et·i·cule [pouétəkjùːl] *n.* 소(小)시인(poetaster).

po·et·ize [póuitàiz] *vi., vt.* =POETICIZE.

póet láureate (*pl.* ***poets laureate,*** **~s**) 《영》 계관 시인(桂冠詩人).

‡**po·et·ry** [póuitri] *n.* Ⓤ **1** 〖집합적〗 시, 시가, 운문. ⓒⓕ poem, prose. ¶ lyric 〔epic〕 ~ 서정〔서사〕시. **2** 시집. **3** 작시(법). **4** 시적 재능〔요소〕; 시정(詩情), 시심(詩心). **5** (P-) 시신(詩神)(the Muse).

Póets' Córner (the ~) **1** 런던 Westminster Abbey의 1구역《영국의 대시인들의 묘와 기념비가 있음》. **2** 《우스개》 (신문 · 잡지의) 시란(詩欄).

po-faced [póufèist] *a.* 《영구어 · 경멸》 자못 진지〔심각〕한 얼굴의; 시치미 뗀, 무표정한.

po·gey, po·gie[1]**, po·gy**[1] [póugi] *n.* 《미속어》 복지 시설; 《미속어》 교도소; 《Can.속어》 (정부의) 실업 대책 사무소, 구제 자금, 실업 수당〔보험 (따위)〕; 《미속어》 (학생 · 군인의 부모나 친구가 보내는) 음식, 과자; (자선 사업으로서 무료로 배급되는) 음식.

pógey 〔**pógie, pógy, póggie**〕 **bàit** 《미속어》 단것, 캔디.

po·go [póugou] (*pl.* **~s**) *n.* 용수철 달린 죽마(竹馬)를 타고 뛰어다니는 놀이; 그 놀이도구 (=ˊ~ **stick**).

POGO [póugou] Polar Orbiting Geophysical Observatory (극궤도(極軌道) 지구 물리 관측 위성).

po·go·nia [pəgóuniə, -njə] *n.* 〖식물〗 큰방울새난초속(屬)의 각종 식물.

pogo stick

pog·o·nip [págənip/pɔ́g-] *n.* 《미서부》 미세한 얼음이 섞인 짙은 안개《Sierra Nevada 산맥 등의 겨울에 많음》.

po·grom [pəgrʌ́m, -grám, póu-/pɔ́grəm] *n.* 《Russ.》 Ⓤ (소수 민족) 학살《조직적 · 계획적인》; 《때로》 유대인 학살. **—** *vt.* (조직적으로) 대량 학살〔파괴〕하다.

po·gy[2]**, po·gie**[2] [póugi] *n.* =MENHADEN.

poi [pɔi, póui] *n.* (하와이의) 토란 요리.

-poi·e·sis [pɔiíːsis] '산출, 생성, 신생'이라는 뜻의 결합사.

-poi·et·ic [pɔiétik] '낳다'라는 뜻의 결합사.

°**poign·ant** [pɔ́injənt] *a.* 매서운, 날카로운, 통렬한《아픔 따위》; 통절한《비애 따위》; 신랄한《풍자 따위》; 통쾌한; 얼얼한《맛 따위》; 혀〔코〕를 자극하는. ⓜ **~·ly** *ad.* **poign·an·cy** [-si] *n.* Ⓤ

poi·ki·lo·therm [pɔ́ikəlouθəːrm, pɔikílə-] *n.* 〖동물〗 변온(變溫) 동물, 냉혈 동물.

poi·ki·lo·ther·mal, -ther·mic [pɔ̀ikəlouθə́ːrməl, pɔikìlə-], [-mik] *a.* 〖동물〗 (환경에 따라) 체온이 변하는, 변온성(變溫性)의, 냉혈(동물)의.

poi·lu [pwáːluː] *n.* 《F.》 (제 1 차 대전에서) 프랑스 군인.

Poin·ca·ré [pwæ̃ŋkəréi] *n.* 푸앵카레. **1 Jules Henri** ~ 프랑스의 수학자 · 물리학자(1854-1912). **2 Raymond** ~ 프랑스의 정치가(1860-1934)《대통령(1913-20)》.

poin·dex·ter [pɔ́indekstər] *n.* 《미속어》 책벌레, 머리가 좋은 사람, 수재, 천재.

poin·set·tia [pɔinsétiə] *n.* 〖식물〗 성성목(猩猩木), 포인세티아《멕시코산; 관상식물》.

†**point** [pɔint] *n.* **1** 뾰족한 끝, (무기 · 연장 등의) 끝; 〖조각〗 바늘; (뜨개질의) 뜨개바늘; 《미속어》(마약의) 주삿바늘; 《미》 펜촉(nib): the ~ of a needle 〔pencil〕 바늘〔연필〕 끝/the ~ of the tongue 〔a finger〕 혀〔손가락〕 끝.
2 돌출한 것, 쑥 내민 것; 갑(岬), 곶(cape), 해각(海角)(=~ of land)《종종 지명》; (사슴뿔의) 갈래; (the ~) 〖권투〗 턱끝; (가축의) 발끝; 《특히》 샴고양이(Siamese cat)의 머리〔귀, 꼬리, 발〕.
3 (작은) 점, 반점, 얼룩: The disease begins as minute ~*s* on the skin. 이 병은 먼저 피부에 작은 반점이 되어 나타난다.
4 (기호로서의) 점; 《특히》 〖수학〗 소수점(decimal ~); 구두점, 종지부(period), 마침표; 〖음악〗 부호: a full ~ 종지부/an exclamation ~ 느낌표, 감탄부. ★ 4.6은 four point six라고 읽음.
5 (온도계 따위의) 눈금; (온도의) 도(度); (물가 · 주식 시세 등의) 지표(指標), 포인트: The thermometer went up 5 ~*s*. 온도계가 5도 올라갔다/the boiling 〔freezing, melting〕 ~ 끓는〔어는, 녹는〕점/Oil shares went down 5 ~*s*. 석유주는 5포인트 하락했다.
6 득점, 점수; 평점; 《미》 (학과의) 학점, 단위; 〖미군사〗 종군 점수; 배급 점수: score 〔gain, win〕 twenty ~*s*, 20점 따다/He needed ten more ~*s* to graduate. 졸업하려면 10학점이 더 필요했다.
7 (지)점, 접촉점; 장소: the ~ of intersection of two lines 두 선의 교점/the ~ of contact 접점/the shortest distance between two ~*s*, 2점 간의 최단 거리/a vantage ~ 유리한 지점/a trading ~ 교역지.
8 정도, 한계점; (사태 · 진전의) 단계: to a certain ~ 어느 정도까지는.
9 (생각해야 할) 점, 사항, 항목, 문제; 문제점, 논점: a doubtful ~ 의문점/the first ~ of my argument 내 의논(議論)의 첫째 논점/a ~ of

conscience 양심의 문제.
10 요점, 요지, 포인트: miss the ~ 요점을 모르다/I take your ~. 너의 말도 타당하다/His remarks lack ~. 그의 말에는 요점이 없다.
11 목적, 취지, 의미: What is the ~ of seeing him? 그를 만나는 목적은 무엇인가/There's no 〔not much〕 ~ in doing that. 그런 일을 해도 아무런〔별〕 의의가 없다.
12 어떤 특정한 때, 시점(時點); 순간, 찰나: a turning ~ 전환기/at that ~ 그때(에).
13 〖인쇄〗 활자 크기의 단위《1인치의 약 1/72》.
14 《구어》 힌트, 암시, 시사(hint, suggestion): ~s on getting a job.
15 (*pl.*) 〖영철도〗 포인트, 전철기(《미》 switch).
16 《구어》 역(驛), 정거장.
17 =POINT LACE.
18 〖군사〗 첨병(尖兵), 선봉; 《미속어》 (범죄 행위시의) 망꾼.
19 〖크리켓〗 삼주문(三柱門)의 오른쪽 약간 앞에 서는 야수(野手)(의 위치).
20 〖발레〗 발끝으로 선 자세; (*pl.*) 발끝.
21 〖전기〗 접점(接點), 포인트; 《영》 콘센트.
22 〖해사〗 나침반 주위의 방위를 가리키는 32점의 하나《두 점 사이의 각도는 11°15′》.
23 〖컴퓨터〗 점 《(1) 그림 정보의 가장 작은 단위. (2) 활자 크기의 단위로 약 1/72 인치》.
at all ~s 모든 점에서, 철저하게; 철두철미. ***at the ~ of*** ...의 순간에, 막 ...하려고 하여: *at the ~ of* death 빈사 상태에 이르러, 죽는 순간에/*at the ~ of* going out 막 나가려는 순간에. ***at the ~ of the sword*** 〔***bayonet***〕 칼〔총검〕을 들이대고, 무력에 의하여. ***at this ~*** 지금. ***away from the ~*** 대중〔짐작〕이 어긋난〔어긋나서〕; (이야기 따위가) 탈선하여. ***beside the ~*** 요점을 벗어나, 예상이 어긋나. ***carry** one**'s ~*** 목적을 달성하다, 주장을 관철하다. ***come to a ~*** (사냥개가) 사냥감 있는 곳을 알리다; 끝이 뾰족하게 되다. ***come*** 〔***get***〕 ***to the ~*** 막상 ...할 때가 되다; 요점에 언급하다: Now, to *come to the ~*, will you go or stay home? 자, 요컨대 자네는 갈 것인가 안 갈 것인가. ***cut to a ~*** 끝을 뾰족하게 하다. ***from ~ to ~*** 차례대로 좇아서, 순서를 따라; 상세히. ***get** a person**'s ~*** 아무의 이야기의 논지를 파악하다. ***give ~s to** a person* =***give** a person **~s*** ① 아무에게 유리한 조건을 주다, 아무에게 핸디캡을 주다. ② 《비유》 ...보다 낫다; 아무에게 조언하다. ***give the ~*** 〖펜싱〗 찌르다. ***grow to a ~*** 끝이 가늘어지다. ***in ~*** 적절한: a case *in ~* 적절한 예. ***in ~ of*** ...의 점에서는, ...에 관하여(는). ***keep*** 〔***stick***〕 ***to the ~*** 요점을 벗어나지 않다. ***make a ~*** ① =prove a ~. ② 《속어》 (도박에서) 성공하다, 멋지게 목적을 달성하다. ***make a ~ of** doing* ① ...을 주장〔강조, 중요시〕하다. ② 반드시 ...하다: I *make a ~ of* taking a walk after breakfast. 아침 식사 후엔 반드시 산책하고 있다. ***make a ~ that...*** 〔***of...***〕 반드시 ...하다, ...을 주장〔강조, 중시〕하다. ***make*** (***Brownie***) ***~s with...*** 《구어》 ...에게 (아첨하여) 빌붙다. ***make it a ~ to** do ...* 정해 놓고(반드시) ...하다. ***make** one**'s ~*** ① =carry one's ~. ② (사냥에서 여우 따위가) 똑바로 목표를 향해 달리다. ***make the ~*** 의견을 말하다. ***not to put too fine a ~ on it*** ⇨FINE¹. ***off the ~*** 요점을 벗어난, 빗나간. ***on the ~*** 〖정치〗 (선거 전에) 최고의 인기로. ***on the ~ of** doing* 바야흐로 ...하려고 하여, ...하는 순간에(at the ~ of): He was *on the ~ of* leaving. 그는 마침 출발하려던 참이었다. ***~ by ~*** 한 항목씩, 하나하나: explain a theory ~ *by* ~ 이론(理論)을 하나하나 자세히 설명하다. ***~ for ~*** 하나하나〔차례대로〕 비교하여. ***~ of time*** 시점. ***prove a ~*** (의논 등에서) 주장의 정당함을 밝히다, ...를 설득시키다. ***reach a low ~*** (도덕·사기(士氣) 따위가) 저하(低下)하다. ***score a ~ off*** 〔***against, over***〕 ***...*** =***score ~s off ...*** ⇨SCORE. ***stand upon ~s*** 사소한 일에 구애되다, 지나치게 꼼꼼하다. ***strain*** 〔***stretch***〕 ***a ~*** 양보하다; 파격적인 취급을 하다. ***to the ~*** 요령 있는, 적절한: Your answer is not *to the ~*. 자네 답변은 요점을 벗어나 있네. ***to the ~ of*** ...라고 말해도 좋을 정도까지. ***up to a ~*** 어느 정도. ***win*** 〔***lose, be beaten***〕 ***on ~s*** 〖권투〗 판정으로 이기다〔지다〕. ***You have a ~ there.*** 그 점에선 네 주장도 타당하다.
— *vt.* **1** 뾰족하게 하다, 날카롭게 하다: ~ a pencil 연필을 뾰족하게 깎다. **2** 《+목+전+명》 ...에 끝을 붙이다; ...의 끝에 붙이다《*with*》: a pole ~*ed with* iron 끝에 철물을 붙인 막대기. **3** (감정 따위를) 날카롭게 하다, 자극하다: ~ the public feelings 세상 사람의 감정을 자극하다. **4** 〖음악〗 ...에 점을 찍다〔부호를 달다〕; ...에 구두점을 찍다(punctuate); 소수점을 찍어 끊다《*off*》. **5** 《~+목/+목+부》 (충고·교훈 따위를) 강조하다《*up*》, ...에 힘을〔기세를〕 더하다; (예 따위를 들어) 설명하다: ~ a moral (이야기 끝 따위에) 교훈을 강조하다/He ~*ed up* his remarks with apt illustrations. 그는 적절한 예를 들어 소론(所論)을 역설했다. **6** 《~+목/+목+전+명》 (손가락 등을) 향하게 하다《*at; towards*》: ~ a gun 총부리를 들이대다/Don't ~ a finger *at* a lady. 부인에게 손가락질해서는 안 된다. **7** (사냥개가 사냥감의 위치를) 멈춰 서서 그 방향을 알리다: ~ game. **8** 《~+목/+목+목/+목+부/+목+전+명》 지시하다; 지적하다《*out*》; 주의를 환기시키다, 가리키다: ~ the way 길을 가리키다/He ~*ed* her *to* the seat. 그녀에게 앉도록 자리를 가리켰다/~ *out* the advantages of a proposal 제안의 이점을 지적하다/*Point* me (*out*) 〔*Point* (*out*) *to* me〕 the ones you'd like. 당신이 좋아하는 것을 말해 주세요. **9** 〖석공〗 (돌을) 깎다. **10** 〖건축〗 (석회·시멘트를) ...의 이음매에 바르다. **11** 〖농업〗 (땅을) 갈다《*over*》; (비료를) 삽으로 묻다《*in*》. — *vi.* **1** 《+부/+전+명》 가리키다《*at; to*》: The needle of a compass ~*s north* 〔*to* the north〕. 컴퍼스의 바늘은 북(쪽)을 가리킨다/The clock ~*s to* ten. 시계는 10시를 가리키고 있다. **2** 《~/+전+명》 지시하다, 시사하다《*to*》: Everything seems to ~ *to* success. 모든 것이 성공의 조짐을 나타내고 있는 것 같다/His conduct ~*s to* madness. 그의 행동을 보니 미친 사람 같다. **3** 《+부/+전+명》 경향을 나타내다, 경향이 있다《*to*》; (어떤 방향을) 향해 있다《*to; toward*(*s*)》: The house ~*ed north* 〔*to* 〔*toward*〕 the north〕. 그 집은 북쪽을 향하고 있었다. **4** 《~/+전+명》 겨누다, 손가락질하다《*at*》: It's rude to ~. 사람에게 손가락질하는 것은 실례이다/The boy is ~*ed at* by all as an example. 그 아이는 모범 소년으로서 여러 사람으로부터 지목받고 있다. **5** (사냥개가) 사냥감이 있는 곳을 가리키다. **~ *off*** 콤마로〔소수점으로〕 구분하다; ...에 점을 찍다. **~ *out*** 나타내다, 지적하다: *Point out* any errors to me. 잘못이 있으면 무엇이든 지적해 주세요/I ~*ed out that* the account had still not been settled. 계산이 아직 청산되지 않았음을 지적했다/He ~*ed out how* important it is to observe law. 법을 지키는 것이 얼마나 중요한가를 그는 지적했다. **~ *to*** ...을 지적하다; ...의 증거가 되다. **~ *up*** 강조하다(⇨*vt.* 5); 눈에 띄게〔두드러지게〕 하다.

póint-blánk *a.* **1** 직사(直射)의, 수평 사격의: a ~ shot 직사/a ~ range 〔distance〕 표적 거

리, 직사정(直射程). **2** 정면으로부터의, 노골적인, 솔직한, 단도직입적인: a ~ question 솔직한 질문/a ~ refusal 쌀쌀맞은 거절. **—** *ad.* **1** 직사(直射)하여; 직선으로: fire ~ 직사하다. **2** 정면으로, 드러내어, 단도직입적으로: refuse ~ 딱 잘라 거절하다. 「득점.

póint còunt 〖브리지〗 득점 계산; (개인의) 총

point d'ap·pui [*F.* pwɛ̃dapɥi] (*pl.* ***points d'appui*** [—]) 《F.》 거점, 지점(支點); 근거지, 작전 기지. 「게〕; 아주 정확한〔하게〕.

pòint-devíce 《고어》 *a.*, *ad.* 완전무결한〔하

póint dístance 〔**ránge**〕 직접 탄도 거리.

póint dùty 《영》 (교통경찰관의) 교통 정리 근무.

pointe [*F.* pwɛ̃t] *n.* 〖발레〗 푸앵트《발끝으로 몸의 평형을 유지하는 자세》.

***point·ed** [pɔ́intid] *a.* **1** 뾰족한; 뾰족한 끝이 있는. **2** 예리한; 찌르는. **3** 날카로운, 신랄한; 빗대는; (말 따위가) 시원시원한; 강조한: a ~ remark 〔criticism〕 날카로운 비평. **4** 들이댄: a ~ gun 들이댄 총. **5** 눈에 띄는; 명백한; (주의력 따위가) 집중한. ㊞ **~·ly** *ad.* **~·ness** *n.*

póinted héad 《속어》 빈 골〔머리〕, 돌대가리; 《속어》 지식인, 인텔리.

°**póint·er** *n.* **1** 지시하는 사람〔물건〕; (교사 등이 지도·흑판 따위를 짚는) 지시봉; (시계·저울 따위의) 바늘, 지침; 《구어》 조언, 암시, 힌트. **2** 포인터《사냥개》. **3** (*pl.*) (P-) 〖천문〗지극성(指極星)《큰곰자리의 α, β의 두 별》. **4** 〖군사〗 조준수(照準手); 〖미군사〗 종군(從軍) 점수를 딴 장병. **5** 〖철도〗 전철기(轉轍機)의 손잡이. **6** (P-)《미》 West Point 육군 사관학교 생도. **7** (*pl.*) 남성. **8** 〖컴퓨터〗 포인터《GUI 등에서 마우스 등의 위치 지시 장치와 연동하여 움직이는 입력 위치를 가리키는 화살표 꼴 등의 상징》.

pointer 2

póint éstimate 〖수학·통계〗 (점추정(點推定)에 의한) 추정치(値)〔량〕.

póint estimàtion (통계적 추정에서) 점추정.

point·ful [pɔ́intfəl] *a.* 박력 있는, 적절한, 뜻있는, 효과 있는. 「하는 가드》.

póint guàrd 〖농구〗 포인트 가드《공격 지시를

poin·til·lism [pwǽntəlìzəm] *n.* Ⓤ 〖미술〗 (프랑스 인상파의) 점묘법(點描法), 점묘주의. ㊞ **-list** *n.* 점묘 화가.

póint·ing *n.* Ⓤ **1** 뾰족하게 함, 가늘게 함; 〖해사〗 밧줄 끝을 가늘게 하기. **2** 지적, 지시. **3** 〖건축〗 사춤 끝손질. **4** 구두법(句讀法).

póinting devìce 〖컴퓨터〗 display 상의 점(부분)을 가리키는 장치.

póint làce 손으로 뜬 레이스.

póint·less *a.* **1** 뾰족한 끝이 없는, 무딘. **2** 박력〔효과〕 없는, 헛된, 적절하지 못한, 무의미한; 요령 없는. **3** 〖경기〗 쌍방 득점 없는. **4** 〖식물〗 까끄라기가 없는. ㊞ **~·ly** *ad.* **~·ness** *n.*

póint màn 1 〖미군사〗 순찰대의 선두에 서는 척후병. **2** 《미속어》 (범죄 행위 시의) 망꾼(point); (적 측과의) 대표 교섭인.

póint mutàtion 〖유전〗 점(點) 돌연변이.

póint of depárture (토론의) 출발점; 〖해사〗 기정점(起程點).

póint of hónor 명예〔면목〕에 관계되는 문제.

póint of infléction 〖수학〗 변곡점(變曲点).

póint of nó retúrn 〖항공〗 귀환 불능 지점; 뒤로는 물러날 수 없는 입장〔단계〕.

póint of órder 의사 진행상의 문제.

póint of présence 〖컴퓨터〗 인터넷 접속 거점, 상호 접속 위치.

póint-of-púrchase *a.* 〖광고〗 구매 시점(時點) 광고의 《고객이 상품을 살 장소에 놓아두는 광고; 생략: P.O.P.》.

póint-of-sále(s) *a.* 매장(賣場)〔점두〕의, 판매 촉진용의, POS의《컴퓨터로 판매 시점에서 판매 활동을 관리하는 시스템을 말함》: a ~ system.

póint of víew 관점, 견지, 입장; 견해, 의견.

póint per válue 평가(平價).

póint sèt 〖수학〗 점집합. 「수학.

póint sèt topòlogy 〖수학〗 점집합론적 위상

póints·man [-mən] (*pl.* ***-men*** [-mən]) *n.* 《영》 **1** 〖철도〗 전철수(轉轍手)(switchman). **2** 근무 중의 교통경찰.

póint sòurce 〖물리〗 점원(點源).

póint swìtch 〖철도〗 전철기(轉轍機).

póint sỳstem 〖교육〗 학점(진급)제; (맹인용) 점자법; 〖인쇄〗 포인트식(式)《활자 분류법》; 《미》 (운전자에 대한 벌칙의) 점수제; 〖경영〗 (작업 평가의) 점수제.

póint tìe 〖철도〗 분기 침목(分岐枕木).

póint-to-póint *n.* **1** 자유 코스의 크로스컨트리 경마. **2** 〖컴퓨터〗 지점간, 포인트 투 포인트《두 개의 단말기만을 접속하는》.

póint-to-póint connèction 〖컴퓨터〗 두 지점 간 접속《데이터 통신에서 두 데이터 스테이션을 하나의 통신 회선으로 직접 연결하는 것》.

pointy [pɔ́inti] (***point·i·er; -i·est***) *a.* 끝이 약간 뾰족한; 뾰족한 점이 있는, 여기저기 뾰족한 데가 있는.

póinty-hèad *n.* 《미구어·종종 경멸》 인텔리, 지식인; 이류(二流)의 지식인; =POINTED HEAD. ㊞ **-hèaded** [-id] *a.* 《미구어·종종 경멸》 인텔리의, 지적인, 지식인인 체하는; 이류 지식인의.

***poise**[1] [pɔiz] *vt.* **1** 균형 잡히게 하다, 평형되게 하다: ~ oneself on one's toes 발끝으로 서서 균형을 유지하다. **2** (어떤 자세를) 취하다, (어떤 상태·위치를) 유지하다: ~ a spear 창 던질 자세를 취하다/The head is ~*d* forward. 머리가 앞으로 나와 있다. **3** 《+목+전+명/+목+*to* do》 〖수동태 또는 ~ oneself〗 (…의) 준비를 하다, (…할) 각오를 하다《*for*》: I ~*d* my*self for* the chance. 기회가 오기를 기다렸다/They *were* ~*d for* attack 〔*to* attack〕. 그들은 공격할 태세를 갖추었다. **4** 《고어》 숙고하다; 저울로 달다. **—** *vi.* 균형이 잡히다; (새 따위가) 공중에서 맴돌다. **—** *n.* **1** Ⓤ 평형, 균형; (새 따위가) 공중을 맴돎. **2** Ⓒ 자세, (몸·머리 따위의) 가짐새. **3** 《비유》 Ⓤ 평정(平靜); 안정. **4** Ⓒ 분동(分銅), 추. ㊞ **~d** *a.* 침착한, 위엄 있는; 균형 잡힌; 태세를 갖춘 《*for*》; 흔들리는; 공중에 뜬.

poise[2] [pwɑːz] *n.* 〖물리〗 푸아즈《점도(粘度)의 cgs 단위; 기호 P》. 「단위《1/100 taka》.

poi·sha [pɔ́iʃə] (*pl.* ~) *n.* 방글라데시의 화폐

****poi·son** [pɔ́izən] *n.* Ⓤ,Ⓒ **1** 독, 독물, 독약: slow 〔cumulative〕 ~ 자주 쓰면 독이 되는 것, 효과가 완만한 독약/kill oneself by taking ~ 음독자살하다/One man's meat is another man's ~. ⇨MEAT 5. **2** 폐해, 해독; 해로운 주의〔설(說), 영향〕: a ~ to morals =a moral ~ 풍기를 문란케 하는 것. **3** 《구어》 (아주 독한) 술. **4** (원자로의) 독물질《중성자를 흡수하여 반응도를 낮추는 물질; 붕소 따위》. **5** 〖화학〗 촉매〔효소〕 작용을 억제하는 물질: a catalyst ~ 촉매독. ***aerial*** ~ 말라리아. ***hate ... like*** ~ …를 지독하게 미워하다. ***What's your*** ~**?** 《구어》 너는 무슨 술을 마시겠느냐(= Name your ~.).

— *vt.* **1** 《~+목/+목+전+명》 독살〔독해(毒害)〕하다: ~ an enemy commander 적의 사령

관을 독살하다 / ~ a person *to* death 아무를 독살하다. **2** …에 독을 넣다〔바르다〕: ~ a well 우물에 독을 넣다. **3** 해독을 끼치다, 악화시키다; 악풍(惡風)에 물들게 하다: ~ the mind of a child 어린애의 마음에 해독을 끼치다. **4** (명예 따위를) 더럽히다. **5** 망치다, 못 쓰게 하다; (기계 등을) 망가뜨리다: The unhappy accident *~ed* the whole holidays. 불행한 사건이 휴가 기간을 망쳐 버렸다. **6** 《+[목]+[전]+[명]》 편견을 갖게 하다 《*against*》: That *~ed* his mind *against* me. 그 일로 그는 나에 대한 편견을 갖게 되었다. **7** 〖생화학〗 (촉매 · 산소의) 힘을 없애다〔줄이다〕.
— *a.* 유독한, 유해한: a ~ fang 독아.
[파] **~·er** *n.* 해독을 주는 사람〔것〕, 독살자.

póison dógwood 〔**élder**〕 〖식물〗 =POISON SUMAC.

pói·soned chálice 받는 측에게 갖가지 문제의 원인이 될 것 같은 할당〔상〕; '독이 든 술잔'.

póison gás 〖군사〗 독가스.

póison hémlock 〖식물〗 독(毒)당근(hemlock); 독미나리(=**wáter hèmlock**).

pói·son·ing *n.* [U] 독살; 중독: gas ~ 가스 중독 / (get) food ~ 식중독(에 걸리다).

póison ívy 〖식물〗 옻나무; 덩굴옻나무; 옻을 탐, 옻이 오름. 「SUMAC.

póison óak 〖식물〗 **1** =POISON IVY. **2** =POISON

⁑**poi·son·ous** [pɔ́izənəs] *a.* **1** 유독한: a ~ snake 독사 / ~ wastes 유독 폐기물. **2** 유해한, 파괴적인; 악의의. **3** 악취를 풍기는. **4** 《구어》 불쾌한. [파] **~·ly** *ad.*

póison-pén *a.* (악의에 찬) 익명 집필의: a ~ letter (익명으로 된) 중상(中傷)의 편지.

póison píll 〖미경영〗 기업 매수에 대한 방위책.

póison súmac 〖식물〗 북아메리카 남동부의 소택지에 나는 옻나무속(屬)의 유독한 관목.

Pois·són distribùtion [pwɑːsóun-] 〖통계〗 푸아송 분포.

Poissón's rátio 〖물리〗 푸아송의 비(比)《물질의 세로의 늘어남과 가로의 수축의 비(比)》.

poi·trine [pwɑːtríːn, pwæ-; *F.* pwatʀin] *n.* 가슴, (특히 여자의) 아름답고 풍만한 가슴.

*****poke**[1] [pouk] *vt.* **1** 《~+[목]/+[목]+[전]+[명]》 (손 · 막대기 따위의 끝으로) 찌르다, 콕콕 찌르다《*in; up; down*》: ~ a person *in* the ribs 〔person's ribs〕 아무의 옆구리를 콕콕 찔러 주의시키다. **2** 《~+[목]/+[목]+[부]/+[목]+[전]+[명]》 (막대기 · 손가락 · 코 · 머리 따위를) 바싹 갖다대다; 쑥 넣다; 쑥 내밀다; (농담 따위를 슬쩍) 걸다: ~ one's head *out* (*of* a window) (창문 밖으로) 머리를 쑥 내밀다 / He *~d* his finger *in* 〔*through*〕. 그는 손가락으로 찔렀다〔뚫었다〕 / ~ one's way 돌진하다. **3** 《~+[목]/+[목]+[전]+[명]》 (구멍을) 찔러서 뚫다《*in; through*》: ~ a hole *in* the drum 북을 찔러서 구멍을 내다. **4** 《~+[목]/+[목]+[부]》 (묻힌 불 따위를) 쑤셔 일으키다: ~ *up* the fire 불을 쑤셔 화력을 돋우다. **5** 《+[목]+[부]/+[목]+[전]+[명]》 《구어》 좁은 곳에 가두다: She didn't want to stay *~d up in* that town. 그녀는 그 마을에 갇혀 머물러 있기를 원치 않았다. **6** 《속어》 (여자)와 성교하다; 《구어》 주먹으로 때리다; 《야구속어》 히트를 치다. **7** 〖컴퓨터〗 (자료를) 어느 번지에 입력하다. **—** *vi.* **1** 《+[전]+[명]》 (손가락 · 막대기 등으로 …을) 밀다, 찌르다, 쪼다《*at; with*》: He *~d at* the frog with a stick. 그는 막대기로 개구리를 찔렀다. **2** 《+[부]/+[전]+[명]》 (물건이 …에서) 튀어나오다, 비어져 나오다; 갑자기 나타나다《*out; up; out of; from; through*》: Only the tip of an iceberg *~s up above* water. 빙산의 끝부분만이 수면 위로 솟아 있다. **3** 《~/+[전]+[명]》 쓸데없는 참견을 하다《*into*》; …을 꼬치꼬치 캐다《*about; around*》: ~ *into* another's affairs 남의 일에 주제넘게 간섭하다. **4** 주저주저하다, 빈둥거리다, 어슬렁거리다 《*along*》. **5** 《+[부]/+[전]+[명]》 여기저기 뒤지다〔찾아 헤매다〕《*about; around*》: They went into the attic where they *~d about among* old boxes and trunks. 그들은 다락방에 들어가 오래된 상자와 트렁크를 이리저리 뒤졌다. **6** 〖크리켓〗 천천히 신중하게 경기하다. **~ *and pry*** 꼬치꼬치 캐다. **~ *fun at*** …을 놀리다. **~ *out*** 쑥 내밀다; 삐죽이〔비어져〕 나오다.
— *n.* **1** 찌름; 팔꿈치로 찌름: give a ~ 콕콕 찌르다. **2** 《구어》 주먹으로 때림; 《속어》 성교; 《야구속어》 히트: take a ~ at a person 아무를 후려갈기다. **3** 목고리《가축이 우리에서 못 나오게 하기 위한》. **4** 굼벵이; 게으름쟁이, 빈둥거리는 사람: an old ~ 촌뜨기, 쑥. **5** (보닛 따위의) 챙이 쑥 나온 여성모(帽)(=**~ bònnet**). **6** 《미속어》 카우보이, 목동; 《미속어》 고용된 사람. **7** 〖컴퓨터〗 포크.
[파] **pók·a·ble** *a.* 찌를〔격려할〕 수 있는.

poke[1] 5

poke[2] *n.* 《방언》 부대, 작은 주머니; 《고어》 포켓; 《속어》 지갑. ***buy*** 〔***sell***〕 ***a pig in a ~*** ⇨ PIG.

poke[3] *n.* 〖식물〗 =POKEWEED.

póke·bèrry *n.* =POKEWEED; 그 열매.

°**pok·er**[1] [póukər] *n.* **1** 찌르는 사람〔물건〕; 부지깽이. **2** 낙화(烙畫) 도구. **3** 《영학생속어》 대학 부총장의 권표(mace); 그것을 받드는 사람; 《드물게》 도깨비. (***as***) ***stiff as a ~*** (태도가) 유난히 딱딱한, 모난. ***by the holy ~*** 맹세코, 단연코. ***old Poker*** 악마. **—** *vt.* (도안을) 낙화로 마무르다〔장식하다〕.

°**pok·er**[2] *n.* [U] 포커《카드놀이의 일종》.

póker dìce 포커 다이스《에이스와, 9에서 king까지의 그림을 각 면에 그린 주사위》; 그 게임.

póker fàce 《구어》 무표정한 얼굴(의 사람).

póker-fàced [-t] *a.* 무표정한, 무관심한.

po·ke·ri·no [pòukəríːnou] (*pl.* **~s**) 《미속어》 *n.* (건돈이 적은) 푼돈내기 포커; 쩨쩨한 게임〔거래〕, 시시한 놈.

pok·er·ish [póukəriʃ] *a.* 막대기 같은, 딱딱한; 무서운, 섬뜩한. 「자리공.

póke·ròot, -wèed *n.* 〖식물〗 서양〔아메리카〕

póker wòrk 낙화(烙畫)《흰 나무에 그린》.

pok(e)y[1] [póuki] *n.* 《미속어》 교도소(jail).

pok(e)y[2] (***pok·i·er; -i·est***) *a.* **1** 《구어》 활기 없는, 굼뜬, 느린. **2** (종종 ~ little) 비좁은, 갑갑한, 보잘것없는, 지저분한《장소 따위》. **3** 초라한 《복장 따위》; 변변치 않은《일 따위》. [파] **pók·i·ly** *ad.* **-i·ness** *n.*

pol [pɑl/pɔl] *n.* 《미구어 · 경멸》 정치가.

POL 〖군사〗 petroleum, oil, and lubricants; 〖컴퓨터〗 problem oriented language《어느 문제 풀이에 맞는 프로그램 언어》. **Pol.** Poland; Polish.

Po·lack [póulɑːk, -læk/-læk] *n.* 《미속어 · 경멸》 폴란드계(系)의 사람.

°**Po·land** [póulənd] *n.* 폴란드《수도 Warsaw》.
[파] **~·er** *n.* 폴란드 사람(Pole).

Póland Chína 흑백 얼룩의 큰 돼지《미국산》.

*****po·lar** [póulər] *a.* **1** 극지(極地)의, 남극〔북극〕의; 극지에 가까운: the ~ route 〖항공〗 북극 항로 / a ~ beaver 《속어》 흰 수염의 사람. **2** 〖전기〗 음극〔양극〕을 가지는; 자극(磁極)의; 자기가 있는; 극성(極性)의. **3** 〖수학〗 극선(極線)의. **4** 정반대의《성격 · 경향 · 행동 따위》: ~ opposites 양극의 대립물. **5** 〖화학〗 이온화한. **6** 중추(中樞)

의, 중심적인, 중심축(軸)과 같은. 7 (북극성처럼) 길잡이가 되는. 8 극을 도는. ◇ pole *n.* — *n.* 〖수학〗 극선. [cf.] polar curve.

pólar áxis 〖수학〗 시선(始線), 기선(基線).

pólar bèar 〖동물〗 흰곰, 북극곰(white bear); 《CB속어》 주(州)경찰관.

pólar bódy 〖생물〗 극체(極體); 극세포.

pólar cáp 극지의 빙관(氷冠); 〖천문〗 화성의 빙관《양 극지 부근에 보이는 희게 빛나는 부분》.

pólar céll 〖생물〗 극(極)세포.

pólar círcle (the ~) (남 · 북의) 극권(極圈).

pólar continéntal 〖기상〗 한대 대륙 기단.

pólar coórdinates 〖수학〗 극좌표.

pólar cúrve 〖수학〗 극선, 극좌표 곡선.

pólar dístance 〖천문〗 극거리(極距離); 〖해사〗 극거(極距).

pólar equátion 〖수학〗 극방정식.

pólar frònt 〖기상〗 극전선(極前線).

po·lar·im·e·ter [pòulərímətər] *n.* 〖광학〗 편광계(偏光計); =POLARISCOPE. [파] **po·lar·i·met·ric** [poulæ̀rimétrik] *a.*

Po·lar·is [poulǽəris, -lǽr-, pə-/-lǽr-, -lɑ́ːr-] *n.* 〖천문〗 북극성; 〖미해군〗 폴라리스《잠함 중의 잠수함에서 발사하는 중거리 탄도탄》.

po·lar·i·scope [poulǽrəskòup, pə-] *n.* 〖광학〗 편광기(偏光器). [파] **po·lar·i·scop·ic** [poulæ̀rəskápik/-skɔ́p-] *a.*

po·lar·i·ty [poulǽrəti, pə-] *n.* [U] 양극(兩極)을 가짐; 자성(磁性) 인력 ; 〖물리〗 극성; 양극성; 귀일성(歸一性); (주의 · 성격 등의) 정반대, 대립: magnetic ~ 자극성(磁極性).

pò·lar·i·zá·tion *n.* [U] 〖물리〗 극성(極性)을 생기게 함〔갖게 됨〕, 분극(分極); 〖광학〗 편광; 〖화학〗 편극; (주의 · 경향 등의) 대립, 양극화: a ~ microscope 편광 현미경.

polarizátion chàrge 〖전자〗 분극(分極) 전하 (bound charge)《원자나 분자에 속박되어 있는 전하》.

po·lar·ize [póulərài z] *vt.* …에 극성(極性)을 주다, 분극하다; 편광시키다; (어휘 등에) 특수한 뜻〔적용〕을 갖게 하다; (당파 등을) 양극화하다; 분극화〔분열, 편향, 대립〕시키다. — *vi.* 극성을 주다; (빛이) 편광하다; 〖전기〗 (금속 등이) 성극(成極)하다; 〖물리〗 분극화〔분열, 편향, 대립〕하다. *~d light* 편광. *polarizing action* 〖전기〗 성극(成極)〔분극〕 작용. [파] **-ìz·er** *n.* 편광자(偏光子), 편광 프리즘. **-ìz·a·ble** *a.* **pò·lar·ìz·a·bíl·i·ty** *n.* 분극성; 분극률.

pólar líghts (the ~) 극광(northern lights).

pó·lar·ly *ad.* 1 극(지)처럼, 극 쪽으로. 2 자기(磁氣)로써; 음양의 전기로써; 대극선(對極線)으로써. 3 정반대로.

pólar máritime 〖기상〗 한대 해양 기단.

pólar mólecule 〖화학〗 극성 분자.

pólar núcleus 〖생물〗 (배낭(胚囊) 중앙부의) 극핵(極核).

Po·lar·o·graph [poulɑ́ːrəgræ̀f, -grɑ̀ːf] *n.* 폴라로그래프《전기 분해 반응의 분석 측정 장치; 상표명》.

po·lar·og·ra·phy [pòulərágrəfi/-ɔ́g-] *n.* [U] 폴라로그래피 《전기 분해 자기법(自記法)》.

Po·lar·oid [póulərɔ̀id] *n.* 《상표명》 1 폴라로이드, 인조 편광판. 2 폴라로이드 카메라(=∠ (Lánd) Càmera); 폴라로이드 사진(=∠ prínt). 3 (*pl.*) 폴라로이드 안경.

po·lar·on [póulərɑ̀n/-rɔ̀n] *n.* 〖물리〗 폴라론 《결정 격자의 변형을 수반하는 운동을 하고 있는, 결정 중의 전도 전자》.

pólar órbit 극궤도.

Pólar Régions (the ~) 극지방(極地方).

Pólar Séa (the ~) 남극해, 북극해.

pólar stár (the ~) 북극성.

pol·der [póuldər] *n.* (네덜란드 등지의) 간척지 《해면보다 낮은》.

Pole [poul] *n.* 폴란드(Poland) 사람.

⁑**pole**[1] [poul] *n.* 1 막대기, 장대, 기둥, 지주; 《특히》 깃대; 천막의 버팀목; 전주; (장대높이뛰기의) 장대; (스키의) 폴; 돛대; (전동차의) 폴《집전용》; (이발소의) 간판 기둥: a bean ~ 콩의 받침대 / a fishing ~ 낚싯대. 2 척도의 단위《5.03m》; 면적의 단위《$25.3m^2$》. *climb up the greasy ~* 곤란한 일에 착수하다. *under bare ~s* 〖해사〗 돛을 달지 않고; 벌거숭이로. *up the ~* 《영구어》 진퇴양난에 빠져; 《영구어》 약간 미쳐서; 취하여. — *vt.* 1 막대기로 받치다: ~ a bean. 2 …에 막대기를〔기둥을〕 세워 주다; 막대기로 둘러메다. 3 (배를) 장대로 밀다《*off*》. 4 《야구속어》 (장타를) 날리다. 5 장대로 뛰다; 〖야금〗 (용해조 등을) 생막대기로 휘젓다. — *vi.* 《[전]+[명]》 막대기〔장대〕를 쓰다; 삿대질하여 나아가다: She ~*d down* the slope. 그녀는 스키스틱을 교묘하게 사용하여 사면을 미끄러져 내려갔다 / ~ *down* the river.

⁑**pole**[2] *n.* 1 〖천문 · 지리〗 극(極), 극지, 북극성. 2 〖물리〗 전극; 자극; (전지 따위의) 극판, 극선; 〖수학〗 극: the magnetic ~ 자극(磁極). 3 〖생물〗 (핵 · 세포 따위의) 극. 4 (주의 · 주장 · 성격 따위의) 극단, 정반대. ◇ polar *a.* *be ~s asunder* 〔*apart*〕 (의견 · 이익 따위가) 완전히 정반대이다, 극단적으로 다르다. *from ~ to ~* 온 세계에(서).

póle·àx, -àxe (*pl.* **-ax·es**) *n.* 자루가 긴 전부(戰斧); 도살용 도끼. — *vt.* 전부〔도끼〕로 찍어 넘어뜨리다〔죽이다〕.

póle bèan 《미》 덩굴성(性)의 완두콩.

póle·càt *n.* 〖동물〗 족제비의 일종《유럽산》; 《미》 =SKUNK; 《고어》 매춘부.

pol. econ. political economy.

póle hòrse (말 4필이 끄는 마차의) 뒷말. [cf.] leader.

póle jùmp 〔**jùmping**〕 장대높이뛰기(pole vault).

póle-jùmp *vi.* 장대높이뛰기를 하다.

po·lem·ic [pəlémik, pou-] *n.* 논쟁, 논박; 논객(論客). — *a.* 논쟁의; 논쟁을 좋아하는: a ~ writer 논객 / ~ theology 논증 신학. [파] **-i·cal** [-əl] *a.* **-i·cal·ly** *ad.*

po·lém·ics *n. pl.* 〘단수취급〙 논의법, 논쟁술; (신학상의) 논증법.

pol·e·mist, po·lem·i·cist [pɑ́ləmist/pɔ́l-], [pəléməsist] *n.* (특히 신학상의) 논객.

pol·e·mize [pɑ́ləmàiz/pɔ́l-] *vi.* 논쟁〔반론〕하다, 논박하다.

po·lem·o·log·i·cal [pəlèmələ́dʒikəl/-lɔ́dʒi-] *a.* 전쟁학의.

po·le·mol·o·gy [pòuləmɑ́lədʒi/-mɔ́l-] *n.* 전쟁학, 전쟁 문제 연구. [파] **-gist** *n.* 전쟁〔분쟁〕 문제 연구가.

pol·e·mo·ni·um [pɑ̀ləmóuniəm/pɔ̀lə-] *n.* 〖식물〗 꽃고비속(屬)의 각종 식물.

po·len·ta [pouléntə] *n.* [U] 《It.》 폴렌타《옥수수 · 보리 · 밤가루 따위의 죽》.

póle posìtion 《비유》 유리한 입장〔위치〕.

pol·er [póulər] *n.* 1 pole[1] 하는 사람〔물건〕. 2 =POLE HORSE. 3 《미속어》 성적만을 위해 공부하는 사람. 4 《Austral.속어》 등치기꾼, 게으름뱅이.

***pole·star** [póulstɑ̀ːr] *n.* 1 〖천문〗 (the ~) 북극성. 2 지침이〔길잡이가〕 되는 것; 지도 원리; 주목의 대상.

póle vàult 장대높이뛰기.

póle-vàult *vi.* 장대높이뛰기하다. [파] **~·er** *n.*

póle·ward(s) [-wərd(z)] *ad.* 극(지)에〔로〕.

po·li- [póuli], **po·li·o-** [póuliou, -liə] '회백질'이라는 뜻의 결합사.

⁑**po·lice** [pəlíːs] *n.* [U] 1 (the ~) 〘집합적〙 경찰: the water 〔harbor, marine〕 ~ 수상〔해양〕 경찰 / go to the ~ 경찰에 통보하다 / The ~ are on his track. 경찰은 그를 추적하고 있다. **2** 〖복수취급〗 경찰관《개별적으로는 policeman, policewoman》; 경찰청: Several ~ are patrolling the neighborhood. 수명의 경관이 그 주위를 순찰하고 있다/There were 4,000 ~ on the spot. 경관 4천 명이 출동했다. **3** 치안, 보안; 〖일반적〗 경비〔보안〕대. **4** 〖미군사〗 (병영 안의) 청소, 정돈; (*pl.*) 청소 담당 병사. ***have the ~ after*** 경찰관에게 미행당하다. ***the metropolitan ~ department*** 수도 경찰국. ── *vt.* **1** …에 경찰을 두다; 경비하다, 단속하다, …의 치안을 유지하다: United Nations forces ~ several countries in Africa. 아프리카의 몇 나라가 유엔군 관리하에 있다. **2** 〖미군사〗 (병영 등을) 청소〔정돈〕하다. ㊕ **~·less** *a.* 경찰이 없는 (상태의).

políce acàdemy 《미》 경찰 학교.

políce àction (군대의) 치안 활동《국제 평화·질서 유지를 위한 국지적 군사 행동》.

políce àgent (프랑스 등의) 경찰관.

políce càr (경찰) 순찰차(squad car).

políce cònstable 《영》 순경《생략: P.C.》.

políce còurt 즉결 재판소《경범죄의》.

políce depàrtment 《미》 경찰국.

políce dòg 경찰견.

políce fòrce 경찰력, 경찰대.

políce inspéctor 경감.

políce lòck 방범용 자물쇠의 한 가지.

****po·lice·man** [pəlíːsmən] (*pl.* ***-men*** [-mən]) *n.* 경찰관, 경관: a ~ on guard 경호 경관. ㊕ **~·lìke** *a.*

políce òffice 《영》 (시·읍의) 경찰서.

políce òfficer 경관(policeman), 《미》 순경.

políce·pèrson *n.* 경찰관, 순경《성차별을 피한 표현》.

políce pòwer 경찰권, 치안권.

políce procèdural (경찰의 활동을 다룬) 경찰 소설〔영화, 드라마〕.

políce récord 전과(前科).

políce repòrter 경찰 출입 기자.

políce sérgeant 경사.

políce stàte 경찰국가. ⓒⓕ garrison state.

políce stàtion (지방) 경찰서.

políce superinténdent 총경.

políce wàgon 《미》 죄수 호송차.

políce·wòman (*pl.* ***-wòmen***) *n.* 여자 경찰관, 여순경.

po·li·cier [pòulísjei] 《F.》 *n.* 추리〔탐정〕 소설.

pol·i·clin·ic [pàliklínik/pɔ̀l-] *n.* (병원의) 외래 환자 진료부.

po·líc·ing *n.* 경비, 치안 유지; 감시.

****pol·i·cy**[1] [páləsi/pɔ́l-] *n.* **1** 정책, 방침: foreign *policies* 외교 정책/~ switch 정책 전환. **2** 경영〔관리〕법. **3** 방책, 수단. **4** Ⓤ (실제적) 현명, 심려(深慮), 신중. **5** Ⓤ 정치적 두뇌, 지모(智謀); 《고어》 빈틈없음, 교활. **6** 《고어》 정치 (형태). **7** 《Sc.》 (시골 저택 주변의) 유원(遊園). ***for reasons of ~*** 정략상(上). ***Honesty is the best ~.*** 《속담》 정직은 최선의 방책. ***open-door ~*** 문호 개방 정책. ***~ of nonalignment*** 비동맹 정책《양대 진영의 어느 쪽에도 가담 않는》.

pol·i·cy[2] *n.* 보험 증권(~ of assurance, insurance ~); 《미》 숫자 도박(numbers pool) 《그 도박장은 ~ shop》: play ~ 숫자 도박을 하다. ***a floating ~*** 선명 미정(船名未定) 보험 증권. ***an endowment ~*** 양로 보험 증권. ***an open*** 〔***a valued***〕 ***~*** 예정〔확정〕 보험 증권. ***a time*** 〔***voyage***〕 ***~*** 정기 보험〔항해〕 증권. ***take out a ~ on one's life*** 생명 보험에 들다.

pólicy·hòlder *n.* 보험 계약자《주로 생명 보험의》.

pólicy lòan 〖보험〗 증권 담보 대부.

pólicy·màking *n.* (정부 등의) 정책 입안. ㊕ **-màker** *n.* 정책 입안자.

pólicy ràcket 《미》 =NUMBERS POOL.

pólicy scìence 정책 과학《정부·기업 따위의 고차원의 정책 입안을 다루는 사회 과학》.

pol·i·met·rics [pàləmétriks/pɔ̀l-] *n.* 계량 정치학.

po·lio [póuliòu] *n.* Ⓤ 〖의학〗 폴리오, 소아마비 (poliomyelitis).

pol·i·o·my·e·li·tis [pòulioumàiəláitis] *n.* Ⓤ 〖의학〗 폴리오, (급성) 회백(灰白) 척수염, 소아마비(=**acùte antérior ~**).

pólio váccine 《구어》 소아마비 백신.

po·li·o·vi·rus [póuliouvàiərəs] *n.* 〖세균〗 소아마비 바이러스.

po·lis [póulis/pɔ́l-] (*pl.* ***-leis*** [-lais]) *n.* 폴리스《고대 그리스의 도시 국가》.

-po·lis [-pəlis] '도시' 라는 뜻의 결합사: metropolis.

Po·li·sa·rio [poulisáːriòu] *n.* 폴리사리오 전선 (=**~ Frònt**)《서부 사하라의 독립을 꾀하는 게릴라 조직》; (*pl.* ***-ri·os***) ~의 멤버.

poli sci [pálisài/pɔ́li-] 《학생속어》정치학(political science).

***Po·lish** [póuliʃ] *a.* 폴란드(Poland)의; 폴란드 사람〔말〕의. ── *n.* Ⓤ 폴란드어.

pol·ish** [páliʃ/pɔ́l-] *vt.* **1** 《~+목(+부)/+목+보》 닦다, …의 윤을 내다: ~ shoes 〔furniture〕/~ (*up*) the floor 마루를 닦다/~ one's bag clean 가방을 깨끗하게 닦다/~*ing* powder 분말 광택제. **2** …을 다듬다, 품위 있게 하다 《*up*》. **3** 세련되게 하다; (문장의 글귀 따위를) 퇴고하다: ~ a set of verses 시를 퇴고하다. **4** 《+목+전+명/+목+부》 …을 갈아〔문질러〕 다른 상태로 하다; …을 문질러 떼다, 마멸시키다 《*away; off; out*》: a stone ~*ed into* roundness 둥글게 간〔닦여진〕 돌/~ *away* the soil of the shoes 구두의 흙먼지를 닦아내다. ── *vi.* **1** 윤이 나다: This table won't ~. **2** 품위 있게 되다, 세련되다. **~ *off 《구어》 ① (일·식사 따위를) 재빨리 마무르다〔끝내다〕, 해내다: ~ *off* a large plateful of pie 커다란 파이 한 접시를 먹어 치우다. ② 《구어》 (상대방 따위를) 해치우다; 낙승하다; 《속어》 없애다(kill): ~ *off* an opponent 적을 해치우다. **~ *up*** 다듬어 내다, 마무르다; 윤을 내다〔이 나다〕; 꾸미다.

── *n.* Ⓤ **1** 광택, 닦기. **2** 광내는〔닦는〕 재료《마분(磨粉)·광택제·니스·옻 따위》; 매니큐어(nail ~): shoe 〔boot〕~ 구두약(藥). **3** (태도·작법의) 세련, 품위, 우미; 수양(修養): Many of his poems lack ~. 그의 많은 시는 세련미가 없다. ㊕ **~·a·ble** *a.* **~ed** [-t] *a.* **1** 닦아진; 광택 있는: ~*ed* product 완성품. **2** 품위 있는, 세련된: a ~*ed* gentleman. **~·er** *n.* 닦는 사람; 윤내는 기구; 광택제. **~·ing** *n.* (*pl.*) 닦아낸 때.

Pólish Córridor (the ~) 폴란드 회랑《Vistula 강 하구의 좁고 긴 지역; 베르사유 조약으로 폴란드에 할양되었었음(1919–39)》.

Pólish notátion 〖수학·컴퓨터〗 폴리시 표기법《모든 연산 기호를 모든 변수보다 뒤에 위치하도록 기술하는 불 대수(Boolean algebra)의 기법》.

pólish remòver 매니큐어 제광액(除光液).

polit. political; politics.

Pol·it·bu·ro, -bu·reau [pálitbjùərou, póulit-, pəlít-/pɔ́litbjùː-] *n.* 《Russ.》 (the ~) (옛 소련 공산당) 정치국《한때 Presidium(최고 회의 간부회)으로 불리었음》; (p-) 권력 집중 기관.

****po·lite** [pəláit] (***po·lit·er; -est***) *a.* **1** 공손한, 은근한, 예의 바른: in ~ language 정중한 말씨로/Be *politer* 〔more ~〕 to strangers. 낯선 사람들에게는 더욱 예의바르게 대하시오/It was ~ *of* her 〔She was ~〕 *to* offer me her seat. 나에게 자리를 양보해 준 걸 보니 그녀는 참 예의 바른 사람이었다.

[SYN] **polite** 예의 바름을 외면적으로 본 말. 성의가 있고 없음은 고려되지 않음. **courteous** 더욱 공손하고, 성의 있는 경우가 많음. **civil** 관습으로서의 예의에 맞는. rustic (시골티나는, 무무한)의 반의어로, 사교의 조건을 갖추고 있으면 그것으로 족함. →예의적인: a *civil* but not cordial greeting 무례하지는 않으나 진심이 깃들지 않은 인사.

2 (문장 따위가) 세련된, 품위 있는: ~ society 〔company〕 상류 사회 / ~ arts 미술 / ~ letters 〔literature〕 순문학. **3** 우아한, 교양 있는 ([opp.] *vulgar*): ~ learning 교양, 박아(博雅) / the ~ thing 고상한 태도. ***do the*** **~** 《구어》 애써 품위 있게 행동하다. ***say something*** **~** ***about*** …을 인사치레로 칭찬하다.

polit. econ. political economy.

***po·lite·ly** [pəláitli] *ad.* **1** 공손히, 은근히. **2** 체모 있게. **3** 품위 있게, 우아하게.

***po·lite·ness** [pəláitnis] *n.* **1** 공손; 예의 바름. **2** 고상; 우아. 「NESS.

pol·i·tesse [pàlités/pɔ̀li-] *n.* 《F.》 =POLITE-

pol·i·tic [pálətik/pɔ́l-] *a.* **1** 정치의, 정책의; 사려 깊은, 현명한; 책략적인, 교활한(artful). **2** 시기에 적합한, 교묘한; 정책적인: a ~ move 적절한 조치. **3** 정치상의《주로 다음 어구로 쓰임》: the body ~ 정치적 통일체, 국가. **—** *n.* 정치 역학, 역학 관계. [파] **~·ly** *ad.* 교묘하게; 빈틈없이.

⁑**po·lit·i·cal** [pəlítikəl] *a.* **1** 정치의, 정치상의: ~ action 정치 활동 / ~ liberty 정치적 자유. **2** 정치에 관한〔를 다루는〕: a ~ writer 정치 평론가, 정치 기자 / ~ news 정치 기사 / a ~ view 정견. **3** 정당의, 당략의, 정략적인: a ~ campaign 정치 운동. **4** 행정에 관한〔관여하는〕: a ~ office 〔officer〕 행정 관청〔행정관〕. **5** 정치에 관심이 있는, 정치 활동을 하는, 정치적인: Students today are ~. 오늘날의 학생은 정치에 관심이 많다. **6** 정부의, 국가의, 국사(國事)의: a~ crime 〔offense〕 국사범, 정치범 / a ~ prisoner 국사범. **7** 개인〔단체〕의 지위에 관계되는. **—** *n.* **1** 국사범, 정치범. **2** 〖영국사〗 =POLITICAL AGENT. [파] **~·ly** *ad.* **1** 정치〔정략〕상. **2** 현명하게; 교묘히.

polítical áction committee ⇨ PAC.

polítical ágent 〔**résident**〕 〖영국사〗 (영국의) 주재관(駐在官). 「유능한 사람.

polítical ánimal 타고난 정치가, 정치가로서

polítical asýlum 정치적 망명자에 대한 보호.

polítical corréctness 정치적 공정성《여성·흑인·소수 민족·장애자 등의 정서나 문화를 존중하고 그들에게 상처 주는 언동을 배제하는 것; 생략: PC》. 「경제학(economics).

polítical ecónomy 정치 경제학; (19 세기의)

polítical ecónomist 정치 경제학자.

polítical fóotball 전혀〔좀처럼〕 해결되지 않는 정치 문제; 정쟁의 수단〔도구〕.

polítical geógraphy 정치 지리(학).

polítical háck 돈으로 움직이는 정치가.

po·lít·i·cal·ize *vt.* 정치적으로 하다. [cf.] politicize. [파] **po·lit·i·cal·i·zá·tion** *n.*

polítically corréct 정치적으로 공정〔타당〕한 《생략: PC》. [cf.] political correctness.

polítical machíne (보스 정치가가 전횡하는) 지배 집단〔조직, 기구〕.

polítical párty 정당.

polítical prísoner 정치범.

polítical ríght 정치적 권리, 시민권, 참정권.

polítical scíence 정치학.

polítical scíentist 정치학자.

⁑**pol·i·ti·cian** [pàlətíʃən/pɔ̀l-] *n.* **1** 정치가. **2** 정당〔직업〕 정치가. **3** 《미》 정상배(輩), 책사(策士), 정치꾼. [SYN.] ⇨ STATESMAN.

po·lit·i·cize [pəlítəsàiz] *vt.* 정치화〔정당화〕하다, 정치적으로 다루다〔논하다〕. **—** *vi.* 정치에 종사하다, 정치를 논하다; 정치화하다. [파] **po·lit·i·ci·zá·tion** *n.*

pol·i·tick [pálətik/pɔ́l-] *vi.* 정치 활동을 하다. [파] **~·ing** *n.* 정치 활동〔공작〕; 선거 운동; 정치적 흥정. **~·er** *n.*

po·lit·i·co [pəlítikòu] (*pl.* **~s, ~es**) *n.* 《미》 =POLITICIAN 3. 「결합사.

po·lit·i·co- [pəlítikou, -kə] '정치' 라는 뜻의

⁑**pol·i·tics** [pálitiks/pɔ́l-] *n. pl.* **1** 〖단수취급〗 정치; 정치학: talk ~ 정치 이야기를 하다. **2** 〖단수취급〗 정무(政務); 정치 운동: be engaged in ~ 정치에 관여하다. **3** 〖단수취급〗 정략; (정당의) 흥정; 〖일반적〗 책략, 술책; (당파적·개인적인) 이해, 동기, 목적: party ~ 당리당략. **4** 〖복수취급〗 정강, 정견: What are his ~? 그의 정견은 어떤가. **5** 〖단수취급〗 관리; 경영. **6** 〖복수취급〗 (사법·입법에 대하여) 행정. ***It is not*** (***practical***) **~.** 논할 가치가 없다. ***play*** **~** 당리 본위로 행동하다《*with*》; 사리(私利)를 도모하다.

pol·i·ty [páləti/pɔ́l-] *n.* [U] 정치 (조직); 정체(政體), 국체(國體); [C] 국가, 정부(state). ***civil*** 〔***ecclesiastical***〕 **~** 국가〔교회〕 행정 조직.

polk [poulk] *vi.* 폴카를 추다.

pol·ka [póulkə/pɔ́l-] *n.* 폴카《댄스의 일종》; 그 곡; 여성용 재킷의 일종. **—** *vi.* 폴카를 추다.

pólka dòt 물방울 무늬(의 직물). [파] **pólka-dòt, -dòt·ted** *a.*

poll**[1] [poul] *n.* **1 a** 투표; 득표 집계; 투표 결과, 투표 수; 선거인 명부 (등록자); 《미》 선거 투표 기간; (*pl.*) 투표소: a heavy 〔light〕 ~ 높은〔낮은〕 투표율 / declare the ~ 선거 결과를 공표하다 / have one's name on the ~ 선거인 명부에 기재되어 있다. **b** 여론 조사(의 질문표); 〖일반적〗 셈, 열거: ⇨ GALLUP POLL / *Poll* showed more than 50% support for the President. 여론 조사에서 대통령 지지가 50% 이상인 것이 판명되었다. **2 a** 머리, 정수리《머리털 있는 부분》, 후두부, 목덜미; (말의) 목; (망치·도끼 등의) 대가리: a gray ~ 반백의 머리. **b** 인두세(~ tax). **3 a** 뿔 없는 소. **b** 〖형용사적〗 뿔 없는. ***at the head of the **~** 최고 득표로. ***go to the*** **~*s*** ① 투표하러 가다, 투표하다. ② (후보자로서) 출마하다. ***take a*** **~** 표결하다.

— *vt.* **1** (표를) 얻다. **2** 《+[목]+[전]+[명]》 (표를) 던지다: ~ a vote *for* …에게 투표하다. **3** 선거인 명부에 등록하다. **4** …의 여론 조사를 하다. **5** 가지 끝을 자르다; …의 머리털을 깎다, …의 털〔뿔〕을 짧게 자르다: ~*ed* cattle 뿔을 자른 소. **6** 〖법률〗 (증서 따위의) 절취선을 일직선으로 자르다. **7** 〖컴퓨터〗 폴링하다《입력 포트(port)·기억 장치 등의 상태를 정기적으로 조사하다》. **—** *vi.* 《~/+[전]+[명]》 투표하다《*for*; *against*》: ~ *for* a Labor candidate 노동당 후보자에게 투표하다.

poll[2] [pal/pɔl] *n.* (종종 P-) (the ~) 〖집합적〗 Cambridge 대학의 보통 성적 졸업자(passmen). ***go out in the Poll*** 보통 성적으로 졸업하다.

poll[3] [pal/pɔl] *n.* 《구어》 앵무새; 《속어》 매춘부; (P-) 여자 이름 《Mary 의 애칭》.

poll·a·ble [póuləbəl] *a.* 깎을 수 있는, 끝을 딸 수 있는; 뿔을 잘라 낼 수 있는; 투표할 수 있는.

pol·lack [pálək/pɔ́l-] (*pl.* **~s,** 〖집합적〗 **~**) *n.* 〖어류〗 대구류《북대서양산(產)》.

pol·lard [pálərd/pɔ́l-] *n.* **1** 뿔을 자른 사슴〔소·양 (따위)〕. **2** 가지를 잘라낸 나무. **3** 밀기울. **—** *vt.* 가지를 치다, 전정(剪定)하다.

póll·bòok *n.* 선거인 명부.

polled [pould] *a.* (나무 따위의) 가지를 바싹 친;

대머리의; (소·사슴 따위의) 뿔을 자른.

poll·ee [poulí:] *n.* 여론 조사의 대상자.

◇**pol·len** [pálən/pɔ́l-] 【식물】 *n.* Ⓤ 꽃가루, 화분(花粉). **—** *vt.* 수분하다, (꽃)가루받이하다(pollinate). ㊕ **~·less** *a.* **~·like** *a.*

póllen anàlysis 꽃가루 분석, 화분학(花粉學) (=**pàlynólogy**).

póllen còunt (특정 시간·장소의 공기 속에 포함되어 있는) 화분수(花粉數).

póllen móther cèll 【식물】 화분(花粉) 모(母)세포.

pol·len·o·sis [pàlənóusis/pɔ̀l-] *n.* Ⓤ 【의학】 = POLLINOSIS.

pol·lero [poujέərou] *n.* 밀입국 안내인《라틴 아메리카인의 미국으로의 밀입국 주선업자》.

pol·lex [páleks/pɔ́l-] (*pl.* ***pol·li·ces*** [-ləsì:z]) *n.* 【해부】 제 1 지(指), 엄지(thumb). ㊕ **pol·li·cal** [pálikəl/pɔ́l-] *a.*

pol·lic·i·ta·tion [pəlìsətéiʃən] *n.* 【법률】 일방적 약속《해약 가능》.

pol·li·nate [pálənèit/pɔ́l-] *vt.* 【식물】 …에 수분(가루받이)하다. ㊕ **pòl·li·ná·tion** *n.* Ⓤ 【식물】 수분 (작용).

pol·li·na·tor [pálənèitər/pɔ́l-] *n.* 꽃가루 매개자《새·곤충 따위》; 꽃가루의 공급원이 되는 식물, 화분수(花粉樹). 「POLL¹ *vt.* 7).

poll·ing [póuliŋ] *n.* 투표; 【컴퓨터】 폴링(⇨

pólling bòoth 《영》 (투표장의) 기표소(《미》 voting booth).

pólling dày 투표일.

pólling plàce 투표소.

pólling stàtion 《영》 투표소(polling place).

pol·lin·ic [pəlínik] *a.* 꽃가루의.

pol·li·nif·er·ous [pàlənífərəs/pɔ̀l-] *a.* (식물이) 꽃가루가 있는(생기는); (새·곤충 등이) 꽃가루를 나르는.

pol·li·no·sis [pàlənóusis/pɔ̀l-] *n.* Ⓤ 【의학】 꽃가루 알레르기, 꽃가룻병(病)(pollenosis).

pol·li·wog, -ly- [páliwàg/pɔ́liwɔ̀g] *n.* 《미방언》 올챙이(tadpole); 《구어》 배로 적도를 처음 넘어 적도제(祭)를 체험하는 사람.

pol·lock [pálək/pɔ́l-] *n.* =POLLACK.

pol·loi [pəlɔ́i] *n. pl.* =HOI POLLOI.

póll·òx [póul-] *n.* 《영》 뿔 없는 소.

póll párrot [pál-/pɔ́l-] 앵무새; 《비유》 남의 말을 되풀이하는 사람. 「조사원(가).

poll·ster [póulstər] *n.* 《구어》 (직업적인) 여론

póll·tàker [póul-] *n.* 《미구어》 =POLLSTER.

póll tàx [póul-] 인두세.

póll-tàx [póul-] *a.* 인두세의.

pol·lu·tant [pəlú:tənt] *n.* 오염 물질.

Pollútant Stándards Índex 《미》 오염 기준 지수.

***pol·lute** [pəlú:t] *vt.* **1** 《~+목/+목+전+명》 더럽히다, 불결하게 하다, 오염시키다; 모독하다: ~ a person's honor 아무의 명예를 더럽히다 / ~ the air (environment) *with* exhaust fumes 배기 가스로 대기를(환경을) 오염시키다. **2** (정신적으로) 타락시키다. **3** (여자에게) 폭행하다; 부추기다, 유혹하다. ◇ pollution *n.* ㊕ **pol·lút·ed** [-id] *a.* 오염된; 타락한; 《미속어》 술취한. **-lút·er** *n.* 오염자(원(源)): *polluter* pays principle 오염자 부담의 원칙.

****pol·lu·tion** [pəlú:ʃən] *n.* Ⓤ **1** 불결, 오염, 환경파괴, 공해, 오염 물질(pollutant): AIR (ATMOSPHERIC, ENVIRONMENTAL, WATER) POLLUTION / river ~ 수질 오염 / noise ~ 소음 공해. **2** 모독; 타락. **3** 【의학】 유정(遺精): nocturnal ~ 몽정. ◇pollute *v.* ~ ***index*** 오염 지수. ㊕ **~·al** *a.* 오염의, 공해의. **~·ist** *n.* 오염 찬성자. 「키는.

pol·lu·tive [pəlú:tiv] *a.* 오염을(공해를) 일으

Pol·lux [páləks/pɔ́l-] *n.* **1** 【그리스신화】 폴룩스《Zeus와 Leda의 아들; ⇨ CASTOR and Pollux》. **2** 【천문】 폴룩스《쌍둥이자리(Gemini)의 β(베타) 성(星)》.

póll wàtcher [póul-] (선거 때의) 투표 참관인.

Pol·ly [páli/pɔ́li] *n.* 폴리. **1** 여자 이름《Molly의 변형, Mary 의 애칭》. **2** 앵무새(에 붙이는 이름).

Pol·ly·an·na [pàliǽnə/pɔ̀l-] *n.* 지나친 낙천가, 대낙천가. **—** *a.* (종종 p-) 어리석을 정도로 낙천적인(Pollyannaish). [◂ 미국 E. Porter(1868-1920)의 소설 Pollyanna의 주인공 소녀 이름에서] 「LYANNA.

Pol·ly·an·na·ish [pàliǽnəiʃ/pɔ̀l-] *a.* =POL-

pollywog ⇨ POLLIWOG.

Po·lo [póulou] *n.* **Marco** ~ 마르코폴로《이탈리아의 여행가·저술가; 1254? - 1324》.

po·lo [póulou] *n.* Ⓤ **1** 폴로《말 위에서 공치기하는 경기》: a ~ pony 폴로 경기용의 작은 말. **2** 수구(水球)(water ~). ㊕ **~·ist** *n.* 폴로 경기자.

pol·o·naise [pàlənéiz, pòul-/pɔ̀l-] *n.* 폴로네즈《3 박자 댄스》; 그 곡; (평상복 위에 입는) 여성복의 일종《스커트 앞이 갈라져 있음》.

po·lo·neck [póulounèk] 《영》 *a.* 자라목 깃의. **—** *n.* =TURTLENECK.

po·lo·ni·um [pəlóuniəm] *n.* Ⓤ 【화학】 폴로늄《방사성 원소; 기호 Po; 번호 84》.

Po·lon·ize [póulənàiz] *vt.* 폴란드화하다, 폴란드식으로 하다.

po·lo·ny [pəlóuni] *n.* 《영》 돼지고기의 훈제(燻製) 소시지(=∠ **sàusage**).

pólo shìrt 폴로셔츠《운동 셔츠의 일종》.

Pol Pot [pálpát/pɔ́lpɔ́t] 폴포트(1928-98)《캄보디아의 공산당 정치가; 수상(1976, 77-79); 대숙청 국민 운동을 일으켜 국민 대량 학살을 자행했음》. 「란드어 이름》.

Pol·ska [*Pol.* pɔ́lska] *n.* 폴스카《Poland의 폴

pol·ter·geist [póultərgàist/pɔ́l-] *n.* 《G.》 시끄러운 소리를 내는 장난꾸러기 요정.

polt·foot [póultfùt] *n., a.* 《고어》 내반족(內反足)(clubfoot)《기형의 발》; 발장다리(의).

pol·troon [paltrú:n/pɔl-] *n.* 비겁한 사람, 겁쟁이. **—** *a.* 비겁한; 비열한. ㊕ **~·ery** [-əri] *n.* Ⓤ 겁 많음, 비겁. **~·ish** *a.* **~·ish·ly** *ad.*

poly¹ [páli/pɔ́li] *n.* 《구어》 폴리머(polymer); 폴리에스테르 섬유(polyester fiber).

poly² *n.* 《영구어》 공업 학교(polytechnic).

pol·y- [páli/pɔ́li] '다(多), 복(複)' 이란 뜻의 결합사. opp. *mono-*.

póly Á 【생화학】 폴리아데닐산(酸)(polyadenylic acid)《RNA 속의 물질》.

pol·y·a·cryl·a·mide [pàliəkríləmàid, -mid/pɔ̀l-] *n.* 【화학】 폴리아크릴아미드《흰 고체이며 아크릴아미드의 수용성 중합체; 점조(粘稠)제, 응집제용》.

polyacrýlamide gél 【화학】 폴리아크릴아미드 겔《DNA 의 분리 분석에 쓰는 겔》.

pòly·acrylonítrile *n.* 【화학】 폴리아크릴로니트릴《아크릴로니트릴의 중합체; 생략: PAN》.

poly·adenýlic ácid 【생화학】 폴리아데닐산(酸)(poly A).

pòly·álcohol *n.* 【화학】 다가 알코올(polyol).

pòly·ámide *n.* 【화학】 폴리아미드《나일론 따위에 이용됨》.

pol·y·a·mine [páliəmì:n, -ǽmin/pɔ̀l-] *n.* 【화학】 폴리아민《둘 이상의 아미노기를 가진 화합물》.

pol·y·an·drist [pàliǽndrist, ⌐-⌐-/pɔ̀liǽn-] *n.* 둘 이상의 남편이 있는 여자.

pol·y·an·drous [pàliǽndrəs/pɔ̀l-] *a.* 일처다부의; 【식물】 수술이 많은.

pol·y·an·dry [páliæ̀ndri, ⌐-⌐-/pɔ́liæ̀n-] *n.* Ⓤ **1** 일처다부(一妻多夫). cf. polygamy. **2** 【식

물》 수술이 많음; 〖동물〗 일자다웅(一雌多雄).
pol·y·an·thus [pàliǽnθəs/pɔ̀l-] (*pl.* **~·es, -thi** [-θai, -θiː]) *n.* 〖식물〗 =OXLIP; 수선(水仙).
pol·y·ar·chy [páliɑ̀ːrki/pɔ́l-] *n.* Ⓤ 다두(多頭)정치. opp *oligarchy.*
pòly·atómic *a.* 〖화학〗 다(多)원자의, 다가(多價)의.
pòly·básic *a.* 〖화학〗 다염기(多塩基)의.
poly·bróminated biphényl 〖화학〗 폴리브롬화 비페닐《독성이 강한 오염 물질; 생략: PBB》.
pòly·butadíene *n.* 〖화학〗 폴리부타디엔《합성고무; 타이어 재료로 씀》.
pòly·cárbonate *n.* 〖화학〗 폴리카보네이트《합성수지의 일종》.
pol·y·car·pous, -pic [pàlikáːrpəs/pɔ̀l-], [-pik] *a.* 〖식물〗 다결실(多結實)의, 다심피(多心皮)의. ㊁ **pól·y·càr·py** *n.*
pol·y·cen·tric [pàliséntrik/pɔ̀l-] *a.* (염색체가) 다동원체(多動原體)의; 다(多)중심주의(polycentrism)의.
pol·y·cen·trism [pàliséntrizəm/pɔ̀l-] *n.* 〖정치〗 (사회주의 국가 사이의) 다(多)중심〔다극〕주의, 중심지 산재(散在)주의. ㊁ **-trist** *n.*
pol·y·chaete [pálikìːt/pɔ́l-] *n., a.* 〖동물〗 다모류(多毛類)(Polychaeta)의(환형 동물)《갯지렁이 따위》. ㊁ **pòl·y·cháe·tous, -cháe·tan** *a.*
poly·chlórinated biphényl 〖화학〗 폴리염화 비페닐《이용 가치는 높지만 유독성 오염 물질; 생략: PCB》.
pol·y·chres·tic [pàlikréstik/pɔ̀l-] *a.* **1** 용도가 다양한《약품 등》. **2** (말이) 다의(多義)의.
pòly·chromátic *a.* 다색(多色)의, 다색을 나타내는; 다염성(多染性)의; 〖광물〗 천색(遷色)을 나타내는. ㊁ **-ically** *ad.*
pol·y·chrome [pálikrəum/pɔ́l-] *a.* 다색채(多色彩)의; 다색 인쇄의. **—** *n.* 다색화(畫); 색채장식상(裝飾像); 다색, 색채 배합. **—** *vt.* 다색채장식을 하다.
pol·y·chro·mic [pàlikróumik/pɔ̀l-] *a.* =POLYCHROMATIC.
pol·y·chro·my [pálikròumi/pɔ́l-] *n.* Ⓤ 색채장식《고대 조각 따위의》; 다색 화법.
pol·y·cide [pálisàid/pɔ́l-] *n.* 〖전자〗 폴리사이드《다결정(多結晶) 실리콘과 실리사이드의 2층막》. [◂ *poly*crystalline silicon+sili*cide*]
pol·y·clin·ic [pàliklínik/pɔ̀l-] *n.* 종합 진료소; 종합 병원.
pòly·condensátion *n.* 〖화학〗 다축합(多縮合)《분자량이 큰 화합물을 생성하는 축합》.
pòly·cónic *a.* 다(多)원뿔의, 다원뿔을 사용한.
polycónic projéction 〖지도〗 다(多)원뿔 도법.
pòly·crýstalline *a.* 다결정(多結晶)의.
pòly·cýclic *a.* 〖화학〗 다환식(多環式)의《화합물》; 〖전기〗 다주파의; 〖생물〗 다윤생(多輪生)의; 〖식물〗 다환의. **—** *n.* 〖화학〗 다환식 화합물.
pol·y·cy·the·mia, -thae- [pàlisaiθíːmiə/pɔ̀l-] *n.* 〖의학〗 적혈구 증가증. ㊁ **-mic** *a.*
polycythémia vé·ra [-víərə] 〖의학〗 진성 적혈구 증가증.
pòly·cytidýlic ácid 〖생화학〗 폴리시티딜산(酸)《시티딘만을 구성분으로 하는 RNA 폴리머》.
pol·y·dac·tyl [pàlidǽktl/pɔ̀l-] 〖동물·의학〗 *a., n.* 다지(多指)의 (동물). ㊁ **~·ism** *n.* 다지(多指)〔다지(多趾)〕(증). **-dác·tyl·ous** *a.* **-dác·ty·ly** *n.*
pol·y·dip·sia [pàlidípsiə/pɔ̀l-] *n.* 〖의학〗 (당뇨병 등에 병발하는) 조갈증. ㊁ **-díp·sic** *a.*
pòly·drúg *a.* 여러 종류의 마약의〔을 상용하는〕.
pol·y·em·bry·o·ny [pàliémbriəni,-briòuni, -embráiə-/pɔ̀liémbriə-] *n.* 〖생물〗 다배(多胚)현상, 다배 생식, 다배 (형성).
pol·y·ene [páliìːn/pɔ́l-] *n.* 〖화학〗 폴리엔《다수 이중 결합의 유기 화합물》. ㊁ **pòl·y·én·ic** *a.*
póly·èster *n.* Ⓤ 〖화학〗 폴리에스테르《다가(多價) 알코올과 다(多)염기산을 축합(縮合)한 고분자 화합물》; 그 섬유(=**~ fíber**); 그 수지(=**~ résin** 〔**plástic**〕). ㊁ **pòly·esterificátion** *n.* 폴리에스테르화.
pòly·éstrous *a.* 〖동물〗 다발정성(多發情性)의《연 2회 이상 발정》.
pòly·éthylene *n.* Ⓤ 폴리에틸렌; 그 제품.
polyéthylene glýcol 〖화학〗 폴리에틸렌 글리콜《에틸렌 글리콜의 중합체; 연고 등의 유화제, 섬유의 윤활제 등에 쓰임》.
pol·y·gam·ic [pàligǽmik/pɔ̀l-] *a.* =POLYGAMOUS. ㊁ **-i·cal** *a.* **-i·cal·ly** *ad.*
po·lyg·a·mist [pəlígəmist] *n.* 일부다처론자; 다처인 사람; 《드물게》 일처다부론자.
po·lyg·a·mous [pəlígəməs] *a.* 일부다처의, 일처다부의; 〖식물〗 자웅혼주(雌雄混株)의, 잡성화(雜性花)의; 〖동물〗 다혼성(多婚性)의: ~ flowers 잡성화. ㊁ **~·ly** *ad.*
po·lyg·a·my [pəlígəmi] *n.* Ⓤ **1** 일부다처(제); 《드물게》 일처다부(제). opp *monogamy.* cf. polyandry, polygyny. **2** 〖식물〗 자웅혼주(混株).
pol·y·gene [pálidʒìːn/pɔ́l-] *n.* 〖유전〗 폴리진, 소유전자《다수가 같은 형질의 발현에 관계하는 유전자; 형질이 양적으로 계측됨》. **—** *a.* 〖지학〗 다원(多源)〔다원(多元), 복합〕의《갖가지 성인(成因)이나 성립기를 갖는 것을 말함》.
pol·y·gen·e·sis [pàlidʒénəsis/pɔ̀l-] *n.* Ⓤ 〖생물〗 다원(多原) 발생설. opp *monogenesis.* ㊁ **-gén·e·sist** *n.*
pol·y·ge·net·ic [pàlidʒənétik/pɔ̀lidʒə-] *a.* 〖생물〗 다원(多原) 발생의; 다원(多元)의: ~ dyestuff 다색(多色) 염료. ㊁ **-i·cal·ly** *ad.*
po·lyg·e·nism [pəlídʒənìzəm] *n.* 〖인류〗 다원발생설, 다원론《인류는 다수의 서로 다른 조상에서 발생했다는 설》.
pòly·glándular *a.* 〖생리〗 다(多)분비선〔성〕의, 여러 분비선에 관계하는〔관한〕.
póly·glas(s) tíre [páliglæ̀s-, -glɑ̀ːs-/pɔ́liglɑ̀ːs-] 폴리글라스 타이어《고성능 강화 타이어》.
pol·y·glot [páliglɑ̀t/pɔ́liglɔ̀t] *a.* 수개 국어에 통하는; 수개 국어의, 수개 국어로 쓴; 여러 나라에 걸친: ~ cuisine 다국적 요리. **—** *n.* 수개 국어에 통하는 사람; 수개 국어로 쓴 책; 《특히》 수개 국어 대역(對譯)의 성서.
pol·y·gon [páligɑ̀n/pɔ́ligɔ̀n] *n.* 〖수학〗 다각형, 다변형《보통 4각 이상》: a regular ~ 정다각형 / a ~ of forces 힘의 다각형《한 점에 작용하는 많은 힘의 합력을 구하는 작도법》. ㊁ **po·lyg·o·nal** [pəlígənl] *a.*
pol·y·graph [páligræ̀f, -grɑ̀ːf/pɔ́li-] *n.* 등사기, 복사기; 다작가(多作家); 〖의학〗 박동·혈압·발한(發汗) 동시 기록 장치; 《보통》 거짓말 탐지기. **—** *vt.* 거짓말 탐지기로 조사하다. ㊁ **pòl·y·gráph·ic** *a.*
po·lyg·y·nous [pəlídʒənəs] *a.* 일부다처의; 〖식물〗 암술이 많은.
po·lyg·y·ny [pəlídʒəni] *n.* Ⓤ 일부다처; 〖식물〗 암술이 많음; 〖동물〗 일웅다자(一雄多雌), 다자성(多雌性).
pol·y·he·dral, -dric [pàlihíːdrəl/pɔ̀lihíːd-], [-drik] *a.* 다면(체)의.
pol·y·he·dron [pàlihíːdrən/pɔ̀lihíːd-] (*pl.* **~s, -ra** [-rə]) *n.* 〖수학〗 다면체, 다면형.
pòly·hidrósis *n.* 〖의학〗 다한증(多汗症).
pol·y·his·tor, -his·to·ri·an [pàlihístər/pɔ̀l-], [-histɔ́ːriən] *n.* 박학자, 박식가(polymath). ㊁ **-his·tor·ic** [-histɔ́ːrik, -tár-/-histɔ́r-] *a.*
Pol·y·hym·nia [pàlihímniə/pɔ̀l-] *n.* 〖그리스 신화〗 폴리힘니아《성가의 여신; nine Muses 의 하나》.
poly I:C [páliàisíː/pɔ́l-] 〖생화학〗 인터페론 생산을 촉진하는 합성 리보 핵산. [◂ *polyi*nosinic-

polycytidylic acid]

pòly·inosínic ácid 〖생화학〗 폴리이노신산(酸). 「POLY I: C.

poly I poly C [pάliáipὰlisíː/pɔ́liáipɔ̀li-] =

póly·lìne *n.* 〖컴퓨터〗 폴리라인《컴퓨터 그래픽에서 선분들을 이어서 만든 도형》.

póly·lògue *n.* 여러 사람의 대화〔토론〕.

pòly·lýsine *n.* 〖생화학〗 폴리리신《리신 분자의 펩티드 연쇄로 된 폴리펩티드》.

pol·y·math [pάlimæθ/pɔ́l-] *n., a.* 박식가(의). ㉺ **pòl·y·máth·ic** *a.* **po·lym·a·thy** [pəlíməθi] *n.* 박학.

pol·y·mer [pάlimər/pɔ́l-] *n.* 〖화학〗 중합체(重合體), 폴리머. [cf] monomer.

pol·y·mer·ase [pάliməréis/pɔ́l-] *n.* 〖생화학〗 폴리메라아제《DNA, RNA 형성의 촉매 효소》.

pólymerase cháin reàction 〖생화학〗 폴리메라아제〔복제〕 연쇄 반응《생략: PCR》.

pol·y·mer·ic [pὰlimérik/pɔ̀l-] *a.* 〖화학〗 중합의〔에 의한〕, 중합체의; 〖유전〗 다인자(多因子)의: ~ genes 동의(同義) 유전자. ㉺ **-i·cal·ly** *ad.*

po·lym·er·ism [pəlímərìzəm, pάlim-/pəlím-, pɔ́lim-] *n.* [U] 〖화학〗 중합(重合); 〖생물〗 다수성(多數性); 〖식물〗 복합 윤생(輪生).

po·lỳm·er·i·zá·tion *n.* [U] 〖화학〗 중합(重合) 반응.

po·lym·er·ize [pəlímərὰiz, pάlim-/pɔ́lim-] *vt., vi.* 〖화학〗 중합시키다〔하다〕. 「을 함유하는.

pòly·metállic *a.* 다금속의《광상》, 몇 가지 금속

poly·méthyl methácrylate 〖화학〗 폴리메틸산(酸) 메틸《메타크릴산 메틸의 중합체; 생략: PMMA》.

pol·y·morph [pάlimɔ̀ːrf/pɔ́l-] *n.* 〖동물·식물·화학〗 다형(多形), 다형체; 〖결정〗 동질 이상(同質異像); 〖해부〗 다형 핵구(核球).

pol·y·mor·phic [pὰlimɔ́ːrfik/pɔ̀l-] *a.* = POLYMORPHOUS.

pol·y·mor·phism [pὰlimɔ́ːrfizəm/pɔ̀l-] *n.* [U] 〖결정〗 다형(多形), 동질 이상(同質異像); 〖동물·식물〗 다형 (현상(現像)), 다형태성(pleomorphism).

poly·morpho·núclear léukocyte 〖해부〗 다형핵 백혈구. 「(태)의; 다양한.

pol·y·mor·phous [pὰlimɔ́ːrfəs/pɔ̀l-] *a.* 다형

pol·y·myx·in [pὰlimíksin/pɔ̀l-] *n.* 〖약학〗 폴리믹신《토양균에서 얻은 항생 물질; 그램 음성균, 특히 세균성 안염(眼炎)에 유효》.

Pol·y·ne·sia [pὰləníːʒə, -ʃə/pɔ̀liníːziə] *n.* 폴리네시아《대양주의 삼대(三大) 구역의 하나; 하와이·사모아 제도 등이 포함됨》.

Poly·ne·sian [pὰləníːʒən, -ʃən/pɔ̀liníːziən] *a.* 폴리네시아 사람〔말〕의, (p-) 다도(多島)의. ── *n.* 폴리네시아 사람〔말〕.

pol·y·neu·ri·tis [pὰlinjuəráitis/pɔ̀linjuər-] *n.* 〖의학〗 다발성 신경염(=**múltiple neurítis**).

pol·y·no·mi·al [pὰlinóumiəl/pɔ̀l-] *a.* 다명식(多名式)의《명명법》; 〖수학〗 다항식의: a ~ expression 다항식. ── *n.* 〖수학〗 다항식; 〖식물·동물〗 세 말 이상으로 된 학명. 「核)의.

pòly·núclear, -núcleate *a.* 〖생물〗 다핵(多

pòly·núcleotide *n.* 〖생화학〗 폴리뉴클레오티드《뉴클레오티드가 사슬 모양으로 중합된 것》.

po·lyn·ya, -ia [pəlínjə] *n.* 빙호(氷湖)《극지방(極地方)의 정착빙(定着氷)에 둘러싸인, 보통 장방형의 수역(水域)》.

pol·y·ol [pάliɔ̀ːl, -ὰl/pɔ́liɔ̀l] *n.* 〖화학〗 폴리올(polyalcohol)《셋 이상 수산기를 가진 알코올》.

pol·y·ó·ma (vìrus) [pὰlióumə(-)/pɔ̀l-] 폴리오마바이러스《설치(齧齒) 동물에 암을 일으킴》.

pol·y·o·pia [pὰlióupiə/pɔ̀l-] *n.* 〖의학〗 다시증(多視症).

pol·yp [pάlip/pɔ́l-] *n.* 〖동물〗 폴립; (군체를 이루는 산호 등의) 개체; 〖의학〗 폴립, 용종(茸腫)《외피·점막(粘膜) 등의 돌출한 종류(腫瘤)》.

pol·y·pary [pάləpèri/pɔ́lipəri] *n.* 〖동물〗 폴립 모체(母體)《산호 따위》.

pòly·péptide *n.* 〖생화학〗 폴리펩티드《아미노산의 다중 결합물》. ㉺ **-peptídic** *a.*

pol·y·pet·al·ous [pὰlipétələs/pɔ̀l-] *a.* 〖식물〗 다판(多瓣)의, 꽃잎이 많은.

pol·y·pha·gia [pὰliféidʒiə/pɔ̀l-] *n.* [U] 〖의학〗 다식증(多食症); 〖동물〗 잡식성. ㉺ **po·lyph·a·gous** [pəlífəgəs] *a.*

póly·phàse *a.* 〖전기〗 다상(多相)의: a ~ current 다상 전류/~ dynamo 다상 발전.

Poly·phe·mus [pὰləfíːməs/pɔ̀l-] *n.* 〖그리스 신화〗 폴리페모스《외눈의 거인 Cyclopes 의 우두머리》.

Pòly·phénol *n.* 〖화학〗 폴리페놀, 다가(多價)페놀《동일 분자 내에 수산기를 2 개 이상 갖는》.

pol·y·phone [pάlifòun/pɔ́l-] *n.* 〖음성〗 다음자(多音字)《lead 의 ea 와 같이 [iː]와 [e]의 음을 나타내는 문자》; 다음가(價) 기호.

pol·y·phon·ic, po·lyph·o·nous [pὰlifάnik/pɔ̀lifɔ́n-], [pəlífənəs] *a.* 다음(多音)의; 운율〔억양〕의 변화가 있는; 〖음악〗 다성(多聲) 음악의, 대위법의; 〖음성〗 다음(多音)을 표시하는. ㉺ **-phón·i·cal·ly, -nous·ly** *ad.*

po·lyph·o·ny [pəlífəni] *n.* [U] **1** 〖음성〗 다음(多音), 다향(多響). **2** 〖음악〗 다성(多聲) 음악, 대위법(counterpoint). [cf] homophony. ㉺ **-nist** *n.* 다성(多聲)〔대위법〕 음악 작곡가.

pòly·phylétic *a.* 〖생물〗 다원(多原) 발생의 (polygenetic). [opp] *monophyletic.* ㉺ **-ically** *ad.* **-phyléticism** *n.*

pol·y·ploid [pάliplɔ̀id/pɔ́l-] *n., a.* 〖생물〗 배수체(의); 기본수의 수배의 염색체를 가진; 배수성의. ㉺ **pól·y·plòi·dy** [-di] *n.* [U] 〖생물〗 (염색체의) 배수성.

pol·yp·nea, -noea [pὰlipníːə/pɔ̀l-] *n.* 〖의학〗 다(多)호흡, 호흡 빈삭(頻數).

pol·y·pod [pάlipὰd/pɔ́lipɔ̀d] *n., a.* 〖동물〗 다족류(多足類)(의).

pol·y·po·dy [pάlipòudi/pɔ́lipədi, -pòudi] *n.* 〖식물〗 털미역고사리, 다시마일엽초의 무리.

pol·yp·oid [pάləpɔ̀id/pɔ́l-] *a.* 〖동물·의학〗 폴립 비슷한, 폴립 모양의. [cf] polyp.

pol·yp·ous [pάləpəs/pɔ́l-] *a.* =POLYPOID.

pol·y·pro·pyl·ene [pὰlipróupəliːn/pɔ̀l-] *n.* 〖화학〗 폴리프로필렌《수지〔섬유〕의 원료》.

pol·y·pus [pάlipəs/pɔ́l-] (*pl.* **-pi** [-pài], **~·es**) *n.* 〖의학〗 =POLYP.

póly·rhỳthm *n.* 〖음악〗 폴리리듬《대조적 리듬의 동시 사용》. ㉺ **pòly·rhýthmic** *a.* **-mically** *ad.*

pòly·ríbosome *n.* 〖생화학〗 폴리리보솜《수개에서 수십개의 리보솜이 한 messenger RNA 에 결합된 것》. ㉺ **-ribosómal** *a.*

pòly·sáccharide, -rid *n.* [U] 〖화학〗 다당류.

pol·y·se·mous [pὰlisíːməs/pɔ̀l-] *a.* 다의(多義)의. 「pəlísə-] *n.* [U] 다의성(多義性).

pol·y·se·my [pάlisìːmi, pəlísə-/pɔ̀lisíː-,

pol·y·some [pάlisòum/pɔ́l-] *n.* 〖생화학〗 = POLYRIBOSOME. 「용의 표면 활성제.

pòly·sórbate *n.* 〖화학〗 약제(藥劑)·식품 제조

pol·y·style [pάlistàil/pɔ́l-] *n., a.* 〖건축〗 다주식(多柱式)(의), 다주식 건축(물).

pòly·stýrene *n.* 〖화학〗 폴리스티렌《무색 투명(透明)의 합성 수지의 일종》: ~ cement 폴리스티렌 접착제.

pòly·syllábic, -ical *a.* 다음절의; 다음절어가

많은《말·문장 따위》. ㊞ **-ically** *ad.*

póly·sỳllable *n.* 다음절어《3 음절 이상의》. ⓒⓕ monosyllable.

pòly·sýnthesis (*pl.* **-ses**) *n.* Ⓒ,Ⓤ 〚언어〛 =POLYSYNTHESISM.

pol·y·syn·the·sism [pɑ̀lisínθəsìzəm/pɔ̀l-] *n.* Ⓤ 많은 요소의 통합〔종합〕; 〚언어〛 포합(抱合)《문장으로 나타낼 만한 내용을 한 낱말로 나타내는 것》.

pòly·synthétic, -ical *a.* 〚언어〛 수개어를 1 「어로 통합한, 통합의.

pòly·téchnic *a.* 여러 공예의, 종합〔과학〕 기술의: a ~ school 공예(기술) 학교. ***the Polytechnic Institution*** (특히 영국의) 공예 강습소《대학 수준임》. ── *n.* 공예 학교, 과학 기술 전문학교; 《영》 폴리테크닉《대학 수준 종합 기술 전문교》.

pol·y·tene [pɑ́litì:n/pɔ́l-] *a.* 〚유전〛 다사성(多絲性)의. ㊞ **-te·ny** [-tì:ni] *n.*

pol·y·the·ism [pɑ́liθi:ìzəm/pɔ́l-] *n.* Ⓤ 다신교〔론〕, 다신 숭배. ⓒⓕ monotheism. ㊞ **-ist** *n.* **pol·y·the·is·tic, -ti·cal** [pɑ̀liθi:ístik/pɔ̀l-], [-tikəl] *a.* 다신교〔론〕의; 다신교를 믿는. **-ti·cal·ly** *ad.*

pol·y·thene [pɑ́ləθì:n/pɔ́l-] *n.* 《영》 〚화학〛 =POLYETHYLENE.

pòly·tónal *a.* **-nally** *ad.*

pòly·tonálity *n.* 〚음악〛 다조성(多調性). ㊞ 「

pòly·unsáturated [-id] *a.* 〚화학〛 고도 불포화 유지의: ~ fatty acid 고도 불포화 지방산.

pòly·úrethane *n.* Ⓤ 〚화학〛 폴리우레탄《합성 섬유·합성 고무 따위의 원료》.

pòly·úria *n.* 〚의학〛 다뇨(증). ㊞ **-úric** *a.*

pol·y·va·lent [pɑ̀livéilənt, pəlívəl-/pɔ̀livéi-] *a.* **1** 〚화학〛 다(多)원자가의, 다가(多價)의. **2** 〚세균〛 여러 종류의 형(型)의 균을 혼합한, 다가의《항체·백신》. ㊞ **-lence, -len·cy** *n.* 「VERSITY.

pol·y·ver·si·ty [pɑ̀livə́:rsəti/pɔ̀l-] *n.* =MULTI-

pòly·vínyl *n.*, *a.* 〚화학〛 비닐 중합체(重合體)(의), 폴리비닐(의). 「《생략: PVA》.

polyvínyl ácetate 〚화학〛 폴리아세트산비닐

polyvínyl chlóride 〚화학〛 폴리염화비닐《생략: PVC》.

polyvínyl résin 〚화학〛 폴리비닐 수지.

pòly·wáter *n.* Ⓤ 〚화학〛 중합수(重合水), 폴리워터(superwater)《점도(粘度)가 높은 특수한 물》.

pom [pam/pɔm] *n.* 포메라니아종(種)의 작은 개; 《Austral.속어》 =POMMY.

pom. pomological; pomology.

pom·ace [pʌ́mis, pɑ́m-/pʌ́m-] *n.* Ⓤ 사과즙을 짜고 난 찌끼; 생선의 기름을 짜고 난 찌끼; 피마자유의 찌끼.

po·ma·ceous [pouméiʃəs] *a.* 사과류의.

po·made, po·ma·tum [pəméid, -mɑ́:d, pou-/pə-], [pouméitəm, -mɑ́:-/-méi-] *n.* Ⓤ 포마드, 향유, 머릿기름. ── *vt.* 포마드를 바르다.

po·man·der [póumændər, ⌐⌐/⌐⌐] *n.* 〚역사〛 향료알〔갑〕《방취(防臭)·방역(防疫)에 썼음》; (옷장에 넣는) 향료.

po·ma·to [pəméitou, -mɑ́:-/-mɑ́:-] *n.* 〚식물〛 포마토《감자(potato)와 토마토(tomato)를 세포 융합시켜 만든 신종 작물》.

pome [poum] *n.* 이과(梨果)《사과·배 따위》; 금속구(金屬球)〔알〕; 《시어》 사과.

pome·gran·ate [pɑ́məgræ̀nət, pʌ́m-/pɔ́m-] *n.* 〚식물〛 석류(의 열매·나무); 암적색; 〚성서〛 석류 무늬(의 장식); 《Austral.속어》 =POMMY.

pom·e·lo [pɑ́məlòu/pɔ́m-] (*pl.* **~s**) *n.* 〚식물〛 자몽, 왕귤나무류(類)(grapefruit).

Pom·e·rán·chuck thèorem [pɑ̀mərǽntʃək-/pɔ̀m-] 〚물리〛 포메란축의 정리(定理).

Pom·er·a·nia [pɑ̀məréiniə, -njə/pɔ̀m-] *n.* 포메라니아《구(舊)독일 동북부의 주; 현재는 독일과 폴란드로 분할》.

Pom·er·a·ni·an [pɑ̀məréiniən, -njən/pɔ̀m-] *a.*, *n.* 포메라니아(사람)의; 포메라니아 사람; 포메라니아종의 작은 개.

pom·fret [pɑ́mfrit/pɔ́m-] *n.* 〚어류〛 새다래《북태평양 및 북대서양산(産)》; 병어.

pómfret càke 《영》 감초가 든 과자.

po·mi·cul·ture [póuməkʌ̀ltʃər] *n.* 과수 재배.

po·mif·er·ous [poumífərəs] *a.* 〚식물〛 배 모양의 열매를 맺는.

pom·mel [pʌ́məl, pɑ́m-/pɔ́m-] *n.* (칼의) 자루끝(knob); 안장의 앞머리; 〚체조〛 (안마의) 핸들. ── (**-l-,** 《영》 **-ll-**) *vt.* (자루끝 따위로) 치다; 주먹으로 연달아 때리다. **~ *to a jelly*** 늘씬하게 때려 주다.

pómmel hòrse 〚체조〛 안마(鞍馬).

pom·my, -mie [pɑ́mi/pɔ́mi] *n.* 《Austral. 속어·보통경멸》 (새로 온) 영국 이민《오스트레일리아 및 뉴질랜드에의》.

po·mol·o·gy [poumɑ́lədʒi/-mɔ́l-] *n.* Ⓤ 과실 재배학〔법〕. ㊞ **-gist** *n.* **po·mo·log·i·cal** [pòuməlɑ́dʒikəl/-lɔ́dʒ-] *a.* **-i·cal·ly** *ad.*

Po·mo·na [pəmóunə] *n.* 〚로마신화〛 포모나《과수의여신》.

°**pomp** [pamp/pɔmp] *n.* **1** Ⓤ 화려, 장관(壯觀): with ~ 화려하게. **2** (*pl.*) 허식, 과시; 허세: ~**s** and vanities 허식과 공허. **3** 《고어》 Ⓒ 화려한 행렬: ~ and CIRCUMSTANCE.

pom·pa·dour [pɑ́mpədɔ̀:r, -dùər/pɔ́mpədùə, -dɔ̀:] *n.* **1** Ⓤ 여자 머리형의 일종; (남자의) 올백의 일종. **2** 깃을 낮고 모나게 자른 여성용 웃옷. **3** Ⓤ 연분홍색(의 천).

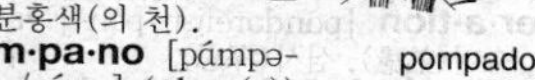
pompadour 1

pom·pa·no [pɑ́mpənòu/pɔ́m-] (*pl.* **~(s)**) *n.* 〚어류〛 전갱이의 일종《서인도·북아메리카산》.

Pom·pe·ian, -pei- [pampéiən, -pí:ən/pɔm-] *a.* Pompeii 의; 〚미술〛 Pompeii 벽화풍의. ── *n.* Pompeii 사람.

Pom·peii [pampéii/pɔmpéii] *n.* 폼페이《이탈리아 Naples 근처의 옛날 도시; 서기 79년 Vesuvius 화산의 분화(噴火)로 매몰되었음》.

Pom·pey [pɑ́mpi/pɔ́m-] *n.* 폼페이우스《로마의 장군·정치가; 106–48 B.C.》.

Pom·pi·dou [pɑ́mpidù:/pɔ́m-] *n.* 《F.》 **Georges** (**Jean Raymond**) ~ 퐁피두《프랑스의 전(前)수상·대통령; 1911–74》.

pom·pi·er [pɑ́mpiər/pɔ́m-] *n.* 소방수(fireman); 소방용 사다리(=⌐ **ládder**).

pom-pom [pɑ́mpɑ̀m/pɔ́mpɔ̀m] *n.* 자동 고사포, 대공 속사포; (본디) 자동 기관총; 《군대비어》 성교: a ~ girl 매춘부.

pom·pon [pɑ́mpan/pɔ́mpɔn] *n.* Ⓤ (깃털·비단실 등의) 방울술 (장식)《모자·구두에 닮》; (군모(軍帽)의) 꼬꼬마; 〚식물〛 퐁퐁달리아.

pom·pos·i·ty [pampɑ́səti/pɔmpɔ́s-] *n.* Ⓤ 거만, 건방짐, (말의) 과장됨; Ⓒ 건방진 사람.

pom·po·so [pampóusou/pɔm-] *a.*, *ad.* 《It.》 〚음악〛 장중한; 장중하게.

°**pomp·ous** [pɑ́mpəs/pɔ́m-] *a.* **1** 거만한, 건방진, 젠체하는; 과장한《말 따위》. **2** 호화로운, 장려한; 성대한. ㊞ **~·ly** *ad.* **~·ness** *n.*

'pon, pon [pan/pɔn] *prep.* =UPON.

pon. pontoon.

ponce [pans/pɔns] 《영속어》 *n.* (매춘부의) 정부, 기둥서방(pimp); 간들거리는 남자. ── *vi.* 기둥서방이 되다, 간들거리며 나돌다; 호화로이 지내다《*about*, etc.》. **~ *up*** 화려하게 꾸미다, 멋

을 부리다. ㊄ **pon·cy** [pánsi/pɔ́n-] *a.*

pon·ceau [pansóu/pɔn-] *n., a.* 《F.》 개양귀비빛(의), 선홍색(의).

pon·cho [pántʃou/pɔ́n-] (*pl.* **~s**) *n.* 판초《(1) 남아메리카 원주민의 한 장의 천으로 된 외투. (2) 그 비슷한 우의》.

poncho

pond [pand/pɔnd] *n.* **1** 못; 늪; 샘물; 양어지.★ 영국에서는 주로 인공적인 것, 미국에서는 작은 호수도 포함. **2** (the ~) 《영우스개》 바다, 《특히》 대서양: the herring ~ 북대서양. ── *vt.* 물을 가로막아 못으로 만들다《*back; up*》. ── *vi.* 물이 막혀 괴다, 못이 되다.

「력, 저수량.

pond·age [pándidʒ/pɔ́n-] *n.* Ⓤ (못의) 담수

pon·der [pándər/pɔ́n-] *vi.* 《+전+명》 숙고하다, 깊이 생각하다《*on; over*》: ~ *on* a difficulty 난국에 대하여 깊이 생각하다 / He ~*ed* long and deeply *over* the question. 그는 그 문제에 대해 오랫동안 곰곰이 생각했다. ── *vt.* 《~+목/+*wh.* 절/+*wh. to* do》 신중히 고려하다: He ~*ed* his next words thoroughly. 그는 그 다음에 할 말을 충분히 음미했다 / He ~*ed how to* 〔*how* he could〕 resolve the dispute. 그는 어떻게 하면 분쟁을 해결할 수 있을지를 여러 가지로 생각해 보았다. ㊄ **~·er** *n.*

pon·der·a·ble [pándərəbəl/pɔ́n-] *a.* (무게를) 달 수 있는, 무게 있는; 가치 있는, 일고의 가치가 있는. ── *n.* (종종 *pl.*) 무게 있는 것; 고려해 볼 만한 것〔일〕. ㊄ **pòn·der·a·bíl·i·ty** *n.* Ⓤ

pon·der·a·tion [pàndəréiʃən/pɔ̀n-] *n.* 숙고(熟考), 숙려(熟慮), 심사(深思).

「하여.

pón·der·ing·ly [-riŋli] *ad.* 생각하면서, 숙고

pon·der·ó·sa píne [pàndəróusə-/pɔ̀n-] 〖식물〗 (북아메리카산(產)) 폰데로사 소나무《큰 잣나무의 하나》; 그 목재.

pon·der·ous [pándərəs/pɔ́n-] *a.* **1** 대단히 무거운, 묵직한, 육중한; 다루기에 불편한; 볼품없는: a ~ building 육중한 건물. **2** 답답한, 지루한《담화·문체 따위》. OPP *light.* ㊄ **~·ly** *ad.* **~·ness** *n.* **pon·der·os·i·ty** [pàndərásəti/pɔ̀ndərɔ́s-] *n.* Ⓤ 육중〔답답〕함.

pónd lìly 〖식물〗 서양 수련.

pónd scùm 〖식물〗 고인 수면(水面) 위에 피막(皮膜) 모양으로 뜨는 녹색의 각종 조류(藻類), 《특히》 해감, 수면(水棉)(spirogyra).

pónd·wèed *n.* 〖식물〗 가래속(屬)의 수초.

pone[1] [poun] *n.* Ⓤ 《미남부》 옥수수빵(corn bread).

pone[2] *n.* (카드놀이의) 딜러의 오른쪽에 있는 사람; 딜러와 짝이 된 사람.

「종; 상표명).

Pong [paŋ, pɔːŋ/pɔŋ] *n.* 퐁《비디오게임의 일

pong *n., vi.* 《구어》 악취(를 풍기다). ㊄ **∠·y** *a.*

pon·gee [pandʒíː/pɔn-] *n.* Ⓤ 산누에 실로 짠 명주《견직물의 일종》.

「의 (유인원).

pon·gid [pándʒid/pɔ́n-] *a., n.* 〖동물〗 성성잇과

pon·go [páŋgou/pɔ́ŋ-] (*pl.* **~s**) *n.* **1** (P-) (아프리카산의) 유인원. **2** 오랑우탄. **3** 《해군속어》 해병대원, 병사.

pon·iard [pánjərd/pɔ́n-] *n.* 단검, 비수. ── *vt.* 단검으로 찌르다.

「피로계(疲勞計).

po·no·graph [póunəgræ̀f, -grɑ̀ːf] *n.* 〖의학〗

pons [panz/pɔnz] (*pl.* **pon·tes** [pántiːz/pɔ́n-]) *n.* 《L.》 **1** 뇌교(腦橋)《중뇌(中腦)와 연수(延髓) 사이 조직》. **2** 다리(bridge); 〖해부〗 다리.

póns as·i·nó·rum [-æ̀sənɔ́ːrəm] 《L.》 = ASSES' BRIDGE; 초심자에게는 어려운 문제〔혹독한 시련〕.

póns Va·ró·lii [-vəróuliài] 〖해부〗 뇌교(腦橋)(pons)《이탈리아의 의사·해부학자인 C. Varoli의 이름에서》.

Pon·ti·ac [pántiæ̀k/pɔ́n-] *n.* 폰티액. **1** Ottawa 인디언의 추장(1720?-66); 영국인에게 반란을 일으켰음. **2** 미국제 승용차《현재는 GM의 한 부문이 만듦》.

pon·ti·fex [pántəfèks/pɔ́n-] (*pl.* **pon·tif·i·ces** [pantífəsìːz/pɔn-]) *n.* **1** 〖고대로마〗 대신관(大神官)《Pontifical College의 일원(一員)》: the *Pontifex* Maximus 대신관을 통할하는 최고 신관. **2** = PONTIFF.

pon·tiff [pántif/pɔ́n-] *n.* **1** (the ~) 로마 교황(Pope); 주교(bishop); (유대의) 제사장; 〖일반적〗 고위 성직자. **2** 권위, 대가. ***the Supreme*** 〔***Sovereign***〕 ***Pontiff*** 로마 교황.

pon·tif·i·cal [pantífikəl/pɔn-] *a.* 로마 교황의; 주교의; (유대의) 제사장의, 고위 성직자의; 교만한, 독단적인. ── *n.* (*pl.*) 〖가톨릭〗 주교의 제의(祭衣) 및 휘장; 주교 전례서(典禮書). ***in full ~s*** 주교의 정장을 하고. ㊄ **~·ly** [-kəli] *ad.* 사제답게; 주교의 교권으로써, 주교로서.

Pontífical Cóllege 〖고대로마〗 대신관단(大神官團); 〖가톨릭〗 (교황청의) 직속 신학교; (교회의) 최고 성직자 회의.

「교의 제의(祭衣).

pon·tif·i·ca·lia [pantìfəkéiliə/pɔn-] *n. pl.* 주

pon·tif·i·cate [pantífikət, -fəkèit/pɔn-] *n.* Ⓤ pontiff 의 직위〔임기〕. ── [-fəkèit] *vt., vi.* **1** pontiff로서 직무를 수행하다. **2** 거드름 피우다〔피우며 이야기하다〕. ㊄ **-cà·tor** *n.*

pon·ti·fy [pántəfài/pɔ́n-] *vi.* =PONTIFICATE 1.

pon·til [pántəl/pɔ́n-] *n.* =PUNTY.

pon·tine [pántain/pɔ́n-] *a.* 다리의; 〖해부〗 뇌교(腦橋)(pons)의.

「교(drawbridge).

pont·lev·is [pàntlévis/pɔ̀n-] *n.* (성문의) 도개

pon·ton [pántən/pɔ́n-] *n.* 〖군사〗 =PONTOON.

pon·to·nier, -neer [pàntəníər/pɔ̀n-] *n.* 〖군사〗 가교병(架橋兵); 부교〔배다리〕 가설자.

pon·toon [pantúːn/pɔn-] *n.* **1** (바닥이 평평한) 너벅선, 거룻배; (배다리용의) 납작한 배; 〖군사〗 (가교(架橋)〔주교〕용) 경주정(輕舟艇) 또는 고무보트; 부교. **2** (수중 작업에 쓰는) 잠함(潛函), 케송. **3** 〖항공〗 (수상 비행기의) 플로트(float). **4** 《영》 카드놀이의 일종. ── *vt., vi.* …에 배다리를 놓다; (강을) 배다리로 건너다.

póntoon brídge 배다리, 부교(浮橋)(floating bridge).

po·ny [póuni] *n.* **1** 조랑말《키가 4.7 feet 이하의 작은 말》; 〖일반적〗 작은 말(small horse). ★ 망아지는 colt임. **2** 《미구어》 (외국어 교과서·고전(古典) 따위의) 주해서(crib, trot). **3** 〖일반적〗 소형의 것, 몸집이 작은 여자; 소형 기관차. **4** 《구어》 (주류(酒類)의) 작은 잔(한 잔). **5** 《영속어》 (주로 내기에서) 25 파운드. **6** (*pl.*) 《속어》 경주마(競走馬)(racehorses). ── *vi.* 《미속어》 참고서로 예습하다. ── *vt.* 《+목+부》 (돈을) 지불하다, 청산하다《*up*》; 제출하다: ~ *up* the balance of the loan 대출금 잔액을 청산하다. ── *a.* 보통보다 작은, 소형의: a ~ edition 《미》 소형판(小型版)《해외 주둔 장병용》.

「편.

póny expréss 〖미국사〗 (말에 의한) 속달 우

Póny Lèague 〖야구〗 Boy's Baseball의 구칭.

póny·tàil *n.* 포니테일《뒤의 높은 데에서 묶어 아래로 드리운 머리》; 젊은 처녀. ㊄ **póny·tàiled** *a.*

póny trèkking 《영》 조랑말을 타고 하는 여행.

Pon·zi [pánzi/pɔ́n-] *n.* 피라미드형 이식(利殖) 사기 방식(=∠ **schème**).

「POOH.

poo [púː] *n.* 《속어》 헛소리, 난센스. ── *int.* =

pooch [puːtʃ] *n.* 《속어》 개, 《특히》 잡종개.

pood [pu:d] *n.* 《Russ.》 푸드 《러시아의 무게 단위; =16.38 kg, 4 관 383 돈 약(弱)》.
poo·dle [pú:dl] *n.* 푸들《작고 영리한 복슬개》. **—** *vt.* (개의) 털을 짧게 깎다.
póodle cùt 머리를 짧게 하여 곱슬하게 한 여성의 머리형.
póodle-fàker 《속어》 *n.* 여자 사귀는 데 열심인 남자, 여자의 비위를 맞추는 남자; 젊은 신임 장교.

poodle

poof[1] [pu(:)f] *int.* 쓱《잽싼 출현 · 소실》, (세게 숨을 내뿜어) 훅; =POOH.
poof[2] *n.* 《영속어》 (남성) 호모; 여자 같은 남자(pouf, poove). 「타냄》.
pooh [pu:] *int.* 홍, 피, 체《경멸 · 의문 따위를 나
Pooh-Bah [pú:bà:/⌐⌐] *n.* (때로 p- b-) 많은 역(役)을 겸하는 사람; 높은 사람, 고관; 거만한 사람《희가극 *The Mikado* 중의 인물 이름에서》.
pooh-pooh [pú:pú:] *vt.* …을 깔보다, 경멸하다, 비웃다, 콧방귀 뀌다, 일소에 부치다. **—** *vi.* 경멸의 태도를 보이다. **—** *int.* =POOH.
poo·ja(h) [pú:dʒə] *n.* =PUJA.
poo·ka [pú:kə] *n.* 아일랜드의 민간 전설에서, 늪 따위에 말의 모습으로 나타나는 괴물.
pool[1] [pu:l] *n.* **1** 물웅덩이; (액체의) 괸 곳: a ~ *of* blood 피바다. **2** (인공의) 작은 못, 저수지. **3** (수영용) 풀(swimming ~). **4** 깊은 늪. **5** 유층(油層), 천연가스층. **6** Ⓤ 〖병리〗 울혈(鬱血). **—** *vt.* …에 물웅덩이를 만들다. **—** *vi.* 물웅덩이가 되다; 울혈이 되다.
pool[2] *n.* **1** Ⓒ 합동 자금; 공동 계산〔출자, 관리〕; 풀제(制); 기업 연합. **2** Ⓒ 《미》 공동 시설〔역무(役務) 등의〕 요원: the labor ~ 노동 요원 / ⇨ BLIND 〔MOTOR〕 POOL. **3** Ⓒ (내기의) 태운 돈 전부: win a fortune from the ~s 여러 사람의 판돈을 몽땅 쓸어 한몫 보다. **4** Ⓤ (돈을 걸고 하는) 당구의 일종. **5** 〖펜싱〗 각 팀의 리그전. **6** =COMMERCIAL POOL; 〖신문〗 합동 대표 취재. **7** (the ~s) 《영》 축구 도박: ⇨ FOOTBALL POOLS. **—** *vt.* **1** 공동 계산으로 하다; 공동 출자〔부담〕하다: ~ one's money 〔resources〕 자금을 공동 출자하다. **2** 합동하다, 함께 하다. **—** *vi.* (돈 · 사람 · 물건 따위가) 모이다. ***~ed security*** 〖정치〗 집단보장. ***~ing of capital*** 자본 합동.
póol·ròom *n.* 《미》 내기 당구장(=**póol hàll**); 공개 도박장; 마권 매장《특히 bookmaker 의》.
póol·sìde *n.* 풀사이드《수영장의 가장자리》.
póol tàble (pocket 이 6 개 있는) 당구대.
poon [pu:n] *n.* 〖식물〗 하라보(呀喇菩)(=⌐ **trèe**) 《동인도산(產), 선재(船材)로 씀》.
poon·tang [pú:ntæŋ] *n.* 《미속어》 성교; 《미비어》 (섹스 대상으로서의) 여자, (여성의) 성기, 질(vagina).
poop[1] [pu:p] *n.* 〖해사〗 **1** 고물(stern). **2** 선미루(船尾樓). OPP *forecastle*. **3** 선미루 갑판(甲板) (=⌐ **dèck**). **—** *vt.* (파도가) 고물을 치다; (배가 파도를) 고물에 받다.
poop[2] ⇨ POPE[2].
poop[3] *vt.* 《미속어》 숨을 헐떡이게 하다, 몹시 지치게 하다. ~ ***out*** (겁이 나거나 지쳐서) 그만두다, 내팽개치다; 고장나다, 작동을 멈추다.
poop[4] *n.* 《영속어》 바보, 멍청이. [◂ nincom*poop*]
poop[5] *n.* 《미속어》 (최신의) 정보, 내정, 내막.
poop[6] *n.* 《속어》 방귀; 대변, 배변. **—** *vi.* 방귀 뀌다; 배변하다. 「된; 술취한《*out*》.
pooped [-t] *a.* 《미구어》 지쳐 버린, 녹초가
póop(·er) scòoper [pú:p(ər)-] 《미》 푸퍼 스쿠퍼《개나 말 따위의 똥을 줍는 부삽》.
poo-poo [pú:pù:] *n.* =POOP[6].
póop shèet 《속어》 정보 서류, 데이터 일람.
†**poor** [puər, pɔ:r] *a.* **1** 가난〔빈곤〕한. OPP *rich, wealthy*. ¶ be born ~ 가난하게〔가난한 집에〕 태어나다. **2** 빈약〔초라〕한: a ~ house 초라한 집. **3** (사람 · 동물이) 불쌍한, 가엾은, 불행한: The ~ little puppy had been abandoned. 가엾게도 강아지가 버려져 있었다. **4** (고인에 대하여) 돌아가신, 고인이 된, 망(亡)…(lamented): My ~ mother used to say.... 돌아가신 어머니가 늘 말씀하셨지만 …. **5** 부족한, 불충분한, (…이) 없는《*in*》: a country ~ *in* natural resources 천연자원의 혜택을 받지 못한 나라. **6** (물건이) 빈약한, 내용이 빈약한, 조악(粗惡)한; (수확이) 흉작의; (땅이) 메마른: a ~ ore 함량이 낮은 광석 / a ~ crop 흉작 / ~ soil 메마른 땅. **7** (아무의 활동 · 작품 따위가) 서투른, 어설픈; 무능한: a ~ speaker 말이 서투른 사람 / a ~ picture 서투른 그림 / a ~ student 공부를 잘 못하는 학생 / The girl is ~ *at* English. 그 소녀는 영어를 잘 못한다 / I'm a ~ hand *at* conversation. 나는 회화를 잘 못한다. **8** 열등한, 기력 없는, 건강치 못한: ~ health 좋지 못한 건강, 약질 / a ~ memory 건망증이 심한 머리. **9** (가치가) 보잘것없는; 겨우 …의: in my ~ opinion 우견(愚見)으로는 / a ~ three day's holiday 겨우 3 일간의 휴가. **10** 약간의, 적은: a ~ audience 드문드문 있는 청중. **11** (가축이) 야윈. **12** (the ~) 〖명사적 용법〗 빈민(들); 생활 보호를 받는 사람. ◇ poverty *n.* ***as ~ as Job*** 〔***Job's turkey, a church mouse, Lazarus***〕 매우 가난한, 가난하기 짝이 없는. ***Poor fellow*** 〔***soul, thing***〕***!*** 가엾어라. ***the ~ man's side*** (***of the river***) 《영구어》 (런던 템스 강) 남쪽(Surrey 쪽).
póor bòx (교회의) 자선함, 헌금함.
póor·bòy *n.* 몸에 꼭 끼는 골이 지게 짠 스웨터.
póor bòy, póor-boy sándwich 대형 샌드위치; 《미속어》 몹시 낡은 장치.
póor dèvil 불쌍한 사람; 병자; 파산자; 《미속어》 신혼자(newlywed).
póor fàrm 〖미국사〗 빈민 구호 농장.
póor físh 《속어》 가엾은 녀석, 별것 아닌 사내.
póor·hòuse *n.* 〖역사〗 구빈원(救貧院)(workhouse). ***in the ~*** 아주 가난한.
póor làw 구빈법(救貧法), 빈민 구호법《영국에서는 National Assistance Act(국민 구조법)의 제정으로 1947 년 폐지》.
poor·ly** [púərli] *ad.* **1** 가난하게: ~ paid 박봉의. **2** 빈약하게; 불충분하게: ~ dressed 초라한 옷차림을 하고. **3** 서투르게; 졸렬하게: speak 〔swim〕 very ~ 말〔수영〕이 서투르다. **4** 뜻대로 안 되어, 실패하여; 불완전하게. ~ ***off 생활이 어려운(OPP *well off*); 부족한《*for*》: We're ~ *off for* oil. 석유가 부족하다. ***think ~ of*** …을 시시하게 여기다; …을 좋게 생각지 않다. **—** *a.* 〖서술적〗 《구어》 기분 나쁜(unwell), 몸이 찌뿌드드한: look 〔feel〕 ~. 「싸고 쓸모 있는, 소형판의.
póor màn's (고급품 · 유명인) 대용이 되는, 값
póor mòuth (구실 · 변명으로서) (자신의) 가난을 강조하는〔핑계대는〕 일〔사람〕; 가난을 과장해서 말하는 일: make a ~.
póor-mòuth *vi., vt.* **1** 가난을 푸념하다〔핑계삼다〕. **2** 우는 소리를 하다, 넋두리하다; 궁상떨다. **3** 비방하다, 험담하다. ㊞ **~·er** *n.*
póor·ness *n.* Ⓤ 결핍, 부족; 불완전; 비열; 불모(不毛); 허약, 병약.
póor relàtion (동류 중에서) 천덕꾸러기.
póor-spírited [-id] *a.* 마음 약한; 겁많은. ㊞ **~·ly** *ad.*

póor whíte 《경멸》 (특히, 미국 남부·남아프리카의) 무지하고 가난한 백인.

Poot·er·ish [pú:təriʃ] *a.* 속물적인, 거드름 피우는, 잘난 체하는《George and Weeden Grossmith 의 *Diary of a Nobody* 의 주인공 이름》.

pop[1] [pɑp/pɔp] (*-pp-*) *vi.* **1 a** 《~/+전+명/+보》 펑 소리가 나다; 뻥 울리다; 펑 터지다; 탕 쏘다《*at*》; 《구어》 아이를 낳다: The cork ~*ped.* 코르크가 펑 소리를 냈다〔내며 빠졌다〕/I ~*ped at* pheasants. 나는 꿩을 쏘았다/The lid ~*ped* open. 뚜껑이 펑하고 열렸다. **b** 〖야구〗 내야 플라이를 치다《*up*》, 내야 플라이를 치고 아웃이 되다《*out*》; 〖크리켓〗 (던진 공이) 이상한 모양으로 되튀다《*up*》. **2** 《+부/+전+명》 불쑥 나타나다, 쑥 들어오다〔나가다〕, 갑자기 움직이다《*in; out; up; off*》: The children are freely ~*ping in* and *out*. 어린애들은 강동강동 자유롭게 들락날락하고 있다/His head ~*ped out of* the window. 그의 머리가 창문 밖으로 불쑥 나타났다/An idea ~*ped into* his head. 문득 좋은 생각이 그의 머리에 떠올랐다. **3** 《구어》 구혼하다. **4** 《+부》 (놀라움으로 눈이) 튀어나오다《*out*》: He looked as if his eyes were going to ~ *out* (in surprise). 그는 (놀라움으로) 눈알이 튀어나올 것 같았다. **5** 《속어》 치르다《*for*》; 《속어》 마약을 먹다 〔맞다〕.
— *vt.* **1** (폭죽 따위를) 펑펑 터뜨리다; (총을) 탕 쏘다, 발포하다; 《구어》 때리다. **2** (마개를) 펑하고 뽑다: ~ the cork 코르크 마개를 펑하고 뽑다. **3** 《+목+부》 (총으로) 쏘(아 맞히)다: ~ *down* a sparrow 참새를 쏘아 맞히다. **4** 《미》 (옥수수 따위를) 튀기다. **5** 《+목+전+명/+목+부》 홱 움직이게 하다 〔놓다, 내밀다, 찌르다〕《*in; into; out; down*》: Please ~ the letter *into* the letter box. 그 편지를 우체통에 넣어 주십시오/Just ~ this bottle *in*. 이 병 좀 (얼른) 집어넣어라. **6** 《~+목/+목+전+명》 (질문 따위를) 갑자기 하다: ~ a question *at* a person 아무에게 갑자기 질문하다. **7** 《+목+부》 〖야구〗 (내야 플라이를) 쳐올리다: ~ *up* a fly to shallow center 센터로 내야 플라이를 치다. **8** 《영구어》 전당잡히다. **9** 《속어》 (마약을) 먹다, 맞다. **10** 《미속어》 …와 성교하다. **~ *back*** 급히 돌아가다. **~ *in*** 돌연 방문하다; 갑자기 (안으로) 들어가다(⇨*vi.* 2). **~ *off*** ① 갑자기 나가다〔떠나가다〕. ② 《속어》 갑자기 사라지다; 《구어》 갑자기 죽다; 《속어》 죽이다; 《속어》 잠들다. ③ 탕 쏘다. ④ 격론하다《*about*》. ⑤ (불평 따위를) 노골적으로 말하다. **~ *out*** 갑자기 튀어나오다〔꺼지다〕; 〖야구〗 짧은 플라이로 아웃이 되다; 갑자기 죽다. **~ *the question*** 《구어》 (여자에게) 구혼하다. **~ *to*** 《미속어》 급히 차려 자세를 취하다. **~ *up*** 《*vi.*+부》 ① 갑자기 나타나다〔일어나다〕. ② 〖야구〗 ⇨*vi.* 1 b. ③ (빵 따위가 익어) 펑 튀어오르다; (책 속의 그림이 펼치면) 일어서다. —《*vt.*+부》 ④ 〖야구〗 ⇨*vt.* 7.
— *n.* **1** 펑〔빵〕하는 소리: the ~ of a cork 병마개가 뻥하고 빠지는 소리. **2** 탕《총소리》; 발포. **3** (마개를 뽑으면 뻥 소리 나는) 거품이 이는(청량) 음료《탄산수·샴페인 따위》. **4** 〖야구〗 =POP FLY. **5** 《영구어》 전당잡힘. **6** 발포; 《구어》 권총; 《속어》 마약 주사. **7** 《미속어》 거래, 상담(商談); 《미속어》 성교. ***in*** **~** 《영구어》 전당잡혀.
— *ad.* **1** 펑하고 (소리 내어): *Pop* went the cork. 코르크 마개가 뻥하고 열렸다. **2** 갑자기, 불시에. ***go*** **~** 펑하고 소리 나다; 터지다; 죽다.

pop[2] *a.* 《구어》 통속〔대중〕적인 팝뮤직의; 팝 아트(조(調))의: a ~ song 팝송, 유행가, 대중가요/a ~ singer 유행가 가수. — *n.* 대중을 위한 음악(회); Ⓤ =POP ART; 대중문화; (~s, 보통 a ~) =POP CONCERT: top of the ~*s* 팝스의 베스트셀러 레코드. [◂*popular*]

pop[3] 《구어》 *n.* 아버지; 아저씨《호칭》.

pop[4] *n.* 《미속어》 아이스캔디, 막대 달린 빙과.

pop. popular(ly); population. **P.O.P.** point-of-purchase; 〖사진〗 printing-out paper(cf. D.O.P.).

póp árt 팝 아트, 대중 미술(pop)《1962 년경부터 뉴욕을 중심으로 한 전위 미술 운동; 광고·만화·상업 미술 따위를 사용함》.

póp ártist pop art 작자.

póp bòttle 《미속어》 싸구려 카메라〔확대경〕.

póp cóncert (교향악단의) 팝콘서트, 팝뮤직 연주회.

póp·còrn *n.* Ⓤ 팝콘, 튀긴 옥수수(popped corn); 《미속어》 평범한 사람; 고지식하게 일하는 사람. — *a.* 《미흑인속어》 2 류의, 하잘것없는.

póp cùlture 대중문화《특히 젊은이의 문화로서의》.

Pope [poup] *n.* **Alexander ~** 포프《영국의 시인; 1688-1744》.

pope[1] [poup] *n.* **1** (*or* P-) 로마 교황: *Pope* John Paul 요한 바오로 교황. **2** 절대적인 권위를 가진 사람, 교황 같은 인물《오류를 범하지 않는다고 자타가 인정하는 사람》《*of*》: schoolmasters, professors ... ~*s* of knowledge 학식이 많은 학교 선생님, 교수님들 …. **3** 〖그리스 정교〗 (Alexandria의) 총주교; 교구 성직자. ***Is the* ~ *Catholic* 〔*Italian Polish*〕?** 《미속어》 다 아는 일을 왜 물어, 당연하지.

pope[2], **poop** [poup], [pu:p] *n.* 넓적다리의 급소. ***take*** **a person*'s pope*** 아무의 넓적다리의 급소를 때리다. — *vt.* …의 넓적다리의 급소를 때리다.

pope·dom [póupdəm] *n.* Ⓤ 로마 교황의 직〔관구, 권한〕, 교황령(領); 교황 정치.

Pópe Jóan 카드놀이의 일종《다이아몬드의 8 을 빼고 함》.

pópe·mòbile *n.* 로마 교황 전용차.

pop·ery [póupəri] *n.* (때로 P-) Ⓤ 《경멸》 천주교(의 제도, 관습).

pópe's-éye *n.* (소·양 따위의) 넓적다리의 림프선.

pópe's héad 《고어》 (천장 청소용의) 긴자루 깃털비.

pópe's nóse 《속어》 (요리한) 오리〔거위〕의 엉덩이.

póp èye 퉁방울눈; (놀라움·흥분 따위로) 휘둥그레진 눈.

Pop·eye [pápai/pɔ́p-] *n.* 포파이《미국 Elzie Segar의 만화(1929)의 주인공인 선원》.

póp-èyed *a.* 퉁방울눈의; (놀라서) 눈이 휘둥그레진.

póp féstival 팝 뮤직 따위의 음악제.

póp flý 〖야구〗 내야 플라이.

póp-fùnk *a.* 〖음악〗 팝펑크(음악)의(=**póp-fùnk**).

póp gròup 팝 그룹《팝 음악의》.

póp·gùn *n.* 장난감총《다치지 않도록 코르크나 종이 따위를 총알로 하는》; 《경멸》 쓸모없는 총.

póp·hòle *n.* 개구멍《울타리·칸막이 따위에 뚫어 놓은 동물의 통로》.

pop·in·jay [pápindʒèi/pɔ́p-] *n.* **1** 수다스럽고 젠체하는 사람, 맵시꾼(fop). **2** 〖조류〗 청딱따구리; 《고어》 앵무새(parrot). **3** 〖역사〗 막대기 끝에 매단 앵무새 모양의 표적.

pop·ish [póupiʃ] *a.* (때로 P-) 《경멸》 로마 교황의, 천주교의. ㊥ **~·ly** *ad.* **~·ness** *n.*

Pópish Plót 〖영국사〗 가톨릭 음모 사건《Titus Oates(1649-1705) 등이 Charles 2 세를 암살하고 가톨릭 부활을 꾀하였던 음모 사건》.

póp-jàzz *a.* 〖음악〗 팝재즈의.

pop·lar [páplər/pɔ́p-] *n.* 〖식물〗 **1** 포플러; Ⓤ 그 목재: ⇨TREMBLING 〔WHITE〕 POPLAR. **2** 《미》 = TULIP TREE; Ⓤ 그 목재. ㊥ **~ed** *a.*

Pop·lar·ism [páplərìzəm/pɔ́p-] *n.* Ⓤ 《영》 극단적인 빈민 구제책; 지방세 부담이 큰 정책.

pop·lin [páplin/pɔ́p-] *n.* Ⓤ 포플린《옷감》:

double 〔single〕 ~ 두꺼운〔얇은〕 포플린.
pop·lit·e·al [paplítiəl, pàplití:-/pɔplíti-, pɔ̀plití:-] *a.* 〖해부〗 오금의. [cf] ham¹ 2.
pop·mo·bil·i·ty [pàpmoubíləti/pɔ̀p-] *n.* 팝 음악에 맞추어 하는 건강 체조.
póp mùsic **1** 팝 뮤직, 대중음악. **2** (어느 시기의) 유행 음악.
póp-òff *n.* 《미구어》 (불평 따위를) 노골적으로 「말하는 사람.
póp·òut *n.* 《서핑 속어》 싸구려 서프보드.
póp-òut *n.* 〖야구〗 높은 내야 플라이로 아웃되기. **—** *a.* 《미》 간단히 벗겨 사용하도록 만들어진.
póp·òver *n.* **1** [U] 《미》 살짝 구운 과자의 일종. **2** 팝오버《머리로부터 써서 입는 낙낙한 평상복》.
pop·pa [pápə/pɔ́pə] *n.* 《미구어》 아빠; 아저씨, (여자에게 상냥한) 아저씨.
pop·pa·dom, -dum [pápədəm/pɔ́p-] *n.* 기름에 튀긴 둥글넓적한 인디언 빵.
póp pàrty 《속어》 마약 파티.
Pop·per [pápər/pɔ́p-] *n.* **Karl** (**Raimund**) ~ 포퍼《오스트리아 태생의 영국 철학자; 논리 실증주의를 비판하고 반증주의를 제창; 1902-94》.
pop·per [pápər/pɔ́p-] *n.* **1 a** 펑 소리를 내는 사람〔것〕; 《구어》 꽃불, 소총, 권총; 《구어》 사수, 포수. **b** (옥수수를) 볶는 그릇《프라이팬 따위》; 《영구어》 똑딱단추. **2** 훌쩍 찾아오는〔떠나는〕 사람; 《영속어》 전당잡히는 사람. **3** 《속어》 아질산아밀(amyl nitrite)의 앰풀《흥분제》.
pop·pet [pápit/pɔ́p-] *n.* **1** 《영구어》 귀여운 아이《애칭》. **2** 〖기계〗 양판(揚瓣), 포핏 밸브(=∠ **vàlve**); 선반(旋盤)머리; 〖해사〗 포핏, 침목《진수할 때 배 밑을 굄》.
póppet·hèad *n.* 〖기계〗 굴대받이.
pop·pied [pápid/pɔ́pid] *a.* **1** 양귀비가 우거진; 양귀비로 장식된. **2** 아편으로 취한; 졸린; 느른한.
pop·ping [pápiŋ/pɔ́p-] *n.* [U] 펑〔빵〕 소리가 남; 불쑥 나타남; 갑작스러운 신청; 전당잡힘; 〖브레이크댄싱〗 포핑《음악에 맞춰 손발을 각기 따로 움직 「임》.
pópping crèase 〖크리켓〗 타자선(線).
pop·ple¹ [pápəl/pɔ́pəl] *n.* 〖식물〗 =POPLAR.
pop·ple² *vi.* 파도치다; 파도가 일다; 거품이 일다. **—** *n.* 파동; 잔물결. [파] **póp·ply** *a.*
póp pollói *pl.* (the ~) 민중, 대중, 일반 사람.
póp psých 〔**psychólogy**〕 《미》 통속〔속류(俗流)〕 심리학.
***pop·py¹** [pápi/pɔ́pi] *n.* **1** 〖식물〗 양귀비《양귀비속 식물의 총칭》; 양귀비의 엑스(트랙트)《약용》, 《특히》 아편: ⇨ FLANDERS POPPY / a field 〔red〕 ~ =a CORN POPPY / a garden ~ =an OPIUM POPPY. **2** 황적색(~ red). [파] **~·lìke** *a.*
pop·py² *n.* 《미속어》 아빠(papa).
póppy·còck *n.* 《구어》 무의미, 허튼〔당찮은〕 소리, 난센스. ***Poppycock!*** 《구어》 돼먹지 않은, 어처구니없군.
Póppy Dày 《영》 휴전 기념일(Remembrance Sunday)《조화인 붉은 양귀비(Flanders poppy)를 몸에 달고 제 1 차 · 제 2 차 대전의 전사자를 애도함》; 《미》 상이군인을 돕기 위하여 조화인 양귀비 꽃을 파는 날《Memorial Day 전주의 날》.
póppy·hèad *n.* 양귀비의 삭과(蒴果); 〖건축〗 (특히 교회 좌석의) 양귀비 장식.
póppy réd 황적색.
póppy sèed 양귀비 씨《빵 · 과자용》.
póp·quìz *n.* 《미학생속어》 예고 없는 시험.
póp rìvet 팝 리벳《구멍에 삽입한 다음 심봉(心棒)을 빼내어 고정시키는 관(管) 모양의 리벳》.
póp-ròck *n.* 〖음악〗 팝록. [파] **~·er** *n.*
pops [paps/pɔps] *n.* 《미구어》 아버지; 아저씨(pop) 《호칭》.
póps còncert =POP CONCERT.
póp·shòp *n.* 《영속어》 전당포.
Pop·si·cle [pápsikəl/pɔ́p-] *n.* [U] 《미》 (가는 막대기에 얼린) 아이스캔디《ice lolly의 상표명》.
póp stàr 유명한 팝뮤직 가수.
pop·ster [pápstər/pɔ́p-] *n.* 《속어》 팝 아트 「예술가.
pop·sy, -sie [pápsi/pɔ́p-] (*pl.* **-sies**) *n.* 《구어 · 경멸》 섹시한 젊은 여자, 소녀, 여자 친구, 애인.
póp tèst =POPQUIZ.
póp-tòp *a.*, *n.* (깡통 맥주처럼) 잡아올려 따는 「식의 (용기).
pop·u·lace [pápjələs/pɔ́p-] *n.* [U] **1** 민중, 대중, 서민(common people); 전(全) 주민(population). **2** 하층 사회. **3** 《경멸》 오합지중(烏合之衆).
†**pop·u·lar** [pápjələr/pɔ́p-] *a.* **1** 민중의, 서민의: ~ discontent 민중의 불만 / the ~ opinion 〔voice〕 여론, 민중의 소리 / a ~ government 민주 정치 / ~ feelings 서민 감정 / ~ diplomacy 민간 외교 / ~ bonds 공모 공채 / ~ subscription 주식 공모. **2** 대중적인, 통속의; 쉬운; 값싼: ~ science 통속 과학 / ~ prices 대중(적) 가격, 염가 / a ~ edition 보급〔염가〕판 / ~ lectures 통속적인 강의 / a ~ magazine 통속 잡지. **3** 인기 있는, 평판이 좋은 《*among; in; with*》: a ~ singer 유행가 가수 / Tom is ~ *with* other children. 톰은 아이들 사이에 인기가 있다. **4** 유행의, 널리 보급되어 있는《*among*》: ~ ballads 민요. ***in ~ language*** 쉬운 말로. **—** *n.* 《영》 대중지; 《고어》 =POP CONCERT.
pópular cápitalism 대중 자본주의.
pópular cúlture 대중문화.
pópular educátion 보통교육.
pópular eléction 보통 선거.
pópular etymólogy 통속 어원(語源)(설).
pópular frónt (종종 P- F-; the ~) 인민 전선 (the people's front). 「민중주의.
póp·u·lar·ìsm [-rìzəm] *n.* 통속적 말〔표현〕;
póp·u·lar·ist [-rist] *a.* 대중의 인기를 노리는.
pop·u·lar·i·ty** [pàpjəlǽrəti/pɔ̀p-] *n.* [U] **1** 인기, 인망: win ~ 인기를 얻다, 유행하다 / ~ poll 인기투표. **2** 대중성, 통속성; 대중에 받아들여짐: aim at ~ 대중의 인기를 노리다. **3** 유행. ***enjoy ~ 인기가 있다.
póp·u·lar·ìze [-ràiz] *vt.* 대중〔통속〕화하다; 보급시키다. [파] **pòp·u·lar·i·zá·tion** *n.*
póp·u·lar·ly *ad.* **1** 일반적으로, 널리; 대중 사이에. **2** 일반 투표로. **3** 대중에 맞도록. **4** 쉽게, 평이하게. **5** 인기를 얻도록.
pópular músic 대중음악.
pópular náme 〖생물〗 (학명(scientific name)에 대하여) 일반명, 속명(俗名).
pópular préss (the ~) 대중지(紙).
pópular sóng 유행가, 대중가요. 「민주의.
pópular sóvereignty 국민 주권설, 주권 재
pópular vóte 《미》 일반 투표《대통령 후보 선출처럼 일정 자격이 있는 선거인이 행하는 투표》.
pop·u·late [pápjəlèit/pɔ́p-] *vt.* **1** …에 사람을 거주케 하다; …에 식민하다: a sparsely 〔densely〕 ~*d* district 인구 밀도가 낮은〔높은〕 지방 / ~*d by* ten million people 인구 1천만의 / ~*d with* immigrants 이민이 거주하는. **2** …에 살다, …의 주민이다.
***pop·u·la·tion** [pàpjəléiʃən/pɔ̀p-] *n.* **1** 인구, 주민 수: a rise 〔fall〕 in ~ 인구의 증가〔감소〕 / have a ~ of over a hundred million 인구가 1억을 넘다. **2** (the ~) 주민; (한 지역의) 전 주민, 특정 계급의 사람들. **3** 〖통계〗 모집단(母集團); 〖생물〗 (어떤 지역 안의) 개체군(個體群), 집단; 개체 수. **4** [U] 식민. [파] **~·al** *a.* **~·less** *a.*
populátion biólogy 〖생물〗 집단 생물학.
populátion cènter 인구 집중 지역.
populátion dènsity 인구 밀도.

populátion explósion 인구 폭발.
populátion genètics 〖생물〗 집단 유전학.
populátion invèrsion 〖물리〗 상태 밀도 반전(反轉); 〖화학〗 입자수 뒤바뀜.
populátion pỳramid 인구 피라미드《인구의 성 · 연령별 구성도》.
Pop·u·lism [pápjəlìzəm/pɔ́p-] *n.* **1** 〖미국사〗 인민당(People's party)의 주의〔정책〕; 〖러시아사〗(1917년 혁명 전의) 러시아 인민주의. **2** (p-) 기성의〔지적인〕 것에 반대하는 정치 운동〔철학〕《비정통적인 정책 제기로 대중에 호소함》. **3** (p-) 풀뿌리 민주주의; 노동자 계급의 적극적 행동주의; 만인 평등주의. **4** (p-)(일반) 대중〔노동자 계급 · 패자 등〕의 주장이나 찬양. ㊇ **-list** *n.*
*__pop·u·lous__ [pápjələs/pɔ́p-] *a.* **1** 인구가 조밀한. **2** 사람이 붐비는; 사람이 혼잡한. **3** 사람 수가 많은. ㊇ **~·ly** *ad.* **~·ness** *n.*
póp-ùp *n.* 〖야구〗 내야 플라이(popfly); 펼치면 그림이 튀어나오는 책. **—** *a.* **1** 펑 튀어나오는 (식의); (책을) 펼치면 그림이 튀어나오는: a ~ toaster 자동식 토스터 / a ~ book 펼치면 그림이 튀어나오는 책. **2** 〖컴퓨터〗 팝업(식)의《프로그램 실행 중 창(window)을 열고 작업 차림표(menu)를 화면상으로 호출하는 방식》: a ~ menu 불쑥 차림표 / a ~ window 불쑥창.
póp wìne 《미》 과일즙을 넣은 포도주.
por. portrait. **P.O.R.** payable on receipt (화물 상환불); pay on return.
por·bea·gle [pɔ́ːrbìːgəl] *n.* 〖어류〗 악상어.
°**por·ce·lain** [pɔ́ːrsəlin] *n.* Ⓤ 자기(磁器); (*pl.*) 자기 제품. cf. china. **—** *a.* 자기로 만든, 깨지기 쉬운: a ~ insulator 〖전기〗 사기 애자(碍子).
pórcelain cláy 고령토(kaolin).
pórcelain enámel 법랑(琺瑯).
por·ce·lain·ize [pɔ́ːrsələnàiz] *vt.* 도자기처럼 하다, 도자기화(化)하다, 에나멜을 칠하다.
pórcelain shèll 〖패류〗 자패(紫貝)의 일종.
por·ce·la·nous, por·ce·la·ne·ous, 《영》 **-cel·la-** [pɔ́ːrsələnəs], [pɔ̀ːrsəléiniəs] *a.* 자기(磁器)의, 사기와 같은.
porch [pɔːrtʃ] *n.* **1 포치, 현관, 차 대는 곳, 입구. **2** 《미》 =VERANDA(H). **3** =PORTICO. **4** (the P-) Athens 에서 철학자 Zeno 가 제자들에게 강의하던 회당의 복도; 스토아 학파, 스토아 철학. ㊇ **~ed** [-t] *a.* (현관에) 차 대는 곳이 있는.

porch 1

pórch clìmber 《미구어》 (2층을 터는) 좀도둑.
pórch swìng 《미》 포치 스윙《현관에 그네처럼 매달아 놓은 긴의자》.
por·cine [pɔ́ːrsain, -sin/-sain] *a.* 돼지의〔같은〕; 불결한; 욕심꾸러기의(swinish).
°**por·cu·pine** [pɔ́ːrkjəpàin] *n.* **1** 〖동물〗 호저(豪豬). **2** 소마기(梳麻機); 양조용 교반기(攪拌機).
pórcupine ánteater 〖동물〗 바늘두더지.
pórcupine dilèmma 〖심리〗 서로 가까워질수록 이기심으로 인해 상처를 입는 현상.

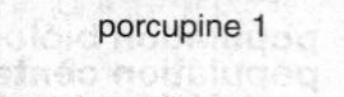
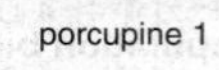
porcupine 1

°**pore**[1] [pɔːr] *vi.* 《+전+명》 **1** 숙고하다, 곰곰이 생각하다《*over; on, upon*》: He ~*d over* the strange events of the preceding evening. 그는 전날밤에 일어난 이상한 사건을 곰곰이 생각해 보았다. **2** 《고어》 자세히 보다, 주시하다《*at; on; over; in*》: those who ~ *over* the microscope 현미경을 응시하는 사람들 / ~ *on* her lovely and large brown eyes 그녀의 사랑스럽고 커다란 갈색 눈을 주시하다. **3** 열심히 독서〔연구〕하다《*over*》: ~ *over* a book 열심히 책을 읽다. **—** *vt.* 《+목+부 / +목+보》 몰두〔숙시(熟視)〕하여 …하게 하다: ~ one's eyes *out* 지나친 독서로 눈을 피로케 하다 / ~ oneself blind 책을 너무 읽어서 눈이 멀다.
pore[2] *n.* 털구멍; 〖식물〗 기공(氣孔), 세공(細孔); (암석 따위의) 흡수공. ***sweat from every* ~** 찌는 듯이 덥다; 식은땀을 흘리다. ㊇ **~d** *a.* 유공(有孔)의. **~·like** *a.* 「류」 도미 · 참돔의 무리.
por·gy [pɔ́ːrgi] (*pl.* **-gies,** 〖집합적〗 ~) *n.* 〖어
po·rif·er·an [pɔːrífərən] *n.* 해면 동물. **—** *a.* 해면 동물문(門)의.
po·rism [pɔ́ːrizəm] *n.* 〖수학〗 (그리스인이 세운) 부정 명제(不定命題).
pork [pɔːrk] *n.* Ⓤ **1** 돼지고기《식용》; 《고어》 돼지(hog, swine). **2** 《미속어》 의원이 정치적 배려로 받는 정부 보조금〔관직 등〕. **~ *out on ...*** 《미속어》 …을 잔뜩 먹다.
pórk bàrrel 돼지고기 보존용 통; 특정 선거구 · 의원만을 이롭게 하는 정부 사업〔보조금〕.
pórk bèlly 저장 처리하지 않은 돼지 옆구리 살.
pork·burg·er [pɔ́ːrkbə̀ːrgər] *n.* 곱게 다진 돼지고기; 그 고기로 만든 햄버거; 포크버거《돼지고기 햄버거를 넣은 샌드위치》.
pórk bùtcher 돼지고기 전문점(店).
pórk·chòpper *n.* 《미속어》 일도 안 하고 보수를 받는 조합 간부〔정치 관계자들〕.
pórk·er *n.* 식용 돼지; 살찐 새끼 돼지; 《우스개》 돼지. 「끼 돼지.
pork·et, pork·ling [pɔ́ːrkit], [pɔ́ːrkliŋ] *n.* 새
pórk·pie hát 꼭대기가 납작한 소프트 모자.
pórk rìnds 《미》 기름에 튀긴 돼지 껍데기.
porky [pɔ́ːrki] (***pork·i·er; -i·est***) *a.* 돼지(고기) 같은; 《구어》 살찐; 《미속어》 건방진.
por·no, porn [pɔ́ːrnou], [pɔːrn] (*pl.* **~s**) 《구어》 *n.* Ⓒ,Ⓤ 포르노(pornography); 도색〔포르노〕 영화; 포르노 작가. **—** *a.* 포르노의.
por·no·graph [pɔ́ːrnəgræ̀f, -grɑ̀ːf] *n.* 포르노, 호색 작품.
por·nog·ra·pher [pɔːrnágrəfər/-nɔ́g-] *n.* 도색 서적〔포르노〕 작가; 춘화가(春畫家).
por·nog·ra·phy [pɔːrnágrəfi/-nɔ́g-] *n.* Ⓤ 춘화, 외설책, 에로책; 호색 문학. ㊇ **por·no·graph·ic** [pɔ̀ːrnəgrǽfik] *a.*
por·ny [pɔ́ːrniː] *a.* 포르노풍(風)의: a ~ film.
por·o·mer·ic [pɔ̀ːrəmérik] *a., n.* Ⓤ 합성 다공성(多孔性)의 (피혁)《구두의 갑피용》.
po·ros·i·ty [pɔːrásəti, pə-/pɔːrɔ́s-] *n.* Ⓤ 다공(多孔)〔유공(有孔)〕성(性); Ⓒ (작은) 구멍; 〖지학〗 공극률(孔隙率), 간극률(間隙率).
°**po·rous** [pɔ́ːrəs] *a.* 작은 구멍이 많은, 기공(氣孔)이 있는; 다공성의; (물건이 물 · 공기 등을) 스며들 수 있는, 투과성의; 흡수〔흡기〕성의: ~ waterproof 통기성 방수. ㊇ **~·ly** *ad.* **~·ness** *n.*
pórous céll 〔**cúp**〕 〖전기〗 (전지용) 초벌 구이 용기《1차 전지용》.
por·phyr·ia [pɔːrfíəriə, -fáir-] *n.* 〖의학〗 포르피린증(症)《포르피린 대사 이상에 의한 질환》.
por·phy·rin [pɔ́ːrfərin] *n.* 〖생화학〗 포르피린《엽록소 · 헤모글로빈에서 얻는 피롤 무철(無鐵) 유도체》.
por·phy·rop·sin [pɔ̀ːrfərápsin/-rɔ́p-] *n.* 〖생화학〗 포피롭신, 시자(視紫)《담수어의 망막에 있는 자색의 색소》.

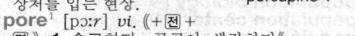

por·phy·ry [pɔ́ːrfəri] *n.* Ⓤ 〖암석〗 반암(斑岩). ㊕ **pòr·phy·rít·ic** [-rít-] *a.*

por·poise [pɔ́ːrpəs] (*pl.* **~, -pois·es**) *n.* **1** 돌고래, 《특히》 참돌고래. **2** 《영속어》 뚱뚱보. **—** *vi.* (잠겼다 솟았다 하며 수면을) 돌고래처럼 움직이다. ㊕ **~·like** *a.*

por·rect [pərékt] *a.* 수평으로 뻗은, 펼쳐진; 툭 튀어나온. **—** *vt.* 〖교회법〗 제출하다, 수여하다; 〖동물〗 (몸의 일부를) 펴다.

°**por·ridge** [pɔ́ːridʒ, pár-/pɔ́r-] *n.* Ⓤ 포리지《오트밀을 물이나 우유로 끓인 죽》; (말레이시아에서) 쌀죽; 《영속어》 교도소, 수감(收監), 형기. ***do*** (*one's*) **~** 《영속어》 옥살이하다, 콩밥을 먹다. ***save*** 〔***keep***〕 *one's* ***breath to cool*** *one's* **~** 객쩍은 말참견을 삼가다.

por·rin·ger [pɔ́ːrindʒər, pár-/pɔ́r-] *n.* 작은 죽 그릇《주로 어린이들의 수프 또는 porridge 용》.

Por·sche [pɔːrʃ] *n.* 포르셰《독일 Porsche 사(社) 제 스포츠카; 상표명》.

⁑**port**[1] [pɔːrt] *n.* **1** 항구, 무역항: ⇨ FREE 〔OPEN〕 PORT / a close ~ 《영》 강의 상류에 있는 항구 / a naval ~ 군항 / a ~ office 항만국 / ⇨ PORT OF CALL 〔ENTRY〕 / a ~ of arrival 도착항 / a ~ of coaling 석탄 적재항 / a ~ of delivery 화물 인도항(引渡港) / a ~ of departure 적출항(積出港) / a ~ of destination 목적〔도착〕항 / a ~ of distress 피난항 / a ~ of recruit 식료품 적재항 / a ~ of registry 선적항(船籍港) / a ~ of sailing 〔shipment〕 출항지〔선적항〕 / ~ facilities 항만 시설. SYN. ⇨ HARBOR. **2** (특히 세관이 있는) 항구 도시; 개항장. **3** (배의) 피난소, 휴식소: come safe to ~ 무사히 난을 피하다. **4** 공항(airport). ***any*** **~** ***in a storm*** 궁여지책, 그나마 의지가 되는 것. ***a*** **~** ***after stormy seas*** 분투〔분전〕후의 휴식. ***in*** **~** 입항하여, 정박 중인. ***leave*** (***a***) 〔***clear a***〕 **~** 출항하다. ***make*** 〔***enter***〕 (***a***) **~** =***arrive in*** **~** =***come*** 〔***get***〕 ***into*** **~** 입항하다. ***touch a*** **~** 기항하다.

port[2] *n.* **1** (군함의) 포문, 총안(銃眼); (상선의) 하역구(荷役口), 창구; 현문; 현창(舷窓)(porthole). **2** 《Sc.》 문; 성문. **3** 〖기계〗 (가스 · 증기 따위의) 배출구, 실린더의 배출구: an exhaust ~ 배기구 / a steam ~ 증기구. **4** 〖컴퓨터〗 단자, 포트《컴퓨터 본체와 주변 기기 · 외부 회선이 자료를 주고받기 위한 본체측의 접합부》.

port[3] *n.* Ⓤ 〖해사〗 (이물을 향해) 좌현(左舷); 〖항공〗 (기수를 향해) 좌측(cf. starboard): put the helm to ~ 좌현으로 키를 잡다. **—** *a.* 좌현의. **—** *ad.* 좌현으로. **—** *vt., vi.* 진로를 왼쪽으로 잡다, 이물을 왼쪽으로 돌게 키를 잡다. cf. starboard. ¶ *Port* (the helm)! 좌향 키《구령》.

port[4] *n.* Ⓤ 포트와인(=**∠ wíne**)《포르투갈산(産)의 맛이 단 적포도주》.

port[5] *n.* Ⓤ **1** 태도, 태, 티, 거동, 모양, 풍채(bearing). **2** 〖군사〗 앞에총 자세. ***at the*** **~** 앞에총을 하고. **—** *vt.* 〖군사〗 앞에총을 하다: *Port* arms! 앞에총!

Port arms!

Port. Portugal; Portuguese.

port. portrait.

*****port·a·ble** [pɔ́ːrtəbəl] *a.* 들고 다닐 수 있는, 운반할 수 있는; 휴대용의, 가볍고 편한; 〖컴퓨터〗 (프로그램이 다른 기종(機種)으로) 이식(移植)이 가능한. cf. stationary. ¶ a ~ bed 이동식 침대 / a ~ typewriter / a ~ telephone. **—** *n.* 휴대형(型), 포터블《타자기, 라디오, 텔레비전 따위》; 휴대형 전화기. ㊕ **-bly** *ad.* **pòrt·abíl·i·ty** *n.* 휴대할 수 있음; 〖컴퓨터〗 (프로그램의) 이식(가능)성.

pórt addrèss 포트 어드레스, 포트 번지〔주소〕(port number).

pórt ádmiral 〖영해군〗 해군 통제부 사령관.

por·tage [pɔ́ːrtidʒ] *n.* 운반, 수송; Ⓤ 연수 육로(連水陸路)《두 수로를 잇는 육로》; 연수 육로 운반; 운임; 운반(물), 화물. ***the mariner's*** **~** 옛날 선원들이 급료 대신 외국에 팔아 이익을 보도록 선적이 허락된 짐, 그걸 두는 곳. **—** *vt.* (배 · 화물을) 연수 육로로 운반하다.

por·tal [pɔ́ːrtl] *n.* (우람한) 문, 입구; 정문: death's dark ~ 《문어》 어두운 죽음의 입구. **—** *a.* 〖해부〗 문맥(門脈)의.

pórtal sỳstem 〖해부〗 문맥계(門脈系).

pórtal-to-pórtal páy 구속 시간제(制)로 지급하는 임금, 근무 시간제 임금.

pórtal véin 〖해부〗 문맥(門脈).

por·ta·men·to [pɔ̀ːrtəméntou] (*pl.* **-ti** [-ti], **~**) *n.* 《It.》 〖음악〗 포르타멘토, 운음(運音)《성악 · 현악에서 다른 음으로 부드럽게 넘기는 연주법》.

por·ta·pak, -pack [pɔ́ːrtəpæ̀k] *n.* 휴대형 비디오테이프 리코더와 카메라의 세트.

Pòrt Árthur 뤼순(旅順)의 별칭.

por·ta·tive [pɔ́ːrtətiv] *a.* 운반할 힘이 있는; 《고어》 =PORTABLE.

Port-au-Prince [pɔ̀ːrtouprins] *n.* 포르토프랭스《Haiti의 수도》.

pórt authòrity 《미》 항만 관리 위원회.

pórt bòw 좌현 이물.

pórt chàrges 〔**dùties**〕 항세(港稅), 입항세, 톤세.

port·cray·on [pɔ̀ːrtkréiɑn, -ən/-ɔn, -ən] *n.* (데생용) 크레용〔목탄〕 집게.

port·cul·lis [pɔːrtkʌ́lis] *n.* 내리닫이 쇠살문《성문으로 썼음》.

Porte [pɔːrt] *n.* (the ~) (1923 년 이전의) 터키 왕조〔정부〕.

porte-co·chere [pɔ̀ːrtkouʃέər] *n.* 《F.》 (건물 따위를 지나서 안마당으로 통하는) 마차 출입구; (지붕이 있는 현관의) 차 대는 곳.

porte·cray·on [pɔ̀ːrtkréiɑn, -ən/-ɔn, -ən] *n.* 《F.》 =PORTCRAYON.

porte-mon·naie [pɔ́ːrtmʌ̀ni] *n.* 《F.》 지갑, 돈지갑.

por·tend [pɔːrténd] *vt.* …의 전조(前兆)가 되다, …을 미리 알리다; …의 경고를 주다: The street incident may ~ a general uprising. 그 가두 사건은 대폭동의 전조가 될지도 모른다.

por·tent [pɔ́ːrtent] *n.* (불길한) 징조, 전조(omen); 경이적인 사람〔사물〕; Ⓤ (불길한) 의미.

por·ten·tous [pɔːrténtəs] *a.* 전조의; 불길한; 놀라운, 이상한; 무서운; 《우스개》 엄숙한《침묵 따위》. ㊕ **~·ly** *ad.* **~·ness** *n.*

por·ter[1] [pɔ́ːrtər] (*fem.* ***por·tress*** [-ris]) *n.* 《영》 문지기, 수위(doorkeeper); (공동 주택의) 관리인: a ~'s lodge 수위실.

⁑**por·ter**[2] *n.* **1** 운반인; (역의) 짐꾼(redcap); (호텔의) 포터. **2** 《미》 (침대차 · 식당차의) 사환; 《미》 잡역부. **3** 《고어》 운반 기구; 지지물(支持物). **4** Ⓤ 흑맥주(~s' ale). cf. beer. ***swear like a*** **~** 마구 고함지르다. ㊕ **~·age** [-təridʒ] *n.* Ⓤ 운반; 운송업; 운임.

pórter·hòuse *n.* **1** 큼직한 고급 비프스테이크(=**∠ stéak**). **2** 《고어》 (흑맥주 따위를 파는) 선술집; 간이 음식점.

pórter's knòt 《영》 짐꾼들의 어깨바대.

pórt·fire *n.* 점화 장치《꽃불 · 봉화 · 광산용 발파 등의》.

°**port·fo·lio** [pɔːrtfóuliòu] (*pl.* **-li·os**) *n.* **1 a** 종이집게, 손가방; 관청의 서류 나르는 가방. **b** (종이집게식) 화집, 화첩. **2** 특정 개인 또는 투자 기관 소유의 각종 유가 증권 명세표; 이들 금융 자산의 총체. **3** 장관의 지위〔직〕. **4** (P-) 포트폴리오《영국 Times 지가 행하고 있는 머니(money) 게임》. ***a minister without*** **~** 정무(政務) 장관.

portfólio invèstment 증권 투자, (유가 증권 매입을 통한) 간접 투자.

portfólio selèction 자산 선택《장래의 불확실성을 전제로 각종 재산을 선택하는 일》. **~ *theory*** 자산 선택론《미국 경제학자 J. Tobin의 설》.

pórt·hòle *n.* =PORT² 1, 3.

Por·tia [pɔ́ːrʃiə/-ʃiə] *n.* 포샤. **1** 여자 이름. **2** Shakespeare의 작품 *Merchant of Venice* 에 나오는 여주인공.

por·ti·co [pɔ́ːrtikòu] (*pl.* ~(*e*)*s*) *n.* 【건축】 주랑(柱廊) 현관.

por·tiere [pɔːrtjέər, -tíər, pɔ̀ːrtiέər/pɔ̀ːtiέə] *n.* 《F.》 (문간 등에 치는) 휘장, 막.

****por·tion** [pɔ́ːrʃən] *n.* **1** 한 조각, 일부, 부분(part)《*of*》: a ~ *of* land 한 구획의 토지; 약간의 땅 / A ~ *of* each school day is devoted to mathematics. 매일 수업의 일부는 수학에 할당된다. [SYN.] ⇨PART. **2** 몫(share)《*of*》; (음식의) 1인분《*of*》: a ~ *of* pudding 한 사람분의 푸딩 / eat two ~*s of* chicken 닭고기 2인분을 먹다. **3** 운명, 운(lot): accept one's ~ in life 운명을 받아들이다. **4** 【법률】 분배 재산; 유산의 한 몫; 상속분. **5** 지참금(dowry): a marriage ~.
— *vt.* **1** 《~+[목]/+[목]+[부]/+[목]+[전]+[명]》 나누다, 분할하다, 분배하다《*out*》: ~ *out* food 식량을 분배하다 / ~ *out* an inheritance *among* three 〔*between* two〕 people 유산을 세 사람〔두 사람〕에게 분배하다. **2** 《~+[목]+[전]+[명]》 몫으로 주다《*to*》; …에게 상속분〔지참금〕을 주다《*with*》: He ~*ed* his estate *to* his son-in-law. 그는 양자에게 재산을 주었다. **3** 《+[목]+[전]+[명]》 …에게 운명을 지우다: She is ~*ed with* misfortune. 그녀는 불행한 운명을 타고났다.

pór·tion·er *n.* **1** 분배자, 배당자. **2** 배당 수령인. **3** 【교회】 공동 목사(=**pórtionist**).

pór·tion·less *a.* 배당〔몫〕이 없는; 상속분이 없는; 지참금이 없는.

Port·land [pɔ́ːrtlənd] *n.* **1** 미국 Oregon주 북서부의 항구. **2** 미국 Maine주 남서부의 항구.

Pórtland cemént (*or* P-) 포틀랜드 시멘트《보통 말하는 시멘트》.

Pórtland stóne 영국 Isle of Portland 산(産) 「건축용 석회암.

port·ly [pɔ́ːrtli] (*-li·er; -li·est*) *a.* 살찐; 당당한, 풍채 좋은. ***of ~ presence*** 풍채 좋은. [파] **-li·ness** *n.*

port·man·teau [pɔːrtmǽntou] (*pl.* **~s, ~x** [-z]) *n.* 《F.》 (양쪽으로 열리게 된) 대형 여행용 가방, 슈트케이스; =PORTMANTEAU WORD. — *a.* 두 가지 이상의 용도를〔성질을〕 가진.

portmánteau wòrd 【언어】 혼성어(blend) 《두 말이 합쳐 하나가 된 말; smog, motel 따위》.

pórt nùmber 포트 어드레스《인터넷의 어느 네트서버 상에서 파일 전송 프로그램, 고퍼(Gopher) 등의 애플리케이션의 소재를 나타내는 숫자》.

pórt of cáll (보급·수리 등을 위한) 기항지〔항구〕; 자주 들르는〔들르게 되는〕 곳.

pórt of éntry (입국자·수입품) 통관항, 입국 관리 사무소가 있는 항구〔공항〕.

Port-of-Spain [pɔ́ːrtəvspéin] *n.* 포트오브스페인《Trinidad and Tobago의 수도》.

Por·to Ri·co [pɔ́ːrtəríːkou] Puerto Rico의 「구칭.

****por·trait** [pɔ́ːrtrit, -treit] *n.* **1** 초상; 초상화; 초상〔인물〕 사진. **2** (언어에 의한 인물의) 상세한 묘사《*of*》: The book gives 〔paints〕 a fascinating ~ *of* college life. 그 책은 매력적인 대학 생활을 묘사하고 있다. **3** 유사물; 유형《*of*》: She's the ~ *of* her mother. 그녀는 어머니를 꼭 닮았다. **4** 【컴퓨터】 세로(방향), 포트레이트. [파] **~·ist** *n.* 초상화가(=**~ pàinter**).

pórtrait mòde (삽화, 컴퓨터의 화면 표시에서) 세로로 배치하기, 세로 배치법.

por·trai·ture [pɔ́ːrtrətʃər] *n.* [U] 초상화법; 인물 묘사; [U,C] 초상화. ***in ~*** (초상화로) 그려진.

°por·tray [pɔːrtréi] *vt.* 《~+[목]/+[목]+[전]+[명]》 (풍경 따위를) 그리다, …의 초상을 그리다; (인물을) 묘사하다(depict); …을 극적으로 표현하다, (역을) 연기하다: ~ feelings in words 감정을 말로 묘사하다 / The author ~*s* the campus *as* a very pleasant place. 저자는 대학을 매우 즐거운 곳으로 묘사하고 있다. [파] **~·al** [-tréiəl] *n.* [U] 그리기; 묘사; [C] 초상(화). **~·er** *n.*

port·reeve [pɔ́ːrtrìːv] *n.* 【영국사】 시장(市長) (mayor); 시청 관리.

por·tress [pɔ́ːrtris] *n.* 여자 수위; (빌딩의) 청소부(婦).

Port Sa·id [pɔ́ːrtsɑːíːd] 포트사이드《수에즈 운하의 지중해 쪽 항구 도시》.

pórt·sìde *n.* 【해사】 좌현. — *a.*, *ad.* 좌측의〔으로〕; 《속어》 왼손잡이의.

pórt·sìder *n.* 《속어》 왼손잡이; 【야구】 왼손잡이 투수(southpaw).

Ports·mouth [pɔ́ːrtsməθ] *n.* 포츠머스. **1** 영국 남부의 군항. **2** 미국 New Hampshire 주의 군항《러·일 강화 조약 체결지(1905)》.

***Por·tu·gal** [pɔ́ːrtʃəgəl] *n.* 포르투갈《수도 Lisbon》.

***Por·tu·guese** [pɔ̀ːrtʃəgíːz, -gíːs, ´-`-/pɔ̀ːtʃgíːz] (*pl.* ~) *n.* [C] 포르투갈 사람; [U] 포르투갈 말. — *a.* 포르투갈의; 포르투갈 사람〔말〕의.

Pórtuguese man-of-wár 【동물】 고깔해파리, 《속어》 전기해파리.

por·tu·laca [pɔ̀ːrtʃəlǽkə] *n.* 【식물】 쇠비름속(屬)의 일년〔다년〕초《특히 채송화》.

POS point-of-sale. **pos.** position; positive; possession; possessive; 【컴퓨터】 product of sums.

po·sa·da [pɔːsɑ́ːdə] *n.* 《Sp.》 여관, 여인숙; 크리스마스 경축 촛불 행렬.

P.O.S.B. Post Office Savings Bank.

***pose¹** [pouz] *n.* **1** 자세, 포즈; 마음가짐(mental attitude). **2** 꾸민 태도, 겉치레: Everything he says is only a ~. 그의 말은 모두 겉치레뿐이다. **3** 【도미노】 첫 도미노(패)를 판에 내놓음.
— *vi.* **1** 《~/+[전]+[명]》 자세〔포즈〕를 취하다; (모델로서) 포즈를 잡다: Will you ~ *for* me? 당신의 사진을 찍어도 좋겠습니까. **2** 《~/+*as* [보]》 (어떤) 태도를 취하다, 짐짓 …인 체하다; (…을) 가장하다: Stop *posing!* 젠체하지 마라 / ~ *as* a richman 부자인 체하다. **3** 첫 도미노(패)를 판에 내다. — *vt.* **1** 《~+[목]/+[목]+[전]+[명]》 자세를 취하게 하다; 적절히 배치하다《*for*》: ~ a model / The group was well ~*d for* the photograph. 그룹은 촬영을 위해 잘 배치되었다. **2** 《~+[목]/+[목]+ [목]/+[목]+[전]+[명]》 (요구 따위를) 주장하다, (문제 등을) 제기하다: ~ a question / He ~*d* his students a question. =He ~*d* a question *to* 〔*for*〕 his students. 그는 학생들에게 질문을 했다.

pose² *vt.* **1** (어려운 문제 따위로) 괴롭히다; 궁지에 빠지게 하다. **2** 《고어》 …에게 질문하여 조사하다, 물어 밝히다.

Po·sei·don [pousáidn, pə-/pɔ-] *n.* **1** 【그리스신화】 포세이돈《해신(海神); 로마 신화의 Neptune에 해당》. **2** 【미해군】 포세이돈 미사일《Polaris를 개량한 수중〔수상〕 발사 핵미사일》.

pos·er¹ [póuzər] *n.* 어려운 문제(를 내는 사람).

Poseidon 1

pos·er² *n.* =POSEUR.
po·seur [pouzə́ːr] *n.* ((F.)) 짐짓 점잔 빼는 사람, 새침데기.
posh¹ [paʃ/pɔʃ] *a.* ((구어)) (호텔 등) 호화로운; (복장 등) 우아한, 스마트한, 멋진. — *vt.* 멋부리다((*up*)).
posh² *int.* 체((경멸·혐오를 나타냄)). 「은.
pósh·lòst *a.* 전에는 호화로웠던, 호화로움을 잃
pos·i·grade [pázəgrèid/pɔ́z-] *a.* 로켓이나 우주선의 진행 방향에 추진력을 주는.
pos·it [pázit/pɔ́z-] *vt.* 놓다, 앉히다; 〖논리〗 단정하다, 긍정적으로 가정하다. — *n.* 가정.
posit. position; positive.
po·si·tion [pəzíʃən] *n.* **1 a** 위치, 장소, 소재지; 적소: the ~ of a house 집의 위치. [SYN.] ⇨ PLACE. **b** (사회적) 처지, 입장: be placed in an awkward ~ 곤란한 입장에 놓이다 / I'm not in a 〔I'm in no〕 ~ *to* make a decision. 나는 결정을 내릴 입장에 있지 않다. **2** 지위, 신분; 높은 지위: a man of ~ 신분 있는 사람 / one's ~ *in* life 〔society〕 사회적 지위, 신분. **3** 직책, 근무처: get a good ~ 좋은 일자리를 얻다 / He has a ~ *in* 〔*with*〕 a bank. 그는 은행에 근무한다.

> [SYN.] **position** 어떠한 직업에 대해서도 말하지만 보통은 손으로 하는 일보다 고위의 직종. **job** position의 구어체로서 직종은 한정되지 않음. **place, situation** 구직하는 쪽에서 근무 자리로서의 직. situation은 실업계에 있어서의 일에 대하여 씀: *Situation* wanted. 직업을 구함. place는 가정 내에서의 일에 대한 고용에 씀: He is looking for a *place* as a gardener. 정원사의 일자리를 찾고 있다.

4 [U] 태도, 자세; 심적 태도; [C] (문제 등에 대한) 입장, 견해, 주장: What is your ~ *on* this question? 이 문제에 대한 자네 생각은 어떤가. **5** 상태, 형세, 국면: the present ~ of affairs 사태의 현상. **6** 〖논리〗 명제(命題). **7** 〖경기〗 수비 위치; (체스 등의 말의) 배치; 〖군사〗 진지, 유리한 지점. **8** 〖음악〗 화음; (현악기의 손가락을 누르는) 포지션. **9** (인쇄 매체에서) 광고를 게재하는 위치; (라디오·TV에서) CM방송 시간대; 경합 제품과의 관계를 고려하면서 전(全) 시장에 제품을 내보내는 일. ***be in*** ~ 적소에 놓여 있다; (경기자 등이) 소정의 위치를 잡고 있다. ***in a false*** ~ 달갑잖은〔난처한〕 입장에. ***in*** (my) ~ (내) 처지로는. ***maneuver*** 〔***jockey***〕 ***for*** ~ 유리한 위치를 차지하려고 꾀하다. ***out of*** ~ 부적당한 자리에 놓여; 위치에서 벗어나; 탈이 나서. ***take up a*** ~ (유리한) 위치〔자리〕를 잡다. ***take up the*** ~ ***that ...*** …이라는 견해를 취하다.
— *vt.* ((~+[목]/+[목]+[전]+[명]/+[목]+*to* do)) 적당한 장소에 두다〔놓다〕; (상품을) 특정 구매자를 노리고 시장에 내다; 〖군사〗 (부대를) 배치하다; ((드물게)) …의 위치를 정하다: She ~*ed* the vase carefully *on* the table. 그녀는 꽃병을 테이블 위에 조심스럽게 올려놓았다 / ~ oneself *to* act at once 즉각 행동을 취할 수 있는 곳에 자리 잡다.
po·si·tion·al [pəzíʃənəl] *a.* 위치(상)의; 지위의; 전후 관계〔주위의 조건〕에 의존하는; 비교적 움직임이 적은.
posítional notátion (숫자의) 위치 표기법.
posítion effèct 〖생물〗 위치 효과.
posítion pàper (정부·노조 등의) 정책 방침서, 해명서; (회의 등에서의) 토의 자료.
pos·i·tive [pázətiv/pɔ́z-] *a.* **1** 확신하는, 자신 있는: Are you ~ (*that*) it was after midnight? 확실히 자정 후였는가. **2** 단정적인, 명확한, 의문의 여지가 없는: a ~ proof 확증 / ~ knowledge 명확한 지식. **3** 확실한, 확언한, 단호한: a ~ promise 확약 / ~ orders 단호한 명령. **4** 긍정적인. [opp.] *negative.* ¶ a ~ answer 긍정적인 대답. **5** 적극적인, 건설적인. [opp.] *negative.* ¶ ~ living 적극적인 생활 태도 / a ~ suggestion 건설적인 제안. **6** 실재하는: a ~ evil 실재하는 악. **7** 실제적〔실증적〕인: a ~ mind 실제적인 사람 / ~ virtue 실행으로 나타내는 덕 / ~ morals 실천 도덕 / a ~ term 실명사(實名辭). **8** 〖물리·전기〗 양(성)의; 〖의학〗 (반응이) 양성(陽性)의; 〖수학〗 양(陽)의, 플러스의; 〖사진〗 양화(陽畫)의. [opp.] *negative.* ¶ a ~ number 〖수학〗 양수(陽數) / the ~ sign 〖수학〗 플러스 기호 ((+)). **9** 〖화학〗 염기성(塩基性)의. **10** 〖문법〗 원급(原級)의. [cf.] comparative. ¶ the ~ degree 원급. **11** ((구어)) 완전한, 순전한: a ~ lie 순전한 거짓말 / a ~ nuisance 정말 귀찮은 것 / a ~ fool 진짜 바보. ***be ~ about*** 〔***of***〕 …을 확신하다.
— *n.* **1** 현실(물); 실재; 확실성; 긍정. **2** 〖문법〗 원급. **3** 〖수학〗 정량(正量); 〖전기〗 양극판; 〖사진〗 양화. **4** 〖철학〗 실증할 수 있는 것. [파] **~·ness**
pósitive áction =AFFIRMATIVE ACTION. 「*n.*
pósitive définite 〖수학〗 양정치(陽定值): ~ quadratic form 양정치 2차 형식.
pósitive discriminàtion 〔**áction**〕 ((영)) = AFFIRMATIVE ACTION.
pósitive electrícity 〖전기〗 양전기.
pósitive eugénics 〖생물〗 적극적 우생학((바람직한 형질을 증가시킴으로써 인종 개량을 꾀하는 우생학)).
pósitive euthanásia =ACTIVE EUTHANASIA.
pósitive féedback 〖전자〗 정귀환(正歸還), 양의 피드백.
pósitive fígure 흑자(黑字). 「ural law.
pósitive láw 〖법률〗 실정법(實定法). [cf.] nat-
pósitive léns 〖광학〗 정(正)렌즈.
pós·i·tive·ly *ad.* **1** 확실히, 절대적으로: ~ true 절대 진실한. **2** 정말로, 몹시: ~ shocking 몹시 놀라운〔괘씸한〕. **3** 적극적으로, 단호히, 단연. **4** 긍정적으로. — *int.* 단연, 물론: Will you go? — *Positively* [종종 ⌐–⌐–]! 가겠나 — 가고말고.
pósitive òrgan (건반이 1단으로 된) 실내 오르간; =CHOIR ORGAN.
pósitive philósophy 〖철학〗 =POSITIVISM.
pósitive póle 〖전기〗 양극.
pósitive rày 〖물리〗 양극선(anode ray).
pos·i·tiv·ism [pázətivìzəm/pɔ́z-] *n.* [U] **1** 〖철학〗 실증 철학, (철학자 Comte의) 실증론; 실증주의. **2** 적극성; 명확성; 확신; 독단. [파] **-ist** *n.*
pòs·i·tiv·ís·tic [-vístik] *a.*
pos·i·tiv·i·ty [pàzətívəti/pɔ̀z-] *n.* [U] **1** 확실함; 확신. **2** 적극성. **3** 실증성.
pos·i·tron [pázətràn/pɔ́zitrɔ̀n] *n.* 〖물리〗 양전자(陽電子). [opp.] *negatron.* [◂ *posi*tive+elec*tron*]
pósitron ĆŤ 〖의학〗 양전자 단층 촬영(법).
pósitron emìssion tomògraphy 〖의학〗 양전자 방사 단층 촬영(법)((생략: PET)). [cf.] PET scanner.
pos·i·tro·ni·um [pàzətróuniəm/pɔ̀z-] *n.* 〖물리〗 포지트로늄((한 쌍의 전자와 양전자의 결합체)).
po·sol·o·gy [pəsálədʒi, pou-/-sɔ́l-] *n.* [U] 〖의학〗 약량학(藥量學). 「sibly.
poss. possession; possessive; possible; pos-
pos·se [pási/pɔ́si] *n.* ((L.)) **1** =((미)) POSSE COMITATUS; (치안 유지 따위를 위하여 법적(法的) 권한을 가진) 무장〔보안〕대, 경찰대, (임시로 조직된) 수색대. **2** [U] 가능성, 잠재력: ⇨ IN POSSE. **3** ((속어)) (이해관계가 같은) 군중.
pósse com·i·tá·tus [-kàmətáːtəs, -téi-/

-kɔ̀m-] ⦅미⦆ 〚법률〛 (치안 유지 · 범인 체포 · 법의 집행 등을 위해 15세 이상의 남자를 보안관이 소집하는) 자경단(自警團)〔민병대〕.

pos·sess [pəzés] *vt.* **1** 소유하다, 가지고 있다(own)⦅재산 · 소유물로서⦆: ~ a house and a car 집과 차를 가지고 있다. **2** (자격 · 능력을) 지니다, 갖추다(have): ~ wisdom 지혜가 있다. **3** (마음 · 감정 등을) 억제하다: ~ one's temper 노염을 참다. **4** ⦅+목+전+명⦆ 〚~ oneself〛 자제하다, 인내하다: ~ one*self in* patience 꾹 참다. **5** ⦅+목+전+명⦆ (마음 · 자신을) …의 상태로 유지하다: ~ one's soul *in* peace 마음을 편안히 가지다. **6** 점유하다; 손에 넣다; (여자와) 육체관계를 가지다; ⦅고어⦆ 붙잡다, 획득하다. **7** ⦅+목+전+명⦆ 〚보통 수동태〛 (악마 · 귀신이) …에게 들리다〔씌다〕⦅*with; by; of*⦆: *be ~ed by* 〔*with*〕 devils 악마가 들리다. **8** ⦅~+목/+목+*to* do⦆ (감정 · 관념 따위가) …을 지배하다, …의 마음을 사로잡다: She is ~*ed* by envy. 그녀는 질투심에 사로잡혀 있다/Rage ~*ed* him. 심한 분노가 그를 사로잡았다/What ~*ed* her *to* act like that? 그녀는 무엇 때문에 그런 행동을 했을까. **9** ⦅고어⦆ …에게 알리다; ⦅폐어⦆ 주다. ***be ~ed of*** …을 소유하고〔지니고〕 있다: He *is ~ed of* a large fortune. 그는 큰 재산을 소유하고 있다. ~ one***self of*** …을 자기 것으로 하다; …을 점유〔횡령〕하다. ***What ~es you to*** do …? 도대체 왜 …하는가; …하다니 미쳤나(⇨8).

pos·séssed [-t] *a.* **1** 홀린, 씐, 미친, 열중한 ⦅*by; of; with*⦆: He seemed ~. 정신이 돈 모양이다/~ *of* the devil 귀신이 들려. **2** 침착한, 냉정한(self-~). ***like one*** 〔⦅미⦆ ***all***〕 **~** 악마에 홀린 듯이; 열심히, 맹렬히. ㊕ **~·ly** *ad.* **~·ness** *n.*

pos·ses·sion [pəzéʃən] *n.* **1** Ⓤ 소유; 소지; 〚법률〛 점유; 소유〔점유〕감; 〚스포츠〛 공〔퍽 따위〕의 보지(保持): illegal ~ *of* arms 무기의 불법 소지/He obtained ~ *of* a small factory. 그는 작은 공장을 입수하였다. **2** 소유물, 소지품; (*pl.*) 재산: a man of great ~*s* 대재산가/lose one's ~*s* 전 재산을 잃다. **3** 속령, 영지, 속국: the British ~*s* in Asia. **4** Ⓤ 홀림, 빙의(憑依), (감정의) 사로잡힘. **5** 사로잡혀 떠나지 않는 감정. **6** Ⓤ ⦅드물게⦆ 자제, 침착(self-~). ***be in ~ of*** …을 소유〔점령, 점유〕하고 있다. ***come into*** a person***'s ~*** 아무의 손에 들어가다. ***get*** 〔***take***〕 ***~ of*** …을 입수하다, …을 점유하다. ***in the ~ of*** …에 소유되어. ***rejoice in the ~ of*** 다행히도 …을 소유하다. ***with the full ~ of*** …을 독점하여.

posséssion òrder 〚법률〛 점유 반환 명령.

pos·ses·sive [pəzésiv] *a.* **1** 소유의; 소유욕이 강한: the ~ instinct 소유 본능/He's terribly ~ *about* 〔*with*〕 his car. 그는 자동차 소유욕이 몹시 강하다. **2** 〚문법〛 소유를 나타내는. **—** 〚문법〛 *n.* 소유격; 소유형용사〔대명사〕. ㊕ **~·ly** *ad.*

posséssive prónoun 〚문법〛 소유대명사 ⦅mine, yours 따위⦆. 「자.

pos·ses·sor [pəzésər] *n.* 소유자; 〚법률〛 점유

pos·ses·so·ry [pəzésəri] *a.* 소유하고 있는; 소유(자)의; 〚법률〛 점유로 생기는; 소유권이 있는.

pos·set [pásit/pɔ́s-] *n.* Ⓤ,Ⓒ 밀크주⦅뜨거운 우유에 포도주 · 향료 등을 넣은 음료⦆.

pos·si·bi·list [pásəbəlist, pəsíb-/pɔ́sib-, pə-síb-] *n.* 〚정치〛 현실적 개혁주의자〔개혁파〕.

pos·si·bil·i·ty [pàsəbíləti/pɔ̀s-] *n.* **1** Ⓤ,Ⓒ 가능성, 실현성, 있을〔일어날〕 수 있음: Is there any ~ *of* his getting the job? 그가 그 자리에 취직할 가망은 (좀) 있는 거냐/There's quite a ~ *that* war may break out. 전쟁이 발발할 가능성이 충분히 있다. **2** Ⓒ 실현〔실행〕 가능한 일〔수단〕: exhaust every ~ 모든 수단을 다하다. **3** (종종 *pl.*) 발전 가능성, 장래성: I see some 〔great〕 *possibilities* in her project. 그녀의 계획에는 다소의〔상당한〕 가망이 있다고 생각한다. ***be within the bounds*** 〔***range***〕 ***of ~*** 있을 수 있는 일이다. ***beyond ~*** 불가능하여. ***by any ~*** ① 〚조건절에서〛 만일에, 혹시: if *by any* ~ I am absent, … 혹시 내가 없거든 …. ② 〚부정에서〛 도저히 …, 아무래도 …: I can't *by any* ~ be in time. 아무래도 시간에 댈 수 없다. ***by some ~*** 어쩌면, 혹시. ***There is no ~ of ….*** …의 가능성〔가망〕은 조금도 없다: *There is no ~ of* her going there. 그녀가 거기에 간다는 것은 있을 수 없다.

pos·si·ble [pásəbəl/pɔ́s-] *a.* **1** 가능한, 할 수 있는: a ~ but difficult job 가능은 하지만 어려운 일/It is ~ to cure cancer. 암치료의 가능성은 있다/This job is ~ *for* him. 이 일은 그에게는 가능하다/All things are ~ *to* God. 하느님에게는 모든 것이 가능하다/Is it ~ *for* him *to* get there in time? 그가 그곳에 제 시간에 도착할 수 있을까.

> SYN. **possible** 어떤 조건을 갖추면 실현 가능한. **practicable** 현재 조건으로도 실행 가능한. **feasible** 해 보면 실현 가능하고 소기의 효과를 올릴 수 있을 듯한: a *feasible* plan 실현성이 있는 계획.

2 있음직한, 일어날 수 있는: provide for ~ war 만일의 전쟁에 대비하다/*It* is ~ *to* drown in a few inches of water. 단 몇 인치 깊이의 물에도 빠져죽을 수 있다. SYN. ⇨PROBABLE, LIKELY. **3** 진실〔정말〕일지도 모르는: *It* is ~ *that* he went. 정말로 갔는지도 몰라. **4** ⦅구어⦆ 그런대로 괜찮은: He is the only one ~ person among them. 그래도 사귈 만한 사람은 그뿐이다. ***all*** 〔***every***〕 ***~ means*** 모든 수단. ***as … as ~*** 되도록(=as … as one can): *as* quickly *as* ~ 되도록(이면) 속히. ***if ~*** 가능하다면: "Will you come?"—"Yes, *if* ~."

— *n.* **1** (*pl.*) 가능한 일. **2** 전력: I will do my ~. 할 수 있는 데까지 해 보겠다. **3** (사격 따위의) 최고점: score a ~. **4** 후보자; 적임자: Presidential ~*s* 대통령 후보자/a list of ~*s for* the post 〔job〕 그 자리〔일〕에 적합한 사람들의 리스트. **5** (*pl.*) ⦅속어⦆ 필요품, 돈. (a game between) ***~s and probables*** 후보 선수 대 보결 선수(의 경기).

pos·si·bly [pásəbəli/pɔ́s-] *ad.* **1** 어쩌면, 혹은, 아마(perhaps, maybe): He may ~ come. 어쩌면 올지도 모르겠다/Can you come?—*Possibly*, but I'm not sure. 올 수 있겠나—아마 그럴 것 같네, 그러나 장담은 못 하네. SYN. ⇨PERHAPS. **2** 〚긍정문에서 can 과 같이〛 어떻게든지 해서, 될 수 있는 한: As soon as I ~ *can*. 될 수 있는 한 빨리. **3** 〚의문문에서 can 과 같이〛 어떻게든지 해서, 과연: *Can* you ~ help me? 어떻게 좀 도와주지 않겠습니까. **4** 〚부정문에서 can 과 같이〛 아무리 해도, 도저히 (…않다): I *cannot* ~ do it. 도저히 할 수 없다(≒*Possibly* I cannot do it. 할 수 없을지 모르겠다).

pos·sie, pos·sy [pási/pɔ́-], **poz·zy** [pázi/pɔ́-] *n.* ⦅Austral.속어⦆ 지위(position), 일(job).

POSSLQ [pásəlkjùː/pɔ́s-] *n.* Ⓒ (*pl.* ***~s, ~'s***) ⦅미⦆ 동거인, 동서인⦅미국 인구 조사국의 용어⦆. [◂*p*erson of the *o*pposite *s*ex *s*haring *l*iving *q*uarters]

Pos·sum [pásəm/pɔ́s-] *n.* ⦅영⦆ 신체 장애자 조작용 전자 공학 장치의 별칭.

pos·sum ⦅구어⦆ *n.* 〚동물〛 = OPOSSUM; ⦅Austral., N. Zeal⦆ =PHALANGER. ***play ~*** 꾀병 부리다; 죽은〔자는〕 체하다; 속이다; 시치미 떼다.

*post¹ [poust] n. 1 기둥, 말뚝, 문기둥, 지주(支柱); 푯말: (as) stiff as a ~ 잔뜩 얼어서/(as) deaf as a ~ ⇨DEAF. 2 (the ~) (경마 등의) 표주(標柱): a starting 〔winning〕 ~ 출발점〔결승점〕 표주. 3 〖광산〗 탄주(炭柱), 광주(鑛柱). 4 (열쇠 구멍에 맞도록 된) 자물쇠의 촉. 5 단단한 바위층. 6 《CB속어》 고속도로변의 마일표. **beat** a person **on the ~** (경주에서 아무를) 가슴 하나의 차이로 이기다. **be left at the ~** 처음부터 뒤지다. **be on the wrong 〔right〕 side of the ~** 행동을 그르치다〔바로 하다〕. **between you and me and the ~** 아무도 모르게 두 사람만, 은밀히. **from pillar to ~** ⇨PILLAR. **— vt.** 1 《~+목/+목+부/+목+전+명》 (게시·전단 따위를) 붙이다《up》; …에 붙이다《with》: Post (《영》 Stick) no bills. 광고 게시 금함/~ up a notice on the board 게시판에 게시하다/~ the board (over) with bills 게시판 전면에 광고를 붙이다. 2 《~+목/+목+전+명》 게시〔공시〕하다, 게시하여 알리다, 퍼뜨리다: ~ a person for a swindler 아무를 사기꾼이라고 소문내며 다니다. 3 《~+목/+목+as 보》〔보통 수동태로〕 (배를) 행방불명이라고 발표하다: The soldier 〔ship〕 was ~ed (as) missing. 그 병사〔배〕는 행방불명이라고 발표되었다. 4 《영》 (대학에서 불합격자를) 게시하다: ~ the failures in the examination 시험의 불합격자를 게시하다. 5 《미》 (토지에) 출입 금지〔금렵구(區)〕 게시를 하다: ~ one's land 〔grounds〕 경내 금렵〔구내 출입 금지〕 팻말을 세우다. 6 〖경기〗 (스코어를) 기록하다.

*post² n. 1 a 지위(position), 직(職), 직장: a diplomatic ~ 외교관직/hold a ~ at a hospital 병원에 근무하다/resign one's ~ 사임하다/at one's ~ 임지에서. SYN. ⇨POSITION. b 〖군사〗 부서, 초소, 경계 구역: the sentry at his ~ 경계 구역에서 근무 중인 보초/Remain at 〔Don't desert〕 your ~ until relieved. 교대시까지 자기 부서를 이탈하지 말 것. 2 〖군사〗 주둔지; 주둔 부대: a frontier ~ 변경(邊境) 주둔지. 3 (미개지 원주민과의) 교역소(交易所)(trading ~); 《Can.》 (한 지역의) 모피 교역 센터(trading ~); (증권 거래소 안의) 특수주의 거래장. 4 《미》 (재향 군인회) 지부. 5 〖영군사〗 취침 나팔: the first ~ 취침 예비 나팔/the last ~ 소등 나팔; 군장(軍葬) 나팔. **— vt.** 1 《~+목/+목+전+명》 (보초병 등을) 배치하다《to》: policemen ~ed along the street 연도에 배치된 경찰관. 2 《+목+전+명》〔보통 수동태로〕《영》 (…에) 배속〔전출〕시키다《to》: He has been ~ed to London. 3 《미》 (채권 등을) 팔다, 공탁하다.

*post³ n. 1 U 《영》 우편(《미》 the mail), 우편제도; 〔집합적〕 우편물. 2 (the ~) 집배(集配), 편(便)《우편물의 차편·배편 따위》: I missed the last ~. 마지막 편을 놓쳤다/When is the next ~ due? 다음 우편은 언제 오나. 3 《영》(the ~) (1회 배달분의) 우편물: Has the ~ come yet? 벌써 우편(물)이 왔나/I had a heavy ~. 우편물이 많이 왔다. 4 《영》 우체국; 우체통 (《미》 mailbox): take a letter to (the) ~ 편지를 우체국〔우체통〕에 가지고 가다. 5 《고어》 역참(stage), 역참간의 거리. 6 U 포스트《16×20인치 크기 등의 종이》. 7 U (P-) 신문 이름: the Washington Post. 8 파발꾼; 《영방언》 우편집배원. **by ~** 우편으로; 《고어》 파발꾼편에: send a book by ~ 소포로 책을 보내다. **by return of ~** 편지 받는 대로 곧: She wrote to me by return of ~. 그녀는 편지를 받고 곧 나에게 회답했다. **take ~** 파발마로 가다, 급히 여행하다. **— vt.** 1 《~+목/+목+부/+목+목/+목+전+명》 《영》 우송하다; 투함(投函)하다(《미》 mail): Post (off) this letter, please. 이 편지 좀 부쳐주세요/I ~ed him a Christmas card. =I ~ed a Christmas card to him. 나는 그에게 크리스마스 카드를 부쳤다. 2 《~+목/+목+부》 〖부기〗 전기(轉記)하다, 분개(分介)하다《up》: ~ checks 〔bills〕 계산서를 기장하다/~ up a ledger 원장에 전부 기입하다. 3 《+목(+부)/+목+전+명》〔보통 수동태로〕《구어》 …에게 최근 정보를 알리다: He is well ~ed (up) in current politics. 작금의 정정(政情)에 밝다/Keep me ~ed on his activities. 늘 그의 근황을 알려다오. **— vi.** 1 《~/+부》 급히 여행하다; 서두르다《off》: Post off at once. 어서 서둘러라. 2 〖역사〗 파발마(馬)로 여행하다.

— ad. 1 《고어》 파발마(편으)로. 2 부랴부랴, 지급으로. **ride ~** 부랴부랴 달려오다.

post [poust] prep. 《L.》 …뒤, …후에.

post- [póust] pref. '후의, 다음의, 뒤의' 라는 뜻(OPP ante-, pre-).

POST 1 〖경영〗 point of sales terminal《점포의 매장(賣場) 등록기를 단말(기)(point-of-sale terminal)로 하고 본사 등의 컴퓨터와 연결함으로써 판매시점의 자료를 관리하는 방식》. 2 〖컴퓨터〗 power on self test (자체 진단)《컴퓨터의 작동 시에 자동적으로 이루어지는 테스트 동작》.

*post·age [póustidʒ] n. U 우편 요금: ~ free 〔due〕 송료 무료〔부족〕/~ paid 송료 지급필.

póstage-dúe stàmp (우체국에서 붙이는) 부족 요금〔추가 요금〕 우표《배달 때 수취인이 지급》.

póstage mèter 《미》 (요금 별납 우편물의) 우편 요금 미터 스탬프(=**póstal mèter**)《국명(局名)·일부인 등을 찍어 요금을 집계하는 기계》.

póstage stàmp 우표; 《구어》 비좁은 자리.

*post·al [póustəl] a. 우편의; 우체국의; 우송에 의한: ~ employees 우체국원/~ matters 우편물/~ savings 우편 저금/a ~ delivery 우편물 배달/a ~ tube 기송관(氣送管)으로 우편물을 보내는 통/a ~ application 우편 신청(서). **the International 〔Universal〕 Postal Union** 만국우편 연합. **— n.** 《미》 =POSTAL CARD.

póstal càrd 《미》 관제 엽서; =POSTCARD.

Póstal Còde Númber 〔No.〕 《영》 우편 번호(postcode).

póstal còurse 《영》 통신 교육 강좌.

póstal delívery zòne 《미》 우편구(zone).

póstal òrder 《영》 우편환《생략: P.O.》.

póstal sávings bànk 정부가 각 우체국에 위탁·운영하는 저축 은행.

póstal sérvice 우편 업무; (the (US) P- S-) (미국) 우정(郵政) 공사《1971년 the Post Office를 개편한 것》.

póstal vòte 〖정치〗 우편 투표, 부재자 투표.

pòst·atómic a. 최초의 원폭 투하 이후의: the ~ world 〔age〕 원자력 세계〔시대〕. OPP pre-atomic.

póst·bàg n. 《영》 우편낭, 행낭(《미》 mailbag); (한 번에 받는) 우편물.

post·bel·lum [pòustbéləm] a. 전후(戰後)의; 《미》 남북 전쟁 후의. OPP antebellum.

póst-bòat n. 《영》 우편선.

póst·bòx n. 《영》 우체통(《미》 mailbox); (각 가정의) 우편함.

póst·bòy n. 1 《영》 우편집배원. 2 =POSTILION.

pòst·bréeding a. (동물의 수컷의) 생리적 생식 적합기 후의.

póst càptain 〖영해군〗 대령 함장.

*post·card [póustkà:rd] n. 우편 엽서; 《미》 사제 엽서, 《특히》 그림 엽서(picture ~).

póst-cénsorship n. U 사후 검열. OPP pre-censorship.

póst chàise 〚역사〛 (4-5 인승) 4 륜 역마차.
post·ci·bal [poustsáibəl] *a.* 〚의학〛 식후의.
pòst·clássic, -sical *a.* (예술 · 문학이) 고전 시대 이후의.
póst·còde *n.* 《영 · Austral.》 우편 번호(《미》 zip code). **—** *vt.* 《영》 …에 우편 번호를 써넣다.
pòst cóital 성교 후의. [파] **~·ly** *ad.*
pòst·colónial *a.* 식민지로부터 독립 후의; 〚건축〛 미국의 독립 전쟁 후 콜로니얼풍 건축의.
pòst·commúnion *n.* [U] (종종 P- C-) 〚가톨릭〛 성체 배령(聖體拜領) 후의 감사의 기도(문).
pòst-consúmer *a.* 사용이 끝난, 중고의.
pòst·dáte *vt.* 날짜를 실제보다 늦추어 달다, 날짜를 차례로 늦추다; (시간적으로) …의 뒤에 오다. ***a ~d bill*** 연(延)어음. **—** *n.* (증서 등의) 사후 일부(日付).
pòst·débutante *n.* 사교계에 데뷔를 끝낸 젊은 여성, 사교계에 완전히 데뷔한 젊은 여성.
pòst·dilúvian *a., n.* 노아(Noah)의 홍수 후의 (사람 · 물건).
póst·dòc [-dɑ̀k/-dɔ̀k] *n., a.* 《구어》 =POSTDOCTORAL.
pòst·dóctoral, -torate *a.* 박사 과정 이수 후의 연구의[에 관한]. **—** *n.* 박사 과정을 끝낸[이수한] 연구자.
póst·ed [-id] *a.* **1** 지위가[직장이] 있는. **2** 《구어》 사정에 밝은: be well ~ 정통하다.
pósted príce 고시 가격, 원유의 기준 가격.
pòst·emérgence *n., a.* (농작물의) 모종에서 성숙할 때까지의 (단계).
póst èntry 〚경기〛 마감 뒤의 추가 신청.
póst·èntry *n.* **1** 〚부기〛 추가 기장, 전기(轉記). **2** (식물류의 수입 허가가 내려진 다음의) 검역 격리 기간.
***post·er**[1] [póustər] *n.* **1** 포스터, (큰) 전단(傳單), 광고 전단. **2** 전단 붙이는 사람(billposter). **—** *vt.* 전단을[포스터를] 붙이다: ~ the walls 벽에 전단을 붙이다.
post·er[2] *n.* 급한 여행자; 파발꾼; 역마.
póster bòy [**gìrl**] 《미》 남자[여자] poster child; (광고 사진의) 남자[여자] 모델.
póster chìld (선전용 포스터 등에 등장하는) 이미지 캐릭터, 심벌.
póster còlor 포스터컬러(《포스터용 그림물감》).
poste res·tante [pòustrestɑ́:nt/-réstɑ:nt] 《F.》 〚우편〛 유치(留置)(《우편물에의 표기》)(《미》 general delivery); 《주로 영》 (우체국의) 유치 우편을 취급하는 과(課).
°**pos·te·ri·or** [pɑstíəriər/pɔs-] *a.* **1** (시간 · 순서가) 뒤의, 다음의. [OPP] *prior*[1]. **2** (위치가) 뒤의, 배면(背面)의. [OPP] *anterior*. **3** 〚동물〛 미부(尾部)의; 〚해부〛 후배부(後背部)의. **~ to** …보다 뒤에. **—** *n.* (몸의) 후부(後部); (종종 *pl.*) 《우스개》 엉덩이. [파] **~·ly** *ad.* 다음[후, 후부]에.
pos·te·ri·or·i·ty [pɑstìəriɔ́:rəti, -ɑ́r-/pɔstìəriɔ́r-] *n.* [U] **1** (위치적 · 시간적으로) 뒤[다음]임. [OPP] *priority*. **2** 후시성(後時性); 후천성.
postérior probabílity 〚통계〛 경험적 확률(《표본 중에서 관찰된 빈도를 근거로 해 나온 확률》).
****pos·ter·i·ty** [pɑstérəti/pɔs-] *n.* [U] **1** 《집합적》 자손(descendants). [OPP] *ancestry*. **2** 후세, 후대. ***hand down ... to*** **~** …을 자손에 전하다.
pos·ter·i·za·tion [pòustərizéiʃən/-raiz-] *n.* 포스터리제이션(《분해된 사진의 원판을 써서 연속적인 톤 또는 색조의 사진 등에서 불연속적인 톤 또는 색조의 복제를 만드는 기법》).
pos·tern [póustə:rn, pɑ́s-/pɔ́s-, póus-] *n.* 뒷문; 협문(夾門); 성채의 뒷문; 〚축성(築城)〛 지하도; 샛길, 도피로. **—** *a.* 뒤의, 뒷문의.
pos·te·ro·lat·er·al [pɑ̀stəroulǽtərəl/pɔ̀s-] *a.* 후측 측면의, 뒤쪽 방향의.
póster pàint =POSTER COLOR.
Póst Exchànge 〚미육군〛 (주둔지의) 군(軍) 매점(《생략: PX》).
pòst·exílic, pòst·exílian *a.* 유대인의 바빌로니아 유수(幽囚) 이후의.
post·face [póustfis, -fèis] *n.* 후기(後記), 발문(跋文). [cf.] preface.
pòst-fáctum *a.* 사후(事後)의.
pòst·féminist *a.* 1970 년대 여권 확장 운동 융성기 이후의, 페미니스트 운동 이후의. **—** *n.* 포스트페미니스트(《1970 년대 여권 확장 운동에서 생겨난 각종 이데올로기 신봉자》).
pòst·fígurative *a.* 어른[연장자]의 가치관이 지배적인[하는].
póst·fix *n.* 《드물게》 접미사. **—** [⌐⌐] *vt.* 어미에 붙이다; 접미하다.
póst-Fórd·ism [-fɔ́:rdizəm] *n.* 포스트 포디즘(《헨리포드식(式)의 대량 생산 체제에서, 로봇이나 정보 공학에 의거한 소규모 다종 생산으로의 이행, 또는 그러한 사고방식》).
pòst·fórm *vt.* (가소성의 박판(薄板) 따위를) 2 차 성형하다.
póst-frée *a., ad.* 우송료 무료의[로]; 《영》 우송료 선불의[로](postpaid).
pòst·glácial *a.* 〚지학〛 빙하기 후의, 후빙기의.
póst·gráduate *a.* 대학 졸업 후의, 대학원의 (《미》 graduate); (고교 졸업 후) 대학 진학 준비 중인[의]: the ~ course 대학원 과정 / the ~ research institute 대학원. **—** *n.* 대학원 학생, 연구(과)생, 대학원 과정; (고교 졸업 후) 대학 진학 준비 중인 학생.
pòst·hárvest *a.* (곡물의) 수확(기) 후의.
póst·háste *ad.* 급행[지급]으로. **—** *a.* 《고어》 급행[지급]의. **—** *n.* 《고어》 (파발마 · 전령의) 지급.
post hoc, er·go prop·ter hoc [póusthɑ́k, ɔ́:rgou-prɑ́ptər-hɑ́k/-hɔ́k, -prɔ́ptə-hɔ̀k] 《L.》 〚논리〛 이 다음에, 그러므로 이 때문에(《시간의 전후 관계를 인과 관계와 혼동한 허위 논법》).
póst hòle 울타리의 말뚝을 세우려고 판 구멍.
póst hòrn (옛날의) 마차의 나팔.
póst hòrse (옛날의) 역마, 파발마.
póst hòuse (옛날의) 역사(驛舍); 《고어》 우체국.
post·hu·mous [pɑ́stʃuməs/pɔ́s-] *a.* 유복자로 태어난; 저자의 사후에 출판된; 사후의: a ~ child 유복자 / one's ~ name 시호(諡號) / a ~ work 유저(遺著) / ~ fame 사후의 명성. ***confer ~ honors*** 추서(追敍)하다(《*on*》). [파] **~·ly** *ad.* 사후에; 유작(遺作)으로서. **~·ness** *ad.*
pòst·hypnótic *a.* 최면 후의[에 관한], (암시가) 최면 후에 효과를 나타내는 (것 같은).
pos·tiche [pɔ:stí:ʃ, pɑs-/pɔs-] *a.* 《F.》 가짜의, 모조의; 불필요한(《장식 따위》). **—** *n.* 모조품; 쓸데없는 장식; 허위.
pos·ti·cous [pɑstáikəs/pɔs-] *a.* 〚식물〛 뒤(쪽)에 있는(posterior).
pos·til [pɑ́stil/pɔ́s-] *n.* (특히 성서의) 방주(傍注), 주석.
pos·til·ion, 《영》 **-til·lion** [poustíljən, pɑs-/pɔs-, pəs-] *n.* (마차의) 기수장(騎手長)(《쌍두마차에서는 왼쪽 말에, 네 필 이상이 끄는 마차에서는 앞줄 왼쪽 말에 탐》); 여성 모자의 일종(《꼭대기는 편평하고, 챙이 젖혀진》).
pòst·impréssionism *n.* (종종 P-I-) [U] 〚미술〛 후기 인상주의. [파] **-ist** *a., n.* 후기 인상파의 (화가).
pòst·indústrial *a.* 탈(脫)공업화(시대)의.
póst·ing[1] *n.* 〚부기〛 전기(轉記); 등기(登記).
póst·ing[2] *n.* 지위[부서 · 부대]에의 임명.
pòst·irradiátion *a.* (엑스선) 조사(照射) 후에 생기는.
póst-ìt *n.* 포스트잇(《뒷면이 끈적끈적한 부전지; 「상표명」》).

post·li·min·i·um, post·lim·i·ny [pòust-limíniəm], [-límənì] *n.* 〖국제법〗 전후 복권(戰後復權), 전후 원상 회복(권).

pòst·líterate *a.* 전자 미디어 도입 이후의, 활자 문화 이후의, 전자 미디어의; 전통적 문학을 부정〔무시〕한.

post·lude [póustlu:d] *n.* **1** 〖음악〗 후주곡; (교회에서) 예배 마지막 오르간 독주. OPP *prelude.* **2** 《비유》 (문학 작품 등의) 결미(結尾).

post·man** [póustmən] (*pl.* ***-men [-mən]) *n.* 우편물집배원(《미》 mailman), 우체부.

póstman's knóck 《영》 =POST OFFICE 《놀이》.

pòst·márital *a.* 혼인 해소 후의.

póst·màrk *n.* 소인(消印). ― *vt.* …에 소인을 찍다.

°**póst·màster** (*fem.* ***póst·mis·tress***) *n.* 우체국장《생략: P.M.》; 〖컴퓨터〗 포스트 마스터《전자 우편을 처리하는 서버 사이트에서 전자 메일 관련 문제점을 해결하고 시스템을 관리하는 사람》. ㊕ **~·shìp** *n.* U

póstmaster géneral (*pl.* ***postmasters g-, ~s***) 《미》 우정 공사 총재, 《영》 체신 공사 총재; 《미》 (1971년까지의) 우정 장관; 《영》 (1969년까지의) 체신 장관《미·영 모두 P.M.G.로 생략》.

pòst·matúre *a.* 〖산과〗 과숙(過熟)의.

pòst·menopáusal *a.* 〖생리〗 폐경(閉經) 후의. ㊕ **~·ly** *ad.*

pòst·merídian *a.* 오후의, 오후에 일어나는.

post me·rid·i·em [pòust-mərídiəm] 《L.》 오후(afternoon)《생략: P.M., p.m.》. cf. ante meridiem.

póst·mìll *n.* (풍향에 따라 방향을 바꾸는) 회전식 풍차.

pòst·millénnial *a.* 지복(至福) 천년 후의. OPP *premillennial.* ㊕ **~·ìsm** *n.* U 후천년 왕국설《지복 천년 후에 그리스도가 재림한다는 설》.

póst·mìstress *n.* 여자 우체국장.

pòst·módern *a.* 포스트머던의, 포스트모더니즘적인〔에 관한〕; (유행 등의) 최첨단의.

pòst·módernism *n.* 포스트모더니즘《20 세기의 모더니즘을 부정하고 고전적·역사적인 양식이나 수법을 받아들이려는 예술 운동》.

post·mor·tem [poustmɔ́:rtəm] *a.* 《L.》 사후(死後)의; 사후(事後)의. OPP *ante-mortem.* ¶ a ~ examination 시체 해부, 검시(autopsy). ― *n.* **1** 시체 해부, 검시(檢屍). **2** 《구어》 승부 결정 뒤의 검토 《특히 카드놀이의》; 사후(事後) 검토〔분석, 평가〕. ― *vt.* 검시 해부하다.

pòst·nátal *a.* 출생 후의, 출산 후에 일어나는. ― *n.* 출산 후 모친의 검사. ㊕ **~·ly** *ad.*

postnátal depréssion =POSTPARTUM DEPRESSION.

pòst·núptial *a.* 결혼〔혼인〕 후의.

póst-óbit *n.* 사후(死後) 지급 날인(捺印) 채무 증서, 사망 후 지급 채권(=~ **bònd**). ― *a.* 사후에 효력을 발생하는.

post o·bi·tum [póust-ábətəm, -óub-/-óub-, -ɔ́b-; *L.* pɔst-ɔ́bitum] 《L.》 사후(死後)에.

post-óbject àrt 대상주의(對象主義) 후의 예술(=**anti-óbject àrt**)《작자의 사상·인간성 등을 전면에 내세우고 예술의 대상성을 제거 내지 극소화하려는 예술 경향》.

****póst òffice 1** 우체국. **2** (the P- O-) 《영》 체신 공사; 《미》 우정성(郵政省)《1971년 우정 공사(the Postal Service)로 개편》. **3** 《미》 우체국 놀이(《영》 postman's knock)《편지가 왔다고 하며 이성을 별실로 불러내어 키스하는 놀이》.

póst-òffice *a.* 우체국의; 우편〔우정〕의: a ~ annuity 우편 연금/a ~ life insurance 간이 생명 보험/a ~ order 우편환《생략: P.O.O.》.

póst-office bòx 사서함《생략: P.O.B.》; 〖전기〗 PO 함(函)《저항 측정함》.

post-op [póustàp/-ɔ̀p] 《구어》 *a.* 수술 후의 (postoperative). ― *ad.* 수술 후에.

pòst·óperative *a.* 수술 후의〔에 일어나는〕: ~ care 수술 후의 조리/~ complication 수술 후 합병증. ㊕ **~·ly** *ad.*

póst·páid *a., ad.* 우편 요금 선급의〔로〕.

Post-Páinterly Abstráction 전통적 회화법을 이용한 추상화법.

post·par·tum [pòustpá:rtəm] *a., ad.* 산후의〔에〕.

postpártum depréssion 산후 우울증.

****post·pone** [pous*t*póun] *vt.* **1** 《+목/+목+전+명/+-*ing*》 연기하다(put off), 미루다: The meeting has been ~*d to* 〔*till*〕 next Sunday. 모임은 다음 일요일까지 연기되었다/You must not ~ answer*ing* his letter any longer. 그의 편지에 대한 회답을 더 이상 미루어서는 안 된다. **2** 《+목+전+명》 차위(次位)에 두다《*to*》: ~ private ambitions *to* public welfare 사적 야망보다 공공 복지를 앞세우다. ― *vi.* 〖의학〗 (발작의) 회귀(回歸)가 늦게 일어나다. ㊕ **post·pón·a·ble** *a.* 연기할 수 있는. **~·ment** *n.* U,C 연기, 유예.

pòst·posítion *n.* U 뒤에 두기; 〖문법〗 후치사 《cityward의 -ward 따위》. cf. preposition. ㊕ **~·al** *a.*

pòst·pósitive *a.* 〖문법〗 후치(後置)의. ― *n.* 후치사. ㊕ **~·ly** *ad.*

póst-póstscript *n.* (편지의) 재추신(再追伸)《생략: P.P.S.》.

pòst·prándial *a.* 《우스개》 정찬(正餐)〔식후〕의《연설·수면 등》: a ~ speech.

pòst·prócessor *n.* 〖컴퓨터〗 후처리 프로그램, 포스트 프로세서.

pòst·prodúction *n.* 포스트프로덕션《필름 촬영 후 상영〔방영〕까지의 제작》.

póst·rìder *n.* (예전의) 파발꾼, 역마차꾼, 기마(騎馬) 우편 배달부.

póst ròad (옛날의) 역로; 우편물 수송 도로〔수로, 철도, 공로〕; (시중의) 우편 집배 경로.

póst ròom (회사의) 우편물 취급 부서.

°**post·script** [póus*t*skrìpt] *n.* **1** (편지의) 추신, 추백《생략: P.S.》. **2** 단서(但書); (책의) 발문(跋文); 후기(後記). **3** 《영》 뉴스 방송 끝의 해설. **4** 〖컴퓨터〗 포스트스크립트《Adobe system에서 그래픽용 페이지를 설명하는 언어》.

póst-séason *a.* 〖야구〗 공식전(公式戰) 이후의 시즌의.

póst-sécondary educátion 《미》 중등 과정 후의 교육《총칭》.

pòst·strúcturalism *n.* 포스트 구조주의.

pòst-sýnc(h) [-síŋk] *vt.* =POST-SYNCHRONIZE. ― *n.* =POST-SYNCHRONIZATION.

pòst-sýnchronize *vt.* 〖영화·TV〗 (음성을) 나중에 화상(畫像)에 맞추다. ㊕ **-synchronizátion** *n.*

póst·tàx *a.* 세금 공제 후의.

pòst·ténsion *vt.* 〖건축〗 포스트텐셔닝 방법으로 강화하다, 콘크리트 경화 후에 인장력을 가하다.

póst·tèst *n.* 〖교육〗 효과 측정 시험, 사후 테스트《교육 계획 시행 후의》.

póst tìme 우편 마감〔집배, 도착〕 시간; 〖경마〗 《미》 (레이스의) 출주(出走) 예정 시각.

póst tòwn 역참; 우체국이 있는 도시.

pòst·transcríptional *a.* 〖유전〗 전사(轉寫) 후의.

pòst·transfúsion *a.* 수혈로 생기는; 수혈 후의.

pòst·translátional *a.* 〖유전〗 번역 후의.

póst-tráumatic stréss disòrder 〖의학〗 (심적) 외상(外傷) 후 스트레스 장애(=**post-traumátic stréss sỳndrome** 외상후 스트레스 증후군)《전쟁 따위 심한 스트레스를 경험한 후에 일어나는 정신 질환; 생략: PTSD》.

pòst·tréatment *a.* 치료〔처치〕 후의. ― *n.* 치료〔수술〕 후처치.

póst-tréaty *a.* 조약 후의.

pos·tu·lant [pástʃələnt/pɔ́stju-] *n.* 지원자, 《특히》 성직(聖職)〔목사〕 지망자.

pos·tu·late [pástʃəlèit/pɔ́stju-] *vt.* **1** (자명한 일로서) …을 가정하다; (논리 전개를 위해) …을 전제로 하다. **2** 〖보통 과거분사로〗 …을 요구하다 (demand): the claims ~*d* 요구 사항. **3** 〚수학〛 …을 공리(公理)로 간주하다. **4** 〚교회〛 (상위 기관의 인가를 조건으로) 성직에 임명하다. ── [-lit, -lèit] *n.* 가정; 자명한 원리, 기초〔선결〕 조건; 〚수학〛 공준(公準). [SYN.] ⇨ THEORY. [파] **pòs·tu·lá·tion** *n.* [U] 가정; 요구; 〚교회〛 성직 지명〔선임〕. **pós·tu·là·tor** [-tər] *n.* 〚가톨릭〛 열복(列福)〔열성〕 조사 청원자.

°**pos·ture** [pástʃər/pɔ́s-] *n.* **1** [U] 자세, 자태: in a sitting 〔standing〕 ~ (모델 등이) 앉은〔선〕 자세로. **2** 젠체하는 태도. **3** (정신적) 태도, 마음가짐: the government's ~ *on* the issue 그 문제를 대하는 정부의 자세. **4** 사태, 정세 《*of*》. ── *vi.* **1** 자세를 취하다. **2** 포즈를 잡다. **3** 《+[전]+[명]》 젠체하다: ~ *as* a critic 비평가인 체하다. ── *vt.* …에게 자세〔위치〕를 취하게 하다. [파] **-tur·al** [-tʃərəl] *a.* **-tur·er** [-rər] *n.*

pos·tur·ing [pástʃəriŋ/pɔ́s-] *n.* [U,C] (때로 *pl.*) (겉만의) 자세; (변죽 울리는) 언동: His writing has been dismissed as mere intellectual ~. 그의 논문은 단순한 지적(知的) 유희에 불과하였으므로 탈락되었다.

pòst-Vietnám sýndrome 《미》 베트남 전후 증후군 《베트남 전쟁 제대병에게 볼 수 있는 적응 장애 따위의 정신 장애; 생략: PVS》.

pòst·víral (fatígue) sýndrome 바이러스 후(後) (피로) 증후군 《바이러스성 질병 후의 근육통; 생략: PVS》. 「뒤의〔에 오는〕.

pòst·vocálic *a.* 〚음성〛 (자음이) 모음의 바로

***post·war** [póustwɔ́ːr] *a.* 전후(戰後)의, 《특히》 제2차 대전 후의: ~ days 전후. [opp] *prewar.*

po·sy [póuzi] *n.* 꽃; 꽃다발; 《고어》 (반지 안쪽 등에 새기는) 기념 문자.

pósy-snìffer *n.* 《미속어 · 경멸》 환경 보호론자.

POT [pat/pɔt] *n.* 《미》 구식의 검은 전화통. [◂*p*lain *o*ld *t*elephone]

†**pot** [pat/pɔt] *n.* **1 a** (도기 · 금속 · 유리 제품의) 원통형 그릇, 단지, 항아리, 독, 병; (깊은) 냄비 ([cf.] pan), 바리때; 요강(chamber ~); 화분; (맥주 등의) 머그(mug); 《Austral.》 맥주를 되는 말: a tea ~ 찻주전자/a coffee ~ 커피 주전자/A little ~ is soon hot. 《속담》 작은 그릇은 쉬이 단다, 소인은 화를 잘 낸다/A watched ~ never boils. 《속담》 기다리는 시간은 긴 법이다《서두르지 마라》/The ~ calls the kettle black. 똥 묻은 개가 겨 묻은 개 나무란다/Need for the ~ woke him. 소변이 마려워서 잠을 깼다. **b** 한 잔의 분량〔술〕: a ~ *of* beer. **2** 굴뚝 꼭대기의 통풍관(chimney ~); 도가니(melting ~); (물고기 잡는) 통발; 《미속어》 카뷰레터, (차의) 엔진. **3 a** (경기 등의) 상배(賞盃), 《속어》 상품; 《미구어》 (poker 등에서) 한 번에 거는 돈; 공유의 자금; (종종 *pl.*) 《구어》 큰돈; (the ~) 《영속어》 인기 말, 우승 후보 말. **b** (포커의) 한 번 돎; (카드 테이블에서) 태운 돈을 놓는 곳. **4 a** 《구어》 배불뚝이(potbelly). **b** 《구어》 요인, 높으신 양반(big pot); 《미속어》 신통치 못한 여자; 술부대〔고래〕. **5** 〚사냥〛=POTSHOT; 《영》 〚당구〛 포켓(에 넣은 쇼트). **6** 양지(洋紙) 포트판《375×312mm》; 《속어》 =MARIJUANA. **7** (*pl.*) 《CB속어》 전방에 위험이 있음을 알리는 고속도로상의 조명. ***a* ~ 〔~*s*〕 *of money*** 큰돈: make *a* ~ 〔~*s*〕 *of money* 큰돈을 벌다. ***boil the* ~** 생계를 꾸려나가다; 악착스럽게 일하다; 졸작을 만들다〔쓰다〕. ***go* (*all*) *to* ~** 영락〔파멸〕하다, 결딴나다, 죽다. ***have*** one***'s ~s on*** 《미속어》 취해 있다. ***in*** one***'s* ~** 취하여. ***keep the ~ boiling*** 생계를 꾸려 나가다; 경기 좋게 잘 계속해 가다. ***make a ~ at*** …에 상을 찌푸리다. ***make the ~ boil*** 살림을 꾸려 가다; 예술을 돈벌이의 밑천으로 삼다(potboiler). ***pee in the same ~*** ⇨ PEE[1]. ***put*** a person***'s ~ on*** 아무를 밀고하다. ***put the ~ on* 〔*in*〕** 〚경마〛 …에 큰돈을 걸다. ***take a ~ at*** …을 겨냥하여 쏘다.

── (*-tt-*) *vt.* **1** (보존하기 위해서) …에 넣다;…으로 요리하다. **2** 《~+[목]/+[목]+[부]》 화분에 심다: ~ (*up*) tulips 튤립을 화분에 심다. **3** (잡아먹으려고) 사냥하다; 닥치는 대로 쏘다. **4** 《구어》 손에 넣다. **5** 《구어》 (유아를) 변기에 앉히다. **6** 《미속어》 주먹으로 때리다, (공을) 치다. ── *vi.* 《+[전]+[명]》 《구어》 쏘다《*at*》: We ~*ted at* alligators in the reeds. 갈대밭에 있는 악어들을 마구 쏘았다. **~ *out*** 《미속어》 시동이 걸리지 않다.

pot. potential; potentiometer; potion; pottery.

po·ta·ble [póutəbəl] *a.* 마시기에 알맞은: The water is not ~. ── *n.* (보통 *pl.*) 음료, 술. [파] **~·ness** *n.* **pò·ta·bíl·i·ty** *n.*

po·tage [poutáːʒ/pɔ-] *n.* 《F.》 포타주《진한 수프》. [cf.] consommé. 「사료》.

pót àle 증류주 제조에 사용된 엿기름 찌끼《돼지

po·tam·ic [poutǽmik, pə-] *a.* 하천의.

pot·a·mol·o·gy [pàtəmálədʒi/pɔ̀təmɔ́l-] *n.* [U] 하천학.

pot·ash [pátæʃ/pɔ́t-] *n.* [U] 잿물, 가성 칼리(caustic ~); =POTASSIUM.

pótash wàter 탄산수. 「POTASSIUM.

pot·ass [pátæs/pɔ́t-] *n.* **1** =POTASH. **2** =

po·tas·sic [pətǽsik] *a.* 칼륨의〔을 함유하는〕.

po·tas·si·um [pətǽsiəm] *n.* [U] 〚화학〛 칼륨, 포타슘《금속 원소; 기호 K; 번호 19》. ★ Kalium 이란 말이 있으나 거의 쓰이지 않음: ~ bromide 브롬화칼륨/~ carbonate 탄산칼륨/~ chlorate 염소산(塩素酸)칼륨/~ cyanide 시안화칼륨, 청산칼리/~ dichromate 중(重)크롬산칼륨/~ hydroxide 수산화칼륨/~ nitrate 질산칼륨/~ permanganate 과망간산칼륨/~ sulphate 〔sulfate〕 황산칼륨. 「곤(연대 측정)법.

potássium-árgon dàting 〚지학〛 칼륨 아르

potássium chlóride 〚화학〛 염화칼륨 《무색 결정〔분말〕; 비료》. 「《식품 보존제》.

potássium sórbate 〚화학〛 소르빈산(酸)칼륨

po·ta·tion [poutéiʃən] *n.* [U] 마시기, (술의) 한 모금; [C] (보통 *pl.*) 음주; 주연(酒宴); 음료; 술.

†**po·ta·to** [pətéitou] (*pl.* **~es**) *n.* **1 a** 감자(white 〔Irish〕 ~); 《미》 고구마(sweet ~). **b** 《속어》 머리; 《미속어》 추한 얼굴; (*pl.*) 《미속어》 돈, 달러. **2** 《미속어》 야구공; (양말의) 구멍. **3** (보통 the ~) 《구어》 안성맞춤인 것: quite the ~ 그야말로 안성맞춤인 것. ***drop*** a thing ***like a hot ~*** ⇨ HOT. ***small ~es*** ⇨ SMALL POTATOES.

potáto bèetle 〔**bùg**〕 〚곤충〛 감자벌레.

potáto chìp 《미》 (보통 *pl.*) 얇게 썬 감자튀김.

potáto crìsp 《영》 (보통 *pl.*) = POTATO CHIP.

potáto fàmily 〚식물〛 가짓과(科).

potáto màsher 감자 으깨는 기구.

potáto pèeler 감자 껍질 벗기는 기구.

potáto-ròt *n.* 감자의 역병(疫病). 「이 있는.

po·ta·to·ry [póutətɔ̀ːri/-təri] *a.* 음주의, 음주벽

potáto sàlad 포테이토 샐러드.

pót bárley 껍질을 벗긴 보리. [opp] *pearl barley.*

pót·bèllied *a.* 올챙이배의, 똥배가 나온; (그릇이) 아래가 불룩한.

pótbellied píg 작은 애완용 검정 돼지.

pót·bèlly *n.* 올챙이배; 배불뚝이.

pót·bòiler *n.* 《구어》 돈벌이 위주의 조잡한 문학

〔미술〕 작품〔작가〕.

pót·bòiling *n.* Ⓤ 돈벌이 위주의 창작.

pót-bòund *a.* 화분 전체에 뿌리를 뻗은《식물》; 성장〔발전〕할 여지가 없는.

pót·bòy *n.* (대폿집 등의) 사환, 머슴애.

pót chèese 《미》 = COTTAGE CHEESE.

pót-compànion *n.* 《고어》 술친구.

pót cùlture **1** 마리화나 문화《마리화나 음용자들의 생활 양식》. **2** 〖원예〗 분재.

po·teen, -theen [pətíːn, -tʃíːn, pou-/pɔtíːn, -tʃíːn], [-pəθíːn/pɔ-] *n.* Ⓤ 《Ir.》 밀조 위스키.

Po·tém·kin víllage [poutémkin-/pɔ-] 바람직하지 못한 일이나 상태를 감추기 위한 번지르르한 겉치레《Potemkin, G. A.(1739–91)은 러시아의 군인 · 정치가로 Catherine Ⅱ의 총신(寵臣)》.

po·ten·ce, -cy [póutns], [-i] *n.* Ⓤ 힘, 세력; 권력, 권세; 능력, 잠재력; (약 따위의) 효능, 효력; (남성의) 정력.

◦**po·tent** [póutnt] *a.* 설득력 있는; 효능 있는, (약 따위가) 잘 듣는; 성적(性的) 능력이 있는 (opp. *impotent*); 《문어》 유력한, 힘센, 세력 있는: ~ reasoning 그럴싸한 논법. ㊞ **~·ly** *ad.*

po·ten·tate [póutntèit] *n.* 권력가, 유력자; 주권자, 군주.

◦**po·ten·tial** [pətén∫əl] *a.* **1** 잠재적인; 잠세(潛勢)의, 가능한; 장래 …의 가능성이 있는. cf. latent. ¶a ~ genius 천재의 소질이 있는 사람/a ~ customer 단골이 될 가망이 있는 사람/a ~ share 권리주(株). **2** 〖물리〗 위치의, 변압의, 전위(電位)의: a ~ energy 〖물리〗 위치 에너지/~ difference 〖물리〗 전위차. **3** 〖문법〗 가능법(可能法)의: the ~ mood 가능법《영어에서는 can, may 따위로 대용》. **—** *n.* **1** Ⓤ 잠세(潛勢), 잠재력; 가능성: war ~전쟁 잠재력, 전력(戰力)/~ *for* expansion 발전 가능성. **2** Ⓤ 〖물리 · 수학〗 퍼텐셜. **3** 〖문법〗 가능법. **4** 〖전기〗 = ELECTRIC POTENTIAL. **5** 유망한 후보가 되는 사람〔물건〕. ㊞ **~·ly** *ad.* 가능적으로; 잠재적으로; 혹시《…일지도 모르겠다》.

poténtial ádversary 가상 적국.

poténtial bárrier 〖물리〗 퍼텐셜 장벽.

poténtial dífference 〖물리〗 전위차《생략: p.d.》.

poténtial énergy 〖물리〗 위치 에너지.

***po·ten·ti·al·i·ty** [pətèn∫iǽləti] *n.* Ⓤ 가능력; 잠세력(潛勢力)(latency); 가능성; (발전의) 가망; Ⓒ 가능력〔잠세력〕을 가진 것.

po·tén·tial·ìze *vt.* …을 가능하게 하다; 잠재력을 활성화하다.

poténtial sóvereignty 잠재 주권.

poténtial transfórmer 계기(計器)용 변압기.

po·ten·ti·ate [pətén∫ièit] *vt.* 힘을 주다, 강화하다; 가능하게 하다; 효력을 더하다.

po·ten·ti·a·tion [pətèn∫iːéi∫ən] *n.* 〖의학〗 (약제) 강화 작용, 상승 작용.

po·ten·ti·om·e·ter [pətèn∫iámətər/-ɔ́m-] 〖전기〗 *n.* 전위차계(電位差計); 분압기(分壓器).

pot·ful [pátfùl/pɔ́t-] *n.* 단지〔냄비〕에 가득한 분량.

pót hát 중산모(bowler, Derby).

pót·hèad *n.* 《속어》 마약 중독자 《특히 marijuana 중독자》.

poth·er [páðər/pɔ́ð-] *n.* 야단법석, 소동, 혼란; 자욱한 연기〔먼지〕, 운연(雲煙); 심통; 고민. ***make*** 〔***raise***〕 ***a*** ~ 떠들어 대다. **—** *vt., vi.* 곤란케 하다, 괴롭히다; 떠들다.

pot·herb [páthə̀ːrb/pɔ́thə̀ːb] *n.* 데쳐 먹는 야채《시금치 따위》.

pót·hòlder *n.* 냄비집게《뜨거운 냄비를 집는》.

pót·hòle *n.* **1** 깊은 구멍; (가로 · 포장도로 등에 생긴) 둥근 웅덩이. **2** 〖지학〗 **a** 지면에서 수직으로 뚫린 동굴. **b** 돌개구멍《강바닥 암석에 생긴 단지 모양의 구멍》. ***hauling*** **~*s*** 《CB속어》 짐을 싣지 않고 운전 중. **—** *vi.* (스포츠 · 취미로) 동굴을 탐험하다. ㊞ **-hòler** *n.* 동굴 탐험가.

pót·hòok *n.* **1** 불 위에 냄비 따위를 매다는 고리; (S자형의) 고리 달린 막대기《냄비 등을 들어 올리는》. **2** (습자 연습의) S자형 획; (*pl.*) 《미속어》 박차(拍車). ***~s and hangers*** 습자의 초보.

pót·hòuse *n.* 《영 · 경멸》 작은 맥줏집; 선술집: a ~ politician, 2류 정객. ***the manners of a*** ~ 무례함.

pót·hùnter *n.* (규칙 · 운동 정신을 무시하고) 닥치는 대로 쏘는 사냥꾼; 상품을 노리는 경기 참가자.

po·tiche [poutíː∫] (*pl.* ***-tich·es***) *n.* 뚜껑 있는 목이 가는 단지.

po·tion [póu∫ən] *n.* **1** (특히 마력 있는) 마시는 약: a love ~ 미약(媚藥). **2** 한 잔, (약 따위의) 한 첩〔포〕.

pot·latch [pátlæt∫/pɔ́t-] *n.* **1** 포틀래치《미국 북서안 인디언들이 부 · 권력의 과시로 행하는 겨울 축제의 선물 분배 행사》. **2** 《미구어》 (선물이 나오는) 파티. **—** *vt.* (종족을 위해) potlatch 행사를 열다; (선물을) 주다; 〖일반적〗 파티를 열다.

pót lèad 흑연, 석묵(石墨)《경주용 요트 밑에 발라서 마찰을 더는 데 씀》.

pót lìquor (고기나 야채를) 삶아 낸 국물.

pót·lùck *n.* 《구어》 **1** Ⓤ (손님에게) 있는 것으로만 내놓는 음식. **2** 참가자가 음식을 지참하여 하는 식사: ~ party 〔picnic〕. **3** (무엇이든) 그 자리에 있는 것, 그 자리에서 입수하는 것. ***take*** ~ ① 있는 대로의 것을 가지고 먹다. ② 잘 알지 못하면서 골라 마음에 들기를 바라다, 무작위로 고르다.

pótluck sùpper 〔**dìnner**〕 각자가 음식을 갖고 와서 하는 저녁 파티(covered-dish supper).

pót·man [-mən] (*pl.* ***-men*** [-mən]) *n.* 《영》 술친구; = POTBOY.

pót márigold 〖식물〗 금송화.

pót mètal 구리와 납의 합금; 냄비 제조용 주철(鑄鐵); 색유리《용해 중에 착색한》.

Po·to·mac [pətóumək] *n.* (the ~) 포토맥《미국의 수도 Washington 시를 흐르는 강》.

po·tom·e·ter [pətámətər/-tɔ́m-] *n.* 〖기상〗 흡수계(吸水計)《식물의 증산량(蒸散量)을 측정하는 기구》.

pót·pìe *n.* Ⓤ,Ⓒ 고기에다 채소를 곁들여 넣은 파이; 고기만두 스튜.

pót plànt 화분에 심는 식물; 《미구어》 인도 대마(大麻).

pot·pour·ri [pòupuríː, pòupúəri] *n.* 《F.》 화향(花香)《방 · 양복장 · 화장실 등에 두는, 장미 꽃잎을 향료와 섞어 단지에 넣은 것》; 그러모음; 〖음악〗 접속곡; (문학 등의) 잡집(雜集).

pót ròast 찜구이한 쇠고기 덩이; 그 요리.

POTS [pats/pɔts] *n.* 아날로그 음성 신호를 전달하는 재래식 전화 서비스. cf. POT. [◂ *p*lain *o*ld *t*elephone *s*ervice]

Pots·dam [pátsdæm/pɔ́ts-] *n.* 독일 동북부의 도시. ***the ~ Declaration*** 포츠담 선언.

pots de vin [poudəvǽn] 《F.》 뇌물, 증수회(贈收賄).

pot·sherd [pát∫əːrd/pɔ́t-] *n.* 질그릇 조각《고고학 자료》.

pót·shòt *n.* **1** (스포츠 정신을 무시하고 잡기만 하면 된다는 식의) 무분별한 총사냥; (잠복 위치 등에서의) 근거리 사격; 마구잡이 총질. **2** 무책임한 비평: take a ~ at …을 함부로 비난하다. **—** (~, ***~·ted; ~·ting***) *vi.* 닥치는 대로 쏘다〔공격하다〕.

pót sticker 군만두.

pót stìll 기통(汽筒) 없는 위스키 증류기; Ⓤ 그 증류기로 만든 위스키.

pót·stòne *n.* 곱돌《선사 시대부터 각종 단지의 제조용으로 쓰임》.

pot·tage [pátidʒ/pɔ́t-] *n.* Ⓤ 《고어》 야채(와 고기)를 넣은 스튜, 진한 수프, 포타주(*potage*);

《비유》 잡동사니, 뒤범벅.

pot·ted [pátid/pɔ́t-] *a.* 화분에 심은; 단지〔항아리〕에 넣은; 병에 넣은, 병조림의; (간이〔간단〕하게) 요약한; 《미속어》 술 취한; 《영속어》 녹음한 (canned): a ~ plant 화분에 심은 식물/a ~ play 토막극(劇).

Pot·ter [pátər/pɔ́t-] *n.* 포터. **1 Beatrix** ~ 영국의 동화 작가·삽화가(1866-1943). **2 Paul (Paulus)** ~ 네덜란드의 화가·판화가《동물화로 유명; 1625-54》. **3 Stephen** ~ 영국의 유머 작가·비평가(1900-70).

pot·ter[1] [pátər/pɔ́t-] *n.* 도공(陶工), 옹기장이, 도예가: ~'s work 〔ware〕 도기.

pot·ter[2] *vi., vt.* 《주로 영》 = PUTTER[3].

pótter's cláy 〔**éarth**〕 도토(陶土), 질흙.

pótter's fíeld 무연(無緣)〔공동〕 묘지.

pótter's whèel 도공의 녹로(轆轤), 물레.

*__pot·tery__ [pátəri/pɔ́t-] *n.* **1** 〔집합적〕 도기, 오지그릇. **2** 도기 제조법. **3** 도기 제조소. ***the Potteries*** 영국 중부의 도자기 산지.

pot·ting [pátiŋ/pɔ́t-] *n.* Ⓤ **1** 도기(陶器) 제조. **2** 화분에 심기. **3** (식료품의) 병〔항아리〕조림.

pótting còmpost 《영》 =POTTING SOIL.

pótting shèd 육묘장(育苗場) 《화분에 심은 식물을 보호·육성하거나 원예 도구를 보관하는 곳》.

póttig sòil 《미》 화분 흙.

pot·tle [pátl/pɔ́tl] *n.* 《고어》 액량(液量)의 이름 《반 갤런》; 반 갤런들이 컵; 반 갤런의 술; 술 (liquor); 《영》 작은 과일 바구니.

Pótt's disèase [páts-/pɔ́ts-] 【의학】 포트(씨)병, 척추 카리에스. [◂ 영국의 외과 의사 Percival Pott(1714-88)]

Pótt's frácture 포트 골절(骨折)《발목이 바깥쪽으로 굽음》.

pot·ty[1] [páti/pɔ́ti] (*-ti·er; -ti·est*) *a.* 《영구어》 시시한, 사소한; 용이한; 미친 듯한(crazy); (일·물건·이성에) 열중한《*about*》; 《구어》 속물적인. ***a ~ little*** 아주 적은.

pot·ty[2] *n.* 《구어》 유아용 변기; 《소아어》 변소.

pótty-chàir *n.* 유아용 변기의자.

pótty-tràin *vt.* (유아에게) 용변을 가리게 하다. ㊞ **~·ing** *n.*

pót-vàliant *a.* 술김의, 허세의. ㊞ **-vàliance** *n.*

pót-vàlor, 《영》 **-vàlour** *n.* Ⓤ 술김에 부리는 용기〔배짱〕.

pot·wal·lop·er, -wall·er [pátwɑ̀ləpər/pɔ́twɔ̀l-], [-wɑ̀lər/-wɔ̀l-] *n.* 【영국사】 호주(戶主) 선거권 보유자《1832년 선거법 개정 전의》; 《속어》 접시닦이.

pouch [pautʃ] *n.* **1** 작은 주머니, 주머니(SYN. ⇨BAG); 쌈지; 돈지갑. **2** 【군사】 가죽 탄대. **3** (자물쇠 있는) 우편 행낭(行囊); (외교 문서 송달용) 파우치, 외교 행낭. **4** 주머니 모양의 것; 【동물】 (캥거루 등의) 육아낭, (펠리컨의) 턱주머니; 【식물】 낭상포(囊狀胞). **5** 눈밑의 처진 살: ~*es* under the eyes of an old man 노인의 눈 밑 주름. **6** 《영속어》 팁. **7** 《Sc.》 호주머니. **—** *vt.* **1** 주머니에 넣다; 주머니처럼 늘어뜨리다; (물고기·새 따위가) 삼키다(swallow). **2** 《영속어》 …에게 팁을 주다. **3** 오므라지게 하다; 졸라매다: ~ one's lips 입을 삐쭉거리다. **—** *vi.* (옷의 일부가) 자루 모양으로 되다; 자물쇠 붙은 주머니에 넣어 우편물·연락 문서를 보내다. ㊞ **~ed** [-t] *a.* 주머니 달린; 【동물】 유대(有袋)의.

pouchy [páutʃi] (*pouch·i·er; -i·est*) *a.* (눈 밑·배 등이) 느스러진.

pou·drette [pu:drét] *n.* Ⓤ 인분 거름에 목탄 따위를 섞은 비료의 일종.

pouf, pouff(**e**) [pu:f] *n.* **1** 푸프《18세기 후반 여성의 높게 꾸민 머리형》. **2** (옷·머리 꾸밈의) 부품. **3** (의자 대용의) 두터운 쿠션. **4** 《영속어》 동성애의 남자(poof).

pou·lard(**e**) [pu:lɑ́:rd] *n.* (난소를 제거한 식용의) 살찌운 암탉. cf. capon.

poulp(**e**) [pu:lp] *n.* 낙지(octopus).

poult [poult] *n.* (닭·꿩·칠면조 등의) 새끼.

poult-de-soie [pu:dəswɑ́:; *F.* pudswa] *n.* 《F.》 Ⓤ 골이지게 짠 비단의 일종.

poul·ter·er [póultərər] *n.* 가금상(家禽商), 새장수; 새고기 (장수).

poul·tice [póultis] *n.* Ⓤ 찜질약; 습포; 《Austral. 속어》 큰돈 《특히 빚》, 경마에 건 대금. **—** *vt.* …에 찜질약을 붙이다, 찜질하다.

*__poul·try__ [póultri] *n.* 〔집합적; 복수취급〕 가금(家禽); 새〔닭〕고기. ***keep*** 〔***raise***〕 ~ 양계하다.

póultry·man [-mən] (*pl.* ***-men*** [-mən]) *n.* 양계가, 가금(家禽) 사육가; 새고기 장수.

*__pounce__[1] [pauns] *vi.* 《+전+명》 **1** 달려들다, 갑자기 덤벼들다《*on; at*》: The cat ~*d on* 〔*upon*〕 a mouse. **2** 갑자기 찾아오다〔뛰어들다〕: ~ *into* a room 방 안으로 뛰어들다. **3** 《비유》 (잘못 등을) 홀닦아세우다《*on, upon*》: ~ *upon* a mistake 과실(過失)을 닦아세우다. **—** *vt.* 달려들어 와락 움켜잡다. **—** *n.* (맹금·짐승의) 갈고리 발톱; 무기; 급습. ***make a ~ upon*** …에 와락 덤벼 움키려들다. ***on the ~*** 당장 덤벼들려고 하여.

pounce[2] *n.* 잉크 번지는 것을 방지하는 가루; 본뜨는 데 쓰는 가루《숯가루 따위》. **—** *vt.* …에 ~를 뿌리다; ~로 본을 떠내다.

pounce[3] *vt.* (금속 따위에) 구멍을 뚫다; (구두·천 따위에) 장식용 구멍을 뚫다.

poun·cet-box [páunsitbɑ̀ks/-bɔ̀ks] *n.* 《고어》 (뚜껑에 작은 구멍이 뚫린) 향수 상자.

__pound__[1] [paund] (*pl.* *~s,*** 〔집합적〕 ~) *n.* **1** 파운드《무게의 단위; 기호: lb.; 상형(常衡) (avoirdupois)은 16온스, 약 453.6g; 금형(金衡) (troy)은 12온스, 약 373g》. **2** 파운드(~ sterling) 《영국의 화폐 단위; 1971년 2월 15일 이후 100 pence; 종전에는 20 shillings에 해당; 생략: £》: £5, 5파운드/a ~ 〔five-~〕 note, 1〔5〕 파운드 지폐.

> NOTE 구제도에서는 £4.5s.6d. 혹은 £4-5-6(=four pounds five shillings six pence)처럼 썼으나, 10진법 이후는 £6·10(=six pounds ten (new) pence)처럼 쓰며, 2p 혹은 £0·02, 15p 혹은 £0·15 따위로 씀.

3 【역사】 스코틀랜드 파운드(=~Scots). **4** 【성서】 므나《셈족(族)의 화폐 단위》. **5** 이집트·페루·터키 등의 화폐 단위. ★ 각기 £E, £P, £T 라고 씀. ***a ~ to a penny*** 《구어》 있을 수 있는 일. ***by the ~*** (무게) 1파운드에 얼마로《팔다 따위》. ***~ for*** 〔***and***〕 ***~*** 등분(等分)으로. ***~ of flesh*** 가혹한 요구, 치명적인 대상(代償) 《Shakespeare 작 *The Merchant of Venice* 에서》. ***~s, shillings, and pence*** 돈(£. s. d.). **—** *vt.* 《영》 화폐의 중량을 검사하다.

pound[2] *n.* 울(타리)《임자 없는 고양이·개 따위를 가둬 두는 공공 시설》; (압수물의) 유치소; 짐승 우리; 활어조(活魚槽); 유치장. **—** *vt.* 울에 넣다, 가두다; 유치하다; 구류하다《*up*》.

*__pound__[3] *vt.* **1** 《~+목/+목+전+명》 탕탕 치다, 사정없이 치다〔두드리다〕: He ~*ed* his desk in a rage. 그는 화가 나서 책상을 탕탕 두드렸다/~ the door *with* one's fist=~ one's fist *on* the door 주먹으로 문을 탕탕 두드리다. **2** 《~+목/+목+부/+목+전+명》 때려부수다, 가루로 만들다《*to; into; up*》: ~ stones *up* 돌을 부수다/~ a brick *to* pieces 벽돌을 산산이 부수다. **3** 《~+목/+목+부》 (피아노 따위를) 쾅쾅 쳐서 소리 내다〔소리 내서 연주하다〕《*out*》; (타자기 따위

를) 두드려 대어 (소설·기사 따위를) 만들다《*out*》: ~ *out* a wonderful tune on the piano 피아노로 멋진 곡을 치다. **4** 심하게 훈련시키다《*in*》. **5** 맹렬히 포격하다. **—** *vi.* **1** 《(+副/+前+名)》 세게 두드리다, 연타하다, 마구 치다《*at; on*》; 맹포격하다《*at; on; away*》: ~ *on* a door 문을 마구 두드리다/The field artillery ~*ed away at* the fortress. 야전 포병대가 요새를 향해서 맹렬한 포격을 가했다. **2** 둥둥 울리다; (심장이) 두근거리다. **3** 《(+前+名)》 쿵쾅쿵쾅 걷다, 힘차게 나가다; (배가) 파도에 쾅쾅 부딪다: I ~*ed down* the hill to catch the bus. 버스를 타기 위해서 쿵쾅쿵쾅 언덕을 뛰어 내려갔다. **4** 《(+副/+前+名)》 열심히[묵묵히] 일을 계속하다《*away*》: keep ~*ing away at* one's job 일을 열심히 계속하다. **~ brass** 《미속어》 키를 두드려 무선 통신하다. **~ one's ear** 《속어》 잠자다. **~ the books** 《미속어》들입다 공부하다. **~ the pavement** 《미속어》 (일자리를 찾아) 거리를 돌아다니다.
— *n.* 타격, 연타; 강타; 치는 소리.

pound·age[1] [páundidʒ] *n.* Ⓤ (금액·무게의) 1 파운드에 대한 수수료[세금]. cf. tonnage.

pound·age[2] *n.* (공설 우리에 유치된 소 따위의) 보관료; 유치, 감금.

pound·al [páundl] *n.* 【물리】 파운달《야드·파운드계(系)의 힘의 단위; 질량 1 파운드의 질점(質點)에 작용하여 매초 1 피트의 가속도를 일으키는 힘; 생략: pdl》.

póund càke 카스텔라 과자《본디 달걀·버터·설탕·밀가루 1 파운드씩 써서 만들었음》; 《속어》 미녀, 탐나는 여자.

póund cóin 《영》 1파운드짜리 동전.

póund·er[1] *n.* 치는 사람; 빻는 사람; 절굿공이; 《미속어》 경찰관.

póund·er[2] *n.* 《복합어로서》 (중량이) …파운드의 물건[사람]; …파운드 포(砲); (지급·자산·수입이) …파운드인 사람.

póund-fóolish *a.* 한 푼을 아끼고 천금을 잃는; 큰돈을 쓸 줄 모르는. cf. penny-wise.

póund kèy 《미》 (전화기나 컴퓨터의 키보드상의) #표가 있는 키.

póund nèt 정치망(定置網).

póund nòte 1 파운드짜리 지폐.

pound·note·ish [páundnóutiʃ] *a.* 《영구어》 (말투나 행동이) 거드름 피우는, 거만스러운.

póund sìgn **1** 《미》 #표. **2** 《영》 £표.

póund stérling = POUND[1] 2.

pour [pɔːr] *vt.* **1** 《~+目/+目+副/+目+目/+目+前+名》 따르다, 쏟다, 붓다, 흘리다《*away; in; out*》: ~ water/~ *out* tea 차를 따르다/*Pour* yourself another cup of tea. 차 한 잔 더 따라 마셔라/The river ~*s* itself *into* a lake. 강은 호수로 흘러들어간다/He ~*ed* me a glass of beer. =He ~*ed* a glass of beer *for* me. 그가 나에게 맥주 한 잔을 따라 주었다. **2** 《~+目/+目+副/+目+前+名》 (탄환·조소·경멸 따위를) 퍼붓다《*on*》; (빛·열 따위를) 쏟다, 방사하다; (건물 등이 군중을) 토해 내다; (자금 따위를) 쏟아 넣다《*into*》: The trains ~ the crowds. 열차에서 군중이 쏟아져 나온다/The sun ~*ed down* its heat. 햇볕이 쨍쨍 내리쬐었다/The theater ~*ed* the people *into* the streets. 극장에서 사람들이 거리로 쏟아져 나왔다. **3** 《+目+副/+目+前+名》 쉴 새 없이 입을 놀리다, 기염을 토하다, 노래하다《*out; forth*》: ~ *out* one's troubles 자기의 괴로움을 늘어놓다/~ (*out*) one's fury *upon* another 딴 사람에게 격분을 터뜨리다. **4** 【야금】 녹인 쇳물을 붓다.
— *vi.* **1** 《(+副/+前+名)》 (대량으로) 흐르다, 흘러나가다[들다]; 쇄도하다, 밀어닥치다《*down; forth; out; into*》: The fresh air ~*ed in.* 신선한 공기가 흘러들어왔다/Tears were ~*ing down* her cheeks. 눈물이 그녀의 볼을 타고 흘러내렸다/The congregation ~*ed out of* the church. 회중(會衆)이 교회에서 쏟아져 나왔다/Letters ~ *in* from all quarters. 각 방면에서 편지가 몰려온다. **2** 《~/+副/+前+名》 〔it을 주어로〕 (비가) 억수같이 퍼붓다《*down*; 《영》 *with*》; 《비유》 흐르듯이 이동하다; (총알이) 빗발치다: The rain is ~*ing down.* 비가 세차게 내린다/The sun ~*s over* the earth. 햇빛이 지상에 내리쬔다/It never rains but *it* ~*s.* 《속담》 왔다 하면 장대비다, 화불단행(禍不單行). **3** 《(+前+名)》 (말 따위가) 연발하다: The words ~*ed out of* her. 말이 그녀 입에서 쏟아져 나왔다. **~ cold water on** …의 기세를 꺾다, …의 흠을 잡다. **~ing wet** 억수로. **~ it on** 《구어》 마구 아첨(阿諂)을 부리다; 계속 노력하다, 맹렬히 하다; 급히 가다. **~ off** …에서 흘러나가다: The sweat was ~*ing off* him. 그는 비오듯 땀을 흘리고 있었다. **~ over** 넘치다; (강 따위가) 범람하다.
— *n.* **1** 유출; 풍부한[대단한] 흐름. **2** 《구어》 억수, 호우. **3** 【주조】 녹인 쇠를 거푸집에 붓기; 그 주입량.

pour ac·quit [*F.* puʀaki] 《F.》 영수필, 영수증.

pour·boire [puərbwáːr *F.* puʀbwaːʀ] (*pl.* **~s** [—]) *n.* 《F.》 팁; 행하.

pour·er [pɔ́ːrər] *n.* 《영》 귀때(spout).

pour·par·ler [pùərpaːrléi] *n.* 《F.》 (보통 *pl.*) 예비 상담[교섭].

póur pòint 【화학·기계】 유동점《물체가 유동(流動)하는 최저 온도; 중유(重油)를 분류할 때 쓰는 특성값》.

pour·point [púərpɔ̀int] *n.* 【역사】 (솜을 두어 「누빈) 조끼.

póur spóut (특수 가공이 된, 조미료·가루비누 등 용기의) 주둥이.

pousse-ca·fé [pùːskæféi] *n.* 《F.》 커피와 함께[뒤에] 내는 작은 잔의 리큐어 또는 브랜디; 《미》 오색주(酒).

pous·sette [puːsét] *n.* 《F.》 푸셋《손을 맞잡고 반원형으로 늘어서 추는 춤》. **—** *vi.* 푸셋을[으로] 추다.

pou sto [púːstóu] 《Gr.》 《문어》 터전, 근거지, 「발판《Archimedes의 말》.

°**pout**[1] [paut] *vi.* 입을 삐죽거리다; 토라진 얼굴을 하다, 토라지다; (입 따위가) 삐죽 나오다. **—** *vt.* 《~+目/+目+副》 (입을) 삐죽 내밀다, 뿌루퉁해서 말하다: ~ (*out*) the lips 입을 삐죽거리다.
— *n.* 입을 삐죽거림, 샐쭉거림: have the ~*s* 토라지다. ***in the ~s*** 뿌루퉁[샐쭉]하여.

pout[2] (*pl.* **~s,** 〔집합적〕 **~**) *n.* 【어류】 메기의 일종; 베도라치의 일종; 대구의 일종.

póut·er *n.* 삐죽거리는[뿌루퉁한, 샐쭉거리는] 사람; 【조류】 비둘기의 일종《모이주머니를 부풀려서 우는 집비둘기》.

pouty [páuti] (***pout·i·er; -i·est***) *a.* 부루퉁한(sulky); 잘 부루퉁하는.

POV 【영화】 point of view (관점).

‡pov·er·ty [pávərti/pɔ́v-] *n.* Ⓤ **1** 가난, 빈곤(opp. *wealth*): live in ~ 가난하게 살다/fall into ~ 가난해지다/be born to ~ 가난한 집에 태어나다. **2** 결핍, 부족《*of; in*》: ~ *of* blood 【의학】 빈혈/~ *in* vitamins 비타민 결핍. **3** 열등, 빈약: ~ of the soil 땅의 메마름. ◇ poor *a.*

póverty làwyer (poverty line 이하의 사람을 위한) 무료 변호사, '국선 변호인'.

póverty lìne[**lèvel**] 빈곤선(《영》 = **póverty dátum lìne**)《최저 생활 유지에 필요한 소득 수준》.

póverty-strìcken *a.* 매우 가난한, 가난에 쪼들린; 초라한.

póverty tràp 《영》 저소득자가 수입의 증가로

생활 보호 등의 대상 밖이 되어 결과적으로 수입 증가로 연결되지 않는 상황.

pow [pau] *int.* 팡, 탕, 찰깍《타격, 파열, 충돌 등을 나타냄》. **—** *n.* 탕〔팡〕하는 소리; (흥분을 유발하는) 박력; 영향력. **—** *a.* 흥분시켜 잡아끄는.

POW, P.O.W. prisoner(s) of war. ★ PW로 쓰기도 함.

pow·der [páudər] *n.* **1** Ⓤ 가루, 분말: grind coffee beans into 〔to〕 ~ 커피콩을 가루로 빻다 / baking ~ 베이킹파우더 / polishing ~ 광〔윤〕내는 가루약 / tooth ~ 가루 치약 / talcum ~ 활석분《화장용》. **2** 분말 제품; Ⓤ 분; Ⓒ 가루약: take a ~ after every meal 매 식후 가루약을 복용하다 / skin ~ 땀띠약 / put ~ on one's face 분을 바르다. **3** Ⓤ 화약: black ~. **4** 흙먼지; 가랑눈 (=~ snòw). **5** Ⓤ 〖경기〗 (타격 등을 가하는) 힘. **6** =POWDER BLUE. **7** 《미속어》 술 한잔. ***keep one's ~ dry*** 만일에 대비하다. ***~ and shot*** 탄약, 군수품; 비용, 노력(勞力): not worth (the) ~ *and shot* 노력할 가치가 없다, 채산이 맞지 않다. ***put ~ into*** …에 화약을 채우다; …에 힘을 들이다. ***smell ~*** 실전을 경험하다. ***take a ~*** 《속어》 도망치다. ***the smell of ~*** 실전 경험.
— *vt.* **1** 〘흔히 수동태로〙 가루〔분말〕로 하다, 제분하다: *be ~ed* to (the) dust 가루가 되다. **2** 《+목+전+명》 …에게 (…의) 가루를 뿌리다 《*with*》; (얼굴·살갗에) 분을 바르다; (머리 등에) 머릿가루를 뿌리다: Her face was *~ed with* flour. 그녀의 얼굴은 밀가루투성이가 되었다. **3** 《+목+전+명》 …에 흩뿌리다; 〘수동태로〙 (…로) 가득하다《*with*》: His nose *is ~ed with* freckles. 그의 코는 주근깨투성이다. **4** (옷 등에) 흩은 무늬를 놓다. **5** 《고어》 …에 향신료를 치다; 소금을 쳐서 보존하다. **—** *vi.* (분 따위를) 바르다〔치다, 쓰다〕; 가루가 되다, 바수어지다; 《미속어》 뺑소니치다; 《미구어》 통음하다, 술취하다《*up*》. **~ a person's jacket** 《영속어》 아무를 후려패다.

pówder bàg 약포(藥包), 약주머니; 《해군속어》 포(砲)담당 수병.

pówder blúe 분말 화감청(華紺青); 담청색.

pówder bòx 화장 상자, 분갑.

pówder bùrn 화약에 의한 화상.

pów·dered *a.* 가루가 된, 분말의; 《미구어》 몹시 취한(=**pówdered ùp**).

pówdered mílk =DRY MILK.

pówdered súgar 가루 설탕, 분당(粉糖).

pówder flàsk 화약통〔병〕《옛날의 사냥·전투용》.

pówder hòrn 뿔로 만든 화약통.

pówder kèg 화약통; (언제 폭발할지 모르는) 위험물.

pówder magazìne 화약고(庫).

pówder·màn [-mæ̀n, -mən] (*pl.* ***-mèn*** [-mèn, -mən]) *n.* 폭약 취급자; 《속어》 (폭약을 쓰는) 금고털이.

pówder métallurgy 〖야금〗 분말 야금(冶金).

pówder mìll 화약 공장.

pówder mònkey (옛날 군함의) 소년 화약 운반수; 다이너마이트 담당원; 폭약 관리 책임자.

pówder pùff (파우더) 퍼프, 분첩; 《속어》 겁쟁이; 만만한 경기 상대.

pówder-pùff *a.* (운동·경기가) 여성 취향의, 여성만이 참가할 수 있는. **—** *vt.* 《미속어》 (복싱에서) 경쾌한 동작으로 상대를 헛손질하게 하다.

pówder ròom (여성용) 화장실.

pow·dery [páudəri] *a.* 가루(모양)의; 가루투성이의; 가루가 되기 쉬운.

pow·er [páuər] *n.* **1** Ⓤ 힘, 능력; 생활력: the ~ of nature 자연의 힘 / one's vital ~ 활력 / He has no ~ to live on. 그는 벌써 살아갈 힘이 없다.

> SYN. **power** 잠재능력도 포함하는 가장 일반적인 말. **force** power가 바깥 힘이 되어 나타나는 힘, 세력, 효력: the *force* of a blow 타격력. by *force* of circumstances 주위의 사정으로, 부득이. **energy** 일을 하는 데 쓰이는 power의 양, force와는 달라 외적인 존재물에 대한 작용은 직접 시사되지 않음→정력(精力), 활력: a man of *energy* 정력가. **strength** power 또는 force가 지니는 '강도(強度)': a man of great *strength* 대단히 힘센 사람. tensile *strength* 장력(張力). **might** 인간이 지니는 강한 power. ★ 물리학 용어로서는 force '힘', power '일률, 공률', energy '에너지'로 구별됨.

2 효험(效驗), 효력: the ~ of a medicine 〔a prayer〕 약〔기도〕의 효험. **3** Ⓤ 〖기계〗 동력; 물리적〔기계적〕 에너지원(源)《*of*》; 《특히》 전력: electric 〔water〕 ~ 전력〔수력〕 / mechanical ~ 기계력 / a ~ failure 〔suspension〕 정전(停電) / the ~ *of* a blow 타격력. **4** Ⓒ,Ⓤ (보통 *pl.*) (특수한) 능력, 재능; Ⓤ 체력, 정력: a man of great intellectual *~s* 지적 능력이 뛰어난 사람 / She's said to have the ~ *to* foretell the future. 그녀에게는 미래를 예언하는 능력이 있다고들 말한다 / His *~s* are failing. 체력이 약해지고 있다. **5** Ⓤ 권력, 권위, 권능, 지배력; 정권 (political ~): the ~ of Congress 의회의 권능 / The prime minister has the ~ *to* appoint and dismiss cabinet ministers. 국무총리는 각료 임면권이 있다.

> SYN. **power** 어떤 일을 할 수 있는 힘. 주로 정치적인 결정 등이 많음: The Swiss executive has no ~ to veto. 스위스 행정부에는 거부권이 없다. **authority** 남에게 명령하고 복종시킬 수 있는 권력. 또 민주주의 사회에서는 위임된 권능: the *authority* of a court 법정의 권위. **influence** 법률적인 권한은 없어도 남에게 영향력을 줄 수 있는 세력, 신망. **sway** 마음대로 지배할 수 있는 힘: under the *sway* of a dictator 독재자의 전제(專制) 아래.

6 Ⓒ 유력자, 권력자: a ~ in politics 정계의 실력자. **7** Ⓒ (종종 *pl.*) 강국: the great *Powers* 열강(列強) / the Allied *Powers* 동맹국. **8** Ⓒ 《고어》 군대, 병력(forces). **9** Ⓤ 위임된 권력, 위임(장): ~ of attorney 위임권〔장〕. **10** Ⓒ 〖수학〗 거듭제곱, 멱(冪): The third ~ of 2 is 8. 2의 3제곱은 8. **11** Ⓤ (렌즈의) 배율, 확대력. **12** Ⓒ 《구어》 다수, 다량《*of*》: a ~ *of* work 많은 일 / a ~ *of* help 큰 도움. **13** (종종 *pl.*) 신(神); (*pl.*) 능품(能品) 천사《천사의 제 6 계급》: the *~s* above 하늘의 신들 / Merciful *~s!* 자비로운 신이여 / the *~s* of darkness 〔evil〕 악마. **14** Ⓤ 〖물리〗 작업률, 일률(率), 공정(工程). **15** 〖컴퓨터〗 **a** 전원. **b** 제곱.
a* 〔*the*〕 *~ behind the throne 흑막, 막후의 실력자. ***be in the ~ of*** …의 수중에 있다. ***beyond* 〔*out of*〕 one's *~(s)*** 힘이 미치지 않는, 불가능한; 권한 밖의. ***by* (*all*) *the ~s*** 맹세코, 반드시, 꼭. ***come to* 〔*into*〕 *~*** 정권을 장악하다; 세력을 얻다. ***do all in one's ~*** 할 수 있는 한 힘쓰다. ***have ~ over*** …을 지배하다, …을 마음대로 하다. ***hold ~ over*** …을 지배하다. ***in* 〔*out of*〕 *~*** 정권을 잡고〔떠나서〕; 권한이 있는〔없는〕: the party *in* ~ 여당. ***in one's ~*** ① 힘이 미치는 범위 내에서. ② 지배 아래, 손 안에: have a person *in one's* ~ 아무를 자기 마음대로 하다. ***More* 〔*All*〕 *~ to you* 〔*your elbow*〕*!*** 더욱 건강〔성공〕하시기를. ***put ... into ~*** …으로 정권을 장악하게 되다. ***raise to the second* 〔*third*〕 *~*** 두

〔세〕제곱하다. ***the ~s that be*** (종종 *pl.*) 당국(자), (당시의) 권력자(those in ~). ***to the best*** 〔***utmost***〕 ***of*** one'***s*** ~ 힘이 미치는 한, 가능한 한. ***within*** one'***s*** ~ 힘이 미치는 범위 내의〔에서〕: It isn't *within my* ~ to help you. 내 힘으로는 도울 수 없다.
— *vt., vi.* …에 동력을 공급하다; 촉진〔강화〕하다; 동력으로 나아가다; 《속어》 아주 급하게 여행하다. ~ ***down*** 〔***up***〕 (우주선)의 에너지 소비량을 내리다〔올리다〕. ~ ***on*** 〔***through***〕 《미속어》 (시험 따위를) 훌륭하게 치르다. ~ one'***s way*** (정치가 등이) 상대방을 압도하여 (최고의 지위에) 오르다, (전력을 다해) 쟁취하다, (분투하여) 달성하다 《*to.*》.

pówer àmplifier 〖전기〗 전력 증폭기.
pówer bàse 《미》 (정치적) 기반(基盤), (정치 운동·정책의) 지지 모체.
pówer blòck (국제적 정치력을 발휘하기 위해 제휴한) 강대국을 중심으로 한 국가 집단.
pówer·bòat *n.* 동력선; 모터보트.
pówer bráke 동력 브레이크.
pówer bròker 《미》 권력자를 움직여 공작하는 사람, 막후 인물, 유력자.
pówer càble 전력 케이블〔고압〕선.
pówer cùt 송전(送電) 정지, 정전.
pówer dìve 〖항공〗 (전투기 따위의 엔진을 건 채 하는) 동력 급강하.
pówer drèssing 파워 드레싱《비지니스 사회 등에서 지위와 능력을 인상지우는 (여성의) 복장》.
pówer dríll 동력 천공기(穿孔機).
(-)pów·ered *a.* (…) 마력의, 발동기를 장비한; (렌즈 등이) 배율(倍率) …의: a gasoline 〔high〕- ~ engine 가솔린〔강력〕 엔진.
pówer elíte (the ~) 《집합적》 권력의 핵심들: the ~ of a major political party 다수당의 수뇌(부).
pówer fàctor 〖전기〗 역률(力率)《교류 회로 시 평균 실효 전력과 겉보기 전력과의 비》.
pówer fàilure 정전(blackout).
****pow·er·ful** [páuərfəl] *a.* **1** 강한, 강력한; 유력한, 우세한. [SYN.] ⇨ STRONG. **2** 사람을 감동시키는 《연설 따위》; 효능 있는《약 따위》: a ~ argument 설득력 있는 논증. **3** 《방언》 많은: a ~ lot of 많은. — *ad.* 《방언》 심히. ㊖ **~·ly** *ad.*
pówer fùnction 〖수학〗 검출력(檢出力) 함수.
pówer·hòuse *n.* **1** 발전소. **2** 《구어》 정력적인 사람〔팀〕; 〖경기〗 최우수 팀.
pówer I formátion [-ài-] 〖미식축구〗 I formation 의 fullback 옆에 back 하나를 더 세워 block 력을 강화한 포메이션.
pówer làthe 〖기계〗 동력 선반(旋盤).
°pówer·less *a.* 무력한, 무능한; 세력이 없는; 권력이 없는; 효능이 없는; 마비된: The police were ~ *to* do anything. 경찰은 무력해서 아무것도 할 수 없었다. ㊖ **~·ly** *ad.* **~·ness** *n.*
pówer lìne 송전선, 전력선. 「loom.
pówer-lòom *n.* 역직기(力織機). [OPP.] *hand-*
pówer lùnch (회의를〔상담(商談)을〕 겸한 유력자와의) 점심 식사, 파워 런치.
Pówer Màcintosh 〖컴퓨터〗 파워 매킨토시 《CPU에 Power PC칩을 장착한 전자 출판용 프로그램과 그래픽 처리용 컴퓨터》.
pówer mànagement 〖컴퓨터〗 전력 관리 《노트북형 컴퓨터 등의 전력 절약 기구》.
pówer mòwer 잔디 깎는 동력 기계.
pówer of appóintment 〖법률〗 (수여자 재산 귀속처) 지정권〔지명권〕.
pówer of attórney 〖법률〗 (대리) 위임장.
pówer pàck 〖전자〗 전원함(電源函)《전원에서 전력을 장치에 급전(給電)할 때 전압을 알맞게 변환하는 장치》.
pówer plànt (로켓·자동차 등의) 동력 장치; 발전소.
pówer plày 1 (정치·외교·군사·경제 등에서의) 실력 행사, 공세적 행동, 힘의 정책. **2** 파워 플레이《(1) 〖미식축구〗 볼캐리어 앞에 블로커를 내는 런 플레이. (2) 〖아이스하키〗 패널티로 인해 한 쪽 팀의 링크 내 선수가 딴 쪽보다 많은 상태; 그 동안의 집중 공격》.
pówer pòint 《영》 (벽에 붙은) 콘센트.
pówer pólitics 무력 외교, 권력〔힘의〕 정치.
pówer reàctor 〖물리〗 동력로(動力爐)《동력을 생산하는 원자로》.
pówer sèries 〖수학〗 멱급수(冪級數).
pówer sèt 〖수학〗 멱(冪)집합.
pówer-shàring *n.* 권력 분담《다른 그룹이 정부에 참가함으로써 정부가 사회 전체를 대표하도록 하는 일》. 「을 파는 삽》.
pówer shòvel 동력삽《동력을 이용하여 흙 등
pówer shòwer 강력한 샤워.
pówer stàtion 발전소.
pówer stéering (자동차의 핸들 조작을 쉽게 하는) 파워 스티어링, 동력 조향(操向) 장치.
pówer stròke 〖기계〗 동력〔작업〕 행정(行程).
pówer strùcture 《미》 권력측, 체제(측); 권력 구조. 「장치.
pówer supplỳ 전력〔동력〕 공급, 전원(電源)
pówer táke-off (트럭·트랙터의) 동력 인출(引出) 장치《트랙터·트럭에 있는 엔진의 힘으로 펌프·톱 따위를 작동시키기 위한 보조 전도(傳導) 장치; 생략: PTO》.
pówer tòol 전동 공구.
pówer tòwer 태양 에너지〔열〕 발전소.
pówer trìp 《구어》 힘〔권력〕의 과시, 위세.
pówer ùnit 엔진《보통은 내연 기관》.
pówer ùser 〖컴퓨터〗 파워 유저《컴퓨터 기능을 익혀 그 능력을 최대한 활용하는 사용자》.
pówer wàlking 빨리 걷기 운동.
pówer wòrker 전력업계의 종업원.
pow·wow [páuwàu] *n.* **1** (북아메리카 원주민의) 주술사(師)〔의식〕《병의 회복이나 전승을 빎》; (북아메리카 원주민과의〔끼리의〕) 교섭, 협의. **2** 《구어》 (사교적인) 모임; 회합, 평의(評議). — *vi.* (인디언끼리) 의식을 행하다; 《구어》 협의하다 《*about*》; 지껄이다. — *vt.* …에게 주술을(에 의한 치료를) 베풀다.
Pow·ys [póuis] *n.* 포이스《영국 웨일스 중동부의 주; 주도는 Llandrindod Wells》.
pox [paks/pɔks] *n.* (*pl.* **~, ~·es**) [U] **1** 발진(發疹)하는 병《천연두·수두(水痘) 따위》. [cf.] pock. **2** (the ~) 《구어》 매독(syphilis). ***A ~ on*** 〔***of***〕 ***you*** 〔***her,*** etc.〕***!*** 《고어》 염병할 놈〔년〕. ***What a ~!*** 대체 어떻게 된 거야, 어머나.
póx-dòctor *n.* 《속어》 성병(性病) 전문의. ***got up*** 〔***dressed up***〕 ***like a ~'s clerk*** 《속어》 야하게 차려입은.
Po·zac [póuzæk] *n.* 《미》 정신 안정제《상표명》.
poz·zo·la·na, poz·zu·o·la·na [pàtsəláːnə/pɔ̀tsə-], [pàtswəláːnə/pɔ̀tswə-] *n.* 《It.》 [U] 화산회《시멘트의 원료》.
PP 〖화학〗 polypropylene. **pp** pianissimo. **pp.** pages; past participle; 〖음악〗 pianissimo. **P.P., p.p.** parcel post; parish priest; past participle; postpaid. **p.p.** per procurationem. **PPA** phenylpropanolamine 《체중 감량약·코막힘 약으로 쓰임》. **PPB, ppb** part (s) per billion (10 억분의 …). **PPB(S)** planning, programming, budgeting (system) (컴퓨터에 의한 기획(企劃)·계획·예산 제도). **P.P.C.** *pour prendre congé* (⇨ CONGÉ). **ppd.** 〖상업〗 post-

paid; prepaid. **P.P.E.** philosophy, politics, and economics. **pph.** pamphlet. **PPHM, pphm** part(s) per hundred million (1억분의 …).

PPI [pì:pì:ái] *n.* 평면 위치 표시기《탐지 레이더의 수신 신호를 브라운관에 표시하는 장치》. [◂ *P*lan *P*osition *I*ndicator]

PPI 〖해상보험〗 policy proof of interest. **ppi** 〖컴퓨터〗 pixels per inch. **ppl.** participle. **P.P.M., p.p.m., ppm**(.) part(s) per million (100만분의 1; 미소 함유량의 단위). **ppm.** pulse per minute; 〖컴퓨터〗 pages per minute(페이지 수/분)《쪽 인쇄기의 인자(印字) 속도 단위》. **PPP** 〖경제〗 polluter pays principle(오염자 비용 부담의 원칙). **ppr., p.pr.** present participle. **PPS** polyphenylene sulfide《고내열성 특수 수지의 하나》. **P.P.S.** 《영》 Parliamentary Private Secretary; *post postscriptum* 《L.》 (=additional postscript). **ppt.** 〖화학〗 precipitate. **pptn.** precipitation. **PPV, ppv** 〖TV〗 pay-per-view(프로그램 유료 시청제). **P.Q.** Province of Quebec; personality quotient. **p.q.** previous question.

PR, p.r. [pì:á:r] *n.* = PUBLIC RELATIONS. — *vt.* 《미구어》 (PR 수단으로)(여론을) 형성〔조작〕하다, (생각 등을) 불어넣다, 피아르(PR)하다.

PR payroll; prize ring; Public Relations; 〖미 우편〗 Puerto Rico. **Pr** 〖화학〗 praseodymium; Provençal. **Pr.** Priest; Prince. **pr** pair; per. **pr.** pair(s); paper; power; preference; 〖상업〗 preferred(stock); present; price; priest; prince; printer; printing; pronoun. **P.R.** Parliamentary Reports; *Populus Romanus* 《L.》 (=the Roman People); Proportional Representation(비례 대표). **PRA** 《미》 political risk assessment. **P.R.A.** President of the Royal Academy.

praam [prɑ:m] *n.* =PRAM².

°**prac·ti·ca·ble** [prǽktikəbəl] *a.* **1** 실행할 수 있는. SYN. ⇨ POSSIBLE. **2** 사용할 수 있는, 통행할 수 있는《다리·도로 따위》; (연극 도구가) 실물의《창(窓) 따위》: This street is not ~ *for* large vehicles. 이 길은 대형 차량은 통행할 수 없다. ㊐ **-bly** *ad.* 실행할 수 있도록, 실용적으로. **~-ness** *n.* **pràc·ti·ca·bíl·i·ty** *n.* 실행 가능성; 실용성.

‡**prac·ti·cal** [prǽktikəl] *a.* **1** 실제의, 실제상의; 실리상의. cf. speculative, theoretical. ¶ ~ experience 실지 경험/~ value 실제상 가치; 실용 가치/~ philosophy 실천 철학. **2** 실용적인, 실제〔실무〕의 소용에 닿는, 쓸모 있는: ~ English 실용 영어/~ knowledge 실용적인 지식/a ~ mind 〔man〕 실제적인 사람. **3** 경험이 풍부한, 경험 있는: a ~ gardener 노련한 정원사/a ~ engineer 실지 경험이 있는 기사. **4** (명목은 다르나) 사실상의, 실질적인: the ~ ruler of the country 그 나라의 실질적인 지배자/with ~ unanimity 거의 만장일치로. SYN. ⇨ REAL. **5** 《경멸》 실리〔실용〕밖에 모르는; 사무적인. ***be of ~ use*** 실용적이다. ***for*** (***all***) ***~ purposes*** (이론은 여하튼 간에) 실제로는.

— *n.* 실기 시험; (*pl.*) 실제가(家). ㊐ **~·ism** *n.* Ⓤ 실용〔실제〕주의. **~·ness** *n.* **prac·ti·cal·i·ty** [prӕktikǽləti] *n.* Ⓤ 실제적임; 실용성; 실용주의. Ⓒ 실제적인 일〔공 따위〕.

práctical árt (보통 *pl.*) 실용적 기술《수예·목공 따위》.

práctical jóke 장난, (말이 아니라 행동에 의한) 못된 장난. ㊐ **práctical jóker**

prac·ti·cal·ly** [prǽktikəli] *ad.* **1** 실제적으로, 실용적으로, 실지로: consider the problem ~ 문제를 실제적 견지에서 생각하다. **2** 사실상, 거의 …나 다름없이(almost): There is ~ nothing left. 사실상 아무것도 남아 있지 않다/He says he is ~ ruined. 그는 파멸한 거나 다름없다고 말하고 있다. **~ *speaking 실제는, 사실상.

práctical núrse 《미》 준간호사《경험뿐으로 정규 훈련을 받지 않은》.

práctical réason (칸트 철학의) 실천 이성.

práctical theólogy 실천 신학《설교·전례학·교회 운영 따위의 제도화된 종교 활동의 연구》.

†**prac·tice** [prǽktis] *n.* Ⓤ **1** 실행, 실시, 실제; (실지에서 얻은) 경험: Have you had any ~ in teaching students? 실지로 학생을 가르쳐 본 경험이 있습니까/It looks all right in theory, but will it work in ~. 이론상으로는 괜찮지만 실제로는 잘 될까. **2 a** 실습(exercise), 연습; (연습에서 익힌) 기량: do ~ (*in* ...) (…의) 연습을 하다/daily piano ~ 매일 하는 피아노 연습/I have three piano ~*s* a week. 일주일에 3 번 피아노를 연습한다/Practice makes perfect. 《격언》 배우기보다 익혀라. **b** 숙련(skill), 수완. **3** 버릇, 습관, (사회의) 관례, 풍습. cf. habit. ¶ a matter of common 〔daily〕 ~ 일상 다반사/labor ~*s* 노동〔노사〕 관행/the ~ of closing shops on Sundays 일요일 휴점의 관습. **4** (의사·변호사 등의) 업무, 영업; 사무소, 진료소: retire from ~ 폐업하다/enter the ~ 개업하다. **5** Ⓒ 《집합적》 환자, 사건 의뢰인. **6** (보통 *pl.*) 《고어》 책략, 음모, 상투 수단: artful ~*s* 교활한 수단. **7** 〖법률〗 소송 절차〔실무〕. **8** Ⓒ 〖교회〗 의식; 예배식: Christian 〔Catholic〕 ~*s* 그리스도교〔가톨릭〕 예배식. **9** 〖수학〗 실산(實算). ***be in ~*** 연습〔숙련〕하고 있다; 개업하고 있다. ***be*** 〔***get***〕 ***out of ~*** (연습 부족으로) 서투르다〔게 되다〕. ***have a large ~*** (의사·변호사가) 번창하고 있다: The doctor *has a large* ~. 그 의사는 (환자) 손님이 많다. ***in ~*** 실제로는; 연습을 쌓아; 개업하여: keep *in* ~ 끊임없이 연습하고 있다. ***make a ~ of*** do*ing* 항상 …하다; …을 습관으로 하다. ***put*** 〔***bring***〕 ***... in*** 〔***into***〕 ~ …을 실행하다, …을 실행에 옮기다.

— (《영》에서는 ***-tise***) *vt.* **1** 실행하다, (항상) 행하다; (신앙·이념 등을) 실천하다, 신봉하다: *Practice* what you preach. 설교하는 바를 스스로 행하여라/~ early rising 언제나 일찍 일어나다. **2** 《~+목/+-*ing*》 연습하다, 실습하다: ~ the piano 피아노를 연습하다/~ play*ing* baseball regularly 규칙적으로 야구를 연습하다. **3** 《~+목/+목+전+명》 훈련하다, …에게 가르치다: ~ pupils *in* English 학생에게 영어를 가르치다/~ dogs *in* guiding the blind 개에게 장님을 인도하는 훈련을 시키다. **4** (법률·의술 따위를) 업으로 하다; …에 종사하다: ~ medicine 〔law〕 의사〔변호사〕 개업을 하다. — *vi.* **1** 습관적으로 행하다. **2** 《~/+전+명》 연습하다, 익히다《*at; on; with*》: ~ two hours every day 매일 2 시간씩 연습하다/~ *at* 〔*on*〕 the piano 피아노 연습을 하다/~ *with* the rifle 사격 연습을 하다.

> SYN. **practice** 이론이 아니고, 실제의 기술을 습득하기 위해 실지 연습을 하다: *practice* the violin 바이올린 연습을 하다. **exercise** 기관(器官)·기능·지력 따위를 활용시키다→연습시키다〔하다〕: *exercise* oneself in fencing 펜싱 연습을 하다. **drill** 구멍을 뚫다→되풀이하여 주입시키다, 아무를 심하게 훈련하다.

3 《~/+전+명》 (의사·변호사를) 개업하다〔하고 있다〕: a *practicing* physician 개업의(醫)/~ *at* the bar 〔*as* a lawyer〕 변호사를 개업하다. **4** 《+전+명》 속이다; 《고어》 음모를 꾸미다: ~

on 〔upon〕 a person's weakness 아무의 약점을 이용하다. ~ one**self** 독습(獨習)하다. ㊞ **-tic·er** [-tisər] n. 개업자, 실행자.

prác·ticed [-t] a. **1** 연습을 쌓은, 경험 있는, 숙련된(skilled), 잘하는: a ~ hand 〔driver〕 숙련가〔된 운전사〕 / the ~ in trade 장사 잘하는 사람들. **2** (웃음 등) 일부러 지은, 억지스러운, 부자연스러운: a ~ smile 억지 웃음.

práctice tèaching 교생〔교육〕 실습.

prac·ti·cian [præktíʃən] n. 실행자; 종사자; 숙련자, 경험자.

prac·tic·ing [prǽktisiŋ] a. **1** (현재) 활동〔개업〕하고 있는: a ~ physician 개업의(醫). **2** 종교의 가르침을 실천하고 있는: a ~ Catholic 실천적인 가톨릭교도. 「(醫) 양성을 위한) 실습 과목.

prac·ti·cum [prǽktikəm] n. (교사·수련의

°**practise** ⇨ PRACTICE.

°**prac·ti·tion·er** [præktíʃənər] n. 개업자《특히 개업의(醫)·변호사 따위》: a general ~ 일반 개업의《전문의에 대하여; 생략: GP》/ a medical ~ 개업 의사. SYN. ⇨ DOCTOR.

Prá·der-Wíl·li sỳndrome [prá:dərvíli-] 〖의학〗 프라더빌리 증후군《단신(短身)·정신 지체·근(筋)긴장 저하, 과식에 의한 비만 따위를 특징으로 함; Andrea Prader (1919-)와 Heinrich Willi (1900-71)는 스위스의 소아과 의사》.

prae- [pri:] =PRE-.

prae·ci·pe, pre- [prí:səpi:] n. 〖법률〗 (법원에 제출하는) 영장 신청서; 소송 개시 영장.

prae·di·al, pre- [prí:diəl] a. 농지의, 농산물의; 토지의; 토지에 예속하는《노예 따위》: a ~ serf 농노 / ~ servitude 〖법률〗 지역권. **—** n. 농노.

praefect ⇨ PREFECT.

prae·mu·ni·re [prì:mjunáiəri] n. 《L.》 〖영국사〗 교황 존신죄(尊信罪)《교황이 국왕보다 우월하다고 보는 죄》; 그 규문(糾問) 영장; 그 범죄에 대한 징벌.

prae·no·men, pre- [pri:nóumən/-men] (pl. **-nom·i·na** [-námina, -nóum-/-nɔ́m-], **~s**) n. 《L.》 〖고대로마〗 첫째 이름《Gaius Julius Caesar의 Gaius 따위; cf. agnomen, cognomen, nomen》; (생물의 학명 등의) 첫째 이름. ㊞ **-nom·i·nal** [-námənəl] a.

prae·pos·tor, pre- [pri:pástər/-pɔ́s-] n. 《영》 (public school의) 반장, 지도생.

prae·sid·i·um [prisídiəm] n. = PRESIDIUM.

prae·tor, pre- [prí:tər] n. 〖고대로마〗 집정관(執政官); (나중에는 집정관 밑의) 치안관.

prae·to·ri·an, pre- [pri:tɔ́:riən] a. 〖고대로마〗 집정관의; 치안관의; (P-) 친위대의. **—** n. =PRAETOR; 친위병. 「제의) 친위대.

Praetórian Guárd 〖고대로마〗 (고대 로마 황

prag·mat·ic [prægmǽtik] a. **1** 분주한, 활동적인(active); 실제〔실용, 현실〕적인(practical). **2** 〖철학〗 실용주의의, 프래그머티즘의: ~ philosophy 실용주의 철학 / ~ lines of thought 실용주의적인 사고방식. **3** 쓸데없는 참견을 하는, 오지랖 넓은. **4** 자부심이 강한, 독단적인, 완고한. **5** 〖역사〗 국사(國事)의, 내정의. **—** n. =PRAGMATIC SANCTION; 오지랖 넓은〔독단적인〕 사람.

prag·mat·i·cal [prægmǽtikəl] a. = PRAGMATIC 2, 3, 4. ㊞ **~·ly** [-kəli] ad.

prag·mat·i·cism [prægmǽtəsizəm] n. 〖철학〗 실용주의 철학; 실용성, 실제성.

prag·mát·ics n. 어용론(語用論)《기호를 사용자 입장에서 연구하는 것으로, 기호론의 한 분과》.

pragmátic sánction 〖역사〗 기본법이 되는 조칙(詔勅), 국사(國事) 조칙.

prag·ma·tism [prǽgmətìzəm] n. Ⓤ **1** 〖철학〗 프래그머티즘, 실용주의; 실제적인 사고방식. **2** 쓸데없는 참견; 독단; 학자연함. ㊞ **-tist** n. 〖철학〗 실용주의자; 오지랖 넓은 사람. **pràg·ma·tís·tic** [-tístik] a.

Prague [pra:g] n. 프라하《Czech 공화국의 수도; 체코명(名)은 **Pra·ha** [prá:ha:]》.

*__prai·rie__ [prέəri] n. **1** 대초원《특히 북아메리카 Mississippi 강 연안의》. **2** 목장, 대목초지. **3** 《미속어》 나쁜 골프 코스; 《미방언》 숲속의 작은 빈터.

práirie chìcken 〔**hèn**〕 〖조류〗 뇌조(雷鳥)의 일종《북아메리카산(産)》.

práirie dòg 〔**màr·mot**〕 〖동물〗 프레리도그《marmot의 일종; 북아메리카 대초원에 군거(群居)함》.

prairie dogs

práirie òyster 날달걀《숙취(宿醉)의 약으로 먹는》; (식용으로 하는) 송아지 고환(睾丸). cf. mountain oyster.

Práirie Próvinces (the ~) 프레리 제주(諸州)《Manitoba, Saskatchewan, Alberta 3개 주를 일컬음; 캐나다의 곡창·유전 지대》.

práirie schòoner 〔**wàgon**〕 《미》 (미국 서부 개척 시대의 이주민용) 대형 포장마차.

práirie sòil 〖지학〗 프레리토(土).

Práirie Státe (the ~) 미국 Illinois 주의 속칭.

prairie schooner

prais·a·ble [préizəbəl] a. = PRAISEWORTHY.

__praise__ [preiz] n. **1 칭찬, 찬양: be worthy of ~ 칭찬받을 만하다 / *Praise* makes good men better and bad men worse. 《속담》 칭찬하면 선한 사람은 더 선하게 되고 악인은 더 악하게 된다. **2** Ⓤ 숭배, 찬미; 신을 찬양하는 말〔노래〕: *Praise* be (to God)! 신을 찬미할지어다; 참 고맙기도 해라. **3** Ⓒ 칭찬의 대상〔이유〕. ***be loud*** 〔***warm***〕 ***in*** a person***'s*** **~(*s*)** 아무를 절찬하다. ***damn ... with faint*** **~** 마음에도 없는 칭찬을 하여 오히려 비난의 뜻을 나타내다. ***in*** **~** ***of*** …을 칭찬하여. ***sing*** a person***'s*** **~*s*** =***sing the*** **~*s of*** a person 아무를 극구 칭찬하다. ***sing*** one***'s own*** **~*s*** 자화자찬하다. ***win high*** **~** 칭찬을 받다.

— vt. **1** 《~+목/+목+전+명/+목+as 보》 칭찬하다: ~ a person *for* his honesty 아무의 정직함을 기리다 / The professor ~*d* his paper *as* highly original. 교수는 그의 논문을 아주 독창성이 많다고 칭찬했다. **2** (신을) 찬미하다. ***God be*** **~*d*!** (참) 고맙기도 해라.

㊞ **~·ful** [-fəl] a. 찬사로 가득 찬, 칭찬하는.

*__praise·wor·thy__ [préizwə̀:rði] a. 칭찬할 만한, 기특한, 갸륵한(praisable). OPP. *blameworthy*. ㊞ **-wor·thi·ly** ad. **-thi·ness** n. 「(般若).

praj·na [prʌ́dʒnja:, -nə] n. 〖불교〗 지혜, 반야

Pra·krit [prá:krit] n. Ⓤ (Sanscrit에 대하여) 고대·중세의 인도 북중부의 방언.

pra·line [prá:li:n] n. Ⓤ 프랄린《편도(扁桃)·호두 따위를 설탕에 조린 과자》.

pram[1] [præm] n. 《영구어》 유모차(《미》 baby carriage); 우유 배달용 손수레(handcart).

pram[2] [pra:m] n. 《D.》 너벅선의 일종.

prám pàrk 《영》 유모차 보관소.

°**prance** [præns, pra:ns/pra:ns] vi., vt. **1** (말

이) 뒷발을 껑충거리며 뛰어다니다, 날뛰며 나아가다《*along*》; 말을 껑충껑충 뛰게 하여 나아가다. **2** 《비유》 의기양양하게 가다, 뛰어 돌아다니다. ― *n.* (말의) 도약; 활보. ㊐ **pránc·er** *n.* 날뛰는 사람〔말〕, 기운 좋은 말; 《속어》 기마 사관(士官). **pránc·ing·ly** *ad.* 날뛰듯이; 의기양양하게.

pran·di·al [prǽndiəl] *a.* 〖보통 복합어〗《우스개》 식사의, 《특히》 정찬(正餐)(dinner)의: = PREPRANDIAL / POSTPRANDIAL.

prang [præŋ] 《영속어》 *vt.* (표적을) 정확히 폭격하다; (비행기·탈것을) 추락〔충돌〕시키다; (자동차 등)에 충돌하다; 충격으로 파괴하다. ― *vi.* 비행기를〔탈것을〕 추락〔충돌〕시키다. ― *n.* 충돌, 추락; 폭격.

◇**prank**[1] [præŋk] *n.* **1** 농담, 못된 장난. **2** 《우스개》 (기계 등의) 비정상적인 움직임. ***play ~s on*** …에게 못된 장난을 하다, …을 놀리다. ~ one***self out*** 〔***up***〕 한껏 멋부리다.

prank[2] *vt., vi.* 장식하다(adorn), 모양내다, 성장하다《*out; up*》: The orchard is now ~*ed with* blossoms. 과수원은 지금 꽃이 만개해 있다.

prank·ish [prǽŋkiʃ] *a.* 장난치는, 희롱거리는. ㊐ ~**·ly** *ad.* ~**·ness** *n.*

prank·ster [prǽŋkstər] *n.* 장난꾸러기, 까불이.

prase [preiz] *n.* 녹석영(綠石英).

pra·se·o·dym·i·um [prèizioudímiəm, prèisi-] *n.* Ⓤ 〖화학〗 프라세오디뮴《희토류 원소; 기호 Pr; 번호 59》.

prat [præt] *n.* 《속어》 (종종 *pl.*) 궁둥이(buttocks) (㊂ pratfall); 얼간이.

prate [preit] *vi., vt.* 재잘재잘 지껄이다《*about*》; 쓸데없는 소리 하다(chatter); (시시한 일 따위를) 수다떨다. ― *n.* Ⓤ 수다, 지껄이기, 시시한 이야기. ㊐ **prát·er** *n.* **prát·ing·ly** *ad.*

prát·fàll *n.* 《미속어》 (코미디 등에서 웃음을 유발하기 위한) 엉덩방아; 실수: take a ~ 엉덩방아를 찧다.

prat·in·cole [prǽtiŋkòul prǽtn-/prǽtiŋ-] *n.* 〖조류〗 제비 물떼새.

pra·tique [prætíːk, prǽtiːk] *n.* 《F.》 (검역 후에 받는) 입항 허가(증), 검역필증.

prat·tle [prǽtl] *vi., vt.* 혀짤배기 소리를 하다; 쓸데없는 말을 하다, …을 재잘거리다; (물 흐름 따위가) 졸졸거리다. ― *n.* Ⓤ 혀짤배기 소리; 실없는 소리; 졸졸(흐르는 소리), 물소리. ㊐ **prát·tler** *n.* 잘 지절대는 사람; 혀짤배기 소리를 하는 사람, 《특히》 아이. **prát·tling·ly** *ad.*

Prav·da [práːvdə] *n.* 《Russ.》 (=truth) 프라우다《옛 소련 공산당 중앙 위원회의 기관지》.

prawn [prɔːn] *n.* 〖동물〗 참새우 무리《lobster보다 작고 shrimp보다는 큰 것》. ***come the raw ~*** 《Austral.구어》 속이려고 하다, 속이다. ― *vi.* 참새우를 잡다; 참새우를 미끼로 낚시질을 하다.

práwn cócktail 《영》 =SHRIMP COCKTAIL.

prax·e·ol·o·gy [præ̀ksiálədʒi/-ɔ́l-] *n.* 인간 행동학(行動學). ㊐ **-o·lóg·i·cal** *a.*

prax·is [prǽksis] (*pl.* ***prax·es*** [-siːz], ~***es***) *n.* 습관, 관례(custom); 연습, 실습, 응용; 〖문법〗 예제, 연습 문제(집).

⁑pray [prei] *vi.* **1** 《~/+전+명》 간원(懇願)하다《*for*》; 빌다《*to*》: ~ twice a day 하루에 두 번 기도하다 / ~ *for* pardon 용서를 빌다 / ~ *for* a dying person 죽음에 임한 사람을 위해 기도하다 / ~ *to* God *for* mercy 신의 자비를 빌다. **2** 《+전+명》 희구하다《*for*》: The farmers are ~*ing for* rain. 농부들은 비가 오기를 바라고 있다. ― *vt.* **1** 《~+목/+목+전+명/+목+*to* do/+목+*that* 절》 (신(神)에게) 기원하다, 기도하다; (사람에게) 간원하다, 탄원하다: ~ God 신에게 빌다 / We ~*ed* God *for* help. 신에게 도움을 기원하였다 / She ~*ed* me *to* help her. 그녀는 나에게 도와 달라고 탄원하였다 / He ~*ed* God *that* he might win. 그는 이기게 해 달라고 기도했다. **2** 《~+목/+*that* 절》 희구하다, 기구(祈求)하다: We ~ your comment. 논평을 부탁합니다 / He ~*s that* he may do it. 그것을 할 수 있도록 그는 바라고 있다. **3** (기도를) 올리다: He ~*ed* a brief prayer. 그는 짧은 기도를 올렸다. **4** 《+목+전+명》 간원〔기원〕하여 …케 하다: ~ a sinner *to* redemption 죄인을 위해 기원하여 구제하다. **5** 《고어》 〖I *pray* you의 간약형〗 제발, 바라건대(please): *Pray* come with me. 제발 저와 함께 가요 / Tell me the reason, ~. 제발 이유를 말해 주십시오. ***be past ~ing for*** 기도해도 소용없다; 개심(改心)〔회복〕의 가망이 없다. ***Pray don't mention it.*** 천만의 말씀(입니다). ~ ***down*** 기도로 (악마나 적을) 무찌르다. ~ ***in aid*** (***of …***) (…의) 조력을 부탁하다.

⁑prayer[1] [prɛər] *n.* **1** Ⓤ 빌기, 기도: kneel down in ~ 무릎 꿇고 기도하다 / the morning 〔evening〕 ~ 아침〔저녁〕 기도 / Our ~ *that* she (should) come home safely was heard. 그녀가 무사히 집으로 돌아오기를 바라는 우리의 기도가 이루어졌다. **2** Ⓒ (종종 *pl.*) 기도 문구: give 〔offer up〕 ~*s* for a person's safety 〔recovery〕 아무의 무사〔회복〕을 기원하며 기도문을 외다 / the Lord's *Prayer* 주기도문. **3** Ⓒ 소원, 탄원: an unspoken ~ 비원(秘願). **4** (보통 P-) (교회에서의) 기도식; (*pl.*) (학교나 개인의) 예배: family ~*s* 가정 예배. **5** (a ~) 《미속어》 〖부정형〗 극히 적은 기회〔가망〕: not have a ~ to succeed. 성공할 가망은 없다. ***be at*** one***'s ~s*** 기도하고 있다. ***say*** 〔***give, tell***〕 one***'s ~s*** 기도드리다: He is saying his ~*s*. 그는 기도문을 외고 있다. ***the Book of Common Prayer*** =***the Prayer Book*** (영국 국교의) 기도서. ***the house of ~*** 교회.

◇**pray·er**[2] [préiər] *n.* 기도하는 사람.

práyer bèads [prɛ́ər-] 묵주(默珠)(rosary).

práyer bòok [prɛ́ər-] **1** 기도서. **2** (the P-B-) =BOOK OF COMMON PRAYER.

prayer·ful [prɛ́ərfəl] *a.* 잘 기도하는, 기도하는 마음의, 신앙심 깊은(devout). ㊐ ~**·ly** *ad.* ~**·ness** *n.*

práyer·less *a.* 신앙심이 없는, 기도를 생략한.

práyer mèeting 〔**sèrvice**〕 [prɛ́ər-] 기도회; (개신교에서) 수요일 예배.

práyer rùg 〔**màt**〕 무릎깔개《이슬람교도가 기도할 때 씀》.

práyer whèel (라마교의) 기도문통(筒)《기도문을 넣은 회전 원통》.

práy-ìn *n.* 집단 항의 기도.

práy·ing mántis 〖곤충〗 사마귀, 버마재비(mantis).

P.R.B. Pre-Raphaelite Brotherhood. **PRC** People's Republic of China.

pre- [priː, pri] *pref.* '전, 앞, 미리' 등의 뜻. ㊀ *post-*.

***preach** [priːtʃ] *vi.* **1** 《~/+전+명》 전도하다: ~ *to* heathens 이교도에게 전도하다. **2** 《~/+전+명》 설교하다: ~ in Westminster Abbey 웨스트민스터 대성당에서 설교하다 / ~ *on* 〔*from, to*〕 a text 성서 중의 한 구절을 제목으로 설교하다 / ~ *on* redemption *to* a congregation 그리스도에 의한 속죄에 대하여 설교하다. **3** 《+전+명》 타이르다, 설유(說諭)하다《*to*》: He's always ~*ing at* me *about* being late for school. 그는 늘 나의 지각에 관해 장황하게 타이른다. ― *vt.* **1** 전도하다, 설교하다: ~ the Gospel 복음을 전도하다. **2** 《~+목/+목+목/+목+전+명》 설교를 하다(deliver): ~ a poor sermon 시시한 설교를 하다 / He ~*ed* us a sermon. =He ~*ed* a sermon *to* us. 그는 우리들에게 설교를 했다. **3** 《~+목/+목+목/+목+전+명/+

that 절)) 타이르다, 설복하다, 설유하다: Don't ~ me lessons about patience. = Don't ~ lessons about patience *to* me. 나에게 참으라는 말 따위의 설교는 마시오/~ economy *to* the nation 국민에게 절약을 권면하다/The priest ~*ed that* we are the sons of God. 목사는 우리가 하느님의 아들이라고 설파하였다. **4** ((~+목/+목+*as* 보)) 창도(唱導)하다, 고취하다, 선전하다: ~ peace 평화를 부르짖다/He ~*ed* economy *as* the best means of protecting the environment. 그는 검약(儉約)이야말로 환경 보호의 최선책이라고 설명했다. **~ *against*** …에 반대하는 설교를 하다, 훈계하다: ~ *against* using violence 폭력을 쓰지 말라고 훈계하다. **~ *down*** 깎아내리다; 설복시키다. **~ *to deaf ears*** 우이독경(牛耳讀經). **~ *up*** 칭찬하다, 추어올리다. **—** *n.* ((구어)) 설교, 강화(講話), 법화(法話). ㊞ **~·a·ble** *a.* 설교할 수 있는.

◇**préach·er** *n.* **1** 설교자, 전도사, 목사. **2** 주창자, 훈계자. **3** (the P-) 〖성서〗 전도서의 저자((솔로몬이라고도 함)); 전도서. ㊞ **~·ship** *n.* 설교자임, 설교자의 역할.

preach·i·fy [príːtʃəfài] *vi.* ((구어)) 장황하게 설교하다, 지루하게 이야기하다.

préach·ing *n.* Ⓤ 설교하기; Ⓒ 설교, 설법, 설교가 있는 예배: a ~ shop ((미속어)) 교회. **—** *a.* 설교의〔같은〕. ㊞ **~·ly** *ad.*

préach·ment *n.* U,C (지루한) 설교, 쓸데없이 긴 이야기.

preachy [príːtʃi] (***preach·i·er; -i·est***) *a.* ((구어)) 설교하기 좋아하는; 설교조의, 넌더리나는. ㊞ **préach·i·ly** *ad.* **-i·ness** *n.* 설교하기 좋아함.

prè·acquáint *vt.* 예고하다.

prè·adámic *a.* 아담(Adam) 이전의.

prè·ádamite *a., n.* 아담 이전의 (사람); 아담 이전에 인간이 있었다고 믿는 (사람).

prè·adaptátion *n.* 〖생물〗 전적응(前適應)((중요하지 않았던 기관이나 성질이 생활양식의 변화로 중요한 가치를 발휘하게 된 상태)).

prè·áddict *n.* 마약 경험자((잠재적 중독자)).

prè·adjústment *n.* U,C 사전 조정.

prè·admónish *vt.* 사전에 훈계〔충고〕하다.

prè·admonítion *n.* 사전 권고〔충고〕.

prè·adoléscence *n.* 〖심리〗 사춘기 전((9-12살)). ㊞ **-léscent** *a., n.*

prè·adúlt *a.* 〖심리〗 성인(成人) 이전의.

prè·agricúltural *a.* 농경 이전의.

prè·allótment *n.* 미리 할당된 것; 운명, 천명.

pre·am·ble [príːæmbəl, -ˊ-/-ˊ-] *n.* **1** (법률·조약 따위의) 전문(前文)((*to; of*)), (P-) 미국 헌법 전문. **2** 서문, 머리말. **—** *vi.* 서론을 말하다.

pré·àmp *n.* ((구어)) = PREAMPLIFIER.

prè·ámplifier *n.* 〖전기〗 프리앰프(preamp), 전치(前置) 증폭기((라디오·레코드 플레이어의)).

prè·appóint *vt.* 미리 명령하다〔정하다, 임명하다〕. ㊞ **~·ment** *n.* U,C (임명의) 예정.

prè·arránge *vt.* 미리 타합〔협정〕하다; 예정하다. ㊞ **~·ment** *n.* U,C

prè·atmosphéric *a.* 대기(大氣) 형성 이전의.

prè·atómic *a.* 원자력〔원자 폭탄〕 (사용) 이전의, 핵(核) 이전의. OPP *postatomic.*

prè·áudience *n.* Ⓤ 〖영법률〗 선술권(先述權)((법정에서 변호사의)). ㊞ **~·ly** *ad.*

prè·áxial *a.* 〖해부〗 전축(前軸)의; 축(軸) 앞의.

preb·end [prébənd] *n.* 성직급(給)((성직자회 평의원(canon) 또는 성직자단(chapter) 단원의)); 성직급을 산출하는 토지, 성직급용 세금; 수급(受給) 성직자(prebendary)(의 직). ㊞ **pre·ben·dal** [pribéndl, prébən-] *a.* 성직급의; 수급 성직자의.

prebéndal stáll 수급(受給)(성직)자의 좌석; 성직급(給).

preb·en·dary [prébəndèri/-dəri] *n.* 수급(受給)(성직)자; 목사.

prè·bínd *vt.* (도서관의 책을 대출용으로) 튼튼히 제본하다.

prè·biológical *a.* 생물 발생 이전의, 생명 기원의 전구물(前驅物)의〔에 관한〕((분자 등)).

prè·biótic *a.* = PREBIOLOGICAL.

prebiótic sóup = PRIMORDIAL SOUP.

prè·bóard *vt.* (일부 승객을) 정각 전에 미리 태우다. **—** *vi.* 미리 탑승하다.

prè·bóok *vt.* 예약하다.

prè·bórn *a.* 아직 태어나지 않은, 출산(出産) 전의. **—** *n.* (the ~ 또는 *pl.*) ((완곡어)) 중절(中絶)태아.

prec. preceded; preceding.

prè·cálculable *a.* 미리 산정할 수 있는.

prè·cálculate *vt.* …을 미리 산정하다.

Prè·cámbrian *a.* 〖지학〗 선(先)캄브리아기(紀)〔층〕의. **—** *n.* (the ~) 선캄브리아기(층).

prè·cáncel *vt.* (우표에) 미리 소인을 찍다. **—** *n.* 그 우표. ㊞ **prè·can·cel·lá·tion** *n.*

prè·cancerósis *n.* 전암(前癌) 증상.

prè·cáncerous *a.* 전암(前癌) 증상의.

◇**pre·car·i·ous** [prikέəriəs] *a.* **1** 불확실한, 믿을 수 없는, 불안정한; 위험한, 불안(不安)한((생활 따위)): make a ~ living 그날그날 벌어 살다. SYN. = UNCERTAIN. **2** 지레짐작의, 근거 없는((가설·추측 따위)). **3** ((고어)) 남의 마음 나름의, 남에게 달린. ㊞ **~·ly** *ad.* **~·ness** *n.*

prè·cást (*p., pp.* ~) *vt.* (콘크리트를) 미리 성형(成形)하다. **—** *a.* (콘크리트가) 미리 성형된.

prec·a·tive [prékətiv] *a.* = PRECATORY.

prec·a·to·ry [prékətɔ̀ːri/-təri] *a.* 의뢰의, 간원(懇願)의; 〖문법〗 간원형의: ~ words 유언으로 하는 부탁의 말((유언장 속의 분명한 명령이 아닌 부탁)).

précatory trúst 〖법률〗 유탁(遺託)((간원적 유언 신탁)).

⁑**pre·cau·tion** [prikɔ́ːʃən] *n.* U,C 조심, 경계; 예방책. ***take ~s against*** …을 경계하다; …의 예방책을 강구하다. ㊞ **~·ary** [-èri/-əri] *a.* 예방〔경계〕의: ~*ary* measures 예방책.

pre·cau·tious [prikɔ́ːʃəs] *a.* 조심〔경계〕하는, 주의깊은.

*****pre·cede** [prisíːd] *vt.* **1** …에 선행하다, …에 앞서다, …보다 먼저 일어나다; 선도(先導)하다: the calm that ~*s* the storm 폭풍우가 닥치기 전의 고요함〔잔잔함〕/~ a person's getting out of a bus 아무를 앞서서 버스에서 내리다/Who ~*d* Bill Clinton as President? 빌 클린턴의 전(前) 대통령은 누구였나. **2** …에 우선하다; …의 우위〔상석〕에 있다: A major ~*s* a captain. 소령은 대위보다 계급이 높다. **3** ((+목+전+명)) 전제하다((*with; by*)): a book ~*d by* a long foreword 긴 서문이 붙어 있는 책. **—** *vi.* 앞서다, 선행하다. **—** *n.* 〖신문〗 메움 첫머리 기사((마감 때 새 뉴스를 채우기 위해 지면을 보류하는)). ㊞ **pre·ced·a·ble** [prisíːdəbəl] *a.* 앞설 수 있는, 먼저 일어날 수 있는; 윗자리에 앉을 수 있는.

◇**prec·e·dence, -den·cy** [présədəns, prisíː-], [-i] *n.* **1** Ⓤ (시간·순서 따위가) 앞서기, 선행; 전례; 상석, 우위; 우월; 우선(권). SYN. ⇨ INSTANCE. **2** (precedence) 〖컴퓨터〗 우선 순위((식이 계산될 때 각 연산자에 주어진 순위)). ***give*** a person ***the precedence to*** 아무에게 윗자리를 주다; 아무의 우월을 인정하다. ***personal ~*** 문벌에 의한 서열. ***take*** 〔***have***〕 (***the***) ***precedence of*** 〔***over***〕 …에 우선하다, …보다 상석을 차지하다; …보다 낫다: questions which *take precedence over* all others 다른 모든 문제에 우선하는 문제. ***the order of precedence*** 석차.

◇**prec·e·dent**[1] [présədənt] *n.* 선례, 전례((*for*)); 관례; 〖법률〗 판(결)례: There is no ~ *for* it. 그

것에 관한 전례는 없다. ***be beyond all ~s*** 전혀 선례가 없다. ***make a ~ of*** a thing …을 선례로 삼다. ***set* 〔*create*〕 *a ~* (*for*)** (…에) 전례를 만들다. ***without ~*** 전례 없는, 미증유의.

pre·ced·ent² [prisíːdənt, présə-] *a.* 앞서는, 선행의, 이전의: ⇨ CONDITION PRECEDENT. ㊞ **~·ly** *ad.* 이전에, 먼저, 미리.

prec·e·dent·ed [présədèntid] *a.* 선례 있는 (OPP. *unprecedented*); 선례에 의해 보증된.

prec·e·den·tial [prèsədénʃəl] *a.* 선례가 되는; 선행의.

***pre·ced·ing** [prisíːdiŋ] *a.* (보통 the ~) 이전의; 바로 전의; 전술한. OPP. *following.* ¶ in the ~ chapter 전(前) 장에 / the ~ year =the year ~ 그 전해. SYN. ⇨ PREVIOUS.

pre·cen·sor [priːsénsər] *vt.* (출판물 · 영화 따위를) 사전 검열하다. ㊞ **~·ship** *n.* 사전 검열.

pre·cent [prisént] *vt., vi.* 선창(先唱)하다.

pre·cen·tor [priséntər] (*fem.* ***-trix*** [-triks]) *n.* (성가대의) 선창자(先唱者); (대성당의) 음악감독. ㊞ **~·ship** *n.* ~의 역할.

°**pre·cept** [príːsept] *n.* **1** 가르침, 교훈, 훈계; 격언(maxim): Practice 〔Example〕 is better than ~. 《격언》 실천〔모범〕은 교훈보다 낫다. **2** (기술 등의) 형(型), 법칙; 〖법률〗 명령서, 영장(令狀).

pre·cep·tive [priséptiv] *a.* 교훈의, 교훈적인; 명령적인. ㊞ **~·ly** *ad.*

pre·cep·tor [priséptər, príːsep-/prisép-] (*fem.* ***-tress*** [-tris]) *n.* 훈계자; 교사; 목사; 교장; 〖역사〗 성전(聖殿) 기사단(Knights Templars)의 지방 지부장; 《미》 인턴 지도 교수〔의사〕. ㊞ **pre·cép·tor·shìp** *n.* ~의 지위; ~의 지도하에 있는 상태〔기간〕.

pre·cep·to·ri·al [prìːseptɔ́ːriəl] *a.* 교사의; 지도자의; 교사다운. ── *n.* (대학의 상급 과정에서의) 개인 지도 과목.

pre·cep·to·ry [priséptəri] *n.* 〖역사〗 성전(聖殿) 기사단의 지방 지부; 그 영유지.

pre·cess [priːsés/pri-] *vi.* 전진하다; 〖천문〗 세차(歲差) 운동을 하다.

pre·ces·sion [priːséʃən/pri-] *n.* Ⓤ 선행, 우선; 〖천문〗 세차(歲差) (운동). ***~ of the equinoxes*** 〖천문〗 분점(分點)의 세차. ㊞ **~·al** *a.*

prè-Chrístian *a.* 기원전의〔에 관한〕; 예수〔기독교〕 이전의: the ~ centuries.

pre·cinct [príːsiŋkt] *n.* **1** 《주로 미》 (행정상의) 관구(管區); (지방) 선거구; (경찰서의) 관할 구역; (보행자 천국 등의) 지정 지구: a shopping ~ 상점가. **2** 《주로 영》 (교회 따위의) 경내(境內) 《*of*》; 구내; 영역. **3** (보통 *pl.*) 경계(boundary); 주위, 주변, 부근; 계(界).

pre·ci·os·i·ty [prèʃiɑ́səti/-ɔ́s-] *n.* Ⓤ (특히 말씨 · 취미 따위의) 까다로움, 지나치게 세심함, 점잔빼기.

‡pre·cious [préʃəs] *a.* **1** 비싼, 귀중한, 가치가 있는: ~ words 금언 / ~ knowledge 귀중한 지식. SYN. ⇨ VALUABLE. **2** 사랑스러운, 둘도 없는: Her children are very ~ *to* her. 그녀에게는 아이들이 대단히 소중하다. **3** 《구어》 〔반어적〕 순전한, 대단한: He's a ~ rascal. 그는 여간한 악당이 아니다 / a ~ fool 순바보. **4** 점잔빼는, 까다로운: a ~ pronunciation 점잔빼며 하는 발음. ***a ~ deal*** 대단히. ***a ~ sight more* (*than*)** (보다) 훨씬 많이. ***make a ~ mess of it*** 그것을 엉망으로 만들다, 대단한 실수를 하다. ── *ad.* 《구어》 〔보통 ~ little 〔few〕로〕 매우, 대단히, 지독히: ~ *few* 아주 적은 / ~ cold 지독히 추운. ── *n.* 〔(my) ~로〕 《구어》 (나의) 귀여운 사람《호칭》. ㊞ **~·ly** *ad.* 비싸게; 까다롭게; 매우. **~·ness** *n.*

précious métal 귀금속.

précious stóne 보석, 보석용(用) 원석(原石)(gemstone).

> SYN. **precious stone** ruby, diamond, sapphire 등과 같은 보석의 넓은 뜻. **gem** precious stone을 연마하거나 하여 가공이 되어 있는 것. **jewel** 장신구에 쓰려고 세공한 보석.

pre·cip [príːsip] *n.* (TV의 일기 예보에서) 강수량(precipitation).

***prec·i·pice** [présəpis] *n.* **1** (거의 수직의) 절벽, 벼랑. **2** 위기: on the ~ of war 전쟁 발발 직전에.

pre·cip·i·ta·ble [prisípətəbəl] *a.* 가라앉힐 수 「있는, 침전성(沈澱性)의.

pre·cip·i·tan·cy, -tance [prisípətənsi], [-təns] *n.* Ⓤ 화급, 황급; (*pl.*) 경솔.

pre·cip·i·tant [prisípətənt] *a.* 곤두박질의; 줄달음치는; 화급한, 갑작스러운; 덤벙이는, 경솔한. ── *n.* 〖화학〗 침전제, 침전 시약(試藥). ㊞ **~·ly** *ad.* 곧장; 경솔하게(도). **~·ness** *n.*

°**pre·cip·i·tate** [prisípətèit] *vt.* **1** 《~+목/+목+전+명》 거꾸로 떨어뜨리다; (어떤 상태에) 갑자기 빠뜨리다《*into*》: ~ a person *into* misery 아무를 불행에 빠뜨리다. **2** (좋지 않은 것의 도래를) 재촉하다; 촉진시키다, 몰아대다: The outbreak of the war ~*d* an economic crisis. 전쟁의 발발은 경제 위기를 초래했다. **3** 〖화학〗 침전시키다; 〖물리 · 기상〗 (수증기를) 응결〔강수(降水)〕시키다. ── *vi.* 갑자기 빠지다《붕괴 상태 따위로》; 〖화학〗 침전하다; 〖물리 · 기상〗 (공중의 수증기가) 응결하다. ~ ***oneself into*** …에 뛰어들다, 빠지다. ~ ***oneself upon* 〔*against*〕** (the enemy) (적)을 맹렬히 공격하다. ── [prisípətit, -tèit] *a.* **1** 거꾸로의; 줄달음질치는. **2** 조급히 구는, 덤비는, 경솔한. **3** 급한, 돌연한. ── [-tit, -tèit] *n.* 〖화학〗 침전(물); 〖물리 · 기상〗 수분이 응결한 것《비 · 이슬 등》. ㊞ **~·ly** [-titli] *ad.* 줄달음질쳐; 곤두박질로; 황급〔경솔〕히; 갑자기, 돌연. **~·ness** *n.*

precípitate cópper 침전동(沈澱銅)《원광을 침전시켜 얻는 순도 60-90 %의 구리》.

pre·cip·i·ta·tion [prisìpətéiʃən] *n.* Ⓤ **1** 투하, 낙하, 추락; 돌진. **2** 화급, 조급; 경솔; 급격한 촉진: with ~ 부랴부랴, 황망히. **3** 〖화학〗 침전(물). **4** 〖기상〗 (수증기의) 응결, 응결한 것《비 · 눈 · 이슬 등》; 강수〔강우〕량.

pre·cíp·i·tà·tive [-tèitiv/-tətiv] *a.* 급한, 가속적인; (침전을) 촉진하는.

pre·cíp·i·tà·tor *n.* 촉진시키는 사람〔것〕; 〖화학〗 침전제〔기(器), 조(槽)〕. 「일종》.

pre·cip·i·tin [prisípətin] *n.* 침강소(素)《항체의

pre·cip·i·tin·o·gen [prisìpətínədʒən] *n.* 〖혈청〗 침강원(原)《침강소(素)를 생기게 하는 항원》.

***pre·cip·i·tous** [prisípətəs] *a.* **1** 험한, 가파른, 절벽의; 직하(直下)하는. **2** 황급한, 경솔한, 무모한. ㊞ **~·ly** *ad.* **~·ness** *n.*

pré·cis [preisíː, ⌐-/⌐⌐] (*pl.* **~** [-z]) *n.* 《F.》 대의(大意), 개략; 발췌, 요약(summary): ~ writing 대의〔요점〕 필기. ── *vt.* 대의를 쓰다; 발췌하다, 요약하다(summarize).

‡pre·cise [prisáis] (***-cis·er; -est***) *a.* **1** 정밀한, 정확한(exact), 엄밀한, 적확한, 명확한: ~ measurements 정밀한 측정(치) / a ~ statement 명확한 진술. SYN. ⇨ CORRECT. **2** 딱 들어맞는, 조금도 틀림없는; 바로 그 …(very): at the ~ moment 바로 그때. **3** 꼼꼼한, 세세한; 딱딱한: a ~ brain 정확하고 치밀한 두뇌 / be ~ *in* one's manner 태도가 딱딱하다 / I was ~ *in* following the instructions. 나는 그 지시를 꼬박꼬박 따랐다. ***prim and ~*** 꼼꼼하고 빈틈없이. ㊞ **~·ness** *n.*

***pre·cise·ly** [prisáisli] *ad.* **1** 정밀하게, 엄밀히.

2 바로, 정확히(exactly): at 2 o'clock ~ 두 시 정각에. 3 틀림없이, 전혀: This is ~ the truth. 이것은 틀림없는 진실이다. 4 〖동의를 나타내어〗 바로 그렇다.

pre·ci·sian [prisíʒən] n. 꼼꼼한 사람, 몹시 형식을 찾는 사람, 까다로운 사람《특히 종교상으로》; (16-17 세기의 영국의) 청교도. ㊕ **~·ism** n. Ⓤ 꼼꼼함, 형식주의.

pre·ci·sion** [prisíʒən] n. Ⓤ 정확, 정밀《in》; 꼼꼼함; 〖컴퓨터〗 정밀도《수치를 표현하는》; 〖수사학〗 정확. ***arms of ~ 정밀 조준기가 달린 총포. ── a. 정밀한; 〖군사〗 정(正)조준의: ~ engineering 정밀 공학 / a ~ gauge 〔instrument〕 정밀 계기(計器). ㊕ **~·al** a. **~·ist** n. (언어·예절 따위가) 깐깐한 사람.

precísion bómbing 〖군사〗 정밀 조준 폭격. Ⓒⓕ area 〔carpet, pattern, saturation〕 bombing.

precísion dánce (레뷔 등에서의) 라인 댄스.

precísion guíded munítions 정밀 유도 무기《생략: PGM》.

prè·clássical a. (특히 로마·그리스 문학의) 「고전기(古典期) 이전의.

prè·cléar vt. …의 안전성을 사전에 보증하다. ㊕ **~·ance** n. 사전 승인.

pre·clínical a. 〖의학〗 증상이 나타나기 전의, 임상 전의: ~ study 〖약학〗 전(前)임상 시험. ── n. 전임상 코스《해부·생리학 등의》.

pre·clude [priklú:d] vt. 《~+목/+목+전+명》 1 제외하다, 미리 배제하다: ~ all doubt 모든 의혹을 미리 배제하다. 2 방해하다, 막다; 못하게〔불가능하게〕 하다《from》: ~ all means of escape 모든 도피 수단을 차단하다 / ~ a firm *from* going bankrupt 회사의 파산을 막다. ㊕ **pre·clúd·a·ble** [-əbəl] a. **pre·clu·sion** [priklú:ʒən] n. Ⓤ 제외, 배제; 방지; 방해.

pre·clu·sive [priklú:siv] a. 제외하는; 방해하는, 방지하는; 예방의《of》. ㊕ **~·ly** ad.

pre·co·cial [prikóuʃəl] 〖조류〗 a. 부화 후 곧 고도로 독립된 활동을 할 수 있는, 조숙〔조성(早成)〕의. Ⓞⓟⓟ *altricial*. ── n. 조성조(早成鳥)《닭·오리 등》.

°**pre·co·cious** [prikóuʃəs] a. 조숙한, 일된, 어른다운《아이·거동 따위》; 〖식물〗 조생(早生)의, 일찍 꽃피는. ㊕ **~·ly** ad. **~·ness** n.

pre·coc·i·ty [prikásəti/-kɔ́s-] n. Ⓤ 조숙; 일찍 꽃핌; (야채·과일 따위의) 조생(早生).

prè·cognítion n. Ⓤ 1 예지(豫知), 사전 인지(認知). 2 〖Sc. 법률〗 증인의 예비 심문.

prè·cóital a. 성교 전의, 전희(前戲)의: ~ play 전희. ㊕ **~·ly** ad.

prè-Colúmbian a. 콜럼버스(의 아메리카대륙 「발견) 이전의.

prè·compóse vt. 미리〔사전에〕 만들다.

prè·concéive vt. …에 선입관을 갖다, 미리 생각하다, 예상하다: ~*d* opinions 선입견.

prè·concéption n. 예상; 선입관; 편견.

prè·concért vt. 미리 협정하다, 사전에 타협해 놓다. ㊕ **~·ed** [-id] a.

prè·condémn vt. (증거를 조사하지 않고) 미리 유죄를 선고하다.

prè·condítion n. 전제〔선결〕 조건. ── vt. 미리 조정하다, 사전에 처리〔처치, 시험 따위〕에 대비 「하다.

prè·cónference n. 예비 회담.

pre·co·nize [prí:kənàiz] vt. 선언〔공표〕하다; 지명 소환(指名召喚)하다; 〖가톨릭〗 (교황이) 공식으로 재가하여 임명하다《주교 등을》. ㊕ **prè·co·ni·zá·tion** n.

prè·cónquest a. 점령〔정복〕 이전의; 〖영국사〗 Norman conquest(1066 년) 이전의.

prè·cónscious a., n. 〖정신분석〗 전의식(前意識)(의). ㊕ **~·ly** ad. **~·ness** n.

prè·considerátion n. Ⓤ 사전에 고려함, 예고(豫考), 예찰(豫察).

prè·consonántal a. 〖음성〗 자음 바로 앞의.

pre·cóntact a. (원주민이 외부 문화와) 접촉하기 이전의.

pre·cóntract n. 선약, 예약; 《본디》 (법적 구속력이 있는) 결혼 예약. ── [pri:kəntrǽkt] vt., vi. 예약하다.

prè·convéntion a. 대표자〔정당〕 대회 전의.

prè·cóok vt. (식품을) 미리 조리하다.

prè·cóol vt. (고기·야채 등을) 발송〔출하〕 전에 인공적으로 냉동하다. ㊕ **~·er** n. 〖기계〗 예냉기(豫冷器).

prè·córdial a. 〖해부〗 심장 앞에 있는, 전흉(부(部))의.

prè·crítical a. 1 〖의학〗 발증(發症) 전의, 위기 전의. 2 비판적 능력 발달 이전의.

pre·cur·sive [prikə́:rsiv] a. 선구(先驅)의; 전조(前兆)의, 예보(豫報)적인.

pre·cur·sor [prikə́:rsər, prí:kə:r-/prikə́:-] n. 선구자《특히 예수에 대한 세례 요한》, 선각자, 선봉; 선임자; 전조(前兆); 〖화학·생화학〗 선구(先驅) 물질《화학 반응 과정에서 생성되는 물체의 전(前)물질》; 〖생물〗 선구 세포《분화·성숙하는 전 단계의 세포》; 〖물리〗 선행핵. ㊕ **-so·ry** [-səri] a. 선구의, 선봉의《of》; 전조의; 예비적인.

pre·cút (p., pp. ~; ~·ting) vt. (조립식 가옥용 부재(部材) 따위를) 규격에 맞게 자르다: a ~ house 조립식 가옥.

pred. predicate; predicative(ly); prediction.

pred·a·cide [prédəsàid] n. 육식 동물을 죽이거나 다가오지 못하게 하는 약제. [◂ *preda*tor + *cide*]

pre·da·cious, -ceous [pridéiʃəs] a. 〖동물〗 포식성(捕食性)의, 육식의; 탐욕스러운; 《우스개》 자신의 쾌락·욕망을 위해 남을 이용하는. ㊕ **~·ness** n. **pre·dac·i·ty** [pridǽsəti] n. 탐욕.

pre·dáte vt. = ANTEDATE. ── [스] n. 실제 발행일보다 앞선 날짜가 찍힌 신문. Ⓞⓟⓟ *postdate*.

pre·da·tion [pridéiʃən] n. Ⓤ 강탈, 약탈; 〖동물〗 포식(捕食).

predátion prèssure 〖생태〗 포식압(捕食壓)《포식당하는 동물의 수가 감소하는 일》.

pred·a·tism [prédətìzəm] n. 〖생태〗 (동물의) 포식(捕食)(습성).

pred·a·tor [prédətər] n. 약탈자; 육식 동물.

pred·a·to·ry [prédətɔ̀:ri/-təri] a. 약탈하는; 약탈을 목적으로〔일로〕 삼는; 약탈〔착취〕로 살아가는; 오만한, 억지가 센, 욕심 많은; 〖동물〗 포식성의, 육식의: ~ tactics 약탈 전술. ㊕ **-ri·ly** ad. **-ri·ness** n.

prédatory prícing (경쟁 상대를 시장에서 몰아내기 위한) 약탈적 가격 결정.

pre·dawn [pri:dɔ́:n, 스] n., a. 동트기 전(의).

prè·decéase vt., vi., n. Ⓤ (어느 사람 또는 때보다) 먼저 죽다〔죽음〕.

***pred·e·ces·sor** [prédəsèsər, prí:d-/prí:disèsər] n. 전임자(Ⓞⓟⓟ *successor*); 선배; 선행자; 전의 것, 앞서 있었던 것; 《고어》 선조: share the fate of its ~ 전철을 밟다.

prè·delínquent n. 비행(非行) 직전의 청소년. ── a. (청소년이) 비행 직전의.

pre·del·la [pridélə] n. (pl. **-le** [-li, -lei]) 《It.》 〖교회〗 제단(祭壇)의 장식대(臺); 그 수직면상에 있는 그림〔조각〕.

prè·depárture a. 출발 전의.

prè·désignate vt. 미리 지정하다; 〖논리〗 (수량사(數量詞)를 전치(前置)하여) (명사(名辭)·명제)의 양을 나타내다.

pre·des·ti·nar·i·an [pridèstənέəriən] n. 〖신학〗 운명 예정설〔숙명론〕 신봉자. ── a. 운명 예정(설)의, 숙명(론)의. ㊕ **~·ism** n. Ⓤ (운명) 예정설, 숙명론.

pre·des·ti·nate [pridéstənèit] *vt.* 예정하다; 〖신학〗 (신이) …의 운명을 예정하다(predestine) 《*to; to* do》. ── [-nit, -nèit] *a.* 예정된; 예정된 운명의, 숙명의. [cf.] destiny. [파] **pre·dès·ti·ná·tion** *n.* [U] 예정; 숙명, 운명, 전세의 약속; 〖신학〗 예정설. **pre·dés·ti·nà·tor** [-tər] *n.* 예정자.

pre·des·tine [pridéstin, pri:-/pri:-] *vt.* (신이 사람)의 운명을 정하다; 예정하다.

prè·detérminate *a.* 예정의(foreordained).

prè·detérmine *vt.* **1** 미리 결정하다, 예정하다 《보통 수동태로 씀》: The present *is ~d* by the past. 현재는 과거에 의해 결정된다. **2** …의 방향〔경향〕을 예정하다《*to*》. [파] **prè·determiná·tion** *n.* [U]. **-detérminative** *a.*

prè·detérminer *n.* 〖문법〗 한정사 전치어, 전(前)결정사(詞)《both, all 따위처럼 한정사 앞에 오는 말》.

prè·diabétes *n.* 〖의학〗 당뇨병 전증(前症), 전(前)당뇨병. [파] **prè·diabétic** *a.*, *n.* 당뇨병 전증의〔이 나타난〕 (환자).

predial ⇨ PRAEDIAL.

pred·i·ca·ble [prédikəbəl] *a.* 단정할 수 있는; 속성(屬性)으로 단정할 수 있는《*of*》. ── *n.* 단정되는 것; 속성(attribute); (*pl.*) 〖논리〗 빈위어(賓位語); (the ~) 근본적인 개념. [파] **-bly** *ad.* **~·ness** *n.* **prèd·i·ca·bíl·i·ty** *n.* [U]

pre·dic·a·ment [pridíkəmənt] *n.* **1** 곤경, 궁지, 고경: in a ~ 곤경에 빠져. **2** (*pl.*) 〖논리〗 빈위어; 범주. **3** [U] 《고어》 (특수한) 상태, 상황. [파] **pre·dìc·a·mén·tal** [-méntl] *a.* 범주의.

pred·i·cant [prédikənt] *a.* 설교하는《교단(教團) 따위》. ── *n.* **1** 설교사(師)《특히 도미니크회(會)의》. **2** = PREDIKANT.

°**pred·i·cate** [prédikət] *n.* 〖문법〗 술부, 술어 ([opp.] *subject*); 〖논리〗 빈사(賓辭); 속성; 〖컴퓨터〗 술어. ── *a.* 〖문법〗 술부〔술어〕의: a ~ adjective 서술형용사 《보기: Horses are *strong*; I made him *happy*.》 ([cf.] attributive adjective) / a ~ verb 〔noun〕 술어동사〔명사〕. ── [prédəkèit] *vt.* **1** 《~+[목]/+*that* [절]/+[목]+*to be* [보]》 단언〔단정〕하다: doctrines *predicating* life after death 내세를 단언하는 교의(教義) / Can we ~ *that* a dog has a soul? 개에게 영혼이 있다고 단정할 수 있을까 / ~ a motive *to be* good 어떤 동기를 좋다고 하다. **2** 《+[목]+[전]+[명]》 (어떤 특질을) …의 속성이라 단언하다〔보다〕 《*about; of*》: ~ greenness *of* grass 초록을 풀의 속성이라고 보다. **3** 〖문법〗 진술〔서술〕하다. **4** 내포하다, 함축하다: His retraction ~*s* a change of attitude. 그가 취소한 것은 태도가 바뀌었음을 뜻한다. **5** 《+[목]+[전]+[명]》 《미》 (판단·행동 따위를 어떤 근거에) 입각시키다, 기초를 두다《*on, upon*》: *On* 〔*Upon*〕 what is the statement ~*d*? 무엇을 근거로 그렇게 말하는가. ── *vi.* 단언〔단정〕하다.
[파] **prèd·i·cá·tion** *n.* [U,C] 〖논리〗 빈술(賓述); 〖문법〗 술어적 서술; 술어; 〖논리〗 단정, 단언.

prédicate cálculus 〖논리〗 술어(述語) 계산.

prédicate nóminative 〖문법〗 술어(述語) 주격《그리스어나 라틴어 등의 주격 술어명사 또는 술어형용사》.

pred·i·ca·tive [prédəkèitiv, -kə-/pridíkətiv] *a.* 단정적인; 〖문법〗 술사(述詞)의, 서술적인《보기: This dog is *old*.》 ([cf.] attributive): a ~ adjective 서술형용사 / the ~ use 〖문법〗 (형용사를 보어로서 쓰는) 서술(적) 용법. ── *n.* 술사, 서술어. [파] **~·ly** *ad.*

pred·i·ca·to·ry [prédəkitɔ̀:ri/-kèitəri] *a.* 설교의, 설교하는, 설교에 관한.

***pre·dict** [pridíkt] *vt.* 《~+[목]/+*that* [절]/+*wh.* [절]》 예언하다(prophesy); 예보하다: ~ a good harvest 풍작을 내다보다 / ~ *that* a storm is coming 폭풍우가 올 것을 예보하다 / He ~*ed when* war would break out. 그는 언제 전쟁이 일어날 것인가를 예언했다. ── *vi.* 《+[전]+[명]》 예언하다; 예보하다: ~ *from* pure conjecture 단순한 추측에 의해 예언하다. [파] **pre·dìct·a·bíl·i·ty** *n.* **pre·díct·a·ble** *a.* 예언〔예상〕할 수 있는; 《경멸》 (사람이) 새로운 일이라고는 아무것도 하지 않는, 범용(凡庸)한.

°**pre·dic·tion** [pridíkʃən] *n.* [U,C] 예언하기, 예언; 예보: weather ~ 일기 예보 / The ~ *that* he might succeed came true. 그가 성공하게 될 것이라는 예언이 적중했다.

pre·dic·tive [pridíktiv] *a.* 예언〔예보〕하는, 예언적인; 전조가 되는《*of*》. [파] **~·ly** *ad.* **~·ness** *n.*

pre·dic·tor [pridíktər] *n.* 예언자, 예보자; 〖군사〗 대공(對空) 조준 산정기(算定機).

prè·digést *vt.* (음식을) 소화하기 쉽게 조리하다; (책 따위를) 사용〔이해〕하기 쉽게 요약하다. [파] **-géstion** *n.*

pre·di·kant [prèidikǽnt, -kɑ́:nt] *n.* 《D.》 목사, 설교자《특히 남아프리카의》.

pre·di·lec·tion [prèdəlékʃən, prì:d-] *n.* 선입관적 애호, 편애(偏愛), 역성《*for*》.

prè·dispóse *vt.* **1** 《+[목]+*to* do/+[목]+[전]+[명]》 미리 경향을 주다; …에 기울게 하다《*to; toward*》, …을 좋아하도록 하다: ~ a person *to* do 아무에게 …할 소지를 심어 주다 / His early training ~*d* him *to* a life of adventure. 젊은 시절의 훈련으로 인해 그는 모험에 찬 생활을 즐기게 되었다. **2** 《+[목]+[전]+[명]》 (병에) 걸리기 쉽게 만들다《*to*》: Fatigue ~*s* one *to* colds. 피로하면 감기에 걸리기 쉽다. **3** 사전에 조처하다.
── *vi.* 감염되기 쉽게 하다《*to*》. [파] **-pósal** *n.*

prè·disposítion *n.* **1** 경향, 성질《*to; toward; to* do》: a ~ *to* violence 폭력으로 치닫는 경향. **2** 〖의학〗 질병 소질, 소인(素因)《*to* malaria》.

pred·nis·o·lone [prednísəlòun] *n.* 〖약학〗 프레드니솔론《에스텔·메틸의 유도체로서 관절염의 소염제 따위로 씀》.

pred·ni·sone [prédnəsòun, -zòun] *n.* [U] 〖약학〗 프레드니손《관절염 등의 소염제로 씀》.

pre·dóctoral *a.* 박사 학위 취득전의 연구(수준)의.

pre·dom·i·nance, -nan·cy [pridɑ́mənəns/-dɔ́m-], [-i] *n.* [U] 우월, 우위, 탁월, 우세《*over*》; 지배《*over*》.

***pre·dom·i·nant** [pridɑ́mənənt/-dɔ́m-] *a.* **1** 뛰어난, 탁월한《*over*》: It's an illusion that man is ~ *over* other species. 인간이 다른 종(種)보다 우월하다는 것은 그릇된 생각이다. **2** 유력한, 현저한, 눈에 띄는: the ~ color 〔idea〕 주색(主色)〔주의(主意)〕. **3** 주권을 가진, 세력 있는; 널리 퍼진. [SYN.] ⇨ DOMINANT. [파] **~·ly** *ad.*

°**pre·dom·i·nate** [pridɑ́mənèit/-dɔ́m-] *vi.* 《~/+[전]+[명]》 뛰어나다, 우세하다; 걸출하다, 탁월하다; 주되다, 주권을 쥐다, 지배력을 갖다 《*over*》: He soon began to ~ *over* the territory. 이윽고 그는 그 지방에 세력을 떨치기 시작했다. ── *vt.* 지배하다, …보다 뛰어나다. ── [-nət] *a.* = PREDOMINANT. [파] **~·ly** *ad.* **-nàt·ing** *a.* 우세한, 탁월한; 주된, 지배적인. **-nàt·ing·ly** *ad.* **pre·dòm·i·ná·tion** *n.* [U] = PREDOMINANCE.

pre·dor·mi·tion [prì:dɔ:rmíʃən] *n.* [U] 〖의학〗 잠들기 전의 반(半)의식 기간, 수면 전기(前期).

prè·dynástic *a.* (특히 이집트의) 왕조 이전의.

pree [pri:] *vt.* 《Sc.》 …의 맛을 보다, 시식하다. ***~ the mouth of ...*** …와 키스하다.

prè·eclámpsia *n.* 〖의학〗 자간전증(子癎前症).

prè·eléct *vt.* 예선하다.

prè·eléction *n.* 예선, 예비 선거. — *a.* 선거 전의(공약·운동 따위).
prè·émbryo *n.* 〖생물〗 전기 배자(前期胚子). ㊕ **prè·embryónic** *a.*
prè·emérgence *a.* 식물이 발아 전에 생기는〔사용하는〕. 「처리용 제초제.
prè·emérgent *a.* 발아 전의. — *n.* 발아 전
pree·mie, pre·mie [príːmi] *n.* 《미구어》 조산아(早産兒), 미숙아.
pre·em·i·nence [priémənəns] *n.* Ⓤ 걸출, 탁월, 발군《*in; of*》: bad ~ 악평.
◇**pre·em·i·nent** [priémənənt] *a.* 우수한, 발군의, 탁월한, 굉장한, 현저한: She's ~ *in* the field. 그녀는 그 분야에서 뛰어나다. ㊕ **~·ly** *ad.*
prè·emplóyment *a.* 채용〔고용〕 전에 필요한〔하게 되는〕.
pre·empt [pri(ː)émpt] *vt.* 선매권(先買權)에 의해 얻다; 《미》 (공유지를) 선매권을 얻기 위해 점유하다; 《비유》 선취하다; 사물화(私物化)하다; 〖라디오·TV〗 (정기 프로를) 바꾸다. — *vi.* 〖카드놀이〗 (돈을) 많이 걸어 상대방을 선제하다. ㊕ **-emp·tor** [-émptər] *n.* 선매권 획득자〔소유자〕.
pre·emp·tion [pri(ː)émpʃən] *n.* Ⓤ 선매(권); (공유지) 우선 매수권. 《비유》 선취(先取)(권); 〖카드놀이〗 상대를 겪기 위해 돈을 더 걺.
pre·emp·tive [pri(ː)émptiv] *a.* **1** 선매의, 선취권이 있는. **2** 선제의, 선수를 치는, 예방의: a ~ attack 선제공격. **3** 우선권이 있는, 우선적〔특권적〕인. ㊕ **~·ly** *ad.*
preémptive múltitasking 〖컴퓨터〗 선점형 멀티태스킹 《시분할 멀티태스킹 시스템에서 차례로 제어를 넘겨주는 것》. 「선매권.
preémptive ríght (우선적인) 신주식 인수권,
preen[1] [priːn] *vt.* **1** (새가 날개를) 부리로 다듬다. **2** 〘~ oneself〙 모양내다, 치장하다; 우쭐대다《*on*》. — *vi.* (아무가) 멋을 부리다, 모양을 내다; 우쭐해지다.
preen[2] *n.* 《Sc.》 (옷을 가봉할 때 꽂는) 핀; 브로치. — *vt.* 핀으로 가봉하다〔꽂다〕.
prè·engáge *vt.* 선약〔예약〕하다; …의 선입관이 되다; 선취하다; (결혼에서) 약혼으로 얽어매다; …의 마음을 기울게 하다. ㊕ **~·ment** *n.* 예약, 선약. 「격 단위로 된.
prè·engineéred *a.* (건물 따위가) 조립식 규
prè·enjóyed *a.* 중고(품)의.
prè·estáblish *vt.* 미리 설립〔제정〕하다; 예정하다. ㊕ **~·ment** *n.*
prè·exámine *vt.* 미리 조사〔시험, 검사〕하다. ㊕ **prè·examinátion** *n.*
prè·exílian, prè·exílic *a.* 〖역사〗 (유대인의) Babylon 추방 이전의.
prè·exíst *vi.* **1** (사람이) 전세(前世)에 존재하다. **2** (영혼이) 육체와 함께 있기 전에 존재하다, 선재(先在)하다. — *vt.* …보다 전에 존재하다.
prè·exístence *n.* Ⓤ **1** (영혼의) 선재(先在); 전세(前世). **2** (어떤 일의) 전부터의 존재; 미리 존재함. ㊕ **-ent** *a.*
Pref., pref. preface; prefatory; prefecture; preference; preferred; prefix.
pre·fab [príːfæb] *a.* 《구어》 조립식의. — *n.* = PREFABRICATED house. — [ˊˋ] (*-bb-*) *vt.* = PREFABRICATE. [◂ *prefab*ricated]
pre·fábricate *vt.* **1** (부품 등을) 미리 제조하다; (소설의 줄거리 등을) 틀에 박힌 식으로 전개시키다. **2** (가옥을) 조립식으로 만들다: a ~*d* house 조립식 간이 주택. ㊕ **prè·fabricátion** *n.* Ⓤ
*__pref·ace__ [préfis] *n.* **1** 서문, 서언, 머리말 (foreword): write a ~ *to* a book 책에 서문을 쓰다. SYN. ⇨ INTRODUCTION. **2** 《비유》 전제; 시작의 말. **3** 〖교회〗 (미사의) 서문경(經): a proper ~ 〖영국교회〗 성찬 서식(序式). — *vt.* **1** 《+목+전+명》 …에 허두를 놓다, …에 서문을 쓰다: ~ a book *by* 〔*with*〕 a life of the author 작자의 전기를 서문에 쓰다. **2** 《+목+전+명》 시작하다 《*with; by*》: He ~*d* his speech *by* an apology. 그는 먼저 사과하고 이야기를 했다. **3** …의 단서〔실마리〕를 열다, …의 발단이 되다: A sudden attack by airplanes ~*d* the war. 비행기에 의한 기습으로 전쟁이 시작되었다. — *vi.* 서문을 쓰다, 미리 말해 두다.
prè·fáde *vt.* (패션 효과를 내기 위해 새 옷감·옷을) 탈색하다, 빛바랜 것처럼 보이게 하다.
pref·a·to·ri·al, pref·a·to·ry [prèfətɔ́ːriəl], [préfətɔ̀ːri/-təri] *a.* 서문의, 머리말의; 앞에 위치를 점한.
pre·fect, prae- [príːfekt] *n.* **1** 〖고대로마〗 장관, 제독; (프랑스·이탈리아의) 지사(知事). **2** 〖가톨릭〗 **a** 대학 학사장. **b** 성성(聖省) 장관. **c** = PREFECT APOSTOLIC. **3** 《영》 (public school의) 반장. ***the ~ of police*** 파리시 경찰국장. ㊕ **prè·fec·tó·ri·al** [-tɔ́ːriəl] *a.*
préfect apostólic (*pl.* ***préfects-***) 〖가톨릭〗 (포교지의) 지목(知牧)《주교보다 하위로 지목구(區)를 관리하는 성직자》.
*__pre·fec·ture__ [príːfektʃər] *n.* **1** (로마제국·프랑스 등지의) 현(縣)《지사의 관구》. **2** prefect의 직〔임기·관할지〕. **3** 현청; 지사 관저. ㊕ **pre·fec·tur·al** [priféktʃərəl] *a.*
__pre·fer__ [prifə́ːr] (*-rr-*) *vt.* **1 《~+목/+목+전+명/+*to* do/+목+*to* do/목+*done*/+*-ing*/+*that* 절》 (오히려) …을 좋아하다, 차라리 …을 택하다: I ~ an early start. 일찍 떠나고 싶다/I ~ beer *to* wine. 포도주보다 맥주를 좋아한다/I ~ *to* go there alone. 혼자 거기에 가고 싶다/Would you ~ me *to* come next month? 내가 내달에 오면 좋겠소/I ~ this work *finished* quickly. 이 일을 빨리 끝내 주었으면 싶다/I ~ swim*ming*. 수영 쪽이 좋겠다/I ~ *that* it should be left alone. =I ~ *to* leave it alone. 내버려두는 게 좋겠다. ★ rather를 수반할 경우에는 than을 씀: He *preferred* to stay at home *rather than* go with us. 그는 우리와 함께 가는 것보다 집에 있기를 택했다. SYN. ⇨ LIKE. **2** 《~+목/+목+전+명》 (고소장 등을) 제출〔제기〕하다: ~ a claim *to* property 재산 청구를 하다/~ a charge *against* a person 아무를 고소하다. **3** 《~+목/+목+*as* 보》 등용하다, 승진시키다, 발탁하다, 임명하다《*as; to*》: ~ him *as* manager 그를 지배인으로 발탁하다/be ~*red* for advancement 승진하다. **4** 〖법률〗 (채권자 등에게) 우선권을 주다.
*__pref·er·a·ble__ [préfərəbəl] *a.* 차라리 나은, 오히려 더 나은《*to*》, 바람직한: Poverty is ~ *to* ill health. 가난이 병보다 낫다. ㊕ **prèf·er·a·bíl·i·ty** *n.* **~·ness** *n.*
◇**préf·er·a·bly** *ad.* 차라리; 즐겨, 오히려, 되도록이면: Write a summary of the story, ~ with comment. 이야기의 개요를 될 수 있으면 감상을 곁들여 써라.
*__pref·er·ence__ [préfərəns] *n.* **1** Ⓤ,Ⓒ 더 좋아함, 좋아함, 선호(選好), Ⓤ 편애(偏愛)《*for*》: His ~ is *for* simple cooking. 그는 담백한 음식을 더 좋아한다 / My ~ is *for* chemistry rather than physics. 물리보다 화학을 좋아한다. **2** Ⓒ 좋아하는 물건, 더 좋아하는 것: Of the two, this is my ~. 둘 중에서 이것이 좋다/I have no particular ~*s*. 어느 것이 특히 더 좋다는 건 아닙니다; 아무거나 좋습니다. **3** Ⓤ 〖법률〗 우선권, 선취권; Ⓤ,Ⓒ 〖경제〗 (관세 등의) 특혜, 차등: offer 〔afford〕 a ~ 우선권을〔특혜를〕 주다/You should be given ~ *over* them. 그들보다 네가

우선권을 부여받는 것이 마땅하다. ***by* 〔*for*〕 ~** 즐겨, 되도록이면. ***have a ~ for* 〔*to*〕** …을 (오히려) 좋아하다. ***have the ~*** 선호되다. ***in ~ to*** …에 우선하여, …보다는 차라리: He chose that picture *in* ~ *to* any other. 그는 다른 어떤 것도 제쳐놓고 그 그림을 택했다.

préference stòck 〔shàre〕 (종종 P- S-) 《영》 우선주(株)(《미》 preferred stock). cf. ordinary stock 〔share〕.

pref·er·en·tial [prèfərénʃəl] *a.* 선취의, 우선(권)의; 선택적〔차별적〕인; (관세 등이) 특혜인; 《영》 영국과 그 자치령에 특혜를 주는: ~ right 선취 특권, 우선권 / ~ treatment 우대. ㊁ **~·ism** *n.* Ⓤ 특혜(주의). **~·ist** *n.* 특혜론자. **~·ly** *ad.*

preferéntial shóp 노동조합원 우대 공장, 노동조합 특약 공장. 「역 협정《생략: PTA》.

preferéntial tráding agrèement 특혜 무

preferéntial vóting (sýstem) 〖정치〗 선택 투표(제), 순위 지정 연기(連記) 투표.

pre·fér·ment *n.* Ⓤ 승진, 승급; 발탁; (성직자 등의) 고위, 고관; 우선권.

pre·ferred [prifə́ːrd] *a.* **1** 선취권이 있는, 우선의. **2** 발탁된, 승진한. **—** *n.* 《미》 우선주(株).

preférred posìtion 〖광고〗 게재 지정 위치 (premium position)《보통 특별 요금이 붙음》.

preférred stòck 〔shàre〕 《미》 우선주(株). cf. common stock.

pre·fer·rer [prifə́ːrər] *n.* 선택자, 제출자.

pre·fétch *vt.* 〖컴퓨터〗 (CPU 따위가 데이터를) 사전 추출하다; (브라우저가 어느 사이트의 데이터를) 미리 (자동적으로) 읽어 두다.

prè·figurátion *n.* 예시, 예표(豫表); 예상, 예측; 원형(原型).

prè·fígurative *a.* 미리 나타내는; 예상의(= **prefiguring**); 젊은 세대의 가치관이 우세한 (사회의). ㊁ **~·ly** *ad.* **~·ness** *n.*

prè·fígure *vt.* …의 모양을 미리 나타내다; 예시〔예상〕하다. ㊁ **~·ment** *n.* 예상상(像)〔도(圖)〕.

pre·fix [príːfiks] *n.* **1** 〖문법〗 접두사. cf. suffix. **2** (인명 앞에 붙이는) 경칭(敬稱)《Mr., Sir 따위》. **—** [priːfíks, ⌐⌐] *vt.* **1** 〖문법〗 …에 접두사를 붙이다. **2** 《+목+전+명》 (…의) 앞에 놓다, 앞에 덧붙이다《*to*》: ~ an article *with* a quotation 인용구를 기사 첫머리〔앞〕에 달다. ㊁ **~·al** *a.* 접두사의, 접두사를 이루는. **prè·fíxion, prè·fíx·ture** *n.* Ⓤ 접두사를 붙이기; Ⓒ 서문.

prè·flíght *a.* 비행 전에 일어나는, 비행에 대비한.

pre·fócus *vt.* (설치 전에 헤드라이트 따위의) 초점을 미리 맞추다.

prè·fórm *vt.* 미리 형성하다. **—** [⌐⌐] *n.* 예비적 형성품《프레스용(用) 레코드판 원료괴(塊)(biscuit) 따위》.

prè·formátion *n.* Ⓤ 미리 형성함; 〖생물〗 (개체 발생론의) 전성설(前成說). opp. *epigenesis*. ㊁ **~·àry** *a.*

prè·fróntal *a.*, *n.* 〖해부 · 동물〗 전액골(前額骨) 앞에 있는, 전두엽(前頭葉) 전부(前部)(의).

prè·galáctic *a.* 〖천문〗 (천체 등이) 성운(星雲) 형성 이전의.

prè·génital *a.* 전성기기(前性器期)의: the ~ period 〖정신의학〗 전성기기. 「(pregnant).

preg·gers [prégərz] *a.* 《영속어》 임신한

prè·glácial *a.* 〖지학〗 빙하기 전의.

preg·na·ble [prégnəbəl] *a.* 공격〔점령〕하기 쉬운; 약한, 취약한. ㊁ **prèg·na·bíl·i·ty** *n.*

preg·nan·cy [prégnənsi] *n.* Ⓤ 임신; 풍부, 풍만; 함축성이 있음, (내용) 충실, 의미심장: a ~ test 임신 테스트〔검사〕.

preg·nant** [prégnənt] *a.* **1** 임신한《*of; with*》: become 〔《영》 fall〕 ~ (*with* child) 임신하다 / be six months ~ 임신 6개월이다. **2** …이 가득 찬《*with*》; …이 풍부한《*in*》: The garden was ~ *with* trees and bushes. 정원에는 크고 작은 나무들이 울창하게 자라고 있었다. **3** 의미심장한, 함축성 있는《말 따위》; (중대한 결과 따위를) 내포하고 있는《*with*》; 용이하지 않은: an event ~ *with* dangerous consequences 위험한 결과를 낳을 사건. **4** 풍부한《상상력 따위》: a ~ mind 상상력이 풍부한 마음(의 사람). **5** 《고어 · 시어》 다산의, 비옥한: a ~ year 풍년. ***a ~ construction 〖수사학〗 함축 구문. ㊁ **~·ly** *ad.* **~·ness** *n.*

preg·nen·o·lone [pregnénəlòun] *n.* 〖생화학〗 프레그네놀론《스테로이드 호르몬 생성 과정의 한 중간체》. 「*a.* 임신한(pregnant).

prego [prégou] 《미속어》 *n.* 임신한 십대. **—**

prè·héat *vt.* (조작〔사용〕에 앞서) 가열하다. ㊁ **~·er** *n.* 예열기(豫熱器). 「잡을〕 수 있는.

pre·hen·si·ble [prihénsəbəl] *a.* 파악할〔움켜

pre·hen·sile [prihénsəl, -sail/-sail] *a.* 〖동물〗 쥐기에 적당한, 잡는 힘이 있는《발 · 꼬리 등》; 이해력〔지각력〕이 있는: the ~ trunk of an elephant 물건을 잡을 수 있는 코끼리의 코. ㊁ **pre·hen·sil·i·ty** [prìːhensíləti] *n.* Ⓤ

pre·hen·sion [prihénʃən] *n.* Ⓤ 〖동물〗 잡기, 포착, 파악; 이해; 터득, 깨달아 앎.

***pre·his·tor·ic, -i·cal** [prìːhistɔ́ːrik, -tár-/-tɔ́r-], [-əl] *a.* **1** 유사 이전의, 선사 시대의. **2** 《구어》 아주 옛날의, 구식의. ㊁ **-i·cal·ly** *ad.*

prè·hístory *n.* 선사학(先史學); 유사 이전(의 사건); (어떤 사건 · 상황에 이르기까지의) 경위.

prè·hóminid *a.*, *n.* 선행(先行) 인류(의)《Prehominidae 과(科)의 (영장류(靈長類)); 사람과(科)(Hominidae) 출현 직전의 조상으로 여겨짐》.

prè·húman *a.*, *n.* 인류 발생 이전의 (동물); 선행 인류의. 「期點火).

prè·ignítion *n.* Ⓤ (내연 기관의) 조기 점화(早

prè·indúction *a.* (군대에) 징집〔입대〕 전의.

prè·indústrial *a.* 산업화 이전의; 산업 혁명 전의: ~ society 전(前) 공업 사회. 「주다〕.

prè·infórm *vt.* 미리 〔사전에〕 알리다〔정보를

pre·júdge *vt.* 미리 판단하다; 충분히 심리하지 않고 판결하다; 조급히 결정하다. ㊁ **~·ment** *n.* 심리 전(前) 판결, 속단; 예단(豫斷) 재결.

****prej·u·dice** [prédʒədis] *n.* **1** Ⓤ,Ⓒ 편견, 선입관; 치우친 생각, 편애: racial 〔party〕 ~ 인종적〔당파적〕 편견. **2** Ⓤ 〖법률〗 침해, 불리, 손상. ***have a ~ against*** …을 괜히 싫어하다. ***have a ~ in favor of*** …을 역성들다. ***in* 〔*to the*〕 *~ of*** …의 손상이〔침해가〕 되도록: Don't do anything *to the* ~ *of* our company. 우리 회사에 불리한 일은 일체 하지 마라. ***without ~*** 편견 없이; 〖법률〗 (…의) 기득권을 침해하지 않고《*to*》; (…을) 해치지 않고《*to*》. **—** *vt.* **1** 《+목+전+명》 …에게 편견을 갖게 하다, 비뚤어지게 하다《*against*》: The review had ~*d* me *against* the book. 그 서평으로 인해 나는 그 책에 대해 좋지 못한 편견을 갖게 되었다. **2** 손상시키다, …에 손해를 주다, 불리하게 하다: He ~*d* his claim by asking too much. 그는 부당한 청구를 하여 오히려 요구를 불리하게 만들었다. ***be ~d against* 〔*in favor of*〕** …에 대하여 편견을 갖고〔편애를 하고〕 있다.

préj·u·diced [-t] *a.* 편견을 가진, 편파적인: a ~ opinion 편견. SYN. ⇨ UNJUST. ㊁ **~·ly** *ad.*

prej·u·di·cial [prèdʒədíʃəl] *a.* **1** 편견을 갖게 하는; 편파적인. **2** 해가 되는, 불리한《*to*》: ~ *to* a person's interest 아무의 이익을 침해하는, 아무에게 불리한. ㊁ **~·ly** *ad.*

prè·kíndergarten *a.* 유치원 가기 전 어린이의; 유치한, 미숙한.

prel·a·cy [préləsi] *n.* Ⓤ prelate의 직〔지위〕;

〖집합적〗 prelate 들; 감독 제도《episcopacy 에 대한 악의적인 호칭》.

pre·lap·sar·i·an [prì:læpsέəriən] *a.* 전락〔타락〕 전의, (특히 Adam 과 Eve 의 죄로) 인류가 타락하기 전의.

◇**prel·ate** [prélət] *n.* 고위 성직자《archbishop, bishop, metropolitan, patriarch 등》. ㊐ **~·ship** [-ʃip] *n.* Ⓤ ~의 직(職)〔지위〕.

prélate nul·lí·us [-nu:lí:əs] (*pl.* ***prélates nullíus***) 〖가톨릭〗 사교구(司教區)외 고위 성직자.

prel·at·ess [prélətis] *n.* 여자 수도원장; 《우스개》 prelate 의 처.

pre·lat·ic, -i·cal [prilǽtik], [-əl] *a.* 고위 성직자의; 감독 제도의. ㊐ **-i·cal·ly** *ad.*

prel·a·tism [prélətìzəm] *n.* Ⓤ 《경멸》 (교회의) 감독 제도〔정치〕 (지지). ㊐ **-tist** *n.*

prel·a·ture [prélətʃər] *n.* 고위 성직자의 신분〔위엄, 성직록, 관할구〕; (the ~) 고위 성직자들.

prè·láunch *a.* 〖우주〗 (우주선 따위가) 발사 준비 단계의.

pre·lect [prilékt] *vi.* 강연하다, 강의하다《특히 대학 강사로서》《*on*》. ㊐ **pre·léc·tion** [-ʃən] *n.* 강의, 강연《특히 대학의》. **pre·léc·tor** [-tər] *n.* (특히 대학의) 강사(lecturer).

pre·li·ba·tion [prì:laibéiʃən] *n.* Ⓤ 시식, 맛보기.

pre·lim [prí:lim, prilím] 《구어》 *n.* (보통 *pl.*) 예비 시험(preliminary examination); (권투 등의) 오픈 게임; =PRELIMINARY 3.

prelim. preliminary.

◇**pre·lim·i·nary** [prilímənèri/-nəri] *a.* **1** 예비의, 준비의; 임시의; 시초의: a ~ examination 예비 시험《구어로 prelim》/ ~ expenses 〖상업〗 창업비 / a ~ hearing 〖법률〗 예심 / ~ negotiations 예비 교섭. **2** 서문의: ~ remarks 서언, 서문 / ~ articles *to* a treaty 조약의 전문(前文). ~ ***to*** …에 앞서서. ━*n.* **1** (보통 *pl.*) 준비(행동), 예비 행위〔단계〕: take one's *preliminaries* 준비 행동을〔행위를〕 하다. **2** 예비 시험; (권투 등의) 오픈 게임, 예선. **3** (*pl.*) 《영》 (책의) 본문 앞의 페이지(front matter). ***without preliminaries*** 서두 없이 바로, 단도직입적으로. ㊐ **-lìm·i·nár·i·ly** [-li] *ad.*

prè·língual *a.* 언어 발달〔학습〕 전의. ㊐ **~·ly** *ad.* 언어 습득 전부터. 「문자를 모르는 사람.

prè·líterate *a.* 문자 사용 이전의《민족》. ━*n.*

◇**prel·ude** [prélju:d, préilju:d, prí:lu:d] *n.* **1** 〖음악〗 전주곡, 서곡(overture)(opp. *postlude*); (교회 예배 전의) 오르간 독주. **2** 서막. **3** 서문, 서론《*to; of*》. **4** 전조(前兆)《*to*》: the ~ *to* peace 평화가 올 전조. **5** 준비〔예비〕 행위. ━ *vt.* **1** …의 서곡이 되다. **2** 예고하다; …의 선구가 되다. **3** 《+목 +전+명》 …의 허두(虛頭)를 놓다: ~ one's remarks *with* a jest 이야기 허두에 농담을 꺼내다. ━*vi.* **1** 본론에 앞서 머리말을 하다, (연극 따위의) 개막사를 말하다; 서곡〔전주곡〕을 연주하다. **2** 《+전+명》 …의 전조가 되다《*to*》: Some squabblings ~ *to* insurrection. 폭동에 앞서 약간의 분쟁이 일어난다.

prel·ud·ize [préljudàiz/-lju:d-] *vi.* 전주곡을 연주〔작곡〕하다.

pre·lu·sion [prilú:ʒən/-ljú:-] *n.* =PRELUDE.

pre·lu·sive [prilú:siv/-ljú:-] *a.* 전주곡의; 서막의; 서언의《*to*》; 선구〔전조〕가 되는.

prem [prem] *n.* 미숙아(premature baby).

prem. premium.

prè·malígnant *a.* 〖의학〗 악성이 되기 전의, 전암성(前癌性)의(precancerous).

pré·mán [-mǽn] *n.* =PREHOMINID.

Prem·a·rin [prémərin] *n.* 〖약학〗 프레마린《갱년기 장애, 부정 자궁 출혈 등의 치료약; 상표명》. [◀ *pregnant marre's urine*]

pre·ma·ri·tal [pri:mǽrətl] *a.* 결혼 전의, 혼전의. ㊐ **~·ly** *ad.*

prè·márketing *a.* 시장에 출하하기 전의.

***pre·ma·ture** [prì:mətʃúər, -tjúər, prí:mətʃùər/prémətjùə, -tʃùə, ㅡㅡㅅ] *a.* 조숙한; 너무 이른, 때 아닌; 시기상조의, 너무 서두른: a ~ birth 〔delivery〕 조산(早產)《임신 28 주째 이후》/ a ~ decay 조로(早老). ◇ prematurity *n.* ━*n.* 조산아(=∼ **báby**); (포탄 · 어뢰의) 조발(早發). ㊐ **~·ly** *a.* **-tú·ri·ty** [-tjúərəti] *n.* Ⓤ 조숙; 시기상조; 일찍 핌; 조산. 「루(早漏).

prematúre ejaculátion 〖의학〗 (정액의) 조

prematúre lábor 조기 분만, 조산(早產).

prè·méd 《구어》 *n.* **1** 의학부 진학 과정〔의과 대학 예과〕(의 학생)(=**prè·médic**). **2** =PREMEDICATION. ━ *a.* =PREMEDICAL.

prè·médical *a.* 의학부 진학 과정〔의과 대학 예과〕의. 「투약.

prè·medicátion *n.* 〖의학〗 (마취 전의) 전(前)

pre·med·i·tate [prì:médətèit, pri-] *vt., vi.* 미리 생각〔의논, 연구, 계획〕하다. ㊐ **-tà·tor** *n.*

prè·méditated [-id] *a.* 미리 생각한, 계획적인: a ~ murder 〔homicide〕 모살(謀殺). ㊐ **~·ly** *ad.*

prè·meditátion *n.* Ⓤ 미리 생각〔계획〕하기; 〖법률〗 고의, 예모(豫謀).

prè·méditative *a.* 사려 깊은; 계획적인. 「의.

prè·meiótic *a.* 〖생물〗 (세포핵의) 감수 분열 전

prè·ménstrual *a.* 월경(기) 전의: ~ tension 월경 전의 긴장 증상《두통 · 골반의 불쾌 등》. ㊐ **~·ly** *ad.*

preménstrual sýndrome 〖정신의학〗 월경 전 증후군《월경 전에 일부 여성에게 나타나는 정신적 불안정 상태; 생략: PMS》.

prè·métro *n.* 시가(市街) 전차용의 지하도, 지하 전차도《지하철과 다름》.

***pre·mier** [primjíər, prí:miər/prémjə, -miə] *n.* (영국 · 프랑스 등의) 수상(prime minister); 국무총리; (캐나다 · 오스트레일리아의) 주지사: the *Premiers'* Conference 영연방 수상 회의. ━ *a.* **1** 첫째의, 수위의: take 〔hold〕 the ~ place 제 1 위를〔수석을〕 차지하다. **2** 최초의, 최고참의. ㊐ **~·ship** [-ʃip] *n.* Ⓤ ~의 직〔임기〕.

pre·miere, -mière [primíər, -mjέər/prémièə, -miə] *n.* 〖연극〗 첫날, 프레미어; (영화의) 특별 개봉; 주연 여배우. ━ *vt., vi.* (연극 · 영화 등의) 첫 공연〔상연〕을 하다; 처음으로 주역을 맡아 연기하다. ━ *a.* 최초의; 주요한; 주연(여배우)의: a ~ danseur 〔danseuse〕 (발레의) 주역 남성〔여성〕 댄서〔발레리나〕.

prè·millénnial *a.* 그리스도 재림 이전의, 현세의. cf. postmillennial. ㊐ **~·ism** *n.* Ⓤ 천년 지복기 이전에 그리스도가 재림한다는 설.

◇**prem·ise** [prémis] *n.* **1** 〖논리〗 전제(前提). opp. *conclusion.* ¶ the major 〔minor〕 ~ 〖논리〗 대〔소〕 전제 / make a ~ 전제를 달다 / We must act on the ~ *that* the worst may happen. 최악의 사태도 일어날 수 있다는 전제하에 행동하지 않으면 안 된다. **2** (*pl.*) (the ~) 〖법률〗 전술한 사항《재산 · 토지 · 가옥 따위》; 증서의 두서(頭書)《당사자 성명 · 양도 물건 · 양도 이유 따위를 기술한 것》. **3** (*pl.*) 토지, 집과 대지, 구내: Keep off the ~*s*. 구내 출입 금지. ***to be drunk*** 〔***consumed***〕 ***on*** 〔《드물게》 ***in***〕 ***the ~s*** 가게 안에서 마실 것. ━ [primáiz, prémis] *vt., vi.* 허두(虛頭)를 놓다, 전제로 말하다, 제언하다.

prem·iss [prémis] *n.* =PREMISE 1.

***pre·mi·um** [prí:miəm] *n.* **1** 할증금; 할증 가격; 프리미엄. **2** 상(금); 포상금, 상여(bonus). **3** 보

험료《1 회분의 지급 금액》, 보험 약조금. **4** (권유를 위한) 경품, 덤. **5** 수수료; 이자. **6** 사례금; 웃돈; 수업료(fee). **7** 〚경제〛 초과 구매력; (증권의) 액면 초과액. ***at a*** ~ 프리미엄을 붙여, 액면 이상으로(OPP *at a discount*); 《비유》 수요가 많은, 진귀한; 유행하여. ***put*** [***place, set***] ***a*** ~ ***on*** ① …에 프리미엄을 붙이다, 더 어렵게[비싸게 치게] 하다. ② …을 유발[장려]하다. ***there is a*** ~ ***on*** …이 장려되다, 중요하다. — *a.* 뛰어나게 우수한; 고가의, 특제의; 프리미엄이 붙은.

Prémium Bònds (종종 p- b-) 《영》 프레미엄부(附) 국채《이자 대신 추첨에 의한 상금이 붙음》.

prémium lòan 〚보험〛 보험료 대체 대부.

prémium nòte 보험료 지급 약속 어음.

prémium on bónd 〚금융〛 회사채(債) 발행 차금(差金).

prémium posìtion 〚광고〛 =PREFERRED POSITION.

prémium prìce (품귀 따위에 의한) 할증 가격.

prémium-príced [-t] *a.* (품질에) 어울리는 최고값의.

prè·míx *vt.* 사용 전에 혼합하다. — [⌐⌐] *n.* 미리 섞은 것. ㊞ ~·**er** *n.*

pre·mólar *n., a.* 〚해부〛 소구치(小臼齒)[작은 어금니](의); 〚동물〛 전구치[앞어금니](의).

pre·mon·ish [primániʃ/-mɔ́n-] *vt., vi.* 《드물게》 미리 경고하다, 예고하다. ㊞ ~·**ment** *n.*

prè·monítion *n.* 사전 경고, 예고; 예감, 징후, 전조: have a ~ of …을 예감하다.

pre·mónitor *n.* 예고자; 징후, 전조.

pre·mónitory *a.* 예고의; 전조(前兆)의; 〚의학〛 전구적(前驅的)인: a ~ sign 전조(前兆) / a ~ symptom 전구증(前驅症).

prè·mótion *n.* 인간의 의지를 결정하는 신의 행위, 신에 의한 인간 행동의 사전 결정, 영감.

pre·mun·dane [priːmʌ́ndein] *a.* 세계 창조 이전의.

prè·munítion *n.* Ⓤ 감염 면역, 상관 면역 《병원체가 이미 생체 내에 존재하기 때문에 생긴 면역성[저항력]》.

prè·nátal *a.* 태어나기 전의, 태아기의. — *n.* 《구어》 태아 검진. ㊞ ~·**ly** *ad.*

prenátal psychòlogy 〚심리〛 출생 전 심리학 《임산부와 태아의 심리적 상호 작용을 해명》.

pre·na·tol·o·gy [priːneitálədʒi/-tɔ́l-] *n.* 〚심리〛 출생 전 과학《태교(prenatal training)의 기초적 내용을 해명하는 과학》.

prenomen ⇨ PRAENOMEN.

pre·nóminal *a.* (형용사가) 명사를 앞에서 수식하는; praenomen 의.

prè·nótion *n.* 예상; 예감.

pren·tice, 'pren·tice [préntis] 《고어·방언》 *n.* 연한을 정한 고용인, 도제(徒弟). — *a.* 도제의, 도제 같은; 무경험의; 미숙한: try one's ~ hand at ... 미숙하지만 …을 해보다. [◂ ap*prentice*]

prè·núclear *a.* 핵무기 시대[개발] 이전의; 〚생물〛 세포핵이 없는.

prè·núptial *a.* 혼전(婚前)의; 〚동물〛 교미 전의: ~ play 〚동물〛 (교미 전의) 구애 동작.

prenúptial agréement 결혼 전의 약속[합의 내용]《결혼 후의 쌍방 의무·자산·이혼 조건 따위에 관한 결정 사항》.

prè·óccupancy *n.* Ⓤ 선점(先占), 선취(권);

prè·occupátion *n.* Ⓤ **1** 선취(先取); 선점(先占). **2** 선입관, 편견. **3** 몰두, 전심, 열중. **4** 우선 해야 할 일, 첫째 임무; (중대) 관심사.

prè·óccupied *a.* **1** 선취(先取)된. **2** 몰두한, 여념이 없는, 열중한. **3** 〚생물〛 이미 사용된《종속명(種屬名) 따위》.

prè·óccupy *vt.* 먼저 점유하다, 선취(先取)하다; …에 선입관[편견]을 품게 하다; 마음을 빼앗다, 열중케 하다.

pre·on [príːan/-ɔn] *n.* 〚원자물리〛 프레온 《quark나 lepton의 성질을 경정한다고 가정되는 구성 요소》.

pre·op [prìːáp/-ɔ́p] 《구어》 *a., ad.* =PREOPERATIVE(LY). — *n.* 수술 전의 검사.

prè·óperative *a.* 수술 전의. ㊞ ~·**ly** *ad.*

prè·óption *n.* 제 1(번) 선택권(權).

pre·órbital *a.* 궤도 진입(進入) 전(前)의.

prè·ordáin *vt.* 예정하다(predetermine), …의 운명을 미리 정하다. ㊞ **prè·ordinátion** *n.*

pre·óvulatory *a.* 배란전(기)의.

prè-ówned *a.* 중고의(secondhand).

prep [prep] 《구어》 *a.* 진학 준비의(preparatory). — *n.* 《미》 =PREPARATORY SCHOOL, 그 학생; 《미》 (대학에서) 위엄이 없는 상급생; 《미》 학교 운동부의 연습; 《영》 (boarding school 등에서의) 예습, 복습, 숙제; (경마의) 시주(試走). — (*-pp-*) *vt., vi.* 《미》 =PREPARE; 예비 학교에 다니다; 준비 공부를[훈련을] 시키다[하다].

prep. preparation; preparatory; prepare; preposition.

pré·pàck *n.* 포장된 상품, 팩에 넣은 식품. — [⌐⌐] *vt.* =PREPACKAGE. ㊞ **prè·pácked** [-t] *a.*

prè·páckage *vt.* (식품·제품 등을) 팔기 전에 포장하다[봉지에 넣다].

prè·páid PREPAY 의 과거·과거분사. — *a.* 《미》 선불의, 이미 치른.

prep·a·ra·tion** [prèpəréiʃən] *n.* Ⓤ **1** 준비; 예비 조사, 예습 (시간): a hurried ~ *of* supper 분주다사스러운 저녁 준비 / ~ *for* a journey 여행 준비. **2** 마음의 태세, 각오. **3** 조리; (약의) 조제; Ⓒ 조합제: medical ~*s* 조제 약품. **4** 〚음악〛 (불협화음의) 예비[조정](음). **5** (종종 P-) 미사 [성체 배령] 전의 기도; 〚성서〛 (안식일·축제일 전날의) 준비일. **6** 조직 표본. ◇ prepare *v.* ***in (***course of***) ~ 준비 중에. ***in*** ~ ***for*** …의 준비로; …에 대비하여. ***make*** ~***s for*** …의 준비를 하다.

pre·par·a·tive [pripǽrətiv] *a.* 준비[예비]의 《*to*》. — *n.* 준비; 예비 (행위); 〚군사〛 준비 신호 (소리). ㊞ ~·**ly** *ad.*

pre·par·a·tor [pripǽrətər] *n.* 조제하는 사람; 《특허》 조직 표본 등을 조제하는 사람.

pre·par·a·to·ry** [pripǽrətɔ̀ːri/-təri] *a.* **1** 준비의, 예비의 《*to*》: ~ pleadings [proceedings] 〚법률〛 준비 서면[절차]. **2** 《미》 대학 입학 준비의; 《영》 public school 입학 준비의: the ~ course 예과. ◇ prepare *v.* ~ ***to …의 준비로서, …에 앞서, …의 앞에. — *n.* =PREPARATORY SCHOOL. ㊞ **-ri·ly** [-rili] *ad.* 예비(적으)로, 준비로서.

prepáratory schòol 《미》 대학 예비교《대학 진학 코스의 사립 학교》; 《영》 예비교《public school 따위에 진학하기 위한》.

pre·pare** [pripέər] *vt.* **1** 《~+목/+목+전+명/+*to* do》 준비하다, 채비하다《*for*》; …을 미리 마련하다; …을 미리 조사하다, 예습하다: ~ the table 식사 준비를 하다 / ~ a lesson 학과 예습을 하다 / ~ the soil *for* sowing 땅을 씨 뿌릴 수 있게 하다 / ~ a room *for* a guest 손님 맞을 방을 준비하다 / After a short rest we ~*d to* climb down. 잠시 쉰 후에 산을 내려갈 준비를 했다. **2** 《+목+*to* do / +목+목 / +목+전+명》 (아무에게) 준비시키다; 가르쳐서 준비시키다《*for*》: We are ~*d to* supply the goods. 현품은 즉시 보내 드립니다 / ~ students *to* face real life 학생들을 실생활에 직면할 수 있도록 준비시키다 / My mother ~*d* us substantial breakfast. =My mother ~*d* a substantial breakfast *for* us. 어머니는 우리들에게 충분한 아침식사를 준비하셨다 / ~ a boy *for* an examination 아이에게 시험 준비를 시키다. **3** 《+목+전+명 / +목+*to* do》 (…에게 …의) 각오를 갖게 하다《for》: ~ a patient *for* surgery 환자에게 수술받을 마음의 준비를 시키다 / Nothing has ~*d* her *to* be a mother. 그녀에게는 어머니가 될 마음의 준비가 되어 있지 않았다 / He ~*d* himself *to* die. 그는 죽을 각오가 되어 있었다. **4** (계획 · 제도(製圖) 등을) 작성하다, 입안하다; 조리하다; (약 따위를) 조제하다: ~ plans for a battle 작전 계획을 세우다. **5** 〖음악〗(불협화음을) 조정하다. **—** *vi.* 《+[전]+[명]》 **1** 채비하다, 준비하다, 대비하다《*for; against*》: ~ *for* war 전쟁 준비를 하다, 전쟁에 대비하다 / ~ *against* disaster 재해에 대비하다. **2** 각오하다《*for*》: ~ *for* the worst 최악의 경우를 각오하다〔에 대비하다〕. ◇ preparation *n.*, preparatory *a.* **~ one*self for …의 준비를 하다; …의 마음의 태세를 갖추다, …할 각오를 하다.

pre·páred *a.* **1** 채비〔준비〕가 되어 있는; 각오하고 있는: a ~ statement 준비된 성명. **2** 조제〔조합(調合)〕한. [파] **-par·ed·ly** [-pɛ́əridli, -pɛ́ərd-] *ad.*

pre·par·ed·ness [pripɛ́əridnis, -pɛ́ərd-] *n.* [U] 준비〔각오〕(가 되어 있음), 《특히》 전시에 대한 대비, 군비《*for*》.

prè·páy (*p., pp.* ***-paid*** [-péid]; ***-paying***) *vt.* 선불하다, (운임 따위를) 미리 치르다; (우편 요금 따위를) 선납하다: ~ a reply to a telegram 전보의 반신료를 선불하다. [파] **~·a·ble** *a.* **~·ment** *n.* [U,C] 선불, 선납.

prepd prepared.

pre·pense [pripéns] *a.* 숙고한 뒤의; 계획적인, 고의의. ★ 명사 뒤에 씀. [cf] aforethought. ***of malice*** **~** 살의를 품은. [파] **~·ly** *ad.*

prè·plán *vt., vi.* 사전에 계획을 세우다.

pre·pon·der·ance, -an·cy [pripándərəns/ -pɔ́n-], [-i] *n.* [U] (무게 · 힘에 있어서의) 우위《*of*》; 우세, 우월; 다수(majority).

pre·pon·der·ant [pripándərənt/-pɔ́n-] *a.* 무게〔수 · 양 · 힘〕에 있어 우세한, 압도적인《*over*》. [파] **~·ly** *ad.*

pre·pon·der·ate [pripándərèit/-pɔ́n-] *vi.* 무게〔수 · 양 따위〕에 있어서 낫다; (저울이) 한쪽으로 기울다; 《비유》 영향력이 있다《*over*》. **—** [-rət] *a.* =PREPONDERANT. [파] **~·ly** *ad.* **pre·pòn·der·á·tion** *n.*

pre·pose [pripóuz] *vt.* 〖문법〗 전치(前置)하다.

***prep·o·si·tion**[1] [prèpəzíʃən] *n.* 〖문법〗 전치사《생략: prep.》. [파] **~·al** [-ʃənəl] *a.* 전치사(적)인: a ~*al* phrase 전치사구 / ~*al* adverb 전치사적 부사 ⇨《부록》 PREPOSITIONAL ADVERB. **~·al·ly** *ad.*

pre·po·si·tion[2], **pre-po·si·tion** [prì:pəzíʃən] *vt.* 〖군사〗 (병기나 부대를) 사전에 전개 배치하다《분쟁 예상 지역에》.

pre·pos·i·tive [pri:pázətiv/-pɔ́z-] 〖문법〗 *a.* 앞에 둔, 접두사적인. **—** *n.* 전치어(語).

pre·pos·i·tor [pri:pázətər/-pɔ́z-] *n.* =PRAEPOSTOR.

prè·posséss *vt.* **1** 《~+[목]/+[목]+[전]+[명]》 (감정 · 생각 등을) 미리 일으키다《*with*》, 미리 생각게 하다: He is ~*ed with* some idea. 그는 처음부터 어떤 생각에 집착해 있다. **2** 《+[목]+[전]+[명]》 〔보통 수동태〕 (인물 · 태도 · 얼굴 따위가) 호의를 품게 하다, …에게 좋은 인상을 주다; (감정 · 생각이) 스며들다, 선입관이 되다: He *is* ~*ed with* a queer idea. 그는 묘한 편견을 갖고 있다 / I *was* quite ~*ed by* his appearance. 애초부터 그의 외모에 호감을 가졌었다. [파] **~·ing** *a.* 매력 있는, 호감을 주는; 《고어》 편견을 품게 하는.

prè·posséssion *n.* **1** 선입적 호감, 편애; 선입관. [cf] predilection. **2** [U] 먼저 가짐.

°**pre·pos·ter·ous** [pripástərəs/-pɔ́s-] *a.* 앞뒤가 뒤바뀐; 상식을〔도리를〕 벗어난, 터무니없는; 어리석은. [파] **~·ly** *ad.* **~·ness** *n.*

prepostor ⇨ PRAEPOSTOR.

pre·po·tence, -ten·cy [pripóutəns], [-i] *n.* [U] 우세; 〖생물〗 우성 유전(력).

pre·po·tent [pripóutənt] *a.* 대단히 우세(優勢)한; 〖생물〗 우성 유전력을 가진. [파] **~·ly** *ad.*

prep·pie, -py [prépi] (*fem.* ***prep·pette*** [prepét]) *n.* 《미속어》 preparatory school의 학생〔출신자〕《부유층 자제에 많음》; (복장 · 태도가) ~풍(風)의 사람. **—** *a.* ~풍의.

préppy 〔**préppie**〕 **lòok** 〖복식〗 프레피 룩《preppie 풍의 패션으로, 고급 옷을 소탈하고 편하게 입는 것이 특징》.

prè·prándial *a.* 식전의, 《특히》 정찬 전의: a ~ drink 식전의 음료. 「구권 등》.

prè·préference *a.* 《영》 최우선의《주(株) · 청

pre·preg [prí:prég] *n.* [U] 수지(樹脂) 침투 가공재(加工材).

prè·prímary *a.* 〖정치〗 예비 선거 전(前)의: ~ endorsement 예비 선거 전의 지지 표명.

prè·prímer *n.* 초보 입문서.

pre·print [prí:prìnt] *n.* (연설 · 논문 따위의 공표전) 사전 배포본; (신문 · 잡지 등의 본문 게재보다) 미리 인쇄한 것《광고 따위》. **—** *vt.* ~로서 인쇄 발행하다, 미리 인쇄하다.

prè·prócess *vt.* **1** (자료 등을) 미리 조사 · 분석하다. **2** 〖컴퓨터〗 (데이터를) 전처리하다.

pré·pròcessor *n.* 〖컴퓨터〗 전처리기《자료의 편성이나 예비 계산 등의 전처리를 하기 위한 컴퓨터의 프로그램》.

pré·prodúction *a.* 생산 개시 이전의; 시(試)작품(prototype)의. **—** *n.* (극 · 영화 등의) 상연〔제작〕 준비 단계.

prè·proféssional *a.* 전문직을 위한 특정 연구에 앞선, 전문직 개업 전의.

prè·prógram *vt.* 사전에 …의 프로그램을 짜다; 미리 예정을 세우다.

prè·prógrammed *a.* 사전에 프로그램이 짜진, 미리 정해진〔준비된〕.

prép schòol 《구어》 =PREPARATORY SCHOOL.

prè·psychótic *a.* 정신병 이전의. **—** *n.* 정신병 소질이 있는 사람.

pre·pube [prì:pjú:b] *n.* 사춘기 전(前)의 사람.

prè·púberty *n.* 사춘기 전의 시기. [파] **-púber·tal, -púberal** *a.* **-tally, -ally** *ad.*

prè·pubéscent *a., n.* 사춘기 전의 (소년 · 소녀). [파] **-béscence** *n.*

prè·publicátion *a.* 출판〔간행〕 전의.

pre·puce [prí:pju:s] *n.* 〖해부〗 (음경 · 음핵의) 포피(包皮).

pre·quálify *vi.* 경기 참가 자격을 획득하다, 예선을 통과하다. 「편; 속편.

pre·quel [prí:kwəl] *n.* (소설 · 영화 등의) 전

Pre-Raph·a·el·ite [pri:rǽfiəlàit/-rǽfəl-] *a., n.* 라파엘 전파(前派)의 (화가); Raphael 이전 (14세기초)의 (화가): the ~ Brotherhood 라파엘 전파《1848년 사실적 화법을 주장한 영국 화가 D. G. Rossetti, W. H. Hunt, J. E. Millais 등이 결성(結成); 생략: P.R.B.》.

prè·recórd *vt.* 〖라디오 · TV〗 미리 녹음〔녹화〕해 두다; =PRESCORE.

prè·registrátion *n.* 예비 등록. [파] **pre·régister** *vt., vi.* (…을) 미리 등록〔기재〕하다.

prè·reléase *n.* 시사회(試寫會), 사전(事前) 공연〔공개〕. **—** *a.* 일반 공개 전에 상영〔상연〕되는.

prè·réquisite *a.* 미리 필요한, 없어서는 안 될, 필수의《*to*》. **—** *n.* 선행〔필요〕 조건《*for; of; to*》; 기초 필수 과목.

*__pre·rog·a·tive__ [prirágətiv/-rɔ́g-] *n.* (관직 · 지위 따위에 따르는) 특권, 특전; (영국의) 국왕 대권(the royal ~); 우선 투표권; (남보다 뛰어난) 특질. ***the ~ of mercy*** 사면권. **—** *a.* 특권의, 특권이 있는; 〖로마사〗 우선(優先) 투표권이 있는: ~ right 특권.

prerógative cȯurt 〖영국사〗 대주교 특권 재판소《유언 사건을 취급》; 〖영국사〗 국왕 대권 재판소《Privy Council(추밀원)을 통해 대권을 발동한 각종 재판소》; 〖미국사〗 (New Jersey 주(州)의) 유언 사건 재판.

Pres. Presbyterian; President. **pres.** present; presidency; presidential; presumptive.

pres·age [présidʒ] *n.* 예감, 육감; 전조(omen), 조짐; 예지, 선견; 《고어》 예언, 예상. ***of evil*** 〔***ominous***〕 ~ 불길한, 재수 없는. **—** [présidʒ, priséidʒ] *vt.*, *vi.* **1** …의 전조가 되다, 예시(豫示)하다; 예언하다: The dark clouds ~*d* a storm. 그 검은 구름은 폭풍의 전조였다. **2** 예지〔예감〕하다.

pré·sàle *n.* 시장 판매에 앞선 특별 판매.

prè·sánctified *a.* (성찬용 빵 · 포도주가) 미리 축성(祝聖)된.

Presb. Presbyter; Presbyterian.

pres·by·cu·sis, -cou·sis [prèzbikjú:sis], [-kú:sis] *n.* 〖의학〗 노인성 난청(難聽).

pres·by·ope [prézbiòup] *n.* 노안인 사람.

pres·by·o·pia [prèzbióupiə] *n.* Ⓤ 〖의학〗 노안(老眼); 원시(遠視)안. cf. myopia, hyperopia. ⊕ **près·by·óp·ic** [-biápik/-ɔ́p-] *a.*

pres·by·ter [prézbətər] *n.* 〖교회〗 (초대 교회의) 장로; (감독 교회의) 목사(priest); (장로 교회의) 장로(elder). ⊕ **~·ate** [-rət] *n.* ~의 직〔직위〕; 장로회(presbytery).

pres·by·te·ri·al [prèzbətíəriəl] *a.* 장로(회)의, 장로 정치의.

Pres·by·te·ri·an [prèzbətíəriən] *a.* (종종 p-) 장로회제의; 장로 교회의. **—** *n.* 장로교 회원; 장로제〔파〕주의자. ⊕ **~·ism** *n.* Ⓤ 장로회제, 장로제〔파〕주의.

pres·by·tery [prézbətèri] *n.* 〖교회〗 장로회; 장로회 관할구(區); (교회당의) 성전(聖殿) (sanctuary) 사제석; 〖가톨릭〗 사제관(館).

pré·schóol *a.* 학령 미달의, 취학 전의. **—** [스] *n.* Ⓤ 유아원; 유치원(kindergarten). ⊕ **~·er** *n.* 미취학 아동; 유아〔유치〕원 아동.

pre·sci·ence [préʃiəns, prí:-/présiəns] *n.* Ⓤ 예지, 선견(foresight), 통찰. ⊕ **-ent** *a.* 미리 아는, 선견지명이 있는. **-ently** *ad.*

prè·scientífic *a.* 근대 과학 발생 이전의, 과학 이전의.

pre·scind [prisínd] *vt.* …의 일부를 일찌감치〔갑자기〕 떼어 버리다, 제거하다; 떼어 생각하다, 추상하다. **—** *vi.* 주의를〔생각을〕 딴 데로 돌리다, 고려치 않다.

prè·scóre *vt.* 〖영화〗 촬영 전에 미리 (소리 · 배경 음악 등을) 녹음하다; (판지(板紙) 따위에) 접는 자국을 미리 내다.

prè·scréen *vt.* 미리 선별〔선발, 분리〕하다; 시사(試寫)하다.

*__pre·scribe__ [priskráib] *vt.* **1** 《~+목/+목+전+명/+*wh.* 절/+*wh. to* do/+*that* 절》 규정하다, 지시하다, 명하다(order): ~*d* textbooks 지정 교과서/Do what the laws ~. 법의 규정을 지켜라/He always ~*s to* us *what* (we are) *to* do. 그는 늘 우리들에게 어떻게 할 것인가를 지시한다/Convention ~*s that* we (should) wear black at a funeral. 관례에 따라 장례식에서는 상복을 입기로 되어 있다. **2** 《~+목/+목+전+명/+목+목》 (약을) 처방하다; (요법을) 권하다: ~ a long rest 장기 안정을 명〔권〕하다/~ medicine *to* 〔*for*〕 a patient 환자에게 약제를 처방하다/~ a strict diet *to* her= ~ her a strict diet 그녀에게 엄격한 식이 요법을 명하다. **3** 〖법률〗 시효로 하다, …을 시효에 의해 취득〔소멸〕하다. **—** *vi.* 《~/+전+명》 **1** 규칙을 정하다, 지시를〔명령을〕 내리다: The law ~*s for* all kinds of crimes. 그 법에서는 모든 종류의 범죄에 대해 규정하고 있다. **2** 〖의학〗 처방을 내리다, 치료법을 지시하다: ~ *to* 〔*for*〕 a patient. **3** 〖법률〗 소멸 시효를〔에 의한 취득을〕 주장하다《*for*; *to*》; 시효가 되다. ◇ prescription *n.* ⊕ **pre·scríb·a·ble** *a.*

pre·script [prí:skript] *n.* 명령; 규칙, 규정; 법령, 법률. **—** [priskrípt, prí:skript] *a.* 규정〔지령, 지시〕된.

pre·scrip·ti·ble [priskríptəbəl] *a.* 규정을 받는; (권리 등이) 시효에 의한, 시효에 의해 생기는〔취득할 수 있는〕. ⊕ **pre·scrìp·ti·bíl·i·ty** *n.*

*__pre·scrip·tion__ [priskrípʃən] *n.* Ⓤ 명령, 규정; 법규, 규범; Ⓒ 〖의학〗 처방, 처방전(箋); 처방약; 〖법률〗 시효, 취득 시효; 오랜 사용〔관습〕에 따른 권리〔권위〕: write out a ~ (의사가) 처방전을 쓰다. ◇ prescribe *v.* ***negative*** 〔***positive***〕 ~ 〖법률〗 소멸〔취득〕 시효. ***make up a*** ~ 처방전대로 조제하다.

prescríption chàrge 《영》 (국민 건강 보험에서 약을 사는 경우) 환자가 부담하는 약값.

prescríption drùg 의사 처방전이 없으면 구할 수 없는 약제. cf. over-the-counter.

pre·scrip·tive [priskríptiv] *a.* 규정하는, 규범적인; 〖법률〗 시효에 의하여 얻은; 관례의 : a ~ right 〖법률〗 시효에 의해 얻은 권리. ⊕ **~·ly** *ad.* **-tiv·ism** [-təvìzəm] *n.* 〖언어 · 윤리〗 규범주의.

prescríptive grámmar 규범 문법《한 언어의 올바른 용법을 지시하는 문법》. cf. descriptive grammar.

prè·séason *n.*, *a.* (관광 · 스포츠 등의) 시즌 전(前)(의).

prè·seléctive *a.* (자동차의 변속기가) 자동인.

prè·seléctor *n.* (자동차의) 자동 변속 장치; (라디오의 감도를 올리기 위한) 증폭기.

prè·séll (*p.*, *pp.* ***-sold***) *vt.* (잘 팔리도록) 미리 선전하다, (소비자의) 구매욕을 자극하다.

__pres·ence__ [prézəns] *n.* Ⓤ **1 존재, 현존, 실재: I was not aware of his ~. 그가 온 것을 미처 알지 못했다. **2** 출석, 임석; 참석; (군대 등의) 주둔: Your ~ is requested. 참석해 주시기 바랍니다. opp. *absence*. **3** (사람이) 있는 자리, 면전: Can you say so in his ~? 그 사람 앞에서 그렇게 말할 수 있겠는가. **4** (the ~) 《영》 어전: withdraw from the ~ 어전에서 물러나다. **5** 〖형용사를 수반〗 Ⓒ 위풍 있는 존재, 훌륭한 인물: He was a real ~ at the party. 그는 연회석상에서 이채(異彩)를 떨쳤다. **6** Ⓤ,Ⓒ 풍채, 인품, 태도: He has a poor ~. 그는 풍채가 보잘것없다/a man of (a) noble ~ 풍채가 기품 있는 사람. **7** Ⓤ 냉정, 침착: stage ~ 무대에서의 침착성. **8** Ⓒ 신령, 영혼, 유령. **9** (음향의) 현장감(現場感). ***be admitted to*** 〔***banished from***〕 ***a person's*** ~ 아무의 접견이 허락되다〔안 되다〕. ***in the*** ~ ***of*** …의 면전에서; …에 직면하여. ***make one's*** ~ ***felt*** 자기 존재를〔중요성을〕 알아보게 하다. ~ ***of mind*** (위급시의) 침착, 평정(opp. *absence of mind*): lose one's ~ *of mind* 당황하다. ***saving your*** ~ 실례지만….

présence chàmber 알현실.

pre·sénile *a.* 노년기 전의, 초로(기)(初老(期))의; 조로(早老)의, 겉늙은.

presénile deméntia 초로(기) 치매; 초로성 치매.

prè·senílity *n.* 조로(早老); 노년기 전의 시기, 초로기(期).

†__pres·ent__[1] [prézənt] *a.* **1** 《보통 서술적》 있는, 출석하고 있는. opp. *absent*. ¶ the members ~ 출석 회원/I was ~ *at* the meeting. 나는 그 집

회에 참석했다 / ~ company excepted 여기 오신 분들은 예외로 하고 / *Present*, sir〔ma'am〕. 예《호명 때 '출석'의 대답으로서》/ The accident is still ~ *in* my memory. 그 사건은 지금도 생생하게 기억에 남아 있다. **2** 지금의, 오늘날의, 현재의, 현(現)…: the ~ Cabinet 현내각 / at the ~ day〔time〕 오늘날에는 / the ~ worth of $100 in 20 years, 20년 후에는 100달러가 될 현재의 금액. **3** 〖문법〗 현재(시제)의: the ~ tense 〖문법〗 현재시제. **4** 당면한, 문제의, 여기 있는, 이: the ~ volume 본서(本書) / the ~ writer 본(本)필자, 나. **5** 《고어》 즉석의, 응급의: a ~ wit 기지, 재치 / a very ~ help in trouble. ***be ~ to the mind*** 마음에 두고 있다, 잊지 않고 있다. ***in the ~ case*** 이 경우.

— *n.* **1** (종종 the ~) 현재, 오늘날: this ~ 현금(現今) / (There is) no time like the ~. 《속담》 이런 좋은 때는 또 없다《지금이 호기》. **2** 〖문법〗 현재시제. **3** (*pl.*) 〖법률〗 본서류, 본증서. ***at ~*** 목하, 현재. ***by these ~s*** 〖법률〗 본서류에 의해: Know all men *by these ~s* that .... 본서류에 의해 …임을 증명함《증서 문구》. ***for the ~*** 현재로서는, 당분간. ***in ~*** 《고어》 즉시. ***up to*** 〔***until***〕 ***the ~*** 오늘에 이르기까지.

⁑**pres·ent²** *n.* 선물. ★ 보통 present는 친한 사람끼리의 선물; gift는 보통 개인〔단체〕에 대한 정식 선물: a Christmas〔birthday〕 ~ 크리스마스〔생일〕 선물. ***make*** a person ***a ~ of ...*** = ***make*** 〔***give***〕 ***a ~ of ... to*** a person 아무에게 …을 선사하다.

⁑**pre·sent³** [prizént] *vt.* **1** 《~+[목]/+[목]+[전]+[명]》 선물하다, 증정하다, 바치다; …에게 주다《*to; with*》: ~ a message 메시지를 보내다 / ~ a medal *to* a winner 우승자에게 메달을 수여(授與)하다 / ~ a person *with* a book = ~ a book *to* a person 아무에게 책을 증정하다. SYN. ⇨ GIVE. **2** 《~+[목]/+[목]+[전]+[명]/+[목]+[목]》 야기시키다; (기회·가능성 따위를) 주다, 제공하다: The situation ~*ed* a serious problem. 그 사태로 인해 심각한 문제가 야기되었다 / This sort *of* work ~*s* no difficulty *to* me. = This sort of work ~*s* me *with* no difficulty. 이런 종류의 일은 나에게는 누워서 떡 먹기다 / ~ a person an opportunity for ... 아무에게 …할 기회를 주다. **3** 《~+[목]/+[목]+[전]+[명]》 (서류·계산서·명함(名啣) 따위를) 제출하다, 내놓다, 건네주다: ~ one's card *to* …에게 명함을 내놓다 / The builder ~*ed* his bill *to* me. = The builder ~*ed* me *with* his bill. 건축업자가 나에게 청구서를 제출했다. **4** 《~+[목]/+[목]+[전]+[명]》 (계획·안(案)을) 제출하다, 제안하다; (이유·인사 따위를) 진술하다, 말하다: ~ facts〔arguments〕 사실〔의논〕을 진술하다 / ~ a petition *to* (the authorities) (당국)에 청원서를 제출하다. **5** 《~+[목]/+[목]+[전]+[명]》 〖~ one*self*〗 모습을 보이다〔나타내다〕, 나타나다; …을 일으키다, 생기게 하다: He ~*ed* him*self at* the party. 그는 모임에 모습을 나타냈다 / If any difficulty ~*s* it*self*, come to me. 어떤 곤란한 일이 생기면 나한테 오시오. **6** 《~+[목]/+[목]+[전]+[명]/+[목]+*as* [보]》 (광경(光景) 따위를) 나타내다(exhibit), 보이다; …라고 느끼게 하다, …한 인상을 주다: She ~*ed* a smiling face *to* a crowded audience. 그녀는 만장의 청중에게 미소를 보였다 / He was ~*ed as* very shy. 그는 매우 소심한 사람처럼 보였다. **7** 《~+[목]/+[목]+[전]+[명]》 소개하다, 인사시키다; 배알케 하다《*to; at*》: Mrs. Smith, may I ~ Mr. Jones? 스미스 부인, 존스씨를 소개합니다 / The ambassador was ~*ed to* the king. 대사는 국왕을 배알〔알현〕하였다. SYN. ⇨ INTRODUCE. **8** (영화 회사가 영화 등을) 제공하다, 공개하다, (연극을) 상연하다; (배우를) 출연시키다: ~ a new play〔an unknown actor〕 새 연극을 상연하다〔무명의 배우를 출연시키다〕. **9** (역(役)을) 맡아 하다. **10** 《~+[목]/+[목]+[전]+[명]》 향하게 하다, 돌리다《*to*》, 겨누다《*at*》; 〖군사〗 받들어총을 하다: ~ a firearm 총기를 겨누다 / He ~*ed* his back *to* the audience. 그는 관중에게 등을 돌렸다 / ~ a pistol *at* a person's heart 아무의 심장에 권총을 들이대다. **11** 〖법률〗 …을 고소〔기소〕하다; 《미》(대배심(大陪審) 스스로가 위반 등을) 고발하다. **12** 〖교회〗 (성직자를) 추천하다《*to*》.

— *vi.* **1** 성직 추천권을 행사하다. **2** 〖의학〗 (태아의 일부가) 자궁구(子宮口)에 나타나다; (증상이) 나타나다; (환자가) 진찰을 받으러 가다. **3** (P-!) 〖군사〗 조준! ~ ***a check*** 〔***bill***〕 (지급받기 위해) 수표를〔어음을〕 제시하다. ~ ***an appearance of*** …의 겉모양을 나타내다, …한 인상을 주다. ***Present arms!*** 《구령》 받들어총.

— *n.* **1** 총을 겨눔; 겨누었을 때의 총의 위치. **2** 〖군사〗 받들어총 (자세). ***at*** (***the***) ~ 받들어총을 하고.

Present arms!

pre·sént·a·ble *a.* **1** 남 앞에 내놓을 만한, 외모가 좋은, 보기 흉하지 않은; 교양 있는, 예의 바른. **2** 선사하기에 알맞은; 소개할 수 있는; 상연할 수 있는. ㉻ **-bly** *ad.* **~·ness** *n.* **pre·sènt·a·bíl·i·ty** *n.* [U] 볼품 있음; 선물할 만함.

pres·en·ta·tion [prèzəntéiʃən] *n.* [U,C] **1** 증여, 수여, 증정; [C] 수여식: the ~ day (대학의) 학위 수여일. **2** [C] (공식적인) 선물(gift). **3** 소개, 피로(披露); 배알, 알현《*at* court》. **4** 제출; 표시; 진술. **5** 표현, 발표. **6** 〖교회〗 성직 추천(권). **7** (극·영화 따위의) 상연, 상영, 공개; 〖철학·심리〗 표상, 관념; 직각(直覺). **8** 〖의학〗 태위(胎位). **9** 〖상업〗 (어음 따위의) 제시. ***on ~*** (서류 등을) 제시하는 대로. ㉻ **~·al** [-ʃənəl] *a.* 〖심리〗 표상적인, 관념의. **~·ism** *n.* [U] 〖철학〗 표상(表象) 실재론 《지각(知覺) 표상과 실재를 동일시하는 인식론적 입장》.

presentátion còpy 증정본.

pre·sen·ta·tive [prizéntətiv] *a.* 〖교회〗 성직 추천권이 있는; 〖철학·심리〗 직각(直覺)의, 표상적인.

°**présent-dáy** *a.* 현대의, 오늘날의: ~ English 현대 영어 / the ~ world 오늘의 세계.

pres·en·tee [prèzəntíː] *n.* 수증자(受贈者), 수령자; 피추천자; (궁정의) 배알자(拜謁者).

pre·sént·er *n.* **1** 증여자; 추천인; 제출자; 신고자, 고소인. **2** 《영》 (TV·라디오의) 뉴스 캐스터 (《미》 anchorman).

pre·sen·tient [prisénʃənt] *a.* 예감하는, 예각(豫覺)하는《*of*》.

pre·sen·ti·ment [prizéntəmənt] *n.* (불길한) 예감, 예각(豫覺), 육감.

pres·ent·ism [prézəntìzəm] *n.* 현대풍의 견해〔사고방식〕. ㉻ **-ist** *n.*

pre·sen·tive [prizéntiv] *a.* 〖철학·언어〗 (말이) 표상(表象)의, 대상이나 개념을 직접 나타내는, 직각(直覺)의(opp. *symbolic*).

⁑**pres·ent·ly** [prézəntli] *ad.* **1** 이내, 곧 (soon): He will be here ~. **2** 《미·Sc.》 목하, 현재(at present): She is ~ away from home. 그녀는 지금 집에 없다. **3** 《고어》 즉시(at once).

pre·sént·ment *n.* **1** [U] 진술, 서술. **2** [C] (극의) 상연, 연출; 묘사; 초상; 그림. **3** [U] (서류 따위의) 제출, 신청; (어음 등의) 제시. **4** [C] 〖법률〗 대배심의 고소〔고발〕; 〖교회〗 진정(陳情), 추천. **5** [U] 〖철학·심리〗 표상, 관념.

présent párticiple 〖문법〗 현재분사.
présent pérfect 〖문법〗 현재완료.
présent válue 현재 가치(=**presént wórth**) 《장래에 받을〔지불할〕 금액을 알맞은 할인율로 계산한 현재의 가치》.
pre·serv·a·ble [prizə́:rvəbəl] *a.* 보존〔보관, 저장, 보호〕할 수 있는.
*****pres·er·va·tion** [prèzərvéiʃən] *n.* Ⓤ **1** 보존, 저장; 보호, 보관: for the ~*of* one's health 건강 유지를 위해 / wildlife ~ 야생 생물 보호. **2** 보존 상태: be in good 〔bad〕 ~ 보존 상태가 좋다〔나쁘다〕. ◇ preserve *v.*
pres·er·va·tion·ist [prèzərvéiʃənist] *n.* (자연·야생 동물의) 보호주의자; (역사적 고적의) 보존주의자. ㊞ **près·er·vá·tion·ìsm** [-ʃənìzm] *n.*
pre·serv·a·tive [prizə́:rvətiv] *a.* 보존하는, 보존력 있는; 방부의. **—** *n.* **1** 예방법. **2** 방부제, …막이〔방지〕《*against; from*》. **3** 예방약.
pre·serv·a·to·ry [prizə́:rvətɔ̀:ri/-təri] *a.*, *n.* 보존(상)의; 저장기, 저장소; 여자 보호 시설.
******pre·serve** [prizə́:rv] *vt.* **1** 보전하다, 유지하다: ~ one's health 건강을 유지하다 / ~ order 질서를 유지하다 / ~ one's composure 〔serenity〕 침착〔평정〕을 잃지 않다. **2** 보존하다: ~ historical monuments 사적을 보존하다. SYN. ⇨ KEEP. **3** 《~+목/+목+전+명》 (과일 따위를) 저장 식품으로 만들다; 설탕〔소금〕 절임으로 하다, 통〔병〕조림으로 하다: Smoking 〔Salting〕 ~s food. 훈제는〔소금 절임은〕 음식을 상하게 하지 않고 오래 보존케 한다 / ~ fruit *in* 〔*with*〕 sugar 과일을 설탕 절임하다. **4** 《~+목/+목+전+명》 보호하다, 지키다《*from*》: God 〔Saints〕 ~ us! 하느님〔성자(聖者)들이시여〕 우리를 지켜 주소서《종종 놀라움의 소리》/ The dog ~*d* him *from* danger. 개는 그를 위험에서 구했다. **5** (새·짐승을) 보호하다《금렵 조치에 의해》: ~ game 조수의 사냥을 금하다. **6** 마음에 간직하다, 잊지 않다. **—** *vi.* **1** 보존 식품으로 하다. **2** 금렵구로 지정하다; 사냥을 금하다. ◇ preservation *n.* ***well ~d*** 나이에 비해 늙은 티가 안 나는.
— *n.* **1** (보통 *pl.*) 보존 식품, 설탕 조림, 잼(jam), 통〔병〕조림의 과일. **2** 금렵지; 양어장; 《미》 자연 자원 보호 구역. **3** 《비유》 (개인의) 영역, 분야. **4** (*pl.*) 차광〔먼지막이〕 안경(goggles). ㊞ **pre·sérv·er** *n.* **1** 보존자, 보호자. **2** 통〔병〕조림업자(packer). **3** 금렵지 관리인.
pre·sérved *a.* 보전된; 《속어》 술에 취한, 곤드레만드레가 된.
prè·sét *vt.* 미리 세트〔설치, 조절〕하다. **—** *a.* 미리 설치〔세트〕된《미사일 따위》.
pre·shrink [pri:ʃríŋk] *vt.* (천을) 방축(防縮) 가공하다《세탁 시 줄지 않도록 미리 줄게 하다》.
prè·shrúnk *a.* 방축(防縮) 가공한《천 따위》.
*****pre·side** [prizáid] *vi.* 《+전+명》 **1** 의장 노릇하다, 사회하다: ~ *at* 〔*over*〕 the meeting 사회를 보다. **2** 통할하다, 관장하다: ~ *over* the business of the store 상점 경영을 관장하다. **3** (식탁에서) 주인역을 맡다《*at*》. **4** 연주를 맡다: ~ *at* the piano 《구어》 피아노 연주를 맡다. ◇ president *n.*
◇**pres·i·den·cy** [prézədənsi] *n.* **1** Ⓤ,Ⓒ president의 직〔지위, 임기〕; (종종 P-) 미국 대통령의 지위. **2** 통할, 주재(主宰). **3** (P-) 옛 인도의 3대 관구(Bombay, Bengal, Madras)의 행정적 명칭. **4** 〖모르몬교〗 3인 평의회.
†**pres·i·dent** [prézədənt] *n.* **1** (종종 P-) 대통령: the *President* of the United States of America. **2** 장(長), 회장, 총재; 의장; 사장; (대학의) 총장, 학장: the ~ of a society 협회의 회장. **3** 〖역사〗 지사. ◇ presidential *a.*
président-eléct *n.* 대통령 당선자《당선된 때부터 취임시까지의》.
pres·i·den·tial [prèzədénʃəl] *a.* **1** president의: a ~ election 대통령 선거 / a ~ plane 대통령 전용기 / a ~ timber 《미》 대통령감. **2** 지배〔관할, 주재, 감독〕하는. ◇ president *n.* ㊞ **~·ly** *ad.*
presidéntial góvernment 〖정치〗 대통령 「중심제 정부.
Presidéntial Médal of Fréedom 《미》 자유훈장《국가의 보안·이익, 세계의 평화·문화 등에 공헌이 많은 시민에게 대통령이 줌》.
presidéntial prímary 《미》 (각 정당의) 대통령 예비 선거.
presidéntial yéar 《미》 대통령 선거의 해.
président prò témpore 《미》 상원 의장 대행.
Présidents' Dày 《미》 대통령의 날(Washington's Birthday) 《2 월의 셋째 월요일》.
pres·i·dent·ship [prézədəntʃìp] *n.* =PRESIDENCY.
pre·sid·er [prizáidər] *n.* 사회자, 주재자.
pre·sid·i·al, -i·ary [prisídiəl], [-dièri/-əri] *a.* 요새의, 수비대의.
pre·sid·ing [prizáidiŋ] *a.* 사회〔관장〕하는: a ~ judge 재판장 / a ~ officer 투표〔시험〕장 감독관. 「지, 주둔지; 유형지.
pre·sid·io [prisídiòu] (*pl.* **~s**) *n.* 《Sp.》 요새
pre·sid·i·um [prisídiəm] (*pl.* **-ia** [-iə], **~s**) *n.* (the P-) (옛 소련의) 최고 회의 간부회; (the ~; 종종 the P-) (다른 공산주의 국가의) 상임 간부회; (비(非)정부 기관의) 이사회.
pre·sig·ni·fy [pri:sígnəfài] *vt.* …을 예고하다 (presage, foreshow).
Pres·ley [présli, préz-] *n.* 프레슬리. **1** 남자 이름. **2 Elvis** (**Aron**) **~** 미국의 로큰롤 가수 《'King of Rock and Roll'이라 불렸음; 1935-77》.
pre·soak [prì:sóuk] *vt.* (세탁물·종자 따위를) 미리 (세제(물)에) 담그다. **—** *n.* 세탁물을 미리 담글 때 쓰는 세제; 미리 담그는 일.
pre·sort [prisɔ́:rt] *vt.* (우편물을 우체국에 내기 전에 우편 번호에 따라) 구분하다.
******press**[1] [pres] *vt.* **1** 《~+목/+목+부/+목+전+명》 누르다, 밀어붙이다: ~ the button for help 버튼을 눌러 도움을 청하다 / ~ *down* the accelerator pedal 액셀러레이터를 밟다 / The crowd ~*ed* him *into* a corner. 군중은 그를 한 구석에 밀어붙였다. **2** 《~+목/+목+전+명/+목+보》 …을 눌러 펴다, 프레스하다: ~ flowers 꽃을 종이 사이에 끼워 납작하게 하다 / ~ clothes 옷에 다리미질을 하다 / He ~*ed* the clay *into* the figure of a horse. 찰흙을 눌러서 말 모양을 만들었다 / ~ dough flat 밀가루 반죽을 눌러 납작하게 하다. **3** 《~+목/+목+전+명》 껴안다, 꽉 쥐다: ~ (the) flesh 〔the skin〕 《미속어》 (특히 선거 운동에서) 악수하다 / She ~*ed* him *in* her arms. 그녀는 그를 꽉 껴안았다. **4** 《~+목/+목+전+명》 (짓눌러) …에서 즙을 내다, (즙을) 짜내다: ~ grapes 포도를 짜(내)다 / ~ the juice *from* a lemon 레몬 즙(汁)을 내다. **5** 《~+목/+목+전+명》 강조〔역설〕하다, 주장하다: He ~*ed* his point. 그는 자기 논지를 강력히 주장했다 / He ~*ed* his ideas *on* us. 그는 자기 생각을 우리에게 고집했다. **6** 《~+목/+목+*to* do/+목+전+명》 …에게 강요하다, …을 조르다《*for*》: ~ a request 몹시 조르다 / ~ a person *to* come 아무를 억지로 오게 하다 / The people ~*ed* the king *for* the reform. 국민은 국왕에게 개혁을 강요하였다 / I was ~*ed into* the role of his assistant. 나는 그의 조수 역할을 억지로 떠맡았다. **7** 《+목+전+명/+목+*to*

do)《보통 수동태로》 **a** (…을 질문·문제 등으로) 괴롭히다《*with*》: ~ him *with* questions 그에게 질문 공세를 하다 / He *was ~ed by* problems on all sides. 여러 면에서 갖가지 문제에 시달렸다. **b** (경제적·시간적인 일로) 괴로운 입장에 서게 하다, 압박하다《*for; to* do》; (일·문제 등으로) 괴롭히다《*with; by*》: *be ~ed for* time 〔money〕 시간〔돈〕에 쪼들리다〔곤란을 받다〕/ He *was* once hard *~ed to* get enough to eat. 전에 그는 먹기에도 곤란받은 일이 있었다. **8** 인쇄하다. **9** 《~+목/+목+부/+목+전+명》 (계획·행동 등을) 추진하다; (적 등을) 공격하다, 압박하다; (공격 등을) 강행하다: be hard *~ed* 공격받다 / ~ a charge *against* a person 아무를 고발하다 / The attack was *~ed home*. 그 공격은 큰 성과를 거두었다. **10** (음반을) 원판에서 복제하다. **11** 《+목+전+명》 …을 누르다, 눌러 붙이다: ~ a stamp *on* a post card 엽서에 우표를 붙이다 / He *~ed* a ten-dollar bill *into* my hand. 그는 내 손에 10달러 지폐 한 장을 꼭 쥐어주었다. **12** 《+목+전+명》《~ one's way의 꼴로》 (…을) 헤치고 나가다《*through*》: ~ one's *way through* a crowd 군중을 헤치고 나가다. **13** 〖컴퓨터〗 누르다《글쇠판이나 마우스의 버튼을 아래로 누르는》. **—** *vi.* **1** 《+부/+전+명》 내리누르다, 밀다, 압박하다; 몸을 기대다: He *~ed down on* the brake. 그는 브레이크를 밟았다 / The cat *~ed against* his master's leg. 고양이는 주인의 다리에 다가붙었다. **2** 《+전+명》 (마음에) 무겁게 걸리다《*upon, on*》: The matter *~ed upon* his mind. 그 문제는 그의 마음을 무겁게 하였다. **3** 《+부/+전+명》 밀어제치며 나아가다, 밀어닥치다; 밀려오다; 몰려들다《*up*》: People *~ed forward* to see what was happening. 사람들은 무슨 일인가 하고 서로 밀어제치며 앞으로 나아갔다 / He *~ed on with* his work. 그는 쉬지 않고 계속 일했다 / A large crowd *~ed around* him. 많은 군중이 그의 주위에 몰려들었다. **4** 《+전+명/+부》 서두르다, 급히 가다《*on; forward*》: He *~ed up to* the platform. 그는 급히 플랫폼으로 향했다. **5** 절박하다, 시급을 요하다: Time *~es*. 시간이 절박하다. SYN. ⇨URGE. **6** 《+전+명》 조르다, 강요하다《*for*》: ~ *for* an answer 대답을 강요하다. **7** 영향을 주다, 효험이 있다. **8** 프레스하다, 다리미질하다《*on*》. ◇ pressure *n*. **~ *back*** 되밀치다; 퇴각시키다. **~ *hard upon*** …에 육박하다; …을 추궁하다. **~ *in* 〔*into*〕** …에 밀어넣다, …에 침입하다. **~ *on* 〔*upon*〕** …에 밀어닥치다, …을 맹렬히 공격하다. **~ *sail*** 돛을 모두 올리다.

— *n*. **1** 《보통 단수취급》 누름; 압박, 압착; 움켜쥠; Ⓒ (의복의) 다리미질. **2** 압착기, 짜는 기구; 누름단추; (라켓 따위의) 휘는 것을 막는 죔쇠, 프레스. **3** Ⓤ 밀어닥침, 돌진; 혼잡, 군집, 붐빔: The little boy was lost in the ~ *of* people. 어린아이를 혼잡한 군중 속에서 잃었다. **4** Ⓤ 분망, 절박, 화급: in the ~ *of* business 일이 분망하여. **5 a** 인쇄기(《영》 machine); 인쇄술 〔소〕; 출판부: Oxford University *Press* 옥스퍼드 대학 출판부. **b** Ⓤ (the ~)《집합적》 신문, 잡지, 정기 간행물. **6 a** (the ~) 보도 기관; 《집합적》 보도 기자: freedom of the ~ 출판〔언론〕의 자유. **b** (the ~)《종종 복수 취급》 보도진, 기자단. **c** (보도 기관의) 논설, 비평, 논조. **7** 찬장; 책장; 양복장. ***be at* 〔*in* (*the*)〕 ~** 인쇄 중이다. ***be off the* ~** 인쇄가 끝나 발행 중이다. ***come* 〔*go*〕 *to* (*the*) ~** 인쇄에 돌려지다. ***correct the* ~** 교정하다. ***give ... to the* ~** …을 신문에 공표하다. ***have a good* ~** 신문지상에서 호평을 얻다. ***out of* ~** ① 절판〔매진〕되어. ② 구겨져. **~ *of sail*** 〖해사〗 바람이 허용하는 한도까지 올린 돛의 추력(推力). ***send ... to* (*the*) ~** …을 인쇄에 넘기다.

press[2] *n*. 〖역사〗 (수병·병사의) 강제 징모; 징발; 강제 징모 영장(令狀). **—** *vt*. **1** 강제적으로 병역에 복무시키다; 징발하다. **2** 임시변통하다《속옷을 수건으로 쓰는 따위》. **~ *into service*** (부득불 임시로) 대신 쓰다, 이용하다.

préss àgency 통신사(news agency).

préss àgent (극단 따위의) 선전원, 보도〔홍보〕 담당원, 대변인.

préss-àgent *vt*. 홍보하다, 선전하다.

préss associàtion =NEWS AGENCY; 신문 발행인 협회.

préss·bòard *n*. U,C (압축한) 판지.

préss bòx (경기장 따위의) 신문 기자석.

préss bùreau 보도부〔국〕; 홍보 업무.

préss campàign 신문에 의한 여론 환기.

préss clìpping 《미》 신문〔잡지〕 오려낸 것.

préss clòth (다림질할 때 옷 위에 대는) 헝겊 조각.

Préss Complàints Commìssion (the ~) 신문 고충 처리 위원회.

préss cònference 기자 회견.

préss còrps 《미》 신문 기자단.

préss cùtting 《영》 =PRESS CLIPPING.

préss·er *n*. 압착기〔공(工)〕.

préss fit 〖기계〗 압입 끼워맞춤, 압입《나사 또는 수압 프레스에 의한》.

préss gàllery (영국 하원의) 신문 기자석; 의회 기자단.

préss gàng 〖역사〗 강제 징모대(徵募隊).

pres·sie, prez·zie [prézi] *n*. 《Austral.구어》 선물, 선사.

***press·ing** [présiŋ] *a*. **1** 절박한, 긴급한(urgent): a ~ need 절박한 필요 / a ~ engagement 급한 용무. **2** 간청하는, 귀찮게 조르는, 절실한. **—** *n*. Ⓤ 누르기, 압축하기; 압착물; Ⓒ (원판에서 프레스하여 만든) 레코드; 동시에 프레스한 레코드《전체》. 파 **~·ly** *ad*. 긴급히, 집요하게.

préss kìt (특히 기자 회견에서 보도 관계자에게 배포되는) 자료.

préss màgnate 신문왕.

préss·man [-mən] (*pl*. **-men** [-mən]) *n*. 인쇄공〔업자〕; 《영》 신문 기자(《미》 newsman).

préss·màrk *n*. 《영》 (도서관 장서의) 서가(書架) 번호.

préss òffice (정부·대기업 등의) (신문) 보도국.

préss òfficer 보도 담당관, 홍보 담당자.

préss-ón *a*. (천이) 다림질 가능한.

pres·sor [présər] *a*. 〖생리〗 기능 항진의, 혈압 증진의〔작용을 하는〕.

préss pàck **1** =PRESS PACKET. **2** (수행) 기자단.

préss pàcket 〖광고〗 PR용 자료집《영화 개봉·신제품 판매·대규모 회의 때 보도 관계자에게 보내는 각종 자료》.

préss pàrty (선전·보도를 의뢰하기 위한) 기자 초청 연회.

préss pòol 풀(pool)기자《공동 이용 원고(pooled story)를 쓰는 기자; 대표 취재를 할 경우의 대표 기자 등》.

préss pròof 〖인쇄〗 교료쇄(校了刷).

préss relèase (보도 관계자에게 미리 나누어 주는) 보도 자료(news release).

préss remàrks (정부 고관 등의) 신문 발표.

préss·ròom *n*. 《미》 **1** (인쇄소 내의) 인쇄실(《영》 machineroom). **2** 신문 기자실.

préss·rùn *n*. (일정 부수를 찍는 데 드는) 연속 인쇄 (시간); (그) 연속 인쇄 부수.

préss sècretary (미국 대통령의) 보도 담당 비서, 공보 담당관.

préss sèction (공개 행사장 등의) 기자석.

préss-shòw *vt*. (일반 공개 전에) 보도 관계자에게 공개하다.

préss-stùd *n*. 《영》 =SNAP FASTENER.

préss tìme (특히 신문의) 인쇄 개시 시간.

préss tòur PR 순회《지방 도시를 순회하며 홍보 대상물을 뉴스 매체에서 가급적 많이 다루게 하는 PR 활동》.

préss-ùp *n.* 《영》 =PUSH-UP.

pres·sure [préʃər] *n.* Ⓤ **1** 압력; 압축, 압착: give ~ to …에 압력을 가하다. **2** 압박, 강제(력): act under ~ 압박을 받고 행동하다. **3** 〖물리〗 압력《생략: P》; 〖기상〗 기압: high 〔low〕 (atmospheric) ~ 고〔저〕기압. **4** 곤란; (*pl.*) 궁경(窮境): ~ of poverty 가난의 고통. **5** 긴급, 지급; 분망: ~ *of* business 일의 분망. ◇ press *v.* ***at high* 〔*low*〕 ~** 맹렬히〔한가하게〕《일하다 등》. ***financial* ~** 재정난, 재정적 핍박. **~ *for money*** 돈에 궁함. **~ *of the times*** 불경기. ***put* ~ *on* 〔*upon*〕** …에 압력을 가하다. ***under the* ~ *of*** …의 압력을 받고; (가난·기아 등에) 몰려〔시달려〕. **—** *vt.* 《미》 **1** 《~+목/+목+전+명/+목+*to* do》 …에 압력을 가하다, 강제하다: ~ the students 학생들에게 압력을 가하다/They ~*d* him *into* accepting the contract. 그들은 그에게 그 계약을 받아들이도록 압력을 가했다/~ him *to* confess his crime 그에게 자백을 강요하다. **2** =PRESSURIZE.

préssure altìmeter 〖기상〗 기압 고도계.

préssure àltitude 〖기상〗 기압 고도.

préssure càbin 〖항공〗 기밀실(氣密室).

préssure cènter 〖기상〗 기압의 중심.

préssure-còok *vt.*, *vi.* 압력솥으로 요리하다, 가압 조리하다.

préssure còoker **1** 압력솥. **2** 《비유》 무겁게 짓누르는 일〔임무·상황·장소 등〕, 중압감을〔스트레스를〕 주는 상태.

préssure-còoker *a.* 중압감을 주는, 스트레스가 있는《상태·일 따위》.

préssure gàuge 압력계.

préssure gràdient 기압 경도(傾度); 〖해사〗 「압력 경도.

préssure gròup 〖정치〗 압력 단체. Ⓒf. lobby.

préssure hùll (잠수함의) 기밀실(氣密室).

préssure pòint 압점《지혈할 때 누르는》.

préssure-sénsitive *a.* **1** 감압성(感壓性)의. **2** (봉투 따위가) 점착성의, 위에서 누르면 잘 붙는.

préssure sòre 욕창(蓐瘡)(bed sore).

préssure sùit 여압복(與壓服)《고공〔우주〕 비행용》, 우주복.

préssure-trèated [-id] *a.* (목재가) 압력 주입 처리된, 가압 처리된.

préssure wàve 압력파《음파나 지진의 P파 따위》.

préssure wèlding 압력 용접.

préssure wìre 〖전기〗 전압선.

pres·sur·ize [préʃəràiz] *vt.* 〖항공〗 (고공 비행 중에 기밀실의) 기압을 일정하게 유지하다, 여압(與壓)하다; …에 압력을 가하다; (유정(油井))에 가스를 압입(壓入)하다; 압력솥으로 요리하다. ㊕ **près·sur·i·zá·tion** *n.* 여압〔가압〕(으로 생기는 상태).

préssurized súit =PRESSURE SUIT.

préssurized wáter reàctor 가압수형(加壓水型) 원자로《생략: PWR》.

préss·wòrk *n.* Ⓤ 인쇄 (공정); 인쇄물.

Pres·tel [prestél, ⌐-] *n.* 프레스텔《가입자를 전화로 컴퓨터에 접속하여 텔레비전 스크린에 정보를 표시 제공하는 영국 우편 서비스》.

Prés·ter Jóhn [préstər-] 중세에 아시아·아프리카에 기독교 왕국을 건설했다고 전해지는 전설상의 성직자·왕.

pres·ti·dig·i·ta·tion [prèstədìdʒətéiʃən] *n.* Ⓤ 요술(sleight of hand). ㊕ **près·ti·díg·i·tà·tor** [-tər] *n.* 요술쟁이.

◇**pres·tige** [prestíːdʒ] *n.* Ⓤ 위신, 위광(威光), 명성, 신망, 세력: loss of ~ 위신 손상/national ~ 국위. **—** *a.* 명성이 있는, 신망이 두터운: a ~ school 명문교.

pres·tige·ful [-fəl] *a.* 명성〔신망, 영명(令名)〕이 있는(prestigious).

pres·tig·ious [prestídʒiəs] *a.* 명성 있는; 유명한, 칭송〔존경〕받는. ㊕ **~·ly** *ad.* **~·ness** *n.*

pres·tis·si·mo [prestísəmòu] *ad.*, *a.* 《It.》 〖음악〗 아주 빠르게〔빠른〕.

pres·to[1] [préstou] *ad.*, *int.* 급히, 빨리《요술쟁이의 기합 소리》. (***Hey***) **~!** 《영우스개》 (뜻밖의 일 따위를 말하기에 앞서) 참으로〔글쎄〕 말이지, 아니글쎄, 이거참. **—** *a.* 빠른, 신속한; 요술 같은.

pres·to[2] 〖음악〗 *ad.*, *a.* 《It.》 빠르게〔빠른〕. **—** (*pl.* **~s**) *n.* 급속곡(曲), 프레스토 악절〔악장〕.

Pres·ton [préstən] *n.* 프레스턴《잉글랜드 Lancashire 주의 주도(州都)》.

prè·stréss *vt.* (콘크리트에 강철선을 넣어) 압축 응력(應力)을 주다. **—** *n.* 압축 응력을 주기〔준 상태〕, (주어진) 압축 응력. ㊕ **~ed** *a.*

préstressed cóncrete 프리스트레스트 콘크리트.

pre·sum·a·ble [prizúːməbəl/-zjúːm-] *a.* 추측〔가정〕할 수 있는, 있음직한, 그럴듯한. ◇ presume *v.* ㊕ **-bly** *ad.* 추측상; 아마.

***pre·sume** [prizúːm/-zjúːm] *vt.* **1** 《~+목/+(*that*) 절/+목+(*to be*) 보/+목+*to* do》 추정하다, 상상하다, …인가 하고 생각하다: I ~ (*that*) you are right. 당신 말이 옳다고 생각합니다/We must ~ her (*to be*) dead. 그녀는 죽은 것으로 추정하지 않을 수 없다/Anyone not appearing is ~*d to* have given up their claims. 출석하지 않은 사람은 권리를 포기한 것으로 간주된다.

> SYN. **presume, assume** 양자가 다 '증거가 없는데 …라고 생각하다'의 뜻. presume에는 '자기 편한 좋을 대로 단정하다'라는 어감이, assume에는 '이야기의 진행을 위해 남에게도 통용되는 가정하에 억측하다'라는 어감이 있음. **presuppose** '전제로서 가정하다'. 위의 두 말에 비해 색채가 없는 말. 증거의 유무는 시사하지 않고 '당연히 …이어야 한다'라는 뜻으로도 쓰임: An effect *presupposes* a cause. ⇨ PRESUPPOSE.

2 《~+목/+목+보》 〖법률〗 (반증이 없어) …로 추정하다, 가정하다: ~ the death of a missing person =~ a missing person dead 행방불명자를 죽은 것으로 추정하다. ◇ presumptive *a.* **—** *vi.* **1** 추정하다, 상상하다. **2** 《+전+명》 기대하다, (앞뒤 생각 없이) 믿다《*on, upon*》: ~ too much *on* one's strength 자기 힘을 지나치게 믿다. **3** 대담하게〔건방지게〕 굴다: You ~! 주제넘다, 건방지다. **4** 《~/+전+명》 (남의 약점 따위를) 이용하다, 편승하다《*on, upon*》: Don't ~ *on* her good nature. 그녀의 선량한 성품을 이용 마라. **5** 〔보통 부정문 또는 의문문에서〕 **a** 《+*to* do》 감히〔대담하게도〕 …하다: I won't ~ *to* trouble you. 수고를 끼칠 생각은 없습니다/May I ~ (*to* ask you a question)? 실례지만 (한 가지 여쭈어 보겠습니다). **b** 주제넘게 나서다: You're *presuming*. 주제넘게 구는군. ◇ presumptuous *a.* ㊕ **pre·súm·er** *n.* **1** 가정자, 추정자. **2** 주제넘은 놈, 주책바가지.

pre·sum·ed·ly [prizúːmidli/-zjúːm-] *ad.* 추측상, 생각건대, 아마.

pre·sum·ing [prizúːmiŋ/-zjúːm-] *a.* 주제넘은, 뻔뻔스러운, 건방진. ㊕ **~·ly** *ad.*

***pre·sump·tion** [prizʌ́mpʃən] *n.* **1** Ⓤ,Ⓒ 추정, 가정, 추측, 억측; 추정의 이유〔근거〕; 있음직함, 가망: The ~ is that he had lost it. 아마 잃어버렸을걸/She took his part on the ~ *that* he was innocent. 그가 무죄라는 가정하에 그녀

는 그를 편들었다. 2 Ⓤ 주제넘음, 체면 없음, 철면피: He had the ~ *to* criticize my work. 그는 건방지게도 내 작품을 비평하였다. ◇ presume *v.* ~ ***of fact*** 〖법률〗 사실상의 추정《기지(旣知)의 사실에서》. ~ ***of innocence*** 〖법률〗 무죄의 추정《누구든 유죄가 증명될 때까지는 무죄라는 원칙》. ~ ***of law*** 〖법률〗 법률상의 추정《(1) 반증이 없는 한 진실이라는 추정. (2) 사실 여하에 관계없이 규칙에 의해 진실로 보는 추정》.

pre·sump·tive [prizʌ́mptiv] *a.* 추정의, 가정의; 추정의 근거가 되는. ㊔ **~·ly** *ad.*

presúmptive héir =HEIR PRESUMPTIVE.

pre·sump·tu·ous [prizʌ́mptʃuəs] *a.* 주제넘은, 뻔뻔한, 건방진. ㊔ **~·ly** *ad.* **~·ness** *n.*

prè·suppóse *vt.* 미리 가정〔예상〕하다; 필요조건으로 예상하다, 전제로 하다; …의 뜻을 포함하다: An effect ~*s* a cause. 결과는 원인을 전제로 한다. SYN. ⇨ PRESUME. ㊔ **prè·supposítion** *n.* Ⓤ,Ⓒ 예상, 가정, 전제 (조건).

prè·surmíse *n.* 사전의 억측〔추측〕. **—** *vt.* 사전에 억측〔추측〕하다.

pret. preterit(e).

prêt-à-por·ter [prètɑːpɔːrtéi] *n., a.* 《F.》 (고급) 기성복(의).

prè·táx *a.* 세금을 포함한; 세금 지불 전의.

pré·tèen *a., n.* 《미》 사춘기 직전의 (어린이)《10-12 세》.

pretence ⇨ PRETENSE.

pre·tend [priténd] *vt.* **1** 《~+목/+*to* do/+*that* 절》 …인 체하다, …같이 꾸미다, 가장하다: ~ illness 꾀병 앓다 / ~ ignorance 무식을 가장하다; 모르는 체하다 / He ~*ed to* be sick. 그는 아픈 체했다 / She ~*ed* not *to* know me. 그녀는 나를 모르는 체했다 / The boys ~*ed to* be Indians. 소년들은 인디언 놀이를 했다 / He ~*ed that* he was ignorant. 그는 모르는 체했다. SYN. ⇨ ASSUME. **2** 《+*to* do/+*that* 절》 (…라고) 속이다, 거짓말하다, 핑계하다: He ~*ed to* have no knowledge of her whereabouts. 그는 그녀가 있는 곳을 모른다고 거짓말했다 / He ~*ed* (*that*) he was ill. 그는 아프다고 핑계댔다〔거짓말했다〕. **3** 《+*to* do》 감히 …하다, 주제넘게 …하려고 하다: I cannot ~ *to* advise you. 당신에게 충고하려는 생각은 없습니다. **—** *vi.* **1** 꾸미다, 속이다, (…인) 체하다. **2** 《+전+명》 자칭하다, 자부하다, 자처하다《*to*》: ~ *to* great knowledge 대학자로 자처〔자부〕하다. **3** 《+전+명》 주장〔요구〕하다, 탐내다《*to*》: ~ *to* the throne 〔Crown〕 왕위를 노리다. **4** 《+전+명》《고어》 아내로 맞이하려고 하다, 구혼하다《*to*》: ~ *to* a woman 〔a woman's hand〕 (신분이 높은) 여자에게 사랑을 호소하다. ◇ pretense, pretension *n.* ***Let's ~ that*** …흉내 내기(놀이)를 하자: *Let's* ~ *that* we are Indians. 인디언 놀이를 하자. ***play at 'Let's ~'*** 흉내 내기를 하다. **—** *a.* 상상의, 가공(架空)의.
㊔ **~·ed** [-id] *a.* 외양만의, 거짓의. **~·ed·ly** *ad.* **~·ing** *a.* 겉치레하는, 거짓의, 거짓말로 퍼뜨리는; 왕위를 탐내는〔노리는〕.

pre·ténd·er *n.* …인 체하는 사람; 요구자; 왕위 요구자. ***the Old Pretender*** 〖영국사〗 James 2 세의 아들 James Edward(1688-1766). ***the Young Pretender*** James 2 세의 손자 Charles Edward (1720-88).

pre·tense,** 《주로 영》 **-tence** [priténs] *n.* Ⓤ,Ⓒ **1** 구실, 핑계. **2** 겉치레, 가면, 거짓: He made a ~ *that* he was sick. 그는 아픈 체했다. **3** 허영(을 부리기), 자랑해 보임, 허식. **4** 주장, 요구《*to*》. ◇pretend *v.* ***by 〔***under***〕 ***false ~s*** 속여서, 거짓 구실로. ***devoid of all ~*** 전혀 허세를 부리지 않고. ***make a ~ of*** …인 체하다, …을 가장하다. ***on*** 〔***under***〕 (***the***) ***~ of*** …을 구실로, …을 빙자하여; …인 것처럼 보이게 하고.

°**pre·ten·sion** [priténʃən] *n.* **1 a** 요구(claim), 주장, 권리; 진위가 모호한 주장. **b** (흔히 *pl.*) 암묵의 요구; 자임(自任), 자부: I have 〔make〕 no ~*s to* being an authority on linguistics. 나는 언어학의 대가라고 자만하지 않는다. **2** 구실. **3** Ⓤ 가장, 허식. ◇ pretend *v.* ***without*** 〔***free from***〕 ~ 수수한〔하게〕; 우쭐대지 않고.

°**pre·ten·tious** [priténʃəs] *a.* 자부〔자만〕하는, 우쭐하는; 뽐내는, 허세부리는, 과장된; 거짓의. ㊔ **~·ly** *ad.* **~·ness** *n.*

pre·ter- [príːtər] '과(過), 초(超)'란 뜻의 결합사.

prèter·húman *a.* 인간 이상의, 초인적인; 뛰어난.

pret·er·it(e) [prétərit] *n.* 〖문법〗 과거(시제), 과거형《생략: pret.》. **—** *a.* 〖문법〗 과거(형)의; 《고어》 과거의, 지나간.

préterit(e) ténse (the ~) 〖문법〗 과거시제.

pre·ter·i·tion [prètəríʃən] *n.* Ⓤ 간과(看過), 생략, 탈락; 〖신학〗 하느님의 선택에서 누락됨; 〖수사학〗 =PARALEIPSIS; 〖법률〗 법정 상속인에 대한 유언 누락.

pre·ter·i·tive [pritéritiv] *a.* (동사가) 과거형만 있는; 과거를 나타내는.

prè·térm *a., ad.* 출산 예정일 전의〔에〕, 조산의〔으로〕: ~ labor 조기 진통. **—** *n.* 조산아, 미숙아.

prè·términal *a.* 죽기 전에 일어나는.

pre·ter·mis·sion [prìːtərmíʃən] *n.* Ⓤ,Ⓒ 간과(看過), 무시, 탈락, 중단.

pre·ter·mit [prìːtərmít] (**-tt-**) *vt.* 불문에 부치다, 묵과하다; 등한히 하다, 게을리 하다, 빼먹다, 중단하다.

prèter·nátural *a.* 초자연적인; 이상한, 기이한, 불가사의한. ㊔ **~·ism** *n.* Ⓤ 초자연주의〔신앙〕. **~·ly** *ad.* **~·ness** *n.*

prèter·sénsual *a.* 감각으로 알 수 없는, 초감각적인.

pré·tèst *n.* 예비 시험, 예비 검사. **—** *vt., vi.* [ˊˋ] 예비 시험을〔검사를〕 하다.

pre·text** [príːtekst] *n.* 구실, 핑계《*for*》: She used a call as a ~ *for* leaving the room. 그녀는 전화가 왔다는 핑계로 방에서 나갔다. ***find 〔***make***〕 ***a ~ for*** …의 구실을 만들다; …할 구실을 찾다. ***on some ~ or other*** 이 핑계 저 핑계하여. ***on*** 〔***under***〕 ***the ~ of*** …을 구실로, …을 빙자하여. **—** [priːtékst] *vt.* …을 구실로 하다.

pre·tone [príːtòun] *n.* 강세〔악센트〕가 있는 음절 앞의 음절〔모음〕. ㊔ **prè·tónic** *a.*

pré-to-pòst *n.* 〖광고〗 (시장 조사에서) 사전 사후 조사《광고를 보기 전과 본 후 상품에 대한 구매 의욕 또는 전반적 이해도가 어떻게 변화했는가를 측정함》.

pretor, pretorian ⇨ PRAETOR, PRAETORIAN.

Pre·to·ria [pritɔ́ːriə] *n.* 프리토리아《남아프리카 공화국의 행정 수도》. cf. Cape Town.

prè·tréat *vt.* 미리 처리하다.

prè·tréatment *n.* 사전 처리, 예비 조치; 〖화학〗 전처리. **—** *a.* 처리 전의, 처리 전에 특징적인.

prè·tríal *n., a.* (쟁점 등을 정리하기 위한 법관·중재 위원 주재의) 공판 전의 회합〔절차〕(의); 공판 전의 (준비 절차).

pret·ti·fy [prítəfài] *vt.* 《종종 경멸》 아름답게〔곱게〕 하다; 천하게 치장하다, 치레하다. ㊔ **pret·ti·fi·ca·tion** [prìtifikéiʃən] *n.* Ⓤ 미화(美化).

°**pret·ti·ly** [prítili] *ad.* 곱게, 귀엽게; 얌전히.

†**pret·ty** [príti] (**-ti·er; -ti·est**) *a.* **1** 예쁜, 귀여운. ★ beautiful, handsome 등에 대하여 작은 것에 쓰임: a ~ girl 예쁜 처녀 / a ~ child 귀여운 아이 / a ~ face 애교 있는 얼굴. SYN. ⇨ BEAUTIFUL. **2** 깔끔한, 훌륭한, 멋진, 재미있는: a ~ tune 멋진 곡조 / a ~ stroke 〖크리켓·골프〗 쾌타, 통타(痛打) / say ~ things 엉너리치다. **3**

《반어적》 엉뚱한; 곤란한, 골치 아픈: Here's a ~ mess 〔business〕. 야, 일이 엉뚱〔난처〕하게 되었군. **4** 《구어》 (수·양이) 꽤 많은, 상당한: a ~ sum of money 꽤 많은 금액 / a ~ penny 큰〔많은〕 돈. **5** (남자가) 멋부린, 멋진. **6** 《고어》 용감한, 사내다운.

— *ad.* 꽤, 비교적, 상당히, 매우: I am ~ well. 나는 상당히 좋은 편입니다 / His timing is ~ good. 그의 타이밍은 아주 좋았다. ***be ~ sick about it*** 아주 싫어지다. ~ ***much*** 〔***well***〕 거의: ~ *much* the same thing 거의 같은 것〔일〕. ~ ***nearly*** 거의. ~ ***soon*** 이내, 곧. ***sitting ~*** 《구어》 좋은 지위에 앉아서; 성공하여; 유복하여.

— *n.* **1** (처자 등에 대해) 여보, 이쁜이, 아가《호칭》: My ~! **2** (*pl.*) 《미》 예쁘장한 물건《의복·속옷·장신구 등》. **3** (컵의) 홈 모양의 장식. **4** 〖골프〗 =FAIRWAY. ***do the ~*** 《구어》 지나치게 공손히 행동하다. ***up to the ~*** 컵의 홈 장식 있는 데까지, 약 3분의 1정도까지.

— *vt.* 《~+목/+목+부》 예쁘게 하다, 장식하다: ~ oneself 멋 부리다 / ~ *up* a room 방을 장식하다.

㊐ **-ti·ness** *n.* Ⓤ

pret·ty·ish [prítiiʃ] *a.* 깔끔한, 예쁘장한, 귀여운, 꽤 기분이 좋은; 좋아 보이는.

prétty-prètty *a.* 지나치게 꾸민; 야한, 유약한; 뽐낸, 꾸며낸 티가 나는. — *n.* 싸구려 복식품(服飾品).

pre·typ·i·fy [prìːtípəfai, príː-] *vt.* 미리 표시하다, 예시하다: The father's personality *pretypified* his son's. 아버지 성격으로 아들이 어떤 성격의 소유자가 될 것인지 예상할 수 있었다.

pret·zel [prétsəl] *n.* 《G.》 일종의 비스킷《짭짤한 맥주 안주》; 《미속어》 독일(계) 사람; 《미속어》 (프렌치) 호른(horn).

pre·u·ni·fi·ca·tion [prìːjuːnəfikéiʃən] *a.* 통일 전의.

prev. previous(ly).

*‡***pre·vail** [privéil] *vi.* **1** 《~/+전+명》 우세하다, 이기다, 극복하다《*over; against*》: ~ in a struggle 투쟁에서 이기다 / They ~*ed over* their enemies in the battle. 그 전투에서 적을 압도하였다 / Truth will ~. 《격언》 진리는 승리한다. **2** 《~/+전+명》 널리 보급되다, 유행하다: This custom ~*s* in the south. 이 풍습은 남부에서 널리 행하여지고 있다 / The idea 〔superstition〕 still ~*s* (*among* them). 그 생각〔미신〕은 아직도 (그들 사이에서) 믿어지고 있다 / Despair ~*ed in* her mind. 그녀 마음은 절망으로 가득 차 있었다. **3** 유력하다, 효과가 나타나다: Did your prayer ~? 당신의 기도는 효험이 있었습니까. **4** 《+전+명/+전+명+*to* do》 설복하다, 설득하다《*on, upon; with*》: I could not ~ *with* him. 나는 그를 납득시킬 수가 없었다 / I ~*ed on* her *to* accept the invitation. 나는 초대에 응하도록 그녀를 설득했다. ◇ prevalence *n.*, prevalent *a.*

***pre·vail·ing** [privéiliŋ] *a.* **1** 우세한, 주요한: the ~ wind 〖기상〗 탁월풍, 항풍(恒風). **2** 유력한, 효과 있는, 효과적인. **3** 널리 보급되어〔행하여지고〕 있는, 유행하고 있는; 일반적인, 보통의. SYN. ⇨ PREVALENT. ㊐ **~·ly** *ad.* 일반적으로, 널리, 주로. **~·ness** *n.*

◦**prev·a·lence, -cy** [prévələns], [-si] *n.* Ⓤ 널리 행해짐, 보급, 유행; 우세, 유력; 보급률; 이환율(罹患率). ◇ prevail *v.*

***prev·a·lent** [prévələnt] *a.* **1** (널리) 보급된, 널리 행해지는; 유행하고 있는; 우세한, 유력한: the ~ belief 세상에서 일반이 품고 있는 신념 / Malaria is ~ *in* this part of the country. 이 지방에는 말라리아가 널리 퍼져 있다. **2** 《드물게》 효과 있는. ㊐ **~·ly** *ad.*

> SYN. **prevalent** 빈도·일반성·유포가 강조됨: Colds are *prevalent* in the winter. 감기는 겨울에 유행한다. **prevailing** 같은 종류의 다른 것을 누르고 우세한: the *prevailing* doctrine of the age 그 시대를 특색 있게 하는 신조. **current** 현재 유통하고 있는. 곧 또 변화할 것이라는 예상이 있음: *current* scientific hypotheses 오늘날의 과학상의 가설(假說).

pre·var·i·cate [privǽrəkèit] *vi.* 얼버무려 넘기다, 발뺌하다, 속이다; 《완곡어》 거짓말하다(lie). ㊐ **pre·vàr·i·cá·tion** *n.* Ⓤ,Ⓒ 발뺌, 얼버무려 넘김, 거짓말함. **pre·vár·i·cà·tor** [-ər] *n.*

pre·ven·ient [privíːnjənt] *a.* 앞의, 이전의, 앞선, 선행의; 예기(豫期)하는; 예방하는《*of*》.

prevénient gráce 〖신학〗 선행적 성총(聖寵)《인간의 의지가 신에게 향하기 전에 작용하는 신의 은총》.

*‡***pre·vent** [privént] *vt.* **1** 《~+목/+목+전+명/+목+-*ing*》 막다, 방해하다, 막아서 …못하게 하다: ~ waste 낭비를 막다 / Business ~*ed* him *from going* 〔his *going*, him *going*〕. 일 때문에 그는 못 갔다. **2** 《+목+전+명》 (질병·재해 따위를) 예방하다, 회피하다: ~ a plague *from* spread*ing* 전염병 만연을 예방하다. **3** 《고어》 (신이) 보호하다, 지키다: *Prevent* us, O Lord, in all our doings. 주여, 우리들이 하는 모든 일을 인도하소서. **4** 《고어》 (희망·의문)에 앞서서 처리하다, …에 선수를 쓰다; 이끌다, …에 앞서다: If nothing ~*s* you, ... 별 지장 없으면…. — *vi.* 방해를 하다. ◇ preventative *a.*, prevention *n.* ㊐ **~·a·ble, ~·i·ble** *a.* 막을〔방지할〕 수 있는.

pre·vént·er *n.* 방해자〔물〕; 예방〔방지〕자; 예방책〔법, 약〕; 〖선박〗 보조 삭구(索具).

*‡***pre·ven·tion** [privénʃən] *n.* **1** Ⓤ 방지, 예방; Ⓒ 예방법《*against*》: ~ *of* fire 방화(防火) / a ~ *against* disease / *Prevention* is better than cure. 《속담》 예방은 치료보다 낫다. **2** Ⓤ 방해. ◇ prevent *v.* ***by way of ~*** 예방법으로서; 방해하기 위해.

◦**pre·ven·tive** [privéntiv] *a.* 예방의, 예방하는《*of*》; 막는, 방지하는《*of*》: be ~ *of* …을 방지하다 / ~ measures 예방책 / a ~ officer 《영》 밀수 단속관(官). — *n.* 방지하는 것; 예방법〔책, 약〕《*for*》; 피임약. ㊐ **~·ly** *ad.* **~·ness** *n.*

prevéntive deténtion 〔**cústody**〕 〖영법률〗 예비 구금《상습 전과자에 대한》; 〖미법률〗 예비 구류《용의자에 대한》.

prevéntive máintenance 〖컴퓨터〗 예방 유지 보수.

prevéntive médicine 예방 의학, 예방약.

pre·vérbal *a.* 〖문법〗 동사 앞의; 언어 능력 습득 전의《아이들》.

pre·vi·a·ble [priːváiəbəl] *a.* 〖의학〗 (태아가) 자궁 밖에서 생존할 수 있게 되기 전의; 〖미법률〗 임신 중절이 가능한〔허용되는〕.

pre·view [príːvjùː] *n.* **1** 예비 검사; 내람(內覽). **2** 시연(試演), (영화 등의) 시사(試寫). **3** 《미》 영화〔텔레비전〕의 예고편, (라디오의) 프로 예고. **4** (강의·수업 전의) 개설(概說). **5** 〖방송〗 사전 연습. **6** 〖컴퓨터〗 미리보기《문서 처리나 전자 출판 풀그림에서 편집한 문서를 인쇄 전에 미리 화면에 출력시켜 보는 일》. — *vt.* …의 시연을〔시사를〕 보다〔보이다〕.

*‡***pre·vi·ous** [príːviəs] *a.* **1** 앞의, 이전의《*to*》: a ~ illness 기왕증(既往症) / a ~ engagement 선약 / on the ~ night (그) 전날 밤에 / two days ~ to his arrival 그의 도착 2일 전(에).

> SYN. **previous** 시간이나 물건의 순서가 다른 것에 비하여 빠름을 말함. **preceding** 시간과

순서의 바로 앞의 것을 나타냄: the *preceding* chapter 앞장(章). **prior**는 previous보다 문어적인 뜻을 지님. 또한 중요성이 높은 제1의 것을 가리킴.

2 사전의, 앞서의: without ~ notice 예고 없이. **3** 《구어》 너무 일찍 서두른, 조급한 : You have been a little too ~. 자네는 좀 너무 서둘렀네/ Aren't you a little ~ in forming such a plan? 당신이 그러한 계획을 세운 것은 조금 서두른게 아닐까요.
— *ad.* 〖주로 다음 관용구로 쓰임〗 …보다 전에〔앞서〕. **~ *to*** …보다 전에〔앞서〕: He died ~ *to* my arrival. 그는 내가 도착하기 전에 죽었다.

°**pré·vi·ous·ly** *ad.* **1** 전에(는), 본래는. **2** 사전에, 먼저, 미리; 예비적으로.

prévious quéstion 〖의회〗 선결(先決) 문제 《본문제의 채결(採決) 여하를 미리 정하는 문제; 생략: p. q.》.

「다.

pre·vise [priváiz] *vt.* 《드물게》 예지〔예고〕하

pre·vi·sion [priːvíʒən] *n.* Ⓤ 선견, 예지. **—** *vt.* 예견하다(foresee). ㊕ **~·al** [-ʒənəl] *a.* 선견지명이 있는; 예지의. 「바로 앞의〔에 오는〕.

pre·vo·cal·ic [prìːvoukǽlik] *a.* 〖음성〗 모음

pre·vo·ca·tion·al [prìːvoukéiʃənəl] *a.* 직업 학교(vocational school) 입학 전의.

pre·vue [príːvjùː] *n.*, *vt.* =PREVIEW.

°**pre·war** [príːwɔ́ːr] *a.* 전전(戰前)의. OPP. *postwar.* ¶ in ~ days 전전에는.

pré·wàsh *n.* (때에 찌든 빨랫감을 세탁 전에) 담가 두는 데 사용하는 세제(洗劑).

pré·writing *n.* 집필 전에 구상을 정리하기.

prexy, prex·ie [préksi], **prex** [preks] *n.* 《미속어》 학장, 총장; 사장, 회장.

prey** [prei] *n.* **1** 먹이. **2** 희생, (먹이로서의) 밥: He was a ~ *to* fears. 그는 공포에 사로잡혀 있었다. **3** Ⓤ 포획; 포식(捕食). **4** 《고어》 전리품, 약탈품. ***become 〔***fall***〕 ***a ~ to*** …의 희생이 되다. ***make a ~ of*** …을 먹이로 삼다. **—** *vi.* 《+전+명》 **1** 잡아먹다《*on, upon*》: ~ *on* 〔*upon*〕 living animals 산 짐승을 잡아먹다. **2** 먹이로 하다: ~ *on* 〔*upon*〕 the poor 가난한 사람들을 먹이로 삼다〔수탈하다〕. **3** (해적 따위가) 약탈하다, 휩쓸다《*on, upon*》: The Vikings ~*ed on* coastal settlement. 바이킹들은 연안의 촌락을 약탈했다. **4** 괴롭히다: Care ~*ed on* her mind. 그녀는 근심으로 마음이 아팠다. ㊕ **~·er** *n.*

prez [prez] *n.* 《미속어》 대통령, 사장, 학장.

prezzie ⇨ PRESSIE.

PRF, P.R.F. pulse recurrence 〔repetition〕 frequency. **prf.** proof. **PRI, P.R.I.** 《Sp.》 *Partido Revolucionario Institucional* (=Institutional Revolutionary Party; (멕시코의) 제도적 혁명당; 1929년 창단). 「로이의 최후의 왕》.

Pri·am [práiəm] *n.* 〖그리스신화〗 프리아모스《트

pri·ap·ic [praiǽpik] *a.* 남근(숭배)의; 남근을 강조한; 남근을 연상시키는; 남자다움을 강조한; 남자의 섹스에 관한.

pri·a·pism [práiəpìzəm] *n.* Ⓤ **1** 음란, 호색. **2** 〖의학〗 (병적인) 지속 발기(勃起).

pri·a·pus [praiéipəs] *n.* 남근, 음경(phallus); (P-) 〖그리스신화·로마신화〗 프리아포스《남성 생식력의 신》.

†**price** [prais] *n.* **1** 가격, 대가(代價); 값, 시세, 물가, 시가(市價): a net ~ 정가(正價)/a reduced ~ 할인 가격/a fixed 〔set〕 ~ 정가(定價)/a market ~ 시가/a retail ~ 소매 가격/ a special ~ 특가.

SYN. **price** 실제로 매매되는 값, 파는 값: a bargain *price* 할인 가격. **value** 물건의 가치에 상당하는 값, 가액(價額): economic *value* 경제 가치. the *value* of a real estate 부동산의 (평)가액. **cost** 지급된 대가, 비용. **charge** 부과된 값→요금, 대금: postal *charge* 우편 요금. **rate** 단위당(當) 기준 가격: buy drapery fabrics at the *rate* of a dollar a yard 야드당 1달러로 피륙을 사다. **fare** 교통 기관의 요금→찻삯, 뱃삯: a railway *fare* 철도 운임. **fee** 각종 수수료, 무형의 봉사에 대한 요금: a school *fee* 수업료.

2 〖단수꼴로〗 (…을 획득하기 위한) 대가, 대상(代償); 희생: He gained the victory, but at a heavy ~. 그는 승리는 얻었지만 대가는 컸다〔큰 희생을 치렀다〕. **3** (도박에서) 건 돈의 비율; 《미》 도박에 건 돈. **4 a** 상금, 현상(금): have a ~ on one's head 목에 현상금이 걸려 있다. **b** 매수금(買收金), 증여물: Every man has his ~. 돈으로 말 안 듣는 사람은 없다. **5** Ⓤ 《고어》 가치, 귀중성: of great 〔dear〕 ~ 고가인. ***above*** 〔***beyond, without***〕 **~** 매우 귀중한《가치를 헤아릴 수 없을 만큼》. ***at any ~*** ① 값이 얼마든; 어떠한 희생을 치르더라도: We must win *at any* ~. 어떤 일이 있어도 이겨야만 한다. ② 〖부정문에서〗 결코 …않다: I would*n't* marry him *at any* ~. 나는 어떤 일이 있어도 그와는 결혼하지 않겠다. ***at a ~*** 비교적 비싸게; 상당한 희생을 치르고. ***at cost ~*** 원가로. ***at the ~ of*** …을 걸고서, …을 희생으로 하여. ***fetch a high ~*** 비싼 값으로 팔리다. ***make*** 〔***quote***〕 ***a ~*** 값을 말하다. ***set a high*** 〔***little***〕 **~ *on*** 〔***upon***〕 …을 중요시하다〔그다지 중요시하지 않다〕. ***set*** 〔***put***〕 ***a ~ on a person's head*** 아무의 목에 상금을 걸다. ***the ~ asked*** 부르는 값. ***the starting ~*** 〖경마〗 출발 시의 마지막 걸기. ***What ~ ... ?*** 《속어》 ① (경마 등의) 승산은 어떤가; 《비유》 가망이 있는가: *What* ~ fine weather tomorrow? 내일 날씨는 맑을까. ② (실패한 계획 등을 냉소하여) 꼴 참 좋다, …이 다 뭐냐: *What* ~ armament reduction? 군비 축소가 다 뭐냐. ③ (도대체) 무슨 소용이 있는가: *What* ~ isolation now? 새삼스레 고립 정책이 무슨 소용 있어.
— *vt.* **1** 《+목+전+명/+목+보》 …에 값을 매기다; 평가하다: ~ it *at* $10, 그것에 10달러의 값을 매기다/These goods won't sell; they are ~*d* too high. 이 상품들은 잘 팔리지 않을 게다. 너무 가격이 비싸게 매겨져 있다. **2** 《구어》 …의 값을 묻다. **~ *... out of the market*** 〖종종 ~ oneself〗 (경쟁업자나 사는 쪽의 제시가(提示價)보다 비싸게 매겨) …에게 장사를 못 하도록 하다.

príce collùsion 〖마케팅〗 가격 공모《동일 업종 기업들이 채택하는 가격 협조; 법(法)에 어긋나는 경쟁 관행》.

Príce Commìssion 물가 통제 위원회.

príce contròl (정부에 의한) 물가〔가격〕 통제.

priced [-t] *a.* **1** 정가가 붙은: a ~ catalog(ue) 가격 표시 카탈로그, 정가표. **2** 〖복합어〗 …의 가격의: high-〔low-〕~ 비싼〔싼〕.

príce discriminàtion 가격 차별《같은 상품·용역을 상대에 따라 다른 값으로 팔기》.

príce-éarnings ràtio 〔**mùltiple**〕 〖증권〗 주가(株價) 수익률《생략: PER》.

príce fixing (정부나 업자의) 가격 조작〔협정〕.

príce ìndex 〖경제〗 물가 지수.

príce·less *a.* **1** 대단히 귀중한, 돈으로 살 수 없는. SYN. ⇨ VALUABLE. **2** 《구어》 아주 걸작인〔재미있는, 어이없는〕, 아주 별난. ㊕ **~·ness** *n.*

príce lìst 정가표.

pric·er [práisər] *n.* 값을 어림치는 사람; (사지

는 않고) 훙정만 하는 사람; 〖증권〗 (주가의 문의에 응답하는) 주식 시황(市況) 담당자.

príces and íncomes pòlicy 〖경제〗 물가·소득정책.

príce-shòp *vi.* (마케팅을 위해 타사 제품의) 가격 조사를 다니다.

príce suppòrt 《미》 (정부의 수매(收買) 등 경제 정책에 의한) 가격 유지.

príce tàg (상품에 붙이는) 정찰, 정가표.

príce tàker 〖경제〗 가격 수용자《시장 가격에 영향을 끼치거나 조작할 힘이 없어, 남이 결정한 가격을 받아들일 수밖에 없는 자》.

príce wàr (소매상 간의) 에누리 경쟁.

pric·ey, pricy [práisi] (*pric·i·er; -i·est*) *a.* 《영구어》 돈〔비용〕이 드는, 비싼.

prick** [prik] *vt.* **1** 《~+목/+목+전+명》 (바늘 따위로) 찌르다, 쑤시다, (바늘 등을) 꽂다: ~ one's finger 손가락을 찌르다/~ a pin *into* the pincushion 바늘을 바늘겨레에 꽂다/I ~*ed* my finger *on* 〔*with*〕 a pin. 나는 손가락을 핀에 찔렸다/He ~*ed* himself *on* a thorn. 그는 가시에 찔렸다. **2** (양심 따위가) 찌르다, …에 아픔을 주다: Pepper ~*s* the tongue. 후추 때문에 혀가 얼얼하다/His conscience ~*ed* him. 그는 양심의 가책을 받았다. **3** 《+목+부》 …에 자극을 주다, 재촉하다: My duty ~*s* me *on*. 나는 책임이 있기 때문에 어물어물하고 있을 수가 없다. **4** 《~+목/+목+전+명》 …에 작은 구멍을 내다: ~ a balloon 풍선에 구멍을 내다/~ holes *in* paper 종이를 찔러 구멍을 뚫다. **5** 《+목+부》 찔러서〔구멍을 내어〕 …의 윤곽을〔무늬를〕 그리다《*off; out*》; (이름에) 점을 찍어 뽑아내다《*off*》: ~ *out* a pattern with a needle 바늘로 찔러 무늬를 그리다. **6** (거리를) 컴퍼스로 재다. **7** 《+목+부》 (모를) 꽂아 심다, 옮겨 심다《*off; out; in*》: ~ *out* seedlings 묘목을 이식하다. **8** (개·말이 귀를) 세우다《*up*》; (말의 꼬리를) 세우게 하다. **9** 《고어》 (말에) 박차를 가하다. **—** *vi.* **1** 따끔하게 찌르다; 콕콕 쑤시(듯이 아프)다. **2** (귀가) 서다《*up*》. **3** 《고어》 (박차를 가해) 말을 달리다《*on; forward*》. ***~ a 〔***the***〕 ***bladder*** 〔***bubble***〕 기포를〔비눗방울을〕 찔러 터뜨리다; 가면을〔속임수를〕 벗기다. ***~ down*** 선택하다. ***~ up*** 《*vi.*+부》 ① ⇨ *vi.* 2. ② 〖해사〗 (바람이) 세어지다. **—** 《*vt.*+부》 ③ ⇨ *vt.* 8. ④ (벽에) 초벌 바름〔칠〕을 하다; 성장(盛裝)시키다: ~ *up* oneself 성장하다, 모양 내다. ***~ up*** one***'s ears*** (말·개 따위가) 귀를 쫑긋 세우다; (사람이) 주의해서 듣다, 귀를 기울이다.

— *n.* **1** 찌름; (바늘로 찌르는 듯한) 아픔, 쑤심; (양심의) 가책. **2** 찔린 상처. **3** 《폐어》 점, 찌른 〔작은〕 점. **4** 찌르는 물건; 바늘, 가시, 꼬치. **5** 《고어》 (소 따위를) 모는 막대기. **6** 《비어》 음경; 《속어》 지겨운〔비열한〕 놈. **7** (토끼 등의) 자귀, 발자국. ***kick against the ~s*** 《비유》《지배자·규칙 등에》 무익한 반항을 하다, 공연히 대항하여 상처받다《소가 자기를 모는 막대기에 대항해서 이를 친다는 뜻에서》. ***the ~s of conscience*** 양심의 가책, 마음의 거리낌.

㊞ **∠·er** *n.* 찌르는 사람〔물건〕; 바늘, 송곳; 《고어》 경기병(輕騎兵).

príck-èared *a.* (개가) 귀가 선; (사람이) 머리를 박박 깎은, 중대가리의.

príck èars (개 따위의) 쫑긋 선 귀.

prick·et [príkit] *n.* 두 살 난 수사슴《뿔이 곧고 갈라지지 않은》; 촛대(꽂이): a ~'s sister 두 살 난〔두습〕 암사슴.

príck·ing *a.* 뜨끔뜨끔 쑤시는〔아픈〕. **—** *n.* =PRICK *n.* 1.

prick·le[1] [príkəl] *n.* 가시《동식물의 표피에 돋친》, 바늘; 쑤시는 듯한 아픔. **—** *vt., vi.* 찌르다; 뜨끔뜨끔 쑤시게 하다〔쑤시다〕; (가시) 바늘처럼 서다.

prick·le[2] *n.* 버들(가지) 세공의 광주리.

príck·ly (*-li·er; -li·est*) *a.* 가시가 많은, 바늘투성이의; 따끔따끔 아픈, 욱신욱신 쑤시는; 성가신; 과민한, 성마른. ㊞ **-li·ness** *n.*

príckly héat 땀띠.

príckly péar 선인장의 일종; 그 열매《모양이 서양배와 비슷함; 식용》.

príck-ùp *a.* 《구어》 꿋꿋한.

pricy ⇨ PRICEY.

****pride** [praid] *n.* Ⓤ **1** 자랑, 자존심, 긍지, 프라이드; 득의, 만족: ~ of birth 가문의 자랑.

> SYN. **pride** 자기의 존재 가치·소유물·행위에 대한 자신이나 만족에서 오는 자랑, 자존심을 말하며, 좋은 뜻이지만 이것이 지나치면 교만, 자만이 되기도 함. 외면에 나타내 보이고 싶어한다는 점에서 conceit와는 다름. **vanity** 자기 능력이나 용모에 대해서 실제 이상의 것이라고 생각하고 싶은 심정. 남의 평판에 신경을 쓰는 경우가 많음. **conceit** 과도한 자신이란 점에서 vanity와 비슷하나, 남이 자기를 어떻게 생각하는가에는 개의치 않고 내심 남보다 우수하다고 여기는 자만.

2 자만심, 오만, 거만, 우쭐해함(false ~): humble a person's ~ 아무의 (거만한) 콧대를 꺾다/*Pride* goes before destruction. =*Pride* will have a fall. 《속담》 교만은 패망의 선봉. **3** (보통 the ~, one's ~) 자랑거리: He is the ~ of his parents. 그는 부모의 자랑거리다. **4** 한창때, 전성기: May was in its ~. 5월이 한창 무르익고 있었다. **5** Ⓒ (사자 따위의) 떼; (화사한〔요란스러운〕 사람들의) 일단(一團): a ~ *of* lions. **6** (말(馬)의) 기운, 혈기. **7** 《폐어》 (암컷의) 발정(發情). ◇ proud *a.* ***a peacock in his ~*** 〖문장(紋章)〗 날개를 편 공작. ***in the ~ of*** one***'s years*** 전성 시대에. ***~ of life*** 〔***the world***〕 〖성서〗 허영. ***~ of place*** 교만; 고위(高位). ***a*** person***'s ~ and joy*** 아무의 자랑거리. ***swallow*** one***'s ~*** 자존심을 억누르다. ***take*** 〔***feel, have***〕 (***a***) ***~ in*** …을 자랑하다. ***the ~ of the desert*** 낙타. ***the ~ of the morning*** 새벽녘의 안개〔소나기〕《날씨가 갤 징조》. **—** *vt.* 《+목+전+명》 〘~ oneself〙 자랑하다《*on, upon*》: She ~*s* her*self* *on* her cooking. 그녀는 요리 솜씨가 자랑이다.

㊞ **∠·ful** [-fəl] *a.* **∠·ful·ly** *ad.*

prie-dieu [príːdjəː] *n.* 《F.》 기도대(祈禱臺).

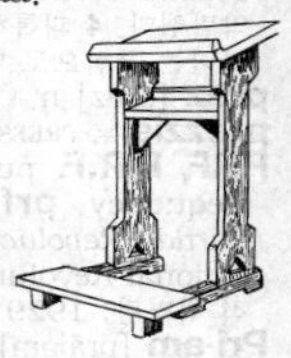

prie-dieu

pri·er, pry·er [práiər] *n.* 꼬치꼬치 캐는 사람.

****priest** [priːst] (*fem.* **~·ess** [príːstis]) *n.* **1** 성직자; (감독 교회의) 목사; 〖가톨릭〗 사제; (기타 종교의) 승려, 〖불교〗 스님: ⇨ HIGH PRIEST. **2** 봉사〔옹호〕자: a ~ of art 예술 애호가/a ~ of science 과학의 사도. **3** 《Ir.》 약해진 물고기를 죽이는 짧은 막대. **—** *vt.* 〘주로 수동형〙 성직자로 하다; 사제〔목사〕로 임명하다. ㊞ **∠·like** *a.* ~와 같은, ~다운.

príest·cràft *n.* Ⓤ 성직(聖職)에 필요한 기술〔재능〕, 사제술(司祭術).

príest·hood [-hud] *n.* Ⓤ **1** 성직. **2** (the ~) 〘집합적〙 성직자, 사제.

priest·ling [príːstliŋ] *n.* 어린 성직자.

príest·ly (*-li·er; -li·est*) *a.* 성직자의; 성직자다운: ~ vestments 성직복(服). ㊞ **-li·ness** *n.*

príest-rìdden *a.* 사제〔성직자〕의 지배를 받고 있는, 성직자의 권력하에 있는.

prig[1] [prig] *n.* 딱딱한〔깐깐한〕 사람, 잔소리꾼; 젠체하는 사람; 학자〔교육가〕연하는 사람.

prig[2] *n.* 《영속어》 좀도둑. **—** (**-gg-**) *vt.* 《영속어》 훔치다.
prig·gery [prígəri] *n.* Ⓤ 까다로움《말씨나 예법의》; 젠체하기, 건방짐; 아는 체하기.
prig·gish [prígiʃ] *a.* 지독히 꼼꼼〔깐깐〕한, 딱딱한, 까다로운; 건방진; 아는 체하는, 재는. ㊞ **~·ly** *ad.* **~·ness** *n.* 깐깐함, 까다로움, 건방짐; 아니꼬움.
prig·gism [prígizəm] *n.* =PRIGGISHNESS.
prill [pril] 〖야금〗 *vt.* (금속 따위를) 작은 구형(球形)으로 만들다. **—** *n.* 작은 구형의 금속 (따위).
prim [prim] (**-mm-**) *a.* 꼼꼼한, 딱딱한; (특히 여자가) 새침 떠는, 숙녀연하는. **—** (**-mm-**) *vt.*, *vi.* (복장 등을) 단정히 차려입다; (얌전 빼어 입을) 꼭 다물다《*out; up*》. ㊞ **∠·ly** *ad.* **∠·ness** *n.*
prim. primary; primitive.
pri·ma [príːmə] *a.* 《It.》 제1의, 주된, 첫째가는.
príma ballerína 《It.》 프리마 발레리나《발레단의 주역 여성 댄서》.
pri·ma·cy [práiməsi] *n.* Ⓤ 제일, 수위; 탁월; 대주교(primate)의 직(職)〔지위〕; 〖가톨릭〗 교황의 지상권(至上權).
pri·ma don·na [prì(ː)mədánə/prìːmədɔ́nə] (*pl.* **~s, pri·me don·ne** [prìːmeidáːnei/-dɔ́n-]) 《It.》 프리마 돈나《가극의 주역 여배우 · 인기 가수》; 《구어》 간섭〔단체 행동, 구속〕을 싫어하는 사람; 《구어》 기분파 《특히 여성의》.
primaeval ⇨ PRIMEVAL.
pri·ma fa·cie [práimə-féiʃiː, -ʃiː/-féiʃi] 《L.》 얼핏 보기에는, 첫 인상은; 명백한, 자명한.
príma fàcie cáse 〖법률〗 일단 증명이 된 확실〔유리〕한 사건.
príma fàcie évidence 〖법률〗 (반증이 없는 한 사실의 입증 · 추정에 충분하다고 보는) 일단 채택된 증거.
pri·mage [práimidʒ] *n.* Ⓤ 〖해사〗 운임 할증금(割增金); 선장 사례금.
pri·mal [práiməl] *a.* 제일의, 최초의, 원시의; 수위의, 주요한; 근본의. **—** *n.* (primal scream therapy 에서) 유아기의 억압된 감정의 해방. ㊞ **~·ly** *ad.*
prímal scréam 〔**scréaming**〕 primal scream therapy 에서의 환자의 외침.
prímal (**scréam**) **thérapy** 〖정신의학〗 프라이멀 스크림 요법《유아기의 외상(外傷) 체험을 다시 체험시켜 신경증을 치료하는 정신 요법; 억압된 분노 · 욕구불만의 외침 · 히스테리 상태로 표현됨》.
***pri·ma·ri·ly** [praimérəli, ∠---/práiməri-] *ad.* 첫째로, 최초로, 처음에는, 원래; 주로; 근본적으로(는); 본래는.
‡**pri·ma·ry** [práimeri, -məri/-məri] *a.* **1** 첫째의, 제1 의, 수위의, 주요한. Ⓒⓕ secondary. ¶ a matter of ~ importance 가장 중요한 사항. **2** 최초의, 처음의, 본래의: the ~ meaning of a word 낱말의 원뜻. **3** 원시적인, 근원적인: ~ instincts 원시적인 본능. **4** 제1차적인, 근본적인. **5** 기초적인, 초보적인. **6** 〖교육〗 초등의, 초등교육의. **7** 〖생물〗 초생의; 〖지학〗 원생의; 〖의학〗 (제)1기의; 〖전기〗 1차의; 〖문법〗 어근의, (시제가) 제1차의; 〖언어〗 제1강세의: a ~ battery 1차 전지《2개 이상의 ~ cell 로 된》. **—** *n.* **1** 제1의〔주요한〕 사물; 제1원리. **2** 《미》 (정당의) 예비 선거《대통령 후보 또는 공직의 후보자 지명 당대회로 보내는 대표자를 선출함》. **3** 원색(原色)(=∠ **cólor**). **4** 〖천문〗 (위성을 갖는) 행성(~ planet), (2중성의) 주성(主星). **5** 〖전기〗 1차 코일. **6** 〖문법〗 1차어《명사 · 명사 상당어; Jespersen 의 용어》.
prímary áccent 〖음성〗 제1(주) 악센트. Ⓒⓕ secondary accent.
prímary cáche 〖컴퓨터〗 1차 캐시《마이크로 프로세서 내부의 캐시메모리》.
prímary cáre 〖의학〗 1차 진료. Ⓒⓕ after care.
prímary céll 〖전기〗 1차 전지.
prímary consúmer 〖생태〗 제1차 소비자.
prímary elèction 《미》 예비선거.
prímary gróup 〖사회〗 제1차 집단《가족 · 친구 등》. Ⓒⓕ secondary group.
prímary héalth càre 〖의학〗 1차 진료《생략: PHC》.
prímary índustry 제1차 산업.
prímary mémory 〖컴퓨터〗 =MAIN STORAGE.
prímary plánet 〖천문〗 (위성과 구별해) 행성.
prímary prócesses 〖심리〗 1차적 과정《욕구의 충족과 본능 충동의 발산을 꾀하는 심적 활동》.
prímary prodúcer 〖생태〗 제1차 생산자《광합성으로 무기물에서 유기물을 생산하는 식물》.
prímary prodúction 〖생태〗 1차 생산《광합성 생물에 의한 유기물의 생산》.
prímary próducts 1차 산품, 농산물.
prímary róot 〖식물〗 주근(主根).
prímary schòol 초등학교《영국은 5-11세까지; 미국은 elementary school의 하급 3〔4〕 학년으로 구성되며, 때로 유치원도 포함함》.
prímary séx characterìstic 〔**chàracter**〕 〖해부〗 일차 성징(性徵).
prímary stréss =PRIMARY ACCENT.
prímary strúcture 미니멀 아트(minimal art)의 조각, 원초적 구조체; 〖생물〗 제1차 구조.
prímary tóoth 〖해부〗 일차치(一次齒), 젖니(milk tooth).
prímary wáll 〖식물〗 (세포막의) 1차막.
pri·mate [práimeit, -mət] *n.* **1** (종종 P-) 〖영국교회〗 대주교《명예 칭호》; 〖가톨릭〗 수석(首席) 대주교. ***the Primate of All England*** 캔터베리 대주교(the Archbishop of Canterbury). ***the Primate of England*** 요크 대주교(the Archbishop of York). **2** 영장류(靈長類)(Primates)의 동물. ㊞ **~·ship** *n.* 대주교의 직〔지위〕.
Pri·ma·tes [praiméitiːz] *n. pl.* 〖동물〗 영장류(靈長類).
pri·ma·tial [praiméiʃəl] *a.* 대주교(primate)의; 제1번의, 수위(首位)의.
pri·ma·tol·o·gy [pràimətálədʒi/-tɔ́l-] *n.* Ⓤ 영장류 동물학. ㊞ **-gist** *n.* **pri·ma·to·lóg·i·cal** *a.*
‡**prime** [praim] *a.* **1** 첫째의, 수위의, 가장 중요한: of ~ importance 가장 중요한/the ~ agent 주인(主因). **2** 최초의, 원시적인. **3** 기초적인, 근본적인: the ~ axioms of his philosophy 그의 철학의 원리. **4** 일류의, 제1급의, 최량(最良)의: of ~ quality 최양질의. **5** 《구어》 훌륭한, 우수한: in ~ conditions 가장 좋은 컨디션으로. **6** 청춘의, 혈기 왕성한: feel ~ 기운이 넘치다. **7** 〖수학〗 소수(素數)의: a ~ number 소수.
— *n.* **1** Ⓤ 전성기. **2** Ⓤ 청춘 (시대); 장년기: be cut off in one's ~ 인생의 한창(젊은) 때에 목숨을 잃다. **3** Ⓤ 가장 좋은 부분, 정화(精華)《*of*》. **4** Ⓤ (식육의) 최량급. **5** Ⓤ 처음, 초기: the ~ of the year 봄. **6** 새벽, 해돋이 때; (종종 P-) 〖가톨릭〗 아침 기도《오전 6시 또는 해돋이 때》. **7** 〖수학〗 소수(素數). **8** 〖인쇄〗 프라임 부호(′); 〖펜싱〗 제1의 자세〔찌르기〕; 〖음악〗 1도(度), 동음(同音)(unison). ***in the ~ of life*** 〔***manhood***〕 한창 나이 때에, 장년기에. ***the ~ of the moon*** 초승달. ***the ~ of youth*** 청년 (시절)《21-28세》.
— *vt.* **1** 준비하다(prepare). **2** (총에) 화약을 재다. **3** (폭발물에) 뇌관〔도화선〕을 달다. **4** (벽 · 판자 따위에) 초벌칠하다. **5** 《+목+전+명》 (펌프에) 마중물을 붓다; 《비유》 …에 자극을 주다; (기화기 따위에) 가솔린을 주입하다《*with*》: ~ the lamp *with* oil 램프에 기름을 가득 넣다. **6**

《~+목/+목+전+명》 …에게 미리 가르쳐 주다, …에게 꾀를 일러 주다《*with*》: be well ~*d with* information 정보를 충분히 얻고 있다/His father ~*d* him *for* a life on the stage. 그의 아버지는 무대에서 생활해 갈 수 있도록 그를 가르쳤다. **7** 《+목+전+명》 (음식·술 따위를) 실컷 먹이다《*with*》: He was well ~*d with* whisky. 그는 위스키를 실컷 마시고 있었다. ── *vi.* **1** 발화(發火) 준비를 하다. **2** (물이) 증기와 함께 실린더에 들어가다. ~ ***the pump*** (어떤 것의) 생장〔작용〕을 촉진하는 조처를 취하다; 《특히》 정부 지출로 경기〔경제 활동〕의 자극을 도모하다.
㊞ **∠·ly** *ad.* 최초로; 《구어》 굉장히, 뛰어나게. **∠·ness** *n.*

príme cóst 기초 원가(原價); 매입 가격.

príme fáctor 〖수학〗 소인수(素因數). 「오선.

príme merídian (the ~) 본초〔그리니치〕 자

prìme mínister 국무총리, 수상(premier).

prìme mínistry 〔**mínistership**〕 수상의 지위〔직권, 임기〕.

príme móver **1** 〖기계〗 원동력《풍력·수력·전력 등》; 원동기《풍차·수차(水車)·내연 기관 등》; 대포 견인차《마소·트랙터 따위》. **2** 《비유》 원동력, 주도자. **3** 〖아리스토텔레스 철학〗 제 1 운동자.

príme númber 〖수학〗 소수(素數).

°**prim·er**[1] [prímər/práim-] *n.* **1** 첫걸음《책》, 초보 (독본), 입문서. **2** 〖역사〗 소기도서(小祈禱書)《특히 종교 개혁 이전의》. **3** [prímər] 프리머《활자의 이름》: the great 〔long〕 ~, 18〔10〕 포인트 활자.

prim·er[2] [práimər] *n.* 도화선, 뇌관; 탄약 장전원(員); (페인트 등의) 초벌칠 (원료).

príme ràte 프라임 레이트《미국 은행이 일류 기업에 적용하는 표준〔우대〕 금리》.

príme ríbs 갈비《쇠고기의 최상등품》.

príme tíme (라디오·TV의) 골든아워.

pri·meur [priːmə́ːr; *F.* pʀimœːʀ] *n.* (야채·과일의) 첫물, 만물; 햇곡식으로 빚은 술.

°**pri·me·val, -mae-** [praimíːvəl] *a.* 초기의, 원시(시대)의(prehistoric, primitive), 태고의: a ~ forest 원시림. ㊞ **~·ly** *ad.*

príme vértical 〖천문〗 묘유선〔권〕(卯酉線〔圈〕)《천정(天頂)과 동·서점을 잇는 큰 원으로 자오선과는 천정에서 직각으로 만남》.

pri·mi·ge·ni·al [pràimədʒíːniəl] *a.* 최초의, 맨 처음에 만들어진; 원시(형)의.

pri·mi·grav·i·da [pràimigrǽvidə] (*pl.* **~s, -dae** [-dìː]) *n.* 〖의학〗 초임부(初姙婦).

prim·ing [práimiŋ] *n.* Ⓤ **1** 뇌관을 달기, 장약(裝藥); 점화약, 기폭제. **2** 초벌칠(용 도료). **3** (지식을) 갑작스레 주입하기, 벼락공부(cramming). **4** 프라이밍《보일러의 부하(負荷)의 급변 등으로 수분이 증기와 함께 드럼에서 나오는 현상》; (펌프 등에 붓는) 마중물. ~ ***of the tide*** 조금에서 한사리로 옮는 동안의 조수의 가속(加速). ⓒⓕ LAG[1] of the tide.

pri·mip·a·ra [praimípərə] (*pl.* ***-a·rae*** [-riː]) *n.* 초산부; 1 회 산부. ⓒⓕ multipara. ㊞ **pri·mi·par·i·ty** [pràiməpǽrəti] *n.*

pri·mip·a·rous [praimípərəs] *a.* 초산의.

˟prim·i·tive [prímətiv] *a.* **1** 원시의, 원시 시대의, 태고의: a ~ man 원시인/~ culture 원시 문화/the ~ times 원시 시대. **2** 원시적인, 소박한, 미발달의, 유치한: live in ~ fashion 소박한 생활을 하다. **3** 야만의, 야성적인; 구식의: ~ weapons 원시적 무기《활·창 등》. **4** 본원적인, 근본의: the ~ line 〖수학〗 원선(原線)/the ~ chord 〖음악〗 기초 화음. **5** 원색의: ~ colors 원색. **6** 〖생물〗 초생의. **7** 원어의: a ~ word 본원어. ── *n.* **1** 원시인; 소박한 사람. **2** 문예 부흥기 이전의 화가; 그 작품; 독학한 화가; 소박한 화풍의 화가. **3** (P-) 《영》 감리교 수구파의 신자. **4** 〖언어〗 어근어. ⓞⓟⓟ *derivative*. **5** 원색; 〖수학〗 원선(原線); 원시 함수. ㊞ **~·ly** *ad.* **~·ness** *n.*

Prímitive Báptist 원시 뱁티스트파(派) 신자《19 세기 초에 일어난 보수파 침례교도》.

Prímitive Chúrch (the ~) 원시 기독교회.

Prímitive Méthodist 감리교 수구파(의 신자)《Wesley 등의 초기 감리교 정신으로 돌아가려고 1810 년 분파한》.

prim·i·tiv·ism [prímətivìzəm] *n.* 원시〔상고(尙古)〕주의; 미개 상태. ㊞ **-ist** *n.*, *a.* 「략: 1°).

pri·mo[1] [prímou, prái-] *ad.* 《L.》 첫째로《생

pri·mo[2] [príːmou] (*pl.* **~s, ~mi** [-miː]) *n.* 《It.》 〖음악〗 (2 중주·3 중주 등의) 제 1 부, 주요부. ── *a.* 〖음악〗 (2 중주·3 중주 등의) 제 1 부의, 주요부의, 최고성부(聲部)의. 「원시의.

pri·mo·ge·ni·al [pràimədʒíːniəl] *a.* 최초의,

pri·mo·gen·i·ta·ry [pràimədʒénətèri/-təri] *a.* 장자(상속)의; 초생(初生)의.

pri·mo·gen·i·tor [pràimədʒénitər] *n.* 시조; 조상, 선조(ancestor).

pri·mo·gen·i·ture [pràimədʒénətʃər] *n.* Ⓤ 장자임; 〖법률〗 장자 상속(권). ⓒⓕ ultimogeniture. ***the right of*** ~ 장자 상속권.

pri·mor·di·al [praimɔ́ːrdiəl] *a.* 원시(시대부터)의; 최초의; 〖생물〗 초생의; 근본적인. ── *n.* 기본 원리, 근본. ㊞ **~·ly** *ad.*

primórdial bróth 〔**sóup**〕 원생액(原生液), 원시 수프《지질 시대에 생명을 낳게 한 유기물의 혼합 용액》.

pri·mor·di·um [praimɔ́ːrdiəm] (*pl.* ***-dia*** [-diə]) *n.* 〖발생〗 원기(原基).

primp [primp] *vt.* (머리·복장 등을) 잘 다듬다; 〖~ oneself〗 성장(盛裝)하다: ~ one*self* (*up*) 멋 부려 입다. ── *vi.* 몸치장하다; 멋 부리다.

°**prim·rose** [prímrὸuz] *n.* 〖식물〗 앵초(櫻草); 그 꽃; 금달맞이꽃(evening primrose); Ⓤ 앵초색, 연노랑색. ── *a.* 앵초의; 앵초색〔연노랑색〕의; 화려한; 명랑한.

prímrose páth 〔**wáy**〕 (the ~) 환락의 길《Shakespeare 작 *Hamlet* 에서》; 행실 나쁨, 난

prímrose yéllow 앵초색, 연노랑. 「봉.

prim·u·la [prímjələ] *n.* 〖식물〗 앵초속의 초본.

pri·mum mo·bi·le [práiməm-mɑ́bəliː, príː-/-mɔ́b-] (*pl.* **~s**) 《L.》 〖천문〗 제 10 천(天)《제 9 천(天)이라고도 했음》; 《비유》 원동력(prime mover).

pri·mus [práiməs] *n.* (종종 P-) 스코틀랜드 감독파 교회의 감독장. ── *a.* **1** 제 1 의, 수위의. **2** 《영》 (남자 학교에서 성이 같은 학생 중) 첫번째의, 최연장의《secundus(2nd), tertius(3rd), quartus(4th), quintus(5th), sextus(6th), septimus(7th), octavus(8th), nonus(9th), decimus(10th)》.

pri·mus in·ter pa·res [práiməs-íntər-péəriːz] 《L.》 동료 중의 제 1 인자. 「로; 상표명).

Prímus (**stòve**) 프라이머스《휴대용 석유 난

prin. principal(ly); principle(s).

˟prince [prins] *n.* **1** (*fem.* ***prin·cess***) 왕자, 황태자, 동궁: the Crown *Prince* (영국 이외의) 왕세자/the *Prince* Regent 섭정 왕자/the ~ royal 왕세자, 제 1 왕자. **2** (제왕에 예속된 소국의) 군주, 제후. **3** (영국 이외의) 공작, …(공)(公): the great 〔grand〕 ~ (제정 러시아 등의) 대공(大公). **4** 《비유》 제 1 인자, 대가: the ~ of writers 문호(文豪)/the ~ of bankers 은행왕/a merchant ~ 호상(豪商). **5** 《미구어》 인품이 좋은 사람, 귀공자. **6** (the P-) '군주론'《Machiavelli의 정치론》. ***a ~ among men*** 덕

망 높은 군자. ***a ~ of blood*** 황족. ***a Prince of the Church*** 〖가톨릭〗 추기경. ***(as) happy as a ~*** 매우 행복한. ***Christmas Prince*** 크리스마스 때 일을 돌보는 사람. ***live like a ~*** 호화롭게 살다. ***the manners of a ~*** 기품 있는 태도, 품위 있음. ***the Prince of Denmark*** 덴마크의 왕자《Hamlet》. ***the Prince of Peace*** 예수. ***the Prince of the Air*** 〔***the World, Darkness***〕 마왕(魔王). ***the Prince of the Apostles*** 성베드로. ***the Prince of Wales*** 웨일스공(公)《영국 왕세자》. ㊕ **∸·less** *a.* **∸·lìke** *a.* 왕후(王侯) 같은, 왕자다운; 기품 높은; 위엄 있는; 대범한. **∸·shìp** *n.* Ⓤ ~의 신분〔지위〕; 왕세자로서의 기간.

Prìnce Álbert **1** 일종의 프록 코트(=**Prìnce Álbert cóat**). **2** (남자용) 슬리퍼.

Prince Albert 1

Prínce Chárming 이상적인 신랑〔남성〕《Cinderella 이야기의 왕자에서》.

prínce cónsort (*pl.* ***prínces cónsort***) 여왕〔여제〕의 배우자, 부군(夫君); (P- C-) =PRINCE ALBERT.

prince·dom [prínsdəm] *n.* Ⓤ prince의 지위〔영토, 위엄, 권력〕; 〖기독교〗 (*pl.*) 권품(權品)천사(principalities).

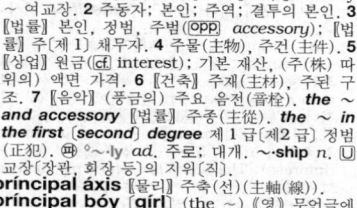

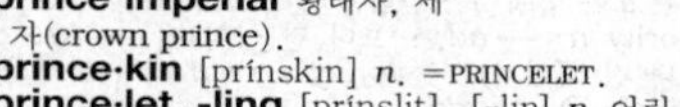

prínce impérial 황태자, 세자(crown prince).

prince·kin [prínskin] *n.* =PRINCELET.

prince·let, -ling [prínslit], [-liŋ] *n.* 어린 군주; 소공자(princekin).

prínce·ly (***-li·er; -li·est***) *a.* **1** 군주다운, 왕후(王侯) 같은, 왕자다운; 기품 높은, 위엄 있는; 관대한; 장엄한, 훌륭한: a ~ mansion 호화 저택. **2** 왕후의, 왕자의, 황자의; 왕후로서의. **3** 광대한《부지》. **—** *ad.* 왕후〔왕자〕답게; 의젓〔대범〕하게. ㊕ **-li·ness** *n.*

príncely súm 많은 돈; 《반어적》 적은〔어중간한〕 돈.

prin·ceps [prínseps] *a.* **1** 제 1 의, 최초의. **2** 〖해부〗 (특히 엄지손가락·경동맥에 관해) 주요한. ***edition ~*** 초판(初版). **—** (*pl.* ***-ci·pes*** [-səpìːz]) *n.* 주요한 것; 군주, 족장(族長); 초판(본).

prínce's-féather *n.* 〖식물〗 당비름의 일종.

Prínce's métal 황동, 위금(僞金)《구리 75%, 아연 25%의 합금》(=**Prìnce Rúpert's métal**).

‡prin·cess [prínsis, -səs, prinsés/prinsés, ∸-] (*pl.* ***~·es*** [prínsəsiz, prinsésiz]) *n.* **1** 공주, 왕녀, 황녀(皇女): the ~ royal 제 1 공주〔왕녀〕/ the *Princess* Regent 섭정(攝政) 공주; 섭정비(妃). **2** 왕비, 왕자비. **3** (영국 이외의) 공작 부인; 《비유》 뛰어난 여성. ★ 인명 앞에 붙일 때 《영》에서도 [prínses]. ***a ~ of the blood*** 왕녀, 황녀, 공주. ***the Princess of Wales*** 영국 왕세자비. **—** *a.* 〖복식〗 프린세스 스타일의《몸에 꼭 맞도록 깃에서 플레어스커트까지 모두 삼각포(gore)로 만들어진》. ㊕ **~·shìp** *n.* Ⓤ ~의 신분〔지위〕.

prin·cesse [prínsis, -ses, prinsés/prinsés] *a.* =PRINCESS; 〖요리〗 아스파라거스를 곁들인.

Prince·ton [prínstən] *n.* **1** 프린스턴《미국 New Jersey 주의 학원 도시》. **2** 프린스턴 대학(=∸ **Univérsity**)《Ivy League 대학의 하나; 1746 년 창립》.

Prínceton Plán 《미》 선거의 해에 대학생에게 휴가를 주어 선거 운동을 할 수 있게 한 안(案).

‡prin·ci·pal [prínsəpəl] *a.* **1** 주요한; 제 1 의; 중요한: a ~ cause 주요한 원인 / the ~ offender 〖법률〗 정범자, 주범 / the ~ penalty 〖법률〗 주형(主刑) / the ~ post 〖건축〗 주주(主柱), 큰 기둥 / the ~ tone 〖음악〗 주음(主音). SYN. ⇨CHIEF. **2** 〖상업〗 원금의. **3** 〖문법〗 주부의.

— *n.* **1** 장(長), 장관; 사장; 교장; 회장: a lady ~ 여교장. **2** 주동자; 본인; 주역; 결투의 본인. **3** 〖법률〗 본인, 정범, 주범(OPP. *accessory*); 〖법률〗 주〔제 1〕 채무자. **4** 주물(主物), 주건(主件). **5** 〖상업〗 원금(cf. interest); 기본 재산, (주(株) 따위의) 액면 가격. **6** 〖건축〗 주재(主材), 주된 구조. **7** 〖음악〗 (풍금의) 주요 음전(音栓). ***the ~ and accessory*** 〖법률〗 주종(主從). ***the ~ in the first*** 〔***second***〕 ***degree*** 제 1 급〔제2 급〕 정범(正犯). ㊕ **°~·ly** *ad.* 주로; 대개. **~·ship** *n.* Ⓤ 교장〔장관, 회장 등〕의 지위〔직〕.

príncipal áxis 〖물리〗 주축(선)(主軸(線)).

príncipal bóy 〔**gírl**〕 (the ~) 《영》 무언극에서 주역의 남역〔여역〕을 맡은 여배우.

príncipal cláuse 〖문법〗 주절. OPP. *dependent clause.*

príncipal diágonal 〖수학〗 주대각선.

príncipal fócus 〖물리〗 초점(focal point).

prin·ci·pal·i·ty [prìnsəpǽləti] *n.* **1** Ⓒ 공국《prince가 통치하는》; (the P-) 《영》 Wales의 속칭. **2** Ⓤ 수위(首位); 공국 군주의 지위·지배·권력. **3** (*pl.*) 〖기독교〗 권품(權品)천사.

príncipal párts (the ~) 〖문법〗 (동사 활용의) 주요형《영어에서는 부정사〔현재〕·과거·과거분사의 3 형》.

príncipal póint 〖광학〗 주점(主點).

príncipal ráfter 〖건축〗 합각(合閣).

príncipal súm 〖보험〗 (지급되는 보험금의) 최고액.

prin·ci·pate [prínsəpèit, -pət] *n.* 우두머리의 지위〔권력〕; 공국(령); 〖로마사〗 원수(元首) 정치《로마 제국 초기의 정치 형태》.

prin·cip·i·al [prinsípiəl] *a.* 최초의, 제 1 의; 원리〔주의〕의〔에 입각한〕.

prin·cip·i·um [prinsípiəm] (*pl.* ***-ia*** [-iə]) *n.* 《L.》 원리, 원칙; 기원, 기초.

‡prin·ci·ple [prínsəpəl] *n.* **1** 원리, 원칙, (물리·자연의) 법칙: the first ~*s* 제 1〔근본〕 원리 / the ~*s* of political science 정치학 원리 / the ~ of relativity 상대성 원리 / The ~ was established *that* there should be an annual election for the post. 그 자리를 결정하기 위해서는 해마다 선거를 한다는 원칙이 세워져 있었다. SYN. ⇨THEORY. **2** 근본 방침, 주의: against one's ~ 주의〔신념〕에 반하여 / stick to one's ~*s* 주의(主義)를 고집하다 / on the ~ *of* making hay while the sun shines 좋은 기회를 놓치지 않는다는 주의로 / We adhere to the ~ *that* peace can be attained. 우리는 평화를 달성할 수 있다는 주의를 고수한다. **3** Ⓤ 행동 원리, 정의; (*pl.*) 도의, 절조: a man of (high) ~*s* 절조 있는 사람 / He has ability but no ~*s*. 그는 수완은 있으나 절조가 없다. **4** 본질, 소인(素因): the vital ~ 활력, 정력. **5** 〖화학〗 원소, 정(精), 소(素): coloring ~ 염색소. **6** (P-) 〖크리스천사이언스〗 신(God). ***a man of no ~*** 절조 없는 사람. ***as a matter of ~ =by ~*** 주의로서. ***in ~*** 원칙적으로. ***on ~*** 주의〔신조〕로서; 원칙에 따라, 도덕적 견지에서.

prín·ci·pled *a.* **1** 절조 있는; 주의〔원칙〕에 의거한; 도의에 의거한: She was a strong, ~ woman. 그녀는 강직하고 절조 있는 여자였다 / His rejection of the proposal is ~. 그가 그 제의를 거절한 것은 도의에 의거한 것이다. **2** 《복합어로서》 주의가 …한: high-〔loose-〕~ 신조〔주의〕가 고결〔무절조〕한.

príncipal of causálity (the ~) 인과율.

prínciple of léast áction (the ~) 〖물리〗 최소 작용의 원리〔법칙〕.

prink [priŋk] *vt.* 화려하게 꾸미다, 치장하다《up》;

(새가 깃털을) 부리로 다듬다(preen). **—** *vi.* 화장하다, 맵시 내다《*up*》. ~ *oneself up* 맵시 내다. cf. primp. ㊕ ~·er *n.*

print [print] *vt.* **1** 인쇄하다; 출판〔간행〕하다: ~ pictures 그림을 인쇄하다. **2** 판화 인쇄하다. **3** 《+목+전+명》 (무늬를) 날염하다: ~ calico *with* a flower pattern 사라사에 꽃무늬를 날염하다. **4** 《~+목/+목+전+명》 찍다, 눌러서 박다; 자국을 내다《*on; in*》: ~ a kiss *on* the face 얼굴에 키스하다. **5** 《+목+전+명》 인상을 주다(impress): The scene is ~*ed on* my memory. 그 광경은 내 기억에 뚜렷이 남아 있다. **6** 《~+목/+목+부》 〖사진〗 인화하다: ~ *off* 〔*out*〕 a negative 네거티브를 인화하다. **7** 활자체로 쓰다. **8** 《속어》 …의 지문을 채취하다. **9** 〖컴퓨터〗 (자료를 문자 · 숫자 · 도형으로 하여) 인쇄〔프린트〕하다. **—** *vi.* **1** 인쇄를 직업으로 삼다; 출판하다. **2** 인쇄가 (잘) 나오다. **3** 〖사진〗 인화되다: The photos have ~*ed* clearly. 이 사진은 깨끗이 나왔다. **4** 활자체로 쓰다: Please ~. 인쇄체로 써 주시오. ~ ***off*** (책을 …부) 증쇄(增刷)하다. ~ ***out*** ... 〖컴퓨터〗 …의 printout을 만들다.
— *n.* **1** Ⓤ 인쇄: This book has clear ~. 이 책은 인쇄가 선명하다. cf. script. **2** Ⓤ 인쇄된 글씨체; 활자의 크기. **3** 제 …쇄(刷): the first ~ 제 1 쇄, 초쇄. **4** 인쇄물; 《미》 출판물《신문 · 잡지》: weekly ~*s* 주간지. **5** 판화. **6** 신문 용지. **7** 자국, 인상, 흔적: the ~ of age upon the face 얼굴에 새겨진 연륜. **8** 지문(fingerprint). **9** 〖사진〗 양화(陽畫)(positive); 인화지: a blue ~ 청사진. **10** 염색용 무늬틀; 염료; Ⓤ 프린트지(地), 날염포(捺染布), 사라사(천). **11** Ⓤ 틀로 눌러 만든 것《버터 따위》. **12** 모형(母型), 주형(鑄型). **13** 〖컴퓨터〗 인쇄, 프린트. ***cotton*** ~ 사라사. ***in cold*** ~ 인쇄되어; 변경할 수 없는 상태로 되어. ***in large*** 〔***small***〕 ~ 큰〔작은〕 활자로. ***in*** ~ 활자화되어; 인쇄〔출판〕되어; (책이) 입수 가능하여, 절판이 아닌. ***out of*** ~ (책이) 절판되어. ***put into*** ~ 인쇄하다, 출판하다. ***rush into*** ~ 황급히 출판하다, 서둘러 신문에 발표하다.

print. printing.

print·a·ble *a.* **1** 인쇄할 수 있는; 출판할 가치 있는. **2** 틀로 누를 수 있는, 날염할 수 있는. **3** 〖사진〗 인화할 수 있는. ㊕ **print·a·bíl·i·ty** *n.*

prínted bóard 〖전자〗 프린트기판(基板)(=PĆ 〔**prínted-círcuit**〕 **bòard, prínted círcuit càrd**).

prínted círcuit 인쇄〔프린트〕 배선 회로.

prínted-círcuit bòard 〖컴퓨터〗 인쇄 회로 기판(PC board).

prínted mátter (특별요금으로 우송할 수 있는) 인쇄물.

print·er [príntər] *n.* **1** 인쇄업자; 인쇄공, 식자공; 출판자. **2** 날염공. **3** 인쇄 기계; 〖사진〗 인화기. **4** 〖컴퓨터〗 프린터.

prínter hèad 〖컴퓨터〗 프린터 헤드.

prínter ínterface 〖컴퓨터〗 프린터 접속기.

prínter pòrt 〖컴퓨터〗 프린터포트《프린터 접속용 포트》.

prínter's dévil 인쇄소의 견습공.

prínter's érror 오식(誤植)《생략: P.E., p.e.》.

prínter's ínk 인쇄용 잉크; 인쇄물. ***spill*** ~ 쓴 것을 인쇄에 부치다.

prínter's màrk 인쇄소〔출판사〕의 마크.

prínter's píe 뒤섞인 활자; 혼란.

prínter's réader 교정원〔계〕.

print·ery [príntəri] *n.* 《미》 사라사 날염 공장; 인쇄소, 인쇄 공장.

prínt fòrmat 〖컴퓨터〗 (인쇄기에 인쇄될) 인쇄 양식.

prínt·hèad *n.* 〖컴퓨터〗 인쇄헤드《용지에 인쇄를 하는 부분》.

print·ing [príntiŋ] *n.* **1** Ⓤ 인쇄, 인쇄술〔업〕: three-colored ~, 3 색판. **2** Ⓒ (제) …쇄(刷)《동일 판(版)에 의한》; 인쇄 부수; 인쇄물. **3** 활자체의 글자. **4** Ⓤ 날염; 〖사진〗 인화.

prínting ìnk 인쇄용 잉크.

prínting òffice 인쇄소: the Government *Printing Office* 《미》 정부 인쇄청《생략: GPO》.

prínting pàper 인쇄 용지; 〖사진〗 인화지.

prínting prèss **1** 인쇄기, 《특히》 동력 인쇄기. **2** 날염기.

prínt jòurnalism (방송 저널리즘과 구별하여) 신문 · 잡지 저널리즘.

prínt jòurnalist 신문 잡지 기자.

prínt·less *a.* 《주로 시어》 흔적을 남기지 않는, 자취 없는.

prínt·màker *n.* 판화 제작자.

prínt·màking *n.* 판화 제작.

prínt mèdia 인쇄 매체《신문 · 잡지》.

prínt·òut *n.* 〖컴퓨터〗 인쇄 출력《프린터의 출력》.

prínt-out pàper 인화지.

prínt rùn (1 회의) 인쇄 부수.

prínt·shòp *n.* 판화 가게; 《미구어》 (소)인쇄소.

prínt·whèel *n.* =DAISY WHEEL.

prínt·wòrks *n.* 《단 · 복수 취급》 사라사〔날염〕 공장.

pri·on [práiɑn/-ɔn] *n.* 〖생물〗 프리온《단백질만으로 된 감염성 있는 가설 입자》.

pri·or[1] [práiər] *a.* **1** 앞(서)의, 전의, 사전의(OPP *posterior*): a ~ engagement 선약. **2** (…보다) 앞선, 상석(上席)의, 중요한《*to*》: The constitution is ~ *to* all other laws. 헌법은 다른 모든 법에 우선한다. SYN. ⇨ PREVIOUS. ◇ priority *n.* **—** *ad.* …보다 전〔상석〕에. ~ ***to*** …보다 전에〔먼저〕: ~ *to* my arrival 내가 도착하기 전에. ㊕ **~·ly** *ad.*

pri·or[2] (*fem.* **~·ess** [-ris]) *n.* 수도원 부원장《abbot의 다음》; 소(小)수도원(priory)의 원장. ㊕ **~·shìp** *n.* Ⓤ

pri·or·ate [práiərət] *n.* prior[2]의 직 · 임기; =PRIORY.

pri·or·i·tize [praiɔ́:rətàiz, -ɑ́r-/-ɔ́r-] *vt.* (계획 · 목표)에 우선 순위를 매기다; 우선시키다. **—** *vi.* 우선 사항을 결정하다. ㊕ **pri·òr·i·ti·zá·tion** [-tə-] *n.*

pri·or·i·ty [praiɔ́:rəti, -ɑ́r-/-ɔ́r-] *n.* Ⓤ **1** (시간 · 순서가) 앞〔먼저〕임(OPP *posteriority*); 보다 중요함, 우선, 상석《*to*》; 〖법률〗 우선권, 선취권; (자동차 등의) 선행권; 《미》 (부족 물자 배급 등의) 우선권. **2** Ⓒ 우선〔중요〕 사항, 긴급사; 선천성. **3** 〖컴퓨터〗 우선권. ◇ prior[1] *a.* ***according to*** ~ 순서를 따라. ***creditors by*** ~ 우선 채권자. ***give*** ~ ***to*** …에게 우선권을 주다. ***have*** 〔***take***〕 ~ ***over*** a person 아무보다 우선권이 있다. ***take*** ~ ***of*** …의 우선권을 얻다.

priórity màil 《미》 우선 우편《12 온스 이상의 제 1 종 우편물(first-class mail); 중량 한도는 70 파운드, 크기는 길이와 둘레의 합계가 100 인치까지》.

príor restráint 〖미법률〗 중요 재판 자료 공개 금지령, 사전 억제령.

pri·o·ry [práiəri] *n.* 소(小)수도원《abbey에 버금감》.

prise *vt.* =PRIZE[3].

pri·sere [práisiər] *n.* 〖생태〗 일차 천이(遷移)《나지(裸地)에서 극상(極相)까지의 천이》.

prism [prízəm] *n.* **1** 프리즘; 분광기; (*pl.*) 7 가지 빛깔: a ~ finder 〖사진〗 프리즘식 반사 파인더. **2** 〖수학〗 각기둥; 〖결정〗 주(柱): a triangular ~, 3 각 기둥.

pris·mat·ic [prizmǽtik] *a.* 프리즘으로 분해한, 분광의; 무지개빛의; 다채로운; 〖수학〗 각기둥의; 〖결정〗 사방 정계(斜方晶系)의. ㊕ **-i·cal·ly** *ad.*

prismátic cómpass 프리즘 컴퍼스.

prísm binòculars 〔**glàsses**〕 프리즘 쌍안경.

pris·moid [prízmɔid] *n.* 〖기하〗 각뿔대(frustum of a pyramid). ㊕ **pris·moi·dal** [prizmɔ́idəl] *a.* ~의.

prismy [prízəmi] *a.* =PRISMATIC.

pris·on [prízən] *n.* **1** 교도소, 감옥; 구치소; 《미》 주(州)교도소. **2** Ⓤ 금고, 감금, 유폐. ***a ~ without bars*** 창살 없는 감옥. ***be* 〔*lie*〕 *in* ~** 수감 중이다. ***break* (*out of*) ~** 탈옥하다. ***cast into* 〔*put in*〕 ~** 투옥하다. ***take* 〔*send*〕 *to* ~** 투옥〔수감〕하다. **—** *vt.* 《시어》 감금하다, 투옥하다.

príson càmp 포로〔정치범〕 수용소; (공공사업의 작업을 하는) 모범수 노동자 수용소.

príson èditor (신문의) 편집 책임자〔명의인〕 《기사에 대하여 책임을 짐》.

pris·on·er [prízənər] *n.* **1** 죄수; 형사 피고인 (= ~ at the bar): a State 〔political〕 ~ =a ~ *of* State 국사범인. **2** 포로: a ~'s camp 포로 수용소. **3** 사로잡힌 자, 자유를 빼앗긴 자 《*of*》: a ~ *of* love 사랑의 포로. ***a ~ of conscience*** 양심수, 정치범(political prisoner). ***a ~ of war*** 포로 《생략: POW, P.O.W.》. ***a ~ to* one's *room* 〔*bed*〕** 방〔침대〕에서 떠날 수 없는 사람〔환자〕. ***hold*** a person **~** 아무를 포로로 잡아 두다. ***take* 〔*make*〕** a person **~** 아무를 포로로 하다. ㊞ **~·like** *a.*

prísoner's báse 진(陣) 빼앗기 놀이(=**príson-báse**).

príson fèver 발진 티푸스.

pris·sy [prísi] (***-si·er; -si·est***) 《구어》 *a.* 잔소리 심한, 몹시 까다로운〔깐깐한〕; 신경질의, 사소한 일에 신경을 쓰는. ㊞ **prís·si·ly** *ad.* **-si·ness** *n.*

pris·tane [prístein] *n.* 〖화학〗 프리스탄 《상어 간유 따위에서 추출한 액체; 윤활유·방부제로 씀》.

pris·tine [prísti:n, -ˊ/prísti:n, -tain] *a.* 원래의(original), 옛날의, 원시 시대의(primitive); 순박한, 청결〔신선〕한. ㊞ **~·ly** *ad.*

prith·ee [príði] *int.* 《고어》 아무쪼록, 제발, 부디. [◀ (I) pray thee]

prit·tle-prat·tle [prítlprǽtl] *n.* 실없는 소리. **—** *vi.* 실없는 소리를 하다, 수다를 떨다.

priv. private(ly); privative.

pri·va·cy [práivəsi/prív-, práiv-] *n.* Ⓤ **1** 사적(私的)〔개인적〕 자유; 사생활, 프라이버시: an invasion of one's ~ 프라이버시 침해. **2** 비밀, 남의 눈을 피함, 은둔. OPP *publicity.* ◇ private *a.* ***in* ~** 몰래, 숨어서 《살다 등》. ***in the ~ of* one's *thoughts*** 마음속으로.

pri·vat·do·cent, -zent [privá:tdoutsènt] (*pl.* ***~s, -cen·ten, -zen-*** [-tən]) *n.* 《G.》 (독일어권 대학의) 원외(員外) 강사 《학생에게서 사례를 받음》.

pri·vate [práivət] *a.* **1** 사적인, 일개인의, 개인에 속하는, 개인 전용의; (의료 따위) 자기 부담의. OPP *public.* ¶ ~ life 사생활 / ~ property 사유 재산 / ~ business 사용, 사삿일 / a ~ room 사실(私室).

> SYN. **private** public, official 의 반의어로서 '특정 개인에 속하는' '독점한' '비밀로 해야 할'이란 어두운 어감이 있음. **individual** 각 개인의. 다른 유사물로부터의 독립·차이·개성이 강조됨 → 독자적인: *individual* tastes 각 개인의 취미. **personal** 일개인의, 개인에 관한. private 에 비하여 좀 단순한 말. 비교: *private* affairs 내용을 남에게 알리고 싶지 않은 사삿일. *personal* affairs 누구나 가지고 있는 일신상의 사삿일. one's *private* opinion 남은 달리 생각할 수도 있으므로 반드시 채택되지 않아도 좋은 사적(私的) 의견. one's *personal* opinion 남에게서 존중받기를 기대하는 사견(私見).

2 공개하지 않는, 비공식의, 비밀의, 자기 혼자의. OPP *public.* ¶ ~ papers 수기 / ~ feeling 가슴 속의 감정 / a ~ letter 사신 / ~ conversation 밀담. **3** 사영(私營)의, 사유의, 사립의, 사설의, 민간의. **4** 공직〔관직〕에 있지 않은; 공직에서 물러난; 평민의: a ~ man 사인(私人), 서민 / ~ clothes 평복, 사복 / as a ~ person 개인으로서, 비공식으로. **5** 은둔한, 남의 눈을 피한. **6** 일개 병졸의: a ~ soldier 《영》 병졸, 사병(《미》 an enlisted man). ◇ privacy *n.* ***for* one's *~ ear*** 내밀히, 비밀히. ***in my ~ opinion*** 사견으로는.

— *n.* **1** 병사, 병졸. ★ 영국 육군에서는 부사관의 아래; 미국 육군에서는 이등병으로 *private* first class 의 아래, recruit 의 윗 계급. **2** (*pl.*) 음부. ***in* ~** 내밀히, 비공식으로, 사생활상.

㊞ **°~·ly** *ad.* 일개인으로서; 내밀히, 비공식으로: a ~*ly* financed corporation 민간 자본에 의한 법인.

prívate automátic (bránch) exchànge 〖통신〗 ⇨ P.A.X., PABX.

prívate bìll 특정의 개인·법인에 관한 법안.

prívate bránd 사업자〔자가〕 상표.

prívate cómpany 《영》 개인〔유한〕 회사.

prívate detéctive 사립 탐정.

prívate educátion 사교육.

prívate énterprise 민간〔개인〕 기업, 사기업. OPP *public enterprise.*

pri·va·teer [pràivətíər] *n.* 사략선(私掠船) 《전시에 적의 상선을 나포할 수 있는 허가를 받은 민간 무장선》; 사략선 선장; (*pl.*) 사략선 승무원. **—** *vi.* 사략선으로서 순항하다〔행동하다〕. ㊞ **~·ing** *n.* Ⓤ (사략선으로서의) 해적 행위; 상선 나포.

privatéers·man [-mən] (*pl.* ***-men*** [-mən]) *n.* 사략선의 선장·승무원.

prívate éye 《구어》 사설 탐정(private detective).

prívate fírst cláss 〖미육군〗 일병 《생략: PFC, Pfc》.

prívate íncome =PRIVATE MEANS.

prívate invéstigator =PRIVATE DETECTIVE.

prívate lánguage (사용자만이 이해 가능한) 사적(私的) 언어; 내(內)집단 언어, 은어.

prívate láw 사법(私法).

prívate méans 불로 소득 《투자에 의한 수입 따위》.

prívate médicine 개인 부담 의료.

prívate mémber (of Párliament) (종종 P- M-) (영국 하원의) 비(非)각료 의원, 평의원.

prívate mémber's bíll 《영》 (일반 의원이 하원에 제출하는) 의원 입법〔제출〕 법안.

prívate núisance 〖법률〗 사적 불법 방해.

prívate párts 음부(陰部)(privy parts).

prívate pátient 《영》 (국민 건강 보험이 적용되지 않는) 개인 부담 환자.

prívate políce 《미》 민간〔청원〕 경찰 《공적 경찰과 구별한 경비 용역 산업(security industry)》.

prívate práctice (의사 등의) 개인 영업〔개업〕.

prívate schóol 사립학교.

prívate sécretary (개인) 비서.

prívate séctor 민간 부문, 사기업 부문.

prívate tréaty 파는 사람과 사는 사람의 담합에 의한 재산의 매각.

prívate víewing 〔shówing〕 (일반 공개 전의) 초대전, 시사회.

Prívate Vírtual Círcuit 〖컴퓨터〗 개인 가상(假想)회선 《각 개인마다 전용선이 존재하는 것과 같이 서비스를 제공하는 것; 생략: PVC》.

prívate wár **1** 개인〔가족〕 간의 싸움. **2** (정부의 승인 없이 벌이는) 민족 간 전쟁〔항쟁〕.

prívate wróng 〖법률〗 사적 권리의 침해.

pri·va·tion [praivéiʃən] *n.* Ⓤ,Ⓒ **1** (생활필수품 등의) 결여, 결핍; 궁핍; (종종 *pl.*) 고난: suffer many ~*s* 많은 고난을 겪다 / die of ~ 궁핍하여 죽다. **2** 상실; 박탈, 몰수; 〖논리〗 성질 결여, 결성(缺性).

pri·va·tism [práivətìzəm] *n.* Ⓤ《미》 사유〔사적 자유〕의 존중, 사생활 중심주의.

priv·a·tive [prívətiv] *a.* 결여된; 어떤 성질이 결여된; 소극적인; 빼앗는; 〖문법〗 결성(缺性)(사(辭))의. **—** *n.* 결성어, 결성사《속성의 결여를 나타내는 dumb 등; 또 부정의 접두사·접미사 a-, un-, -less 등》; 〖논리〗 결여 개념. ⊕ **~·ly** *ad.*

pri·va·tize [práivətàiz] *vt.* **1** 사영화〔민영화〕하다. **2** 배타〔독점〕하다; 사물화하다; 한정〔전유〕하다. ⊕ **prì·va·ti·zá·tion** *n.*

priv·et [prívit] *n.* 〖식물〗 쥐똥나무의 일종.

priv·i·lege** [prívəlidʒ] *n.* Ⓤ,Ⓒ **1** 특권; 특전; (the ~) 대권: parental ~ 친권/exclusive ~ 전유권. **2** (개인적인) 은전, (특별한) 은혜, 특별 취급; 명예; 〖미증권〗 =OPTION. **3** (the ~) 기본적 인권: the ~ of equality 평등권. **4** 〖법률〗 면책, 면제. ***a breach of **~** (국회의원의) 특권 침해. ***a writ of*** **~** 특사장(特赦狀). ***the*** **~** ***of Parliament*** 국회(의원)의 특권. **—** *vt.* **1** 《~+목/+목+*to* do》 …에게 특권〔특전〕을 주다: He was ~*d to* come at any time. 그는 언제 와도 좋은 특권이 주어져 있었다. **2** 《+목+전+명》 …에게 특권〔특전〕으로서 면제하다《*from*》: ~ a person *from* military service 아무를 병역에서 면제하다.

priv·i·leged *a.* 특권〔특전〕이 있는, 특별 허가〔면제〕된; 〖법률〗 면책 특권의《발언·정보 등》; 〖법률〗 증언을 거부할 수 있는; 〖해사〗 (선박이) 우선 통행권을 가진: the ~ classes 특권 계급.

prívileged communicátion 〖법률〗 =CONFIDENTIAL COMMUNICATION.

priv·i·le·gent·sia [prìvəlidʒéntsiə] *n.* 특권 계급, 고급 관료(=**prìv·i·li·gént·sia**).

priv·i·ly [prívili] *ad.* 《고어》 몰래, 비밀히.

priv·i·ty [prívəti] *n.* Ⓤ,Ⓒ 내밀히 관여하기 《*to*》; 〖법률〗 당사자 관계, 동일 권리에 대한 상호 관계; (*pl.*) 음부. ***without the*** **~** ***of*** …에게 알리지 않고. ***with*** a person***'s*** **~** ***and consent*** 아무의 동의를 얻어.

privy [prívi] (***priv·i·er; -i·est***) *a.* **1** 내밀히 관여하는《*to*》. **2** 《고어》 비밀의, 숨은; 남의 눈에 띄지 않는: the ~ parts 음부. **3** 일개인의, 사적인, 특정 개인에 속하는〔관한〕: a ~ cham-ber (궁중의) 사실(私室). **—** *n.* **1** 〖법률〗 이해관계인, 당사자. **2** 《미속어》 옥외 변소(outhouse).

Prívy Cóuncil (the ~) 《영》 추밀원.

prívy cóuncilor 사적 문제에 관한 고문〔상담역〕; 고문(관); (P- C-) 《영》 추밀 고문관《생략: P.C.》.

Prívy Pùrse (the ~) 《영》 (왕실의) 내탕금(內帑金)(관리인).

prívy séal (the ~) 〖영국사〗 옥새(玉璽); (the ~) =LORD PRIVY SEAL.

prix [pri:] (*pl.* ~) *n.* 《F.》 =PRIZE[1].

prix fixe [prí:fíks] (*pl.* **~s** [-fíks]) 《F.》 균일 가격의 정식〔요리〕(table d'hôte); 그 값.

Príx Goncóurt [prí:-] 《F.》 =GONCOURT 2.

†**prize**[1] [praiz] *n.* **1** 상품, 상, 상금: the Nobel *Prize* for literature 노벨 문학상/a ~ for good conduct 선행상/win 〔gain〕 the first ~, 1등상을 타다. **2** 현상금; 경품. **3** 당첨. **4** (경쟁·노력·소망의) 목적물: the ~*s* of life 인생의 목표《명예·부 등》. **5** 《구어》 훌륭한〔귀중한〕 것. **6** 《고어》 경쟁, 시합. ***play*** 〔***run***〕 **~s** (상품을 타려고) 경쟁〔시합〕에 나가다. ***play*** one***'s*** **~** 사리를 꾀하다. **—** *a.* **1** 현상의, 입상의, 상품으로 주는: a ~ medal 우승 메달/a ~ novel 〔poem〕 현상〔입선〕 소설〔시〕. **2** 〖종종 반어적〗 상을 탈 만한, 훌륭한: a ~ idiot 큰 바보. **—** *vt.* **1** 《~+목/+목+*as* 보》 높이 평가하다, 존중하다; 소중히 여기다: I ~ him for his good sense. 그의 양식(良識) 때문에 나는 그를 높이 평가한다/~ a ring *as* a keepsake 반지를 기념품으로서 소중히 여기다. **2** …의 가치를 평가하다.

prize[2] *n.* **1** 노획물〔재산〕, 전리품; 나포선. **2** 의외의 소득, 횡재. ***become the*** **~** ***to*** 〔***of***〕 …에게 포획〔나포〕되다. ***make*** (***a***) **~** ***of*** …을 포획하다. **—** *vt.* …을 포획〔나포〕하다.

prize[3] *vt.* 《~+목/+목+부/+목+보》 《주로 영》 지레로 움직이다, 비집어 열다《*open; out; up; off*》: ~ *off* a box 상자 뚜껑을 지레로 비집어 열다/~ a lock *open* 자물쇠를 비틀어 열다. **~** ***out*** (돌·못 등을) 힘들여 제거하다, 뽑아내다; (비밀 등을) 탐지하다, 알아내다. **—** *n.* 지레(작용).

príze cóurt (전시) 해상 포획물 심판소.

príze dày 연간 학업 성적 우수자의 표창일.

príze·fight *n.* 현상 권투 경기, 프로 권투. ⊕ **~·er** *n.* 현상〔프로〕 권투 선수. **~·ing** *n.* =prizefight.

príze-gìving *n.* Ⓒ **1** 상품〔상금〕 수여식, 표창식. **2** =PRIZE DAY. **—** *a.* 〖한정적〗 상품〔상금〕 수여의: a ~ ceremony 상품 수여식, 표창식.

príze·man [-mən] (*pl.* ***-men*** [-mən]) *n.* 수상자.

príze màster 〖해사〗 나포 함선 회항 지휘관.

príze mòney 포획 상금, 〖일반적〗 상금.

priz·er[1] [práizər] *n.* 《고어》 현상금이 목적인 경기자.

priz·er[2] *n.* 《고어》 =APPRAISER.

príze rìng 프로 권투의 링; 프로 권투계; (the ~) 프로 권투.

príze·wìnner *n.* 수상자; 수상 작품.

príze·wìnning *a.* 입상〔수상〕한.

príze·wòrthy *a.* 상을 받을 만한〔가치가 있는〕.

PRN, p.r.n. pro re nata.

pro[1] [próu] (*pl.* **~s**) 《구어》 *n.* 프로, 전문가, 직업 선수. **—** *a.* 직업적인, 직업 선수의, 프로의: a ~ golfer 프로 골프 선수. [◀ *professional*]

pro[2] (*pl.* **~s**) *n.* 《L.》 찬성(론); 찬성 투표; 찬성자; 이로운 점. **~s *and cons*** 찬부 양론(贊否兩論); 이해득실. **—** *ad.* 찬성하여. opp *con*[3], *contra*. **~** ***and con*** 〔***contra***〕 찬부 모두 함께; 찬반의; …에 찬부를 표명하여〔하는〕.

pro[3] *n.* 《속어》 매춘부(prostitute).

pro [prou] *prep.* 《L.》 (=for) …을 위한; …에 따라; …에 찬성하여.

pro-[1] [pròu] *pref.* **1** '대신, 대용으로; 부(副)…'의 뜻: *pro*noun. **2** '찬성, 편드는'의 뜻: *pro*-slavery. opp *anti-*. **3** '앞(에), 앞으로'의 뜻: *pro*ceed. **4** '공공연히; 밖으로'의 뜻: *pro*claim. **5** '…에 따라'의 뜻: *pro*portion.

pro-[2] [prə, prou, prɑ/prə, prou, prɔ] *pref.* 그리스어계의 말 및 학술어에 붙어 '앞'의 뜻: *pro*logue, *pro*gnathous.

PRO., P.R.O. public relations office 〔officer〕; Public Record Office.

proa [próuə] *n.* 쾌속 범선《말레이 군도의》.

prò·abórtion *a.* 임신 중절 지지의. ⊕ **~·ism** *n.* **~·ist** *n.*

prò·áctive *a.* **1** 솔선하는, 진취적인, 주도적인; 사전 대책을 강구하는: ~ measures against crime 방범 대책. **2** 〖심리〗 순행(順行)의.

pro-am [próuǽm] *a., n.* 프로와 아마추어 합동의 (시합).

prob. probable; probably; problem.

prob·a·bi·lism [prɑ́bəbəlìzəm/prɔ́b-] *n.* 〖철학·신학〗 개연론(蓋然論). ⊕ **-list** *a., n.*

prob·a·bi·lis·tic [prɑ̀bəbəlístik/prɔ̀b-] *a.* 개연론〔설〕의; 전망의〔에 근거한〕.

***prob·a·bil·i·ty** [prɑ̀bəbíləti/prɔ̀b-] *n.* **1** Ⓤ 있음직함, 일어남직함, 사실 같음; Ⓒ 가망: What are the *probabilities*? 가망성은 어떤가/The ~ is that she will forget it. 아마도 그녀는 그

것을 잊을 것만 같다/Is there any ~ *of* his coming? 그가 올 가망성이 있습니까/There's every [no] ~ *that* he will agree with us. 그가 우리 의견에 동조할 가능성이 매우 크다[전혀 없다]. **2** Ⓤ 〖철학〗 개연성. **3** Ⓒ 〖수학〗 확률; 공산(公算). **4** 〖컴퓨터〗 확률. **5** (*pl.*) 일기 예보. ◇ probable *a.* ***in all*** ~ 아마, 십중팔구는.

probability cùrve 〖통계〗 확률 곡선.

probability dènsity 〖수학·통계〗 확률 밀도.

probability dènsity fùnction 〖통계〗 확률 밀도 함수.

probability distribùtion 〖통계〗 확률 분포.

probability thèory 〖수학〗 확률론.

****prob·a·ble** [prábəbəl/prɔ́b-] *a.* **1** 개연적인, 있음직한, 사실 같은: a ~ evidence 〖법률〗 개연 증거《상황 증거를 말함》/It is possible but not ~ that he will succeed. 그는 성공 못 한다고는 할 수 없으나 가망성은 적다.

> SYN. **probable** 이치로 따져서, 또 주위 사정이나 증거 따위로 미루어 보아 '아마 …이 틀림없는': one's *probable* future 예상되는 자기 장래. the *probable* cause of the explosion 폭발의 추정되는 원인. **possible** '일어날 수 있는, 일어나지 않는다고는 단언할 수 없는'. 즉 possible 한 것도 어떤 조건이 갖추어져서 비로소 probable이 되는 것임. **likely** 있음직한, 정말 같은. probable의 구어적 표현으로 '…할[일] 것 같으므로 그에 대해서 준비해 두는 것이 좋다'는 실제적인 의미를 내포함: a *likely* result 있음직한 결과. It is *likely* to rain. 비가 올 것 같다. 대체로 possible, likely, probable의 순으로 확실성이 강함.

2 틀림없을 것 같은, 예상되는: a ~ winner 이길 듯한 사람, 당선의 가망이 있는[우승] 후보자/the ~ cost 대강 잡아본 비용/a ~ error (통계상의) 확률 오차/It's (not) ~ that he will succeed. 그는 아마 성공할 것 같다[같지 않다].
— *n.* **1** 있음직한 일. **2** 무슨 일을 할 듯싶은 사람, 유력한 후보자. **3** (스포츠의) 보결; 신인. **4** 파괴할 것이 거의 확실한 공격 목표, 격추가[격침이] 거의 확실한 비행기[군함].

próbable cáuse 〖법률〗 (유죄로 인정할 수 있는) 상당한 근거[이유].

próbable érror 〖통계〗 확률 오차.

****prob·a·bly** [prábəbli/prɔ́b-] *ad.* 아마, 필시, 대개는: The case will ~ be dropped for lack of evidence. 사건은 증거 불충분으로 필경 각하(却下)될 것이다. SYN. ⇨ PERHAPS.

pro·band [próubænd] *n.* 〖유전〗 발단자(發端者); 계도(系圖)의 출발점으로 선정된 사람.

pro·bang [próubæŋ] *n.* 〖의학〗 인후 소식자(咽喉消息子)《이물(異物) 제거 따위에 씀》.

pro·bate [próubeit] 〖법률〗 *n.* Ⓤ 유언의 검인(檢認); 유언 검인증. — *vt.* 《미》 (유언서를) 검인하다; 검인을 받다; 보호 관찰에 돌리다. — *a.* 유언 검인(법원)의.

próbate còurt (유언) 검인 법원.

próbate dùty 〖법률〗 상속 동산세(動產稅).

pro·ba·tion [proubéiʃən/prə-] *n.* Ⓤ **1** 검정(檢定), 시험; 입증. **2** 시험해 보기; 수습; 수습 기간. **3** 〖신학〗 시련; 〖법률〗 판결[집행] 유예, 보호 관찰: the ~ system 집행 유예[보호 관찰] 제도. **4** 《미》 (실격·처벌 학생의) 가급제(假及第) 기간, 근신 기간. ***on*** ~ 수습으로서, 시험 삼아; 보호 관찰 아래; 《미》 가급제로. ***place*** [***put***] ***under*** ~ 보호 관찰 아래 두다. ㊕ **~·ship** *n.*

pro·ba·tion·al, -tion·ary [proubéiʃənəl/prə-], [-ʃənèri/-nəri] *a.* **1** 시도(試圖)의; 시련의, 수습 중인. **2** 보호 관찰(중)의. **3** 《미》 가급제(假及第)[근신] 중인.

pro·bá·tion·er *n.* **1** 시험 중인 사람, 수습생, 시보(試補); 가(假)급제자; 전도(傳道) 시험 중인 신학생; 목사보(補). **2** 집행 유예 중인 죄인, 보호 관찰에 부쳐진 자. ㊕ **~·ship** *n.* 수습 (기간); 집행 유예 (기간).

probátion òfficer 보호 관찰관.

pro·ba·tive, pro·ba·to·ry [próubətiv, prάb-/próu-], [próubətɔ̀ːri/-təri] *a.* 시험의, 시험 삼아 하는; 입증[실증]하는, 증거를 제공하는.

◇probe [proub] *n.* **1** 〖의학〗 소식자(消息子), 탐침(探針)《상처 따위를 살피는 기구》. **2** 《미》 적발 조사 《불법 행위에 대한 위원회 따위의》. **3** 탐사침(探査針)《전자 공학·물리 실험용의》. **4** 우주 탐사용 로켓, 우주 탐사기(機)[장치]; (공중 급유의) 송유 파이프. **5** 엄밀한 조사, 정사(精査); 탐사: a ~ into mysteries of the sun 태양의 수수께끼에 대한 면밀한 조사. **6** 〖전자〗 탐침.
— *vt.* 탐침으로 찾다, 시험하다; 정사(精査)하다, 음미하다: ~ the space with rockets 로켓으로 우주를 탐사하다/~ one's conscience 자기 양심에 물어보다. — *vi.* 《+전+명》 면밀히 조사하다; (미지의 세계·넓은 사막 등에) 들어가다; 돌진하다《*into; to*》: ~ *for* some way 어떤 방법을 찾다/~ deep *into* things 사물을 깊이 탐사하다.

pro·ben·e·cid [proubénəsid] *n.* 〖약학〗 프로베네시드《통풍성(痛風性) 관절염 치료제》.

prob·er [próubər] *n.* 〖전자〗 프로버《탐사(probing)를 하는 장치로 전후 좌우의 미세 위치(微細位置) 조정이 가능하며 웨이퍼 검사를 자동적으로 하게 되어 있음》.

prob·ing [próubiŋ] *n.* 〖전자〗 프로빙《트랜지스터나 IC 칩의 패드에 탐침(probe)을 세워 특성 검사를 하는 것》; 〖공학〗 짚어보기.

prob·it [prábit/prɔ́b-] *n.* 〖통계〗 프로빗《확률을 재는 단위》. 「성실, 염직(廉直).

pro·bi·ty [próubəti, prάb-/próu-] *n.* Ⓤ 정직,

†prob·lem [prábləm/prɔ́b-] *n.* **1** 문제, 의문; 연습 문제: the unemployment ~ 실업 문제/solve a ~ 문제를 풀다. SYN. ⇨ QUESTION. **2** 난문; 귀찮은[골치아픈] 일[사정, 사람]: That child is a ~ to his parents. 저 애는 그의 부모에게 큰 골칫거리다. **3** 〖수학〗 작도 문제; 〖체스〗 묘수 풀이 (문제): a plane [solid] ~ 평면[입체] 기하학 문제. **4** 〖논리〗 삼단논법에 포함된 문제. ***have a ~ with*** …에 문제가 있다: We *had* a little ~ *with* the employees. 종업원들과 약간의 트러블이 있었다. ***no*** ~ ① 《미구어》 (부탁·질문에 대해) 그렇지요, 알았습니다; 그렇고말고요; 《미》 (인사나 사죄의 답으로) 웬 말씀을. ② 《구어》 문제없어. ***set*** [***put***] a person ***a*** ~ 아무에게 문제를 내다. — *a.* **1** 문제의, 다루기 어려운, 문제가 많은: a ~ child 문제아. **2** (개인·사회적으로) 어려운 문제를 다룬: a ~ novel [play] 문제 소설[극].

prob·lem·at·ic, -i·cal [prὰbləmǽtik/prɔ̀b-], [-əl] *a.* 문제의; 문제가 되는, 미심쩍은, 불확실한. ㊕ **-i·cal·ly** *ad.* 「사항.

pròb·lem·át·ics *n. pl.* 문제가 많은[불확정한]

prob·le·ma·tize [prábləmətàiz/prɔ́b-] *vt.* 문제화하다, 문제시하다. ㊕ **pròb·le·ma·ti·zá·tion** [*n.*

próblem-sòlving *n.* 문제 해결.

pro bo·no [pròu-bóunou] 《L.》 (일이) 무료[선의]로 행해지는(=**prò-bóno**): to provide ~ legal services 무료 법률 상담을 제공하다.

prò bóno pú·bli·co [-pʌ́blikòu] 공공의 이익[공익]을 위하여.

pro·bos·cid·e·an [pròubəsídiən, proubὰsidíːən/pròubəsídiən] *a.*, *n.* 〖동물〗 장비목(長鼻

目)의 (동물).

pro·bos·cis [proubásis/-bɔ́s-] (*pl.* **~·es** [-iz], **-ci·des** [-sədìːz]) *n.* (코끼리·맥(貘) 따위의 비죽 나온) 코; (곤충 따위의 긴) 주둥이; 《구어·우스개》 (사람의) 큰 코; 〖수산·해운〗 구문부(口門部).

probóscis mónkey 〖동물〗 긴코원숭이.

proboscis monkey

proc. procedure; proceedings; process; proclamation; proctor.

pro·caine [proukéin, ㅡ] *n.* Ⓤ 〖약학〗 프로카인《코카인 비슷한 국부(局部) 마취제의 일종》. cf. Novocain(e).

prò·cámbium *n.* 〖식물〗 전(前)형성층. ㊁ **-cám·bi·al** *a.*

pro·car·ba·zine [proukáːrbəziːn, -zin] *n.* 〖약학〗 프로카르바진《항종양제》.

pro·car·y·ote, -kar·y- [proukǽriòut] *n.* 〖생물〗 원핵생물(原核生物)《주로 세균·남조(藍藻)》. opp. *eucaryote.* ㊁ **prò·car·y·ót·ic** [-át-/-ɔ́t-] *a.*

procédural lánguage 〖컴퓨터〗 절차언어《주어진 문법에 따라 일련의 처리 절차를 차례로 기술해 나가는 프로그래밍 언어》.

****pro·ce·dure** [prəsíːdʒər] *n.* **1** 순서, 수순, (진행·처리의) 절차; 방법, 조처: follow the prearranged ~ 미리 정해진 수순대로 하다 / What's the ~ *for* obtaining a visa? 비자를 받는 절차는 어떻게 되어 있습니까. **2** (행동·사정·상태 따위의) 진행, 발전: make further ~ impossible 그 이상 진행이 불가능하게 되다. **3** 〖법률〗 소송 절차; 의회 의사(議事) 절차: legal 〔parliamentary〕 ~ 소송 〔의사〕 절차 / the code of civil 〔criminal〕 ~ 민사 〔형사〕 소송법 / summary ~ 약식 재판 절차. **4** 〖컴퓨터〗 절차, 프로시저《컴퓨터에서 실행되는 일련의 처리》. ㊁ **-dur·al** [-dʒərəl] *a.* 절차상〔처리상〕의.

****pro·ceed** [prəsíːd] *vi.* **1** 《~/+부/+전+명》 (앞으로) 나아가다, 가다, 전진하다, (…에) 이르다《*to*》: She *~ed downstairs.* 그녀는 아래층으로 내려갔다 / Let's ~ *to* the dining room. 식당으로 가십시다 / We *~ed on* our way. 우리는 가던 길을 계속 갔다 / ~ *to* extremes 극단에 이르다 / ~ *to* violence 폭력 사태에 이르다. SYN. ⇨ ADVANCE. **2** (일 따위가) 진행되다, 속행되다, 계속되다: The construction project was *~ing* with surprising speed. 그 건설 공사는 놀라운 속도로 진행되고 있었다. **3** 《~/+전+명/+*to* do》 계속하여 행하다, 계속하다《*with*》; 말을 계속하다; 화제를 진행하다: *Proceed with* your story. 이야기를 계속하시오 / Let's ~ *with* our lesson. 수업을 계속합시다 / He *~ed to* tell the rest of the story. 그는 다시 나머지 이야기를 계속했다. **4** 《~/+전+명/+*to* do》 착수하다《*to*》, 처리하다; …하기 시작하다: How would you ~? 어떻게 처리하겠는가 / ~ *to* the next task 다음 일에 착수하다 / I am *~ing to* close the shop. 가게를 닫고 있던 참이다. **5** 《+전+명》 처분하다, 절차를 밟다《*with*》; 〖법률〗 소송을 일으키다《*against*》: ~ *against* a person for trespass 아무를 불법 침입죄로 고소하다. **6** 《+전+명》 생기다, 일어나다, 기인(起因)하다《*from; out of*》: diseases that ~ *from* dirt 불결함에서 생기는 병. **7** 《+전+명》 《영》 학위를 얻다《*to*》. ◇ process, procession *n.* **~ *on*** … 에 의하여 행동하다. **~ *to blows*** 구타하다; 치고받는 싸움에 이르다. **~ *to the degree of*** (M.A.) 《영》 (석사) 학위를 따다.

— [próusiːd] *n.* (*pl.*) = PROCEEDS.

㊁ **~·er** *n.*

°pro·ceed·ing [prəsíːdiŋ] *n.* 진행; 행동; 조처; (*pl.*) 소송 절차; 변론; (*pl.*) 의사(議事), 의사록, 회의록, (학회의) 회보: a high-handed ~ 고압 수단 / oral ~*s* 구두 변론. ***dispossess ~s*** 《미속어》 (가옥 등의) 명도 소송. **~ *in error*** 〖법률〗 파기〔항소〕 절차. ***summary ~s*** 약식 (재판) 절차. ***take*** 〔***institute***〕 ***~s against*** …에 대하여 소송을 제기하다.

°pró·ceeds *n. pl.* **1** 수익, 수입, 매상금《*from*》: net ~ 순익금 / the ~ of a business 영업 수익. **2** 결과, 매상고.

****proc·ess**[1] [práses/próu-] *n.* **1** Ⓤ (현상(現象)·사건 등의) 진행, 경과: the ~ *of* history 역사의 진행〔흐름〕 / the ~ *of* digestion 소화작용. **2** Ⓤ 〖물리〗 과정; Ⓒ 공정, 순서, 처리, 방법: ~ *of* manufacture 제조 공정 / a new ~ *of* dyeing 새로운 염색법 / The ~ *for* 〔*of*〕 making steel is complex. 강철 제조 공정은 복잡하다. **3** Ⓒ 〖컴퓨터〗 처리《지정된 결과를 내기 위한 일련의 계통적인 동작》. **4** Ⓤ (일의) 진전, 발전. **5** Ⓤ 작용: a chemical ~ 화학 작용. **6** Ⓤ (기술적인) …법; 〖사진〗 사진 제판법; 인쇄법; 〖영화〗 스크린 프로세스: the three-color ~ 삼색 인쇄법. **7** Ⓒ 〖법률〗 소송 절차; 소환장, 집행 영장. **8** Ⓒ 〖생물〗 융기, 돌기. **9** 《미》 = CONK[3]《흑인 용어》. ◇ proceed *v.* ***in ~ of time*** 시간이 흐름에 따라. ***in*** (***the***) ***~ of*** …의 과정 중에서; …의 진행 중에: *in ~ of* construction 건축〔공사〕 중. ***serve a ~ on*** …에게 영장을 발부하다.

— *a.* **1** 가공(처리)한; 제조 과정에서 생기는 《열·증기 따위》. **2** 사진 제판법에 의한; 〖영화〗 특수 효과를 내는 데 쓰는.

— *vt.* **1** 처리하다; (자료 등을) 조사 분석하다. **2** 기소하다; …에게 소환장을 내다. **3** (식품을) 가공 처리〔저장〕하다. **4** (컬러 필름을) 현상하다. **5** (서류 등을) 복사하다; 〖컴퓨터〗 (자료를) 처리하다.

pro·cess[2] [prəsés] *vi.* 《영구어》 줄지어 걷다.

prócess àrt 개념 예술(conceptual art).

prócess(ed) bútter 〔**chéese**〕 가공 버터 〔치즈〕.

proc·ess·i·ble [prásesəbəl/próu-] *a.* 가공할 수 있는, 처리할 수 있는.

prócessing tàx 《미》 (농산물의) 가공세.

****pro·ces·sion** [prəséʃən] *n.* **1** 행진, 행렬; 〖교회〗 (litany 등을 부르면서의) 행렬. **2** (행렬의) 진행, 전진; 〖신학〗 성령의 발현(發現). **3** 출발 후 순위가 조금도 변하지 않는 경주. **4** 《영구어》 (크리켓에서) 낙승(樂勝). ◇ proceed *v.* ***in ~*** 행렬을 지어. **—** *vi., vt.* 행렬을 지어 나아가다, 줄지어 걷다: ~ the ground 운동장을 줄지어 걷다.

pro·ces·sion·al [prəséʃənəl] *a.* 행렬(용)의: a ~ cross 행렬용(用) 십자가. **—** *n.* 〖교회〗 행렬 성가(집). ㊁ **~·ly** *ad.*

prócess of eliminátion 소거법(消去法)《해답이 될 수 없는 것을 골라 배제함으로써 해답을 찾는 것》.

proc·es·sor [prásesər/próu-] *n.* (농산물의) 가공업자; 〖컴퓨터〗 처리기《컴퓨터 내부의 명령 실행 기구》.

prócess prìnting 원색 제판법.

prócess sèrver 〖법률〗 영장 송달관, 집달관.

pro·cès-ver·bal [prouséivεərbáːl] (*pl.* **-baux** [-bóu]) *n.* 《F.》 (의사(議事)) 보고서, 의사록; 〖법률〗 (검사의) 조서.

pro-chóice *a.* 임신 중절 합법화 지지의. opp. *pro-life.* ㊁ **-chóicer** *n.*

pro·chro·nism [próukrənizəm, prák-/próuk-] *n.* Ⓤ,Ⓒ 기시(記時) 착오《연대나 연월

일을 실제보다 그 이전으로 기록하는 일》.

***pro·claim** [proukléim, prə-] *vt.* **1** 《~+목/+목+(*to be*) 보/+*that* 절》 포고[선언]하다, 공포하다; 성명하다: ~ war 선전 포고하다 / ~ a victory 승리를 선언하다 / ~ one's opinions 의견을 개진하다 / ~ a person (*to be*) a traitor = ~ *that* he is a traitor 아무를 반역자라고 선고하다. SYN. ⇨ DECLARE. **2** 《~+목/+목+(*to be*) 보/+*that* 절》 …을 증명하다, 분명히 나타내다: His face ~*ed* his sincerity. 얼굴을 보니 그가 성실하다는 것을 알 수 있었다 / His accent ~*ed* him (*to be*) a Scot. = His accent ~*ed that* he was a Scot. 말씨로 스코틀랜드 사람임을 알았다. **3** (일부 지역 등에) 금지령을 내리다. **4** 불법이라고 선언하다, (집회 등의) 금지를 선언하다; (아무에게서) 법의 보호를 박탈하다. **5** 찬양하다. ── *vi.* 선언[포고, 성명]하다. ◇ proclamation *n.* ㊕ ~·er *n.* 선고자.

***proc·la·ma·tion** [prɑ̀kləméiʃən/prɔ̀k-] *n.* **1** Ⓤ 선언, 포고, 발포: the ~ of war 선전 포고. **2** 선언[성명]서: issue [make] a ~ 성명서를 발표하다.

pro·clam·a·to·ry [prouklǽmətɔ̀ːri/-təri] *a.* 선언[포고]의; 선언적인.

pro·clit·ic [prouklítik] 【문법】 *a.* 후접(後接)의. ── *n.* 후접어(後接語)《그리스어 따위에서 그 자체에는 악센트가 없고 다음 말에 붙여서 발음되는 단음절어》. OPP *enclitic*.

pro·cliv·i·ty [prouklívəti] *n.* 경향, 성벽, 기질 《*for doing; to; toward; to do*》.

pro·con·sul [proukɑ́nsəl/-kɔ́n-] *n.* 【고대로마】 지방 총독; (근세) 식민지 총독; 부영사. ㊕ **-su·lar** [-kɑ́nsələr/-kɔ́n-] *a.* ~의. **-su·late, pro·con·sul·ship** [-sələt], [-kɑ́nsəlʃip/-kɔ́n-] *n.* Ⓤ ~의 지위[임기, 관할 구역].

pro·cras·ti·nate [proukrǽstənèit] *vi., vt.* 지연하다[시키다], 꾸물거리다, 질질 끌다. ㊕ **pro·cràs·ti·ná·tion** *n.* Ⓤ 지연, 지체; 미루는 버릇. **pro·crás·ti·nà·tor** [-tər] *n.*

pro·cre·ant [próukriənt] *a.* (자식을) 낳는; 다산(多産)의; 열매가 많은.

pro·cre·ate [próukrièit] *vt.* (자식을) 보다, 자손을 낳다; (신종(新種) 따위를) 내다. ㊕ **prò·cre·á·tion** *n.* Ⓤ 출산; 생식. **pró·cre·à·tive** [-tiv] *a.* 낳는; 만들어 내는; 생식력이 있는, 생식적인. **pró·cre·à·tor** [-tər] *n.* 산출자(generator), (남자) 어버이.

Pro·crus·te·an [proukrʌ́stiən] *a.* Procrustes 적인; (종종 p-) 폭력으로 규준(規準)에 맞추려고 하는, 개개의 사정을 무시한.

Procrústean [Procrústes] béd (종종 p- b-) 억지로 밀어붙이는 제도[방침, 주의], 강제적인 획일화.

Pro·crus·tes [proukrʌ́stiːz] *n.* 【그리스신화】 프로크루스테스《메가라와 아테네의 길가에 살던 노상강도; 여행자를 잡아 자기 침대에 눕혀, 저보다 키가 큰 사람은 다리를 자르고, 작은 사람은 잡아늘였다고 함》.

prò·crýptic *a.* 【동물】 보호색의.

proc·ti·tis [prɑktáitis/prɔk-] *n.* 【의학】 직장염.

proc·to·dae·um, -de·um [prɑ̀ktədíːəm/prɔ̀k-] (*pl.* **-daea** [-díːə], **~s**) *n.* 항문관(肛門管), 항문도(道).

proc·tol·o·gy [prɑktɑ́lədʒi/prɔktɔ́l-] *n.* Ⓤ 직장병학, 항문병학, 항문과. ㊕ **-gist** *n.*

proc·tor [prɑ́ktər/prɔ́k-] *n.* 대리인, 대소인(代訴人), 사무 변호사; (Cambridge 및 Oxford 대학의) 학생감; 《미》 시험 감독관; 【영국교회】 (성직자 회의의) 대의원. ── *vt., vi.* 《미》 시험 감독하다. ㊕ **proc·tó·ri·al** [-tɔ́ːriəl] *a.* ~의. **próc·tor·ize** [-təràiz] *vt.* (학생감이 학생을) 훈계[처벌]하다. **próc·tor·shìp** [-ʃip] *n.* ~의 직[임기].

proc·to·scope [prɑ́ktəskòup/prɔ́k-] *n.* 【의학】 항문경(肛門鏡); 직장경(直腸鏡).

pro·cum·bent [proukʌ́mbənt] *a.* 엎드린, 납작 엎드린; 【식물】 땅 위를 기는.

pro·cur·a·ble [proukjúərəbəl, prə-] *a.* 손에 넣을 수 있는(obtainable).

proc·u·ra·cy [prɑ́kjərəsi/prɔ́-] *n.* Ⓤ 《고어》 대리의 직[임무].

pro·cur·ance [proukjúərəns] *n.* 획득, 조달, 입수; 알선, 주선.

proc·u·ra·tion [prɑ̀kjəréiʃən/prɔ̀-] *n.* **1** Ⓤ 획득; 조달. **2** Ⓤ 【법률】 대리; 위임; Ⓒ 위임장. **3** 【영국교회】 순석비(巡錫費)《교회 따위가 순회하는 고위 성직자에게 줌》. **4** Ⓒ 빚돈의 주선(료); Ⓤ 매춘부를 둠, 뚜쟁이질. ***by*** [***per***] **~** 대리(代理)로《생략: per pro(c).》.

proc·u·ra·tor [prɑ́kjərèitər/prɔ́-] *n.* **1** 【법률】 (소송) 대리인. **2** 【고대로마】 행정 장관, 태수(太守); 지방 수세관(收稅官). **3** (이탈리아 도시의) 행정관, 시장. **4** (수도원의) 서무계. **~ *fiscal*** 《Sc. 법률》 지방 검사. ***the public ~ general*** 검찰 총장. ㊕ **pròc·u·ra·tó·ri·al** [-rətɔ́ːriəl] *a.* 대리인의; 대소(代訴)의; 학생감의. **próc·u·rà·tor·shìp** [-ʃip] *n.* Ⓤ ~의 직[임기].

proc·u·ra·to·ry [prɑ́kjərətɔ̀ːri/prɔ́kjərətəri] *n.* 【법률】 대리권 수여, 위임; 위임장. ── *a.* 대리인의; 위임(권[장])의.

°**pro·cure** [proukjúər, prə-/prə-] *vt.* **1** 《~+목/+목+목/+목+전+명》 획득하다, (필수품을) 조달하다: difficult to ~ 손에 넣기 어려운 / It was difficult to ~ food in those days. 당시에는 식량을 조달하기가 어려웠다 / Could you ~ me specimens? = Could you ~ specimens *for* me? 견본을 구해 줄 수 있겠는가. **2** 《드물게》 (남의 손을 빌려) 야기하다, 초래하다: ~ a person's death by poison 아무를 독살하다 / ~ a person's death (제 3 자의 손을 빌려) 아무를 죽게 하다. **3** (매춘부를) 주선하다. ── *vi.* 매춘부를 주선하다, 뚜쟁이짓을 하다. ㊕ **~·ment** *n.* Ⓤ **1** 획득, 조달; 처리; 주선. **2** 《미》 정부 조달. **3** 【상업】 외주 관리(外注管理). **-cúr·er** [-kjúərər] (*fem.* **-cur·ess** [-kjúəris]) *n.* 획득자(obtainer); 뚜쟁이(pimp).

Pro·cy·on [próusiɑ̀n, -siən/-siən] *n.* 【천문】 프로키온《작은개자리의 일등성》.

Prod [prɑd/prɔd] *n.* 《Ir. 경멸》 프로테스탄트.

prod[1] *n.* 찌르는 바늘, 침; (가축을 몰기 위해) 찌르는 막대기(goad); 꼬챙이(skewer); 찌르기, 찌름; 자극. ── (**-dd-**) *vt.* **1** 찌르다, 쑤시다. **2** 《~+목/+목+전+명》 자극하다(incite); 불러일으키다; 촉구하다; 괴롭히다(irritate): ~ a person's memory 아무의 기억을 환기시키다 / ~ a person to action 아무를 부추기어 행동하게 하다. SYN. ⇨ URGE. ── *vi.* 찌르다, 쑤시다《*in; at*》. ㊕ **pród·der** *n.*

prod[2] *n.* 《미》 신동(神童).

prod. produce(d); producer; product; production.

prod·e·li·sion [prɑ̀dəlíʒən/pròu-] *n.* Ⓤ 어두(語頭) 모음의 생략《I am 을 I'm 으로 하는 따위》.

°**prod·i·gal** [prɑ́digəl/prɔ́d-] *a.* **1** 낭비하는; 방탕한: the ~ son 【성서】 회개한 죄인, (돌아온) 탕아《누가복음 XV: 11-32》: be ~ *with* money 돈을 마구 쓰다[낭비하다]. **2** 풍부한; 아낌없이 주는《*with, of*》: nature's ~ resources 자연의 풍부한 자원 / be ~ *of* praise 무턱대고 칭찬하다 / He has a mind ~ *of* new ideas. 그는 연이어 새로운 것을 생각해낸다. ── *n.* 낭비자; 방탕아; 【법률】 금치산자. ***play the ~*** 방탕[낭비]하다. ㊕ **~·ly** *ad.* **pròd·i·gál·i·ty** [-dəgǽləti] *n.* Ⓤ

prod·i·gal·ize [prádigəlàiz/prɔ́d-] *vt.*, *vi.* 낭비하다.

pro·di·gious [prədídʒəs] *a.* **1** (크기 · 정도 · 양 따위가) 보통이 아닌; 거대한, 막대한 (vast, enormous). **2** 비범한, 이상한, 놀라운. ㊞ **~·ly** *ad.* **~·ness** *n.*

prod·i·gy [prádədʒi/prɔ́d-] *n.* **1** 경이(驚異) (wonder), 불가사의; 위관(偉觀), 비범; 괴물. **2** 비범한 사람; 천재(아): an infant ~ 신동(神童) / a ~ of learning 불세출의 학자. **3** 《고어》 불가사의한 조짐. **4** 〖형용사적〗 천재적인, 비범한.

prod·ro·mal, pro·drom·ic [prádrəməl, proudróu-/proudróu-, prɔ́drə-], [proudrámik/-drɔ́m-] *a.* 전구(前驅)의; 전구 증상의.

pro·drome [próudroum] (*pl.* **-ma·ta** [proudróumətə], **~s**) *n.* **1** 〖의학〗 전구(前驅) 증상, 전징(前徵). **2** 《드물게》 (대저술의) 서론.

pró·drùg *n.* 프로드러그《기존약의 치료 효과를 향상시키기 위한 약물》.

‡**pro·duce** [prədjú:s/-djú:s] *vt.* **1** 산출하다, 생기게 하다, 낳다, (열매를) 맺다: ~ oil 〔wheat〕 석유를〔소맥을〕 산출하다. **2** 생산하다, 제작하다: ~ a book 책을 출판하다. **3** 일으키다, 나게 하다: ~ a sensation 대평판을 일으키다. **4** 《~+목/+목+전+명》 꺼내다, 제시하다; (증거 따위를) 제출하다: *Produce* your proof. 증거를 제시하여라 / I ~*d* my ticket (*from* my trouser pocket). 차표를 (바지주머니에서) 내보였다. **5** (연극 등을) 연출하다, 상연〔공연〕하다: ~ a play. **6** 《~+목/+목+전+명》 〖수학〗 (선을) 연장하다, 잇다: ~ a line (*to* a point) 선을 (점에) 잇다. ◇ product, production *n.* — *vi.* 만들어 내다; 산출하다; 창작하다. ***a producing lot*** 《미》 영화 제작소. ~ ***on the line*** 일관 작업으로 대량 생산하다. — [prádju:s, próu-] *n.* Ⓤ **1** 산출액. **2** 〔집합적〕 농산물, 천연 산물. **3** 작품, 제품. **4** 성과, 결과. **5** 〔집합적〕 (암컷의) 새끼.

pro·duced [prədjú:st/-djú:st] *a.* 한쪽으로 길게 뻗은, 호리호리하고 긴.

‡**pro·duc·er** [prədjú:sər/-djú:sə] *n.* **1** 생산자, 제작자. opp *consumer.* ¶ a ~'s price 생산자 가격. **2** 〖연극 · 영화〗 《영》 감독, 연출가(《미》 director); 《미》 프로듀서《경제면도 포함한 연출 · 제작의 책임자》. **3** 〖화학〗 가스 발생로(爐). **4** 〖생태〗 생산자《무기물에서 유기물을 만드는 녹색 식물 따위 생물의 총칭》.

prodúcer gàs 발생로 가스《연료》.

prodúcer(s') gòods 〖경제〗 생산재(生產財). opp *consumer(s') goods.*

pro·duc·i·ble [prədjú:səbəl/-djú:s-] *a.* 생산〔제작〕할 수 있는; 제시할 수 있는; 상연할 수 있는; 연장할 수 있는. ㊞ **pro·dùc·i·bíl·i·ty** *n.* Ⓤ 생산〔제출, 연장, 상연〕할 수 있음.

pro·duc·ing [prədjú:siŋ/-djú:s-] *a.* 〔복합어로〕 산출〔생산〕하는: oil-~ countries 산유국.

‡**prod·uct** [prádʌkt, -dəkt/prɔ́d-] *n.* **1** (종종 *pl.*) 산(출)물, 생산품; 제품, 제조물, 제작물; 창작(품); 생산고: agricultural 〔marine, forest〕 ~*s* 농〔해, 임〕산물 / natural ~*s* 천연 산물 / the ~*s* of genius 천재의 작품. **2** 결과; 소산, 성과: a ~ *of* much research 쌓이고 쌓인 연구의 성과 / He is a true ~ *of* his time. 그는 진실로 시대의 소산이다. **3** 〖생물〗 생성물; 〖화학〗 생성물질. opp *educt.* **4** 〖수학 · 컴퓨터〗 곱. cf. quotient. ¶ 40 is the ~ of 8 by 5. 40은 8과 5와의 곱. ◇ produce *v.*

‡**pro·duc·tion** [prədʌ́kʃən] *n.* **1** Ⓤ 생산, 산출; 생산고, 생산량. opp *consumption.* ¶ mass ~ 대량 생산 / the ~ *of* oil 〔arms〕 석유 생산〔무기 제조〕. **2** Ⓤ 제작; 저작. **3** Ⓒ 생산〔제작〕물; 저작물; 작품; 연구 성과: literary ~ 문학 작품. **4** Ⓤ 제공, 제출: You can get a discount on ~ *of* the card. 그 카드를 제시하면 할인받을 수 있다. **5** Ⓤ (영화 등의) 제작, 연출; Ⓒ 영화 제작소: film ~ 영화 제작. **6** Ⓤ (선 따위의) 연장; 〖수학〗 연장(선). **7** 《구어》 큰 소동. ◇ produce *v.* ㊞ **~·al** *a.*

prodúction contròl 생산〔공정〕 관리.

prodúction lìne (일관 작업의) 생산 공정.

prodúction nùmber 〖연극〗 (뮤지컬 코미디 따위에서) 배역 총출연의 노래〔댄스〕.

‡**pro·duc·tive** [prədʌ́ktiv] *a.* **1** 생산적인: ~ labor 생산적 노동. **2** 다산의, 풍요한, 비옥한: a ~ writer 다작(多作)의 작가 / ~ land 기름진 땅. **3** 〖경제〗 이익을 낳는; 생산성의: a ~ society 생산 조합. **4** (결과로서) 생기는《*of*》: conditions ~ *of* crimes 범죄를 낳는 환경 / ~ *of* great inconvenience 대단한 불편을 가져오는 / Poverty is ~ *of* crime. 빈곤은 범죄를 낳는다. **5** 〖언어〗 신조력(新造力)이 있는《접사(接辭) 따위》. ◇ produce *v.* ㊞ **~·ly** *ad.* 생산적으로; 다산으로; 풍요하게. **~·ness** *n.* 생산적임, 다산, 다작.

°**pro·duc·tiv·i·ty** [pròudʌktívəti, pràdək-/prɔ̀d-] *n.* Ⓤ 생산성, 생산력; 다산, 풍요: labor ~ 노동 생산성 / ~ movement 생산성 향상 운동.

productívity bàrgaining 생산성 교섭《생산성 향상의 대상으로 임금의 인상을 꾀하는 교섭》.

próduct liabílity 《미》 (결함 제품에 의한 손해에 대한) 생산자 책임《생략: PL》.

próduct-liabílity sùit 제조〔생산〕물 책임 소송《결함 상품 등에 대해 소비자가 하는》.

próduct lìne 〖마케팅〗 (제조 또는 판매되는) 전제품, 제품군(群); 제품 라인《같은 기능을 지닌 지극히 관련 깊은 제품군》: ~ stretching 제품 라인의 확장.

próduct màrk 특정한 상품에만 붙이는 제품 「마크〔상표〕.

prodúct plàcement 제품 배치《광고 효과를 노려 영화나 TV 프로그램에 특정 제품을 소품으로 이용하는 일》.

pro·em [próuem] *n.* 서문, 머리말(preface); 개시, 발단. ㊞ **pro·emi·al** [proui:miəl] *a.*

prò·énzyme *n.* 〖생화학〗 프로 효소(zymogen).

pro·éstrus *n.* 〖동물〗 발정기 직전의 시기.

pro·ette [prouét] *n.* (골프의) 여자 프로 선수.

prof [praf/prɔf] *n.* 《구어》 교수. [◂ *professor*]

Prof. Professor. ★ Prof. John 〔J.〕 Jones 처럼 쓰며, 성뿐일 때에는 Prof. 라고 생략하지 않고 Professor Jones로 함이 보통. **prof.** profession(al).

prò-fámily *a.* 임신 중절(합법화) 반대의.

prof·a·na·tion [pràfənéiʃən/prɔ̀f-] *n.* Ⓤ 독신(瀆神); 신성 모독; 남용, 악용(misuse).

pro·fan·a·to·ry [prəfǽnətɔ̀:ri, prou-/-təri] *a.* 모독적인, 신성을 더럽히는.

°**pro·fane** [prəféin, prou-] *a.* **1** 독신(瀆神)의, 모독적인, 불경스러운: ~ language 불경스러운 언사. **2** 종교 · 성전(聖典)에 관계되지 않은, 세속의; 비속한, 더럽혀진: ~ history 세속사《성사(聖史)에 대해》. **3** 이교적인, 사교의. — *vt.* 모독하다, (신성을) 더럽히다; 남용하다(misapply). ㊞ **~·ly** *ad.* **~·ness** *n.*

pro·fan·i·ty [prəfǽnəti, prou-/prə-] *n.* Ⓤ 신성을 더럽힘, 불경, 모독; Ⓒ 신성을 더럽히는 언행.

pro·fert [próufərt] *n.* 〖법률〗 (공개 법정에서의) 기록〔서류〕 등의 제출, (서증(書證)의) 신청.

***pro·fess** [prəfés] *vt.* **1** 《~+목/+목+(*to be*) 보/+*that* 절》 공언하다, 언명하다, 고백하다: ~ a distaste for modern art 근대 예술은 싫다고 분명히 말하다 / They ~*ed* themselves (*to be*) quite contented. 그들은 아주 만족하다고 말했다 /

He ~*ed* (*that*) he had no taste for music. 그는 음악에 취미가 없다고 잘라 말했다. **2** ⟪~+목/+*to* do/+목+(*to be*)보/+*that* 절⟫ 칭하다, 주장하다; 자칭하다, …한 체하다(feign): ~ ignorance 모르는 체하다/~ oneself *to be* a scholar 학자를 자칭하다/Everyone ~*ed to* study hard. 모두 다 열심히 공부하는 체했다/She ~*ed that* she could do nothing unaided. 그녀는 도움 없이는 아무것도 할 수 없다고 주장했다. **3** (신도가) …을 믿는다고 고백하다, 신앙하다: ~ Christianity 기독교에 대한 신앙을 고백하다. **4** …을 직업으로 하다; …의 교수가 되다, 교수하다: She ~*es* comparative literature. 그녀는 비교 문학 교수이다. **—** *vi.* **1** 공언하다, 언명하다, 고백하다. **2** 대학교수로 근무하다. **3** 신앙을 고백하다; 서약하고 수도회에〔종문(宗門)에〕 들어가다. ◇ profession *n.*

pro·féssed [-t] *a.* **1** 공언한, 공공연한. **2** 서약하고 수도회에 들어간. **3** 전문적인, 본직(本職)의. **4** 외양만의, 자칭의, 거짓의: a ~ anatomist 자칭 해부학자. ㊔ **pro·fess·ed·ly** [-fésidli] *ad.* 공언하여, 공공연히; 표면상, 거짓으로.

⁑**pro·fes·sion** [prəféʃən] *n.* **1** 직업, (특히) 지적(知的) 직업.

NOTE 특히 학문적 소양을 필요로 하는 지적 직업⟪교사·문필가·기사 등⟫. 원래는 특히 법률가·의사·성직자를 가리켰음. occupation 은 일반적인 직업을 말함.

¶the honorable 〔teaching〕 ~ 교직/a man of ~ 지적 직업을 가진 사람; 자유업을 가진 사람/the medical ~ 의업(醫業). **2** 공언, 언명, 고백, 선언⟪*of*⟫: ~*s of* regard 경의의 표명. **3** (the ~) 〖집합적〗 동업자들; ⟪속어⟫ 배우들, 연예인들: the etiquette of the ~ 동업자들 사이의 예의/a member of our ~ 우리들 동업자의 한 사람. **4** 〖종교〗 신앙 고백; 서약하고 종교 단체에 들어감; 고백한 신앙. ◇ profess *v.* ***by*** **~** 직업은: I am *by* ~ a teacher. 나의 직업은 교사이다. ***in practice if not in*** **~** 공언은 하지 않지만 사실상. ***make*** one**'s ~** (성직자가 되는) 서약을 하다.

⁑**pro·fes·sion·al** [prəféʃənəl] *a.* **1** 직업의, 직업적; 직업상의, 장사의: a ~ call 직업상의 방문/~ etiquette 〔jealousy〕 동업자 간의 의리〔시기〕/~ education 전문〔직업〕 교육. **2** 지적 직업의, 전문적 직업의: a ~ man 지적 직업인⟪변호사·의사 등⟫, 프로 선수. **3** 전문의, 본직〔본업〕의, 프로의. OPP. *amateur.* ¶a ~ writer 본업의 문필가, 작가/a ~ politician 직업적 정치인. **4** ⟪경멸⟫ 장사로 하는; ⟪완곡어⟫ 〖경기〗 (규칙 위반이) 고의인. **—** *n.* **1** 지적 직업인; 기술 전문가. **2** 전문가. **3** 직업 선수, 프로 선수. ***turn*** 〔***go***〕 **~** 프로가 되다. ㊔ **~·ism** *n.* **1** 전문가〔장사치〕 기질; 직업 선수의 기질〔신분〕. **2** 전문적〔직업적〕 기술; ⟪완곡어⟫ 〖경기〗 가벼운 규칙 위반을 하여 유리하게 이끌어 가는 일. **~·ly** *ad.* 직업적〔전문적〕으로; 직업상.

proféssional corporátion 〖법률〗 전문직 법인⟪의사·변호사 등 면허를 받고 영업하는 개인이 전문적 서비스를 하고 세제상의 우대 조치를 받기 위해 조직하는 단체⟫.

proféssional devélopment 직능 개발.

proféssional fóul (축구 따위에서) 프로페셔널 파울⟪상대팀 득점을 저지하려는 파울〔반칙〕⟫.

pro·fés·sion·al·ize *vt.* 직업화하다; 전문적으로 다루다. **—** *vi.* 전문화하다, 전문가가 되다.

proféssional wréstling 프로 레슬링.

⁑**pro·fes·sor** [prəfésər] *n.* **1** (대학) 교수⟪a full ~ 정교수, an associate ~ 부교수, an assistant ~ 조교수 등이 포함됨⟫: a ~ emeritus 명예 교수/a visiting ~ 초빙 교수/a ~ extraordinary 객원(客員) 교수/a ~'s chair 강좌. **2** ⟪구어⟫ (남자) 교사, 선생. **3** 〔과장한 호칭〕 선생⟪댄스·권투·요술 따위의⟫: a ~ of dancing. **4** 공언자; 자칭자; 신앙 고백자. **5** ⟪속어⟫ 전문가. **6** ⟪미속어⟫ 안경을 낀 사람; (오케스트라의) 리더; (바의) 피아니스트; 도박사. ㊔ **~·ship** *n.* 교수의 직〔지위〕. **~·ess** *n. fem.* ⟪고어⟫

pro·fes·sor·ate, pro·fes·so·ri·ate [prəfésərət], [pròufəsɔ́ːriət, pràf-/prɔ̀f-] *n.* Ⓤ 교수의 직〔임기〕; 〔집합적〕 교수단〔회〕.

pro·fes·so·ri·al [pròufəsɔ́ːriəl, pràf-/prɔ̀f-] *a.* 교수의; 교수다운; 학자연하는; 독단적인(dogmatic). ㊔ **~·ly** *ad.*

prof·fer [práfər/prɔ́fər] *vt.* ⟪문어⟫ 내밀다; 제의하다; (…에게) 제공하다, 진상하다⟪*to*⟫: ~ services 〔help〕 봉사를〔도움을〕 제의하다/He barely touched the ~*ed* hands of his counterparts. 그는 내어민 상대자들의 손을 마지못해 잡았다/He ~*ed* a hint *to* me. 그는 나에게 힌트를 주었다. **—** *n.* Ⓤ,Ⓒ 제출, 제의, 제공(물).

pro·fi·cien·cy [prəfíʃənsi] *n.* Ⓤ 숙달, 연달(練達), 능숙(skill)⟪*in*⟫: a test of ~ *in* English 영어 실력 테스트.

°**pro·fi·cient** [prəfíʃənt] *a.* 숙달된, 능숙한, 능란한⟪*at; in*⟫: She's very ~ in English. 그녀는 영어를 아주 잘한다/He's ~ at repartee. 그는 재치 있게 즉답하는 재간이 있다. **—** *n.* 숙달된 사람, 명인⟪*in*⟫. SYN. ⇨ EXPERT. ㊔ **~·ly** *ad.* 능숙하게.

pro·file** [próufail] *n.* **1** (조상(彫像) 따위의) 옆모습, 측면; 반면상. **2** 윤곽(outline), 소묘(素描); 인물 단평〔소개〕. **3** 〖건축〗 종단면도, 측면도. ***in **~** 측면에서 보아, 옆모습으로는. **—** *vt.* **1** …의 윤곽을 그리다; …의 종단면도〔측면도〕를 작성하다; 인물평을 쓰다; 반면상으로 만들다: The magazine will ~ the candidate in its next issue. 그 잡지에서는 다음 호에 그 후보자의 프로필을 소개할 예정이다. **2** ⟪+목+전+명⟫ 〔수동태로〕 (…을 배경으로) …의 윤곽을 드러내 보이다: *be ~d against* a starry sky. 별이 총총한 하늘을 배경으로 윤곽을 드러내다. ㊔ **pró·fil·er** *n.* 본뜨는 기계, 모형기(模型機); 범죄 심리 분석관.

prófile dràg 〖항공〗 (날개의) 단면(斷面) 저항; 〖공학〗 형상 항력(形狀抗力).

pró·fil·ing *n.* 프로필 분석⟪심리·행동의 특징을 분석하여 능력을 평가·예상하는 따위의 행위⟫; 프로파일링⟪인종이나 연령 등의 특징을 이용하여 범죄 관여 여부 등 인물상을 추정하는 것⟫.

⁑**prof·it** [práfit/prɔ́f-] *n.* **1** (종종 *pl.*) (금전상의) 이익, 수익, 이윤, 이문, 소득: net 〔clear〕 ~ 순익/gross ~*s* 총수익금/~ and loss 손익/~ and loss account 〔point〕 손익 계정〔분기점〕.

SYN. **profit** 경제적, 물질적인 이익. **advantage** 다른 것보다 우수하기 때문에 생기는 이익, 이점. **benefit** 개인이나 사회 전체에 유익한 이익.

2 Ⓤ 득(得), 덕. **3** (보통 *pl.*) (자본·보험에 대한) 이자. ***a*** (***consolidated***) **~ *and loss statement*** 〖상업〗 (연결) 손익 계산서. ***make a ~ on*** … 으로 이익을 보다. ***make*** one**'s ~ *of*** …을 잘 이용하다. ***sell at a*** **~** 이익 보고 팔다. ***to*** one**'s** (***great***) **~** =***with*** **~** (크게) 득을 보고, 얻는 바가 있어: I have read it *with* ~. 나는 그것을 읽고 덕을 보았다. ***turn … to*** **~** …을 이용하다. **—** *vt.* ⟪~+목/+목+목⟫ …의 이익이 되다, …의 득〔도움〕이 되다: What can it ~ him? 그것이 그에게 어떤 도움이 되는가/It ~*ed* me nothing. 그것은 나에게 아무 도움도 되지 못했

다. ― vi. 《+전+명》 이익을 보다, 소득을 얻다, (…에 의해, …에서) 덕을 입다《by; from; over》: ~ by [over] a transaction 거래에서 이익을 보다 / He ~ed greatly from his schooling. 그는 학교 교육에서 많은 득을 보았다.

*__prof·it·a·ble__ [práfitəbəl/prɔ́f-] a. **1** 유리한, 이문이 있는《to》: a ~ deal 유리한 거래. **2** 유익한, 이로운《for》: ~ instruction 유익한 교훈. 파 **-bly** ad. 유리[유익]하게: spend one's vacation *profitably* 휴가를 유익하게 보내다. **~·ness** n. 유익. **pròf·i·ta·bíl·i·ty** n. U 《특히》 이익률, 수익성.

prof·it·eer [pràfitíər/prɔ̀f-] n. 부당 이득자《특히 전시 따위의》; 모리배, 간상(奸商). ― vi. 부당 이득을 취하다, 폭리를 보다. 파 **~·ing** [pràfitíəriŋ/prɔ̀f-] n. U 부당 이득[폭리] 행위.

prófit·less a. 이익 없는; 무익한, 쓸모없는. 파 **~·ly** ad. **~·ness** n. 「OPP *nonprofit*.

prófit-màking a. 이익을 내는, 영리적인.

prófit màrgin 《상업》 이윤폭(幅).

prófit shàring (노사 간의) 이익 분배(제).

prófit squèeze 이윤 통제.

prófit sỳstem =FREE ENTERPRISE.

prófit tàking 《증권》 가격 차이로 이문 얻기.

prof·li·ga·cy [práfligəsi/prɔ́f-] n. U 방탕, 품행이 나쁨; 낭비, 과소비; 풍부.

prof·li·gate [práfligət, -gèit/prɔ́fligət] a. 방탕한, 품행이 나쁜; 낭비가 심한. ― n. 방탕아, 난봉꾼, 도락자; 낭비가. 파 **~·ly** ad. 방탕하게; 낭비하여. **~·ness** n.

prof·lu·ent [práfluənt/prɔ́f-] a. 도도히 흐르는.

pró-fòrm n. 《문법》 대용형(代用形).

pro for·ma [prou-fɔ́ːrmə] 《L.》 형식상, 형식을 위한; 《상업》 견적의, 가(假)…: a ~ invoice 견적송장(送狀).

*__pro·found__ [prəfáund] a. **1** 깊은, 밑바닥이 깊은; (병 따위가) 뿌리 깊은: ~ depths 깊은 밑바닥 / ~ sleep 깊은 잠. **2** 뜻 깊은, 심원한. OPP *superficial*. ¶ a ~ thinker 심오한 사색가 / ~ knowledge 박식 / ~ meaning 의미심장함. **3** 충심으로부터의, 심심한, 심한, 충분한, 정중한: ~ grief [anxiety] 깊은 슬픔[걱정] / ~ sympathy [regrets] 마음으로부터의 동정[후회] / a ~ bow (머리를 숙인) 정중한 인사. ― n. (the ~) 《시어》 **1** 깊은 곳, 심연. **2** 심해, 대양. 파 °**~·ly** ad. 깊이; 심오하게; 간절히, 크게. **~·ness** n.

pro·fun·di·ty [prəfʌ́ndəti] n. **1** U 깊음, 깊이; 깊숙함, 심오(深奧), 심원. **2** C 심연(深淵). **3** (pl.) 깊은 사상; (pl.) 심원한 일.

◇**pro·fuse** [prəfjúːs] a. **1** 아낌없는, 마음이 후한, 통이 큰; 사치스러운, 돈의 씀씀이가 헤픈《in; of》: be ~ *in* expenditure 돈 씀씀이가 헤프다 / be ~ *in* hospitality 아낌없이 사람을 대접하다 / be ~ *of* [*with*] one's money 함부로 돈을 쓰다. **2** 많은, 풍부한: ~ apologies 귀찮을 정도로 되풀이 하는 사과. ◇profusion n. 파 **~·ly** ad. 아낌없이; 풍부하게. **~·ness** n.

◇**pro·fu·sion** [prəfjúːʒən] n. U 대량, 풍부; 통이 큼; 낭비, 사치. ◇ profuse a. ***a* ~ *of*** 풍부한, 다량의, 많은. ***in* ~** 풍부하게, 대단히 많이.

pro·fu·sive [prəfjúːsiv] a. 아낌없는, 활수한.

prog [prɑg/prɔg] n. 《영속어》 (여행·소풍 때 먹는) 음식물; 《미방언》 약탈[동냥]하여 얻은 음식물. ― (*-gg-*) vi. 음식물을 구하러 다니다.

prog. program; progress(ive).

pro·gen·i·tive [proudʒénətiv] a. 번식하는; 생식력 있는. 파 **~·ness** n.

pro·gen·i·tor [proudʒénətər] (*fem.* ***-tress*** [-tris]) n. **1** 조상, 선조; 창시자, 선각자, 선배. **2** 원본(原本); (동식물의) 원종(原種).

pro·gen·i·ture [proudʒénətʃər] n. U 자손을 낳음; =PROGENY.

prog·e·ny [prádʒəni/prɔ́dʒ-] n. **1** 자손, 《집합적》 아이; 제자; 후계자. **2** 결과, 소산. **3** 종족, 일족; 《고어》 혈통.

pro·ge·ria [proudʒíəriə] n. 《병리》 조로증《어려서부터 노인성 용모가 나타나는 선천성 이상; 수명이 짧음》.

prò·gestátional a. 임신 전의.

pro·ges·ter·one [proudʒéstəròun] n. 《생화학》 프로게스테론《주요 황체 호르몬의 일종》.

pro·ges·tin [proudʒéstin] n. 《생화학》 프로게스틴《황체 호르몬, 특히 progesterone》.

pro·ges·to·gen [proudʒéstədʒən] n. U 《약학》 황체(黃體) 호르몬제.

pro·glot·tid [prouglátid/-glɔ́t-] n. 《동물》 편절(片節)《다절(多節) 촌충류의 각 마디의 하나》. 파 **pro·glót·tic, pro·glot·tid·e·an** [pròuglɑtídiən, prouglɑ̀tədíːən/-glɔtid-] a.

pro·glot·tis [prouglátis/-glɔ́t-] (pl. ***-ti·des*** [-tidìːz]) n. 《동물》 편절(片節)《촌충의》.

prog·nath·ic [prɑgnǽθik/prɔg-] a. =PROGNATHOUS.

prog·na·thous [prágnəθəs, prɑgnéi-/prɔgnéi-, prɔ́gnə-] a. 《해부》 턱이 튀어나온.

prog·nose [prɑgnóus/prɔg-] vt., vi. 예지(豫知)[예측]하다.

prog·no·sis [prɑgnóusis/prɔg-] (pl. ***-ses*** [-siːz]) n. 예지(豫知), 예측; 《의학》 예후(豫後).

prog·nos·tic [prɑgnástik/prɔgnɔ́s-] a. 전조를 나타내는《of》; 《의학》 예후(豫後)의. ― n. 전조; 예측, 예상, 예언; 《의학》 예후.

prog·nos·ti·cate [prɑgnástikèit/prɔgnɔ́sti-] vt., vi. (전조에 의해) 예지하다, 예언[예측]하다; …의 징후를 보이다. 파 **prog·nòs·ti·cá·tion** n. U 예측, 예언; C 전조, 징후. **prog·nós·ti·cà·tive** [-tiv] a. **prog·nós·ti·cà·tor** [-ər] n. 예언자, 점쟁이.

pro·grade [próugrèid] a. 《천문》 (위성 등이) 천체의 회전 궤도와 동일 방향으로 운동하는.

†**pro·gram,** 《영》 **-gramme** [próugræm, -grəm/-græm] n. **1** 프로그램, 차례표: a theater ~ 극장의 프로그램. **2** 《집합적》 상연 종목, 연주 곡목: a ~ of French music. **3** 댄스 차례표[카드]《상대자의 이름을 기입하는 여백이 있음》. **4** 계획(표), 예정(표): What's the ~ *for* today? 오늘의 예정은 어떻게 되어 있나 / a ~ *to* stamp out terrorism 테러 박멸 계획. **5** (강의 따위의) 요목; 학과 과정(표): a school ~ 학과 과정표. **6** 정당의 강령, 정강. **7** 《컴퓨터》 풀그림, 프로그램. ***be on the* ~** 프로그램에 실려 있다. ― (***-gramed, -gram·ing;*** 《특히 영》 《컴퓨터》 ***-grammed, -gram·ming***) vt. **1** 《~+목/+목+*to* do》 …의 프로그램을 짜다; …의 계획을 세우다: A rest period is ~*ed* after dinner. 저녁 식사 후에 휴식 시간이 예정되어 있다 / Children seem to be ~*ed to* learn language. 어린아이들이 말을 배울 수 있도록 프로그램되어 있는 것 같다. **2** 《컴퓨터》 풀그림[프로그램]을 공급하다; 계획[예정]대로 하게 하다. ― vi. 프로그램을 만들다; 계획[예정]대로 하다. 「그램 편성자.

prógram dirèctor (라디오·텔레비전의) 프로

prógram gènerator 《컴퓨터》 (다른 프로그램 작성을 위한) 프로그램 생성기.

pró·gram·ist, 《특히 영》 **-gram·mist** n. 프로그램 작성자; 표제 음악의 작곡가. 「GUAGE.

prógram lànguage =PROGRAMMING LAN-

prógram lòading 《컴퓨터》 프로그램 로딩《프로그램을 미리 주기억 장치에 기억시키는 것》.

pró·gram·ma·ble, -gram·a·ble a. 《컴퓨터》 프로그래밍 가능한. ― n. (특정한 일을 행할

수 있게) 프로그램할 수 있는 전자 기기《컴퓨터 · 전화 등》. 「유지 보수.
prógram màintenance 〖컴퓨터〗 프로그램
pro·gram·mat·ic [pròugrəmǽtik] *a.* 표제(標題) 음악의; 프로그램의. ㊞ **-i·cal·ly** *ad.* 「과정.
prógrammed cóurse 〖교육〗 프로그램 학습
prógrammed instrúction 〖교육〗 프로그램 학습법에 의한 교수. 「습.
prógrammed léarning 〖교육〗 프로그램 학
pró·gram·(m)er *n.* **1** (TV · 라디오 따위의) 프로그램 작성자. **2** 〖컴퓨터〗 프로그래머.
pro·gram·me·try [próugræmətri] *n.* 〖컴퓨터〗 프로그램 효율 측정.
pró·gram·(m)ing *n.* 〖컴퓨터〗 프로그래밍; 〖라디오 · TV〗 프로그램 편성; (편성된) 프로그램. 「램 언어.
prógramming lànguage 〖컴퓨터〗 프로그
prógram mùsic 표제 음악. ⓒⓕ absolute music.
prógram nòte 프로그램에 실려 있는 해설.
prógram pìcture 〖영화〗 동시 상영의 영화.
Prógram Pràctices 《미》 〖TV〗 프로그램이 방송되기 전에 행하는 사전 검열.
prógram stàtement 〖컴퓨터〗 프로그램 문 《작업 지시를 위한 명령문》.
prógram tráding 〖증권〗 프로그램 매매〔거래〕《컴퓨터의 지시에 따른 주식 매매의 거래 수법; 선물 거래의 발달과 함께 급속히 보급되었음》.
‡prog·ress [prágres/próug-] *n.* Ⓤ **1** 전진, 진행. **2** 진보, 발달, 진척, 숙달, 보급: the ~ of a student *in* his studies 학생의 공부의 진보. **3** 경과, 추이. **4** Ⓒ 《영》 (국왕 등의) 공적 여행, 순행: royal ~ 임금의 거둥 / The Pilgrim's *Progress* 천로(天路) 역정. ***in* ~** 진행 중. ***make* ~** 전진〔숙달〕하다, 진보하다. ── [prəgrés] *vi.* **1** 《~/+전+명》 전진하다, 진척하다. ⓞⓟⓟ *retrogress*. ¶ The cold front ~*ed* south. 한랭 전선이 남하했다 / ~ *towards* health 건강해지다. ⓢⓨⓝ ⇨ ADVANCE. **2** 《~/+전+명》 진보하다, 발달하다: ~ *in* knowledge 지식이 늘다. **3** 진척되다, 잘 되어 가다. ── *vt.* 전진〔진척〕시키다.
prógress chàser (공장 등의) 진행 감독자.
pro·gres·sion [prəgréʃən] *n.* Ⓤ 전진, 진행, 진척; 연속; 진보, 발달, 개량; 〖수학〗 수열(ⓒⓕ arithmetic 〔geometric, harmonic〕 ~); 〖음악〗 진행; 〖천문〗 (행성의) 순행 (운동). ***in geometrical* ~** 《구어》 기하급수적〔가속도적〕으로. ***in* ~** 연속적으로, 점차. ㊞ **~·al** [-ʃənəl] *a.* **~·ìsm** *n.* Ⓤ (정치적 · 사회적) 진보주의, 혁신주의. **~·ist** *n.* 진보론자, 진보당원.
***pro·gres·sive** [prəgrésiv] *a.* **1** (부단히) 전진하는. ⓞⓟⓟ *retrogressive*. ¶ make a ~ advance 전진하다. **2** 진보적; 진보주의의; (P-) 진보당의. ⓞⓟⓟ *conservative*. ¶ a ~ nation 진취적인 국민. ⓢⓨⓝ ⇨ LIBERAL. **3** 점진적; 누진적: ~ taxation 누진 과세(법). **4** 〖의학〗 진행성의: a ~ disease / ~ paralysis 진행성 마비. **5** 〖문법〗 진행형의. ── *n.* 진보〔혁신〕주의자〔론자〕; 〖문법〗 진행형; (P-) 〖미국사〗 진보당(원). ㊞ **~·ly** *ad.* **~·ness** *n.* 「화(同化).
progréssive assimilátion 〖언어〗 진행 동
Progréssive Consérvative Pàrty (the ~) 진보 보수당《캐나다 주요 정당의 하나》.
progréssive cóuntry 《미》 프로그레시브 컨트리《사회적 주제나 혁신적 악기를 사용하는 컨트리 음악의 하나》.
progréssive educátion 진보주의 교육《학생의 개성 · 자주성을 존중하는 교육법》.
progréssive fórm 〖문법〗 진행형. ⇨《부록》 PROGRESSIVE FORM.
progréssive jázz 〖음악〗 진보적 재즈《1944년경부터 Stan Kenton 등이 실시한 근대 음악적 구상의 재즈》.
progréssive léns 프로그레시브 렌즈《2중 또는 다중 초점 렌즈》.
Progréssive Párty (the ~) 〖미국사〗 진보당 《1912년 Theodore Roosevelt, 1924년 Robert M. La Follette, 1948년 Henry A. Wallace가 각각 결성함》. 「정쇄(刷).
progréssive próof 〖인쇄〗 (색의) 단계별 교
progréssive róck 프로그레시브 록《복잡한 프레이징과 즉흥을 받아들인 전위적 록 음악》.
pro·gres·siv·ism [prəgrésəvìzəm] *n.* Ⓤ 진보주의, 혁신론; 진보주의의 교육 이론; (P-) 〖미국사〗 진보당의 정책〔강령〕. ㊞ **-ist** *n., a.*
pro·gres·siv·i·ty [pròugresívəti] *n.* 진보성; (과세의) 누진성.
prógress repórt 경과 보고, 중간 보고.
pro-growth [próugróuθ] *a.* 개발 찬성의, 경제 성장 정책의. ㊞ **~·er** *n.*
***pro·hib·it** [prouhíbit] *vt.* **1** 《~+목/+-*ing*》 금지하다: ~ the sale of alcoholic liquors 주류 판매를 금지하다 / Smoking is ~*ed*. 흡연을 금지함. ⓢⓨⓝ ⇨ FORBID. **2** 《+목+전+명》 (…에게 …하는 것을) 금지하다《*from* do*ing*》: Students are ~*ed from* smok*ing* inside school. 학생은 교내 흡연이 금지되어 있다. **3** 《~+목/+목+전+명》 방해하다, …에게 지장을 가져오다: Heavy rain ~*ed* any possibility of continuing the game. 호우로 인해 시합을 계속하는 것이 아무리해도 불가능했다 / Snow ~*ed* us *from* go*ing*. =Snow ~*ed* our go*ing*. 눈 때문에 우리는 갈 수가 없었다. ◇ prohibition *n.* **~*ed articles* 〔*goods*〕** 금제품. ㊞ **~·er, -i·tor** *n.* 금지자.
prohíbited degrée =FORBIDDEN DEGREE.
***pro·hi·bi·tion** [pròuhəbíʃən] *n.* Ⓤ 금지, 금제(禁制); Ⓒ 금령; Ⓤ 《미》 주류 양조 판매 금지; 《미》 금주법; (보통 P-) 《미》 금주법 기간《1920-33》: the ~ law 금주법 / a ~ state 금주주(禁酒州). ◇ prohibit *v.* ㊞ **~·ism** *n.* Ⓤ 주류 양조 판매 금지주의. **~·ist** *n.* (주류 양조 판매) 금지론자; (P-) 금주당원. 「년 결당).
Prohibítion Pàrty (the ~) 《미》 금주당《1869
°pro·hib·i·tive [prouhíbitiv, prə-] *a.* 금지〔금제〕의; 금지하는 것이나 다름없는, 엄청나게 비싼: a ~ price 금지적 가격, 사지 말라는 말과도 같은 비싼 값 / a ~ tax 금지적 중세(重稅). ㊞ **~·ly** *ad.* **~·ness** *n.* 「HIBITIVE.
pro·hib·i·to·ry [prouhíbitɔ̀ːri/-təri] *a.* =PRO-
pro·hor·mone [prouhɔ́ːrmoun] *n.* 〖생화학〗 프로 호르몬《호르몬의 전구(前驅) 물질》.
pro·in·su·lin [prouínsəlin, -sju-/-sju-] *n.* 〖생화학〗 프로인슐린《인슐린의 전구(前驅) 물질》.
proj. project(or).
‡pro·ject [prədʒékt] *vt.* **1** 입안하다, 계획하다, 안출하다, 설계하다: ~ a new dam 새로운 댐을 계획〔설계〕하다. **2** 《~+목/+목+전+명》 발사〔사출〕하다, 내던지다: ~ a missile *into* space 공중으로 미사일을 발사하다. **3** 《~+목/+목+전+명》 투영하다; 영사하다; 〖수학〗 투영하다: We ~ tonight's movie at 7 o'clock. 오늘밤 영화 상영은 7시부터다 / ~ a picture *on* a screen 스크린에 그림을 영사하다. **4** …의 이미지를 주다, 이해시키다, (관념을) 넓히다: Do the BBC Overseas Services adequately ~ Great Britain? BBC 해외 방송은 영국의 올바른 모습을 소개하고 있는가. **5** 마음속에 그리다, 상상하다. **6** 《~+목/+*that* 절/+목+*to* do》 (…이라고) 예측〔추정〕하다, (미래 · 비용 따위를) 계량하

다: a ~*ed* population growth 추정되는 인구 증가 / ~ expenditure at $ 10,000 경비를 1만 달러로 예측하다 / We ~ *that* our life will be better next year. 내년에는 생활이 더 나아지리라고 예상한다 / The population is ~*ed to* decrease. 인구는 감소될 것으로 예상된다. **7** 불쑥 내밀다, 툭 튀어나오게 하다. **8** 〖연극〗 (음성·연기를) 강조하여 관객에게 호소하다. **9** 〖화학〗 (…에) 투입하다《*into; on*》. **10** 《+목+전+명》 〖심리〗 (무의식의 감정 등을) (다른 대상에) 투사(投射)하다, (마음을 비우고) 객관화하다《*on; onto*》: It is false to ~ our own feelings *on* every animate creature. 어떤 생물에게도 우리와 같은 감정이 있다고 생각하는 것은 잘못이다. — *vi.* **1** 《~/+전+명》 삐죽[불쑥] 나오다: The breakwater ~*s* far *into* the sea. 방파제가 멀리 바다 가운데 삐죽 나와 있다. **2** 자기의 사상·감정을 분명히[강력히] 전하다. ◇ projection *n.* ~ one**self** ① (머릿속에서) 자기 몸을 …에 놓고 보다: ~ one*self* into the past 과거의 자신을 마음에 그려 보다. ② 〖영매술〗 (…에게) 모습을 보이다《*to*》. ⓟ **~·a·ble** *a.*

⁑proj·ect² [prádʒekt/prɔ́dʒ-] *n.* **1** 안(案), 계획, 설계; 예정: carry out a ~ 계획을 실시하다. SYN. ⇨ PLAN. **2** 계획 사업; 개발 토목 공사; 《미》 주택 단지(housing ~) : engineering ~ 토목 사업. **3** 〖교육〗 연구 계획[과제]; 자습 과제: a home ~ 가정 실습 / a ~ method 구안(構案) 교수법《과제를 주고 학생에게 자주적인 학습을 하게 함》. **4** 〖컴퓨터〗 과제. ***draw up* [*form*] *a* ~** 계획을 세우다.

Prójec Galíleo 〖우주〗 갈릴레오 계획《미국 항공 우주국(NASA)의 목성 탐사 계획》.

pro·jec·tile [prədʒéktil, -tail/-tail] *a.* 사출[발사]하는; 투사될 수 있는; 추진하는: ~ force [movement] 추진력[운동] / a ~ weapon 발사(무)기. — *n.* 투사물, 사출물; 〖군사〗 발사체《로켓·어뢰·미사일 등》; 〖물리〗 포물체(抛物體).

pro·jec·tion [prədʒékʃən] *n.* Ⓤ **1** 사출(射出), 투사, 발사. **2** 〖물리〗 사영(射影), 투영; 〖영화〗 영사(映寫): a ~ booth [《영》 room] 영사실 / a ~ machine 영사기(projector). **3** Ⓒ 돌출(부), 돌기(부). **4** 설계, 계획, 고안. **5** Ⓒ 〖수학〗 투영(법). **6** (관념 따위의) 구체화; 심상(心象); 〖심리〗 주관의 객관화. **7** 〖연금술〗 비금속에서 귀금속으로의 변질. **8** (관객에의) 명확한 전달; (목소리의) 명료; 맑음. **9** 〖공학〗 투상(投像), 투영. **10** 〖컴퓨터〗 사영, 투영. ◇ project *v.* ⓟ **~·ist** *n.* 영사[텔레비전] 기사; 지도 제작자.

projéction prìnt 확대 사진.

projéction tèlevision 투영형(投影型) 텔레비전《브라운관에 비친 영상을 렌즈를 통해 스크린에 확대 투사하는 방식의 텔레비전》.

pro·jec·tive [prədʒéktiv] *a.* 사영(射影)의, 투사의; 튀어나온; 〖심리〗 주관을 반영하는: a ~ figure 투영도. ***the ~ power of the mind*** 상상력. ⓟ **~·ly** *ad.* **prò·jec·tív·i·ty** [pròu-] *n.*

projéctive geómetry 사영(射影) 기하학.

projéctive próperty 〖수학〗 사영적 성질.

pro·jec·tor [prədʒéktər] *n.* 설계자, 계획자; (유령 회사의) 발기인; 투광기(投光器); 〖영화〗 영사기, 영사 기사; 〖수학〗 사영(射影) 작용소(素): a flame ~ 〖군사〗 화염 방사기.

Prójec Ózma ⇨ OZMA.

pro·jec·tu·al [prədʒéktʃuəl] *n.* 영사 교재.

pro·jet [prouʒéi] (*pl.* **~s** [-z]) *n.* 《F.》 계획, 설계(project); (조약·법률 따위의) 초안(draft).

prokaryote ⇨ PROCARYOTE.

pro·lac·tin [proulǽktin] *n.* 〖생화학〗 프롤락틴《뇌하수체 전엽(前葉)의 성호르몬; 생식 기관·젖샘 따위의 기능을 증진함》.

pro·la·min, -mine [proulǽmin, próuləm-/próuləm-], [proulǽmi(:)n, -próuləmin, -mi:n/próuləmi:n] *n.* 〖생화학〗 프롤라민《밀 따위의 배유 등의 단순 단백질》.

pro·lan [próulæn] *n.* 〖생화학〗 프롤란《임산부의 오줌에 함유된 생식샘 자극 호르몬》.

pro·lapse [proulǽps, ⌐-/⌐-] *n.* 〖의학〗 =PROLAPSUS. — [proulǽps] *vi.* (자궁·직장이) 탈수(脫垂)하다, 빠져 처지다.

pro·lap·sus [proulǽpsəs] *n.* 《L.》 〖의학〗 (자궁·직장의) 탈출, 탈수(脫垂).

pro·late [próuleit] *a.* **1** 〖수학〗 편장(偏長)한. cf. oblate. ¶ a ~ spheroid 장구(長球). **2** (폭이) 퍼진. **3** 〖문법〗 =PROLATIVE. ⓟ **~·ly** *ad.* **~·ness** *n.*

pro·la·tive [prouléitiv] *a.* 〖문법〗 서술 보조의: the ~ infinitive 서술 보조 부정사 《예컨대 must go, willing to go의 go, to go 따위처럼 동사·형용사와 결합하여 서술을 확충함》.

prole [proul] *n.* 《경멸》 =PROLETARIAN.

pro·leg [próulèg] *n.* 〖곤충〗 앞다리《유충에만 있는 보행용 복각(腹脚)》.

pro·le·gom·e·na [pròuligámənə/-gɔ́minə] (*sing.* **-non** [-nàn/-nən]) *n. pl.* 서언(序言), 서문, 서론, 머리말. ⓟ **-góm·e·nous** [-nəs] *a.*

pro·lep·sis [proulépsis] (*pl.* **-ses** [-si:z]) *n.* **1** 예기(豫期), 예상. **2** 〖수사학〗 예변법(豫辯法)《반대론을 예기하고 반박해 두는 법》; 예기적 표시《미래 일을 현재나 과거의 것으로 씀》; 〖문법〗 예기적 품사법《결과를 나타내는 형용사를 예기하여 쓰는 것》. ⓟ **pro·lep·tic** [prouléptik] *a.*

°pro·le·tar·i·an [pròulətέəriən] *a.* 프롤레타리아의, 무산 계급의: ~ dictatorship 프롤레타리아 독재. — *n.* Ⓤ 프롤레타리아, 무산자. ⓟ **~·ism** *n.* Ⓤ 무산주의; 무산 계급 정치; 무산자의 처지[신분].

prò·le·tár·i·an·ìze *vt.* 프롤레타리아화(化)하다. ⓟ **pro·le·tàr·i·an·i·zá·tion** *n.*

pro·le·tar·i·at(e) [pròulitέəriət] *n.* **1** 프롤레타리아트, 무산 계급. opp. *bourgeoisie*. **2** 〖로마사〗 최하층 사회《종종 경멸적》.

pro·le·tary [próulətèri/-təri] *a.* =PROLETARIAN.

pro·let·cult [proulétkʌlt] *n.* 무산 계급 문화[교육]; (P-) 《Russ.》 순(純) 프롤레타리아 문화의 창조를 목표로 하는 기관.

pro·li·cide [próuləsàid] *n.* 태아[영아(嬰兒)] 살해. ⓟ **prò·li·cí·dal** *a.*

prò·lífe *a.* 《주로 미》 성장 중인 태아의 생존권을 존중하는, 임신 중절 합법화에 반대하는. opp. *pro-choice*. ⓟ **-lífer** *n.*

pro·lif·er·ate [prəlífərèit] *vt., vi.* 〖생물〗 (분아(分芽)·세포 분열 등으로) 증식[번식]하다; 급격히 늘다. ⓟ **pro·lìf·er·á·tion** *n.* 증식; 분아 번식; (핵병기 따위의) 확산. **pro·líf·er·à·tive** *a.*

pro·lif·er·ous [prəlífərəs] *a.* **1** 〖식물〗 (분아(分芽) 따위에 의해) 번식하는; 〖동물〗 분지(分枝) 번식하는. **2** 〖의학〗 증식하는. ⓟ **~·ly** *ad.*

°pro·lif·ic [prəlífik] *a.* (많은) 아이를 낳는, 열매를 맺는; 다산(多産)의《*of*》, (토지가) 비옥한; (작가가) 다작의; 많이 생기는; …의 원인이 되는《*of*》; (…이) 풍부한, 많은《*of; in*》: (as) ~ as rabbits 실로 다산인 / a period ~ *in* great scientists 위대한 과학자가 많이 나온 시대. ⓟ **-i·cal·ly** [-əli] *ad.* 다산적으로, 풍부하게.

pro·lif·i·ca·cy [prəlífikəsi] *n.* 출[생]산력; 다산; 풍부.

pro·li·fic·i·ty [pròuləfísəti] *n.* 다산력, 다산성.

pro·line [próuli(:)n] *n.* Ⓤ 〖생화학〗 프롤린《아미노산의 일종》.

pro·lix [proulíks, ⌐-] *a.* 지루한, 장황한. ㊥ **~·ly** *ad.* **pro·lix·i·ty** [proulíksəti] *n.*

prolly probably《이메일 · 문자 메시지에서》.

pro·loc·u·tor [proulákjətər/-lɔ́k-] *n.* 의장; (영국국교 교직회의(敎職會議)의) 하원 의장. ㊥ **~·ship** *n.*

PROLOG, Pro·log [próulag/-lɔg] *n.* 〖컴퓨터〗 프롤로그《논리형 프로그래밍 언어》. [◂ *pro*gramming in *log*ic]

pro·log·ize, pro·logu·ize [próulɔ:gàiz,-lag-, -lədʒàiz/-lɔg-], [-gàiz] *vi.* 서문을 쓰다, 서론을 말하다.

°**pro·logue,** 《미》 **-log** [próulɔ:g, -lag/-lɔg] *n.* **1** 머리말, 서언; 《시어》 서사(序詞). **2** (연극의) 개막사(辭); 개막사를 말하는 배우; 서막. OPP. *epilogue.* **3** 서막적〔예비적〕인 사건〔행동〕《*to*》. **4** 〖음악〗 프롤로그, 전주곡, 도입곡. **—** *vt.* 머리말을 붙이다; 개막사를 말하다; …의 발단이 되다. ㊥ **-logu·ist, -log·ist** *n.* **~·like** *a.*

***pro·long** [prəlɔ́:ŋ, -láŋ/-lɔ́ŋ] *vt.* **1** 늘이다, 연장하다(lengthen): ~ a line. SYN. ⇨ EXTEND. **2** 오래 끌다, 연기하다: a means of ~*ing* life 수명(壽命)을 길게 하는 방법. **3** (모음 따위를) 길게 발음하다. ◇ prolongation *n.* ㊥ **~·er** *n.* **~·a·ble** *a.* **~·ment** *n.* 「=PROLONG.

pro·lon·gate [prəlɔ́:ŋgeit, -láŋ-/-lɔ́ŋ-] *vt.*

pro·lon·ga·tion [pròulɔ:ŋgéiʃən, -laŋ-] *n.* Ⓤ 연장; 연기, 유예; Ⓒ 연장 부분; 연장형.

pro·lónged *a.* 오래 끄는, 장기의.

pro·lu·sion [proulú:ʒən/prə-] *n.* 서막; 서악(序樂); 머리말; 서론, 서언; 예행연습, 준비 운동. ㊥ **-so·ry** [-səri] *a.*

PROM [pram/prɔm] 〖컴퓨터〗 programmable read-only memory(피롬).

prom [pram/prɔm] *n.* **1** 《주로 영구어》 =PROMENADE CONCERT; (the P-s) 프롬스《런던의 Albert Hall에서 매년 여름에 열리는 일련의 클래식 음악 콘서트》. **2** 《미구어》 (대학 · 고교 따위의) 무도회, 댄스 파티.

prom. promenade; prominent; promontory.

***prom·e·nade** [pràmənéid, -ná:d/prɔ̀məná:d] *n.* **1** Ⓤ 산책, 산보; (말 · 수레를 탄) 행렬, 행진; (무도회 시작할 때의) 전원의 행진. **2** 산책길, 산책하는 곳. **3** 《미》 =PROM; PROMENADE CONCERT. **—** *vi.* 《~/+부/+전+명》 슬슬 거닐다, 산책하다; 뽐내며 걷다, 행진하다; 차를〔말을〕 몰다: ~ *about* (the town) (시내를) 뽐내며 걷다/~ *in* the streets 거리를 산책하다. **—** *vt.* **1** …을 산책하다. **2** 《+목+전+명》 (아무를) 산책시키다; (미인 따위를) 여봐란듯이 데리고 다니다: He ~*d* her *before* the jealous eyes of her suitors. 그녀의 구혼자들이 선망의 눈으로 지켜보는 앞에서 여봐란 듯이 그녀를 데리고 산책했다. ㊥ **-nád·er** *n.* 《영구어》 프롬나드 콘서트의 단골.

promenáde cóncert 산책이나 댄스를 하면서 듣는 음악회.

promenáde dèck 산보 갑판《1등 선객용》.

pro·meth·a·zine [prouméθəzi:n, -zin] *n.* 〖약학〗 프로메타진《항히스타민제 · 제토제(制吐劑) · 정신 안정제》.

Pro·me·the·an [prəmí:θiən] *a.* Prometheus 의〔같은〕; 독창적인. **—** *n.* (정신 · 행동이) Prometheus 같은 사람.

Pro·me·the·us [prəmí:θiəs, -θju:s] *n.* 〖그리스신화〗 프로메테우스《하늘에서 불을 훔쳐 인류에게 주었기 때문에, Zeus 신의 분노를 사서 Caucasus 산의 바위에 묶인 채 독수리에게 간을 쪼아 먹히었다고 함》.

pro·me·thi·um [prəmí:θiəm] *n.* Ⓤ 〖화학〗 프로메튬《희토류 원소; 기호 Pm; 번호 61》. 「표명」.

Pro·min [próumin] *n.* 프로민《나병 치료약; 상

°**prom·i·nence, -nen·cy** [prámənəns/prɔ́m-], [-i] *n.* **1** 돌기, 돌출. **2** 돌출물, 돌출부. **3** Ⓤ 두드러짐, 현저, 걸출, 탁월: a man of ~ 명사. **4** 〖천문〗 (태양 주변의) 홍염(紅焰), 프로미넌스.

⁑**prom·i·nent** [prámənənt/prɔ́m-] *a.* **1** 현저한, 두드러진; 저명한, 걸출〔탁월〕한: a ~ writer 저명한 작가/Dr. O is ~ *in* microsurgery. O박사는 현미경 수술에 있어서는 뛰어난 분이다〔유명하다〕. **2** 돌기한, 돌출한: ~ eyes 퉁방울눈/~ teeth 뻐드렁니. ㊥ **~·ly** *ad.*

prom·is·cu·i·ty [pràməskjú:əti, pròum-/prɔ̀m-] *n.* 뒤범벅, 난잡; 상대를 가리지 않는 성행위, 난교(亂交).

pro·mis·cu·ous [prəmískjuəs] *a.* **1** (성관계가) 문란한, 난교(亂交)의. **2** 난잡〔혼잡〕한; 뒤죽박죽인, 무차별한: a ~ mass 어중이떠중이의 군중/~ hospitality 아무나 가리지 않는 대접. **3** 남녀를 가리지 않는: ~ bathing 남녀 혼욕. **4** 그때그때의, 불규칙한, 되는대로의: ~ eating habits 불규칙한 식사 습관. ㊥ **~·ly** *ad.* **~·ness** *n.*

⁑**prom·ise** [prámis/prɔ́m-] *n.* **1** 약속, 계약: He claimed my ~. 그는 약속을 지키라고 말했다/He broke his ~ *to* give the book back to me within a week. 그는 일주일 내에 나에게 그 책을 돌려주겠다고 한 약속을 어겼다/I made your father a ~ *that* I would look after you. 나는 너의 아버지에게 너를 보살펴 주겠다고 약속했다.

> SYN. **promise** '약속'이란 뜻의 가장 일반적인 말. 특정인이 특정인에게 하는 약속 이외에 '앞으로의 가망'이라는 의미의 '약속'도 있음: give a *promise* of help 원조할 약속을 하다. a lad full of *promise* 장래가 촉망되는 청년. **engagement** 정식 통고를 받아 그 이행이 의무로 생각된 약속. 따라서 막연한 (구두) 약속은 포함되지 않음→약혼. **assurance** 보증. 구두로 하는 경우가 많아 깨질 가능성도 있음. **contract** 문서로 정식 교환된 약속으로서 법에 의한 강제력을 지닐 때가 많음. **pledge, vow** 공약, 서약(誓約). pledge는 자신의 명예 따위를 걸고, vow는 신(神) 앞에 서약함.

2 약속한 것. **3** Ⓤ (성공에 대한) 기대, 희망, 가망《*of*》: a youth of great ~ 전도 유망한 청년/There is not much ~ *of* good weather. 날씨가 좋아질 가망은 적다. **4** (봄 따위의) 징후, 징조. ***A ~ is a ~.*** 약속은 약속이다《어길 수 없다》. ***be full of ~*** 크게 유망하다. ***express*** 〔***implied***〕 ***~*** 명시 계약〔묵약〕. ***give*** 〔***make***〕 ***a ~*** 약속하다. ***give*** 〔***afford, show***〕 ***~ of*** …의 가망이 있다. ***on the ~ that ...*** …이라는 약속으로. ***the Land of Promise*** =PROMISED LAND.

— *vt.* **1** 《~+목/+*to* do/+목+목/+목+전+명/+목+*to* do/+(*that*) 절/+목+(*that*) 절》 약속하다, 약정하다; 준다는 약속을 하다: I ~ (you) *to* come. =I ~ (you) (*that*) I will come. 오기로 약속하지/~ a donation 기부를 (하기로) 약속하다/~ a person a thing =~ a thing *to* a person 아무에게 물건을 주겠다고 약속하다. **2** 《+목+목》 〔~ oneself〕 마음속에 기약하다, 기대하다: I ~*d* my*self* a restful week-end. 나는 한적한 주말을 마음속으로 기대하고 있었다. **3** 《~+목/+*to* do》 …의 가망〔희망〕이 있다, …할 듯하다(be likely): The clouds ~ rain. 그 구름을 보니 비가 올 전조이다/It ~*s to* be warm. 따뜻해질 것 같다. **4** 《+목+(*that*) 절》 《구어》 〔제 1 인칭 때만〕 단언하다, 보증하다: I ~ you (*that*) the discussion will fall into disorder. 그 토의는 반드시 혼란에 빠질 것이오.

— *vi.* **1** 약속〔계약〕하다. **2** 《(+[부])》《종종 well, fair 따위를 동반하여》 가망이 있다, 유망하다: The scheme ~*s well* 〔*ill*〕. 그 계획은 전망이 좋다〔나쁘다〕/The crops ~ *well*. 풍작일 듯하다. ***as ~d*** 약속대로. ***be ~d to*** …의 약혼자이다.
[파] **prom·is·ee** [prɑ̀misíː/prɔ̀m-] *n.* 〖법률〗 수약자(受約者). **próm·is·er** *n.* 약속자, 계약자.

Prómised Lánd **1** (the ~) 〖성서〗 약속의 땅 (Canaan)《창세기 XII: 7》, 천국(Heaven). **2** (p- l-) 이상적 땅〔상태〕.

‡prom·is·ing [prámisiŋ/próm-] *a.* 가망 있는, 유망한, 믿음직한: a ~ youth 유망한 청년/The weather is ~. 날씨가 갤 듯하다. ***in a ~ state*** 〔***way***〕 가망 있는; 병이 회복되어 가는; 임신하여. [파] **~·ly** *ad.*

prom·i·sor [prɑ̀misɔ́ːr/prɔ̀misɔ́ː] *n.* 약속자, 계약자; 약속 어음 발행인.

prom·is·so·ry [práməsɔ̀ːri/prɔ́misəri] *a.* 약속하는, 약속의; 〖상업〗 지급을 약속하는. ***a ~ note*** 〖상업〗 약속 어음《생략: p.n.》.

pro·mo [próumou] *a.* 《미구어》 판매 촉진의, 광고 선전의. — (*pl.* **~s**) *n.* 선전 광고, 선전용 필름〔레코드·추천문 따위〕, (텔레비전·라디오의) 프로 예고.

prom·on·to·ry [prámǝntɔ̀ːri/prɔ́mǝntəri] *n.* 곶, 갑(岬); 〖해부〗 융기, 돌기. [파] **-ried** [-rid] *a.* 곶이 있는, 돌기가 있는.

‡pro·mote [prəmóut] *vt.* **1** 진전〔진척〕시키다, 조장〔증진〕하다, 장려하다: ~ world peace 세계 평화를 촉진시키다/~ health 건강을 증진하다. **2** 《~+[목]/+[목]+[전]+[명]/+[목]+(*to be*) [보]》 …의 계급·지위 등을 올리다, 승진시키다. [OPP.] *demote.* ¶ be ~*d* (*to be*) captain =be ~*d to* captaincy 〔*to* the rank of captain〕 대위로 승진하다. **3** 《+[목]+[전]+[명]》 〖교육〗 …을 진급시키다: ~ a pupil *to* a higher grade 학생을 진급시키다. **4** (회사 따위의) 설립을 발기하다; (법안의) 통과에 노력하다. **5** (소동 따위를) 일으키다, 선동하다. **6** (상품의) 판매를 선전을 통해 촉진시키다. **7** 〖체스〗 (졸을 queen 으로) 승격시키다. **8** 《미속어》 사취하다, 교묘히 손에 넣다; 구슬려 한턱 내게〔융자케〕 하다; 구하다. ◇ promotion *n.* [파] **-mót·a·ble** *a.* **pro·mòt·a·bíl·i·ty** *n.*

°pro·mót·er *n.* 촉진자〔물〕, 조장자; 장려자; (주식 회사의) 발기인; 주창자; (권투 등의) 흥행주, 프로모터; 선동자, 주동자; 〖화학〗 조촉매(助觸媒); 〖유전〗 프로모터 인자(因子); 《폐어》 검사.

promóters' shàres 〖증권〗 발기인 주(株)(=《미》 **promóter's stòck**).

‡pro·mo·tion [prəmóuʃən] *n.* **1** [U,C] 승진, 승격, 진급: *Promotion* goes by seniority 〔merit〕. 승진은 연공〔공적〕에 의한다. **2 a** [U] 조장, 증진, 진흥, 장려; 선동; [U,C] 판매 촉진 (상품); 선전용 자료, 광고: the ~ *of* learning 학술 진흥/the ~ *of* health 건강 증진/do a special ~ *of* …의 특별 판매 촉진 캠페인을 벌이다. **b** [U] 주창, 발기, (회사) 창립: the ~ *of* a new company 새 회사의 창립. **3** [U] 〖체스〗 졸이 queen 으로 됨. ◇ promote *v.* ***be on*** one's ~ 결원이 나는 대로 승진하기로 되어 있다; 승진을 바라고 몸을 삼가다. ***get*** 〔***obtain, win***〕 ~ 승진하다. [파] **~·al** *a.* 촉진 장려용의, 선전용의.

promótion expènses 〔**mòney**〕 〖상업〗 「창업비(創業費).

promótion shàres 〖상업〗 발기인 주(株).

pro·mo·tive [prəmóutiv] *a.* 증진하는, 조장하는, 장려하는. [파] **~·ness** *n.*

‡prompt [prɑmpt/prɔmpt] *a.* **1** 신속한, 기민한; 즉석의: a ~ reply 즉답. [SYN.] ⇨ QUICK. **2** 즉시 〔기꺼이〕 …하는《*to* do》: He's ~ *in* carry*ing* out his duties. 그는 맡은 일을 척척 해낸다/They were ~ *to* volunteer. 그들은 즉시 지원했다. **3** 〖상업〗 즉시불의: for ~ cash 맞돈으로. **4** 〖물리〗 (핵분열이) 즉발(卽發)의.
— *n.* **1** 〖상업〗 (연불 거래의) 지급 기일; 기한부 계약. **2** (배우가 대사를 잊었을 때) 숨어서 대사를 일러 줌, 후견; 조언. **3** 자극〔촉진〕하는 것. **4** 〖컴퓨터〗 프롬프트《조작자에 대하여 입력을 요구하고 있음을 나타내는 단말 화면상의 기호〔글〕》. ***take a ~*** 신호〔큐(cue)〕에 따라 연기하다.
— *vt.* **1** 《~+[목]/+[목]+[전]+[명]/+[목]+*to* do》 자극하다, 격려〔고무〕하다《*to*》: ~*ed* by the whim of the moment 순간적으로 일어난 마음에 이끌려/~ a person *to* decision 아무를 재촉하여 결심하게 하다/What ~*ed* him *to* steal it? 어떤 동기로 그것을 훔치게 되었을까. **2** 《+[목]+[전]+[명]》 (행동을) 촉구하다, 유발하다《*into; to*》: That has ~*ed* me *to* this conclusion. 그것으로 인해서 나는 이런 결론을 내렸다. **3** (감정 따위를) 불러일으키다. **4** (아무)에게 해야 할 말을 암시해〔가르쳐〕 주다. **5** 〖연극〗 …에게 뒤에서 대사를 일러 주다. — *vi.* 〖연극〗 대사를 일러 주다.
— *ad.* 정확히: at five o'clock ~ 정각 5 시에.
[파] **∠·ness** *n.* 민속(敏速), 기민.

prómpt·bòok *n.* 프롬프터(prompter)용의 대본(=**prómpt còpy**).

prómpt bòx (무대의) 프롬프터가 있는 곳.

prómpt·er *n.* **1** 격려〔고무〕자. **2** 〖연극〗 (숨어서 배우에게) 대사를 일러 주는 자; (강연자를 위한) 프롬프터, 원고 자막기.

prómpt·ing *n.* [U] 자극, 격려, 고무; 암시; 선동; 〖연극〗 대사 일러 주기.

promp·ti·tude [prámptətjùːd/prɔ́mpətjùːd] *n.* [U] 민첩, 신속, 기민; 즉결; 시간 엄수: with ~ 신속하게.

°prompt·ly [prámptli/prɔ́mpt-] *ad.* **1** 신속히, 재빠르게. **2** 즉석에서, 즉시; 즉시불로.

prómpt néutron 〔**radiátion**〕 〖원자〗 즉발(卽發) 중성자〔방사〕.

prómpt nóte 〖상업〗 일람불 어음.

prómpt sìde 〖연극〗 프롬프터가 있는 쪽《무대를 향해 《영》 왼쪽, 《미》 오른쪽; 생략: p.s.》: the opposite ~ 객석에서 보아 오른쪽.

prom·ul·gate [práməlgèit, proumʌ́lgeit/prɔ́məlgèit] *vt.* (법령 따위를) 반포〔공포〕하다; 공표하다; (교리 따위를) 널리 펴다, 선전하다; (비밀 따위를) 퍼뜨리다, 공표하다. [파] **pròm·ul·gá·tion** *n.* [U] 반포(頒布), 공포; 보급, 선전. **próm·ul·gà·tor** [-tər] *n.*

pron. pronominal; pronoun; pronounced; pronounceable; pronunciation.

pro·na·tal·ism [prounéitəlìzəm] *n.* 출산 촉진론, 출산율 증가 찬성론, 출산 장려책.

pro·nate [próuneit] *vt., vi.* 〖생리〗 (손·발을 〔이〕) 회내(廻內)하다.

pro·na·tion [prounéiʃən] *n.* [U] 〖생리〗 (손발의) 회내(廻內) (작용). 「회내근(廻內筋).

pro·na·tor [próuneitər, -∠-/-∠-] *n.* 〖해부〗

°prone [proun] *a.* **1** 수그린, 납작 엎드린; 납작해진. [OPP.] *supine*¹. ¶ lie ~ 엎드리다/~ shooting (사격의) 엎드려 쏘기. **2** …하기 쉬운, …의 경향이 있는; …에 걸리기 쉬운《*to*》: He's ~ *to* get angry. 그는 화를 잘 낸다/be ~ *to* err 〔error〕 과오를 저지르기 쉽다/be ~ *to* accidents 사고를 일으키기 쉽다. **3** 내리받이의; 거꾸로 떨어지는: ~ bombing 《미》 급강하 폭격. [파] **∠·ly** *ad.* **∠·ness** *n.*

pro·neph·ros [prounéfrɑs, -rəs/-rɔs] (*pl.* ***-roi*** [-rɔi], ***-ra*** [-rə]) *n.* 〖발생〗 전신(前腎). [cf.] mesonephros, metanephros. [파] **-néph·ric** *a.*

prong [prɔːŋ, prɑŋ/prɔŋ] *n.* **1** 포크 모양의 물

건, 갈퀴, 쇠스랑. **2** (포크 따위의) 갈래, 날; (사슴뿔 따위의) 가지; 《미중남부》 (강의) 지류; 《비어》 페니스. **—** *vt.* 찌르다, 꿰찌르다; (흙 따위를) 파헤치다; (갈퀴 따위로) 긁다. ㊕ **~ed** *a.* 발이 달린, 갈래진: a three-~*ed* fork 세 갈래진 포크, 삼지창.

próng·hòrn *n.* 〖동물〗 가지뿔 영양《북아메리카 서부산》.

pro·nom·i·nal [prounámənl/-nɔ́m-] *a.* 대명사의; 대명사적인: a ~ adjective 대명사적 형용사 / a ~ adverb 대명사적 부사. ㊕ **~·ly** *ad.* 대명사적으로, 대명사로서.

pro·nòm·i·nal·i·zá·tion *n.* 〖문법〗 대명사화(化). ㊕ **pro·nóm·i·nal·ize**

pro·noun [próunàun] *n.* 〖문법〗 대명사《생략: pron.》: an adjective ~ 형용 대명사 / a possessive ~ 소유 대명사. ◇ pronominal *a.*

pro·nounce [prənáuns] *vt.* **1** 발음하다, 소리 내어 읽다: The 'b' in 'doubt' is not ~*d*. doubt의 b는 발음하지 않는다. **2** (낱말의) 발음을 표시하다: Every word in this dictionary is ~*d*. 이 사전에서는 모든 낱말에 발음이 표시되어 있다. ◇ pronunciation *n.* **3** 《~+목 / +목+전+명》 선언하다, 선고하다: Then judgment was ~*d*. 그리고 판결이 내려졌다 / The judge ~*d* a fine *on* the prisoner. 재판관은 형사 피고인에게 벌금형을 내렸다. **4** 《+목+보 / +that절 / +목+*to be* 보 / +목+*done*》 단언하다; 언명하다; 공표하다; 진술하다: I ~ him honest. =I ~ *that* he is honest. 분명히 말하지만 그는 정직하다 / He ~*d* the signature *to be* a forgery. 그는 그 서명이 위조라고 단언했다 / The doctor ~*d* the baby *cured*. 의사는 그 아이가 회복됐다고 단언했다. **—** *vi.* **1** 발음하다: ~ clearly 똑똑히 발음하다. **2** 《+전+명》 의견을 표명하다, 판단을 내리다《*on, upon*》: ~ *on* a proposal 제안에 대한 의견을 말하다. ***~ a curse on*** 〔***upon***〕 …에게 악담〔욕〕을 하다. ***~ against*** 〔***for, in favor of***〕 …에게 반대〔찬성〕하다, …에게 불리〔유리〕한 선고를 내리다. ***~ a sentence of death on*** 〔***upon***〕 …에게 사형을 선고하다. ㊕ **~·a·ble** *a.* 발음〔단언〕할 수 있는.

pro·nóunced [-t] *a.* 뚜렷한, 현저한; 명백한; 단호한, 확고한: a ~ tendency 두드러진 경향 / a ~ opinion 강경한 의견. ㊕ **-nóunc·ed·ly** [-sidli] *ad.* 현저히; 단호히.

pro·nóunce·ment *n.* Ⓤ 선언, 공고, 발표; 결정, 판결; 의견, 견해.

pro·nóunc·ing *n.* Ⓤ 발음(하기); 선언, 발표. **—** *a.* 발음의; 발음을 표시한: a ~ dictionary 발음 사전.

pron·to [prántou/prɔ́n-] *ad.* 《Sp.》《구어》 신속히, 재빨리, 급속히.

pron·to·sil [prántəsìl/prɔ́n-] *n.* Ⓤ 〖약학〗 프론토실《화농성 세균에 의한 병에 대한 특효약》.

prò·núclear *a.* 〖생물〗 **1** pronucleus 의. **2** 원자력 발전 추진파의.

prò·núcleus (*pl.* **-clei**) *n.* 〖생물〗 전핵(前核), 난핵(卵核), 생식핵.

pró númber (발송의) 누진 번호.

pro·nun·ci·a·men·to [prənʌ̀nsiəméntou, -ʃiə-] (*pl.* **~(*e*)*s***) *n.* 선언서; (특히 스페인 계통 남아메리카 여러 나라의) 혁명 선언; 군사 혁명.

pro·nun·ci·a·tion [prənʌ̀nsiéiʃən] *n.* Ⓤ,Ⓒ 발음; 발음하는 법. ◇ pronounce *v.*

proof [pruːf] (*pl.* **~s**) *n.* **1** Ⓤ 증명, 증거; Ⓒ 증거(가 되는 것): be not susceptible of ~ 증명할 수 없다 / produce ~ *against* an allegation 주장〔진술〕에 대한 반증을 제출하다 / There's no ~ *that* he's guilty. 그가 유죄라는 증거는 없다.

SYN. **proof** (진실 · 정당성 따위를) 증명하는 것, 입증하는 것: One who believes in you doesn't need any *proof* at all. 당신을 믿고 있는 사람이기에 증거 따위는 전혀 필요 없다. **evidence** 눈에 보이는 형식으로 제출된 믿을 만한 근거: There is no *evidence* of corruption. 독직의 증거는 없다. **demonstration** 구체적인 형식으로 표시된 증거, 실증. **testimony** '법정에서의 선서 증언' → 단언 → 증거: His smile is *testimony* of joy. 그의 미소는 즐거움을 단언하고 있다. → 즐거움의 증거다.

2 (*pl.*) 〖법률〗 증거 서류; 증언. **3** 시험, 테스트, 음미(trial); 〖수학〗 검산; 〖Sc. 법률〗 (배심에 대신한) 판사의 심리; 시험소〔관(管)〕: stand the ~ 시험에 합격하다 / The ~ of the pudding is in the eating. 《속담》 백문이 불여일견《푸딩의 맛은 먹어 봐야 안다》. **4** 〖인쇄〗 교정쇄; (판화 따위의) 시험쇄; 〖사진〗 시험 인화: pass the ~*s* for press 교료(校了)하다. **5** Ⓤ 시험필(의 상태); 내력(耐力), 불관통성. **6** Ⓤ (술의) 표준 도수〔강도〕: above 〔below〕 ~ 표준 강도 이상〔이하〕로. ◇ prove *v.* ***afford ~ of*** …을 증명할 수 있다. ***an artist's*** 〔***engraver's***〕 **~** 판화의 시험쇄. ***armor of ~*** 관통 안 되는 견고한 갑옷 투구. ***author's ~*** 저자 교정쇄. ***bring*** 〔***put***〕 ***to the ~*** 시험하다. ***give ~ of*** 〔***that***〕 …을 증명하다. ***have ~ of shot*** 화살 · 총알을 관통시키지 않다. ***in ~*** =***on the ~*** 교정쇄로: make corrections *in* ~ 교정 중에 정정하다. ***in ~ of*** …의 증거로. ***make ~ of...*** …을〔임을〕 입증〔증명〕하다; …을 시험해 보다. ***~ positive of*** …의 확증. ***read*** 〔***revise***〕 ***the ~(s)*** 교정하다.

— *a.* **1** 검사필의, 보증 붙은〔된〕. **2** (불 · 총알 따위를) 막는, 통과 안 시키는, (…에) 견디어 내는《*against; to*》: ~ *against* temptation 유혹에 안 넘어가는. ★ 흔히 합성 형용사를 만듦: ⇨ WATERPROOF, BULLETPROOF. **3** 교정쇄(校正刷)의; 시험용〔검사용〕의. **4** 표준 도수〔강도〕의; 표준 순금〔은〕 조각의. **—** *vt.* 《~+목 / +목+전+명》 …에 내구력을 부여하다; (천 따위를) 방수 가공하다; 교정 보다; 시험하다: ~ a house *against* termites 집에 흰개미가 꾀어들지 않도록 하다.

próof còin 프루프 코인《신(新)발행 경화(硬貨)의 수집가용 특별 각인한 한정판》.

próof·ing *n.* (방수 따위의) 가공, 보강; (이 공정에 쓰는) 보강 약품.

próof·màrk *n.* (총 따위의) 시험필 표지, 검인.

próof-of-púrchase (*pl.* **próofs-of-**) *n.* 구입 증명물《실제로 구입했다는 사실을 증명해 주는 라벨이나 포장의 마크 등》.

próof plàne 〖물리〗 시험판(板).

próof·rèad [-rìːd] (*p., pp.* **-read** [-rèd]) *vi., vt.* 교정 보다, …의 교정쇄를 읽다. ㊕ **~·er** *n.* 교정원. **~·ing** *n.* Ⓤ 교정.

próof·ròom *n.* 교정실.

próof shèet 〖인쇄〗 교정쇄.

próof spìrit 표준량 알코올을 함유한 음료《미국에서는 50%, 영국에서는 57%》.

próof strèss 내력(耐力).

prop[1] [prap/prɔp] *n.* **1** 지주(支柱), 버팀목, 버팀대. **2** 지지자, 후원자, 의지(가 되는 사람): the ~ and stay of the home 집안의 큰 기둥 / A child is a ~ for one's old age. 자식은 노후에 의지가 된다. **3** (*pl.*) 다리(legs). **4** 《Austral.》 (말의) 급정지. **—** (**-pp-**) *vt.* **1** 《~+목+보 / +목+부 / +목+전+명》 버티다, …에 버팀목(木)을 대다《*up*》; 기대 놓다《*against*》: Use this chair to ~ the door open. 이 의자를 버티어 놓아 문이

닫히지 않도록 해라 / ~ the bicycle (*up*) *against* the wall 벽에 자전거를 기대어 놓다. **2** 《+[목]+[부]》 …을 지지(支持)하다, 보강하다《*up*》: ~ *up* democracy 민주주의를 지지하다. **—** *vi.* 《Austral.》 (말 따위가 앞발을 버티고) 딱 서다.

prop² *n.* 〖수학〗 명제(proposition); 《구어》〖연극〗 소품(property); 《항공》 =PROPELLER.

prop³ *n.* 《미속어》 주먹(fist).

prop. propeller; proper(ly); property; proposition; proprietor.

pro·pae·deu·tic, -ti·cal [pròupidjú:tik/-djú:-], [-əl] *a.* 초보의, 예비의, 입문(入門)의. **—** *n.* 준비 연구; (*pl.*) 〔단수취급〕 (예술·과학의) 예비 지식, 기초 훈련, 입문 교육.

prop·a·ga·ble [prápəgəbəl/prɔ́p-] *a.* 보급〔선전〕될 수 있는; 번식〔증식〕할 수 있는.

*****prop·a·gan·da** [prὰpəgǽndə/prɔ̀p-] *n.* **1** [U,C] 〔보통 무관사〕 (주의·사상의) 선전; 선전 활동; (선전하는) 주의, 주장: a ~ film 선전 영화. **2** [C] 선전 기관〔단체〕. **3** (the P-) 〖가톨릭〗 해외 포교성성(布敎聖省); (the (College of) P-) 포교 신학교. ***make ~ for*** …의 선전을 하다. ***set up a ~ for*** …의 선전 기관을〔체제를〕 만들다.

prop·a·gan·dism [prὰpəgǽndizəm/prɔ̀p-] *n.* [U] 선전 (사업); 전도, 포교.

pròp·a·gán·dist *n.* 선전자; 전도사, 선교사. **—** *a.* 선전(자)의; 전도(사)의. [파] **pròp·a·gan·dís·tic** *a.*

prop·a·gan·dize [prὰpəgǽndaiz/prɔ̀p-] *vt., vi.* 선전하다; 선교〔전도〕하다.

◇**prop·a·gate** [prápəgèit/prɔ́p-] *vt.* **1** 번식시키다, 늘〔불〕리다; 〔~ oneself〕 번식하다: How do these plants ~ them*selves*? 이러한 식물들은 어떻게 번식할까. **2** 널리 펴다, 선전〔보급〕하다. **3** (빛·소리 따위를) 전파하다, 전하다. **4** (성질 따위를) 유전시키다, 전염시키다. **—** *vi.* 늘다, 붇다, 번식〔증식〕하다; 퍼지다, 보급되다. ◇ propagation, propaganda *n.* [파] **-gà·tive** [-gèitiv] *a.* 번식〔증식〕하는; 전파〔유포〕하는. **-gà·tor** [-gèitər] *n.* 번식자; 선전자, 포교자.

pròp·a·gá·tion *n.* [U] **1** (동물 따위의) 번식, 증식. **2** 보급, 전파; 전달. **3** (틈·금 등의) 확대. [파] **~·al** *a.*

prop·a·gule [prápəgjù:l/prɔ́p-] *n.* 〖식물〗 주아(珠芽)(bulbil), 영양체, 번식체, (조류(藻類)의) 무성아(無性芽).

pro·pane [próupein] *n.* [U] 〖화학〗 프로판《메탄계 탄화수소의 일종; 액화 가스는 연료용》.

pro·par·ox·y·tone [pròupærάksitòun/-rɔ́k-] *a., n.* 〖그리스문법〗 어미에서 셋째 음절에 악센트가 있는 (말). [cf.] oxytone, paroxytone.

pro pa·tria [prou-péitriə] 《L.》 조국을 위하여.

*****pro·pel** [prəpél] (*-ll-*) *vt.* 《+[목]/+[목]+*to* do》 추진하다, 몰아대다: ~*ling* power 추진력 / He was ~*led* by the desire of glory. 그는 명예욕에 급급하였다 / Urgent need of money ~*led* him *to* take a job. 긴급히 돈이 필요해서 그는 일자리를 구했다.

pro·pel·lant [prəpélənt] *n.* 추진시키는 것〔사람〕; (총포의) 발사 화약, 장약(裝藥); (로켓 등의) 추진제; (분무기용) 고압 가스.

pro·pel·lent [prəpélənt] *a.* 추진하는. **—** *n.* =PROPELLANT. 「진시키는 사람〔것〕.

*****pro·pel·ler** [prəpélər] *n.* 프로펠러, 추진기; 추

propéller hèad 《미속어》 컴퓨터광(狂), 해커. ★ 꼭대기에 프로펠러가 달린 모자에서.

propéller shàft 프로펠러 샤프트, 프로펠러축, 추진축. 「PROP ENGINE.

propéller túrbine èngine 〖항공〗 =TURBO-

propélling péncil 《영》 =MECHANICAL PENCIL.

pro·pene [próupi:n] *n.* =PROPYLENE.

pro·pen·si·ty [prəpénsəti] *n.* **1** 경향, 성질, 성벽(inclination), 버릇《*to; for*》. ★ 거의 자제할 수 없는 타고난 경향《흔히 악질(惡質)의 것》. **2** 《폐어》 편애. **~ *to consume*** 소비 성향.

*****prop·er** [prápər/prɔ́p-] *a.* **1** 적당한, 타당한, 지당한, 상응하는《*for*》: a ~ measure to take 취해야 할 조치, 지당한 처사 / the ~ word 꼭 들어맞는 말 / Is this the ~ tool *for* the job? 이 연장이 그 일을 하기 위한 것입니까 / This dress wouldn't be ~ *for* a ball. 이 드레스는 무도회에는 어울리지 않을 것이다.

> [SYN.] **proper** 본래 그 자체가 갖고 있는 성질이나 또는 사회의 관습상으로 보아 적절한 것: administer *proper* punishment 죄에 적절한 벌을 내리다. **appropriate** 어떤 특정한 목적·상황으로 보아 적절한: select an *appropriate* word 그 경우에 알맞은 말을 고르다. **pertinent, relevant** 현재의 화제·목적 등에 관계가 있는, 무관계가 아닌. relevant 쪽이 보다 논리적 관계를 시사함: a topic *relevant* to the subject matter 주제에 관련된 화제.

2 올바른, 정식의: a ~ way of skiing 올바른 스키 타기. **3** 예의 바른, 품위 있는: ~ behavior 예의 바른 태도. ◇ propriety *n.* **4** 고유의, 특유한, 독특한《*to*》: Suicide is ~ *to* mankind. 자살은 인간 특유의 것이다 / This custom is ~ *to* the country. 이런 풍습은 그 나라 특유의 것이다. **5** 〔흔히 명사 뒤에 와서〕 본래의, 진정한; 엄격한 의미로서의: France ~ 프랑스 본토 / music ~ 음악 그 자체. **6** 〖문장(紋章)〗 자연색의. **7** 개인〔개체〕에 속하는; 〖문법〗 고유의. **8** 《영구어》 순전한: a ~ rogue 순전한 악당 / in ~ rage 노발대발하여. **9** 《고어》 훌륭한; 모양 좋은. **10** 《고어》 자신〔자기〕의: with my (own) ~ eyes 바로 내 눈으로. ***as you think ~*** 적당히. ***do the ~ thing by*** a person 아무를 공평〔성실〕하게 대하다. ***in the ~ sense of the word*** 그 말의 본래의 뜻에 있어서. ***in the ~ way*** 적당한 방법으로, 적당히. ***paint*** a person ***in*** his ***~ colors*** 아무를 있는 그대로 비평하다. ***~ for the occasion*** 때〔시기〕에 알맞은.

— *ad.* 《속어·방언》 완전히. ***good and ~*** 《구어》 완전히.

— *n.* (종종 P-) (특정한 날·시간에 정해진) 의식, 예배식, 기도, 찬송가.

[파] **~·ness** *n.*

próper ádjective 〖문법〗 고유 형용사《고유 명사에서 만들어진 형용사》.

pro·per·din [proupə́:rdən] *n.* 〖생화학〗 프로퍼딘《살균력·적혈구 용해력이 있는 혈청 단백》.

próper fráction 〖수학〗 진분수.

*****prop·er·ly** [prápərli/prɔ́p-] *ad.* **1** 당연히, 정당하게: He very ~ refused. 그가 거절한 것은 아주 당연한 일이다. **2** 똑바로, 올바르게, 정확히; 완전하게: Do it ~ or not at all. 완전하게 하라, 아니면 아예 손을 대지 마라. **3** 훌륭하게, 단정히, 예의 바르게: be ~ dressed 단정하게 옷차림을 하고 있다. **4** 적당하게, 온당하게, 원활히, 알맞게. **5** 《구어》 철저하게; 아주, 몹시: He got him*self* ~ drunk. 몹시 취해 있었다. ***~ speaking*** = ***speaking ~*** = ***to speak ~*** 정확히〔사실대로〕 말하면; 본래.

próper mótion 〖천문〗 고유 운동.

próper nóun 〔**náme**〕 〖문법〗 고유 명사.

prop·er·tied [prápərtid/prɔ́p-] *a.* 재산이 있는: the ~ class(es) 유산 계급.

*****prop·er·ty** [prápərti/prɔ́p-] *n.* **1** [U] 〔집합적〕 재산, 자산: a man of ~ 재산가 / Is this your

~? 이것은 당신 것입니까. **2** Ⓒ 소유물〔지〕; 《Austral.》 목장, 농장: He has a small ~ in the country. 그는 시골에 조그마한 땅마지기를 갖고 있다 / The news 〔secret〕 is common ~. 그 보도는〔비밀은〕 모두가 알고 있다. **3** Ⓤ 소유(권), 소유 본능, 물욕(物欲)《*in*》: *Property* has its obligations. 소유권에는 의무가 따른다; 소유할 바에는 잘 간수해야 한다. **4** Ⓒ (고유한) 성질, 특성; 〖논리〗 고유성《*of*》: the chemical *properties of* iron 철의 화학적 여러 가지 성질 / the *properties of* metal 금속의 특성 / herbs with healing *properties* 효능이 있는 약초. SYN. ⇨ QUALITY. **5** Ⓒ 도구; (흔히 *pl.*) 〖연극〗 소품; (상연될) 극, 각본. **6** 《구어》 (계약되어 있는) 배우, 선수《따위》. ***literary*** ~ 저작권. ***personal*** 〔***movable***〕 ~ 동산. ***private*** 〔***public***〕 ~ 사유〔공유〕 재산. ~ ***in copyright*** 판권 소유. ***real*** ~ 부동산. ㊕ ~**·less** *a.*

próperty ànimal 《미》 영화 · 연극용으로 길들인 동물.

próperty dámage insùrance 재물 손괴 보험《남의 재산에 입힌 손해에 대한 보험》.

próperty devèloper 부동산 개발업자.

próperty màn 〔**màster**〕 〖연극〗 소품 담당; 《영》 의상 담당.

próperty rìght 재산권.

próperty tàx 재산세.

pro·phage [próufèidʒ] *n.* 〖세균〗 프로파지《세균 세포 내의 비감염성형(形)의 파지》.

pro·phase [próufèiz] *n.* 〖생물〗 (유사 분열(有絲分裂)의) 전기(前期). ★ 이하 metaphase(중기), anaphase(후기), telophase(종기).

***proph·e·cy** [práfəsi/prɔ́-] *n.* **1** Ⓤ,Ⓒ 예언; 신의(神意)의 전달; Ⓤ 예언 능력: the gift of ~ 예언의 재능〔은사〕 / His ~ *that* war would break out came true. 전쟁이 일어나리라는 그의 예언이 들어맞았다. **2** Ⓒ 〖성서〗 예언서.

proph·e·sy** [práfəsài / prɔ́-] *vt.* 《~+目 / + *that* 절 / + *wh.* 절 / +目+目》 예언하다; 예측하다; 《고어》 (성경을) 해석하다: He *prophesied* war. 그는 전쟁을 예언했다 / They *prophesied that* he would do great things. 그들은 그가 위대한 일을 하리라고 예언했다 / We cannot ~ *what* may happen. 무슨 일이 일어날지 예측할 수가 없다 / The gypsy *prophesied* her a happy marriage. 집시는 그녀에게 행복한 결혼을 예언했다. **— *vi. **1** 《+前+名》 예언하다; (…을) 예보하다《*of*》: He *prophesied of* disasters to come. 그는 대참사가 일어난다고 예언했다. **2** 《고어》 (신의 대변자로서) 가르치다, 말하다. ~ ***right*** 예언이 적중하다. ㊕ **próph·e·sì·er** [-ər] *n.* 예언자.

proph·et** [práfit/prɔ́-] (*fem.* ~**·ess** [-is]) *n.* **1** 예언자; 신의(神意)를 전달하는 사람. **2** (주의 따위의) 대변자, 제창자, 선각자. **3** 《속어》 (경마의) 예상가, 예측가; 예보자. **4** (the P-) 마호메트(Mohammed). **5** (the P-) 모르몬교의 개조(開祖)《Joseph Smith; 1805-44》. **6** (the P-s) (구약성서 중의) 예언자〔서〕. ***Saul among the ~s 뜻밖의 재능〔천부의 재질〕을 보인 사람《사무엘상 X: 11》. ㊕ ~**·hòod** [-hùd] *n.* Ⓤ 예언자의 지위〔인격〕.

pro·phet·ic, -i·cal [prəfétik], [-əl] *a.* 예언의, 예언적인; 경고의; 전조의; 예언자의: be ~ *of* …을 예언하다. ◇ prophecy *n.* ㊕ **-i·cal·ly** *ad.* 예언적으로.

pro·phy·lac·tic [pròufəlǽktik, pràf-/prɔ̀f-] *a.* 질병 예방의. **— *n.*** 예방약; 예방법; 피임약〔용구〕. ㊕ **-ti·cal·ly** *ad.*

pro·phy·lax·is [pròufəlǽksis, pràf-/prɔ̀-] (*pl.* ***-lax·es*** [-lǽksi:z]) *n.* Ⓤ,Ⓒ 〖의학〗 (병 따위의) 예방(법); 예방 조처; 〖치과〗 (치석 제거를 위한) 이 청소.

pro·pin·qui·ty [proupíŋkwəti] *n.* Ⓤ (때 · 장소의) 가까움, 근접; 친근; 유사, 근사.

pro·pi·o·nate [próupiənèit] *n.* 〖화학〗 프로피온산염〔에스테르〕.

pro·pi·ón·ic ácid [pròupiánik-/-ɔ́n-] 〖화학〗 프로피온산(酸)《향료 · 살균제용》.

pro·pi·ti·ate [prəpíʃièit] *vt.* 달래다, 누이다; 화해시키다; 비위를 맞추다. ㊕ **pro·pí·ti·à·tive** [-iv] *a.* =PROPITIATORY. **pro·pí·ti·à·tor** [-ər] *n.* 조정자.

pro·pi·ti·á·tion *n.* **1** Ⓤ 달램, 화해; 〖신학〗 속죄. **2** 달래기 위한 물건.

pro·pi·ti·a·to·ry [prəpíʃiətɔ̀:ri/-təri] *a.* 달래는, 달래기 위한; 화해의. **— *n.*** 〖성서〗 속죄소(mercy seat). ㊕ **-ri·ly** *ad.*

pro·pi·tious [prəpíʃəs] *a.* **1** 순조로운, (형편) 좋은(favorable)《*for; to*》; 상서로운, 길조의. **2** (신이) 호의를 가진, 자비로운; 행운의. ㊕ ~**·ly** *ad.* ~**·ness** *n.*

prop·jet [prápdʒèt/prɔ́p-] *n.* 〖항공〗 =TURBOPROP.

própjet éngine 터보프롭 엔진(turboprop engine).

pro·plas·tid [prouplǽstid] *n.* 〖식물〗 프로플래스티드, 전(前)〔원(原)〕색소체《엽록체 따위의 색소체가 되기 전의 구조체》.

próp·màn [-mæ̀n] (*pl.* ***-mèn*** [-mèn]) *n.* = PROPERTY MAN.

prop·o·lis [prápəlis/prɔ́p-] *n.* Ⓤ 밀랍(蜜蠟).

pro·po·nent [prəpóunənt] *n.* **1** 제안자, 제의자, 발의자; 옹호자, 지지자. OPP *opponent*. **2** 〖법률〗 (유언) 검인(檢認) 신청자.

****pro·por·tion** [prəpɔ́:rʃən] *n.* Ⓤ **1** 비(比), 비율: ~ *of* three *to* one, 1 대 3의 비율 / the ~ *of* the expenditure *to* the income 수입에 대한 지출의 비율. **2** 조화, 균형: bear no ~ *to* …와 균형이 잡히지 않다 / sense of ~ 평형 감각. **3** Ⓒ (일정 비율의) 부분; 몫, 할당〔배당〕분: do one's ~ *of* the work 일에서 자기 몫을 하다. **4** 《비유》 정도; (*pl.*) 크기, 넓이; 규모: a tower of majestic ~*s* 웅장한 탑. **5** 〖수학〗 비례(산(算)). cf. ratio. ¶ direct 〔inverse〕 ~ 정〔반〕비례. ***a large ~ of*** …의 대부분: *a large ~ of* the earth's surface 지구 표면의 대부분. ***in ~ to*** 〔***as***〕 …에 비례하여: Energy use increases *in ~ to* the rise in temperature. =*In ~ as* temperature rises energy use increases. 기온이 상승함에 따라서 에너지 소비가 증가한다. ***of fine ~s*** 당당한. ***out of*** (***all***) ***~ to*** (전혀) …와 균형이 잡히지 않은. ***simple*** 〔***compound***〕 ~ 단〔복〕비례. **— *vt.*** **1** 《~+目 / +目+前+名》 균형 잡히게 하다, 조화〔비례〕시키다《*to; with*》: These rooms are well ~*ed*. 이 방들은 균형이 잘 잡혀 있다 / ~ one's expenses *to* one's income 지출과 수입의 균형을 맞추다. **2** 할당하다, 배당하다.

pro·pór·tion·a·ble *a.* 균형되게 할 수 있는, 비례시킬 수 있는《*to*》; 균형이 잡힌, 조화된《*to*》. ㊕ **-bly** *ad.*

°**pro·por·tion·al** [prəpɔ́:rʃənəl] *a.* 〖수학〗 비례의; 균형이 잡힌, 조화된, 비례하는《*to*》: be directly 〔inversely〕 ~ *to* …에 정〔반〕비례하다 / a ~ quantity 비례량. **— *n.*** 〖수학〗 비례항, 비례수: a mean ~ 비례 중항(中項). ㊕ ~**·ly** *ad.* 비례하여. **pro·pòr·tion·ál·i·ty** [-əti] *n.* Ⓤ 비례, 균형.

propórtional cóunter 〖물리〗 비례 계수관(計數管).

pro·pór·tion·al·ist *n.* 비례 대표제 논자.

propórtional méter 〖계산공학〗 비례식 미터《관 속을 지나는 가스 중 일정 비율의 양이 계산 미터를 통과케 하는》.

propórtional párts 〖수학〗 비례 부분.

propórtional région 〖원자〗 비례 계수역(計數域).

propórtional representátion 비례 대표제 《생략: P.R.》. cf. preferential voting.
propórtional spácing 〖컴퓨터〗 비례 간격 《크기가 다양한 글자의 출력 결과를 보기 좋도록 여백을 미세한 비율로 삽입하는 기능》.
propórtional táx 비례세, 정률세(定率稅).
◇**pro·por·tion·ate** [prəpɔ́ːrʃənət] a. 균형잡힌, 비례를 이룬, 적응한《to》. ── [-ʃənèit] vt. 《~+목/+목+전+명》 균형 잡히게 하다; 비례시키다; 적응시키다: ~ one's way of living *to* one's income 생활 방식을 자기 수입에 맞도록 하다. ㊥ **~·ly** ad.
pro·por·tioned [prəpɔ́ːrʃənd] a. 비례한, 균형 잡힌; 균형이 …한: well-[ill-]~ 균형이 잘[안] 잡힌. 「조화, 균정(均整).
pro·pór·tion·ment n. Ⓤ 비례, 균형이 잡힘;
pro·pos·al [prəpóuzəl] n. **1** 신청; 제안, 제의: a ~ *for* a ban on the use of nuclear weapons 핵무기 사용 금지 제안/present a ~ *to* carry on negotiations 협상을 계속하자고 제안하다/The ~ *that* tariffs (should) be lowered was unanimously accepted. 관세를 내려야만 한다는 제안이 만장일치로 받아들여졌다. **2** 계획, 안. **3** 《특히》 청혼: make a ~ 청혼하다 《to》. ◇ propose v. ***have* [*make*] *a ~ of* [*for*]** …의 신청[제안]을 받다[하다].
⁑**pro·pose** [prəpóuz] vt. **1** 《~+목/+*to* do/+-*ing*/+*that* 절/+목+전+명》 신청하다; 제안하다, 제의하다, 내다《의안·수수께끼 따위를》: I ~ an early start [*to* start early, start*ing* early, *that* we (should) start early]. 난 일찍 출발할 것을 제의한다/~ a marriage *to* a woman 여자에게 청혼하다.

> SYN. **propose** 고려·토의·채택해 주도록 제안하다: *propose* terms of peace 정전(停戰) 조건을 제안하다. *propose* a friend for a club 친구를 클럽에 추천하다. **offer** 제출하다. →의견·안 따위를 제의하다. give 의 딱딱한 표현으로서도 사용됨: *offer* an apology 변명을 하다. **suggest** 시사하다. →…은 아닌가, …하면 어떤가라고 제언하다(사교적 표현): *suggest* a stroll after lunch 식후 산책을 제안하다.

2 《+*to* do/+-*ing*》 꾀하다, 기도하다: I ~ *to* take [tak*ing*] a week's holiday. 나는 1주일간 휴가를 얻을 생각이다. **3** 《+목+*as* 보/+목+전+명》 추천하다, 지명하다《*for; as*》: Mr. Smith was ~*d as* president of the society. 스미스씨는 회장에 지명되었다/~ a person *for* membership 아무를 회원으로 추천하다. **4** (축배를) 제의하다. ── vi. **1** 《~/+전+명》 제안하다, 건의하다, 발의하다; 계획하다《to》: ~ *to* oneself 기도하다/ Man ~*s*, God disposes. 《속담》 인간은 일을 계획하고 하느님은 성패를 가르신다. **2** 《+전+명》 청혼하다《to》: I ~*d to* her. 나는 그녀에게 청혼했다. ◇ proposal, proposition n. ~ ***the health* [*toast*] *of*** a person 아무를 위하여 축배를 제의하다. ㊥ **pro·pós·er** n. 신청인, 제안자.
*****prop·o·si·tion** [prὰpəzíʃən/prɔ̀p-] n. **1** 제안, 건의: make ~*s of* peace 강화를 제의하다/a ~ *to* pool part of the earnings 이익금의 일부를 공동 자금으로 하자는 제안/Nobody supported his ~ *that* part of the earnings (should) be pooled. 이익금의 일부를 공동 자금으로 하자는 그의 제안을 아무도 지지하지 않았다. **2** 계획, 플랜. **3** 진술, 주장: defend the ~ *that* all men are created equal 사람은 모두 평등하게 창조되었다는 주장을 옹호하다. **4** 〖논리〗 명제; 〖수사학〗 주제. **5** 〖수학〗 정리, 명제: a ~ *in* algebra 대수의 정리. **6** 《미구어》 기업, 사업: a paying ~ 수지맞는 사업. **7** 《구어》 일, 문제, 것; 상대: He is a tough ~. 그는 만만찮은 상대다/a delicate ~ 미묘한 문제. **8** 《구어》 (성교섭의) 꾐, 유혹. **9** 《미》 제공품, 상품. ◇ propose v. ***be not a ~*** 가망이 없다. ***make*** a person ***a ~*** 아무에게 제안하다; 아무에게 …하도록 꾀다. ── vt. 《구어》 **1** …에게 제안하다. **2** (여자에게) 유혹을 하다. ㊥ **~·al** [-ʃənəl] a.
propositíonal cálculus 〖논리〗 명제 계산 (sentential calculus).
propositíonal fúnction 〖논리〗 명제 함수.
Proposítion 13 [-θəːrtíːn] 《미》 제안 13호 《고정 재산세 과세 권한을 축소하는 법(안); 1978년 6월 California 주에서 주민 투표로 주헌법을 개정하였음》.
pro·pos·i·tus [prəpázətəs/-pɔ́z-] (pl. **-ti** [-tài]) n. 〖법률〗 (가계(家系)의) 창시자; 본인; (유전(遺傳) 조사 등의) 발단(發端)자(proband).
pro·pound [prəpáund] vt. 제출하다, 제의하다《학설·문제·계획 따위를》; 〖법률〗 (유언장을) 제출하다. ◇ proposition n. ㊥ **~·er** n.
pro·pox·y·phene [proupáksəfìːn/-pɔ́ks-] n. 〖약학〗 프로폭시펜《진정제》.
propr. proprietary, proprietor.
pro·prae·tor, pro·pre·tor [prouprí:tər] n. 〖로마사〗 속령(屬領)의 총독.
pro·pran·o·lol [prouprǽnəlɔ̀ːl, -lὰl, -lɔ̀l] n. 〖약학〗 프로프라놀롤《부정맥(不整脈)·협심증 따위의 치료에 쓰임》.
pro·pri·e·tary [prəpráiətèri/-təri] a. **1** 소유자의; 재산이 있는; 개인 또는 회사가 소유하는: the ~ classes 유산 계급, 지주 계급/~ rights 소유권. **2** 독점의, 전매(특허)의: ~ articles 전매품/~ medicine 특허 매약(賣藥)/a ~ name [term] (상품의) 특허 등록명, 상표명. ── n. 소유주, 소유자 단체; U,C 소유(권); Ⓒ 소유물; 〖미국사〗 영주 식민지의 지배자; 특허 매약; 《미》 CIA의 비밀 기업. 「영주(領主) 식민지.
propríetary cólony 〖미국사〗 (독립 이전의)
propríetary cómpany 지주 회사《다른 회사의 주(株)를 거의 전부 소유하고 있는 회사》; 《영》 토지 (흥업) 회사; 《영》 비공개 회사《주식을 공개하지 않고 경영자가 독점하는》.
◇**pro·pri·e·tor** [prəpráiətər] (fem. **-tress** [-tris]) n. 소유자; 경영자; (the ~) 집주인, (여관의) 주인, (학교의) 교주《따위》; 〖미국사〗 영주 식민지 지배자: a landed ~ 지주/a peasant ~ 소농(小農). ㊥ **~·ship** n. 소유권.
pro·pri·e·to·ri·al [prəprὰiətɔ́ːriəl] a. 소유(권)의; 소유자의: ~ rights 소유권. ㊥ **~·ly** ad. 소유권에 의해.
*****pro·pri·e·ty** [prəpráiəti] n. **1** Ⓤ 타당, 적당; 적정, 적부; 정당《of》: doubt the ~ *of* …의 적부를 의심하다. **2** Ⓤ 예의 바름, 예모, 교양; (pl.) 예의범절. ◇ proper a. ***a breach of ~*** 예절에 어긋남. ***observe* [*offend against*] *the proprieties*** 예의범절을 지키다[어기다]. ***with ~*** 예법에 따라; 적당히.
pro·pri·o·cep·tive [pròupriəséptiv] a. 〖생리〗 자기 자극(自己刺戟)에 감응하는, 고유 수용(固有受容)의. ㊥ **-cép·tion** n.
pro·pri·o·cep·tor [pròupriəséptər] n. 〖생리〗 자기(自己)[고유] 수용체(受容體)《자기 자극(自己刺戟)에 감응하는 말초 신경》. 「根).
próp ròot 〖식물〗 (옥수수 등의) 지주근(支柱
props [prɑps/prɔps] (pl. ~) n. 〖연극〗 소품; 《구어》 =PROPERTY MAN.
prop·to·sis [prɑptóusis/prɔp-] n. 〖의학〗 (기관(器官), 특히 안구의) 돌출(증).

pro·pul·sion [prəpʌ́lʃən] *n.* Ⓤ 추진(력).

propúlsion reàctor 〖물리〗 (원자력선 따위의) 추진용 원자로.

pro·pul·sive [prəpʌ́lsiv] *a.* 추진하는, 추진력이 있는.

próp wòrd 〖문법〗 지주어(支柱語)《형용사나 형용사 상당어에 붙어 이를 명사화하는 말; 이를테면 a red one의 one》.

pro·pyl [próupil] *n., a.* 〖화학〗 프로필기(基)(의).

prop·y·lae·um [prɑ̀pəlí:əm/prɔ̀p-] (*pl.* **-laea** [-lí:ə]) *n.* 입구(의 문)《고대 그리스·로마의 신전 따위의》; (the Propylaea) 아테네의 Acropolis의 입구.

própyl álcohol 〖화학〗 프로필 알코올《용제(溶劑)·유기 합성용》.

pro·pyl·ene [próupəli:n] *n.* Ⓤ 〖화학〗 프로필렌《유기 합성용》.

própylene glýcol 〖화학〗 프로필렌 글리콜《부동액·윤활유·유기 합성용》.

prop·y·lon [prápəlàn/prɔ́pilɔ̀n] (*pl.* **-la** [-lə], **~s**) *n.* (고대 이집트의 신전 입구 앞에 있는) 기념문.

pro ra·ta [prou-réitə, -rá:tə/-rá:tə] 《L.》 비례하여, 비례한.

pro·rate [prouréit, ⌐-] *vt., vi.* 비례 배분하다, 할당하다: on the ~*d* daily basis 날 수 계산으로. ㊕ **pro·rát·a·ble** *a.* **pro·rá·tion** *n.* 비례 할당; 〖석유〗 특정 구역의 유정에 대하여 석유[가스] 생산량을 할당함.

pro re nata [prou-rí:-néiə] 《L.》 임기응변으로; 필요에 따라《생략: p.r.n.》.

pro·rogue [prouróug, prə-] *vt.* (특히 영국에서 의회를) 정회하다; 《드물게》 연기하다. **—** *vi.* (의회가) 정회되다. ㊕ **prò·ro·gá·tion** [-géiʃən] *n.* Ⓤ 정회.

pros- [prás] *pref.* '앞으로, …쪽으로', '그 위에'라는 뜻: *prosody.*

pros. proscenium; prosecuting; prosody.

pro·sage [próusidʒ] *n.* 프로시지《식물성 단백질 소시지》. [◂ *pro*tein+sau*sage*]

pro·sa·ic, -i·cal [prouzéiik], [-əl] *a.* **1** 산문(체)의; 산문적인. opp *poetical, poetic.* **2** 평범한, 단조로운; 살풍경한, 활기[재미] 없는, 지루한: a ~ life 무미건조한 생활/a ~ speaker 지루하게 말하는 사람. ◇ prose *n.* ㊕ **-i·cal·ly** *ad.*

pro·sa·ism, -sa·i·cism [prouzéiizəm], [-zéiəsìzəm] *n.* Ⓤ 산문체, 산문적 표현; 평범함, 진부, 무취미.

pró·sa·ist *n.* 산문 작가; 평범한 사람.

pro·sa·teur [prɔ̀uzətə́:r] *n.* 《F.》 《특히 직업적》 산문 작가.

Pros. Atty. prosecuting attorney.

pro·sáuropod *n.* 〖고생물〗 프로사우로포드《트라이아스기의 대형 초식 공룡; 용각류 사우로포드(sauropod)의 선조로 보임》.

pro·sce·ni·um [prousí:niəm] (*pl.* **-nia** [-niə]) *n.* 앞무대《막과 오케스트라석 사이》; (고대 로마 극장의) 무대; 《비유》 전경(前景)(foreground).

proscénium bòx (극장의) 무대에 가장 가까운 특별석.

pro·sciut·to [prouʃú:tou] (*pl.* **-ti** [-ti:], **~s**) *n.* 《It.》 향신료가 많이 든 이탈리아 햄.

pro·scribe [prouskráib] *vt.* 인권을 박탈하다, 법률의 보호 밖에 두다; 추방하다; 금지[배척]하다; 〖고대로마〗 (처벌자 이름을) 공개하다. ㊕ **~·er** *n.* 추방자, 배척자.

pro·scrip·tion [prouskrípʃən] *n.* Ⓤ 인권 박탈; 처벌[추방]의 선고; 추방; 금지.

pro·scrip·tive [prouskríptiv] *a.* 인권 박탈의; 추방의; 금지의. ㊕ **~·ly** *ad.*

***prose** [prouz] *n.* Ⓤ **1** 산문. cf verse. **2** 평범, 단조; 단조로운 이야기[문장]. **—** *a.* **1** 산문의, 산문으로 되어 있는: ~ style 산문체. **2** 평범한, 단조로운; 무취미한, 상상력이 없는. **—** *vt., vi.* **1** 산문으로 쓰다; (시를) 산문으로 옮기다. **2** 무미건조하게 쓰다; 지루한 이야기를 하다.

pro·sect [prousékt] *vt.* (실습으로) 시체를 해부하다.

pro·sec·tor [prouséktər] *n.* 시체해부자.

pros·e·cute** [prásikjù:t/prɔ́-] *vt.* **1** 해내다, 수행하다; 속행하다. **2** (장사 따위에) 종사하다, 경영하다. **3** 《~+목/+목+전+명》 〖법률〗 기소하다, 소추(訴追)하다; (법에 호소하여) 강행[획득]하다: Trespassers will be ~*d.* 무단 침입자는 고소함《게시문》/~ a claim *for* damages 손해 배상을 요구하다. **—** *vi.* 기소하다, 고소하다. ◇ prosecution *n.* ~ a person ***for 아무를 …로 기소하다. ㊕ **prós·e·cùt·a·ble** *a.*

prósecuting attórney 《미》 지방 검사.

°**pros·e·cu·tion** [prɑ̀sikjú:ʃən/prɔ̀-] *n.* **1** Ⓤ 실행, 수행; 속행《*of*》: the ~ *of* one's duties 의무 수행. **2** Ⓤ 종사, 경영. **3** Ⓒ 기소, 소추(訴追), 고소; 구형: a criminal ~ 형사 소추/a malicious ~ 무고(誣告). **4** Ⓤ (the ~) 기소자 측, 검찰 당국. opp *defense.* ***the director of public ~s*** 《영》 검찰 총장. ◇ prosecute *v.*

°**pros·e·cu·tor** [prásikjù:tər/prɔ́-] (*fem.* ***-cu·trix*** [-səkjù:triks]; *fem. pl.* ***-tri·ces*** [-trisì:z]) *n.* 실행자, 수행자, 경영자; 〖법률〗 소추자, 기소자, 고발자; 검찰관. ***a public*** ~ 검사.

pros·e·cu·to·ri·al [prɑ̀sikjutɔ́:riəl/prɔ̀-] *a.* prosecutor [prosecution]의.

pros·e·lyte [prásəlàit/prɔ́-] *n.* 개종자; (다른 종교로부터) 유대교로의 개종자; 전향자. ***a ~ of the gate*** 〖고대유대〗 모세의 율법《할례 따위》을 이행할 의무가 없는 개종자. **—** *vt., vi.* 개종[전향]시키다[하다]; 《미》 좋은 조건으로 선발해 가다《회원·운동선수 등을》. ㊕ **-lyt·ism** [-lətìzəm, -lait-/prɔ́səlit-] *n.* Ⓤ 개종[전향]의 권유; 개종; 변절.

pros·e·lyt·ize [prásəlitàiz/prɔ́s-] *vt., vi.* = PROSELYTE. ㊕ **-ly·tìz·er** *n.* **pròs·e·ly·ti·zá·tion** *n.*

pro·séminar *n.* (대학의) 프로세미나《대학원 학생을 위한 것이지만 undergraduate도 참가할 수 있는 세미나》.

pros·en·ceph·a·lon [prɑ̀senséfəlàn/prɔ̀senséfəlɔ̀n] *n.* 〖해부〗 전뇌(前腦)(forebrain).

pros·en·chy·ma [prɑséŋkəmə/prɔs-] (*pl.* ***-chym·a·ta*** [prɑ̀seŋkímətə/prɔ̀s-], **~s**) *n.* U,C 〖식물〗 섬유 세포 조직, 방추(紡錘) 조직.

próse pòem 산문시.

pros·er [próuzər] *n.* **1** 산문 작가. **2** 지루하게 이야기하는[쓰는] 사람.

Pro·ser·pi·na, Pros·er·pi·ne [prousə́:rpənə, prə-/prə-], [prousə́:rpəni, prásəpàin/prɔ́səpàin] *n.* 〖로마신화〗 프로세르피나《지옥의 여왕; 그리스의 Persephone》.

pro·si·fy [próuzəfài] *vt., vi.* 산문으로 고치다, 산문을 쓰다; 평범하게 하다.

pro·sit [próusit] *int.* 《L.》 축하합니다, 건강을 빕니다《축배 들 때의 말》.

pro·slávery *n., a.* Ⓤ 〖미국사〗 노예 제도 지지(의).

pro·so [próusou] (*pl.* **~s**) *n.* 〖식물〗 기장(millet).

pros·o·deme [prásədi:m/prɔ́-] *n.* 〖언어〗 운율소(韻律素)《음의 고저·강세·연접의 총칭》.

pro·sod·ic, -i·cal [prəsádik/-sɔ́d-], [-əl] *a.* 작시법(作詩法)의; 운율법에 맞는. ㊕ **-i·cal·ly** *ad.*

pros·o·dy [prásədi/prɔ́s-] *n.* Ⓤ 시형론, 운율학, 작시법.

pros·o·pog·ra·phy [prɑ̀səpágrəfi/prɔ̀səpɔ́g-] *n.* (역사·문학상의) 인물 연구; 인물의 기술(집).

pro·so·po·poe·ia, -pe·ia [prousòupəpí:ə] *n.* Ⓤ 〖수사학〗 의인법(擬人法); 활유법(活喩法).

pros·pect [práspekt/prɔ́s-] *n.* **1** 조망(眺望), 전망; 경치: command a fine ~ 전망이 훌륭하다, 경치가 좋다. **2** (집·토지 따위가 면한) 향(向): The church has a western ~. 교회는 서향이다. **3** 예상, 기대; (종종 *pl.*) (장래의) 가망. OPP *retrospect.* ¶ He has good ~*s.* 그는 전도 유망하다 / the ~*s of* the wine harvest 포도의 수확 예상 / I see no ~ *of* his recovery. 그는 회복할 가망이 없다 / They set up the company in the ~ *of* large profits. 그들은 많은 이익을 기대하고 그 회사를 세웠다 / They were thrilled at the ~ *of* foreign travel. 그들은 외국 여행에 대한 기대로 가슴이 설렜다. SYN. ⇨ VIEW. **4** 《미》 단골손님이 될 듯한 사람, 팔아 줄 듯싶은 손님; 가망이 있는 사람; 유력 후보자, 유망 선수〔탤런트〕. **5** 〖광산〗 채광 유망지; 광석 견본; 시굴. ***in*** **~** 고려 중인; 예상〔예기, 기대〕되어; 기도하여: He had no other alternative *in* ~. 그에게는 기대할 대안이 없었다. ***strike a good*** **~** 유망한 광맥을 찾아내다.

— [prɑspékt/prəspékt] *vi.* **1** 《+전+명》 (금광·석유 등을 찾아) 답사하다, 시굴하다《*for*》: ~ *for* gold 금을 시굴하다. **2** 《+부》 (광산이) 유망하다: The gold mine ~*s well* 〔*ill*〕. 그 금광은 가망이 있다〔없다〕. — *vt.* 《~+목 / +목+전+명》 (지역을) 답사〔조사〕하다; (광산을) 시굴하다: ~ a region *for* gold ore 〔oil〕 금광을〔석유를〕 찾아 어떤 지역을 조사하다.

pro·spec·tive [prəspéktiv] *a.* 예기되는, 가망이 있는; 장래의, (법률 등이) 장래에 관한; 선견지명이 있는. OPP *retrospective.* ¶ a ~ customer 팔아 줄 만한 사람 / a ~ mother 곧 어머니가 될 사람. ㊞ **~·ly** *ad.* **~·ness** *n.*

prospéctive adaptátion 〖생물〗 예기 적응 《장래의 적응을 가능케 하는 형질의 획득》.

pros·pec·tor [práspektər, prəspék-/prəspék-] *n.* 탐광자(探鑛者), 답사자, 시굴자; 투기자.

pro·spec·tus [prəspéktəs] (*pl.* **~·es**) *n.* (새 회사 따위의) 설립 취지서, 내용 설명서; (신간 서적의) 내용 견본; 호텔 안내; 《영》 학교 안내; 〖증권〗 주식 공모 때의 매출 안내서.

pros·per [práspər/prɔ́s-] *vi., vt.* 번영하다〔시키다〕, 성공하다〔시키다〕; 잘 자라다, 번식하다: a ~*ing* breeze 순풍(順風) / May God ~ you! 하느님의 은총이 함께 하기를. SYN. ⇨ SUCCEED.

pros·per·i·ty [prɑspérəti/prɔs-] *n.* **1** U 번영, 번창, 융성; 성공; 행운, 부유. OPP *adversity.* ¶ in one's days of ~ 행복하게 지내어. **2** (*pl.*) 번영의 상태, 부유한 처지. ***in*** **~** 유복하게: He is living *in* ~. 그는 유복하게 살고 있다.

pros·per·ous [práspərəs/prɔ́s-] *a.* **1** 번영하는, 번창하고 있는, 성공한: ~ business 번창하고 있는 사업 / He looks ~. 그는 경기가 좋은 것 같다, 건강한 것 같다. **2** 부유한: a ~ family 부유한 집안. **3** 잘 되어 가는, 순조로운; 운이 좋은: ~ weather 좋은 날씨 / a ~ gale 순풍. ***in a*** **~** ***hour*** 좋은 때에, 때마침. ㊞ **~·ly** *ad.* 번영하여; 형편 좋게, 안성맞춤으로; 순조롭게. **~·ness** *n.*

pross [prɑs/prɔs], **pros·sie, pros·sy** [prási/prɔ́si] *n.* 《속어》 매음(prostitute).

pros·ta·cy·clin [prɑ̀stəsáiklin/prɔ̀s-] *n.* 〖생화학〗 프로스타사이클린《항(抗)응혈 작용·혈관 확장 작용이 있는 호르몬 비슷한 물질》.

pros·ta·glan·din [prɑ̀stəglǽndin/prɔ̀s-] *n.* 프로스타글란딘《혈관 확장·혈전(血栓) 방지 따위에 씀; 생략: PG》.

pros·tate [prásteit/prɔ́s-] 〖해부〗 *a.* 전립샘의 (=**prostátic**). — *n.* =PROSTATE GLAND.

pros·ta·tec·to·my [prɑ̀stətéktəmi/prɔ̀s-] *n.* U 전립샘 절제 (수술).

próstate glànd 〖해부〗 전립샘.

pros·ta·tism [prástətìzəm/prɔ́s-] *n.* 〖의학〗 전립샘(비대)증.

pros·ta·ti·tis [prɑ̀stətáitis/prɔ̀s-] *n.* U 〖의학〗 전립샘염.

pros·the·sis [prɑsθíːsis/prɔ́sθi-, prɔsθíː-] (*pl.* **-ses** [-sìːz]) *n.* 〖의학〗 (의족(義足)·의치 등의) 보철(補綴)(술); 인공 기관(器官)〔장구(裝具)〕; 〖문법〗 어두음(語頭音) 첨가: dental ~ 치과 보철술, 의치.

pros·thet·ic [prɑsθétik/prɔs-] *a.* **1** 〖문법〗 어두음 첨가의. **2** 〖의학〗 인공 장구〔기관〕의, 의수〔의족, 의치〕의. ㊞ **-thét·i·cal·ly** *ad.*

prosthétic gròup 〖생화학〗 보결 분자단《복합 단백질의 비(非)단백질 부분》.

pros·thét·ics *n. pl.* 〔단수 취급〕 〖의학·치과〗 보철학(補綴學), 의치(술).

pros·tho·don·tia [prɑ̀sθədánʃiə/prɔ̀sθədɔ́ntjə] *n.* =PROSTHODONTICS.

pros·tho·don·tics [prɑ̀sθədántiks/prɔ̀sθədɔ́n-] *n. pl.* 〔단수취급〕 치과 보철학(補綴學), 의치학.

pros·ti·tute [prástətjùːt/prɔ́stitjúːt] *n.* 매춘부; 매음; 절개를 파는 사람, 돈의 노예; (돈을 벌기 위해 작품의 질을 떨어뜨리는) 타락 작가〔화가 등〕. — *vt.* 매음시키다; 〔~ oneself〕 몸을 팔다; (명예 등을) 이익을 위해 팔다; (능력 따위를) 악용하다. ㊞ **-ti·tù·tor** [-ər] *n.* 매춘부; 변절자.

pros·ti·tu·tion [prɑ̀stətjúːʃən/prɔ̀stitʒúː] *n.* U 매춘, 매음, 추업(醜業); 절개를 팖; 타락, 퇴폐; 악용. ***illicit*** **~** 밀매음. ***licensed*** 〔***public***〕 **~** 공창(公娼) (제도).

pros·trate [prástreit/prɔstréit] *vt.* **1** 넘어뜨리다, 뒤엎다. **2** 〔~ oneself〕 엎드리다: ~ oneself before the altar 제단 앞에 엎드리다. **3** 항복시키다, 무찌르다, 굴복시키다. **4** 쇠약하게 하다, 극도로 피로케 하다: be ~*d* by the heat 더위에 지치다. — [prástreit/prɔ́s-] *a.* **1** 엎어진, 엎드린, 부복(俯伏)한. **2** 패배한, 항복한. **3** 기진맥진한, 기운을 잃은: They were ~ after the long climb. 오랜 등반으로 그들은 피곤했다 / be ~ *with* grief 비탄에 젖다. **4** 〖식물〗 포복성의.

pros·trá·tion *n.* U **1** 부복(俯伏), 엎드림: ~ before the altar 제단(祭壇) 앞에 부복함. **2** 피로, 쇠약; 의기소침. **3** 소스라쳐 놀람, 대경(大驚). ***general*** 〔***nervous***〕 **~** 전신〔신경〕 쇠약.

pros·ty, pros·tie [prásti/prɔ́sti] *n.* 《미속어》 매음(prostitute).

pro·style [próustail] *a., n.* 〖건축〗 전주식(前柱式)의 (건물).

prosy [próuzi] (**pros·i·er; -i·est**) *a.* 산문의, 산문체의; 몰취미한, 평범한, 지루한(prosaic). ㊞ **prós·i·ly** *ad.* **-i·ness** *n.*

prot- [próut] =PROTO-.

Prot. Protectorate, Protestant.

pròt·actínium *n.* U 〖화학〗 프로탁티늄《방사성 원소; 기호 Pa; 번호 91》.

pro·tag·o·nist [proutǽgənist] *n.* 〖연극〗 주역, (소설·이야기 따위의) 주인공; 〖일반적〗 주역; (주의·운동의) 주창자; 수령(首領). cf. deuteragonist.

Pro·tag·o·ras [proutǽgərəs/-ræs] *n.* 프로타고라스《그리스의 철학자; Sophist의 시조(始祖); 481?-411? B.C.》.

pro·ta·mine [próutəmìːn, -min] *n.* U 〖생화학〗 프로타민《강(強)염기성 단순 단백질》.

prot·an·dry [proutǽndri] *n.* 〖생물〗 웅성선숙(雄性先熟), 수술선숙. cf. protogyny. ㊞ **-drous, -dric** *a.* **-drous·ly** *ad.*

prot·a·nope [próutənòup] *n.* 〖의학〗 제 1 색맹자.

pro·ta·no·pia [pròutənóupiə] *n.* 〖의학〗 제 1 색맹《적(赤)색맹》.
pro tanto [prou-tǽntou] 《L.》 그 정도까지.
prot·a·sis [prɑ́təsis/prɔ́t-] (*pl.* **-ses** [-sìːz]) *n.* **1** 〖문법〗 전제절(前提節), 조건절. OPP *apodosis.* **2** 〖연극〗 (고대 연극의) 도입부; 전제부. ㊞ **pro·tat·ic** [prɑtǽtik, prou-/prə-, prou-] *a.*
Pro·te·an [próutiən, proutíːən/proutíːən] *a.* Proteus 의〔같은〕; (p-) 변화무쌍한; 다방면의.
pro·te·ase [próutièis, -èiz] *n.* Ⓤ 〖생화학〗 프로테아제《단백질 분해 효소》.
⁑**pro·tect** [prətékt] *vt.* **1** 《~+목/+목+전+명》 보호〔수호, 비호〕하다, 막다, 지키다《*against; from*》: a ~*ed* state 보호국/They ~*ed* their own claims with perfect unity. 그들은 굳게 단결하여 자신들의 권리를 지켰다/She wore a hat to ~ her skin *from* the sun. 그녀는 햇볕에서 피부를 보호하기 위해 모자를 썼다. **2** 〖기계〗 …에 안전〔보호〕장치를 하다: a ~*ed* rifles 안전장치가 된 소총. **3** 〖경제〗 (보호 관세 등에 의하여) 보호하다《국내 산업을》: ~*ed* trade 보호 무역. **4** 〖상업〗 (어음의) 지급 준비를 하다. **5** (열차에) 주의 신호를 내리다; 정지 신호를 보내다. ― *vi.* 보호하다. ㊞ **~·a·ble** *a.*
pro·tect·ant [prətéktənt] *n.* (식물의) 예방 보호제(劑)(=**protécting àgent**).
pro·téct·ing *a.* 보호〔방호〕하는, 지키는; (덤핑을) 방지하는. ㊞ **~·ly** *ad.* 보호하도록, 두둔하듯이. **~·ness** *n.*
⁑**pro·tec·tion** [prətékʃən] *n.* **1** Ⓤ 보호, 보안《*from; against*》: the ~ of one's country *against* potential enemies 가상 적(敵)에 대한 국토방위/~ *of* the village *from* storms 폭풍으로부터의 부락 보호. **2** Ⓤ 후원, 두둔. **3** 보호하는 사람〔물건〕: ~ *against* cold 방한구. **4** 여권, 통행권; 《미》 국적 증명서. **5** Ⓤ 〖경제〗 보호무역 (제도). OPP *free trade.* **6** 〖법률〗 보호 영장(= **writ of** ∸). **7** 《미구어》 (폭력단의 보호에 대해 바치는) 보호료(=∸ **mòney**), 또 그 보호, (폭력배가 하급 관리에게 주는) 뇌물, 묵인료. **8** 《미속어》 피임약〔기구〕. **9** 〖컴퓨터〗 보호《프로그램·연성판(floppy disk) 복사 따위의》. ◇ protect *v.* **~ *of possession*** 〖법률〗 점유(占有) 보전. ***take*** a person ***under*** one**'*s*** **~** 아무를 보호하다. ***under the* ~ *of*** …의 보호를 받고, …의 신세를 지고; …의 첩이 되어. ㊞ **~·ism** *n.* Ⓤ 〖경제〗 보호 무역주의〔론〕, 보호 정책. **~·ist** *n., a.* 〖경제〗 보호 무역론자(의); 야생 동물 보호를 주장하는 (사람).
protéction ràcket 《속어》 폭력단이 행패를 부리지 않는 대신 상점·음식점 등으로부터 돈을 뜯어내는 행위.
***pro·tec·tive** [prətéktiv] *a.* **1** 보호하는; (…을) 보호하고 싶어하는: a ~ vest 방탄조끼/He felt very ~ *toward* her. 그는 그녀를 보호하고자 하는 욕망을 강하게 느꼈다. **2** 보호 무역(정책)의: ~ trade 보호 무역. ― *n.* 보호물: a ~ *against* the devil 마귀 쫓는 물건; 부적(符籍). ㊞ **~·ly** *ad.*
protéctive áction guìde 〖원자력〗 방호 조치 기준《전리(電離) 방사선의 허용 흡수선량》.
protéctive colorátion 〔**cóloring**〕 〖동물〗 보호색.
protéctive cústody 〖법률〗 보호 구치(拘置).
protéctive dúties 〔**táx**〕 보호 관세.
protéctive fóods 영양 식품. 「보호법제.
protéctive legislátion 보호 무역법; 사용인
protéctive sỳstem 〖경제〗 보호 무역 제도.
protéctive táriff 보호 관세(율).
◦**pro·tec·tor** [prətéktər] (*fem.* **-tress** [-tris]) *n.* **1** 보호자, 옹호자, 방어자. **2** 보호 장치〔물(物)〕, 안전장치: a plant ~ 식물의 바람〔눈〕막이/a point ~ 연필〔펜〕 깍지. **3** 〖야구〗 가슴받이(chest ~), 프로텍터. **4** 〖영국사〗 섭정(regent); (the Lord P-) 호민관《영국 공화 정치 때의 Oliver Cromwell 및 그 아들 Richard Cromwell 의 칭호》. ㊞ **~·al** [-tərəl] *a.* **~·ship** *n.* Ⓤ
pro·tec·tor·ate [prətéktərət] *n.* **1** Ⓤ 〖영국사〗 섭정의 직〔임기〕; 섭정 정치; (P-) (Oliver & Richard Cromwell 부자의) 호민관 정치《1653-59》. **2** 보호령, 보호국; 보호 제도《한 나라의 다른 나라에 대한》.
pro·tec·to·ry [prətéktəri] *n.* 고아원; 소년원.
pro·tec·tress [prətéktris] *n.* protector 의 여성형.
pro·té·gé [próutəʒèi, ∸-∸/∸-∸] (*fem.* **-gée** [-təʒèi]) *n.* 《F.》 피보호자; 부하.
pro·teid, -te·ide [próutiːd], [-taid, -tiàid] *n.* =PROTEIN.
◦**pro·tein** [próutiːn] 〖생화학〗 *n.* Ⓤ 단백질. ― *a.* 단백질의〔을 함유한〕. ㊞ **pro·téin·ic** [-ik] *a.*
pro·tein·ase [próutiːnèis, -nèiz] *n.* 〖생화학〗 프로테이나아제《단백질을 가수 분해하는 효소》.
pro·tein·ate [próutiːnèit] *n.* 단백질 화합물.
prótein enginéering 〖생화학〗 단백질 공학《DNA를 구성하는 뉴클레오티드를 조작하여 단백질(효소)에 변이를 일으키는 유전자 공학》.
pro·tein·oid [próutiːnɔ̀id, próutən-] *n.* 〖생화학〗 프로테이노이드《아미노산(酸) 혼합물을 가열하여 중축합(重縮合)해서 얻는 폴리아미노산; 단백질 비슷한 성질을 가짐》.
prótein sỳnthesis 〖생화학〗 단백질 합성.
pro·tein·u·ria [pròutiːnjúəriə/-njúər-] *n.* Ⓤ 〖의학〗 단백뇨(尿). 「RE.
pro tem [próu-tém] 《L.》 《구어》 =PRO TEMPO-
pro tem·po·re [próu-témpəriː] 《L.》 당분간; 일시적인〔으로〕; 임시의《생략: p.t.》.
pro·te·o·gly·can [pròutiouglάikæn] *n.* 〖생화학〗 프로테오글리칸《단백질을 결합한 다당류; 결합 조직의 기질을 형성함》.
pro·te·ol·y·sis [pròutiɑ́ləsis/-tiɔ́l-] *n.* 〖생화학〗 단백질(의) 분해《더욱 단순한 동종(同種) 화합물로 가수 분해하는 일》. 「〔를 일으키는〕.
pro·te·olyt·ic [pròutiəlítik] *a.* 단백질 분해의
pro·te·ose [próutiòus] *n.* 〖생화학〗 프로테오스《효소 등에 의한 단백질의 가수 분해 물질로, 유도 단백의 하나》.
prot·er- [prɑ́tər, próu-/prɔ́t-, próu-], **prot·er·o-** [-rou, -rə] '이전의', '…보다 전의' 란 뜻의 결합사: *protero*type.
Prot·er·o·zo·ic [prɑ̀tərəzóuik/prɔ̀t-] *n., a.* 〖지학〗 원생대(代)〔계(界)〕(의), 선(先)캄브리아대(代)(의).
⁑**pro·test** [prətést] *vi.* **1** 《~/+전+명》 항의하다, 이의를 제기하다《*against; about; at*》: What were the students ~*ing against*? 학생들은 무엇에 항의하고 있었는가/~ *about* the expense 비용에 관해 이의를 제기하다/I strongly ~ *at* being called a liar. 나는 거짓말쟁이라고 불리는 것에 대해 강하게 항의한다. **2** 주장〔단언, 확언〕하다. ― *vt.* **1** 《+*that* 절》 항의하여〔이의를 제기하여〕 말하다: He ~*s that* he did no such thing. 그는 그런 일을 안 했다고 항변한다. **2** 《미》 …에 항의〔이의를 제기〕하다: ~ a witness 증인에 대해 이의를 신청하다. **3** 《~+목/+*that* 절》 주장〔단언, 확언〕하다, 맹세하고 말하다, 증언하다: ~ innocence 무죄를 주장하다/~ one's love 사랑이 변치 않음을 맹세하다/The defendant ~*ed that* he was innocent of the crime. 피고는 그 범죄에 대해

결백하다고 주장했다. **4** 〖상업〗 (어음의) 지급을 거절하다; 거절 증서를 작성하다: The check was ~*ed*. 그 수표는 부도났다. ◇ protestation *n*.
— [próutest] *n*. **1** 항의, 항변, 이의 (신청): ~ *against* increased taxation 증세에 대한 항의/The ~ *that* he had an alibi was rejected. 그에게 알리바이가 있다는 이의 신청은 기각되었다. **2** 주장, 언명. **3** 〖법률〗 이의 유보. **4** 〖경기〗 항의서. **5** 〖상업〗 지급〔인수〕 거절 (증서). **6** 〖법률〗 해난 보고서; 〖영상원〗 (통과 의안에 대한) 소수 의견서. ***make*** 〔***enter, lodge***〕 ***a*** ~ ***with*** a person ***against*** 아무에게 …에 대해 항의하다, 이의를 신청하다. ***under*** ~ 이의를 내세워; 마지못해.
㊞ **pro·test·er, -tes·tor** [prətéstər] *n*.

***Prot·es·tant** [prátəstənt/prɔ́-] *a*. **1** 〖기독교〗 프로테스탄트의, 신교의; 신교도의. **2** (p-) 이의(異議)를 제기하는, 항의하는. — *n*. **1** 신교도. **2** (p-) 항의자. ㊞ **~·ism** *n*. Ⓤ 신교(의 교리); 《집합적》 신교도, 신교 교회. **~·ize** *vt*., *vi*. 신교도로 개종시키다〔하다〕; 신교화(化)하다.

Prótestant Epíscopal Chúrch (the ~) = EPISCOPAL CHURCH.

prótestant éthic 프로테스탄티즘의 윤리《노동에 대한 헌신·검약·성과를 강조함》. 「혁.

Prótestant Reformátion (the ~) 종교 개

prot·es·ta·tion [prɑ̀təstéiʃən, pròut-/prɔ̀t-, pròut-] *n*. 주장, 단언, 언명《*of; that*》; Ⓤ 항의, 이의 (신청), 거절《*against*》.

Pro·te·us [próutiəs, -tju:s] *n*. **1** 〖그리스신화〗 프로테우스《바다의 신; 갖가지 모습으로 둔갑하며 예언력이 있었다고 함》. **2** (모양·성질이) 변하기 쉬운 것; (모습·생각이) 잘 변하는 사람, 변덕쟁이. ◇ Protean *a*.

pro·tha·la·mi·on, -mi·um [pròuθəléimiɑ̀n, -miən/-miən], [-miəm] (*pl*. ***-mia*** [-miə]) *n*. 결혼 축가〔축시〕. ⓒⓕ epithalamium.

pro·thal·li·um [prouθǽliəm] (*pl*. ***-lia*** [-liə]) *n*. 〖식물〗 (양치류의) 전엽체(前葉體).

pro·thal·lus [prouθǽləs] (*pl*. ***-li*** [-θǽlai]) *n*. = PROTHALLIUM.

proth·e·sis [prɑ́θəsis/prɔ́-] (*pl*. ***-ses*** [-si:z]) *n*. **1** 〖문법〗 어두음(語頭音) 첨가, 어두자(字) 첨가《estate 의 e 따위》. **2** 〖그리스정교〗 성찬탁(聖餐卓); 성찬 준비소〔정비소〕. ㊞ **pro·thet·ic** [prəθétik] *a*.

pro·thon·o·tary, -ton- [prouθɑ́nətèri, pròuθənóutəri/pròuθənóutəri, prouθɔ́nətəri], [-tɑ́n-/-tɔ́n-] *n*. **1** (법원의) 수석 서기. **2** 〖가톨릭〗 (7 인의) 최고 기록관의 한 사람. **3** 〖그리스정교〗 Constantinople 의 총주교 비서장.

pro·tho·rax [pròuθɔ́:ræks] *n*. 〖곤충〗 앞가슴《첫째 가슴마디》.

pro·throm·bin [pròuθrɑ́mbin/-θrɔ́m-] *n*. Ⓤ 〖생화학〗 프로트롬빈《혈액 응고 인자의 하나》.

pro·tist [próutist] (*pl*. ***~s, -tis·ta*** [-tə]) *n*. 〖생물〗 원생(原生)생물《생물의 대분류상의, 동물·식물 다음가는 제 3 의 계(界)를 이룸》. ㊞ **pro·tis·tan** [proutístən] *n*., *a*. 원생생물(의).

pro·tis·tol·o·gy [pròutistɑ́lədʒi/-tɔ́l-] *n*. 원생생물학.

pro·ti·um [próutiəm, -ʃiəm/-tiəm] *n*. Ⓤ 〖화학〗 프로튬《수소의 동위 원소; 기호 H^1》.

pro·to- [próutou, -tə] '제 1·주요한·원시적·최초의; 최저의' 란 뜻의 결합사: *proto*type, *proto*gene.

pròto·actínium *n*. protactinium의 구칭.

pro·to·bi·ont [pròutoubáiɑnt/-ɔnt] *n*. 원시 생물《시원(始原)의 유기체》.

pròto·chórdate *a*., *n*. 〖동물〗 원삭(原索)동물문(門)의 (동물).

pro·to·col [próutəkɔ̀:l, -kɑ̀l/-kɔ̀l] *n*. **1** (문서의) 원본, 프로토콜, 의정서(議定書); 조서(調書); (조약 따위의) 원안: a peace ~ 평화 의정서. **2** (로마 교황의 칙서 따위의) 첫머리와 끝의 정식문(定式文). **3** 외교 의례, 전례(典禮), 의전(儀典); (the P-) (프랑스 외무부의) 의전국(儀典局). **4** 〖컴퓨터〗 (통신) 규약《전산기 사이의 통신을 위해 자료의 형식·통신 방법 등을 미리 정한 규약》. **5** 《미》 실험〔부검 등의〕 계획안〔기록〕. **6** 〖철학〗 프로토콜 명제(= ∠ **stàtement,** ∠ **sèntence**). — (***-l-,*** 《영》 ***-ll-***) *vt*., *vi*. (…의) 의정서를 작성하다; 입안(立案)하다.

pròto·cóntinent *n*. 시원(始原) 대륙(supercontinent). 「주〔은하〕.

pròto·gálaxy *n*. 〖천문〗 (형성 중인) 원시 소우

pro·to·gene [próutədʒì:n] *n*. 원(原)유전자《유전자의 원형》. 「조기〔초기〕 형성의.

pro·to·gen·ic [pròutədʒénik] *a*. 〖식물·지학〗

pro·tog·y·ny [proutɑ́dʒəni/-tɔ́dʒ-] *n*. 〖생물〗 자성 선숙(雌性先熟), 암술 선숙. ⓒⓕ protandry. ㊞ **pro·to·gy·nous** [pròutədʒáinəs, -gái-/-tɔ́dʒinəs] *a*.

pròto·hístory *n*. 원사(原史) 시대《선사 시대와 역사 시대의 중간》. ㊞ **-histórian** *n*. **-históric** *a*.

pròto·húman *a*., *n*. 원인(原人)(의〔에 관한, 과 비슷한〕). 「조어(祖語).

próto·lànguage *n*. 〖언어〗 공통 기어(基語),

pròto·líthic *a*. 〖고고학〗 원시 석기 시대의(eolithic). ⓒⓕ paleolithic.

próto·màrtyr *n*. 최초의 순교자《특히 기독교 최초의 순교자 St. Stephen 을 가리킴》.

pro·ton [próutɑn/-tɔn] *n*. 〖물리〗 양성자(陽性子), 프로톤. ⓒⓕ electron. ㊞ **pro·tón·ic** [-ik] *a*.

pro·ton·ate [próutənèit] 〖물리〗 *vt*. 양성자(陽性子)를 가하다. — *vi*. (여분의) 양성자를 얻다.

próton decáy 〖물리〗 양성자(陽性子) 붕괴.

pro·to·ne·ma [pròutəní:mə] (*pl*. ***-ma·ta*** [-ní:mətə, -ném-]) *n*. 〖식물〗 (양치류·이끼류의) 원사체(原絲體), 사상체(絲狀體).

próton nùmber ⇨ ATOMIC NUMBER.

próton-sỳnchrotron *n*. 〖물리〗 양성자(陽性子) 싱크로트론《양성자를 초고(超高) 에너지로 가속하는 장치》.

pròto-óncogene *n*. 〖유전〗 원(原)종양 형성 유전자《종양(형성) 유전자로 변화할 가능성을 지닌 유전자》.

pro·to·path·ic [pròutəpǽθik] *a*. 〖생리〗 (피부감각 등의) 원시적인, 원발성(原發性)의: ~ sensation 원시(성) 감각.

Pro·toph·y·ta [prətɑ́fətə/-tɔ́-] *n*. *pl*. 〖식물〗 원생식물문(門).

próto·plànet *n*. 〖천문〗 원시 행성(原始行星).

pro·to·plasm [próutəplæ̀zəm] *n*. Ⓤ 〖생물〗 원형질. ㊞ **prò·to·plas·mát·ic, prò·to·plás·mic** [-plæzmǽtik], [-plǽzmik] *a*.

pro·to·plast [próutəplæ̀st] *n*. 최초에 창조〔형성〕된 것(prototype); 〖생물〗 원형질체; 〖생물〗 = ENERGID. ㊞ **prò·to·plás·tic** [-plǽstik] *a*.

prótoplast fúsion 〖생물〗 프로토플라스트 융합.

pròto·pórcelain *n*. 프로토 자기(磁器)《소성(燒成) 온도가 낮기 때문에 투광성(透光性)이 적은 초기의 자기》. 「《간기능 장애 치료약》.

pròto·pórphyrin *n*. 〖생화학〗 프로토포르피린

próto·stàr *n*. 〖천문〗 원시성(原始星)《하나의 항성으로 진화할 성간(星間) 가스나 먼지 덩이를 가리킴》. ㊞ **pròto·stéllar** *a*.

pro·to·troph [próutətrɑ̀f, -tròuf, -trɔ̀:f/-trɔ̀f] *n*. 〖생물〗 = AUTOTROPH; 원(原)영양체.

pro·to·type [próutətàip] *n.* 원형(原型)(archetype), 기본형; 시작품(試作品); 표준, 모범, 본(보기)(model); 〖생물·컴퓨터〗 원형. [파] **prò·to·tý·pal** *a.* 원형의. **prò·to·týp·i·cal, -týp·ic** [-típikəl], [-típik] *a.*
pro·tox·ide [proutάksaid/-tɔ́ks-] *n.* 〖화학〗 「초급(初級) 산화물.
Pro·to·zoa [pròutəzóuə] *n. pl.* (*sing.* **-zoon** [-zóuɑn/-ɔn]) 〖동물〗 원생동물. [파] **pròto·zó·an** [-n] *n., a.* 원생동물(문(門)의).
pròto·zoólogy *n.* [U] 원생동물학, 원충학(原蟲學). [파] **-gist** *n.* 「*n.* =PROTOZOAN.
pro·to·zo·on [pròutəzóuɑn/-ɔn] (*pl.* **-zóa**)
pro·tract [proutrǽkt, prə-/prə-] *vt.* **1** 오래 끌게 하다, 연장하다(prolong). **2** 〖의학〗 뻗다, 내밀다. **3** 〖측량〗 (비례 자로) 제도하다; (각도기로) 도면을 뜨다.
protrácted méeting 〖기독교〗 일정 기간 계속되는 신앙 부흥 전도 집회.
pro·trac·tile [proutrǽktəl, -tail, prə-/prətrǽktail] *a.* 〖동물〗 길게 늘일 수 있는, 내밀 수 있는《동물의 기관(器官) 따위》. [opp.] *retractile.*
pro·trac·tion [proutrǽkʃən, prə-/prə-] *n.* [U] 오래 끌게 하기; 신장(伸長), 연장; (비례(比例) 자에 의한) 제도, 도면 뜨기.
pro·trac·tor [proutrǽktər, prə-/prə-] *n.* **1** 〖측량〗 각도기. **2** 〖해부〗 신근(伸筋). [opp.] *retractor.* **3** 〖의학〗 이물(異物) 적출기(摘出器). **4** 오래 끄는 사람[것]. 「득, 설교]의 (말).
pro·trep·tic [proutréptik] *a., n.* 권고[지시, 설
°**pro·trude** [proutrú:d, prə-/prə-] *vi.* 《~/+[전]+[명]》 불쑥 나오다, 비어져 나오다《*from; beyond*》: His shirttail ~*d from* beneath his coat. 셔츠 자락이 그의 상의 밑으로 비어져 나와 있었다. ── *vt.* 밀어내다, 내밀다: ~ one's tongue 혀를 내밀다. [파] **pro·trúd·ent** [-ənt] *a.* 불쑥 나온, 내민.
pro·tru·sile [proutrú:səl, -sail, prə-/prətrú:sail] *a.* 〖동물〗 (손발·달팽이 눈 따위처럼) 내밀 수 있는.
pro·tru·sion [proutrú:ʒən, prə-/prə-] *n.* [U] 내밂, 돌출, 비어져나옴; 〖의학〗 돌기(부[물]), 융기(부[물]).
pro·tru·sive [proutrú:siv, prə-/prə-] *a.* 내미는; 내민, 돌출한; 주제넘게 나서는, 눈꼴 사나운.
pro·tu·ber·ance, -an·cy [proutјú:bərəns, prə-/prətјú:-], [-ənsi] *n.* [U] 융기, 돌기; [C] 돌출물, 돌기물, 혹, 결절《*on* a tree》: a solar ~ 〖천문〗 (태양의) 홍염(紅焰).
pro·tu·ber·ant [proutјú:bərənt, prə-/prətјú:-] *a.* 돌출[돌기]한, 불룩 솟은, 융기한; 현저한.
pro·tu·ber·ate [proutјú:bərèit, prə-/prətјú:-] *vi.* 부풀(어 나오)다, 융기하다(bulge).
pro·tyle, -tyl [próutail], [-til] *n.* [U] 원질(原質)《상상의 모든 원소의 본원(本源)》.
proud [praud] *a.* **1** 거만한(haughty), 잘난 체하는(arrogant), 뽐내는: She is too ~ to ask questions. 그녀는 너무 도도해서 질문을 않는다/What makes you so ~ *of* yourself? 뭔데 그리 뽐내는 거냐.

> [SYN.] **proud** 자존심을 가지고 우쭐하는 것에서부터 한 걸음 더 나아가 거만함까지를 포함하는 뜻이 있음. **haughty** 자기를 위대하다고 생각하고 상대방을 냉담하게 내려보는 기분을 나타냄. **arrogant** 자기를 우수하다고 자부하고 상대방을 모욕적인 태도로 다루는 일.

2 자존심이 있는, 명예를 중히 여기는; 식견 있는: be too ~ to beg [take a bribe] 구걸하는[수뢰하는] 것은 자존심이 허락하지 않는다. **3** 자랑으로 여기는, 영광으로 여기는; (좋은 의미로) 의기양양한: a ~ father (장한 자식을 두어) 자랑스러워하는 아버지/I'm ~ *of* you for telling the truth. 사실대로 말해 주어 나는 네가 자랑스럽다/The publisher is ~ *to* present .... (책 서두에서) 폐사가 …를 펴냄을 영광으로 여깁니다/I'm ~ *that* you told the truth. 네가 사실대로 말한 것을 자랑스럽게 여긴다. **4** 자랑할 만한, 당당한(imposing), 훌륭한(splendid): a ~ achievement 빛나는 업적/~ cities 당당한 도시. **5** (말 따위가) 기운이 좋은(spirited). **6** 물이 불은, 큰물의. ◇ pride *n.* (*as*) ~ ***as Punch*** [***a peacock, a turkey***] 의기양양하여, 크게 기뻐서.
── *ad.* 《다음 관용구로만 쓰임》 ***do*** a person ~ 《구어》 ① 아무를 기쁘게 해주다, 아무의 면목을 세워 주다: It will *do* me ~. 그것으로 매우 만족합니다/You *do* me ~. (그렇게 말씀하시니) 영광입니다. ② …를 성대히 대접하다. ***do oneself*** ~ 훌륭하게 처신하다, 면목을 세우다.
[파] ***próud·ly** *ad.* 거만하게, 잘난 듯이, 의기양양해서, 자랑스럽게; 당당히. 「살, 육아(肉芽).
próud flésh 〖의학〗 (아문 상처 뒤에 생기는) 새
próud·héarted [-id] *a.* 거만한.
Proust [pru:st] *n.* 프루스트. **1 Joseph Louis** ~ 프랑스의 화학자《정비례의 법칙을 제창함; 1754-1826》. **2 Marcel** ~ 프랑스의 소설가(1871-1922).
Prov. Provençal; Provence; 〖성서〗 Proverbs; Providence; Province; Provost. **prov.** proverb(ially); province; provincial(ly); provincialism; provisional.
prov·a·ble [prú:vəbəl] *a.* 증명[확인, 입증]할 수 있는. [파] **-bly** *ad.* **~·ness** *n.*
prove [pru:v] (**~*d*; ~*d*, *prov·en*** [prú:vən]) *vt.* **1** 《~+[목]/+[목]+[전]+[명]/+[목]+[보]/+[목]+(*to be*) [보]/+*that* [절]/+*wh.* [절]》 증명하다, 입증(立證)하다; 《~ oneself》 자기가 …임을 증명하다: ~ one's identity 신원을 증명하다/I can ~ my alibi (*to* you). 나는 알리바이를 증명할 수 있다/He ~*d* him*self* (*to be*) a capable businessman. 그는 유능한 실업가임을 입증하였다/I can ~ *that* his answer is right. 나는 그의 대답이 옳음을 증명할 수 있다/I can ~ *where* I was yesterday. 어제 내가 어디 있었는지 증명할 수 있다. **2** 시험하다; 실험하다: ~ one's courage 아무의 용기를 시험해 보다/~ gold 금의 품질을 시험하다/~ a new gun 새 총을 쏴 보다. **3** (유언장에) 검인을 받다; 검증하다. **4** 〖수학〗 검산하다: ~ a sum. **5** 〖인쇄〗 …의 교정쇄를 찍다. **6** (가루 반죽을) 부풀리다, 발효시키다. ── *vi.* **1** 《+(*to be*) [보]/+*to* do》 …임을 알다, …으로 판명되다, …이 되다(turn out): It ~*d* (*to be*) insufficient. 그것이 불충분하다는 것이 판명되었다/The experiment ~*d* (*to be*) successful. 실험은 성공적이었다/He will ~ *to* know nothing about it. 그는 그것에 대해 아무것도 모른다는 사실을 알게 될 것이다. **2** (가루 반죽이) 부풀다, 발효하다. ◇proof *n.* ***It goes to*** ~ (***that ...***) (…라는 것의) 증명이 되다. ~ ***out*** 희망[계획]대로 되다; 잘되어 가다. ~ ***up*** 권리를 입증하다; 예상대로 되다.
próved resérves 확정[확인] 매장량(=**próven resérves, próved resóurces**).
***prov·en** [prú:vən] PROVE의 과거분사.
── *a.* 증명된(demonstrated). ★ 주로 법률 용어. ¶ ~ ability 시험을 거친 능력. ***not*** ~ 《Sc.》 〖법률〗 증거 불충분인.
pro·ve·nance [prάvənəns/prɔ́v-] *n.* [U] 기원(起源)(origin), 출처, 유래: of doubtful ~ 출처가 의심스러운.

Pro·ven·çal [pròuvənsɑ́ːl, pràv-/prɔ̀vɑːn-] *a.* Provence 의; 프로방스 사람[말]의. **—** *n.* 프로방스 사람; Ⓤ 프로방스 말.

Pro·vence [prəvɑ́ːns] *n.* 프로방스(《프랑스 남동부의 옛 주(州); 중세의 서정 시인의 한 파(troubadours)와 기사도로 유명》).

prov·en·der [prάvəndər/prɔ́v-] *n.* Ⓤ 여물, 꼴(fodder); 《구어·우스개》 음식물(food). **—** *vt.* 여물을 주다.

pro·ve·nience [prouvíːniəns, -njəns/prə-, prou-] *n.* =PROVENANCE.

pro·ven·tric·u·lus [pròuventríkjələs] (*pl.* **-li** [-lài, -liː]) *n.* 〖동물〗 (새·곤충의) 전위(前胃), (지렁이의) 소낭(嗉囊), 위(胃).

*__prov·erb__ [prάvəːrb/prɔ́v-] *n.* **1** 속담, 격언(adage), 금언(金言): I now saw the truth of the ~ *that* time is money. 이제서야 시간이 돈이란 속담의 진리를 깨달았다. SYN. ⇨SAYING. **2** 이야깃거리, 널리 알려진 말, 웃음거리. **3** (*pl.*) 속담놀이. **4** 〖성서〗 비유, 수수께끼. **5** (the P-s) 《단수취급》 〖성서〗 잠언(《구약성서의 한 편》). ***as the ~ goes*** 〔***runs, says***〕 속담에 있듯이. ***be a ~ for*** …의 점에서 유명하다: He *is a ~ for* meanness. 그는 구두쇠의 표본이다〔인색하기로 유명하다〕. ***pass into a ~*** 소문이 나다, 웃음거리가 되다. ***to a ~*** 유명하게 될〔소문날〕 정도로: He is stupid *to a ~*. 그는 소문난 바보다. **—** *vt.* **1** 속담으로 표현하다. **2** 속담으로 만들다, 속담 거리로 삼다.

pro-verb [próuvəːrb] *n.* 〖문법〗 대동사(代動詞)(《He writes better than you *do*.의 *do* 따위》).

°**pro·ver·bi·al** [prəvə́ːrbiəl] *a.* 속담의; 속담투의; 속담에 있는; 소문난, 이름난: the ~ London fog 유명한 런던의 안개 / ~ wisdom 금언(金言). ㊕ **~·ist** *n.* 속담을 잘 인용하는 사람; 속담 만드는 사람; 속담 연구가. **~·ly** *ad.* 속담대로; 널리 알려져서.

‡**pro·vide** [prəváid] *vt.* **1** 《~+목/+목+전+명》 (필요품을) 주다, 공급〔지급〕하다(supply) 《*with; for;* 《미》 *to*》; (물건에) 장치하다 《*with*》: ~ a person *with* food = ~ food *for* a person 아무에게 식사를 내놓다 / ~ one's car *with* a TV 자동차에 TV를 달다 / Cows ~ milk *for* us 〔*to* us〕. 암소는 젖을 제공한다 / ~ oneself (필요품 등을) 스스로 장만하다. ★ 《미》에서는 이중목적어를 취하기도 함: They ~*d* us food and drink. 우리에게 음식을 제공해 주었다. SYN. ⇨GIVE. **2** 《+*that* 절》 규정하다(stipulate): The rule ~*s that* a driver (should) be fined for speeding. 운전자는 속도위반에 벌금을 물린다고 법규에 규정되어 있다. **3** 임명하다, 후임 목사로 임명하다. **4** 《고어》 미리 준비하다, 마련하다(prepare); (구실·이유 등을) 생각해 놓다: ~ an excuse 구실을 마련하다. **—** *vi.* 《+전+명》 **1** 준비하다, 대비하다 《*for; against*》: ~ *for* urgent needs 긴급한 필요에 대비하다 / ~ *against* a rainy day 만약의 불행에 대비하다. **2** 생활의 자금〔필요물〕을 공급하다, 부양하다 《*for*》: ~ *for* dependents 가족을 부양하다 / He is well ~*d for*. 그는 아무 부족함 없이 산다. **3** 〖법률〗 규정하다 《*for*》; 금지하다 《*against*》; 고려〔참작〕하다 《*for*》: That is ~*d for* in the contract. 그것은 계약에 규정되어 있다. ◇ provision *n.* ***be ~d with*** …이 준비되어〔갖추어져〕 있다. **~ *oneself with*** …을 갖추다; …을 가지고 가다.

‡**pro·vid·ed** [prəváidid] *conj.* …을 조건으로(on the condition); 만약 …이면(if, if only)(《*that*》): I will come ~ (*that*) it is fine tomorrow. 내일 날씨가 좋으면 가겠다. ★ provided 는 if 보다 문어적임. **—** *a.* 준비된, 필요 물품이 공급된; 예비의.

províded schóol 《영》 (지방의) 공립 초등학교(council school).

°**prov·i·dence** [prάvədəns/prɔ́v-] *n.* Ⓤ **1** (종종 P-) 섭리, 하느님의 뜻: a special ~ 천우(天佑) / by divine ~ 신의 섭리로. **2** (P-) 하느님(God), 천주, 신: a visitation of Providence 천재(天災), 불행. **3** 선견(지명), 조심, 배려; 절약. **4** 《드물게》 준비.

prov·i·dent [prάvədənt/prɔ́-] *a.* 선견지명이 있는(foreseeing), 신중한; 검소한(thrifty)(《*of*》). ㊕ **~·ly** *ad.* 조심스럽게.

próvident clùb 《영》 (대형 점포·통신 판매 조직 등의) 할부 방식에 의한 판매 조직.

prov·i·den·tial [prὰvədénʃəl/prɔ̀-] *a.* 섭리의, 신의 뜻에 의한; 천우의, 행운의. ㊕ **~·ly** *ad.* 섭리에 의하여; 운좋게도.

próvident society 《영》 공제 조합(friendly society); =PROVIDENT CLUB.

pro·víd·er *n.* 공급자; 설비자, 준비자; (가족의) 부양자: a good 〔bad〕 ~ 가족에게 윤택〔곤궁〕한 생활을 시키는 사람. ***a lion's ~*** ① 〖동물〗 = JACKAL. ② 남의 앞잡이. ***a universal ~*** 만물상, 잡화상(《사람》).

pro·víd·ing *conj.* 《종종 ~ that 로; 조건을 나타내어》 만약 …라면(《★ if 보다는 문어적이나 provided 보다는 구어적임》): I'll take the job ~ (*that*) I am given Saturdays off. 토요일을 쉬는 날로 해 준다면 그 일자리를 맡겠다.

*__prov·ince__ [prάvins/prɔ́v-] *n.* **1** 지방, 지역(district). **2** (the ~s) (수도·대도시에 대해서) 지방, 시골: Seoul and the ~*s* 수도 서울과 지방. **3** (행정 구획으로서의) 주(州), 성(省), 도(道). **4** (학문의) 범위(sphere), 분야(branch); 직분(duty). **5** 〖종교〗 (교회·수도회의) 대교구. **6** 〖생물〗 (동식물 분포구의) 지방, 지구. **7** 〖고대로마〗 속주(屬州), 프로빈키아; 〖역사〗 영령 식민지(《영령 캐나다, 미국 독립 이전의 일부의》). ◇ provincial *a.* ***be within*** 〔***outside***〕 ***one's ~s*** 자기 직권 내에 있다〔밖이다〕, 활동 범위에 속하다〔속하지 않다〕. ***in the ~ of*** …의 분야에서.

próvince-wíde *a.* 지방〔주〕 전역에 미치는.

*__pro·vin·cial__ [prəvínʃəl] *a.* **1** 지방의, 시골의; 지방민의. cf. local. ¶ ~ taxes 지방세 / ~ newspapers 지방 신문. **2** 주(州)의, 도(道)의; 영토의. **3** 지방적인, 시골티 나는; 조야한; 편협한, 옹졸한: ~ manners 조야한 예법. **4** (교회·수도회의) 대교구의. **5** 〖미술〗 (가구 따위) 지방 양식(樣式)의. **—** *n.* 지방민, 시골뜨기, 촌뜨기; 〖교회〗 대교구장. ㊕ **~·ly** *ad.* 지방으로.

pro·vín·cial·ism *n.* Ⓤ **1** 시골〔지방〕티; 야비. **2** 사투리, 방언. **3** 지방 제일주의, 지방 근성; 편협(성).

pro·vín·cial·ist *n.* province 의 주민; 지방 제일주의자.

pro·vin·ci·al·i·ty [prəvìnʃiǽləti] *n.* =PROVINCIALISM.

pro·vin·cial·ize [prəvínʃəlàiz] *vt.* 지방화하다, 시골티가 나게 하다; 옹졸〔편협〕하게 하다. ㊕ **pro·vìn·cial·i·zá·tion** *n.*

próving gròund (무기·차 등의) 성능 시험장, 실험장; (이론 등의) 실험의 장(場), 실험대.

pro·vir·us [próuvàiərəs, ⌐⌐-] *n.* 〖세균〗 프로바이러스(《숙주 세포 안에 있으면서 세포에 상해를 주지 않는 세포》). ㊕ **pro·ví·ral** *a.*

‡**pro·vi·sion** [prəvíʒən] *n.* Ⓤ **1** 예비, 준비, 설비 《*for; against*》: make ~ *for* one's old age 노년에 대비하다 / make ~ *against* accidents 사고에 대비하다. **2** 공급, 지급; Ⓒ 지급량(量); (*pl.*) 양식, 식량; 저장품: (the) ~ *of* food 식량 공급 / a ~ *of* food 양식의 일정량 / *Provisions* are plentiful 〔scarce〕. 식량은 충분〔불충분〕하다. **3** Ⓒ 〖법률〗 규정, 조항(clause): the ~s in

a will 유언장의 조항/an express ~ (법률의) 명문(明文): He took the post with the ~ *that* he could work in Seoul. 그는 서울에서 근무할 수 있다는 조건으로 그 직책을 맡았다. **4** 〖교회〗 성직(급) 서임. ◇ provide *v*. ***run out of* 〔*short of*〕 *~s*** 식량이 떨어지다. **—** *vt*. 《~+목/+목+전+명》 …에게 양식을 공급하다: ~ an army 군대에 식량을 공급하다/They are fully *~ed with* food and water. 그들은 식량과 물을 충분히 공급받고 있다. 파 **~·er** *n*. 식량 조달자〔담당원〕. **~·ment** *n*. U 식량 공급. **~·less** *a*.

pro·vi·sion·al [prəvíʒənəl] *a*. **1** 일시적인, 가(假)…, 잠정적인, 임시의(temporary): a ~ contract 〔treaty〕 가계약〔조약〕/a ~ government 임시 정부. **2** (종종 P-) IRA 급진파의. **—** *n*. **1** 임시 우표. **2** (종종 P-) IRA 의 급진파. 파 **~·ly** *ad*. **pro·vì·sion·ál·i·ty** [-nǽləti] *n*. U 일시적〔잠정적〕임. **pro·ví·sion·àry** [-nèri/-nəri] *a*. =PROVISIONAL.

provísional báll 〖골프〗 잠정구(暫定球)《당초의 타구가 로스트볼 또는 OB 로 여겨질 때, 한 번 더 치는 공》.

Provísional ÍRÁ (the ~) 급진파 IRA《IRA에서 갈라져 나간 과격파》.

provísional lícence 《영》 =LEARNER'S PERMIT(임시 운전면허증).

provísional órder 《영》 잠정 명령《사후에 의회의 동의를 얻는 긴급 명령》.

pro·vi·so [prəváizou] (*pl*. ~(**e**)**s**) *n*. 단서(但書)《보통 provided 로 시작됨》; 조건(condition): I make it a ~ that.... …을 조건으로 한다. ***with* (*a*) ~** 조건부로.

pro·vi·sor [prəváizər] *n*. (군대·교회 등의 식량) 조달자; 〖교회〗 (전임자의 퇴직을 예상하고) 성직(급)(聖職(給)) 후임자로 서임된 사람.

pro·vi·so·ry [prəváizəri] *a*. 단서가 붙은; 조건부의(conditional); 일시적인, 임시의: a ~ clause 단서. 파 **-ri·ly** *ad*. 일시적으로.

pro·vi·ta·min [pròuváitəmin/-vít-] *n*. 〖생화학〗 프로비타민《체내에서 비타민화하는 물질》.

pro·vo [próuvou] *n*. (종종 P-) 네덜란드 등 유럽 국가의 과격파; 《속어》 =PROVISIONAL 2.

pro·vo·ca·teur [prəvɑ̀kətə́ːr/-vɔ̀k-] *n*. 《F.》 **1** 선동가. **2** (경찰의) 앞잡이, 미끼.

◇**prov·o·ca·tion** [prɑ̀vəkéiʃən/prɔ̀v-] *n*. **1** U 성나게 함; 성남, 약오름. **2** C 도전, 도발, 자극: angry at 〔on〕 the slightest ~ 사소한 일에 노하여. ◇ provoke *v*. ***feel* ~** 성내다. ***give* ~** 성나게 하다. ***under* ~** 도발을 받고, 성나서, 분개하여.

pro·voc·a·tive [prəvɑ́kətiv/-vɔ́k-] *a*. 성나게 하는, 약올리는; 도발적인(irritating), 자극적〔선동적〕인《말·태도 등》; …을 유발시키는《*of*》; 자극성의: be ~ *of* curiosity 호기심을 일으키다/~ remarks 도발적인 말/a ~ girl (성적으로) 도발적인 여자. **—** *n*. 자극〔도발〕물; 흥분제. 파 **~·ly** *ad*.

***pro·voke** [prəvóuk] *vt*. **1** (감정 따위를) 일으키다, 일으키게 하다: ~ pity 동정을 끌다/~ amusement 즐겁게 해주다/~ a laugh 웃음이 나오게 하다. **2** 《~+목/+목+전+명》 성나게 하다(enrage), 신경질 나게 하다: I was *~d at* his impudence. 그의 무례함에 화가 났다. SYN. ⇨ IRRITATE. **3** 《+목+전+명/+목+*to* do》 유발시키다(bring about), 이끌다, 자극하여 …시키다(incite)《*to; into*》: ~ a person *to* anger 아무를 성나게 하다/The false accusation *~d* him *into* answering. 사실무근의 비난을 받고 그는 앙갚음을 하지 않을 수 없었다/He was *~d to* write a poem. 그는 흥취에 이끌리어 시를 썼다. **4** 선동〔도발〕하다; 야기시키다, 생기게 하다: ~ fermentation 발효시키다. ◇ provocation *n*.

파 **pro·vók·er** *n*.

pro·vók·ing *a*. 자극하는, 약오르는, 짜증 나는, 귀찮은. 파 **~·ly** *ad*.

pro·vo·ló·ne (**chéese**) [pròuvəlóuni(-)] 《It.》 프로볼로네 치즈《보통 훈제(燻製)한 단단하고 엷은 빛깔의 이탈리아 치즈》.

prov·ost [próuvoust, prɑ́vəst/prɔ́vəst] *n*. **1** 〖영대학〗 학료장(學寮長); 〖미대학〗 (교무) 사무장. **2** 〖교회〗 주임 사제, 성당 참사회장; 〖가톨릭〗 교무원장, 수도원장; (독일 도시의 신교 교회의) 목사. **3** 《Sc.》 시장(市長). **4** [próuvou] =PROVOST MARSHAL. 파 **~·ship** [-ʃip] *n*. U ~의 직〔직위〕.

próvost cóurt [próuvou-] 군사 재판소《점령 지역 내의 경범죄를 다룸》.

próvost guàrd [próuvou-] 〖군사〗 헌병대.

próvost màrshal [próuvou-] 〖육군〗 헌병 사령관〔대장〕; 〖해군〗 미결감장(未決監長); 〖영해군〗 법무 장교.

próvost sèrgeant [próuvou-] 헌병 부사관.

prow[1] [prau] *n*. 뱃머리, 이물(bow); (항공기 따위의) 기수; 《시어》 배(vessel). 파 **~ed** *a*.

prow[2] *a*. 《고어》 용감한, 용맹스러운.

prow·ess [práuis] *n*. 용감, 무용(valor); 용감한 행위; 훌륭한 솜씨. 파 **~ed** [-t] *a*.

◇**prowl** [praul] *vi*. **1** 《~/+전+명/+부》 (먹이를) 찾아 헤매다; 배회하다(wander): ~ *after* one's prey 먹이를 찾아 헤매다/Homeless dogs *~ed about in* the streets. 들개가 거리를 헤매고 다녔다. **2** (도둑 따위가) 동정을 살피다, 기웃거리다. **—** *vt*. **1** 헤매다, 배회하다: ~ the streets. **2** 《미속어》 (무기 소지 여부를) 옷 위로 만져 찾다. **—** *n*. 찾아 헤맴; 배회. ***be* 〔*go*〕 *on the* ~** (먹이를 노리면서) 배회하다. ***take a* ~** 배회하다. 파 **∠·er** *n*. 배회자; 좀도둑, 빈집털이《따위》.

prówl càr 《미》 (경찰의) 순찰차(squad car).

prox. proximo. **prox. acc.** proxime accessit.

Prox·ar [prɑ́ksər/prɔ́k-] *n*. 프록서《근접 촬영에 쓰이는 보조 렌즈; 상표명》.

prox·e·mics [prɑksíːmiks/prɔk-] *n*. *pl*. 〖단수취급〗 근접학《인간이 타인과의 사이에 필요로 하는 공간 및 이 공간과 환경이나 문화와의 관계를 연구함》.

Prox·i·ma [prɑ́ksəmə/prɔ́k-] *n*. 〖천문〗 프록시마《센타우루스자리에 있는 태양계에 가장 가까운 항성; 거리 4.3 광년》.

prox·i·mal [prɑ́ksəməl/prɔ́k-] *a*. 가장 가까운, 인접하는(proximate); 〖해부〗 기부(基部)의, 몸 중심에 가까운 (위치의). opp. *distal*. 파 **~·ly** *ad*.

prox·i·mate [prɑ́ksəmət/prɔ́k-] *a*. 가장 가까운(nearest), 바로 다음〔앞〕의; 근사(近似)한(approximate): the ~ cause 근인(近因); 〖법률〗 주인(主因). 파 **~·ly** *ad*.

prox·i·me ac·ces·sit [prɑ́ksimi-æksésit] (*pl*. ***-me ac·ces·se·runt*** [-æksesíərənt]) 《L.》 (시험·경쟁 따위의) 차점자; 차점, 차석: I was 〔He got a〕 ~. 차점자가 되었다.

◇**prox·im·i·ty** [prɑksíməti/prɔk-] *n*. U 근접, 가까움(nearness)《*to*》: in the ~ *of* a park 공원 부근에/~ *to* a station 역 근처. ***in close* ~ *to*** …에 근접하여. **~ *of blood*** 혈족 관계, 근친.

proxímity fùze 〔**fùse**〕 〖군사〗 근접 (자동〔전파〕) 신관(信管)《탄두부에 장착한 전파 장치의 작용으로 목표에 근접하면 폭발함》.

proxímity tàlks 근거리 외교.

prox·i·mo [prɑ́ksəmòu/prɔ́k-] *ad*. 《L.》 내달《생략: prox.》. cf. instant 4, ultimo. ¶ on the 10th ~ 내달 10 일에.

proxy [práksi/prɔ́ksi] *n.* Ⓤ 대리(권); Ⓒ 대리인(agent); 대용물; 대리 투표; 위임장. ***by* 〔*per*〕 ~** 대리로 하여금. ***stand* 〔*be*〕 ~ *for*** …의 대리가 되다, …을 대표하다. **—** *a.* 대리의〔에 의한〕.
próxy fìght 〔bàttle〕 (회사 쟁탈을 위한 주주간의) 위임장 쟁탈전.
próxy màrriage 대리〔위임〕 결혼.
próxy sèrver 〖컴퓨터〗 프락시 서버《LAN 사용자가 인터넷에 간접적으로 접속할 수 있도록 만들어 둔 네트워크 컴퓨터》.
próxy vòte 대리 투표.
próxy wàr 대리 전쟁.
Pro·zac [próuzæk] *n.* 프로잭《항울(抗鬱)약; 〔상표명〕》.
pr. p. present participle.
prs. pairs. **P.R.S.** President of the Royal Society. **p.r.s.** 〖상업〗 plural rate system; price ratio system. **PRSD** 〖우주〗 power reactant storage and distribution(축전(蓄電)·배전 시스템). **PRT** 〖의학〗 photoradiation therapy(광자(光子) 방사선 요법); personal rapid transit (개인 고속 수송). **prtd.** printed.
prude [pru:d] *n.* (남녀 관계에) 얌전한 체하는 여자, 숙녀연하는 여자. OPP *coquette*.
***pru·dence** [prú:dəns] *n.* Ⓤ **1** 신중, 세심, 사려, 분별, 빈틈없음: a man of ~ 분별 있는 남자 / with ~ 조심해서. **2** 검약(frugality). **3** (P-) 프루던스《여자 이름; 애칭 Prue》. ***in common* ~** 당연한 조심성으로.
***pru·dent** [prú:dənt] *a.* **1** 신중한, 조심성 있는, 세심한(cautious): a ~ man / Be ~ *in dealing* with him. 그를 상대할 때는 조심해라. SYN. ⇨ CAREFUL. **2** 분별 있는, 총명한: a ~ decision / It was ~ *of* you *to* save the money. 네가 그 돈을 저축해 두다니 총명도 하지. SYN. ⇨ WISE. **3** 공손한, 얌전한. **4** 빈틈없는, 타산적인(self-interested). ㊕ **~·ly** *ad.*
pru·den·tial [pru:dénʃəl] *a.* **1** 신중한, 조심성 있는, 세심한; 분별 있는; 만전을 기하는. **2** (상거래 따위에서) 자유재량권을 갖는; 권고의, 자문의: a ~ committee 자문 위원회. **—** *n.* (*pl.*) 신중한 고려, 신중을 요하는 일, 《미》 신중하게 다뤄야 할 행정상〔재정상〕의 일. ㊕ **~·ìsm** *n.* Ⓤ 신중히 함, 무사안일주의. **~·ist** *n.* 신중〔세심〕한 사람. **~·ly** *ad.* **~·ness** *n.*
prud·ery [prú:dəri] *n.* Ⓤ 얌전한〔숙녀인〕 체하기; (*pl.*) 얌전 빼는 행위〔말〕.
Prúd·hoe Báy [prú:dhou-] 프루도베이《Alaska주 북부, Barrow 곶 동남동쪽의 만; 미국 최대급 유전의 중심지》.
prud·ish [prú:diʃ] *a.* 숙녀인〔얌전한〕 체하는; 너무 얌전 빼는. ㊕ **~·ly** *ad.* **~·ness** *n.*
Prue [pru:] *n.* 프루《여자 이름; Prudence의 애칭》.
pru·i·nose [prú:ənòus] *a.* 〖식물·동물〗 흰 가루로 덮인, 서리가 내린 것 같은.
prune[1] [pru:n] *vt.* **1** (가지·뿌리 등을) 잘라내다, 치다《*back; away; down; off*》; (나무를) 베다, 가지치기〔전지(剪枝)〕하다《*back*》. **2** (불필요한 부분을) 제거하다; (비용 따위를) 바싹 줄이다; 정리하다; (문장 따위를) 간결하게 하다. **3** 《미속어》 자동차 경주에서 (딴 차를) 앞질러 가다. ㊕ **prún·er** *n.* 가지치는 일꾼; 전정(剪定) 가위.
prune[2] *n.* **1** 서양 자두; 말린 자두(dried plum). **2** Ⓤ 짙은 적자색(赤紫色). **3** 《구어》 바보, 얼간이; 매력 없는 사람; 《미속어》 사내, 녀석. ***full of* ~*s*** 《미속어》 ① 바보인, 당치 않은. ② 활발한, 기분이 썩 좋은; 괴상한. **~*s and prisms*** (《영》 ***prism***) 점잔 빼는 말씨〔태도〕; 어설픈 교양.
pru·nel·la, pru·nelle [pru:nélə], [-nél] *n.* Ⓤ 튼튼한 모직물의 일종《여자 구두용》.
prun·ing [prú:niŋ] *n.* Ⓤ (정원수 따위의) 가지치기, 전지(剪枝), 전정(剪定).
prúning hòok 가지치는 낫, 전지용 낫《긴 장대 끝에 붙인 것》.
prúning knìfe 가지치는 칼, 전지용 칼.
prúning shèars 전정(剪定) 가위.
pru·ri·ent [prúəriənt] *a.* 호색의, 음란한; (욕망·호기심으로) 좀이 쑤시는. ㊕ **-ence, -en·cy** [-əns], [-ənsi] *n.* Ⓤ 호색, 색욕, 음란; 열망. **~·ly** *ad.*
pru·rig·i·nous [pruərídʒənəs] *a.* 〖의학〗 양진(痒疹)의, 양진에 걸린, 가려움증의 「疹).
pru·ri·go [pruəráigou] *n.* Ⓤ 〖의학〗 양진(痒
pru·rit·ic [pruərítik] *a.* 소양증(瘙痒症)의〔을 일으키는〕. 「소양(瘙痒)(증).
pru·ri·tus [pruəráitəs] *n.* 〖의학〗 가려움(증),
prus·ik [prʌ́sik] 〖등산〗 *a.* 프루식 방식의 《힘을 가하면 조여지고 힘을 가하지 않으면 느슨해지도록 자일에 감아서 만든 루프에 발을 넣고 오르내리는 방식 또는 그 루프에 관해 이름》. **—** *vi.* 프루식 방식으로 등반하다. ★ 고안자 오스트리아의 Dr. Prusik의 이름에서.
Prus(s). Prussia(n).
Prus·sia [prʌ́ʃə] *n.* 프로이센《독일 북부에 있었던 왕국(1701-1918)》.
°**Prus·sian** [prʌ́ʃən] *a.* 프로이센의; 프로이센 사람〔말〕의; 프로이센식의, 훈련이 엄격한. **—** *n.* 프로이센 사람; Ⓤ 프로이센 말. ㊕ **~·ism** *n.* Ⓤ 프로이센〔군국〕주의.
Prússian blúe 감청(紺青)《청색 안료》.
Prússian brówn 감청에서 낸 갈색 안료.
prus·sian·ize [prʌ́ʃənàiz] *vt.* (종종 P-) 프로이센식으로 하다; 군국주의화하다. ㊕ **prùs·sian·i·zá·tion** *n.*
prus·si·ate [prʌ́ʃièit, -ət / prʌ́ʃiət] *n.* 〖화학〗 시안화물(化物), 청산염(青酸塩)(cyanide). **~ *of potash*** 청산칼리(potassium cyanide), 시안화칼륨.
prus·sic [prʌ́sik] *a.* 감청(紺青)의; 〖화학〗 청산의, 시안화수소산의.
prússic ácid 〖화학〗 청산(青酸)(hydrocyanic acid), 시안화수소산.
pru·ta(h) [pru:tá:] (*pl.* ***-tot(h)*** [-tɔ́:t] **~, ~s**) *n.* 이스라엘의 옛 화폐 단위《1/1000 pounds; 지금은 agora》.
°**pry**[1] [prai] *vi.* 《+전+명/+부》 엿보다(peep), 동정을 살피다《*about; into*》; 파고들다, 캐다《*into*》: ~ *into* other people's affairs 남의 일에 꼬치꼬치 파고들다 / ~ *about* the house 집 주위의 동정을 살피다. **—** *n.* 엿보기; 꼬치꼬치 캐기; 캐기 좋아하는 사람.
pry[2] *vt.* 《미·Can.》 **1** 《+목+부/+목+보》 지레로 올리다, 떼어 내다, 움직이다《*up; off*》; 억지로 열다, 비틀어 열다: ~ the lid *up* 뚜껑을 비틀어 열다 / ~ a door open 문을 억지로 열다. **2** 《+목+전+명/+목+부》 (비밀·돈 따위를) (…에게서) 힘들여 입수하다〔꺼내다〕《*out of; from*》; 《비유》 (아무를) …에서 떼어 놓다《*from*》: ~ a secret *out of* a person 아무에게서 비밀을 알아내다 / He finally *pried* her *away from* the TV. 겨우 그녀를 텔레비전에서 떼어 놓았다. **—** *n.* 지레의 힘으로 움직이는 도구《쇠지렛대 따위》; 지레의 작용.
pryer ⇨ PRIER.
pry·ing [práiiŋ] *a.* 들여다보는, 응시하는, 흘끔흘끔 보는; 캐기 좋아하는. ㊕ **~·ly** *ad.*
pryth·ee [príði] *int.* 《고어》 = PRITHEE.
PS polystyrene. **PS, P.S.** passenger steamer; permanent secretary; Philological Society; phrase structure; Police Sergeant; power supply(동력〔전력〕 공급, 동력원, 전원(電源));

private secretary; Privy Seal; Public School. **ps** picosecond(s). **Ps., Psa.** Psalm(s). **ps.** pieces; pseudonym. **P.S., p.s., PS** postscript; 〖연극〗 prompt side. **p.s.** police sergeant. **PSA** public service announcement(공공 서비스 정보). **P.S.A.** Pleasant Sunday Afternoon.

***psalm** [sɑːm] *n.* **1** 찬송가, 성가(hymn), 성시(聖詩). **2** (the P-s) 〖단수취급〗〖성서〗(구약성서의) 시편(詩篇)(=the **Bóok of Psálms**)《생략: Ps., Psa., Pss.》.

psálm·bòok *n.* 기도문; 《고어》 =PSALTER.

psálm·ist *n.* 찬송가 작자; (the P-) 다윗왕《시편의 작자라고 함》.

psal·mod·ic, -i·cal [sɑmádik, sæl-/-mɔ́d-], [-ikəl] *a.* 성가 영창(詠唱)의, 시편 낭독의; 성시(聖詩)의.

psal·mo·dist [sáːmədəst, sǽl-, sáːl-] *n.* 시편(詩篇)〔성시(聖詩)〕 작자, 찬송가 작자(psalmist); 찬송가 담당.

psal·mo·dize [sáːmədàiz, sǽlmə-] *vt.* 성시(聖詩)〔성가〕를 영창하다.

psal·mo·dy [sáːmədi, sǽlmə-] *n.* Ⓤ 성가 영창; Ⓒ 〖집합적〗 찬송가, 찬송가집.

Psal·ter [sɔ́ːltər] *n.* 〖성서〗 시편(詩篇)(=the Book of Psalms); (때때로 p-) (예배용) 시편서〔집〕, 성시집《150 장으로 된 기도문》.

psal·te·ri·um [sɔːltíəriəm] (*pl.* **-ria** [-riə]) *n.* 〖동물〗 겹주름위(胃)(omasum)《반추 동물의 제 3 위(胃)》.

psal·tery [sɔ́ːltəri] *n.* 〖음악〗 옛날의 현악기.

psam·mite [sǽmait] *n.* Ⓤ 〖지학〗 사(질)암(砂(質)岩). ㊞ **psam·mít·ic** *a.*

p's and q's [piːzənkjúːz] 예의범절; 언행; 신중한 언행: watch 〔mind〕 one's ~ 언행을 삼가다/be on one's ~ 애써 신중히 하고 있다.

PSAT 《미》 Preliminary Scholastic Aptitude Test (진학 적성 예비 시험). **PSBR** 《영》 public sector borrowing requirement (공공 부문 차입 수요).

psec, ps picosecond(s).

pse·phol·o·gy [siːfálədʒi/səfɔ́l-, si-] *n.* Ⓤ 선거학(選擧學). ㊞ **-gist** *n.* 선거 연구가.

pseud [suːd/sjuːd] 《구어》 *a.* 거짓의, 가짜의, …인 체한. **—** *n.* 잘난 체하는 사람, 거드름 피우는 사람; 사이비, 가짜…《사람》.

pseud. pseudonym(ous).

pseud·e·pig·ra·pha [sùːdipígrəfə/sjùːd-] (*sing.* **-phon** [-fàn/-fɔ̀n]) *n. pl.* (때때로 P-) (구약성서의) 위전(僞典), 위서(僞書).

pseud·e·pig·ra·phy [sùːdipígrəfi/sjùːd-] *n.* (작품에) 거짓 기자〔저자〕 이름을 붙이기.

pseu·do [súːdou/sjúː-] *a.* 가짜의, 모조의; 의사(擬似)의. **—** (*pl.* **~s**) *n.* 《구어》 겉을 꾸미는 사람, 거짓으로 속이는 사람.

pseu·do- [súːdou, -də/sjúː-], **pseud-** [suːd/sjuːd] '위(僞), 의(擬), 가(假)'라는 뜻의 결합사.

psèudo·alléle *n.* 〖발생〗 위대립(僞對立) 유전자. ㊞ **-allélic** *a.* **-allélism** *n.*

psèudo·aquátic *a.* 수중이 아니고 습지에서 나는.

pseu·do·ar·cha·ic [sùːdəɑːrkéiik] *a.* 의고조(擬古調)의.

pseu·do·carp [súːdəkɑ̀ːrp] *n.* 〖식물〗 헛열매, 위과(僞果), 가과(假果)(accessory fruit).

psèudo·clássic, -sical *a.* 의(擬)고전적인. ㊞ **-clássicism** *n.* Ⓤ 의(擬)고전주의; 의고체(擬古體).

pséudo·còde *n.* 〖컴퓨터〗 의사 코드《실행 전에 미리 번역을 필요로 하는 부호》.

psèudo·cyésis *n.* 〖의학〗 상상 임신(false pregnancy), 가(假)임신.

psèudo-evént *n.* 꾸며낸〔조작된〕 사건.

pséudo·gène *n.* 〖생화학〗 위(僞)유전자.

pséudo·gràph *n.* 위서(僞書), 위필(僞筆), 위작(僞作); 위조문서.

psèudo-instrúction *n.* 〖컴퓨터〗 유사 명령어.

psèudo-intránsitive *a.* 〖문법〗 의사(擬似) 자동사의《보기: Mary *is cooking.*/These potatoes *cook* well.》.

psèudo·lánguage *n.* 〖컴퓨터〗 의사(擬似) 언어《프로그램 설계에 사용되는 인공 언어》.

pséudo·mòrph *n.* **1** 부정규형(不定規形), 위형(僞形). **2** 〖광물〗 가상(假像).

pseu·do·nym [súːdənìm/sjúː-] *n.* 익명, (특히 저작자의) 아호(雅號), 필명(penname): write under a ~ 익명으로 쓰다.

pseu·do·nym·i·ty [sùːdənímәti/sjùː-] *n.* Ⓤ 익명〔아호〕 사용.

pseu·don·y·mous [suːdánəməs/sjuːdɔ́n-] *a.* 익명의, 아호를 쓴.

pseu·do·pod [súːdəpàd/sjúːdəpɔ̀d] *n.* (아메바 따위) 위족(僞足)을 가진 원생(原生)동물; =PSEUDOPODIUM.

pseu·do·po·di·um [sùːdəpóudiəm/sjùː-] (*pl.* **-dia** [-diə]) *n.* 〖동물〗 (아메바형 세포의) 헛발, 위족(僞足), 가족(假足).

psèudo·prégnancy *n.* =PSEUDOCYESIS.

psèudo·rándom *a.* 〖통계〗 의사 난수(擬似亂數)의: ~ number 의사 난수.

pséudo·sàlt *n.* 〖화학〗 의사염(擬似塩)《화학식은 염(塩)과 비슷하나 이온화돼 있지 않은 화합물》.

psèudo·scíence *n.* Ⓤ,Ⓒ 사이비〔의사(擬似)〕 과학《점성 · 염력(念力) 등 과학적 근거가 없다고 하는 이론 · 법칙 등》. ㊞ **-scientífic** *a.* **scientífically** *ad.* **-scíentist** *n.*

pséudo·scòpe *n.* 반영경(反影鏡), 위체경(僞體鏡)《요철(凹凸)이 거꾸로 비침》.

psèudo·tuberculósis *n.* 〖의학〗 의사(擬似) 결핵(증).

p.s.f., psf. pounds per square foot. **PSG** platoon sergeant.

pshaw [ʃɔː/pʃɔː] *int.* 피, 체, 바보 같으니, 뭐야. **—** *n.* 그 소리. **—** *vi.*, *vt.* 흥하고 코웃음치다《*at*》. Ⓒⓕ *pish.*

psi[1] [psai/psai] *n.* 그리스어 알파벳의 스물셋째 글자《ϕ, ψ; 발음은 [ps] 에 해당함》.

psi[2] [sai] *n.* 프시, 초상(超常) 현상, 초자연 현상; 〖물리〗 =PSI PARTICLE. ¶ ~ research 초심리학의 연구.

psi, p.s.i. pounds per square inch. **psig** pounds per square inch gauge.

psi·lan·thro·py, -pism [sailǽnθrəpi], [-pìzəm] *n.* Ⓤ 그리스도 인간론《그리스도의 신성(神性)을 부정하는 학설》.

psi·lo·cin [sáiləsin] *n.* Ⓤ 〖화학〗 사일로신《어떤 종류의 버섯에서 얻어지는 환각제》.

psi·lo·cy·bin [sàiləsáibin] *n.* Ⓤ 〖화학〗 실로시빈《멕시코산(産) 버섯에서 얻어지는 LSD 비슷한 환각제》.

psi·lo·sis [sailóusis] (*pl.* **-ses** [-siːz]) *n.* 〖의학〗 탈모(증), 털뽑기(depilation); 스프루(sprue)《열대성 설사》.

psi·on [psáiən/psái-] *n.* =PSI PARTICLE.

psí pàrticle 〖물리〗 프사이 입자 《J/psi particle의 초기 명칭》.

psit·ta·co·sis [sitəkóusis] *n.* 〖의학〗 앵무병《폐렴과 장티푸스 비슷한 전염병》.

PSL private sector liquidity (민간 부문 유동성). **PSO** polysulfone 《고내열성 특수 수지》.

pso·as [sóuəs] (*pl.* **pso·ai** [sóuai], **pso·ae** [sóuiː]) *n.* 〖해부〗 요근(腰筋).

pso·ra·len [sɔ́ːrələn] *n.* 〖생화학〗 소랄렌《식물에서 발견되는 물질로, 피부에 대한 광감작(光感作) 작용이 있음》.

pso·ri·a·sis [sərάiəsis] *n.* 〖의학〗 마른버짐, 건선(乾癬). ㊞ **pso·ri·at·ic** [sɔ̀ːriǽtik] *a., n.* 건선의; 건선에 걸린 (사람): *psoriatic* arthropathy 건선성 관절병.

PSRO, P.S.R.O. professional standards review organization. **PSS** 〖의학〗 progressive systemic sclerosis(공피증(鞏皮症)). **PSS, P.SS., p.ss.** postscripts. **Pss.** Psalms.

psst, pst [pst] *int.* 저, 여보세요, 잠깐《주의를 끌기 위해 부르는 말》.

PST, P.S.T., P.s.t., p.s.t. Pacific Standard Time(태평양 표준시). **PSTN** public switched telephone network《음성이나 데이터의 송수신을 위한 국제적 전화 시스템》. **P.S.V., p.s.v.** public service vehicle.

psych [saik] 《속어》 *vt.* **1** …을 정신적으로 혼란하게 하다, 흥분시키다《*up*》. **2** (육감·직감으로 상대를) 꼭뒤지르다《*out*》. **3** =PSYCHOANALYZE; 심리적으로 분석하다. ── *vi.* 정신적으로 혼란해지다《*out*》; 흥분하다. ~ ***out*** 《속어》 의기저상(意氣沮喪)하다, 무서운 생각이 들다; 미친 척하고 도망하다. ── *n.* 《구어》 심리학(psychology); 《속어》 마음의 준비가 된 상태.

psych- [saik] *pref.* =PSYCHO-.

psych. psychic(al); psychological; psychologist; psychology.

psỳch·análysis *n.* =PSYCHOANALYSIS.

psỳch·asthénia *n.* 〖정신의학〗 정신 쇠약. ㊞ **-thénic** *a., n.*

Psy·che [sáiki] *n.* **1** 〖그리스신화〗 사이키, 프시케《영혼을 인격화한 것으로서, 나비 날개를 단 미녀의 모습을 취함; Eros의 애인》. **2** Ⓤ (the p-, one's p-) (육체에 대해서) 영혼, 정신; 〖심리〗 정신, 프시케(mind)《의식적·무의식적인 정신 생활의 전체》. ⓒⓕ corpus. **3** (p-) 〖곤충〗 나방의 일종. **4** (p-) 《속어》 =PSYCH.

psy·che·de·lia [sàikidíːljə, -déliə] *n. pl.* Ⓤ 환각제의 세계; 환각제 용품.

psy·che·del·ic [sàikidélik] *a.* **1** 황홀한, 도취(감)의. **2** 환각을 일으키는, 도취적인. **3** (색채·무늬가) 사이키델릭조(調)의《환각 상태를 연상시키는》: a ~ painting. ── *n.* 환각제; 환각제 상용자. ㊞ **-i·cal·ly** *ad.*

psy·che·del·i·cize [sàikədélisàiz] *vt.* 사이키델릭조(調)로 하다.

psychedélic róck =ACID ROCK.

Psýche knòt 머리를 뒤로 땋아 묶는 여자의 머리형.

psy·chi·a·ter, -trist [sikáiətər, sai-/sai-], [-trist] *n.* 정신병 의사〔학자〕.

psy·chi·at·ric, -ri·cal [sàikiǽtrik], [-əl] *a.* 정신병학의, 정신병 치료의, 정신과의: a ~ clinic 정신병 진료소.

psychiátric hòspital 정신 병원(mental hospital).

psychiátric sócial wòrk 《영》 정신 의학적 사회 (복지) 사업, 정신 장애를 위한 사회 복지 사업.

psy·chi·a·try [sikáiətri, sai-] *n.* Ⓤ 정신병학, 정신 의학; 정신병 치료법.

psy·chic [sáikik] *a.* **1** 마음의, 심적인. ⓞⓟⓟ *physical.* **2** 영혼의, 심령(현상)의(supernatural); 심령 작용을 받기 쉬운: a ~ medium 영매/~ research 심령 연구. ── *n.* 무당, 영매.

psy·chi·cal [sáikikəl] *a.* =PSYCHIC.

psýchic detérminism 〖심리〗 (Freud 의) 심리적 결정론.

psýchic énergizer 《미》 〖의학〗 정신 흥분약《억제된 정신 기능을 높임》.

psýchic héaler 심령(心靈) 요법가(家), 심령술사(術士).

psýchic héaling 심령 요법.

psýchic íncome 심적 이득, 심리적 소득《일·사업에서 얻는 개인적·주관적인 만족》.

psýchic númbing (견디기 어려운 자극에 대한 방위로서 생기는) 정신적 마비 상태, 정신적 무감각.

psý·chics *n. pl.* 《단수취급》 심리학(psychology); 심령 연구.

psých-jòckey *n.* (라디오·텔레비전의) 인생 상담 프로그램의 사회자.

psy·cho [sáikou] (*pl.* **~s**) 《구어》 *n.* **1** Ⓤ 정신 분석; Ⓒ 정신 신경증 환자, 광인. **2** 괴짜, 기인(奇人). ── *a.* 정신 의학의, 정신병 요법의; 정신 신경증의. ── *vt.* 정신 분석을 하다.

psy·cho- [sáikou, -kə] '정신, 영혼, 심리학' 의 뜻의 결합사.

psỳcho·acóustics *n. pl.* 〖단수취급〗 음향 심리학. ㊞ **-acóustic, -tical** *a.*

psỳcho·áctive *a.* (약물이) 정신에 영향을 미치는, 정신 활성(活性)의.

psỳcho·análysis *n.* Ⓤ 정신 분석(학〔법〕)《생략: psychoanal.》.

psỳcho·ánalyst *n.* 정신 분석가〔학자〕, 정신 분석 전문의(醫).

psỳcho·analýtic, -ical *a.* 정신 분석(학)의. ㊞ **-ically** *ad.*

psỳcho·ánalyze *vt.* 정신 분석을 하다.

psỳcho·anátomy *n.* 〖의학〗 심리 해부(법).

psỳcho·bábble *n.* 《구어》 (특히 심리요법을 하는 사람들의) 심리학 특수 용어, 심리 요법 은어(隱語); 그것을 사용한 이야기나 저술. ── *vt.* 《미속어》 (특히 자기 일에 대하여) 심리학 용어나 정신 의학 용어를 마구 써서 말하다. ㊞ **-bler** *n.*

psỳcho·biógraphy *n.* (개인의 성격〔정신〕 형성을 기술한) 성격 분석적 전기(傳記); 정신 분석적 자전(自傳). ㊞ **-biógrapher** *n.* **-biográphical** *a.*

psỳcho·biólogy *n.* Ⓤ 정신 생물학《생물학적 방법으로 연구하는 심리학》; 생물학적 심리학. ㊞ **-gist** *n.*

psỳcho·chémical *n.* 정신에 영향을 미치는 화학 약품《전장에서 쓰이는 독가스 따위》.

psy·cho·del·ic [sàikədélik] *a., n.* =PSYCHEDELIC.

psỳcho·dráma *n.* 〖정신의학〗 심리극《정신병 치료를 위하여 환자에게 시키는 극》.

psỳcho·dynámics *n. pl.* 《단수취급》 정신 역학, 정신 역동학〔론〕. ㊞ **-dynámic** *a.*

psỳcho·educátional *a.* (지능 검사 따위) 학습 능력 평가에 쓰이는 심리학적 방법의.

psỳcho·galvánic *a.* 정신 전류의, 정신 전류 장치《거짓말 탐지기 따위》에 관한.

psỳcho·génesis *n.* Ⓤ 정신 발생(학); 〖심리·의학〗 심리 기인(起因), 심인(心因).

psy·cho·gen·ic [sàikədʒénik] *a.* 〖심리〗 정신에서 일어나는; 〖의학〗 심인성(心因性)의, 정신 작용〔상태〕에 의한.

psỳcho·geriátrics *n. pl.* 《단수취급》 노인 정신의학〔위생학〕.

psy·chog·no·sis, -sy [sàikəgnóusis], [-si] (*pl.* ***-no·ses*** [-nóusiːz], ***-no·sies***) *n.* 정신 진단(학).

psy·cho·graph [sáikəgrǽf, -grὰːf] *n.* **1** 심지(心誌), 사이코그래프《성격 특성도(표)》; =PSYCHOGRAPHY. **2** 심령 서사(書寫) 도구; 심령에 의하여 사진 건판〔인화지〕에 염사(念寫)된 상(像).

psy·cho·graph·ics [sàikəgrǽfiks] *n. pl.* 《단수취급》 〖마케팅〗 사이코그래픽스《시장을 분류할 때 쓰이는 소비자의 생활양식 측정 기술》.

psy·chog·ra·phy [saikάgrəfi/-kɔ́g-] *n.* 심지법(心誌法), 사이코그래프법(法); 심령 서사(書寫); (심령에 의한) 염사법(念寫法).

psýcho·hìstory *n.* 역사 심리학《심리 분석적 수법을 이용한 역사적 인물·사건의 분석》.

psỳcho·kinésia 〖의학〗 폭발성 정신적 발작, 정신억제 결함. 「체를 움직임》.

psỳcho·kinésis *n.* 염력(念力)《정신력으로 물

psychol. psychological; psychologist; psychology. 「심리학.

psỳcho·linguístics *n. pl.* 〖단수취급〗 언어

psy·cho·log [sáikoulɔ̀:g, -lɑg/-lɔ̀g] *n.* (자기의 인상·연상 등의) 정신 카르테.

*****psy·cho·log·i·cal, -log·ic** [sàikəlɑ́dʒikəl/-lɔ́dʒ-], [-dʒik] *a.* 심리학(상)의, 심리학적인; 정신적인: ~ effect 심리적 효과. ㊕ **-i·cal·ly** *ad.*

psychológical blóck (일련의 사고(思考) 작용의) 두절, 심리적 블록 (현상). 「주의.

psychológical hédonism 심리학적 쾌락

psychológical móment (the ~) 〖심리〗 심리적 호기; 절호의 기회, 아슬아슬한 순간.

psychológical nóvel 심리 소설.

psychológical prícing 심리학적 가격 결정《90 달러 짜리 상품을 98 달러로 매겨 마치 100 달러에서 값을 내린 것처럼 생각하게 하는 경우 등》.

psychológical technòlogy 〖심리〗 심리 공

psychológical wárfare 심리〔신경〕전. ⌊학.

psy·chol·o·gism [saikɑ́lədʒìzəm/saikɔ́l-] *n.* 《경멸》 심리학주의, 심리학〔정신 분석학〕 용어 사용; 〖철학〗 심리주의.

psy·chol·o·gize [saikɑ́lədʒàiz/-kɔ́l-] *vt., vi.* 심리학적으로 고찰〔해석, 설명〕하다.

******psy·chol·o·gy** [saikɑ́lədʒi/-kɔ́l-] *n.* **1** Ⓤ 심리학. **2** Ⓤ 심리 (상태). **3** 심리학의 논문〔체계〕. ***applied*** ~ 응용 심리학. ***medical*** ~ 임상 심리학. ***mob*** 〔***mass***〕 ~ 군중 심리(학). ***the new*** ~ 신심리학; 물리 심리학. ㊕ °**psy·chól·o·gist** [-dʒist] *n.* 심리학자.

psy·cho·ma·chia, psy·chom·a·chy [sàikouméikiə], [saikɑ́məki] *n.* 영혼의 갈등.

psy·cho·man·cy [sàikoumǽnsi] *n.* Ⓤ 정신 감응, 영통(靈通), 무술(巫術), 공수.

psy·cho·met·rics [sàikəmétriks] *n. pl.* 〖단수취급〗 〖심리〗 정신〔심리〕 측정(학).

psy·chom·e·try [saikɑ́mətri/-kɔ́-] *n.* Ⓤ 정신 측정(학); 신비력.

psỳcho·mimétic *a.* 정신병에 가까운 상태로 하는. ── *n.* 향(向)정신약.

psỳcho·mótor *a.* 정신 운동(성)의.

psy·chon [sáikɑn/-kɔn] *n.* 사이콘《심령적 메시지를 가지고 있다고 생각되는 이론상의 입자》.

psỳcho·nèuro·immunólogy *n.* 심리 신경 면역학《스트레스나 감정에 대한 복잡한 반응을 조사하는 학문》.

psỳcho·neurósis (*pl.* **-ses**) *n.* 정신 신경증, 노이로제. ㊕ **-rótic** *a., n.* 정신 신경증의 (환자), 노이로제에 걸린 (사람).

psy·cho·nom·ics [sàikənɑ́miks] *n. pl.* 〖단수취급〗 〖심리〗 사이코노믹스《정신 발달과 물리적·사회적 환경 조건과의 영향 관계를 연구》.

psy·cho·pae·dic [sàikəpí:dik] *a.* 정신박약아의: a ~ hospital 정신박약아 시설.

psy·cho·path [sáikəpæ̀θ] *n.* **1** 정서〔정신〕 불안정자. **2** (반사회적 또는 폭력적 경향을 지닌) 정신병질자. ㊕ **psỳ·cho·páth·ic** [-ik] *a.*

psychopáthic personálity 〖정신의학〗 정신병질 인격(자). 「신병 전문의(醫).

psy·chop·a·thist [saikɑ́pəθist/-kɔ́p-] *n.* 정

psỳcho·pathólogy *n.* Ⓤ 정신 병리(학). ㊕ **-gist** *n.*

psy·chop·a·thy [saikɑ́pəθi/-kɔ́p-] *n.* Ⓤ 정신병; 정신병질(psychopathic personality).

psỳcho·pharmacéutical *n.* 향(向)정신약.

psỳcho·pharmacólogy *n.* (신경) 정신 약리학. ㊕ **-gist** *n.*

psỳcho·phýsical *a.* 정신 물리학의; 정신적·물질적 특질을 공유하는. ㊕ **-phýsicist** *n.*

Psychophýsical párallelism 〖철학〗 심신 평행론, 정신 물리적 평행설. 「학.

psỳcho·phýsics *n. pl.* 〖단수취급〗 정신 물리

psỳcho·physiólogy *n.* Ⓤ 정신 생리학.

psỳcho·príson *n.* (옛 소련의) 정신 교도소《반체제자 등을 수용하는 정신 병원》.

psỳcho·prophyláxis *n.* Ⓤ 〖의학〗 정신적 예방(법)《무통 분만법의 하나》.

psy·cho·quack [sáikoukwæ̀k] *n.* 《속어》 무면허 정신과 의사〔임상 심리의(醫)〕, 가짜 심리학자.

psỳcho·séxual *a.* 성(性)심리의, 정신성적인. ㊕ **-sexuálity** *n.* **~·ly** *ad.*

psy·cho·sis [saikóusis] (*pl.* **-ses** [-si:z]) *n.* 정신병, 정신 이상.

psỳcho·sócial *a.* 심리 사회적인. ㊕ **~·ly** *ad.*

psỳcho·somátic *a.* (병이) 정의(情意)에 의해 영향받는, 정신 신체(상관)의, 심신의. ── *n.* 정신 신체증〔심신증〕 환자. ㊕ **~s** *n. pl.* 〖단수취급〗 정신 신체 의학. 「정신 신체증.

psychosomátic diséase 심신증(心身症),

psychosomátic médicine 정신 신체 의학, 심신 의학(psychosomatics)《신체의 병 치료에 심리학의 원리와 방법을 적용함》.

psỳcho·sómatry *n.* 심신의 상관 작용, 정신과 신체의 상호 작용.

psỳcho·súrgery *n.* Ⓤ 〖의학〗 정신 외과.

psỳcho·sýnthesis *n.* 〖정신의학〗 종합 심리(요법).

psỳcho·téchnics *n. pl.* 〖단수취급〗 《미》 〖심리〗 정신 기술《경제학·사회학 등의 문제에 있어서 심리학적 방법의 응용》.

psỳcho·technólogy *n.* =PSYCHOTECHNICS.

psỳcho·therapéutics *n. pl.* 〖단수취급〗 정신 치료학〔법〕(psychotherapy). ㊕ **-therapéutic** *a.*

psỳcho·thérapy *n.* Ⓤ 정신〔심리〕 요법. ㊕ **-apist** *n.* 정신〔심리〕 요법 의사.

psy·chot·ic [saikɑ́tik/-kɔ́t-] *a., n.* 정신병의, 정신 이상의; 정신병자. ㊕ **-i·cal·ly** *ad.*

psy·chot·o·gen [saikɑ́tədʒən/-kɔ́t-] *n.* (마약 따위) 정신병을 일으키게 하는 약.

psy·chot·o·mi·met·ic [saikɑ̀toumimétik/-kɔ̀t-] *a., n.* 환각이나 정신 이상 증상을 일으키는 (약). 「험이 있는.

psỳcho·tóxic *a.* (약물이) 뇌에 장애를 줄 위

psỳcho·trópic *a.* 정신에 영향을 주는, 향(向)정신성의《약제》. ── *n.* 향정신약《정신 안정제·환각제 등》.

psých-òut *n.* 《구어》 정신적으로 동요를 줌, 심리적으로 꾀뒤지름. 「결합사.

psy·chro- [sáikrou, -krə] '찬(cold)'의 뜻의

psy·chrom·e·ter [saikrɑ́mətər/-krɔ́m-] *n.* 건습구(乾濕球) 습도계, 건습계.

psy·chro·phil·ic [sàikrəfílik] *a.* 〖생물〗 호냉(好冷)의: ~ organisms 호냉 생물. ㊕ **psý·chro·phìle** [-fàil] *n.* 호냉균(菌).

psỳchro·tólerant *a.* 내냉성(耐冷性)의.

psy·ops [sáiɑ̀ps] *n. pl.* 《구어》 (심리전에서의) 심리 조작. [◂ *psy*chological *op*eration*s*]

psy·toc·ra·cy [saitɑ́krəsi] *n.* 심리 정치《대중의 행동을 심리적으로 통제하는 전제 정치》.

psy·war [sáiwɔ̀:r] *n.* 《구어》 심리전(psychological warfare).

PT penetrant test (액체 침투 탐상(探傷) 검사).

Pt 〖화학〗 platinum. **Pt.** Point; Port. **pt.** part; past; 〖의학〗 patient; payment; pint(s);

point; port; preterit. **P.T., PT** Pacific time; patrol torpedo; physical therapy; 〖군사〗 physical training; postal telegraph; pupil teacher; purchase tax. **p.t.** past tense; post town; *pro tempore*; 《속어》 prick teaser. **PTA** 〖생화학〗 plasma thromboplastin antecedent; preferential trading agreement (특혜 무역 협정); purified terephthalic acid (고순도 테레프탈산)《폴리에스테르계 합성 섬유·필름 등의 원료》. **PTA, P.T.A.** Parent-Teacher Association; 《영》 Passenger Transport Authority; percutaneous angioplasty.

ptar·mi·gan [tɑ́ːrmigən] (*pl.* ~(**s**)) *n.* 〖조류〗 뇌조(雷鳥)(snow grouse).

PT bóat 《미》 쾌속 초계(哨戒) 어뢰정. [◂ *p*atrol (propeller) *t*orpedo *boat*]

PTCA 〖의학〗 percutaneous transluminal coronary angioplasty(경피(經皮)적 관(冠)동맥 혈관 재건법). **PTCR** 〖의학〗 percutaneous transluminal coronary recanalization (경피적 관동맥 소통). **Pte.** 〖영군사〗 Private (soldier) 《미국에서는 Pvt., pvt.》.

pter·i·dine [térədìːn] *n.* 〖화학〗 프테리딘《질소를 함유한 담황색의 이환(二環) 염기》.

pter·i·dol·o·gy [tèrədɑ́lədʒi/-dɔ́l-] *n.* 〖식물〗 양치학(羊齒學). ㊞ **-gist** *n.* 양치학자.

pte·rid·o·phyte [tərídəfàit, téridou-/téridə-] *n.* 〖식물〗 양치류(羊齒類).

pter·in [térin] *n.* 〖화학〗 프테린《프테리딘을 함유한 화합물의 총칭》.

pter·o- [térou, -rə], **pter-** [ter] '날개, 깃' 의 「뜻의 결합사.

pter·o·dac·tyl [tèrədǽktil] *n.* 〖고생물〗 익수룡(翼手龍).

pter·o·saur [térəsɔ̀ːr] *n.* 〖고생물〗 익룡(翼龍).

pter·y·goid [térəgɔ̀id] *a.* 〖해부〗 익상(翼狀)의.

ptérygoid pròcess 〖해부〗 익상 돌기.

pterodactyl

Ptg. Portugal; Portuguese. **ptg.** printing. **P.T.I.** Physical Training Instructor.

ptis·an [tízn, tizǽn] *n.* Ⓤ 보리차.

PTM pulse-time modulation. **PTO** power takeoff. **P.T.O., p.t.o.** please turn over(이면(裏面)(다음 페이지)에 계속).

pto·choc·ra·cy [toukɑ́krəsi] *n.* 빈민(貧民) 「정치.

Ptol·e·ma·ic [tɑ̀ləméiik/tɔ̀l-] *a.* **1** 프톨레마이오스(Ptolemy)의; 천동설(天動說)의. ⓒⓕ Copernican. **2** 프톨레마이오스 왕가《고대 이집트 왕가》의.

Ptolemáic sýstem (the ~) 〖천문〗 (프톨레마이오스의) 천동설. 「봉자.

Ptol·e·ma·ist [tɑ̀ləméiist/tɔ̀l-] *n.* 천동설 신

Ptol·e·my [tɑ́ləmi/tɔ́l-] *n.* **1 Claudius** ~ 프톨레마이오스《2 세기경 Alexandria 의 천문학자·수학자·지리학자》. **2** (*pl.* **-mies**) 프톨레마이오스《기원전 4-3 세기에 이집트를 지배한 프톨레마이오스 왕조의 역대의 왕》.

pto·maine [tóumein, -ˊ] *n.* Ⓤ 〖화학〗 프토마인《사체(死體)의 단백질 부패로 생기는 유독물》.

ptómaine póisoning 프토마인 중독; 《널리》 식중독(food poisoning).

pto·sis [tóusis] (*pl.* **pto·ses** [-siːz]) *n.* 〖의학〗 하수증(下垂症), 《특히》 안검(眼瞼) 하수증.

PTR photoelectric tape reader. **pts.** parts; payments; pints; points; ports. **PTSD** post-traumatic stress disorder. **PTV** public tele vision. **P2P** [piːtəpíː] 〖컴퓨터〗 peer to peer; person-to-person. **Pty., Pty, pty.** proprietary.

pty·a·lin [táiəlin] *n.* Ⓤ 〖생화학〗 프티알린《전분을 덱스트린과 맥아당으로 분해하는 타액 속의 효소》. 「다, 유연(증)(流涎(症)).

pty·a·lism [táiəlìzəm] *n.* 〖의학〗 타액 (분비) 과

Pty. Co. Proprietary Company. **Pty. Ltd.** 《영》 Proprietary Limited. 「P형(型)의.

p-type *a.* 〖전자〗 (반도체·전기 전도(傳導)가)

PU pickup. **Pu** 〖화학〗 plutonium.

pub [pʌb] *n.* 《영구어》 술집, 대폿집, 목로 주점. [◂ *pub*lic house]

pub. public; publication; published; publisher; publishing.

púb cràwl 《속어》 이집 저집 돌아다니며 연거푸 술 마시기, 술집 순례: do a ~. ㊞ **púb cràwler**

púb-cràwl *vi.* 술집 순례를 하다(barhop, make the rounds (of pubs)).

pu·ber·tal, pu·ber·al [pjúːbərtl], [pjúːbərəl] *a.* puberty의 (에 관한).

pu·ber·ty [pjúːbərti] *n.* Ⓤ 사춘기, 춘기 발동기, 묘령(妙齡); 〖식물〗 개화기(開花期). *arrive at* ~ 사춘기에 이르다. *the age of* ~ 결혼 적령(기) 《옛날의 관습법으로 결혼할 수 있는 나이를 남자 14 세, 여자 12 세로 보았음》.

pu·bes[1] [pjúːbiːz] (*pl.* ~) *n.* 음모, 거웃; 음부 (pubic region); 〖식물·동물〗 연모(軟毛).

pu·bes[2] PUBIS의 복수.

pu·bes·cence [pjuːbésns] *n.* 사춘기에 이름, 묘령(妙齡); 〖식물·동물〗 연모(軟毛)(솜털)에 덮인 상태; 연모, 솜털.

pu·bes·cent [pjuːbésnt] *a.* 묘령의; 사춘기에 달해 있는; 〖식물·동물〗 연모(軟毛)(솜털)로 덮인.

pu·bic [pjúːbik] *a.* 음모(거웃)의; 음부(陰部)의; 치골(恥骨)의: the ~ region 음부 / the ~ bone 치골 / ~ hair 음모.

pu·bis [pjúːbis] (*pl.* **-bes** [-biːz], **-bi·ses** [-bisiːz]) *n.* 〖해부〗 치골(恥骨).

publ. publication; published; publisher.

†**pub·lic** [pʌ́blik] *a.* **1** 공중의, 일반 국민의, 공공의, 공공에 속하는: a ~ bath 공중 목욕탕 / ~ property 공공물(재산) / ~ safety 치안 / ~ welfare 공공복지 / at the ~ expense 공비(公費)로. **2** 공립의, 공설의: a ~ market 공설 시장 / a ~ park 공원. **3** 공적인, 공무의, 국사의: a ~ official (officer) 공무원, 관리 / ~ document 공문서 / a ~ offense 국사범 / ~ life 공적인 생활. **4** 공개의, 공공연한: a ~ auction (sale) 경매, 공매 / a ~ debate 공개 토론회. **5** 소문난, 모르는 사람이 없는: a ~ scandal 모르는 사람이 없는 추문 / a matter of ~ knowledge 널리 알려진 일. ⓞⓟⓟ *private*. **6** 유명한, 저명한(prominent). **7** 《드물게》 국제적인. **8** 〖영대학〗 (학료(學寮) 단위가 아닌) 대학 전체의. *be in the* ~ *eye* ⇨ EYE. *go* ~ (회사가) 주식을 공개하다; 기밀을 공표하다. *make a* ~ *protest* 공공연하게 항의하다《*against*》. *make* ~ 공표(간행)하다.

—*n.* **1** (the ~) 공중, 국민; (일반) 사회, 세상: the general ~ 일반 대중(사회). **2** …계(界), …사회, …동아리: the cinemagoing ~ 〖집합적〗 영화 팬 / the reading ~ 독서계. **3** 《영구어》 = PUBLIC HOUSE. *in* ~ 공공연히. ⓞⓟⓟ *in private*. *the* ~ *at large* 일반 공중.

㊞ ~**·ly** *ad.* 공공연히; 여론(공적)으로.

públic áccess 시청자 제작 프로그램《시청자가 제작한 프로그램을 방송할 수 있도록 방송 기관이

시청자 단체에 시간대(時間帶)를 제공하는 일》.
públic accóuntant 《미》 공인 회계사.
públic áct 공공 관계 법률, 공법(안).
públic-addréss sỳstem (강당·옥외 등의) 확성 장치.
públic affáirs 공공의 일, 공사(公事).
pub·li·can [pʌ́blikən] *n.* 〖고대로마〗 수세리(收稅吏); 《영》 선술집〔여인숙〕(public house)의 주인; 《Austral.》 호텔 경영자.
públic assístance 《미》 (사회 보장법에 의한) 생활 보호《빈곤자, 장애자, 노령자 등에 대한 정부 보조》.
pub·li·ca·tion [pʌ̀bləkéiʃən] *n.* **1** Ⓤ 발표, 공표; 발포(發布): the ~ of a person's death 아무의 사망 공표. **2** Ⓤ 간행, 출판, 발행; Ⓒ 출판〔간행〕물: a monthly 〔weekly〕 ~ 월간〔주간〕 출판물. ◇ publish *v.*
públic áuction = PUBLIC SALE.
públic bár 《영》 (선술집의) 일반석. cf. saloon bar.
públic bénefit = PUBLIC GOOD.
públic bídding 《미》 입찰.
públic bill 공공 관계 법안. cf. private bill.
Públic Bróadcasting Sèrvice 《미》 공공 방송망《생략: PBS》.
públic chárge 생활 보호 대상자.
públic cómpany 《영》 주식 회사. opp. *private company*.
públic convénience 《영》 (역 따위의) 공중 변소(《미》 comfort station).
públic corporátion 〖법률〗 공법인, 공공 단체; 공공 기업체, 공사(公社), 공단(公團).
públic dèbt 공공 부채, 공채(=**públic lóan**).
públic defénder 《미》 공선 변호인.
públic domáin 〖법률〗 **1** 《미》 국유〔공유〕지. **2** 사회의 공유 재산, 공유《시간 경과 등으로 특허·저작권 등의 권리 소멸 상태》.
públic-domáin prógram 〖컴퓨터〗 공개 프로그램《저작권 보호가 되지 않는》.
públic-domáin sóftware 〖컴퓨터〗 퍼블릭 도메인 소프트웨어《저자가 저작권 포기 등의 결과로 저작권 보호가 되지 않는 소프트웨어》; 《속어》 = SHAREWARE.
públic educátion 공(公)교육, 학교 교육; 《영》 public school식 교육.
públic énemy 사회(전체)의 적, 공개수사 중인 범인, 공적(公敵); (교전 중인) 적국.
públic énterprise 공기업. opp. *private enterprise*.
públic expénditure 공공 지출.
públic fígure 유명 인사.
públic fúnds (the ~) 《영》 공채, 국채.
públic gállery (의회의) 방청석(=**stránger's gállery**).
públic góod 공익.
públic háll 공회당.
públic házard 공해(公害).
públic héalth 공중위생(학): a ~ inspector 《영》 공중위생 감시원.
Públic Héalth Sèrvice 《미》 공중위생 총국《보건 교육 복지부의 한 국(局); 생략 PHS》.
públic héaring 공청회(公聽會).
públic hóliday 축제일, 축일.
públic hòuse 《영》 술집, 대폿집(pub); 여인숙(inn).
públic hóusing (저소득층을 위한) 공영〔공공〕 주택.
públic ímage (실제와 다른) 일반 관념.
públic inquíry (사건의) 공적 조사.
públic ínterest 공익.
públic-ínterest làw 《미》 공익법《공공 이익 보호를 위한 집단 소송 및 그 밖의 법적 절차를 다루는 법률 분야》.
públic internátional láw 국제 공법.
pub·li·cism [pʌ́bləsìzəm] *n.* Ⓤ 국제법론, 공론; 정치론, 정론(政論).

pub·li·cist [pʌ́bləsist] *n.* **1** 정치 평론가〔기자〕. **2** 선전 담당원. **3** 《드물게》 국제법〔공법〕학자. ㊕
pùb·li·cís·tic [-sístik] *a.*
pub·lic·i·ty** [pʌblísəti] *n.* Ⓤ **1** 주지(周知)(의 상태), 널리 알려짐. opp. *privacy*. **2** 명성, 평판: a ~ hound 《미》 신문에 이름을 올리고 싶어하는 사람. **3** 공표, 공개. **4** 선전, 광고(문·수단): a ~ campaign 공보〔선전〕 활동. ***avoid 〔***shun***〕 **~** 세평을 피하다. ***court*** 〔***seek***〕 **~** 자기 선전을 하다. ***give ~ to*** …을 공표〔발표, 선전〕하다.
publícity àgent 〔**màn**〕 광고 대리업자〔취급자〕.
publícity depàrtment 선전부.
publícity stùnt 이목을 끌기 위한 이상한 행위.
pub·li·cize [pʌ́bləsàiz] *vt.* 선전〔공표, 광고〕하다.
públic kéy 공개 암호 키《제2의 해독 키가 없으면 해독이 불가능한 암호 해독의 키》: ~ cryptography 공개 키 암호법.
públic lánd (특히 미국 공유지 불하법에 따라 처분되는) 공유지.
públic láw 공법; 《드물게》 국제법.
públic lénding rìght 〖도서〗 (P- L- R-) 공대권(公貸權)《공공 도서관의 대출에 대하여 저자가 보상을 요구할 수 있는 권리; 생략: PLR》.
públic liabílity insùrance 일반 손해 배상〔책임〕 보험, 공공 책임 보험.
públic líbel 〖법률〗 공안을 해치는 문서 비훼(誹毁).
públic líbrary 공립〔공개〕 도서관.
públic límited cómpany 《영》 주식회사《생략: plc, PLC》.
públic màn 공인(公人).
públic-mínded [-id] *a.* 공공〔애국〕심이 있는.
públic núisance 〖법률〗 공적(公的) 불법 방해; 《구어》 모두 귀찮아하는 사람.
públic óffice 관공서; 관청.
públic ófficer (국가·지방)공무원. cf. public servant.
públic opínion 여론: a ~ poll 여론 조사.
públic ównership 공유(제), 국유(화).
públic péace 공안(公安).
públic pólicy 〖법률〗 **1** 공공〔사회〕 정책. **2** 공서양속(公序良俗), 공익, 공공질서.
públic próperty **1** 공유 재산. **2** 사생활을 할 수 없는 유명인. **3** 공유 정보.
públic prósecutor 검사.
públic púrse (the ~) 국고(國庫).
Públic Récord Óffice (the ~) 《영》 (런던의) 공문서 보관소.
públic relátions 〖단수취급〗 **1** 홍보〔선전〕 활동; 섭외 (사무), 피아르《생략: PR》: a ~ officer 섭외〔홍보〕관, 홍보 장교《생략: PRO》. **2** PR 방법〔기술, 업무〕. **3** 어떤 조직과 일반 사람과의 관계.
públic relátions èxercise 선전 활동.
públic ríghts 공권(公權).
públic ròom (호텔·배 안의) 출입이 자유로운 라운지.
públic sále 공매(公賣), 경매(auction).
públic schóol 《미》 (초·중등) 공립학교; 《영》 사립 중·고등학교《상류 자제들을 위한 자치·기숙사 제도의 대학 예비교로 Eton, Winchester 등이 유명》.
públic séctor 공공 부문.
públic sérvant 공무원, 공복(公僕). cf. public officer.
públic sérvice **1** 공무, 공용; 공익 사업《가스·전기·수도 등》. **2** 공공〔사회〕 봉사. **3** 공직, 관공서 근무.
públic sérvice annòuncement 공공 서비스 정보《생략: PSA》.
públic-sérvice corporàtion 《미》 공익 법인, 공익사업 회사.
públic spéaker 공술인(公述人)《국회 공청회

에서 의견을 말하는 사람》; 연설가.
públic spéaking 화술, 변론술; 연설.
públic spénding (정부의) 공공 지출.
públic spírit 공공심, 애국심.
públic-spírited [-id] *a.* =PUBLIC-MINDED.
públic stóres 군수품; 《미》 세관 창고.
públic télevision (영리를 목적으로 하지 않는) 공공 텔레비전 방송.
públic tránsport 《영》 =PUBLIC TRANSPORTATION. 「《버스 · 열차 따위》.
públic transportátion 《미》 공공 수송 기관
Públic Trustée Òffice (the ~) 《영》 유산(遺産) 관리국.
públic utílity 공익 사업〔기업〕《전기 · 가스 · 수도 따위》; (보통 -ties) 공익 기업주(株).
públic wélfare 공공복지.
públic wórks 공공 토목 공사.
públic wróng 〖법률〗 공적(公的) 권리 침해, 공적 위법 행위.
pub·lish [pʌ́bliʃ] *vt.* **1** 발표〔공표〕하다, 피로하다; (약혼 등을) 발표하다: ~ the news. **2** (법률 등을) 공포하다: ~ an edict 〔a law〕 칙령〔법령〕을 공포하다. **3** (책 따위를) 출판하다. **4** 《미》 (가짜돈 등을) 사용하다. **5** (유언을) 인증〔공시〕하다; 〖법률〗 (명예 훼손 사항을) 표시하다. **—** *vi.* **1** 발행하다; 출판 사업을 하다: The new house will start to ~ next month. 새 회사는 내달에 출판 사업을 시작한다. **2** 《+[전]+[명]》(저작을) 출판하다《*with*》: She has decided to ~ *with* another house. 다른 출판사에서 작품을 출판하기로 작정했다. ◇ publication *n.*
pub·lish·er [pʌ́bliʃər] *n.* **1** 출판업자; 발행자, 출판사. **2** 《미》 신문업자, 신문사주. **3** 《드물게》 발표자, 공표자.
públisher's bínding = EDITION BINDING.
públisher's ímprint 판권장(版權張).
públisher's státement 출판사 부수(部數) 자료 보고서(pink sheet)《미국의 신문 · 잡지 부수 감사 기구(ABC)에 가맹지(誌)가 제출하는 것으로, 수집되면 회원에게 감사 전의 자료를 배부함》.
púb·lish·ing *n.* 출판(업). **—** *a.* 출판(업)의.
públishing hòuse 〔**còmpany, fírm**〕 출판사.
Puc·ci·ni [puːtʃíːni] *n.* **Giacomo ~** 푸치니《이탈리아의 오페라 작곡가; 1858–1924》.
puc·coon [pəkúːn] *n.* 적색〔황색〕 물감을 만드는 북아메리카산(産)의 식물; [U] 그 물감.
puce [pjuːs] *n., a.* 암갈색(의).
puck [pʌk] *n.* **1** 〖아이스하키〗 퍽《고무제 원반》; 〖컴퓨터〗 퍽《digitizing tablet 용의 위치 지시기》. **2** 《영속어》 세게 침, 강타; (hurling 에서) 볼 치기. **—** *vt.* 《영속어》 치다, 때리다.
pucka [pʌ́kə] *a.* = PUKKA.
puck·er [pʌ́kər] *vt.* 《~+[목]/+[목]+[부]》 주름을 잡다, 주름살지게 하다; (입술 따위를) 오므리다《*up*》: ~ (*up*) one's brow 〔lips〕 눈살을 찌푸리다〔입을 오므리다〕. **—** *vi.* 《~/+[부]》 주름잡히다, 주름살지다; 오므라들다《*up*》: Her face ~*ed* (*up*). 그녀는 온통 찌푸린 얼굴을 하고 있었다. **—** *n.* 주름, 주름살; 《구어》 불안, 당황, 당혹; 《미속어》 입술, 입. ***in a* ~** 당황하여, 어찌할 바를 몰라서. [파] **~y** [pʌ́kəri] *a.* 주름이 생기게〔지게〕 하는, 주름이 많은.
puck·ish [pʌ́kiʃ] *a.* 꼬마 요정 같은, 장난꾸러기의, 멋대로 구는. [파] **~·ly** *ad.* **~·ness** *n.*
pud[1] [pʌd] *n.* 《구어》 (어린이의) 손; (개 · 고양이 따위의) 앞발.
pud[2] *n.* [U,C] 《영구어》 푸딩; 《비어》 페니스, 음경; 《미속어》 쉬운 일, 《특히》 (대학의) 낙승 코스.
PUD pickup and delivery. 「구리, 바보.
pud·den-head [púdnhèd] *n.* 《영속어》 멍텅
pud·ding [púdiŋ] *n.* **1** 푸딩《밀가루에 우유 · 달걀 · 과일 · 설탕 · 향료를 넣고 찐〔구운〕, 식후에 먹는 과자》: *Pudding* rather than praise. 《속담》 금강산도 식후경/The proof of the ~ is in the eating. 《속담》 백문이 불여일견. **2** 푸딩같이 말랑말랑한 것; 《미속어》 수월한 것. **3** 실질적인 보수; 《미속어》 돈. **4** (오트밀 · 선지 등을 넣은) 순대〔소시지〕의 일종; 《속어》 (도둑이 개에게 주는) 독이 든 간《따위》; 《구어》 땅딸보; 《구어》 얼간이; 《비어》 페니스, 음경. (***as***) ***fit as a* ~** 꼭 맞는, 잘 어울리는. ***in the*** (***pudding***) ***club*** ⇨CLUB. ***more praise than* ~** 공치사. [파] **~·like** *a.*
púdding clòth 푸딩을 넣어 찌는 헝겊. 「얼굴.
púdding fàce 《구어》 무표정하고 동글넓적한
púdding·hèad *n.* 《구어》 멍청이. [파] **~·ed**
púdding-hèart *n.* 겁쟁이. 「[-id] *a.* 멍청이의.
púdding-pìe *n.* 《영》 푸딩파이.
púdding stòne 〖지학〗 역암(礫岩)(conglomerate). 「뚱한.
pud·dingy [púdiŋi] *a.* 푸딩과 같은; 아둔한;
pud·dle [pʌ́dl] *n.* [C] 웅덩이; [U] 이긴 흙《진흙과 모래를 섞어 이긴 것》; [U] 《구어》 뒤범벅, 뒤죽박죽. **—** *vt.* **1** 더럽히다; 진흙투성이로 만들다. **2** 개어 진흙으로 만들다; 진흙을 바르다, 진흙을 발라 물이 새지 않게 하다《*up*》: ~ *up* a hole 진흙을 발라 구멍을 메우다. **3** (녹인 쇳물을) 휘젓다《정련(精鍊)하기 위하여》. **—** *vi.* 흙탕물을 휘젓다《*about; in*》; 《비유》 휘젓다; 흙반죽을 짓다. [파] **púd·dler** *n.* 흙을 이기는 사람; 연철공(鍊鐵工); (용철(鎔鐵)) 교반기(攪拌器), 연철로(爐).
púd·dly [-i] *a.* 물 괸 데가 많은《도로 따위》; 웅덩이 같은; 진흙투성이의.
púd·dled *a.* 《속어》 머리가 돈.
púddle-jùmp *vt.* 《구어》 경비행기를 띄우다.
púddle jùmper 《미구어》 경비행기, 헬리콥터, 소형 자동차《따위》.
pud·dling [pʌ́dliŋ] *n.* [U] 흙이기기; 이긴 흙; 이긴 흙을 바르기; (무쇠의) 정련(精鍊), 연철(鍊
púddling fùrnace 연철로(鍊鐵爐). 「鐵)(법).
pu·den·cy [pjúːdənsi] *n.* [U] 수줍음, 내성적임.
pu·den·da [pjuːdéndə] (*sing.* **-den·dum** [-dəm]) *n. pl.* 〖해부〗 외음부(vulva). [파] **-dal** [-dəl] *a.*
pudgy [pʌ́dʒi] (***pudg·i·er; -i·est***) *a.* 땅딸막한; 부피〔무게〕가 있는. [파] **púdg·i·ly** *ad.* **-i·ness** *n.*
pu·di·bund [pjúːdəbʌ̀nd] *a.* 조신한, 숙녀인 체하는(prudish).
pu·dic [pjúːdik] *a.* 외음부의(pudendal).
pu·dic·i·ty [pjuːdísəti] *n.* [U] 정숙, 정절.
pueb·lo [pwéblou] (*pl.* **~s**) *n.* 푸에블로《돌 · 벽돌로 만든 원주민 부락; 미국 남서부에 많음》; (P-) 미국 남서부에 사는 원주민의 종족.
pu·er·ile [pjúːəril, -ràil/pjúərail] *a.* 어린애의〔같은〕, 앳된; 철없는, 미숙한. [파] **~·ly** *ad.*
pu·er·il·ism [pjúːərəlìzəm, pjúər-/pjúər-] *n.* 유치한 짓; 〖정신의학〗 소아성〔증〕, 유치성〔증〕.
pu·er·il·i·ty [pjuːəríləti] *n.* [U] **1** 유년기《법률에서는 남자 7–14 세, 여자는 7–12 세까지》. [cf.] puberty. **2** 어린애 같음; 철없음, 유치; 어린애 같은 언행. 「분만의, 산욕(産褥)의.
pu·er·per·al [pjuːə́ːrpərəl] *a.* 〖의학〗 해산의,
puérperal féver 〔**sépsis**〕 〖의학〗 산욕열.
pu·er·pe·ri·um [pjùːərpíəriəm] *n.* 산욕.
Puer·to Ri·co [pwέərtəríːkou/pwɔ́ːtou-] 푸에르토리코《서인도 제도의 섬; 미국 자치령; 수도 San Juan》. [파] **Puér·to Rí·can** [-ríːkən] *a., n.* 푸에르토리코의 (주민).
puff [pʌf] *n.* **1** 훅 불기〔부는 소리〕; 한 번 획 불기: a ~ of the wind 한바탕 획 부는 바람. **2** 한 번 부는 양; (담배의) 한 모금: have a ~ at a

pipe 파이프 담배를 한 모금 빨다. **3** 불룩한 부분 《머리털·드레스 따위의》; 부푼 것《혹·종기(腫氣) 따위》: a ~ of hair 부풀게 한 머리. **4** 퍼프, 분첩(powder ~). **5** 깃털 이불. **6** 부풀린 과자, 슈 크림. **7** 과장된 칭찬, 비행기 태우기; 자기 선전: give a ~ (특히 신문 등에서) 추어올리다. **8** 《속어》 동성애하는 사람. ***get a good*** **~** 크게 칭찬받다, 호평을 받다. ***out of*** **~** 《구어》 헐떡거려.
— *vi.* **1** 《~/+[전]+[명]/+[부]》 (숨을) 훅 불다, (연기 따위를) 내뿜다; (담배를) 뻐끔뻐끔 피우다〔빨다〕《*out; up; away; at; on*》: ~ (*away*) *at* one's pipe 파이프를 (뻐끔뻐끔) 빨다 / Smoke ~*ed up from* his pipe. 그의 파이프에서 연기가 푹푹 올라갔다 / The train ~*ed* slowly *away* 〔*into* the station〕. 열차가 푹푹 연기를 뿜으며 천천히 출발했다〔역으로 들어왔다〕. **2** 헐떡이다: He was ~*ing* hard when he jumped on to the bus. 그는 버스에 뛰어올라 헐떡거리고 있었다. **3** 《+[부]》 부풀어오르다《*up; out*》: My hair won't ~ *out*. 머리가 부풀지 않는다. **4** 자만심을 일으키다, 득의양양해 하다《*up*》. **5** (경매에서 바람잡이를 써서) …값을 올려 부르다. **6** 《고어》 콧방귀 뀌다. **—** *vt.* **1** 《~+[목]/+[목]+[전]+[명]/+[목]+[부]》 (연기 따위를) 내뿜다《*in; into*》; 훅 불어 버리다《*away*》; (담배를) 뻐끔뻐끔 피우다: ~ cigarette smoke *into* a person's face 아무의 얼굴에다 담배 연기를 뿜어 대다 / ~ *away* dust 먼지를 훅 불어 버리다 / ~ a cigar 시가를 뻐끔뻐끔 피우다. **2** 《~+[목]/+[목]+[전]+[명]/+[목]+[부]》 부풀게 하다; (가슴을) 우쭐하여 부풀리다: He ~*ed* (*out*) his chest *with* pride. 그는 우쭐하여 가슴을 폈다. **3** 《+[목]+[부]》 자만심을 일으키게 하다《*up*》: be ~*ed up* with pride 자만하여 우쭐거리다. **4** 마구 추어올리다; 자찬하다, 불어 대다; (과대) 선전하다. **5** …에 분첩으로 분을 바르다; 분칠하다. **6** 《+[목]+[부]》 《속어》 헐떡이며 말하다: manage to ~ *out* a few words 헐떡이며 겨우 몇 마디 말하다. **7** (값을) 경쟁하여 올리다《경매에서》. **8** (머리를) 원통형으로 컬(curl)하다.
~ and blow 〔***pant***〕 헐떡이다. **~ *out*** ① 헐떡이게 하다, 헐떡이며 말하다. ② 훅 불어 끄다. ③ 부풀리다. ④ (연기가) 폭폭 나오다. **~ *up*** 《*vt.*+[부]》 ① …을 부풀리다: ~ *up* a cushion 쿠션을 부풀리다. ② (아무를) 우쭐대게 하다, 잘난 척하게 하다《*with*》: She's ~*ed up with* self-importance. 그녀는 자기가 잘났다고 여기고 우쭐대고 있다. **—**《*vi.* +[부]》 ③ 부풀어오르다; (상처 따위가) 부어 오르다.

púff àdder 〖동물〗 아프리카산(産)의 큰 독사 《성나면 몸이 부풂》. 「모양의 씨.

púff·bàll *n.* 〖식물〗 **1** 말불버섯. **2** (민들레의) 깃

púff bòx (분첩 넣는) 분갑.

puffed [pʌft] *a.* 부푼; 《구어》 숨이 찬.

púff·er *n.* 훅 부는 사람〔물건〕; 마구 추어올리는 〔칭찬하는〕 사람; 경매인의 한통속; 〖어류〗 복어류; 《소아어》 (기차의) 칙칙폭폭; 《미속어》 심장. ⓟ **~y** [-fəri] *n.* [U] 《구어》 몹시 칭찬함; 과대 선전〔광고〕.

puf·fin [pʌ́fin] *n.* 〖조류〗 섬새의 일종.

puffin

púff·ing *n.* [U] 훅 불기; 몹시 칭찬하기. ⓟ **~·ly** *ad.*

púff pàste 〔**pàstry**〕 층을 지어 부풀게 굽는 과자용 반죽.

púff pìece 《구어》 과장되게 칭찬하는 글, 과대 광고.

púff pìpe (배수관의) 통기(通氣) 파이프.

púff-pùff *n.* 《영》 **1** 폭폭 《연기 따위를 내뿜는 소리》. [cf.] chug. **2** 《소아어》 칙칙폭폭《기차》, 기관차.

puffy [pʌ́fi] (***puff·i·er; -i·est***) *a.* **1** 부풀어오른; 비만한: ~-eyed *from* poor sleep 수면 부족으로 눈이 부은. **2** 자만하는, 허풍 떠는, 과장된. **3** 숨이 찬, 헐떡이는, 씨근거리는. **4** 훅 부는; 한바탕 부는《바람 따위》. ⓟ **púff·i·ly** *ad.* **-i·ness** *n.* 부풂; 자만; 과장; 〖의학〗 종창(腫脹).

pug[1] [pʌg] *n.* **1** 퍼그(=**púg-dòg**)《불도그 비슷한 얼굴의 발바리의 일종》. **2** = PUG NOSE. **3** 《애칭》 여우, 원숭이. **4** 《고속어》 (큰 저택의) 하인 우두머리. **5** 《영》 (조차용(操車用)) 소형 기관차.

pug[2] *n.* 이긴 흙. **—** (**-gg-**) *vt.* (진흙을) 이기다; …에 진흙을 채워 넣다; 〖건축〗 방음용으로 회반죽을 바르다.

pug[3] *n.*, (**-gg-**) *vt.* 《주로 Ind.》 (짐승의) 자귀; 자귀를 짚다. 「(pugilist).

pug[4] 《속어》 *n.* 프로 복서; 《미》 난폭한 사나이

púg·bàll *n.* 《미》 연식 야구.

Pú·get Sóund [pjúːdʒit-] 퓨젓 사운드《워싱턴 주 북서부의 만》.

pug·(g)a·ree, pug·(g)ree [pʌ́gəri], [pʌ́gri] *n.* (인도 사람이 쓰는) 터번; (차일모(遮日帽)에 감아 목 뒤로 드리우는) 가벼운 스카프.

pug·ging [pʌ́giŋ] *n.* [U] 흙반죽, 이겨 굳힘; 음향 방지용 벽토, 방음재(材). 「을 나타냄》.

pugh [pjuː/pjuː] *int.* 홍, 체, 피《경멸·혐오 등

pu·gil·ism [pjúːdʒəlìzəm] *n.* [U] 권투.

pú·gil·ist *n.* 권투 선수(boxer), 《특히》 프로 복서. ⓟ **pù·gil·ís·tic** [-tik] *a.* 권투의; 권투 선수의. **pù·gil·ís·ti·cal·ly** [-tikəli] *ad.*

púg mìll 흙반죽 기계.

pug·na·cious [pʌgnéiʃəs] *a.* 싸움하기 좋아하는. ⓟ **~·ly** *ad.* **~·ness** *n.* **pug·nac·i·ty** [pʌgnǽsəti] *n.*

púg nòse 사자코, 들창코.

púg-nòsed *a.* 사자코의.

Púg·wash cónferences [pʌ́gwɑʃ-/-wɔʃ-] 퍼그워시 회의 《핵무기 폐기·세계 평화 따위를 토의하는 국제 과학자 회의》.

puis·ne [pjúːni] *a.* **1** 손아래의, 하위의. **2** 〖법률〗 뒤의, 그 다음의《*to*》: a ~ judge 배석(陪席) 판사. **—** *n.* 아랫사람, 후배; 배석 판사.

pu·is·sance [pjúːəsəns, pjuís-, pwís-/pjúːis-] *n.* [U] 《고어·시어》 권력, 세력, 힘; 〖승마〗 장애물 비월(飛越) 경기.

pu·is·sant [pjúːəsənt, pjuís-, pwís-/pjúːis-] *a.* 《고어·시어》 힘센, 세력이 등등한, 권력이 있는. ⓟ **~·ly** *ad.* 「기도, 예배.

pu·ja(h) [púːdʒɑː] *n.* [U] 〖힌두교〗 의식(儀式),

pu·ka [púːkə] *n.* 푸카《Hawaii 해안에 많은 흰 조가비; 끈을 꿰어 목걸이 등을 만듦》.

puke [pjuːk] *n.* 《구어》 구토; 토한 것; 토제(吐劑); 《속어》 싫은 녀석〔것〕. **—** *vi., vt.* 《구어》 토하다(vomit)《*up*》.

pu·key, puky [pjúːki] *a.* 《구어》 불쾌한, 싫은, 더러운, 기분 나쁜, 메스꺼운.

puk·ka [pʌ́kə] *a.* 《Ind.》 무게가 충분한; 순량(純良)한; 고급의; 진정한; 신용할 만한; 진짜의; 영구적인《건물 따위》.

pul [puːl] (*pl.* **~s, pu·li** [púːli]) *n.* 풀《아프가니스탄의 동전; =1/100 afghani》.

pu·la [púːlə] (*pl.* **~, ~s**) *n.* 풀라《보츠와나의 화폐 단위; =100 thebe; 기호 Pu》. 「구.

Pu·las·ki [pəlǽski] *n.* 괭이와 도끼를 겸한 도

pul·chri·tude [pʌ́lkrətjùːd/-tjùːd] *n.* [U] 《문어》 (육체의) 아름다움(physical beauty). ⓟ **pul·chri·tu·di·nous** [pʌ̀lkritjúːdənəs/-tjúː-] *a.*

pule [pjuːl] *vi.* (새새끼 따위가) 삐악삐악 울다; 가냘픈 목소리로 울다, (어린애 등이) 훌쩍훌쩍 울

다. ㉠ **pú·ler** *n.*

pu·li [púli, pjúː-] (*pl.* **-lik** [-lik]) *n.* 헝가리 원산의 털이 매우 긴 양치기 개.

Pul·itz·er [puːlitsər, pjúː-] *n.* **Joseph ~** 퓰리처《헝가리 태생의 미국의 신문업자; 1847-1911》.

Púlitzer Príze 《미》 퓰리처상《문학·음악과 신문·잡지계에 우수한 업적을 남긴 사람에게 해마다 수여됨》.

†**pull** [pul] *vt.* **1** 《~+목/+목+보/+목+전+명/+목+부》 당기다, 끌다; 끌어당기다, 당겨서 움직이다. OPP *push*. ¶ ~ a cart 짐수레를 끌다/~ the trigger 방아쇠를 당기다/~ a bell 줄을 당겨 종을 울리다/~ a door open 〔shut〕 문을 당겨서 열다〔닫다〕/~ a person *out of* bed 아무를 침대에서 끌어내다/~ the curtains *across* 커튼을 치다.

> SYN. **pull** 물건을 '끌다'의 일반적인 말. draw에 비해 순간적이고 힘이 들어 있음: *pull* a door open 문을 잡아당겨 열다. *pull* an oar 노를 당기다〔젓다〕. **drag** 무거운 것을 질질 끌다. 끄는 동작에 전신의 힘이 가하여질 때가 많음: *drag* a heavy box along the corridor 무거운 상자를 복도를 따라 질질 끌다. **draw** 물건을 잡아당기는 데 그다지 많은 힘을 들이지 않아도 됨을 나타냄: *draw* a curtain 커튼을 당기다《열다, 닫다》. **trail** 자기의 뒤에서 물건을 질질 끌고 감을 나타냄: *trail* one's skirt 스커트 자락을 끌다. **tug** 힘을 들여 당기다. 단, 대상이 반드시 움직인다고 할 수 없음: He *tugged* at the rope to no avail. 밧줄을 당겼으나 헛수고였다. **haul** 무거운 물체를 기계 따위로 서서히 끌다.

2 (수레를) 끌고 가다. **3** (주문·손님을) 끌어들이다, 끌다; (투표 따위를) 끌어 모으다, (후원 따위를) 획득하다. **4** (보트·노를) 젓다; (배에 …개의 노가) 달려 있다: This boat ~*s* six oars. 이 보트는 여섯 개의 노로 젓는다. **5** 《~+목/+목+부/+목+전+명》 떼어 놓다; 빼내다, 뽑아내다《*out*》; (잡아) 찢다《*off*》: ~ a tooth (*out*) 이를 뽑다/~ the kids *apart* (싸우고 있는) 아이를 떼어 놓다/~ a cloth *to* pieces 천을 갈기갈기 찢다. **6** (꽃·열매 따위를) 따다: ~ flowers. **7** (새의) 털을 뜯다, (생가죽의) 털을 뽑다. **8** (근육 따위를) 무리하게 쓰다; (여러 가지 얼굴을) 하다: ~ a face 〔faces〕 찌푸린 얼굴을 하다/~ a muscle 근육을 다치다. **9** 〖인쇄〗 수동 인쇄기로 찍어내다: ~ a proof. **10** (고삐를 당겨 말을) 멈추다; 〖경마〗 (말을 고의로 이기지 못하게) 제어하다. **11** 〖권투〗 (펀치의) 힘을 줄이다. **12** 〖야구·골프〗 (공을 오른손잡이는) 왼쪽 방향으로〔(왼손잡이는) 오른쪽 방향으로〕 끌어당겨서 치다. **13** 《속어》 (경관이 범인을) 체포〔검거〕하다; (도박장 따위를) 급습하다: ~ a pickpocket 소매치기를 붙잡다. **14** 《구어》 **a** (계획 등을) (잘) 실행하다, (승리를) 얻다; (의무·사명 등을) 이룩하다《*off*》: ~ *off* a stunning victory 놀라운 승리를 거두다. **b** 《~+목/+목+전+명》 (나쁜 일 따위를) 행하다, (강도짓을) 하다, (계략을) (…에게) 쓰다《*on*》: ~ a bank robbery 은행 강도질을 하다/~ a dirty trick (*on* a person) (아무에게) 치사스러운 수법을 쓰다. **15** 《~+목/+목+전+명》 《구어》 (칼·권총 등을) 빼어 들다, 들이대다: She ~*ed* a gun *on* the man. 그녀는 권총을 빼들어 그 사나이를 겨누었다.

— *vi.* **1** 《+부/+전+명》 끌다, 당기다, 잡아당기다《*at*》; 〖종종 well 등의 부사와 함께 써서〗 (말·엔진 따위가) 끄는 힘이 있다, 마력이 있다 OPP *push*. ¶ ~ *at* a rope 밧줄을 잡아당기다/This horse ~*s well*. 이 말은 끄는 힘이 대단하다 **2** 《+전+명/+부》 (끌려) 움직이다; (사람이) 배를 젓다(row), (배가) 저어지다: The boat ~*ed for* the shore. 보트는 기슭을 향해 나아갔다/The train ~*ed into* 〔*out of*〕 the station. 열차가 역으로 들어갔다〔역에서 나왔다〕. **3** 《~/+전+명/+부》 (차·열차 따위가) 나아가다; (어느 방향으로) 배〔차〕를 움직이다《*for*》; (애를 써서) 나아가다《*away; ahead; in; out of; for; towards; through*》: ~ heavily 힘겹게 나아가다/They are ~*ing* different ways. 《구어》 그들은 제각기 논다. **4** 《+전+명》 담배를 피우다, (병)에서 술을 꿀꺽 마시다《*at; on*》: ~ *at* a bottle 병째로〔에서 직접〕 마시다/~ *at* a pipe 파이프 담배를 피우다. **5** (선전이) 효과가 있다, 고객을 끌다; 인기를 모으다〔끌다〕; 후원을 얻다: The advertisement does not ~. 이 광고는 고객의 관심을 끌지 못한다. **6** 《+부》 끌리다, 당겨지다: The bell rope ~*s hard*. 이 벨의 끈은 좀처럼 잡아당겨지지 않는다. **7** (경쟁 따위에서) 앞서다, 앞지르다.

~ *about* ① 여기저기 끌고 다니다. ② 거칠게 다루다. **~ *a fast one*** ⇨ FAST ONE. **~ *ahead*** 선두로 나가다. **~ *and haul*** 끌고 돌아다니다. **~ *apart*** ① 떼어 놓다; 잡아 찢다〔끊다〕. ② 분해하다. ③ …의 흠을 찾다. **~ *around*** 《*vt.*+부》 ① (아무의) 생기를 되찾게 하다; 건강〔의식〕을 회복하다. **—** 《*vi.*+부》 ② 생기를 되찾다; 건강을 회복하다. **~ *a thing on*** a person 《구어》 (아무를)속이다. **~ *away*** 《*vi.*+부》 ① (…에서) 몸을 떼어 놓다《*from*》. ② (…에서) 떨어지다, 빠지다, 벗어나다. ③ (노상의 차가) 움직이기 시작하다; (아무가) 차를 끌어내다; (보트가 물가 따위를) 떠나다, 멀어져 가다. ④ …보다 앞서다, …을 떼어 놓다《*from*》. **—** 《*vt.*+부》 ⑤ (…에서) 억지로 떼어 놓다《*from*》: ~ a child *away from* TV 어린이를 텔레비전에서 떼어 놓다. **~ *back*** 《*vi.*+부》 ① 생각을 고쳐 먹고 그만두다, 앞서 한 말을 취소하다, 약속을 어기다. ② 뒤로 물러서다; (군대가) 후퇴하다. ③ 경비를 절약하다. **—** 《*vt.*+부》 ④ (내밀었던 것을) 당겨들이다〔빼다〕. ⑤ …을 (자기) 앞쪽으로 끌어당기다: ~ a person *back* from the fire 화상을 입지 않도록 아무를 앞쪽으로 끌어당기다. ⑥ (군대를) 후퇴시키다. **~** a person ***by the nose*** =**~** a person***'s nose*** (아무의) 코를 잡아당기다《모욕(侮辱)을 주다》. **~ *caps*** 〔***wigs***〕 싸움질하다. ***Pull devil, ~ baker!*** =***Pull dog, ~ cat!*** (줄다리기 따위에서) 양쪽 다 이겨라. **~ *down*** ① 허물어뜨리다; (정부 따위를) 넘어뜨리다. ② (가치·지위 따위를) 떨어뜨리다. ③ 쇠약하게 하다. ④ 《미구어》 (일정 수입을) 얻다, 벌다. ⑤ (열심(熱心)히 뛰어서 공을) 잡다. **~ *down* one*'s house about* one*'s ears*** 자살적 행위로 나오다. ***pull* one*'s finger out*** ⇨ FINGER. **~ *foot*** 〔***it***〕 《속어》 ① 도망치다. ② 〖명령형〗 빨리. **~ *for*** ① 《구어》 …을 돕다, …을 후원하다. ② …을 향하여 젓다. **~ *in*** 《*vi.*+부》 ① (보트·차 따위가) 한쪽 편으로 대다〔대서 서다〕; (아무가) 차를 한쪽 편으로 대다. ② (기차가) 역에 도착하다. ③ 억제하다; 절약하다. ④ (배·차 따위를) 움직이게 하다. **—** 《*vt.*+부》 ⑤ (…을) 안으로 끌어들이다. ⑥ (관객 따위를) 끌다, 불러들이다. ⑦ (배를) 당기면서 허리를 쭉 펴다. ⑧ 〖~ oneself〗 차렷 자세를 취하다. ⑨ (말 따위의) 속도를 늦추다; (말 따위를) 멈추게 하다. ⑩ 《구어》 (용의자를) 체포하다. ⑪ 《구어》 (돈을) 벌어들이다. ***Pull in your ears*** 〔***neck***〕. 《미속어》 정신 차려; 닥쳐; 다시 생각하라. **~** a ***person's leg*** ⇨ LEG. **~ *off*** 《*vt.*+부》 ① 끌어당겨서 벗기다, 잡아〔비틀어〕 따다, 벗겨〔떼어〕내다,

뜯어내다, 따다. ② (옷 따위를) 급히 벗다. ③ (경기에서) 이기다, (상을) 타다. ④ (어려운 일을) 훌륭히 해내다. —《vi.+副》 ⑤ 차를 길가에 대다. ⑥ (배·차 따위가) 떠나다, 멀어져 가다. —《vi.+前》 ⑦ 차를 (길)가에 대다. ~ **on** (옷을) 입다, (장갑을) 끼다, (양말을) 신다; 계속 젓다. ~ **out** 《vi.+副》 ① (열차가) 역을 빠져 나가다. ② (배가) 저어나가다; (차가) 움직이기 시작하다; (아무가) 배를 젓기 시작하다, 차를 끌어내다. ③ (추월하기 위해) 차선에서 벗어나다. ④ (군대 따위가) 철수하다. ⑤ (계획·사업 따위에서) 손을 떼다, 물러서다. —《vt.+副》 ⑥ …을 빼내다, 뽑아내다. ⑦ (군대 따위를) 철수시키다. ⑧ 손을 떼게 하다, 물러서게 하다. ~ **over** 《vi.+副》 ① 차를 길 한쪽으로 다가서 대다. ② (차가) 길 한쪽으로 다가서다. —《vt.+副》 ③ (차를) 길 한쪽으로 다가서 대다《to》. ④ (옷을) 머리서부터 입다. ⑤ …을 … 위에 올려놓다. cf. pullover. ~ **round** 건강〔의식〕을 회복하다〔시키다〕. ~ one**self together** 기운〔정신〕을 (다시) 차리다; (병에서) 회복되다; 자제심을 발동(發動)하다; 만회하다. ~ one**self up** 허리를 펴다; 자제하다; 갑자기 그만두다. ~ a person**'s sleeve** =~ a person **by the sleeve** 아무의 소매를 당겨 주의시키다. ~ **the other leg** 〔**one**〕 (**, it's got bells on it**) 〖명령형〗 (속이 들여다보인다) 좀 더 그럴 듯한 말을 해라. ~ **through** 《vt.+副》 ① (아무가) 난관을 헤쳐 나가게 하다. ② (아무가) 중병〔심한 부상〕 따위를 이겨 나가게 하다. —《vi.+副》 ③ 난관을 헤쳐 나가다. ④ 중병〔심한 부상〕 따위를 이겨내다. ~ **together** 《vi.+副》 ① 협력하며 일하다, 사이좋게 해 나가다. —《vt.+副》 ② (조직체 따위의) 협조를〔단결을〕 도모하다, (조직을) 통합하다. ③ 〖~ oneself〗 감정을 가라앉히다, 냉정을 되찾다, 침착해지다. ~ **to pieces** ⇨PIECE. ~ **up** 《vt.+副》 ① …을 잡아뽑다; 끌어당기다; 끌어올리다, (옷깃 따위를) 세우다. ② (말·차 따위를) 멈추다〔세우다〕. ③ (그릇된〔잘못된〕 짓을 하고 있는 사람을) 말리다, 제지하다, 생각을 고쳐 먹게 하다. ④ (…의 일로) 꾸짖다, 비판하다《on》. ⑤ (아무의) 성적을〔석차를〕 올리다. ⑥ 〖~ oneself〗 똑바로 일어서다, 차렷 자세를 취하다. —《vi.+副》 ⑦ (말·차 따위가) 멎다〔서다〕; (운전수가) 차를 멈추다. ⑧ 성적이〔석차가〕 오르다; (성적이 올라서 …을) 따라잡다, (…와) 어깨를 나란히 하다《to; with》.
— n. **1** 잡아당기기, 한차례 당기기〔끌기〕; 한 번 젓기: give a ~ *at* a rope 밧줄을 한 번 잡아당기다/have a ~ 한차례 배를 젓다. **2** 당기는 힘, 견인력. **3** 노력, 수고. **4** (술·담배 따위의) 한 모금: have 〔take〕 a ~ *at* a bottle 한 잔 쭉 들이켜다. **5** (문의) 손잡이, 당기는 줄. **6** 〖경마〗 (일부러 지기 위해) 말고삐를 당기기. **7** (총의) 방아쇠를 당기기. **8** 〖인쇄〗 교정쇄; 수쇄(手刷). **9** 〖골프·야구·크리켓〗 잡아당겨치기. cf. slice. **10** C,U 《구어》 연줄, 백, 연고(緣故): have ~ 〔not much ~〕 *with* the company 회사에 연고가 〔연줄이〕 있다〔그다지 없다〕. **11** 《구어》 매력, 이점. ***a long*** ~ (술집에서 손님을 끌기 위해) 후하게〔덤으로〕 술을 따라 주기. ***have a*** 〔***the***〕 ~ ***over*** 〔***of, on, upon***〕 a person 아무보다 낫다, 아무를 능가하다.

púll·bàck n. U 되끌어다 놓음, 되돌림, (특히 군대의) 계획적 후퇴; 장애, 방해; C 뒤로〔도로〕 끌어당기는 장치.

púll dàte (유제품 따위의) 판매 유효 기한 날짜.

púll-dòwn a. 접는 식의: a ~ bed. — n. 이동식 가로대; 〖컴퓨터〗 내림.

púll-dòwn mènu 〖컴퓨터〗 풀다운 메뉴《그래픽 사용자 인터페이스를 사용하는 컴퓨터 시스템에서 사용되는 메뉴 표시 방식의 하나》.

pulled a. (열매 따위를) 딴, 털을 쥐어뜯은; 기운이 쇠약해진.

púlled bréad 빵의 속을 드러내고 다시 구운 빵.

púlled fígs 상자에 넣기 위해 모양을 가지런히 한 무화과.

púll·er n. **1** 끄는 것; 뽑는 도구. **2** 잡아당기는 〔끄는, 따는, 뽑는, 뜯는〕 사람; 노 젓는 사람 (oarsman). **3** 재갈 물림을 거역하는 말. **4** 《미속어》 밀수업자; 마리화나 흡연자.

púller-ín (*pl. púllers-*) n. (상점 따위의) 여리꾼, 유객(誘客)꾼.

pul·let [púlit] n. (한 살 이하의) 어린 암탉.

púllet disèase 〖수의〗 (닭·칠면조 등의) 자람병(紫藍病).

°**pul·ley** [púli] n. 도르래, 활차(滑車), 풀리; 피대를 거는 바퀴; 《미속어》 바지 멜빵(suspenders): a compound ~ 겹도르래/a driving ~ 주(主)움직 도르래/a fast 〔fixed〕 ~ 고정 도르래. — vt. 도르래로 들어올리다〔움직이다〕; 도르래를 달다.

púlley blòck 〖기계〗 도르래 장치.

púll hìtter 〖야구〗 잡아당겨 치는 타자, 풀히터.

pul·li·cat, -cate [pʌ́likət, -kæ̀t], [-likət, -kèit] n. 물들인 손수건; U 그 원단.

púll-ìn n., a. 《영》 (도로 옆의 차의) 대피소 (lay-by); 차를 탄 채로 들어가는 (식당)(《미》 drive-in).

Pull·man [púlmən] (*pl.* ~**s**) n. 〖철도〗 풀먼차(=~ **càr** 〔**còach**〕)《쾌적한 설비가 있는 침대차》. cf. day coach.

púll-òff n. 《미》 간선 도로의 대피소(《영》 lay-by).

púll-òn n. 잡아당겨 입는〔신는, 끼는〕 것《스웨터·장갑 따위》. — [ㅅㅅ] a. 잡아당겨 착용하는.

púll·òut n. **1** 〖항공〗 급강하 후의 수평 비행; (책 가운데의) 접어 넣은 페이지〔그림판〕; (군대·거류민 등의) 철수(撤收), 이동. **2** 〖미식축구〗 공격 라인의 선수가 자기편 라인의 뒤를 지나 블로커가 되는 플레이(pull guard); 〖서핑〗 라이딩을 자기 의사로 중단하는 테크닉.

*__pull·o·ver__ [púlòuvər] n., a. 풀오버(식의)《머리로부터 입는 스웨터 따위》.

púll stràtegy 풀 전략《선전 광고 위주로 소비자에게 직접 파고드는 판매 촉진 전략》.

púll tàb (캔·용기를 열기 위한) 손잡이.

púll-thròugh n. **1** (한 끝에 추, 다른 한 끝에는 헝겊을 단) 총열 청소용 끈. **2** 《영속어》 말라깽이 키다리.

pul·lu·late [pʌ́ljəlèit] vi. **1** 싹트다, 움트다. **2** (많은 수가) 우글거리다. **3** 발전〔발생〕하다, 번식하다. ㊕ **-lant** a. **pùl·lu·lá·tion** n. U

púll-ùp n. **1** U 정지, 휴식; C (마차 등의) 주차장; (여행자의) 휴게소. **2** 〖항공〗 (수평 비행에서의) 급상승. **3** 〖체조〗 턱걸이.

pul·ly-haul [púlihɔ̀ːl] vt., vi. 힘껏 끌다, 잡아당기다. ㊕ **-hauly** [-hɔ̀ːli] a., n. 잡아당기는〔당기기〕.

pul·mom·e·ter [pʌlmɑ́mətər/-mɔ́-] n. 폐활량계(肺活量計).

pul·mo·nary [pʌ́lmənèri, púl-/nəri] a. 폐의, 폐에 관한; 폐가 있는; 폐질환의: ~ complaints 〔diseases〕 폐질환/~ circulation 폐순환.

púlmonary ártery 〖해부〗 폐동맥.

púlmonary embolísm 〖의학〗 폐색전(肺塞栓).

púlmonary tuberculòsis 폐결핵.

púlmonary véin 〖해부〗 폐정맥.

pul·mo·nate [pʌ́lmənèit, -nət/-nət] a. 폐가 있는; 〖동물〗 유폐류(有肺類)의. — n. 유폐류 동물.

pul·mon·ic [pʌlmɑ́nik/-mɔ́n-] a. 폐(동맥)의; 폐병의. — n. 《드물게》 폐병 환자; 폐병약.

pul·mo·tor [pʌ́lmòutər, pʌ̀l-] n. 인공호흡기

《상표명》.

◇**pulp** [pʌlp] *n.* Ⓤ **1** 과육(果肉); 연한 덩어리. **2** 펄프《제지 원료》; Ⓤ,Ⓒ 걸쭉걸쭉한 물건. **3** 치수(齒髓); 〖야금〗 광니(鑛泥). **4** (보통 *pl.*) (하치 종이를 쓴) 선정적인 싸구려 잡지〔서적〕. ***beat** a person **to a*** ~ (아무를) 늘씬하게 패 주다. ***be reduced to** (**a**)* ~ 펄프화(化)하다, 걸쭉해지다; 지쳐서 녹초가 되다. ***reduce** a person **to** (**a**)* ~ (정신적으로) 때려눕히다〔박살내다〕. ― *vt.* 펄프화하다, 걸쭉하게 하다; 과육을 제거하다《커피의 열매에서》. ― *vi.* 펄프같이 되다; (과일 따위가) 익다, 물러지다. ㊎ ∠**·er** *n.* **1** (커피 열매의) 과육 채취기. **2** 펄프 제조기. ∠**·like** *a.*

pulp·al [pʌ́lpəl] *a.* 〖치과〗 치수(齒髓)의. ㊎ ~**-ly** *ad.*

pulp·i·fy [pʌ́lpəfài] *vt.* 펄프화(化)하다, 걸쭉하게〔흐늘흐늘하게〕 만들다.

pul·pit [púlpit, pʌ́l-/púl-] *n.* **1** 설교단(壇). **2** (the ~) 〖집합적〗 목사; 설교; 종교계. ⓒⓕ platform. ¶ occupy the ~ 설교하다. **3** 《공군속어》 조종석; (포경선의 작살을 발사하는) 상자 모양의 대(臺). **4** (제강소 등의) 고가(高架) 제어실.

pul·pit·eer [pùlpətíər] *n.* 《경멸》 설교사〔꾼〕. ― *vi.* 설교하다. ㊎ ~**·ing** [-riŋ] *n.*

pulp·i·tis [pʌlpáitis] (*pl.* ***pulp·it·i·des*** [pʌlpítədìːz]) *n.* 〖치과〗 치수염(齒髓炎).

púlp lìterature (pulp magazine에 게재되는) 저속하고 엽기적인 작품〔소설〕.

púlp màgazine (갱지를 쓴) 저속 잡지.

púlp nòvel 싸구려 저속 소설.

pulp·og·raphy [pʌlpágrəfi/-pɔ́g-] *n.* 값싼 잡지류, 지질(紙質)이 나쁜 싸구려 출판물.

pulp·ous [pʌ́lpəs] *a.* = PULPY.

púlp·wòod *n.* Ⓤ 펄프재(材).

pulpy [pʌ́lpi] (***pulp·i·er; -i·est***) *a.* 과육 모양의; 펄프 모양의, 걸쭉한, 흐늘흐늘한. ㊎ **púlp·i·ly** *ad.* **-i·ness** *n.*

pul·que [púlki] *n.* Ⓤ 용설란주(龍舌蘭酒)《멕시코산(產)》.

pul·sant [pʌ́lsənt] *a.* 맥이 뛰는, 맥동하는.

pul·sar [pʌ́lsaːr] *n.* 〖천문〗 펄서《전파 천체의 하나》.

pul·sa·tance [pʌ́lsətəns] *n.* (주기 운동의) 각(角)주파수《각속도》.

pul·sate [pʌ́lseit/-∠] *vi.* **1** (맥박 등이) 뛰다, 가슴이 두근거리다〔뛰다〕; 정확하게 고동하다. **2** 〖전기〗 (전류가) 맥동(脈動)하다. **3** 떨다, 진동하다. ― *vt.* (흙을 체질하여 다이아몬드를) 가려내다. ◇ pulsation *n.*

pul·sa·tile [pʌ́lsətəl, -tàil/-tàil] *a.* **1** 맥동〔고동〕하는, 박동(성)의; 두근거리는. **2** 〖음악〗 쳐서 울리는: ~ instruments 타악기.

pul·sá·tion *n.* **1** Ⓤ 맥박, 동계(動悸). **2** Ⓒ (음의) 진동, 파동; 〖전기〗 (전류 · 지구 자기(地球磁氣)의) 맥동. **3** 〖로마법〗 (아프지 않을 정도의) 구타.

pul·sa·tive, pul·sa·to·ry [pʌ́lsətiv], [pʌ́lsətɔ̀ːri/-təri] *a.* 맥동〔박동, 고동〕하는. ㊎ **-tive·ly** *ad.*

pul·sa·tor [pʌ́lseitər, -∠-/-∠-] *n.* 박동〔고동, 맥동〕하는 것; (세탁기의) 회전 날개, 펄세이터, 맥동 장치.

pulse**[1] [pʌls] *n.* Ⓤ,Ⓒ **1** 맥박, 고동, 동계: feel 〔take〕 a person's ~ 아무의 맥을 짚어 보다; 아무의 의중〔반응〕을 떠보다 / His ~ is still beating. 그의 맥은 아직 뛰고 있다. **2** (광선 · 음향 따위의) 파동, 진동; 〖전기〗 펄스《지속 시간이 극히 짧은 전류 또는 변조 전파》; 〖생화학〗 물질의 (단시간의) 적용량. **3** (생명 · 감정 따위의) 맥동, 율동; (음악 · 시(詩)의) 박(拍). **4** (생기 · 감정 따위의) 약동, 흥분: stir a person's ~ 아무를 흥분시키다. **5** 의향, 기분; 경향. **6** (노 따위의) 규칙적인 움직임. **7** 〖컴퓨터〗 펄스. ***have 〔***keep***〕 one***'s finger on the*** ~ 실상에 정통하다, 현황을 파악하고 있다. ***on the*** ~ 자기 자신의 경험에서〔으로〕: feel *on the* ~ 피부로 느끼다.

― *vi.* 《~/+전+명》 **1** (…으로) 맥이 뛰다 《*with*》: Her heart ~*d with* pleasure. 그녀의 가슴은 기쁨으로 뛰고 있었다. **2** (…속을) 고동치다《*through*》: The exercise sent the blood *pulsing through* his veins. 그 운동으로 피가 그의 혈관 속에서 고동쳤다.

pulse[2] *n.* 〖집합적〗 콩류; 콩.

púlse·bèat *n.* 맥박(pulse); 감흥; 약동, 율동; 의향; 경향: the ~ of an audience 청중 속에 일어난 웅성거림.

púlse còde modulátion 〖통신〗 펄스 부호 변조《생략: PCM》.

púlse dìaling 펄스 다이얼 방식《회전 다이얼이나 푸시 버튼에 의해 번호에 상당하는 전기 펄스를 발생시키는 전화 번호 호출 시스템》. ⓒⓕ tone dialing.

púlse-Dóppler (**ràdar**) 펄스 도플러《펄스파를 발신하여 반사되는 전파의 주파수 변화로 속도를 측정》.

púlse hèight ànalyzer 〖물리〗 펄스 높이 분석기(器).

púlse-jèt (**éngine**) 〖항공〗 펄스 제트 엔진 (aero-pulse)《연소실의 공기 도입판(瓣)이 끊임없이 개폐되는》.

púlse·less *a.* 맥박 없는; 맥〔활기〕 없는.

púlse modulátion 펄스 변조(變調).

púlse prèssure 〖의학〗 맥압(脈壓)《수축기압(收縮期壓)과 확장기압(擴張期壓)의 차》.

púlse ràdar 펄스 변조 레이더.

púlse ràte 〖의학〗 (일분간의) 맥박 수.

púlse-tàking *n.* 《구어》 동향 조사.

púlse thèrapy 〖의학〗 펄스〔충격〕 요법.

púlse-tìme modulàtion 펄스시(時) 변조《생략: PTM》.

pul·sim·e·ter [pʌlsímətər] *n.* 〖의학〗 맥박계(計).

pul·som·e·ter [pʌlsámətər/-sɔ́m-] *n.* **1** 배기 펌프, 진공 펌프(vacuum pump). **2** = PULSIMETER.

pul·ta·ceous [pʌltéiʃəs] *a.* (푹 삶은 콩(pulse)처럼) 눅진한, 풀 같은; 부드러운, 곤죽이 된.

pulv. *pulvis* 《L.》 (=powder).

pul·ver·a·ble [pʌ́lvərəbəl] *a.* 가루로 만들 수 있는, 깰 수 있는.

Pul·ver·a·tor [pʌ́lvərèitər] *n.* 분쇄기(粉碎器)《상표명》.

pul·ver·ize [pʌ́lvəràiz] *vt.* 가루로 만들다, 빻다; (액체를) 안개 모양으로 하다; 《비유》 (의논 따위를) 분쇄하다. ― *vi.* 가루가 되다, 부서지다. ㊎ **-ìz·a·ble** *a.* **pùl·ver·i·zá·tion** *n.* Ⓤ 분쇄(粉碎). **-ìz·er** *n.* 미분기(微粉機), 분쇄기; 분무기; 분쇄자.

pul·ver·u·lent [pʌlvérjələnt] *a.* 가루의, 먼지의, 가루〔먼지〕투성이의; (암석 따위가) 부서지기 쉬운.

pu·ma [pjúːmə/pjúː-] (*pl.* ~***s,*** 〖집합적〗 ~) *n.* 〖동물〗 퓨마(cougar); Ⓤ 퓨마의 모피.

pum·ice [pʌ́mis] *n.* Ⓤ 속돌, 경석(輕石), 부석(浮石)(~ stone). ― *vt.* 속돌로 닦다. ㊎ **pu·mi·ceous** [pjuːmíʃəs] *a.* 속돌의; 속돌 비슷한; 경석질(輕石質)의.

púmice stòne = PUMICE.

pum·ic·ite [pʌ́məsàit] *n.* 화산진(火山塵); 경석(輕石)(pumice).

pum·mel [pʌ́məl] (***-l-,*** 《영》 ***-ll-***) *vt.* (연달아) 주먹으로 치다(pommel), 연타하다.

****pump**[1] [pʌmp] *n.* **1 a** 펌프, 흡수기, 양수기, 압출기: a bicycle ~ 자전거 펌프 / a centrifugal 〔centripetal〕 ~ 원심(遠心)〔구심〕 펌프 / a feed 〔feeding〕 ~ 급수 펌프 / a force 〔suction〕 ~ 밀〔흡입, 빨〕 펌프/a pressure ~ 압력 펌프/fetch 〔prime〕 a ~ 펌프에 마중물을 붓다. **b** 펌프의 작용〔양수〕; 〚물리〛 펌프; = PUMPING. **2** 살살 꾀어 물어보기; 유도 신문; 넘겨짚어 떠보는 〔유도 신문하는〕 사람. **3** 《영속어》 음경; (여성의) 외음(부), 성기. **4** 《구어》 (동물 따위의) 펌프상(狀) 기관, 염통, 심장. **5** 〚미식축구〛 패서가 공을 던지는 체하는 동작(~ fake). ***All hands to the ~(s)!*** 전원 총력을 기울여 분투하라. ***give*** a person***'s hand a ~*** 손을 상하로 흔들어 악수하다. ***on ~*** 《미방언》 외상으로, 신용 대부로(on credit). ***prime the ~*** ⇨ PRIME.

— *vt.* **1** 《+목+부》 (물을) 펌프로 푸다《*out; up*》: ~ *out* water 물을 퍼내다. **2** 《~+목/+목+보》 …에서 물을 퍼내다: ~ a well dry 펌프로 퍼내 우물을 치다〔말리다〕. **3** 《+목+전+명》 (액체·공기 따위를) 주입하다《*into*》; 퍼내다《*out of; from*》: ~ air *into* a tire 타이어에 바람을 넣다/~ water *out of* a cellar 지하실에서 물을 퍼내다. **4** 《+목+전+명》 (욕설·총알 따위를) 퍼붓다: ~ bullets *into* a target 표적에 탄알을 퍼붓다. **5** 《~+목/+목+부》 …에 펌프로 공기를 넣다《*up*》: ~ (*up*) a ballon 풍선에다 바람을 잔뜩 넣다. **6** 《~+목/+목+전+명》 (지식 따위를) 머리에 틀어넣다, 주입하다: ~ facts *into* the heads of one's pupils. **7** (사람의 손 따위를 펌프질하듯) 상하로 움직이다: ~ one's hand. **8** 《+목+전+명》 《구어》 유도 신문하다; …에게 끈질기게 묻다, …을 넘겨짚다: I couldn't ~ any news *out of* him. 그에게서 아무런 뉴스도 캐내지 못했다/He ~*ed* me *for* the information. 그는 정보를 캐내려고 나를 유도 질문했다. **9** 《~+목/+목+부》 〔보통 수동태〕 지치게 〔헐떡이게〕 하다(exhaust)《*out*》: After the marathon, he *was* all ~*ed out*. 마라톤을 하고 난 뒤 그는 녹초가 되었다. **10** 《+목+전+명》 (머리를) 짜내다: ~ one's brain *for* a solution 문제 해결을 위해 머리를 짜내다. **11** 《비어》 (여자와) 성교하다. — *vi.* **1** 펌프로 물을 푸다〔빨아내다〕《*out; up*》. **2** 《+부》 (액체가 계속) 흘러나오다, 분출하다: The blood 〔oil〕 kept ~*ing out*. 피가〔기름이〕 콸콸 계속 솟구쳐 나왔다. **3** 펌프 작용을 하다: The heart goes on ~*ing* as long as life lasts. 심장은 생명이 존속하는 한 펌프 작용을 계속한다. **4** 급격히 오르내리다《기압계의 수은 따위》. **5** 집요하게 물어〔넘겨짚어〕 알아내다. **6** 머리를 짜내다: ~ *for* words 애써 말을 찾다. **7** 《비어》 성교를 하다. ***be ~ed out*** 지칠 대로 지치다. ***~ a ship*** 배에 괸 물을 퍼내다. ***~ curses upon*** a person 아무에게 욕설을 퍼붓다. ***~ (...) up*** ① ⇨ *vt.* 5. ② 높이다, 세게 하다; 힘을 주다. ③ (…에게) 정열〔투쟁심, 힘〕을 불어넣다. ④ 《미속어》 (보디 빌딩에서 근육을 최대한으로) 부풀리다; 과장하다.

㊞ **∠·a·ble** *a.*

pump[2] *n.* (보통 *pl.*) **1** 끈 없는 가벼운 여성용 구두. **2** (가벼운) 댄스용 신.

pumps[2] 1

púmp-àction *a.* (산탄총·헤어스프레이 따위가) 펌프식 작동의.

púmp bòx (펌프의) 피스톤실.

púmp bràke 펌프의 긴 자루《여럿이 같이 일할 수 있는》.

pumped [-t] *a.* 《미속어》 임신한, 배가 튀어나온; 〔흔히 ~ up으로〕 《구어》 할 마음이 생긴, 기합이 들어간; 〔~ up으로〕 《속어》 과장된.

púmped stórage [pʌ́mpt-] 〚전기〛 양수식 발전 시스템《전력 소비가 적을 때 저수지에 퍼올린 물로 전력 소비가 많을 때 발전》.

púmp·er *n.* 펌프 사용자; (펌프를 갖춘) 소방 자동차; 《미》 펌프식 유정(油井); 《미속어》 심장.

pum·per·nick·el [pʌ́mpərnikəl] *n.* Ⓤ 조제(粗製)한 호밀빵. 「여 조작함》.

púmp gùn 펌프식 연발총《레버를 전후로 움직

púmp hàndle 1 = PUMP BRAKE. **2** 《구어》 (힘있게 아래위로 흔드는) 과장된 악수.

púmp-hàndle *vt.* 《구어》 (악수할 때 남의 손을) 과장되게 아래위로 흔들다.

púmp·ing *n.* **1** 〚물리〛 펌핑《전자나 이온에 빛을 흡수시켜 낮은 에너지 상태에서 높은 에너지 상태로 들뜨게 하는 일》. **2** (양수 따위에의) 펌프 사용; 펌프 작용.

púmp jòckey 《속어》 주유소의 점원.

***pump·kin** [pʌ́mpkin, pʌ́ŋkin/pʌ́mp-] *n.* **1** 〚식물〛 (서양) 호박; 호박 줄기〔덩굴〕: a ~ pie 호박 파이. **2** (보통 (some) ~s) 《미구어》 주요 인물, 거물; 중요한 것, 훌륭한 것. **3** 《속어》 대가리; 《미속어》 축구공; 납작해진 타이어. **4** (짙은) 주황색, 호박색. 「아둔한.

púmpkin-hèaded [-id] *a.* 《구어》 어리석은,

púmpkin ròller 《미방언》 농부.

púmpkin·sèed *n.* 호박씨; 〚어류〛 (북아메리카산(產)의) 작은 담수어의 일종.

púmp prìming 《미》 펌프에 마중물 붓기식의 경기 회복책《미국 대통령 F.D. Roosevelt가 경기 회복을 위해 공익 토목 사업을 시행한 데서》.

púmp ròom 1 (온천장의) 광천수(鑛泉水) 마시는 홀. **2** 펌프실.

púmp·shìp *n., vi.* Ⓤ 《비어》 소변(보다).

púmp·wèll *n.* 펌프 우물.

pun[1] [pʌn] *n.* 결말, 신소리, 동음이의(同音異義)의 익살. — ***(-nn-)*** *vi.* 결말을〔신소리를〕 하다, 익살을 떨다, 재담하다《*on, upon*》.

pun[2] ***(-nn-)*** *vt.* 《영》 (흙·작은 돌 따위를) 막대로 다져서 굳히다.

pu·na [púːnə, -nɑː] *n.* (Andes 산맥 등의) 춥고 건조한 고원; Ⓤ 〚의학〛 고산병(高山病).

****punch**[1] [pʌntʃ] *n.* **1** 구멍 뚫는 기구; 타인기(打印器); 찍어서 도려내는 기구; 표 찍는 가위(ticket ~), 펀치; 〚컴퓨터〛 천공, 천공기: bell ~ (차장이 표 찍는 것을 알리는) 방울 달린 펀치/a figure 〔letter〕 ~ 숫자〔문자〕 타인기. **2** 타격, 펀치, 주먹으로 치기, 때리기: give 〔get〕 a ~ *on* …을 한 대 갈기다〔맞다〕. **3** 《구어》 힘, 세력, 활기; 효과; 박력: a cartoon without ~ 박력이 없는 만화. ***beat*** a person ***to the ~*** 《구어》 아무의 기선을 제압하다. ***pull no ~es*** (공격·비평 등에서) 사정을 두지 않다. ***pull*** one***'s ~es*** 《구어》 〚권투〛 일부러 효과 없는 타격을 가하다; 《비유》 (공격·비평 등에서) 사정을 봐주다.

— *vt.* **1** (구멍 뚫는 기구로) …에 구멍을 뚫다; …에 타인(打印)하다; (표 따위를) 가위로 찍다; (못 따위를) 쳐 박다《*down; in*》: ~ cards. **2** 《~+목/+목+전+명》 주먹으로 치다, 후려갈기다: ~ a person *about* the body 아무의 몸뚱이를 때리다/~ a person's chin = ~ a person *on* the chin 아무의 턱에 펀치를 가하다. **3** (막대기 따위로) 쿡쿡 찌르다; 《미》 (가축을) 막대기로 찔러 가며 몰다. **4** 《구어》 …을 강한 어조로 말하다. **5** (타이프라이터 따위를) 치다. — *vi.* 일격을 가하다; 구멍을 뚫다, 두드리다. ***~ in*** 《미》 타임리코더로 출근 시각을 기록하다. ***~ out*** (못 따위를) 쳐서 빼다; 《미》 타임리코더를 누르고 퇴출하다; 《구어》 떠나다, 나가다. ***~ up*** (금액을) 키를 눌러 등록하다; 《영구어》 서로 치고받다.

㊞ **∠·er** *n.* **1** 키펀처, 구멍 뚫는 사람〔기구〕; 펀처; 타인기. **2** 《미구어》 = COWBOY.

punch² *n.* **1** Ⓤ 펀치((레몬즙 · 설탕 · 포도주 등의 혼합 음료)). **2** Ⓒ 펀치가 나오는 파티. **3** Ⓤ 프루츠펀치((갖가지 과즙 · 설탕 · 탄산수를 섞은 음료)). **4** Ⓒ = PUNCH BOWL.

punch³ *n.* **1** ((영)) 땅딸막한 짐말((특히 영국 Suffolk 산(産)의)); ((영방언)) 땅딸막〔뚱뚱〕한 사람〔물건〕, 땅딸보. **2** (P-) 펀치((영국 인형극 *Punch-and-Judy show*의 주인공)); 펀치지(誌)((풍자 만화를 실은 영국의 주간지; 1841년 창간, 1912년 폐간)). (***as***) ***pleased*** 〔***proud***〕 ***as Punch*** 아주 기뻐서〔의기양양하여〕: She was *as pleased as* ~ about the news. 그녀는 그 소식을 듣고 무척 기뻐했다.

Púnch-and-Júdy shòw [-ən-] 익살스러운 영국의 인형극((주인공 Punch는 매부리코에 꼽추로 아이와 아내 Judy를 죽이고 끝내는 교수형을 받음)).

púnch bàg = PUNCHING BAG.

púnch·bàll *n.* **1** ((미)) 펀치볼((주먹으로 공을 치는 야구식 고무공 놀이)). **2** ((영)) = PUNCHING BAG.

púnch·bòard *n.* ((미)) 일종의 도박 기계((판자에 많은 구멍이 있어, 치면 그중 하나가 맞힌 번호를 나타냄)); ((속어)) 몸이 헤픈 여자.

púnch bòwl **1** 펀치 담는 그릇. **2** (산간(山間)의) 주발같이 우묵한 곳, 분지(盆地).

púnch càrd 〖컴퓨터〗 천공 카드: ~ reader 천공 카드 판독기 / ~ system 천공 카드 체제.

púnch-drùnk *a.* (권투 선수 등이 얻어맞고) 비틀거리는(groggy); ((구어)) 혼란한, 얼떨떨한.

púnched càrd = PUNCH CARD.

púnched tápe (data를 수록하는 컴퓨터용) 천공(穿孔) 테이프.

pun·cheon [pʌ́ntʃən] *n.* **1** 간주(間柱); 지주(支柱), 동바리((탄갱 안의)). **2** ((미)) 켠 재목((마루청 따위에 쓰는)). **3** 구멍 뚫는 기구; 타인기(打印器). **4** 〖역사〗 큰 나무통((72-120 갤런들이)); 그 용량.

pun·chi·nel·lo [pʌ̀ntʃənélou] (*pl.* **~(*e*)*s***) *n.* **1** (종종 P-) 펀치넬로((17세기, 이탈리아 인형 희극에 나오는 어릿광대)). **2** 땅딸막하고 괴상하게 생긴 사내〔동물〕; 어릿광대.

púnching bàg 〔((영)) **bàll**〕 (권투 연습용) 달아맨 자루〔볼〕.

púnch làdle 펀치를 뜨는 국자.

púnch lìne (농담 · 연설 · 광고 · 우스갯소리 등의) 급소가 되는 문구.

púnch-òut *n.* (주위를 점선 모양의 작은 구멍을 뚫어) 밀거나 눌러서 구멍이 뚫어지게 되어 있는 부분; ((미속어)) 치고받기.

púnch prèss 구멍 뚫는 기구.

púnch-ùp *n.* ((영구어)) 싸움, 난투.

punchy [pʌ́ntʃi] (***punch·i·er, -i·est***) *a.* ((구어)) **1** 힘센, 힘찬. **2** = PUNCH-DRUNK.

punct. punctuation.

punc·tate, -tat·ed [pʌ́ŋkteit], [-id] *a.* 〖생물 · 의학〗 작은 반점이〔오목한 데가〕 있는.

pùnc·tá·tion *n.* 작은 반점이〔오목한 데가〕 있음; 반점.

punc·til·io [pʌŋktíliòu] (*pl.* **~s**) *n.* Ⓒ (거동 · 의식(儀式) 등의) 미세한 점, 자지레한 점; Ⓤ 격식을 차림, 거북살스러움, 딱딱함.

punc·til·i·ous [pʌŋktíliəs] *a.* 세심하고 정밀한, 꼼꼼한; 격식을 차리는, 거북살스러운, 딱딱한. ㊐ **~·ly** *ad.* **~·ness** *n.*

⁑**punc·tu·al** [pʌ́ŋktʃuəl] *a.* **1** 시간〔기한〕을 엄수하는; 어김없는: (as) ~ as the clock 시간을 엄수하는 / ~ to the minute 1분도 안 어기는, 꼭 제시간에 / I was always ~ *for* class. 수업에는 언제나 늦는 일이 없었다 / be ~ *in* the payment of one's rent 집세를 꼬박꼬박 내고 있다. **2** ((고어)) 착실한, 꼼꼼한. **3** 〖수학〗 점의. ㊐ *~·**ly** [-i] *ad.* **~·ness** *n.*

punc·tu·al·i·ty [pʌ̀ŋktʃuǽləti] *n.* Ⓤ 시간〔기간〕 엄수; 정확함, 꼼꼼함.

punc·tu·ate [pʌ́ŋktʃuèit] *vt.* **1** 구두점을 찍다. **2** ((+목+전+명)) (말 따위에) 힘을 주다, 강조하다: He ~*d* his remarks *with* gestures. 그는 이야기 도중에 제스처를 쓰며 말을 강조했다. **3** ((+목+전+명)) 중단시키다, (이야기를) 중도에 잠시 그치게 하다: ~ a speech *with* cheers 박수를 쳐서 연설을 중단시키다 / ~ one's talk *with* sobs 이야기 하며 흐느끼다. ― *vi.* 구두점을 찍다. ㊐ **-à·tor** [-ər] *n.* 구두점을 다는 사람.

*__punc·tu·a·tion__ [pʌ̀ŋktʃuéiʃən] *n.* Ⓒ 구두점; Ⓤ 구두(법); 중단. ***close*** 〔***open***〕 ~ 엄밀〔간략〕 구두법(法). ㊐ **~·al** *a.* **púnc·tu·à·tive** [-tiv] *a.* 구두점의.

punctuátion màrk 구두점.

punc·tum [pʌ́ŋktəm] (*pl.* ***-ta***) *n.* 〖생물〗 점(point), 반점(spot); 오목하게 패인 곳.

*__punc·ture__ [pʌ́ŋktʃər] *n.* (바늘 따위로) 찌르기; (찔러서 낸) 구멍; 펑크((타이어 따위의)); 〖의학〗 천자(穿刺). ― *vt.* (바늘 따위로) 찌르다, …에 구멍을 뚫다; (타이어를) 펑크 내다; 망쳐 놓다, 결딴내다: ~ a balloon / a ~*d* wound 찔린 상처. ― *vi.* 펑크나다; 구멍이 뚫리다. ㊐ **-tur·a·ble** *a.*

púncture-resístant *a.* (플라스틱 쓰레기 주머니 따위가) 구멍이 잘 뚫어지지 않는, (타이어 따위가) 펑크가 잘 나지 않는.

pun·dit [pʌ́ndit] *n.* 박식한 사람, 전문가; 권위자연하며 비평하는 사람; ((구어)) 박식한 체하는 사람; (인도의) 현자(pandit).

pun·dit·ry [pʌ́nditri] *n.* 전문가적 의견〔방법〕, 현자(賢者)의 학식〔의견〕; ((집합적)) 박식〔박학〕자들.

pung [pʌŋ] *n.* ((미 · Can.)) 말 한 마리가 끄는 상자형 썰매.

°**pun·gent** [pʌ́ndʒənt] *a.* **1** 매운, 얼얼한, 자극성의((맛 따위)): a ~ sauce 매운 소스. **2** 날카로운, 신랄한((말 따위)): ~ sarcasm 날카로운 풍자. **3** 〖식물〗 뾰족하고 날카로운. ㊐ **-gen·cy** [-si] *n.* Ⓤ **~·ly** *ad.*

pun·gle [pʌ́ŋgəl] *vt., vi.* (돈을) 지불하다, 기부하다((*up*)).

Pu·nic [pjúːnik] *a.* 카르타고(Carthage) (사람)의; 믿을 수 없는, 신의가 없는, 불신의: ~ faith 〔fidelity〕 반역, 배신, 불신.

Púnic Wárs (the ~) 포에니 전쟁((264-146 B.C.; 로마와 카르타고 사이의 3회에 걸친)).

pu·nim [púːnim] *n.* 얼굴(face).

⁑**pun·ish** [pʌ́niʃ] *vt.* **1** ((~+목/+목+전+명)) (사람 또는 죄를) 벌하다; 응징하다: ~ a person *with* 〔*by*〕 a fine 아무를 벌금형에 처하다 / ~ a person *for* his offense 아무의 죄과를〔반칙을〕 벌하다. **2** …을 혼내 주다, 난폭히 다루다; 혹사하다. **3** ((구어)) (음식을) 마구 먹다〔마시다〕: ~ one's food 음식을 마구 먹어대다. **4** 〖권투〗 (상대를) 강타하다: The champion ~*ed* his opponent. 챔피언은 도전자를 때려눕혔다. **5** 〖구기〗 마구 득점하다 ((약한 상대를 맞아)): ~ the bowling 볼링에서 마구 득점하다. ― *vi.* 벌하다, 응징하다. ㊐ **~·er** *n.* 벌 주는 사람.

pún·ish·a·ble *a.* 벌 줄 수 있는, 처벌할 만한, 처벌해야 할: a ~ offense 처벌해야 할 죄. ㊐ **pùn·ish·a·bíl·i·ty** *n.* Ⓤ

pún·ish·ing *a.* **1** 고통을 주는, 곤비하게 하는. **2** 엄한. ― *n.* Ⓤ ((구어)) 심한 타격. ***take a*** ~ 심한 타격을 입다, 모질게 취급되다.

*__pun·ish·ment__ [pʌ́niʃmənt] *n.* **1** Ⓤ,Ⓒ 벌, 형벌, 처벌: capital ~ 극형 / corporal ~ 체형 / disciplinary ~ 징계 / divine ~ 천벌 / inflict a ~ on 〔upon〕 a person *for* a crime 죄과에 대해 아무를 벌하다 / suffer a ~ 벌을 받다, 처벌되다. **2** Ⓒ 응징, 징계, 본보기: as a ~ *for* …에 대한 징벌로. **3** Ⓤ 난폭한 취급, 혹사, ((구어)) 학대.

4 Ⓤ 〖권투〗 강타; (경기에서) 몹시 피로하게 함.
pu·ni·tive [pjú:nətiv] *a.* 형벌의, 징벌의, 응보의: a ~ force 토벌군(軍) / ~ justice 인과응보. ㊎ **~·ly** *ad.* **~·ness** *n.*
púnitive dámages (*pl.*) 〖법률〗 징벌적 손해 배상《불법 행위 가해자의 악의(惡意)가 특히 강할 경우에 인정되는 손해 배상》.
pu·ni·to·ry [pjú:nitɔ̀:ri/-təri] *a.* = PUNITIVE.
Pun·jab [pʌndʒɑ́:b, ←] *n.* 펀자브《인도 북서부의 한 지방; 현재는 인도와 파키스탄에 나뉘어 속해 있음》. ㊎ **Pun·ja·bi** [-dʒɑ́:bi] *n.* 펀자브 사람; Ⓤ 펀자브어.
pún·ji stìck 〔**stàke, pòle**〕 [púndʒi-] (정글전(戰)용) 밟으면 찔리게 장치한 죽창.
punk[1] [pʌŋk] *n.* 《미》 (불쏘시개로 쓰는) 썩은 나무; (막대기 모양의) 불쏘시개.
punk[2] *a.* **1** 《구어》 빈약한, 보잘것없는, 하치의. **2** 《속어》 쓸모없는, 시시한. **3** 펑크(록) 특유의, 펑크조(調)의, 펑크족(族)의. ― *n.* **1** 《구어》 풋내기, 애송이; 젊은 불량배. **2** 《폐어》 매춘부; 《미속어》 남색의 상대가 되는 소년. **3** 《고어》 하찮은 물건; 실없는 소리. **4 a** 펑크《지르퉁해서 앙버티는 반체제적인 태도나 표현》. **b** 펑크풍의 복장(이나 화장을 한 사람). **5** 《미속어》 웨이터, 포터; (서커스의) 동물의 새끼; 매약(賣藥); 질이 나쁜 마리화나. **6** 〖음악〗 = PUNK ROCK(ER). ㊎ **∠·ish** *a.*

punk[2] 4 b

punk·a·bil·ly [pʌ́ŋkəbili] *n.* 펑커빌리《punk와 country music이 융합한 뉴웨이브록의 일종》.
pun·ka(h) [pʌ́ŋkə] *n.* 《Ind.》 큰 부채《천장에 매달고 노끈으로 움직임》.
púnk·er *n.* 《미속어》 신참자, 신출내기; 《속어》 펑크록을 춤추는〔연주하는〕 사람.
púnk fùnk 〖재즈〗 영국에서 일어난 punk와 뉴욕의 funk가 합류한 음악 조류.
punk·ie, punky[1] [pʌ́ŋki] *n.* 《미》 모기의 일종 (biting midge).
púnk jàzz 〖재즈〗 펑크재즈《1970년대 후반에 영국에서 일어난 punk의 흐름을 1980년대에 재즈에서 흡수 발전시킨 음악 조류》.
púnk ròck 〖음악〗 펑크록《1970년대 후반에 영국에서 일어난 사회 체제에 대한 반항적인 음악의 조류; 강렬한 박자, 괴성과 과격한 가사가 특징》. ㊎ **~·er** *n.*
punky[2] [pʌ́ŋki] (***punk·i·er; -i·est***) *a.* 《속어》 졸때기의, 불량배의; 펑크록, 펑크록광의.
pun·ner [pʌ́nər] *n.* (땅 다지는) 달구.
pun·net [pʌ́nit] *n.* 《주로 영》 (가벼운 나무로 엮은) 넓적한 광주리《과일을 담음》.
pun·ster [pʌ́nstər] *n.* 신소리를〔곁말을〕 좋아하는 사람, 익살을 잘 부리는 사람.
punt[1] [pʌnt] *n.* 《영》 (삿대로 젓는) 너벅선. ― *vt., vi.* (너벅선 등을) 삿대로 젓다; 너벅선으로 나르다〔가다〕. ㊎ **∠·er**[1], **∠·ist** *n.*
punt[2] 〖미식축구 · 럭비〗 *vt., vi.* (손에서 떨어뜨린 공을) 땅에 닿기 전에 차다, 펀트하다; 《해커속어》 (계획된 것을) 그만두다. ― *n.* 펀트하기. Ⓒⓕ drop kick. ㊎ **∠·er**[2] *n.*
punt[3] *vi.* 물주 상대로 돈을 걸다《faro 등의 트럼프에서》; 《영구어》 (경마 등에서) 돈을 걸다. ― *n.* ~하는 사람. ㊎ **∠·er**[3] *n.*
púnt·abòut *n.* 미식축구 · 럭비 등의 연습(용 공).
pun·to [pʌ́ntou] (*pl.* **~s**) *n.* 〖펜싱〗 찌르기; 〖재봉〗 한 땀; 《폐어》 (미세한) 점.
pun·ty [pʌ́nti] *n.* 녹인 유리를 다루는 데 쓰는 쇠막대.
pu·ny [pjú:ni] (***-ni·er; -ni·est***) *a.* 자그마한; 발육이 나쁜; 미약한; 하잘것없는. ㊎ **pú·ni·ly** *ad.* **-ni·ness** *n.*
°**pup** [pʌp] *n.* **1** 강아지; (여우 · 바다표범 따위의) 새끼. Ⓒⓕ cub. **2** 건방진 풋내기; 《미구어》 핫도그. ***buy a*** ~ 《구어》 속아서 비싸게 사다, 바가지 쓰다. ***in*** 〔***with***〕 ~ (개가) 새끼를 배고. ***sell*** a person ***a*** ~ 《주로 영구어》 아무를 속여 유사품〔무가치한 것〕을 팔다. ― (**-pp-**) *vi., vt.* (암캐가) 새끼를 낳다. [◂ *puppy*]
pu·pa [pjú:pə] (*pl.* ***-pae*** [-pi:], ***-pas***) *n.* 번데기. ㊎ **pu·pal** [pjú:pəl] *a.*
pu·pate [pjú:peit] *vi.* 번데기가 되다. ㊎ **pu·pá·tion** *n.*
†**pu·pil**[1] [pjú:pəl] *n.* **1** 학생《흔히 초등학생 · 중학생》; 제자.

> SYN. **pupil** 선생의 개인적인 감독 · 지도가 강조됨. 영국에서는 초등 · 중학생, 미국에서는 주로 초등학생. **student** 학생. 영국에서는 대학생, 미국에서는 고등학생 이상. **scholar** 일반적으로는 '학자'의 뜻이지만 학교 제도 밑에서 공부하는 사람도 연령의 구별 없이 scholar라고 부를 때가 있음. Ⓒⓕ scholarship.

2 〖법률〗 미성년자, 피보호자《남자 14세, 여자 12세 미만》. ㊎ **~·less** *a.*
pu·pil[2] *n.* 〖해부〗 눈동자, 동공(瞳孔).
pu·pil·(l)age [pjú:pəlidʒ] *n.* Ⓤ 학생〔피보호자〕의 신분〔기간〕; 미성년(기); (국가 · 언어 따위의) 미발달 상태; 《영》 법정 변호사의 수습 기간.
pu·pi(l)·lar·i·ty [pjù:pəlǽrəti] *n.* 〖법률〗 미성년(기), 피후견 연령《특히 스코틀랜드의》.
pu·pil·(l)ary[1] [pjú:pəlèri/-ləri] *a.* 학생의; 문하생의; 유년자의, 미성년(기)의.
pu·pil·(l)ary[2] *a.* 〖해부〗 동공(瞳孔)의.
púpil téacher (초등학교의) 교생(敎生). Ⓒⓕ student teacher.
°**pup·pet** [pʌ́pit] *n.* 작은 인형; 꼭두각시; 괴뢰, 앞잡이; 〖브레이크댄싱〗 퍼핏《두 사람이 추는 꼭두각시 춤; 한 사람은 꼭두각시, 또 한 사람은 그 조종자 역할을 함》. Ⓒⓕ marionette. ㊎ **pùp·pet·éer** [-pətíər] *n., vi.* 꼭두각시 부리는 사람; 인형을 부리다〔조종하다〕. **~·like** *a.*
púppet góvernment 〔**regíme**〕 괴뢰 정부〔정권〕.
púppet màster 꼭두각시놀음의 꼭두각시 조종사.
púppet plày 〔**shòw**〕 꼭두각시놀음, 인형극.
pup·pet·ry [pʌ́pitri] *n.* Ⓒ 〖집합적〗 꼭두각시(놀음); Ⓤ 가면의 종교극, 무언〔가면〕극; Ⓤ 겉치레, 허세; (소설의) 비현실적인 인물.
púppet státe 괴뢰 국가.
púppet válve 〖기계〗 버섯 모양의 안전판.
°**pup·py** [pʌ́pi] *n.* **1** 강아지; (물개 따위의) 새끼 (pup). **2** 건방진 애송이. ㊎ **~·dom, ~·hood** [-dəm], [-hùd] *n.* Ⓤ 강아지 시절; 한창 건방진 시절. **~·ish** *a.* **~·ism** *n.* Ⓤ 강아지 같은 짓; 건방짐.
púppy dòg 《소아어》 강아지, 멍멍이.
púppy fàt 유아기 · 사춘기의 일시적 비만.
púppy lòve 풋사랑(calf love).
púp tènt (1 · 2인용) 소형 천막.
pur [pə:r] (**-rr-**) *vi., vt., n.* = PURR.
pur- [pə(:)r] *pref.* pro-의 변형: *pur*chase.
Pu·ra·na [purɑ́:nə] *n.* 푸라나《인도의 신화 성시집(聖詩集)》.
Pur·beck [pə́:rbek] *n.* 퍼벡《영국 Dorset 주(州)의 반도》.
Púrbeck márble 퍼벡 대리석(大理石)《질이 좋은 Purbeck stone》.
Púrbeck stóne Purbeck산(産) 석회암《건축 재료》.
pur·blind [pə́:rblàind] *a.* 반(半)소경의, 눈이 침

침한; 《비유》 우둔한. ── *vt.* 반소경으로 만들다. [파] ~·ly *ad.* ~·ness *n.*

Pur·cell *n.* 퍼셀. **1** [pəːrsél] **Edward Mills** ~ 미국의 물리학자《핵자기 공명의 측정법을 확립; 노벨 물리학상 수상(1952); 1912-97》. **2** [pə́ːrsəl] **Henry** ~ 영국의 작곡가(1658?-95).

pur·chas·a·ble [pə́ːrtʃəsəbəl] *a.* 살 수 있는, 구매 가능한; 매수할 수 있는. [파] **pùr·chas·a·bíl·i·ty** *n.* [U]

‡**pur·chase** [pə́ːrtʃəs] *vt.* **1** 《~+[목]/+[목]+[전]+[명]》 사다, 구입하다: ~ a book (*at*〔*for*〕 ten dollars) 책을 (10 달러 주고) 사다. **2** (공무원 등을) 매수하다. **3** (금전이) …의 구매력을 갖다. **4** 《~+[목]/+[목]+[전]+[명]》 (노력 · 희생을 치르고) 획득하다, 손에 넣다: ~ freedom〔victory〕 *with* blood 피 흘려 자유〔승리〕를 쟁취하다 / a dearly ~*d* success 큰 희생을 치르고 얻은 성공. **5** (도르래 · 지렛대 따위로) 끌어올리다: ~ an anchor 닻을 감아 올리다. **6** 〖법률〗 (상속 이외의 방법으로 토지 · 가옥)을 취득하다, 양수(讓受)하다.
── *n.* [U] **1** 사들임, 구입, 매입《*of*》: the ~ price 구입 가격 / ~ money 〖상업〗 구입 대금 / the ~ *of* a house 주택구입. **2** [C] (종종 *pl.*) 구입〔매입〕품: make a good〔bad〕 ~ 물건을 싸게〔비싸게〕 사다 / fill the basket with one's ~*s* 산 물건들을 광주리 가득히 채우다. **3** (노력 · 희생을 치른) 획득, 입수. **4** (토지 따위에서 나는) 수입, 수익고: at five years' ~, 5년간의 수익금액에 맞먹는 가격으로. **5** 〖법률〗 (상속 이외의) 토지 취득〔양수(讓受)〕. **6** 지레〔기중〕 장치; 그 작용〔효율〕. **7** [C] 힘이 되는 것, 손〔발〕을 붙일 만한 곳. ***get*** 〔***secure***〕 ***a ~ on*** …을 단단히 붙들다. ***not worth an hour's*** 〔***a day's, a year's***〕 ~ (목숨 따위가) 한 시간〔하루, 일 년〕도 갈 것 같지 않은.

púrchase lèdger 〖상업〗 구입 원장(元帳).

púrchase òrder 〖상업〗 구입 주문(서).

púr·chas·er *n.* 사는 사람, 구매자.

púrchase tàx 《영》 물품세, 구매세《특히 사치품에 대한》.

púr·chas·ing *n.* 구매, 구입.

púrchasing àgent 《미》 구매 담당.

púrchasing guìld 〔**associàtion**〕 구매 조합(組合).

púrchasing pòwer 구매력.

púrchasing pòwer pàrity (**thèory**) 〖경제〗 구매력 평가(平價)(설).

pur·dah [pə́ːrdə] *n.* 《Ind.》 **1** [C] 막, 휘장; 커튼《집안에서 부녀자의 거처를 남의 눈에 띄지 않게 하는》. **2** [U] 청색과 백색 줄무늬가 든 커튼용 면직물. **3** [U] (the ~) 부녀자를 남의 눈에 띄지 않게 하는 습관〔제도〕.

‡**pure** [pjuər] *a.* **1** 순수한, 순전한, 단순한: ~ gold 순금 / a ~ accident 순전한 우연 / sing for ~ joy 그저 기쁘기만 하여 노래하다 / out of ~ necessity 단순한 필요에 의하여. **2** 맑은, 깨끗한: ~ water 맑은 물 / ~ skin 깨끗한 피부 / ~ white 순백. **3** 청순한, 순결한, 죄짓지 않은, (여자가) 더럽혀지지 않은, 정숙한: ~ in body and mind 몸과 마음이 청순한. **4** 섞이지 않은, 순종의; 순혈(純血)의: a ~ Englishman 토박이 영국인. **5** (…에) 더럽혀지지 않은, (…이) 섞이지 않은《*of; from*》: ~ *of*〔*from*〕 taint 더러움이 없는. **6** 〖음성〗 (모음이) 단순한, 단모음의; (소리가) 맑은, 순음(純音)의; 〖음악〗 음조가 올바른, 불협화음이 아닌. **7** 감각 · 경험에 의하지 않는; 순이론적인. [cf.] applied. ¶ ~ mathematics 순수〔이론〕 수학 / a ~ painting 〖미술〗 순수 회화 / ~ poetry 순수시 / ~ reason (칸트 철학의) 순수 이성 / ~ science 순수 과학. ◇ purity *n.* (*as*) ~ ***as the driven snow*** 매우 청순한〔순수한〕. ~ ***and simple*** 〖명사 뒤에 두어〗 순전한, 섞인 것이 없는: a scholar〔mistake〕 ~ *and simple* 참된 학자〔진짜 실수〕. [파] **~·ness** *n.* [U] 깨끗함, 청정; 순수; 결백.

púre·blòod(ed) [-(id)] *a.* = PUREBRED.

púre·bréd *a.* 순종의; 순계(純系)의. ── [⌐⌐] *n.* 순종(의 동물); 순계의 식물.

púre cúlture 순수 배양.

púre demócracy 순수〔직접〕 민주주의《국민이 직접 권력을 행사하는》.

pu·rée [pjuəréi, -ríː, pjúərei/pjúərei] *n.* 《F.》 [U] 퓌레《야채 · 고기를 삶아 거른 진한 수프》.

púre·héarted [-id] *a.* 마음이 깨끗한, 정직한, 성실한.

púre imáginary (**númber**) 〖수학〗 순허수.

Púre Lánd (the ~) 〖불교〗 정토(淨土), 극락세계.

púre líne 〖유전〗 순수 계통, 순계(純系).

pure·ly** [pjúərli] *ad.* **1** 순수하게, 섞임이 없이: from a ~ theoretical standpoint 순이론적인 입장에서 / be ~ English 토박이 영국인이다. **2** 맑게, 깨끗하게, 순결하게: live ~ 깨끗하게 살다. **3** 전연, 순전히, 아주: be ~ accidental 전연 우연이다. **4** 단순히. ~ ***and simply 에누리 없이.

Pur·ex [pjúəreks] *a.* 퓨렉스의《사용한 핵연료를 재처리하여 우라늄이나 플루토늄을 얻는 한 방식에 관해 말함》.

pur·fle [pə́ːrfəl] *n.* 가장자리 장식 《레이스 따위의》. ── *vt.* 가장자리 장식을 대다.

pur·fling [pə́ːrfliŋ] *n.* [U] (특히 현악기의) 가장자리 장식.

pur·ga·tion [pəːrgéiʃən] *n.* [U] 깨끗하게 하기, 정화(淨化), 죄를 씻음; [C] (하제를 써서) 변이 잘 통하게 하기; [U] 〖가톨릭〗 정죄(淨罪)《연옥에서의》; 《고어》 (선서나 재판에 의한) 무죄 증명.

pur·ga·tive [pə́ːrgətiv] *a.* **1** 정화의. **2** 변을 잘 통하게 하는, 하제의: ~ medicine 하제(下劑). **3** 〖역사〗 무죄 증명의. ── *n.* 〖의학〗 변통(便通)약, 하제. [파] ~·ly *ad.*

pur·ga·to·ri·al [pə̀ːrgətɔ́ːriəl] *a.* 〖가톨릭〗 연옥(煉獄)의; 정죄적(淨罪的)인, 속죄의.

pur·ga·to·ry [pə́ːrgətɔ̀ːri/-təri] *n.* 영혼의 정화; 정죄(淨罪); 〖가톨릭〗 연옥; 일시적인 고난〔징벌〕(의 상태). ── *a.* 속죄〔정죄〕의.

***purge** [pəːrdʒ] *vt.* **1** 《~+[목]/+[목]+[전]+[명]》 (몸 · 마음을) 깨끗이 하다《*of; from*》: ~ the mind *of*〔*from*〕 false notions 마음속의 옳지 않은 생각을 깨끗이 씻다. [SYN.] ⇨ WASH. **2** 《~+[목]/+[목]+[부]/+[목]+[전]+[명]》 (죄(罪) · 더러움을) 제거하다, 일소하다《*away; off; out*》: ~ *away* one's sins 죄를 씻다 / ~ stains *off* windows 창의 얼룩을 닦아내다. **3** 《~+[목]/+[목]+[전]+[명]》 〖정치〗 (불순 분자 등을) 추방하다, 숙청하다: ~ a person *of* his office 아무를 그 직에서 몰아내다 / ~ a party *of* its corrupt members =~ corrupt members *from* a party 당에서 부패 분자를 추방하다 / be ~*d from* public life 공직에서 추방당하다. **4** …에게 하제를 쓰다, 변이 잘 통하게 하다. **5** 《~+[목]/+[목]+[전]+[명]》 〖법률〗 (혐의를) 풀게 하다; 무죄를 증명하다; 속죄하다; (형기)를 마치다: be ~*d of*〔*from*〕 sin 죄가 깨끗해지다 / He was ~*d of* all suspicion. 그의 모든 혐의가 풀렸다. ── *vi.* **1** 깨끗해지다. **2** 변이 잘 통하다. ── *n.* **1** 깨끗하게 함, 정화. **2** 추방, 숙청. **3** 하제(下劑). [파] **pur·gee** [pəːrdʒíː] *n.* 피추방자. **púrg·er** *n.* 깨끗이 하는 사람〔것〕; 숙청자; 하제.

pu·ri·fi·ca·tion [pjùərəfikéiʃən] *n.* [U] **1** 깨끗이〔청결히〕 하기; 세정(洗淨). **2** 〖종교〗 몸을 정화하는 의식, 재계(齋戒); 〖가톨릭〗 성작(聖爵)의 정화《미사 후 성작에 포도주를 따라 부셔서 사제가 마심》. ***the Purification of the Virgin Mary*** 〔***St. Mary, our Lady***〕 = CANDLEMAS.

pu·ri·fi·ca·tor [pjúərəfikèitər] *n.* 〖종교〗 성작(聖爵) 수건《성작 닦는 천〔수건〕》.
pu·rif·i·ca·to·ry [pjuərífikətɔ̀ːri, pjúərəf-/pjúərifikèitəri] *a.* 정화의, 죄를 씻는, 재계(齋戒)의; 정제(精製)의.
pu·ri·fy [pjúərəfài] *vt.* **1** …의 더러움을 제거하다, 깨끗이 하다, 맑게 하다: ~ the air. **2** 순화하다, 제련〔정제〕하다: ~ metals 금속을 제련하다. **3** 《~+목/+목+전+명》 …의 죄를 씻어 맑게 하다, 정화하다, 불제(祓除)하다: He was *purified from* all sins. 그는 모든 죄에서 정화되었다. **4** (말을) 다듬다, 세련하다; (국어를) 순화하다《외국어로부터》. **5** 《+목+전+명》 (…에서 —을) 제거하다, 일소하다, 추방하다, 숙청하다《*of; from*》: ~ a country *of* undesirable aliens 불량 외국인을 국내에서 추방하다. — *vi.* 깨끗해지다; (액체가) 맑아지다. ◇ purification *n.* 㖈 **pú·ri·fi·er** [-fàiər] *n.* 맑게〔정화·정련〕하는 사람〔것〕; 정화〔정련〕 장치〔용구〕.
Pu·rim [púərim] *n.* 《Heb.》 퓨림절(節)《유대인의 축절; Haman이 유대인을 죽이려다가 실패한 기념일; 에스더서(書) IX》.
pu·rine [pjúəriːn, -rin] *n.* Ⓤ 〖생화학〗 퓨린《요산(尿酸) 화합물의 원질(原質)》.
púrine bàse 〖생화학〗 퓨린 염기《핵산 따위에 함유된 퓨린 핵을 가진 염기성 화합물》.
pur·ism [pjúərizəm] *n.* Ⓤ 용어상의 결벽, 언어의 순화; 〖미술〗 순수주의(파). 㖈 **púr·ist** *n.* 순수주의자. **pu·ris·tic, -ti·cal** [pjuərístik], [-kəl] *a.* 수사벽(修辭癖)이 있는, 용어에 결벽한; 언어 순화주의(자)의.
***Pu·ri·tan** [pjúərətən] *n.* 〖종교사〗 퓨리턴, 청교도《16–17 세기에 영국에 나타난 신교도의 한 파》; (p-) 엄격한 사람, 근엄한 사람. — *a.* 청교도의〔같은〕; (p-) 엄격한, 근엄한.
Púritan Cíty (the ~) 보스턴 시의 별칭.
pu·ri·tan·ic, -i·cal [pjùərətǽnik], [-əl] *a.* **1** 청교도적〔금욕적〕인, 엄격한; 딱딱한. **2** (P-) 청교도의. 㖈 **-i·cal·ly** *ad.*
Pu·ri·tan·ism [pjúərətənìzəm] *n.* Ⓤ 퓨리터니즘, 청교(주의); 청교도 기질; (p-) 엄정주의《특히, 도덕·종교상의》.
pu·ri·tan·ize [pjúərətənàiz] *vt., vi.* 청교도로 만들다; 청교도풍으로 하다〔되다〕.
***pu·ri·ty** [pjúərəti] *n.* Ⓤ **1** 청정, 순수. **2** 깨끗함, 청결, 맑음: the ~ of water / ~ of life 깨끗한 생활. **3** (금속·빛깔의) 순도; (말의) 순정(純正). **4** 청렴, 결백.
purl[1] [pəːrl] *n.* (고리 모양의) 가장자리 장식; 〖편물〗 뒤집어뜨기; 《고어》 자수용 금실〔은실〕. — *vt., vi.* (고리 모양의) 가장자리 장식을 달다, 금실〔은실〕로 수놓다; 〖편물〗 (골이 지게) 뒤집어 뜨다.
purl[2] *n.* Ⓤ 소용돌이(whirl), 파문; 졸졸《물 흐르는 소리》. — *vi.* 졸졸 소리 내며〔소용돌이치며〕 흐르다.
purl[3] *n.* 〖역사〗 쓴 쑥으로 맛을 낸 맥주.
pur·lieu [pə́ːrljuː/-ljuː] *n.* **1** 〖영국사〗 삼림의 경계지, 삼림 주변의 빈터. **2** 자유로이 출입할 수 있는 장소, 세력권 내; 자주 드나드는 곳. **3** (*pl.*) 근처, 주변. **4** (*pl.*) 변두리, 교외; 빈민가.
pur·lin(e) [pə́ːrlin] *n.* 〖건축〗 도리, 마룻대.
pur·loin [pərlɔ́in, pə́ːrlɔin/pəːlɔ́in] *vt., vi.* 《문어·우스개》 절취하다, 훔치다. 㖈 **~·er** *n.*
pu·ro·my·cin [pjùərəmáisn/-sin] *n.* 〖약학·생화학〗 퓨로마이신《방선균(放線菌)에서 얻어지는 항생 물질; 항균력·항종양성이 있음》.
****pur·ple** [pə́ːrpəl] *a.* **1** 자줏빛의. **2** 《고어·시어》 진홍색의, 새빨간(scarlet). **3** 제왕의; 귀인〔고관〕의. **4** 화려한. **5** 《미속어》 야한, 선정적인. ***become ~ with rage*** 〔***cold***〕 성이 나서 얼굴이 시뻘게지다〔추워서 얼굴이 자줏빛이 되다〕. — *n.* Ⓤ **1** 자줏빛. **2** 《고어》 진홍색(ancient 〔Tyrian〕 ~). **3** (옛날 고위 고관이 착용한) 자줏빛 옷. **4** (the P-)제위, 주권, 고위. **5** (the P-) 추기경(의 직). **6** (*pl.*) 〖의학〗 자반(紫斑). **7** Ⓒ 〖패류〗 자줏빛 물감의 원료가 되는 소라류. ***be born*** 〔***cradled***〕 ***in*** 〔***to***〕 ***the ~*** 왕가〔귀족의 집안〕에 태어나다. ***be raised to the ~*** 황제가〔추기경이〕 되다. ***royal ~*** 청자색. — *vt., vi.* 자줏빛이 되〔게 하〕다.
púrple émperor 〖곤충〗 오색나비.
púrple hàze 《속어》 LSD.
Púrple Héart 《미》 명예 상이기장(傷痍記章); (p- h-) 보랏빛 하트형의 drinamyl 정제.
púrple lóosestrife 〖식물〗 털부처꽃.
púrple mártin 〖조류〗 붉은제비《북아메리카산의 청자색의 큰 제비》.
púrple médic 〖식물〗 =ALFALFA.
púrple mémbrane 〖생물〗 자막(紫膜)《halobacteria가 생육할 때 세포막에 형성되는》.
púrple pássage (평범한 작품 중의) 훌륭한 장구(章句); 아주 화려한 문장; 《Austral.속어》 행운〔성공〕의 기간.
púrple pátch 화려한 장구(章句)〔문장〕(purple passage).
púrple próse (과잉된 감정 이입 등을 통하여 표현 효과를 노린) 현란한 문장〔작품〕.
pur·plish, pur·ply [pə́ːrpliʃ], [-pli] *a.* 자줏빛을 띤.
pur·port [pərpɔ́ːrt, pə́ːrpɔːrt/pəpɔ́ːt, pə́ːpət] *vt.* **1** 《~+목/+*that* 절》 의미하다, …을 취지로 하다, 요지는 …이다: The letter ~*s that* … 편지에 …라는 사연이 씌어 있다. **2** 《+*to* do》 …이라 칭하다, 주장하다; 《드물게》 뜻하다, 꾀하다: The document ~*s to* be official. 그 서류는 공문서로 되어 있다. — [pə́ːrpɔːrt] *n.* (서류·연설 등의) 의미, 취지, 요지; 《드물게》 목적, 의도. SYN. ⇨ MEANING. 㖈 **~·less** *a.*
pur·pórt·ed [-id] *a.* …라고 하는〔소문난〕. 㖈 **~·ly** *ad.*
†**pur·pose** [pə́ːrpəs] *n.* **1** 목적(aim), 의도; 용도: answer 〔fulfill, serve〕 the 〔one's〕 ~ 목적에 합치하다, 소용에 닿다 / bring about 〔attain, accomplish, carry out〕 one's ~ 목적을 이룩하다 / He bought the land for 〔with〕 the ~ of building a store on it. 그는 가게를 지을 목적으로 그 땅을 샀다.

> SYN. **purpose** 마음속에 확실히 정한 목적, 결심한 의도. 지적이라기보다 심정적. **intention** 머리속에 계획하고 있는 것, 목표. 결과·효과까지 생각하고 있는 경우가 있음. **intent** 법률 용어·시어(詩語)로 쓰일 때가 많음: criminal *intent* 범의(犯意). **aim** 목표로 하고 있는 것, 목표, 목적(고상한 말씨): selfish *aims* 이기적인 목적. **end** aim과 거의 같지만 수단(means)의 반의어(語)인 것이 특징: The *end* justifies the means. 목적은 수단을 정당화한다. **object** 감정·사고(思考)·행동의 대상 → 목적, 목표. **objective** 추구·노력의 목적. aim의 격식 차린 표현.

2 의지; 결심, 결의: weak of ~ 의지 박약한 / renew one's ~ 결의를 새롭게 하다. **3** 용도, 효과: serve various ~*s* 여러 가지 용도에 쓰이다 / to some 〔good〕 ~ 상당히 성공하여, 충분히 효과 있게 / work to no 〔little〕 ~ 일을 해도 전혀〔거의〕 성과가 오르지 않다. **4** 요점, 문제점, 논점: come to the ~ 문제〔본제〕에 언급하다. **5** 취지, 의미: to this 〔that〕 ~ 이런〔그런〕 취지로 / speak to the same ~ 같은 취지의 말을 하다. ***be at cross-~s*** 어긋나다, (의도·결과 등이) 반대되다. ***from the ~*** 《고어》 요령부득으로. ***of***

(*set*) ~ 뚜렷한 목적을 갖고, 계획적으로, 고의로. ***on*** ~ 의도하여, 고의로, 일부러(OPP. *by accident*); …목적으로, …하기 위해: accidentally *on* ~ 우연을 가장하여. ***to the*** ~ 요령 있게; 적절히. ***with a*** ~ 목적이 있어, 일부러.
— *vt.* **1** 의도하다, 꾀하다: ~ a trip abroad 해외 여행을 꾀하다. **2** 《~+*to* do/+*-ing*/+*that* 절》 …할 것을 꾀하다, …하려고 결심하다: He ~*d to* change 〔chang*ing*〕 his way of life radically. 생활양식을 근본적으로 바꾸려고 결심했다. SYN. ⇨ INTEND.

púrpose-built, -màde *a.* 특정 목적을 위해 세워진〔만들어진〕.

pur·pose·ful [pə́:rpəsfəl] *a.* 목적이 있는; 고의의; 의미심장한, 중대한; 과단성 있는. 파 **~·ly** *ad.* **~·ness** *n.*

púrpose·less *a.* 목적이 없는; 무의미한, 무익한; 결의가 없는. 파 **~·ly** *ad.*

púr·pose·ly *ad.* 목적을 갖고, 고의로, 일부러.

púrpose pítch 《미야구속어》 고의로 타자 가까이 던진 공.

pur·pos·ive [pə́:rpəsiv] *a.* **1** 목적에 합치한. **2** = PURPOSEFUL. 파 **~·ly** *ad.* **~·ness** *n.*

pur·pu·ra [pə́:rpjuərə] *n.* U 자반병(紫斑病).

pur·pure [pə́:rpjuər] *n., a.* 〖문장(紋章)〗 자색(의).

pur·pu·ric [pə:rpjúərik] *a.* 〖의학〗 자반(紫斑)(병)의: ~ fever 자반열.

pur·pu·rin [pə́:rpjurin] *n.* U 적색 염료〔물감〕.

◇**purr** [pə:r] *vi.* **1** (고양이가 기분 좋은 듯이) 목을 가르랑거리다; (사람이) 만족스러운 모양을 보이다. **2** (기계 등이) 붕하고 쾌음을 내다. **3** 《미속어》 마약으로 기분이 도취되어 있다. **—** *vt.* 목을 울려(만족스레) 표현하다; 그르렁거리는 소리로 말하다. **—** *n.* 고양이가 가르랑거리는 소리; 그와 비슷한 소리; 목을 그르렁거림.

pur sang [*F.* pyʀsɑ̃] 《F.》 순수 혈통으로, 순종으로; 순전히, 순수하게, 철저하게: He is a liar ~. 그는 철저한 거짓말쟁이다.

⁑**purse** [pə:rs] *n.* **1** 돈주머니, 돈지갑; 《미》 핸드백: a lean 〔light, slender〕 ~ 《비유》 가난, 빈곤/a long 〔fat, heavy〕 ~ 《비유》 부유, 부자/open 〔close〕 one's ~ 돈을 쓰다〔쓰기 싫어하다〕/Who holds the ~ rules the house. 《속담》 돈이 제갈량(諸葛亮)《세상일이 돈으로 좌우됨을 비유》. **2** 금전; 자력: a common ~ 공동 자금/the public ~ 국고/That big car is beyond my ~. 저 큰 차는 내 자력으로는 도저히 살 수 없다. **3** 기부금, 현상금, 증여금: win the ~ in a race 경주에서 상금을 타다/put up 〔give〕 a ~ of … 의 상금〔기부금〕을 보내다〔내놓다〕/make up 〔raise〕 a ~ of …을 위해 기부금을 모으다. **4** 〖동물·식물〗 주머니, 낭(囊), 낭상부(囊狀部).
— *vt.* 《+목+부》 **1** (입 따위를) 오므리다; (눈살을) 찌푸리다《*up*》: ~ (*up*) the lips. **2** 《드물게》 지갑에 넣다《*up*》. **—** *vi.* (입 등이) 오므라들다.

púrse bèarer **1** 회계원. **2** 《영》 (의식 때에) 국새(國璽)를 받드는 관리.

púrse cràb 〖동물〗 야자게(=**pálm** 〔**cóconut**〕 **cràb**)《인도양·태평양의 열대 제도의 물살이 게로, coconut을 먹고 삶》.

púrse nèt (어업용) 건착망(巾着網).

púrse prìde 재산 자랑.

púrse-pròud *a.* 부유함〔돈〕을 자랑하는〔내세우는〕.

purs·er [pə́:rsər] *n.* (선박·여객기의) 사무장; (군함의) 회계관(paymaster). 파 **~·shìp** *n.* 사무장의 직. **pur·ser·ette** [pə̀:rsərét] *n. fem.*

púrse sèine (어업용) 대형 건착망(巾着網).

púrse strìngs 주머니 끈; 재정 문제상의 권한: hold the ~ 금전 출납을 맡다/loosen 〔tighten〕 the ~ 돈을 잘 쓰다〔안 내놓다〕.

purs·lane [pə́:rslin, -lein/-lin] *n.* 〖식물〗 쇠비름《샐러드용》.

pur·su·a·ble [pərsú:əbəl/-sju-] *a.* 추적〔추구〕할 수 있는; 《Sc.》 〖법률〗 소추할 수 있는.

pur·su·ance [pərsú:əns/-sjú:-] *n.* U **1** 추적, 추구. **2** 속행, 이행; 종사. ***in*** ~ ***of*** …을 따라서; …을 이행하여; …에 종사하여.

pur·su·ant [pərsú:ənt/-sjú:-] *a.* …에 따른, …에 의한, 준(準)한《*to*》: ~ *to* one's intentions 마음대로의. **—** *ad.* 의하여, 따라서, 준하여《*to*》: ~ *to* Article 12, 제 12 조에 의하여. 파 **~·ly** *ad.* 따라서, (…에) 준하여《*to*》.

⁑**pur·sue** [pərsú:/-sjú:] *vt.* **1** 뒤쫓다, 추적하다; 〖군사〗 추격하다: ~ a robber 강도를 뒤쫓다. **2** 추구하다: ~ pleasure 쾌락을 추구하다. **3 a** 《~+목/+목+전+명》 (아무에게) 귀찮게 따라다니다, (아무를) 끊임없이 괴롭히다: He ~*d* the teacher *with* a lot of questions. 그는 갖가지 질문으로 선생님을 괴롭혔다. **b** (싫은 사람·불행 따위가) 따라〔붙어〕 다니다, 괴롭히다: Misfortune ~*d* him whatever he did. 무엇을 하여도 불운이 뒤따랐다. **4** (일·연구 등을) 수행하다, 종사하다, 속행하다: He prudently ~*d* a plan. 그는 세심한 주의를 기울여 계획을 수행했다/~ one's studies 연구에 종사하다. **5** 《~+목/+목+부/+목+전+명》 가다, (길을) 찾아가다; (방침 등에) 따르다: We ~*d* the path *up to* the peak. 우리는 정상으로 길을 찾아 올라갔다.
— *vi.* **1** 쫓아가다, 따라가다, 속행하다《*after*》. **2** 〖법률〗 소추하다《*for*》. ◇ pursuit *n.*

◇**pur·sú·er** *n.* **1** 추적자; 추구자. **2** 속행자, 수행자; 종사자, 연구자. **3** 〖영법률〗 원고(原告), 소추자(prosecutor).

⁑**pur·suit** [pərsú:t/-sjú:t] *n.* U,C **1** 추적; 추격; 추구《*of*》: the ~ *of* happiness 행복의 추구/in hot ~ *of* …을 맹렬히 추적〔추격〕하여/in ~ *of* …을 찾아서〔추구하여〕. **2** 속행, 수행, 종사: the ~ *of* plan 계획의 수행/in the ~ *of* one's business 업무 수행을 위해. **3** 일, 직업, 연구: daily ~*s* 일상 일/literary ~ 문학의 일〔연구〕. **4** = PURSUIT PLANE 〔RACE〕. ***in*** ~ 뒤따르는.

pursúit plàne 〖항공〗 추격기, 《널리》 전투기.

pursúit ràce (일정 간격을 두고 출발하는) 자전거 경주.

pur·sui·vant [pə́:rswivənt] *n.* 《영》 문장원 속관(紋章院屬官); 《고어·시어》 종자(從者).

pur·sy[1] [pə́:rsi] (**-si·er; -si·est**) *a.* (뚱뚱하여) 숨이 가쁜, 천식(喘息)의; 뚱뚱한. 파 **púr·si·ly** *ad.* **-si·ness** *n.*

pur·sy[2] (**-si·er; -si·est**) *a.* (눈·입 따위가) 움푹한, 주름살이 진; 부유한, 돈 자랑하는.

pur·te·nance [pə́:rtənəns] *n.* U 《고어》 (도살 짐승의) 내장.

pu·ru·lence, -len·cy [pjúərələns], [-i] *n.* U 화농(化膿); 고름.

pu·ru·lent [pjúərələnt] *a.* 고름의, 화농성(化膿性)의, 곪은. 파 **~·ly** *ad.*

pur·vey [pərvéi] *vt.* 《~+목/+목+전+명》 (식료품 따위를) 공급하다, 조달하다, 납품하다《*for; to*》: ~ food *for* an army 군대에 식량을 납품하다. **—** *vi.* (식량을) 조달하다, 조달원으로 일하다《*for; to*》.

pur·vey·ance [pərvéiəns] *n.* U (식료품의) 공급, 조달; (공급된) 식료품; 〖영국사〗 (식료품 따위에 대한 국왕의) 징발권.

pur·vey·or [pərvéiər] *n.* **1** (식료품) 조달자; 조달상인, 조달〔납품〕 업자. **2** 〖영국사〗 식량 징발관. **3** (정보 등을) 퍼뜨리는 사람. **4** 언제나 어떤 느낌을〔분위기를〕 주는 사람〔물건〕.

pur·view [pə́ːrvjùː] *n.* **1** 범위; 권한. **2** 시계(視界), 시야; 이해, 이해 범위. **3** 〖법률〗 요항(要項), 조항, (법령의) 본문. ***within*** 〔***outside***〕 ***the ~ of*** …의 범위 안〔밖〕에.

pus [pʌs] *n.* Ⓤ 고름.

Pu·sey·ism [pjúːziìzəm] *n.* Ⓤ 퓨지주의(Oxford movement)《Oxford의 Pusey 교수(1800-82)가 제창한 종교 운동》. ㊖ **Pú·sey·ite** [pjúːziàit] *n.* ~의 신봉자.

†**push** [puʃ] *vt.* **1** 《~+목/+목+부/+목+보/+목+전+명》 밀다, 밀치다, 밀어 움직이다: ~ a wheelbarrow 손수레를 밀다/~ *up* a window 창을 밀어 올리다/~ a boat *into* water 보트를 물로 밀어 넣다/~ a door open 문을 밀어 열다.

> SYN. **push** pull의 반의어. 사람·물건을 움직이기 위해 그것들을 미는 일: She went *pushing* the perambulator along the pavement. 그녀는 포장도로를 따라 유모차를 밀고 갔다. **shove** 장애물이나 사람을 난폭하게 밀어제치는 일: Don't *shove*, wait your turn. 밀지 말고 순번을 기다려라. **thrust** 갑자기 힘껏 미는 일: *thrust* him off 그를 밀쳐 내다.

2 《~+목/+목+부》 밀어 나아가게 하다, 확장하다: ~ one's business 사업을 확장하다/~ one's conquests still *farther* 더 멀리 정복해 나아가다. **3** 《~+목/+목+부/+목+전+명》 (제안·목적 따위를) 밀고 나아가다, (강력히) 추구하다: ~ a bill *through* 법안을 억지로 통과시키다/~ a project *to* completion 계획을 강력히 밀고 나가 완성시키다. **4** 《+목+전+명》 압박하다, 괴롭히다, (돈 따위에) 궁하게 하다; (…에게 ―을) 재촉하다《*for*》; 〖수동태〗 (…의) 부족으로 곤란받다《*for*》: ~ a person *for* payment 〔an answer〕 아무에게 지급〔회답〕을 재촉하다/*be ~ed for* time 〔money〕 시간〔돈〕에 쪼들리다. **5 a** 《+목+*to* do/+목+전+명》 …에게 강요하다, 성화같이 독촉하다: ~ a child *to* do his homework 어린애에게 숙제를 하라고 성화같이 야단치다/The prosecutor *~ed* him *for* an answer. 검찰관은 그에게 대답을 강요했다. **b** 《+목+*to* do》 〖~ oneself〗 어찌할 수 없이 …할 마음이 나다: I had to ~ my*self to* accept the offer. 어찌할 수 없이 나는 그 제의를 받아들이지 않을 수 없었다. **6** …에게 무리한 것을 요구하다, …에게 지나치게 의지〔의뢰〕하다: ~ one's luck 지나치게 요행을 바라다. **7** (상품 등의) 판매를 촉진하다, 광고 선전하다: The store is *~ing* dry goods. 그 가게는 피륙 판매에 적극적이다. **8** 《~+목/+목+부/+목+전+명》 (손발을) 내밀다, (뿌리·싹을) 뻗다: ~ *out* fresh shoot 새싹이 나오다/~ roots *down into* the ground 땅속에 뿌리를 뻗다. **9** 《~+목/+목+전+명》 후원하다: ~ a person *in* the world 아무의 출세를 후원하다. **10** 《구어》 (마약 등을) 밀매하다, 행상하다; 《미속어》 밀수하다. **11** 《미속어》 (가짜 돈·수표 등을) 쓰다; (택시·트럭 따위를) 운전하다; (사람을) 해치우다, 죽이다《*off*》. **12** 〖컴퓨터〗 (데이터 항목을 스택(stack)에) 밀어 넣다; 《해커속어》 (새것을 예정한 것에) 더하다. **13** 〖진행형〗 (수·연령에) 접근하다: He is *~ing* sixty. 그는 예순 살을 바라본다. ― *vi.* **1** 《~/+전+명》 밀다, 밀치다, 밀어 움직이다: Don't ~ *at* the back! 뒤에서 밀지 마라. **2** 《+전+명》 밀고 나아가다, 맹진하다; 공격하다: ~ *to* the front 앞으로 밀고 나아가다; 입신출세하다. **3** 〖당구〗 (공을) 밀어치기하다. **4** 《+전+명/+부》 (목적을 완수하기 위해) 노력하다《*for*》; (산모가 분만 때) 용쓰다《*down*》: ~ *for* higher wages 임금 인상을 위해 애쓰다. **5** 《+부》 (문 따위가) 밀려서 움직이다: ~ easily 밀면 쉽사리 움직이다. **6** 《+부/+전+명》 돌출하다《*out; into*》; (싹이) 나오다, (뿌리가) 뻗다《*out*》: The cape *~ed out into* the sea. 갑(岬)이 바다로 튀어나와 있다. **7** 《고어》 뿔로 받다. **8** 《속어》 (재즈를) 잘 연주하다; 마약을 팔다.

~ across 《미속어》 ① (사람을) 죽이다. ② (경기에서) 득점하다. ***~ ahead*** 앞으로 밀어내다; 척척 나아가다《*to*》; (계획을) 추진하다《*with*》. ***~ along*** 《*vi.*+부》 ① (…을 향해) 밀고 나아가다, 전진하다《*to*》. ② 《구어》 떠나다, 돌아가다: I must be *~ing along*. 이제 서서히 물러가야겠습니다. ― 《*vt.*+부》 ③ …을 밀고 나가게 하다. ***~ around*** 〔***about***〕 《구어》 (사람을) 매정하게 다루다, 혹사하다; 들볶다, 못살게 굴다. ***~ aside*** ① …을 옆으로 밀어 놓다. ② (문제 따위를) 뒤로 미루다. ***~ away*** 밀어제치다; 계속해 밀다. ***~ back*** 《*vt.*+부》 ① …을 뒤쪽으로 밀어 내다, (내려온 머리 따위를) 그러올리다. ② (적을) 후퇴시키다: ~ *back* the demonstrators. ― 《*vi.*+부》 ③ 뒤쪽으로 밀치어지다. ***~ by*** 〔***past***〕 (***…***) (…을) 밀어제치고 가다. ***~ down on*** …을 밀어 내리다. ***~ forward*** 사람 눈에 띄게 하다, 눈에 띄게 하려 하다; 〖크리켓〗 타자가 공을 푸시하다; =~ ahead. ***~ in*** 《*vi.*+부》 ① (아무가) 떼밀고 들어가다, 앞으로 끼어들다. ② 《구어》 버릇없이 말참견하다. ― 《*vt.*+부》 ③ (아무를) 떼밀어 넣다. ***~ off*** 《*vi.*+부》 ① (작은 배로) 출범하다. ② 〔보통 명령형으로〕 《구어》 (…을 향해) 떠나다, 출발하다. ③ (경기 따위를) 시작하다. ④ 《속어》 죽이다. ― 《*vt.*+부》 ⑤ (배 따위를) 떼밀어 내보내다. ⑥ (아무를) 출발시키다. ⑦ (경기 따위를) 시작하다. ⑧ 《속어》 …을 죽이다. ***~ on*** 《*vi.*+부》 ① (곤란을 물리치고) 전진하다. ② 서두르다. ③ (일 등을) 계속해서 하다, 재개하다《*with*》. ― 《*vt.*+부》 ④ (아무를) 격려하다. ⑤ (아무를) 격려하여 …하게 하다《*to* do》: He *~ed* me *on to* complete the work. 그가 격려해 주는 데 힘입어 일을 완성했다. ***~ out*** 《*vt.*+부》 ① (보트 따위를) 밀어 내다; …을 밀어서 떼어 놓다〔떼어 내다〕. ② 〖종종 수동형으로〗 (아무를) 쫓아내다, 해고하다. ③ (물건을) 잇따라〔자꾸자꾸〕 만들어 내다. ― 《*vi.*+부》 ④ (작은 배로) 출범하다. ***~ over*** 밀어 넘어뜨리다, 뒤집어엎다. ***~ round*** (맥주 따위를) 돌리다; (사람들이 …의) 주위에 밀집하다. ***~ one***self 몸을 내밀다, 밀어제치고 나가다《*to*》; (인정받으려고) 자기를 내세우다; (무리하게) 노력하다, 자신을 몰아세워 …하다《*to* do》. ***~ one's fortunes*** 열심히 재산을 모으다. ***~ one's way*** 밀어제치고 나아가다: I had to ~ my *way* through the crowd. 군중을 헤치고 나가지 않으면 안 되었다. ***~ one's way in the world*** 분투 노력하여 출세하다. ***~ the mark skyward*** 《미속어》 신기록을 세우다. ***~ through*** 《*vt.*+부》 ① (의안(議案) 따위를) 끝까지 밀어 통과시키다. ②(아무를) 끝까지 밀어 주다; (학생을 도와서) 합격〔급제〕시키다. ― 《*vi.*+부》 ③ (속을) 뚫고〔헤치며〕 나아가다. ④ (식물이) 땅에서 자라나다; (싹이) 움트다. ***~ up*** 밀어 올리다; (수량을) 증대시키다, (물가 등을) 올리다; (경쟁(競爭) 따위에서) 돌진하다.

― *n.* **1 a** (한 번) 밀기; (한 번) 찌르기, 찌름; 〖테니스·크리켓·야구〗 푸시(밀어 내듯 침): give a ~ 한 번 찌르다, 일격을 가하다. **b** 〖군사〗 공격; 압력, 압박; (the ~) 《구어》 해고, 목잘림: at the first ~ 첫째로; 첫 공격으로/get the ~ 《구어》 해고당하다/give a person the ~ 《구어》 아무를 해고하다. **c** 〖당구〗 밀어치기; 누름단추. **2 a** 추진; 한바탕의 앙버팀, 분발, 용씀; Ⓤ 기력, 진취적 기상, 억지가 셈: make a ~ 분발하다. **b**

Ⓤ 추천, 후원. **3** 절박, 위기, 궁지. **4** 《구어》 군중, 동아리; 《영속어》 (도둑 · 범인의) 일단, 한패거리, 악당들. **5** 〖컴퓨터〗 푸시.
at a* ~** 《영구어》 위급할 때에는, 긴급시에는. ***at one* ~** 대번에, 단숨에. ***come* 〔*bring, put*〕 *to the* ~** 궁지에 빠지다〔몰아넣다〕. ***full of* ~ *and go 정력이 넘치는: a man *full of* ~ *and go* 정력가. ***give* 〔*get*〕 *the* ~** ⇨ *n.* 1 b. ***if* 〔*when*〕 *it comes to the* ~** =***if* 〔*when*〕 ~ *comes to shove*** 일단 유사시에는, 만일의 경우에는, 필요하다면〔하게 되면〕: *If* ~ *comes to shove*, the government will impose quotas on imports. 만일 필요하게 된다면 정부는 수입 제한 조치를 취할 것이다.
púsh·bàll *n.* Ⓤ 〖경기〗 푸시볼《지름 6 피트의 큰 공을 서로 상대편의 골에 발로 차지 않고 밀어 넣는 경기》; 그 공.
púsh-bìke *n.* 《영구어》 (페달식 보통의) 자전거. ⓒⓕ motorbike.
púsh bròom 자루가 길고 폭이 넓은 비.
púsh bùnt 〖야구〗 푸시 번트.
púsh bùtton (벨 · 컴퓨터 등의) 누름단추.
púsh-bùtton *a.* 누름 단추식의; 원격 조종에 의한: a ~ telephone 버튼식 전화 / ~ tuning 〖전자〗 누름단추식 동조(同調) / a ~ war(fare) 누름단추식 전쟁《유도탄 등 원격 조종에 의한》.
púsh càr 〖철도〗 자재 운반용 작업차.
púsh·càrd *n.* = PUNCHBOARD.
púsh·càrt *n.* **1** 《미》 (노천 상인 · 장보기용 따위의) 미는 손수레. **2** 《영》 유모차.
púsh·chàir *n.* 《영》 (접는 식의) 유모차(《미》 stroller).
púsh cỳcle = PUSH-BIKE.
púsh-dòwn *n.* **1** 〖컴퓨터〗 푸시다운《가장 새롭게 기억된 정보가 가장 먼저 검색되도록 된 정보 기억》: a ~ list 푸시다운 목록, 축보(이)기. **2** 〖항공〗 푸시다운《어떤 비행 진로에서 갑자기 아래쪽 코스로 옮김》.

pushcart 1

púsh·er *n.* 미는 사람〔것〕; 억지가 센 사람, 오지랖 넓은 사람; 강매하는 사람; 《구어》 마약 밀매꾼; 《미속어》 위폐 사용자; 〖항공〗 (프로펠러가 기체 뒤쪽에 있는) 추진식 비행기(= ∠ **áirplane**).
push·ful [pú∫fəl] *a.* 《구어》 박력 있는, 적극적인; 오지랖 넓은.
púsh·ing *a.* 박력 있는, 활동적인, 진취적인; 배짱이 센, 주제넘은. ㊎ **~·ly** *ad.*
Push·kin [pú∫kin] *n.* **Aleksandr Sergeevich** ~ 푸시킨《러시아의 작가 · 시인; 1799-1837》.
púsh mòney 〖경제〗 매출 장려금《제조업자가 판매 실적을 올린 소매점에게 주는》.
púsh·òut *n.* 《미구어》 (학교 · 가정 · 직장에서) 쫓겨난 사람.
púsh·òver 《구어》 *n.* 식은 죽 먹기, 낙승(樂勝); 약한 상대〔팀〕; 잘 넘어가는 여자; 잘 속는 사람; 〖항공〗 급강하의 시작.
púsh·pìn *n.* 제도용〔도화지용〕 핀.
púsh pòll 유권자의 투표 행위를 바꾸기 위한 여론 조사《편향된 질문만을 하는 표면적인 조사》. ㊎ **púsh-pòlling** *n.*
púsh-prócess *vt.* 필름을 증감 현상하다.
púsh-púll *n., a.* 〖전자〗 푸시풀 방식(의): a ~ amplifier 푸시풀 증폭기.
púsh·ròd *n.* 〖자동차〗 (내연 기관의) 푸시 로드, 「밀대.
púsh shòt 〖농구〗 원거리에서 한 손으로 높이 던지는 샷.
púsh-stàrt *vt., n.* (자동차를) 밀어서 시동을 걸다〔걸기〕.
púsh technòlogy 〖컴퓨터〗 푸시 기술《요청하지 않아도 자동적으로 인터넷을 통해 정보를 제공하는 기술》.
Push·to, -tu [pʌ́∫tou], [pʌ́∫tu:] *n.* Ⓤ 아프가니스탄 말.
púsh-ùp *n.* **1** 〖체조〗 (엎드려) 팔굽혀펴기: do twenty ~*s*. **2** 〖컴퓨터〗 푸시업, 선입선출《최초에 기억된 자료가 최초에 꺼내어지도록 하는》: ~ list 푸시업 목록, 축보(이)기.
pushy [pú∫i] (***push·i·er; -i·est***) *a.* 《구어》 강력히 밀어붙이는, 억지가 센; 진취적인; 뻔뻔스러운. ㊎ **púsh·i·ly** *ad.* **-i·ness** *n.* 《미》 원기, 적극성.
pu·sil·la·nim·i·ty [pjù:sələníməti] *n.* Ⓤ 무기력, 비겁, 겁많음.
pu·sil·lan·i·mous [pjù:səlǽnəməs] *a.* 무기력한, 겁 많은, 소심한. ㊎ **~·ly** *ad.*
◇**puss**[1] [pus] *n.* **1** 고양이, 나비《주로 호칭》. **2** 《구어》 소녀, 계집애. **3** 《영》 산토끼; 《속어》 암사내. ***a sly* ~** 깜찍한 계집애. **~ *in the corner*** 집뺏기 술래잡기. ㊎ **∠·lìke** *a.*
puss[2] 《속어》 *n.* 얼굴, 낯짝; 입; 찡그린 얼굴, 보기 싫은 놈.
púss mòth 나무결재주나방《유럽산》.
◇**pussy**[1] [púsi] *n.* **1** 《소아어》 고양이. **2** 털이 있고 부드러운 것《버들개지 따위》. **3** 《비어》 여자의 음부; 성교.
pus·sy[2] [pʌ́si] (***-si·er; -si·est***) *a.* 〖의학〗 고름이 많은; 고름 같은.
pússy·càt [púsi-] *n.* 《소아어》 고양이; 《속어》 호인.
pússy·fòot [púsi-] 《구어》 *vi.* 살그머니 걷다; 모호한 태도를 취하다. **—** (*pl.* **~s**) *n.* ~하는 사람; 《미》 금주(가)(prohibition(ist)). **—** *a.* 기회주의의. ㊎ **~·er** *n.*
pússy wíllow [púsi-] 〖식물〗 땅버들의 일종《미국산》.
pus·tu·lant [pʌ́st∫ələnt] *a.* 농포(膿疱)를 생기게 하는. **—** *n.* 농포 형성제, 발포제.
pus·tu·lar [pʌ́st∫ələr] *a.* 〖의학〗 농포의; 온통 우툴두툴한, 부스럼투성이의.
pus·tu·late [pʌ́st∫əlèit] *vi., vt.* 농포가 생기(게 하)다. **—** *a.* 농포가 있는〔생긴〕. ㊎ **-làt·ed** *a.* **pùs·tu·lá·tion** *n.* Ⓤ
pus·tule [pʌ́st∫u:l/-tju:l] *n.* 〖의학〗 농포(膿疱); 〖식물 · 동물〗 작은 융기. ㊎ **pus·tu·lous** [pʌ́st∫ələs] *a.* = PUSTULAR.
†**put**[1] [put] (*p., pp.* ***put; pút·ting***) *vt.* **1** 《+목+전+명/+목+부》 (어떤 위치에) 놓다, 두다, 설치하다, 붙이다, 얹다, 대다; 내려놓다《*down*》: ~ a book *on* the shelf 책을 선반 위에 얹다 / ~ the car *in* the carport 차를 차고에 넣어 두다 / ~ a glass *to* one's lips 술잔을 입에 대다 / *Put* your pencils *down*. 연필을 내려놓으시오.

> SYN. **put** 물건을 어떤 장소나 상태에 두는 것으로, 놓는 동작 그 자체를 강조하는 때가 있음. **set** 사물을 어떤 상태로 몰고 감을 말함: *set* a ball rolling 공을 굴리다. **place** 물건이 놓이는 상태나 장소 쪽을 강조하는 뜻을 지님. **lay** put과 비슷한 뜻이나, '물건을 깔아 놓다'라는 뜻이 있음.

2 《+목+전+명/+목+부》 (어떤 방향으로) 향하게 하다, 나아가게 하다: ~ one's horse *to* 〔*at*〕 a fence (뛰어넘게 하려고) 말을 담쪽을 향하게 하다 / ~ the clock *back* 〔*forward, ahead*〕 시계 바늘을 뒤로〔앞으로〕 돌리다 / Don't ~ yourself *forward!* 몸을 내밀지 마라; 나서지〔참견〕 마라.
3 《+목+전+명/+목+부/+목+보》 (어떤 상태에) 놓다, (…으로) 하다《*in; at; to*》: ~ the names *in* alphabetical order 이름을 알파벳순으로 배열하다 / ~ a room *in* order 방을 정돈하다 / ~ a person *at* ease 〔*to* shame〕 아무를 편

하게 하다〔창피 주다〕/The news ~ him *in* a very good humor. 그 소식을 듣고 그는 기분이 매우 좋아졌다/~ a child *in* a special school 아이를 특수 학교에 넣다/~ a thing *upside down* 물건을 거꾸로 놓다/These mistakes can be ~ right. 이런 잘못은 고칠 수 있다.
4 《+목+전+명》 (사람을 일 따위에) 종사시키다, 배치하다《*to*》: He ~ her *to* work. 그는 그녀에게 일을 시켰다.
5 《+목+전+명》 회부하다, 받게〔당하게〕 하다 (subject)《*to*》: ~ a person *to* torture 아무를 고문하다/~ a person *to* embarrassment 아무를 당황케 하다/The murderer was ~ *to* death. 살인범은 사형에 처해졌다.
6 《+목+전+명》 더하다, 붙이다, 넣다, 타다, 치다: ~ water *to* wine 술에 물을 타다/~ sugar *in* tea 홍차에 설탕을 치다/~ some water *in* a jug 물병에 물을 넣다.
7 《+목+목/+목+전+명》 달다, 끼우다, 덧붙이다, 주다; 서명하다: ~ a new handle *to* a knife 칼자루를 새로 끼우다/~ a horse *to* a cart 짐수레에 말을 매다/~ one's name *to* a document 서류에 서명하다/He ~ me a good idea. 그는 좋은 생각을 가르쳐 주었다.
8 《+목+전+명》 (제지(制止)·압력 등을) 가하다《*on*》; (종말 등을) 짓다: ~ an end *to* war 전쟁을 끝내다/~ an end 〔a stop〕 *to* a superstition 미신을 타파하다/~ a veto *on* a proposal 제안을 거부하다.
9 《+목+전+명》 (주의·정력·기술 따위를) 기울이다, 집중하다, 적용시키다, 발휘시키다; (돈 따위를 …에) 충당하다, 투자하다《*in; to; into*》: ~ one's money *into* land 토지에 투자하다/Let us ~ our minds *to* international affairs. 국제 문제에 관심을 기울이자/Why don't you ~ your talent *to* a better use? 네 재능을 좀더 선용하면 어떤가.
10 《~+목/+목+전+명》 (문제·질문·의견 등을) 제출하다, 제기하다, 내다《*to; before*》; 평결(評決)에 부치다: ~ a case *before* a tribunal 사건을 법정에서 진술하다/~ a question *before* a committee 위원회에 질문을 제출하다/~ the motion (*to* a vote) 동의(動議)를 표결에 부치다/I ~ it *to* you. 부탁합니다/I ~ it *to* you that … … 라는 말씀이지요 (그렇지 않습니까).
11 《~+목/+목+전+명/+목+부》〔보통 put it으로 부사(구)와 함께〕 표현〔진술〕하다; 번역하다《*in, into*》; 쓰다, 기록하다: Let me ~ *it in* another way. 다른 표현을 써 보기로 하자/To ~ *it* briefly 〔mildly〕 간단히〔조심스럽게〕 말하자면/*Put* the following *into* English. 다음을 영역하라/He ~ his experience *into* a novel. 자신의 체험을 소설로 썼다.
12 《+목+전+명》 눈어림하다, 어림잡다, 평가(評價)하다《*at*》; (…에 값을) 매기다《*on, upon*》: I ~ our damage *at* $7,000. 손해액을 7,000 달러로 어림했다/They ~ the distance *at* five miles. 그들은 거리를 5마일로 어림잡았다.
13 《+목+전+명》 (세금·의무·해석·비난·치욕 등을) 부과하다, 억지로 떠맡기다, 퍼붓다: They ~ a heavy tax *on* luxury goods. 사치품에 중과세했다/Don't ~ a wrong construction *on* his action. 그의 행동을 곡해해서는 안 된다/They ~ all the blame *on* me. 그들은 모든 책임을 내게 전가했다.
14 《+목+전+명》 …의 탓으로 돌리다《*to*》: They ~ it *to* his ignorance. 그들은 그것을 그의 무식의 탓으로 돌렸다.
15 (경기자가 포환 따위를) 던지다: ~ the shot 포환던지기를 하다.
— *vi.* **1** 《+부/+전+명》 (배 따위가) 나아가다, 침로(針路)를 잡다, 향하다《*out to; to; for; away*》; 《미》 (강물 따위가) 흘러가다: ~ *away* from the shore (배가) 뭍을 떠나다/~ (*in*) *to* harbor 입항하다/The river ~*s into* a lake. 그 강은 호수로 흘러든다.
2 《+전+명》 급히 떠나 버리다; 달아나다: ~ *for* home 급히 귀가하다.
3 (식물이) 싹트다《*out*》.
not know where to* ~ *oneself 매우 당황하다. **~ *about*** 《*vt.*+부》 ① (배의) 항로를 바꾸게 하다. ② (소문 따위를) 퍼뜨리다. ③ (…이라는 것을) 이야기하다: It has been ~ *about* that he will resign. 그가 사직하리라는 소문이 파다하게 퍼져 있다. ④ 〔보통 수동태 또는 ~ oneself about〕 폐를 끼치다, 괴롭히다, 방해하다. **—** 《*vi.*+부》 ⑤ (배가) 항로를 바꾸다. **~ *across*** 《*vt.*+부》 ① (아무에게) 잘 전달하다, 이해시키다《*to*》: I couldn't ~ my idea *across to* my students. 학생들에게 내 생각을 잘 이해시킬 수가 없었다. ② 〔~ oneself across〕 (아무에게) 자기 생각을 잘 전달하다《*to*》. ③ 《구어》 …을 훌륭히 해내다, 성공시키다: ~ a project *across* 계획을 성공시키다. **—** 《*vt.*+전》 ④ (강 따위를) 건네주다: He ~ me *across* the river. 그는 (나를) 강을 건네주었다. **~ *ahead*** 촉진하다, …의 생육을 빠르게 하다; …의 날짜를 당기다; (시계) 바늘을 앞으로 돌리다. **~ *aside*** ① (일시) 제쳐 놓다, 치우다, 제거하다: She ~ *aside* her sewing and looked at me. 그녀는 재봉 일감을 옆으로 치우고 나를 보았다. ② (후일을 위해) …을 따로 남겨〔떼어〕 두다: We must ~ *aside* money for the future. 우리들은 장래를 위해 돈을 저축하여야 한다. ③ (불화·증오 따위를) 무시하다, 잊다. **~ *away*** ① (언제나 두는 곳에) 치우다; (장차를 위해) 떼어 두다, 비축하다: ~ a little money *away* 조금 돈을 모으다. ② 《완곡어》 투옥하다, (정신 병원에) 감금하다, 격리하다. ③ 《완곡어》 (늙은 개 따위를) 죽이다, (사람을) 처치하다; (사자(死者)를) 묻다 (bury). ④ (생각 등을) 포기하다, 버리다. ⑤ (음식을) 먹어 치우다; 《영속어》 전당 잡히다; 《고어》 (아내와) 이혼하다. **~ *back*** 《*vt.*+부》 ① (물건을) 제자리에 갖다 놓다. ② (…을) 후퇴〔정체〕시키다, 늦어지게 하다: The earthquake has ~ *back* the development of the city (by) ten years. 지진이 그 도시의 발전을 10년 늦어지게 했다. ③ (시계의) 바늘을 되돌리다. ④ (…까지) 연기하다《*to; till; until*》. ⑤ (배를 …로) 회항시키다〔되돌아가게 하다〕《*to*》. ⑥ 《구어》 (술을) 많이 마시다. ⑦ (체중 등을) 되찾다. ⑧ 《미》 (학생을) 낙제시키다. **—** 《*vi.*+부》 ⑨ (배가) 돌아가다, 회항하다〔되돌아가다〕《*to*》. **~ … *before*** …을 …의 앞에 놓다, …보다 우선시키다; ⇨ *vt.* 10. **~ *behind*** (…의 발육을) 늦추다. **~ *behind* one** (실패 따위를) (영향을 받지 않도록) 다 끝난 것으로 하다, 잊다: *Put* the whole thing *behind* you. **~ *by*** 제쳐 놓다; 떼어 두다, (돈 따위를) 모아 두다; 물리치다, 피하다; 무시하다, 상대하지 않다: ~ *by* money for the future 장래를 위해 돈을 모으다/Smith was ~ *by* in favor of Robinson. 스미스는 밀려나고 로빈슨이 채용되었다. **~ *down*** 《*vt.*+부》 ① (…을) 내려놓다: He ~ the phone *down*. 그는 (통화를 끝내고) 수화기를 내려놓았다. ② 《영》 (승객을) 내리게 하다 《*at*》: *Put* me *down at* B, please. B지점에서 내려 주십시오. ③ (비행기를) 착륙시키다. ④ 《영》 (음식물을) 비축〔저장〕하다: ~ *down* vegetable in salt 채소를 소금에 절여 저장하다. ⑤ 억누르다, 가라앉히다; 꼼소리도 못하게 하다: ~ *down* a riot 폭동을 진압하다. ⑥ (물건값·집세 따위를)

내리다. ⑦ (…을) 쓰다, 기록〔기입〕하다: ~ *down* an address 주소를 적어 두다. ⑧ (기부〔예약, 경기, 입학〕 신청자로서 이름을) 쓰다《*for*》: *Put* me *down for* 50 dollars. 50 달러 기부하는 것으로 제 이름을 적어 두시오/I have ~ my name *down for* the 100-meter dash. 100 미터 경주에 나가기로 신청했다. ⑨ (비용을 …에) 달(아 놓)다《*to*》: *Put* the bill *down to* my account. 그 셈은 내 앞으로 달아 놓으세요. ⑩ (…을) 계약금으로서 지불하다. ⑪ (아무를 몇 살로) 생각하다, 여기다, 보다《*at*》: I ~ the woman *down at* thirty. 그 여성을 서른 살로 보았다. ⑫ (아무를 …라고) 생각하다, 여기다: They ~ him *down* as an idiot. 그들은 그를 바보로 여겼다. ⑬ (…을 …으로) 돌리다, (…을 …의) 탓으로 하다《*to*》: He ~ the mistake *down to* me. 그는 그 잘못이 내 탓이라고 했다/All the troubles in the world can be ~ *down to* money. 세상의 모든 다툼질은 따지고 보면 돈이 원인이라고 할 수 있다. ⑭ (늙은 개 따위를) 처치하다, 죽이다. ⑮《구어》(아무에게) 비굴한 생각이 들게 하다; (사람·물건을) 헐뜯다: You seem to like ~*ting* people *down*. 자네는 남을 헐뜯기를 좋아하는 것 같군. ━《*vi.*+副》⑯ (비행기·조종사가) 착륙하다. **~ *forth*** ① 내밀다, 뻗치다; (싹이) 나오다: Plants ~ *forth* buds in March. 3 월에는 식물의 싹이 돋아 나온다. ② (빛·열을) 발하다: The sun ~*s forth* its rays. 태양은 빛을 발한다. ③ 진열하다. ④ 말을 (꺼)내다, 제안하다: ~ *forth* a question 문제를 내다. ⑤ (힘을) 내다, 발휘하다; (큰 소리로) 외치다: We should ~ *forth* all our best efforts. 최선의 노력을 해야 한다. ⑥ 출판하다: ~ *forth* a new book. ⑦ 항구를 나가다. **~ *forward*** ① 제안〔제언, 주장〕하다: ~ *forward* a new theory 새로운 설을 제창하다. ② 앞으로 나아가게 하다. ③ 진흥〔촉진〕시키다: ~ the business *forward* 사업을 촉진시키다. ④ 눈에 띄게 하다. ⑤ 천거(薦擧)하다: ~ *forward* a candidate 후보자를 천거하다. **~ *in*** 《*vt.*+副》① (…을) 넣다, 끼워〔밀어, 질러〕 넣다: He ~ his head *in* at door. 그는 문에서 머리를 안으로 밀어 넣었다. ② (설비 따위를) 설치하다: ~ an air conditioner *in* 에어컨디셔너를 설치하다. ③ (관리인 등을) 두다, 들이다: ~ *in* guards 경비원을 두다. ④ (말 따위를) 참견하다. ⑤ (말 따위를) 끼워 넣다. ⑥ (요리〔탄원〕서 따위를) 제출하다, 신청하다: ~ *in* a plea 탄원서를 내다. ⑦ (타격 따위를) 가하다, 더하다. ⑧ (일 따위를) 하다: ~ *in* an hour's weeding 1 시간 동안 풀뽑기를 하다. ⑨ (시간을) 보내다: ~ *in* an hour on one's studies 1 시간 동안 공부를 하다. ⑩ (씨를) 뿌리다, 심다. ⑪ 선거를 통해 (정당·정부를) 선출하다. ━《*vi.*+副》⑫ (…에) 입항하다《*at*》: The ship ~ *in at* Incheon for repair. 배는 수리하기 위해 인천에 입항했다. **~ *in a good word for*** a person ⇨WORD. **~ *in for*** ① …을 신청하다: ~ *in for* a two-week vacation, 2 주간의 휴가를 신청하다. ② (경기 대회·품평회 따위에) 참가〔출품〕하게 하다. ③ (아무를) …의 후보로 천거〔추천〕하다: We ~ him *in for* a scholarship. 우리는 그를 장학생 후보로 천거했다. **~ *into*** ① …의 안에 넣다, …에 삽입하다; …에 주입(注入)하다: ~ a knife *into* it 칼을 푹 찌르다. ② …으로 번역하다. ③ …에 입항하다. **~ *it across*** ① (사람을) 혼내 주다, 혹평하다: I'll ~ *it across* her. 그녀를 혼내 주겠다. ②《구어》속이다. **~ *it on*** 《구어》〖보통 ~ it on thick〗① 감정을 과장해서 나타내다, 태깔 부리다; 허풍 떨다. ② 터무니없는 값을 부르다, 바가지 씌우다. ③ 살찌다. **~ *it* 〔*something*〕 *over on*** a person 《미구어》 아무를 속이다: He tried to ~ *something over on* me. 그는 나를 속이려고 했다. ***Put it there!*** 《미구어》 악수하자, 화해하자. **~ *it to*** a person 아무의 승인을 구하다, 의견을 묻다. **~ *off*** 《*vt.*+副》① (…까지) 연기하다, 늦추다; 기다리게 하다《*till; until*》: Don't ~ *off till* tomorrow what you can do today. 오늘 할 수 있는 일을 내일로 미루지 말라. ② (…하는 것을) 연기하다, 미루다《do*ing*》: Don't ~ *off* answer*ing* the letter. 그 편지의 답장을 미루지 마라. ③ (변명·구실 따위로) 넘어가게 하다《*with*》: He is not to be ~ *off with* words. 그는 변명 따위로 넘어갈 사람이 아니다. ④ (아무의) 의욕을 잃게 하다, 흥을〔흥미를〕 깨다: Anxiety ~ him *off*. 그는 불안한 심사 때문에 (일 따위에) 정성을 쏟을 수 없었다. ⑤ (아무에게) 짓궂은 짓을 하다, 섬뜩〔오싹〕하게 하다: The smell ~ me *off*. 그 냄새에는 정말 진절머리가 났다. ⑥ (수도·가스 따위를) 잠그다; (라디오·전등 따위를) 끄다. ⑦ (아무를 차에서) 내리게 하다, 하차〔하선〕시키다: Please ~ me *off at* the next stop. 다음 정거장에서 내려 주십시오. ━《*vi.*+副》⑧ (배·선원 따위가) 출범하다. ━《*vt.*+前》⑨ (아무에게) …에 대한 의욕을 잃게 하다: The noise ~ me *off* my studies. 그 소음 때문에 공부에 정신을 쏟을 수 없었다/The accident ~ him *off* drink*ing*. 그 사고로 그는 술을 끊었다. **~ *on*** 《*vt.*+副》① (옷을) 입다, (신발 따위를) 신다; (모자 따위를) 쓰다; (장갑 따위를) 끼다; (화장 따위를) 하다; ~ *on* one's clothes 옷을 입다/~ *on* one's shoes 신발을 신다/~ *on* one's glasses 안경을 쓰다/~ some lipstick *on* 입술 연지를 좀 바르다. ② (태도·외관 따위를) 몸에 갖추다, 거드름 피우다, …하는 체하다: ~ *on* an innocent air 순진한 체하다. ③ (체중 등을) 늘리다; (속도를) 내다; (득점 따위를) 더 얻다: ~ *on* speed 속력을 내다/~ *on* years 나이가 들다, 늙다/He's ~*ting on* weight. 그는 체중이 늘고 있다. ④ (시계) 바늘을 앞으로 당겨 놓다, 빠르게 하다. ⑤ (연극을) 상연하다, (전시회 따위를) 개최하다: ~ *on* a new play 새 연극을 상연하다. ⑥ (아무를 무대·경기 따위에) 내보내다: I'm ~*ting* you *on* next. 다음은 자네가 나가 주어야겠어. ⑦ (수도·가스 따위의) 고동을 열어서 내다〔나오게 하다〕; (라디오·전등 따위를) 켜다. ⑧ (레코드·테이프·음악 따위를) 틀다. ⑨ (물건을) 위에 놓다, 얹다, 싣다; (주전자 따위를 불 위에) 올려놓다. ⑩ (식사) 준비를 하다. ⑪ (임시 열차 따위를) 운행하다. ⑫ (브레이크를) 밟다. ⑬《미구어》(아무를) 속이다, 놀리다. ━《*vi.*+前》⑭《영》(아무에게) 폐를 끼치다. **~ ... *on*** — …을 —에게 (짐) 지우다〔돌리다, 씌우다〕, …의 탓으로 하다: ~ the responsibility *on* him 그에게 책임을 지우다〔씌우다〕, 그의 탓으로 돌리다. **~** a person ***on to* 〔*onto*〕 ...** 아무를 …에게 주선하다, …에게 아무의 전화를 연결하다; 아무에 대해서 …에게 밀고하다; (유리한 상품·근무처 등)으로 아무의 주의를 돌리다, …을 아무에게 알리다. **~ *out*** 《*vt.*+副》① (전등·불 따위를) 끄다; (시력을) 잃게 하다: ~ *out* a light 〔candle〕 전등〔촛불〕을 끄다/The firemen soon ~ *out* the fire. 소방관들은 금세 불을 껐다. ② (…을) 내놓다, 내밀다: ~ *out* an ashtray 재떨이를 내놓다/~ *out* one's hand (악수를 청하면서) 손을 내밀다. ③ (싹 따위를) 내다, 트다. ④ (아무를) 내쫓다, 몰아내다; 해고하다. ⑤ (관절이) 빠지게〔퉁겨지게〕 하다; 상하게 하다: He ~ his shoulder *out* during the match. 그는 그 경기 중에 어깨가 빠졌다. ⑥ (…을) 밖에 내(놓)다; (일을 하청 따위에) 내다〔주다〕《*to*》: ~ *out* a garbage can 쓰레기통을 밖에 내놓다. ⑦ (물건을) 생산하다; (힘을) 발휘하다;

(정력을) 내게 하다. ⑧ (…을) 출판하다; 발표하다, 발령을 내다; 방송하다: They're ~*ting out* a new model in April. 그들은 4월에 새 모델을 발표할 예정이다. ⑨ (이자를 받고) 돈을 빌려 주다, 투자하다《*to*》. ⑩ (아무를) 당황하게 하다; 난처하게 하다《종종 수동태로 쓰임》: He was so calm that nothing ~ him *out*. 그는 냉정해서 무슨 일이 일어나도 당황하는 기색이 없었다. ⑪ (아무에게) 폐를 끼치다, 번거롭게 하다: I hope I'm not ~*ting* you *out*. 폐를 끼치게 되는 것은 아니겠지요. ⑫ 〖야구·크리켓〗 (타자를) 아웃시키다. ⑬ (의사가 아무의) 의식을 잃게 하다; 〖권투〗 (상대를) 녹아웃시키다. ⑭ (견적·결과 따위를) 틀어지게 하다, 틀리게 하다. — 《*vi.*+副》 ⑮ 출범하다: The ship ~ *out to* sea. 배는 출범했다. ~ ***over*** ① 건너편에 건네 주다. ② 지체시키다, 연기하다. ③ (상대방에게) 잘 전하다, 이해시키다《*to*》. ④ (영화·연극 등을) 성공시키다, 호평을 얻게 하다. ~ ***over on*** a person 《구어》 …으로 아무를 속이다: You can't ~ that *over on* him. 그런 일로는 그를 속이지 못한다. ~ ***paid to*** ⇨ PAID. ~ one***self about*** 시달리다, 고생하다. ~ 〔***set***〕 one***self forward*** 주제넘게 나서다. ~ one***self out*** (남을 위해) 무리를 하다, 일부러 …하다《*to* do》: Don't ~ your*self out* for me. 저를 위해 일부러 이렇게 하시지 마십시오《미안해서》. ~ one***self over*** (an audience) (청중)에게 자신의 인상이 남아 있게 하다. ~ one***self up*** (…에) 입후보하다《*for*》. ~ ***through*** ① …을 꿰뚫게 하다; (법안 따위를) 통과시키다; …을 도와서 (시험에) 합격시키다, (대학 따위를) 졸업시키다. ② (일을) 성취하다; (신청서 등을) 처리하다: ~ *through* a business deal 상거래를 성립시키다. ③ …의 전화를 연결시키다: Please ~ me *through* to Mr. Baker. 베이커 씨에게 연결해 주시오. ④ …의 시련을〔검사를〕 받게 하다; (짐승에게 재주 따위)를 부리게 하다. ~ ***together*** ① (부분·요소를) 모으다, 구성하다; 조립하다. ② …을 종합하다, 합계하다; 편집하다: ~ *together* a dictionary. ③ …을 결혼시키다. ~ ***to good use*** 선용하다. ~ ***to it*** 난처하게 하다, 괴롭히다. ~ ***up*** 《*vt.*+副》 ① (기·돛 따위를) 올리다; (천막 따위를) 치다; (우산을) 받다: ~ *up* a flag 기를 올리다〔달다〕/~ *up* a tent 천막을 치다/*Put up* your hands! 손 들어. ② (집·비석 따위를) 짓다, 세우다, 건립하다: ~ *up* a fence 〔memorial〕 울타리를〔위령탑을〕 세우다. ③ (가격·집세 따위를) 올리다; (미사일 따위를) 쏘아올리다; (머리를) 땋아 올리다〔손질하다〕. ④ (게시 사항 따위를) 내걸다, 게시하다; (장식물을) 장식하다. ⑤ (의견·탄원서를) 제출하다. ⑥ (저항 따위를) 보여 주다, 나타내다; (싸움을) 계속하다: ~ *up* opposition 반론을〔이의를〕 내세우다/~ *up* a fight against a new airport 신공항 건설 반대 투쟁을 하다. ⑦ (태도 따위를) 보이다, 가장하다, …체하다: ~ *up* a bluff 허세를 부리다. ⑧ (상품을) 매물로 내놓다: ~ furniture *up* for auction 가구를 경매에 붙이다. ⑨ (식료품 따위를) 저장하다, 비축하다. ⑩ (식료품·약품 따위를) 포장하다, 짐 싸다. ⑪ (아무를 …의) 후보자로 지명하다; 추천하다《*for*》: He was ~ *up for* president. 그는 회장으로 추천되었다. ⑫ (자금을) 제공하다. ⑬ (…을) 치우다, 넣어 두다; (칼을) 칼집에 넣어 두다: We must ~ *up* the garden chairs for the winter. 정원용 의자를 겨울 동안 치워 두어야 한다. ⑭ (아무를) 묵게 하다: Will you ~ us *up* for the weekend? 요번 주말에 우리가 묵을 수 있게 해 주시지 않으렵니까. ⑮ (기도를) 올리다. ⑯ (사냥감을) 몰아 내다. — 《*vi.*+副》 ⑰ (…에) 묵다〔숙박하다〕《*at; with*》: We ~ *up at* the hotel 〔*with* friends〕 for the night. 그날 밤은 호텔〔친구집〕에서 묵었다. ⑱ 《영》 (…에) 입후보하다《*for*》: ~ *up for* Parliament 국회의원에 입후보하다. ~ ***up a good fight*** 선전(善戰)하다, 잘 싸우다. ~ ***upon*** 《구어》 (아무를) 속이다, 약점을 이용하다; …을 부당하게 다루다, …에게 폐를 끼치다: I will not *be* ~ *upon*. 나는 결코 속지 않을 것이다. ~ a person ***up to*** 아무를 선동하여 …시키다; …을 알리다, 경고하다; (생각 등을) …에게 제시하다; (결정 따위를) …에게 맡기다. ~ ***up with*** …을 (지그시) 참다. ~ a person ***wise*** 아무에게 어떤 사실을 알려 주다, 귀띔하다《*to*》: He ~ me *wise to* the way they run the company. 그는 나에게 그 회사의 경영 방법을 말해 주었다. ***would not*** ~ ***it past*** a person *to* do ⇨ PAST.

— *a.* 《구어》 자리잡은, 정착한(fixed): stay ~ 꼼짝 않고 있다, 안정되어 있다.

— *n.* **1** 찌르기, 밀기. **2** 던지기; Ⓤ 던져서 닿는 거리. **3** 〖증권〗 매도 선택권(=**∠ òption**)《특정 증권을 일정 기간 중에 소정의 가격으로 매도할 수 있는 권리》. OPP. *call*. ¶ ~ and call 특권부 매매.

put² (**-tt-**) *vt., vi., n.* = PUTT.

pu·ta·men [pjuːtéimin] (*pl.* ***-tam·i·na*** [-tǽmənə]) *n.* **1** 〖식물〗 (핵과(核果)의) 내과피(內果皮), 핵. **2** 〖동물〗 난각막(卵殼膜).

pút-and-táke [-ənd-] *n.* 네모난 팽이〔주사위〕의 눈 수에 따라 건 돈을 나누는 내기놀이.

pu·ta·tive [pjúːtətiv] *a.* 상상속〔추정상〕의, 억측의; 세평에 의한, 소문이 들리는: his ~ father 그의 추정상의 아버지. 㽞 **~·ly** *ad.*

pút-dòwn *n.* **1** (비행기의) 착륙. **2** 《구어》 해치움, 사람을 찍소리 못하게 하는 말〔행위〕, 혹평, 강렬한 반박.

put·lock, -log [pútlɔ̀ːk, -làk/-lɔ̀k], [pútlɔ̀ːg, -làg/-lɔ̀g] *n.* 〖건축〗 비계, 발판(용 통나무).

pút-òff *n.* 핑계, 발뺌; 연기.

pút-ón *a.* 거짓의, 임시의; 꾸민 행동의. — [∠∠] *n.* 겉치레; 태깔 부리는 사람; 《구어》 속임, (속이기 위한) 꾸밈새.

pút-òut *n.* 〖야구〗 척살, 아웃시킴.

put-put [pʌ́tpʌ́t, ∠∠] *n.* (소형 가솔린 엔진의) 펑펑〔통통〕하는 소리; 그런 차〔배〕. — (**-tt-**) *vi.* 펑펑거리는 소리가 나다; 펑펑〔통통〕거리며 나아가다〔운전하다〕.

pu·tre·fac·tion [pjùːtrəfǽkʃən] *n.* Ⓤ 부패(작용); Ⓒ 부패물. 㽞 **pù·tre·fác·tive** [-tiv] *a.* 부패하는〔하기 쉬운〕; 부패시키는.

pu·tre·fy [pjúːtrəfài] *vt.* 곪게 하다; 썩이다. — *vi.* 곪다; 썩다. 㽞 **-fi·er** [-ər] *n.*

pu·tres·cent [pjuːtrésnt] *a.* 썩어 가는; 부패한. 㽞 **-cence** *n.* Ⓤ 부패.

pu·tres·ci·ble [pjuːtrésəbəl] *a., n.* 부패하기 「쉬운(것).

pu·trid [pjúːtrid] *a.* 부패한; 악취가 나는; 더러운; 타락한; 《속어》 지독한, 고약한, 불쾌한. 㽞 **~·ly** *ad.* **~·ness** *n.* **pu·trid·i·ty** [pjuːtrídəti] *n.* Ⓤ 부패; 타락; Ⓒ 부패물.

pu·tri·lage [pjúːtrəlidʒ] *n.* 부패물.

putsch [putʃ] *n.* 《G.》 (정치적인) 반란, 폭동; 정부 전복 기도. 㽞 **∠·ist** *n.*

putt [pʌt] *vt., vi.* 〖골프〗 퍼트하다 《green 에서 hole을 향하여 가볍게 침》; 공을 가볍게 치다. — *n.* 경타(輕打), 퍼트. 「가죽 각반.

put·tee, put·tie [pʌtíː, pʌ́ti], [pʌ́ti] *n.* 각반;

put·ter¹ [pútər] *n.* 놓는 사람; 〖광산〗 운반부.

putt·er² [pʌ́tər] *n.* 〖골프〗 퍼터《putt 하는 데 쓰는 채〔클럽〕》; putt하는 사람.

put·ter³ [pʌ́tər] *vi.* 꾸무럭거리면서 일하다《*at; in*》; 어정버정 거닐다, 빈둥거리다《*about*》. — *vt.* (시간을) 허비하다《*away*》.

put·ti·er [pʌ́tiər] *n.* 퍼티 직공; 유리공(工).
pútting grèen 〖골프〗 퍼팅 그린《hole의 주위 20 야드 이내의 구역》.
put·to [púːtou] (*pl.* **-ti** [-ti]) *n.* 〖미술〗 푸토《큐피드와 같은 어린이의 화상(畫像)》.
puttoo ⇨ PATTU.
putt-putt [pʌ́tpʌ̀t, ∸∸] *n.*, *vi.* = PUT-PUT.
put·ty [pʌ́ti] *n.* 퍼티《창유리 따위의 접합제》; = PUTTY POWDER. ***plasterer's*** ~ 유리창용〔도장(塗裝) 공사용〕 퍼티. — *vt.* 퍼티로 접합하다〔메우다〕.
pútty knìfe 퍼티용(用) 흙손〔칼〕.
pútty mèdal 《영우스개》 적은 노력에 걸맞은 보수.
pútty pòwder 퍼티분(粉)(=**jéwelers' pútty**)《대리석·금속 따위를 닦는 주석〔납〕의 분말》.
pút-ùp *a.* 《구어》 미리〔살짝〕 꾸며 낸: a ~ job 짜고 하는 일, 함정.
pút-upòn *a.* 학대받은, 혹사당한; 이용당한, 속은.
putz [pʌts] *n.* 《미속어》 자지; 바보, 보기 싫은 놈.
‡puz·zle [pʌ́zl] *n.* **1** 수수께끼, 퍼즐, 알아맞히기, 퀴즈: a crossword ~ 크로스워드퍼즐《낱말을 가로세로 맞추기》. **2** 난문, 난제. **3** 당혹, 곤혹: be in a ~ 어리둥절하고 있다. — *vt.* **1** 《~+목/+목+*wh. to* do》 당혹게 하다, 난처하게 만들다: This question ~*s* me. 이 문제는 아무리 해도 모르겠다/He was ~*d what to* do. =It ~*d* him *what to* do. 어떻게 하면 좋을지 난감했다.

> SYN. **puzzle** 일이 복잡하여 사람을 당혹게 함. **perplex** puzzle보다도 품위 있는 말. 어려워서 어찌하면 좋을지 모름. **bewilder** 사물이 복잡하고 어려워 결단·행동에 곤혹을 느끼게 함.

2 《+목+전+명》 (머리를) 아프게 하다: ~ one's mind 〔brains〕 *over* 〔*about*〕 the solution of a problem 문제 해결에 부심하다. **3** 《+목+부》 (수수께끼·문제를) 풀다, 생각해 내다《*out*》: be unable to ~ *out* the message. — *vi.* 《+전+명》 **1** 어리둥절해지다, 어쩔 줄 모르다《*about; over*》. **2** 이리저리 생각하다, 머리를 짜내다《*over*》: ~ *over* a problem. ~ ***out*** ⇨ *vt.* 3. ~ ***through*** 손으로 더듬어 빠져 나가다. ㊞ **púz·zled·ly** *ad.* **-zled·ness** *n.* **~·dom** *n.* Ⓤ 곤경, 당혹.
púzzle·héaded, -páted [-id] *a.* 머리가 혼란된, 정신이 헷갈린.
púz·zle·ment *n.* Ⓤ 당혹. 「제.
púz·zler *n.* 당혹게 하는 사람〔것〕, 《특히》 난문
púz·zling *a.* **1** 당혹하게 하는, 어리둥절케 하는. **2** 영문 모를, 어려운. ㊞ **~·ly** *ad.* **~·ness** *n.*
P.V. Priest Vicar. **p.v.** post village. **PVA** polyvinyl acetate; polyvinyl alcohol. **PVC** 〖화학〗 polyvinyl chloride(염화 비닐). **PVS** Post-Vietnam Syndrome(베트남 증후군)《제대 후의 정신 장애》. **PVT** pressure, volume, temperature. **Pvt., pvt.** 〖미육군〗 Private, private(사병). **PW, P.W.** 《영》 policewoman; prisoner of war(포로); public works. **p.w.** per week. **PWA** a person with AIDS(에이즈 보균자〔환자〕)《의사가 환자의 프라이버시 보호를 위해 씀》. **PWA, P.W.A.** 《미》 Public Works Administration(공공 사업국)《1933-44》.
P wàve 〖지학〗 P 파(波), (지진의) 종파(縱波). ⓒⓕ S wave.
PWD, P.W.D. Public Works Department; Psychological Warfare Division. **PWR, P.W.R.** pressurized water reactor(가압수형(동력용) 원자로). **pwt(.)** pennyweight. **PX, P.X.** please exchange; 〖미육군〗 Post Exchange. **pxt.** pinxit.
py- [pái], **py·o-** [páiou, páiə] '농(膿)'의 뜻의 결합사.
pya [pjɑː, piɑː] *n.* 미얀마의 화폐 단위《kyat의 1/100》; 그 주화.
pyaemia ⇨ PYEMIA.
pyc·nid·i·um [piknídiəm] (*pl.* **-nid·ia** [-diə]) *n.* 〖식물〗 (불완전 균류(菌類)의) 분포자기(粉胞子器). ㊞ **pyc·níd·i·al** *a.*
pyc·nom·e·ter, pic- [piknɑ́mətər/-nɔ́-] *n.* 비중병(比重瓶).
pye ⇨ PIE⁴.
pýe-dòg [pái-] *n.* (동양의) 들개.
py·e·li·tis [pàiəláitis] *n.* Ⓤ 〖의학〗 신우염(腎盂炎).
py·e·log·ra·phy [pàiəlɑ́grəfi/-lɔ́g-] *n.* 〖의학〗 신우 조영(腎盂造影)(법), 신우 촬영(법).
py·e·lo·ne·phri·tis [pàiəlounəfráitis] *n.* 〖의학〗 신우신염(腎盂腎炎).
py·e·mia, -ae·mia [paiíːmiə] *n.* 〖의학〗 농혈(膿血)(증). ㊞ **py·é·mic, -áe·mic** *a.*
pyg·mae·an, -me-, pig- [pigmíːən, pigmi-/pigmíːən] *a.* = PYGMY.
Pyg·ma·li·on [pigméiliən, -ljən] *n.* 〖그리스신화〗 피그말리온《자기가 상아로 만든 상(像)에 반한 키프로스의 왕·조각가》.
Pyg·my, Pig- [pígmi] *n.* **1** 피그미족《아프리카 적도 부근에 사는 작은 흑인》. **2** 〖그리스신화〗 학과 싸우다 멸망한 왜인(矮人). **3** (p-) 왜인, 난쟁이. **4** (p-) 작은 요정. **5** (p-) 보잘것없는 사람〔물건〕. — *a.* **1** 난쟁이의. **2** (p-) 아주 작은; 하찮은.
pýgmy chimpanzée 〖동물〗 피그미침팬지《몸집이 작으며 자이르에 서식; 절멸 위기에 있음》.
pyg·my·ish [pígmiiʃ] *a.* 난쟁이 같은, 왜소한.
pyjamas ⇨ PAJAMAS.
pyk·nic [píknik] *a.*, *n.* 〖심리〗 비만형의 (사람). ⓒⓕ asthenic, athletic.
py·lon [páilɑn/-lɔn] *n.* **1** 탑문(塔門)《고대 이집트 신전의》. **2 a** 〖전기〗 고압선용 철탑; 교탑(橋塔). **b** 〖항공〗 (비행장의) 지시탑, 목표탑. **c** 파일론《연료 탱크·엔진·로켓탄 등의 현수 지주(懸垂支柱)》. **3** 임시 의족(義足).

pylon 2 b

py·lo·rec·to·my [pàiləréktəmi] *n.* Ⓤ 〖의학〗 유문(幽門) 제거〔적출〕(술).
py·lór·ic stenósis [pailɔ́ːrik-, -lɑ́r-, pi-/-lɔ́ːr-] 〖의학〗 유문(幽門) 협착.
py·lo·rus [pailɔ́ːrəs, pi-] (*pl.* **-ri** [-rai]) *n.* 〖해부〗 유문(부)(幽門(部)). ㊞ **py·lor·ic** [pailɔ́ːrik, -lɑ́r-, pi-] *a.*
pymt. payment.
pyo, PYO pick-your-own (손님이 직접 과일 등을 따서 사는 방식의).
pyo- ⇨ PY-.
pỳo·dérma *n.* 〖의학〗 농포성(膿疱性) 피부증, 농피증(膿皮症).
pỳo·génesis *n.* Ⓤ 〖의학〗 화농(化膿) (작용).
pỳo·génic *a.* 〖의학〗 농이 나는, 화농성의.
py·oid [páiɔid] *a.* 〖의학〗 고름의, 고름 모양의.
py·or·rhoea, py·or·rhea [pàiəríːə] *n.* Ⓤ 〖의학〗 농루(膿漏).
py·o·sis [paióusis] *n.* Ⓤ 〖의학〗 화농(化膿).
pyr- [páir], **py·ro-** [páirou, -rə/páiər-] '불, 열, 열작용에 의한, 초성(焦性)의' 란 뜻의 결합사.
‡pyr·a·mid [pírəmid] *n.* **1** 피라미드, 금자탑. **2** 〖수학〗 각뿔, 각추(角錐); 〖결정〗 추(錐); 〖원예〗 뾰족탑 모양으로 가꾼 나무: a right ~ 직각뿔. **3** (*pl.*) 당구의 일종. **4** 〖일반적〗 뾰족탑 모양의 것. **5** 〖증권〗 이익을 보고 늘리는 건옥(建玉)〔건주(建株)〕. **6** 〖사회〗 피라미드형 조직. — *vt.*, *vi.* **1** 피

라미드 모양으로 하다〔되다〕, (피라미드 모양으로) 점차로 증가하다〔가격 등을 올리다〕; 착착 진행하다. **2** 〖증권〗 (시세 변동이 있을 때) 계속하여 건옥을 늘리다, 주(株)를 계속 매매하여 이익을 보다. [파] **pỳr·a·míd·ic, -i·cal** *a.* **-i·cal·ly** *ad.*
py·ram·i·dal [pərǽmədəl, -mi-] *a.* 피라미드 모양의; 거대한. [파] **~·ly** [-dəli] *ad.*
pyrámidal péak 〖지학〗 빙식 첨봉(氷蝕尖峰).
Py·ram·i·don [pərǽmədɑ̀n] *n.* 피라미돈《진통·해열제 aminopyrine 의 상표명》.
pýramid sélling 피라미드식〔다단계〕 판매.
Pyr·a·mus [pírəməs] *n.* 〖그리스신화〗 피라무스《Thisbe 를 사랑한 바빌론의 청년; 그녀가 사자에게 잡아먹힌 줄로 믿고 자살하였음》.
pyre [paiər] *n.* [U] 화장용(火葬用) 장작 (더미).
py·rene [páiəri:n] *n.* 〖화학〗 피렌《콜타르에서 얻어지는 담황색 탄화수소》.
Pyr·e·ne·an [pìrəní:ən] *a., n.* 피레네 산맥의 「(주민).
Pyr·e·nees [pírəni:z/⌐-⌐] *n. pl.* (the ~) 피레네 산맥《프랑스·스페인 국경의》.
py·re·noid [paiərí:nɔid, páiərənɔ̀id] *n.* 〖생화학〗 피레노이드《조류(藻類)의 엽록체에서 녹말의 형성·저장에 관계하는 단백질 덩어리》.
py·re·thrin [paiərí:θrin, -réθ-/-rí:θ-] *n.* [U] 피레트린《제충국(除蟲菊)의 성분; 살충제》.
py·re·thrum [paiərí:θrəm, -réθ-/-rí:θ-] *n.* 제충국(除蟲菊); [U] 그 가루.
py·ret·ic [paiərétik] *a.* 〖의학〗 열의; 열병의〔에 걸린〕; 열병 치료의. **—** *n.* 발열제.
pyr·e·tol·o·gy [pìrətɑ́lədʒi, pàiər-] *n.* [U] 열병〔발열〕학. 「종; 상표명》.
Py·rex [páiəreks] *n.* 파이렉스《내열 유리의 일
py·rex·ia [paiəréksiə] *n.* [U] 〖의학〗 발열; 열병: ~ of unknown origin 원인 불명열《생략: P.U.O.》.
[파] **-ic, -i·al** [-réksik], [-siəl] *a.* 열병의.
pyr·he·li·om·e·ter [pàiərhì:liɑ́mətər, pìər-/pəhì:liɔ́m-] *n.* 태양열 측정계, 일조계(日照計).
py·ric [páiərik, pír-] *a.* 연소에 의한.
pyr·i·dine [pírədi:n, -din] *n.* [U] 〖화학〗 피리딘《알코올의 변성제(變性劑); 고무·기름·페인트 등의 용제》.
pyr·i·dox·in(e) [pìrədɑ́ksi(:)n/-dɔ́k-] *n.* [U] 〖생화학〗 피리독신《비타민 B_6를 말함》.
pyr·i·form [pírəfɔ̀:rm] *a.* 서양배(pear) 모양의.
py·rim·i·dine [pairímədi:n, pi-, pírəmədi:n, -din/páiərimidi:n] 〖화학〗 *n.* 피리미딘《마취성의 자극적인 냄새가 나는 액체 또는 수용성 결정의 유기 화합물》; 피리미딘의 유도체, 피리미딘 염기《DNA, RNA 의 구성 성분》.
py·rite [páirait/páiərait] *n.* 황철광(黃鐵鑛).
py·ri·tes [pairáiti:z, pi-, páiraits/paiər-, piər-] *n.* [U] 〖광물〗 **1** 황철광. **2** (기타의) 황화(黃化) 광물: copper ~ 황동광 / iron ~ 황철광 / white iron ~ 백철광 / tin ~ 황석광(黃錫鑛). [파] **-rit·ic, -ri·tous** [-rítik], [-ráitəs] *a.*
py·ro [páirou/páiər] *n.* **1** [U] 〖화학〗 = PYROGALLOL. **2** (*pl.* **~s**) 방화광(狂)(pyro-maniac).
pyro- ⇨ PYR-.
Py·ro·ce·ram [pàirousərǽm/pàiər-] *n.* 내열 도기(耐熱陶器)《상표명》. 「학의.
pỳro·chémical *a.* 고온도 화학 변화의; 열화
pỳro·clástic *a.* 〖지학〗 화쇄암(火碎岩)의, 화산 쇄설(碎屑)암으로 된: a ~ rock 화산 쇄설암, 화쇄암 / ~ flows 화쇄류(火碎流) / ~ deposits 화산 쇄설물.
pỳro·eléctric *a.* 파이로 전기의, 초전기(焦電氣)의. **—** *n.* 초전기 물질. [파] **pỳro·electrícity** *n.*
py·ro·gál·lic ácid [pàirəgǽlik-, -gɔ́:l-, pàiərougǽl-] = PYROGALLOL.
py·ro·gal·lol [pàirəgǽlɔ:l, -lɑl, -gəlɔ́:l/pàiərou-gǽlɔl] *n.* [U] 피로갈롤, 피로갈산(pyro)《사진 현상약》.

py·ro·gen [páirədʒən, -dʒèn/páiər-] *n.* 발열물질, 발열원(源).
py·ro·gen·ic, -ge·net·ic [pàirədʒénik/pàiər-], [-dʒənétik] *a.* 열이 생기게 하는, 발열성의; 〖지학〗 화성(火成)의《암석 등》. [파] **-ge·nic·i·ty** [-dʒənísəti] *n.*
py·rog·e·nous [pairɑ́dʒənəs/paiərɔ́dʒ-] *a.* =PYROGENIC.
py·rog·nos·tics [pàirəgnɑ́stiks/pàiərɔgnɔ́s-] *n. pl.* (광물의) 가열(加熱) 반응.
py·ro·graph [páirəgræ̀f, -grɑ̀:f/páiərə-] *n.* 낙화(烙畫).
py·rog·ra·phy [pairɑ́grəfi/paiərɔ́g-] *n.* 낙화술(烙畫術); 낙화(에 의한 장식). [파] **py·ro·graph·ic** [pàirəgrǽfik/pàiər-] *a.* 「phy).
pỳro·gravúre *n.* 낙화술(烙畫術)(pyrogra-
pỳro·kinésis *n.* (SF 에서) 염화(念火)《염력으로 불을 일으킴》. [파] **-kinétic** *a.*
py·rol·a·try [pairɑ́lətri/paiərɔ́l-] *n.* [U] 배화교(拜火敎).
pỳro·lígneous *a.* 〖화학〗 목재 건류의.
pyrolígneous ácid 〖화학〗 목초산(木醋酸).
py·rol·y·sis [pairɑ́ləsis/paiərɔ́l-] *n.* [U] 〖화학〗 열분해.
py·ro·lyze [páirəlàiz/páiər-] *vt.* 열분해하다. [파] **-lỳz·a·ble** *a* **-lỳz·er** *n.*
pỳro·magnétic *a.* 〖물리〗 열자기의(thermomagnetic).
py·ro·man·cy [páirəmæ̀nsi/páiər-] *n.* [U] 불점(占).
py·ro·ma·nia [pàirəméiniə/pàiər-] *n.* [U] 〖정신의학〗 방화벽(放火癖), 방화광. [파] **-ma·ni·ac** [-méiniæ̀k] *n.* 방화광《사람》.
pỳro·métallurgy *n.* (고온을 이용하는) 건식(乾式) 야금(법).
py·rom·e·ter [pairɑ́mətər/paiərɔ́m-] *n.* 〖물리〗 파이로미터, 고온도계. [파] **-e·try** [-mətri] *n.* [U] 고온 측정(법〔학〕). **py·ro·met·ric** [pàirəmétrik/pàiər-] *a.* **-ri·cal·ly** *ad.*
pyrométric cóne equìvalent 〖화학〗 내화도(耐火度)《생략: p.c.e.》.
py·ro·nine [páirəni:n/páiər-] *n.* 피로닌(염료)《주로 생물용 착색제로 쓰임》.
py·rope [páiroup/páiər-] *n.* [U] 홍석류석(紅石榴石). 「공포증.
py·ro·pho·bia [pàirəfóubiə/pàiər-] *n.* [U] 불
py·ro·phor·ic [pàirəfɔ́:rik, -fɑ́r-/pàiərəfɔ́r-] *a.* 〖화학〗 자연히 타는, 자연성(自燃性)의.
pỳro·photógraphy *n.* (유리·도자기의) 인화 사진술.
py·ro·sis [pairóusis/paiər-] *n.* [U] 〖의학〗 가슴앓이(heartburn).
py·ro·stat [páirəstæ̀t/páiər-] *n.* 고온용 온도 조절기; 화재 탐지기.
pyrotech. pyrotechnic(al); pyrotechnics.
pỳro·téchnic, -nical *a.* 꽃불의, 꽃불 같은; 눈부신, 화려한.
pỳro·téchnics *n. pl.* 〖단·복수취급〗 **1** 꽃불 제조술, 꽃불 올리기. **2** (변설·기지 등의) 화려함. **3** 〖군사〗 (신호·조명·탄막용 등의) 발연통(發煙筒), 발광탄, 조명탄. 「사람.
pỳro·téchnist *n.* 꽃불 제조인; 꽃불 올리는
pyro·techny [pàirətékni/páiər-] *n.* [U] = PYROTECHNICS 1.
pỳro·tóxin *n.* [U] 〖의학〗 피로톡신, 발열(發熱) 물질, 발열원.
py·rox·ene [pairɑ́ksi:n/paiərɔ́ksi:n, páiərɔk-

sì:n] *n.* Ⓤ 〖광물〗 휘석(輝石).

py·rox·e·nite [pairáksənàit, pi-/paiərɔ́k-] *n.* 〖광물〗 휘암(輝岩).

py·rox·y·lin(e) [pairáksəlin/paiərɔ́k-] *n.* 〖화학〗 질화면(窒化綿), 피록실린, 질산 섬유소, 솜화약.

Pyr·rha [pírə] *n.* 〖그리스신화〗 피라《Deucalion 의 처》.

Pyr·rhic [pírik] *a.* Pyrrhus 왕의〔같은〕.

pyr·rhic[1] *n.*, *a.* (옛 그리스의) 전무(戰舞)(의), 칼춤(의): a ~ dance 전무.

pyr·rhic[2] *n.*, *a.* 〖운율〗 단단격(短短格)《⏑⏑》(의), 약약격(弱弱格)《××》(의).

Pýrrhic víctory 피루스의 승리《막대한 희생을 치른 승리; 보람없는 승리》.

Pyr·rho [pírou] *n.* 피론《그리스의 회의(懷疑) 철학자; 365?-275? B.C.》.

Pyr·rho·ni·an, Pyr·rhon·ic [piróuniən], [piránik/-rɔ́n-] *a.* 피론의, 회의론(懷疑論)의. **—** *n.* 피론학도; (절대) 회의론자.

Pyr·rho·nism [pírənìzəm] *n.* 피론의 학설, 절대 회의설(懷疑說). ㊁ **-nist** *n.*

pyr·rho·tite, -tine [pírətàit], [-tì:n, -tin] *n.* 〖광물〗 자황철광(磁黃鐵鑛)(magnetic pyrites).

Pyr·rhus [pírəs] *n.* 피루스《옛 그리스 Epirus 의 왕(318?-272 B.C.); 로마와 싸워 이겼으나 많은 전사자를 냈다고 함》.

pyr·role [piróul, ⌐-] *n.* 〖화학〗 피롤《무색의 유독 액체; 엽록소, 헤민 등 많은 천연 물질의 구성 성분》. ㊁ **pyr·rol·ic** [pirálik, -róul-/-rɔ́l-] *a.*

py·ru·vate [pairú:veit, pi-/paiər-] *n.* 〖화학〗 피루브산염〔에스테르〕.

py·rú·vic ácid [pairú:vik-, pi-/paiər-] 〖생화학〗 피루브산, 초성(焦性) 포도산《생물의 기본적인 대사(代謝)에 관계되는 물질》.

Py·thag·o·ras [piθǽgərəs/pai-] *n.* 피타고라스《그리스의 철학자·수학자; 580?-500? B.C.》.

Py·thag·o·re·an [piθæ̀gərí:ən/pai-] *a.*, *n.* 피타고라스의 (학설을 신봉하는 사람). ㊁ **~·ism** *n.* = PYTHAGORISM.

Pythagoréan propositíon 〔théorem〕 (the ~) 〖수학〗 피타고라스의 정리.

Py·thag·o·rism [piθǽgərìzəm/pai-] *n.* 피타고라스의 학설.

Pyth·i·an [píθiən] *a.* 〖그리스신화〗 Delphi 의; Delphi 에 있는 아폴로 신전의; 아폴로의 무녀〔무당〕의; 아폴로의 신탁(神託)의. **—** *n.* (the ~) Delphi 의 아폴로신(神) 또는 그 무녀; Delphi 의 주민; 신(神)지핀 사람.

Pýthian Gámes (the ~) (옛 그리스의) Delphi 의 경기 축전《4 년마다 행해졌음》.

Pyth·i·as [píθiəs/-θiæ̀s] *n.* = DAMON AND PYTHIAS.

py·thon [páiθɑn, -θən/-θən] *n.* **1** 〖동물〗 비단뱀; 이무기. **2** (P-) 〖그리스신화〗 거대한 뱀《아폴로가 퇴치한》. **3** 무당 등에 붙는 귀신〔심령〕; 그 신이 들린 사람; 예언자. ㊁ **py·tho·nine** [páiθənàin] *a.*

py·tho·ness [páiθənis, píθ-/páiθənès] *n.* 그리스 Delphi의 아폴로 신전의 무녀; 무당, 여자 점쟁이.

py·thon·ic [paiθánik/-θɔ́n-] *a.* **1** 신탁(oracular)의, 예언의. **2** 비단뱀〔이무기〕의〔같은〕.

py·u·ria [paijúəriə] *n.* Ⓤ 〖의학〗 농뇨(膿尿)(증).

pyx [piks] *n.* **1** 〖가톨릭〗 성합(聖盒)《성체(聖體) 용기》. **2** (조폐국의) 화폐〔경화(硬貨)〕 검사함(函) (= ⌐ **chèst**): the trial of the ~ 견본 화폐〔경화〕 검사. **—** *vt.* (견본 화폐를) 화폐 검사함에 넣다; (주조한 신화폐를) 검사하다.

pyx 1

pyx·id·i·um [piksídiəm] (*pl.* ***-ia*** [-iə]) *n.* 〖식물〗 개과(蓋果); (이끼류의) 포자낭.

pyx·is [píksis] (*pl.* ***pyx·i·des*** [-sədì:z]) *n.* (옛 그리스·로마 사람의) 화장품 상자, 약상자; 보석 상자; 〖식물〗 개과(蓋果); 〖해부〗 배상와(杯狀窩); (P-) 〖천문〗 나침반자리.

P.Z.I. protamine zinc insulin(프로타민 아연 인슐린; 당뇨병 치료제).

Q

Q, q [kju:] (*pl.* **Q's, Qs, q's, qs** [-z]) **1** 큐《영어 알파벳의 17째 글자》; Q자형(의 것). **2** 〖스케이트〗 Q자형 회전. **3** 제 17번째(의 것)《J를 뺄 때는 16번째》. ***a reverse Q*** 〖스케이트〗 역(逆)Q자형 선회. ***the Q department*** 〖군사〗 병참부.

Q 〖전자〗 Q factor; 〖체스·카드놀이〗 queen; Queen('s); question; quetzal 〔quetzal(e)s〕; Quiller-Couch 《필명》; 〖물리〗 Q《열 에너지의 단위; $=10^{18}$ btu》. **Q.** quarto; Quebec; Queen; question; 〖전기〗 coulomb. **q.** *quadrans* 《L.》 (=farthing); quaere; quarter(ly); quartile; quarto; quart(s); quasi; query; question; quintal; quire; quoted; quotient.

Q.A.B. 《영》 Queen Anne's Bounty.

QÁ fùrniture 속성(速成) 조립 가구. [◂ *q*uick-*a*ssembly furniture]

Q.A.I.M.N.S. 《영》 Queen Alexandra's Imperial Military Nursing Service《현재는 Q.A.R.A.N.C.》.

qa·nat [kɑ:nɑ́:t] *n.* 지하 도수(導水) 터널.

Q. and A. question and answer(질의응답).

Qán·tas Áirways [kwɑ́ntæs-/kwɔ́n-] 퀀태스 항공《오스트레일리아의 항공 회사》. [◂ *Q*ueensland *a*nd *N*orthern *T*erritory *A*erial *S*ervices]

Q.A.R.A.N.C., QARANC 《영》 Queen Alexandra's Royal Army Nursing Corps.

Qa·tar [kɑ́:tɑ:r, kətɑ́:r/kǽtɑ:, -ˊ] *n.* 카타르《페르시아 만 연안의 토후국》. ㉺ **Qá·ta·ri** [-ri] *n., a.* 카타르 주민(의).

QB 〖체스〗 queen's bishop. **Q.B.** Queen's Bench. **QB, q.b.** 〖미식축구〗 quarterback.

Q-bòat *n.* Q보트(mystery ship)《제1차 세계대전 중 독일 잠수함을 유인 공격하기 위해 상선으로 가장한 영국 군함》.

QBP 〖체스〗 queen's bishop's pawn.

QC [kjú:sí:] *a.* =QUICK-CHANGE.

Q.C., QC Quartermaster Corps; Queen's College; Queen's Counsel; quality control. **QCD** quantum chromodynamics. **q.d., Q.D.** *quaque die* 《L.》 (=daily). **q.d.a., QDA** quantity discount agreement. **q.e.** *quod est* 《L.》(=which is). **QEA** Qantas Empire Airways Ltd. 《QANTAS AIRWAYS의 전신; 1935–70》. **QED** quantum electrodynamics. **Q.E.D., QED** 《L.》 *quod erat demonstrandum.* **Q.E.F., QEF** 《L.》 *quod erat faciendum.* **Q.E.I., QEI** 《L.》 *quod erat inveniendum* **QE 2** Queen Elizabeth 2 (영국의 호화 여객선). **Q. F.** quick-firing (gun).

Q fàctor 〖전자〗 Q인자《공명의 예리함을 나타내는 양; 〖물리〗 핵반응에 있어서의 반응열》.

Q fèver Q 열(熱)《발진티푸스 비슷한 열병》.

Qi·a·na [kiɑ́:nə] *n.* 키아나《나일론계의 합성 섬유; 상표명》.

q.i.d., Q.I.D. 〖처방〗 *quater in die* 《L.》 (=four times a day).

qi·gong [tʃigɔ́:ŋ, -gɑ́ŋ/-gɔ́ŋ] *n.* 기공(氣功)《호흡을 가다듬고 수족·상체를 움직여 행하는 중국 고래의 건강한 신체 양생법》.

Qing [tʃiŋ] 〖중국사〗 청(淸)(Ching).

qin·tar, -dar [kintɑ́:r], [-dɑ́:r] (*pl.* ***qin·dar·ka*** [-kə], **~s**) *n.* 킨타르《알바니아의 화폐 단위; =1/100 lek》.

qi·vi·ut [kí:viət] *n.* 사향소의 담갈색 부드러운 솜털; 그 털실.

QKt 〖체스〗 queen's knight. **QKtP** 〖체스〗 queen's knight's pawn. **ql.** quintal. **q.l.** 〖처방〗 《L.》 *quantum libet.* **Qld, Q'land, Q'l'd** Queensland. **QM, Q.M.** Quartermaster. **q.m., Q.M.** 〖처방〗 *quoque matutino* 《L.》 (=every morning). **QMC, Q.M.C.** Quartermaster Corps. **Q. Mess.** Queen's Messenger. **QMG, Q.M.G., Q.M.Gen.** Quartermaster General. **QMS, Q.M.S.** Quartermaster Sergeant. **q.n.** 〖처방〗 *quaque nocte* 《L.》 (=every night). **QNP** 〖체스〗 queen's knight's pawn. **QP** 〖체스〗 queen's pawn. **q.p., Q.P., q. pl.** 〖처방〗 *quantum placet* 《L.》 (=as much as you please). **Qq., qq.** quartos; questions. **qq.v.** *quae vide* 《L.》 (=which see). **QR** 〖체스〗 queen's rook.

Q-ràting *n.* =TV-Q.

QRP 〖체스〗 queen's rook's pawn. **qr(s).** quarter(s); quire(s). **qrtly** quarterly. **Q.S., QS** quarter sessions; Queen's Scholar. **q.s., QS** 〖처방〗 《L.》 *quantum sufficit;* quarter section.

Q-scòre *n.* (광고에서) 인기도.

QSE 《영》 qualified scientist and engineer.

Q-shìp *n.* =Q-BOAT.

Q sìgnal 〖통신〗 Q신호《Q로 시작되는 부호로 특정 내용을 전하는 것》.

QSL 〖통신〗 수신 승인; QSL카드《교신 기념 카드》.

QSO [kjù:èsóu] *n.* quasi-stellar object; 〖통신〗 교신.

Q Sòund 컴퓨터 믹스 입체 녹음.

QSTOL [kjú:stòul] *n.* 〖항공〗 큐에스톨기(機), 저(低)소음 단거리 이착륙기. [◂ *q*uiet *s*hort *t*ake-*o*ff and *l*anding]

Q swìtch 레이저로 첨두(尖頭) 출력이 큰 펄스(pulse)를 끌어내는 장치.

QSY 〖통신〗 송신 주파수 변경.

Q.T., q.t. [kjú:tí:] *n.* 《구어》 quiet. ***on the (strict)*** **~** ⇨ on the QUIET.

qt. quantity; quart(s); quarter.

Q-tìp *n.* 《미》 큐팁《면봉; 상표명》.

qto. quarto. **qtr.** quarter(ly). **qts.** quarts. **qty.** quantity. **qu.** quart; quarter(ly); quasi; queen; query; question.

qua [kwei, kwɑ:] *ad.* 《L.》 …의 자격으로, …로서(as).

Quaa·lude [kwéilu:d] *n.* 퀘일루드《methaqualone의 상표명》.

quack[1] [kwæk] *n.* **1** 꽥꽥《집오리 우는 소리》. **2** (라디오 따위의) 소음; 시끄러운 수다. **—** *vi.* 꽥꽥 울다; 시끄럽게 지껄이다; 수다 떨다.

quack[2] *n.* 가짜 의사, 돌팔이〔엉터리〕 의사(charlatan); 사기꾼. **—** *a.* 가짜 의사의, 사기〔엉터리〕의: a ~ doctor 가짜〔돌팔이〕 의사 / ~ medicines 〔remedies〕 가짜 약〔엉터리 요법〕.

— *vi.*, *vt.* 엉터리 치료를 하다; 과대 선전을 하다; 아는 체하다, 터무니없는 허풍을 떨다.
quack·ery [kwǽkəri] *n.* U,C 엉터리 치료; 터무니없는 말; 사기꾼 같은 짓.
quáck gràss =COUCH GRASS.
quack·ish [kwǽkiʃ] *a.* 돌팔이 의사 같은, 사기꾼의. ㊕ **~·ly** *ad.*
quáck-quáck *n.* 꽥꽥; 《소아어》 집오리.
quáck·sàlver *n.* 가짜〔돌팔이〕 의사.
quack·u·punc·ture [kwǽkjəpʌ̀ŋktʃər] *n.* 엉터리 침술 요법.
quad[1] [kwɑd/kwɔd] *n.* 《구어》 =QUADRANGLE (안뜰); 《구어》 =QUADRANT; 〖인쇄〗 QUADRAT(공목); (*pl.*) 《구어》 =QUADRUPLET 2 (네 쌍둥이); 《영속어》 =QUOD(교도소); 4 겹 케이블; 4채널 (스테레오).
quad[2] *n.* 《영》 쿼드《열량의 단위: =10^{15} btu》. [◂ *quad*rillion]
quad. quadrangle; quadrant; quadrat; quadrilateral; quadruple.
quád dénsity 〖컴퓨터〗 4 배 기록 밀도.
quád léft (컴퓨터 조판에서, 행이) 왼쪽 정렬인.
quad·plex [kwɑ́dpleks/kwɔ́d-] *a.* 4 중의; 4 배의. — *n.* 4 가구용 공동 주택.
quadr- ⇨ QUADRI-.
quad·ra·ble [kwɑ́drəbəl/kwɔ́d-] *a.* 〖수학〗 같은 넓이의 정사각형으로 나타낼 수 있는; 제곱할 수 있는.
quad·ra·ge·nar·i·an [kwɑ̀drədʒənέəriən/kwɔ̀d-] *a.*, *n.* 40 대의 (사람).
Quad·ra·ges·i·ma [kwɑ̀drədʒésəmə/kwɔ̀d-] *n.* 4 순절(Lent)의 첫째 일요일(=∠ **Súnday**); (4 순절의) 40 일(간). ㊕ **-mal** [-məl] *a.*
quadraminium ⇨ QUADROMINIUM.
quad·ran·gle [kwɑ́dræ̀ŋgəl/kwɔ́d-] *n.* 4 각형, 4 변형《특히 정사각형과 직사각형》; (특히 대학의) 안뜰; 안뜰을 둘러싼 건물; (미국의) 육지(陸地) 구획《동서 약 17-24 km, 남북 약 27 km의 지도상의 한 구획》.
quad·ran·gu·lar [kwɑdrǽŋgjələr/kwɔd-] *a.* 4 변형의. ㊕ **~·ly** *ad.*
quad·rant [kwɑ́drənt/kwɔ́d-] *n.* 〖수학〗 사분면(四分面), 상한(象限); 〖천문 · 해사〗 사분의(儀), 상한의(儀)《옛 천체 고도 측정기》; 사분면 모양의 기계의 부분품《따위》. ㊕ **qua·dran·tal** [kwɑdrǽntl/kwɔd-] *a.*
quádrant bálance 상한칭(象限秤), 원호칭(圓弧秤).
quàdra·phónic *a.* (녹음 · 재생이) 4 채널의. ㊕ **~s** *n.* =QUADRAPHONY.
qua·draph·o·ny [kwɑdrǽfəni/kwɔ-] *n.* (녹음 · 재생 등의) 4 채널 방식.
quàdra·sónic *a.* =QUADRAPHONIC. ㊕ **~s** *n.* =QUADRAPHONICS.
quad·rat [kwɑ́drət/kwɔ́d-] *n.* 〖인쇄〗 공목(空木)《생략: quad》; 〖생태〗 쿼드라트《동식물 군락(群落) 연구를 위해 구분한 네모꼴 토지》. ***an em*** 〔***m***〕 ~ (m 자 폭의) 전각 공목. ***an en*** 〔***n***〕 ~ (n 자 폭의) 반각 공목.
quad·rate [kwɑ́drət, -reit/kwɔ́d-] *a.* 정사각형의; 방형(方形)의: a ~ bone 〔muscle〕 방형골〔근〕/a ~ lobe (뇌수의) 방형엽(葉). — *n.* 정사각형; 〖해부〗 방형골, 방형근. — [kwɑ́dreit/kwɔdréit] *vt.* 적합〔일치, 조화〕시키다《*with; to*》. — *vi.* 적합하다, 일치하다《*with*》.
quad·ra·thon [kwɑ́drəθɑ̀n/kwɔ́drəθɔ̀n] *n.* 4 종 경기《수영 · 경보 · 자전거 · 마라톤을 하루에 치르는 경기》.
qua·drat·ic [kwɑdrǽtik/kwɔd-] 〖수학〗 *a.* 2 차의: a ~ equation 2 차 방정식 / ~ paper 그래프용지, 모눈종이. — *n.* 2 차 방정식; (*pl.*) 〖단수취급〗 2 차 방정식론.
quadrátic fórm 〖수학〗 2 차형식.
quadrátic fórmula 〖수학〗 2 차 방정식의 근의 공식.
quad·ra·ture [kwɑ́drətʃər, -tʃùər/kwɔ́d-] *n.* **1** U 네모꼴로 만들기; 〖수학〗 구적(법)(求積法)). **2** 〖천문〗 구(矩), 구상(矩象); (달의) 현(弦). ***(the)*** **~ *of the circle*** 원적(圓積) 문제《'주어진 원과 같은 면적의 정사각형을 만들다' 라는 작도 불능의 문제》.
qua·dren·ni·al [kwɑdréniəl/kwɔd-] *a.* 4 년간의, 4 년마다의. ㊕ **~·ly** *ad.*
qua·dren·ni·um [kwɑdréniəm/kwɔd-] (*pl.* **~s, *-nia*** [-niə]) *n.* 4 년간.
quad·ri- [kwɑ́drə/kwɔ́d-], **quadr-** [kwɑ́dr/kwɔ́dr], **quad·ru-** [kwɑ́dru/kwɔ́d-] '4' 라는 뜻의 결합사《모음 앞에서는 quadr-》.
quad·ri·ad [kwɑ́driæ̀d/kwɔ́d-] *n.* (공통의 흥미를〔일을〕 가진) 4 인조.
quad·ric [kwɑ́drik/kwɔ́d-] *a.* 〖수학〗 2 차의. — *n.* 2 차 곡면(曲面); 2 차 함수.
quàdri·centénnial *a.* 400 년(째)의. — *n.* 400 주년 기념(일), 400 주년제(祭).
quad·ri·ceps [kwɑ́drəsèps/kwɔ́d-] *n.* 〖해부〗 대퇴(大腿) 사두근(四頭筋). ㊕ **quàd·ri·cíp·i·tal** [-sípətl] *a.*
quádri·còlor *a.* 4색의, 네 가지 빛깔의.
quad·ri·fid [kwɑ́drəfid/kwɔ́d-] *a.* 〖식물 · 동물〗 사열(四裂)의: a ~ leaf 〔petal〕 사열의 잎〔꽃잎〕.
qua·dri·ga [kwɑdríːgə, -drái-/kwɔ-] (*pl.* ***-gae*** [-dríːgai, -dráidʒiː/-ríːdʒiː]) *n.* 〖고대로마〗 4 두 2 륜 전차(戰車).
quád ríght (컴퓨터 조판에서, 행이) 오른쪽 정렬인.
quàdri·láteral *n.*, *a.* 4 변형(의); 4 변의; 사변형 요새지: a complete ~ 〖수학〗 완전 사변형. ㊕ **~·ly** *ad.*
quàdri·língual *a.* 4 개국어를 쓰는, 4 개국어로 된, 4 개국어에 통하는.
qua·drille [kwɑdríl, kwə-/kwə-] *n.* **1** 네 사람이 패 40 매로 하는 카드놀이. **2** 카드리유《네 사람이 한 조로 추는 square dance》; 그 곡(曲).
qua·dril·lion [kwɑdríljən/kwɔd-] *n.* 《영 · 독 · 프》 백만의 4 제곱(10^{24}); 《미》 천의 5 제곱, 천조(10^{15}).
quàdri·nómial 〖수학〗 *a.* 4 항(식)(項(式))의. — *n.* 4 항식.
quàdri·pártite *a.* 4 부(部)로 나뉘는; 4 부(部)로〔4 인으로〕 이루어진; 4 나라 사이의: a ~ pact, 4(개)국 협정. ㊕ **~·ly** *ad.*
quàdri·phónic *a.* =QUADRAPHONIC.
quad·ri·ple·gia [kwɑ̀drəplíːdʒiə/kwɔ̀d-] *n.* 〖의학〗 사지(四肢)마비 (=**tetraplégia**). ㊕ **-plé·gic** *a.*, *n.* 사지 마비의 (환자).
quádri·pòle *n.* =QUADRUPOLE.
quad·ri·reme [kwɑ́drərìːm/kwɔ́d-] *n.* 〖고대로마〗 4 단 노(櫓) 갤리(galley)선(船).
quádri·sèct *vt.* 4 등분하다.
quàdri·sónic *a.* =QUADRAPHONIC.
quàdri·syllábic *a.* 4 음절의.
quádri·sỳllable *n.* 4 음절어.
quad·ri·va·lent [kwɑ̀drəvéilənt/kwɔ̀dri-] *a.* 〖화학〗 4 가(價)의. ㊕ **-lence, -len·cy** *n.* U 〖화학〗 4가(價).
qua·driv·i·al [kwɑdríviəl/kwɔd-] *a.* 4 과(科)(quadrivium)의〔에 관한〕; 한 점에서 네 가닥의 길이 뻗어 있는, (도로 · 보도 따위가) 네 방향으로 통해 있는.
qua·driv·i·um [kwɑdríviəm/kwɔd-] *n.* U 〖역사〗 4 과(科)《중세 대학의 산수 · 기하 · 천문 · 음악》. cf. trivium.

quad·ro [kwǽdrou] (*pl.* **~s**) *n.* (계획 도시·도시 단지의) 가구(街區).
quad·ro·min·i·um, quad·ra- [kwàdrəmíniəm/kwɔ̀d-] *n.* Ⓤ 4세대 공동 주택(quadplex).
qua·droon [kwadrú:n/kwɔd-] *n.* 백인과 반백인과의 혼혈아; 4분의 1 흑인. ⓒⓕ mulatto, octoroon.
quadru- ⇨ QUADRI-.
quad·ru·mane [kwádrumèin/kwɔ́d-] *a., n.* 〚동물〛 사수류(四手類)(의)《사지(四肢)가 손의 작용을 하는 동물》.
qua·dru·ma·nous [kwadrú:mənəs/kwɔ-] *a.* =QUADRUMANE.
qua·drum·vi·rate [kwadrʌ́mvərət, -rèit/kwɔ-] *n.* 사두(四頭) 정치; (지도적인) 4인 그룹〔조〕.
quad·ru·ped [kwádrupèd/kwɔ́d-] *n.* 〚동물〛 네발짐승. ― *a.* 네발 가진.
qua·dru·pe·dal [kwadrú:pədl, kwàdrupédl/kwɔdrú:pi-, kwɔ̀drupédl] *a.* 〚동물〛 네발을 가진; 네발짐승의.
qua·dru·ple [kwadrú:pəl, kwádru-/kwɔ́dru-, kwɔdrú:-] *a.* 4배의《*to*》; 네 겹의; 4부로〔사람으로〕 된; 〚음악〛 4박자의: a size ~ *of* 〔*to*〕 that of the earth 지구의 네 배 크기 / ~ time 〔measure, rhythm〕 〚음악〛 4박자. ***the Quadruple Alliance*** 〚역사〛 4국 동맹. ⓒⓕ triple, quintuple. ― *n.* (the ~) 4배(수), 4배의 양《*of*》. ― *vt., vi.* 4배로 하다〔되다〕. ㊞ **-ply** [-i] *ad.*
quad·ru·plet [kwadrʌ́plit, -drú:p-, kwádru:-/kwɔ́drup-, kwɔdrú:-] *n.* **1** 네 개 한 조〔벌〕. **2** 네 쌍둥이 중의 한 사람; (*pl.*) 네 쌍둥이. **3** 4인승 자전거.
quad·ru·plex [kwádruplèks/kwɔ́d-] *a.* **1** 네 겹〔배〕의(fourfold). **2** 사중(四重) 송신의《동일 회로에 의한》. ― *n.* 사중 전신기.
quad·ru·pli·cate [kwadrú:plikət/kwɔd-] *a.* 4배〔겹〕의; 네 번 반복한; 네 통 복사한《증서 따위》. ― *n.* 4조〔통〕 중의 하나; (*pl.*) 같은 사본의 네 통의 문서. ***in*** **~** (같은 문서를) 네 통으로 하여. ― [-pləkèit] *vt.* 4배로〔겹으로〕 하다; 네 통의 복사를 만들다. ㊞ **qua·drù·pli·cá·tion** *n.* Ⓤ
quad·ru·plic·i·ty [kwàdruplísəti/kwɔ̀d-] *n.* 사중성(四重性).
quádru·pòle *n.* 〚전기〛 4중극, 4극자.
quae·re [kwíəri] *vt.* 《L.》 물어라, 조사하라《명령》: But ~, is it true? 그러나 과연 그것이 진실인지 어떤지. ― *n.* 의문, 문제.
quaes·tor, ques- [kwéstər, kwí:s-/kwí:s-] *n.* 〚고대로마〛 형사 재판관, 심문관, (후에) 재무관. ㊞ **~·ship** [-ʃip] *n.* Ⓤ ~의 직〔임기〕.
quaff [kwa:f, kwæf, kwɔ:f/kwɔf, kwa:f] *vt.* 《~+목/+목+부》 쭉〔꿀꺽꿀꺽〕 들이켜다, 단숨에 마시다《*off; out; up*》: ~ *off* a glass of beer 맥주 한 잔을 단숨에 마시다. ― *vi.* 들이켜다. ― *n.* 쭉 들이켬, 통음(痛飮): take a ~ of beer 맥주를 벌떡벌떡 마시다. ㊞ **∠·er** *n.*
quáff·a·ble *a.* (술이) 많이 마시기에 알맞은, 마시기 쉬운, 입맛이 당기는.
quag [kwæg] *n.* 소택지, 수렁(quagmire).
quag·ga [kwǽgə] *n.* Ⓤ 얼룩말의 일종《남아프리카산(産); 현재는 멸종》.
quag·gy [kwǽgi] *a.* 늪지의, 수렁의.
quag·mire [kwǽgmàiər] *n.* **1** =QUAG. **2** 꼼짝할 수 없는 곤경, 진구렁.
qua·hog, -haug [kwɔ́:hɔ:g, -hag/kwá:hɔg] *n.* 〚패류〛 대합의 일종《북아메리카산(産)》.
quai [kei] *n.* 수로의 제방을 따라 만들어진 길, 강둑의 길, 하안(河岸); (정거장의) 플랫폼.

quaich, quaigh [kweix] (*pl.* ***quaichs, quáich·es*** [-iz]; ***quaighs***) *n.* 《Sc.》 (손잡이가 두 개 달린 운두가 낮은) 술잔.
Quai d'Or·say [kéidɔ:séi] 《F.》 케도르세《파리 시내의 지명》; (거기 있는) 프랑스 외무성.
quail[1] [kweil] (*pl.* **~s,** 〚집합적〛 **~**) *n.* **1** 〚조류〛 메추라기; Ⓤ 그 고기. **2** 《미학생속어》 소녀, 처녀, 《특히》 남녀 공학 학교의 여학생.

quail[1] 1

quail[2] *vi.* 《~/+전+명》 기가 죽다, 겁내다, 주춤거리다, 움찔하다(shrink)《*at; before; to*》: I ~*ed before* her angry looks. 나는 그녀의 성난 표정을 보고 기가 꺾였다.
quáil càll 〔**pìpe**〕 메추라기 우레.
*__quaint__ [kweint] *a.* **1** 기묘한, 기이한, 이상한(incongruous, strange): the ~ notion that... …라는 기묘한 생각. **2** 색다르고〔야릇하고〕 재미있는; 예스러운 멋이〔아취가〕 있는: a ~ old house. ㊞ **∠·ly** *ad.* **∠·ness** *n.*
◇**quake** [kweik] *vi.* **1** 흔들리다(shake), 진동하다(vibrate). **2** 《~/+전+명》 전율하다(tremble), 떨다(shudder)《*with; for; at*》: He is *quaking with* fear *at* the sight. 그는 그 광경을 보고 공포로 떨고 있다. ― *n.* 흔들림, 동요, 진동; 지진(earthquake); 전율.
quáke·pròof *a.* 내진성의.
◇**Quak·er** [kwéikər] (*fem.* **~·ess** [-kəris]) *n.* **1** 퀘이커교도《17세기 중엽 영국의 George Fox가 창시한 Society of Friends 회원의 별칭》. **2** (q-) =QUAKERBIRD. **3** (q-) =QUAKER MOTH. **4** (q-) (보통 *pl.*) 덜 여문 커피콩《질이 나쁜 커피에 섞여 있음》.
quáker·bìrd *n.* 〚조류〛 신천옹.
Quáker Cíty (the ~) Philadelphia시의 속칭.
Quak·er·dom [kwéikərdəm] *n.* 퀘이커 교단; Ⓤ 퀘이커파의 주의〔교의(教義), 관습〕.
Quáker gùn 《미》 가짜 대포, 목포(木砲).
Quak·er·ish [kwéikəriʃ] *a.* (종종 q-) 퀘이커교도 같은; 근엄한. ㊞ **~·ly** *ad.* 퀘이커교식으로; 근엄하게.
Quák·er·ìsm *n.* Ⓤ 퀘이커 교리의 관습〔생활〕; 퀘이커파.
quáker-làdies *n. pl.* 〚식물〛 꼭두서니속(屬); 《영》 탱알속.
Quák·er·ly *a., ad.* =QUAKERISH(LY).
Quáker mèeting 퀘이커 예배회; 침묵회; 이야기가 활기를 띠지 않는 모임.
quáker mòth 〚곤충〛 나방의 일종.
quak·ing [kwéikiŋ] *a.* 흔들리는, 흔들흔들하는; 떨고〔전율하고〕 있는.
quáking ásh 〔**áspen, ásp**〕 =ASPEN.
quaky [kwéiki] (***quak·i·er; -i·est***) *a.* 떠는; 전율하는.
qual. qualitative.
qua·le [kwá:li, -lei, kwéili/kwá:li, kwéili] (*pl.* ***qua·lia*** [-liə]) *n.* 〚철학〛 (사물에서 추상(抽象)한 독립·보편적인) 특질.
*__qual·i·fi·ca·tion__ [kwàləfikéiʃən/kwɔ̀l-] *n.* **1** Ⓒ 자격, 능력, 권한; Ⓤ 자격 부여《*for*》: the ~*s for* a job 일할 수 있는 자격〔능력〕 / He has outstanding ~*s to* be president. 그는 사장이 될 탁월한 자격이 있다. **2** Ⓒ,Ⓤ 조건, 제한(restriction); 수정, 완화(modification): endorse a plan without ~ 무조건으로 계획에 찬성하다. **3** Ⓒ 자격 증명서, 면허장: a medical ~ 의사 면허증. **~ *shares*** 자격주(株). ***with* ~*s*** 조건부로.

qual·i·fi·ca·to·ry [kwáləfikətɔ̀ːri/kwɔ́ləfikèitəri, -kətəri] *a.* 자격을 부여하는; 제한〔한정〕하는; 조건부의.

°**qual·i·fied** [kwáləfàid/kwɔ́l-] *a.* **1** 자격 있는; 적임의, 적당한(fitted)《*for; in*》; 면허의, 검정을 거친: a person ~ *for* the post 그 지위에 적임자. SYN. ⇨ ABLE. **2** 제한〔한정〕된, 조건부의: ~ acceptance 〖상업〗 (어음의) 제한 인수 / ~ approval 조건부 찬성. **3** 《영구어》 지독한, 엄청난(damned): a ~ fool. ㊞ **~·ly** *ad.*

qual·i·fi·er [kwáləfàiər/kwɔ́l-] *n.* **1** 자격〔권한〕을 주는 사람〔것〕; 한정하는 것. **2** 〖문법〗 한정사, 수식어《형용사·부사 따위》. **3** 자격을 딴 사람, 《특히》 예선 통과자; 예선. **4** 〖컴퓨터〗 수식자.

qual·i·fy** [kwáləfài/kwɔ́l-] *vt.* **1** 《~+목/+목+*to* do/+목+전+명/+목+*as* 보》…에게 자격〔권한〕을 주다; 적격〔적임〕으로 하다, 적합하게 하다; 〖~ oneself〗 자격을 갖추다: be *qualified for* teaching 〔*to* teach〕 music=be *qualified as* a music teacher 음악 교사 자격이 있다 / I *qualified* my*self for* the office 〔*in* medicine〕. 나는 그 일〔의사〕의 자격을 획득했다. **2** 제한하다, 한정하다(limit): ~ a claim 요구에 제한을 붙이다. **3** 누그러뜨리다, 진정하다(soften): ~ one's anger 노여움을 누그러뜨리다. **4** 《목+전+명》 (술 따위에) 향기를 내다, 타다: ~ coffee *with* cognac 커피에 코냑을 타다. **5** 〖문법〗 수식하다, 꾸미다(modify). **6** 《+목+*as* 보》 …로 보다, …라고 부르다〔평하다〕 (describe): ~ a person *as* a faker 아무를 사기꾼이라고 하다. **—** *vi.* **1** 《+전+명/+*as* 보/+*to* do》 자격을〔면허를〕 따다; 적임이다, 적격이 되다: He has not yet *qualified in* law. 아직 변호사 자격이 없다 / ~ *for* the job 그 일에 적격이다 / ~ *as* a doctor 〔solicitor〕 의사〔변호사〕 자격을 따다 / I *qualified to* join the club. 클럽에 가입할 자격을 얻었다. **2** 〖경기〗 예선을 통과하다. ***a ~ing examination 자격 검정 시험. ㊞ **-fi·a·ble** *a.*

quál·i·fy·ing *a.* 적격자 선발을 위한, 예선의.

quálifying gáme 〔**héat, róund**〕 예선.

qual·i·ta·tive [kwálətèitiv/kwɔ́litə-] *a.* 성질상의, 질적인; 정성(定性)의, 정질(定質)의. opp. *quantitative*. ㊞ **~·ly** *ad.* 질적으로.

quálitative análysis 〖화학〗 정성(定性) 분석.

Qua·li·täts·wein [kwàːlitéitsvàin] *n.* 《G.》 독일산 고급 포도주.

***qual·i·ty** [kwáləti/kwɔ́l-] *n.* **1** Ⓤ 질, 품질. opp. *quantity*. ¶ the ~ of students 학생의 질 / of good 〔poor〕 ~ 양질〔열등〕의 / *Quality* matters more than quantity. 양보다도 질이다. **2** Ⓒ 성질, 특성, 속성(attribute), 자질《*of; for*》: the ~ *of* love 사랑의 본질 / the *qualities of* a leader 지도자의 자질 / I don't have the right *qualities for* the job. 나는 그 일에 적합한 자질을 갖추고 있지 않다.

> SYN. **quality** quantity에 대응하는 말로서 '성질'을 나타내는 가장 보편적인 말. 일상어로서는 주로 '품질'을 가리킴: a fine *quality* of cigar 고급 담배. **property** 특정한 것이 가지고 있는 독자적인 성질, 특성: the *properties* of iron 철의 여러 특성. **character** 성격, 개인 또는 계급·종족·생물 따위의 특질. 물질에도 property와 같은 뜻으로 쓰일 때가 있으나 비유적 용법임: Each town has a *character* of its own. 각 도시는 제각기 특성을 갖고 있다. **characteristics** character를 만들고 있는 여러 특징. **nature** 타고난 또는 본질적인 성질이므로 잘 변치 않음을 표시.

3 Ⓤ 양질(fineness), 우수성(excellence); 재능: goods of ~ 질 좋은 물건. **4** Ⓤ 《고어》 사회적 지위; 높은 신분: a man of ~ 상류 인사. **5** Ⓤ 음질; 음색. **6** 〖논리〗 명제의 질. **7** 고급지(紙), 고급 잡지. **8** (the ~) 상류 사람들. ***give*** a person ***a taste of*** one's ***~*** 자기 능력의 일단을 아무에게 보이다. ***have ~*** 뛰어나다. ***in*** (***the***) ***~ of*** …의 자격으로. **—** *a.* **1** 질 좋은: ~ goods 우량품 / a ~ magazine 고급 잡지. **2** 상류 사회의: ~ people 〔folks〕 상류 사회 사람들. 「QA).

quálity assùrance 〖경영〗 품질 보증《생략:

quálity cìrcle 품질 관리 서클《생산성 및 품질 향상을 토의하기 위해 모이는 사원의 소집단》.

quálity contròl 품질 관리 《생략: QC》.

quálity pàper 〔**nèwspaper**〕 고급지(紙)〔신문〕《영국에서 지식층을 독자로 상정한 신문》.

quálity pòint 〔**crédit**〕 우수점(grade point) 《성적 우수자에게 주는 점수》.

quálity tìme 1 (가족 단란처럼) 질 높은 〔소중한〕 시간, 가장 값있고 즐거운 시간, (부모·자식의) 교류 시간. **2** (오전 등) 머리가 가장 잘 도는 시간.

°**qualm** [kwɑːm, kwɔːm] *n.* (종종 *pl.*) **1** (행동에 대한) 불안한 마음, 주저함; (…에 대한) 양심의 가책《*about*》: She had no ~*s about* lying to the police. 그녀는 경찰에게 거짓말을 하면서도 아무렇지도 않게 생각했다. **2** (돌연한) 불안, 염려《*about*》: He felt ~*s about* letting her go alone. 그는 그녀를 홀로 보내는 것이 불안하였다. **3** (돌연한) 현기증, (갑자기) 아찔해짐, 급환, 《특히》 메스꺼움: ~*s* of seasickness 뱃멀미. ***with no ~s =without ~s*** 〔***a ~***〕 아무 주저함 없이. **—** *vt.* 《미속어》 애타게〔초조하게〕 하다, 걱정을 끼치다. ㊞ **~y** *a.*

quálm·ish *a.* 느글거리는, 메스꺼운; 마음〔양심〕의 가책을 느끼는. ㊞ **~·ly** *ad.* **~·ness** *n.*

quan·da·ry [kwándəri/kwɔ́n-] *n.* 곤혹, 당혹; 궁지, 곤경(dilemma), 진퇴유곡. ***in a ~*** 진퇴양난에 빠져.

quan·go, Quan·go, QUANGO [kwǽŋgou] (*pl.* ~*s*) *n.* 《영》 특수 법인《정부로부터 재정 지원과 상급 직원의 임명을 받으나 독립된 권한을 가진 기관》. [◂ *qu*asi-*n*on-*go*vernmental organization; *qu*asi-*a*utonomous *n*ational *go*vernment organization]

quant. quantitative.

quan·ta [kwántə/kwɔ́n-] QUANTUM의 복수.

quan·tal [kwántl/kwɔ́n-] *a.* 〖물리〗 양자(역학)의; 비연속적인〔단계적인〕 (값을 취하는). ㊞ **~·ly** *ad.*

quan·tic [kwántik/kwɔ́n-] *n.* 〖수학〗 유리동차(有理同次) 함수.

Quan·ti·co [kwántikòu/kwɔ́n-] *n.* 콴티코 기지《미해병대의 기지로, 개발 교육 군사령부가 있음; Virginia 주 북동부에 있음》.

quan·ti·fi·ca·tion [kwɑ̀ntəfikéiʃən/kwɔ̀n-] *n.* Ⓤ 정량화(定量化), 수량화; 〖논리〗 양화(量化). ㊞ **~·al** *a.* **~·al·ly** *ad.*

quan·ti·fi·er [kwántəfàiər/kwɔ́n-] *n.* **1** 〖논리〗 양(量)기호; 〖언어·문법〗 수량(형용)사. **2** 수량 계산을 잘하는 사람; 자료를〔활동을〕 수량화하는 사람. **3** 〖컴퓨터〗 한정 기호, 한정사.

quan·ti·fy [kwántəfài/kwɔ́n-] *vt.* 양(量)을 정하다; 양을 표시하다; 양을 재다; 〖논리〗 (명제의) 양을 한정하다《all, some 따위로》. ㊞ **-fi·a·ble** [-əbəl] *a.* **-fi·a·bly** *ad.*

quan·ti·tate [kwántətèit/kwɔ́n-] *vt.* (특히 정확하게) …의 양을 측정〔평가〕하다; 수량사(詞)로 나타내다.

quan·ti·ta·tive [kwántətèitiv/kwɔ́ntitə-] *a.* 분량상의, 양에 관한, 양에 의한, 양적인. ㊞

~·ly *ad.*

quántitative análysis 〖화학〗 정량 분석; 〖경영〗 양적 분석.

quántitative genétics 양적 유전학.

quántitative inhéritance 〖유전〗 양적 유전.

quan·ti·ty [kwántəti/kwɔ́n-] *n.* **1** Ⓤ 양(量); Ⓒ 분량, 수량, 액: a certain ~ *of*... 얼마간의 …/a large 〔small〕 ~ 대〔소〕량/I prefer quality to ~. 양보다 질을 택한다/There is only a small ~ left. 조금밖에 안 남았다. **2** (종종 *pl.*) 다량, 다수, 많음: a ~ *of* books 다량의 책/*quantities of* money 많은 돈/~ production 대량 생산. **3** Ⓒ 〖수학〗 양; 양을 나타내는 숫자〔기호〕: a negligible ~ 〖수학〗 무시할 수 있는 양; 하찮은〔축에도 안 드는〕 사람〔물건〕. **4** Ⓤ 〖논리〗 양《명사(名辭)의 범위》; 미지수의 사람〔물건〕: extensive 〔intensive〕 ~ 〖논리〗 외연〔내포〕량. **5** Ⓤ,Ⓒ 〖운율〗 음절의 장단(의 부호); Ⓤ 〖음성〗 성량. **6** Ⓤ 〖법률〗 기한, 기간. ***an unknown*** ~ 미지수〔량〕; 《비유》(능력·의도 따위가) 미지(수)인 사람〔것〕. ***in*** ~ 〔***large quantities***〕 많은〔많이〕, 다량의〔으로〕.

quántity màrk 〖음성〗 (모음에 다는) 음량 기호《macron(¯), breve(˘) 등》.

quántity of estáte 〖법률〗 부동산에 대한 권리의 존속 기간.

quántity survèyor 〖건축〗 견적사(見積士).

quántity thèory (of móney) 화폐 수량설.

quan·ti·va·lence [kwantívələns/kwɔn-] *n.* 〖화학〗 원자가(價).

quan·tize [kwántaiz/kwɔ́n-] *vt.* 〖물리〗 양자화(量子化)하다. ㊕ **qúan·tiz·er** *n.* **quàn·ti·zá·tion** *n.* Ⓤ

quántized búbble =HARD BUBBLE.

quant. suff. 〖처방〗 《L.》 *quantum sufficit*.

quan·tum [kwántəm/kwɔ́n-] (*pl.* **-ta** [-tə]) *n.* 《L.》 양(量), 액(額); 특정량, 할당량, 몫; 〖물리〗 양자(量子). ***have one's*** ~ ***of*** …을 충분히 얻다. **—** *a.* 획기적인, 비약적인.

quántum chémistry 〖화학〗 양자 화학.

quántum chromodynámics 양자 크로모역학《quark의 상호 작용에 관한 이론; 생략: QCD》.

quántum compùter 〖컴퓨터〗 양자(量子)〔퀀텀〕 컴퓨터《정보를 저장하는 데 입자의 양자 상태를 이용해 병렬 계산을 하는 컴퓨터》. ㊕ **qúantum compùting**

quántum electrodynámics 〖원자〗 양자 전자(電磁) 역학《생략: QED》.

quántum electrónics 양자 일렉트로닉스, 양자 전자 공학.

quántum grávity 〖물리〗 양자 중력(론).

quántum jùmp 〔**lèap**〕 〖물리〗 양자(量子) 도약; 《비유》 돌연한 비약, 약진(躍進).

quántum líb·et [-líbet] 《L.》 (=as much as you please) 〖처방〗 원하는 만큼《생략: q.l.》.

quántum líquid 〖물리〗 초유체(超流體).

quántum mechánics 〖물리〗 양자 역학.

quántum nùmber 〖물리〗 양자수.

quántum óptics 양자 광학.

quántum phýsics 〖물리〗 양자 물리학.

quántum statístics 〖물리〗 양자 통계학.

quántum súf·fi·cit [-sʌ́fəsit] 《L.》 (=as much as suffices) 〖처방〗 충분히《생략: q.s., quant. suff.》.

quántum thèory 〖물리〗 양자론.

quap [kwap/kwɔp] *n.* 〖물리〗 콥《반양성자(反陽性子)와 quark로 된 가설상의 입자》.

quar. quart; quarter(ly).

quar·an·tine [kwɔ́:rənti:n, kwár-, ⌐-⌐/kwɔ́rənti:n] *n.* Ⓤ **1** 격리《전염병 예방을 위한》, 교통 차단. **2** 정선(停船) 기간, 검역 기간《40일간》. **3** 정선항(港); Ⓒ 검역〔격리〕소. **4** (정치·사회적 제재로서의) 고립화, 사회적 추방, 배척, 절교. **5** 〖영법률사〗 과부 잔류권《40일간》. ***in*** 〔***out of***〕 ~ 격리 중에〔검역을 필하여〕. **—** *a.* 검역의: a ~ officer 〔station〕 검역관〔검역소〕/~ regulations 전염병 예방 규정. **—** *vt.* **1** 검역하다; (전염병 환자 등을) 격리하다, 교통을 차단하다; (검역) 정선을 명하다. **2** (정치·경제·사회적으로) 고립시키다, 관계를〔교섭을〕 끊다.

quárantine ànchorage 검역 정박.

quárantine flàg 〖해사〗 검역기(旗)《황색》.

quar·en·den [kwárəndən] *n.* (영국 Devon 및 Somerset산(産)) 빨간 사과.

quark [kwɔ:rk, kwa:rk/kwa:k] *n.* 〖물리〗 쿼크《hadron의 구성 요소로 되어 있는 입자》.

quar·rel[1] [kwɔ́:rəl, kwár-/kwɔ́r-] *n.* **1** 싸움, 말다툼, 언쟁; 티격남, 불화《*with*》: have a ~ *with* …와 언쟁하다. **2** 싸움〔말다툼〕의 원인, 불평《*against*; *with*》; 싸움의 구실: have no ~ *against* 〔*with*〕 …에 대해 아무 불평이 없다. ***espouse*** 〔***take up***〕 a person***'s*** ~ 아무의 싸움을 거들다〔에 편들다〕. ***fasten*** 〔***fix***〕 ***a*** ~ ***on*** 〔***upon***〕 …에게 싸움을 걸다. ***fight*** a person***'s*** ~ ***for*** 아무의 싸움에 합세하다. ***find*** ~ ***in a straw*** 사소한 일에 흠을 잡다. ***in a good*** ~ 이유가 정당한 싸움에. ***make up a*** ~ 화해하다. ***pick*** 〔***seek***〕 ***a*** ~ 〔***fight***〕 ***with*** …에게 싸움을 걸다.

— (**-l-**, 《영》 **-ll-**) *vi.* **1** 《~/+전+명》 싸우다, 다투다《*with; about; for*》; 티격나다, 불화하게 되다《*with*》: I don't want to ~ *with* you. 나는 너와 싸우고 싶지 않다/It was not worth ~*ing about*. 그건 싸울 만한 가치도 없는 것이었다/The thieves ~*ed with* one another *about* 〔*over*〕 how to divide the loot. 도둑들은 장물 분배를 놓고 서로 다투었다. **2** 《+전+명》 불평하다, 비난하다, 이의(異議)를 제기하다《*with*》: A bad workman ~*s with* his tools. 《속담》 명필은 붓 탓을 안 한다. ~ ***with*** one***'s bread and butter*** ⇨ BREAD. ~ ***with Providence*** 하늘을 원망하다.

㊕ **~·er,** 《영》 **~·ler** *n.* 말다툼〔싸움〕하는 사람; 걸핏하면 싸우는 사람.

quar·rel[2] *n.* 〖역사〗 촉이 네모진 화살; 마름모꼴 유리판〔무늬〕; (석수의) 정.

quar·rel·some [kwɔ́:rəlsəm, kwár-/kwɔ́r-] *a.* **1** 싸우기를〔말다툼을〕 좋아하는. **2** 시비조의. ㊕ **~·ly** *ad.* **~·ness** *n.*

quar·ri·er [kwɔ́:riər, kwár-/kwɔ́r-] *n.* =QUARRYMAN.

quar·ry[1] [kwɔ́:ri, kwári/kwɔ́ri] *n.* **1** 채석장. **2** 지식의 원천; 출처, (인용 등의) 전거. **—** *vt.* **1** 《~+목/+목+부》 떠〔잘라〕내다, (돌을) 파내다: ~ (*out*) marble 대리석을 떠내다. **2** (사실 따위를) 애써 찾아내다《서적 등에서》; (기록 따위를) 애써 찾다. **3** …에 채석장을 만들다. **—** *vi.* **1** 돌을 떠내다. **2** 고심하여 탐구하다.

quar·ry[2] *n.* (쫓기는) 사냥감; 추구의 목적〔목표〕; 노리는 적.

quar·ry[3] *n.* 네모〔마름모〕의 유리판; 사각형 타일.

quár·ry·ing *n.* Ⓤ 채석(업).

quárry·man [-mən] (*pl.* **-men** [-mən]) *n.* 채석공, 석수.

quárry tìle 쿼리 타일《비교적 두꺼우며, 마모나 화학 약품에 견딜 수 있도록 단단하게 구운 바닥용 타일》.

quart[1] [kwɔ:rt] *n.* **1** 쿼트《액량인 경우는 1/4 gallon, 약 1.14 *l*》; 건량(乾量)《보리·콩 따위에서는 1/8 peck, 2 pints》. **2** 1 쿼트들이 용기. **3**

1 쿼트의 맥주〔술〕. [cf] half pint. ***try to put a ~ into a pint pot*** 불가능한 일을 시도하다.

quart² [kɑːrt] *n.* **1** 〖카드놀이〗 한 조의 넉 장 연속의 패. **2** 〖펜싱〗 =CARTE. ***a ~ major*** 〖카드놀이〗 최고패의 넉 장 연속《ace, king, queen, jack》. **—** *vt., vi.* 《고어》 〖펜싱〗 카르트 자세를 취하다, 그 자세로 머리를 뒤로 당기다.

quart. quarter; quarterly. 「(度) 화음.

quár·tal hármony [kwɔ́ːrtl-] 〖음악〗 4 도

quar·tan [kwɔ́ːrtn] 〖의학〗 *a.* 나흘(째)마다의. **—** *n.* 4 일열(四日熱).

quar·ta·tion [kwɔːrtéiʃən] *n.* [U] 4 분법《금의 순도를 높이는 예비로서 금 1, 은 3 의 비율로 합금을 만들기》.

quárt bòttle 쿼트 병《1/4 gallon 들이 술병》.

quarte [kɑːrt] *n.* =CARTE¹.

†**quar·ter** [kwɔ́ːrtər] *n.* **1** 4 분의 1: a mile and a ~, 1 과 4 분의 1 마일/a ~ of an hour, 15 분간/a ~ of a pound, 4 분의 1 파운드/for a ~ (of) the price 그 값의 4 분의 1 값으로/the first ~ of this century 금세기의 1·4 분기(分期)《2001 년부터 2025 년까지》/three ~*s*, 4 분의 3. **2** 15 분: (a) ~ past 〔to〕 two, 2 시 15 분〔분 전〕/strike the ~*s*, 15 분마다 치다. **3** 4 분기(의 지급); 《미》 (4 학기로 나눈) 1 학기. [cf] semester. ¶ owe two ~*s'* rent 반년치의 집세가 밀리다/send the bills each ~, 4 분기마다 청구서를 보내다. **4** 〖천문〗 현(弦)《달의 공전 기의 1/4》: the first 〔last〕 ~ 상현〔하현〕. **5** 《미·Can.》 25 센트 경화. [cf] dime, nickel, penny. **6** 《영》 쿼터《(1) 곡량(穀量)의 단위 =8 bushels. (2) 무게의 단위 =《미》 25 pounds, 《영》 28 pounds》. **7** 4 분의 1 야드〔마일〕; (the ~) 4 분의 1 마일 경주; 〖해사〗 4 분의 1 길 (fathom). **8** 네발짐승 몸뚱이의 4 분체《다리 하나를 포함한》; (*pl.*) (사람·말 등의) 허리, 엉덩이: a ~ of beef, 4 등분한 쇠고기. **9** 나침반의 4 방위의 하나, 방위(direction). **10** 방면; 지역, 지방(地方); (도시의) 지구, …거리(district): the Chinese ~ of San Francisco 샌프란시스코의 중국인 거리/the residential ~주택 지구/the slum ~ 빈민굴(窟)/gay ~*s* 환락가. **11** (특수한) 방면, 통(通), (정보 등의) 출처(source): This news comes from reliable ~*s*. 이 뉴스는 믿을 만한 소식통에서 나왔다. **12** (*pl.*) 숙소, 거처, 주소: an office with sleeping ~*s* 숙직실이 있는 사무실/the servants ~*s* 하인 방/take up one's ~*s* 숙소를 잡다. **13** (*pl.*) 〖군사〗 진영, 병사(兵舍). **14** (함선 내의) 부서, 배치: be at 〔call to〕 ~ 부서에 자리잡다〔배치하다〕. **15** [U] (항복한 적에게 보이는) 자비(mercy), 살려줌, 인정, 관대(indulgence): give 〔receive〕 ~ 살려 주다〔목숨을 건지다〕/ask for 〔cry〕 ~ (포로·패잔자 등이) 살려 달라고 빌다. **16** 〖건축〗 간주(間柱); 〖문장(紋章)〗 (방패의) 4 반절 무늬. **17** 〖경기〗 경기 시간 전체의 4 분의 1; 〖미식축구〗 =QUARTERBACK. **18** (구두) 뒷닫이 가죽《발뒷부분을 싸고 앞에서 죄게 되는 부분》. ***a bad ~ of an hour*** 짧으나 불쾌한 한때, 거북한 생각. ***at close ~s*** 바싹 접근하여. ***beat to ~s*** 〖해사〗 (승무원을) 부서에 배치시키다. ***beat up*** (a person'***s***) **~** =***beat up the ~s of*** a person 아무의 집을 불시에 찾아가다〔기습하다〕. ***live in close ~*** 좁은 곳에 다닥다닥 살다. ***not a ~***, 4 분의 1 〔조금〕도 …않다: It is *not a* ~ as good as it should be. 원래의 모습과는 거리가 멀다. ***on the ~*** 〖해사〗 고물쪽에.

— *a.* 4 분의 1 의, 4 반분의: a ~ mile, 4 분의 1 마일 (경주).

— *vt.* **1** 4(등)분하다, (짐승을) 네 갈래로 찢다: ~ an apple 사과를 4 등분하다. **2** (죄인을) 사지(四肢)를 찢어 죽이다; 〖문장(紋章)〗 (방패를) 열십자로 4등분하다. **3** 《~+[목]/+[목]+[전]+[명]》 숙박〔숙영〕시키다; 부서에 자리잡게 하다: ~ troops *on* 〔*with*〕 the villagers =~ troops *in* the village 마을 집에 군대를 숙영시키다. **4** (특히 사냥개가) 이리저리 뛰어다니다《짐승의 자귀를 짚어》; (지역을) 샅샅이 수색하다: ~ the area. **5** (부품 등을) 조정하다. **—** *vi.* **1** 《+[전]+[명]》 숙박〔숙영〕하다《*at; in; with*》; 부서에 자리잡다: ~ *in* a cheap hotel 싼 호텔에 숙박하다. **2** 《+[전]+[명]》(사냥개가 사냥감을 찾아) 뛰어다니다. **3** (달이) 차다〔이지러지다〕. **4** (바람이) 고물쪽에서 불다. **5** 바큇자국에 걸치듯이 차를 몰다.

[파] **~·age** [-təridʒ] *n.* [U] 4 분기마다의 지급(금); (군대 등의) 숙소 할당 (비용); 숙박, 숙소.

quárter·bàck *n.* 〖미식축구〗 쿼터백《forward 와 halfback 중간에 위치; 생략: q.b.》. **—** *vt.* 지휘하다; 계획하다; 〖미식축구〗 (팀의) 공격 지휘를 하다. **—** *vi.* 〖미식축구〗 ~ 역할을 하다.

quárterback snéak 〖미식축구〗 쿼터백 스니크《쿼터백이 직접 공을 갖고 중앙 돌파함》.

quárter bèll (시계의) 15 분마다 치는 종.

quárter bìnding 〖제본〗 (책의) 가죽등〔헝겊등〕 장정(본).

quárter-bòund *a.* 가죽등〔헝겊등〕 장정의.

quárter-brèd *a.* 4 분의 1 순종의《마소 따위》.

quárter-brèed *n.* 《미》 1/4 타 인종〔《특히》 인디언〕의 피가 섞인 사람.

quárter bùtt 〖당구〗 반 버트보다 짧은 큐.

quárter cràck 〖수의〗 제측렬(蹄側裂)《말굽이 상하로 갈라지는 병》.

quárter dày 4 계〔4 분기〕 지급일《《미》 1 월·4 월·7 월·10 월의 첫날; 《영》 Lady Day(3 월 25 일); Midsummer Day(6 월 24 일); Michaelmas (9 월 29 일); Christmas(12 월 25 일); 《Sc.》 Candlemas(2 월 2 일); Whitsunday(5 월 15 일); Lammas(8 월 1 일); Martinmas(11 월 11 일)》.

quárter-dèck *n.* 후갑판; (the ~) 〔집합적〕 고급 선원, 해군 장교.

quárter dóllar 25 센트 화폐.

quár·tered *a.* **1** 4 등분한, 넷으로 가른. **2** 숙사〔숙소〕를 할당받은. **3** 〖문장(紋章)〗 (방패를) 열십자로 4 등분한.

quàrter·fínal *n., a.* 준준결승(의). [cf] semifinal. [파] **~·ist** *n.*

quárter hòrse 단거리 경주말.

quárter-hóur *n.* 15 분간; (어떤 시각의) 15 분 전〔지난〕 시점. [파] **~·ly** *a., ad.*

quárter ìll (소·양의) 기종저(氣腫疽).

quár·ter·ing [-riŋ] *n.* **1** 4 등분하기; (죄인의) 사지(四肢) 찢기, 능지처참. **2** 〖군사〗 숙사의 할당. **3** 〖문장(紋章)〗 4 등분 문장. **4** 〖건축〗 사잇기둥. **—** *a.* 직각으로 부착된; 〖해사〗 풍파가 뒤에서 엇몰아치는.

quárter lìght 《영》 (마차·자동차의) 옆창.

quárter lìne 〖해사〗 선박의 사다리꼴 대형.

***quar·ter·ly** [kwɔ́ːrtərli] *a., ad.* **1** 연(年) 4 회의〔에〕, 철마다(의): ~ issue 계간(季刊). **2** 방패를 열십자로 4 등분한〔하여〕. **—** *n.* 연 4 회 간행물, 계간지(誌).

quárter·màster *n.* 〖육군〗 병참(兵站)〔보급〕 장교《생략: Q.M.》; 보급 부대원; 〖해군〗 조타수.

Quártermaster Còrps 《미》 보급〔병참〕부대, 병참단《생략: Q.M.C.》. 「략: Q.M.G.》.

quártermaster géneral 〖군사〗 병참감《생

quártermaster sérgeant 병참부 부사관《생략: Q.M.S.》.

quárter-míler *n.* 1/4 마일 경주 선수.

quar·tern [kwɔ́:rtərn] *n.* 《영》 (pint, pect 등의) 4 분의 1; 무게 4 파운드의 빵 덩어리.
quárter nélson 〖레슬링〗 4 분의 1 목누르기. cf. full [half] nelson.
quártern lóaf 《영》 4 파운드의 빵덩이; 사방 4 인치의 빵《샌드위치용》.
quárter nòte 《미》 〖음악〗 4 분음표.
quárter-phàse *a.* 〖전기〗 이상(二相)의.
quárter-plàte *n.* 〖사진〗 명함판 사진〔원판〕 《8.3×10.8 cm》.
quárter rèst 〖음악〗 4 분쉼표.
quárter·sàw *vt.* (통나무를) 세로로 넷으로 켜고 다시 널빤지로 켜다.
quárter séction 《미·Can.》 반 마일 사방의 땅《160 acres》.
quárter sèssions 1 《영》 (옛) 4 계 재판소《3 개월마다 열린 하급 형사 법원; 1971 년 폐지되고 Crown Court가 설치됨》. **2** 《미》(몇 주(州)에서 제한적인 관할권을 갖는) 하급 형사 법원.
quárter·stàff (*pl.* **-staves**) *n.* 옛날 영국 농민이 무기로 쓰던 6–8 피트의 막대; 그것으로 하는 경기.
quárter tòne [**stèp**] 〖음악〗 4 분음.
quárter vènt 《영》 =QUARTER LIGHT.
quárter-wìnd *n.* 〖해사〗 뒤에서 부는 엇바람.
◇**quar·tet,** 《영》 **-tette** [kwɔ:rtét] *n.* **1** 〖음악〗 4 중주, 4 중창; 4 중주곡, 4 중창곡; 4 중주단, 4 중창단. cf. solo. **2** 넷 한 짝(을 이루는 것), 네 개짜리; 4 인조.
quar·tic [kwɔ́:rtik] *n., a.* 〖수학〗 4 차식(의).
quar·tile [kwɔ́:rtail, -til/-tail] *a.* 〖점성〗 4 분의 1대좌(對座)의《두 행성의 90 도 떨어진 위치에 있는》; 〖통계〗 4 분위(分位)의. **—** *n.* 〖점성〗 구상(矩象), 〖통계〗 4 분위수(數).
quar·to [kwɔ́:rtou] (*pl.* **~s**) *n.* 4 절판《$9\frac{1}{2}$ ×$12\frac{1}{2}$ 인치 크기; 생략: Q., 4 to, 4°》; 4 절판의 책. cf. folio, sexto, octavo.
quar·tus [kwɔ́:rtəs] *a.* 《영》 넷째의《동명인 학생의 이름 뒤에 붙임》. cf. primus.
◇**quartz** [kwɔ:rts] *n.* Ⓤ 〖광물〗 석영(石英); SMOKY QUARTZ.
quártz crỳstal 〖전자〗 수정 결정(結晶).
quártz(-crýstal) clòck 수정 시계《정밀 전자시계의 일종》.
quártz glàss 석영 유리.
quártz-íodine làmp 〖광학〗 석영 요오드 전구《석영 유리관에 요오드를 넣은 백열 전구》.
quartz·ite [kwɔ́:rtsait] *n.* Ⓤ 석영암(岩), 규암(硅岩).
quártz làmp 석영 수은등.
quártz plàte 〖전기〗 수정판(板)《압전(壓電)현상을 나타내는 수정 진동자의 판》.
quártz wàtch 수정 (발진식) 시계《전자시계》 (=**quártz-crýstal wàtch**).
qua·sar [kwéizɑ:r, -zər, -sɑ:r, -sər/-zɑ:, -sɑ:] *n.* 〖천문〗 퀘이사, 준성(準星) 전파원.
quash [kwɑʃ/kwɔʃ] *vt.* (반란 따위를) 누르다, 가라앉히다, 진압하다; 〖법률〗 (판결·명령 따위를) 취소하다, 파기하다.
qua·si [kwéizai, -sai, kwɑ́:si, -zi] *a.* 유사한, 외견상의, 준하는. **—** *ad.* 외견상, 표면상; 즉, 말하자면《생략: q., qu.》.
qua·si- [kwéizai, -sai, kwɑ́:si, -zi/kwéizai, -sai, kwɑ́:zi] *pref.* '유사(類似), 의사(擬似), 준(準)' 등의 뜻: *quasi*-cholera (유사 콜레라), a *quasi*-war(준전쟁).
quási·átom *n.* 〖물리〗 준(準)원자《원자 간 충돌로 원자핵이 서로 접근하여 원자 상태를 이룬 것》.
quási cóntract 준(準)계약.
quási·físsion *n.* 〖원자〗 준(準)핵분열.
quási-judícial *a.* 준(準)사법적인; 준재판관적 사문(査問) 권한이 있는.
quási-législative *a.* 준(準)입법적인 (기능을 가진).
Qua·si·mo·do [kwɑ̀:simóudou] *n.* 콰시모도 《Victor Hugo의 장편 소설 *The Hunchback of Notre Dame*에 나오는 꼽추인 남자 주인공》.
quási·mólecule *n.* 〖물리〗 준(準)분자.
quàsi·párticle *n.* 〖물리〗 준입자(準粒子).
quàsi-públic *a.* (조직 등이) 준공공적인, 공공성이 강한.
quási-stéllar óbject 항성상(恒星狀) 천체 《생략: QSO》.
quási-stéllar rádio sòurce 〖천문〗 준성전파원(準星電波源), 퀘이사《생략: QSRS》.
quas·qui·cen·ten·ni·al [kwɑ̀skwisenténiəl/kwɔ̀s-] *n., a.* 125 주 기념(의).
quas·sia [kwɑ́ʃiə/kwɔ́-] *n.* 소태나뭇과(科)의 식물《남아메리카산(產)》; Ⓤ 그것에서 얻은 쓴 액 《강장제·구충제》.
quat·er [kwǽtər] *ad.* 《L.》 (=four times) 〖처방〗 네 번.
quàt·er·centénary [kwɑ̀tər-/kwɔ̀tə-] *n.* 4 백년제(祭)〔잔치〕.
qua·ter·nary [kwɑ́:tərnèri, kwətə́:rnəri/kwətə́:nəri] *a.* **1** 4 요소로 되는; 넷 한 조〔짝〕의, 네 개짜리의; 4부분으로 되는; 〖화학〗 4 원소 또는 4 기(基)로 되는. **2** (Q-) 〖지학〗 (지질이) 제 4 기(紀)의. **—** *n.* **1** 4 개 한 조의 것, 네 개짜리; 숫자의 4. **2** (the Q-) 〖지학〗 제 4 기(紀). ***the Pythagorean*** **~** 피타고라스의 4 변수(變數).
qua·ter·ni·on [kwətə́:rniən] *n.* 넷 한 짝〔조, 벌〕; 4 인조; (*pl.*) 〖수학〗 4 원수(元數).
qua·ter·ni·ty [kwətə́:rnəti] *n.* Ⓤ 넷 한 짝〔조〕; 4 인조.
qua·tor·zain [kətɔ́:rzèin, kǽtər-] *n.* Ⓤ 14 행시. cf. sonnet.
quat·rain [kwɑ́trein/kwɔ́t-] *n.* 4 행시.
qua·tre [kɑ́:tər/kǽtrə] *n.* 《F.》 =CATER².
quat·re·foil [kǽtərfɔ̀il, kǽtrə-/kǽtrə-] *n.* **1** 사판화(四瓣花), 네잎꽃; (클로버 따위의) 네 잎. **2** 〖건축〗 사엽(四葉) 장식.

quatrefoil 2

quat·tro·cen·to [kwɑ̀troutʃéntou/kwæ̀t-] *n.* 《It.》 15 세기《이탈리아 문예 부흥의 초기》. ㊕ **-tist** *n.* 15 세기의 예술가.
quat·tu·or·de·cil·lion [kwɑ̀tjuɔ̀:rdisíljən/kwɔ̀t-] (*pl.* **~s,** 수사 뒤에서 **~**) *n.* 《미》 1,000의 15승《10^{45}》; 《영·독·프》 1,000 의 28승《10^{84}》.
◇**qua·ver** [kwéivər] *vi.* **1** (목소리가) 떨(리)다. **2** 떠는 소리로 말〔이야기〕하다《*out*》. **3** 진음(震音)을 내다. **—** *vt.* 《~+목/+목+부》 떨리는 소리로 노래〔말〕하다: ~ (*out*) a word 떨리는 소리로 한마디 말하다. **—** *n.* 떨리는 소리; 진음; 《영》 〖음악〗 8 분음표(eighthnote). ㊕ **-very** [-vəri] *a.*
quá·ver·ing [-riŋ] *a.* 떠는, 떨리는; 떠는 (목)소리의. ㊕ **~·ly** *ad.*
◇**quay** [ki:] *n.* 선창, 부두, 방파제, 안벽(岸壁). cf. pier, wharf. ㊕ **∠·age** [-idʒ] *n.* Ⓤ 부두세(稅), 계선료(繫船料); 부두 용지(用地); 〖집합적〗 부두(quays).
quáy·sìde *n.* 부두 지대.
Que. Quebec.
quean [kwi:n] *n.* 뻔뻔스러운 계집〔소녀〕, 굴러먹은 여자; 매춘부(prostitute); 《Sc.》 소녀, 처녀, (미혼의) 젊은 여자.
quea·sy [kwí:zi] (**-si·er; -si·est**) *a.* 구역질나게 하는, 역겨운; (속이) 느글거리는, 음식을 받

지 않는; 불안한; 소심한; 까다롭게 구는(fastidious); 불쾌한(uncomfortable). ⊕ **-si·ly** *ad.* 메스껍게. **-si·ness** *n.*

Que·bec [kwibék] *n.* 퀘벡《캐나다 동부의 주; 그 주도(州都)》. ⊕ **~·er** *n.* 퀘벡 주의 주민(Quebecois)(=**Que·béck·er**).

Qué·bec·ois [kèibekwɑ́ː; *F.* kebɛkwa] (*pl.* ~ [-z]) *n.* 프랑스계 퀘벡 사람.

que·bra·cho [keibrɑ́ːtʃou] (*pl.* **~s**) *n.* 【식물】 케브라초《남아메리카산(産) 옻나뭇과의 식물》; 그 목재, 껍질《약제·염료용》.

Quech·ua, Kech- [kétʃwɑː] (*pl.* **~s,** ~) *n.* Ⓤ 케추아어《원래 잉카 문명권에서 사용한 공용어》; Ⓒ (페루·칠레 등의) 케추아족. ⊕ **-uan** *n., a.*

†**queen** [kwiːn] *n.* **1** 여왕, 여제(女帝)(~ regnant); 왕비, 왕후, 중전(~ consort). ⓒⓕ king. ★ 영국에서는 당시 군주가 여왕이면 관용구가 King에서 Queen으로 바뀜: King's English → Queen's English. **2** (신화·전설의) 여신; 《특히》 미인 경연 대회 입선자, (사교계 등의) 여왕, 스타: the ~ of beauty 미(美)의 여왕. **3** (여왕에 비길 만한) 뛰어나게 아름다운 것, 숭배의 대상: the rose, ~ of flowers 꽃의 여왕 장미. **4** 정부(情婦), 연인, 아내: my ~ 애인. **5** 【카드놀이·체스】 퀸. **6** 【곤충】 여왕벌, 여왕개미. **7** 《항공속어》 무선 조정기(機)의 어미 비행기. **8** 《속어》 드레지고 인상이 좋은 여자. **9** 《속어》 여자 구실을 하는 남자 동성애자. ***Queen Anne is dead.*** 그것은 낡아빠진 이야기다. ***the ~ of hearts*** 【카드놀이】 하트의 퀸; 미인(美人). ***the Queen of Heaven*** 〔***Grace, Glory***〕 성모 마리아; (the Queen of Heaven)=JUNO. ***the Queen of love*** =VENUS. ***the Queen of the night*** =DIANA. ***the Queen of Scots*** =MARY[1] STUART. ***the Queen of the Adriatic*** =VENICE. ***the ~ of the meadow***(***s***) =MEADOWSWEET. ***the ~ of the seas*** =GREAT BRITAIN. ***the Queen of the West*** =CINCINNATI.

— *vt.* **1** 여왕으로〔왕비(王妃)로〕 삼다. **2** 여왕으로서 다스리다. **3** 【체스】 졸을 여왕으로 만들다.

— *vi.* **1** 여왕으로 군림하다; 《미속어》 여성을 에스코트〔과 데이트〕하다. **2** 【체스】 졸이 여왕이 되다. ~ ***it*** 여왕으로 행동〔군림〕하다(ⓒⓕ lord it (over)); 【체스】 퀸이 되다; 《미속어》 (남자가) 여자 행세를 하다.

Quéen Ánne 앤 여왕조(朝) 양식(~ style)의 《18 세기 초기 영국의 건축·가구 양식》.

Quéen Ánne's láce 【식물】 당근《재배 당근의 원종》(=**wíld cárrot**).

quéen ánt 여왕개미.

quéen bée 여왕벌; 《속어》 여성 리더. 「빵과자.

quéen·càke *n.* Ⓤ,Ⓒ 건포도가 든 하트형 작은

quéen cónsort (국왕의 아내로서의) 왕비.

quéen·dom [-dəm] *n.* 여왕국; 여왕의 지위. ⓒⓕ kingdom.

quéen dówager 선왕(先王)의 미망인, 황태후.

quéen·hood [-hùd] *n.* Ⓤ 여왕임; 여왕의 지위〔존엄〕.

quéen·ing *n.* (각종의) 사과; 【체스】 졸이 queen이 됨. 「없는.

quéen·less *a.* 여왕이 없는; (꿀벌이) 여왕벌이

quéen·lìke *a.* 여왕 같은(queenly).

quéen·ly (***-li·er; -li·est***) *a.* 여왕 같은〔다운〕, 여왕인 체하는, 여왕에 어울리는. — *ad.* 여왕같이〔답게〕, 여왕에게 어울리게. ⊕ **-li·ness** *n.*

Quéen Máb 인간의 꿈을 지배한다는 요정《영국·아일랜드의 민화》.

Quéen Máud Lánd [-mɔ́ːd-] 퀸모드랜드 《남극 대륙의 대서양 쪽의 부분》.

quéen móther (금상(今上)의 어머니인) 황태후(ⓒⓕ queen dowager); 왕자〔공주〕를 둔 여왕.

Quéen of the Máy (the ~) =MAY QUEEN.

quéen·pìn *n.* 《속어》 무리의 중심이 되는 여성.

quéen pòst 【건축】 쌍대공 트러스, 암기둥. ⓒⓕ king post.

quéen régent 섭정(攝政) 여왕.

quéen régnant (주권자로서의) 여왕.

Queens [kwiːnz] *n.* 퀸스《미국 New York 시 동부의 구(區)》. 「(DIVISION).

Quéen's Bénch (the ~) 《영》 ⇨KING'S BENCH

Quéens·ber·ry rùles [kwíːnzbèri-, -bəri-/-bəri] (the ~) 퀸즈베리 법칙《Queensberry 후작이 설정한 권투 규칙》.

Quéen's Bírthday (the ~) 《영》 여왕 탄생일《실제 탄생일(현 여왕은 4월 21일) 외에 공식 축제일은 6월 중순의 토요일》.

Quéen's cólour 《영》 연대기(聯隊旗).

Quéen's Cóunsel 〔**évidence**〕 ⇨ KING'S COUNSEL〔EVIDENCE〕.

Quéen's Énglish (the ~) ⇨KING'S ENGLISH.

quéen's híghway 《영》 공도(公道)(king's highway). 「QUEENLINESS.

queen·ship [kwíːnʃip] *n.* =QUEENHOOD;

quéen·sìde *n.* 【체스】 (게임 개시 시 판면의) 퀸쪽.

quéen-sìze *a.* 중특대의《kingsize 보다 작은》.

Queens·land [kwíːnzlæ̀nd, -lənd] *n.* 퀸즐랜드《오스트레일리아 북동쪽의 주》.

Quéens-Míd·town Tùnnel [-mídtaun-] (the ~) 퀸스미드타운 터널《Manhattan과 Queens 구를 잇는 East River 밑을 달리는 해저 터널》.

Quéen's Spéech ⇨ KING'S SPEECH.

quéen stítch 장식 자수(刺繡)(의 일종).

quéen sùbstance 【생화학】 여왕 물질《여왕벌이 분비하며 일벌의 난소 성장을 억제하는 pheromone의 일종》.

quéen's wàre 크림빛의 Wedgwood 도자기.

quéen's wéather 《영》 쾌청(快晴).

quéen wásp 여왕 말벌, 〖일반적〗 여왕벌.

⁑**queer** [kwiər] *a.* **1** 이상한, 기묘한(odd, strange); 야릇한, 색다른, 괴상한(eccentric): a ~ way of talking / a ~ sort of fellow 이상한 놈 / There's something ~ about this house. 이 집은 어딘지 이상한 데가 있다. **2** 《구어》 수상한, 의아〔의심〕스러운(suspicious): a ~ story / a ~ character 의심스러운 인물. **3** 어지러운(giddy), 몸〔기분〕이 좋지 않은(unwell). **4** 머리가 좀 돈(deranged): go ~ 머리가 좀 돌다. **5** 《미속어》 가짜의, 위조의(counterfeit): ~ money. **6** 《미속어》 동성애의. **7** 《영속어》 술취한. ***a ~ fish*** 〔***bird, card, customer***〕 괴짜, 기인. ***be ~ for ...*** 《속어》 …에 홀리다, …을 몹시 좋아하다. ***feel ~*** 현기증이 나다, 찌뿌드드하다.

— *vt.* **1** 《+목+전+명》 (남의 계획·준비·기회 등을) 엉망으로 망치다: ⇨ (관용구). **2** 〖보통 ~ oneself〗 (남을) 궁지로 몰다, (남의) 호감을 해치다: He ~*ed* him*self* with them by his lack of cooperation. 그는 협동성이 부족하여 그들의 인상을 해쳤다. **3** 위험에 내맡기다. ~ ***the pitch for*** a person = ~ a person***'s pitch*** 몰래 (아무)의 성공〔계획〕에 훼방을 하다.

— *n.* 《구어》 호모, 동성애의 남자; 기인, 괴짜; 《속어》 (보통 the ~) 가짜돈.

⊕ **∠·ly** *ad.* **∠·ness** *n.*

quéer bàshing 《속어》 동성애자 폭행〔박해〕.

queer·ish [kwíəriʃ] *a.* 조금 이상한〔기분나쁜〕.

quéer quéen 《미속어》 여자 동성애자.

Quéer Strèet (종종 q- s-) 《구어》 경제적 곤란, 빚 ***in ~*** 《영속어》 돈에 궁색하여, 궁지에 몰려; 평판이 나빠.

quell [kwel] 《문어》 *vt.* (억)누르다, 가라앉히다; 진압〔진정〕하다; 끝나게 하다, 소멸시키다(extinguish). ~ *one's hopes* 희망을 잃게 하다. [파] *∠·er n.* 「주도의 별칭」.

Quel·part [kwélpɑ̀ːrt] *n.* 퀠파트《우리나라 제

◇**quench** [kwentʃ] *vt.* **1** 《~+[목]/+[목]+[전]+[명]》 《문어》 (불 따위를) 끄다(extinguish): ~ a fire *with* water 물로 불을 끄다. **2** 《~+[목]/+[목]+[전]+[명]》 (갈증 따위를) 풀다: ~ one's thirst *with* beer 맥주로 갈증을 풀다. **3** 【물리】 (발광·방전을) 소멸시키다; 【전자】 (진공 속의 전자 흐름 등을) 소멸시키다. **4** 《~+[목]/+[목]+[전]+[명]》 (욕망·속력·동작을) 억누르다, 억압〔억제〕하다(suppress): Her sarcastic remarks ~*ed* his passion. =She ~*ed* his passion *with* sarcastic remarks. 그녀의 빈정대는 말에 그의 정열도 식었다. **5** 【야금】 쇠담금〔담금질〕하다: (달군 쇠 등을) 물〔기름 따위〕로 냉각시키다. **6** 《속어》 (반대자 등을) 침묵시키다. ~ ***the smoking flax*** 【성서】 모처럼의 희망을 도중에서 꺾다《이사야 XLII: 3》. [파] *∠·a·ble a.* *∠·er n.* **1** ~하는 사람; 냉각기. **2** 《구어》 갈증을 푸는 것, 마실 것: a modest ~*er* 가볍게 한 잔. *∠·less a.* 끌 수 없는, (억)누를 수 없는: a ~*less* flame.

que·nelle [kənél] *n.* [U] 《F.》 고기 단자《생선·쇠고기 따위의》.

Quen·tin [kwéntn] *n.* 퀜틴《남자 이름》.

quer·ce·tin [kwə́ːrsətin] *n.* [U] 【화학】 케르세틴《황색 물감으로 쓰임》.

quer·i·mo·ni·ous [kwèrəmóuniəs] *a.* 불평을 하는(querulous), 불평투성이의. [파] ~**·ly** *ad.* ~**·ness** *n.*

que·rist [kwíərist] *n.* 질문〔심문〕자.

quern [kwəːrn] *n.* [U] 맷돌.

quer·u·lous [kwérjələs/kwéru-] *a.* 불평을 하는(complaining), 흠〔탈〕잡는(faultfinding); 성 잘내는(peevish). [파] ~**·ly** *ad.* ~**·ness** *n.*

◇**que·ry** [kwíəri] *n.* **1** 질문(inquiry), 의문: raise a ~ 질문을 하다. **2** 〖particle 로서 의문구(句) 앞에 써서〗 감히 묻다, 묻노니《생략: q., qu., qy.》: *Q.*, where are we to find the funds? 묻건대 어디에 가면 자금을 얻을 수 있겠는가. **3** 물음표(?). **4** 【컴퓨터】 질의, 조회《자료틀(data base)에 대한 특정 정보의 검색 요구》: ~ language 【컴퓨터】 질의〔조회〕 문자. **—** *vt.* **1** 《~+[목]/+[목]+[전]+[명]》 묻다, 질문하다, 캐어묻다: "How much?" I *queried.* "얼마지요"라고 나는 물었다 / They *queried* the prime minister *about* his resolution. 그들은 총리에게 그의 결의를 물었다. **2** 《~+[목]/+*wh.* [절]》 (언명·말 따위를) 의심하다, …에 의문을 던지다: I ~ *whether* 〔*if*〕 his word can be relied on. 그의 말이 믿을 만한 것인지 의심스럽다. **—** *vi.* 질문하다, 의문으로 여기다.

ques. question.

*****quest** [kwest] *n.* **1** 탐색(search), 탐구(hunt), 추구(pursuit)《*for*》: a ~ *for* knowledge. **2** 탐색 여행, 원정《특히 중세 기사의 모험을 찾아서의》: the ~ *for* 〔*of*〕 the Holy Grail 성배(聖杯) 탐색 여행《중세 전설》. **3** 《드물게》 모금, 탁발; 《폐어》 탐색자〔대〕. **4** 《방언》 검시(檢屍); 《드물게》 검시 배심. ***a crowner's*** ~ 《속어》 (검시관의) 검시(coroner's inquest). ***in ~ of*** …을 찾아: go *in* ~ *of* adventure. **—** *vi.* **1** 《+[부]/+[전]+[명]》 (사냥개 따위가) 짐승 등의 자귀를 짚다《*about*》; 찾다, 탐색하다《*for; after*》: ~ *about for* game 사냥감의 뒤를 밟아 찾아다니다 / ~ *for* treasure 보물을 찾다. **2** 《드물게》 시여물(施與物)을 모으다, 탁발하다. **—** *vt.* 《시어》 찾다; 추구하다. [파] *∠·er n.*

†**ques·tion** [kwéstʃən] *n.* **1** 질문, 심문, 물음(([OPP.] *answer*); 【문법】 의문문: ~ and answer 질의응답 / May I ask you a ~? 한 가지 질문해도 좋습니까. **2** [U] 의심, 의문: admit (of) no ~ 의심할 여지가 없다 / There's *no* ~ (*about* her sincerity). (그녀의 성실성에 관해서는) 의심할 여지가 없다 / There is *no* ~ (*but*) *that* he will come. 그는 틀림없이 올 것이다 / There has been some ~ *as to* whether or not he will accept the offer. 그가 그 제안을 받아들일지 어쩔지에 관해서는 약간의 의문이 있었다. **3** (해결할) 문제; (…로 정해질) 문제(problem), 현안: a housing ~ 주택 문제 / a ~ *of* long standing 오래된 현안 문제 / a ~ *of* time 시간 문제 / economic ~*s* 경제 문제 / the ~ at 〔in〕 issue 계쟁(係爭) 문제, 현안 / raise a ~ 문제를 제기하다 / The ~ is who will go. 문제는 누가 가느냐이다 / There is the ~ (*of*) *how to* raise the funds. 그 자금을 어떻게 마련하느냐 하는 문제가 있다 / Let's take the ~ *whether* we should employ him. 그의 고용 여부에 관한 문제를 생각해 봅시다.

> [SYN.] **question** 토론·회의 등에서의 문제나, 해결을 요하는 문제: a difficult *question* 어려운 문제. It's not a *question* of money. 돈 문제가 아니다. **problem** 해결해야 할 성가신 문제〔인물, 사정〕: social *problems* 사회 문제. This child is a *problem.* 이 아이는 문제아다. **issue** 현재 논의되고 있는 문제, 논쟁의 초점: political *issues* 정치 문제. **quiz** 교실 등에서 출제되는 간단한 질문 형식의 문제.

4 (the ~) 논제(論題); 의제; 표결: That is not the ~. 그것은 문제 밖이다 / the ~ before the senate 상원이 채결(採決)할 의제 / put the matter to the ~ 문제를 표결에 부치다. **5** 《고어》 고문(torture). (***and***) ***no ~ asked*** 이의 없이, 무조건으로. ***beg the ~*** ⇨BEG. ***beside the ~*** 본제를 벗어난, 요점에서 벗어난. ***beyond*** (***all***) 〔***past***〕 ~ 틀림없이, 확실히. ***bring ... into ~*** …을 문제 삼다, 논의〔검토〕하다. ***call in ~*** ⇨CALL. ***come into ~*** 문제가 되다, 논의의 대상이 되다. ***fire ~s at*** …에게 질문을 퍼붓다. ***in ~*** 문제의, 당해(當該)의: the person *in* ~ 당사자, 본인. ***make no ~ of*** …을 의심치 않다. ***out of*** 〔***without***〕 ~ =beyond ~. ***out of the ~*** 문제가 되지 않는, 논외에, 전혀 불가능한. ***pop the ~*** 《구어》(남자가 여자에게) 청혼하다, 프러포즈하다. ***put a ~ to*** …에게 질문하다. ***put the ~*** (가부의) 투표를 요구하다. ***put ... to the ~*** (아무를) 고문하다; 토의에 부치다. ***Question!*** (연사의 탈선을 주의시켜) 본제로 돌아가라, 이의 있소. **—** *vt.* **1** 《~+[목]/+[목]+[전]+[명]》 …에게 묻다: ~ the governor *on* 〔*about, as to*〕 his politics 지사에게 정책에 대하여 질문하다. [SYN.] ⇨ASK. **2** 심문하다(inquire of): ~ a suspect 용의자를 심문하다. **3** 《~+[목]/+*wh.* [절]/+*that* [절]》 의문으로 여기다(doubt), 문제시하다; 이의를 제기하다: ~ the importance of school 학교의 중요성을 의문시하다 / I ~ *whether* 〔*if*〕 it is practicable. 그것이 실행 가능한지 어떤지 의문스럽다 / It cannot be ~*ed* (but) *that* …은 의심할 여지가 없다. **4** (사실 따위를) 탐구하다, 연구〔조사〕하다. **—** *vi.* 묻다, 질문하다.
[파] ~**·er** *n.* 질문〔심문〕자.

◇**qués·tion·a·ble** *a.* 의심스러운《행동 따위가》; 수상한; 문젯거리의. [파] **-bly** *ad.*

ques·tion·ary [kwéstʃənèri/-tʃənəri] *a.* 질문의, 의문의. **—** *n.* =QUESTIONNAIRE.

qués·tion·ing *n.* 질문, 심문. **—** *a.* 의심스러

운, 수상한, 물을 듯한. ㊞ **~·ly** *ad.*
qués·tion·less *a.* 의심 없는, 명백한. **—** *ad.* 문제 없이, 의심 없이.
quéstion màrk 〔**stòp**〕 의문부, 물음표《?》.
quéstion màster 《영》〖방송〗 퀴즈프로의 사회〔출제〕자.
◇**ques·tion·naire** [kwèstʃənέər] *n.* 《F.》 질문서, 질문표《조목별로 쓰인》, 앙케트; 〖통계〗 조사표.
quéstion tàg 〖문법〗 =TAG QUESTION.
quéstion tìme (영국 의회에서) 질의 시간.
questor ⇨QUAESTOR.
quet·zal [ketsɑ́:l/kwétsəl] *n.* **1** 〖조류〗 꼬리 긴 고운 새의 일종 (=**~ bìrd**)《중앙 아메리카산》. **2** (*pl.* **-záles** [-lies]) Guatemala의 화폐 단위《생략: Q》.

quetzal 1

queue** [kju:] *n.* **1** 땋아 늘인 머리, 변발(辮髮). **2** 《영》 열, 줄, 행렬《차례를 기다리는 사람·차 따위의》: stand in a ~ 장사진을 이루다. cf. cue². **3** 〖컴퓨터〗 대기 행렬, 큐《컴퓨터의 계(系)에서 처리를 기다리는 일련의 자료, 메시지 등》. **4** 〖문장(紋章)〗 짐승의 꼬리. ***jump the ~ 《영》 (열에) 새치기하다. **—** *vt.* 변발〔땋아 늘인 머리〕로 하다; 〖컴퓨터〗 대기 행렬에 넣다. **—** *vi.* 《~+㊟/+㊞+㊔》 《영》 열〔줄〕을 짓다; 열에 끼이다《*on*》, 줄서서 기다리다《*up*》: ~ *up for* a bus 줄을 지어 버스를 기다리다/*Queue* here *for* taxis. 택시 탈 분은 여기에 줄을 서세요.
quéueing thèory 〖수학〗 대기 행렬 이론.
quéue-jùmp *vi.* 《구어》 줄에 끼어들다, 남을 밀어젖히고 나아가다; 《비유》 부정 이득을 얻다.
quéue júmper (줄에) 새치기하는 사람.
quib·ble [kwíbəl] *n.* **1** 둔사(遁辭), 강변, 핑계, 구차스러운 변명; 모호한 말씨. **2** 쓸데없는 비판, 흠구덕 찾기, 트집; 쓸데없는 반대〔이론〕. **3** 익살, 신소리, 결말(pun). **—** *vi.* **1** 둔사〔핑계〕하다, 모호한 말을 하다; 남의 흠을 찾다; 쓸데없는 의론을 하다. **2** 《고어》 익살 부리다. ㊞ **quíb·bler** *n.* **quíb·bling** *a.*, *n.* 속이는, 핑계(대는). **quíb·bling·ly** *ad.*
quiche [ki:ʃ] *n.* 파이의 일종.
†**quick** [kwik] *a.* **1** 빠른, 잽싼, 민속한; 즉석의 (prompt): Be ~ (about it)! 꾸물거리지 말고 빨리 해라/a ~ reply 즉답/a ~ grower 생장이 빠른 식물/be ~ *of* foot 〔*in* action〕 발이 빠르다〔동작이 민첩하다〕/He's ~ *in* his decisions. 그는 결단을 빨리 내린다. **2** 민감한, 눈치〔약삭〕빠른, 머리가 잘 도는, 영리한: ~ *to* learn 사물을 빨리 깨치는/~ *of* apprehension 이해가 빠른/~ *of* hearing 〔sight〕 귀가 예민한〔눈치 빠른〕/have ~ wits 재치 있다/He's ~ *at* figures 〔learn*ing* languages〕. 그는 계산〔언어 습득〕이 빠르다.

> SYN. **quick** 선천적인 점이 강조됨: a *quick* mind 이해가 빠른 머리. be *quick* at hearing 귀가 밝다. **prompt** 반사적인 행동임. 훈련, 익숙해진 결과 요구 따위에 곧 응할 수 있음을 말함: a *prompt* reply 즉답. **ready** 미리 예상하여 마음의 준비를 하고 있기 때문에 '즉석에서', prompt 보다 자발성이 있음: He is too *ready* to promise. 그는 무엇이든 너무나 쉽게 약속을 해 버린다.

3 성미 급한, 괄괄한: have a ~ temper 성마른 사람이다/~ of temper =~ to take offense 성마른, 성 잘내는. **4** (굽이 따위가) 급한, 급커브의; 《미속어》 꽉 끼는, 갑갑한. **5** (불꽃·열 따위가) 센: (오븐이) 뜨거운; 《폐어》 신랄한, 자극적인: in ~ agony 몹시 고민하여. **6** 《드물게》 활발한, 원기 있는; 《고어》 살아 있는: go down ~ into Hell 산 채로 지옥에 떨어지다. **7** 〖경제〗 곧 환금(換金)할 수 있는. **8** 〖광산〗 생산성이 있는 《광맥 따위》. **9** 《고어》 임신한《특히 태동기를 말함》: ~ *with* child. **10** (토양이) 물을 머금어 흐물흐물한, 질척질척한: ~ mud 발이 푹푹 빠지는 진흙 땅. cf. quicksand. ***a ~ one*** 《구어》 쭉 한 잔, 들이켜 마시는 술. ***be ~ on the draw*** 〔***the trigger***〕 《미속어》 (문제 해결 등에서) 반응이 빠르다; 기민하다. ***in ~ succession*** 잇따라, 줄지어. ***~ and dirty*** 《미속어》 벼락치기로 지은, 날림으로 만든, 간략한, 싸구려의.
— *ad.* **1** 빨리, 급히: run ~. ★ 늘 동사 뒤에 옴. **2** 〖분사와 결합하여〗 빨리: a ~-acting medicine 곧 듣는 약. ***~ as thought*** 〔***lightning, wink***〕 눈깜짝할 사이에, 번개처럼.
— *n.* **1** (the ~) 살아 있는 사람: the ~ and the dead 산 자와 죽은 자. **2** Ⓤ (닿으면 아픈) 생살; (특히 손톱 밑의) 민감한 속살; (상처 따위의) 새살, 생살. **3** (마음·감정의) 아픈 곳; 급소, 핵심. **4** (산울타리를 이루는) 뿌리박은 식물. ***to the ~*** ① 속살까지: cut one's nails *to the* ~ 손톱을 바짝 깎다. ② 골수에 사무치게, 절실히: Their callous treatment cut her *to the* ~. 그들의 냉대는 그녀를 몹시 가슴아프게 했다. ③ 철저한, 토박이의: a British *to the* ~ 토박이 영국 사람. ④ 산 것처럼, 순연(純然)한: He is painted *to the* ~. 그 그림은 그를 빼쏘았다.
㊞ **~·ness** *n.* Ⓤ 기민, 민첩; 급속, 신속; 성급.
quick ássets 〖상업〗 당좌〔유동〕 자금.
Quíck·Bàsic *n.* 〖컴퓨터〗 퀵 베이직《마이크로소프트사가 판매했던 대표적인 베이직 컴파일러》.
quíck brèad 버터와 베이킹파우더·소다를 섞어 부풀려 즉석에서 구운 비스킷·빵.
quíck-chànge *a.* 재빨리 변장하는《배우 등》; 재빨리 교환되는; (항공기가) 여객기에서 수송기로 빨리 바꿀 수 있는.
quíck-drỳing *a.* 빨리 마르는: ~ ink 속건성 잉크.
quíck-éared *a.* 귀밝은, 귀가 예민한.
***quick·en** [kwíkən] *vt.* **1** 빠르게 하다, …의 속력을 더하다; 서두르게 하다(hasten): ~ one's steps 걸음을 빨리하다. **2** 활기 띠게 하다, 북돋우다, 자극〔고무〕하다: The illustration ~*ed* my interest. 그 삽화는 나의 흥미를 돋우었다. **3** 《~+㊔/+㊔+㊞+㊔》 《고어·문어》 되살리다, 소생시키다: The spring rains ~*ed* the earth. 봄비가 대지를 소생시켰다/~ the dying fire *into* flames 꺼져 가던 불을 다시 타오르게 하다. **4** (만곡부를) 더 예각이 되게 굽히다; (경사를) 보다 급하게 하다. **—** *vi.* **1** 빨라지다, 속도가 더해지다: His pulse ~*ed*. 맥박이 빨라졌다. **2** 활기 띠다, 생기 띠다; (흥미 등이) 돋우어지다. **3** 살아나다, 피어나다, 소생하다. **4** (임신부가) 태동을 느끼다; (태아가) 태동하다, 놀다. ㊞ **~·er** *n.*
quíck·en·ing *a.* 살리는, 소생시키는; 생기를 띠게 하는, 활발해지는. **—** *n.* 〖의학〗 태동초감(胎動初感).
quíck-éyed *a.* 눈치 빠른, 눈밝은, 눈썰미 있는.
quíck fire 속사(速射).
quíck-fíre, -fíring *a.* 속사의; 《구어》 잇따라 퍼붓는《질문 따위》: a ~ gun 속사포.
quíck-fírer *n.* 속사포.
quíck fíx 《구어》 임시변통의〔손쉬운〕 해결(책), 응급조치, 즉효약.
quíck-frèeze *vt.* (식품을) 급속 냉동하다《보존을 위해》. **—** *vi.* 냉동되다, (식품이) 급속 냉동되다.
quíck-frèezer *n.* 급속 냉동고〔냉동실〕.

quíck fréezing 급속 냉동(법).
quíck-frózen *a.* 급속 냉동한.
quick·ie, quicky [kwíki] *n.* 《구어》 급히 만든 날림 영화·소설(따위); 속성 연구; 서두른 여행〔일〕; (단기의) 예고 없이 하는 파업; (술 따위의) 빨리 마시기; 《비어》 빨리 마치는 성교. ── *a.* 급히 만든, 속성의.
quíck kíck 〖미식축구〗 퀵킥(제 3 다운 이전에 수비 측의 의표를 찔러 행하는 punt).
quíck·lìme *n.* Ⓤ 생석회.
quíck-lùnch *n.* 간이식당. 「히; 곧.
†**quick·ly** [kwíkli] *ad.* 빠르게, 얼른, 잽싸게, 급
quíck màrch 〖군사〗 속보 행진.
quíck púsh 《미속어》 잘 속는 놈, '봉'.
quíck·sànd *n.* Ⓤ,Ⓒ 유사(流砂)(그 위를 걷는 사람·짐승을 빨아들임); 방심할 수 없는 위험한 상태〔사태〕. ㊕ **-sàndy** *a.* 「(慧眼)의.
quíck-scénted [-id] *a.* 후각이 예민한; 혜안
quíck·sèt 《주로 영》 *n.* 〖집합적〗 (산울타리용의) 나무, (특히 산사나무의) 산울타리(=∠ **hèdge**). ── *a.* 산울타리의.
quíck-sètting *a.* (시멘트 따위가) 빨리 굳는, 급결(急結)하는. 「力)이 예민한.
quíck-síghted [-id] *a.* 눈치가 빠른, 안력(眼
◇**quíck·sìlver** *n.* Ⓤ **1** 수은(mercury). **2** 활발한 성질, 변하기 쉬운 기질, 변덕; Ⓒ 변덕스러운 사람. ── *a.* 수은의〔같은〕; 변하기 쉬운, 움직임이 빠른. ── *vt.* 수은을 입히다(거울 유리 뒷면에).
quíck sòrt 〖컴퓨터〗 신속 정렬, 퀵 소트.
quíck·stèp *n.* 〖군사〗 속보 (행진곡); 〖댄스〗 퀵스텝; 《미비어》 설사(loose bowels). ── *vi.* 속보로 행진하다; 퀵스텝을 추다.
quíck stúdy 이해가〔습득이〕 빠른 사람(특히 배우, 연주가).
quíck-témpered *a.* 성급한, 성 잘내는.
quíck tìme 〖군사〗 속보, 빠른 걸음.
quíck-wítted [-id] *a.* 기지에 찬, 약삭빠른, 재치 있는.
quid[1] [kwid] (*pl.* ~(*s*)) *n.* 《영구어》 1 파운드 금화, 소브린(sovereign)화(貨); 1 파운드(지폐): five ~, 5 파운드. ***be not the full*** ~ 《Austral. 속어》 저능하다. ***be*** ~***s in*** 《영구어》 제대로 잘 하다, 더할 나위 없다.
quid[2] *n.* 한 번 씹을 분량(씹는 담배의).
quid·di·ty [kwídəti] (*pl.* ***-ties***) *n.* **1** 본질, 실질(essence). **2** 억지 (이론), 궤변(quibble).
quid·nunc [kwídnʌ̀ŋk] *n.* 시시콜콜 듣고 싶어하는 사람; (소문 따위를) 듣거나 퍼뜨리기 좋아하는 사람.
quid pro quo [kwíd-prou-kwóu] 《L.》 (=something for something) 대상(물)(compensation), 응분의 대상; 보복(tit for tat); 대용품.
qui·es·cence, -cen·cy [kwiésns], [-sənsi] *n.* Ⓤ 정지(靜止); 무활동(inactivity); 정적; 침묵; (누에의) 휴면(休眠); 묵음자임.
qui·es·cent [kwiésnt, kwai-] *a.* 정지한; 무활동의; 조용한; 침묵의. ㊕ **~·ly** *ad.*
quiéscent tánk (하수 등의) 침전조(沈澱槽).
†**qui·et** [kwáiət] (**~·*er*; ~·*est***) *a.* **1** 조용한, 고요한, 소리 없는. OPP. *noisy.* ¶ Be 〔Keep〕 ~! 정숙해 주시오, 조용히/a ~ street 한적한 거리/~ neighbors 시끄럽지 않은 이웃들.

> SYN. **quiet** 소음이 없는 조용한 소리면 이 부류에 듦. 고요함 외에도 정신적인 평온, 안식을 시사하는 경우가 많음: a *quiet* engine 조용한 엔진. a *quiet* evening at home 집에서 보내는 조용한 밤. **still** 소리 없이 조용한, 흔히 움직임도 멈춰 있음: the *still* lake 잔잔한 호수. **silent** 소리 하나 들리지 않는, 매우 조용한, 사람이 침묵할 때에도 쓰임: a *silent* house.

2 정숙한, 얌전한, 말수가 없는: ~ boys 〔neighbors〕 얌전한 아이들 〔이웃 사람들〕/~ manners 조용한 태도. **3** 온화한, 평온한: live a ~ life 평온한 생활을 하다/a ~ conscience 〔mind〕 거리낄 것 없는 (떳떳한) 마음/a ~ sea 잔잔한 바다. **4** 숨겨진, 은밀한: ~ resentment 내심의 노여움. **5** 수수한, 눈에 띄지 않는, 은근한: a ~ color 차분한 색〔빛깔〕/a ~ irony 은근히 꼬집기〔빈정대기〕. **6** (거래가) 한산한, 활발치 못한: a ~ market. **7** 비공식적인(informal): a ~ dinner party 비공식 만찬회. (***as***) ~ ***as a mouse*** 매우 조용한, 고요하기 그지없는. ***have a*** ~ ***dig at*** a person 아무에게 은근히 빗대어 꼬집다. ***keep*** a thing ~ 무엇을 비밀로 해 두다.
── *n.* Ⓤ **1** 고요함, 정적(stillness): in the ~ of the night 밤의 정적 속에. **2** 평정, 평온, 마음의 평화, 안식(rest and ~): have an hour's ~, 1 시간의 안식을 취하다. ***at*** ~ 평온하게, 평정하게. ***in*** ~ 조용히, 편안히, 고요히. ***on the*** ~ 몰래, 은밀하게, 가만히(속어에서 on the Q.T. 〔q.t.〕로 생략). ***out of*** ~ 침착성을 잃고.
── *vt.* **1** (~+목/+목+부) 진정시키다, 가라앉히다; 달래다, 안심시키다(soothe): ~ a crying baby 우는 애를 달래다/~ (*down*) the excited crowd 흥분한 군중을 진정시키다. **2** 누그러지게 하다(mollify), (소란 따위를) 가라앉히다. ── *vi.* (+부) 고요해〔조용해〕지다, 가라앉다 (*down*): The excitement ~*ed down*. 흥분이 가라앉았다.
㊕ **~·en** [kwáiətn] *vt.*, *vi.* 《영》=quiet. **~·er** *n.* 〖기계〗 (내연기관 등의) 소음 장치. **~·ness** *n.*
quí·et·ìsm *n.* Ⓤ **1** (Q-) 정적(靜寂)주의(17 세기의 신비주의적 종교 운동). **2** 마음의 평화, 평온. **3** 무저항주의. ㊕ **quí·et·ist** *n.* 정적주의자. **quì·et·ís·tic** *a.*
qui·et·ize [kwáiətàiz] *vt.* …에 방음 장치를 하다.
⁑**qui·et·ly** [kwáiətli] *ad.* 조용히, 고요히; 수수하게; 은밀히.
quíet ròom (정신 병원의) 구속실(격리실).
qui·e·tude [kwáiətjùːd/-tjùːd] *n.* Ⓤ 안식, 평온, 정적(quietness).
qui·e·tus [kwaiíːtəs] *n.* **1** (채무 따위로부터의) 최후의 해제, 면제; 영수증. **2** 생명〔활동〕으로부터의 해제, 죽음. **3** (마지막의) 숨통끊기, 마지막의 일격, 결정타(打). ***get*** one's ~ 죽다. ***give*** a person ***his*** ~ 아무를 죽이다. ***give a*** ~ ***to*** (a rumor) (소문)을 근절시키다.
quiff[1] [kwif] *n.* 《영》 (앞이마에 늘어붙인 주로 남성의) 고수머리; 《속어》 교묘한 수단.
quiff[2] (*pl.* ~(*s*)) *n.* **1** 《미속어》 아가씨, 여자; 《특히》 몸가짐이 헤픈 여자. **2** (담배 연기의) 한 번 내뿜기; 일진의 바람.
quill [kwil] *n.* **1** 깃촉, 우경(羽莖); (날개깃·꼬리 따위의 튼튼한) 큰 깃. **2** 깃촉펜(=∠ **pèn**); 악기의 채(plectrum); (낚시용의) 찌(float); 이쑤시개(toothpick). **3** (보통 *pl.*) 호저(豪豬)의 가시. **4** (대롱 모양의) 실패, 갈대 피리(reed); 돌돌 만 기나피(幾那皮)(따위). **5** 《미속어》 코로 마약을 흡입하는 데 쓰는 종이 빨대. **6** 〖흔히 the pure ~로〗 극상〔최상〕의 것, 진짜(the real thing). ***drive the*** ~ 펜을 빨리 놀려 쓰다, 적다.
── *vt.* **1** …에 대롱 모양의 주름을 잡다; 실패에 감다; 바늘 따위로 꿰다; (새)의 깃을 뽑다. **2** …에게 알랑거리다.
quíll drìver 《경멸》 필경, 서기; 기자; 문필가.
Quil·ler-Couch [kwílərkúːtʃ] *n.* Sir **Arthur Thomas** ~ 퀼러쿠치(영국의 소설가·비평가; 1863-1944; 필명 Q).

quil·let [kwílit] *n.* ⦅고어⦆ 핑계, 둔사(遁辭); 속임(수); 세세한 구별.

quíll·ing *n.* 대롱 모양으로 주름을 잡음; 대롱 모양의 주름이 있는 리본〔레이스〕.

quíll shàft 〖조선〗 중공축(中空軸)⦅속이 빈 샤프트⦆.

quíll wòrk ⦅미⦆ 퀼 워크⦅(1) 호저(豪猪)의 가시털이나 새의 깃대를 이용한 장식 공예. (2) ⇨QUILTING⦆.

quill·wort [kwílwə̀ːrt, -wɔ̀ːrt/-wə̀ːt] *n.* 〖식물〗 물부추.

°**quilt** [kwilt] *n.* (솜·털·깃털 따위를 둔) 누비이불; 누비 침대 커버(coverlet). **—** *vt.* **1** ⦅~+[목]/+[목]+[전]+[명]⦆ 속을 두어서 누비다〔무늬지게 누비다〕; (화폐·편지 따위를) 옷 갈피(따위)에 넣어 꿰매다: He *~ed* money *in* his belt. 돈을 띠에 넣고 꿰맸다. **2** (이불 등을) 덮다. **3** ⦅+[목]+[부]⦆ (작품 등을) 모아 편집하다: *~ together* a collection of verse 그러모아 시집을 만들다. **4** ⦅방언⦆ 때리다, 매질하다. [파] **∠·er** *n.*

quílt·ed [-id] *a.* quilt 풍의.

quílt·ing *n.* 누빔, 누비; ⦅방언⦆ 때리기.

quílting bèe 〔**pàrty**〕 ⦅미⦆ 누비이불 만드는 모임.

quim [kwim] *n.* ⦅비어⦆ =VAGINA; ⦅미속어⦆ 호모의 여자역(queen).

quin [kwin] *n.* ⦅영구어⦆ =QUINTUPLET.

quin. quintuple; quintuplet.

qui·na [kíːnə] *n.* =CINCHONA.

quin·a·crine [kwínəkriːn] *n.* 〖약학〗 퀴나크린(=∠ **hydrochlóride**)⦅말라리아 약⦆.

quínacrine mùstard 퀴나크린 머스터드⦅사람의 Y염색체를 물들여 형광을 발하게 하는 화합물; 성(性) 판정에 쓰임⦆.

qui·na·ry [kwáinəri] *a.* 다섯의, 다섯으로 된, 다섯씩의(quintuple), 다섯 번째의; 오진법의. **—** *n.* 다섯으로 이루어진 조(組).

quin·ate¹ [kwíneit, kwái-] *n.* 〖화학〗 키닌산염.

qui·nate² [kwáineit] *a.* 〖식물〗 다섯 개의 작은 잎으로 된.

quince [kwins] *n.* 〖식물〗 마르멜로(의 열매).

quin·cen·te·na·ry, -ten·ni·al [kwìnsenténəri, kwinsénténèri/kwìnsentíːnəri], [kwìnsenténiəl] *a.* 500년(째)의; 500년간 계속되는; 500년제(祭)의. **—** *n.* 500년제.

quin·cun·cial, -cunx·ial [kwinkʌ́nʃəl], [-kʌ́ŋ*k*siəl] *a.* (주사위의) 다섯 눈 모양의, 5점형의⦅카드⦆; 〖식물〗 5엽(葉)배열의. [파] **~·ly** *ad.*

quin·cunx [kwínkʌŋks] *n.* 다섯 눈 모양, 5점형; 다섯 눈 모양의 것⦅트럼프·주사위의 눈 따위⦆; (과수 등을) 5점형으로 심기.

quin·dec·a·gon [kwindékəgɑ̀n/-gən] *n.* 〖수학〗 15각형.

quin·dec·a·plet [kwìndékəplèt] *n.* 15개〔명〕한 조(組); 15개〔명〕한 조 중의 하나.

quin·de·cen·ni·al [kwìndiséniəl] *a.* 15년마다의, 15주년(기념)의. **—** *n.* 15주년, 15년제(祭).

quin·de·cil·lion [kwìndisíljən] *n.*, *a.* 퀸데실리온(의)⦅미국에서는 10^{48}, 영국·독일·프랑스에서는 10^{90}⦆.

quin·es·trol [kwinéstrɔːl, -trɑl/-trɔl] *n.* 〖생화학〗 퀴네스트롤⦅estrogen의 일종⦆.

quin·gen·ten·a·ry [kwìndʒenténəri/-tíːnə-] *a.* = QUINCENTENARY.

quín·ic ácid [kwínik-] 〖화학〗 퀴닌산(酸).

quin·i·dine [kwínədiːn, -din] *n.* [U] 〖약학〗 퀴니딘⦅심장병·말라리아 치료약⦆.

qui·nie·la, -nel·la [kiːnjélə], [-nélə] *n.* ⦅미⦆ (경마 따위의) 복승식(複勝式).

qui·nine [kwáinain/kwiníːn] *n.* [U] 〖약학〗 퀴닌; 키니네.

quínine wàter 퀴닌이 든 탄산수.

quin·o·line [kwínəliːn] *n.* 〖화학〗 퀴놀린⦅특이한 냄새가 나는 유상(油狀)의 투명한 액체⦆.

qui·none [kwinóun] *n.* [U] 〖화학〗 퀴논⦅물감 따위의 원료⦆.

quin·o·noid [kwínənɔ̀id, kwinóunɔid] *a.* 〖화학〗 퀴논의〔비슷한〕.

quin·qua·ge·nar·i·an [kwìŋkwədʒinɛ́əriən] *a.*, *n.* 50대의 (사람).

quin·quag·e·nary [kwinkwǽdʒənèri, kwiŋ-/-kǽdʒinəri] *a.* 50세〔대〕의. **—** *n.* 50세의 사람; 50년제〔잔치〕.

Quin·qua·ges·i·ma [kwìŋkwədʒésəmə] *n.* 〖가톨릭〗 오순절(의 주일); 〖영국교회〗 4순절(Lent) 직전의 일요일(=∠ **Súnday**).

quin·quan·gu·lar [kwiŋkwǽŋgjələr] *a.* 5각이 있는; 5각형의.

quin·que- [kwíŋkwi, -kwə, kwin-/kwiŋ-], **quin·qu-** [kwink] '5'란 뜻의 결합사.

quìnque·centénary *n.*, *a.* =QUINCENTENARY.

quìnque·centénnial *a.*, *n.* =QUINCENTENARY.

quìnque·láteral *a.* 측면이 다섯개인, 다섯 면(面)의〔이 있는〕.

quin·quen·ni·ad [kwinkwéniæ̀d, kwiŋ-] *n.* =QUINQUENNIUM.

quin·quen·ni·al [kwinkwéniəl, kwiŋ-] *a.* 5년마다의; 5년의, 5년간의, 5년간 계속되는. **—** *n.* 5년마다 발생하는 것; 5주년 (기념), 5년제(祭), 5주년 기념일; 5년의 임기; 5년간. [파] **~·ly** *ad.*

quin·quen·ni·um [kwinkwéniəm, kwiŋ-] (*pl.* **~s, -nia** [-niə]) *n.* 5년간.

quìnque·pártite *a.* 다섯으로 갈린; 5부로〔각으로〕 된.

quin·que·reme [kwíŋkwəriːm] *n.* 〖고대로마〗(양쪽 현(舷)에) 노(櫓)가 5단으로 된 갤리선.

quin·que·va·lent [kwìŋkwəvéilənt, kwiŋkwévə-] *a.* 〖화학〗 5개의 각기 다른 원자가를 가진, 5가(價)(원자)의(pentavalent).

quin·qui·na [kiŋkíːnə/kwiŋkwáinə] *n.* 기나피(幾那皮); 〖식물〗 기나수(樹).

quins [kwinz] *n. pl.* ⦅구어⦆ 다섯 쌍둥이(quintuplets).

quin·sy [kwínzi] *n.* [U] 〖의학〗 편도선염, 후두염. [파] **-sied** *a.* 편도선염에 걸린.

quint [kwint] *n.* **1** [+kint] **a** 〖카드놀이〗 같은 조의 다섯 장 계속의 패. **b** 〖음악〗 5도 음정; (오르간의) 보통보다 5도 높은 음을 내는 스톱; (바이올린의) E선. **2** ⦅미구어⦆ **a** 다섯 쌍둥이의 한 사람. **b** 농구팀.

quin·tain [kwíntən/-tin] *n.* 〖역사〗 창(槍) 과녁; 창 과녁 찌르기⦅중세의 무예⦆.

quin·tal, ⦅고어⦆ **kin·tal** [kwíntl], [kín-] *n.* 무게의 한 단위⦅미국에서는 100lb., 영국에서는 112lb., 미터법에서는 100kg⦆.

quin·tan [kwíntn] *n.* 〖의학〗 오일열(五日熱)(~ fever). **—** *a.* (열·오한 따위가) 닷새째마다〔사흘 걸러〕 일어나는.

quinte [kæ̃nt] *n.* 〖펜싱〗 제5자세.

quin·tes·sence [kwintésəns] *n.* [U,C] **1** (물질의) 가장 순수한 형체, 에센스. **2** 정수, 진수(眞髓), 전형⦅*of*⦆. **3** (고대·중세 철학의) 제5원소⦅땅·물·불·바람 이외의 우주 구성 원질로 생각되는 것⦆. [파] **quin·tes·sen·tial** [kwìntəsénʃəl] *a.* 전형적인. **-tial·ly** *ad.* 참으로, 철저히.

quin·tet, -tette [kwintét] *n.* **1** 〖음악〗 5중주(곡); 5중창(곡); 5중주단(의 멤버). **2** 5인조; 5개 한 벌; ⦅미구어⦆ (남자) 농구팀.

quin·tic [kwíntik] *a.* 〖수학〗 5차의. **—** *n.* 5차(방정)식.

quin·tile [kwíntil, -tail/-tail] *n.* 〖점성〗 두 별이 황도(黃道)의 1/5 (즉 72°) 떨어져 있는 성위(星位).

위; 〖통계〗 5 분위수(分位數). — *a.* 〖점성〗 ~의.

quin·til·lion [kwintíljən] *n.* ⟪미⟫ 백만의 3 제곱(⟪10^{18}⟫); ⟪영·독·프⟫ 백만의 5 제곱(⟪10^{30}⟫).

quin·tu·ple [kwintjú:pəl/kwíntju:pəl] *a.* 5배의, 5배 양(量)〔액〕의; 5겹의; 5부분으로 된. — *n.* 5배; 5배 양〔액〕; 5개 한 벌〔짝〕. ⓒⓕ sextuple. — *vt., vi.* 5배로 하다〔되다〕.

quin·tu·plet [kwintʌ́plit, -tjú:-/kwíntjuplit] *n.* 5개 한 벌; 5인 1조; 다섯 쌍둥이 중 한 사람; (*pl.*) 다섯 쌍둥이(quins).

quin·tu·pli·cate [kwintjú:plikət/-tjú-] *a.* 5배한, 다섯 겹의, 5중(重)의. — *n.* 5배의 수〔액〕. — [-pləkèit] *vt., vi.* 5배하다〔가 되다〕. ⓟ **quin·tù·pli·cá·tion** *n.*

quin·tus [kwíntəs] *a.* ⟪영⟫ 5번째의(⟪같은 이름의 남학생 이름 뒤에 덧붙임⟫). ⓒⓕ primus.

quip [kwip] *n.* 경구, 명언; 빈정거리는 말, 신랄한 말; 회피의 말, 둔사(遁辭), 핑계; 기묘한 것. — (*-pp-*) *vt., vi.* (…에게) 빈정거리다, 비꼬다, 놀리다; 둔사를 쓰다.

quip·ster [kwípstər] *n.* 비꼬는 사람.

qui·pu [kí:pu:, kwípu:] *n.* (옛 페루인의) 결승(結繩) 문자.

quire[1] [kwaiər] *n.* 1 첩(帖), 1 권(卷)(⟪종이 24 또는 25 매⟫); (제본할 때의) 한 절(折)(⟪생략: q., qr.⟫). ***in ~s*** (종이를) 접지(摺紙)한 채로, 제본되지 않고.

quire[2] *n., vt., vi.* ⟪고어⟫ =CHOIR.

Quir·i·nal [kwírənl] *n.* (the ~) 퀴리날리스(⟪(1) 로마의 일곱 언덕의 하나. (2) (그 언덕에 있는) 궁전⟫); 이탈리아 정부〔궁정〕. ⓒⓕ Vatican. — *a.* ~의; Quirinus의.

Qui·ri·nus [kwiráinəs, -rí:-/-rái-] *n.* 〖로마신화〗 퀴리누스(⟪전쟁의 신; 후에 Romulus와 동일시됨⟫).

quirk [kwə:rk] *n.* 1 엉뚱한 행동〔행위〕; 뜻밖의〔까닭모를〕 일〔사태(의 변전)〕; 기발함, 기벽. 2 핑계, 애매함. 3 (글씨 등의) 멋스럽게 쓰기. 4 〖건축〗 개탕, (쇠시리의) 깊은 홈. 5 ⟪영공군속어⟫ 신병(新兵) 비행사; 훈련 연습기. 6 ⟪폐어⟫ 익살, 경구. — *vt.* 채찍을 비틀어〔잡아당기듯〕 치다; 〖건축〗 …에 깊은 홈을 내다. — *vi.* 기발한 말〔행동〕을 하다.

quirky [kwə́:rki] (***quirk·i·er; -i·est***) *a.* 1 기벽(奇癖)이 있는; 익살을 말하는; 속임이 많은; 기발한(=**quírk·ish**). 2 갑자기 휜, 구불구불한, 굴곡이 많은. ⓟ **quírk·i·ly** *ad.* **-i·ness** *n.*

quir·l(e)y [kwə́:rli] *n.* ⟪미속어⟫ 궐련(cigarette).

quirt [kwə:rt] *n., vt.* ⟪미⟫ 엮어 꼰 가죽 말채찍(으로 치다).

quis·le [kwízl] *vi.* 조국을 팔다〔배반하다〕. ⓟ **-ler** [-ər] *n.* =QUISLING.

quis·ling [kwízliŋ] *n.* 매국노; 배반자(traitor), 제 5 열(⟪노르웨이 친(親)나치스 정치가 Vidkun Quisling에서⟫). ⓟ **~·ism** [-ìzəm] *n.* Ⓤ 매국〔배신〕 행위.

quit [kwit] (*p., pp.* ***~·ted,*** ⟪주로 미⟫ ***~; ~·ting***) *vt.* 1 ⟪~+목/+*-ing*⟫ 그치다, 그만두다, 중지하다(discontinue): *Quit* that! (그것을 하는 것을) 그치시오/*Quit* worry*ing* about me. 내 일은 상관 말아 주게/~ smok*ing* 담배를 끊다. 2 (…에서) 떠나다, 물러나다; 버리고 가다, 포기하다, 내놓다(give up): He ~ his room in anger. 그는 성이 나서 방을 나갔다. 3 (직을) 떠나다: ~ office 〔a job〕 사직하다. 4 ⟪~+목/+목+전+명⟫ (돌려) 갚다, (빚을) 갚다; 대갚음하다, 보답하다(repay): ~ love *with* hate 사랑을 미움으로 갚다. 5 ⟪고어⟫ 〘~ oneself〙 처신하다, 행동하다(behave): *Quit* your*self* like men. 사나이답게 굴어라. 6 ⟪+목+전+명⟫ 〘~ oneself〙 (큰 짐·공포·책임 등에서) 면하다(⟪*of*⟫): ~ one*self of* doubts 의혹을 풀다. — *vi.* 1 떠나다(go away), 물러나다(leave); 사직하다: give 〔have〕 notice to ~ 사직〔퇴거〕 통고를 하다〔받다〕. 2 ⟪~/+전+명⟫ 그치다, 그만두다(stop), 단념하다: ~ *on* life 삶을 포기하다. 3 ⟪미속어⟫ (모터가) 고장 나다; 죽다. ~ ***hold of*** …을 내주다〔내놓다〕. ~ ***it*** ⟪미속어⟫ 죽다. ***Quit it out!*** ⟪속어⟫ 제발 그쳐 주게(Cut it out!). **~*ting time*** 퇴출 시각. ~ ***while*** one is ***ahead*** ⟪미속어⟫ 잘되어 갈 때 그만두다, 형세가 좋을 때 손떼다.
— *a.* 용서되는; 면제되는; 해방되는(⟪*of*⟫): At last I'm ~ *of* her 〔my debts〕. 마침내 그녀에게서〔빚에서〕 벗어났다. — *n.* 1 ⟪미⟫ 퇴직(자). 2 단념. 3 〖컴퓨터〗 중지(⟪현 체계에서 이전 상태로의 복귀·처리 중지를 뜻하는 명령어; 그 신호⟫).

quitch [kwitʃ] *n.* Ⓤ 개밀속(屬)의 식물 (=~ **gràss**).

quít·clàim 〖법률〗 *n.* 권리의 포기〔양도〕; 권리 포기서〔양도 증서〕. — *vt.* (토지 따위)의 권리를 포기하다; …의 요구를 포기하다.

quítclaim dèed 〖법률〗 권리 포기〔양도〕(증서).

†**quite** [kwait] *ad.* 1 완전히, 아주, 전혀(completely): He has ~ recovered from his illness. 그는 완쾌되었다/I ~ agree with you. 전적으로 찬성입니다/*Quite* the reverse is the case. 사실은 정반대다. 2 〔not와 함께 부분 부정으로〕 (전적으로가 아니라) 조금 부족한: I am *not* ~ well. 아직 좀 덜 좋다/He 〔She〕 is*n't* ~. ⟪영구어⟫ 좀 신사〔숙녀〕라고는 할 수 없다(⟪a gentleman 〔lady〕를 보충함⟫). 3 정말, 확실히; 사실상(actually), 실로, 꽤, 매우(very): Are you ~ sure? 정말 자신이 있나/I've been ~ busy. 요즘 꽤 바빴다/I am ~ tired. 매우 피곤하다/She's ~ a pretty girl. 그녀는 정말 예쁜 소녀다. 4 확실히〔상당히〕 …(그러나): She is ~ pretty, but uninteresting. 그녀는 확실히 예쁘긴 하나 재미가 없다. 5 〘~ a+명사〙 …이라 해도 좋을 정도로, 꽤, 상당히, 제법: She is ~ *a* lady. (신분에 어울리지 않게) 제법 귀부인 같다/You are ~ *a* man! 너는 이제 어른 축에 끼일 수 있다, 어른 구실을 할 나이다. 6 ⟪주로 영⟫ 그렇다, 그럼은요, 동감입니다(⟪대화에서⟫): Yes, ~. =Oh, ~. =*Quite* (so). 그럼은요, 동감이오/*Quite* right. 좋소, 괜찮소, 그렇소.

> **NOTE** quite가 부정관사가 따른 「형용사+명사」에 붙을 때에는, *quite* a(n) …과 a *quite*… 두 가지 어순이 가능한데, 특히 ⟪미구어⟫에서는 a quite…를 많이 씀: It's *a quite* 〔*quite a*〕 good book. 아주 좋은 책이다.

~ ***a bit*** 〔***a few, a little***〕 ⟪구어⟫ 어지간히, 꽤 많이〔많은〕: He knows ~ *a little* about it. 그 일에 대해 어지간히 알고 있다. ~ ***something*** 대단한 것〔일〕. ~ ***the thing*** 유행되고 있는 것, 좋게 여겨지는 것: be ~ *the thing* 크게 유행하고 있다. ***That's ~ all right.*** 괜찮습니다, 염려 마시오.

Qui·to [kí:tou] *n.* 키토(⟪Ecuador의 수도⟫).

quít ràte 〖노동〗 이직률.

quit·rent [kwítrènt] *n.* (봉건 시대의) 면역 지대(免役地代).

quits [kwits] *a.* 대등〔팽팽〕하게 되어, 피장파장인(⟪갚음·보복에 의해⟫); 비기어: Now we are ~. 자 이제 비겼다. ***be ~ with*** …에 복수하다; …와 대등해지다. ***call it ~*** 무승부로 하다; 중단하다, 그만두다; (관계를) 끝내다, 절교하다. ***cry ~*** ⇨ CRY. ***double or ~*** 〔***nothing***〕 ⇨ DOUBLE.

quit·tance [kwítns] *n.* (채무·의무로부터의) 면제, 해제, 풀림(⟪*from*⟫); 영수(증)(receipt); 보상, 보답(recompense). ***give*** a person ***his ~*** 아무에게 나가도록 말하다.

quit·ter [kwítər] *n.* 《구어》 중지〔포기〕하는 사람; 게으름뱅이; 무기력〔비겁〕한 사람(poltroon).

quit·tor [kwítər] *n.* 【수의】 (말굽에 생기는) 제관염(蹄冠炎).

*****quiv·er**[1] [kwívər] *vi.* 《~/+전+명》 떨리다 (tremble, vibrate); 흔들리다: ~ in the wind 바람에 나부끼다 / His voice ~*ed* when he began to speak. 말하기 시작했을 때 그의 음성은 떨렸다 / ~ *with* fear 공포에 떨다. SYN. ⇨ SHAKE. ― *vt.* 떨다, 떨게 하다: The moth ~*ed* its wings. 나방이 날개를 떨었다. ― *n.* 떨림, 떪; 진동.

quiv·er[2] *n.* 화살통, 전동(箭筒). ***a* ~ *full of children*** 대가족《시편 CXXVII:5》. ***have an arrow* 〔*a shaft*〕 *left in* one's ~** 아직 수단〔자력〕이 남아 있다. ***have* one's ~ *full*** 수단〔재력〕은 충분하다. ㊀ **~·ful** [-fùl] *n.* 전동에 그득한 화살; 다수, 많음; 《우스개》 대가족: a ~*ful* of children 많은 아이들.

quiv·er·ful [kwívərfùl] *n.* 화살통에 꽉 찬 화살; 《비유》 여럿, 다수: a ~ *of* children 많은 아이들, 대가족.

quív·er·ing [-riŋ] *a.* 떨고 있는, 흔들리는. ㊀ ~·ly *ad.*

qui vive [kí:ví:v; *F.* kiviv] 《F.》 누구야《보초의 수하(誰何)의 말》. ***on the* ~** 경계하여(on the lookout), 방심치 않고《*for*》.

Qui·xo·te [kihóuti, kwíksət; *Sp.* kixóte] *n.* **1** 돈키호테(Don Quixote). **2** (종종 q-) 열광적인 공상가, 실현 불가능한 이상을 추구하는 사람.

quix·ot·ic [kwiksátik/-sɔ́t-] *a.* (*or* Q-) 돈키호테식의; 기사연하는; 열광적인 공상(가)의; 비실제적인(unpractical). ― *n.* (*pl.*) =QUIXOTISM. ㊀ **-i·cal** *a.* =quixotic. **-i·cal·ly** *ad.*

quix·ot·ism, quix·ot·ry [kwíksətìzəm], [-sətri] *n.* Ⓤ 돈키호테적인 성격; Ⓒ 기사연(然)하는〔공상적인〕 행동〔생각〕.

*****quiz** [kwiz] (*pl.* **∠·zes**) *n.* **1** 질문, 간단한 테스트; (라디오·TV의) 퀴즈. SYN. ⇨ QUESTION. **2** (몹쓸) 장난; 희롱, 놀림; 장난꾸러기; 희롱꾼. **3** 《고어》 기인, 괴짜. ***drop* 〔*pop, shotgun*〕 ~** 《미속어》 예고 없이 보이는 간단한 시험. ― (**-zz-**) *vt.* **1** 《~+목/+목+전+명》 …에게 질문하다; 간단한 시험을〔테스트를〕 하다: ~ several suspects *about* the missing money 없어진 돈에 관해서 용의자 몇 명을 심문하다 / ~ a person *on* English 아무에게 영어 테스트를 하다. **2** 《주로 영》 놀리다, 장난하다. **3** 빤히 (쳐다)보다, 뚫어지게 보다. ㊀ **~·(z)ee** [kwizí:] *n.* Ⓤ 질문을 받는 사람; 《구어》 퀴즈 참가자. **∠·zer** *n.* 질문자; 퀴즈풀이〔놀이〕.

quíz gàme 〔**prògram, shòw**〕 【방송】 퀴즈 놀이〔프로〕.

quíz kìd 《미구어》 (질문을 척척 푸는) 천재아, 신동.

quíz·màster *n.* 《구어》 퀴즈의 사회자.

quiz·zi·cal [kwízikəl] *a.* 놀리는(bantering), 조롱하는(chaffing), 놀리기〔장난을〕 좋아하는; 야릇한(odd), 기묘한(queer), 우스운(comical). ㊀ **~·ly** *ad.* **~·ness** *n.*

quízzing glàss 단안경, 외알 안경(monocle).

Qum·ran [kúmra:n] *n.* 쿰란《요르단의 사해 북서안에 가까운 고고학 유적; 동굴에서 사해 사본(Dead Sea Scrolls)이 나옴》.

quo·ad hoc [kwóuæd-hák/-hɔ́k] 《L.》(=as far as this) 여기까지는; 이것에 관해서는.

quod [kwad/kwɔd] 《영속어》 *n.* 교도소. ― (**-dd-**) *vt.* 투옥하다(imprison).

quod·li·bet [kwádləbèt/kwɔ́d-] *n.* 《L.》 (미묘한) 논점(論點); 【음악】 쿼들리벳《주지의 선율을〔가사를〕 짜 맞춘 유머러스한 곡》.

quod vi·de [kwád-váidi/kwɔ́d-] 《L.》(=which see) …을 보라, …참조《생략: q.v.》. ★ 참조할 곳이 둘 이상일 때에는 quae vide《생략: qq.v.》.

quoin [kwɔin] *n.* 【건축】 (벽·건물의) 외각(外角); (방의) 구석; 귀돌; 홍예석; 쐐기 모양의 버티개; 【인쇄】 (판 사이를 죄는) 쐐기. ― *vt.* 귀돌로 버티다; 쐐기로 죄다.

quoit [kwɔit] *n.* Ⓒ 고리《쇠 또는 밧줄로 만든》; (*pl.*) 고리던지기《땅 위에 세운 말뚝에 쇠 또는 밧줄 고리를 던지는 놀이》. ― *vt.* 고리던지기처럼 던지다. ― *vi.* 고리던지기를 하다.

quo ju·re? [kwóu-dʒúəri; *L.* kwɔ:-jú:re] 《L.》 무슨 권리로(=by what right?).

quok·ka [kwákə/kwɔ́-] *n.* 【동물】 쿼카《오스트레일리아 남서부와 인근 섬에 사는 캥거루과의 소형 동물》.

quo·mo·do [kwóumədòu] *n.* 하는 식, 방법.

quon·dam [kwándəm/kwɔ́n-] *a.* 《L.》 원래의, 이전의: a ~ friend.

Quón·set (hùt) [kwánsit(-)/kwɔ́nsit(-)] 《미》 반원형의 막사, 퀀셋(cf. Nissen hut)《상표명; 미국 Rhode Island 주에 있는 Quonset 해군 항공 기지에 처음 건축되었음》.

Quonset hut

quor·ate [kwɔ́:rət] *a.* 《영》 정족수에 미치고 있는. [◀ *quorum*+*-ate*]

quo·rum [kwɔ́:rəm] *n.* (의결에 필요한) 정족수(定足數); 【영국사】 〔집합적〕 일정 수의 치안판사; 선발된 단체; (모르몬교의) 종교 회의.

quot. quotation; quoted.

quo·ta [kwóutə] *n.* 몫, 모가치; (수입품·이민 따위의) 할당; 분담액, 할당액. ― *vt.* 할당하다, 분담시키다.

quot·a·ble [kwóutəbəl] *a.* 인용할 수 있는, 인용 가치가 있는; 인용에 알맞은. ㊀ **quòt·a·bíl·i·ty** *n.* Ⓤ 인용 가치.

quóta ìmmigrant 《미》 할당 이민《미국 정부의 이민 할당 제한에 따라 입국하는 이민》.

quóta sỳstem (the ~) 할당 제도《수출입액·이민 수 따위의; 《미》 교육·고용에서 일정 수의 흑인·여성 등의》.

*****quo·ta·tion** [kwoutéiʃən] *n.* **1** Ⓤ 인용; Ⓒ 인용구〔어, 문〕《*from*》: a story full of ~*s from* Shakespeare. **2** 【상업】 시세, 시가; 시세놓기; 가격표, 견적서; 【증권】 상장: today's ~ *on* 〔*for*〕 raw silk 오늘의 생사 시세. **3** 【인쇄】 (행간용) 공목(空木).

quotátion màrks 따옴표, 인용부: single ~ 작은따옴표(' ') / double ~ 큰따옴표(" ").

quo·ta·tive [kwóutətiv] *a.* 인용의; 인용하기 좋아하는, 인용하는 버릇이 있는.

******quote** [kwout] *vt.* **1** 《~+목/+목+전+명》 (남의 말·문장 따위를) 인용하다, 따다 쓰다: ~ Shakespeare 셰익스피어의 말을 인용하다 / ~ a verse *from* the Bible 성서에서 일절을 인용하다. **2** 《+목+목/+목+*as*보》 예시(例示)하다: He ~*d* me some nice examples. 그는 나에게 좋은 예를 보여 주었다 / This instance was ~*d as* important. 이 예가 중요하다고 들어졌다. **3** 《~+목/+목+목/+목+전+명》 【상업】 (가격·시세를) 부르다; 어림치다: ~ a price 값을 매기다, 가격을 어림〔견적〕하다 / Please ~ me your lowest prices. 최저 값을 불러 보세요 / ~ a thing *at* $100, 물건 값을 백 달러로 어림잡다 / They ~*d* $100 *for* repairing my car. 거기서는 내 차 수리비로 100달러를 견적했다. **4** 【인쇄】 (말을) 인용부로 두르다. ― *vi.* **1** 《~/+전+명》 인용하다 《*from*》: ~ *from* the Bible 성서에서 인용하다. **2** 《+전+명》 시세를 부르다:

~ *for* building a new house 가옥의 신축 비용을 견적하다. **3** 〖보통 명령형〗 인용(문)을 시작하다《인용문을 시작할 때 씀; 끝날 때는 unquote》: He said ~ I will not run for governor *unquote*. 그는 "나는 지사 출마를 않겠습니다"라고 말했다.
— *n.* 《구어》 인용구〔문〕; 따옴표, 인용부. ㊀ **quót·er** *n.* 인용자; 가격 견적자.

> SYN. **quote** 남의 말 등을 인용함에 있어 그 사람의 이름을 들 경우를 말함. **cite** 저자, 서적, 논제 등의 이름을 예로 들지만, 그 내용은 인용하지 않을 경우를 말함.

quóted cómpany (주식) 상장 회사《현재는 흔히 listed company 라 함》.
quóte-dròp *vi.* 《미》 함부로 인용구를 사용하다.
quóted shares 상장주(=listed stocks).
quóted stríng 〖컴퓨터〗 따옴(문자)열《따옴표로 에둘린 문자열》.
quóte·wòrthy *a.* 인용 가치가 있는.
quoth [kwouθ] *vt.* 《고어》 말하였다(said). ★ 1인칭 및 3인칭의 직설법 과거; 항상 주어의 앞에 둠: "I am happy," ~ she. '나는 행복해요' 라고 그녀는 말했다.
quo·tha [kwóuθə] *int.* 《고어》 그래 참, 그래요《경멸 · 빈정대는 말투로 씀》.
quo·tid·i·an [kwoutídiən] *a.* 매일의, 매일같이 일어나는; 흔해 빠진, 평범한, 시시한(trivial). — *n.* 〖의학〗 매일열(~ fever); 일상 되풀이되는 것.
quo·tient [kwóuʃənt] *n.* 〖수학 · 컴퓨터〗 몫: differential ~ 〖수학〗 미분 몫. ***educational*** ~ 교육 지수《생략: EQ》.
quótient rìng 〖수학〗 상환(商環). ★ difference ring 이라고도 함.
quo va·dis? [kwóu-vá:dis] 《L.》 (주여) 어디로 가시나이까《요한 복음 XVI:5》.
quo war·ran·to [kwóu-wɔ:rǽntou, -wɑr-/wɔr-] 〖법률〗 《L.》 권한 개시(開示) 영장《예전에 직권 · 특권 남용자에게 낸》; 권한 개시 소송.
Qu·ran, Qu·r'an [kurá:n, -rǽn/kɔ:-, kə-] *n.* =KORAN.
q.v. *quod vide* 《L.》 (=which see).
Q-vàlue *n.* 〖물리〗 Q 값《핵반응 등에서 반응열에 상당하는 에너지》.
qwer·ty, QWERTY [kwə́:rti] *a.* (키보드가) QWERTY 배열의, 타이프라이터식(式) 키 배열의《영자 키의 최상렬이 좌측으로부터 q, w, e, r, t, y 의 순으로 되어 있는 일반적인 것》: a ~ keyboard 《구어》 (타이프라이터 문자의) 통상 배열(通常配列) 키보드.
Qy., qy. query.

R

R, r [ɑːr] (*pl.* **R's, *Rs*, r's, *rs*** [-z]) **1** 아르《영어 알파벳의 열여덟째 글자》. **2** R자 모양의 것. **3** 제18번째(의 것)《j를 빼면 17번째》; (R) 로마 숫자의 80. **4** X선·라듐 방사능의 단위. ***the r months,*** 9월부터 4월까지《달 이름에 모두 r자가 들어 있음; 굴(oyster)의 계절》. ***the three R's*** (기초 교육으로서의) 읽기·쓰기·셈《reading, writing, arithmetic》.

R 〚컴퓨터〛 are; 〚화학〛 radical; 〚수학〛 radius; rand; 《미》 〚영화〛 restricted《18세 미만의 미성년자는 보호자의 동반이 필요한, 준(準)성인 영화》. [cf.] G, PG; rial(s); 〚물리〛 roentgen(s); 〚체스〛 rook; ruble; rupee(s). **R, r** 〚수학〛 ratio; 〚전기〛 resistance. **R.** rabbi; 〚화학〛 Radical; railroad; railway; Réaumur; rector; redactor; Regiment; *Regina*《L.》(=queen); Republic(an); response; *Rex*《L.》(=king); River; Royal. **R, Px** 〚처방〛 *recipe*《L.》(=take). **r.** rare; rate; received; recipe; red; repeat; return; residence; 〚시계〛 *retarder*《F.》(=retard); retired; right; road; rod; run(s). ® registered trademark.

Ra [rɑː] *n.* (이집트 신화의) 태양신.

RA Regular Army. **R.A.** Rear Admiral; Road Association; 《영》 Royal Academy 〔Academician〕; 《영》 Royal Artillery. **Ra** 〚화학〛 radium. **RAA** Royal Academy of Arts (영국 미술가 협회). **R.A.A.F.** Royal Australian Air Force; Royal Auxiliary Air Force.

RAAMS 〚군사〛 remote anti-armor mine system ((대(對)전차 지뢰를 포탄으로 살포하는) 원격 대(對)전차용 지뢰 시스템).

Ra·bat [rɑbɑ́ːt, rə-] *n.* 라바트《모로코의 수도》.

rab·bet [rǽbit] 〚목공〛 *n.* 사개; 은촉홈《널빤지와 널빤지를 끼워 맞추기 위해서 그 단면에 낸 홈 따위》; 은촉붙임, 사개맞춤(=∠ **jòint**). **—** *vt., vi.* 사개맞춤을 하다, 은촉붙임하다; 은촉붙임으로 되다《*on; over*》.

rábbet plàne 개탕대패.

rab·bi [rǽbai] (*pl.* ~(*e*)*s*) *n.* 유대의 율법 박사; 랍비, 선생《존칭》; 유대 교회의 목사.

rab·bin [rǽbin] *n.* =RABBI; (the ~s) (2-13세기의) 유대의 율법 학자들. ㊕ **rab·bin·ate** [rǽbənət, -nèit] *n.* [U] **1** ~의 신분〔직, 임기〕. **2** 《집합적》 랍비들.

Rab·bin·ic [rəbínik] *n.* [U] (중세의 rabbi가 사용한) 히브리 말; 후기 히브리 말(=∠ **Hébrew**). **—** *a.* (r-) 랍비의; 랍비의 교의(教義)〔말투, 저작〕의; (R-) Talmud기(期)의 랍비의.

rab·bin·i·cal [rəbínikəl] *a.* =RABBINIC.

rab·bin·ism [rǽbənìzəm] *n.* [U] 유대 율법주의; 랍비의 가르침〔교의(教義)〕; 랍비의 말투〔학설〕. ㊕ **-ist** *n.* 랍비 신봉자.

⁑**rab·bit**¹ [rǽbit] *n.* **1** (*pl.* ~(*s*)) 집토끼; [U] 그 모피. [cf.] hare. **2** 《일반적》 토끼. **3** 《영구어》 (골프·테니스 따위의) 서투른 경기자; 겁쟁이; 《영구어》 수다쟁이. **4** 연한 갈색. **5** 〚물리〛 래빗《원자로 안의 시료(試料) 이동용 작은 용기》. **6** =WELSH RABBIT. **7** 《미속어》 야채 샐러드. (***as***) ***scared*** 〔***weak, timid***〕 ***as a*** ~ (토끼처럼) 겁을 내며〔소심하게, 겁쟁이로〕. ***breed like ~s*** 애를 많이 낳다. ***buy the*** ~ 《속어》 불리한 거래를 하다. **—** (**-*tt*-**) *vi.* 《~/+[부]/+[전]+[명]》 토끼 사냥을 하다; 《영구어》 수다 떨다, 지루하게 되뇌다《*on; away; about*》: He's always ~*ting on about* the poor pay. 그는 봉급이 적다고 항상 투덜댄다. ㊕ **~·like** *a.* 토끼 같은. **~y** *a.* 토끼 같은; 토끼가 많은; 소심한.

rab·bit² *vt.* 《비어》 저주(詛呪)하다. ***Odd ~ it*** 〔***'em***〕***!*** 빌어먹을, 제기랄.

rábbit anténna =RABBIT EARS **1**.

rábbit bàll 래빗 볼(lively baseball)《탄력이 좋은 지금의 야구공》.

rábbit bùrrow 토끼굴《새끼를 키우기 위한》.

rábbit èars 1 《구어》 V자형 실내용 텔레비전 안테나. **2** 〔단수취급〕 《미속어》 관중을 너무 의식하기, 또 그러한 심판이나 선수.

rábbit fèver 야토병(野兎病)(tularemia).

rábbit fòod 《미속어》 푸른 야채《특히 상추》, 생야채.

rábbit-fòot *n.* 토끼 발(=**rábbit's fòot**)《행운의 호부(護符)로 지니는 토끼의 왼쪽 뒷다리》.

rábbit hèart 《미구어》 겁(쟁이).

rábbit hùtch 토끼장《상자꼴의》.

rábbit-mòuthed [-màuðd, -màuθt] *a.* 언청이의(harelipped).

rábbit pùnch 〚권투〛 래빗 펀치《뒤통수를 치기; 반칙임》.

rab·bit·ry [rǽbitri] *n.* **1** 집토끼 사육장; 양토업. **2** (the ~) 《집합적》 토끼.

rábbit wàrren 1 양토장. **2** 《비유》 혼잡한 장소, 붐비는 곳.

rab·ble¹ [rǽbəl] *n.* 구경꾼, 오합지졸, 어중이떠중이; 폭도; (the ~) 《경멸》 하층민, 천민, 대중. **—** *a.* 무리〔떼〕의, 무리를 이룬; 대중〔군중〕에 어울리는. **—** *vt.* 떼를 지어 습격하다. ㊕ **~·ment** *n.* (야유꾼 따위의) 소란; =RABBLE¹.

rab·ble² *n.* 〚야금〛 교반봉(攪拌棒)《제철용의》. **—** *vt.* 교반봉으로 휘젓다, 웃물을 떠내다. ㊕ **ráb·bler** *n.*

rábble-ròuse *vi.* 민중을 선동하다. ㊕ **-ròuser** *n.* 민중 선동가. **-ròusing** *a., n.*

Rab·e·lais [rǽbəlèi, ⌐-⌐/⌐-⌐] *n.* **François** ~ 라블레《프랑스의 풍자 작가; 1494?-1553》.

Rab·e·lai·si·an, -lae- [ræ̀bəléiziən, -ʒən] *a.* 라블레(풍)의; 야비하고 익살맞은. **—** *n.* 라블레 숭배자〔모방자, 연구가〕. ㊕ **~·ism** *n.*

Ra·bi, Ra·bia [rɑ́ːbi], [rəbíːə] *n.* 라비《이슬람력(曆)의 제3월 혹은 제4월》.

rab·id [rǽbid] *a.* **1** 맹렬한, 미친 듯한; 열광적인, 광포한; 외고집인: a ~ teetotaler 철저한 금주가. **2** 광견병에 걸린: a ~ dog. ㊕ **~·ly** *ad.* **~·ness** *n.*

ra·bid·i·ty [rəbídəti, ræ-] *n.* [U] **1** 맹렬, 격렬; 과격; 완고. **2** 광견병에 걸림; 광기.

ra·bies [réibiːz] *n.* [U] 〚의학〛 광견병, 공수병(恐水病)(hydrophobia).

Ra·bin [rɑːbíːn] *n.* **Yitz·hak** [jitsxɑ́ːk] ~ 라빈(1922-95)《이스라엘의 군인·정치가·수상(1974-77, 1992-95); 중동 평화에 힘쓰다가 우익 과격파 청년(Yigal Amir)에게 피살됨》.

R.A.C. 《영》 Royal Armoured Corps; 《영》 Royal Automobile Club (왕립 자동차 클럽).

rac·coon [rækúːn/rə-] (*pl.* ~(**s**)) *n.* 〖동물〗 미국너구리, 완웅(浣熊); Ⓤ 그 모피.

raccoon

raccóon dòg 너구리 《동부 아시아산(產)》.

race[1] [reis] *n.* **1** 경주; 보트〔요트〕레이스, 경마, 경견(競犬), 경륜(競輪), 자동차 레이스; 《Sc.》 질주: ride a ~ 경마〔경륜〕에 출전하다 / run a ~ *with* 〔*against*〕 …와 경주하다. **2** (the ~s) 경마〔경견(競犬)〕(대회): go to the ~*s* 경마에 가다. **3** 〖일반적〗 경쟁; 급히 서두름, 노력: a ~ *for* power 권력 투쟁 / a ~*against* time 시간과의 경쟁 / an armament ~ 군비 경쟁 / the TV ratings ~ TV 시청률 경쟁 / the ~ *to* abolish nuclear weapons 핵무기 폐기 경쟁 / We had a ~ *for* the train. 열차 시간에 대기 위해서 서둘렀다. **4** 《고어》 인생행로, 생애: Your ~ is nearly run. 당신 수명도 거의 끝장이오. **5** 《고어》 (천체의) 운행; 《고어》 시간의 경과; (사건 · 이야기 등의) 진행. **6** 급류, 여울; 수로, 용수로: a mill ~ 물레방아용 수로. **7** 〖기계〗 (활차 등의) 홈; (직조기의) 북이 움직이는 홈; (볼베어링 따위의) 마찰되는 면. **8** 〖항공〗 프로펠러의 후방 기류(slipstream). ***in* 〔*out of*〕 *the* ~** 성공할 가망이 있어〔없어〕. ***It's anyone's* ~.** 《구어》 이 레이스는 낙승이다. ***make the* ~** 《미》 (공직에) 입후보하다. ***play the* ~*s*** 《미》 경마에 돈을 걸다. ***run the good* ~** 최선을 다하다, 충실한 생활을 하다〔생애를 보내다〕. ***The* ~ *is not to the swift.*** 〖성서〗 발이 빠르다고 달음박질에 이기는 것은 아니다《전도서 IX: 11》.

— *vi.* **1** 《~/+전+명》 경주하다; 다투다, 경쟁하다《*with; for*》; ~ *with* a person 아무와 경주하다 / ~ *for* the presidential nomination 대통령 후보 지명을 받기 위해 겨루다. **2** 《+부/+전+명》 질주하다, 달리다: ~ *about* 〔*around*〕 뛰어다니다 / ~ *after* a ball 공을 잡으려고 좇아가다 / ~ *for* a train 기차를 타려고 뛰다. **3** 경마〔경륜〕하다; 경마〔경륜〕에 출장하다; 경마에 몰두하다. **4** (기계가) 헛돌다. — *vt.* **1** 《~+목/+목+전+명》 …와 경주하다: I ~*d* him *to* the tree. 나무가 있는 데까지 그와 경주했다. **2** 《~+목/+목+전+명》 경주시키다《*against*》; 경주에 내보내다: I ~*d* my dog *against* his. 내 개와 그의 개를 경주시켰다 / He ~*d* his horse *in* the Derby. 그는 자기 말을 더비에 출장시켰다. **3** 전속력으로 달리게 하다: ~ one's car on the free way 고속도로에서 차를 빨리 몰다. **4** 《+목+전+명》 (상품 등을) 급송하다; (서류 등을) 급히 돌리다, (의안 등을) 서둘러 통과시키다: ~ a bill *through* the House 의안을 하원에서 급히 통과시키다. **5** (기계를) 헛돌게 하다; …을 전속력으로 돌리다: ~ a motor. **6** 《+목+부》《영》 (재산을) 경마(따위)로 날리다《*away*》: He ~*d* his property *away*. 그는 경마로 재산을 없앴다. ~ ***away*** ⇨ *vt.* 6. ~ ***off*** 《Austral. 속어》 유혹하다. ~ ***up*** (기온 · 비용이 …까지) 급상승하다《*into; to*》.

race[2] *n.* **1** 인종, 종족; (the ~) 인류(human ~): the Mongolian ~ 몽고 인종 / the white 〔yellow〕 ~ 백색〔황색〕 인종. ★ 민족학적으로는 ethnic group 〔stock〕이라는 과학적 명칭을 사용함. **2** (문화상의 구별로) 민족, 국민: the Korean ~ 한국 민족. SYN. ⇨ NATION. **3** 〖생물〗 유(類); 〖동물〗 종족, 품종: the feathered 〔finny〕 ~ 조류〔어류〕 / the reptile ~ 파충류. **4** Ⓤ 혈통, 씨족, 가족; 자손; 가계(家系), 명문, 오래 대를 이어온 집안: a man of noble ~ 명문 출신자. **5** (직업 · 취미 따위가 동일한) 부류, 패거리, 동아리, 동업자: the ~ *of* artists 예술가 부류〔족속〕. **6** (술 따위의) 독특한 풍미; (특정 인종의) 특성, 특징; 《드물게》 (말 · 문체 따위의) 품격, 특징; 매서움, 신랄함. — *a.* **1** 인종의, 인종적인(racial): ~ discrimination 인종적 차별. **2** 《완곡어》 흑인(종)의(Negro). **3** 《미속어》 race music의.

race[3] *n.* 생강 뿌리.

ráce·abòut *n.* 《미》 경주용 요트; (지붕 없는) 경주용 자동차.

ráce bàiter 《미속어》 인종 차별하는 사람(racist).

ráce-bàiting *n.* Ⓤ (모욕적인) 인종 공격.

ráce bàll 《영》 경마 때 열리는 무도회.

ráce·càr *n.* =RACING CAR.

ráce·càrd *n.* (경마 등의) 출전표〔프로그램〕.

ráce·còurse *n.* **1** 경주로(路), 경조(競漕)로, 경마장. **2** (물레방아의) 수로.

ráce-cùp *n.* (경주 · 경마 등의) 우승배.

ráce gìnger 날생강, 생강 뿌리.

ráce·gòer *n.* 경마 팬, 레이스 팬.

ráce gròund 경주장, 경마장.

ráce hàtred 인종적 반감〔증오〕.

ráce·hòrse *n.* 경마말(racer); 《속어》 일을 조급히 서두르는 사람.

ráce màn 《미구어》 흑인《특히 흑인의 권리 확장을 지지하는 흑인을 가리킴》.

ra·ce·mate [reisíːmeit, rə-] *n.* 〖화학〗 라세미산염(酸塩), 라세미산 에스테르; 라세미 화합물.

ra·ceme [reisíːm, rə-] *n.* 〖식물〗 총상(總狀) 꽃차례.

ráce mèeting 《영》 경마회; (자동차 따위의) 경주대회.

ráce mèmory 민족의 기억《인간의 역사적 선사적 사건이 잠재의식에 계승되어 있는 기억》.

ra·ce·mic [reisíːmik, -sém-, rə-/rə-] *a.* 〖화학〗 라세미산(酸)〔화합물〕의: ~ mixture 라세미 혼합물.

racémic ácid 〖화학〗 라세미산《포도즙 속에 있는 타타르산(酸)의 일종》.

ra·ce·mi·za·tion [ræ̀səməzéiʃən, reisìːmə-/-maiz-] *n.* 〖화학〗 라세미화(化)《선광성(旋光性)의 감소 · 상실》; 〖고고학〗 라세미화법《라세미화의 정도 측정에 의한 화석 연대 측정법》. ㊎ **ra·ce·mize** [rǽsəmàiz/reisíːmaiz] *vt., vi.*

rac·e·mose, -mous [rǽsəmòus], [-məs] *a.* 〖식물〗 총상(總狀) 꽃차례의, 총상 배열의; 〖해부〗 만상(蔓狀)의, 포도 모양의. ㊎ **~·ly** *ad.*

ráce mùsic 《미속어》 레이스 뮤직《블루스를 주조(主調)로 한 단순한 재즈》.

ráce nòrming 채점의 인종별 보정(補正)《고용 따위에서 특정 (소수) 민족에게 우선 등급을 정한다든지 하여 기회 균등을 꾀하는 일》.

ráce prèjudice 인종적 편견.

ráce psychòlogy 인종 심리학.

rac·er [réisər] *n.* 경주자, 경조(競漕)자; 경마말, 경조용 보트, 레이서, 경주용 자전거〔자동차 · 비행기 · 요트〕; 빠르게 움직이는 동물《어떤 종류의 뱀이나 송어 · 연어 따위》; 〖군사〗 (중포(重砲) 회전용) 원형포상(砲床); (경주용) 스케이트.

ráce relàtions 〖복수취급〗 (한 사회 안의) 인종 관계; 〖단수취급〗 인종 관계론.

ráce rìot 인종 폭동《특히 흑 · 백인 간의》.

ráce rùnner 〖동물〗 레이스 러너(=**stríped lízard**)《걸음이 빠른 북아메리카산 도마뱀》.

ráce stànd 경마〔경마장〕 관람석.

ráce sùicide 민족 자멸《산아 제한에 의한 인구점감》.

ráce·tràck *n.* 경주장, 경마〔경견〕장, 레이스코스. ㊎ **~·er** *n.* 경마팬.

ráce-wàlk *vi.* 경보 경기에 참가하다. — *n.* 경보(競步).

ráce wàlker 경보 선수.
ráce wàlking 〖스포츠〗 경보.
ráce·wày n. 《미》 (물레방아·광산 등의) 수로; (전선 보호용) 옥내〔지하〕 배관; 〖기계〗 = RACE¹; (harness 〔drag〕 race 용의) 주로(走路).
Ra·chel [réitʃəl] n. **1** 레이첼《여자 이름; 애칭 Rae》. **2** 〖성서〗 라헬《Jacob의 처》.
ra·chel [rəʃél] a., n. 살색(의)《화장품 색깔》.
ra·chi- [réiki, rǽki], **ra·chi·o-** [-kiou, -kiə] '척추'의 뜻의 결합사.
ra·chis [réikis] (pl. *~·es, -chi·des* [rǽkidìːz, réik-]) n. 척추, 척주; 화축(花軸), 엽축(葉軸); 우축(羽軸)《새 깃의》. [파] **ra·chid·i·an** [rəkídiən] a.
ra·chi·tis [rəkáitis] n. [U] 곱삿병, 구루병(佝僂病), 척추염(rickets); 〖식물〗 위축병(萎縮病). [파] **ra·chit·ic** [rəkítik] a.
Rach·ma·ni·noff [rɑːxmáːnənɔ̀ːf, -nɑ̀f, rɑːk-/rækmǽninɔ̀f] n. **Sergei W**(**assilievitch**) ~ 라흐마니노프《러시아의 작곡가(作曲家)·피아니스트; 1873–1943》.
Rach·man·ism [rǽkmənìzəm] n. 《영》 (임대료 따위의) 빈민가 주민에 대한 건물주의 착취 《폴란드 태생의 영국인 지주 Perec Rachman (1919–62)의 이름에서》.
*__ra·cial__ [réiʃəl] a. 인종(상)의, 종족의, 민족(간)의: ~ discrimination 〔segregation〕 인종 차별 / ~ integration 인종 차별 철폐. [파] **~·ly** ad. 인종적으로, 인종상.
rácial engineéring 인종 간의 기회 균등화 「(조치).
rácial equálity 인종 간의 기회균등.
rá·cial·ìsm n. [U] 인종주의, 민족성; 인종적 편견, 인종 차별. [파] **-ist** n. 민족주의자. **rà·cial·ís·tic** a.
rácial uncónscious =COLLECTIVE UNCON-「SCIOUS.
Ra·cine [rəsíːn, rə-] n. **Jean Baptiste** ~ 라신《프랑스 고전주의 극작가; 1639–99》.
rac·ing [réisiŋ] n. [U] 질주(疾走) 경기《경주·경마·경륜(競輪)·자동차 경주 따위》. **—** a. 경주용의, 경주의; 경마광의: a ~ boat 경조용 보트 / a ~ yacht 경주용 요트 / a ~ cup (경마 등의) 우승배 / a ~ man 경마광〔팬〕 / the ~ world 경마계(界).
rácing càr 경주용 자동차.
rácing còlors 기수(騎手)가 입는 옷의 빛깔, 복색(服色). 「식별기(旗).
rácing flàg 경주 중인 요트의 마스트 끝에 다는
rácing fòrm 경마 신문〔전문지(誌)〕.
rácing gìg 2인 혹은 3인승 경조용 보트.
rácing skàte 스피드 경기용 스케이트.
rácing skìff 1인승 경조용 보트.
rac·ism [réisizəm] n. [U] 민족〔인종〕 차별주의〔정책〕; 인종 차별, 인종적 편견. [파] **rác·ist** n., a. 민족〔인종〕 차별주의자; 민족주의적인, 인종 차별적인.
‡**rack**¹ [ræk] n. **1** 선반《그물·막대·못으로 만든》; (열차 따위의) 그물 선반, 격자(格子) 선반; 걸이《모자걸이·칼걸이·총걸이 따위》; (격자로 된) 사료 선반; (서류 따위의) 분류 상자; 접시 걸이(plate ~); 〖인쇄〗 활자 케이스 선반; 수리용 자동차를 들어올리는 장치. **2** 〖기계〗 (톱니바퀴의) 래크: Abt ~ 〖철도〗 아프트식 레일. **3** (the ~) 고문대《중세에 팔다리를 잡아늘이는》; 고문; 격통, 고통; 비틀어 구부림, 구김살: put a person on 〔to〕 the ~ 아무를 고문하다 / a tree twisted by the ~ of storms 여러 차례의 폭풍에 휘어 뒤틀린 나무. **4** (활·가죽을 당기는) 신장기(伸張器). **5** 《미》 〖당구〗 시합 전에 공을 늘어놓기 위한 삼각형 나무틀. **6** 《미속어》 침대, 방; 마약 상습자의 소굴. ***hit the*** ~ 《미속어》 자다(go to bed). ***live at*** ~ ***and manger*** 《고어》 유복하게 지내다. ***off the*** ~ (옷이) 기성(既成)인. ***on the*** ~ ⇨3; 《비유》 매우 괴로워하고, 고생하여; 긴장하여: put one's wits *on the* ~ 지혜를 짜내다. ***stand up to the*** 〔one's〕 ~ 《미》 운명을 감수하다, 의무를 불평 없이 받아들이다.
— vt. **1** 선반〔대, 걸이〕에 얹다〔걸다〕. **2** (사람 몸을) 억지로 잡아늘이다《고문틀에 걸어》. **3** 고통을 주다, 괴롭히다, 고문하다: *~ed* with jealousy 질투로 마음이 흐트러진 / *~ed* with a bad cough 악성 기침으로 고통받는. [SYN.] ⇨ TORMENT. **4** (소작인을) 착취하다; 땅값을 엄청나게 올리다; (토지를) 피폐하게 하다《남작으로》. **5** 《영》 꼴 시렁에 (말을) 매다《*up*》. **6** 〖기계〗 래크로 신축시키다. **7** 〖해사〗 (두 밧줄을) 서로 동여매다. **—** vi. 무리하게 비틀려 구부러지다; 《미속어》 잠을 자다(sack)《*out*》. ~ ***one's brains*** 〔***memory***〕 머리를 짜서 생각하다, 생각해 내려고 애쓰다, 골머리 앓다. ~ ***up*** 《구어》 이기다, 달성하다, (득점을) 올리다; 때려눕히다.
[파] **∠·er** n.
rack² vi. (구름 등이) 바람에 불려 하늘 높이 날다. **—** n. 바람에 날리는 구름, 조각구름.
rack³ n. (말의) 가볍게 뛰는 걸음《속보(trot)와 보통 걸음(canter)의 중간 보조(步調)》; 측대보(側對步)(pace). **—** vi. (말이) 측대보로〔가볍게〕 뛰어가다.
rack⁴ vt. (포도주 따위를) 재강에서 짜내다《*off*》; (통에) (흑)맥주를 채우다.
rack⁵ n. [U] 파괴, 황폐(destruction). ***go to*** ~ (***and ruin***) 파멸하다, 황폐해지다, 못 쓰게 되다.
rack⁶ n. (양(羊)·송아지·돼지의) 목덜미 살; 새끼 양의 갈비 새김; =RACKABONES.
rack⁷ n. =ARRACK.
rack·a·bones [rǽkəbòunz] n. pl. 《미》 〖단수취급〗 말라깽이, 깡마른 동물; 《특히》 야윈 말.
ráck-and-pínion [-ən-] a. 〖기계〗 (방향타(舵)의 장치가) 랙앤드 피니언식(式)의《rack 와 pinion 이 맞물려 회전 운동을 직선 운동으로 또는 그 반대의 역할을 하는 장치의》.
ráck càr 〖철도〗 자동차·재목 등을 수송하는 기다란 화차.

rack car

racked [rækt] a. 《미속어》 장악하고 있는, 성공이 확실한, 시험 통과〔학점 획득〕에 자신 있는.
‡**rack·et**¹ [rǽkit] n. **1** (테니스·배드민턴·탁구용) 라켓. **2** (pl.) 〖단수취급〗 =RACQUET. **3** (라켓 모양의) 눈신(snowshoe); (말의) 나무신. **—** vt. 라켓으로 치다.
*__rack·et__² n. **1** 떠드는 소리, 큰 소리, 소음; 야단법석; 유흥, 떠들고 놀기. **2** (the ~) 시련, 쓰라린 경험; (the ~s) 조직적인 비합법 활동. **3** 《구어》 부정; 부정한 돈벌이〔방법〕, 공갈, 사기, 밀수, 밀매, 협박, 횡령: work a ~ 나쁜 짓을 하다. **4** 《속어》 직업, 장사: It isn't my ~. 내 알 바 아니다. ***be in on a*** ~ 부정한 돈벌이를 하는 패거리에 끼어 있다. ***be*** 〔***go***〕 ***on the*** ~ 들떠 놀아나다, 방탕하다. ***make*** 〔***kick up***〕 ***a*** ~ 큰 소동을 일으키다. ***stand the*** ~ 시련을 이겨 내다; 책임을 지다; 셈을 치르다. ***What's the*** ~ ***?*** 《미속어》 웬일이야, 왜 그래. **—** vi. 《~ / +[부]》 떠들어대다, 떠들고 다니다《*about; around*》; 방탕하다, 흥청거리며 살다《*about*》; 《미속어》 사기치다, 갈취하다.
rácket bàll 〔**còurt**〕 라켓 구기의 공〔코트〕.
rack·et·eer [rækətíər] n. (상점 따위의) 조직적인 협박꾼, 공갈단, 부정하게 돈벌이하는 사람.

— *vi.*, *vt.* 부정한 돈벌이를 하다; 여럿이 협박〔공갈〕하다, 갈취하다. ㊕ ~·ing [-tìəriŋ] *n.* Ⓤ 공갈.

rácket prèss 라켓용 프레스《라켓의 테가 뒤틀리지 않도록 끼워 두는 틀》.

rácket·tàil *n.* 〖조류〗 벌새의 일종《꽁지가 라켓 모양임. 라틴 아메리카산(産)》.

rack·et(·t)y [rǽkiti] *a.* **1** 소란스러운(noisy); 떠들기 좋아하는. **2** 방탕하는. **3** 약한; 허약한; 흔들거리는(rickety).

ráck·ing *n.* Ⓤ,Ⓒ 〖석공〗 (벽돌·돌 등의) 계단 모양 쌓기. — *a.* 고문하는; 몸을 괴롭히는; 심한《치통·두통·기침 등》. ㊕ ~·ly *ad.*

ráck jòbber (슈퍼마켓·상점 등의) 상인을 상대하는 도매업자.

rack·le [rǽkəl] *a.* 《Sc.》 고집 센, 방자한「(headstrong); 성급한.

ráck mònster 졸음; (졸음이 오는) 전신피로.

ráck ràil 톱니 레일(cograil).

ráck ràilway 〔**ràilroad**〕 아프트〔톱니바퀴〕「식 철도.

ráck rènt 엄청나게 비싼 지대〔집세, 소작료〕.

ráck-rènt *vt.* rack rent를 받다. ㊕ ~·er *n.*

ráck whèel 큰 톱니바퀴(cogwheel).

ráck·wòrk *n.* Ⓤ 〖기계〗 래크 기구〔장치〕.

ra·clette [rɑːklét, ræ-] *n.* 라클렛《삶은 감자에 녹인 치즈로 맛을 낸 스위스 요리》; 라클렛(용) 치즈.

RAC Manager 〖컴퓨터〗 Remote Automatic Connection Manager.

ra·con [réikɑn/-kɔn] *n.* 레이콘(radar bea-「con).

ra·con·tage [ræ̀kəntáːʒ/-kɔn-] *n.* 《F.》 이야기, 소문, 일화(逸話).

rac·on·teur [ræ̀kəntə́ːr/-kɔn-] (*fem.* ***-teuse*** [-tə́ːz]) *n.* 《F.》 이야기 잘하는 사람, 이야기꾼.

ra·coon [rækúːn/rə-] *n.* =RACCOON.

rac·quet [rǽkit] *n.* =RACKET[1]; 라켓 구기《벽으로 둘러싸인 코트에서 함》.

rácquet·bàll *n.* 《미》 라켓볼《2-4명이 자루가 짧은 라켓과 handball보다 조금 큰 공으로 하는, squash 비슷한 구기》.

racy[1] [réisi] (***rac·i·er; -i·est***) *a.* **1** 독특한 풍미(風味)가 있는; 본바닥의; 맛이 좋은; 신선한: a ~ flavor 독특한 풍미. **2** 발랄한, 팔팔한; 생기 있는. **3** 외설한, 음탕한: a ~ novel. ~ ***of the soil*** 그 고장 특유의; 팔팔한; 꾸밈없이 솔직한. ㊕ **rác·i·ly** *ad.* **-i·ness** *n.*

racy[2] *a.* 레이스하기 알맞은 (몸매의), (동물이) 홀쭉하고 지방이 적은, 여윈: a ~ sports car.

rad[1] [ræd] *n.* 〖물리〗 래드《1그램에 대해 100에르그의 흡수 에너지를 주는 방사선량을 1래드라 함》. [◂ *rad*iation]

rad[2] *n.* 《미속어》 과격파(radical). — *a.* (*∠·der; ∠·dest*) 《미속어》 굉장한, 대단한; 즐거운.

rad. 〖수학〗 radian; radiator; radical; radio; radius; radix.

R.A.D.A., RADA [ráːdə] 《영》 Royal Academy of Dramatic Art.

ra·dar** [réidɑːr] *n.* **1** 레이더, 전파 탐지기. **2** (속도 위반 차량 단속용) 속도 측정 장치《police radar를 일컬음》. ***by ~ 레이더로. [◂ *ra*dio *d*etecting *a*nd *r*anging]

rádar astrònomy 레이더 천문학.

rádar bèacon 레이더 비컨(racon).

rádar dàta prócessing sỳstem 항공로 레이더 정보 처리 시스템《생략: RDP》.

rádar gùn 자동차 속도 측정기《한손으로 잡는》.

rádar·man [-mən, -mæ̀n] (*pl.* ***-men*** [-mən, -mèn]) *n.* 레이더 기사.

rádar·scòpe *n.* 레이더 전파 영상경(映像鏡). [◂ *radar*+oscillo*scope*]

rádar scrèen 레이더 화면, 레이더 스크린(ra-「darscope).

rádar tràp 〖교통〗 (레이더에 의한) 속도 위반 탐지 장치〔구간(區間), 장소〕.

rad·dle[1] [rǽdl] *n.* 대자(代赭). — *vt.* 〖보통 수동태〗 대자색〔연지색〕으로 칠하다.

rad·dle[2] *vt.* 한데 합쳐서 꼬다, 짜다, 겯다.

rád·dled *a.* 혼란해진, 침착하지 못한; (쳐)부숴진; 황폐해진; 야윈.

ra·di- [rédi] =RADIO-.

ra·di·al [réidiəl] *a.* **1** 광선의; 광선 모양의. **2** 방사상(放射狀)의, 복사상(輻射狀)의: a ~ axle 복사축. **3** 〖수학〗 반지름의. **4** 〖해부〗 요골(橈骨)의. **5** 〖식물〗 사출화(射出花)〔사출상(狀)〕의; 〖동물〗 방사 기관(器官)의; 〖곤충〗 경맥(徑脈)(radius)의. ◇ radius *n.* — *n.* 방사부; 〖해부〗 요골 신경〔동맥〕; =RADIAL(-PLY) TIRE. ㊕ ~·ly *ad.* 방사상으로.

rádial ártery 〖해부〗 요골 동맥.

rádial cléavage 〖생물〗 방사 난할(放射卵割)《할구(割球)가 난축(卵軸)에 대하여 방사상으로 배열되는 것》. ⓒⓕ spiral cleavage.

rádial éngine 〖기계〗 성형(星形) 엔진.

rá·di·al·ìze *vt.* 방사상(放射狀)으로 늘어놓다.

rádial keratótomy 〖안과〗 방사상(放射狀) 각막 절개(술)《근시 교정 수술》.

rádial mótion 〖천문〗 =RADIAL VELOCITY.

rádial(-ply) tìre 레이디얼 타이어.

rádial sýmmetry 〖생물〗 방사대칭(對稱)《해파리·불가사리 따위의 생물체 모양》.

rádial velócity 〖천문〗 시선(視線) 속도《천체가 관측자에 대해 전진 또는 후퇴하는 속도》.

ra·di·an [réidiən] *n.* 〖수학〗 라디안《호도법(弧度法)의 각도 단위; 약 57°; 기호 rad》, 호도; 〖컴퓨터〗 부채각, 라디안《단위》.

◇**ra·di·ance, -an·cy** [réidiəns], [-i] *n.* Ⓤ 광휘(光輝); (눈이나 얼굴 따위의) 빛남; 진한 주홍색; 〖물리〗 복사 휘도(輝度); =RADIATION.

***ra·di·ant** [réidiənt] *a.* **1** 빛나는; 밝은: the ~ sun 찬란한 태양. **2** (행복·희망 따위로) 빛나는, 밝은: with ~ eyes 눈을 반짝이며 / She was ~ *with* happiness. 그녀는 행복해 환한 표정이었다. **3** 방사〔복사〕의〔에 의한〕; 〖생물〗 방사상(狀)의. — *n.* **1** 〖광학〗 광점(光點); 광체(光體). **2** =RADIANT POINT. **3** 전기〔가스〕 히터의 백열하는 부분. ㊕ ~·ly *ad.*

rádiant effíciency 〖물리〗 방사 효율《안테나에 공급되는 전력과 방사되는 전력의 비(比)》.

rádiant énergy 〖물리〗 복사 에너지.

rádiant flúx 〖물리〗 복사속(輻射束).

rádiant héat 복사열, 방사열.

rádiant héater 복사〔방사〕 난방기.

rádiant héating 복사〔방사〕 가열; =PANEL HEATING.

rádiant pòint 〖천문〗 (유성군(流星群)의) 방사점; 〖지학〗 복사점.

***ra·di·ate** [réidièit] *vi.* 《~/+전+명》 **1** (중심에서) 방사상으로 퍼지다《*from*》: streets *radiating from* the square 광장에서 방사상으로 뻗어 있는 거리. **2** 빛을 발하다, 빛나다. **3** (빛·열 등이) (…부터) 발하다, 복사(輻射)하다《*from*》: Heat ~*s from* a heater. 열은 난방 장치에서 나온다. **4** (기쁨 등으로) 빛나다; (기쁨 등을) 발산하다《*with*》: She simply ~*s with* good humor. 그녀는 기쁨을 온몸으로 발산시키고 있다. — *vt.* **1** (빛·열 등을) 방사하다, 발하다; (중심에서) 분출〔확산〕시키다; (영향 등을) 주위에 미치다: an element that ~s energy incessantly 끊임없이 에너지를 방출하는 원소. **2** (기쁨·호의 등을) 발산시키다, 흩뿌리다: His whole face ~*d* joy and excitement. 그는 얼굴에 기쁨과 흥분을 함빡 나타내고 있었다. **3** (TV·라디오에서 프로그램을) 방송하다. **4** =IRRADIATE.

— [réidiit, -èit] *a.* **1** 사출하는; 방사상(狀)의. **2** 〚생물〛 방사 대칭(對稱)의. ㊞ ~·**ly** *ad.*

***ra·di·a·tion** [rèidiéiʃən] *n.* **1** Ⓤ (빛·열 등의) 방사, 복사; 발광(發光), 방열(放熱)(기(器)). **2** Ⓒ 복사선, 복사 에너지. **3** 방사상(狀) 배열, 방사형. ㊞ ~·**al** *a.* ~·**less** *a.* 「BELT.

radiátion bèlt 〚물리〛 =VAN ALLEN RADIATION

radiátion chémistry 방사선 화학.

radiátion-field photógraphy =KIRLIAN PHOTOGRAPHY.

radiátion fòg 〚기상〛 복사 안개.

radiátion pòisoning 방사능 중독.

radiátion prèssure 방사압, 복사압.

radiátion sìckness 방사능증, 방사선병.

radiátion thèrapy =RADIOTHERAPY.

ra·di·a·tive [réidièitiv] *a.* 방사성〔복사성, 방열성, 발광성〕의.

◇**ra·di·a·tor** [réidièitər] *n.* **1** 라디에이터, 방열기, 난방기, (자동차·비행기의) 냉각 장치: a single-column ~ 단주(單柱) 방열기 / a wall ~ 벽에 장치한 방열기. **2** 〚통신〛 송신 안테나. **3** 복사〔방사, 발광, 방열〕체. **4** 《Austral.》 전기 난방기.

***rad·i·cal** [rǽdikəl] *a.* **1** 근본적인, 기본적인; 철저한: a ~ principle 기본 원칙 / a ~ change 〔reform〕 근본적 변화〔개혁〕. **2** 급진적인, 과격한 (extreme), 근본적 변혁을 원하는, 과격파의; (흔히 R-) 급진파의: the *Radical* party 급진당 / a ~ program 과격한 정책. SYN. ⇨ LIBERAL. **3** 〚수학〛 근(根)의; 〚화학〛 기(基)의; 〚식물〛 근생(根生)의; 〚언어〛 어근의; 〚음악〛 근음(根音)의: a ~ word 어근어(語). **4** 〚의학〛 병근(病根)을 제거하는, 근치적(根治的)인: a ~ operation 근치 수술《환부의 절제〔적출〕 따위》. — *n.* **1** 급진당원, 과격론자. **2** 〚수학〛 근; 근호; 〚화학〛 기(基); 〚언어〛 어근; 〚음악〛 근음; (한자의) 부수(部首)《변(邊)·방(旁)·머리 등》. ㊞ ~·**ly** *ad.* ~·**ness** *n.*

rádical áxis 〚기하〛 근축(根軸).

rádical chíc (사교계의) 과격파 성향.

rádical expréssion 〚수학〛 무리식.

rad·i·cal·ism [rǽdikəlìzəm] *n.* Ⓤ 급진주의; 근본적 변혁론〔주의〕. ㊞ **-ist** *n.* 「성.

rad·i·cal·i·ty [rӕdikǽləti] *n.* Ⓤ 과격성, 급진

rad·i·cal·ize [rǽdikəlàiz] *vi., vt.* 급진적으로〔급진주의로〕 하다〔되다〕, 과격하게 되다; 근본적으로 개혁하다. ㊞ **ràd·i·cal·i·zá·tion** *n.*

rádical léft =NEW LEFT.

rádical ríght 급진 우익, 극우.

rádical sìgn 〚수학〛 근호(√).

rad·i·cand [rǽdəkæ̀nd, ⌐-⌐] *n.* 〚수학〛 근호 속의 숫자(√3의 3따위). 「〔내리게〕 하다.

rad·i·cate [rǽdəkèit] *vt.* (식물을) 뿌리박게

rad·i·cel [rǽdəsèl] *n.* 〚식물〛 유근(幼根).

ra·di·ci·da·tion [rèidəsədéiʃən] *n.* (식품에 대한) 방사선 조사(照射) 살균.

rad·i·cle [rǽdikəl] *n.* 〚식물〛 어린뿌리, 유근(幼根); 〚해부〛 (혈관·신경 말단의) 근상부(根狀部); 〚화학〛 기(基)(radical). ㊞ **ra·dic·u·lar** [rədíkjələr] *a.*

rad·ic-lib [rǽdiklíb] *n.* 《미구어》 급진적 자유주의자. [◂ *radical-liberal*]

ra·di·es·the·sia [rèidiesθíːʒiə, -ziə] *n.* 방사감지《점지팡이 등으로 숨겨진 것이 내는 에너지를 감지하는 일이나 수맥 탐지(dowsing)》; 방사 감지 연구.

ra·dii [réidiài] RADIUS의 복수. 「지 연구.

†**ra·dio** [réidiòu] (*pl.* **-di·os**) *n.* **1** 라디오 (방송); 라디오 방송 사업; 라디오 방송국; 무선국, 무전기; 라디오 세트: listen (in) to the ~ 라디오를 듣다 / talk over the ~ 무전기로 얘기하다 / turn 〔switch〕 on 〔off〕 the ~ 라디오를 틀다 〔끄다〕. **2** 무선 전신〔전화〕에 의한 통화. *by* ~ 무전으로. — *a.* **1** 방사 에너지의, 방사성의. **2** 라디오(방송)의; 무선 전신〔전화〕의; 라디오 기술 전문의. — *vt.* 《~+목/+목+전+명/+*that* 절》 무선(통신)으로 전하다; 라디오로 방송하다: ~ a weather report *to* ships 기상 상황을 배에 무전으로 알리다. — *vi.* 《~/+전+명》 무전을 치다; 라디오 방송을 하다: ~ *to* a person *for* help 아무에게 무전으로 도움을 청하다.

ra·di·o- [réidiou, -diə] '방사, 복사, 광선, 반지름, 라듐, 라디오, 방사능, 방사성, 방사성 동위원소, 요골(橈骨), 무선' 따위의 뜻의 결합사. ★ 모음 앞에서는 radi-로 쓰는 경우도 있음: *radiopaque.* 「파 기술.

ràdio·acóustics *n. pl.* 《단수취급》 전파학, 전

ràdio·actínium *n.* 〚화학〛 라디오악티늄《방사성 동위원소인 토륨 227의 딴 이름; 기호 RdAc》.

ràdio·áctivate *vt.* 〚물리〛 (물질에) 방사능을 부여하다.

ràdio·áctive *a.* 방사성의, 방사능의: ~ substance 방사성 물질 / ~ contamination 방사능 오염 / ~ leakage 방사능 누출 / ~ dust 방사성 먼지 / ~ rays 방사선.

radioáctive áge 〚물리〛 방사성 연대.

radioáctive dáting 방사능 연대 측정, 방사성 탄소 연대 측정법.

radioáctive decáy 방사성 붕괴.

radioáctive fállout 방사성 낙진《죽음의 재》.

radioáctive ísotope 방사성 동위원소(radio-isotope).

radioáctive séries 방사성 계열.

radioáctive stándard 〚물리〛 표준 방사성 물질《방사선 측정 장치에 쓰임》. 「(追跡子).

radioáctive trácer 〚물리〛 방사성 추적자

radioáctive wárfare 방사능전《생략: RW》.

radioáctive wáste 방사성 폐기물.

ràdio·actívity *n.* Ⓤ 방사능〔성〕: artificial ~ 인공 방사능 / the theory of ~ 방사능 이론.

rádio alàrm 라디오 겸용 자명종 시계(clock radio).

rádio altímeter 〚항공〛 전파 고도계(計).

ràdio·ámplifier *n.* 〚전기〛 고주파 증폭기.

ràdio·ássay *n.* 방사 정량법(定量法)〔분석〕.

rádio astrómetry 전파 측정 천문학.

ràdio·áutograph *n.* =AUTORADIOGRAPH.

rádio bèacon 무선 표지(標識); 라디오 비컨.

rádio bèam 신호〔라디오〕 전파, 전파 빔.

ràdio·biólogy *n.* Ⓤ 방사선 생물학.

ràdio·bróadcast (*p., pp.* ~, ~·*ed*) *vt.* 라디오 방송을 하다. ㊞ ~·**er** *n.* 무선 방송자〔장치〕. ~·**ing** *n., a.* 무선 방송(의): a ~*ing* station 방송국.

rádio càr 연락용 단파 무선 장비를 갖춘 차.

ràdio·cárbon *n.* Ⓤ 〚화학〛 방사성 탄소; 《특히》 탄소 14.

radiocárbon dàting =CARBON DATING.

ràdio·cárdiogram *n.* 〚의학〛 심방사도(心放射圖), 방사선 심장 묘사도.

ràdio·cardiógraphy *n.* Ⓤ 〚의학〛 라디오 심전도법; 방사선 심장 묘사법.

ràdio-cassétte (**plàyer**) 라디오 겸용 카세트. 「한, 에 의한〕.

ràdio·chémical *a.* 〚화학〛 방사 화학의〔에 관

ràdio·chémistry *n.* 방사 화학. ㊞ **-chémist** *n.* 「코발트 60.

ràdio·cóbalt *n.* 〚화학〛 방사성 코발트; 《특히》

rádio communicátion 무선 통신.

rádio còmpass 무선 방향 탐지기.

rádio contról 무선 제어〔조종〕; 무선 지령.

ràdio-contrólled *a.* 무선 조종의: a ~ plane

무인 비행기.
ràdio·detéctor *n.* 【전기】 무선 검파기(檢波器): a crystal ~ 광석 검파기.
rádio diréction finder 무선 방향 탐지기(radio compass) 《생략: RDF》.
rádio-ècho sòunding 전파 음향 측심법《고주파수의 전자파 반사에 의한 수심 측정법》.
ràdio·ecólogy *n.* 방사선 생태학《방사선 물질과 생물과의 관계를 다룸》.
ràdio·élement *n.* 방사성 원소.
rádio field inténsity 〔**stréngth**〕 【전기】 전파 강도(強度); 전자장(電磁場)의 강도.
Rádio Frée Éurope 자유 유럽 방송《미국이 동유럽을 향하여 행하던 선전 방송으로 독일의 München이 거점》.
rádio fréquency 무선 주파수《10 kHz 로부터 300 GHz 까지의》.
rádio-fréquency héating 전자 가열.
rádio-fréquency wélding 고주파 용접.
rádio gàlaxy 【천문】 전파 은하.
ra·di·o·gen·ic [rèidioudʒénik] *a.* 방사능에 의해 생긴; 라디오 방송에 알맞은《가수》.
ràdio·goniómeter *n.* 무선 나침반〔방위계〕.
rádio·gràm *n.* 무선 전보; =RADIOGRAPH[1]; 《영》 라디오 겸용 전축.
ràdio·grámophone *n.* 《영》 라디오 겸용 전축.
rádio·gràph[1] *n.* 뢴트겐〔감마선〕 사진, 방사선 사진. **—** *vt.* …의 뢴트겐 사진을 찍다. ㊕ **ra·di·og·ra·pher** [rèidiágrəfər/-ɔ́g-] *n.* **radi·o·graph·ic** [rèidiougrǽfik] *a.* 뢴트겐 촬영(법)의. **ra·di·og·ra·phy** [rèidiágrəfi/-ɔ́g-] *n.* Ⓤ 뢴트겐〔방사선〕 촬영(법).
rádio·gràph[2] *vt.* …에게 전보를 치다.
rádio héating 【전기】 고주파 가열.
ràdio·immunoássay *n.* 【의학】 (방사성 동위원소) 표지 면역 검정(법), 방사면역 검정(법).
ràdio·immunólogy *n.* 방사성 면역학《방사성 동위원소로 표지를 한 항원이나 항체를 이용한 면역학》. ㊕ **-immunológical** *a.*
rádio interférence 혼신(混信), 라디오 방해.
ràdio·ísotope *n.* 방사성 동위원소, 라디오아이소토프. ㊕ **-isotópic** *a.* **-ically** *ad.*
radioisotópic thermoeléctric gènerator 원자력 전지《생략: RTG》.
rádio knife (외과용) 전기 메스.
ràdio·lábel *vt.* 【화학】 (원소를) 방사성 동위원소를 써서 식별하다. **—** *n.* 식별에 쓰이는 방사성 동위원소.
ra·di·o·lar·i·a [rèidiouléəriə] *n. pl.* 【동물】 방산충류(放散蟲類)《아메바 모양의 수생 단세포 동물》. ㊕ **ra·di·o·lár·i·an** *n.*, *a.*
rádio lìnk 다원 방송.
ràdio·locátion *n.* Ⓤ 전파 탐지기에 의한 탐지〔측정〕.
rádio·lòcator *n.* 《영》 =RADAR.
ra·di·o·log·i·cal [rèidiəládʒikəl/-lɔ́dʒ-] *a.* 방사선학〔의학〕의; 핵방사선의: ~ warfare 방사능전(戰) 《생략: RW》.
ra·di·ol·o·gy [rèidiálədʒi/-ɔ́l-] *n.* Ⓤ 엑스선학, 방사선(의)학; 【의학】 엑스선과(科). ㊕ **-gist** *n.* 방사선〔능〕 학자〔기사〕.
ràdio·lúcent *a.* 방사선〔X선〕 투과성의. ⓒⓕ radiopaque, radiotransparent. ㊕ **-lúcence, -lúcency** *n.*
ra·di·ol·y·sis [rèidiáləsis/-ɔ́l-] (*pl.* **-ses** [-si:z]) *n.* 【화학】 방사선 분해.
rádio·màn [-mæ̀n] (*pl.* **-mèn** [-mèn]) *n.* 무전 기사; 방송 사업 종사자.
ràdio·meteórograph *n.* =RADIOSONDE.
ra·di·om·e·ter [rèidiámətər/-ɔ́m-] *n.* 【물리】 복사계(輻射計), 방사계(計). ㊕ **-try** *n.* Ⓤ 복사선〔방사선〕 측정.

ràdio·métric *a.* 방사계(計)의〔에 의한〕; 방사성 탄소 연대측정의; 방사분석의. ㊕ **-métrically** *ad.*
radiométric dáting 【지학】 방사성 연대 결정(법).
ràdio·micrómeter *n.* 【물리】 열전(熱電) 복사계.
ràdio·mimétic *a.* 【물리】 방사선 비슷한 작용을〔효과를〕 가져오는.
rádio mònitoring 【군사】 전파 감시.
rádio navigátion 【항공 · 해사】 무선〔전파〕 항법〔항행(航行)〕.
ra·di·on·ics [rèidiániks/-ɔ́n-] *n.* **1** =ELECTRONICS. **2** 전자 심령 현상 연구《전자 장치를 이용한 심령 감응(력) 연구》.
ràdio·núclide *n.* 【물리】 방사성 핵종(核種).
rádio pàger 무선 호출 수신기(beeper)《외출 중인 소재 불명한 이에게 용건이 있음을 알림》.
ra·di·o·paque [rèidioupéik] *a.* 방사선〔엑스선〕 불투과성의. ㊕ **-pác·i·ty** [-oupǽsəti] *n.*
ràdio·pharmacéutical *a.*, *n.* 방사성 의약품(의).
ràdio·phóbia *n.* 방사선 공포증.
ra·di·o·phone [réidioufòun] *n.*, *vt.*, *vi.* = RADIOTELEPHONE; 광선 전화기.
ràdio·phónics *n.* 《영》 전자 음악; 라디오 방송(으로 나오는 소리); 녹음 재생음.
ràdio·phóto, -phótograph *n.* 무선 전송 사진. ㊕ **-photógraphy** *n.* Ⓤ 무선 사진 전송.
ràdio·protéctive *a.* 【의학】 방사선 방호의. ㊕ **-protéction** *n.* **-tor** *n.*
rádio púlsar 【천문】 전파 펄서.
rádio ránge (**bèacon**) 무선 항로 표지.
rádio recéiver 〔**recéiving sèt**〕 라디오 수신기.
rádio rélay 무선 중계국(局).
ra·di·o·scope [réidiəskòup] *n.* 방사선 측정기, 방사성 물질 탐지기.
ra·di·os·co·py [rèidiáskəpi/-ɔ́s-] *n.* Ⓤ 방사선 투시(법), 뢴트겐 진찰〔검사〕.
ràdio·sénsitive *a.* 【의학】 (조직 · 기관이) 방사선에 민감한; (암세포 따위가) 방사선〔《특히》 X선〕에 파괴되는. ㊕ **-sensitívity, -sensibílity** *n.*
ra·di·os·i·ty [rèidiásəti] *n.* 【컴퓨터】 라디오시티《컴퓨터 그래픽스에서 모든 광원으로부터의 광량을 방사광을 포함해서 계산하는 방법》.
rádio·sònde *n.* 【기상】 라디오존데《대기 상층의 기상 관측 기계》.
rádio sòurce 【천문】 전파원(源).
rádio spèctrum 전파 스펙트럼.
rádio stàr 【천문】 전파별《우주 전파원의 하나》.
rádio stàtion 《미》 무선국; (라디오) 방송국.
ràdio·stérilize *vt.* X선〔방사선〕으로 살균하다.
ràdio·stróntium *n.* 【화학】 방사성 스트론튬, 《특히》 스트론튬 90.
ràdio·súrgery *n.* 방사선 외과.
ràdio·technólogy *n.* 방사선〔X선〕 공학; 무선 공학.
ràdio·télegram *n.* 무선 전보(radiogram).
ràdio·télegraph *n.*, *vt.*, *vi.* 무선 전신(으로 보내다〔을 치다〕).
ràdio·telégraphy *n.* Ⓤ 무선 전신(술).
ràdio·télephone *n.*, *vt.*, *vi.* 무선 전화(를 걸다).
ràdio·teléphony *n.* 무선 전화.
rádio téléscope 전파 망원경.
ràdio·téletype *n.* 무선 텔레타이프《생략: RTT, RTTY》.
ràdio·télex *n.* (배에서 육지로 보내는) 무선텔렉스.
ràdio·therapéutics *n. pl.* 〔단수취급〕 방사선 의학; 방사선 요법.
ràdio·thérapy *n.* Ⓤ,Ⓒ 방사선 요법. ㊕ **-thérapist** *n.*
ràdio·thèrmy *n.* 방사선열(熱) 요법.
ràdio·thórium *n.* 【화학】 방사성 토륨《토륨의 붕괴 산물; 기호 RaTh》.

ràdio·tóxin *n.* 방사성 독물. ㊞ **-tóxic** *a.*
ra·di·o·tox·o·log·ic [rèidioutàksəládʒik/-tɔ̀ksəlɔ́dʒ-] *a.* 방사성 독물 연구의.
rádio·tràcer *n.* 〖화학〗 방사성 추적자(追跡子).
ràdio·transpárent *a.* 방사선 투과성의, X선 사진에는 촬영되지 않는.
rádio tùbe 〖전자〗 라디오 진공관, 전자관.
rádio·vìsion *n.* Ⓤ 《고어》 =TELEVISION.
rádio wàve 〖통신〗 전파, 전자파.
rad·ish [rǽdiʃ] *n.* 〖식물〗 무; 《야구속어》 볼; 《미속어》 야구. ㊞ **~·like** *a.*
***ra·di·um** [réidiəm] *n.* Ⓤ 〖화학〗 라듐 《방사성 원소; 기호 Ra; 번호 88》.
rádium emanàtion 〖화학〗 =RADON.
rádium·thèrapy *n.* Ⓤ 라듐 요법(radiotherapy).
◇**ra·di·us** [réidiəs] (*pl.* **-dii** [-diài], **~·es**) *n.* **1** (원·구의) 반지름; 반지름 내의 범위《*of*》: every tree within a ~ *of* two miles 반경 2마일 이내의 모든 나무. **2** (행동·활동 따위의) 범위, 구역 《*of*》: the ~ *of* action 〖군사〗 행동 반경; 항속(航續) 거리. **3** 방사상(放射狀)의 것《바퀴의 살, 곤충의 시맥(翅脈) 따위》. **4** 〖의학〗 요골(橈骨). **5** 〖식물〗 사출화(射出花). **6** 〖기계〗 편심(偏心) 거리. ***the four-mile ~*** 런던의 Charing Cross로부터 반경 4마일 이내의 지역《이 지역의 안팎에 따라 탈것의 운임률이 달라짐》. **—** *vt.* (모난 것 등을) 둥글리다.
rádius of cúrvature 〖수학〗 곡률반경.
rádius véctor (*pl.* ***rádii vec·tó·res*** [-vektɔ́:ri:z], **~s**) 〖수학·천문〗 동경(動徑).
ra·dix [réidiks] (*pl.* ***-di·ces*** [rǽdəsì:z, réid-/réid-], **~·es**) *n.* 〖수학〗 기(基), 근(根); (통계의) 기수(基數); 〖철학〗 근원(根源); 〖식물〗 뿌리(root); 〖언어〗 어근.
rad-lib [rǽdlíb] *n.* 《미속어》 =RADIC-LIB.
R Adm, R. Adm., RADM Rear Admiral.
ra·dome [réidòum] *n.* 레이돔《항공기의 외부 레이더 안테나 보호용 덮개》.
ra·don [réidɑn/-dɔn] *n.* Ⓤ 〖화학〗 라돈《라듐 붕괴로 발생하는 방사성의 비활성 기체 원소; 기호 Rn; 번호 86》.
rad·u·la [rǽdʒələ] (*pl.* **-lae** [-lì:], **~s**) *n.* 〖동물〗 (연체동물의) 치설(齒舌). ㊞ **-lar** *a.*
rád·wàste [rǽd-] *n.* 《미》 =RADIOACTIVE WASTE.
RAE 《영》 Royal Aircraft Establishment.
RAEC 《영》 Royal Army Educational Corps.
RAF, R.A.F., raf [《구어》 ræf] 《영》 Royal Air Force.
raff [ræf] *n.* =RIFFRAFF.
Ráf·fer·ty('s) rúles [rǽfərti(z)-] 《Austral. 속어》 (권투 등에서) 무규칙(no rules at all).
raf·fia [rǽfiə] *n.* 라피아(=**∠ pàlm**) 《Madagascar산(産)의 야자과 식물》; Ⓤ 그 잎의 섬유; 라피아 모자.
raf·fi·nate [rǽfənèit] *n.* Ⓤ 〖화학〗 라피네이트《석유 등을 용제(溶劑)로 녹일 때 남는 불용해 부분》.
raf·fi·né [F. Rafine] *a.* 《F.》 세련된, 고상한. **—** *n.* 멋쟁이.
raf·fi·nose [rǽfənòus] *n.* 〖화학〗 라피노오스 《식물에 많은 3당류》.
raff·ish [rǽfiʃ] *a.* 평판이 나쁜, 건달인; 야비한, 바람둥이의. ㊞ **~·ly** *ad.* **~·ness** *n.*
raf·fle[1] [rǽfəl] *n.* 복권 판매《추첨 당선자에게 상품을 줌》. **—** *vi.* 《+전+명》 제비를 뽑다《*for*》: ~ *for* a silver watch 은시계 추첨에 참가하다. **—** *vt.* 《+목+부》 복권식으로 팔다《*off*》: ~ *off* a television 텔레비전을 복권식으로 팔다.
raf·fle[2] *n.* 폐물, 잡동사니, 쓰레기(rubbish).
◇**raft**[1] [ræft, rɑ:ft/rɑ:ft] *n.* **1** 뗏목, (고무로 만든) 구명 뗏목. **2** 항해를 방해하는 부유물《성엣장·유목(流木) 등》; 수면에 떼 지은 물새. **3** 부잔교(浮棧橋). **—** *vt.* **1** 뗏목으로 엮다. **2** 《+목+부/+목+전+명》 뗏목으로 나르다〔건너다〕: ~ goods *across* (a river) 뗏목으로 물건을 (강) 건너쪽으로 나르다. **3** (성엣장을 또는 성엣장이 유기물 등을) 바다로 떠내려 보내다. **—** *vi.* 《+부/+전+명》 뗏목으로 가다; 뗏목을 사용하다: ~ *down* 〔*up*〕 a stream 뗏목으로 개울을 내려가다〔올라가다〕. ㊞ **∠·er**[1] *n.*
raft[2] *n.* 《미구어》 다수, 다량《*of*》: a ~ *of* trouble 〔worries〕 허다한 걱정거리 / a whole ~ *of* people 많은 사람.
raf·ter[2] [rǽftər, rɑ́:ftər/rɑ́:f-] *n.* 〖건축〗 서까래. ***from cellar to ~*** 집 전체. **—** *vt.* (집에) 서까래를 얹다; (재목을) 서까래로 쓰다; 《영방언》 쟁기로 갈아 엎어 밭이랑을 만들다.
raft·er[3] *n.* (특히, 칠면조의) 무리.
ráft·ing *n.* (스포츠로서의) 급류 타기, 고무보트로 계류(溪流) 내려가기.
ráfts·man [-mən] (*pl.* ***-men*** [-mən, -mèn]) *n.* 뗏사공, 뗏목 타는 사람(rafter[1]).
rag**[1] [ræg] *n.* **1** 넝마, 지스러기; 걸레. **2** 넝마와 같은 것; 《경멸》 해진 조각《손수건·신문·지폐·깃발·(극장의) 막·돛 따위의》. **3** (*pl.*) 누더기옷; 《우스개》 의복: (dressed) in ~*s* 누더기 옷을 입고. **4** 누더기 옷을 입은 사람, 천한 사람. **5** (*pl.*) 제지용 또는 속 메우는 데 쓰는 국지; 《경멸》 삼류 신문〔잡지〕. **6** 《비어》 (여성의) 생리대. **7 a** 단편, 조각《*of*》: a ~ *of* cloud 조각구름. **b** (a ~) 〔보통 부정문에서〕 조금도 (…않다): She did*n't* wear a ~. 그녀는 몸에 아무것도 걸치지 않고 있었다. **8** (감귤류의) 속껍질. **9** (the R–) 《영속어》 육·해군인 클럽. ***(as) limp as a ~ 아주 지쳐서, 녹초가 되어. ***be cooked to ~s*** (음식이) 삶아져 흐물흐물해지다. ***chew the ~*** ⇨CHEW. ***drop the ~*** 《미》 신호를 보내다, 눈치〔알아〕채게 하다. ***feel like a wet ~*** 《구어》 몹시 지쳐 있다. ***from ~s to riches*** 가난뱅이에서 부자로. ***in ~s*** ⇨3; 누더기〔넝마〕가 되어. ***like a red ~ to a bull*** (소에 빨간 천을 보인 것처럼) 흥분〔격분〕시키는. ***lose*** one***'s ~ =get*** one***'s ~ out*** 〔***up***〕 《구어》 불끈 화내다. ***on the ~*** 《미구어》 화나서, 초조하여. ***spread every ~ of sail*** 돛이란 돛은 죄다 달다. ***take the ~ off*** 《미》 …을 능가하다. **—** (**-gg-**) *vt.* 너덜너덜하게 만들다. **—** *vi.* **1** 너덜너덜하게 되다. **2** 《+부》 《미속어》 모양을 내다, 잘 차려입다《*out; up*》.
rag[2] (**-gg-**) *vt., vi.* 《구어》 지근거리다, 들볶다; 꾸짖다; 《영구어》 놀리다; …에게 지분거리다; (남의 방 등을) 어질러 놓다. **—** *n.* 《영》 짓궂은 장난, 떠들고 놀기, (대학생 등의) 농담; (자선 등을 위한) 학생의 가장행렬.
rag[3] *n.* (두꺼운 널빤지처럼 쪼개지는) 석회암; 지붕 이는 슬레이트의 일종.
rag[4] *n.* 래그《래그타임 리듬으로 지은 곡》; =RAGTIME. **—** (**-gg-**) *vt., vi.* 래그타임풍으로〔래그타임을〕 연주하다.
ra·ga [rɑ́:gə] *n.* 〖음악〗 라가《인도 음악의 선율 형식; 그것에 의한 즉흥 연주》.
rag·a·muf·fin, rag·ga- [rǽgəmʌ̀fin] *n.* 누더기를 걸친 사내〔아이〕; 파락호, 부랑아. ㊞ **~·ly** *a.*
rág-and-bóne màn [-ən-] 《영》 넝마주이 〔장수〕.
ràga-róck *n.* 라가록《라가를 응용한 록 음악》.
rág bàby 봉제 인형.
rág·bàg *n.* 헝겊 주머니; 너절한 사람.
rág bòlt 가시 볼트〔못〕, 미늘 달린 볼트.
rág bòok 천으로 만든 그림책《씻을 수 있음》.
rág dày *n.* 《영》 (학생들이) 자선 목적으로 하는 가장행렬의 날.
rág dòll =RAG BABY.

***rage** [reidʒ] *n.* **1** Ⓤ,Ⓒ 격노, 분격. ⓒⓕ fury, wrath. ¶ in a (black) ~ (극도로) 화가 나서 / fly into a ~ 벌컥 화를 내다. **2** Ⓤ,Ⓒ 격정, 흥분 상태: in a ~ of excitement 흥분하여 / the sacred ~ 종교적 황홀 상태 / burst into a ~ of tears 〔grief〕 울음을 터뜨리다. **3** Ⓒ 열망(熱望), …광(狂)《*for*》: a ~ *for* power 권력에 대한 열망 / a ~ *to* live 생에 대한 욕구 / have a ~ *for* stamps 우표 수집광이다. **4** Ⓤ (바람·파도 등의) 사나움, 맹위: the ~ of Nature 대자연의 사나움. **5** Ⓒ ((all) the ~) (일시적) 대유행: Hunting is quite the ~. 사냥이 대유행이다. — *vi.* 《~/+전+명》 **1** 격노하다; 호되게 꾸짖다《*against; at; over*》: ~ *against* oneself 자신에 대하여 공연히 화가 나다 / He ~*d at* his son *for* telling a lie. 그는 거짓말을 한 아들을 호되게 꾸짖었다. **2** 사납게 날뛰다; (전염병 따위가) 창궐하다: The storm ~*d* all day. 폭풍우가 하루 종일 사납게 몰아쳤다 / Fever ~*d through* 〔*in*〕 the country. 열병이 온 나라에 만연했다. — *vt.* 《+목+부》 〖~ oneself〗 사납게 휘몰아치다: ~ it*self out* 한껏 사납게 휘몰아치고는 잠잠해지다. ⓟ **∠·ful** [-fəl] *a.* 미칠 듯이 화가 난, 맹렬한.

rag·ga [rǽgə] *n.* 《영》 래거《DJ 가 녹음된 반주에 즉흥적으로 가사를 붙이는 댄스 음악의 일종》. [◂ *raga*muffin]

raggamuffin ⇨ RAGAMUFFIN.

***rag·ged** [rǽgid] *a.* **1** 누덕누덕한, 누더기 옷을 입은: a ~ flag 〔garment〕 다 해어진 기〔옷〕 / a ~ fellow 누더기 옷을 입은 사내. **2** 텁수룩한, 멋대로 자란: a ~ beard 텁수룩이 자란 턱수염. **3** 깔쭉깔쭉한, 울퉁불퉁한: a ~ shoreline 들쭉날쭉한 해안선. **4** 거친: a ~ style 세련되지 않은 문체. **5** 귀에 거슬리는: The engine sounded ~. 엔진 소리가 귀에 거슬렸다. **6** 기진맥진한, 소모된: ~ with questions 질문에 시달려. ~ *out* 《미속어》 지쳐서, 피로가 겹쳐서; 애먹이는, 싫은. *run* ~ (긴장의 연속 등으로) 지치게 하다. ⓟ **~·ly** *ad.* **~·ness** *n.*

rágged-áss *a.* 《미속어》 칠칠치 못한, 형편없는, 싫은.

rágged édge (벼랑 등의) 울퉁불퉁한 가장자리. *on the* ~ 위기에 처하여, 위기 일보직전에.

rágged róbin 〖식물〗 전추라의 일종.

rágged tíme 고르지 못함《노 젓는 법 등》.

rag·gedy [rǽgidi] *a.* = RAGGED.

Rággedy Ánn 래기디 앤《미국에서 인기 있는 빨간 머리 소녀의 봉제 인형; 상표명》.

rággedy-áss *a.* 《미속어》 **1** 미숙한; 멍청한. **2** 뒤떨어진, 변변치 않은. **3** = RAGGED-ASS.

rag·gee, ragi [rǽgi] *n.* 〖식물〗 왕바랭이.

rag·ger¹ [rǽgər] *n.* 《미속어》 신문 기자.

rag·ger² *n.* 《미속어》 래그타임 팬.

rag·gle-tag·gle [rǽgəltǽgəl] *a.* 그러모은, 뒤섞인, 잡다한.

rág·hèad *n.* 두건 대가리《아랍인 비하어》.

rag·ing [réidʒiŋ] *a.* 격노한; 거칠어지는, 미친 듯이 날뛰는; 맹렬한; 쑤시고 아픈; 터무니없는. ⓟ **~·ly** *ad.*

rag·lan [rǽglən] *n.* 래글런《외투》. — *a.* 래글런 소매의.

ráglan sléeve 〖복식〗 래글런 소매《어깨 솔기 없이 통째로 내리달린 소매》.

raglan

rág·màn [-mæ̀n, -mən] (*pl.* **-men** [-mèn, -mən]) *n.* 넝마장수, 넝마주이.

ra·gout [rægúː] *n.* 《F.》 Ⓤ 스튜 요리의 일종《재료는 고기·야채·향료》; 혼합물, 뒤범벅. — (~*ed*; ~*·ing*) *vt.* 조리하여 스튜로 만들다.

rág pàper (넝마를 원료로 한) 래그페이퍼《최고급 종이》.

rág·pìcker *n.* 넝마주이.

rág-ròlling *n.* 래그롤링《솔 대신 헝겊으로 페인트를 칠해 독특한 분위기를 내는 실내 장식법》. ⓟ **rág-ròll** *vt.* **rág-ròlled** *a.*

rág ròof = RAGTOP.

rág rúg 넝마로 만든 깔개.

rág shòp 고물〔헌옷〕 가게.

rág·stòne *n.* Ⓤ 경질암(硬質岩), 조암(粗岩).

rágs-to-rìches *a.* 가난한 처지에서 출세한 (사람에 관한), 가난에서 일약 큰 부자가 된.

rág·tàg *n.* = RAGTAG AND BOBTAIL. — *a.* 넝마의, 몰락한, 초라한.

rágtag and bóbtail (the ~) 사회의 찌꺼기, 하층민, 부랑자, 오합지졸.

rág·tìme 〖음악〗 *n.* Ⓤ,Ⓒ 래그타임《빠른 박자로 싱코페이션(syncopation)을 많이 사용한 곡; 재즈 음악의 시초》; 그 박자. — *a.* 흘가분한, 되어가는 대로의; 우스꽝스러운, 머리가 돈.

rág·tòp *n.* 《미속어》 포장 지붕식 자동차(convertible automobile).

rág tràde (the ~) 《구어》 복식 산업《특히 여성의 겉옷을 다루는》. ⓟ **rág tràder**

rág·wèed *n.* 〖식물〗 **1** 돼지풀, 호그위드《꽃가루는 알레르기의 원인》. **2** = RAGWORT.

rág wèek 《영》 (학생의) 자선 가장행렬이 있는 주(週).

rág whèel (자전거의) 사슬톱니바퀴.

rág·wòrm *n.* = CLAMWORM.

rág·wòrt *n.* 개쑥갓속(屬)의 식물.

rah [rɑː] *int.*, *n.*, *v.* = HURRAH. — *a.* = RAH-RAH.

rah-rah [rɑ́ːrɑ́ː] *a.* 《구어》 열광적으로 응원하는, 모교〔팀〕 의식을 노골적으로 표시하는: ~ boys 응원단. — *vi.* 응원하다.

rai [rai] *n.* 라이《록·펑크·레게(reggae) 따위의 서양 음악과 혼합된 북아프리카의 민속 음악》.

RAI Radiotelevisione Italiana (이탈리아 방송 협회).

***raid** [reid] *n.* **1** 급습, 습격; (약탈 목적의) 불의의 침입《*into*》; 침략군: an air ~ 공습. **2** (경찰의) 불시 단속; (불량배) 일제 검거《*on, upon*》: a police ~ 경찰의 단속 / a drugs ~ 마약 단속. **3** 〖금융〗 (주가 폭락을 노리는 투기꾼의) 투매. **4** 공금 유용. **5** 종업원·조합원을 빼돌리기〔스카우트하기〕. **6** (R-) 레이드《가정용 살충제; 상표명》. *make a* ~ *upon* …을 습격〔수색〕하다. — *vt.* **1** 급습하다; 쳐들어가다; (경찰이) 수색하다. **2** (투기꾼이 시장을) 어지럽히다. — *vi.* **1** 《~/+전+명》 침입〔급습〕하다《*on, upon*》; (경관이) 들이닥치다《*into*》: Some Indians ~*ed on* the settlers. 인디언이 개척자를 습격하였다. **2** 시장을 어지럽히다. ⓟ **∠·er** *n.* 급습자; 침입자, 침략자; 〖군사〗 특공대(원); (시장을) 교란시키는 사람; (주식 등의 비밀 매입으로 기업의) 경영권을 빼앗는 사람.

RAID 〖컴퓨터〗 *r*edundant *a*rray of *i*nexpensive *d*isks《효율화·사고 대책을 위해 일련의 하드디스크를 연동해서 사용하는 것》.

*‡***rail**¹ [reil] *n.* **1** (울·수건걸이 따위의) 가로대, 가로장. **2** 난간; (*pl.*) 울타리. **3** 레일, 궤조(軌條), 철도. **4** 《미속어》 철도원; (*pl.*) 〖경제〗 철도주(株). **5** (문 따위의) 위아래 테. **6** 현장(舷牆)의 상부(의 가로장). (*as*) **straight as a** ~ 팽팽하게, 똑바로. (*as*) **thin as a** ~ 몹시 여위어 홀쭉한. **by** ~ 철도(편으)로. **catch a** ~ =《속어》 take GAS. **keep on the** ~**s** 관례에 따라 행동하다〔시키다〕. **off the** ~**s** (열차가) 탈선하여; 《비유》 질서를 문란시켜, 혼란하여; 미쳐서: go

〔run〕 *off the ~s* 탈선하다; 혼란하다; 이상하게 되다. ***on the ~s*** 궤도에 올라, 순조로이 진행되어. ***over the ~s*** 〖해사〗 뱃전에 기대어; (뱃전을 넘어) 바닷속으로. ***ride*** a person ***out on a ~*** 《미》 아무를 가로장 위에 싣고 교외로 나르다《린치의 하나》; 《비유》 사회에서 매장시키다. ***sit on the ~*** 어느 쪽에도 가담하지 않다.

— *vt.* **1** 《~+목/+목+부/+목+전+명》 난간〔가로장〕으로 사이를 막다〔두르다〕《*off; in*》: The garden is *~ed off from* the path. 정원은 울짱으로 작은 길과 격해 있다. **2** 철로를 깔다; 《영》 철도로 수송하다. — *vi.* 기차로 여행하다.

rail² (*pl.* ~(**s**)) *n.* 〖조류〗 흰눈썹뜸부기류(類).

rail³ *vi.* 《+전+명》 욕을 퍼붓다, 악담하다《*at; against*》: ~ *against* 〔*at*〕 one's enemies 적을 저주하다. — *vt.* (…을) 매도(罵倒)하여 …로 하다. — *a.* 매도하는. ㊞ **~·er** *n.*

rail·age [réilidʒ] *n.* Ⓤ 철도 운임; 철도 수송.

ráil·bìrd *n.* 《미구어》 (울타리에서 경마나 조련을 구경하는) 경마광.

ráil·bùs *n.* 궤도〔레일〕 버스.

ráil·càr *n.* 기동차; 《미》 철도 차량.

ráil fénce 《미》 가로장 울타리.

ráil·gùn *n.* 〖군사〗 레일건《두 도전용(導電用) 레일 사이에 대(大)전류를 순간적으로 흘려 그 힘으로 가속하여 포탄을 발사하는 포》.

ráil·hèad *n.* 철도의 시발점〔종점〕; (부설 중의) 철로의 끝; 〖군사〗 (군수품) 철도 수송 종점《그 다음은 도로 수송》; (부설 중인) 철도 선로의 말단; 《비유》 가장 먼 지점, 말단; 〖철도〗 레일의 윗부분《바퀴와 접촉하는》.

ráil·ing¹ *n.* (종종 *pl.*) 난간; 목책·울 따위의 재료.

ráil·ing² *a.* 욕설하는, 매도하는. — *n.* Ⓤ 욕설, 폭언.

rail·lery [réiləri] *n.* Ⓤ,Ⓒ 농담, 조롱, 야유.

ráil·less *a.* 궤도 없는.

ráil·man [-mən] (*pl.* ***-men*** [-mən, -mèn]) *n.* 철도 종업원; 독(dock)의 화물 적재 신호계원.

ráil mòtor 기동차(汽動車), 전동차.

ráil-mótor *a.* (수송·요금이) 철도·자동차 혼용의.

ráil rìde 〖윈드서핑〗 레일 라이드《보드를 옆으로 세우고 그 가장자리에 서서 범주(帆走)하기》.

rail·road** [réilròud] *n.* 《미》 **1** 철도 (선로), 궤도: a ~ accident 철도 사고/a ~ car 철도 차량/a ~ fare 〔tariff〕 철도 운임〔운임표〕/a ~ line 철도 노선/a ~ train 열차/construct a ~ 철로를 부설하다. **2** 철도《회사·종업원·시설을 포함함; 생략: R.R.》: a ~ company 철도 회사. **3** (*pl.*) 철도주(株). **4** 〖볼링〗 =SPLIT. (a hell of***) ***a way to run a ~*** 《구어》 서투른 처사〔수단, 순서, 준비〕. — *vt.* **1** …에 철도를 놓다. **2** 철도로 수송하다. **3** 《+목+전+명》 《구어》 재촉하여〔부당한 방법으로〕 …에게 시키다, …을 쫓다; (의안 따위를) 무리하게 통과시키다: We were *~ed into* working on Sunday. 우리는 다그치는 바람에 일요일에도 일했다/~ a bill *through* Congress 법안을 의회에서 강제로 통과시키다. **4** 《+목+전+명》 죄명을 만들어 투옥하다, …에 누명을 씌우다: He was *~ed to* prison without a fair trial. 그는 아무런 공평한 재판도 받지 않고 투옥되었다. — *vi.* **1** 철도로 여행하다. **2** 《미》 철도에서 일하다. ㊞ **~·er** *n.* 《미》 철도원, 철도 종업원; 철도 부설 기술자.

ráilroad cròssing 《미》 철도 건널목.

ráilroad flàt 〔**apàrtment**〕 《미》 복도가 없는 기차간식 아파트.

ráil·ròading *n.* Ⓤ 《미》 철도 부설 사업〔작업〕; 철도 경영; 철도 여행; 《구어》 사람〔일〕을 재촉하기, (의안의) 억지 통과.

ráilroad màn 《미》 =RAILROADER.

ráilroad pèn 《미》 (제도용) 복선 가막부리.

ráilroad stàtion 《미》 철도역.

ráil-splìtter *n.* **1** (통나무를 빠개어 울타리의) 가로대를 만드는 사람. **2** (the R- S-) Abraham Lincoln의 별명.

ráil tràck 궤도, 선로.

rail·way** [réilwèi] *n.* **1** 《영》 철도(《미》 railroad): a strategic ~ 군용 철도/a tube ~ 지하철. **2** 《미》 경편(輕便)〔시가, 고가, 지하철〕 궤도: a surface ~ 노면 철도/~ shares 철도주(株)/a ~ novel (차 안에서) 가볍게 읽을 수 있는 소설. ***at ~ speed 부랴부랴, 황급히. — *vi.*, *vt.* 《영》 =RAILROAD.

ráilway càrriage 《영》 객차.

ráilway cròssing 《영》 철도 건널목.

ráilway cùrve 운형(雲形)자.

ráilway·màn [-mæ̀n, -mən] (*pl.* ***-men*** [-mèn, -mən/mən]) *n.* 《영》 =RAILROAD MAN.

ráilway rúg 《영》 기차 여행용 무릎덮개.

ráilway stàtion 《영》 철도역.

ráilway-yàrd *n.* 《영》 (철도의) 조차장(操車場).

rai·ment [réimənt] *n.* Ⓤ 《고어·시어》 의류, 의상. ⓒⓕ array, garb, garment.

†rain [rein] *n.* **1** Ⓤ 비; Ⓒ 강우; Ⓤ 우천; 빗물: a heavy ~ 호우(豪雨)/be caught in the ~ 비를 만나다/go out in the ~ 비가 오는 데도 나가다/It looks like ~. 비가 올 것 같다/The ~ began to fall. 비가 내리기 시작했다. **2** (*pl.*) 소나기; 한 차례 내리는 비, 장마; (the ~s) (열대의) 우기: spring ~*s* 봄장마. **3** (a ~) 《비유》 빗발(치는 듯한…): a ~ *of* bullets 빗발치는 총알/a ~ *of* abuses 마구 퍼붓는 욕설. (***as***) ***right as ~*** 《영구어》 완전히 건강을 회복하여. ***in ~*** 빗발치듯. ***~ or shine*** 〔***fine***〕 =***come ~, come shine***=***come ~ or*** (***come***) ***shine*** 비가 오거나 말거나; 어떤 일이 있어도. ***the Sea of Rains*** (월면(月面)의) 비의 바다(Mare Imbrium).

— *vi.* **1** 〔it을 주어로〕 비가 오다: *It's ~ing.* 비가 오고 있다/*It* never *~s* but it pours. 《속담》 왔다 하면 장대비다, 화불단행(禍不單行). **2** 《+전+명/+부》 비오듯 내리다: Shells and bullets *~ed upon* us. 총포탄이 비오듯 날아왔다/The leaves came *~ing down*. 낙엽이 비오듯 떨어졌다. **3** 《+전+명》 (신·구름 따위가) 비를 내리다《*on*》: The lightning flashed and the sky *~ed on* us in torrents. 번개가 치고 비가 억수같이 퍼부었다. — *vt.* **1** 《+목+부》 〔it을 주어로; ~ oneself〕 비를 내리다: *It* has *~ed* it*self out*. 비가 그쳤다. **2** 〔it을 주어로〕 …의 비를 내리게 하다: *It ~ed* large drops. 굵은 비가 내렸다. **3** 《~+목/+목+부/+목+전+명》 빗발치듯 퍼붓다: ~ kisses 키스를 퍼붓다/It *~ed* blood 〔invitations〕. 피가 비오듯 쏟아졌다 〔초대장이 쇄도했다〕/Honors were *~ed* (*down*) *upon* him. 수많은 영예가 그에게 주어졌다. ***be ~ed on*** 비 맞히다: This box should not *be ~ed on*. 이 상자를 비 맞게 해서는 안 된다. ***be ~ed out*** 〔《영》 ***off***〕 비 때문에 중지〔연기〕되다. ***It ~s in*** (at the window). (창문으로) 비가 들이친다. ***~ in*** (지붕 등에서) 비가 새다; (비같이) 쇄도하다.

ráin·bànd *n.* 강우대(降雨帶)《대기의 수증기에 의해 일어나는 태양 스펙트럼의 흑대》.

ráin·bìrd *n.* 울음소리가 비를 예고한다고 믿어지고 있는 각종 새《영국에서는 green woodpecker, 독일에서는 물떼새 따위》.

ráin bòots 우화, 비신, 레인 부츠.

rain·bow** [réinbòu] *n.* **1 a** 무지개; 무지개 모양의 것; 가지각색: a primary 〔secondary〕 ~ 수〔암〕무지개. **b** 헛된 희망. **2** =RAINBOW TROUT; 《속어》 =RAINBOW PILL. ***all the colors of the ~

갖가지의 빛깔. *chase* (*after*) ~*s* 이룰 수 없는 소망을 품고 많은 시간을 허비하다. *over the* ~ 《구어》 매우 기뻐하여. —*a.* 무지개 빛깔의, 7색의; 여러 색의; 가지각색의. —*vt.* …에 무지개가 서게 하다, 무지개같이 만들다. —*vi.* 무지개처럼 보이다.

ráinbow chàser 공상가.

ráinbow coalítion 무지개 연합《미국의 흑인 운동 지도자 Jesse Jackson 목사가 제창한 정치·사회 운동의 슬로건; 흑인, Hispanic, 아시아계, 여성, 고령자 등의 결집을 무지개에 비유한 것》.

ráinbow nátion 다인종 국가.

ráinbow pìll 《속어》 여러 빛깔로 된 정제.

ráinbow tròut 【어류】 무지개송어《캐나다산》.

ráin bòx 【연극】 비 상자《빗소리를 내는 효과 장치》.

ráin chàrt 등우량선도(等雨量線圖).

ráin chèck, ráin·chèck 우천 입장 보상권《야구 경기 등을 우천으로 연기할 때 주는 다음 회 유효권》; (초대 등의) 연기; (품절의 경우 따위에) 후일 우선 물품〔서비스〕 보증: give 〔take〕 a ~ 후일에 다시 초대하기로 약속하다〔그 약속에 응하다〕. —*vt.* 연기하다.

ráin clòud 비구름(nimbus).

rain·coat [réinkòut] *n.* 레인코트, 비옷.

ráin dànce (특히 북아메리카 인디언들이) 기우제를 올릴 때 추던 춤; 《속어》 성대한 정치적 접대, (정치가를 위한) 성대한 환영회〔연회〕.

ráin dàte 행사 당일이 우천일 경우의 변경일.

ráin dòctor 기우사(祈雨師)《마술로 비를 내리게 하는》.

ráin·dròp *n.* 낙숫물, 빗방울.

rain·fall [réinfɔ̀ːl] *n.* 강우(降雨); 강우량, 강수량: a ~ chart 등우량선도(等雨量線圖) / (a) ~ of 10 inches a year 연간 10인치의 강수량.

ráin fòrest 【생태】 다우림(多雨林), 강우림, 《특히》 열대 다우림.

ráin gàuge 우량계.

ráin glàss 청우계(barometer).

ráin·less *a.* 비가 안 내리는, 건조하기 쉬운. ㊞ ~·ness *n.*

ráin·màker *n.* **1** 《구어》 인공 강우 과학자〔전문가〕. **2** =RAIN DOCTOR. **3** 《미속어》 유력한 원외(院外) 활동가.

ráin òut 《미속어》 (옥외 행사의) 우천 중지.

ráin·òut *n.* 【물리】 방사성 물방울의 강하.

ráin·pròof *a.* 방수의. —*n.* 방수 코트. —*vt.* …에 방수 처리를 하다.

ráin shàdow 【기상】 비그늘《산의 바람이 불어가는 쪽인 강우량이 적은 지역》.

ráin·shòwer *n.* 【기상】 취우(驟雨), 소나기.

ráin·spòut *n.* (배수용 세로) 홈통; 물기둥.

ráin·stòrm *n.* 폭풍우.

ráin·swèpt *a.* 비바람을 맞은, 비바람에 노출되어 바랜.

ráin·wàsh *n.* Ⓤ 【지학】 빗물에 의한 침식; 빗물에 의해 씻겨내려간 것《토사 따위》.

ráin·wàter *n.* 빗물.

ráin·wèar *n.* Ⓤ 비옷, 우비.

ráin·wòrm *n.* 【동물】 지렁이.

rainy [réini] (*rain·i·er; -i·est*) *a.* **1** 비 오는, 우천의; 비가 많이 내리는: a ~ district 비가 많이 오는 지방 / ~ weather 우천. **2** 비 올 듯한, 우기(雨氣)〔비〕를 품은: ~ clouds 비구름. **3** 비에 젖은: a ~ street. ㊞ **ráin·i·ly** *ad.* 비가 와서. **-i·ness** *n.* 비가 많이 내림.

ráiny dáy **1** 우천. **2** 《비유》 만일의 경우, 돈에 궁했을 때: provide against 〔for〕 a ~ 만일을 위해 비축하다. ***save up for a*** ~ 만일의 경우에 대비하여 저축하다.

raise [reiz] *vt.* **1** 《~+목/+목+전+명/+목+부》 (위로) 올리다, 끌어올리다《비유적으로도 씀》: ~ a curtain 막을 올리다 / ~ the price 〔temperature, rent〕 물가〔온도, 집세〕를 올리다 / ~ the volume of a radio 라디오의 볼륨을 높이다 / ~ water *from* a well 우물물을 길어올리다 / ~ *up* one's arms 팔을 들다.

> SYN. **raise** 주로 수직 방향으로 들어올리다. 비유적 용법도 많음: *raise* a chair above one's head 의자를 머리 위로 들어올리다. *raise* the standard of living 생활수준을 높이다. **lift** raise와 비슷하나 들어올렸을 때 밑에 생기는 공간이 암시됨: *lift* a book to dust under it 밑의 먼지를 떨기 위해 책을 들어올리다. *lift* a log onto a truck 통나무를 트럭에 싣다《트럭 높이의 공간이 통나무 밑에 생김을 시사함》. **elevate** raise, lift와 바꿀 수 있는 말이지만, '위치 상승'에 역점이 있음: *elevate* one's eyebrows 눈썹을 치켜 올리다.

2 《~+목/+목+전+명/+목+부》 (안아) 일으키다, 일으켜 세우다: ~ a fallen child 넘어진 어린애를 일으키다 / ~ a person *from* his knees 무릎 꿇은 사람을 일으키다 / He ~*d* himself (*up*) *to* his full height. 그는 일어나 섰다.

3 《+목+전+명/+목+부》 승진〔출세〕시키다: I'll ~ you *to* manager. 자네를 지배인으로 승진시켜 주겠네 / He was ~*d up over* all his equals. 그는 동료 중에서 발탁되었다.

4 《+목+전+명》 분기시키다, 격분시키다: ~ the country *against* the enemy 적에 대항해서 국민을 분기시키다.

5 《~+목/+목+전+명》 (영혼 등을) 불러내다; (죽은 자를) 되살리다: ~ the dead 죽은 사람을 되살리다 / ~ a person *from* the dead 아무를 소생시키다.

6 (새를) 날개치게 하다; (먼지를) 일으키다〔피우다〕: ~ a (cloud of) dust (뽀얗게) 먼지를 일으키다.

7 (곤란·문제 따위를) 일으키다, 제기하다: ~ a moral issue 도덕상의 문제를 제기하다 / ~ an issue at law 소송을 제기하다.

8 (소동·폭풍 따위를) 일으키다: ~ a revolt 반란을 일으키다.

9 《~+목/+목+전+명》 (생리적·육체적 현상을) 일으키게 하다: ~ a laugh *from* the audience 관객을 웃기다 / a story that might ~ a blush *on* a girl 처녀가 얼굴을 붉힐 만한 이야기.

10 (소리를) 지르다: ~ one's voice 고함을 지르다; 여러 사람 가운데서 언성을 높이다 / ~ a cry 〔voice〕 against …에 항의하다.

11 (집 따위를) 세우다, 건축〔건립〕하다: ~ a monument 기념비를 세우다.

12 기르다, 사육하다, 재배하다: ~ five children 다섯 아이를 기르다. SYN. ⇨ GROW.

13 《~+목/+목+전+명/+목+부》 (돈을) 마련〔조달〕하다, 모금하다; (병사를) 모집하다: ~ funds *for* a new scholarship 새로운 장학금을 위해 기금을 모으다 / ~ *up* an army 모병하다.

14 돋우다, (조각·주물 따위에서) 돋을새김을 하다; (빵을) 부풀리다《이스트 따위로》.

15 …의 털〔보풀〕을 곤두세우다: ~ cloth 천에 보풀을 세우다.

16 (포위·금지 따위를) 풀다: ~ a siege 포위를 풀다 / ~ an oil embargo 석유 수출 금지를 풀다.

17 【해사】 (육지·딴 배 등이) 보이는 곳까지 오다: ~ land 뭍이 보이는 곳으로 다가가다.

18 【카드놀이】 더욱 많이 걸다《*up*》.

19 (통신으로) 호출하다, …와 교신하다.

20 《미》 【상업】 (수표 따위를) 변조하다: ~ a check 수표를 (고액으로) 변조하다.

21 《미》 (위원·위원회를) 임명〔구성〕하다.

22 (가래를) 기침하여 뱉다.

— *vi.* **1** 《미방언》 오르다; 몸을 일으키다. **2** 〖카드놀이〗 돈을 더 걸다.
~ ***a dust*** ⇨ *vt.* 6; 소동을 일으키다. ~ ***a hand*** 〔보통 부정문〕 무엇인가를 하다, 자기에게 맡겨진 일을 하다. ~ ***Cain*** 〔***hell, hell's delight, the roof, ned, heck, the devil, the mischief,*** etc.〕 《구어》 ① 큰 소동을 일으키다; 말다툼〔분쟁〕을 시작하다. ② 화 내다, (큰 소리로) 질책하다, 호통치다. ~ ***color*** 염색해서 색깔을 내다. ~ one***'s back*** 고집을 부리다, 반항하다. ~ one***'s eyes*** 눈을 치켜 올리다, 올려다보다. ~ one***'s glass to*** a person 아무의 건강을 축복하여 건배하다. ~ one***'s head*** 머리를 들다; 출현하다, 나오다. ~ one***'s sights*** 희망을〔목표를〕 높게 가지다. ~ a person***'s spirits*** 아무의 기운을 북돋우다. ~ ***the wind*** ⇨ WIND.
— *n.* 《미》 **1** 올림. **2** 높인 곳, 돋운 곳. **3** 《속어》 조달. **4** (도박에 태우는 돈 따위의) 증가; 가격 인상, 《미》 임금 인상, 승급(액)(《영》 rise): a ~ in salary 승급. **5** 승갱도(昇坑道). ***make a*** ~ 찾아내다; (돈을) 마련하다.
[파] **ráis·er** *n.* **1** 올리는 사람〔것〕. **2** 《미》 사육자, 재배자. **3** (자금 등의) 조달자. **4** 보풀 세우는 공원; 기모기(起毛機). **5** 효모. **6** 〖포경〗 부양기(浮揚器).

raised *a.* **1** 높인, 높아진, 봉긋한. **2** 도드라진: ~ type 점자(點字) / ~ work 돋을새김. **3** (빵 따위를) 효모로 부풀린: ~ biscuit 베이킹파우더를 넣어 만든 비스킷 / ~ pastry 부풀어오르게 구운 케이크. **4** 보풀이 일게 한.

ráised béach 융기 해안(층).

ráised ránch 아래층 반은 지하가 된 2 층집, 미니 2 층(bilevel).

***rai·sin** [réizən] *n.* 건포도; 짙은 청자색(青紫色); 《미속어》 흑인; 《미속어》 노인, 할머니.

rai·son d'é·tat [*F.* rɛzɔ̃ deta] 《F.》 국가적 이유〔견지〕.

rai·son d'ê·tre [réizoundétrə/-zɔ̀:ndéit-] 《F.》 (*pl.* ***rai·sons d'être*** [réizounz-/-zɔ́:ndéit-]) 존재 이유.

rai·son·né [*F.* rɛzɔne] *a.* 《F.》 조직〔합리〕적으로 배열〔분류〕한. ***a catalogue*** ~ 분류 목록.

raj [rɑ:dʒ] *n.* 《Ind.》 주권, 지배, 통치.

ra·ja, ra·jah [rá:dʒə] *n.* 《Ind.》 (종종 R-) (인도의) 왕〔왕자〕, 왕후(王侯), 수장(首長); 귀족; (말레이 · 자바의) 추장; =MAHARAJA.

Raj·put, Raj·poot [rá:dʒpu:t] *n.* 크샤트리아 《인도의 무사 계급의 일원(一員)》.

rake**[1] [reik] *n.* 갈퀴; 고무래(꼴의 부지깽이); (도박장의) 판돈 거두어들이는 도구. (as***) ***lean*** 〔***thin***〕 ***as a*** ~ ⇨ THIN.
— *vt.* **1** 《~+[목]/+[목]+[부]/+[목]+[전]+[명]/+[목]+[보]》 갈퀴로 긁다, 긁어내다《*out*》; 긁어모으다《*together; up*》; 긁어서 고르다; 긁어서 치우다《*off*》: ~ a field 고무래로 밭을 고르다 / ~ *together* dead leaves 낙엽을 갈퀴로 긁어모으다 / ~ fallen leaves *from* a lawn 잔디밭에서 낙엽을 긁어 치우다 / ~ a path clean 갈퀴로 길을 깨끗이 청소하다. **2** 《+[목]+[부]/+[목]+[전]+[명]》 샅샅이 찾다, 찾아 돌아다니다: ~ *out* information 정보를 수집하다 / ~ old magazines *for* facts 묵은 잡지를 뒤져서 사실을 모으다. **3** 《+[목]+[부]》 들추어서 밝히다《*up*》: ~ *up* an old scandal 해묵은 추문을 들춰내다. **4** 《~+[목]/+[목]+[전]+[명]》 (멀리) 바라보다, (죽) 훑어보다: ~ the field *with* a telescope 망원경으로 들을 바라보다. **5** 《+[목]+[부]》 (부 · 재산을) 재빨리〔풍부히〕 손에 넣다《*in*》: He had ~*d* the cash *in* night after night for years. 그는 몇 해 동안 매일 밤 많은 돈을 긁어들였다. **6** 〖군사〗 (총 따위로) 소사(掃射)하다 《*with* ...》. — *vi.* **1** 갈퀴를 쓰다〔사용하다〕, 갈퀴로 긁다《*over*》. **2** 《+[전]+[명]/+[부]》 깊이 파고들다《*in; into; among*》; 샅샅이 뒤지다: He ~*d into* our life. 그는 우리 생활을 이것저것 조사하였다 / I ~*d* (*about*) *among* 〔*through*〕 the old papers. 묵은 서류를 샅샅이 뒤졌다. ~ ***and scrape*** 돈벌이에 힘쓰다. ~ ***down*** 《미속어》 (내기 따위로 돈을) 벌다; …을 꾸짖다. ~ ***in*** 《구어》 (돈 등을) 긁어들이다: ~ it *in* 큰돈을 벌다. ~ ***off*** 《구어》 (리베이트를) 받다. ~ ***out*** ① 긁어내다: ~ *out* a fire (화덕의) 불을 긁어내다. ② 《구어》 …을 찾아내다. ~ ***over*** 〔***up***〕 (과거 · 추문 따위를) 들추어내다. ~ ***over the ashes*** 〔***coals***〕 = ~ ***over old ashes*** 의논을 되풀이하다, 과거의 일에 대해 나무라다. ~ ***the leaves*** 《CB속어》 뒤에 경찰차가 따라오는지 조심하다.
[파] **rák·er** *n.* 갈퀴를 사용하는 사람; 거리 청소 인부; 긁어모으는〔찾아내려는〕 사람; (벽을 받쳐 주는) 버팀대〔목〕.

rake[2] *n.* 〖해사〗 이물〔고물〕의 돌출(부); (마스트 · 연돌 따위의) 고물〔뒤〕쪽으로의 경사(도); 〖연극〗 무대〔관람석〕의 경사; 〖항공〗 (날개 · 프로펠러의) 경사; 〖기계〗 (절삭(切削) 공구의) 날의 경사각(角).
— *vt., vi.* (돛대 · 연돌 등이) 고물〔뒤〕쪽으로 경사지(게 하)다. 「방탕하다.

rake[3] *n.* 난봉꾼, 방탕자(libertine). — *vi., vt.*

rake[4] *vi.* (매가) 사냥감을 쫓아서 날다; (사냥개가) 땅에 코를 대고 사냥감을 쫓다; 《방언》 빨리 나아가다: ~ out 〔off, away〕 (매가) 사냥감과 빗나가서 날다. 「= RAKE[3]. [파] **-hèlly** *a.*

rake·hell [réikhèl] 《고어》 *a.* 방탕한. — *n.*

ráke-òff *n.* 《구어》 (특히 거래상의 부정한) 구문, 배당, 리베이트(rebate).

rak·ish[1] [réikiʃ] *a.* (배가) 경쾌한, 속력이 빠를 것 같은; 멋진, 날씬한(smart), 쾌활한. [파] ~**·ly** *ad.* ~**·ness** *n.* 「*ad.* ~**·ness** *n.*

rak·ish[2] *a.* 방탕한; 건달패티가 나는. [파] ~**·ly**

rale, râle [ræl, rɑ:l/rɑ:l] *n.* 《F.》 〖의학〗 (청진기에 들리는 호흡기의) 수포음(水泡音), 라셀음.

Ra·le(i)gh [rɔ́:li, rá:li] *n.* **Sir Walter** ~ 롤리 《영국의 정치가 · 탐험가; 1552?-1618》.

rall [rɔ:l] *n.* 《미속어》 폐결핵 환자.

ral·len·tan·do [rà:ləntá:ndou/rælentǽn-] *a., ad.* 《It.》 〖음악〗 랄렌탄도, 점점 느린〔느리게〕(《생략: rall.》). 「륜 마차.

rál·li càr(t) [rǽli-] (종종 R-) 4인승 소형 2

***ral·ly**[1] [rǽli] *vt.* **1** 다시 모으다, (…을) 재편성하다: ~ the fleeing troops 패주하는 부대의 진용을 재편성하다. **2** (공통의 목적을 위해) 불러모으다: The leader *rallied* the workers. 감독은 노무자들을 불러모았다. **3** (정력 따위를) 집중시키다: *Rally* your energy for one last effort. 다시 힘내서 최후의 노력을 해봐라. — *vi.* **1** 다시 모이다: The enemy is ~*ing* on the hill. 적은 언덕 위에 다시 집결하고 있다. **2** 《+[전]+[명]》 (공통의 목적 · 주의 · 아무의 지지를 위하여) 모이다; 참가하다《*to; round*》: He *rallied to* his defeated friend. 그는 좌절한 친구를 도우러 달려갔다 / His partisans *rallied round* him. 그의 일당들이 그를 도우러 모였다. **3** 《~/+[전]+[명]》 (병 등에서) 회복하다: ~ *from* illness 병에서 회복하다. **4** 《~/+[전]+[명]》 〖경제〗 (증권 등의) 시세가 회복하다〔반등하다〕: ~ *in* price. **5** (테니스 등에서) 공을 연달아 서로 쳐 넘기다, 랠리하다; 〖야구〗 반격하다. **6** 《미》 끝까지〔철저히〕 해보다.
— *n.* **1** 재거(再擧); 집결; 참집. **2** 〖정치 · 종교〗 대회, 집회: a political 〔peace〕 ~ 정치〔평화〕 집회 / a (work)shop ~ 직장 대회. **3** 자동차 랠리《규정된 평균 속도로 공로에서 행하는 장거리 경주》. **4** (건강 · 경기 등의) 회복, 만회; 〖증권〗

반발; (야구에서) 반격. **5** (배드민턴·테니스 등에서) 서로 연달아 쳐 넘기기, 랠리; 〖권투〗 서로 연타하기. **6** 《CB속어》 CB 교신자의 집회.
㊞ **ral·li·er** [rǽliər] *n.* 집회 참가자.
ral·ly² *vt., vi.* 놀리다, 조롱하다. ── *n.* 놀림, 조롱.
ral·ly·cross [rǽlikrɔ̀ːs, -kràs/-krɔ̀s] *n.* 랠리크로스《자동차의 황무지 주행 경기》.
ral·lye [rǽli] *n.* 《F.》 =RALLY¹ 3.
rállying crỳ (정치 운동 등의) 슬로건, 표어; 함성.
rál·ly·ing·ly *ad.* 조롱하여, 농담으로.
rállying pòint 재집결지; 활력 회복점, 세력을 회복하는 계기(가 되는 것).
rál·ly·ist *n.* (자동차) 랠리 참가자.
rálly·màster *n.* (자동차) 랠리 조직 위원장.
Ralph [rælf/reif, rɑːlf, rælf] *n.* 랠프《남자 이름》.
ralph [rælf] *vt., vi.* 《미속어》 =VOMIT.
ram [ræm] *n.* **1** (거세하지 않은) 숫양《암양은 ewe》; (the R-) 〖천문〗 양자리, 백양궁(宮)(Aries). **2** 공성(攻城) 망치(battering ~); 충각(衝角)《옛날, 군함의 이물에 붙인 쇠로 된 돌기》; 충각이 있는 군함. **3** 말뚝 박는 메, 달구; 말뚝 박는 드롭 해머. **4** (자동) 양수기(hydraulic ~); (수압기·밀펌프의) 피스톤.
── (*-mm-*) *vt.* **1** 《~+목/+목+전+명》 공성(攻城) 망치로 공격하다; 충각으로 들이받다; 부딪치게 하다《*against; at; into; on*》: ~ one's head *against* a wall 벽에 머리를 부딪다. **2** 《~+목/+목+전+명》 찌르다; 때려 박다《*down; in; into*》; 부딪쳐〔받아〕 넘어뜨리다; 쑤셔 넣다《*with*》: ~ a charge *into* a gun 총에 탄약을 재다. **3** 《+목+부》 (흙을) 다져 굳히다; 되풀이하여 철저하게 하다: ~ earth well *down* 흙을 충분히 다져 굳히다. **4** (의견·법안 등을) 억지로 밀어붙이다《*across; through*》: ~ a bill *through* the Senate 억지로 법안을 상원에서 가결시키다. ── *vi.* 박아 굳히다; (차)가 심하게 부딪다《*into*》; (열차 따위가) 빠른 속도로 움직이다. ~ ***home*** 반복하여 (의논을) 충분히 납득시키다〔강조하다〕; (사고(事故) 따위의 상황이 필요성을) 통감케 하다.
㊞ **∠·like** *a.*
RAM [ræm] 〖컴퓨터〗 random-access memory (막기억 장치, 램; 무작위 접근 기억 장치).
R.A.M. 《영》 Royal Academy of Music.
Ra·ma [rɑ́ːmə] *n.* 〖힌두교〗 라마《Vishnu 신의 일곱째 화신(化身)》.
Ram·a·dan [ræ̀mədɑ́ːn] *n.* 라마단, 단식월(月)《이슬람력(曆)의 9 월; 이 한 달 동안은 해가 뜰 때부터 해가 질 때까지 단식함》; ~의 단식.
rám-àir tùrbine 〖항공〗 램에어터빈《고장에 대비하여 장치하는 작은 터빈으로, 비행기의 풍압을 원동력으로 이용함》.
Ra·ma·krish·na [rɑ̀ːməkríʃnə] *n.* 라마크리슈나(1836-86)《인도의 종교가; 모든 종교는 유일한 궁극적인 진리에 대한 다른 면을 나타내는 것이라고 주창하였음》.
Rá·man effèct [rɑ́ːmən-] 〖물리〗 라만 효과《빛이 투명한 물질을 통과할 때, 산란광에 파장이 다른 빛이 섞이는 현상》.
Ra·ma·pith·e·cus [rɑ̀ːməpíθikəs, -pəθíː-] *n.* 라마피테쿠스속(屬)《제 3 기 마이오세(世)에 절멸한 유인원; 인도·파키스탄에서 화석 출토》.
Ra·ma·ya·na [rɑːmɑ́ːjənə/-máiənə, -mɑ́ːjə-] *n.* (the ~) 라마야나《범어로 기록된 고대 인도의 서사시》. ⓒⓕ Mahabharata.
ram·ble** [rǽmbəl] *n.* 소요, 산책; 만담; 꼬부랑길: a ~ among books 독서 한담(閑談). ***on the ~ 거닐면서. ── *vi.* **1** 《~/+부/+전+명》 (이리저리) 거닐다: ~ *about in* a park 공원을 어슬렁어슬렁 거닐다/They ~*d through* the woods. 그들은 숲속을 어슬렁어슬렁 거닐었다. SYN. ⇨ WALK. **2** 두서없이 이야기하다〔쓰다〕. **3** 《~/+전+명》 (덩굴풀 등이) 퍼지다: Vines ~*d over* the fence. 덩굴이 담장 위로 뻗었다. **4** (강·길이) 구불구불 뻗어 가다, 굽이치다. ~ ***on*** 장황하게 지껄이다. ㊞ **rám·bler** *n.* ~하는 사람〔것〕; 〖식물〗 덩굴장미(=**rámbler ròse**).
rám·bling *a.* 어정버정하는; 방랑성의; 산만한, 종작없는; (집·가로가) 무질서하게 뻗어 있는; 〖식물〗 덩굴지는; 《미속어》 (열차가) 빠른. ㊞ **~·ly** *ad.* **~·ness** *n.*
Ram·bo [rǽmbou] *n.* **1** 람보《미국 영화 *Rambo* 시리즈의 주인공; 베트남전에서 귀환한 특수 부대원이 몰인정한 사회 질서에 대해 마음껏 폭력과 파괴를 휘두르는 액션 영화; 주연: Sylvester Stallone》. **2** (흔히 r-) (태도·행동이) 람보 같은 사람, 거칠고 사내다운 남자. ── *vt.* (r-) 《미속어》 (상점 등을) 마구 부수다, …에게 난폭한 짓을 하다, (상대 팀 등을) 참패시키다.
ram·bunc·tious [ræmbʌ́ŋkʃəs] *a.* **1** 《미구어》 (사람·행위가) 어거할 수 없는; 사나운; 사납게 날뛰는; 제멋대로인. **2** 소란스러운, 벌집 쑤셔놓은 듯한. ㊞ **~·ly** *ad.* **~·ness** *n.*
R.A.M.C. Royal Army Medical Corps.
RAM-D [rǽmdíː] 〖군사〗 reliability, availability, maintainability and durability 《(무기 개발에 있어서의) 신뢰성·가동성(稼動性)·정비성·내구성》.
ram·e·kin, -quin [rǽmikin] *n.* 〖요리〗 치즈에 빵가루·달걀 따위를 섞어서 틀에 넣어 구운 것; 이 요리를 굽는 사기그릇(=**∠ càse** 〔**dìsh**〕).
Ram·e·ses [rǽməsìːz] *n.* =RAMSES.
ram·ie, ram·ee [rǽmi, réimi] *n.* 〖식물〗 모시풀; Ⓤ 그 섬유, 모시.
ram·i·fi·ca·tion [ræ̀məfikéiʃən] *n.* **1** 분지(分枝), 분기; 〖집합적〗 나뭇가지. **2** 지맥(支脈), 지류(支流). **3** 나뭇가지 모양; 분지법(法). **4** 소구분(小區分); 지파(支派), 분파. **5** (흔히 *pl.*) 파생된 (갖가지) 문제, 부차적 영향, 파급 효과, 결과.
ram·i·fy [rǽməfài] *vt.* 〖보통 수동태로〗 분지(分枝)하다; 분파하다; 그물눈처럼 가르다, 작게 구분하다: The railroads *were* once *ramified* over the whole country. 전에는 온 나라 안에 철도가 그물눈처럼 퍼져 있었다. ── *vi.* 가지가 나다; 분파하다, 분지하다; 그물눈처럼 갈라지다, 작게 구분되다.
Ra·mism [réimizəm] *n.* 라무스 철학《프랑스의 논리학자 Petrus Ramus(1515-72)의 논리학설; 아리스토텔레스·스콜라 철학에 반대하여 논리학과 수사학의 결합을 목표로 함》.
rám·jet (**èngine**) [rǽmdʒèt(-)] 〖항공〗 램제트 (엔진)《분사 추진 기관의 일종》.
ram·mer [rǽmər] *n.* **1** 박는〔다지는〕 사람〔물건〕; 때려치는 막대, 메, 달구, 래머. **2** 〖군사〗 탄알 장전구(裝塡具)(ramrod); 꽂을대.
ram·mish [rǽmiʃ] *a.* 숫양(羊) 같은; 냄새 나는, 맛이 좋지 않은; 음탕한.
ra·mose [réimous, rəmóus] *a.* 가지가 많은; 가지로 갈라진; 가지 모양의.
㊞ **~·ly** *ad.*
ra·mous [réiməs] *a.* =RAMOSE; 가지의, 가지 같은.
°**ramp¹** [ræmp] *vi.* **1** 뒷다리로 일어서다《사자 따위가》; 위협하는 자세를 취하다; 덤벼들다. **2** 《~/+부》 《흔히 우스개》 행패

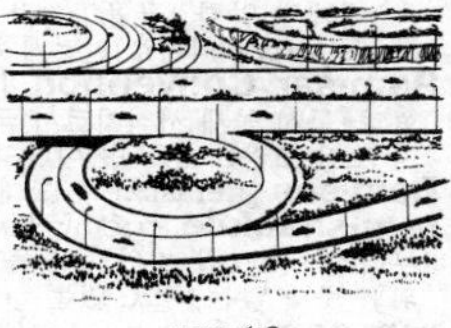
ramp¹ 2

부리다, 날뛰며 돌아다니다; 격노하다《*about*》. **3** (물 위를) 질주하다. **4** (식물이) 타고 오르다. **5** 〖건축〗 경사지다, 물매를 이루다. ── *vt.* 젖혀지게〔휘게〕 하다; 경사로를 만들다; 〖건축·축성(築城)〗 사면을 만들다. ~ ***up*** 《영속어》 결정하다; 준비를 갖추다.

── *n.* **1** (건물의 각부를 연락하는) 경사로; 《일반적》 경사로, 비탈길; 〖건축〗 홍예받이의 고저(高低); 굽은 부분《난간 손잡이 따위의》, 만곡부(灣曲部). **2** 램프, 입체 교차로 따위의 연결용 경사로. **3** 〖문장(紋章)〗 (사자 따위가) 앞발을 들고 덤벼들려는 자세(cf. rampant); 《속어》 격노. **4** (여객기 따위의) 이동 트랩 (boarding ~); 〖항공〗 주기장(駐機場)(apron). **5** 배를 진수(進水)시키는 수로.

ramp² 《영구어》 *n.* 사기, 편취; 폭리. ── *vt., vi.* 사취〔사기〕하다; 훔치다; 폭리를 취하다.

ramp³ *n.* 〖식물〗 =RAMPION; 파속(屬)의 식물; 《특히》 =RAMSON.

ram·page [rǽmpeidʒ/-ˊ] *n.* (성나서) 날뛰기; 발작적 광포성. ***go*** 〔***be***〕 ***on the*** 〔***a***〕 ~ 날뛰다. ── [ræmpéidʒ, ˊ-] *vi.* 성나다; 미쳐 날뛰다《*about*》. ㊞ **ram·pág·er** *n.*

ram·pa·geous [ræmpéidʒəs] *a.* 날뛰며 돌아다니는, 난폭한, 광포한, 휘어잡을 수 없는. ㊞ ~**·ly** *ad.* ~**·ness** *n.*

ramp·an·cy [rǽmpənsi] *n.* Ⓤ **1** (병·미신 등이) 퍼짐, 만연; (식물의) 무성. **2** 〖문장(紋章)〗 (사자 따위의) 뒷발로 서기.

ramp·ant [rǽmpənt] *a.* **1** (사람·짐승이) 과격한, 사나운, 광포한, 날뛰는. **2** (잡초 등이) 무성한, 우거진. **3** (병·범죄·소문 등이) 만연하는, 성한, 대유행의; 마구 퍼지는. **4** 〖문장(紋章)〗 뒷발로 선; 〖건축〗 한쪽 홍예받이가 높은《아치》. ***a lion*** ~ 〖문장(紋章)〗 뒷발로선 사자. ㊞ ~**·ly** *ad.*

rampant 4

ram·part [rǽmpɑːrt, -pərt] *n.* 누벽(壘壁), 성벽; 방어물, 방어자; 《비유》 수비, 방어. ── *vt.* …에 누벽을〔성벽을〕 두르다; 방어하다.

ram·pi·on [rǽmpiən] *n.* 〖식물〗 초롱꽃속(屬)의 식물《유럽산》.

rámp wèight 〖항공〗 램프 중량《항공기가 비행을 개시할 때의 최대 중량》.

rám ràid *n.* 《영속어》 자동차를 상점 안으로 처박아 넣고 상품을 강탈하는 것. ㊞ **rám·ràid·er** *n.*

rám·ròd *n.* **1** 탄약 재는 쇠꼬챙이《전장총(前裝銃)·전장포(砲)에 탄약을 재는 도구》; 꽂을대. **2** 엄격한 교사〔두목, 목장 감독, 상관〕. (***as***) ***stiff*** 〔***straight***〕 ***as a*** ~ 곧은, 직립부동의; (태도나 외관이) 딱딱한: The man's body was (*as*) *stiff as a* ~ when it was found in the snow. 눈 속에서 발견되었을 때 그 남자의 몸은 뻣뻣하게 굳어 있었다. ── *a.* 딱딱한; 강직한; 유연성이 없는. ── (***-dd-***) *vt.* 《구어》 강행하다(*through*), (…에게) 엄한 규율을 강요하다. ~ ***down*** one***'s throat*** 억지로 인정케 하다.

Rám·sar Convéntion [rǽmsɑːr-] 람사르 협약《특히 물새 서식지로서 국제적으로 중요한 습지 보전 조약; 1971년 이란의 람사르에서 채택》.

Ram·ses [rǽmsiːz] *n.* 고대 이집트왕들의 이름.

ram·shack·le [rǽmʃækəl] *a.* (당장이라도) 무너질 듯한《집 따위》; 흔들〔덜컥〕거리는《차 따위》; 줏대 없는, 절조 없는.

ram·son [rǽmzən, -sən] *n.* 〖식물〗 잎이 넓은 마늘의 일종; (*pl.*) 그 뿌리《샐러드용》.

ra·mus [réiməs] (*pl.* ***-mi*** [-mai]) *n.* 〖식물·동물·해부〗 (식물·혈관·골·신경 따위의) 가지; 분기(分枝); (새의) 우지(羽枝)(barb).

Ran [rɑːn] *n.* 〖북유럽신화〗 바다의 여신.

ran [ræn] RUN¹의 과거.

R.A.N., RAN Royal Australian Navy.

ranch [ræntʃ] *n.* **1** 목장, 방목장《일체의 부속 시설을 포함함》; (특정 가축·작물을 기르는) 농장, 사육장: on 〔at〕 the ~ 가축 농장에서. **2** 목장에서 일하는 사람들. **3** 《미》 (대)농장. **4** 《미》 (서부의) 관광 목장(dude ~). ***bury the*** ~ 《미속어》 죽다(bury the farm). ── *vi.* ~을 경영하다; ~에서 일하다. ── *vt.* (농장)의 rancher로서 일하다; (가축 따위를) 사육장에서 기르다. ㊞ **ˊ-·er** *n.* ~에서 일하는 사람, 목장 노동자, 목동; (고용된) 목장 감독; 농장주.

ránch drèssing 〖요리〗 랜치 드레싱《우유 또는 버터 밀크와 마요네즈를 섞어 만든 걸쭉한 샐러드 드레싱》.

ran·che·ria [ræ̀ntʃəríːə/rɑ̀ːn-] *n.* 목장 노동자가 사는 오두막, 목동의 초라한 막사; 목동의 막사가 모여 있는 부락; 인디언의 부락.

ranch·er·ie [rǽntʃəri/rɑ́ːntʃ-] *n.* 《Can. 서부》 (인디언의) 보류지, 정착지(reservation).

ran·che·ro [ræntʃέərou/rɑːn-] (*pl.* ~*s*) *n.* 《Sp.·미남서부》 =RANCHER.

ranch·ette [ræntʃét] *n.* 작은 목장.

ránch hòuse (목장에 있는) 목장주의 주택; 랜치하우스《지붕의 경사가 완만한 단층집》.

ran·chi·to [rɑːntʃíːtou] (*pl.* ~*s*) *n.* 작은 가축 농장, 오두막집.

ránch·man [-mən] (*pl.* ***-men*** [-mən, -mèn]) *n.* 목장 경영자〔감독〕; 목동; 목장 노동자.

ran·cho [rǽntʃou, rɑ́ːn-/rɑ́ːn-] (*pl.* ~*s*) *n.* 《Sp.·라틴아메리카》 (목자(牧者)·농장 노동자용의) 오두막집(의 부락); 목장.

ran·cid [rǽnsid] *a.* 고약한 냄새가 나는; 불쾌한, (맛이) 고약한. ㊞ ~**·ly** *ad.* ~**·ness** *n.*

ran·cid·i·ty [rænsídəti] *n.* Ⓤ 악취, 썩은 냄새; 〖공학·화학〗 산패(酸敗).

ran·cor, 《영》 **-cour** [rǽŋkər] *n.* Ⓤ 깊은 원한, 적의; 심한 증오.

ran·cor·ous [rǽŋkərəs] *a.* 원한이 사무친, 원한을 품은, 증오에 찬; 악의에 불타는. ㊞ ~**·ly** *ad.* ~**·ness** *n.*

rand¹ [rænd] *n.* 구두의 뒤축 위에 넣어서 밑을 판판하게 하는 U자형의 가죽; 《영방언》 (경작지의) 가장자리, 경계; 《S. Afr.》 (강가의) 고지.

rand² *n.* (the R-) 남아프리카 공화국의 금(金) 산출지; 남아프리카 공화국의 화폐 단위.

ran·dan¹ [rǽndæn, -ˊ] *n.* 세 사람이 노를 젓는 보트의 일종《가운데 사람이 짧은 2개의 노를 저음》; 그 배를 젓는 법.

ran·dan² *n.* 《구어·방언》 몹시 들뜸, 야단법석. ***go on the*** ~ 마음이 들떠서 떠들어대다.

R & B, r & b rhythm and blues. **R & D, R and D** research and development (연구개발). **R. & I.** =R. ET I.; 《미속어》 radical and intense (과격하고 격렬한).

Ran·dolph [rǽndɑlf, -dəlf/-dɔlf] *n.* 랜돌프《남자 이름; 애칭 Randy, Randie》.

ran·dom [rǽndəm] *a.* **1** 닥치는 대로의, 되는 대로의, 임의의: a ~ remark 〔guess〕 되는 대로 하는 말〔억측〕/a ~ shot 난사; 《비유》 억측.

> SYN. **random** 일정한 방식·계획·목적이 없이 행하여진〔선택된〕: a *random* collection 무계획적인 수집. a *random* page 되는 대로 펼친 페이지. **haphazard** random과 비슷하지만 우연성이 강조됨: in a *haphazard* way 무작정 해보는 식으로. **casual** 아무 생각 없고 무관심함이 덧붙여짐: in a *casual* way 무심

스럽게, 우연히 하는 태도로. **desultory** 자꾸 만 달라져 가는, 종잡을 수 없는: *desultory* reading 산만한 독서.

2 〖통계〗 임의의, 무작위(無作爲)의. **3** 〖건축〗 (돌·기와의 크기·모양이) 일정치 않은: ~-sized slates. **4** 《해커속어》 순서 없는; 변칙의; 정리 안 된. **5** 《미속어》 천박한, 성실치 못한, 비생산적인; 이유 없는; 하찮것없는. **—** *n.* 되어 가는 대로임(의 상태); 《주로 영》 〖인쇄〗 (식자공의) 작업대; 〖컴퓨터〗 임의, 랜덤. ***at*** **~** 되는〔닥치는〕 대로. ㊞ **~·ly** *ad.* **~·ness** *n.* 〖화학〗 무질서도(度).

rándom áccess 〖컴퓨터〗 비순차적 접근.

rándom-áccess *a.* 〖컴퓨터〗 임의 접근의.

rándom-àccess mémory 〖컴퓨터〗 임의 접근 기억 장치《생략: RAM》.

rándom érror 〖통계〗 확률적 오차, 우연 오차 (accidental error).

rándom fíle 〖컴퓨터〗 랜덤 파일, 임의 파일《기록 순서에 관계없이 임의의 레코드를 등속(等速) 판독하여 폐기·갱신할 수 있는 파일》.

ran·dom·ic·i·ty [rӕndəmísəti] *n.* 한결같지〔고르지〕 않음; 불균일성(性).

rán·dom·ize *vt.* …에서 임의 추출하다, 무작위로 고르다; 〖컴퓨터〗 무작위화하다. ㊞ **-iz·er** *n.* 무작위화 장치. **ràn·dom·i·zá·tion** *n.*

rándomized blóck (**design**) 〖통계〗 임의 배열 블록법, 난괴법(亂塊法)《각 구분 안에서 갖가지 처리를 무작위로 행하는 실험 설계》.

rándom lógic 〖전자〗 불규칙 논리.

rándom númber 〖통계·컴퓨터〗 난수(亂數).

rándom sámple 〖통계〗 임의 표본, 무작위 표본〔추출〕. 「표본 추출법.

rándom sámpling 〖통계〗 랜덤 샘플링, 임의

rándom váriable 〖통계〗 확률 변수.

rándom wálk 〖수학〗 난보(亂步); 〖증권〗 (주가 예측에 관한) 랜덤워크설(說).

R & R, R and R 〖미군사〗 rest and recreation 〔recuperation〕 (휴양〔위로〕 휴가); rock'n' roll. 「의 애칭》.

Ran·dy [rǽndi] *n.* 랜디《남자 이름; Randolph

randy [rǽndi] *a.* **1** 성적으로 흥분한, 호색적인; 《미속어》 탐내는, 바라는《*for*》. **2** 《영방언》 다루기 힘든, 마구 날뛰는《소 따위》; 《Sc.》 거친, 막된; 소란〔수다〕스러운. **—** *n.* 《Sc.》 거친 행동을 하는 사람〔거지〕; 수다스러운〔몸가짐이 헤픈〕 여자. 「귀족의 부인; 공주.

ra·nee [rɑ́:ni, rɑːníː] *n.* (인도의) 왕비; 왕공

rang [rӕŋ] RING² 의 과거.

****range** [reindʒ] *vt.* **1** 《~+목/+목+전+명》 줄짓게 하다, 정렬시키다, 늘어놓다, 배치하다; 〖~ oneself〗 줄짓다, 정렬하다: The commander ~*d* his men *along* the river bank. 지휘관은 병사들을 강둑을 따라 배치하였다/The players ~*d* them*selves* in rows. 선수들은 정렬했다. **2** 분류하다, 정리하다; 《시어》 (머리털 등을) 매만지다; 《영》 〖인쇄〗 (활자를) 줄에 맞게 넣다. **3** 《~+ 목/+목+전+명》 〖수동태 또는 ~ oneself〗 (동아리·당 등에) 들다, (…의) 편을 들다, (…을) 지지하다《*with; among*》; 반대편에 서다《*against*》: Most of the politicians *were* ~*d with* 〔*against*〕 the prime minister. 대부분의 정치가는 수상을 지지하였다〔적대하였다〕/ They ~*d* them*selves* on the side of law and order. 그들은 법과 질서를 지지하는 입장에 섰다. **4** 《+목+전+명》 (총·망원경 따위를) 돌려 대다, …의 조준을 맞추다: ~ a telescope *on*... …에 망원경을 맞추다. **5** …의 범위〔경계〕를 정하다. **6** 걸어다니다, 왔다갔다 거닐다; 찾아다니다. **7** 방목하다. **8** 〖해사〗 (해안을) 순항하다.

— *vi.* **1** 《+부/+전+명》 줄짓다, 일직선이 되다; (산맥 등이) (한 줄로) 연하다, 뻗다: a boundary that ~*s north* and *south* 남북으로 뻗은 경계선/Brick houses ~ *along* the road. 벽돌집들이 길을 연해서 있다. **2** 《+전+명》 (동식물이) 분포되어 있다, 서식하다: This plant ~*s from* Canada *to* Mexico. 이 식물은 캐나다로부터 멕시코에 걸쳐 분포되어 있다. **3** 《+전+명》 (사람·동물이) 헤매다, 돌아다니다: ~ *through* the woods 숲속을 헤매다. **4** 《+전+명》 퍼지다, …의 범위에 걸치다: a speaker who ~*s over* a wide variety of subjects 갖가지 광범위한 화제에 걸쳐 이야기하는 연사. **5** 《+전+명》 (어떤 범위 안에서) 이동하다, 변동하다, 변화하다《*between*》; (온도계 따위가) 오르내리다: The temperature ~*s from* ten *to* twenty degrees. 기온은 10도에서 20도까지 오르내린다. **6** 《+전+명》 평행하다《*with*》; 어깨를 나란히 하다; 동아리에 끼이다, 편을 들다《*with*》: He ~*s with* the great writers. 그는 대작가들과 어깨를 나란히 한다. **7** 《+보》 (탄알이) 도달하다; 사거리가 …이다: This gun ~*s* 8 miles. 이 포의 사정은 8마일이다. **8** (정박 중의 배가) 전후로 흔들리다《*over*》. **9** 《영》 〖인쇄〗 행(行) 끝이 가지런히 되다. **~ *in on ...*** = **~ *... in*** (대포가 어떤 목표)를 조준하다.

— *n.* **1** 열(列), 줄, 가지런함, 잇닿음, 줄지음: a long ~ *of* arches 길게 이어진 아치의 열. **2** 산맥: a mountain ~=a ~ *of* mountains 산맥, 연산(連山). **3** 《미》 방목 구역; 목장: a ~ for cattle 소의 방목지. **4** (동식물의) 분포 구역, 서식 범위; 생식기(期), 번성기. **5** U,C (세력·능력·지식 등이 미치는) 범위, 한계; 시계(視界); 음역(音域); 지식 범위: a wide ~ *of* knowledge 광범위한 지식/one's ~ *of* vision 보이는 범위.

> SYN. **range** 활동·능력·효과 따위가 미치는 '범위' 내에 있는 여러 가지의 변화·종류의 존재를 암시함: one's *range* of hearing 들리는 범위《이 범위 내에서는 여러 가지가 들릴 수 있음》. reading of wide *range* 다독(多讀). **reach** '범위'의 크기, 한계까지의 거리, 그 이상은 미치지 못한다는 데 초점이 있음: This is beyond your *reach*. 이것은 너의 손이 미치지 못하는 곳에 있다. **scope** '보다'→'시야'라는 본래 뜻에서 부채꼴의 폭을 시사하며, 그 범위 내에서의 선택의 자유가 강조됨: the wide *scope* for personal initiative in business 실업계에서 개인의 창의를 발휘할 수 있는 폭넓은 가능성.

6 (변동의) 범위, 한도; 〖수학〗 치역(値域); 〖통계·컴퓨터〗 범위: the annual ~ *of* temperature 연간 온도 승강 편차/the narrow ~ *of* prices for steel 변동이 적은 철강 값의 폭. **7** 계급, 신분: in the higher ~*s of* society 사회의 상류 계급에. **8** (제품 따위의) 종류: a wide ~ *of* electric goods 광범위한 종류의 전자 제품. **9** 〖군사〗 사거리(射距離), 사정(射程); (미사일 따위의) 궤도; 사격장; (양궁·골프의) 연습장; (로켓 등의) 시사(試射)장, 실험장: a rifle ~ 소총 사격장/the effective ~ 유효 사거리/out of 〔within〕 ~ 사정거리 밖〔안〕에/This gun has a ~ *of* about 200 meters. 이 총의 사거리는 약 200미터이다. **10** 〖항공·해사〗 항속 거리. **11** 서성댐, 배회, 방황. **12** (요리용) 레인지, 《미》 전자〔가스〕레인지. **13** 《미》 〖측량〗 경선간(經線間) 지구《자오선을 표준으로 하고 그 동편 또는 서편에 6마일씩 간격을 두고 그린 구역》. **14** 《드물게》 방향. **15** 〖물리〗 (하전 입자의) 도달 거리. **16** (석재의 일정 높이로의) 정층(整層)쌓기. **17** 〖측량〗

2점 이상에 의해 결정되는 측선(測線)의 수평 방향, 측심(測深)이 가능한 수면을 나타내는 선; 〖해사〗 가항(可航) 범위. **18** 양면 서가(書架). **19** 《Can.》 =CONCESSION. ***at long* 〔*short, close*〕 ~** 원〔근〕거리에서. ***beyond the ~ of*** …이 미치지 않는 곳에. ***in ~ with*** (2개의 물건이) …와 같은 방향으로, …와 나란히. ***on the ~*** 방목되어. ***out of* a person's ~** 아무의 손이 미치지 않는; 아무의 지식 범위 밖에서. ***within the ~ of*** …의 손이 미치는, …가 할 수 있는.

ránge finder 거리계(計); =TACHYMETER.

ránge·lànd *n.* 방목용 용지, 방목지.

ránge pòle 〖측량〗 측량대, 폴.

◇**rang·er** [réindʒər] *n.* **1** 돌아다니는 사람; 방랑자; 사냥개. **2** 무장 순찰대원; 《영》 왕실 소유림의 감시원; 《미》 (국유림의) 순찰 경비대원. **3** (R-) 《미》 (제2차 세계대전 중의) 특별 공격대원; 《미》 (특히 밀림 지대의) 게릴라전 훈련을 받은 병사. **4** (R-) 레인저 《미국의 월면 탐사 위성》.

Ran·goon [ræŋgúːn] *n.* Myanmar의 수도 Yangon의 구명.

rangy [réindʒi] (***rang·i·er; -i·est***) *a.* **1** (사람·짐승이) 팔다리가 껑충한; (짐승이) 돌아다니기에 알맞은. **2** 넓디넓은; 산맥〔산〕이 많은.

ra·ni [rɑ́ːni, rɑːníː] *n.* =RANEE.

***rank**[1] [ræŋk] *n.* **1 a** Ⓤ,Ⓒ 열, 행렬: a ~ *of* pillars 기둥의 열 / the front 〔rear〕 ~ 전〔후〕열 / standing in two separate ~*s* 두 줄로 나뉘어 서서. **b** (특히 군대의) 횡렬, 횡대로 줄지은 병사. **2** (*pl.*) 계급, 사회층, 신분: people of all ~*s* 모든 계층의 사람들 / your executive ~*s* 당신들 중역층. **3** 지위, 등급: high in ~ 지위가 높은 / a writer of the first ~ 일류 작가.

> SYN. **rank** 상하 관계가 계단식으로 고정되어 있음: the *rank* of colonel 육군 대령의 계급. the lower *ranks* 하층 계급. **degree** 상하 관계가 아니고, 진보·증감·중요성 따위의 정도·경중을 나타냄. 눈금의 도수, 학위·범죄의 등급 따위도 여기에서 유래함: a man of low 〔high〕 *degree*에서는 rank와 비슷하지만 뚜렷한 계층을 표시하는 것은 아니고 막연히 '신분'을 나타내고 있음. **grade** 품질·가치·능률 따위의 단계·등급을 나타냄. 학업의 성적, 초·중·고교의 학년급도 grade임: first-*grade* potatoes 최상품의 감자.

4 Ⓤ 높은 지위, 상류 사회: persons of ~ 귀족. **5** (*pl.*)(장교 이외의) 군대 구성원, 병사; 《집합적》 부사관, 병졸; 군대: all the ~*s* 병사 전원 / an old acquaintance of the ~*s* 예전의 한 전우. **6** (보통 *pl.*)(간부와 구별하여, 정당·회사·단체의) 일반 당원, 사원, 회원: join the ~*s of* protesters 항의자 무리에 가담하다. **7** (*pl.*) 체스판의 가로줄. ⓒf. file[1]. **8** 〖수학〗 (행렬의) 계수(階數). **9** 《영》 손님 대기 택시의 주차장. **10** 〖컴퓨터〗 계급, 등급, 순위.

break* ~(*s*)** 열을 흐트러뜨리다; 낙오하다. ***close the ~s ⇨ CLOSE[1]. ***fall into ~*** 열에 끼다, 줄서다. ***give first ~ to*** …을 제 1 위로 하다. ***keep ~*** 질서를 유지하다. ***other ~s*** 부사관 및 병(兵). ***pull* one's ~ (*on*)** 《구어》 (…에게) 지위를 이용하여 강제로 명령하다. ***rise from the ~s*** 사병에서 장교가 되다; 낮은 신분에서 출세하다. ***take ~ of*** …의 윗자리를 차지하다. ***take ~ with*** …와 나란히 서다, …와 어깨를 나란히 하다. ***the ~ and fashion*** 상류 사회.

— *vt.* **1** 나란히 세우다, 정렬시키다: He ~*ed* the chessmen on the board. 그는 말을 체스판 위에 나란히 세웠다. **2** 《+목+보/+목+전+명/+목+*as* 보》 위치를 정하다, 부류에 넣다, 분류하다; 등급 짓다; 평가하다: We ~ his abilities very high. 그의 재능을 높이 평가한다 / She was ~*ed among* the best-dressed women. 그녀는 옷맵시가 가장 좋은 여자 축에 들었다 / Byron is ~*ed as* a great poet. 바이런은 대시인으로 평가되고 있다. **3** 《미》 …보다 낫다, …의 윗자리에 서다(outrank): The colonel ~*s* all other officers in the unit. 대령은 그 부대의 다른 모든 장교보다 계급이 위다. **4** 《미속어》 …를 고자질하다, 배신하다; 괴롭히다. — *vi.* **1** 《+*as* 보/+전+명/+보》 자리잡다, 지위를 차지하다; 어깨를 겨루다: ~ *as* an officer 장교 대우를 받다 / ~ *among* the greatest achievement 최대 걸작의 부류에 속하다 / He ~*s* high in his class. 그의 성적은 반에서 상위다. **2** 《미》 윗자리를 차지하다. **3** 《~/+부/+전+명》 줄짓다, 정렬하다; 열지어 행진하다 《*past; off*》: a platoon ~*ing off* 행군하는 소대. **4** (파산자의 재산에 대해) 청구권을 가지다.

rank[2] *a.* **1** 무성한, 울창한; 땅이 지나치게 기름진. **2** 순전한, 지독한 《나쁜 의미로》; 싫은; 고약한 냄새가 나는; 썩은; 정평이 붙은, 이름난; 야비한, 천한; 〖법률〗 과도한: ~ treason 대역(大逆)(죄). ㊎ **∠·ish** *a.* **∠·ly** *ad.* **∠·ness** *n.*

ránk and fíle (the ~) 부사관 및 병; 《비유》 일반 시민, 평회원〔평사원〕들, 일반 조합원들, 평당원들. ㊎ **ránk-and-fíle** *a.*

ránk-and-fíler [-ən-] *n.* the rank and file에 속하는 사람.

ránk correlátion 〖통계〗 순위 상관 계수.

ránk·er *n.* **1** rank[1]하는 사람, 정렬하는〔줄세우는〕 사람. **2** 사병; 사병 출신의 (특진) 장교.

◇**ránk·ing** *n.* Ⓤ 등급 매기기; 순위, 서열. — *a.* 《미》 상급의, 간부의; 뛰어난, 발군(拔群)의, 일류의; 《종종 복합어로》 지위가 …인: a high-~ officer 고급 장교.

ran·kle [rǽŋkəl] *vi.* **1** 《고어》 (상처가) 곪다; 쑤시다. **2** 《~/+전+명》 (불쾌한 감정·경험 따위가) 끊임없이 마음을 괴롭히다, (원한 따위가) 마음에 사무치다, 가슴에 맺히다: Much hatred still ~*s*. 강한 혐오감이 아직도 부글거린다 / The bitter experience ~*d in* our hearts. 쓰라린 경험이 우리 가슴에 맺혔다. — *vt.* …을 괴롭히다; …을 짜증나게 하다.

RANN 《미》 Research Applied to National Needs.

◇**ran·sack** [rǽnsæk] *vt.* **1** 《~+목/+목+전+명》 샅샅이〔구석구석까지〕 찾다; 찾아 돌아다니다 《*for*》: The police ~*ed* the house, looking for drugs. 경찰은 마약을 찾아서 집안을 뒤졌다 / He ~*ed* Seoul *for* the book. 그는 그 책을 찾아서 서울을 헤맸다. **2** 《~+목/+목+전+명》 (도시 등)을 약탈하다(pillage): ~ a town 도시를 약탈하다 / The house was ~*ed of* all its valuables. 집 안의 귀중품이 전부 약탈당했다. **3** (잊은 것을) 생각해 내려고 애쓰다. ㊎ **~·er** *n.*

◇**ran·som** [rǽnsəm] *n.* Ⓒ,Ⓤ **1** (포로 따위의) 몸값을 치르고 자유롭게 하기, (포획물의) 배상금을 치르고 되찾기; 몸값, 배상금. **2** (특권 따위의 대가로 지불하는) 속전(贖錢). **3** 〖신학〗 예수의 속죄. **4** 공갈, 협박. ***hold* a person *to* 〔*for*〕 ~** 아무를 억류하고 몸값을 요구하다; 《비유》 아무를 협박하여 양보를 요구하다. — *vt.* 몸값〔배상금〕을 치르고 되찾다; 몸값을 받고 석방하다; 〖신학〗 속죄하다 《예수께서 십자가에 못 박혀 죽음으로써》. ⓒf. reclaim, redeem.

ránsom bìll 〔bònd〕 나포 선박 환매(還買) 증서.

rán·som·er *n.* (포로의) 인수자; (나포선의 환수금이 도착할 때까지 잡아 두는) 인질.

rant [rænt] *n.* Ⓤ 폭언, 호언; 노호(怒號); Ⓒ 《Sc.》 야단법석. — *vi.* 폭언을 하다, 마구 호통치

다, 고함치다, 호언장담하다; 야단치다《against; at》; 《Sc.》 들떠 날뛰다. — vt. 고래고래 소리치다; 과장해서 떠들어대다〔말하다〕. ~ **and rave** 마구 고함치다. ㊞ ∠·**er** n. **1** ~하는 사람. **2** (R-) 초기 메서디스트 교파의 이명(異名). ∠-**ing·ly** ad.

ran·tan·ker·ous [ræntǽŋkərəs] a. 《미구어》 =CANTANKEROUS.

ra·nun·cu·lus [rənʌ́ŋkjələs] (pl. ~·**es, -li** [-lài]) n. 〖식물〗 미나리아재비속(屬)의 초본.

ranz des vaches [rɑ̀:ŋsdeivɑ́:ʃ] 《F.》 랑데바슈《목동이 뿔피리로 부는 특유한 선율》.

R.A.O.C., RAOC 《영》 Royal Army Ordnance Corps (육군 군수품 보급 부대).

rap**[1] [ræp] n. **1** (문·테이블 따위를) 톡톡 두드림《at; on; against》; 두드리는 소리: There was a ~ at the door. 문을 톡톡 두드렸다. **2** 《속어》 비난, 질책; 고소, 고발; 형사상의 책임, 범죄 혐의; 체포; 징역형. **3** 《속어》 지껄임. ***beat the ~ 《속어》 벌을 면하다, 무죄가 되다. ***give a*** ~ ***on*** 〔***over***〕 ***the knuckles*** (벌로) 아이의 손마디를 때리다; 꾸짖다. ***take a*** ~ 《미구어》 부딪다. ***take the*** ~ 《미구어》 비난〔벌〕을 받다; 남의 죄를 뒤집어쓰다.

— (-pp-) vt. **1** 《~+목/+목+부/+목+전+명》 톡톡 두드리다; 두드려 (…을 어떤 상태)로 하다; 《속어》 죽이다: ~ a door / ~ a person on 〔over〕 the head 아무의 머리를 톡톡 두드리다 / ~ out a tune on the piano 피아노를 통통 거려 곡을 치다. **2** 《+목+부》 (명령·구령·질책 등을) 고함쳐〔큰 소리로〕 말하다《out》: ~ out a command 큰 소리로 구령하다. **3** 《~+목/+목+전+명》 《미속어》 비난〔혹평〕하다: The judge ~ped the police for their treatment of the accused. 판사는 피의자 취급 방법에 관해서 경찰을 비난했다. **4** 《속어》 …에게 판결을 내리다, (형사범으로) 체포하다. — vi. **1** 《+전+명》 톡톡 두드리다《against; at; on》: ~ on a table 테이블을 톡톡 두드리다. **2** 《~/+전+명》 《속어》 지껄이다, 잡담하다; 의기투합하다: I ~ped with him about baseball for hours. 몇 시간 동안 그와 야구에 관해서 이야기했다. ~ a person ***on*** 〔***over***〕 ***the knuckles*** =~ a person***'s knuckles*** ⇨ give a RAP[1] on 〔over〕 the knuckles. ~ ***out*** 두드려 (소리 등을) 내다; 두드려 (통신을) 전하다, (신령이 영매(靈媒) 등을 통해 뜻을) 톡톡 두드려 알리다; 따끔하게 말하다; 내뱉듯이 말하다, (익살을) 떨다.

rap[2] n. 18세기 아일랜드에서 반 페니로 통용된 가짜 돈; 《구어》 〖부정형〗 피천 한 닢, 조금(bit). ***not care*** 〔***mind***〕 ***a*** ~ 조금도 상관 않다. ***not worth a*** ~ 보잘것없는.

rap[3] n. =RAP MUSIC.

rap. rapid.

ra·pa·cious [rəpéiʃəs] a. 강탈하는; 욕심 많은, 탐욕〔게걸〕스러운; 〖동물〗 생물을 잡아먹는, 육식하는. ㊞ ~·**ly** ad. ~·**ness** n.

ra·pac·i·ty [rəpǽsəti] n. Ⓤ 강탈; 탐욕; 탐식.

R.A.P.C. 《영》 Royal Army Pay Corps.

RAPCON [rǽpkɑn/-kɔn] n. 레이더 진입 관제 (시설). [◂ Radar Approach Control (Center)]

rape[1] [reip] n. Ⓤ,Ⓒ 《고어·시어》 강탈, 약탈; 침범《of》; 〖법률〗 성폭행, 겁탈, 능욕(outrage). — vi., vt. **1** 《고어·시어》 강탈〔약탈〕하다; 〖법률〗 성폭행하다. **2** 《미속어》 …을 파괴하다. ㊞ **ráp·er** n.

rape[2] n. Ⓤ 〖식물〗 평지, 유채(油菜).

rape[3] n. 포도의 짜고 남은 찌꺼기《초(醋) 제조용》; 식초 제조용 여과기.

rápe càke 평지씨 깻묵.

rápe òil 평지〔유채〕 기름, 종유(種油).

rápe·sèed n. 평지의 씨.

rápe shìeld 《미》 폭행〔성폭행〕 피해자 보호법.

ráp gròup 《미속어》 토론 그룹.

Raph·a·el [rǽfiəl, réi-, rɑ̀:faiél/rǽfeiəl] n. 라파엘. **1** 남자 이름. **2** 〖성서〗 라파엘로《외전(外典)에 기록된 대천사(大天使)(archangel)》. **3** 이탈리아 화가; Raffaello Santi (1483-1520). ㊞ **Raph·a·el·esque** [ræ̀fiəlésk, rèif-, rɑ̀:f-/rǽfeiəl-] a. (화가) 라파엘로식의.

rap·id** [rǽpid] (more*** ~, ~·***er; most*** ~, ~·***est***) a. **1** (속도가) 빠른, 신속한; 〖사진〗 고감도의: a ~ train 쾌속 열차 / a ~ stream 급류 / a ~ growth 급성장. SYN. ⇨ FAST. **2** (행동이) 재빠른, 민첩한; 조급한, 서두르는: a ~ worker 일이 빠른 사람 / a ~ decision 즉결 / a ~ journey 황망한 여행. **3** 가파른, 몹시 비탈진: a ~ slope 가파른 비탈. — n. **1** (보통 pl.) 급류, 여울. **2** 고속 수송(열)차, 고속 수송 체계. ***shoot the*** ~***s*** (보트가) 여울을 건너다; 위험한 짓을 하다. ㊞ ~·**ness** n.

Rápid Deplóyment Fòrce 《미》 신속 배치군《미군의 거점이 없는 지역에서의 분쟁 때 급파될 수 있는 부대; 생략: RDF》.

rápid éye mòvement 〖생리〗 급속 안구(眼球) 운동《수면 중 안구가 급속히 움직이는 현상; 뇌파·심장 고동의 변화, 꿈 등과 관계가 있다고 함; 생략: REM》.

rápid éye mòvement slèep =REM SLEEP.

rápid-fire a. **1** 속사의: a ~ gun 속사포. **2** 연이은: ~ questions.

***ra·pid·i·ty** [rəpídəti] n. Ⓤ 신속, 급속; 민첩; 속도: with ~ 빠르게(rapidly).

***rap·id·ly** [rǽpidli] ad. **1** 빠르게, 재빨리, 신속히: Don't speak too ~. 너무 빨리 지껄여서는 안 된다. **2** 순식간에, 곧.

rápid reáction fòrce 긴급 대응 부대《긴급 사태에 신속하게 대처하는 군대》.

rápid tránsit (sỳstem) (고가 철도·지하철에 의한 여객의) 고속 수송(법).

rápid wáter 《미》 (소방 펌프의 물의 유출 속도를 올리기 위한) 소화용 액제(液劑).

ra·pi·er [réipiər] n. 가볍고 가느다란 칼의 일종《찌르기를 주로 한 결투용》: a ~ glance 날카로운 눈매 / a ~ thrust 《비유》 따끔한 풍자, 가볍게 받아넘기기는 대답.

rap·ine [rǽpin, -pain] n. Ⓤ 《시어·문어》 「강탈, 약탈.

rap·ist [réipəst] n. 성폭행 범인(raper).

ráp mùsic 랩뮤직《1970년대 말부터 디스크자키와 흑인들에 의해 발전된 팝 뮤직의 한 스타일》.

rap·pee [ræpí:] n. 래피《독한 냄새가 나는 코담배의 일종》.

rap·pel [ræpél, rə-] n. 〖등산〗 현수(懸垂) 하강《이중 자일로 암벽을 내리는 방법》. — (-**ll**-) vi. 현수 하강하다.

rap·pen [rɑ́:pən] (pl. ~) n. 라펜《스위스의 화폐 단위; =1/100 franc》.

rap·per [rǽpər] n. **1** (톡톡) 두드리는 사람〔것〕; (문의) 노커. **2** 《미속어》 말하는 사람(talker); (목격자로서) 증언하는 사람. **3** 《미속어》 남에게 누명을 씌우는 죄; 《고어》 지독한 저주의 말. **4** 랩 음악인〔연주자〕.

rap·port [ræpɔ́:r] n. Ⓤ 《F.》 (친밀한·공감적인) 관계, 조화; 동의, 일치; 시술(施術)자에 대한 피술자(被術者)의 신뢰감《최면술·정신 요법 등에서》. ***in*** 〔《F.》 ***en***〕 ~ ***with*** …와 일치〔의기상투〕하여.

rap·por·teur [ræ̀pɔ:rtə́:r] n. 《F.》 (학회 등의) 보고자.

rap·proche·ment [ræ̀prouʃmɑ́:ŋ/ræprɔ́ʃmɑ:ŋ] n. Ⓤ 《F.》 화해; 친선; 친교〔국교〕 회복.

rap·scal·lion [ræpskǽljən] *n.* 악한, 부랑배; 못난 놈, 건달.

ráp sèssion 《미속어》 (rap group에 의한) 그룹 토의.

ráp shèet 《미속어》 전과(前科) 기록.

ráp sòng =RAP MUSIC.

rapt [ræpt] *a.* (생각 따위에) 정신이 팔린, 골몰〔몰두〕한《*in*》; 열중하여 정신이 없는, 그지없이 기쁜, 황홀한: be ~ *with* joy. ***be ~ away*** 〔***up***〕 몰두해 있다《*in; upon*》, 열중해 있다, 넋을 빼앗기고 있다. ***be ~ in study*** 공부에 몰두해 있다. ***be ~ in wonder*** 넋을 잃고 감탄하다. ***be ~ to the seventh heaven*** 미칠 듯 기뻐하다. ***with ~ attention*** 열중하여: listen *with ~ attention* 열심히 귀를 기울이다. ⓜ **∠·ly** *ad.* **∠·ness** *n.*

rap·tor [rǽptər, -tɔːr] *n.* 【조류】 맹금(猛禽).

rap·to·ri·al [ræptɔ́ːriəl] *a.* 생물을 잡아먹는, 육식의《새·짐승 따위》; (발톱 따위가) 먹이를 잡기에 적합한; 【동물】 맹금류(猛禽類)의: ~ birds 〔beasts〕 맹금〔맹수〕. **—** *n.* 맹금.

rap·ture** [rǽptʃər] *n.* **1** 큰 기쁨, 환희, 황홀, 열중: with ~ 황홀하여. **2** (*pl.*) 기쁨〔환희〕의 표현〔외침〕. **3** 《고어》 유괴, 납치. ***fly into ~s 기뻐 날뛰다. ***go*** 〔***fall***〕 ***into ~s over*** …에 열광하다. ***in ~*(*s*)** 열광하여. ***~ of the deep*** 〔***the depths***〕 【병리】 심해 황홀증. **—** *vt.* 열광케〔황홀케〕 하다. ⓜ **~d** *a.* 황홀해진; 기쁨에 넘친.

rap·tur·ous [rǽptʃərəs] *a.* 기뻐 날뛰는, 미칠 듯이 기뻐하는, 열광적인. ⓜ **~·ly** *ad.* 크게 기뻐하여. **~·ness** *n.*

ra·ra avis [rέərə-éivis] (*pl.* **~·es, *ra·rae aves*** [rέəriː-éiviːz]) 《L.》 (=rare bird) 희한한〔드문〕 인물〔물건〕, 진품.

****rare**[1] [rεər] *a.* **1** 드문, 진기한: a ~ event 드문 일/It's ~ for him to go out. =It's ~ that he goes out. 그가 외출하는 일은 드물다. **2** 드물게 보는, 유례없는: a ~ scholar 드물게 보는 학자. **3** (공기 따위가) 희박한; 띄엄띄엄 있는: the ~ atmosphere 희박한 대기. **4** 《구어》 어이없는; 〔부사적〕 상당히, 매우: in a ~ passion 몹시 화를 내고/He is a ~ good sort. 매우 좋은 녀석이다. ***have a ~ time*** (***of it***) 즐겁게 지내다. ***in ~ cases*** =***on ~ occasions*** 드물게, 때로는. ***~ and*** 《구어》 매우: I am ~ *and* thirsty. 몹시 목이 마르다. ***~ old*** 《구어》 아주 좋은〔나쁜〕, 대단한. ⓜ **∠·ness** *n.* 희귀; 희박; 진기.

rare[2] *a.* 덜 구워진, 설익은《고기 등》.

ráre bírd =RARA AVIS.

rare·bit [rέərbit] *n.* =WELSH RABBIT.

ráre bóok 희귀본(本), 진본(珍本).

ráre éarth 【화학】 희토류(稀土類) 원소(의 산화물).

ráre-éarth èlement 〔**mètal**〕 【화학】 희토류 원소《원자 번호 57-71》.

rár·ee shòw [rέəri-] 요지경; 〔일반적〕 구경거리.

rar·e·fac·tion [rὲərəfǽkʃən] *n.* Ⓤ 희미하게 함, 희박해짐; 희박(화). ⓜ **-tive** [-tiv] *a.* 희박화하는.

rar·e·fy, rar·i·fy [rέərəfài] *vt., vi.* (기체 따위) 희박하게 하다〔해지다〕; 순화〔정화〕하다〔되다〕; 정세(精細)하게 하다〔되다〕. ⓜ **rár·e·fied** [-d] *a.* (지위 등이) 매우 높은; (기술·교양 등이) 고매한; 난해〔심원〕한; 정선된, 엘리트의; (공기가) 희박한.

ráre gás 희(稀)가스, 비활성 기체.

****rare·ly** [rέərli] *ad.* **1** 드물게, 좀처럼 …하지 않는(seldom): It is ~ that he sings. 그는 좀처럼 노래를 하지 않는다. **2** 매우 (잘), 희한하게: They dined ~. 그들은 굉장한 성찬을 먹었다/It pleased him ~. 그의 마음에 썩 들었다. ***~*** (***if***) ***ever*** 《구어》 좀처럼 …하지 않는: a peak ~ *ever* seen 좀처럼 모습이 보이지 않는 산마루.

ráre·rìpe 《미》 *a.* 조숙한, 올되는. **—** *n.* 일된 과일〔야채〕; 《방언》 =GREEN ONION.

rar·ing [rέəriŋ] *a.* 《구어》 몹시 …하고 싶어하는, 좀이 쑤셔하는(eager)《*to* do》.

°**rar·i·ty** [rέərəti] *n.* Ⓤ 아주 드묾, 희소성(稀少性); 진기, 희박; Ⓒ 진품: ~ value 희소 가치.

RAS 【컴퓨터】 reliability, availability & serviceability (신뢰도·이용 가능도·보수 가능도) 《컴퓨터 능력 평가의 주요소》. **R.A.S.** 【해사】 refueling at sea (해상 급유); 《영》 Royal Asiatic Society; 《영》 Royal Astronomical Society.

R.A.S.C. 《영》 Royal Army Service Corps 《현재는 R.C.T.》.

°**ras·cal** [rǽskəl/rɑ́ːs-] *n.* **1** 악당, 깡패. **2** 《우스개》 장난꾸러기, 녀석: a little ~ 개구쟁이/You lucky ~! 이 복 많은 자식, 이녀석 같으니. **3** 《고어》 천한 자, 하층민. **—** *a.* 불량배의, 파렴치한, 철면피의, 천한; 《고어》 하층민의: the ~ rout 대중, 평민. ⓜ **~·dom** [-dəm] *n.* 〔집합적〕 무뢰한들, 악당들. **~·ìsm** *n.* Ⓤ =RASCALITY.

ras·cal·i·ty [ræskǽləti/rɑːs-] *n.* Ⓒ 나쁜 짓, 악행; Ⓤ 악당의 소행; 악당 근성.

rás·cal·ly *a.* 무뢰한의; 악당 같은; 교활한; 천한; 비참한, 가련한; (장소가) 더러운. **—** *ad.* 악당 같게, 교활하게, 천하게.

rase [reiz] *vt.* 파다, 조각하다; 깎아 내다, 문질러 떼다; 지우다; 파괴〔분쇄〕하다(raze). **—** *vi.* 눈금을〔표시를〕 내다.

***rash**[1] [ræʃ] *a.* 분별없는, 경솔한; 성급한: a ~ act 경솔한 행위/You were ~ *to* say so. =It was ~ *of* you *to* say so. 넌 분별없이 그런 말을 했구나. ⓜ **∠·ly** *ad.* 분별없게, 무모〔경솔〕하게(도). **∠·ness** *n.*

rash[2] *n.* 【의학】 발진(發疹), 뾰루지; 《비유》 돌연한 다발(多發), 빈발《*of*》: come out in a ~ 뾰루지가 나다. ***a ~ of*** (parties) 가는 곳마다 베풀어지고 있는 (파티).

rásh·er *n.* 베이컨〔햄〕의 얇게 썬 조각.

rasp [ræsp, rɑːsp/rɑːsp] *n.* **1** 이가 거친 줄(=**rásp-cut fìle**); 강판; 줄질(하는 소리); 끽끽하는 소리, 삐걱거림. **2** 초조; 안달. **—** *vt.* **1** 《~+목/+목+부》 이가 거친 줄로 갈다; 강판으로 갈다; 박박 문지르다; 쓸어〔갈아〕 내다《*away; off*》; 삐걱거리게 하다: ~ *off* 〔*away*〕 corners 모서리를 깎아 내다. **2** 《+목+부》 쉰〔귀에 거슬리는〕 목소리로 말하다《*out*》: ~ *out* a denial 신경을 거스르는 목소리로 거절하다. **3** 안타깝게〔초조하게〕 하다. **—** *vi.* **1** 《+전+명》 삐걱거리다: She was ~*ing on* her violin. 그녀는 바이올린으로 깽깽거리고 있었다. **2** 쓸리다; 갈리다.

ras·pa·to·ry [rǽspətɔ̀ːri/rɑ́ːspətəri] *n.* 【외과】 골막 박리기(骨膜剝離器).

rasp·ber·ry [rǽzbèri, -bəri, rɑ́ːz-/rɑ́ːzbəri] *n.* **1** 나무딸기 (열매). **2** 《속어》 입술 사이에서 혀를 떨어 내는 소리《경멸·냉소적인 행위》; 조소, 혹평: get 〔give, blow, hand〕 the ~ 조소받다〔하다〕. **3** Ⓤ 꼭두서니빛, 빨간빛.

ráspberry cáne 나무딸기의 새 가지.

ráspberry vínegar 라즈베리 시럽.

rásp·er *n.* 강판; 【사냥】 (뛰어넘기 힘든) 높은 울타리.

rásp·ing *a.* 삐걱거리는, 귀에 거슬리는; (마음을) 초조하게 하는; 【사냥】 건너뛰기 힘든《도랑·울타리》; 매우 빠른. ⓜ **~·ly** *ad.* **~·ness** *n.*

Ra·spu·tin [ræspjúːtn, -tin] *n.* **Grigori Efimovich ~** 라스푸틴《러시아의 수사; 니콜라이 2세·황후의 신임을 얻어 국정에 관여; 1871?-1916》.

raspy [rǽspi, rɑ́ːspi/rɑ́ːspi] (***rasp·i·er; -i·est***) *a.* 안달나게 하는; 신경질적인, 성마른; 삐걱거리는.

ras·sle [rǽsəl] *n.*, *v.* 《구어·방언》 =WRESTLE.
Ras·ta [rǽstə] *n.*, *a.* =RASTAFARIAN.
Ras·ta·far·i·an [rӕstəfέəriən, -fáːr-, rɑ̀ːs-] *n.*, *a.* 라스타파리안(의) 《에티오피아의 황제 Haile Selassie (본명 Ras Tafari)를 신으로 섬기는 자메이카 흑인; 아프리카 복귀를 주창》. ㊕ **~·ism** *n.*
Rásta·màn [-mӕ̀n] (*pl.* **-men** [-mèn]) *n.* 《구어》 남자 라스타파리안.
ras·ter [rǽstər] *n.* **1** 〖TV〗 래스터 《브라운관에 나타나는 주사선의 화상(畫像)》. **2** 〖컴퓨터〗 점방식 《음극(선)관 등의 화면 위의 화상을 만드는 데 쓰이는 수평선의 집합》: ~ graphics 점(點)방식 그림 인쇄.
rás·ter·ìze *vt.* 〖컴퓨터〗 래스터화(化)하다 《화면 표시〔인쇄〕를 할 수 있는 점방식으로 변환하다》.
ras·ter·scan [rǽstərskӕ̀n] *n.* 〖전자〗 래스터 주사(走査).
ra·sure [réiʒər, -ʃər/-ʒə] *n.* =ERASURE.
⁑**rat** [rӕt] *n.* **1** 쥐, 시궁쥐. ⓒⓕ mouse. **2** 《속어》 비열한 놈, 변절자, 배반자, 탈당자: You old ~! 이 쥐새끼 같은 놈. **3** 《속어》 파업 불참가 직공; 조합 협정액보다 낮은 임금으로 일하는 노동자. **4** 《미》 (여자 머리의) 다리. **5** 《속어》 스파이, 밀고자, 파렴치한(漢), 품행이 나쁜 여자, 좀도둑. **6** 《영속어》 이. ***as drunk*** 〔***poor, weak***〕 ***as a*** ~ 곤드레만드레로 취하여〔피천 한 닢 없이, 완전히 힘을 잃고〕. ***die like a*** ~ 독살되다. ***give ...*** ~***s*** (아무)에게 따끔한 맛을 보이다. ***have*** 〔***see***〕 ~***s*** 알코올 중독으로 헛소리를 하다; 미쳐 있다. ***like*** ~***s deserting the sinking ship*** 어려움이 닥치면 몸 담은 곳을 떠나 버리는 사람들처럼. ***smell a*** ~ 《구어》 수상쩍게 생각하다, 이상하다고 느끼다.
— *int.* (~s) 《속어》 〖불신·경멸·실망 등을 나타내어〗 체, 젠장, 우라질, 천만에: Oh ~*s!* 저런, 설마.
— (**-tt-**) *vi.* **1** 쥐를 잡다. **2** 《속어》 《~/+전+명》 탈당하다, 변절하다, 배반하다, 밀고하다; (약속·협정 따위를) 어기다, 깨다: He ~*ted on* his pals. 그는 친구들을 배반했다 / Don't ~ *on* the promise. 약속을 어기지 마라. **3** 《속어》 조합 협정액보다 싼 임금으로 일하다; 파업을 깨다.
— *vt.* 《미》 (머리에) 다리를 넣고 땋다. ~ ***around*** 《속어》 어정대다, 빈둥거리다 ~ ***out*** 꽁무니 빼고 도망치다, 손을 떼다; (아무를) 내버리고 돌보지 않다 《*on*》. ~ a person ***out*** 《속어》 아무를 배신하다, 밀고하다.
rat·a·ble, rate- [réitəbəl] *a.* 평가할 수 있는; 비례하는, 비율에 따른; 《영》 과세할 수 있는. ㊕ **-bly** *ad.* **~·ness** *n.* **ràt(e)·a·bíl·i·ty** *n.* Ⓤ
rátable válue 《영》 (지방세의) 과세 평가액.
rat·a·fia, rat·a·fee [rӕ̀təfíːə], [-fíː] *n.* Ⓤ 과실주《복숭아씨 따위로 맛을 낸》; 《영》 =MACAROON.
ratafía bìscuit 《영》 =MACAROON.
rat·al [réitəl] *n.* 《영》 지방세 과세 표준액. — *a.* 지방세의, 납세상의.
ra·tan [rӕtǽn, rə-] *n.* =RATTAN.
rat·a·plan [rӕ̀təplǽn] *n.* 둥둥 《북소리》. — (**-nn-**) *vt.*, *vi.* 둥둥 울리다〔치다〕.
rat-a-tat, rat·a·tat·tat [rǽtətǽt], [rǽtətæ̀ttǽt] *n.* 둥둥, 쾅쾅 《문, 북 따위를 두드리는 소리》; 《미속어》 기관총.
ra·ta·touille [rӕ̀tətúːi, -twíː] *n.* 〖요리〗 라타투유 《프로방스풍의 야채 스튜》.
rát·bàg 《Austral. 속어》 *n.* 몹시 불쾌한 놈; 바보, 괴짜; 처치 곤란한 녀석, 인간 쓰레기; 난폭한 말.
rát·bite fèver 〔**disèase**〕 [rǽtbàit-] 〖의학〗 서교증(鼠咬症).
rát·càtcher *n.* 쥐잡는 사람〔동물〕; 《영속어》 「약식 사냥복.
rát chèese 《속어》 싸구려 치즈, 《특히》 체더치즈(Cheddar cheese).
ratch·et, ratch [rǽtʃət], [rӕtʃ] *n.* 깔쭉톱니바퀴 (장치); 미늘톱니바퀴 (장치); (톱니바퀴의 역회전을 방지하는) 미늘, 제동기, 제차기. — *vt.*, *vi.* 서서히 올리다〔오르다〕《*up*》; 서서히 내리다 《*down*》. 「곳.
rátchet drìll 깔쭉톱니송곳
rátchet effèct 단속적(斷續的) 효과.
rátchet jàw 《CB속어》 재잘거리는 사람.

1. ratchet (wheel)
2. pawl
ratchet

rátchet whèel 〖기계〗 깔쭉톱니바퀴.
⁑**rate**[1] [reit] *n.* **1** 율(率), 비율: the ~ of discount 할인율 / the birth 〔death〕 ~ 출생〔사망〕률. **2** 가격, 시세: the ~ of exchange 환(換)시세. ⓈⓎⓃ. ⇨ PRICE. **3** 요금, 사용료: advance 〔lower〕 the ~ 요금을 올리다〔내리다〕. **4** 속도, 진도; 정도. **5** (시계의) 하루의 오차. **6** (함선·선원의) 등급, 종류: of the first ~ 일류의. **7** (*pl.*) 《영》 지방세: pay the ~*s* 지방세를 내다. (***as***) ***sure as*** ~***s*** 《미》 아주 확실하게. ***at a great*** ~ 고속으로. ***at a high*** 〔***low***〕 ~ 비싸게〔싸게〕: live *at a high* ~ 호사스레 살다. ***at all*** ~***s*** 기필코, 어떻게든지. ***at an easy*** ~ 싼값으로; 쉽게: win success *at an easy* ~ 쉽사리 성공하다. ***at any*** ~ 하여튼, 하여간; 적어도. ***at that*** 〔***this***〕 ~ 《구어》 그런〔이런〕 꼴로는〔상태로는〕. ***at the*** 〔***a***〕 ~ ***of*** …의 비율〔속도〕로: *at the* 〔*a*〕 ~ *of* forty miles an hour 매시 40마일의 속도로. ***give special*** ~***s*** 할인하다. ~***s and taxes*** 지방세와 국세.
— *vt.* **1** 《+목+보/+목+전+명》 평가하다, 어림잡다: ~ a person's merits high 아무의 공적을 높이 평가하다 / ~ glory *at* its true value 명예를 올바르게 평가하다. **2** 《+목+(*as*)보/+목+전+명》 …으로 간주하다, 생각하다: He is ~*d* (*as*) one of the richest men. 그는 가장 부유한 사람 중의 하나로 여겨진다 / be ~*d among* the most influential men 최유력자의 한 사람으로 간주되다. **3** 《+목+전+명》 《영》 〖보통 수동태〗 과세의 목적으로 평가하다 《*at*》; …에게 과세하다: We *are* ~*d* high(ly) for education. 높은 교육세가 부과되었다 / His house *is* ~*d at* one million pounds. 그의 집은 백만 파운드로 평가된다. **4** (배·선원의) 등급을 매기다; 〖전기〗 정격(定格)하다: ~*d* current 정격 전류. **5** (시계의) 오차를 조사하다. **6** 《미》 (화물의) 운임을 정하다. **7** …만한 가치가 있다: ~ a network show 전국 방송 프로로 합당하다〔할 만큼 재미있다〕. **8** (종반에 대비해 경주마·경주자의) 페이스를 억제〔조절〕하다. — *vi.* **1** 《+(*as*)보》 어림짐작되다, 평가되다: He ~*s* high 〔low〕 in my estimation. 나는 그를 높이〔낮게〕 평가하고 있다. **2** 《+(*as*)보》 …으로 간주되다, …의 등급을 갖고 있다: The ship ~*s as* first. 그 배는 일급선이다. **3** 《+전+명》 《구어》 (…에게) 평판이 좋다, 인기가 있다 《*with*》: The new teacher really ~*s with* our class. 새로 오신 선생님은 우리 반에서 정말 인기가 좋다. ~ ***up*** 고율의 보험료를 매기다.
rate[2] *vt.*, *vi.* 꾸짖다, 욕설을 퍼붓다 《*at*》.
ráte·a·ble ⇨ RATABLE. 「고료를 결정》.
ráte bàse (잡지의) 보증 부수 《이를 기준으로 광
ráte-càpping *n.* 《영》 지방 세율의 상한 규제 《중앙 정부에 의한 지자체의 예산 낭비 견제책》. ㊕ **ráte-cáp** *vt.*
rát·ed lóad [réitid-] 〖기계〗 정격 부하(定格負

荷), 정격 하중.
ráted pówer 〖오디오〗 정격 출력(定格出力).
ra·tel [réitl, rá:tl] *n.* 〖동물〗 오소리의 일종《남아프리카·인도산》.
ráte mèter (계수기의) 계수율계(計數率計).
ráte of ínterest 이율.
ráte of retúrn 〖경제〗 수익률, 이익률.
ráte·pàyer *n.* 《영》 지방세 납부자.
rat·er [réitər] *n.* **1** 평가자, 견적자. **2** 《속어》 중간 정도의 요트. **3** 〖복합어로〗 …급의 사람〔것〕: a 10-~, 10 톤(급) 요트 / ⇨ FIRST-RATER.
rát fink 《미속어》 꼴보기 싫은 놈(fink), 밀고자, 배반자.
rathe, rath [reið], [ræθ] *a.* 《고어·시어》 보통보다 시기가 이른; 일찍 피는, 일되는; 신속한. **—** *ad.* 아침 일찍, 계절〔기간〕의 초에; 신속하게. [파] **∠·ly** *ad.* **∠·ness** *n.*
†**rath·er** [rǽðər, rá:ð-/rá:ð-] *ad.* **1** 오히려, 어느 쪽인가 하면; 그보다는 …한 쪽이 낫다, …해야 한다: ~ cold *than* not〔otherwise〕 어느 쪽인가 하면 추운 편 / I would stay home ~ *than* go out. 나가기보다는 집에 있고 싶다. **2** 어느 정도, 다소, 조금; 상당히, 꽤: I'm feeling ~ better today. 오늘은 다소 기분이 좋다 / It is ~ hot today. 오늘은 생각보다 꽤 덥다 / ~ an easy book = a ~ easy book 꽤나 쉬운 책. **3** …기는커녕, 도리어: It wasn't a help, ~ a hindrance. 도움은커녕 방해였었다. **4** 〖or ~로〗 더 정확히 말하면: my father, *or* ~, stepfather 내 아버지 아니 정확히 의붓아버지 / I returned late last night, *or* ~ early this morning. 나는 엊저녁 늦게, 아니 정확히는 오늘 아침 일찍 돌아왔다.

> [NOTE] **rather than**과 **better than**: I like peaches *rather than* apples.에서는 '복숭아는 좋아하지만 사과는 좋아하지 않는다'를 의미하고, I like peaches *better than* apples.에서는 '양쪽 다 좋아하지만 복숭아 쪽을 더 좋아한다'를 의미함.

I should ~ think so. 그렇고 말고요. ***~ too*** 좀 지나치게 …한. ***the ~*** 《고어》 더 빨리〔서둘러〕. ***the ~ that*** 〔***because***〕 …이기 때문에 더욱: I love him *the ~ that* he is weak. 그가 약하기 때문에 더욱 그를 사랑한다. ***would ~*** ① 오히려 …한 쪽이 좋을 듯하다(=***had ~***) 《★후자는 시어·문어에 쓰임》: I'*d* ~ you went home now. 이젠 가 주었으면 좋겠다. ② 《like, enjoy, appreciate 등을 수반하여》 매우 …하고 싶다: I'*d* ~ *like* a cup of coffee. 커피를 마시고 싶다.
— *int.* [rǽðə́:r, rá:ð-/rá:ð-] 《영구어》 〖반어적·강한 긍정의 답에〗 그렇고말고(certainly), 아무렴, 물론이지(Yes, indeed!): "Do you know her?" "*Rather!* She is my aunt." '저 여자분을 아십니까' '물론이지요, 숙모인걸요.'
[파] **~·ish** [-riʃ] *ad.* 《미구어》 = SOMEWHAT.
rát·hòle *n.* 쥐구멍, 좁은 통로; 좁고 지저분한 방. ***down the ~*** 하찮은 목적을 위하여. **—** *vt.* 《미속어》 남의 눈에 띄지 않게 모으다.
raths·kel·ler [rá:tskèlər, rǽts-, rǽθs-] *n.* 《G.》 **1** (독일에서) 시(市)청사 지하 식당. **2** 《미》 (독일식) 지하 식당〔맥주홀〕.
rat·i·cide [rǽtəsàid] *n.* [C,U] 쥐약.
rat·i·fi·ca·tion [rӕtəfikéiʃən] *n.* [U,C] 비준(批准), 인가, 재가; 실증; 〖법률〗 추인.
◇**rat·i·fy** [rǽtəfài] *vt.* 비준〔재가〕하다; 실증〔확증〕하다. [파] **rát·i·fi·er** *n.*
***ra·ti·né,* ra·ti·ne** [rӕtənéi], [rӕtənéi, rætí:n] *n.* 《F.》 [U] 라티네직(織)〔연사(撚絲)〕.
rat·ing[1] [réitiŋ] *n.* **1** 등급을 정함, 격(格)〔등급〕 매김: the efficiency ~ system 근무 평정(評定) 제도. **2** [U] (과세 등을 위한) 평가, 견적(見積); [C] 평가 가격. **3** 《미》 시험의 평점; 《영》 지방세 부과(액); 〖전기〗 정격(定格). **4** 등급, 급수, 자격《선원 등의》; 요트·자동차 등의 등급《톤수·마력수 등에 의한》; (*pl.*) 어떤 등급의 전원(全員). **5** (실업가·기업 등의) 신용도; (라디오·TV의) 시청률, (레코드의) 팔림새. **6** 〖영해군〗 수병. **7** 〖영화〗 연령별 관람 제한 제도《미국에서는 MPAA가 정하며 G, PG, PG-13, R, NC-17으로 구분》.
「게 꾸짖다.
rat·ing[2] *n.* 꾸짖음, 질책. ***give a sound ~*** 엄하
*** ra·tio** [réiʃou, -ʃiòu/-ʃiòu-] (*pl.* **~s**) *n.* [U,C] 〖수학〗 비, 비율《*to*》; 〖경제〗 (복본위제하의) 금은비가(金銀比價): direct ~ 정비(正比) / inverse〔reciprocal〕 ~ 반비(反比), 역비(逆比) / nutritive ~ 영양률(率) / They're in the ~ of 3:2. 그것들은 3대 2의 비율이다《three *to* two라고 읽음》/ The ~ of men *to* women was two to one. 남녀의 비는 2대 1이었다. ***in the ~ of*** …의 비율로.
ra·ti·oc·i·nate [rӕʃiásənèit, -óus-, rӕti-/rӕtiɔ́si-] *vi.* 논리를 더듬어 사고하다, 추리〔추론〕하다. [파] **rà·ti·òc·i·ná·tion** *n.* [U]. **rà·ti·óc·i·nà·tive** [-nèitiv] *a.* 추리의, 추론의; 이론을 캐기 좋아하는. **-nà·tor** [-nèitər] *n.*
rátio cóntrol 〖컴퓨터〗 비례 제어《두 양 사이에 어떤 비례 관계를 유지시키려는 제어》.
◇**ra·tion** [rǽʃən, réi-/rǽ-] *n.* **1** 정액(定額), 정량. **2** (식품 등의) 배급(량), 할당(량). **3** (*pl.*) 식량, 양식; (보통 *pl.*) 〖군사〗 휴대 식량, 하루치 식량: ~ bread 군용 빵. ***be put on ~s*** 정액〔할당제〕 지급으로 되다, 배급제로 되다. ***C*** 〔***D, K***〕 ***~*** 〖미군사〗 C〔D, K〕형 레이션. ***given out with the ~s*** 《속어》 공로〔공적〕에 관계없이 일률적으로 주어져. ***on short ~s*** 양식이 제한되어. ***the emergency ~*** 비상용 휴대 양식.
— *vt.* **1** 《~+[목]/+[목]+[부]/+[목]+[전]+[명]》 (양을 정하여) 지급〔배급〕하다《*to; among*》; 급식하다《군인에게》: When supplies ran short we were ~*ed.* 양식이 부족하여 우리는 정량 배급을 받았다 / The remaining food was ~*ed out* carefully *among* the survivors. 남은 음식은 생존자들에게 신중히 분배되었다. **2** 《~+[목]/+[목]+[전]+[명]》 …을 배급제로 하다; 공급을 제한하다; (물건·용어 따위를) 조심해서 쓰다: Water must now be ~*ed.* 이제 급수 제한을 해야 한다 / I'm ~*ed to* a bottle of beer a day. 나는 하루에 맥주 한 병으로 제한받고 있다.
*** ra·tion·al** [rǽʃənl] *a.* **1** 이성이 있는, 이성적인: Man is a ~ being. 인간은 이성적인 존재이다. **2** 합리적인; 사리〔도리〕에 맞는, 온당한: a ~ policy 온당한 정책 / It's ~ to do so. 그렇게 하는 것이 합리적이다.

> [SYN] **rational** emotional의 반의어로 '이성적 판단에 의한, 이성에 맞는': a *rational* explanation 합리적인 설명. **reasonable** (사람이) 분별이 있는; 분별 있는 사람이 납득할 수 있는 → 알맞은, 적당한. 논리적 이성보다도 분별·양식에 중점이 있음: of a *reasonable* size 알맞은 크기의. **sensible** reasonable에 가깝지만 행동하기 전에 잘 검토됨을 시사함: a *sensible* plan 잘 검토되어 실행이 가능한 계획.

3 순이론적인: ~ analysis of the problem 문제의 이론적 분석. **4** 〖수학〗 유리(有理)의《무리수를 포함하지 않은》: a ~ expression 유리식. [opp] *irrational.* **—** *n.* **1** 합리적인 것; 도리를 아는 자; 인간. **2** (*pl.*) = RATIONAL DRESS. **3** 〖수학〗 유리수(~ number). [파] **~·ly** *ad.* **~·ness** *n.*

rátional dréss 〔**cóstume**〕 합리복(合理服)《특히 이전의 여성의 자전거용 짧은 바지》.
ra·tion·ale [ræ̀ʃənǽl/-ná:l] *n.* 《L.》 이론적 설명〔근거〕《*of*》; 근본적 이유, 원리《*of; for*》.
rátional expectátionist 합리적 기대론자.
rátional expectátions 〖경제〗 합리적 기대 (가설).
rátional fórm 〖수학〗 유리식.
rátional fúnction 〖수학〗 유리함수.
rá·tion·al·ìsm *n.* Ⓤ 합리주의, 합리론, 순리론(純理論); 이성주의. ㉠ empiricism, sensationalism. ㉥ **-ist** *n.* (특히 신학 · 철학상의) 이성론자, 순리론자, 합리론자.
ra·tion·al·is·tic [ræ̀ʃənlístik] *a.* 순리〔합리〕적인; 이성주의(적)인; 이성론자의. ㉥ **-ti·cal·ly** [-tikəli] *ad.*
ra·tion·al·i·ty [ræ̀ʃənǽləti] *n.* Ⓤ 합리성, 순리성; 도리를 앎; (*pl.*) 합리적 행동〔견해〕.
rá·tion·al·ìze *vt.* **1** 합리화하다; 합리적으로 다루다〔해석하다〕; 이론적으로 설명하다. **2** 〖심리〗 (행동 · 생각 등을) 그럴듯하게 설명하다, (과거의 행위를) 무의식적으로 합리화〔정당화〕하다. **3** 〖수학〗 유리화(有理化)하다. **4** (산업을) 합리화〔재조직〕하다. **—** *vi.* **1** 합리적으로 설명〔생각, 행동〕하다. **2** 자기 행위를 합리화하다. **3** (산업) 합리화를 행하다. ㉥ **rà·tion·al·i·zá·tion** *n.* Ⓤ
rátional númber 〖수학 · 컴퓨터〗 유리수.
rátion bòok 배급 통장.
rátion càrd 배급표.
rat·ite [rǽtait] *a.* (흉골(胸骨) 등에) 용골 돌기가 없는, (주금류(走禽類)같이) 평평한 흉골을 갖는. **—** *n.* 주금류의 새 《타조 따위》.
rat·lin(e), rat·ling [rǽtlin], [rǽtliŋ] *n.* (보통 *pl.*) 〖해사〗 줄사다리(의 디딤줄).

shrouds
ratlines
ratlines

rát mìte 〖동물〗 집진드기《쥐 · 사람의 피를 빨아먹음》.
RATO, ra·to [réitou] *n.* 〖항공〗 로켓 보조의 이륙. [◂ *r*ocket-*a*ssisted *t*ake*o*ff]
ra·toon [rætú:n] *n.* (사탕수수 따위의) 그루터기에서 나온 새싹. **—** *vi.* 그루터기에서 움이 트다. **—** *vt.* (작물을) 그루터기 새싹으로 재배하다.
rát pàck 《미속어》 (10대의) 거리 불량배 집단.
rát pòison 쥐약.
rát ràce 《구어》 격심하고 무의미한 경쟁, 과당경쟁; (the ~) 《구어》 경쟁 사회, 격심한 경쟁장(場); 《구어》 대혼란; 《미속어》 댄스파티; 《미속어》 정장 열병(正裝閱兵).
rát-rùn *n.* 《영속어》 샛길, 뒷길, 골목길《통근시 따위에 서두는 사람이 이용하는》.
rats·bane [rǽtsbèin] *n.* Ⓤ 쥐약《특히 아비산 (亞砒酸)》.
rát snàke 쥐 · 새를 포식하는 무독의 각종 큰 뱀.
rát's nèst 혼란 상태, 분란 상태(mare's nest).
RATT 〖항공〗 radio teletype (무선 텔레타이프).
rát·tàil *n.* 쥐꼬리 비슷한 것; 〖어류〗 민어과에 속하는 바닷물고기《꼬리가 가늘고 김》; 털이 (거의) 없는 꼬리(를 가진 말).
ráttail fíle 가늘고 기다란 둥근 줄칼.
rat·tan [rætǽn, rə-] *n.* 〖식물〗 Ⓤ 등(籐); 그 줄기; Ⓒ 등 지팡이, 등 회초리.
rat-tat [rǽttǽt], **rat-tat-tat** [rǽtətǽt], **rat-tat-too** [rǽtətù:] *n.* =RAT-A-TAT.
rat·ten [rǽtn] *vt.* 《영구어》 (…에게) 싫어하는 짓을 하다《노동 쟁의 때 공장의 용구 · 기계를 집어내거나 부수는 일 따위를 말함》, (공장 · 기계에) 손해를 끼치다. ㉥ **~·er** *n.* **~·ing** *n.*

rat·ter [rǽtər] *n.* **1** 쥐잡이《사람 · 개 · 고양이 · 기구》. **2** 《속어》 변절자, 밀고자; 파업 파괴자.
rat·tish [rǽtiʃ] *a.* 쥐 같은; 쥐가 번식한.
***rat·tle** [rǽtl] *vi.* **1** 《~/+전+명》 덜걱덜걱〔우르르〕 소리 나다〔내다〕: The window ~*d.* 창문이 덜거거렸다/The hail ~*d on* the roof. 우박이 지붕을 후두두 내리쳤다. **2** 《+부/+전+명》 (차 따위가) 덜거덕거리며 달리다〔질주하다〕; 우르르 움직이다〔떨어지다〕《*along; down; over*》: An old car ~*d by.* 낡은 차가 덜컹거리며 지나갔다/a train *rattling along* the track 철로 위를 덜컹거리며 달리는 열차. **3** 《~/+부》 빠른 말로 지껄이다, (생각 없이) 재잘거리다《*away; on*》: The child ~*d away* merrily. 아이는 즐거운 듯이 재잘거렸다. **4** (임종하는 사람이) 가르랑 소리를 내다. **—** *vt.* **1** …을 덜걱덜걱〔우르르〕 소리 나게 하다〔울리다〕: The wind ~*d* the window. **2** 《+목+전+명》 …을 덜걱덜걱 움직이다〔나르다〕: The gale ~*d* the tiles *from* the roof. 거센 바람으로 지붕의 기와가 와르르 떨어졌다. **3** 《~+목/+목+부》 (시 · 이야기 · 선서 따위를) 줄줄 외다〔읽다, 노래를 하다〕, 재잘거리다《*off; out; over; away*》: ~ *off* a speech 빠른 말로 연설하다. **4** 《~+목/+목+부》 (일 등을) 급히 해치우다, 재빨리 처리하다: ~ a piece of business *through* 일을 척척 해치우다. **5** …을 놀래다, 당황케 하다: Thunders of applause ~*d* the speaker. 우레와 같은 갈채에 연사는 어리둥절했다. **6** 덤불을 두드려 사냥감을 몰아내다: ~ foxes. **7** 《+목+부》 활기를 돋우다《*up*》. **8** 《구어》 흥분시키다, 휘젓다, 떠들썩하게 하다; 지치게 하다; 험하게 꾸짖다.
— *n.* **1** 드르륵, 덜걱덜걱; (특히 임종 시의) 가르랑거림: the ~ of hailstone on the window panes 유리창을 때리는 우박 소리. **2** 재잘거림; 떠들썩함. **3** 달각달각 소리를 내는 기관(器官)《방울뱀의 꼬리 따위》; (장난감의) 딸랑이. **4** 〖식물〗 활나물류; 현삼과의 식물. **5** 《미속어》 대우, 취급.
ráttle·bàg *n.* 딸랑 주머니《장난감》.
ráttle·bòx *n.* (장난감의) 달가닥 상자; 〖식물〗 「활나물.
ráttle·bràin, -hèad, -pàte *n.* 입만 살고 머리는 빈 사람, 경박한 사람. ㉥ **ráttle·bràined, -hèaded** [-id], **-pàted** [-id] *a.* 머리가 텅 빈.
rát·tler *n.* 덜거덕거리는 것, 수다쟁이; 《미》 =RATTLESNAKE; 《미구어》 화물 열차; 《구어》 일품(逸品); 《구어》 구타, 폭풍; 《구어》 방울뱀.
ráttle·snàke *n.* 방울뱀; 배반자, 믿지 못할 놈.
ráttle·tràp *n.* 털털이 마차〔자동차〕; (보통 *pl.*) 잡동사니 골동품; 《속어》 수다쟁이; 《속어》 입, 주둥이. **—** *a.* 덜거덕거리는, 낡아 빠진.
rát·tling *a.* 덜거덕거리는; 활발한; (발이) 빠른, 귀찮은; 《구어》 훌륭한. **—** *ad.* 《구어》 훌륭하게, 아주, 매우. ㉥ **~·ly** *ad.*
rát·tly *a.* 덜거덕덜거덕 소리를 내는.
rat·ton [rǽtn] *n.* 쥐(rat).
rát·tràp *n.* 쥐덫; 절망적 상황, 난국; (자전거의) 표면이 우툴두툴한 페달; 《구어》 누추하고 헐어 빠진 건물; 《속어》 입(mouth).
rát-trap chèese =CHEDDAR (CHEESE).
rat·ty [rǽti] (*rat·ti·er; -ti·est*) *a.* **1** 쥐 같은; 쥐 특유의; 쥐가 많은. **2** 《속어》 초라〔남루〕한; 비열한. **3** 《속어》 안달하는, 성 잘내는. ***get ~ with*** …에 화를 내다.
rau·ci·ty [rɔ́:səti] *n.* Ⓤ 쉰 목소리; 귀에 거슬림.
rau·cous [rɔ́:kəs] *a.* 목이 쉰, 쉰 목소리의, 귀에 거슬리는; 무질서하고 소란한. ㉥ **~·ly** *ad.* **~·ness** *n.*
raunch [rɔ:ntʃ, rɑ:ntʃ/rɔ:ntʃ] *n.* 《미속어》 남루함, 누추함; 무무함, 천함, 외설.

raun·chy [rɔ́:ntʃi, rá:n-/rɔ́:n-] (*-chi·er; -chi·est*) *a.* 《미속어》 칠칠치 못한, 남루한, 누추한; 천격스러운, 외설한, 호색적인; 술 취한.

rau·wol·fi·a [rɔ:wúlfiə, rau-] *n.* 【식물】 인도사목(蛇木); 인도사목의 뿌리 엑스〔말린 뿌리〕 《혈압 강하제·진정제》.

◇**rav·age** [rǽvidʒ] *n.* **1** [U] 파괴, 황폐. **2** 파괴의 맹위. **3** (*pl.*) 손해, 참화(慘禍); 파괴된 자취: the ~*s of* war 전화(戰禍). — *vt.* 약탈〔파괴〕하다; 황폐하게 하다: a face ~*d* by time 세파에 찌든 얼굴. — *vi.* 파괴 행위를 하다. [파] **~·ment** *n.* **ráv·ag·er** *n.*

◇**rave**[1] [reiv] *vi.* **1** 《~/+[전]+[명]》 헛소리를 하다; (미친 사람같이) 소리치다, 고함치다《*about; against; at; for; of*》: ~ *against*〔*at*〕 the Government 정부를 격렬히 비난하다. **2** 《~/+[전]+[명]》 사납게 날뛰다, 노호(怒號)하다《바다·바람 따위가》: The sea ~*s against* the cliffs. 파도가 벼랑에 부딪쳐 물보라를 뿌리며 흩어지고 있다. **3** 《+[전]+[명]》 열심히 이야기하다; 격찬하다《*about; of; over*》: They ~*d about* their trip. 그들은 여행에 대해 열심히 이야기하였다. — *vt.* **1** 《~+[목]/+[목]+[부]》 (미친 듯이) 소리치다, 외치다, 절규하다: ~ *out* one's grief 슬퍼서 울부짖다. **2** 〖~ oneself〗 **a** 《+[목]+[보]/+[목]+[전]+[명]》 소리치다가 …하게 되다: ~ one*self* hoarse 〔*to* sleep〕 소리치다가 목이 쉬다〔잠들다〕. **b** 《+[목]+[부]》 (폭풍 등이) 사납게 치다가 …(의 상태)가 되다: The storm ~*d* it*self out*. 폭풍우가 몰아치다가 그쳤다. ~ ***with fury*** 격노하다.
— *n.* **1** [U] 사납게 날뛰기, 광란; 노호《사람·파도의》. **2** 《영속어》 유행; 법석판, (떠들썩한) 파티; 《속어》 손 쓸 방도가 없는 젊은이. **3** 《구어》 격찬, 무턱댄 호평; 〖형용사적〗 《구어》 절찬의, 마구 칭찬하는; 《속어》 혹평, 깎아내림. **4** 열중; 《속어》 연인.

rave[2] *n.* (보통 *pl.*) (짐을 더 싣기 위해 짐수레·썰매 따위에) 가로로 댄 (보조)틀.

rav·el [rǽvəl] (*-l-*, 《영》 *-ll-*) *vt.* **1** (꼬인 밧줄·편물 등을) 풀다; (얽힌 사건 등을) 밝히다, 해명하다, 분명히 하다《*out*》. **2** 엉클다, (문제를) 혼란〔착잡〕하게 하다. — *vi.* **1** 풀리다《*out*》; (곤란이) 해소하다《*out*》; (도로 표면이) 부서지다. **2** 《고어》 엉클어지다, 혼란해지다. ***the ~ed skein of life*** 복잡한 인생. — *n.* (피륙 등의) 풀린 끝; (털실 따위의) 엉클림; 혼란, 착잡. [파] **~·(l)er** *n.*

rave·lin [rǽvlin] *n.* 【축성(築城)】 삼각 보루.

rav·el·(l)ing [rǽvəliŋ] *n.* [U] (얽힌 것을) 풀기; 풀림; (편물 따위의) 풀려나온〔얽힌〕 실.

ráv·el·ment *n.* [U] 엉클림, 혼란, 분규.

◇**ra·ven**[1] [réivən] *n.* 【조류】 갈까마귀《불길한 새로 봄》; 큰까마귀; (the R-) 【천문】 까마귀자리 (Corvus). — *a.* 검고 윤나는, 칠흑의《머리털 따위》: ~ locks 새까만 머리.

rav·en[2] [rǽvən] *vt., vi.* 강탈하다, 노략질하다《*about*》; 먹이를 찾아다니다《*for; after*》; 게걸스레 먹다. — *n.* =RAVIN. [파] **~·er** *n.*

ráven bèauty 《미속어》 매력적인 흑인 여성.

ráven-háired [réivən-] *a.* 흑발(黑髮)의.

rav·en·ing [rǽvəniŋ] *a.* 먹이를 찾아다니는; 게걸스럽게 먹는, 탐욕스러운; 광포한, 미친 듯이 날뛰는.

ráve nòtice 《속어》 매우 열의에 찬 신문의 극평(劇評).

rav·en·ous [rǽvənəs] *a.* 게걸스럽게 먹는; 몹시 굶주린, 탐욕스러운. [파] **~·ly** *ad.* **~·ness** *n.*

rav·er [réivər] 《영속어》 *n.* 멋대로 살아가는 사람, 방탕아; 열광적인 사람〔팬〕; 동성애자.

ráve revíew (신문·잡지의 영화에 대한) 호평, 격찬.

ráve-ùp *n.* 《영속어》 떠들썩한 파티.

rav·in [rǽvin] *n.* 《문어》 [U,C] 약탈; 포식(捕食); [C] 약탈물; 먹이: a beast 〔bird〕 of ~ 맹수〔맹금〕. — *vt., vi.* =RAVEN[2].

ra·vine [rəví:n] *n.* 협곡, 산골짜기, 계곡. [cf.] canyon, gully[1].

rav·ing [réiviŋ] *a.* 헛소리를 하는; 미쳐 날뛰는, 광란의; 《구어》 대단한, 굉장한《미인 따위》: a ~ beauty. — *ad.* 굉장〔대단〕하게. ***be ~ mad*** 《구어》 아주 미치다. — *n.* (보통 *pl.*) 헛소리; 노호(怒號)《바다·바람 따위의》. [파] **~·ly** *ad.*

rav·i·o·li [rævióuli, rà:-] *n.* 《It.》 [U] 저며서 양념한 고기를 얇은 가루 반죽에 싼 요리.

◇**rav·ish** [rǽviʃ] *vt.* **1** 강탈하다; 이 세상에서 앗아가다《죽음·환영 따위가 사람을》. **2** 황홀하게 하다: be ~*ed* with joy 미칠 듯이 기뻐하다. **3** 성폭행하다. [파] **~·er** *n.* **~·ing** *a.* 매혹적인, 황홀한. **~·ment** *n.* [U]

raw** [rɔ:] *a.* **1** 생〔날〕것의([opp] *cooked*); 설구워진, 설익은: eat oysters ~ 굴을 날로 먹다. **2** **a** 가공하지 않은, 원료 그대로의, 다듬지 않은: ~ cloth 표백하지 않은 천/~ silk 생사(生絲)/~ sugar 원당/~ milk 미(未)살균 우유/~ rubber 생고무. **b** (짐승 가죽이) 무두질되지 않은: ~ hides (제혁용) 원료 가죽. **c** (술 따위가) 물을 타지 않은, 희석되지 않은: ~ whiskey 물타지 않은 위스키. **d** (땅·지역 등이) 개척〔개발〕되지 않은; (도로가) 포장되지 않은: a ~ gravel path 포장되지 않은 자갈길. **e** (하수가) 정화 처리되지 않은. **f** (자료·서류 등이) 필요한 처리〔수정·편집·정리〕가 되지 않은; 【통계·컴퓨터】 (자료나 값이) 원(原)…. **g** (필름이) 노광〔사용〕하지 않은. **h** (천의 끝, 단춧구멍 등이) 감치지 않은. **3** 무경험의, 미숙한《*to*》; 세련되지 않은: a ~ hand 〔lad〕 풋내기/a ~ recruit 신병(新兵), 풋내기. **4** 껍질이 벗겨진《상처》, 생살이 나온; 얼얼한, 따끔따끔 쑤시는: a ~ cut 까진 상처/a ~ throat 뜨끔뜨끔 쑤시는 목구멍/hands ~ *with* cold 추위에 튼 손. **5** (습하고) 으스스 추운: a ~ February morning 쌀쌀한 2월의 아침. **6** (빛깔이) 원색의. **7** 노골적인; 벌거벗은; 《미구어》 음란한: a ~ comedy 야비한 희극. **8** 《구어》 지독한, 부당한. ~ ***head and bloody bones ① 동화에 나오는 요괴, 무서운 것. ② 해골과 넓적다리뼈를 열십자로 교차시킨 것《죽음의 상징》. ③ 〖형용사적〗 무시무시한.
— *n.* **1** (the ~) 살가죽이 벗겨진 곳, 빨간 생살; 아픈 곳. **2** (the ~) 생것; 날것; 《특히》 진국, 아무것도 타지 않은 독한 술; (*pl.*) 원당; 생굴. **3** 건방진 사람. ***in the ~*** 자연 그대로, 가공하지 않고, 세련되어 있지 않은; 알몸의: nature *in the ~* 있는 그대로의 자연. ***touch*** 〔***catch***〕 a person ***on the ~*** 아무의 아픈 데를〔약점을〕 건드리다, 아무의 감정을 해치다.
[파] **∠·ly** *ad.* **∠·ness** *n.* 생〔날〕것, 미숙, 거칢; 냉습.

Ra·wal·pin·di [rà:wəlpíndi/rɔ̀:l-] *n.* 라왈핀디《파키스탄 북부의 도시; 전의 임시 수도》.

ráw bàr 《미》 (식당 따위에서) 생굴을 내놓는 카운터.

ráw·bóned *a.* 빼빼 마른, 뼈만 남은.

ráw dáta 【컴퓨터】 원 데이터《처리나 집계(集計)가 행해지기 전의 데이터》.

ráw déal 《구어》 부당한 취급, 가혹한 처사: have 〔get〕 a ~ 푸대접받다.

ráw·hìde *n.* 생가죽; 생가죽 채찍〔밧줄〕. — *a.* 생가죽(제)의. — *vt.* 생가죽 채찍으로 때리다〔몰다〕; (원광(原鑛)을) 생가죽 포대에 담아 나르다.

ra·win [réiwin] *n.* 【기상】 레이윈《레이더를 단 기구에 의한 고층풍(高層風)의 관측》.

ráwin·sònde *n.* 레이윈존데《레이윈용 라디오존데》.

raw·ish [rɔ́:iʃ] *a.* 날것의, 미숙한. [파] **~·ness** *n.*

ráw matérial 원료, 소재(素材).

ráw scóre 〖교육·심리〗 성적 평가의 기초가 되는 점수.
rax [ræks] *vt., vi.* 《Sc.》 기지개를 켜다(stretch).
Ray [rei] *n.* 레이 《남자 이름; Raymond의 애칭》.
*__ray__[1] [rei] *n.* **1** 광선: a death ~ 살인 광선 / ~*s of* the sun. **2** 《비유》 (생각·희망의) 빛, 서광, 한 줄기의 광명; 시선; 약간, 소량: a ~ *of* intelligence 지성의 번득임 / There is not a ~ *of* hope. 한 가닥의 희망도 없다. **3** 열선, 방사선(의 입자), …선: cosmic ~*s* 우주선(線) / Roentgen 〔X〕 ~*s* 뢴트겐선〔엑스레이〕. **4** 사출(射出)꼴의 것〔부분〕; 〖식물〗 방사 조직; =RAY FLOWER; 〖동물〗 (물고기의) 지느러미 줄기, (불가사리의) 팔; 〖수학〗 원의 반지름(radius); 반직선(half line). **—** *vt.* **1** 《~+목/+목+부》 (빛 따위를) 발하다, 방사하다 《*forth; off; out*》: eyes ~*ing out* happiness 행복해 반짝이는 눈. **2** …에 광선〔방사선〕을 비추다〔쐬다〕. **3** 《구어》 …의 엑스레이 사진을 찍다. **—** *vi.* 《~/+부》 (빛·생각·희망 따위가) 번뜩이다 《*forth; off; out*》; 방사하다. ㊕ **∠·like** *a.*
ray[2] *n.* 〖어류〗 가오리.
ray[3] ⇨ RE[1].
ray[4] *int.* =HURRAY.
ra·ya, -yah [rɑ́:jə, ráiə] *n.* 《Turk.》 〖역사〗 오스만 제국의 비이슬람교도 국민 《특히 기독교도》.
Ráy Bàn 라이방 《미국제 선글라스; 상표명》.
ráy flòwer 〔**flòret**〕 〖식물〗 (국화과(科) 식물의) 설상화(舌狀花).
ráy fùngus 〖세균〗 =ACTINOMYCETE.
ráy gùn (SF에 나오는) 광선총. 「(波).
Ráy·leigh wàve [réili-] 〖물리〗 레일리파
ráy·less *a.* 광선이 없는; 어두운; 〖식물〗 설상화(舌狀花)가 없는; 〖어류〗 지느러미 줄기가 없는. ㊕ **~·ness** *n.*
Ray·mond, -mund [réimənd] *n.* 레이먼드 《남자 이름; 애칭: Ray》.
Ray·náud's disèase [reinóuz-] 〖의학〗 레이노 병 《레이노 현상 발작이 특징인 혈관 장애》.
Raynáud's phenòmenon 레이노 현상 《손의 소동맥 수축에 의한 일시적 혈액 부족으로 손가락·손의 일부가 창백해지는 현상》.
ray·on [réiɑn/-ɔn] *n.* Ⓤ 인조견사, 레이온.
ray·on·nant [réiənənt] *a.* 광선을 사출(射出)하는; 방사선식의 《장식·건축 양식》.
ra·za·kar [rɑːzɑːkɑ́ːr] *n.* (파키스탄, 특히 이전의 동파키스탄의) 비정규군 부대원.
raze [reiz] *vt.* 지우다, 없애다 《기억 등에서》; 완전히 파괴하다, 무너뜨리다 《도시·집 등을》: ~ a house to the ground 집을 무너뜨리다. ㊕ **ráz·er** *n.*
ra·zee [reizíː] *n.* (옛날) 상갑판을 뜯어 내고 뱃전을 낮춘 군함. **—** *vt.* …의 뱃전을 낮추다; 잘라내어 작게 하다.
ra·zon [réizɑn/-zɔn] *n.* (무선 유도의) 방향·항속 거리 가변 폭탄 (=∠ **bòmb**).
__ra·zor__ [réizər] *n.* 면도칼; 전기면도기: a safety ~ 안전면도기. **(as) *sharp as a* ~ 면도날처럼 날카로운, 빈틈없는. ***be on a ~'s edge*** 위기에 처해 있다. **—** *vt.* …을 면도질하다; 《미속어》 (훔친 것을) 무더기로 나누다.
rázor·bàck *n.* 〖동물〗 큰고래; 《미》 반야생의 돼지(=∠ **hóg**); 뾰족한 (산)등; 《미속어》 (곡마단의) 잡역부. **—** *a.* =RAZORBACKED.
rázor·bàcked [-t] *a.* (산)등이 뾰족한.
rázor·bìll *n.* 〖조류〗 바다오리무리; 제비갈매기.
rázor blàde 안전면도날.
rázor clàm 〖패류〗 긴맛, 가리맛.
rázor cùt 레이저 컷 《면도칼에 의한 헤어커트》.
rázor-cùt *vt.* (머리털을) 면도칼로 자르다.
rázor-èdge *n.* **1** 면도날; 날카로운 날; 뾰족한 산등. **2** 위기, 아슬아슬한 고비. ***be on a*** ~ 위기에 처해 있다, 아주 불안정한 상태이다. ㊕ **~d** *a.* (면도날같이) 날카로운.
rázor fìsh 〔**shèll**〕 〖패류〗 =RAZOR CLAM.
rázor-grìnder *n.* 면도칼 숫돌; 〖조류〗 큰유리새의 일종 《오스트레일리아산(産)》.
rázor hàircut =RAZOR CUT.
rázor-shàrp *a.* 매우 날카로운; 매우 엄격한.
rázor slàsher 면도칼로 상대방을 해치는 범인.
rázor stròp 혁지(革砥), 가죽숫돌. 「하 적은.
rázor-thìn *a.* 종이 한 장 차의, (표 차 등이) 극
rázor wìre 레이저 와이어 《면도날 같은 네모난 쇳조각이 달린 울타리용 철선》.
razz [ræz] 《미속어》 *n.* 혹평, 비난; 냉소, 조소. ⓒⓕ raspberry 2. ***give*** 〔***get***〕 ***the*** ~ 혹평하다〔받다〕, 조소하다〔받다〕. **—** *vt., vi.* 비난〔혹평〕하다; 냉소하다; 들볶다.
raz·zia [rǽziə] *n.* 침략, 약탈.
ráz·zle-dázzle [rǽzəl-] *n.* 《구어》 **1** (기법·효과 등의) 겉치레의 현란〔화려〕함; (극 등의) 화려한 연기〔장면〕. **2** 《주로 미식축구》 (공격 측의) 교란 전법. **3** 《미속어》 (일반적으로) 트릭, 교묘한 속임수. **4** (the ~) 소동, 야단법석; (대)혼란, 와글거림. **5** 떠들썩한 선전〔광고〕. **6** 술 취함. **7** 《속어》 유원지의 탈것, (특히) 회전목마; 매춘부. ***be*** 〔***go***〕 ***on the*** ~ 야단법석을 떨다.
razz·ma·tazz [rǽzmətǽz] *n.* 《구어》 Ⓤ **1** 떠들썩함, 현란한 분위기〔흥행, 전람회〕; 대대적인 선전, 시끄러운 광고; 모호한 말씨. **2** 열의, 활기; 고풍스러운 것, 회고적인 것, 고풍스러운 태도.
Rb 〖화학〗 rubidium. **R.B.** Rifle Brigade. **RB-** 〖미군사〗 reconnaissance bomber (정찰 폭격기): *RB*-57. **R.B.A.** Royal (Society of) British Artists. **RBC, rbc** red blood cell 〔corpuscule〕; red blood cell (count). **RBE** relative biological effectiveness. **RBI, R.B.I., rbi, r.b.i.** 〖야구〗 run(s) batted in (타점(수)). **RC** 〖건축〗 reinforced concrete (철근 콘크리트); 〖전자〗 resistance-capacitance; remote control. **R.C.** Red Cross; Reserve Corps; Roman Catholic; Reformed Church (개혁파 교회). **RCA** Radio Corporation of America 《미국의 전자 회사명》. **RCAF** Royal Canadian Air Force (캐나다 공군). **RCC** 〖우주〗 reinforced carbon-carbon ((우주 왕복선 기수의) 강화 카본재(材)). **R.C.Ch.** Roman Catholic Church. **RCD** rabbit calicivirus disease (토끼 캘러시바이러스병) 《토끼에게 치명적임》. **rcd.** received; record. **R.C.M.** 《영》 Royal College of Music. **RCN** Royal Canadian Navy (캐나다 해군); 《영》 Royal College Nursing (왕립 간호협회). **R.C.N.C.** 《영》 Royal Corps of Naval Constructors. **R.C.O.** 《영》 Royal College of Organists.
ŕ còlor 〖음성〗 (모음의) r 음색 《further [fə́ːrðər]의 미국 발음 [əːr, ər] 따위》.
ŕ-còlored *a.* 〖음성〗 (모음이) r 음의 영향을 받은〔음색을 띤〕.
R.C.P. 《영》 Royal College of Physicians (왕립(王立) 내과 학원). **rcpt.** receipt. **RCS** 〖우주〗 reaction control system (제어용 소형 분사 장치). **R.C.S.** 《영》 Royal College of Surgeons (왕립 외과 학원). **RCV** 〖해양공학〗 remote controlled vehicle (원격 조작 비이클, 유삭식(有索式) 무인 해중 관찰 (작업) 장치). **R.D.** Royal Dragoons (용기병(龍騎兵)); Rural Delivery. **R/D, R.D.** 〖은행〗 refer to drawer. **Rd.** rendered; road. **rd.** rendered; road; rod(s); round. **RDA, R.D.A.** recommended

daily allowance (1일 소요량); recommended dietary allowance (1일 영양 소요량). **RD & A** 〖군사〗 research, development and acquisition (연구개발과 조달). **RDB** relational database. **RDBMS** 〖컴퓨터〗 relational database management system. **R.D.C.** Royal District Council; 〖영국사〗 Rural District Council. **RDF** radio direction finder; 〖군사〗 Rapid Deployment Forces (신속 배치군). **RDI** reference daily intake (비타민·미네랄 일일 필요 섭취량). **RDS** 〖의학〗 respiratory distress syndrome (신생아의 호흡 장애 증후군); Radio Data System (무선 데이터 시스템).

RDX [àːrdìːéks] *n.* =CYCLONITE, CYCLOTRI-METHYLENETRINITRAMINE. [◂ *R*esearch *D*evelopment E*x*plosive] 「칭」.

Re [rei, riː] *n.* 〖이집트신화〗 레 《태양신 Ra의 별

re[1]**, ray** [rei, riː], [rei] *n.* 〖음악〗 레 《장음계의 둘째 음》.

re[2] [riː, rei/riː] *prep.* …에 관(대)하여 《주로 법률 및 상업 용어; 비어(卑語)로도 씀》.

're [ər] ARE의 간약형: we'*re*; you'*re*; they'*re*.

re- [rìː, riː, ríː, ri] *pref.* **1** 《라틴계 낱말에 붙어》 '반복, 강조, 되, 서로, 반대, 뒤, 비밀, 격리, 가 버린, 아래의, 많은, 아닌, 비(非)' 따위의 뜻을 나타냄: *re*cognize, *re*cede. **2** 《동사 또는 그 파생어에 붙어》 '다시, 새로이, 거듭, 원상(原狀)으로' 따위의 뜻을 나타냄: *re*adjust, *re*arrange.

> [NOTE] 발음: (1) 2의 뜻을 나타내는 경우 및 re- 다음이 모음으로 시작되는 경우는 [riː]: *re*arrange [rìːəréindʒ]. (2) 위에 해당하지 않는 말 다음에 오는 음절에 악센트가 있는 경우에는 [ri]: *re*flect [riflékt]. (3) re- 다음에 자음으로 시작되며 악센트가 없는 음절이 오는 경우 및 re-에 악센트가 있는 경우는 [re]로 발음함: *re*collect [rèkəlékt].
> 하이픈: (1) re- 다음이 e로 시작되면 하이픈을 사용함: re-elect. (2) 특히 기성어와 구별하는 경우 및 2의 뜻을 강조하는 경우는 하이픈을 사용함: re-form. [cf] reform.

Re 〖화학〗 rhenium. **Re.** rupee. **re., r.e.** 〖미식축구〗 right end. **R.E., RE** real estate; Reformed Episcopal; Right Excellent; Royal Exchange; Royal Engineers; right eye. **REA, R.E.A.** Railway Express Agency; 《미》 Rural Electrification Administration (농촌 전화부(電化部)).

†reach [riːtʃ] *vt.* **1** …에 도착하다, …에 도달하다, …에 이르다; (적용 범위 등이) …에까지 이르다〔미치다〕; …에 명중하다(hit); …와 연락이 되다: ~ the top of a hill 산꼭대기에 도달하다 / Your letter has ~*ed* me. 네 편지가 왔다 / ~ middle age 중년에 이르다 / His voice ~*es* everyone in the room. 그의 음성은 방의 구석구석까지 들린다 / The radio ~*es* millions. 라디오는 수백만 사람들의 귀에 들린다 / ~ an agreement 합의에 도달하다 / a book that has ~*ed* its third edition 제 3 판까지 이른 책 / ~ him by phone at the office 전화로 사무실에 있는 그와 연락이 되다.

> [SYN] **reach** 어떤 목적·결과 혹은 행선지 등에 도달함을 나타냄: *reach* a conclusion 결론에 이르다. **arrive at** 어떤 장소나 목표에 이름을 말함. 단, 그 장소가 큰 곳에서는 전치사가 in이 됨. **get to**는 reach '도착하다'라는 뜻의 구어적인 표현임.

2 …의 마음을 움직이다: His words never ~*ed* her. 그의 말은 그녀를 납득시키지 못했다. **3** 《~+[목]/+[목]+[전]+[명]/+[목]+[부]》 **a** (손·가지 따위를) 뻗치다, 내밀다《*out*》: a tree ~*ing* its branches *over* the wall 담 너머로 가지를 뻗고 있는 나무 / ~ (*out*) one's hand 손을 뻗치다. **b** (손을 뻗쳐) …에 닿다, …을 잡다: Can you ~ the top shelf? 맨 윗 선반에 손이 닿느냐 / He ~*ed* the book (*down*) *from* the shelf. 그는 선반에서 책을 내렸다. **4** 《+[목]+[목]/+[목]+[부]/+[목]+[전]+[명]》 (손을 뻗쳐) 건네주다; 《고어》 (타격 따위를) 주다, 가하다: Will you ~ me (*over*) the salt? = Will you ~ the salt *over for* me? 소금 좀 건네주시겠습니까 / *Reach* him a kick. 그를 차 버려라. **— *vi.* 1** 《+[부]/+[전]+[명]》 (어떤 물건을 잡으려고) 손·발을 뻗치다《*for; toward*》; 발돋움하다: A hand ~*ed out* and held me. 손이 뻗치더니 나를 잡았다 / ~ *for* a dictionary 사전을 잡으려고 손을 내밀다. **2** 《+[전]+[명]/+[부]》 얻으려고 하다, 구하다《*after*》: ~ *after* fame 명성을 구하다 / ~ *forward to* an ideal 이상을 추구하다 / ~ *after* happiness 행복을 얻으려고 노력하다. **3** 《~/+[전]+[명]/+[부]》 퍼지다; 이르다, 도달하다, 미치다《*to; into*》: The expense ~*es to* a vast amount. 비용은 막대한 금액에 달한다 / His garden ~*es down to* the sea. 그의 정원은 바다에까지 이른다. **4** 〖해사〗 (돛의 방향을 바꾸지 않고) 한 침로(針路)로 항해하다. ***as far as the eye can*** **~** 눈이 미치는 데까지, 바라보이는 한. **~ *back*** 기억을 거슬러 오르다. **~ *bottom*** 밑바닥에 이르다; 구명(究明)하다. **~ *for the stars*** 불가능한 것을 얻으려 하다. **~ *out*** (***to***) (대중과) 연락을 취하려〔접촉하려〕 하다. **~** a person***'s conscience*** 아무의 양심을 움직이다. **~** a person***'s ears*** 아무의 귀에 들어가다.

— *n.* 1 (잡으려고) 손을 내뻗침; 발돋움: get a book by a long ~ 손을 쑥 내밀어서 책을 잡다. **2** 손발을 뻗칠 수 있는〔손발이 닿는〕 범위〔한도〕; (쉽게) 갈 수 있는 거리: Keep medicines out of children's ~ 〔out of ~ *of* children〕. 약은 어린이 손이 닿지 않는 곳에 두시오 / The hotel is within easy ~ *of* the station. 그 호텔은 역에서 쉽게 갈 수 있는 곳에 있다. **3** (행동·지력·능력·권력 따위의) 미치는〔유효〕 범위; 이해력, 견해: Nuclear physics is beyond 〔out of〕 my ~. 핵물리학은 도무지 이해가 안 된다 / He has a wonderful ~ *of* imagination. 그는 놀라운 상상력을 갖고 있다. [SYN.] ⇨ RANGE. **4** (a ~) (뻗친) 팔의 길이, 리치: That boxer has a long ~. 그 권투 선수는 리치가 길다. **5** 넓게 퍼진 곳, 구역: ~*es* of meadow 광활한 목초지. **6** 착탄 거리. **7** (강의 두 굽이 사이의 한눈에 바라볼 수 있는) 직선 유역; (운하의 두 수문 간의) 일직선 구간: the lower 〔upper〕 ~ of a river 강 하류〔상류〕. **8** 내포(內浦), 후미; 갑, 곶. **9** 〖해사〗 (돛의 방향을 바꾸지 않은) 한 침로(針路)의 항정(航程). **10** (*pl.*) 중요한 위치. **11** (짐마차 등의) 연결봉.

[파] **∠·a·ble** *a.* **∠·er** *n.*

réach and frèquency 〖광고〗 도달도(到達度)와 도달 횟수《일련의 광고 활동에 의해 그 광고가 어느 정도 침투했는가를 측정하는 데 쓰이는 두 요소》.

reached [-t] *a.* 《미》 〖정치〗 뇌물을 받은, 부패〔타락〕한.

réach-me-dòwn *a., n.* 《영구어》 =HAND-ME-DOWN.

***re·act** [riːǽkt] *vi.* 《~/+[전]+[명]》 **1** 반작용하다, 되튀다《*on, upon*》; 서로 작용하다: Cause and effect ~ *upon* each other. 원인과 결과는 서로 작용한다. **2** 반대하다, 반항하다《*against*》:

~ *against* a plan 계획에 반대하다. **3** (자극 등에 대해) 반응을 나타내다, 감응하다《*to*》: The ear ~*s to* sound. 귀는 소리에 반응을 나타낸다. **4** 〖화학〗 반응을 나타내다, 반응하다《*on*》: How do acids ~ *on* iron? 산은 철에 어떤 반응을 보이는가. **5** 역행하다, 되돌아가다; 〖군사〗 역습〔반격〕하다. **—** *vt.* 《~+[목]/+[목]+[전]+[명]》 …에 (화학)반응을 일으키다; …을 반응시키다《*with*》. ◇ reaction *n.*

re·áct *vt.* 다시 행하다; 재연하다.

re·ac·tance [riːǽktəns] *n.* [U] 〖전기〗 리액턴스, 유도(誘導) 저항, 감응 저항.

re·ac·tant [riːǽktənt] *n.* 반응하는 사람〔물건〕; 반대자; 〖화학〗 반응 물질, 반응체.

‡**re·ac·tion** [riːǽkʃən] *n.* [U,C] **1** 반응, 반작용, 반동: What was his 〔Was there any〕 ~ *to* your proposal? 당신의 제안에 대한 그의 반응은 어떠했습니까〔대해 어떤 반응이라도 있었습니까〕/ action and ~ 작용과 반작용. **2** 반항, 반발: a ~ *against* cubism 입체파에 대한 반항. **3** (정치상의) 반동, 복고 (운동), 역(逆)코스, 보수적 경향: the forces of ~ 보수〔반동〕 세력 / a ~ *against* the permissive society 관용 사회에 대한 반동. **4** 〖화학〗 반응; 〖물리〗 반동력; 반작용; 핵반응(nuclear ~): a chain ~ 연쇄 반응. **5** 〖전기〗 반충(反衝) 작용, 재생: a ~ condenser 재생 축전기. **6** 〖증권〗 반락(反落). ㊕ **~·al** [-əl] *a.* **~·al·ly** *ad.*

°**re·ac·tion·ary** [riːǽkʃənèri/-ʃənəri] *a.* 반동의; 반동주의의, 보수적인; 역(逆)코스의; 〖화학〗 반응의: a ~ statesman 반동 정치가. **—** *n.* 반동〔보수〕주의자.

reáction èngine 〔**mòtor**〕 〖항공·우주〗 반동 기관, 반동 엔진《유체 분사(流體噴射)의 반작용으로 추력(推力)을 얻는 엔진》.

reáction formàtion 〖심리〗 반동 형성.

re·ác·tion·ìsm *n.* [U] 반동〔보수, 복고〕주의. ㊕ **-ist** *n., a.*

reáction pròduct 〖화학〗 반응 생성물.

reáction shòt 〖영화·TV〗 얼굴에 나타나는 반응을 포착하는 촬영〔장면〕, 표정의 클로즈업.

reáction tìme 〖심리〗 반응 시간.

re·ac·ti·vate [riːǽktəvèit, rìː-] *vt., vi.* 〖군사〗 현역으로 복귀시키다〔하다〕; (유휴 공장 따위) 재가동시키다〔하다〕, 다시 활동하다; 재개하다, 부활시키다〔하다〕. ㊕ **rè·ac·ti·vá·tion** *n.*

re·ac·tive [riːǽktiv] *a.* 반동의, 반동적〔복고적〕인; 〖화학〗 반응이 있는; 〖물리〗 반작용이 있는; 〖전기〗 리액턴스를 나타내는; 반발하는; 역행의. ㊕ **~·ly** *ad.* 반동적으로. **~·ness** *n.*

re·ac·tiv·i·ty [rìːæktívəti] *n.* [U] 반동(성), 반동력; 반응; 반발; 〖물리〗 반응성〔도〕.

re·ac·tor [riːǽktər] *n.* **1** 반응을 나타내는 사람〔물건〕; 〖심리〗 반응자; 〖의학〗 (면역 검사 등의) 반응 양성자; 반응 체질. **2** 〖물리〗 반응로; 원자로; 〖화학〗 반응기(器); 〖전기〗 리액터.

reáctor zòne 〖지학〗 핵반응 지대《오클로 현상(Oklo phenomenon)의 흔적이 보이는 지역》.

†**read**[1] [riːd] (*p., pp.* ***read*** [red]) *vt.* **1** (책·편지 따위를) 읽다; (외국어 따위를) 이해하고 읽다; …의 작품을 읽다: ~ a story 소설을 읽다 / He ~*s* Hebrew. 그는 히브리어를 읽을 줄 안다 / ~ Shakespeare 셰익스피어의 작품을 읽다. **2** 《+[목]+[목]/+[목]+[전]+[명]/+[목]+[부]/+[목]+[보]》 음독〔낭독〕하다《*aloud; out; off*》, 읽어 (들려) 주다: *Read* me the letter. 그 편지를 읽어 주시오 / I'll ~ *out* this letter *to* all of you. 이 편지를 너희 모두에게 읽어 주겠다 / ~ oneself hoarse 책을 읽어 목이 쉬다 / ~ a child *to* sleep 아이에게 책을 읽어 주어 잠들게 하다. **3** 《~+[목]/+[목]+[전]+[명]》 (표정 따위에서 사람의 마음·생각 등을) 읽다, 알아차리다: I can ~ your thoughts (*from* 〔*in*〕 your face). (얼굴을 보면) 네가 무슨 생각을 하는지 알 수 있다. **4** (카드 따위로) 점치다, (수수께끼·징후 따위를) 풀다, 판단하다; (미래를) 예언하다; (날씨 따위를) 살펴보다: ~ the sky 날씨를 살피어 판단하다 / ~ a dream 꿈을 해몽하다 / ~ the future 미래를 예언하다 / ~ a riddle 수수께끼를 풀다. **5** (기호·속기·악보 따위를) 읽다, 해독(解讀)하다; (점자 따위를) 판독하다: ~ (a piece of) music 악보를 읽다. **6** 《~+[목]/+[목]+*as* [보]/+[목]+*to* do》 (말·행위 따위를) 해석(解釋)하다, 뜻을 붙이다: This passage may be *read* two ways. 이 문장은 두 가지 뜻으로 해석할 수 있다 / Your silence will be *read as* consent. 당신의 침묵은 승낙하는 뜻으로 해석될 것이오 / I ~ this letter *to* mean that he won't come. 이 편지는 그가 오지 못한다는 뜻인 것 같다. **7** 《+[목]+[전]+[명]》 (…을) …라고 정정해서 읽다; (원고를) 정정 편집하다; (쇄(刷)를) 교정 보다(proofread): *For* wkite, ~ white. (정오표에서) wkite는 white의 잘못임. **8** 《+[목]+[전]+[명]》 《주로 영》 (대학에서) 연구〔전공〕하다, (학위 취득 등을 위해) 공부하다: ~ linguistics *at* university 대학에서 언어학을 전공하다. **9** 《+*that* [절]/+*wh. to* do / *wh.* [절]》 (…라는 것을) 읽어서 알다〔배우다〕: I ~ in the newspaper *that* he had died yesterday. 그가 어제 사망했다는 것을 신문에서 읽고 알았다 / You can ~ in here *what to* do 〔*what* you should do〕 if there's an earthquake. 지진이 일어나면 무엇을 해야 하는지는 여기를 읽어 보면 안다. **10** (온도계 따위가 눈금·도수를) 나타내다: The thermometer ~*s* 30 degrees. 온도계는 30도이다. **11** 《+[목]+[전]+[명]》 〖의회〗 〔보통 수동태〕 독회(讀會)에 회부하다: The bill *was read for* the first time. 그 의안은 제1독회에 회부되었다. **12** 《~+[목]/+[목]+[보]》 (구화술에서 입술을) 읽다; (전신·전화로) 청취하다: Do you ~ me? —We ~ you clear. 들립니까 — 잘 들립니다. **13** 〖컴퓨터〗 (자료·프로그램·제어 정보를) 읽다《외부 기억 매체 등에서 빼내어 주기억 장치에 입력함》; 〖생물〗 (유전 정보를) 읽다. **14** 《미공군속어》 조종사에게 (정확한 비행 위치를) 알리다; 레이더에 (우군기의 위치를) 비치게 하다. **15** 《속어》 점검하다, 순회하다〔비추다〕. **—** *vi.* **1** 읽다, 독서하다: ~ well 책을 잘 읽다. **2** 《+[전]+[명]》 음독〔낭독〕하다: ~ *to* a person 아무에게 읽어 주다. **3** 《+[전]+[명]》 읽어서 알다, 읽다《*of; about*》: ~ *of* a person's death (신문 등을 읽어) 아무의 죽음을 알다. **4** 《~/+[전]+[명]》 공부〔연구〕하다, 많이 읽어 두다: ~ *for* the Bar 변호사 시험을 위한 공부를 하다. **5** 《+[보]/+[부]》 …하게 읽히다, 읽어서 …한 느낌을 주다: The magazine ~*s* interesting. 그 잡지는 재미있게 읽을 수 있다 / The play ~*s better* than it acts. 그 연극은 상연된 것보다 책으로 읽는 편이 낫다. **6** 〔양태의 부사(구)와 함께〕 …라고 씌어(져) 있다, …로 해석되다: The rule ~*s* two different ways. 그 규칙은 두 가지 다른 뜻으로 해석된다 / It ~*s as* follows. 그 구절은 다음과 같다. **7** 《속어》 나타나다(appear).

He that* 〔*who*〕 *runs may* ~.** 〖성서〗 달리면서도 읽을 수 있다, 매우 명백하다《하박국서 II: 2》. **~ *between the lines 숨겨진 뜻을 찾아내다; 의도하는 바를 알다. **~** a person ***a lesson*** 〔***lecture***〕 아무에게 잔소리하다. **~ (*a*)*round the subject*** 〔***topic***〕 (연구하고 있는) 테마의 배경이 되는 것을 읽다. **~ *back*** (전문(電文) 따위의 정확을 기하기 위해 상대에게) 복창하다. **~ *for*** a person

아무에게 읽어(서) 들려주다. ~ ***from*** 〔***out of***〕 ***a book*** 책을 드문드문 빼먹고 낭독하다, 골라 읽다. ~ ***in*** (말하거나 글 쓴 사람이 의도하지 않은 것을) 알아내다; 〚컴퓨터〛 (자료·프로그램·제어 정보 등을) 읽다《주기억 장치에 입력하다》. ~ ***in a book*** 책을 탐독하다. ~ ***... into*** …의 뜻으로 해석하다《흔히 곡해를 하여》: He ~ an apology *into* my letter. 그는 나의 편지를 사죄의 뜻으로 해석하였다. ~ ***like*** …처럼 해석되다〔씌어 있다〕. ~ a person ***like a book*** 아무의 마음을 알아채다. ~ ***off*** (계기로 측정치·기온 등을) 읽어 내다; (끝까지) 다 읽다. ~ ***out*** ① = *vt.* 2. ② (정보를) (발신기에서) 송신하다; 〚컴퓨터〛 (자료·프로그램 등을) 읽다. ③ 《미·Can.》 (당원·회원을) 제명하다《*of*》: They ~ him *out of* the party. 그들은 그를 당에서 제명했다. ~ ***over*** …을 숙독하다. ~ one***self in*** (영국 국교의 39개조(個條)의 신조를 낭독하여) 목사로 취임하다. ~ a person***'s hand*** 〔***palm***〕 아무의 손금을 보다. ~ ***the sky*** 점성(占星)하다. ~ ***through*** 통독하다. ~ ***to*** one***self*** 묵독하다. ~ ***up*** 공부〔연구〕하다; 읽어 두다《*on*》. ~ ***with*** a person 아무의 공부 상대를 해주다《가정교사로서》.

── *n.* **1** 읽기, 독서; 《주로 영》 독서 시간: have 〔take〕 a long 〔short, quiet〕 ~ 장시간〔잠깐, 조용히〕 독서하다. **2** 〚컴퓨터〛 읽기.

read² [red] READ¹의 과거·과거분사.

── *a.* 〘부사를 수반하여〙 읽어〔공부하여〕 잘 알고 있는: a well-~ man 박식한 사람 / be deeply 〔well〕 ~ *in* …에 정통하다, 조예가 깊다 / be little 〔slightly〕 ~ *in* …에 대한 지식이 빈약하다. ***take ... as*** ~ …을 당연한 것으로 여기다.

read³, reed [ri:d] *n.* (반추 동물의) 제4위(胃), 주름위, 추위(皺胃)(abomasum).

réad·a·ble *a.* **1** 읽어서 재미있는, 읽기 쉬운. **2** (필적 등이) 읽기 쉬운, 똑똑한. ㊕ **-bly** *ad.* **~·ness** *n.* **rèad·a·bíl·i·ty** *n.* Ⓤ 읽기 쉬움; 재미있게 읽힘; 〚컴퓨터〛 읽힘성, 가독성(可讀性).

réad-after-wríte vèrify 〚컴퓨터〛 쓴 뒤 읽기 검사.

read-a-thon [rí:dəθàn, -θən] *n.* 독서 마라톤, 연속 독서 장려, 도서관 이용 운동.

rè·addréss *vt.* …에게 다시 말을 걸다; …의 주소를 고쳐〔바꿔〕 쓰다. ~ one***self*** 재차 착수하다《*to*》. ~ (a letter) ***to*** (편지)를 전송(轉送)하다.

read·er [rí:dər] *n.* **1** 독자; 독서가: a good ~ 훌륭한 독서가. **2** 리더, 독본. **3** (출판 여부를 판정하는) 출판사의 원고 검토인; 교정원. **4** 낭독자; 〚교회〛 (예배 때 성서·기도서의) 낭독자. **5** 《영》 (일부 대학의) 부교수《professor의 아래》; 《미》 (교수를 보좌하는) 조수: a ~ *in* Latin 라틴어 강사. **6** 〚컴퓨터〛 읽개, 판독기: a card 〔tape〕 ~ 카드〔테이프〕 판독기. **7** = MICROREADER. **8** (가스·전기 따위의) 검침원. **9** 《미속어》 (쇼·노점 등) 큰 길에서 영업하기 위한 허가증. **10** 마약 조제법 지시서; 처방전. **11** 수배자의 조회 통지. **12** (*pl.*) 뒤에 표를 한 트럼프 카드. ㊕ **~·ship** [-ʃìp] *n.* 《영》 대학 강사직〔직위〕; (신문·잡지 등의) 독자 수〔층〕.

réad·er·ly *a.* reader의, reader에 관한〔에 흔히 있는〕.

Réader's Dígest '리더스 다이제스트' 《미국의 포켓판 월간지; 타 출판물에 나온 읽을거리나 기사를 간결하게 고쳐 써서 편집; 1922년 창간; 세계 10여개 국어로 발행》.

réader's sérvice càrd 독자 카드(bingo card) 《잡지 등에 끼어 있는 요금 별납 엽서》.

réad hèad 〚컴퓨터〛 판독 헤드.

***read·i·ly** [rédəli] *ad.* **1** 즉시; 쉽사리: be ~ available 쉬이 입수할 수 있다. **2** 이의 없이, 기꺼이, 쾌히: I would ~ do it for you. 기꺼이 그렇게 해 드리지요.

réad-ìn *n.* 〚컴퓨터〛 리드인.

°read·i·ness [rédinis] *n.* Ⓤ **1** 준비, 채비: be *in* ~ *for* an emergency 비상(非常)사태에 대비하다. **2** 용이; 신속: ~ *of* wit 임기응변의 재치 / ~ *of* speech 〔tongue〕 구변이 좋음. **3** 흔쾌한 승낙; 자진해서 함: with ~ 기꺼이, 자진해서 / He expressed (a) great ~ *to* adopt the reform bill. 그는 선뜻 그 개혁안을 채택하겠다는 의사를 표현했다. **4** 〚군사〛 즉응력《즉시 작전에 투입할 수 있는》. ◇ ready *a.*

Read·ing [rédiŋ] *n.* 레딩 《(1) 잉글랜드 남부 Berkshire의 주도(州都). (2) 미국 Pennsylvania 주 남동부의 도시》.

****read·ing** [rí:diŋ] *n.* **1** Ⓤ 읽기, 독서; Ⓒ 낭독: be fond of ~ 독서를 좋아하다. **2** Ⓤ (독서에 의한) 학식, 지식: a man of (wide) ~ 박식한 사람. **3** Ⓒ 낭독회, 강독회. **4** Ⓒ (의회의) 독회: the first 〔second, third〕 ~ 제1〔제2, 제3〕 독회. **5** Ⓤ 읽을거리, 기사; (*pl.*) 문선: ~*s* from Shakespeare 셰익스피어 문선. **6** Ⓤ 이본(異本)에 의한 어구의 상위(相違), 이문(異文), (사본·원고의) 독법(讀法): There're various ~*s of* 〔*for*〕 this passage. 이 구절은 읽는 법이 여러 가지 있다. **7** Ⓤ 해석, 견해, (꿈·날씨·정세 등의) 판단; (각본의) 연출: What is your ~ *of* the facts? 그 사실을 어떻게 해석하십니까 / My ~ *of* the law is that .... 나의 해석으로는 그 법률은 …이다. **8** (기압계·온도계 등의) 시도(示度), 표시: The ~ *on* 〔*of*〕 the thermometer was 25 degrees. 온도계는 25도를 가리키고 있었다. ***a penny*** ~ 〚영국사〛 (빈민을 위한) 입장료가 싼 독서회〔낭독회〕. ── *a.* **1** 독서하는, 책을 즐기는: the ~ public 독서계. **2** 독서의, 읽기 위한: a ~ book 독본.

réading àge 독서 연령《같은 정도의 독서 능력을 갖는 아동의 평균 연령》.

réading dèsk (서서 읽게 된 경사진) 독서대, 열람 책상; (교회의) 성서대(lectern).

réading glàss 확대경; (*pl.*) 독서용 안경.

réading làmp 〔**lìght**〕 독서용 램프, 서재용 (전기)스탠드.

réading list (대학 등의) 추천 도서.

réading màtter (신문·잡지의) 기사, 읽을거리.

réading nòtice 기사식(式) 광고《신문·잡지에서 일반 기사와 같은 활자로 조판한》.

réading ròom 독서실, 열람실; (인쇄소의) 교정실.

réading wànd 《영》 상품의 bar cord 판독기〔장치〕.

°rè·adjúst *vt.* 《~+목 / +목+전+명》 새로이 〔다시〕 조정〔정리〕하다《*to*》: ~ a focus 초점이 맞게 다시 조정하다 / ~ oneself *to* the job after an illness 앓고 난 후 종전처럼 다시 일에 적응하다. ── *vi.* 《+전+명》 (…에) 다시 순응하다《*to*》. ㊕ **~·a·ble** *a.* **~·ment** *n.* 재조정.

READ-ME file 〚컴퓨터〛 리드미 파일《어떤 응용 소프트웨어에 관한 정보를 수록한 파일》.

rè·admíssion *n.* Ⓤ 재입학, 재허가.

rè·admít (*-tt-*) *vt.* 다시 넣다, 다시 허가하다; 재입학시키다. ㊕ **~·tance** *n.* 재허가, 재입학.

réad-ónly *a.* 〚컴퓨터〛 읽기 전용의.

réad-ònly mémory 〚컴퓨터〛 ⇨ ROM.

rè·adópt *vt.* 다시 양자로 하다; 다시 채용하다.

rè·adórn *vt.* 다시 장식하다, 고쳐 장식하다.

réad·òut *n.* Ⓤ,Ⓒ 〚컴퓨터〛 (기억 장치 또는 기억 소자(素子)로부터의) 정보 읽기; 그 정보; (인공위성으로부터의 데이터·화상(畫像)의) 무선 송신. ── *vi.* 데이터를 송신〔기록, 표시〕하다.

réad-thròugh *n.* 〚연극〛 대본 읽기.

réad/wríte hèad 〚컴퓨터〛 읽기 기록 헤드.

réad/wríte mèmory 〖컴퓨터〗 읽기 기록 기억 장치《생략: R/WM》.

†**ready** [rédi] (*read·i·er; -i·est*) *a.* **1** 준비가 된《*for*》; (언제든지 …할) 채비를 갖춘〔*to* do〕: Dinner is ~. 식사 준비가 되었습니다 / shoes ~ *for* wear 금방 신을 수 있는 구두, 기성화 / I'm ~ *to* go out. 언제라도 외출할 수 있다 / The paper is ~ *for* you *to* sign. 서류는 네가 서명하도록 준비되어 있다. **2** 각오가 되어 있는《*for*》, 언제든지〔기꺼이〕 …하는《*to* do》: I'm ~ *for* death 〔*to* die〕. 죽을 각오가 되어 있다 / be ~ *to* forgive one's enemies 기꺼이 적을 용서하다. **3** 금방이라도 …할 것 같은《*to* do》: She seemed ~ *to* cry 〔fall〕. 그녀는 금세 울〔쓰러질〕 것같이 보였다. **4** 즉석에서의, 당장에 응(應)하는; 재빠른; 능숙한: a ~ reply 〔answer〕 즉답 / a ~ worker 일손이 빠른 사람 / have a ~ wit 기지〔재치〕가 있다 / He's ~ *with* excuses. 그는 변명을 잘한다 / He's ~ *with* reckoning 〔figures〕. 그는 계산이 빠르다. SYN. ⇨QUICK. **5** 즉시 쓸 수 있는, 편리한; 손 가까이에 있는: keep 〔have〕 a revolver ~ 권총을 늘 곁에 두다 / ~ means 〔way〕 손쉬운 방법. ◇ readiness *n.* ***get*** 〔***make***〕 ~ 준비〔채비〕를 갖추다《*for*》. (***Get***) ~**!** (***Get***) ***set! Go!*** =***Ready, steady, go!*** (경주에서) 제자리에, 준비〔차려〕, 땅《정식으로는 On your mark(s), get set, go!》. ***give a ~ consent*** 즉시 승낙하다. ***hold oneself ~ to*** do …하려고 준비를 갖추다. ~ ***at*** 〔***to***〕 ***hand*** 손 가까이에, 즉시 쓸 수 있는. ~ ***for Freddie*** 《미속어》 예기치 않은 일에도 준비가 되어 있어, 각오가 되어 있어. ***Ready, present, fire!*** 거총, 조준, 발사.

—*n.* **1** (the ~) 준비 완료의 상태; 〖군사〗 거총〔사격〕 자세; 《구어》 현금: have one's camera at the ~ 카메라를 언제든지 쓸 수 있게 해 두다 / hold a rifle at the ~ 거총하다. **2** 〖컴퓨터〗 준비《실행 준비가 완료된 상태》: ~ list 준비 목록, 죽 보(이)기 / ~ time 준비 시간. ***come to the ~*** 사격 자세를 취하다. ***plank down the ~*** 현금으로 치르다.

—*ad.* **1** 〖과거분사를 수반하여〗 미리, 준비하여: ~-built 이미 세워진. **2** 〖보통 비교급·최상급의 형태로〗 빨리, 신속히: a boy who answers *readiest* 가장 빨리 대답하는 소년.

—*vt.* 《~+목/+목+전+명》 마련〔준비〕하다; 《속어》 현금〔맞돈〕으로 치르다: ~ the room *for* use 그 방을 쓸 수 있도록 준비하다 / They *readied* themselves *for* the journey. 그들은 여행 준비를 했다. ~ ***a horse*** 《속어》 (다음 번 경마에서 유리한 핸디캡을 얻기 위해) 일부러 말을 늦추다. ~ ***up*** 준비하다; 《영·Austral. 속어》 사기 치다.

réady bòx (함포 등의) 탄약 보급 상자.

réady-fàded [-id] *a.* (새 양복을) 미리 바랜〔낡은〕 것처럼 만든.

***réad·y-máde** [-méid] *a.* **1** (옷 따위가) 기성품의(OPP. *made-to-order, custom-made*); 기성품을 파는; 꼭 알맞은: ~ clothes 기성복. **2** (사상·의견 따위가) 진부한, 제것이 아닌, 빌려온, 개성이 없는. —*n.* 기성품.

réady méal 조리 가공이 다 되어 있는 식품《데우기만 하면 먹을 수 있는》.

ready-mix [rédimiks, ⌐⌐] *a., n.* (즉시 쓸 수 있도록) 각종 성분을 조합한 (물건)《식품, 모르타르, 페인트 등》.

réady-míxed [-t] *a.* 미리 조제〔조합, 조리〕된.

réady móney 〔**cásh**〕 현금, 맞돈: pay ~.

réady réckoner 계산표, (이자·세액 따위의) 조견〔일람〕표.

réady ròom 〖공군〗 조종사 대기실.

réady-to-éat *a.* 인스턴트의, 즉시 먹을 수 있는.

réady-to-wéar, réady-for-wéar *a.* **1** (의복이) 기성품인; 기성복을 취급하는. **2** (회답·답변 따위가) 이미 만들어져 있는〔준비된〕. —*n.* 기성복.

réady-wítted [-id] *a.* 기민한, 꾀바른, 재치〔기지〕 있는.

rè·affírm *vt.* 재차 단언하다, 다시 긍정〔시인〕하다, 재확인하다. ㊎ **rè·affirmátion** *n.* Ⓤ 재(再)단언, 재긍정.

rè·affórest *vt.* 《영》 다시 조림(造林)하다. ㊎ **rè·afforestátion** *n.* Ⓤ 재조림.

Rea·gan [réigən] *n.* **Ronald Wilson ~** 레이건《미국의 제 40 대 대통령; 1911-2004》.

Rea·gan·om·ics [rèigənámiks/-nɔ́m-] *n.* 레이거노믹스《감세와 통화 조정 등 레이건의 경제 정책》. [◂*Reagan*+economics]

re·a·gent [riːéidʒənt] *n.* 〖화학〗 시약(試藥), 시제(試劑); 반응물〔력〕; 〖의학·심리〗 피실험자. ㊎ **re·á·gen·cy** *n.* 반응(력), 반작용.

re·ággregate *vt., vi.* (세포 따위를) 재응집(凝集)시키다〔하다〕. —*n.* 재응집한 것.

re·a·gin [riéidʒin, -gin/dʒin] *n.* 〖의학〗 리아진《아토피〔알레르기〕성 질환에 관련 있는 혈청 속의 항체》.

‡**re·al¹** [ríːəl/ríəl, riːl] *a.* **1** 진실의, 진짜의: ~ earning 〔incomes〕 실제 소득 / ~ gold 순금 / ~ silk 본견(本絹) / the ~ thing 진짜; 극상품; 본고장 물건 / ~ stuff 진짜, 훌륭한 것 / feel a ~ sympathy 진정한 동정심을 느끼다. **2** 현실의, 실제의, 실재하는; 객관적인(OPP. *ideal, nominal*): a tale taken from ~ life 실생활에서 취재한 이야기.

> SYN. **real** apparent (자칫 …로 보기 쉬운), imaginary (상상적인) 따위의 반의어로 '현실로 존재하는, 존재할 수 있는'의 뜻. true, actual과 대치 가능한 경우가 많지만 true가 감정적 판단, actual이 현실적 판단임에 비하여 real은 관념적인 판단임: a *real*(=true) diamond 진짜 다이아몬드. a story taken from *real*(=actual) life 실생활에서 취재한 이야기. **actual** ideal(이념상의), possible (가능한) 따위의 반의어로 현실의 존재만을 문제 삼는 매우 실제적인 판단임: the *actual* state 실상, 현상. the *actual* cost 실비. **true** fictitious (가공의, 허구의), false (거짓의, 가짜의) 따위의 반의어로서, actual 또는 real한 상태에 일치하고 있음을 나타냄. '실체와의 일치'가 중심되는 뜻이며 여기서부터 '정확한(precise)' '진짜의(genuine)'라는 낱말의 뜻이 생김. 이상의 두 낱말에 비해 감정적인 색채가 강함: a *true* story 실화. **genuine** counterfeit (모조의, 겉치레의)의 반의어로서 순수하고 가짜가 아니라는 것을 나타냄: *genuine* sympathy 진정한 공감(共感). a *genuine* antique 진짜 고(古)미술품〔골동품〕. **practical** speculative (사색적인), theoretical (이론적인) 따위의 반의어로서 '실제적인, 실제에 입각한'의 뜻. 또한 '명목은 틀리지만 실질상의, 사실상의(virtual)'의 뜻도 있음: a *practical* scheme 실제안. the *practical* ruler of the country 그 나라의 실질적인 지배자.

3 〖법률〗 부동산의, 물적인. cf. personal. ¶ ~ rights 물권. **4** (수입·임금이) 실질적인, 사실상의. **5** 〖수학〗 실수(實數)의; 〖광학〗 실상(實像)의; 〖철학〗 실재적인: ~ image 실상 / a ~ number 실수. ***for*** ~ 《미구어》 ① 참말의, 실제의; 진짜의: Are you *for* ~? 정말이냐, 꿈〔거짓말〕 같다 / This is *for* ~. 이것은 진짜다. ② 정말로, 진지하게: Let's work *for* ~. 열심히 일하

자. ***It's been ~.*** 《속어》 참으로 즐거웠다, 〔반어적〕 아주 좋았다《형편없었다》.
— *ad.* 《미구어》 정말로, 매우, 아주: We had a ~ good time. 정말로 즐거웠다.
— *n.* (the ~) 현실, 실물, 실체; 〖수학〗 =REAL NUMBER.
[파] **~·ness** *n.*

re·al² [reiɑ́:l] (*pl.* **~s, re·a·les** [reiɑ́:leis]) *n.* 옛 스페인의 작은 은화; 스페인의 옛 화폐 단위 《1/4 peseta》.

re·al³ [reiɑ́:l] *n.* **1** (*pl.* **~s, re·ais** [*Port.* reáis]) 헤알《Brazil의 화폐 단위》. [cf.] cruzeiro. **2.** REIS의 단수.

réal accóunt 〖회계〗 실재(實在) 계정《회사 등의 자산과 자본을 기록하는 것》.

réal áction 〖법률〗 물적(物的) 소송《물(物) 자체의 회복을 청구하는》.

réal ále 리얼 에일《draft beer의 별칭; 전통적인 방법으로 나무통에 넣어 발효시킨 참맥주》.

réal definítion 실질 정의(定義)《물건의 성질 또는 본질을 설명하는 정의》.

réal estàte 〖법률〗 부동산; 《미속어》 (손·얼굴의) 더러움.

réal estàte àgent 《미》 부동산 중개인(仲介人)(《영》 estate agent).

réal-estàte invéstment trùst 부동산 투자 신탁《생략: REIT》.

réal fócus 〖광학〗 실(實)초점.

re·al·gar [riǽlgər, -gɑ:r] *n.* 〖광물〗 계관석(鷄冠石).

reálgar yéllow 밝은 황색(orpiment yellow).

réal GŃP 〖경제〗 실질 국민 총생산.

re·a·lia [ri:éiliə, riǽl-, reiɑ́:l-] *n. pl.* 실물 교재(敎材); 〖철학〗 실재물.

re·a·lign [rì:əláin] *vt.* 재편성〔조정〕하다. [파] **~·ment** *n.*

réal ímage 〖광학〗 실상(實像).

***re·al·ism** [rí:əlìzəm/ríəl-] *n.* **1** 현실주의. **2** 〖문예·미술〗 사실주의, 리얼리즘. [opp.] *idealism.* **3** 〖철학〗 실재〔실념〕론. [opp.] *nominalism.* **4** 〖교육〗 실학주의; 〖법률〗 실체주의.

°**ré·al·ist** *n.* 현실주의자, 실제가; 〖문예·미술〗 사실주의 작가〔화가〕, 리얼리스트; 〖철학〗 실재론자. — *a.* 리얼리즘의.

***re·al·is·tic** [rì:əlístik/rìəl-] *a.* **1** 현실주의의. **2** 사실주의의, 사실파의; 진실감이 나는. **3** 실재론(자)의. [파] **-ti·cal·ly** [-əli] *ad.*

‡**re·al·i·ty** [ri:ǽləti] *n.* [C,U] **1** 진실, 진실성; 본성. **2** 사실, 현실(성): *realities* of war 전쟁의 현실 모습. **3** 실재; 실체: the ~ of God 신의 실재. **4** 박진성, 실물 그대로임. **5** 〖법률〗 =REALTY. ***in*** **~** 실은, 실제는([opp.] *in name*), 정말로. ***with*** **~** 실물 그대로.

reálity chèck (보통 a ~) 《구어》 현실에 눈을 돌리는 것〔기회〕.

reálity prìnciple 〖정신분석〗 현실 원칙《환경의 불가피한 요구에 적응하여 작용하는 심리 과정의 원리》.

reálity tèsting 〖정신의학〗 현실 검증《외계와 자기의 내측, 자기와 비(非)자기를 구별하는 객관적인 평가》.

reálity thèrapy 현실 요법《현실을 받아들이고, 그것에 적응하기 위한 심리 요법》.

‡**re·al·i·za·tion** [rì:əlizéiʃən/rìəlaiz-] *n.* [U] **1** 사실로 깨달음, 실상을 앎, 이해, 실감: have (a) full ~ *of* the situation 상황을 충분히 알고 있다/The ~ *that* he had been bribed was a shock. 그가 뇌물을 받았다는 것을 알고 충격을 받았다. **2** 실현, 현실화; 달성; 실감을 나타냄, 사실(寫實): the ~ *of* a lifelong dream 평생의 꿈의 실현. **3** 현금화, 환금; (돈·재산의) 취득: the ~ *of* one's assets 자산의 현금화.

‡**re·al·ize** [rí:əlàiz/ríəl-] *vt.* **1** (소망·계획 따위를) 실현하다, 현실화하다: ~ a long-cherished wish 오랫동안 바라던 소망을 이루다. **2** 여실히 보이다; …에게 현실감을 주다. **3** 《~+[목]/+*that* [절]/*wh.* [절]》 실감하다, (생생하게) 깨닫다: ~ one's deficiencies 자기의 결점을 자각하다/I didn't ~ (*that*) he was so ill. 그가 그렇게 아픈지 몰랐다/I didn't ~ *how* much she loved me. 그녀가 나를 얼마나 많이 사랑하는가를 깨닫지 못했다. **4** 《+[목]+[전]+[명]》 (재산·이익을) 얻다, 벌다: ~ a good profit *on* the sale of one's house 집을 팔아서 큰 이익을 보다. **5** 현금으로 바꾸다. **6** (얼마에) 팔리다: The goods ~*d* $3,000. — *vi.* (…을 팔아) 환금하다; 돈이 되다. [파] **ré·al·iz·a·ble** *a.* **-iz·er** *n.*

ré·al·ized prófit 〖회계〗 실현 이익. [cf.] paper profit.

rè·allíance *n.* [U] 재(再)동맹.

réal-lífe *a.* 현실의, 공상〔가공〕이 아닌, 실재의.

rè·állocate *vt.* 재할당하다, 재분배하다, 〖컴퓨터〗 (메모리를) 재배정하다.

†**re·al·ly** [rí:əli/ríəli, rí:li] *ad.* 참으로, 정말(이지), 실로, 실은, 실제로, 확실히: Is it ~ so? 정말 그러하냐/I ~ don't like him. 정말 그가 싫다/I don't ~ like him. 그를 정말로 좋아하지는 않는다《really가 not 뒤에 오면 부정이 부드러워짐》/Not ~! 설마/*Really?* 정말입니까/*Really!* 그렇고 말고, 물론이지/Well ~! 저런 저런.

°**realm** [relm] *n.* **1** 《문어》 왕국, 국토. **2** 범위, 영역; (학문의) 부문; 〖생물〗 …계(界): within the ~*s of* possibility 가능한 (범위 안에)/the ~ *of* nature 자연계. **3** (동식물 분포의) 권(圈), 대(帶). ***the laws of the*** **~** 《문어》 (영국) 국법. ***the*** **~** ***of God*** 〖기독교〗 신의 나라.

réal McCóy (the ~) 《영구어》 진짜.

réal móney 실질 화폐, 현금.

réal númber 〖수학·컴퓨터〗 실수(實數)《유리수와 무리수의 총칭》.

réal párt 〖수학〗 실부(實部); 실수 부분.

re·al·po·li·tik [reiɑ́:lpòulitì:k, ri-/rei-] *n.* 《G.》 (종종 R-) 현실적 정책〔정치〕《power politics의 완곡한 표현》.

réal présence (종종 R- P-) 〖신학〗 그리스도의 실재《미사〔성찬〕에 있어서의 그리스도의 피와 살의 실재설》.

réal próperty 〖법률〗 부동산.

réal ténnis 《영》 =COURT TENNIS.

réal tíme 〖컴퓨터〗 판독시간, 실(實)시간《입력 자료를 즉시 처리하는 것》; 〔일반적〕 즉시, 동시.

réal-tíme *a.* **1** (보도 등이) 순간의, 대기 시간 없는. **2** 〖컴퓨터〗 실시간의: ~ operation 실시간 작동〔연산〕.

rèal-time prócessing 〖컴퓨터〗 실시간 처리 《즉시 응답을 얻을 수 있는 프로그램 실행이나 데이터 처리 방식》. [cf.] batch system.

rèal-time sýstem 〖컴퓨터〗 실시간 시스템.

Re·al·tor [rí:əltər, -tɔ̀:r/ríəl-, rí:l-] *n.* 전미(全美) 리얼터 협회(National Association of Realtors) 공인(公認) 부동산 중개업자《단체 마크》.

re·al·tor *n.* 부동산 중개업자.

re·al·ty [rí:əlti, ríəl-, rí:l-] *n.* [U] 〖법률〗 부동산(real estate). [opp.] *personalty.*

réal-válued *a.* 〖수학〗 실수치의: ~ function 실수치 함수.

réal wáges 실질 임금. [opp.] *nominal wages.*

réal wórld 실사회, 대학 이외의 세계.

ream¹ [ri:m] *n.* 연(連)《전엔 480매(short ~), 지금은 500매(long ~); 생략: rm.》; (보통 *pl.*) 다량《특히 종이나 문서》: He has written ~s of poetry. 그는 무수한 시를 썼다. ***a printer's*** 〔***perfect***〕 **~** 인쇄 용지의 1연《516 매》.

ream² *vt.* **1** 넓히다, 크게 하다《구멍·총구를》; (reamer 따위로 구멍을) 넓히다; (불량한 곳을)

구멍을 넓혀 제거하다《*out*》. **2** 《미》 과즙을 짜내다; (파이프의 담배통을) 리머로 청소하다; 〖해사〗 (뱃널의 틈을) 넓히다《caulking을 위해》. **3** 《미속어》 속이다; 속여 우려내다(cheat) 《*out of*…》. ~ ***out*** 《미속어》 엄하게 꾸짖다.

réam·er *n.* **1** 리머, 확공기(擴孔器). **2** 《미》 과즙 압착기.

reamers 1

reamer 2

reamer

rè·ánimate *vt.* 소생〔부활〕시키다; 고무하다, …에 활기〔원기〕를 회복시키다. ㊞ **rè·animátion** *n.* Ⓤ

*__reap__ [riːp] *vt., vi.* **1** (농작물을) 베어들이다, 거둬들이다: ~ a harvest 농작물을 거둬들이다. **2** (…의) 작물을 수확하다: ~ fields 밭의 작물을 수확하다. **3** 《비유》 획득하다; (보답 따위를) 받다: ~ the fruits of one's efforts 노력의 성과를 얻다. ***~ as*** 〔***what***〕 one ***has sown*** =***~ the fruits of*** one***'s actions*** 뿌린 대로 거두다, 인과응보. ***~ where*** one ***has not sown*** 심지 않은 데서 거두다; 자신이 한 일에 걸맞지 않은 보상〔처벌〕을 받다《마태복음 XXV: 24》. ***sow the wind and ~ the whirlwind*** 나쁜 일의 몇 곱의 벌을 받다, 되로 주고 말로 받다. ㊞ **∠·er** *n.* **1** 베어〔거둬〕들이는 사람; (자동) 수확기. **2** (the R–) 죽음의 신(神) (the Grim Reaper). **∠·ing** *n.* 추수, 수확: a ~*ing* hook (추수용) 낫.

réaper and bínder 바인더《베면서 단을 짓는 기계》.

réaping hòok, réap hòok 낫.

réaping machìne 자동 수확기.

rè·appárel (*-l-,* 《영》 *-ll-*) *vt.* …에게 다시 옷을 입히다; 새로 입히다.

°**rè·appéar** *vi.* 다시 나타나다, 재등장하다; 재발하다. ㊞ **~·ance** *n.*

rè·applicátion *n.* Ⓤ 재적용; 재신청, 재지원.

rè·applý *vi.* 다시 신청〔지원〕하다. ── *vt.* 재적용하다, 다시 종사시키다.

rè·appóint *vt.* 다시 임명〔지정〕하다; 복직〔재선〕시키다. ㊞ **~·ment** *n.* Ⓤ

rè·appórtion *vt.* …을 다시 배분〔할당〕하다; (의회)의 의석을 재배분하다. ── *vi.* 재배분하다. ㊞ **~·ment** *n.*

rè·appráisal *n.* Ⓤ 재검토, 재평가.

rè·appráise *vt.* 재평가〔재검토〕하다.

‡**rear**[1] [riər] *n.* **1** 뒤, 배면, 배후, 최후부; 맨 뒤: go to the ~ 배후로 돌다/He followed them in the ~. 그는 그들 뒤를 따라갔다. **2** 〖군사〗 후위, 후미, 후방. ⓒⓕ van². **3** 《영구어》 (남자용) 변소; 《구어》 궁둥이. ***at*** 〔***in, on***〕 ***the ~ of*** …의 뒤에, …의 배후에: The kitchen is *in the ~ of* the house. 부엌은 집 뒤에 있다. ***bring*** 〔***close***〕 ***up the ~*** 후위를 맡아보다, 맨 뒤에 오다. ***get*** one***'s ~ in gear*** 《미속어》 서두르다. ***hang on the ~ of*** (적)의 뒤를 좇아다니다《습격하려고》. ***take*** 〔***attack***〕 (the enemy) ***in the ~*** (적의) 배후를 습격하다. ── *a.* 후방의, 후방에 있는: a ~ gate 뒷문/the ~ rank 후열(後列)/~ service 후방 근무. SYN. ⇨ BACK. ── *ad.* 후방에〔에서〕. ── *vi.* 《구어》 변소에 가다.

*__rear__[2] *vt.* **1** 기르다; 사육〔재배〕하다; 육성하다: be ~*ed* in a fine family 양가에서 자라다/~ poultry 양계하다. SYN. ⇨ GROW. **2 a** 《문어》 곧추세우다, 일으키다, 들어올리다, 솟게 하다: ~ one's hand 〔voice〕 손을 들다〔목소리를 높이다〕. **b** 《~+목/+목+전+명》 《문어》 (회당·기념비 등을) 세우다; (목소리 등을) 지르다, 높이다: ~ a monument *to* a person 아무를 기념하여 비를 세우다. **3** (말을) 뒷다리로 서게 하다. ── *vi.* **1** 《~/+부》 (말 따위가) 뒷다리로 서다《*up*》; 자리를 박차고 일어서다《*up*》: ~ *up* in a temper 분연히 일어서다. **2** 《~/+전+명》 우뚝 솟다: The hotel ~*s* high *over* the neighboring buildings. 그 호텔은 주변 건물보다 높이 솟아 있다. ~ one***'s head*** 머리를 쳐들다; 《비유》 (나쁜 마음 따위가) 고개를 쳐들다, (사람이) 두각을 나타내다. ***~ up*** (문제 등이) 고개를 들다; 감당키 어려워지게 되다.

réar ádmiral 해군 소장.

réar échelon 〖군사〗 (전선으로부터 계단식으로 배치된) 후방 부대《관리·보급을 책임지고 있는 사령부의 한 부대》.

réar énd 후부, 후미; 《구어》 궁둥이(buttocks).

réar-énd *a.* 후미의, 후부의. OPP. *head-on.* ¶ a ~ collision 추돌(追突).

rear·er [ríərər] *n.* 양육자, 사육자, 재배자; 뒷다리로 서는 버릇이 있는 말.

réar guárd 1 〖군사〗 후위(OPP. *vanguard*), 후진. **2** (정당 등에 있어서의) 보수파.

réar-guard áction 〖군사〗 (아군의 후퇴를 위한) 후위에 의해 행해지는 적군과의 교전; (우세한 것에 대한) 저항; 지연 작전, 양동 행동〔전술〕.

réar líght 〔**lámp**〕 (자동차의) 미등(尾燈).

rè·árm *vt., vi.* 재무장시키다〔하다〕; 신형 무기를 갖게 하다〔갖추다〕. ㊞ **rè·ármament** *n.* Ⓤ 재무장, 재군비.

réar mírror =REARVIEW MIRROR.

réar·mòst *a.* 맨 뒤〔후미〕의.

rè·arránge *vt.* 재정리〔재배열〕하다, 배열을 바꾸다; (종업원 등을) 배치 전환하다; …의 일시(日時)를 재지정하다. ── *vi.* 〖화학〗 전위(轉位)하다. ㊞ **~·ment** *n.* Ⓤ 재정리, 재배열; 배치 전환; 방식〔모양〕을 바꿈; 〖화학〗 전위, 자리 옮김.

rè·arrést *vt.* 다시 체포하다. ── *n.* 다시 체포하기.

réar síght (총의) 가늠자.

réar vással 배신(陪臣).

réar·view mírror (자동차 따위의) 백미러.

réar-vìsion mírror =REARVIEW MIRROR.

rear·ward [ríərwərd] *ad.* 후방으로, 배후로. ***~ of*** …의 후방으로. ── 《고어》 *n.* 후방, 후부, 배후; 〖군사〗 후위. ***in*** 〔***at***〕 ***the ~*** 후위〔후부〕에. ── *a.* 후방의; 후미〔배후〕에 있는.

rear·wards [ríərwərdz] *ad.* =REARWARD.

réar-whéel drìve 〖자동차〗 후륜 구동(後輪驅動).

reas reasonable.

rè·ascénd *vi.* 다시 오르다. ㊞ **rè·ascénsion, -cént** *n.*

†**rea·son** [ríːzn] *n.* Ⓤ **1** Ⓒ 이유(cause), 까닭, 곡절, 변명, 동기: What's the ~ *for* your absence? 결석한 이유가 뭐냐/He has every ~ *to* complain. 불평할 만한 이유는 충분히 있다/The ~ (*that*) I'm studying so hard is that 〔because〕 I have an exam tomorrow. 이렇게 열심히 공부하는 이유는 내일 시험이 있기 때문이다/That is the ~ (*why*) I failed. 그것이 내가 실패한 이유이다. **2** 도리, 조리, 핑계: There is ~ in what you say. 네가 말하는 것엔 일리가 있다. **3** 이성, 지성; 추리력; 판단력: appeal to a person's ~ 아무의 이성에 호소하다. **4** 본정신; 지각, 분별, 상식; 사려 있는 행위: come to ~ 제정신이 들다. **5** 〖논리〗 논거; 전제(premise), 《특히》 소전제; 〖철학〗 이성: practical 〔pure〕 ~ 〖철학〗 실천 〔순수〕 이성. ***as ~ is*** 〔***was***〕 이성이 명(命)하는 대로, 양식에 따라. ***be restored to ~*** 제정신이 들다. ***beyond*** (***all***) ***~***

터무니없는. ***bring*** a person ***to*** ~ 아무에게 사물의 도리를 깨닫게 하다. ***by*** [***for***] ~ ***of*** …의 이유로, … 때문에. ***by*** ~ ***that*** …라는 이유로. ***for certain*** ~ 이유가 있어서, 어떤 이유로. ***for no other*** ~ ***but this*** [***than that***] 단지 이것[…라는 것]만의 이유로. ***for*** ~***s of*** …때문에, …의 이유로: *for* ~*s of* health 건강상의 이유로. ***for some*** ~ ***or other*** 무엇인가의 이유로. ***give a*** ~ ***for*** …의 이유를 제시하다. ***hear*** [***listen to***] ~ 이치에 따르다. ***in*** ~ 도리상; 합당한, 옳은: I will do anything *in* ~. ***It stands to*** ~ ***that ....*** …은 사리에 맞다, 당연하다. ***lose*** [***restore***] ***one's*** ~ 미치다[제정신이 들다]. ***or you*** [***he, she, they***] ***will know the*** ~ ***why*** 《구어》 그렇지 않으면 혼날 줄 알아. ***out of all*** ~ 이치에 닿지 않는, 터무니없는. ~(***s***) ***of State*** 국가적 이유 《위정자의 정치적 변명》. ***speak*** [***talk***] ~ 지당[마땅]한 말을 하다. ***the woman's*** [***the ladies'***] ~ 여자의 이유[논리]《I love him because I love him. 따위와 같이 이유도 안 되는 이유》. ***will*** [***want to***] ***know the*** ~ ***why*** 《구어》 화[역정]내다, 부아가 나다. ***with*** (***good***) ~ (…함도) 당연하다: He complains *with* ~. 그가 불평하는 것도 당연하다. ***within*** ~ =in ~.

— *vt.* **1** 《~+목/+*that*절/+*wh.*절》 논[추론]하다: We ~*ed that* he was guilty. 그 사람이 유죄라고 판단하였다/~ *whether* it is true or not 그 진부를 생각하다. **2** 《+목+부/+목+전+명》 설득하다: ~ a person *down* 아무를 설득하다/~ a person *into* compliance 아무를 설득하여 승낙시키다/~ a person *out of* his fear 아무를 설득하여 공포심을 없애 주다. — *vi.* 《~/+전+명》 **1** 추론하다, 판단을 내리다《*about; of; from; upon*》: ~ *from* false premises 그릇된 전제에서 추론하다. **2** 설득하다《*with*》; 이야기하다, 논하다《*with*》: ~ *with* a person *on*... …의 문제로 아무와 논의하다. ***ours*** [***yours, theirs,*** etc.] (***is***) ***not to*** ~ ***why*** 《구어》 우리[당신들, 그들]에게는 가타부타할 권리가 없다. ~ ***away*** 설득하여 물리치다. ~ ***out*** 논리적으로 생각해 내다[해결하다]: ~ *out* the answer to a question 질문에 대한 답을 생각해 내다/They could not ~ *out* where they were. 그들은 자기들이 어디에 있었는지 생각해 낼 수 없었다. ~ ***oneself into*** (conviction) 이유를 붙여서 (믿다). ㊔ **réa·son·er** *n.* 추론자; 논객.

‡**rea·son·a·ble** [ríːzənəbəl] *a.* **1** 분별 있는, 사리를 아는: a ~ man 분별이 있는 사람. SYN. ⇨RATIONAL. **2** 이치에 맞는, 조리 있는; 정당한: a ~ excuse 조리 있는 해명. **3** 온당한, 적당한 (moderate); 엄청나지 않은: on ~ terms 무리 없는 조건으로. **4** (가격 따위가) 비싸지 않은, 알맞은, 타당한: at a ~ price 적당한 값으로. ㊔ ~·**ness** *n.* **rèa·son·a·bíl·i·ty** *n.* Ⓤ 합리적임, 온당함.

réasonable áccess rùles 《미》 정당한 방송 이용 규칙《(정견 발표 등의) 매스미디어 이용권(right of access)을 고의로 방해한 방송 회사에 대한 처벌 규정》. cf. fairness doctrine.

°**réa·son·a·bly** *ad.* **1** 합리적으로, 이치에 닿게, 도리에 맞게. **2** 정당하게; 걸맞게. **3** 상당히, 꽤.

réa·soned *a.* 이성에 의거한, 사리에 맞는; 심사숙고한; 상세한 이유를 붙인.

°**réa·son·ing** *n.* Ⓤ 추론, 추리; 논구(論究), 논의, 이론; 논법, 추리력; 〖집합적〗 논거, 증명. — *a.* 추리의; 이성이 있는: ~ power 추리력/a ~ creature 인간.

réason·less *a.* 이성이 없는; 도리를 모르는, 무분별한. ㊔ ~·**ly** *ad.*

rè·assémble *vt., vi.* 다시 모으다[모이다]; 새로 조립시키다[하다]. ㊔ **-blage, -bly** *n.* Ⓤ 재집합; 재조립.

rè·assért *vt.* 거듭 주장[단언, 언명]하다. ㊔ **rè·assértion** *n.* Ⓤ

rè·asséss *vt.* 재평가하다; 재할당하다; 다시 과세하다. ㊔ ~·**ment** *n.*

rè·assígn *vt.* 다시 할당[위탁]하다; 다시 양여하다; (양도된 것을) 반환하다. ㊔ ~·**ment** *n.*

rè·assúme *vt.* 다시 취하다, 되찾다; 다시 인수하다; (관직 따위에) 다시 취임시키다; 다시 가정[시작]하다, 재개하다. ㊔ **rè·assúmption** *n.* Ⓤ

rè·assúrance *n.* Ⓤ 재보증; 재보험; 안심, 안도; 확신; 기운을 차림.

***re·as·sure** [rìːəʃúər] *vt.* **1** 재보증하다, 재보험에 부치다. **2** 안심시키다; …에게 장담하다; 기운을 돋우다. ㊔ ~**d** *a.* **-súredly** *ad.* 안심하고, 확신을 갖고.

rè·assúring *a.* 안심시키는, 기운을 돋우는, 마음 든든한, 위안을 주는. ㊔ ~·**ly** *ad.*

rè·attách *vt.* 다시 설치[장착]하다. — *vi.* 다시 부착하다《*to*》.

rè·attémpt *vt., vi.* 다시 기도[시도]하다, 다시 하다. — *n.* 다시 하기, 재시도.

Reaum., Réaum. Réaumur.

Re·au·mur, Ré- [réiəmjùər] *a.* 열씨(列氏) 눈금(=**Réaumur scále**)의《프랑스 물리학자 R. Réaumur(1683–1757)가 고안한 온도 눈금으로, 물의 끓는점은 80°, 어는점은 0°; 생략: R.》.

reave [riːv] (*p., pp.* ~***d, reft*** [reft]) *vt.* 《+목+전+명》 《고어·시어》 …에게서 빼앗다(bereave)《*of*》, 가져가다, 훔치다, 찢다, 째다: He ~*d* them *of* their daughters. 그는 그들로부터 딸을 빼앗았다. — *vi.* 빼앗다. ㊔ **réav·er** *n.* 약탈자; 해적.

rè·awáken *vt., vi.* 다시 각성시키다[하다].

REB 〖물리〗 relativistic electron beam (상대론적 전자 빔; 500 keV 이상 고에너지 전자 빔).

reb [reb] *n.* 《미구어》 =REBEL. 「애칭》.

Re·ba [ríːbə] *n.* 레바《여자 이름; Rebecca의

re·bádge *vt.* (상품을) 새로운 이름으로[로고(logotype)로] 다시 시장에 내다. 「名」, 개명.

rè·báptism *n.* Ⓤ 재세례(再洗禮), 재명명(再命

rè·baptíze *vt.* …에게 다시 세례하다; 다시 이름을 붙이다, 개명하다.

re·bar, re-bar [ríːbàːr] *n.* 《구어》 (건축 시공에서 콘크리트 보강용) 철근. [◂*reinforcing bar*]

re·bar·ba·rize [riːbáːrbəràiz] *vt.* …을 다시 야만 시대로 돌아가게 하다.

re·bar·ba·tive [riːbáːrbətiv] *a.* 《문어》 어쩐지 마음에 들지 않는, 호감이 가지 않는, 싫은, 정떨어지는. ㊔ ~·**ly** *ad.*

re·báse *vt.* …의 평가[산정] 기준을 바꾸다.

re·bate[1] [ríːbeit] *n.* 환불(還拂); 리베이트; (어음 따위의) 할인(discount). — *vt.* (금액의) 일부를 반려하다; 리베이트하다; (청구액을) 할인하다; 《고어》 …의 힘을[효과를] 약화시키다; 《고어》 ((칼)날 따위를) 무디게 하다. — *vi.* (관행으로서) 리베이트하다. ㊔ **ré·bat·er** *n.*

re·bate[2] [ríːbeit, rǽbət] *n., v.* =RABBET.

reb·be [rébə] *n.* 《Yid.》 유대인 학교 교사.

Re·bec·ca [ribékə] *n.* 레베카. **1** 여자 이름 《애칭은 Becky, Reba》. **2** 〖성서〗 =REBEKAH.

re·bec(k) [ríːbek] *n.* (중세의) 3 현 악기.

Re·bek·ah [ribékə] *n.* **1** 레베카《여자 이름》. **2** 〖성서〗 리브가《Isaac의 아내, Jacob과 Esau의 어머니; 창세기 XXIV–XXVII》.

°**reb·el** [rébəl] *n.* 반역자, 모반자《*against; to*》; (종종 R-) 《미》 반란군 병사《남북 전쟁 때의 남군 병사》; (종종 R-) 《미구어》 남부 백인. — *a.* 모반한, 반역의, 반도의; 반역적[반항적]인: ~

forces 반란군. — [ribél] (**-ll-**) *vi.* 《~/+전+명》 **1** 모반하다, 배반하다; 반항〔반대〕하다 《*against*》; 이반하다《*from*》: ~ *against* the Establishment 기성체제에 반대하다. **2** 조화〔화합〕하지 않다《*against; with*》: The stomach ~*s against* too much food. 과식은 위에 좋지 않다. **3** 몹시 싫어하다, 반감을 갖다《*against; at*》: Children ~ *against* 〔*at*〕 staying in on Sunday. 애들은 일요일에 집안에 있기 싫어한다.

reb·el·dom [rébəldəm] *n.* U,C 〖집합적〗 반도들; 반도(의 지역), 《미》 (특히 남북 전쟁 때의) 남부 연방; 반역 행위.

***re·bel·lion** [ribéljən] *n.* U,C **1** 모반, 반란, 폭동《*against*》: rise in ~ 폭동을 일으키다 / put down 〔suppress〕 a ~ *against* the government 정부에 대한 반란을 진압하다. **2** 반항, 배반《*against*》: a ~ *against* the dictator 독재자에 대한 반항.

°**re·bel·lious** [ribéljəs] *a.* 반역하는, 반항적인; 고집 센, 완고한; 다루기 힘든; (병 따위의) 고치기 어려운: ~ curls 곧 풀려 흐트러지는 머리카락. 파 ~**·ly** *ad.* ~**·ness** *n.* 「제본하다.

rè·bínd (*p., pp.* **re·bóund**) *vt.* 다시 묶다; 다시

rè·bírth *n.* U,C 재생, 갱생, 신생; 부활.

re·bírth·ing *n.* 〖정신의학〗 재생(再生)《환자에게 출생시를 다시 체험시켜, 출생시에 유래된 심적·정서적 문제점을 제거하는 심리요법》. 「하다.

rè·blóom *vi.* 되피어나다; 도로 젊어지다, 회춘

reb·o·ant [rébouənt] *a.* 《시어》 울려 퍼지는, 하늘 높이 반향하는(reverberating).

rè·bóot 〖컴퓨터〗 *vt., vi.* 재기동하다, 재부팅하다. — *n.* 재기동, 재부트.

re·bop [ríːbɑ̀p/-bɔ̀p] *n.* =BEBOP.

rè·bórn *a.* 다시 태어난, 재생한, 갱생한.

°**re·bound**[1] [ribáund, rìːbáund/ribáund] *vi.* 《~/+전+명》 **1** (공 등이) 되튀다; 반향하다(reecho); 〖농구·하키〗 리바운드를 잡다: A ball ~*s from* a wall. 공이 벽에 맞아 되튄다. **2** (행위가 본인에게) 되돌아오다: Your lies ~*ed on* you. 너의 거짓말이 너에게 되돌아왔다. **3** 원래대로 되돌아가다, 만회하다: ~ *from* a long recession 장기 불황에서 회복되다. — *vt.* 되튀기다, 되돌아가게 하다; 반향시키다. — [ríːbàund, ribáund] *n.* **1** 되튐, 반발; 메아리, 산울림, 반향(echo); (감정 등의) 반동; 〖농구·하키〗 리바운드; 리바운드를 잡음. **2** 회복, 재기. ***on the*** ~ ① 되튀어나온 것을: hit a ball *on the* ~ 되튀어나온 볼을 치다. ② (감정 따위의) 반동이 일어난 데서: He married this girl *on the* ~. 그는 실연의 상처를 입은 반동으로 이 아가씨와 결혼했다 / take 〔catch〕 a person *on* 〔*at*〕 *the* ~ 감정의 반동을 이용하여 아무에게 뜻밖의 행동을 취하게하다. 「사.

re·bound[2] [riːbáund] REBIND의 과거·과거분

ré·bòunder *n.* **1** 〖농구〗 리바운드 볼을 잘 잡는 선수. **2** rebounding 용의 소형 트램펄린(trampoline).

re·bóunding *n.* 리바운딩《소형 트램펄린을 사용하는 운동》.

re·bo·zo, -so [ribóusou, -zou] (*pl.* ~**s**) *n.* (스페인·멕시코 여성이) 머리나 어깨에 두르는 긴 스카프. 「(分岐)를 형성하다.

rè·bránch *vi.* 재분지(再分枝)하다, 2차적 분기

rè·bránd *vt.* (기업의) 이미지 변화를 꾀하다〔노리다〕. 파 ~**·ing** *n.*

re·breath·er [riːbríːðər] *n.* 산소 호흡기.

rè·bróadcast (*p., pp.* **-cast, -casted**) *vi., vt.* 〖통신〗 중계하다, 중계방송하다; 재방송하다. — *n.* 중계방송〔재방송(repeat)〕(프로그램).

re·buff [ribʌ́f, riːbʌf/ribʌ́f] *n.* 거절, 퇴짜, 자빡 댐; 저지, 좌절. — *vt.* 자빡 대다, 퇴짜 놓다; 저지하다, 좌절시키다.

°**rè·búild** (*p., pp.* **-built**) *vt.* 재건하다, 다시 짓다(reconstruct), 개축하다.

°**re·buke** [ribjúːk] *vt.* 《~+목/+목+전+명》 비난하다, 꾸짖다, 견책〔징계〕하다; 억제〔저지〕하다: ~ a person *for* his carelessness 아무의 부주의를 나무라다. SYN. ⇨ REPROACH. — *n.* 비난, 힐책. ***give*** 〔***receive***〕 ***a*** ~ 꾸지람하다〔듣다〕. ***without*** ~ 대과(大過) 없이. 파 **re·búk·er** *n.* **re·búk·ing·ly** *ad.* 홀닦아서, 비난하듯.

re·bus [ríːbəs] *n.* 수수께끼 그림《그림·기호·문자 등을 맞추어 어구를 만드는》.

re·but [ribʌ́t] (**-tt-**) *vt.* 〖법률〗 논박〔반박〕하다, …에 반증을 들다; 찍소리 못 하게 하다; 물리치다, 퇴짜 놓다: ~*ting* evidence 반증. — *vi.* 반증을 들다. 파 ~**·ment** *n.* **re·bút·ta·ble** *a.*

re·but·tal [ribʌ́tl] *n.* 〖법률〗 원고의 반박, 항변; 반증(의 제출). 「론.

re·but·ter[1] [ribʌ́tər] *n.* 반박자(者); 반증, 반

re·but·ter[2] *n.* 〖법률〗 (피고 측의) 제 3 답변.

rec [rek] *n.* 〖종종 복합어로서 형용사적으로〗 = RECREATION: a ~ hall 〔room〕 / ~ activities.

rec. receipt; received; receptacle; recipe; record(er); recorded; recording.

re·cal·ci·trant [rikǽlsitrənt] *a.* 반항〔저항〕하는, 반대하는, 고집 센《*against; at*》, 말을 잘 안 듣는, 어기대는; 다루기 어려운, 조작이 까다로운; 〖의학〗 (치료에 대해) 불응성(不應性)인. — *n.* 반항자, 고집쟁이. 파 **-trance, -tran·cy** *n.* U 고집; 반항. ~**·ly** *ad.*

re·cal·ci·trate [rikǽlsətrèit] *vi.* (권위·지배 따위에) 반항하다, 어기대다《*against; at*》; 고집부리다; 되걷어차다, 몹시 싫어하다. 파 **re·càl·ci·trá·tion** *n.* U

re·cálculate *vt.* 계산을 다시 하다, 재검토하다. 파 **rè·calculátion** *n.* 재계산, 재검토.

re·ca·lesce [rìːkəlés] *vi.* 〖야금〗 재휘(再輝)하다. 파 **-lés·cence** [-səns] *n.* U 재휘(再輝), 재열(현상). **-lés·cent** [-sənt] *a.*

re·call** [rikɔ́ːl] *vt.* **1** 《~+목/+-*ing*/+*wh.* 절/+*wh. to* do/+*that* 절/+목+*as* 보》 생각해 내다, 상기하다: I don't ~ her name 〔meet*ing* her, *where* I met her〕. 나는 그녀의 이름이〔그녀를 만났는지, 어디서 만났는지〕 생각이 나지 않는다 / I cannot ~ *how to* cook it. 나는 그것을 어떻게 요리하는지 생각이 나지 않는다 / I ~ *that* I read the news. 그 뉴스를 읽은 일을 기억하고 있다 / I ~ you *as* a naughty boy. 나는 네가 장난꾸러기였던 것이 생각난다. **2** 《~+목/+목+전+명/+전+명+*that* 절》 생각나게 하다, (일이 사람에게 의무감 등을) 상기시키다; (마음·주의를 현실 등으로) 되부르다《*to*》: This style ~*s* James Joyce. 이 문체는 제임스 조이스를 떠올리게 한다 / ~ a person *to* a sense of responsibility 아무에게 책임감을 환기시키다 / The picture ~*ed to* me *that* I had been there before. 나는 그 그림을 보니 전에 내가 거기에 갔었던 것이 생각났다. **3** 《~+목/+목+전+명》 되부르다, 소환하다, 귀환시키다: The head office ~*ed* him *from* abroad (*to* Seoul). 본사에서는 그를 해외에서 (서울로) 소환했다. **4** 《미》 (공직에 있는 사람을) 해임하다; (결함 상품을) 회수하다. **5** 취소하다, 철회하다: ~ an order 주문을 취소하다. **6** 《시어》 소생케 하다, 되살아나게 하다(revive). ~ ***to life 소생시키다. ~ ***to*** one's ***mind*** 생각해 내다.

— [+ríːkɔ̀ːl] *n.* U,C **1** 되부름, 소환《대사 등의》: letters of ~. **2** 《미》 (일반 투표에 의한 공직자의) 해임(권); (결함 상품의) 회수, 리콜. **3**

취소, 철회. **4** 회상, 상기(력); 〖컴퓨터〗 (입력한 정보의) 재현: ⇨ TOTAL RECALL. **5** (the ~) 〖군사〗 (나팔·북 따위의) 재집합 신호; 〖해사〗 소정(召艇) 신호. ***beyond* 〔*past*〕 ~** 생각이 나지 않는; 되돌릴 수 없는. ㊔ **~·a·ble** *a.* **~·er** *n.*

Ré·ca·mier [rèikəmjéi] *n.* 《F.》 레까미에《19세기 초에 유행한 등받이가 없고 한쪽 끝이 약간 높은 침대 겸용 의자》.

Récamier

re·can·al·i·za·tion [riːkænələzéiʃən, rìːkənæ̀l-/riː-kænəlaiz-] *n.* 〖의학〗 (혈관·정관(精管) 등의) 재소통(再疎通).

re·cant [rikǽnt] *vt.* (신앙·주장 등을) 바꾸다, 취소하다, 철회하다. **—** *vi.* 자설(自說)을 철회하다. ㊔ **re·can·ta·tion** [rìːkæntéiʃən] *n.* U,C 취소, 철회, 변설(變說).

ré·càp[1] (*-pp-*) *vt.* …에게 다시 모자를 씌우다; …에게 새 모자를 씌우다; 《미》 (타이어를) 수리하여 재생시키다(cf retread). **—** [ˊˋ] *n.* 재생 타이어. ㊔ **rè·cáp·pa·ble** *a.*

re·cap[2] [ríːkæ̀p] (*-pp-*) 《구어》 *vt., vi.* = RECAPITULATE. **—** *n.* = RECAPITULATION.

rè·capitalizátion *n.* U 자본 재구성.

rè·cápitalize *vt.* (…의) 자본 구성을 고치다.

re·ca·pit·u·late [rìːkəpítʃəlèit] *vt., vi.* (…의) 요점을 되풀이하여 말하다, 개괄〔요약〕하다; 〖생물〗 (개체가) 발생 단계를 반복하다; 〖음악〗 소나타 형식으로 재현(再現)하다. ㊔ **rè·ca·pìt·u·lá·tion** *n.* U,C **1** 요점의 반복; 개괄, 요약. **2** 〖생물〗 발생 반복; 〖음악〗 (소나타 형식의) 재현부. **rè·ca·pít·u·là·tive, -la·tò·ry** [-lèitiv], [-lətɔ̀ːri/-təri] *a.* 요약적. **rè·ca·pít·u·là·tor** [-lèitər] *n.* 요약자(者).

re·cap·tion [riːkǽpʃən, rì-] *n.* 〖법률〗 (불법으로 점유된 물건을) 제 힘으로 되찾음.

rè·cápture *n.* U 탈환, 회복; 《미》 (정부에 의한 수익 일부의) 징수, 초과세; C 되찾은 것〔사람〕. **—** *vt.* 되찾다, 탈환하다(retake); (어떤 감정 등을) 불러일으키다; 《미》 (특히 공익사업 회사의 일정액 이상의 수익을) 징수하다.

rè·caréer *n.* 퇴직 후 제2의 일〔직업〕.

rè·cást (*p., pp.* ~) *vt.* 개주(改鑄)하다; 고쳐 만들다; 다시 계산하다; 〖연극〗 …의 배역을 바꾸다, (배우)의 역을 바꾸다. **—** [ˊˋ] *n.* 개주물(物); 개작(품); 재계산; 배역 변경.

rec·ce [réki] 《군대구어》 *n.* = RECONNAISSANCE. **—** *vt., vi.* RECONNOITER.

rec'd., recd. received.

◇**re·cede**[1] [risíːd] *vi.* **1** 《~/+전+명》 물러나다, 퇴각하다; 멀어지다《*from*》: The tide has ~*d*. 조수가 빠졌다 / A ship ~*d from* the shore. 배가 해안에서 멀어져 갔다. **2** 《+전+명》 몸을 빼다; 철회하다; 손을 떼다《*from*》: ~ *from* an agreement 계약을 철회하다. **3** 뒤쪽으로 기울다, 움츠리다, 우묵 들어가다; (머리털이) 벗어져 올라가다. **4** 《~/+전+명》 수축하다; (가치·품질 따위가) 떨어지다, 하락하다, 나빠지다; (인상·기억이) 엷어지다, 희미해지다: The event ~*d into* the dim past. 그 사건은 희미한 과거 속으로 잊혀져 갔다. **5** 감퇴하다, 줄다; 약해지다. ◇ recession *n.* **~ *into the background*** 뒷전으로 물러서다; 세력을 잃다.

re·cede[2] [rìːsíːd] *vt.* (원소유자에게) 반환하다.

recéding cólor 후퇴색《청·녹·자색 따위》.

*⁎***re·ceipt** [risíːt] *n.* **1** 수령(受領), 영수, 받음: acknowledge the ~ *of* a check 수표 받았음을 알리다. **2** 인수증, 영수증: make out a ~ 수령증을 쓰다. **3** (보통 *pl.*) 수령〔수입〕액: the total ~*s* 총수입액. **4** 받은 물건. **5** 《고어》 = RECIPE. ◇ receive *v.* ***be in* ~ *of*** 〖상업〗 …을 받다: I *am in* ~ *of* your favor of the 3rd. 3일자(의) 당신의 편지는 받아 보았습니다. ★ have received보다 겸손한 표현. ***on* (*the*) ~ *of*** …을 받는 즉시. **~ *of custom*** 《고어》 세관. **—** *vt.* (계산서에) 영수필(Received)이라고 쓰다; …을 받은 영수증을 끊다〔발행하다〕. **—** *vi.* 《+전+명》 《미》 영수증을 끊다《*for*》: ~ *for* the money 대금에 대한 영수증을 끊다.

recéipt bòok 수령 대장; 영수증철.

re·ceipt·or [risíːtər] *n.* 수령인; 〖미법률〗 압류물 보관인.

recéipt stàmp 수입 인지.

re·ceiv·a·ble [risíːvəbəl] *a.* 받을 수 있는; 믿을 만한: bills ~ 받을 어음. **—** *n.* (*pl.*) 〖부기〗 수취 계정, 받을 어음.

*⁎***re·ceive** [risíːv] *vt.* **1** 《~+목/+목+전+명》 받다, 수령하다: I ~*d* 〔《구어》 got〕 a letter *from* him. 나는 그에게서 편지를 받았다 / ~ a lot of complaints 고충을 많이 듣다.

> SYN. **receive** 아래의 모든 말뜻을 갖는 일반적인 말. take, get에 대하여 약간 사교적이며 기품 있는 어감이 있다: *receive* an invitation 초대장을 받다. *receive* (=accept) a lodger 하숙인을 두다. **accept** 제공받은 것을 (호의로써) 받아들이다: *accept* an invitation 초대에 응하다. **admit** 사실 따위를 인정하여 받아들이다. **adopt** 새로운 이론·사상·방법·의견·정책 따위를 받아들이다, 채택하다. **greet** 친애·존경·환희, 때로는 악의·저주 따위로써 받아들이다, 맞이하다: *greet* a person with cheers. **welcome** 기꺼이 받아들이다, 환영하다.

2 《~+목/+목+전+명》 (환영·주목·죄·타격 따위를) 받다, 입다: ~ a good education 〔training〕 좋은 교육〔훈련〕을 받다 / ~ a blow *on* the head 머리를 얻어맞다. **3** (제안 등을) 수리하다, 들어주다, 응하다. **4** 《~+목/+목+*as* 보》 (마음에) 받아들이다, 인정하다, 이해하다: ~ new ideas 새 사상을 받아들이다 / I ~*d* it *as* certain. 나는 그것이 확실하다고 믿었다. **5** 《+목+전+명》 (힘·무게 등을) 버티다, 받아서 막다: ~ a weight *on* one's back 등으로 무거운 것을 받치다. **6** 《~+목/+목+전+명/+목+*as* 보》 맞이하다, 환영하다; (동료·조직 따위에) 맞아들이다, 영입하다: ~ a visitor 손님을 맞다 / ~ a person *into* the church 아무를 교인으로 받아들이다 / ~ a person *as* a member of the club 아무를 클럽의 일원으로 맞아들이다. **7** (장물을) 사들이다; 〖통신〗 (전파를) 수신〔청취〕하다; 〖컴퓨터〗 수신하다; 〖테니스〗 (서브를) 되받아 치다(cf serve). **—** *vi.* **1** 받다. **2** 성찬을 받다, 성체 배수를 하다(take Communion). **3** 방문을 받다, 응접하다: She ~*s* on Monday afternoon. 그녀는 월요일 오후를 면회일로 삼고 있다. **4** 〖통신〗 수신〔수상(受像)〕하다, 청취하다; (테니스 따위에서) 리시브하다. ◇ receipt, reception *n.*

~ ... *at the hands of* a person 아무로부터 (은혜 등을) 받다. ***Received with thanks the sum of ....*** 돈 … 감사히 받았습니다. **~ *a person's confession* 〔*oath*〕** 아무의 고해를〔서언(誓言)을〕 듣다〔받다〕. **~ *the sacrament* 〔*the Holy Communion*〕** 영성체하다, 성체 배령하다. **~ *with open arms*** 크게 환영하다.

re·céived *a.* 널리 받아들여진; 〔일반적〕 인정받고 있는, 표준이 되는: favorably ~ 호평의 / the ~ text (of a book) 표준 텍스트 / the ~ view

통념(通念).

Recéived Pronunciátion 용인 발음《영국의 음성학자 Daniel Jones의 용어로, Received Standard의 발음; 생략: RP》.

Recéived Stándard (**English**) 용인 표준(영)어《public school 및 Oxford, Cambridge 양 대학에서, 또 교양인 사이에서 널리 쓰이는》.

***re·ceiv·er** [risíːvər] *n.* **1** 수령인. OPP *sender.* **2** 수납계원, 회계원(treasurer); 접대자(entertainer). **3** 〖법률〗 (파산 또는 계쟁 중인 재산의) 관리인, 관재인(管財人); 장물 취득자; 〖테니스〗 리시버; 〖야구〗 캐처; 응전자. **4** 용기, …받이; 〖화학〗 (레토르트의) 받는 그릇; 유기실(溜汽室), 가스탱크, 배기실. **5** 수신기, 수화기, 리시버; (텔레비전의) 수상기; 〖컴퓨터〗 수신기. OPP *sender.* ㊕ **~·ship** *n.* U 관재인의 직〔임기〕; 재산 관리를 맡음.

recéiver géneral (*pl.* ***receivers g-***) (Massachusetts주의) 세입(歲入) 징수관.

re·céiv·ing *n.* U 받음; 장물 취득. **—** *a.* 받는; 수신의; 환영의〔하는〕: a ~ antenna 〔aerial〕 〖전기〗 수신 안테나 / a ~ reservoir 집수지(集水池).

recéiving blànket (유아용) 목욕 뒤에 싸는 담요.

recéiving ènd 받는 쪽; 싫어도 받아들이지 않을 수 없는 사람, 희생자; 《야구속어》 포수의 수비위치. ***be at*** 〔***on***〕 ***the*** **~** 받는 쪽이다; 공격의 표적이 되다, (…로) 싫은 생각을 하고 있다《*of*》.

recéiving lìne (리셉션·무도회 따위에서) 손님을 맞는 주최자·주빈들이 늘어선 줄.

recéiving òrder 《영》 (파산 재산의) 관리 명령(서).

recéiving sèt 수신기, 수상기.

recéiving shìp 〖해군〗 신병 연습함.

recéiving stàtion 수신소〔국〕.

re·cen·cy [ríːsnsi] *n.* U 새로움, 최신, 새것임《*of*》.

re·cen·sion [risénʃən] *n.* U 교정; C 교정본〔판〕, 개정판. ㊕ **~·ist** *n.* 교정자.

⁑**re·cent** [ríːsnt] *a.* **1** 근래의, 최근의(late), 새로운: in ~ years 근년(에는). **2** (R-) 〖지학〗 현세의: the Recent Epoch 현세. ◇ recency *n.* ㊕ **~·ness** *n.*

⁑**re·cent·ly** [ríːsntli] *ad.* 최근, 작금; 바로 얼마 전: until quite ~ 극히 최근까지는. ★ 완료형·과거형 어느 것에나 쓸 수 있음. SYN. ⇨ LATELY.

◇**re·cep·ta·cle** [riséptəkəl] *n.* **1** 그릇, 용기; 두는 곳, 저장소; 피난처(shelter). **2** 〖식물〗 **a** 화탁(花托), 꽃턱. **b** 생식기상〔탁〕(生殖器床〔托〕). **3** 〖전기〗 콘센트; 소켓.

re·cep·ti·ble [riséptəbəl] *a.* 받을 수 있는, 수용할 수 있는.

⁑**re·cep·tion** [risépʃən] *n.* **1** U 받아들임, 수취, 수령; 수리(受理); 수용. **2** C 응접, 접대: a warm ~ 열렬한 환영; 《반어적》 세찬 저항. **3** C 환영회, 리셉션: a wedding ~ 결혼 피로연 / hold a ~ 환영회를 열다《*for* a person》. **4** = RECEPTION ROOM; 《영》 (호텔·회사 따위의) 접수계. **5** U 입회 (허가), 가입, 영입: the ~ of a person *into* society 아무의 사교계 영입. **6** C (평가되는) 반응, 인기, 평, 평판, 대우: have 〔meet with〕 a favorable ~ 호평을 받다. **7** U 시인(是認), 용인(容認)《새 학설 등의》. **8** U 이해력, 감수, 감득. **9** U 〖통신〗 수신〔수상〕(의 상태), 수신율〔력〕. ◇ receive *v.* ***a* ~ *committee*** 접대 위원. ***give a* ~ *to*** …을 환영하다.

recéption cènter (피난민·무주택자·신병 등의) 수용 센터.

recéption clèrk 《영》 (호텔의) 예약 접수자〔담당자〕.

recéption dày 면회일.

recéption dèsk (호텔의) 접수부, 프런트.

re·cép·tion·ist *n.* (회사·호텔 따위의) 응접계〔접수계〕원.

recéption òrder 《영》 (정신 병원에의) 입원 명령, (정신 이상자의) 수용 명령.

recéption ròom 〔**hàll**〕 응접실, 접견실; (병원 따위의) 대합실; 거실《건축업자의 용어》.

re·cep·tive [riséptiv] *a.* 잘 받아들이는, 감수성이 예민한, 이해력이 빠른. ㊕ **~·ly** *ad.* **~·ness** *n.* **re·cep·tiv·i·ty** [rìːseptívəti, risèp-] *n.* U 수용성, 감수성(이 예민함), 이해력.

re·cep·tor [riséptər] *n.* **1** 〖생리〗 수용기(受容器), 감각 기관(sense organ); 〖생화학〗 (세포의) 수체(受體); 〖생화학〗 수용체. **2** 수화기(receiver); 수신 장치.

re·cep·to·rol·o·gy [risèptərálədʒi/-rɔ́l-] *n.* 〖생물〗 수용체학(受容體學), 수용 기관학.

recéptor sìte 〖생화학〗 세포 내 수용 영역.

re·cer·ti·fi·ca·tion [rìːsəːrtəfikéiʃən] *n.* (간호사·비행사 등의) 자격 갱신(제도), 자격의 재검정〔재인가〕.

re·cess** [risés, ríːses] *n.* **1** 쉼, 휴식; (의회의) 휴회: The court is in ~. 법정은 휴정 중이다. **2** 《미》 (법정의) 휴정; (대학의) 휴가(vacation); (학교의) 휴식 시간: an hour's ~ for lunch 점심을 위한 1시간의 휴식 / at ~ 휴식 시간에. **3** 은거지; (*pl.*) 깊숙한 곳〔부분〕, 구석; 후미진〔구석진〕 곳; (마음) 속: lay bare the ~*es* of the soul 심중을 털어놓다. **4** (해안선·산맥 등의) 우묵한 곳; 벽의 움푹 들어간 곳, 벽감(niche); 구석진 방(alcove); 〖의학〗 (기관의) 와(窩), 오목한 데: a ~ under the staircase 층계 밑의 빈 곳. ***go into **~** 휴회하다. ***in the inmost*** 〔***innermost, deepest***〕 **~*es of*** …의 깊숙한 곳에.

— *vt.* **1** 오목한 곳에 두다〔감추다〕: ~*ed* lighting 간접 조명. **2** …에 우묵 들어 간 곳을 만들다: ~ a wall 벽감을 만들다. **3** 《미》 중단하다, 휴회〔휴정〕하다. **—** *vi.* 《미》 (휴회〔휴정〕하다(adjourn), 휴교하다.

re·ces·sion[1] [riséʃən] *n.* U **1** 퇴거, 후퇴. **2** C (벽면 따위의) 들어간 곳〔부분〕, 우묵한 곳. **3** (예배 후 등의) 퇴장하는 사람들의 줄. **4** (일시적인) 경기 후퇴(slump).

re·ces·sion[2] [riː-] *n.* U (점령지 등의) 반환.

re·ces·sion·al [riséʃənəl] *a.* (예배 후) 퇴장의; 《영》 (의회 등이) 휴회의, 《미》 (법정이) 휴정(休廷)의; 휴가의. **—** *n.* 퇴장할 때 부르는 찬송가(= ∠ **hỳmn**); (예배 후의) 퇴장(의 줄).

re·ces·sion·ary [riséʃənèri/-əri] *a.* 경기 후퇴의, 불황에 관련된: a ~ trend 경기 후퇴의 경향.

re·ces·sive [risésiv] *a.* 퇴행(退行)의, 역행의; 〖생물〗 열성(劣性)의 (OPP *dominant*): a ~ character 〖생물〗 열성 형질(形質) / ~ gene 열성 유전자. **—** *n.* 〖생물〗 열성 형질〔조직〕. ㊕ **~·ly** *ad.* **~·ness** *n.*

recéssive áccent 〖음성〗 역행(逆行) 악센트《cigarétte→cígarette처럼 단어의 악센트가 뒤에서 앞쪽으로 이행하는》.

Rech·ab·ite [rékəbàit] *n.* 〖성서〗 레갑 (사람)《천막 생활과 금주를 한》; 절대 금주가; 금주회원; 천막 생활자.

rè·chárge [riːtʃáːrdʒ] *vt.* 다시 충전하다; 재장전(再裝塡)하다; 재고발하다; 재습격하다: ~ one's batteries 전지에 재충전하다; 《비유》 영기(英氣)를 기르다. **—** [+∠∸] *n.* 역습, 재습격; 재장전; 재충전; 〖수리학〗 함양(涵養)《지하수계(系)에 물이 흡수되거나 인공적으로 지하수 공급을 증가시키는 일》. ㊕ **~·a·ble** *a.* **-chárger** *n.*

re·char·ter [riːtʃáːrtər] *n.* (선박 등의) 재계약; (지점 등의) 신규 (설립) 허가.

ré·chauf·fé [*F.* reʃofe] (*pl.* **~s**) *n.* 《F.》 다

시 익힌〔데운〕 음식〔요리〕; 개작(改作), 재탕《문장·소설 따위의》. 「조하다.
re·check [riːtʃék] *vt., vi.* 다시 맞춰 보다, 재대
re·cher·ché [rəʃέərʃei, ━́━/━́━] *a.* 《F.》 골라 뽑은, 빼어난; (요리·표현이) 멋있는, 공들인.
re·chris·ten [riːkrísən] *vt.* (세례하여) 다시 명명하다, 새로 이름을 붙이다, 개명하다.
re·cid·i·vism [risídəvìzəm] *n.* 〖정신의학〗 상습성; 〖법률〗 상습적 범행, 누범. ㊕ **-vist** *n., a.* 〖법률〗 상습범(의).
re·cid·i·vous [risídəvəs] *a.* 죄를 거듭 저지르기 쉬운; 상습범적인.
***rec·i·pe** [résəpiː] *n.* **1** (약제 등의) 처방(전) 《기호 R》; (요리의) 조리법; 비법, 비결, 묘안, 비책《*for*》: Give me the ~ *for* this cake. 이 케이크 만드는 법을 가르쳐 주시오. **2** =RECEIPT.
re·cip·i·ent [risípiənt] *a.* 받는, 수용하는; 받아들일 수 있는, 감수성〔이해력〕이 있는: a ~ country 피원조국. ── *n.* 수납자, 수령인; 수용자, 수상자, 수혈자; 용기(容器). ㊕ **re·cíp·i·ence, -en·cy** [-əns], [-ənsi] *n.* Ⓤ 수령, 수납; 수용성, 감수성.
°**re·cip·ro·cal** [risíprəkəl] *a.* **1** 상호의(mutual), 호혜적인: ~ action 〔help〕 상호 작용〔원조〕/a ~ mistake 서로 오해하기/a ~ treaty 호혜 조약. **2** 교환으로 주는, 답례의, 대상(代償)의; 보복의, 보답으로 얻는: a ~ gift 답례 선물. **3** 〖문법〗 상호 작용을〔관계를〕 나타내는. **4** 상반하는(opposite). **5** 〖수학〗 역의, 역비례〔반비례〕의: a ~ proportion 반〔역〕비례. **6** 〖해사〗 역방향의, 상호의《방위 등》. **7** 〖유전〗 상호의, 상반된. ── *n.* 상대되는 것, 상당하는 것(counterpart); 〖수학〗 역수. ㊕ **~·ly** *ad.* 상호적〔호혜적〕으로. **re·cìp·ro·cál·i·ty** *n.*
recíprocal prónoun 〖문법〗 상호 대명사 《each other, one another 따위》.
recíprocal translocátion 〖유전〗 상호〔교환〕 전좌(轉座)《서로 같지 않은 두 염색체가 서로 일부분을 교환하는 일》.
re·cip·ro·cate [risíprəkèit] *vt.* **1** 주고받다, 교환하다《친절 따위를》. **2** 보답〔답례〕하다; 갚다, 보복하다: ~ her favor 그녀의 호의에 보답하다. **3** 〖기계〗 왕복 운동을 시키다. ── *vi.* **1** 《~/+전+명》 보답〔답례〕하다, 갚다: To every attack he ~*d with* a blow. 공격을 받을 때마다 그도 되갚겼다. **2** 서로 상응하다. **3** 왕복 운동을 하다. ~ ***each other's affection*** 서로 사랑하다. ㊕ **-cà·tor** [-ər] *n.* 앙갚음하는 사람; 왕복 기관.
recíprocating èngine 〖기계〗 왕복 기관.
re·cip·ro·cá·tion *n.* Ⓤ **1** 교환, 주고받기. **2** 교호 작용, 되갚음, 응수. **3** 〖기계〗 왕복 운동; 일치, 대응(對應).
rec·i·proc·i·ty [rèsəprásəti/-prɔ́s-] *n.* Ⓤ 상호성(性), 상호 관계〔의존〕; 상호의 이익〔의무, 권리〕; 교환; 〖상업〗 호혜주의〔정책, 관계〕: a ~ treaty 호혜 조약.
re·círculate *vt., vi.* (다시 사용할 수 있게) 재유통〔재순환〕시키다〔하다〕. ㊕ **re·circulátion** *n.*
re·ci·sion [risíʒən] *n.* Ⓤ (법률 등의) 취소, 폐기(cancelation).
***re·cit·al** [risáitl] *n.* **1** Ⓤ 암송, 낭독, 음송. **2** Ⓤ 상설(詳說), 상술(詳述); 이야기(narrative). **3** Ⓒ 〖음악〗 독주(회), 독창(회); 한 작곡가 작품만의 연주(회), 리사이틀: give a vocal ~ 독창회를 열다. **4** 〖법률〗 Ⓒ (증서 등의) 사실의 열거〔비고〕 부분. ㊕ **~·ist** *n.* 리사이틀하는 사람.
°**rec·i·ta·tion** [rèsətéiʃən] *n.* Ⓤ 자세히 이야기함; 낭독, 음송, 암송; Ⓒ 암송하는 시문(詩文); 《미》 일과(日課)의 외기; 《미》 교실 과업 시간. ◇ recite[1] *v.*
rec·i·ta·tive [rèsətətíːv] *n.* Ⓤ 〖음악〗 서창(敍唱), 레시터티브; Ⓒ 서창부(部)《오페라·오라토리오 따위의》. ── *a.* 〖음악〗 서창(조)의; 서창부의.
***re·cite**[1] [risáit] *vt.* **1** 《~+목/+목+전+명》 암송하다: ~ a lesson (선생님 앞에서) 학과를 외다/He ~*d* the poem *to* the class. 그는 학급 생들에게 시를 읊어 주었다. **2** 음창(吟唱)〔낭송〕하다. **3** 이야기하다(narrate), 상술하다, 열거하다(enumerate): ~ one's adventures 모험담을 얘기하다. **4** 〖법률〗 (참고 사실을) 문서로 구진(具陳)하다. ── *vi.* **1** 《미》 (선생 앞에서) 학과를 암송〔복창〕하다. **2** 암송하다, 읊다. ◇ recitation *n.* ㊕ **re·cít·a·ble** *a.* **re·cít·er** *n.* Ⓤ 암송자, 음창자; 낭영집(朗咏集).
re·cite[2] [rìːsáit] *vt.* 재인용하다.
re·cít·ing nòte 〖음악〗 서창조(敍唱調)《시편창(詩編唱) 중의 읊음》.
reck [rek] 《시어·문어》 〔부정문·의문문〕 *vi.* 《+전+명》 주의〔개의〕하다《*of; with*》: He ~*ed* not *of* the danger. 그는 위험을 개의치 않았다. ── *vt.* **1** 《+*wh.* 절》 …에 개의〔주의〕하다: They did not ~ *what* may become of him. 그들은 그가 어찌 되든 상관치 않았다. **2** 〔비인칭 it을 주어로〕 …에게 중대하다; …에 관계가 있다: *It* ~*s* him not if he should be caught. 가령 잡힌다 해도 그는 까딱 않는다. ***What ~s he*** 〔***What ~s it him***〕 ***if ...?*** 비록 …일지라도 그에게 무슨 상관이 있단 말인가.
***reck·less** [réklis] *a.* **1** 분별없는, 무모한: ~ driving 무모한 운전/It was ~ *of* you *to* go there alone. 거기에 혼자 가다니 너도 무모했다. SYN. ⇨WILD. **2** 염두에 두지 않는, 개의치 않는 《*of*》: ~ *of* danger 위험을 개의치 않는. ㊕ **~·ly** *ad.* **~·ness** *n.*
reck·on** [rékən] *vt.* **1** 《~+목/+목+부》 세다(count), 낱낱이 세다《*up; over*》; 합산하다《*up*》; 합계 …이 되다: The charges are ~*ed* from August 1. 요금은 8월 1일부터 가산된다/I ~ 50 of them. 세어 보니 50이다/~ his wrongs *over* 그가 한 나쁜 짓을 낱낱이 들다/~ *up* the bill 계산서를 총계하다. **2** 《+목+(*to be*) 보/+목+(*as*) 보/+목+전+명》 (…로) 보다, 간주하다(consider), 판단〔단정〕하다, 평가하다《*as; for*》: ~ a person (*to be*) a genius 아무를 천재로 보다/I ~ him (*as*) the best swimmer in my class. 나는 그를 우리반 최고의 수영 선수로 본다/~ a person *for* a wise man 아무를 현명하다고 판단하다. **3** 《+목+전+명》 (…속에) 셈하다, 셈에 넣다(include)《*among; with*》: He is not ~*ed among* my friends. 그는 내 친구로 볼 수 없다. **4** 《+(*that*) 절》 《구어》 생각하다《특히 《미》에서는 삽입적으로도 쓰임》; 《영속어》 좋다고〔가망 있다고〕 생각하다: I ~ (*that*) the answer will be in the negative. 회답은 부정적일 것으로 생각한다/He will come soon, I ~. 그는 곧 올 것이다. ── *vi.* **1** 세다, 계산하다; 지불하다, 청산하다 (settle). **2** 《+전+명》 기대하다; 믿다《*on, upon*》: Can we ~ *upon* your help? 당신의 도움을 기대해도 좋습니까. SYN. ⇨RELY. **3** 《미구어》 생각하다, 판단하다: It is a nice book as you ~. 네 생각대로 그것은 재미있는 책이다. ~ ***for …의 준비를 하다; …의 책임을 지다. ~ ***in*** 계산에 넣다. ~ ***up*** 합계하다; 요약하다. ~ ***with*** …을 청산〔처리〕하다; 처벌하다; …을 고려에 넣다. ~ ***without*** …을 무시하다, 간과하다.
㊕ **~·a·ble** *a.* **~·er** *n.* 계산하는 사람, 청산인; 계산 조견표(ready ~er).
°**réck·on·ing** *n.* Ⓤ 계산, 셈; (장래에 대한) 예

측, 가망; 청산; Ⓒ 보답; 응보; 계산서《술집 따위의》; Ⓤ 【해사】 배 위치의 측정; 그 측정 위치. ***be out in* 〔*of*〕 *one's* ~** 계산이 틀리다; 기대가 어긋나다. ***the day of* ~** ① 결산일. ② =JUDGMENT DAY 1.

◇**re·claim** [rikléim] *vt.* **1** 《~+목/+목+전+명》 교정(矯正)하다, 개심케 하다, 교화하다; 동물을 길들이다(tame): ~ a person *from* a life of sin 아무를 죄악 생활에서 개심케 하다. **2** 개간〔개척〕하다; (땅을) 메우다, 매립하다; (폐물을) 재생(이용)하다, (천연자원을) 이용하다: ~*ed* land 매립지/~ land *from* the sea 바다를 매립하다/~*ed* rubber 재생 고무. **—** *vi.* 항의하다. ◇ reclamation *n.* **—** *n.* 《주로 다음 관용구로만》 ***past* 〔*beyond*〕 ~** 회복〔교정, 개심, 교화〕의 가망이 없는. ㊕ **~·a·ble** *a.* **~·er** *n.*

re·cláim *vt.* …의 반환을 요구하다, 되찾다, 회수하다; 재요구하다.

re·claim·ant [rikléimənt] *n.* 교정자; 개간자; 「반환 청구자.

rec·la·ma·tion [rèkləméiʃən] *n.* Ⓤ 교정; (동물의) 길듦; 교화; (재)개발, 간척, 개간; 매립; (폐물의) 재생 (이용). ◇ reclaim *v.*

ré·clame [*F.* ʀeklam] *n.* 《F.》 Ⓤ 유명; 주지(周知); 인기 획득의 재능, 매명(賣名) 욕구.

re·clássify *vt.* 다시 분류하다; …의 의무 병역 분류를 바꾸다; (정보 등)의 기밀 분류를 바꾸다.

rec·li·nate [rékləneìt, -nət] *a.* 【식물】 밑으로 굽은, 밑으로 늘어진《잎·줄기 따위》.

◇**re·cline** [rikláin] *vt.* 《+목+전+명》 기대게 하다, 의지하다, (몸을) 눕히다《*on*》: ~ one's head *on* a pillow 머리를 베개에 얹다. **—** *vi.* **1** 《+전+명》 기대다(lean), 눕다《*on; against*》: ~ *upon* 〔*on*〕 the grass 풀밭에 눕다/~ *against* a wall 벽에 기대다. **2** 《비유》 의지하다, 기대다, 믿다《*on, upon*》: ~ too much *on* one's parents' support 부모 도움에 너무 의존하다. ㊕ **re·clín·er** *n.* =RECLINING CHAIR; 기대는〔눕는〕 사람. 「되는) 안락의자.

reclíning chàir (등받이와 발판의 각도가 조절

rè·clósable *a.* (봉지·포장 용기 등) 다시 밀폐할 수 있는. 「〔새로, 갈아〕 입히다.

rè·clóthe (*p., pp.* **-clothed, -clad**) *vt.* 다시

re·cluse [riklúːs, rékluːs/riklúːs] *a.* 속세를 떠난, 은둔한; 쓸쓸한, 적적한. **—** [rékluːs, riklúːs/riklúːs] *n.* 은둔자, 속세를 떠나서 사는 사람. ㊕ **~·ly** *ad.* **~·ness** *n.* **re·clu·sive** [riklúːsiv] *a.* 은둔한, 속세를 떠난; 쓸쓸한.

re·clu·sion [riklúːʒən] *n.* Ⓤ 은둔; 속세를 떠남; 사회적 소외.

rè·cóal *vt., vi.* (배 따위)에 석탄을 재보급하다.

rè·cóat *vt.* …위에 덧칠하다, (페인트 따위로) 다시 칠하다.

rè·códe *vt.* …의 부호화 형식을 변경하다; (문자에) 다른 코드를 할당하다; (프로그램을) 다시 코딩하다.

rec·og·ni·tion** [rèkəgníʃən] *n.* Ⓤ **1** 인지, 인식; 승인, 허가; 발언의 허가: the ~ *of* a new government 신정부의 승인/There's (a) growing ~ *that* we should abolish capital punishment. 사형은 폐지해야 한다는 인식이 높아지고 있다. **2** (공로 따위의) 인정, 치하, 표창, 감사, 보수: receive 〔meet with〕 much ~ (세상에) 크게 인정받다. **3** 알아봄, 견식: escape ~ 사람 눈에 띄지 않다, 간파되지 않다. **4** 인사. ◇ recognize *v.* ***beyond* 〔*out of*〕 ~** 옛 모습을 찾아볼 수 없을 만큼. ***in* ~ *of …을 인정하여, …의 공로에 의하여, …의 답례〔보수〕로. ㊕ **re·cog·ni·to·ry** [rikágnətɔ̀ːri/-kɔ́gnitəri], **re·cog·ni·tive** [rikágnətiv/-kɔ́g-] *a.*

◇**rec·og·niz·a·ble** [rékəgnàizəbəl] *a.* 인식〔인지, 승인〕할 수 있는; 알아볼 수 있는. ㊕ **-bly** *ad.* 곧 알아볼 수 있을 정도로. **rèc·og·nìz·a·bíl·i·ty** *n.* Ⓤ

re·cog·ni·zance [rikágnəzəns/-kɔ́g-] *n.* 【법률】 서약(서); 보석금; 인정하기; 《고어》 인지.

***rec·og·nize** [rékəgnàiz] *vt.* **1** 《~+목/+목+*as* 보》 알아보다, 보고 곧 알다, 알아〔생각해〕내다; 인지하다: I could scarcely ~ my old friend. 나는 옛 벗을 보고도 거의 못 알아볼 정도였다/~ a person *as* one's son 아무를 자기의 아들로 인지(認知)하다.

> SYN. **recognize** 다른 것과 구별하여 인지하다. 인지자의 머릿속에는 몇 개의 전제 조건이 있어 그것과 합치되는 것을 인정한다는 시사가 있음: I *recognized* him from the description. 인상에 대한 설명을 들었으므로 그를 알아보았다. *recognize* a new government 신정부를 승인하다. **perceive** 위에 든 조건은 필요 없이 감각적으로 지각하다, 또는 보이지 않는 것을 머리로 알다, 간취하다: I *perceived* a note of despair in his voice. 그의 말소리에서 절망을 간취했다. **identify** 무엇〔사람〕이 바로 그것〔본인〕임을 인정하다: Can you *identify* your umbrella among a hundred others? 100개 가까운 우산 중에서 당신의 것을 식별할 수 있겠습니까.

2 (공로 따위를) 인정하다, 감사하다, 표창하다. **3** 《~+목/+목+*to be* 보/+*that* 절/+목+*as* 보》 (사실을) 인정하다; 승인하다(acknowledge): ~ a person *to be* honest 아무가 정직하다는 것을 인정하다/He ~*d that* he had been beaten. 그는 졌다는 것을 인정하였다/~ a country *as* an independent state 나라를 독립국으로 승인하다. **4** 《미》 (의회에서) …에게 발언권을 인정하다, …에게 발언을 허락하다: The chairman ~*d* him. **5** (알아보고) 인사하다.
— *vi.* 【미법률】 서약서〔보석 증서〕를 내다, 서약하다. ◇ recognizance *n.*
㊕ **réc·og·nìz·er** *n.*

re·cog·ni·zee [rikàgnəzíː/-kɔ̀g-] *n.* 【법률】 수(受)서약자, 서약을 받는 사람. 「서약자.

re·cog·ni·zor [rikàgnəzɔ́ːr/-kɔ̀g-] *n.* 【법률】

◇**re·coil** [ríːkɔ̀il, rikɔ́il] *n.* **1** (용수철 따위의) 되튐; (총포의) 반동, 뒤로 물러남. **2** 뒷걸음질, 움찔함, 외축(畏縮), 싫음《*from*》. **—** [rikɔ́il] *vi.* 《~/+전+명》 **1** 되튀다, 뒤로 물러나다; 되돌아오다; 반동하다: She ~*ed from* him in horror. 그녀는 겁에 질려 그에게서 물러났다/Our acts ~ *upon* 〔*on*〕 ourselves. 자기 행위의 결과는 자신에게 되돌아온다. **2** 퇴각〔패주〕하다; 뒷걸음질치다; 주춤하다《*from; before; at*》: He ~*ed at* the sight. 그는 그 광경을 보고 주춤하였다. ㊕ **~·ing·ly** *ad.* **~·less** *a.* 반동이 없는〔최소한의〕, 무반동의.

rè-cóil *vt., vi.* 다시 감다〔감기다〕.

recóilless rífle 무반동총.

récoil-óperated [-id] *a.* 반동식의《총포 따위》.

rè·cóin *vt.* (주화를) 개주(改鑄)하다.

rè·cóinage *n.* Ⓤ 개주; 개주 화폐.

***rec·ol·lect** [rèkəlékt] *vt.* **1** 《~+목/+-*ing*/+목+-*ing*/+*that* 절/+*wh. to* do/+*wh.* 절》 생각해 내다, 회상하다(recall): I ~ hav*ing* heard the melody. 나는 그 선율을 들은 적이 있다《to have heard 처럼 부정사는 쓸 수 없음》/I ~ him 〔his〕 say*ing* so. 그가 그렇게 말한 것을 기억한다《목적격 him을 쓰는 것은 구어》/I ~ *that* I have met her before. 전에 그 여자를 만난 적이 있다는 것이 생각난다/~ *how to* do it 그것

을 어떻게 해야 할지 생각해 내다 / ~ *how* it was done 그것을 어떻게 했는지 생각해 내다. **2** 〖흔히 ~ oneself〗 (특히 기도 따위에) 전념하다, 종교적 명상에 잠기다《특히 기도 중에》: I couldn't ~ my*self* 〔my mind〕 in church. 나는 예배에 전념할 수 없었다. **—** *vi*. 기억이 있다, 상기하다. ≒re-collect. ◇ recollection *n*.

rè·colléct *vt*. **1** 다시 모으다. **2** 마음을 가라앉히다; (힘·용기를) 불러일으키다. ~ one*self* 〔one*'s thoughts*〕 마음을 가라앉히다, (문득 느끼고) 냉정해지다. ★2의 의미로는 **rè·colléct** 로도 씀. **—** *vi*. 《드물게》 다시 모이다. [파] **rè·colléction** *n*. [U]

rè·colléct·ed [-id] *a*. 침착한, 냉정한; 명상에 잠긴; 생각해 낸, 기억이 되살아난.

rec·ol·lec·tion** [rèkəlékʃən] *n*. **1** [U] (또는 a ~) 회상, 상기, 회고; 기억력: He had a clear ~ *of* hav*ing* witnessed the event. 그는 그 사건을 목격한 것을 확실히 기억하고 있었다. [SYN.] ⇨MEMORY. **2** [C] (종종 *pl*.) 옛 생각, 추억되는 일: the ~*s* of one's childhood. **3** 마음의 평정, 《특히》 종교적인 마음의 침잠(沈潛), 명상. ***be beyond 〔***past***〕 ~ 생각〔기억〕이 나지 않다. ***be in*** 〔***within***〕 one***'s*** ~ 기억하고 있다. ***have no*** ~ ***of*** …의 기억이 없다. ***to the best of my*** ~ 내가 생각해 낼 수 있는 한에서는.

rec·ol·lec·tive [rèkəléktiv] *a*. 기억력이 있는; 추억의《*of*》.

rè·cólonize *vt*. 재(再)식민지화하다, …에 다시 식민하다. [파] **rè·colonizátion** *n*. 재식민.

rè·cólor *vt*. 다시 칠하다〔바르다〕, 다시 물들이다(color again).

re·com·bi·nant [ri:kámbənənt/-kɔ́m-] 〖유전·생화학〗 *a*. 재(再)조합형의. **—** *n*. (유전자의) 재조합형, 재조합을 나타내는 개체.

recómbinant DNÁ 〖유전〗 재조합된 DNA 《생물에서 추출한 DNA를 시험관 내에서 재조합하여 얻은 DNA》.

rè·combinátion *n*. [U] 재결합; 〖유전〗 재조합.

re·combinátional repáir 〖유전·생화학〗 (DNA 분자의) 재조합 회복.

rè·combíne *vt*. 다시〔재〕결합하다; 다시 맺다.

rè·comménce *vt*., *vi*. 재개하다, 다시 (시작)하다. [파] **~·ment** *n*.

****rec·om·mend** [rèkəménd] *vt*. **1** 《~+[목]/+[목]+*as* [보]/+[목]+[전]+[명]/+[목]+[목]》 추천〔천거〕하다: ~ him *as* a cook 〔*for* a post〕 그를 조리사로〔어느 자리에〕 추천하다 / Will you ~ me a good hotel? =Will you ~ a good hotel *to* me? 나에게 좋은 호텔을 소개해 주시겠습니까. **2** 《+[목]+*to* do/+*-ing*/+[목]+[목]/+[목]+[전]+[명]/+*that*[절]》 …을 권하다, 권고하다, 충고하다: I ~ you *to* say yes about it. 당신이 그것을 승낙하는 것이 좋을 것입니다 / I ~ go*ing* by airplane. 비행기로 가는 것을 권합니다 / ~ a person a long rest =~ a long rest *for* a person 아무에게 장기 휴양을 권하다 / I ~ *that* the work (should) be done at once. 그 일을 즉시 하도록 권합니다《should를 생략하는 것은 주로 《미》 용법》. **3** 《~+[목]/+[목]+[전]+[명]》 (행위·성질 따위가) …의 호감을 사게 하다, 마음에 들게 하다 《*to*》: Her sweet smile ~*ed* her *to* the group. 그녀는 그 상냥한 미소로 친구들의 호감을 샀다 / a plan that has very little to ~ it 거의 매력 없는 계획. **4** 《+[목]+[전]+[명]》 맡기다(commit), 위탁하다: No one would ~ himself *to* hazard. 아무도 자신을 운명에 맡기려고는 않을 것이다. ◇ recommendation *n*. [파] **~·a·ble** *a*. 추천할 수 있는, 권할 만한. **~·er** *n*.

****rec·om·men·da·tion** [rèkəmendéiʃən, -mən-] *n*. **1** [U] 추천, 추장(推奬). **2** [C] 추천〔소개〕장 (letter of ~). **3** [U,C] 권고, 충고, 건의: They made a ~ *that* the minister (should) resign. 그들은 장관의 사임을 권했다. **4** [C] 장점, 취할 점. ◇ recommend *v*. ***on the ~ of*** …의 추천에 의하여.

rec·om·mend·a·to·ry [rèkəméndətɔ̀:ri/-təri] *a*. 추천의; 장점이 되는; 권고적인.

rè·commíssion *vt*. 다시 임명〔위임, 위탁〕하다, 다시 임관시키다. **—** *n*. 재임(再任).

rè·commít (*-tt-*) *vt*. (죄를) 다시 범하다; 다시 위탁하다; 다시 투옥〔구류〕하다; (의안을) 위원회에 다시 회부하다. [파] **~·ment, ~·tal** *n*. [U] (의안의) 재차 회부; 재투옥; 재범.

°**rec·om·pense** [rékəmpèns] *n*. [U,C] **1** 보수; 보답(reward). **2** 보상, 배상(compensation): in 〔as a〕 ~ *for*... …에 대한 보상으로서. **—** *vt*. 《~+[목]/+[목]+[전]+[명]》 …에게 보답하다, …에게 갚다〔대갚음하다〕; 보상하다《*for; to; with*》: ~ a person *for* his trouble 수고에 대하여 아무에게 보답하다 / ~ good *with* evil 선을 악으로 갚다.

rè·compóse *vt*. 고쳐〔다시〕 만들다, 개작〔개편〕하다; (감정 등을) 가라앉히다, 진정시키다; 〖인쇄〗 (판을) 다시 짜다. [파] **-posítion** *n*. [U]

re·con[1] [rikán/rikɔ́n] 《구어》 *n*. =RECONNAISSANCE. **—** *vt*., *vi*. =RECONNOITER.

re·con[2] [rí:kən] *n*. 〖유전〗 레콘《유전자의 최소의 재조합 단위》. [◂*re*combination+*-on*]

rè·concentrátion *n*. 재집중.

rec·on·cil·a·ble [rékənsàiləbəl, ⌐-⌐--] *a*. 화해할 수 있는, 조정의 가망이 있는; 조화〔일치〕시킬 수 있는. [파] **-bly** *ad*. **~·ness** *n*.

***rec·on·cile** [rékənsàil] *vt*. **1** 《~+[목]/+[목]+[전]+[명]》 화해시키다, 사화(私和)시키다《*to; with*》: ~ him *to* 〔*with*〕 Mr. A, 그를 A씨와 화해시키다. **2** 《~+[목]/+[목]+[전]+[명]》 (싸움·논쟁 따위를) 조정하다; 조화시키다, 일치시키다《*to; with*》: ~ disputes 논쟁을 조정하다 / ~ one's work for living *with* one's study 생계를 위한 일과 공부를 양립시켜 나아가다 / ~ one's statements *with* one's conduct 언행을 일치시키다. **3** 《+[목]+[전]+[명]/+[목]+*to* do》〖보통 ~ oneself 또는 수동태로〗 …으로 만족하다, 스스로 단념〔만족〕하게 하다《*to*》: He *was* ~*d to* his fate. 그는 자신의 운명을 감수하고 있었다 / She was bound to ~ her*self to* accept*ing* 〔*to* accept〕 the post. 그녀는 그 지위를 감수하지 않으면 안 되었다. ◇ reconciliation *n*. [파] **~·ment** *n*. [U] =RECONCILIATION. **-cìl·er** *n*. 조정자, 화해자.

***rec·on·cil·i·a·tion** [rèkənsìliéiʃən] *n*. [U] (또는 a) 조정; 화해; 복종, 단념; 조화, 일치: a ~ *with* the enemy 적과의 화해 / a ~ *of* religion and science 종교와 과학의 조화. ◇ reconcile *v*. 「화해〔조정〕의.

rec·on·cil·i·a·to·ry [rèkənsíliətɔ̀:ri/-təri] *a*.

rec·on·dite [rékəndàit, rikándait/rékəndàit, rikɔ́ndait] *a*. 심원한, 알기 어려운, 난해한(profound); (깊이) 숨겨진, 눈에 띄지 않는, 사람에게 알려지지 않은. [파] **~·ly** *ad*. **~·ness** *n*.

rè·condítion *vt*. 수리하다; (사람·태도를) 고치다; (반응을) 회복시키다.

rè·condúct *vt*. 데리고 돌아오다, 출발점으로 되돌아가게 하다(conduct back).

rè·confígure *vt*. (비행기·컴퓨터 등의) 형(型)〔부품〕을 바꾸다. [파] **rè·configurátion** *n*.

rè·confírm *vt*. 재확인하다, 《특히》 …의 예약을 재확인하다. 「확인.

rè·confirmátion *n*. 재확인; 〖항공〗 예약 재

re·con·nais·sance [rikánəsəns, -zəns/

-kɔ́nəsəns] *n.* 정찰, 수색; 답사; 지형 조사; 예비 점검; 정찰대: a ~ plane 정찰기. ~ ***in force*** 위력 수색, 강행 정찰.

recónnaissance sàtellite 정찰 위성.

rè·connéct *vt.* 다시 연결하다, 재결합하다. ㊞ **rè·connéction** *n.*

re·con·noi·ter, 《영》 **-tre** [rìːkənɔ́itər, rèk-/rèk-] *vt., vi.* 정찰하다; 답사하다. ㊞ **~·er,** 《영》 **-trer** *n.* 정찰자.

rè·cónquer *vt.* …을 재정복하다; 《특히》 정복하여 도로 빼앗다.

R. Econ. S. 《영》 Royal Economic Society.

rè·cónsecrate *vt.* (더럽혀진 교회당 따위를) 다시 성별(聖別)하다, 다시 신(神)에게 바치다〔봉헌하다〕.

rè·consíder *vt.* 다시 생각하다, 재고하다; (투표 등을) 재심의에 부치다. **—** *vi.* 재고하다; 재심하다. ㊞ **rè·consideràtion** *n.* Ⓤ

rè·consígnment *n.* 재위탁; 〖상업〗 (경로·화물 인도지·수화인(受貨人) 등에 대한) 송장(送狀)의 변경.

rè·consólidate *vt., vi.* 다시 굳히다〔굳다〕; 다시 통합하다. ㊞ **rè·consolidátion** *n.*

rè·constítuent *a.* 새 조직을 만드는; 새로운 정력을 부여하는. **—** *n.* 강장제.

rè·cónstitute *vt., vi.* **1** 재구성〔재조직, 재편성, 재제정〕하다; 복원하다, 재현시키다. **2** 물을 타다《농축한 주스 등에》. ㊞ **rè·constitútion** *n.*

***re·con·struct** [rìːkənstrʌ́kt] *vt.* 재건하다 (rebuild), 재구성하다; 개조〔개축〕하다; 부흥하다; (마음에) 재현하다. ◇ reconstruction *n.* ㊞ **~·i·ble** *a.*

***re·con·struc·tion** [rìːkənstrʌ́kʃən] *n.* **1** 재건, 개축; 개조; 부흥: the ~ *of* the city center 도심부의 재건. **2** (the R-) 〖미국사〗 재건, 재편입《남북 전쟁 후, 남부 각 주(州)를 합중국으로 재통합; 그 기간(1865-77)》. ㊞ **~·ist** *n.* 재건〔개조〕주의자.

Rè·constrúctionism *n.* Ⓤ (유대교의) 현대 「적 개혁주의.

rè·constrúctive *a.* 재건〔개조(改造), 부흥〕의. ㊞ **~·ly** *a.* **~·ness** *n.*

reconstrúctive súrgery 〖외과〗 재건(수)술《성형 외과 기술을 이용하여, 파괴된 외관이나 기능의 회복·선천적 결함 등을 고치는 수술》.

rè·convéne *vt., vi.* 재소집〔재집합〕하다.

rè·convérsion *n.* Ⓤ 재개종(再改宗); 복당(復黨); 부흥, 복구; 전환, 산업 전환; (기계의) 재개장(再改裝).

rè·convért *vt., vi.* 재개종〔복당〕시키다〔하다〕; 예전 상태로 되돌리다; 재개장하다; 〖경제〗 (산업을) 다시 전환하다.

rè·convéy *vt.* **1** 원위치로 되돌리다, 되나르다. **2** 원임자에게 되돌리다, 재양도하다. ㊞ **~·ance** *n.* Ⓤ 재양도.

rè·cópy *vt.* …을 재복사하다, 다시 복사하다.

†**rec·ord**[1] [rékərd/-kɔːd] *n.* **1** 기록, 기입, 등록: deserve 〔escape〕 ~ 기록할 만하다〔에서 빠지다〕. **2** 기록 (문서); 공판 기록; 의사록; 증거(품), 증언, 설명, 유물: ~*s* of ancient civilization 고대 문명의 유물. **3** 이력, 경력; 전과(前科); 성적: Her ~ is against her. 그녀는 이력에서 불리하다. **4** 경기 기록, 《특히》 최고 기록: set 〔establish〕 a new ~ *for* 〔*in*〕 …. …의 신기록을 세우다. **5** 레코드, 음반. **6** 〖컴퓨터〗 기록, 레코드《file의 구성 요소가 되는 정보의 단위》. ***a family*** ~ 계보. ***a matter of*** ~ 공식 기록에 올라 있는 사실. ***bear*** ~ ***to*** …의 증언을 하다. ***beat*** 〔***break, cut***〕 ***the*** ~ 기록을 깨다; 전례를 깨뜨리다. ***change the*** ~ 《구어》 같은 것의 반복을 그치다. ***find*** ~ 기록되다. ***for the*** ~ 공식적인〔으로〕, 기록을 위한〔위해〕. ***get*** 〔***keep, put, set***〕

the ~ ***straight*** 오해를 바로잡다. ***go*** 〔***place*** one***self, put*** one***self***〕 ***on*** ~ 기록에 남다; 공표하다, 언질을 주다. ***have a good*** 〔***bad***〕 ~ (사람·말·배 등이) 경력·내력이 좋다〔나쁘다〕. ***have a*** ~ 전과가 있다. ***have the*** ~ ***for*** 〔***in***〕 …의 기록을 보유하고 있다. ***in*** ~ 기록에 올라, 등록되어. ***keep to the*** ~ 본제〔본줄거리〕에서 벗어나지 않다. ***off the*** ~ 비공식의〔으로〕, 공표〔인용〕해서는 안 되는. ***of*** ~ (어느 특정 재판·판결·그밖의 절차와 관련하여) 법원의 기록에 오른; 증거 서류 외의 것으로 입증된, 확실한; 공식 기록에 의하면. ***on*** ~ ① 기록되어; 기록적인: the heaviest rain *on* ~ 기록적인 폭우/the greatest earthquake *on* ~ 미증유의 대지진. ② 공표되어, 널리 알려져. ***put ... on*** ~ 기록에 남기다; 공식으로 발언하다. ***the*** (***Public***) ***Record Office*** 《영》 공(公)기록 보존소.

— *a.* 기록적인: a ~ crop 공전의 대풍작.

***re·cord**[2] [rikɔ́ːrd] *vt.* **1** 《~+목/+*that* 절/+*wh.* 절/+*wh. to* do》 기록하다, 적어 두다, 등기〔등록〕하다: ~ a speech 연설을 기록하다/~ history in books 역사를 책으로 하여 기록하다/His letters ~ his hopes and fears at the time. 그의 편지에는 당시의 희망과 불안이 적혀 있다/Where he lived is not ~*ed*. 그가 어디 살았는지는 기록에 없다. **2** 녹음〔녹화〕하다: ~ (a speech) *on* a recorder 녹음기로 (연설을) 녹음하다. **3** (계기 등이) 표시하다: The thermometer ~*ed* 15° below zero. 온도계가 영하 15°를 가리키고 있었다. **4** …의 표시가〔기록이〕 되다. **—** *vi.* 기록〔녹음, 녹화〕하다〔되다〕.

re·cor·da·tion [rèkərdéiʃən, rìːkɔːr-/-kɔː-] *n.* 기록하기; (어떤) 기록.

récord brèaker 기록을 깨뜨리는 사람.

récord-brèaking *n., a.* 기록 돌파(의), 공전의: a ~ crop. 「인저.

récord chànger (플레이어의) 자동 레코드 체

récord dèck (전축의) 턴테이블.

recórded delívery 《영》 간이 등기(우편).

re·córd·er *n.* **1** 기록자, 등록자; 《영》 지방 법원 판사. **2** 기록 기계〔장치〕; 녹음기, 녹화기, 리코더; (전신의) 수신기; 〖음악〗 (옛날의) 플루트 「의 일종.

récord hòlder (최고) 기록 보유자.

re·córd·ing *a.* 기록하는; 기록용의; 기록 담당의; 자동 기록 장치의: a ~ altimeter 자기 고도계/a ~ manometer 자기 기압계. **—** *n.* 녹음, 녹음〔녹화〕 테이프, 음반; 녹음의 질(質), 《특히》 충실도, 리코딩. 「록하는) 기록 천사.

recórding àngel 〖기독교〗 (사람의 선악을 기

recórding hèad 〖전자〗 (테이프 리코더·VTR의) 녹음〔녹화〕 헤드; (레코드 제조에 쓰는) 커터(cutter).

re·córd·ist *n.* 〖영화〗 녹음 담당자; 기록 담당자.

récord plàyer 레코드플레이어; 전축.

récord slèeve 레코드 재킷.

°**re·count** [rikáunt] *vt.* 자세히 얘기하다; 차례대로 얘기하다; 하나하나 열거하다.

re-cóunt *vt., vi.* 다시 세다. **—** [ˊ-, ˋ-] *n.* 다시 세기, 재집계《투표 등의》.

re·count·al [rikáuntl] *n.* 상술(詳述), 열거.

re·coup [rikúːp] *vt.* 벌충하다, 메우다; 되찾다(regain); …에게 보상하다; 〖법률〗 공제하다. **—** *vi.* 잃은 것을 되찾다. ~ a person ***for a loss*** 아무의 손실을 보상하다. ~ one***self*** 들인 비용〔손실〕을 되찾다. **—** *n.* 공제; 벌충. ㊞ **~·a·ble** *a.* **~·ment** *n.* Ⓤ 보상; 〖법률〗 공제.

°**re·course** [ríːkɔːrs, rikɔ́ːrs/rikɔ́ːs] *n.* Ⓤ 의지, 의뢰《*to*》; Ⓒ 의지가 되는 것, 믿는 사람; Ⓤ 〖법률〗 소구권(遡求權), 상환 청구권: without

~ *to* outside help 외부의 원조에 의존하지 않고, 자력으로. ***have* ~ *to*** …에 의지〔호소〕하다; (수단으로) …을 쓰다. ***without* ~** 〖법률〗 상환 청구에 응하지 않음, 소구 배제《배서인의 문구》.

re·cov·er [rikʌ́vər] *vt.* **1** (앗긴 것을) 되찾다; (잃은〔놓친〕 것을) 찾아내다, 발견하다; (매몰·잊었던 것을) 캐내다: ~ a stolen watch 도둑맞은 시계를 되찾다 / ~ a comet 혜성을 발견하다. **2** (손실을) 만회하다, 벌충하다: ~ lost time 뒤짐을 만회하다. **3** (기능·의식 등을) 회복하다; 〖~ oneself〗 제정신이 들다; 냉정해지다; 건강을 되찾다: ~ one's health 〔consciousness〕 건강〔의식〕을 회복하다 / ~ one's feet 〔legs〕 (쓰러졌다가) 다시 일어서다. **4** 《~+목/+목+전+명》 〖법률〗 (손해 배상을) 받다; 소유권을 되찾다: ~ damages *for* false imprisonment 불법 감금에 대한 배상을 받다. **5** 개심〔개전〕시키다. **6** 《~+목/+목+전+명》 (폐기물 등에서 유용한 물질을) 재생하다; 매립하다: ~ land *from* the sea 바다를 매립하다. **7** 〖경기〗 (fumble한 공 등을) 다시 잡다; 〖펜싱〗 (찌른 후) 칼을 원위치로 돌리다. **8** 《고어》 …에 귀착하다. **9** 〖컴퓨터〗 회복시키다《경미한 고장 상태에서 정상 상태로 돌림》. ― *vi.* **1** 《~/+전+명》 원상태로 되다, 복구되다: ~ *from* the effects of the earthquake (도시 따위가) 지진의 피해에서 복구되다. **2** 《~/+전+명》 회복하다, 낫다《*from; of*》: be ~*ing from* one's illness 병이 차도가 있다. **3** 〖펜싱·수영·보트 등〗 recovery 자세로 돌아가다. **4** 〖법률〗 소송에 이기다: ~ in a suit. **5** 〖경기〗 (fumble한 공 등을) 다시 잡다. **6** 〖컴퓨터〗 회복하다. ◇ recovery *n.* ― *n.* **1** 수비 자세로 돌아감: at the ~. **2** 〖컴퓨터〗 회복. ㊕ **re·còv·era·bíl·i·ty** *n.* **~·er** [-rər] *n.*

rè-cóver *vt.* 다시 덮다; 다시 바르다; (의자 등의 천을) 갈아 대다, 표지를 갈아 붙이다.

re·cov·er·a·ble [rikʌ́vərəbəl] *a.* 되찾을〔회복시킬〕 수 있는.

re·cov·ery [rikʌ́vəri] *n.* Ⓤ **1** (또는 a ~) 회복, 복구; 경기 회복: make a quick ~. **2** (병의) 쾌유; 회복: ~ *from* influenza. **3** 되찾음, 만회: the ~ *of* a lost article. **4** (토지의) 매립. **5** 〖법률〗 재산〔권리〕 회복; 승소. **6** (우주선 캡슐 등의) 회수; (석유·천연가스 등의) 회수, 채수(採收), 재생; 〖광산〗 실수율(實收率). **7** 〖펜싱〗 자세의 다시 섬; 〖수영·보트 등〗 다음 스트로크를 위해 팔을〔노를〕 앞으로 되돌림. **8** 〖컴퓨터〗 복구《경미한 고장 상태로부터의》. ◇ recover *v.*

recóvery posìtion 《영》 혼수 상태에서 깨어날 수 있는 체위《엎드리게 하고 질식하지 않도록 얼굴을 옆으로 눕혀 놓은 자세》.

recóvery prògram (알코올·마약 의존자에 대한) 회복 프로그램.

recóvery ròom (수술 직후 병원의) 회복실.

recpt. receipt.

rec·re·ant [rékriənt] *a.* 《시어·문어》 겁 많은, 비겁한(cowardly); 불성실한, 불충실한(disloyal), 변절한. ― *n.* 겁쟁이, 비겁한 사람; 배신자. ㊕ **-ance, -an·cy** [-əns], [-ənsi] *n.* Ⓤ 겁 많음, 비겁, 변절. **~·ly** *ad.*

rec·re·ate [rékrièit] *vt., vi.* **1** 휴양시키다〔하다〕, 심신을 일신시키다〔하다〕. **2** 기분 전환을 시키다〔하다〕, 즐겁게 하다, 즐기다. **~ one*self with*** …을 하며 즐기다.

rè-creáte [rì:-] *vt.* 개조하다, 고쳐〔다시〕 만들다; 재현하다. ㊕ **rè-creátable** *a.*

rec·re·a·tion [rèkriéiʃən] *n.* Ⓤ **1** 휴양, 보양. **2** 기분 전환, 오락, 레크리에이션. ㊕ **~·al** *a.*

rè-creátion [rì:-] *n.* Ⓤ,Ⓒ 재창조, 개조(물).

recreátional véhicle 레크리에이션용 차량《camper, trailer 따위; 생략: RV》.

recreátion gròund 《영》 운동장, 유원지.

rèc·re·á·tion·ist *n.* (특히 옥외에서) 레크리에이션을 즐기는 사람, 행락객.

recreátion ròom 〔**hàll**〕 《미》 오락실, 유희실, 게임실(室)(rec room 〔hall〕).

rec·re·a·tive [rékrièitiv] *a.* 보양이 되는, 기분 전환의, 원기를 돋우는. ㊕ **~·ly** *ad.* **~·ness** *n.*

rec·re·ment [rékrəmənt] *n.* **1** 〖생리〗 재귀액(再歸液)《분비 후 다시 혈액 속으로 흡수되는 타액·위액 등의 분비액》. **2** 폐물, 광재(鑛滓).

rec·re·men·ti·tious [rèkrəmentíʃəs, -men-] *a.* 불순물의; 여분의, 쓸데없는.

re·crim·i·nal·ize [rì:kríminəlàiz] *vt.* 다시 중요 범죄로 다루다.

re·crim·i·nate [rikrímənèit] *vi., vt.* 되비난하다, 반소(反訴)하다. ㊕ **re·crìm·i·ná·tion** *n.* **re·crím·i·nà·tive, -na·tò·ry** [-nèitiv/-nət-], [-nətɔ̀:ri/-təri] *a.*

réc ròom 〔**hàll**〕 [rék-] 《미구어》 =RECREATION ROOM 〔HALL〕.

rè·cróss *vi., vt.* 다시 가로지르다〔건너다〕; 다시 교차하다.

re·cru·desce [rì:kru:dés] *vi.* 재발하다, 재연(再燃)하다《병·아픔·불평 따위가》.

re·cru·des·cence [rì:kru:désns] *n.* Ⓤ 재발, 도짐; 재연. ㊕ **-dés·cent** [-désnt] *a.*

re·cruit [rikrú:t] *vt.* **1** 《~+목/+목+전+명》 신병〔새 회원〕을 들이다〔모집하다〕, 신병〔신회원〕으로 보충하다〔만들다〕: ~ teachers *from* abroad 교사를 해외에서 모집하다. **2** 《~+목/+목+전+명》 신병〔신회원〕으로 삼다《*into* the forces, *for* 〔*to*〕 a team》; 고용하다. **3** 《고어》 (체력·건강 따위를) 회복시키다: He ~*ed* himself. 그는 원기를 되찾았다. **4** (여축을) 보충하다(replenish); 늘리다(add to). ― *vi.* **1** 신병〔새 회원〕을 모집하다. **2** 보급〔보충〕하다. **3** 《고어》 원기를 회복하다; 보양하다. ― *n.* 보충병, 신병; 〖미육해군〗 최하급 사병; 신당원; 신입생; 신회원; 신참자; 초심자: seek new ~*s to* a club 클럽의 새 회원을 모집하다. ㊕ **~·al** [-əl] *n.* Ⓤ 보충, 보급. **~·er** *n.* **~·ment** *n.* Ⓤ 신병 징모; 신규 모집; 보충; 원기 회복: ~*ment* advertising 모집 광고.

recrúiting òfficer 징병관.

recrúitment àgency 취업 정보업, 직업 안내업.

rè·crýstallize *vt., vi.* 다시 결정(結晶)시키다〔하다〕.

Rec. Sec., rec. sec. recording secretary.

rect. receipt; rectangle; rectangular; rectified; rector; rectory. **rec't.** receipt.

rec·ta [réktə] RECTUM의 복수.

rec·tal [réktl] *a.* 직장(直腸)의. ㊕ **~·ly** *ad.*

réctal cápsule 〖약학〗 직장(直腸) 투여 캡슐《좌약》.

rec·tan·gle [réktæ̀ŋgəl] *n.* 〖수학〗 직사각형.

rec·tan·gu·lar [rektǽŋgjələr] *a.* 직사각형의; 직각의. ㊕ **~·ly** *ad.* **rec·tàn·gu·lár·i·ty** [-lǽrəti] *n.* Ⓤ

rectángular coórdinates 〖수학〗 직교좌표.

rectángular hypérbola 〖수학〗 직각 쌍곡선《점근선(漸近線)이 직교(直交)하는 쌍곡선》.

rec·ten·na [rekténə] *n.* 렉테나, 정류(整流) 안테나. [◂ *rec*tifying an*tenna*]

rec·ti- [rékti, -tə], **rect-** [rékt] '곧은, 직각'이란 뜻의 결합사.

réctified spírit 〖화학·약학〗 정류 에탄올《에탄올 95.6%, 물 4.4%의 혼합물》.

rec·ti·fi·er [réktəfàiər] *n.* 개정〔수정〕자; 〖전기〗 정류기(整流器); 〖화학〗 정류기(精溜器)〔관〕.

rec·ti·fy [réktəfài] *vt.* **1** 개정〔수정〕하다; (악

습 등을) 교정하다, 고치다. **2** 〖화학〗 정류(精溜)하다; 〖전기〗 정류(整流)하다; 〖기계〗 조정하다. **3** 〖수학〗 (곡선)의 길이를 구하다. ***a ~ing detector*** 〖전기〗 정류(整流) 검파기. ***a ~ing tube*** 〔***valve***〕 〖화학〗 정류관(精溜管); 〖전기〗 정류관(整流管). ㊞ **réc·ti·fi·a·ble** [-əbəl] *a.*
rec·ti·fi·ca·tion [rèktəfi-kéiʃən] *n.* Ⓤ

rècti·línear, -líneal *a.* 직선의; 직선으로 둘러싸인〔구성된〕; 직진(直進)하는; 수직의. ㊞ **-línearly** *ad.* **-lineárity** *n.*

rec·ti·tude [réktətjùːd/-tjùːd] *n.* Ⓤ **1** 정직, 실직(實直), 청렴. **2** (판단·방법의) 올바름, 정확(correctness). ㊞ **rec·ti·tu·di·nous** [rèktətjúːdənəs/-tjúː-] *a.* 독선적으로 청렴한 체하는. [L. =*rectus* right]

rec·to [réktou] (*pl.* **~s**) *n.* (펼쳐 놓은 책의) 오른쪽 페이지; 종이의 겉면. opp *verso*.

rec·to·cele [réktəsìːl] *n.* 직장탈(直腸脫), 직장 헤르니아, 직장류(瘤).

°**rec·tor** [réktər] (*fem.* **-tress** [-tris]) *n.* **1** 〖종교〗 (영국 국교·미국 감독교회의) 교구 목사. cf. vicar. **2** 교장, 학장, 총장; 〖가톨릭〗 신학교장, 수도원장. ㊞ **~·ate** [-rit] *n.* Ⓤ ~의 직(職)〔임기〕. **rec·to·ri·al** [rektɔ́ːriəl] *a., n.* ~의 (선거). **~·ship** [-ʃìp] *n.* ~의 직.

rec·to·ry [réktəri] *n.* rector의 주택, 목사관(館); 《영》 rector의 영지〔수입〕.

rec·trix [réktriks] (*pl.* **-tri·ces** [rektráisiːz]) *n.* (보통 *pl.*) 〖조류〗 꽁지깃. 「부〗 직장(直腸).

rec·tum [réktəm] (*pl.* **~s, -ta** [-tə]) *n.* 〖해

rec·tus [réktəs] (*pl.* **-ti** [-tai]) *n.* 〖해부〗 직장근(直腸筋), 《특히》 복직근(腹直筋).

re·cum·bent [rikʌ́mbənt] *a.* 기댄(reclining), 가로누운; 활발하지 못한, 굼뜬, 태만(怠慢)한. ㊞ **~·ly** *ad.* **-ben·cy** *n.* Ⓤ 기댐, 가로누움; 휴식(repose).

re·cu·per·ate [rikjúːpərèit] *vt., vi.* (건강 따위를) 회복하다; (손실 따위를) 만회하다. ㊞ **re·cù·per·á·tion** *n.* Ⓤ 회복, 만회.

re·cu·per·a·tive [rikjúːpərətiv, -rèit-] *a.* 회복시키는; 회복력 있는. ㊞ **~·ness** *n.*

re·cu·per·a·tor [rikjúːpərèitər] *n.* 회복자; 회수열 교환기, 복열 장치(regenerator); (대포의) 복좌(復座) 장치.

°**re·cur** [rikə́ːr] (**-rr-**) *vi.* **1** 《+전+명》 (본제(本題) 따위에) 되돌아가다 《*to*》: ~ *to* the matter of cost 다시 비용의 건(件)으로 되돌아가다. **2** 《+전+명》 (생각 등이) 마음에 다시 떠오르다, 상기되다; 상기〔회상〕하다 《*to*》: His former mistake *~red to* him 〔his mind〕. 전(前)의 실패가 그의 마음에 되살아났다. **3** 때때로 일어나다, 재발하다, 회귀하다; 되풀이되다. **4** 〖수학〗 순환하다(circulate). **5** 《+전+명》 (…에) 의존〔의지〕하다 《*to*》: ~ *to* violence 〔arms〕 폭력〔무력〕에 의존하다. ◇ recurrence *n.*

°**re·cur·rence** [rikə́ːrəns, -kʌ́r-/-kʌ́r-] *n.* **1** 재기, 재현(repetition), 재발; 반복; 순환: the ~ *of* an illness 〔error〕 병〔잘못〕의 재발. **2** 상기, 회상, 추억. **3** Ⓤ 의지, 의존(recourse) 《*to*》: have ~ *to* arms 무력에 의존하다.

re·cur·rent [rikə́ːrənt, -kʌ́r-/-kʌ́r-] *a.* **1** 재발〔재현〕하는; 정기적으로 되풀이되는, 순환하는. **2** 〖의학〗 회귀성(回歸性)의: ~ nerves 회귀 신경. ㊞ **~·ly** *ad.*

recúrrent educátion 〖교육〗 순환 교육 《사회인이 다시 학교에 돌아와 교육을 받는 일》.

recúrrent féver 〖의학〗 회귀열(relapsing fever).

re·cur·ring [rikə́ːriŋ, -kʌ́r-/-kʌ́r-] *a.* 되풀이하여 발생하는; 〖수학〗 순환하는. 「MAL.

recúrring décimal 〖수학〗 =REPEATING DECI-

re·cur·sion [rikə́ːrʒən/-ʃən] *n.* 회귀(return); 〖컴퓨터〗 반복, 되부름; 〖수학〗 귀납.

re·cur·sive [rikə́ːrsiv] *a.* 〖컴퓨터〗 되부름의; 〖수학〗 귀납적인; 반복하는, 순환적인: ~ functions 귀납적 함수. ㊞ **~·ly** *ad.* **~·ness** *n.*

recúrsive subróutine 〖컴퓨터〗 되부름의 아랫경로〔서브루틴〕 《자기 자신을 불러내기(call)할 수 있는 아랫경로》. 「진, 잦혀진.

re·cur·vate [rikə́ːrvət, -veit] *a.* 〖식물〗 휘어

rè·cúrve *vt.* 뒤로 휘게 하다. **—** *vi.* (물길 등이) 굽이쳐 되돌아오다, 반곡(反曲)하다. 「신청.

re·cu·sal [rikjúːzəl] *n.* (법관 등의) 기피, 기피

rec·u·sant [rékjəzənt, rikúːz-] *a.* 권위〔명령, 요구〕에 따르지 않는. **—** *n.* 복종 거부자; 〖영국사〗 국교 기피자(refuser). ㊞ **-sance, -san·cy** *n.* Ⓤ 복종 거부; 〖영국사〗 국교 기피. 「기피하다.

re·cuse [rikjúːz] *vt.* 〖법률〗 (법관·배심원 등을)

rec·vee, rec-v [rèkvíː] *n.* 《구어》 =RECREATIONAL VEHICLE.

re·cy·cle [riːsáikəl] *vt.* …을 재생 이용하다, 재활용하다, 재순환시키다, (원유(原油)에 의한 잉여 이익을) 환류(還流)시키다: *~d* paper 재생지. **—** *vi.* 초읽기를 중지하고 먼저의 시점으로 돌아가다, 초읽기를 재개하다; (전자 장치가) 조작 개시 전의 상태로 돌아가다; 재생 이용하다. **—** *n.* 재순환 과정. ㊞ **-cla·ble** *a.* **-cler** *n.* **-cling** *n.* 재(생) 이용, 재활용.

†**red** [red] (**-dd-**) *a.* **1** 빨간, 적색의; (얼굴 따위가) 불그스름한: ~ *with* anger 골이 나 빨개진/(as) ~ as a rose 장미처럼 붉은/The sun rises ~. 태양이 붉게 떠오르다. **2** 붉은 옷을 입은; 붉은 털의, 붉은 피부의. **3** 피로 물든, 핏발이 선; 잔학한, 모진: with ~ hands 살인을 범하여/~ figures 적자, 손실. **4** (종종 R-) 적화한, 공산주의(국)의(cf. pink[1]); 《구어》 좌익의: turn ~ 적화하다/the ~ purge 적색 분자 추방〔숙청〕/Red Troops 옛 소련군, 적군(赤軍). **5** (자석이) 북극을 가리키는, 북극의. **6** 《영》 영국령의 《지도의 색에서》. **7** 《미속어》 (장소가) 벌이가 좋은. ***paint the map ~*** 대영 제국의 영토를 확장하다. ***paint the town ~*** 《구어》 ⇨ PAINT.
— *n.* Ⓤ **1** 빨강, 적색: too much ~ in the painting. **2** 빨간 천〔옷〕; (당구의) 빨간 공. **3** (*pl.*) 북아메리카 원주민. **4** (종종 R-) 공산주의자; 《구어》 좌익, 급진파; 〖영국사〗 적색 함대. **5** (the ~) 적자. **6** 《미속어》 1 센트 동화(~ cent). **7** (the R-s) 적군(赤軍). **8** 《속어》 〖약학〗 세코날(Seconal). ***be in the ~*** 《미구어》 적자를 내고 있다. ***come*** 〔***get***〕 ***out of the ~*** 적자에서 헤어나다. ***go*** 〔***get***〕 ***into the ~*** 적자를 내다, 결손을 보다. ***~s under the bed(s)*** 잠입해 있는 공산당원. ***see ~*** 《구어》 격노하다, 살기를 띠다.

red. reduce(d); reduction.

re·dact [ridǽkt] *vt.* 편집하다(edit); (진술서 따위를) 작성하다. ㊞ **re·dác·tion** [-ʃən] *n.* 편집(editing); 교정, 개정(revision); 신판, 개정판. **~·al** *a.* 편집〔교정〕의. **re·dác·tor** [-tər] *n.* 편집자; 교정자.

réd ádmiral 〖곤충〗 큰멋쟁이 《나비》.

réd alért (공습의) 적색 경보; 갑호(甲號) 비상〔경계〕 태세; 긴급 비상사태.

réd álgae 〖식물〗 홍조(紅藻). 「堡).

re·dan [ridǽn] *n.* 〖축성(築城)〗 철각보(凸角

Réd Ármy (the ~) 적군(赤軍); 적군파.

réd ársenic =REALGAR.

réd-bàcked [-t] *a.* 등이 붉은.

réd-bàit *vt., vi.* (종종 R-) 공산주의자라 하여 탄압〔공격, 비난〕하다, 공산주의자를 색출하다. ㊞ **~·er** *n.* 공산주의자 탄압자. **~·ing** *n.* Ⓤ 공

산주의자 탄압.
réd báll 《미속어》 급행 화물 열차; 급행편《열차, 트럭, 버스》.
réd ballóon 레드 벌룬《위기 경고의 표지》.
réd bárk 〖식물〗 붉은 기나수(幾那樹)의 껍질.
réd béet 〖식물〗 (샐러드용) 근대의 변종.
Réd Beréts (the ~) 레드 베레《영국 육군의 낙하산 부대의 별칭》.
réd bíddy 《영구어》 값싼 적포도주; 메틸알코올을 혼합한 술.
réd·bìrd *n.* **1** 〖조류〗 피리새 무리의 새; 홍관조의 속명(cardinal bird)《되샛과》. **2** 《속어》 secobarbital의 붉은 캡슐.
réd-blìnd *a.* 적색맹의.
réd blóod cèll 〔**còrpuscle**〕 〖해부〗 적혈구.
réd-blóoded [-id] 《구어》 *a.* 기운찬, 발랄한, 용감한; 폭력물의, 유혈의《소설》.
Réd Bòok (the ~) (19 세기 영국의) 신사록《오늘날의 것은 Blue Book》.
réd bráss 〖야금〗 적색 황동.
réd·brèast *n.* 〖조류〗 울새.
réd-brèasted [-id] *a.* 가슴이 빨간.
réd·brìck *a.* 붉은 벽돌의〔로 지은〕; (종종 R-) 《영》 (대학이) 근대에 와서 창립된. **—** *n.* (종종 R-) (Oxford, Cambridge 대학 이외의) 대학, 근대 창설 대학.
Réd Brigádes (the ~) 붉은 여단《이탈리아의 도시 게릴라》. 「국산(産)》.
réd·bùd *n.* 〖식물〗 박태기나무속(屬)의 식물《미
réd·càp *n.* **1** 《미》 (역의) 짐꾼, 포터(porter). **2** 《영》 헌병. **3** 《영방언》 〖조류〗 홍방울새(goldfinch)《유럽산》.
réd cárd 〖축구〗 레드카드《심판이 선수에게 퇴장을 명할 때 보이는 카드》. 「키다.
réd·càrd *vt.* 〖축구〗 레드카드를 보이며 퇴장시
réd cárpet (귀빈 출입을 위한) 붉은 융단; (the ~) 극진한 예우〔환영〕. ***roll out the* ~ (*for*)** (…을) 정중〔성대〕하게 환영하다.
réd-cárpet *a.* (환영 따위가) 정중한; 열렬한: a ~ reception.
réd cédar 〖식물〗 연필향나무; 미국삼나무.
réd céll =RED BLOOD CELL.
réd cént 《구어》 (옛날의) 1 센트화; 피천《부정문에 쓰임》: I don't care a ~. 조금도 상관없다 / be not worth a ~ 한 푼의 값어치도 없다.
réd chícken 《속어》 생(生)〔조제(粗製)〕 헤로인《불순물이 많이 든》.
Réd Chína 《구어》 중공(中共), 중국. 「료》.
réd clóver 〖식물〗 붉은토끼풀(cowgrass)《사
réd·còat *n.* (종종 R-) (옛날의) 영국 군인《특히 미국 독립 전쟁 당시의》.
réd córal 붉은 산호《지중해산; 장식용》.
réd córpuscle 〔**corpúscule**〕 적혈구(red blood cell).
Réd Créscent (the ~) 적신월사(赤新月社)《회교국의 적십자사에 해당하는 조직》.
Réd Cróss (the ~) 적십자사(=∠ **Society**); 적십자장(章); (the ~) 십자군(장(章)); (종종 r-c-) 성(聖)조지 십자장(章)《영국의 국장》.
redd[1] [red] 《방언》 *vt.* 정돈하다, 치우다《*out; up*》; 해결하다《*up*》. **—** *vi.* 정돈하다《*up*》.
redd[2] *n.* (연어·송어의) 산란 구역.
réd déal 소나무 제재목(木), 적송재(赤松材).
réd déer 〖동물〗 고라니.
Réd Delícious 홍(紅) 딜리셔스《진홍색 사과 품종의 하나》.
***red·den** [rédn] *vt., vi.* 붉게 하다〔되다〕, 얼굴을 붉히게 하다, 얼굴이 붉어지다(blush).
réd dévil 《속어》 secobarbital의 붉은 캡슐; (*pl.*) 영국 육군의 낙하산 연대.
red·dish [rédiʃ] *a.* 불그스레한, 불그레한 갈색을 띤. ㊞ **~·ness** *n.* 「(赭土).
red·dle [rédl] *n.* 〖광물〗 대자석(代赭石), 자토
réd-dòg *vt., vi.* 《미식축구속어》 = BLITZ.
réd dúster 《영구어》 =RED ENSIGN.
réd dwárf 〖천문〗 적색 왜성(赤色矮星).
rede [ri:d] 《고어·방언》 *vt.* 충고하다; (수수께끼 등을) 풀다; (꿈 따위를) 해석하다; 이야기하다. **—** *n.* 충고; 계획; 해석; 속담; 이야기.
rè·décorate *vt., vi.* 다시 꾸미다, 개장(改裝)하다. ㊞ **rè·decorátion** *n.* **rè·décorator** *n.*
rè·dédicate *vt.* 다시 봉헌〔증정〕하다. ㊞ **rè·dedicátion** *n.*
°**re·deem** [ridí:m] *vt.* **1** 《~+目/+目+前+名》 되사다, 되찾다; (저당물을) 도로 찾다: ~ a watch *from* a pawnshop 전당포에서 시계를 찾다. **2** 상각〔상환〕하다; (지폐를) 태환〔회수〕하다. **3** (노력하여) 회복하다, 다시 찾다: ~ one's honor 〔rights〕 명예〔권리〕를 회복하다 / He worked hard to ~ himself for his failure. 그는 실패를 만회하기 위해 열심히 일했다. **4** 속량(贖良)하다, 구하다: ~ a slave 노예를 해방하다. **5** 《~+目/+目+前+名》 (신·그리스도가) 구속(救贖)하다, 속죄하다: ~ a person *from* sin 사람을 죄에서 구하다. **6** 구제〔회복〕하다. **7** 《~+目/+目+前+名》 (결점·과실 등을) 벌충하다, 채우다: His bravery ~*ed* his youthful idleness. 그의 용감한 행동은 젊은 그에게 있을 수 있는 나태를 보상해 주었다 / A charm of voice ~*s* her plainness. = A charm of voice ~*s* her *from* plainness. 목소리가 고와서 그녀의 얼굴이 못생겨 보이지 않는다. **8** (약속·의무 등을) 이행하다, 다하다: ~ one's duty. **9** 매립하다, 메우다: ~ land. ◇ redemption *n.*
re·déem·a·ble *a.* 되살〔전당물을 되찾을〕 수 있는; 구제할 수 있는; 상환〔상각〕할 수 있는; 속죄할 수 있는. ㊞ **-bly** *ad.* **re·dèem·a·bíl·i·ty** *n.*
re·déem·er *n.* 환매(還買)하는 사람; (저당물을) 찾는 사람; 속신(贖身)하는 사람; 구조자; (the R-) 구세주, 그리스도.
re·déem·ing *a.* 벌충하는, 명예 회복의, 결점을 보완하는: a ~ feature 〔point〕 다른 결점을 커버〔벌충〕하는 장점.
rè·defíne *vt.* (개념을) 재정의하다, …의 정의를 다시하다; 재조사〔재평가〕하다. ㊞ **rè·definítion** *n.*
rè·delíver *vt.* 돌려주다, 되돌리다; 다시 교부하다; 해방하다(liberate); 되풀이하여 말하다.
rè·delívery *n.* 반환, (원상) 회복(restitution).
°**re·demp·tion** [ridémpʃən] *n.* Ⓤ **1** 되찾음, 되삼; 속전을 내고 죄인을 구제함. **2** 상환, 상각: ~ at maturity 만기 상환 / ~ by installment 분할 상환. **3** (약속의) 이행. **4** 구출; 〖신학〗 (예수에 의한) 구속(救贖)(salvation). **5** Ⓒ 보상〔보충〕하는 것; 취할 점. **6** (지위 따위를) 돈으로 사기. ◇ redeem *v.* ***be due for* ~** 상환 기한이 되다. ***beyond* 〔*past, without*〕 ~** 회복할 가망이 없는; 구제 불능의. ***in the year of our* ~** 2000, 서기 2000 년에. ㊞ **~·al** *a.* 「환소.
redémption cènter (상품 교환용) 쿠폰 교
re·démp·tion·er *n.* 〖미국사〗 무임도항(無賃渡航) 이주자《17-18세기에, 일정 기간 노동을 하는 것을 조건으로 무료로 유럽에서 미국으로 도항한 이주자》.
redémption prìce 〖증권〗 상환〔환매〕 가격.
re·demp·tive [ridémptiv] *a.* 되찾는, 되사는; 속전을 내어 몸을 구해 내는; 상각의; 보상의; 구조〔구제〕의, 속죄의. ㊞ **~·ly** *ad.* 「TIVE.
re·demp·to·ry [ridémptəri] *a.* =REDEMP-
réd énsign (the ~) 영국 상선기(旗). 「쭉한.
re·dent·ed [ridéntid] *a.* 톱니 모양의, 들쭉날

rè·deplóy *vt., vi.* (부대 따위를) 이동(전개)시키다〔하다〕; (노동력 따위를) 배치 전환시키다〔하다〕. ㊞ **~·ment** *n.* Ⓤ 이동, 이전, 배치 전환.
rè·depósit *vt.* 다시 저장하다〔맡기다〕. **—** *n.* 재(再)예금, 재기탁물, 재기탁금.
rè·desígn *vt.* …의 외관〔기능, 내용〕을 새롭게 하다. **—** *n.* 디자인 개선; 새로운 디자인〔설계, 내용〕.
rè·detérmine *vt.* 재결정하다, 결정을 다시 하「다.
rè·devélop *vt.* 재개발하다; 〖사진〗 다시 현상하다. ㊞ **~·ment** *n.* 재개발, 재흥, 재건.
réd·èye *n.* **1** 눈이 붉은 물고기, 황어. **2** 〖동물〗 아메리카살무사(copperhead). **3** (R-) 〖미육군〗 레드아이《어깨에 메는 지대공 미사일》.
réd-èye *n.* **1** 《미구어》 야간 비행편(= ∠ **flíght**). **2** Ⓤ 《미속어》 하급 위스키; 케첩; 《Can. 속어》 토마토 주스를 섞은 맥주. **3** 〖사진〗 레드아이《플래시를 써서 찍은 인물의 눈이 붉게 찍히는 현상》. **4** 〖조류〗 = RED-EYED VIREO.
réd-éyed *a.* 눈이 붉은, 붉은 눈의. 「작은 새.
réd-eyed víreo 〖조류〗 (미국산) 비레오과의
réd-eye grávy 《미》 햄의 즙으로 만든 고깃국.
réd-èyer *n.* 《미구어》 야간 비행편 이용자.
réd éyes 핏발이 선 눈; 울어서 충혈된 눈: with ~ 충혈된 눈으로.
réd-eye spécial 심야 비행편.
réd-fáced [-t] *a.* **1** 불그스름한 얼굴의. **2** (화·곤혹 따위로) 낯을 붉힌, 상기된.
réd·fin *n.* 〖어류〗 붉은 지느러미의 각종 담수어.
réd fír 〖식물〗 붉은잣나무; 더글러스잣나무.
réd fíre 붉은 불꽃《선명한 붉은빛으로 타는 질산 strontium 등을 포함함; 신호용》.
réd·fish *n.* 《영》 연어(salmon)《시장에서 부르는 이름》; 〔일반적〕 적어(赤魚)류. ⓒⓕ whitefish.
réd flág **1** 적기(赤旗)《혁명기·위험 신호》. **2** (the R- F-) 적기가(歌)《영국 노동당 당가》. **3** (the R- F-) 홍기《중국의 고급 자동차》. **4** 화나게 하는 것.
réd fóx 〖동물〗 여우, 붉은여우; 여우 가죽.
réd gíant 〖천문〗 적색 거성(巨星).
réd gòld 〖야금〗 금과 구리의 합금.
réd góods 레드 상품《이익률은 비교적 낮으나 회전이 빠르고 널리 팔리는 상품; 식료품 따위》.
réd-grèen (cólor) blìndness 〖의학〗 적록(赤綠) 색맹.
réd gróuse 〖조류〗 붉은뇌조(moorfowl, moor game)《영국 및 그 주변산》.
Réd Guárd (중국의) 홍위병(紅衛兵); 급진 좌파《사람》. ㊞ **~·ism** 홍위병 운동.
réd gúm **1** 〖의학〗 (아기의) 잇몸에 나는 발진. **2** 〖식물〗 유칼리 나무; 그 목재〔수지〕.
réd-hánded [-id] *a., ad.* 손이 피투성이가 된〔되어〕; 현행범의〔으로〕: be caught 〔taken〕 ~ 현행범으로 체포되다. ㊞ **~·ly** *ad.*
réd hánds 피 묻은 손; 《비유》 살인죄: with ~ 살인을 범하고.
réd hát 추기경(cardinal)(의 모자〔지위, 권위〕); 《영속어》 참모 장교.
réd·hèad *n.* 머리가 빨간 사람; 《미속어》 대학 1학년생; 〖조류〗 흰죽지 무리의 새; = REDHEADED WOODPECKER. 「머리깃이 빨간
réd-hèaded [-id] *a.* 머리칼이 빨간; 〖조류〗
rédheaded wóodpecker 〖조류〗 붉은머리딱따구리(redhead)《북아메리카산》. 「홍분.
réd héat 〖물리〗 적열(赤熱)(상태·온도); 격노,
réd hérring 훈제한 청어; 《비유》 사람의 주의를 딴 데로 돌리는 것. ***draw a ~ across*** a person***'s*** 〔***the***〕 ***track*** 〔***trail, path***〕 관계없는 질문으로 아무의 관심을 딴 데로 돌리다.
°**réd-hót** *a.* **1** 적열(赤熱)의; 작열의. **2** 몹시 흥분한; 열광적인. **3** (뉴스 등이) 최신의. **4** 《미속어》 섹시한. 「인《육체파 미녀》.
réd-hót mámma 《미속어》 발랄한〔섹시한〕 여
re·dial [ri:dáiəl] *vt., vi.* 재차 다이얼을 돌리다 (= **rè-díal**). **—** [∠∠] *n.* = AUTOMATIC REDIALING.
rè·díd REDO의 과거.
rè·diffúsion *n.* **1** (라디오·TV 프로의) 재방송. **2** 〖TV〗 (영화관에서의) 텔레비전 프로 상영. **3** (R-) 《영》 (유선 방식에 의한 라디오·텔레비전 프로의) 중계 시스템《상표명》.
rè·digést *vt.* 다시 소화하다; 다시 편집하다.
Réd Índian 북아메리카 원주민(redskin).
red·in·gote [rédiŋgòut] *n.* 레딩고트《앞이 터진 긴 여성 코트》.

redingote

réd ínk 붉은 잉크; 《구어》 손실, 적자(赤字) (상태); 《미속어》 붉은 포도주. ⓒⓕ black ink.
red·in·te·grate [redíntəgrèit, ri-] *vt., vi.* 복원(復元)하다(renew), 복구〔재건〕하다. ㊞ **red·ìn·te·grá·tion** *n.* Ⓤ **red·ín·te·grà·tive** *a.*
rè·diréct *vt.* 방향을 고치다; 수신인 주소를 고쳐 쓰다(readdress). **—** *a.* 〖미법률〗 재(再)직접 심문의. ㊞ **rè·diréction** *n.* Ⓤ
rediréct examinátion 재직접 심문.
rè·díscount *vt.* 재할인하다. **—** *n.* 재할인; (보통 *pl.*) 재할인 어음.
redíscount ràte 〖상업〗 (어음의) 재할인율.
rè·discóver *vt.* 재발견하다. ㊞ **~y** *n.*
rè·distríbute *vt.* 다시 분배〔배급, 배포〕하다, 재분배하다. ㊞ **rè·distribútion** *n.*
rè·dístrict *vt.* 《미》 (특히 선거를 위해 구역을) 재구획〔구획 개정〕하다.
rè·divíde *vt., vi.* 다시 분할〔분배, 구분〕하다〔되다〕, 새로이 고쳐 분할〔분배, 구분〕하다. ㊞ **rè·di·vísion** *n.* Ⓤ,Ⓒ 재분할, 재분배, 재구분.
red·i·vi·vus [rèdəváivəs, -ví:-] *a.* 되살아난, 다시 태어난, 화신(化身)의.
réd lábel 《미》 화기 주의 경고 문구《인화성 물질의 포장에 표시》.
réd lámp 《영》 붉은 램프《의사·약방의 야간등》; 적〔위험〕신호: a ~ district 홍등가.
réd léad [-léd] 연단(鉛丹)(minium); 《미속어》 토마토케첩.
réd-léad [-léd] *vt.* …에 연단을 바르다.
réd·lèg *n.* 발이 빨간 새《붉은발도요 따위》; 가난한 백인(poor white); 《미속어》 포수(砲手).
réd-lègged *a.* 붉은 발의《자고 따위》.
réd-létter *a.* 붉은 글씨의, 붉은 글씨로 씌어진; 기념할 만한, 중요한. **—** *vt.* (기쁜 날을 기념하여) 붉은 글자로 기록하다, 특필하다.
réd-létter dày 경축일《달력에 붉은 글씨로 표시된 데서》; 기념일.
réd líght (건널목의) 붉은 신호; 적〔위험〕신호 (ⓞⓟⓟ *green light*); 중지 명령; 붉은 등(불). ***see the ~*** 위험을 알아차리다.
réd-líght *vt.* 《미속어》 (아무를) 움직이는 열차에서 밀어 떨어뜨리다; (아무를) 불편한 곳에다 차에서 내려놓다.
réd-líght dìstrict 홍등가.
réd·lìne 《미》 *vi., vt.* **1** 〖항공〗 운용 한계 내에서 비행하다〔에 맞추다〕. **2** (표·항목에) 붉은 줄을 긋다. **3** 〖금융〗 (…지역에) redlining을 적용하다. **—** [∠∠] *n.* 〖항공〗 운용 한계 (속도)《안전하게 비행할 수 있는 한계점〔속도〕》.
réd·lìning *n.* 《미》 (은행·보험 회사에 의한) 특정 경계 지구 지정《부동산 담보 융자·보험 계약

등이 거부됨》.

red·ly [rédli] *ad.* 빨갛게, 불타듯이.

réd màn =RED INDIAN.

réd márrow 〖해부〗 적색 골수(赤色骨髓).

réd màss (종종 R- M-) 사제가 홍색 제의를 입고 행하는 미사.

réd méat 빨간 살코기《쇠고기·양고기 따위》.

réd múllet 〖어류〗 노랑촉수《바닷물고기》.

réd·nèck *n.* 《미구어》《종종 경멸》 (남부의 가난하고 교양 없는) 백인 농장 노동자; 우매한 시골 사람; 《영구어》 (로마) 가톨릭교도. **—** *a.* 《미구어》 =RED-NECKED.

réd-nécked [-t] *a.* 《미구어》 성난, 발끈한.

réd·ness *n.* 빨강, 적색, 적열(赤熱) 상태.

Réd No. 2 [-nʌ́mbərtú:] 적색 2 호《인공 착색료; 발암성 관계로 미국에서는 1976 년부터 사용 금지》.

rè·dó (*-did; -done*) *vt.* 다시 하다; 고쳐 쓰다; 개장(改裝)하다. **—** *n.* 다시 하기; 개장; 편집.

réd ócher 대자석(代赭石)(terra rossa)《안료용》.

red·o·lent [rédələnt] *a.* 향기로운; …의 냄새가 강한《*of; with*》; …을 생각나게 하는, 암시하는(suggestive)《*of; with*》: scenes ~ *of* the Middle Ages. ㊕ **-lence, -len·cy** *n.* [U] 방향(芳香), 향기. **~·ly** *ad.*

réd órpiment =REALGAR.

°**re·dou·ble** [ri:dʌ́bəl] *vi., vt.* **1** 배가(倍加)하다; 세게 하다: ~ one's efforts 노력을 배가하다. **2** 늘(리)다; 《고어》 되풀이하다; 《폐어》 반향하다(reecho). **3** 〖카드놀이〗 상대가 배로 지른 것을 다시 배로 올려 지르다. ***double and*** **~** 더욱더〔점점〕 늘다. **~** one***'s steps*** 발자취를 (다시) 되더듬다.

re·doubt [ridáut] *n.* 〖축성(築城)〗 각면보(角面堡); 요새, 성채, 피난처, 숨어 사는 집.

re·dóubt·a·ble *a.* 가공할, 무서운《적 따위》. ㊕ **-bly** *ad.* **~·ness** *n.*

re·dóubt·ed [-id] *a.* 《고어》 =REDOUBTABLE.

re·dound [ridáund] *vi.* **1** (결과적으로) ((불)이익·(불)명예 등을) 초래하다, 높이다《*to*》: ~ *to* a person's honor 아무의 명예를 높이다〔에 관계되다〕. **2** (행위 등의 결과가) (…에) 미치다, 돌아가다《*to*》: advantages ~*ing to* society 사회가 받는 여러 이익. **3** (명예·불명예 등이) (…에게) 되돌아오다《*on, upon*》: Your bad manners will ~ *on* your parents. 네가 버릇없이 굴면 그것이 부모님에게 그대로 되돌아가는 거야. **4** 《고어》 발하다, 생기다, 유래하다, 일어나다. **—** *vt.* 《고어》 (불명예 등을) 초래하다.

réd·òut *n.* 〖항공〗 적시(赤視) 시야 상실《심한 두통과 함께 시야가 붉게 흐려지는 일》.

re·dox [rí:dɑks/-dɔks] *n., a.* 〖화학〗 산화 환원(의). [◂ *red*uction+*ox*idation]

réd óxide 〖화학〗 철단(鐵丹), 삼산화이철(三酸化二鐵)(ferric oxide).

réd pácket 중국에서 설이나 결혼할 때 붉은 봉투에 넣어 어린이에게 주는 돈. ★ 중국어 홍바오(紅包)의 역어.

réd-péncil (*-l-,* 《특히 영》 *-ll-*) *vt.* …에 붉은 연필로 쓰다〔정정·가필하다〕(censor, correct).

réd pépper 붉은 고추.

réd phósphorus 〖화학〗 적린(赤燐).

Réd Plánet (the ~) 붉은 행성《화성의 속칭》.

réd·pòll *n.* 〖조류〗 (유럽산) 홍방울새. 「소.

Réd Póll(ed) 〖동물〗 (뿔이 없는) 털이 붉은

Réd Pówer 레드파워《아메리칸 인디언의 문화적·정치적 운동의 슬로건》.

ré·dràft *n.* 고쳐 쓴 초안; (법안 등의) 재기초; 〖상업〗 역(逆)환어음. **—** [스] *vt.* 다시 쓰다; 다시 기초하다.

réd rág (소·사람 따위를) 화나게〔도발〕하는 것; 《속어》 혀(tongue). **~** ***to a bull*** 격노케 하는 것〔원인〕.

re·dráw (*-drew; -drawn*) *vt.* …을 고쳐 적다, (선)을 다시 긋다. **—** *vi.* 어음을 재발행하다.

re·dress [rí:dres, ridrés/ridrés] *n.* [U] 배상, 구제(책); 교정(矯正). **—** [ridrés] *vt.* **1** (부정·불균형 따위를) 고치다, 시정하다; (폐해를) 제거하다; 《고어》 (병 따위를) 고치다. **2** (손해 따위를) 배상하다; 《고어》 (아무)에게 배상(賠償)을 하다. **~** ***the balance*** 〔***scales***〕 평등하게 하다, 불균형을 시정하다; 공평하게 조처하다. ㊕ **~·a·ble** *a.* **~·er** *n.*

rè·dréss *vt.* (옷을) 다시 입히다; (붕대를) 고쳐 감다; (머리 따위를) 다시 손질하다.

réd ríbbon (경기 등에서의) 2 등상; (Bath 훈장 등의) 적수(赤綬).

Réd Ríver (the ~) 레드강《미국 Oklahoma 주와 Texas 주의 경계를 흘러 Louisiana 주에서 Mississippi 강과 합류》.

réd ròute 《영》 레드 루트《주차·정차·하역이 법으로 금지된 고속도로; 길가에 붉은 줄이 그어

réd rúst 〖식물〗 적수병(赤銹病). ⌊져 있음》.

réd sándalwood 〔**sánders**〕 〖식물〗 자단(紫檀)《인도 원산》.

Réd Scàre (the ~) 〖미국사〗 적색의 공포《1919-20 년, 국제 공산주의의 침투를 겁낸 정부가 행한 과격파 외국인의 국외 추방, 체포 영장 없이 행한 6,000 여명의 공산당 용의자의 체포, 노동 운동 탄압 따위》.

Réd Séa (the ~) 홍해(紅海).

réd séaweed 홍조(紅藻)(red alga), 붉은말.

réd·shànk *n.* 〖조류〗 붉은발도요. ***run like a*** **~** 매우 빨리 달리다.

réd shìft 〖천문〗 (스펙트럼)의 적색 이동.

réd·shìrt *n.* 붉은 셔츠당원〔대원〕《특히 이탈리아의 Garibaldi 가 이끈》; 《미속어》 (대학의) 유급(留級) 선수. **—** *vt.* 《미속어》 (대학 선수를) 1 년간 유급시켜 경기를 시키지 않다.

réd-shórt *a.* 〖야금〗 (쇠·강철 등이) 열에 무른. [cf.] hot-〔cold-〕short. ㊕ **~·ness** *n.* 적열취성(赤熱脆性).

réd·skìn *n.* 《종종 경멸》 북아메리카 인디언.

réd snápper 〖어류〗 적어(赤魚), 《특히》 물퉁돔, 금눈돔.

réd snów 적설(赤雪)《극지·고산 지대의》.

réd sóil 〖지학〗 적색토(赤色土). 「충》.

réd spíder 〖곤충〗 진드기의 일종《포도의 큰 해

Réd Spòt (the ~) 〖천문〗 = GREAT RED SPOT.

Réd Squáre (the ~) (모스크바의) 붉은 광장.

réd squírrel 〖동물〗 붉은다람쥐《북아메리카산》.

Réd Stár '붉은 별'《국제적 동물 애호 단체》; (the ~) 공산주의 국가의 상징; (r- s-) 〖천문〗

réd·stàrt *n.* 〖조류〗 딱새. ⌊붉은별, 적색성.

réd tápe 관청식, 관료적 형식주의, 번문욕례: cut ~ 사무를 간소화하다. 「차」에 얽매인.

réd-tápe *a.* 관공서식의, 번문욕례의, 형식〔절

réd-tápery, -tápism *n.* [U] 관공서식 형식주의, 번문욕례, 관료〔형식〕주의.

réd-tápist *n.* 관료적인 사람; 형식주의자.

Réd Térror (the ~) 〖프랑스사〗 공포 정치; 《일반적》 적색 테러. [cf.] White Terror.

réd tíde 적조(赤潮)(=**réd wáter**).

réd·tòp *n.* 〖식물〗 흰겨이삭《목초》.

réd tríangle (Y.M.C.A.의 표지인) 붉은 세모꼴.

****re·duce** [ridjú:s/-djú:s] *vt.* **1** 《~+[목]/+[목]+[전]+[명]》 (양·액수·정도 따위를) 줄이다; 축소하다(diminish); 한정하다: a map on a ~*d* scale 축척 지도/~ one's expenditure 경비를

줄이다 / ~ one's weight 몸무게를 줄이다 / ~ prices *by* 〔*to*〕 100 dollars 값을 100 달러〔달러로〕 내리다. **2** 《~+目/+目+前+名》 영락케 하다, 격하시키다(lower): be ~*d in* circumstances 영락해 있다 / ~ a person *to* poverty 아무를 영락시키다 / He was ~*d to* the ranks. 그는 졸병으로 강등되었다. **3** 《+目+前+名》 (어떤 상태로) 떨어뜨리다, 몰아넣다; 〘주로 수동태로〙 부득이 …하게 하다《*to*》: They *were* ~*d to* begging or starving. 구걸을 하거나 아니면 굶어 죽을 수밖에 없었다. **4** 《~+目/+目+前+名》 말라빠지게 하다, 쇠약케 하다; (그림물감·페인트를) 묽게 하다, 풀다(thin); 〖생물〗 (세포를) 감수 분열시키다: He had ~*d* himself *to* skin and bones. 그는 여위어 뼈와 가죽만 남아 있었다. **5** 《+目+前+名》 진압하다, 항복시키다: ~ the rebels *to* submission 폭도를 진압하다. **6** 《+目+前+名》 (바수거나 하여) 변형시키다; 단순화하다; 분해〔분류〕하다《*to*》: ~ marble *to* powder 대리석을 바수어 가루로 만들다. **7** 《+目+前+名》 바꾸다, 옮기다《*to*》: ~ a speech *to* writing 연설을 원고로 옮기다 / ~ a theory *to* practice 이론을 실행으로 옮기다. **8** …의 가치를 내리다, 할인하다. **9** 《~+目/+目+前+名》 〖수학〗 환산하다; 약분〔통분〕하다; (방정식을) 풀다: ~ an equation 방정식을 풀다 / ~ pounds *to* pence 파운드를 펜스로 환산하다. **10** 《~+目/+目+前+名》 〖화학〗 환원하다(deoxidize); …에 수소를 첨가하다; 〖야금〗 정련하다: ~ a compound *to* its elements 화합물을 원래의 원소로 분해하다. **11** 〖의학〗 (탈구(脫臼) 따위를) 고치다; 정복(整復)하다; 〖사진〗 감력(減力)하다; 〖요리〗 조리다: ~ a dislocation 탈구(脫臼)를 정복(整復)하다. **12** (천체 관측 따위에서) …을 수정〔조정〕하다. **—** *vi.* **1** 줄다, 축소하다; 내려가다. **2** 쇠하다, 약해지다; (식이 요법으로) 체중을 줄이다; 〖생물〗 감수 분열하다. **3** 《+前+名》 (페인트 따위가) (…로) 묽어지다《*with*》: Poster paints ~ *with* water. 포스터 컬러는 물을 타면 묽어진다. **4** 졸다, 농축되다; 환원되다; 바뀌다. ◇ reduction *n.*

at ~d prices 할인 가격으로. ***be ~d to nothing*** 〔***to skin and bones***〕 (말라서) 피골이 상접해지다. ~ one***self into*** …한 처지에 빠지다. ***~ … to an absurd*** 〔***absurdity***〕 (언설(言說)·진술 등이) 불합리함을 증명하다; (계획 등을) 파탄시킬 만큼 극단으로 추진하다. ***~ to discipline*** 질서를 되찾다, 진정하다. ~ (a rule) ***to practice*** (규칙을) 실시하다.

㊕ **re·dúc·er** *n.* ~하는 사람〔물건〕; 〖사진〗 감력제, 현상약; 〖화학〗 환원제(reducing agent); 〖기계〗 지름이 다른 소켓, 리듀서. **re·dúc·i·ble** *a.* ~할 수 있는. **-bly** *ad.* **re·dùc·i·bíl·i·ty** *n.*

redúced instrùction sèt compúter 〖컴퓨터〗 ⇨ RISC.

re·dúc·ing *n.* Ⓤ (절식·약 등에 의한) 체중 감량법.

redúcing àgent 〖화학〗 환원제.

redúcing glàss 〖광학〗 축소 렌즈.

re·duc·tase [ridʌ́kteis, -teiz] *n.* 〖화학〗 환원효소.

re·duc·tio ad ab·sur·dum [ridʌ́ktiòu-ǽd-æbsə́:rdəm, -zə́:r-, -ʃiòu-] 《L.》 〖논리·수학〗 귀류법(歸謬法) (=reduction to absurdity).

****re·duc·tion** [ridʌ́kʃən] *n.* Ⓤ **1** Ⓤ,Ⓒ 감소, 절감; 축사(縮寫); 축도(縮圖); 할인; 〖생물〗 감수 분열《특히 제 1 단계의》: price ~*s* =~*s in* prices 값을 내림 / at a ~ of 10%, 10% 할인하여. **2** 환원, 변형: ~ of marble into powder 대리석의 분말화. **3** 영락; 쇠미. **4** 정복, 진압, 함락. **5** 분류. **6** 〖수학〗 축소; 약분; 환산; 〖화학〗 환원(법); 〖의학〗 정복(整復); 〖사진〗 감력(減力); 〖논리〗 환원법; 〖천문〗 (관측 중 오차의) 수정; 〖음악〗 (특히 피아노곡으로의) 간약 편곡. **7** 〖컴퓨터〗 (자료의) 정리. ◇ reduce *v.* ㊕ **~·al** *a.*

redúction divìsion 〖생물〗 감수 분열.

redúction fòrmula 〖수학〗 환원〔환산〕 공식.

redúction gèar 〖기계〗 감속(減速) 기어〔장치〕.

re·dúc·tion·ìsm *n.* **1** 〖생물〗 환원주의《생명 현상을 물리학적·화학적으로 설명하려는》; 〖논리〗 환원주의《복잡한 데이터·현상을 단순하게 환원하려는》. **2** 《경멸》 과도한 단순화 (지향).

re·duc·tive [ridʌ́ktiv] *a.* 감소〔축소〕하는; 복원〔환원〕하는; minimal art의. **—** *n.* 감소〔환원〕시키는 것. ㊕ **~·ly** *ad.*

re·dúc·tiv·ism *n.* =MINIMAL ART. ㊕ **-ist** *n., a.*

re·duc·tor [ridʌ́ktər] *n.* 〖화학〗 환원 장치.

re·dun·dan·cy, -dance [ridʌ́ndənsi], [-dəns] *n.* Ⓤ,Ⓒ **1** 과잉, 여분. **2** (특히 말의) 쓸데없는 반복, 용장(冗長). **3** 여분의 것〔부분, 양〕. **4** 〖우주〗 중복성, 대리 기능성《어느 장치가 고장났을 때 그런 기능을 할 수 있는 장치를 설치한 상태》. **5** 〖언어〗 잉여(성); 〖컴퓨터〗 중복성. **6** 《주로 영》 실업 (상태); 일시 해고. **7** 잉여 인원.

redúndancy chèck 〖컴퓨터〗 중복 검사《중복 정보를 검사하여 정보의 정확성을 검사하기》.

redúndancy pàyment 《영》 (잉여 근로자 해고 시의) 퇴직 수당.

re·dun·dant [ridʌ́ndənt] *a.* **1** 여분의, 과다한; (표현이) 용장(冗長)한; 중복되는; 매우 풍부한: a ~ style 용만(冗漫)한 문체. **2** 〖공학〗 (부재(部材)가) 여재(餘材)인; (구조가) 여재를 갖는, 초정압(超靜壓)의; 과잉 부품을 갖고 있는. **3** 〖컴퓨터〗 중복(重複)인. **4** 《주로 영》 (근로자가) 잉여 인원이 된, (일시) 해고되는. ㊕ **~·ly** *ad.*

redúndant vérb 〖문법〗 이중 변화 동사《이중 과거형을 갖는 hang, work 따위》.

re·du·pli·cate [ridjú:plikèit/-djú:-] *vt.* **1** 이중으로 하다, 배가하다; 되풀이하다(repeat). **2** 〖문법〗 (문자·음절을) 중복시키다; (시제(時制)의 변화형을) 중복하여 만들다. **—** [-kət, kèit/-djú:-] *a.* 중복한; 배가한. ㊕ **re·dù·pli·cá·tion** *n.* **1** Ⓤ 이중, 배증, 배가; 반복. **2** Ⓒ 〖문법〗 (어두·음절의) 중복. **re·dú·plicà·tive** [-kèitiv/-djú:plikətiv] *a.*

re·dux [ridʌ́ks] *a.* 돌아온, 되돌아온, 복귀한《명사 뒤에 옴》.

réd·wàre *n.* 《미》 산화철이 많은 점토로 만든 질그릇.

réd whéat 씨가 젖갈색인 소맥〔밀〕.

réd wíne 붉은 포도주.

réd·wìng *n.* 〖조류〗 개똥지빠귀의 일종.

rédwing 〔**réd-winged**〕 **bláckbird** 붉은죽지찌르레기《북아메리카산》.

réd·wòod *n.* Ⓤ 〖식물〗 미국삼나무; 〘일반적〙 적색 목재(가 되는 나무).

redwood

Rédwood Nátional Párk 레드우드 국립 공원《California주 북서부, 태평양 연안의 redwood의 산림》.

réd wòrm 〖동물〗 =BLOODWORM, 《특히》 실지렁이《낚싯밥》.

rè·dýe *vt.* …을 다시 염색하다.

réd-yéllow *a.* 주황색의.

réd zóne 위험 지대, 출입〔활동〕 금지 구역; 〖미식축구〗 레드존《상대측 20야드 라인 안쪽》.

rè·écho *vt., vi.* 반복해서 울리다; 울려 퍼지다.

— (*pl.* ~es) *n.* 반향의 되울림.

***reed** [ri:d] *n.* **1** 갈대; Ⓤ 갈대밭; (*pl.*) (지붕의) 갈대 이엉. **2** 갈대피리; 목적(牧笛); 전원시. **3** 《시어》 화살. **4** 〖악기〗 (악기의) 혀; (the ~s) (관현악단의) 리드 악기(부) 《oboe, bassoon, clarinet 따위》; 〖건축〗 =REEDING; (직기(織機)의) 바디, 리드. ***a broken* 〔*bruised*〕 ~** 〖성서〗 '부러진 갈대', 믿을 수 없는 사람〔것〕. ***lean on a* ~** 못 믿을 사람〔물건〕에 의지하다. — *vt.* **1** (지붕을) 갈대로 이다; 갈대로 장식하다. **2** (악기에) 리드를 붙이다; (경화·메달 등의 가)를 깔쭉깔쭉하게 하다. ㊕ **∠·ed** [-id] *a.* **1** 갈대가 우거진, 갈대로 인〔꾸민〕; 〖건축〗 reeding으로 장식한. **2** 〖음악〗 리드가 달린; (경화·메달 등이) 가가 깔쭉깔쭉한.

réed·bìrd *n.* 《미남부》 =BOBOLINK; =REED WARBLER.

rè·édify *vt.* =REBUILD.

réed·ing *n.* 〖건축〗 (기둥·벽 등에) 평행으로 세로줄지어 판 홈(장식); (경화의) 깔쭉깔쭉 함.

réed ìnstrument 리드 악기.

rè·édit *vt.* 새로 편집하다, 개정하다. ㊕ **rè·edítion** *n.* 개정판; Ⓤ 개정.

réed màce 〖식물〗 부들(cattail).

réed·màn [-mæ̀n] (*pl.* ***-men*** [-mèn]) *n.* 리드 (악기) 주자.

réed òrgan 리드 오르간, 페달식 풍금.

réed pìpe 〖음악〗 (풍금 따위의) 리드관(管); 갈대피리, 목적(牧笛).

réed rèlay 〖전기〗 리드 계전기(繼電器) 《전화 교환 시스템용》.

réed stòp 〖음악〗 (오르간) 리드관 음전(音栓).

rè·éducate *vt.* (반체제의 사람들을) 재교육하다, 세뇌하다. ㊕ **rè·educátion** *n.* Ⓤ

réed wàrbler 〖조류〗 (유럽산의) 개개비.

reedy [rí:di] (***reed·i·er; -i·est***) *a.* **1** 갈대가 많은; 《시어》 갈대로 만든; 갈대 모양의, 호리호리한, 몹시 약한. **2** 높고 날카로운, (목소리가) 피리 소리와 비슷한. ㊕ **réed·i·ly** *ad.* **réed·i·ness** *n.*

°**reef**[1] [ri:f] *n.* **1** 암초, 사주(砂洲), 모래톱; 장애. **2** 광맥. ***strike a* ~** 좌초하다. ㊕ **réefy** *a.*

reef[2] *n.* 〖해사〗 축범부(縮帆部) 《돛을 말아 올려 줄일 수 있는 부분》. ***take in a* ~** 돛을 줄이다; 재정을 긴축하다; 조심하여 나아가다, 자중하다. — *vt.* (돛을) 줄이다 《*in*》; (topmast, bowsprit 따위를) 짧게 하다; 《미》 (축범하듯이) 접치다. — *vi.* 돛을 줄이다, 축범하다.

réef·er[1] *n.* 돛을 줄이는〔축범(縮帆)하는〕 사람; 《구어》 해군 소위 후보생(의 별명); 옭매듭; 두꺼운 더블 웃옷의 일종(=**réefing jàcket**).

réef·er[2] 《구어》 *n.* 마리화나 궐련; 마리화나 궐련을 피우는 사람.

rée·fer[3] *n.* 《미구어》 (대형) 냉장고, 냉동 트럭, 냉동선.

réefer wèed 《구어》 마리화나.

réef knòt 〖해사〗 옭매듭(square knot).

réef pòint 〖해사〗 리프 포인트, 축범삭(縮帆索) 《돛을 말아 올려 매는》.

reek [ri:k] *n.* Ⓤ **1** 증기, 김; 악취(惡臭). **2** 《방언》 연기. — *vi.* 《~/+전+명》 연기를 내다; 김을 내다; 피를 내뿜다 《*with* gore》; 악취를 풍기다; …냄새가 나다 《*of*》; 《비유》 …의 낌새가 있다 《*of; with*》: ~ *of* affectation 젠체하다 / ~ *of* blood 피비린내가 나다 / ~ *of* murder 살기를 띠다 / ~ *with* sweat 땀내가 나다 / He ~*s with* flattery. 아첨하는 경향이 있다. — *vt.* 연기〔증기〕로 처리하다, 연기로 그슬리다; 《방언》 (연기 따위를) 내다, 피우다; (매력 따위를) 발산하다. ㊕ **∠·er** *n.* **∠·y** *a.* 연기가 나는, 그슬린; 김이 나는; 냄새가 고약한.

reel**[1] [ri:l] *n.* **1** 릴, 얼레. **2** 물레, 자새, 실패. **3** (낚싯대의) 감개, 릴; (기계의) 회전부. **4** (영화 필름의) 1 권; 한 두루마리의 양: a picture in three ~*s*, 3 권짜리 영화 / a ~ *of* sewing cotton 무명실 한 타래. **5** 〖컴퓨터〗 릴 《자기 또는 종이 테이프를 감는 틀; 그 테이프》. (right*** 〔***straight***〕) ***off the* ~** 《구어》 (실 따위가) 줄줄 곧장 풀려; 막힘 없이 《이야기하다》; 주저 없이, 즉시. — *vt.* **1** 《+목+전+명》 얼레에 감다; (실을) 감다: ~ silk *in* a frame 명주실을 얼레에 감다. **2** 《+목+부》 (물고기·낚싯줄 따위를) 릴로 끌어 올리다〔끌어당기다〕 《*in; up*》: ~ a fish *in* 〔*up*〕 릴을 감아 물고기를 끌어올리다. — *vi.* (귀뚜라미 따위가) 귀뚤귀뚤 울다. **~ *in the biscuit*** 《미속어》 (여자를) 침대로 유혹하다. **~ *off*** ① (물레로부터) 풀어내다; (실을) 자아내다 《고치로부터》. ② 술술〔거침없이〕 이야기하다〔쓰다〕. **~ *out*** (실을) 풀어내다.

㊕ **∠·a·ble** *a.* **∠·er** *n.*

°**reel**[2] *vi.* **1** (강타·쇼크 등으로) 휘청거리다: The boxer ~*ed* and fell. 복서는 휘청거리더니 쓰러졌다. **2** (전투 대열 등이) 주춤하다, 물러서다, 동요하다: The troops ~*ed* and then ran. 군대는 동요하여 도망쳤다. **3** 《~/+부/+전+명》 비틀거리다, 비틀거리며 걷다 《*about; along*》: ~ *around* in a daze 눈이 부셔서 비틀거리다 / He ~*ed* drunkenly *along* the street. 그는 취해서 길을 비틀거리며 걸었다. **4** (주변 사물이) 빙빙 도는 것 같다; 선회하다, 빙빙 돌다. **5** 현기증 나다. — *vt.* …을 비틀거리게〔휘청거리게〕 하다, …에게 현기증 나게 하다. — *n.* 비틀거림, 휘청거림; 현기증; 비틀걸음; 선회. ㊕ **∠·ing·ly** *ad.*

reel[3] *n.* 스코틀랜드 고지 사람의 경쾌한 춤, 그 곡. — *vi.* ~을 추다.

°**rè·eléct** *vt.* 재선〔개선〕하다. ㊕ °**rè·eléction** *n.* Ⓤ

re·èligible *a.* 재선〔재임〕 자격이 있는.

réel·màn [-mæ̀n] (*pl.* ***-men*** [-mèn]) *n.* 《Austral.》 구명 밧줄을 감는 릴 조작원 《해수욕장의 구조대원의 하나》.

réel-to-réel *a.* (테이프 리코더가) 오픈릴식인.

rè·embárk *vt., vi.* 다시 승선시키다〔하다〕, 다시 탑재(搭載)하다. ㊕ **rè·embarkátion** *n.* Ⓤ

rè·embódy *vt.* 재형성〔재편성〕하다.

rè·embróider *vt.* 〖복식〗 (레이스 따위를) 특별 자수로 장식하다〔꾸미다〕.

rè·emérge *vi.* 다시 나타나다, 재출현〔재현〕하다. ㊕ **rè·emérgence** *n.* Ⓤ **-gent** *a.*

rè·émphasize *vt.* 재강조하다. ㊕ **rè·émphasis** *n.*

rè·emplóy *vt.* …을 재고용하다. ㊕ **~·ment** *n.*

rè·enáct *vt.* **1** (법률을) 다시 제정하다; 다시 (법률로) 정하다. **2** 다시 행하다〔상연하다〕; (이전의 사건 등을) 재현하다. ㊕ **~·ment** *n.* Ⓤ 재제정(再制定); 재연(再演), 재상연; 재현.

rè·enfórce *vt.* 《미》 =REINFORCE. ㊕ **~·ment** *n.* 《미》 =REINFORCEMENT.

rè·engáge *vt.* …을 다시 고용하다.

rè·éngine *vt.* (배 따위에) 새 엔진을 장비하다, …의 엔진을 갈아끼우다.

rè·engineér, rè-en- *vt.* (기계 등을) 다시 설계하다, 개량하다.

rè·enlíst *vi.* 재입대하다. — *vt.* 재모집하다, 다시 입대시키다. ㊕ **~·ment** *n.* 재입대(자); 재입대 후의 기간.

°**rè·énter** *vt., vi.* 다시 넣다; …에 다시 가입〔등록〕하다; 재기입하다; 〖법률〗 다시 소유권을 얻다; 〖조각〗 파서 더 깊게 하다; 〖염색〗 두 번 염색하다; 《미속어》 마약에 의한 도취에서 깨어나다. — *n.* 《미속어》 마약의 도취에서 깨어남.

rè·énterable *a.* 〖컴퓨터〗 재진입 가능한.

re·éntering 〔**re·éntrant**〕 **àngle** 요각(凹角). opp *salient angle*.

rè·éntrance *n.* =REENTRY.

rè·éntrant *a.* 다시 들어가는; 안을 향해 있는; 〖축성(築城)〗 요각(凹角)의(opp *salient*); 〖컴

퓨터』 재진입의《몇 개의 프로그램이 동시에 하나의 task나 subroutine을 공유하여 쓰는 것에 대해 말함》. ── *n.* 『축성(築城)』 요각; 다시 들어가는 사람〔것〕; 안으로 향하고 있는 사람〔것〕.

rè·éntry *n.* 다시 넣기〔들어가기〕; 재입국; 재등록; 『법률』 점유권의 재취득; (로켓·우주선의 대기권에의) 재돌입(atmospheric ~); 《미속어》 마약에서 깨어남; 『카드놀이』 상대로부터 리드를 도로 뺏을 수 있는 유력한 패(=**card of ~**).

reéntry còrridor 『로켓』 재돌입 회랑《대기권에 재돌입한 물체가 지구상에서 무사히 회수되는 통로》.

reéntry dràft 『야구』 리엔트리 드래프트《자유계약 선수를 대상으로 한》. 「략: RV》.

reéntry vèhicle 『군사』 (대기권) 재돌입체《생

rè·estáblish *vt.* 재건하다, 부흥하다(restore); 회복〔복구〕하다; 복직하다. ㊕ **~·ment** *n.*

rè-eváluate *vt., vi.* 재평가하다. ㊕ **rè-evaluátion** *n.*

reeve[1] [riːv] (*p. pp.* **~d, rove** [rouv]; **rove, rov·en** [róuvən]) *vt.* 『해사』 (밧줄을 구멍·도르래 따위에) 꿰다《*through*》; (밧줄을) 구멍에 꿰어 동여매다《*in; on; to; round*》; (배가 얼음·여울 따위의 사이를) 누비고 지나가다. ── *vi.* (밧줄이) 도르래〔고리〕에 꿰어지다.

reeve[2] *n.* 『영국사』 (읍·지방의) 장관, 원; 장원(莊園)의 관리인; 《Can.》 (읍·면 의회의) 의장; 『광산』 (탄갱의) 작업반장, 십장.

reeve[3] *n.* 『조류』 목도리도요새의 암컷. ⓒⓕ ruff[1].

rè·exámine *vt.* 재시험〔재검사, 재심사〕하다; 『법률』 재심문하다. ㊕ **rè·examinátion** *n.* Ⓤ,Ⓒ

rè·exchánge *n.* Ⓤ,Ⓒ 재교환; Ⓤ 『상업』 역(逆)환어음(redraft).

rè·expórt *vt.* 『상업』 (수입품을) 재〔역〕수출하다. ── [-ˊ-] *n.* 재수출(품); (주로 *pl.*) 재수출고. ㊕ **rè·exportátion** *n.* Ⓤ 재수출.

ref [ref] *n., vt., vi.* 《구어》 =REFEREE.

ref. referee; reference; referred; refining; reformation; reformed; reformer; refund(ing).

rè·fáce *vt.* (건물 등에) 새로 겉칠을 하다; (옷에) 새로 가선을 두르다.

rè·fáshion *vt.* 고쳐 만들다, 개조하다, 개장하다; 모양〔배열〕을 바꾸다. ㊕ **~·ment** *n.*

re·fásten *vt.* 고쳐 달다〔잠그다〕.

Ref. Ch. Reformed Church. 「력을 북돋우다.

re·fect [rifékt] *vt.* 《고어》 (음식물 섭취로) 기

re·fec·tion [rifékʃən] *n.* Ⓤ 휴양; (음식 등에 의한) 원기 회복; (간단한) 식사, 간식.

re·fec·to·ry [riféktəri] *n.* 큰 식당(dining hall), (특히 수도원의) 식당; 휴게실.

reféctory tàble 직사각형의 긴 식탁《다리가 굵고 발을 걸치는 가로대가 있음》.

‡**re·fer** [rifə́ːr] (*-rr-*) *vt.* **1** 《+목+전+명》 (조력·정보·결정을 위해 아무를) 보내다, 조회하다《*to*》; (아무에게) 참조시키다, 주목〔유의〕시키다《*to*》: For further particulars I ~ you *to* my secretary. 자세한 것은 비서에게 물어봐 주십시오/The asterisk ~*s* the reader *to* a note. 별표는 독자에게 주를 참조하라는 표시다. **2** 《+목+전+명/+목+부》 위탁하다, 맡기다《*to*》; 회부하다《*back; to*》: ~ a matter *to* a third party 사건을 제삼자에게 위임하다/We ~ ourselves *to* your generosity. 관대한 처분을 바랄 뿐입니다/~ a bill *back to* a committee 법안을 위원회에 회부하다. **3** 《영》 (논문 따위를) 되돌려보내다; 《영》 (시험에서, 학생을) 낙제시키다, …에게 추가시험을 허락하다. **4** 《+목+전+명》 (…에게) 돌리다, (…의) 탓으로 하다; (…에) 속하는 것으로 하다《*to*》: ~ the evils *to* the war 악폐를 전쟁의 탓으로 돌리다/~ the origin of sculpture *to* Egypt 조각의 기원을 이집트에 두다. ── *vi.* **1** 《+전+명》 주의를 돌리다, 지시하다; 관계하다, 관련하다《*to*》; (규칙 따위가) 적용되다: books ~*ring to* fish 어류 참고 도서/The asterisk ~*s to* a footnote. 별표는 각주(脚註)를 나타낸다. **2** 《+전+명》 조회〔문의〕하다, 참고로 하다, 의지하다《*to*》: ~ *to* a dictionary 사전을 찾아보다/~ *to* a former employer *for* a recommendation 추천할 수 있는지 전 고용주에게 조회하다. **3** 《+전+명》 언급하다, 변죽울리다; 인용하다《*to*》: Who are you ~*ring to*? 누구 이야기를 하고 있는 거야/He ~*red* lightly *to* his wound. 그는 상처에 관해 가볍게 언급했다. ◇ reference *n.* **~ to ... as** ─ …을 ─ 의 이름으로 부르다〔─ 로 칭하다〕: I know nothing about what is usually ~*red to as* New Thought. 세간에서 말하는 '신사상'이라는 것에 대해서 나는 아는 바가 없다. **~ to drawer** 『상업』 (은행의 부도 어음에 대한) 발행인 회부《생략: R.D., R/D》. ㊕ **~·a·ble** [réfərəbəl, rifə́ːrəbəl] *a.* 부탁할〔돌릴, 속하게 할, 관계를 갖게 할〕 수 있는《*to*》. **re·fér·rer** *n.*

***ref·er·ee** [rèfəríː] *n.* 중재인, 조정관; 인물·신원의 조회를 받는 사람, 신원 보증인; 『스포츠』 (축구·권투 따위의) 주심, 심판원, 레퍼리; 논문 교열자(校閱者): ⇨ OFFICIAL REFEREE. ── *vt., vi.* 중재하다; 심판하다.

réferee stóp cóntest 『권투』 주심 중단 경기《생략: RSC: 프로의 TKO》.

‡**ref·er·ence** [réfərəns] *n.* **1** Ⓒ 문의, 조회《*to*》. **2** Ⓒ 신용 조회처; 신원 보증인. **3** Ⓒ (신원 등의) 증명서, 신용 조회장(狀): a banker's ~ 은행의 신용 증명서. **4** Ⓤ 참조, 참고《*to*》: make ~ *to* a guidebook 안내서를 참고하다. **5** Ⓒ 참고서; 참조 문헌; 참고문; 인용문; 참조 부호(~ mark)《*, †, ‡, ¶, §, ‖ 따위》. **6** Ⓤ 언급, 논급《*to*》: make ~ *to* …에 대해 언급하다/There is no ~ *to* the matter in the newspaper. 그 건에 대하여 신문에 아무것도 나지 않았다. **7** Ⓤ 관련, 관계《*to*》; 『문법』 (대명사가) 가리킴, 받음, 지시: This has 〔bears〕 some ~ *to* our problem. 이것은 우리 문제와 다소 관계가 있다/backward 〔forward〕 ~ 앞〔뒤〕의 어구를 받음. **8** Ⓤ 위탁, 부탁《*to*》; 위탁의 조건〔범위〕; 『법률』 중재, (중재인에 대한) 사건 부탁: ~ of a bill *to* a committee 의안의 위원회 회부. **9** 『언어·논리』 **a** 지시, 지시관계. **b** 외연(外延)(extension). **c** 지적(知的) 의미(cognitive meaning). **10** 『컴퓨터』 참조: a ~ manual 참조 설명서. **11** (계측·평가의) 기준: a point of ~ 평가〔판단〕의 기준. ◇ refer *v.* **for** (one's) **~** 참고를 위하여〔위한〕. **in** 〔**with**〕 **~ to** …에 관하여. **without ~ to** …에 관계없이, …에 구애 없이: *without* ~ *to* age or sex 남녀노소 구별〔상관〕 없이.
── *a.* 기준의, 참조용의.
── *vt.* (서적에) 참조 사항을〔부호를〕 붙이다; 참조문으로 인용하다; (표·자료 따위를) 참조하기 쉽게 하여 싣다.

réference bíble 관주(貫珠) 성서《난 외에 다른 부분을 참조하라고 표시한》.

réference bòok 참고 서적(book of 〔for〕 reference)《사서·백과사전·지도 따위》.

réference gròup 『사회』 준거(準據) 집단《자기의 태도·판단의 기준으로 영향을 받는 집단》.

réference lìbrary 참고 도서관《도서관 밖으로 대출이 허용되지 않는》; (특정 테마의) 참고 문헌《*of*》. 「되는》.

réference lìne 기준선《좌표 설정의 기준이

réference màrk 참조 부호(reference 5).

réference pòint 평가〔비교〕 기준.

réference sèrvice 레퍼런스 서비스, 참고 업무《이용자가 원하는 정보 따위에 관해 안내·지도하는 도서관 활동의 하나》.

ref·er·en·dum [rèfəréndəm] (*pl.* **~s, -da** [-də]) *n.* 국민〔일반〕 투표; 〖외교〗 (본국 정부에 보내는) 청훈서(請訓書). ㊎ **-da·ry** [-dəri] *a.* 국민〔일반〕 투표의, 보통 선거의.

ref·er·ent [réfərənt] *n.* (기호의) 지시 대상(물); 〖논리〗 관계항. **—** *a.* 지시의〔하는〕; …에 관한《*to*》.

ref·er·en·tial [rèfərénʃəl] *a.* **1** 관한, 관련한《*to*》. **2** 참조의, 참고용의. **3** 〖언어〗 지시하는; 대상(세계)의: ~ meaning 지시적 의미. ㊎ **~·ly** *ad.* **ref·er·en·tial·i·ty** [rèfərènʃiǽləti] *n.*

re·fer·ral [rifə́ːrəl] *n.* refer 하기; 면접 후 구직자를 구직처에 보내기; 진찰 후 환자를 전문의 등에게 보내기; 보내진〔소개받은〕 사람.

reférred páin 〖의학〗 연관통(聯關痛)《실제 환부와는 떨어진 곳의 통증》.

ref·fo [réfou] (*pl.* **~s**) *n.* 《Austral. 속어》 유럽 으로부터의 난민.

re·fill [riːfíl] *vt., vi.* 다시 채우다, (재)충전하다; 보충하다. **—** [⌐] *n.* 보충물, 다시 채운 것; (가솔린·잉크 따위의) 보급; (음식물의) 두 그릇째. ㊎ **~·a·ble** *a.*

rè·fináncе *vt., vi.* (…의) 재정을 재편성〔재건〕하다, (…에) 자금을 재조달하다; (주식의 매출이나 추가 은행 차입으로) …의 조달 자금을 증가〔변경〕하다, (채무를) 다른 신규 차입으로 변제하다.

re·fine** [rifáin] *vt.* **1** 정련하다, 정제〔순화〕하다: ~ sugar 〔oil〕 설탕〔기름〕을 정제하다. **2** 세련되게 하다, 품위 있게 하다, 풍치〔멋이〕 있게 하다; …을 다듬다: ~ one's language 말씨를 품위 있게 하다. **—** *vi.* **1** 순수〔청정〕해지다. **2** 세련되다, 품위 있게 되다, 다듬어지다: As he grew old, his taste ~*d.* 나이를 먹음에 따라 그의 취미는 세련되어 갔다. **~ *on 〔***upon***〕 …을 다듬다〔개선하다〕; …에 세밀한 구별을 짓다, 상세히 논하다. ㊎ **re·fín·a·ble** *a.* **re·fín·er** *n.* ~하는 사람〔기구, 기계〕.

***re·fined** [rifáind] *a.* **1** 정련한, 정제한: ~ oil 정유(精油)/~ products 정제품. **2** 《때로 경멸》 세련된, 맵물을 벗은, 품위(가) 있는: a ~ gentleman. **3** 정치(精緻)한, 정밀한, 정확한. **4** 정성들여 꾸민; 교묘함을 극한. ㊎ **~·ly** *ad.*

°**re·fíne·ment** *n.* Ⓤ **1** 정련, 정제, 순화. **2** 세련, 고상, 우아, 품위 있음: a man of ~ 품위 있는 사람. **3** 정밀, 정교; 극치; 개선, 개량. **4** Ⓒ 정성들여 꾸민 것, 정교를 극한 것; 미묘한 점; 치밀한 사고: a ~ of cruelty 용의주도한 잔학 행위.

re·fin·ery [rifáinəri] *n.* **1** 정련〔정제〕소; 정련 장치〔기구〕: an oil ~ 정유 공장. **2** 《CB속어》 가솔린 운반차.

rè·fínish *vt.* (목재·가구 따위)의 표면을 다시 끝손질하다. ㊎ **~·er** *n.*

rè·fít (**-tt-**) *vt.* 수리〔수선〕하다; (배 따위를) 재(再)장비하다, 개장(改裝)하다; 보급하다. **—** *vi.* (특히 배가) 수리를 받다; 재장비〔개장〕되다; 보급을 받다. **—** [⌐⌐] *n.* (특히 배의) 수리, 개장, 재장비. ㊎ **~·ment** *n.*

refl. reflection; reflective(ly); reflex(ive).

rè·flág *vt.* (상선에) 다른 나라의 국기를 달다, 선적의 등록을 바꾸다《분쟁 지역에서의 보호 확보가 목적》. ㊎ **rè·flágged** *a.* **rè·flág·ging** *n.*

re·flate [rifléit] *vt.* (수축된 통화를) 다시 팽창시키다. **—** *vi.* (정부가) 통화의 재팽창 정책을 취하다. ⓒⓕ deflate, inflate. ㊎ **re·flá·tion** *n.* Ⓤ 〖경제〗 통화 재팽창, 리플레이션: ~ policy 경기 부양책. **re·flá·tion·àry** [-èri/-əri] *a.*

‡**re·flect** [riflékt] *vt.* **1** 《~+목/+목+전+명》 (빛·소리·열 따위를) 반사하다, 되튀기다; (거울 따위가 물건을) 비추다: The trees are clearly ~*ed in* the lake. 나무들이 뚜렷이 호수에 비쳤다. **2** 《~+목/+목+전+명/*wh.* 절》 《비유》 반영하다, 나타내다: His deeds ~ his thoughts. 그의 행위는 그의 생각을 반영하고 있다/The demand is ~*ed in* the supply. 수요는 공급에 반영된다/Her face ~*ed how* shocked she was. 그녀가 얼마나 충격을 받았는지 얼굴에 드러나 있었다. **3** 《+목+전+명》 (신용·불명예 따위를) 가져오게 하다, 초래하다《*on, upon*》: His success ~*ed* credit *on* his parents. 그가 성공함으로써 그의 부모의 신망이 올라갔다. **4** 《+*that* 절/+*wh.* 절》 반성하다, 생각이 미치다; 숙고하다: He ~*ed that* it was difficult to solve the problem. 그는 그 문제를 해결하는 것은 어렵다고 생각했다/Just ~ *how* fast time flies. 시간이 얼마나 빨리 지나는지 생각해 보십시오. **5** 〖보통 과거분사로〗 접어 젖히다, 굽혀 젖히다; 《고어》 빛나가게 하다. **—** *vi.* **1** 《+전+명》 반사하다; 반향(反響)하다: light ~*ing from* the water 수면으로부터 반사되는 빛. **2** (거울 따위가) 물건을 비추다. **3** 반영하다, 비치다. **4** 《~/+전+명》 반성하다, 곰곰이 생각하여 보다, 회고하다《*on, upon*》: Give time to ~./~ *upon* a problem 문제를 숙고하다. SYN. ⇨THINK, CONSIDER. **5** 《+전+명》 나쁜 영향을 미치다, 체면을 손상시키다《*on, upon*》: His crime ~*ed on* the whole community. 그의 범죄는 마을 전체의 명예를 손상시켰다. **6** 《+전+명》 비난〔중상〕하다, 헐뜯다《*on, upon*》: ~ *on* a person's sincerity 아무의 성의를 헐뜯다. ◇ reflection *n.* **~ *on*** one***self*** 반성하다. ㊎ **~·ing·ly** *ad.* 반사하여, 반사적으로; 곰곰 생각하여; 비난하여.

re·flec·tance [rifléktəns] *n.* 〖물리·광학〗 반사율《입사광과 반사광의 에너지 강도의 비(比)》.

reflécting tèlescope 반사 망원경(reflector).

‡**re·flec·tion,** 《영》 **re·flex·ion** [riflékʃən] 《reflexion은 주로 과학 용어》 *n.* **1** Ⓤ,Ⓒ 반사; 반사열〔광(光), 색〕, 반향음: an angle of ~ 반사각. **2** Ⓤ 반영; Ⓒ 영상, (물에 비친) 그림자: see one's ~ in a mirror 거울에 비친 모습을 보다. **3** Ⓒ 남을 흉내 내는 사람; 꼭 닮은 것, 꼭 닮은 동작〔언어, 사상〕: She is a ~ *of* her mother. 그녀는 어머니를 꼭 닮았다. **4** Ⓤ 반성, 숙고, 심사, 회상《*on, upon*》; 〖철학〗 반성: practice ~ *on* …을 잘 생각하다. **5** (종종 *pl.*) 감상, 의견, 사상: I have a few ~*s on* his conduct. 그의 행동에 대해 나도 두서너 가지 의견이 있다/with the ~*s that*... …라는 의견으로. **6** Ⓒ 비난, 잔소리; 불명예(의 꼬투리)《*on, upon*》: I intended no ~ *on* your character. 너를 나쁘게 말할 생각은 없었다/cast a ~ *on* …을 비난하다, …의 불명예가 되다. **7** Ⓒ,Ⓤ 〖심리〗 반사 작용; 〖해부〗 반전(反轉)〔굴절〕(부). ◇ reflect *v.* ***on*** 〔***upon***〕 ~ 잘 생각해 보니; 숙고한 끝에. ***without*** (***due***) ~ 경솔하게. ㊎ **~·al** [-əl] *a.* 반사의, 반사에 의한; 숙려(熟慮)〔재고〕의, 반성의.

°**re·flec·tive** [rifléktiv] *a.* **1** 반사하는; 반영하는; 반사〔반영〕에 의한; (동작이) 반사적인; 〖문법〗 재귀(再歸)의(reflexive): This comment is not ~ *of* the public mood. 이 의견에는 국민 감정이 반영되어 있지 않다. **2** 숙고하는; 반성적인, 사려 깊은. ㊎ **~·ly** *ad.* 반성하여, 반사적으로. **~·ness** *n.*

re·flec·tiv·i·ty [rìːflektívəti] *n.* Ⓤ 반사력(reflective power); 〖물리〗 반사율.

re·flec·tom·e·ter [rìːflektámətər, riflèk-/-tɔ́m-] *n.* 『광학』 반사(율)계. ㊕ **rè·flec·tóm·e·try** *n.*

re·flec·tor [rifléktər] *n.* 반사물〔기(器), 경〕; 『물리』 (원자로 중의) 반사재(材)〔체〕《흑연·중수 따위》; 반사 망원경; 반영하는 것〔사람〕; 숙고〔반성〕하는 사람; 비평가. ㊕ **~·ize** [-ràiz] *vt.*

re·flet [rəfléi] *n.* 《F.》 표면의 특별한 광택, 《특히》 도자기의 금속적 광택, 진줏빛.

re·flex [ríːfleks] *a.* **1** 반사 작용의; 반사된; 되접힌. **2** 되돌아오는, 반동적인, 재귀적(再歸的)인; 반성하는; 내향적〔내성적〕인. **3** 『생리』 반사적인. **4** 『전기』 리플렉스 증폭 장치의. **5** (잎·줄기 따위가) 젖혀진; 『수학』 (각이) 우각(優角)의.
— *n.* **1** 반사; 반사광; 그림자, 영상. **2** 반영, 나타남. **3** 『생리』 반사운동(=**∠ áct**); 반사작용(=**∠ áction**); (*pl.*) 반사 능력: ⇨ CONDITIONED REFLEX. **4** (습관적인) 사고방식, 행동 양식. **5** 리플렉스 수신기; =REFLEX CAMERA. **—** [rifléks] *vt.* 반사〔반전〕시키다; 되접다, 되굽히다; …에 리플렉스 증폭 장치를 하다. ㊕ **~·ly** *ad.*

réflex ángle 『수학』 우각(優角).

réflex árc 『생리』 (신경 경로의) 반사궁(反射弓).

réflex càmera 『사진』 리플렉스 카메라: a single-〔twin-〕lens ~ 일안 (一眼)〔이안(二眼)〕 리플렉스 카메라.

re·fléxed [-t] *a.* 위로〔아래로〕 젖혀진, 꺾여 꼬부라진.

re·fléx·i·ble *a.* 반사할 수 있는, 반사성의 《빛·열 따위》. ㊕ **re·flèx·i·bíl·i·ty** *n.* [U] 반사성.

reflexion ⇨ REFLECTION.

re·flex·ive [rifléksiv] *a.* 『문법』 재귀의; 반사성의; 역행성(逆行性)의; 반성적인; 내성적인: a ~ pronoun 재귀대명사《myself, himself, oneself 등》/ a ~ verb 재귀동사. **—** *n.* 재귀동사〔대명사〕. ㊕ **~·ly** *ad.* **~·ness** *n.* **re·flex·iv·i·ty** [rìːfleksívəti] *n.*

re·flex·ol·o·gy [rìːfleksálədʒi/-ɔ́l-] *n.* 『생리』 반사학; 반사 요법《발바닥을 마사지하는 것으로 혈행을 좋게 하거나 긴장이 풀어지게 하는 요법》. ㊕ **-gist** *n.*

rè·flóat *vt.* **1** 다시 뜨게 하다, 떠오르게 하다. **2** (침몰선을) 끌어올리다, 이초(離礁)시키다. **3** (채권 따위를) 다시 시장에 내어 팔다. **—** *vi.* 떠오르다, 이초하다. ***~ing operation*** 인양 작업. ㊕ **rè·floatátion** *n.*

rè·floréscence *n.* (꽃이) 다시 핌.

rè·floréscent *a.* (꽃이) 다시 피는.

rè·flów *vi.* 조수가 써다, 썰물이 되다; 역류〔환류〕하다. **—** *n.* [스] 썰물; 역류, 환류.

ref·lu·ent [réfluənt, rəflúː-/réflu-] *a.* (조류·피 따위가) 역류하는, 빠지는, 삐는, 썰물인. ㊕ **-ence, -ency** *n.* [U] 역류 (작용); 퇴조(退潮).

re·flux [ríːflʌ̀ks] *n.* 역류; 썰물, 퇴조; 『화학』 환류. **—** *vt.* 『화학』 환류하다.

rè·fócus *vt., vi.* (…의) 초점을 다시 정하다; (…의) 중점〔방향〕을 바꾸다.

rè·fóot *vt.* (신·구두의) 바닥을 갈아 대다.

rè·fórest *vt.* 《미》 (벌채·화재로 훼손된 곳에) 다시 식림(植林)하다, 재조림하다. ㊕ **rè·forestátion** *n.* [U]

re·form [rifɔ́ːrm] *vt.* **1** 개혁하다, 개정〔개량〕하다: ~ a system 제도를 개혁하다.

> [SYN.] **reform** 전체적으로 결함이 있기 때문에 전체(의 형태)를 개변하다, 전면적으로 개량하다: *reform* the administrative system 행정 조직을 쇄신하다. **correct** (전체와는 관계없이) 틀린 부분을 정정하다: *correct* errors. **amend** 전체를 좋게 하기 위해 틀린 부분을 정정하다, 개정하다: *amend* a bill 법안을 수정(修正)하다. **improve, better** (개개의 잘못에는 언급하지 않고) 더 좋게 하다, 개선하다: *improve* one's health 건강을 증진하다.

2 (혼란 따위를) 수습하다; (폐해 따위를) 일소하다. **3** 교정(矯正)하다, 개심시키다; 《~ oneself》 개심하다: ~ a juvenile delinquent 비행 소년을 선도하다. **4** 『화학』 (석유 따위를) 개질(改質)하다. **—** *vi.* **1** 개혁〔개선, 개정〕되다. **2** 개심하다. ◇ reformation *n.*
— *n.* [U,C] **1** 개혁, 개정, 개량: social ~ 사회 개혁 / the ~ *of* the tax system 세제 개혁. **2** 교정(矯正), 감화; (폐해 따위의) 수습, 구제.
㊕ **~·a·ble** *a.* 개혁〔개선, 개정〕할 수 있는; 개심할 가망이 있는. **re·fòrm·a·bíl·i·ty** *n.*

rè·fórm *vt., vi.* 다시 만들다, 고쳐 만들다; 재편성하다; 형태가 바뀌다, 개편하다〔되다〕, 다시 성립되다.

Refórm Àct (the ~) 『영국사』 (특히 1832 년의) 선거법 개정안. [cf.] Reform Bill.

re·fórmat *vt.* 『컴퓨터』 (데이터 등을) 재(再)초기화하다.

re·for·mate [rifɔ́ːrmeit, -mət] *n.* 『화학』 재구성의 과정에서 만들어지는 것, 개질유(改質油) 《휘발유 따위》.

°**ref·or·ma·tion** [rèfərméiʃən] *n.* [U,C] **1** 개혁, 개정, 개선, 유신. [opp] *deformation.* **2** 개심; 교정(矯正). **3** (the R-) 『역사』 (16 세기의) 종교 개혁. ㊕ **~·al, ~·ary** [-ʃənəl], [-ʃənèri/-əri] *a.*

rè·formátion *n.* [U,C] 재구성, 재편성; 개조.

re·form·a·tive [rifɔ́ːrmətiv] *a.* 개선〔개혁〕의; 교정의, 감화의; 쇄신하는, 혁신적인. ㊕ **~·ly** *ad.* **~·ness** *n.*

re·form·a·to·ry [rifɔ́ːrmətɔ̀ːri/-təri] *n.* 소년원. **—** *a.* 개혁〔개선, 교정〕을 위한.

Refórm Bìll (the ~) 『영국사』 선거법 개정 법안《1832, 1867, 1884 년에 영국 의회를 통과, 특히 1832 년의 것을 가리킴》. [cf.] Reform Act.

re·fórmed *a.* 개혁〔교정, 개선〕된; 개심한; (R-) 신교의, 《특히》 칼뱅파(派)의.

Refórmed Chúrch (in América) (미국) 개혁파 교회.

refórmed spélling 개정 철자법《*through*를 thru로, though를 tho로 간략 표기하는 따위》.

°**re·fórm·er** *n.* 개혁가; (R-) (특히 16 세기의) 종교 개혁의 지도자; (정치, 특히 의회 제도의) 개혁론자; 『영국사』 선거법 개정론자.

re·fórm·ism *n.* 개혁〔혁신, 개량〕주의〔운동, 정책〕. ㊕ **-ist** *n., a.*

Refórm Júdaism 개혁파 유대교.

refórm schòol 《주로 미》 감화원, 소년원(reformatory).

rè·fórmulate *vt.* 다시 공식〔정식〕화하다《특히 별도의 방법으로》. ㊕ **rè·formulátion** *n.*

re·for·ti·fi·ca·tion [rìːfɔːrtəfikéiʃən] *n.* 재축성(再築城); 재강화.

re·for·ti·fy [riːfɔ́ːrtəfài] *vt.* …을 다시 축성하다; 다시 견고하게 하다.

refr. refraction.

re·fract [rifrǽkt] *vt.* 『물리』 (광선을) 굴절시키다; (눈·렌즈)의 굴절력을 측정하다. ㊕ **~·a·ble** *a.* 굴절성의〔이 있는〕.

re·frac·tile [rifrǽktl, -tail/-tail] *a.* = REFRACTIVE.

refrácting àngle 『물리』 굴절각.

refrácting tèlescope 굴절 망원경(refractor).

re·frac·tion [rifrǽkʃən] *n.* [U] 굴절 (작용), 굴사(屈射); 눈의 굴절력 (측정); 『천문』 대기차(大氣差). ***the index of ~*** 『물리』 굴절률. ㊕ **~·al** [-ʃənəl] *a.* 굴절〔굴사〕의, 굴절성의.

re·frac·tive [rifrǽktiv] *a.* 굴절하는; 굴절력

이 있는; 굴절의. ㊔ ~·ly *ad.* ~·ness *n.*
refráctive índex 굴절률. 「(도).
re·frac·tiv·i·ty [rì:fræktívəti] *n.* Ⓤ 굴절성
re·frac·tom·e·ter [rì:fræktámətər/-tɔ́m-] *n.* 〖물리〗 굴절계(計), 굴절률 측정기.
re·frac·tor [rifræ̀ktər] *n.* 굴절 매체(媒體); 굴절 망원경; 굴절 렌즈.
re·frac·to·ry [rifrǽktəri] *a.* **1** 말을 안 듣는, 다루기 어려운, 고집 센. **2** 난치의, 고질의《병 따위》; 〖생물·생리〗 (자극에) 반응하지 않는, 무반응성의, (병 따위에) 감염되지 않는; (병균에) 저항력이 있는, 면역성의, 내열성의. **3** 녹기 어려운; 처리하기 힘든; 내화성(耐火性)의, 내열성의. ── *n.* 완고한 사람(것); 내화물; (*pl.*) 내화 벽돌; 잘 녹지 않는 물질. ㊔ **-ri·ly** *ad.* **-ri·ness** *n.*
refráctory pèriod 〖생리〗 불응기(不應期)《생물이 어떤 자극에 반응한 후에 다시 같은 자극을 주어도 반응하지 않는 짧은 기간》.
*__re·frain__[1] [rifréin] *vi.* 《+전+명》 그만두다, 삼가다, 참다《*from*》: ~ *from* weeping 울음을 참다. ── *vt.* 《고어》 억제하다: ~ one's words 말을 삼가다. ㊔ ~·ment *n.*
re·frain[2] *n.* 후렴, (시가의) 반복(구), 첩구(疊句); 후렴 부분; 상투어. 「르다.
re·fráme *vt.* 다시 구성하다; …에 테를 다시 두
re·fran·gi·ble [rifrǽndʒəbəl] *a.* 굴절성의, 굴절하는. ㊔ **re·fràn·gi·bíl·i·ty** *n.*
‡**re·fresh** [rifréʃ] *vt.* **1** 《~+목/+목+전+명》 (심신을) 상쾌하게 하다, 기운 나게 하다, 쉬게 하다: ~ the mind 마음을 유쾌하게 하다 / ~ the eye 눈을 쉬게 하다 / He ~*ed* himself *with* a hot bath. 그는 더운 물에 목욕하고 나니 상쾌해졌다. **2** (비가 공기를) 맑게 하다, 깨끗하게 하다. **3** (가공하여) 새롭게 하다. **4** (기억을) 새로이 하다: ~ one's memory. SYN. ⇨ RENEW. **5** 《~+목/+목+전+명》 새로 공급하다; (불 따위를) 다시 성하게 하다; (전지를) 충전하다: ~ a battery / ~ a ship *with* supply 배에 식량을 보급하다. **6** 〖컴퓨터〗 (화상이나 기억 장치의 내용을) 재생하다《영상 화면을 재조작하여 화면 표시(display)가 스러져 없어지는 것을 방지하다》: ~ memory 재생 기억 장치. ── *vi.* **1** 원기를 회복하다, 마음이 상쾌해지다. **2** 《속어》 먹고 마시다, 한잔하다. **3** (배 따위가) 양식·물을 보충하다. ◇ refreshment *n.*
re·frésh·er *n.* **1** 원기를 회복시켜 주는 사람(것); 음식물; 생각나게 하는 것; 《구어》 청량음료; =REFRESHER COURSE. **2** 〖영법률〗 추가 사례금, 가외 보수《소송을 오래 끌 때 변호사에게 지불하는》.
refrésher còurse 재교육 과정《전문 지식을 보완·갱신하기 위한》.
◇**re·frésh·ing** *a.* 상쾌한, 후련한, 마음이 시원한; 참신한; 새롭고 재미있는: a ~ breeze 시원한 산들바람 / a ~ beverage (drink) 청량음료. ㊔ ~·ly *ad.* ~·ness *n.*
‡**re·fresh·ment** [rifréʃmənt] *n.* **1** Ⓤ 원기 회복, 기분을 상쾌하게 함: feel ~ of mind and body 심신이 상쾌해지다. **2** Ⓒ 기운을 돋우는 것《수면·음식 등》. **3** (보통 *pl.*) (가벼운) 음식물, 다과: take some ~(*s*) 간단한 식사를 하다.
refréshment càr 식당차.
refréshment ròom (역(驛)·회관 등의) 식당.
Refréshment Sùnday =MID-LENT SUNDAY.
réfried béans 기름에 튀긴 강낭콩(frijol)을 으깨어 다시 튀긴 멕시코 요리.
refrig. refrigerate; refrigeration.
re·frig·er·ant [rifrídʒərənt] *a.* 얼게 하는, 냉각하는; 서늘하게(차게) 하는; 해열의. ── *n.* 청량제; 냉각(냉동)제, 냉매; 해열제.
re·frig·er·ate [rifrídʒərèit] *vt.* 냉각하다; 서늘하게(차게) 하다; 냉장(냉동)하다: a ~*d* van 냉장차(車). ── *vi.* 차가워지다, 얼다.
re·frìg·er·á·tion *n.* Ⓤ 냉장, 냉동; 냉각.
re·frig·er·a·tive [rifrídʒərèitiv/-rətiv] *a.* 냉각하는, 냉장의.
‡**re·frig·er·a·tor** [rifrídʒərèitər] *n.* 냉장고; 냉장 장치; 빙고(氷庫); 증기 응결기(凝結器).
refrígerator càr (철도의) 냉동차.
refrígerator-fréezer *n.* (대형) 냉동 냉장고.
re·frig·er·a·to·ry [rifrídʒərətɔ̀:ri/-təri] *a.* 냉각하는. ── *n.* (냉동 장치의) 냉각실; 냉각 탱크; 빙실(氷室); (증류기의) 증기 응결기(凝結器).
re·frin·gent [rifríndʒənt] *a.* =REFRACTIVE. ㊔ **-gen·cy, -gence** *n.*
reft [reft] REAVE의 과거·과거분사.
rè·fúel (*-l-*, 《영》 *-ll-*) *vt., vi.* (…에) 연료를 보급하다, 연료의 보급을 받다.
*__ref·uge__ [réfju:dʒ] *n.* Ⓒ **1** Ⓤ 피난, 보호: There is ~ in God for the weary and the sick at heart. 피곤한 자와 마음이 병든 자에게는 신의 가호가 있다. **2** 피난소, 은신처; (등산자의) 대피막. **3** (가로(街路)의) 안전지대(safety island). **4** 의지가 되는 사람(물건), 위안물: the ~ of the distressed 괴로운 자의 벗. **5** (궁지를 벗어나기 위한) 수단, 방편, 도피구, 핑계: the last ~ 마지막 수단. ***a house of ~*** 빈민 수용소, 양육원. ***give ~ to*** …을 숨겨 주다, …을 보호하다. ***seek ~ from*** …로부터 피난(도피)하다. ***seek ~ with*** a person 아무에게로 도망쳐 들다. ***take ~ in*** (***at***) ① …에 피난하다: *take ~ in* silence (상대하지 않고) 침묵을 지키다. ② …에서 위안을 구하다.
*__ref·u·gee__ [rèfjudʒí:, ˊ-ˋ/ˋ-ˊ] *n.* **1** 피난자, 난민: ~ camps. **2** 망명자, 도피자: a ~ government 망명 정권.
refugée càpital 도피 자본. cf. hot money.
rèf·u·gée·ism *n.* 망명(피난, 도망)자의 상태(신분).
re·fu·gi·um [rifjú:dʒiəm] (*pl.* ***-gia*** [-dʒiə]) *n.* 〖생태〗 레퓨지아《빙하기와 같은 대륙 전체의 기후 변화기에 비교적 기후의 변화가 적어서 다른 곳에서는 멸종된 것이 살아 남은 지역》.
re·ful·gent [rifʌ́ldʒənt] *a.* 빛나는, 찬란한. ㊔ ~·ly *ad.* **-gence, -gen·cy** *n.* 광휘, 빛남, 광채.
◇**re·fund**[1] [rí:fʌnd] *n.* Ⓤ,Ⓒ 환불(금), 변상. ── [rifʌ́nd, rí:fʌ̀nd] *vt.* **1** (돈 따위를) 환불하다: ~ a deposit 예금을 내주다. **2** 《+목+목/+목+전+명》 (아무에게) 환불하다, 반환하다, 변상하다《*to*》: They ~*ed* me one-third of the medical expenses. 그들은 나에게 의료비 3분의 1을 환불해 주었다. ── *vi.* 환불하다, 되돌려주다. ㊔ ~·**a·ble** *a.* ~·**ment** *n.*
re·fund[2] [ri:fʌ́nd] *vt.* 새로 적립하다; (공채 등을) 차환(借換)하다; (구(舊)증서를) 신증서와 바꾸다.
rè·fúrbish *vt.* 다시 닦다(윤내다), 다시 갈다; …을 일신(쇄신)하다. ㊔ ~·**er** *n.* ~·**ment** *n.*
rè·fúrnish *vt.* 새로 공급(설비)하다.
re·fus·a·ble [rifjú:zəbəl] *a.* 거절할 수 있는.
‡**re·fus·al** [rifjú:zəl] *n.* Ⓤ,Ⓒ **1** 거절; 거부; 사퇴: meet with a blunt ~ 매정하게 거절당하다 / They were offended by his ~ *to* attend the party. 그가 파티 참석을 거절하여 그들은 기분이 상했다. **2** (종종 the ~) 우선권, 취사선택의 권리; 선매권(先買權): buy the ~ of ... (착수금을 주고) …의 우선권을 얻다. ◇ refuse *v.* ***give*** a person ***a flat ~*** 아무에게 딱 잘라 거절하다. ***give*** (***have, get***) (***the***) ***first ~ of*** …의 우선적 선택권을 주다(얻다). ***take no ~*** 거절을 못 하게 하다.

re·fuse[1] [rifjú:z] *vt.* **1** 《~+목/+목+목/+목+전+명》 (부탁·요구·명령 등을) 거절하다, 거부하다, 물리치다 (opp accept); (여자가) 청혼을 거절하다: ~ recognition 승인을 거부하다, 승인하지 않다 / ~ orders 명령을 거부하다 / ~ a suitor 청혼자를 거절하다 / ~ permission 허가를 하지 않다 / The bank ~*d* the company a loan. =The bank ~*d* a loan *to* the company. 은행에서는 그 회사에 대한 융자를 거절했다.

SYN. **refuse** 요구·부탁·제의 따위를 거절하다: *refuse* an invitation 초대를 거절하다. **decline** 보다 정중한 사교적인 말. 상대방에게 예절을 잃지 않는 배려가 시사됨: *decline* an offer of a chairmanship 회장의 지위를 사퇴하다. **reject** 위의 두 말이 사람을 다소라도 의식하고 있는 데 비해, 계획·제안 따위를 각하할 때 씀.

2 (제의 등을) 받아들이지 않다, 사절〔사퇴〕하다: ~ a gift with thanks 선물을 정중히 거절하다 / ~ food 음식물을 받지 않다 / ~ a bribe 뇌물을 물리치다. **3** 《+*to* do》 …하려 하지 않다, …하는 경향〔성질〕이 없다: The green wood ~*s to* burn. 생나무는 잘 타지 않는다 / I ~ *to* discuss the question. 나는 이 문제를 논하고 싶지 않다. **4** (말이 장애물을) 안 뛰어넘고 갑자기 멈춰 서다. **5** 〖카드놀이〗 같은 짝의 패를 내지 못하다. **6** (방어전 따위에서 부대 측면을) 정면의 전선보다 뒤로 후퇴시켜 두다《적의 공격을 예상하여》. **—** *vi.* **1** 거절〔사절〕하다. **2** 〖카드놀이〗 같은 패가 없어서 다른 패를 내다. ◇ refusal *n.*

ref·use[2] [réfju:s] *n.* U 폐물, 나머지, 찌꺼기, 허섭스레기; 인간쓰레기, 인간 폐물. **—** *a.* 지질한, 폐물의: a ~ consumer 쓰레기 소각기 / ~ disposal 쓰레기 처리 / a ~ worker 《영》 폐기물〔쓰레기〕 처리 작업원(dustman).

réfuse dùmp (도시의) 쓰레기 폐기장.

re·fuse·nik, -fus- [rifjú:znik] *n.* **1** (옛 소련에서) 출국이 허가되지 않은 시민《특히 유대인》. **2** 《구어》 당국에 신청을 거부당한 사람; (항의의 표시로) 지시에 따르기를 거부하는 사람.

re·fus·er [rifjú:zər] *n.* 거절하는 사람, 사퇴자; (장애물 따위를 뛰어넘지 않고) 멈춰 서는 말; 영국 국교 기피자(recusant).

re·fut·a·ble [rifjú:təbəl, réfjət-/réfjət-] *a.* 논파〔논박〕할 수 있는, 잘못된. 파 **-bly** *ad.* 논파할 수 있게.

re·fut·al [rifjú:tl] *n.* =REFUTATION.

ref·u·ta·tion [rèfjutéiʃən] *n.* U,C 남의 잘못을 논증〔논파〕함, 논박, 반박.

re·fute [rifjú:t] *vt.* 논박〔반박〕하다; …에 이의를 제기하다. 파 **re·fút·er** *n.*

reg [reg] *n.* 《구어》 (보통 ~s) =REGULATION(S); =REGISTRATION MARK.

Reg. Regent; Regiment; *Regina* 《L.》 (=Queen). **reg.** regent; regiment; region; register(ed); registration; regular(ly).

re·gain [rigéin, rì:-] *vt.* **1** 되찾다, 회복하다: ~ one's freedom 〔health〕 자유를〔건강을〕 되찾다. **2** …에 귀착하다, …에 되돌아가다: ~ the shore 해변에 되돌아오다. **~ one's feet** 〔**foot·ing, legs**〕 (넘어진 사람이) 일어나다〔서다〕. **—** *n.* 회복; 탈환; 복귀. 파 **~·a·ble** *a.* **~·er** *n.*

re·gal[1] [rí:gəl] *a.* 국왕의, 제왕의; 국왕다운; 장엄한, 당당한. cf. royal. ¶ the ~ government 〔office〕 왕정(王政)〔왕위〕 / the ~ power 왕권. 파 **~·ly** *ad.*

re·gal[2] *n.* (16–17 세기의) 손풍금의 일종.

re·gale [rigéil] *vt.* 《~+목/+목+전+명》 향응하다, 융숭하게 대접하다; 기쁘게 해주다, 만족게 하다《*with; on*》: a sight that ~*s* the eye 눈을 즐겁게 해주는 경치 / ~ oneself *with* a cigar 여송연을 느긋하게 피우다. **—** *vi.* 미식(美食)하다, 성찬을 먹다《*on*》; 크게 기뻐하다. **—** *n.* 성찬, 향응; 진미, 가효(佳肴). 파 **~·ment** *n.* U 향응; 성찬. **re·gál·er** *n.*

re·ga·lia[1] [rigéiliə, -ljə] *n. pl.* **1** 왕위의 표상〔상징〕, 왕보(王寶)《왕관·홀(笏)·보주(寶珠) 따위》. **2** 기장(記章)《관위(官位)·협회 따위의》, 훈장. **3** 〖역사〗 왕권.

regalia[1] 1

re·ga·lia[2] *n.* (Cuba산(産)) 고급 여송연.

re·gal·ism [rí:gəlìzəm] *n.* U 제왕 교권설(敎權說). 파 **-ist** *n.* 제왕 교권주의자.

re·gal·i·ty [rigǽləti] *n.* U 왕권, 왕위; C 왕국.

re·gard [rigá:rd] *vt.* **1** 〖보통 부사(구)와 함께〗 **a** 주목해서 보다, 주시〔응시〕하다: She ~*ed* him with amusement. 그녀는 흥미 있게 그를 바라보았다 / ~ this seriously 이 일을 중대시하다. **b** (애정·증오 따위의 감정을 가지고) 보다, 대하다: I still ~ him with affection. 나는 지금도 그에게 호의를 갖고 있다. **2** 중시하다, 존중〔존경〕하다; 주의하다: We all ~ him highly. 우리 모두는 그를 존경하고 있다.

SYN. **regard** 사람이나 물건의 가치를 인정하여 그것을 평가함을 말함. **respect**는 regard 보다도 뜻이 적극적이며, 그 가치를 인정하여 상대나 물건에 경의를 표함을 말함. **esteem** 사람이나 물건을 높이 평가하여 존중하는 뜻. **admire** 사람이나 물건의 훌륭한 점을 높이 평가하여 기리는 뜻.

3 〖보통 부정형으로〗 (…을) 고려〔참작〕하다, (…에) 주의하다: He *seldom* ~*s* my advice. 그는 나의 충고 따위는 아랑곳하지 않는다 / *Nobody* ~*ed* what she said. 아무도 그녀의 말에 주의하지 않았다. **4** 《+목+*as*보》 …을 (…로) 생각하다〔여기다〕: He ~*ed* it *as* a bother. 그는 그것을 귀찮은 것으로 여겼다. **5** (사물이) …에 관계하다: It does not ~ me. 그건 나와 관계없다. **—** *vi.* 주목〔유의〕하다; 응시하다. ***as ~s*** =***as ~ing*** …에 대해서 말하면, …에 관해서는, …의 점에서는.

— *n.* U **1** 주목, 주의; 고려: More ~ must be paid to safety on the roads. 교통안전에는 더 주의를 해야 한다. **2** 마음씀《*for*》; 유의, 관심《*to; for*》: He has very little ~ *for* the feelings of others. 그는 남의 기분에는 거의 무관심하다. **3** (*or* a ~) 존경, 존중; 호의, 호감《*for*》: They had (a) high ~ *for* his ability. 그들은 그의 재능을 높이 샀다. **4** (*pl.*) (안부 전하라는) 전언, 인사. **5** C 관계, 점, 사항(事項)(point): in this 〔that〕 ~ 이〔그〕 점에서는. ***Give my*** (***best***) ***~s to*** …에게 안부 전해 주시오: *Give* him *my* ~*s*. 그에게 안부 전해 주시오. ***have*** 〔***pay***〕 ***~ to*** …을 고려하다. ***hold ... in low*** 〔***high***〕 ***~*** …을 경시(輕視)〔존중, 중시〕하다. ***in ~ of*** 〔***to***〕 =***with ~ to*** …에 관해서(는). ***in*** a person***'s ~*** 아무에 관해서는. ***with due ~ to*** …을 적당히 생각하여. ***without ~ to*** …을 돌보지 않고, …에 상관없이.

re·gard·ant [rigá:rdnt] *a.* 〖문장(紋章)〗 (사자 따위가) 머리를 뒤로 향한 (자세의); 《고어·시어》 주시하는, 주의 깊은.

re·gard·ful [rigáːrdfəl] *a.* **1** 개의하는, 주의 깊은《*of*》. **2** 경의를 표하는《*for*》. ㊎ **~·ly** *ad.* **~·ness** *n.*

◇**re·gárd·ing** *prep.* …에 관하여(는), …의 점에서는(with regard to).

‡**re·gard·less** [rigáːrdlis] *a.* 무관심한; 부주의한《*of*》; 괘념치 않는. **~ *of*** …을 개의〔괘념〕치 않고; …에 관계없이: ~ *of* age or sex 나이·성별에 관계없이 / She carried out her plan, ~ *of* expense. 그녀는 경비에 개의치 않고 자기 계획을 실행하였다. **—** *ad.* 〖생략 구문〗 비용〔반대, 곤란〕을 마다하지 않고〔개의치 않고〕, 여하튼: We objected, but he went ~. 우리는 반대하였으나 그는 무시하고 갔다 / I must make the decision ~. 어쨌든 결정해야 한다. ***press on*** ~ 한눈팔지 않고 일을 계속하다. ㊎ **~·ly** *ad.* **~·ness** *n.*

re·gáther *vt.* 다시 모으다. **—** *vi.* 다시 모이다.

◇**re·gat·ta** [rigǽtə, -gáːtə / -gǽtə] *n.* 레가타《보트〔요트〕 경조(競漕)(회)》; 《원래》 (Venice의) 곤돌라 경주; 레가타《줄무늬 있는 면의 능직물》.

regd. registered.

re·ge·late [ríːdʒəlèit, ⌐-⌐] *vi.* 〖물리〗 복빙(復氷)하다《녹은 얼음이나 눈이 다시 얼어붙음》. ★ 종종 regelate itself가 됨. ㊎ **rè·ge·lá·tion** *n.* Ⓤ 〖물리〗 복빙.

re·gen·cy [ríːdʒənsi] *n.* Ⓤ **1** 섭정 정치; 섭정의 지위〔자리〕; 섭정권; 섭정 기간; 섭정 통치구; 섭정단; (the R-) 섭정 시대《영국에서는 1811-20; 프랑스에서는 1715-23》. **2** 《미》 (대학) 평의원의 직. **—** *a.* 섭정의; (R-) (영국·프랑스의) 섭정 시대풍의《가구·복장》.

re·gen·er·a·ble [ridʒénərəbəl] *a.* 재생시킬 수 있는; 〖종교〗 갱생〔개심〕시킬 수 있는; 혁신〔개조, 재건〕할 수 있는.

re·gen·er·a·cy [ridʒénərəsi] *n.* Ⓤ 재생, 갱생, 신생(新生); 갱신, 쇄신; 개심; 부흥.

re·gen·er·ate [ridʒénərèit] *vt.* **1** 〖종교〗 갱생시키다; 개심시키다; 새사람이 되게 하다. **2** 〖생물〗 (잃어버린 기관(器官)을) 재생하다; 〖물리·전자〗 재생하다; 혁신〔쇄신〕하다. **—** *vi.* 재생하다; 갱생〔개심〕하다. **—** [-rət] *a.* **1** 쇄신된. **2** 〖종교〗 (정신적으로) 갱생한; 개심한. **—** [-rət] *n.* (정신적으로) 갱생한 사람; 〖생물〗 재생체. ㊎ **~·ly** *ad.* **~·ness** *n.*

regénerated céllulose 재생 셀룰로오스《레이온이나 셀로판 따위》.

re·gèn·er·á·tion *n.* Ⓤ **1** 갱생; 개심; 〖종교〗 재생, 영적 신생. **2** 쇄신; 〖생물·전기〗 재생.

re·gen·er·a·tive [ridʒénərətiv, -rèitiv] *a.* 재생〔갱생〕시키는; 개심시키는; 〖기계〗 복열(復熱)식의; 〖통신〗 재생식의.

regénerative bráking 〖전기〗 회생 제동(回生制動).

regénerative cóoling 재생식 냉각법.

regénerative féedback 〖전자〗 재생 피드백《입력 위상(位相)에 맞추어 되돌려짐》.

regénerative fùrnace 축열로(蓄熱爐).

re·gen·er·a·tor [ridʒénərèitər] *n.* 갱생자; 개종자; 개혁자; 〖기계〗 열교환기, 축열실; 〖전기〗 재생기(器).

re·génesis *n.* Ⓤ 재생, 갱생; 갱신; 부활.

re·gent [ríːdʒənt] *n.* **1** 섭정. **2** 《미》 (대학의) 평의원; 《미》 학생감; 《고어》 통치자. **—** *a.* 〖명사 뒤에 써서〗 섭정의 지위에 있는; 《고어》 통치하는. ***the Prince Regent*** 섭정 왕자(王子). ㊎ **~·al** [-l] *a.* **~·ship** *n.* 섭정의 직〔임기〕.

re·ger·mi·nate [riːdʒə́ːrmənèit] *vt.* 다시 싹트다. ㊎ **rè·ger·mi·ná·tion** *n.* Ⓤ

re·ges [ríːdʒiːz] REX의 복수.

reg·gae [régei] *n.* Ⓤ 레게《자메이카에서 시작된 록풍의 음악》.

Reg·ge [rédʒei] *a.* 〖원자〗 레제 이론(~ theory)의〔에 관한〕.

Reg·ge·ism [rédʒeiìzəm] *n.* = REGGE THEORY.

Régge thèory 〖원자〗 레제 이론(= **Régge póle thèory**)《강한 상호 작용을 하는 소립자의 반응을 수리적 축(軸)이나 궤선(軌線)을 써서 나타내는 이론; 이탈리아의 Tullio Regge의 이름에서》.

Reg·gie, -gy [rédʒi] *n.* 레지《남자 이름; Reginald의 애칭》.

reg·i·cide [rédʒəsàid] *n.* Ⓤ 국왕 시해, 대역(大逆); Ⓒ 대역자; (the R-s) 시해자들《(1) 〖영국사〗 Charles 1세를 사형에 처한 재판관들. (2) 〖프랑스사〗 Louis 16세를 처형한 국민 공회원들》. ㊎ **règ·i·cíd·al** [-sáidl] *a.*

ré·gie [reiʒíː, ⌐-] *n.* 《F.》 정부 전매 (제도)《프랑스·이탈리아의》; 정부 직영, 관영(官營).

re·gíld *vt.* 다시 도금(鍍金)하다.

◇**re·gime, ré·gime** [rəʒíːm, rei-, -dʒíːm / reiʒíːm] *n.* 정권; 정부; 사회 조직; 제도; 통치〔관리〕 양식; 정체; 통치〔지배〕 기간; 〖의학〗 = REGIMEN 1.

reg·i·men [rédʒəmən, -mèn, réʒ-/rédʒimèn, -mən] *n.* **1** 양생(養生)법. **2** 꾸준하고 엄한 훈련. **3** 〖문법〗 (전치사의) 지배. **4** 〖약학〗 처방〔투약〕 계획. **5** 《고어》 정체(政體).

***reg·i·ment** [rédʒəmənt] *n.* **1** 〖군사〗 연대《생략: regt., R.》. **2** (종종 *pl.*) 다수, 큰 무리《*of*》: ~*s of* tourists 많은 관광객. **3** 《고어》 지배(rule), 통치. **—** [rédʒəmènt] *vt.* **1** 연대로 편성〔편입〕하다. **2** 조직화하다, 통제하다. **3** 단체 훈련하다. ㊎ **reg·i·men·ta·tion** [rèdʒəmentéiʃən, -mən-] *n.* Ⓤ

reg·i·men·tal [rèdʒəméntl] *a.* 연대의; 연대에 배속된; 통제적인: the ~ color 연대기. **—** *n.* (*pl.*) 연대복, 군복. ㊎ **~·ly** *ad.*

Re·gi·na [ridʒáinə] *n.* 리자이나《여자 이름》.

re·gi·na *n.* 《L.》 (칭호 시에는 R-) 여왕《생략: R.; 보기: E.R. = Elizabeth *Regina*》. ⓒⓕ rex.

re·gi·nal [ridʒáinəl] *a.* 여왕의, 여왕에게 어울리는.

Reg·i·nald [rédʒənəld] *n.* 레지널드《남자 이름》.

‡**re·gion** [ríːdʒən] *n.* **1** 지방, 지역, 지구, 지대; 행정구, 관구: a tropical ~ 열대 지방 / a fertile ~ 비옥한 지역. **2** (종종 *pl.*) (세계 또는 우주의) 부분, 역(域), 층, 계; (동식물 지리상의) 구(區); (대기·해수의) 층: the upper ~*s* of the air 대기의 상층부. **3** (학문 따위의) 영역, 범위, 분야《*of*》; 〖수학〗 영역: the ~ of science 과학의 영역. **4** 〖해부〗 (신체의) 국부, 부위: the lumbar 〔abdominal〕 ~ 요〔복〕부. **5** 〖컴퓨터〗 영역《기억 장치의 구역》. ***in the ~ of*** …의 부근에; 거의…, 약 …(about). ***the airy ~*** 하늘. ***the infernal ~s*** 지옥. ***the ~ beyond the grave*** 저승. ***the upper ~s*** 하늘; 천국.

***re·gion·al** [ríːdʒənəl] *a.* 지방의; 지역적인; 〖의학〗 국부의. **—** *n.* 지방 상대의 것《지방지 따위》; 《미》 지방 증권거래소. ㊎ **~·ism** *n.* Ⓤ 지방(분권)주의; 지방적 특색; 지방색. **~·ly** *ad.*

régional cóuncil (스코틀랜드의) 주(州)의회.

ré·gion·al·ìze *vt.* 지역으로 나누다; 지방 분권화하다. ㊎ **rè·gion·al·i·zá·tion** *n.*

régional metamórphism 〖지학〗 광역(廣域) 변성 작용.

ré·gis·seur [rèiʒisə́ːr] *n.* 《F.》 무대 감독, (특히 발레의) 레지쇠르.

‡**reg·is·ter** [rédʒistər] *n.* **1** 기록부, (출생·선적 등의) 등록〔등기〕부(= ⌐ **bòok**); 표, 목록; 기재〔등록〕 사항; = PARISH REGISTER: a ~ of voters 선거인 명부. **2** 기록, 등록, 등기. **3** (속도·금전 출납 따위의) 자동 기록기, 레지스터; 기록 표시기. **4** 통풍〔온도 조절〕 장치. **5** 〖음악〗 성역, 음

역; (오르간의) 음전(音栓), 스톱(stop). 6 『사진』 감광판〔필름〕과 초점 유리와의 일치. 7 Ⓤ 『인쇄』 안팎 인쇄면의 일치. 8 『컴퓨터』 레지스터《소량의 일정한 길이를 일시적으로 기억하여 특정 목적을 위해 쓰이는, 중앙 처리 장치 내의 고속 기억부》. 9 『언어』 위상(어), 사용역(域). **a ship's ~** (세관의) 선적 증명서.

— *vt.* **1 a** 《~+목/+목+전+명》 기록〔기입〕하다; 등록〔등기〕하다: ~ new students 신입생을 학적에 올리다 / ~ a gun *with* the police 총을 경찰에 등록하다 / I was ~*ed as* a voter. 나는 선거인으로서 등록되어 있었다. **b** 《~ oneself》 (선거인 따위의) 명부에 등록하다, (호텔에서) 숙박부에 기재하다. **2** (우편물을) 등기로 부치다; 《영》 (짐을) 맡기고 물표를 받다: get 〔have〕 a letter ~*ed* 편지를 등기로 하다 / ~ a luggage *on* a railway 《영》 짐을 철도 수화물로 맡기다. **3** 《+목+전+명》 명심하다: His face was ~*ed in* my memory. 그의 얼굴은 나의 마음속 깊이 새겨졌다. **4** (온도계 따위가) 가리키다; (기계가) 표시〔기록〕하다. **5** (표정·몸 따위로 감정을) 나타내다: Her face ~*ed* surprise. 그녀 얼굴에는 놀란 기색이 보였다. **6** 『인쇄』 (인쇄면을) 안팎으로 일치시키다. **—** *vi.* **1** 《~/+전+명》 명부에 등록하다, 등록 절차를 밟다; 숙박부에 기재하다: A person must ~ before he can vote. 선거인 명부에 등록을 마치지 않으면 투표할 수 없다 / ~ *for* a course 수강 신청 절차를 밟다 / ~ *with* an embassy 대사관에 등록하다 / ~ *at* a hotel 호텔에 묵다. **2** (기계 따위가) 자동적으로 기록〔표시〕하다. **3** (배우 등이) 표정〔몸짓〕으로 나타내다. **4** 《~/+전+명》 《구어》 효과를 높이다, 효과적인 인상을 주다, 마음에 새겨지다: The name simply did not ~ (*with* me). 그 이름이 아무래도 기억되지 않았다. **5** 『인쇄』 (인쇄면의) 안팎이 일치되다. ◇ registration *n.*
㊎ **~·a·ble** [-tərəbəl] *a.* =REGISTRABLE. **~·er** *n.*

rég·is·tered *a.* 등록한, 등기를 필한; 기명의; 등기로 한; 혈통 증명이 있는《가축 따위》: a ~ design 〔trademark〕 등록 의장(意匠)〔상표《약호 ®》〕 / a ~ letter 등기 우편물 / a ~ reader 예약 독자.

régistered bónd 기명 공채〔채권〕《소유자 이름을 쓴》. cf. bearer bond.

régistered máil 《미》 등기 우편.

régistered núrse 《미》 공인 간호사《생략: R.N.》.

régistered òffice (회사로 오는 모든 우편물을 수신하도록) 등록된 사무실.

régistered póst 《영》 =REGISTERED MAIL.

régistered representátive 『증권』 등록 유가 증권 외무원.

régistered tònnage 『해사』 =REGISTER TONNAGE.

régister òffice 등기소; 《미》 직업소개소.

régister of wílls 《미》 유언 검증관.

régister tòn 『해사』 등록 톤《배의 내부 용적의 단위; =100 세제곱 피트》.

régister tòne 『언어』 음역 음조, 단계 음조.

régister tònnage 『해사』 등록 톤수.

reg·is·tra·ble [rédʒəstrəbəl] *a.* 등록〔등기〕할 수 있는; 등기로 부칠 수 있는; 표시되는.

reg·is·trant [rédʒistrənt] *n.* 등록자.

reg·is·trar [rédʒistrɑ̀ːr, ⌐-⌐/⌐-⌐] *n.* **1** 기록원, 등록〔호적〕계원; 등기 관리; (대학의) 사무주임. **2** 《미》 『증권』 (주식의) 등록 기관. ㊎ **~·ship** *n.* ~의 직〔임기〕.

Régistrar-Géneral *n.* (London의) 호적 본서(General Register Office) 장관《생략: Reg.-Gen.》.

reg·is·trary [rédʒistrəri] *n.* (케임브리지 대학의) 기록〔학적〕 담당원(registrar).

°**reg·is·tra·tion** [rèdʒəstréiʃən] *n.* **1** Ⓤ 기재, 등기, 등록; 기명《*of*》; 등록〔기재〕 사항; 등록자 수; (우편물의) 등기: a ~ fee 등기〔등록〕료. **2** (온도계 따위의) 표시. **3** 『음악』 (풍금의) 음전(音栓) 조절법. **4** 『인쇄』 (앞뒤 양면의) 맞춰찍기. ◇ register *v.* ㊎ **~·al** [-ʃənəl] *a.*

registrátion bòok 〔**dòcument**〕 (자동차의) 등록증(logbook)《차 번호·엔진 형식·소유자명 따위가 기록됨》.

registrátion nùmber 〔**màrk**〕 (자동차·오토바이) 등록 번호, 차량 번호.

registrátion plàte (자동차의) 번호판.

reg·is·try [rédʒistri] *n.* **1** Ⓤ 기입, 등기, 등록; 등록〔등기〕부; (등록된) 선적(船籍), 선적 증명서: the port of ~ 선적항. **2** Ⓒ 등기소, 등록소; 《고어》 직업소개소(servants' ~): marriage at a ~ (office) (식을 안 올리는) 신고 결혼.

régistry òffice 《영》 호적 등기소; 《고어》 (특히 가정부·요리인 등의) 직업소개소.

re·gi·us [ríːdʒiəs, -dʒəs] *a.* 왕의(royal), 흠정(欽定)의, 칙임(勅任)의.

Régius proféssor 《영》 (대학의) 흠정(欽定) 강좌 담당 교수《Henry 8세가 창설》.

re·glaze [riːgléiz] *vt.* (창)에 다시 유리를 끼우다; …의 유리를 갈아 넣다.

reg·nal [régnəl] *a.* 치세의, 성대(聖代)의; 왕국의; 왕의: the ~ day 즉위 기념일 / the ~ year 즉위 기원.

reg·nant [régnənt] *a.* **1** 《명사 뒤에 써서》 통치하는, 군림하는: ⇨ QUEEN REGNANT. **2** 우세한, 지배적인; 널리 행하여지는, 유행의. ㊎ **-nan·cy** [-nənsi] *n.* Ⓤ 통치, 지배.

reg·num [régnəm] (*pl.* **-na** [-nə]) *n.* 왕국 「(kingdom).

rego [rédʒou] (*pl.* **rég·os**) *n.* 《Austral. 속어》 자동차 등록(비〔기간〕).

reg·o·lith [régəliθ] *n.* 『지학』 (토양의) 표토(表土)(mantlerock); 『해양』 표층 쇄설물(碎屑物).

re·gorge [rigɔ́ːrdʒ] *vt.* 토하다, 게우다; 《드물게》 다시 삼키다; 되던지다. **—** *vi.* 다시 흘러나오다; 역류하다.

reg·o·sol [régəsɔ̀ːl, -sɑ̀l/-sɔ̀l] *n.* 『지학』 퇴적토.

Reg. Prof. Regius Professor.

rè·gráde *vt.* (도로 따위를) 다시 경사지게 하다; (학생의) 학년을 바꾸다.

rè·gránt *vt.* 다시 허가하다, 재교부하다, …에게 다시 교부금을 주다. **—** *n.* 재허가, 재교부; 재교부금.

re·grate [rigréit] *vt.* 『역사』 (곡식 등을 비싸게 팔려고) 사 모으다, 매점하다(buy up); (그것들을 비싸게) 팔아 넘기다.

re·grát·er, -grá·tor *n.* 매점자; 《영》 (농가에 다니며 곡물을 사 모으거나 하는) 중매인(middleman), 사재기 상인.

rè·gréet *vt.* …에게 (다시) 인사하다, 답례하다, (머리 숙여) 절하다.

re·gress [ríːgres] *n.* Ⓤ 복귀, 회귀(回歸); 역행; 퇴보; 『법률』 복귀권; 『천문』 역행. **—** [rigrés] *vi.* 되돌아가다; 역행하다; 퇴보하다; 복귀하다; 『천문』 회귀〔역행〕하다. opp. *progress.* **—** *vt.* 『심리』 퇴행시키다; 『통계』 회귀추정을 하다《하나 또는 그 이상의 독립〔조사〕 변수에 종속〔보조〕 변수가 결부된 정도를 헤아림》. ㊎

re·gres·sion [rigréʃən] *n.* Ⓤ 복귀; 역행; 퇴보, 퇴화; 『천문』 역행 (운동); 『수학』 (곡선의) 회귀(回歸); 『지학』 해퇴(海退).

re·gres·sive [rigrésiv] *a.* 후퇴의, 역행하는; 퇴화〔퇴보〕하는; 회귀하는; (세금이) 누감(累減)적인; 『수학·통계』 회귀하는. ㊎ **~·ly** *ad.* **~·ness** *n.*

regréssive táx 역진세(逆進稅), 누감세(累減稅).

re·gres·sor [rigrésər] *n.* 후퇴하는 사람; 복귀자.

*re·gret** [rigrét] *n.* [U,C] **1** (행위·실패 등에 대한) 유감; 후회《*for; about*》: a keen 〔sharp〕 ~ *for* past deeds 과거의 행위에 대한 통한의 마음 / I have no ~s 〔feel no ~〕 *about* what I've done. 내가 한 일을 후회하지 않는다. **2** 애도, 슬픔, 낙담: a letter of ~ 조의문. **3** [C] (종종 *pl.*) (초대장에 대한) 사절(장): send one's ~*s* 사절장을 내다 / Please accept my ~*s*. 사절하게 됨을 용서하여 주십시오 / *Regrets* Only. 참석하지 못하실 때만 연락 주십시오《초대장 끝에 쓰는 말》. **4** 미련. ***express*** one***'s*** **~ *at*** …에 유감의 뜻을 표하다. ***express*** one***'s*** **~ *for*** …을 사과하다, …을 사죄하다. ***feel*** **~ *for*** …을 후회하다. ***hear with*** **~ *of*** 〔***that ...***〕 …을 듣고 유감으로 생각하다. (***much*** 〔***greatly***〕) ***to*** one***'s*** **~** (대단히) 유감이지만, (정말) 유감스럽게도.

— (*-tt-*) *vt.* **1** 《~+[목]/+-*ing*/+*that*[절]》 (지난 일·잘못 따위를) 뉘우치다, 후회하다: ~ one's follies 자신의 어리석은 행동을 후회하다 / I ~ not hav*ing* worked harder. = I ~ *that* I did not work harder. 더 열심히 일하지 않은 것이 후회된다. **2** 《~+[목]/+*to* do/+*that*[절]》 유감으로〔가엾게〕 생각하다, 슬퍼하다: ~ his death 그의 죽음을 애도하다 / We ~ *that* you should have been caused inconvenience. 여러분께 불편을 겪게 해 드린 것을 유감으로 생각합니다《예정 따위가 어긋났을 때 사과하는 말》. **3** 아쉬워하다: ~ one's happy youth 즐거웠던 청춘을 아쉬워하다. — *vi.* 후회하다; 한탄하다. ***It is to be ~ted that ...*** …이라니 유감스러운 일이다. [파] **~·ter** *n.*

re·gret·ful [rigrétfəl] *a.* 유감으로 생각하는, 후회하는, 불만스러운, 유감〔애도〕의 뜻을 나타내는: with a ~ look 서운한 표정으로 / We're all ~ *for* the outcome 〔*about* what has happened〕. 우리는 모두 그 결과〔일어난 일〕에 대해 후회하고 있다. [파] **~·ly** *ad.* **~·ness** *n.*

re·grét·less *a.* 유감스럽게〔서운하게〕 생각지 않는.

re·grét·ta·ble *a.* 유감스러운, 안된; 슬퍼할 만한, 가엾은. [cf.] regretful. ¶ a ~ error 유감스러운 과오 / It was most ~ that he said that. 그가 그런 말을 하다니 참으로 유감이다. [파] **-bly** *ad.* **~·ness** *n.*

rè·gróup *vt.* …을 그룹별로 다시 나누다; 〖군사〗 (패배나 공격 후에 군을) 재편성하다. — *vi.* 재조직하다, (부대를) 재편성하다.

re·grów *vt., vi.* (결실부(缺失部) 따위가) 재생하다. [파] **re·grówth** *n.*

regs [regz] *n. pl.* 규제, 규정, 규칙(regulations).

Regt., regt. regent; regiment.

reg·u·la·ble [régjələbəl] *a.* 정리〔조정〕할 수 있는; 규정된; 단속〔제한〕할 수 있는.

*reg·u·lar** [régjələr] *a.* **1** 규칙적인, 정연한, 계통이 선; 조직적인, 조화를 이룬, 균형 잡힌: ~ teeth 고르게 난 이 / a ~ pulse 평맥(平脈). **2** 정례의, 정기적인; 규칙적으로 통변〔월경〕이 있는: a ~ meeting 정기 모임. **3** 일상의, 불변의: ~ customers 단골손님 / ~ employ 상시 고용. **4** 통례의, 언제나의; (사이즈가) 보통의, 표준의; (커피에) 보통 양의 밀크와 설탕이 든. **5** 정규의, 정식의; 면허 있는, 정시에 일하는, 본직의; 〖군사〗 상비의, 정규의; 〖국제법〗 정규 전투 요원의; 《미》 (정당 따위의) 공인의. [cf.] normal. ¶ a ~ member 정회원. **6** 《구어》 전적인, 완전한; 정말의, 진짜의: a ~ rascal 철저한 악당. **7** 《미구어》 기분 좋은, 재미있는, 의지가 되는: a ~ fellow 〔guy〕 (붙임성 있는) 좋은 녀석. **8** 〖문법〗 규칙변화를 하는; 〖식물〗 (꽃이) 가지런한; (결정(結晶)이) 등축(等軸)인; 〖수학〗 등각등변(等角等邊)의; (입체의) 각 면의 크기와 모양이 같은: ~ verbs 규칙 동사 / a ~ triangle 정삼각형. **9** 〖교회〗 종규(宗規)에 얽매인, 교단〔수도회〕에 속하는 ([cf.] secular): the ~ clergy 수사 / a ~ marriage 교회〔정식〕 결혼([cf.] civil marriage). **10** 〖부사적〗 규칙 바르게, 정기적으로. [opp.] *irregular*. ***keep* ~ *hours*** = ***lead a* ~ *life*** 규칙적인 생활을 하다.

— *n.* **1** (보통 *pl.*) 정규〔상비(常備)〕병; 〖종교〗 수사(修士); 《구어》 상시 고용인〔직공〕; 《구어》 정(규) 선수; 《구어》 단골손님, 늘 드나드는 사람들. **2** 〖미정치〗 철저한 자기 정당 지지자. **3** 《구어》 신뢰할 수 있는 사람〔것〕. **4** 표준 사이즈 (기성복); 레귤러〔무연(無鉛)〕 가솔린. [파] **reg·u·lar·i·ty** [règjəlǽrəti] *n.* [U] 규칙적임, 질서가 있음; 조화가 이루어져〔균형이 잡혀져〕 있음; 일정 불변; 정규, 보통.

régular ármy 상비군, 정규군; (the R- A-) (예비병 따위를 포함하지 않은) 미합중국 상비군 (United States Army).

rég·u·lar·ìze [-ràiz] *vt.* 규칙 바르게〔질서 있게〕 하다, 조직화하다; 조정하다. [파] **règ·u·lar·i·zá·tion** *n.* [U]

*reg·u·lar·ly** [régjələrli] *ad.* **1** 규칙 바르게, 바르고 순서 있게; 정식으로; 균형 있게: as ~ as clockwork 대단히 규칙적으로. **2** 정기적으로, 일정하게: go to church ~ 빠지지 않고 교회에 다니다. **3** 《구어》 아주.

régular polyhédron = REGULAR SOLID.

régular pýramid 〖수학〗 정각뿔.

régular refléction 〖광학〗 정(正)반사.

régular séason 1 〖야구〗 각 팀이 연간 162 경기를 하는 대리그 공식전. **2** 〖미식축구〗 NFL의 각 팀이 9-12 월에 걸쳐 연간 18 주에 16 경기를 하는 공식전《개막전의 오픈전을 pre season, 공식전 우승 결정 토너먼트를 post season이라 함》.

régular sólid 〖수학〗 정(正)다면체.

*reg·u·late** [régjəlèit] *vt.* **1** 규정하다; 통제〔단속〕하다. **2** 조절하다, 정리하다: ~ the traffic 교통을 정리하다. ◇ regulation *n.* [파] **-la·tive** [-lèitiv, -lə-] *a.* 규정하는; 단속의; 정리하는.

*reg·u·la·tion** [règjəléiʃən] *n.* **1** [C] (보통 *pl.*) 규칙, 규정, 법규, 조례: traffic ~*s* 교통 규칙 / There's a ~ *that* large trucks must not use this road. 대형 트럭은 이 도로를 이용해서는 안 된다는 규칙이 있다. **2** [U] 조절, 조정; 단속, 제한: ~ of prices 물가 조정. **3** 〖전기〗 변동률. — *a.* **1** 규정대로의, 정규의; 정식의, 표준의: a ~ cap 〔uniform〕 정모〔정복〕 / a ~ game 〔speed〕 정식 시합 〔규정 속력〕 / a ~ mourning 정식상(正式喪). **2** 언제나 꼭 같은, 보통의, 평범한: a ~ pun 언제나 하는 신소리. ◇ regulate *v.* ***of the* ~ *size*** 보통 크기의.

reg·u·la·tor [régjəlèitər] *n.* 조정자; 단속자; 〖기계〗 조정기, 조절기; (시간) 조절 장치; 표준 시계; 원칙, 표준; 〖영국사〗 선거 조사〔감시〕 위원.

régulator 〔**régulatory**〕 **gène** 〖생화학〗 조절〔제어〕 유전자.

reg·u·la·to·ry [régjələtɔ̀:ri/règjəléitəri] *a.* 규정하는; 조절〔조정〕하는.

Reg·u·lo [régjəlòu] *n.* 《영》 (가스레인지의) 온도 자동 조절 장치《상표명》.

Reg·u·lus [régjələs] *n.* **Marcus Atilius ~** 레굴루스《로마의 장군; ?-250? B.C.》.

reg·u·lus (*pl.* **~·es, -li** [-lài]) *n.* **1** (R-) 〖천문〗 사자자리(Leo)의 일등별. **2** 〖화학·야금〗 불순물《금속 제련 시 생기는》. **3** 〖조류〗 = KINGLET.

re·gur·gi·tate [rigə́:rdʒətèit] *vt., vi.* (세차게) 되내뿜다, 역류시키다〔하다〕; 토하다. [파]

re·gùr·gi·tá·tion *n.* Ⓤ 반류(反流), 역류; 반추.

Reg·u·tol [régju:tɔ̀:l] *n.* 〖약학〗 레귤톨《미국제 변비약의 상표명》.

re·hab [rí:hæ̀b] 《미》 *n.* =REHABILITATION; 재활 시설. ── *vt.* =REHABILITATE. ㊞ **~·ber** *n.*

re·ha·bil·i·tant [rì:*h*əbílətənt] *n.* 사회 복귀 치료를〔훈련을〕 받고 있는 환자〔장애자, 범죄자〕.

re·ha·bil·i·tate [rì:*h*əbílətèit] *vt.* **1** 원상태로 되돌리다, 복원하다; 복권〔복직, 복위〕시키다; 회복시키다. **2** 〖건축〗 건축물에 새 기능을 주어 재이용하다: ~ an old house. ~ one***self*** 명예를〔신용을〕 회복하다. ㊞ **-ta·tive** [-tətiv, -tèi-] *a.* **-ta·tor** [-tèitə*r*] *n.* 복권〔복위〕자, 명예 회복자.

°**rè·ha·bìl·i·tá·tion** *n.* Ⓤ **1** 사회 복귀, 리허빌리테이션; 명예〔신용〕 회복; 부흥; 복위, 복직, 복권. **2** 건축물에 새 기능을 주어 재(再)이용하기. ㊞ **~·ist** *n.*

re·hándle *vt.* **1** 다시 다루다. **2** 개조〔개주(改鑄)〕하다(recast), 개작하다.

re·hash [rì:hǽʃ] *vt.* 다시 저미다〔썰다〕; (특히 문학적 소재를) 개작하다, 고쳐 말하다, 되굽다. ── [∸-] *n.* (낡은 것을) 고쳐 쓰기, 개작, 재탕.

re·héar (*p., pp.* **-heard**) *vt.* 다시 듣다; 〖법률〗 재심하다. ㊞ **~·ing** *n.* 〖법률〗 재심리, 속심(續審).

°**re·hears·al** [rihə́:rsəl] *n.* **1** Ⓒ 연습, 대본(臺本) 읽기, 시연 (試演), (극·음악 따위의) 리허설; (의식 따위의) 예행연습: put a play into ~ 연극 연습을 하다 / ⇨ DRESS REHEARSAL / a public ~ 공개 시연(試演). **2** Ⓤ 암송, 복창; 열거: a ~ *of* one's grievances 불평을 늘어놓음. **3** Ⓒ 설화, 이야기.

re·hearse [rihə́:rs] *vt.* **1** 연습하다, 시연하다; 연습하여 익혀 두다; 예행연습을 하다. **2** 열거하다; 자세히 이야기하다; 복창하다, 되풀이해 말하다. ── *vi.* (예행)연습을 하다; 되풀이해 말하다. ㊞ **re·héars·er** *n.*

rè·héat *vt.* 다시 가열(加熱)하다. ── [∸-] *n.* 〖항공〗 (제트 엔진의) 재연소(법) (afterburning) (=**rè·héating**); (제트 엔진의) 재연소 장치. ㊞ **rè·héater** *n.* 재열기《한 번 쓴 증기의 재사용을 위해 가열하는 장치》.

re·house [rì:háuz] *vt.* 새집을 주다, 새집에 살게 하다.

re·húmanize *vt.* …의 인간성을 회복시키다.

rè·hýdrate *vt.* 〖화학〗 재수화(再水和)하다, (물을 부어 건조식품을) 원상태로 돌리다.

rei [rei] REIS의 단수.

Reich [raik; *G.* raiç] *n.* 《G.》 (이전의) 독일(제국)《the First ~ 제1제국, 신성 로마 제국 (962–1806); the Second ~ 제2제국(1871–1918); the Third ~ 제3제국(1933–45)》.

Reichs·bank [ráiksbæ̀ŋk] *n.* 《G.》 (이전의) 독일 국립 은행《1876–1945년》.

reichs·mark [ráiksmɑ̀:rk] (*pl.* **~s,** ~) *n.* 《G.》 (종종 R-) 라이히스마르크《1925–48년간의 독일 화폐 단위; 생략: RM》.

Reichs·tag [ráikstɑ̀:g] *n.* 《G.》 (이전의) 독일 제국의 의회 (1871–1918).

re·i·fy [rí:əfài, réiə-] *vt.* (추상 관념 따위를) 구체화하다, 구상화하다. ㊞ **rè·i·fi·cá·tion** [-fikéiʃən] *n.* Ⓤ 구상화(具象化).

reign** [rein] *n.* **1** 치세, 성대: in 〔under〕 the ~ of King Alfred 앨프레드 왕의 치세에. **2** 통치, 지배; 통치〔지배〕권, 힘, 세력, 권세: the ~ of law 법의 지배 / Night resumes her ~. 또 밤의 세계가 된다. ***the Reign of Terror 〖프랑스사〗 공포 시대《프랑스 혁명 시 가장 광포했던 1793년 3월–94년 7월》; (r- of t-) 〖일반적〗 공포 시대〔상태〕. ── *vi.* **1** 《~/+전+명》 군림하다, 지배하다《*over*》; 세력을 떨치다, 영향력을 행사하다: The King ~*s*, but he does not rule. 왕은 군림하나 통치하지는 않는다 / ~ *over* people 국민에 군림하다. SYN. ⇨ GOVERN. **2** 《~/+전+명》 널리 퍼지다, 크게 유행하다: Silence ~*ed in* the large hall. 큰 홀은 쥐죽은 듯했다.

réign·ing *a.* 군림하는, 행세하는; 크게 유행하는: the ~ beauty 당대의 미인 / the ~ emperor 〔king〕 금상(今上) 폐하, 현(現)국왕.

rè·ignite *vt.* …에 다시 점화하다.

rè·illúsion *vt.* …에 대한 환상을 회복하다.

rè·imágine *vt.* 다시 상상하다, 새롭게 마음에 그리다; …의 새로운 개념을 만들다; 재창조하다; (상상력으로) 재형성하다(recreate).

re·im·burse [rì:imbə́:rs] *vt.* (빚을) 갚다; 상환하다; …에게 변상〔배상〕하다. ㊞ **~·ment** *n.* Ⓤ **rè·im·búrs·er** *n.*

re·im·port [rì:impɔ́:rt] *vt.* 다시 수입하다, 역수입하다. ── [∸-] *n.* Ⓤ 재수입, 역수입; Ⓒ (보통 *pl.*) 재〔역〕수입품. ㊞ **re·im·por·ta·tion** [rì:impɔ:rtéiʃən] *n.* Ⓤ (수출품 따위의) 재수입; Ⓒ 역수입품.

rè·impóse *vt.* (폐지한 세금 등을) 다시 부과하다. ㊞ **-posítion** *n.* Ⓤ 재부과, 재규제.

rè·impréssion *n.* 재인상; 재판, 번각(reprint).

rein** [rein] *n.* **1** (종종 *pl.*) 고삐: Pull on the ~*s*. 고삐를 당겨라 / with a loose ~ 고삐를 늦추어서, 관대히. **2** Ⓤ,Ⓒ 통어하는 수단; 구속(력). **3** (*pl.*) 지배권, 지휘권. ***assume 〔***drop***〕 ***the ~s of government*** 정권을 잡다〔내놓다〕. ***change the ~*** 말의 진행 방향을 바꾸다. ***draw ~*** =***draw in the ~s*** 고삐를 잡아당기다, 속력을 늦추다, 말을 멈추게 하다. ***gather up* one's *~s*** 고삐를 죄다. ***give*** ((***a***) ***free*** 〔***full***〕) ***~*** 〔***the ~s, a loose ~***〕 ***to*** …에게 자유를 주다, …에게 저 좋을 대로 하게 하다: *give* a horse ~ 〔*the ~s*〕 말을 제멋대로 가게 하다 / *give the ~*(*s*) *to* one's imagination 상상력을 자유로이 펼치다. ***hold*** 〔***keep***〕 ***a ~ on*** 〔***over***〕 …을 엄격히 제어하다. ***hold the ~s*** 정권(등)을 잡고 있다. ***on a long ~*** 고삐를 늦추어. ***on a right*** 〔***left***〕 ***~*** 말을 우〔좌〕로《몰다》. ***shorten the ~s*** 고삐를 당기다. ***take the ~s*** 지도〔지배〕하다. ***throw*** (***up***) ***the ~s to ...*** (말)의 고삐를 놓다, …의 자유에 맡기다.
── *vt.* 《~+목/+목+부》 **1** (말 따위를) 고삐로 어거〔제어〕하다; 멈추게 하다: ~ a horse well 말을 교묘히 어거하다 / ~ *up* 〔*back, in*〕 a horse 고삐를 당겨 말을 세우다〔물리다, 천천히 가게 하다〕. **2** 《비유》 제어〔통어〕하다, (노염 등을) 억제하다: *Rein* your tongue. 말을 삼가라 / ~ *in* one's expenditure 지출을 억제하다. ── *vi.* 《~/+부》 말《따위》를 세우다, 말《따위》의 걸음을 늦추게 하다; (말이) 고삐대로 움직이다: ~ *in* 〔*up*〕 고삐를 당겨 말의 보조를 늦추게〔말을 멈추게〕 하다; 《비유》 억제하다, 삼가다.

re·in·car·nate [rì:inkɑ́:rneit/-∸-∸] *vt.* …에 다시 육체를 부여하다; 화신(化身)시키다, 환생시키다. ── [rì:inkɑ́:rnət, -neit] *a.* 화신을 한; 딴 몸으로 태어난, 환생한.

rè·incarnátion *n.* Ⓤ 다시 육체를 부여함; Ⓒ 화신(化身), 재생, 환생; Ⓤ 영혼 재래설(再來說).

rè·incórporate *vt.* 다시 합동하다, 다시 법인 조직체로 하다.

°**rein·deer** [réindìər] (*pl.* **~s,** 〖집합적〗 ~) *n.* 〖동물〗 순록(馴鹿).

reindeer

réindeer mòss 〔**lì-**

chen〕 『식물』 꽃이끼《순록이 먹는》.
rè·industrializátion *n.* 산업 부흥《경쟁력 강화를 표방하는 미국 정부의 산업 정책》.
rè·inféction *n.* 『병리』 재감염.
re·in·force** [rìːinfɔ́ːrs] *vt.* **1** 《~+목/+목+전+명》 (보강재·버팀목 따위로) 보강하다: ~ a wall *with* mud 진흙으로 벽을 보강하다. **2** 《~+목/+목+전+명》 〔일반적〕 강화하다, 증강하다, 한층 강력하게〔효과적으로〕 하다(strengthen): ~ one's argument *with* facts 사실을 들어 주장을 강화하다 / the enemy *~d with* three other ships 세 척의 배를 추가 지원 받은 적군. **3** (지시에 따른 실험 동물에게) 상을 주다. **— *n. 보강재, 덧대는 것〔천〕; 총상(銃床). ㊞ **~·ment** *n.* **1** Ⓤ 보강, 강화, 증원; (종종 *pl.*) 증원 부대〔함대〕, 원병. **2** (종종 *pl.*) 보강재, 보급품. **3** 『심리』 상을 주는 학습.
reinfórced cóncrete 철근 콘크리트.
reinfórcement thèrapy 『정신의학』 강화 요법《상을 주어 정상적인 반응을 조장시키는 정신병 치료법》. ㊞ **reinfórcement thèrapist**
rè·infórcer *n.* 『심리』 강화 인자(因子)〔자극〕.
re·ínk *vt.* 다시 잉크를 찍다. 「운, 방종한.
réin·less *a.* 고삐 없는, 구속되지 않은; 자유로
reins [reinz] *n. pl.* 《고어》 신장(腎臟); 신장 부분, 허리(loins); 감정과 애정.
rè·insért *vt.* …을 다시 끼워 넣다(써넣다).
réins·man [-mən] (*pl.* **-men** [-mən, -mèn]) *n.* 기수(騎手), 고삐 다루는 솜씨가 좋은 마부.
rè·instáte *vt.* 본래대로 하다; …의 건강을 회복시키다; 복위〔복직, 복권〕시키다. ㊞ **~·ment** *n.*
rè·instrúct *vt.* 다시 가르치다, 재교육하다.
rè·insúre *vt.* …을 위해 재보험을 들다. **— *vi.*** (안전 등에 대한) 보증을 더욱 확실하게 하다. ㊞ **-súrable** *a.* **-súrance** *n.* 재보험(액). **-súrer** *n.* 재보험자.
re·íntegrate *vt.* 다시 완전하게 하다, 회복하다; 재건〔부흥〕하다; 재통합〔재통일〕하다. ㊞ **rè·integrátion** *n.* Ⓤ 재건, 재통일.
rè·intér (*-rr-*) *vt.* 고쳐 묻다, 개장(改葬)하다.
rè·intérpret *vt.* 새로 해석하다.
rè·introdúce *vt.* 재도입하다, 재수입하다; 다시 제출하다; 재소개하다. ㊞ **rè·introdúction** *n.*
rè·invént *vt.* 재발명하다; 철저하게 다시 고치다, 개혁하다. ㊞ **rè·invéntion** *n.*
rè·invést *vt.* 재투자하다; …에게 다시 주다《*with*》; 재서임하다《*in*》. ㊞ **~·ment** *n.*
rè·invígorate *vt.* 다시 활기차게 하다, 소생시키다. ㊞ **rè·invigorátion** *n.*
reis [reis] (*sing.* **re·al** [reiάːl], **rei** [rei]) *n. pl.* 포르투갈 및 브라질의 옛 화폐 단위.
rè·íssue *vt.* 재발행하다《증권·서적·통화 따위를》; …에게 (물건을) 재지급하다《*with*》. **— *vi.*** 다시 나오다〔나타나다〕. **— *n.*** 재발행(물)《도서·통화》; 신간(新刊).
REIT [riːt] 《미》 real estate investment trust (부동산 투자 신탁).
re·it·er·ant [riːítərənt] *a.* 여러 번 반복되는.
re·it·er·ate [riːítərèit] *vt.* (명령·탄원 등을) 되풀이하다, 반복하다: ~ the command 명령을 복창하다. ㊞ **re·ìt·er·á·tion** *n.* 반복; 되풀이하는 말; 『인쇄』 이면 인쇄. **re·ít·er·à·tor** *n.*
re·it·er·a·tive [riːítərèitiv, -rə-/-rə-] *a.* 반복하는. **— *n.*** 『문법』 첩어《dillydally, willynilly 등》.
Réi·ter's sỳndrome 〔**disèase**〕 [ráitərz-] 『병리』 라이터 증후군《요도염·결막염·관절염 징후를 동반하는 원인 불명의 질환; 독일의 세균학자 Hans Conrad Julius Reiter (1881–1969)의 이름에서》.
reive [riːv] *vt.*, *vi.* 《Sc.》 = REAVE. ㊞ **réiv·er** *n.*
re·jas·ing [riːdʒéisiŋ] *n.* 《미》 폐기물 재이용. [◂ *re*using *j*unk *as* somethi*ng* else] ㊞ **re·jás·er** *n.*
***re·ject** [ridʒékt] *vt.* **1 a** (요구·제의 등을) 거절하다, 사절하다, 각하하다. SYN. ⇨ REFUSE. **b** (무효·불량품으로서) 물리치다, 버리다; 퇴짜 놓다, 무시하다: ~ fruit that is overripe 너무 익은 과일을 버리다. **2** (위가 음식을) 받지 않다, 게우다; 『생리』 (이식된 장기(臟器) 따위에) 거부 반응을 나타내다. **3** (record changer가 세트한 판을) 연주하지 않고 건너뛰다. ◇ rejection *n.* **—** [ríːdʒekt] *n.* 거부된 물건〔사람〕, 불합격품〔자〕, 파치. ㊞ **~·a·ble** [ridʒéktəbəl] *a.* **~·er** *n.* 거절자. **re·jec·tive** [ridʒéktiv] *a.*
re·jec·ta·men·ta [ridʒèktəméntə] *n. pl.* 폐기물, 폐물, 쓰레기; 해안으로 쓸려온 표착물《해조물, 난파물 따위》; 배설물.
re·ject·ee [ridʒektíː, -dʒékti, -riːdʒektíː] *n.* 거절당한 자; (징병 검사의) 불합격자.
°**re·jec·tion** [ridʒékʃən] *n.* Ⓤ,Ⓒ **1** 거절, 기각; 부결. **2** 구토; 폐기〔배설〕물. **3** 『생리』 거부 (반응). ◇ reject *v.*
rejéction frònt 거부 전선(戰線)《이스라엘과의 어떤 교섭·화평도 모두 거부하는 아랍 제국 및 아랍인 조직의 전선》.
re·jéc·tion·ist *n.*, *a.* 거부파(의)《이스라엘과의 교섭·화평을 일절 거부하는 아랍 지도자·조직·국가》. 「반송하는) 거절 쪽지.
rejéction slìp (출판사가 원고에 붙여 저자에게
rejéctive árt = MINIMAL ART.
re·jec·tiv·ist [ridʒéktəvist] *n.* = MINIMALIST.
re·jec·tor [ridʒéktər] *n.* = REJECTER; 『전기』 제파기(除波器).
re·jíg (*-gg-*) *vt.* (공장)에 새로운 시설을 갖추다; 재조정〔재정비〕하다.
rè·jígger *vt.* 《구어》 = REJIG.
re·joice** [ridʒɔ́is] *vi.* **1** 《~/+전+명/+*to* do/+*that* 절》 기뻐하다, 좋아하다, 축하하다《*at; in; over; on*》: ~ *at* the news 그 소식에 기뻐하다 / They all *~d over* the victory. 그들은 모두 승리를 축하했다 / She *~d to* hear of his success. = She *~d* (*to* hear) *that* he (had) succeeded. 그의 성공을 듣고 그녀는 기뻐했다. **2** 《+전+명》 누리고 있다, 부여되어 있다《*in*》: ~ *in* good health 건강을 누리다. **— *vt. 기쁘게 하다, 즐겁게 하다: a song to ~ the heart 마음을 즐겁게 하는 노래 / I am *~d* to see you. 만나뵙게 되어 기쁩니다. **~ *in*** 〔***at***〕 ① ⇨ *vi.* ② 《우스개》 (이름·칭호를) 갖고 있다, …라고 불리다.
re·jóic·ing *n.* Ⓤ 기쁨, 환희; (*pl.*) 환호, 환락, 축하: public *~s* 축제. ㊞ **~·ly** *ad.* 기쁘게, 환호하여, 축하하여.
°**re·join**[1] [rìːdʒɔ́in] *vt.* **1** 재(再)접합하다. **2** 다시 함께 되게 하다; …에 복귀하다. **— *vi.*** 본래대로 접합하다; 재(再)합동〔재결합〕하다; 재회하다.
re·join[2] [ridʒɔ́in] *vt.* 대답하다, 대꾸하다《*that*》. SYN. ⇨ ANSWER. **— *vi.*** **1** 응답〔답변〕하다. **2** 『법률』 (피고가) 제 2 답변을 하다.
re·join·der [ridʒɔ́indər] *n.* **1** 대답, 답변; 대꾸. **2** 『법률』 (피고의) 제 2 답변(서).
re·ju·ve·nate [ridʒúːvənèit] *vt.* 도로 젊어지게 하다, 활기 띠게 하다. **— *vi.*** 도로 젊어지다, 원기를 회복하다. ㊞ **re·jù·ve·ná·tion** *n.* Ⓤ 되젊어짐, 회춘, 원기 회복. **re·jú·ve·nà·tor** [-tər] *n.* **1** 회춘약; 되젊어지게 하는 약. **2** 회춘 전문의(醫).
re·ju·ve·nesce [ridʒùːvənés] *vi.*, *vt.* 도로 젊어지(게 하)다; 『생물』 (세포가) 새 활력을 얻다; …에 활력을 주다.
re·ju·ve·nes·cent [ridʒùːvənésnt] *a.* 도로

젊어지(게 하)는, 회춘의. ㊐ -cence n. Ⓤ 도로 젊어짐, 회춘; 〖생물〗 세포의 재성(再成).

re·ju·ve·nize [ridʒúːvənàiz] vt. =REJUVENATE.

rè·kéy vt. 〖컴퓨터〗 (데이터를) 키보드에서 다시 입력하다.

re·kíndle vt., vi. …에 다시 불붙이다; 다시 불타다; 다시 기운을 돋우다〔기운이 나다〕.

rel. relating; relative(ly); religion; religious.

re·lábel (*-l-*, 《영》 *-ll-*) vt. **1** 표찰을〔딱지를〕 다시 붙이다. **2** 새 이름을 붙이다, 명칭을 갈다.

re·láid RE-LAY의 과거·과거분사.

◇**re·lapse** [rilǽps] n. Ⓒ **1** 거슬러 되돌아감; 다시 나쁜 길〔버릇〕에 빠짐; 타락, 퇴보《*into*》: ~ *into* heresy 다시 이단에 빠짐. **2** 〖의학〗 재발: have a ~ 병이 도지다. **—** vi. **1** 《~/+전+명》 (원상태·습관으로) 되돌아가다, 다시 빠지다《*into*》: ~ *into* silence 다시 조용해지다. **2** (병이) 재발하다.

relápsing féver 〖의학〗 재〔회〕귀열.

‡**re·late** [riléit] vt. **1** 《~+목/+목+전+명》 관계시키다, 관련시키다, 관련시켜서 설명하다《*to; with*》: ~ the result *to* 〔*with*〕 a cause 결과를 어떤 원인에 결부시키다. **2** 《+목+전+명》 〖수동태〗 …와 친척이다, …와 이어져 있다《*to*》: He *is* distantly ~*d to* my father. 그는 아버지의 먼 친척이다. **3** 《~+목/+목+전+명》 이야기하다, 말하다: curious to ~ 이상한 이야기지만/He ~*d* (*to* us) some amusing stories. 그는 (우리에게) 재미있는 이야기를 해 주었다. SYN. ⇨SPEAK. **—** vi. **1** 《~/+전+명》 관계가〔관련이〕 있다《*to*》: I can't see how these two pieces of evidence ~. 이 두 증거가 어떤 관계가 있는지 알 수 없다/This letter ~*s to* business. 이 편지는 사업상의 것이다. **2** 《+전+명》 (사람이) 사회적 관계를 갖다《*to*》: ~ well *to* people 사람들과 좋은 관계를 갖다. **3** 《+전+명》 부합〔합치〕하다《*with*》: Your explanation doesn't ~ well *with* his. 너의 설명은 그의 설명과 잘 부합되지 않는다. ◇relation n. ~ ***back to*** (법률 따위가) …에 소급하여 적용되다〔발효하다〕. ***relating to*** …에 관하여. ㊐ **re·lát·a·ble** a. **re·lát·er** n.

***re·lat·ed** [riléitid] a. **1** 관계있는, 관련된; 상관하고 있는; 동류의; 동족〔친척·혈연·인척〕의; 〖음악〗 (음·화음·가락이) 근접의: other ~ subjects 딴 관련 과목/a question ~ *to* his lecture 그의 강의와 관련된 질문/~ languages 동족어. **2** 이야기된. ㊐ **~·ly** ad. **~·ness** n.

‡**re·la·tion** [riléiʃən] n. Ⓤ **1** 관계, 관련: ⇨ POOR RELATION/the ~ *between* cause and effect 인과 관계/have ~ *to* …와 관계가 있다. **2** (*pl.*) 사이, 국제 관계; (사람과의) 이해관계; (이성과의) 성적 관계: the friendly ~*s between* Korea and the United States 한미 간의 우호 관계/have (sexual) ~*s with* …와 성관계를 갖다. **3 a** 친족〔혈연〕 관계, 연고《이 뜻으로는 보통 relationship》. **b** Ⓒ 친척《이 뜻으로는 보통 relative》; (유언이 없는 경우의) 유산 상속권자: Is he any ~ *to* you?=Is he a ~ of yours? 그는 네 친척이냐. **4** 설화(說話), 진술; 이야기: make ~ to …에 언급하다. **5** 〖법률〗 relator의 범죄 신고. **6** (법 효력의) 소급《*to*》. **7** 〖컴퓨터〗 관계. ◇ relate v. ***bear no ~ to*** =***be out of all ~ to*** … 와 전혀 어울리지 않다. ***in*** 〔***with***〕 ***~ to*** …에 관하여. ㊐ **~·less** a. 관계없는, 친척이 없는, 의지가지없는, 고독한.

re·la·tion·al [riléiʃənəl] a. 관계가 있는; 친족의; 〖문법〗 문법 관계를 나타내는, 상관적인. ㊐ **~·ly** ad.

relátional dátabase 〖컴퓨터〗 관계 데이터베이스《데이터를 계층 구조가 아닌 표(table)의 간단한 형식으로 나타내어, 표의 분할·결합·추가·삭제 등을 자유롭게 할 수 있도록 하여 복잡한 데이터의 정리를 쉽게 하며 운용도 유연하게 행할 수 있도록 한 것; 생략: RDB》.

relátional grámmar 〖언어〗 관계 문법《생성(生成) 문법의 입장에서, 주어·목적어 따위의 문법적 관계를 문장의 근저(根底)에 있는 문법 구조에 직접 도입시켜 문법 규칙을 설명·체계화하려는 것》.

‡**re·la·tion·ship** [riléiʃənʃìp] n. Ⓤ,Ⓒ **1** 친족 관계, 연고 관계; 〖생물〗 유연(類緣) 관계: What is your ~ *to* him?—I'm his father. 그와는 어떤 관계입니까—나는 그의 아버지입니다. **2** 관계, 관련: the ~ *between* wages and prices 〔*of* wages *with* prices〕 임금과 물가의 관계. ***the degree of ~*** 촌수, 친등(親等).

rel·a·ti·val [rèlətáivəl] a. 〖문법〗 관계사의, 《특히》 관계대명사의. ㊐ **~·ly** ad.

‡**rel·a·tive** [rélətiv] a. **1** 비교상의, 상대적인: They are living in ~ comfort. 그들은 비교적 편하게 살고 있다/~ merits 〔advantages〕 of A and B 〔of the two〕, A와 B 〔양자〕의 우열. cf. absolute, positive. **2** 상호의; 상관적인; 비례하는: Supply is ~ *to* demand. 공급은 수요에 비례한다. **3** …나름의, …에 의한: Beauty is ~ *to* the beholder's eye. 미추(美醜)는 보는 사람의 눈에 따라 다르다. **4** 관계〔관련〕 있는, 적절한《*to*》; 〖음악〗 관계의; 〖문법〗 관계를 나타내는: a fact ~ *to* the accident 그 사고와 관계 있는 사실. **—** n. **1** 친척, 친족, 인척. cf. kinsman. **2** 관계물〔사항〕; 상대적 존재; 상대어. **3** 〖문법〗 관계사(詞). ⇨ 《부록》 RELATIVE. ㊐ **~·ness** n.

rélative áddress 〖컴퓨터〗 상대(相對) 번지《다른 번지〔기준 번지〕로부터 떨어진 거리로써 표현된 번지》. cf. base address.

rélative ádjective 〔**ádverb**〕 〖문법〗 관계형용사〔관계부사〕.

rélative áperture 〖광학〗 (망원경·카메라 등의) 구경비(比)(aperture ratio).

rélative atómic máss =ATOMIC WEIGHT.

rélative biológical efféctiveness 생물(학적) 효과비(効果比)《생략: RBE》.

rélative cláuse 〖문법〗 관계(사)절.

rélative dénsity 〖물리〗 비중; 상대 밀도.

rélative fréquency 〖통계〗 상대 도수〔빈도〕.

rélative humídity 〖기상〗 상대 습도.

◇**rél·a·tive·ly** ad. **1** 비교적: a ~ small difference. **2** …에 비교하여, …에 비례(比例)하여, …에 비해서《*to*》: a writer well-known ~ *to* his merit 그 진가만큼 널리 알려진 작가.

rélative majórity 《영》 상대다수《선거에서 과반수 미달인 경우의 수위》. cf. absolute majority.

rélative prónoun 〖문법〗 관계대명사.

rélative wínd 〖물리〗 상대풍(風), 상대 기류《비행 중인 비행기 날개에 대한 공기의 움직임》.

rel·a·tiv·ism [rélətivìzəm] n. Ⓤ 〖철학〗 상대주의; 〖물리〗 상대성 이론. ㊐ **-ist** n. 상대주의자.

rel·a·tiv·is·tic [rèlətivístik] a. 〖철학〗 상대주의의; 〖물리〗 상대론적인: ~ quantum mechanics 〖물리〗 상대론적 양자론.

rel·a·tiv·i·ty** [rèlətívəti] n. Ⓤ 관련성, 상대성; 의존성; 〖철학·물리〗 상대성 (이론); (종종 *pl.*) 《영》 (임금의) 상대적 격차. ***the principle of ~ 상대성 원리. ***the theory of ~*** 상대성 이론.

rel·a·tiv·ize [rélətivàiz] vt. 상대화하다, 상대적으로 다루다〔생각하다〕. ㊐ **rèl·a·tiv·i·zá·tion** n.

re·la·tor [riléitər] n. 이야기하는 사람; 〖법률〗 범죄 신고자, 고발인.

re·láunch vt. 재출발시키다, 다시 시작하게 하다; (제품을) 다른 형태로 해서 팔다. ── *n.* 재발매, 재출발.

re·lax [rilǽks] *vt.* **1 a** 늦추다, 완화하다: ~ one's grip 움켜쥔 것을 늦추다. **b** 변통(便通)케 하다: ~ the bowels 변통시키다. **2 a** (주의·노력 따위를) 덜하다, 늦추다. **b** …의 긴장을 풀다, 편하게 하다, 쉬게 하다: ~ the mind. **3** (법·규율 따위를) 관대하게 하다, 경감〔완화〕하다(mitigate). ── *vi.* **1** 느슨해지다: His hands ~*ed*. 꽉 쥔 손이 느슨해졌다. **2** 《~/+전+명》 누그러지다, 약해지다; 관대하게 되다: ~ *into* a smile 얼굴을 펴다. **3** 《~/+전+명》 마음을 풀다, (마음의) 긴장을 풀다, 피로를 풀다: Sit down and ~. 앉아서 편히 쉬시오/*Relax*, man! 자 좀 진정해요/They ~*ed into* friendly conversation. 그들은 터놓고 다정히 이야기하기 시작했다. SYN. ⇨REST. ◇relaxation *n.* **~ *away*** 편안히 지내며 (병 등을) 고치다. **~ (*in*) one's *efforts*** 노력을 덜하다. **~ one's *attention*** 마음을 놓다, 방심하다.

re·lax·ant [rilǽksənt] *a.* 늦추는, 이완성(弛緩性)의. ── *n.* 이완제; 완하제(laxative).

re·lax·a·tion [rì:lækséiʃən] *n.* U **1** 느즈러짐, 풀림, 이완(弛緩); (의무·부담 따위의) 경감, 완화: the ~ *of* international tension 국제적 긴장 완화/There must be no ~ *in* our quality control. 우리 회사의 품질 관리에 소홀함이 있어서는 안 된다. **2** 긴장을 풂, 휴양: I want a ~ from my labors. 쉬고 싶다. **3** U,C 소창(消暢), 오락. **4** 쇠약, 정력 감퇴. **5** 〖수학〗 완화법. ◇relax *v.*

re·lax·a·tive [rilǽksətiv] *a.* 늦추는; 긴장을 「진정시키는.

re·láxed [-t] *a.* 느즈러진, 누그러진, 긴장을 푼, 편한. 파 **~·ly** [-lǽksidli, -stli] *ad.*

reláxed thróat 〖의학〗 인후염(咽喉炎).

re·lax·in [rilǽksin] *n.* 〖생화학〗 릴랙신《난소 황체에서 분비되는 출산 촉진 호르몬》.

re·láx·ing *a.* 늦추는, 이완〔완화〕하는; (기후 등이) 나른하게 하는; 편안케 하는, 기분을 느긋하게 하는. 「는 약.

re·lax·or [rilǽksər] *n.* 《미》 고수머리를 펴

re·lay[1] [rí:lei/rí:lei, riléi] *n.* **1 a** 교대반, 신참; 새로운 공급, 신재료: work in 〔by〕 ~(s) 교대제로 일하다. **b** (여행·사냥 따위에서) 갈아타는 말, 역말(=∠ **hòrse**); (사냥의) 교대용 개; (역말이 있는) 역참(驛站). **2** 〖경기〗 =RELAY RACE; 릴레이의 각 선수 분담 거리; (공 따위의) 중계, 패스, 배턴 터치. **3** 〖전기〗 계전기(繼電器); 〖컴퓨터〗 릴레이, 중계기. **4** 〖기계〗 =SERVOMOTOR. **5** (R-) 《미》 릴레이 위성《라디오·TV의 신호를 송수신하는 일련의 저고도(低高度)의 증폭 중계 실험용 통신 위성》. **6** 중계; 중계방송; 중계 장치: by ~ 중계로. **7** (트럭 등에 의한) 릴레이식 운송〔전달〕. ***a stage ~ broadcast*** 무대 중계.
── [rí:lei, riléi] *vt.* **1** 《~+목/+목+전+명》 (전언(傳言)·공 따위를) 연락하다; 〖통신〗 중계하다: The concert was ~*ed* live from Carnegie Hall. 그 음악회는 카네기홀에서 생중계되었다/I ~*ed* the news *to* him. 그 소식을 그에게 전해 주었다. **2** 교대자를 준비하다; 새 사람〔것〕으로 바꾸게 하다, …에게 이어달릴 말을 주다; …에 새 재료를 공급하다. ── *vi.* **1** 새 교대자를 얻다. **2** 중계 방송하다.

re·lay[2] [rì:léi] (*p., pp.* ***-laid***) *vt.* =RE-LAY.

re-láy (*p., pp.* ***-laid*** [-léid]) *vt.* **1** 다시 놓다; (철도 따위를) 다시 부설하다; 고쳐 칠하다. **2** (세금 따위를) 다시 부과하다. 「unit).

rélay mobìle (방송용) 중계차(車)(mobile

rélay ràce 릴레이 경주〔경영(競泳)〕, 계주.

rélay stàtion 〖통신〗 중계국(局).

re·léarn *vt.* 다시〔고쳐〕 배우다.

re·lease [rilí:s] *vt.* **1** 《~+목/+목+전+명》 풀어놓다, 떼(어놓)다, (손을) 놓다; (폭탄을) 투하하다; 방출하다: ~ one's hold 잡았던 손을 놓다/~ hair *from* pins 핀을 빼고 머리를 풀다. **2** 《~+목/+목+전+명》 방면(放免)하다, 해방〔석방〕하다; 면제〔해제〕하다《*from*》: ~ a person *from* a debt 〔his suffering〕 아무의 빚을 면제하다〔아무를 괴로움에서 구하다〕. **3** 〖법률〗 포기〔기권, 양도〕하다. **4** 《~+목/+목+전+명》 (영화를) 개봉하다; (정보·레코드·신간 등을) 공개〔발표, 발매〕하다: ~ a statement *to* the press 보도진에 성명을 발표하다. **5** (식료·물자를) 방출하다; 〖기계〗 배출〔방출〕하다. ── *n.* U **1** 해방, 석방, 면제: ~ *from* jail 교도소로부터의 출감. **2** 발사, (폭탄의) 투하. **3** U,C 발표〔공개, 발매〕(물); 개봉 (영화): the newest ~*s* 최신의 개봉 영화. **4** U,C 〖법률〗 양도〔기권〕 (증서). **5** 〖기계〗 시동〔정지〕 장치《핸들·바퀴 멈추개 따위》; 〖전기〗 안전기; (사진기의) 릴리스. **6** 〖컴퓨터〗 발매《하드웨어나 소프트웨어 신제품을 시장에 내놓음》. 파 **re·léas·a·ble** *a.* **~·ment** *n.* U

rè·léase *vt.* (토지·가옥 따위의) 계약을 갱신하여 빌려 주다, 전대(轉貸)하다.

reléase còpy 사전 보도 자료《출판·방송 일시를 지정한 기사》.

reléase dàte release copy의 보도 시한(時限).

reléase(d) tíme 《미》 자유 시간《교외(校外) 활동·종교 교육 등을 위한 시간》.

re·leas·ee [rili:sí:] *n.* 〖법률〗 (권리·재산의) 양수인(讓受人); (채무의) 피(被)면제자.

reléase prìnt 〖영화〗 개봉 영화〔필름〕, 일반 상영용 필름.

re·léas·er *n.* 해방자, 석방자; 〖생물〗 릴리서《동물이 지닌 특성이 동종(同種)의 다른 개체의 특정한 반응을 유발하는 요인》.

reléasing fàctor 〖생물〗 호르몬 방출 인자.

re·lea·sor [rilí:sər] *n.* 〖법률〗 기권자; (권리·재산의) 양도인.

rel·e·gate [réləgèit] *vt.* 《+목+전+명》 **1** 퇴거를 명하다, 추방하다《*out of*》; 지위를 떨어뜨리다, 좌천시키다《*to; into*》: ~ a person *to* an inferior post 아무를 좌천하다. **2** (어떤 종류·등급에) 속하게 하다, 분류하다《*to*》: ~ a new species *to* a given family 신종(新種)을 소정의 과(科)에 넣다. **3** (사건 등을) 이관하다, 위탁하다; 조회시키다. 파 **rél·e·ga·ble** [-gəbəl] *a.* **rèl·e·gá·tion** *n.* U

re·lent [rilént] *vi.* **1** 《~/+전+명》 상냥스러워지다, 누그러지다; 측은하게 생각하다, 가엾게 여기다《*toward; at*》: She would not ~ *toward* him. 그녀는 그를 용서하려들지 않았다. **2** (바람 등이) 약해지다. 파 **~·ing·ly** *ad.*

re·lent·less *a.* 가차없는, 잔인한; 혹독한: a ~ enemy 잔인한 적/He was ~ *in* demanding repayment of the debt. 그는 가차없이 빚을 갚으라고 요구했다. 파 **~·ly** *ad.* **~·ness** *n.*

re·let [ri:lét] *vt.* (토지·가옥 등을) 다시 빌려주다. ── [∠∸] *n.* 《영》 다시 임대하는 주거.

rel·e·vance, -cy [réləvəns], [-si] *n.* U **1** (직접적인) 관련, 관련성; 타당성, 적당, 적절(성): have *relevance to* …에 직접 관련되어 있다. **2** 〖컴퓨터〗 (사용자가 필요로 하는 자료의) 적합성.

rel·e·vant [réləvənt] *a.* (당면한 문제에) 관련된; 적절한, 타당한《*to*》; 《구어》 의미 있는. SYN. ⇨PROPER. ~ evidence 〖법률〗 관련성이 있는 증거. 파 **~·ly** *ad.* 적절하게, 요령 있게.

re·lì·a·bíl·i·ty *n.* U 신빙성, 확실성: ~ trial (자동차 등의) 장거리 시험; 〖컴퓨터〗 신뢰성, 신뢰도

《고장 없이 기능을 수행할 수 있는 능력의 척도》.

‡**re·li·a·ble** [riláiəbəl] *a.* 의지가 되는, 믿음직한, 미더운; 확실한, 신뢰성 있는: news from ~ sources 확실한 소식통으로부터의 뉴스. **—** *n.* 의지가 되는 것〔사람〕, 신뢰할 수 있는 것〔사람〕. ◇ rely *v.* [파] **-bly** *ad.* **~·ness** *n.*

*__re·li·ance__ [riláiəns] *n.* [U] 믿음, 의지, 신뢰; [C] 믿음직한 사람〔물건〕, 의지할 곳; 〖법률〗 의존 관계. ◇ rely *v.* ***feel*** 〔***have, place, put***〕 ***~ upon*** 〔***on, in***〕 …을 신뢰하다, …에 의지하다. ***in ~ on*** 〔***upon***〕 …을 신뢰하여.

re·li·ant [riláiənt] *a.* 믿는, 의지하는, 신뢰하는 《*on, upon*》; 《미》 자신을 믿는(self-~). **—** *n.* (R-) 릴라이언트《영국 Reliant Motor사제(製)의 자동차》. [파] **~·ly** *ad.*

◇**rel·ic** [rélik] *n.* **1** (*pl.*) 유적, 유물; (풍속·신앙 따위의) 잔재, 유풍(遺風): ~*s* of antiquity 고대의 유물. **2** (성인·순교자의) 성골(聖骨), 유골, 성물(聖物); 유품, 기념품. **3** (*pl.*) 《고어·시어》 시체, 유골(remains). **4** 〖생태·지학〗 = RELICT; 〖언어〗 잔류어〔발음, 형태〕. [파] **~·lìke** *a.*

rel·ict [rélikt] *n.* **1** 〖생태〗 잔존 생물《환경 변화로 한정된 지역에만 살아남은 생물》; 〖지학〗 잔존 광물〔구조, 조직〕; 《고어》 = RELIC. **2** 팔고 남은 것. **3** 《고어》 미망인, 과부.

re·lic·tion [rilíkʃən] *n.* (해면·호수면의) 수위 감퇴에 의한 토지의 증대; 수위 감퇴 고정지.

‡**re·lief** [rilí:f] (*pl.* **~s**) *n.* **A** [U] **1 a** (고통·곤란·지루함 따위의) 경감, 제거: give a patient ~ from pain 환자의 아픔을 덜어 주다. **b** 안심, 위안; 소창; 휴식: feel a sense of ~ 안도감을 느끼다. **2 a** 구원, 구조, 구제; 원조 물자〔자금〕: a ~ fund 구제 기금 / ~ works 실업 구제 사업 / ⇨ OUTDOOR 〔INDOOR〕 relief. **b** (버스·비행기 등의) 증편(增便). **3** 교체, 증원; [C] 교체자〔병〕: one's ~ 교체하는 사람 / a ~ shift 반(半)야근, 오후 교대(swing shift) 《오후 4-12 시까지》.
B [U] **1 a** 〖조각〗 부조(浮彫); 양각(陽刻) 세공; 〖회화〗 돋보이게 그리기, 윤곽의 선명. [cf.] intaglio. ¶ high 〔low〕 ~ 높은〔얕은〕 부조. **b** 〖인쇄〗 = RELIEF PRINTING. **2** 두드러짐, 탁월; 강조. **3** (토지의) 고저, 기복. ◇ relieve *v.* ***bring*** 〔***throw***〕 ***into ~*** 눈에 띄게 하다, 선명하게 하다. ***for the ~ of*** …의 구제를 위하여. ***in ~*** 부조(浮彫)로 한; 눈에 띄게, 뚜렷이. ***on ~*** 정부의 구호를 받고. ***stand out in bold*** 〔***strong***〕 ***~*** 뚜렷이 두드러져 보이다. ***to*** one***'s ~*** 한시름 놓고.
— *a.* 돋을새김으로 한; 표면이 매끈하지 않은; 철판(凸板) 인쇄의.

relíef àce 〖야구〗 릴리프 에이스《팀 내에서 가장 신뢰받는 구원 투수》.「보호를 받고 있는 사람.

re·líef·er *n.* 〖야구〗 구원 투수; 《미구어》 생활

relíef màp 기복(起伏)〔모형〕 지도.

relíef pìtcher 〖야구〗 구원 투수.「press).

relíef prìnting 〖인쇄〗 철판(凸版) 인쇄(letter-

relíef ròad 《영》 (교통 체증을 덜기 위한) 우회로(bypass).

relíef vàlve 〖기계〗 안전 밸브.「rely.

re·li·er [riláiər] *n.* 신뢰자, 의뢰자《*on*》. [cf.]

‡**re·lieve** [rilí:v] *vt.* **A 1 a** (고통·부담 따위를) 경감하다, 덜다, 누이다: No words will ~ my sorrow. 어떤 위안의 말도 나의 슬픔에 위로가 되지 않는다. [SYN.] ⇨ COMFORT. **b** 안도케 하다; (긴장 따위를) 풀게 하다. **c** 《~+[목]/+[목]+[전]+[명]》 (고통·공포로부터) 해방하다, (걱정을) 덜다《*of; from*》; 《우스개》 …을 훔치다《*of*》: ~ a person *from* fear 아무의 공포를 제거하다 / A thief ~*d* him *of* his purse. 도둑이 그의 지갑을 훔쳤다. **2** 《~+[목]/+[목]+[전]+[명]》 구원하다; 구제〔구조〕하다; …에 보급하다: ~ a besieged town / ~ a lighthouse by ship 배로 등대에 (식료품 등을) 보급하다 / ~ the poor *from* poverty 빈곤에서 빈민을 구제하다. **3** 《~+[목]/+[목]+[전]+[명]》 (아무를) 해임하다《*of*》; (아무로부터) 해제하다《*of*》; …와 교체하다〔교체시키다〕; 〖야구〗 구원〔릴리프〕하다: ~ a person *of* his post 아무를 해임하다 / ~ the guard 수위를 교체시키다 / She ~*d* the nurse. 그녀는 간호사와 교대했다. **4** (단조로움을) 덜다; …에게 변화를 갖게 하다: ~ the tension of a drama with comic episodes 희극적인 삽화를 넣어 극의 긴장을 풀다.
B 《~+[목]/+[목]+[전]+[명]》 돋보이게 하다, 눈에 띄게 하다: a mountain ~*d against* the blue sky 창공에 우뚝 솟은 산. **—** *vi.* **1** 구원하다; 〖야구〗 구원 투수를 하다. **2** 두드러지다. ***~ nature*** 〔***the bowels,*** one***self***〕 용변을 보다. ***~*** one***'s feelings*** (울거나 고함쳐서) 답답함〔울분〕을 풀다.
[파] **re·líev·a·ble** *a.* **re·líev·er** *n.* ~하는 사람〔물건〕; 〖야구〗 = RELIEF PITCHER.

relíeving òfficer 〖영국사〗 (행정 교구 등의) 빈민 구제관.

re·lie·vo [rilí:vou, -ljév-/-lí:v-] (*pl.* **~s**) *n.* 〖조각〗 부조(浮彫)(relief). [cf.] alto-〔basso-, mezzo-〕relievo. ***in ~*** 부조(浮彫)로 한〔하여〕.

relig. religion; religious.

‡**re·li·gion** [rilídʒən] *n.* **1** [U,C] 종교; [C] 종파: the freedom of ~ 종교의 자유. **2** [U] 신앙 (생활), 신앙심: lead the life of ~ 신앙 생활을 하다. **3 a** 귀중한 의무; 신조. **b** 《고어》 (주의 등에의) 헌신, 신봉. ◇ religious *a.* ***be in ~*** 수사〔성직자〕이다. ***enter*** (***into***) ***~*** 신앙 생활로 들어가다, 수도원에 들어가다, 성직을 맡다. ***get*** 〔***experience***〕 ***~*** 《구어》 신자가 되다, 신앙 생활로 들어가다; 《구어》 매우 진지해지다. ***make a ~ of*** do*ing* = ***make it ~ to*** do (신조처럼 지켜) 반드시 …하다. [파] **~·ìsm** *n.* [U] 종교에 미침, 신심삼매(信心三昧); 독실한 체함. **~·ist** *n.* 독실한 신자; 광신자; 사이비 신앙가. **~·less** *a.* 무종교의, 신앙(심)이 없는.

re·lí·gion·er *n.* 수사(修士); = RELIGIONIST.

re·lí·gion·ìze *vt.* …에게 믿음이 일게 하다; 종교적으로 해석하다.

re·li·gi·ose [rilìdʒióus, -ˊ-ˊ-/-ˊ-ˊ-] *a.* 믿음이 깊은; 좀 광신적인. [파] **-os·i·ty** [rilìdʒiásəti/-ɔ́s-] *n.* [U]

*__re·li·gious__ [rilídʒəs] *a.* **1** 종교(상)의, 종교적인. [opp] *secular.* ¶ ~ rites 종교적인 의식 / ~ ecstasy 법열. **2 a** 신앙의, 신앙심이 깊은, 경건한; (the ~) 종교가들, 신앙인들: a ~ life 신앙 생활 / a ~ man 독실한 신앙인. **b** 계율을 따르는, 수도의; 수도회에 속한, 교단의: a ~ order 수도회. **3** 양심적인, 세심한(scrupulous): with ~ care 〔exactitude〕 용의주도하게. ◇ religion *n.* **—** (*pl.* **~**) *n.* 수도자, 수사, 수녀. [파] **~·ly** *ad.* 독실하게; 경건히; 양심적으로. **~·ness** *n.*

relígious educátion 〔**instrúction**〕 종교교육.

relígious hòuse 수도원(convent).

Relígious Socíety of Fríends (the ~) = the SOCIETY of friends.

relígious tólerance 종교적 관용.

rè·líne *vt.* 줄을 다시 긋다; 안(감)을 다시 대다.

◇**re·lin·quish** [rilíŋkwiʃ] *vt.* **1** 《~+[목]/+[목]+[전]+[명]》 (소유물 따위를) 포기〔양도〕하다; 그만두다; 버리다, 단념하다, 철회하다. [cf.] abandon[1], renounce. ¶ ~ hope 〔a habit, a belief〕 희망〔습관, 신앙〕을 버리다 / ~ the throne *to* a person 왕위를 아무에게 양위하다. **2** …의 손을 늦추다, 손에서 놓다: ~ one's hold 쥔 손을 늦추다〔놓다〕. **3** (고국 따위를) 떠나다. [파] **~·ment** *n.* [U] 포기, 철회; 양도.

rel·i·quary [réləkwèri/-kwəri] *n.* 성골함(聖骨函), 성물함(聖物函), 유물함.

rel·ique [rélik] *n.* 《고어》 =RELIC.

re·liq·ui·ae [rilíkwiìː] *n. pl.* 유물; 유해; 화석; 시든 채 줄기에 붙어 있는 잎.

*__rel·ish__ [réliʃ] *n.* **1** Ⓤ (*or* a ~) 맛, 풍미(flavor), 향기: a ~ of garlic 마늘의 맛/eat meat with (a) ~ 맛있게 고기를 먹다/have no ~ 맛이 없다. **2** Ⓤ 흥미, 의욕: find no ~ in one's work 일에 흥미가 없다/give ~ to …에 흥미를 더하다/I have no ~ *for* traveling. 여행에는 흥미가 없다. **3** Ⓤ,Ⓒ 양념, 조미료. **4** Ⓤ (*or* a ~) 기미, 기색; 소량《*of*》: His speech had some ~ *of* sarcasm. 그의 연설에는 약간의 풍자가 섞여 있었다. **—** *vt.* **1** 상미(賞味)하다; 맛있게 먹다: ~ one's food 맛있게 먹다. **2** 《~+목/+-*ing*》 즐기다(enjoy), (…하기를) 좋아하다, 기쁘게 여기다: ~ a long journey 긴 여행을 즐기다/He won't ~ do*ing* so. 그렇게 하는 것을 그는 싫어할 것이다. **3** …을 풍미가〔맛이〕 있게 하다. **—** *vi.* **1** 《~/+전+명》 (…의) 맛이〔풍미가〕 나다《*of*》; (…한) 기미〔기〕가 있다《*of*》: ~ well 맛이 좋다/The meat ~*es of* pork. **2** 즐거워〔기분 좋아〕지다. ㊕ **~·a·ble** *a.* 맛있는; 재미있는.

re·live [riːlív] *vt.* (과거·경험을) 되새기다, 회상하다; 다시 체험하다; 재생하다. **—** *vi.* 소생하다(revive).

rè·lóad *vt., vi.* (…에) 짐을 되싣다; (…에) 다시 탄약을 재다. **—** *n.* 재장전.

re·lo·cat·a·ble [riːloukéitəbəl] *a.* 〖컴퓨터〗 재배치가 가능한: ~ binary module 재배치 가능 2진 모듈〔뜸〕/~ loader 재배치 가능 로더.

re·lo·cate [riːloukéit, ˌ-ˌ-/ˌ-ˌ-ˊ] *vt.* **1** 다시 배치하다; (주거·공장·주민 등을) 새 장소로 옮기다, 이전시키다. **2** 〖컴퓨터〗 다시 배치하다. **—** *vi.* 이전〔이동〕하다.

re·lo·cat·ee [riːləkeitíː, -lòukə-/-lòukə-, -ləkə-] *n.* 이전〔이동(異動)〕하는 사람; 재배치되는 사람〔것〕.

rè·lo·cá·tion *n.* Ⓤ **1** 재배치, 배치 전환; 〖미군사〗 (적(敵) 국민의) 강제 격리 수용: a ~ camp 강제 수용소. **2** 〖컴퓨터〗 재배치: a ~ table 재배치표.

rel. pron. relative pronoun.

re·lu·cent [rilúːsənt] *a.* (반짝반짝) 빛나는. ㊕ **-cence** *n.*

re·luct [rilʌ́kt] *vi.* 《고어》 싫어하다, 마음 내키지 않다; 주저하다《*of*》; 저항하다(struggle)《*at; to; against*》.

◇**re·luc·tance, -tan·cy** [rilʌ́ktəns], [-i] *n.* Ⓤ **1** 마음이 내키지 않음, 마지못해 함, (하기) 싫음《*to* do》; 《드물게》 반항(revolt): She showed no ~ *to* help us. 그녀는 우리를 돕기 싫은 기색은 조금도 보이지 않았다. **2** 〖전기〗 자기(磁氣) 저항. ***without*** **~** 자진해서, 기꺼이. ***with*** **~** 싫어하면서, 마지못해서(reluctantly).

*__re·luc·tant__ [rilʌ́ktənt] *a.* **1** 마음 내키지 않는(unwilling), 꺼리는, 마지못해서 하는《*to* do》: She seemed ~ *to* go with him. 그녀는 그와 같이 가는 것이 내키지 않은 것 같았다. **2** 《고어》 다루기 어려운, 저항〔반항〕하는. ㊕ ***~·ly** *ad.* 마지못해, 싫어하면서.

relúctant drágon 충돌을 피하는 지도자(정치가·군장교).

re·lume [rilúːm] *vt.* 《시어》 재연시키다; 《비유》 다시 밝게 하다〔비추다〕.

re·lu·mine [rilúːmin/-ljúː-] *vt.* =RELUME.

⁑**re·ly** [rilái] (*p., pp.* ***-lied*** [-láid]; ***-ly·ing*** [-láiiŋ]) *vi.* 《+전+명/+전+명+*to* do》 의지하다, 신뢰하다《*on, upon*》: He can be *relied upon.* 그는 신뢰할 수 있다/You may ~ *upon* it that〔You may ~ *upon* it,〕 he will be here this afternoon. 오늘 오후 그는 꼭 온다/~ *on* one's father for his help 아버지의 도움을 믿다/You may ~ *upon* him〔his〕 coming. 그는 틀림없이 올 것이다/I ~ *on* you *to* be there! 네가 거기에 와 줄 것으로 믿는다. ◇ reliance *n.* ***~ upon a broken reed*** 가치 없는 것을 기대하다. ***~ upon it*** 확실히(depend upon it).

> SYN. **rely** 확실성·능력 따위를 신뢰하고 있으므로 의지하다: *rely* on one's friends 친구에게 의지하다. **depend** 상대의 호의가 있고 없고간에 의지하다. 의지하는 사람의 의지의 약함, 경제적 무능 따위가 시사되는 경우가 있음: *depend* on one's father for livelihood 생계를 부친에게 의존하고 있다. **count on, reckon on** 기대하다. 계산, 타산이 내포됨. **trust** 상대를 신뢰하여 의지하다. 의지하는 쪽의 무능 따위는 전혀 시사되지 않음. 도리어 의지를 받는 편이 명예스러움.

REM[1] [rem] *n.* 〖심리〗 렘《꿈꿀 때의 급속한 안구 운동》. [◂ *r*apid *e*ye *m*ovement]

REM[2], **rem** [rem] (*pl.* ~) *n.* 〖물리〗 렘《인체에 주는 피해 정도에 입각한 방사선량의 단위》. [◂ *r*oentgen *e*quivalent *m*an]

REM[3] 〖컴퓨터〗 렘《BASIC어(語)로, 프로그램 중의 첫머리에 쓰이어 연산과 관계없이 프로그램 작성의 주의 사항으로 삽입하는 것》. [◂ *rem*ark]

⁑**re·main** [riméin] *vi.* **1** 《~/+전+명/+전+명+*to* do》 남다, 남아 있다; 없어지지 않고 있다《*in; on; to; of*》; 살아남다: If you take 3 from 8, 5 ~*s.* 8−3=5/~ *on*〔*in*〕 one's memory 기억에 남다/Very little ~*ed of* the original building. 원건물의 자취를 알아볼 만한 것은 거의 남아있지 않았다/It only ~*s for* me *to* say that... 이제 …라고 말할 수밖에 없다. **2** 《+전+명/+부》 머무르다, 체류하다: ~ *in* office 유임하다/~ *abroad* 국외에 체류하다. SYN. ⇨STAY. **3** 《+*to* do》 …하지 않고 남아 있다, 아직〔금후〕 …하지 않으면 안 되다: This problem ~*s to* be solved. 이 문제 해결은 뒷날로 미루어진다. **4** 《+보/+-*ing*/+*done*/+전+명》 …한 대로이다, 여전히 …이다: ~ silent 침묵을 지키고 있다/~ single 독신으로 지내다/I ~*ed* stand*ing* there. 나는 여전히 거기 서 있었다/He ~*ed* undisturbed. 그는 여전히 평온했다/They ~*ed at* peace. 그들은 여전히 평화를 유지하고 있었다. **5** 《+전+명》 결국 …의 것으로 돌아가다, …의 수중에 있다《*with*》: Victory ~*ed with* them. 승리는 그들의 것이었다. ***I ~ yours sincerely*** 〔***truly,*** etc.〕. 경구《편지의 결구》. ***Let it ~ as it is.*** 그대로 두어라. ***Nothing ~s but to*** do 이제는 …할 수밖에 없다. **~ *away*** ① 떨어져 있다. ② (…을) 결석하다《*from*》. **~ *clear of ...*** 《구어》 (물체·사람을) 피한 채로 있다. **~ *down*** (물체·몸 등이) 낮춘 채로 있다, 늘어진〔낮아진〕 채로 있다. **~ *in*** ① (병이 나서·벌 따위를 받고) 집에 있다. ② (불이) 계속 타고 있다. **~ *off*** (학교·일터 따위에) 가지 않고 있다. **~ *on*** ① (전등 따위가) 켜진 채로 있다. ② (어느 방향을 향해) 여행을 계속하다. **~ *on the right side of ...*** 《구어》 ① …와 사이좋게 지내고 있다. ② (아무를) 괴롭히지 않다. **~ *up*** ① (물가 따위가) 높은 수준에서 맴돌고 있다. ② 자지 않고 깨어 있다.

— *n.* **1** (보통 *pl.*) 잔존물; 잔액; 유물, 유적; 화석(fossil ~). **2** (보통 *pl.*) 유체, 유해(遺骸). **3** (보통 *pl.*) 유고(遺稿). **4** 유족, 생환자.

*__re·main·der__ [riméindər] *n.* **1** 나머지, 잔여; 잔류자〔물〕, 그 밖의 사람〔물건〕: spend the ~ *of* one's life in the country 여생을 시골에서

지내다. **2** (*pl.*) 유적. **3** 〚수학·컴퓨터〛 나머지. **4** 팔다 남은 책, 잔품. **5** 〚법률〛 잔여권(殘餘權)《장차의 재산 소유권》; (작위 등의) 계승권. **6** (*pl.*) 무효가 된 소지 중인 우표. **—** *vt.* (팔다 남은 책 따위를) 투매품으로 싸게 팔다. ㊞ **~·shìp** *n.* Ⓤ 〚영법률〛 잔여권; 계승권.

remáinder thèorem 〚수학〛 나머지정리(定理).

re·make [riːméik] (*p.*, *pp.* ***-made***) *vt.* 고쳐 만들다, 개조하다, 개작하다. **—** [ˊˋ] *n.* 재제조; 개작, 개조; 《특히》 재영화화 작품.

re·man[1] [riːmǽn] (***-nn-***) *vt.* **1** (함선·포대(砲臺) 따위에) 새로이 인원을 배치하다. **2** …에게 사내다움을〔용기를〕 되찾게 하다.

re·man[2] [ríːmæ̀n, ˊˋ] *n.* 〚자동차〛 **1** 부품 재생산. **2** 완전 재생 부품. **3** 완전 재생 부품 제조업자. **—** *a.* 부품 재생산의. [◂ *reman*ufacturing]

re·mand [rimǽnd, -máːnd/-máːnd] *vt.* **1** 돌려보내다, 돌아가게 하다, 귀환을 명하다. **2** (증거를 잡을 때까지 혐의자를) 재유치〔재구속〕하다; 하급 법원으로 반송하다. **—** *n.* 송환, 귀환(을 명령받은 사람); 재유치(자).

remánd hòme 〔**cèntre**〕 《영》 소년 구치소 《1969년 community home으로 개칭》.

rem·a·nence [rémənəns] *n.* 〚전기〛 잔류 자기.

rem·a·nent [rémənənt] *a.* 남는, 잔류〔잔존〕하는; 〚전기〛 잔류 자기의.

rè·manufácture *vt.* (제품을) 가공해서 상품화〔재제품화〕하다. **—** *n.* 재제품화.

rè·máp *vt.* …의 지도를 고치다; …의 선을 다시 긋다; …의 배치를 바꾸다, 재배치하다.

re·mark [rimáːrk] *vt.* **1** 《~+목/+목+*do*/+*that* 절》 …에 주목〔주의〕하다; …을 알아차리다, 인지하다(perceive): Did you ~ the similarity between them? 그들 사이의 유사성을 알겠더냐/~ a boy *pass* by 한 소년이 지나가는 것을 주시하다/I ~*ed that* it had got colder. 더 추워진 것을 깨달았다. **2** 《~+목/(+전+명)+*that* 절》 (소견으로서) 말하다, 한마디 말하다: He ~*ed* (*to* me) *that* it was a masterpiece. 그는 (나에게) 그것이 걸작이라고 말하였다. **—** *vi.* 《+전+명》 의견을 말하다, 비평하다《*on*, *upon*》: I ~*ed on* his hair style. 그의 머리 모양에 대해서 한마디했다. ***as ~ed above*** 위에(서) 말한 대로.

— *n.* **1** 주의, 주목; 관찰: worthy of ~ 주목할 만한. **2** 소견, 비평, 단평: make ~*s about* 〔*on*〕 …에 관해 비평하다, 소견을 말하다; (짧은) 연설을 하다/The president made the ~ *that* the meeting was a great success. 회장은 그 회담이 아주 성공적이었다는 소견을 피력했다. **3** 〚컴퓨터〛 설명.

> SYN. **remark** 느낀 바를 간단히 말하는 것. 간단한 소견, 단평. **comment** 자기의 입장을 내세우기 위해, 혹은 상대방의 이해를 돕기 위해 행하는 짧은 논평. **observation** 관찰하고 나서의 소견.

pass 〔***make, let fall***〕 ***a ~ on*** 〔***about***〕 (a topic) (화제)에 관해서 무엇인가 말하다. ***pass without ~*** 묵과〔묵인〕하다. ***the theme of general ~*** 항간의 화젯거리.

rè·márk *vt.* 다시 표지를 달다; 다시 채점하다; 〚상업〛 정찰을 고쳐 붙이다.

re·mark·a·ble [rimáːrkəbəl] *a.* 주목할 만한, 현저한, 남다른, 훌륭한, 놀랄 만한: He is ~ *for* his diligence. 이만저만 근면하지 않다. SYN. ⇨ EXTRAORDINARY. ㊞ **~·ness** *n.* **-bly** [-i] *ad.* 현저하게, 매우, 대단히.

re·marque [rəmáːrk] *n.* 《F.》 〚미술〛 (도판·조각의 진도를 나타내는) 표시; 표시〔약도〕가 붙은 도판〔교정쇄(校正刷)〕(=ㅗ pròof).

rè·márry *vt.*, *vi.* 재혼시키다〔하다〕. ㊞ **rè·márriage** *n.* Ⓤ 재혼, (여자의) 재가(再嫁).

rè·máster *vt.* …의 마스터테이프를 새로 만들다《음반의 음질을 개선하기 위하여》.

re·match [ríːmæ̀tʃ] *n.* 재시합. **—** *vt.* [ˋˊ, ˊˋ] 재시합시키다.

Rem·brandt [rémbrænt, -braːnt/-brænt, -brənt] *n.* ~(**Harmens-zoon**) **van Rijn** 렘브란트《네덜란드의 화가; 1606-69》. ㊞ **~·ish, ~·esque** [rèmbræntésk] *a.* 렘브란트 풍의.

R.E.M.E. 《영》 Royal Electrical and Mechanical Engineers.

re·me·di·a·ble [rimíːdiəbəl] *a.* 치료할 수 있는; 구제〔교정〕 가능한. ㊞ **-bly** *ad.* **~·ness** *n.*

re·me·di·al [rimíːdiəl] *a.* 치료상의, 치료를 위한; 구제〔수정〕적인; 교정〔개선〕하는; 보수적(補修的)인; 학력 부족을 보충하는. ㊞ **~·ly** *ad.*

re·me·di·a·tion [rimìːdiéiʃən] *n.* 교정(矯正), 개선; 치료 교육. ㊞ **~·al** *a.*

rem·e·di·less [rémədilis] *a.* (병이) 불치인; 돌이킬 수 없는, 구제〔교정, 보수〕할 수 없는; 〚법률〛 구제 불능의. ㊞ **~·ly** *ad.* **~·ness** *n.*

rem·e·dy [rémədi] *n.* **1** 치료, 의료; 치료약: a good ~ *for* colds. **2** 구제책, 교정(矯正)법《*for*》: He is past 〔beyond〕 ~. 이미 틀린 사람이다/a ~ *for* social evils 사회악의 방지책. **3** 배상; 〚조폐〛 공차(公差)(tolerance). **4** 〚법률〛 구제 방법. **—** *vt.* **1** 고치다, 치료〔교정〕하다; 보수하다: ~ a gas leak 가스 새는 데를 고치다. **2** (폐해 따위를) 제거하다; 개선하다; 수습하다: ~ a matter. **3** 배상하다.

†**re·mem·ber** [rimémbər] *vt.* **1** 《~+목/+*that* 절/+*wh.* 절/+*wh. to* do》 생각해 내다, 상기하다: I cannot ~ his name. 그의 이름이 생각나지 않는다/He suddenly ~*ed that* he made a promise with her. 갑자기 그녀와의 약속이 생각났다/I cannot ~ *where* I met him. 그를 어디서 만났는지 생각이 안 난다/I have just ~*ed how to* operate this machine. 이 기계의 작동법이 지금 생각났다.

> SYN. **remember**는 과거의 일을 기억하고 있거나 생각나다의 뜻. **recall**은 노력하여 의식적으로 생각해 내다의 뜻. **recollect**는 잊어버린 것을 기억해 내려는 노력을 강조한 말임.

2 《~+목/+*to* do/+*-ing*/+*that* 절/+목+*-ing*/+*wh.* 절/+*wh. to* do/+목+*as* 보/+목+전+명》 기억하고 있다, 기억해 두다《*for; against; by*》; 잊지 않고 …하다: *Remember to* get the letter registered. 그 편지를 잊지 말고 등기로 부쳐라/I ~ meet*ing* her once. =I ~ *that* I met her once. 그녀와 한 번 만난 적이 있다/I ~ him sing*ing* beautifully. 그가 훌륭하게 노래 부른 것을 기억하고 있다/I can't ~ *who* mentioned it. 누가 그렇게 말했는지 기억이 안 난다/Do you ~ *how to* play chess? 체스 두는 법을 기억하고 있습니까/I ~ him *as* a bright boy. 영리한 소년 시절의 그를 기억하고 있다/~ a person *for* his kindness 친절히 해준 아무를 잊지 않다. **3** 《~+목/+목+전+명》 …에게 특별한 감정을 품다; …에게 선물〔팁〕을 주다; …을 위해 기도하다; 기록〔기념〕하다: Please ~ the waiter. 사환에게 팁을 주십시오/~ a person *in* one's prayer 아무를 위해 기도하다. **4** 《+목+전+명》 …로부터 안부를 전하다〔전언(傳言)하다〕: *Remember* me *to* your brother. 당신 형님께 안부 전해 주시오. **—** *vi.* **1** 기억하고 있다; 회고하다, 생각나다. **2** 《고어·Sc.》 …의 기억이 있다, …을 생각해 내다《*of*》: if I ~ right(ly) 내

기억이 맞다면, 분명히 (그렇다고 생각되는데). ~ a person ***in*** one***'s will*** 유언장 속에 아무의 이름을 적어 두다. ~ ***of*** 《미》 …을 기억하고 있다, …을 생각해 내다. ~ one***self*** 《고어》 ① 생각해 내다. ② 제정신이 들다. ***something to ~ one by*** 《구어》 일격(一擊), 일발(一發). [파] **~·a·ble** *a.* 기억할 수 있는; 기억해야 할. **~·er** *n.*

*__re·mem·brance__ [rimémbrəns] *n.* **1** [U] 기억; 회상, 추상; 기억력. [SYN] ⇨ MEMORY. **2** [C] 기념, 추도; 기념품〔비〕, 유품(keepsake): a small ~ 조촐한 기념품/a service in ~ *of* those killed in the war 전몰자 추도식. **3** (*pl.*) (안부의) 전언: Give my kind ~*s to*.... …에게 안부 전해 주시오. ◇ remember *v.* ***bear*** 〔***hold, keep***〕 ***... in ~*** …을 기억해 두고 있다. ***bring ... to*** 〔***put ... in***〕 ***~*** …을 생각나게 하다. ***call*** 〔***come***〕 ***to ~*** 생각해 내다. ***escape*** one***'s ~*** 잊다. ***have in ~*** 기억하고 있다. ***have no ~ of*** …을 조금도 기억하고 있지 않다. ***to the best of*** one***'s ~*** 기억하는 한은.

Remémbrance Dày 현충일(顯忠日)《(1) 《Can.》 1·2 차 세계 대전의 전사자를 기념하는 법정 휴일; 11 월 11 일. (2) 《영》 Remembrance Sunday의 구칭》. [cf] Armistice Day.

re·mém·branc·er *n.* 생각나게 하는 사람〔것〕; 기념품; 추억거리(reminder); 비망록, 메모. ***a City Remembrancer*** 의회 위원회에 출석하는 런던 시의회 대표자. ***a King's*** 〔***Queen's***〕 ***Remembrancer*** 《영》 왕실 채권 (債權) 징수관.

Remémbrance Sùnday 《영》 영령(英靈) 기념 일요일《제1·2 차 세계 대전의 전사자 기념일; 현재는 11월 11일에 가장 가까운 일요일》.

re·merge [rimə́ːrdʒ] *vt., vi.* 다시 몰입시키다〔하다〕; 재합동〔합병〕시키다〔하다〕.

rem·i·grant [rémigrənt] *n.* (이민의) 귀국자.

rè·mígrate *vi.* **1** 다시 이동〔이주〕하다. **2** (이민이) 귀국하다. [파] **rè·migrátion** *n.* [U]

rè·mílitarize *vt.* 재군비하다. [파] **rè·militarizátion** *n.* [U] 재군비(rearmament).

__re·mind__ [rimáind] *vt.* 《~+[목]/+[목]+[전]+[명]/+[목]+*to* do/+[목]+*that* [절]/+[목]+*wh.* [절]》 …에게 생각나게 하다, …에게 깨닫게 하다, …에게 다짐하여 말하다《*of*》: She ~*s* me *of* my mother. 그녀를 보니 어머니 생각이 납니다/Please ~ her *to* call me. 내게 잊지 말고 전화하도록 그녀에게 일러 주시오/We must ~ him *that* he's on duty tonight. 오늘 저녁 당직임을 잊지 말라고 그에게 다짐해야 한다/I want to ~ you *why* I said that. 왜 내가 그렇게 말했는지 알려 주고 싶다. ***That ~s me.* 그러니까 생각난다.

re·mínd·er *n.* **1** 생각나게 하는 사람〔것〕: a gentle ~ 암시. **2** 생각나게 하기 위한 조언〔주의〕, 메모. **3** 〖상업〗 독촉장.

re·mind·ful [rimáindfəl] *a.* **1** 생각나게 하는, 추억의 요인이 되는《*of*》. **2** 기억하고 있는, 잊지 않은《*of*》.

rè·míneralize *vt.* (치아·몸의 조직에) 손실된 광물 성분을 회복시키다. [파] **rè·mineralizátion** *n.* 광물 성분 재보급, 무기질 보충.

Rem·ing·ton [rémiŋtən] *n.* **1** 미국의 총기 제조 회사 및 그 총. **2** 미국제 타이프라이터〔면도기〕《상표명》.

rem·i·nisce [rèmənís] *vi., vt.* 추억에 잠기다《*about*》; (…의) 추억을 말하다〔쓰다〕: ~ *about* one's childhood 어린 시절의 추억에 잠기다.

*__rem·i·nis·cence__ [rèmənísəns] *n.* **1** [U] 회상, 추억; 기억〔상기〕력: the doctrine of ~ 〖철학〗 (플라톤의) 상기(想起)설. **2** [C] 생각나게 하는 것〔일〕; 옛 생각: There is a ~ *of* her mother in her manners. 그녀의 태도에는 그녀의 어머니를 생각나게 하는 데가 있다. **3** (*pl.*) 회고담, 회상록: a ~*s of* an American soldier 어느 미군의 회고담.

°__rem·i·nis·cent__ [rèmənísənt] *a.* 추억〔회고〕의; 추억에 잠기는; 생각나게 하는《*of*》: The novel is ~ *of* Dickens. 그 소설은 디킨스의 문체를 연상케 한다. **—** *n.* 추억을 얘기하는 사람; 회상록 작자. [파] **~·ly** *ad.* 회상에 잠겨, 옛날이 그리운 듯.

rè·mínt *vt.* (옛 화폐·폐화(廢貨)를) 다시〔고쳐〕 주조하다.

re·mise [rimáiz] 〖법률〗 *vt.* (권리·재산 따위를) 양도하다. **—** *n.* 양도, 양여.

re·miss [rimís] *a.* 태만한, 부주의한(careless); 굼뜬, 무기력한. [파] **~·ly** *ad.* **~·ness** *n.*

re·mis·si·ble [rimísəbəl] *a.* 용서할 수 있는, 면제할 수 있는. [파] **re·mìs·si·bíl·i·ty** *n.*

re·mis·sion [rimíʃən] *n.* [U] **1** (죄의) 용서, 사면; 특사, 은사《*of*》; (모범수의) 형기 단축. **2** (노동·고통·격정 등의) 완화, 진정, 누그러짐. **3** (지급 채무 등의) 면제, 경감. **4** 〖의학〗 (질환 증상의 일시적 또는 영구적) 관해(寬解) 또는 소실, 또 그러한 기간. ◇ remit *v.*

re·mis·sive [rimísiv] *a.* 용서〔사면〕하는, 관대한; 경감하는. [파] **~·ly** *ad.* **~·ness** *n.*

°__re·mit__ [rimít] (**-tt-**) *vt.* **1** 《+[목]+[목]/+[목]+[전]+[명]》 (돈·화물 따위를) 보내다, 우송하다: *Remit* me the money at once.=*Remit* the money *to* me at once. 지급으로 송금해 주십시오. **2** (소송을) 하급 법원으로 환송하다; 조회하다(refer)《*to*》; (결정을) 부탁하다《*to*》. **3** 원상태로 돌이키다; 《폐어》 재투옥하다. **4** 《~+[목]/+[목]+[전]+[명]》 (신이 죄를) 용서하다; (부채·세금·형벌 등을) 면제하다, 감면하다: ~ taxes *to* half the amount 세금을 반감하다. **5** (노염·고통 따위를) 누그러뜨리다(abate), (노력을) 완화하다, 감하다. **6** 연기하다(put off). **—** *vi.* **1** 송금하다, 지급하다. **2** 누그러지다, 풀리다; (병이) 차도가 있다. **3** 쉬다, 그만두다. ◇ remission *n.* [파] **~·ment** *n.* [U,C] 송금(액). **~·ta·ble** *a.*

re·mit·tal [rimítl] *n.* 사면, 면죄; 경감.

re·mit·tance [rimítəns] *n.* [U,C] 송금; 송금액; 송금 수단. ◇ remit *v.*

remíttance màn 《영》 본국으로부터의 송금으로 사는 외국 거주자《나태자의 표본》.

re·mit·tee [rimitíː, -ˊ-ˊ] *n.* 송금 수령인.

re·mit·tent [rimítənt] *a.* 〖의학〗 더했다 덜했다 하는, 이장성(弛張性)의, (열이) 오르내리는. **—** *n.* [U] 이장열. [파] **~·ly** *ad.*

re·mit·ter [rimítər] *n.* 송금자; 화물 발송인; 〖법률〗 원권(原權) 회복, 복권(復權); (하급 법원에의) 환송(還送).

re·mit·tor [rimítər] *n.* 〖법률〗 송금자.

re·mix [rimíks] *vt., vi.* (이미 나온 곡 따위를) 다시 믹싱하다《1차 녹음된 곡의 track 사이의 밸런스를 고치거나, 일부를 새 녹음의 track과 교체하다》. **—** [ríːmiks] *n.* 리믹스곡〔녹음〕.

*__rem·nant__ [rémnənt] *n.* **1** (the ~) 나머지, 잔여: the ~*s of* a meal 식사하고 남은 것. **2** 찌꺼기(scrap), 우수리; 자투리: a ~ sale 떨이 판매. **3** 잔존물, 유물, 자취, 유풍《*of*》: a ~ *of* her former beauty 그녀의 옛 미모의 자취. **—** *a.* 나머지(물건)의. ◇ remain *v.*

rè·módel (**-l-**, 《영》 **-ll-**) *vt.* **1** 《~+[목]/+[목]+[전]+[명]》 고쳐 만들다, 형(型)〔본〕을 고치다, 개조〔개작〕하다, 개축하다: The building was ~*ed into* a department store. 그 건물은 백화점으로 개조되었다. **2** (행실 등을) 고치다. [파] **~·ing** *n.* (건물의) 리모델링, 개조, 개축(改築).

re·mold, 《영》 **-mould** [rìːmóuld] *vt.* 개조〔개주(改鑄)〕하다(remodel).

rè·mónetize *vt.* 다시 통용〔법정〕 화폐로 하다.

[파] **rè·monetizátion** *n.* [U] (화폐로서의) 통용 회복, 재운용.
re·mon·strance [rimánstrəns/-mɔ́n-] *n.* [U,C] 항의; 충고; 타이름; 《고어》 진정서, 항의서: say in ~ that …라고 항의하다.
re·mon·strant [rimánstrənt/-mɔ́n-] *a.* 반대하는, 항의의; 충고하는, 충고의, 타이르는. ― *n.* 항의자; 충고자; (R-) 네덜란드 개혁파 교회의 아르미니위스파 신자. [파] **~·ly** *ad.*
re·mon·strate [rimánstreit/rémənstrèit] *vi.* 《~/+[전]+[명]》 이의를 말하다, 항의〔질책〕하다《*against*》; 충고하다, 간언하다(expostulate): ~ *with* a boy *about* 〔*against, on, upon*〕 his rude behavior 소년의 난폭한 행동에 대하여 충고하다. ― *vt.* …을 항의하다《*that*》. [파] **rè·mon·strá·tion** *n.* [U] **re·mon·stra·tive** [rimánstrətiv/-mɔ́n-] *a.* 간언(諫言)의, 항의의. **-tive·ly** *ad.* **re·mon·stra·tor** [rimánstreitər/rémənstrèitər] *n.*
re·mon·tant [rimántənt/-mɔ́n-] *a.* (장미가) 다시 피는. ― *n.* 두 번 피는 장미.
rem·on·toir(e) [rèməntwáːr] *n.* (시계의) 속도 조절 톱니바퀴.
「어」 방해, 장애물.
rem·o·ra [rémərə] *n.* 〖어류〗 빨판상어; 《고
*__re·morse__ [rimɔ́ːrs] *n.* [U] **1** 후회, 양심의 가책(compunction): feel ~ *for* one's crime 죄를 짓고 양심의 가책을 느끼다. **2** 《폐어》 연민, 자비(pity). ***the ~ of conscience*** 양심의 가책. ***without ~*** 가차없이.
re·morse·ful [rimɔ́ːrsfəl] *a.* **1** 몹시 후회하고 있는, 양심의 가책을 받는. **2** 《고어》 동정심 깊은 (compassionate). [파] **~·ly** *ad.*
re·mórse·less *a.* **1** 무자비한, 냉혹〔잔인〕한. **2** 뉘우치지 않는, 개전(改悛)의 빛을 보이지 않는. [파] **~·ly** *ad.* **~·ness** *n.*
rè·mórtgage *vt.* 다시 저당에 넣다, (재산에 대한) 저당 조건을 갱신하다. ― *n.* 별도의〔추가적인〕 저당.
__re·mote__ [rimóut] (*-mot·er; -mot·est*) *a.* **1 먼, 먼 곳의; 인가에서 떨어진, 외딴(secluded) 《*from*》. [cf] far. ¶ a village ~ *from* the town 읍에서 멀리 떨어져 있는 마을. **2** 《비유》 먼: a ~ cause 원인(遠因) / a ~ future 먼 장래 / a ~ ancestor 먼 조상 / a ~ relative 먼 친척. **3** 관계가 적은; 크게 다른: That's ~ *from* my intentions. 그건 내 의도와는 다르다. **4** 희미한 (faint), 근소한(slight): a ~ resemblance 근소한 유사성〔점〕 / a ~ possibility 만에 하나의 가능성 / There's not the *remotest* chance of success. 성공할 가망은 조금도 없다 / have only a very ~ conception of …을 막연히 알고 있을 뿐이다. ― *ad.* 멀리 떨어져(far off): dwell ~ 멀리 떨어져 살다. ― *n.* 〖라디오·TV〗 스튜디오 밖에서 하는 중계방송 (프로). ― *vt.* (영향력 따위를) 멀리까지 미치다, 확장〔확충〕하다. [파] ***~·ly** *ad.* **~·ness** *n.*
remóte áccess 〖컴퓨터〗 원격 접근《원격지의 단말기가 중앙 컴퓨터에 행하는 통신》.
remóte bátch 〖컴퓨터〗 원격 일괄 처리《원격지의 단말기에서 입력된 자료를 중앙 컴퓨터가 일괄 처리하는 방식》: ~ system 원격 일괄 시스템.
remóte contról 〖전기·컴퓨터〗 원격 제어(遠隔制御)〔조작〕; 원격 제어 장치, 리모컨. [파] **remóte contróller** 리모컨 장치.
remóte jób èntry 〖컴퓨터〗 원격 작업 입력 《생략: RJE》.
remóte manípulator sỳstem 원격 조작 장치《챌린저호에 실려 팔 구실을 하는 장치; 생략: RMS》.
remóte prócessing 〖컴퓨터〗 원격 처리.
remóte sénsing 〖우주〗 원격 탐사〔측정〕《인공위성에서 보내온 사진·레이더 등에 의한 지형 등의 관측》.
remóte sénsor 〖우주〗 원격 측정기《인공위성 등에서 지구나 딴 천체를 관측하는 카메라·레이더 등 장치》.
「음; 제거, 이동.
re·mo·tion [rimóuʃən] *n.* [U] 멀리 떨어져 있
re·mou·lade [rèiməláːd/rèməléid, -láːd] *n.* 《F.》 레물라드(소스)《마요네즈에 향료와 썬 피클 따위를 섞은 찬 소스; 냉육·생선·샐러드용》.
remould ⇨ REMOLD.
re·mount [riːmáunt] *vt.* **1** (말에) 다시 타다; 다시 오르다. **2** 새로 말을 공급하다. **3** (포를) 다시 설치하다, (보석 따위를) 갈아 끼우다. **4** 《+[목]+[전]+[명]》 (어떤 시대·근원으로) 거슬러 올라가다《*to*》: ~ a stream *to* its source 흐름의 근원으로 거슬러 올라가다. ― *vi.* **1** 다시 타다. **2** 《+[전]+[명]》 거슬러 올라가다: ~ *to* the first principle 근원으로 거슬러 올라가다. ― [ˊ-, ˋˊ] *n.* 갈아탈 말, 예비 말; 〖집합적〗 보충 말.
「면직〔해임〕할 수 있음.
re·mòv·a·bíl·i·ty *n.* [U] 이동〔제거〕할 수 있음;
re·mov·a·ble [rimúːvəbəl] *a.* **1** 이동할 수 있는; 제거할 수 있는. **2** 해임〔면직〕할 수 있는. [파] **-bly** *ad.* **~·ness** *n.*
*__re·mov·al__ [rimúːvəl] *n.* [U,C] **1** 이동, 이전, 전거; 〖법률〗 =REMOVER. **2** 제거; 철수; 해임, 면직; 《완곡어》 살해. [파] **~·ist** *n.* 《Austral.》 이삿짐 운송업자.
remóval vàn 《영》 이삿짐 운반차.
__re·move__ [rimúːv] *vt.* **1 《~+[목]/+[목]+[전]+[명]》 …을 옮기다, 움직이다, 이전〔이동〕시키다: ~ one's eyes *from* the painting 그림에서 눈을 돌리다 / ~ oneself *from* the room 방을 떠나다 / ~ MOUNTAINS. **2** 《~+[목]/+[목]+[전]+[명]》 …을 제거하다; 치우다; 벗다, 벗(기)다: ~ one's coat 코트를 벗다 / ~ the causes of poverty 빈곤의 원인을 제거하다 / ~ a name *from* a list 명부에서 이름을 빼다. **3** 《~+[목]/+[목]+[전]+[명]》 내어쫓다, 해임〔면직, 해고〕하다: He was ~*d* (*from* office). 그는 (공직에서) 해임됐다. **4** 《~+[목]/+[목]+[전]+[명]》 …을 떼어놓다; 돌이키다: ~ one's head *from* the window 창문에서 머리를 돌이키다. **5** 《완곡어》 죽이다, 암살하다.
― *vi.* **1** 《+[전]+[명]》 이동하다; 이전하다《*from; to; into*》: ~ *to* 〔*into*〕 another apartment 다른 아파트로 옮기다. ★《구어》에서는 move. **2** 《시어》 떠나다, 사라지다(disappear). **3** 제거되다, 벗겨지다. ***be ~d by*** 《영고어》 (메뉴에서) 다음에 …이 나오다. ***be ~d from school*** 퇴학당하다. ***~ furniture*** 이삿짐 운송업을 하다.
― *n.* **1** 거리, 간격; 단계, 등급; 촌수; (the ~) 《영》 (Eton 학교 따위의) 중간급: a cousin in the second ~ 사촌의 손자. **2** 《영》 (학교의) 진급: get a ~ 진급하다. **3** 《영고어》 (메뉴의) 다음 접시《요리》. **4** 《고어》 이동(移動), 전거, 이사. ***at a certain ~*** 조금 떨어져서 보면. ***at many ~s from*** …에서 멀리 떨어져서. ***but one ~ from*** …에 가까운; …와 종이 한 장의 차로: He is *but one* ~ *from* a fool. 바보나 다름없다 / Genius is *but one* ~ *from* insanity. 천재와 광기는 종이 한 장 차이다.
°__re·móved__ *a.* **1** 떨어진(remote), 사이를 둔 (distant)《*from*》; 연분〔인연〕이 먼; …촌(寸)의: one's first cousin once 〔twice〕 ~ 사촌의 아들딸〔손자〕; 양친〔조부모〕의 사촌 / His confession is far ~ *from* the truth. 그의 자백은 사실과는 거리가 아주 멀다. **2** 제거된; 죽은.
re·móv·er *n.* **1** 이전자; 《영》 (이삿짐) 운송업자, 이삿짐센터. **2** (칠·얼룩의) 박리제(剝離劑). **3** 〖법률〗 사건 이송.
RÉM slèep [rém-] 〖생리〗 = PARADOXICAL SLEEP.

re·mu·da [rəmúːdə] *n.* (목장에서 일꾼이 당일 쓸 말을 고르는) 말의 무리.
re·mu·ner·ate [rimjúːnərèit] *vt.* ⦅~+목/+목+전+명⦆ 보수를 주다; 보상하다; 보답하다: ~ a person *for* his labor. ㊎ **re·mú·ner·a·ble** [-rəbəl] *a.* **-à·tor** [-ər] *n.*
re·mù·ner·á·tion *n.* Ⓤ 보수, 보상; 급료, 봉급(pay) ⦅*for*⦆.
re·mu·ner·a·tive [rimjúːnərətiv, -rèit-/-rət-] *a.* 보수가 있는; 유리한(profitable), 수지맞는. ㊎ **~·ly** *ad.* **~·ness** *n.*
Re·mus [ríːməs] *n.* 【로마신화】 Romulus의 쌍둥이 형제. ⓒⓕ Romulus. 「애칭).
Re·na [ríːnə] *n.* 리나⦅여자 이름; Marina의
***Ren·ais·sance** [rènəsáːns, -záːns, ⌐-⌐/rənéisəns] *n.* **1 a** 문예 부흥, 르네상스⦅14-16세기 유럽의⦆. **b** 르네상스 미술〔문예, 건축〕 양식. **2** (r-) (문예·종교 등의) 부흥, 부활; 신생, 재생. **—** *a.* 문예 부흥(시대)의; 르네상스 양식의.
Rénaissance mán 르네상스기(期)의 만능형 교양인; (때로 r-) (일반적으로 현대의) 르네상스적 교양인, 만능형 교양인.
Re·nais·sant [rinéisənt] *a.* 르네상스의; (r-) 부흥하고 있는.
re·nal [ríːnl] *a.* 콩팥의, 신장(腎臟)의; 신장부(部)의: a ~ calculus 신장 결석 / ~ diseases 신장병, 신장 질환. ◇ kidney *n.*
rénal cápsule 〔**glánd**〕 【해부】 부신(副腎).
rénal cléarance 【의학】 신장 청정(淸淨).
rénal fáilure 【병리】 신(腎)부전증.
rénal pélvis 【해부】 신우(腎盂).
rè·náme *vt.* …에게 새로 이름을 붙이다; 개명하다. **—** *n.* 【컴퓨터】 새 이름⦅파일 이름의 변경⦆.
Ren·ard [rénərd] *n.* =REYNARD.
re·nas·cence [rinǽsns, -néi-/-nǽs-] *n.* Ⓤ 재생, 신생(rebirth); 부활, 부흥; (R-) =RENAISSANCE.
re·nas·cent [rinǽsnt, -néis-/-nǽs-] *a.* 재생하는; 부활〔부흥〕하는; 재기하는.
rè·nátionalize *vt.* 다시〔재〕국유화하다.
rè·náture *vt.* (변성된 단백질 따위를) 재생〔복원〕하다. ㊎ **re·nà·tur·á·tion** *n.* 「COUNTER.
ren·con·tre [renkántər/-kɔ́n-] *n.* ⦅F.⦆ =REN-
ren·coun·ter [renkáuntər] *n.* 충돌; 결투; 논쟁(contest); 조우(遭遇)(전); 응수. **—** ⦅고어⦆ *vt., vi.* (…와) 조우하다; (…와) 전투하다.
rend** [rend] (*p., pp.* ***rent [rent]) *vt.* **1** 째다, 찢다, 비틀어 뜯다; …을 잘게 부수다. **2** ⦅~+목/+목+전+명⦆ …을 나누다, 분열〔분리〕시키다: The country was *rent in* two. 국토는 둘로 갈라졌다. **3** ⦅~+목/+목+전+명/+목+부⦆ …을 떼어놓다, 비틀어 떼다, 강탈하다⦅*from; off; away*⦆: ~ a child *from* his mother's arm 어머니 팔에서 강제로 아이를 떼어내다 / ~ *off* ripe fruits 익은 과일을 따다. **4** (옷·머리털 따위를) 쥐어뜯다. **5** ⦅문어⦆ (마음 따위를) 산란케 하다. **6** (외침 소리 따위가 하늘을) 찌르다. **7** (나무 껍질을) 벗기다; 쪼개어 만들다. **—** *vi.* ⦅~/+부⦆ 째지다, 쪼개지다; 산산조각이 나다, 분열하다. ⓒⓕ tear². ¶ ~ *asunder* 두 동강이 나다, 두 조각으로 갈라지다. ◇ rent² *n.* **~ *apart*** 뜯어내다. **~ one's *garments*** 〔***hair***〕 옷을 잡아찢다〔머리칼을 쥐어뜯다〕⦅비탄을 표시하는 동작⦆. **~ *the air*** 〔***skies***〕 하늘을 찌르는 듯한 소리를 내다.
ren·der** [réndər] *vt.* **1** ⦅+목+보⦆ …로 만들다, …이 되게 하다: ~ a person helpless 아무를 어쩔 수 없는 상태로 몰다. **2** ⦅~+목/+목+전+명⦆ **a** (보답으로서) 주다, 갚다, …에 보답하다: ~ thanks 답례하다 / ~ evil *for* good 선을 악으로 보답하다. **b** (세금 따위를) 납부하다, 바치다⦅*to*⦆: ~ tribute *to* the king 왕에게 조공을 바치다 / *Render* (*un*)*to* Caesar the things that are Caesar's. 【성서】 가이사의 것은 가이사에게 바치라⦅마가복음 XII: 17⦆. **3 a** (계산서·이유·회답 등을) 제출하다, 교부하다; (판결 등을) 언도하다, 전하다; (재판을) 집행하다: You will have to ~ an account of your expenditure. 경비 보고서를 제출해야 할 것이다 / ⇨ ACCOUNT RENDERED. **b** ⦅~+목/+목+전+명⦆ 명도하다, 양도하다, 포기하다: ~ a fort *to* the enemy 적에게 요새를 내주다. **4** ⦅+목+전+명/+목+목⦆ (아무에게 어떤 일을) 하다, 행하다, 다하다; (조력 등을) 주다, 제공하다; (경의 따위를) 표하다: ~ help *to* those in need 곤궁한 사람에게 도움을 주다 / ~ a service *to* a person = ~ a person a service 아무를 위하여 진력하다. **5 a** 표현하다, 묘사하다; 연주〔연출〕하다. **b** ⦅+목+전+명⦆ 번역하다⦅*into*⦆: *Render* the following *into* Korean. 다음 글을 한국어로 번역하시오. **6** ⦅~+목/+목+부⦆ (지방 따위를) 녹여서 정제(精製)하다; …에서 기름을 짜다: ~ *down* fat 지방을 정제하다 / ~ lard. **7** ⦅+목+부⦆ 갚다, 돌려주다: I'll ~ *back* your money. **8** ⦅~+목/+목+전+명⦆ (벽에) 초벽질을 하다 ⦅*with*⦆. **9** 【해사】 (로프·도르래를 통하여) …을 늦추다. **—** *vi.* 【해사】 (밧줄·사슬 따위가) 술술 풀려 나오다; 보수를 주다. **~ *an account of ⇨ ACCOUNT. **~ *up*** 명도하다, 인도하다⦅*to*⦆. **—** *n.* **1** 집세, 지대(地代). **2** 초벽질.
ren·der·ing [réndəriŋ] *n.* Ⓤ,Ⓒ **1** 번역(문); 표현, 묘사; 연출; 연주. **2** 반환(물); 인도(품). **3** (지방의) 정제(精製); (벽의) 초벽질.
rénder·sèt *vt.* (벽)에 두벌칠을 하다. **—** *n., a.* 두벌칠(한).
°***ren·dez·vous*** [rándəvùː, -dei-/rɔ́ndi-] (*pl.* ~ [-z]) *n.* ⦅F.⦆ **1** (특정한 장소·때에) 만날 약속; 약속에 의한 회합 (장소); 〔일반적〕 회합 (장소). ⓒⓕ date. ¶ have a ~ *with* …와 만나기로 하다. **2** (군대·함선의) 지정 집결지. **3** 【우주】 (우주선의) 궤도 회합, 랑데부. **—** *vi., vt.* 약속 장소에서 만나다〔만나게 하다〕; 집결하다〔시키다〕.
ren·di·tion [rendíʃən] *n.* Ⓤ,Ⓒ **1** 번역; 해석; 연출, 연주. **2** ⦅고어⦆ (범인의) 인도. 「일종.
rend·rock [réndràk/-rɔ̀k] *n.* 폭파용 폭약의
ren·e·gade [rénigèid] *n.* 배교자; 배반자; ⦅특히⦆ 이슬람교로 개종한 기독교도; 탈당자; 반역자. **—** *a.* 저버린, 거역한; 배반의, 변절한. **—** *vi.* 저버리다, 거역(拒逆)하다; 배반하다⦅*from*⦆.
re·nege, ⦅영⦆ **-negue** [riníg, -nég, -níːg/-níːg, -néig] *vi., n.* 【카드놀이】 (선의 패와 같은 짝의 패를 가지고 있으면서) 딴 패를 내다〔냄〕⦅반칙⦆; 약속을 어기다〔어김〕; 취소하다⦅*on*⦆. ㊎ **-nég(u)·er** *n.*
rè·negótiate *vt., vi.* 재교섭하다; (전시 계약을) 재심사〔재조정〕하다. ㊎ **-tiable** *a.* **rè·negotiátion** *n.*
***re·new** [rinjúː/-njúː] *vt.* **1** 새롭게 하다, 갱생〔신생〕시키다, 부활〔재흥〕하다: Snakes cast off and ~ their skins. 뱀은 탈피하여 껍질을 바꾼다 / ~ one's old friendship with …와의 옛 우정을 새로이하다.

> SYN. **renew** 헌것을 다시 새롭게 하다. 물질·정신의 양쪽에 쓰임: *renew* the carpet 카펫을 신품과 바꾸다 / *renew* forgotten sorrows 잊었던 슬픔을 새롭게 하다. **renovate** renew와 거의 같으나 '더욱 활기 있는, 사용에 편리한 상태로 하다' → 혁신하다. **restore** 잃었던 것, 나쁜 상태에 있던 것을 원모습으로 회복하다, 되찾다: *restore* a cathedral 대성당을 수복하다. **refresh** 필요한 것을 공급하여 잃었던

체력·원기 등을 회복하다: A brief rest *refreshed* him. 그는 조금 쉬니까 기운이 났다.

2 되찾다, 회복하다: ~ one's youth 회춘하다, 되젊어지다. **3** 재개하다; 반복하다, 되풀이하다: ~ one's demands. **4** (계약 등을) 갱신하다; …의 기한을 연장하다: ~ the library book for another week 책의 대출을 한 주일 더 연장하다. **5** 신품과 교환하다: ~ tires. **—** *vi.* **1** 새로워지다; 새로 시작하다(recommence): Their friendship ~*ed*. **2** 회복하다. **3** 계약을 갱신하다.
— *n.* 갱신〔재생〕할 수 있는 것; (*pl.*) 재생 에너지류(類).
㊞ **~·a·ble** *a.* (계약 등을) 갱신〔계속〕할 수 있는; 재생할 수 있는. **~·ed·ly** [-idli] *ad.* 다시 새롭게.

renéwable énergy 재생 가능 에너지《태양·바람·수력 등에서 얻어지는 이론상으로 무진장한 자연 에너지》. 「원.

renéwable resóurces 〖환경〗 재생 가능 자

◇**re·new·al** [rinjúːəl/-njúː-] *n.* Ⓤ,Ⓒ **1** 새롭게 하기. **2** 부활, 회복; 재생, 소생. **3** 재개; 고쳐 하기; (도시 따위의) 재개발. **4** (어음 등의) 고쳐 쓰기, 갱신, 기한 연기; (계약의) 갱신 비용.

ren·i·form [rénəfɔ̀ːrm, ríːn-] *a.* 〖식물〗 (잎 따위가) 콩팥 모양의, 누에콩〔잠두(蠶豆)〕 모양의.

re·nin [ríːnin] *n.* Ⓤ 레닌《고혈압의 원인이 되는 신장 내의 단백질 분해 효소》. 「항; 옹고집.

ren·i·ten·cy [rináitənsi, rénə-] *n.* 저항, 반

ren·i·tent [rináitnt, rénətənt] *a.* 저항〔반대〕하는; 완강히 반항하는, 다루기 힘든.

ren·min·bi, jên·min·pi [rénmìnbíː], [dʒénmínpíː] (*pl.* ~) *n.* 중국의 통화《기본 단위는 위안(元(yuan)); 생략: RMB》.

ren·net[1] [rénit] *n.* Ⓤ 송아지 따위의 제 4 위(胃)의 내막(內膜); 그 위 속의 응유(凝乳)《치즈 제조에 씀》; 응유 효소(rennin).

ren·net[2] *n.* 《영》 사과의 일종《프랑스 원산》.

ren·nin [rénin] *n.* Ⓤ 레닌《젖을 응고시키는 위액 속의 효소》, 응유(凝乳) 효소.

Re·no [ríːnou] *n.* 리노《미국 Nevada 주 서부의 도시; 이혼 도시로 유명》. ***go to*** **~** 이혼하다.

re·no·gram [ríːnəgræ̀m] *n.* 〖의학〗 레노그램《방사성 물질을 사용한 신장(腎臟)의 배설 상황 기록》. ㊞ **rè·no·gráph·ic** *a.* **re·nóg·ra·phy** *n.*

Re·noir [rénwɑːr, rənwáːr] *n.* 르누아르. **1 Jean ~** 프랑스의 영화감독《2의 아들; 1894-1979》. **2 Pierre Auguste ~** 프랑스의 인상파 화가《1의 부친; 1841-1919》.

rè·nóminate *vt.* 재지명〔재임명〕하다. ㊞ **rè·nominátion** *n.* 재지명, 재임명.

rè·normalizátion *n.* 〖물리〗 (양자론의) 재규격화《무한대의 물리량을 실험치로 바꾸어 계산하는 방법》. ㊞ **rè·nórmalize** *vt.*

*__re·nounce__ [rináuns] *vt.* **1** (권리 등을 정식으로) 포기하다(surrender), 단념하다: ~ a purpose 목적을 단념하다. **2** 부인하다: ~ one's faith 신앙을 부인하다 / ~ a debt 채무를 거부하다. **3** …와의 관계를 끊다: ~ one's son 아들과 의절하다. **—** *vi.* **1** 〖카드놀이〗 (나온 패가 없어서) 딴 종류의 패를 내놓다〔버리다〕. **2** (권리 따위)를 포기하다. **~ *friendship*** 〔***one's friend***〕 절교하다. **~ *the world*** 세상을 버리다, 은둔하다. **—** *n.* 〖카드놀이〗 (같은 짝의 패가 없어서) 딴 종류의 패를 냄. ㊞ **~·ment** *n.* Ⓤ 포기; 단념; 부인, 거절; 절교.

re·no·vas·cu·lar [rìːnouvǽskjələr] *a.* 〖해부·의학〗 신혈관(腎血管)(성)의.

ren·o·vate [rénəvèit] *vt.* **1** 새롭게 하다, 혁신하다, 쇄신하다; 고쳐 만들다, 수선하다. SYN. ⇨ RENEW. **2** 개선하다. **3** 회복하다; 원기를 회복시키다. ㊞ **rèn·o·vá·tion** *n.* Ⓤ,Ⓒ 쇄신, 혁신; 수리, 수선; 원기 회복. **rén·o·và·tor** [-ər] *n.* 혁신〔쇄신〕자; 수선자.

*__re·nown__ [rináun] *n.* Ⓤ 명성, 영명(令名): have ~ for …로 명성이 있다 / of high 〔great〕 ~ 매우 유명한. ㊞ **~·less** *a.*

re·nówned *a.* 유명한, 명성이 있는. SYN. ⇨ FAMOUS. ㊞ **~·ly** [-nidli] *ad.* **~·ness** [-nidnis] *n.*

__rent__[1] [rent] *n.* Ⓤ,Ⓒ **1** 지대, 소작료. **2** 집세, 방세: pay a ~ for a house 집세를 물다 / a ~ collector 임대료 수금원. **3** 〖일반적〗 임대〔임차〕료; (기계 등의) 사용료; (토지 등의) 수익. **4** 임차지; 셋집. **5** 〖경제〗 초과 이윤. ***For* ~.** 《미》 셋집〔셋방〕 있음《게시문》. **—** *vt.* **1** 《~+목 / +목+전+명》 임차하다, 빌리다: ~ a room *from* a person 아무로부터 방을 세얻다. **2** 《~+목 / +목+부 / +목+전+명 / +목+목》 임대하다, 빌려 주다, 세놓다: He ~*ed* the house (*out*) *to* them at $100 a month. 그는 그들에게 월세 100 달러로 집을 세놓았다 / He ~*ed* me the room. 그는 나에게 그 방을 빌려 주었다. **—** *vi.* 《+전+명》 세놓다, 임대되다: He refused to ~ *to* us. 그는 우리에게 세를 주지 않았다 / ~ *at* 〔*for*〕 1,000 dollars a year, 1 년에 천 달러로 세놓다. ㊞ **∠·a·ble** *a.* **rènt·a·bíl·i·ty** *n.*

◇**rent**[2] *n.* **1** 째진 틈, 해진 곳. **2** (구름 따위의) 갈라진 사이, 잘린 곳〔틈〕; 협곡. **3** (의견·관계 등의) 분열, 불화. ◇ rend *v.*

rent[3] REND의 과거·과거분사.

rént-a-càr *n.* 렌터카, 임대차.

rént-a-cròwd, rént·a·cròwd *n.* 《영속어》 (돈 따위로 매수하여) 동원한 군중.

◇**rent·al** [réntl] *n.* **1** 임대〔임차〕료, 총지대, 총소작료, 총사용료; 지대〔집세, 사용료〕의 수입. **2** 《미》 임대용〔임차용〕의 집〔방, 차〕. **3** 임대 업무; 임대〔렌털〕 회사. **—** *a.* 임대〔임차〕의; 지대〔집세〕의; 임대 업무를 행하고 있는: ~ system 렌털제, 임대 방식.

réntal equívalent ìndex 《미》 임대 주택 코스트 환산 지수. 「문고, 세책집.

réntal lìbrary 《미》 (유료) 대출 도서관, 대출

rént-a-mòb, rént·a·mòb *n.* 《미속어》 (돈 따위로) 동원(動員)한 야유꾼〔폭도〕.

rént bòok 임차료 대장〔장부〕《집세·지대(地代) 등의 지불 상황을 기록한 것; 임차인이 보관》.

rént bòy 《영》 젊은 남창(男娼), 콜 보이.

rént chàrge 대지료(貸地料), 지대.

rént contròl (정부에 의한) 집세 통제〔규정〕《종종 퇴거 요구에 대한 규제도 포함됨》.

rente [*F.* Rɑ̃ːt] *n.* 《F.》 연금, 연수(年收); (*pl.*) (프랑스 정부 발행의) 장기 공채; 그 이자.

rént·ed [-id] *a.* 〖복합어로〗 지대〔집세〕가 …한: high-〔low-〕~ 세가 비싼〔싼〕.

ren·ten·mark [réntənmɑ̀ːrk] *n.* (때로 R-) 1923-31 년간에 독일 정부가 통화 안정을 위해 중앙 은행에 발행케 한 지폐.

rént·er *n.* 임차인, 차지인, 소작인; 임대인; 〖일반적〗 빌려 주는 사람, 빌리는 사람; 《영》 영화 배급업자.

rént-frée *a., ad.* 지대〔집세〕가 없는〔없이〕.

ren·tier [*F.* Rɑ̃ːtje] *n.* 《F.》 금리〔배당〕 생활자; 불로 소득 생활자. 「파티.

rént pàrty 주최자의 집세를 마련하기 위한

rént-ròll *n.* 《영》 지대〔소작, 집세〕 장부; 지대·집세 등의 총액(rental).

'rents [rents] *n. pl.* 《속어》 양친(兩親), 어버이. [◂ parents]

rént sèrvice 지대 노역《지대에 대신하는》.

rént strìke 집세 지불 거부 운동.

rè·númber *vt.* **1** 다시〔고쳐〕 세다. **2** 번호를 다

시 매기다.

re·nun·ci·ant [rinʌ́nsiənt] *n.* 포기한 사람, 《특히》 속세를 떠난 사람, 은둔자. **—** *a.* = RENUNCIATIVE.

◇**re·nun·ci·a·tion** [rinʌ̀nsiéiʃən, -ʃi-/-si-] *n.* Ⓤ **1** 포기, 폐기; 기권; Ⓒ 포기〔기권〕 승인서. **2** 부인, 거절. **3** 단념, 체념; (금욕적인) 극기(克己), 자제. ◇ renounce *v.* ㊞ **re·nun·ci·a·tive, re·nun·ci·a·to·ry** [rinʌ́nsièitiv, -ʃi-/-siətiv], [-siətɔ̀ːri, -ʃi-/-siətəri] *a.* 포기의; 기권의; 부인(否認)의; 자제의.

ren·voi [renvɔ́i] *n.* (외교관 등의) 강제 추방; 〖국제법〗 국제 사법상(司法上)의 문제를 자국(自國) 이외의 법률에 위탁하는 일. 「살다.

rè·óccupy *vt.* …을 다시 차지하다, (집)에 다시

rè·occúr *vi.* 재발하다, 다시 일어나다〔발생하다〕. 「재범자.

rè·offénd *vi.* 거듭 범죄를 저지르다. ㊞ **~·er** *n.*

rè·óffer *vt.* (증권을) 시중에 팔려 내놓다.

◇**rè·ópen** *vt., vi.* 다시 열다; 다시 시작하다, 재개하다; …의 교섭을 재개하다.

rè·órder *vt.* 다시 질서를 잡다〔정리하다〕; 〖상업〗 추가 주문〔재주문〕하다. **—** *n.* 〖상업〗 추가 주문, 재주문. 「按手).

rè·ordinátion *n.* 재서임(再敍任), 재안수(再

◇**rè·organizátion** *n.* 재편, 재조직, 개조; (예산을) 다시 세우기.

◇**rè·órganize** *vt., vi.* 재편성하다, 고쳐 조직하다, 개조하다, 개혁하다; (예산 따위를) 다시 세우다; 정리하다. ㊞ **-izer** *n.* 「재교육하다.

rè·órient *vt.* (어떤 환경에) 새로 순응시키다;

rè·órientate *vt.* = REORIENT.

rè·orientátion *n.* Ⓤ 새로 순응시키기; (새 환경 등을 위한) 재교육: a ~ course on …에 관한 재교육 과정.

rep[1], **repp** [rep] *n.* 렙《골지게 짠 직물》.

rep[2] *n.* 《영학생속어》 암송(暗誦), 암기; 원 시구(詩句). [◂ *rep*etition]

rep[3] *n.* 《미구어》 명성, 평판(reputation), 지위《특히 갱 무리 따위에서의》.

rep[4] *n.* 대표(representative); (출판사의) 외판원. **—** (*-pp-*) *vt.* …의 대표〔대리〕 임무를 맡다.

rep[5] *n.* 렘《방사선 흡수선량을 나타내는 단위》. cf. rad[1]. [◂ *r*oentgen *e*quivalent *p*hysical]

Rep. 《미》 Representative; Republic; Republican. **rep.** repair; repeat; report(ed); reporter; representative; reprint; republic.

rè·páck *vt.* 다시〔새롭게〕 포장하다; 《특히》 다른 용기에 넣다.

rè·páckage *vt.* 짐을 다시 꾸리다, 다시 포장하다; 더 좋은〔매력적인〕 모양으로 하다〔바꾸다〕. ㊞ **-ager** *n.*

re·paid [riːpéid] REPAY의 과거·과거분사.

re·paint [rìːpéint] *vt.* (페인트 따위로) 다시 칠하다. **—** [ríːpèint, ⌐] *n.* 다시 칠하기; 다시 칠한 것〔부분〕.

⁑**re·pair**[1] [ripέər] *vt.* **1** 수리〔수선, 수복〕하다: ~ a motor 〔watch〕 모터〔시계〕를 수리하다 / ~ a house 집을 개축하다. SYN. ⇨MEND. **2** (건강·힘 등을) 되찾다, 회복하다; (상처 등을) 치료하다. cf. renew. ¶ ~ one's health by resting 휴양하여 건강을 회복하다. **3** 정정〔교정(矯正)〕하다: ~ an error 잘못을 고치다. **4** (손해·부족 등을) 벌충하다; (부정·죄 등을) 보상하다, 배상하다: ~ damage 손해를 배상하다 / ~ a wrong done 범한 죄를 보상하다. **—** *n.* Ⓤ **1** 수리, 수선; 수리 상태; (종종 *pl.*) 수선〔수리, 복구〕 작업; (종종 *pl.*) 수선 부분; (*pl.*) 수선비: The shop will be closed during ~*s*. 수리 중에는 휴점합니다 / need ~ 수리를 요하다. ★ 단수일 때에도 a를 붙이지 않음. **2** 회복, 보상; 〖생물〗 (세포·조직 따위의) 수복(修復). ***beyond*** 〔***past***〕 **~** 수리의 가망이 없는. ***in good*** 〔***bad***〕 **~** = ***in*** 〔***out of***〕 **~** 손질이 잘 되어 있어서〔있지 않아서〕. ***under* ~(*s*)** 수리 중. ㊞ **~·a·ble** [-rəbəl] *a.* 수선〔배상〕할 수 있는; 되찾을 수 있는《손해 등》. **re·pàir·a·bíl·i·ty** [-rəbíləti] *n.*

re·pair[2] *n.* 《고어》 출입이 잦은 곳, 많은 사람들이 모여드는 곳; 자주 가기. ***have* ~ *to*** …에 자주 가다. **—** *vi.* **1** 《~/+전+명》 가다, 다니다, 종종 가다《*to*》; 여럿이 가다《*to*》: ~ in person *to* London 몸소 런던으로 가다. **2** 《+전+명》 구하러〔의지하러〕 가다, 의지하다《*to; for*》: ~ *to* a shop *for* tools 도구를 구하러 가게로 가다.

re·páir·er [-rər] *n.* 수리자.

repáir·man [-mæ̀n, -mən] (*pl.* **-men** [-mèn, -mən]) *n.* (기계의) 수리공, 수선인.

repáir·pèrson *n.* 수리공, 수리인.

re·pand [ripǽnd] *a.* 〖식물〗 물결 모양의 (가장자리로 된 잎이 있는). 「로 다시 포장하다.

rè·páper *vt.* …의 종이를 갈아 붙이다; 새 종이

rep·a·ra·ble [répərəbəl] *a.* 수선할 수 있는; 배상〔보상〕할 수 있는; 돌이킬 수 있는.

◇**rep·a·ra·tion** [rèpəréiʃən] *n.* **1** Ⓤ 보상, 배상; (*pl.*) 배상금, 배상물(物): make ~ *for* …을 보상하다. **2** Ⓒ,Ⓤ 수리, 수선《지금은 흔히 repair(s)를 씀》; (*pl.*) 〖회계〗 수선비. **~*s in kind*** 현물 배상.

re·par·a·tive, -to·ry [ripǽrətiv], [ripǽrətɔ̀ːri/-təri] *a.* 수선하는, 수선의; 배상하는, 배상의; 회복시키는.

rep·ar·tee [rèpərtíː, -téi, -pɑːr-/-pɑːtíː] *n.* Ⓒ 재치 있는 즉답; Ⓤ 재치 있게 즉답하는 재간.

rè·partítion *n.* Ⓤ 분배, 구분, 할당; 재분배, 재구분, 재분할. **—** *vt.* 재분배〔재구분〕하다.

rè·páss *vt., vi.* 다시 지나가(게 하)다; (의안 따위를) 다시 제출하여 통과시키다. ㊞ **rè·pássage** *n.* Ⓤ

re·past [ripǽst, -pɑ́ːst/-pɑ́ːst] *n.* 식사; Ⓤ (한 번의) 식사량: a dainty 〔rich〕 ~ 미식(美食) / a light 〔slight〕 ~ 간단한 식사. **—** *vi.* 식사하다《*on*》.

◇**re·pa·tri·ate** [riːpéitrièit/-pǽt-] *vt.* 본국에 송환하다. **—** *vi.* 본국에 돌아가다. **—** [riːpéitriət/-pǽt-] *n.* 본국으로의 송환자. ㊞ **re·pàt·ri·á·tion** *n.* Ⓤ 본국 송환〔귀환〕.

***re·pay** [ripéi] (*p., pp.* **-paid** [-péid]) *vt.* **1** 《~+목/+목+목/+목+전+명》 (아무에게 돈을) 갚다, 반제(返濟)하다: ~ a debt 빚을 갚다 / *Repay* me the money. = *Repay* the money *to* me. 돈을 갚아 주게. **2** 《~+목/+목+전+명》 (아무에게) 보답하다, 은혜를 갚다; 보복하다: Your success will amply ~ him *for* his effort. 너의 성공은 그의 노력에 대한 충분한 보답이 될 것이다. **3** 《~+목/+목+전+명》 되돌리다; (행위 따위에) 보답하다《*with*》: ~ a visit 답례로서 방문하다 / ~ a compliment *with* a smile 찬사에 미소로 응답하다. **—** *vi.* 돈을 갚다; 보답하다. ㊞ **~·a·ble** *a.* 돌려줄〔반제할〕 수 있는; 돌려줘야〔반제해야〕 할. **~·ment** *n.* Ⓤ,Ⓒ 반제; 보장; 보은; 앙갚음.

◇**re·peal** [ripíːl] *vt.* 무효로 하다, 폐지하다, 철회하다. **—** *n.* Ⓤ,Ⓒ 폐지, 철회; (보통 R-) 〖영국사〗 영국·아일랜드 합병 철회 운동《1801년의 합병에 대한 반대 운동, 특히 1830년 및 1841-46년 D. O'Connell 등에 의한 운동》. ㊞ **~·a·ble** *a.* **~·er** *n.* 폐지론자; 철회론자; 〖영국사〗 영국·아일랜드 합병 철회론자.

⁑**re·peat** [ripíːt] *vt.* **1** 되풀이하다, 반복하다, 재차 경험하다: Don't ~ a mistake. / ~ one's question 되풀이하여 질문하다. **2** 《~+목/+*that*절》 되풀이해 말하다: I ~ *that* I can't accede to your demand. 다시 한 번 말하지만 너의 요구에는 응할 수 없다. **3** 흉내 내어 말하다, 복창하다: *Repeat* the following words after me. 나를 따라서 복창하시오. **4** 《~+목/+목+전+명》 (비밀 따위를) 그대로 사람에게 전하다, 딴 사람에게 말하다: She ~*ed* what I said *to* everyone. 그녀는 내가 말한 것을 모든 사람에게 퍼뜨렸다. **5** 다시 이수하다: ~ English. **6** (상품을) 추송(追送)하다. **—** *vi.* **1** 되풀이하여 말하다. **2** 《~/+전+명》 (음식물이) 입으로 도로 나오다 《*on*》: Fried mackerels always ~ *on* me. 고등어 튀김을 먹으면 언제나 넘어온다. **3** 《미》 (불법으로) 이중 투표하다. **4** (수·소수 따위가) 순환하다. **5** (총포가) 연발하다. ◇ repetition *n.* ~ one***self*** 되풀이하여 말〔행〕하다; 되풀이하여 다시 나타나다: History ~*s* it*self*. 역사는 되풀이된다.

— *n.* **1** 되풀이함; 반복. **2** 〖음악〗 도돌이(표). **3** 복사; 반복되는 무늬. **4** 〖상업〗 재공급, 재주문. **5** (라디오·텔레비전의) 재방송. **6** (앙코르에 의한) 재연(주).

re·péat·ed [-id] *a.* 되풀이된, 종종 있는.

◦**re·péat·ed·ly** *ad.* 되풀이하여, 몇 번이고, 재삼재사, 두고두고.

re·péat·er *n.* **1** 되풀이하는 사람〔것〕; 암송자; 연발총; 〖수학〗 순환 소수. **2** 《미》 몇 번이고 투표하는 부정 투표자; (*pl.*) 《미속어》 (납 따위를 채워 넣은) 부정 주사위; 《미》 상습범. **3** 《미》 낙제생. **4** =REPEATING WATCH. **5** 〖전기〗 자동 중계 장치.

repéating décimal 〖수학〗 순환 소수.

repéating firearm 〔**rífle**〕 연발총.

repéating wàtch (1시간 또는 15분 단위로) 시간을 알리는 (회중)시계(repeater).

repéat kèy 〖컴퓨터〗 반복키.

repéat prescríption 《영》 반복 사용이 가능한 처방전.

re·pe·chage [rèpəʃáːʒ] *n.* 《F.》 (준결승 진출을 위한) 패자(부활)전.

「복귀시키다.

re·pég *vt.* (변동 환율제 통화를) 고정 환율제로

◦**re·pel** [ripél] (**-ll-**) *vt.* **1** 쫓아 버리다, 격퇴하다. **2** 반박하다; 저항하다; 퇴짜 놓다, 거절하다. **3** 〖물리〗 반발하다, 튀기다. **4** 혐오감〔불쾌감〕을 주다: The odor ~*s* me. 냄새가 역하다. **—** *vi.* 퇴짜 놓다; 불쾌하게 하다. ◇ repulse, repulsion *n.*

◦**re·pel·lent, re·pel·lant** [ripélənt] *a.* **1** (사람에게) 혐오감을 주는, 불쾌한, 쌀쌀한《*to*》; 되물리치는(데 소용되는), 쫓아 버리는(데 소용되는): Everything about him was ~ *to* her. 그녀는 그의 일이라면 무엇이건 싫었다. **2** 〔종종 복합어〕 (물건을) 차단하는, (벌레 따위를) 가까이 못 오게 하는: a water-~ garment 방수복. **—** *n.* 반발력; 방수 가공제《헝겊에 바르는》; 구충제; 〖의학〗 구산제(驅散劑)《종기를 삭게 하는》: an insect ~ 구충〔방충〕제. ㊕ **-lence, -len·cy** [-ləns], [-si] *n.* Ⓤ 반발(성), 반격(성).

***re·pent** [ripént] *vi.* 《~/+전+명》 후회하다, 유감으로 생각하다, 분해하다《*of; for*》; 회개하다《*of*》: ~ (*of*) one's sins 죄를 뉘우치다 / He ~*ed* (*of*) his folly. 자신의 어리석음을 후회했다. **—** *vt.* 《~+목/+*-ing*/+*that*절》 …을 후회〔회개, 참회〕하다, 유감으로 생각하다: You shall ~ this. 이것을 곧 후회하게 될거다 / I now ~ hav*ing* offended her. =I now ~ *that* I offended her. 그녀의 감정을 상하게 한 것을 지금 후회하고 있다. ㊕ **~·er** *n.*

◦**re·pent·ance** [ripéntəns] *n.* Ⓤ,Ⓒ 후회; 회한, 회개. ⓒⓕ penitence, remorse.

re·pent·ant [ripéntənt] *a.* 후회하고 있는《*for*》; 회오(悔悟)의, 개전의 정을 보이는; 참회의. ㊕

~·ly *ad.*

rè·péople *vt.* …에 새로 사람을 거주시키다, 재(再)식민하다; …에 가축을 재공급하다.

re·per·cus·sion [rìːpərkʌ́ʃən, rèp-/rìːp-] *n.* Ⓤ,Ⓒ **1** 되튀기; (소리의) 반향; (빛 따위의) 반사. **2** (보통 *pl.*) (간접적) 영향, (사건 등의) 반동. **3** 반발, 격퇴, 반격.

re·per·cus·sive [rìːpərkʌ́siv, rèp-/rìːp-] *a.* 반향하는〔시키는〕 (성질의), 반사하는; 반향적〔반사적〕인.

rep·er·toire [répərtwàːr, -twɔ̀ːr] *n.* 연예〔상연〕 목록, 연주 곡목, 레퍼토리; 〖컴퓨터〗 레퍼토리《어떤 특정 명령 시스템에 쓰이는 문자·부호의 범위》.

rep·er·to·ry [répərtɔ̀ːri/-təri] *n.* **1** =REPERTOIRE. **2** (지식·정보 따위의) 축적; 보고. **3** 창고, 저장소. **4** =REPERTORY COMPANY 〔THEATER〕.

répertory còmpany 레퍼토리 극단《레퍼토리 극장 전속의 극단》.

répertory thèater 레퍼토리 극장《전속 극단으로 하여금 여러 가지의 극을 단기 흥행케 하는》.

rè·perúse *vt.* 다시 읽다; 재검토하다. ㊕ **-rúsal** *n.* 재독(再讀); 재음미.

rep·e·tend [répətènd, ˌ-ˌ-ˊ] *n.* 〖수학〗 순환절〔마디〕《순환 소수의》; 〖운율〗 반복 어구〔음〕.

ré·pé·ti·teur [rèipeitətə́ːr/ripèt-] *n.* 《F.》 (오페라 하우스 소속의) 가수 연습 코치.

***rep·e·ti·tion** [rèpətíʃən] *n.* Ⓤ **1** 되풀이, 반복; 재설(再說), 재현. **2** 〖음악〗 복주(復奏), 복창. **3** 암송(문·시구). **4** Ⓒ 사본, 복사, 모사, 부본. ◇ repeat *v.* ㊕ **~·al, ~·a·ry** [-əl], [-èri/-əri] *a.* 반복의, 복창의.

rep·e·ti·tious [rèpətíʃəs] *a.* 자꾸 되풀이하는, 중복하는, 반복성의; 번거로운. ㊕ **~·ly** *ad.* **~·ness** *n.*

re·pet·i·tive [ripétətiv] *a.* 되풀이하는, 반복성의. ㊕ **~·ly** *ad.* **~·ness** *n.*

repétitive DNA 〖유전·생화학〗 반복성 DNA《각 세포에 특정한 유전자(遺傳子)가 반복 포함된 DNA》.

repétitive stráin 〔**stréss**〕 **ìnjury** ⇨ RSI.

rè·phráse *vt.* 고쳐〔바꾸어〕 말하다.

rè·píece *vt.* 다시 엮어〔짜〕 맞추다.

re·pine [ripáin] *vi.* 불평하다, 투덜거리다《*at; against*》. ㊕ **re·pín·er** *n.*

repl. replace; replacement.

****re·place** [ripléis] *vt.* **1** 《~+목/+목+전+명》 제자리에 놓다, 되돌리다: ~ a book *on* the shelf 책을 책장에 도로 꽂다 / ~ the receiver 전화를 끊다. **2** 돌려주다, 반제하다. **3** 복직〔복위〕 시키다. **4** 《~+목/+목+*as*보》 …에 대신하다, …의 후계자가 되다, …에 대체하다: Electricity has ~*d* gas in lighting. 조명에 관하여는 전기가 가스에 대체되었다 / Mr Major ~*d* Mrs Thatcher *as* Prime Minister. 메이저가 대처의 뒤를 이어 수상이 되었다. **5** 《~+목/+목+전+명》 바꾸다, 바꾸어 놓다〔넣다〕《*by; with*》: ~ a worn tire *by* 〔*with*〕 a new one 헌 타이어를 새것과 갈아 끼우다. a person ***hard to*** ~ 대체할 수 없는 사람. **—** *n.* 〖컴퓨터〗 대치, 치환《먼저 입력된 자료(data)의 어느 부분을 대체할 수 있는 기능 또는 방식(mode)》. ㊕ **~·a·ble** *a.* 제자리에 되돌릴 수 있는; 바꾸어 놓을 수 있는, 대신이 될 수 있는.

re·pláce·ment *n.* **1** Ⓤ 제자리에 되돌림, 교체, 대치; 복직; 대신, 후계. **2** Ⓒ 교체자〔물〕; 〖군사〗 보충병, 교체 요원. **3** 〖컴퓨터〗 대치.

replácement demànd (설비나 내구재 등의) 교환〔환매〕 수요.

replácement dèpot 〖군사〗 보충대〔소(所)〕.
replácement lèvel 〖통계〗 인구 보충 수준《총 인구를 유지하기 위한 출생률》.
rep·la·mine·form [rèpləmí:nfɔ̀rm] *n., a.* 세라믹·금속·중합체 등으로 생체의 조직·구조를 복제한 재료를 얻는 공정〔기술〕(의).
rè·plán *vt.* …의 계획〔예정〕을 다시 세우다.
rè·plánt *vt.* **1** 다시 심다, 이식하다; …에 새로 식민하다. **2** 〖의학〗 (절단된 손·손가락 등)을 재결합시키다; (피부 등)을 이식하다. ㊞ **rè·plantátion** *n.* Ⓤ 재식(再植), 이식; Ⓒ 이식된 식물.
re·play [rì:pléi] *vt.* 다시 하다, 거듭하다《경기를》; 재연(再演)하다. **—** [rí:plèi] *n.* 재(再)경기; (녹음·녹화 테이프의) 재생.
re·plen·ish [ripléniʃ] *vt.* **1** 《~+목/+목+전+명》 채우다; 다시 채우다; (연료를) 계속 공급하다, 대다; 새로 보충〔보급〕하다《*with*》: ~ one's wardrobe 의상을 사들이다 / ~ the fire *with* fuel 불에 연료를 지피다. **2** (땅을) 사람으로〔동물로〕 가득 채우다. ㊞ **~ed** [-t] *a.* (다시) 가득해진, 가득 찬. **~·ment** *n.* 보충, 보급; 보급물.
re·plete [riplí:t] *a.* 가득 찬, 충만한, 충분한; 포만한, 포식한《*with*》. ㊞ **~·ness** *n.*
re·ple·tion [riplí:ʃən] *n.* Ⓤ,Ⓒ 충만; 만원; 포식, 만복(滿腹); Ⓤ 〖의학〗 다혈증. **to ~** 충분히, 가득히; 실컷.
re·plev·in [riplévin] 〖법률〗 *n.* 압수〔압류〕 물건의 회복; (부당하게 압류된) 물건 회복 소송; 압류 동산 회복 영장. **—** *vt.* =REPLEVY.
re·plevy [riplévi] *vt.* 〖법률〗 (부당하게 압류된 물건을) 소송하여 도로 찾다.
rep·li·ca [réplikə] *n.* 〖미술〗 (원작자의 손으로 된) 복사《그림·상(像) 따위의》; 모사(模寫), 복제; 그대로 닮은 것; 〖음악〗 도돌이(표).
rep·li·ca·ble [réplikəbəl] *a.* **1** 반복〔복사·추가 시험〕 가능한. **2** 〖유전〗 복제 가능한.
rep·li·car [réplikɑ̀:r] *n.* 클래식 카의 복제차《엔진이나 부품은 새것으로 되어 있음》.
rep·li·case [réplikèis, -z] *n.* 〖생화학〗 레플리카아제, RNA 레플리카아제《RNA를 주형(鑄型)으로 해서 RNA를 합성하는 효소》.
rep·li·cate [réplikət] *a.* 되접은; (실험 등이) 반복된; 모사(模寫)한, 복제의. **—** [-kèit] *vt.* **1** (잎 등을) 되접다. **2** 복제〔복사〕하다; (실험을) 반복하다. **—** [-kèit] *vi.* 접어 겹치다; 〖유전〗 복제하다; 〖법률〗 (피고의 답변에 대해) (원고가) 항변하다. **—** [-kət] *n.* 반복된〔복제된〕 것, 반복되는 실험; 〖음악〗 (옥타브 높은〔낮은〕) 반복음.
rèp·li·cá·tion *n.* Ⓤ,Ⓒ 응답; 반향; 〖법률〗 원고의 재항변《피고의 답변에 대한》; 복사, 모사; 반대로 잦혀짐; 〖생화학〗 복제《DNA 등의》; 〖통계〗 반복《오류를 줄이기 위한 실험상의》.
rep·li·ca·tive [réplikèitiv] *a.* (실험 따위가) 반복 가능한. ㊞ **~·ly** *ad.*
rep·li·con [réplikɑ̀n/-kɔ̀n] *n.* 〖유전·생화학〗 레플리콘《DNA나 RNA의 복제 단위》.
re·plot·ting [riplɑ́tiŋ/-plɔ́t-] *n.* 환지, 토지 구획 정리: a ~ map 구획 정리도.
∗∗re·ply [riplái] *vi.* **1** 《~/+전+명》 대답하다, 답변하다《*to; for*》: ~ *to* a question 질문에 답하다 / ~ *to* the letter 편지에 답장을 쓰다 / ~ *for* one's daughter 딸을 대신하여 대답하다. SYN. ⇨ANSWER. **2** 《~/+전+명》 응답〔응수〕하다; 응전하다《*to*》: She *replied to* my greeting with a smile. 그녀는 내 인사에 미소로 응답했다 / ~ *to* the enemy's fire 적의 포화에 응사하다. **3** 〖법률〗 (원고가) 항변하다. **4** 반향하다, 메아리치다. **—** *vt.* 《~+목/+*that*절》 …라고 대답하다, 대꾸하다: She does not know what to ~. 그녀는 무어라고 대답해야 할지 모른다 / He *replied that* his mind was made up. 그는 결심이 섰다고 대답하였다. **—** *n.* Ⓤ,Ⓒ **1** 답, 대답, 답변, 회답; 답사. **2** 보답, 응수, 응답, 응전. **3** 〖법률〗 (원고의) 항변. **4** 〖음악〗 둔주곡(遁走曲)〔푸가〕의 응답부. ***in ~*** (***to***) (…의) 대답으로, (…에) 답하여. ***make*** (***a***) ***~ to*** …에 답하다.
replý cóupon 반신권《우표와 교환이 가능》: ⇨INTERNATIONAL REPLY COUPON.
replý-páid *a.* 회신료〔반신료〕가 첨부된《전보》; 요금 수취인불의《봉투》.
replý (**póstal**) **càrd** 《미》 왕복 엽서.
re·po[1] [rí:pou] (*pl.* **~s**) *n.* 《미구어》 〖금융〗 (증권·국채 등의) 환매 특약. [◀ *repossess*]
re·po[2] (*pl.* **~s**) *n.* (대부금 반제 불이행에 따른) 차〔상품〕 회수, 가옥 압류; 회수된 차《따위》, 압류된 가옥《특히 정부 융자 주택》. **—** *vt.* (대금 미불 차를) 회수하다.
rè·póint *vt.* (벽돌 구조물의) 줄눈을 다시 칠하다.
répo màn 지급 불이행자의 재산〔《특히》 차〕 회수인, 압류하는 사람.
ré·pon·dez s'il vous plaît [reipɔ́undeisi:lvu:pléi] 《F.》 회답 바랍니다(reply, if you please)《초대장 등에 씀; 생략: R.S.V.P.》.
rè·pópulate *vt.* …에 다시 식민하다〔거주시키다〕.
∗re·port [ripɔ́:rt] *vt.* **1** 《~+목/+목+(*to be*) 보/+*that*절/+목+전+명/+*-ing*》 (연구·조사 등을) 보고하다; (들은 것을) 전하다, 말하다, 이야기하다; …을 보도하다; 공표하다; (세상에서) …라고 말하다: ~ a ship missing 배가 행방불명이라고 보고하다 / He was *~ed* (*to be*) killed in the war. 그는 전사하였다고 보도되었다《to be를 생략하는 것은 주로 미국 용법》 / ~ the accident *to* the police 경찰에 그 사고를 알리다 / He *~ed that* he had met her. =He *~ed* hav*ing* met her. 그는 그녀를 만났다고 이야기하였다. **2** 《~+목/+목+전+명》 (소재·상황을) 신고하다, 통보하다; 〖~ oneself〗 출석하다: ~ a fire 화재를 신고하다 / ~ one*self to* the principal 교장에게 가다. **3** 《~+목/+목+전+명》 (강연 따위를) 기록하다; …의 기사를 쓰다〔싣다〕, 취재하다: ~ a trial (*for* a newspaper) (신문에) 공판 기사를 쓰다. **4** 《~+목/+목+전+명》 (상사 등에게) …에 대한 일을 고자질하다: ~ a person *to* his employer *for* laziness 아무가 태만하다고 주인에게 일러바치다. **—** *vi.* **1** 《+전+명》 보고하다, 복명하다《*of; on, upon*》: ~ *on* the condition of a mine 광산의 상황에 관한 보고서를 제출하다. **2** 《+전+명》 기사를 작성하다〔보내다〕, 보도하다《*on, upon*》; 탐방하다, 탐방 기자 일을 보다: ~ *for* the Time 타임지의 통신원이다. **3** 《+보/+전+명》 (자기의 거처·생태를) 신고하다, 보고하다; 출석하다: ~ sick 병이 났다고 보고하다 / ~ *to* the police 경찰에 (소재를) 신고하다. ***be badly*** 〔***well***〕 ***~ed of*** 나쁘게〔좋게〕 이야기되고 있다. ***move to ~ progress*** 《영》 (종종 하원에서 방해할 목적으로) 토론 중지 동의를 제출하다. **~ *at*** …에 출석〔등교〕하다. **~ *back*** 돌아와서 보고하다. **~ *for duty*** 〔***work***〕 출근하다. **~ *out*** (위탁 안건을) 수정 조항과 함께 토의와 투표를 위하여 본 회의에 되돌리다. **~ *progress*** 경과 보고를 하다.
— *n.* **1** 보고(서); 공보; 보도, 기사《*on*》; (학교의) 성적표: the weather ~ 기상 통보 / make a ~ *of* …을 보고하다 / draw up a ~ *on* an accident 사고 보고서를 작성하다. **2** Ⓤ,Ⓒ 소문, 세평; Ⓤ 평판, 명성: a man of good 〔bad〕 ~ 평판이 좋은〔나쁜〕 사람 / be of good 〔ill〕 ~ 평판이 좋다〔나쁘다〕 / idle ~*s* 쓸데없는 소문 / There's a ~ *that* he has links with the Ma-

fia. 그는 마피아와 관련이 있다는 소문이 있다. **3** (보통 *pl.*) 판례집; 의사록. **4** 총성, 포성, 폭발음. **5** 〖컴퓨터〗 보고서《계통적으로 정리 편성한 정보를 내용으로 하는 출력, 특히 인쇄한 출력을 이름》. ***on*** ~ (규칙 위반 따위로) 출석 명령을 받고. ***Report to the Nation*** '국민에 대한 보고'《영국 정부의 경제·시사 문제에 관한 정기 발표》. ***The* ~ *goes* 〔*runs, has it*〕 *that ....*** …라는 소문이다. ***through good and evil* ~** 소문의 좋고 나쁨에 관계없이.
㊕ **~·a·ble** *a.* 보고〔보도〕할 수 있는; 보고〔보도〕 가치가 있는.

re·port·age [ripɔ́:rtidʒ, rèpɔ:rtá:ʒ, rèpər-/ripɔ́:tidʒ, rèpɔ:tá:ʒ] *n.* 《F.》 르포르타주, 보고문학〔문체〕; 현지 보고.

repórt càrd 《미》 성적〔생활〕 통지표.

re·pórt·ed·ly [-idli] *ad.* 소문에 의하면, 들리는 바에 의하면.

repórted spéech 〖문법〗 간접 화법(indirect narration).

***re·port·er** [ripɔ́:rtər] *n.* **1** 보고자, 신고자. **2** 보도 기자, 통신원, 탐방 기자《*for*》; 뉴스 아나운서. **3** 의사(議事)〔판결〕 기록원.

rep·or·to·ri·al [rèpərtɔ́:riəl, rì:pɔ:r-, rì:pər-] *a.* 《미》 보고자의, 기자의; 기록자의; 보도의. ㊕ **~·ly** *ad.*

repórt stàge (the ~) 《영》 (하원에서 제 3 독회 전에 행하는) 위원회 보고의 심의.

re·pos·al [ripóuzəl] *n.* (신뢰·신용 등을) 둠; (관리·조처 등을) 맡김, 위탁.

***re·pose**[1] [ripóuz] *n.* Ⓤ **1** 휴식, 휴양; 수면: seek 〔take, make〕 ~ 휴식하다 / Good night and sweet ~. 편히 잘 자요. **2** 침착, 평정(平靜), 평안; (색채 등의) 조화: rural ~ 전원의 고요 / ~ of mind 마음의 평정. **3** (운동의) 휴지(休止): a volcano in ~ 휴화산.
— *vt.* 《~+目/+目+前+名》 눕히다, 재우다; 쉬게 하다: ~ one's head *on* a pillow 베개를 베고 쉬다 / ~ oneself *on* a sofa 소파에서 쉬다.
— *vi.* **1** 《~/+前+名》 쉬다, 휴식하다: a girl *reposing in* a hammock 해먹에서 쉬고 있는 소녀 / ~ *on* 〔*upon*〕 a bed 침대에 눕다. SYN. ⇨ REST. **2** 《~/+前+名》 영면하다, 안치되다: He ~*s at* Arlington Cemetery. 그는 알링턴 묘지에 안장되었다. **3** 《+前+名》 가로놓이다, (바다·섬 따위가) 조용히 가로놓여 있다《*on*》; 기초를 두다《*on, upon*》: The foundations ~ *upon* the rock. 토대는 암반 위에 놓여 있다. **4** 《+前+名》 《고어》 의지하다, 신뢰하다《*in; on*》: His faith ~*s in* God. 그는 신을 믿는다. **5** 《+前+名》 (마음이) 머무르다《*on, upon*》: ~ *on* 〔*upon*〕 the past 회상에 잠기다. ***~ on a bed of down*** 〔***roses***〕 호화롭게 살다.
㊕ **~d** [-d] *a.* 침착한, 평온한. **re·pós·ed·ly** [-idli] *ad.*

re·pose[2] *vt.* (신뢰·희망 따위를) 두다, 걸다《*in; on*》; (권한 따위를) 위임하다《*in*》: ~ one's trust *in* a person 아무를 신뢰하다.

re·pose·ful [ripóuzfəl] *a.* 평온한, 침착한. ㊕ **~·ly** *ad.* 평온하게. **~·ness** *n.*

re·pos·it [ripázit/-pɔ́z-] *vt.* 보존하다, …을 저장하다(store); 《드물게》 …을 제자리에 놓다.

re·po·si·tion [rì:pəzíʃən, rèp-] *vt.* **1** 딴〔새〕 장소로 옮기다, 위치를 움직이다. **2** (제품의) 이미지〔시장 전략 등의〕 전환을 꾀하다. **3** 〖외과〗 (수술 등에서 (임시 움직인) 장기·뼈를) 원위치에 되돌리다. **—** *vi.* 장소를 바꾸다, 이용하다.

re·pos·i·tory [ripázətɔ̀:ri/-pɔ́zitəri] *n.* **1** 용기(容器); 저장소, 창고. **2** 《비유》 (지식 등의) 보고(寶庫)《사람에게도 씀》. **3** 박물관; 진열소, 매점. **4** 납골당, 매장소. **5** (비밀 등을) 터놓을 수 있는 사람, 막역한 친구. **—** *a.* (약품이) 지속성의.

rè·posséss *vt.* 다시 손에 넣다, 되찾다; (상품을) 회수하다《할부 계약 따위의 불이행으로》; (아무에게) 도로 찾아〔회복시켜〕 주다: ~ one*self of* …을 도로 찾다 / ~ a person *of* …을 아무에게 도로 찾아 주다. ㊕ **rè·posséssion** *n.* Ⓤ 되찾음, 재(再)소유, 회복.

rè·pót (*-tt-*) *vt.* (식물을) 딴 화분에 옮겨 심다.

re·pous·sé [rəpu:séi/-ˊ-ˊ] *a.* 《F.》 (금속판의) 안쪽을 쳐서 겉으로 무늬를 도드라지게 하는. **—** *n.* (금속의) 돋을무늬 세공(품).

rè·pówer *vt.* …에 동력을 재공급하다; 《특히》 (선박 등에) 새로운〔다른〕 엔진을 장치하다.

repp [rep] *n.* =REP[1].

repr. represent(ing); reprint(ed).

rep·re·hend [rèprihénd] *vt.* 꾸짖다, 나무라다, 비난하다.

rep·re·hen·si·ble [rèprihénsəbəl] *a.* 비난할 만한, 괘씸한. ㊕ **-bly** *ad.* **~·ness** *n.*

rep·re·hen·sion [rèprihénʃən] *n.* Ⓤ 비난, 질책.

rep·re·hen·sive [rèprihénsiv] *a.* 비난하는, 질책하는. ㊕ **~·ly** *ad.*

****rep·re·sent** [rèprizént] *vt.* **1** 묘사하다, 그리다: The prince is ~*ed* in hunting costume. 왕자는 사냥복 차림새로 그려져 있다. **2** 《~+目/+目+前+名》 마음에 그리다, 상상하다: Can you ~ infinity *to* yourself? 무한이라는 것을 상상할 수 있나. **3** 《+目+*as* 補/+目+*to be* 補/+*that* 節》 말하다, 기술하다, 말로 표현하다, 주장〔단언〕하다: He ~*ed* himself *as* 〔*to be*〕 an intimate friend of the Senator. 그는 자기가 그 상원 의원의 친한 친구라고 했다 / He ~*ed that* they were in urgent need of help. 그들에게는 원조(援助)가 절실하다고 그는 말했다. **4** 《~+目/+目+*-ing*/+目+前+名》 (그림·기호 등이) 표시〔상징〕하다, 의미하다: X ~*s* the unknown. X는 미지의 것을 나타낸다 / This picture ~*s* a nude repos*ing* on a couch. 이 그림은 긴 소파에서 쉬고 있는 누드 그림이다 / His excuses ~*ed* nothing *to* me. 그의 변명은 나에게는 무의미했다. **5** …의 표본〔일례〕이다: This house ~*s* the most typical houses in these parts. 이 집은 이 지방의 전형적 가옥의 일례이다. **6** 대표하다: He ~*s* our city. 그는 우리 시 출신 의원이다. **7** 《~+目/+目+前+名》 …을 설명하다, 납득시키다: The orator ~*ed* the importance of the bill *to* his audience. 연설자는 청중에게 법안의 중대성을 설명하였다. **8** …을 상연하다; …의 역을 맡아 하다, …으로 분장하다: She ~*ed* a queen. 그녀는 여왕 역을 맡아 했다. **9** …에 상당하다. **~ (*very*) *much*** 〔(***very***) ***little, nothing***〕 ***to*** (me) (나)에겐 크게 의미가 있다〔거의 무의미하다, 전연 무의미하다〕.
㊕ **~·a·ble** *a.* **~·er** *n.*

rè-presént *vt.* 다시 선사하다; 다시 제출하다; (극 따위를) 재연(再演)하다.

***rep·re·sen·ta·tion** [rèprizentéiʃən, -zən-] *n.* Ⓤ,Ⓒ **1** 표시, 표현, 묘사. **2** 초상(화), 조상(彫像), 회화. **3** (종종 *pl.*) 설명, 진술; 주장, 단언; 신청, 진정; 항의: We made forceful ~*s to* the Government *about* the matter. 우리는 그 문제에 대해서 정부에 강력히 항의했다. **4** 상연, 연출; 분장. **5** 상상(력), 개념 작용. **6** 〖심리〗 표상. **7** 대표, 대리; 의원 선출(권); 〔집합적〕 대표단: proportional ~ 비례 대표제. **8** 〖컴퓨터〗 표시, 표현《문자·숫자 등을 구성하여 어떤 구조나 의미를 나타내는 일》. ***regional* ~** 지역 대표제.
㊕ **~·al** [-nəl] *a.* 구상(具象)주의의. **~·al·ism** *n.* 〖연극〗 표상주의(表象主義).

rep·re·sent·a·tive [rèprizéntətiv] *a.* **1** 대표적인, 전형적인. **2** 대리〔대표〕하는; 대의제의: in a ~ capacity 대표자의 자격으로 / the ~ chamber 〔house〕 하원 / ~ government 대의정체 / the ~ system 대의제 / The Congress is ~ *of* the people. 의회는 국민을 대표한다. **3** 표시하는, 표현하는, 묘사하는; 상징하는《*of*》: a painting ~ *of* a battle 전쟁화(畫). **—** *n.* **1** 대표자, 대행자, 대리인《*of; from; on; at*》; 재외(在外) 사절; 후계자, 상속자: diplomatic ~*s* 외교관 / a ~ *of* 〔*for*〕 an American company in Seoul 서울의 미국 기업 대리인. **2** 대의원; (R-)《미》 하원 의원. **3** 견본, 표본; 전형. **4** 유사물. ***a legal* 〔*personal*〕 ~** 유언 집행인, 관재인. ***a real* 〔*natural*〕 ~** 가계 상속인. ***the House of Representatives*** 《미》 하원. ㊕ **~·ly** *ad.* **~·ness** *n.*

represénted spéech 〚문법〛 묘출(描出)화법《직접화법과 간접화법과의 중간 성격》.

re·press [riprés] *vt.* 억누르다; 저지〔제지〕하다; (반란 등을) 진압하다; 〚유전〛 (유전자를) 억제하다.

rè-préss *vt.* 다시 누르다; 《특히》 (레코드를) 다시 프레스하다.

re·préssed [-t] *a.* 억눌린, 진압된; 억압된.

re·préss·er *n.* 억압하는 것, 억압자.

re·préss·i·ble *a.* 억제〔제압〕할 수 있는; 〚유전〛 (유전자를) 억제할 수 있는.

re·pres·sion [ripréʃən] *n.* Ⓤ 진압, 제지, 억제; 〚심리〛 억압(된 것)《생각·충동 등》.

re·pres·sive [riprésiv] *a.* 억누르는, 억압적인; 진압하는. ㊕ **~·ly** *ad.* **~·ness** *n.*

re·pres·sor [riprésər] *n.* **1** =REPRESSER. **2** 〚유전〛 리프레서, 억제 물질〔인자〕.

représsor pròtein 〚생화학〛 억제 단백《제어 유전자에 의해서 만들어지는 단백》.

re·prieve [riprí:v] *vt.* (특히 사형수의) 형집행을 정지〔연기〕하다; (아무를) (위험·곤란 등에서) 일시적으로 구하다〔경감하다〕. **—** *n.* 형집행 정지〔연기〕《특히 사형수의》; (곤란·위험에서) 일시적인 구원〔경감, 도피〕. ㊕ **re·príev·al** *n.*

rep·ri·mand [réprəmæ̀nd, -mɑ̀:nd/-mɑ̀:nd] *n.* 견책, 징계; 비난, 질책. **—** *vt.* 《~+목/+목+전+명》 견책〔징계〕하다; 호되게 꾸짖다: The captain ~*ed* the sentry *for* deserting his post. 대장은 자기 초소에서 떠난 이유로 보초를 질책하였다. SYN. ⇨ REPROACH.

re·print [rì:prínt] *vt.* 증쇄(增刷)하다, (개정하지 않고) 다시 인쇄하다; 번각(飜刻)하다. **—** *n.* **1** 증쇄, 재쇄(再刷), 재판. **2** (새 판형에 의한) 재발행, 재간(再刊). **3** (기간본의) 리프린트《동일 출판물을 딴 출판사가 판권을 양도받아 그대로 출판함》.

re·pris·al [ripráizəl] *n.* Ⓤ,Ⓒ 앙갚음, 보복《특히 국가 간의》; 〚역사〛 보복적 강탈; (보통 *pl.*) 배상금. ***letters* 〔*commission*〕 *of* ~** 〚역사〛 강제 나포(拿捕) 면허장. ***make* ~(*s*)** 보복하다.

re·prise [ripráiz] *n.* **1** (보통 *pl.*) 〚법률〛 소유지의 매년의 모든 경비. **2** 재개; 재활동. **3** 보복. **4** [rəprí:z] 〚음악〛 (소나타 형식의) 재현부 (再現部), 반복. ***beyond* 〔*above, besides*〕 ~*s*** 모든 경비를 지급한 나머지의.

re·pro [rí:prou] (*pl.* **~s**) *n.* 《구어》 =REPRODUCTION 2; =REPRODUCTION PROOF.

re·proach [ripróutʃ] *vt.* **1** 《~+목/+목+전+명》 (아무를) 비난하다《*for*》; 나무라다, 꾸짖다《*with*》: You need not ~ yourself. 그렇게 자책할 필요는 없다 / ~ a person *for* being idle 〔*with* his idleness〕 아무의 나태함을 꾸짖다.

SYN. **reproach** 기대를 저버린 것 따위에 대하여 상대의 명예심에 호소하여 반성을 촉구하다. **reprove** 윗 사람의 입장에서 온건하게 상대의 반성을 요청하다. **rebuke** 불찬성을 강하게 주장하여 상대를 힐난하다. **reprimand** 권위를 갖고 공식적으로 비난하다, 견책하다.

2 《~+목/+목+전+명》 (일을) 비난하다, (아무에게 일에 대한) 죄를 씌우다《~ a thing *to* 〔*against*〕 a person》: My conscience ~*es* me nothing. 나는 양심에 거리낄 것이 없다. **3** 《드물게》 …의 체면을 손상하다: This conduct will ~ you. 이 행위는 너의 수치가 될 것이다.

— *n.* **1** Ⓤ 비난, 질책: a man without ~ 나무랄 데 없는 훌륭한 인물. **2** Ⓒ 비난의 대상〔말〕; 치욕의 근원〔원인〕: be a ~ *to* …의 치욕의 근원이다. **3** Ⓤ 불명예, 치욕. ***above* 〔*beyond*〕 ~** 나무랄 데 없이, 훌륭히. ***bring* 〔*draw*〕 *down* ~ *on* 〔*upon*〕** …의 수치가 되다, …의 치욕이 되다. ***heap* ~*es on*** …을 혹닥다〔비난하다〕. ㊕ **~·a·ble** *a.* 비난할 만한, 나무라야 할. **~·er** *n.*

re·proach·ful [ripróutʃfəl] *a.* 꾸짖는, 비난하는; 책망하는 듯한; 《고어》 수치스러운, 비난할 만한. ㊕ **~·ly** *ad.* **~·ness** *n.*

re·próach·ing·ly *ad.* 나무라듯이, 비난조로.

re·próach·less *a.* 비난의 여지가 없는, 더할 나위 없는. ㊕ **~·ness** *n.*

rep·ro·bate [réprəbèit] *vt.* 책망하다, 비난하다; 배척하다; (신이) 저버리다; 〚법률〛 (증서를) 부인하다. **—** *a.* 신에게 버림받은; 사악한, 불량한. **—** *n.* **1** (the ~) 신에게 버림받은 사람. OPP *the elect*. **2** 무뢰한(漢); 부도덕한 사람.

rèp·ro·bá·tion *n.* Ⓤ 비난, 질책; 배척, 반대, 이의; 〚신학〛 영벌(永罰).

rè·prócess *vt.* 재생하다, 재가공〔재처리〕하다: ~*ed* wool 재생 양모. 「재처리 플랜트.

reprócessing plànt (핵연료) 재처리 공장,

re·pro·duce [rì:prədjú:s] *vt.* **1** 재생하다; 재현하다; 재연하다; (책을) 재판하다: The lizard ~*s* its torn tail. 도마뱀은 끊어진 꼬리를 재생한다. **2** 《~+목/+목+전+명》 복사하다, 모사하다; 모조하다; 복제하다; (인물·풍경을) 그리다: ~ a picture *from* an old print 옛 판화에서 그림을 복제하다. **3** 번각하다; 전재하다. **4** 〔~ oneself〕 생식〔번식〕하다. **—** *vi.* **1** 《~/+전+명》 생식하다, 번식하다: Most plants ~ *by* produc*ing* seed. 대부분의 식물은 씨를 만들어 번식한다. **2** 복제〔복사, 재생〕되다. ㊕ **-dúc·er** *n.* **-dúc·i·ble** *a.*

re·pro·duc·tion [rì:prədʌ́kʃən] *n.* Ⓤ **1** 재생, 재현; 재제작; 재생산. **2** Ⓒ 복제(물), 복사, 모조; 전재(轉載); 번각(飜刻)(물). **3** 생식; 번식; 〚심리〛 재생 작용. 「proof).

reprodúction pròof 〚인쇄〛 전사(轉寫)(repro

re·pro·duc·tive [rì:prədʌ́ktiv] *a.* **1** 생식의: ~ organs 생식기. **2** 재생의, 재현의. **3** 다산적(多産的)인. ㊕ **~·ly** *ad.* **~·ness** *n.*

rè·prógram *vt., vi.* 〚컴퓨터〛 프로그램을 다시 작성하다.

re·prog·ra·phy [riprágrəfi/-prɔ́g-] *n.* **1** (사진·건식 복사기에 의한) 복사. **2** (비디오테이프 등에 의한) TV 녹화 기술. ㊕ **-pher** *n.*

re·proof [riprú:f] (*pl.* **~s**) *n.* Ⓤ,Ⓒ 비난, 질책; 책망, 꾸지람(rebuke): a glance of ~ 비난하는 듯한 눈초리. cf. reproach. ◇ reprove *v.* ***in ~ of*** …을 비난하여. 「정쇄를 내다.

rè·próof *vt.* 다시 방수 가공하다; 〚인쇄〛 새 교

répro pròof =REPRODUCTION PROOF.

re·prov·a·ble [riprú:vəbəl] *a.* 비난할〔나무랄〕 만한. ㊕ **~·ness** *n.*

re·prov·al [riprú:vəl] *n.* =REPROOF.

*__re·prove__ [riprúːv] *vt.* 《~+목/+목+전+명》 꾸짖다, 비난하다; 훈계하다, 타이르다: ~ a person *for* his fault 아무의 잘못을 책하다. SYN. ⇨REPROACH. 파 **re·próv·ing·ly** *ad.* 비난하듯이, 꾸짖듯이, 듣기 싫게.

rè·provísion *vt.* 다시 음식을 주다, 식량을 재 「보급하다.

reps [reps] *n.* =REP[1].

rept. 『상업』 receipt; report.

◇**rep·tile** [réptil, -tail/-tail] *n.* **1** 파충류의 동물; 파행 동물, 양서류의 동물. **2** 《비유》 비열한 인간, 엉큼한 사람. — *a.* **1** 기어다니는, 파행(爬行)하는; 파충류의, 파충류 비슷한. **2** 《비유》 비열한, 경멸할. 파 **~·like** *a.*

Rep·til·ia [reptíliə] *n. pl.* 파충류《분류명》.

rep·til·i·an [reptíliən, -ljən] *a.* 파충류의; 파충류 비슷한; 《비유》 비열한. — *n.* 파충류의 동 「물.

Repub. Republic; Republican.

*__re·pub·lic__ [ripʌ́blik] *n.* **1** 공화국; 공화 정체. cf. monarchy. ¶ a constitutional ~ 입헌 공화국/Plato's *Republic* 플라톤의 국가론. **2** (공동 목적을 가진) …사회, …계(界), …단(壇): the ~ of letters 문학계, 문단. **3** 《고어》 국가.

*__re·pub·li·can__ [ripʌ́blikən] *a.* **1** 공화 정체의; 공화국의; 공화주의의; (R-) 《미》 공화당의. **2** 군서(群棲)하는《새 따위》. — *n.* 공화주의자; (R-) 《미》 공화당원. 파 **~·ìsm** *n.* U 공화 정체; 공화주의; (R-) 《미》 공화당의 주의〔정책〕; (R-) 《미》 공화당, 《집합적》 공화당원.

re·púb·li·can·ìze *vt.* 공화국으로 하다, 공화 정체로 하다; 공화주의화하다. 파 **-ìz·er** *n.* **re·pùb·li·can·i·zá·tion** *n.*

Repúblican Párty (the ~) 《미》 공화당.

rè·publicátion *n.* C 재판(물); 번각(물); U 재발포(再發布), 재발행.

rè·públish *vt.* 재판(再版)하다; 번각(飜刻)하다; 재(再)발포하다, 재발행하다.

re·pu·di·ate [ripjúːdièit] *vt.* **1** 거부하다, 부인하다, 받아들이지 않다. **2** (채무)의 이행을 거부하다; (국가 등이) …의 지급 의무를 부인하다. **3** (어버이와 자식의) 인연을 끊다, 의절하다; (아내와) 이혼하다. 파 **re·pú·di·a·ble** [-əbəl] *a.*

re·pù·di·á·tion *n.* U 거부, 거절, 부인; 지급 거절; (자식과의) 절연; 이혼.

re·pu·di·a·tor [ripjúːdièitər] *n.* 이혼자; 부인자, 거절자; 지급 거절자. 「다《*against*》.

re·pugn [ripjúːn] *vi.* 《고어》 반대하다; 반항하

re·pug·nance, -nan·cy [ripʌ́gnəns], [-nənsi] *n.* U 혐오, 강한 반감《*against*》; U,C 모순, 앞뒤가 맞지 않음《*between; of; to; with*》.

re·pug·nant [ripʌ́gnənt] *a.* **1** 비위에 거슬리는, 불유쾌한, 싫은《*to*》; 반항하는, 반대의. **2** 모순된《*to*》; 일치〔조화〕되지 않는《*with*》. 파 **~·ly** *ad.*

◇**re·pulse** [ripʌ́ls] *vt.* **1** 되쫓아 버리다, 격퇴하다; 논박하다. **2** 거절하다; 퇴박 놓다. — *n.* U 격퇴; C 거절. ***meet with*** 〔***suffer***〕 (***a***) ~ 거절〔격퇴〕당하다.

re·pul·sion [ripʌ́lʃən] *n.* U 격퇴; 반박; 거절; 혐오《*for*》; 『물리』 척력(斥力), 반발 작용(OPP. *attraction*); 『유전』 상반(相反)(OPP. *coupling*).

*__re·pul·sive__ [ripʌ́lsiv] *a.* 되쫓아 버리는, 박차는; 쌀쌀한; 싫은, 불쾌한《*to*》; 『물리』 반발하는; (소리를) 반향(反響)하는: He's 〔That's〕 ~ *to* me. 나는 그자가〔그것이〕 역겹다. 파 **~·ly** *ad.* **~·ness** *n.*

repúlsive(-type) màglev 『철도』 반발식(反撥式)의 자기 부상(磁氣浮上).

rep·unit [répjùːnit] *n.* 동일 정수(整數)가 겹친 수《22, 222, 2222 따위》. [◂*repeating unit*]

rè·púrchase *vt.* 다시 사다; 되사다. — *n.* 되사기, 되산 물건.

repúrchase agrèement 《미》 환매(還買) 약정《재무부 증권 등의 환매 협약》.

rep·u·ta·ble [répjətəbəl] *a.* 평판 좋은, 영명(令名) 높은; 훌륭한, 존경할 만한(respectable). 파 **-bly** *ad.* 평판 좋게; 훌륭히.

__rep·u·ta·tion__ [rèpjətéiʃən] *n.* U,C **1 평판, 세평: have a good ~ *as* a doctor 의사로서의 명망이 높다/make a ~ *for* oneself 유명해지다, 평판이 나다. **2** 명성, 신망, 호평: live up to one's ~ 명성에 부끄러움이 없는 생활을 하다. ◇ repute *v.* ***have*** 〔***enjoy***〕 ***a*** ~ ***for*** =***have the*** ~ ***of*** …라는 소문이다, …로 유명하다: *have the* ~ *of* being a miser 구두쇠로 통하다. ***of great*** 〔***no***〕 ~ 평판이 자자한〔무명의〕. 파 **~·al** *a.*

◇**re·pute** [ripjúːt] *n.* U,C (좋은 또는 나쁜) 평판, 세평; 명성, 영명(令名); 신용: know a person by ~ 아무의 평판은 알고 있다. ***be in high*** 〔***of good***〕 ~ 평판〔신용〕이 좋다. ***of*** ~ 저명한; 신용이 있는. ***through good and ill*** ~ 세평에 개의치〔구애받지〕 않고. — *vt.* 《+목+부/+목+(*to be*) 보/+목+(*as*) 보》 《보통 수동태》 여기다, 생각하다, 간주하다; 평판하다: He *is* ~*d* (*to be*) a perfect fool. 그는 아주 숙맥이라는 소문이 있다/They ~ her (*as*) an honest girl. 그들은 그녀를 정직한 소녀라고 생각하고 있다. ***be well*** 〔***ill***〕 ~***d of*** 평판이 좋다〔나쁘다〕.

re·pút·ed [-id] *a.* 평판이 좋은, 유명한; …라 일컬어지는, …이란 평판이 있는: the ~ author of a book 어느 책의 저자로 일컬어지는 사람/his ~ father 그의 아버지라는 사람/a ~ pint 《영》 소위 1파인트들이라는 것《흔히 맥주 따위》. 파 **~·ly** *ad.* 평판으로, 세평에 의하면.

req. request; require(d); requisition. **reqd.** required.

__re·quest__ [rikwést] *n.* **1 U,C 요구, 요망, 의뢰, 소망: I have a ~ *to* make (of you). 부탁이 하나 있습니다/grant a ~ *to* examine old records 묵은 기록을 조사하고 싶다는 청을 들어주다. **2** C 의뢰물; 요망서. **3** U 수요 (demand). ***at*** a person***'s*** ~ =***at the*** ~ ***of*** a person 아무의 의뢰〔요구〕에 의하여. ***at the urgent*** ~ ***of*** … 의 간청에 의해. ***be in*** (***great***) ~ (많은) 수요가 있다. ***by*** ~ 의뢰에 의하여, 요구에 응하여. ***come into*** ~ 수요가 생기다. ***make a*** ~ 〔~***s***〕 ***for*** … 을 간청하다. ***on*** ~ 신청에 의하여; 신청하는 대로 곧《드림》.

— *vt.* **1** 구하다, (신)청하다: ~ a permission to go out 외출 허가를 신청하다. **2** 《~+목/+목+전+명/+*to* do/+목+*to* do /+*that* 절 /+목+*that* 절》 …에게 원하다, …에게 부탁〔청〕하다: ~ a loan *from* a bank 은행 대출을 요청하다/~ *to* be permitted 허가를 신청하다/Visitors are ~*ed* not *to* touch the exhibits. 진열품에 손대지 마시오/I ~ you *to* send money at once. =I ~ *that* money (should) be sent at once. 지급 송금 요망/He ~*ed* (us) *that* we (should) pay attention to the fact. 우리들에게 그 사실을 유의하라고 요청하였다/They ~*ed of* the manager *that* he (should) withdraw the remark. 그들은 지배인에게 그 말을 철회할 것을 요청했다. ★ask보다 격식 차린 정중한 말투. SYN. ⇨BEG. ***as*** ~***ed*** 요청받은 대로. 파 **~·er** *n.* 청구자.

requést nòte 《영》 (세관의) 과세 대상 화물 양륙 허가 신청서. 「스 정류소.

requést stòp (승하차객이 있을 때만 서는) 버

rè·quícken *vt., vi.* 소생시키다〔하다〕; 다시 활기를 띠(게 하)다.

req·ui·em [rékwiəm, rí-, réi/rékwiəm] *n.*

(*or* R–) **1** 〖가톨릭〗 죽은 이를 위한 미사, 그 미사곡, 위령곡, 레퀴엠. **2** 〔일반적〕 (죽은 이의 명복을 비는) 애가(哀歌)(dirge), 만가(挽歌), 진혼가; 《고어》 Ⓤ 안식, 평안, 안정. 「《열대산》.
réquiem shàrk 〖어류〗 강남상엇과의 일종
req·ui·es·cat [rèkwiéskɑːt, -kæt] *n.* 《L.》 죽은 사람을 위한 기도.
requiescat in pa·ce [-in-pɑ́ːtʃei/-kæt-in-péisi] 《L.》 영령이여 고이 잠드소서(may he 〔she〕 rest in peace) 《특히 비명(碑銘)에 쓰임; 생략: R.I.P.》.
re·quire [rikwáiər] *vt.* **1** 《~+목/+목+전+명/+목+*to* do/+*that*절》 요구하다, 명하다, 규정하다 《*of*》: I'll do all that is ~*d of* me. 시킨 일은 무엇이라도 하겠습니다/They ~ me *to* work harder. 나에게 더욱 열심히 일하라고 한다/The contracts ~ *that* we (should) finish the work in a week. 계약(서)에는 1주일 내에 일을 마치도록 규정하고 있다. SYN. ⇨ DEMAND. **2** 《~+목/+*to* do/+-*ing*/+*that*절》 필요로 하다; …할〔될〕 필요가 있다: He ~*s* medical care. 치료를 받아야 한다/We ~ *to* know it. =We ~ know*ing* it. 그것을 알 필요가 있다/The emergency ~*s that* it (should) be done. 위급한 경우이므로 그것을 하지 않으면 안 된다. — *vi.* (법률 따위가) 요구하다, 명하다: do as the law ~*s* 법률이 정한 대로 하다. ***if circumstances*** ~ 필요하다면. ***It*** ~***s that ....*** …할 필요가 있다.
re·quire·ment [rikwáiərmənt] *n.* **1** 요구, 필요. **2** 필요물, 요구물. **3** 필요조건, 자격 《*for*》: the ~ *for* admission to a college 대학 입학을 위한 필요조건.
req·ui·site [rékwəzit] *a.* 필요한, 없어서는 안 될, 필수의(needful) 《*to; for*》: Do you have the ~ patience *for* such work? 너는 이런 일에 필요한 인내력이 있느냐. SYN. ⇨ NECESSARY. — *n.* 필요물, 필수품, 필요조건, 요소 《*for; of*》: Food and water are ~*s for* life. 식량과 물은 생활의 필수품이다. ㊞ ~·**ly** *ad.* ~·**ness** *n.*
req·ui·si·tion [rèkwəzíʃən] *n.* **1** Ⓤ (흔히, 문서에 의한) 요구, 청구, 강청(強請), 명령; 필요조건; 〖법률〗 (타국에의) 범인 인도 요청. **2** Ⓤ 소용, 수요(需要). **3** 징발, 징용. **4** 청구서, 명령서, 소환장. ***be in*** 〔***under***〕 ~ 수요가 있다; 사용되고 있다. ***call*** 〔***bring, place***〕 ***... into*** ~ =***put ... in*** ~ =***lay ... under*** ~ …을 징발하다. — *vt.* 《~+목/+목+전+명》 요구하다; 강제 사용하다; 소집하다 《생략: req.》; 징발〔징용〕하다 《*for*》: ~ supplies *for* troops 군용 물자를 징발하다.
re·quit·al [rikwáitl] *n.* Ⓤ 보수, 보답; 앙갚음, 보복: in ~ of 〔for〕 …의 보답으로; …의 앙갚음으로.
re·quite [rikwáit] *vt.* **1** 《~+목/+목+전+명》 갚다, 보상하다, 보답하다: ~ good *with* evil 은혜를 원수로 갚다. **2** 《+목+전+명》 앙갚음하다, 보복하다 《*for; with*》; 벌하다, 징벌하다: ~ a traitor *with* death 배반자를 사형에 처하다. ~ ***like for like*** 같은 수단으로 갚다〔보복하다〕.
rè·rádiate *vt., vi.* 〖물리〗 재복사(再輻射)하다. ㊞ **rè·radiátion** *n.* 〖물리〗 재복사. **rè·rádiative** *a.* (열·방사선을) 재복사할 수 있는.
rè·ráil *vt.* (기관차를) 선로에 도로 넣다.
re·read [riːríːd] (*p., pp.* **-read**) *vt.* 다시 읽다, 재독(再讀)하다.
rè·recórd *vt.* (녹음한 것을 다른 레코드·테이프에) 다시 녹음하다, 재녹음하다.
rere·dos [ríərdɑs/-dɔs] *n.* 제단(祭壇) 뒤의 장식 벽〔병풍〕(altarpiece).
rè·refíne *vt.* (사용한 윤활유를) 재정제하다.
rè·reléase *vt.* (영화·레코드를) 재공개〔재발매〕하다. — *n.* 재발매〔재공개〕(된 것).
rè·róute *vt.* 다른〔새로운〕 길로 수송하다; (항공기의 항로를) 변경시키다.
re·róut·ing *n.* 〖항공〗 운송 계약의 변경.
re·run [ríːrʌ̀n] *n.* **1** 〖영화〗 재상영 (영화); 〖TV〗 재방송 (프로). **2** 〖컴퓨터〗 재실행. — [⌐⌐] (**-ran; -run; -run·ning**) *vt.* **1** 재상영하다; 재방송하다. **2** 〖컴퓨터〗 …을 다시 실행하다.
res [riːz, reis] (*pl.* ~) *n.* 《L.》 〖법률〗 물(物), 물건, 실체; 사건; 재산.
RES 〖면역〗 reticuloendothelial system. **res.** research; reserve; residence; resides; resigned; resistance; resolution. 「갈다.
rè·sáddle *vt.* …에 안장을 다시 얹다, 안장을
rè·sáil *vt., vi.* 다시 출범〔범주(帆走)〕하다; 귀항하다(sail back).
rè·sálable *a.* 전매할 수 있는, 다시 팔 수 있는, 재판매 가능한.
re·sale [ríːsèil, ⌐⌐] *n.* Ⓤ,Ⓒ 재판매, 재매각; 전매(轉賣); (구매자에게의) 추가 판매.
résale price màintenance 재판매 가격 유지 《생략: r.p.m.》.
résale shòp 《미》 (자선을 위한 자금 조달을 목적으로 하는) 중고품 판매점. 「공식화〕하다.
rè·scále *vt.* (규모를 축소하여) 다시 설계〔설립,
rè·schédule (**-uled; -ul·ing**) *vt.* **1** 스케줄을 다시 잡다. **2** (채무 변제를) 연장하다.
re·scind [risínd] *vt.* (법률·행위 등을) 폐지하다; (계약 등을) 무효로 하다, 취소하다. ㊞ ~·**a·ble** *a.* ~·**er** *n.* ~·**ment** *n.*
re·scis·sion [risíʒən] *n.* Ⓤ 폐지, 취소, 무효로 함, 철폐; (계약 등의) 해제; 예산 취소〔폐기〕.
re·scis·so·ry [risísəri, -síz-] *a.* 무효로 하는, 폐지하는; 취소의, 해제의: a ~ action 증서 무효 확인 소송.
re·script [ríːskrìpt] *n.* (로마 황제·교황의) 칙답서(勅答書); 칙유(勅諭), 조칙(詔勅); 포고령; 고쳐 쓰기; 고쳐 쓴 것; 사본, 부본.
res·cue [réskjuː] *vt.* **1** 《~+목/+목+전+명》 구조하다, 구하다; (파괴 따위로부터) 보호하다: ~ a drowning child =~ a child *from* drowning 물에 빠진 아이를 구출하다. **2** 〖법률〗 (압류 물건 등을) 불법으로 탈환하다; (죄수를) 탈주시키다; (재산을) 탈환하다. ~ (a person's name) ***from oblivion*** (이름을) 잊어버리지 않도록 하다. — *n.* **1** Ⓤ,Ⓒ 구조, 구출, 구제: a ~ home (윤락) 여성 갱생원/~ work (부녀자) 구제 사업. **2** 〖법률〗 불법 탈환〔석방〕. ***go*** 〔***come***〕 ***to the*** ~ ***of*** …을 구조〔원조〕하다. ㊞ **rés·cu·er** *n.* 구조자, 구원자.
réscue bàll 〖우주〗 레스큐 볼(beach ball (2), personal rescue enclosure).
réscue mìssion 구조〔구원〕대(隊); 구제 전도단. 「하다.
rè·séal *vt.* (상품을) 다시 봉(함)하다, 고쳐 봉
re·search [risə́ːrtʃ, ríːsəːrtʃ] *n.* **1** (보통 *pl.*) (학술) 연구, 조사, 탐구, 탐색 《*after; for; in; on*》: ~*es in* nuclear physics 핵물리학의 연구/a ~ fellow 연구원/a ~ institute 〔laboratory〕 연구소. **2** Ⓤ 연구 능력; 연구심. — *vi.* 《~/+전+명》 연구하다, 조사하다 《*into*》: ~ *into* a matter thoroughly 문제를 철저하게 조사〔연구〕하다. — *vt.* …을 연구하다, 조사하다. ㊞ ~·**a·ble** *a.* ~·**er** *n.* 연구〔조사〕원. ~·**ful** [-fəl] *a.* 연구에 몰두하고 있는, 학구적인. ~·**ist** *n.* =researcher.
reséarch and devélopment 연구 개발 《신제품·신기술 개발을 위한 기초 연구에서 제품〔실

용]화에 이르기까지의 제반 활동; 생략: R&D》.

reséarch lìbrary (특정 분야의) 학술 도서관.

reséarch submèrsible (심해) 잠수 조사선.

rè·séat *vt.* 다시 착석시키다; 복직[복위]시키다; (교회·극장 따위에) 새 좌석을 마련하다; (의자의) 앉는 부분을 갈다. ~ one*self* (일어섰다가) 다시 앉다.

rè·seau [reizóu, rə-/rézou] (*pl.* **~x** [-zóuz, -zóu], **~s**) *n.* 《F.》 망상(網狀) 조직(network); 그물 세공 레이스 천; 【천문】 레조《쉽게 측정할 수 있도록 천체 사진에 찍은 방안(方眼)》.

re·sect [risékt] *vt.* 【의학】 (조직의 일부를) 절제하다. ㊀ **~·a·ble** *a.* **re·sèct·a·bíl·i·ty** *n.*

re·sec·tion [risékʃən] *n.* Ⓤ 【의학】 절제(술). ㊀ **~·al** *a.*

re·se·da [risí:də/résidə] *n.* 【식물】 목서초(木犀草)의 일종; 연둣빛.

rè·séed *vt.* (땅·밭에) 다시[새로] 씨를 뿌리다; 〖~ oneself〗 스스로 씨 뿌리다, 자생(自生)하다. ── *vi.* 자생하다.

rè·ségregate *vt.* …에 대한[있어서의] 인종 차별을 부활시키다. ㊀ **rè·segregátion** *n.* 《미》 (흑인과 백인의) 재분리(再分離).

rè·séize *vt.* 다시 잡다; 도로 빼앗다, 탈환하다; 【법률】 (토지의) 점유권을 회복하다. ㊀ **rè·séizure** *n.* Ⓤ,Ⓒ 재압수, 재점유, 탈환, 회복.

rè·seléct *vt.* 다시 뽑다, 재선하다, 《특히》 (현직 공무원 따위를) 재선 후보로 선정하다. ㊀ **rè·seléction** *n.*

rè·séll (*p.*, *pp.* **-sold**) *vt.* 다시 팔다, 전매하다.

re·sem·blance** [rizémbləns] *n.* **1** Ⓤ 유사(성), 닮음. **2** Ⓒ 유사점《*to; between; of*》, 닮은 정도: There is a close ~ *between* them. 그들은 아주 닮았다. **3** 닮은 얼굴, 초상화(image). ***bear [***have***] (***a***) **~ *to*** …와 닮다.

re·sem·blant [rizémblənt] *a.* 닮은, 유사한 「《*to*》.

‡**re·sem·ble** [rizémbəl] *vt.* **1** 《~+목/+목+전+명》 …와 닮다, …와 공통점이 있다: ~ each other 서로가 닮다/~... *in* appearance …와 겉모양이 닮다. **2** 《+목+전+명》 《고어》 비유하다《*to*》: ~ a person [a thing] *to* another 아무를[무엇을] 다른 것에 비유하다. ㊀ **-bling·ly** *ad.*

rè·sénd *vt.* 되돌려보내다; 다시 보내다(send again); 【통신】 (중계기(器)로) 송신하다.

***re·sent** [rizént] *vt.* 《~+목/+-*ing*》 …에 골내다, …에 분개하다; 원망하다: I ~ constant interruptions when I am working. 일하고 있을 때 자꾸만 방해받는 것은 불유쾌하다/He ~*ed* be*ing* called a fool. 그는 바보라는 소리에 분개했다.

°**re·sent·ful** [rizéntfəl] *a.* 분개한, 성마른; 성잘내는: He was bitterly ~ *of* his defeat. 그는 패배해 무척 분했다. ㊀ **~·ly** *ad.* **~·ness** *n.*

***re·sent·ment** [rizéntmənt] *n.* Ⓤ 노함, 분개; 원한: in ~ 분연히/He felt ~ *at* the way he had been treated. 그는 자기가 받아온 대우에 분노를 느꼈다.

res·er·pine [résərpin, -pi:n, rəsə́:rpi(:)n] *n.* Ⓤ 【약학】 레세르핀《혈압 강하제》.

res·er·va·tion** [rèzərvéiʃən] *n.* **1** Ⓤ,Ⓒ 보류(된 권리·이익). **2** Ⓤ 조건, 제한, 단서(但書): They accepted the plan with the ~ *that* they might revise it later. 그들은 나중에 변경할지도 모른다는 조건부로 그 계획을 승인했다. **3** Ⓒ 예약; 예약석[실], 지정석. **4** Ⓤ 사양, 삼감. **5** Ⓒ (입 밖에 낼 수 없는) 걱정, 의심: I have some ~*s about* their marriage. 그들의 결혼이 마음에 좀 걸린다. **6** Ⓤ,Ⓒ 금렵지, (특히 사냥용 새·짐승의) 사육지; 인디언 보호 거주지, 군사 용지; 《영》 차도의 중앙 분리대. **7** Ⓤ 【가톨릭】 **a** 봉성체용의 성체[성찬]의 보존《환자를 위하여》. **b** 성직 임명권의 유보. **8** Ⓤ 은폐, 은닉; 비밀; 기만적 답변. ***make* ~*s (전세) 예약을 하다《*for*》; (조약 등에) 유보 조항을 붙이다. ***off the* ~** 속박에서 벗어나. ***on the* ~** 《미구어》 특정 정당에 소속되어. ***without* ~** 기탄없이, 솔직히, 무조건으로. ***with* ~(*s*)** 유보 조항을 붙여서.

rès·er·vá·tion·ist *n.* (항공사 따위의) 예약 접수계(reservation clerk).

‡**re·serve** [rizə́:rv] *vt.* **1** 《~+목/+목+전+명》 (미래 혹은 어떤 목적을 위하여) 떼어 두다, 비축하다: *Reserve* your strength *for* the climb. 등산에 대비하여 힘을 아껴 둬라. SYN. ⇨ KEEP, SAVE. **2** 《+목+전+명》 (특정한 사람 등을 위하여) 준비[마련]해 두다; 예정해 두다; 【군사】 확보해 두다; 운명지우다《*for; to*》: The house is ~*d for* special guests. 이 집은 귀빈을 위한 것이다/ This discovery was ~*d for* Newton. 이 발견은 뉴턴에 의해 처음으로 이루어졌다/A great future is ~*d for* you. 너의 앞길은 양양하다. **3** …을 예약하다: This table is ~*d*. 이 좌석은 예약된 것입니다. **4** (권리·이익을) 유보하다: All rights ~*d*. 판권 (본사) 소유. **5** 훗날로 미루다, 연기하다(postpone); 삼가다. ~ one*self for* [*to*] …을 위하여 정력을 비축해 두다.

── *n.* **1** 비축, 예비; 예비[보존]품; (*pl.*) (석유·석탄 등의) 매장량, 광량(鑛量); 【상업】 준비[적립]금: the ~ *of* foreign currency 외화 준비금. **2** (*pl.*) 【군사】 예비대[함대]; 예비역[후비역]병; 원병, 증원 함대; 보결 선수; (품평회 따위의) 예비 입상자: a soldier in the ~*s* 예비역 군인. **3** Ⓤ 보류, 예비. **4** 특별 보류지: a game ~ 금렵 지역《아프리카 등지의》/a ~ *for* wild animals 야생 동물 보호 구역. **5** Ⓒ (경매 등의) 최저 가격: He put a ~ *of* $100,000 on the house. 그는 그 집에 10만 달러의 최저 가격을 부쳤다. **6** Ⓤ,Ⓒ 제한, 조건, 제외, 유보. **7** Ⓤ 삼감; 자제. **8** 침묵, 마음에 숨김. **9** (옥양목용의) 방염제(防染劑). **10** 【컴퓨터】 예약. ***a forest* ~** 보안림. ***in* ~** 예비의, 남겨 둔: keep [have] *in* ~ 예비로 남겨 두다. ***place to* ~** 【상업】 준비금[적립금]에 편입하다. ***publish with all* ~** [***all proper* ~*s***] 진위는 보증할 수 없다고 발표하다. ***the first*** [***second***] **~** 제1[제2] 예비군. ***throw off* ~** 마음을 터놓다. ***with all*** (***proper***) **~** 시인을[지지를] 보류하여, 보증 없이, 동의하지 않고. ***without* ~** 거리낌 없이; 무조건으로: a sale [an auction] *without* ~ 가격 무제한 방매[경매]. ***with* ~** 삼가서; 조건부로.

── *a.* 예비의, 준비의, 남겨 둔; 제한의, 한도의: a ~ fund 적립금, 준비금.

resérve bànk 《미》 준비은행《연방 준비은행(Federal Reserve Banks)의 하나》.

resérve càrd 도서 대출 예약 카드, 도서 대출 통지서《대출 가능을 알리는》.

resérve cìty 《미》 준비금 도시《연방 준비은행 위원회에 의하여 지정된 도시로, 그곳의 국립 은행은 일정률의 준비금을 보유해야 함》.

resérve clàuse 유보 조항《프로 스포츠에서 선수는 트레이드나 계약 해제에 의하지 않는 한 다른 팀에 이적(移籍)할 수 없다는》.

resérve cùrrency 준비 통화《다국 간 결제에 사용되는 국제적으로 신용도가 높은 통화》.

°**re·sérved** *a.* **1** 보류된, 따로 치워둔; 대절의, 예약의; 예비의; 저장[보존]되어 있는; 제한된: a ~ seat 예약[지정, 전세]석/*Reserved* 예약필, 예약석《게시·표시》/a ~ car [carriage] 열차의 전세차/~ sins 【가톨릭】 사제 또는 상위 성직자만이 사면할 수 있는 죄. **2** 겸양하는, 서름서름한, 수줍어하는, 말 없는, 내성적인. SYN. ⇨

SILENT.
reséved ármy 〖군사〗 예비군.
resérved bóok (도서관의) 필수 과목용 참고서; 대출〔열람〕 예약 도서.
resérved líst 《영》 예비역 해군 장교 명단.
re·sérv·ed·ly [-idli] *ad.* 삼가서, 서름서름하게. 「면제되는 직업.
resérved occupátion 《영》 전쟁 중 병역이
resérved pówer 〖미정치〗 유보 권한《주(州) 또는 국민을 위해 헌법에 의해 유보된 권한》.
resérved wórd 〖컴퓨터〗 예약어(豫約語)《프로그램 언어에서 고정된 뜻을 지니며 재(再)정의할 수 없는 언어》.
resérve òfficer 예비역 장교.
Resérve Ófficers' Tráining Còrps 《미》 예비역 장교 훈련단, 학도 군사 훈련단《생략: ROTC》.
resérve prìce 〖상업〗 최저 경매 가격.
resérve ràtion 예비 식량《비상용 식품》.
resérve trànche [-tʀɑ̃:ʃ] 〖금융〗 리저브 트랑슈《국제통화기금(IMF)의 각 가맹국이 무조건 이용할 수 있는 25%의 자금 할당》.
re·serv·ist [rizə́:rvist] *n.* 예비병, 재향 군인, 향토 예비군.
***res·er·voir** [rézərvwɑ̀:r, -vwɔ̀:r/rézəvwɑ̀:] *n.* **1** 저장소; 저수지, 급수소〔탱크〕, (램프의) 기름통, (만년필의) 잉크통; 가스〔공기〕통: an air ~ 기조(氣槽) / a settling 〔depositing〕 ~ 침전지 / a receiving ~ 집수지 / a storing ~ 저수지. **2** (지식·부 따위의) 축적, 저장: a great ~ of knowledge 많은 지식의 축적. **3** 〖생물〗 (동식물의 분비물) 저장기; 〖생물〗 병원체(病原體) 보유자, 보유숙주(宿主)(=∠ **hòst**). **—** *vt.* 저장하다; 축적하다; …에 ~을 갖추다.
re·set[1] [ri:sét] (*p., pp.* **-set; -set·ting**) *vt.* **1** 《~+목/+목+전+명》 고쳐 놓다; (보석 따위를) 고쳐 박다; (톱의) 날을 다시 갈다; 〖인쇄〗 (활자를) 다시 짜다; 〖의학〗 접골〔정골〕하다. **2** (계기(計器) 등을) 초기 상태〔제로〕로 돌리다. **3** 〖컴퓨터〗 재(再)기동〔리셋〕하다《메모리·낱칸(cell)의 값을 제로로 함》. **—** [rí:sèt] *n.* **1** 바꾸어 놓기; 고쳐 박기; 옮겨 심은 식물; 〖인쇄〗 고쳐 짜기〔짠 것〕. **2** 〖기계〗 복원 장치. **3** 〖컴퓨터〗 재기동, 리셋: a ~ key 재기동 키 / a ~ switch 재시동 스위치.
re·set[2] [ri:sét] (**-tt-**) 《Sc.》 *vt., vi.* (죄인을) 은닉하다, 훔친 물건을 받다. **—** [∠∸] *n.* Ⓤ 죄인 은닉; 장물 수수(贓物收受).
rè·séttle *vt., vi.* **1** (특히, 피난민을〔이〕) 다시 정주(定住)시키다〔하다〕; 재식민(再植民)하다. **2** (분쟁 등을〔이〕) 다시 진정시키다〔하다〕; 다시 해결하다; 〖~ oneself〗 다시 자리에 앉다《*in; on*》. ㊎ **~·ment** *n.* Ⓤ 재정주; 재식민; 재진정.
res ges·tae [ri:z-dʒésti:, réis-] 《L.》 이룩한 일, 업적; 〖법률〗 (증거 능력이 있는) 부대 상황.
rè·shápe *vt., vi.* 고쳐 만들다; 새로운〔딴〕 모양으로 고쳐 만들다; 새 방면을 개척하다; 새 방향으로 발전하다. 「하다.
rè·shárpen *vt.* …을 다시 갈다; 다시 날카롭게
rè·shíp (**-pp-**) *vt.* 다시 배에 싣다; 딴 배에 갈아 싣다: ~ oneself 다시 승선하다. **—** *vi.* 다시 승선하다; (선원이) 다음 항해에 승선할 것을 예약하다. ㊎ **~·ment** *n.* Ⓤ 재(再)선적; 재승선; Ⓒ 재선적한 짐. **rè·shípper** *n.*
rè·shúffle *vt.* (카드의 패를) 다시 치다 〔섞다〕; (내각 등에서) 자리바꿈하다, 개각하다. **—** *n.* (패를) 다시 침〔섞음〕; (내각 등에서의) 인물 교체: a ~ of the Cabinet 개각(改閣).
re·sid [rizíd] *n.* =RESIDUAL OIL.
°**re·side** [rizáid] *vi.* 《+전+명》 **1** 살다《*at; in*》; 주재하다: He ~*s* here *in* Seoul. 그는 이곳 서울에서 살고 있다. SYN. ⇨LIVE. **2** 존재하다; (성질이) 있다; (권리 등이) …에 귀속하다, …으로 돌아가다《*in*》: The power of decision ~*s in* President. 결정권은 대통령에게 있다.
re-side [ri:sáid] *vt.* (난방 효과를 위해 집의) 널빤지를 갈아 대다.
***res·i·dence** [rézədəns] *n.* **1** 주거, 주택; 저택: an official ~ 공관(公館), 관저. SYN. ⇨HOUSE. **2** Ⓤ 거주, 재주(在住); 주재, 재근(在勤) (기간), 재학: *Residence* is required. 임지에 거주함을 요함. **3** Ⓤ (권력 등의) 소재. **4** (대기업의) 본사 소재지. ◇reside *v.* **have** 〔**keep**〕 **one's ~** 거주하다. **in ~** 주재하여, 관저〔공관〕에 살며; (대학 기숙사 내에) 기숙하여, 재학하여. **take up one's ~ in** …에 주거를 정하다.
résidence tìme 〖화학〗 체류 시간《일반적으로 연속으로 행하는 화학 반응에서 반응물이 반응기(器) 내에 머무는 시간》; 〖물리〗 잔류 시간《핵폭발 후 방사성 물질이 대기 중에 잔류하는 시간》.
res·i·den·cy [rézədənsi] *n.* 구(舊)인도 총독 대리의 관저; (구네덜란드령 동인도의) 행정 구획; 《미》 전문의(醫) 실습 기간《인턴 과정 다음에 실시되는》; 《미》 전문 교육.
****res·i·dent** [rézədənt] *a.* **1** 거주하는, 재주(在住)〔거류〕하는《*at; in*》; 주재하는, 들어가 사는: ~ aliens 재류 외국인 / a ~ tutor 입주 가정교사 / the ~ population of the city 시의 현 거주 인구 / *At* what address are you currently ~? 현재 어느 주소에 거주하느냐. **2** 고유의, 내재하는《*in*》: energy ~ *in* matter 물질에 내재하는 에너지. **3** (탤런트·기술자·학자 등이) …에 전속된, 전임의. **4** (새나 짐승이) 이주하지 않는: a ~ bird 유조(留鳥), 텃새. **5** 〖컴퓨터〗 상주(常駐)의 《통로》.
— *n.* **1** 거주자, 정주자, 거류민: British ~*s* in Korea 재한 영국인. **2** 외지 주재 사무관; 변리공사; (구 인도 총독) 대리 사무관; (구 네덜란드령 동인도) 지사. **3** 유조, 텃새. cf. migrant, MIGRATORY bird. **4** 《미》 전문의(醫) 수련자; 실습생《연구소에 숙식하는》. **5** 〖컴퓨터〗 상주(常駐)《기억 장치 중에 항상 존재하는 프로그램》. **foreign ~s** 재류(在留) 외인. **summer ~s** 피서객.
résident commíssioner 〖미정치〗 (푸에르토리코에서 온) 상주 대표《결의권이 없는 판무관》; 《영》 (식민지 등의) 판무관.
résident fónt 〖컴퓨터〗 상주(常駐) 글자체〔글꼴, 폰트〕《프린터 본체에 내장된 ROM에 기록된 글자체》.
res·i·den·tial [rèzədénʃəl] *a.* **1** 주거의, 주택에 알맞은: a ~ quarter 주택지. **2** 거주에 적합한. **3** (학생을 위한) 숙박 설비가 있는. **4** 강의에 출석을 요하는: a ~ course 실제로 수강이 필요한 과목. **~ qualifications** (투표에 필요한) 거주 자격. 「에 의한》.
residéntial cáre 재택(在宅) 간호《복지 기관
residéntial tréatment facílity 《미》 (정신병 환자의) 거주형 요양 시설, 정신 병원(mental hospital).
res·i·den·ti·ary [rèzədénʃièri, -ʃəri/-ʃəri] *a.* 거주하는; 임지에 체재해야 하는, 주재의. **—** *n.* 거주자; 〖기독교〗 일정 기간 공관에 살아야 하는 성직자. 「그램.
résident prográm 〖컴퓨터〗 상주(常駐) 프로
résidents associátion 《영》 지역 주민회. cf. community association.
re·sid·u·al [rizídʒuəl/-djuəl] *a.* 나머지의; 찌꺼기의; 〖수학〗 나머지의; (계산의 오차를) 설명할 수 없는; (살충제 따위가) 잔류성의; 〖의학〗 후

유증의: ~ urine 잔뇨(殘尿) / ~ property 〖법률〗 잔여 재산 / ~ insecticide 잔류성 살충제. — *n.* 잔여; 찌꺼기; 〖수학〗 나머지; 오차; (출연자에게 주는) 재방송료; 〖의학〗 후유증, 후유 장애; (구입 후 자동차 따위의) 재판매 가격, 잔존 가치.

resídual cúrrent 잔류 전류《전압이 제로가 된 뒤 단시간 흐르는 전류》. 「전류 차단 장치.
resídual cúrrent devìce (전기기기의) 잔류
resídual érror 〖수학〗 잉여 오차《일군(一群)의 측정값과 그 평균값과의 차; 실측값과 이론값의 오차》.
resídual óil 잔유(殘油)《원유를 정제하고 남은》.
resídual pówer 〖미정치〗 정부의 잔여 권한.
resídual próduct 부산물(by-product).
resídual secúrity 〖증권〗 잔여(청구권) 증권《보통주나 전환사채》.
resídual stréss 〖야금〗 잔류 응력(應力).
resídual unemplóyment 잔여실업《신체장애 등으로 실업 중에 있는 사람》.
re·sid·u·ary [rizídʒuèri/-djuəri] *a.* 잔여의, 나머지의; 〖법률〗 잔여재산의: some ~ odds and ends 얼마간의 잔여재산 / a ~ bequest 잔여재산의 유증(遺贈). 「조항.
resíduary cláuse (유언 중의) 잔여유산 처분
resíduary estáte 잔여재산. 「贈).
resíduary légacy 〖법률〗 잔여재산 유증(遺
resíduary legatée 잔여재산 수유자(受遺者).
◇**res·i·due** [rézədjùː/-djùː] *n.* 나머지; 찌꺼기; 〖수학〗 나머지; (함수론(函數論)의) 유수(留數); 〖법률〗 잔여재산; 〖화학〗 찌꺼기, 잔기, 유수(留數). ***for the*** ~ 그 밖의 것에 대해서는.
résidue clàss 〖수학〗 잉여류(剩餘類).
re·sid·u·um [rizídʒuəm/-dju-] (*pl.* ***-sid·ua*** [-dʒuə/-djuə]) *n.* **1** 나머지; 찌꺼기; 〖화학〗 잔류물; 〖수학〗 나머지; 오차. **2** 《드물게》 최하층민, 인간쓰레기. **3** 〖법률〗 잔여재산.
****re·sign** [rizáin] *vt.* **1** (지위 · 관직 따위를) 사임하다, 그만두다: ~ one's job 일을 그만두다. **2** 《~+[목]/+[목]+[전]+[명]》 (권리 따위를) 포기하다, 단념하다, 넘겨주다, 양도하다: I ~ my children *to* your care. 아이를 맡아 돌보아 주시오. **3** 《+[목]+[전]+[명]》 〔보통 ~ oneself 또는 수동태〕 몸을 맡기다, 따르다《*to*》: ~ one*self* 〔*be* ~*ed*〕 *to* one's fate 자기 운명에 따르다. — *vi.* **1** 《~/+[전]+[명]/+*as* [보]》 사임하다, 몸을 빼다《*from*》: ~ *from* the Cabinet 내각을 물러나다 / He ~*ed as* president. 그는 사장직을 사임했다. **2** 복종하다, 맡기다《*to*》. ◇ resignation *n.*
rè-sígn *vt., vi.* 서명을 다시 하다, 재조인하다.
res·ig·na·tion** [rèzignéiʃən] *n.* **1** [U] 사직, 사임: the ~ *of* a cabinet 내각의 총사직. **2** [C] 사표(a letter of ~). **3** [U] 포기, 단념; 체념, 인종(忍從), 감수《*to*》: meet 〔accept〕 one's fate with ~ 체념하고 운명에 몸을 맡기다 / ~ *to* present suffering 현재의 고통의 감수. ***general ~ 총사직. ***give in*** 〔***hand in, send in, tender***〕 one***'s*** ~ 사표를 내다.
re·sígned *a.* 체념한, 복종하고 있는, 내맡긴《*to*》; 사직〔퇴직〕한(retired); 사직〔사임〕해서 자리가 빈: a ~ post 공석 / be ~ *to* die 〔*to* one's fate〕 죽음을〔피할 수 없는 운명이라고〕 체념하고 있다.
re·sígn·ed·ly [-idli] *ad.* 체념하여, 복종하여.
re·sile [rizáil] *vi.* **1** 되튀다; 본디의 형태로 되돌아가다; 탄력이 있다. **2** 곧 원기를 회복하다. **3** (계약 등에서) 손을 떼다《*from*》.
re·sil·ience, -ien·cy [rizíljəns, -liəns/-liəns], [-ənsi] *n.* [U] 되튐; 탄성(elasticity), 탄력; (원기의) 회복력, 쾌활성, 발랄함(buoyancy).
re·sil·ient [rizíljənt, -liənt/-liənt] *a.* **1** 되튀는; 탄력 있는(buoyant); 곧 원기를 회복하는; 〖컴퓨터〗 탄력성이 있는. **2** 쾌활한, 발랄한. [파] ~**·ly** *ad.*
◇**res·in** [rézin] *n.* **1** [U] (나무의) 진, 수지(樹脂), 송진; 수지 제품. **2** [C] =SYNTHETIC RESIN. — *vt.* …에 수지를 바르다, 수지로 처리하다.
res·in·ate [rézənèit] *vt.* 수지로 처리하다. — [-nət, -nèit] *n.* 〖화학〗 수지산염.
res·in·i·form [rézənəfɔ̀ːrm] *a.* 수지 모양의.
re·sin·i·fy [rezínəfài] *vt.* 수지화하다; 수지로 처리하다, …에 수지를 바르다〔침투시키다〕. — *vi.* 수지가 되다.
res·in·oid [rézənɔ̀id] *a.* 수지 같은〔비슷한〕. — *n.* 수지 모양의 물질; 열경화성 합성수지.
res·in·ous [rézənəs] *a.* 수지(질)의, 수지 모양의, 진이 많은, 수지를 함유한, 수지로 만든.
****re·sist** [rizíst] *vt.* **1** 《~+[목]/+-*ing*》 …에 저항하다; 격퇴하다; 방해하다: ~ the enemy 적을 격퇴하다 / ~ temptation 유혹에 저항하다 / ~ being arrested 체포되지 않으려고 반항하다. **2** (병 · 화학 작용 등에) 견디다, 침식〔영향〕받지 않다: metal that ~*s* acid 산에 침식받지 않는 금속 / a constitution that ~*s* disease 병에 걸리지 않는 체질. **3** 《~+[목]/+-*ing*》 〔주로 부정구문〕 참다: She ca*n't* ~ sweets. 그녀는 단 과자라면 사족을 못 쓴다 / can*not* ~ laugh*ing* 웃지 않고는 못 배기다. — *vi.* 저항하다; 방해하다; 〔부정적〕 참다. — *n.* 방염제(防染劑); 방부제; 절연 도료.
****re·sist·ance** [rizístəns] *n.* [U] **1** 저항, 반항; 반대; 저항력; 방해: air ~ =the ~ *of* the air 공기저항 / make 〔put up〕 (a) strong ~ *to* the enemy attack 적의 공격에 완강히 저항하다. **2** (종종 the R-) 〖정치〗 (특히 제 2 차 세계 대전 중 나치스 점령지에서의) 레지스탕스, 지하 저항 (운동). **3** 〖물리 · 전기〗 저항; 저항기: a substance of high ~ 고저항 물질 / electric ~ 전기 저항 / ~ amplification 저항 증폭. ***a line of*** ~ 저항선. ***a piece of*** ~ 《F.》 주요 작품, 압권; 가장 중요한 요리. ***the line of least*** ~ (최선은 아니나) 제일 편한 방법: take 〔choose, follow〕 *the line of least* ~ 가장 편한 방법을 취하다.
resístance bòx 〖전기〗 저항 상자《가변 저항기》.
resístance còil 〖전기〗 저항 코일.
resístance lèvel 〖증권〗 (시세의) 저항선.
resístance thermòmeter 저항 온도계.
re·sist·ant, re·sist·ent [rizístənt] *a.* 저항하는, 반항하는; 〔종종 복합어로〕 견디는, 내성(耐性)이 있는: corrosion-*resistant* materials 방부 물질. — *n.* 저항자, 반대자; 레지스탕스 참가자; 방염제(防染劑). [파] ~**·ly** *ad.*
re·síst·er *n.* 저항자, 항쟁자; 반정부주의자: ⇨ PASSIVE RESISTER. 「력〔성〕.
re·sìst·i·bíl·i·ty *n.* 저항〔반항〕할 수 있음; 저항
re·síst·i·ble *a.* 저항〔반항〕할 수 있는; 참을 수 있는. [파] **-bly** *ad.*
re·síst·ing·ly *ad.* 저항〔반항〕하여.
re·sis·tive [rizístiv] *a.* 저항하는, 저항력이 있는, 저항성의; 〖전기〗 저항의. [파] ~**·ly** *ad.* ~**·ness** *n.*
re·sis·tiv·i·ty [rìːzistívəti] *n.* [U] 저항력, 저항성; 〖전기〗 저항률, 고유 저항.
resistívity survèying 비(比)저항 조사《지하에 매몰된 전극 간을 흐르는 전류의 비저항(比抵抗)을 측정하여 매몰된 물체의 소재를 찾아냄》.
re·síst·less *a.* 저항할 수 없는, 저항력이 없는. [파] ~**·ly** *ad.* ~**·ness** *n.* 「항 제트 엔진.
re·sis·to·jet [rizístoudʒèt] *n.* 〖우주〗 전기 저

re·sis·tor [rizístər] *n.* 〖전기·컴퓨터〗 저항기(器).

re·sit [rìːsít] 《영》 *vt., vi.* (불합격 후) 다시 시험 치다. — [⌐] *n.* 재〔추가〕시험.

rè·síte *vt.* 다른 장소〔위치〕에 놓다, 옮기다.

rè·sítting *n.* (의회 등의) 재(再)개회.

rè·síze *vt.* …의 크기를 변경하다.

res ju·di·ca·ta [ríːz-dʒùːdikéitə, -káːtə, réis-] 《L.》 〖법률〗 기결 사항〔사건〕.

rè·skíll *vt.* …에게 새로운 기능〔기술〕을 습득시키다, (노동자를) 재교육하다. [파] **~·ing** *n.*

res·me·thrin [rezmíːθrən, -méθ-] *n.* 〖약학·화학〗 레스메트린《제충국(菊)의 피레트린(pyrethrin)에서 얻는 합성 속효성 살충제》.

re·sole [rìːsóul] *vt.* 구두창을 갈다. — [⌐] *n.* 새 구두창.

re·sol·u·ble [rizáljəbəl, rézəl-/rizɔ́l-] *a.* 분해〔용해〕할 수 있는《*into*》; 해결할 수 있는. [파] **~·ness** *n.*

***res·o·lute** [rézəlùːt] *a.* **1** 굳게 결심한, 결연한(determined): He was ~ *in* carrying out his plan. 계획을 실현할 결의가 확고하였다. **2** 굳은, 단호한, 어기찬: a ~ will 불굴의 의지. [파] **~·ly** *ad.* 단호히, 결연히. **~·ness** *n.*

****res·o·lu·tion** [rèzəlúːʃən] *n.* **1** [U,C] 결심, 결의. **2** [U] 확고한 정신, 과단: a New Year ~ 새해의 결심 / make a ~ *to* give up drinking 술을 끊기로 결심하다. **3** [C] 결의, 결의안〔문〕: a nonconfidence ~ 불신임 결의 / adopt a ~ *to* build a hospital 병원 건립 결의를 채택하다 / They rejected a ~ *that* the subscription (should) be raised. 그들은 기부금 모집 결의안을 부결했다. **4** [U] 해결, 해답《*of*》: the ~ *of* a question 문제의 해결. **5** [U] 분해, 분석《*into*》. **6** [U] 〖음악〗 해결《불협화음으로부터 협화음으로 옮기는 것》; 〖의학〗 (종기 등의) 사그라짐. **7** [U] 〖TV·컴퓨터〗 해상도(解像度)《영상의 선명도》; 〖레이더〗 (두 개의 목표를 식별할 수 있는) 최소 식별 거리. ◇ resolve *v.* ***good* ~*s*** 행동을 고치려는 결심. ***pass a* ~ *against* 〔*in favor of*〕** …에 반대〔찬성〕결의를 하다.

Resolútion Trúst Corporátion 《미》 정리 신탁 공사《저축 대부 조합의 도산 구제를 위한 정부 기관; 생략: RTC》.

re·sol·u·tive [rizáljətiv, rézəlùːt-/rizɔ́ljət-] *a.* 분해력이 있는, 용해할 수 있는; 〖의학〗 삭게 하는; 〖법률〗 해소하는: a ~ clause 해제 조항. — *n.* 《고어》 〖의학〗 삭히는 약(resolvent).

re·sòlv·a·bíl·i·ty *n.* [U] 분해성, 용해성.

re·solv·a·ble [rizálvəbəl/-zɔ́lv-] *a.* 분해할 수 있는, 용해성의《*into*》; 해결할 수 있는.

****re·solve** [rizálv/-zɔ́lv] *vt.* **1** 용해하다, 녹이다. **2** 《+[목]+[전]+[명]》 분해하다, 분석하다《*into*》: Water may be ~*d into* oxygen and hydrogen. 물은 산소와 수소로 분해할 수도 있다. **3** 《+[목]+[전]+[명]》 〖종종 ~ oneself〗 (…로) 화하다, (분해하여) …으로 변형시키다《*into*》: The fog was soon ~*d into* rain. 안개는 곧 비로 변했다 / A discussion ~*d* it*self into* an argument. 토론이 논쟁으로 되었다. **4** (문제·곤란 따위를) 풀다, 해결하다, 해소하다; (의혹을) 풀다: ~ one's fears 근심을 해소하다. **5** 《+*that* [절] / +*to* do》 결의하다, 결정하다: It was ~*d that* .... …라고 결의되었다 / The House ~*d to* take up the bill. 의회는 그 법안의 채택을 결의했다. **6** 《+[목]+*to* do》 (…에게) 결심〔결정〕시키다: This fact ~*d* him *to* fight. 이 사실 때문에 그는 싸울 결심을 하였다. **7** 《+*to* do / +*that* [절]》 결심하다: He ~*d to* study law. 그는 법률을 배우기로 결심했다 / I ~*d that* nothing (should) hold me back. 무슨 일이 있어도 물러서지 않겠다고 결심했다. [SYN.] ⇨ DECIDE. **8** 〖의학〗 (종기 등을) 삭게 하다; 〖음악〗 (불협화음을) 협화음으로 이행시키다; 〖광학〗 영상을 분해하다. — *vi.* **1** 《+[전]+[명]》 결심하다, 결정하다《*on, upon*》: I have ~*d upon* going. 가기로 마음먹었다. **2** 《+[전]+[명]》 분해하다, 변하다; 환원하다, 귀착하다《*into; to*》: It ~*s into* its elements. 그것은 분해되어 원소가 된다. **3** 〖의학〗 (종기 따위가) 삭다; 〖음악〗 협화음이 되다. **4** 〖법률〗 무효가 되다, 소멸하다. ◇ resolution *n.* resolute, resolvent *a.* **~ it*self into*** …로 분해〔환원〕하다; …에 귀결되다, 결국 …이 되다.

— *n.* **1** [U,C] 결심, 결의: make a ~ *to* stop smoking 담배 끊을 결심을 하다. **2** [U] 《문어》 견인불발: a man of ~ 결의가 굳은 사람. **3** [C] 《미》 (의회 등의) 결의. ***keep* one's ~** 결심을 지속하다.

re·sólved *a.* 결심한, 단호한(resolute); 깊이 생각한: He is ~ *to* carry it out. 그것을 수행할 결심이다. [파] **re·sólv·ed·ly** [-idli] *ad.* 단호히, 결연히.

re·sol·vent [rizálvənt/-zɔ́lv-] *a.* 분해하는; 용해력이 있는; (종기를) 삭이는. — *n.* 분해물; 용제(溶劑); 삭이는 약; 〖수학〗 분해 방정식.

re·sólv·er *n.* 해결자, 해답자; 결심하는 사람.

resólving pòwer 〖광학〗 (현미경 등의 시상(視像)의) 분해 능력; 〖사진〗 (렌즈·사진 감광제의) 해상력(解像力).

res·o·nance [rézənəns] *n.* [U] 공명(共鳴); 반향(echo); 〖전기〗 (파장의) 동조(同調); 〖물리〗 공진(共振).

res·o·nant [rézənənt] *a.* 공명하는; 반향하는, 울리는《*with*》. — *n.* 〖음성〗 공명음(sonorant). [파] **~·ly** *ad.*

résonant cìrcuit 〖전자〗 공진(共振)회로.

res·o·nate [rézənèit] *vi., vt.* **1** 공명(하게)하다, 울리다. **2** 〖전자〗 공진(共振)(하게)하다. **3** 〖천문〗 동조(同調)하다. [파] **-na·tor** [-ər] *n.* 공명기(器), 공명체; 〖전자〗 공진기, 공진자(子).

re·sorb [risɔ́ːrb, -zɔ́ːrb] *vt., vi.* 다시 흡수하다. [파] **~·ent** [-ənt] *a.* 다시 흡수하는.

res·or·cin [rizɔ́ːrsin, re-] *n.* =RESORCINOL.

res·or·cin·ol [rizɔ́ːrsənɔ̀ːl, -àl, re-/-nɔ̀l] *n.* 〖화학〗 레조르시놀, 레조르신《물감·의약용》.

re·sorp·tion [risɔ́ːrpʃən, -zɔ́ːrp-] *n.* [U] 재흡수; 〖생물〗 (분화 조직 등의) 흡수; 〖지학〗 융식(融蝕) 작용《화성암 생성 시 마그마의 용해 작용》.

re·sort** [rizɔ́ːrt] *n.* **1** [C] 유흥지, 번화가, 사람이 모이는 곳: a fashionable ~ 상류 인사들이 가는 곳 / a summer 〔winter〕 ~ 피서지〔피한지〕. **2** [U] 자주 다님, 사람들의 출입: a place of great ~ 번화한 곳. **3** [U] 의지, 의뢰《*to*》; [C] 의지가 되는 사람〔물건〕, 수단, 방책: without ~ *to* …에 의존하지 않고. ***have* 〔*make*〕 ~ *to (violence) (폭력)에 의존하다. ***in the last* ~** =***as a* 〔*the*〕 *last* ~** 최후의 수단으로서, 결국. — *vi.* **1** 《+[전]+[명]》 가다; 잘 가다〔다니다〕《*to*》: ~ *to* a hot spring 온천에 잘 가다. **2** 《+[전]+[명]》 의지하다, (수단으로서) 쓰다, 도움을 청하다, 힘을 빌리다《*to*》: If other means fail, we shall ~ *to* force. 만일 딴 수단이 실패하면 강압 수단을 쓸 것이다.

re·sórt *vt.* 다시 분류하다.

re·sórt·er *n.* (유흥지 따위에) 잘 가는〔모이는〕 사람.

re·sound [rizáund] *vi.* **1** (소리가) 울리다, 울다. **2** 《~/+[전]+[명]》 울려 퍼지다《*with*》: The room ~*ed with* the children's shouts. 방은 아이들의 고함소리로 가득 찼다. **3** 《+[전]+[명]》 (사건·명성 따위가) 떨치다, 평판이 자자하다《*through*》: His act ~*ed through* the nation.

그의 행동은 전국에 널리 알려졌다. — vt. 반향하다; 울리게〔울려 퍼지게〕 하다; 칭찬하다.

rè·sóund vt., vi. 다시 울리(게 하)다.

re·sóund·ing a. 반향하는, 울리는; 널리 알려진; 철저한. ㊀ **~·ly** ad.

re·source [ríːsɔːrs, -zɔːrs, risɔ́ːrs, -zɔ́ːrs/ rizɔ́ːs, -sɔ́ːs] n. **1** (보통 pl.) 자원; 물자; 재원 (~ of money), 자력: mineral 〔human〕 ~s 광물〔인적〕 자원. **2** (의지하는) 수단, 방책, 둘러맞춤(shift): exhaust every ~ 백계(百計)가 다하다 / Flight was his only ~. 달아날 수밖에 없었다. **3** Ⓤ 연구력, 변통하는 재주, 기지(wit), 기략(機略): a man of unlimited ~ 기략이 무진한 사람. **4** 소창, 오락: She finds an unfailing ~ in music. 음악은 언제나 그녀의 기분을 풀어준다. **5** 〖컴퓨터〗 자원《컴퓨터를 구성하고 있는 모든 것》. ***a man of no ~s*** 자력(資力)이 없는 사람; 따분한〔무료한〕 사람. ***a man of ~*** 기지가 있는〔창의력이 풍부한〕 사람. ***at the end of*** one's ***~s*** 백계가 다하여. ***leave*** a person ***to*** his ***own ~s*** 아무를 멋대로 시간을 보내게 놔두다, 아무에게 상관하지 않다. ***without ~*** 의지할 곳 없이. ㊀ **~·less** a. 방책이 없는; 자원이 없는.

re·source·ful [risɔ́ːrsfəl, -zɔ́ːrs-] a. 꾀바른, 기략이 풍부한, 책략이 있는; 자력〔자원〕이 풍부한. ㊀ **~·ly** ad. **~·ness** n.

resp. respective(ly); respondent.

rè·spéak vi. 다시〔거듭〕 말하다. — vt. (되풀이해서) 울리다, 반향하다.

re·spect [rispékt] n. Ⓤ **1** 존경, 경의(敬意) 《for》: Children should show ~ *for* their teachers. 아이들은 선생님께 경의를 표해야 한다. **2** (pl.) 인사, 안부를 전함: send one's ~s *to* …에게 안부를 전하다 / Give my ~s *to* your father. 아버지께 안부 전해라. **3** 존중, 중시《*for*》: He has no ~ *for* his promises. 그는 자기의 약속을 중시하지 않는다. **4** 주의, 관심《*for; to*》: pay ~ *to* a person's wishes 아무의 희망에 주목하다. **5** Ⓒ 점, 개소, 세목: in any ~ 어느 점에서도. **6** 관계, 관련《*to*》: These remarks have ~ *to* his proposal. 이런 발언은 그의 제안과 관련이 있다. **7** 《고어》 고려할 사항. ***be held in ~*** 존경받다. ***hold*** a person ***in ~*** 아무를 존경하다. ***in all*** 〔***some***〕 ***~s*** 모든〔어떤〕 점에서. ***in every ~*** 모든 점에서. ***in no ~*** 아무리 보아도〔전연〕 …이 아니다. ***in ~ of*** 〔***to***〕 …에 관해서는, …에 대해서는; …의 대가〔지불〕로서《상업 통신문에서》. ***in ~ that …*** 《고어》 …라는 것을 생각하면, …이므로. ***in this ~*** 이 점에서. ***pay*** one***'s last ~s*** 최후의 경의를 표하다, 장례식에 참석하다. ***pay*** one***'s ~s*** 문안을 드리다〔경의를 표하다〕《*to*》. ***~ of persons*** 차별 대우, 편애. ***with all due ~*** 의견은 지당합니다마는, 송구하지마는. ***without ~ to*** 〔***of***〕 …을 무시하고〔고려하지 않고〕. ***with ~ to*** …에 관하여.

— vt. **1** 《~+목/+목+*as* 보/+목+전+명》 존중하다, 존경하다; 《~ oneself》 자중하다, 자존심을 갖다: be ~*ed* by …에게 존경받고 있다 / I ~ him *as* my senior. 그를 선배로서 존경하고 있다 / I ~ him *for* what he did. 그가 한 일에 대하여 그를 존경한다. **2** 주의〔참작〕하다, 고려에 넣다: ~ a person's privacy 아무의 사생활을 침해하지 않도록 하다. **3** 《고어》 …에 관여하다. ***as ~s …*** …에 대해서, …에 관하여. ***~ persons*** 《고어》 사람을 편애〔차별 대우〕하다. ***~*** a person***'s silence*** 아무의 침묵을 방해하지 않다.

SYN. **respect** 상대의 인격·인품 따위를 훌륭한 것으로 여겨 존경하다. 연장자에 대해서 쓰는 일이 많음. **esteem** 바람직한 목표로서 높이 평가하다, 존중하다: Society knows what it *esteems* and what it despises. 세상 사람은 존중할 것과 무시해 버릴 것을 알고 있는 법이다. **regard** 특별히 고려해 주다. 위의 두 말에 비하면 약하며, 부정문에서 쓰이는 경우가 많음: He does not *regard* the rights of others. 그는 남의 권리를 무시한다.

re·spèct·a·bíl·i·ty n. **1** Ⓤ 존경할 만함; 체면; 상당한 사회적 지위가 있음. **2** 《집합적》 훌륭한 사람들; 《반어적》 점잖은 양반들: all the ~ of the city 시의 고관들. **3** (pl.) 인습적 의례〔관습〕.

re·spect·a·ble [rispéktəbəl] a. **1** 존경할 만한, 훌륭한; 신분이 높은: ~ citizens 훌륭한 시민. **2** 흉하지 않은, 모양새 좋은. **3** 상당한, 꽤 되는: a ~ position 상당한 지위 / a ~ minority 소수이지만 상당한 수 / quite a ~ income 적지 않은 수입. — n. (보통 pl.) 존경할 만한〔훌륭한〕 사람. ㊀ **-bly** ad. 훌륭하게, 꽤. **~·ness** n.

re·spéct·ed [-id] a. 훌륭한, 평판이 좋은, 높이 평가되는: get into a ~ high school 일류 고교에 입학하다.

re·spéct·er n. 《보통 부정구문》 차별 대우하는 사람, 편들어 주는 사람. ***no ~ of persons*** (지위·빈부 등에 의해) 사람을 차별하지 않는 사람 《사도행전 X: 34》.

re·spect·ful [rispéktfəl] a. 경의를 표하는, 공손한, 예의 바른, 정중한《*to; toward(s)*》; 존경하는, 존중하는《*of*》: He is ~ *to* age. 그는 노인을 존경한다. ***keep*** 〔***stand***〕 ***at a ~ distance from*** 삼가서 …에 가까이 하지 않다, …을 경원하다. ㊀ **~·ness** n.

re·spéct·ful·ly ad. 공손히, 삼가서. ***Respectfully yours*** = ***Yours ~*** 경백(敬白), 경구(敬具) 《편지의 끝맺는 말》.

re·spéct·ing prep. …에 관하여; …에 비추어. cf. concerning, regarding.

re·spec·tive [rispéktiv] a. 각각의, 각기의, 각자의《보통 복수명사를 수반함》: They have their ~ merits. 그들은 각기 장점이 있다. ㊀ **~·ly** ad. 각각, 각기, 따로따로, 「기호 등에서」.

rè·spéll vt. 철자를 바꾸다; 다시 철자하다《발음

res·pi·ra·ble [réspərəbəl, rispáiər-] a. 호흡할 수 있는, 호흡에 알맞은.

res·pi·rate [résperèit] vt. 인공호흡시키다.

res·pi·ra·tion [rèspəréiʃən] n. Ⓤ 호흡; Ⓒ 한 번 숨쉼; Ⓤ 〖동물·식물〗 호흡 작용.

res·pi·ra·tor [réspərèitər] n. 마스크《천으로 된》; 방독면(防毒面), 가스 마스크; 인공호흡 장치: ⇨ DRINKER RESPIRATOR.

res·pi·ra·to·ry [réspərətɔ̀ːri, rispáiərə-/rispírətəri, -páiər-] a. 호흡(성(性))의; 호흡을 위한: ~ organs 호흡기(관) / ~ ailments 호흡기 질환.

réspiratory distréss sỳndrome 〖의학〗 (신생아의) 호흡 장애 증후군.

réspiratory énzyme 〖생화학〗 호흡 효소《세포 호흡 작용 효소》.

réspiratory pígment 〖생화학〗 호흡 색소《생체 내에 필요한 산소 운반과 전자 전달 작용을 하는 색소 단백질의 총칭》.

réspiratory quòtient 〔**ràtio**〕 〖의학〗 호흡비(比), 호흡률《생략: RQ》.

réspiratory sỳstem 〖의학〗 호흡기 계통.

réspiratory tráct 〖해부〗 기도(氣道).

re·spire [rispáiər] vi. 호흡하다; 휴식〔휴게(休憩)〕하다; (후유하고) 한숨 돌리다. — vt. 호흡하다; 《고어·시어》 (향기를) 풍기다, …한 기분이 들게 하다

res·pi·rom·e·ter [rèspərámətər/-rɔ́m-] *n.* 호흡계(計)《산소 호흡의 세기를 측정하는 장치》.

res·pi·rom·e·try [rèspərámətri/-rɔ́m-] *n.* 호흡 측정학.

res·pite [réspit/-pait, -pit] *n.* **1** 연기; 유예; 〖법률〗 (사형) 집행 유예 (기간). **2** 휴식, 중간 휴식. ***put in*** ~ 유예〔연기〕하다. ── *vt.* **1** 연기하다; 유예하다; 〖법률〗 …에게 형의 집행을 유예하다. **2** 휴식시키다. **3** 〖군사〗 봉급 지급을 정지하다.

respíte càre 일시적 (간호) 위탁《가족 대신 노인 환자를 일시적으로 보살피는 제도》.

re·splend·ence, -en·cy [rispléndəns], [-i] *n.* Ⓤ 번쩍임, 광휘, 눈부심, 찬란.

re·splend·ent [rispléndənt] *a.* 빤짝빤짝 빛나는, 눈부신. ㊞ **~·ly** *ad.* 번쩍이고, 눈부시게, 찬란히.

*__re·spond__ [rispánd/-spɔ́nd] *vi.* **1** 《~/+전+명》 응답하다, 대답하다《*to*》; 응(수)하다, 반응〔감응〕하다《*to*》: ~ *to* speech of welcome 환영사에 답하다 / ~ *to* an insult with a blow 모욕에 대해 일격을 가하여 응수하다. SYN. ⇨ ANSWER. **2** 〖교회〗 (회중이 사제에게) 답창〔응창〕하다. **3** 《+전+명》 〖법률〗 《미》 책임을 다하다, 배상하다《*in*》: ~ *in* damages 손해를 배상하다. **4** 《+전+명》 《드물게》 일치〔부합〕하다《*to*》: His lock did not ~ *to* the common key. 그의 자물쇠는 보통 열쇠로는 열리지 않았다. ── *vt.* …에 답하다, 응답하다. ◇ response *n.* ── *n.* 〖교회〗 답창; 응창하는 성가; 〖건축〗 (아치를 받치는) 벽기둥.

re·spond·ence, -en·cy [rispándəns/-spɔ́n-], [-i] *n.* Ⓤ 상응, 일치; 응답, 반응.

re·spond·ent [rispándənt/-spɔ́nd-] *a.* 대답〔응답〕하는; 감응하는; 〖법률〗 피고의. ── *n.* 응답자; (조사 등의) 회답자; 〖법률〗 피고《특히 이혼 소송의》.

‡**re·sponse** [rispáns/-spɔ́ns] *n.* **1** Ⓒ 응답, 대답: My letter of inquiry brought no ~. 내 문의 편지에는 아무런 회답도 오지 않았다. **2** Ⓤ,Ⓒ 감응, 반응; 〖생물·심리〗 반응: a ~ *to* a stimulus 자극에 대한 반응. **3** Ⓒ 〖교회〗 답창, 화창하는 구절; (신탁을 구하는 자에의) 신의 응답. **4** 〖컴퓨터〗 응답. ◇ respond *v.* ***call forth no ~ in*** one***'s breast*** 마음에 아무런 감흥도 일으키지 않다. ***in ~ to*** …에 응하여, …에 답하여. ***make no ~*** 아무런 대답도 않다, 응답〔반응〕이 없다.

respónse tìme 〖컴퓨터〗 응답 시간.

‡**re·spon·si·bil·i·ty** [rispànsəbíləti/-spɔ̀n-] *n.* **1** Ⓤ 책임, 책무, 의무《*of; for*》: a sense of ~ 책임 관념 / I will take 〔assume〕 the ~ *of* 〔*for*〕 doing it. 내가 책임지고 그것을 하겠다. SYN. ⇨ DUTY. **2** Ⓒ 책임이 되는 것, 부담, 무거운 짐: Family is a great ~. **3** Ⓤ 신뢰성〔도〕; 의무 이행 능력, 지급 능력. ***be relieved of*** one***'s ~*** 〔***responsibilities***〕 책임을 면하게 되다《복수형은 종종 해고당하다의 뜻의 완곡 표현으로 씀》. ***on*** one***'s own ~*** 자기 책임으로, 독단으로. ***take the ~ upon*** oneself 책임을 한몸에 떠맡다.

‡**re·spon·si·ble** [rispánsəbəl/-spɔ́n-] *a.* **1** 책임 있는, 책임을 져야 할《*to* a person; *for* a thing》: The pilot of the plane is ~ *for* the passengers' safety. 비행기 조종사는 여객의 안전에 대하여 책임이 있다. **2** 원인이 되는, …의 탓인《*for*》: The weather is ~ *for* the delay. 연기는〔지연은〕 날씨 때문이다. **3** 신뢰할 수 있는, 책임을 다할 수 있는, 도의심이 있는, 확실한: Give a task to a ~ man. 신뢰할 수 있는 사람에게 일을 맡기시오. **4** 책임이 무거운: The President has a very ~ position. **5** 의무 이행〔지급〕의 능력이 있는. ◇ responsibility *n.* ***hold*** a person ***~ for*** 아무에게 …의 책임을 지우다. ***make*** oneself ***~ for*** …의 책임을 맡다. ㊞ **-bly** *ad.* 책임지고, 확실히. **~·ness** *n.*

re·spon·sions [rispánʃənz/-spɔ́n-] *n. pl.* (Oxford 대학의) Bachelor of Arts 학위를 따는 3회 시험 중 1차 시험(smalls); 《드물게》 응답.

°**re·spon·sive** [rispánsiv/-spɔ́n-] *a.* 대답하는, 응하는; 감응〔감동〕하기 쉬운《*to*》; 〖교회〗 답창(答唱)의: a ~ smile 호의적인 미소 / be ~ *to* the condition 그 조건에 응(應)하기 쉽다. ㊞ **~·ly** *ad.* 대답하여; 반응하여; 〖교회〗 응창하여. **~·ness** *n.*

re·spon·so·ry [rispánsəri/-spɔ́n-] *n.* 〖교회〗 답창《성서 낭독 후〔중간〕의 찬송가》.

res pu·bli·ca [ri:z-páblikə, réis-] 《L.》 국가, 공화국; ＝COMMONWEAL.

res·sen·ti·ment [*F.* rəsɑ̃timɑ̃] *n.* 원한(怨恨).

†**rest**¹ [rest] *n.* **1** Ⓤ,Ⓒ 휴식, 휴게, 정양: take a short ~ 잠시 쉬다 / ~ *from* hard work 중노동으로부터의 휴식. **2** Ⓤ 안정, 안락; 안심, 평안. **3** 수면; 영면, 죽음: She had a good night's ~. 그녀는 밤에 푹 잤다. **4** 휴지, 정지(靜止); 〖음악〗 휴지, 쉼표: bring a car to ~ 자동차를 멈추다. **5** 안식처, 숙박소, 주소; 무덤: a seamen's ~ 선원 숙박소 / find one's ~ in the shade of a tree 나무 그늘에 휴식 장소를 찾아내다. **6** 받침대, 지주; (물건·발을 올려놓는) 받침; 《영》 〖당구〗 큐대, 레스트. **7** 〖운율〗 중간 휴지. **8** 〖미법률〗 입증 중지. ***at ~*** 휴식하여; 안심하여; 영면하여; 정지하여; 해결하여. ***be called to*** one***'s*** (***eternal***) ***~*** 《완곡어》 돌아가시다. ***be laid to ~*** 매장되다. ***give a ~*** 잠시 쉬게 하다. ***Give it a ~!*** 《영구어》 입 다물어. ***go*** 〔***retire***〕 ***to ~*** 자다. ***go to*** one***'s*** (***final***) ***~*** 죽다, 영면하다. ***put*** 〔***set***〕 a person***'s mind*** 〔***heart***〕 ***at ~*** 아무를 안심시키다. ***take*** 〔***have***〕 ***a ~*** 잠시 쉬다. ***take*** one***'s*** (***fill of***) ***~*** (충분히) 쉬다, 자다. ***the day of ~*** 안식일, 일요일.

── *vi.* **1** 《~/+전+명》 쉬다, 휴식하다《*from*》: He ~*ed* (for) an hour after lunch. 그는 점심 후 1시간 쉬었다 / ~ *from* one's work 일을 (그치고) 쉬다.

> SYN. **rest** 활동을 중지하고 쉬다. 잠시 쉬는 것으로부터 취침, 장기간에 걸친 정양까지를 포함함: *rest* of eight hours a night 매일 밤 8시간의 수면. **repose** 육체뿐 아니라 정신의 안정까지를 포함함: She could not *repose*; she sat thinking. 그녀는 마음이 불안하여 앉은 채로 생각에 잠겨 있었다. **relax** 긴장을 풀고 편안히 하다, 편한 몸가짐이 시사됨: Why don't you sit down and *relax*? 앉아서 편히 쉬는 게 어떻습니까.

2 《~/+전+명》 눕다, 자다; 영면하다, 지하에 잠들다: Let him ~ *in* peace. 그를 고이 잠들게 하소서. **3** 《~/+전+명》 안심하다, 안심하고 있다: I can not ~ *under* these circumstances. 이런 상황에서는 안심할 수 없다. **4** 휴지〔정지〕하다. **5** 《+전+명》 (…에) 있다, 놓여 있다, 얹혀 있다, 기대다; 앉다《*on, upon; against*》; (시선 따위가) 쏠리다, 멈추다: stand with one's back ~*ing against* the door 문에 기대어 서다 / The columns ~ *on* their pedestals. 원기둥은 각기 받침대 위에 얹혀 있다. **6** 《+전+명》 신뢰를 두다《*in*》; 의지하다《*on, upon*》: ~ *on* 〔*in*〕 her promise 그녀의 약속을 믿다 / ~ *in* God. **7** 《+전+명》 《문어》 기초를 두다, 의거하다《*on, upon*》; (결정 등이) …에게 있다《*with*》: His fame ~*s on* the pictures. 그 그림으로 그는 명성을 얻었다 / The decision ~*s with* him. 결정권은

그에게 있다. **8** (땅이) 갈지 않은 채로 있다, 놀고 있다. **9** ((+전+명)) (짐·책임이) 지워져 있다 ((*on, upon*)): No responsibility ~*s on* you. 당신에게는 아무런 책임이 없소. **10** ((+전+명)) 오래 머무르다, 감돌다((*on, upon*)): A smile ~*ed on* her lips. 미소가 그녀 입가에 감돌았다. **11** 〖법률〗 (변호인이) 증거 제출을 자발적으로 중지하다. ── *vt.* **1** 쉬게 하다, 휴식시키다; 휴양시키다; 그대로〔사용하지 않고〕 놔두다; 〘~ oneself〙 쉬다: He stopped to ~ his horse. 그는 말을 쉬게 하기 위해 멈추어 섰다. **2** 안식(安息)시키다: May God ~ his soul. 하느님, 그의 영혼을 쉬게 하옵소서. **3** ((+목+전+명)) 놓다, 얹다; 세워 놓다, 기대게 하다((*on, upon; against*)): She ~*ed* her elbows *on* the table. 그녀는 테이블에 두 팔꿈치를 얹고 있었다 / *Rest* the ladder *against* the wall. 사닥다리를 벽에 걸쳐 놓아라. **4** ((+목+전+명)) (시선 등을) 멈추다: ~ one's gaze *on* a person 아무를 응시하다. **5** ((+목+전+명)) …에 기초를 두다; …에 의거하다; (희망 등을) 걸다: He ~*s* his theory *on* three basic premises. 그의 이론은 세 가지 기본적 전제에 의거한다. **6** 〖법률〗 …의 증거 제출을 자발적으로 중지하다. **7** (논 등을) 휴경(休耕)하다, 놀리다: ~ the land.

let the matter* ~** (here) 사건을 (이대로) 놓아두다. **~ *assured 안심하다: Rest *assured* (that) I will do my best. 최선을 다할 테니 안심해라. **~ *on* one's *arms*** 무장한 채 쉬다, 방심하지 않다. **~ *on* one's *oars*** ⇨OAR. **~ *up*** ((미)) 휴양하여 힘을 기르다, 충분히 쉬다.

‡**rest**[2] *n.* **1** (the ~) 나머지, 잔여(殘餘), 여분; (the ~) 〘복수취급〙 잔류자, 그 밖의 사람들〔물건〕: The ~ (*of* the butter) is in the fridge. (버터의) 나머지는 냉장고에 있다. **2** (the ~) 〖영은행〗 적립금, 준비금; (the ~) 〖상업〗 차감 잔액. **3** 〖테니스〗 쉴 새 없이 되받아치기(rally). ***above* (*all*) *the* ~** 특히, 그 중에서도. ***among the* ~** ⇨AMONG. ***and the* ~** =***and all the* ~ *of it*** 그 밖에 여러 가지, 이것저것, 나머지는. (***as***) ***for the* ~** 그 밖에는〔에 대해서는〕. ***as to the* ~** 그 밖의 점에 대해서는, 그 밖의 일이라면. ── *vi.* ((+보)) 여전히 …이다, …한 대로이다: The mistake ~*s* uncorrected. 잘못은 정정되지 않은 채로 있다 / ~ content 〔satisfied〕 만족하고 있다.

rest[3] *n.* 〖역사〗 (갑옷 가슴받이의) 창받침.

rè·stáge *vt.* 재상연하다. 「다; 다시 밟다.

rè·stámp *vt.* 다시 도장 찍다; 다시 우표를 붙이

rést àrea ((미)) (간선 도로변의) 휴게소.

rè·stárt *vi., vt.* 재출발하다〔시키다〕; 재착수하다. ── *n.* 재착수, 재개시. ㊞ **~·able** *a.*

rè·státe *vt.* 새로〔다시〕 진술하다; 고쳐 말하다. ㊞ **~·ment** *n.* 재(再)성명.

†**res·tau·rant** [réstərənt, -rɑ̀ːnt/-rɔ̀nt, -rɑ̀ːnt, -tərɔ̀ŋ] *n.* ((F.)) 요리점, 음식점, 레스토랑; (호텔·극장 등의) 식당.

réstaurant càr ((영)) 식당차(dining car).

res·tau·ra·teur [rèstərətə́ːr/-tər-, -tɔr-] *n.* ((F.)) 요리점 경영자.

rést cùre 안정 요법((주로 정신병의)).

rést dày 안식일, 휴일.

rést ènergy 〖물리〗 정지(靜止) 에너지.

rest·ful [réstfəl] *a.* 휴식을 주는; 조용한, 편안한, 평온한. ㊞ **~·ly** *ad.* **~·ness** *n.*

rest·har·row [résthæ̀rou] *n.* 〖식물〗 오노니스속(屬)의 일종((관목 모양의 콩과(科) 식물)).

rést hòme =SANATORIUM. 「집((휴양지의)).

rést hòuse (여행자) 휴게소, 숙박소; 휴식의

res·tiff [réstif] *a.* ((고어)) =RESTIVE.

rést·ing *a.* **1** 휴지〔휴식〕하고 있는, 활동하고 있지 않는. **2** 〖식물〗 휴면 중인; 〖생물〗 (세포 따위가) 증식하지 않는: a ~ spore 휴면 포자(胞子) / a ~ stage 휴면기.

résting-plàce *n.* 휴식처; 무덤; 〖건축〗 (계단의) 층계참(landing): one's last ~ 무덤.

res·ti·tute [réstət*j*ùːt/-tjùːt] *vi., vt.* 본래의 지위〔상태〕로 회복시키다; 되돌리다; =REFUND[1].

res·ti·tu·tion [rèstət*j*úːʃən/-tjúː-] *n.* Ⓤ (정당한 소유자에의) 반환, 되돌림, 상환((*of*)); 배상; 회복, 복권(復權), 복직; 〖물리〗 (탄성체의) 복원, 복구성: force 〔power〕 of ~ 복원력. ***make* ~** 반환〔배상, 상환〕하다. ㊞ **rés·ti·tù·tive** [-tiv], **rès·ti·tú·to·ry** [-təri] *a.*

res·tive [réstiv] *a.* (말 따위가) 나아가기를 싫어하는, 고집 센; 다루기 힘든, 난폭한; 말 안 듣는, 반항적인; 침착하지 못한, 마음이 들뜬(restless). ㊞ **~·ly** *ad.* **~·ness** *n.*

‡**rest·less** [réstlis] *a.* 침착하지 못한, 들떠 있는; 안면할 수 없는; 끊임없는; 활동적인: a ~ night 잠 못 이루는 밤 / a man of ~ energy 활동가. ㊞ **~·ly** *ad.* **~·ness** *n.*

rést màss 〖물리〗 정지 질량(靜止質量).

rè·stóck *vt., vi.* 새로 사들이다; (못에 물고기를) 다시 방류하다, (가축을 농장에) 다시 넣다, (숲에 묘목을) 새로이 공급하다.

*__res·to·ra·tion__ [rèstəréiʃən] *n.* Ⓤ **1** 회복; 복구, 복고, 부흥; (건강의) 회복; 손해 배상, 반환: (the) ~ *of* order 질서의 회복 / the ~ *of* money *to* a person 아무에게의 돈의 반환. **2** (미술품·문헌 따위의) 수복(修復), 복원(復元); Ⓒ (건축·미술품·고생물 따위의) 원형 모조, 수복〔복원〕된 것: (the) ~ *of* a painting 그림의 복원. **3** 복직, 복위; (the R-) 〖영국사〗 왕정복고 ((1660년 Charles 2세의 즉위)), 왕정복고 시대 (1660-88). **4** 〖신학〗 만민 구제. ㊞ **~·ism** *n.* 〖신학〗 만민 구제설. **~·ist** *n.* 만민 구제설의 신봉자.

re·stor·a·tive [ristɔ́ːrətiv] *a.* (건강·원기를) 회복시키는; 부흥의, 복구하는. ── *n.* Ⓒ 정신나게 하는 약; 강장제.

*__re·store__ [ristɔ́ːr] *vt.* **1** ((~+목/+목+전+명)) 원장소에 되돌리다; 반환〔반송〕하다((*to*)): ~ the pot *to* the balcony 발코니에 화분을 도로 가져다 놓다. **2** 되찾다, 다시 손에 넣다: ~ stolen property 도둑맞은 물건을 되찾다 / ~ order 질서를 회복하다. **3** ((~+목/+목+전+명)) 부흥〔부활〕하다; 복구〔재건〕하다; 복원하다, 수선〔수복〕하다: ~ a text 본문을 원문에 가깝게 고치다 / The picture was ~*d to* its original condition. 그 그림은 원래의 상태로 복원되었다. SYN. ⇨MEND, RENEW. **4** ((~+목/+목+전+명)) (원래의 지위로) 복귀시키다; 복원시키다: ~ an employee *to* his old post 고용인을 원직위에 앉히다. **5** ((~+목/+목+전+명)) (…의 건강·의식 따위를) 회복시키다: quite ~*d to* health 완전히 건강을 회복하여. **6** 〖컴퓨터〗 복원하다; 재저장하다; 원상태로 돌리다. ◇ restoration *n.* ***be ~d out of all recognition*** 몰라보도록 수복〔복구〕되다. **~ *to life*** 되살아나게 하다, 부활시키다. ㊞ **re·stor·a·ble** [ristɔ́ːrəbəl] *a.* 원상태로 되는, 회복〔복구〕할 수 있는. **re·stór·er** [-rər] *n.* 원상 복구시키는 사람〔것〕: a hair *restorer* 털나게 하는 약. 「유전자.

restórer gène 〖식물·유전〗 (수정 능력) 회복

*__re·strain__ [ristréin] *vt.* **1** ((~+목/+목+전+명)) 제지〔방지〕하다, 금〔제한〕하다: She could not ~ herself *from* laughing. 그녀는 웃음을 참을 수 없었다. **2** 억누르다, 억제하다: ~ one's anger 분노를 참다. **3** ((~+목/+목+전+명))

구속하다, 감금하다; …에게서 빼앗다 ((*of*)): ~ a person *of* his liberty 아무의 자유를 빼앗다. ◇ restraint *n.* ㊐ **~·a·ble** *a.* 억누를 수 있는, 감금할 수 있는.

rè·stráin *vt.* 다시 당기다.

re·stráined *a.* 삼가는, 자제하는; (생각이) 온당한; 구속〔억제〕된. ㊐ **re·stráin·ed·ly** [-idli] *ad.*

re·stráin·er *n.* 제지자; 억제자〔물〕; 〖사진〗 현상 (진행) 억제제.

restráining òrder 〖법률〗 금지 명령.

◇**re·straint** [ristréint] *n.* Ⓤ,Ⓒ **1** 제지, 금지, 억제(작용·력); 억제 수단〔도구〕: lay ~ on …에 억제를 가하다. **2** 속박, 구속, 감금; (선박의) 출항〔입항〕 금지. **3** 자제, 근신; (문학적 표현의) 신중. ◇ restrain *v.* ***in ~ of*** …을 억제하여. ***put*** 〔***keep***〕 ***under ~*** 감금하다 ((특히 정신 병원에)). ***~ of trade*** 〖경제〗 (가격 유지 따위를 위한) 거래 제한. ***without*** 〔***free from***〕 ***~*** 자유로이; 거리낌 없이; 충분히.

***re·strict** [ristríkt] *vt.* ((~+목/+목+전+명)) 제한하다, 한정하다 ((*to; within*)); 금지하다, 제지하다: be ~*ed within* narrow limits 좁은 범위에 제한되다 / I ~ myself *to* (drinking) a bottle of beer a day. 하루에 맥주 한 병으로 제한한다. ◇ restriction *n.*

re·stríct·ed [-id] *a.* **1** 한정된, 제한된: a ~ diet 한정된 식사. **2** 한정(된 그룹)의 ((특히 백인의)): a ~ hotel 백인 (전용) 호텔. **3** ((미)) (정보·문서 따위가) 기밀의, 일반에는 공표되지 않는, 부외비(部外秘)의. ㊐ **~·ly** *ad.*

restrícted área 〖미군사〗 출입 금지 구역; ((영)) 자동차 속도 제한 구역.

restrícted ùsers gróup 〖컴퓨터〗 한정 사용자 그룹 ((특정한 암호 또는 비밀 번호(password) 등을 사용하여 특수한 컴퓨터 시스템이나 정보를 이용할 수 있는 사람들)).

re·stric·tion** [ristríkʃən] *n.* Ⓤ,Ⓒ 제한, 한정; 구속; 사양. ◇ restrict *v.* ***put 〔***impose, place***〕 ***~s on*** …에 제한을 가하다. ***remove*** 〔***lift, withdraw***〕 ***~s*** 제한을 없애다. ***with ~*** 제한되어.

restríction endonùclease =RESTRICTION ENZYME.

restríction ènzyme 〖생화학〗 제한 효소 ((이중 나선 DNA를 특정 부위에서 절단하는 효소)).

restríction fràgment 〖유전〗 제한 효소 (restriction enzyme)에 의한 DNA 분자의 단편.

re·stríc·tion·ism *n.* Ⓤ 제한주의〔정책〕; 무역 제한 (정책); 기계화〔오토메이션〕 제한 정책; (일을 오래 계속시키기 위한) 생산량 제한 정책. ㊐ **-ist** *n., a.* 제한주의자〔정책〕, 제한주의(자)의〔적인〕.

restríction sìte 〖생화학〗 제한 부위 ((제한 효소가 절단하는 이중 나선 DNA상(上)의 부위)).

re·stric·tive [ristríktiv] *a.* 제한하는, 구속하는, 한정하는; 〖문법〗 한정적인: ~ use 제한적 용법. **—** *n.* 〖문법〗 제한어, 제한 표현. ㊐ **~·ly** *ad.* **~·ness** *n.*

restríctive cóvenant ((미)) 〖법률〗 (토지 사용) 제한 계약, 부작위 약관.

restríctive endórsement 양도 제한 배서.

restríctive práctice ((영)) 제한적 관행 ((⑴ 기업 간의 경쟁을 제한하는 협정. ⑵ 노동조합에 의한 조합원이나 사용자의 행위 제한)).

restríctive rélative clàuse 〖문법〗 제한적 관계사절(關係詞節).

re·strike [riːstráik] *vt.* 다시 치다; (화폐를) 다시 찍다, (경화(硬貨)를) 개주(改鑄)하다. **—** [ríːstràik] *n.* 개주화(貨).

rè·stríng *vt.* (현악기·라켓 등의) 새 현(絃)을 〔거트를〕 갈아 달다.

rést ròom (극장 따위의) 휴게실, 화장실, 변소.

rè·strúcture *vt.* 재구성하다, 개조하다.

rè·strúcturing *n.* (조직·제도·사업 등의) 재편성, 재구성, 구조 개혁.

rè·stúdy *n., vt.* 재학습〔재연구〕(하다), 재조사〔재검토〕(하다); 새로운 연구.

rè·stúff *vt.* 다시〔고쳐〕 채우다.

rè·stýle *vt.* …을 다시 만들다, 모델을 바꾸다.

re·sult [rizʌ́lt] *n.* **1** Ⓤ,Ⓒ 결과, 결말, 성과, 성적: the ~*s of* an election 선거 결과 / obtain good ~*s from* a new method 새로운 방법으로 좋은 성적을 올리다.

> SYN. **result** 조건·전제·원인에서 생기는 결과. '성과, 성적'으로 나타나게 된 과정이 평가되는 경우가 많음. **issue, outcome** '이루어진 것'의 뜻으로 결과에만 초점을 두며, 그 과정에 대한 평가는 포함되지 않음. **fruit** 좋은 결과, 성과, 결실. **consequence** 잇따라 일어나는, 또는 필연적 결과. 다방면에 미치는 결과라는 뜻으로 복수형으로 많이 쓰임: take the *consequences* 자기의 행위 등의 결과에 책임을 지다. **effect** 직접적이고 단시간에 나타나는 결과, 효과: The *effect* of morphine is to produce sleep. 모르핀은 잠들게 한다.

2 Ⓒ (계산의) 결과, 답. **3** ((미)) (의회 따위의) 결의, 결정. **4** (*pl.*) (경기 따위의) 결과, 성적; ((영속어)) (축구 경기의) 승리: the baseball ~*s*. ***as a*** 〔((드물게)) ***the***〕 ***~ of*** …의 결과로서. ***in ~*** ((미)) 그 결과. ***in the ~*** 결국. ***The ~ was that ....*** 결과는 …이었다. ***without ~*** 헛되게, 보람없이; 공연한. ***with the ~ that ...*** 그 결과 … (하게 되다): I am very busy, *with the ~ that* I can't enjoy my family life. 너무 바빠서 가정생활을 즐길 수 없다.
— *vi.* **1** ((~/+전+명)) 결과로서 일어나다, 생기다, 유래하다 ((*from*)): the damage which ~*ed from* the fire 화재로 인한 손해. **2** ((+전+명)) 귀착하다, 끝나다 ((*in*)): ~ *in* heavy loss 〔failure〕 큰 손실〔실패〕로 끝나다.

◇**re·sult·ant** [rizʌ́ltənt] *a.* 결과로서 생기는; 합성된: ~ force 〖물리〗 합성력 / ~ velocity 합성 속도. **—** *n.* 결과; 〖물리〗 합성력; 합성 운동; 〖수학〗 종결식.

re·sult·ful [rizʌ́ltfəl] *a.* 결과가 생기는, 효과 있는, 유효한. ㊐ **~·ness** *n.*

re·súlt·ing·ly *ad.* 결과적으로, 결국(as a result).

re·súlt·less *a.* 효과〔보람〕 없는. ㊐ **~·ly** *ad.*

re·sume**[1] [rizúːm/-zjúːm] *vt.* **1** (자리 따위를) 다시 차지하다〔점유하다〕: ~ one's seat 자리에 돌아가다. **2** 되찾다; (건강을) 회복하다: ~ one's spirits 〔sway〕 원기를〔세력을〕 회복하다. **3** ((~+목/+-ing)) 다시 시작〔계속〕하다: ~ a story 얘기를 다시 계속하다 / He stopped talking and ~*d* eating. 그는 말을 멈추고 또 먹기 시작했다. **4** 요약하다, 골자를 말하다. **—** *vi.* 다시 차지하다; 다시 찾다; 다시 시작하다, 계속하다. ◇ resumption *n.* ***~ the thread of one's ***discourse*** 이야기의 원줄거리로 돌아가다. ***to ~*** 〔독립부정사구로서〕 말을 계속하면. ㊐ **re·súm·a·ble** *a.* 되찾을〔재개할〕 수 있는.

ré·su·mé, re·su·me[2]**, re·su·mé** [rézumèi, ᐟ-ᐟ] *n.* ((F.)) 적요, 요약; ((미)) 이력서.

re·sum·mon [rìːsʌ́mən] *vt.* 재소환〔재소집〕하다. **—** *n.* (*pl.*) 〖법률〗 재소환(장(狀)).

re·sump·tion [rizʌ́mpʃən] *n.* Ⓤ,Ⓒ 되찾음, 회수, 회복; 재개시, 속행; 요약; 〖은행〗 정화(正貨) 태환(兌換) 복귀. ◇ resume *v.*

re·sump·tive [rizʌ́mptiv] *a.* 되찾는, 회복하는; 재개하는; 요약하는, 개설의. ㊐ **~·ly** *ad.*

re·su·pi·nate [risú:pənèit, -nət/-sjú:pinət] *a.* 〖식물〗 전도(轉倒)한, (꽃·잎 따위가) 위로 뒤틀린.

re·sù·pi·ná·tion *n.* Ⓤ 〖식물〗 도립(倒立), 전도.

re·surface [rì:sə́:rfis] *vt.* …의 표지를 바꾸다, 거죽을 다시 꾸미다; (길을) 다시 포장하다. — *vi.* (잠수함이) 다시 떠오르다.

re·surge[1] [risə́:rdʒ] *vi.* 재기하다; 부활〔소생〕하다.

re·surge[2] *vi.* (파도 따위가) 다시 밀려오다; 일진일퇴하다.

re·sur·gent [risə́:rdʒənt] *a.* 소생〔부활〕하는. — *n.* 소생하는 사람, 부활〔재기〕자. ㉺ **re·súr·gence** *n.* Ⓤ 재기, 부활.

res·ur·rect [rèzərékt] *vt.* (죽은 이를) 소생〔부활〕시키다; 《비유》 (쇠퇴한 습관 따위를) 부흥시키다; (시체를) 무덤을 파헤치고 훔치다, 도굴하다. — *vi.* 소생〔부활〕하다. ㉺ **-réc·tor** *n.*

°**res·ur·rec·tion** [rèzərékʃən] *n.* Ⓤ **1** 소생; (the R-) 예수의 부활; (the R-) (최후의 심판일에 있어서의) 전(全) 인류의 부활. **2** 재기, 부활; 부흥, 재현(再現), 재유행《*of*》: the ~ *of* hope. **3** 시체 도굴. ◇ resurrect *v.* ㉺ **~·al** [-əl] *a.*

rès·ur·réc·tion·ism *n.* (최후의 심판일의) 전 인류의 부활을 믿음; 시체 도굴.

rès·ur·réc·tion·ist *n.* **1** =RESURRECTION MAN. **2** 죽은 자의 부활을 믿는 사람; 부활시키는 사람.

resurréction màn 시체 도굴자(body snatcher).

resurréction pìe 《구어》 먹다 남은 것으로 만든 파이.

re·sur·vey [ri:sə́:rvei, rì:sə:rvéi] *n.* 재조사, 재측량, 재답사. — [rì:sə:rvéi] *vt., vi.* ~하다.

re·sus·ci·tate [risʌ́sətèit] *vt.* (인공호흡 따위로) 소생시키다; 의식을〔원기를〕 회복시키다; (과거의 것을) 부흥하다, 부활시키다. — *vi.* 소생하다, 의식을 회복하다. ㉺ **-ta·ble** *a.* **re·sùs·ci·tá·tion** *n.* **re·sús·ci·tà·tive** [-tèitiv] *a.* 소생시키는; 부흥〔회복〕시키는.

re·sus·ci·ta·tor [risʌ́sətèitər] *n.* 부활〔회복〕시키는 사람〔것〕; 인공호흡기.

ret [ret] (*-tt-*) *vt., vi.* (섬유를 얻기 위해 삼 등을〔이〕) 물에 담가〔담기어〕 부드럽게 하다〔되다〕; (건초 등이〔을〕) 누져서 썩(게 하)다.

ret. retain; retired; return(ed).

re·ta·ble [ritéibəl, rí:tèi-] *n.* 제단(祭壇) 뒤의 선반〔칸막이〕《십자가·성화(聖火) 등을 둠》.

*°**re·tail** [rí:teil] *n., a.* 소매(小賣)(의). OPP. *wholesale.* ¶a ~ dealer 소매상(商)/a ~ price 소매가격/a ~ store 〔shop〕 소매점/~ sales 소매 판매(고)/a ~ bank 소액 거래 은행《일반 대중·중소기업을 거래선으로 함》. ***at*** 〔《영》 ***by***〕 ~ 소매로. — *ad.* 소매로. ***sell*** ~ 소매하다. — *vt.* **1** 소매하다. **2** [ritéil] (들은 이야기를) 그대로 옮기다; (소문 따위를) 퍼뜨리다: ~ a scandal. — *vi.* 《+전+명》 소매되다《*at; for*》: It ~*s at* 〔*for*〕 60 won. 그건 소매로 60 원이다.

rétail bánking sèrvice 소액 은행 업무.

°**re·tail·er** *n.* **1** [rí:teilər] 소매상인. **2** [ritéilər] 말전주꾼.

ré·tail·ing *n.* 소매(업).

rétail pólitics 《주로 미》 (유권자와의 접촉을 중시하는 종래의) 대중 선거 활동.

rétail príce ìndex (the ~) 《영》 〖경제〗 소매물가〔가격〕 지수《소비자 물가 지수(consumer price index)에 해당; 생략: RPI》.

rétail thèrapy 《우스개》 재미로 하는 쇼핑.

re·tain [ritéin] *vt.* **1** 유지하다, 보유〔보지〕하다: This vessel won't ~ water. 이 그릇은 아무래도 물이 샌다/~ one's control over …에 대한 지배권을 유지하다. SYN. ⇨KEEP. **2** (변호사·사환을) 고용하다. **3** (폐지하지 않고) 존속시키다; 계속 사용〔실행〕하다. **4** 잊지 않고 있다: ~ the insult in one's memory 수모를 잊지 않고 있다. ◇ retention *n.* ㉺ **~·a·ble** *a.* **~·ment** *n.*

retáined óbject 〖문법〗 보류 목적어《보기: He was given the *book* by me./The book was given *him.*》.

re·táin·er[1] *n.* **1** 보지(保持)자, 보유물. **2** (가족을 오래 섬긴) 하인, 종복; 친우(親友). **3** 〖기계〗 (롤러베어링을 고정시키는) 리테이너. **4** 〖치과〗 **a** (치열 교정용의) 치아 고정 장치. **b** (브리지 등의) 천연치(齒)에 고정시키는 부분.

re·táin·er[2] *n.* (변호사 따위의) 고용; 〖법률〗 변호 의뢰(료)《예약을 위한》; 변호 약속.

retáining fèe 변호사 의뢰료 (retainer).

retáining fòrce 〖군사〗 견제 부대.

retáining wàll 옹벽(擁壁).

re·take [rì:téik] (*-took; -tak·en*) *vt.* 다시 잡다; 되찾다, 탈환하다; (영화 따위를) 다시 찍다. — [rí:tèik] *n.* 〖영화〗 재촬영(한 장면〔사진〕).

°**re·tal·i·ate** [ritǽlièit] *vi.* 《~/+전+명》 보복하다, 앙갚음하다《*on, upon; for*》; 대꾸하다, 응수하다; 보복 관세를 과하다: ~ *for* an injury 상해에 대해 같은 수단으로 보복하다/~ *on* 〔*upon*〕 one's enemy 적에게 복수하다. — *vt.* 보복하다, 앙갚음하다.

re·tàl·i·á·tion *n.* Ⓤ 보복, 앙갚음. ***in ~ of*** 〔***for***〕 …의 보복으로.

re·tal·i·a·tive, -a·to·ry [ritǽlièitiv/-liət-], [-ətɔ̀:ri/-ətəri] *a.* 보복적인: a *retaliatory* measure 〔tariff〕 보복 조치〔관세〕.

re·tál·i·à·tor *n.* 보복자.

°**re·tard** [ritá:rd] *vt.* **1** 속력을 늦추다; 늦어지게 하다, 지체시키다; 〖기계〗 (엔진의 점화를) 늦어지도록 조정하다. OPP. *accelerate.* **2** …의 성장〔발달〕을 방해하다, 저지하다. — *vi.* (특히 조수의 간만·천체의 운행 등이) 늦어지다. ◇ retardation *n.* — *n.* **1** 지체, 지연; 방해, 저지. **2** [rí:ta:rd] 《미속어》 정신박약자, 바보, (사회적으로) 미숙한 사람, (신체적으로) 결함 있는 사람. ***in*** ~ 《고어》 늦어져서《*of*》; 방해되어. ***keep at*** ~ 지연되다. ***the ~ of the tide*** 〔***high water***〕 〖천문〗 지조(遲潮) 시간《달의 자오선 통과와 만조 사이》.

re·tard·ant [ritá:rdənt] *a.* 늦어지게 하는; 저지하는. — *n.* 〖화학〗 지연〔억제〕제: a fire ~ 방화(防火)재〔제〕/a rust ~ 방수제(防銹劑).

re·tar·da·taire [ritɑ̀:rdətέər] *a.* (예술 작품·건축이) 이전〔시대에 뒤진〕 양식으로 제작〔건축〕된.

re·tar·date [ritá:rdeit] *n.* 지능 발달이 뒤진 사람.

rè·tar·dá·tion, re·tárd·ment *n.* U,C 지연; 방해; 저지; 방해물; 지체〔방해〕량; 〖심리〗 정신 지체《보통 IQ 70 미만》; 〖물리〗 감속도(OPP. *acceleration*).

re·tard·a·tive, -a·to·ry [ritá:rdətiv], [ritá:rdətɔ̀:ri/-təri] *a.* 지연〔지체〕시키는; 방해하는, 저지하는; (속도를) 느리게 하는.

re·tárd·ed [-id] *a.* 발달이 늦은; (지능 등이) 뒤진: a ~ child 지진아.

re·tard·ee [ritɑ̀:rdí:, -ˊ-ˊ] *n.* 지진아, 지능 지체자.

re·tárd·er *n.* 〖화학〗 (화학 작용의) 억제제, (시멘트의) 응결 지연제.

re·target [rì:tá:rgit] *vt.* **1** (로켓 등을) 새 목표를 겨누게 하다. **2** (상품을) 새 구매자층에 맞추다.

re·taste [rì:téist] *vt.* 다시 맛보다.

retch [retʃ] *vi.* 구역질 나다, 억지로 토하려고 하다. — *vt.* 토하다. — *n.* 구역질 (소리).

retd. retained; retired; returned.

re·te [rí:ti] (*pl.* ***re·tia*** [rí:ʃiə, -tiə]) *n.* 〖해부〗 망(網), 망상(網狀)조직, 총(叢)(plexus).

re·tell [rì:tél] (*p., pp.* ***-told***) *vt.* 다른 형식으

로〔형태를 바꾸어〕 말하다; 다시 세다.
rè·tél·ling *n.* 개작(改作)된 이야기.
re·ten·tion [riténʃən] *n.* [U] **1** 보유, 보존; 보류; 유지. **2** 보유력; 기억력. **3** 유치, 감금, 억류; 《Sc.》 압류. **4** 〖의학〗 정체(停滯): ~ of urine 요폐(尿閉). **5** 〖보험〗 보유(액). ◇ retain *v.*
re·ten·tive [riténtiv] *a.* 보유하는, 보유력이 있는 《*of*》; 기억이 좋은; 습기를 보존하는; 〖의학〗 (붕대 등을) 움직이지 않게 하는: a ~ memory 좋은 기억력. [파] **~·ly** *ad.* **~·ness** *n.*
re·ten·tiv·i·ty [rìːtentívəti] *n.* [U] 보유력; 기억력; 〖물리〗 보자성(保磁性).
re·te·nue [*F.* ʀətəny] *n.* 자제(自制), 삼감, 조신(操身), 조심스러워 하는 태도.
re·test [riːtést] *vt.* …을 재시험〔재분석〕하다. ── [ríːtèst] *n.* 재시험, 재분석.
re·think [rìːθíŋk] (*p., pp.* **-thought**) *vt., vi.* 재고하다, 고쳐 생각하다. ── [ríːθìŋk] *n.* 재고.
re·ti·ary [ríːʃièri/-tiəri, -ʃi-] *a.* 그물로 무장한; 그물 모양의; (거미가) 그물을 치는. ── *n.* 그물을 치는 거미.
ret·i·cent [rétəsənt] *a.* 과묵한; 말이 적은 《*on; about*》; 삼가는; 억제된. [SYN.] ⇨SILENT. [파] **~·ly** *ad.* **-cence, -cen·cy** [-səns], [-i] *n.* 과묵, (입을) 조심함.
ret·i·cle [rétikəl] *n.* **1** 〖광학〗 (망원경 등의) 십자선, 망선(網線). **2** 〖전자〗 레티클《실리콘 웨이퍼에 LSI 회로 패턴을 정착시키기 위한 원판》.
re·tic·u·lar [ritíkjələr] *a.* 그물 모양의; 뒤얽힌: ~ fiber 망상(網狀) 섬유 / ~ formation (뇌의) 망상체. [파] **~·ly** *ad.*
re·tic·u·late [ritíkjələt, -lèit] *a.* 그물 모양의; 〖생물〗 망상 진화의. ── [-lèit] *vt., vi.* 그물 모양으로 하다〔되다〕. [파] **~·ly** *ad.* **re·tìc·u·lá·tion** [-léiʃən] *n.* 그물코; 그물 모양의 것, 망상(網狀) 조직; 〖사진〗 (감광 유제에 생기는) 망상의 주름살.
ret·i·cule [rétikjùːl] *n.* (여성용의) 손가방, 그물 주머니; 〖광학〗 =RETICLE.
re·tic·u·lo·cyte [ritíkjələsàit] *n.* 〖해부〗 망상적혈구.
re·tic·u·lo·en·do·the·li·al [ritìkjəlouèndouθíːliəl] *a.* 〖해부〗 (세)망내(피)계((細)網內(皮)系)의: ~ system 세망내피계《생략: RES》.
re·tic·u·lum [ritíkjələm] (*pl.* **-la** [-lə]) *n.* 망상물(網狀物), 망상 조직; 〖해부〗 세망(細網), 망상질(質), 봉소위(蜂巢胃), 벌집위《반추 동물의 제 2 위(胃)》; (R-) 〖천문〗 그물자리(the Net): ~ cell 〖해부〗 세망 세포.
re·ti·form [ríːtəfɔ̀ːrm, rét-] *a.* 망상 조직의, 그물 모양의: a ~ tissue 망상 조직.
ret·i·na [rétənə] (*pl.* **~s, -nae** [-nìː]) *n.* 〖해부〗 (눈의) 망막. [파] **-nal**[1] [-nəl] *a.* 망막의.
ret·i·nal[2], **-nol** [rétənæ̀l, -nɔ̀ːl], [rétənɔ̀ːl, -nɑ̀l/-nɔ̀l] *n.* 레티날(vitamin A).
ret·i·ni·tis [rètənáitis] *n.* 〖안과〗 망막염.
retinítis pig·men·tó·sa [-pìgmentóusə, -mən-] 〖안과〗 색소성 망막염.
ret·i·no·blas·to·ma [rètənoublæstóumə] (*pl.* **-mas, -ma·ta** [-mətə]) *n.* 〖병리〗 망막아(芽)〔세포〕종(腫)《망막 악성 종양》.
ret·i·noid [rétənɔ̀id] *n.* 〖생화학〗 레티노이드《체내에서 레티놀과 같은 기능을 하는 물질》.
ret·i·nop·a·thy [rètənɑ́pəθi/-nɔ́p-] *n.* 〖안과〗 망막증.
ret·i·no·scope [rétənəskòup] *n.* (눈의) 검영기(檢影器)(skiascope).
ret·i·nos·co·py [rètənɑ́skəpi, rétənəskòu-/rètinɔ́s-] *n.* 〖의학〗 망막 검시법, 검영법.
ret·i·nue [rétənjùː/-njùː] *n.* 〘집합적〙 (특히 왕·귀족의) 수행원, 종자(從者)들.
re·tir·a·cy [ritáiərəsi] *n.* 은퇴(retirement).
re·tir·ant [ritáiərənt] *n.* 퇴직자(retiree).
***re·tire** [ritáiər] *vi.* **1** 《~/+[전]+[명]》 물러가다, 칩거하다: The ladies ~*d* (*to* their rooms). 부인들은 (방으로) 물러갔다.

> [SYN.] **retire, withdraw** '물러가다'의 뜻으로 거의 구별이 없으나 retire에는 '체념, 양보', withdraw에는 '신중한 고려'라는 어감이 있음. **retreat** '후퇴하다'라는 패배감을 수반하는 경우와 단순히 '물러가다'의 경우가 있음.

2 《~/+[전]+[명]》 자다, 자리에 들다: We ~ early. 우리는 일찍 잔다 / ~ *for* the night 잠자리에 들다. **3** 《~/+[전]+[명]》 은퇴하다, 퇴직하다; 폐업하다《*from; into*》: The teachers ~ at 62. 교원의 정년은 62세다 / ~ *into* the country 낙향하다, 시골에 틀어박히다. **4** 《~/+[전]+[명]》 퇴각하다: The enemy ~*d from* the field *to* the trenches. 적은 전장에서 참호까지 후퇴했다. **5** (파도 등이) 물러가다; (해안 등이) 쑥 들어가다. **6** 〖크리켓〗 (타자가 부상 따위로) 물러나다. **7** 입후보를 단념하다. ── *vt.* **1** 퇴직〔퇴역, 은퇴〕시키다: ~ most of the officers after a war 전후 대부분의 장교를 퇴역시키다. **2** (어음·지폐 따위를) 회수하다: ~ worn bills from use 헌 지폐를 회수하다. **3** 〖야구·크리켓〗 (타자를) 아웃시키다. **4** 퇴거〔퇴각〕시키다. ◇ retirement *n.*
~ *from the service* 퇴직〔퇴역〕하다. **~ *from the world*** 속세를 버리다, 출가하다. **~ *into oneself*** 사람과 사귀지 않다; (생각에 잠겨) 입을 다물다. **~ *on a pension* 〔*under the age clause*〕** 연금 수혜자로서〔정년으로〕 퇴직하다. **~ *to bed* 〔*rest*〕** 자리에 들다.
── *n.* **1** 〖군사〗 퇴각의 신호: sound the ~ 퇴각 나팔을 불다. **2** 은퇴 (장소); 퇴직.
◇re·tíred *a.* **1** 은퇴한, 퇴직한; 〖군사〗 퇴역의 ([OPP.] *active*), 휴직의: a ~ allowance 〔pay〕 퇴직 연금 / a ~ life 은퇴〔은둔〕 생활. **2** 죽치기 좋아하는; 사양 잘하는. **3** 눈에 띄지 않는; 궁벽한; 한적한: a ~ village 벽촌. [파] **~·ly** *ad.* **~·ness** *n.*
retìred líst (the ~) 《미》 퇴역 군인《《영》 퇴역 장교》 명부.
re·tir·ee [ritàiəríː, -ˊ-ˋ] *n.* 《미》 퇴직자, 은퇴자.
***re·tire·ment** [ritáiərmənt] *n.* **1** [U] 퇴거; 은퇴, 은거. **2** [U,C] 퇴직, 퇴역, 정년(停年) (후의 시기). **3** [C] 은거처, 벽촌, 외진 곳. **4** [U,C] 〖군사〗 계획적인〔임의의〕 퇴각, 철수. **5** [U] (화폐 등의) 회수; (사채(社債) 등의) 상환. ***go into* ~** 은거 생활을 시작하다. ***live* 〔*dwell*〕 *in* ~** 한거하다.
── *a.* 퇴직〔은거〕자의.
retírement commùnity 《특히 미》 은퇴자〔노인〕 전용 주택지, 노인촌.
retírement hòme 퇴직자 주택, 사설 양로원.
retírement pènsion 퇴직〔노령〕 연금.
retírement plàn 1 개인 퇴직금 적립 계획《퇴직금을 개인으로 계획적으로 적립하는 제도; 보통 세제상의 우대가 있음》. [cf.] individual retirement account. **2** 퇴직자 연금 제도(pension plan)《사용주가 정년 또는 상해 퇴직자에게 일정 수입을 보장하는 제도; 보통 기금이 설정되며 종업원이 경비 일부를 부담하는 것과 그렇지 않은 것이 있음》.
re·tír·ing [-riŋ] *a.* 은퇴하는, 퇴직의; 죽치기 좋아하는, 암띤; 사교성 없는, 수줍은: a ~ allowance 퇴직금 / a ~ disposition 내향적 성질 / a ~ room 휴게실; 변소. [파] **~·ly** *ad.* **~·ness** *n.*
retíring àge 퇴직 연령, 정년.
retíring collèction 설교〔연주회〕 후의 헌금.
rè·tóld RETELL의 과거·과거분사.
rè·tóok RETAKE의 과거.

rè·tóol *vt.* **1** (공장의) 기계 공구를 갈다, 설비를 일신하다. **2** 《주로 미·Can.》 (보통 현상에 맞추어) 개조〔재편성〕하다. **3** 《미구어》 자기 변혁하다. **—** *vi.* 공장 공구를 대체하다; (개조형 제품 제조를 위해) 공장의 성형 기계류를 바꾸다.

re·tor·sion [ritɔ́ːrʃən] *n.* Ⓤ 〖국제법〗 =RETORTION.

*__re·tort__[1] [ritɔ́ːrt] *vt.* **1** 《~+목/+목+전+명》 (비난·모욕 따위에) 보복하다, 앙갚음하다《*on, upon*》; (반론·논의·장난을) 받아넘기다, 응수하다《*against*》: ~ a jest *on* a person 아무의 농담을 받아넘기다. **2** 《+*that*절》 반론하여 말하다, 반박하다: He *~ed that* he needed no help. 그는 도움 같은 건 필요 없다고 반박했다. **—** *vi.* 《~/+전+명》 반론〔반박〕하다, 말대꾸하다; 반격하다, 응전하다《*on, upon; against*》: He *~ed upon* 〔*against*〕 me, saying I was to blame. 그는 내가 나쁘다고 대꾸했다. SYN. ⇨ ANSWER. **—** *n.* 말대꾸, 앙갚음; Ⓤ 반박(refutation), 역습: be quick at ~ 역습이 빠르다.

re·tort[2] *n.* 〖화학〗 레토르트, 증류기. **—** *vt.* (수은 등을) ~로 건류(乾溜)하다; (통조림 식품을) 가압솥 등으로 살균하다. ⊕ **~·a·ble** *a.*

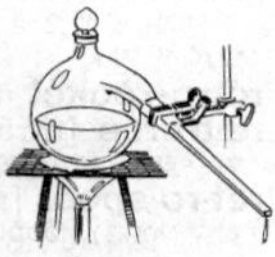
retort[2]

retórtable póuch 레토르트 식품〔포장〕, 내열(耐熱) 플라스틱 밀봉 가열 살균 식품(=**retórt pòuch**).

re·tórt·er *n.* 앙갚음〔말대꾸〕하는 사람.

re·tor·tion [ritɔ́ːrʃən] *n.* Ⓤ 되휘기, 비틀어 젖히기; 〖국제법〗 (높은 관세에 의한) 보복. cf. reprisal.

re·touch [rìːtʌ́tʃ] *vt.* 다시 손대다; (사진·그림·문장 따위를) 손질〔수정, 가필〕하다. **—** [스, 스] *n.* (사진·그림·문장 따위의) 손질〔수정 (부분)〕, 가필. ⊕ **~·er** *n.*

re·trace [ritréis/ri(ː)-] *vt.* **1** (길 따위를) 되돌아가다, 되풀이하다. **2** 근원을 더듬다, 거슬러 올라가 조사하다. **3** 회고〔회상〕하다. **~ one's steps** 〔**way**〕 온 길로 되돌아가다; 본래대로 하다, 다시 하다. ⊕ **~·a·ble** *a.*

re-trace [rìːtréis] *vt.* (그림·글자 등을) 다시 투사(透寫)하다, (지워진 선을) 다시 긋다.

re·tract [ritræ̃kt] *vt.* (혀 등을 입안으로) 끌어넣다; 수축시키다; (앞서 한 말·약속·명령 등을) 취소〔철회〕하다. **—** *vi.* 쑥 들어가다; 수축하다; 앞서 한 말을 취소〔철회〕하다.

re·tráct·a·ble *a.* (자동차의 헤드라이트·비행기의 바퀴 따위를) 안으로 들이킬〔접어 넣을〕 수 있는; 신축자재의; 취소〔철회〕할 수 있는.

re·trac·ta·tion [rìːtræktéiʃən] *n.* Ⓤ 앞서한 말을 취소함, 철회; 움츠림.

re·trac·tile [ritræ̃ktil/-tail] *a.* 신축자재의; 〖동물〗 (목을) 움츠려들일 수 있는, (발톱을) 오므릴 수 있는. OPP *protractile.* ⊕ **re·trac·til·i·ty** [rìːtræktíləti] *n.* Ⓤ 신축력, 신축자재.

retrácting lánding gèar 〖항공〗 비행기가 이륙한 후 기체 내로 접어 넣는 착륙 장치.

re·trac·tion [ritræ̃kʃən] *n.* U,C (발톱 따위를) 오므림; 취소〔철회〕 (성명); 수축력.

re·trac·tive [ritræ̃ktiv] *a.* 움츠리는; 신축자재의. ⊕ **~·ly** *ad.* **~·ness** *n.*

re·trac·tor [ritræ̃ktər] *n.* **1** retract하는 사람〔것〕. **2** 〖해부〗 수축근(筋). cf. protractor. **3** 〖의학〗 견인기(牽引器)《상처를 벌리는 기구》.

re·train [riːtréin] *vt., vi.* 재교육〔재훈련〕하다〔받다〕. ⊕ **~·a·ble** *a.*

re·tral [ríːtrəl, ré-] *a.* 배후의, 뒤쪽의. ⊕ **~·ly** *ad.*

re·trans·late [rìːtrænsléit, -trænz-] *vt.* (본디의 언어로) 반역(反譯)하다; (다른 언어로) 중역(重譯)하다, 개역하다. ⊕ **-lá·tion** *n.* Ⓤ 반역(反譯); 개역.

re·tread [rìːtréd] (**-trod** [-trɑ́d/-trɔ́d]; **-trodden** [-trɑ́dn/-trɔ́dn], **-trod**) *vt.* (자동차 등의 낡은 타이어를) 재생하다; 《비유》 (퇴직자를) 재훈련하다; 《구어》 (새것처럼) 다시 만들다. **—** [ríːtrèd] *n.* (접지면을 갈아 댄) 재생 타이어; 《미구어》 재소집병; 《속어》 낡은 것을 개작(改作)하는 사람; 《미구어》 (정년퇴직 후) 일을 위해 재훈련을 받은 사람, 컴백한 사람〔운동선수〕.

re-tread [rìːtréd] (**-trod; -trodden, -trod**) *vt.* 되밟아〔되걸어〕가다; 다시 밟다.

*__re·treat__ [ritríːt] *n.* U,C **1** 퇴각, 퇴거; Ⓒ 퇴각 신호: sound the ~ 퇴각 나팔을 불다. **2** (일몰시의) 귀영 북〔나팔〕, 국기 하기식(國旗下旗式). **3** Ⓤ 은퇴, 은둔. **4** Ⓒ 은퇴처, 은신처, 피난처; (취한·미치광이 등의) 수용소: a mountain ~ 산장/a summer ~ 피서지. **5** 〖교회〗 묵상; 피정(避靜)《일정 기간 조용한 곳에서 하는 종교적 수련》. ***beat a*** **~** 퇴각〔도망〕하다; 손을 떼다. ***be in full*** **~** 총퇴각하다. ***cover the*** **~** 퇴각 부대의 후위를 맡다. ***cut off the*** **~** 퇴로를 끊다. ***go into*** **~** 피정에 들어가다; 은퇴하다. ***make good one's*** **~** 무사히 벗어나다.

— *vi.* **1** 《~/+전+명》 물러가다, 후퇴하다, 퇴각하다《*from*》: ~ before German forces 독일군에 쫓겨 퇴각하다/~ *from* the front 전선에서 후퇴하다. SYN. ⇨ RETIRE. **2** 《+전+명》 틀어박히다, 죽치다, 은퇴하다《*to*》: ~ *to* one's home town 고향으로 은퇴하다. **3** 움쑥 들어가다, 움푹해지다: a *~ing* chin 우묵한 턱. **4** 그만두다, 물러나다, 손을 떼다《*from*》. **5** 〖항공〗 뒤쪽으로 기울다: a *~ing* wing 후퇴익(後退翼). **—** *vt.* ~시키다; 〖체스〗 (말을) 뒤로 물리다.

re-treat [rìːtríːt] *vt.* 재처리하다.

re·treat·ant [ritríːtənt] *n.* (일시적으로 수도원 등에 들어가) 피정(避靜)을 하는 사람.

re·tree [ritríː] *n.* Ⓤ 불량지(紙)《제지 공정에서 오손된 종이》.

re·trench [ritréntʃ] *vt.* **1** (비용 따위를) 절감〔절약〕하다(reduce); 삭제〔생략〕하다; 단축〔축소〕하다; 잘라내다. **2** 〖축성(築城)〗 (성내에) 예비 보루를 만들다. **—** *vi.* 절약〔검약〕하다. ⊕ **~·ment** *n.* U,C 경비 절약; 생략; 단축, 축소; 삭감; 〖축성(築城)〗 (성내의) 예비 보루: a *~ment* policy 긴축 정책.

re·tri·al [rìːtráiəl] *n.* 〖법률〗 재심; 재시험; 재실험.

re·trib·al·ize [rìːtráibəlàiz] *vt.* 부족(部族) 상태로 복귀시키다. ⊕ **re·trib·al·i·zá·tion** *n.*

ret·ri·bu·tion [rètrəbjúːʃən] *n.* Ⓤ 보답; 징벌; 〖신학〗 응보, 천벌; 보복: the day of ~ 최후의 심판일; 응보의 날/~ *for* one's sin 죄의 응보/just ~ *of* 〔*for*〕 a crime 인과응보.

re·trib·u·tive, -to·ry [ritríbjətiv], [-tɔ̀ːri/-təri] *a.* 보복의, 응보의. ⊕ **re·tríb·u·tive·ly** *ad.*

re·trib·u·tiv·ism [ritríbjətəvìzəm] *n.* (형벌의) 응보주의. ⊕ **-ist** *n., a.*

re·triev·al [ritríːvəl] *n.* Ⓤ 만회, 복구, 회복; 수선, 정정; 벌충, 보상; 〖컴퓨터〗 (정보의) 검색: beyond 〔past〕 ~ 회복할 가망이 없는.

°__re·trieve__ [ritríːv] *vt.* **1** 《~+목/+목+전+명》 만회〔회수, 회복〕하다: ~ one's honor 명예를 회복하다/~ the black box *from* the ocean 블랙박스를 바다에서 회수하다. **2** 보상〔벌충〕하다(atone for); 수선하다; 정정하다. **3** 《+목+전+명》 구하다, 구출하다《*from; out of*》: ~ a person *from* 〔*out of*〕 ruin 아무를 파멸에서 구하다. **4** 갱생〔부활〕시키다. **5** 생각해내다, 상기하다.

6 (사냥개가 잡은 짐승을) 찾아가지고 오다; (낚싯줄을) 감아올리다; (테니스 등에서) (어려운 볼을) 잘 되치다. 7 〖컴퓨터〗 (정보를) 검색(檢索)하다. ― vi. (사냥개가) 잡은 짐승을 찾아 물고 오다; 원기를 회복하다; 낚싯줄을 감아올리다. ― n. =RETRIEVAL; (테니스 등에서) 어려운 볼을 되치기. **beyond** 〔**past**〕 ~ 회복할 가망이 없는. ㊞ **re·tríev·a·ble** a. ~·**ment** n. =RETRIEVAL.

re·tríev·er n. **1** retrieve하는 사람〔물건〕. **2** 잡은 짐승을 찾아가지고 오는 사냥개; 레트리버《사냥개의 일종》.

re·trim [riːtrím] vt. 다시 깎아 손질하다, 다시 꾸미다; (다시 켜기 위해) 램프의 심지를 자르다: ~ a lamp 램프의 심지를 자르다.

RETRO, Ret·ro [rétrou] (pl. ~**s**) n. 《미》 우주선 역추진 로켓 기술자. [◂ *retro*fire officer]

ret·ro[1] [rétrou] n. =RETRO-ROCKET.

ret·ro[2] n., a. (패션 · 음악 등의) 리바이벌(의), 재유행(의).

ret·ro- [rétrou, -rə] pref. '뒤로, 거꾸로, 거슬러, 재복귀의' 등의 뜻. cf. pro-[1].

rétro·àct vi. 반동하다, 배반하다; 거꾸로 작용하다; 과거로 거슬러 올라가다, (법령 따위가) 소급력이 있다. ㊞ **rètro·áction** n. Ⓤ 반동, 배반; 반작용; 역동; (법 · 세금 등의) 소급 (효력).

rètro·áctive a. 반동하는; 효력이 소급하는: a ~ law 〖법률〗 소급법 / ~ to May 1, 5월 1일로 소급하여. ㊞ ~·**ly** ad. -**tívity** n. Ⓤ

ret·ro·cede [rètrəsíːd] vt. (영토 따위를) 돌려주다, 반환하다. ― vi. 되돌아가다, 물러가다; 〖의학〗 내공(內攻)하다. ㊞ -**ces·sion** [-séʃən] n. Ⓤ (영토의) 반환; Ⓤ 후퇴; 〖의학〗 내공(內攻). -**ces·sive** [-sésiv] a.

ret·ro·choir [rétrəkwàiər] n. 〖건축〗 성당의 성가대석 또는 대제단 뒷부분, 후방 본당.

rètro·cognítion n. 〖심리〗 역행인지(逆行認知).

ret·ro·dict [rètrədíkt] vt. (과거의 일을) 회고하여 추리〔설명, 재현〕하다《현재의 정보에 기초를 두고》. ㊞ -**díc·tion** n. -**díc·tive** a.

rétro-èngine n. 역추진 로켓 엔진.

rétro fàshion 〖복식〗 레트로 패션, 복고 의상.

rétro·fire vt. (역추진 로켓에) 점화하다. ― vi. (역추진 로켓이) 점화〔분사〕하다. ― n. Ⓤ 역추진 로켓의 점화.

ret·ro·fit [rétroufit, ˋ-ˊ] n., vt., vi. 구형(舊型) 장치〔장비〕의 개장(改裝)(을 하다).

ret·ro·flex(ed) [rétrəflèks(t)] a. 뒤로 휜〔굽은〕, 반전(反轉)한; 〖의학〗 후굴의; 〖음성〗 반전음의.

ret·ro·flex·ion, -flec·tion [rètrəflékʃən] n. 반전, 뒤로 휨; 〖의학〗 자궁 후굴; 〖음성〗 반전음.

ret·ro·gra·da·tion [rètrougreidéiʃən] n. Ⓤ 〖천문〗 (행성의) 역행; 후퇴, 뒤로 되돌아감; 퇴보; 퇴화; 〖지학〗 후퇴 평형 작용《파식(波蝕)으로 인한 해안선의 후퇴》; 〖농업〗 노화(老化).

ret·ro·grade [rétrəgrèid] a. 후퇴하는, 뒤로 되돌아가는; 퇴보하는, 퇴화하는; 〖우주〗 역추진의; 〖천문〗 (행성 · 위성이) 역행하는; 〖의학〗 퇴행성의, (건망증 등이) 역행성의; (순서 등이) 역의: ~ cancer 퇴행성 암 / in a ~ order 역순으로. ― vi. 뒤로 되돌아가다; 후퇴하다; 《비유》 뒤돌아보다; 퇴보〔퇴화〕하다; 타락하다; 〖천문〗 (행성 · 위성이) 역행하다; 〖농업〗 노화하다.

ret·ro·gress [rètrəgrés, ˊ-ˋ] vi. 뒤로 되돌아가다, 후퇴하다; 퇴보〔퇴화〕하다; 쇠퇴하다; 〖천문〗 역행하다. OPP. *progress*. ㊞ **rèt·ro·grés·sion** [-ʃən] n. Ⓤ

ret·ro·gres·sive [rètrəgrésiv] a. 후퇴〔역행〕하는; 퇴보〔퇴화〕하는. OPP. *progressive*. ㊞ ~·**ly** ad.

ret·ro·ject [rétrədʒèkt/ˋ-ˊ, ˊ-ˋ] vt. 뒤로 던지다, 되던지다. OPP. *project*[1].

ret·ro·len·tal [rètrouléntl] a. 〖해부〗 수정체 뒤쪽에 위치하는.

retroléntal fi·bro·plá·sia [-fàibrəpléiʒiə, -ziə] 〖의학〗 수정체 뒤쪽에 있는 섬유 증식(증), 후(後)수정체 섬유 증식(증).

rètro·língual a. 〖해부〗 후설(後舌)의, 혀의 안쪽에 있는《선(腺) 따위》.

ret·ro·nym [rétrənim] n. **1** 일반화된 상표명《Band-Aid(반창고), Kleenex(화장지) 따위처럼 거의 보통 명사화된 것》. **2** 광고 등의 표기가 일반화한 것《Kentucky Fried Chicken의 finger-lickin' good (손가락을 빨 정도로 맛있는) 등》.

rétro·pàck n. 우주선 역추진 보조 로켓 시스템.

ret·ro·pul·sion [rètrəpʌ́lʃən] n. Ⓤ **1** 뒤로 밀어내기. **2** 〖의학〗 후방돌진《뒤로 비틀거리는》.

rètro·refléction n. 역반사《반사 경로가 입사(入射) 경로와 평행인 경우》. ㊞ -**tive** [-tiv] a.

rètro·refléctor n. 역반사체《반사 광선을 입사 광선과 평행으로 하기 위한 장치》; 레이저 광선 역반사 장치.

rétro-ròcket n. 〖우주〗 역추진〔역분사〕 로켓.

re·trorse [ritrɔ́ːrs, ríːtrɔːrs] a. 〖동물 · 식물〗 거꾸로〔뒤로, 아래로〕 향한. ㊞ ~·**ly** ad.

ret·ro·spect [rétrəspèkt] n. Ⓤ **1** 회고, 회상, 회구(懷舊). OPP. *prospect*. **2** 소급력. **in ~** 뒤돌아보면, 회고하면. ― vi., vt. 회고〔회상〕하다《on》; 추억에 잠기다《on》. ㊞ **rèt·ro·spéc·tion** n. Ⓤ,Ⓒ 회고, 회상, 과거를 뒤돌아봄.

ret·ro·spec·tive [rètrəspéktiv] a. 회고의, 회구(懷舊)의(OPP. *prospective*); (경치가) 뒤쪽에 있는, 배후의; 과거로 거슬러 올라가는; 〖법률〗 소급하는(retroactive). ― n. (화가 등의) 회고전; 작품 연표(年表). ㊞ ~·**ly** ad. ~·**ness** n.

ret·rous·sé [rètruːséi/rətrúːsei] a. 《F.》 (코 따위가) 위로 향한〔젖혀진〕, 들창코의.

ret·ro·ver·sion [rètrəvə́ːrʒən, -ʃən/-ʃən] n. 뒤로 굽음, 반전(反轉); 퇴화, 퇴행; 반역(反譯); 〖의학〗 (자궁 따위의) 후굴.

ret·ro·vert [rétrəvəːrt, ˋ-ˊ] vt. 〖주로 수동태〗 뒤로 구부리다, (특히 자궁을) 후굴시키다. ㊞ ~·**ed** [-id] a.

ret·ro·vi·rus [rètrəváiərəs, ˊ-ˋ-] n. 〖생물〗 레트로바이러스《RNA 종양 바이러스; AIDS 바이러스나 발암에 관련한 바이러스가 포함됨》.

re·try [riːtrái] vt. 다시 시도하다; 〖법률〗 재심리하다; 재시험하다.

ret·si·na [rétsənə, retsíːnə] n. Ⓤ 수지(樹脂)가 든 포도주《그리스산(產)》.

ret·tery [rétəri] n. 아마(亞麻)의 침수장(浸水場).

ret·ting [rétiŋ] n. Ⓤ (아마(亞麻) 따위를) 물에 담그기《부드럽게 하고자》.

re·túne vt. (악기를) 다시 조율하다; (라디오 따위의) 주파수를 맞추다.

†**re·turn** [ritə́ːrn] vi. **1** 《~ / +副 / +前+名》 (본래의 장소 · 상태 · 화제 따위로) 되돌아가다, 돌아가〔오〕다: ~ *home* 귀가〔귀국〕하다 / ~ *to* one's old habit 본래의 습관으로 돌아가다 / I shall ~ *to* this point later. 나중에 또 이 점에 언급하겠소 / He left home never to ~. 고향을 떠나서 다시는 돌아오지 않았다 / ~ in triumph 개선하다 / ~ safe and sound 무사히 귀환하다.

> SYN. **return** 형식적인 문어체의 말로서, 출발한 곳에서 보면 go back '돌아가다'의 뜻, 도착한 곳에서 보면 come back '돌아오다'의 뜻. go back, come back은 다 구어적 표현임. **get back**은 come back보다 격식차리지 않은 표현임. **be back**도 come back의 뜻으로 회

화에서 많이 쓰임. 또 '돌아와 있다'라는 상태에 중점.

2 다시 (찾아)오다, 다시 일어나다; (병 따위가) 재발하다. 3 답하다, 말대꾸하다. — *vt.* 1 《~+목/+목+목/+목+전+명/+목+보》 돌려주다, 도로 보내다, 반환하다; (포로 따위를) 송환하다; (무기 따위를) 제자리에〔본디 상태로〕 되돌리다; 반사〔반향〕하다: I *~ed* him the book. =I *~ed* the book *to* him. 그 책을 그에게 돌려주었다 / The stolen goods were *~ed* undamaged. 도난품은 손상되지 않고 반환되었다. 2 《~+목/+목+전+명》 갚다, 보답하다, 답례하다 《*for*》: ~ a blow 되받아 치다 / ~ evil *for* good =~ good *with* evil 은혜를 원수로 갚다. 3 《~+목/+목+전+명》 대답하다; 답변하다; 대꾸하다: "No," he *~ed* indifferently. =He *~ed* an indifferent "No." "아니"라고 그는 쌀쌀하게 대답했다 / ~ a polite answer *to* question 질문에 공손히 대답하다. 4 (이익 따위를) 낳다: ~ a good interest 상당한 이자를 낳다. 5 《~+목/+목+보/+목+*as* 보》 (정식으로) 보고하다, 복명(復命)하다, 신고하다; (배심원이) 답신하다: ~ a verdict of guilty 유죄 평결을 답신하다 / ~ a person guilty 아무를 유죄로 답신하다 / ~ a soldier *as* killed 병사를 전사한 것으로 보고하다. 6 《~+목/+목+전+명》 (선거구가) 선출하다: ~ members *to* Parliament 국회 의원을 선출하다 / He was *~ed* 〔They *~ed* him〕 *for* Boston. 그는 보스턴에서 선출되었다. 7 【카드놀이】 같은 패로 응하다; 【테니스】 (공을) 되받아치다(strike back). ***~ like for like*** 같은 수단으로 응수하다. ~ a person***'s lead*** 【카드놀이】 상대방 패와 같은 패로 응하다. ~ ***thanks*** 감사하다《특히 식탁의 감사 기도·축배의 답례로서》. ~ ***to life*** 되살아나다. ~ ***to*** one***self*** 제정신이 들다. ***To*** 〔***Now to***〕 ~ 본론으로 돌아가서…, 여담은 그만하고….

— *n.* C,U 1 돌아옴〔감〕, 귀가, 귀향, 귀국: the ~ *of* the season 계절의 순환 / on my ~ *from* the trip 내가 여행에서 돌아왔을〔돌아올〕 때. 2 복귀, 회복; 재발, 반복: He has had a ~ *of* the disease. 그의 병이 재발했다. 3 반환, 되돌림, 반송(返送); (*pl.*) 반품(返品): the ~ *of* a loan 빚의 반제. 4 보답, 답례; 말대꾸, 말대답; 대답, 회답: a poor ~ *for* kindness 친절에 대한 불충분한 보답. 5 C (공식) 보고(서), 신고(서); 소득세 신고서; 과세 대상 재산 목록; (보통 *pl.*) 통계표; 【법률】 집행 보고, 회부(서): ⇨INCOME TAX RETURN. 6 《영》 선출; (보통 *pl.*) 개표 보고: election ~*s* 선거 개표 보고(서) / running ~*s* 개표 속보 / official ~ 공보(公報). 7 (종종 *pl.*) 수입, 수익; 보수; 【경제】 수익률: get a good ~ *on* an investment 투자하여 상당한 이득을 얻다. 8 【테니스】 공을 되받아치기; 【펜싱】 되찌르기. 9 【건축】 (쇠시리·돌출부 따위의) 정면에서 측면으로의 계속. 10 =RETURN TICKET; (선전에 대하여) 응답해 온 우편물. 11 (*pl.*) 맛이 부드러운 일종의 살담배. 12 《형용사적》 돌아가〔오〕는; 《영》 왕복의; 보답〔답례〕의; 꺾인; 재차의: a ~ passenger 〔voyage〕 귀환객〔귀항(歸航)〕 / a ~ visit 답례 방문 / a ~ circuit 【전기】 귀로(歸路) / a ~ half 귀로용의 반쪽표 / a ~ postcard 왕복 엽서. 13 【컴퓨터】 복귀(carriage return). ***by*** ~ (***of post*** 〔《미》 ***mail***〕) (우편에서) 받는 즉시로, 대지급으로: Please let us know your answer *by* ~ (*of post*). (이 편지를 받는) 즉시 네 대답을 알려다오. ***in*** ~ 답례로, 대답으로; 보답으로; 그 대신에: write *in* ~ 답장을 쓰다. ***in ~ for*** 〔***to***〕 …의 답례로〔회답으로〕. ***make a ~ for*** …에 답례〔앙갚음〕하다. ***make a ~ of*** …의 보고〔신고〕를 하다: *make a* false ~ *of* one's income 허위로 소득 신고를 하다. ***Many*** 〔***I wish you many***〕 ***happy ~s*** (***of the day***)***!*** (생일·축제 등의 축사로) 축하합니다, 장수를 빕니다. ***secure a ~*** (국회 의원으로) 당선되다. ***Small profits and quick ~s.*** 박리다매《상점 표어; 생략: S.P.Q.R.》. ***the point of no ~*** ⇨POINT OF NO RETURN. ***the ~ of a salute*** 답례(포(砲)). ***without ~*** 이익 없이. ***yield*** 〔***bring***〕 ***a quick*** 〔***prompt***〕 ~ 곧 이익을 낳다.

re·túrn·a·ble *a.* 되돌릴 수 있는; 대답할 수 있는; 반환〔보고〕해야 할; 【법률】 회부해야 할《서류 등》. — *n.* 《미》 반환하면 돈을 받을 수 있는 빈 병〔깡통〕.

retúrn addrèss 발신〔발송〕인의 주소·성명; 【컴퓨터】 복귀 번지.

retúrn càrd (상점 등의 광고용) 왕복 엽서.

re·túrned *a.* 반송〔송환〕된; 돌아온: a ~ soldier 귀환병 / ~ empties (화주에게) 반송된 빈 상자〔통〕; 《영》 식민지에서 귀국한 목사.

retúrned létter òffice (우체국의) 반송된 배달 불능 우편물 취급소〔과〕.

re·turn·ee [ritəːrníː, -ˊ-ˊ] *n.* (전쟁터·교도소 등에서의) 귀환자; 복학자.

re·túrn·er *n.* (되)돌아오는〔가는〕 사람; 휴직 후 원래 직장이나 전문직에 복귀하는 사람〔여성〕.

retúrn gáme 〔**mátch**〕 (경기의) 설욕전, 리턴 매치.

retúrning òfficer 《영·Can.》 선거 관리관.

retúrn kèy 【컴퓨터】 리턴 키.

re·túrn·less *a.* 보수〔수익, 벌이〕 없는; 돌아갈 수 없는; 피할 수 없는.

retúrn on invéstment 【회계】 투자 수익〔이익〕《생략: R.O.I.》.

retúrn pòstage 회신용 우표〔우편 요금〕.

retúrn tìcket 《영》 왕복표(《미》 round trip ticket); 《미》 돌아올 때 쓰는 표.

retúrn trìp 《영》 왕복 여행(《미》 round trip).

re·tuse [ritjúːs/-tjúːs] *a.* 【식물】 둥근 선단(先端)의 중앙에 얕은 홈이 있는《잎 따위》.

Reu·ben [rúːbən] *n.* 1 루벤《남자 이름》. 2 【성서】 르우벤《Jacob의 장남》; 그 자손; 이스라엘 민족.

Réuben sándwich 루벤 샌드위치《호밀빵에 콘비프, 치즈, sauerkraut를 얹어 구운 것》.

re·uni·fy [rìːjúːnəfai] *vt.* 다시 통일〔통합〕시키다. ㊕ **rè·uni·fi·cá·tion** [-fikéiʃən] *n.* U 재통일.

***re·un·ion** [riːjúːnjən] *n.* U 재결합, 재합동, 화해; 재회; (종종 réunion) C (친족·동창회 따위의) 친목회. ㊕ **~·ism** *n.* U 【기독교】 가톨릭 교회와 영국 국교회와의 재결합주의. **~·ist** *n.* 영국 국교회와 가톨릭 교회와의 재결합 주창자. **re·ùn·ionís·tic** *a.*

°**re·unite** [rìːjunáit] *vi., vt.* 재결합〔재합동〕하다〔시키다〕, 화해〔재회〕하다〔시키다〕. 「(reenlist).

rè·úp *vi., vt.* 《미속어》 재입대〔재응모〕하다

rè·uphólster *vt.* (의자·소파 따위의) 커버와 속을 새로 바꾸다, 갈아대다〔메우다〕.

re·úptake *n.* 【생리】 재흡수《신경 세포가 자극 전달이 끝난 전달 물질을 다시 흡수하는 것》.

re·use [rìːjúːz] *vt.* 다시 이용하다, 재생하다. — [rìːjúːs] *n.* U 재사용. ㊕ **re·us·a·ble** [riːjúːzəbəl] *a.* **rè·us·a·bíl·i·ty** *n.*

re·used [rìːjúːzd] *a.* 재생의《양모 등》.

Reu·ters [rɔ́itərz] *n.* (영국의) 로이터 통신사 (=**Réuter's Néws Àgency**).

rè·útilize *vt.* 다시 이용하다.

rev [rev] 《구어》 *n.* (엔진·레코드 등의) 회전(수). — (*-vv-*) *vt.* 《+목+부》 1 …의 회전속도를 바

꾸다: ~ a motor *up* 〔*down*〕 모터의 회전속도를 빠르게 하다〔줄이다〕. **2** 고속으로 운전하다 《*up*》; 활발하게 하다 《*up*》. **— vi.** 《+[부]》 **1** …의 회전속도가 바뀌다: The motor ~*s up* 〔*down*〕. 모터의 회전속도가 빨라지다〔줄다〕. **2** 활발해지다 《*up*》. [◂ *rev*olution]

REV 〖우주〗 reentry vehicle (재돌입 비상체(飛翔體)). **Rev.** Revelation(s); Reverend. **rev.** revenue; reverse(d); review(ed); revise(d); revision; revolution; revolving.

rè·váccinate *vt.* 다시 종두하다; 백신을 재접종하다.

re·válidate *vt.* 재확인하다; 법적으로 유효하다고 재인정하다; (증명서 따위를) 갱신하다. [파] **rè-validátion** *n.*

rè·válorize *vt.* (자산)의 평가를 변경하다; (통화) 가치를 변경하다. [파] **rè·valorizátion** *n.* [U]

rè·váluate *vt.* 재평가하다; (평가) 가치를 변경하다, 《특히》 절상하다. [파] **rè·valuátion** *n.* [U] 재평가; (통화 가치의) 개정, 《특히》 평가 절상(切上).

rè·válue *vt.* 재평가하다; 〖경제〗 (…의) 평가를 절상하다.

re·vamp [riːvǽmp] *vt.* (구두코의) 가죽을 갈다; 깁다, 수선하다(patch up); 개조〔개정(改訂)〕하다; (조직 따위를) 개편〔개혁〕하다. **—** [스] *n.* 수선; 개혁, 개조, 개작.

re·vanche [rəvǽntʃ, -vɑ́ːnʃ] *n.* 《F.》 복수, 보복(주의), 실지(失地) 탈환 정책.

re·vanch·ism [rəvǽntʃizəm, -vɑ́ːnʃ-] *n.* [U] =REVANCHE. [파] **-ist** *n.*, *a.*

re·váscularize *vt.* 〖의학〗 (심장) 등에 혈관을 이식하다. [파] **rè·vascularizátion** *n.* [U]

rév cóunter 《영구어》 =TACHOMETER.

Revd. Reverend.

***re·veal**[1] [rivíːl] *vt.* **1** 《~+[목]/+[목]+[전]+[명]/+[목]+(*to be*) [보]/+[목]+*as* [보]/+*that* [절]》 (알려지지 않은 것을) 드러내다; 알리다, 누설하다 《*to*》; 폭로하다, 들추어내다: ~ a secret *to* him 그에게 비밀을 누설하다 / Research ~*ed* him (*to be*) a bad man. =Research ~*ed that* he was a bad man. 조사 결과 그는 나쁜 사람임이 드러났다 / In this book the author ~*s* himself *as* full of insight. 이 책에서 저자는 통찰력이 넘치는 사람임을 보여 주고 있다.

> [SYN] **reveal** 이제까지 숨겨졌던 것을 드러내다, 이제까지 몰랐던 것을 분명히 하다: The rising curtain *revealed* a street scene. 막이 오르니 거리의 광경이 보였다. **disclose** reveal과 비슷하여 '덮개를 벗겨 사람 눈에 보이게 하다'라는 것인데, reveal이 '계시(啓示)'의 뜻을 내포한 데 반해 disclose에는 '폭로'의 뜻도 더해짐: Excavations *disclosed* many artifacts. 발굴에 의하여 많은 공예품이 발견되었다. **divulge** '폭로'의 뜻이 더욱 강조되고 폭로자의 의도가 시사됨. 남에게 나타내 보임: *divulge* a conspiracy 음모를 폭로하다. **betray** 남을 배신하여 폭로하거나 자신에 대해 무의식 중에 폭로함: His facial expression *betrayed* his bewilderment. 그의 얼굴 표정에는 당혹한 기색이 드러났다.

2 《~+[목]/+[목]+[전]+[명]》 (가려진 것을) 보이다, 나타내다: The moonlight ~*ed* her face. 달빛에 그녀의 얼굴이 보였다 / The fog cleared and ~*ed* a distant view *to* our sight. 안개가 걷히고 원경이 모습을 드러냈다. **3** (신이) 묵시하다, 계시하다 《*to*》. ◇ revelation *n.*

— *n.* [U] 묵시, 계시; 폭로.

[파] **~·a·ble** *a.* **~·er** *n.* 나타내는 사람; 〖신학〗 계시자. **~·ment** *n.* [U] 폭로; 〖신학〗 계시, 묵시.

re·veal[2] *n.* 〖건축〗 (창·입구의) 문설주(jamb); (자동차의) 창틀.

revéaled relígion 계시 종교《유대교·기독교》. [opp] *natural religion.*

revéaled theólogy 계시 신학. [opp] *natural theology.*

re·véal·ing *a.* 감춰진 부분을 밝히는; 뜻이 깊은; 살갗을 노출시키는《옷》.

Reved. Reverend.

rè·végetate *vt.* (거친 땅에) 다시 식물이 생육〔생장〕하게 하다. **— *vi.*** 다시 생장하다. [파] **rè·veg-etátion** *n.*

rev·eil·le [révəli/rivǽli] *n.* 〖군사〗 기상 신호 《나팔·북 따위》; 조례(朝禮).

°**rev·el** [révəl] (*-l-*, 《영》 *-ll-*) *vi.* **1** 주연을 베풀다, 마시고 홍청거리다. **2** 《+[전]+[명]》 한껏 즐기다, 매우 기뻐하다; …에 빠지다 《*in*》: ~ *in* reading 독서를 즐기다. **— *vt.*** 《+[목]+[부]》 (시간·돈을) 홍청망청 낭비하다 《*away*》: ~ one's time *away* 홍청대며 시간을 보내다. **~ *it*** 술 마시고 홍청거리다. **— *n.*** (종종 *pl.*) 술잔치; [U] 부산한 잔치, 홍청망청 떠들기, 환락. [파] **rév·el·er,** 《영》 **-el·ler** *n.* 주연을 베푸는 사람, 술 마시고 떠드는 사람; 난봉꾼.

***rev·e·la·tion** [rèvəléiʃən] *n.* **1** [U] 폭로; (비밀의) 누설, (비밀이) 샘, 발각: (the) ~ *of* a secret 비밀의 폭로〔발각〕. **2** [C] 폭로된 것, 의외의 새 사실: It was a ~ to me. 실로 의외의 일이었다 / What a ~! 정말 의외의 일이다 / The ~ *that* he had taken bribes shocked everybody greatly. 그가 뇌물을 받았다는 사실을 알고 모두 큰 충격을 받았다. **3** [U] 〖신학〗 천계(天啓), 묵시, 계시(啓示), 계시된 것, 신탁(神託); 성서. **4** (the R-, (the) R-s) 〖단수취급〗 〖성서〗 요한 계시록(the Apocalypse) 《생략: Rev.》. ◇ reveal *v.* [파] **~·al** [-əl] *a.* 천계〔묵시〕의, 계시의. **~·ist** *n.* 천계(天啓)〔계시〕를 믿는 사람; (the R-) 계시록의 작자. 「《특히》 예언자.

rev·e·la·tor [révəlèitər] *n.* 폭로자; 계시자;

re·vel·a·to·ry [rivélətɔ̀ːri, révəl-/-təri] *a.* 천계〔계시〕의, 계시적인; …을 나타내는《*of*》.

rev·el·rout [révəlràut] *n.* 《고어》 〖집합적〗 술 마시고 홍청거리는 사람들.

°**rev·el·ry** [révəlri] *n.* [U] 술 마시고〔홍청망청〕 떠들기, 환락(merrymaking).

rev·e·nant [révənənt] *n.* (유형(流刑)·긴 여행 등에서) 돌아온 사람; 저승에서 돌아온 사람, 망령, 유령. **— *a.*** 되풀이하여 돌아오는; ~의.

re·ven·di·ca·tion [rivèndəkéiʃən] *n.* 〖법률〗 재산 회복 (청구); 소유물〔점유물〕 반환 청구권.

re·venge** [rivéndʒ] *n.* [U] **1** 보복, 복수(vengeance), 앙갚음, 분풀이 《*on, upon*》: I'll have my ~ *on* him *for* this insult. 그자에게 이 모욕에 대한 앙갚음을 하고 말겠다. **2** 원한, 유한(遺恨), 복수심. **3** 복수의 기회; (스포츠·카드놀이 등의) 설욕의 기회. ***by one of Time's ~s 예(例)의 얄궂은 운명으로, 기이하게도. ***give*** a person his ~ 아무의 설욕전 요구에 응하다. ***have*** 〔***get, take***〕 one***'s ~ on*** 〔***upon***〕 a person 아무에게 복수하다〔원한을 풀다〕(⇨1). ***in*** 〔***out of***〕 ***~ for*** …의 앙갚음으로. ***seek*** one***'s ~ on*** 〔***upon***〕 … 에게 복수할 기회를 노리다.

— *vt.* **1** 《+[목]+[전]+[명]》 〘~ oneself 또는 수동태〙 …에게 원수를 갚다, 앙갚음〔복수〕하다: ~ one*self on* 〔*upon*〕 a person =*be* 〔get〕 ~*d on* 〔*upon*〕 a person 아무에게 원수를 갚다. **2** 〘피해자·부당 행위를 목적어로 하여〙 …의 원수를 갚다, …의 원한을 풀다: ~ one's brother 〔one's brother's death〕 (죽은) 형의 원수를 갚다 / ~ wrong with wrong 원수를 원수로 갚다. **— *vi.*** 원수를 갚다, 원한을 풀다 《*upon*》. [SYN] ⇨AVENGE.

re·venge·ful [rivéndʒfəl] *a.* 복수심에 불타는, 앙심 깊은. [파] **~·ly** *ad.* **~·ness** *n.*

°**rev·e·nue** [révənjùː/-njùː] *n.* **1** [U] 소득, 수익; 고정 수입; 수입원. **2** (*pl.*) 총수입, 소득 총액. **3** 수입 항목, 재원. **4** [U] 세입(income): ~ and expenditure 세입 세출 / ⇨ INLAND REVENUE. **5** [C] (흔히 the ~) 국세청, 세무서. ***defraud the*** **~** 탈세하다.

révenue bònd 수익 채권.

révenue cùtter (세관의) 밀수 감시정(艇).

révenue enhàncement 세입 증가《증세라는 말 대신 쓰는 말》.

révenue expènditure 〖상업〗 수익지출. [cf.] capital expenditure.

révenue òfficer 세관원; 밀수 감시관.

rev·e·nu·er [révənjùːər/-njùː-] 《미구어》 *n.* 밀수 감시관〔감시정〕; 밀조주 단속관.

révenue shàring 《미》 (연방 정부에서 각주로의) 세입 교부.

révenue stàmp 수입 인지.

révenue tàriff 수입(收入) 관세, 재정(財政) 관세. [opp.] *protective tariff.*

révenue tàx 수입세.

re·verb [rivə́ːrb] *n.* (스테레오 등의) 잔향(殘響), 반향(反響); 잔향(부가) 장치. **—** *vt., vi.* 《구어》 =REVERBERATE.

re·ver·ber·ant, -a·tive [rivə́ːrbərənt], [-rèitiv, -rətiv] *a.* 반향하는; 반사하는.

re·ver·ber·ate [rivə́ːrbərèit] *vi.* 《~/+[전]+[명]》 반향하다(echo); 울려 퍼지다; (열·빛이) 반사하다, 굴절하다; 되튀다: A loud voice ~*s through* the hall. 고함 소리가 회장 안에 울려 퍼진다. **—** *vt.* 《~+[목]/+[목]+[전]+[명]》 반향시키다; (열·빛을) 반사하다, 굴절시키다; 반사로로 처리하다: The steam whistle of the train was ~*d through* the hills. 열차의 기적 소리가 이산 저산에 메아리쳤다.

revérberating fùrnace 〔kìln〕 반사로(爐).

revérberating tìme (소리의) 잔향 시간.

re·vèr·ber·á·tion *n.* [U] 반향; 여운; 반사 (열〔광〕); (반사로 안의) 반사열 처리.

re·ver·ber·a·tor [rivə́ːrbərèitər] *n.* 반사등〔경〕; 반사로.

re·ver·ber·a·to·ry [rivə́ːrbərətɔ̀ːri/-təri] *a.* 반사의; 반사에 의한; 반향하는; 굴절한; 반사형의 《노(爐) 따위》. **—** *n.* 반사로.

revérberatory fùrnace 반사로.

Re·vere [rivíər] *n.* **Paul ~** 리비어《미국의 은세공자로 애국자; 1775년 4월 18일 밤, 말을 달려 영국군 진격을 매사추세츠 식민지 사람들에게 알림》.

re·vere¹ [rivíər] *vt.* 존경하다, 숭배하다.

re·vere² *n.* = REVERS.

*__rev·er·ence__ [révərəns] *n.* [U] **1** 숭배, 존경; 경의. [cf.] respect, veneration. ¶ feel ~ *for* … 에게 존경심을 갖다, …을 존경하다. **2** 공손한 태도. **3** [C] 경례. **4** [U] 위덕(威德), 위엄. **5** [C] (보통 your 〔his〕 R–) 신부〔목사〕님《성직자에 대한 경칭; you, he, him 대신에 씀》. ***at the ~ of*** …을 존경하여. ***do 〔pay〕 ~ to*** …에 경의를 표하다, …에 경례하다. ***hold*** a person ***in ~*** 아무를 존경〔숭배〕하다. ***make a profound ~*** 정중히 경례하다〔경의를 표하다〕. ***saving your ~*** 황송하오나, (이렇게 말씀드리면) 실례지만. **—** *vt.* 숭배하다. [파] **-enc·er** *n.*

°**rev·er·end** [révərənd] *a.* **1** 귀하신, 존경할 만한, 거룩한《사람·사물·장소 따위》. **2** (the R–) …님《성직자에 대한 경칭; 생략: Rev.》: the *Reverend* 〔*Rev.*〕 John Smith 존 스미스 신부님.

> [NOTE] the Most *Reverend*는 archbishop, bishop에 대한, the Right *Reverend*는 bishop에 대한, the Very *Reverend*는 dean, canon 등에 대한 존칭임.

3 성직의, 목사〔신부〕의. ***the ~ gentleman*** (성직자에 대하여) 그 목사〔신부〕님. **—** *n.* (the ~) 《구어》 성직자, 목사, 신부.

Réverend Móther 수녀원장에 대한 경칭.

rev·er·ent [révərənt] *a.* 경건한, 공손한. [파] **~·ly** *ad.*

rev·er·en·tial [rèvərénʃəl] *a.* 경건한, 존경을 표시하는, 존경심으로 가득 찬, 공손한. [파] **~·ly** *ad.* 경건하게, 삼가. **~·ness** *n.*

rev·er·ie, rev·ery [révəri] *n.* [U,C] 공상, 환상; 몽상; 백일몽; [C] 〖음악〗 환상곡. ***be lost in*** (***a***) **~** = ***fall into*** (***a***) **~** 공상에 잠기다.

re·vers [rivíər, -véər] (*pl.* ~ [-z]) *n.* 《F.》 (여성복의) 접어 젖힌 깃·소매《따위》. [cf.] lapel.

revers

re·ver·sal [rivə́ːrsəl] *n.* [U,C] 반전(反轉), 전도; 거꾸로 움직임, 역전; 〖법률〗 원판결의 파기, 취소; 〖사진〗 반전 (현상). ◇ reverse *v.*

__re·verse__ [rivə́ːrs] *vt.* **1 거꾸로 하다, 반대로 하다; 뒤집다, 뒤엎다: ~ a coat 상의를 뒤집다. **2** 바꾸어 놓다〔넣다〕, 교환하다, 전환하다: Their positions are now ~*d*. 그들의 입장이 이제는 바뀌었다. **3** 《~+[목]/+[목]+[전]+[명]》 (주의·결정 등을) 뒤엎다, 번복하다; (기계 따위를) 역진(逆進)〔역류, 역회전〕시키다, (차를) 후진시키다: ~ one's car *into* the garage 차고에 차를 후진하여 넣다. **4** 〖법률〗 취소하다, 파기하다: ~ a decision 판결을 파기하다. **5** (통화 요금을) 수신인 지불로 하다. **—** *vi.* **1** 거꾸로 되다; 되돌아가다. **2** 《~/+[부]/+[전]+[명]》 (기계 따위가) 역회전하다; 차를 후진시키다, (차가) 후진하다: I ~*d out.* 차를 후진시켜 나갔다 / The car ~*ed out of* the gate. 그 차는 후진하여 문을 나갔다. **3** 〖댄스〗 역으로 돌다.

Reverse arms! 거꾸로〔어깨〕 총(銃)《장례식 등에서 총을 거꾸로 메라는 구령》. **~ *field*** (방향을 바꾸어) 반대쪽으로 향하다. **~** one***self about 〔over〕*** …에 대한 생각을 바꾸다.

— *a.* **1** 반대의, 거꾸로의《*to*》; 상하 전도된, 역의: a result ~ *to* what was intended 의도한 것과 정반대인 결과. [SYN.] ⇨ OPPOSITE. **2** 뒤로 향한; 역전하는: a ~ movement / a ~ gear 후진 기어. **3** 뒤의, 이면의, 배후의: the ~ side of a fabric 직물의 안쪽 / ~ fire 배면 사격〔포격〕. ***in the ~ order*** 역순으로.

— *n.* **1** [U] 역(逆), 반대《*of*》: She is the ~ *of* virtuous. 정숙하기는커녕 그와 정반대이다. **2** [C] 뒤, 배면, 배후; (화폐·메달 등의) 이면([opp.] *obverse*); (책의) 뒤 페이지, 왼쪽 페이지(verso)([opp.] *recto*). **3** 역전, 전도; 〖댄스〗 역회전. **4** [C] 불운, 실패, 패배(defeat): the ~*s of* fortune 불운, 패배. **5** 〖기계〗 역전, 역진 장치, 전환: throw an engine into ~ 엔진을 역회전시키다 / put the car into ~ 차를 후진시키다. **6** (총의) 개머리판, (창의) 밑끝. **7** 〖미식축구〗 반대 방향의 후위에 대한 패스. ***in ~*** 거꾸로; 후진에, 배면(背面)에. ***on the ~*** (자동차가) 역행하여. ***quite the ~*** = ***the very ~*** 그 정(正)반대. ***suffer 〔sustain, meet with, have〕 a ~*** 혼나다; 패배하다. ***take*** (the enemy) ***in ~*** (적)을 배면 공격하다. ***the ~ of the medal*** 문제〔사물〕의 다른 (일)면, 이면(裏面).

[파] °**~·ly** *ad.* 거꾸로, 반대로; 이에 반하여, 한편으로는.

revérse àdvertising 역(逆)광고《소비자가 요구 사항을 데이터베이스에 입력하면 공급자가 그것을 보고 고객을 찾아내는 방법》.

revérse ángle 〖TV〗 역(逆)각도《카메라의 위치를 피사체의 뒤에서 잡아, 대면하고 있는 리포터를 비치는 일》.

revérse-chárge *a.* 《영》 (통화 요금이) 수신인 지불의.

revérse commúter 역방향 통근자《도시에서 교외로의》.

revérse commúting 역방향 통근《도시에서 교외로의》.

revérse cúlture shòck 역(逆)문화 쇼크《외국에서 오랫동안 생활한 사람이 고국에 돌아왔을 때 느끼는 소외감》.

re·vérsed [-t] *a.* 거꾸로 한, 뒤집은; 취소된, 파기된; 왼쪽으로 감긴: a ~ charge 《영》 (전화의) 요금 수신인불(拂).

revérse discriminátion 《미》 역(逆)차별《다수파에 대한 소수파의 차별; 백인·남성 등에 대한 차별》.

revérse-enginéer *vt.* 역설계(逆設計)하다, 분해하여 모방하다《타사 제품의 과정을》. ㊀ **~ed** *a.* 분해하여 모방한《흔히 반도체에 대해 쓰임》.

revérse enginéering 분해(分解) 공학, 역설계《타사 신제품을 분해하여 구조를 분석, 그 설계를 역으로 탐지하는 기술》.

revérse lìght 《미》 (자동차의) 후진등.

revérse osmósis 〖화학〗 역삼투《용액에 고압을 가하여, 반투막을 통하여 용매를 저농도 쪽으로 옮기는 방법; 폐수 처리·순수한 물 제조 따위에 쓰임》.

re·vers·er [rivə́ːrsər] *n.* 역으로 하는 사람〔것〕; 〖전기〗 전극기(轉極器), 반전기(反轉器).

revérse rácism 《미》 역(逆)인종 차별《백인에 대한 인종 차별》.

revérse snób 반(反)속물주의자《snob와 반대로 학력·지위 있는 사람을 경멸하는 사람》.

revérse tákeover 역(逆)기업 인수《대기업, 특히 공기업을 중소기업〔사기업〕이 매수·합병하는 것》.

revérse transcrìptase 〖생화학〗 역전사(逆轉寫) 효소《RNA에 의존하여 DNA를 합성하는 효소》. cf. Temin enzyme.

revérse transcrìption 〖유전〗 역전사(逆轉寫)《역전사 효소를 이용하여 RNA에 의존하여 DNA를 합성하는 것》.

revérse vénding machìne 빈 병〔깡통〕 회수기《빈 병이나 다 쓴 용기를 넣으면 돈이나 쿠폰이 나옴》.

revérse vìdeo 〖컴퓨터〗 반전 비디오《문자의 색깔을 배경색으로 반전시켜 나타내는 비디오 모델》.

re·vers·i·ble [rivə́ːrsəbəl] *a.* **1** 거꾸로〔전도, 전환〕할 수 있는; 뒤집을 수 있는. **2** 취소〔파기〕할 수 있는. **3** 안팎을 다 쓸 수 있는《코트 따위》, 양면의. **4** (화학 반응이) 가역(可逆)의; (명령·판결 따위가) 철회할 수 있는, 취소 가능한. ── *n.* 안팎이 없는 천〔옷〕. ㊀ **re·vèrs·i·bíl·i·ty** *n.* Ⓤ

revérsible céll 〖전기〗 가역(可逆) 전지《충전 가능한 전지; 2차 전지》.

revérsing líght (자동차의) 후진등(後進燈).

re·ver·sion [rivə́ːrʒən, -ʃən/-ʃən] *n.* Ⓤ,Ⓒ **1** 역전, 전환; 되돌아가기, 복귀. **2** 〖생물〗 격세〔복귀(復歸)〕 유전(atavism), 돌연변이. **3** 〖법률〗 복귀권; 계승권, 상속권; (양도인·상속인에의) 재산 복귀; Ⓒ 복귀 재산: in ~ 〖법률〗 복귀를 조건으로 하여. **4** Ⓒ 장래(《특히》 죽은 후) 지급받을 돈《연금·생명 보험의 수취금 따위》; 장차 향유할 권리.

㊀ **~·al, ~·ary** [-əl], [-èri/-əri] *a.* 되돌아 가는, 복귀의; 〖생물〗 격세 유전의; 〖법률〗 장래 복귀〔계승〕할. **~·er** *n.* 〖법률〗 복귀권자《재산 따위를 장래 향유할 사람》, 계승권 소유자.

°**re·vert** [rivə́ːrt] *vi.* 《+전+명》 **1** 본래 상태로〔습관, 신앙 따위로〕 되돌아가다; 〖법률〗 복귀〔귀속〕하다《*to*》: ~ *to* the old system 옛 제도로 복귀하다/The region has ~*ed to* a wilderness. 그 지방은 본래의 황야로 되돌아갔다. **2** (처음 얘기·생각으로) 되돌아가다《*to*》; …을 회상하다《*to*》: ~ *to* the original topic of conversation 본래의 화제로 되돌아가다. **3** 〖생물〗 격세 유전하다《*to*》. ── *vt.* (눈길·발길을) 돌리다. ~ ***to type*** 본래의 모습으로 되돌아가다. ── *n.* **1** 〖법률〗 =REVERSION. **2** 《특히》 본래의 종교로 귀의한 사람. **3** ~하는 사람〔것〕. ㊀ **~·er** *n.* **~·i·ble** *a.* 되돌아갈 수 있는; (재산·권리 따위가) 복귀해야 할《*to*》.

re·ver·tant [rivə́ːrtənt] *n.*, *a.* 〖생물·유전〗 복귀(復歸) 돌연변이체《돌연변이에 의해 예전 형태로 되돌아간 생물체》(의).

re·vert·ase [rivə́ːrteis, -z] *n.* =REVERSE TRANSCRIPTASE.

revery ⇨ REVERIE.

rè·vést *vt.* 다시 수여〔부여〕하다; 복직시키다《*in*》; (토지·지위 등)의 권리를 회복시키다《*in*》; (옷을) 다시 입히다. ── *vi.* 다시 수여되다; (권리 따위가) 복귀하다.

re·vet [rivét] (*-tt-*) *vt.* 〖토목〗 (제방·성벽 따위의 표면을) 돌·콘크리트 따위로 덮다〔굳히다〕. ㊀ **~·ment** *n.* 〖군사〗 방벽(防壁); 〖토목〗 옹벽(擁壁); 호안(護岸).

re·view [rivjúː] *n.* **1** Ⓤ,Ⓒ 재조사, 재검토, 재음미, 재고(再考); 관찰, 개관(槪觀); 〖법률〗 재심리: a ~ *of* the drug problem 마약 문제의 재검토/a court of ~ 재심 법원. **2** Ⓒ 회고; 반성. **3** Ⓤ 《미》 복습, 연습; Ⓒ 《미》 복습 과제: ~ exercises 연습 문제. **4** 검사, 교열; 열병(閱兵), 관병식(觀兵式), 관함식(觀艦式): a military 〔naval〕 ~ 관병〔관함〕식. **5** 비평, 논평; 평론 잡지: a scientific ~ 과학 평론. **6** 〖연극〗 =REVUE. ***march in*** ~ 분열 행진하다. ***pass ... in*** ~ ① 검사를〔검열, 열병을〕 받다〔하다〕: *pass* troops *in* ~ 열병하다, 분열 행진시키다. ② …을 차례차례 기억에 떠올리다: *pass* one's life *in* ~ 자기 일생을 회고하다. ***the Board of Review*** (영화 등의) 검열국. ***under*** ~ 논평〔조사, 고찰〕 중에 (있는).

── *vt.* **1** 재검토〔재음미〕하다; 개관하다; 〖법률〗 (하급 법원의 판결 등을) 재심리하다: ~ one's manuscript 자기 원고를 재검토하다. **2** 회고하다: ~ the day's happenings 하루의 일어난 일을 돌이켜보다. **3** 《~+목/+목+전+명》 《미》 (학과를) 복습하다(《영》 revise): ~ today's lessons *for* a test 시험 준비를 위해 오늘 수업받은 것을 복습하다. **4** 세밀히 검사〔조사, 검열〕하다; 열병하다: ~ the whole matter 사실을 자세히 조사하다. **5** (책 등을) 비평〔논평〕하다: ~ a new novel 신간 소설을 비평하다. ── *vi.* 《~/+전+명》 (신문·잡지에) 평론〔서평, 극평〕을 쓰다; 회고하다; 《미》 복습하다: She ~*s for* a magazine. 그녀는 잡지의 서평란을 담당하고 있다/~ *for* an exam 시험에 대비해 복습하다.

㊀ **~·a·ble** *a.* **~·al** *n.* Ⓤ 재조사; 검열; 교열; 《미》 복습; 비평, 평론. **~·er** *n.* 평론〔비평〕가; 평론 잡지 기자; 검열자; 재심자.

revíew còpy (신문 등에의) 서평용 증정본.

revíew òrder (열병식 등의) 정장(正裝); 열병 대형.

re·vile [riváil] *vt.*, *vi.* 욕하다, 욕설하다《*at; against*》. ㊀ **~·ment** *n.* **re·víl·er** [-ər] *n.*

re·vis·al [riváizəl] *n.* 교정(校訂), 개정(改訂); 재검사; 개정본〔판〕: second ~ 재교(再校).

***re·vise** [riváiz] *vt.* **1** 개정하다; 교정(校訂)〔수

정〕하다; 교정(校正)〔교열〕하다; 재검사하다: ~*d* and enlarged 개정 증보한. **2** (의견·분류 따위를) 바꾸다: ~ one's opinions of a person 아무에 대한 의견을 바꾸다. **3** 《~+목/+목+전+명》《영》 복습하다(《미》 review): ~ one's German *for* one's exam 시험에 대비해 독일어를 복습하다. — *vi.* 《~/+전+명》《영》 복습하다: ~ *for* a test 시험에 대비해 복습하다. ◇ revision *n.* — *n.* **1** 교정(校訂), 개정; 교정(校正)(필); 개정판, 정정판. **2** 〖인쇄〗 재교쇄: second ~, 2교쇄. ㊍ **re·vís·a·ble** *a.*

revísed edítion 개정판(改訂版).

Revísed Stándard Vérsion (the ~) 현대어역 성서《신약은 1946년, 구약은 1952년 미국에서 발행; 생략: RSV, R.S.V.》.

Revísed Vérsion (of the Bíble) (the ~) 개역 성서《Authorized Version의 개정판, 신약은 1881년, 구약은 1885년에 발행; 생략: R.V., Rev. Ver.》.

re·vís·er, re·ví·sor *n.* 교정〔교열〕자, 개정〔수정〕자, 개역 성서(the Revised Version)의 역자.

°**re·vi·sion** [rivíʒən] *n.* **1** Ⓤ 개정, 교정(校訂), 교열, 수정. **2** 교정본, 개정판. **3** (the R-) 개역 성서. **4** 《영》 복습. ◇ revise *v.* ㊍ **~·al, ~·ary** [-əl], [-èri/-əri] *a.* **~·ism** *n.* Ⓤ 수정론〔주의〕, 수정사회주의. **~·ist** *n.* 수정론자, 수정주의자; =REVISER.

re·vísit *n., vt.* 재방문(하다), 다시 찾아가다; 되「돌아오다.

re·vi·so·ry [riváizəri] *a.* 교정(校訂)〔수정, 정정, 개정〕의.

rè·vítalize, 《영》 **-ise** *vt.* …의 생기를 회복시키다; 소생시키다; (사업 따위를) 부활〔부흥〕시키다. ㊍ **rè·vitalizátion** *n.* Ⓤ 새 활력〔생명, 힘〕을 줌; 경기 부양화; 경제 부흥.

re·viv·al** [riváivəl] *n.* **1** Ⓤ **a** 소생, 재생, 부활; (의식·체력의) 회복; 〖법률〗 (법적 효력의) 부활: the economic ~ *of* Korea 한국의 경제부흥. **b** 부흥; (예전 건축 양식·복장 등의) 재유행; (the R-) 문예 부흥(Renaissance): the ~ *of* an old custom 옛 관습의 부활. **2** Ⓤ,Ⓒ 〖기독교〗 신앙 부흥 (운동); Ⓒ 신앙 부흥 전도 집회. **3** Ⓤ,Ⓒ 〖연극〗 리바이벌, 재상연, 재연주, 〖영화〗 재상영. ◇ revive *v.* ***the ~ of architecture =***the Gothic ~,*** 19세기의 고딕 건축의 부흥. ***the Revival of Learning*** 〔***Letters, Literature***〕 문예부흥. ㊍ **~·ìsm** *n.* 신앙 부흥 운동; 부흥 기운. **~·ist** *n.* 부흥〔재흥〕자; 신앙 부흥 운동자.

revíval mèeting 부흥회.

***re·vive** [riváiv] *vt.* **1** 소생하게 하다; (…의 의식을) 회복시키다; 기운나게 하다: A cup of coffee ~*d* him. 커피 한 잔으로 그는 기운이 났다. **2** (잊혀진 것·유행·효력·기억·관심·희망 따위를) 되살아나게 하다, 부활시키다, 부흥시키다. **3** 재상연〔재상영〕하다: ~ a play. **4** 〖화학〗 (금속 따위를) 환원(還元)시키다. — *vi.* **1** 《+전+명》 소생하다: ~ *from* a swoon 의식을 되찾다. **2** 기운이 나다. **3** 부활하다, 되살아나다, 부흥하다, 재유행하다. **4** 〖화학〗 (금속 따위가) 환원하다. ◇ revival *n.* ㊍ **re·vív·a·ble** *a.* **re·vív·er** *n.* 부활하는〔시키는〕 사람〔것〕; 《구어》 자극성 음료《강한 술 등》, 흥분제; 다시 물들이는 약.

re·viv·i·fy [rivívəfài] *vt.* 소생〔부활〕시키다; 기운나게 하다; 〖화학〗 환원시키다. — *vi.* =REVIVE. ㊍ **re·vìv·i·fi·cá·tion** [-fikéiʃən] *n.* Ⓤ 원기회복; 〖화학〗 환원. **re·vív·i·fi·er** *n.*

rev·i·vis·cence, -cen·cy [rèvəvísəns], [-i] *n.* 소생, 부활; 원기회복; 〖생물〗 (동면에서의) 깨어남. ㊍ **-cent** *a.* 「의) 회복 절차.

re·vi·vor [riváivər] *n.* 〖영법률〗 (중단된 소송

rev·o·ca·ble [révəkəbəl] *a.* 폐지〔취소〕할 수 있는. opp. *irrevocable.* ㊍ **-bly** *ad.* **rèv·o·ca·bíl·i·ty** *n.* Ⓤ 「소, 철회.

rev·o·ca·tion [rèvəkéiʃən] *n.* Ⓤ,Ⓒ 폐지, 취

rev·o·ca·to·ry [révəkətɔ̀:ri/-təri] *a.* 폐지〔취소, 철회〕의.

rè·vóice *vt.* 다시 소리로 내다; 반향을 일으키다; (오르간 따위를) 조율하다.

°**re·voke** [rivóuk] *vt., vi.* **1** (명령·약속·특권 따위를) 철회〔폐지, 취소〕하다, 무효로 하다, 해약하다(repeal, annul). **2** 〖카드놀이〗 (물주가 낸 패와 같은 패를 가지고 있으면서) 딴 패를 내다. cf. refuse[1], renounce. — *n.* 취소, 폐지; 〖카드놀이〗 ~하기. ***beyond ~*** 취소할 수 없는. ***make a ~*** 〖카드놀이〗 ~하다.

re·volt** [rivóult] *n.* **1** 반란, 반역; 폭동: in ~ *against* …에 반항하여 / stir the people to ~ 사람들을 선동하여 반란을 일으키게 하다. **2** Ⓤ 반항(심), 반항적인 태도; 혐오감, 불쾌, 반감 《*against; at; from*》: the ~ of intellectuals *against* old traditions 낡은 전통에 대한 지식인들의 반발. ***rise in ~ 배반하다, 반란을 일으키다 《*against*》. — *vi.* **1** 《~/+전+명》 반란을 일으키다, 반항하다, 배반하다《*against; from; to*》, 적편에 붙다《*from; to*》: ~ *from* one's allegiance 충성의 맹세를 저버리다. **2** 《+전+명》 비위에 거슬리다, 구역질 나다, 반감을 품다《*at; against; from*》: Human nature ~*s at* such a crime. 인간의 본성은 그런 범죄에 대해 혐오감을 갖는다. — *vt.* 불쾌감을 갖게 하다, 불쾌하게 하다, 역겹게 하다: Such low taste ~*s* me. 그와 같은 천한 취미는 구역질 나게 한다, 역겨운. ㊍ **~·ed** [-id] *a.* 반란을 일으킨. **~·er** *n.*

re·vólt·ing *a.* 배반〔반란〕하는; 혐오할 만한, 불쾌하게 하는, 구역질 나는, 역겨운. ㊍ **~·ly** *ad.*

rev·o·lute[1] [révəlù:t] *a.* 〖식물·동물〗 (잎 따위가) 뒤쪽으로 말린. cf. convolute.

rev·o·lute[2] *vi.* 《속어》 혁명〔반란〕에 가담하다; 혁명을 일으키다〔당하다〕.

⁑**rev·o·lu·tion** [rèvəlú:ʃən] *n.* **1** Ⓤ,Ⓒ 혁명; 변혁: a ~ *in* manufacturing 제조 공업의 혁명 / ENGLISH REVOLUTION. **2** Ⓤ,Ⓒ 회전 (운동), 1회전: 45 ~*s* per minute 매분 45회전. **3** 〖천문〗 공전(公轉)(주기); 《속용(俗用)》 자전(自轉): the ~ *of* the earth (a)round the sun 지구의 공전. **4** Ⓤ 주기의 회귀(回歸), 순환: the ~ *of* the seasons 사철의 순환. ◇ revolve *v.*

***rev·o·lu·tion·ary** [rèvəlú:ʃənèri/-nəri] *a.* **1** 혁명의; 혁명적인, 대개혁을 일으키는: a ~ discovery 대변혁을 초래하는 발견 / a ~ army 혁명군. **2** 회전하는. **3** (R-) 미국 독립 전쟁(시대)의. — *n.* =REVOLUTIONIST.

Revolútionary cálendar (the ~) 프랑스 혁명력(French ~).

Revolútionary Wár (the ~) 〖미국사〗 독립전쟁(the American Revolution).

rèv·o·lú·tion·ìsm *n.* Ⓤ 혁명주의〔론〕.

rèv·o·lú·tion·ist *n., a.* 혁명가(의), 혁명론자〔당원, 주의자〕(의).

°**rev·o·lu·tion·ize** [rèvəlú:ʃənàiz] *vt.* 혁명〔대변혁〕을 일으키다; 혁명 사상을 고취하다.

***re·volve** [rivɑ́lv/-vɔ́lv] *vi.* **1** 《~/+전+명》 회전하다, 선회(旋回)하다; (…을 축으로) 자전하다 《*on*》: The earth ~*s on* its axis. 지구는 지축을 중심으로 자전한다. SYN. ⇨ TURN. **2** 《+전+명》 공전하다, 운행하다; (…의 주위를) 돌다《*about; round*》: The earth ~*s round* 〔*about*〕 the sun. **3** 순환하다, 주기적으로 일어나다; (마음속을) 맴돌다: *revolving* seasons 주기적으로 돌아오는 계절 / an idea *revolving* in one's mind 마음속을 오락가락하는 생각. **4** 《+전+명》 (토론·논의

따위가 …을 주제로) 행해지다 《*around*》: The debate ~*d around* the morality of abortion. 토론은 임신중절의 도덕성을 주제로 행해졌다. **—** *vt.* **1** 회전〔공전〕시키다. **2** 운행시키다. **3** 궁리하다, 곰곰이 생각하다: ~ a problem in one's mind 문제를 마음속에서 두루 생각하다. ◇ revolution *n.* ㊈ **re·vólv·a·ble** *a.*

°**re·vólv·er** *n.* (회전식) 연발 권총; 회전로(爐): the policy of the big ~ (보복 관세 등에 의한) 위협 정책.

re·vólv·ing *a.* (주기적으로) 돌아오는; 회전〔윤전〕식의: a ~ chair 회전의자.

revólving chárge accòunt 〖상업〗 회전 외상 매출금 계정《할부 지급인 경우, 외상 금액이 일정 한도 내라면 계속 외상 거래를 할 수 있는 계정》.

revólving crédit 〖상업〗 회전 신용 계정《미(未)반제 융자 금액이 한도 이내면 몇 번이고 융자에 응하는》.

revólving dóor 회전문; 《비유》 인원을 자주 가는 회사나 단체; (최단 기간에) 죄수〔환자〕를 내쫓는 교도소〔병원 등〕; 끝없는 반복.

revólving-dóor *a.* 《구어》 (정권 따위가) 너무 자주 바뀌는; 감독 관청의 관리가 사기업으로 옮겨 들어가는; (인원·조직 따위가) 교체가 빠른, 환자〔죄수〕의 교체율이 높은.

revólving fúnd 회전 자금.

revólving stáge 회전 무대.

re·vue [rivjúː] *n.* 《F.》 Ⓒ,Ⓤ 레뷰; 시사 풍자의 익살극《노래·춤·시국 풍자 따위를 호화찬란하게 뒤섞은 것》. ★ review 라고도 씀.

re·vul·sant [rivʌ́lsənt] *a.*, *n.* =REVULSIVE.

re·vulsed [rivʌ́lst] *a.* 강렬한 혐오감을〔증오를〕 품은, 반감을 지닌; 증오하는.

re·vul·sion [rivʌ́lʃən] *n.* Ⓤ (감정 따위의) 격변, 급변; 급격한 반동; 《드물게》 되돌리기, 잡아떼기; 〖의학〗 (반대 자극 등에 의한) 혈액 유도법(誘導法); 극도의 불쾌감, 혐오감.

re·vul·sive [rivʌ́lsiv] 〖의학〗 *a.* (혈액을) 유도하는. **—** *n.* 유도제; 유도 기구. ㊈ **~·ly** *ad.*

Rev. Ver. Revised Version (of the Bible).

re·ward [riwɔ́ːrd] *n.* **1** Ⓤ 보수, 포상; Ⓒ 현상금; 사례금《*for*》: give a ~ *for* …에 대하여 포상을 주다. **2** Ⓤ 보답, 응보: the ~ *for* the virtue 덕에 대한 보답/No ~ without toil. 《격언》 고생 끝에 낙(樂). ***gone to*** one's **~** 죽어서 천국에 간〔있는〕. ***in* ~ *for*** 〔***of***〕 …의 상으로, …에 보답하여. **—** *vt.* **1** 《~+목/+목+전+명》 …에게 보답하다; 보수를〔상을〕 주다《*for; with*》: be properly ~*ed for* one's effort 노력에 합당한 보수를 받다. **2** (행위에) 앙갚음하다, 보복하다, 벌하다. **—** *vi.* 보답하다. ㊈ **~·a·ble** *a.* **~·ing** *a.* 득이 되는, 할 보람이 있는, (…할 만한) 가치가 있는. **~·less** *a.* 보수 없는, 헛수고의.

re·wind [riːwáind] (**-wound,** 《드물게》 **-wind·ed**) *vt.* (테이프·필름을) 되〔다시〕감다. **—** [스] *n.* 되감긴 테이프〔필름〕; 되감는 장치; 되감기.

re·wire [riːwáiər] *vt.* …의 철사를〔배선을〕 갈다; 다시〔회신〕 전보를 치다.

re·word [riːwɔ́ːrd] *vt.* 바꾸어 말하다; 환언하다; 되풀이하여 말하다(repeat).

re·work [riːwɔ́ːrk] *vt.* 다시 가공하다, 재생산하다; 개정(改訂)하다, …을 손질하다; 〖지학〗 재식(再蝕)하다.

rè·wrítable *a.* 〖컴퓨터〗 (디스크 따위가) 고쳐〔다시〕 쓸 수 있는.

***re·write** [riːráit] (**-wrote; -writ·ten**) *vt.* **1** 《~+목/+목+전+명》 고쳐 쓰다; 다시 쓰다: ~ a story *for* children 이야기를 어린이를 대상으로 고쳐 쓰다. **2** 《미》 (취재 기사를) 기사용으로 고쳐 쓰다. **—** [ríːràit] *n.* 《미》 고쳐 쓴 기사; 완성된 신문 원고. ㊈ **rè·wrít·er** *n.*

réwrite·màn [-mæ̀n] (*pl.* **-mèn** [-mèn]) *n.* 취재 원고를 기사용으로 고쳐 쓰는 기자.

réwrite·pèrson *n.* =REWRITEMAN. 「애칭).

Rex [reks] *n.* 렉스《남자 이름; Reginald의

rex [reks] (*pl.* **re·ges** [ríːdʒiːz]) *n.* 《L.》 국왕; (R-) 현 국왕《생략: R.》. ⓒⓕ regina.

Rex·ine [réksiːn] *n.* 렉신《모조 가죽; 제본·가구의 겉치장용; 상표명》.

Réye('s) sỳndrome [rái(z)-, réi(z)-] 라이 증후군《소아에게 흔한 치사(致死)적인 뇌장애; 소아과 의사 R.D. Reye(1912-78)의 이름에서》. 「《Iceland의 수도》.

Rey·kja·vik [réikjəviːk, -vik] *n.* 레이캬비크

Reyn·ard [réinaːrd, -nərd, rénərd/rénaːd] *n.* 르나르《중세의 서사시 *Reynard the Fox*에 나오는 여우의 이름》; (r-) 여우(fox).

Reyn·old [rénld] *n.* 레이놀드《남자 이름》.

Reyn·olds [rénldz] *n.* Sir **Joshua ~** 레이놀즈《영국의 초상화가; 1723-92》.

Réynolds nùmber 〖물리〗 레이놀즈 수(數)《액체〔기체〕의 흐름 속에 물체를 고정했을 때 생기는 흐름의 모양을 나타냄; 영국의 물리학자 Osborne Reynolds (1842-1912)의 이름에서》.

rf. 〖야구〗 right field(er). **R.F.** *République Française*; Reserve Force; Royal Fusiliers. **r.f.** radio frequency; range finder; rapid fire. **R.F.A.** Royal Field Artillery. 「자).

R̀ fàctor 〖생화학〗 R 인자《세균의 약제 내성 인

RFC Reconstruction Finance Corporation; 〖컴퓨터〗 Request For Comments. **R.F.C.** Royal Flying Corps; Rugby Football Club. **RFD, R.F.D.** 《미》 Rural Free Delivery. **RFI** 〖통신〗 radio frequency interference (무선주파 방해). **r.g., rg.** 〖축구〗 right guard. **R.G.A.** 《영》 Royal Garrison Artillery. **RGB** 〖TV〗 red, green, blue《컬러 TV 화상의 3 원색》.

RGB mònitor 〖컴퓨터〗 RGB 모니터《3 원색 각각의 독립한 신호를 입력하는 컬러 표시 장치》.

RGB vìdeo 〖컴퓨터〗 RGB 비디오.

R.G.S. 《영》 Royal Geographic Society. **Rgt.** regiment. **Rh** rhesus; Rh factor; 〖화학〗 rhodium. **RH, R.H., rh., r.h.** 〖음악〗 right hand (오른손 (사용)). **R.H.** relative humidity (상대 습도); Royal Highlanders; Royal Highness. **R.H.A.** 《영》 Royal Horse Artillery; Royal Humane Association.

rhabd- [ræbd], **rhab·do-** [rǽbdou, -də] '막대기 모양, 봉상(棒狀) (구조)' 란 뜻의 결합사.

rhab·do·man·cy [rǽbdəmæ̀nsi] *n.* Ⓤ 막대기점(占)《지하의 광맥·수맥을 찾는》.

rhábdo·vìrus *n.* 〖의학〗 라브도 바이러스《수포성 구내염 및 광견병 바이러스 따위》.

Rhad·a·man·thus [ræ̀dəmǽnθəs] *n.* 〖그리스신화〗 라다만토스《Zeus와 Europa의 아들; 사후(死後)에 명부의 재판관이 되었음》; 엄정 강직한 재판관. ㊈ **-thine** [-θin, -θain] *a.* ~의; 엄정한.

Rhae·to-Ro·man·ic [riːtouroumǽnik] *n.*, *a.* Ⓤ 레토로망어(語)《스위스 남동부, Tyrol, 이탈리아 북부의 로망스어》(의).

rhap·sod·ic, -i·cal [ræpsɑ́dik/-sɔ́d-], [-əl] *a.* 서사시의, 음송시의; 광상문의, 광상시의; 열광〔광상〕적인; 과장된. ㊈ **-i·cal·ly** *ad.*

rhap·so·dist [rǽpsədist] *n.* **1** (옛 그리스의) 서사시 음송가(家), 음영 시인. **2** 광상문〔광상시〕 작자; 광시곡 작자.

rhap·so·dize [rǽpsədàiz] *vt.*, *vi.* 광상문으로〔광상시로〕 그려 내다; 광상문을〔광상시를〕 쓰다《*about; on*》; (광상시를) 낭송하다; 광시곡을 짓다; 열광적으로 이야기하다〔쓰다〕.

rhap·so·dy [rǽpsədi] *n.* (옛 그리스의) 서사시, 음송 서사시의 한 절; 열광적인 말〔문장, 시가〕, 광상문〔시(詩)〕; 〖음악〗 광시곡, 랩소디. ***go into rhapsodies over*** …을 열광적으로 말하다〔쓰다〕; …을 과장하여 말하다.
rhat·a·ny [rǽtəni] *n.* 〖식물〗 콩과의 관목《남아메리카산》; 그 뿌리《약용 또는 포도주 착색제》.
RHB, rhb, r.h.b. 〖축구〗 right halfback.
r.h.d. right-hand drive.
Rhea [ríːə/rí(ː)ə] *n.* **1** 여자 이름. **2** 〖그리스신화〗 레아《Zeus, Hera, Poseidon 등 그리스 여러 신의 어머니》. **3** (r-) 〖조류〗 아메리카타조《남아메리카산》.
rheme [riːm] *n.* 〖언어〗 평언(評言), 평술(評述)《문중에서 주제에 관해 기술하고 있는 부분》.
Rhen·ish [réniʃ, ríːn-] *a.* Rhine강(유역)의. ― *n.* [U] = RHINE WINE.
rhe·ni·um [ríːniəm] *n.* 〖화학〗 레늄《망간족 전이원소에 속하는 금속 원소의 하나; 기호 Re; 번호 75》.
rhe·o- [ríːou, ríːə] '흐름'의 뜻의 결합사.
rhe·ol·o·gy [riːɑ́lədʒi/-ɔ́l-] *n.* 〖물리〗 흐름학, 유변학(流變學), 리올로지. [파] **-gist** *n.*
rhe·om·e·ter [riːɑ́mətər/-ɔ́m-] *n.* 〖전기〗 전류계; 〖의학〗 혈류계(血流計). [파] **-try** [-tri] *n.* [U] 〖전기〗 전류 측정; 〖의학〗 혈행(血行) 측정.
rhéo·scòpe *n.* 〖물리〗 전류 검사기(器), 검류기(檢流器), 검전기(檢電器).
rhe·o·stat [ríːəstæ̀t] *n.* 〖전기〗 가감 저항기. [파] **rhè·o·stát·ic** *a.*
rhe·o·tax·is [rìːətǽksis/rìə-] *n.* [U] 〖생물〗 「주류성(走流性).
rhéo·tòme *n.* 〖전기〗 단속기.
rhéo·tròpe *n.* 〖전기〗 변류기.
rhe·ot·ro·pism [riːɑ́trəpìzəm/-ɔ́t-] *n.* [U] 〖식물〗 굴류성(屈流性).
rhe·sus [ríːsəs] *n.* = RHESUS MONKEY.
rhésus bàby 〖의학〗 Rh 용혈성(溶血性) 질환의 신생아〔태아〕.
Rhésus fàctor 〔**àntigen**〕 = RH FACTOR.
rhésus mónkey 〖동물〗 붉은털원숭이《의학 실험용; Rh 인자를 가진 원숭이》.
rhet. rhetoric; rhetorical.
rhe·tor [ríːtər, rét-] *n.* (옛 그리스·로마의) 수사학 선생; 수사학자; 웅변가.
***rhet·o·ric** [rétərik] *n.* [U] **1** 수사(修辭); 수사학; 웅변술. **2** 화려한 문체, 미사(美辭); 과장; 설득력《*of*》. **3** [C] 수사학서(書).
rhe·tor·i·cal [ritɔ́ːrikəl, -tɑ́r-/-tɔ́r-] *a.* 수사학의; 수사학에 맞는; 수사적인, 화려한; 과장적인. [파] **~·ly** *ad.* 수사(학)적으로.
rhetórical quéstion 〖문법〗 수사 의문《보기: Nobody cares. 의 뜻의 *Who cares?*》.
rhet·o·ri·cian [rètəríʃən] *n.* 수사학자; 웅 「변가.
rheum [ruːm] *n.* [U] 〖의학〗 카타르성 분비물《콧물·눈물 등》; 비염(鼻炎); 감기; 《고어》 눈물.
rheu·mat·ic [ru(ː)mǽtik] 〖의학〗 *a.* 류머티즘의〔에 의한〕; 류머티즘에 걸린〔걸리기 쉬운〕; 류머티즘을 일으키는. ― *n.* 류머티즘 환자; (the ~s) 《구어》 류머티즘. [파] **-i·cal·ly** *ad.* 류머티즘에 걸려.
rheumátic diséase 〖의학〗 류머티즘성 질환.
rheumátic féver 〖의학〗 류머티즘열(熱).
rheu·mat·icky [ru(ː)mǽtiki] *a.* 《구어》 류머티즘으로 고생하는.
◇**rheu·ma·tism** [rúːmətìzəm] *n.* 〖의학〗 류머티즘《rheumatiz는 방언》.
rheu·ma·toid [rúːmətɔ̀id] *a.* 류머티즘성(性)의; 류머티즘에 걸린. 「절염.
rhéumatoid arthrítis 〖의학〗 류머티즘성 관
rhéumatoid fáctor 〖의학〗 류머티즘 인자.
rhéumatoid spondylítis 〖의학〗 류머티즘성 척수염《젊은 남성에게 많음》.
rheu·ma·tol·o·gy [rùːmətɑ́lədʒi/-tɔ́l-] *n.* 〖의학〗 류머티즘학(學). [파] **-gist** *n.*
rheumy [rúːmi] (***rheum·i·er; -i·est***) *a.* 카타르성(性) 분비물의〔이 많은〕; 비염(鼻炎)에 걸린; 비염을 일으키기 쉬운; 냉습한《공기 따위》.
rhex·is [réksis] (*pl.* ***-es*** [-siːz]) *n.* 〖병리〗 (혈관·기관·세포의) 파열(破裂).
Rh fàctor 〖생화학〗 Rh 인자(因子), 레서스 인자《사람이나 rhesus의 적혈구 속의 응혈소》.
R.H.G. 《영》 Royal Horse Guards.
rhi·nal [ráinl] *a.* 〖해부〗 코의, 비강(鼻腔)의: ~ cavities 비강. 「자는 Rhein.
Rhine [rain] *n.* (the ~) 라인 강. ★ 독일어 철
rhin·en·ceph·a·lon [ràinenséfəlɑ̀n, -lən/-lɔ̀n] (*pl.* ***~s, -a·la*** [-ələ]) *n.* 〖해부〗 (전뇌(前腦)의) 후뇌(嗅腦).
rhine·stone [ráinstòun] *n.* 라인석《수정의 일종; 모조 다이아몬드》.
Rhíne wìne 라인 백포도주(Rhenish).
rhi·ni·tis [raináitis] *n.* [U] 〖의학〗 비염(鼻炎).
rhi·no[1] [ráinou] (*pl.* ~) *n.* 《속어》 돈, 현금.
rhi·no[2] (*pl.* ~(*s*)) *n.* 《구어》 = RHINOCEROS.
rhi·no[3] (*pl.* ~*s*) *n.* 〖미해군〗 (선외 모터가 달린 상륙용) 경주정(輕舟艇)(= ~ **fèrry**).
rhi·no- [ráinou, -nə] '코, 비강'의 뜻의 결합사《모음 앞에서는 **rhin-**》.
rhi·noc·er·os [rainɑ́sərəs/-nɔ́s-] (*pl.* ***~·es,*** 〖집합적〗 ~) *n.* 〖동물〗 코뿔소, 무소.
rhi·nol·o·gy [rainɑ́lədʒi/-nɔ́l-] *n.* [U] 비과학(鼻科學). [파] **-gist** *n.*
rhi·no·plas·ty [ráinəplæ̀sti] *n.* [U] 코 성형술. [파] **rhì·no·plás·tic** [-tik] *a.*
rhi·nor·rhea [ràinəríːə] *n.* 〖의학〗 비루(鼻漏)《코 점액이 지나치게 많이 나오는 증상》.
rhíno·scòpe *n.* 비경(鼻鏡).
rhi·nos·co·py [rainɑ́skəpi] *n.* 비경 검사, 검비법(檢鼻法). 「체.
rhi·no·vi·rus [ràinouváirəs] *n.* 감기의 병원
RHIP Rank has its privileges. (지위에는 그에 상당한 특권이 있다).
R. Hist. S. 《영》 Royal Historical Society.
rhiz- [ráiz], **rhi·zo-** [ráizou, -zə] '뿌리' 라는 뜻의 결합사. 「직접 피게 하는.
rhi·zan·thous [raizǽnθəs] *a.* 뿌리에서 꽃을
rhiz·ic [rízik] *a.* 〖수학〗 근(root)의.
rhi·zo·carp [ráizəkɑ̀ːrp] *n.* 〖식물〗 숙근성(宿根性) 식물. 「根).
rhi·zoid [ráizɔid] *a.* 뿌리 같은. ― *n.* 가근(假
rhi·zome, rhi·zo·ma [ráizoum], [raizóumə] *n.* 〖식물〗 근경(根莖), 뿌리줄기, 지하경(地下莖), 땅속줄기.
rhi·zoph·a·gous [raizɑ́fəgəs/-zɔ́f-] *a.* 뿌리를 먹는, 식근성(食根性)의.
rhi·zo·pod [ráizəpɑ̀d/-pɔ̀d] *n.* 〖동물〗 근족충류(根足蟲類)의 동물《아메바 따위》.
rhi·zo·sphere [ráizəsfìər] *n.* 식물의 뿌리가 뻗는 부분의 토양층.
Rh négative Rh 인자 음성의 혈액〔사람〕《기호 Rh^-》. 「Rh 음성의.
Rh-négative *a.* 〖생화학〗 Rh 인자가 없는,
rho [rou] (*pl.* ~*s*) *n.* **1** 그리스어 알파벳의 열일곱째 글자《Ρ, ρ; 로마자의 R, r에 해당》. **2** 〖물리〗 로 입자(rho particle, rho meson)《아주 불안정한 중간자; 질량은 전자의 1,490배》.
Rho·da [róudə] *n.* 로다《여자 이름》.
rho·da·mine [róudəmìːn, -min] *n.* [U] 〖화학〗 로다민《적록색 분말; 종이·생물체 염색용》.
Rhòde Ísland [ròud-] 로드아일랜드《미국 북

동부의 주; 생략: R.I.). ㊥ **~·er** *n.*

Rhòde Ísland Réd 〔**Whíte**〕 닭의 일종《깃털이 적갈색〔순백(純白)〕의 난육(卵肉) 겸용종》.

Rhodes [roudz] *n.* **1** 로도스 섬(=**Rhódos**)《에게 해의 섬》. **2 Cecil John ~** 로즈《영국의 식민지 정치가; 1853-1902》.

Rho·de·sia [roudíːʒə/-ʃə, -ziə] *n.* 로디지아《아프리카 남부의 중앙부 지역; 북로디지아의 잠비아(Zambia) 공화국 및 남로디지아의 짐바브웨 공화국으로 나뉨》. ㊥ **-sian** [-n] *a.*, *n.* 로디지아의 (사람).

Rhodésian mán 〖인류〗 로디지아인《그 머리뼈가 Rhodesia에서 발견된 아프리카형 네안데르탈 구인(舊人)》.

Rhodésian Rídgeback 로디지아 리지백《남아프리카산의 근육질이 발달한 중형의 수렵견》(=**Áfrican líon hòund**).

Rhódes schólarship 로즈 장학금《C.J. Rhodes의 유언에 의해 영연방·미국·독일 등에서 Oxford 대학에 유학하는 사람에게 수여됨》.

Rho·di·an [róudiən] *a.* 지중해의 섬 Rhodes의. ***the ~ law*** 로즈 해상법(海商法)《기원전 9세기경 제정된 세계에서 가장 오랜 해상법》. ── *n.* Rhodes 사람.

rho·di·um [róudiəm] *n.* Ⓤ 〖화학〗 로듐《금속 원소; 기호 Rh; 번호 45》.

rho·do·den·dron [ròudədéndrən] *n.* 〖식물〗 철쭉속(屬)의 식물《만병초 따위》.

rho·do·lite [róudəlàit] *n.* Ⓤ 장밋빛 석류석(石)의 일종《보석으로 씀》.

rho·dop·sin [roudápsin/-dɔ́p-] *n.* 〖생화학〗 로돕신, 시홍(視紅)《망막의 간상 세포에 들어 있는 감광(感光) 색소》.

rho·do·ra [roudɔ́ːrə, rə-] *n.* 〖식물〗 철쭉의 일종《북아메리카산》.

rhomb [rɑmb/rɔmb] *n.* =RHOMBUS.

rhom·bic [rámbik/rɔ́m-] *a.* 마름모의, 사방(斜方)형의; 〖결정〗 사방정계(斜方晶系)의.

rhom·bo·chasm [rámbəkæ̀zəm/rɔ́m-] *n.* 〖지학〗 (단층 간 긴장에 의한) 마름모꼴 균열.

rhom·bo·he·dron [ràmbəhíːdrən/rɔ̀mbə-] *n.* 〖결정〗 능면체(菱面體).

rhom·boid [rámbɔid/rɔ́m-] 〖수학〗 *n.* 편능형(偏菱形), 장사방(長斜方)형. ── *a.* 장사방형의. ㊥ **rhom·boi·dal** [rambɔ́idl/rɔm-] *a.*

rhom·bus [rámbəs/rɔ́m-] (*pl.* **~·es** [-iz], **-bi** [-bai]) *n.* 〖수학〗 마름모, 사방형(斜方形); 〖결정〗 사방(斜方) 육면체.

rhó mèson 〖물리〗 로 중간자(中間子).

rhon·chus [ráŋkəs/rɔ́ŋ-] (*pl.* **-chi** [-kai]) *n.* 〖의학〗 나음(囉音), 라셀(음).

Rhone [roun] *n.* (the ~) 론 강《Alps의 Rhone 빙하에서 발하여 프랑스 남동부를 거쳐 지중해로 흘러드는 강》.

rhó pàrticle 〖물리〗 로 입자(rho).

Rh pósitive Rh 인자 양성의 혈액〔사람〕《생략 Rh⁺》.

Rh-pósitive *a.* 〖생화학〗 Rh 인자가 있는, Rh 양성의.

R.H.S. Royal Historical Society; Royal Horticultural Society; Royal Humane Society (왕립(王立) 수난(水難) 구조회).

rhu·barb [rúːbɑːrb] *n.* Ⓤ **1 a** 〖식물〗 장군풀, 대황(大黃); 장군풀의 잎자루《식용》. **b** (장군풀로 만든) 소스의 일종; 대황근(大黃根)《하제(下劑)용》.

rhubarb 1 a

2 대황색, 담황색(citrine). **3** Ⓒ 《미속어》 격론(row), 말다툼; 《특히》 야구 경기에서의 말썽, 강경한 항의, 불평; 《미속어》 저공 기총 소사. ── *vi.*, *vt.* 《미속어》 저공에서 기총 소사하다.

rhú·barb·ing 《영》 *a.* (배우가 군중이 되어) 와자지껄하게 떠들어대는. ── *n.* 소란, 혼란.

rhumb [rʌmb] *n.* 〖해사〗 **1** 나침 방위《32 방위의 하나》. ㉠ point. **2** 나침 방위선, 항정선(航程線)(~ line).

rhumba ⇨ RUMBA.

rhúmb lìne 〖해사〗 항정선(航程線)《배가 일정한 컴퍼스 방향을 유지하고 있을 때 그리는 선으로, 각 자오선에 동일 각도로 변함》.

‡**rhyme, rime** [raim] *n.* **1** Ⓤ,Ⓒ 〖운율〗 운, 압운(押韻), 각운(脚韻). **2** Ⓒ 동운어(同韻語)《*to; for*》: "Mouse" is a ~ *for* "house." mouse는 house와 운이 맞는다. **3** Ⓤ 운문; Ⓒ 〔집합적으로도 씀〕 압운시. ***eye*** 〔***sight, spelling, visual***〕 ***~*** ⇨EYE. ***imperfect ~*** 불완전운《예컨대 love와 move, phase와 race》. ***neither ~ nor reason*** 까닭도 이유도 없는. ***run one's ~s*** 《미학생속어》 자기주장을 고집하다. ***single*** 〔***male, masculine***〕 ***~*** 단운(單韻)〔남성운〕《heart와 part처럼 단음절어가 다는 운》. ***without ~ or reason*** 분별없는, 전혀 조리가 맞지 않는, 까닭을 알 수 없는. ── *vi.* **1** 《~/+전+명》 운을 달다; 운이 맞다《*to; with*》: "More" ~s *with* 〔*to*〕 "door." more는 door와 운이 맞는다. **2** 시를 짓다. ── *vt.* **1** 시로 만들다. **2** 시작(詩作)하며 지내다《*away*》. **3** 《+목+전+명》 …에 운을 달게 하다《*with*》: ~ "shepherd" *with* "leopard", shepherd를 leopard와 압운시키다.

rhymed *a.* 운을 단, 압운(押韻)한; 압운의: ~ verse 압운시. ㉠ blank verse.

rhýme·less *a.* 무운의.

rhým·er, rím·er *n.* 작시자(作詩者), 《특히》 엉터리 시인(rhymester).

rhýme róyal a b a b b c c의 순으로 압운하며 각행 10개의 음절을 가진 7행시.

rhýme schème 〖시학〗 압운 형식《rhyme royal에서는 ababbcc처럼 문자로 표현함》.

rhyme·ster, rime- [ráimstər] *n.* 엉터리 시인.

rhýming slàng 압운 속어《tealeaf로 thief를 나타내는 따위; [-iːf]의 음이 같음》.

rhým·ist *n.* =RHYMER.

rhy·o·lite [ráiəlàit] *n.* 유문암(流紋岩).

‡**rhythm** [ríðəm] *n.* Ⓤ,Ⓒ **1** 율동, 리듬, 주기적 반복〔순환〕: the ~ of a heartbeat 심장 고동의 리듬 / the ~ of the seasons 사계의 순환. **2** 〖음악〗 리듬, 음률. **3** 운율. **4** (그림·문장 등의) 율동적인 흐름, 격조(格調): in quick ~ 급격조.

rhýthm and blúes 리듬 앤드 블루스《흑인 음악의 일종》.

rhýthm bànd (어린이들의) 타악기 밴드.

°**rhyth·mic** [ríðmik] *a.* 율동적인, 리드미컬한; 억양〔운율〕이 있는, 장단이 잘 맞는; 규칙적으로 순환하는. ── *n.* =RHYTHMICS. ㊥ **-mi·cal** *a.* **-mi·cal·ly** *ad.*

rhýth·mics *n. pl.* 〔단수취급〕 음률학(音律學), 음률론.

rhýthmic spórtive gymnástics 〖스포츠〗 리듬 체조.

rhyth·mist [ríðmist] *n.* 리듬 감각이 있는 사람; 리듬을 연구하는 사람.

rhyth·mize [ríðmaiz] *vt.* 율동화(律動化)하다, 리듬을 붙이다. ㊥ **rhỳth·mi·zá·tion** *n.* **rhýth·miz·a·ble** *a.*

rhýthm·less *a.* 리듬〔음률〕이 없는; 운율이 없는; 균형이 잡히지 않은.

rhýthm mèthod 주기(周期)(피임)법.

rhýthm sèction 〖음악〗 리듬 섹션《밴드의 리

듬 담당 그룹》.
rhyt·i·dec·to·my [rìtədéktəmi] *n.* 〖의학〗 주름 절제(술); =FACE-LIFT.
R.I. *Regina et Imperatrix; Rex et Imperator;* Rhode Island; Rotary International; Royal Institution 〔Institute〕.
ria [rí:ə] *n.* 길고 좁은 후미; (*pl.*) 리아스식 해안.
RIA radioimmunoassay; Royal Irish Academy.
ri·al [riɔ́:l, -á:l/-á:l] *n.* **1** 리알《Iran의 화폐 단위; =100 dinars; 기호 R》. **2** =RIAL OMANI.
riál omá·ni [-oumá:ni] 리알 오마니《오만의 화폐 단위; =1000 바이사; 생략: OR》.
ri·al·to [riǽltou] (*pl.* ~*s*) *n.* 거래소, 시장; 《미》 극장가(街); (the R-) 뉴욕 Broadway의 극장가; (the R-) Venice의 Grand Canal에 걸린 대리석 다리; (the R-) 베니스의 상업 중심 구역.
ri·ant [ráiənt, rí:-/rái-] *a.* 미소 짓는, 명랑한, 쾌활한. ㊞ ~**·ly** *ad.*
‡**rib** [rib] *n.* **1** 〖의학〗 늑골, 갈빗대. **2** (고기가 붙은) 갈비. **3** 〖식물〗 주엽맥(主葉脈); 〖조류〗 깃대; 〖곤충〗 날개맥, 시맥(翅脈). **4** 늑골 모양의 것; (선박의) 늑재(肋材); 〖항공〗 (날개의) 소골(小骨); 〖건축〗 리브, 둥근 지붕의 서까래, 궁륭(穹窿)의 갈빗대 모양의 뼈대; (다리의) 가로보; (양산의) 뼈대, 살; 〖광산〗 광주(鑛柱), 탄주(炭柱). **5** (논·밭의) 둑, 이랑; (직물의) 이랑. **6** 《우스개》 아내, 여자《창세기 II: 21-22》. **7** 《미속어》 쇠고기, 《특히》 로스트 비프; 《미속어》 푸짐한 식사; (모래 위의) 파도 자국. ***false*** 〔***floating***〕 **~*s*** 〖의학〗 가(假)늑골《흉골에 연결되지 않은 늑골》. ***poke*** 〔***nudge, dig***〕 a person ***in the*** **~*s*** 아무의 옆구리를 살짝 찔러 주의시키다. ~(***s***) ***of beef*** 갈비(뼈 붙은 쇠고기). ***smite*** a person ***under the fifth*** ~ 《고어》 아무를 찔러 죽이다《제5늑골 밑의 급소를 찌른 데서》. ***stick to the*** 〔***one's***〕 **~*s*** 《구어》 (음식이) 영양이 있어 만족감을 주다. **—** (***-bb-***) *vt.* **1** …에 늑재(肋材)를 붙이다, 늑재로 두르다. **2** …에 이랑을〔이랑 무늬를〕 만들다. **3** 《~+목/+목+전+명》 《구어》 괴롭히다, 놀리다, 조롱하다(tease): They ~*bed* me *about* my girlfriend 〔*for* talk*ing* so seriously〕. 그들은 내 여자친구 일로〔아주 심각하게 이야기했다고〕 나를 놀렸다.
㊞ ~**·less** *a.* 늑골이 없는; 늑골이 보이지 않는, 살찐.
R.I.B.A. Royal Institute of British Architects (영국 왕립 건축가 협회).
rib·ald [ríbəld] *a.*, *n.* 입이 건〔추잡한〕 (사람), 상스러운 (사람), 음란한 (사람). ㊞ ~**·ly** *ad.* ~**·ry** [-ri] *n.* Ⓤ 품위가 낮음, 상스러움; 야비한〔상스러운〕 말〔농담〕.
rib·and [ríbənd] *n.* =RIBBON.
ri·ba·vi·rin [ráibəvàiərin] *n.* 리바비린《바이러스의 DNA 및 RNA의 복제를 저해하는 합성 리보핵산》.
rib·band [ríbbæ̀nd, ríbənd/ríbənd] *n.* (배의 늑재를 지탱하는) 대판(帶板); 임시로 댄 널빤지.
ribbed *a.* 〔종종 복합어로〕 늑골〔이랑, 엽맥〕이 있는: ~ fabric 골이 지게 짠 천 / close-~ 가는 골이 진.
ríb·bing[1] *n.* **1** 〔집합적〕 늑골; 이랑; 늑상(肋狀) 조직《잎맥·늑재(肋材)·날개맥 따위》. **2** Ⓤ 늑재를 붙이기; 이랑짓기.
ríb·bing[2] *n.* 조롱, 비꼬기, 놀림.
‡**rib·bon** [ríbən] *n.* **1** Ⓤ,Ⓒ 리본, 띠. **2** (훈장의) 장식띠, 수(綬); (타이프라이터 따위의) 잉크 리본; (시계의) 태엽; 띠톱의 몸체; 쇠줄자. **3** 끈〔띠〕 모양의 물건, 오라기, 가늘고 긴 조각, 열편(裂片); (*pl.*) 갈기갈기 (찢어진 상태), 누덕누덕 (한 상태). **4** 〖선박〗 (배의 늑재를 지탱하는) 띠

널. **5** (*pl.*) 고삐. ***be torn to*** 〔***hang in***〕 **~*s*** 갈기갈기 찢기다〔찢어져 늘어지다〕. ***cut*** 〔***tear***〕 ***... to*** **~*s*** =CUT ... to pieces. ***handle*** 〔***take***〕 ***the*** **~*s*** 말을〔마차를〕 몰다. ***to a*** ~ 《미구어》 완전히, 완벽하게. **—** *vt.* **1** …에 리본을 달다, …을 리본으로 장식하다. **2** 끈 모양으로〔가늘게〕 찢다. **3** 리본과 같은 줄을〔무늬를〕 붙이다. **—** *vi.* 리본 모양으로 되다. ㊞ ~**·like** *a.* ~**y** *a.*
ríbbon bùilding ribbon development의 건축.
ríbbon còpy 타이프라이터로 친 서류의 부본.
ríbbon devèlopment 대상(帶狀) 발전〔개발〕 (string development) 《도시에서 교외로 간선도로를 따라 띠 모양으로 뻗어 가는 건축군(群)》.
(-)ríb·boned *a.* 리본을 단〔으로 장식한〕; 리본 모양의 줄이 있는; 갈기갈기 찢어진.
ríbbon·fish (*pl.* ~(***·es***)) *n.* 〖일반적〗 납작하고 가는 길쭉한 물고기.
ríbbon mìcrophone 〖전자〗 리본마이크《금속 리본의 움직임을 따라 기전력(起電力)을 발생시킴》.
ríbbon pàrk 대상 녹지(帶狀綠地).
Ríbbon Socìety (the ~) 녹색 리본회《19세기 초에 아일랜드에서 신교도에 대항하기 위해 결성된 가톨릭교도의 비밀 결사》.
ríbbon wìndow 띠모양 유리창《기둥 밖으로 마룻바닥을 나오게 한 현대식 빌딩의》.
ríbbon wòrm 유형(紐形)동물(=**ne·mér·te·an**).
rib·by [ríbi] *n.* 《미속어》 〖야구〗 타점. ★타점을 뜻하는 RBI(run batted in)를 그대로 읽은 데서.
ríb càge 〖해부〗 흉곽(胸廓).
ri·bes [ráibi:z] (*pl.* ~) *n.* 범의귓과(科) 까치밥나무속(屬)의 식물.
ríb èye 스테이크용 가슴살《송아지 따위 늑골 바깥쪽에 있는 큰 살덩어리》.
ríb·let *n.* 〖요리〗 새끼 양〔송아지〕의 갈빗살.
ri·bo- [ráibou, -bə], **rib-** [ríb] 〖생화학〗 '리보오스(ribose), 리보핵산'이란 뜻의 결합사.
ri·bo·fla·vin [ràibouflέivin, ⌐--⌐-, -bə-] *n.* 〖생화학〗 리보플라빈《비타민 B_2 또는 G》.
ri·bo·nu·cle·ase [ràibounjú:klièis, -z/-njú:-] *n.* 〖생화학〗 리보뉴클레아제《RNA의 가수 분해를 촉매하는 효소》.
ri·bo·nu·clé·ic ácid [ràibounju:klí:ik-, -kléi-/-nju:-] 〖생화학〗 리보핵산(核酸)《생략: RNA》.
rìbo·nucleo·prótein *n.* 〖생화학〗 리보핵산 단백질.
rìbo·núcleotide *n.* 〖생화학〗 리보뉴클레오티드《리보오스를 함유한 뉴클레오티드; RNA의 구조 단위》.
ri·bose [ráibous] *n.* 〖화학〗 리보오스.
ri·bo·só·mal RNA [ràibəsóuməl-] 〖생화학〗 리보솜 RNA, 리보솜 리보핵산.
ri·bo·some [ráibəsòum] *n.* 〖생화학〗 리보솜《세포 중의 RNA와 단백질의 복합체; 단백 합성이 행해짐》.
rí·bo·zỳme [ráibəzàim] *n.* 〖생화학〗 리보자임《다른 RNA 분자를 절단하는 따위의 촉매 기능을 가진 RNA 분자》.
ríb ròast =RIB EYE.
ríb-tìckler *n.* 《구어》 농담, 우스갯소리(joke).
Ri·car·di·an [riká:rdiən] *a.*, *n.* 리카도의; 리카도 학설의 (지지자).
Ri·car·do [riká:rdou] *n.* **David** ~ 리카도《영국의 경제학자; 1772-1823》.
†**rice** [rais] *n.* Ⓤ 쌀; 밥; 벼: a ~ crop 미작(米作), 벼농사 / hulled 〔brown〕 ~ 현미 / boil 〔cook〕 ~ 밥을 짓다. ***paddy*** 〔***rough, unhusked***〕 ~ 벼. ***polished*** ~ 정미(精米). **—** *vt.* 《미》 (감자 따위를) ricer로 으깨어서 쌀알 크기만 하게 만들다: ~ potatoes.
ríce bàll 주먹밥.
ríce-bèlly *n.* 《미속어·경멸》 중국(계)인; 아시

아게 사람. 「자바참새.
ríce·bìrd *n.* Ⓤ 쌀 먹는 새(bobolink)《미국산》;
ríce bòwl 밥사발〔공기〕; 미작(米作) 지대.
ríce bràn 쌀겨.
ríce pàddy 논.
ríce pàper 얇은 고급 종이, 라이스페이퍼.
ríce plànt 벼.
ríce pòlishings 왕겨. 「푸딩.
ríce púdding 우유와 쌀가루로 만든 맛이 단
ric·er [ráisər] *n.*《미》라이서《삶은 감자 따위를 으깨어 쌀알 크기로 뽑는 주방 기구》.
ríce wàter 미음.
ríce wèevil 〚곤충〛 바구미.

†**rich** [ritʃ] *a.* **1** 부자의, 부유한; (the ~)〘명사적; 복수취급〙 부자들: the new ~ 벼락부자들 / He is ~ that has few wants.《격언》족함을 아는 자가 부자이다.

> SYN. **rich, wealthy** rich는 wealthy 보다 더 부유〔풍부〕하지만 단기적인 경우가 있음: I am *rich* now. 지금 나는 부자다. 또한 rich는 금전면 이외의 풍부함도 나타냄. wealthy는 장기적으로 금전을 보유하고 있을 때만 씀. **affluent** 막대한 부(富)에 의해서 얻어지는 안락을 나타냄: an *affluent* society 부유한 사회《미국을 말함》. **well-to-do** 살림이 넉넉한, 유복한. 필요 생활비 이상의 수입이 있음을 나타냄.

2 (…이) 많은, (…이) 풍부한《*in; with*》: ~ *in* oil 석유가 풍부한 / an art gallery ~ *in* paintings by the Dutch masters 네덜란드 거장(巨匠)의 그림이 많은 미술관. **3** 비옥한, 살진, 기름진: ~ soil 기름진 땅. **4** 값진, 귀중한, 화려한, 훌륭한, 사치한: ~ dresses. **5** (음식·음료가) 향료를 듬뿍 친; 영양분이 풍부한; 기름기가 많은: a ~ diet 영양 있는 식사 / ~ milk 진한 우유. **6** (빛깔이) 짙은, 선명한(vivid); (음성이) 낭랑한, 굵은; (향기가) 강한: a design ~ with colors 빛깔이 선명한 디자인 / the ~ voice of baritone 성량이 풍부한 바리톤. **7** 의미심장한: ~ words. **8**《구어》몹시 우스운, 아주 재미있는: a ~ joke. **9**《구어》터무니없는, 말도 안 되는(absurd). **10**〘분사와 결합해 부사적으로〙 훌륭하게, 사치스럽게: ~-clad 화려하게 차려 입은 / ~-bound 장정(裝幀)이 호화판의. **11** (술이) 독하고 맛이 좋은, 감칠맛 있는, 향기 좋은. (*as*) *~ as Croesus* 〔*a Jew*〕 아주 돈 많은. ***passing ~*** 굉장한 부자의. ***~ and poor*** 부자나 가난한 사람이나 모두. ***~ beyond the dream of avarice*** 굉장한 부자의; 매우 행복한. ***That's ~!*** 그것 재미있군; 〘반어적〙 그것 어이없군《예상과 다를 때 하는 말》.

-rich [ritʃ] '…을 다량 함유한, …이 풍부한'이란 뜻의 결합사: protein-*rich*.
Rich·ard [rítʃərd] *n.* 리처드. **1** 남자 이름. **2** ~ **I** (~ the Lion-Hearted) 영국왕(1157-99; 재위 1189-99). **3** ~ **II** 영국왕(1367-1400; 재위 1377-99). **4** ~ **III** 영국왕(1452-85; 재위 1483-85). ***~'s himself again*** 리처드는 회복했다《병·공포·실망 따위에서 회복되었을 때에 일컬음; Shakespeare 작 *Richard III*에서》.
Ríchard Róe [-róu] **1** 〚영법률〛 (부동산 점유 회복 소송에서) 피고 가명(假名). cf. John Doe. **2**〘일반적〙 (거래·소송의) 한쪽 당사자의 가명.
Rich·ard·son [rítʃərdsən] *n.* **Robert** ~ 리처드슨《미국의 물리학자; 노벨 물리학상 수상(1996); 1937- 》.
rich·es [rítʃiz] *n. pl.* 〘보통 복수취급; 본디 단수취급〙 부(富), 재산; 풍부: the ~ of knowledge 〔the soil〕 지식의 보고〔토지의 풍요한 산물〕/ *Riches* have wings.《속담》돈에는 날개가 있다, 돈은 헤픈 것. ◇ rich *a.* ***heap up*** 〔***amass***〕 ***great ~*** 거만(巨萬)의 부(富)를 쌓다〔모으다〕. [《F.》*richesse*]

◇**rich·ly** [rítʃli] *ad.* 풍부하게; 충분히; 농후하게; 값지게, 고가로; 강렬히; 화려하게. 「함; 농후.
◇**rich·ness** *n.* Ⓤ 부유; 풍부; 비옥; 귀중, 훌륭
rích rhýme 〚운율〛 완전 동일운(韻).
Ŕich·ter scàle [ríktər-] 리히터 스케일《진도(震度) 눈금; magnitude 1-10으로 표시》.
ri·cin [ráisin, rís-] *n.* 〚화학〛 리신《아주까리〔피마자〕에서 채취되는 백색 유독 단백질분(粉)》.
rick[1] [rik] *n.* 건초〔짚·곡물 따위〕의 가리《보통, 풀로 이엉을 해 씌운 것》; 장작더미. **—** *vt.* (건초 따위를) 오두막집 모양으로 쌓아 올리다, 가리다.
rick[2] *v., n.*《영》=WRICK.
rick·ets [ríkits] *n. pl.* 〘단·복수취급〙 〚의학〛 구루병(佝僂病), 곱사등.
rick·ett·sia [rikétsiə] (*pl.* **-si·ae** [-siìː], **~s**) *n.* 〚의학〛 리케차《발진티푸스 등의 병원체》.
rick·ety [ríkiti] (**-et·i·er; -et·i·est**) *a.* **1** (가구 등이) 망그러질 듯한; (생각 등이) 믿음성 없는. **2** (사람이) 관절이 약한, 허약한. **3** 낡아 빠진, 황폐한; (운동·동작 등이) 뻑뻑한, 불규칙한. **4** (사람이) 구루병에 걸린.
rick·ey [ríki] *n.* 진(gin)과 탄산수에 라임(lime) 과즙을 탄 음료.
rick·rack, ric·rac [ríkræ̀k] *n.* Ⓤ,Ⓒ 리크랙《지그재그로 된 끈목의 가장자리 장식》.
rick·shaw, -sha [ríkʃɔː, -ʃɑː/-ʃɔː] *n.* 인력거.
rick·y-tick [ríkitík, -tìk] *n.*《미속어》리키틱《1920년대에 유행한, 빠르고 기계적·규칙적인 비트의 재즈》. **—** *a.* 리키틱풍의; 케케묵은, 구식의.
ric·o·chet [rìkəʃéi, ⌐-⌐/ríkəʃèi, -ʃèt] *n.* Ⓤ 도비(跳飛)《탄환 등이 물수제비뜨는 돌멩이처럼 튀면서 날기》; Ⓒ 도탄(跳彈). **—** (*p., pp.* **~ed** [rìkəʃéid, ríkəʃèid/ríkəʃèid],《영》**~·ted** [-ʃètid]; **~·ing** [rìkəʃéiiŋ, ríkəʃèiiŋ/ríkəʃèiiŋ],《영》**~·ting** [-ʃètiŋ]) *vi.* (탄환 등이) 튀면서 날다; 도탄 사격을 하다.
RICS《영》Royal Institute of Chartered Surveyors (왕립 공인 측량사 학회).
ric·tus [ríktəs] *n.* (새 따위의) 부리의 벌림; 구강; (아연해서) 입을 딱 벌리기〔벌린 표정〕.

rid**[1] [rid] (*p., pp.* **~, ~·ded** [rídid]; **⌐·ding**) *vt.* **1** (《+목+전+명》) 해방하다, 면하게 하다, 자유롭게 하다《*of*》; …에서 제거하다《*of*》: ~ a house *of* mice 집에서 쥐를 몰아내다 / ~ a person *of* fears 아무의 공포심을 제거해 주다. **2** 〘~ oneself 또는 수동태로〙 면하다, 벗어나다: ~ one*self of* bad habit 나쁜 습관에서 벗어나다 / He's ~ *of* the fever. 그는 열이 내렸다. **3**《고어》…을 구하다, 구조하다《*out of; from*》. ***be ~ of …을 면하다〔벗어나다〕(be freed from). ***get ~ of*** …을 면하다〔벗어나다〕; …을 제거하다〔치워 놓다〕; …을 폐(廢)하다〔죽이다〕: *get ~ of* one's cough 기침이 멎다.
rid[2]《고어·방언》RIDE의 과거·과거분사.
RID Remove Intoxicated Drivers (음주 운전자를 추방하는 모임). cf. MADD.
rid·a·ble, ride·able [ráidəbəl] *a.* 탈 수 있는《말 따위》; 말 타고 지나갈 수 있는: a ~ path.
rid·dance [rídns] *n.* 면함; (장애물·귀찮은 것을) 제거함, 쫓아 버림. ***good ~*** (***to bad rubbish***) 귀찮은 것을 떨쳐 버림〔버리기〕. ***make clean ~ of*** …을 일소하다.
rid·den [rídn] RIDE의 과거분사.
(-)ríd·den *a.* (…에) 지배된; (…에) 고통받는: priest-~ 성직자가 횡포를 부리는.
◇**rid·dle**[1] [rídl] *n.* **1** 수수께끼, 알아맞히기: ask

〔propound, set〕 a ~ 수수께끼를 내다 / solve 〔read, guess〕 a ~ 수수께끼를 풀다. **2** 난(難) 문제; 수수께끼 같은 사람〔물건〕. ***speak in ~s*** 수수께끼를 내다, 수수께끼 같은 말을 하다. **—** *vi.* 수수께끼를 내다; 수수께끼 같은 말을 하다. **—** *vt.* **1** 수수께끼 형식으로〔수수께끼처럼〕 말하다. **2** …의 수수께끼를 풀다. ***Riddle me, ~ me what it is!*** 자, 자, 무엇일까요《수수께끼를 낼 때 하는 말》.

rid·dle[2] *n.* 어레미, 도드미《자갈 따위를 치는》. **—** *vt.* **1** 체질을 해서 거르다. **2** 정사(精査)하다. **3** (총탄 따위로 벌집같이) 구멍투성이를 만들다; 《비유》 질문 공세를 펴다, 사실을 들어 (사람·이론을) 찍소리 못하게 하다. ***be ~d with...*** (마루·커튼 따위가) (구멍·벌레 등)의 투성이다; (논의·사건 등이) (결함·의문 등)투성이다.

rid·dling [rídliŋ] *a.* 수수께끼 같은, 불가해한; 수수께끼를 푸는. ㊞ **~·ly** *ad.*

ríd·dlings *n. pl.* 체로 거른 찌꺼기, 무거리(siftings).

†**ride** [raid] (***rode*** [roud], 《고어》 ***rid*** [rid]; ***rid·den*** [rídn]) *vi.* **1** 《~/+副/+前+名》 (말·탈것 따위에) 타다, 타고 가다《*on; in*》: ~ *on* horseback 〔a bicycle〕 말을〔자전거를〕 타다 / ~ *to* and *from* work 탈것으로 통근하다 / ~ *out to* town 말을 타고 읍에 나가다 / ~ *on* a bus 〔train, ship〕 버스〔기차, 배〕를 타다 / ~ *in* a car 〔a taxi, an elevator〕 차〔택시, 엘리베이터〕를 타다. ★ 말·오토바이 등 걸터타는 것엔 on을 쓰며, 또 보통 대형의 탈것에도 on을 쓰지만 안을 의식할 때는 in도 씀. **2** 승마하다, 말을 다루다: I can't ~. 나는 말을 못 탄다. **3** 《+前+名》 (말타듯이) 올라타다, 걸터타다: let a child ~ *on* one's shoulders 어린애를 목말 태우다 / Surfers *rode on* the crests of the waves. 서퍼들은 물마루를 탔다. **4** 《~/+前+名》 (배가) 물에 뜨다, 정박하다; (천체·새가) 공중에 뜨다, 걸리다, 떠 있다, 떠오르다: The ship ~*s at* anchor. 배가 정박하고 있다 / The moon ~*s* high. **5** 《~/+前+名》 (부러진 뼈·인쇄 등이) 겹치다: A bone ~*s*. 뼈가 부러져서 서로 겹친다 / The red ~*s on* the blue. 붉은색은 파란색에 겹쳐 인쇄된다. **6** 《+前+名》 얹혀서 움직이다; (일이) …에 의해서 결정되다, …에 달려 있다《*on, upon*》: The wheel ~*s on* the axle. 차바퀴는 굴대로 돈다. **7** 승마복을 입은 몸무게가 …이다: I ~ 12 stone. 승마복을 입고 무게가 12 스톤이다. **8** 《~/+補》 탄 기분이 …하다: This new model car ~*s* very smoothly. 이 신형차의 승차감은 아주 부드럽다 / The course will ~ hard 〔soft〕 today. 오늘은 주로(走路)가 딱딱한〔부드러운〕 감이 날 것이다. **9** 《+副》 (옷·넥타이 등이) 비어져 나오다, 치켜 올라가다: His collar *rode up* constantly. 깃이 늘 비어져 나왔다. **10** (사태 따위가) 진행하다, 맹위를 떨치다: Distress is *riding* among the people. 백성은 고난에 허덕이고 있다. **11** 《구어》 그대로 두어 두다, 되는 대로 두다: Let his mistake ~. 그의 잘못은 그대로 두자. **12** 〖재즈〗 즉흥적으로 연주를 하다. **13** 《비어》 성교하다. **14** 《구어》 놀리다, 괴롭히다; 《미구어》 속이다. **—** *vt.* **1** 《~+目/+目+前+名》 (말·탈것 등에) 타다, 타고 가다; (말을) 타고 몰다: ~ a horse 말을 타다 / ~ one's bicycle *to* school 자전거 타고 등교하다. **2** (말·탈것으로) 나아가다, 지나가다, 건너다; (말·탈것을) 타고 행하다: ~ a ford 얕은 여울을 말 타고 건너다 / We *rode* a race (with each other). 우리는 경마를 했다. **3** 《+目+前+名》 타게 하다, 걸터 태우다; 태워서 실어 나르다: The injured man was quickly *ridden on* a stretcher. 부상자는 곧 들것으로 운반되었다. **4** …에 뜨다, …을 타다, …에 걸리다, …에 얹혀 있다: The ship ~*s* the waves. 배가 파도를 타고 나아간다. **5** 《+目+前+名》 (배를) 정박시키다: ~ a ship *at* anchor 배를 정박시키다. **6** 〚보통 수동태로〛 …을 지배하다; 압박〔학대〕하다: a man *ridden* by fear 공포에 사로잡힌 사람 / be *ridden* with nightmare 악몽에 시달리다. **7** 《+目+前+名》 《미구어》 (짓궂게) 놀리다, 괴롭히다, 애먹이다; 속이다: They *rode* him *about* his long hair. 그들은 머리가 길다고 그를 놀렸다. **8** 〖재즈〗 즉흥적으로 변주(變奏)하다. **9** (암컷)에 타다, 《비어》 (여자)와 성교하다.

let ~ 《속어》 방치하다, 버려두다: He decided to *let* it ~. 되어 가는대로 내버려두기로 했다. **~ *again*** 《구어》 본디로 돌아가다; 《비유》 원기를 되찾다. **~ *a method* 〔*jest*〕 *to death*** 어떤 방식〔농담〕을 너무 써서 망치다. **~ *and tie*** 《고어》 한 필의 말을〔한 대의 자전거를〕 두 사람 교대로 타고 가다. **~ *away* 〔*off*〕** 타고 가 버리다. **~ *bareback*** 안장 없이 말을 타다. **~ *behind*** 뒤에 타다. **~ *circuit*** 순회 재판을 열다. **~ *down*** 말로 뒤쫓아 잡다; 말로 부딪쳐서 떨어뜨리다; 지우다; (말을) 너무 타서 지쳐 쓰러지게 하다; 〖해사〗 (밧줄을) 체중으로 내리누르다. **~ *for a fall*** 《구어》 무모한 짓을 하다, 스스로 파멸을〔화를〕 자초하다 《'낙마할 말타기를 하다'의 뜻에서》. **~ *gain*** (방송 따위의) 음량을 조절하다. **~ *hard*** 무리하게 타다. **~ *herd on*** ⇨ HERD[1]. **~ *high*** 성공하다, 잘 해내다. **~ *no hands*** 양손을 놓고 자전거를 타다. **~ a person *off*** (polo 경기에서) 상대편과 볼 사이에 자기 말을 넣(어 볼을 못 치게 방해하)다. **~ *off on side issues*** 지엽적인 문제를 꺼내어 요점을 피하다. **~ (*on*) *the wind*** (새가) 바람을 타고 날다. **~ *out*** (폭풍·곤란 등을) 이겨내다; (가축 따위를) 말을 몰아 무리에서 분리하다. **~ (*roughshod*) *over*** …을 짓밟다; …을 제압하다. **~ one*'s horse at*** (the enemy) 말을 타고 (적)을 향해 달리다. **~ one*'s horse to death*** 말을 너무 타서 죽게 하다; 장기(長技)를 너무 자주 내놓아 싫증 나게 하다. **~ *shotgun*** ⇨ SHOTGUN. **~ *the hog* 〔*pig*〕** 멧돼지를 사냥하다. **~ *the line*** 말을 타고 소떼의 둘레를 뛰어 돌면서 소의 이탈을 막다. **~ *to hounds*** ⇨ HOUND.

— *n.* **1** (말·탈것·사람의 등 따위에) 탐, 태움; 타고〔태우고〕 감.

> **SYN.** **ride** 말을 타고 돌아다니거나 탈것의 승객이 되는 것. **drive** 자동차 따위로 목적지를 향해 스스로 몰거나 운전해 가는 것.

2 타는 시간; 승마〔차〕 여행: It's about 2 hours' ~. 차로 약 2 시간 걸린다. **3** (숲속의) 승마 도로; 교통수단; (유원지 등의) 탈것: an easy ~ 순한 말(따위). **4** 〖영군사〗 보충 기병대. **5** (여자를) 탐: get 〔have〕 a ~ 성교하다. **6** 《미속어》 쉬운 방법; (누구나 할 수 있는) 재미있는 것; 《속어》 즐거운 경험, 마약에 취하는 일. ***along for the ~*** 《구어》 소극적으로 가담하여. ***give*** a person ***a ~*** 아무를 태워 주다. ***go for a ~*** 승마〔드라이브〕하러 나가다. ***have* 〔*take*〕 *a ~*** (말·마차 따위에) 한 번 타다. ***have* 〔*give*** a person〕 ***a rough ~*** 호된 꼴을 당하다〔아무에게 호된 꼴을 먹이다〕. ***take*** a person ***for a ~*** 《구어》 (갱 등이) 아무를 차로 납치해서 죽이다, 살해하다; 아무를 속이다; 아무를 이용물〔희생물〕로 하다.

ríde·òut *vi., vt.* 《미속어》 〖재즈〗 (마지막 합창 부분을) 즉흥적·열광적으로 연주하다.

*__rid·er__ [ráidər] *n.* **1** 타는 사람, 기수; 《미》 카우보이. **2** 추서(追書), 첨서(添書), 첨부 서류; (특히 의회 제 3 독회의) 보완〔추가〕 조항. **3** 〖수학〗 응용 문제. **4** 〖기계〗 라이더, 딴 것〔대(臺)〕

위에서 움직이는 부분, (저울대의) 움직이는 추; (난간의) 손잡이; (지그재그형 담장의) 가로대. **5** 《미속어》 경마, 자동차 레이스; 환각(幻覺)(trip)《LSD 등에 의한》. ***by way of*** ~ 추가로서, 첨부하여《*to*》. ⊞ **~·less** *a.* 타는 사람 없는; 추가 조항 없는. **~·ship** *n.* (버스·철도 등 교통 기관의) 승객 수, 이용자 수.

***ridge** [ridʒ] *n.* **1** 산마루, 산등성이; 능선; 분수선. **2** (동물의) 등, 등마루. **3** 〖일반적〗 융기; (파도의) 물마루, 이랑, 콧대. **4** (밭·직물의) 두둑, 이랑. **5** 용마루. **6** (일기도에서) 고기압이 확장된 부분, 기압 마루. **—** *vt.* **1** …에 용마루를 만들어 대다; …두둑〔이랑〕을 만들다《*up*》. **2** 두둑에 심다. **—** *vi.* 이랑지다, 두둑이 되다, 물결치다, 물결이 일다: The sea ~*s* under the wind. 바람으로 바다에 물결이 일다.

rídge·bàck *n.* 《구어》 =RHODESIAN RIDGEBACK.

rídge bèam =RIDGEPOLE.

rídge·lìne *n.* 융기선, 분수선(分水線), 능선.

rídge·pìece *n.* 마룻대.

rídge·pòle *n.* 마룻대, 천막의 들보 재목.

rídge tènt 두 개의 지주로 용마루의 양 끝을 받치는 형식의 천막.

rídge tìle 용마루 기와.

rídge·trèe *n.* 《고어》 =RIDGEPOLE.

rídge·wày *n.* 산마룻길; 논둑길.

ridgy [rídʒi] (***ridg·i·er; -i·est***) *a.* 등이 있는; 두둑〔이랑〕이 있는; 융기한《산맥 등》.

rid·i·cule** [rídikjùːl] *n.* Ⓤ 비웃음, 조소, 조롱. ◇ ridiculous *a.* ***lay one***self open to*** ~ 남의 웃음거리가 될 만한 짓을 하다. ***turn*** 〔***bring***〕 ***… into*** ~ =***cast*** ~ ***upon …*** =***hold … up to*** ~ …을 비웃다, 조롱하다, 놀리다. **—** *vt.* 비웃다, 조소하다, 조롱하다, 놀리다.

****ri·dic·u·lous** [ridíkjələs] *a.* 우스운, 어리석은; 엉뚱한: a ~ suggestion 어리석은 제안 / You look ~ in that hat. 너는 그 모자를 쓰니까 꼴불견이다. ⓒⓕ ludicrous. ◇ ridicule *n.* ⊞ **~·ly** *ad.* **~·ness** *n.*

rid·ing[1] [ráidiŋ] *n.* 승마; 승차; 승마 도로. **—** *a.* 승마용의; 기수(騎手)가 부리는: a ~ clothes〔dress〕 승마복.

rid·ing[2] *n.* **1** (보통 R-) 《영》 구(區)《영국 Yorkshire 주를 동·서·북으로 3분한 행정 구획; 1974년 폐지》. **2** 영국 본국〔식민지〕에 있어서의 그와 같은 구.

ríding bòots 승마화.

ríding brèeches 승마용 바지.

ríding còat 승마용 상의.

ríding cròp 〔**whìp**〕 말채찍《끝에 가죽 고리가 달린》.

ríding hàbit 여성용 승마복.

ríding làmp 〔**lìght**〕 〖해사〗 정박등(燈).

ríding màster 마술(馬術) 교관.

ríding schòol 승마 학교.

ríding·sùit *n.* 승마복.

Rie·fen·stahl [*G.* ríːfənʃtál] *n.* **Leni** ~ 리펜슈탈《독일의 여류 영화감독·사진작가; 1902-2003》.

riel [riːl, riél/ríːəl] *n.* 캄보디아의 화폐 단위.

Rie·mánn·i·an geómetry [riːmáːniən-] 〖기하〗 리만 기하학《비(非) 유클리드 기하학의 한 분야; 독일의 수학자 Georg Friedrich Bernhard Riemann (1826-66)의 이름에서》.

Ries·ling [ríːzliŋ, ríːs-] *n.* Ⓤ (종종 r-) 라인산(産) 백포도주.

rif [rif] 《미속어》 *n.* (특히 공무원 감원 때의) 모가지, 해고; 격하(格下). ⓒⓕ RIF. **—** (**-ff-**) *vt.* 해고를 통고하다; 격하하다.

RIF [rif] 《미》 Reduction in Force (재정적 이유로 인한 정부 기관의 감원; 그 해고 통지).

ri·fam·pin, -pi·cin [rifǽmpin], [-pəsn/-pəsin] *n.* 〖약학〗 폐결핵이나 한센병(Hansen病) 치료용 항생 물질.

rif·a·my·cin [rìfəmáisn/-sin] *n.* 〖생화학〗 리파마이신《항생 물질》. [◂*rif-*(*replication inhibiting fungus*)+*-a-*+*-mycin*]

rife [raif] *a.* 〖서술적〗 (질병이) 유행하는, (소문 따위가) 자자한; 매우 많은, 풍부한《*with*》. ***be*** 〔***grow, wax***〕 ~ 유행〔유포〕하다; 충만하다. ⊞ **∠·ly** *ad.* **∠·ness** *n.*

Riff [rif] (*pl.* **~s, ~i** [rífi], ~) *n.* 리프《모로코 북쪽의 산악지대 (원주민)》.

riff *n.*, *vi.* 〖재즈〗 반복 악절〔선율〕(을 연주하다).

RIFF 〖컴퓨터〗 Resource Interchange File Format.

rif·fle [rífəl] *n.* 《미》 (강의) 얕은 여울; 《미》 잔물결; 〖카드놀이〗 두 몫으로 나누어 두 손으로 튀기며 엇갈리게 섞기; 〖광산〗 리플《사금 채집용 통에 달린 홈》. ***make the*** ~ 《미속어》 성공하다, 목적을 이루다. **—** *vt.*, *vi.* (책장을) 펄럭펄럭 넘기다; 〖카드놀이〗 두 몫으로 나누어 엇갈리게 섞다; (강이) 잔물결을 일으키며 흐르다.

riff·raff [rífræ̀f] *n.* **1** (the ~) 하층민; (인간) 쓰레기. **2** Ⓤ 《방언》 잡동사니, 하찮은 물건. **—** *a.* 하찮은, 잡동사니의, 쓰레기의.

***ri·fle**[1] [ráifəl] *n.* **1** 라이플총, 선조총(旋條銃); 소총. **2** 《고어》 (총신〔포신〕 내면의) 강선(腔綫), 선조(旋條); (*pl.*) =RIFLE CORPS. **—** *vt.* **1** (총신〔포신〕에) 선조를 새기다. **2** 소총으로 쏘다; 무서운 속도로 던지다〔날리다〕. ⊞ **~d** *a.* (총·포가) 선조를 새긴; 탄환이 선조에 맞도록 한.

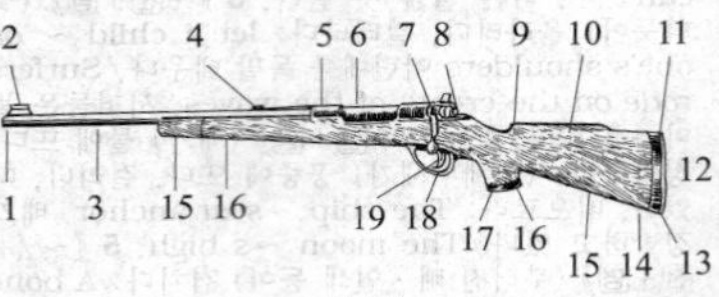

rifle[1] 1

1. muzzle 2. front sight 3. barrel 4. rear sight 5. receiver 6. bolt 7. bolt handle 8. safety 9. point of comb 10. stock 11. heel 12. butt 13. toe 14. butt plate 15. sling swivel 16. checkering 17. grip 18. trigger guard 19. trigger

ri·fle[2] *vt.* 《~+목/+목+전+명》 (훔치려고) 샅샅이 뒤지다; …에게서 강탈하다; …에게서 훔치다: ~ a person *of* money 아무에게서 돈을 강탈하다.

rífle·bìrd *n.* 극락조의 일종《오스트레일리아산》.

rífle còrps 〖역사〗 (지원병으로 된) 라이플총 부대.

rífle gréen 《영》 짙은 초록색.

rífle grenàde 총유탄(銃榴彈).

rífle·man [-mən/-mən, -mæ̀n] (*pl.* **-men** [-mən, -mèn]) *n.* 소총병; 라이플총 명사수(名射手).

rífle pìt 〖군사〗 (소총) 사격호(壕).

rífle rànge 소총 사정(射程); 소총 사격장.

ri·fle·ry [ráifəlri] *n.* Ⓤ 《미》 라이플총 경기, 라이플총 사격 기술〔솜씨〕.

rífle·scòpe *n.* 라이플총 망원 조준기.

rífle·shòt *n.* 소총탄; 소총 사수; 명(名)사수; Ⓤ 소총 사정(射程).

ri·fling [ráifliŋ] *n.* Ⓤ 선조(旋條) 넣기; 선조.

rift [rift] *n.* 째진 틈, 갈라진 틈, 끊긴 데; 불화(不和); 〖지학〗 단층(斷層), 지구(地溝). ***a little*** ~ ***within the lute*** 불화·발광 등의 징조《Tennyson의 시구에서》. **—** *vt.*, *vi.* 쪼(기)다; 가르다; 갈라지다.

ríft vàlley 〖지학〗 지구대(地溝帶).

ríft zòne 〖지학〗 지구대(地溝帶).

°**rig**[1] [rig] *n.* **1** 〖선박〗 의장(艤裝), 범장(帆裝). **2** 장비, 장치; 용구 한 벌; 기계; 《구어》 낚시 도구. **3** 《구어》 복장, (현란한 · 색다른) 몸차림; 《미》 말을 맨〔준비를 마친〕 마차; 《미》 트레일러차, 트럭, 자동차. **4** 유정(油井) 굴착 장치. ***in full*** ~ 한껏 모양을 내어.

— (*-gg-*) *vt.* **1** 《~+목/+목+전+명/+목+부》 〖선박〗 …에 돛 · 삭구(索具) 등을 장비〔장착(裝着)〕하다, 의장하다(equip); 〖항공〗 (기체를) 조립〔정비〕하다; 장비를 갖추다, 준비하다: The ship is ~*ged with* new sails. 배에는 새 돛이 달려 있다 / They ~*ged out* their cars *with* lights for the parade. 그들은 차를 퍼레이드용 전구로 치장했다. **2** 《+목+부/+목+전+명》 입히다, 차려입히다《*out; up*》: He ~*ged* himself *out as* a clown. 그는 어릿광대로 차려입었다 / They were ~*ged out in* very old clothes. 그들은 아주 오래된 옷을 걸치고 있었다. **3** 《+목+부》 임시변통으로 만들다, 날림으로 짓다 《*up*》: ~ *up* a hut 오두막집을 임시로 짓다. **—** *vi.* (배가) 출범〔출항〕 준비를 하다《*out; up*》.

rig[2] *n.* 《영》 기계(奇計), 사기, 속임수; 장난; 〖상업〗 시세 조작, 매점(買占). ***run a*** ~ 희롱하다, 장난치다《*on*》. **—** (*-gg-*) *vt.* (시장 · 가격을) 부정하게〔인위적으로〕 조작하다, 인위적으로 올리다 《*up*》; (게임에서) 부정을 하다; (계획대로 되도록) 사전에 짜 만들다: ~ the market 시세를 조작하다. ~ ***upon*** …에 장난치다, 실떡거리다.

rig·a·doon [rìgədúːn] *n.* 리고동《17-18 세기에 유행한 2/4 · 4/4 박자의 경쾌한 2인 무도(곡)》.

rig·a·ma·role [rígəməròul] *n.* =RIGMAROLE.

rig·a·to·ni [rìgətóuni] *n.* 관 모양의 파스타 (pasta).

Ri·gel [ráidʒəl, -gəl] *n.* 〖천문〗 리겔성(星)《오리온자리의 β성으로 광도 0.2 등성》.

ri·ges·cence [ridʒésəns] *n.* Ⓤ 경화(硬化), 「경직.

ri·ges·cent [ridʒésənt] *a.* 굳어지는, 경직하는.

(-)rigged [rigd] *a.* …식(式) 범장(帆裝)의: schooner-~ 스쿠너식 범장의.

rig·ger[1] [rígər] *n.* 삭구(索具) 장비자, 의장자(艤裝者); 〖항공〗 조립 정비공; 《미》 (건축 현장의) 비계(공), 바깥 울타리.

rig·ger[2] *n.* (증권 시장 등에서) 시세를 조작하는 「사람.

°**rig·ging** [rígiŋ] *n.* Ⓤ 〖해사〗 삭구《배의 돛대 · 활대 · 돛 따위를 다루기 위한 밧줄 · 쇠사슬 · 활차 등의 총칭》; 의장(艤裝); (무대 장치를 움직이기 위한) 설비 장치〔도구〕; 장비 일습; 《구어》 몸차림, 복장, 의류.

Ríggs' disèase [rígz-] 〖의학〗 치조 농루(齒槽膿漏)《미국의 치과 의사 이름에서》.

†**right** [rait] *a.* **1** 옳은, 올바른, (도덕상) 정당한. opp. *wrong.* ¶ ~ conduct 정당한 행위 / You were ~ *in* judg*ing* so 〔*in* your judgment〕. 네가 그렇게 판단한 것은〔너의 판단은〕 옳았다 / It's ~ *of* him *to* do that. 그가 그렇게 하는 것은 당연하다. **2** 정확한, 틀리지 않은. opp. *wrong.* cf. correct. ¶ the ~ answer 옳은 답 / Am I on the ~ road? 이 길로 가면 됩니까? **3** 《고어 · 구어》 진짜의, 진정한, 속임 없는: a ~ bastard 아주 꼴보기 싫은 놈. **4** 곧은, 곧게 선, 직각의: a ~ line 직선 / a ~ triangle 직각삼각형. **5** 적절한, 제격인, 어울리는: say the ~ thing 적절한 말을 하다 / He is the ~ man *for* the position. 그는 그 자리에 제격이다. **6** 형편 좋은, 안성맞춤의, 말할 나위 없는; 정상적인: All will be ~. 만사 잘 될 것이다. **7** 건강한; 제정신의; 정연한, 상태가 좋은: Do you think he's ~ *in* the head? 그가 제정신이라고 생각하니 / be not in one's 〔the〕 ~ mind 〔sense〕 제정신이 아니다 / put things ~ 정돈하다. **8** 겉의, 표면의, 정면의. opp. *wrong.* ¶ the ~ side of the cloth 천의 겉. **9** 오른쪽의, 우측의. opp. *left.* ¶ one's ~ hand 오른손 / on the ~ side 우측에. **10** 우파(右派)〔보수주의〕의; (야구 따위의) 우익의. opp. *left.* ***act a*** ~ ***part*** 옳은 행위를 하다. ***All*** ~ ***already!*** 《구어》 (그런 일은) 이미 알고 있다. ***All*** ~ ***for you!*** (아이들이 싸울 때) 너하고 안 놀아, 너하고는 끝장이야. (***as***) ~ ***as a ram's horn*** 《구어》 몹시 굽은. ***at*** 〔***on, to***〕 ***one's*** ~ ***hand*** 우측에. ***at the*** ~ ***time*** 마침 좋은 때에. ***be on the*** ~ ***side of*** (30), (30세) 전(前)이다. ***do*** ~ ***by*** =do JUSTICE to. ***get it*** ~ 올바르게 이해시키다〔하다〕. ***get on the*** ~ ***side of*** …의 마음에 들다. ***get*** ~ 《*vt.*》 바르게 하다; 바르게 이해하다. **—** 《*vi.*》 바르게 되다, 고쳐지다; (마약을 써서) 진정되다. ***give one's*** ~ ***hand*** 〔***arm***〕 (…을 위해서라면) 무슨 일이라도 하다, 희생을 마다 하지 않다. ***Mr.*** 〔***Miss***〕 ***Right*** 《구어》 남편〔아내〕되기에 가장 적합한 사람, 썩 어울리는 상대《이성》. ***put*** 〔***set***〕 ~ 바로잡다, 정돈하다. ***put*** 〔***set***〕 ***oneself*** ~ 자기가 옳다고 주장하다. ~ ***and left*** 좌우의(cf. *ad.*의 관용구). ~ ***enough*** 만족스러운; 기대한 대로. ***Right oh!*** 《속어》 좋아, 알았다. ~ ***or wrong*** 좋건 나쁘건, 옳든 그르든, 불가불. ***Right you are!*** 《구어》 옳은 말씀이오; 좋다, 알았습니다. ***She'll be*** ~. 《Austral. 구어》 만사 OK, 걱정 없다. ***That's*** ~. 됐다; 바로 그렇다. ***the*** ~ ***man in the*** ~ ***place*** 적재적소. ***the*** ~ ***side up*** 겉을 위로 하고. ***the*** ~ ***way*** 옳은 길, 본길, 정도(正道); 올바른 방법; 올바르게, 적절하게. ***Too*** ~***!*** 《Austral. 구어》 좋아(okay), 됐어.

— *ad.* **1** (도덕상) 바르게, 옳게, 공정하게: act ~ 바르게 행동하다. **2** 정확히: if I remember ~ 만약 내 기억이 틀림없다면 / guess ~ 알아맞히다. **3** 적절히; 바라는 대로, 알맞게, 편리하게, 정연하게: do a thing ~ 일을 정연하게 하다. **4** 〖부사(구)를 수식하여〗 바로, 꼭, 아주; 정면으로, 똑바로: ~ now 《미구어》 지금 곧, 바로 지금 / ~ after supper 저녁 식사 후(에) 바로 / ~ in the middle 꼭 한가운데에 / The wind was ~ in our faces. 바람이 우리들 얼굴 정면으로 불어왔다 / go ~ home 곧장 집으로 돌아가다. **5** 우측에 〔으로〕: turn ~ 우측으로 돌다 / Eyes ~! 《구령》 우로 봐 / *Right* dress! 《구령》 우로 나란히. **6** 《구어 · 방언》 매우, 몹시: I'm ~ glad to see you. 뵙게 되어 대단히 기쁩니다. **7** 〖칭호 · 존칭 등과 함께〗: the Right Worshipful 〔Worthy〕 각하. ***come*** ~ 바르게 되다, 좋아지다(opp. *go wrong*); 실현되다. ***go*** ~ ***on*** 똑바로 가다. ***Right about!*** 《구령》 뒤로돌아. cf. rightabout. ~ ***along*** 쉬지 않고, 줄곧, 끊임없이; 순조롭게. ~ ***and left*** 좌우로, 사방팔방으로, 도처에. ~ ***away*** 〔***off, now***〕 곧, 즉시, 당장에. ~ ***by the sea*** 《구어》 바로, 꼭. ~ ***down*** 솔직히; 까놓고, 숨김없이; 아주, 참으로; 완전한, 철저한; 바람이 자서. ~ ***here*** 바로 여기서〔에〕. ~ ***in the wind's eye*** 바람을 안고. ~ ***on*** 《미구어》 ① 〖찬성 · 승인을 나타내어〗 찬성이오, 옳소; 힘내라. ② (사람 · 발언 따위가) 바른, 적절한; 딱 들어맞는. ~ ***out*** 솔직하게. ~ ***smart*** 《미》 매우. ~ ***smart of*** 《미》 많은. ~ ***straight*** 《미》 지금 바로, 즉시. ~ ***there*** 바로 저기에(서). ***Right wheel!*** 우향앞으로가. ***turn*** ~ ***round*** 빙 돌다.

— *n.* **1** Ⓤ 올바름, 정의, 공정: You're old enough to know the difference between ~ and wrong. 너는 옳고 그름을 충분히 구별할 수 있는 나이이다 / Might is ~. 《비유》 힘은 정의다. **2** Ⓤ,Ⓒ 권리. cf. rights. ¶ civil ~s 공민권 / claim a ~ *to* the use of land 토지 사용권을 주장하다 / the ~ *to* pursue happiness 행복을

추구할 권리. **3** 정확함. **4** (*pl.*) 진상, 실황; 올바른 상태; 옳은 해석: the ~*s* of the case 사건의 진상. **5** (흔히 *pl.*) (주주의 신주 인수) 우선권; 판권, 상연〔소유〕권. **6** Ⓤ 오른쪽, 우측; 〖군사〗 우익. **7** 우로 꺾음: make a ~ 오른쪽으로 돌다. **8** 〖권투〗 라이트, 오른손의 일격; 〖야구〗 라이트, 우익수; 〖선박〗 우현. **9** (종종 the R-) 〖정치〗 (의장(議場)의) 우측, 우익; (보통 the R-) 〖정치〗 우파 (세력), 보수당 (의원); 보수적 입장; 반동적 견해: sit on the *Right* 우파〔보수당〕 의원이다.**10** 표면, 정면. ***as of*** ~ 당연한 권리로. ***bang*** 〔《미》 ***dead***〕 ***to*** ~***s*** 《속어》 (범인이) 현행범으로, 핑계의 여지 없이. ***be in the*** ~ 올바르다, 이치에 닿다〔맞다〕, 정확하다. ***bring ... to*** ~***s*** 《구어》 …을 (본래의 상태로) 하다, 고치다, 바로잡다. ***by*** 〔***of***〕 ~ =***by*** (***good***) ~(***s***) 올바르게, 정당하게, 당연한 권리에 의해. ***by*** 〔***in***〕 ~ ***of*** …의 권한에 의해, …의 이유로. ***do*** a person ~ 아무를 공평히 다루다〔정당하게 평가하다〕. ***do*** a person ***to*** ~***s*** 《구어》 아무에게 대갚음하다, 보복하다. ***get*** a person ***dead to*** ~***s*** =get a person's NUMBER. ***get*** 〔***be***〕 ***in*** ~ ***with*** 《미》 …의 마음에 들다, …의 비위를 맞추다. ***give*** a person his ~***s*** 《구어》 체포된 사람에게 법적 권리를 알려 주다. ***go*** 〔***turn***〕 ***to the*** ~ ***about*** 뒤로 돌다; 《비유》 국면〔주의, 정책 등〕을 바꾸다. ***have a*** 〔***the***〕 ~ ***to*** a thing 〔***to*** do, ***of*** do***ing***〕 …을 요구할 권리가 있다〔당연히 …할 권리가 있다〕. ***in*** one***'s*** (***own***) ~ 자기의 (타고난) 권리로; 당연히, 의당: a queen *in her own* ~ 나면서의 여왕《왕비로서 여왕이 된 것이 아님》. ***in the*** ~ 도리가 있는, 바른. opp. *in the wrong*. ***keep on*** one***'s*** ~ 우측으로 나아가다; 정도를 걷다. ***Keep to the*** ~. 《게시》 우측 통행. ~***s of man*** 인권. ***set*** 〔***put***〕 ***to*** ~***s*** 바로잡다, 정돈하다. ***stand up*** (***on***) one***'s*** ~ 자기의 권리를 주장하다. ***the*** ~ ***of common*** 〖법률〗 입회권《공유의 산림에서 땔나무를 채취할 권리》.

—*vt.* **1** (잘못 등을) 바로잡다, 고치다; 보상하다: ~ a wrong 잘못을 고치다, 보상하다. **2** …의 위치를 바르게 하다, 정돈하다, 본래대로 하다; 일으키다, 다시 세우다: ~ a capsized boat 뒤집힌 보트를 바로 세우다. **3** …에게 당연한 권리를 부여하다, 구하다: ~ the oppressed 피압박자를 구하다. **4** …을 정돈〔정리〕하다, 말끔히 하다. —*vi.* (어린나무 · 보트 따위가) 바로 서다: After the storm the saplings ~*ed.* 폭풍우가 지나고 어린나무가 다시 바로 섰다. ~ one***self*** 원상으로 돌아가다; 바로 서다; 변명하다; 결백을 증명하다, 명예를 회복하다.

right·about *n.* 정반대 방향; =rightabout-face. ***send ... to the*** ~(***s***) (군대를) 후퇴〔퇴각〕 시키다; …을 쫓아 버리다; 당장 해고하다. —*a.*, *ad.* 반대 방향의〔으로〕. ㊞ ~**-face** *n.* 〖군사〗 뒤로 돌아(의 구령); (정책 등의 180도) 방향 전환.

right alignment 〖컴퓨터〗 오른줄 맞춤.

right-and-left [-ənd-] *a.* 좌우의; 좌우 양발〔양손〕에 맞게 (설계)된. 「각으로.

right angle 〖수학〗 직각: at ~*s* with …와 직

right-angle(d) *a.* 직각의.

right arm 오른팔, 심복(right hand).

right ascension 〖천문〗 적경(赤經).

Right Bank (the ~) (Seine강의) 우안(右岸).

right brain 우측뇌《대뇌의 우반부는 신체의 좌반부와 예술적 · 상상적 사고를 지배함》.

right circular cone 〖기하〗 직원뿔.

right circular cylinder 〖기하〗 직원기둥.

right-click *vi.* (마우스의) 오른쪽 버튼을 클릭하다.

right-down *a.*, *ad.* 철저한〔히〕, 전혀.

right·en [ráitn] *vt.* 바르게〔곧게〕 하다.

◇**right·eous** [ráitʃəs] *a.* **1** 올바른, 정직한; 염직(廉直)한; 공정한, 정의의: ~ anger 의분(義憤). **2** 정당한, 당연한. **3** (the ~) 《명사적; 복수 취급》 정의의 인사. **4** 《미속어》 훌륭한, 대단한, 최고의; 진짜의. **5** 《미구어》 독선적인, 잘난 체하는. ㊞ ~**·ly** *ad.* ~**·ness** *n.*

right·er *n.* 바르게 하는 사람; 정의를 행하는 사람, 의인: a ~ of wrongs 악을 바로잡는 사람.

right face 〖군사〗 우향우, 우로돌아《구령 또는 동작》. 「수비 위치.

right field 〖야구〗 우익, 라이트 필드; 우익수의

right fielder 〖야구〗 우익수.

◇**right·ful** [ráitfəl] *a.* 올바른, 정의에 근거를 둔; 정당한; 당연한; 적법의, 합법의; 정통의. ㊞ ~**·ly** *ad.* ~**·ness** *n.*

right hand 오른손; 믿을 수 있는 사람, 유능한 보좌역, 심복. ***put*** one***'s*** ~ ***to the work*** 본격적으로 일하다.

◇**right-hand** *a.* **1** 오른손의, 우측의: (a) ~ drive 우측 핸들(의 차)《좌측 통행에 적합함》. **2** 오른손을 쓰는, 오른손에 관한; 오른손잡이의. **3** 의지가 되는, 한팔이 되는, 심복의.

right-handed [-id] *a.* **1** 오른손잡이의. **2** 오른손으로 한; 오른손으로 쓰는. **3** 오른쪽으로 도는《시곗바늘과 같은 방향의》, 우선회의. ㊞ ~**·ly** *ad.* ~**·ness** *n.*

right-hander *n.* **1** 오른손잡이; 〖야구〗 우완 투수(타자). **2** 《구어》 오른손의 일격; 오른손 던지기; 우선회.

right-hand man 심복, 의지가 되는 사람.

right-hand rule (the ~) 〖물리〗 (플레밍의) 오른손 법칙.

Right Honorable 백작 · 자작 · 남작 등의 고관 귀족에 대한 의례적인 또는 공식적인 경칭《생략: Rt. Hon.》.

right·ish [ráitiʃ] *a.* 우로〔우익으로〕 기운.

right·ist *a.*, *n.* (종종 R-) 우익〔보수파〕의 (사람); 국수주의자; 권리 주장자〔확장론자, 옹호론자〕.

right joint 《미속어》 건전한 나이트클럽〔도박장(등)〕; 공정한 대우를 받을 수 있는 교도소.

right-laid *a.* (밧줄 따위가) 오른쪽으로 꼬인〔꼰〕. 「격이〕 없는.

right·less *a.* 권리를〔자격을〕 잃은; 권리가〔자

right-lined *a.* 직선의.

right·ly** [ráitli] *ad.* **1** 올바르게, 정당하게: understand ~ 올바르게 이해하다/You ~ judge people by the company they keep. 그 교우 관계로 사람을 판단해도 틀림이 없다. **2** 공정하게, 정직하게. **3** 《구어》 정확히(는): I cannot say ~. 분명하게 말할 수 없다. **4** 적절히: dress ~ 어울리는 복장을 하다. ~ ***or wrongly 옳든 그르든; 옳고 그름은 모르겠으나….

right-minded [-id] *a.* 마음이 바른, 정직한. ㊞ ~**·ly** *ad.* ~**·ness** *n.*

right money 《속어》 전문가(專門家)가 투자하는 돈(smart money).

right·most *a.* 제일 오른쪽의.

right·ness *n.* Ⓤ 공정; 정확; 적절; 진실.

right-o, right-oh [ràitóu] *int.* 《영구어》 좋다, 그렇다(all right, OK).

right of abode (외국에서의) 거주권. 「항소권.

right of appeal (the ~) 〖법률〗 상소권,

right of asylum (the ~) 〖국제법〗 (망명자의) 비호권(庇護權), 보호권.

right-of-center *a.* (정치적으로) 보수적인, 우파의(right-wing).

right of light (the ~) (종종 R- of L-) 〖영법률〗 일조(日照)권(《미》 right to sunshine).

ríght of primogéniture (the ~) 〖법률〗 장자 상속권(primogeniture).
ríght of prívacy (the ~) 〖법률〗 프라이버시권(權)《사생활을 보호받을 권리》. [cf.] invasion of privacy.
ríght of úser (the ~) 사용권; 계속적 행사에서 생기는 추정(推定) 권리.
ríght of (vísit and) séarch (the ~) 〖국제법〗 (교전국의 공해상의 중립국 선박에 대한) 수색권.
ríght(-)of(-)wáy (*pl.* ***rights-***, **~*s***) *n.* **1** (타인 소유지 내의) 통행권, 통행권이 있는 도로. **2** 《미》 도로〔철도, 선로〕 용지. **3** 교통상의 선행권. **4** (발언 등에서의) 우선권; 진행 허가.
ríght-ón *a.* 《미속어》 **1** 사정에 밝은, 앞선; 찬성할 수 있는, 납득되는. **2** 전적으로 옳은, 진정 믿을 수 있는; 시대정신에 맞는.
rights *n.*, *a.* 《미구어》 공민권(의)(civil ~): a ~ worker 민권 옹호자. 「CY.
ríghts diplòmacy =HUMAN RIGHTS DIPLOMA-
ríght shóulder árms 〖군사〗 우로어깨총《구령 또는 자세》.
ríghts íssue 〖증권〗 주주 할당 발행.
ríght·sìze *vt.*, *vi.* 적정한 규모〔크기〕로 하다〔되다〕, (인원을) 적정화〔합리화〕하다. 「리화.
ríght-sízing *n.* 규모의 적정화, (기업 등의) 합
ríght stáge 〖연극〗 (객석을 향해) 무대 오른쪽.
ríght-thínking *a.* 옳은〔진실된〕 생각을 가진, 양식이 있는.
ríght-to-chóose *a.* 임신중절의 권리를 주장하는. ~ ***group*** 《미》 (여성의) 임신중절 권리파.
ríght-to-díe *a.* 죽을 권리를 인정하는《회복 불능 환자의 안락사 등과 같은》: a ~ bill '존엄사(尊嚴死)' 법안.
ríght-to-lífe *a.* 임신중절에 반대하는《임신중절 금지법을 지지하는》. [파] **-lífer** *n.* 임신중절 반대〔금지법〕 지지자. 「union shop 제(制) 금지의.
ríght-to-wórk *a.* 〖미법률〗 (노동조합의)
ríght-to-wórk làw 《미》 자유노동권법.
ríght tríangle 직각삼각형. 「향우.
ríght túrn 몸을 우측으로 90° 돌림; 《구령》 우
ríght·ward [-wərd] *a.*, *ad.* 오른쪽 방향의〔으로〕, 우측의〔으로〕.
ríght·wards [-wərdz] *ad.* =RIGHTWARD.
ríght whàle 큰고래.
ríght wíng 우익(수); 우파, 보수파.
ríght-wíng *a.* 우익(수)의; 우파〔보수파〕의. [파] **~·er** *n.* 우익〔우파〕의 사람.
righty [ráiti] *n.*, *a.* 《미구어》 오른손잡이(의), 우완 투수(의); 오른쪽 타자(의); 《영구어》 우익쪽〔보수파〕 사람(의).
*****rig·id** [rídʒid] *a.* **1** 굳은, 단단한, 휘어지지 않는. [opp] *pliable*, *soft*. ¶ a ~ piece of metal 단단한 쇳조각 / a ~ body 〖물리〗 강체(剛體). **2** 완고한, (생각이) 고정된: He's ~ *in* his opinions. 그는 절대로 자기 의견을 굽히지 않는다. **3** 엄격한, 엄정한: ~ rules 엄중한 규칙. **4** 엄밀한, 정밀한: a ~ examination 정밀한 검사. **5** 〖항공〗 (헬리콥터의 회전익 따위가) 경식(硬式)인. **6** 《미속어》 술 취한. ***shake*** a person ~ 《구어》 아무를 매우 놀라게〔무서워하게〕 하다. [파] °**~·ly** *ad.* **~·ness** *n.* **ri·gid·i·ty** [ridʒídəti] *n.* [U]
rígid désignator 〖논리〗 엄밀 지시어《온갖 가정〔논리〕에서 변하지 않는 지시어》.
ri·gid·i·fy [ridʒídəfài] *vt.*, *vi.* 엄〔엄격, 엄밀〕하게 하다〔해지다〕. [파] **ri·gid·i·fi·cá·tion** *n.*
rig·man [rígmæn] *n.* (어선의) 어망 담당자, 어로(漁撈)원.
rig·ma·role [rígmərὸul] *n.* 데데한 긴 이야기; 조리 없는 긴 글. **—** *a.* 데데한, 횡설수설의, 조리가 안 서는.

°**rig·or** [rígər] *n.* [U] **1** 엄함, 엄격; 엄숙. **2** [C] 가혹한 행위; (법률·규칙 따위의) 엄격한 집행〔적용〕; 엄밀, 엄정: with the utmost ~ of the law 법률을 극도로 엄하게 적용하여. **3** 어려움, 곤궁. **4** (종종 *pl.*) (한서(寒暑)의) 혹독함; (생활 따위의) 어려움, 곤궁: the ~*s of* life. **5** 《미속어》 할 마음이 없음, 냉담함. **6** 〖의학〗 오한(惡寒). **7** (신체 조직의) 경직(硬直). **8** 〖식물〗 (추운 환경에서의) 생장 정지. [파] **~·ìsm** *n.* [U] 극도의 엄격〔엄정〕함; 엄격주의. **~·ist** *n.*, *a.*
rig·or mor·tis [rígər-mɔ́ːrtis, ráigɔːr-/rígə-, ráigə-] 《L.》 〖의학〗 사후 경직(死後硬直)(stiffness of death).
°**rig·or·ous** [rígərəs] *a.* 준엄한; 가혹한; 엄격한; (한서(寒暑) 따위가) 매우 혹독한; 엄밀한, 정밀한. [파] **~·ly** *ad.* **~·ness** *n.*
ríg-òut *n.* 《구어》 채비, 준비; 복장.
Rig-Ve·da [rigvéidə, -víːdə] *n.* 《Sans.》 (the ~) **1** 리그베다《인도의 가장 오래된 성전(聖典)》. [cf.] Veda. **2** 찬송. 「Affairs.
R.I.I.A. 《영》 Royal Institute of International
rile [rail] *vt.* 《미》 휘저어서 흐리게 하다《물 따위를》; 《구어》 화나게 하다, 짜증 나게 하다《*up*》: Don't ~ him *up*. 그를 화나게 하지 마라.
Ri·ley [ráili] *n.* 〔다음 관용구로〕 ***lead*** 〔***live***〕 ***the life of*** **~** 《영구어》 유복하게 지내다.
ri·lie·vo [riljévou/rìliéi-] (*pl.* **~*s***, ***-vi*** [-ljéviː, -ljéi-/-viː]) *n.* 《It.》 부조(浮彫), 돋을새김(relief).
rill[1] [ril] *n.* 작은 내, 시내, 실개천. [cf.] rivulet, stream. **—** *vi.* 작은 내〔세류〕가 되어 흐르다.
rill[2], **rille** [ril] 〖천문〗 달 표면의 좁은 계곡.
rill·et [rílit] *n.* 시내, 실개천.
*****rim** [rim] *n.* **1** (특히 원형물의) 가장자리, 테: the golden ~ 《시어》 왕관 / the ~ *of* an eyeglass 안경테. [SYN.] ⇨EDGE. **2** (수레바퀴 따위의) 테, 외륜(外輪). **3** 〖해사〗 수면, 해면. ***on the*** **~*s*** 《미속어》 최저 비용으로, 가능하면 싸게〔줄여〕. **—** (***-mm-***) *vt.* …에 가장자리〔가, 테〕를 달다: Wild flowers ~*med* the little pool. 야생화들이 연못가에 피어 있었다.
rím bràke 림브레이크《바퀴 가에 작용하는》.
rím-drìve *n.* 림 구동(驅動) 장치《모터의 축과 회전반의 테와의 접촉으로 동력을 전달함; 녹음기·축음기 따위에 씀》.
rime[1] [raim] *n.* [U] 〖기상〗 무빙(霧氷); 《시어》 서리, 흰 서리(hoarfrost). **—** *vt.* 서리로 덮다.
rime[2] ⇨RHYME.
rim·land [rímlæ̀nd, rímlənd] *n.* 〖지정학〗 (heartland의) 주변 지역.
rím·less *a.* 테가 없는《안경 따위》.
(-)rimmed [rimd] *a.* …의 테가 있는: red-~ eyes 울어서 충혈된 눈.
Rim·mon [rímən] *n.* 〖성서〗 림몬《Damascus에서 숭배된 신; 열왕기 하 V: 18》. ***bow down in the house of*** **~** 신념에 어긋난 짓을 하다.
ri·mose, ri·mous [ráimous, -´/raimóus, ráimouz], [-məs] *a.* 째진 틈이 있는, 갈라진 틈투성이의. [파] **~·ly** *ad.* **ri·mos·i·ty** [raimásəti/-mɔ́s-] *n.*
Rim·Pac [rímpæ̀k] *n.* 〖군사〗 림팩, 환(環)태평양 합동 군사 훈련. [◂ *Rim* of the *Pac*ific exercise]
rim·ple [rímpəl] *n.* 주름, (접은) 금. **—** *vt.* …에 주름을 잡다〔금을 내다〕. **—** *vi.* 주름 잡히다.
rím·ròck *n.* 벼랑 가장자리의 바위.
Rim·sky-Kor·sa·kov [rímskikɔ́ːrsəkɔ̀ːf, -kɑ̀f/-kɔ̀f] *n.* **Nicolai Andreevich** ~ 림스키코르사코프《러시아의 작곡가; 1844–1908》.

rimy [ráimi] (**rim·i·er; -i·est**) *a*. 서리로 덮인 (frosty).

rind [raind] *n*. **1** U,C 껍질《과실·야채·수목 따위의》, 외피(外皮), 껍데기; 베이컨의 껍질; 치즈의 겉껍질. **2** 외견(外見), 외면; 《미속어》 돈. **—** *vt*. 껍질을 벗기다, 껍데기를 벗기다.

rínd·ed [-id] *a*. 껍질이 있는, 껍질이 …인: smooth-~ 껍질이 부드러운. 「우역(牛疫).

rin·der·pest [ríndərpèst] *n*. U 《G.》 『수의』

†**ring**[1] [riŋ] *n*. **1** 고리; 바퀴; 고리 모양의 것: a curtain ~ 커튼 고리. **2** 반지, 가락지; 귀걸이, 코고리, 팔찌《등》: a wedding ~ 결혼반지/a napkin ~ 냅킨링《냅킨 꿰는》. **3** 원, 원형; 빙 둘러앉은 사람들: form a ~ 원을 형성하다; 빙 둘러앉다. **4** 『식물』 나이테: the annual ~ of a tree. **5** 경마〔경기, 권투〕장, 씨름판, 동물 전시장. **6** (the ~) 권투(계); 투쟁장. **7** (장사·정치상의) 한패, 도당; 매점 동맹; (경마의) 도박꾼; 사설 마권업자: the inner ~ 간부진/a ~ *of* spies =a spy ~ 스파이 조직. **8** 『수학』 환(環), 환면(環面), 환체(環體); 『화학』 고리, 환 (cycle)《고리 모양으로 결합된 원자 집단》; 『천문』 (토성 등의) 환, 고리. **9** 『건축』 링, 바퀴 모양의 테두리. **10** (*pl*.) 『체조』 링, 조환(吊環). **11** 『컴퓨터』 링《자료 원소들이 원형으로 배열된 것》. ***be in the ~ for*** …의 선거에 입후보하다. ***have the ~ of truth*** 사실처럼 들리다. ***hold*** 〔***keep***〕 ***the ~*** 수수방관하다. ***in a ~*** 둥글게, 원을 지어 《춤추다 등》. ***lead the ~*** 《고어》 솔선하다, 주모자가 되다. ***make a ~*** ① 고리 모양으로 에워싸다. ② 동맹하여 시장을 좌우하다. ***make*** 〔***run***〕 ***~s around*** a person 아무보다 훨씬 빨리 가다〔하다〕, (승부에서) 상대를 여지없이 패배시키다. ***meet*** a person ***in the ~*** 『권투』 아무와 경기하다. ***ride*** 〔***run, tilt***〕 ***at the ~*** 말을 타고 장대 끝의 고리를 창끝으로 꿰다《옛 무예의 일종》. ***toss*** 〔***throw***〕 one***'s hat in the ~*** (선거에) 입후보하다. ***win the ~*** 《고어》 상을 받다, 이기다. **—** (*p., pp*. **~*ed***, 《드물게》 ***rung*** [rʌŋ]) *vt*. **1** 《~+목/+목+부/+목+전+명》 둘러싸다, 에워싸다《*in; about; round*》: be ~*ed about with* enemies 적에게 포위되다. **2** (소의 코, 비둘기의 다리 따위에) 고리를 끼우다. **3** 『원예』 …의 껍질을 고리 모양으로 벗기다. **4** (사과·양파 따위를) 고리 모양으로 썰다. **5** 《~+목/+목+부》 『승마』 (말을 타고) 원을 그리며 돌다, …의 주위를 돌다: ~ (*up*) cattle 말을 그 주위로 몰아 가축을 한곳으로 모으다. **6** …에 고리〔편자〕를 끼우다《고리던지기 놀이에서》: ~ a post 〔pin〕. **—** *vi*. **1** 둥글게 되다. **2** (매 따위가) 날아 오르다; (쫓긴 여우 따위가) 빙빙 돌다.

‡**ring**[2] (***rang*** [ræŋ], 《드물게》 ***rung*** [rʌŋ]; ***rung***) *vt*. **1** 《~+목/+목+전+명》 (종·벨·타악기 등을) 울리다, 울려서 알리다: ~ a bell *for* a maid 종을 울려 여급을 부르다/~ the hours 종으로 시간을 알리다. **2** 《~+목/+목+부》 (소리·음향을) 내다: The bell *rang* a low tone./The bells *rang out* a merry peal. 맑은 종소리가 (드높이) 울리고 있었다. **3** 《~+목/+목+부》 (벨 등을 울려) 부르다, 불러들이다〔내다〕: ~ a maid *in* 하녀를 불러들이다. **4** 《~+목/+목+부》 《영》 …에게 전화를 걸다《*up*》: I'll ~ you (*up*) tonight. 오늘 밤에 전화하겠다. **5** 소리 높이 말하다, 말하여 퍼뜨리다: ~ a person's praises …을 매우 칭찬하다. **6** (동전 등을) 울려서 진짜 여부를 확인하다: ~ a coin. **7** (타임리코더·금전 등록기 등)에 기록하다. **8** 《영속어》 바꿔치다, 조작하다. **—** *vi*. **1** 《~/+부》 (종·벨 등이) 울다, (소리가) 울려 퍼지다: The bell ~*s*. 벨이 울린다/Did the telephone ~? 전화가 울렸습니까/A shot *rang out*. 총성이 울려 퍼졌다/a ~*ing* voice 잘 울려 퍼지는 목소리. **2** 《+전+명》 (장소 따위에 소리가) 울리다; (평판·이야기 등이) 자자해지다《*with*》: The hall *rang with* laughter. 홀에 웃음소리가 울려 퍼졌다/The world *rang with* his fame. 온 세계에 그의 명성이 퍼졌다. **3** (귀가) 울리다: My ears ~. 귀울음이 난다. **4** 《+보》 …하게 울리다, …하게 들리다: His words ~ hollow. 그의 말은 허황되게 들린다. **5** 《~/+전+명 (+*to* do)》 초인종〔벨〕을 울리다《*at*》; 울려서 부르다〔요구하다〕《*for*》: I *rang at* the front door. 현관벨을 울렸다/I *rang for* the maid (*to* bring tea). 초인종을 눌러 (차를 갖고 오라고) 여급을 불렀다. **6** 《~/+부/+전+명》 《영》 전화를 걸다《*up; through*》: ~ *through to* Tom 톰에게 전화하다/We must ~ *for* an ambulance. 전화로 구급차를 불러야겠다. ***~ a bell*** ⇨ BELL[1]. ***~ again*** 반향하다《*to*》. ***~*** (***a***)***round*** (…) 《영》 (…에) 차례차례 전화하다. ***~ back*** 《영》 나중에 (다시) 전화하다(《미》 call back). ***~ for service*** 기도의 신호로 종을 울리다. ***~ in*** 《*vi*.+부》 ① (타임리코더로) 출근 시각을 기록하다, 일에 착수하다(opp. *ring out*). **—**《*vt*.+부》 ② (새해 등을) 종을 울려 맞이하다, …의 도래를 알리다, 맞이해 들이다. ③ 《미구어》 (속여서) 살짝 집어넣다, 몰래 끌어넣다. ***~ in*** one***'s ears*** (고인의 말 따위가) 귀에 남다. ***~ in*** one***'s fancy*** 〔***heart, mind***〕 기억에 남다. ***~ off*** 《영》 전화를 끊다. ***~ out*** 《*vt*.+부》 ① 종을 울려 …을 보내다. **—**《*vi*.+부》 ② 타임리코더로 퇴근 시각을 기록하다. ③ 울려 퍼지다. ***~*** one***'s own bell*** 자화자찬하다. ***~ the bell*** ⇨ BELL[1]. ***~*** (***the***) ***changes*** ⇨ CHANGE. ***~ the curtain down*** 〔***up***〕 벨을 울려 …의 막을 내리다〔올리다〕; 《비유》 …의 결말을〔개시를〕 고(告)하다《*on*》. ***~ true*** 〔***false***〕 진짜〔가짜〕 동전 소리가 나다; 《비유》 정말〔거짓말〕처럼 들리다. ***~ up*** 《*vi*.+부》 ① ⇨ *vi*. 6. **—**《*vt*.+부》 ② ⇨ *vt*. 4. ③ (매상)을 금전 등록기에 기록하다. ④ 성취하다, 이루다. ⑤ 《영》 벨을 울려 일으키다. ⑥ 『과거분사로』 《구어》 어질러진, 혼란된, 크게 소란을 피워. **—** *n*. **1** (종·벨·경화(硬貨) 따위를) 울리기, 울리는 소리《땡, 딸랑, 쩔렁 따위》; (벨·전화의) 호출: There was a single ~ at the door. 현관 벨이 한 번만 울렸다/answer the ~ of the telephone 전화를 받다. **2** 울림, 잘 울리는 소리: the ~ *of* one's laughter 잘 울리는 웃음소리. **3** (a ~, the ~) (말·이야기 내용 등의) (…다운) 울림, 가락, …다움, 느낌, 인상《*of*》: a ~ *of* assurance in her voice 그녀 목소리의 확신에 찬 울림. **4** (교회의) 한 벌의 종: a ~ *of* six bells, 6개 한 벌인 종. **5** 전화. ***give*** a person ***a ~*** 아무에게 전화를 걸다. ***give the bell a ~*** 벨을 (눌러) 울리다. ***have the true*** 〔***right***〕 ***~*** 진짜의 소리가 나다.

ring-a-ding [ríŋədiŋ] *a*. 활기 있는, 쾌활한, 신바람이 나는〔나게 하는〕. **—** *n*. 활기, 신바람, 즐거운 사람, 신바람 나게 하는 것.

ríng-a-líe·vo, -lé·vio [-lí:vou], [-lí:viòu] (*pl*. **-vos, -vi·òs**) *n*. 두 팀이 편을 갈라 하는 숨바꼭질의 일종.

ríng(**-aróund**)**-the-rósy, -a-rósy** [-róuzi] *n*. 노래하며 둥글게 돌다가 신호에 따라 급히 앉는 놀이. 「기다(girdle).

ríng·bàrk *vt*. (나무)의 껍질을 고리 모양으로 벗

ríng bìnder (루스리프식의) 링바인더.

ríng·bòlt *n*. 『기계』 고리 달린 볼트.

ríng·bòne *n*. 『수의』 (말의) 지골류(趾骨瘤).

ríng càrtilage 『해부』 윤상(輪狀) 연골.

ríng cìrcuit 『전기』 (주택 내부 따위의 배전용

의) 환상(環狀) 회로.
ríng còmpound 〖화학〗 고리 모양 화합물.
ríng·cùt *vt.* (나무껍질을) 고리 모양으로 벗기다.
ríng dànce =ROUND DANCE.
ríng dìke 환상 암맥(環狀岩脈).
ríng·dòve *n.* 나무비둘기《유럽산》; 비둘기《아시아·유럽 남부산》.
ringed *a.* **1** 고리가 있는, 고리를 낀. **2** 고리 모양의. **3** 반지를 낀; 약혼〔결혼〕한.
rin·gent [ríndʒənt] *a.* **1** 입을 크게 벌린. **2** 〖식물〗 개구상(開口狀)의.
ring·er¹ [ríŋər] *n.* 둘러싸는 사람〔물건〕; (고리 던지기에서) 고리〔편자〕 던지는 사람, 그 고리〔편자〕; 〖사냥〗 쫓겨 뱅뱅 돌며 도망치는 여우.
ring·er² *n.* **1** 종〔방울〕을 울리는 사람; 명종(鳴鐘)〔방울 울리는〕 장치. **2** 《속어》 (신원 등을 속인) 부정 출장 선수; (훔친 차에 다는) 가짜 번호판, 그것을 사용하는 자동차 도둑. **3** (종종 dead ~) 《속어》 아주 닮은 사람〔것〕《*for; of*》: He is a (*dead*) ~ *for* his father. 그는 제 아버지를 빼쏜 것 같다.
Ríng·er's solùtion 〔**flùid**〕 [ríŋərz-] 〖생화학〗 링거액(液)《영국의 의사 Sydney Ringer (1835-1910)가 고안한》.
ríng fènce 울; 제한, 속박.
ríng-fènce *vt.* (자금·교부금 따위를) 용도를 한정해서 주다; (사람·단체 등에 대해) 자금의 사용을 한정하다.
ríng finger (왼손의) 약손가락. 「《crater 등》.
ríng formàtion (달 표면의) 환상체(環狀體)
ríng gèar 〖기계〗 링기어《안쪽에 톱니가 있음》.
ring·git [ríŋgit] (*pl.* **~, ~s**) *n.* 링기트《말레이시아의 화폐 단위; =100 sen; 기호 M$》.
ríng gòal 고리던지기의 일종. 「라의 일종.
ring·hals [ríŋhæls] *n.* 〖동물〗 아프리카산 코브
ríng hùnt 불로 에워싸서 하는 사냥법.
ring·ing *a.* 울리는, 울려퍼지는: a ~ voice 〔laugh, cheer〕. ㊞ **~·ly** *ad.*
rínging tòne (상대방 전화의) 호출음.
ríng·lèader *n.* 주모자, 장본인《비합법적 활동이나 조직 따위의》.
ring·let [ríŋlit] *n.* 고수머리; 작은 바퀴, 작은 고리. ㊞ **~·(t)ed** [-id] *a.* 고수머리를 한〔로 되어 있는〕. **~y** [-i] *a.* 고수머리의.
ríng lòck 고리 자물쇠《여러 개의 고리를 써서 여는 일종의 부합(附合)쇠》.
ríng màil 사슬갑옷.
ríng·man [-mən] (*pl.* **-men** [-mən]) *n.* 《미》 권투 선수; 《영》 (경마의) 도박꾼.
ríng·màster *n.* (서커스 등의) 말의 연기 지도자, 곡마단장.
ríng-nèck(ed) [-(t)] *a.* 〖동물〗 목 주위에 고리 무늬가 있는《새·동물》.
ríng nèt 포충망(捕蟲網), 잠자리 채.
ríng nètwork 〖컴퓨터〗 링 네트워크《구성 단말 장치를 폐쇄 루프형으로 접속한 네트워크》.
ríng of fíre (the ~) 환(環)태평양 화산대.
ríng-pùll *a.* 고리를 당겨 딸 수 있는《캔맥주·캔주스 따위》: a ~ can.
ríng ròad 《영》 (도시 주변의) 순환 도로(《미》 belt highway 〔way〕). 「사이드.
ríng·sìde *n.* (서커스·권투 따위의) 링 주변, 링
ríng spànner 링스패너(box end wrench)《너트에 맞게 6각형 따위의 구멍이 있음》. 「깡패.
ring·ster [ríŋstər] *n.* 《미》 한패, 도당, 정치
ríng·tàil *n.* 불평가, 성마른 사람; 《Austral. 속어》 겁쟁이, 신용할 수 없는 사내. 「린 꼬리.
ríng·tàiled *a.* 꼬리에 둥근 무늬가 있는; 돌돌 말
ríng topòlogy 〖컴퓨터〗 링 토폴로지《네트워크를 구성하는 장치(node)를 폐쇄 루프형으로 상호 접속하는 방식》.
ríng·tòss *n.* Ⓤ 《미》 고리 던지기《놀이》.
ríng vaccinátion 전원(全員) 접종《환자와 관계 있는 모든 사람에게 하는 예방 접종》.
ríng·wày *n.* 《영》 =RING ROAD. 「癬).
ríng·wòrm *n.* Ⓤ 〖의학〗 백선(白癬); 완선(頑
rink [riŋk] *n.* Ⓤ (보통, 실내의) 스케이트장, 스케이트링크; 롤러스케이트장; 〖빙상〗 curling장; 아이스하키장. **—** *vi.* (스케이트장에서) 스케이트를 타다. ㊞ **∠·er** *n.* 아이스〔롤러〕스케이트를 타는 사람.
rinky-dink [ríŋkidiŋk] *a., n.* 《미속어》 케케묵은〔낡은, 값싼〕 (사람, 물건), 싸구려의.
***rinse** [rins] *n.* 헹구기, 가시기; 씻어내기; 린스《머리 헹구는 유성제(油性劑)》. **—** *vt.* **1** 《~+목/+목+부》 헹구다, 가시다: ~ clothes (*out*) 옷을 헹구다. **2** 《+목+부/+목+전+명》 씻어내다《*away; off; out*》: *Rinse* the soapy water *away*. 비눗물을 씻어내라 / *Rinse* the soap *out of* your head. 머리의 비누를 씻어내라. **3** 《+목+부》 (우유 따위로 음식물을 위(胃) 속에) 흘려 넣다《*down*》: ~ the food *down* with a glass of milk 한 컵의 우유로 음식물을 위 안에 흘려 넣다.
rínse àid 헹구기 보조제《세제액이 식기에 남지 않도록 헹구기에 쓰는 액체》.
ríns·ing *n.* 헹구기, 가시기; (보통 *pl.*) 가셔낸 물, 헹군 물; (보통 *pl.*) 찌꺼기.
Rio [ríːou] *n.* **1** =RIO DE JANEIRO. **2** (*pl.* **~s**) 브라질산(産) 커피.
RIO 〖미공군〗 radar-intercept officer.
Rio de Ja·nei·ro [ríːoudeiʒənέərou, -níər-, -dʒə-/-dədʒəníər-; *Port.* ríːudiʒanéiru] 리우데자네이루《브라질 공화국의 옛 수도; 생략: Rio》.
Rio Gran·de [ríːougrǽndi] (the ~) 리오그란데《미국과 멕시코 국경을 이루는 강》.
***ri·ot** [ráiət] *n.* **1** 폭동, 소동; 〖법률〗 소요죄: put down a ~ by force 무력으로 소란을 진압하다. **2** Ⓤ 술 마시고 떠듦, 혼란; 《고어》 방탕. **3** (a ~) (색채·소리 등의) 범람《*of*》: The flower bed was a ~ *of* color. 꽃밭은 갖가지 색깔의 꽃이 난만하였다. **4** (감정·상상 등의) 분방(奔放), 분출, 격발: a ~ *of* emotion 감정의 격발. **5** 《구어》 우스꽝스러운 사람〔일〕; 크게 웃을 만한 일. ***run* ~** 방탕한 짓을 하다; 함부로 날뛰다〔떠들어 대다〕; 만연하다, (꽃이) 만발하다. ***start* 〔*raise, get up*〕 *a* ~** 폭동을 일으키다.
— *vi.* **1** 폭동을 일으키다. **2** 떠들다; 술 마시며 법석을 떨다. **3** 방탕하다, 방탕한 생활을 하다. **4** 《+전+명》 (지나치게) 빠져들다《*in*》: ~ *in* emotion 마음껏 감동에 젖다. **5** 〖사냥〗 (사냥개(의 한 떼)가) 사냥감 이외의 짐승을 추적하다. **6** 만연하다, (꽃이) 만발하다. **—** *vt.* 《+목+부》 (시간·돈 따위를) 방탕으로 낭비하다《*away; out*》: Don't ~ *away* your time. 흥청거리며 시간을 낭비하지 마라.
Ríot Àct 1 (the ~) 《영》 소요 단속법. **2** (the r- a-) 엄한 질책〔비난, 경고〕. ***read the* ~** 소동을 그치도록 엄명하다《*to*》; 《우스개》 엄히 꾸짖다.
ri·ot·er *n.* 폭도; 방탕자; 야단법석을 떠는 사람.
ríot gèar 폭동 진압용 장비.
ríot gùn 폭동 진압용 산탄총.
°**ri·ot·ous** [ráiətəs] *a.* 폭동의; 폭동에 가담하고 있는; 시끄러운, 술 마시고 떠드는; 분방한; 풍부한, 만연한《*with*》; 《구어》 매우 유쾌한. ㊞ **~·ly** *ad.* **~·ness** *n.*
ríot shìeld 폭동 진압용 방패. 「기동대.
ríot squàd 〔**políce**〕 폭동 진압 경찰대, 경찰
***rip¹** [rip] (**-pp-**) *vt.* **1** 《~+목/+목+부/+목+보》 쪼개다, 째다, 찢다《*up*》: ~ *up* a letter 편

지를 찢다 / ~ open the envelope 편지봉투를 뜯다. **2** 《+[목]+[부] / +[목]+[전]+[명]》 벗겨내다, 떼어내다《*out; off; away*》: ~ *off* the wallpaper 벽지를 벗겨내다 / ~ a page *out of* a book 책에서 한 페이지를 떼어내다. **3** (목재 따위를) 빠개다, 세로로 켜다. **4** (구멍을) 찢어서 뚫다. **5** 《~+[목] / +[목]+[부]》 폭로하다: ~ (*up*) old scandals 묵은 스캔들을 폭로하다. **6** 《구어》 (볼 따위를) 강타하다. **7** 《+[목]+[부]》 《구어》 거칠게 말하다《*out*》: ~ *out* an oath 욕설을 퍼붓다. **—** *vi.* **1** 《~ / +[부]》 쪼개〔찢어〕지다, 째지다; 터지다: This cloth ~*s* easily. 이 천은 잘 찢어진다 / The sleeve ~*ped away* from the coat. 상의에서 소매가 찢기어 나갔다. **2** 《~ / +[부]》 《구어》 돌진하다《*along*》: The sports car ~*ped along* in a cloud of dust. 스포츠 카가 흙먼지를 날리며 질주하였다. **3** 《+[부]》 《구어》 거친 말을 내뱉다《*out*》. **4** 《구어》 자유로이 행동하다. ***Let her*** 〔***it***〕 ***~.*** (차 · 엔진 따위를) 멈추지 마라; 내버려두어라. ***let ~*** 골이 나서 떠들어 대다, 욕지거리하다; 힘차게 말하다〔쓰다〕. ***Let things ~.*** 되어 가는 대로〔밥이 되든 죽이 되든〕 내버려두어라. ***~ and tear*** 미친 듯이 날뛰다. ***~ ... apart*** ① …을 찢어발기다, 갈가리 흩뜨리다. ② 〖주로 수동태〗 (슬픔이나 고통으로) 괴롭히다. ③ 헐뜯다. ***~ into*** 《구어》 …을 맹렬히 공격〔비난〕하다, …을 몰아세우다. ***~ off*** ① 벗겨내다, 떼어내다. ② 《속어》 …을 훔치다〔빼앗다〕, (돈 · 재물을) 사취하다. ③ 이용하다, 이용물〔제물〕로 삼다; (아무를) 속이다. ***~ ... to shreds*** …을 갈가리 찢다. ***~ up*** ⇨ *vt.* 1; (표면 · 길거리 등을) 파헤치다; (조약 따위를) 파기하다, 일방적으로 무시하다. ***~ up the back*** (뒷전에서) 헐뜯다, 중상하다.

— *n.* **1** 찢음; (옷의) 터짐, 찢어진 곳; 열상(裂傷). **2** 내릴톱(ripsaw). **3** 《영속어》 돌진, 스피드(speed). **4** 《속어》 훔친〔빼앗은〕 물건.

rip² 《구어》 *n.* 방탕자, 불량배; 배신자; 노쇠한 말, 폐마; 쓸모없는 것; 벌금, 벌점.

rip³ *n.* 여울에 이는 물결; 격랑(激浪), 흐름이 빠른 조류(潮流). ***like ~s*** 《미구어》 격렬하게, 정력적으로.

R.I.P. *Requiesca(n)t in pace* 《L.》 (=May he 〔she, they〕 rest in peace!).

ri·par·i·an [ripέəriən, rai-/rai-] *a.* 강기슭의; 〖식물 · 동물〗 강기슭에 나는〔사는〕. **—** *n.* 강기슭에 사는 사람; 강기슭 토지 소유자.

ripárian ríght 〖법률〗 강기슭〔하천 부지〕 소유자 권리.

ríp còrd 〖항공〗 (기구(氣球) · 비행선의) 긴급 가스 방출삭(放出索); (낙하산을) 펼치는 줄.

ríp cùrrent 역조(逆潮), 이안류(離岸流)《바닷가에서 난바다 쪽으로 흐르는 강한 조류》; 《비유》 심적 갈등.

ripe [raip] *a.* **1** (과일 · 곡물이) 익은, 여문, 영근: ~ fruit 익은 과일 / a ~ field 수확을 할 수 있는 밭 / Soon ~, soon rotten. 《격언》 빨리 익은 것은 빨리 썩는다, 대기만성.

> SYN. **ripe** 이 이상의 성숙은 있을 수 없는 최대 한도를 가리킴. **mature** 일단 익은 것을 표시하며, 정신이나 지력(知力)의 원숙을 나타내는 일이 많음. **mellow** 성숙한 상태의 '원만함, 감미로움'을 나타냄.

2 (술 따위가) 숙성한, 먹게 된: ~ cheese 숙성한 치즈. **3** 원숙한, 숙달된《*in*》; 심신이 성숙한: a ~ scholar 원숙한 학자 / a person of ~ years (어린이에 대하여) 성숙〔성장〕한 사람 / He is ~ in the business. 그 일에 매우 숙달되어 있다. **4** 고령의: die at a ~ age 고령으로 죽다. **5** (기회가) 무르익은; 막 …하게 되어 있는: The time is ~ *for* action. 실행할 때가 되었다 / an opportunity ~ *to* be seized 놓쳐서는 안 될 절호의 기회. **6** 곪은. **7** 《구어》 천한, 상스러운; 《고어》 함빡 술에 취한: reeling ~ 비틀거릴 정도로 취해 있다. ◇ ripen *v.* ㊀ **∠·ly** *ad.* 익어서; 원숙하여; 기회가 무르익어. **∠·ness** *n.* 성숙; 원숙; 기회가 무르익음; 곪음.

rip·en [ráipən] *vi.* 《~ / +[전]+[명] / +[보]》 익다, 여물다, 영글다; 원숙하다《*into*》; 곪다: Friendship often ~*s into* love. 우정은 흔히 애정으로 발전한다 / The time ~*s* good for a reformation. 개혁할 시기가 무르익었다. **—** *vt.* 익게 하다, 원숙하게 하다.

ríp-òff *n.* 《속어》 도둑질; 착취, 횡령, 사취; 엄청난 이익이 나는 기업; 도둑; 도작(盜作); 가짜〔엉터리〕 상품. **—** *vt.* 훔치다, 사취하다.

ríp-off àrtist 《미속어》 도둑, 사기꾼.

ri·poste, -post [ripóust] *n.* 〖펜싱〗 되찌르기; 되받아 넘기는 대꾸, 재치 있는 즉답, 응구첩대(應口輒對); 반격, 반론. **—** *vt., vi.* 빨리 되찌르다; 되받아 넘겨 대꾸하다, 재치 있는 즉답을 하다, 응구첩대하다; 반격하다.

ríp pànel 〖항공〗 (기구(氣球) 따위의) 긴급 가스 방출구.

ripped [-t] *a.* 《속어》 (마약 · 술에) 취한, 도취 상태가 된.

rip·per¹ [rípər] *n.* **1** 찢는 사람〔도구〕; 살인광; 내릴톱(ripsaw). **2** 《영속어 · 미속어》 매우 멋있는 사람〔것〕. **3** 《미방언》 쌍썰매.

rip·per² *a.* 《미》 자파(自派)에 유리한 개편을 허용하는《법안 따위》.

rip·ping [rípiŋ] *a.* **1** 찢는, 째는. **2** 《미구어 · 영속어》 훌륭한, 멋있는: a ~ good time 굉장히 즐거운 시간. **—** *ad.* 《미구어 · 영속어》 훌륭하게, 멋지게. ㊀ **~·ly** *ad.* **~·ness** *n.*

rípping bàr 노루발지레《한쪽 끝이 갈라져 못뽑이를 겸한》.

rip·ple¹ [rípəl] *n.* **1** 잔물결, 파문. **2** (머리털 따위의) 곱슬곱슬함, 웨이브. **3** 잔물결 (같은) 소리; 소곤거림: a ~ *of* laughter 떠들썩한 웃음소리. **4** 《미》 작은 여울. **5** (근육 등의) 굴곡. **6** 〖물리〗 (유체(流體)의) 표면 장력파(張力波). **—** *vi.* **1** 잔물결〔파문〕이 일다: The lake ~*d* gently. 호수는 조용히 잔물결이 일고 있었다. **2** (머리털 · 천 따위가) 물결 모양이 되다. **3** 잔물결이 이는 소리가 나다. **—** *vt.* **1** …에 잔물결〔파문〕을 일으키다: ~ the lake (바람 등이) 호수면에 잔물결을 일으키다. **2** (머리털 등을) 곱슬곱슬하게 하다.

rip·ple² *n.* 삼빗치개. **—** *vt.* 삼빗치개로 빗다. ㊀ **rip·pler** [ríplər] *n.* 삼 훑는 사람〔기계〕.

rípple clòth 물결 모양의 무늬가 있는 부드러운 모직물의 일종《드레스 따위로 씀》.

rípple contròl 리플 컨트롤《전력 수요가 피크일 때에 전력 회사가 수요 가정의 온수기를 자동적으로 끊는 시스템》.

rípple effèct 파급 효과, 연쇄 작용.

rípple màrk 모래 위의 파문〔풍문(風紋)〕.

rip·plet [ríplit] *n.* 잔물결.

rip·ply [rípli] *a.* 잔물결이 인; 파문이 있는; 찰랑〔찰싹〕거리는.

rip·rap [rípræ̀p] 《미》 *n.* 잡석, 쇄석(碎石)《무른 지반, 또는 수중 기초 공사 따위를 위하여 던져 넣는》; 잡석 토대. **—** (***-pp-***) *vt.* 잡석으로 쌓다〔굳히다〕; …에 기초를 만들다.

ríp-ròaring, rip-roar·i·ous [rípró:riəs] 《구어》 *a.* 떠들썩한, 왜자기는; 자극적인, 흥분시키는; 《영》 훌륭한, 멋진: Have a ~ good time. 마음껏 떠들며 즐기시오.

ríp·sàw *n.* 내릴톱.

ríp·snórter *n.* 《구어》 매우 시끄러운〔난폭한〕 사람; 훌륭한〔재미있는〕 사람〔것〕; 굉장한〔맹렬한〕 것; 격투; 큰 수확; 대폭풍. ㊀ **ríp·snórting** *a.*

ríp·stòp *a., n.* 립스톱의 (천)《일정 간격으로 두

가닥으로 꼰 실을 대어 찢어지지 않게 한》.

ríp strìp 1 (담뱃갑 · 깡통 등을) 뜯는 띠(=**téar strìp**). 2 《미속어》 고속도로.

ríp·tìde *n.* =RIP CURRENT.

Rip van Win·kle [rìpvænwíŋkəl] 미국의 작가 W. Irving작 *The Sketch Book* 중의 한 주인공; 《비유》 시대에 뒤떨어진 사람, 잠만 자는 사람.

RISC 『컴퓨터』 reduced instruction set computer(축소 명령 집합 컴퓨터) 《명령 세트를 간소화하여 고속 동작을 꾀하려는 컴퓨터 (설계)》.

†**rise** [raiz] (***rose*** [rouz]; ***ris·en*** [rízən]) *vi.* **1** 《~/+전+명》 일어서다, 일어나다: ~ *to* one's feet 일어서다/~ *from* a chair 의자에서 일어서다/~ *from* table (식사가 끝나고) 테이블을 떠나다. **2** (회합이) 폐회하다, 산회하다: The House *rose* at five. 의회는 5시에 폐회하였다. **3** 기상하다: ~ early 일찍 일어나다. ★ arise는 시어 · 문어, get up은 구어, rise는 그 중간. **4** 《+전+명》 다시 살아나다: ~ again =~ *from* the dead (죽음에서) 다시 살아나다. **5** 《~/+부/+전+명》 (연기 따위가) 오르다; (해 · 달이) 떠오르다; (막이) 오르다: Smoke *rose up.* 연기가 피어올랐다/The moon was *rising above* the horizon. 달이 지평선에 떠오르고 있었다/The curtain ~*s.* 막이 오르다; 새로운 국면이 전개되다. **6** (토지 · 길이) 오르막이 되다, 치받이가 되다. **7** 《+전+명》 (지위 · 신용 · 취미 · 중요성 · 평가 따위가) 오르다; 높아지다, 증대하다; 출세하다, 승진하다 《*to; in*》: ~ *to* a high position 높은 지위에 오르다/~ *to* fame 명성을 얻다/~ *to* power 권력을 쥐다/~ *in* the world 〔*in* life〕 출세하다. **8** 《~/+전+명》 (물가 · 수치 따위가) 상승하다: Stocks ~ *in* price. 주가가 오른다. **9** 《~/+전+명》 (부피가) 늘다; (감정이) 격해지다; (소리가) 높아지다; (색 따위가) 짙어지다; (기분이) 나다: His spirits *rose.* 그는 기운이 났다/Her voice *rose to* a shriek. 그녀의 목소리는 날카로워졌다. **10** (바람이) 세어지다, 일다; (강의) 물이 붇다: The river *rose* five feet. 강물이 5피트 불어났다. **11** 《~/+전+명》 (산 · 건물 등이) 치솟다: Mt. Seorak ~*s* high. 설악산이 높이 솟아 있다/The tower ~*s above* the other buildings. 그 탑은 다른 건물 위에 우뚝 솟아 있다. **12** (집이) 서다, 세워지다: The houses *rose* quickly. 집들이 이내 들어섰다/Many houses *rose* in this vicinity. 이 부근에 집이 많이 들어섰다. **13** 《+전+명》 반항하여 일어나다, 반역하다 《*against*》: ~ *against* a king 국왕에게 반기를 들다. **14** 《~/+전+명》 나타나다, 수면에 떠오르다, (배 따위가 수평선 위로) 보이기 시작하다: Land *rose to* view. 육지가 시야에 들어왔다/~ *at* 〔*to*〕 a bait (물고기가) 수면으로 떠올라 미끼를 물다; 미끼〔유혹〕에 걸리다/The color *rose on* her cheeks. 그녀는 볼을 붉혔다. **15** 《+전+명》 (생각 따위가) 마음에 떠오르다; (맛 · 냄새가) 느껴지다: The idea *rose to* mind 〔*in* my mind〕. 그 생각이 마음에 떠올랐다. **16** 《+전+명》 (사건 · 강 따위가) 생기다, 근원을 이루다 《*from; in; at*》: The river ~*s from* Lake Paro. 이 강의 수원은 파로 호이다. **17** 《+전+명》 초월하다, 아무렇지도 않게 여기다 《*above*》: ~ *above* petty jealousies 사소한 질투 따위는 하지 않다. **18** (빵이) 부풀다. **19** 《+전+명》 (울)화가 치밀다: My gorge 〔stomach〕 ~*s at* it. 그것을 보면〔들으면〕 울화통이 터진다. **20** 《+전+명》 (요구 따위에) 응하다; (위험 따위에) 대처하다 《*to*》: ~ *to* the requirements 요구에 응할 수 있다/~ *to* the occasion 〔emergency, crisis〕 난국〔위기〕에 대처하다. — *vt.* **1** 올리다, 높이다. **2** (물고기를) 수면으로 꾀어 내다; (새를) 날아가게 하다. **3** 《속어》 기르다, 사육하다. **4** (언덕을) 오르다.

~ above ① ⇨ *vi.* 5, 11, 17. ② (곤란 따위)를 극복〔무시〕하다. ***~ and fall*** (배 따위가) 파도에 오르내리다; 융성 쇠퇴하다; (가슴이) 뛰다. ***~ and shine*** 기상하다; 〖종종 명령형으로〗 기상. ***~ in arms*** 〔***rebellion***〕 무장봉기하다. ***~ in*** a person***'s opinion*** 〔***estimation***〕 아무에게 존중받다. ~ 2,000 feet ***out of the sea*** 〔***above the sea level***〕 해발 2,000 피트이다. ***~ to a fence*** (말이) 울타리를 뛰어넘다. ***~ to*** one***'s eyes*** (눈물이) 눈에 글썽거리다.

— *n.* **1** 상승, 오름: at ~ of sun 〔day〕 해 뜰 때에. **2** (물가 · 수치 · 눈금 따위의) 상승; 《영》 승급(액): a ~ *in* pay 〔salary〕 승급/ask for a ~ 승급을 요구하다. **3** (정도 · 강도의) 증가; (감정 따위의) 고조, 격앙. **4** 증대(량), 증수(량): the ~ of a river. **5** 진보, 향상; 입신출세; 융성: one's ~ *to* power 권좌에 오름. **6** 높은 지대, 고대(高臺), 언덕; 언덕길: a gentle ~ in the road 완만한 언덕길. **7** 반란; 봉기. **8** (물고기 따위의) 떠오름. **9** 기원, 발생; 소생, 부활: take 〔have〕 its ~ in 〔from, at〕 …에 근원을 이루다. **10** (아치 따위의) 홍예 높이; (층계의) 한 계단 높이. **11** 회생, 소생. **12** 《미》 (무대의) 막이 오름. ***achieve*** 〔***have, make***〕 ***a ~*** 출세하다. ***and the ~*** 《미구어》 그리고 그 이상(and more). ***get*** 〔***have, take***〕 ***a*** 〔***the***〕 ***~ out of*** a person 아무를 부추기어 바라는 바를 이루다; 《구어》 아무를 계획적으로 골나게 하다. ***give ~ to*** …을 일으키다, 생기게 하다, …의 근원이다. ***on the ~*** 올라서; 늘려서, 등귀하는 경향으로. ***take*** 〔***have***〕 ***its ~*** 일어나다, 생기다; (강 따위가) …에서 기원하다. ***the ~ and fall*** (of the Roman Empire) (로마 제국의) 흥망성쇠. ***the ~ of*** 《미구어》 …보다 조금 많은.

ris·en [rízən] RISE의 과거분사. — *a.* 오른, 일어난; 부활한: the ~ sun 떠오른 태양; 기세가 왕성한 사람〔것〕.

ris·er [ráizər] *n.* **1** 기상자(起床者): an early 〔a late〕 ~ 일찍 일어나는 사람〔늦잠꾸러기〕. **2** 반도(叛徒), 폭도. **3** 『건축』 (층계의) 층뒤판. **4** 낙하산 펴는 줄.

ríse·tìme *n.* 『전기』 오름 시간 《펄스 진폭의 10% 값에서 90% 값에 이르는 데의 경과 시간》.

ris·i·bil·i·ty [rìzəbíləti] *n.* Ⓤ 잘 웃는 성질, 웃는 버릇; (종종 *pl.*) 웃음에 대한 감수성〔이해〕, 유머 (센스); 우스움, 웃음.

ris·i·ble [rízəbəl] *a.* 웃을 수 있는; 잘 웃는; 웃음의; 웃기는, 우스운. — *n.* (*pl.*) 유머 감각.

ris·ing [ráiziŋ] *a.* **1** (태양 따위가) 떠오르는, 오르는; 오르막의: the ~ sun 떠오르는 태양/~ ground 돈대(墩臺)/a ~ cupboard 부엌용 승강기. **2** 등귀〔증대〕하는; 증수(增水)하는: the ~ wind 점점 세어지는 바람/a ~ market 오름세 시세. **3** 승진하는; 신진의; 인기가 한창 오르고 있는: a ~ novelist 신진 작가. **4** 발달하는; 성장 중인: the ~ generation 젊은이들.

— *n.* Ⓤ **1** 오름, 상승: the ~ of the tide 밀물. **2** 등귀, 증가. **3** 오르막길; 언덕. **4** 기상. **5** 부활, 소생; 출현: ~ again 부활. **6** Ⓒ 봉기, 반란. **7** 융기; 《방언》 부스럼, 종기(boil). **8** 부풀게 하는 것 《이스트 등》. ***a ~ of*** 《미구어》 …이상의, …을 넘는: *a ~ of* three months, 3개월 이상. ***the ~ of the sun*** 해돋이; 『성서』 해 뜨는 나라, 동방, 동양.

— *prep.* **1** (연령 등이) …에 가까운, 거의 …한, 약: a boy ~ ten 곧 10세가 될 소년. **2** 《미방언》 (수 · 양이) …이상의: a crop ~ a million bushels, 100만 부셸 이상의 수확.

rísing dámp 상승 수분〔습기〕 《땅 속에서 건물

의 벽으로 스며드는 수분》.
rísing díphthong 〖음성〗 상승 이중모음《이중 모음 중, 뒤에 오는 모음이 앞의 모음보다 세게〔높게〕 발음되는 것》.
rísing rhýthm 〖운율〗 (악센트가 시각(詩脚)의 마지막 음절에 놓이는) 상승 리듬〔운율(韻律)〕.
rísing vòte 기립(起立) 투표.
****risk** [risk] *n.* U,C **1** 위험; 모험; 위험성〔도〕, 손상〔손해〕의 염려: There is the ~ of his catching cold. 그는 감기 걸릴 염려가 있다/There was a ~ that he would lose the election. 그는 선거에서 패배할 위험이 있었다. **2** 〖보험〗 위험(률); C 보험금(액); C 피보험자〔물〕. ***at all ~s*** =***at any*** 〔***whatever***〕 ~ 어떤 위험을 무릅쓰고라도. ***at great*** ~ 큰 위험을 무릅쓰고. ***at*** ~ 《영》 위험한 상태로; 임신할 우려가 있는. ***at*** one***'s own*** ~ 자기가 책임지고: Cross the road *at your own* ~. 차에 치어도 책임지지 않음《횡단 금지의 완곡한 표현》. ***at the owner's*** ~ (상품 발송에서) 손해는 소유자의 부담으로. ***at the*** ~ ***of*** …의 위험을 무릅쓰고, …을 희생하고. ***no*** ~ 《Austral. 구어》 좋아, 알았다. ***put ... at*** ~ …을 위태롭게 하다, 위태로운 경우를 당하게 하다. ***run*** 〔***take***〕 ***a*** ~ 〔~***s, the*** ~〕 (***of ...***) (…의) 위험을 무릅쓰다, 모험을 하다.
— *vt.* **1** 위험에 내맡기다, 위태롭게 하다, (목숨 등을) 걸다: ~ one's life 〔fortune〕 목숨〔재산〕을 걸다. **2** 《~+目/+-*ing*》 위험을 무릅쓰고 …하다, 감행하다: ~ the jump 큰맘 먹고 뛰어 보다/He ~*ed* gett*ing* knocked out. 녹아웃당할 위험을 무릅썼다. ~ ***it*** 흥하든 망하든 해보다.
rísk assèssment 위험성 사전 평가.
rísk-avèrse *a.* 위험을 꺼리는〔회피하는〕.
rísk-bénefit ràtio 위험성과 수익성의 비율《의료나 사업 등에서의》.
rísk càpital =VENTURE CAPITAL.
rísk fàctor 〖의학〗 위험인자《질병을 일으키는 요인; 폐암에 대한 흡연 따위》.
rísk-frée *a.* (통신 판매 따위에서 해약해도) 산 사람이 손해가 없는.
risk·ful [rískfəl] *a.* 위험이 많은, 위험한.
rísk·less *a.* 위험이 없는, 안전한.
rísk mànagement 위험 관리《보험·안전 대책 따위에 의해 회사에 미치는 손해 위험성을 평가 또는 예방하여, 손해가 생겼을 때 그 손해를 최소한에 그치도록 대책을 세우는 일》.
rísk mànager 보험 담당 임직원.
rísk-mòney *n.* U (은행 따위에서 출납계에게 주는) 부족금 보상 수당.
rísk-tàking *n.* 위험 감수, 모험. 派 **-tàker** *n.*
risky** [ríski] (risk·i·er; -i·est***) *a.* **1** 위험한; 모험적인. **2** 외설스러운(risqué)《이야기·장면 등이》. 派 **rísk·i·ly** *ad.* **-i·ness** *n.*
ri·sor·gi·men·to [rizɔ̀ːrdʒəméntou, -sɔ̀ːr-/-sɔ̀ː-] (*pl.* ~**s**) *n.* 부흥〔부활〕 (시대); (R-) 19세기 이탈리아의 국가 통일 운동 (시대), 리소르지멘토.
ri·sot·to [risɔ́ːtou, -sát-, -zɔ́ːt-/-zɔ́t-] (*pl.* ~**s**) *n.* 《It.》 리소토《쌀·양파·닭고기 따위로 만든 스튜의 일종》.
ris·qué [riskéi/⌐-] *a.* 《F.》 풍속을 해치는, 외설스러운(off-color).
ris·sole [risóul, ⌐-/⌐-] *n.* 《F.》 파이피 속에 고기·생선 등의 소를 넣어 튀긴 요리.
rit., ritard. ritardando.
Ri·ta [ríːtə] *n.* 리타《여자 이름》.
ri·tar·dan·do [rìːtaːrdáːndou/ritaːdǽn-] *a.*, *ad.* 《It.》 〖음악〗 점점 느린〔느리게〕. — (*pl.* ~**s**) *n.* (악곡의) 리타르단도의 악절.
°rite [rait] *n.* 의례, 의식; 교회의 의식, 전례(典禮); 관례. ~ ***of reconciliation*** 〖가톨릭〗 고해성사. ***the burial*** 〔***funeral***〕 ~***s*** 장례식. ***the*** ~ ***of confirmation*** 견진 성사(堅振聖事), 안수례(按手禮).
ri·te·nu·to [rìtənúːtou] *a.*, *ad.* 〖음악〗 즉시 속도를 늦추는〔늦춰〕, 리테누토의〔로〕.
ríte of pássage 통과 의례《출생·성인·결혼·죽음 등 인생의 한 대목을 맞을 때의 의식》; 인생의 단락이 될 사건《병·죽음 등》.
ri·tor·nel·lo [rìtərnélou] (*pl.* ~***s, -li*** [-lai]) *n.* 〖음악〗 **1** (오페라에서) 반복되는 기악곡. **2** (찬미가·아리아에서) 성창부(聲唱部) 이외의 기악 연주부. **3** 협주곡 연주 중의 관현 총주(總奏).
°rit·u·al [rítʃuəl] *a.* **1** (교회 따위의) 의식의, 제식의. **2** 관습의, 관례의. — *n.* **1** U (종교적) 의식, 예배식; 제식. **2** C 의식서; 식전. **3** C 의식적 행사〔관습〕. 派 ~**·ism** *n.* U **1** 의식주의. **2** (R-) (영국 국교회) 의식파의 관행. **3** 의식학. ~**·ist** *n.* 의식주의자; (R-) (영국 국교회) 의식파의 사람; 의식에 정통한 사람. ~**·ly** *ad.* 「해〕.
rítual abùse 마술적 의식에서의 아동 학대〔살
rit·u·al·is·tic [rìtʃuəlístik] *a.* 의식의; 의식주의의, 의례(고수)주의의.
rít·u·al·ìze *vt.* 의식화(儀式化)하다. — *vi.* 의식(주의)적으로 하다. 「살해《희생적 살인》.
rítual múrder 의례(儀禮)의 일환으로서 하는
Ritz [rits] *n.* (the ~) 리츠《국제적인 고급 호텔; 뉴욕·런던·파리 등지에 있음》.
ritz 《속어》 *n.* 과시, 허세(虛勢). ***put on the*** ~ 떵떵거리며 지내다. — *vt.* 거만〔냉담〕하게 굴다〔다루다〕, 무례하게 대하다.
ritzy [rítsi] (***ritz·i·er; -i·est***) 《속어》 *a.* 몹시 사치한, 초고급의, 호화로운; 거만한, 오만한; 속물의.
riv. river.
riv·age [rívidʒ, ráiv-/rív-] *n.* 《고어·시어》 해안, 연안(coast), 강기슭(bank); 《영고어》 하천 통행세.
****ri·val** [ráivəl] *n.* **1** 경쟁자, 라이벌, 적수, 대항자(*in*): a ~ *in* love 연적. **2** 필적할 사람, 호적수: have no ~ *in* …에서 적수가 없다. ***without a*** ~ 무적으로. — *a.* 경쟁자의, 서로 싸우는: ~ lovers 연적. — (***-l-***, 《영》 ***-ll-***) *vt.* 《~+目/+目+前+名》 …와 경쟁하다, …와 맞서다《*in*》; …에 필적하다, …에 뒤지지 않다: She ~*ed* her mother *in* beauty. 그녀는 어머니 못지않은 미인이었다. 派 ~**·ship** *n.* =RIVALRY.
ri·val·rous [ráivəlrəs] *a.* 경쟁의, 대립적인, 경쟁심이 있는, 경쟁하는.
°ri·val·ry [ráivəlri] *n.* U,C 경쟁, 대항, 맞겨룸: There's intense ~ between them for the post. 그 지위를 두고 그들 사이에는 치열한 경쟁 의식이 있다. ***enter into*** ~ ***with*** …와 경쟁을 시작하다. ***friendly*** ~ 서로 격려하면서 하는 경쟁.
rive [raiv] (***rived; riv·en*** [rívən], ***rived***) *vt.* 《~+目/+目+前+名/+目+副》 **1** 찢다, (나무·돌 등을) 쪼개다; 잡아뜯다〔떼다〕《*from*; *away*; *off*》: ~ a branch *off* a wisteria 등나무의 가지를 꺾다/The bark of the trunk was *riven off* 〔*away*〕. 나무껍질이 벗겨졌다. **2** (마음을) 괴롭히다. — *vi.* 《+副》 찢기다; (나무 등이) 쪼개〔갈라〕지다: This stone ~*s easily*. 이 돌은 잘 쪼개진다.
riv·en [rívən] RIVE의 과거분사.
†riv·er [rívər] *n.* **1** 강. ★강의 이름: 보통 영국에선 the *river* 〔*River*〕 Thames, 미국에서는 the Mississippi *River*. **2** 다량의 흐름: ~*s* of blood 피바다/~*s* of tears 하염없이 흐르는 눈물. **3** (the R-) 〖천문〗 에리다누스강(江)자리 (Eridanus). ***cross the*** ~ (***of death***) 죽다. ***go***

down the ~ 《미》 (노예가) (Mississippi) 강 하류쪽으로 팔려 가다. ***sell** a person **down the*** ~ 《구어》 (아무를) 배반하다, 저버리다, 혹사〔학대〕하다《노예를 Mississippi 강 하류의 농장에 팔아먹은 데서》. ***send up the*** ~ 《미속어》 교도소에 처넣다. ***up the*** ~ ***without a paddle*** =up the CREEK (without a paddle). [파] ~·**less** *a.* ~·**like** *a.*

riv·er² [ráivər] *n.* 쪼개는〔찢는〕 사람〔도구〕.

riv·er·ain [rívərèin, ˌ-ˌ] *a.* =RIVERINE. — *n.* 강변(에 사는 사람).

ríver·bànk *n.* 강기슭, 강둑.

ríver bàsin 하천 유역 (집수 지역).

ríver·bèd *n.* 하상(河床).

ríver·bòat *n.* 강(江)배.

ríver bòttom 《미》 하천에 연한 저지대.

ríver cápture 〖지학〗 하천 쟁탈.

rív·ered *a.* 하천〔강〕이 있는.

ríver·frònt *n.* (도시의) 강변 지대.

ríver-gòd *n.* 강의 신, 수신(水神).

ríver·hèad *n.* 강의 수원(지), 원류.

ríver hòrse 〖동물〗 하마(hippopotamus).

riv·er·ine [rívəràin, -rì:n, -rin] *a.* 강의; 강변의, 강기슭의; (동식물 등이) 강가에 나는〔사는〕.

ríver nòvel 대하 소설(*roman-fleuve*).

°**ríver·sìde** *n.*, *a.* 강가(의), 강변(의); (도시의) 하안 (지역)(riverfront).

Ríverside Párk 리버사이드 공원《New York 시 Hudson 강가의 공원》.

ríver·wàll *n.* 제방, 호안(護岸).

riv·er·ward [rívərwərd] *ad.* 강쪽으로. — *a.* 강쪽으로 면한.

riv·er·wards [rívərwərdz] *ad.* =RIVERWARD.

°**riv·et** [rívit] *n.* 리벳, 대갈못; (*pl.*) 《미속어》 돈. — *vt.* **1** 《~+[목]/+[목]+[부]/+[목]+[전]+[명]》 리벳을〔대갈못을〕 박다 《*down; into; on; to; together*》: ~ two pieces of iron *together* 리벳으로 두 쇳조각을 잇다 / ~ a metal plate *on* a roof 지붕에 금속판을 붙박다. **2** (못 따위)의 끝을 무디게 하다, 못대가리를 구부리다. **3** 《~+[목]/+[목]+[전]+[명]》 〖종종 수동태〗 《비유》 못 박다; 단단히 고정시키다, (우정 따위를) 굳게 하다: stand ~*ed to* the spot in terror 무서워서 그 자리에 꼼짝 못하고 서다 / It *was* ~*ed in* my memory. 그것은 내 기억에 깊이 새겨졌다. **4** 《~+[목]/+[목]+[전]+[명]》 (시선 등을) 쏟다, (주의를) 집중하다《*on, upon*》: ~ one's eyes *on* …에 주목하다. [파] ~·**er** *n.* 리벳공(工); 리벳 박는 기계.

rívet gùn (자동식) 리벳 박는 기계.

rív·et·ing *a.* 황홀케 하는, 매혹적인.

Riv·i·era [rìviέərə] *n.* **1** (the ~) 리비에라《프랑스의 Nice에서 이탈리아의 La Spezia에 이르는 지중해안의 유명한 관광 보양지》. **2** (종종 r-) (리비에라 같은) 해안의 관광 보양지.

ri·vière [rìviέər, rivjέər] *n.* 《F.》 (특히 몇 줄로 된) 보석 목걸이.

riv·u·let [rívjəlit] *n.* 개울, 시내. [cf.] rill, brook¹, stream.

rix-dol·lar [ríksdὰlər/-dɔ̀lər] *n.* 옛 네덜란드·독일 등지의 은화.

Ri·yadh [ri:jά:d] *n.* 리야드《사우디아라비아의 수도》.

ri·yal [rijɔ́:l, -jά:l/-jά:l] *n.* 리얄《사우디아라비아의 화폐 단위; 기호 R.》.

RJ, R.J. 〖군사〗 road junction. **RJE** 〖컴퓨터〗 remote job entry. **R.L.** 《영》 Rugby League. **R.L.O.** returned letter office. **R.L.S.** Robert Louis Stevenson. **rly., Rly.** railway. **R.M.** Resident Magistrate; 《영》 Royal Mail; 《영》 Royal Marines. **RM, r.m.** reichsmark(s). **rm.** (*pl.rms.*) ream; room. **R.M.A.** Royal Marine Artillery; Royal Military Academy. **RMB** renminbi. **R.M.C.** Royal Military College《지금은 R.M.A.》. **R. Met. S.** 《영》 Royal Meteorological Society. **R.M.L.** Royal Mail Lines Ltd.

Ŕ mònths 'R' 달《달 이름에 r자가 있는 9월에서 4월까지의 8개월; 굴(oyster)의 계절》.

RMS, rms, r.m.s. root-mean-square. **rms.** reams; rooms. **RMS** 〖우주〗 remote manipulator system. **R.M.S.** Royal Mail Service; Royal Mail Steamer 〔Steamship〕. **Rn** 〖화학〗 radon. **R.N.** 《미》 Registered Nurse; Royal Navy.

RNA [ά:rènéi] *n.* 〖생화학〗 리보핵산(ribonucleic acid).

ŔŃÁ pólymerase 〖생화학〗 RNA 폴리메라아제《핵산에 작용하고, 리보핵산을 합성하는 반응을 촉매하는 효소》.

ŔŃÁ réplicase 〖생화학〗 RNA 레플리카아제《RNA 합성 효소》.

R.N.A.S. 《영》 Royal Naval Air Service 〔Station〕.

RN·ase, RNA·ase [ά:réneis, -eiz], [ά:rénéieis, -eiz] *n.* 〖생화학〗 RN아제《리보핵산 분해 효소》.

RNAV 〖항공〗 area navigation. **R.N.C.** 《영》 Royal Naval College. **rnd.** round. **R.N.D.** 《영》 Royal Naval Division. **R.N.R.** 《영》 Royal Naval Reserve. **R.N.V.R.** 《영》 Royal Naval Volunteer Reserve. **R.N.Z.A.F.** Royal New Zealand Air Force. **R.N.Z.N.** Royal New Zealand Navy. **R.O.** Receiving Office(r); Regimental Order; 《영》 Royal Observatory. **ro.** recto; roan; rood. **R/O** rule out.

roach¹ [routʃ] (*pl.* ~·**es,** 〖집합적〗 ~) *n.* 잉엇과의 물고기.

roach² *n.* =COCKROACH; 《속어》 마리화나 담배 꽁초; 《미속어》 경찰관.

roach³ *n.* 〖해사〗 가로돛 아랫자락의 호상(弧狀)으로 자른 것; 일어서도록 자른 말의 갈기; 이마위〔옆〕에서 빗어 올려 만 머리칼. — *vt.* (머리를) ~로 하다《*up*》; (말갈기를) 서도록 자르다; 〖해사〗 (가로돛의) 아랫자락을 호상으로 자르다.

róach bàck (개 따위의) 굽은 등.

róach clìp 〔**hòlder**〕 《미속어》 잡지 못할 정도로 짧아진 마리화나를 피우기 위한 클립〔홀더〕.

†**road** [roud] *n.* **1** 길, 도로; 가도, 공도; 가(街)《도시 등의 가로의 명칭으로서; 생략: Rd.》.

> [SYN.] **road** 가장 일반적인 말로서 교통의 수단 및 토목 사업의 대상으로서의 길에 초점이 있음. **street** 시가지에 있는 도로·차도·인도를 모두 포함하는 일이 많음. 교통수단 외에 사교장, 수목·건물을 포함하여 거리의 풍경으로서 본 것. **avenue** 양쪽에 나무를 심은 시가지의 큰 길. street와 같은 뜻으로 쓰이는 일도 있고, 동서로 뻗은 길과 남북으로 뻗은 길을 위의 두 말로 각기 구별하여 쓰기도 함. **way** road에서 토목 사업의 대상이 되는 구축물로서의 길을 제외한, 어느 지점에서 다른 지점으로 이동을 가능하게 하는 길·방법을 나타내는 약간 추상적인 개념. **path, lane, trail** 모두 사람을 위한 좁은 길. path, trail은 사람이 다녀 자연적으로 생긴 경우가 많음. trail은 특히 사냥꾼 등이 이용하는 숲 속의 좁은 길. lane은 울타리·건물 따위의 사이에 통한 것. **alley** lane에 가까우나 빈민가의 뒷골목을 가리키는 일이 많음.

2 진로, 통로, 행로: the ~ *to* London 런던 가도. **3** 길, 방법, 수단: the ~ *to* peace 평화로 가는 길. **4** 《미》 철도. **5** (종종 *pl.*) 〖해사〗 묘지(錨地), 정박지(地): the outer ~ 외항. **6** (the ~) 《미》 (극단·구단(球團) 따위의) 지방 순회

지, 시합지(試合地), 지방《보통 New York 이외의 도시》. ***be on the*** (***high***) ~ ***to*** …의 도상에 있다. ***be on the*** ~ 여행하고 있다; 진행 중이다; 《미》 지방 순회공연 중이다; 행상을 하고 있다. ***break a*** ~ 길을 헤치며 나아가다; 곤란을 무릅쓰고 나아가다. ***burn up the*** ~ 《구어》 대단한 속도로 운전하다〔나아가다〕. ***down the*** ~ 장래. ***for the*** ~ 이별을 아쉬워하여《축배를 들다 따위》: one *for the* ~ 이별을 위한 건배〔한 잔〕, 마지막 한잔. ***get out of the*** 〔a person***'s***〕 ~ 《구어》 아무의 방해가 되지 않도록 하다. ***give*** a person ***the*** ~ 아무를 지나가게 하다. ***hit the*** ~ 《속어》 여행을 떠나다, 여행을 계속하다; 《속어》 방랑 생활을 시작〔계속〕하다; 《속어》 세일즈맨으로서 돌아다니다. ***hold*** 〔***hug***〕 ***the*** ~ (차가) 매끄럽게 노상을 달리다. ***in the*** 〔a person***'s***〕 ~ 아무의 방해가 되어. ***out of the common*** 〔***usual, general***〕 ~ 동떨어져서; 상도(常道)를 벗어나서. ***over the*** ~ 교도소로. ***rules of the*** ~ 통행〔해로(海路)〕 규칙. ***take the*** ~ ① 출발하다. ② =take to the ~. ***take the*** ~ ***of*** …의 위에 서다. ***take to the*** ~ 여행을 떠나다; (극단 따위가) 지방 순회공연을 하다; 방랑 생활을 시작하다; 《고어》 노상강도가 되다. ***the beaten*** ~ 밟고 다녀 생긴 길; 안이한 길. ― *vt*. (사냥개가) 짐승 냄새를 맡고 쫓다.
㊞ **∠·less** *a*.

róad·a·ble *a*. (자동차 따위가) 노면 주행에 알맞은; 자동차 겸용의《비행기》. ㊞ **ròad·a·bíl·i·ty** *n*. Ⓤ 노면 주행 성능《악조건인 도로에서도 지장 없이 달릴 수 있는 자동차의 주행 능력》.

róad àgent 〖미국사〗 노상강도.

róad·bèd *n*. **1** 노상(路床); (철도의) 노반(路盤); 노면. **2** 포도(鋪道) 재료.

róad·blòck *n*. (도로상의) 방책, 도로 봉쇄; 〖일반적〗 장애(물), 방해(물); (통행 규제 및 검문용) 바리케이드. ― *vt*. 봉쇄하다, …의 진행을 방해하다.

róad·bòok *n*. 도로 안내서.

róad-bòund *a*. 도로만을 달릴 수 있는, 이용하는 데 도로만 쓸 수 있는.

róad còmpany 지방 순회 극단.

róad·cràft *n*. Ⓤ《영》(자동차) 운전 기술.

róad dràg 노면 고르는 기계.

róad fùnd 《영》 도로 기금《도로·교량의 건설 유지를 목적으로 하는》.

róad fùnd lìcence 《영구어》 자동차세 납부증명서.

róad gàme 원정 경기.

róad gàng 〖집합적〗 도로 공사 인부; 《미》 도로 공사하는 죄수의 무리.

róad hòg (다른 차선으로 나오거나 도로 복판을 달려) 다른 차의 통행을 방해하는 운전자.

róad·hòlding *n*. Ⓤ 〖자동차〗 로드 홀딩《고속 주행·커브길·빗길·요철 길 등에서 바퀴가 노면에서 뜨지 않는 성능》; 주행 안전 성능.

róad·hòuse *n*. 교외 간선 도로변의 여관〔술집, 나이트클럽〕; (캐나다 북부·알래스카의) 너절한 여관.

róad hùmp (도로의) 속도 방지턱《sleeping policeman의 정식 명칭》.

road·ie [róudi] *n*. 《속어》 (록 그룹 등의) 지방 공연 매니저.

róad·kìll *n*. 길에서 차에 치여 죽은 동물.

róad·làmp *n*. 가로등.

róad·màker *n*. 도로 건설(기술)자.

róad màking 도로 건설 (기술).

róad·man [-mən, -mæ̀n] (*pl*. **-men** [-mən, -mèn]) *n*. 도로 인부; 트럭 운전사; 도로 레이스 (출장) 선수《특히 자전거의》.

róad mànager =ROADIE.

róad màp **1** 도로 지도. **2** (목표 달성을 위한) 계획〔전략〕.

róad mènder 도로 수리 인부.

róad mètal 도로 포장용 자갈, (자갈 따위) 포장 재료.

róad mòvie 로드 무비《주인공이 여행이나 방랑을 하면서 변모해 가는 모습을 그린 영화》.

róad pèn 끝이 두 갈래 진 제도용(製圖用) 펜《지도에 도로를 그림》.

róad pèople 《미속어》 집을 떠나 각지를 방랑하는 사람들.

róad pìzza 《미속어》 작은 동물의 시체《차에 치어 납작한 과자처럼 된》.

róad prìcing 통행료 징수《혼잡한 시간대에 통행료를 과하는 제도》.

róad ràcing (특히 자동차의) 도로 경주《도로 또는 도로를 본뜬 코스에서 행함》.

róad ràge (운전자의) 교통 체증으로 인한 짜증.

róad ròller 도로를 다지는 롤러.

róad·rùnner *n*. 〖조류〗 두견잇과(科)의 일종《땅 위를 질주하며 뱀을 잡아먹음; 미국 남서부·멕시코산(産)》(=**chaparrál bìrd**).

róad sáfety 도로상의 안전, 교통안전.

róad sènse 도로 이용 능력, 도로 감각《운전자·보행자·개 등의》.

róad shów (극단 따위의) 지방 흥행; 《미》 (신작(新作) 영화의) 독점 개봉 흥행, 로드쇼.

róad-shòw *vt*. 《미》 (영화를) 독점 상영하다.

◇**róad·sìde** *n*. Ⓤ 길가, 노변: by 〔on, at〕 the ~ 길가에, 노변에, 연도에. ― *a*. 연도〔길가〕의: a ~ inn 길가의 여인숙.

róad sìgn 도로 표지.

róad·stèad *n*. 〖해사〗 난바다의 정박지, 항구 밖의 투묘소(投錨所).

road·ster [róudstər] *n*. **1** 2·3인용의 무개(無蓋) 자동차《1920-30년대의》. **2** (도로용) 승용마, 마차말; 《영》 실용적인 자전거, 삼륜차; 간이 마차. **3** 항구 밖에 정박 중인 배. **4** 여행에 익숙해진 사람.

roadster 1

róad tàx 《영》 (도로) 통행세.

róad tèst (자동차의) 노상 성능 시험, 시운전; (면허를 위한) 노상 운전 시험. ㊞ **róad-tèst** *vt*.

róad trìp 자동차 여행.

◇**róad·wày** *n*. 도로; 차도, 노선; (철도의) 선로; (교량의) 차도 부분.

róad·wòrk *n*. Ⓤ 〖스포츠〗 로드워크《권투 선수 등이 시합에 대비하여 행하는 장거리 러닝에 의한 컨디션 조절》; (*pl*.) 도로 공사.

róad·wòrthy (**-thi·er; -thi·est**) *a*. (차가) 도로에 적합한; (사람이) 여행할 수 있는〔에 견디는〕.

*__roam__ [roum] *vi*. 《~/+뷔/+전+명》 (어슬렁어슬렁) 거닐다, 방랑〔배회〕하다《*about; over; through; in*》: ~ *around* 여기저기 돌아다니다 / ~ *about* the forest 숲속을 돌아다니다. ― *vt*. …을 돌아다니다, 방랑〔배회〕하다: ~ the countryside 시골을 돌아다니다. ― *n*. 돌아다님, 배회, 방랑. ㊞ **∠·er** *n*. 배회자, 방랑자.

róam·ing *n*. 〖통신〗 로밍《계약하지 않은 통신 회사의 통신 서비스도 받을 수 있는 것》.

roan[1] [roun] *a*. 회색 또는 흰 얼룩이 섞인《밤색 말 따위》. ― *n*. 워라말《따위》.

roan[2] *n*. 부드러운 양피(羊皮)《제본용》.

róan ántelope 〖동물〗 (아프리카 남부산(産)의) 영양(羚羊).

__roar__ [rɔːr] *vi*. **1 (짐승 따위가) 으르렁거리다, 포효하다. **2** 《~/+전+명》 고함치다, 소리지르다, 대갈하다: You need not ~ (*at* me). (나한테) 그렇게 큰 소리로 말하지 않아도 된다 / ~ *for* mercy 살려 달라고 아우성치다. **3** 《~/+전+명》 크게 웃다: ~ *at* a joke 농담에 왁자그르르

웃다 / ~ *with* laughter 크게 웃다. **4** (대포·천둥 따위가) 울리다, 울려 퍼지다, (파도 따위가) 노호하다: I heard the waves ~*ing*. 노호하는 파도 소리를 들었다. **5** 《+[부]/+[전]+[명]》 (차·기계 따위가) 큰 소리를 내다: The truck ~*ed away* 〔*down* the road〕. 트럭은 큰 소리를 내며 사라졌다〔길을 달려갔다〕. **6** (말이 병으로) 씩씩거리다. **—** *vt.* **1** 《~+[목]/+[목]+[부]》 큰 소리로 말〔노래〕하다 《*out*》, 외치다: He ~*ed* a welcome. 그는 큰 소리로 어서 오라고 말했다 / ~ *out* a command 큰 소리로 명령하다. **2** 《~+[목]/+[목]+[부]/+[목]+[보]》 큰 소리를 질러 …하게 하다: The crowd ~*ed* the speaker *down*. 군중은 소리 질러 연사가 연설을 못 하게 했다 / ~ oneself hoarse 외쳐서 목이 쉬다.

— *n.* 으르렁거리는 소리, 고함소리; 노호: the ~*s* of a lion 사자의 포효 / a ~ *of* laughter 큰 웃음소리 / the ~ *of* the wind and waves 바람과 파도의 거센 소리. ***in a*** **~** 왁자그르르 떠들어, 떠들썩하게: set the table 〔company, room〕 *in a* ~ 좌중을 크게 웃기다.

[파] **∠·er** *n.* **1** 포효〔노호〕하는 것; 소리지르는 사람. **2** 〖수의〗 천명증(喘鳴症)에 걸린 말.

roar·ing [rɔ́:riŋ] *n.* 포효〔노호〕 소리; 고함; 시끄러움; 〖수의〗 (말의) 천명증(喘鳴症). **—** *a.* **1** 포효〔노호〕하는; 폭풍우의 《밤 따위》: a ~ night 폭풍우의 밤; 진탕 마시며 노는 밤. **2** 부르대는, 법석떠는; 마시며 떠들어대는. **3** 《구어》 번창한, 크게 번성하는; 활기찬: do 〔drive〕 a ~ trade 장사가 크게 번창하다 / in ~ health 기운이 넘치어, 매우 건강하여. **—** *ad.* 포효하듯; 고함치듯, 몹시: ~ drunk 몹시 취하여.

róaring fórties (the ~) 풍랑이 심한 해역 《북위 및 남위 40-50도》.

Róaring Twénties (the ~) 《미》 광란의 20년대 《재즈와 광소(狂騷)의 1920년대》.

⁑**roast** [roust] *vt.* **1** 《~+[목]/+[목]+[보]》 (고기를) 굽다, 불에 쬐다, 익히다, 오븐〔뜨거운 재〕에 굽다; (콩·커피 열매 등을) 볶다, 덖다: ~ meat 〔fish〕 / ~ the beans brown 콩을 누르께하게 볶다. **2** (태양이) …을 그을리다, 뜨겁게 하다. **3** 〖야금〗 (광석을) 배소(焙燒)하다. **4** 《+[목]+[전]+[명]》 (손 따위를) 녹이다: She ~*ed* her hands 〔herself〕 *over* the fire. 손〔몸〕을 불에 쬐어 녹였다. **5** 《구어》 조롱하다, 놀리다; 혹평하다. **—** *vi.* **1** 구워지다, 볶아지다. **2** 더워지다, 찌는 듯이 덥다: I'm simply ~*ing*. 지독하게 덥다. ***fit to*** **~** ***an ox*** (불이) 맹렬히 타올라서. ***give*** a person ***a*** (***good*** 〔***real***〕) **~*ing*** 아무를 (심하게) 꾸짖다. **—** *a.* 구운, 불에 쬔, 볶은. **—** *n.* **1** [U] 불고기; [C] (불고기용의) 고기 (《영》 joint), 로스트 고기 《보통 쇠고기》. **2** (a ~) 굽기; 〖야금〗 배소: Give it a good ~. 그것을 잘 구워라. **3** 《구어》 불고기를 먹는 피크닉〔파티〕. **4** 《구어》 조롱, 놀림; 따끔한 비판, 혹평. [파] **∠·a·ble** *a.*

róast béef 로스트비프 《쇠고기 덩어리를 오븐에 구워 얇게 썰어서 먹는 요리》.

róast·er *n.* 굽는 사람; 굽는 기구, 고기 굽는 냄비〔오븐〕, 로스터; 배소로(焙燒爐); 커피 볶는 기구; 《특히》 로스트용 돼지〔새〕 새끼.

róast·ing *a.* 굽기에 알맞은, 로스트용의; 타서 눌어붙을 것 같은; 〔부사적〕 타서 눌어붙을 듯이.

róasting èar 껍질을 벗기지 않은 채 구워 먹는 옥수수; 《미남부·중부》 껍질을 벗기지 않은 채 삶거나 찌기에 알맞은 옥수수.

Rob [rɑb/rɔb] *n.* 로브 《남자 이름; Robert의 애칭》.

⁑**rob** (**-bb-**) *vt.* **1** 《+[목]+[전]+[명]》 …에서 훔치다, …에게서 강탈〔약탈〕하다, 빼앗다 《*of*》; (권리 등을) 잃게 하다 《*of*》: ~ a person *of* his money 〔name〕 아무에게서 돈을 빼앗다〔명예를 잃게 하다〕 / The shock ~*bed* him *of* speech. 쇼크로 그는 말을 못했다.

> [SYN] **rob** '(폭력·협박 따위로) 아무에게서 물건을 훔치다'의 뜻으로, 강한 말. 구문은 *rob* a person *of* something으로 함. **steal** '(몰래 아무의) 물건을 훔치다'의 뜻으로 일반적인 말. 구문은 *steal* something *from* a person으로 함. **deprive** '아무의 권리나 지위 따위와 같은 추상적인 것을 빼앗다'의 뜻으로 그 구문은 *deprive* a person *of* something으로 함.

2 …의 알맹이를 빼앗다, 유린하다: ~ a safe 금고 안의 물건을 훔치다 / ~ a house 집을 털다. **—** *vi.* 약탈하다, 강도질을 하다(plunder). **~** ***a person blind*** 《구어》 아무를 속여 대금을 후리다; 아무에게 터무니없는 돈을 청구하다.

⁑**rob·ber** [rɑ́bər/rɔ́bər] *n.* 도둑, 강도; 약탈자.

róbber bàron 〖영국사〗 (중세의) 노상강도 귀족 《자기의 영지를 지나는 여행자를 털었음》; 《미》 (19세기 후반의) 악덕 자본가, 벼락부자.

⁑**rob·bery** [rɑ́bəri/rɔ́b-] *n.* [U,C] 강도 (행위), 약탈; 〖법률〗 강도 죄: commit ~ 강도질하다 / ⇨ DAYLIGHT ROBBERY.

robe** [roub] *n.* **1** (남녀가 같이 쓰는) 길고 품이 넓은 겉옷; 긴 원피스의 여자 옷; 긴 아동복; =BATHROBE. **2** (종종 *pl.*) 관복, 예복; 법복: ⇨ LONG 〔SHORT〕 ROBE / judges' ~*s* 재판관의 법복. **3** (*pl.*) 〖일반적〗 의복, 옷, 의상. [cf] gown. **4** 《미》 (모피·편물 등의) 무릎덮개: a lap ~. **5** 《시어》 걸치개, 장막: ~*s* of night 밤의 장막. ***both **~*s*** 문인과 무인. ***follow the*** **~** 법률가가 되다. ***gentlemen of the*** **~** 변호사들, 법관들. **—** *vi.* ~을 입다. **—** *vt.* 《+[목]+[전]+[명]》 (…에) ~을 입히다: a pine tree ~*d in* snow 눈으로 덮인 소나무 / She ~*d* herself *in* her evening dress. 그녀는 이브닝 드레스를 입었다.

robe de cham·bre [*F.* ʀɔbdəʃɑ̃:bʀ] (*pl.* ***robes de chambre*** [*F.* —]) 《F.》 실내복, 화장옷(dressing gown); 잠옷, 침실복.

robe housse [ròubhú:s] 《F.》 〖복식〗 로브우스 《낙낙하게 몸 전체를 감싸는 옷》.

Rob·ert [rɑ́bərt/rɔ́b-] *n.* 로버트 《남자 이름; 애칭 Bert, Berty, Bob, Dob, Rob, Robin》; 《영구어》 순경.

Ro·ber·ta [rəbə́:rtə] *n.* 로버타 《여자 이름》.

Rob·in [rɑ́bin/rɔ́b-] *n.* 로빈. **1** 남자 이름 《Robert의 애칭》. **2** 여자 이름 《새 robin에서》.

***rob·in** *n.* 울새(=(∠) **rédbreast**); 《미》 개똥지빠귀의 일종.

robin

Róbin Góod·fellow (영국 전설의) 장난꾸러기 꼬마 요정.

Róbin Hóod [-húd] **1** 로빈후드 《중세 영국 전설에 나오는 의적》. [cf] Maid Marian. **2** 가난한 사람을 위해 행동하는 사람. ***sell*** **~*'s pennyworth*** 반값으로 처분하다.

Róbin Hóod's bàrn 《미속어》 돌아서 가는 길: go around ~ 에둘러가다; 간접적인 방법으로 일을 해내다.

róbin's-ègg blúe 청록색.

Rob·in·son [rɑ́binsən/rɔ́b-] *n.* 로빈슨 《남자 이름》.

Róbinson Crú·soe [-krú:sou] *n.* 로빈슨 크루소 《Daniel Defoe 작의 표류기; 그 주인공》; 혼

자 살아가는 사람. **—** *vi.* 《미속어》 홀로 감연히 큰 일을 이루(려고 하)다. **—** *vt.* 외딴 섬에 홀로 남게 하다.

ro·ble [róublei] *n.* 〖식물〗 California 주 · Mexico산(産)의 각종 떡갈나무.

ro·bo [róubòu/ㅗ-] *n.* 《미》 의원들이 보내는 상투적인 말이 많은 편지.

ro·bomb [róubɑ̀m/-bɔ̀m] *n.* =ROBOT BOMB.

rob·o·rant [rɑ́bərənt/rɔ́b-] *a.* 힘을 돋우는. **—** *n.* 강장제(tonic).

*__ro·bot__ [róubət, -bɑt/-bɔt, -bət] *n.* 로봇, 인조인간; 자동 장치; 기계적으로 일하는 사람. ㊕ **~·ism** *n.* Ⓤ (감정이 없는) 기계적인 행위 · 성격.

róbot bòmb 로봇 폭탄(buzz bomb, flying bomb) 《폭탄을 실은 무인 비행기》.

ro·bot·esque [ròubətésk, -bɑt-/-bɔt-, -bət-] *a.* 로봇과 같은 (형식의).

ro·bot·ic [roubɑ́tik/-bɔ́t-] *a.* 로봇을 이용하는, 로봇식의. ㊕ **-i·cal·ly** *ad.*

ro·bot·i·cist [roubɑ́təsist/-bɔ́t-] *n.* 로봇 기술자《보통 robot scientist 〔engineer〕라고 함》.

ro·bót·ics *n. pl.* 〖단수취급〗 로봇 공학(工學).

ro·bot·ize [róubətàiz, -bɑt-/-bɔt-] *vt.* (인간을) 로봇화하다; 자동화하다: ~ a plant 공장을 자동화하다. ㊕ **rò·bot·i·zá·tion** *n.* Ⓤ

ro·bot·ol·o·gy [roubətɑ́lədʒi, -bɑt-/-bɔtɔ́l-] *n.* 로봇학(學).

ro·bot·o·mor·phic [ròubətəmɔ́ːrfik, -bɑt-/-bɔt-] *a.* 로봇형(型)의, 로봇적(的)인.

róbot pìlot 자동 조종 장치. 「하여 쓰는 말》.

róbot revolùtion 로봇 혁명《산업 혁명과 비교

róbot spèech 〖컴퓨터〗 =SYNTHETIC SPEECH.

Robt. Robert.

ro·bur·ite [róubəràit] *n.* Ⓤ 〖화학〗 광산용의 고성능 무염(無焰) 폭약.

°**ro·bust** [roubʌ́st, ㅗ-] (*~·er; ~·est*) *a.* 튼튼한, 강건한; 힘이 드는《일 따위》; 강한, 건전〔확고〕한《사상 따위》; 난폭한, 떠들썩한; (술 따위가) 감칠맛이 있는. ㊕ **~·ly** *ad.* **~·ness** *n.*

ro·bus·tious [roubʌ́stʃəs] *a.* 난폭한, 시끄러운; (기후 · 폭풍이) 사나운, 모진; 《고어》 건장한, 어기찬. ㊕ **~·ly** *ad.*, **~·ness** *n.*

roc [rɑk/rɔk] *n.* 아라비아 전설의 큰 괴조(怪鳥). ***a ~'s egg*** 이야기뿐이며 실제로는 없는 것, 믿을 수 없는 것.

R.O.C. 《영》 Royal Observe Corps.

roc·am·bole [rɑ́kəmbòul/rɔ́k-] *n.* 〖식물〗 마늘의 일종《유럽 원산》.

ROCE 〖경제〗 return on capital employed (자본 이익률) 《투자 자본의 운용 효율 측정 지표》.

Róche lìmit [róuʃ-] 〖천문〗 로시 한계《위성이 존속하기 위해 유지해야 하는 주성(主星)과의 한계 거리; 또는 Roche's limit 라고도 함》.

Róche lòbe 〖천문〗 로시 돌출《천체 상호 간의 인력 작용에 의하여 천체에 생기는 가스상(狀)의 돌출부; Edouard A. Roche (1820-83)의 이름에서》.

roch·et [rɑ́tʃit/rɔ́tʃ-] *n.* 백색 제의(祭衣)《특히 주교 · 감독 등이 입는》; 주교, 감독.

†**rock**[1] [rɑk/rɔk] *n.* **1** Ⓤ,Ⓒ 바위, 암석, 암반(岩盤); 암벽: a mass of ~ 암괴(岩塊). **2** (the R-) Gibraltar의 별칭. **3 a** (종종 *pl.*) 암초(暗礁), 난관, 위험물, 화근: a sunken ~ 암초. **b** (수용소로서의) 작은 섬. **4** (견고한) 토대, 지지, 지주; 방호〔보호〕해 주는 것: The Lord is my ~. 주는 나의 반석이시다. **5** 《미》 조약돌: throw ~*s* at …에 돌을 던지다. **6** (*pl.*) 《미속어》 돈, 《특히》 달러 지폐; 다이아몬드, 보석. **7** Ⓤ 《영》 단단한 사탕 과자, 얼음사탕; 《방언》 딱딱한 치즈. **8** (*pl.*) 《비어》 불알. **9** =ROCKFISH; ROCK PIGEON. **10** 《미속어》 어처구니없는 실수. **11** 《속어》 crack의 결정(結晶)《마약》; 《마약속어》 헤로인의 결정《끽연용》. (***as***) ***firm*** 〔***steady, solid***〕 ***as a ~*** 극히 단단한; (사람이) 믿을 수 있는. ***built*** 〔***founded***〕 ***on the ~*** 반석 위에 세워진; 기초가 견고한. ***get*** one's ***~s off*** 《비어》 사정(射精)하다; 성교하다. ***have ~s in*** one's 〔***the***〕 ***head*** 《속어》 〖보통 의문문〗 어리석다, 좀 돌다. ***off the ~s*** 《구어》 위험에서 벗어나. ***of the old ~*** (보석 따위의) 우수한, 우수함이 증명된, 진짜로 고급인. ***on the ~s*** ① 좌초〔난파〕하여, 파멸하여; 진퇴양난으로; 《구어》 돈에 쪼들려, 파산하여: Their marriage is *on the ~s*. 그들의 결혼 생활은 위기에 처해 있다. ② 《구어》 (몇 개의) 얼음 덩어리 위에 부은《위스키 따위》: Scotch *on the ~s*. ***Rocks ahead!*** 〖해사〗 암초다, 위험하다. ***Rocks for Jocks*** 《미속어》 (대학의) 지질학 강의〔과정〕. ***run*** 〔***go, strike***〕 ***on*** 〔***upon, against***〕 ***a*** 〔***the***〕 ***~*(*s*)** 좌초하다, 난파하다; 파멸하다. ***the Rock of Ages*** 예수; '만세반석되신 주' 《찬송가 제목》; 신뢰할 수 있는 것〔사람〕.

— *a.* 돌〔암석〕 같은.

— *vt., vi.* 《미》 돌로 치다, (…에) 돌을 던지다.

‡**rock**[2] *vt.* **1** 흔들어 움직이다, 진동시키다: ~ the boat / The town was *~ed* by an earthquake. 도시는 지진으로 흔들렸다. **2** 《~+목/+목+보/+목+*to* do》 (요람에 태워) 흔들다, 흔들어 …하게 하다; 달래다, 기분 좋게 해 주다: ~ a cradle 요람을 흔들다 / ~ a baby asleep = ~ a baby *to* sleep 갓난애를 흔들어 재우다. **—** *vi.* **1** 흔들리다; 진동하다; 흔들〔비틀〕거리다: walk with a *~ing* gait 비틀거리며 걷다. SYN. ⇨ SHAKE. **2** 로큰롤을 추다〔부르다, 연주하다〕. **3** 《+전+명》 (흥분 · 감격 따위로) 동요하다, 감동하다: The hall *~ed with* laughter. 홀은 웃음소리로 떠들썩했다. **~ *out*** 《구어》 실컷 즐기다; 《미마약속어》 의식이 몽롱해지다, 비틀거리다.

— *n.* **1** 흔들림; 동요; 한 번 흔듦: give a ~ 흔들다. **2** =ROCK'N' ROLL; 로큰롤에서 파생된 록 음악; 록 팬. **3** 《영》 (10 대의) 폭주족(rocker).

— *a.* = ROCK'N' ROLL.

rock[3] *n.* (옛날의) 물레의 가락, 실 감는 대(distaff); 그것에 감긴 솜〔아마(亞麻)〕.

rock·a·bil·ly [rɑ́kəbìli/rɔ́k-] *n.* Ⓤ 로커빌리 《열정적인 리듬의 재즈 음악》. [◂ *rock and* roll + hill*billy* song] 「HUSHABY(E).

rock·a·by(e) [rɑ́kəbài/rɔ́k-] *int., vt.* =

róck·áir *n.* 록에어《비행기로 상공에 날라다 발사하는 관측용 소형 로켓》.

róck and róll =ROCK'N' ROLL.

róck and rýe 라이보리 위스키에 얼음사탕을 넣고 오렌지나 레몬 따위로 가미한 음료.

rock·a·way [rɑ́kəwèi/rɔ́k-] *n.* 《미》 2 〔3〕 인승의 지붕 있는 4 륜마차.

róck bóttom 맨 밑바닥, 최저; 깊은 내막, 진상: Prices hit 〔reach〕 ~. 물가가 바닥 시세로 되었다.

róck-bóttom *a.* 맨 밑바닥의, 최저의; 가장 근본적인: the ~ prices 최저 가격.

róck·bòund *a.* 바위로 둘러싸인; 바위투성이의; 끈질긴, 완강한. 「분출.

róck bùrst (약해진 암반에서의) 급격한 암석의

róck cáke 겉이 딱딱하고 꺼칠한 쿠키.

róck cándy 《미》 **1** 얼음사탕(《영》 sugar candy). **2** 막대 모양의 얼음 과자. **3** 《미속어》 다이아몬드.

róck-clìmbing *n.* Ⓤ 〖등산〗 암벽 등반, 바위타기. ㊕ **róck-clìmber** *n.*

róck còrk 〖광물〗 코르크 비슷한 석면의 일종.

róck crỳstal 〖광물〗 (무색의) 수정(水晶).

róck dòve =ROCK PIGEON.

róck drìll 착암기.

Rock·e·fel·ler [rákəfèlər/rɔ́k-] *n.* 록펠러. **1 John Davison ~** 미국의 자본가·자선 사업가(1839-1937). **2 John Davison ~, Jr.** 1의 아들이며 자선가(1874-1960).

Róckefeller Cénter (the ~) 록펠러 센터 《New York 시 중심지에 있는 상업·오락 지구》.

Róckefeller Foundàtion 록펠러 재단 《1913년 초대 Rockefeller가 창립》.

róck·er *n.* (요람 등을) 흔드는 사람; 흔들리는 것, (흔들의자 따위의 밑에 달린) 호상(弧狀)의 다리; 흔들의자(rocking chair); 흔들목마; 〖광산〗 선광기(選鑛器); 〖판화〗 로커《mezzotint 제작에 쓰이는 끝에 호상의 날이 달린 강철제 도구》; 〖스케이트〗 날이 활등처럼 굽은 스케이트; =ROCKING TURN; 《영》 폭주족《1960년대에 가죽 잠바를 입고 바이크로 달리던 십대들》; 《구어》 록 연주가, 록 팬, 록 음악. ***off* one's ~** 《속어》 제정신이 아닌; 어리석은; 미친.

rócker àrm 〖기계〗 로커암, 가동 완부(腕部).

rock·ery [rákəri/rɔ́k-] *n.* =ROCK GARDEN.

***rock·et**[1] [rákit/rɔ́k-] *n.* **1** 로켓: launch a ~ 로켓을 발사하다. **2** 화전(火箭), 봉화; 쏘아 올리는 불꽃. **3** 《구어》 심한 질책: give a person a ~ 아무를 호되게 꾸짖다 / get a ~ 야단 맞다. **—** *vt.* **1** 《~+[목]/+[목]+[전]+[명]》 로켓으로 나르다〔쏴 올리다〕; 로켓탄으로 공격하다: ~ an object *into* space 로켓으로 물체를 우주로 쏴 올리다. **2** 《+[목]+[전]+[명]》 (바람직한 상태로) 급진시키다: This ~*ed* him *to* a top position. 이로써 그는 단번에 최고 지위에 올랐다. **3** 엄히 꾸짖다〔벌 주다〕. **—** *vi.* **1** 로켓처럼 돌진하다, 로켓을 타고 가다; 로켓으로 궤도에 오르다; 급속도로 움직이다. **2** (꿩 따위가) 후루룩 날아오르다. **3** 《~/+[부]/+[전]+[명]》 (가격 등이) 갑작스레 치솟다《*up*》; (바람직한 상태로) 급진하다: Prices ~*ed* this year. 금년에 물가가 급등했다 / He ~*ed to* fame. 그는 갑자기 유명해졌다.

rock·et[2] *n.* 겨잣과(科)의 식물《샐러드용》; 나도냉이.

rócket astrónomy 로켓 천문학.

rócket bàse 로켓 기지.

rócket bòmb 로켓탄; 분사식 미사일.

rock·et·drome [rákitdròum/rɔ́k-] *n.* 로켓 발사장〔기지〕. [◂ *rocket*+aero*drome*]

rock·e·teer [rɑ̀kitíər/rɔ̀k-] *n.* 로켓 사수(射手)〔조종사〕; 로켓 기사〔연구가, 설계사〕.

rócket èngine 〔**mòtor**〕 (초음속 비행기 등의) 로켓 엔진.

róck·et·er *n.* 곧추 날아오르는 사냥새.

rócket gùn 로켓포.

rócket làuncher 〖군사〗 로켓 발사기, 로켓탄 발사 장치〔차량〕.

rócket plàne 로켓(비행)기; 로켓포 탑재기.

rócket-propèlled *a.* 로켓 추진식의.

rócket propùlsion (비행기의) 로켓 추진.

rócket rànge 로켓 발사 실험장.

rock·et·ry [rákitri/rɔ́k-] *n.* [U] 로켓 공학〔실험, 사용〕.

rócket scìentist 1 로켓 과학〔공학〕자. **2** 《속어》 머리가 좋은〔수학을 아주 잘하는〕 사람, 수재.

rócket shìp 로켓(추진)선; 로켓포를 장비한 소함정; 로켓식 항공기.

rócket slèd 로켓 썰매《로켓 엔진에 의해 단선(單線) 궤도 위를 달리는 실험용 썰매》.

rócket·sònde *n.* (고공 기상 관측용) 로켓존데《로켓으로 쏴 올리고 낙하산으로 회수》.

rócket stàtion 로켓 가대(架臺).

Rock·ettes [rákits] *n.* (the ~) 로케츠 《Radio City Music Hall에서 라인 댄스를 추는 여성 그룹》.

róck·fàce *n.* 암벽.

róck fàll 낙석(落石), 낙반, 떨어진〔떨어지는〕 바윗덩이.

rock·fest [rákfèst/rɔ́k-] *n.* 《미》 로큰롤 음악제, 록 뮤직 페스티벌.

Róck fèver 〖병리〗 =UNDULANT FEVER.

róck·fish *n.* 〖어류〗 각종의 육봉어(陸封魚)《특히 곤들매기·쏨뱅이》.

róck gàrden 암석 정원; 석가산(石假山)이 있는 정원.

róck gòat 야생 염소(ibex).

róck-hàrd *a.* 바위처럼 단단한, 완고한.

róck-hèwn *a.* 바위를 잘라서 만든.

róck hòund 《구어》 지질학자, 돌〔암석〕 수집가; 유전(油田) 탐색자.

Rock·ies [rákiz/rɔ́k-] *n. pl.* (the ~) =ROCKY MOUNTAINS.

róck·ing *a.* 흔들리는. **—** *n.* 흔들림, 진동.

rócking chàir 흔들의자.

rócking hòrse =HOBBYHORSE.

rócking stòne 흔들리는 바위(logan stone).

rócking tùrn 〖스케이트〗 요전(搖轉)《호선(弧線)의 외측에서 몸을 트는》.

róck jòck 《속어》 산에 오르기 좋아하는 사람, 등산가; 《특히》 암벽 등반가(=**róck-jòck**).

rocking chair

róck lèather 석면의 일종.

róck lóbster 〖동물〗 =SPINY LOBSTER.

róck máple =SUGAR MAPLE.

róck mùsic 록 뮤직《로큰롤에서 유래한 비트가 강하고 선율이 단순한 음악》.

rock'n'roll, rock-'n'roll [rákənróul/rɔ́k-] *n.* 로큰롤《블루스와 민요조를 가미한 박자가 격렬한 재즈곡; 그 춤》; 《미속어》 로큰롤 팬. **—** *a.* ~의. **—** *vi.* ~을 추다〔연주하다〕.

róck òil 석유(petroleum).

rock·oon [rákuːn, -ˊ/rɔkúːn] *n.* 로쿤《고공 기구(氣球)에서 발사되는 과학용 소형 로켓》. [◂ *rock*et+ball*oon*]

róck pìgeon 양(洋)비둘기(rock dove).

róck plànt 암생(岩生) 식물; 고산 식물.

róck-ríbbed *a.* **1** 암석의 층이 있는. **2** 《비유》 완고한, 융통성 없는.

róck-ròse *n.* 물푸레나뭇과의 식물《시스토스 따위》.

róck sàlt 암염(岩塩). cf. sea salt.

róck·shàft *n.* 〖기계〗 요축(搖軸), 요동축.

róck·slìde *n.* 〖지학〗 암반이 미끄러져 떨어지는 일; 미끄러져 떨어지는 바위.

róck snàke 〖동물〗 비단구렁이.

róck-sólid *a.* 바위처럼 견고한, 매우 튼실한.

róck stéady 〖음악〗 록 스테디《reggae의 전신》.

róck tàr 원유, 석유.

róck trìpe 바위이끼《북극산(産); 대용 식품》.

rock·u·men·ta·ry [rɑ̀kjəméntəri/rɔ̀k-] *n.* 다큐멘터리 스타일의 록 뮤직 영화. [◂ *rock*+docu*mentary*]

Rock·well [rákwèl-, -wəl/rɔ́k-] *n.* **Norman ~** 록웰《미국의 화가·삽화가; 1894-1978》.

Róckwell Internátional 록웰 인터내셔널(사)(~ Corp.)《미국의 항공 우주 회사; 1928년 설립》.

róck wòol 암석 섬유, 암면(岩綿)《광석을 녹여 만든 섬유; 단열·보온·방음용》.

róck·wòrk *n.* [U] (석가산(石假山)·돌담 등의) 돌쌓기 공사.

rocky**[1] [ráki/rɔ́ki] (rock·i·er; -i·est***) *a.* **1** 암석이 많은, 바위로 된. **2** 바위 같은, 튼튼한. **3** 부동의, 태연한; 완고한, 냉혹한, 무정한: a ~ heart

냉혹〔무정〕한 마음. [파] **róck·i·ly** *ad.* **-i·ness** *n.*

rocky[2] (***rock·i·er; -i·est***) *a.* 흔들흔들하는, 불안정한; 《구어》 비슬거리는, 현기증 나는. 「GOAT.

Rócky Móuntain góat 〖동물〗 =MOUNTAIN

Rócky Móuntains (the ~) 로키 산맥.

Rócky Móuntain shéep 〖동물〗 =BIGHORN.

Rócky Móuntain spótted féver 〖의학〗 로키산(홍반(紅斑))열(熱).

ro·co·co [rəkóukou, ròukəkóu] *n.* [U] 로코코식《18 세기경 유행된 화려한 건축 · 장식 양식》. **—** *a.* 로코코식의; 속악(俗惡)한; 구식의. 「애칭》.

Rod [rad/rɔd] *n.* 로드《남자 이름; Rodney의

rod** [rad/rɔd] *n.* **1** 장대, (가늘고 긴) 막대; 낚싯대; 요술 지팡이: ⇨CURTAIN 〔FISHING〕 ROD / a ~ and line 낚싯줄이 달린 낚싯대. **2** 작은 가지, 애가지. **3** 지팡이, 회초리; (the ~) 회초리로 때리기, 매질, 징계: Spare the ~ and spoil the child. 《속담》 매를 아끼면 자식을 망친다, 귀한 자식 매로 키워라. **4** 〖기계〗 간(桿); 측량간, 가늠자. **5** 권장(權杖), 홀(笏); 권력, 직권; 압제. **6** 로드(perch[1])《길이의 단위; 5 1/2 야드, 5.0292 미터》; 면적의 단위《30 1/4 제곱야드, 25.29 제곱미터》. **7** 〖해부〗 시신경의 간상체(桿狀體); 〖생물〗 간상균, 간상 염색체. **8** 《미속어》 권총; =HOT ROD; 화물 열차; 《속어》 자지(penis). **9** 피뢰침; 〖기계〗 연접봉(連接棒). **10** 〖성서〗 혈통, 자손. ***give the ~ 매질하다. ***have*** 〔***keep***〕 ***a ~ in pickle for*** …을 벌 주려고 벼르다. ***kiss the ~*** 고분고분히 벌을 받다. ***make a ~ for*** oneself 〔***for*** one***'s own back***〕 화를 자초하다, 사서 고생하다. ***ride*** 〔***hit***〕 ***the ~s*** =***grab a handful of ~s*** 《미속어》 화물 열차에 무단〔무임〕승차하다. ***rule with a ~ of iron*** 압정〔학정(虐政)〕을 행하다. **—** *vt., vi.* **1** …에 장대를〔막대를, 피뢰침을〕 달다. **2** (모르타르 따위를) 막대로 고르다. **3** 《비어》 (…와) 성교하다《*with*》. **~ *up*** 《미속어》 무기를 주다, 무장하다〔시키다〕.

rode[1] [roud] RIDE의 과거.

rode[2] *vi.* (들새가) 밤에 뭍을 향하여 날다; (누른도요가) 번식기에 밤하늘을 날다.

◇**ro·dent** [róudnt] *a., n.* 갉는; 설치류의 (동물)《쥐 · 토끼 따위》; 〖의학〗 (특히 궤양이) 잠식성의. [파] **~·like** *a.*

ro·den·tial [roudénʃəl] *a.* 설치류의; 잠식성의.

ro·den·ti·cide [roudéntəsàid] *n.* 쥐약.

ródent ùlcer 〖병리〗 잠식성 궤양《안면 따위에 흔히 나타나는 궤양성 피부암》.

ro·deo [róudiòu, roudéiou] (*pl.* **~s**) *n.* 《미》 **1** (낙인을 찍기 위하여) 목우(牧牛)를 한데 모으기; 그 장소. **2** 로데오 《(1) 카우보이의 말타기 따위의 공개 경기 대회. (2) 오토바이 등의 곡예 쇼》.

Rod·er·ic(k) [rádərik/rɔ́d-] *n.* 로더릭《남자 이름》.

Ro·din [roudǽn, -dǽŋ] *n.* **Auguste ~** 로댕《프랑스의 조각가; 1840-1917》.

ród·man [-mən] (*pl.* ***-men*** [-mən, -mèn]) *n.* 낚시꾼; 측량 조수; 철근공《토목 건축의》; 《미속어》 권총 강도.

Rod·ney [rádni/rɔ́d-] *n.* 로드니《남자 이름》.

Ro·dolph, Ro·dol·phus [róudalf/-dɔlf], [roudálfəs/-dɔ́l-] *n.* =RUDOLPH.

rod·o·mon·tade [ràdəmantéid, -tá:d, -mən-/rɔ̀dəmɔn-] *n.* [U] 호언장담, 허풍. **—** *a.* 자랑하는, 허풍 떠는. **—** *vi.* 호언장담하다.

roe[1] [rou] (*pl.* **~s,** 〖집합적〗 ~) *n.* 노루(~ deer); 암사슴.

roe[2] *n.* [U] 곤이, 어란(魚卵)(hard ~); 어정(魚精), 이리(soft ~).

ROE 〖경제〗 return on equity (주주 자본 이익률).

róe·bùck *n.* 노루의 수컷.

róe dèer 노루.

Roent·gen [réntgən, -dʒən, rʌ́nt-/rɔ́ntjən, rɔ́ntgən, rʌ́nt-] *n.* 뢴트겐. **1 Wilhelm Konrad ~** 뢴트겐선을 발견한 독일의 물리학자(1845-1923). **2** (r-) 방사선 세기의 단위《기호 R》. **—** *a.* (r-) 뢴트겐의, 엑스선의: a *roentgen* photograph 뢴트겐 사진.

róent·gen·ìze *vt.* …에 뢴트겐선〔엑스선〕 조사(照射)를 하다; 엑스선을 통과시켜 (공기 · 기체를) 전기 전도성으로 만들다.

roent·gen·o·gram, -graph [réntgənəgrӕm, -dʒən, rʌ́nt-], [-grӕf, -grà:f] *n.* 뢴트겐〔엑스선〕 사진.

roent·gen·og·ra·phy [rèntgənágrəfi, -dʒən-, rʌ́nt-/rɔ̀ntgənɔ́g-] *n.* [U] 뢴트겐 사진술〔촬영법〕.

roent·gen·ol·o·gy [rèntgənálədʒi, -dʒən-, rʌ̀nt-/rɔ̀ntgənɔ́l-] *n.* [U] 뢴트겐선학(學), 뢴트겐과(科).

roent·gen·o·ther·a·py [rèntgənəθérəpi, rʌ́nt-] *n.* [U] 뢴트겐(선) 요법. 「ray).

Róentgen rày (때로 r-) 뢴트겐선, 엑스선(X

róe·stòne *n.* [U] 어란석(魚卵石). 「법 판정.

Róe vs. Wáde 1973 년 미국 대법원의 낙태 합

Rog. Roger. **ROG, R.O.G., r.o.g.** 〖상업〗 receipt of goods (도착불, 현금 상환(相換)).

Ro·gal·list [rougǽlist] *n.* 로갈로〔행글라이더〕로 활공하는 사람. 「각형의 행글라이더》.

Ro·gal·lo [rougǽlou] (*pl.* **~s**) *n.* 로갈로《삼

ro·ga·tion [rougéiʃən] *n.* 〖고대로마〗 법률 초안(의 제출); (*pl.*) 〖기독교〗 (예수 승천축일 전의 3일간의) 기도, 기원.

Rogátion Dàys 기도 성일《예수 승천축일 전의 3 일간》. 「일요일.

Rogátion Sùnday 〖기독교〗 기도 성일 전의

Rogátion Wèek 〖기독교〗 기도 성일 주간.

rog·a·to·ry [rágətɔ̀:ri/rɔ̀gətəri] *a.* 사문(査問)하는, 조사하는, 증인 사문의 권한이 있는.

Rog·er [rádʒər/rɔ́dʒər] *n.* 로저. **1** 남자 이름 《애칭 Hodge, Hodgkin》. **2** =JOLLY ROGER.

rog·er[1] [rádʒər/rɔ́dʒər] *int.* (*or* R-) 〖통신〗 알았다(received (and understood)); 《구어》 좋다, 알겠다(all right, O.K.).

rog·er[2] *n., vt., vi.* 《영비어》 (…와) 동침〔성교〕(하다), 배가 맞다〔맞음〕; 《속어》 꾸짖다.

Ro·gét's thesáurus [rouʒéiz-, ´-/rɔ́ʒeiz-] 로제 유어(類語) 분류 사전《영국인 P.M. Roget (1779-1869)가 편찬》.

◇**rogue** [roug] *n.* **1** 악한, 불량배, 깡패. **2** 《우스개》 개구쟁이, 장난꾸러기. **3** (무리에서 떨어져) 헤매는 광포한 코끼리〔물소〕. **4** 거지, 부랑자. **5** 〖생물〗 (보통 열등한) 변이 개체; 〖원예〗 발육 불량한 모종. ***play the ~*** 사기 치다. **—** *vt.* **1** 속이다. **2** (밭 따위에서 나쁜 모종을) 솎다, 제거하다. **—** *vi.* **1** 부랑하다, 할 일 없이 빈둥거리다; 나쁜 짓을 하다, 사기 치다. **2** 나쁜 모종을 솎다. **—** *a.* (동물이) 사나운; 이상한; 결함이 있는; 단독으로 〔외톨로〕 이탈한.

rógue élephant (무리에서) 소외당한 코끼리; (사회에서 위험시되어) 소외된 떠돌이.

ro·guery [róugəri] *n.* [U,C] 못된 짓, 부정; [U] 장난, 짓궂음. ***play ~ upon*** …을 속이다.

rógues' gállery (경찰 등의) 범인 사진 대장.

rógue's márch 〖역사〗 추방곡《전에 군대나 사회에서 추방할 때의》; 추방할 때의 야유.

ro·guish [róugiʃ] *a.* 깡패의, 건달의; 장난치는, 짓궂은. [파] **~·ly** *ad.* **~·ness** *n.*

roi [*F.* ʀwa] *n.* 《*F.*》 왕. ***le ~ le veult*** [*F.* lə-ʀwaləvø] 재가(the King wills it)《국왕이 의안을 재가할 때 쓰던 문구》. ***le ~ s'avisera*** [*F.* -sa-vizəra] 부(不)재가(the King will consider).

R.O.I. return on investment (투자 수익률).

roid [rɔid] *n.* 《미속어》 〖의학〗 스테로이드(steroid): ~ rage 스테로이드성(性) 격노《스테로이드 섭취 과다로 인한 거친 행동》.

roil [rɔil] 《미·영방언》 *vt.* **1** (물·와인 등의) 침전물을 휘저어 흐리게 하다. **2** (마음을) 어지럽히다, (사회를) 소란케 하다; (사람을) 노하게 하다, 안달 나게 하다. **—** *vi.* 미친 듯이 날뛰다; (파도가) 넘실거리다, 소용돌이치다. **—** *n.* 교란(agitation); 탁류. ㊕ **~y** [rɔ́ili] *a.* 흐려진; 성난.

rois·ter [rɔ́istər] *vi.* 으스대다; 술 마시며 떠들다. ㊕ **~·er** *n.* **~·ing** *a.* =ROISTEROUS.

rois·ter·ous [rɔ́istərəs] *a.* 으스대는; 술 마시고 떠드는.

Rok [rɑk/rɔk] (*pl.* **~s**) *n.* 한국군 병사.

ROK the Republic of Korea (대한민국). **ROKA** ROK Army. **ROKAF** ROK Air Force. **ROKMC** ROK Marine Corps. **ROKN** ROK Navy.

rol·a·mite [róuləmàit] *n.* 〖기계〗 (S자 형의) 회전 축받이의 일종.

Ro·land [róulənd] *n.* **1** 롤런드《남자 이름》. **2** Charlemagne 대제 휘하의 용사《그의 벗 Oliver와 함께 유명함》. **3** 용장(勇將). **4** 〖군사〗 롤런드《프랑스와 독일이 공동 개발한 기동식 야전용 지대공 미사일》. ***a ~ for an Oliver*** 막상막하, 백중(伯仲)《두 장수가 5일간 싸웠어도 승부가 나지 않은 데서 나온 말》; 대갚음; 되쏘아붙이기.

role, rôle [roul] *n.* 《F.》 **1** (배우의) 배역: ⇨ TITLE ROLE / a leading ~ 주역; 지도적 역할. **2** 역할, 노릇, 임무: play an important ~ in …에서 중요한 역할을 담당하다. ***fill the ~ of*** … 의 임무를 완수하다.

róle mòdel (특정 역할에서) 본보기가〔모범이〕 되는 사람.

róle-plày *vt., vi.* (실생활에서) …의 역할을 하다; 행동으로 나타내다.

róle-plàying *n.* 〖심리〗 역할 연기《심리극 따위에서》.

róle revèrsal 역할 전환《일·가사·육아 따위에 있어서의 남녀 간의》.

Ro·lex [róuleks] *n.* 롤렉스《스위스의 고급 시계 메이커; 상표명》.

Rolf [rɑlf/rɔlf, rouf] *n.* 롤프《남자 이름》.

rolf [rɑlf/rɔlf] *vt.* …에게 롤프식 마사지를 하다. ㊕ **∠·er** *n.* 롤핑 요법사.

rólf·ing *n.* (종종 R-) 롤핑《근육을 깊이 마사지하는 물리 요법; 미국 물리 요법가 Ida Rolf (1897-1979)의 이름에서》.

roll [roul] *vi.* **1** 《~/+부/+전+명》 (공·바퀴 따위가) 구르다, 굴러가다, 회전(回轉)하다: ~ *on* 굴러 가다 / Tears ~*ed down* her cheeks. 눈물이 그녀의 뺨 위를 흘러내렸다. **2** 《+부/+전+명》 (차가) 나아가다, 달리다, (차로) 가다《*along; by*》: The pioneers ~*ed along* in covered wagons. 개척자들은 포장마차를 타고 나아갔다 / The car ~*ed through* the streets. 그 차는 도심을 통과했다. **3** 진행하다, 활동하다: get business ~*ing* 일을 척척 진행시키다. **4** 《+전+명》 (천체가) 주기적으로 운행하다: The planets ~ *around* the sun. 행성은 태양 주위를 공전한다. **5** 《+부》 (세월이) 경과하다《*on; away; by*》; (다시) 돌아오다, 돌고 돌다《*round; around*》/ Centuries ~*ed on* 〔*by*〕. 수세기가 흘러갔다 / Summer ~*ed round* again. 다시 여름이 돌아왔다. **6** 《~/+전+명/+부》 (땅이 높고 낮게) 기복하다; (파도 따위가) 굽이치다, 파동하다; (연기·안개 따위가) 끼다, 감돌다: The country went on ~*ing* miles and miles. 그 지방은 몇 마일이나 기복이 계속되어 있었다 / The wave ~*ed against* the rock. 파도가 몰려와 바위를 쳤다 / The mist ~*ed away*. 안개가 걷혔다. **7** 《~/+부/+전+명》 (배·비행기가) 옆질하다, 좌우로 흔들리다. ⓒⓕ pitch[1]. ¶ A boat slowly ~*ed over*. 배가 천천히 옆으로 전복했다 / The ship ~*ed in* the waves. 배가 파도에 좌우로 흔들렸다. **8** 《+부/+전+명》 (사람이) 몸을 흔들며 걷다; 뒤치다, 뒹굴다: He ~*ed up* to me. 그는 비틀거리며 내 앞에 왔다 / ~ *out* (*of* bed) (침대에서) 굴러나오다. **9** 《속어》 나가다; 착수하다. **10** (천둥이) 우르르 하다〔울리다〕, (북이) 둥둥 울리다: The thunder ~*ed* in the distance. **11** (이야기·변설 등이) 똑똑하다, 도도히 논하다; (새가) 떨리는 소리로 지저귀다. **12** 《+부/+전+명》 동그래지다, 똘똘 뭉쳐〔말려〕 졸아들다《*up; together*》: ~ (oneself) *up* in the blanket 담요로 (몸을) 감싸다 / ~ *into* a ball 둘둘 말려 공처럼 되다. **13** (금속·인쇄잉크·가루 반죽 등이 롤러에 걸려) 늘어나다〔압연되다〕, 펴지다: This dough ~*s* well. 이 가루 반죽은 잘 펴진다. **14** (눈이) 희번덕거리다; 눈알을 부라리며 보다《*at*》: His eyes were ~*ing*. **15** 《+전+명》 《구어》 호화롭게 살다, 남아돌아갈 만큼 있다: He is ~*ing in* money 〔luxury〕. 그는 부자로〔호화롭게〕 살고 있다. **16** 《구어》 (일 따위에) 착수하다, 시작하다; 출발하다. **17** 《+전+명》 《속어》 (…와) 성교하다《*with*》. **—** *vt.* **1** 《~+목/+목+전+명/+목+보》 굴리다, 회전시키다: ~ a ball *along* the floor 공을 마루에 굴리다 / The tide ~*s* pebbles smooth. **2** 《+목+전+명》 굴려 가다, 실어 나르다; 탈것으로〔산륜(散輪), 굴림대〕로 옮기다: ~ a ship *into* water 굴림대로 배를 움직여 물에 띄우다. **3** 《~+목/+목+전+명》 (파도·물을) 굽이치게 하다, (안개를) 감돌게 하다; 물결처럼 굽이쳐 나가게 하다; (연기·먼지 등을) 휘말아 올리다: The river ~*s* water *into* the ocean. 강물은 굽이굽이 흘러 바다로 간다 / The chimney were ~*ing up* smoke. 굴뚝은 뭉게뭉게 연기를 뿜고 있었다. **4** 《~+목/+목+목/+목+부/+목+전+명》 동그랗게 하다, 말다, 말아서 만들다, 굴려서 뭉치다; 감다《*around*》; 감싸다, 싸다: ~ pills 환약을 만들다 / Please ~ me a cigarette. =Please ~ a cigarette *for* me. 담배를 말아 다오 / ~ snow *into* a huge snowball 눈을 굴려 큰 눈덩이를 만들다 / ~ oneself (*up*) *in* a sheet 시트로 몸을 감싸다. **5** 《~+목/+목+부/+목+보》 롤러를 굴려 판판하게 하다, 밀방망이로 밀어 늘이다; (금속을) 압연하다: ~ a court 〔lawn〕 테니스장을 고르다 / ~ *out* the pastry 밀가루 반죽을 밀어 늘이다 / ~ the pastry flat 밀가루 반죽을 판판하게 밀다. **6** 조작하다, 움직이다: ~ the camera 카메라를 조작하다. **7** 《~+목/+목+부》 (북 따위를) 둥둥 울리다; 울리게 하다; 낭랑하게 지껄여대다; (r를) 혀를 꼬부려 발음하다: The organ ~*ed out* 〔*forth*〕 a stately melody. 오르간 연주로 장중한 곡이 울려 퍼졌다. **8** 《~+목/+목+부/+목+전+명》 (눈알을) 희번덕거리다: ~ *up* one's eyes *on* a person 아무에게 눈을 부라리다. **9** 《~+목/+목+부》 (배·비행기를) 옆질하게〔좌우로 흔들리게〕 하다: The waves ~*ed* the ship *along*. 배가 파도에 좌우로 흔들리면서 나아갔다. **10** 때려서 자빠뜨리다; (술 취한 사람에게서) 돈을 훔치다, 강탈하다. **11** 《+목+부》 (감은 것을) 펴다, 펼치다《*out*》: He ~*ed* the map *out* on the table. 그는 책상 위에 지도를 폈다. **12** 성교〔전희(前戲)〕를 하다.

be ~ing in it 《구어》 굉장한 부자다(⇨ *vi.* 15). ***let it ~*** 《구어》 자동차의 속도를 유지하다〔높이다〕. ***~ along*** (차가) 가다(⇨ *vi.* 2); 《구어》 착실히 진행하다. ***~ and pitch*** (배가) 전후좌우로 흔

들리다. ~ ***back*** 《미》《*vt.*+뭐》 ① (카펫 따위를) 말아서 치우다. ② 역전〔격퇴〕시키다. ③ 《미》 (통제하여 물가를) 본래 수준으로 되돌리다. ④ (옛날을) 생각하게 하다. ― 《*vi.*+뭐》 ⑤ (파도·조수 따위가) 빠지다; 후퇴하다. ⑥ (옛날이) 생각나다. cf. rollback. ~ ***in*** ① 꾸역꾸역 모여들다, 많이 오다: Presents are ~*ing in.* 선물이 답지하고 있다. ② 자다, 잠자리에 들다. ③ 《구어》 (집 따위에) 겨우 다다르다. ~ ***in the aisles*** ⇨AISLES. ~ ***into one*** 합하여 하나로 만들다: one's assistant and secretary ~*ed into one* 조수와 비서를 겸한 사람. ~ ***off*** (윤전기·복사기 등으로) 복사〔인쇄〕하다. ~ ***on*** 《*vi.*+뭐》 ① 계속 굴러가다; 나아가다, 운행하다; (세월이) 흘러가다; (파도 등이) 밀어닥치다; (강물이) 도도히 흐르다; 《영》 〖명령형; 주어를 문장 끝에 놓고〗 (기다리는 날 등이) 빨리 오너라: *Roll on*(,) Spring! 봄이여 빨리 오라. ― 《*vt.*+뭐》 ② (페인트 등을) 롤러로 바르다; (말아 둔 스타킹 따위를) 펴면서 신다; (자동차를) 몰아서 배에 싣다. ~ ***out*** 《*vi.*+뭐》 ① 굴러나오다. ② 《미속어》 (침대에서) 일어나 나오다. ③ 여행을 떠나다. ④ 펴서 판판하게 하다. ― 《*vt.*+뭐》 ⑤ 낮은 음조로 말하다. ⑥ 《구어》 소개하다. ⑦ (새 차를) 일관 생산하여 내다; 《구어》 대량 생산하다. ⑧ 〖컴퓨터〗 롤아웃하다. ~ ***out the red carpet*** ⇨RED CARPET. ~ ***over*** 《*vi.*+뭐》 ① (차 따위가) 옆으로 구르다, 뒤집히다. ― 《*vi.*+전》 ② 《미속어》 …을 해치우다. ― 《*vt.*+뭐》 ③ 몸을 수색하다. ④ 〖증권〗 (상환 기간이 된 채권 등을 재차용을 위해) 신규 발행 채권으로 바꾸어 사다, (투자 계약의) 조건을 재교섭하다. ⑤ 《구어》 완승하다, 격파하다. ~ ***the bones*** 크랩스(craps)를 하다. ~ ***up*** 《*vi.*+뭐》 ① 동그래지다, 감싸이다. ② (연기 따위가) 뭉게뭉게 오르다. ③ (돈 따위가) 모이다. ④ 차로 가다; 가까워지다; 차로 도착하다; 《구어》 나타나다, (늦게〔취하여〕) 오다: *Roll up!* (*Roll up*)! 자자 어서 오십시오《서커스·노점 따위의 외치는 소리》. ― 《*vt.*+뭐》 ⑤ 후리다; 둘둘 말다; 손잡이를 돌려 (자동차 문 등을) 닫다; 〖군사〗 (적의 대열) 측면을 공격하여 포위하다. ⑥ (돈 등을) 모으다; (승리 등을) 쟁취하다. ~ ***up*** one's ***sleeves*** ⇨SLEEVE. ~ ***with the*** 〔***a***〕 ***punch*** 《구어》 내민 펀치와 같은 방향으로 물러나다; 유연한 태도로〔정책으로〕 충격을 완화하다.

― *n.* **1** 회전, 구르기. **2** (배 등의) 옆질. OPP. *pitch.* **3** (비행기·로켓 등의) 횡전(橫轉). **4** (땅 따위의) 기복, 굽이침. **5** 두루마리, 권축(卷軸), 둘둘 만 종이, 한 통, 롤: a ~ *of* printing paper 〔film〕 인쇄지〔필름〕 한 통. **6** 명부, 《영》 변호사 명부; 출석부; 표, 기록(부); 공문서; 사본; 목록: call the ~ 출석을 부르다, 점호하다. **7** 구형〔원통형〕의 것; 말아서 만든 것, 말려 있는 것《빵·케이크·담배·실 따위》: a ~ *of* butter 〔cake〕 둥글게 만든 버터〔소용돌이 모양의 케이크〕/a ~ *of* bread 두루마리빵, 롤빵. **8** (지방 등의) 쌓인 덩이: ~*s of* fat 비곗덩어리. **9** 롤러, 땅 고르는 기계; 산륜(散輪). **10** 〖음악〗 =MUSIC ROLL; (천둥 등의) 울림; (북의) 연타; 낭랑한 음조: a distant ~ *of* thunder 멀리서 들려오는 천둥 소리/a fire~ 화재를 알리는 북소리. **11** 《미구어》 지폐 뭉치. **12** (the R-s) 《영》 공문서 보관소《전에는 the Master of the Rolls가, 지금은 Public Record Office의 소관》. **13** 주사위를 흔듦; 주사위를 던져서 나온 수의 합계.

be on the ~s 명부에 있다. ***in the ~ of saints*** 성인록(聖人錄)에 올라. ***on a ~*** 《미구어》 ① (도박에서) 계속 이겨, 승운을 타고: Don't stop me now. I'm *on a* ~. 나 말리지 말게. 계속 끗발이야. ② 행운〔성공〕이 계속되어. ***on the ~s of fame*** 역사상에 이름을 남겨; 명사록에 올라, 명사축에 끼여. ~ ***in the hay*** 성교(하다). ***strike*** a person ***off*** 〔***from***〕 ***the ~s*** 아무를 회원 명부에서 제명하다. ***the Master of the Rolls*** 《영》 기록 보관관《대법관의 보좌관으로 지금은 고등 법원 판사》. ***the ~ of honor*** 영예의 전사자 명부.

Rol·land [*F.* Rɔlɑ̃] *n.* 《F.》 **Romain** ~ 롤랑《프랑스의 작가; 1866-1944》.

róll·awày *a.* (가구 따위가) 바퀴 달린, 롤러를 단. ― *n.* 접어서 이동시킬 수 있는 침대《롤러가 달린》(=∠ **bèd**).

róll·bàck *n.* U **1** 역전, 되돌림; C (물가·임금의 이전 수준으로의) 인하; (인원의) 삭감; 격퇴, 반격. **2** (특히 옛 소련에 대한 미국의) 롤백 전술.

róll bàr 롤바《충돌·전복에 대비한, 자동차의 천「장 보강용 철봉》.

róll bòok (교사가 지니는) 출석부, 교무수첩.

róll càge 〖자동차〗 롤케이지《경주용 자동차·승용차 등의 운전자를 보호하는 금속 프레임》.

róll càll 출석 조사, 점호; 〖군사〗 점호 나팔〔북〕, 점호 시간: the morning 〔tattoo〕 ~ 아침〔저녁〕 점호/skip (the) ~ 점호를 생략하다.

róll-càll *vt.* (…의) 출석을 부르다, 출결(出缺)을 조사하다.

róll-cùmulus *n.* 롤운(雲)《지평선상에서 두루마리 모양으로 된 층적운의 일종》.

rólled góld (**plàte**) 금을 얇게 입힌 황동판(黃銅板); 황금제의 얇은 전극판.

rólled óats (맷돌로) 탄 귀리《오트밀용(用)》.

rólled-úp *a.* 돌돌 만; 걷어 올린《소매·바지 따위》.

Roll·er [róulər] *n.* 《영속어》 =ROLLS-ROYCE.

***roll·er** [róulər] *n.* **1** 롤러, 녹로(轆轤); (지도 등의) 축, 권축(卷軸); 굴림대, 산륜(散輪); 땅 고르는 기계; 《방언》 밀방망이; 압연기(壓延機); 〖인쇄〗 잉크롤러, (지문 채취용) 롤러; 〖야구〗 땅볼. **2** 두루마리 붕대(=∠ **bàndage**). **3** (폭풍우 후의) 큰 놀. **4** 굴리는 사람, 회전 기계 조작자. **5** 롤러카나리아; 집비둘기의 일종. **6** 《미속어》 교도관, 순경; 《미속어》 취한 사람을 노리는 소매치기.

róller arèna 롤러스케이트장.

róller·bàll *n.* 롤러볼, 수성 볼펜.

róller bèaring 〖기계〗 롤러베어링.

Róller·blàde 롤러블레이드《롤러가 한 줄로 박힌 롤러스케이트(in-line skates); 상표명》.

róller blìnd 《영》 감아 올리는 블라인드.

róller còaster 롤러코스터(《영》 switchback) 《환상(環狀)의 물매진 선로를 달리는 오락용 활주차》; 급변하는 사건〔행동, 체험〕.

róller-còaster *vi.* (롤러코스터 모양으로) 솟았다 내렸다 하다; 급격히 변동하다. ― *a.* 파란만장한; (시세 등이) 기복이 심한. 「주; 상표명》.

Róller Dèrby 롤러 더비《롤러스케이트 단체 경

róller dìsco 롤러 디스코《(1) 롤러스케이트를 신고 추는 디스코풍의 댄스. (2) 댄스홀》.

róller·dròme *n.* 《미》 롤러스케이트장(場)(=**róller rìnk**). 「하는 하키》.

róller hòckey 롤러하키《롤러스케이트를 신고

róller míll 롤러 제분기, 파쇄(破碎) 롤러.

róller skàte 롤러스케이트 구두; 롤러스케이트. ㉥ **róller skàter** 롤러스케이트 타는 사람.

róller-skàte *vi.* 롤러스케이트를 타다.

róller-skàting *n.* 롤러스케이트 타기.

róller tòwel 고리 타월《타월 양 끝을 맞꿰매어

roll·ey [ráli/róli] *n.* =RULLEY. 「롤러에 매단》.

róll fìlm 〖사진〗 두루마리 필름. cf. plate.

rol·lick [rálik/rɔ́l-] *vi.* 까불다, 신이 나서 떠들다. ― *vt.* 《영속어》 몹시 꾸짖다. ― *n.* U,C 신이 나서 떠듦, 까붊. ㉥ ~**·ing**, ~**·some** *a.* 까부는; 쾌활〔명랑〕한.

róll-ìn *n.* 〖컴퓨터〗 롤인; 〖하키〗 사이드라인을 넘은 볼을 되돌리는 일.
roll·ing [róuliŋ] *a.* **1 a** 구르는; 회전하는; (눈알이) 두리번거리는; (세월 등이) 되돌아오는. **b** 휘말아 올라가는; 뒤로 젖혀진, 구부러진: a ~ collar 구부러진 칼라. **2** 옆질하는, 비틀거리는; 놀치는; (토지가) 기복이 있는: a ~ country 기복이 진 땅. **3** 《구어》 돈이 엄청나게 많은. **—** *n.* [U] 구르기, 굴리기; 회전; 눈을 두리번거림; (배·비행기의) 옆질; 기복, 굽이침; 우르르 울림; (금속의) 압연. [파] **~·ly** *ad.*
rólling barráge 〖군사〗 유도탄막(誘導彈幕); 이동탄막 사격(creeping barrage).
rólling brìdge 전개교(轉開橋).
rólling cóntract (계약 당사자의 이의 제기가 없는 한 지속되는) 자동 연장 계약.
rólling hìtch 〖해사〗 (둥근 기둥 따위에) 밧줄 매는 방식의 한 가지.
rólling kítchen 〖군사〗 이동식 취사차《트랙터나 트레일러에 연결시킨》.
rólling láunch 〖상업〗 신제품의 점진적 시장 진입〔도입〕.
rólling mìll 압연기; 압연 공장.
rólling pìn 밀방망이.
rólling prèss (직물·종이 등의) 윤내는 기계; 롤러식 인쇄기, 실린더 인쇄기.
rólling stóck 〘집합적〙 (철도의) 차량《기관차·객차·화차 따위》; (철도 회사〔《미》 운수업자〕) 소유 차량.
rólling stóne 구르는 돌; 진득하지 못한 사람, 주거를〔직업을〕 자주 바꾸는 사람; 《미》 활동가: A ~ gathers no moss. 《속담》 구르는 돌은 이끼가 끼지 않는다《흔히는 직업 등을 자주 옮기는 것이 나쁘다는 뜻으로 쓰이나, 《미》에서는 종종 활동하는 자는 늘 신선하다는 뜻으로 쓰임》.
rólling stríke 파상 스트라이크《적은 수의 노동자 집단이 차례대로 협조해서 행하는 일련의 스트라이크》.
róll·mòps (*pl.* **~, -mop·se**) *n.* 롤몹스《청어를 「만 피클스》.
róll-nèck *a.* 롤넥의《옷의 깃이 감아서 젖혀지는; 긴 터틀넥을 이름》.
Rol·lo [rálou/rɔ́l-] *n.* 롤로《남자 이름; Rudolph의 애칭》.
róll-òff *n.* 〖볼링〗 (동점일 경우의) 결승 게임.
róll-òn *a.* (화장품·약품이) 회전 도포식(塗布式) 용기에 든; (화물선이) 트럭이 드나들 수 있는. **—** *n.* (고무나 신축성 있는 천으로 만든) 거들.
róll-òn/róll-òff, róll-òn-róll-òff *a.* (페리 등이) 짐실은 트럭〔트레일러 등〕을 그대로 승·하선시킬 수 있는.
róll-on shíp 간이 차량 수송선.
róll·òut *n.* **1** (신형 항공기의) 첫 공개〔전시〕; 〘광의적〙 (신제품·서비스 등의) 신(新)발매; (항공기의) 착륙 후의 활주; 〖컴퓨터〗 롤아웃. **2** 〖미식축구〗 롤아웃《쿼터백의 공격 동작》.
róll·òver *n.* **1** (특히 자동차의) 전복 (사고). **2** 빚을 갚고 다시 빌림, 공사채의 상환 기간에 앞서 신규 공사채를 발행해 상환하는 일. **3** 〖높이뛰기〗 = WESTERN ROLL. **4** 《미범죄속어》 출소(出所) 전날 밤. 「팔걸이.
róll-òver árm (의자·소파 따위의) 롤오버식
róll·pàst *n.* 중병기(重兵器) 분열 행진.
Rolls-Royce [róulzrɔ́is] *n.* 롤스로이스《영국에서 생산되는 고급 승용차; 상표명》.
róll stóck 둘둘 만 끈, 말아 감은 테이프; (플라스틱 필름의) 중간 제품.
róll-tòp *a.* 접이식의 뚜껑이 달린.
róll-top désk 접이식의 뚜껑이 달린 책상.
róll-ùp *n.* (18 세기의) 남자용 긴 바지. **—** *a.* 감아 올리는 식의《블라인드 따위》.
róll·wày *n.* (재목을 강으로 떨어뜨리는) 미끄럼대; (수송을 위해 강가에 쌓아 놓은) 재목 더미; 외부로부터 지하실로 들어가는 입구.
róll-your-òwn *n.* 손으로 만 담배. **—** *a.* (담배가) 손으로 만.
Ro·lo·dex [róulədèks] *n.* 롤러 덱스《미국 Rolodex 사제의 회전식 탁상 카드 파일; 상표명》.
ro·ly-po·ly [róulipóuli] *n.* **1** 잼·과일 등을 넣은 꽈배기 푸딩(= ∠ **pùdding**). **2** 토실토실한 사람〔동물〕. **3** 《미》 오뚝이《장난감》. **—** *a.* 토실토실 살찐.
Rom [roum] (*pl.* **~s, *Roma*** [róumə]) *n.* (*or* r-) 집시 남자〔소년〕. [cf.] Rom(m)any.
ROM [ram/rɔm] 〖컴퓨터〗 read-only memory (읽기 전용 기억 장치, 롬). **Rom.** Roman; Romance; Romanic; Romans; Rome. **rom.** 〖인쇄〗 roman (type).
Ro·ma [róumə] *n.* 로마. **1** Rome의 이탈리아 명칭. **2** 여자 이름.
Ro·ma·ic [rouméiik] *n.* 현대 그리스 말. **—** *a.* 현대 그리스(말)의.
Ro·man** [róumən] *a.* **1** 로마 시의; (현대의) 로마(사람)의; (고대) 로마 사람의: the ~ alphabet 로마자, 라틴 문자/the ~ school 로마파《16-17세기에 Raphael 등이 주동한》. **2** 로마 가톨릭교의. **3** (보통 r-) 로마 글자(체)의([cf.] italic); 로마 숫자의. **4** 로마 사람풍〔기질〕의; 고대 로마 건축 양식의. **—** (*pl.* **~s**) *n.* **1** 로마 사람; (이탈리아 말의) 로마 방언. **2** (the ~s) 〖성서〗 로마서 《생략: Rom.》. **3** 《종종 경멸》 로마 가톨릭교도; (*pl.*) 고대 로마의 기독교도. **4** (보통 r-) 〖인쇄〗 로마자(의 활자)(~ type)《생략: rom.》. **5** 《드물게》 라틴어. ***the King 〔***Emperor***〕 ***of the ~s*** 신성 로마 제국 황제.
ro·man [*F.* rɔmɑ̃] *n.* 《F.》 (중세의) 운율체 이야기; (현대의) 전기(傳奇) 소설; (장편) 소설.
ro·man à clef [*F.* rɔmɑ̃nakle] (*pl.* ***ro·mans à clef*** [*F.* rɔmɑ̃za-]) 《F.》 실화 소설, 모델 소설.
Róman álphabet 로마자, 라틴 문자.
Róman árch 반원형 아치, 반원 아치. 「축.
Róman architecture 〖건축〗 (고대) 로마 건
Róman cálendar (the ~) 로마력(曆).
Róman cándle 꽃불의 일종《긴 통에서 불똥이 튀어나옴》.
Róman Cátholic (로마) 가톨릭교의; 천주교의; (로마) 가톨릭교도: the ~ Church 로마 가톨릭 교회《생략: RCC》.
Róman Cathólicism (로마) 가톨릭교, 천주교; 가톨릭의 교의〔의식, 관습〕.
***ro·mance** [roumǽns, róumæns] *n.* **1** 가공적인 이야기, 꿈 이야기; (중세의) 기사〔모험〕 이야기《시·산문으로 쓰인》; 전기〔이국(異國)〕 소설. [SYN.] ⇨ NOVEL². **2** [C,U] 연애 이야기〔문학〕; 연애, 정사(情事). **3** 로맨스, 로맨틱한 기분〔사건〕. **4** [U] 〖음악〗 서정적인 기악곡. **5** [U] (R-) = ROMANCE LANGUAGES. **—** *a.* (R-) 로맨스어의, 라틴계 언어의. **—** *vi.* **1** 《~/+[전]+[명]》 꾸며낸 이야기를 하다; 공상 소설을 만들다; 과장〔수식〕하여 말하다, 로맨틱하게 말하다〔쓰다, 생각하다〕; 공상에 잠기다: ~ *about* one's youth 자기의 젊은 시절에 관해서 로맨틱한 이야기를 (지어내) 하다. **2** 《+[전]+[명]》 (이성과) 새롱거리다, 로맨틱한 시간을 보내다《*with*》. **—** *vt.* **1** (사건 따위를) 가공으로 만들어 내다. **2** (아첨·선물 따위로) 환심을 사다. **3** …에게 구애하다, …와 연애를 계속하다.
Rómance lánguages (the ~) 로맨스어《라틴 말 계통의 근대어; 프랑스 말·이탈리아 말·스페인 말·루마니아 말 따위》.
Róman cemént 로만 시멘트《천연 시멘트》.
ro·mánc·er, ro·mánc·ist *n.* 전기(傳奇) 소

설 작가; 허황하게 꾸며 낸 이야기를 하는 사람; 공상〔몽상〕가.

Róman Cúria (the ~) 로마 교황청.

Róman Émpire (the ~) 로마 제국《기원전 27년 Augustus가 건설; 395년 동서로 분열》.

Ro·man·esque [ròumənésk] *a.* 로마네스크 양식의《중세 초기 유럽에서 유행한 건축상·예술상의 양식》; 로맨스어의; 전기적(傳奇的)인. **—** *n.* Ⓤ **1** 로마네스크 양식. **2** 로맨스어.

Romanesque 1

ro·man-fleuve [*F.* rɔmɑ̃flœːv] (*pl.* ***romans-fleuves*** [—]) *n.* 《F.》 대하(大河) 소설(river novel; 《영》 saga novel).

Róman hóliday 남을 희생시키고 얻는 오락〔이익〕; 소요, 소란(riot): make a ~ 남의 유흥을 위해 희생되다.

Ro·ma·nia [rouméiniə, -njə] *n.* =RUMANIA. ㊞ **Ro·má·ni·an** *a., n.*

Románian Órthodox Chúrch 루마니아 정(正)교회.

Ro·man·ic [roumǽnik] *a.* 로맨스어의, 라틴 어계의; 고대 로마인을 조상으로 하는. **—** *n.* Ⓤ 로맨스 말.

Ro·man·ish [róumәniʃ] *a.* 《종종 경멸》 가톨릭교의.

Ró·man·ìsm *n.* Ⓤ **1** 《종종 경멸》 (로마) 가톨릭교; 로마 가톨릭 교의(敎義)〔제도〕. **2** 고대 로마 제도〔정신, 주의〕.

Ró·man·ist *n.* **1** 《종종 경멸》 = ROMAN CATHOLIC. **2** 로마법학자, 로마어학자; 로마사학자.

Ro·man·ize [róumənàiz] *vt.* 로마화하다; (로마) 가톨릭교화하다; (r-) 로마 글자체로 쓰다, 로마자로 고치다. **—** *vi.* 로마식으로 되다; (로마) 가톨릭교도가 되다; (r-) 로마자를 사용하다. ㊞ **Rò·ma·ni·zá·tion** *n.* Ⓤ

Róman láw 로마법.

Róman nóse 로마코, 매부리코.

Róman númerals 로마 숫자《I=1, II=2, V=5, X=10, L=50, C=100, D=500, M=1,000 따위》. cf. Arabic numerals.

Ro·ma·no [roumáːnou] *n.* (때로 r-) 로마노 치즈《이탈리아산(産) 치즈의 일종》(=∠ **chèese**).

Róman órder (the ~) 〚건축〛 로마(기둥)식.

Ro·ma·nov, -noff [róumənɔ̀ːf, -nɑ̀f, roumáːnəf/róumənɔ̀f] *n.* 러시아의 로마노프 왕조(the ~ dynasty; 1613-1917)의 황제.

Róman péace 로마의 평화《무력으로 유지되는 평화; 라틴 말 *Pax Romana*에서》.

Róman róad 로만 로드《로마군이 영국 점령 중 만든 도로》.

Ro·mansch, -mansh [roumǽnʃ, -máːnʃ] *n.* 로만시《스위스 동부에서 쓰는 언어》.

***ro·man·tic** [roumǽntik] *a.* **1 a** 공상〔모험, 연애〕 소설적인, 로맨틱한; 신비적인, 괴기적인: a ~ tale 〔scene〕 로맨틱한 이야기〔장면〕. **b** 영웅적인, 의협적인(heroic). **2 a** 공상적인, 엉뚱한; 비현실적인, 실행키 어려운: ~ notions 비현실적인 생각. **b** 공상에 잠기는: a ~ girl 꿈꾸는 소녀. **c** (이야기 등이) 가공의, 허구의. **3** 열렬한 연애의, 정사적인: ~ relationship 연애 관계, 정사. **4** (종종 R-) 낭만주의(파)의: ~ poets 낭만주의 시인/the ~ school 낭만파. **—** *n.* **1** 로맨틱한 사람; (종종 R-) 낭만주의 작가〔시인, 작곡가〕. **2** (*pl.*) 낭만적 사상〔행동〕. ㊞ **-ti·cal·ly** [-kəli] *ad.* 낭만적〔공상적〕으로.

ro·man·ti·cism [roumǽntəsìzəm] *n.* Ⓤ **1** 로맨틱함, 공상적인 경향. **2** (종종 R-) 로맨티시즘, 낭만주의. cf. classicism. ㊞ **-cist** *n.* 로맨티시스트, 낭만주의자.

ro·man·ti·cize [roumǽntəsàiz] *vt., vi.* 로맨틱하게 하다〔다루다〕; 낭만적으로 묘사하다.

Romántic Móvement (the ~) (근세의) 낭만주의 운동.

róman týpe 로마자체(體)〔활자〕. cf. Gothic, italic.

Róman vítriol =BLUE VITRIOL.

Rom·a·ny [rǽməni, róum-/rɔ́m-, róum-] (*pl.* ***Rom·a·nies***) *n.* 집시(gypsy); Ⓤ 집시 말. **—** *a.* 집시(말)의.

Rómany rýe 집시와 사귀는 사람, 집시의 언어〔풍속〕에 능통한 사람.

ro·maunt [roumáːnt, -mɔ́ːnt/-mɔ́ːnt] *n.* 《고어》 전기적(傳奇的)인 이야기, 전기시; 로맨스.

Rom. Cath. (Ch.) Roman Catholic (Church).

Rome** [roum] *n.* **1** 로마《이탈리아의 수도》. **2** (고대의) 로마 제국〔시〕; 고대 로마: All roads lead to ~. 《속담》 모든 길은 로마로 통한다《목적 달성의 방법은 여러 가지가 있다》/Do in ~ as the Romans do 〔as ~ does〕. 《속담》 로마에서는 로마인이 하는대로 해라《입향순속(入鄕循俗어)》/~ was not built in a day. 《속담》 로마는 하루 아침에 이루어진 것이 아니다《큰 일은 일조일석에 되지 않는다》. **3** (로마) 가톨릭 교회. ***fiddle while ~ is burning 큰일을 제쳐놓고 안일에 빠지다《Nero의 고사(古事)에서》. ***go over to ~*** 가톨릭으로 개종하다.

rom·el·dale [rǽməldèil/rɔ́m-] *n.* (종종 R-) (미국에서 개량해 낸) 양의 한 품종《다량의 양질 양모와 상등의 고기를 얻는》.

Ro·meo [róumiòu] *n.* **1 a** Shakespeare의 비극 *Romeo and Juliet*의 주인공. **b** (*pl.* **~s**) 사랑에 빠진 남자; 애인(lover)《남자》. **2** r를 나타내는 통신 용어. ***a regular ~*** 《경멸》 자칭 미남자.

ro·meo *n.* 남자용 실내화〔슬리퍼〕의 일종. cf. congress shoe.

Rome·ward [róumwərd] *ad., a.* 로마에(의); 가톨릭교에(의).

Rome·wards [róumwərdz] *ad.* =ROMEWARD.

Ro·mic [róumik] *n.* (Henry Sweet가 고안한) 로마자 발음 기호.

Rom·ish [róumiʃ] *a.* 《경멸》 가톨릭교의. ㊞ **~·ly** *ad.* **~·ness** *n.*

Rom·ma·ny *n., a.* =ROMANY.

Rom·mel [rǽməl, rʌ́m-/rɔ́m-] *n.* **Erwin (Johannes Eugen)** ~ 롬멜(1891-1944)《독일의 육군 원수; 제2차 세계대전 중 북아프리카에서 독일군을 지휘했음; 통칭: the Desert Fox》.

°**romp**[1] [rɑmp/rɔmp] *n.* **1** Ⓤ 떠들며 뛰어놀기, 활발한 장난. **2** 장난꾸러기, 《특히》 말괄량이. **3** 힘 안 들이는 빠른 걸음걸이; 쾌주, 낙승. ***in a ~*** 쉽게《이기다》. **—** *vi.* 《~/+副/+前+名》 떠들썩하게 뛰놀다; (경주에서) 쾌주하다《*along; past*》; (선거 따위에서) 낙승하다: Don't let the children ~ *about* in the house. 집 안에서 아이들이 뛰놀지 못하게 해라/~ *away with* the prize 그 상을 쉽게 차지하다/~ *over* the Giants 자이언트에 낙승하다. **~ *home*** 〔***in, away***〕 《구어》 (큰 차이로) 낙승(樂勝)하다. **~ *through*** (...) 《구어》 (…을) 쉬이 해내다, (시험 등에) 거뜬히 합격하다. ㊞ **∠·er** *n.*

romp[2] 《미속어》 *vt.* …을 산산히 부수다; …와 싸우다(fight, quarrel). **—** *n.* 싸움. [Sp. *romperse* to break]

rómp·ers *n. pl.* 롬퍼스《아이들의 내리닫이 놀이옷; 여자용 체육복》.

romp·ish [rámpiʃ/rɔ́mp-] *a.* 뛰노는; 말괄량이의; 장난하는. ⓟ **~·ly** *ad.* **~·ness** *n.*
rompy [rámpi/rɔ́mpi] *a.* =ROMPISH.
Rom·u·lus [rámjələs/rɔ́m-] *n.* 〖로마신화〗 로물루스《로마의 건설자로 초대 왕; 그 쌍둥이 형제, Remus와 함께 늑대에게 양육되었다 함》.
RÓM·wàre, róm·wàre *n.* 〖컴퓨터〗 ROM용 소프트웨어.
RÓM wríter 〖전자〗 롬 라이터《바꿔쓰기가 가능한 읽기 전용 메모리(PROM)에 기억 내용을 기입하는 장치》. ⓒⓕ ROM, PROM.
Ron·ald [ránld/rɔ́n-] *n.* 로널드《남자 이름》.
ron·deau [rándou, -´/rɔ́ndou] (*pl.* ***-deaus, -deaux*** [-dou(z)]) *n.* 롱도체(의 시)《10행〔13행〕 시; 두 개의 운(韻)을 가지며 시의 첫말 또는 구가 두 번 후렴(refrain)으로 쓰임》; 〖음악〗 =RONDO.
ron·del [rándl, -randél/rɔ́ndl] *n.* **1** 론델체(의 시)《14행의 단시(短詩); rondeau의 변형》; 롱도체(體)의 시(rondeau). **2** 고리 모양〔구형, 원형〕의 것.
ron·do [rándou, -´/rɔ́ndou] (*pl.* **~s**) *n.* 《It.》 〖음악〗 론도, 회선곡(回旋曲).
ron·dure [rándʒər/rɔ́n-] *n.* 《시어》 원형, 구체(球體); (물체의) 동그스름함.
Rönt·gen, etc. [réntgən, -dʒən, rʌ́nt-/rɔ́ntjən, rɔ́ntgən, rʌ́nt-] = ROENTGEN, etc.
rood [ruːd] *n.* **1** 《고어》 (the ~) 예수 수난의 십자가; 십자가 위의 예수상(像). **2** 루드《길이의 단위; $5^1/_2$-8 yard; 때로 1 rod; 토지 면적의 단위: 1 acre의 $^1/_4$, 약 1,011.7m², 약 300 평》.
by the* (*holy*) *Rood 십자가에〔신에게〕 맹세코, 틀림없이. 「가 들보.
róod bèam (교회의 강단 후면 입구 위의) 십자
róod clòth (사순절 동안) 예수의 십자가상(像)을 덮어 두는 천.
róod lòft (교회의) 강단 후면의 자리.
róod scrèen (교회의) 강단 후면의 칸막이.
⁑**roof** [ruːf, ruf/ruːf] (*pl.* **~s** [-s]) *n.* **1** 지붕; 지붕 모양의 것: a bird's nest on the ~ 지붕 위의 새집/the ~ of a cave 〔bus〕 동굴〔버스〕의 천장/the ~ of the mouth 입천장, 구개(口蓋).

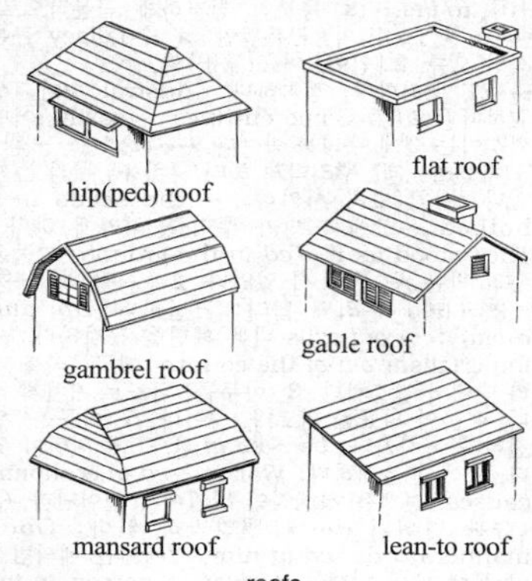

roofs

2 《비유》 집, 가정: a hospitable ~ 손님 대접이 후한 집. **3** 정상, 꼭대기, 최고부: the ~ of the world 세계의 지붕《Pamir 고원(高原)》/the ~ of heaven 천공(天空). ***be* (*left*) *without a* ~** =***have no* ~ *over* one's *head*** 거처할 집이 없다. ***fall off the* ~** 《미속어》 생리가 시작하다. ***full to the* ~** 지붕까지, 한 방 가득히. ***hit*** 〔***go through***〕 ***the* ~** 《구어》 =hit the CEILING. ***leave the parental* ~** 부모 슬하를 떠나다. ***live under the same* ~** (***with*** a person) (아무와) 동거하다, 한 집에 살다. ***out on the* ~** 술 마시며 떠들어. ***raise the* ~** 《구어》 큰 소동을 일으키다; 고래고래 야단치다. ***under*** a person***'s* ~** 아무의 집에 묵어, 아무의 신세를 지고. ***You'll bring the* ~ *down!*** 《구어》 목소리가 높다, 시끄럽구나.
— *vt.* 《~+목/+목+부/+목+전+명》 …에 지붕을 달다; (지붕을) 이다《*with*》; 지붕처럼 덮다《*in; over*》; 집안에 들이다; 보호하다: ~ a house (*over*) *with* tiles 기와로 지붕을 이다/~ *over* 〔*in*〕 the front yard to make a garage 차고를 만들기 위해 앞 마당에 지붕을 만들어 덮다.
ⓟ **∠·age** [-idʒ] *n.* =ROOFING. **~ed** [-t] *a.* **1** 덮개가 있는, 지붕이 있는: a ~*ed* wagon 유개(有蓋) 화차. **2** 〖복합어〗 …지붕의: a flat-~*ed* house 평(平)지붕의 집. **∠·er** *n.* **1** 기와장이. **2** 《영구어》 향응에 대한 사례장. ⓒⓕ bread-and-butter letter.
róof gàrden 옥상 정원.
róof·ing *n.* Ⓤ 지붕이기; 지붕 이는 재료; Ⓒ 지붕. **—** *a.* 지붕용의. 「등》.
róof·less *a.* **1** 지붕이 없는. **2** 집 없는《떠돌이
róof lìght 천창(天窓); (자동차의) 실내등; (순찰차 지붕 위의) 점멸등.
róof·plàte *n.* 지붕 이는 널.
róof ràck 《영》 자동차 지붕 위의 짐 싣는 곳.
róof·scàping *n.* Ⓤ 옥상 정원 설계〔시공〕.
róof·tòp *n.*, *a.* 지붕〔옥상〕(의〔에 있는, 에 둔〕).
róof·trèe *n.* 〖건축〗 마룻대; 지붕; 주거: under one's ~ 자택에서.
°**rook**¹ [ruk] *n.* 〖조류〗 띠까마귀《유럽산》; 사기꾼; (카드놀이에서) 속이는 사람; 《속어》 신참; 《속어》 신병(新兵); 속임. **—** *vt.* (…을 도박으로) 야바위 치다, 속이다; (아무를) 속여서 (금품을) 후리다《*of*》: be ~*ed* 야바위 걸리다, 속다.
— *vi.* 야바위 치다.
rook² *n.* 〖체스〗 성장(城將)(castle)《장기의 차(車)에 해당; 생략: R》.
rook·ery [rúkəri] *n.* **1** 띠까마귀의 군생(群生)(하는 숲); 그 무리. **2** 바다표범·펭귄 따위의 번식지; 그 무리. **3** 여러 사람이 복대기 치는 싸구려 아파트; 그 사람들의 집단; 빈민굴.
rook·ie, rook·ey [rúki] *n.* 《구어》 신병; 신참자, 신출내기; (프로 스포츠의) 신인 선수: ~ of the year (프로 야구 등의) 신인왕. [◂ *recruit*]
róok pìe 띠까마귀 새끼 고기로 만든 파이.
rooky [rúki] (***rook·i·er; rook·i·est***) *a.* 띠까마귀가 많이 사는.
†**room** [ruːm, rum] 《[ruːm]이 더 우세하며, 특히 미국에 많음》 *n.* **1** 방《생략: rm.》: a furnished ~ 가구가 비치된 방. **2** (*pl.*) (침실·거실·응접실 등이) 거주용으로 갖춰져 있는 방; 하숙방, 셋방: *Rooms* 방 세놓습니다《광고》. **3** (보통 the ~) 방 안의 사람들, 한 자리에 모인 사람들: approved by the whole ~ 방 안에 있는 전원에 승인되어. **4** Ⓤ (빈) 장소, 공간, 여지(餘地); 기회; 여유《*for*》: a garage with ~ *for* three cars 차 세 대분의 공간이 있는 차고/There is no ~ *for* us *to* sleep. 우리가 잘 장소도 없다/Is there any ~ *for* doubt? 조금이라도 의심할〔의〕 여지가 있나/There's still ~ *for* 〔*to*〕 hope. 아직 희망은 남아 있다. **5** 능력, 재능: Her brain has no ~ *for* math. 그녀는 수학에 재능이 없다. **6** 〖광산〗 채탄장. **7** 《미속어》 =PAD ROOM; 《완곡어》 화장실(lavatory). ***give* ~** 물러서다; 물러나서 아무에게 기회를 주다《*to*》. ***in*** a person***'s* ~** 《고어》 =***in the* ~ *of*** a person

《고어》 아무의 대신으로, 아무를 대신하여. ***leave ~ for*** …의 여지를 남겨 두다. ***leave the ~*** 《구어》 화장실에 가다. ***live in ~s*** 하숙 생활을 하다. ***make ~ for*** …을 위하여 장소〔통로〕를 비우다, 자리를 양보하다. ***no more ~s*** 《미속어》 (사람·연주가) 더 (이상) 없는, 최고로. ***no ~ to swing a cat*** (***in***) =***no ~ to turn in*** 몹시 비좁은. ***~*** (***and***) ***to spare*** 충분한 여지. ***~ at the top*** 간부의 지위, 지배 계급의 사회적 지위. ***~ conditioning*** 실내 공기 조절 (장치). ***~ for rent*** 《미속어》 〖종종 호칭으로서〗 바보, 골 빈 놈《뇌가 비어 있어 임대할 수 있다는 뜻》. ***take up ~*** 장소를 잡다〔차지하다〕. ***would rather have*** a person***'s ~ than his company*** 아무가 (있는 것보다) 없는 편이 오히려 낫다.

— *vi.* 《~/+[부]/+[전]+[명]》 묵다; 동숙〔합숙〕하다; 《미》 하숙하다《*at; with*》: They ~ *together*. 그들은 함께 산다/He is ~*ing with* my friend Smith. **—** *vt.* 유숙〔숙박〕시키다. ***~ at*** a person***'s house*** 아무의 집에 하숙하다; 세 들고 있다. ***~ in*** =LIVE[1] in.

róom and bóard 식사를 제공하는 하숙.

róom clèrk (호텔의) 객실 담당원.

róom divìder 방의 칸막이용 가구《책궤 등》.

roomed *a.* 〖복합어로서〗 방이 …개 있는: a three-~ house 방 3개짜리 집. ★미국에서는 a three-*room* house의 형식이 보통임.

róom·er *n.* 《미》 셋방 든 사람; (특히 식사 제공을 않는) 하숙인.

room·ette [ru(:)mét] *n.* 〖미철도〗 (침대차의) 작은 독실《침대·세면소가 달린》.

room·ful [rú(:)mfùl] *n.* 한 방 가득(한 사람·물건); 만장(滿場)의 사람들: a ~ of furniture 방 하나 가득한 가구.

room·ie [rú(:)mi:] *n.* 《속어》 =ROOMMATE.

róom·ing *n., a.* 방을 빌림〔빌려 들고 있는〕: a ~ guest 《미》 하숙인《방만 빌려 쓰는 사람》.

róoming hòuse 하숙집(lodging house)《취사 설비는 없고 외식하는》.

róoming-ìn (*pl.* ***-ìns***) *n.* (병원에서 신생아를) 산모와 한 방에 두고 키우기. ⌈habitee).

róom·màte *n.* 동숙인(同宿人), 한 방 사람(co-

róom of reconciliátion 〖가톨릭〗 고해소《신부와 고해자가 창살 따위를 사이에 두고 고해하는》.

róom sèrvice 룸서비스《(호텔) 객실에 식사 따위를 운반하는 일; 그 담당자〔부서〕》. ⌈정도》.

róom tèmperature (보통의) 실내 온도《20℃

róom-to-róom *a.* 방에서 방으로의: a ~ telephone 실내 간의 전화.

°**roomy** [rú(:)mi] (***room·i·er; -i·est***) *a.* (집이) 칸수(數)가 많은; 널찍한, 여유가 있는《차 내부 따위》. ㊞ **róom·i·ly** *ad.* **-i·ness** *n.*

roor·back, -bach [rúərbæ̀k] *n.* 《미》 중상적 데마고기《선거 전(前)에 정적에게 퍼붓는》.

Roo·se·velt [róuzəvèlt, -vəlt, rú:zəvèlt/róuzəvèlt] *n.* 루스벨트. **1** (**Anna**) **Eleanor ~** 미국의 저술가·정치가《2의 부인; 1884-1962》. **2 Franklin Delano ~** 미국의 제 32 대 대통령(1882-1945). **3 Theodore ~** 미국의 제 26 대 대통령(1858-1919).

°**roost** [ru:st] *n.* **1** (새가) 앉는 나무, 홰; 보금자리; 닭장(안의 홰). **2** (사람의) 휴식처; 침소; 임시 숙소. ***at ~*** 보금자리에 들어; 잠자리에 들어. ***come home to ~*** 원래의 자리에 되돌아오다; 자업자득이 되다: Curses *come home to* ~. 《속담》 누워서 침뱉기. ***go to ~*** 보금자리〔잠자리〕에 들다. ***rule the ~*** 지배하다, 좌지우지하다.

— *vi.* **1** (홰에) 앉다, 보금자리에 들다; 자리에 앉다. **2** 잠자리에 들다; 숙박하다. **—** *vt.* …에게 휴식처를 제공하다.

°**róost·er** *n.* 《미》 수탉(cock[1]); 《구어》 젠체하는 〔시건방진〕 사람.

róoster tàil (고속선·자동차 따위가 일으키는) 높이 이는 물보라〔흙 먼지〕.

root[1] [ru:t, rut/ru:t] *n.* **1 a** 뿌리, 지하경(地下莖), 근경(根莖); (*pl.*) 《영》 근채류(根菜類); 초목. **b** 밑동, (이·손톱·손가락 따위의) 밑뿌리; 〖기계〗 (나사의) 홈: the ~ of tooth 이촉. **2 a** 근원, 원인: The love of money is the ~ *of* all evil. 돈(에 대한 욕심)은 모든 악의 근원이다. SYN. ⇨ ORIGIN. **b** 근본, 기초; 기반: the ~ of the matter 사물의 본질, 근본, 가장 긴요한 것. **3** 기슭, 밑바닥: the ~ of a hill 언덕 기슭/the ~ of the sea 해저. **4** (*pl.*) (정신적인) 고향; (*pl.*) (사람들·토지 등의) 깊은 결합; 조상, 시조; 〖성서〗 자손. **5** 〖수학〗 (제곱)근(根)《기호: √》(cf. square 〔cube〕 ~); 〖언어〗 어원, 어근; 〖음악〗 바탕음: Two is the square ~ of four 〔the cube ~ of eight〕. 2는 4의 제곱근〔8의 세제곱근〕이다. **6** 〖컴퓨터〗 루트《(1) =ROOT DIRECTORY. (2) superuser의 자격》. **7** 《Austral. 속어》 성교; 《미속어》 마리화나 담배. **8** 《속어》 페니스. ***at*** (***the***) ***~*** 근본에 있어서, 본질적으로. ***by the ~***(***s***) 뿌리째: pull up a plant *by the ~s* 식물을 뿌리째 뽑다. ***come*** (***the***) ***~s over*** 《미속어》 …을 속이다, 기만하다. ***go to*** 〔***get at***〕 ***the ~ of*** …의 근본을 캐내다, 진상을 밝히다. ***have*** (***its***) ***~***(***s***) ***in*** …에 근거하다. ***lay the ax to the ~ of*** …의 근본을 뒤엎다. ***lie at the ~ of*** …의 근본을 이루다, …의 원천이다. ***play ~s on*** 《미속어》 …을 혼내 주다. ***pull up*** one***'s ~s*** 정주지를 떠나 새 곳으로 옮기다. ***put down ~s*** 뿌리를 내리다, 자리를 잡다. ***~ and all*** 뿌리째, 몽땅. ***~ and branch*** 완전히, 철저하게, 근본적으로: These evil practices must be destroyed ~ *and branch*. 이런 악습은 철저히 근절시켜야 한다. ***strike at the ~ of*** …의 근절을 꾀하다. ***take*** 〔***strike***〕 ***~*** 뿌리를 박다; 정착하다. ***the ~ and branch man*** 급진〔과격〕주의자. ***the ~ of all evil*** 〖성서〗 악의 뿌리, 돈《디모데전서 VI: 10》. ***to the ~***(***s***) 충분히, 철저하게, 근본적으로.

— *a.* **1** 근(根)의, 근본적인: a ~ fallacy 근본적인 오류. **2** 〖언어〗 어근(語根)의.

— *vi.* 뿌리박다; 정착하다; 《Austral. 속어》 성교하다《*with*》: Some cuttings ~ easily. 어떤 꺾꽂이는 쉽게 뿌리를 박는다. **—** *vt.* **1** 《~+[목]/+[목]+[전]+[명]》 뿌리박게 하다; 《비유》 뿌리 깊게 심다, 정착〔고착〕시키다: ~ the seeds *in* a hotbed 온상에서 씨가 뿌리를 내리게 하다/They stood as if ~*ed in* the ground. 그들은 뿌리 박은 듯 우뚝 서 있었다. **2** 《+[목]+[부]/+[목]+[전]+[명]》 뿌리째 뽑다; 근절하다《*up; out; away*》: ~ *out* evils 나쁜 폐단을 근절하다/~ imperialism *out of* the country 제국주의를 나라 안에서 일소하다. **3** (아무를) 극도로 지치게 하다. **4** …의 의표를 찌르다, 속이다. **5** (아무를) 완전히 곤혹시키다. ***be ~ed in*** ① …에 원인이 있다, …에서 유래하다: War *is* ~*ed in* economic causes. 전쟁은 경제적인 원인에서 일어난다. ② (습관 따위가) …에 뿌리박혀 있다: Good manners *are* ~*ed in* him. 그에게는 예의범절이 몸에 배어 있다. ***~*** 〔***rivet***〕 a person ***to the ground*** 〔***spot***〕 (공포·놀람 등으로) 아무를 그 자리에서 꼼짝 못하게 하다.

root[2] *vi.* **1** 《+[부]》 (돼지 등이) 주둥이로 땅을 헤집다; 헤적이다; (사람이 물건을 찾아) 휘젓다, 탐색하다《*about; around; for*》: He ~*ed about* in a drawer for the paper. 그는 그 서류를 찾기 위해 서랍을 뒤적였다. **2** 〖해사〗 (거친 파도로 배

가) 뱃머리에 파도를 들쓰다. **3** 《미구어》 (돼지처럼) 게걸스레 먹다. **—** *vt.* 코로 파다, 파헤집다; 찾아내다, 밝혀내다 《*up*》; 《미속어》 강탈하다 《*against; on*》.

root[3] 《미구어》 *vi., vt.* (요란하게) 응원하다, 성원하다(cheer); 〘일반적〙 (정신적으로) 응원〔지지〕하다 《*for*》. **—** *n.* =ROOTER[2].

root·age [rú:tidʒ, rút-/rú:t-] *n.* Ⓤ **1** 뿌리박음. **2** (전체의) 뿌리. **3** 시초, 근원; 생김.

róot bèer 《미》 루트비어 《사르사 뿌리·사사프라스 뿌리 따위로 만드는 청량음료; 알코올 성분이 거의 없음》.

róot-bòund *a.* 전체에 뿌리내린; =POT-BOUND; 살던 곳을 떠나기 싫어하는, 뿌리내린.

róot canàl 〘치과〙 (치)근관(根管).

róot càp 〘식물〙 뿌리골무, 근관(根冠) 《뿌리 끝의 생장점을 감싸는》.

róot cèllar 지하 저장실, 움막 《뿌리채소나 야채를 저장하는》.

róot cròp 뿌리채소 작물 《감자·순무 등》.

róot dirèctory 〘컴퓨터〙 루트(자료)방(root) 《DOS나 UNIX 등의 계층화된 파일 체계에서 그 기점이 되는 최상위의 자료방(directory)》.

róot·ed [-id] *a.* 뿌리가 있는; 《비유》 뿌리 깊은: a ~ opinion 확고한 의견. ⊞ **~·ly** *ad.* **~·ness** *n.*

róot·er[1] *n.* 코로 땅 파는 동물; (도로를) 파헤치는 토목 기계.

róot·er[2] *n.* 《미구어》 (열광적인) 응원자.

róot-fáced [-t] *a.* 《속어》 잔뜩 찌푸린 얼굴의, 오만상을 한.

róot hàir 〘식물〙 뿌리털, 근모(根毛).

róot·hòld *n.* 뿌리내리기; 뿌리내리기가 좋은 땅.

róot knòt 〘식물〙 근류(根瘤) 《선충(線蟲)에 의한》.

roo·tle [rú:tl] *vt., vi.* 《영》 =ROOT[2].

róot·less *a.* 뿌리가 없는; 불안정한; 사회적 연대성이 없는; 환경과 조화되지 않는. ⊞ **~·ly** *ad.* **~·ness** *n.*

root·let [rú:tlit, rút-/rú:t-] *n.* 〘식물〙 가는〔연한〕 뿌리, 지근(支根).

róot-méan-squáre *n.* 〘수학〙 제곱 평균.

róot nòdule (콩과 식물의) 뿌리혹, 근류(根瘤): ~ bacteria 뿌리혹박테리아.

róot sìgn 〘수학〙 근호(根號)(radical sign) 《(√)》.

róots mùsic 민족 음악; 레게(reggae) 《특히, 상업화되지 않은 것》.

róot·stòck *n.* **1** 〘식물〙 근경(根莖), 뿌리줄기. **2** 근원, 기원. **3** 〘원예〙 (접목의) 접본(椄本).

rootsy [rú:tsi] *a.* (음악이) 상업주의에 오염되지 않은; 뿌리를 내린, 전통적인, 민족 특유의.

róot vègetable =ROOT CROP.

rooty[1] [rú:ti, rúti/rú:ti] (***root·i·er; -i·est***) *a.* 뿌리가 많은, 뿌리 모양의, 뿌리 같은; 《미속어》 성적으로 흥분한, 열정〔욕정〕에 사로잡힌; 발정한.

rooty[2] *n.* 《영군대속어》 빵(bread).

R.O.P., ROP 〘축산〙 record of production; 〘광고〙 run-of-paper 《발행인이 지정하는 광고 스페이스》.

rop·a·ble, rope- [róupəbəl] *a.* (rope로) 묶을 수 있는; 《Austral.구어》 성이 난.

‡**rope** [roup] *n.* **1** Ⓤ,Ⓒ 새끼, (밧)줄, 끈, 로프 《길이의 단위, 20피트》; 줄타기의 줄: Name not a ~ in his house that hanged himself. 《속담》 목매단 집에서 새끼라고 말하지 마라, 자격지심을 건드릴 말은 마라. **2** 《미》 올가미 밧줄 (lasso); (the ~) 목매는 밧줄; 교수형. **3** 한 꿰미, 한 두름: a ~ of pearls 진주 한 꿰미. **4** (포도주·맥주 따위의 속에 생기는) 실 모양의 차지고 끈끈한 물질. **5** 측량 줄, 측연선(測鉛線). **6** (*pl.*) 둘러치는 새끼줄, (권투장 따위의) 링의 밧줄. **7** (the ~s) 비결, 요령: know 〔learn〕 the ~s 요령을 잘 알고 있다〔배우다〕. **8** 《미속어》 여송연. ***a ~ of sand*** 믿을 수 없는 결합〔지지〕. ***be at*** 〔***come to***〕 ***the end of*** one***'s ~*** 백계무책이다, 진퇴유곡에 빠지다. ***be outside the ~s*** 《속어》 요령을 모르다, 문외한이다. ***give*** a person ***enough*** 〔***plenty of***〕 ***~*** (***to hang himself***) (지나쳐 실패할 것을 기대하고) 아무에게 하고싶은 대로 하게 내버려두다. ***jump*** 〔***skip***〕 ***~*** 줄넘기를 하다. ***on the high ~s*** 득의양양하여; 거만하여; 성내어. ***on the ~*** (등산가가) 밧줄로 몸을 서로 이어매고. ***on the ~s*** 〘권투〙 로프에 기대어; 《구어》 매우 곤란하게 되어, 궁지에 몰려: have a person *on the ~s* 아무를 매우 곤란하게 하다, 궁지에 몰아넣다. ***put*** a person ***up to the ~s*** =***show*** a person ***the ~s*** 아무에게 방법〔요령〕을 가르치다. One***'s ~ is out.*** 진퇴유곡에 빠졌다.

— *vt.* **1** 《~+목/+목+부/+목+전+명》 새끼로 묶다; (등산가 등이) 몸을 밧줄로 묶다〔매다〕 《*up*》: ~ *up* a chest 상자를 밧줄로 묶다 / ~ a cow *to* a tree 소를 나무에 매다. **2** 《+목+부》 밧줄을 둘러치다, 새끼줄을 치다 《*in; off*》: ~ *in* a plot of ground 지면의 한 구획에 새끼줄을 치다. **3** 《미》 올가미를 던져 잡다; 밧줄로 끌어당기다. **4** 부정하게 손에 넣다. **5** 《+목+부/+목+전+명》 (계획 따위에) 꾀어들이다; 끌어들이다, 유혹하다 《*in*》: I was ~*d in* to do 〔*into* doing〕 the washing-up. 꼬드기는 바람에 나는 설거지를 했다. **6** 〘영경마〙 (말의 속도를) 이기지 못하게 일부러 늦추다. **—** *vi.* **1** (썩은 음식물이) 끈적끈적해지다, 실처럼 늘어지다. **2** 《+부/+전+명》 (로프를 써서) 등산하다, 로프를 잡고 움직이다 《*up; down*》: ~ *up* 〔*down*〕 (a cliff) (절벽을) 자일로 올라〔내려〕가다. **3** 〘경마〙 (기수가) (지기 위하여 짐짓) 말을 억제하다.

rópe·dàncer *n.* 줄타기 광대.

rópe·dàncing *n.* Ⓤ 줄타기 《곡예》.

rópe làdder 줄사닥다리.

rop·ery [róupəri] *n.* =ROPEWALK; Ⓤ,Ⓒ 《고어》 못된 짓, 속임수.

rópe's ènd (죄인 특히 선원을 매질하기 위한) 밧줄 동강; 교수(絞首)용 밧줄: give a person a ~ 아무를 매질하다.

rópe tòw 〘스키〙 로프토 《스키어들이 잡고 슬로프 위로 올라가는 스키장의 회전 로프》.

rópe·wàlk *n.* 새끼〔밧줄〕 공장.

rópe·wàlker *n.* 줄타기 광대.

rópe·wàlking *n.* Ⓤ 줄타기.

rópe·wày *n.* (화물 운송용의) 삭도(索道); 로프웨이, 공중 케이블.

rópe·wòrk *n.* 새끼〔밧줄〕 공장; 로프 제작법; 로프 사용법.

rópe yàrd 새끼〔밧줄〕 제조장(ropewalk).

rópe yàrn 새끼〔밧줄〕 만드는 재료 《삼 따위》; 《비유》 하찮은 것〔일〕.

rop·ing [róupiŋ] *n.* Ⓤ 새끼〔밧줄〕류, 삭구류(索具類)(cordage); 새끼 꼬기, 밧줄 만들기.

ropy [róupi] (***rop·i·er; -i·est***) *a.* **1** 끈적끈적한, 끈끈한, 점착성이 있는; 밧줄과 같은. **2** 《영구어》 (사람·행위가) 신통치 못한, 둔한, (물건이) 질이 나쁜, 빈약한. ⊞ **róp·i·ly** *ad.* **-i·ness** *n.*

roque [rouk] *n.* Ⓤ 《미》 크로케(croquet) 비슷한 구기(球技).

Róque·fort (**chéese**) [róukfərt(-)/rɔ́kfɔ:r(-)] 《F.》 로크포르 치즈 《양젖으로 만듦; 상표명》.

roq·ue·laure [rákəlɔ̀:r, róuk-/rɔ́k-] *n.* 로클로르 《18세기의 무릎까지 오는 남자 외투》.

ro·quet [roukéi/róuki] *n.* 〘크로케〙 자기 공을 〔이〕 상대방의 공에 맞힘〔맞음〕. **—** *vt., vi.* (상대방의 공에) 자기 공을 맞히다; (공이) 맞다.

ro·ric [rɔ́:rik] *a.* 《고어》 이슬의, 이슬 같은.

ró-ro shìp [róurou-] 로로선(船)《짐을 실은 트럭이나 트레일러를 수송하는 화물선》.
ror·qual [rɔ́ːrkwəl] *n.* 〖동물〗 긴수염고래(finback).
RORSAT [róursæ̀t, rɔ́ːr-] 〖군사〗 레이더 해양 정찰 위성. [◂ *R*adar *O*cean *R*econnaissance *Sat*ellite]
Rór·schach tèst [rɔ́ːrʃɑːk-] 〖심리〗 로르샤흐 검사《잉크 얼룩 같은 도형을 해석시켜 사람의 성격을 판단함》.
ROS 〖방송〗 run of schedule time《광고주 대신 방송국 측에서 시간대를 골라 CM을 방송하는 방식》.
Ro·sa [róuzə] *n.* 로사《여자 이름》.
Ro·sa·bel [róuzəbèl] *n.* 로자벨《여자 이름》.
ro·sace [rouzéis, -zɑ́ːs/róuzeis] *n.* 《F.》 장미꽃 무늬; 〖건축〗 (벽 따위의) 꽃 모양의 장식; 장미창(窓), 원화창(圓華窓).
ro·sa·cea [rouzéiʃiə] *n.* 〖의학〗 주사(酒皶)《코·이마·볼에 생기는 만성 피지선 염증》.
ro·sa·ceous [rouzéiʃəs] *a.* 〖식물〗 장미과(科)의; 장미 같은; 장밋빛의.
Ro·sa·lia, Ro·sa·lie, Ros·a·lind, Ros·a·line [rouzéiliə], [róuzəli, rɑ́z-/róuz-, rɔ́z-], [rɑ́zələnd, róu-/rɔ́z-], [róuzəliːn] *n.* 로잘리아, 로잘리, 로잘린드, 로잘린《여자 이름》.
ros·an·i·line [rouzǽnəlin, -lain/-liːn, -lin] *n.* 〖화학〗 로사닐린《아닐린에서 얻는 붉은 물감》.
ro·sar·i·an [rouzέəriən] *n.* 장미 재배자; (R-) 〖가톨릭〗 로사리오회(會)의 회원.
ro·sar·i·um [rouzέəriəm] *n.* (*pl.* **~s, -ia** [-iə]) 장미꽃밭.
ro·sa·ry [róuzəri] *n.* **1** 〖가톨릭〗 로사리오 묵주; (종종 R-) 묵주의 기도(서). **2** 장미원〔꽃밭〕.
Ros·coe [rɑ́skou/rɔ́s-] *n.* 로스코. **1 a** 남자 이름. **b** 이름을 모르는 이에 대한 호칭명. **2** (종종 r-) 《속어》 권총.
Rose [rouz] *n.* 로즈《여자 이름; 애칭 Rosetta, Rosie》.
†**rose**[1] [rouz] *n.* **1** 〖식물〗 장미(꽃), 장미과의 식물: (There is) no ~ without a thorn. 《속담》 가시 없는 장미는 없다《완전한 행복이란 없다》. **2** 장미꽃 무늬; 장미 매듭(~ knot); 장미 모양의 보석·다이아몬드; 〖건축〗 장미창(窓), 원화창(圓華窓); (물뿌리개·호스의) 살수구(撒水口); 나침반 무늬. **3** 장밋빛, 담홍색; (보통 *pl.*) 발그레한 얼굴빛: have ~s in one's cheeks 볼이 발그레하다, 건강하다. **4** (the ~) 특출한 미인, 명화(名花): the ~ of Paris 파리 제일 가는 미인. **5** 장미의 향료. **6** (the ~) 《구어》 단독(丹毒). **7** (지도 등에 그려진) 나침반의 지침면. ***a*** 〔***the***〕 ***bed of ~s*** 걱정 없는 환경, 안락한 지위〔신분〕. ***a blue ~*** 푸른 장미《있을 수 없는 것》. ***a path strewn with ~s*** 환락의 생활. ***come up ~s*** 《구어》 (생각했던 것보다 훨씬) 잘 되다. ***gather*** (***life's***) ***~s*** 쾌락을 쫓다, 환락 생활을 하다. ***not all ~s*** 반드시 편한 것만은 아닌: Life is *not all ~s*. 인생은 즐거운 것만은 아니다. ***~s all the way*** 안락한, 장밋빛의. ***the ~ of China*** 〖식물〗 월계화(China ~). ***the ~ of Jericho*** 〖식물〗 안산수. ***the ~ of May*** 〖식물〗 백수선화. ***the ~ of Sharon*** 〖식물〗 무궁화; 〖성서〗 샤론의 수선화《아가(雅歌) II: 1》. ***the Wars of the Roses*** 〖영국사〗 장미 전쟁(1455–85). ***the white ~ of innocence*** 〔***virginity***〕 백장미와 같은 순결. ***under the ~*** 비밀히, 몰래.
— *vt.* **1** 〔보통 과거분사로〕 (얼굴을) 붉히다, 장밋빛으로 하다. **2** …에 장미 향료를 뿌리다.
— *a.* 장미의; 장밋빛의; 장미 향기가 나는; 장미에 둘러싸인.
㊞ **∠·lìke** *a.*
rose[2] RISE의 과거.

ro·sé [rouzéi/∠-] *n.* 《F.》 로제《장밋빛의 포도주》.
róse acàcia 〖식물〗 꽃아카시아《북아메리카 산》.
ro·se·ate [róuziət, -èit] *a.* 장밋빛의; 행복한; 쾌활한, 밝은; 낙관적인. ㊞ **~·ly** *ad.*
Ro·seau [rouzóu] *n.* 로조《도미니카 연방의 수도》.
róse·bày *n.* 〖식물〗 만병초; 《영》 분홍바늘꽃; 협죽도(夾竹桃).
róse bèetle 〖곤충〗 풍뎅이의 일종(rose chafer)《북아메리카산; 장미를 해침》.
róse bòwl 1 꺾꽂이 장미를 꽂는 유리분. **2** (the R- B-) 로즈 바울《Los Angeles 교외의 Pasadena에 있는 스타디움; 또 그곳에서 1월 1일 행해지는 미식축구의 대학 패자(覇者) 경기》.
róse·bùd *n.* 장미꽃 봉오리; 《영》 묘령의 예쁜 소녀; 사교계에 처음 진출하는 소녀; 《속어》 항문(anus).
róse·bùsh *n.* 장미 관목〔덩굴〕.
róse còld 〔**fèver**〕 고초열(枯草熱)의 일종.
róse-còlored *a.* 장밋빛의, 담홍색의; 유망한, 낙관적인, 명랑한, 쾌활한: see things through ~ spectacles 사물을 낙관적으로 보다 / take a ~ view 낙관하다.
róse-colored glásses 낙관적인 견해, 낙관시.
róse cùt (보석의) 로즈〔24면〕 커트.
róse dìamond 로즈형〔24면〕 다이아몬드.
róse·dròp *n.* 〖의학〗 주부코.
Róse Gárden (the ~) 《미》 장미(의) 화원《백악관의 정원》.
Róse Gárden stràtegy 로즈 가든 전략《미국 대통령이 현직의 강점을 살려 재선을 노리는 선거 전략》.
róse gerànium 〖식물〗 양아욱.
róse hìp 〔**hàw**〕 장미의 씨.
róse·lèaf *n.* 장미 꽃잎; 장미잎. ***a crumpled ~*** 한창 행복할 때 일어나는 사소한 혜살, '호사다마(好事多魔)'.
róse-lìpped [-t] *a.* 입술이 붉은.
róse màllow 〖식물〗 무궁화속의 식물; 접시꽃.
rose·ma·ry [róuzmὲəri, -məri/-məri] *n.* 〖식물〗 로즈메리《상록 관목으로 충실·정조·기억의 상징》.
róse mòss 〖식물〗 채송화.
róse nóble 장미무늬가 있는 금화《15-16 세기 영국에서 통용》.
róse of Chína 〖식물〗 월계화(China rose).
róse òil 장미유, 장미 향수(attar of roses).
ro·se·o·la [rouzíːələ, ròuzióulə] *n.* Ⓤ 〖의학〗 장미진(疹), 홍진.
roséola in·fán·tum [-infǽntəm] 〖의학〗 소아 장미진(疹), 돌발성 발진증(發疹症).
róse-pínk *a.* 장밋빛의.
róse quártz 〖광물〗 장미 석영.
róse-réd *a.* 장미처럼 빨간.
róse·ròot *n.* 〖식물〗 꿩의비름의 일종.
ros·ery [róuzəri] *n.* 장미 재배소, 장미원.
róse-tìnted [-id] *a.* =ROSE-COLORED.
róse trèe 장미 나무.
Ro·set·ta [rouzétə] *n.* 로제타《여자 이름》.
Rosétta stòne (the ~) 로제타석(石)《1799년에 Rosetta에서 발견된 비석; 고대 이집트 상형문자 해독의 단서가 됨》.
ro·sette [rouzét] *n.* **1 a** 장미꽃 모양의 술〔매듭〕; 장미꽃 장식; 〖건축〗 (벽면(壁面) 따위의) 꽃 모양의 장식; (꽃무늬살의) 장식 원창(圓窓); 〖전기〗 (천장에 다는) 전깃줄〔코드〕걸이. **b** 〖식물〗 로제트《원좌(圓座)로 된 잎 따위》; 로제트병(病)《잎이 로제트처럼 겹치는》. **c** 〖의학〗 로제트《장미꼴 세포 집단》. **d** =ROSE DIAMOND. **2** (R-) 로젯《여자 이름; Rosetta의 이명》.
ro·sét·ted [-tid] *a.* 장미꽃 장식을 한《구두 따위》; 장미 매듭을 한《리본 따위》.
róse wàter 장미 향수; 들맞추는 말, 미적지근한 수법.
róse·wàter *a.* 장미 향수 같은(향기가 나는);

감상적인, 상냥한; 우아한, 기품〔품위〕 있는.

róse wíndow 〖건축〗 장미창, 원화창(圓華窓).

rose window

róse·wòod *n.* 〖식물〗 자단(紫檀)《콩과(科)의 나무; 열대산》, 화류(樺榴); 《미속어》 경찰봉.

Rosh Ha·sha·na(h), -sho·no(h) [róuʃ-hɑːʃɔ́ːnə, -ʃáː-, -hə-/rɔ̀ʃhəʃáːnə] 유대 신년제(新年祭)《유대력 1월 1일, 2일》.

Ro·si·cru·cian [ròuzə-krúːʃən, ràz-/ròuz-] *n.* 장미 십자(十字) 회원《1484년 Christian Rosenkreuz가 독일에 창설했다고 하는 연금(鍊金) 마법술을 행하는 비밀 결사의 회원》. **—** *a.* 장미 십자회(원)의; 연금술의.

Ro·sie [róuzi] *n.* 로지《여자 이름》.

ros·in [rázin/rɔ́z-] *n.* 로진《송진에서 테레빈유를 증류시키고 남은 수지(樹脂); 현악기의 활이 미끄러짐을 방지함》. cf. resin. **—** *vt.* 로진으로 문지르다, 로진을 바르다. ㊞ **rós·iny** *a.* 수지가 많은, 로진 모양의.

Ro·si·na [rouzíːnə] *n.* 로지나《여자 이름》.

Ros·i·nan·te, Roc- [ràzənǽnti, ròuzənáːn-/rɔ̀zinǽn-], [rás-] *n.* **1** Don Quixote의 노마(老馬)의 이름. **2** (r-) 폐마(廢馬), 쓸모없는 말, 야윈 말.

rósin bàg 〖야구〗 로진백《투수가 손가락의 미끄러짐을 방지하기 위해 rosin을 넣어 두는 포대》.

rósin òil 로진유(=**rét·i·nòl, rós·i·nòl**)《인쇄 잉크·윤활유용 등》.

ROSLA raising of school-leaving age.

Ross [rɔːs, rɑs/rɔs] *n.* 로스《남자 이름》.

Ros·set·ti [rouséti, -zéti, rə-/rɔséti] *n.* 로세티. **1 Christina** (**Georgina**) ~ 전(前) 라파엘파(派)의 영국 여류 시인(1830-94). **2 Dante Gabriel** ~ 전 라파엘파의 시인·화가《1의 오빠; 1828-82》.

Ros·si·ni [rousíːni, rɔː-/rɔ-] *n.* **Gioacchino** (**Antonio**) ~ 로시니《이탈리아의 오페라 작곡가; 1792-1868》.

Róss Séa (the ~) 로스 해《New Zealand 「남쪽의 남빙양의 일부》.

ros·tel·lum [rɑstéləm/rɔs-] (*pl.* **-tel·la** [-lə]) *n.* 〖식물〗 소취(小嘴); 〖동물〗 (촌충류의) 액취(額嘴); 〖곤충〗 소문상기(小吻狀器).

ros·ter [rástər/rɔ́s-] *n.* 〖군사〗 근무(당번)표; 〔집합적〕 근무 당번표에 실린 사람들; 〔일반적〕 명부; 등록부; 〖야구〗 (벤치에 들어갈 수 있는) 등록 멤버. **—** *vt.* 명부에 실리다.

rostra [rástrə/rɔ́s-] ROSTRUM의 복수.

ros·tral [rástrəl/rɔ́s-] *a.* 〖동물〗 주둥이의〔가 있는〕, 부리가 있는; 뱃부리 장식이 달린《원주(圓柱) 따위》. ㊞ **~·ly** *ad.*

róstral cólumn (적선(敵船)의 뱃부리나 그 조각물을 붙인) 해전 전승 기념주(柱).

ros·trat·ed [rástreitid/rɔ́s-] *a.* 주둥이〔부리〕 모양의 돌기가 있는; 부리 모양의 장식이 있는.

ros·trum [rástrəm/rɔ́s-] (*pl.* **-tra** [trə], **~s**) *n.* **1** 연단, 강단; 연설; 〔집합적〕 연설가. **2** (보통 rostra) 〔단수취급〕 〖역사〗 뱃부리 연단《고대 로마공회당의 연단; 나포한 적의 뱃부리를 장식으로 했음》. **3** 〖동물〗 부리 (모양의 돌기). **4** (옛날 갤리선 이물의) 부리 모양의 돌기, 뱃부리. ***take the*** **~** 등단(登壇)하다.

****rosy** [róuzi] (***ros·i·er; -i·est***) *a.* **1 a** 장밋빛의; 불그레한, 홍안의; 《미속어》 취한, 술 먹어 얼굴이 벌게진. **b** 장미가 많은; 장미의 향기가 나는; 《고어》 장미로 만든〔꾸민〕: a ~ bower. **2** 유망한, 밝은, 낙관적인: a ~ future / ~ views 낙관론. **~ *in the garden*** 이상이 없는, 좋은. ㊞ **rós·i·ly** *ad.* 장미처럼; 장밋빛으로; 밝게, 낙천적으로. **-i·ness** *n.*

rósy-fíngered *a.* 장밋빛 손가락의〔을 한〕《Homer의 *Oddyssey*에서 '새벽'을 형용한 말》.

rot** [rɑt/rɔt] *n.* Ⓤ **1 a** 썩음, 부패, 부식; 부패물. **b** 〖식물〗 부패증, (균류에 의한) 고사(枯死); 《고어》 소모성 질환; (the ~) 양의 디스토마병. **2** 《속어》 잠꼬대 같은 소리, 허튼소리: Don't talk ~! 바보 같은 소리 마라. ***Rot! 당치도 않은 (소리), 시시한 (소리). ***stop the*** **~** 위기를 막다. ***The*** **~** 〔***A*** **~, *Rot***〕 ***sets in.*** 갑자기 모든 게 잘 안 되어 가다.

— (**-tt-**) *vi.* **1** 《~/+㊊》 썩다, 썩어 없어지다, 부패하다; 말라죽다, 시들다《*away; off*》: A fallen tree soon ~*s.* 넘어진 나무는 곧 썩는다/At the first frost the last chrysanthemum ~*ted off.* 첫서리로 남은 국화꽃도 시들어 떨어졌다. **2** (사회·제도 따위가) 부패〔타락〕하다, 못 쓰게 되다, 붕괴되다. **3** (죄수 등이) (감방에서) 쇠퇴하다: You will ~ in jail. 너는 감방에서 썩게 될 것이다. **4** 〔진행형〕 《영속어》 허튼소리 하다, 빈정대다: He *is* only ~*ting.* 그는 농담〔빈정대기〕만 한다. **—** *vt.* **1** 썩이다; (아마를) 물에 담가 흐무러지게 하다. **2** 못 쓰게 만들다, (계획 따위를) 망쳐 놓다: It has ~*ted* the whole plan. 그것 때문에 전체 계획이 엉망이 되었다. **3** 《영속어》 놀리다, 조롱하다. **~ *about*** 《영속어》 빈둥거리다.

ROT rule of thumb (주먹구구식 계산). **rot.** rotating; rotation.

ro·ta [róutə] *n.* 《영》 당번 명부〔표(表)〕; 당번, 순번; (R-) 〖가톨릭〗 교황청 항소원(抗訴院).

ro·ta·me·ter [routǽmətər, róutəmìː-] *n.* 로터미터《액체의 유량(流量) 측정 계기》.

Ro·tar·i·an [routέəriən] *a., n.* 로터리 클럽의 (회원). ㊞ **~·ism** *n.* Ⓤ

ro·ta·ry [róutəri] *a.* 회전〔선회, 윤전〕하는; (기계 등에) 회전 부분이 있는; 회전식의; 윤전기의〔에 의한〕; 〖항공〗 회전식 성형(星型) 엔진의: a ~ fan 선풍기. **—** *n.* 윤전기; 로터리, 환상(環狀) 교차로(《영》 roundabout); 〖전기〗 회전 변류기(~ converter); (R-) =ROTARY CLUB.

Rótary Clùb (the ~) 로터리 클럽《Rotary International의 각지의 클럽》.

rótary convérter 〖전기〗 회전 변류기.

rótary cúltivator 〖농업〗 로터리식 경운기.

rótary drìlling 〖석유공학〗 로터리 드릴링《회전 굴착기에 의한 유정(油井) 굴착》.

rótary éngine 로터리 엔진.

Rótary Internátional 국제 로터리 클럽《1905년 미국 시카고에서 창설된 실업가·지식인의 국제적 사교 단체》.

rótary plów 회전 경운기, 로터리 제설기.

rótary préss 〖인쇄〗 윤전(인쇄)기.

rótary prìnting 〖인쇄〗 윤전 인쇄.

rótary tíller 회전 경운기(rotary plow).

rótary-wíng 〔**rótating-wíng**〕 **áircraft** 〖항공〗 회전익(翼) 항공기《헬리콥터 따위》.

***ro·tate** [róuteit/-ˊ] *vi., vt.* 회전하다〔시키다〕; 교대하다〔시키다〕; 순환하다〔시키다〕; 〖농업〗 돌려짓기〔윤작〕하다. SYN. ⇨TURN. **—** *a.* (꽃부리가) 바퀴 모양〔꼴〕의. ㊞ **ró·tat·a·ble** *a.*

ro·ta·tion** [routéiʃən] *n.* **1** Ⓤ,Ⓒ 회전; (지구의) 자전. **2** Ⓤ 규칙적인 교대; 윤번; 순환(recurrence). **3** Ⓤ,Ⓒ 〖농업〗 윤작(=**ˊ~ of crops**). **4** 〖컴퓨터〗 회전《컴퓨터 그래픽에서 모델화된 물체가 좌표계의 한 점을 중심으로 도는》. ◇ rotate *v.* ***by 〔***in***〕 **~** 차례로, 윤번으로. ㊞ **~·al** *a.*

ro·ta·tive [róuteitiv, -ˊ-, róutət-/routéit-,

róutət-] *a.* 회전하는, 회전시키는; 순환의. ⊕ ~·ly *ad.*

ro·ta·tor [róuteitər/-ㅡ] *n.* **1** (*pl.* ~**s**) 회전하는[시키는] 것; 회전 장치; 〖항공〗 (헬리콥터·제트엔진의) 회전익; 〖물리〗 회전자; 〖야금〗 회전로(爐). **2** (*pl.* ~**s**, ~·**es** [ròutətɔ́:ri:z]) 〖해부〗 회선근(回旋筋). **3** (윤번으로) 교대하는 사람.

ro·ta·to·ry [róutətɔ̀:ri/-təri] *a.* 회전하는; 회전 운동의; 순환하는; 윤번의; 회전시키는; 교대하는; (근육이) 회선(回旋)하는.

Ro·ta·va·tor [róutəvèitər] *n.* 로터베이터《회전 톱니 달린 경운기; 상표명》. ⊕ **ró·ta·vàte** *vt.* ~로 갈다.

ro·ta·vi·rus [ròutəváiərəs] *n.* 로터바이러스《방사상(放射狀)의 바이러스로서, 유아나 짐승의 갓 태어난 새끼에 위장염을 일으킴》.

R.O.T.C. Reserve Officers' Training Corps (예비역 장교 훈련단, 학도 군사 훈련단).

Rot-corps [rátkɔ̀:r/rɔ́t-] *n.* 《미속어》 = R.O.T.C.

rote[1] [rout] *n.* 기계적 방법[반복]; 기계적인 암기(법); (지루한) 되풀이. ***by*** ~ 기계적으로 (암기하여): learn (off) *by* ~ (그냥) 기계적으로 암기하다. ── *a.* 기계적으로 암기한; 기계적인.

rote[2] *n.* 해안에 부딪쳐 나는 파도 소리.

ro·te·none [róutənòun] *n.* 〖화학〗 로테논《인축(人畜)에 독성이 적은 살충제》.

ROTF(L), ROF(L) rolling on the floor laughing (포복절도하여)《이메일·문자 메시지에서》.

rot·gut [rátgʌ̀t/rɔ́t-] *a.*, *n.* 《속어》 위(胃)를 「상하게 하는 (싸구려 술).

ro·ti·fer [róutəfər] *n.* 〖동물〗 윤충(輪蟲)《민물 플랑크톤의 하나》. 「양의.

ro·ti·form [róutəfɔ̀:rm] *a.* 고리(wheel) 모

ro·tis·ser·ie [routísəri] *n.* 《F.》 불고기집; (고기를) 꼬챙이에 꿰어 굽는 전기 기구.

ro·to [róutou] *n.* (*pl.* ~**s**) (남아메리카, 특히 칠레의) 최하층민, 빈민.

ro·to·chute [róutəʃù:t] *n.* 로토슈트《산체(傘體) 대신 회전익이 달린 낙하산》.

ro·to·graph [róutəgræ̀f, -grà:f] *n.* 〖사진〗 (원고 따위의) 복사 사진.

ro·to·gra·vure [ròutəgrəvjúər, -gréivjər/-grəvjúə] *n.* U,C 〖인쇄〗 사진 요판(凹版)(술), 윤전 그라비어(판); C 《미》 (신문의) 그라비어 사진 페이지.

ro·tor [róutər] *n.* **1** 〖전기〗 (발전기의) 회전자. opp. *stator*. **2** 〖기계〗 (증기 터빈의) 축차(軸車). **3** 〖해사〗 (원통선(圓筒船)의) 회전 원통; 〖항공〗 (헬리콥터의) 회전익. **4** 〖기상〗 회전 기류.

rótor blàde (헬리콥터 따위의) 회전익 날개.

rótor·cràft *n.* =ROTARY-WING AIRCRAFT.

rótor-kìte *n.* 〖항공〗 무동력 장치의 회전익기(回轉翼機).

rótor plàne =ROTARY-WING AIRCRAFT.

rótor shìp 원통선(圓筒船)《곧게 세운 회전원통 주변에 일어나는 기압차(差)를 추진력으로 하는》.

ro·to·scope [róutəskòup] *n.* 로토스코프《사진이나 영화를 바탕으로 동화(動畫)를 그려 가는 방법 및 장치》.

ro·to·till [róutətìl] *vt.* 회전경운기로 갈다.

Ró·to·tìll·er *n.* 로터틸러《회전경운기; 상표명》.

ro·to·vate [róutəvèit] *vt.* 《영》 경운기로 갈다. ⊕ **ró·to·và·tor** [-tər] *n.* 《영》 경운기.

***rot·ten** [rátn/rɔ́tn] *a.* **1** 썩은, 부패한: ~ bananas 썩은 바나나. **2** 냄새 고약한, 더러운: ~ air 불결한 공기. **3** (도덕적으로) 부패한, 타락한; 뇌물 등을 받아먹는; 너무 응석을 받아 준: a ~ child. **4** 부서지기 쉬운, 취약한: ~ rock. **5** 《구어》 지독히 나쁜; 불쾌한: a ~ book 시시껄렁한 책 / ~ weather 궂은 날씨 / It's a ~ shame that they didn't give you a prize. 그들이 너에게 상을 주지 않았다니 너무 심한 처사다 / It was ~ *of* him *to* say so. 그렇게 말하다니 그도 지독하군. **6** 《구어》 기분이 나쁜: feel ~ 기분이 나쁘다 / look ~ 우울한 얼굴을 하다. **7** (양이) 디스토마에 걸린. ⊕ ~·**ly** *ad.* ~·**ness** *n.*

rótten bórough 〖영국사〗 부패 선거구《유권자가 격감해도 의원 선출의 권리를 보유했던 선거구; 1832 년 폐지》.

Rótten Rów 로튼로《런던의 Hyde Park에 있는 승마 도로; 보통 the Row라 함》.

rótten·stòne *n.* U 트리폴리석(石)《금속 닦는 데 쓰는 규소 성분이 많은 석회석》.

rót·ter *n.* 《영속어》 건달, 변변치 못한 자, 깡패.

Rot·ter·dam [rátərdæ̀m/rɔ́t-] *n.* 로테르담《네덜란드 남서부의 항구 도시》.

Rott·wei·ler [rátwailər/rɔ́t-] *n.* 로트와일러 개《독일산으로 경비·경찰견으로 쓰임》. ── *a.* 공격적인, 사정없는.

ro·tund [routʌ́nd] *a.* **1** 둥근; 토실토실 살찐. **2** 둥글게 벌린《입 따위》; (음성이) 낭랑한; (문체 따위가) 과장된, 화려한. ⊕ ~·**ly** *ad.* ~·**ness** *n.*

ro·tun·da [routʌ́ndə] *n.* 〖건축〗 (지붕이 둥근) 원형의 건물; 둥근 천장의 홀.

rotunda

ro·tun·di·ty [routʌ́ndəti] *n.* U 구상(球狀), 둥긂; 둥근 물건; 비만; 낭랑한 목소리; 충실한 어조.

ro·tu·ri·er [routjúəriei; *F.* rɔtyrje] *n.* 《F.》 평민, 서민; 벼락부자.

Rou·ault [ru:óu] *n.* **Georges** ~ 루오《프랑스의 화가; 야수파를 거쳐 후에 현대의 대표적 종교화가가 됨; 1871-1958》.

rouble ⇨ RUBLE.

rouche ⇨ RUCHE. 「탕아, 난봉꾼.

roué [ru:éi, ㅡ/ㅡ] *n.* 《F.》 (초로(初老)의) 방

Rou·en [ru:á:ŋ, -á:n/ㅡ] *n.* 루앙《프랑스 북부 Seine 강 연안의 상공업 도시》.

°**rouge**[1] [ru:ʒ] *n.* **1** 입술 연지, 연지. **2** 〖화학〗 산화 제 2 철, 철단(鐵丹)《연마용(研磨用)》. ── *a.* 《드물게》 붉은. ── *vt.*, *vi.* (입술) 연지를 바르다《*on*》; 붉게 하다; 붉어지다.

rouge[2] [ru:dʒ] *n.* 〖럭비〗 스크럼, 상대편의 득점이 되는 터치다운《영국 Eton 교(校)의 용어》.

rouge et noir [rú:ʒeinwá:r] 《F.》 적색과 흑색 무늬의 테이블에서 카드로 하는 도박의 일종.

Rouge·mont [ru:ʒmɔ́:ŋ] *n.* **Denis de** ~ 루주몽《프랑스의 비평가·작가; 1906-85》.

****rough** [rʌf] *a.* **1** 거친, 거칠거칠한, 껄껄한. opp. *smooth*. ¶ ~ paper 거칠거칠한 종이, 갱지. **2** 텁수룩한, 털이 많은: a dog with a ~ coat 복슬개 / ~ hairs 텁수룩한 머리. **3** 울퉁불퉁한, 험한: a ~ road 울퉁불퉁한 길. **4** (날씨 따위가) 험악한; (악천후 따위로) 흔들리는: ~ waters 거친 바다 / The plane had a ~ flight in the storm. 비행기는 폭풍우 속에서 불안정한 비행을 계속했다. **5** 가공되지 않은, 손질하지 않은; 미완성의: a ~ diamond 다이아몬드의 원광 / ~ rice 벼. **6** 난폭한, 조야한; 세련되지 않은; 우악스러운; 귀에 거슬리는; (맛이) 떫은〔신〕; 변변치 않은《음식 따위》: Boxing is a ~ sport. 권투는 거친 스포츠이다 / ~ work 막일, 육체노동; 폭력 / a ~ tongue 버릇없는 말투 / ~ food 맛없는 음식, 변변치 못한 음식 / ~ sounds 귀에 거슬리는 소리 / He's ~ *of*〔*in*〕 speech. 그는 말씨가 우악스럽다 / Don't be so ~ *with* the child. 그 애를 그처럼 거칠게 다루지 마라. **7** 점잔 빼지 않는: the ~ kindness of people 서민의 소박한 친절. **8** 괴로운, 고된, 모진, 혹독한: a ~ day 고된 하루 / Don't be too ~ *on* him. 그에게 그처럼 모질게 굴지 마라 / It's ~ *on* him to work〔working〕 at Christmas. 크리스마스에 일하다니 그도 고생이구나. **9** 대강의, 대략적인: a ~ estimate 어림셈, 개산 / ~ coating (벽의) 초벽 / a ~ drawing 초벌 그림 / a ~ sketch 개략도(概略圖), 소묘(素描). **10** (일 따위가) 날림의, 서투른. **11** 《속어》 시끄러운, 떠들썩한: Don't be ~! 그렇게 떠들지 마라. **12** 〖음성〗 (그리스어에서) 대기음(帶氣音)의, h 음이 따르는. **13** (포커에서) 손속이 나쁜. **14** 《미속어》 (춤을) 잘 추는. ***give*** a person (***a lick with***) ***the ~ side of*** one's ***tongue*** 아무에게 딱딱거리다, 아무를 꾸짖다. ***have a ~ time of it*** 되게 혼나다, 고생을 겪다. ***in the ~ leaf*** 《영》 아직 잎이 어릴 적에. ***~ and ready*** =ROUGH-AND-READY. ***~ and round*** 변변치 못하나 푸짐한. ***~ and tough*** 튼튼한, 다부진.

— *ad.* 거칠게, 난폭하게, 우악스럽게; 대충, 개략적으로(roughly). ***cut up ~*** ⇨ CUT. ***live ~*** 괴로운 생활을 하다. ***sleep ~*** 야숙(野宿)〔노숙〕하다.

— *n.* Ⓤ **1** 울퉁불퉁한 땅; (the ~) 〖골프〗 (fair way 밖의) 잡초 따위가 우거진 곳. **2** 거친 것; 미가공(품); (보석의) 원광(原鑛). **3** 개략: discuss in ~ 대충 논하다. **4** 고생; 학대, 난폭한 취급. **5** (편자에 박는) 미끄럼 방지용 못〔징〕; Ⓒ 《미속어》 충돌 사고를 낸 일이 있는 차, 사고차. **6** Ⓒ 난폭한 사람, 파락호. **7** (the ~) (가정 내의) 귀찮은 일. **8** Ⓒ (그림 따위의) 밑그림, 스케치. ***in ~*** 초안으로, 초고(草稿)로; 대충, 개략. ***in the ~*** ① 미완성인 채의; 미가공의. ② 난잡한〔하게〕; 단정치 못한; 준비 없는. ③ 대략, 거의. ④ 《미구어》 난처해서; 평상대로의, 준비 없이. ***over ~ and smooth*** 도처에. ***the ~*(*s*) *and the smooth*(*s*)** 영고성쇠; 행불행.

— *vt.* **1** 거칠게 하다, 꺼칠꺼칠하게 하다. **2** 《~+목/+목+부》 대충 모양을 만들다, 건목치다, 대충 계획을 세우다《*out*》; …의 개요를 쓰다《*in*》: ~ *out* a scheme 대충 계획을 세우다. **3** 《~+목/+목+부》 (털 따위를) 곤두세우다《*up*》; 쪼글쪼글하게 하다: Her hair was ~*ed* (*up*) by the wind. 바람에 그녀의 머리가 흐트러졌다. **4** 《~+목/+목+부》 난폭하게 다루다, 학대하다; 성나게 하다: The mob ~*ed up* the speaker. 군중들은 연사를 짜증 나게 만들었다. **5** (편자에) 스파이크를 박다. **6** (말을) 길들이다. — *vi.* **1** (표면이) 거칠거칠해지다. **2** 난폭하게 굴다; 성내다. ***~ it*** 불편한〔원시적〕 생활을 하다〔에 견디다〕; 난폭하게 굴다. ***~ up*** ⇨*vt.* 3; 《속어》 (특히 협박하기 위해) 때리다, 상처를 입히다; (사고로) 가볍게 다치다, 가벼운 쇼크를 주다. ***~ a person up the wrong way*** 아무를 성나게 하다. ㊞ **∠·er** *n.* 대충 만드는 사람. **∠·ness** *n.*

rough·age [rʌ́fidʒ] *n.* Ⓤ 조악한 음식물〔사료〕《등겨·짚·과피 따위》; 섬유소를 함유하는 음식《장의 연동 운동을 자극함》.

róugh-and-réady [-ən-] *a.* 조잡한, 날림으로 만든; 졸속주의의, 임시변통의.

róugh-and-túmble *a.* (행동·경쟁이) 난폭한, 무법의, 마구잡이의; 변칙적으로 싸우는, 폭력적〔공격적〕인. — *n.* 난투, 난전.

róugh bréathing 〖음성〗 (그리스어의 어두(語頭) 모음 또는 ρ의) 기식음(氣息音)을 수반하는 발음; 기식음 기호(ʽ). ⓒⓕ smooth breathing.

róugh·càst (*p.*, *pp.* ***-cast***) *vt.* 초벽을 치다, 막칠〔초벌칠〕하다; (계획 등을) 대충 준비하다; (소설 등의) 대강의 줄거리를 세우다. — *n.* Ⓤ (벽면의) 거친 면 마무리; 곰보칠; 애벌칠, 초벽칠; 대체적인 본〔모형〕. — *a.* 초벌칠의; 대충대충의, 날림의.

róugh cóat (벽면의) 애벌칠, 거친 바름.

róugh cùt 아직 편집하지 않은 영화 필름.

róugh-cút *a.* 막 썬《담배 따위》.

róugh díamond 미가공의 다이아몬드; 《비유》 세련미는 없으나 우수한 (소질의) 사람.

róugh-drý *vt.* 다리지 않고 말리다. — [스] *a.* 말리기만 하고 다리지 않은. ⓒⓕ drip-dry.

róugh édges 〖제본〗 (책의 페이지 따위가) 덜 잘린 작은 부분; (거의 만족할 만한 상태에서의) 조그마한 흠〔결점〕, 옥에 티.

rough·en [rʌ́fən] *vt.*, *vi.* 거칠게 하다, 거칠어지다, 꺼칠꺼칠하게 하다〔되다〕, 울퉁불퉁하게 하다〔되다〕. ㊞ **~·er** *n.*

róugher sèx (the ~) 남성. OPP. *softer sex.*

róugh físh (고기잡이 대상이 안 되는) 잡어(雜魚). 「따위》.

róugh-fóoted [-id] *a.* 발에 깃털이 있는《새

róugh góing 고전(苦戰).

róugh grázing 《영》 자연 그대로의 목장.

róugh-grínd *vt.* (날붙이를) 애벌 갈다.

róugh-héw (***-hewed; -hewn, -hewed***) *vt.* 대충 깎다; 건목치다. ㊞ **-hewn** *a.* 대충 깎은; 건목친; 세련되지 못한.

róugh·hòuse 《구어》 *n.* (옥내에서의) 난장판, 야단법석; 난폭; 큰 싸움. — *a.* 난폭한. — *vt.*, *vi.* (사람을) 거칠게 다루다; 큰 소동을 벌이다, 대판 싸우다.

rough·ie [rʌ́fi] *n.* 《Austral.》 난폭한 사람, 불량배; 교활한 수법, 부정〔부당〕한 방식; 〖경마〗 이길 가망이 없는 말.

róugh·ing *n.* 〖경기〗 반칙적 방해.

rough·ish [rʌ́fiʃ] *a.* 좀 거친; 조금 난폭한; 다소 귀에 거슬리는.

róugh jústice 반드시 공정하다고 볼 수 없는 조치; 매우 부당한 조치.

róugh-lègged *a.* 다리에 털이 난《새·말 따위》.

***rough·ly** [rʌ́fli] *ad.* **1** 거칠게, 마구, 함부로. **2** 버릇없이; 난폭하게. **3** 대충, 개략(概略)적으로: ~ estimated 어림셈으로〔의〕 / ~ (speaking) 대략 (말하면), 대체로. **4** 귀에 거슬리게; 부조화하게.

> NOTE 다음의 차이에 주의: He handled it *roughly*, in the same way. 그는 여전히 그것을 거칠게 다루었다. He handled it, *roughly* in the same way. 그는 그것을 거의 전과 같이 다루었다.

róugh·nèck *n.* 《구어》 무작〔우악〕한 사람, 난폭한 사람(rowdy); 유정(油井)을 파는 인부; 《미》 서커스 노동자. 「편기(期).

róugh pássage 폭풍우 속의 항해; 《비유》 시

róugh·rìde *vi.*, *vt.* (사나운 말·야생마를) 타서 길들이다; 거친 방법으로 억압〔제압〕하다.

róugh·rìder *n.* **1** 사나운 말을 잘 다루는 사람. **2** 조마사(調馬師). **3** (R-) 1898년의 미국·스페

인 전쟁 당시 Theodore Roosevelt가 조직한 의용 기병대원《Rough Rider로도 씀》.

róugh·shód *a.* (말이) 미끄러지지 않게 스파이크 편자를 박은; 포학〔무도〕한. **—** *ad.* 무도하게, 악랄하게. ***ride ~ over*** …을 거칠게 다루다, 짓밟다; …에 대하여 마구 뻐기다: You can't just *ride ~ over* people's feelings like that. 너는 사람들의 감정을 그처럼 짓밟아 버릴 수는 없다.

róugh shóoting 수렵지 이외에서의 총사냥.

róugh slédding 《구어》 나쁜 정황(情況), 난항.

róugh slèeper 노숙자, 무숙자.

róugh-spóken *a.* 말을 거칠게 하는.

róugh stùff 《속어》 **1** 폭력 (행위), 난폭; 야비(한 일). **2** (스포츠 따위에서의) 반칙. **3** 외설한 이야기〔소설〕, 저속.

róugh-wróught *a.* 거칠게 만든, 날림의.

roughy [rʌ́fi] *n.* 〖어류〗 러피. **1** 오스트레일리아 · 뉴질랜드 연안의 암초에 많은 식용어《몸길이 30cm 정도》. **2** 오스트레일리아의 얕은 바다에 사는 작은 고기《몸길이 12cm 정도》.

rou·lade [ruːlɑ́ːd] *n.* 《F.》 **1** 〖음악〗 룰라드, (성악곡의) 급주구(急走句). **2** 잘게 다진 고기를 얄팍한 고깃점에 싸서 만 요리.

rou·leau [ruːlóu] (*pl.* **~x, ~s** [-z]) *n.* 《F.》 두루마리; 말아서 봉한 화폐; 장식용 감은 리본.

rou·lette [ruːlét] *n.* 《F.》 **1** Ⓤ 룰렛《회전하는 원반 위에 공을 굴리는 노름》; 그 기구. **2** 점선기(點線器)《점선 구멍을 뚫는 톱니바퀴식 도구》, (재봉용의) 룰렛. **3** 〖수학〗 룰렛, 윤전(輪轉) 곡선.

Rou·ma·nia [ru(ː)méiniə, -njə] *n.* = RUMANIA.

†**round** [raund] *a.* **1** 둥근, 원형의; 구상(球狀)〔원통형, 반원형, 호상(弧狀)〕의: a ~ table 둥근 테이블. **2** 둥그스름한; 통통한, 토실토실 살찐: ~ cheeks 토실토실한 볼/~ shoulders 새우등. **3** 한 바퀴 도는; 《미》 왕복의; 《영》 주유(周遊)의: a ~ tour 주유/⇨ ROUND TRIP. **4** 우수리 없는, 꼭: a ~ dozen 꼭 한 다스. **5** (10, 100, 1,000 … 단위로) 약; 대략: 500 as a ~ figure (우수리를 떼어 버리고) 약 500/a ~ guess 거의 정확한 추측. **6** 꽤 많은, 상당한, 큰: at a ~ price 비싸게/a good ~ sum 목돈. **7 a** (문체(文體) 따위가) 원숙한; (묘사가) 다면적이고 중후한. **b** (술 따위가) 숙성한. **8** (소리 · 음성이) 풍부한, 쩡쩡 울리는, 낭랑한. **9** 활기 있는; 활발한, 민첩한: a ~ trot 빠른 발걸음. **10** 솔직한, 곧이곧대로의, 기탄없는, 노골적인: ~ dealing(s) 공명정대한 처사. **11** 사정없는《매질 따위》: have a ~ blow 〔scolding〕 사정없이 두들겨 맞다〔되게 야단맞다〕. **12** (물고기가) 내장이 그대로 있는 〔잘리지 않은〕. **13** 〖음성〗 원순음(圓脣音)의: a ~ vowel 원순 모음《보기: [u, o]》. ***be ~ with*** a person 아무에게 솔직히〔노골적으로〕 말하다. ***in ~ figures*** 〔***numbers***〕 어림셈으로, 대략.

— *n.* **1** 원(圓), 고리, 구(球); 원〔구, 원통〕형의 것: sit in a ~ (빙) 둘러 앉다. **2** 한 바퀴, 순환; 일주(로(路)): the annual ~ 해의 순환. **3** 연속, 되풀이; 정해진 일〔생활〕: a ~ of parties 연이은 파티/one's daily ~ = the daily ~ of life 일상의 생활〔일〕. **4** (종종 *pl.*) 순시, 순회, (의사의) 회진; (종종 *pl.*) 순회〔담당〕 구역; (소문 따위의) 전달 경로; 몇 장소를 돌아다님: patrol one's ~ (경관이) 담당 구역을 순찰하다/a ~ of night clubs 나이트 클럽 순회. **5** 범위: the whole ~ of knowledge 지식의 전 범위. **6** 라운드, (관세 따위에 관한) 일괄 협상: Kennedy 〔Uruguay〕 *Round* 케네디 〔우루과이〕 라운드. **7** (승부의) 한판, 한 게임, 1회, 1라운드, (토너먼트전의) …회전: play a ~ of bridge 〔golf〕 브리지〔골프〕를 한판하다/a three ~ bout, 3판 승부/a fight of ten ~*s* (권투의) 10회전. **8** 일제 사격(에 필요한 탄알); (탄약의) 한 방분, (탄알의) 한 발: 20 ~*s* of ball cartridge 총알 20발. **9** (사람의) 일단; 둘러앉은 사람들. **10** (술 따위의) 한 순배(巡杯)의 양: This ~ is on me. 이번엔〔이 한 잔은〕 내가 내지. **11** 윤무(輪舞); 윤창(輪唱). **12** 사닥다리의 발판〔가로장〕; 의자다리의 가로대; 노의 손잡이. **13** 소의 넓적다리살 (~ of beef). **14** (둥그스름한) 책의 등〔가장자리〕. **15** (종종 *pl.*) 떠나갈 듯한 박수; (환성 · 갈채 따위의) 한바탕: three ~*s* of cheers 만세 삼창/~ after ~ of cheers 연달아 일어나는 함성소리. **16** (음식의) 한 조각: a ~ of bread 빵 한 조각. **17** 〖컴퓨터〗 맺음. ***give*** a person ***the ~s of the kitchen*** 《영속어》 아무를 꾸짖다. ***go for a long ~*** 멀리 산책을 갔다 오다. ***go*** 〔***make***〕 ***the ~s*** 순시〔순회〕하다; 일정한 코스를 돌다; 《속어》 직업을 찾아 돌아다니다; (소문 따위가) 퍼지다. ***in the ~*** ① 〖조각〗 환조(丸彫)로. ② 개괄적으로, 모든 특징을 나타내어: Seoul *in the ~* 서울의 전모. ③ 생생하게, 극명(克明)하게; 스테이지를〔제단을〕 관객〔군중〕이 빙 둘러싸고 있는, 원형식의. ***out of ~*** 완전히 둥글지 않고, 일그러져서. ***take a ~*** 한 바퀴 돌다; 산책하다《*of*》.

— *ad.* **1** 돌아서, 빙(그르르): circle ~ 빙그르르 돌다. **2** 둘레를 (빙), 사방에; 둘레가 …로: look ~ 둘러보다/girdled ~ with hills 언덕으로 둘러싸여/10 feet ~ 둘레 10피트. **3** 한 바퀴〔먼길을〕 돌아서; 우회하여; 특정 장소에: Will you bring the car ~ to the door? 차를 현관으로 돌려 주시겠습니까. **4** 고루 미쳐, 차례차례: Tea was handed ~. 차를 모든 이에게 돌렸다. **5** 처음부터 끝까지: (all) the year ~, 1년 내내. **6** 약(約), 대략: ~ there 그 부근에서. **7** (방향 · 생각이) 반대 방향으로, 역으로. ***ask*** a person ***~*** 아무를 자택으로 초대하다. ***be ~*** 돌아오다: Christmas will *be* ~ again. 성탄절이 또 돌아온다. ***be the other way ~*** (…와) 반대이다. ***get ~ to*** …에 가다; (일 따위에) 손대다; (소문이) …에 전해지다. ***go a long way ~*** 먼길로 돌아서 가다. ***go*** 〔***pass***〕 ***~*** 회전하다; (행성 따위가) 운행하다; 일주하다; 우회하다; (물건이) 전원에게 골고루 돌아가다; (소문이) 퍼지다. ***loaf ~*** 여기저기 빈들거리며 돌아다니다. ***order*** (a car) ***~*** (자동차를) 현관으로 돌리게 하다. ***~ about*** ① 원을 이루어, 둘레에, 사방에; 멀리 돌아서. ② 반대쪽에. ③ 대략, 대체로: It will cost ~ *about* 100 dollars. 대략 100달러가 든다. ***~ and ~*** 빙글빙글. ***show*** a person ***~*** 아무를 안내하고 다니다. ***turn*** (***short***) ***~*** (갑자기) 돌아보다.

— *prep.* **1** …의 둘레를〔에〕; …을 돌아서: flying ~ Africa 아프리카 일주 비행/sit ~ the table 테이블 둘레에 앉다. **2** …을 돈 곳에: the first house ~ the corner 모퉁이를 돌아 첫 집. **3** …의 부근에〔의〕: the lands ~ the city 시 주변의 땅.

> SYN. **round, around** 구어 또는 informal한 영어에서는 양자가 같은 뜻으로 쓰이며, 《영》에서는 round, 《미》에서는 around가 많이 쓰임. formal한 영어에서는 round를 "in a circle"(원형을 이루어), "with a rotating movement" (회전하여)의 뜻으로, around를 "on all sides" (사방으로), "here and there" (여기저기에)의 뜻으로 쓰는 경향이 있음. **about** 주위보다도 접근의 뜻이 강하며, 운동 · 정지의 그 어느 경우에도 사용됨: Her hair hangs *about* her neck.

4 …의 안을 이곳저곳: look ~ the room 방 안을 여기저기 둘러보다 / show him ~ the town 그에게 시내를 이곳저곳 안내하다. 5 …에 대하여: write a book ~ a subject 어떤 문제에 대하여 책을 쓰다. 6 …정도; …경: pay somewhere ~ $100, 100달러 정도 치르다. 7 …하는 동안 죽. ~ ***about*** …의 주위에〔를〕; 대략〔대충〕…: ~ *about* five o'clock, 5시경에. ~ ***and*** ~ …의 주위를 빙글빙글: argue ~ *and* ~ a subject 문제의 핵심은 논하지 않고 주변 문제를 논하다.
— *vt.* 1 《~+목/+목+부》 둥글게 하다; …을 둥그스름하게 하다, …의 모를 둥글게 하다《*off*》; (토실토실) 살찌게 하다《*out*》: ~*ed* eyes 휘둥그래진 눈 / ~ *off* the angle 모서리를 따서 둥글게 하다 / The sun is ~*ing out* the corn. 햇볕을 받아 낟알이 토실토실 여물고 있다. 2 《~+목/+목+부/+목+전+명》 완성하다, 마무르다《*off; out*》; (끝수를) 반올림하다: ~ *out* one's education by traveling 여행을 함으로써 교육을 매듭짓다 / *Round off* the fractions to three decimal places. 소수점 세 자리 이하는 반올림하라 / He ~*ed* the sentence *with* an epigram. 그는 경구를 넣어 문장을 완결지었다. 3 둘러싸다, 포위하다. 4 a 일주하다, (커브·모퉁이를) 돌다: ~ the island 섬을 일주하다 / ~ the corner 모퉁이를 돌다. b 《+목+부/+목+전+명》 돌리다, 바꾸다《*off*》; …의 방향을 바꾸게 하다, 뒤돌아보게 하다《*off*》; 소생시키다, 회복시키다《*off*》: ~ a boat *off* (파도 따위의 방향으로) 보트를 돌리다 / ~ one's face *toward* … 쪽으로 얼굴을 돌리다. 5 낭랑히 울리게 하다; 〖음성〗 입술을 둥글게 하고 발음하다. — *vi.* 1 둥글게 되다, 휘다, 만곡하다. 2 《+부》 토실토실 살찌다《*out*》: She ~*ed out* so nicely that everyone forgot soon she had been so ill. 그녀는 토실토실 살이 쪄 모두들 그녀가 중병을 앓았다는 사실을 곧 잊었다. 3 《+전+명》 원숙해지다, 발달하다: The boy ~*ed into* manhood. 소년은 성장하여 어른이 되었다. 4 《~/+전+명》 돌다; 돌아보다: ~ on one's heels 획 돌아보다 / The runners ~*ed into* the homestretch. 주자들은 결승점 앞 직선 코스로 돌아 들어왔다. 5 한 바퀴 돌다; 순회하다. ~ ***down*** (수·금전 따위의) 우수리를 잘라 버리다. ~ ***in*** 〖해사〗 (로프 따위를) 끌어당기다. ~ ***off*** ① ⇨ *vt.* 1, 2, 4 b. ② 유쾌하게 지내다. ~ ***on*** 〔***upon***〕 …을 꾸짖다, …에게 대들다; …을 배반하다. ~ ***to*** 〖해사〗 이물을 바람 불어오는 쪽으로 돌리고 정박하다; 건강〔기력〕을 회복하다. ~ ***up*** (가축 따위를) 몰아서 모으다; 체포하다; …을 둥글게 뭉치다; (수·금전을) 우수리가 없게 잘라 올리다; 《미구어》 (문제를) 처리하다.

㊕ **∠·ness** *n.* Ⓤ 1 둥긂, 원형; 구형(球形). 2 솔직, 정직. 3 완전, 원만.

round[2] *vi., vt.* 《고어》 속삭이다(whisper).

***round·a·bout** [ráundəbàut] *a.* 1 에움길의; 완곡한《말 따위》, 우원(迂遠)하고 번거로운《표현·절차 따위》. 2 토실토실 살찐. 3 둘러싸고 있는; 포괄적인. — *n.* 1 에움길; 완곡한 말투〔방법, 표현〕; 《미》 왕복 여행(round trip). 2 《영》 회전목마(木馬)(merry-go-round). 3 원(circle); 원형물(物); 원형장(場); 둘러친 생울타리; 《영》 로터리, 환상 교차로(《미》 rotary). 4 (19세기) 사내아이의 짧은 웃옷(=∠ **jácket**).

róund ángle =PERIGON.

róund árch 〖건축〗 반원 아치. 「《투구》.

róund-àrm *a.* 〖크리켓〗 수평으로 팔을 휘두르는

róund bárrow 〖고고학〗 원분(圓墳).

róund brácket 〖인쇄〗 둥근 괄호.

róund dànce 윤무(輪舞); 원무(곡).

róund dòwn 〖컴퓨터〗 잘라 버림《남아 있는 수의 표시 부분에는 아무런 변화가 없도록 지정된 자리 이하의 우수리 숫자를 잘라 버리는 것》.

róund·ed [-id] *a.* 1 둥글게 된, 둥글린; 〖음성〗 원순(圓脣)의: a ~ vowel 원순 모음. 2 완성한; 원숙한; 세련된. 3 우수리를 잘라 버린, 대강의. ㊕ ~·**ness** *n.*

roun·del [ráundl] *n.* 둥근 것; 작은 원반; (조명·신호용의) 원형 (착색) 유리판, 원형 방패; (영국군의) 원형 표지; 〖건축〗 반원형 쇠시리; 원형의 작은 창; (장식용) 둥근 접시; =RONDEAU; RONDEL; 윤무(輪舞), 원무(round dance).

roun·de·lay [ráundəlèi] *n.* 후렴이 있는 짧은 노래; 원무의 일종; 작은 새의 지저귐.

róund·er *n.* 1 도는 사람, 순회자; 《미구어》 상습범; 주정뱅이, 돈을 헤피 쓰는 사람, 건달. 2 둥글리는 사람〔연장〕. 3 (*pl.*) 〔단수취급〕《영》 라운더스《야구 비슷한 구기》. 4 《영》 (감리 교회의) 순회 설교사. 5 〖권투〗 …회전(回戰)의 경기.

róund-èye *n.* 《미군대속어》 서양 여자《동양 여자에 대하여》.

róund-éyed *a.* (깜짝 놀라) 눈을 둥그렇게 뜬.

róund file 둥근 줄; 《우스개》 휴지통(=**rótating file**). 「하는 게임.

róund gáme 조를 짜지 않고 각자 단독으로 행

róund hànd (잇대어 쓰지 않은) 동글동글한 글씨체《주로 제도용》. ㊀ running hand.

Róund·hèad *n.* 1 〖영국사〗 의회당원《17세기의 내란 때 반(反)국왕파로서 머리를 짧게 깎은 청교도의 별명》. 2 (r-) 짧은 머리의 사람.

róund·hèel *n.* 《속어》 1 잘 속는 사람; 남자 꾐〔유혹〕에 잘 넘어가는 여자, 몸가짐이 헤픈 여자. 2 《미》 이류〔약한〕 권투 선수.

róund·hòuse *n.* 1 (원형·반원형의) 기관차고(庫). 2 〖해사〗 후갑판 선실. 3 《고어》 구치소. 4 〖야구〗 큰 커브; 〖권투〗 크게 휘두르는 훅. — *a.* 크게 휘두르는《펀치》. 「ing).

róund·ing *n.* 〖음성〗 원순화(圓脣化)(lip-round-

round·ish [ráundiʃ] *a.* 둥그스름한, 약간 둥근.

róund·let [-lit] *n.* 소원(小圓) (모양의 것); 소구(小球) (모양의 것).

róund lót 〖증권〗 거래 단위《주식 100주 또는 채권 1,000달러》. ㊀ odd lot. 「가.

róund-lót·ter *n.* 〖증권〗 (최소) 거래 단위 투자

róund·ly *ad.* 1 둥글게, 원형으로. 2 솔직히, 노골적으로; 가차없이; 단호히: scold ~ 호되게 꾸짖다. 3 기운차게, 활발히. 4 충분〔완전〕히. 5 어림잡아, 대략.

róund òff 〖컴퓨터〗 반올림《5 미만의 수는 잘라 버리고, 5 이상의 수는 올림을 실시하는 연산》.

róund róbin 1 사발통문식 청원서〔탄원서〕《서명자의 순서를 감추기 위한》. 2 원탁회의; 〖경기〗 리그전(戰); 연속. 3 〔한정적〕 한 사람 한 사람 차례로 참가〔발언〕하는.

róund-shóuldered *a.* 새우등의.

róunds·man [-mən] (*pl.* ***-men*** [-mən, mèn]) *n.* 1 《미》 경사(警査); 순회 감시인, 순시〔순찰〕인. 2 《영》 (빵이나 우유를) 주문받으러 다니는 사람, 배달원. 「꺼운 고깃점.

róund stèak 소의 넓적다리살에서 떼어 낸 두

róund tàble 원탁(에 둘러앉아 토론하는 사람들); 원탁회의; 《구어》 토론회; (the R- T-) (Arthur왕의 전설에서) 대리석의 원탁, 원탁의 기사단. 「탁회의.

róund-tàble *a.* 원탁의: a ~ conference 원

róund-the-clóck *a.* 24시간 연속(제)의(《영》 around-the-clock).

róund-the-wórld *a.* 세계 일주의.

róund·tòp *n.* 〖해사〗 장루(檣樓).

róund tríp 주유(周遊) 여행; 왕복 여행.

róund-tríp *a.* 《미》 왕복(여행)의; 《영》 주유(周遊)(여행)의: a ~ ticket 《미》 왕복 승차권(《영》 return ticket).
róund-trípper *n.* 《야구속어》 홈런.
róund-trìpping *n.* 《구어》 대기업이 저리(低利)로 차입한 자금을 고리(高利)로 다시 남에게 대부하기.
róund túrn (밧줄 따위의) 한 번 감기.
róund ùp 〖컴퓨터〗 올림 《수치에 올림을 실시하여 수치를 표시하는 방법》.
róund·ùp *n.* **1** 《미방언》 (가축을) 몰아 한데 모으기〔모으는 카우보이〕; 몰아서 한데 모은 가축. **2** (범인의) 일제 검거; (사람들의) 모집. **3** 집회, 회합; (상황·뉴스 등의) 총괄적인 보고, 개요, 요약(summary); 《미속어》 힘에 의한 불화의 해결.
róund wíndow 〖해부〗 (귀의) 정원창(正圓窓).
róund·wòod *n.* 통나무 《기둥 따위에 쓰이는》.
róund·wòrm *n.* 선형(線形)동물; 회충.
roup[1] [ruːp] *n.* 가금(家禽)의 감기; 《Sc.》 (목소리의) 쉼. ㊞ **∠·y** *a.* ~에 걸린; 목쉰.
roup[2] [raup] *n., vt.* 《Sc.》 소란스러운 외침(clamor); 경매(하다).
***rouse**[1] [rauz] *vt.* **1** 《+목+부/+목+전+명》 깨우다, 일으키다; …의 의식을 회복시키다: ~ *up* one's child 아이를 깨우다 / He was ~*d from* the swoon. 그는 기절했다가 의식을 회복했다. **2** 《~+목/+목+전+명/+목+*to* do》 분기(奮起)시키다; (감정을) 돋우다, 선동하다; 성나게 하다: ~ interest 흥미를 돋우다 / ~ a person *from* his idleness 아무를 나태에서 분발케 하다 / ~ students *to* study 학생을 격려하여 공부시키다 / He was ~*d to* anger. 그는 몹시 화가 났다. **3** 《+목+전+명》 (새 따위를) 훽 날게 하다, 몰아내다: The dog ~*d* pheasants *from* the bushes. 개가 꿩을 덤불에서 몰아냈다. **4** 휘젓다. **5** 〖해사〗 세게 잡아당기다 《*in; out; up*》. **—** *vi.* **1** 《+부/+전+명》 깨다, 일어나다 《*up*》: ~ *up from* sleep 잠에서 깨다. **2** 《+부》 분기하다 《*up*》: He ~*d up* suddenly. 그는 갑자기 분발하였다. **3** 《+부》 (감정 따위가) 격발하다 《*up*》.
Rouse and bitt! 〖해사〗 기상(起床)하고 밖으로 나오라. **~ *on*** 《Austral. 구어》 야단치다. **~ *out*** 〖해사〗 기상시켜 밖으로 나오게 하다. **~ *oneself to action*** 분기하다. ***want rousing*** (게을러서) 자극을 요하다.
— *n.* 각성; 분기; 〖군사〗 기상 신호〔나팔〕.
rouse[2] *n.* 술 마시며 떠들기, 주연(酒宴); 《고어》 가득 찬 술잔; 축배. ***give a ~*** 축배를 들다. ***take one's ~*** 술 마시며 떠들다.
róuse·abòut *n.* 《Austral.》 (목양장 따위의) 미숙련 노동자. cf. roustabout.
rous·er [ráuzər] *n.* **1** 각성자, 환기시키는 사람. **2** 《구어》 괄목할 만한 사람〔물건〕; 깜짝 놀랄 만한 말〔행위〕. **3** 큰 목소리, 목소리가 큰 사람; 굉장한 거짓말. **4** 《Austral. 구어》 =ROUSEABOUT; 〖양조〗 교반기(攪拌器).
rous·ing [ráuziŋ] *a.* 깨우치는; 분기시키는; 감동시키는; 활발한, 왕성한; 《구어》 어마어마한, 굉장한. ㊞ **~·ly** *ad.*
Rous·seau [ruːsóu/∠-] *n.* **Jean Jacques ~** 루소 《프랑스의 철학자·저술가; 1712–78》. ㊞ **Rous·seau·ism** [ruːsóuizəm/∠-∸] *n.* Ⓤ Rousseau (의 자연)주의, Rousseau의 민약설(說).
roust [raust] *vt.* 억지로 일으키다, 끄집어내다 《*out; up*》; 《속어》 체포하다. **—** *vi.* 《Austral. 속어》 화가 나서 고함치다.
róust·abòut *n.* 《미》 부두 노동자, 갑판 일꾼, 화물 운반인; 《미》 미숙련 노동자.
°rout[1] [raut] *n.* **1** Ⓤ,Ⓒ 참패, 패주. **2** 혼란한 군중〔회합〕; 소란; 오합지졸; 폭도; 〖법률〗 불온 집회. **3** 《고어》 큰 야회(夜會); 사교 모임. ***put to ~*** 패주시키다. **—** *vt.* 참패〔패주〕시키다.
rout[2] *vt., vi.* (돼지 따위가) 코 끝으로 파헤치다; 찾아내다, 찾아 헤매다(root²); 폭로하다 《*out*》; 두들겨 깨우다 《*up*》, 내쫓다 《*out*》.
róut càke 《영》 야회(용) 케이크.
****route** [ruːt, raut/ruːt] *n.* **1** 도로, 길. **2** (일정한) 통로, 노선: an air ~ 항공로. **3** 수단, 방법, 길: a ~ *to* peace 평화의 길. **4** 《구어》 (우유·신문 등의) 배달길〔구역〕: a delivery ~. **5** [raut] 《고어》 〖군사〗 행군 명령. ***en ~*** ⇨ EN ROUTE. ***give*** 〔***get***〕 ***the ~*** 출발 명령을 내리다〔받다〕. ***go the ~*** (임무 따위를) 끝까지 해내다; 〖야구〗 완투(完投)하다. **—** *vt.* **1** …의 순서〔절차〕를 정하다. **2** 《+목+부/+목+전+명》 (어떤 경로·노선에 의해) 발송〔송달〕하다; (어떤 방향으로) 돌리다: ~ the goods *through* the Panama Canal 파나마 운하 통과 선편으로 물품을 발송하다 / Traffic was ~*d around* to avoid the area. 차량은 그 지역을 피하기 위해서 우회했다.
róute-góing perfórmance 〖야구〗 완투(함).
róute·man [-mən] (*pl.* **-men** [-mən, -mèn]) *n.* 《미》 (한 구역의) 배달 책임자.
róute màrch 〖군사〗 노상 행군.
rout·er[1] [rúːtər, ráu-] *n.* 장거리 경주마(馬).
rout·er[2] [ráutər] *n.* 홈 파는 도구〔기계〕; = ROUTER PLANE.
róuter plàne 홈파는 대패.
Róute 66 [-síkstisíks] 66번 도로 《시카고와 로스앤젤레스를 잇는 간선 도로》.
róute stèp 〖군사〗 노상 행군 보조(步調) 《행군 중에 보조·집총 방법 등이 자유스러움》.
róute·wày *n.* 예정 경로 〔코스〕.
****rou·tine** [ruːtíːn] *n.* Ⓤ,Ⓒ **1** 판에 박힌 일, 일상의 과정〔일〕: daily ~ 일과. **2 a** 기계적인 순서〔일, 습관, 조작〕: break the ~ 상례를 깨뜨리다. **b** 상투적인 말; 틀에 박힌 연기; 일정한 일련의 댄스 스텝. **3** 〖컴퓨터〗 루틴 《어떤 작업에 대한 일련의 명령군(群); 완성된 프로그램》. **4** 《미속어》 인품; 《미속어》 (이야기의) 바꿔치기, 얼버무리기. **—** *a.* 일상의; 판에 박힌: ~ desk work 판에 박힌〔일상〕 사무. [◂ route] ㊞ **~·ly** *ad.*
rou·ti·neer [rùːtəníər] *n.* (창의가 없고) 기계적인 사무에만 적합한 사람.
rou·tin·ism [ruːtíːnizəm] *n.* Ⓤ 천편일률. ㊞ **-ist** *n.* =ROUTINEER.
rou·tin·ize [ruːtíːnaiz, rúːtənàiz] *vt.* 관례화(慣例化)하다, 판에 박힌 일을 하도록 길들이다. ㊞ **rou·tìn·i·zá·tion** *n.*
roux [ruː] (*pl.* ~) *n.* 루 《버터와 밀가루를 섞은 것; 소스를 걸쭉하게 만드는 데 씀》.
ROV 〖군사〗 remotely-operated vehicle (원격 조작 기기) 《무인 해중 작업 장치의 총칭》.
°rove[1] [rouv] *vi.* **1** 《~/+전+명》 (정처 없이) 헤매다, 배회〔유랑〕하다, 떠돌다; 표류하다: ~ *over* the fields 들판을 배회하다. **2** 《+전+명》 (눈이) 두리번거리다: His eyes ~*d around* the room. 그는 눈을 두리번거리며 방을 둘러보았다. **3** (애정·권리 등이) 동요하다, 수시로 변하다〔이동하다〕. **4** 〖궁술〗 임의로 정한 먼 과녁을 겨누어 쏘다. **5** 《고어》 산 미끼로 견지낚시질을 하다. **—** *vt.* 배회하다, 유랑하다. cf. roam. ¶ ~ the woods 숲 속을 배회하다. **—** *n.* 헤맴, 배회, 유랑. ***on the ~*** 배회하여, 유랑하여.
rove[2] *n.* 조방사(粗紡絲). **—** *vt.* 실을 거칠게 잣다, (양모·솜을) 느슨하게 꼬다.
rove[3] REEVE¹의 과거·과거분사.
róve bèetle 〖곤충〗 반날개 《투구벌레의 일종》.
rov·er[1] [róuvər] *n.* **1** 배회자; 유랑자. **2** 《고어》 해적; 해적선. **3** 〖궁술〗 임의로 정한 먼 과녁(을 쏘는 사수). **4** 《영》 (18세 이상의) 보이스카우트

《지금은 Venture Scout》. **5** (R-) 《영》 (음악회 등의) 입석 손님. **6** 《영》 〖럭비〗 로버《중간에 위치하여 공격과 방어를 겸함》. ***at ~s*** 무턱대고, 막연히. ***shoot at ~s*** 임시로 정한 먼 과녁을 겨냥하여 쏘다; 난사(亂射)하다.

rov·er[2] *n.* 조방공(粗紡工); 조방기(機).

rov·ing[1] [róuviŋ] *n.* 방랑; 먼 과녁쏘기. **—** *a.* 방랑하는; 상주하지 않는, 이동하는; (눈이) 두리번거리는; 산만한: a ~ AMBASSADOR / a ~ minister 《미》 순회〔이동〕 공사 / have a ~ eye 추파를 던지다, 바람기가 있다.

rov·ing[2] *n.* Ⓤ 조방사(粗紡絲).

róving commíssion (조사원의) 자유 여행 권한: 《구어》 여기저기 돌아다니는 일.

⁑**row**[1] [rou] *n.* **1** 열, 줄, 횡렬; (극장 따위의) 좌석의 줄: in the front 〔third〕 ~ 앞줄〔제 3 렬〕에. **2** 늘어선 집의 줄; (양쪽에 집이 늘어선) 거리; 시가; 가로수, 늘어선 나무의 줄. **3** 〖수학〗 (행렬의) 행(行). **4** (the R-) =ROTTEN ROW; 《미속어》 =SKID ROW. **5** 〖컴퓨터〗 행《화면에 표시된 문자나 기호의 가로줄》. ***a hard*** 〔***long, tough***〕 ***~ to hoe*** 어려운〔지긋지긋한〕 일. ***at the end of*** one***'s ~*** 《미》 지쳐 빠져서; 매우 절박하여. ***hoe*** one***'s own ~*** 혼자 힘으로 일을 하다〔해 나가다〕 ***in a ~*** 일렬로; 연속적으로. ***in ~s*** 줄지어, 여러 줄로 늘어서서.

⁑**row**[2] *vt.* **1** (노로 배를) 젓다; …의 노잡이를 맡다: ~ a boat 배를 젓다 / ~ bow 〔five〕 앞〔5번〕 노잡이를 맡다. **2** 《~+[목]/+[목]+[부]/+[목]+[전]+[명]》 (배로) 저어 나르다: ~ a person *across* the river 아무를 배로 강을 건네주다 / He *~ed* us *up* 〔*down*〕. 그는 우리를 태우고 노를 저어 올라〔내려〕갔다. **3** (보트가) …자루의 노를 사용하다: This boat ~s eight (oars). 이 보트는 8 자루의 노로 젓는다. **4** (보트레이스에) 출전하다; …와 보트레이스를 하다: We have *~ed* three races this season. 이번 시즌에 우리는 세 번 보트레이스에 출전했다 / Our crew *~ed* Yale. 우리 팀은 예일 대학 보트 팀과 겨루었다. **—** *vi.* **1** 《~/+[부]/+[전]+[명]》 배를 젓다: ~ *up* 〔*down*〕 (the river) (강을) 저어 올라〔내려〕가다. **2** (보트가) 저어지다: This boat ~s easily. **3** 《~/+[전]+[명]》 보트레이스에 참가하다《*against*》: They *~ed against* the Oxford crew. 옥스퍼드 대학 팀과 경조(競漕)했다.

look one way and ~ another 《속어》 어떤 것을 노리는 체하며 딴것을 노리다. ***~ against the tide*** 〔***stream, wind***〕 조수를〔강을, 바람을〕 거슬러 저어가다; 곤란과 싸우다. ***~ down*** 저어서 따라붙다. ***~ dry*** 〔***wet***〕 물이 튀지 않게〔물을 튀기면서〕 젓다. ***Rowed of all!*** 노 올려, 노젓기 그만. ***~ in one*** 〔***in the same***〕 ***boat*** 함께 젓다; 같은 일에 종사하다; 같은 처지에 있다. ***~ out*** 노를 저어 지치게 하다: ~ oneself *out* 지칠 때까지 젓다. ***~ over*** 보트레이스〔경쟁〕에서 손쉽게 이기다; 독주〔독조(獨漕)〕하다. ***~*** (30) ***to the minute*** 1분간에 (30)의 피치로 젓다. ***~ up*** 역조(力漕)하다, 힘껏 젓다. ***~*** a person ***up Salt River*** 《미》 (반대당의 아무를) 패배시키다.

— *n.* 노〔배〕젓기; 젓는 거리〔시간〕: go for a ~ 보트를 타러 가다 / It was a long ~ to the opposite bank. 반대편 둑까지 저어가는 데는 오래 걸렸다.

row**[3] [rau] *n.* **1** Ⓤ 법석, 소동: Hold your ~! 시끄러워, 조용히 해. **2** 《구어》 Ⓒ 말다툼, 싸움; 《영》 꾸짖음: He had a ~ *with* his wife. 그는 아내와 말다툼을 했다. **3** 큰 소리, 소음; 《영속어》 입(mouth). ***get into a ~ 야단을 맞다. ***make a ~*** 소동을 일으키다; 반대하여 떠들다, 항의하다 《*about*》. ***What's the ~?*** 도대체 무슨 일인가. **—** *vt.* **1** …와 말다툼하다, …와 싸우다; 소란을 피우다. **2** 《주로 영》 꾸짖다, 욕하다. **—** *vi.* 《~/+[전]+[명]》 떠들다; 싸움〔언쟁〕하다: stop *~ing with* him *over* 〔*about*〕 such trifles. 그런 사소한 일로 그와 그만 다퉈라. ~ a person ***up*** 아무를 꾸짖다.

row·an [róuən, ráu-] *n.* 〖식물〗 **1** 마가목의 일종. cf. mountain ash. **2** 그 빨간 열매(=**∼·bèrry**).

rówan trèe 〖식물〗 마가목 (나무).

°**rów·bòat** [róu-] *n.* (손으로 젓는) 보트, 노로 젓는 배(rowing boat).

row-de-dow [ráudidàu] *n.* Ⓤ 법석, 소동.

row·dy [ráudi] *n.* 난폭한 사람. **—** (***-di·er; -di·est***) *a.* 난폭한, 난장치는, 싸움 좋아하는; 떠들썩한; 야비한. (파) **-di·ly** *ad.* **-di·ness** *n.*

rów·dy·dów·dy [-dáudi] *a.* 시끄러운, 떠들어대는; 야비한.

row·dy·ish [ráudiiʃ] *a.* =ROWDY. 「한 기세.

rów·dy·ìsm *n.* Ⓤ 난폭한 태도〔성질〕, 대들 듯

row·el [ráuəl] *n.* (박차(拍車) 끝의) 작은 톱니바퀴; 〖수의〗 삽환 타농기(插環打膿器)《피하(皮下)에 삽입하여 고름을 빼내는 가죽·고무 조각》. **—** (***-l-***, 《영》 ***-ll-***) *vt.* 박차를 가하다; 삽환 타농기를 삽입하다; 괴롭히다.

row·en [ráuən] *n.* 《미》 여름이 끝날 때까지 갈지 않고 두는 목초용의 밭; (종종 *pl.*) (목초의) 그루갈이(aftermath).

Ro·we·na [rouwíːnə] *n.* 로위나《여자 이름》.

row·er [róuər] *n.* 노잡이, 노젓는 사람.

rów hòuse [róu-] 《미》 (단지 등의) 잇대어 지은 같은 형의 집 중의 한 집; (벽으로 칸막이하여 이어진) 연립주택의 하나.

row·ing [róuiŋ] *n.* 로잉《shell 에 의한 보트레이스》.

rówing bòat 《영》 =ROWBOAT.

rówing machìne 로잉 머신《보트 젓는 법을 연습하는 기계》.

Row·land [róulənd] *n.* 롤런드《남자 이름》.

row·lock [róulàk/rɔ́lək, róulɔk] *n.* 《영》 노걸이, 노받이, 클러치.

Rów·ton hòuse [ráutn-, rɔ́ː-] 《영》 개량형 저소득자 주택.

Rox·ana [rɑksǽnə/rɔk-] *n.* 록새나《여자 이름; 애칭 Roxy》.

rox·burghe [rɑ́ksbəːrou, -bʌ̀r-/rɔ́ksbərə] *n.* 록스버러 장정(裝幀)《금문자(金文字)가 든 배혁(背革)에 도련(刀鍊)치지 않은》.

Roy [rɔ́i] *n.* 로이《남자 이름》.

⁑**roy·al** [rɔ́iəl] *a.* **1** 왕〔여왕〕의; 왕족의, 황족의. cf. regal. ¶ the blood 〔birth〕 ~ 왕족, 왕통 / the ~ family 〔household〕 왕실, 왕가 / a ~ palace 왕궁 / a *Royal* salute 황례포(皇禮砲).

> **NOTE** 왕가(王家)의 수장(首長)은 King, Queen, Prince of Wales. 수장이 Queen일 때 그 부군은 Prince Consort라 불림.

2 왕립의; 칙허(勅許)의, 국왕의 보호를 받는; 국왕에게 봉사하는: a ~ charter 〔warrant〕 칙허장(勅許狀) / a ~ edict 칙령(勅令).

> **NOTE** 영국에서는 '국립'이나 '나라의'라고 할 때 royal이라고 하는 일이 많으며, 반드시 '왕립'이라고 뜻이 한정되지는 않음.

3 왕자다운; 당당한, 훌륭한, 고귀한. **4** 보증된, 안이한: There is no ~ road to happiness. 행복으로 가는 지름길은 없다. **5** 특제의; 특대의. **6** 〖해사〗 로열의《돛대·돛 등이 topgallant의 위에 있는》; 〖화학〗 불활성의: ~ metals 귀금속. **7** 더할 나위 없이 유쾌한; 멋진; 호화로운; 선명한《빛 따위》: a ~ view 멋진 경치 / a ~ feast 진수성찬 / a ~ box (극장 따위의) 귀빈석(席). ***have a ~ time*** 매우 즐거운 때를 보내다. ***in ~ spirits***

원기 왕성하여.
— *n.* **1** 《구어》 왕족〔왕가〕의 사람. **2** 로열판 (royal paper)《24×19인치의 필기 용지; 25×20인치의 인쇄지》. **3** =ROYAL STAG. **4** 〖해사〗 =ROYAL SAIL〔MAST〕. **5** 〖카드놀이〗 =ROYAL FLUSH. **6** =ROYAL BLUE 1. **7** (the R-s) 영국 보병 제1연대의 옛 이름《지금은 Royal Scots Regiment임》.
Róyal Acádemy (of Árts) (the ~) 《영》 왕립 미술원(the Academy)《생략: R.A.》.
Róyal Áir Fòrce (the ~) 영국 공군《생략: R.A.F.》.
Róyal and Áncient (the ~) 로열 앤드 에인션트《세계에서 가장 오래되고 최고 권위가 있는 골프 클럽 Royal and Ancient Golf Club of St. Andrews; 1754년 결성; 생략: R & A》.
Róyal Ánthem (the ~) 영국 국가.
róyal assént 《영》 (의회를 통과한 법안이 발효하는 데 필요한) 국왕의 재가. ⌈환각제, LSD.
róyal blúe **1** 《영》 감청색(紺靑色). **2** 《미속어》
Róyal Canádian Móunted Políce (the ~) 캐나다 기마 경찰대《연방 경찰》.
róyal cólony 직할 식민지. cf. crown colony.
Róyal Cóurts of Jústice (the ~) (영국) 왕립 재판소《London의 Strand가(街)에 있는 고등 법원》.
Róyal Dútch/shéll 로열 더치 셸《세계 제 2 위의 국제 석유 그룹; 네덜란드 국적의 Royal Dutch Petroleum Co. 와 영국 국적의 Shell Transport & Trading Co. 가 PLC로 이루어짐》.
róyal évil =KING'S EVIL. ⌈략: R.E.》.
Róyal Exchánge (the ~) 런던 거래소《생
róyal férn 〖식물〗 고비.
Róyal Féstival Háll 로열 페스티벌 홀《London의 Thames강 남쪽 기슭에 있는 콘서트 홀; 생략: R.F.H.》.
róyal flúsh 〖카드놀이〗 포커게임에서 같은 한 조(組)의 으뜸패(ace)로부터 연속되는 5장.
Róyal Flýing Córps (the ~) 영국 육군 항공대《현재는 Royal Air Force에 합병됨; 생략:
róyal fólio 로열 2절판. ⌊R.F.C.》.
Róyal Híghness 전하《황족에 대한 경칭; 생략: R.H.; cf. highness》.
Róyal Institútion (the ~) 영국 과학 연구소《1799년 창립; 생략: R.I.》.
róy·al·ìsm *n.* Ⓤ 왕당주의; 군주주의.
°**róy·al·ist** *n.* 왕당원; 군주(제) 지지자; (R-) 〖영국사〗 (Charles 1세를 지지한) 왕당원; 〖미국사〗 (독립 전쟁 당시의) 영국파; 〖프랑스사〗 (혁명 당시의) 부르봉 왕조 옹호파; 《미》 보수주의자; 완고한 사람. ***an economic*** ~ 구두쇠, 노랑이. — *a.* 왕당원의; 군주(제) 지지의. ㊞ **ròy·al·ís·tic** [-ik] *a.*
róyal jélly 로열 젤리《꿀벌이 여왕벌이 될 애벌레에게 주는 영양 있는 분비물》.
róy·al·ly *ad.* 왕〔여왕〕으로서, 왕〔여왕〕답게; 존엄하게, 당당히. ⌈명칭.
Róyal Máil (the ~) 영국 체신 공사의 공식
Róyal Marínes (the ~) 영국 해병대(隊) (=the **Róyals**)《생략: R.M.》.
róyal mást〔**póle**〕 〖해사〗 로열마스트《아래에서 셋째 마스트의 윗 부분》.
Róyal Nával Áir Sèrvice (the ~) 영국 해군 항공대《생략: R.N.A.S.》.
Róyal Návy (the ~) 영국 해군《생략: R.N.》.
róyal óak 로열오크《영국왕 Charles 2세가 1651년 Worcester 싸움에서 패했을 때에 숨어서 살아난 오크나무; cf. Oak-apple Day》.
róyal octávo 로열 8절판《6 1/4×10 인치의 종이 크기》.
Róyal Ópera Hòuse (the ~) 로열 오페라 하우스《London에 있는 오페라 극장; 통칭은 Covent Garden; Royal Opera와 Royal Ballet단
róyal pálm 〖식물〗 대왕야자수. ⌊의 본거지》.
róyal páper =ROYAL 2.
róyal prerógative 왕의 특권〔대권〕.
Róyal Príncess 왕녀. ⌈vid)의 속칭.
Róyal Psálmist (the ~) 〖성서〗 다윗(Da-
róyal púrple 짙푸른 자줏빛. ⌈종이 크기》.
róyal quárto 로열 4절판《10×12 1/2 인치의
róyal róad 왕도, 지름길, 쉬운 방법: There is no ~ to learning. 《속담》 배움에 지름길은
róyal sáil 〖해사〗 로열마스트의 돛. ⌊없다.
róyal salúte (the ~) 로열 설루트《영국 왕실의 경사 때 행해지는 의례적 공포; 62 발과 41 발의 경우가 있음》.
Róyal Shákespeare Cómpany (the ~) 로열 셰익스피어 극단《1960 년 발족》.
Róyal Socíety (the ~) 영국 학술원《1662년 창립; 생략: R.S.》. ★정식 명칭은 The Royal Society of London for the Improvement of Natural Knowledge.
róyal stág 뿔이 열두 갈래 이상의 사슴.
róyal stándard (the ~) 왕기(王旗).
roy·al·ty [rɔ́iəlti] *n.* **1** Ⓤ 왕〔여왕〕임; 왕권, 왕위; 왕의 위엄; 장엄; 왕도; 왕자; (보통 *pl.*) 왕족; (보통 *pl.*) 왕의 특권; Ⓒ 왕실의 일원; 왕령(王領): a performance in the presence of ~ 어전(御前) 공연〔연주〕. **2** Ⓒ 특허권〔저작권〕 사용료; (희곡) 상연료; 인세; 채굴권; 광구〔광산, 유전, 특허권〕 사용료.
roys·ter [rɔ́istər] *vi.* =ROISTER.
Ro·zélle rùle [rouzél-] 〖스포츠〗 로젤 규약《자유 계약 선수와 프로팀이 교환하는 계약서에 포함되는 조항으로, 새로 계약한 팀이 전 팀에 보상금을 지급할 의무를 규정》.
roz·zer [rάzər/rɔ́z-] *n.* 《영속어》 순경, 형사.
RP 〖경제〗 repurchase agreement. **R.P.** Received Pronunciation (표준적 발음); Reformed Presbyterian; Regius Professor. **RPG** 〖컴퓨터〗 Report Program(me) Generator (보고서 프로그램 생성(生成) 루틴). **RPI** retail price index (소매 물가 지수). **r.p.m.** revolutions per minute. **R.P.O.** Railroad 〔Railway〕 Post Office. **RPR** *Rassemblement pour la République* 《F.》 (공화국 연합; 프랑스의 보수 정당). **r.p.s.** revolutions per second. **rpt.** report. **RPV** remotely piloted vehicle (지상 유도 무인 항공기). **R.R.** railroad; Right Reverend; rural route.
R-ràted [-id] *a.* 준성인 영화《17세 이하라도 성인과 동반이면 관람가》의. [◂ restricted]
R.R.C. 《영》 Royal Red Cross 《간호사에게 주는 종군 기장》. **rRNA** ribosomal RNA. **RSA** Republic of South Africa. **RSC** 〖권투〗 referee stop contest (심판 중지 시합). **R.S.F.S.R.** Russian Soviet Federated Socialist Republic. **RSI** 〖의학〗 repetitive strain injury (반복 운동(과다) 손상)《키보드 작업 따위의 경우 특정 부위의 근육이나 인대의 반복 사용으로 생기는》. **R.S.K.** Republic of Serb Krajina (the ~) (크라지나 공화국)《세르비아계 안에서의 자칭 공화국》. **R.S.P.C.A.** 《영》 Royal Society for the Prevention of Cruelty to Animals. **R.S.S.** *Regiae Societatis Socius* 《L.》 (= Fellow of the Royal Society); 〖우주〗 rotating service structure (회전식 정비탑). **RSV, R.S.V.** Revised Standard Version (of the Bible). **R.S.V.P., r.s.v.p., rsvp** *Répondez, s'il vous plaît* 《F.》 (=Reply, if you please). **R/T** radiotelegra-phy. **RTA**

《미》 ready to assemble. **RTC** 《미》 Resolution Trust Corporation (정리 신탁 공사). **rte.** route. **RTF** 『컴퓨터』 Rich Text Format. **RTG** 『공학』 radioisotopic thermal electric generator. **Rt. Hon.** Right Honorable. **RTL** 『전자』 Register Transistor Logic. **RTN** 『컴퓨터』 return. ★ 기술할 때만 씀. **RTO, R.T.O.** 『군사』 Railroad 〔《영》 Railway〕 Transportation Office 〔Officer〕.

RTOL [ɑ́ːrtɔːl, -tɑl/-tɔl] *n.* 『항공』 아르톨기 《단(短)활주 이착륙기》. [◂ reduced *t*ake*o*ff and *l*anding]

Rt. Rev(d). Right Reverend. **r-t-w** ready-to-wear. **RTW** 『항공』 round the world (세계 일주). **Ru** 『화학』 ruthenium.

ru·a·na [ruɑ́ːnə] *n.* 루아나《콜롬비아 지방의 판초 비슷한 겉옷》.

Ru·an·da [ruɑ́ːndə] *n.* **1** Rwanda의 구칭. **2** (*pl.* **~s, ~**) Rwanda 사람〔어(語)〕.

⁑**rub**[1] [rʌb] (**-bb-**) *vt.* **1** 《~+목/+목+부/+목+전+명》 문지르다, 비비다; 마찰하다; 문질러〔비벼〕 …을 만들다: ~ one's hands *together* 두 손을 비비다/You've ~*bed* your coat *against* some wet paint. 당신은 갓 칠한 페인트에 웃옷을 비벼댔군요/You'll ~ a hole *in* the carpet. 그렇게 문지르면 양탄자에 구멍이 나겠다. **2** 《~+목/+목+부》 닦다; 문질러 지우다, 비벼 떼다〔없애다〕; 스쳐 벗기다, 까지게 하다《*off; out*》: This shoe ~*s* my heel. 이 신을 신으니 뒤꿈치가 벗겨진다/*Rub out* the pencil marks. 연필 자국을 지워라. **3** 안달나게 하다, 애먹이다. **4** 《+목+보/+목+전+명/+목+부》 비벼서〔문질러〕 (…로) 하다: ~ one's glasses clear 안경을 닦아서 깨끗하게 하다/~ a thing (*down*) *to* powder 물건을 비벼서 가루로 만들다. **5** 《+목+전+명》 문질러 바르다《*over; on; in, into; through*》: ~ cream *over* the face 얼굴에 크림을 바르다/*Rub* this oil *on* your skin. 피부에 이 기름을 바르시오. **6** 《+목+전+명》 탑본(搨本)〔탁본(拓本)〕하다: ~ a copy *from* a monument 기념비를 탁본하다. **—** *vi.* **1** 《+전+명/+부》 마찰하다, 스치다, 닿다《*against; on*》; 만지다《*over*》: The door ~*s on* the floor. 문이 마루에 닿아서로 스친다/Blood stains don't ~ *off* easily. 핏자국은 비벼도 잘 지워지지 않는다. **2** 스쳐서 …해지다, 닳다, 마멸하다. **3** 《+부/+전+명》 《영》 간신히 나아가다〔살아가다〕; 그럭저럭 해나가다《*along; on; through*》: I'm ~*bing along* O.K. 나는 그럭저럭 잘 해나가고 있다. ~ *through* a fever 열병을 간신히 넘기다/We are ~*bing along* very well together. 우린 함께 잘 해나가고 있다. **~ away** 비벼 없애다, 닦아 내다. **~ down** 마찰하다, 문질러 닦다〔말리다〕; 깎다; 솔질하다; 마사지하다; 《구어》 (경찰 등이) 몸을 더듬어 소지품을 검사하다. **~ elbows** 〔**shoulders**〕 **with** …와 팔꿈치〔어깨〕를 맞대다; …와 어울리다; (저명인사 등)과 (친하게) 교제하다. **~** (***it***) ***in*** 문질러 바르다; 그림물감을 뒤발라 그리다; 《구어》 (사실·잘못 등을) 짓궂게 되풀이하여 말하다, 상기시키다. **~ off on** 《구어》 (습관·생각 등이) …에게 영향을 주다. **~ out** 《*vt.*+부》 ① ⇨ *vt.* 2; (담뱃불 등을) 비벼 끄다; 완전히 파괴하다. ② 《미속어》 (사람을) 죽이다, 제거하다(murder). **—** 《*vi.*+부》 ③ 비벼서 없어지다〔떨어지다〕. **~ one's hands** 두 손을 비비다《만족스러워서》; 싱글벙글 웃다. **~ sleep out of one's eyes** 눈을 비벼 졸음을 깨다. **~** a person **the right way** 아무를 기쁘게 하다; 달래다. **~** (a person) (**up**) **the wrong way** (아무의) 신경을 건드리다, 짜증나게 하다, 화나게 하다. **~ through the world** 근근이 살아가다. **~ up** ① 충분히 비비다〔닦다〕; (그림물감 따위를) 섞어 개다. ② (기억 등을) 분명케 하다, 생각나게 하다, 복습하다: ~ *up* one's Latin 잊은 라틴말을 생각해내다〔복습하다〕. ③ 《영구어》 애무하다, 수음하다. **~ *up against*** people 사람들과 접촉하다.

— *n.* **1** 마찰, 문지름: give silver plate a good ~ 은식기를 잘 닦다. **2** (the ~) 장애, 곤란. **3** 비난; 빈정댐, 싫은 소리. **4** 닦는 돌; 닦는 모래. **5** (bowls 구기에서) 구기장(場)이 울퉁불퉁함; 장애물 때문에 공이 빗나가기: a ~ of 〔on〕 the green 『골프』 공이 무엇에 부딪혀 빗나가기. ***There's the ~.*** 그것이 문제다《Shakespeare작 *Hamlet*에서》. ***The ~ is that ....*** …이 문제다. ***the ~s and worries of life*** 인생의 신산(辛酸)

rub[2] *n.* (the ~) =RUBBER[2].

rub-a-dub [rʌ́bədʌ̀b] *n.* 둥둥《북소리》. 「영.

ru·basse [ruːbǽs, -bɑ́ːs/-bɑ́ːs] *n.* 루비색 석

ru·ba·to [ruːbɑ́ːtou] (*pl.* **~s**) *n.* 《It.》 『음악』 루바토. **—** *a., ad.* 루바토의〔로〕. 「고초.

⁑**rub·ber**[1] [rʌ́bər] *n.* **1** Ⓤ 고무: a ~ plantation 고무나무 재배원(園). **2** 고무 제품; 고무〔칠판〕 지우개(eraser); 고리 고무줄(~ band); 《구어》 풍선; 고무타이어《차 한 대분》; (고무제(製)의) 레인코트, 비옷; (*pl.*) 고무덧신; 《미속어》 콘돔. **3** 문지르는〔닦는〕 사람; 안마사. **4** 숫돌(whetstone); 사포, 연마사(砂); 거친 줄; 성냥갑의 마찰면; bowls 구기장(場)의 울퉁불퉁한 부분. **5** 타월; 행주(dishcloth); 브러시. **6** 『야구』 투수판(pitcher's plate), 홈플레이트(home plate). **7** 충돌; 방해, 장애물; 불운, 불행. **8** =RUBBERNECKER. **9** 빈정댐. **10** 《미속어》 전문적 살인 청부꾼. ***burn ~*** 《미속어》 (타이어가 탈 정도로) 차를 급발진시키다; 급히 떠나다〔가버리다〕. **—** *vt.* (천 따위에) 고무를 입히다. **—** *vi.* 《미속어》 =RUBBER-NECK. **—** *a.* 고무제(품)의: ~ boots 고무 장화/~ cloth 고무를 입힌 천.

rub·ber[2] *n.* (카드놀이 따위의) 3판 승부; (the ~) 3판 승부 중의 2승; =RUBBER GAME: have a ~ of bridge 브리지의 3판 승부를 하다. ★ 줄여서 the rub라고도 함.

rúbber àrm 『야구』 강한 완력.

rúbber bánd 고무밴드.

rúbber bóot 《미》 고무 장화; 《속어》 콘돔.

rúbber búllet 고무탄(彈)《폭동 진압용》.

rúbber cemént 고무풀《접착제》.

rúbber chéck 《구어》 부도 수표.

rúbber-chícken cìrcuit 《미·Can.》 유세 중인 정치인이 하룻밤에 몇 군데고 얼굴을 내밀어야 하는 저녁 식사 모임.

rúbber dínghy 《미》 (소형) 고무보트.

rúbber dúck 적지 잠입 공작원을 태운 고무보트《헬리콥터 등으로 저공 투하》. 「꾸는.

rúbber-fàced [-t] *a.* 얼굴 표정을 계속 바

rúbber gàme (승수가 같을 때의) 결승전.

rúbber gòods 《완곡어》 고무 제품《피임용구》.

rúb·ber·ize [-ràiz] *vt.* …에 고무를 입히다; 고무로 처리하다.

rúbber·nèck 《구어》 *vi., vt.* 목을 (길게) 빼고 유심히 보다〔살피다〕; 구경하다; 캐묻기 좋아하다. **—** *n.* =RUBBERNECKER.

rúbber·nècker *n.* 《구어》 캐묻기 좋아하는 사람; (특히 가이드를 따라다니는) 관광객, 유람객(sightseer, tourist); 〔형용사적〕 관광의: a ~ bus 〔wagon〕 관광〔유람〕버스.

rúbber plànt 고무나무, 《특히》 인도 고무나무.

rúbber ríng 고무밴드; 병의 고무마개; 수영 배우는 사람이 허리에 다는 부낭(浮囊).

rúbber shèath 콘돔. 「스화(靴) 따위》.

rúbber shóe 운동화《스니커(sneaker)·테니

rúbber stámp 1 고무도장. 2 《구어》 무턱대고 도장을 찍는 사람, 무비판적으로 승인〔찬성〕하는 사람〔관청·의회〕. 3 진부한 표현.

rúbber-stámp *vt.* …에 고무도장을 찍다; 《구어》 …에 무턱대고 도장을 찍다; …을 잘 생각지도 않고 찬성〔승인〕하다. ― *a.* 《구어》 경솔히 승인하는〔된〕.

rúbber trèe 고무나무, 《특히》 파라고무나무.

rub·bery [rʌ́bəri] *a.* 고무 같은, 탄력(성) 있는 (elastic); 질긴(tough).

rub·bing [rʌ́biŋ] *n.* 1 마찰; 연마; 안마, 마사지. 2 (비명(碑銘) 따위의) 탑본, 탁본.

rúbbing àlcohol 《미》 소독용 알코올.

⁑**rub·bish** [rʌ́biʃ] *n.* 1 Ⓤ 쓰레기, 폐물, 잡동사니: a pile of ~ 쓰레기〔잡동사니〕 더미. 2 하찮은 것, 부질없는 생각, 어리석은 짓: Oh, ~! 데데하게시리. 3 태작(駄作), 졸작. 4 =RUBBLE 1. ― *vt.* 1 (…을) 얕보다, 경멸하다; 비난하다. 2 (…을) 일소하다, 쓸어버리다, 파괴하다. ㊎ **~·ing** *a.* 《구어》 =rubbishy. **~y** [-i] *a.* 쓰레기의, 잡동사니의; 보잘것없는, 어리석은.

rúbbish bìn 《영》 =DUSTBIN.

rub·ble [rʌ́bəl] *n.* Ⓤ 1 잡석(雜石), 깨진 기와〔벽돌〕 조각. 2 =RUBBLEWORK.

rúbble·wòrk *n.* Ⓤ 잡석 쌓기.

rub·bly [rʌ́bəli] *a.* 잡석의〔같은〕; 잡석으로 된; 잡석이 많은.

rúb·dòwn *n.* 신체 마찰, 마사지: a ~ with a wet towel 냉수마찰.

rube [ru:b] *n.* 《속어》 (도회지로 갓 올라온) 시골뜨기; 《미속어》 풋내기, 철부지; 《속어》 멍텅구리, 얼간이.

ru·be·fa·cient [rù:bəféiʃənt] *a.* (피부 따위를) 붉어지게 하는. ― *n.* 〖약학〗 발적제(發赤劑).

ru·be·fac·tion [rù:bəfǽkʃən] *n.* (피부의) 발적 (상태).

ru·be·fy [rú:bəfài] *vt.* 붉게 하다; (피부를) 발적(發赤)시키다.

Rúbe Góld·berg [-góuldbə:rg] 1 지나치게 품을 들인 (물건). 2 너무 복잡하여 실행 불가능한 (일). [◀ 만화가 Rube 〔Ruben〕 Goldberg의 이름에서(1954)]

ru·bel·la [ru:bélə] *n.* 〖의학〗 =GERMAN MEASLES.

ru·bel·lite [ru:bélait, rú:bəlàit/rú:bəlàit] *n.* 〖보석〗 홍전기석(紅電氣石).

Ru·bens [rú:bənz] *n.* **Peter Paul** ~ 루벤스 《Flanders 파의 화가; 1577-1640》.

ru·be·o·la [ru:bí:ələ, rù:bióu-] *n.* =MEASLES.

ru·be·o·sis [rù:bióusis] *n.* 〖의학〗 루베오시스 《특히 홍채(紅彩)의 적색 변화》.

ru·bes·cent [ru:bésnt] *a.* 빨갛게 되는.

Ru·bi·con [rú:bikàn/-kən] *n.* 1 (the ~) 루비콘 강 《이탈리아 북부의 강; Julius Caesar가 '주사위는 던져졌다' 라고 말하고 건넜던 강》. 2 (r-) 〖카드놀이〗 루비콘 《piquet에서 상대방이 100점을 따기 전에 이기는 일》. ***cross*** 〔***pass***〕 ***the*** ~ 단호한 조처를 취하다, 홍망을 걸고 해보다.

ru·bi·cund [rú:bikʌ̀nd/-kənd] *a.* 붉은, 빨개진. ㊎ **ru·bi·cun·di·ty** [ˌ-kʌ́ndəti] *n.* Ⓤ (안색이) 붉음, 붉어짐.

ru·bid·i·um [ru:bídiəm] *n.* 〖화학〗 루비듐 《금속 원소; 기호 Rb; 번호 37》.

rubídium-stróntium dàting 〖지학〗 루비듐 스트론튬 연대 측정(법).

ru·bied [rú:bid] *a.* 루비색의.

ru·bi·fy [rú:bəfài] *vt.* …을 빨갛게 하다.

ru·big·i·nous [ru:bídʒənəs] *a.* 붉은 갈색의.

Rú·bik('s) Cùbe [rú:bik(s)-] 루빅 큐브 《정육면체의 색깔 맞추기 장난감; 고안자는 헝가리인 Ernö Rubik(1945-); 상표명》.

Ru·bin·stein [rú:binstàin] *n.* **Art(h)ur** ~ 루빈스타인 《폴란드에서 출생한 미국의 피아니스트; 1887-1982》.

ru·bi·ous [rú:biəs] *a.* 《시어》 붉은, 루비색의.

ru·ble, rou- [rú:bəl] *n.* 루블 《러시아의 화폐 단위; 기호 R, Rub; =100 kopecks》.

rúb·òut *n.* 《미속어》 말살, 살인.

ru·bre·dox·in [rù:brədáksin/-dɔ́k-] *n.* 〖생화학〗 루브레독신 《혐기성 박테리아 속에 있는 전도성(電導性) 단백질의 일종; ⓒⓕ flavodoxin》.

ru·bric [rú:brik] *n.* 주서(朱書), 붉게 인쇄한 것; (법령 등의) 제목, 항목 《원래는 붉은 글씨로 썼음》; 〔일반적〕 규정; 예배 규정, 예식법. ― *a.* 붉은 색의, 붉게 인쇄한; 특필(特筆)할, 축제〔기념〕의(red-letter), 행운의; 예배 규정의.

ru·bri·cal [rú:brikəl] *a.* 예배 규정의; 주색(朱色)의; 주서한; 특수 문자로 쓴 〔인쇄한〕.

ru·bri·cate [rú:brikèit] *vt.* 주서(朱書)하다, 붉게 인쇄하다; …에 붉은 제목을〔표제를〕 붙이다. ㊎ **-càt·ed** *a.* **rù·bri·cá·tion** *n.* Ⓤ,Ⓒ 주서.

ru·bri·cian [ru:bríʃən] *n.* 전례(典禮)(규정)에 밝은 사람.

rub·stone [rʌ́bstòun] *n.* 숫돌(whetstone).

rub·urb [rʌ́bə:rb] *n.* (종종 *pl.*) 원교외(遠郊外)(의 시읍·마을). ㊎ **rub·ur·ban·ite** [rəbə́:r-bənàit] *n.* 원교외 거주자.

rub·ur·bia [rəbə́:rbiə] *n.* 1 교외에 가까운 시골, 시골 근처의 교외. 2 먼 교외 (거주자들). [◀ *ru*ral+sub*urbia*]

Ru·by [rú:bi] *n.* 루비 《여자 이름》.

°**ru·by** [rú:bi] *n.* 1 〖보석〗 루비; 홍옥(紅玉); (손목시계의) 보석. 2 Ⓤ 루비 빛깔, 진홍색. 3 《영》 〖인쇄〗 루비(《미》 agate) 《5.5 포인트 활자》. 4 Ⓤ 붉은 포도주; 얼굴의 (붉은) 여드름; (*pl.*) 입술. 5 《영권투속어》 Ⓤ 피. ***above rubies*** 매우 귀중한. ***Oriental*** 〔***true***〕 ~ 동양〔순〕홍옥. ― *a.* 루비(빛)의, 진홍색의. ― *vt.* 루비 빛깔로 하다.

rúby glàss 빨간 유리.

rúby làser 〖광학〗 루비 레이저 《루비의 결정체를 이용하는 적색 레이저광선》.

rúby wédding 홍옥 혼식(婚式) 《결혼 40 주년 기념》.

ruche, rouche [ru:ʃ] *n.* 《F.》 (레이스·사(紗) 따위의) 주름끈, 주름 장식. ㊎ **rúch·ing** [-iŋ] *n.* 〔집합적〕 주름 장식(용 재료).

ruck[1], 《영》 **ruck·le**[1] [rʌk], [rʌ́kəl] *vt., vi.* 주름살투성이가 되(게 하)다 《*up*》. ― *n.* 주름살, 주름(crease); 《속어》 소동, 난투.

ruck[2] *n.* Ⓤ 1 《방언》 (쌓아 놓은) 더미. 2 다수, 다량; 무리; 군중, 대중; 지스러기, 잡동사니. 3 (the ~) (경마에서) 낙오한 말의 떼; (경주 따위에서) 후속 집단.

ruck·le[2] 《영》 *n.* 목에서 그르렁거리는 소리 《임종 때의》. ― *vi.* 목을 그르렁거리다.

rúck·sàck *n.* 《G.》 배낭, 륙색.

ruck·us [rʌ́kəs] *n.* 《구어》 법석, 소동, 논쟁.

ruc·tion [rʌ́kʃən] *n.* 《구어》 소동, 싸움.

ru·da·ceous [ru:déiʃəs] *a.* 역질(礫質)의.

rud·beck·ia [rʌdbékiə, ru:d-] *n.* 〖식물〗 루드베키아《북아메리카 원산의 국화과의 다년초》.

rudd [rʌd] *n.* 황어 비슷한 민물고기 《잉엇과》.

°**rud·der** [rʌ́dər] *n.* 1 (배의) 키; 〖항공〗 방향타(方向舵); (엿기름을 휘젓는) 교반봉(攪拌棒); (새의) 꽁지 깃. 2 〔일반적〕 이끄는〔조종하는〕 것, 《비유》 지도자, 지침.

rúdder·fish *n.* 배를 따라가는 물고기 《동갈방어·빨판상어 따위》.

rúd·der·less *a.* 키가 없는; 지도자가 없는.

rúdder·pòst *n.* 〖해사〗 키를 장치하는 고물의 기둥.

rúdder·stòck *n.* 〖해사〗 타간(舵幹) 《키의 축재(軸材)》.

rud·dle [rʌ́dl] *n.* Ⓤ 〖광물〗 홍토(紅土), 대자석(代赭石). ― *vt.* 홍토로 표를 하다 《특히 양(羊)

에게》; 홍토를 바르다. ⊞ ∼·man [-mən] n. 대자석〔석간주(石間硃)〕 장수. 「속칭.
rud·dock [rʌ́dək] n. 유럽산 울새(robin)의
rud·dy [rʌ́di] (*-di·er; -di·est*) a. **1** 붉은, 불그스름한; 혈색이 좋은, 건강한. cf. rosy. ¶ a ∼ sky 붉게 물든 하늘, 놀/a ∼ complexion 혈색 좋은 얼굴. **2** 《영속어》 싫은, 괘씸한, 지긋지긋한 《bloody의 완곡어》. ── *ad.* 매우, 몹시. ── *vt., vi.* 붉게 하다, 붉어지다. ⊞ **rúd·di·ly** [-dili] *ad.* 붉게, 불그스름하게. **-di·ness** n. 「카산》.
rúddy dúck 〔**díver**〕 〖조류〗 홍오리《북아메리
rúddy túrnstone 〖조류〗 꼬까도요.
rude [ruːd] a. **1** 버릇없는, 무례한(impolite), 실례의《*to*》: ∼ manners 무례 / We should not be ∼ *to* each other. 우리는 서로 실례되는 짓을 해서는 안 된다 / It was ∼ *of* you *to* point at her. =You were ∼ *to* point at her. 네가 그녀에게 손가락질한 것은 결례였다. **2** 교양이 없는, 야만의; 무무한, 조야한: a ∼ servant 예의를 모르는 하인 / ∼ times 야만 시대. **3** 무뚝뚝한; 거친: ∼ realities 냉혹한 현실 / ∼ scenery 살풍경. **4** 미발달의; 미가공의: ∼ ore 원(광)석 / a ∼ steam engine 초기의 증기 기관 / ∼ produce 천연 산물. **5** 미숙한, 조잡한; 대강의: a ∼ sketch 조잡한 묘사 / a ∼ scholar 미숙한 학자 / a ∼ estimate 대강의 견적. **6** 튼튼한, 건강한. opp. *delicate.* ¶ ∼ health 강건. **7** 귀에 거슬리는; (음식이) 맛없는, 소홀한: ∼ sounds 비음악적인〔거친〕 소리 / ∼ fare 소찬(素饌), 변변치 못한 음식. **8** 격심한; 돌연한: ∼ passions 격정 / a ∼ shock 갑작스러운 충격. ***say ∼ things*** 무례한 말을 하다. ⊞ **ˊ·ly** *ad.* **ˊ·ness** n. 「력 단원.
rúde bóy 《속어》 (자메이카에서) 갱의 일원, 폭
ru·der·al [rúːdərəl] 〖생태〗 a. 거친 땅에서 자라는. ── n. 황무지 식물.
ru·di·ment [rúːdəmənt] n. **1** (*pl.*) 기본, 기초(원리); 초보; (보통 *pl.*) (발전의) 조짐, 싹수. **2** Ⓒ 〖생물〗 원기(原基); 흔적, 퇴화 기관. ◇ rudimentary a.
ru·di·men·tal, ru·di·men·ta·ry [rùːdəméntl], [-təri] a. **1** 근본의, 기본의; 초보〔초등〕의. **2** 겨우 시작인, 새싹의; 미발달한, 미숙한, 흔적의: a ∼ organ 흔적 기관(器官). **3** 원시적인.
Ru·dolf, -dolph [rúːdɑlf/-dɔlf] n. 루돌프《남자 이름》.
Ru·dy [rúːdi] n. 루디《Rudolph의 애칭》.
rue[1] [ruː] 《고어》 n. 비탄; 후회, 회오; 동정, 연민. ── *vt., vi.* 슬퍼하다, 한탄하다; 후회하다.
rue[2] n. Ⓤ 〖식물〗 루타(*Ruta*)《운향과(芸香科)의 상록 다년초; 이전에 약초로 사용했음》.
rue·ful [rúːfəl] a. 슬픈 듯한; 가엾은, 비참한; 후회하는. ***the Knight of the Rueful Countenance*** 우수 어린 표정의 기사(騎士)《Don Quixote의 별명》. ⊞ ∼**·ly** *ad.* ∼**·ness** n.
rue·rad·dy [rúːrædi] n. 어깨에 걸고 물건을 끌어당기는 밧줄〔벨트〕.
ru·fes·cent [ruːfésənt] a. 불그스름한.
ruff[1] [rʌf] n. **1** 풀이 센 높은 주름 칼라《특히 16세기의》. **2** 새·짐승의 목 둘레의 고리 모양의 털〔깃털〕. **3** 비둘기의 일종; 목도리도요류(類). ⊞

ruff[1] 1

ˊ·like a. 「럽산(產)》.
ruff[2], **ruffe** n. 작은 농어류(類)의 민물고기《유
ruff[3] n. 옛날의 카드놀이의 일종; 으뜸패로 잡기. ── *vt., vi.* 으뜸패로 잡다〔를 내 놓다〕.
ruffed [rʌft] a. 주름 옷깃이 있는; 고리 모양의 깃털이 있는. 「메리카산(產)》.
rúffed gróuse 〖조류〗 목도리뇌조(雷鳥)《북아
ruf·fi·an [rʌ́fiən, -fjən] n. 악한, 불량배, 폭력배, 무법자. ── a. 흉포한, 잔인한, 무법의. ⊞ ∼**·ism** n. 악당 근성; 잔인한 행위. ∼**·ly** a.
ruf·fle[1] [rʌ́fəl] vt. **1** 주름살이 지게 하다; 물결을 일으키다. **2** 《∼+目/+目+副》 어지럽히다, 뒤흔들다; (머리 따위를) 헝클어뜨리다; (새가 성을 내어 깃털을) 곤두세우다《*up*》; 성나게〔약이 오르게〕 하다: Nothing ∼*d* him. 그는 무슨 일에도 동요하지 않았다 / ∼ (*up*) one's hair 머리를 어지럽게 헝클어뜨리다. **3** 주름 잡다; …에 프릴을 달다. **4** (책장을) 펄럭펄럭 넘기다; (카드를) 쳐서 섞다(shuffle). ── *vi.* **1** 주름살〔구김살〕지다, 구겨지다; 물결이 일다; (깃발 따위가) 펄럭이다. **2** 화나다, 애타다, 약오르다. **3** 《드물게》 뽐내다, 오만하게 굴다; 시비조로 나오다. ***∼ it*** 뽐내다. ***∼ up the feathers*** 〔***plumage***〕 (새가) 성나서 깃털을 곤두세우다; (사람이) 성내다. ── n. **1** Ⓒ (옷깃·소맷부리 따위의) 프릴; 새의 목털. **2** Ⓤ 물결 일기; 잔물결. **3** Ⓤ 동요, 불안; 화, 애탐: put in a ∼ 동요시키다; 애타게 하다, 성나게 하다.
ruf·fle[2] n. 북을 나직이 둥둥 치는 소리. ── *vt.* (북을) 나직이 둥둥 치다.
ruf·fled [rʌ́fld] a. 주름(장식)이 있는; 목털이 있는, 목둘레 깃털이 난.
ruf·fler [rʌ́flər] n. 뽐내는〔거만한〕 사람.
ruf·fling [rʌ́fliŋ] n. 〖생물〗 (세포의) 파상 운동.
ruf·fly [rʌ́fli] a. 주름살이 진; 물결 이는.
RU 486 [ɑ́ːrjùːfɔ̀ːrèitisíks] RU 486《프랑스제 임신 초기용 경구 피임약》.
ru·fous [rúːfəs] a. 적갈색의.
Ru·fus [rúːfəs] n. 루퍼스《남자 이름》.
rug [rʌg] n. **1** (바닥의) 깔개, 융단, 양탄자; 까는 모피, 《특히》 난로 앞에 까는 것. **2** 《영》 무릎덮개(《미》 lap robe). **3** 《미속어》 남성용 가발. ***cut a ∼*** 《속어》 춤을 추다《특히 jitterbug를》. ***pull the ∼(s)*** (***out***) ***from under*** a person (갑자기 지지를 철회하여) (아무를) 좌절케 하다, 원조를 중단하다. ***sweep*** 〔***brush, push***〕 ***under the ∼*** 〔***carpet***〕 《구어》 ⇨ CARPET(관용구).
ru·gate [rúːget, -gət] a. =RUGOSE.
Rug·be·ian [rʌ́gbiən, rʌgbíːən] a., n. 영국의 Rugby School의 (학생·졸업생).
Rug·by [rʌ́gbi] n. **1** 럭비《잉글랜드 중부의 도시; ∼ School 소재지》. **2** 럭비교(∼ School). **3** (종종 r-) 럭비(∼ football). cf. football.
Rúgby fóotball (종종 r-) 럭비.
Rúgby Lèague (the ∼) 럭비 연맹《주로 잉글랜드 북부팀의 연합》. 「추어 팀 연합》.
Rúgby Ùnion (the ∼) 《영》 럭비 동맹《아마
rug·ged [rʌ́gid] (*more ∼, ∼·er; most ∼, ∼·est*) a. **1** 우툴두툴한《바위·나무껍질 등》, 울퉁불퉁한: a ∼ path 울퉁불퉁한 길 / a ∼ mountain 바위투성이의 산. **2** 메부수수한, 소박한, 조야한(rude): a ∼ peasant 소박한 농부 / ∼ kindness 무뚝뚝한 친절 / ∼ honesty 솔직. **3** 모난, 엄한: a ∼ face 엄한 얼굴. **4** 엄격한, 까다로운. **5** 위험한, 어려운, 괴로운; 궂은 날씨의; 거친: a ∼ life 괴로운 생활 / ∼ weather 궂은 날씨 / a ∼ competitive exam 치열한 경쟁 시험. **6** 귀에 거슬리는: ∼ sounds. **7** 단단한, 억센. ⊞ ∼**·ly** *ad.* ∼**·ness** n.

rúg·ged·ize *vt.* (카메라 따위)의 내구성을 높이다. ⓟ **rùg·ged·i·zá·tion** *n.*
rug·ger [rʌ́gər] *n.* 《영구어》 러거, 럭비(Rugby football). ⓒⓕ soccer.
rúg jòint 《미속어》 호화로운 나이트클럽〔레스토랑, 호텔 따위〕.
rúg mèrchant 《미속어》 스파이.
ru·gose, ru·gous [rúːgous, -ˊ], [rúːgəs] *a.* 〖식물〗 (잎) 주름이 진〔많은〕, 물결 모양으로 된. ⓟ **~·ly** *ad.* **ru·gos·i·ty** [ruːgásəti/-gɔ́s-] *n.* Ⓤ 주름살투성이; Ⓒ 주름(wrinkle).
rúg rát 《미속어》 어린아이, 꼬마, 개구쟁이.
ru·gu·lose [rúːgjəlòus] *a.* 잔주름이 있는.
Ruhr [ruər] *n.* (the ~) **1** 루르 강《Rhine강에 흘러드는 독일 서부의 강》. **2** 루르 지방《Ruhr강 유역의 석탄 광업 및 산업 중심지》.
‡**ru·in** [rúːin] *n.* **1** Ⓤ 파멸; 파산, 몰락; 황폐; (여자의) 타락: plan a person's ~ 아무의 파멸을 획책하다 / the ~ of one's health 건강을 해침. **2** (건물 따위의) 무너짐: the crash of ~ 부서져 무너지는 소리. **3** (*pl.*) 폐허, 옛터(remains); 타버린 흔적, 잔해: We visited the ~*s* of ancient Greece. 고대 그리스 유적을 구경했다. **4** (옛 모습을 찾을 수 없는) 몰락〔영락〕한 사람 〔모습〕: He is but the ~ of what he was. 그는 옛 모습을 찾아볼 수 없을 만큼 몰락했다. **5** Ⓤ 파멸의 원인, 화근: Alcohol was his ~. 그는 술 때문에 파멸했다. ***be the ~ of*** …의 파멸의 원인이 되다, …의 화근이 되다. ***bring about*** one's ~ 파멸을 초래하다. ***bring*** 〔***reduce***〕 ***to ~*** 실패〔영락, 몰락〕시키다. ***fall*** 〔***go, come***〕 ***to ~*** 멸망〔파멸〕하다, 황폐하다. ***lay in ~s*** 황폐시키다〔해 있다〕. ***rapine and red ~*** 약탈과 화재.
— *vt.* **1** 파괴하다; 파멸〔황폐〕시키다; 못 쓰게 하다: ~ one's health by excesses 절제를 안 해 건강을 망치다. **2** 영락시키다, 망쳐 놓다; 파산시키다: ~ oneself 신세 망치다, 영락하다. **3** (여자의) 처녀성을 빼앗다, 타락시키다. **—** *vi.* **1** 황폐하다, 파멸하다, 망하다. **2** 영락〔몰락〕하다. **3** 《시어》 거꾸로 떨어지다.
ⓟ **~ed** *a.* 멸망한, 파멸된; 타락한; 몰락〔파산〕한; 시든, 해를 입은. **~·er** *n.* 파멸시키는 사람〔것〕.
ru·in·ate [rúːinèit] 《고어》 *vt., vi.* =RUIN. **—** *a.* =RUINED.
rù·in·á·tion *n.* Ⓤ 파멸, 멸망; 황폐; 몰락, 파산; 파멸〔타락〕의 원인, 화근.
*__ru·in·ous__ [rúːənəs] *a.* 파괴적인, 파멸을 초래하는; 영락〔파산〕한; 황폐한; 폐허의; 《구어》 터없이 비싼: a ~ house 황폐한 고옥 / ~ taxes 엄청난 세금. ⓟ **~·ly** *ad.* **~·ness** *n.*
rul·a·ble [rúːləbəl] *a.* 《미》 규칙상 허용되는.
‡**rule** [ruːl] *n.* **1** 규칙, 규정; 법칙; 〖종교〗 종규(宗規); 방식: the ~*s* of the club 클럽 규칙 / a standing ~ 정관(定款) / the ~*s* of decorum 예법 / a ~ for the admission of new members 신입 회원 입회 규정 / a ~ against smoking 금연 규정 / There is no (general) ~ without some exceptions. 《속담》 예외 없는 규칙은 없다 / There's a ~ in soccer that one mustn't touch the ball with one's hands. 축구에는 공에 손을 대서는 안 된다는 규칙이 있다.

> SYN. **rule** 질서 · 획일 따위 때문에 일반적으로 가지고 있는 규칙. **regulation** 집단의 관리 · 통제를 위한 규칙으로, 당국자에 의해서 시행되는 규칙.

2 통례, 관례, 습관; 주의: Rainy weather is the ~ here in June. 이곳은 6월에 언제나 비가 많이 온다 / He makes a ~ of reading an hour before breakfast. 그는 아침식사 전에 언제나 1시간 독서하곤 한다. **3** 〖수학〗 공식, 해법(解法). **4** Ⓤ 지배(control), 통치 (기간): the ~ of force 무력 정치 / countries that were once under French ~ 일찍이 프랑스 통치 아래에 있던 나라들. **5** 〖법률〗 (법정(法廷) 따위의) 명령; 법률 원칙; 재정(裁定). **6** 자(ruler); (the R-) 〖천문〗 수준기자리(Norma). **7** 〖인쇄〗 괘선(罫線). ***a hard and fast ~*** 융통성 없는 규정〔방식〕, 형식에 사로잡힘. ***as a*** (***general***) ***~*** ⇨GENERAL. ***bear ~*** 지배하다. ***by*** 〔***according to***〕 ***~*** 규칙에 의하여〔대로〕. ***make it a ~ to*** do 언제나 …하기로 하고 있다. ***the ~ of the jungle*** 정글의 법칙《약육강식, 난장판》. ***the ~ of three*** 3 수법(數法). ***work to ~*** 《영》 (노동조합원이) 준법 투쟁을 하다.
— *vt.* **1** 다스리다, 통치〔관리〕하다: ~ a country. SYN. ⇨GOVERN. **2** 《보통 수동태》 지도〔설득〕하다: *be ~d* by advice 충고에 따르다. **3** 억제하다: ~ one's desires 욕망을 누르다. **4** 규정하다, 정하다. **5** 《+*that*절/+목+(*to be*) 보》 재정〔결정〕하다, 판결하다: The court ~*d that* .... 법원은 …라고 판결했다 / The demonstration was ~*d* (*to be*) illegal. 그 시위는 불법으로 판결이 내려졌다. **6** 《~+목/+목+전+명》 (선을) 긋다; …에 자로 줄을 긋다: ~ lines *on* paper =~ paper *with* lines 종이에 선을 긋다. **—** *vi.* **1** 《~/+전+명》 통치〔지배〕하다: An Emperor ~*s over* an Empire. 황제가 제국을 지배한다. **2** 지배적이다; 널리 행해지다: Crime ~*s* in the city. 그 도시에는 범죄가 성행하고 있다. **3** 《+전+명》 재정〔판결〕하다: The court will soon ~ *on* the matter. 법정은 그 사건에 대하여 곧 판결을 내릴 것이다. **4** 《~/+보》 보합을 이루다: Prices ~ high. 높은 제자리 시세를 유지하고 있다. **~ *against*** …에게 불리한 재결을 하다. **~ *good*** (작물이) 양호하다. **~ (...) *in*** 《미구어》 …을 가(可)한 것으로 하다, (가능성 중에) 포함시키다. **~ *off*** (난(欄) 따위를) 선을 그어 구획하다; (경기자 등을) 제외하다. **~ *out*** (규정 등에 따라) 제외하다, 불가능하게 하다, 방해하다; 금지하다: Rain ~*d* our going *out*. 비가 와서 갈 수 없었다. ~ a thing 〔a person〕 ***out of order*** 무엇을〔아무를〕 위법이라고〔실격으로〕 판단하다. **~ *the roost*** 〔***roast***〕 ⇨ROOST.
rúle ábsolute 〖법률〗 절대 명령.
rúle·bòok *n.* (취업) 규칙서; (the ~) 규칙집(集).
Rúle, Británnia! 브리타니아여, 통치하라《영국의 애국가》.
rúled súrface 〖수학〗 선직면(線織面)《하나의 직선이 움직여 이루어진 곡면; 원통, 원뿔 따위》.
rúle jòint 〖목공〗 접자.
rúle·less *a.* 규칙이 없는; 법의 규제를 받지 않는.
rúle of láw 법의 지배; 법(적용)의 원칙.
rúle of nínes 〖의학〗 9의 법칙《화상(火傷)의 면적과 몸 표면의 비율 계산의 기초》.
rúle-of-réason *a.* 합리적인, 도리에 맞는.
rúle of the róad (the ~(s)) 교통 규칙; 해로(海路) 규칙.
rúle of thúmb 경험 · 실제에서 얻은 일반 원리〔방식〕; 어림셈, 눈대중.
‡**rul·er** [rúːlər] *n.* **1** 통치자, 주권자, 지배자(*of*): ~*s* and ruled 지배자와 피지배자. **2** 자, 부기봉(棒); 괘선(ruled lines)을 긋는 사람〔기구〕. ⓟ **~·shìp** *n.* Ⓤ 통치자의 지위〔직권〕.
rúles commìttee (미국 하원 등의) 의사 운영 위원회.
rul·ing [rúːliŋ] *a.* 지배하는, 통치하는; 주된, 우세한, 유력한; 일반적인, 평균의《시세 따위》: the ~ classes 지배 계급 / the ~ price 시가, 일반 시세 / a ~ passion 주정(主情) / the ~ spirit

주동자; 수뇌. — *n.* [U] 지배; 관할; [C] 『법률』 판결, 재정(裁定); [U] (자로) 괘선을 그음, 줄긋기; 괘선(ruled lines): give a ~ in favor of a person 아무에게 유리한 판결을 내리다.

rúling élder (장로파 교회의) 장로.

rúling pén 제도용 펜, 가막부리, 오구(烏口).

rul·ley [rʌ́li] *n.* 《영》 4 륜 짐수레, 트럭.

°**rum**¹ [rʌm] *n.* [U] 럼주(酒)《사탕수수·당밀(糖蜜)로 만듦》; 《미》〔일반적〕술.

rum² (*∠·mer; ∠·mest*) *a.* 《속어》 기묘한(queer), 괴상한(odd); 위험한; 나쁜(bad): a ~ customer 섣불리 손댈 수 없는 상대〔것〕. ***feel*** ~ 기분이 나쁘다. [파] **∠·ly** *ad.* 기묘하게, 괴상하게. **∠·ness** *n.*

Rum. Rumania(n).

Ru·ma·nia [ru(:)méiniə, -njə] *n.* 루마니아(Roumania)《유럽 남동부의 공화국; 수도는 부쿠레슈티(《영》 Bucharest)》. [파] **-ni·an** *n., a.* 루마니아 사람(의); [U] 루마니아 말(의).

rum·ba, rhum·ba [rʌ́mbə, rú(:)m-/rʌ́m-, rúm-] *n.* 《Sp.》 룸바《쿠바 원주민의 춤; 그것을 모방한 사교춤》; 룸바곡. — *vi.* 룸바를 추다.

°**rum·ble** [rʌ́mbəl] *n.* **1** [U] (천둥·수레 따위의) 우르르, 덜커덕덜커덕; 울리는 소리: the ~ of passing trucks 지나가는 트럭의 부르릉거리는 소리. **2** 마차 뒤의 하인석; 《미》 =RUMBLE SEAT. **3** 소문; (퍼진) 불만, 불평; 《미속어》 불량배끼리의 싸움; 《미속어》 (경찰의) 단속. — *vi.* **1** 우르르 울리다, 덜커덕덜커덕 소리가 나다. **2** 《+[부]/+[전]+[명]》 (수레가) 덜커덕거리며 가다《*away; along; by; down*》: A cart ~*d along* (the road). 짐마차가 덜커덕거리며 (길을) 지나갔다. **3** 《미속어》 (불량배들이) 싸우다. — *vt.* 《+[목]/+[목]+[부]》 우르르 소리나게 하다; (마차를) 덜커덕거리며 가게 하다; 시끄럽게 말하다《*out*》. ~ ***horizontally*** 《미속어》 성(性)교섭을 갖다, 섹스하다.

rum·bler [rʌ́mbələr] *n.* **1** 우르르〔덜커덕〕 소리를 내는 것〔사람〕. **2** 회전통(回轉筒)(tumbling barrel).

rúmble sèat 《미》 자동차 후부의 무개(無蓋) 접좌석.

rúmble strìp (간선 도로 등의) 울퉁불퉁〔진동〕 구간《전방의 위험을 운전자에게 차체의 진동으로 알리기 위해 도로 위에 잔 홈을 만들어 포장한 부분》. [cf.] sleeping policeman.

rúmble-túmble *n.* 덜커덕거리는 차; 덜커덕거리며 움직임, 덜커덕거림, 심한 동요.

rúm·bling *a., n.* 우르르〔덜거덕〕 소리(를 내는); (보통 *pl.*) 불평〔불만〕의 소리; (보통 *pl.*) 소문. [파] ~**·ly** *ad.*

rum·bly [rʌ́mbəli] *a.* 우르르〔덜거덕〕 소리를 내는; (차 따위가) 덜커덕거리는.

rum·bus·tious [rəmbʌ́stʃəs] *a.* 《영구어》 떠들썩한, 시끄러운(boisterous, rambunctious). [파] ~**·ly** *ad.* ~**·ness** *n.*

rúm bùtter 럼 버터《버터와 설탕으로 만들어, 럼주로 맛을 낸 진하고 달콤한 소스》.

ru·men [rú:min/-men] (*pl.* ***-mi·na*** [-mənə]) *n.* 《L.》 (반추동물의) 혹위(胃)《첫째 위(胃)》; (첫째 위에서) 되돌린 음식.

ru·mi·nant [rú:mənənt] *a.* 되새기는, 반추하는; 반추류의; 생각〔묵상〕에 잠긴(meditative). — *n.* 반추동물. [파] ~**·ly** *ad.*

°**ru·mi·nate** [rú:mənèit] *vi.* 《~/+[전]+[명]》 되새기다, 반추하다; 곰곰이 생각하다, 생각에 잠기다《*about; of; on, upon; over*》: He ~*d on* 〔*over*〕 what had happened the day before. 그는 전날 생긴 일을 곰곰이 생각해 보았다. — *vt.* 되새기다, 반추하다, 곰곰이 생각하다. [파] **rù·mi·ná·tion** *n.* [U] 반추; 생각에 잠김, 묵상. **rú·mi·nà·tor** [-ər] *n.*

ru·mi·na·tive [rú:mənèitiv/-nətiv] *a.* 반추하는; 묵상적(默想的)인, 묵상에 잠긴(pondering). [파] ~**·ly** *ad.*

rum·mage [rʌ́midʒ] *vt.* **1** 샅샅이 뒤지다〔찾다〕: ~ a house 집안을 샅샅이 뒤지다. **2** 《~+[목]/+[목]+[부]》 찾아내다, 발견하다《*out; up*》; (찾기 위하여) 마구 뒤적거리다: She ~*d out* the pin. 그녀는 핀을 찾아냈다. **3** 《+[목]+[전]+[명]》 검사하다, (세관원이 배 안을) 임검하다: ~ a ship *for* opium 아편을 찾아 배안을 샅샅이 뒤지다. — *vi.* 《+[전]+[명]/+[부]》 뒤적거려 찾다, 샅샅이 찾다《*about; for; among; in*》; 임검〔수색〕하다《*in*》: ~ *for* a ring *in* a drawer 서랍을 뒤져 반지를 찾다. — *n.* [U] **1** 샅샅이 뒤지기; (세관원의) 검색, 임검. **2** 폐물, 쓰레기, 잡동사니.

rúmmage sàle (자선) 바자; (부두 따위의) 유류품(遺留品) 경매; 재고품 정리 판매, 투매(投賣), 잡동사니 시장.

rum·mer [rʌ́mər] *n.* (보통, 다리가 달린) 큰 술잔.

rum·my¹ [rʌ́mi] (***-mi·er; -mi·est***) *a.* 럼주(酒)의〔같은〕. — *n.* 《미속어》 주정뱅이; 건달; 술집.

rum·my² (***-mi·er; -mi·est***) *a.* 《영속어》 =RUM². [파] **rúm·mi·ly** [-li] *ad.*

rum·my³ *n.* 카드놀이의 일종《같은 패를 갖추어 차례로 늘어놓는》.

⁑**ru·mor,** 《영》 **-mour** [rú:mər] *n.* [U,C] 소문, 풍문, 세평, 풍설: There's a ~ of a flying saucer having been seen. 비행접시가 목격되었다는 소문이 있다. ***Rumor has it*** 〔***There is a*** ~〕 ***that ….*** …라는 소문이다. ***start a*** ~ 소문을 내다. ***The*** ~ ***runs that ….*** …라는 소문이 나다〔풍설이 돌다〕. — *vt.* 《+*that* [절]/+[목]+*to* do》〔주로 수동태〕 남의 이야기를 하다, 소문을 내다: It *is* ~*ed that* he is ill. =He *is* ~*ed to* be ill. 그는 앓고 있다는 소문이다.

rúmor mìll 〔**fàctory**〕 소문〔풍설〕의 출처, 소문을 퍼뜨리는 곳.

rúmor·mònger *n.* 소문을 내는 사람.

rump [rʌmp] *n.* (새·짐승 따위의) 둔부, 궁둥이; (사람의) 엉덩이; 엉덩이살《특히 소의》; 남은 것; 잔당《특히 의회·정당 등의》; (the R–) =RUMP PARLIAMENT. ***sit on*** one's ~ 의젓한 자세를 취하다. [파] **∠·less** *a.* (새가) 꽁지가 없는.

rum·ple [rʌ́mpəl] *vt.* (옷·종이 따위를) 구기다; (머리를) 헝클어뜨리다《*up*》. — *n.* 구김살, 주름(살). [파] **rúm·ply** *a.*

Rúmp Pàrliament (the ~) 『영국사』 잔여의회《1648 년의 추방 후에 남은 Long Parliament의 일부의 사람들만으로 행한 의회(1648–53; 1659–60)》.

rúmp·sprùng *a.* 《구어》 (가구가) 오래 써서 못 쓰게 된.

rúmp stèak 홍두깨살 비프스테이크.

rum·pus [rʌ́mpəs] *n.* [U,C] 《구어》 소동, 소란; 격론, 싸움, 언쟁; 소음. ***kick up*** 〔***make***〕 ***a*** ~ 소동을 일으키다.

rúmpus ròom 오락실《주로 지하실》.

rúm·rùnner *n.* 《미》 주류 밀수자〔선〕. [파] **rúm·rùnning** *a.* 《미》 주류 밀수의.

rúm·shòp *n.* 《미구어》 술집, 바.

†**run**¹ [rʌn] (***ran*** [ræn]; ***run; rún·ning***) *vi.* **1** (사람·말이) 달리다, 뛰다: He went ~*ning* to meet them. 그들을 만나려고 그는 달려갔었다 / I *ran* two miles. 나는 2 마일을 뛰었다.
2 《~/+[전]+[명]/+[부]》 달려가다, 급하게 가다, 잠깐 들르다〔방문하다〕《*down; over; up*》: ~ *up to* town 급히 읍까지 가다 / I'll ~ *over* to see you after dinner. 식사 후에 잠깐 들르지.
3 《+[전]+[명]》 (원조 등을 얻으러) 달려가다, (…의) 힘을 빌리다《*to*》: ~ *to* arms 무력의 힘을 빌리다 / Don't come ~*ning to* me when you get in trouble. 곤란해도 나를 의지하지 마시오.

4 ⟪~/+전+명⟫ (차·배가) 달리다, 다니다, 왕복〔운행〕하다(ply) ⟪*between; from* ... *to* —⟫: The buses ~ every ten minutes. 그 버스는 10 분마다 다닌다 / This bus ~*s between* New York and Washington, D.C. 이 버스는 뉴욕과 워싱턴 사이를 왕래한다.
5 ⟪+부/+전+명⟫ 떠돌아다니다, 헤매다, 배회〔방황〕하다 ⟪*about; around*⟫: ~ *about in* the field 들판을 헤매다.
6 ⟪+부/+전+명⟫ (길 따위가) 통하다, 이어지다: This road ~*s north to* Munsan. 이 길은 북쪽으로 문산까지 나 있다 / The road ~*s through* the woods. 길은 숲을 통과한다.
7 ⟪~/+전+명/+부⟫ 달아나다, 도망치다(flee): I was afraid, but I was ashamed to ~. 무서웠으나 달아나기는 부끄러웠다 / He *ran away from* his master. 그는 주인에게서 도망쳤다 / Seeing me, he *ran off*. 나를 보자 그는 달아났다.
8 ⟪+부/+전+명⟫ (세월이) 흐르다, (때·인생이) 지나다: How fast the years ~ *by!* 세월의 흐름이 참 빠르기도 하구나 / Time is ~*ning out*, so we must hurry. 시간이 지나가 버리므로 서둘러야 한다 / The days *ran into* weeks. 하루하루 지나 몇 주가 되었다.
9 ⟪~/+전+명⟫ (뉴스·소문 따위가) 퍼지다, 전해지다; 인쇄되다; 기사화하다, 실리다; (화폐가) 통용〔유통〕되다: The news *ran* all *over* the town. 그 소식은 온 읍내에 퍼졌다 / The account *ran in* all papers. 그 기사는 모든 신문에 실렸다.
10 ⟪+전+명⟫ (생각·기억 따위가) 떠오르다: A thought *ran through* his mind. 문뜩 어떤 생각이 머릿속을 스쳤다.
11 ⟪~/+보/+전+명⟫ 경주에 출장하다; (시합·경주에서) …등이 되다: The horse *ran* second. 그 말은 2 등했다 / This horse *ran in* the Derby. 이 말은 더비 경마에 출전했다.
12 ⟪+전+명⟫ 입후보〔출마〕하다 ⟪*for*⟫: ~ *for* Parliament 〔*for* (the) Presidency, *for* President〕 국회의원〔대통령〕에 출마하다 / ~ *in* the next election 다음 선거에 출마하다.
13 (미끄러지듯) 움직이다, 이동하다; 구르다, 굴러가다: Trains ~ on rails. 기차는 레일 위를 달린다 / Drawers ~ on ball bearings. 서랍은 볼베어링 위를 움직인다.
14 ⟪~/+부⟫ (기계 따위가) 돌아가다, 돌다, 가동〔운전〕하다; 잘 움직이다: The engine ~*s on* gasoline. 엔진은 휘발유로 작동한다 / His tongue *ran on* and *on*. 그는 마구 지껄대었다.
15 ⟪~/+전+명⟫ (상점·호텔 등이) 영업하다; (영화·극 등이) 연속 공연되다, 상영〔상연〕 중이다: His business ~*s* smoothly. 그의 사업은 순조롭다.
16 ⟪+전+명⟫ 계속하다〔되다〕(continue); 〖법률〗 (영장 등) 유효하다: The contract ~*s for* twenty-six weeks. 그 계약은 26 주간 유효하다.
17 ⟪+보⟫ (어떤 상태가) 되다, 변하다(become), …이 돼 버리다: ~ loose 뿔뿔이 흩어지다 / ~ fat 살찌다 / ~ mad 발광〔실성〕하다 / The sea *ran* high. 바다는 사납게 놀쳤다.
18 ⟪~/+전+명⟫ (수량이 …에) 달하다 ⟪*to*⟫: The debt *ran to* $500. 빚이 500 달러가 됐다.
19 ⟪~/+전+명/+보⟫ 대체로〔평균적으로〕 …이다, …하는 경향이 있다 ⟪*to*⟫: Meat still ~*s* high. 고기는 아직 (값이) 비싸다 / Potatoes are ~*ning* large this year. 올해에는 감자 알이 대체로 크다 / My whole family ~ *to* fat. 내 가족은 전부 살이 찌는 체질이다.
20 ⟪~/+부⟫ …라고 씌어 있다: His statement ~*s* as follows. 그의 성명서는 다음과 같다 / How does the first verse ~? 처음 1절은 무어라고 되어 있느냐.
21 ⟪~/+전+명⟫ (식물이) 뻗다, 퍼지다; (물고기가) 떼를 지어 이동하다, 강을 거슬러 오르다; 자꾸 성장하다: Vines ~ *over* the ground. 덩굴풀이 땅을 뒤덮고 있다 / The salmon began to ~ (*up* rivers). (산란을 위해) 연어가 강을 거슬러 올라가기 시작했다.
22 ⟪~/+전+명⟫ (화제가) …에 미치다, 걸치다 ⟪*on*⟫; (종류·범위·크기가) 미치다 ⟪*from* ... *to* —⟫; 뻗다: The talk *ran on* scientific subjects. 이야기는 과학적인 화제에 미쳤다 / The items ~ *from* cars *to* tea. 상품은 자동차에서 차(茶)에 이르기까지 있다.
23 ⟪~/+전+명/+보⟫ (물·피·강 따위가) 흐르다: This river ~*s into* a lake. 이 강은 호수로 흘러든다 / The stream ~*s* clear 〔thick〕. 시냇물은 맑다〔흐리다〕.
24 ⟪~/+전+명⟫ (눈·코·상처가) 눈물·콧물·피를 흘리다, (고름 따위가) 나오다: My nose ~*s*. 콧물이 나온다 / The room *ran with* blood. 방에는 선혈이 낭자했다.
25 ⟪~/+부⟫ (촛농 따위가) 녹아 흐르다, (색깔이) 배어나오다, 번지다(spread); 새다; 넘치다 ⟪*over*⟫; (모래시계의) 모래가 흘러내리다: The butter *ran*. 버터가 녹았다 / Will the color ~ if the dress is washed? 이 옷은 빨면 색이 번집니까 / The pot began to ~ *over*. 냄비가 끓어 넘치기 시작했다.
26 (직물이) 풀리다; 〖미〗 (양말이) 올이 풀리다 (⟪영⟫ ladder): Silk stockings ~ more easily than nylons. 비단 양말은 나일론 양말보다 올이 더 잘 풀린다.
27 ⟪+전+명⟫ 서둘러 하다; 대충 훑어보다 ⟪*over; through*⟫: ~ *through* one's work 일을 빨리 끝내다 / His eyes *ran over* the pages. 그는 대충 몇 페이지를 훑어보았다.
28 ⟪+전+명⟫ (성격·특징 등이) 내재하다, …의 혈통이다: Courage ~*s in* the family. 그 가족은 용기 있는 혈통의 집안이다.
29 ⟪+전+명⟫ (예금주가 은행에) 예금을 찾으려고 몰려들다; (빚이) 밀리다: ~ *on* a bank 예금을 찾으려고 은행에 한꺼번에 몰려들다.
30 ⟪+전+명⟫ 〖컴퓨터〗 (프로그램이)(컴퓨터에) 적용되다, 쓰이다 ⟪*on*⟫; (컴퓨터가)(어떤 프로그램으로) 작동하다.
— *vt.* **1** ⟪~+목/+목+전+명/+목+보⟫ (사람·말 따위를) 달리게〔뛰게〕 하다, 서두르게 하다; 달려서 …하게 하다: ~ a car *into* the garage 차를 차고에 넣다 / ~ a horse *to* death 말을 너무 몰아서 죽게 하다 / He *ran* himself breathless. 그는 숨이 턱에 닿도록 달렸다.
2 ⟪+목+전+명⟫ 빨리 움직이다〔놀리다〕: ~ one's eyes *down* the list 목록을 대충 훑어보다 / ~ a comb *through* one's hair 머리에 빗질하다.
3 ⟪+목+전+명⟫ (말을) 경마에 내보내다; (아무를) 입후보시키다: He *ran* his horse *in* the Derby. 그는 자기 말을 더비 경마에 내보냈다 / ~ a person *for* governor 아무를 주지사 선거에 출마시키다.
4 ⟪~+목/+목+전+명⟫ (차·배 따위를) 달리게〔다니게〕 하다, 왕복시키다: ~ a bus *between* Chicago and Detroit 시카고와 디트로이트 간에 버스를 운행하다.
5 달려서 하다: ~ a race 경주하다 / ~ an errand for a firm 줄달음쳐서 회사 심부름을 하다.
6 ⟪~+목/+목+전+명⟫ (아무와) 경주하다: I'll ~ you for ten dollars a side. 서로 10 달러씩

걸고 경주하세 / I'll ~ you *to* the house. 집까지 경주하자.
7 《~+목/+목+전+명》 (사냥감을) 좇다, 몰다; 《비유》 뒤쫓다: ~ a deer 사슴 사냥을 하다 / ~ close an enemy 적을 바싹 뒤쫓다 / ~ the rumor back *to* its source 소문의 출처를 밝혀내다.
8 《+목+전+명/+목+부》 부딪다, 부딪치다 《*against*》: ~ one's head *against* a wall 벽에 머리를 부딪다; 《비유》 불가능한 일을 꾀하다; 운명을 거스르다 / He *ran* the ship *ashore* 〔*aground*〕. 그는 배를 좌초시켰다.
9 《+목+전+명/+목+부》 (실 따위를) 꿰다, (못 따위를) 박다, (칼을) 찌르다 《*into; through*》: ~ a thread *through* the eye of a needle 바늘귀에 실을 꿰다 / ~ a nail *into* a board 판자에 못을 박다 / ~ a sword *through* (a person) (아무의 몸에) 칼을 찌르다.
10 (길을) 빠져나가다, 돌파하다, 지나가다; 뛰어가다, 뛰어다니다: ~ the streets 거리를 다니며 놀다, 부랑아가 되다 / ~ a blockade 봉쇄선을 뚫다〔돌파하다〕.
11 (어떤 거리를) 달리다: ~ ten miles.
12 (위험을) 무릅쓰다: ~ a risk / ~ the chance 〔danger〕 of ... …을 위험을 무릅쓰고 모험하다.
13 구획을〔경계를〕 짓다; (차별을) 하다: ~ a partition wall 칸막이하다 / ~ a distinction 차별을 하다.
14 …에서 도망치다: ~ town 읍내에서 자취를 감추다.
15 《+목+부/+목+전+명》 (차에 실어) 나르다: I'll ~ you *home* 〔*to* the station〕. 집〔역〕에 태워다 주겠다.
16 《+목+부/+목+전+명》 (제한을 넘어) 진행하다; (차·배 등을) 거칠게 몰다: ~ a simile too *far* 지나친 비유를 쓰다 / ~ a car *up on* the curb 차를 연석(緣石) 위까지 몰다.
17 《~+목/+목+부/+목+전+명》 (책 따위를) 찍다, 인쇄하다 《*off*》; (기사·광고 따위를) 게재하다: *Run off* these posters. 이 포스터를 찍어 주시오 / He *ran* an ad *in* the evening paper. 석간에 광고를 내었다.
18 《+목+전+명》 (어떤 상태로) 몰아넣다: His action *ran* me *into* difficulties. 그의 행동은 나를 궁지에 몰아넣었다.
19 (기계·모터 따위를) 돌리다, 움직이다, 회전시키다, 조작하다; 공전시키다: ~ a sewing machine 재봉틀을 돌리다 / ~ the engine to prevent stalling 엔진이 멎지 않게 공회전시키다.
20 (실험 따위를) 하다; (물건을) 제작하다, 제조하다, 정제하다(refine): ~ a blood test 혈액검사를 하다 / ~ 10,000 gallons of oil a day 하루에 1 만 갤런의 석유를 정제하다.
21 경영하다, 관리하다; 지휘〔지배〕하다: ~ a business 〔a school, a hat shop〕 사업을〔학교를, 모자 가게를〕 경영하다 / ~ politics 정치에 관계하다〔손을 대다〕 / He is ~ by his wife. 그는 마누라에게 쥐여 산다.
22 (가축을) 기르다〔치다〕, 사육하다: They ~ sixty head of cattle on their ranch. 그들은 목장에서 소를 60 마리 기르고 있다.
23 (가축 따위가) …의 풀을 뜯(어먹)다; 방목하다: ~ the ranges 방목장에서 풀을 뜯어먹다.
24 《~+목/+목+전+명》 흘리다, (물 따위를) 붓다; 녹여 (부어) 넣다, 주조(鑄造)하다: ~ metal types 활자를 주조하다 / ~ lead *into* molds 납을 녹여 거푸집에 붓다.
25 (물·눈물을) 흘리다, 넘쳐 흐르게 하다: Her eyes *ran* hot tears. 그녀의 눈에서 뜨거운 눈물이 흘렀다.
26 《+목+목/+목+전+명》 (욕조 따위를) 가득 채우다: She *ran* him a hot bathtub 〔a hot bathtub *for* him〕. 그를 위해 그녀는 더운 물을 욕조에 가득 채웠다.
27 《+목+전+명》 (선(線)을) 긋다: ~ a line *through* a word 낱말에 줄을 긋다 《삭제하려고》.
28 《+목+전+명》 《미》 (옷·양말을) 올이 풀어지게 하다: ~ a stocking *on* a nail 양말이 못에 걸려 올이 풀리다.
29 《~+목/+목+부/+목+목》 …의 비용이 들다, …하게 먹히다: This dress ~*s* $30. 이 옷은 30달러 한다 / The car repair *ran* me dear 〔$500〕. 차 수리비가 비싸게〔500달러〕 먹혔다.
30 (상품을) 다루다.
31 (아편·술·무기 따위를) 밀수입〔밀수출〕하다 (smuggle). cf. rumrunner.
32 《구어》 〖보통 진행형〗 (열을) 내다; (병에) 걸리다: She *was* ~*ning* a temperature 〔fever〕. 그녀는 열이 나 있었다.
33 〖당구〗 (점수를) 연속해서 올리다; 〖골프〗 (공이) 낙하한 뒤에 구르도록 치다, 런(run) 시키다; 〖크리켓〗 (…점을) 따다, 득점하다.
34 〖컴퓨터〗 (프로그램 속의 명령을) (컴퓨터로) 처리하다(process), (명령을) 실행하다.
cut and ~ 도망치다. ~ ***about*** 뛰어다니다, (아이들이) 자유롭게 뛰어놀다. ~ ***across*** …을 우연히 만나다〔찾아내다〕. ~ ***after*** …을 뒤쫓다, …을 추적하다; 《구어》 …의 꽁무니를 좇아다니다; …에 열중하다. ~ ***against*** …와 충돌하다〔부딪치다〕; …와 우연히 만나다; …에게 불리하게 되다; …와 선거에서 다투다. ~ ***aground*** ⇨ AGROUND. ~ ***ahead of*** …을 능가하다. ~ ***along*** 떠나(가)다. ~ ***a parallel*** 〔***simile***〕 ***too far*** 너무 극단적인 비교〔비유〕를 하다, 지나친 비유를 들다. ~ ***around*** 《*vi.*+부》 ① 《구어》 여기저기 놀며 다니다. 《특히》 아내〔남편〕 아닌 딴 사람과 관계하다 《*with*》. ── 《*vt.*+부》 ② 《영》 여기저기 차로 데리고 다니다. ~ ***at*** …에게 덤벼들다. ~ ***a temperature*** ⇨ *vt.* 32; 흥분하다, 성내다. ~ ***at the mouth*** 〔***nose***〕 (아무가) 침〔콧물〕을 흘리다. ~ ***away*** 달아나다, 뺑소니치다; 도망치다; 사랑의 도피를 하다; (말이) 사납게 달아나다; (일이) 어쩔 수 없게 되다. ~ ***away from*** (학생이 학교)에서 몰래 빠져나오다; (수병이) 탈함(脫艦)하다; (주의·사상 따위)를 버리다; (경쟁 상대)보다 훨씬 앞서다. ~ ***away with*** …을 가지고〔훔쳐〕 도망치다; …와 함께 달아나다, …와 사랑의 도피를 하다(elope with); (감정 따위)에 이끌리다; (아무의 의견)을 지레 짐작하다; …으로 남을 압도하다, …에 압도적으로 이기다; 남을 물리치고 상을 타다; (돈 따위)를 소비하다. ~ ***away with it*** 《미》 감쪽같이 해내다. ~ ***back*** 《*vi.*+부》 ① 뛰어 돌아오〔가〕다. ② (가계(家系) 등이) (…에) 거슬러 올라가다 《*to*》. ③ 회상하다 《*over*》: ~ *back over* the past 과거를 회상하다. ── 《*vt.*+부》 ④ (필름·테이프를) 되감다; (주가가) 내리다. ~ ***before*** ① …에게 쫓겨 달아나다: ~ *before* the enemy 적에게 쫓겨 퇴각하다. ② …을 능가하다. ~ ***before the wind*** (배가) 순풍을 받고 달리다. ~ ***behind*** …의 뒤를 달리다; …에 뒤지다. ~ ***behind one's expenses*** 비용이 모자라다, 타산이 안 맞다. ~ ***down*** 《*vi.*+부》 ① 뛰어내려가다; (도회에서) 시골로 내려가다. ② (조수 따위가) 써다, 빠지다. ③ 태엽이 풀려 시계 등이 서다, (전지 따위가) 다하다. ── 《*vt.*+부》 ④ 따라잡다, 바싹 뒤쫓다, 몰아대다; 찾아내다. ⑤ 헐뜯다, 욕하다. ⑥ 부딪쳐〔받아〕 쓰러뜨리다; …와 충돌하다; 〖야구〗 (주자를) 협살하다. ⑦ …의 가치를 떨어뜨리다; (인원 따

위를) 삭감〔감원〕하다: ~ *down* a factory 공장 조업을 단축하다. ⑧ 〖보통 수동태〗 쇠약해지다: I *am* 〔feel〕 much ~ *down*. 몹시 피로하다. ⑨ 대충 읽어보다, 속독하다. ~ **a thing *fine*** 〔***close***〕 어떤 일을 시간〔수량〕을 바짝 줄여서 하다. ~ ***for*** ① …을 부르러 가다. ② …에 입후보하다. ~ ***for it*** 급히 (위험 등에서) 달아나다. ~ ***for* one's** 〔***dear***〕 ***life*** 필사적으로 달아나다; 기를 쓰고 도망치다. ~ ***foul of*** 〖해사〗 …와 충돌하다. ~ ***full*** 〖해사〗 돛에 바람을 잔뜩 안고 달리다. ~ ***... hard*** 〔***close***〕 (아무를 · 어떤 것을) 바싹 뒤쫓다《경쟁에서》; 곤궁에 몰아넣다. ~ ***in*** 《*vi.*+閉》 ① 뛰어들다; 《구어》 (남의 집에) 잠깐 들르다《*to*》; (열차가) 역에 들어오다. ② 〖럭비〗 공을 안고 골에 뛰어들다; 〖항공〗 착륙〔목표〕 지점에 접근하다. ③ 일치하다, 동의하다《*with*》. ④ 맞붙어 격투하다. ―《*vt.*+閉》 ⑤ 〖인쇄〗 행을 바꾸지 않고 이어 짜다(~ on). ⑥ 《구어》 구류〔체포〕하다. ⑦ 《구어》 (후보자를) 당선시키다《*for*》. ⑧ (새 기계〔차〕를) 길들이다, 시(試)운전하다. ~ ***in the family*** 〔***in blood***〕 …혈통을〔피를〕 물려받다, 유전하다. ~ ***into*** ① …에 뛰어들다; (강이 바다로) 흘러들다; …에 빠지다〔빠지게 하다〕: ~ *into* trouble 곤란하게 되다 / ~ *into* debt 빚을 지게 되다. ② …에 달하다; …까지 계속하다: ~ *into* five editions, 5 판을 거듭하다. ③ …와 충돌하다〔시키다〕, …와 우연히 만나다. ④ …와 일체가 되다〔합병하다〕; …로 기울다. ⑤ …을 (푹) 찌르다. ~ ***into the ground*** 《구어》 지나치게 하다. ~ ***in with ...*** 〖해사〗 (해안 · 다른 배)와 가까이 항행하다. ~ ***its*** 〔**one's**〕 ***course*** 갈 데까지 가다〔일생을 마치다〕. ~ ***off*** 《*vi.*+閉》 ① 도망치다, 사랑의 도피를 하다《*with*》. ② 흘러나오다. ③ 벗어나다, (얘기가) 빗나가다. ④ 《Can.》 (눈 · 얼음 등이) 녹다. ―《*vt.*+閉》 ⑤ 유출시키다; 마르게 하다; 방출하다: *Run* the water *off* when you've had your bath. 목욕을 마치거든 몸의 물기를 닦으시오. ⑥ (경기에서) 결승전을 하다. ⑦ (시 · 글 따위를) 거침없이 〔줄줄〕 읽다〔말하다, 쓰다〕. ⑧ 《미》 (극 따위를) 연속 공연하다. ⑨ 타자기로 치다, 인쇄하다: ~ *off* a hundred copies per minute, 1 분간에 100 부 인쇄하다. ⑩ 달려서 (체중 등을) 줄이다. ―《*vt.*+前》 ⑪ …에서 유출시키다: It will take weeks to ~ all the water *off* the fields. 들에서 물을 전부 빼려면 몇 주 걸릴 것이다. ~ 〔***rush***〕 a person ***off*** his ***feet*** 〔***legs***〕 아무를 바삐 돌아다니게 하다〔계속 일시키다〕, 기진맥진케 하다. ~ ***off with*** …을 가지고 달아나다(steal); …와 사랑의 도피행을 하다. ~ ***on*** 《*vi.*+閉》 ① 계속하다, 계속 달리다; 연속 흥행하다; 노상 지껄이다; 초서로 쓰다; 〖인쇄〗 절(節) · 행(行)을 끊지 않고 계속하다〔되다〕. ② 경과하다. ―《*vi.*+前》 ③ ⇨ *vi.* 22, 29, 30. ④ (암초)에 좌초하다. ~ ***out*** 《*vi.*+閉》 ① 내달리다, 달리기 시작하다; 뛰어서 지치다. ② 흘러나오다; (조수가) 빠지다. ③ (물 · 그릇 등이) 새다, 물방울이 떨어지다. ④ (시계 따위가) 서다. ⑤ 다하다, 끝나다; 만기가 되다; 무일푼이 되다. ⑥ (잡초 따위가) 무성하다. ―《*vt.*+閉》 ⑦ 〖인쇄〗 (자간을 넓혀) 넓게 짜다. ⑧ (경기의) 승부를 가리다; 내쫓다, 추방하다《*of*》; 〖야구〗 러너를 아웃시키다. ⑨ (총 따위를) 불쑥 내밀다. ~ ***out of*** …을 다 써 버리다; (물품 따위가) 바닥이 나다. ~ ***out on*** 《구어》 …의 지지(支持)를 그만두다, …을 버리다(desert); (약속)을 어기다, …을 깨다; …으로부터 도망치다. ~ ***over*** 《*vi.*+閉》 ① (액체가) 그릇을 넘쳐 흐르다; (그릇 따위가) 넘치다. ② (말 · 차 따위로) 가다, 방문하러 가다, 들르다《*to*》. ―《*vi.*+前》 ③ 대충 훑어보다; 개설(槪說)하다. ④ …을 넘다, 초과하다. ⑤ …에서 넘치다. ⑥ (피아노 건반을) 빨리 계속 두드리다. ⑦ (차 · 사람이) …을 치다: The truck *ran over* a dog. 그 트럭은 개를 치었다. ―《*vt.*+閉》 ⑧ (특히 차가 사람을) 치다: I nearly got ~ *over*. 나는 차에 치일 뻔했다. ~ one***self out of breath*** 뛰어서 숨이 차다. ~ ***through*** ① 통독(通讀)하다, (…을) 대충 훑어보다; …을 요약하다. ② (…을) 다 써 버리다, (…을) 낭비하다. ③ (철도가) 통하다; (강이) 꿰뚫어 흐르다. ④ (극 · 장면을) 처음부터 끝까지 연습하다: ~ *through* the last scene. ~ ***through* one's *mind*** ① 머리〔귀〕에 박혀 사라지지 않다. ② 머리를 스치다. ~ ***to*** ① ⇨ *vi.* 3, 18, 19. ② …을 할 자력〔돈〕이 있다. ③ (파멸 등)에 빠지다. ~ ***together*** 혼합〔결합〕하다, 섞(이)다. ~ ***to meet* one's *troubles*** 쓸데없는 걱정을 하다. ~ ***up*** 《*vi.*+閉》 ① (…까지) 뛰어오르다〔가다〕《*to*》. ② (값이) 오르다; (수량 따위가) 달하다《*to*》; (지출 · 빚 따위가) 갑자기 늘다. ③ 부쩍부쩍 자라다《*to*》. ④ 결승에서 지다. ―《*vt.*+閉》 ⑤ (값을) 올리다; (지출 · 빚 따위를) 늘리다; (수 · 양을) 불리다. ⑥ (집 따위를) 급히 짓다; 급히 꿰매다. ⑦ 부리나케 깁다. ⑧ (기를) 걸다, 올리다. ~ ***up against*** …와 충돌하다, (곤란 따위에) 부딪치다; …와 마주치다. ~ ***upon*** …를 (뜻밖에) 만나다; …이 문득 생각나다; (배가) 좌초하다.

― *n.* **1** 달림, 뛰기, 뜀박질; 도주; 경주: go for a short ~ across the fields 들판을 한바탕 달리다.

2 단거리 여행(trip); 드라이브: a ~ *to* Paris 파리 여행 / have a trial ~ in the new car 새 차를 시승(試乘)하다.

3 (배가) 일정 시간에 가는 거리; 주행 거리: a three mile ~ 3 마일 거리 / the day's ~ 하루 걸리는 거리.

4 a 노선, 코스, 항로: The boat was taken off its usual ~. 배는 정상 노선을 벗어났다. **b** (스키 등의) 사면(斜面), 슬로프: a ~ for training beginning skiers 스키 초심자 훈련용의 슬로프.

5 (물가 · 온도 따위의) 폭락, 급(急)하강.

6 조업 (시간), 운전 (시간); 작업량: an eight-hour ~ 8시간 조업.

7 흐름; 유량(流量); (the ~s) 《속어》 설사; 《미》 개천; 수로; 도관(導管), 물받이: a ~ *of* water 물의 흐름.

8 (특히 산란기의 물고기가) 강을 거슬러 오르는 것, 소하(遡河); 산란기 물고기의 이동(하는 무리): a ~ *of* salmon.

9 연속: a ~ *of* bad luck 불운의 연속 / a ~ *of* fine weather 좋은 날씨의 계속 / a (long) ~ *of* office (오랜) 재직 기간.

10 연속 흥행〔공연〕: a long ~ 롱런, 장기 흥행.

11 사육장; 방목장; (사슴 등의) 통로: a chicken ~ 양계장.

12 보통의 것〔종류〕: the common 〔ordinary, general〕 ~ *of* men 보통 인간.

13 (상품 따위의) 종류: a superior ~ *of* blouses 고급 블라우스.

14 형세, 추세, (사건의) 귀추(歸趨); 방향, 층향(層向); 광맥(의 방향): the ~ *of* events 일의 귀추 / the ~ *of* a mountain range 산맥이 뻗은 방향.

15 큰 수요, 날개 돋친듯 팔림; 인기, 유행《*on*》; (은행에의) 예금 인출 쇄도《*on*》: a great ~ *on* a new novel 신간 소설의 대단한 판매 성적 / a ~ *on* a bank 은행에 대한 지급 청구의 쇄도.

16 출입〔사용〕의 자유: give a person the ~ *of* one's house 아무에게 자기 집을 마음대로 출입하게 하다 / have the ~ *of* a person's libra-

ry 아무의 서재를 마음대로 이용하도록 허용되다.
17 《미》 (신문에) 연재.
18 〖야구〗 득점, 1점: a two-~ homer, 2점 호머/ ~-scoring 득점에 연결되는, 타점이 되는/a ~ batted in 〖야구〗 타점(打點), 득점타《생략: ⌊rbi, r.b.i.》.
19 〖음악〗 빠른 연주(roulade).
20 〖해사〗 배 밑바닥의 맨 뒷부분.
21 《미》 (양말의) 올의 풀림(《영》 ladder) (*in*): a ~ *in* a stocking 스타킹의 올 풀림.
22 〖항공〗 활주; 〖군사〗 (폭격 목표로의) 직선 비행, 접근: a landing ~ 착륙 활주.
23 〖컴퓨터〗 (프로그램의) 실행.
24 〖골프〗 공이 지면에 떨어진 뒤 구르는 거리, 런.
25 (기자의) 담당 구역.
a bill at the long* ~** 장기 어음. ***a* ~ *on the red 〖카드놀이〗 붉은 패의 속출. ***at a* ~** 구보로. ***by the* ~** 갑자기, 급속히. ***get the* ~ *upon*** 《미》 …을 놀리다〔조롱하다〕. ***give a good* ~** 충분히 달리게 하다. ***give* a person *a* (*good*) ~ *for* his *money*** 애쓴〔돈 들인〕 만큼의 만족〔이익〕을 아무에게 주다; 아무와 격심한 경쟁을 하다. ***Go and have a* ~!** 《속어》 냉큼 꺼져라. ***have a good* 〔*great*〕 ~** 《미》 굉장한 인기를 얻다, 크게 유행하다. ***have* 〔*get*〕 *a* ~ *for* one's *money*** 애쓴〔돈 들인〕 보람이 있다〔을 얻다〕; 격심한 경쟁을 하다. ***have the* ~ *of* one's *teeth*** 무료로 식사할 수 있다《노동·봉사의 대가로서》. ***in* 〔《미》 *over*〕 *the long* ~** 긴 안목으로 보면, 결국은(in the end). ***in the short* ~** 단기적 관점에서 보면, 눈앞의 계산으로는, 한마디로 말하면. ***It's all in the day's* ~.** 이것이 보통이다, 바랄 수 있는 양이다. ***keep the* ~ *of*** 《미》 …와 어깨를 나란히 하다, …에게 뒤지지 않다. ***let* a person *have* his ~** 아무에게 자유를 주다, 아무를 하는 대로 내버려두다; 아무를 위해 힘쓰다. ***make a* ~ *for it*** 급히 도주하다. ***no* ~ *left*** 기진맥진하여. ***on the* ~** 뛰어서; 서둘러서; 쫓기어, 도망하여; (바삐) 뛰어 돌아다니며. ***out of ordinary* 〔*common, usual*〕 ~ *of*** 보통과 다른, 유별난. ***take a* ~ *to*** …에 잠깐 뛰어가다; …에 잠시 여행하다. ***the* ~ *of the mill* 〔*mine*〕** 보통(제)품. ***with a* ~** 갑자기, 일제히, 한꺼번에; 거침없이.

run² [rʌn] RUN¹의 과거분사.
— *a.* 바다에서 갓 거슬러 올라온《물고기》; 짜낸; 녹은; 주조된; 밀수입〔밀수출〕한; 〖복합어〗 …경영의: a state-~ university 주립 대학.

rún·abòut *n.* **1** 배회하는 사람, 부랑자. **2** 소형 무개마차; 소형 자동차〔오픈 카〕; 작은 발동기선; 소형 비행기. **—** *a.* 배회하는, 뛰어다니는.

rún·a·gàte [-əgèit] 《고어》 *n.* 뜨내기; 부랑자; 탈주〔도주〕자; 변절자.

rún·aròund *n.* **1** 《구어》 발뺌, 핑계, 속임수. **2** 〖인쇄〗 (삽화 등을 넣기 위해) 자간을 좁혀 활자를 짜기. ***get the* ~** (…에게) 속다. ***give* a person *the* ~** 아무를 속이다, 아무에게 핑계를 대다. **—** *vi., vt.* 속다; 속이다.

rún·a·wày [-əwèi] *n.* **1** 도망자, 탈주자. **2** 도망친 망아지, 다루기 힘든 말. **3** 도망, 탈주; 사랑의 도피(eloping). **4** (미국 회사가) 해외에서 제작한 영화. **5** 낙승, 일방적 승리. **—** *a.* **1** 도주한; 다룰 수 없는: a ~ horse 고삐 풀린 말/a ~ car 〔truck〕 폭주(暴走) 차〔트럭〕. **2** 사랑의 도피의: a ~ marriage 〔match〕 사랑의 도피 결혼/a ~ knock 〔ring〕 장난으로 문을 두드리고〔초인종을 누르고〕 달아나기. **3** (경기가) 일방적인, 수월하게 이긴, 낙승의, 결정적인: a ~ victory 압승. **4** 〖상업〗 마구 뛰어오르는, 끝없는: a ~ inflation 천정부지의 인플레이션/a ~ market 마구 뛰어오르는 시세. **5** (미국 영화가) 국외에서 제작된.

rúnaway stàr 〖천문〗 달아나는 별《연성(連星)의 한쪽이 폭발하여 초신성(超新星)이 될 때 곧바로 날아가 버리는 또 한쪽의 별》.

rún·bàck *n.* 〖미식축구〗 상대 팀이 찬 공 또는 패스를 빼앗아 달리는 일; 〖테니스〗 베이스 라인으로부터 뒤쪽의 벽〔철망〕까지의 부분.

rún chàrt 〖컴퓨터〗 실행 절차도.

rún·ci·ble spóon [rʌ́nsəbəl-] 세 가랑이 포크의 일종《오르되브르·피클(pickles)용》.

run·ci·nate [rʌ́nsənət, -nèit] *a.* 〖식물〗 (민들레 잎 따위) 밑으로 향한 톱니 모양의.

run·dle [rʌ́ndl] *n.* **1** =RUNG¹. **2** 차바퀴.

rund·let [rʌ́ndlit] *n.* 영국의 옛 액체 용량 단위(《영》 =15 gallons, 《미》 =18 gallons); 작은 나무통.

rún·dòwn *n.* 〖야구〗 런다운, 협살(挾殺); 감원; 쇠퇴; (소집 해제에 의한) 병력 감소; (동력원(源)이 끊어진 기계의) 정지; 항목별 검사〔분석, 보고〕, 개요(의 설명).

rún-dówn *a.* 몹시 황폐한; 몹시 피곤한, 기진맥진한; 몸 상태가 좋지 않은, 병난; 태엽이 풀려서 선《시계》.

rune [ru:n] *n.* **1** (보통 *pl.*) 룬 문자《옛날 북유럽 민족이 쓴》. **2** 룬 문자의 시; 신비로운 기호.

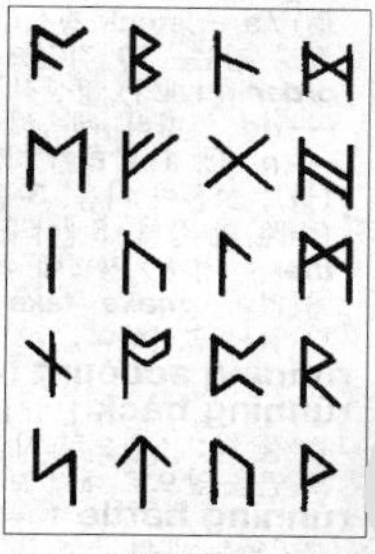
rune 1

rún-field *n.* 활주로.

rún-flàt *a., n.* 《영》 (타이어가) 펑크가 나도 달릴 수 있는(안전 타이어).

rung¹ [rʌŋ] *n.* (사닥다리의) 발을 딛는 가로장; (의자 따위의) 가로대; (수레의) 바퀴살(spoke); (사회적 지위 등의) 단계. ***on the top* ~ (*of the ladder*)** 절정에, 최고 단계에. ***start at the bottom* ~** 가장 낮은 지위에서 출발하다. ***the lowest* 〔*topmost*〕 ~ *of Fortune's ladder*** 불운의 구렁텅이〔행운의 절정〕. [파] **~·less** *a.*

rung² RING²의 과거·과거분사.

ru·nic [rú:nik] *a.* 룬 문자(rune)의; 고대 북유럽 사람의; 고대 북유럽(식)의; 신비적인. **—** *n.* 룬 문자의 비문(碑文); 〖인쇄〗 루닉체 활자《폭이 좁은 장식적인 굵은 활자》.

rún-ìn (*pl.* **~s**) *n.* **1** 〖인쇄〗 (행 바꿈 없이) 본문에 추가되는 내용, 추가 기사. **2** 《구어》 싸움, 논쟁. **3** 시운전《새 기계·엔진 등의 상태를 조정하는》. **4** 《영》 종착(終着); 《미속어》 체포; 〖럭비〗 런인《goal line 안에 뛰어들어가 터치다운함》. **—** *a.* 〖인쇄〗 (행 바꿈 없이) 본문에 추가되는.

rún-léngth *a.* 〖컴퓨터〗 실행길이의, 런렝스의《팩시밀리 전송에서 흑 또는 백의 화소 신호가 연속해서 나타나는 길이》.

rún·less *a.* 〖야구〗 득점 없는, 무득점의.

run·let¹ [rʌ́nlit] *n.* (술 따위의) 작은 통.

run·let² *n.* 시내, 개울.

run·na·ble [rʌ́nəbəl] *a.* 사냥에 적합한《사슴》.

run·nel [rʌ́nl] *n.* 시내; 작은 수로(水路).

run·ner [rʌ́nər] *n.* **1** 달리는 사람; 경주자(말); 〖야구〗 러너, 주자(走者)(base runner); 〖미식축구〗 = BALL-CARRIER: a good ~ 빠른 주자; 달리기 명수. **2** 도망자; 밀수입자〔선〕; (마약 등의) 밀매인: a gun ~ 총기의 밀수업자. **3** 잔심부름꾼; 수금원, 외판원; 손님 끄는 사람; 정보원. **4** (기계 등의) 운전자. **5** (스케이트·썰매 따위의) 활주부(滑走部); (기계·커튼 따위의) 홈, 고리;

(기계의) 롤러; 움직도르래, 동활차; (맷돌의) 위짝; 터빈의 날개; 우산의 사북; 〚해사〛 동활차(動滑車)의 활주삭(索). **6** 〚식물〛 덩굴, (딸기 따위의) 기는 줄기. **7** 〚조류〛 흰눈썹뜸부기. **8** (양말의) 올이 풀린 곳. **9** (복도나 홀 따위에 깐) 기다란 융단; 기다란 장식용 테이블 보.

rúnner bèan 《영》 〚식물〛 깍지를 먹는 콩(string bean) 《강낭콩 · 완두 따위》.

rúnner-úp (*pl.* ***rúnners-, ~s***) *n.* (경기의) 차점자, 차위(次位) 팀; 입상자, 입선자《2위에 한하지 않음》.

run·ning** [rʌ́niŋ] *a.* **1** 달리는, 달리면서 하는; 경주(용)의. **2** 흐르는; (고름 · 액체가) 흘러나오는. **3** (음악이) 유려한; (필적이) 흘림체의: a ~ hand 초서. **4** (열차 · 버스의) 운행의: ~ time 운행에 요하는 시간. **5** (기계 등이) 돌고 있는, 가동〔운전〕 중인; 잡아당기면 풀리는. **6** 대충의, 서두르는: a ~ check 급히 서두른 대조. **7** 연속적인, 계속하는: a ~ pattern 연속 무늬. **8** 널리 퍼져 있는; 현재의, 현행의: ~ rumor 퍼져 있는 소문/the ~ month 이달/a ~ price 시가(時價)/a ~ stock 정상(正常) 재고. **9** (식물이) 덩굴로 감는. **10** 직선으로 잰《측정에서》. ***in ~ order (기계가) 정상적으로 움직이어.

— *ad.* 잇따라, 계속해서: for five days ~.

— *n.* Ⓤ **1** 달리기; 경주. **2** 유출(물); 유출량(量); 고름이 나옴. **3** 운전; 경영. **4** 〚경기〛 주로(走路)의 상태. **5** 〚야구〛 주루(走壘). ***in*** 〔***out of***〕 ***the ~*** 경주 · 경쟁에 참가〔불참〕하여; 승산이 있어〔없어〕. ***make*** 〔***take up***〕 ***the ~*** (말이) 선두를 달리다; 솔선하다, 앞장서다.

rúnning accóunt (은행의) 당좌 계정.

rúnning bàck 〚미식축구〛 러닝 백《하프 백 또는 풀 백; 스냅으로 시작되는 다운에 있어 러닝으로 공을 앞으로 내어 보내는 역할을 함》.

rúnning báttle 1 =RUNNING FIGHT. **2** 장기전; 끊임없는 싸움.

rúnning beláy 〚등산〛 러닝 빌레이《산악 등반에서 추락할 경우 하겐 따위로 중간 고정점을 설치하여 낙하 거리를 단축시키는 장치 또는 로프》.

rúnning bòard (옛 자동차의) 발판.

rúnning cómmentary (스포츠 프로 등의) 실황 방송; 필요에 따라 수시로 하는 해설〔비평〕.

rúnning còsts 운영비, 운영 자금.

rúnning dòg 〚정치〛 《경멸》 주구(走狗), 추종자.

rúnning fíght 추격전, 이동전(戰).

rúnning fíre (이동하면서 하는) 연속 사격; (비평 · 질문 등의) 연발.

rúnning gèar 〚기계〛 (전차 · 자동차 등의) 구동(驅動) 장치.

rúnning guarantèe 흥행 여부에 따라 올라가는 출연료.

rúnning hánd 필기체, 초서체(草書體).

rúnning héad(line) 〚인쇄〛 (책의 각 페이지 상단의) 난외 표제(欄外標題).

rúnning júmp 도움닫기 높이〔멀리〕뛰기. (***go and***) ***take a ~*** (***at yourself***) 《구어》〘명령형〙 가 버려, 꺼져 버려, 뒈져 버려《분노 · 초조함의 표시》.

rúnning knót 풀 매듭《running noose를 만드는 데 씀》.

rúnning lìght 〚해사 · 항공〛 야간 항행〔해〕등.

rúnning màte 1 〚경마〛 (보조를 조종하기 위해) 같이 뛰게 하는 한 마구간의 말. **2** 《미》 (선거에서) 부(副)··· 후보, 《특히》 부통령 후보자. **3** 동반자.

rúnning nóose 당기면 죄어지게 만든 올가미.

rúnning repáirs 간단한〔응급〕 수리.

rúnning rhýthm 〚시학〛 약(弱)과 강을 짜 맞춘 보통의 운율(=**cómmon rhýthm**).

rúnning rìgging 〔집합적〕 〚해사〛 동삭(動索) 《고정되지 않은 삭구(索具)》.

rúnning shòe 러닝슈즈. ***give*** a person his ***~s*** 《미속어》 아무와의 관계를 끊다, 해고하다.

rúnning sóre 1 고름이 나오는 종기. **2** 악화되기 쉬운 난제.

rúnning stárt 1 〚경기〛 (세단뛰기 등의) 도움닫기. **2** (사업 등의) 처음부터의 호조건(好條件).

rúnning státe 〚컴퓨터〛 실행 상태《프로세스가 CPU를 확보하여 사용하고 있는 상태》.

rúnning stìtch 〚양재〛 러닝 스티치《안팎으로 같은 땀이 나는》.

rúnning stóry (신문 · 잡지 따위의) 연재물; 〚인쇄〛 기사의 부분 조판 원고.

rúnning téxt 〚인쇄〛 (조판에 시간이 걸리지 않는 신문 · 잡지 따위의) 본문.

rúnning tìme 흥행〔상영, 연주〕 시간.

rúnning títle =RUNNING HEAD.

rúnning tótal 누계(累計).

rúnning wáter 수돗물; 유수(流水).

run·ny [rʌ́ni] (***-ni·er; -ni·est***) *a.* 흐르는 경향이 있는; 액체 비슷한; 점액을 잘 분비하는: a ~ nose 콧물이 나오는 코. ㊞ **rún·ni·ness** *n.*

rún·òff *n.* **1** 흘러가〔달아나〕 버리는 것; 《미》 (땅 위를 흐르는) 빗물의 양. **2** (동점자의) 결승전; 《미》 =RUNOFF PRIMARY. **3** (생산 도중의) 파치, 불량품.

rúnoff primary 〚미정치〛 결선 투표.

rún-of-páper *a.* ⇨R.O.P.

rún-of-(the-)míll *a.* 흔히 있는, 평범한, 보통의: a ~ performance 평범한 연기.

rún-of-(the-)míne *a.* 평범한, 보통의; 조광(粗鑛)의, 골라내지 않은.

rún-of-the-ríver *a.* (저수지 없이) 흐르는 물을 이용하는《발전소》.

rún-òn *a.* **1** 〚시학〛 행마다 뜻〔문장〕이 끊어지지 않는. opp. *end-stopped*. **2** 〚인쇄〛 행을 바꾸지 않고 계속하는; 추가의. — *n.* 추가 (사항).

rún-on séntence 무종지문(無終止文)《두 개 이상의 주절을 접속사 없이 콤마로 이은》.

rún·òut *n.* 도망, 도주; 소멸, 소진; 〚컴퓨터〛 런아웃《기억 공간이 모두 소비되어 부족한 상태》; 〚기계〛 런아웃《움직이는 기계 부품의 위치가 정상 위치에서 벗어나 있는 범위의 크기》.

rún·òver *n.* 〚인쇄〛 (다음 페이지로) 넘기기; 넘어가는 부분.

run-òver *a.* 〚인쇄〛 (다음 페이지로) 넘어가는; (하이힐 따위가) 한쪽이 닳은.

rún·pròof *a.* **1** (양말이) 올이 풀리지 않는. **2** (염색이) 번지지 않는.

runt [rʌnt] *n.* 송아지; 작은 동물〔식물〕; 《경멸》 꼬마; 집비둘기의 일종. ㊞ **∠·ish** *a.*

rún-thròugh *n.* 관통; 통독; 처음부터 끝까지 한 번 (연습)해 보기, 예행연습(rehearsal); 개요; 간단한 검토.

rún·tìme *n.* 〚컴퓨터〛 실행 시간《프로그램이 실행되는 시간》.

runty [rʌ́nti] (***runt·i·er; -i·est***) *a.* 발육 불량의; 꼬마의. ㊞ **rúnt·i·ness** *n.*

rún·ùp *n.* **1** (비행기의) 엔진 회전 점검. **2** (주식 시장 등에서의) 가격 상승. **3** 〚경기〛 (멀리 뛰기 등의) 도움닫기; 〚축구 · 폴로〛 (골을 향해) 공을 올림; 〚골프〛 (그린을 향해) 공을 쳐 올림. **4** (the ~) 《영》 전단계(前段階).

°**rún·wày** *n.* **1** 주로(走路), 통로. **2** 짐승이 다니는 길. **3** (닭 · 개 따위의) 울. **4** 〚항공〛 활주로. **5** 강줄기, 강바닥. **6** (재목 따위를 굴려 내리는) 경사로(路); (창틀의) 홈. **7** 〚볼링〛 어프로치《공을 굴리는 곳》. **8** 무대에서 관람석으로의 통로, (패션쇼 등의) 스테이지. **9** (컨베이어 · 기중기의) 주행로.

ru·pee [ruːpíː, ∠-/-∠] *n.* 루피《인도 · 파키스탄 · 네팔 · 스리랑카의 화폐 단위; 기호 R, Re》;

루피 화폐.

Ru·pert [rúːpərt] *n.* 루퍼트《남자 이름》.

ru·pi·ah [ruːpíːə] (*pl.* ~, ~**s**) *n.* 루피아《인도네시아의 화폐 단위; =100 sen; 기호 Rp》.

rup·ture [rʌ́ptʃər] *n.* U,C 파열, 파괴; 결렬; 불화, 사이가 틀어짐《*between; with*》; 〖의학〗 헤르니아(hernia), 탈장. ***come to a*** ~ (교섭이) 결렬되다. —*vt.* 터뜨리다, 찢다, 째다; (관계 등을) 끊다; 〖의학〗 헤르니아에 걸리게 하다. —*vi.* 파열하다, 찢어지다, 갈라지다; 〖의학〗 헤르니아에 걸리다.

R.U.R. Royal Ulster Rifles.

***ru·ral** [rúərəl] *a.* **1** 시골의, 지방의, 시골풍의, 전원(田園)의. OPP *urban.* ¶ ~ life 전원생활 / a ~ community 농촌 / in ~ seclusion 인가에서 떨어져. **2** 농업의, 농사의. ㊕ ~·**ly** *ad.* ~·**ness** *n.*

rúral déan 〖영국교회〗 지방 감독.

rúral delívery sèrvice (벽지의) 지방 무료 우편 배달《구칭은 rural free delivery》.

rú·ral·ism *n.* U 시골풍; C 시골티의 말(표현).

rú·ral·ist *n.* 전원생활(주의)자.

ru·ral·i·ty [ruərǽləti] *n.* U 시골티; C 시골, 시골 풍습, 전원의 풍경.

rú·ral·ìze *vt., vi.* 시골풍으로 하다, 전원화하다, 전원생활을 하다. ㊕ **rù·ral·i·zá·tion** *n.* U 전원화(化).

rúral róute 《미》 지방 무료 우편 배달로(路)〔구역〕.

rur·ban [rə́ːrbən, rúər-] *a.* 전원도시의(에 사는); 교외에 있는(사는). [◂ *rural*+*urban*]

ru·ri·dec·a·nal [rùərədékənl] *a.* rural dean 의.

Ru·ri·ta·nia [rùərətéiniə, ⌐--⌐--] *n.* 유럽 중부의 가공상의 낭만적인 왕국《영국의 소설가 Anthony Hope 의 작품에서》. ㊕ **-ni·an** *a., n.*

Rus. Russia; Russian.

ruse [ruːz] *n.* C,U 책략, 계략(trick).

ruse de guerre [*F.* ʀyːzdəgɛːʀ] 전략.

****rush**[1] [rʌʃ] *vi.* **1** 《~/+부/+전+명/+*to* do》 돌진하다, 맥진(쇄도)하다, 힘차게(급하게) …하다: ~ *back* 매우 급히 돌아가다 / ~ *to* the scene 현장으로 달려가다 / ~ *for* a seat 자리를 잡으려고 뛰어가다 / Fools ~ *in* where angels fear to tread. ⇨ ANGEL / I ~*ed to* send in my application. 급히 원서를 제출했다.

> SYN. **rush** 주어가 복수 또는 양적으로 다량이라고 간주될 때가 많음. 쇄도하다: The brook *rushes* over a precipice in two cascades. 시냇물은 절벽에서 두 줄기의 폭포가 되어 떨어지고 있다. **dash, tear** 맹렬히 돌진하다. dash 에서는 목표가, tear 에서는 뚫어 버릴 듯한 순간적인 속도가 강조됨. **shoot** 총구멍과 같이 한 점을 이루는 출발점이나, 탄도의 직선, 완만한 커브가 강조됨. **charge** 돌진하는 것의 중량이나 에너지가 강조됨: The bull *charged* at the matador. 황소는 투우사를 향해 돌진했다.

2 《+전+명》 달려들다《*on, upon; at*》: ~ *at* the enemy 적을 향해 돌격하다. **3** 《+전+명》 급하게(무모하게) 행동하다, 덤비다《*to; into*》: ~ *into* extremes 극단으로 흐르다 / ~ *to* a conclusion 성급하게 결론을 내리다. **4** 《+전+명》 (생각 따위가) 갑자기(문뜩) 떠오르다; 갑자기 일어나다(나타나다): ~ *into* one's mind 갑자기 마음에 떠오르다 / Tears ~*ed to* her eyes. 그녀의 눈에 눈물이 복받쳤다. **5** 〖미식축구〗 공을 가지고 전진하다. —*vt.* **1** 《~+목/+목+전+명》 몰아대다; 재치다: Don't ~ me. 재촉하지 마라 / I was ~*ed into* sign*ing* the contract. 다그치는 바람에 그 계약서에 서명하고 말았다. **2** 《~+목/+목+목/+목+전+명/+목+부》 부랴부랴 보내다(운반하다, 데리고 가다), 부리나케(급히) 해치우다: ~ a message 지급 전보를 보내다 / We have ~*ed* you the catalog. 카탈로그를 지급으로 보내드렸습니다 / He ~*ed* them *round* the sights. 그는 그들을 구경시키려고 급히 데리고 다녔다 / ~ a bill *through* 부랴부랴 의안을 통과시키다. **3** (장애물 등을) 돌파하다: ~ a fence (말을 급히 몰아) 울을 뛰어넘다. **4** …을 향해 돌진하다; 급습(돌격)하다, 급습하여 점령하다: ~ the enemy. **5** (금광 연단 따위에) 여럿이 밀어닥치다, 몰려가서 점거하다. **6** 〖미식축구〗 (공을) 가지고 (…야드를) 돌진하다. **7** 《미구어》 (여자에게) 열렬히(끈덕지게) 구혼하다; 《미구어》 (대학의 사교 클럽에) 입회 권유하기 위해 환대하다. **8** 《~+목/+목+목/+목+전+명》 《영속어》 (손님에게) 바가지씌우다《*for*》: How much did they ~ you *for* this watch? 이 시계에는 얼마나 바가지를 씌웠나. ~ ***in*** 뛰어들다; 난입하다. ~ ***a person off*** his ***feet*** (***legs***) ⇨ RUN. *v.* (관용구).

—*n.* **1** U,C 돌진, 돌격; 쇄도: be swept by the ~ of the current 급류에 휩쓸리다 / a ~ of blood to one's face 얼굴을 붉힘, 상기. **2** (사람의) 쇄도; 붐빔: a gold ~ (a ~ *for* gold) 골드러시, 황금 산지로의 사람의 쇄도. **3** 분망, 몹시 바쁨; 대수요(需要), 주문의 쇄도《*for; on*》: the ~ *of* city life 분망한 도시 생활 / What is all this ~? 무엇 때문에 이렇게 어수선하지 / a ~ *for* (*on*) new model cars 신형 자동차의 주문 쇄도 / There was a sudden ~ *to* get the best seats. 제일 좋은 자리를 달라는 요청이 갑자기 쇄도했다. **4** (종종 *pl.*) 〖영화〗 (제작 도중의) 편집용 프린트. **5** (미식축구·럭비의) 러시. **6** 《미학생》 만점에 가까운 점수. **7** 《미구어》 구애(求愛)(하기 위한 환대). **8** 마약의 쾌감; 황홀감. ***with a*** ~ 와락 한꺼번에, 갑자기; 황급히.

—*a.* 쇄도하는; 지급(긴급)을 요하는, 급한; 《미구어》 구애의: ~ orders 급한 주문.

rush[2] *n.* **1** 등심초속(屬)의 식물, 골풀; U 골풀 줄기《세공품의 재료》. **2** 하찮은 물건. ***not care a*** ~ 조금도 개의치 않는. ***not worth a*** ~ 아무 가치도 없는. —*vt.* (바닥)에 골풀을 깔다, 골풀로 세공(細工)하다. ㊕ ∠·**like** *a.* 골풀 같은; 약하디 약한.

rúsh bàggage 〖항공〗 급송 수화물.

rúsh-bèaring *n.* 《영》 교회당 건립제(祭).

rúsh cándle 골풀 양초(rushlight).

Rush·die [rʌ́ʃdi] *n.* (**Ahmed**) **Salman** ~ 루슈디《인도 태생의 영국 작가; 1981 년 *Midnight's Children*, 1988 년 *The Satanic Verses* 를 발표함; 1947– 》.

rush·ee [rʌʃíː] *n.* 《미》 학생 사교 클럽 가입을 권유받고 있는 학생.

rúsh·er *n.* 서둘러 빨리 일하는 사람, 저돌적으로 맹진하는 사람; 새로운 광산에 쇄도하는 사람; 〖축구〗 볼 캐리어.

rúsh hóur 러시아워, 혼잡 시간.

rúsh·ing *n.* 〖미식축구〗 러시해서 공을 가지고 나아감; 러닝플레이로 나아간 거리; 《미구어》 사교 클럽 입회 권유를 위한 환대 (기간).

rúsh·líght *n.* **1** =RUSH CANDLE. **2** 희미한 불빛; 불충분한 지식; 실력 없는 교사.

Rush·more [rʌ́ʃmɔːr] *n.* (Mount ~) 러시모어산《미국 South Dakoto 주 서부에 있는 산; 산중턱 화강암에 Washington, Jefferson, Lincoln, Theodore Roosevelt 등의 거대한 흉상이 조각되어 있음》.

rushy [rʌ́ʃi] (***rush·i·er; -i·est***) *a.* 등심초가 많은; 골풀로 만든.

rus in ur·be [rʌ́s-in-ə́ːrbi] 《L.》 도시 속의 시골(country in the city)《나무와 잔디가 많은 곳》.

rusk [rʌsk] *n.* 러스크, 살짝 구운 빵(비스킷).

Rus·kin [rʌ́skin] *n.* **John** ~ 러스킨《영국의 미술 평론가·사상가; 1819-1900》.

Russ [rʌs] (*pl.* ~(**·es**)) *a.*, *n.* 《고어》 =RUSSIAN.

Russ. Russia; Russian.

Rus·sell [rʌ́səl] *n.* 러셀. **1** 남자 이름. **2 Bertrand** ~ 영국의 철학자《수학자·저술가; Nobel 문학상 수상(1950); 1872-1970》.

Rússell réctifier (파력(波力) 발전용) 러셀 파동(波動) 정류(整流) 장치《파도의 운동 에너지를 전력으로 바꾸는 장치》.

rus·set [rʌ́sit] *a.* 황갈색의, 적갈색〔고동색〕의; 손으로 짠; 《고어》 시골풍의, 소박한. **—** *n.* [U] 황갈색, 적갈색; [U] 황갈색의 거친 수직(手織) 천; 그 옷; [C] 황갈색〔적갈색〕 사과의 일종(=∠ **ápple**). ㊎ **~·ish** *a.* **~y** [rʌ́siti] *a.* 황갈색의; 적갈색의.

⁑**Rus·sia** [rʌ́ʃə] *n.* **1** 러시아(연방); 러시아제국. **2** (r-) =RUSSIA LEATHER.

Rússia léather 〔**cálf**〕 러시아 가죽《제본용》.

⁑**Rus·sian** [rʌ́ʃən] *a.* 러시아(사람·말)의. **—** *n.* 러시아 사람; [U] 러시아 말.

Rússian béar 러시안 베어《보드카·크렘 드 카카오(crème de cacao)·크림의 칵테일》.

Rússian blúe (종종 R- B-) 러시아 고양이《몸통이 가늘고 길며 귀가 큰 청회색 고양이》.

Rússian Chúrch (the ~) 러시아 교회《Russian Orthodox Church》.

Rússian dréssing 〖요리〗 러시아식 드레싱《마요네즈의 일종》.

Rússian Émpire (the ~) 러시아 제국《1917년의 혁명으로 멸망》.

Rússian Federátion 러시아 연방《수도는 Moscow》.

Rùs·sian·i·zá·tion *n.* [U] 러시아(사람)화(化).

Rús·sian·ìze *vt.* 러시아화하다, 러시아풍으로 하다; 러시아의 통제〔영향〕 아래 두다.

Rússian Órthodox Chúrch (the ~) 러시아 정교회(Russian Church).

Rússian Revolútion (the ~) 러시아혁명 (February Revolution)《1917 년 러시아력(曆) 2 월》; 10 월 혁명(October Revolution)《1917 년 러시아력 10 월》.

Rússian roulétte **1** 러시안 룰렛《총알이 한 개만 든 탄창을 돌려서 자기 머리를 향해 방아쇠를 당기는 목숨을 건 승부》. **2** 자살 행위.

Rússian sálad 러시아식 샐러드《깍둑썰기한 야채에 러시아식 마요네즈를 섞은 샐러드》.

Rússian Sóviet Féderated Sócialist Repúblic (the ~) 러시아 소비에트 연방 사회주의 공화국《Russian Federation의 구칭(1917-91)》.

Rússian thístle 〖식물〗 명아줏과의 식물.

Rússian wólfhound =BORZOI.

Rus·si·fy [rʌ́səfài] *vt.* =RUSSIANIZE. ㊎ **Rus·si·fi·ca·tion** [rʌ̀səfikéiʃən] *n.* [U]

Rus·so- [rʌ́sou, -sə] '러시아(사람)(의)'의 뜻의 결합사.

Rússo-Jápanese Wár (the ~) 러일 전쟁《1904-05》.

Rússo-Koréan *a.* 한러의, 한로(韓露)의.

Rus·so·phil, -phile [rʌ́soufil], [-fàil] *a.* 러시아 편을 드는, 친러의. **—** *n.* 친러파. ㊎ **Rus·soph·il·ism** [rʌsáfəlizəm/-sɔ́f-] *n.* [U] 친러주의.

Rus·so·phobe [rʌ́səfòub] *n.* 공로병자(恐露病者). ㊎ **Rùs·so·phó·bia** [-biə] *n.* [U] 공로병, 러시아 혐오.

⁑**rust** [rʌst] *n.* [U] **1** (금속의) 녹: remove ~ from …의 녹을 닦다〔없애다〕. **2** (재능 따위가) 녹슮, 무위(無爲); (마음속에 쌓인) '때'; 나쁜 버릇. **3** 〖식물〗 녹병(病)(균). **4** 적갈색, 고동색; 적갈색의 도료〔염료〕. ***be in*** ~ 녹슬어 있다. ***gather*** ~ 녹슬다. ***get*** 〔***rub***〕 ***the*** ~ ***off*** 녹을 없애다. ***keep from*** ~ 녹슬지 않게 하다. **—** *vi.* **1** 《~/+[부]》 녹나다, 부식하다; (머리 따위가) 둔해지다, 쓸모없이 되다: talents left to ~ 썩혀 둔 재능/(It is) better wear out than ~ *out.* 《속담》 묵혀 없애느니 써서 없애는 편이 낫다《노인의 무위함을 경고하는 말》. **2** 〖식물〗 녹병에 걸리다. **3** 녹빛이 되다. **—** *vt.* **1** 녹슬게 하다, 부식시키다. **2** (머리 등을) 둔하게 하다; 쓸모없게 하다, 못쓰게 하다. **3** 〖식물〗 녹병에 걸리게 하다. ~ ***away*** 녹슬어〔썩어〕 버리다. ~ ***together*** (서로 맞닿은 금속을) 부식(腐蝕) 접착시키다.

rúst bèlt (때로 R- B-) 러스트 지대《구식 산업 공장들이 남아 있는 미국의 중 서부 및 북동부의 중공업 지대》.

rúst-bèlt *a.* (공업 지대가) 사양화(斜陽化)한.

rúst·bùcket *n.* 《속어》 노후화된 탈것《낡은 배, 털털이 차(車) 따위》.

rúst-còlored *a.* 녹빛의.

***rus·tic** [rʌ́stik] *a.* **1** 시골의; 시골풍의, 전원 생활의: ~ manners 시골풍. **2** 단순한, 소박한. **3** 조야한, 야비한, 교양 없는. **4** 거칠게 만든, 통나무로 만든: a ~ bridge 〔chair〕 통나무다리〔의자〕. **5** 불규칙체(不規則體)의《옛 라틴 글자체》. ◇rusticity *n.* **—** *n.* 시골뜨기; 농부; 메부수수한〔거친〕 사람; 무례한 사람. ㊎ **-ti·cal** [-əl] *a.* **-ti·cal·ly** *ad.*

rus·ti·cate [rʌ́stəkèit] *vi.* 시골로 가다; 시골에서 살다. **—** *vt.* 시골에서 살게 하다; 시골로 쫓아내다; 시골풍으로 하다; (대학에서) 정학을 명하다; 〖석공〗 면(面)을 건목 다듬다. ㊎ **rùs·ti·cá·tion** *n.* [U] 시골살이; 시골로 쫓음; 정학; 면을 건목 다듬기. **rús·ti·cà·tor** [-ər] *n.*

rus·tic·i·ty [rʌstísəti] *n.* [U,C] 시골풍; 전원생활; 소박; 질박; 조야, 야비, 무교양.

rústic wòrk 통나무로 만든 정자〔가구〕; 〖석공〗 건목 다듬기.

rus·tle** [rʌ́səl] *vi.* 《~/+[부]》 **1** (나뭇잎이나 비단 등이) 와삭〔바스락〕거리다: The reeds ~*d* in the wind. 갈대가 바람에 와스스했다/leaves *rustling down* 우수수 떨어지는 나뭇잎. **2** 옷 스치는 소리를 내며 걷다《*along*》: ~ in silks 비단옷을 입고 있다. **3** 《미구어》 활발히 움직이다, (정력적으로) 활동하다〔일하다〕《*around*》: *Rustle around* and see what you can find. 이리저리 뛰어다니다 보면 뭔가 찾게 될지도 모르지. **4** 《미구어》 가축을 훔치다. **—** *vt.* **1** (나뭇잎·종이 등을 맞비비는 듯한) 와스스〔와삭와삭, 바스락〕 소리 내게 하다; 와삭와삭 뒤흔들다; 옷 스치는 소리를 내게 하다. **2** 잽싸게 손에 넣다〔처리하다〕, 부지런히 만들다. **3** 《미구어》 활발히 움직이게 하다; 《미구어》 노력하여 얻다〔모으다〕. **4** 《미구어》 (가축)을 훔치다. ~ ***up 《구어》 ① 애써서 모으다; 두루 찾아서 발견하다〔입수하다〕: ~ *up* some wood for a fire 모닥불을 피우기 위해 나무를 그러모으다. ② (재료를) (서둘러) 준비하다〔만들다〕.

— *n.* [U,C] 살랑〔와삭, 바스락〕거리는 소리; 나뭇잎의 살랑거림; 옷 스치는 소리; 《미구어》 정력적인 활동; 《미구어》 도둑질; 《미속어》 양친 외출 중 남에게 맡겨지는 어린이.

rus·tler [rʌ́slər] *n.* 잎이 바스락 소리를 내는 식물; 《미구어》 활동가; 《미구어》 소도둑.

rúst·less *a.* 녹슬지 않은〔않는〕.

rus·tling [rʌ́sliŋ] *a.* 와삭와삭〔바스락바스락〕 소리나는, 옷 스치는 소리가 나는; 《미구어》 활동적인, 분투적인. **—** *n.* 바삭바삭 나는 소리; 《미구어》 가축 도둑질. ㊎ **~·ly** *ad.*

rúst·pròof *a.* 녹슬지 않는〔않게 해둔〕. **—** *vt.* …에 방청(防銹)처리하다.

rúst·pròofer *n.* 방청제, 녹슬지 않게 하는 약.

rúst-thròugh *n.* 녹에 의한 부식, 녹슮.

rusty[1] [rʌ́sti] (***rust·i·er; -i·est***) *a.* **1** 녹슨, 녹이 난: a ~ knife. **2** 녹에서 생긴. **3** 〖식물〗 녹병에 걸린. **4** 녹빛의. **5** 색이 바랜; 낡은, 구식의: ~ old clothes 색이 바랜 헌 옷. **6** (쓰지 않아) 무디어진, 못 쓰게 된; 서투른, 게으른 버릇이 붙은: My French is ~. 나는 프랑스어가 서투르다 / I'm a bit ~ at English. 나는 영어가 좀 서투르다. **7** (목소리가) 쉰. ㊞ **rúst·i·ly** *ad.* **-i·ness** *n.*

rusty[2] (***rust·i·er; -i·est***) *a.* **1** (고기 · 베이컨 따위가) 썩어 가는, 변질된. **2** (말이) 말을 안 듣는; 고집이 센. **3** 《방언》 찌무룩〔부루퉁〕한, 성난. ***ride*** 〔***run***〕 ~ 완고해지다. ***turn*** 〔***get***〕 ~ 화내다.

rústy-dústy *n.* 《미속어》 녹슨 것〔총〕; 엉덩이 《흔히 '게으른 사람'의 엉덩이란 뜻》.

rut[1] [rʌt] *n.* **1** 바퀴자국; 홈. **2** 《비유》 상습, 관례, 상례(常例). ***be in a*** ~ 판에 박힌 생활을 하고 있다. ***get*** 〔***go***〕 ***into a*** ~ 틀에 박히다. ***go on in the same old*** ~ 십년을 하루같이 같은 일을 하다. ***move in a*** ~ 판에 박힌 일을 하다. — (***-tt-***) *vt.* 〖보통 과거분사로〗 바퀴자국을 내다; 홈을 내다.

rut[2] *n.* 암내, (사슴 · 염소 · 양 등의) 발정(heat); (종종 the ~) 발정기. ***at*** 〔***in***〕 (***the***) ~ 발정하여. ***go to*** (***the***) ~ 발정하다. — (***-tt-***) *vi.* 암내 내다, 발정하다.

ru·ta·ba·ga [rùːtəbéigə, ᅳᅳᅳ] *n.* **1** 〖식물〗 황색의 큰 순무의 일종(Swedish turnip). **2** 《미속어》 추녀(醜女); 《미속어》 1 달러.

Ruth [ruːθ] *n.* **1** 루스《여자 이름》. **2** 〖성서〗 룻 《시어머니에 대한 효성으로 유명》; 룻기(記)《구약성서의 한 편》.

ruth [ruːθ] 《고어》 *n.* Ⓤ 동정, 연민(pity); 회한, 슬픔(sorrow).

Ru·the·nia [ruːθíːniə, -njə] *n.* 루테니아 《Ukraine 공화국 서부 카르파티아 산맥의 남쪽 지방》.

ru·then·ic [ruːθénik, -θíːn-] *a.* 〖화학〗 루테늄의, 비교적 높은 원자가의 루테늄을 함유한.

ru·the·ni·ous [ruːθíːniəs, -njəs] *a.* 〖화학〗 루테늄의, 《특히》 비교적 낮은 원자가의 루테늄을 함유한.

ru·the·ni·um [ruːθíːniəm, -njəm] *n.* 〖화학〗 루테늄《금속 원소; 기호 Ru; 번호 44》.

Ruth·er·ford [rʌ́ðərfərd, rʌ́θ-/rʌ́ð-] *n.* **1** **Ernest** ~ 러더퍼드《영국의 물리학자; 1871-1937》. **2** (r-) 〖물리〗 러더퍼드《방사능의 단위; 기호 rd.》.

Rútherford àtom 〖물리〗 러더퍼드 원자《중심에 정전하(正電荷)가 응집된 핵이 있고, 그 주위로 전자가 궤도 운동을 하고 있는 원자 모형》. [◂ Ernest *Rutherford*]

ruth·er·for·di·um [rʌ̀ðərfɔ́ːrdiəm] *n.* 〖화학〗 러더포듐《인공 방사성 원소; 기호 Rf; 번호 104》. [◂ Ernest *Rutherford*]

ruth·ful [rúːθfəl] *a.* 《고어》 동정심 많은; 슬픈; 비애를 느끼게 하는. ㊞ **~·ly** *ad.* **~·ness** *n.*

***ruth·less** [rúːθlis] *a.* 무정한, 무자비한, 인정머리 없는(pitiless); 잔인한: a ~ tyrant 무자비한 폭군. ㊞ **~·ly** *ad.* **~·ness** *n.*

ru·ti·lant [rúːtələnt] *a.* 빨갛게〔황금색으로〕 빛나는, 번쩍번쩍 빛나는.

ru·tile [rúːtiːl, -tail/-tail] *n.* 〖광물〗 루틸, 금홍석(金紅石).

Rut·land, Rut·land·shire [rʌ́tlənd], [-ʃiər, -ʃər] *n.* 러틀랜드(셔)《잉글랜드 중부의 옛 주; 지금은 Leicestershire의 일부》.

rut·tish [rʌ́tiʃ] *a.* 발정한, 암내를 낸; 호색의. ㊞ **~·ly** *ad.* **~·ness** *n.*

rut·ty [rʌ́ti] (***-ti·er; -ti·est***) *a.* (도로 따위가) 바퀴자국투성이인. ㊞ **-ti·ly** *ad.* **-ti·ness** *n.*

rux [rʌks] *n.* Ⓤ 《영학생속어》 분통, 화, 짜증; 소음, 소란.

R.V., RV recreational vehicle; reentry vehicle (대기권 재돌입 우주선); Revised Version (of the Bible).

Ŕ-válue *n.* 《미》 R값《건축재 등의 단열(斷熱) 성능을 나타내는 값; R값이 높을수록 단열성이 높음》. [◂ resistance *value*]

RVO receiving only earth station (수신 전용 지구국). **RVR** runway visual range (활주로 시(視)거리). **R.V.S.V.P., RVSVP, rvsvp** *répondez vite s'il vous plaît* 《F.》 (=please reply at once). **R.W., RW** radiological warfare; Right Worshipful; Right Worthy. **R/W** right(-) of(-)way.

Rwan·da [ruáːndə/ruǽn-] *n.* 르완다《아프리카 중부의 공화국; 수도는 키갈리(Kigali)》. ㊞ **-dan** [-dən] *a., n.*

RWD rewind(테이프 리코더의 되감기). **r.w.d.** rear-wheel drive.

Ŕ/Ẃ hèad read / write head.

R/WM read / write memory. **Rwy., rwy.** railway.

Rx [áːréks] (*pl.* **~'s, ~s**) *n.* 처방(prescription); 대응책, 대처법, 조처. [《L.》 recipe의 약호 ℞]

-ry [ri], **-ery** [əri] *suf.* 명사를 만드는 어미. **1** '직업 · 일'을 나타냄: dentist*ry*, chemist*ry*. **2** '성질, 행위'를 나타냄: brav*ery*, rival*ry*. **3** '처지, 신분'을 나타냄: slav*ery*, husband*ry*. **4** '유(類)'를 나타냄: jewel*ry*, perfum*ery*. **5** '제조소, 사육소(飼育所)'를 나타냄: bak*ery*, brew*ery*, poult*ry*.

Ry. Railway. **ry.** rydberg. **R.Y.A.** 《영》 Royal Yachting Association (왕립 요트 협회).

rýa (**rùg**) [ríːə(-), ráiə-/ríːə-] *n.* 스칸디나비아산(産)의 수직(手織) 융단.

ryd·berg [rídbəːrg] *n.* 〖물리〗 뤼드베리《에너지의 단위; =13.606eV; 기호 ry》.

Ry·der [ráidər] *n.* 라이더. **1 Albert Pinkoham** [píŋkəm] ~ 미국의 화가《풍경 · 바다 · 인물화에 뛰어남; 1847-1917》. **2 Samuel** ~ 영국의 실업가《골프 매치의 우승배 Ryder Cup의 기증자; 1859-1936》. **3** 미국의 차량 임대 회사 Ryder System Inc.의 상표명.

***rye** [rai] *n.* Ⓤ **1** 호밀. **2** =RYE WHISKEY. **3** RYE BREAD. — *a.* 호밀로 만든.

rýe bréad 라이보리빵, 흑빵.

rye·grass [ráigræ̀s, -grɑ̀ːs/-grɑ̀ːs] *n.* Ⓤ 〖식물〗 독보리《목초의 일종》.

rýe whískey 라이 위스키《라이보리가 주원료; 미국 · 캐나다 주산》.

ry·ot [ráiət] *n.* 《Ind.》 농부(peasant); 소작인.

R.Y.S. 《영》 Royal Yacht Squadron.

Ryu·kyu [rjúːkjuː] *n.* 류큐(琉球) 열도(=the ∼ **Íslands**). ㊞ **Ryu·kyú·an** [-ən] *a., n.* 류큐 열도의; 류큐 사람(Loochooan).

R.Z.S. 《영》 Royal Zoological Society.

S

S, s [es] (*pl.* **S's, Ss, s's, ss** [ésiz]) **1** 에스《영어 알파벳의 열아홉째 글자》. **2** S자 모양(의 것). **3** 제19번째(의 것)《J를 빼면 18번째》. **4** (학업 성적 등의 평점이) S(인 사람)《satisfactory의 생략》. **5** 필름 감광도 표시 기호의 일종. [cf.] SS, SSS. ***S for Samuel,*** Samuel의 S《국제 전화 통화 용어》.

-s [(유성음의 뒤) z, (무성음의 뒤) s, (s, z, ʃ, ʒ, tʃ, dʒ의 뒤) iz] *suf.* **1** 명사의 복수어미: desk*s* [-s], cat*s* [-s], dog*s* [-z], box*es* [-iz], church*es* [-iz], judg*es* [-iz]. ★ 보통 복수형으로 쓰이는 명사에 있어서도 같음: trouser*s* [-z], scissor*s* [-z]. **2** 3인칭·단수·현재의 동사 어미: He laugh*s* [-s]./She teach*es* [-iz]./It rain*s* [-z]. **3** 부사 어미: always [-z], needs [-z], unawares [-z].

's[1] [위 -s의 경우와 같음] **1** 명사의 소유격 어미: cat'*s*, dog'*s*, today'*s*, Korea'*s*. ★ s로 끝나는 고유명사에는 보통 -s's, -s'의 어느 쪽이든 쓰임: James'*s* [dʒéimziz] (or James'). **2** 글자·숫자·기호 따위의 복수 어미: S'*s*, 8'*s*, §'*s*. ★ ['] 는 생략하는 경우도 있음.

's[2] 《구어》 has, is, us, does, as의 간약형: He'*s* done it./It'*s* time./Let'*s* see./What'*s* he say about it?/so'*s* (=so as) be in time.

S Saxon; South; Southern; 〖문법〗 subject; 〖화학〗 sulphur 〔sulfur〕. **S, S** / sol, soles; sucre(s). **S.** Sabbath; Saint; Saturday; School; Sea; Senate; *Señor*; September; Signor; Socialist; Society; South(ern); Sunday. **s.** section; second(s); see; shilling(s); sign; singular; son; soprano; south(ern); steamer; stem; substantive.

$, $ dollar(s); escudo(s); peso(s); sol, soles; yuan(s): $3.00, 3달러. ★ *solidus*의 머리글자인 S의 장식 문자로, 포르투갈·남아메리카 등지의 화폐 단위 기호로 쓰이며, 만화 등에서는 '돈, 큰돈'을 뜻하는 기호로도 씀.

SA Support Assistance(지원 원조); Sub-Authorization(부(副)구매 승인서). **Sa** 〖화학〗 samarium. **S.A.** Salvation Army; South Africa; sex appeal; South America; South Australia; subject to approval. **s.a.** *secundum artem* 《L.》 (=according to art); semi-annual; *sine anno* 《L.》 (=without year or date); subject to approval.

Saar [zaːr, saːr] *n.* (the ~) 자르《독일 서부의 주〔강〕》.

Sab. Sabbath.

sab·a·dil·la [sæ̀bədílə] *n.* 사바딜라《멕시코산(産) 백합과(科) 식물》.

Sa·bae·an [səbíːən] *a.* 아라비아의 옛 왕국 사바(Saba [séibə] =Sheba)의. **—** *n.* 사바 사람; [U] 사바 말.

Sab·a·oth [sǽbiɑ̀θ, -ɔ̀ːθ, sǽbei-/sæbéiɔθ] *n. pl.* 〖성서〗 만군(萬軍), 군세(hosts). ***the Lord*** 〔***God***〕 ***of ~*** 만군의 주, 신(神)《로마서 IX: 29》.

Sab·ba·tar·i·an [sæ̀bətέəriən] *a., n.* 안식일(Sabbath)을 지키는 (사람). ㊀ **~·ism** *n.* [U] 안식일 엄수(주의).

◇**Sab·bath** [sǽbəθ] *n.* **1** (보통 the ~) 안식일(=~ dày)《유대교에서는 토요일, 기독교는 일요일》. **2** (s-) 안식, 평화; 휴식 기간. **3** (연1회 야밤중에 열린다는) 악마의 연회(witches' ~). ***break*** 〔***keep, observe***〕 ***the ~*** 안식일을 지키지 않다〔지키다〕. ㊀ **~·like** *a.*

Sábbath·brèaker *n.* 안식일을 지키지 않는 사람.

Sábbath dày's jóurney 안식일 노정《고대 유대교도가 안식일에 여행할 수 있었던 거리로, 약 2/3마일; 출애굽기 XVI: 26》; 《비유》 편안한 여행.

Sábbath Schòol (유대교도의) 안식일〔토요〕 학교; 교회 학교(Sunday school).

Sab·bat·ic, -i·cal [səbǽtik], [-əl] *a.* 안식일의〔같은〕; (s-) 안식의, 휴식의.

sabbátical lèave =SABBATICAL YEAR 2.

sabbátical yéar 1 (종종 S-) 안식년《이스라엘 사람들이 경작을 쉰 7년마다의 해》. **2** 안식 휴가《휴양·여행·연구를 위해 보통 7년마다 대학 교수·선교사 등에게 주는 1년간의 유급 휴가》.

sab·ba·tize [sǽbətàiz] *vt., vi.* 안식일을 지키다〔로 하다〕.

S.A.B.C. South African Broadcasting Corporation.

sa·be [sǽbi] *v., n.* =SAVVY.

Sa·be·an [səbíːən] *a., n.* =SABAEAN.

◇**sa·ber,** 《영》 **-bre** [séibər] *n.* **1** 사브르, 기병도(刀). **2** 기병; (*pl.*) 기병대. **3** (the ~) 무단정치. **4** 〖미항공〗 F-86형 제트 전투기. ***rattle one's ~*** 무력으로 위협하다, 화난 체하다. **—** *vt.* …을 사브르로 베다.

sáber-cùt *n.* 사브르의 상처 (자국).

sáber·mètrics *n. pl.* 〖단수취급〗 컴퓨터에 의한 야구 데이터 분석법〔통계 연구법〕. ㊀ **sàber-metrícian** *n.*

sáber ràttler 무모한 군국주의자.

sáber-ràttling *n.* (타국에 대한) 무력의 위협 「과시」.

sáber sàw 〖기계〗 휴대용 전기 실톱.

sáber-tòothed [-tùːθt, -tùːðd] *a.* 송곳니가 사브르 모양의〔으로 발달한〕.

sáber-toothed tíger 〔**líon, cát**〕 〖고생물〗 검치호(劍齒虎).

saber-toothed tiger

sáber·wìng *n.* 〖조류〗 (날개가 굽은) 벌새《남아메리카산(産)》.

Sa·bi·an [séibiən] *n.* 사비교도《Koran에서 이슬람교·유대교·기독교도와 함께 진정한 신의 신자로 인정되어 있음》. **—** *a.* 사비교도의.

sa·bin [séibin] *n.* 〖음향〗 세이빈《흡음(吸音)량의 단위》.

Sa·bi·na [səbíːnə, -bái-] *n.* 사비나《여자 이름》.

Sa·bine [séibain] *n., a.* (옛 이탈리아 중부의) 사빈 사람(의); [U] 사빈 말(의).

Sá·bin vàccine [séibin-] 세이빈 백신《소아마비 생(生)백신》.

sa·ble [séibəl] *n.* **1** 〖동물〗 검은담비; [U] 검은담비의 모피; [C] 검은담비 털로 만든 화필; (*pl.*) 검은담비 가죽옷〔목도리〕. **2** [U] 〖문장(紋章)〗《시

어》 흑색; (*pl.*) 《시어》 상복. — *a.* 검은담비 가죽의; 《시어》 검은, 흑색의; 암흑의; 무서운. ***his ~ Majesty*** 악마 대왕. ㊥ **~d** *a.* 《시어》 흑색의; 상복을 입은.

sáble·fish *n.* 【어류】 은대구《북태평양산》.

sab·ot [sǽbou] (*pl.* **~s** [-z]) *n.* 《F.》 **1** 사보, 나막신; 나무창의 가죽신. **2** 【군사】 탄저판(彈底板)《옛날 전장포(前裝砲)의 발사체에 장착한 나무〔금속〕 조각》, (축사(縮射)용) 송탄통(送彈筒)《대구경(大口徑)의 포강(砲腔) 안에서 축사탄을 받치고, 발사하면 탄환과 함께 움직이다가 포구에서 떨어지는 금속 고리》. **3** 《Austral.》 끝이 짧은 작은 요트. ㊥ **~ed** [sæbóud, sǽbouid] *a.* 나막신을 신은.

sab·o·tage [sǽbətɑ̀ːʒ] *n.* 《F.》 Ⓤ (쟁의 중의 노동자에 의한) 공장 설비 · 기계 따위의 파괴, 생산 방해; (피점령국 측의 공작원 · 지하 운동가에 의한) 파괴〔방해〕 활동; 〖일반적〗 파괴〔방해〕 행위. ★ 우리나라에서는 '사보타주'를 '태업(《미》 slow-down, 《영》 go-slow)'의 뜻으로 전용해서 씀. — *vt., vi.* 고의로 방해〔파괴〕하다.

sab·o·teur [sæ̀bətə́ːr] *n.* 《F.》 파괴〔방해〕 활동가. 「스라엘인.

sa·bra [sɑ́ːbrə] *n.* 이스라엘 태생의〔토박이〕 이

°**sa·bre** [séibər] *n., vt.* 《영》 = SABER.

sa·bre·tache [séibərtæ̀ʃ, sǽb-/sǽb-] *n.* (기병 장교의) 패낭(佩囊)《왼쪽 허리에 참》.

sa·breur [səbrə́ːr, sæ-; *F.* sabrœːr] *n.* 사브르를 찬 기병(騎兵); 검사(劍士).

sab·u·lous [sǽbjələs] *a.* 모래가 있는〔많은〕; 【의학】 침전물이 많은《오줌 따위》.

Sac [sæk, sɔːk] (*pl.* **~(s)**) *n.* = SAUK.

sac [sæk] *n.* 【생물】 낭(囊), 액낭(液囊), 기낭.

SAC 《미》 Senate Appropriations Committee (상원 세출 위원회); Seoul Area Command.

SAC, S.A.C. [sæk] 《미》 Strategic Air Command. **sac.** sacrifice.

sac·cade [sækɑ́ːd, sə-/sə-] *n.* 단속적〔성〕 운동《독서 중의 안구의 순간적 운동 등》.

sac·cad·ic [sækɑ́ːdik, sə-/sə-] *a.* 꿈틀거리는, 경련적인.

sac·cate [sǽkət, -eit] *a.* 낭상(囊狀)의; 유낭(有囊)의. 「(糖酸塩).

sac·cha·rate [sǽkərèit] *n.* Ⓤ 【화학】 당산염

sac·char·ic [səkǽrik] *a.* 설탕의; 설탕에서 얻은: ~ acid 【화학】 당산(糖酸). 「당류(糖類).

sac·cha·ride [sǽkəràid/-rid] *n.* Ⓤ 【화학】

sac·cha·rif·er·ous [sæ̀kərífərəs] *a.* 당류(糖類)를 내는〔함유하는〕.

sac·char·i·fy [səkǽrəfài, sæk-] *vt.* (녹말을) 당화(糖化)하다. ㊥ **sac·char·i·fi·ca·tion** [səkæ̀rəfəkéiʃən] *n.* Ⓤ 당화 (작용). 「(檢糖計).

sac·cha·rim·e·ter [sæ̀kərímətər] *n.* 검당계

sac·cha·rin [sǽkərin] *n.* Ⓤ 【화학】 사카린.

sac·cha·rine [sǽkərin, -rìːn, -ràin/-ràin, -rìːn] *a.* 당질(糖質)의; 설탕 같은(sugary); 지나치게 단; 달콤한《음성 · 태도 · 웃음》, 감상적인. — [-rin, -rìːn] *n.* = SACCHARIN. ㊥ **~·ly** *ad.* **sàc·cha·rín·i·ty** [-rín-] *n.* 당질, 달콤함. 「린을 치다; 《비유》 달게 하다.

sac·cha·ri·nize [sǽkərənàiz] *vt.* …에 사카

sac·cha·rize [sǽkəràiz] *vt.* 당화(糖化)하다. ㊥ **sàc·cha·ri·zá·tion** *n.*

sac·cha·ro- [sǽkərou, -rə], **sac·char-** [sǽkər] '당(糖)의, 사카린의'의 뜻의 결합사《모음 앞에서는 sacchar-》.

sac·cha·roid [sǽkərɔ̀id] *a.* 【지학】 (조직이) 막대사탕 모양의《대리석 등》. — *n.* 당상(糖狀) 조직. ㊥ **sàc·cha·rói·dal** [-dl] *a.*

sac·cha·ro·lyt·ic [sæ̀kəroulítik] *a.* 당(糖) 분해의; 당 분해성의.

sac·cha·rom·e·ter [sæ̀kərɑ́mətər/-rɔ́m-] *n.* 당액(糖液) 비중계, 검당계(檢糖計).

sac·cha·rose [sǽkəròus] *n.* = SUCROSE; 〖일반적〗 = DISACCHARIDE.

sac·ci·form [sǽksəfɔ̀ːrm] *a.* 낭상(囊狀)의.

sac·cu·lar [sǽkjələr] *a.* 주머니 모양의.

sac·cu·late, -lat·ed [sǽkjəlèit, -lət], [-lèitid] *a.* 소낭(小囊)의, 소낭으로 형성된. ㊥ **sàc·cu·lá·tion** *n.* 소낭 형성〔분리〕; 소낭 구조.

sac·cule [sǽkjuːl] *n.* 【해부】 (내이(內耳)의) 구형낭(球形囊); 소낭(小囊).

sac·er·do·tage [sǽsərdòutidʒ] *n.* 《우스개》 = SACERDOTALISM; 성직자 지배.

sac·er·do·tal [sæ̀sərdóutl] *a.* 성직자의, 사제(司祭)의; 사제제(制)의; 성직권 존중의. ㊥ **~·ism** [-təlìzəm] *n.* Ⓤ 성직자〔사제〕 제도; 사제 기질. **~·ist** *n.* 성직권 존중론자.

sác fùngus 【식물】 자낭균(子囊菌).

sa·chem [séitʃəm] *n.* (북아메리카 원주민의) 추장(chief); Tammany파의 간부; 정당의 당수, 거물급.

sa·chet [sæʃéi/∸] *n.* 《F.》 크림 · 샴푸 등을 넣는 작은 주머니; 향낭(香囊)《서랍 등에 두는》; Ⓤ (향낭용) 향가루(= ∠ **pòwder**). ㊥ **~ed** *a.*

****sack**[1] [sæk] *n.* **1** 마대, 자루, 부대《보통 거친 천의》. SYN. ⇨BAG. **2** (식품 따위를 넣는) 종이 봉지, 비닐봉지; 한 봉지(의 양): a ~ *of* candies 캔디 한 봉지. **3** (부녀자용의) 헐렁한 웃옷. **4** 《야구속어》 누(壘), 베이스(base). **5** (the ~) 《구어》 해고, '모가지'; 《구어》 (사랑 등의) 퇴짜, 박참. **6** (the ~) 《속어》 침낭, 잠자리; 《속어》 수면: be in the ~ 자고 있다. **7** 《속어》 골프 백. ***get*** 〔***have***〕 ***the ~*** 《구어》 해고당하다; 퇴짜 맞다. ***give the ~ to*** a person = ***give*** a person ***the ~*** 《구어》 아무를 해고하다, 아무에게 퇴짜를 놓다. ***hit the ~*** 《구어》 잠자리에 들다. ***hold the ~*** 《구어》 궁지에 버림받다; 불리한 일을 맡다, 억지로 책임을 떠맡다. — *vt.* **1** 부대〔자루〕에 넣다. **2** 《구어》 해고하다(dismiss). **3** 《구어》 (경기에서) 지우다(defeat). **4** 《구어》 슬쩍 후무리다. **5** 획득하다《*up*》. **~ *out*** 〔***in***〕 《미속어》 잠자리에 들다. **~ *up*** 《속어》 자다, (…에) 묶다《*with*》. ㊥ **∠·lìke** *a.*

sack[2] *vt.* (점령군이 도시를) 약탈〔노략질〕하다; (강도 등이) 금품을 빼앗다; 【미식축구】 (쿼터백을) 스크리미지 라인의 뒤에서 태클하다. — *n.* (the ~) (점령지의) 약탈; 강탈; 【미식축구】 색: put to the ~ 약탈하다. 「수입된 백포도주의 일종》.

sack[3] *n.* Ⓤ 【역사】 색《16-17세기에 영국으로

sack·but [sǽkbʌ̀t] *n.* (중세기의) 저음 나팔 《trombone의 옛 이름》; 그 연주자; 【성서】 = TRIGON.

sáck·clòth *n.* Ⓤ 부대용 거친 마포, 즈크; (뉘우치는 표시로 입던) 삼베옷. ***in ~ and ashes*** 깊이 뉘우쳐; 비탄에 잠겨.

sáck còat 신사복 상의. 「드레스.

sáck drèss (여성 · 유아용의) 헐렁한 웃옷, 색

sáck·er[1] *n.* 부대에 넣는〔를 만드는〕 사람; 《야구속어》 누수《기자 · 아나운서가 흔히 씀》.

sáck·er[2] *n.* 약탈자.

sack·er·oo [sæ̀kərúː] (*pl.* **~s**) *n.* 《속어》 침대.

sack·ful [sǽkfùl] (*pl.* **~s, sácks·fùl**) *n.* 부대 가득한 분량, 한 부대, 한 섬; 다량.

sáck·ing[1] *n.* Ⓤ 부대감〔천〕, 《특히》 거친 삼베.

sáck·ing[2] *n.* Ⓤ 약탈; 결정적 승리; 【미식축구】 = SACK[2]. 「달림》.

sáck ràce 자루 경주《자루에서 목만 내놓고

sáck sùit 《미》 신사복(lounge suit).

sáck tìme 《속어》 수면 (시간); 틈, 짬.

sacky [sǽki] *a.* (옷이) 헐렁한.
SACLANT Supreme Allied Commander, Atlantic《NATO 대서양군 최고 사령관〔부〕》.
sacque [sæk] *n.* =SACK DRESS.
sa·cra [sǽkrə, séi-] SACRUM의 복수.
sa·cral[1] [séikrəl] *a.* 제식(祭式)의, 성례(聖禮)의.
sa·cral[2] *a.* 〖해부〗 천골(薦骨)(부)의. **—** *n.* 천골; 천골 신경.
sa·cral·ize [séikrəlàiz] *vt.* 신성하게 하다. ㊞ **sà·cral·i·zá·tion** *n.*
◇**sac·ra·ment** [sǽkrəmənt] *n.* **1** 〖신교〗 성례전(聖禮典)《세례(baptism)·성찬(the Eucharist)의 두 예식》; 〖가톨릭〗 성사(聖事)《세례·견진·성체·고백·병자·신품·혼인의 일곱》. **2** (the ~, the S-) 성체용의 빵, 성체(=the ~ of the áltar). **3** 신성〔신비〕한 사물; 상징; 표; 선서, 서약. ***go to the*** **~** 성찬식에 참석하다. ***minister the*** **~** 성찬식을 행하다. ***take*** 〔***receive***〕 ***the*** **~** ***to*** do …하기를 맹세하고 영성체하다. ***the five*** **~*s,*** 5대 성사《견진·고백·병자·신품·혼인》. ***the last*** **~** 병자(病者) 성사.
sac·ra·men·tal [sæ̀krəméntl] *a.* 성례전(聖禮典)〔성찬〕의; 신성한; 성례전 존중의. **—** *n.* 〖가톨릭〗 준성사(準聖事)《성수(聖水)·성유(聖油)의 사용 또는 성호(聖號)를 긋는 일》; (*pl.*) 성찬식 용구. ㊞ **~·ism** *n.* Ⓤ 성찬 중시(重視)주의. **~·ist** *n.* 성찬 중시자. **~·ly** *ad.* 성례로서; 성찬식풍으로. **sàc·ra·men·tál·i·ty** *n.*
sac·ra·men·tar·i·an [sæ̀krəmentέəriən] *a.* 성찬(중시)의; (종종 S-) 〖역사〗 성찬 형식론자의. **—** *n.* =SACRAMENTALIST; (종종 S-) 〖역사〗 성찬 형식론자《예수의 피와 살의 실재를 부정함》. ㊞ **~·ism** *n.*
sac·ra·men·ta·ry [sæ̀krəméntəri] *a.* =SACRAMENTAL; SACRAMENTARIAN.
Sac·ra·men·to [sæ̀krəméntou] *n.* 새크라멘토《미국 California 주의 주도》.
Sácrament Súnday 성찬식을 행하는 일요일.
sa·crar·i·um [səkrέəriəm] (*pl.* ***-ia*** [-iə]) *n.* 〖성서〗 성전의 지성소; (저택 내의) 성소(聖所); 〖가톨릭〗 성수반(聖水盤)(piscina).
⁑**sa·cred** [séikrid] *a.* **1** 신성한(holy); 신에게 바쳐진, 신을 모신: a ~ building 〔edifice〕 신전. SYN. ⇨HOLY. **2** 종교적인, 성전(聖典)의. OPP. *profane, secular.* ¶ a ~ history 성서에 기록된 역사 / ~ music 종교 음악 / a ~ number 성수(聖數)《7 따위》/ a ~ place 묘지. **3** 신성불가침의; 신성시되는. **4** (사람·사물·목적 등에) 바쳐진(dedicated)《*to*》: a tree ~ *to* Jupiter 주피터에게 바쳐진 나무 / a fund ~ *to* charity 자선을 위한 기금. ***be*** **~** ***from*** …을 면(免)하다: No place *was* ~ *from* outrage. 난동을 면한 곳은 한 군데도 없었다. ***His*** 〔***Her, Your***〕 ***Most Sacred Majesty*** 《고어》 폐하《옛날 영국왕·여왕의 존칭》. ***hold*** **~** 신성시하다, 존중하다; 보호하다: *hold* a promise ~ 약속을 존중하다. ㊞ **~·ly** *ad.* **~·ness** *n.*
sácred babóon 〖동물〗 망토비비《고대 이집트인이 숭상한》.
sácred bambóo 〖식물〗 남천촉(南天燭)(nandina).
Sácred Cóllege (**of Cárdinals**) (the ~) 〖가톨릭〗 추기경단《교황의 최고 자문 기관》.
sácredców (인도의) 성우(聖牛); 《비유》 비판〔공격〕할 수 없는 신성한 것〔사람〕.
Sácred Héart (**of Jésus**) (the ~) 〖가톨릭〗 예수 성심(聖心) 축일.
sácred íbis 〖조류〗 (옛 이집트에서 영조(靈鳥)로 삼던) 따오기《나일강 유역산(産)으로, 머리·목이 검고 허리에 검은 장식 깃털이 있음》.
sácred múshroom 〖식물〗 (아메리칸 인디언이 의식에 쓰는) 환각성 버섯; =MESCAL BUTTON.
sácred órders 상급 성직(聖職)〔성품〕.
Sácred Wrít (the ~) 성전(聖典).
⁑**sac·ri·fice** [sǽkrəfàis] *n.* **1** 희생, 산 제물, 제물: offer a ~ 제물을 바치다. **2** 희생적인 행위, 헌신; Ⓤ 〖종교〗 예수의 십자가에 못박힘; 성찬. **3** Ⓤ (속죄의) 기도, 회오(悔悟). **4** 〖상업〗 투매(投賣) (~ sale); (투매로 인한) 손실(loss). **5** 〖야구〗 희생타, 희생 번트(~ bunt). ***at the*** **~** ***of*** … 을 희생하여. ***fall a*** **~** ***to*** …의 희생이 되다. ***make a*** **~** ***of*** …을 희생하다. ***sell at a*** (***large, great***) **~** (대)특가로 팔다, 특히 싸게 팔다. ***the great*** 〔***last, supreme***〕 **~** 위대한〔최후의, 최고의〕 희생《목숨을 버리기》: make *the supreme* ~ 목숨을 희생하다; 《우스개》 (여성이〔처녀가〕 싫어하면서) 몸을 허락하다.
— *vt.* **1** 《~+목/+목+전+명》 희생하다, 제물로 바치다; 단념〔포기〕하다《*for; to*》: ~ a sheep 양을 제물로 바치다 / ~ oneself *for* one's country 조국을 위해(서) 몸을 바치다 / ~ accuracy *to* effect (문장 등의) 효과를 노려 정확성을 희생하다. **2** 〖상업〗 투매하다, 헐값에 팔다. **3** 《+목+전+명》 〖야구〗 (주자를) 희생타로 진루시키다《*to*》: He ~*d* Tom *to* third base. 그는 희생타를 쳐서 톰을 3루에 나가게 했다. **—** *vi.* **1** 《+전+명》 산 제물을 바치다: ~ *to* God 신에게 산 제물을 바치다. **2** 〖야구〗 희생타를 치다.
㊞ **sác·ri·fic·er** *n.* 희생자.
sácrifice búnt 〔**hít**〕 〖야구〗 희생 번트, 희생타.
sácrifice flý 〖야구〗 희생 플라이.
sac·ri·fi·cial [sæ̀krəfíʃəl] *a.* 희생의, 산 제물의; 희생적인; 〖상업〗 투매의: a ~ lamb 번제(燔祭)의 새끼 양 / ~ sales 투매. ㊞ **~·ly** *ad.*
sacrifícial ánode 〖화학〗 전기 방식용(防蝕用) 양극(陽極)《수중(水中) 구조물 등의 방식(防蝕)을 위한 양극》.
sac·ri·lege [sǽkrəlidʒ] *n.* Ⓤ,Ⓒ 신성한 것을 더럽힘; (신성) 모독(죄), 벌받을 행위.
sac·ri·le·gious [sæ̀krəlídʒəs] *a.* (신성) 모독의; 벌받을. ㊞ **~·ly** *ad.* **~·ness** *n.*
sa·cring [séikriŋ] 《고어》 *n.* Ⓤ 미사의 축성(祝聖), (성체용 빵·포도주의) 청정(清淨); 축성식《대주교의 취임·국왕의 즉위 따위》.
sácring bèll 〖가톨릭〗 제령(祭鈴)《미사의 거양성체(擧揚聖體) 때 울리는 종》.
sa·crist, sac·ris·tan [sǽkrəst, séik-], [sǽkristən] *n.* 〖가톨릭〗 향방(香房) 관리인, 성당 성물(聖物) 관리인, 성당지기; 《고어》 교회지기.
sac·ris·ty [sǽkristi] *n.* (교회의) 성물실(聖物室), 성물 안치소.
sac·ro- [sǽkrou, -rə, séik-], **sacr-** [sǽkr, séi-] 〖해부〗 '천골(薦骨)…'의 뜻의 결합사.
sac·ro·il·i·ac [sæ̀krouíliæ̀k, sèik-] *n., a.* 〖해부〗 천장(薦腸) 관절(의〔에 관한〕).
sac·ro·sanct [sǽkrousæ̀ŋkt] *a.* 지성(至聖)의; 《비유》 신성불가침의. ㊞ **sàc·ro·sánc·ti·ty** [-təti] *n.* Ⓤ 신성불가침, 지성.
sa·crum [sǽkrəm, séik-] (*pl.* ***~s, -cra*** [-krə]) *n.* 〖해부〗 천골(薦骨). ◇ sacral² *a.*
SACW 《영》 Senior Aircraftwoman.
†**sad** [sæd] (***-dd-***) *a.* **1** 슬픈, 슬픔에 잠긴(sorrowful), 슬픈 듯한. OPP. *happy.* ¶ feel ~ 슬프다, 슬퍼하다 / a ~ face 슬픔에 잠긴 얼굴.

> SYN. **sad, sorrowful** sad가 보다 구어적이며 '유감된(sorry)'이란 뜻도 가미됨. sorrowful은 약간 시적인 어감(語感)을 풍김: a *sad* 〔*sorrowful*〕 song 비가(悲歌). **mournful** 음울한 어두움을 수반함. 슬픔에 잠긴, 애처로운: a *mournful* occasion 슬픈 일. **depressed** 기

가 죽은, 일시적으로 우울한. **melancholy** 장기적·습관적으로 우울한. **dejected** 낙심하여, 뚜렷한 원인에 의해 타격을 받은 경우가 많음: *dejected* over losing one's position 지위를 잃고 낙심하여. **despondent** 미래에 대한 희망을 잃어 실망한: *despondent* about one's failing health 자기의 병약함을 슬퍼하여.

2 슬퍼할, 통탄할: a ~ relaxation of morals 통탄할 도덕심의 해이. **3** 《구어》 괘씸한, 지독한; 열등한: a ~ rogue 형편없는 악당/a ~ mess 엉망, 뒤죽박죽. **4** (색이) 칙칙한(dull), 충충한(somber). **5** 《미방언·영》 (빵 등이) 설익은, 찐득거리는; 《영방언》 (지면 등이) 질척이는. ***a ~der and*** 〔***but***〕 (***a***) ***wiser man*** (슬픈 경험을 겪어 현명해진) 고생한 사람. ***in ~ earnest*** 《고어》 진지하게, 진정으로. ***make ~ work of it*** 큰 실수로 체면을 잃다. ~ ***to say*** 불행하게도, 슬프게도. ***that's really ~*** 《미속어》 불쌍해라 《형식적인 동정의 표현》. ***write ~ stuff*** 형편없는 문장을 쓰다.

SAD 〖정신의학〗 seasonal affective disorder.

sád ápple 《미속어》 싫은 놈, 비열한 놈; 음침한 놈; 겁쟁이.

SADARM 〖군사〗 sense and destroy armour (장갑 차량의 감지 및 파괴) 《미육군의 8인치포용 대전차 포탄》.

Sa·dat [sədɑ́:t, -dǽt/-dǽt] *n.* (**Mohammed**) **Anwar el-~** 사다트 《이집트의 2대 대통령; Nobel 평화상 수상(1978); 1918-81》.

sád-cólored *a.* 충충한.

SADD 《미》 Students Against Driving Drink ((고교생과 그 부모들의) 음주 운전 방지 학생 연합). cf. MADD.

°**sad·den** [sǽdn] *vt.* 슬프게 하다; 칙칙한〔충충한〕 색으로 하다. **—** *vi.* 슬퍼지다; (색이) 충충해지다. 파 **~·ing·ly** *ad.*

Sad·dhar·ma-Pun·da·ri·ka [sʌddə́rməpundʌ́rikə] *n.* 〖불교〗 묘법 연화경(妙法蓮華經), 법화경 《대승 불교의 중심이 되는 경전》.

sad·dish [sǽdiʃ] *a.* 서글픈, 구슬픈, 좀 슬픈; (색이) 다소 칙칙한.

sad·dle [sǽdl] *n.* **1** 안장; (자전거 따위의) 안장. **2** 안장 같은 것; (말 등의 안장을 놓는) 등 부분; (양의) 등심 고기. **3** (배의) 침목(枕木); 〖지학〗 안부(鞍部), 산등성이; 〖기계〗 안장 모양의 버팀 《새들 따위》; 〖건축〗 (현관의) 발판. **4** (대포의) 조준경(照準鏡)(의) 자리. **5** 《CB 속어》 시민 밴드 라디오를 장비하고 운행 중인 자동차군(群)의 한가운데 차. ***cast*** a person ***out of the ~*** 아무를 면직하다. ***either win the ~*** 〔***horse***〕 ***or lose the horse*** 〔~〕 성패를 걸고 해 보다. ***for the ~*** 승용(乘用)의〔으로〕: a horse *for the* ~ 승용마. ***in the ~*** 말을 타고; 권력을 휘두르는 자리에 앉아. ***lay*** 〔***put, set***〕 ***the ~ on the right*** 〔***wrong***〕 ***horse*** 《속어》 책망해야 할〔엉뚱한〕 사람을 책망하다; 칭찬해야 할〔엉뚱한〕 사람을 칭찬하다. ***lose the ~*** 낙마하다. ***sell*** one's ***~*** 《미속어》 돈이 모두 없어지다, 매우 가난해지다. ***take*** 〔***get into***〕 ***the ~*** 말을 타다; 자리〔직〕에 앉다; 권력을 쥐다. ***tall in the ~*** 《미속어》 당당하게.

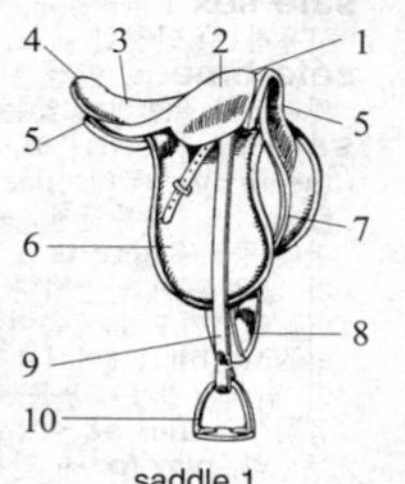

saddle 1

1. pommel 2. skirt 3. seat 4. cantle 5. pads 6. flap 7. knee puff 8. girth 9. stirrup leather 10. stirrup

— *vt.* **1** …에 안장을 놓다: ~ a horse. **2** 《+목+전+명》 …에게 짊어지우다, …에게 과(課)하다 《*with*》: ~ oneself *with* responsibilities 스스로 책임을 지다 / be ~*d with* debt 빚을 지다. **—** *vi.* 《~/+부》 (안장을 얹은) 말을 타다; 말에 안장을 얹다 《*up*》. 파 **~·lìke** *a.*

sáddle·bàck *n.* 안장 모양의 산등성이; 〖건축〗 =SADDLE ROOF; 등에 안장 모양의 무늬가 있는 새·물고기류. 파 **-bàcked** [-t] *a.* 안장 모양의; 등이 움푹 들어간 《동물 따위》; 등에 안장 모양의 무늬가 있는; 〖건축〗 saddle roof가 있는.

sáddle·bàg *n.* 안장에 다는 주머니; 모전직(毛氈織)의 일종.

sáddle blànket 안장 방석〔받침〕.

sáddle·bòw *n.* 안장의 앞가지.

sáddle·clòth *n.* 경주마 안장에 붙인 번호천; 안장 방석.

sáddle hòrse 승마용 말.

sáddle lèather 새들 레더 《마구용의 무두질한 쇠가죽》.

sád·dle·less *a.* 안장 없는 (말의).

sád·dler *n.* 마구 만드는〔파는〕 사람; 《미》 승마용 말; 〖군사〗 마구고(庫) 경비병; 《미》 =SADDLE HORSE.

sáddle ròof 〖건축〗 맞배지붕, 박공지붕(gable roof).

sad·dlery [sǽdləri] *n.* Ⓒ 마구 제조업, 마구점〔두는 곳〕; Ⓤ 《집합적》 마구 한 벌, 마구(류).

sáddle shòes 새들신 《구두끈 있는 등 부분을 색이 다른 가죽으로 씌운 Oxford shoes》.

sáddle sòap 가죽 닦는 비누.

sáddle sòre (안장으로 인하여 사람·말에 생긴) 쓸린 상처.

sáddle·sòre *a.* (말 탄 후에) 몸이 아픈〔뻐근한〕; (말이) 안장에 쓸린.

sáddle stìtch 〖제본〗 주간지처럼 책 등을 철사로 박는 제본 방식.

sáddle·trèe *n.* 안장틀; 〖식물〗 백합수(tulip tree).

sad·do [sǽdou] *n.* 바보, 얼간이; 무능력자.

sád dóg 난봉꾼, 무뢰한.

Sad·du·cee [sǽdʒəsì:, -djə-/-djə-] *n.* 사두개 교도; 《비유》 물질주의자. 파 **~·ìsm** *n.* Ⓤ 사두개파 《옛 유대교의 한 종파; 사자(死者)의 부활, 천사·영혼의 존재를 인정치 않음》. **Sàd·du·cé·an** [-sí:ən] *a.* 사두개파의.

sa·dhu [sɑ́:du:] *n.* 《Ind.》 성인(聖人), 현인.

Sá·die Háw·kins Dày [séidihɔ́:kinz-] 《미》 세이디 호킨스 데이 《여자가 남자를 댄스파티 등 사교 행사에 초대하는 날; 11월 초쯤》.

sad·i·ron [sǽdàiərn] *n.* 다리미, 인두.

sad·ism [séidizəm, sǽd-] *n.* Ⓤ 사디즘, 가학성(加虐性) 변태 성욕; 《일반적》 병적인 잔혹성. OPP. *masochism*. 파 **sád·ist** *n.*, *a.* 가학성 변태 성욕자(의). **sa·dis·tic** [sədístik, sei-] *a.* 사디스트적인.

sad·ly [sǽdli] *ad.* **1** 슬픈 듯이, 구슬프게: She looked at him ~. 그 여자는 슬픈 듯이 그를 보았다/The bell rang ~. 종이 구슬프게 울렸다. **2** 애처롭게, 딱할 정도로, 비참하게 《흔히 비꼬는 말투》: ~ deficient in intelligence 딱할 정도로 머리가 나쁜. **3** 몹시: You are ~ mistaken. 네가 몹시 잘못했다. **4** (색이) 충충하여. **—** *a.* 《영방언》 기분이 언짢은: look ~ 안색이 좋지 않다.

***sad·ness** [sǽdnis] *n.* Ⓤ **1** 슬픔, 비애. SYN. ⇨SORROW. **2** 슬픈 모양〔안색〕.

sad·o·maso [sǽdoumǽsou, séid-] *a.* sadomasochism의. **—** *n.* =SADOMASOCHIST.

sa·do·mas·o·chism [sæ̀doumǽsəkìzəm,

sèid-] *n.* 가학 피학성(被虐性) 변태 성욕. [파] **-chist** *n., a.* 가학 피학성 변태 성욕자(의).
sà·do·màs·o·chís·tic *a.*
sád sàck 《미구어》 멍청이; 요령이 없는 사람〔병사〕, 어수룩한 병사. [파] **sád-sàck** *a.*
sae [sei] *ad.* 《Sc.》 =SO¹.
SAE, S. A. E. 《미》 Society of Automotive Engineers(자동차 기술자 협회). **s.a.e.** stamped addressed 〔self-addressed〕 envelope(회신용 봉투(를 동봉한 것)).
SÀE nùmber 〖기계〗 SAE 점도(粘度) 번호《윤활유의 점도 표시》.
sa·fa·ri [səfɑ́:ri] *n.* (사냥·탐험 등의) 원정 여행, 사파리; (동아프리카의) 수렵대(隊), 탐험대; 《미》 (유세 따위를 위한 정부 요인의) 호화판 여행. **—** *vi.* 사파리를 하다.
safári bòots 사파리 부츠《면(綿)개버딘 부츠로, 발 부분은 보통 샌들》.
safári jàcket 사파리 재킷《주머니 네 개와 허리 벨트가 특징인 면(綿)개버딘제 재킷》.
safári pàrk 《영》 (동물을 놓아 기르는) 사파리 공원(《미》 animal park).
safári sùit 사파리 슈트《safari jacket과 같은 천의 스커트〔바지〕의 맞춤》.
†**safe** [seif] *a.* **1** 안전한, 위험(성)이 없는, 피해 입을〔가해할〕 걱정이 없는《*from*》. [opp] *dangerous*. ¶ be ~ *from* fire 불날 염려가 없다 / Is your dog ~? 자네의 개는 괜찮은가〔물지 않는가〕.

> [SYN] **safe** 위험이 없는〔없었던〕 상태에 쓰이는 가장 일반적인 말: arrived home *safe* after a rough voyage 험악한 항해를 마치고 무사히 집에 돌아왔다. **secure** 위험으로부터 안전하게 지켜져 있다, 보장돼 있다는 안심감. 대개는 safe의 강조형이지만, feel *secure*(마음 든든하다)처럼 미래의 안전에 관한 보장에 사용되며, arrived home *secure*라고는 별로 쓰지 않음.

2 〖be, come, arrive, bring, keep 따위의 보어〗 무사히, 탈 없이, 손상 없이: see a person ~ home 아무를 무사히 집에까지 바래다 주다. ★ safe는 예전엔 부사이기도 했으므로 오늘날에도 safely를 대용하는 일이 있음. **3** 믿을 수 있는: a ~ driver 안심할 수 있는 운전사 / a ~ person to confide in 털어놓아도 괜찮을 사람. **4** 신중한, 주의 깊은, 소심한: a ~ play 신중한 경기 자세. **5** 확실한, 반드시 …하는: a ~ winner 우승이 확실한 사람〔말〕/ He is ~ to get in. 당선이 확실하다 / a ~ first, 1등이 틀림없는 사람 / a ~ one 〔'un〕 〖경마〗 우승이 확실한 말. **6** 〖야구〗 세이프의. ◇ safety *n.* **(as) ~ as anything** 〔《구어》 **houses, a house, the Bank of England**〕 더없이 안전한. **be on the ~ side** 신중을 기하다, 조심하다. **It is ~ to say that ....** =**It is a ~ bet that ....** …라 해도 괜찮다〔과언이 아니다〕. **on the ~ side** 신중을 기하여, 만일을 위하여. **play it ~** 《구어》 위험을 무릅쓰지 않다. **~ and sound** 무사히, 탈 없이. **~ in jail** 안전하게 수감돼 있는. **—** (*pl.* **~s**) *n.* **1** 금고. **2** 파리장(meat safe), 안전 찬장. **3** 찰과(擦過) 방지 안장 받침가죽. **4** 새는 물을 받는 접시. **5** 《미속어》 =CONDOM. [파] **∠·ness** *n.*
sáfe àrea 안전지대《전투지 부근의 군사 공격으로부터 방호되어 있는 지대》.
sáfe bét 틀림없이 이길 내기; 확실한 것.
sáfe·blòwing *n.* [U] (금고털이의) 금고 폭파. [파] **-blòwer** *n.* (폭약을 쓰는) 금고 (터는) 도둑.
sáfe·brèaker *n.* [U] 금고 (터는) 도둑.
sáfe-cónduct *n.* (특히 전시의) 안전 통행권(權)〔증〕; 호송. **in** 〔**with, under, upon**〕 **(a) ~** 안전 통행권을 가지고. **—** *vt.* …에게 안전 통행권을 주다; 호송〔호위〕하다(escort).
sáfe·cràcker *n.* =SAFEBREAKER.
sáfe depòsit (귀중품) 보관소, 보관고(庫).
sáfe-depòsit *a.* 안전 보관의: a ~ company 금고 대여 회사 / a ~ box 〔vault〕 (은행의) 대여 금고〔금고실〕.
◇**sáfe·guàrd** *n.* **1** [U] 보호, 호위; [C] 보호물, 안전장치; 보장 조항〔규약〕; [U,C] (유혹 따위의) 방위 (수단) 《*against*》. **2** [C] 호위병, 호위선(船); 안전 통행증(safe-conduct). **3** 〖경제〗 긴급 수입 제한 조처. **—** *vt.* 보호하다, 호위하다, 호송하다. **—** *vi.* (…에서) 지키다, (…을) 막다. [파] **~·ing** *n.* 《특히》 (수입세에 의한) 산업 보호: *~ing* duties 《영》 (국내 산업 보호를 위한) 수입세.
sáfeguard clàuse 〖경제〗 긴급 수입 제한 조항《GATT의 19 조(條)의 규정》.
sáfe háven 〖군사〗 안전 대피소. **1** 비상시에 비전투원·비전투 차량·물자 따위를 대피시키는 지정 장소. **2** 핵물질의 극비 수송을 위한 일시 저장소.
sáfe hít 〖야구〗 안타(base hit).
sáfe hóuse (간첩·테러 분자 등의) 아지트, 연락처.
sáfe·kèep *vt.* 보호〔보관〕하다.
sáfe·kèeping *n.* [U] 보호, 호위, 보관(custody): be *in* ~ *with* a person 아무에게 보관되어 있다.
sáfe·lìght *n.* [U] 〖사진〗 (암실용) 안전광(光).
‡**safe·ly** [séifli] *ad.* 안전하게, 무사히: arrive ~ 안착하다 / put away ~ 안전한 곳에 치우다. ***It may ~ be said that ....*** …라고 말해도 틀림〔상관〕없다.
saf·en [séifən] *vt.* 안전하게 하다, (특히 어떤 물질 중의 독성을) 딴 물질과 섞어 완화하다〔무해하게 하다〕. [파] **~·er** *n.* (독성) 완화제.
sáfe pássage 호송, 호위(safe conduct).
sáfe pèriod (월경 전후의 임신 가능성이 가장 적은) 안전 기간.
sáfe séat (의회 등에서 어떤 정당에 의해) 차지될 것이 확실한 의석.
sáfe séx (성병이나 에이즈 예방을 위해 콘돔을 사용하는) 안전한 섹스.
sáfe-tìme *n.* 안전 시간《비행 중인 미사일에서 핵탄두가 폭발하지 않는 시간》.
‡**safe·ty** [séifti] *n.* **1** [U] 안전, 무사; 무난(security), 무해: flee for ~ 피난하다 / traffic 〔road〕 ~ 교통안전 / ~ of principal 원금의 안전〔보증〕/ There is ~ in numbers. 《속담》 수가 많은 편이 안전하다. **2** 안전장치, 안전판; 《구어》 안전면도칼; 《속어》 =CONDOM. **3** 〖야구〗 안타(safe hit); 〖미식축구〗 세이프티《자기편 골라인 뒤에 (잘못) 공을 찍기; 수비팀이 2점을 얻음》. (a rifle) **at ~** 안전장치를 건 (소총). **in ~** 무사히. **play for ~** 안전〔신중〕을 기(期)하다. **~ first** 안전제일《위험 방지 표어》. **seek ~ in** …에 안전을 찾다, …으로 피난하다. **with ~** 안전하게, 무사히, 틀림없이. **—** *vt.* 안전하게 하다, …에 안전장치를 하다.
sáfety bèlt 구명대(帶)(life belt); 안전벨트〔띠〕《자동차·비행기 등의 좌석용; seatbelt가 더 일반적》; (고소 작업용) 구명삭(索). ***Fasten your ~!*** 좌석 벨트를 매시오.
sáfety bìcycle 《고어》 (보통의) 자전거. [cf] ordinary.
sáfety bòlt (총 따위의) 안전장치.
sáfety càge 〖자동차〗 세이프티 케이지《충돌 사고에 대비하여 객실 안전을 위한 보강 지주틀》.
sáfety càtch 〖기계〗 안전 손잡이《승강기 등의 안전정지 장치》; 《총 따위의》 안전장치.
sáfety chàin (현관문의) 안전 체인《일정 이상 문이 열리는 것을 방지함》; 〖철도〗 (차량의 연결

파손 방지용) 체인; 시계·보석 등을 옷에 다는 데 쓰는 사슬. 「(防火)막.
sáfety cùrtain (극장 등의 석면으로 된) 방화
sáfety-depòsit *a.* =SAFE-DEPOSIT.
sáfety explòsive 안전 폭약〔화약〕.
sáfety fàctor 〖기계〗 안전율〔계수〕.
sáfety film 〖영화〗 안전 필름⦅타지 않는⦆.
sáfety fùse (폭약의) 안전 도화선; 〖전기〗 퓨즈.
sáfety glàss 안전유리.
sáfety hàrness (차 따위의) 안전벨트〔띠〕.
sáfety ìsland 〔**ìsle**〕 (도로 위의) 안전지대.
sáfety làmp (광산용) 안전등.
sáfety lòck 안전 자물쇠; (총의) 안전장치.
sáfety·màn [-mæ̀n] (*pl.* **-mèn** [-mèn]) *n.* 〖미식축구〗 수비 측의 최후방에 위치하는 선수
sáfety màtch (안전)성냥. ⌊(safety).
sáfety mèasure 안전 대책.
sáfety nèt (서커스 등의) 안전망; ⦅비유⦆ 안전책.
sáfety pìn 안전핀.
sáfety plày 〖브리지〗 안전책⦅overtrick을 희생해도 되도록 contract를 안전히 만들려는 플
sáfety ràzor 안전면도(칼). ⌊레이⦆.
sáfety shòes 안전화⦅낙하물 등에 대한 발가락 보호용; 인화물 취급자 등이 사용하는, 불꽃 방지 밑창이 달린 신⦆.
sáfety vàlve 1 (보일러의) 안전판(瓣); (감정·정력 따위의) 배출구: sit on the ~ 안전판을 누르다; (일시 방편으로) 탄압하다 / act 〔serve〕 as a ~ 안전판 역할을 하다. **2** 〖미식축구〗 세이프티 밸브⦅다운필드를 달리는 주자가 수비진에 막혔을 때 플랫에 있는 백에게 던지는 짧은 패스⦆.
sáfety zòne ⦅미⦆ (도로 위의) 안전지대.
saf·flow·er [sǽflàuər] *n.* 〖식물〗 잇꽃; 잇꽃 물감⦅붉은색⦆.
°**saf·fron** [sǽfrən] *n.* 〖식물〗 사프란(=**∠ cròcus**); 그 꽃의 암술머리⦅과자 등의 착색 향미료⦆; [U] 사프란색, 샛노랑(=**∠ yéllow**). **—** *a.* 사프란색의. [파] **~y** *a.* 사프란색의〔을 띤〕.
saf·ing [séifiŋ] *a.* 〖우주〗 (로켓·미사일 따위가) 안전화 장치가 돼 있는; 고장 등에 대해 안전하게 작동하는.
S. Afr. South Africa(n). 「닌⦅염료⦆.
saf·ra·nin(e) [sǽfrəniːn, -nin] *n.* [U] 사프라
SAfrD South African Dutch.
saf·rol(e) [sǽfroul] *n.* 〖화학〗 사프롤⦅향수용⦆.
sag [sæg] (**-gg-**) *vi.* **1** ⦅~/+[부]⦆ 휘다, 처지다, 축 늘어지다, 내려앉다, 굽다, 기울다: The ceiling is *~ging.* 천장이 처져 있다 / The shelves ~ (*down*) under the weight of the books. 선반이 책 무게로 처져 있다. **2** (시세·물가 등이) 떨어지다. **3** 기운이 빠지다, 기진하다. **4** 〖해사〗 (배가 바람에 밀려) 흘러가다, 표류하다. **—** *vt.* 처지게〔늘어지게〕 하다. **~ *along*** 내리막길을 걷다; 느릿느릿 나아가다. **~ *to one's knees*** 맥없이 꿇어앉다. **—** *n.* **1** 휨, 처짐, 늘어짐; (땅 따위의) 꺼짐, 함몰. **2** 〖상업〗 (시세의) 하락, 점락(漸落). **3** 〖해사〗 (바람에 밀려) 흘러감, 표류.
SAG Screen Actors Guild.
sa·ga [sáːgə] *n.* (영웅·왕후(王侯) 등을 다룬) 북유럽의 전설; 무용담, 모험담; 계도(系圖)〔대하〕 소설 (~ novel, *roman-fleuve*).
°**sa·ga·cious** [səgéiʃəs] *a.* 총명〔명민, 현명〕한; 기민한; (동물이) 사람처럼 영리한; ⦅폐어⦆ (사냥개가) 후각이 예민한. [SYN.] ⇨ WISE. [파] **~·ly** *ad.* **~·ness** *n.* =SAGACITY.
°**sa·gac·i·ty** [səgǽsəti] *n.* [U] 총명, 명민.
sag·a·more [sǽgəmɔ̀ːr] *n.* (북아메리카 원주민의) 부추장, (때로는) 추장(sachem).
sága nòvel 대하소설.
°**sage**[1] [seidʒ] *a.* 슬기로운, 현명한; 사려 깊은, 경험이 많은; ⦅우스개⦆ 현인인 체하는, 점잔 빼는 ⦅얼굴 따위⦆. [SYN.] ⇨ WISE. **—** *n.* 현인, 철인; 경험이 풍부한 현자, 박식한 사람; ⦅우스개⦆ 현인인 체하는 사람. ***the Sage of Chelsea*** 〔***Concord***〕, Carlyle 〔Emerson〕의 별명. ***the seven ~s*** (***of ancient Greece***) (고대 그리스의) 7현인. [파] **∠·ly** *ad.* **∠·ness** *n.*
sage[2] *n.* [U] 〖식물〗 세이지⦅샐비어의 일종⦆; 그 잎⦅약용·요리용⦆; =SAGEBRUSH.
SAGE [seidʒ] ⦅미⦆ Semi-Automatic Ground Environment(반자동 방공망). [cf.] BADGE.
ságe·brùsh *n.* [U] 〖식물〗 쑥의 일종⦅미국 서부 산(産)⦆. 「서부물(物).
ságe·brùsher *n.* ⦅미속어⦆ 서부극, (소설의)
Ságebrush Státe (the ~) Nevada 주의 속칭. 「지 치즈.
ságe chéese (세이지로 맛·색깔을 낸) 세이
ságe gréen 쑥색⦅세이지 잎의 빛깔⦆.
ságe gròuse 뇌조(雷鳥)의 일종⦅북아메리카 서부산(西部産)⦆.
ságe hèn =SAGE GROUSE⦅주로 암컷을 말함; 수컷은 **ságe còck**⦆.
ságe tèa 샐비어 잎을 달인 약.
sag·gar, sag·ger [sǽgər] *n.* 토갑(土匣)⦅고급 사기를 구울 때 쓰는 내화토제(耐火土製)의 보호 용기⦆. **—** *vt.* ~에 넣어 굽다. 「진.
sag·gy [sǽgi] (**-gi·er; -gi·est**) *a.* 처진, 늘어
Sa·ghal·ien [sàːgaːljén] *n.* =SAKHALIN.
Sa·git·ta [sədʒítə] *n.* 〖천문〗 화살자리(the Arrow).
sag·it·tal [sǽdʒətl] *a.* 〖해부〗 시상(矢狀) 봉합의; 화살(촉) 모양의: a ~ suture 시상 봉합. [파] **~·ly** *ad.*
Sag·it·ta·ri·us [sæ̀dʒətέəriəs] *n.* 〖천문〗 궁수(弓手)자리; 인마궁(the Archer). 「촉 모양의.
sag·it·tate [sǽdʒətèit] *a.* 〖식물〗 (잎이) 화살
sa·go [séigou] (*pl.* **~s**) *n.* [U] 사고⦅사고야자의 나무 심에서 뽑은 녹말⦆; [C] 〖식물〗 사고야자(=**∠ pàlm**)⦅동인도 제도산(産)⦆.
sa·gua·ro [səgwáːrou] (*pl.* **~s**) *n.* ⦅Sp.⦆ 〖식물〗 키가 큰 선인장의 일종(giant cactus)⦅기둥꼴로, Arizona 산(産)⦆.

saguaro

Sa·hara [səhǽrə, -háːrə/-háːrə] *n.* **1** (the ~) 사하라 사막. **2** 〔일반적〕 황야, 불모의 땅. [파] **Sa·har·i·an, Sa·har·ic** [-iən], [səhǽrik] *a.*
Sa·har·an [səhǽrən, -háːr-/-háːr-] *n., a.* 〖언어〗 사하라 제어(의).
Sa·hel [səhéil, -híːl] *n.* (the ~) 사하라 사막 주변 지대(의 사바나〔초원〕).
sa·hib [sáːhib] (*fem.* **-hi·ba(h)** [-ə], ***mém-sà·hib***) *n.* ⦅Ind.⦆ 나리⦅특히 식민지 시대에 인도인이 유럽인에게 쓴 존칭⦆; (S-) 각하, 대감, 선생, …님; ⦅구어⦆ 백인, ⦅특히⦆ 영국인; 신사: Jones *Sahib* 존스 나리 / pukka ~ 훌륭한 신사.
Sah·ra·wi [saːráːwiː] (*pl.* **~, ~s**) *n.* 사라위족⦅서(西)사하라 주민⦆.
said [sed] SAY의 과거·과거 분사. **—** *a.* (보통 the ~) 〖법률〗 전기(前記)한, 상술(上述)한: the ~ person 본인, 당해 인물 / the ~ witness 전술한 증인.
Sai·gon [saigán/-gɔ́n] *n.* 사이공⦅옛 베트남의 수도⦆. [cf.] Ho Chi Minh City. [파] **Sai·gon·ese** [sàigəníːz] *a., n.*

sail [seil] *n.* **1** 돛; 〖집합적〗 배의 돛: go by ~ 범주(帆走)하다. **2** 돛단배, 범선; 〖집합적〗 선박, …척의 배: a fleet of twenty ~, 20척 편성의 선대. **3** (a ~) 범주(帆走), 항해; 뱃놀이; 항정(航程): two days' ~ 이틀의 항정. **4** 돛 모양의 것; 풍차의 날개; (잠수함의) 전망탑. **5** 《시어》 (새의) 날개. **6** 〖어류〗 돛새치의 등지느러미. **7** 앵무조개의 촉수(觸手). **8** (the S-) 〖천문〗 돛자리 (Vela). **9** (*pl.*) 〖단수취급〗 《해사속어》 돛 제작〔수리〕자. ***at full*** **~(*s*)** =***full*** **~** 강한 순풍을 받고, 전속력으로. ***bend the*** **~** 돛을 활대에 동여매다. ***fill the*** **~** 돛에 바람을 받게 하다. ***furl a*** **~** 돛을 감다〔말다〕. ***get in a*** **~** 돛을 줄이다. ***get under*** **~** 출항하다, 출범하다. ***go for a*** **~** (돛배로) 뱃놀이 가다. ***haul in*** one's **~*s*** 사양하다, 삼가다. ***hoist*** 〔***put up***〕 **~** 돛을 올리다; 도망치다. ***in full*** **~** 돛을 전부 달고. ***in*** **~** 돛을 올리고; 돛배를 타고. ***lower*** (one's) **~** 돛을 내리다; 항복하다. ***make*** **~** 돛을 올리다; 돛을 더 달고 빨리 가다; 출항하다. ***make*** **~** ***to*** (a fair wind) (순풍)에 돛을 달다. ***more*** **~** ***than ballast*** 실속보다 겉치레. ***red*** **~*s in the sunset*** 《속어》 생리 중. ***reef*** one's **~*s*** 활동 범위를 좁히다; 노력〔활동〕을 줄이다. ***Sail ho!*** 배가 보인다《경보》. ***set*** **~** 돛을 올리다; (…을 향하여) 출범하다《*for*》. ***shorten*** (one's) **~*s*** 돛을 줄이다; 욕망〔야심〕을 삼가다. ***strike*** (***a***) **~** 급히 돛을 내리다《경의·항복 신호로서 또는 강풍 때》; 주제넘게 굴지 않다; 항복하다; 돈에 몰리다. ***take in*** **~** 돛을 줄이다; 야심〔욕망〕을 억누르다. ***take*** **~** (…에) 승선하다《*in*》. ***take the wind out of*** 〔***from***〕 a person's **~*s*** ⇨ WIND[1]. ***trim*** one's 〔***the***〕 **~*s*** (***before*** 〔***to***〕 ***the wind***) 돛을 조절하다; 임기응변의 조처를 취하다. ***under*** (***full***) **~** (온) 돛을 펴고; (전력) 항해 중에.

— *vi.* **1** 《~/+전+명/+부》 범주하다; 항해하다; 출범하다: ~ (at) ten knots, 10노트로 항해하다 / ~ *round* a cape 곶을 돌아 항해하다 / The ship is ~*ing along.* 배가 항해 중이다. **2** 《~/+부》 (새·비행기 등이) 날다; (물새 등이) 미끄러지듯 헤엄쳐 가다, 유영(游泳)하다: clouds ~*ing* overhead 머리 위를 가볍게 떠 가는 구름 / He ~*ed up* in a new car. 그는 새 차로 달렸다. **3** 《+전+명》 당당히 나아가다; (특히 여성이) 점잔 빼며 걷다: She ~*ed into* the room. 그녀는 점잖게 방으로 들어왔다. **4** 《+전+명》 《구어》 힘있게 일을 시작하다; 감연히 하다《*into*》: He ~*ed into* the work. 그는 힘차게 일을 시작했다. **5** 《+전+명》 《구어》 공격하다, 매도하다《*into*》: He ~*s into* his wife whenever his work goes badly. 그는 일이 잘 안 되면 언제나 아내를 꾸짖는다. **6** 《+전+명》 《비유》 (세관·시험·곤란 등을) 쉽게 통과하다; 성취하다《*through*》: He ~*ed through* the difficult examination. 그는 어려운 시험에 쉽게 합격했다. **—** *vt.* **1** 항해하다; (사람·배가 바다·강을) 항행하다, (새·항공기 등이 하늘을) 날다: ~ the ocean 대양을 항해하다. **2** (배나 요트를) 달리다, 조종하다; (장난감 배를) 띄우다: ~ a boat. **~** ***against the wind*** ① 〖해사〗 맞바람을 안고 범주(帆走)하다. ② 《구어》 대세를 거스르다. **~** ***a race*** 범선 경주를 하다. **~** ***before the wind*** 순풍에 돛을 달고 달리다; (일이) 순조롭게 되어 가다, 순조롭게 출세하다. **~** 〔***run***〕 ***close to*** 〔***near*** (***to***)〕 ***the wind*** ① 이물을 되도록 바람 방향에 가까이 하고 범주하다. ② (만사를) 알뜰하게 절약하다; 절약하여 살다. ③ 예절을 벗어날듯 말듯이 행하다〔말하다〕. ④ (죄·발각 등을) 간신히 피하다; 위험을 저지르다. **~** ***for*** (Korea) (한국)을 향해 출항〔항해〕하다. **~** ***in*** ① 입항하다. ② 《구어》 (논의·개혁 등을) 시작하다, 착수하다. ③ 《구어》 비난하다, 욕하다. **~** ***large*** 순풍을 받고 달리다. **~** ***on*** (the Queen Mary) (퀸메리호)를 타고 떠나다. **~** ***out*** (경주 등을) 끝까지 해내다. **~** (***right***) ***through*** (…을) 손쉽게 해치우다〔통과하다〕, (일 따위를) 단시간에 마무리 짓다: ~ *right through* one's homework 숙제를 손쉽게 해치우다. **~** ***under*** (the Korean flag) (태극기)를 달고 항해하다. **~** ***under false colors*** ⇨ COLOR.

㊞ **∠·a·ble** *a.* **~ed** *a.*

sáil·bòard *n.* 1-2인용 소형 평저(平底)범선; 윈드 서핑용 보드; (*pl.*) 《미속어》 (사람의) 발 (the feet).

sáil·bòard·ing *n.* 윈드서핑(windsurfing).

◇**sáil·bòat** *n.* 《미》 돛배, 범선, 요트(《영》 sailing boat). ㊞ **~·er** *n.* **~·ing** *n.*

sáil·clòth *n.* Ⓤ 범포(帆布), 즈크; 질긴 삼베의 일종《여성복·커튼용》.

sáil·er *n.* **1** 범선. **2** (속력이) …한 배: a good 〔fast〕 ~ 속력이 빠른 배 / a heavy 〔bad, poor, slow〕 ~ 속력이 느린 배.

sáil·fish *n.* 〖어류〗 돛새치.

sailfish

sáil·ing *n.* **1** Ⓤ 범주(帆走)(법); 항해(술); 요트 경기: ⇨ GREAT-CIRCLE SAILING; PLAIN 〔PLANE〕 SAILING. **2** Ⓤ,Ⓒ 출항, 출범: the hours of ~ 출항 시간 / a list of ~*s* 출항표. **3** Ⓤ 항행력, 속력. **—** *a.* 범주의; 배의; 출항〔출범〕의.

sáiling bòat 《영》 돛배, 범선, 요트(《미》 sailboat).

sáiling dày (객선의) 출항(出港)일; (화물의) 출항일.

sáiling màster (《영》 요트·《미》 군함의) 항해장.

sáiling òrders 출항 명령(서), 항해 지시서.

sáiling shìp 〔**vèssel**〕 범선.

sáil·less *a.* (배에) 돛이 없는; (바다에) 돛〔배〕 그림자 하나 안 보이는.

sáil lòft 돛 깁는 방; 제범(製帆) 공장.

sáil·màker *n.* 돛 깁는 사람; 〖미해군〗 봉범장(縫帆長)〔준위〕.

sáil·òff *n.* 《미》 요트 경주.

sail·or [séilər] *n.* **1** 뱃사람, 선원, 해원. **2** 수병; 해군 군인. ≒ sailer. **3** 세일러 해트《운두가 낮은 여자용 밀짚모자; 차양이 위로 젖혀진 어린이용 밀짚모자》(=∠ **hàt**). **4** =SAILOR SUIT. **5** 《미속어》 여성에게 환심 사려고 하는 남자. ***a good*** 〔***bad, poor***〕 **~** 뱃멀미 안 하는〔하는〕 사람. ***a*** **~** ***before the mast*** 평선원〔수병〕. ㊞ **~·ing** [-riŋ] *n.* Ⓤ 선원 생활; 선원〔뱃사람〕의 일. **~·less** *a.* **~·ly** *a.* 뱃사람다운, 선원에 적합한. **~·like** *a.*

sáilor còllar 세일러 칼라《세일러복의 접은 깃》.

sáilor·màn [-mæ̀n, -mən] (*pl.* **-men** [-mèn, -mən]) *n.* 《비어·우스개》 =SAILOR.

sáilor's-chóice (*pl.* ~) *n.* 〖어류〗 미국 대서양 연안·멕시코 만의 식용어.

sáilors' fríend (the ~) 《해사구어》 달(the moon).

sáilors' hóme 해원 숙박소〔보호소, 회관〕.

sáilor's knòt 선원의 밧줄 매듭(법); 넥타이 매는 법의 하나.

sáilor sùit 선원〔수병〕복; (어린이용) 세일러복.

sáil·plàne *n.* 세일플레인《익면 하중(翼面荷重)이 작은 글라이더》. **—** *vi.* ~으로 활공하다〔날다〕. ㊞ **-plàner** *n.*

sáil·yàrd *n.* 활대.

sain·foin [séinfɔin/sǽn-] *n.* 〖식물〗 깍지에 가시가 많은 콩과 식물의 일종《사료·녹비(綠肥)용; 유럽산》.

saint [seint] (*fem.* **∼·ess** [-is]) *n.* **1** 성인《죽은 후 교회에 의해 시성(諡聖)이 된 사람》; 〖일반적〗 성도: ⇨PATRON SAINT. **2** (S-) 성(聖)…《인명·교회명·지명 따위 앞에서는 보통 St. [seint, sən(자음 앞), sənt(모음 앞)]로 씀; 이 사전에서는 지명·기타의 복합어에서 St.는 Saint로 철자할 때의 어순(語順)으로 보였음》: *St.* Luke 성(聖)누가 / *St.* Helena 세인트헬레나; 유형지. **3** 〖일반적〗 덕이 높은 사람; 인내심 많은〔자비로운〕 사람; 〖반어적〗 성인인 체하는 사람: ⇨SUNDAY SAINT / I'm no ∼. 나는 결점투성이의 인간이다 / Young ∼*s*, old sinners 〔devils〕. 《속담》 젊은 때의 신앙심은 믿을 수 없다. **4** (보통 *pl.*) 죽은이(의 영혼); 천사; (종종 S-) 어떤 종파 신자의 자칭: ⇨LATTER-DAY SAINT. **5** 발기인, 후원자. ***enough to provoke a*** **∼** (성인도 화가 날 만큼) 지독한, 몹시 화나는. ***It would provoke*** 〔***try the patience of***〕 ***a*** **∼**. 성인이라도 노하겠다. ***play the*** **∼** 믿음이 두터운 사람인 체하다. ***Saints alive!*** 어머나, 정말 놀랍구나. ***the*** (***blessed***) ***Saints*** 천상의 여러 성인; 기독교도들. ***the departed*** **∼** 고인, 죽은 사람.
— *vt.* **1** 성인으로 하다, 시성(諡聖)하다. **2** 성인으로 공경하다. **∼ *it*** 성자연(聖者然)하다; 신앙심이 깊은 체하다.

Sàint Ágnes's Éve 성아그네스 축일 전야《1월 21일의 전야; 이 날 밤 소녀들 꿈에 미래의 남편이 암시된다고 함》. 「자형》.

Sàint Ándrew's cróss 성앤드류 십자가《X

Sàint Ánthony's cróss 성안토니 십자가 (tau cross)《T자형》.

Sàint Ánthony's fíre 〖의학〗 성안토니열(熱)《맥각 중독·단독 등의 피부 염증》.

Sáint Bernárd **1** 생베르나르《알프스 산에 있는 두 고개의 이름》. **2** 세인트버나드《본디 생베르나르 고개의 수도원에서 기르던 구명견(犬)》.

St. Chrís·to·pher and Névis [sèintkrístəfərən-] 세인트 크리스토퍼 네비스《서인도 제도의 St. Kitts [kíts] 섬과 Nevis 섬으로 이루어진 나라; 수도 Basseterre》.

saint·dom [séintdəm] *n.* =SAINTHOOD.

sáint·ed [-id] *a.* 성인이 된, 시성(諡聖)이 된 《생략: Std.》; 신성한; 덕망 높은; 승천한, 죽은.

Sàint Él·mo's fíre 〔**líght**〕 [-élmous-] 세인트 엘모의 불《폭풍우 치는 밤에 마스트나 비행기 날개 등에 나타나는 방전 현상; 죽음의 예시》.

Saint-Ex·u·pé·ry [*F.* sɛ̃tɛgzyperi] *n.* **Antoine** (**Marie Roger**) **de ∼** 생텍쥐페리《프랑스의 소설가·비행가; 1900-44》.

St. Geórge's **1** 세인트조지스《Grenada의 수도》. **2** 성조지 병원《London 소재》. **3** 성조지 교회《London에 있으며, 상류 사회의 결혼식장으로 알려진 교회》.

St. Géorge's Chánnel (the ∼) 세인트조지 해협《웨일스 남서부와 아일랜드 사이》.

Sàint Geórge's cróss 성조지 십자가《흰 바탕에 붉은 십자가; 잉글랜드의 국장(國章)》.

St. Gott·hard [sèintgátərd/-gɔ́t-] 생고타르《서부 알프스의 고개〔터널〕》.

st. He·le·na [sèinthəlíːnə/-ilíːnə] 세인트헬레나《아프리카 서해양상의 영국령 화산도. 나폴레옹 1세의 유배지로 유명》; 유배지, 유형지.

saint·hood [séinthùd] *n.* [U] 성인의 지위; 〖집합적〗 성인〔성도〕들.

St. Jámes (**Pálace**) 세인트제임스 궁(宮)《London의 왕궁》; 그 부근의 상류층 주택가; 영국 궁정: the American ambassador to the Court of *St. Jame's* 주영 미국 대사.

St. Láwrence **1** (the ∼) 세인트로렌스 강《캐나다 남부에서 발원》. **2** 세인트로렌스《Bering해 북쪽의 섬》.

St. Láwrence Séaway (the ∼) 세인트로렌스 수로(水路)《5대호 연안 도시들과 대서양을 연결하는 외항선 수로계》. 「도시》.

St. Lóuis 세인트루이스《Missouri주 동쪽의

Sàint Lóuis encephalítis 〖의학〗 세인트 루이스 뇌염《특히 북아메리카에 많음》.

St. Lúb·bock's dày [-lʌ́bəks-] 《영》 법정 공휴일《1871년 공휴일에 관한 법안을 제출한 Sir John Lubbock에서 유래함》. [cf.] bank holiday.

St. Lú·cia [sèintlúːʃiə/-ʃə] 세인트루시아《서인도 제도 동부의 독립국; 수도 Castries》.

St. Lúke's súmmer 《영》 청명한 가을 날씨《10월 18일 성누가 축일 무렵의 맑은 날씨》. [cf.] Indian summer.

sáint·ly *a.* 성도 같은〔다운〕; 덕망 높은, 거룩한. [파] **sáint·li·ly** *ad.* **-li·ness** *n.*

St. Mártin's Dày 성마르티노 축일《11월 11일; 스코틀랜드에서는 quater day의 하나》.

St. Mártin's súmmer 《영》 늦가을의 화창한 날씨《St. Martin's Day를 전후한 화창한 날씨》. [cf.] Indian summer.

St. Míchael and St. Géorge 성미카엘 성조지 훈장《외교관 등에게 주는 영국의 knight 훈위》.

St. Mónday 《우스개》 월요일: keep ∼ 일요일에 너무 놀아서〔일해서〕 월요일에 일하지 않다.

St. Mo·ritz [sèintmərits, -mɔ́ːrits] 장크트모리츠(Sankt Moritz)《스위스 남동쪽의 관광지, 겨울 스포츠의 중심지》.

Sàint Nícholas =SANTA CLAUS.

St. Pan·cras [sèintpǽŋkrəs] 세인트팽크러스《London 중앙 북부의 옛 자치구; 1965년 이후 Camden의 일부》.

Sàint Pátrick's Dáy 성패트릭 축일《3월 17일, 아일랜드의 수호성인을 기념》.

saint·pau·lia [seintpɔ́ːliə] *n.* 〖식물〗 세인트폴리아속(屬)의 각종 화초(African violet)《시화과(科)》.

St. Péter's (로마 바티칸시의) 신피에트로 대성전. [cf.] St. Peter's chair.

St. Pe·ters·burg [sèintpíːtərzbə̀ːrg] **1** 《Russ.》 상트페테르부르크《러시아 북서부의 항도; 제정 러시아의 수도: ⇨ LENINGRAD, PETROGRAD》. **2** 세인트 피터즈버그《Florida주 서쪽의 항구 도시로, 피한지》.

St. Péter's cháir 로마 교황의 자리〔직〕.

sáint's dày 성인〔성도〕 축일.

saint·ship [séintʃip] *n.* 성인다움; 덕이 높음.

Saint-Si·mo·ni·an [sèintsaimóuniən/sən-tsi-] *a.* (프랑스의 사회주의자인) 생시몽(Saint-Simon) (의 국가 사회주의)의. **—** *n.* 국가 사회주의자. [파] **∼·ism** *n.* [U] 생시몽주의.

St. So·phia [sèintsəfáiə] 세인트 소피아 성원《Istanbul에 있는 비잔틴 건축; 6세기에 기독교 교회, 15세기에는 회교 사원, 현재는 미술

St. Stéphen's 영국 하원〔의회〕《속칭》. 「관》.

St. Swíth·in's 〔**Swíth·un's**〕 **Dày** [-swíðənz] 성스위딘 축일《7월 15일; 이 날의 날씨가 그 후 40일간 계속된다고 함》.

St. Thómas 세인트토머스 병원《London의》.

Sàint Válentine's Dày 밸런타인데이, 성발렌티누스 축제일《2월 14일; 이 날 애인이 서로 선물 따위를 교환함》.

St. Víncent and the Gren·a·dínes [-grènədíːnz] 세인트빈센트 그레나딘 (제도)《서인도 제도 남동부의 Windward 제도에 있는 독립국; 수도 Kingstown》.

St. Ví·tus('s) dànce [sèintváitəs(iz)-] 〖의학〗 무도병(病)(chorea).

Sai·pan [saipǽn] *n.* 사이판《태평양 서부 마

리아나 제도 남부의 섬; 미국과 일본의 격전지 (1944)》.

saith [seθ] *vt., vi.* 《고어·시어》 SAY의 3인칭·단수·직설법·현재.

＊sake [seik] *n.* Ⓤ 위함, 이익; 목적; 원인, 이유.

NOTE (1) 현재는 보통 for the ~ of ...; for ...'s ~의 형태로 쓰임. (2) for ...'s ~의 형태에서 sake 앞의 명사가 [s]음으로 끝날 때는 흔히 소유격 s를 생략: for convenience' ~.

for any ~ 하여튼, 꼭 《간절히 원하여》. ***for both our*** ~ 우리들 쌍방을 위해. ***for God's*** 〔***Christ's, goodness', gosh', heaven's, mercy's, Peter's, Pete's, pity's,*** etc.〕 ~ 제발, 아무쪼록, 부디 《다음에 오는 명령문을 강조함》; 그만둬, 지독하다, 어이없다 《불쾌감·노여움의 표현》: You are awful. ―Oh, *for Pete's* ~*!* 지독하군 ― 그만둬. ***for my*** 〔***your,*** a ***person's***〕 ~ 나를〔당신을, 아무를〕 위하여. ***for old times'*** ~ 옛 정분으로; 즐거웠던 옛 추억으로. ***for the*** ~ ***of...*** ＝***for...'s*** ~ …을 위해; …을 봐서: He argues *for the* ~ *of* arguing 〔*for* argument's ~〕. 그는 논쟁을 위해 논쟁을 한다. ***Sakes*** (***alive***) ***!*** ⇨ALIVE.

sa·ker [séikər] *n.* 〖조류〗 송골매의 일종(＝∠ fàlcon) 《사냥용》; (중세의) 대포.

Sa·kha·lin [sǽkəliːn/∠-∠] *n.* 사할린 (섬).

Sa·kha·rov [sáːkərɔ̀f, -rɑ̀f, sǽkə-] *n.* Andrei (Dimitrievich) ~ 사하로프 《옛 소련의 핵물리학자; 노벨 평화상 수상(1975); 1921–89》. 「《남아메리카산(產)》.

sa·ki [sǽki, -sáː-/-sáː-] *n.* 굵은꼬리원숭이

Sal[1] [sæl] *n.* 샐. **1** 남자 이름 《Salvatore의 애칭》. **2** 여자 이름 《Sarah의 애칭》. 「시설.

Sal[2] *n.* 《미속어》 ＝SALVATION ARMY; 빈민 구제

sal[1] [sɑːl] *n.* 《Hind.》 (인도 북부 원산의) 사라쌍수(沙羅雙樹) (saul); 그 재목. 「AMMONIAC.

sal[2] [sæl] *n.* 〖화학·약학〗 염(塩)(salt): ⇨SAL

sa·laam [səláːm] *n.* (이슬람교도 사이의) 인사; (인도 사람의) 이마에 손을 대고 하는 절 《오른손을 이마에 대고 몸을 굽힘》; 인사; (*pl.*) 경의, '안부'의 전언. ***make*** one's ~ 이마에 손 대고 절하다, 경례하다. ***send*** (one's) ~***s*** 경의를 표하다, 인사말을 하다. ― *vt., vi.* 이마에 손을 대고 절하다. ㊞ ~·like *a.*

sàl·a·bíl·i·ty *n.* Ⓤ 잘 팔림, 시장성.

sal·a·ble [séiləbəl] *a.* 팔기에 적합한; (값이) 적당한; 잘 먹히는, 수요가 많은. ㊞ **-bly** *ad.*

sa·la·cious [səléiʃəs] *a.* 호색의; 외설〔추잡〕한 《말씨·서화 등》. ㊞ ~·**ly** *ad.* ~·**ness** *n.*

sa·lac·i·ty [səlǽsəti] *n.* Ⓤ 호색; 외설.

＊sal·ad [sǽləd] *n.* **1** Ⓒ,Ⓤ 생채 요리, 샐러드. **2** Ⓤ 샐러드용 생야채; 《방언》 날로 먹을 수 있는 야채 《endive, lettuce 등》; 《미속어》 ＝FRUIT SALAD.

sálad bàr 레스토랑 안의 셀프서비스식 샐러드

sálad bòwl 샐러드용 보시기. 「카운터.

sálad crèam 크림 모양의 샐러드드레싱.

sálad dàys (경험 없는) 풋내기〔청년〕 시절; 한

sálad drèssing 샐러드용 드레싱. 「창때.

sa·lade [səláːd, sǽləd] *n.* ＝SALLET.

Sal·a·din [sǽlədin] *n.* 살라딘(1138–93) 《아유브 왕조의 시조》.

sálad òil 샐러드 기름.

sa·lah [səláː] *n.* ＝SALAT.

sal·a·man·der [sǽləmæ̀ndər] *n.* **1** 불도마뱀 《불속에 산다는 전설의 괴물》; 불의 정(精). ⓒⓕ nymph, sylph. **2** 화열(火熱)에 끄떡없는 사람; 포화를 겁내지 않는 군인; 불을 삼키는 요술쟁이 (fire-eater). **3** 〖동물〗 도롱뇽; 영원. **4** (요리용) 철판, 풍로.

sal·a·man·drine [sæ̀ləmǽndrin] *a.* **1** 불도마뱀의, 불도마뱀 비슷한; 불에 견디는. **2** 〖동물〗 영원 무리의; 도롱뇽 무리의.

sa·la·mi [səláːmi] (*sing.* **-me** [-mei]) *n.* 《It.》 살라미 소시지 《향미가 강한 이탈리아 소시지》.

Sal·a·mis [sǽləmis] *n.* 살라미스 섬 《그리스 남동쪽의 섬; 480 B.C.에 그리스 해군이 페르시아 해군을 격파함》. 「제거 정책.

salámi tàctics (조직에서) 달갑지 않은 분자의

sál ammóniac [sǽl-] 〖화학〗 염화암모늄.

sal·an·gane [sǽləŋgæ̀n, -gèin] *n.* 〖조류〗 칼새의 일종 《둥지는 식용이 됨》. 「활자 계층.

sa·lar·i·at(e) [səléəriət] *n.* 〘집합적〙 봉급생

◇sal·a·ried [sǽlərid] *a.* 봉급을 받는; 유급의: a ~ man 봉급생활자 《a salary man은 오용》/ a ~ office 유급직(職).

＊sal·a·ry [sǽləri] *n.* (공무원·회사원 따위의) 봉급, 급료: a monthly ~ 월급 / a yearly ~ 연봉 / get 〔draw〕 a small ~ 싼 급료를 받다. ★ 노동자의 임금은 wages. SYN. ⇨PAY. ― *vt.* … 에게 봉급을 주다, …에게 급료를 지불하다. ㊞ ~·**less** *a.* 무급의. 「다섯 번 드림》.

sa·lat [səláːt] *n.* 〖이슬람〗 기도(salah) 《하루에

sal·bu·ta·mol [sælbjúːtəmɔ̀ːl, -mɑ̀l/-mɔ̀l] *n.* 〖약학〗 살부타몰 《기관지 확장약》.

Sal·chow [sǽlkau] *n.* (아이스 스케이팅의) 샐코 《공중에서 1회전하는 점프의 하나》.

＊sale [seil] *n.* **1** Ⓤ 판매, 팔기, 매각: ⇨CONSIGNMENT SALE, CREDIT SALE, TRADE SALE, PUBLIC SALE / a ~ ring (경매자 주위에 모이는) 원매자들 / (a) cash ~ 현금 판매 / the ~ of oil to Korea 한국에의 석유 판매. **2** 팔림새, 매상; 판로, 수요; (*pl.*) 매상고: expect a large ~ *for* the new product 신제품의 대량 매상을 기대하다 / Stocks find no ~. 증권은 전혀 거래가 없다. **3** 특매; 염가 매출, 재고 정리 판매〔처분〕(clearance ~): a closing down ~ 점포 정리 대매출. **4** (*pl.*) 판매 (촉진) 활동; 판매 부문. **5** 경매(auction). ◇ sell *v.* ***a bargain*** ~ 염가 대매출. ***an account of*** ~ 매상 계산서. ***a*** ~ ***for*** 〔***on***〕 ***account*** 외상 판매. ***a*** ~ ***for*** 〔***on***〕 ***cash*** 현금 판매. ***a*** ~ ***of work*** 자선시(市). ***a*** ~ ***on credit*** 외상 판매. ***be dull*** 〔***easy***〕 ***of*** ~ 매상이 나쁘다〔좋다〕. ***for*** ~ 팔려고 내놓은: not *for* ~ 비매품. ***make a*** ~ 《속어》 성공하다. ***no*** ~ 《미구어》 〘감탄사적〙 안 돼, 당치 않아. ***offer for*** ~ 팔려고 내놓다. ***on*** ~ ＝for ~; (싸게 팔려고) 내놓아; 특가로 《사다》. ***put up for*** ~ 경매에 부치다. ~ ***and*** 〔***or***〕 ***return*** 〖상업〗 잔고품 인수 조건부 매매 계약. ***total*** ~***s*** 총매상액. ***up for*** ~ 《구어》 팔려고 내놓아.

sále·a·ble *a.* ＝SALABLE.

sále and léasebàck, sále-léasebàck *n.* 임대차 조건부 매각(leaseback); 환매(還買) 조건부 매매.

Sa·lem [séiləm] *n.* **1** 《영》 (비(非)국교도의) 예배당(bethel). **2** 〖성서〗 살렘 《현 Jerusalem의 고대명》. **3** 세일럼 《(1) 미국 Oregon 주의 주도. (2) 미국 Massachusetts 주 북동부의 항구 도시; 1692년 세일럼 마녀 재판(the Salem witch trials)이 행해진 곳》.

sal·ep [sǽlep] *n.* Ⓤ 샐렙 가루 《난초과 식물의 구근에서 얻음; 약용·식용》.

sal·e·ra·tus [sæ̀ləréitəs] *n.* Ⓤ 《미》 (요리용) 중조(重曹)(baking soda), 중탄산소다.

sále rìng (경매에서) 빙 둘러싼 원매인들.

sále·ròom *n.* 《영》 ＝SALESROOM.

sales [seilz] *a.* 판매의.

sáles anàlysis 〖마케팅〗 판매 분석.

sáles assìstant 《영》 ＝SALESCLERK.

sáles chèck (소매점의) 매상 전표.

sáles·clèrk *n.* 《미》 점원.
sáles depàrtment (생산 · 유통 부문에 대하여) 판매 부문.
sáles engineèr 판매 전문가.
sáles fínance còmpany 할부(割賦) 어음을 매입하는 금융 회사.
sáles fòrce (회사의) 판매진.
sáles fòrecast 〖마케팅〗 판매 예측.
sáles·gìrl *n.* 《미》 여점원.
sáles·làdy *n.* 《미》 =SALESWOMAN.
***sales·man** [séilzmən] (*pl.* **-men** [-mən]) *n.* **1** 판매원, 점원. **2** 《미》 세일즈맨, 외판원.
sáles mànagement 〖마케팅〗 판매 관리.
sáles·man·shìp [-ʃìp] *n.* Ⓤ 판매술〔정책〕; 판매 수완; 설득력; 《미》 판매 섭외 수완.
sáles orientàtion 〖마케팅〗 판매 지향 《제품 구입을 설득시키는 경영 이념》.
sáles·pèople *n. pl.* 《미》 판매원, 외판원.
sáles·pèrson *n.* 《미》 판매원, 외판원.
sáles pìtch 《미》 =SALES TALK.
sáles potèntial 〖마케팅〗 (전체 시장의) 잠재 수요 중 기업이 차지할 수 있는 점유율.
sáles promòtion 판매 촉진 (활동).
sáles represèntative 〔**rèp**〕 외판원〔부〕.
sáles resìstance 《미》 구매〔주문〕 거부; (새로운 사상 등에 대한) 수용 거부.
sáles·ròom *n.* 판〔경〕매장.
sáles slìp 《미》 매상 전표(sales check).
sáles tàlk 《미》 팔기 위한 권유, 상담; 설득력 있는 의논〔권유〕.
sáles tàx 《미》 판매세 《물품 자체가 아니고 매상 행위에 부과되며, 보통 판매 가격에 포함시켜 구입자로부터 징수함》. 「판매원.
sáles·wòman (*pl.* **-wòmen**) *n.* 여점원, 여자
sa·li- [séilə, sǽlə] '소금'이란 뜻의 결합사.
Sal·ic [sǽlik, séil-] *a.* 살리 지족(支族)의 《프랑크족의 한 부족》; Salic law의.
sal·i·cin [sǽləsin] *n.* Ⓤ 〖화학〗 살리신.
Sálic láw 〖역사〗 살리카법(法) 《여자의 토지 상속 · 왕위 계승 등을 인정치 않음》.
sal·i·cyl [sǽləsil] *n.* Ⓤ 〖화학〗 살리실기(基).
sa·lic·y·late [səlísəlèit, sæ̀ləsíl-/səlísilèit] *n.* Ⓤ 〖화학〗 살리실산염. ***sodium*** ~ 살리실산(酸) 나트륨. **—** *vt.* 살리실산을 섞다.
sal·i·cyl·ic [sæ̀ləsílik] *a.* 살리실산에서 얻은; 살리실산(酸)의: ~ acid 살리실산.
sa·li·ence, -en·cy [séiliəns], [-ənsi] *n.* **1** Ⓤ 돌출, 돌기; Ⓒ 돌기물; 〖군사〗 돌출부. **2** Ⓤ,Ⓒ 특징; (이야기 · 의논 등의) (중)요점.
°sa·li·ent [séiliənt] *a.* **1** 현저한, 두드러진: ~ features 특징. **2** 돌출한, 돌각(突角)의; 돌기한. opp *reentrant*. **3** 《고어 · 시어》 튀는, 튀어오르는, 분출하는 《물 등》; 《비유》 원기 왕성한. **4** 〖문장(紋章)〗 (사자 등이) 뒷발을 모으고 뛰어오르는 자세의. **—** *n.* 돌각(= ∠ **ángle**) (opp *reentering angle*); 〖축성(築城)〗 돌출부. ⓜ **~·ly** *ad.*
sa·li·en·ti·an [sèiliénʃən] *a.*, *n.* 〖동물〗 개구리목(目)〔무미류(無尾類)〕의 (동물). 「초기.
sálient póint 현저한 점〔특징〕; 《고어》 처음,
Sa·lie·ri [səljέəri] *n.* **Antonio** ~ 살리에리 《이탈리아의 작곡가 · 지휘자; Mozart를 독살하였다는 근거 없는 전설이 있음; 1750-1825》.
sa·lif·er·ous [səlífərəs] *a.* 〖지학〗 염분이 있는 《지층 등》.
sal·i·fy [sǽləfài] *vt.* 〖화학〗 염화(塩化)하다; 소금을 섞다, 소금으로 화합하다.
sal·im·e·ter [sælímətər] *n.* 〖화학〗 =SALINOMETER. ⓜ **sàl·i·mét·ric** *a.* **sal·ím·e·try** *n.*
sa·li·na [səláinə] *n.* 염수성(塩水性) 소택(沼澤); 제염소, 염전.
sa·line [séilain] *a.* 소금의; 염분이 있는; 염성(塩性)의, 짠; 〖약학〗 알칼리 금속 또는 마그네슘 염류로 이루어진; 염수 주사의: a ~ lake 염호. **—** *n.* **1** Ⓒ 염호, 함수호(鹹水湖), 염천(塩泉); 염전, 제염소. **2** Ⓤ 염류, 약용 염류; Ⓒ 함염 하제(含塩下劑), 마그네슘 하제. **3** Ⓤ 〖의학〗 염수, (임신 중절을 촉진하는) 염수 주사.
sa·lin·i·ty [səlínəti] *n.* Ⓤ 염분, 염도.
sal·i·nize [sǽlənàiz] *vt.* 소금으로 처리하다; …에 소금이 배게 하다. ⓜ **sàl·i·ni·zá·tion** *n.*
sal·i·nom·e·ter [sæ̀lənɑ́mətər/-nɔ́m-] *n.* 염분계(塩分計).
Sa·lique [səlíːk, sǽlik, séilik] *a.* =SALIC.
Salis·bury [sɔ́ːlzbèri, -bəri/-bəri] *n.* 솔즈베리 《(1) 영국 Wiltshire 주의 종교상의 중심지. (2) Zimbabwe의 수도인 Harare의 구칭》. (***as***) ***plain as*** ~ 아주 명백한.
Sálisbury Pláin (the ~) 솔즈베리 평원 《영국 남부의 고원 지대; Stonehenge가 있음》.
Sálisbury stéak 햄버그스테이크의 일종.
Sa·lish [séiliʃ] *n.* 북아메리카 인디언의 한 종족.
°sa·li·va [səláivə] *n.* Ⓤ 침, 타액(唾液).
sal·i·vary [sǽləvèri/-vəri] *a.* 침의; 타액을 분비하는: ~ glands 〖해부〗 침샘, 타액선.
sal·i·vate [sǽləvèit] *vt.* (수은제를 써서) 침이 다량으로 나오게 하다. **—** *vi.* 침을 내다; 침을 흘리다. ⓜ **sàl·i·vá·tion** *n.* Ⓤ 침을 냄; 〖의학〗 유연증(流涎症).
salíva tèst 타액 검사 《경주마의 약물 검사》.
sal·i·va·tor [sǽləvèitər] *n.* 최타제(催唾劑).
Salk [sɔːlk/sɔːk] *n.* **Jonas E**(**dward**) ~ 소크 《미국의 의사 · 세균학자; 1914-95》.
Sálk vàccine 소크백신 《소아마비 예방용; 개발자 Jonas E. Salk의 이름에서》.
salle à man·ger [sæləmɑ̃ːʒéi] 《F.》 식당.
sal·lee, sal·ly [sǽli] 《Austral.》 유칼리나무; 아카시아.
sal·(l)et [sǽlit] *n.* (15 세기의) 가벼운 투구.
Sal·lie [sǽli] *n.* =SALLY.
°sal·low[1] [sǽlou] (**~·er; ~·est**) *a.* 엷은 청황색의, 창백한, 혈색이 나쁜. opp *ruddy*. **—** *n.* Ⓤ 흙빛, 누르스름한 색깔. **—** *vt.*, *vi.* 누르스름하게〔창백하게〕 하다〔되다〕. ⓜ **~·ness** *n.* 혈색이 나쁨, 흙빛.
sal·low[2] *n.* 버드나무속(屬)의 식물; 그 가지.
sal·low·ish [sǽlouiʃ] *a.* (얼굴이) 누르스름한, 혈색이 좀 나쁜.
Sal·ly [sǽli] *n.* 샐리 《여자 이름; Sarah의 애칭》. ***Aunt*** ~ ⇨AUNT.
sal·ly *n.* **1** (농성 부대의) 출격, 돌격: make a ~ 뛰어나가다, 출격하다. **2** 《구어》 외출, 소풍, 여행. **3** 돌발 《*of*》; (감정의) 용솟음, (재치의) 번득임; 기지에 찬 말; 경구(警句); 비꼼, 농담. **—** *vi.* **1** 출격하다. **2** 《+副》 기운차게 나오다; (소풍 등을) 신나게 출발하다 《*forth; out*》: Let's ~ *forth* and look at the town. 자 나가서 거리를 구경하자. **3** 《+副》 (무엇이) 튀어나오다, 뿜어나오다: Her warm blood *sallied out* from the wound. 그녀의 상처에서 더운 피가 뿜어 나왔다. ⓜ **sál·li·er** *n.*
Sálly (**Ánn**) =SAL[2].
Sálly Lúnn [-lʌ́n] (굽는 즉시 먹는 달고 가벼운) 과자의 일종.
Sálly Máe [-méi] 《미》 샐리 메이(=**Sállie Máe**) 《학자금 대출 조합(Student Loan Marketing Association, SLMA)의 별명》. 「(배의) 비상문.
sálly pórt 〖축성(築城)〗 뒷문, (성의) 출격구;
sal·ma·gun·di, -dy [sæ̀lməgʌ́ndi] *n.* Ⓤ,Ⓒ 이탈리아 요리의 일종 《저민 고기 · 파 · 멸치 · 후추 · 달걀 · 기름 등을 섞어 만든》; Ⓒ 《비유》 주워 모은 것 《문서 · 책 따위》.

sal·mi [sǽlmi] *n.* U,C 새고기 스튜《구운 새고기를 포도주로 찜》.

*__salm·on__ [sǽmən] (*pl.* **~s,** 《집합적》 ~) *n.* 〖어류〗 연어; U 연어 살빛(~-color); 연어 고기: canned ~ 연어 통조림. **—** *a.* 연어 살빛의. 파 **~·like** *a.*

sálmon·bèrry *n.* 〖식물〗 새먼베리《북아메리카 태평양 연안 원산의 나무딸기의 일종; 그 열매》.

sálmon-còlor *n.* 연어 살빛(=**sálmon pínk**). 파 **-ored** *a.*

sal·mo·nel·la [sæ̀lmənélə] (*pl.* **-lae** [-néli:, -nélai], ~(**s**)) *n.* 살모넬라균《장티푸스·식중독 등의 병원균》.

sal·mo·nel·lo·sis [sæ̀lmənelóusis] *n.* 〖의학〗 살모넬라증.

sal·mo·nid [sǽlmənid] *n., a.* 〖어류〗 연어과(科)의 (물고기).

sálmon làdder 〔**lèap, pàss, stàir**〕 (산란기에) 연어를 방죽 위로 올라가게 하는 어제(魚梯).

sal·mo·noid [sǽlmənɔ̀id] *a., n.* 연어 비슷한 (물고기); 〖어류〗 연어과(科)의 (물고기)(salmonid).

sálmon péal 〔**péel**〕 새끼 연어.

sálmon tròut 바다 송어《유럽산(產)》; 호수 송어《북아메리카산(產)》.

sal·ol [sǽloul, -ɑl/-ɔl] *n.* U 〖화학〗 살롤《방부제; 본디 상표명》.

Sa·lo·me [səlóumi] *n.* 여자 이름; 〖성서〗 살로메《Herodias의 딸; Herod 왕에게 청하여 John the Baptist의 목을 얻은 여인; 마태복음 XIV: 3-11》.

◇**sa·lon** [səlɑ́n/sǽlɔn] *n.* 《F.》 **1** (대저택의) 객실, 응접실; (대저택의 객실에서 갖는) 명사들의 모임, 상류 부인의 초대회; 상류 사회. **2** 미술 전람회장; (the S-) 살롱《매년 개최되는 파리의 현대 미술 전람회》. **3** (양장점·미용실 따위의) …점〔실〕: a beauty ~ 미용실. 파 **~·ist** *n.* = SALONNARD.

salón mùsic 살롱 음악《객실 등에서 연주되는 경음악》.

sa·lon·nard [səlɑ́nɑːrd/-lɔ́n-] *n.* 《F.》 살롱〔명사의 모임〕에 드나드는 사람.

*__sa·loon__[1] [səlúːn] *n.* **1** (호텔 따위의) 큰 홀(hall); (여객선의) 담화실. **2** (일반이 출입하는) …장(場): a dancing ~ 댄스홀/a billiard ~ 당구장. **3** 《미》 술집, 바《지금은 보통 bar를 씀》; 《영》 (술집의) 특별실(~ bar) **4** (여객기의) 객실; 〖영철도〗 특별 객차, 전망차. **5** 객실, 응접실. **6** 《영》 =SEDAN 2. ***a dining ~*** 식당(차); 여객선의 식당. ***a hairdresser's*** 〔***shaving***〕 ***~*** 이발관. ***a refreshment ~*** 음식점. ***a ~ smasher*** 《미속어》 술 판매에 항의하여 술집을 부수는 사람.

sa·loon[2] *int.* 《미속어》 안녕, 또 만납시다.

salóon bàr 《영》 특실《술집·바 안의》.

salóon càr =SALOON CARRIAGE; 《영》 세단형 승용차.

salóon càrriage 《영》 특별 객차, 1등차.

salóon dèck 1등 선객용 갑판.

sa·lóon·ist *n.* 《미》 술집이나 바의 단골손님; =SALOON KEEPER.

salóon kèeper 《미》 술집·바의 주인.

salóon pàssenger 1등 선객.

salóon pìstol 〔**rìfle**〕 《영》 사격장용 권총〔소총〕.

sa·loop [səlúːp] *n.* **1** =SALEP. **2** U,C salep 따위로 만든 커피 대용 음료.

Sal·op [sǽləp] *n.* 샐럽《잉글랜드의 Shropshire의 구칭(1974-80); 이 이전에도 Shropshire의 별칭으로 쓰였음》.

sal·o·pette [sæ̀ləpét] *n.* 《F.》 살로페트《(1) 작업복; 노동용 덧옷. (2) 누벼서 만든 스키 바지·스키복》.

sálopetter pànts 가슴받이가 달린 바지.

Sa·lo·pi·an [səlóupiən] *a., n.* Salop 주(州)의 (사람); Shrewsbury《Shropshire 주의 주도》의 사람; Shrewsbury 학교의 (학생·출신자).

sal·pa [sǽlpə] (*pl.* **~s, -pae** [-piː]) *n.* 살파《플랑크톤의 일종》.

sal·pi·glos·sis [sæ̀lpəglɑ́sis, -glɔ́ːs-/-piglɔ́s-] *n.* 가짓과(科)의 관상(觀賞)식물《Chile 원산》.

sal·ping- [sǽlpiŋ, -pindʒ], **sal·pin·go-** [sǽlpiŋgou, -gə] 〖해부〗 'salpinx'란 뜻의 결합사《e, i 앞에서는 salping-》.

sal·pin·gec·to·my [sæ̀lpindʒéktəmi] *n.* 〖의학〗 난관(卵管)〔이관(耳管)〕 절제(술).

sal·pin·gi·tis [sæ̀lpindʒáitis] *n.* 〖의학〗 난관(卵管)염; 이관(耳管)염.

sal·pin·gos·to·my [sæ̀lpiŋgɑ́stəmi/-gɔ́s-] *n.* 〖외과〗 난관 개구(開口) (수술).

sal·pinx [sǽlpiŋks] (*pl.* **-pin·ges** [sælpíndʒiːz]) *n.* 〖해부〗 난관(卵管); 이관(耳管).

sal·sa [sɔ́ːlsə] *n.* 살사《쿠바 기원의 맘보 비슷한 춤곡》; 스페인풍〔이탈리아풍〕의 소스.

salse [sæls] (*pl.* ***sáls·es*** [-iz]) *n.* 〖지학〗 이화산(泥火山)(mud volcano).

sal·si·fy [sǽlsəfi] *n.* 〖식물〗 선모(仙茅).

sál sòda [sǽl-] 탄산〔세탁〕 소다〔나트륨〕.

SALT [sɔːlt] Strategic Arms Limitation Talks (전략 무기 제한 협정).

†**salt** [sɔːlt] *n.* **1** U 소금, 식염(=**cómmon ~**); C 〖화학〗 염(塩), 염류; (*pl.*) 약용 염: ⇨TABLE SALT/a pinch of ~ 소량의 소금/spill ~ 소금을 흘리다《재수없다고 함》. **2** C 소금 그릇(saltcellar). **3** U 바닷물이 드나드는 소택지; 강으로 역류하는 해수. **4** U 얼얼한〔짜릿한〕 맛; 자극, 활기〔흥미〕를 주는 것; 기지(機智): ⇨ATTIC SALT/the ~ *of* personality 사람의 독특한 개성/a wit which has kept its ~ 통쾌한 맛을 잃지 않은 기지/a talk full of ~ 재치에 찬 이야기. **5** 상식, 속된 지식: speech with much ~ in it 구수한 이야기. **6** 의심; 유보(留保) 조건. **7** 사회 혁신의 원동력이 되는 사람들〔계급〕. **8** C (보통 old ~) 《구어》 노련한 뱃사람. **9** 《미속어》 (가루로 된) 헤로인. ***above*** 〔***below, beneath, under***〕 ***the ~*** 〖역사〗 상석(上席)〔말석〕에; 귀족〔하층 계급〕에 속하여. ***be faithful*** 〔***true***〕 ***to*** one***'s ~*** (주인을) 충실히 섬기다. ***be worth*** one***'s ~*** 《구어》 급료만큼의 일을 하다, 유능하다. ***drop*** 〔***cast, put***〕 (***a pinch of***) ***~ on the tail of*** …을 힘 안 들이고 잡다. ***earn*** 〔***make***〕 one***'s ~*** 자기 생활비를 벌다. ***eat*** a person***'s ~*** =***eat ~ with*** a person 아무의 손님이 되다; 《드물게》 아무의 식객이 되다. ***in ~*** 소금을 뿌린〔친〕; 소금에 절인. ***like a dose of ~s*** 《속어》 대단히 빨리, 즉시. ***made of ~*** 비에 젖어 녹는. ***not earn ~ to*** one***'s porridge*** 거의 아무 벌이도 못 하다. ***put*** 〔***throw***〕 ***~ on*** a person***'s tail*** 《옛투》 아무가 활기를 띠도록 무엇인가를 해 주다, 독려하다. ***rub ~ in*** 〔***into***〕 ***the*** 〔a person***'s***〕 ***wound***(***s***) 사태를 악화시키다, 더욱더 창피하게 하다. ***take with a grain*** 〔***pinch***〕 ***of ~*** (남의 이야기 따위를) 에누리해서 듣다〔받아들이다〕: You have to *take* everything she says *with a pinch of* ~; she does tend to exaggerate. 그녀가 말하는 것은 모두 에누리하여 들어야 한다. 그녀는 과장하는 경향이 있거든. ***the ~ of the earth*** 〖성서〗 세상의 소금《마태복음 V: 13》; 세상을 정화(淨化)하고 숭고하게 하는 사람, 사회의 중견, 엘리트들.

— *a.* **1** 소금을〔소금기를〕 함유한(OPP *fresh*); 짠; 소금에 절인: ~ breezes 바닷바람. **2** 짠물에 잠긴: a ~ meadow 바닷물에 잠긴 풀밭. **3** 〖식물〗 바닷물〔바닷가〕에 나는: ~ weeds. **4** 신랄한; 모진, 쓰라린(bitter). **5** 《구어》 엄청나게 비

싼. 6 ⟪고어⟫ 추잡한, 상스러운.

— *vt.* 1 …에 소금을 치다〔뿌리다〕; …에 소금을 쳐서 간을 맞추다; 절이다; 소금으로 처리하다: *~ed* meat. 2 (가축에) 소금을 주다: ~ cattle. 3 ⟪[목]+[전]+[명]⟫〖보통 수동태〗(말·이야기 따위에) 흥미를 돋우다, 재미있게 하다⟪*with*⟫: a conversation *~ed with* wits 재치로 재미를 돋운 대화 / Most magazines *are ~ed with* sex and violence nowadays. 요즘은 대부분의 잡지들이 섹스와 폭력으로 흥미를 돋우고 있다. 4 (상품 따위를) 실제 이상으로〔진짜같이〕 보이게 하다; 속이다, 헛불리다: ~ a bill 셈을 속이다. 5 ⟪속어⟫ (광산·유정(油井)에) 질 좋은 광물을〔석유를〕 넣어 속이다. 6 (도로에) 소금을 뿌리다 ⟪눈·얼음을 녹이기 위해⟫. **~ *away*** ① 소금에 절이다. ② ⟪구어⟫ (앞날을 위해 재물 따위를) 쳐해 두다, 모으다: ~ *away* half of one's pay 급료의 반을 저금하다. **~ *down*** = ~ away; ⟪미구어⟫ 호되게 꾸짖다. **~ *out*** 용액에 염류를 넣어 (용해 물질을) 분리하다, 염석(塩析)하다〔되다〕. **~ *prices*** 에누리하다, 값을 더 부르다. **~** a person ***up*** 아무를 방해하다〔파멸시키다〕.

[파] **∠·lìke** *a.* **∠·ness** *n.*

sált-and-pépper [-ən-] *a.* = PEPPER-AND-SALT; ⟪미속어⟫ 흑인과 백인이 뒤섞인.

sal·tant [sǽltənt] *a.* 껑충 뛰는, 춤추는, 튀는; 〖문장(紋章)〗 도약(跳躍) 자세의 ⟪고양이·다람쥐 등 작은 동물의⟫.

sal·ta·rel·lo [sæ̀ltərélou] (*pl.* **~s**) *n.* 살타렐로 ⟪빠른 스킵으로 1-2명이 추는 이탈리아·스페인의 경쾌한 춤; 그 곡⟫.

sal·ta·tion [sæltéiʃən] *n.* [U] (껑충) 뜀, 도약; 격변, 격동; 〖생물〗 돌연변이.

sal·ta·to·ri·al, sal·ta·to·ry [sæ̀ltətɔ́:riəl], [sǽltətɔ̀:ri/-təri] *a.* (껑충) 뛰는, 튀는; 〖동물〗 도약에 알맞은.

sált·bòx *n.* 1 (부엌의) 소금 그릇. 2 ⟪미⟫ 소금통 모양의 목조 가옥 ⟪전면은 2층, 후면은 단층⟫ (= ∠ **hòuse**).

sált brìdge 〖물리〗 염다리 ⟪화학 전지나 전기분해 실험에서 두 용액을 혼합하지 않고 전기적으로 연결하기 위한 장치⟫.

sált càke 망초(芒硝) ⟪순도 낮은 황산나트륨⟫.

sált·càt *n.* 소금덩이; 염토(塩土) ⟪사료·석회 등을 섞은 소금덩어리로, 비둘기 사육용⟫.

sált·cèllar *n.* (식탁의) 소금 그릇; (보통 *pl.*) ⟪영구어⟫ (여성이나 마른 사람의) 목덜미 좌우의 오목한 곳.

sált·chùck *n.* (캐나다 서부 해안의) 바다, 염수만(塩水灣), 염수 후미.

sált dòme 〖지학〗 암염(岩塩) 돔 구조 (= **sált plùg**).

sált·ed [-id] *a.* 소금에 절인; 짠맛의; ⟪구어⟫ 경험 있는, 능수의; 풍토에 익은〔순화된〕; (말이) 전염병에 면역이 된; ⟪속어⟫ (광산·유정에) 속임수로 해 놓은. **~ *down*** ⟪미속어⟫ 죽은, 뒈진, 뻗은.

sált·er *n.* 제염업자; 제염소 직공; 소금 장수; ⟪영⟫ 자반 장수(drysalter).

Sál·ter dùck 솔터 덕 ⟪수차(水車)에 의한 파력(波力) 발전 장치; Salter는 20세기 영국의 기술자⟫.

salt·ern [sɔ́:ltərn] *n.* 염전, 제염소.

sált·fish *n.* ⟪카리브⟫ 대구의 소금절이.

sált flàt 염류(塩類) 평원 ⟪호수·못의 물이 증발하여 염분이 침적된 평지⟫.

sált glàze 〖요업〗 염유(塩釉) ⟪도자기 유약의 일종⟫.

sált-gradient sólar pònd = SOLAR POND.

sált gràss ⟪미⟫ 염습지(塩濕地) 식물, 염생초(塩生草).

sált hórse 〔**júnk**〕 ⟪해사속어⟫ 소금에 절인 쇠고기.

sal·ti·grade [sǽltigrèid] *a.* 〖동물〗 도약하기에 알맞은 발이 있는; 깡충거미과(科)의. — *n.* 깡충거미.

salt·ine [sɔ:ltí:n] *n.* 짭짤한 크래커.

sált·ing *n.* 소금 사용; 소금에 절이기, 식품의 염장(塩藏); ⟪영⟫ = SALT MARSH.

sálting òut 〖화학〗 염석(塩析).

sal·tire [sǽltiər, -taiər, sɔ́:l-/sɔ́:ltaiə] *n.* 〖문장(紋章)〗 엑스(X)형 십자, 성(聖)앤드루(St. Andrew) 십자.

salt·ish [sɔ́:ltiʃ] *a.* 소금기 있는, 짭짤한. [파] **~-ly** *ad.* **~·ness** *n.*

sált láke 염수호, 염호.

Sált Làke Cíty 미국 Utah 주의 주도.

Sált Làke Státe (the ~) Utah 주의 별칭.

sált·less *a.* 소금기 없는, 맛없는; 재미없는, 시시한.

sált lìck 함염지(含塩地) ⟪동물이 소금기를 핥으러 모이는 곳⟫; (목초지에 두는) 가축용 암염(岩塩).

sált màrsh 바닷물이 드나드는 늪지, 염성(塩性) 소택(沼澤)(지).

sált mìne 암염갱(岩塩坑), 암염 산지; (보통 the ~s) (진저리나는) 언제나의 일, 갇혀서 지겨운 일을 해야 하는 장소. ***get*** 〔***go***〕 ***back to the ~(s)*** (진저리나는) 일로 돌아가다 ⟪한때 쉬었다가⟫.

sal·to mor·ta·le [sɑ́:ltoumɔ:rtɑ́:lei] 결사적인 점프; 대담한 기도(企圖)〔추론〕; 일대 결심; 공중회전.

sált·pàn *n.* (천연) 염전; 소금가마; (*pl.*) 제염소.

salt·pe·ter, ⟪영⟫ **-tre** [sɔ̀:ltpí:tər] *n.* [U] 초석(硝石); 칠레 초석.

sáltpeter pàper = TOUCH PAPER.

sált pìt 염갱, 염전.

sált pórk 소금에 절인 돼지고기.

sált rhèum ⟪미⟫ 습진(eczema).

sált-rìsing bréad ⟪미⟫ 소금·우유·밀가루·콘밀에 소다를 넣어 구운 빵.

sált·shàker *n.* ⟪미⟫ 식탁용 소금 그릇 ⟪윗부분에 구멍이 뚫린⟫; ⟪속어⟫ (도로의 얼음을 녹이기 위한) 소금 뿌리는 트럭.

sált spòon (식탁용의 작은) 소금 숟가락.

sált trùck 소금 살포 트럭.

sal·tus [sǽltəs, sɔ́:l-] *n.* (발전 도상의) 급격한 변동; (논지의) 비약; (토론 등의) 중단.

sált wáter 소금물, 바닷물; ⟪우스개⟫ 눈물.

sált·wáter *a.* 소금물의; 바닷물에서 나는: a ~ fish 바닷물고기.

sált wèll 염정(塩井).

sált·wòrks *n. pl.*〖단·복수취급〗 제염소.

sált·wòrt *n.* 〖식물〗 수송나물, 퉁퉁마디.

salty [sɔ́:lti] (***salt·i·er; -i·est***) *a.* 1 짠, 소금기가 있는, 바다의, 해상 생활의; (선원이) 노련한, 강인한; (말이) 다루기 힘든. 2 신랄한, 재치 있는. 3 ⟪미속어⟫ 상스러운, 자극적인; ⟪미속어⟫ 두근두근하게 하는. 4 ⟪미속어⟫ 화가 난, 초조한, 까닭없이 싫은; (10대 사이에서) 싫은, 불쾌한. ***jump ~*** ⟪미흑인속어⟫ 버럭 화를 내다. [파] **sált·i·ly** *ad.* **-i·ness** *n.*

sa·lu·bri·ous [səlú:briəs] *a.* (기후·토지 따위가) 건강에 좋은, 상쾌한; (특히 정신적으로) 유익한. [파] **~·ly** *ad.* **~·ness** *n.* **sa·lú·bri·ty** [-brəti] *n.* [U]

sa·lu·ki [səlú:ki] *n.* 살루키 ⟪중근동·북아프리카 원산인 그레이하운드류의 사냥개⟫.

sal·u·ret·ic [sæ̀ljərétik] *n.* 〖의학〗 염분 배설제. — *a.* 염분 배설의. [파] **-i·cal·ly** *ad.*

Sa·lus [séiləs] *n.* 〖로마신화〗 살루스 ⟪건강과 번영을 관장하는 여신; 그리스 신화의 Hygeia에 해당⟫.

sa·lut [sælú:] *int.* 건배!

°**sal·u·tary** [sǽljətèri/-təri] *a.* 유익한, 건전한, 이로운; ⟪옛투⟫ 건강에 좋은.

***sal·u·ta·tion** [sæ̀ljətéiʃən] *n.* 1 [U] 인사 ⟪모자를 벗고 머리를 숙이는⟫. ★ 지금은 보통 greeting을 씀. 2 인사말〔문구〕; 편지의 서두 ⟪Dear Sir

따위》. 3 《드물게》 경례, 목례. ★ 지금은 salute 가 보통. [파] ~·al a. ~·less a.

sa·lu·ta·to·ri·an [səlùːtətɔ́ːriən] n. 《미》 (졸업식에서) 내빈에 대한 인사말을 하는 학생.

sa·lu·ta·to·ry [səlúːtətɔ̀ːri/-təri] a. 인사의, 환영의. — n. 《미》 (졸업식에서 내빈에 대한) 인사말《보통 차석 우등 졸업생이 함》.

***sa·lute** [səlúːt] vt. 1 《~+[목]/+[목]+[전]+[명]》 …에게 인사하다《특히 깍듯이》, …에 경례하다; 맞이하다《with》: He took his hat to ~ her. 그는 모자를 벗고 그녀에게 인사하였다 / ~ the flag *with* a hand 국기에 대하여 거수경례를 하다 / ~ a person *with* cheers 〔guns〕 갈채〔예포〕로써 아무를 맞이하다. 2 (눈에) 띄다, (귀에) 들리다: ~ one's eyes. 3 《고어》 (빰·손 등에) 의례적인 키스를 하다. ◇ salutation n. — vi. 1 인사〔경례〕하다. 2 예포를 쏘다.
— n. 1 인사, 경례; 갈채; 《미》 폭죽; 《고어》 (의례적인) 키스《손·볼에 하는》: give 〔make〕 a ~ 경례하다. 2 〖군사〗 경례《총·칼·포(砲)·기(旗) 따위를 사용한》, 〖펜싱〗 경기 시작 전의 경례. ***at the*** ~ 거수경례를〔받들어총을〕 하여. ***come to the*** ~ 〖군사〗 경례하다. ***exchange*** ~***s*** 예포를 교환하다. ***fire*** 〔***give***〕 ***a*** ~ ***of 7 guns,*** 7발의 예포를 쏘다. ***in*** ~ 인사의 표시로서. ***raise*** one***'s hand in*** ~ 거수경례를 하다. ***return a*** ~ 답례하다; 답례의 예포를 쏘다. ***stand at*** (***the***) ~ (경기 전에) 경례의 자세로 서다. ***take the*** ~ 경례를 받다. [파] **sa·lút·er** n.

sal·u·tif·er·ous [sæljətífərəs] a. 《고어》 =SALUTARY.

Salv. Salvador.

sal·va·ble [sǽlvəbəl] a. 구조〔구제〕할 수 있는. [파] **sàl·va·bíl·i·ty** n. ~·**ness** n.

Sal·va·dor [sǽlvədɔ̀ːr] n. 1 =EL SALVADOR. 2 사우바도르《브라질 동부의 도시; 별칭 São ~》. [파] **Sàl·va·dó·ran** [-rən] a., n. 엘살바도르 공화국의 (국민). **Sàl·va·dó·ri·an, -ri·an** a., n.

◇**sal·vage** [sǽlvidʒ] n. [U] 1 해난 구조, 난파선 화물 구조; (침몰선의) 인양 (작업); (화재 시의) 인명 구조, 《특히》 (피보험) 재화(財貨) 구출: a ~ company 구난(救難) 회사, 침몰선 인양 회사. 2 침몰〔화재〕로부터의 구조 화물, 구조 재산; 인양 선박. 3 해난 구조료; 구조 사례액; 보험금 공제액. 4 〔일반적〕 구조. 5 폐물(廢物) 이용, 폐품 수집: a ~ campaign 폐품 수집 운동. — vt. 1 (해난·화재 따위로부터) 구조하다; 《비유》 (악화된 사태로부터) 구(救)하다; 지키다《from》. 2 폐물을 이용하다. [파] ~·**a·ble** a. **sàl·vage·a·bíl·i·ty** n. **sál·vag·er** n.

sálvage archaeólogy 구출 고고학《매장물의 파괴 방지를 위한 긴급 발굴》.

sálvage bòat 해난 구조선, 구난선.

sálvage còrps (화재 보험 회사의) 화재 시 재화 구출대.

sálvage yàrd (못 쓰게 된 기계·자동차 따위「의) 부품 회수장.

Sal·var·san [sǽlvərsæ̀n] n. [U] 〖약학〗 살바르산《매독 치료약, 606호; 상표명》.

sal·va·tion** [sælvéiʃən] n. [U] 1 구조, 구제; [C] 구조물, 구제자, 구조 수단. 2 〖신학〗 (죄로부터의) 구원, 구세; [C] 구세주: be the ~ of …의 구조 수단이 되다. ***find ~ 개종하다; 《우스개》 형편에 따라 변절하다. ***work out*** one***'s own*** ~ 스스로 자구책을 강구하다.

Salvátion Ármy (the ~) 구세군.

Sal·vá·tion·ìsm n. [U] 구세군의 주의〔교리〕; (s–) 복음 전도.

Sal·vá·tion·ist n., a. 구세군 군인; 구세군(식)「의; (s–) 복음 전도자.

salve[1] [sæv, sɑːv/sælv, sɑːv] n. 1 [U] 《고어·시어》 연고, 고약; 《미속어》 버터. 2 [U,C] 《비유》 위안《*for*》. 3 [U,C] 알랑방귀; 《미속어》 코 아래 진상, 돈. — vt. 1 《고어》 …에 고약을 바르다. 2 《문어》 (고통을) 덜다, 완화하다; (양심 등을) 달래다. 3 《미속어》 지불하다, (뇌물로) 매수하다.

salve[2] [sælv] vt. =SALVAGE. ◇ salvage n.

sal·ve[3] [sǽlvi] 《L.》 int. 행복이 있으라. — n. 〖가톨릭〗 *Salve, Regina* (=Hail, Queen)로 시작되는 성모 찬가; 그 곡.

sal·ver [sǽlvər] n. 쟁반; 명함 그릇《금속제》.

sal·via [sǽlviə] n. 〖식물〗 샐비어, 깨꽃.

sal·vif·ic [sælvífik] a. 구제(救濟)를 베푸는〔에 도움을 주는〕: God's ~ will 신의 구제 의지. [파] **-i·cal·ly** ad.

sal·vo[1] [sǽlvou] (pl. ~s) n. 〖영법률〗 유보조항, 단서(proviso); 변명, 핑계; (명예 등의) 보전 수단; (감정 등의) 위안; 구조 도구〔장치〕.

sal·vo[2] (pl. ~(e)s) n. 1 〖군사〗 일제 사격; (의식에서의) 일제 축포; 〖항공〗 (폭탄의) 일제 투하; 폭탄. 2 요란스러운 박수 갈채. — vt., vi. (…의) 일제 사격을〔투하를〕 하다.

sal vo·la·ti·le [sæl-voulǽtəliː/-vɔ-] 《L.》 각성제《탄산암모니아수》.

sal·vor [sǽlvər] n. 해난 구조자〔선〕.

Sal·yut [sáːljùːt] n. 살류트《러시아의 우주 스테이션》. [cf.] Soyuz.

Salz·burg [sɔ́ːlzbəːrg] n. 잘츠부르크《오스트리아 중부의 도시; 모차르트의 출생지》.

SAM [sæm] surface-to-air missile (지〔함〕대공(地〔艦〕對空) 미사일); 〖컴퓨터〗 sequential access method(순차 접근 방식).

Sam [sæm] n. 1 샘《남자 이름; Samuel의 애칭》. 2 a (때때로 s–) 《미속어》 (연방 정부의) 마약 단속관. [cf.] Uncle Sam. b 《미학생속어》 (성적(性的)으로) 멋진 남자. ~ ***and Dave*** 《미흑인속어》 〔집합적〕 경찰(관). ***stand*** ~ 《영속어》 모든 사람의 셈을 떠맡다, 《특히》 술을 한턱내다. ***take*** one***'s*** ~ ***upon it*** 《영속어》 장담하다. ***upon my*** ~ 《영속어》 맹세코, 틀림없이.

Sam. Samaritan; 〖성서〗 Samuel. **Sam., Saml.** Samuel. **S. Am.** South America(n).

SAMA Saudi Arabian Monetary Agency(사우디아라비아 금융청).

sa·ma·dhi [səmáːdi] n. 〖불교〗 선정(禪定); 삼매(三昧)《명상의 최고 경지》.

sam·a·ra [sǽmərə/səmáːrə] n. 〖식물〗 시과(翅果)(key fruit)《단풍·느릅나무 등의 열매》.

Sa·mar·ia [səmɛ́əriə] n. 사마리아《옛 Palestine의 북부 지방; 그 수도》.

Sa·mar·i·tan [səmǽrətn] a. Samaria의. — n. 1 사마리아 사람; [U] 사마리아 말. 2 (종종 s–) =good ~. 3 영국의 자선 단체인 the Samaritans의 한 사람. ***a good*** ~ 친절한 사마리아 사람, 자선가《누가복음 X: 30–37》. [파] ~·**ism** n. 사마리아인의 신앙; 사마리아 어법; (s–) (괴로워하는 사람에 대한) 자비, 친절.

sa·mar·i·um [səmɛ́əriəm] n. 〖화학〗 사마륨《희토류 원소의 하나; 기호 Sm; 번호 62》.

sa·mar·skite [səmáːrskait] n. [U] 〖광물〗 사마스카이트《우라늄 등을 함유하는 사방정계 광물》.

Sa·ma-Ve·da [sáːməvéidə, -víː-] n. (the ~) 사마베다《가영(歌詠)을 집록한 베다》. [cf.] Veda.

sam·ba [sǽmbə, sáːm-] (pl. ~s) n. 삼바《브라질의 댄스(곡); 이를 모방한 사교춤》. — (~ed, ~d) vi. 삼바를 추다.

sam·bar [sǽmbər, sáːm-] n. 수록(水鹿)《동남아시아산(産)의 큰 사슴》.

sam·bo[1] [sǽmbou] (pl. ~s) n. 1 =ZAMBO; 흑인과의 튀기. 2 (종종 S–) 《경멸》 (남자) 흑인, 검둥이《별명》.

sam·bo[2] n. 삼보《러시아 특유의 격투기》.

Sám Brówne (bèlt) (멜빵이 달린 장교의) 혁대; 《속어》 장교.

sam·bu·ca [sæmbjúːkə] *n.* 〖음악〗 = TRIGON.

sam·bur [sǽmbər] *n.* = SAMBAR.

†**same** [seim] *a.* **1** (보통 the ~) 같은, 마찬가지의(OPP *different*): Three of the girls had the ~ umbrella. 소녀들 중 셋은 같은 우산을 갖고 있었다 / She'll give you the ~ advice again. 그녀는 또 같은 충고를 할 게다. ★ 별개의 것이지만 종류·외관·양 등에서 다르지 않다는 뜻. identical은 동일인물임. **2** (보통 the 〔this, that, these, those〕 ~) **a** 동일한, 바로 그: Bob and I went to the ~ school. 보브와 나는 같은 학교에 다녔다 / They met early in 1990 and got married later that ~ year. 그들은 1990년 초에 만나 바로 그 해 말께 결혼하였다. **b** 방금 말한, 전술한, 예의: This ~ man was later prime minister. 방금 말한 이 사람이 뒤에 수상이 되었다.

NOTE 종종 as, that, which, who, when, where 등과 함께 쓰임: That's *the* ~ watch *as* 〔*that*〕 I lost. 그것은 내가 잃어버린 것과 같은 시계다《보통 as를 쓰면 같은 종류의 것을, that을 쓰면 동일한 것을 나타냄》/ She put the magazine back in *the* ~ place *where* she found it. 그녀는 그 잡지를 발견했던 같은 장소에 도로 놓았다 / She's given *the* ~ answer *as* 〔(*that*) she gave〕 last time. 그녀는 먼저와 같은 대답을 했다《주어나 동사가 생략되면 as를 쓰고 that은 불가함》.

3 (보통 the ~) (전과) 다름없는, 마찬가지: She is always the ~ *to us*. 그녀는 언제나 우리에게 변함없는 태도를 취한다 / The patient is much *the* ~ (*as* yesterday). 환자는 (어제와) 같은 용태이다. **4** 〖the 없이〗 단조로운, 변함없는: The life is ~ here. 이곳 생활은 여전하다.

— *ad.* (보통 the ~) 마찬가지로; (~ as) 《구어》 …와 마찬가지로: feel the ~ 같은 느낌이 다. ***about the*** ~ = much the ~ 《much the ~은 질에, about the ~은 양에 대하여》. ***all the*** ~ ① 아주 같은〔한가지인〕, 아무래도〔어느 쪽이든〕 상관없는: It's *all the* ~ to me. 어느 쪽이든 나에겐 상관없다. ② 그래도 (역시), 그럼에도 불구하고: Days were pleasant *all the* ~. 변함없이〔여전히〕 하루하루가 즐거웠다. ***at the*** ~ ***time*** ⇨ TIME. ***come*** 〔***amount***〕 ***to the*** ~ ***thing*** 결국 마찬가지로 귀결되다. ***I wish you the*** ~ ***!*** = ***The*** ~ ***to you!*** = ***Same to you!*** 당신께서도 또한 《Merry Christmas! 따위 축하 인사에 답(答)하여》. ***just the*** ~ = all the ~. ***much the*** ~ 거의 같은, 대차 없는. ***one and the*** ~ 아주 동일한. ~ ***difference*** 《미구어》 아무 차이도 없는 것. ***Same*** 〔***The*** ~〕 ***here.*** 《구어》 ① (남이 한 말에 이어) 나도 같다〔그렇다〕. ② (음식 주문 등에서) 나도 같은 것을 주세요. ***the*** ~ ***old*** 흔히 있는, 흔해〔낡아〕 빠진, 예의. ***the very*** ~ 아주 같은, 바로 그.

SYN. **same** 우리말의 '같은'과 거의 같으며 아주 동일한 것일 때와, 종류·내용이 같을 때가 있음: The *same* committee will check it. 같은 위원회가 조사할 것이다. The present edition is the *same* as the original. 현재 나온 책은 초판본과 다름없다. **selfsame** very same의 강조형으로 동일물에 대해서만 씀. 또한 very는 명사 앞에만 옴. **identical** 성질·외관 따위가 세세한 점에까지 정확히 일치하는: We are not *identical* with our former self. 우리는 본디의 자신과 동일하지는 않다. **equal** 둘 이상의 것이 수량·정도 따위가 같은: two *equal* parts 두 개의 서로 같은 부분. *equal* rights 평등한 권리. **equivalent** 둘 이상의 것이 지니고 있는 가치《양·크기·잠재력 따위를 포함》가 대등한: substitute a term *equivalent* with it but more familiar 뜻은 같지만 좀더 흔한 말로 바꾸다. **similar** 비슷한.

— *pron.* (the ~) **1** 동일한〔같은〕 것〔일〕. **2** 《비어》 〖법률·상업〗 동일인(들), 그 일(he, him; they, them; it). ★ 상업 용어·비어에서는 the를 생략할 때도 있음. ***to*** 〔***from***〕 ***the*** ~ (편지 따위가) 같은 사람에게〔으로부터〕.

sam·el [sǽməl] *a.* (벽돌·타일이) 덜 구워져 「약한.

sáme·ness *n.* 동일(성), 흡사; 일률, 단조로움.

S. Amer. South America(n).

sáme-sèx *a.* 동성(간)의, 남자〔여자〕 상호 간의. ★ homosex가 주로 남성만을 대상으로 사용되어 그런 편견을 피하려 한 표현임. 「안 되는.

samey [séimi] *a.* 《영구어》 단조로운, 구별이

Sám Híll 《미속어》 《의문사를 강조하는 hell의 완곡한 표현》 도대체: Who in (the) ~ is he? 도대체 그는 누구야.

Sa·mi [séimi] *n.* (the ~) 사미《라플란드 사람(Lapp)의 자칭(自稱)》.

Sa·mi·an [séimiən] *a.* Samos 섬(사람)의. — *n.* 사모스 사람.

Sámian wáre 사모스 도자기《로마 유적에서 대량으로 발굴된 적갈색 또는 흑색의 무른 도자기》.

sam·iel [sæmjél] *n.* = SIMOOM.

sa·mink [séimiŋk] *n.* 세이밍크 모피《담비 비슷한 밍크》.

sam·ite [sǽmait, séim-] *n.* 금란(金襴), 은란(銀襴)《중세의 양복지(洋服地)》.

sam·iz·dat [sàːmizdáːt] *n.* Ⓤ (옛 소련의) 지하 출판(사·물). [Russ. *sam*(자기 자신)+*izdatelstvo*(출판사)] ㊞ **-dat·chik** [-tʃik] (*pl.* ***-dat·chi·ki*** [-tʃikiː]) *n.* 지하 출판 활동가.

Saml., Sam'l Samuel.

sam·let [sǽmlit] *n.* 새끼 연어.

Sam·my [sǽmi] *n.* **1** 새미《남자 이름; Samuel의 애칭》. **2** 《속어》 (1차 대전에 참전한) 미국 병사. **3** 《미속어·경멸》 유대인 남자〔학생〕. **4** (s-) 《영속어》 바보, 얼간이. **5** 《구어》 (남아프리카의) 인도인 청과물 행상인. ***stand*** ~ 한턱내다.

Sam·nite [sǽmnait] *n., a.* Samnium 사람 《이탈리아의 고대 민족》(의).

Sam·ni·um [sǽmniəm] *n.* 삼니움《고대 이탈리아 중부의 나라》.

Sa·moa [səmóuə] *n.* 사모아《남서 태평양의 군도; American Samoa와 Western Samoa로 나뉨》. ㊞ **Sa·mó·an** [-n] *a.* Samoa의; 사모아말〔사람〕의. — *n.* 사모아 사람; Ⓤ 사모아 말.

Sa·mos [séimɑs/-mɔs] *n.* 사모스《에게해(海) 동부 그리스령(領)의 섬; 피타고라스의 출생지》.

SAMOS 《미》 satellite anti-missile observation system《정찰 위성의 하나》.

sa·mo·sa [səmóusə] *n.* 사모사《고기와 야채를 밀가루 반죽에 싸서 기름에 튀긴 인도 요리》.

sam·o·var [sǽməvàːr, ᐨᐨᐩ] *n.* 사모바르《러시아의 차 끓이는 주전자》.

Sam·o·yed(e) [sǽməjéd] (*pl.* ~(*s*)) *n.* **1** 사모예드 사람《시베리아 거주 몽고족》; Ⓤ 사모예드어. **2** [sǽməjéd/səmɔ́ied] 사모예드 개. ㊞ **-yéd·ic** *a., n.* 사모예드 사람〔어〕의; Ⓤ 사모예드어.

samp [sæmp] *n.* 《미》 탄 옥수수(로 끓인 죽).

samovar

sam·pan [sǽmpæn] *n.* 삼판《중국의 작은 배》.
sam·phire [sǽmfàiər] *n.* 〖식물〗 회향풀의 일종《샐러드용》; 퉁퉁마디(glasswort).

sampan

sam·ple** [sǽmpəl/sɑ́:m-] *n.* **1** 견본, 샘플, 표본; 시료(試料); 〖컴퓨터〗 표본, 샘플; buy by ~ 견본을 보고 사다. **2** 실례(實例) (illustration). **3** 〖통계〗 표본 추출, (추출) 표본: a wide [small] ~ of people (앙케트 따위에서) 많은[소수의] 추출 (인구)예(例). ***up to ~ 견본대로. ― *a.* 견본의: a ~ piece of cloth 천 견본 / a ~ fair 견본시(市). ― *vt.* **1** …의 견본을 뽑다; 견본으로 조사하다. **2** …의 견본이 되다. **3** 시식[시음]하다.
sámple càrd 견본 카드.
sámple pòst 상품 견본 우편《상품 견본 우송의 특별 요금 우편》.
sám·pler *n.* 견본 검사원; 시식[시음]자; 시료(試料) 채취 장치[검사기], 견본 추출 검사 장치[기]; 《미》 견본집, 선집(選集); (본디, 초심자의) 연습[견본] 작품.
sámple rèel 〖광고〗 선전 견본용 TV 광고를 여러 개 모아 수록한 필름의 한 권.
sámple ròom 견본 진열[전시]실; 《미구어》 바, 술집.
sámple spàce 〖통계〗 표본 공간.
sám·pling *n.* **1** Ⓤ 견본 추출: random ~ 〖통계〗 무작위[임의] 표본 추출. **2** 추출 견본; 시식[시음]품. **3** 〖전기〗 샘플링.
sámpling distribùtion 〖통계〗 (정규 모집단(母集團)을 기초로 한) 표본 분포.
sámpling èrror 〖통계〗 표본[추출, 샘플링] 오차《표본으로 모집단(母集團)에 있어서의 수치를 추정할 때 생기는 오차》.
sámpling inspèction **1** 〖상업〗 (주문한 상품의 인수 여부를 결정하기 위한) 견본 검사. **2** 〖항공〗 샘플링 검사《항공기 기체의 그룹별 추출 검사를 실시하여 이상이 발견될 경우 항공기 전체의 검사를 행하는 방식》.
sámpling ràte 샘플링 비(比)《디지털 녹음 시의 측정점(測定点)의 확정 방법의 정밀성》.
sam·sa·ra [səmsɑ́:rə] *n.* 〖힌두교·불교〗 윤회(輪廻), 윤회전생(轉生).
Sam·son [sǽmsən] *n.* 〖성서〗 삼손《힘이 장사인 이스라엘의 사사(士師); 사사기 XIII-XVI》; 힘센 사람. cf. Delilah. (***as***) ***strong as*** ~ 대단히 힘이 센.
sam·son·ite [sǽmsənàit] *n.* 〖광물〗 샘소나이트; 미국제 여행용 가방《상표명》.
Sámson('s)-pòst *n.* 〖해사〗 지주(支柱).
Sam·u·el [sǽmjuəl] *n.* **1** 새뮤얼《남자 이름》. **2** 〖성서〗 **a** 사무엘《이스라엘의 사사(士師)·예언자》. **b** 사무엘기(記)《구약성서의 **The First** [**Sécond**] **Bóok of** ∼ (사무엘기 상[하])의 하나; 생략: Sam.》.
Sam·u·el·son [sǽmju:əlsən, -jəl-] *n.* **Paul Anthony** ~ 새뮤얼슨《미국의 현대 경제학자; 노벨 경제학상 수상(1970); 1915-2009》.
San[1] [sɑ:n] *n.* **1** (*pl.* **~s,** 〖특히 집합적〗 ~) 산족(의 한 사람)《아프리카 남부에 살며 전에 수렵채집을 주생업으로 한 작은 키의 민족》. **2** 부시먼 제어(諸語)《Khoisan 어족에 속함》. ★ Bushman이라고도 함.
San[2] *a.* 《Sp., It.》 = SAINT.
san [sæn] *n.* 《구어》 = SANATORIUM.
Sa·n'a, Sa·naa [sɑ:nɑ́:] *n.* 사나《예멘 공화국의 수도》.
Sán An·dré·as fáult [sǽnændréiəs-] 〖지학〗 샌앤드레어스 단층《북아메리카 서해안에 연한 대단층(大斷層)》.
San An·to·nio [sæ̀næntóuniòu] 샌안토니오《미국 Texas 주 남부의 도시》.
san·a·tive [sǽnətiv] *a.* 병을 고치는; (육체·정신의) 건강에 좋은.
san·a·to·ri·um [sæ̀nətɔ́:riəm] (*pl.* **~s, -ria** [-riə]) *n.* **1** 새너토리엄, (특히 병 회복기 및 결핵 환자의) 요양소(sanitarium). **2** 보양[요양]지. **3** (학교의) 양호실.
san·a·to·ry [sǽnətɔ̀:ri/-təri] *a.* = SANATIVE.
san·be·ni·to [sæ̀nbəní:tou] (*pl.* **~s**) *n.* 회죄복(悔罪服)《옛날 스페인의 종교 재판에서 회개한 이단자에게 입힌 황색 옷》; 수의(囚衣)《회개하지 않은 이교도를 화형에 처할 때 입힌 검은 옷》.
San·cho Pan·za [sǽntʃoupǽnzə] *n.* 산초 판사《Don Quixote의 충실한 하인》; (이상주의적 인물의) 현실적 친구.
sanc·ta [sǽŋktə] *n.* SANCTUM의 복수.
sanc·ti·fi·ca·tion [sæ̀ŋktəfikéiʃən] *n.* Ⓤ 성화(聖化); 축성(祝聖); 정화(淨化).
sanc·ti·fied [sǽŋktəfàid] *a.* 신성화한; 축성된; 믿음이 두터운 체하는.
sanc·ti·fi·er [sǽŋktəfàiər] *n.* 신성하게 하는 사람; (S-) 성령(Holy Spirit).
sanc·ti·fy [sǽŋktəfài] *vt.* **1** 신성하게 하다, 축성(祝聖)하다, 신에게 바치다; 숭배하다. **2** 죄를 씻다. **3** (종교적 입장에서) 정당화하다, 시인하다(justify); 정신적 행복을 가져오도록 하다.
sanc·ti·mo·ni·ous [sæ̀ŋktəmóuniəs] *a.* 신성한 체하는, 신앙이 깊은 체하는, 경건한 체하는. ㊕ **~·ly** *ad.* **~·ness** *n.*
sanc·ti·mo·ny [sǽŋktəmòuni] *n.* Ⓤ 성자연함, 신앙이 깊은 체함; 《폐어》 신성.
sanc·tion** [sǽŋkʃən] *n.* **1** Ⓤ 재가(裁可), 인가; 〖일반적〗 시인, 찬성. **2** Ⓒ (보통 *pl.*) (보통 수개국 공동의 국제법 위반국에 대한) 제재; 상벌; 제재 규약: impose military [economic] ~*s* on …에 군사적[경제적] 제재를 가하다. **3** Ⓤ 〖법률〗 법의 강제력; 〖윤리〗 제재. ***a punitive [***vindicatory***] ~ 형벌, 징벌. ***give*** ~ ***to*** …을 재가[허가]하다. ***suffer the last*** ~ ***of the law*** 사형을 받다. ***take*** ~***s against*** …에 대해 제재 조치를 취하다. ― *vt.* 재가[인가]하다; 시인[확인]하다; 찬조하다; (법률에) 제재 규정을 설정하다. ㊕ **~·a·ble** *a.* **~·er** *n.* **~·ist** *n.* 제재 찬성자. **~·less** *a.* 인가 없는, 제재받지 않는; 제재가 없는.
sanc·ti·tude [sǽŋktət*j*ù:d/-tjù:d] *n.* 신성, 청정(清淨), 고결.
***sanc·ti·ty** [sǽŋktəti] *n.* **1** Ⓤ 신성, 존엄; 고결, 청정(清淨); 신성한 것. **2** (*pl.*) 신성한 의무[감정]《따위》: the *sanctities* of the home 가정의 신성한 의무 / ODOR of ~.
°sanc·tu·ary [sǽŋktʃuèri/-əri] *n.* **1** 거룩한 장소, 성당(聖堂), 신전(神殿), 교회; 예루살렘의 신전; (그 가장 안쪽의) 지성소(至聖所)(holy of holies); (교회의) 성소(聖所). **2** 성역《중세에 법률의 힘이 미치지 못한 교회 등》, 은신처, 피난처; Ⓤ (교회 등의) 죄인 비호(권). **3** 조수(鳥獸) 보호구역, 금렵구(禁獵區); 자연 보호 구역: a bird ~ 조류 보호 구역. **4** (남에게 침범당하지 않는) 안식처《마음속 따위》. ***break*** [***violate***] ~ 성역(聖域)을 침범하다[침범하여 도피자를 체포하다]. ~ ***privilege*** 면죄 특권. ***seek*** [***take***] ~ 성역으로 도망하다.
sánctuary mòvement 《미》 불법 입국자 보호 운동《남아메리카 제국에서 압정을 피해 미국으로 불법 입국한 사람을 보호하는 운동》.
sanc·tum [sǽŋktəm] (*pl.* **~s, -ta** [-tə]) *n.* 《L.》 거룩한 곳, 성소(聖所); 밀실, 사실(私室), 서재.

sánctum sanc·tó·rum [-sæŋktɔ́ːrəm] 《L.》 (예루살렘 신전의) 지성소(至聖所); 《우스개》 밀실, 사실, 서재.

Sand [sænd; *F.* sɑ̃d] *n.* **George ~** 상드《프랑스의 여류 작가; 1804-76》.

†**sand** [sænd] *n.* **1** Ⓤ 모래; (종종 *pl.*) 모래알: a grain of ~ 모래 한 알/a bag filled with ~ 모래를 채운 마대. **2** (보통 *pl.*) 모래밭, 사막; 모래펄; 모래톱: children playing on the ~*s* 모래밭에서 놀고 있는 아이들. **3** (*pl.*) 시각; 수명《모래시계의 모래알의 뜻에서》: The ~*s* of life run fast. 인생은 덧없다; 남은 시간이 별로 없다. **4** Ⓤ 《미구어》 용기, 기력, 근성(根性): a man who has got plenty of ~ 매우 기골이 있는 남자. **5** Ⓤ 모래빛, 적황색. **6** 잠잘 때 눈에 괴는 눈물 방울(sleeper). **7** Ⓤ 《미속어》 설탕; 《군대속어》 소금. ***built on*** 〔***upon***〕 (***the***) ~ 모래 위에 세운, 불안정한. ***bury*** 〔***hide, have, put***〕 ***one's head in the*** ~ ⇨HEAD. ***footprints on the*** ~***s of time*** 이 세상에 생활한 (사람의) 발자취. ***head in the*** ~ 분명한 위험을 무시하고. ***knock the*** ~ ***from under*** 《구어》 (아무의) 계획을 뒤엎다. ***make a rope of*** ~ 모래로 새끼를 꼬다; 불가능한 일을 꾀〔시도〕하다. ***numberless*** 〔***numerous***〕 ***as the*** ~***s*** 무수한. ***plow*** 〔***measure, number***〕 ***the*** ~(***s***) 〔***air***〕 헛수고를 하다. ***put*** 〔***throw***〕 ~ ***in the wheels*** 〔***machine***〕 방해하다, 파괴하다. ***run into the*** ~***s*** 꼼짝 못하게 되다, 궁지에 몰리다. ***sow one's seed in the*** ~ 무익한 일을 하다.
— *vt.* **1** …에 모래를 뿌리다: ~ a road (빙판) 길에 모래를 뿌리다. **2** 《+목+부》 모래로 덮다〔묻다〕《*over; up*》: The harbor is ~*ed up* by the tides. 그 항구는 조류에 밀려 온 모래로 얕아져 있다. **3** 《~+목/+목+부》 …에 모래를 섞다; 모래〔샌드페이퍼〕로 닦다《*down*》: ~ *down* a door (페인트칠을 하기 전에) 샌드페이퍼로 문을 닦다.

*****san·dal** [sǽndl] *n.* **1** (여성 · 어린이용) 샌들. **2** (고대 그리스 · 로마 사람의) 짚신 모양의 신발. **3** 《미》 운두가 낮은 덧신. **4** (샌들의) 가죽끈. — (*-l-*, 《영》 *-ll-*) *vt.* …에게 샌들을 신기다. ㊎ **sán·dal(l)ed** *a.* 샌들을 신은: ~*ed* feet 샌들을 신은 발.

sándal(·wòod) *n.* Ⓤ,Ⓒ 『식물』 백단향. ***a red*** ~ 자단(紫檀).

sándalwood òil 백단유(油).

san·da·rac, -rach [sǽndəræ̀k] *n.* **1** 산다락《sandarac tree 의 수지(樹脂); 향료 · 니스에 씀》. **2** =SANDARAC TREE. **3** 『광물』 계관석(鷄冠石).

sándarac trèe (북아프리카산(産)) 소나뭇과(科)의 상록수.

sánd·bàg *n.* 모래 부대, 사낭(砂囊); 《미해군속어》 구명동의(救命胴衣). — (*-gg-*) *vt.*, *vi.* **1** 모래 부대로 (틀어) 막다; 모래주머니로 때려 눕히다. **2** 《미구어》 거칠게 강제하다, (뒤에서) 불시에 습격하다, 매복하다. **3** 《미속어》 (포커에서 센 카드를 갖고서도, 우선 상대에게 걸도록 하여) 속여 이기다; 『권투』 힘을 아꼈다가 후반에 급습하다. **4** 《미속어》 (레이스에서) 이기다, (차를) 질주하다. ㊎ **~·ger** [-ər] *n.* 모래주머니를 흉기로 쓰는 악한.

sánd·bànk *n.* 모래톱, 사구(砂丘).

sánd bàr (조류 때문에 형성된) 모래톱(=sánd-bàr).

sánd bàth 『화학』 모래중탕, 『공업』 샌드 배스; 모래욕(浴), 모래찜.

sánd bèd 모래 바닥, 모래층(層).

sánd bínder 모래막이 식물《모래를 고정시키는》.

sánd·blàst *n.* Ⓤ 모래뿜기; Ⓒ 분사기(噴砂機)《유리 표면을 거칠게 하거나 건물의 외면 · 철골 구조물의 녹 따위를 청소〔제거〕하기 위한》; Ⓒ 모래바람; Ⓤ 황폐시킴; 모든 것을 휩쓸어 버리는 강한 힘. — *vt.* …에 모래를 뿜어 대다, 모래를 뿜어 꺼칠꺼칠하게 하다〔닦다〕. — *vi.* 분사기를 사용하다. ㊎ **~·er** *n.*

sánd-blìnd *a.* 《고어 · 시어》 반(半)소경의, 눈이 침침한.

sánd bòiling 분사(噴砂)《모래가 지하수와 함께 분출하는 현상》.

sánd·bòx *n.* 모래통《기관차의 미끄럼 방지용》; 《미》 (어린이) 모래놀이통; 모래 거푸집; 『골프』 tee용 모래 그릇.

sánd·bòy *n.* 〖보통 다음 관용구로〗 모래 팔이 소년. (***as***) ***jolly*** 〔***happy, merry***〕 ***as a*** ~ 《구어》 아주 명랑한.

Sand·burg [sǽndbəːrg] *n.* **Carl ~** 샌드버그《미국의 시인 · 전기 작가; 1878-1967》.

sand·burg [sǽndbəːrg; *G.* zántburk] *n.* 《G.》 모래 벽〔성채〕《독일에서 해수욕객이 자기들의 영역을 표시하기 위해 쌓는》.

sánd-càst *vt.* (주물을) 만들다《녹은 금속을 모래 거푸집에 넣어서》.

sánd càsting 모래 거푸집 주조(물).

sánd·càstle *n.* (어린이가 만드는) 모래성.

sánd clòud (사막의 열풍으로 일어나는) 모래 먼지.

sánd cràck 『수의』 열제(裂蹄); (뜨거운 모래를 밟는 사람의) 발바닥에 트는 금.

sánd·cùlture *n.* 『농업』 모래 재배, 사경(砂耕)(법).

sánd dòllar 『동물』 성게의 일종.

sánd dùne (바람에 의한) 사구(砂丘), 모래언덕.

sánd·ed [-id] *a.* 모래를 깐; 모래투성이의; 모래땅의; 작은 얼룩이 있는; 모랫빛의.

sánd éel 『어류』 =SAND LANCE.

San·der, -dor [sǽndər] *n.* 샌더《남자 이름》.

sánd·er *n.* **1** 사포로 닦는 사람〔장치〕. **2** 샌더《모래로 닦는 기계》. **3** 모래 뿌리는 기계〔트럭〕; (기관차의) 모래 뿌리는 장치.

san·der·ling [sǽndərliŋ] *n.* 『조류』 세발가락도요새.

san·ders [sǽndərz] *n.* =SANDAL(WOOD).

san·de·ver [sǽndəvər] *n.* =SANDIVER.

sánd flèa 『곤충』 모래벼룩; 갯벼룩.

sánd·flỳ *n.* 『곤충』 눈에놀이; 나방파리.

sánd·glàss *n.* 모래시계.

sánd·gròper *n.* 《Austral.》 골드러시 시대의 개척자; 《우스개》 오스트레일리아 서부(태생) 사람.

S and H, S & H shipping and handling (charges).

san·dhi [sʌ́ndi/sǽn-] *n.* 『언어』 연성(連聲)《문맥에 따라 어두(語頭)〔어미〕의 발음이 변함: a [ə] dog, an [ən] apple》.

sánd hìll 사구(砂丘).

sánd·hìller *n.* 사구 지대 주민; 《미속어》 백인 가난뱅이.

sánd·hòg *n.* 모래 파는 인부; (잠함(潛函) 따위에서 일하는) 지하 작업부.

sánd hòpper 갯벼룩.

Sand·hurst [sǽndhəːrst] *n.* 샌드허스트《영국 육군 사관학교(Royal Military Academy)의 소재지; Berkshire 주에 있음》: a ~ man 육군 사관학교 출신자.

San Di·e·go [sæ̀ndiéigou] 샌디에이고《미국 서해안의 군항》.

San·di·nis·ta, San·di·nist [sæ̀ndəníːstɑː], [sǽndənist] *n.* 산디니스타《1979년 Somoza 정권을 무너뜨린 니카라과의 민족 해방 전선의 일원》.

sánd ìron =SAND WEDGE.

san·di·ver [sǽndəvər] *n.* 부재(浮滓), 찌꺼기《유리를 녹일 때 뜨는》.

S & L, S and L 《미》 savings and loan (association)(저축 대출 조합; 우리의 신용 금고에 해당되는 미국의 지역 금융 기관).

sánd lànce 〔**làunce**〕 『어류』 까나리(sand eel).

sánd lìly 『식물』 백합과의 줄기 없는 작은 식물《향기 있는 흰 꽃이 봄에 피는 북아메리카 서부산

의 백합》.

sánd·lòt *n.* 《미》 (도시의 운동용) 빈터. **—** *a.* 빈터의, 빈터에서 하는: ~ baseball 빈터(에서 하는 동네) 야구. [파] **~·ter** *n.*

S and M, S & M sadist and masochist; sadism and masochism.

sánd·màn [-mæ̀n] (*pl.* ***-mèn*** [-mèn]) *n.* (어린이 눈에 모래를 뿌려 잠들게 한다는) 잠귀신: The ~ is coming. 졸음이 온다.

sánd màrtin 〖조류〗 개천제비.

sánd pàinting (Pueblo 족이나 Navaho 족의) 모래 그림《여러 가지로 착색한 모래로 그리는 의식의 장식; 그 화법; 그 의식》.

sánd·pàper *n.* [U] 사포(砂布), 샌드페이퍼. **—** *vt.* 사포로 닦다. [파] **~y** *a.* 까칠까칠한.

sánd pìle 〖건축〗 샌드파일.

sánd·pìper *n.* 〖조류〗 삑삑도요 · 깝작도요의 무리.

sandpiper

sánd·pìt *n.* 모래 채취장; 《영》 (어린이들이 노는) 모래밭.

sánd-pòunder *n.* 《미해군속어》 연안 경비병. 「프.

sánd pùmp 모래 펌

San·dra [sǽndrə, sɑ́ːn-/sɑ́ːn-] *n.* 샌드라《여자 이름; Alexandra의 애칭》.

San·dring·ham [sǽndriŋəm] *n.* 샌드링엄《England Norfolk주 북서부의 마을; 왕실 별장이 있음》. 「ander의 애칭》.

San·dro [sǽndrou] *n.* 샌드로《남자 이름; Alex

S. & S.C. sized and supercalendered.

sánd shòe 《영》 즈크신의 일종《테니스용》.

sánd sìnk 모래 처리《해면에 퍼진 기름을, 화학 처리한 모래를 뿌려 가라앉혀 제거하기》.

sánd·sòap *n.* 모래를 넣은 비누《식기용 · 화장실용 따위》. 「래 회오리.

sánd spòut (사막에 일어나는) 모래 기둥, 모

sánd·stòne *n.* [U] 〖지학〗 사암(砂岩).

sánd·stòrm *n.* [U] (사막의) 모래 폭풍.

sánd tàble 〖광산〗 선광기(選鑛機)《비교적 거친 덩이를 처리하는》; (주위의 좀 높은) 모래판《어린이의 모래 장난용》; 〖군사〗 사판(砂板).

sánd tràp 〖골프〗 모래 구덩이.

sánd wàve (사막 · 해변 등의) 사파(砂波).

sánd wèdge 〖골프〗 샌드웨지《벙커에서 쓰는 아이언의 일종》.

†**sand·wich** [sǽn*d*witʃ/sǽnwidʒ] *n.* 샌드위치; 샌드위치 모양의 것. ***ride*** 〔***sit***〕 ~ 두 사람 사이에 끼어 타다〔걸터앉다〕. **—** *vt.* **1** 샌드위치 모양으로 양자 사이에 끼우다. **2** 《+[목]+[부]/+[목]+[전]+[명]》 삽입하다, 끼우다: ~ an appointment *in between* two board meetings 임원회와 임원회 사이에 만날 약속을 하다. 「토랑.

sándwich bàr (카운터식) 샌드위치 전문 레스

sándwich bóard 샌드위치맨이 걸치는 광고판.

sándwich bòat 《영》 bumping race에서 앞 보트를 앞지른 보트.

sándwich càke 샌드위치 케이크《사이에 잼이나 크림을 끼운 케이크》.

sándwich còin 《미》 샌드위치 주화《같은 종류의 금속 사이에 다른 종류의 금속을 끼운 주화》.

sándwich cóurse 《영》 샌드위치 코스《실업학교에서 실습과 이론 연구를 번갈아 하는 과목》.

sand·wich·e·ria [sæ̀n*d*witʃíəriə] *n.* 샌드위치 전문 식당(sandwich bar).

sándwich generátion 샌드위치 세대《부모와 자녀들을 동시에 돌보아야 할 연령의 사람들》.

Sándwich Íslands (the ~) 샌드위치 제도《Hawaiian Islands의 구칭》.

sándwich màn 샌드위치맨《몸 앞뒤에 광고판을 달고 다니는 사람》; 샌드위치 제조〔판매〕인.

sándwich shòp 간이식당(luncheonette).

sánd·wòrm *n.* 갯지렁이. 「(屬)의 식물.

sánd·wòrt *n.* 모래땅의 잡초; 벼룩이자리속

Sandy [sǽndi] *n.* 샌디. **1** 남자 이름《Alexander의 애칭》. **2** 여자 이름《Alexandra의 애칭》. **3** 스코틀랜드 사람의 별명(〔cf.〕 Sawn(e)y). ***run a sandy on ...*** 《미속어》 …을 조롱하다, 교묘하게 속이다.

sandy** [sǽndi] (sand·i·er; -i·est***) *a.* 모래의; 모래땅의; 모래투성이의; 모랫빛(머리털)의; 불안정한; 꺼칠꺼칠한. [파] **sánd·i·ness** *n.* **sánd·y·ish** *a.* 모래 섞인, 깔깔한; 모랫빛을 띤, 연한 갈색의.

sánd yàcht 사상(砂上) 요트《바퀴 달린》.

sánd yáchting 사상〔모래밭〕 요트 레이스.

sánd yàchtsman 사상 요트 레이스 선수.

sándy blíght 《Austral.》 (트라코마 따위) 눈꺼풀의 염증.

sándy lóam 〖지학〗 사양토(砂壤土).

***sane** [sein] *a.* **1** 제정신의. [OPP] *insane.* **2** 온건한, 건전한, 분별 있는: No ~ man would do such a thing. 분별 있는 사람이라면 그런 일은 않는다. ◇sanity *n.* [파] **∠·ly** *ad.* **∠·ness** *n.*

San·for·ized [sǽnfəràizd] *a.* 빨아도 줄지 않게 가공한《천; 상표명》. [cf.] preshrunk.

***San Fran·cis·co** [sæ̀nfrənsískou] 샌프란시스코《미국 California주의 항구 도시》. [파] **Sàn Fran·cís·can** *n.* 샌프란시스코 주민.

sang [sæŋ] SING의 과거.

san·gar [sǽŋgər] *n.* (오목한 곳 주위를 돌 따위로 보강했을 뿐인) 방벽, 사격호(壕).

san·ga·ree [sæ̀ŋgəríː] *n.* [U,C] 포도주에 물을 타고 설탕 · 향료로 가미한 음료.

sang de boeuf [sɑ̀ːŋdəbə́ːf; *F.* sɑ̃dəbœf] 《F.》 〖요업〗 짙은 붉은색《선명한 소(cow)의 핏빛으로 중국 명대(明代) 초기의 도자기에 쓰이고 뒤에 청대(淸代)에서 재발견됨》.

sang·froid [sæŋfrwɑ́ː, sɔːŋ-; *F.* sɑ̃fʀwɑ] *n.* [U] 《F.》 (=cold blood) 냉정, 침착.

san·gha [sʌ́ŋgə] *n.* 불교의 수도원, 교단(敎團); 승가(僧伽); 수도승.

San·graal, San·gre·al [sæŋgréil], [sǽŋgriəl] *n.* 성배(聖杯)(Holy Grail).

San·grail [sǽŋgreil] *n.* =SANGRAAL.

san·gri·a [sæŋgríːə] *n.* 붉은 포도주에 주스 · 탄산수를 타서 냉각시켜 마시는 음료.

san·gui- [sǽŋgwə] '피 · 혈액'의 뜻의 결합사.

san·guif·er·ous [sæŋgwífərəs] *a.* (혈관 등이) 혈액을 나르는.

san·gui·fi·ca·tion [sæ̀ŋgwəfikéiʃən] *n.* [U] 〖생리〗 조혈(造血), 혈액 생성, (음식물의) 혈액화.

sángui·mòtor *a.* 〖생리〗 혈액 순환의〔에 관한〕.

san·gui·nar·ia [sæ̀ŋgwənέəriə] *n.* 〖식물〗 **1** = BLOODROOT. **2** bloodroot의 뿌리《약용》.

san·gui·na·ry [sǽŋgwənèri/-nəri] *a.* 피비린내 나는; 피보기를 즐기는, 살벌한; 함부로 사형을 선고하는; 피투성이가 된; 《영》 처참한(bloody); 지독한; 말씨가 더러운. [파] **-ri·ly** *ad.* **-ri·ness** *n.*

°**san·guine** [sǽŋgwin] *a.* **1** 쾌활한, 희망에 찬, 자신만만한, 낙관적〔낙천적〕인: He has a ~ attitude to life. 그는 인생에 대하여 낙천적으로 생각하고 있다 / He's ~ *about* getting the work finished on time. 그 일을 제 시간에 마칠 것에 그는 자신만만하다. **2** (안색이) 혈색이 좋은; 다혈질의. **3** 《문어》 유혈의, 피비린내 나는; 피에 굶주린, 살벌한, 흉포한. **4** 피처럼 붉은, 혈홍색의; 빨간. ***be ~ of success*** 성공할 자신이 있다.

— *n.* 쾌활함, 낙천성; 붉은 분필〔크레용〕(그림); (짙은) 붉은색; 『문장(紋章)』 적자색. ⊕ ~·ly *ad.* ~·ness *n.* **sanguín·i·ty** [-əti] *n.*

san·guin·e·ous [sæŋgwíniəs] *a.* 피의; 붉은 핏빛의; 다혈질의; 낙천적인; 유혈의, 살벌한. ⊕ ~·ness *n.*

san·guin·o·lent [sæŋgwínələnt] *a.* 피의, 피 모양의, 피로 물든.

San·hed·rin, -rim [sænhédrin, -híːd-, sǽnid-/sǽnid-], [-drim] *n.* 『유대사』 고대 예루살렘의 최고 평의회 겸 최고 재판소《71 명으로 구성됨》; 〔일반적〕 평의회, 의회.

san·i·cle [sǽnikəl] *n.* 참반디속(屬) *Sanicula* 식물의 총칭《약초》.

san·i·dine [sǽnədiːn, -din] *n.* 『광물』 파리장석(玻璃長石).

sa·ni·es [séiniiːz] *n.* Ⓤ 『의학』 (상처 따위에서 나는) 묽은 피고름.

san·i·fy [sǽnifài] *vt.* 위생적으로 하다.

sa·ni·ous [séiniəs] *a.* 『의학』 묽은 피고름의 〔이 나오는〕.

sanit. sanitary, sanitation.

san·i·tar·i·an, san·i·ta·rist [sæ̀nətέəriən], [sǽnətərist] *a.* (공중)위생의. — *n.* 위생학자; 위생 개선가.

◇**san·i·tar·i·um** [sæ̀nətέəriəm] (*pl.* **~s, -ia** [-riə]) *n.* 《미》 =SANATORIUM 1, 2.

***san·i·tary** [sǽnətèri/-təri] *a.* **1** (공중)위생의, 보건상의: the ~ board 〔commission〕 위생국 / ~ arrangements 위생 설비 / ~ regulations 〔laws〕 공중위생 규칙〔법〕 / ~ science 공중 위생학. **2** 위생적인, 깨끗한; 균이 없는: ~ sewage 수세식 오물〔오수〕 처리 / a ~ wrapper for sandwiches 샌드위치용 무균지(無菌紙). — *n.* 공중변소. ⊕ **-i·ly** *ad.* **-i·ness** *n.*

sánitary bélt (sanitary napkin을 받치는) 월경대.

sánitary córdon =CORDON SANITAIRE.

sánitary enginéer 위생기사; 배관공(配管工).

sánitary enginéering 위생 공학.

sánitary inspèctor (하수 따위의) 위생 설비 검사관.

sánitary lándfill 매립식 쓰레기 처리법.

sánitary nápkin 〔**pád,** 《영》 **tówel**〕 생리용 냅킨.

sánitary protéction 〔집합적〕 생리용 냅킨.

sánitary wáre 위생 도기(陶器)《변기·욕조 등》.

san·i·tate [sǽnətèit] *vt.* 위생적으로 하다; …에 위생 설비를 하다.

◇**sàn·i·tá·tion** *n.* Ⓤ (공중)위생; 위생 시설(의 개선); 《특히》 하수구 설비; 하수〔오수, 오물〕 처리. ⊕ **-ist** *n.*

sanitátion enginéer 《완곡어》 =SANITATIONMAN.

sanitátion·man [-mən] (*pl.* **-men** [-mən]) *n.* =SANITATION WORKER.

sanitátion wòrker 《미》 (쓰레기 수거) 환경미화원.

san·i·tize [sǽnitàiz] *vt.* **1** (청소 등으로) 위생적으로 하다, …에 위생 설비를 하다. **2** (책·연극 등에서) 부적당한 곳《성적·정치적 사유 등》을 제거하다, (기록 등에서) …의 기밀 자료를 삭제하다; (식품 등을) 무해하게 하다. ⊕ **-tìz·er** *n.* 소독제, 살균제. **sàn·i·ti·zá·tion** [-tizéiʃən] *n.*

san·it·man [sǽnitmən] (*pl.* **-men** [-mən]) *n.* 《미구어》 =SANITATIONMAN.

san·i·to·ri·um [sæ̀nətɔ́ːriəm] (*pl.* **~s, -ria** [-riə]) *n.* =SANATORIUM.

◇**san·i·ty** [sǽnəti] *n.* Ⓤ 제정신, 정신이 멀쩡함; 건전함, 온건함; (정신적인) 건강: lose one's ~ 미치다. ◇ sane *a.*

san·jak [sàːndʒǽk] *n.* 《Turk.》 (터키의) 군(郡) 《vilayet(주) 내의 행정 구획》.

San Jo·se [sæ̀nhouzéi] 새너제이《California 주 서부 San Francisco의 남동부의 도시》.

San Jo·sé [sàːnhoːsé] 산호세《Costa Rica의 수도》.

Sán Josè scále 『곤충』 배깍지진디《California 주 San Jose에서 발견된 과수·관목의 해충》.

San Juan [sæ̀nhwáːn] **1** 산후안《Puerto Rico의 수도·항구 도시》. **2** 산후안《아르헨티나 서부의 도시》.

sank [sæŋk] SINK의 과거.

San·khya [sáːŋkjə] *n.* 삼키아 학파 철학, 수론(數論) 학파《인도 육파(六派) 철학의 하나》.

san·man [sǽnmæ̀n] *n.* 《미구어》 =SANITATIONMAN.

San Ma·ri·no [sæ̀nməríːnou] 산마리노《이탈리아 동부에 있는 작은 공화국; 그 수도》.

san·nup [sǽnʌp] *n.* (북미 인디언의) 기혼 남성. cf. squaw.

sann·ya·si, -sin [sʌnjáːsi], [-sən] *n.* 《Hind.》 힌두교의 탁발승.

sans [sænz; *F.* sɑ̃] *prep.* 《고어·문어》 …없이, 없어서(without): *Sans* teeth, ~ eyes, ~ taste, ~ everything. 이도 눈도 없고 게다가 맛도 없으며 무엇 하나 있는 것이 없이《Shakespeare 작 *As You Like It* 에서》.

Sans. Sanskrit.

San Sal·va·dor [sænsǽlvədɔ̀ːr] 산살바도르《중앙 아메리카 El Salvador의 수도》.

sans cé·ré·mo·nie [*F.* sɑ̃seʀemɔni] 《F.》 스스럼없이, 격식 차리지 않고; 허물없이.

Sanscrit ⇨SANSKRIT.

sans·cu·lotte [sæ̀nzkjəlɑ́t/-lɔ́t] *n.* 《F.》 (프랑스 혁명 당시의) 과격 공화당원《귀족적인 culotte를 입지 않은 데서 연유》; 과격주의자, 급진 혁명가. ⊕ **-lót·tic** [-tik], **-tish** [-tiʃ] *a.* 혁명적인, 과격파의.

sans·cu·lot·tism [sæ̀nzkjəlɑ́tizəm/-lɔ́t-] *n.* 과격 공화주의. ⊕ **sàns·cu·lót·tist** *n., a.*

sans doute [*F.* sɑ̃dut] 《F.》 틀림없이, 확실히.

san·ser·if [sænsérif] *a., n.* =SANS SERIF.

san·se·vie·ria [sæ̀nsəviíːriə, -səvíəriə/-víər-] *n.* 『식물』 산세비에리아, 천세란(千歲蘭)《산세비에리아속(屬) 식물의 총칭》.

sans fa·çon [*F.* sɑ̃fasɔ̃] 《F.》 탁 터놓고, 심중을 헤쳐 놓고.

sans gêne [saːŋʒén; *F.* sɑ̃ʒɛn] 《F.》 거리낌 없이; 스스럼없이.

San·skrit, -scrit [sǽnskrit] *n.* 산스크리트, 범어(梵語)《생략: Skr., Skrt., Skt.》. — *a.* 산스크리트〔범어〕의. ⊕ ~·**ist** *n.* 산스크리트〔범어〕 학자.

sans phrase [*F.* sɑ̃fʀaːz] 《F.》 단도직입적으로, 한마디로.

sans serif [sænzsérif] 『인쇄』 산세리프체 (활자)《보기: ABC abc》. cf. serif.

sans sou·ci [*F.* sɑ̃susi] 《F.》 무사태평, 무관심하게〔한〕, 걱정 없이〔없는〕.

San·ta [sǽntə] *n.* (이탈리아·스페인·포르투갈에서) 여자 성인; 《구어》 =SANTA CLAUS. — *a.* 〔이름 앞에 써서〕 성(聖)…(Saint, Holy).

***San·ta Claus** [sǽntəklɔ̀ːz] 산타클로스《아이들의 수호성인 Saint Nicholas의 이름에서 유래》; 《미속어》 남성 자선가〔독지가〕, 매우 관대한 사람.

San·ta Fe [sǽntəféi] 샌타페이《미국 New Mexico 주의 주도》. ⊕ **Sán·ta Fé·an** 「의 도시》.

San·ta Fé [sǽntəféi] 산타페《아르헨티나 중부

Sánta Fé Tráil (the ~) 샌타페이 가도(街道) 《1880년경의 철도 개통 시까지, Santa Fe에서 Missouri 주의 Independence에 이르는 교역 산업 도로》.

Sánta Ger·trú·dis [-gərtrúːdis] 샌타거트루디스《Texas 주의 King 목장에서 개발된 고온에 강한 육우(肉牛)》.

Sánta María (the ~) 산타마리아호(號)

《Columbus가 아메리카 대륙을 발견했을 때의 기함(旗艦)》.

Sánta Már·ta gòld [-má:rtə-] 산타마르타 골드《콜롬비아산(産)의 강한 마리화나》.

Sánta Món·i·ca [-mánikə/-mɔ́n-] 샌타모니카《California주 Los Angeles의 해변 휴양지》.

San·te·ria [sæ̀nteirí:ə] *n.* (종종 s–) 산테리아《아프리카 기원의 쿠바 종교; 가톨릭적인 요소를 포함》.

San·te·ro, -ra [sæntéirou], [-rɑ:] (*pl.* **~s**) *n.* (때로 s–) 산테로《Santeria 의식의 사제》.

San·ti·a·go [sæ̀ntiá:gou] *n.* 산티아고《칠레의 수도》.

san·tims [sá:ntimz] (*pl.* **-ti·mi** [-təmi]) *n.* 산팀스《라트비아의 화폐 단위; =1/100 lat》.

San·to Do·min·go [sæ̀ntoudəmíŋgou] 산토도밍고《도미니카 공화국의 수도》.

san·to·nin [sǽntənin] *n.* Ⓤ 〖화학〗 산토닌.

San·tos [sǽntəs] *n.* 산투스《브라질 남부의 도시; São Paulo의 외항(外港)》.

Sa·nu·si [sənú:si] (*pl.* **~(s)**) *n.* 사누시 교도《이슬람교의 일파로 금욕주의적이며, 정치적으로는 전투적임》.

san·ya·si [sʌnjá:si] *n.* =SANNYASI(N).

São Pau·lo [sáunpáulou] 상파울루《Brazil 남부의 대도시》.

São Sal·va·dor [sænsǽlvədɔ̀:r] =SALVADOR 2.

São To·mé and (e) Prin·ci·pe [sautəméiənd(e)prí:nsipə] 상투메 프린시페《서아프리카 기니 만의 두 섬으로 된 공화국, 수도 São Tomé》.

°**sap**[1] [sæp] *n.* **1** Ⓤ 수액(樹液), (식물의) 액즙. **2** (생명의 근본이 되는) 활액(活液), 체액, 《속어》 위스키, 《시어》 피. **3** Ⓤ 《비유》 활력, 원기, 생기: the ~ of life 활력, 정력 / the ~ of youth 혈기. **4** =SAPWOOD. **5** 《미속어》 곤봉. **6** 《속어》 바보, 얼간이, 멍청이(saphead). ── (**-pp-**) *vt.* **1** …에서 수액을 짜내다. **2** 《비유》 …에서 활력을 없애다, 약화시키다: ~ one's energy 정력을 약화시키다. **3** 《미속어》 몽둥이로 때리다. ㊐ **∠·ful** *a.* 즙〔수액〕이 많은.

sap[2] *n.* **1** Ⓤ,Ⓒ 〖군사〗 (적진으로 파고들어 가는) 대호(對壕); 대호를 팜. **2** 《비유》 서서히 파고듦. **3** Ⓤ,Ⓒ (결심 등을) 점차로 번복함. **4** 《영속어》 공부만 파는 사람; 무섭게 일하는 사람; Ⓤ,Ⓒ 고된〔싫은〕 일. ── (**-pp-**) *vt., vi.* **1** (담 밑 등을) 파서 무너〔쓰러〕뜨리다; 〖군사〗 대호를 파다, 대호에 따라 접근하다. **2** 《비유》 서서히 해치다, (건강·기력·신앙 등을) 점차로 약화시키다. **3** 《~/+전+명》 《영학생속어》 공부만 파다; 열심히 일하다: ~ *at* mathematics 수학만 들이파다.

sap·a·jou [sǽpədʒù:] *n.* 〖동물〗 꼬리말이원숭이.

sapanwood ⇨ SAPPANWOOD.

sa·pe·le [səpí:li] *n.* 〖식물〗 사펠리《마호가니 비슷하여 가구재로 씀》.

sáp gréen 녹색 안료의 일종; 암녹색.

sáp-hàppy *a.* 《미속어》 술 취한, 한잔해서 기분이 얼큰한.

sáp·hèad *n.* 《속어》 바보, 얼간이. ㊐ **~·ed** [-id] *a.* 《속어》 바보 같은, 얼간이 같은.

sa·phe·na [səfí:nə] *n.* 〖해부〗 (하지(下肢)의) 복재 정맥(伏在靜脈)(=**saphénous véin**). ㊐ **sa·phé·nous** *a.*

sap·id [sǽpid] *a.* 맛 좋은, 풍미 있는《음식 등》; 《문어》 흥미〔매력〕 있는《이야기·문체 등》. ㊐ **sa·ipid·i·ty** [sæpídəti] *n.* Ⓤ 맛이 있음; 맛, 재미, 매력. **~·ness** *n.*

sa·pi·ence, -en·cy [séipiəns], [-si] *n.* Ⓤ 아는 체하는 태도, 아는 체함; 지혜.

sa·pi·ens [séipiənz] *a.* (화석인(化石人)에 대하여) 현(現) 인류의.

sa·pi·ent [séipiənt] *a.* 〖종종 반어적〗 아는 체하는; 《문어》 약은, 영리한. ㊐ **~·ly** *ad.*

sa·pi·en·tial [sèipiénʃəl] *a.* 지혜의〔가 있는〕. ㊐ **~·ly** *ad.*

sapiéntial bóoks (the ~) 지혜의 서《구약성서 중의 Proverbs, Ecclesiastes, Canticles, 또 경외전(經外典) 중의 Wisdom, Ecclesiasticus》.

Sa·pir [səpíər] *n.* **Edward ~** 사피어《미국의 인류학자·언어학자; 1884–1939》.

Sa·pír-Whórf hypòthesis [-hwɔ́:rf-/-wɔ́:f-] 사피어워프의 가설(Whorfian hypothesis).

sáp·less *a.* 수액이 없는; 시든; 기운 없는, 활기 없는. ㊐ **~·ness** *n.*

sap·ling [sǽpliŋ] *n.* **1** 묘목, 어린나무. **2** 《비유》 젊은이, 청년(youth). **3** 그레이하운드(greyhound)의 새끼《한 살 이하》: ~ stakes 그레이하운드 새끼의 경주.

sap·o·dil·la [sæ̀pədílə] *n.* 〖식물〗 사포딜라《열대 아메리카산 상록수; 수액에서 추잉 검의 원료 chicle을 얻음》; 그 열매.

sap·o·na·ceous [sæ̀pənéiʃəs] *a.* 비누 같은, 비누질(質)의; 구변 좋은, 잘 얼러맞추는. ㊐ **~·ness** *n.*

sa·pon·i·fi·ca·tion [səpɑ̀nəfikéiʃən/-pɔ̀n-] *n.* 〖화학〗 비누화; 〖일반적〗 가수 분해: ~ value 〔number〕 비누홧값.

sa·pon·i·fy [səpɑ́nəfài/-pɔ́n-] *vi., vt.* 〖화학〗 비누화하다〔시키다〕. ㊐ **-fi·a·ble** *a.* 비누화할 수 있는. **-fi·er** *n.* 비누화제(劑).

sap·o·nin [sǽpənin] *n.* 〖화학〗 사포닌《각종 식물에서 얻을 수 있는 배당체(配糖體)로 비누처럼 거품이 생김》.

sap·o·nite [sǽpənàit] *n.* 〖광물〗 동석(凍石)(soapstone)《비누 비슷한 부드러운 활석(滑石)》.

sa·por [séipər, -pɔ:r] *n.* Ⓤ,Ⓒ 《드물게》 맛, 풍미; 미각.

sap·o·rif·ic [sæ̀pərífik] *a.* 맛을 내는, 풍미를 더하는.

sap·pan·wood, sap·an- [səpǽnwùd] *n.* 〖식물〗 소방(蘇芳)《빨강·노랑의 물감을 얻음》.

sap·per [sǽpər] *n.* 《영》 sap[2]하는 사람; (잠호·요새 따위를 만드는) 토목 공병(《미》 army engineers); 지뢰〔폭탄〕 해체 작업원; 《미군대속어》 잠입자.

Sap·phic [sǽfik] *a.* Sappho(식)의; 사포시체(詩體)의; (여성의) 동성애의: ~ vice =SAPPHISM. ── *n.* 사포시체(詩體).

°**sap·phire** [sǽfaiər] *n.* 사파이어, 청옥(靑玉); Ⓤ 사파이어 빛; 《미속어》 매력 없는〔남자가 가까이하지 않는〕 흑인 여자. ── *a.* 사파이어 빛의.

sápphire wédding 사파이어 혼식(婚式)《결혼 45주년 기념》.

sap·phi·rine [sǽfərin, -ri:n, -ràin/-ràin] *a.* 사파이어(빛)의. ── *n.* 사피린, 벽(碧)석영.

sap·phism [sǽfizəm] *n.* Ⓤ (또는 S–) (여성의) 동성애.

Sap·pho [sǽfou] *n.* 사포《그리스의 여류 시인; 기원전 600년경의》.

sap·py [sǽpi] (**-pi·er; -pi·est**) *a.* 수액(樹液)이〔물기가〕 많은; (젊어) 기운이 좋은; 《미속어》 어리석은, 고지식한; 《속어》 감상적인, 연약한. ── *n.* 《미속어》 바보(saphead). ㊐ **sáp·pi·ness** *n.*

sa·pre·mia, 《영》 **-prae-** [səprí:miə] *n.* 〖의학〗 Ⓤ 패혈증. ㊐ **-mic** *a.*

sap·ro- [sǽprou, -rə] '부패한, 부패물'이란 뜻의 결합사《모음 앞에서는 **sapr-**》.

sap·ro·gen·ic [sæ̀proudʒénik] *a.* 부패를 일으키는; 부패로 생기는.

sap·ro·lite [sǽprəlàit] *n.* 『지학』 부식(腐蝕) 암석《원래의 장소에서 풍화하여 생긴 잔재토(殘滓土)》. [파] **sàp·ro·lít·ic** *a.*
sa·proph·a·gous [səprɑ́fəgəs/-prɔ́f-] *a.* 『생물』 썩은 것을 먹고 사는.
sap·ro·phyte [sǽprəfàit] *n.* 『생물』 부생(腐生) 식물, 사물(死物) 기생 생물《균류(菌類) 등》.
sap·ro·phyt·ic [sæ̀prəfítik] *a.* 『생물』 부패 유기물을 영양원(源)으로 하는, 부생(腐生)의: ~ nutrition 부패 유기성 영양. [파] **-i·cal·ly** *ad.* **-ism** [-fáitizəm] *n.*
sàpro·tróphic *a.* 『생물』 《일반적》 (생물이) 부패 유기물을 영양원(源)으로 하는, 부생(腐生)의.
sàpro·zóic *a.* 『생물』 (동물이) 부생의.
sap·sa·go [sǽpsəgòu] (*pl.* **~s**) *n.* 삽사고 《스위스 원산의 단단한 녹색 치즈; 클로버의 일종으로 맛을 낸 탈지유로 만듦》. 「리카산(產)》.
sáp·sùcker *n.* 『조류』 딱따구리의 일종《북아메
sáp·wòod *n.* [U] 『식물』 (목재의) 변재(邊材), 백목질(白木質)《나무껍질 바로 밑의 연한 목재》: ~ trees 변재수(樹).
SAR search and rescue ((조난자) 수색 구조).
Sar. Sardinia; Sardinian. **S.A.R.** 《미》 Sons of the American Revolution(독립 전쟁 유족 애국단(원)); South African Republic.
sar·a·band, -bande [sǽrəbæ̀nd] *n.* 사라반드《느린 3 박자의 스페인 춤》; 그 곡.
Sar·a·cen [sǽrəsən] *n.* 사라센 사람《시리아·아라비아의 사막에 사는 유목민》; (특히 십자군 시대의) 이슬람교도; (넓은 뜻으로) 아랍인. — *a.* =Saracenic. [파] **~·ìsm** *n.* **Sar·a·cen·ic** [ˋ-sénik] *a.* 사라센(인)의; 사라센식의《건축》.
Sáracen's héad 사라센인의 머리《문장(紋章)·여인숙의 간판으로 사용된》.
Sar·ah [sέərə] *n.* **1** 여자 이름《애칭 Sadie, Sal, Sally》. **2** 『성서』 사라《Abraham의 아내이며 Isaac의 어머니》.
SARAH 『항공』 Search And Rescue And Homing (수색 구조(救助) 자동 유도).
Sa·ra·je·vo [sæ̀rəjéivou] *n.* 사라예보《보스니아 헤르체고비나 공화국의 수도》.
sa·ran [sərǽn] *n.* 사란《고온에서 가소성(可塑性)을 갖는 합성수지의 일종》; (S-) 그 상표 이름. 「명》.
Sarán Wràp 사란 랩《음식물을 싸는 랩; 상표
Sar·a·to·ga [sæ̀rətóugə] *n.* (여성용) 큰 여행용 트렁크(=ˊ∼ **trùnk**); 《미속어》 우편 배달 가방.
Sa·ra·wak [sərɑːwɑ́ːk/-wək] *n.* 사라와크《Borneo 서북부의 말레이시아 연방의 속령; 주도 Kuching》.
***sar·casm** [sɑ́ːrkæzəm] *n.* [U,C] 빈정거림, 비꼼, 풍자; 비꼬는 말; 빈정거리는 말 재주: in ~ 비꼬아서. [SYN.] ⇨ WIT[1].
°**sar·cas·tic, -ti·cal** [sɑːrkǽstik], [-əl] *a.* 빈정거리는, 비꼬는, 풍자의, 신랄한: Are you being *sarcastic*? 비꼬는 거냐. [파] **-ti·cal·ly** *ad.*
sar·celle [sɑːrsél] *n.* 『조류』 발구지, 상오리
sarce·net [sɑ́ːrsnit] *n.* =SARS(E)NET. ⌊(teal).
sar·co- [sɑ́ːrkou, -kə], **sarc-** [sɑ́ːrk] '살(flesh)'의 뜻의 결합사.
sar·co·carp [sɑ́ːrkoukɑ̀ːrp] *n.* 『식물』 과육; 중과피(中果皮); 육과(肉果).
sar·code [sɑ́ːrkoud] *n.* 『생물』 =PROTOPLASM.
sar·coid [sɑ́ːrkɔid] *n.* 『의학』 육종(肉腫) 비슷한 종양. — *a.* 살과 비슷한, 살 많은; 『의학』 육종 모양의.
sar·coid·o·sis [sɑ̀ːrkɔidóusis] *n.* [U] 『의학』 사르코이도시스, 유사 육종증(肉腫症).
sàrco·lémma *n.* 『해부』 근섬유초(筋纖維鞘), 근초(筋鞘). [파] **sàr·co·lém·mal** *a.*
sar·co·ma [sɑːrkóumə] (*pl.* **-ma·ta** [-mətə], **~s**) *n.* 『의학』 육종(肉腫). [파] **~·to·sis** [-ˋ-tóusis] *n.* 『의학』 육종증(症). 「=CARNIVOROUS.
sar·coph·a·gous [sɑːrkɑ́fəgəs/-kɔ́f-] *a.*
sar·coph·a·gus [sɑːrkɑ́fəgəs/-kɔ́f-] (*pl.* **-gi** [-dʒài, -gài], **~es**) *n.* (조각한) 석관(石棺), 묘석《그리스·로마 시대의 것으로, 비문을 새긴 정교한 장식으로 흔히 꾸며져 있음》.
sàrco·plásmic retículum 『해부』 근소포체(筋小胞體). 「『의학』 옴.
sar·cóp·tic mánge [sɑːrkɑ́ptik-/-kɔ́p-]
sar·co·sine [sɑ́ːrkəsìːn, -sin] *n.* 『화학』 사르코신《단맛이 있는 결정성 화합물》.
sar·co·some [sɑ́ːrkəsòum] *n.* 『해부』 근립체(筋粒體). [파] **sàr·co·sóm·al** *a.*
sar·cous [sɑ́ːrkəs] *a.* 『동물』 살〔근육〕의.
sard [sɑːrd] *n.* 『광물』 홍옥수(紅玉髓).
°**sar·dine**[1] [sɑːrdíːn] *n.* 『어류』 정어리. ***be packed like ~s*** 빽빽하게〔꽉〕 채워지다. — *vt.* 꽉꽉 채우다.
sar·dine[2] [sɑ́ːrdain, -dn] *n.* =SARD.
Sar·din·i·an [sɑːrdíniən] *n., a.* (이탈리아의) Sardinia 섬〔사람, 말〕(의); Sardinia 왕국(1702-1859)(의).
°**sar·don·ic** [sɑːrdɑ́nik/-dɔ́n-] *a.* 냉소적인, 냉소하는, 빈정대는: a ~ grin. [파] **-i·cal·ly** *ad.*
sar·don·i·cism [sɑːrdɑ́nəsìzəm/-dɔ́n-] *n.* 냉소적 성질, 비꼬는 투의 유머.
sar·do·nyx [sɑːrdɑ́niks, sɑ́ːrdəniks/sɑ́ːdən-] *n.* [U] 『광물』 붉은 줄무늬가 있는 마노(瑪瑙).
saree ⇨ SARI.
sar·gas·so [sɑːrgǽsou] (*pl.* **~(e)s**) *n.* 『식물』 사르가소, 모자반류(類)《바닷말》.
Sargásso Séa (the ~) 사르가소해(海), 조해(藻海)《대서양의 서인도 제도 북동부의 바닷말이 무성한 해역》.
sarge [sɑːrdʒ] *n.* 《구어》 =SERGEANT《호칭》.
Sar·gent [sɑ́ːrdʒənt] *n.* 사전트. **1** Sir (**Harold**) **Malcolm** (**Watts**) ~ 영국의 지휘자(1895-1967). **2 John Singer** ~ 영국에서 생활한 미국의 초상화가(1856-1925).
sa·ri, sa·ree [sɑ́ːri] (*pl.* **~s**) *n.* (인도 여성이 두르는) 사리.
sa·rin [sɑ́ːrin, zɑːríːn] *n.* 『화학』 사린《독성이 강한 신경가스; $C_4H_{10}FO_2P$》. [◂《G.》 Sarin
sark [sɑːrk] *n.* 《영방언》 셔츠, 속옷. ⌊[zɑːríːn]]
sarky [sɑ́ːrki] *a.* 《영구어》 =SARCASTIC.
sar·men·tose [sɑːrméntous], **-tous** [-təs], **-men·ta·ceous** [sɑ̀ːrmentéiʃəs] *a.* 『식물』 덩굴줄기가 있는, 덩굴손이 있는〔같은〕.
sa·rong [sərɔ́ːŋ, -rɑ́ŋ/-rɔ́ŋ] *n.* 사롱《말레이 군도 원주민의 허리 두르개》; 그 무명.
sar·os [sέərɑs/-rɔs] *n.* 『천문』 사로스《일식·월식의 순환 주기: 6585.32 일(약 18년)》.
Sa·roy·an [sərɔ́iən] *n.* **William** ~ 사로얀《미국의 작가(1908-81)》.
sar·ra·ce·nia [sæ̀rəsíniə] *n.* 『식물』 사라세니아《식충 식물; 북아메리카 원산》.
SARS severe acute respiratory syndrome (중증 급성 호흡기 증후군).
sar·sa, sar·sa·pa·ril·la [sɑ́ːrsə], [sæ̀səpərílə, sɑ̀ːr-] *n.* 『식물』 청미래덩굴속(屬)의 식물; 그 뿌리《약용》; 그 뿌리로 가미한 탄산수의 일종.
SARSAT [sɑ́ːrsæ̀t] *n.* 『우주』 수색 구조용 위성 지원 추적 시스템; 그 장치를 탑재한 위성. [◂ search and rescue satellite-aided tracking]
sar·sen [sɑ́ːrsən] *n.* 『지학』 사르센석(石)《잉글랜드 중남부에서 볼 수 있는 사암(砂岩) 덩어리》.
sars(e)·net [sɑ́ːrsnit] *n.* [U] 얇은 비단.

Sar·ton [sáːrtn] *n.* 사턴. **1** (**Eleanor**) **May** ~ 벨기에 태생의 미국 시인·소설가(1912-95)《2의 딸》. **2** **George Alfred Leon** ~ 벨기에 태생의 미국 과학사가(1884-1956).
sar·to·ri·al [sɑːrtɔ́ːriəl] *a.* 재봉(사)의, 양복장이의; 바느질의; 옷의, 의상의; 〖해부〗 =SARTORIUS. [파] ~·**ly** *ad.*
sar·to·ri·us [sɑːrtɔ́ːriəs] (*pl.* **-rii** [-riìː, -riài]) *n.* 〖해부〗 봉공근(縫工筋).
Sar·tre [sáːrtrə; *F.* sártr] *n.* **Jean-Paul** ~ 사르트르《프랑스의 실존주의 작가; 1905-80》.
SÁR tréaty 해상 수색 구조 조약. [◀ *s*earch *a*nd *r*escue *treaty*]
Sarum [sɛ́ərəm, sέər-/sέər-] 샐럼《잉글랜드의 Salisbury의 옛 이름》.
SAS [sæs] Scandinavian Airlines System; 《미》 small astronomy satellite (소형 천문 관측 위성); space adaptation syndrome (우주 부적응 증후군); 《영》 Special Air Service (공군 특수 부대)《반(反)테러의》. **SASE, s.a.s.e.** 《미》 self-addressed stamped envelope (자기 주소를 쓴 반신용 봉투 (동봉함)).
°**sash**[1] [sæʃ] *n.* **1** (여성·어린이용) 띠, 장식 띠, 허리띠. **2** 〖군사〗 (어깨에서 내려 뜨리는) 현장(懸章). **3** 머리띠, 터번. **4** 《미속어》 (마약 정맥 주사를 위한) 압박대. [파] ~**ed** [-t] *a.* ~·**less** *a.*
sash[2] (*pl.* ~, ~·**es**) *n.* (내리닫이창의) 창틀, 새시; 장지. — *vt.* …에 새시를 달다.
sa·shay [sæʃéi] *vi.* 《구어》 미끄러지듯 나아가다(움직이다), 돌아다니다(go about); 《구어》 뽐내며 걷다; (댄스에서) 샤세(chassé)를 하다. — *n.* 샤세(chassé); 여행, 소풍.
sásh chàin (내리닫이창의) 도르래 사슬.
sásh còrd 〔**lìne**〕 (내리닫이창의) 도르래 줄.
sásh pòcket sash weight가 오르내리는 홈.
sásh tòol (유리공·도장공(塗裝工) 등의) sash window용 솔.
sásh wèight (내리닫이창의) 창틀 추.
sásh wìndow 내리닫이창(窓). [cf.] casement window.
SASI [sáːzi] 〖컴퓨터〗 Shugart Associates Standard Interface《소형 컴퓨터와 하드 디스크를 접속하는 인터페이스 규격》.
sa·sin [séisin/sǽs-] *n.* 〖동물〗 영양(羚羊).
sa·sine [séisin] *n.* 〖Sc. 법률〗 봉토 점유권.
Sas·katch·e·wan [sæskǽtʃəwàn, -wən/-wən] *n.* **1** 서스캐처원《캐나다 남서부의 주; 생략: Sask.》. **2** (the ~) 서스캐처원 강《캐나다 중남부를 흘러 Winnipeg 호로 들어감》.
sas·ka·toon [sæ̀skətúːn] *n.* 〖식물〗 =JUNEBERRY.
Sas·quatch [sǽskwɑtʃ, -kwætʃ/-kwætʃ] *n.* 〖동물〗 새스콰치(Bigfoot, Omah)《북아메리카 산속에 산다는 손이 길고 털이 많은, 사람 비슷한 동물》.
sass [sæs] *n.* [U] 《미구어》 건방진 말대꾸; 《미방언》 신선한 야채; 《미방언》 찐 과일. — *vt.* 《미구어》 (윗사람에게) 건방진 말을 하다〔태도를 취하다〕, 말대꾸하다.
sas·sa·by [sǽsəbi] *n.* 〖동물〗 흑갈색 영양(羚羊)《남아프리카산(產)》.
sas·sa·fras [sǽsəfræ̀s] *n.* 〖식물〗 사사프라스《북아메리카산(產) 녹나뭇과(科)의 식물》; 그 나무〔뿌리〕의 껍질을 말린 것《강장제·향료》.
Sas·sa·ni·an, Sa·sa- [səséiniən] *a.* (페르시아의) 사산 왕조의. — *n.* =SASSANID.
Sas·sa·nid [səsáːnid, -sǽn-/sǽsə-] (*pl.* ~**s**, **-sani·dae** [səsǽnədìː]) *n.* (페르시아의) 사산 왕조의 사람; (*pl.*) 사산 왕조(226-651 A.D.). — *a.* =SASSANIAN.
Sas·se·nach [sǽsənæ̀k] *n.*, *a.* 《Sc.·Ir.》 《경멸》 색슨〔잉글랜드〕 사람(의).
sas·sy [sǽsi] (**-si·er; -si·est**) 《미구어》 *a.* 건방진, 염치없는; 활발한, 생기가 넘치는. [◀ saucy]
sat[1] [sæt] SIT의 과거·과거분사.
sat[2] *n.* 〖다음 관용구로〗 ***pull*** ~ 《미학생속어》 만족스러운 점수를〔성적을〕 얻다. [◀ *sat*isfactory]
SAT 《미》 Scholastic Aptitude Test(대학 진학 적성 검사). **Sat.** Saturday; Saturn. **SATAN** Security Administration Tool for Analyzing Networks《인터넷에 접속된 기기의 안전성을 알아보는 프로그램》.
°**Sa·tan** [séitn] *n.* 사탄, 악마, 마왕(the Devil). ~ ***rebuking sin*** 죄를 비난하는 악마《자신의 나쁜 짓은 모른 체하는 사람》. [파] ~·**ìze** *vt.*
sa·tang [sɑːtǽŋ] (*pl.* ~(**s**)) *n.* 사탕《타이의 화폐 단위: =1/100 baht》; 사탕 동화(銅貨).
sa·tan·ic, -i·cal [sətǽnik, sei-/sə-], [-əl] *a.* (때로 S-) 악마의, 마왕의; 악마 같은, 흉악한. ***His Satanic Majesty*** 《우스개》 악마 대왕. ***the Satanic host*** 타락한 천사군(群)《Milton의 말》. ***the Satanic school*** 악마파《원래 Byron, Shelley 등의 시파(詩派)를 비난하여》. [파] **-i·cal·ly** *ad.* **-i·cal·ness** *n.*
satànic abúse (악마 숭배 비슷한 의식에서 행해지는) 아동 학대.
Sa·tan·ism [séitənìzəm] *n.* [U] 악마주의; 악마적 행위, 극악; 악마교, 악마 숭배. [파] **-ist** *n.*
Sa·ta·nol·o·gy [sèitənáləd3i/-nɔ́l-] *n.* [U] 악마 연구.
S.A.T.B., SATB 〖음악〗 soprano, alto, tenor, bass.
satch [sætʃ] *n.* (종종 S-) 《미속어》 **1** 큰 입《종종 크고 두터운 입술을 가진 흑인의 별명》. **2** 수다쟁이, 정치가《종종 별명으로서》.
satch·el [sǽtʃəl] *n.* **1** 작은 가방, 학생 가방. **2** 《미속어》 =SATCH; 《미속어》 (재즈) 음악가, 《특히》 관악기 연주자; (흑인에게 식사를 파는, 또는 흑인 재즈 음악가를 고용하고 있는) 나이트 클럽〔바, 레스토랑〕에서 일하는 사람. [파] ~**ed,** 《영》 ~**led** *a.* 책가방을 든〔멘〕.
sátchel-mòuth *n.* 《미속어》 입이 큰 놈(satch).
sat·com [sǽtkàm/-kɔ̀m] *n.* 〖우주〗 통신 위성 추적 센터. [cf.] earth station. [◀ *sat*ellite *com*munications]
satd. saturated.
sate[1] [seit] *vt.* 충분히 만족시키다; 물리게〔넌덜나게〕 하다. ***be*** ~***d with steak*** 물리도록 스테이크를 포식하다. ~ **oneself with** …에 물리다, 충분히 만족하다.
sate[2] [sæt, seit] 《고어》 SIT의 과거·과거분사.
sa·teen, -tine [sætíːn] *n.* [U] 면수자(綿繻子), 모(毛)수자.
sate·less [séitlis] *a.* 《고어》 물릴 줄 모르는《*of*》.
*‡***sat·el·lite** [sǽtəlàit] *n.* **1** 〖천문〗 위성; 인공위성(artificial ~): a communications ~ 통신 위성/an earth ~ 지구〔인공〕위성. **2** 종자(從者); 붙어다니는 사람, 식객. **3** 위성국; 위성 도시. **4** 보조 비행장. **5** 〖생물〗 (염색체의) 부수체. **6** 《미》 근교(近郊). — *a.* **1** (인공)위성의; 위성과 같은: a ~ station 우주 스테이션/~ hookup 위성 중계. **2** 종속된: ~ states 위성국. — *vt.* 위성〔우주〕 중계하다. [파] **sat·el·lit·ic** [sæ̀təlítik] *a.*
sátellite bòoster 위성 가속용 로켓.
sátellite bròadcasting 위성 방송.
sátellite bùsiness 위성 비즈니스《통신 위성을 사용한 전화·텔레비전·팩시밀리·데이터 통신 등, 정보 서비스 비즈니스》.
sátellite cìty =SATELLITE TOWN.
sátellite dìsh 90 cm-4 m의 파라볼라 안테나《위성에서 전파를 직접 수신함》.
sátellite DNÁ 〖생물〗 부수(附隨) DNA《주성분 DNA와는 비중(比重)이 다름》.

sátellite éarth stàtion 위성 방송 전파 수신 「지상국.
sátellite kìller 파괴[킬러] 위성.
sátellite pùblishing 위성 발행《신문·잡지의 원판을 원격지에 전송하여 그곳에서 인쇄 출판하는 형태》. 「성 방송 기지.
sátellite stàtion 인공위성[우주선] 기지; 위
sátellite télephone 위성 전화《인공위성을 이용하는 이동 전화》.
sátellite tèlevision [TV] 위성 텔레비전.
sátellite tòwn (대도시 근교의) 위성 도시(new town).
sat·el·li·za·tion [sætəlizéiʃən/-lai-] *n.* 위성화, 위성국화, 종속화. 「위성.
sat·el·loid [sǽtəlɔ̀id] *n.* 〖우주〗 저궤도 인공
sat·el·loon [sǽtəlùːn] *n.* 기구(氣球) 위성《에코 위성 등》.
sati ⇨SUTTEE.
sa·tia·ble [séiʃiəbəl/-ʃiə-] *a.* 물리게 할 수 있는, 만족시킬 수 있는. ㊔ **-bly** *ad.* ~**·ness** *n.* **sà·tia·bíl·i·ty** *n.*
sa·ti·ate [séiʃièit] *vt.* 물리게 하다, 물릴 정도로 주다; (필요·욕망 따위를) 충분히 만족시키다. ── [séiʃiit] *a.* 《고어·시어》 물린; 배부른. ㊔ **sà·ti·á·tion** *n.* 물리게 함, 포만, 포식.
sa·ti·e·ty [sətáiəti] *n.* [U] 물림, 포만, 포식, 만끽, 많음, 과다《*of*》. **to** ~ 물릴[싫증 날] 정도로.
°**sat·in** [sǽtən] *n.* **1** [U] (비단·나일론 등의) 견수자(絹繻子), 공단, 새틴. [cf.] sateen. **2** 《영속어》 진(gin)《술의 일종》. ── *a.* **1** 견수자로[공단으로] 만든. **2** 매끄러운, 광택이 있는. ── *vt.* (벽지 등에) 견수자 같은 윤을 내다.
sat·i·net(te) [sæ̀tənét] *n.* [U] 유사 수자(繻子), 견면(絹綿) 교직 수자.
sátin pàper (윤기 있는) 필기용 종이, 광택지.
sátin spár [**stóne**] (진주 같은 윤이 나는) 섬유 석고.
sátin stìtch 수자식 바느질[자수법]《자수·털실 세공에서 수자의 느낌을 내는 방법》.
sátin whíte 새틴 화이트《석고와 산화알루미늄으로 된 백색 안료》.
sátin·wòod *n.* 〖식물〗 (동인도산의) 마호가니류(類)의 나무; 그 목재《가구재》. 「매끄러운.
sat·iny [sǽtəni] *a.* 수자 같은 (광택이 나는),
*****sat·ire** [sǽtaiər] *n.* **1** 풍자《*on, upon*》; [U] 풍자 문학, [C] 풍자시[문]: a ~ *on* modern civilization 현대 문명에 대한 풍자. **2** 빈정거림, 신랄한 비꼼; [C] (얄궂은) 웃음거리, 모순《*on*》.
sa·tir·ic, -i·cal [sətírik], [-əl] *a.* 풍자적인, 풍자를 좋아하는, 잘 비꼬는; 풍자문을 쓰는: a *satiric* poem 풍자시. ㊔ **-i·cal·ly** *ad.* **-i·cal·ness** *n.* 「가, 빈정대는 사람.
sat·i·rist [sǽtərist] *n.* 풍자시[문] 작자; 풍자
sat·i·rize [sǽtəràiz] *vt.* 풍자화하다; …에 대하여 풍자문을 쓰다; 빈정대다, 비꼬다. ㊔ **sàt·i·ri·zá·tion** *n.* **sát·i·rìz·er** *n.*
‡**sat·is·fac·tion** [sæ̀tisfǽkʃən] *n.* **1** [U] 만족(감), 흡족《*at; with*》: feel ~ *at* having one's ability recognized 자기 재능이 인정된 것을 만족하게 여기다. **2** [C] 만족시키는 것《*to*》: Your success will be a great ~ *to* your parents. 성공하여 부모님께서 매우 만족하시겠다 / It is a ~ to know that .... …을 알고서 만족합니다. **3** 〖법률〗 [U] (빚의) 변제, (손해) 배상《*for*》; (의무) 이행; 사죄(謝罪). **4** [U] (명예 회복의) 결투; 참회의 고행(苦行). **5** [U] 〖신학〗 (예수의) 속죄. ◇ satisfy *v.* **demand** [**refuse**] ~ 배상을[사죄를, 결투를] 요구[거절]하다. **enter** (**up**) ~ 〖법률〗 판결 금액의 지급 완료를 법원에 등기하다. **find ~ in** …에 만족하다. **give ~** 만족시키다; 배상하다; 결투 신청에 응하다. **in ~ of** …의 지불로서[배상으로서]. **make ~ for** …을 배상하다, …의 보상을 하다. **take ~ for** 보복하다. **to the ~ of** …가 만족[납득]하도록. **with** (**great**) ~ (아주) 만족하여.
°**sat·is·fac·to·ri·ly** [sæ̀tisfǽktərəli] *ad.* 만족하게, 마음껏, 더할 나위 없이, 납득이 가도록.
‡**sat·is·fac·to·ry** [sæ̀tisfǽktəri] *a.* **1** 만족한, 더할 나위 없는; 납득이 가는《*for; to*》: ~ results 좋은 결과 / a ~ explanation 납득이 가는 설명 / Is this place ~ *for* a picnic? 이곳은 소풍하기에 적합한가. **2** 〖신학〗 속죄의, 충분히 속죄가 되는. ㊔ **-ri·ness** *n.*
sat·is·fice [sǽtisfàis] *vi.* 최소한의 필요한 조건을[결과를] 충족시키다; 작은 성과에 만족하다. ㊔ **sát·is·fic·er** *n.*
sat·is·fied [sǽtisfàid] *a.* 만족한, 흡족한; 깨끗이 치른[지불한]; 납득한.
‡**sat·is·fy** [sǽtisfài] *vt.* **1** 《+[목]/+[목]+[전]+[명]/+[목]+*to* do》 만족시키다; (희망 등을) 충족시키다, 채우다: ~ one's appetite 식욕을 채우다 / ~ one's thirst *with* water 물로 갈증을 풀다 / I was *satisfied to* meet her. 그녀를 만나게 되어 만족하였다.

> [SYN.] **satisfy** 약속대로 기대에 어긋나지 않는 점에서 만족시키다: have to sell land to *satisfy* one's creditor (의무를 이행하여) 채권자의 뜻에 어긋나지 않도록 땅을 팔아야 하다. **gratify** 욕망·취미·이목 따위를 만족시켜 쾌감이 생기게 하다: Beauty *gratifies* the eye. 미(美)는 눈을 즐겁게 해준다. **content** 모든 욕구가 다 충족되지는 않아도 불만(不滿)이 없을 만큼 만족시키다.

2 《~+[목]/+[목]+[전]+[명]/+[목]+*that* [절]》 (의심 따위를) 풀다, (아무를) 안심[확신]시키다, 납득시키다(convince)《*of*》: ~ an objection 이의에 답변하다 / ~ a person *of* a fact 아무에게 어떤 사실을 납득시키다 / He *satisfied* me *that* it was true. 그는 그것이 사실임을 나에게 납득시켰다. **3** 《~+[목]/+[목]+[전]+[명]》 (채권자에게) 변제하다; (빚 등을) 갚다; (배상 요구 등에) 응하다; (의무를) 이행하다: ~ a bill 셈을 치르다 / ~ claims *for* damage 손해 배상 청구에 응하다. **4** 〖수학〗 …의 조건을 충족시키다. ── *vi.* 만족을 주다; 〖신학〗 (그리스도가) 대속(代贖)하다. **be satisfied** (…에) 만족하다; (…하는 것이) 싫지는 않다《*with* a thing; *with* doing; *to* do》; 납득하다, 확신하다《*of; that*》. **rest satisfied** 감수하다, 만족해 하다. ~ one***self*** 납득[확신]하다《*of; that*》: I *satisfied* my*self of* his competence. 나는 그에게 능력이 있음을 확신했다. **~ *the examiners*** (대학 시험에서) 합격점에 달하다, 보통 성적으로 합격하다. ㊔ **-fì·a·ble** [-fàiəbəl] *a.* 만족[변제]할 수 있는. **-fi·er** *n.*
°**sat·is·fy·ing** [sǽtisfàiiŋ] *a.* **1** 만족한, 충분한. **2** (증거·설명 따위가) 납득할 수 있는, 확실한. ㊔ ~**·ly** *ad.* ~**·ness** *n.*
sat·nav [sǽtnæv] *n.* 위성 항법《위성을 이용한 전파에 의존하는 항법 시스템》. 「카펫.
sa·tran·gi [sətrʌ́ndʒi] *n.* 《Ind.》 면제(綿製)
sat·rap [séitræp, sǽt-/sǽtrəp] *n.* (고대 페르시아의) 태수(太守); (독재적인) 총독, 지사(知事). ㊔ **~y** *n.* [U] ~의 통치; [C] 그 관구.
SATS [sæts] 《영》 Standard Assessment Test. 「하다).
sat·sang [sáːtsaŋ] *n., vi.* 〖힌두교〗 설교(를
sat·u·ra·ble [sǽtʃərəbəl] *a.* 포화(飽和)시킬 수 있는. ㊔ **sàt·u·ra·bíl·i·ty** *n.*
sat·u·rant [sǽtʃərənt] *a.* 포화(飽和)시키는. ── *n.* 〖화학〗 포화제(劑).

°**sat·u·rate** [sǽtʃərèit] *vt.* **1** 《+목+전+명》 삼투(滲透)시키다, 적시다; 흠뻑 적시다; (…에 …을) 배어들게 하다《*with*》; (…로) 포화 상태로 하다《*with*》; (…에) 몰두시키다《*in*》: ~ a handkerchief *with* water 손수건에 물을 적시다/be ~*d* 〔~ oneself〕 *in* Shakespeare 셰익스피어에 몰두하다. SYN. ⇨WET. **2** 《+목+전+명》 〖물리·화학〗 포화시키다: ~ water *with* salt 물을 소금으로 포화시키다. **3** 〖군사〗 …에 집중 폭격을 가하다. **4** (시장에) …을 과잉 공급하다, 충만시키다; (짐 따위를) 만재하다《*with*》: The market for this product is ~*d*. 이 제품 시장은 공급 과잉이다. **—** *vi.* 침투〔충만〕되다, 포화 상태가 되다. **—** [sǽtʃərət, -rèit] *a.* 《문어》 =SATURATED.

sát·u·ràt·ed [-id] *a.* 스며든, 흠뻑 젖은; 〖물리·화학〗 포화 상태가 된; (색이) 포화도에 이른 《강도·채도 면에서》; 〖지학〗 (암석·광물이) 규토(硅土)를 최대한으로 함유한: ~ fat 포화 지방/~ mineral 〔soil〕 포화 광물〔토〕.

sáturated cómpound 〖화학〗 포화 화합물.

sáturated díving =SATURATION DIVING.

sáturated solútion 〖화학〗 포화 용액.

sàt·u·rá·tion *n.* **1** 침투, 침윤(浸潤). **2** 〖미술〗 채도《색의 포화도; 백색과의 혼합 정도》. cf. brilliance, hue[1]. **3** 〖물리·화학〗 포화 (상태). **4** 〖기상〗 (대기 중의 수증기) 포화 상태《습도 100%》. **5** (압도적) 집중《군사력의》; (시장의) 포화《수요를 공급이 충분히 충족하고 있는 상태》.

saturátion bómbing 집중 폭격. cf. precision bombing.

saturátion cóverage (신문·TV 따위의) 집중 보도.

saturátion dìving 〖해사〗 포화 잠수(潛水).

saturátion pòint (용해·화합 등의) 포화점; 《일반적》 한도, 극한.

sat·u·ra·tor, -rat·er [sǽtʃərèitər] *n.* 배어들게 하는〔포화시키는〕 사람〔것〕; 〖화학〗 포화기〔장치〕.

†**Sat·ur·day** [sǽtərdi, -dèi] *n.* 토요일《생략: Sat.》. **—** *ad.* 《구어》 토요일에(on ~).

Sáturday nìght spécial (싸구려) 소형 권총; 〖경제〗 (기업 매수 지배를 위한) 무(無)예고 주식 공개 매입.

Sát·ur·days *ad.* 토요일에는 (언제나) (on Saturdays). 「(weekend).

Sáturday-to-Mónday *a.*, *n.* 주말 (휴가)

°**Sat·urn** [sǽtərn] *n.* **1** 〖로마신화〗 농업의 신. **2** 〖천문〗 《관사 없이》 토성. cf. planet. **3** 〖연금술〗 납. **4** 새턴《미국의 인공위성·우주선 발사용 로켓》.

Sat·ur·na·lia [sæ̀tərnéiliə] *n.* **1** 《단·복수취급》 (고대 로마의) 농신제(農神祭)《12월 17일경》. **2** (종종 s-) (*pl.* **-li·as,** ~) 법석 떪: a ~ of crime 제멋대로 하는 나쁜 짓. ㊕ **-li·an** *a.*

Sa·tur·ni·an [sətə́ːrniən/sæ-] *a.* 농신(Saturn)의; 황금시대의, 평화로운; 토성의: the ~ age 황금시대. **—** *n.* 토성인(人); (*pl.*) 새턴 운율(韻律)(=∠ **vérse**)《초기 라틴 시체(詩體)》. ㊕ **~·ly** *ad.* 「(성)의.

sa·tur·nic [sətə́ːrnik] *a.* 〖의학〗 연독(鉛毒)

sat·ur·nine [sǽtərnàin] *a.* **1** 〖점성〗 토성의 영향을 받아 태어난; 무뚝뚝한, 음침한(gloomy), 냉소적인. opp. *mercurial*. **2** 납의; 〖의학〗 납중독의〔에 걸린〕: ~ poisoning 납중독. ㊕ **~·ly** *ad.* **~·ness** *n.*

sat·ur·nism [sǽtərnìzəm] *n.* Ⓤ 〖의학〗 납중독(lead poisoning).

Sat·ya·gra·ha [sʌ́tjəgrʌ̀hə] *n.* (1919년 인도의 M. Gandhi가 주창한) 비폭력 불복종주의 〔운동〕. cf. Gandhism.

sa·tyr [séitər, sǽt-/sǽt-] *n.* **1** (종종 S-) 〖그리스신화〗 사티로스《반인반수(半人半獸)의 숲의 신; 말의 귀와 꼬리를 가졌고 술과 여자를 좋아함; 로마 신화의 faun》. **2** 호색가. **3** 〖곤충〗 뱀눈나비.

Satyr 1

sa·ty·ri·a·sis [sèitəráiəsis, sæ̀t-/sæ̀t-] *n.* 〖의학〗 (남자의) 음란증. cf. nymphomania.

sa·tyr·ic, -i·cal [sətírik], [-əl] *a.* satyr의〔같은〕.

‡**sauce** [sɔːs] *n.* Ⓤ **1** 소스, 맛난이. **2** 《비유》 양념, 자극, 재미: Hunger is the best ~. 《속담》 시장이 반찬/Sweet meat will have sour ~. 《속담》 음지가 있으면 양지가 있다/What's ~ for the goose is ~ for the gander. 《속담》 갑에 적용되는 것은 을에도 적용된다. **3** 《구어》 건방짐, 건방진 말, 뻔뻔스러움(cheek). **4** (보통 the ~) 《미속어》 독한 술. **5** 《미》 (과일의) 설탕 조림. **6** 《미방언》 (고기 요리에 곁들이는) 야채, 샐러드. ***a carrier's*** 〔***poor man's***〕 ~ 공복; 식욕. ***hit the*** ~ 《미속어》 (실컷〔언제나〕) 술을 마시다. ***None of your*** ~**!** 건방진 소리 마라. ***off the*** ~ 《속어》 금주하고. ***on the*** ~ 《미속어》 많은 술을 즐겨 마시는, 대량의 위스키를 마시는. ***serve the same*** ~ ***to*** a person =***serve*** a person ***with the same*** ~ 아무에게 앙〔대〕갚음하다.

— *vt.* **1** …에 소스를 치다, …에 (소스로) 맛을 내다: well ~*d* meat 소스로 맛을 잘 낸 고기. **2** 《비유》 …에 흥미를 더하다: a sermon ~*d* with wit 기지〔재치〕로 흥미를 돋운 설교. **3** 《구어》 …에게 무례한 말을 하다(《미구어》 sass): How dare you ~ your father? 어찌 아버지께 그런 건방진 말을 하느냐.

㊕ **∠·less** *a.*

sáuce·bòat *n.* (배 모양의) 소스 그릇.

sáuce·bòx *n.* 《구어》 건방진 녀석〔어린애〕, 풋내기.

sauced [sɔːst] *a.* 술 취한, 몹시 취한.

*__sauce·pan__ [sɔ́ːspæ̀n/-pən] *n.* (자루·뚜껑이 달린) 스튜 냄비.

‡**sau·cer** [sɔ́ːsər] *n.* **1** (커피 잔 따위의) 받침 접시; (화분의) 받침 (접시): a cup and ~ 받침 접시가 딸린 컵. SYN. ⇨DISH. **2** 받침 접시 모양의 것: a flying ~ 비행접시. 「룹뜬.

sáucer-éyed *a.* 눈이 접시같이 둥근, 눈을 부

sáucer éyes 접시같이 둥근〔휘둥그레진〕 눈《놀랐을 때 따위》.

sáucer·màn [-mæ̀n] (*pl.* **-mèn** [-mèn]) *n.* 비행접시의 승무원; 우주인. 「담당자.

sau·cier [soːsjéi] *n.* 소스 전문의 요리사, 소스

°**sau·cy** [sɔ́ːsi] (**-ci·er; -ci·est**) *a.* **1** 건방진, 뻔뻔스러운. **2** 쾌활한. **3** 《구어》 맵시 있는, 멋들어진(smart). **4** 《구어》 포르노성의 《영화·연극》. ㊕ **-ci·ly** *ad.* **-ci·ness** *n.*

Saudi [sáudi, sɔ́ː-, sɑːúː-/sɔ́ː-, sáu-] (*pl.* **~s**) *n.* 사우디 아라비아의 주민〔사람〕. **—** *a.* 사우디 아라비아(사람)의.

Sau·dia [sáudiə, sɑːúːdiə] *n.* 사우디아 항공 《국영 항공 회사; 정식명은 Saudi Arabian Airlines》. 「종교의 중심은 Mecca》.

Sáudi Arábia 사우디아라비아《수도 Riyadh,

Sáudi Arábian 사우디아라비아(사람)의; 사우디아라비아의 주민.

Sáudi Arábian Áirlines =SAUDIA.

sau·er·bra·ten [sáuərbràːtn; *G.* záuɐbraːtən] *n.* 《G.》 (삶아서) 식초에 절인 쇠고기〔돼지고기〕《남부 독일의 요리》.

sau·er·kraut [sáuərkràut] *n.* 《G.》 독일 김치《잘게 썬 양배추에 식초를 쳐서 담금》.
Sauk [sɔːk] (*pl.* ~(**s**)) *n.* 소크족(族)《북아메리카 인디언의 한 종족》.
Saul [sɔːl] *n.* **1** 솔《남자 이름》. **2** 〖성서〗 사울《사무엘 상; 이스라엘의 초대 왕》.
saul *n.* 〖식물〗 사라쌍수(沙羅雙樹)(sal¹).
Sau·mur [*F.* somyːʀ] *n.* 소뮈르《프랑스 Saumur 지구산(地區産) 백포도주》.
sau·na [sɔ́ːnə, sáu-/sɔ́ː-] *n.* (핀란드의) 증기욕〔탕〕, 사우나(탕).
°**saun·ter** [sɔ́ːntər, sáːn-/sɔ́ːn-] *vi.* 산책하다 (stroll), 어슬렁거리다; 《비유》 빈둥거리다. SYN. ⇨WALK. ~ ***about*** 어슬렁어슬렁 산책하다. ~ ***through life*** 빈둥거리며 일생을 보내다. ― *n.* 산책(ramble); 느릿한 옛날의 댄스. ㊕ **~·er** *n.* 산책〔만보〕자. **~·ing·ly** *ad.*
sau·rel [sɔ́ːrəl] *n.* 《미》 〖어류〗 전갱이(류).
sau·ri·an [sɔ́ːriən] *a., n.* 도마뱀류의 (동물).
saur·is·chi·an [sɔːrískiən] *a., n.* 〖고생물〗 용반류(龍盤類)의 (공룡). cf. ornithischian.
sau·ro- [sɔ́ːrou, -rə] '도마뱀'의 뜻의 결합사《모음 앞에서는 **saur-**》. 「뱀류의 동물.
sau·roid [sɔ́ːrɔid] *a.* 도마뱀 같은. ― *n.* 도마
sau·ro·pod [sɔ́ːrəpàd/-pɔ̀d] *a., n.* 〖고생물〗 용각류(龍脚類)의 (초식 공룡). ㊕ **sau·rop·o·dous** [sɔːrápədəs] *a.* 용각류의.
-sau·rus [sɔ́ːrəs] '도마뱀'의 뜻의 결합사.
sau·ry [sɔ́ːri] *n.* 〖어류〗 꽁치류(類).
⁑**sau·sage** [sɔ́ːsidʒ/sɔ́s-] *n.* **1** U.C 소시지, 순대. **2** 〖항공〗 계류 기구(= ∠ **bálloon**). **3** 《방송속어》 급히 만든 커머셜; 《미·경멸》 독일인. **4** 《미속어》 열등한 운동선수; (실컷 맞아) 얼굴이 부은 복서; 얼간이, 투미한 놈. ***have not a*** ~ 수중에 돈 한푼 없다. ㊕ **~·lìke** *a.*
sáusage cùrl 소시지 모양으로 만 머리.
sáusage-fìller *n.* 소시지를 채우는 기계.
sáusage fìnger 끝이 뭉툭한 손가락. OPP *taper finger*.
sáusage-machìne *n.* 소시지용 고기 다지는 기계; 《비유》 획일적 인간을 만드는 기관.
sáusage mèat 소시지용 고기.
sáusage róll 《영》 소시지 롤빵.
S. Aust. South Australia.
sau·té [soutéi, sɔ-/sóutei] 《F.》 *a.* 〖요리〗 (버터 따위로) 살짝 튀긴. ― *n.* 소테《살짝 튀긴 고기 요리》. ― (~(**e**)***d***; ~***·ing***) *vt.* 살짝 튀기다.
Sau·terne(s) [soutə́ːrn] *n.* 백포도주의 일종《프랑스 Sauternes산(産)》.
sauve qui peut [*F.* sovkipø] 《F.》 (=let him save himself who can) 대패배(大敗北), 궤주(潰走).
sav·a·ble, save·a- [séivəbəl] *a.* 구조할 수 있는; 저축〔절약〕할 수 있는.
*****sav·age** [sǽvidʒ] *a.* **1** 야만의, 미개한; 미개인의. cf. barbarous. OPP *civil.* ¶ ~ tribes 야만족/~ fine arts 미개인의 예술. **2** 사나운; 잔혹한, 잔인한: ~ beasts 야수/a ~ blow 무참한 일격. **3** 《영에서는 고어》 (풍경이) 황량한, 쓸쓸한: ~ mountain scenery 쓸쓸한 산 경치. **4** 《구어》 성난, 성급한. **5** 〖문장(紋章)〗 나체의. **6** 《학생속어》 멋진, 최고의. ***get ~ with*** …에 몹시 화를 내다. ***make a ~ attack upon*** …을 맹렬히 공격하다. ***make*** a person ~ 아무를 격노시키다. ― *n.* **1** 야만인, 미개인. SYN. ⇨BARBARIAN. **2** 잔인한 사람; 무뢰한, 버릇없는 사람. ***the noble*** ~ 문명에 때묻지 않은 천진난만한 원시인. ― *vt.* **1** (성난 개·말 따위가) 물어뜯다, 짓밟다. **2** 잔인하게 다루다; 폭력을 휘두르다. ㊕ **~·ly** *ad.* **~·ness** *n.*
sav·age·ry [sǽvidʒri] *n.* U **1** 야만, 미개 (상태); 황량한 광경. **2** 흉포성; 거칠고 사나움, 잔인; 만행. **3** 〔집합적〕 야만인, 야수.
SAVAK, Sa·vak [sævǽk, sɑːvάːk] *n.* (혁명(1979) 전 이란의) 국가 치안 정보국, 비밀경찰.
sa·van·na(h) [səvǽnə] *n.* (열대·아열대 지방의) 대초원, 사바나, (특히 미국 남동부의) 나무 없는 평원, 초원. cf. pampas, prairie, steppe.
savánna mónkey 사바나 멍키〔원숭이〕《아프리카 사하라 이남의 사바나에서 무리 지어 사는 꼬리 긴 원숭이》.
sa·vant [sævάːnt, sǽvənt/sǽvənt; *F.* savɑ̃] *n.* 《F.》 《문어》 학자, 석학(碩學).
sav·a·rin [sǽvərin] *n.* 사바랭《럼주나 매실즙 등을 넣고 만든 둥근 스펀지형 케이크》.
sa·vate [səvǽt] *n.* 사바트《손과 발을 쓰는 프랑스식 권투》.
†**save**¹ [seiv] *vt.* **1** 《~+목/+목+전+명》 (위험 따위에서) 구하다, 건지다《*from*》: ~ a person's life 아무의 생명을 구하다/~ a person *from* drowning 사람이 물에 빠진 것을 구해 내다. SYN. ⇨HELP.
2 (안전하게) 지키다: ~ one's honor 〔name〕 명예를〔명성을〕 지키다.
3 《~+목/+목+전+명/+목+목》 떼어〔남겨〕 두다; 절약하다, 아끼다, 쓰지 않고 때우다: ~ expenditure 경비를 절약하다/Please ~ me some of the cake. 나에게 케이크를 좀 남겨 주시오/It ~*d* us so much time and effort. 그것으로 많은 시간과 노력이 절약되었다/Rest (up) now and ~ yourself *for* tonight. 오늘 밤을 위해서 지금은 휴식을 취해 두어라.

> SYN. **save** 쓰지 않고 따로 남겨〔떼어〕 둔다는 뜻으로, 아껴 둔 것을 보존하다: *save* money out of one's salary 봉급에서 얼마씩 떼어 저금하다. **reserve** 후일의 사용 또는 어떤 목적을 위하여 별도로 떼어 두다: *reserve* money for emergencies 비상금으로 얼마를 남겨 두다. **store** 저장고 따위에 두다. 어느 정도 이상의 양, 장기적 보존이 시사되고 있음: *store* up fuel for the winter 겨울에 대비하여 땔감을 저장하다. **economize** 경제하다, 절약하다.

4 모으다, 저축하다: ~ money 저축하다.
5 《~+목/+-*ing*/+목+목》 (지출을) 덜다; (수고·어려움 따위를) 적게 하다, 면하게 하다: ~ trouble 수고를 덜다/This shirt ~*s* iron*ing*. 이 셔츠는 다림질을 안 해도 된다/It ~*d* me the trouble of looking for a parking lot. 덕분에 주차장을 찾지 않아도 되었다/A stitch in time ~*s* nine. 《속담》 적시의 조치는 후환을 막는다, 제 때의 한 땀 아홉 수고 던다.
6 …의 소모를 덜다, 오래 가게〔마디게〕 하다; (눈·시력 등을) 보호하다: ~ one's strength 체력이 소모되지 않도록 하다.
7 〖신학〗 (죄에서) 구원〔구제〕하다, 건지다: ~ souls 영혼을 구제하다.
8 (공을) 골인시키지 않다, 득점을 안 시키다.
9 〖컴퓨터〗 (프로그램·데이터를) 저장하다.
10 …의 시간에 대다: ~ the morning mail 〔train〕 아침 우편〔열차〕에 늦지 않도록 하다.
― *vi.* **1** 《~/+부/+전+명》 (…의) 낭비를 막다, (…을) 절약하다《*on*》; 저축하다《*for; up*》: We're *saving* (*up*) *for* a new car. 새 차를 사기 위해 저축하고 있다/Living there will ~ *on* fuel. 거기서 살면 연료비가 절약된다. **2** (음식이) 오래가다: food that won't ~ 오래 가지 못하는 음식. **3** 〖신학〗 구하다, 구제하다. **4** 〖경쟁〗 상대의 득점을 막다. ◇ safe *a.*

as I hope to be ~*d* 맹세코, 절대로, 꼭. (*God*) ~ *me from my friends!* 면치레 걱정일랑 그만. *God* ~ *the Queen* 〔*King*〕*!* 여왕〔국왕〕 폐하 만세. ~ *appearances* 체면을 지키다〔차리다〕. ~ a person *from* ① 아무를 …에서 구하다. ② 아무에게 …을 면하게 하다. ~ *ground* (경주마가) 코스의 안쪽을 달리다. ~ *it* 《미속어》 처녀성을 지키다. ~ one*'s bacon* ⇨BACON. ~ one*'s breath* ⇨BREATH. ~ one*self* 수고를〔몸을〕 아끼다. ~ one*'s face* 체면을 유지하다〔손상시키지 않다〕. ~ *one's* (*own*) *neck* 〔*skin*〕 《구어》 《경멸》 생명을 지키다, 재난을 면하다. ~ one*'s pains* (헛)수고를 덜다. ~ one*'s pocket* 손해〔출비(出費)〕를 면(免)하다. *Save the mark!* 이거 실례했습니다《실언했을 때》. ~ *the tide* ⇨TIDE¹. ~ *up* 돈을 모으다. *Save us!* (놀람·곤혹 따위를 나타내어) 저런, 이게 무슨 일이람.

— *n.* (축구 등에서) 상대편의 득점을 막음; 〖카드놀이〗 큰 손실을 막기 위한 높은 bid의 선언; 〖야구〗 구원 투수가 리드를 지켜 나감, 세이브; 〖컴퓨터〗 저장.

◇**save²** *prep.* …을 제외하고, …이외에, …은 별도로 치고: all ~ him 그 사람 이외는 모두 / the last ~ one 끝에서 둘째. SYN. ⇨EXCEPT. ★ 《미》에서는 except 다음으로 흔히 쓰이나, 《영》에서는 《고어》 또는 《문어》로 사용됨. ~ *and except* 《Sc.》 …이외는, …을 제외하면. ~ *errors* 〖상업〗 오산은 별도로 치고. ~ *for* …을 제외하고. ~ *that ...* …을 제외하고는, 이외는: I know nothing ~ *that* she loves you. 그녀가 널 사랑한다는 것 외는 아무것도 모른다 / He would have gone, ~ *that* he had no means. 그는 갔을 텐데 다만 자금이 없어서 못 갔다.

— *conj.* 《고어》 …을 제외하고, …이 아니면 (unless): *Save* he be dead, he will return. 죽지 않았으면 돌아올 것이다.

sáve-àll *n.* **1** 절약 장치; (흘러 떨어지는 것을 받는) 받침 접시, 양초〔기름〕받이. **2** 《방언》 (어린이의) 덧옷, 앞치마. **3** 《방언》 저금통; 《영방언》 구두쇠. **4** 〖해사〗 보조돛.

sáve-as-you-éarn *n.* 《영》 급료 공제 예금 《생략: S.A.Y.E.》.

sáve·ènergy *n.* 《미》 에너지 절약.

sav·e·loy [sǽvəlɔ̀i] *n.* U,C 《영》 새벌로이《조미(調味)한 건제(乾製) 소시지》.

sav·er [séivər] *n.* 구조〔구제〕자; 절약〔저축〕가; 《복합어로》 …절약기〔장치〕: labor-~.

Sáve the Chíldren Fùnd (the ~) 아동 구호 기금《재해 지구의 어린이 구제를 목적함; 1919년 창설》.

Sáv·ile Rów [sǽvil-] 새빌 거리《런던의 고급 양복점가》. 「물.

sav·in(e) [sǽvin] *n.* 향나무속(屬)의 약용 식

***sav·ing** [séiviŋ] *a.* **1** 절약하는, 알뜰한, 검소한; 인색한. **2** 도움이 되는, 구조〔구제〕하는. **3** 손해 없는, 벌충〔장점〕이 되는: a ~ bargain 손해 없는 거래 / a dull person with no ~ characteristics 이렇다 할 장점도 없는 우둔한 인물. **4** 예외의; 제외하는; 보류의: a ~ clause 유보조항, 단서. *by the* ~ *grace of God* 하느님의 가호로. *the* ~ *grace of* (modesty) (겸손)이라는 장점.

— *n.* U **1** 절약, 검약(economy): ~ of 30 percent, 3할의 절약 / From ~ comes having. 《격언》 절약은 부의 근본 / *Saving* is getting. 《격언》 절약이 곧 돈 버는 것이다. **2** (*pl.*) 저금, 저축(액): ~*s* deposits 저축성 예금. **3** 구조, 구제; 제도(濟度). **4** 〖법률〗 유보(留保), 제외. ~*s from mortality* 〖보험〗 사차익(死差益)《사망률의 저하로 생기는 보험 이익》.

— *prep.* **1** 《고어·문어》 …을 제외하고, …외에: *Saving* that he is slightly deaf, there is nothing wrong with him. 귀가 좀 어두울 따름이지 다른 결점이란 없다. **2** 《고어》 …에 경의를 표하며, …에게 실례지만: *Saving* your presence .... 면전에서 실례입니다만…. ~ *correction* 《드물게》 틀렸는지도 모르나.

— *conj.* 《드물게》 제외하고는: none ~ I 나를 빼놓고는 아무도 …하지 않다. 「〔취할 점〕.

sáving gráce (결점을 보완하는) 유일한 장점

sávings accòunt 저축 예금《《미》 '보통 예금', 《영》 '적립 정기 예금'에 상당》.

sávings and lóan associàtion 《미》 저축 대출 조합《생략: S & L》.

sávings bànk 저축 은행.

sávings bònd 《미》 저축 채권.

sávings certíficate 《미》 정액(定額) 저축 증서; 《영》 소액 저축 국채(國債).

sávings stàmp 저축 스탬프《일정 액수에 달하면 savings bond로 전환할 수 있음》.

***sav·ior,** 《영》 **-iour** [séivjər] *n.* **1** 구조자. **2** (the S-) 구세주, 구주(救主)《예수》. ★2의 뜻으로는 《미》에서도 saviour로 쓰는 일이 많음. 파 ~**·hòod,** ~**·shìp** *n.*

sa·voir faire [sǽvwɑːrfέər] 《F.》 (=to know how to do) 임기응변의 재치, 수완.

sa·voir vi·vre [sǽvwɑːrvíːvrə] 《F.》 (=to know how to live) 교양〔가정교육〕이 좋음, 예절 바름; 처세술.

Sav·o·na·ro·la [sæ̀vənəróulə] *n.* **Girolamo** ~ 사보나롤라《이탈리아의 수도사, 순교한 종교개혁가; 1452-98》.

***sa·vor,** 《영》 **-vour** [séivər] *n.* U,C **1** 맛, 풍미; 《고어·시어》 향기. **2** (a ~) 기미, 다소, 약간(*of*). **3** 흥미, 재미, 자극. **4** 《고어》 명성, 평판.

— *vt.* …에 맛을 내다; …의 맛이 나다; …의 기미가 있다; 맛보다, 완미(玩味)하다. — *vi.* 《+전+명》 맛이 나다(*of*); 기미가 있다(*of*), (…의) 느낌이 들다: His opinion ~*s of* dogmatism. 그의 의견은 일방적인 경향이 있다. 파 ~**·er** *n.* 맛을 가미하는 사람〔물건〕. ~**·less** *a.* 풍미 없는, 맛없는. ~**·ous** *a.* 맛이 좋은〔있는〕. **sá·vor·ing·ly** *ad.*

sa·vory¹ [séivəri] *n.* 〖식물〗 꿀풀과(科)의 식물 《요리용; 유럽산(産)》.

sa·vory², 《영》 **-voury** [séivəri] (*-vor·i·er; -vori·est*) *a.* **1** 풍미 있는, 맛 좋은; 향기로운. **2** 《비유》 기분 좋은; 《부정문으로》 《문어》 (토지가) 쾌적한, 평판이 좋은: a *not* very ~ district 별로 생활에 쾌적하지 않은 토지. **3** 〖요리〗 짭짤한.

— *n.* 《영》 (식전 식후의) 짭짤한 맛이 나는 요리, (식후의) 입가심; 《미》 향신료(香辛料) 식물. 파 **sá·vor·i·ly** *ad.* **-i·ness** *n.*

Sa·voy [səvɔ́i] *n.* 사부아《프랑스 남동부 지방, 옛 공국》; 사보이아 왕가(1861-1946)(의 사람); (s-) 〖식물〗 양배추의 일종.

Sa·voy·ard [səvɔ́iərd/-ɑːd] *n.* 사부아(Savoy) 주민〔방언〕; (런던의) Savoy 오페라 극장의 팬〔배우〕. — *a.* Savoy(주민〔방언〕)의.

sav·vy [sǽvi] 《속어》 *vt., vi.* 알다, 이해하다: *Savvy?* 알겠느냐 / No ~. 모르겠다. — *n.* U 상식, 분별, 이해; 육감, 재치; 임기응변. — *a.* 꾀바른, 사리를 이해한, 정통한, 약은, 경험 있고 박식한.

‡**saw¹** [sɔː] *n.* 톱; 〖동물〗 톱니 모양의 부분.

— (~*ed;* ~*n* [sɔːn], 《드물게》 ~*ed*) *vt.* **1** 《~+목/+목+전+명/+목+부》 톱으로 켜다〔자르다〕; 톱으로 켜서 만들다: ~ boards 판자를 톱으로 켜다; (나무를 켜서) 판자를 만들다 / ~ a log *into* boards 통나무를 켜서 판자로 만들다 /

~ a branch *off* 가지를 톱으로 자르다. **2** 《+[목]+[부]/+[목]+[전]+[명]》 (톱질하듯이) …을 앞뒤로 움직이다; (현악기를) 연주하다: ~ *out* a tune *on* the violin (활을 앞뒤로 움직여) 바이올린으로 한 곡 켜다/~ one's arm back and forth 팔을 앞뒤로 흔들다〔움직이다〕. **3** 〖제본〗 (책의 등 부분에) 칼자국을 내다. **—** *vi.* **1** 톱질하다. **2** 《+[부]》 톱으로 켜지다: This wood does not ~ *well.* 이 나무는 톱이 잘 안 받는다. **3** 《~/+[부]/+[전]+[명]》 (톱질하듯이) 손을 앞뒤로 움직이다: He ~*ed away* dissonantly *at* the violin. 그는 서투른 솜씨로 바이올린을 마구 켜댔다. ~ ***away*** 톱질하다《*on*》. ~ ***down*** (톱으로) 잘라 쓰러뜨리다. ~ ***gourds*** ⇨GOURD. ~ ***on the fiddle*** 바이올린을 켜다《톱질하듯》. ~ ***the air*** 팔을 앞뒤로 움직이다; 《미속어》 (야구에서) 공을 헛치다. ~ ***wood*** 《미속어》 (간섭 않고) 자기 일에 전념하다; 《속어》 코를 골다. [파] **~·like** *a.*

saw[2] *n.* **1** 속담(proverb), 격언《보통 old saw 또는 wise saw로서 쓰임》, 상투적인〔틀에 박힌〕 말; 《속어》 케케묵은〔진부한〕 말〔농담〕. **2** 《미속어》 10 달러 (지폐); 《미흑인속어》 하숙집 영감.

saw[3] SEE[1]의 과거.

sáw·bìll *n.* 〖조류〗 톱니 모양의 부리를 가진 새.

sáw·bònes (*pl.* ~, ~·*es*) *n.* 《속어》 의사, 《특히》 외과의.

sáw·bùck *n.* 《미》 =SAWHORSE; 《속어》 10〔20〕 달러 지폐; 《속어》 10 년형(刑).

sáwbuck tàble 엑스자형 다리의 책상.

saw·der [sɔ́ːdər] *n.*, *vt.* 《구어》 간살, 엉너리 〔치다〕.

sáw-dòctor *n.* 《영》 톱날 세우는 기구.

◇**sáw·dùst** *n.* [U] 톱밥; 《미학생속어》 설탕. ***let the ~ out of*** …의 약점을 들춰내다《인형 속의 톱밥을 끄집어내는 행위에서》. [파] **~·ish** *a.*

sáwdust pàrlor 《미속어》 대중 주점〔식당〕.

sáw·édged *a.* 톱니 모양 칼날의, 가장자리가 들쭉날쭉한.

sáwed-óff, sáwn-óff *a.* 《미》 **1** 한끝을 (톱으로) 자른, 짧게 한; 《구어》 (소총 등의) 총신을 짧게 자른; (평균보다) 키가 작은: a ~ gun 총신을 짧게 자른 갱(gangster)용 소총. **2** 《속어》 (사람이) 보통보다 키가 작은, 자그마한.

sáw·fish *n.* 〖어류〗 톱상어.

sáw·flỳ *n.* 〖곤충〗 잎벌.

sáw fràme 〔**gàte**〕 톱틀.

sáw gràss 〖식물〗 참억새류(類).

sáw·hòrse *n.* 톱질 모탕(buck, sawbuck).

sáw lòg 톱으로 켜낼 원목.

sáw·mill *n.* 제재소; 대형 제재(製材) 톱.

sawn [sɔːn] SAW[1]의 과거분사.

Saw·n(e)y [sɔ́ːni] *n.* **1** 《경멸》 스코틀랜드 사람. **2** (보통 s-) 《영구어》 바보, 얼간이. **—** *a.* (보통 s-) 《영구어》 바보〔얼간이〕의.

sáw pìt 톱질하는 구덩이《두 사람이 위아래로 되어 톱질할 때 아래쪽 사람이 들어감》.

sáw sèt 톱날 세우는 기구.

sáw·tìmber *n.* 제재(製材)하기에 적합한 나무.

sáw·tòoth *n.* 톱니; (상어·범 등의) 날카로운 이. **—** *a.* 톱니 모양의, 들쭉날쭉한.

sáw-tòothed *a.* 톱니(모양)의, 들쭉날쭉한.

saw·yer [sɔ́ːiər] *n.* 톱장이; 《미》 유목(流木), 표류목; 〖곤충〗 천우(天牛), 하늘소.

sax [sæks] *n.* 《구어》 =SAXOPHONE.

Sax. Saxon; Saxony.

sax·a·tile [sǽksətil] *a.* =SAXICOLOUS.

Saxe [sæks; *F.* saks] *n.* Saxony의 프랑스어명(語名).

saxe [sæks] *n.* [U]; 〖사진〗 난백지(卵白紙)《독일제 인화지》; =SAXE BLUE.

sáxe blúe (때로 S-) 밝은 회청(灰青)색.

Saxe-Co·burg-Go·tha [sǽkskóubəːrg-góuθə] *n.* 영국 왕가(王家)의 이름《Edward 7 세 이후 1917 년까지, 그 후의 공칭은 Windsor》.

sax·horn [sǽkshɔ̀ːrn] *n.* 색스혼《벨기에 사람 Sax가 발명한 금관 악기》. [cf.] saxophone.

sax·ic·o·lous, sax·ic·o·line [sæksíkələs], [-lən, -làin] *a.* 〖생태〗 바위 틈〔표면〕에 사는, 암생(岩生)의. 「류(類).

sax·i·frage [sǽksəfridʒ] *n.* [U] 〖식물〗 범의귀

sax·ist [sǽksist] *n.* 《구어》 saxophone 연주자.

sax·i·tox·in [sæksətáksin/-tɔ́k-] *n.* 〖생화학〗 색시톡신《어떤 종류의 플랑크톤이 분비하는 신경독; 패류 등에 의한 식중독의 원인》.

Sax·on [sǽksən] *n.* **1** 색슨 사람, (the ~s) 색슨족《독일 북부 Elbe강 하구에 살고 있던 게르만족으로, 그 일부는 5-6세기에 영국을 정복했음》. **2** 앵글로색슨 사람(Anglo-~). **3** 영국 사람, 잉글랜드 사람(Englishman)《아일랜드 사람·웨일스 사람에 대하여》. **4** 스코틀랜드의 저지대 사람《스코틀랜드 고지대 사람에 대하여》. **5** 작센 사람《독일 연방 Saxony 주의》. **6** [U] (영어 본래의) 게르만어 요소; 색슨 말; 앵글로색슨 말; (저지 독일어의) 작센 방언. ***plain*** ~ 간명한 영어. **—** *a.* **1** 색슨 사람〔말〕의. **2** 작센(사람)의. **3** 영국의. ~ ***words*** (게르만어계의) 순수한 영어.

Sáxon blúe 밝은 담청색(淡青色)(saxe)《쪽을 황산에 녹인 염료》.

Sax·on·ism [sǽksənìzəm] *n.* **1** [U] (앵글로) 색슨 기질; 영국 정신; 영어 국수주의, 외래어 배척주의. **2** [C] 앵글로색슨 말투. [파] **-ist** *n.* 앵글로색슨어 학자.

Sax·o·ny [sǽksəni] *n.* **1** 작센《독일 동부의 주(州) 이름》. **2** [U] (s-) 색스니《멜턴(melton)과 플란넬의 중간 조색의 모직물; 흔히, 양복감》.

sax·o·phone [sǽksəfòun] *n.* 색소폰《대형 목관 악기》. [파] **sáx·o·phòn·ist** *n.* 색소폰 연주가.

sáx·tùba *n.* 저음의 대형 saxhorn.

†**say** [sei] (*p.*, *pp.* ***said*** [sed]; 3인칭 단수 현재 직설법 ***says*** [sez]) *vt.* **1** 《~+[목]/+([전]+[명])+*that*[절]/+*wh.* [절]/+*wh.* *to* do/+[목]+[전]+[명]》 …을 말하다, 이야기하다: Who *said* that? 누가 그것을 말했는가/What did he ~ next?— He *said* "Get out!" 다음에 그는 뭐라고 그랬지? —'나가라'고 했다/He *said* (*to* John) *that* little damage was caused. 그는 (존에게) 손해는 거의 없다고 말했다/~ a word 한마디 말하다/*Say what* you mean simply. 무슨 말인지 좀더 분명히 말해 주게/I cannot ~ *which* way *to* go. 어느 길을 가야 좋을지 모르겠다/*Say* ah. 아아 해 봐《환자의 입을 벌리게 할 때》/ Easier *said* than done. 《격언》 말하긴 쉽고 행하긴 어렵다, 말보다 실천/The less *said* about it the better. 《격언》 말은 적을수록 좋다. [cf.] speak.

2 《+[목]+[전]+[명]》 (말 이외의 방법으로) 나타내다, 표현하다: *Say* it *with* flowers. 그 마음〔뜻〕을 꽃으로 (전하시오)《꽃집의 선전》.

3 《+*that*[절]》 (신문·게시·편지·책 따위가) …라고 씌어져 있다; (책 따위에) 나 있다: The Bible ~*s that*…. 성서에는 …라고 씌어져 있다.

4 《+*that*[절]》 (세상 사람들이) 전하다, 말하다, …라고(들) 하다, 평판(評判)하다: They ~ (*that*) he is guilty. 그는 유죄라고 한다.

5 (기도문·시 등을) 외다; 암송하다: ~ one's part 대사를 외다.

6 〖삽입구처럼 예시하는 것 앞에서〗 이를테면, 예를 들면, 글쎄요: Will you come to see me, ~, next Sunday? 나한테 놀러 오지 않겠나, 이를테면 요번 일요일에라도.

7 《+*that*[절]》 〖명령형으로〗 …로 가정하여, …라

고 한다면: Well, ~ it were true, what then? 그런데 그게 사실이라면 어찌 됩니까.
8 《+*to* do》《미구어》 …을 명하다, …하라고 말하다: He *said* (for me) *to* start at once. 그는 곧 출발하라고 말했다.
— *vi.* 1 《~/+[부]》 말하다; 의견을 말하다, 단언하다: It is just as you ~. 정말 자네 말대로다 / *Say on!* 말을 계속하시오 / I cannot ~. (나로서는) 모르겠다. 2 《미구어》 이봐, 여보세요, 저어; 이거 놀랐다(《영》 I ~.): *Say*, there! 여보세요.
and so ~ all of us 그리고 그것이 모두의 의견이기도 하다; 정말로 그렇습니다《대표자의 연설 따위에 찬동해서》. ***as much as to ~*** (마치) …라고나 하려는 듯이. ***as who should ~*** …라고 말하기나 하듯이. ***be said to*** do …이라고 한다: He *is said to* be the best student in the class. 그는 반에서 가장 우수한 학생이라고 한다 (It is said that he is ….). ***have nothing to ~ for*** one***self*** …에 관계가 없다, …에 변명할 게 없다, 할 말이 없다. ***have something to ~ for*** one***self*** …에 관계가 있다, …에 할 말이 있다. ***hear ~*** 소문으로 듣다, …라는 풍문이다. ***How ~ you?*** 판결을 청합니다. ***I dare ~.*** 아마 그럴 겁니다. ***I mean to ~*** 《구어》 더 정확하게 말하면, 즉. ***I'm not ~ing.*** 질문에는 대답할 수 없습니다. ***I ~.*** 《영》 이봐, 여보세요; 《영구어》 아이구 깜짝이야. ***I should ~ so*** 〔***not***〕. 그렇다고〔그렇지 않다고〕 생각한다. ***It goes without ~ing that ….*** …(임)은 말할 것도 없다. ***It is not too much to ~ that ….*** …라고 해도 과언은 아니다. ***It is said that ….*** …라는〔하다는〕 소문이다. ***It*** 〔***That***〕 ***is ~ing a great deal.*** 그것은 정말 대단한데; 그거 큰일났군. ***it ~s in*** (the Bible) (성서)에 이렇게 나와 있다; (성서)에 가로되…. ***I wouldn't ~ no.*** 《영구어》 네네, 좋고말고요, 기꺼이. ***I*** 〔***We***〕 ***would*** 〔《영》 ***should***〕 ***~*** =***I'd*** 〔***We'd***〕 ~ 《완곡어》 아마도 …일거다. ★ 문장 앞이나 뒤에 씀. ***Just as you ~.*** 맞았어, 자네 말이 옳아. ***let us ~*** 이를테면; 글쎄…. ***Never ~ die!*** 낙담하지 마라, 기운 내라. ***not to ~*** …라고 할 정도는 아니다; …라고(까지)는 말 못 하더라도. ***~ a few words*** 간단한 인사를〔연설을〕 하다. ***~*** things ***against*** 무엇을 비난〔나쁘게 말〕하다. ***~ a good word for*** ⇨WORD. ***~ away*** 《드물게》 거침없이 말하다; 곧 말해 버리다. ***~ for*** one***self*** 변명하다. ***~ much for*** …을 크게 칭찬하다. ***~ no*** '아니다' 라고 말하다, 동의하지 않다. ***Say no more!*** 《구어》 (알았으니) 그만 말해라. ***~ out*** 숨김없이 말하다, 털어놓다. ***~ over*** 되풀이해 말하다. ***~s I*** =***I ~s*** 《속어》 내가 말하길, …라고 말했단다(=said I). ***~*** one***'s lessons*** (선생님 앞에서) 복창하다. ***~*** one***'s piece*** 《구어》 말해야 할 것을〔자기 의사를〕 말하다. ***~ something*** ① 식전〔식후〕의 기도를 올리다(~ grace). ② =~ a few words. ***~ the word*** 명령을 내리다. ***~ to*** one***self*** 스스로 다짐하다, 혼잣말하다; 마음속에 생각하다. ***~ well*** 당연한 소리를 하다. ***~ well*** 〔***evil, bad***〕 ***of*** …을 좋게〔나쁘게〕 말하다. ***~ what you like*** 네가 뭐라 말해도《내 결심은 변치 않는다》. ***so to ~*** 말하자면, 마치, 이를테면. ***strange to ~*** 묘한 이야기지만. ***that is to ~*** 즉, 바꿔 말하면; 적어도. ***That's*** 〔***That's not***〕 ***all there is to ~.*** 이 이상 할 말은 없다〔또 있다〕. ***That's not a nice thing to ~ about ….*** …에 관해 그렇게 말해서는 안 된다. ***There is much to be said for ….*** …에는 충분한 이유가 있다. ***though I ~ it*** (***who*** 〔《구어》 ***as***〕 ***should not***) 나의 입으로 말하기는 쑥스럽지만. ***to ~ nothing of*** ⇨NOTHING. ***to ~ the least of it*** 극히 줄잡아 말해도. ***to ~ the truth*** 사실을 말하면. ***What do you ~*** 〔《미구어》 ***What ~ you***〕 ***to …?*** …이 어떨까요: *What do you ~ to* a drink? 한잔 어떻소. ***What I ~ is ….*** 나의 의견은 …이다. ***When all is said*** (***and done***) 결국(은). ***Who can ~?*** 아무도 예언할 수 없다. ***Who ~s*** coffee? 커피 원하시는 사람은 어느 분《식사 주문 받는 말》. ***Who shall I ~, sir?*** (손님에게) 누구시라고 여쭐까요. ***You can ~ that again.*** =***You*** 〔***You've***〕 ***said it!*** 《구어》 맞았어, 바로 그대로야. ***You don't ~*** (***so***)***!*** 설마, 어떨까, 아무려니. ***You said it.*** 《구어》 맞았어, 자네 말대로야. ***wouldn't ~ no to …*** …하여도 나쁘지 않다: I *wouldn't ~ no to* another drink. 한 잔 더 해도 나쁘지 않다.
— *n.* [U] 1 할 말; 주장, 의견. 2 발언권, 발언할 차례〔기회〕: It's your ~ now. 이번엔 네가 말할 차례다. 3 (the ~) 《미》 (최후의) 결정권. 4 《고어》 격언, 속담. ***have a ~ in the matter*** 그 일에 말할 권리가〔발언권이〕 있다. ***have the ~*** 최종적 결정 권한을 갖다《*in; on*》. ***say*** 〔***have***〕 one***'s ~*** 하고 싶은 말을 하다.
[파] **∠·a·ble** *a.*

S.A.Y.E., SAYE =SAVE-AS-YOU-EARN.

say·est, sayst [séiist], [seist] *vt., vi.* 《고어》 SAY의 2인칭 단수 직설법 현재: Thou ~ (=You say). ◇ 과거는 saidst.

***say·ing** [séiiŋ] *n.* 1 말하기, 말, 진술: It was a ~ of his that …. 그는 곧잘 …라고 말했다. 2 속담, 격언; 전해 오는 말: An old ~ tells us that 〔According to an old ~,〕 haste makes waste. 옛 격언에 조급히 굴면 일을 그르친다고 했다 / A ~ goes that time is money. 시간은 금이라는 격언이 있다.

> [SYN.] **saying** 격언, 속담의 뜻으로 아래의 모든 뜻을 포함한 가장 일반적인 말. 가장 두루 쓰이는 특색이 있음: as the *saying* goes 흔히 사람들이 말하듯이. **proverb** 거의 saying에 가깝지만 생활의 슬기를 구체적으로 말한 것이 많음. **adage** 예로부터 흔히 써 내려온 saying. **aphorism, epigram** 둘 다 간결한 표현. 독단적인 정의가 특색. aphorism은 그 요령의 좋음, epigram은 마음을 찌르는 것 같은 날카로움이 특색. **maxim** 처세의 지침이 될 만한 격언. **motto** 자신의 좌우명으로 삼은 maxim.

as the ~ goes 〔***is, has it***〕 속담에도 있듯이; 흔히들 말하듯이. ***~s and doings*** 언행. ***There is no ~.*** 무어라고 할 수 없다, 전혀 모르겠다.

sáy-sò *n.* [U] 1 독선적인 발언, 독단. 2 결정권(을 갖는 권위자), 권한; 권고, 명령; 허가, 조언.

Sb 〚화학〛 stibium 《L.》 (=antimony). **sb.** 〚문법〛 substantive. **S.B.** *Scientiae Baccalaureus* 《L.》 (=Bachelor of Science); simultaneous broadcasting. **s.b., sb** 〚야구〛 stolen base(s) (도루). **SBA, S.B.A.** 《미》 Small Business Administration(중소 기업청).

Ś-bànd *n.* 〚통신〛 S 주파대(帶) 《1,550-5,200 MHz의 극초단파의 주파대》.

SBC 〚컴퓨터〛 single board computer; small business computer. **SbE.** 〔**W.**〕 South by East 〔West〕. **SBIC** small business investment corporation.

'sblood [zblʌd] *int.* 《폐어》 빌어먹을!, 제기랄!, 앗!, 아뿔싸! [◀God's *blood*]

SBN Standard Book Number. **SBR** styrene-butadiene rubber 《합성 고무의 일종, 천연 고무의 대용품》. **Sc** 〚화학〛 scandium; 〚기상〛 stratocumulus. **Sc.** science; Scotch; Scots; Scottish. **sc.** scale; scene; science;

scientific; *scilicet*; screw; scruple; *sculpsit*. **S.C.** Sanitary Corps; Security Council (of the United Nations); South Carolina; Supreme Court. **s.c.** 〖상업〗 sharp cash; small capitals; supercalendered. **SCA** shuttle carrier aircraft.

scab [skæb] *n.* **1** (헌데 · 상처의) 딱지, [U] 옴, 개선(疥癬)(scabies), (양 등의) 피부병; 〖식물〗 (감자 등의) 반점병. **2** 《경멸》 노동조합 비가입자; 파업을 깨뜨리는 사람; 배반자; 《고어》 악당, 인간쓰레기. **—** (**-bb-**) *vi.* **1** (상처에) 딱지가 앉다. **2** 《~/+[전]+[명]》 《미》 《경멸》 비조합원으로 일하다, 파업을 깨뜨리다《*on*》: ~ *on* strikers 파업하는 사람들을 배반하다, 파업을 깨뜨리다.

scab·bard [skǽbərd] *n.* (칼 따위의) 집(sheath); 《미》 권총집. ***fling*** 〔***throw***〕 ***away the*** ~ 칼집을 버리다; 《비유》 단호한 태도로 나오다, 끝까지 싸우다. **—** *vt.* 칼집에 꽂다; …에 칼집을 씌우다.

scábbard fish 〖어류〗 갈치.

scab·bed [skǽbid, skæbd] *a.* 딱지가 있는, 딱지투성이의; 옴에 걸린; 하잘것없는. [파] **~-ness** *n.*

scab·ble [skǽbəl] *vt.* (채석장에서 돌 따위를) 대강 다듬다.

scab·by [skǽbi] (**-bi·er; -bi·est**) *a.* **1** = SCABBED. **2** 경멸할 만한; 더러운; 비열한, 비천한. **3** 〖주조〗 (표면이) 우툴두툴한; 〖인쇄〗 선명치 않은. [파] **scáb·bi·ly** *ad.* **scáb·bi·ness** *n.*

sca·bi·es [skéibiz, -biìːz/-biìːz] (*pl.* ~) *n.* [U] 〖의학 · 수의〗 개선(疥癬), 옴.

sca·bi·o·sa [skèibióusə] *n.* 〖식물〗 체꽃속(屬)의 식물.

sca·bi·ous¹ [skéibiəs] *a.* 딱지 있는, 딱지투성이인; 딱지의〔같은〕.

sca·bi·ous² *n.* 〖식물〗 옴에 듣는다는 초본《체꽃 · 망초 따위》.

scáb·lànd *n.* 기복 있는 화산 용암지《불모지》.

scab·rous [skǽbrəs/skéib-] *a.* 꺼칠꺼칠〔우툴두툴〕한; 장애가 많은; (문제 따위가) 골치 아픈, 까다로운; 〖문예〗 (주제 · 장면 따위가) 다루기 힘든, 외설〔음란〕한. [파] **~·ly** *ad.* **~·ness** *n.*

scad¹ [skæd] *n.* 〖어류〗 전갱이의 일종.

scad², **skad** *n.* (종종 *pl.*) 《미구어》 많음, 거액(a lot, lots): a ~ *of* fish / ~*s of* money.

◇**scaf·fold** [skǽfəld, -fould] *n.* **1** (공사장 따위의) 비계(scaffolding). **2** (the ~) 처형대, 교수대; 《비유》 사형. **3** 〖해부〗 골격, 뼈대. **4** (야외의) 조립 무대, 관객석. ***go to*** 〔***mount***〕 ***the*** ~ 교수대에 오르다. ***send*** 〔***bring***〕 a person ***to the*** ~ 아무를 교수형(絞首刑)에 처하다. **—** *vt.* …에 비계를〔발판을〕 만들다.

scáf·fold·ing *n.* [U] (공사장의) 비계, 발판; 발판 재료.

scag, skag [skæg] *n.* 《미속어》 [U] 헤로인(heroin); 지겨운 놈, 못생긴 여자; 바보.

scagl·io·la [skæljóulə] *n.* [U] 인조 대리석.

scàl·a·bíl·i·ty *n.* 〖전자〗 (반도체 소자가) 비례 축소가 가능함.

scal·a·ble [skéiləbəl] *a.* **1** (산 따위에) 오를 수 있는. **2** (저울로) 달 수 있는. **3** (비늘을) 벗길 수 있는.

sca·lar [skéilər] *n.* 〖물리 · 수학〗 스칼라《실수(實數)로 표시할 수 있는 수량》. [cf.] vector. **—** *a.* 스칼라의〔를 사용한〕; 단계가 있는.

scálar árchitecture 〖컴퓨터〗 스칼라 아키텍처, 스칼라 구조〔얼개〕《한번에 하나밖에 처리하지 못하는 마이크로프로세서 아키텍처》.

scálar fíeld 〖물리 · 수학〗 스칼라장(場)《각각의 점이 하나의 숫자로 표시되는 영역》.

sca·lar·i·form [skəlǽrəfɔ̀ːrm] *a.* 〖동물〗 사다리꼴의; 〖식물〗 층계 무늬의. [파] **~·ly** *ad.*

scálar próduct 〖물리 · 수학〗 스칼라곱.

scal·a·wag, 《영》 **scal·la-** [skǽləwæ̀g] *n.* 밥벌레, 무뢰한, 깡패(scamp); (영양 불량, 나이 많음, 작은 몸집 등으로) 쓸모없는 동물; 〖미국사〗 남북 전쟁 후 공화당에 가담한 남부의 백인《남부 민주당원의 경멸적 용어》.

scald¹ [skɔːld] *n.* **1** (끓는 물 · 김에 의한) 뎀, 화상. **2** (과일의) 썩음; (심한 더위로 인한) 나뭇잎의 변색. ***get a good*** ~ ***on*** 《미방언》 …에 성공하다. **—** *vt.* **1** 《~+[목]/+[목]+[전]+[명]》 (끓는 물 · 김으로) 데게 하다: be ~*ed* to death 화상으로 죽다 / He ~*ed* himself *with* boiling water. 그는 끓는 물에 데었다. **2** 《~+[목]/+[목]+[부]》 (닭 · 야채 따위를) 데치다; (기물(器物)을) 끓는 물로 씻다〔소독하다〕《*out*》: ~ (*out*) a vessel. **3** (액체를) 끓는점 가까이까지 끓이다. ***like a*** **~*ed cat*** 맹렬한 기세로《움직이다》. **~*ed cream*** 우유를 끓여 만든 크림.

scald² *n.* **1** = SKALD. **2** [U] 《속어》 버짐, 기계총.

scáld·er *n.* 열탕 소독기.

scáld hèad 《고어》 (어린이의) 기계총 먹은 머리.

scáld·ing *a.* 델 것 같은; (모래밭 등이) 타는 듯한; (비평 따위가) 통렬한: ~ tears (비탄의) 뜨거운 눈물.

⁑**scale**¹ [skeil] *n.* **1** 눈금, 저울눈; 척도; 자(ruler): the ~ of a clinical thermometer 체온계의 눈금. **2** (지도 따위의) 축척, 비율: a map drawn to a ~ of ten miles to the inch, 10 마일 1인치 축척에 의한 지도. **3** (임금 · 요금 · 세금 등의) 율(率); 세법; 임금표: a ~ of taxation 세율. **4** 규모, 장치: a plan of a large ~ 대규모의 계획. **5** 계급(rank), 위계, 등급, 단계(gradation): rise in the social ~ 사회적 지위가 오르다. **6** 〖음악〗 음계: the major 〔minor〕 ~ 장〔단〕음계 / chromatic 〔diatonic〕 ~ 반〔전〕음계. **7** 〖수학〗 …진법, 기수법(記數法): the decimal ~ 십진법. **8** 〖컴퓨터〗 기준화, 배율, 축척. ***in*** ~ 일정한 척도에 따라, 균형잡혀《*with*》. ***learn*** one***'s*** **~*s*** 음악을 배우기 시작하다. ***on a large*** 〔***small***〕 ~ 대〔소〕규모로. ***out of*** ~ 일정한 척도에서 벗어나, 균형을 잃고《*with*》. ***play*** 〔***sing***〕 one***'s*** **~*s*** 음계를 치다〔노래하다〕. ***sink in the*** ~ 하위로 떨어지다. ***to*** ~ 일정한 비례〔비율〕로.

— *vt.* **1** (산 따위에) 올라가다; 사다리로 오르다. **2** 《~+[목]/+[목]+[부]》 (지도를) 축척으로 그리다; 비율에 따라 정〔증감〕하다, 일정한 기준으로 정하다《*up; down*》: ~ a map 축척으로 제도(製圖)하다 / ~ *down* wages 임금을 일정률로 내리다. **3** (인물 · 물품 따위를) 평가하다. **4** 《미》 (입목 · 과실 따위의 양을) 어림하다; 개산(槪算)하다. **5** 〖컴퓨터〗 기준화하다. **—** *vi.* 오르다; 점점 높아지다; (수량 따위가) 비례하다; 사다리〔층계〕로 되어 있다; 음계를 타다〔노래하다〕. **~ *back*** 축소하다: ~ *back* military forces 병력을 감축하다.

⁑**scale**² *n.* **1** 천칭의 접시; (종종 ~s) 〔단수취급〕 저울; 체중계: a pair of ~*s* 천칭. **2** (the S-s) 〖천문〗 저울〔천칭〕자리(Libra). **3** (종종 *pl.*) 《비유》 가치 · 평가의 기준, (운명 · 가치를 결정하는) 저울. ***be in the*** **~(*s*)** 풍전등화격이다, 매우 위급하다. ***go to*** ~ (기수(騎手)가 경주 전후에) 체중을 달다. ***go to*** ~ ***at*** 체중이 …이다. ***hang in the*** ~ 어느 쪽으로도 결정하지 않다. ***hold the*** **~*s even*** 〔***equally***〕 공평히 판가름하다. ***throw*** one***'s sword into the*** ~ 무력으로 요구를 관철하려고 하다. ***tip*** 〔***tilt, turn***〕 ***the*** **~(*s*)** ① 무게가 나가다《*at*》: He *tips the* ~*s at* 60kg. 그는 체중이 60kg 나간다. ② 저울의 한쪽을 무겁게 하다; 국면을 일변시키다, 결정적이 되게 하다: The ~*s* were *turned* in favor of .... 사태가 바뀌어 …이 유리해졌다. ***weight*** 〔***load***〕 ***the*** **~(*s*)** (유리하게) 정세를 바꾸다, 국면을 일변시키다.

— *vt.* 저울로 달다; (마음속으로) 비교하다.

— *vi.* 《+보》 무게가 나가다(weigh): It ~s 10 tons. 그것은 무게가 10톤 나간다.

◇**scale³** *n.* **1** 비늘; 비늘 모양의 것; 얇은 조각; 인편(鱗片); 딱지; 〖식물〗 아린(芽鱗)《싹, 봉오리를 보호하는》, 인포(鱗苞); (갑옷의) 미늘. **2** Ⓤ (보일러 속에 끼는) 물때; 쇠똥; 이똥; (가열된 철 표면에 생기는) 산화물, 쇠똥; 치석(齒石)(tartar); 〖의학〗 딱지, (사람 피부의) 비늘. **3** Ⓒ,Ⓤ (눈의) 흐림. **4** 깍지, 꼬투리, 얇은 껍데기. **5** =SCALE INSECT. ***fall in ~s*** (페인트 따위가) 푸슬푸슬 벗겨 떨어지다. ***remove the ~s from*** a person***'s eyes*** 아무의 눈을 뜨게 하다. ***The scales fell*** (***off***) ***from*** one***'s eyes.*** 〖성서〗 잘못을 깨닫다《사도행전 IX: 18》. **—** *vt.* **1** …에서 비늘을 벗기다; 껍질을 까다. **2** 《~+목/+목+전+명》 버캐를〔이똥을〕 벗기다: ~ tartar *from* the teeth 치석을 제거하다. **3** 《고어》 (포신(砲身) 등의) 내부를 손질하다. **4** 비늘로 덮다; …에 버캐가〔이똥 등이〕 앉게 하다; (납작한 돌로) 물수제비뜨다. **—** *vi.* **1** 《~/+부/+전+명》 (비늘·페인트 등이) 벗겨져 떨어지다《*off; away*》: The paint is *scaling off* (the door). (문의) 페인트가 벗겨져 가고 있다. **2** 버캐가〔이똥 등이〕 끼다. ㊞ **∠·less** *a.* **∠·like** *a.*

scále àrmor 비늘〔미늘〕 갑옷.

scále·bòard *n.* (그림·거울) 뒤판; 〖인쇄〗 활자 정돈용 판.

scále búg 〖곤충〗 개각충(scale).

scaled *a.* **1** 눈금이 있는. **2** 〖동물〗 비늘이 있는, 비늘 모양의; 비늘 무늬가 있는. **3** 비늘을 벗긴.

scále·dòwn *n.* (일정 규준·비율에 의한) 축소〔삭감〕, 규모 축소: a ~ of military expenditures 군사비 삭감.

scále económics 〖경제〗 규모의 경제.

scále ìnsect 〖곤충〗 개각충(介殼蟲), 깍지진디(scale).

scále móss 〖식물〗 우산이끼류(類).

sca·lene [skeilíːn/∠-] *a.* **1** 〖수학〗 (삼각형이) 부등변의; (원뿔의) 축이 비스듬한: a ~ triangle 부등변 삼각형. **2** 〖해부〗 사각근(斜角筋)의. **—** *n.* 부등변 삼각형; 사각근.

sca·le·nus [skeilíːnəs] (*pl.* **-ni** [-nai, -niː]) *n.* 〖해부〗 사각근.

scále·pàn *n.* 저울의 접시.

scal·er [skéilər] *n.* **1** 생선 비늘을 떼는 사람〔도구〕; 〖치과〗 치석 제거기, 스케일러. **2** 기어오르는 사람, 성벽을 기어오르는 병사; 《미》 (재목의) 체적을 개산(槪算)하는 사람; =SCALING CIRCUIT. **3** 저울질하는 사람, 계량인.

scále-ùp *n.* (임금·건설 규모 따위의) 일정 비율의 증가.

scále-wìnged *a.* 〖곤충〗 나비목(目)의, 나비의(lepidopterous).

scále-wòrk *n.* 비늘 겹치기 세공(細工).

scallop 1

scal·ing [skéiliŋ] *n.* 〖물리〗 스케일링, 비례 축소(화); 〖컴퓨터〗 크기 조정; 〖치과〗 치석 제거.

scáling cìrcuit 〖전자〗 계수 회로(scaler).

scáling làdder 공성(攻城) 사다리; 소방 사다리.

scall [skɔːl] *n.* =SCURF; 〖의학〗 결가(結痂), 두창(頭瘡).

scallawag ⇨SCALAWAG.

scal·lion [skǽljən] *n.* 〖식물〗 부추(leek); 골파.

scal·lop [skɑ́ləp, skǽl-/skɔ́l-] *n.* **1** 〖패류〗 가리비; 그 껍질(~ shell); 조개 냄비, 속이 얕은 냄비. **2** (*pl.*) 〖복식〗 스캘럽《가장자리 장식으로 쓰이는 부채꼴의 연속 무늬》. **—** *vt.* 부채 모양으로 하다; 〖자수〗 스캘럽으로 꾸미다; 조개 냄비에 끓이다〔요리하다〕; 가리비를 잡다. ㊞ **~·er** *n.* 가리비 잡는 사람〔어선〕; 스캘럽 장색. **~·ing** *n.* 가리비 잡이; 스캘럽 장식〔무늬〕.

scallop 2
scallop

scal·lo·pi·ni, -ne, sca·lop·pi·ne [skɑ̀ːləpíːni, skæ̀l-/skɔ̀l-] *n.* 스칼로피니《얇게 썬 송아지 고기를 기름에 튀긴 이탈리아 요리》.

scállop shèll 가리비의 껍질《옛날 성지 순례의 표시로 쓰인》.

scal·ly [skǽli] *n.* 《속어》 젊은이; 불량자, 범죄자, 깡패.

scal·ly·wag [skǽliwæ̀g] *n.* =SCALAWAG.

scal·o·gram [skéiləgræ̀m] *n.* 〖심리〗 스켈로그램, 반응도(反應圖)《태도·관심 따위를 측정하는 수단의 하나; 문제를 쉬운 것으로부터 점점 어려운 것으로 배열함》: ~ analysis 척도 분석법.

scalp [skælp] *n.* **1** 머리가죽; (머리털이 붙은) 머리가죽《특히 북아메리카 인디언이 적의 시체에서 벗겨내어 전리품으로 삼은》. **2** 전리품(trophy), 무용(武勇)의 징표. **3** (아래턱이 없는) 고래 머리; (개 따위의) 머리가죽. **4** 《Sc.》 둥근 민둥산의 꼭대기, 민둥산. **5** Ⓤ 《구어》 (시세의 작은 변동에 따른) 작은 이윤, 매매 차익금. **6** (굴 등의) 양식장. **7** 〖문장(紋章)〗 머리가죽이 붙은 사슴뿔. ***have the ~ of*** …을 패배시키다〔해내다〕; 보복하다. ***out for ~s*** (북아메리카 인디언이) 머리가죽 사냥에 나서서; 도전적으로; 싸울 기세로. ***take*** 〔***have***〕 a person***'s ~*** 아무의 머리가죽을 벗기다; 아무에게 이기다, (아무의) 지위 따위를 빼앗다.

— *vt.* **1** …의 머리가죽을 벗기다. **2** …의 표토(表土)에서 풀·뿌리 등을 제거하다. (산정의) 수목을 벌목하다. **3** 《구어》 (주식 등을) 사고팔아 작은 이윤을 남기다, (증권 등을) 차익금을 남기고 팔다. **4** 깎아내리다, 혹평하다. **5** 《미》 …에게서 정치력을 빼앗다; (아무를) 속이다, 굴욕을 주다. **6** (금속 반제품의) 표면을 깎다. **7** (불순물을 제거하기 위해) 체질하다. **8** 완패시키다. **—** *vi.* 《구어》 (증권 등의 매매로) 차익금을 벌다.

scal·pel [skǽlpəl] *n.* 외과용〔해부용〕 메스, 작은 칼.

scálp·er *n.* **1** 머리가죽을 벗기는 사람. **2** 《구어》 당장의 이윤을 노려 사고파는 사람, 차익금을 버는 사람; 암표상(ticket ~). **3** 둥근끌《조각용》.

scálp·ing *n.* 가죽벗기기, 스캘핑《주물 쇳덩이의 표면을 깎는 일》; (광석 따위의) 세정(洗淨).

scálp·less *a.* 머리가죽이 벗겨진; 대머리의.

scálp lòck (아메리칸 인디언의 전사가 적에게 도전하기 위해) 머리에 남기는 한 줌의 머리털.

scaly [skéili] (***scal·i·er; -i·est***) *a.* 비늘이 있는; 비늘 모양의; 〖식물〗 인편(鱗片)이 있는; 비늘처럼 벗겨지는; 깍지진디가 꾀는; 《속어》 야비한, 더러운, 인색한. ㊞ **scál·i·ness** *n.*

scály ánteater 〖동물〗 천산갑(pangolin).

scam, skam [skæm] *n.* 《미속어》 (신용) 사기, 편취. ***What's the ~?*** 《미속어》 웬일이야. **—** (**-mm-**) *vt.* 속이다, 편취하다.

SCAMA 〖로켓〗 Station Conferencing and Monitoring Arrangement(발사장 모니터 장치).

scam·mer [skǽmər] *n.* 《속어》 범죄자, 사기꾼; 난봉꾼.

scam·mo·ny [skǽməni] *n.* 〖식물〗 스카모니아《메꽃과(科)의 식물로 그 수지(樹脂)는 하제(下劑)》.

scamp¹ [skæmp] *n.* 무뢰한, 깡패; (애칭으로서) 개구쟁이, 장난꾸러기; 《고어》 노상강도. **—** *vi.* (좋아서) 뛰어 돌아다니다. ㊞ **∠·ish** *a.*

scamp² *vt.* (일을) 되는대로 하다, 겉날리다, 게으름을 피우다《*over; off*》. ㊞ **∠·er¹** *n.*

scam·per² [skǽmpər] *vi.* 《~/+부/+전+명》 재빨리 달리다〔달려 들어가다〕《*into*》; (동물 따위

가) 날쌔게 움직이다〔뛰어 돌아다니다〕《*about*》; 당황해서 도망치다《*off; away*》; 급히 내리 읽다《*through*》: ~ *off* in all directions 사방으로 도망치다 / I saw a fox ~ *into* an earth. 나는 여우가 땅굴로 뛰어 들어가는 것을 보았다. **—** *n.* 뛰어다님; 질주; 급한 여행《*through*》; 급하게 읽기《*through*》: take (a) ~ *through* Dickens 디킨스를 급히 읽다.

scam·pi [skǽmpi] (*pl.* ~) *n.* 참새우.

***scan** [skæn] (**-nn-**) *vt.* **1** (얼굴 등을) 자세히 쳐다보다; 자세히 조사하다, 세밀히 살피다(scrutinize). **2** 《미구어》 (신문 등을) 대충 훑어보다. **3** 〖TV〗 (영상을) 주사(走査)하다; (자기(磁氣) 테이프 등)의 정보를 조사하다; (레이더나 소나로) 탐지하다; 〖컴퓨터〗 주사〔스캔〕하다. **4** (인체에 방사성 물질을 넣어) 주사하다. **5** 운율을 고르다, 운각(韻脚)으로 나누다; (시를) 운율을 붙여 읽다. **—** *vi.* **1** 운율을 살피다; 운율〔운각〕이 맞다. **2** 〖TV〗 주사하다. **—** *n.* ~하기; 정사(精査); (텔레비전 카메라에 의한 원격지 사물의) 관찰, 그 화상; 〖의학〗 스캔, 주사; 시야, 이해.

Scan(d). Scandinavia(n).

scan·dal** [skǽndl] *n.* **1** 추문, 스캔들, 의옥(疑獄), 독직〔부정〕 사건〔행위〕: Watergate ~ 워터게이트 사건. **2** 불명예, 창피, 수치(disgrace)《*to*》: What a ~! 무슨 창피람 / Her conduct is a ~ *to* us. 그녀의 행위는 우리의 수치다. **3** (스캔들에 대한) 세상의 분개, 놀람, 물의. **4** [U] 악평; 중상; 험구; 비방(backbiting); 〖법률〗 (증인의) 비방, 중상적 주장: Everyone enjoys a bit of ~. 누구라도 조금은 남의 비방을 듣기 좋아한다 / talk ~ 중상하다. ***cause 〔***create, give rise to***〕 ~ 세간에 물의를 일으키다. ***to the ~ of ...*** …을 분개케 한 것은.

◇**scan·dal·ize** [skǽndəlàiz] *vt.* 분개시키다, 괘씸한 생각이 들게 하다, 중상하다; 모욕하다, …의 체면을 깎다. ***be ~d at*** 〔***by***〕 …에 분개하다. [파] **scàn·dal·i·zá·tion** *n.* **-ìz·er** *n.*

scándal·mònger *n.* 험담꾼, 추문을 퍼뜨리는 「사람.

scándal·mòngering *a.* 남의 험담을 일삼는. **—** *n.* 험담하기.

◇**scan·dal·ous** [skǽndələs] *a.* 소문이 나쁜; 명예롭지 못한, 수치스러운(shameful); 괘씸한; 중상적인, 욕을 하는. [파] **~·ly** *ad.* **~·ness** *n.*

scándal shèet 《미》 추문·가십을 크게 다루는 신문〔잡지〕; (실제보다 불린) 경비 청구서.

scan·dent [skǽndənt] *a.* 〖동물·식물〗 (다른 물건에) 기어오르는(climbing). 「(어(語))의.

Scan·di·an [skǽndiən] *a.* 스칸디나비아 반도

scan·dic [skǽndik] *a.* scandium 의.

Scan·di·na·via [skæ̀ndənéiviə] *n.* 스칸디나비아 (반도)《스웨덴과 노르웨이》; 북유럽《스웨덴·노르웨이·덴마크, 때로는 아이슬란드와 그 부근의 섬을 포함함》.

Scan·di·na·vi·an [skæ̀ndənéiviən] *a.* 스칸디나비아의; 북유럽의; 스칸디나비아 사람〔어〕의. **—** *n.* 스칸디나비아 사람; [U] 스칸디나비아어.

Scandinávian Áirlines Sỳstem 스칸디나비아 항공《덴마크·노르웨이·스웨덴 3국의 공동 항공 회사; 생략: SAS》.

Scandinávian Península (the ~) 스칸디나비아 반도.

scan·di·um [skǽndiəm] *n.* [U] 〖화학〗 스칸듐《희(稀)금속 원소; 기호 Sc; 번호 21》.

scán·ner *n.* 정밀히 조사하는 사람〔것〕; 〖통신〗 주사(走査) 공중선; 〖컴퓨터〗 스캐너; =SCANNING DISK.

scán·ning *n.* 정사(精査); 〖TV〗 주사(走査), 스캐닝; =SCANSION; 〖의학〗 스캐닝《복용한 방사성 물질의 체내에서의 동태를 관찰해 이상을 탐지 함》.

scánning dìsk 〖TV〗 주사판(走査板).

scánning eléctron mìcrograph 〖전자〗 주사(走査) 전자 현미경 사진《생략: SEM》.

scánning eléctron mìcroscope 〖전자〗 주사(走査) 전자 현미경《생략: SEM》.

scánning lìne 〖TV〗 주사선(走査線).

scánning ràdar 주사식(走査式) 레이더.

scan·sion [skǽnʃən] *n.* [U,C] 율독(律讀)(법)《운율을 붙여 낭독함》; (시의) 운율 분석. ◇ scan *v.* [파] **~·ist** *n.*

scan·so·ri·al [skænsɔ́ːriəl] *a.* 〖동물〗 (새의 발 따위가) 기어오르기에 알맞은.

◇**scant** [skænt] *a.* **1** 불충분한, 부족한(deficient), 모자라는《*of*》; 가까스로의: be ~ *of* breath 〔money〕 숨을 헐떡이다〔돈에 궁하다〕 / a ~ two hours 두 시간 채 안 되는 동안. **2** 《속어》 인색한(stinted). **3** 〖해사〗 역풍(逆風)의. [opp] *large*. ***a ~ attendance*** 소수의 출석자〔청중〕. ***with ~ courtesy*** 아무렇게나. **—** *vt.* 줄이다; 몹시 아끼다, 인색하게 굴다; 아무렇게나 다루다. **—** *ad.* 《방언》 가까스로(scarcely); 《방언》 아까워서. [파] **∠·ness** *n.*

scan·ties [skǽntiz] *n. pl.* 《구어》 (여성용) 짧은 팬티. [◂ *scant*+*panties*]

scant·ling [skǽntliŋ] *n.* (5인치 각(角) 이하의 목재·석재의) 각재(角材), 켜낸 재목; 재목의 치수; (배의 각 부분의) 재료 치수; (a ~) 소량, 조금《*of*》; 《고어》 견본. 「없이.

scánt·ly *ad.* 모자라게, 부족하여; 겨우, 거의 …

scanty** [skǽnti] (scant·i·er; -i·est***) *a.* **1** 부족한, 얼마 안 되는, 불충분한(insufficient). [opp] *plentiful, ample*. ¶ ~ means 얼마 안 되는 자력. **2** 빈약한(meager); 인색한. ***be ~ of*** …이 적다. [파] **scánt·i·ly** *ad.* **-i·ness** *n.*

SCAP Supreme Commander (of 〔for〕 the) Allied Powers(연합군 최고 사령관). **SCAPA** Society for Checking the Abuses of Public Advertising.

Scá·pa Flów [skάːpə-, skǽpə-/skǽpə-] 스캐파플로《영국 스코틀랜드 북부의 작은 만(灣); 군항》.

scape¹ [skeip] *n.* 〖식물〗 (뿌리에서 곧장 나오는) 꽃꼭지, 꽃줄기; 촉각근(根)《곤충의 촉각의 첫째 마디》; (새의 날개깃의) 중축(中軸); 〖건축〗 주신(柱身).

scape², **'scape** *n., vi., vt.* 《고어》 =ESCAPE.

SCAPE 〖우주〗 self-contained atmospheric pressure ensemble (대기압 자급 시스템).

-scape [skèip] '경치' 의 뜻의 결합사: land*scape*, sea*scape*, cloud*scape*.

scápe·gòat *n.* 〖성서〗 속죄양《사람의 죄를 대신 지고 광야에 버려진 양》; 남의 죄를 대신 지는 사람, 희생(자). **—** *vt.* 대신 희생이 되다. [파] **~·ing, ~·ism** *n.* [U] (남에게) 죄〔책임〕의 전가.

scápe·gràce *n.* 성가신 놈, 밥벌레; 《우스개》 개구쟁이.

scápe whèel =ESCAPE WHEEL.

scaph·oid [skǽfɔid] *a.* 〖해부〗 배 모양의. **—** *n.* 주상골(舟狀骨).

s. caps. 〖인쇄〗 small capitals.

scap·u·la [skǽpjələ] (*pl.* **-lae** [-lìː, -lài], **~s**) *n.* 《L.》 〖해부〗 견갑골(肩胛骨), 어깨뼈(shoulder blade 〔bone〕).

scap·u·lar [skǽpjələr] *a.* 견갑골의; 어깨의. **—** *n.* 〖가톨릭〗 (수사의) 어깨에 걸치는 옷; 〖의학〗 어깨 붕대; (새의) 죽지깃(=∠ **féather**).

scápular árch 〖해부〗 견갑대(肩胛帶)(=**pectoral gírdle**).

scap·u·lary [skǽpjəlèri/-ləri] *a.* =SCAPULAR. **—** *n.* 수사의 어깨걸이(scapular).

***scar**¹ [skɑːr] *n.* **1** (화상·부스럼 따위의) 상처

자국, 흉터: a vaccination ~ 우두 자국. **2** 〖일반적〗 자국. **3** (마음·명성 등의) 상처: leave a ~ on one's good name 명성이 손상되다. **4** (주물의) 흠. **5** 〖식물〗 잎자국, 엽흔(葉痕). **—** (*-rr-*) *vt.* 《~+목/+목+전+명》 …에 상처를 남기다: a face ~*red with* sorrow 슬픈 상처가 남아 있는 얼굴. **—** *vi.* 《~/+부》 상처가 되다; 흉터〔상처〕를 남기고 낫다《*over*》: The cut will ~ *over.* 그 벤 상처는 흉터가 남을 것이다. 파 **∠·less** *a.* 흉터 없는, 상처를 남기지 않는. **scarred** *a.* 흉터 있는.

scar² *n.* 《영》 낭떠러지; 암초.

scar·ab [skǽrəb] *n.* 〖곤충〗 풍뎅이(=∠ **bèe·tle**); 〖고대이집트〗 스카라베《신성시된 풍뎅이, 또 그 모양으로 조각한 보석·도기(陶器); 부적이나 장식품으로 썼음》. [◂ *scarab*aeus]

scar·a·bae·id [skæ̀rəbíːəd] *a., n.* 〖곤충〗 풍뎅잇과의 (곤충).

scar·a·bae·oid [skæ̀rəbíːɔid] *a., n.* 〖곤충〗 scarab 비슷한 (곤충).

scar·a·bae·us [skæ̀rəbíːəs] (*pl.* **~·es, -baei** [-bíːai]) *n.* **1** 〖곤충〗 왕쇠똥구리. **2** 〖고대이집트〗 스카라베(scarab). [L.<Gr.]

Scar·a·mouch, -mouche [skǽrəmàutʃ, -mùːʃ/-màutʃ, -mùːtʃ] *n.* **1** (옛 이탈리아 희극의) 얼뜨기 어릿광대역(役). **2** (s-) 《일반적》 공연히 우쭐대는 겁쟁이; 망나니, 불량자(rascal, scamp¹).

scarce** [skɛərs] *a.* **1** 《서술적》 (음식물·돈·생활필수품이) 부족한, 적은, 결핍한《*of*》: be ~ *of* provisions 식량이 부족하다/Money is ~. 돈이 부족하다. **2** 드문, 희귀한: a ~ book 진본(珍本). ◇ scarcity *n.* ***make oneself **~** 《구어》 슬쩍〔쓱쓱〕(나)가다; (방해가 안 되게) 비키다; (장소·모임 등에) 가까이 않다, 얼굴을 내밀지 않다《*in; at*》. **—** *ad.* 《고어·문어》 =SCARCELY. 파 **∠·ness** *n.*

****scarce·ly** [skɛ́ərsli] *ad.* **1** 간신히, 가까스로, 겨우. cf. hardly. ¶ I ~ know him. 그를 거의 모른다/He is ~ seventeen. 그는 겨우 17세가 될까말까 하다. **2** 《can 따위를 수반하여》 거의 … 아니다; 설마 …하는 일은 없다: I *can* ~ see. 거의 안 보인다/He *can* ~ have done so. 아무려니 그는 그러한 짓을 안 했을 테죠. **3** 단연 …아니다: This is ~ the time for arguments! 지금은 논쟁하고 있을 때가 아니다. **~ *any*** 거의 없다: I gained ~ *any*thing. 거의 아무것도 얻은 바가 없었다. **~ *... but*** …하지 않은〔없는〕 것 거의 없다: There is ~ a man *but* has his weak side. 약점이 없는 사람은 거의 없다. **~ *ever*** 좀처럼 …않다. **~ *less*** 거의 같게: ~ *less* than 200 dollars 거의 200달러. **~ *... when*** 〔***be·fore, till***〕 …하자마자〔하기가 무섭게〕, …함과 거의 동시에《강조를 위해 도치되는 경우가 많음》: I had ~ said the word *when* he entered. 내가 그렇게 말하자마자 그가 들어왔다.

scárce·ment *n.* 〖건축〗 벽면의 턱, 벽단(壁段); 〖광산〗 사다리 거는 데.

***scar·ci·ty** [skɛ́ərsəti] *n.* U **1** 부족(lack); 결핍《*of*》. **2** 기근(dearth), 식량 부족: job ~ 취직난. **3** 드문 일(rarity).

****scare** [skɛər] *vt.* **1** 위협하다, 놀라게〔겁나게〕 하다: a ~*d* look 겁에 질린 표정/I'm ~*d.* 흠칫 놀랐다. **2** 《+목+전+명/+목+부》 겁주어〔위협해〕 …하게 하다《*into*》; 을러대어 쫓아 버리다《*away; off*》: ~ a person *from* a room 아무를 위협해 방에서 쫓아내다/He ~*d* the salesman *away.* 그는 그 외판원을 위협해 쫓아 버렸다. **—** *vi.* 《~/+전+명》 겁내다, 놀라다: That horse ~*s* easily. 저 말은 잘 놀란다/She ~*d at* a lizard. 그녀는 도마뱀에 놀랐다. ***be more* ~*d than hurt*** 지나친 걱정을 하다. **~ *at nothing*** 아무것도 아닌 일에 놀라다. **~ *information out of*** a person 아무를 을러대어 정보를 캐내다. **~ *up*** 〔***out***〕 ① 《미》 (숨어 있는 사냥 짐승을) 몰아내다; …을 밝혀〔들춰〕내다. ② 《구어》 …을 애써서 손에 넣다; (돈·급히 필요한 물건을) 변통하다, (자금 따위를) 긁어모으다; 《미구어》 (있는대로 긁어모아 식사 따위를) 마련하다《*from*》.

— *n.* **1** (공연한) 겁, 쓸데없이 놀라기, 이유 없는 공포; 소동: a war ~ 전쟁의 불안, 전쟁 소동, 난리. **2** 〖상업〗 공황. **3** (the ~) 《미속어》 협박, 으름짱. ***cause a* ~** 소란을 피우다. ***throw a* ~ *into*** a person 《미》 아무를 깜짝 놀라게 하다. **—** *a.* 두려워하게 하는, 공포 상태의.

파 **scár·er** *n.* 겁주는 사람〔것〕. **scár·ing·ly** *ad.*

scáre búying 비축(備蓄) 구입, 가수요 구매.

scáre·cròw *n.* 허수아비; 《구어》 초라한 사람, 여윈 사람; 엄포, 헛위세. 파 **~·ish** *a.* **~y** *a.*

scared** [skɛərd] *a.* 무서워하는, 겁먹은. ***run* ~** 《미구어》 《종종 진행형으로》 겁먹은 듯이 행동하다; 낙선〔실패〕하는 것이 아닌가 하고 조마조마해 하다. **~ *shitless 〔***spitless, witless***〕 《미비어》 (…을) 지독히 무서워하여《*of*》.

scared·y-cat [skɛ́ərdikæ̀t] *n.* 《구어》 유난스러운 겁쟁이.

scáre·hèad, -hèadline *n.* 《미구어》 (신문의) 특대 표제《특종용》.

scáre·mònger *n.* 세상을 시끄럽게 하는 사람, 유언비어를 퍼뜨리는 사람. **—** *vi.* (유언비어를 퍼뜨려) 세상을 소란케 하다. 파 **~·ing** *n.*

scáre stòry 겁주는 말〔기사〕.

scáre tàctics 위협적인 설득 술책.

scarf¹** [skɑːrf] (*pl.* **~s** [-fs], ***scarves [-vz]) *n.* **1** 스카프, 목도리. **2** 넥타이(necktie, cravat); 〖군사〗 현장(懸章), 견식(肩飾)(sash). **3** 《미》 (옷장·테이블·피아노 등의) 덮개, 보《따위》. **—** *vt.* **1** …에 스카프를 하다〔두르다〕; 스카프처럼 쓰다. **2** 덮다, 싸다(wrap), 가리다(cover). 파 **∠·less** *a.* **∠·lìke** *a.*

scarf² *vt.* (목재·금속·가죽 등을) 접합하다, 끼워 맞추다, 엇턱〔엇걸이〕이음하다; (고래를) 잘라 가르다, 가죽을 벗겨 지방을 거두다. **—** *n.* (*pl.* **~s**) (목재·가죽·금속의) 엇턱〔엇걸이〕이음, 사모턱이음; 접합에 쓰는 금속 조각; 접합홈; 벤 금; 벗겨낸 고래가죽. 파 **∠·er** *n.*

scarf³ 《미속어》 *n.* 음식물; 식사(scoff²). **—** *vt., vi.* (게걸스레) 먹다(*down; up*); 강탈〔약탈〕하다.

scár-fàced [-t] *a.* 얼굴에 흉터가 있는.

scárf clòud 〖식물〗 (버섯의) 갓.

scarfed [skɑːrft], **scarved** [skɑːrvd] *a.* 스카프를 쓴〔두른〕.

scárf jòint 엇턱〔엇걸이〕이음, 접합.

scárf·pìn *n.* 넥타이핀(tiepin).

scárf·rìng *n.* 《영》 넥타이〔목도리〕고리.

scárf·skìn *n.* U 〖해부〗 (손톱 뿌리의) 표피.

scarf-wise [skɑ́ːrfwàiz] *ad.* 어깨에서 머리로 비스듬히.

scar·i·fi·ca·tion [skæ̀rəfikéiʃən/skɛ̀ər-] *n.* U 〖의학〗 난절(亂切)(법); 난절 흉터; 혹평; 〖농업〗 밭고르기.

scar·i·fi·ca·tor [skǽrəfikèitər/skɛ́ər-] *n.* 〖의학〗 난절기(器)〔도(刀)〕; 〖농업〗 밭 고르는 기구.

scar·i·fi·er [skǽrəfàiər/skɛ́ər-] *n.* 〖의학〗 난절자(亂切者); 밭〔흙〕고르개; 노면 파쇄기(破碎機).

scar·i·fy [skǽrəfài/skɛ́ər-] *vt.* **1** 〖의학〗 난절(亂切)하다. **2** 〖농업〗 밭을 고르다. **3** 《문어》 《비유》 혹평하다, 심하게 헐뜯다; …의 감정을 해치다. **4** (길바닥을) 파헤쳐 부수다.

scar·i·ous [skɛ́əriəs] *a.* 〖식물〗 (포엽(包葉) 따위가) 박막상(薄膜狀)의, 막질(膜質)의.

scar·la·ti·na [skɑ̀ːrlətíːnə] *n.* U 〖의학〗 성홍열(猩紅熱)(scarlet fever).

*__scar·let__ [skɑ́ːrlit] *n.* **1** [U] 주홍, 진홍색. **2** [C,U] 진홍색 옷《대주교·영국 고등 법원 판사·육군 장교 따위의》, 진홍색 대례복. **3** (the ~) =CARDINALATE. **4** [U]《비유》(성(性)범죄를 상징하는) 주홍색. **—** *a.* **1** 주홍의, 다[진]홍색의. **2** 홍의를 입은. **3** 음란한, 창부의(whorish). **4** 언어도단의, 눈꼴사나운.
scárlet féver 〖의학〗 성홍열(scarlatina).
scárlet hát (추기경의) 홍모(紅帽); 추기경의지위.
scárlet lády 행실이 나쁜[바람기 있는] 여자「(scarlet woman).
scárlet létter 주홍 글자《옛날 간통한 자의 가슴에 단 주홍천의 adultery의 머리글자 A》; (The S- L-) '주홍 글씨'《미국의 작가 Hawthorne의 장편 소설(1850)》.
scárlet pímpernel 〖식물〗 뚜껑별꽃.
scárlet rásh 〖의학〗 장미진(疹).
scárlet rúnner 〖식물〗 붉은꽃강낭콩.
scárlet ságe =SALVIA.
scárlet tánager 〖조류〗 붉은풍금조《북아메리카산(產)》.
scárlet wóman [**whóre**] 불의의[바람기 있는] 여자, 매춘부, 음녀(淫女), 부정한 여자; (S- W-) 세속화한 가톨릭교회; 세속적 정신; 인간의 사악.
scarp [skɑːrp] *n.* 〖건축〗 (해자의) 안쪽 둑; 내벽(內壁); 급경사(면), 가파른 비탈. **—** *vt.* …에 안쪽 둑을 만들다; …에 급경사를[가파른 비탈을] 만들다; 《속어》 도둑질하다.
scárp·er *vi.* 《영속어》 (특히 셈을 치르지 않고) 도망치다, 내빼다. **—** *n.* 급히 나감.
scar·ry [skɑ́ːri] *a.* 흉터 있는(scarred).
scár tissue 〖의학〗 반흔(瘢痕) 조직.
scary [skέəri] (*scar·i·er; -i·est*) *a.* 《구어》 **1** 무서운, 두려운. **2** 잘 놀라는, 겁 많은; 두려워하는. **3** 《미구어》 (여성이) 못생긴; (남자가) 험상궂은 얼굴의. [파] **scár·i·ness** *n.*
scat[1] [skæt] *int., vi., vt.* **1** 《구어》 쉿(하다, 하며 쫓다). **2** 펑!, 쾅!《폭발·총소리》. **—** *ad.* ***go*** ~ 《속어》 못 쓰게 되다.
scat[2] *n.* 〖재즈〗 무의미한 음절을 반복[삽입]하는 노래[창법]. **—** (***-tt-***) *vi.* ~를 부르다.
scat[3] *n.* (짐승의) 똥.
SCAT School and College Ability Test; supersonic commercial air transport.
scát·bàck *n.* 《미식축구속어》 스캣백《공을 가진 민첩한 공격 측 백》.
scathe [skeið] *n.* [U] 《고어·방언》 위해(危害), 손해, 손상(injury). ***without*** **~** 무사히. **—** *vt.* **1** 《고어·방언》 상처를 입히다, 해치다. **2** 《고어》 혹평하다. [파] **∠·ful** *a.* **∠·less** *a.* 상처 없는, 무사한, 무난한. **∠·less·ly** *ad.*
scáth·ing *a.* **1** 냉혹한, 가차없는, 통렬한《비평·조소 따위》. **2** 해치는. [파] **~·ly** *ad.*
sca·tol·o·gy [skətɑ́lədʒi/-tɔ́l-] *n.* [U] **1** (화석의) 분석학(糞石學); 〖의학〗 분변학(糞便學); 분변(에 의한) 진단. **2** 외설성, 외설 문학 연구[취미]. [파] **-gist** *n.* **scat·o·log·ic, -lóg·i·cal** [skæ̀təlɑ́dʒik/-lɔ́dʒ-], [-kəl] *a.*
scát sìnging 〖재즈〗 스캣(싱잉)(scat²).
****scat·ter** [skǽtər] *vt.* **1** 《~+[목]/+[목]+[부]/+[목]+[전]+[명]》 뿔뿔이 흩어 버리다(disperse), 쫓아 버리다(dispel); 흩뿌리다, (씨 따위를) 뿌리다 《*around; about*》: The police *~ed* the crowd. 경찰이 군중을 해산시켰다 / a gust *~ing* the pile of leaves 낙엽 더미를 날려 보내는 강풍 / ~ toys *about* 장난감을 여기저기 흐트러뜨리다 / ~ seeds *over* the fields 밭에 씨를 뿌리다.

> [SYN.] **scatter** 흩뿌리다. 흩어진 것이 눈에 보이거나 또는 어수선한 상태인 것을 시사함. **disperse** 떼 지어 있던 것을 흩어지게 하다. 분산된 결과에는 중점을 안 둠. **dissipate** 분산된 결과 사라지다, 흩어져 없어지다. **distribute** 주위에 고루 뿌리다, 살포하다, 도르다. **sprinkle** 물 따위를 물방울로 하여 뿌리다.

2 《+[목]+[전]+[명]》 …에 흩뜨려 놓다, 산재(散在)시키다《*with*》: ~ a book *with* anecdotes 책의 여기저기에 일화를 삽입하다 / The path was *~ed with* flowers. 길가에는 꽃이 여기저기 피어 있었다. **3** 《고어》 (재산 등을) 낭비하다(squander). **4** (희망·공포·의심 등을) 흩어버리다, 사라지게 하다(dissipate): ~ one's hopes. **5** 〖물리〗 (빛·입자 등을) 산란[확산·산재]시키다: ~ light. **6** 〖야구〗 안타를 산발로 처리하다, (상대 팀에) 집중타를 허용치 않다.
— *vi.* **1** 뿔뿔이 되다, 흩어지다. **2** 사라지다.
~ *to the winds* 흩뿌리다, 낭비하다.
— *n.* **1** [U,C] 흩뿌리기, 살포; [C] 흩뿌려진 것: a ~ of rain on the window 창문에 들이치는 비 / a ~ of applause 산발적으로 터지는 박수. **2** [U] (산탄(散彈) 등의) 흩어지는 범위; (빛의) 산란; [C] 《미속어》 =SCATTERGUN. **3** 《미속어》 (무허가) 술집, 은신처, 아파트. **4** 산발(散發).
[파] **~·a·ble** *a.* **~·er** *n.*
scat·ter·a·tion [skæ̀təréiʃən] *n.* 분산, 산란(상태); (인구·산업의) 지방 분산; (예산·노동력 등의) 평균적 배분(법).
scátter·bràin *n.* 《구어》 머리가 산만한 사람; 차분하지 못한 사람.
scátter·bràined *a.* 침착하지 못한, 머리가 산만한.
scátter cùshion 《미》 (소파용) 쿠션.
scátter dìagram 〖통계〗 산포도, 점도표.
scát·tered *a.* 뿔뿔이 된, 흐트러진, 드문드문한, 산만한. [파] **~·ly** *ad.* **~·ness** *n.*
scátter·gòod *n.* 낭비가(spendthrift).
scátter·gùn *n.* 산탄총(shotgun); 《군대속어》 기관총[단총](machine gun [pistol]).
scát·ter·ing [-riŋ] *a.* 드문드문 있는, 뿔뿔이 흩어진, 산발적인, 분산의; 《미》 산표(散票)의. **—** *n.* [U] 분산; 산재; 〖물리〗 산란; [C] 소량, 소수. [파] **~·ly** *ad.* 분산되어, 뿔뿔이.
scáttering làyer (바닷속의) 산란층(散亂層)《음파를 반사함》.
scat·ter·om·e·ter [skæ̀tərɑ́mətər/-rɔ́m-] *n.* 스캐터로미터《일종의 레이더》.
scátter propagàtion 〖통신〗 산란 전파(傳播)(=**óver-the-horízon propagàtion**).
scátter rùg (방 안 여기저기에 깔아 놓는) 작은 융단(throw rug).
scátter·shòt *a.* 《미》 산발된, 닥치는 대로의, 산만한; 무차별 사격의. **—** *n.* (장전한) 산탄; 산탄의 비산(飛散).
scátter·site hòusing 《미》 분산 주택 단지《대도시 중심에 사는 저소득층의 분산을 위해 세우는 공영 주택》.
scat·ty [skǽti] (***-ti·er; -ti·est***) *a.* 《영구어》 덜 떨어진, 까불거리고 산만한, 미덥지 못한. [파] **scát·ti·ly** *ad.* **-ti·ness** *n.*
scáup (**dùck**) [skɔ́ːp(-)] 〖조류〗 검은머리 흰죽지류.
scau·per [skɔ́ːpər] *n.* =SCALPER 3.
scaur [skɑːr, skɔːr] *n.* 《Sc.》 =SCAR².
scav·enge [skǽvəndʒ] *vt.* **1** (거리를) 청소하다. **2** (재활용 가능한 것을) 폐기물 중에서 가려내 모으다[수집하다]. **3** (배기가스 제거를 위해) 내연 기관의 기통을 청소[배기]하다. **4** 〖야금〗 (용해된 금속을) 정화(淨化)하다, 가스를 제거하다. **—** *vi.* **1** 가로 청소부로 일하다, 더러운 일을 하다. **2** (엔진·기통이) 청소[배기]되다. **3** (폐품·먹을 것을) 찾아다니다《*for*》. **4** 〖컴퓨터〗 불필요한 데이터(garbage)에서 비밀을 찾아내려 하다.

scáv·en·ger *n.* **1** 썩은 고기를 먹는 동물. **2** 넝마주이. **3** 《주로 영》 환경 미화원; 《비유》 추문(醜聞)을 찾아다니는 사람. **4** 〖화학〗 스캐빈저《용액 중의 방사성 핵종(核種)을 침전시키기 위한 담체(擔體)》; (유리기(遊離基)) 포착제(捕捉劑). **—** *vi.* 거리를 청소하다. ㊋ **scáv·en·gery** *n.* 가로 청소, 청소부의 일.

scávenger hùnt 지정된 갖가지 물품을 사지 않고 거저 빨리 구해 오는 게임.

Sc.B. *Scientiae Baccalaureus* 《L.》 (=Bachelor of Science). **Sc.D.** *Scientiae Doctor* 《L.》 (=Doctor of Science). **SCC, S.C.C.** Sea Cadet Corps. **SCE, S.C.E.** Scottish Certificate of Education.

sce·na [ʃéinə] (*pl.* ***-nae*** [-niː]) *n.* 《It.》 〖음악〗 (가극의) 한 장면; 극적 독창곡.

sce·nar·io [sinέəriòu, -náːr-/-náːr-] (*pl.* ***-i·os***) *n.* 《It.》 〖연극〗 극본; 〖영화〗 시나리오, 영화 각본(screenplay), 촬영 대본(shooting script); 행동 계획, 계획안. ***the ~ staff*** (촬영소) 문예부.

sce·nar·ist [sinέərist, -náːr-/síːnər-] *n.* 영화 각본가, 시나리오 작가.

sce·nar·ize [sinέəraiz, -náːr-/síːnər-] *vt.* 영화화하다; 각색하다.

scend ⇨SEND².

****scene** [siːn] *n.* **1** (연극의) 무대 장면, 장경(場景); (영화의) 세트; (무대의) 배경, 무대 장치. **2** (극의) 장(場); (무대·영화에 펼쳐지는) 장면; 정경, 사건: Act III, *Scene* ii 제 3 막 제 2 장 / Parting was a sad ~. 이별은 슬픈 정경이었다. **3** 광경, 경치, 조망. SYN. ⇨VIEW. **4** (사건·소설 따위의) 무대, 현장: the ~ of action 〔disaster〕 현장〔조난지〕. **5** (울부짖는) 큰 소동: She made a ~ to get her own way. 그녀는 울부짖는 등 소란을 피워 제 고집을 관철했다. **6** 《구어》 실황, 사정; (the ~) 《구어》 (패션·음악 등의) …계(界); (one's ~) 《구어》 흥미(의 대상), 기호; 《미속어》 (재즈 애호가의) 모임, 늘 모이는 장소: It's not my ~. 그것은 내 취미에 맞지 않는다〔내가 잘 모르는 일이다〕. ★ 보통 scene 은 한정된 개개의 장면으로 Ⓒ, scenery 는 (특히 자연의) 전(全) 풍경을 가리켜 Ⓤ. ◇ scenic *a.*
a change of ~ 장면〔환경〕의 변화; 전지(轉地). ***behind the ~s*** 무대 뒤〔막후〕에서; 이면 사정〔내막〕에 밝아; 남몰래. ***come*** 〔***appear, arrive***〕 ***on the ~*** 무대에 등장하다; 《비유》 나타나다. ***create*** 〔***make***〕 ***a ~*** (울고불고 하며) 한바탕 소란을 피우다. ***have a nice ~*** 활극을 벌이다《*with*》; 법석을 떨다. ***lay the ~ in*** (소설에서) 장면을 …에 두다. ***make the ~*** 《속어》 (행사에) 참가하다; (화려하게) 나타나다; 성공하다; 인기를 모으다; 시도해 보다: *make the* political ~ 정치에 깊이 개입하다. ***on the ~*** 현장에, 그 자리에: be *on the* ~ 모습을 나타내다. ***quit the ~*** 퇴장하다; 죽다. ***set the ~*** 준비하다, (…으로의) 길을 트다 《*for*》; 장소를 설정하다. ***steal the ~*** 《구어》 주의를 딴 데로 돌리게 하다.

scène [*F.* sεn] *n.* 《F.》 =SCENE. ***en ~*** 상연되어(on the stage).

scène à faire [*F.* sεnafεːʀ] *n.* 《F.》 고비; 절정; 볼만한 장면.

scéne dòck 〔**bày**〕 (극장의) 배경실, 장치실.

scéne·man [-mən] (*pl.* ***-men*** [-mən]) *n.* 《고어》 =SCENESHIFTER.

scéne pàinter (무대의) 배경화가.

scéne pàinting (무대의) 배경화(법).

****scen·ery** [síːnəri] *n.* **1** Ⓤ,Ⓒ 〔집합적〕 (연극의) 무대 장면, 배경, (무대의) 장치. **2** Ⓤ (한 지방〔자연〕 전체의) 풍경, 경치: natural ~ 자연 풍경 / mountain ~ 산 경치 / ⇨PAINTED SCENERY. ***chew the ~*** 과장되게 연기하다(overact).

scéne·shìfter *n.* (연극의) 무대 장치 담당자. ㊋ **-shifting** *n.*

scéne(s)-of-críme *a.* 감식(鑑識)의 《경찰용어》.

scéne-stèaler *n.* 〖연극〗 주역보다 더 인기 있는 (조연) 배우.

scene·ster [síːnstər] *n.* 《미구어》 (패션·음악 따위의) 유행업계의 사람, 특정 활동의 장소에 자주 나타나는 사람.

°**sce·nic** [síːnik, sén-] *a.* **1** 경치의; 경치가 좋은: ~ beauty 풍경의 아름다움 / a ~ zone 풍치 지구. **2** 무대의, 배경의; 무대 장치의: ~ effects 무대 효과. **3** 극적인, 연극 같은. **4** (표정 따위가) 신파 같은, 젠체하는. **5** 그림 같은, 생생한. **—** *n.* 풍경화, 풍경 사진, 자연의 경관을 보여 주는 영화. ㊋ **scé·ni·cal** [-əl] *a.* =scenic. **scé·ni·cal·ly** *ad.* 풍경에 관해서; 극적으로, 신파조로.

scénic dríve 《미》 경치가 아름다운 길임을 알리는 도로 표지.

scénic ráilway (유원지 등의) 유람 꼬마 철도; 〔=ROLLER COASTER.

sce·no·graph [síːnəgræ̀f, -grɑ̀ːf] *n.* 원근도(遠近圖); (고대 그리스의) 배경화. ㊋ **~·er** *n.*

sce·nog·ra·phy [siːnágrəfi/-nɔ́g-] *n.* Ⓤ 원근(도)법; (특히 고대 그리스의) 배경화법. ㊋ **sce·no·graph·ic, -i·cal** [siːnəgrǽfik], [-kəl] *a.* **-i·cal·ly** *ad.*

****scent** [sent] *n.* **1** Ⓤ,Ⓒ 냄새; Ⓤ 향기, 향내. SYN. ⇨SMELL. **2** Ⓤ,Ⓒ (사냥개의) 후각(嗅覺); (사람의) 센스, 직각력(nose) 《*for*》, 육감: have no ~ *for* …에 대한 센스가 무디다. **3** Ⓒ (짐승 따위의) 냄새 자취; (수사의) 단서: have (a) ~ 냄새 자취를 따르다; 단서를 잡고 있다. **4** 《영》 Ⓤ 향수(perfume). **5** (hare and hounds 놀이에서) 토끼가 흩뜨려 놓고 가는 종잇조각. ***a cold*** 〔***hot***〕 ***~*** 희미한〔강한〕 냄새 자취. ***a false ~*** 허방짚은 냄새 자취〔단서〕. ***follow up the ~*** 지나간 냄새 자취를 맡으며 추적하다; 《비유》 단서를 따라 추적하다. ***get*** 〔***take the***〕 ***~ of*** …을 냄새 맡다〔눈치채다〕. ***lose the ~*** 단서를 놓치다. ***off the ~*** 냄새 자취를 놓쳐; 단서를 놓쳐; 실패할 것 같아. ***on the ~*** 냄새 맡고, 단서를 잡아: They were *on the* ~ of a new plot. 그들은 새 음모를 감지하였다. ***put*** 〔***throw***〕 a person ***off the ~*** =***put*** a person ***on the*** 〔***a***〕 ***wrong*** 〔***false***〕 ***~*** 아무를 따돌리다〔헷갈리게 하다, 혼란시키다〕. ***put ... on the ~*** …에 뒤를 좇게 하다; …에게 단서를 잡게 하다.
— *vt.* **1** 《~+목/+목+부》 냄새 맡다, 냄새를 구별하다, 냄새를 맡아 내다《*out*》: ~ *out* a fox. **2** 《~+목/+*that* 절》 《비유》 (비밀 등을) 냄새 맡다, 눈치 채다; 의심하기 시작하다; (위험 등을) 감지하다: ~ danger / He ~*ed that* trouble was brewing. 그는 귀찮은 일이 일어나고 있음을 감지했다. **3** 냄새를 풍기다, …에 향수를 뿌리다: ~spring in the air 부는 바람에 봄이 다가옴을 느끼다. **—** *vi.* 《+부/+전+명》 (남긴 냄새를 따라) 추적하다《*about*》; 냄새가 나다, 기미가 있다《*of*》: Dogs ~*ed* (*about*) *after* game. 개들은 냄새를 (여기저기) 맡으며 사냥감을 추적했다. **~ *out*** 알아내다, 낌새 채다.

scént bàg 향주머니; 짐승의 향선(香腺).

scént bòttle 《영》 향수병.

(-)**scént·ed** [-id] *a.* 향수가 든, 향수를 바른, 향기로운; 〖복합어로〗 …냄새가 있는; 후각이 …한: keen-~ 후각이 예민한.

scént glànd 〖동물〗 사향(麝香) 분비선.

scént·less *a.* **1** 향기〔냄새〕 없는. **2** 후각이 없는, 냄새를 못 맡는. **3** (사냥에서) 냄새 자취가 없어진.

scént màrk 〔**màrking**〕 〖동물행동학〗 냄새 자취, 후각 표지《배설물 따위로 지면에 남겨 두는 자기 고유의 냄새》.
scent·om·e·ter [sentámətər/-tɔ́m-] *n.* (대기 오염 조사를 위한) 호기(呼氣) 분석계.
scént òrgan 〖동물〗 냄새 기관《향선 따위》.
scepsis ⇨SKEPSIS.
scep·ter, 《영》 **-tre** [séptər] *n.* (제왕의) 홀(笏); (the ~) 왕권, 왕위; 주권. ***lay down the*** ~ 왕위를 물러나다. ***sway*** 〔***wield***〕 ***the*** ~ 군림〔지배〕하다. ── *vt.* …에게 홀을 주다; 왕위에 오르게 하다; 왕권〔주권〕을 주다. [파] **-tered,** 《영》 **-tred** *a.* 홀을 가진; 왕권을 가진; 왕위에 오른. **~·less** *a.* 홀이 없는; 왕권의 지배를 받지 않는; 왕권이 없는. **scép·tral** *a.*
sceptic ⇨SKEPTIC.
sceptical ⇨SKEPTICAL.
scepticism ⇨SKEPTICISM.
ScGael Scottish Gaelic. **sch.** scholar; school; schooner.
Scha·den·freu·de [ʃá:dnfrɔ̀idə] *n.* 《G.》 남의 불행을 기뻐함.
Schan·ze [ʃǽntsə] *n.* 《G.》 〖스키〗 도약대.
schap·pe [ʃá:pə/ʃǽpə] *vt.* (못 쓰는 비단실을) 발효시켜 젤라틴을 제거하다. ── *n.* (자수실 · 뜨개질실 · 혼방용) 견방사(絹紡絲)(=~ **sílk**).
sched·ule** [skédʒu(:)l/ʃédju:l] *n.* **1** 《미》 시간표(timetable): a train ~ 열차 시각〔발착〕표. **2** [U,C] 예정(표), 스케줄, 일정, 기일; 〖컴퓨터〗 일정: my ~ for tomorrow 나의 내일 일정/a heavy ~ 매우 분주한 일정. **3** 표(list), 일람표; 목록; (본표에 딸린) 별표, 부속 명세서; 조목, 항목; 조사표: a ~ of price 정가표. (according***) ***to*** ~ 예정대로; 예정에 의하면. ***behind*** 〔***ahead of***〕 ~ 예정 시간보다 늦게〔앞서〕. ***on*** ~ 시간(표)〔예정〕대로; 정기적으로.
── *vt.* **1** 《+[목]+[전]+[명]/+[목]+*to* do》 《종종 수동태》 (특정 일시에) 예정하다: The meeting *is* ~*d for* Sunday. 회합은 일요일로 예정되어 있다/I *am* ~*d to* leave here tomorrow. 내일 여기를 떠날 예정이다. **2** …의 표〔일람표, 목록, 명세서〕를 만들다〔작성하다〕; ~에 기재하다; 정기 운행하다. **3** (건물 등을) 보존 기념물 목록에 넣다: ~ a monument 기념물을 보존 지정하다. [파] **schéd·u·lar** *a.* **schéd·ul·er** *n.*
schéduled cástes 《Ind.》 지정(指定) 카스트 《4성(四姓) 이외의 하층 계급에 대한 untouchables(불가촉천민(不可觸賤民))이란 호칭 대신에 쓰는 공식 호칭》.
schéduled flíght 〖항공〗 정기편(定期便). [cf.] charter flight.
schéduled térritories (the ~) 〖역사〗 스털링 지역, 파운드권.
Schédule 1 [-wʌ́n] 《미》 1급 지정, 별표(別表) 1《소지 및 사용이 법률로 규제되어 있는 마약 리스트》.
scheel·ite [ʃéilait, ʃi:-/ʃí:-] *n.* [U] 〖광물〗 회중석(灰重石).
Sche·her·a·za·de [ʃəhèrəzá:də, -hiər-] *n.* 셰에라자드《'천일야화'를 이야기한 술탄의 왕비》.
Schel·ling [ʃéliŋ] *n.* **Friedrich** (**Wilhelm Joseph von**) ~ 셸링《독일의 철학자 · 저작가; 1775-1854》.
sche·ma [skí:mə] (*pl.* **~·ta** [-tə]) *n.* 윤곽, 개요; 도해; 〖논리〗 (삼단논법의) 격; 〖문법 · 수사학〗 비유, 형용, 구법(句法); 〖철학〗 (칸트의) 선험적 도식(圖式); 〖심리〗 도식.
sche·mat·ic [skimǽtik] *a.* 개요의; 도해의, 약도의; 도식적인. ── *n.* 개략도, (전기 따위의) 배선 약도(=~ **diagram**). [파] **-i·cal·ly** *ad.*
sche·ma·tism [skí:mətìzəm] *n.* [U] **1** (어떤 형태에 의한) 도식적 배치; (물건이 취하는) 특수한 형태. **2** 조직적 체계. **3** 〖철학〗 (칸트 철학의) 도식론〔화〕.
sche·ma·tize [skí:mətàiz] *vi., vt.* 도식화하다; 조직적으로 배열하다. [파] **schè·ma·ti·zá·tion** *n.*
scheme** [ski:m] *n.* **1** 계획, 기획, 설계: adopt a ~ 계획을 채택하다. [SYN.] ⇨PLAN. **2** 획책, 책략, 음모; 비현실적인 계획. **3** 짬, 조직, 기구. **4** 일람표, 도표(schema), 도식(圖式), 도해. **5** 개요, 대략; 요강: the ~ of work for the current year 금년도 사업 계획 개요. **6** 약도; 지도. ***lay a ~ 계획을 세우다. ***the best laid*** **~*s of mice and men*** 여럿이서 신중히 손질해서 만든 계획(도 실패하는 경우가 많다). ── *vt.* **1** 《~+[목]/+[목]+[부]》 (종종 ~ out) …을 계획〔설계, 안출〕하다: ~ (*out*) a new airline 새 항공 노선을 계획하다. **2** 《+*to* do》 …할 음모를 꾸미다, …을 책동하다, 꾀하다: They ~*d to* overthrow the Cabinet. 그들은 내각 타도의 음모를 꾸몄다. ── *vi.* 《+[전]+[명]》 계획을 세우다; 음모를 꾸미다, 책동하다《*for; against*》: ~ *for* power 권력 장악을 꾀하다. ~ **on** 《속어》 …와 새롱거리다, 농탕치다. [파] **~·less** *a.*
schém·er *n.* 계획자; 《특히》 음모가, 책사(策士).
schém·ing *a.* 계획적인, 《특히》 책동적인, 흉계가 있는; 교활한. ── *n.* 음모. [파] **~·ly** *ad.*
sche·moz·zle, she- [ʃimázl/-mɔ́z-] *n.* 《속어》 옥신각신, 대소동, 싸움, 다툼. ── *vi.* 가다, 도망치다.
Sche·nec·ta·dy [skinéktədi] *n.* 스키넥터디 《미국 New York 주 동부, Mohawk 강에 임한 도시》.
scher·zan·do [skɛərtsá:ndou, -tsǽn-/-tsǽn-] *a., ad.* 《It.》 〖음악〗 해학적인〔으로〕, 희롱조의〔로〕, 익살스러운〔스럽게〕. ── (*pl.* **~s**) *n.* 스케르찬도(의 악곡).
scher·zo [skɛ́ərtsou] (*pl.* **~s, -zi** [-tsi:]) *n.* 《It.》 〖음악〗 스케르초《경쾌하고 해학적인 곡》.
Schíck tèst [ʃík-] 〖의학〗 시크 반응〔시험〕《디프테리아의 면역 반응 검사》.
Schie·dam [skí:dæm, -da:m] *n.* [U] 네덜란드산(産) 진《술》.
Schíff('s) reágent [ʃif(s)-] 〖화학〗 시프 시약(試藥)《알데히드 검출용》.
Schil·ler *n.* **Johann Friedrich von** ~ 실러《독일의 시인 · 극작가; 1759-1805》.
schil·ler [ʃílər] *n.* 〖광물〗 섬광, 광채.
schil·ling [ʃíliŋ] *n.* 실링《(1) 오스트리아의 화폐 단위; 기호 S; =100 groschen. (2) 독일의 옛 화폐》.
Schin·dler [ʃíndlər] *n.* **Oskar** ~ 신들러《독일의 실업가; 제2차 세계대전 중 1천 명 이상의 유대인을 자기 공장에서 고용하고 보호해서 그들의 생명을 구했음; 1908-74》.
schip·per·ke [skípərki/ʃíp-] *n.* 스키퍼키《벨기에 발바리; 애완용》.
schism [sízəm, skíz-] *n.* (단체의) 분리, 분열; (특히 교회 · 종파의) 분립, 분파; 불화; [U] 종파 분립죄(罪).
schis·mat·ic, -i·cal [sizmǽtik, skiz-], [-əl] *n.* 종파 분리론자; 분리〔분파〕자. ── *a.* 분리의; 종파 분리(죄)의. [파] **-i·cal·ly** *ad.*
schis·ma·tize [sízmətàiz, skíz-] *vi.* 분리(운동)에 가담하다, 분열을 꾀하다, 교회 분리를 꾀하다. ── *vt.* 분열시키다, 교회 분리를 일으키다.
schist [ʃist] *n.* [U] 〖암석〗 편암(片岩).
schis·tose, schis·tous [ʃístous], [-əs] *a.* 〖암석〗 편암의, 편암질〔모양〕의. [파] **schis·tos·i·ty** [ʃistásəti/-tɔ́s-] *n.* 〖지학〗 편리(片理).

schis·to·some [ʃístəsòum] *n.*, *a.* 〖동물〗 주혈흡충(住血吸蟲)(의).
schis·to·so·mi·a·sis [ʃìstəsoumáiəsis] *n.* Ⓤ 〖의학〗 주혈흡충증(症).
schiz [skits, skiz/skits, skidz] *n.* 《미구어》 =SCHIZOPHRENIA; SCHIZOPHRENIC.
schizo [skítsou] (*pl.* ***schíz·os***) *n.*, *a.* 《구어》 =SCHIZOPHRENIC
schiz·o- [skízou, -zə, skíts-/skíts-] '분열, 열개(裂開), 정신 분열증' 이란 뜻의 결합사《모음 앞에서는 **schiz-**》.
schiz·o·carp [skízəkɑ̀ːrp, -tsə-/skítsou-] *n.* 〖식물〗 분리과(分離果).
schiz·o·gen·e·sis [skìzədʒénəsis, -tsə-] *n.* Ⓤ 〖생물〗 분열 생식. ㊞ **-ge·nét·ic** *a.*
schi·zog·o·ny [skizágəni, skitság-/skitsɔ́g-] *n.* 〖생물〗 증원〔전파(傳播)〕 생식; 분열체 형성.
schiz·oid [skítsɔid] *a.* 정신 분열병의〔같은〕, 분열병질의; 분열병적인. **—** *n.* 분열병질인 사람. [◂ *schizo*phrenia+*-oid*]
schízoid pérson 분열성 인간《타인과의 밀접한 사회적 교제가 어려운 사람》.
schiz·o·my·cete [skìzoumáisiːt/skìtsou-maisíːt] (*pl.* **~s**) *n.* 〖생물〗 분열균; (*pl.*) 분열균류.
schiz·o·my·co·sis [skìzoumaikóusis/skìtsou-] *n.* 〖의학〗 분열균증, 박테리아증.
schiz·o·phrene [skítsəfrìːn/skítsou-] *n.* 정신 분열병 환자.
schiz·o·phre·nia [skìtsəfríːniə/skìtsou-] *n.* Ⓤ 〖의학〗 정신 분열병〔증〕. ㊞ **schíz·o·phrén·ic** [-frénik] *a.*, *n.* 정신 분열병의 (환자); 모순된 태도를〔감정을〕 지니는 (사람).
schiz·o·phyte [skízəfàit/skítsou-] *n.* 〖식물〗 분열 식물.
schiz·o·thy·mia [skìtsəθáimiə/skìtsou-] *n.* 〖정신의학〗 분열 기질.
schízo·tỳpe *n.* (인격) 분열병형(型). ㊞ **schìzo-týpal** *a.*
schiz(·z)y [skítsi] (***schiz·i·er; schiz·i·est***) *a.* 《미속어》 머리가 돈, 정신 분열병적인.
schlang [ʃlæŋ] *n.* 《미속어》 남근(penis).
schle·miel, -mihl, shle·miel [ʃləmíːl] *n.* 《미구어》 얼간이〔무능한, 불운한〕 녀석.
schlen·ter [ʃléntər, slén-] *n.* 《Austral.구어》 속임수(trick); 《S. Afr.》 (다이아몬드의) 모조품. **—** *a.* 《Austral.구어 · S. Afr.구어》 속임수의, 가짜의.
schlep(p), shlep(p) [ʃlep] 《미속어》 (**-pp-**) *vt.* …을 나르다. **—** *vi.* 발을 질질 끌며 걷다. **—** *n.* **1** 무능한 사람. **2** 먼 거리, 먼 여행.
schlep·per, shlep·per [ʃlépər] *n.* 《구어》 (호의를 베풀어 주기를 늘 기대하고 있는) 귀찮은 놈, 싫은 사람; 칠칠맞지 못한 사람.
Schlés·wig-Hól·stein [ʃléswig-/ ʃléz-] *n.* 슐레스비히홀슈타인. **1** 덴마크의 인접한 두 옛 공국. **2** 독일 북서부의 주.
schlock, shlock [ʃlak/ʃlɔk] *a.*, *n.* Ⓤ 《미속어》 싸구려〔하찮은〕 (상품). ㊞ **s(c)hlócky** *a.*
schlóck jòint 〔**shòp, stòre**〕 《미속어》 싸구려 상점.
schlock·meis·ter [ʃlákmàistər/ʃlɔ́k-] *n.* 《미속어》 **1** 싸구려를 파는〔만드는〕 사람. **2** (선전을 위해) 텔레비전 · 라디오 현상 프로에 자사(自社) 제품을 제공하는 사람.
schlong [ʃlɔ(ː)ŋ/ʃlaŋ] *n.* 《미속어》 =SCHLANG.
schloomp [ʃluːmp] *n.* 《미속어》 바보, 게으름뱅이. **—** *vi.* 빈둥빈둥하다《*around*》.
Schloss [ʃlɔːs] (*pl.* **Schlös·ser** [ʃlǿːsər; *G.* ʃlœ́sɐ]) *n.* 《G.》 성(castle), 궁전(palace).
schlub [ʃlʌb] *n.* 《미속어》 멍청이, 쓸모없는 자; 덜렁이.
s(c)hmal(t)z [ʃmaːlts, ʃmɔːlts] *n.* 《구어》 **1** 몹시 감상적인 음악〔문학 (표현)〕; Ⓤ (노래 · 방송극 등의) 극단적인 감상주의. **2** 《미》 닭고기의 지방. ㊞ **∠·y** *a.* 지나치게 감상적인.
schmáltz hèrring (산란 직전의) 기름이 오른 연어.
schmat·te, schmat·tah, shmat·te [ʃmáːtə] *n.* 《미속어》 누더기옷, 헌 의류.
schmear, schmeer, shmear [ʃmiər] 《미속어》 *n.* 일, 사항(matter); 뇌물; 중상; 욕설; 불평; 완패(完敗). **—** *vt.* 매수하다; 생색내다; 땅바닥에 내동댕이치다; 학대하다.
schmeck [ʃmek] *n.* 《속어》 헤로인(heroin).
Schmidt [ʃmit] *n.* **Helmut** (**Heinrich Waldemar**) ~ 슈미트《옛 서독 사회민주당의 정치가; 전(前) 수상(1974-82); 1918- 》.
Schmídt cámera 〖광학〗 슈미트 카메라《천체 관측용의 시야 넓은 카메라》.
schmo(e), shmo(e) [ʃmou] *n.* 《속어》 얼간이, 바보, 괴짜.
schmoos(e), schmooze [ʃmuːz] *n.* Ⓤ, *vi.* 《미속어》 수다 (떨다), 잡담(하다).
schmuck [ʃmʌk] *n.* 《미속어》 얼간이, 시시한 놈; 《비어》 =PENIS.
Schna·bel [ʃnáːbəl] *n.* **Artur** ~ 슈나벨《오스트리아의 피아니스트 · 작곡가; 1882-1951》.
schnap(p)s, shnaps [ʃnaːps, ʃnæps] *n.* Ⓤ 네덜란드 진《술》.
schnau·zer [ʃnáuzər] *n.* (때로 S-) 슈나우저《독일산(産) 테리어 개》.
schnei·der [ʃnáidər] *vt.* (gin rummy에서) (상대의) 득점을 방해하다, 옴쭉 못하게 하다; 대승〔완승〕하다. **—** *n.* ~하기; 《미속어》 재봉소 (주인), 양복장이.
schnit·zel [ʃnítsəl] *n.* (보통 송아지 고기의) 커틀릿.
schnook [ʃnuk] *n.* 《미속어》 **1** 얼간이, 잘 속는 사람, 멍텅구리; 괴짜. **2** 자지(penis).
schnor·kel, -kle [ʃnɔ́ːrkəl] *n.* =SNORKEL.
schnor·rer [ʃnɔ́ːrər] *n.* 《미속어》 거지, 식객.
schnoz [ʃnaz/ʃnɔz] *n.* 《미속어》 코(nose).
schnoz·zle [ʃnázəl/ʃnɔ́zəl] *n.* 《미속어》 (큰) 코.
schol [skal/skɔl] *n.* 《미구어》 장학금(scholarship); (*pl.*) 장학금 취득 시험.
‡schol·ar [skálər/skɔ́l-] *n.* **1** 학자《주로 인문계 학자; 이과계 학자는 scientist를 흔히 씀》; 《특히》 고전학자. **2** 《구어》 학식이 있는 사람; 어학에 능숙한 사람: I am no ~. 배운 것은 별로 없습니다 / He is a good German ~. 독일어에 능숙하다 / He is an apt 〔a dull〕 ~. 이해가 빠르다〔느리다〕. **3** 장학생, 특대생. **4** 《영에서는 고어》 〖수식어 뒤에서〗 학생; 문하생; 제자, 학습자: a dull 〔poor〕 ~ 성적이 나쁜 학생. ***a ~ and a gentleman*** 훌륭한 교육을 받은 교양 있는 사람. SYN. ⇨PUPIL. ㊞ **~·less** *a.* 학생이 없는.
schol·arch [skálaːrk/skɔ́l-] *n.* (옛 아테네의) 철학 학교 교장; 〖일반적〗 교장.
°schól·ar·ly *a.* **1** 학자다운. **2** 학문적인: a ~ work 학문적인 저작. **3** 박학한, 학식이 있는. **4** 학문을 즐기는, 탐구적인. **—** *ad.* 《고어》 학자답게, 학자적으로. ㊞ **-li·ness** *n.*
‡schol·ar·ship [skálərʃip/skɔ́l-] *n.* **1** Ⓤ 학문, (특히 고전의) 학식, 박학. SYN. ⇨LEARNING. **2** Ⓒ 장학금 (제도): a ~ association 육영회 / receive 〔win〕 a ~ 장학금을 받다〔획득하다〕 / study on a Fulbright ~ 풀브라이트 장학금으로 공부하다. **3** Ⓤ 장학생의 자격.
scho·las·tic [skəlǽstik] *a.* **1** 학교〔대학〕의; 학교 교육의: a ~ year 학년 / the ~ profession 교직 / ~ attainments 〔achievements〕 학업 성적, 학식 / a student with a poor ~ record 학

업 성적이 나쁜 학생. **2** 학자의, 학자 같은; 학자연하는; 형식적인, 딱딱한. **3** (종종 S–) 스콜라 철학자의, 스콜라 철학적인. ***a Scholastic Aptitude Test*** 진학〔학습 능력〕 적성 검사《수학능력시험》. **—** *n.* **1** (보통 S–) 스콜라 철학자; 《고어》 학생. **2** 현학자(衒學者); 《경멸》 대학 선생; (예술상의) 전통주의자. ㊞ **-ti·cal** *a.* **-ti·cal·ly** *ad.* 학자처럼 「연하여.

scholástic ágent 교직 알선업자.

scho·las·ti·cism [skəlǽstəsìzəm] *n.* (보통 S–) 스콜라 철학; 전통 존중, 학풍 고집.

scho·li·ast [skóuliæ̀st] *n.* 《특히》 고전 주석자, 훈고(訓詁)학자. ㊞ **schò·li·ás·tic** *a.* 고전 주석의, 훈고적인.

scho·li·um [skóuliəm] (*pl.* **~s, -lia** [-liə]) *n.* (보통 *pl.*) (그리스·로마의 고전에 붙은) 주석; 〖일반적〗 평주(評註), 주석; (수학의) 예증.

Schön·berg, Schoen- [ʃə́ːnbəːrg] *n.* **Arnold ~** 쇤베르크《오스트리아 태생의 미국 작곡가; 1874–1951》.

†**school**[1] [skuːl] *n.* **1 a** 학교; 양성〔교습, 강습〕소, 연구소: enter a ~ 입학하다 / keep a ~ (사립)학교를 경영하다 / teach in a ~ =《미》 TEACH ~ / a beauticians' ~ 미용 학원. **b** Ⓤ 학교 (교육); 수업: leave ~ 졸업〔퇴학〕하다 / There is no ~ today. 오늘은 수업이 없다. **c** 《미》 학부, 전문 학부《일반적으로 대학원 과정을 포함한》; 대학원: the Medical *School* 의학부 / the *School* of Law 법학부 / a graduate ~ 대학원. **2 a** (Oxford 대학의) 학위 (시험) 과목. **b** (*pl.*) 학위 시험(장(場)): in the 〔in for one's〕 ~s (Oxford 대학에서) 학위 시험을 치르는 중인. **3** (the ~s) 《고어》 (대학의) 전 학부; 학계, (중세의) 대학: the views accepted by the ~*s* 학계에 인정된 견해. **4** (대학에 대하여) 중〔고등〕학교 (high ~): ~*s* and colleges 초·중·고등학교 및 대학. **5 a** (the ~) 전교 학생(과 교직원): The new teacher was liked by the whole ~. 새로 부임한 선생은 전교 학생들이 좋아했다. **b** 교실; 강당: the big ~ 강당 / the fifth-form ~ 《영》 5학년 교실. **6** 파, 학파, 유파(流派): the laissez-faire ~ 자유방임주의(학)파 / paintings of the Flemish ~ 플랑드르파의 그림. **7** 《구어》 수양〔수련〕(장); 〖군사〗 밀집 교련, 교련 규정: the ~ of adversity 역경의 시련. ***after* ~** 방과 후. ***at* ~** 수업 중에〔을 받고〕; 취학〔재학〕 중에, 학교에서, 등교하여; 《미속어》 대학 예비교(preparatory ~)에 재학 중인. ***attend* ~** 통학하다. ***come to* ~** 《속어》 행실을 고치다, 얌전해지다. ***go to* ~** 학교에 다니다, 등교하다; 취학하다. ★ 주어가 복수라도 school은 복수꼴을 취하지 않음. ***go to* ~ *to*** …에게서 가르침을 받다, …에게서 배우다. ***in* ~** 《미》 재학 중; 학교에 다니는. ***of the old* ~** 구식의; 오랜 전통을 지키는. ***out of* ~** 학교를 나와, 졸업하여. ***tell tales out of* ~** 안의 비밀을 밖에 누설하다; 수치를 드러내다.

— *a.* 학교(교육)의〔에 관한〕: a ~ library 학교 도서관 / ~ things 학용품 / a ~ cap 학생모.

— *vt.* **1** 《~+목/+목+전+명/+목+*to* do》 교육하다(teach) 《*in*》, (예의범절을) 가르치다; 익히다, 훈련〔단련〕하다: ~ a horse 말을 조련(調練)하다 / ~ oneself *to* 〔*in*〕 patience 인내력을 기르다 / *School* yourself *to* control your temper. 뱃성〔역정〕을 참을 수 있도록 수양하여라. **2** …을 학교에 보내다, …에게 학교 교육을 받게 하다. **3** 《고어》 견책하다. **~ *a bad temper*** 성급한 기질이 일어나지 않게 하다.

㊞ **∠·a·ble** *a.* 의무 교육을 받을 수 있는. **~ed** *a.* 교육〔훈련〕을 받은《*in*》.

school[2] *n.* 무리, (물고기 따위의) 떼: a ~ *of* mackerel 고등어 떼. **—** *vi.* (물고기 따위가) 떼를 짓다, 떼를 이루어 나아가다. **~ *up*** 수면 가까이 떼 지어 모여들다.

schóol àge 학령; 의무 교육 연한.

schóol-àge *a.* 학령에 달한.

schóol bòard 《미》 교육 위원회; 〖영국사〗 (지방 납세자가 선출한) 학무 위원회.

schóol·bòok *n., a.* 교과서(적인).

⁑**school·boy** [skúːlbɔ̀i] *n.* **1** 남학생. **2** 〖명사를 형용하여〗 학생의〔다운〕: ~ slang / ~ mischief. **3** 《속어》 =CODEINE. ㊞ **~·ish** *a.*

schóol bùs 통학 버스.

schóol·chìld (*pl.* **-chìldren**) *n.* 학동.

schóol còlor (유니폼 따위의) 교색(校色).

schóol cróssing patròl 어린이들의 등·하교 도로 횡단 감시원《lollipop woman 〔man〕의 정식 명칭》. 「〔경영자〕.

schóol·dàme *n.* 《영》 dame school의 교장

schóol dày **1** 수업일; (하루의) 수업 시간. **2** (*pl.*) 학교〔학생〕 시절.

schóol dìstrict 《미》 학군〔구〕.

schóol divìne (중세의) 신학 교사(教師).

schóol edìtion (서적의) 학교용 판(版), 학생판(版)《학생 취향에 맞게 한》.

schoo·ler [skúːlər] *n.* 〖보통 복합어로〗 …학생: grade-~ 초등학생. ⓒⓕ preschooler.

schóol·fèllow *n.* 동창생, 학우(學友)(schoolmate).

schóol frìend 《주로 영》 =SCHOOLMATE.

⁑**school·girl** [skúːlgə̀ːrl] *n.* 여학생《초등학교·중학교의》.

schóol guàrd 학동의 등교·하교 때의 교통 정리원, 녹십자 아주머니.

*****school·house** [skúːlhàus] *n.* (특히 초등학교의) 교사(校舍); 《영》 (초등학교 부속의) 교원주택. 「교 선생.

school·ie [skúːli(ː)] *n.* 《Austral.속어》 학

schóol·ing *n.* Ⓤ **1** 학교 교육; (통신 교육의) 교실 수업. **2** 학비, 교육비. **3** 승마 훈련, (말의) 조련(調練). **4** Ⓒ 《고어》 견책, 징계.

schóol inspèctor 학교 장학사, 장학관.

schóol lèaver 《영》 (중도) 퇴학자; 졸업생.

schóol-leaving àge 《영》 졸업 연령.

schóol lúnch 학교 급식.

schóol·mà'am, -màrm [-mɑ̀m, -mæ̀m], [-mɑ̀ːrm] *n.* 《구어》 **1** =SCHOOLMISTRESS. **2** 학자연하는 사람《남자에게도 말함》. ㊞ **~·ish** *a.* 엄격하고 잔소리가 많은.

schóol·man [-mən, -mæ̀n] (*pl.* **-men** [-mən, -mèn]) *n.* **1** (종종 S–) 중세의 대학교수; 스콜라 신학자〔철학자〕. **2** 《미》 학교 선생.

*****school·mas·ter** [skúːlmæ̀stər, -mɑ̀ːs-] *n.* **1** 남자 교사; 교장; 지도자〔관〕. **2** 〖어류〗 도미의 일종. **—** *vt., vi.* 교사로서 가르치다. ㊞ **~·ing** [-təriŋ] *n.* Ⓤ 교직(教職). **~·ish** *a.* **~·ly** *a.* 학교 선생 같은. **~·shìp** *n.*

schóol·màte *n.* 교우, 동창.

schóol mìss 여학생; 《보통 경멸》 자의식 과잉의〔세상 물정 모르는, 건방진〕 여자 아이.

*****school·mis·tress** [skúːlmìstris] *n.* 여교사; 여교장. ㊞ **-mis·tressy** *a.* 《구어》 딱딱하고 까다로운.

schóol nìght 등교 전날밤.

schóol·phòbia *n.* 학교 공포증〔를 싫어하기〕.

schóol repòrt 《영》 성적〔생활〕 통지표(《미》 report card).

schóol·ròom *n.* (학교) 교실; (때로 가정의 아이들) 공부방.

schóol rùn 통학 아동을 바래다주고 데려오는 일.

schóol shìp (선원 양성) 연습선.

schóol spírit 애교심.

*****school·teach·er** [skúːltìːtʃər] *n.* 교사, 학교

선생《초등·중등·고등학교의》.
schóol·tèaching *n.* Ⓤ 수업, 과업; 교직.
schóol tìe =OLD SHCOOL TIE.
schóol·tìme *n.* Ⓤ **1** 수업 시간; (가정에서의) 공부 시간. **2** (보통 *pl.*) 학교〔학생〕 시절. **3** 수련〔면학〕 기간.
schóol wélfare òfficer 《영》 학교 복지 담당자《빈곤 아동의 급식·의류·통학비 등을 돌보아 출석을 정상화시키는》.
schóol·wòrk *n.* Ⓤ 학업; (학교의) 숙제: neglect one's ~ 공부를 게을리하다.
schóol·yàrd *n.* 교정, 학교 운동장.
schóol yéar 학년도(academic year) 《보통 9월에서 6월까지》.
°**schoon·er** [skú:nər] *n.* 【해사】 스쿠너《두 개 이상의 마스트를 가진 세로돛 범선》; 포장마차; 《미·Austral.》 맥주용 큰 컵.
schóoner rìg 【해사】 스쿠너식 범장(帆裝), 세로돛 범장(fore-and-aft rig). ㊕ **schóoner-rígged** *a.*
Scho·pen·hau·er [ʃóupənhàuər] *n.* **Arthur** ~ 쇼펜하우어《독일 철학자; 1788-1860》. ㊕ **~·ism** *n.* Ⓤ ~의 철학.
schorl [ʃɔ:rl] *n.* Ⓤ 【광물】 흑전기석(黑電氣石) 《가장 일반적인 전기석》.
schot·tische [ʃátiʃ/ʃɔ́t-] *n.* 【음악】 쇼티셰《느린 템포의 polka의 일종; 그 곡》.
Schótt·ky effèct [ʃátki-/ʃɔ́t-] 【물리】 (열전자(熱電子) 방사의) 쇼트키 효과.
schóttky nòise =SHOT NOISE.
schtick, schtik ⇨ SHTICK.
schtum [ʃtum] 《영속어》 =SHTOOM.
Schu·bert [ʃú:bərt] *n.* **Franz** ~ 슈베르트《오스트리아의 작곡가; 1797-1828》.
Schu·mann [ʃú:mɑ:n] *n.* **Robert** ~ 슈만《독일의 작곡가; 1810-56》.
Schú·man Plàn [ʃú:mən-] 쉬망 플랜《프랑스·이탈리아·서독·벨기에·네덜란드·룩셈부르크의 석탄과 철의 국제 관리안》.
Schum·pe·ter [ʃúmpeitər] *n.* **Joseph Alois** ~ 슘페터《오스트리아 태생의 미국의 경제학자; 1883-1950》.
schuss [ʃu(:)s] *n., vi.* 【스키】 전속력 직(直)활강(하다). ㊕ ∠·**er** *n.*
schuss·boom [ʃúsbu:m] *vi.* 【스키】 전속력 직활강하다. ㊕ ~·**er** *n.* 전속력 직활강자.
schvar·tze, shvar·tzeh, schwar·tze [ʃvá:rtsə] *n.* 《미속어》 흑인, 흑인 여자.
schwa [ʃwɑ:] *n.* 【음성】 슈와《악센트 없는 애매한 모음; *a*bout의 a [ə], circ*u*s의 *u* [ə] 따위》. ***a hooked*** ~ 미국식 발음의 모음 [ɚ]의 명칭《이 사전의 [ər]》.
Schwánn cèll [ʃwa:n-] 【동물】 슈반 세포《신경 섬유초(鞘) 세포》.
Schwär·me·rei [ʃvὲrmərái; *G.* ʃvɛrmərái] *n.* (때때로 s-) 《G.》 열광, 심취, 탐닉.
Schweit·zer [ʃwáitsər, ʃváit-] *n.* **Albert** ~ 슈바이처《Alsace 태생의 철학자·의사·오르간 연주가; 노벨 평화상 수상(1952); 1875-1965》.
schwing [ʃwiŋ] *int.* 《속어》 (여성에 대하여) 근사하다; 감동적이다.
sci [sai] *n.* 【컴퓨터】 사이《유즈넷(USENET) 최상위 부류의 하나인 뉴스 그룹 계층의 이름; 학술 정보를 취급》.
sci. science; scientific.
sci·ag·ra·phy [skaiǽgrəfi] *n.* =SKIAGRAPHY.
sci·am·a·chy [saiǽməki] *n.* 그림자와〔가상적(假想敵)과〕의 싸움; 모의전.
sci·am·e·try [saiǽmətri] *n.* =SKIAMETRY.
scí anxìety (종종 S- A-) 과학 정보(수집)열.
sci·at·ic [saiǽtik] *a.* 볼기의, 좌골의, 좌골 신경(통)의: ~ nerve 【의학】 좌골 신경.
sci·at·i·ca [saiǽtikə] *n.* Ⓤ 【의학】 좌골 신경통, 《널리》 좌골통.
SCID severe combined immune deficiency (중도(重度) 복합 면역 부전증).
sci·ence** [sáiəns] *n.* Ⓤ **1** 과학; 《특히》 자연과학: a man of ~ 과학자. **2** Ⓤ,Ⓒ 과학의 분야, …학(學): political ~ 정치학 / Aeronautics is the ~ or art of flight. "aeronautics"란 항공학 또는 항공술이다. **3** 과학적 지식. **4** 《권투·경기 따위의》 기술, 기량; 숙련: In boxing ~ is more important than strength. 권투에서는 기술이 힘보다 중요하다. **5** (보통 S-) 《미》 = CHRISTIAN SCIENCE. ◇ scientific *a.* ***blind ... with ~ 《영속어》 과학 용어로 (설명하여) …을 혼란시키다. ***have ... down to a*** ~ …을 잘 알고 있다, …에 숙달해 있다. 〔SF, sci-fi〕.
scíence fíction 공상(空想) 과학 소설《생략:
Scíence Pàrk 《영》 첨단 과학 밀집 지역. ⓒⓕ 《미》 Silicon Valley.
sci·en·ter [saiéntər] *ad.* 【법률】 의도적으로, 고의로(intentiously).
sci·en·tial [saiénʃəl] *a.* 학문이 있는, 지식이 있는; 과학의; 지식의.
***sci·en·tif·ic** [sàiəntífik] *a.* **1** 과학적인: the ~ method 과학적 방법. **2** 과학의, (자연) 과학의, 학술상의: a ~ lecture 학술 경연. **3** 과학 연구에 종사하는, 과학적으로 생각하는: ~ men. **4** 정확한, 과학적 논리에 입각한; 체계〔계통〕적인: a ~ argument 계통이 선 논의. **5** 숙련된, 교묘한: a ~ boxer 기량이 좋은 권투 선수. ㊕ **-i·cal·ly** *ad.*
scientífic mánagement 과학적 관리법《광의로는 경영의 합리적 관리를 뜻하고, 협의로는 Taylor system을 말함》.
scientífic méthod (데이터를 모아 가설을 시험하는) 과학적 연구법.
scientífic náme 【생물】 학명(學名)(taxon) 《국제 명명 규약에서 규정된》.
scientífic notátion 과학적 기수법(記數法).
scientífic sócialism 과학적(科學的) 사회주의《Marx, Engels 등의 사회주의》. ⓒⓕ utopian socialism.
sci·en·tism [sáiəntìzəm] *n.* Ⓤ **1** 《종종 경멸》 과학주의, 과학만능주의. **2** (인문 과학에 있어) 과학자적 방법〔태도〕. **3** 과학 용어.
***sci·en·tist** [sáiəntist] *n.* **1** (자연) 과학자, 과학 연구자. **2** (S-) 【크리스천 사이언스】 **a** (최고 치료자로서의) 그리스도. **b** Christian Science 신봉자.
sci·en·tis·tic [sàiəntístik] *a.* 과학적 방법〔태도〕의, 과학(만능)주의적인.
sci·en·tize [sáiəntàiz] *vt.* 과학적으로 처리하다, 과학적 원리를 적용하다.
Sci·en·tol·o·gy [sàiəntálədʒi/-tɔ́l-] *n.* 사이언톨로지. **1** 미국의 L. Ronald Hubbard가 1965년 설립한 신흥 종교《정신 요법을 교의(教義)로 함》. **2** 그 교회 및 관련 단체가 판매하는 제품.
sci-fi [sáifái] *n., a.* 《구어》 공상 과학 소설(의).
scil. scilicet.
sci·li·cet [síləsèt] *ad.* 《L.》 다시 말하면, 즉 (namely) 《생략: scil., sc.》.
scim·e·tar, scim·i·tar, scim·i·ter [símətər] *n.* (터키·아라비아인 따위의) 언월도(偃月刀). ㊕ ~**ed** *a.* 언월도를 몸에 찬〔의 모양의〕.
scin·ti·gram [síntəgræ̀m] *n.* 【의학】 섬광도, 신티그램《아이소토프(isotope)를 체내에 주입하여 뇌·간·비장(脾臟) 따위를 촬영하는 방법》.

scin·tig·ra·phy [sintígrəfi] *n.* 〖의학〗 Ⓤ 신티그래피, 섬광 조영〔촬영〕(법).
scin·til·la [sintílə] (*pl.* **~s, -til·lae** [-liː]) *n.* 불꽃, 번쩍임; 작은 흔적, 편린(片鱗)《*of*》: There is not a ~ *of* truth. 진리〔진실이〕라곤 털끝만큼도 없다.
scin·til·lant [síntələnt] *a.* 불꽃을 내는, 번쩍이는, 번득이는. ㊞ **~·ly** *ad.*
scin·til·late [síntəlèit] *vi.* 불꽃을 내다; 《비유》 (재치·기지 등이) 번득이다; 반짝이다. ── *vt.* (불꽃·섬광을) 발하다; (재치 등을) 번득이다.
scín·til·làt·ing *a.* 번득이는; 재치가 넘치는, 재미있는. ㊞ **~·ly** *ad.*
scin·til·lá·tion *n.* Ⓤ,Ⓒ 불꽃〔섬광〕(을 냄); 번쩍임; 재기 발랄; 〖기상〗 (대기 중의 광원(光源)이나 별의) 번쩍임, 신틸레이션; 〖물리〗 (방사선에 의한 물질의) 섬광.
scintillátion càmera 〖의학〗 신틸레이션 카메라《몸의 방사능 분포를 조사하는 장치》.
scintillátion còunter 〖물리〗 섬광〔신틸레이션〕 계수기(scintillometer)《방사능 측정 장치》.
scintillátion spectròmeter 〖물리〗 신틸레이션 분석기.
scin·til·la·tor [síntəlèitər] *n.* 번쩍이는 것, 깜박이는 별; 〖물리〗 신틸레이터《방사선이 충돌하여 발광하는 물질》.
scin·til·lom·e·ter [sìntəlámətər/-lɔ́m-] *n.* 〖천문〗 별의 반짝이는 정도·주기를 측정하는 장치; =SCINTILLATION COUNTER.
scin·ti·scan·ner [síntəskæ̀nər] *n.* 섬광〔신틸레이션〕 계수기의 일종.
scin·ti·scan·ning [síntəskæ̀niŋ] *n.* 〖의학〗 신티스캐닝《섬광 계수기(器)로 체내 방사성 물질의 소재를 조사하는 방법》.
sci·o·lism [sáiəlìzəm] *n.* Ⓤ 어설픈〔천박한〕 학문〔지식〕, 수박 겉 핥기식.
sci·o·list [sáiəlist] *n.* 설배운 학자, 사이비학자. ㊞ **scì·o·lís·tic** *a.* 데안〔설배운〕 지식의, 수박 겉 핥기의.
sciol·to [ʃɔ́ːltou/ʃɔ́l-] *ad.* 〖음악〗 《It.》 자유롭게, 가볍게.
sci·o·man·cy [sáiəmæ̀nsi] *n.* Ⓤ 영매술(靈媒術).
sci·on, ci·on [sáiən] *n.* 어린 가지, (특히 접목의) 접수(椄穗); 삽수(揷穗); (특히 귀족 등의) 아들, 자손, 상속인.
sci·op·tic, -tric [saiáptik/-ɔ́p-], [-trik] *a.* 암실〔암상(暗箱)〕의, 암실〔암상〕을 쓰는《카메라》.
Scip·io [sípiòu, skíp-] *n.* **1** (~ the Major *or* Elder ~) (대(大))스키피오《Hannibal을 격파한 로마 장군; 237-183 B.C.》. **2** (~ the Minor *or* Younger ~) (소(小))스키피오《Carthage를 멸한 로마 장군; 185 ?-129 B.C.》.
sci·re fa·ci·as [sáiəri-féiʃiæ̀s] 〖법률〗 《L.》 (집행·취소가 불가한 이유를 입증토록 요구하는) 고지(告知) 영장(의 절차).
sci·roc·co [ʃirákou/-rɔ́k-] *n.* =SIROCCO.
scir·rhoid [skírɔid] *a.* 〖의학〗 경성암(硬性癌) 모양의〔을 닮은〕.
scir·rhous [skírəs] *a.* 경성암(硬性癌)의; 단단한 섬유질의.
scir·rhus [skírəs] (*pl.* **-rhi** [-rai], **~·es**) *n.* 〖의학〗 경성암(硬性癌).
scis·sel [sísəl/skís-] *n.* 〖야금〗 판금(板金)을 벤〔자른〕 부스러기.
scis·sile [sísəl/-sail] *a.* 끊어지기 쉬운, 찢어지기 쉬운.
scis·sion [síʒən, síʃ-] *n.* Ⓤ 절단(cutting), 분할, 분리, 분열; 〖화학〗 벽개(劈開)(cleavage).
scis·sor [sízər] *vt.* 《+目+副/+目+前+名》 가위로 베다《*off; up; into*, etc.》; 베어〔오려〕내다《*out*》: ~ *off* a piece of cloth 천 조각을 (가위로) 자르다 / ~ an article *out of* a newspaper 신문에서 기사를 오려내다. ── *n.* 〖형용사적〗 가위(의). ㊞ **~·er** *n.* 가위로 자르는 사람; 편집자(compiler). **~·like** *a.* **~·wise** *ad.*

scíssor·bill *n.* 〖조류〗 가위제비갈매기(skimmer); 《미속어》 임금 노동자가 아닌 사람《농장주 등》, 부자; 계급의식이 없는 노동자; 어수룩한 사람, 봉.
scíssor·ing [-riŋ] *n.* **1** Ⓤ 가위로 자름〔자르기〕. **2** (*pl.*) (가위로) 자른〔오려낸〕 것.
scis·sors [sízərz] *n.* **1** 〖복수취급〗 가위. ★ these scissors '이 가위'라고 하나, '가위 2 자루'는 two pair(s) of scissors 라고 함. **2** 〖단수취급〗 Ⓤ 〖레슬링〗 다리로 죄기; 〖체조〗 (도약할 때) 두 다리를 가위처럼 놀리기(= ∠ **hòld**).
scíssors-and-páste [-ən-] *a.* 풀과 가위의〔를 사용하는〕《남의 책을 오려내어 편집하는 일》; 독창력〔독자성〕이 없는.
scíssors kìck 〖수영〗 (주로 횡영(橫泳)에서) 다리를 가위처럼 놀리기; 〖축구〗 시저스킥《점프하여 한쪽 발을 올리고 계속하여 다른 발로 머리 위에서 볼을 차는 일》.
scíssors trùss 〖건축〗 가위 모양의 교각 버팀목〔트러스〕.
scíssor·tàil *n.* 〖조류〗 딱새류(類).
scíssor tòoth 〖동물〗 (육식 동물의) 열육치(裂肉齒).
scis·sure [síʒər, síʃ-] *n.* 《고어》 세로로 터짐, 터진 금; 분열, 분리.
sclaff [sklæf] 〖골프〗 *vt., vi.* 타봉이 공에 맞기 전에 지면을 치다〔스치다〕; (타봉을) 공을 치기 전에 지면에 스치게 하다. ── *n.* 그러한 타법. ㊞ ∠·**er** *n.*
Sclav [sklɑːv, sklæv] *n., a.* =SLAV.
SCLC 《미》 Southern Christian Leadership Conference(남부 기독교 지도자 회의; King 목사가 주도한 흑인 민권 운동으로 알려짐).
scler- [sklíər, sklér], **scle·ro-** [sklíərou, -rə, sklér-] '굳은, (눈의) 공막(鞏膜)'의 뜻의 결합사. ㊞ **sclér·al** *a.*
scle·ra [sklíərə] *n.* 〖해부〗 (눈의) 공막(鞏膜).
scle·rec·to·my [skliəréktəmi] *n.* 〖의학〗 공막(鞏膜) 절제(술).
scler·e·id [sklíəriəd, sklér-] *n.* 〖식물〗 후막(厚膜) 세포.
scle·ren·chy·ma [skliəréŋkəmə] *n.* 〖식물〗 후막(厚膜) 조직. ⓒⓕ collenchyma.
scle·ri·a·sis [skliəráiəsis] *n.* Ⓤ 〖의학〗 공피증(鞏皮症).
scle·rite [sklíərait] *n.* 〖동물〗 (해면 동물·해삼 따위의) 골편(骨片), 골침(骨針); 〖곤충〗 경피(硬皮). ㊞ **scle·rít·ic** *a.*
scle·ri·tis [skliəráitis] *n.* Ⓤ 〖의학〗 공막염(鞏膜炎).
scle·ro·der·ma [sklìərədə́ːrmə] *n.* 〖의학〗 공피(鞏皮)〔경피(硬皮)〕증.
scle·roid [sklíərɔid, sklér-] *a.* 〖생물〗 경질(硬質)의, 경조직(硬組織)의.
scle·ro·ma [skliəróumə, sklə-] (*pl.* ***-ma·ta*** [-tə]) *n.* Ⓤ 〖의학〗 경종(硬腫).
scle·rom·e·ter [skliərámətər/-rɔ́m-] *n.* 경도계(硬度計).
sclèro·prótein *n.* 〖생화학〗 경(硬)단백질(albuminoid).
scle·rose [skliəróus, skliərouz, sklér-] *vt., vi.* 〖의학〗 경화증에 걸리(게 하)다, 경화시키다〔하다〕.
scle·rosed [-t] *a.* 〖의학〗 경화증에 걸린, 경화한.
scle·ro·sis [skliəróusis] (*pl.* **-ses** [-siːz]) *n.* Ⓤ,Ⓒ 〖의학〗 경화증(硬化症); 경화, 경결(硬結); 〖식물〗 세포벽의 경화. ~ ***of the arteries*** 동맥 경화(증).
sclèro·thérapy *n.* 〖의학〗 경화(硬化) 요법.
scle·rot·ic [skliərátik/-rɔ́t-] *a.* 〖해부〗 공막

(鞏膜)의; 경화한; 〖의학〗 경화(증)의. **—** *n.* 〖해부〗 공막(sclera)(=∠ **cóat**). 「RITIS.

scle·ro·ti·tis [sklìərətáitis, sklèr-] *n.* =SCLE-

scle·ro·ti·za·tion [sklìərətizéiʃən, sklèr-/-taiz-] *n.* 〖동물〗 (곤충의 표피 등의) 경화(硬化).

scle·rous [sklíərəs, sklér-] *a.* 〖해부 · 의학〗 굳은, 경화한.

Sc. M. *Scientiae Magister* 《L.》 (=Master of Science). **S.C.M.** State Certified Midwife; 《영》 Student Christian Movement.

scobe [skoub] *n.* 《미흑인속어》 흑인.

scobs [skɑbz/skɔbz] *n.* 톱밥, 대팻밥, 줄밥.

◇**scoff**[1] [skɔ:f, skɑf/skɔf] *n.* (특히 종교, 기타 존중해야 할 것을) 비웃음, 냉소, 조롱《*at*》; (보통 the ~) 웃음거리《*of*》: the ~ *of* the world 세상의 웃음거리. **—** *vi.* 《~/+전+명》 비웃다, 조소하다, 조롱하다《*at*》: ~ *at* others' religious beliefs 남의 신앙을 비웃다. **—** *vt.* 《폐어》 …을 비웃다, 조소하다, 조롱하다.

> SYN. **scoff** 남이 존경하는 것에 대해 경멸을 나타내는 데 쓰임. **jeer** 남을 조소하면서 공공연히 모욕하는 경우를 가리킴. **sneer** 웃음이나 목소리 따위로 경멸하는 것.

㊇ ∠**·er** *n.* ∠**·ing·ly** *ad.* 냉소하여.

scoff[2] *n.* 《속어》 음식물; 식사(=**scóff·ings**). **—** *vt., vi.* (게걸스레) 먹다; 강탈〔약탈〕하다.

scóff·làw *n.* 《미구어》 법을 우습게 아는 사람, 《특히》 상습적인 교통법〔주류(酒類)법〕 위반자.

⁑**scold** [skould] *vt.* 《~+목/+목+전+명》 (어린애 따위를) 꾸짖다, …에게 잔소리하다: His mother ~*ed* him *for* be*ing* naughty. 어머니는 그의 나쁜 행실을 꾸짖었다. **—** *vi.* 《~/+전+명》 꾸짖다, 잔소리하다; 호통치다《*at*》: ~ *at* each other 서로 욕지거리하다. **—** *n.* 잔소리 심한 사람; 《특히》 쨍쨍〔앙알〕거리는 여자. ***a common*** ~ 이웃에 폐를 끼치는 시끄러운 여자. ㊇ ∠**·a·ble** *a.* ∠**·er** *n.*

scóld·ing *n.* 잔소리, 질책: give 〔get, receive〕 a good ~ 매우 꾸짖다〔꾸중 듣다〕. **—** *a.* (특히 여자가) 쨍쨍〔앙알〕거리는. ㊇ **~·ly** *ad.*

scol·e·cite [skɑ́ləsàit, skóul-/skɔ́l-] *n.* 〖광물〗 회비석(灰沸石).

sco·lex [skóuleks] (*pl.* ***sco·le·ces*** [skoulí:si:z], ***sco·li·ces*** [skɑ́lisì:z, skóul-/skɔ́l-]) *n.* 〖동물〗 (촌충의) 두절(頭節).

sco·li·o·sis [skòulióusis, skɑ̀l-/skɔ̀l-] (*pl.* **-ses** [-si:z]) *n.* Ⓤ 〖의학〗 척추 만곡.

scol·lop [skɑ́ləp/skɔ́l-] *n., vt.* =SCALLOP.

scol·o·pen·drid [skɑ̀ləpéndrid/skɔ̀l-] *n.* 〖동물〗 지네(과(科)의 동물). ㊇ **-drine** [-drain] *a.* 지네의〔와 같은〕.

scom·ber [skɑ́mbər/skɔ́m-] *n.* 〖어류〗 고등어속(屬)의 각종 물고기.

sconce[1] [skɑns/skɔns] *n.* (벽 따위에 설비한) 쑥 내민 촛대; 납작한 손잡이가 달린 촛대.

sconce[1]

sconce[2] *n.* 《구어》 머리, 대가리(head); Ⓤ 지혜, 재치(brains).

sconce[3] *n.* 작은 보루, 포대(砲臺); 《고어》 오두막; 차폐물. **—** *vt.* 《고어》 보루를 쌓다; 보호하다.

sconce[4] *n.* 《영》 (Oxford 대학에서 관례 · 예법 등을 어긴 자에게 많은 맥주를 단숨에 들이켜게 하는 등의) 벌, (벌로 맥주를 마시는) 조끼(mug). **—** *vt.* …에게 벌을 과하다.

Scone [sku:n] *n.* 스쿤《스코틀랜드 Perth 교외의 마을》. ***the Stone of*** **~** =***the*** **~** ***Stone*** 스쿤의 돌《스코틀랜드 왕이 즉위 때 앉았던 바위; 지금은 Westminster 성당에 있어 왕 대관식 때 의자를 놓음》.

scone [skoun, skɑn/skɔn] *n.* 스콘《작은 빵의 일종》.

◇**scoop** [sku:p] *n.* **1** 국자; (설탕 · 밀가루 따위를 퍼내는) 작은 삽; 주걱, 큰 숟가락; 석탄통(coal scuttle); (토목 공사용) 대형 삽; (아이스크림을) 푸는 기구. **2** 한 번 퍼내는 양(量): a ~ *of* ice cream. **3** 퍼내기; 퍼내는 동작. **4** 파낸 구멍, 움푹 팬 곳; 계곡. **5** 최신〔극비〕 정보, (신문의) 특종; (특종 기사로 다른 신문을) 앞지르기; 새로운 정보: get a ~ on other papers 특종 기사로 다른 신문을 앞지르다 / a hot ~ 새로운 정보. **6** 《구어》 큰 벌이〔이익〕, 대성공: make a big ~ 크게 성공하다. **7** (여성복 목깃의) 둥글게 파진 것. ***at*** 〔***in, with***〕 ***one*** 〔***a***〕 **~** 한 번 퍼서, 한 번에: win 50 dollars *at one* ~ 단번에 50 달러를 벌다. ***on the*** **~** 《속어》 술자리를 벌이고, 마시고 들떠서, 방탕하여. ***What's the*** **~?** 《속어》 별일 없는가《스스럼없는 사이의 인사 표현》.

— *vt.* **1** 《+목+전+명》 푸다, 뜨다, 퍼올리다: ~ the center *out of* a melon cut 베어낸 참외 조각에서 속을 떠내다. **2** 《+목+보》 …에서 물을 퍼내다: ~ a boat dry 배에서 물을 모두 퍼내다. **3** 《~+목/+목+부/+목+전+명》 파다; 퍼서 …을 만들다《*out*》: ~ (*out*) a hole *in* the sand 모래를 파서 구멍을 만들다. **4** 《+목+부》 《구어》 (남을 앞질러) 큰돈을 벌다《*in; up*》: ~ *in* a good profit 상당한 이익을 보다. **5** 〖신문〗 (특종을) 입수하다〔내다〕; (다른 신문을) 앞지르다: ~ a rival paper 특종으로 경쟁 신문을 앞지르다. **6** 《속어》 채다, 훔치다. **7** (여성복의) 목깃을 둥글게 하다. **—** *vi.* 국자로〔삽으로〕 제거하다〔모으다〕. **~** ***in*** 〔***up***〕 퍼〔떠〕올리다, 긁어모으다; ⇨ *vt.* 4. ㊇ ∠**·er** *n.* 떠내는 사람〔물건〕; 톱뉴스감을 제공하는 사람.

scoop·ful [skú:pfùl] (*pl.* **~s**) *n.* 한 국자〔삽〕 가득(한 분량).

scóop nèck 〔**néckline**〕 (여성복의) 둥글게 파진 깃.

scóop nèt 건지는 그물, 채그물.

scóop-whèel *n.* 물 푸는 바퀴《물방아의》.

scoot [sku:t] *vi.* 뛰어(나)가다《*off; away*》, 급히 가다《*along*》. **—** *vt.* 뛰어(나)가게 하다; 갑자기 움직이게 하다. **—** *n.* 돌진.

***scoot·er**[1] [skú:tər] *n.* **1** 스쿠터《어린이가 한쪽 발을 올려놓고 다른 발로 땅을 차며 달리는》; 모터 스쿠터(motor ~). **2** 《미》 (활주) 범선《빙상 · 수상용》. **—** *vi.* ~로 달리다〔나아가다〕.

scooter[1] 1

scoot·er[2] *n.* =SCOTER.

scoot·ie [skú:ti(:)] *n.* 《Ind.》 3륜 택시, 시클로(cyclo).

scope**[1] [skoup] *n.* Ⓤ **1** (지력 · 연구 · 활동 따위의) 범위, 영역; (정신적) 시야: the ~ of science 과학이 미치는 범위 / an investigation of wide ~ 광범위에 걸친 조사 / a mind of wide 〔limited〕 ~ 넓은〔좁은〕 시야의 사람. SYN. ⇨RANGE. **2** (능력 등을 발휘할) 여유, 여지, 배출구《*for*》: give one's fancy full ~ 공상을 마음껏 펴게 하다 / seek ~ *for* one's energy 정력을 쏟을 길을 찾다 / give ~ to ability 능력을 발휘하다. **3** 《드물게》 (말·문장 등의) 목적, 의도: the author's ~ 작자의 의도. **4** 퍼짐, 지역: a great ~ of land 광대한 땅. **5** 〚해사〛 닻줄 길이. **6** 〚컴퓨터〛 유효 범위. ***beyond 〔***outside***〕 ***the ~ of*** …이 미치지 않는 곳에서, …의 범위 밖에서. ***within the ~ of*** …의 범위 내에. 「계.

scope[2] *n.* 《구어》 보는〔관찰하는, 관측하는〕 기

-scope [skòup] '보는 기계'의 뜻의 결합사: tele*scope*.

-scop·ic [skápik/skɔ́p-] '보는, 관찰〔관측〕하는, -scope의' 라는 뜻의 결합사.

sco·pol·a·mine [skəpáləmì:n, skòupəlǽmin/skəpɔ́lə-] *n.* Ⓤ 〚약학〛 스코폴라민 (hyoscine)《수면·진정·무통 분만용》.

sco·po·line [skóupəli:n] *n.* 〚약학〛 스코폴린 《마취제·최면제》.

sco·po·phil·ia [skòupəfíliə] *n.* 절시증(竊視症) 《나체나 외설 사진을 보고 성적 쾌감을 느끼는 것》.

scop·to·phil·ia [skàptəfíliə/skɔ̀p-] *n.* = SCOPOPHILIA.

-sco·py [skəpi] '보는 법, 검사, 관찰'의 뜻의 결합사: micro*scopy*.

scor·bu·tic [skɔ:rbjú:tik] 〚의학〛 *a.* 괴혈병 (scurvy)의〔에 걸린〕. **—** *n.* 괴혈병 환자. ㊞ **-ti·cal·ly** *ad.*

scor·bu·tus [skɔ:rbjú:təs] *n.* =SCURVY.

***scorch** [skɔ:rtʃ] *vt.* **1** …을 눋게 하다, 그슬리다: You ~*ed* my shirt when you ironed it. 내 셔츠를 다리미질하면서 태웠다. **2** (햇볕이 살갗을) 태우다, (초목을 열로) 시들게 하다, 말라 죽게 하다: The long, hot summer ~*ed* the grass. 길고 무더운 여름은 풀을 시들게 하였다. **3** 호되게 헐뜯다, 몹시 꾸짖다, …에게 욕지거리하다. **4** 〚군사〛 초토화하다. **—** *vi.* **1** 타다, 눋다. **2** (열로) 시들해지다, 마르다. **3** (햇볕에 타서) 색이 검게 되다; 매우 덥다. **4** 《구어》 (자동차·자전거로) 전속력으로 달리다《*off; away*》; (미사일 따위가) 빨리 날다; 《야구속어》 강속구를 던지다. **—** *n.* **1** 탐, 눌음, 말라 죽음. **2** 《구어》 질주.

scorched [-t] *a.* 탄, 그은.

scórched-éarth policy **1** (침략군이 이용할 만한 것을 모두 태워 버리는) 초토화 작전〔전술〕. **2** 《미》 〚경제〛 기업 매수(takeover) 방위책의 하나《매수 대상이 된 기업이 고의로 자사(自社) 업적을 악화시켜 상대의 매수 의욕을 잃게 하는 일》.

scórch·er *n.* **1** 몹시 뜨거운 것; 《구어》 굉장히 더운 날. **2** 신랄〔통렬〕한 것, 혹평. **3** (자전거·자동차 등의) 폭주족(暴走族); 《속어》 굉장한〔선풍을 일으키는〕 사람; (같은 종류 중에서) 굉장한 것, 일품. **4** 〚야구〛 맹렬한 라이너.

scórch·ing *a.* 태우는 듯한, 매우 뜨거운; 호된, 신랄한. **—** *n.* 태움; 《구어》 (자전거·자동차 따위의) 난폭한 질주. **—** *ad.* (햇볕에) 탈 정도로: be ~ hot. ㊞ **~·ly** *ad.*

****score** [skɔ:r] *n.* **1 a** (*pl.* ~) 20, 스무 사람〔개〕: more than a ~ of cities, 20개 이상의 도시/He was nearly four ~ when he died. 그는 죽을 때 80세에 가까웠다. **b** (*pl.*) 다수, 다대: ~*s* of times 종종, 가끔/~*s* of years ago 수십년 전에. **2** 새김눈, 새긴 표〔금〕, 칼자국; 긁힌 자국, 베인 상처: The ~ should run with the grain. 칼자국은 나뭇결에 따라서 내어야 한다. **3** (경기 등에서) 득점(표), (시험의) 득점, 성적; (버터·가축 따위의) 품질 (표시점): make a ~ 득점하다/win by a ~ of 4 to 2, 4:2로 이기다. **4** 〚음악〛 악보 총보(總譜)《둘 이상의 성악·기악을 위한》; 작품. **5** (예전 술집에서 술값을 기록했던) 엄대, 셈; 빚: Death pays all ~*s*. 《속담》 죽으면 모든 셈이 끝난다. **6** 옛〔묵은〕 원한, 숙원(宿怨): I have a few old ~*s* to settle with him. 나는 그에게 풀어야 할 몇 가지 묵은 원한이 있다. **7** 《고어》 (경기·경주의) 출발〔결승〕

선; (사격수 등의) 위치. **8** 《구어》 성공, 행운 (hit): What a ~! 이게 무슨 행운이냐. **9** 이유, 근거(ground): on more ~*s* than one 이런저런 이유로/on the ~ of poverty 가난 때문에. **10** (the ~) 《구어》 일의 진상, 사실; 내막. **11** (주스 깡통 등을 따기 좋게) 뚜껑에 미리 새긴 금. ***clear*** 〔***pay off, quit, wear off***〕 ***a ~*** 〔***an old ~, old ~s***〕 묵은 셈을 치르다〔하다〕; 쌓인 원한을 풀다. ***go off at*** (***full***) ***~ =start off from ~*** 전속력으로 달리기 시작하다; 신나게 이야기를 시작하다; 자신 있는 일을 기운차게 시작하다. ***in ~*** 〚음악〛 총보(總譜)로. ***in*** 〔***by***〕 ***~s*** 다수, 많이. ***keep*** (***the***) ***~*** (경기 따위에서) 득점을 기록하다. ***know the ~*** 사실〔내막〕을 알고 있다; 일을 낙관하지 않다. ***make a good ~*** 대량 득점을 하다; 성적이 좋다; 크게 성공하다. ***make a ~ off one's own bat*** 혼자 힘으로 해치우다. ***on that ~*** 그 점에 관해서(는); 그 때문에. ***three ~ and ten*** 〚성서〛 (인생) 70년《시편 XC: 10》. ***Upon what ~?*** 무엇 때문에, 무슨 이유로. ***What is the ~?*** 지금 득점은 어떻게 됐나; 《구어》 형세는 어때.

— *vt.* **1** 《+목+부》 (표를 하여) 기록하다, 계산하다, 치부해 두다《*up*》: ~ *up* runs as they are made 그들이 득점을 올릴 때마다 기록하다. **2** …의 셈을 달다; 채점하다: ~ a test 시험을 채점하다. **3** 득점하다; (성공 등을) 획득하다: ~ a point 한 점을 얻다/The play ~*d* a great success. 연극은 대성공이었다. **4** 《~+목/+목+부》 …에 새김눈〔칼자국, 긁힌 자국〕을 내다, …에 선을 긋다; (선을 그어) 지우다《*out; off*》: ~ mistakes in red ink 틀린 곳에 붉은 잉크로 선을 긋다/~ *out* the name 이름을 지우다. **5** 《~+목/+목+전+명》 〚음악〛 (…으로 곡을) 편곡〔작곡〕하다《*for*》: ~ a musical comedy 뮤지컬 코메디를 작곡하다/~ the music *for* a movie 영화를 위한 곡을 만들다. **6** 《미》 구타하다; 《미》 욕하다, 깎아내리다; 꾸짖다; 《미속어》 없애다(murder). **7** 《미속어》 (여자를) 손에 넣다; 《속어》 (목적하던) 마약을 매입하다. **—** *vi.* **1** 득점을 매기다. **2** 득점을 올리다; 이기다《*against*》. **3** 이익을 차지하다; 《속어》 성공하다; 남에게 존경받다, 청중을 매료하다; 《미속어》 마약을 손에 넣다. **4** 선(새김눈, 칼자국)을 내다; (… 밑에) 줄을 긋다 《*under*》; 셈을 하다; 빚이 늘다.

~ a run 〚야구〛 득점하다. ***~ off*** a person (의논 따위로) 아무를 이기다, 꼼짝 못하게 하다. ***~ a point*** 〔***points***〕 ***off*** 〔***against, over***〕 a person (논쟁 등에서) …을 능가하다, …보다 우위에 서다: He was trying to ~ *a* political *point over* his rivals. 그는 경쟁자보다 정치적 우위에 서려고 노력했다.

scóre·bòard *n.* 스코어보드, 득점 게시판.

scóre·bòok *n.* 득점표〔기입장〕.

scóre·càrd *n.* 〚경기〛 채점표, 득점 카드; (상대 팀의) 선수 명단. 「승부.

scóre dràw (축구 따위에서) 동점에 의한 무

scóre·kèeper *n.* (공식) 점수 기록원. ㊞ └**-kèeping** *n.*

scóre·less *a.* 무득점의.

scóre·line *n.* (시합에서의) 득점 (수).

scor·er [skɔ́:rər] *n.* =SCOREKEEPER; 새김 자국을 내는 사람〔도구〕.

scóre·shèet *n.* 득점 기입표〔카드〕.

sco·ria [skɔ́:riə] (*pl.* ***-ri·ae*** [-rii:]) *n.* (보통 *pl.*) 광재(鑛滓)(slag), 쇠똥; 스코리아, 암재(岩滓), 화산암의 찌꺼기. ㊞ **sco·ri·a·ceous** [skɔ̀:riéiʃəs] *a.* 암재질(質)의.

sco·ri·fi·ca·tion [skɔ̀:rəfikéiʃən] *n.* 소용(燒熔)(법)《귀금속의 농축·분리법》.

sco·ri·fy [skɔ́:rəfài] *vt.* 광재(鑛滓)로 만들다.

scor·ing [skɔ́:riŋ] *n.* Ⓤ 경가 기록〔기입〕; 득점; 관현악 악보 작성.

scóring posìtion 〖야구〗 득점권(圈)《2·3루》.

*__scorn__ [skɔ:*r*n] *n.* **1** Ⓤ 경멸, 멸시, 비웃음, 냉소. **2** Ⓒ 모멸당하는 사람, 경멸의 대상, 웃음거리. ***become a ~ of*** …의 경멸의 대상이 되다. ***have*** 〔***feel***〕 ***~ for*** …에 대해 경멸감을 갖다. ***hold … in ~*** …을 경멸하다. ***laugh*** a person ***to ~*** 아무를 비웃다. ***pour ~ on*** 〔***over***〕 …을 경멸하다, 깔보다: They have been *pouring ~ on* the plan even since it was first proposed. 그들은 그 계획이 처음 제출된 이래 시종 그 계획을 경시해 왔다. ***think*** 〔***hold***〕 ***it ~ to*** do …하는 것을 치사하게 여기다. ***think ~ of*** …을 경멸하다.
— *vt.* **1 a** 경멸하다, 모욕하다: ~ the old beggar 그 늙은 거지를 경멸하다. **b** (경멸하여) 거절하다, 퇴짜 놓다: He ~*ed* her advice. 그는 그녀의 충고를 거절했다. **2** 《+*to* do/~+-*ing*》 치사하게〔수치로〕 여기다: ~ *to* tell a lie=~ tell*ing* a lie 거짓말을 수치로 여기다/~ *to* take a bribe 뇌물을 거들떠보지도 않다. — *vi.* 비웃다, 냉소하다《*at*》.

*__scorn·ful__ [skɔ́:*r*nfəl] *a.* 경멸하는, 비웃는. ㊕ **~·ly** *ad.* 경멸하여, 깔보아. **~·ness** *n.*

Scor·pio [skɔ́:*r*piòu] *n.* 〖천문〗 전갈(全蠍)자리(=**Scór·pi·us**); 천갈궁(天蠍宮).

SCORPIO [skɔ́:*r*piòu] submersible craft for ocean repair, positioning, inspection and observation(스코피오)《유삭식(有索式) 무인(無人) 잠수 작업 장치》.

scor·pi·on [skɔ́:*r*piən] *n.* **1** 〖동물〗 전갈. **2** 음흉한 사나이. **3** 〖성서〗 갈편(蠍鞭)《갈고리 달린 채찍; 열왕기 상 XII: 11》. **4** 옛 투석기(投石機). **5** (the S-) 〖천문〗 =SCORPIO. **6** (행동에 대한) 자극. **7** 《속어》 Gibraltar 사람《별명》.

scorpion 1

scórpion gràss 〖식물〗 물망초.

°**Scot** [skɑt/skɔt] *n.* 스코틀랜드 사람(Scotsman); (*pl.*) 스코트족《6 세기경 아일랜드에서 스코틀랜드로 이주한 게일족(Gaels)의 일파》.

scot *n.* 〖영국사〗 조세(cf. scot-free), (지불하는) 몫; 〖일반적〗 빚, 부채. ***pay ~ and lot*** 분수에 맞는 세금을 내다; 모두 청산하다. 「Scottish.

Scot. Scotch; Scotch whisky; Scotland;

°**Scotch** [skɑtʃ/skɔtʃ] *a.* **1** 스코틀랜드의, 스코틀랜드 사람〔말〕의. **2** 《구어》 인색한. — *n.* **1** (the ~) 〖집합적〗 스코틀랜드 사람. **2** Ⓤ 스코틀랜드(영)어. **3** Ⓤ (종종 s-) 스카치위스키(~ whisky). ★ 스코틀랜드인 스스로는 Scottish 또는 Scots를 씀. ***out of all ~*** 《속어》 함부로, 제멋대로 몹시. ***~ and English*** 《영》 진(陣) 빼앗기 놀이(prisoners' base). ***~ and soda*** 스카치 위스키의 하이볼.

scotch[1] *vt.* (죽지 않을 정도로) 상처를 입히다; 베다, 상처 내다; (풍문 등을) 뭉개 버리다; (계획 따위를) 실패케 하다; 탄압〔억압〕하다. — *n.* 얕은 상처; (hopscotch에서 땅에 그은) 줄, 선.

scotch[2] *n.* 바퀴굄, 바퀴 괴는 쐐기. — *vt.* 바퀴굄으로 멈추다, 괴다.

Scótch bróth 고기·야채·보리가 든 진한 수프.

Scótch cáp (스코틀랜드 고지 사람의) 작은 테 없는 모자《glengarry, tam-o'-shanter 등》.

Scótch cátch 〖음악〗 스카치 스냅《단음(短音) 다음에 장음이 이어지는 특수한 리듬》.

Scótch cóffee 《우스개》 커피 대용품.

Scótch cóusin 먼 친척.

Scótch égg 스카치 에그《삶은 달걀을 저민 고기로 싸서 튀긴 것》.

Scótch fír 〔**píne**〕 〖식물〗 유럽 소나무.

Scótch-Írish *n.*, *a.* 스코틀랜드계 아일랜드 사람(의).

Scótch·man [-mən] (*pl.* ***-men*** [-mən]) *n.* 《경멸》 스코틀랜드 사람; 《속어》 인색한 사람; 《미속어》 골퍼(golfer).

Scótch míst (스코틀랜드 산악 지대의) 짙은 안개, 안개비; 실체가 없는〔가공의〕 것.

Scótch páncake 팬케이크(griddle cake).

Scótch snáp 〖음악〗 =SCOTCH CATCH.

Scótch tápe 스카치테이프《접착용 셀로판테이프; 3M 제품으로, 자기(磁氣) 테이프에도 Scotch 명칭을 씀; 상표명》.

Scótch térrier 스코치테리어《개》.

Scótch thístle 〖식물〗 엉겅퀴《스코틀랜드의 상징으로 쓰였음》.

Scótch vérdict 〖법률〗 (배심원의) 증거 불충분 평결(評決); 미결.

Scótch whísky 스카치위스키. 「드 여자.

Scótch·wòman (*pl.* ***-wòmen***) *n.* 스코틀랜

Scótch wóodcock anchovy를 이긴 것과 푼 달걀을 바른 토스트〔크래커〕.

sco·ter [skóutə*r*] *n.* 〖조류〗 검둥오리.

scót-frée *a.* 처벌을 모면한; 무사한; 면세(免稅)의. ***go*** 〔***get off***〕 ***~*** 무죄 방면되다. ***escape ~*** 무사히 도망치다.

Sco·tia [skóuʃə] *n.* 《시어》 =SCOTLAND.

sco·tia *n.* 〖건축〗 (둥근 기둥 뿌리의) 깊이 도려 낸 쇠시리.

Scoticism ⇨SCOTTICISM.

Sco·tism [skóutizəm] *n.* 스코터스주의《13세기의 Duns Scotus의 철학》. ㊕ **Scó·tist** *n.*

*__Scot·land__ [skɑ́tlənd/skɔ́t-] *n.* 스코틀랜드.

Scótland Yárd 런던 경찰국《원래의 소재지명에서; 공식명은 New ~》; 그 수사과, 형사부.

scot·o·din·ia [skɑ̀tədíniə, skòut-/skɔ̀tədái-] *n.* Ⓤ (실신성(失神性)) 현기증.

scot·o·graph [skɑ́təgræ̀f, -grɑ̀:f/skɔ́t-] *n.* 암중 사자기(暗中寫字器), 맹인용 사자기; 엑스선〔암중〕 사진.

sco·to·ma [skoutóumə/skɔ-] (*pl.* ***-mas, -ma·ta*** [-mətə]) *n.* 〖병리〗 망막상(網膜上)의 암점(暗點)《시야(視野)의 일부로, 시력이 병적(病的)으로 결손된 부분》.

scot·o·phil, -phile [skɑ́təfìl/skɔ́t-] *a.* (생물·동물이) 호암성(好暗性)의. opp. *photophil.*

sco·to·pho·bin [skɑ̀təfóubin/skɔ̀t-] *n.* 〖생화학〗 스코토포빈《어둠 공포증을 낳게 한다고 생각되는, 뇌조직 속에 존재하는 화합물》.

sco·to·pia [skətóupiə, skou-] *n.* 〖안과〗 암순응(暗順應). 「향암성(向暗性).

sco·tot·ro·pism [skoutɑ́trəpìzəm/-tɔ́t-] *n.*

Scots [skɑts/skɔts] *a.* 스코틀랜드의. — *n.* Ⓤ 《Sc.》 스코틀랜드 영어〔방언〕; (the ~) 〖집합적〗 스코틀랜드 사람: broad ~ 심한 스코틀랜드 사투리. 「**Scóttish Gáelic**).

Scóts Gáelic 스코틀랜드 고지인의 게일어(=

Scóts·man [-mən] (*pl.* ***-men*** [-mən]) *n.* 스코틀랜드 사람. 「여자.

Scóts·wòman (*pl.* ***-wòmen***) *n.* 스코틀랜드

Scott [skɑt/skɔt] *n.* Sir Walter ~ 스콧《스코틀랜드의 소설가·시인; 1771-1832》.

scot·ti·ce [skɑ́tisi/skɔ́t-] *ad.* 스코틀랜드 어로〔방언으로〕.

Scot·(t)i·cism [skɑ́təsìzəm/skɔ́t-] *n.* 스코틀랜드 어법, 스코틀랜드 사투리.

Scot·(t)i·cize [skɑ́təsàiz/skɔ́t-] *vi.*, *vt.* 스코틀랜드식으로 되다〔하다〕, 스코틀랜드화하다《언어·풍속 등을》. 「RIER.

Scot·tie [skɑ́ti/skɔ́-] 《구어》 =SCOTTISH TER-

*Scot·tish [skátiʃ/skɔ́tiʃ] a., n. =SCOTCH.

Scóttish Certíficate of Educátion ⟪Sc.⟫ 중등학교 수료 증서.

Scóttish Nátionalist 스코틀랜드 민족당원〔지지자〕, 스코틀랜드 독립주의자.

Scóttish Nátional Pàrty (the ~) 스코틀랜드 민족당⟪스코틀랜드의 United Kingdom으로부터의 분리 독립을 주장하는 민족주의 정당; 생략: SNP⟫.

Scóttish térrier 스코티시 테리어⟪털이 많은 작은 개⟫.

◇**scoun·drel** [skáundrəl] n. 악당, 깡패, 불한당. ⊞ **~·dom** n. 불량배, 깡패 사회. **~·ism** n. Ⓤ,Ⓒ 비열한 짓, 악행; 불한당 근성. **~·ly** a.

◇**scour**[1] [skauər] vt. **1** 문질러 닦다, 윤내다. **2** 비벼 빨다, 세탁하다. **3** ⟪+목+전+명/+목+부⟫ (녹·얼룩을) 문질러〔씻어〕 없애다⟪*off; away; out*⟫: ~ rust *off* a knife 칼의 녹을 벗기다 / He ~*ed* the grease *off*. **4** ⟪+목+전+명⟫ 일소하다: This poison ~*ed* my house *of* rats. 이 독약으로 집 안의 쥐가 일소되었다. **5** 관장(灌腸)하다; …에서 제거〔추방〕하다. **6** ⟪~+목/+목+부⟫ (물로) …을 씻어 내다: ~ (*out*) a ditch 물을 흘려보내 도랑을 쳐내다. — vi. 문질러 닦다; 세탁하다; 닦이어 빛나다〔깨끗해지다〕; 정련(精練)〔세모(洗毛)〕하다; (특히 가축이) 설사하다. — n. **1** 문질러 닦기; 녹 벗기기. **2** 씻어 내기, 일소; 세탁제; (보통 ~s.) 〖단·복수취급〗 (가축의) 설사; 〖공학〗 세굴(洗掘).

◇**scour**[2] vt. (…을 찾아) 돌아다니다⟪*for*⟫; …을 급히 달리다, 달려 지나가다; (서류 등을) 철저히 조사하다: They ~*ed* the neighborhood *for* the lost child. 미아를 찾아 그 주변 일대를 찾아다녔다. — vi. ⟪+부/+전+명⟫ (…을 찾아) 다니다, 헤매다⟪*about; after; for*⟫; 속히〔힘차게〕 움직이다, 질주하다: The fox ~*ed about* in search of food. 여우는 먹을 것을 찾아 헤맸다 / ~ through the field *after* …을 찾아 들을 헤매다.

scour·er[1] [skáuərər] n. 문질러 닦는 사람〔물건〕; 세탁인〔기〕.

scour·er[2] n. 돌아다니는 사람; 질주하는 사람; ⟪고어⟫ (17-18세기에) 밤거리를 배회하던 부랑자, 밤도둑.

scourge [skəːrdʒ] n. (천재·전쟁 등) 하늘의 응징, 천벌; 두통거리, 불행을 가져오는 것〔사람〕; 채찍, 매. ***the ~ of Heaven*** 천벌. — vt. 몹시 괴롭히다; 징계하다; 채찍질하다.

scour·ing [skáuəriŋ] n. **1** (pl.) 긁어낸〔씻어낸〕 찌꺼기, 찌끼; 곡류 찌꺼기. **2** (가축의) 설사. **3** (pl.) 사회의 낙오자, 인간 쓰레기. **4** 문질러 닦음〔닦아냄〕; (빙하·유수(流水)에 의한) 연마(작용); (양모(羊毛) 등의) 세모(洗毛); 정련(精練).

scóuring pàd 냄비닦는 거친 수세미.

scóuring rùsh 〖식물〗 속새.

Scous·er, Scous·i·an [skáusər], [-siən] n. (때로 s-) ⟪영속어⟫ Liverpool 시민.

****scout**[1] [skaut] n. **1** 〖군사〗 정찰(병), 척후(병). **2** 정찰; 정찰기〔선, 함〕; 〖일반적〗 내탐자; 내탐. **3** =BOY SCOUT; GIRL SCOUT. **4** (경기·예능 등의) 신인을 찾는 사람; (상대 팀을) 내탐하는 사람. **5** ⟪영⟫ Oxford 대학의 사환, 용원(傭員). **6** ⟪구어⟫ 녀석, 놈. ***be on*** 〔***in***〕 ***the ~*** 정찰하고 있다. — vt. **1** ⟪~+목/+목+전+명⟫ (적정 등을) 정찰하다; (정보 획득을 위해) 조사하다: ~ the enemy's defenses 적의 방비를 정찰하다 / ~ an area *for* danger 한 지역의 위험 유무를 조사하다. **2** ⟪구어⟫ 수색하다, 찾아다니다; (신인 따위를) 스카우트 하다⟪*out; up*⟫. — vi. **1** 정찰〔척후〕하다; 찾으러 가다, 스카우트하다⟪*for*⟫. **2** 소년〔소녀〕단원으로 활약하다. ***~ about*** 〔***around, round***〕 (…을 찾아) 사방을 수색하다⟪*for*⟫. ***~ for*** …을 찾아다니다.

scout[2] vt. (제의 등을) 거절하다, 퇴짜 놓다; 코웃음치다. — vi. 조소〔조롱〕하다(scoff)⟪*at*⟫.

scóut càr 〖미군사〗 고속 정찰 자동차.

scóut·cràft n. Ⓤ 정찰 훈련〔기술〕; 소년〔소녀〕단원에게 필요한 지식.

scóut·er n. 정찰〔내탐〕자; (18세 이상의) 소년단 지도원; 정찰자.

scouth [skuːθ] n. ⟪Sc.⟫ 기회; 여지, 다수, 다량; 풍부.

scout·hood [skáuthùd] n. Ⓤ **1** 보이〔걸〕 스카우트의 신분〔특징, 정신〕. **2** 〖미식축구〗 스카우팅⟪대전 상대의 정보 수집⟫.

scóut·ing n. Ⓤ 척후〔정찰〕 활동; 소년단〔소녀단〕 활동; =SCOUTCRAFT.

scóuting pàrty 정찰대.

scóut(ing) plàne 정찰기.

scóut·màster n. 소년단장; 척후대장; ⟪미방송속어⟫ 국장, 부장, 간부, 스폰서; ⟪미속어⟫ 대단한 낙천가, 호인.

scow [skau] n. 대형 평저선(平底船), 거룻배⟪자갈 따위의 운반용⟫; 폐선(廢船); ⟪미속어⟫ 덩치 큰 추녀(醜女); ⟪미속어⟫ 대형 트럭.

◇**scowl** [skaul] n. **1** 찌푸린 얼굴, 오만상; 험악〔우울〕한 양상. **2** 찌푸린 날씨. — vi. **1** ⟪~/+전+명⟫ 얼굴을 찌푸리다, 오만상을 하다; 매섭게 쏘아보다, 노려보다⟪*at; on*⟫: The prisoner ~*ed at* the jailer. 죄수는 간수를 노려보았다. **2** (날씨가) 험악해〔거칠어〕지다. — vt. ⟪~+목/+목+부/+목+전+명⟫ 얼굴을 찌푸려(실망 등을) 나타내다; 무서운 얼굴을 하여〔노려보아〕 …시키다: ~ *down* a person 무서운 얼굴을 하여 아무를 위압하다, 노려보아 입 다물게 하다 / ~ a person *into* silence 무서운 얼굴을 하여 아무를 침묵시키다. ⊞ **~·ing·ly** ad.

SCP 〖생화학〗 single-cell protein. **SCPO** senior chief petty officer. **SCR** silicon controlled rectifier. **S.C.R.** ⟪영⟫ Senior Combination 〔Common〕 Room⟪대학 상급생을 위한 휴게실, 사교실⟫.

scrab·ble [skrǽbəl] vi., vt. (손톱으로) 할퀴다; 휘젓다; 휘갈겨 쓰다; 헤적여 찾다⟪보통 *about*⟫. — n. 할퀴; 휘갈겨 씀, 낙서; 뒤져찾음; 쟁탈.

scrag [skræg] n. **1** 말라빠진 사람〔동물〕; ⟪영⟫ 주접 든 식물. **2** (양·송아지의) 목덜미 고기; ⟪속어⟫ 사람의 모가지. — (***-gg-***) vt. ⟪구어⟫ 목을 조르다; (죄인을) 목졸라 죽이다; ⟪구어⟫ 목덜미를 잡다; ⟪구어⟫ 거칠게 다루다; ⟪미속어⟫ 죽이다; ⟪미구어⟫ (사람, 남의 회사 등을) 망쳐 놓다.

scrag·gly [skrǽgəli] (***-gli·er; -gli·est***) a. 터부룩한⟪수염 따위⟫; 삐죽삐죽한⟪바위 따위⟫, 우툴두툴한; ⟪미구어⟫ 발육이 나쁜.

scrag·gy [skrǽgi] (***-gi·er; -gi·est***) a. 말라빠진; 빈약한; 울퉁불퉁한. ⊞ **-gi·ly** ad. **-gi·ness** n.

scram[1] [skræm] (***-mm-***) vi. ⟪구어⟫ 도망하다, (급히) 떠나다; 〖명령문〗 (썩) 꺼져라, 도망해라: *Scram*, you aren't wanted here. 나가거라, 네가 있으면 방해다. — n. ⟪미속어⟫ 급히 떠나가기; 늘 나갈 수 있게 준비해 둔 것⟪돈·양복 등⟫.

scram[2] ⟪구어⟫ n. 스크램⟪원자로의 긴급 정지⟫. — vt. (원자로를) 긴급 정지시키다. — vi. (원자로가) 긴급 정지하다.

***scram·ble** [skrǽmbəl] vi. **1** ⟪+전+명⟫ 기어오르다⟪*up; on; over*⟫: ~ *up* the side of cliff 벼랑을 기어오르다. **2** ⟪~/+부⟫ 기(어가)듯 움직이다, 기어가다: ~ *about* 기어다니다 / ~ *down* 기어내리다. **3** ⟪+전+명⟫ 급히 움직이다: ~ *into* one's coat 급히 상의를 입다. **4** ⟪+전+명/*to* do⟫ 다투다, 서로 빼앗다, 얻으려고 다투다

《*for; after; over*》; 앞을 다투어 (…하려고) 하다: ~ *for* a seat 자리를 잡으려고 서로 다투다/~ *to* take seats 앞다투어 자리를 차지하려고 하다. **5** (내습한 적기의 요격을 위해) 긴급 발진하다. **6** (덩굴풀 따위가) 번성하다, 뻗어 퍼지다.
— *vt.* **1** 《+목+부》 긁어모으다, 그러모으다, 뒤섞다《*together; up*》: He ~*d* the papers *up* on the desk. 그는 급히 책상 위의 서류를 그러모았다. **2** 뒤섞다, 혼동케 하다; 혼란시키다: He has hopelessly ~*d* our names and faces. 그는 우리들의 이름과 얼굴을 혼동해 버렸다. **3** (달걀에) 버터 따위를 넣고 휘저어 익히다; (카드를) 뒤섞다. **4** (도청 예방으로 주파수를) 변경하다. **5** 《+목+부》 급히 움직이게 하다: He ~*d* the boys *out*. 그는 아이들을 내쫓았다. **6** (요격기를) 급히 이륙시키다. **~ *for a living*** 이럭저럭 겨우 먹고 살다. **~ *on* 〔*along*〕** 그럭저럭 해나가다. **~ *through*** 간신히 헤어나다〔지내다〕; (일 따위를) 서둘러서 처리하다.
— *n.* **1** 기어오름. **2** 쟁탈. **3** 그러모음. **4** 〖공군〗 (전투기의) 긴급 발진, 스크램블. **5** 〖TV〗 스크램블《도(盜)시청 방지를 위해 주파수를 계획적으로 변경하는 것》. **6** 급경사 · 울퉁불퉁한 길에서의 오토바이 경주, 스크램블 레이스; 《미속어》 (10대들의) 파티.

scrámbled éggs **1** 스크램블드에그스《달걀을 풀어서 지진 음식》. **2** 《군대속어》 장교 모자의 챙을 장식하는 금 몰. **3** 《미속어》 〖집합적〗 선임 장교.

scrám·bler *n.* scramble 하는 사람〔물건〕; (도청 방지의) 주파수대(帶) 변환기.

scrám·jèt *n.* 초음속 기류를 이용해서 연료를 연소시키는 램제트 엔진. [◀ *s*upersonic *com*bus-tion *ramjet*]

scran [skræn] *n.* Ⓤ 《속어》 먹을 것, 음식; 먹다 남은 것. ***Bad ~ to you* 〔*him*〕!** 《Ir. 속어》 이〔그〕놈의 자식! ***out on the ~*** 《속어》 구걸하여.

scran·nel [skrǽnl] *a.* 《고어》 가냘픈, 약하디 약한《소리 따위》.

scran·ny [skrǽni] *a.* 《영방언》 바싹 마른.

scrap[1] [skræp] *n.* **1** 작은 조각; 토막, 지저깨비; 파편. **2 a** (*pl.*) 남은 것, 지스러기; 먹다 남은 음식, 찌꺼기. **b** 《비유》 근소, 조금: There's not a ~ *of* truth in the claim. 그 주장에는 진실성이 조금도 없다. **3** Ⓤ,Ⓒ 〖집합적〗 폐물, 허섭스레기; 파쇠, 스크랩. **4** (*pl.*) (신문 · 잡지 등의) 오려낸 것〔조각〕, 발췌; 단편(斷片). **5** (보통 *pl.*) 어박(魚粕), (동물 지육(脂肉)의) 탈지박(脫脂粕): dry ~ 마른 어박분(粉)《가축 사료》. ***a* (*mere*) *~ of paper*** 종잇조각; 《비유》 휴지나 다름없는 조약. ***a ~ of a baby*** 조그마한 아기. ***do not care a ~*** 조금도 걱정하지 않다.
— *a.* 폐물이〔허섭쓰레기가〕 된; 남은 것〔조각〕으로 만든; 작은 조각의: ~ iron 쇠부스러기/~ value 〖상업〗 잔존(殘存) 가치.
— (***-pp-***) *vt.* **1** 부스러기로〔조각으로〕 하다; 찢어발기다. **2** 지스러기로 하여 버리다; 해체하다; 버리다(discard), 폐기하다.

scrap[2] 《구어》 (***-pp-***) *vi.* 싸우다, 서로 주먹다짐하다《*with*》. **—** *n.* 싸움, 다툼, 드잡이; (프로) 권투 시합(prize fight).

scráp·bòok *n.* 스크랩북.

scráp càke 어박(魚粕), (동물 지육(脂肉)의) 탈지박(脫脂粕)《가축 사료》.

scrape [skreip] *vt.* **1** 《~+목/+목+부/+목+보/+목+전+명》 문지르다; 문질러〔긁어, 깎아서, 닦아서〕 반반하게 하다, 후리다; 문질러〔스치어, 긁어〕 벗기다, 비벼서〔문질러〕 깨끗이 하다《*off; away; out*》: ~ the potatoes 감자를 깎다/~ paint *off* 페인트를 긁어 벗기다/He ~*d* his knee *on* a stone. 돌에 무릎이 벗겨졌다/~ one's boots clean 구두를 문질러 깨끗이 하다/~ one's shoes *on* the door mat 현관 매트에 문질러서 신의 흙을 떨다. **2** …의 수염을 깎다, 면도하다: ~ one's chin 턱수염을 깎다. **3** (글씨 따위를) 문질러 지우다《*out*》. **4** 《+목+전+명》 …와 마찰시켜 삐걱거리게 하다, 비벼 소리를 내다; (바이올린 따위를) 켜다: ~ a chair *on* the floor 의자를 마루에 질질 끌어 소리를 내다. **5** 《+목+부》 (자금 · 선수 등을) 애써서 긁어모으다, 마련하다《*up; together*》: ~ *together* enough money for …에 쓸 수 있을 만큼의 돈을 애써서 긁어모으다/She ~*d together* a meal from leftovers. 남은 음식으로 그럭저럭 식사를 마련했다. **6** 《~+목/+목+부》 …을 긁어내다; …을 파다, 도려내다《*out*》: ~ (*out*) a hole.
— *vi.* **1** 《+전+명》 스치다《*against; past*》: The two buses ~*d past* each other. 두 대의 버스는 서로 스칠 듯이 지나갔다. **2** (절을 할 때) 오른발을 뒤로 빼다. **3** 《+전+명》 (악기를) 켜다: ~ *on* a violin. **4** 《+부/+전+명》 간신히〔가까스로〕 …하다: ~ *along* ⇨관용구/I barely ~*d through* the test. 나는 겨우 테스트에 합격했다. **5** 근근이 모으다, 몹시 검약하다. ***bow and ~*** ⇨BOW[2] *v.* ***go and ~*** one***self*** 떠나가다, 나가다. ***pinch and ~*** =***~ and screw*** ⇨PINCH. ***~ a leg*** 오른발을 뒤로 빼면서 공손히 인사하다. **~ 〔*scratch*〕 *a living*** 간신히 살아가다. ***~ along* 〔*by*〕 (*on* …)** (적은 돈으로) 근근이 먹고 살다. ***~ away*** (끊임없이) …을 문질러 대다《*at*》. ***~ down*** ① …을 반드럽게 하다, 땅을 고르다; …을 문질러 떼다. ② (마루를 쿵쿵 굴러 변사 등을) 침묵시키다. ***~ home*** 겨우 지위〔결과〕를 얻다. ***~ in* 〔*into*〕** (대학 등에) 겨우 들어가다. ***~ … through*** (시험 등에) …를 합격시키다. ***~* (*up*) *an acquaintance with*** …와 (소개 없이) 억지로 가까워지다.
— *n.* **1** Ⓤ,Ⓒ ~하기; Ⓤ ~하는 소리; 찰과상, 긁힌 자국: a ~ of the pen 일필(一筆), 휘갈겨 쓰기. **2** (자초한) 곤란, 곤경; 《구어》 말다툼, 충돌: get into 〔out of〕 a ~ 곤경에 빠지다〔에서 빠져나오다〕. **3** 뒤로 발을 빼며 절하기. ***bread and ~*** ⇨BREAD. ***in a ~*** 궁지에 빠져 어려움을 겪고.
㊀ **scráp·a·ble** *a.*

scrápe·pènny *n.* 구두쇠, 노랑이(miser).

scrap·er [skréipər] *n.* **1** 문지르는〔긁는, 깎는〕 도구; (신발의) 흙 떨이 (매트); 흙고무래, 흙손. **2** 《경멸》 서투른 바이올린쟁이; 이발사. **3** 구두쇠; 《속어》 =COCKED HAT. **4** 〖기계 · 토목〗 스크레이퍼.

scráp hèap 쓰레기〔폐물, 고철〕 더미; (the ~) 쓰레기터〔폐기장〕; 《속어》 고물 같은 차: go 〔throw, cast, toss …〕 on the ~ 쓸모없어 버려지다〔버리다〕. 「에 버리다.

scráp·hèap *n.* =SCRAP HEAP. **—** *vt.* 쓰레기터

scra·pie [skrǽipi] *n.* 〖수의〗 스크래피《양이나 염소의 뇌를 침범하는 전염병; 치사성이 강함》.

scrap·ing [skréipiŋ] *n.* **1** Ⓤ 깎음, 문지름, 긁음, 할퀴기; 깎는〔문지르는, 켜는〕 소리. **2** (보통 *pl.*) 깎은 부스러기; 쓰레기: the ~*s* and scourings of the street 거리의 쓰레기; 《비유》 거리의 불량배.

scráp ìron 파쇠, 고철; 《속어》 싸구려 위스키.

scráp mèrchant 고철상, 폐품 수집업자.

scráp mètal 지스러기 금속, 《특히》 파쇠.

scrap·nel [skrǽpnl] *n.* (쇳조각을 채워 넣은) 수제(手製) 폭탄의 전방향 폭발 파편《IRA에서 테러용으로 씀》. [◀ *scrap*+*shrapnel*]

scrap·page [skrǽpidʒ] *n.* 폐기물; (자동차의) 폐기: ~ rate 폐기율. 「린 종이.

scráp pàper 재생용 종이; 메모 용지; 쓰고 버

scrap·per [skrǽpər] *n.* **1** 쓰레기 치우는 사람. **2** 《구어》 툭하면 싸우는 사람; 프로 복서.
scrap·ple [skrǽpəl] *n.* [U,C] 《미》 기름에 튀긴 요리의 일종《잘게 저민 돼지고기 · 야채 · 옥수숫가루 따위로 만듦》.
scrap·py[1] [skrǽpi] (**-pi·er; -pi·est**) *a.* 부스러기의, 지스러기의; 단편적인, 산만한.
scrap·py[2] *a.* 《구어》 툭하면 싸우는, 투지만만한; 콧대가 센; 적극적인. (파) **-pi·ly** *ad.* **-pi·ness** *n.*
scráp·yàrd *n.* 쓰레기 버리는 곳, 고철〔폐품〕 하치장.
‡**scratch** [skrætʃ] *vt.* **1** 《~+[목]/+[목]+[부]》 할퀴다, 긁다; (몸에) 할퀸 상처를 내다; (가려운 곳을) 긁다; (땅을) 긁어 구멍을 내다: The cat *~ed* my face./be much *~ed* with thorns 가시에 마구 긁히다/I've *~ed* my hand *badly*. 손에 큰 찰과상을 입었다/~ *out* a hole in the ground 땅을 긁어 구멍을 파다/*Scratch* a Russian, and you will find a Tartar. 《속담》 문명인도 한꺼풀 벗기면 야만인. **2** 휘갈겨 쓰다: ~ a few lines 두서너줄 휘갈겨 쓰다. **3** 《~+[목]/+[목]+[부]/+[목]+[전]+[명]》 지워 없애다, 말살(抹殺)하다; 명부〔예정〕에서 지우다〔빼다〕《*out; off; through*》: ~ (*out*) a candidate 후보자를 명단에서 빼다, 후보자를 지지하지 않다/We had to ~ him *from* the list because of his injury. 우리는 그가 부상을 했기 때문에 명부에서 그를 빼지 않을 수 없었다. **4** 《+[목]+[부]》 (돈 따위를) 긁어모으다, 푼푼이 저축하다《*together; up*》: She *~ed up* some money for holidays. 그녀는 휴가를 위해서 돈을 약간 저축했다. **5** 〚경마〛 (경주마의) 참가를 취소하다. **—** *vi.* **1** 《+[전]+[명]/+[부]》 **a** 긁다, 갉다《*at; on*》; (가려운 데를) (계속) 긁다《*away; at; on*》: ~ *on* the door 문을 긁다/He *~ed away at* his rash. 부스럼을 벅벅 긁었다. **b** 긁어 파다; 헤집어 찾다, 긁어모으다《*for; about*》: The chickens *~ed about for* food. 닭이 여기저기 헤집어 모이를 찾았다. **2** (펜이 닳아서) 긁히다: This pen *~es*. 이 펜은 직직 긁힌다. **3** 《+[부]》 가까스로 살아가다〔타개하다〕《*along*》: ~ *along* on very little money 아주 적은 돈으로 근근이 살아가다. **4** (선수 · 경주마 따위가) 경기에서 물러나다, 출장(出場)을 취소하다; (경쟁 · 일 등에서) 손을 떼다《*from*》. **5** 〚당구〛 어쩌다가 맞다; 〚골프〛 스크래치를 하다; 〚카드놀이〛 득점이 되지 않다; 〔보통 부정문〕《스포츠속어》 득점하다. ***have not* (*got*) *a sixpence to* ~ *with*** 무일푼이다, 빈털터리다. **~ *for* one*self*** 자기 힘으로 꾸려나가다. **~** a person***'s back*** 아무의 환심을 사다: *Scratch my back* and I will ~ yours. 《속담》 오는 정이 있어야 가는 정이 있다. **~** one***'s head*** ⇨HEAD. **~ *the surface of*** …의 겉을 만지다《핵심에 닿지 않다》. **~** a person ***where he itches*** 가려운 곳을 긁어 주다; 아무의 마음에 들도록 해 주다.
— *n.* **1** [U] 긁기, 할퀴기. **2** [C] 긁은〔할퀸〕 자국; 생채기, 찰(과)상; [U] 긁는 소리: a ~ on one's face 얼굴의 생채기. **3** 휘갈겨 씀〔쓰기〕, 일필(一筆); 《속어》 (신문 등에서) 한마디 하기, 촌평; 《속어》 메모지. **4** [U] 〚경기〛 출발점; 핸디캡 없이 달리는 선수의 출발선; [C] 그 경기자; [U] 〚권투〛 경기 개시선; 〚야구〛 =SCRATCH HIT. **5** 〚당구〛 요행수로 맞음; 벌구(罰球); 실책. **6** [U] (경기의) 영점, 대등(한 경기); 출장 사퇴〔취소〕한 선수〔경주마〕. **7** (*pl.*) 〚의학〛 (말의 발에 생기는) 포도창(瘡). **8** (머리 한쪽에 쓰는) 반가발(~ wig). **9** 《미속어》 돈, 현금, 자금; 《속어》 차용금. **10** 〚컴퓨터〛 스크래치《작업용 컴퓨터의 내부 또는 외부의 기억 매체(媒體)》. ***a* ~ *of the pen*** 일필(一筆), 서명(署名). ***come* (*up*) *to* (*the*) ~** 출발점에 나가다; 기죽지 않고 대전하다. ***from* 〔*at, on*〕 ~** 출발점에서부터, 최초부터; 맨처음부터, 무(無)에서. ***no great* ~** 《속어》 대수롭지 않은. ***up to* (*the*) ~** 출발점에 위치하여; 〔보통 부정문〕 (시작의) 준비가 되어; 〔보통 부정문〕 상태가 좋아; 어떤 표준에 이른. ***without a* ~** 아무 상처 없이.
— *a.* **1** 휘갈겨 쓰기 위한. **2** 《구어》 긁어모은, 급히 만든〔편성한〕: ~ dinner 남아 있는 것으로 차린 식사/a ~ team 그러모은〔갑자기 편성한〕 팀. **3** 〚경기〛 대등한, 핸디캡 없는. **4** 《구어》 요행수로 맞는, 우연한. **5** 〚컴퓨터〛 일시적으로 사용하는: ~ tape 작업용 테이프《일시 사용의》.
scrátch-and-sníff *a.* 긁으면 냄새가 나는.
scrátch·bàck *n.* 등긁이(back scratcher).
scrátch·càt *n.* 짓궂은 여자〔아이〕.
scrátch còat (회벽 등의) 초벌 바르기.
scrátch dìal (교회 등의) 벽 따위에 새긴 해시계.
scrátch·er *n.* scratch하는 사람〔도구, 기계, 공구〕; 《속어》 =FORGER.
scrátch file 〚컴퓨터〛 스크래치 파일《데이터를 일시적으로 기억시켜 두는 파일》.
scrátch hìt 〚야구〛 범타가 어쩌다 안타가 된 타구.
scrátch lìne (경주의) 출발선; 〚미식축구〛 발을 굴러 도약하는 곳〔선〕, 스로잉 라인《따위》.
scrátch pàd 《미》 (낱장으로 떼어 쓰는) 편지지, 메모 용지철.
scrátch·pàd *n.* 〚컴퓨터〛 스크래치패드《고속의 작업용(作業用) 보조적 컴퓨터 메모리》.
scrátch pàper 메모 용지.
scrátch ràce 핸디캡 없는 경주.
scrátch shèet 《미구어》 (그날 그날의) 경마신문(競馬新聞).
scrátch tèst 〚의학〛 피부 반응〔시험〕《알레르기 반응 검사》.
scrátch wìg (18 세기경의) 반(半)가발.
scratchy [skrǽtʃi] (***scratch·i·er; -i·est***) *a.* **1** (글씨 · 그림 따위를) 휘갈긴, 날림의. **2** (펜 따위가) 긁히는, 직직 소리나는. **3** 긁어〔주워〕모은; 벼락치기로 만든, 엉터리의. **4** 가려운. (파) **scrátch·i·ly** *ad.*
°**scrawl** [skrɔːl] *vt.* 《~+[목]/+[목]+[전]+[명]/+[목]+[부]》 휘갈겨〔흘려〕 쓰다; (벽 등에) 낙서하다《*with*》; 마구 지우다《*out*》: ~ a letter 편지를 갈겨쓰다/The walls were *~ed with* phrases. 벽에는 갖가지 문구가 낙서되어 있었다. **—** *vi.* 갈겨쓰다, 낙서하다《*on; over*》. **—** *n.* 휘갈겨 쓴 글씨〔편지〕. (파) **∠·er** *n.* **∠y** *a.* 휘갈겨 쓴; 조잡한.
scraw·ny [skrɔ́ːni] (**-ni·er; -ni·est**) *a.* 《구어》 야윈, 앙상한: a ~ pine 앙상한 소나무. (파) **-ni·ly** *ad.* **-ni·ness** *n.*
screak [skriːk] 《영에서는 방언》 *vi.* 갑자기 비명을 지르다; 삐걱거리다. **—** *n.* 날카로운 목소리; 삐걱〔끽끽〕거리는 소리.
‡**scream** [skriːm] *vi.* **1** 《~/+[부]/+[전]+[명]》 (공포 · 고통 따위로) 소리치다, 날카로운 비명을 지르다: ~ (*out*) *in* anger 화가 나 소리치다. **2** 《+[전]+[명]》 깔깔대다: ~ *with* laughter. **3** (아이들이) 앙앙 울다; (올빼미 따위가) 날카로운 소리를 내다; 기적이 삐익하고 울리다; (바람이) 씽씽 불다. **4** 《속어》 (비행기 · 차가) 쌩하고 날아가다〔지나가다〕. **5** (불만 · 항의 · 노여움의) 소리를 외치다《*out; about*》; …을 끈질기게 요구하다《*out; for*》. **6** (옷 · 색깔 따위가) 너무 짙어서 눈에 잘 띄다; (색과 색이) 서로 조화가 안 되어 불쾌감을 주다《*at*》. **—** *vt.* **1** 《~+[목]/+[목]+[부]/+*that* [절]》 새된 소리로 말하다, 큰 소리로 외치다, 절규하여 알리다: ~ conspiracy 음모라고 외치다/~ *out* an order 큰 소리로 명령을 내리다/She *~ed that* her baby was being killed. 그녀는 아기가 살해된다고 큰 소리로 외쳤다. **2** 《+[목]+[보]》 〔~ oneself〕 소리질러 …한 상

태로 되다〔되게 하다〕: ~ oneself hoarse 외쳐서 목이 쉬다.

— n. 1 외침 (소리), (공포·고통의) 절규, 비명; ~하는 소리. 2 《구어》 아주 유쾌한 사람〔일, 물건〕: He is really a ~. 그는 정말 재미있는 친구다. 3 《미속어》 아이스크림.

scréam·er n. 1 날카로운 소리를 지르는 사람〔내는 것〕; 소리쳐 다른 사람을 흥분시키는 사람. 2 《구어》 웃기는 이야기〔노래〕, 대단한 물건〔사람〕, 뛰어난 것, 일품; 《속어》 독자를 사로잡는 읽을거리; 그 작자. 3 《미속어》 (신문의 전단 톱에 실린) 센세이셔널한 표제. [cf.] banner(line). 4 《인쇄속어》 감탄부. 5 칼새의 일종《라틴아메리카산》. 6 《야구속어》 강렬한 타구. 7 《미속어》 (텔레비전·라디오의) 스릴러(thriller), 미스터리 프로.

scréam·ing a. 외치는; 배를 움켜쥐게 하는; 깜짝 놀라게 하는, 센세이셔널한; (빛깔 등이) 야단스러운: ~ colors 〔headlines〕 현란한 색채〔센세이셔널한 표제〕. [파] ~·ly ad.

scréaming mée·mie [-mí:mi] 《미군대속어》 (차량 뒤쪽에서 발사하는) 음향 로켓포; (the ~s) 《미구어》 (과음·불안 등에 의한) 극단적인 신경과민, 히스테리.

scréam thèrapy 〖정신의학〗 절규 요법 (primal therapy) 《억압된 감정을 절규로써 발산하는 심리 요법》. [파] **scréam thèrapist**

screamy [skrí:mi] (*scream·i·er; -i·est*) a. 절규하는 듯한, 새된 소리의; 현란한, 강렬한.

scree [skri:] n. 잔 자갈; 돌더미; 〖지학〗 =TALUS²; (구두의) 장식끈.

°**screech** [skri:tʃ] n. 날카로운〔새된〕 소리; 비명; 늘 시끄럽게 떠드는 여자: let out a ~ 새된 소리를 내다. — vi. 날카로운〔새된〕 소리를 내다, 비명을 지르다. — vt. 《~+[목]/+[목]+[부]》 날카로운〔새된〕 소리로 말하다《out》: She ~*ed out* her innocence. 날카로운 목소리로 자기의 결백을 외쳤다.

scréech òwl 부엉이의 일종; =BARN OWL.

screechy [skrí:tʃi] (*screech·i·er; -i·est*) a. 새된 소리의; 끽끽 소리내는.

screed [skri:d] n. 1 (특히 비난·공경에 찬) 장광설. 2 격의 없는 편지; 딱딱하지 않은 문장, 비공식 기사. 3 (미장이의) 회벽칠에 쓰는 자막대기.

*__screen__ [skri:n] n. 1 칸막이; 차폐물; 칸막이 커튼〔장지〕, 막; 눈가리개; 《미》 (창문의) 망, 방충망: a folding ~ of six panels, 6폭으로 된 병풍/a sliding ~ 장지/lay down a smoke ~ 연막을 치다. 2 (교회 따위의) 본당 칸막이. 3 스크린; (영화의) 영사막; (the ~) 〔집합적〕 영화(계); (텔레비전·전파 탐지기의) 영상면(面); 〖컴퓨터〗 화면, 스크린: ~ dump 〖컴퓨터〗 화면 덤프/~ editing 〔editor〕 〖컴퓨터〗 화면 편집〔편집기〕. 4 〖사진〗 그물눈 필터; 여광(濾光) 렌즈. 5 (전기·자기(磁氣) 등의) 차벽(遮壁), 스크린. 6 〖사진제판〗 망점 분해를 위한 망판용 투명 필름. 7 (흙·모래 등을 거르는) 어레미. 8 〖군사〗 차폐; 연막; 호위 함대; 전위 부대; (농구 등의) 차폐 전법. 9 〖기상〗 백엽상(百葉箱). 10 적격 심사, 선발 시험. 11 〖토목〗 (쓰레기 유입 방지용) 격자틀《취수구·수로 입구 등에 설치》. ***put on a ~ of indifference*** 무관심을 가장하다. ***under ~ of night*** 야음을 틈타서.

— vt. 1 《~+[목]/+[목]+[전]+[명]/+[목]+[부]》 가리다; 칸막다; (빛·사람의 눈 따위를) 가로막다; 원호하다; 막다, 숨기다, 감싸다《from》: ~ windows 창에 (방충)망을 치다/an orchard ~*ed from* north winds by a hill 야산이 북풍을 막아 주는 과수원/be ~*ed from* view with …에 가려 앞이 보이지 않다/~ a person *from* blame 아무를 비난으로부터 두둔하다/One corner of the room was ~*ed off*. 방 한쪽 구석이 칸막이되어 있었다. 2 〖전기〗 차폐하다. 3 (석탄 등을) 체질하여 가르다, 체로 치다. 4 《~+[목]/+[목]+[부]》 (원서·지원자를) 선발〔심사〕하다, (심사하여) 걸러내다《out》; (소지품·병균 등에 대해) (사람을) 조사하다: ~ visa application 비자 신청서를 심사하다/~ *out* two people who seem unsuitable for the job 그 일에 적합치 않다고 생각되는 두 사람을 가려내다. 5 영사〔상영〕하다; 영화화〔각색〕하다; 촬영하다. — vi. 1 상영되다. 2 《+[부]》 영화에 (알)맞다: This play 〔actor〕 ~*s well*. 이 극은〔배우는〕 영화에 맞는다. 3 (경기에서) 상대방을 차폐하다.

— a. 1 철망을 친. 2 영화〔은막〕의: a ~ actor 영화배우/a ~ face 영화에 맞는 얼굴/~ time 상영 시간.

[파] ∠·er n.

scréen·àg·er [-èidʒər] n. 컴퓨터 조작에 특히 능숙한 십대, 컴퓨터 소년.

scréen-càst (*p., pp.* **-cast**) vi. 〖보통 과거분사형〗 뉴스〔기록〕 영화에 설명을 붙이다.

scréen dòor 방충망 문.

scréen dùmp 〖컴퓨터〗 화면 덤프《화면에 표시된 내용을 프린터·디스크파일에 전송하는 일》.

scréen èditor 〖컴퓨터〗 디스플레이어 상에서 편집 작업을 할 수 있는 프로그램.

scréen fàce 영화(촬영)에 적합한 얼굴.

scréen fònt 〖컴퓨터〗 화면자형(字形)《화면 표시용의, 특별히 설계된 문자》.

scréen grìd 〖전기〗 가리기 그리드《전자관(電子管)의 차폐 격자(格子)》.

scréen·ing n. [U] 1 체로 치기; 선발, (적격) 심사: a ~ test 적격 심사; 〖의학〗 선별〔예비〕 검사/a ~ committee 적격 심사 위원회. 2 (pl.) (곡물 따위의) 체로 친 찌꺼기; 석탄 찌끼. 3 가리기; 〖물리〗 (전기·자기의) 차폐. 4 영사, 상영; 촬영.

scréen·lànd n. 영화계(filmdom). ⌊영화화.

scréen mèmory 〖심리〗 차폐기억, 방패기억, 은폐기억; 단편적인 어릴 때의 기억《이것을 상기함으로써 다른 불쾌한 경험을 생각나지 않도록 하는 것》.

scréen pàss 〖미식축구〗 스크린 패스《블로커(blocker)를 벽처럼 배치한 위장된 패스》.

scréen·plày n. 영화 대본, 시나리오. ⌈ing).

scréen prìnting 스크린 인쇄(silk-screen print-

scréen sàver 〖컴퓨터〗 화면 보호 장치《동일 화면을 계속 표시함으로써 일어날 CRT의 연소 방지를 위한 프로그램〔소프트웨어〕》.

scréen tèst 스크린 테스트《영화배우의 적성〔배역〕 심사》. [파] **scréen-tèst** vt.

scréen·wàsher n. 《영》 (자동차 앞 유리의) 자동 세척 장치.

scréen·wrìter n. 시나리오 작가.

*__screw__ [skru:] n. 1 나사: a female 〔male〕 ~ 암〔수〕나사/a wood ~ 나무 나사. 2 나사못, 나사 볼트. 3 기계의 나선부; 나사〔나선〕 모양의 물건. 4 (배의) 스크루, 추진기; 스크루 배. 5 (병의) 마개뽑이. 6 비틀기; (나사의) 한 번 틀기〔죔〕, 한 번 돌림: This isn't tight enough yet; give it another ~. 아직 꽉 죄이지 않았다. 한 번 더 죄어라. 7 [C,U] 〖당구〗 틀어치기. 8 《영속어》 임금, 급료: draw one's ~ 급료를 타다. 9 《영》 (담배·소금 등을) 양 끝을 꼬아 싼 봉투, 한 봉지: a ~ *of* tobacco. 10 《영구어》 구두쇠; 값을 깎는 사람. 11 《영구어》 쇠약한 말, 폐마; 결점〔흠〕 있는 물건; 《속어》 괴짜, 기인, 어리석은 자. 12 (보통 the ~) 《구어》 압박, 강제, 압력: put the ~(s) on〔to〕 … =put … under the ~ =apply the ~ to … …을 압박하다, 조르다, 괴롭히다, 억지

로 치르게 하다. **13** 《미속어》 (시험 따위로) 학생을 곯려 주는 선생; 어려운 문제. **14** 《속어》 교도관(jailer). **15** 〖역사〗 손가락을 주리 트는 고문틀. **16** 《비어》 성교, 성교 상대(인 여자). ***another turn of the*** ~ 한층 더 압력을 넣는 일. ***a* ~ *loose* 〔*missing*〕** 《구어》 나사가 헐거움; 정상이 아닌 데, 고장; (머리·신경의) 탈 난 곳: He must have *a* ~ *loose* to do that. 그런 짓을 하는 것을 보니 그는 정상이 아님에 틀림없다 / There is *a* ~ *loose* somewhere. 어딘가 고장이 있다. ***put* 〔*tighten*〕 *the* ~*s on*** a person (말을 듣게끔 아무에게) 압력을 넣다, (아무를) 위협하다.
— *vt.* **1** 《+목+부/+목+전+명》 나사로 죄다〔조절하다〕; 나사못으로 고정시키다; 나사를 틀어 박다: ~ the handle *on* (*to* the door) (문에) 손잡이를 달다 / ~ *in* a hook 걸쇠를 박다. **2** 《~+목/+목+부/+목+전+명》 (비)틀다; 굽히다; (종잇조각을) 뭉치다《*up*》; (병마개 등을) 돌려 죄다〔틀어 넣다, 따다〕: ~ a person's arm 아무의 팔을 비틀다 / ~ one's head *around* 고개를 돌리다 / ~ a lid *on* the jar 병 마개를 돌려 죄다. **3** 《+목+전+명》 (입·얼굴 등을) 찡그리다; 일그러뜨리다: ~ one's face *into* wrinkles 얼굴을 찡그려 주름살지다. **4** 《+목+부》 긴장시키다; (용기 등을) 불러일으키다《*up*》: I ~*ed up* my courage to ask for help. 용기를 내어 도움을 청하였다. **5** 《~+목/+목+전+명/+목+부》 《구어》 쥐어 짜다; 착취하다; 무리하게 빼앗다《*out of; from*》; 강요하다; 압박하다; (아무로부터) 값을 깎다《*down*》: ~ money 〔taxes, consent〕 *out of* a person 아무에게서 돈〔세금, 승낙〕을 억지로 받아내다 / be ~*ed down* by strict rules 엄한 규칙에 묶이다. **6** 괴롭히다; 《미속어》 난문제로 괴롭히다. **7** 《+목+전+명》 〖테니스〗 공을 깎아치다; 〖당구〗 공을 틀어치다: ~ the red *into* the pocket 빨간 공을 틀어쳐 포켓에 넣다. **8** 《+목+부》 (돈을) 마지못해 치르다: He ~*ed out* thirty thousand won for the dish. 그는 그 요리값으로 마지못해 3만원을 치렀다. **9** 《~+목/+목+전+명》 《속어》 속이다; 속여서 …을 빼앗다: He was completely ~*ed*. 그는 완전히 속임을 당했다 / I was ~*ed out of* 50 dollars. 속임을 당해 50달러를 빼앗겼다. **10** 《비어》 …와 성교하다. **11** 〖욕 등으로 쓰여〗 =DAMN, FUCK: *Screw* you ! 우라질 놈 / *Screw* Paris. 파리 따위 알게 뭐야. — *vi.* **1** (나사가) 돌(아가)다; 나사 모양으로 돌다; 비틀리다: The handle won't ~. 손잡이가 돌지 않는다. **2** 《+전+명》 나사로 연결되다〔떨어지다〕《*on; together; off*》: This top ~*s on* that bottle. 이 마개는 저 병의 것이다. **3** (당구 공이) 방향을 바꾸다, 꺾이다. **4** 절약하다, 인색하게 굴다. **5** 착취〔압박〕하다. **6** 《비어》 성교하다. ***Go* ~ *!*** 《속어》 꺼져 (버려). ***have* one*'s head* ~*ed on the right way*** =***have* one*'s head well* ~*ed on*** 《구어》 빈틈이 없다, 분별이 있다; 제정신이다, 이해가 빠르다. **~ *around*** ① 빈들거리며 시간을 낭비하다. ② 《속어·비어》 성교〔난교〕하다. ③ (남에게) 무례하게 굴다《*with*》. **~ *off*** ① 나사로 고정하다; 나사로 열다〔닫다〕. ② 빈들거리며 시간을 보내다. ③ 《속어》 떠나다, 가 버리다. ④ 《미속어·비어》 자위행위를 하다. **~ *... on*** 《영속어》 (차·오토바이를) 빨리 몰다. **~ *out*** 짜내다; (돈 따위를) 우려내다《*of*》; 마지못해 치르다. **~ *over*** a person 《미속어》 ① 속이다. ② (아무를) 혼내 주다, 야단치다. **~ one*self up to*** 굳이 …에 직면하다. **~ *the arse* 〔*back legs*〕 *off*** 《속어·비어》 (여자와) 왕성한 섹스를 하다. **~ *the pooch*** 《미속어》 허송세월을 보내다. **~ *up*** ① 바싹 죄다; (악기의 줄 따위를) 죄다; (눈을) 찌그리다, 가늘게 뜨다; (집세를) 부쩍 올리다; 능률이 오르게 하다; (용기를) 불러일으키다; (머리를) 혼란시키다; 〖종종 수동태〗 《구어》 (아무를) 긴장시키다, 애타게 하다《*about; at*》: He wants ~*ing up*. 그에게 기합을 좀 넣어야 겠다. ② 《속어》 큰 실수를 하다, 큰 실수로 엉망이 되게 하다.
㊞ **∠·a·ble** *a.* **∠·er** *n.* **∠·less**, **∠·like** *a.*

scréw·bàll *n.* 《미속어》 괴짜(nut); 쓸모없는 사람; 〖야구〗 스크루볼(변화구의 일종); 《미속어》 통속적인 재즈 음악. — *a.* 《미속어》 이상야릇한, 기묘한, 엉뚱한; 정신이 이상한, 엉터리의.

scréwbàll cómedy 등장인물이 바보스럽고 괴상한 코미디 영화.

scréw bòlt 나사 볼트.

scréw bòx 나사받이; (나무 나사를 깎는) 나사틀.

scréw càp (병 따위의) 나사 뚜껑.

scréw convèyer 스크루 컨베이어.

scréw còupling 나사 연결용 너트.

scréw cùtter 나사 깎는 기계.

scréw·drìver *n.* 나사돌리개, 드라이버; 《미》 보드카와 오렌지주스를 섞은 칵테일.

screwed *a.* **1** 나사로 고정시킨; 나사 모양의, 나삿니가 달린. **2** 《속어》 엉망인. **3** 《영속어》 술 취한.

scréw èye 고리나사(대가리가 고리 모양인 나사못).

scréw gèar 나사 톱니바퀴.

scréw·hèad *n.* 나사 대가리.

scréw hòok 나사 말코지, 갈고리 나사.

scréw jàck (무거운 것을 들어올리는) 나사 잭(jackscrew); 〖치과〗 정치기(整齒器)(치열을 고르는 도구).

scréw nùt 너트(nut).

scréw prèss 나사 프레스〔압착기〕.

scréw propèller (항공기·기선(汽船) 등의) 스크루 프로펠러.

scréw spìke 나사못.

scréw stèamer 스크루 배.

scréw tàp (수도 등의) 고동; 암나사용 탭(tap).

scréw thrèad 나사산(山); 나사의 회전.

scréw tòp 나사 뚜껑.

scréw-tòpped [-t] *a.* (용기가) 나사 뚜껑이 달린.

scréw·ùp *n.* 《구어》 실패, 얼빠진〔바보〕 짓; 혼란, 엉망; 얼빠진 놈, 쓸모없는 녀석.

scréw vàlve 나사로 여닫는 막이판.

scréw wrènch 〔spànner〕 자재(自在) 스패너.

screwy [skrúːi] (***screw·i·er; -i·est***) *a.* 나선상〔나사꼴〕의, 비틀린; 《속어》 (팔거나 빌려 줄 때) 인색한, 다라운; 《구어》 정신 나간, 어딘가 별난, 매우 이상한; 《영속어》 거나하게 취한.

Scri·a·bin, Skry- [skriáːbin/skríəbin, skriǽb-] *n.* **Aleksandr Nikolaevich** ~ 스크랴빈 《러시아의 작곡가·피아니스트; 1872-1915》.

scrib·al [skráibəl] *a.* 필사(筆寫)의, 필기상(筆記上)의, 필기자(者)〔서기(書記)〕의.

***scrib·ble**[1] [skríbəl] *n.* 갈겨쓰기, 난필(亂筆), 악필; 흘려 쓴 것; 잡문. ***No* ~.** 낙서 엄금. — *vt.*, *vi.* 갈겨쓰다; 낙서하다.

scrib·ble[2] *vt.* (양털을) 얼레빗질하다.

scrib·bler [skríbələr] *n.* 휘갈겨 쓰는 사람, 난필〔악필〕가; 《우스개》 삼류 작가.

scríb·bling blòck 〔pàd〕 [skríbəliŋ-] 《영》 (떼어 쓰는) 잡기장, 메모장(《미》 scratch pad).

scríbbling pàper =SCRIBBLING PAD.

°**scribe** [skraib] *n.* **1** 필기사, 사자생(寫字生); 서기. **2** 〖성서〗 유대인 율법학자. **3** 《우스개》 저술가, 작가; 저널리스트, 야구 기자. **4** =scriber; 《미속어》 편지. — *vt.*, *vi.* (돌·나무·벽돌 등)의 표면에 화선기(畫線器)로 선을 새기다《그 부분을 자름》, 화선기로 선을 긋다. ㊞ **scríb·er** *n.* 화선기.

scrim [skrim] *n.* Ⓤ 면직·마직물의 일종《커튼·무대 배경용》; 반투명의 무대용 막; 《미속어》 정식의〔성대한〕 댄스파티.

scrim·mage [skrímidʒ] *n.* **1** 격투, 드잡이,

난투; 작은 충돌. **2** 〖럭비〗 =SCRUMMAGE. **—** *vi., vt.* **1** 격투〔드잡이〕를 하다. **2** 〖럭비〗 =SCRUMMAGE.

scrímmage lìne =LINE OF SCRIMMAGE.

scrimp [skrimp] *vt.* (지나치게) 긴축〔절약〕하다, (음식 등을) 바싹 줄이다. **—** *vi.* 《~/+전+명》 인색하게 굴다, 절약하다《*on*》: She ~*s on* food. 그녀는 먹을 것에 인색하게 군다. ~ ***and scrape*** 검소하게 살다, 꾸준하게 조금씩 저축하다. **—** *a.* 모자라는, 빈약한; 너무 절약하는, 다라운. **—** *n.* 《구어》 구두쇠. ㊕ **∠y** *a.* 긴축하는, 조리차하는, 인색한.

scrim·shank [skrímʃæ̀ŋk] *vi.* 《영군대속어》 태만히 하다, 게으름〔꾀〕 부리다.

scrim·shaw [skrímʃɔ̀ː] *n.* Ⓒ,Ⓤ (항해 중 선원이 조가비·해마의 엄니 등에 하는) 심심풀이 세공 (솜씨). **—** *vt., vi.* 수공품을 만들다.

scrip[1] [skrip] *n.* **1** 메모, 적요; 종이 쪽, 작은 조각. **2** 가(假)증권〔주권〕; 영수증; 〖집합적〗 가(假)증권류, (차용) 증서; (특히 마약의) 약물 처방전. **3** (점령군의) 군표. **4** 《미속어》 1달러 지폐, 돈; (옛 미국에서의 1달러 미만의) 지폐.

scrip[2] *n.* 《고어》 (거지·순례자의) 보따리.

scrip·oph·i·ly [skripɑ́fəli/-pɔ́f-] *n.* 오래된 주식〔증권〕 수집 취미.

◇**script** [skript] *n.* **1** Ⓤ 손으로 쓴 글《print에 대해》; 자체(字體); Ⓤ 〖인쇄〗 필기〔스크립트〕체 활자. **2** Ⓒ 〖법률〗 유언장 초안; 원본, 정본《copy에 대해》. **3** 원고; (극·영화·방송극 등의) 각본, 대본, 스크립트. **4** 《영》 (시험) 답안. **5** 《미구어》 처방전(箋)《특히 마약의》. **—** *vt.* 《구어》 (영화 등의) 스크립트를〔대본을〕 쓰다. ㊕ **∠·er** *n.* 《구어》 =SCRIPTWRITER.

scrípt gìrl 〖영화〗 스크립트 걸《감독·연출자의 여조수〔여비서〕》.

scrip·to·ri·um [skriptɔ́ːriəm] (*pl.* **~s, -ria** [-riə]) *n.* (특히 수도원의) 사자실(寫字室), 기록실, 필사실(筆寫室).

scrip·tur·al [skríptʃərəl] *a.* 문서의〔로 한〕; (종종 S-) 성서(聖書)(중시(重視))의. ㊕ **~·ly** *ad.* **~·ness** *n.*

◇**scrip·ture** [skríptʃər] *n.* **1** (the S-(s)) 성서 (Holy Scripture). **2** 성서의 한 절, 성구(聖句): a ~ lesson 일과로서 읽는 성서 구절/a ~ text 성서의 한 절/a ~ reader (무식한 빈자를 찾아 성서를 읽어 주는) 전도사. **3** 경전(經典), 성전; 권위 있는 서적: the Mohammedan *Scriptures* 이슬람교 경전.

scrípt·wrìter *n.* (영화·방송의) 각본가, 각색자.

scriv·en·er [skrívnər] *n.* 대서인; 공증인; 서기; 《폐어》 대금(貸金)업자.

scrívener's pálsy 〖의학〗 서경(書痙)(writer's cramp).

scrod [skrɑd/skrɔd] *n.* 《미》 대구 새끼; (특히 요리용으로 뼈를 발라낸) 대구.

scrof·u·la [skrɑ́ːfjələ, skrɑ́f-/skrɔ́f-] *n.* Ⓤ 〖의학〗 연주창(King's Evil). ㊕ **-lous** [-ləs] *a.* 연주창의〔에 걸린〕; (상태가) 병적인; 타락한 (degenerate).

◇**scroll** [skroul] *n.* **1** 두루마리; 《고어》 표, 목록, 일람표. **2** Ⓤ,Ⓒ 〖건축〗 (장식용) 소용돌이무늬, 소용돌이 모양; Ⓒ (현악기 앞 부분 끝의) 소용돌이 머리. **3** 자필 서명, 수결, 수압(手押). **4** 〖컴퓨터〗 스크롤《화면에 글이 꽉 찼을 때 한 행씩 밀어올림》: *Scroll* Lock key 두루마리 걸쇠. **—** *vt.* 〖보통 과거분사형〗 두루마리로 하다; (두루마리 모양으로) 말다; 소용돌이무늬로 장식하다. **—** *vi.* 말다, 두루마리로 되다, 〖컴퓨터〗 스크롤하다, 표시 화면 내용을 순차적으로〔1행씩〕 올리다〔내리다〕.

scroll 1

scroll 2

scroll

scróll bàr 〖컴퓨터〗 스크롤바《윈도 환경에서 윈도의 끝이나 하단에 설정한 막대 모양의 영역으로 윈도 내에 표시된 문서가 전체의 어느 부분에 있는지를 나타냄》.

scróll gèar 〔**whèel**〕 〖기계〗 소용돌이 모양의 (톱니)바퀴.

scróll·hèad *n.* 뱃머리의 소용돌이 모양의 장식.

scróll sàw 곡선용 톱, 실톱.

scróll·wòrk *n.* Ⓤ 소용돌이 장식, 당초(唐草) 무늬.

scrooch, scrootch [skruːtʃ] *vt., vi.* 《구어》 쭈그리고 앉다, 웅크리다, 오그라들다, 쑤셔〔밀어〕 넣다.

Scrooge [skruːdʒ] *n.* **1 Ebenezer ~** 스크루지《Dickens의 소설 *A Christmas Carol*의 주인공인 늙은 수전노》. **2** (보통 s-) 수전노.

scroop [skruːp] 《방언》 *vi.* 삐걱거리다. **—** *n.* Ⓤ 삐걱거림; Ⓒ 삐걱거리는 소리.

scro·tum [skróutəm] (*pl.* **~s, -ta** [-tə]) *n.* 〖해부〗 음낭(陰囊). ㊕ **scró·tal** [-təl] *a.*

scrouge, scrooge [skraudʒ, skruːdʒ], [skruːdʒ] *vt., vi.* 《구어·방언》 밀어〔쑤셔〕 넣다.

scrounge [skraundʒ] 《구어》 *vt.* 징발하다; (음식 등을) 찾아다니다; 우려내다, 둥치다《*up*》; 훔치다(steal). **—** *vi.* 찾아다니다《*around*》; 우려내다(wheedle). **—** *n.* ~하기; 훔친 것: be on the ~ 구걸하다. ㊕ **scróung·ing** *n.* 징발.

scroungy [skráundʒi] (***scroung·i·er, -i·est***) *a.* 천박한; 비천한; 초라한; 더러운; 칠칠치 못한.

◇**scrub**[1] [skrʌb] (**-bb-**) *vt.* **1** 《~+목/+목+부/+목+전+명/+목+보》 비벼 빨다〔씻다〕; 북북 문지르다〔닦다〕; (솔 따위로) 세게 문지르다: ~ dirty shirts 더러운 셔츠를 비벼 빨다/~ *out* a dish 접시를 문질러 닦다/~ oneself *with* a towel 타월로 몸을 북북 문지르다/~ the floor clean 마루를 문질러 씻어서 깨끗이 하다. **2** (불순물을) 없애다, 제거하다; 〖컴퓨터〗 (필요 없는 데이터를 제거하여 파일을) 깨끗이 하다. **3** 《구어》 (계획·명령 등을) 취소하다《*out*》; (로켓 발사 등을) 중지〔연기〕하다; 《속어》 쫓아내다, 해고하다: *Scrub* it! 그만둬, 잊어라. **—** *vi.* 문질러서 깨끗이 하다〔씻다〕; (외과의가) 수술 전에 손을 씻다《*up*》; 《경마속어》 (기수가 골 앞에 와서) 채찍〔팔〕을 앞뒤로 흔들어 말을 다그치다. **~ *round*** 《구어》 (규칙·장애 등을) 피하다, 무시하다. **—** *n.* Ⓤ 북북 문지르기, 세게 닦기; 걸레질; 취소, 연기; 〖로켓〗 (미사일의) 발사 연기〔중지〕: give the sink a good ~ 싱크대를 잘 문질러 씻다.

scrub[2] *n.* **1** Ⓤ 덤불, 관목숲(brushwood). **2** 잡목 지대; 《Austral.구어》 인가에서 먼 곳. **3** (가축 등의) 잡종. **4** 지질한 사람〔것〕, 좀스러운〔인색한〕 놈. **5** 《미》 2류 선수(단), 2군(=**∠ tèam**).

scrub·bed [skrʌ́bid] *a.* 세탁한, 씻어 낸; 《고어》 지지러진, 빈약한.

scrub·ber[1] [skrʌ́bər] *n.* **1** 박박 문지르는 사람, 《특히》 갑판 씻는 사람; 솔, 수세미, 걸레; 집진기(集塵機); (가스) 세척기; 세광기(洗鑛器)〔체〕. **2** 《영속어·Austral.속어》 바람난 여자, 갈보.

scrub·ber[2] *n.* 잡종, 《특히》 잡종의 불깐 소; 야윈 불깐 소; 《특히》 수소, 황소.

scrúb(**bing**) **brùsh** 《미》 세탁 솔, 수세미.

scrub·by [skrʌ́bi] (***-bi·er; -bi·est***) *a.* 키가 작은, 왜소한; 관목이 우거진, 덤불이 많은; 하등의, 초라한; 《미》 2류의.

scrúbby clùb 《미속어》 (실패만 하는) 도무지 쓸모없는 집단《연구팀·회사 등》.

scrúb·dòwn *n.* 싹싹 씻어 냄〔비벼 댐〕; 잘 씻음.
scrúb·lànd *n.* 작은 잡목이 우거진 땅, 관목지(灌木地), 총림지(叢林地).
scrúb nùrse 수술실 간호사.
scrúb sùit 수술복《외과의사나 그 조수들이 입는 녹색의 상하로 된 무명옷》.
scrúb týphus 털진드기병.
scrúb-ùp *n.* 철저하게 씻기, (특히 의사 · 간호사가 수술 전에 하는) 손 씻기, 소독.
scrúb·wòman (*pl.* **-wòmen**) *n.* 《미》 잡역부(婦)(charwoman).
scruff[1] [skrʌf] *n.* 목덜미(nape); 의복의 낙낙한 부분《코트 깃 등》. ***take*** 〔***seize***〕 **a person *by the ~ of the neck*** 아무의 목덜미를 잡다.
scruff[2] *n.* 〖야금〗 스크러프《주석 도금 때 생기는 앙금》; 《구어》 궁상맞은〔추레한〕 놈. **—** *vi.* 《미속어》 근근이 살아가다《*along*》.
scruffy [skrʌ́fi] *a.* 추레한, 꾀죄죄한, 더러운.
scrum, scrum·mage [skrʌm], [skrʌ́midʒ] *n.* 〖럭비〗 스크럼. **—** *vt., vi.* 스크럼을 짜다; (공을) 스크럼 안으로 넣다.
scrúm·càp *n.* 〖럭비〗 헤드기어《두부(頭部) 보호용》.
scrúm hàlf 〖럭비〗 스크럼 하프《공을 스크럼 안에 넣는 하프백》.
scrum·my [skrʌ́mi] *a.* 《영구어》 아주 맛있는.
scrump [skrʌmp] *vt., vi.* (특히 사과 등을) 훔치다, 후무리다; (과수원)에서 훔치다.
scrum·ple [skrʌ́mpəl] *vt.* (종이 · 천을) 꼬깃꼬깃 구기다.
scrump·tious [skrʌ́mpʃəs] *a.* 《구어》 몹시 즐거운, 멋진, 굉장한. [파] **~·ly** *ad.*
scrum·py [skrʌ́mpi] *n.* 《영방언》 신맛이 강한 사과주《잉글랜드 남서부 특산》.
scrunch [skrʌntʃ] *vi., vt., n.* =CRUNCH.
scrúnch-drỳing *n.* 스크런치드라잉《머리카락의 밑부분을 드라이어를 대고 문질러 헝클어지게 머리를 말리는 방법》. [파] **scrúnch-drỳ** *vt.*
◇**scru·ple**[1] [skrúːpəl] *n.* [U,C] 도덕 관념, 윤리관, 양심의 가책; 〖보통 no 〔without〕 ~의 형태로〗 (일의 옳고 그름 등에 관한 판단의) 주저, 망설임. ***a man of no ~s*** 예사로 나쁜 짓을 하는 사람. ***have ~s*** 〔***no ~***(***s***)〕 ***about*** doing …하기를 망설이다〔망설이지 않다〕. ***make no ~ to*** do 예사로 …하다. ***stand on ~*** 사양하다. ***without ~*** 예사로, 거리낌 없이: do something *without* ~. **—** *vi.* 《+[전]+[명]》 (…하기를) 망설이다, 양심의 가책을 받다, 주저하다: ~ *at* doing wrong 양심의 가책을 받아 나쁜 일을 하지 않다. **—** *vt.* 《~+[목]/+-*ing*/+*to* do》 《고어》 …을 주저하다, 두려워 삼가다: ~ a lie 거짓말하기를 주저하다/~ giving one's opinion 의견 말하기를 주저하다. ***do not ~ to say*** …라고 말하기를 서슴지 않다.
scru·ple[2] *n.* **1** 스크루플《약량(藥量)의 단위; 20 grains =1.296g; 생략: sc.》. **2** 조금, 미량.
scru·pu·los·i·ty [skrùːpjəlɑ́səti/-lɔ́s-] *n.* [U] 근실함, 꼼꼼함.
◇**scru·pu·lous** [skrúːpjələs] *a.* **1** 빈틈없는, 면밀한, 꼼꼼한. **2** 양심적인, 견실한, 신중한. [파] **~·ly** *ad.* **~·ness** *n.*
scru·ta·ble [skrúːtəbəl] *a.* (암호 따위가) 해독〔판독〕할 수 있는.
scru·ta·tor [skruːtéitər] *n.* 자세히 조사하는 사람, 검사자; 투표 검사인.
scru·ti·neer [skrùːtəníər] *n.* 검사자; 《영》 투표 검사인(《미》 canvasser).
◇**scru·ti·nize** [skrúːtənàiz] *vt., vi.* 자세히 조사하다, 음미하다; 유심히 바라보다《*into*》. [파] **-nìz·ing·ly** *ad.* 꼼꼼히, 유심히.
◇**scru·ti·ny** [skrúːtəni] *n.* [U,C] (면밀한) 음미〔조사〕, 정사(精査); 감시; 감독; 유심히 봄, 응시; 《영》 [C] 투표(재)검사: Every product undergoes (a) close ~. 상품은 모두 엄중한 검사를 받는다/be under constant ~ 끊임없는 감시를 받고 있다. ***make a ~ into*** …을 자세히 조사하다.
scry [skrai] *vi.* 수정점(水晶占)을 치다. [cf.] crystal gazing. **—** *vt.* 《고어 · 방언》 =DESCRY. [파] **∠·er** *n.* 수정점쟁이(crystal gazer).
SCSI [skʌ́zi] *n.* 〖컴퓨터〗 스카시 (scuzzy) 《하드 디스크 등의 주변 장치를 컴퓨터에 접속하는 방법 · 수순을 규정한 직렬 표준 인터페이스》. [◂ Small Computer System Interface]
sct. scout. **sctd.** scattered.
scu·ba [skjúːbə] *n.* 스쿠버《잠수용 수중 호흡기》. [cf.] aqualung. [◂ self-contained underwater breathing apparatus]
scúba dìve 스쿠버 다이빙을 하다.
scúba dìver 스쿠버 다이버.
scúba dìving 스쿠버 다이빙. [cf.] skin diving.
Scud [skʌd] *n.* 스커드 미사일(=**Scúd missile**) 《지대지 미사일; A, B, C 형이 있음》.
scud (**-dd-**) *vi.* 질주하다; (화살이) 표적을 높이 크게 벗어나다; 〖해사〗 순풍을 받고 달리다. **—** *n.* 휙 달리는〔나는〕 일; [U] 조각구름, 비구름; 소나기; 돌풍.
scu·do [skúːdou] (*pl.* **-di** [-diː]) *n.* 19세기까지의 이탈리아의 은화 (단위).
scuff [skʌf] *vi., vt.* 발을 질질 끌며 걷다(shuffle); (구두 따위를) 닳도록 신다; (땅 · 마룻바닥 등을) 발로 문지르다; 《미》 발로 차다; 닳아 버리다; 발로 비비다. **—** *n.* **1** [U] 질질 끄는 걸음. **2** [C] 닳은 부분〔자국〕. **3** 슬리퍼. **4** 《고어》 목덜미.
◇**scuf·fle** [skʌ́fəl] *n.* 드잡이, 격투, 난투; =SCUFF. **—** *vi.* 드잡이하다, 난투하다《*with*》; 허둥대다, 갈팡질팡하다; 《미속어》 그럭저럭 먹고 살다; =SCUFF.
scúff màrk 끌린〔긁힌〕 자국.
scug [skʌg] *n.* 《영》 하는 일마다 시원찮은 놈〔학생〕, 변변치 못한 사람〔학생〕.
scull [skʌl] *n.* **1** 스컬《한 사람이 양손에 한 자루씩 가지고 젓는 노; 그 노로 젓는 가벼운 경조용(競漕用) 보트》. **2** 스컬로 젓는 일. **—** *vi., vt.* 스컬〔노〕로 젓다. [파] **∠·er** *n.* 스컬〔노〕로 젓는 사람; 스컬《경조용 보트》.
scul·lery [skʌ́ləri] *n.* (부엌의) 싱크대; 그릇 씻어 두는 곳.
scúllery màid 설거지만 맡은 가정부.
scul·lion [skʌ́ljən] *n.* 《영고어》 부엌 허드레꾼, 접시닦이; 《경멸》 상놈.
scul·pin [skʌ́lpin] *n.* 《미》 〖어류〗 둑중갯과(科)의 담수어; 양태류(類)《바닷물고기》.
sculp·ser·unt [skʌlpsíərʌnt] *vt.* 《L.》 …이 이것을 조각하다(they sculptured (it)).
sculp·sit [skʌ́lpsit] *vt.* 《L.》 (아무개가) 이것을 조각함(he 〔she〕 sculptured (it)) 《조각자의 서명 다음에 씀; 생략: sc., sculps.》.
sculp(**t**) [skʌlp(t)] *vt., vi.* 《구어》 =SCULPTURE.
***sculp·tor** [skʌ́lptər] (*fem.* **-tress** [-tris]) *n.* **1** 조각가, 조각사(師). **2** ((the) S-) 〖천문〗 조각실(室)자리.
Scúlptor's Tóol (the ~) 〖천문〗 조각도(刀)자리(Caelum).
***sculp·ture** [skʌ́lptʃər] *n.* [U] **1** 조각(술), 조소(彫塑); [U,C] 조각 작품. **2** 〖동물 · 식물〗 무늬; 〖지학〗 (침식 등으로 생기는) 지형의 변화. **—** *vt.* **1** 《~+[목]/+[목]+[전]+[명]》 조각하다: ~ a statue *in* 〔*out of*〕 stone 석상을 조각하다. **2** 〖보통 과거분사〗 조각물로 장식하다; 조각풍〔입체적〕으로 만들다. **3** 《~+[목]/+[목]+[전]+[명]》 침식하다(erode): The dripping water had ~*d* the rock *into* strange shapes. 떨어지는 물방울이 바위를 침식하여 이상한 모양이 되었다. **—** *vi.* 조각을 하다. [파] **-tur·al** [-tʃərəl] *a.* 조각한, 조각

된, 조각적인; 조각술의.

sculp·tur·esque [skʌ̀lptʃərésk] *a.* 조각풍의, 조각 같은; 모양이〔이목구비가〕 반듯한; 당당한.

scum [skʌm] *n.* Ⓤ (액체 표면에) 떠 있는 찌끼, 더껑이, 버캐; 찌끼《*of*》; 녹조(綠藻); 최하층민; 인간쓰레기; 《비어》 정액(semen): the ~ of the town 거리의 불량배〔깡패〕/ You filthy ~! 이 밥통아. ── (*-mm-*) *vt.*, *vi.* (…에서) 더껑이를 제거하다; 더껑이가 생기다.

scúm·bàg *n.* 《비어》 콘돔(condom), 고무 제품(rubber); 《경멸》 쓰레기 같은 인간, 더러운 놈.

scum·ble [skʌ́mbəl] 〖회화〗 *vt.* 색을 부드럽게 하다, 바림을 하다. ── *n.* Ⓤ 바림; 바림칠.

scum·my [skʌ́mi] (*-mi·er; -mi·est*) *a.* 더껑이가 생긴, 거품이 인; 《구어》 하찮은, 비열한, 천한, 더러운.

scunge [skʌndʒ] 《Austral.속어》 *vt.* 빌리다, 꾸다. ── *n.* 쓸모없는 놈; 빌리기만 하는 놈.

scun·gil·li [skundʒíːli, -gíːli, -dʒíli] *n.* 식용의〔조리한〕 고둥〔소라, 우렁이〕.

scun·gy [skʌ́ndʒi] *a.* 《Austral.구어》 더러운; 《Austral.구어》 가엾은; 《S. Afr.속어》 어두운.

scun·ner [skʌ́nər] *n.* 혐오, 증오. ***take*** 〔***have***〕 ***a ~ against*** 〔***at, to***〕 …을 싫어하다, …에 반감을 갖다. ── *vi.* 《Sc.》 기분이 나빠지다, 신물이 나다. 「《북아메리카 대서양 연안산(產)》.

scup [skʌp] (*pl.* ~, ~*s*) *n.* 〖어류〗 붉은도미

scup·per [skʌ́pər] *n.* 〖해사〗 (갑판의) 배수구; 〖일반적〗 물 빼내는 구멍; 《미속어》 (거리에서 손님을 끄는) 매춘부. ***full to the ~s*** 《구어》 배가 가득 차서. ── 《영속어》 *vt.* **1** (배를) 의도적으로 침몰시키다. **2** (계획 등을) 망쳐 놓다. **3** (아무를) 죽이다; 〖군사〗 …을 압도〔궤멸〕시키다, (기습하여) 파괴하다. ── *vi.* 《미구어》 술을〔맥주를〕 마시다.

scup·per·nong [skʌ́pərnɔ̀ːŋ, -nɑ̀ŋ/-nɔ̀ŋ] *n.* 〖식물〗 알이 큰 포도의 일종《미국 남부산(產)》.

scurf [skəːrf] *n.* Ⓤ 비듬(dandruff); 때. ㊕ **~y** *a.* 비듬투성이의; 비듬 같은.

scur·ril(e) [skə́ːril, -rail, skʌ́r-/skʌ́rail] *a.* 《옛투》 =SCURRILOUS. ㊕ **scur·ríl·i·ty** [-ríləti] *n.*

scur·ril·ous [skə́ːrələs, skʌ́r/skʌ́r-] *a.* 말투가 험한, 입이 건; 상스러운, 무례한《욕 따위》. ㊕ **~·ly** *ad.* **~·ness** *n.*

scur·ry [skə́ːri, skʌ́ri/skʌ́ri] *vi.* 종종걸음으로〔허둥지둥〕 달리다, 급히 가다《*about; along; away; off*》; 갈팡질팡하다. ── *n.* **1** Ⓤ,Ⓒ (허둥대는) 급한 걸음; Ⓤ 종종걸음; Ⓒ 그 발소리. **2** Ⓒ (특히 말의) 단거리 경주. **3** (새가) 맴돎; (소나기·눈의) 휘몰아침.

Ś-cùrve *n.* 《미》 (도로의) S자형 커브.

scur·vy [skə́ːrvi] (*-vi·er; -vi·est*) *a.* 상스러운, 천한; 무례한; 비듬투성이의. ── *n.* Ⓤ 〖의학〗 괴혈병. ㊕ **-vi·ly** *ad.* 천하게. **-vi·ness** *n.* 천함. **scúrvied** *a.* 괴혈병에 걸린.

scúrvy gràss 〖식물〗 양고추냉이속(屬)의 풀《예전에 괴혈병에 쓰던》.

scut[1] [skʌt] *n.* (토끼·사슴 따위의) 짧은 꼬리; 《속어》 비열한 놈; 《미속어》 풋내기, 햇강아지.

scut[2] *n.* 《속어》 경멸할 만한〔비열한〕 녀석.

scu·ta [skjúːtə] SCUTUM의 복수. 「병역 면제세.

scu·tage [skjúːtidʒ] *n.* 〖역사〗 (봉건 시대의)

Scu·ta·ri [skúːtəri] *n.* 스쿠타리. **1** 알바니아 북서부의 항구 도시《알바니아어(語)로는 Shkodër》. **2** 터키의 이스탄불의 일부《터키어로는 Üsküdar》.

scu·tate [skjúːteit] *a.* 〖동물〗 방패 모양의 비늘이 있는, 인갑(鱗甲)이 있는; 〖식물〗 (잎이) 둥근 방패 모양의.

scutch [skʌtʃ] *vt.* (솜·삼 따위를) 두들겨 목질부를 분리하다〔가리다〕, …의 엉킨 것을 풀다. ── *n.* Ⓤ 삼 부스러기; Ⓒ 타면기, 타마기(打麻機); 탈곡기(脫穀機), 탈곡하는 사람. ㊕ **~·er** *n.* 타면기, 타마기.

scutch·eon [skʌ́tʃən] *n.* =ESCUTCHEON; 명찰, 표찰; 열쇠 구멍의 뚜껑; 〖동물〗 순판(楯板).

scute [skjuːt] *n.* 〖동물·곤충〗 =SCUTUM.

scu·tel·late [skjuːtélit, skjúːtəlèit] *a.* 〖동물〗 (갑충(甲蟲) 등이) 소순판(小楯板)이 있는; 인갑(鱗甲)이 있는; 〖식물〗 방패 모양의, 작은 쟁반 모양의.

scu·tel·lum [skjuːtéləm] (*pl.* ***-tel·la*** [-lə]) *n.* 〖동물〗 소순판(小楯板); (새 발의) 각질 인편; (곤충의) 소인부(小鱗部); 〖식물〗 (볏과(科) 식물의) 배반(胚盤), 흡반.

scút pùppy 《미속어》 병원의 인턴(intern).

scut·ter [skʌ́tər] 《구어》 *vi.*, *n.* =SCURRY; (악행 또는 선행에) 출중한 사람.

°**scut·tle**[1] [skʌ́tl] *n.* (실내용) 석탄 그릇〔통〕(가득한 양); 《영방언》 (곡물·채소·꽃 따위를 담는) 큰 바구니; 《영》 스커틀《자동차의 보닛과 차체의 이음매》.

scut·tle[2] *vi.* 급히 가다, 황급히 달리다; 허둥지둥 도망가다《*away; off*》. ── *n.* Ⓤ,Ⓒ 종종걸음; 허둥지둥 달리기〔도망치기, 떠나기〕.

scut·tle[3] *n.* (배의) 현창(舷窓); 천창(天窓), (천장·벽 따위의) 채광창; 그 뚜껑. ── *vt.* **1** (배를) 선저판(船底瓣)을 열어〔밑바닥에 구멍을 뚫어〕 침몰시키다. **2** (계획·희망 등을) 단념하다, 버리다, 무효화하다; (소문 등을) 취소하다.

scúttle·bùtt *n.* 〖해사〗 (갑판의) 음료수통, 맑은 물통; 배 안의 물 마시는 곳; Ⓤ 《구어》 (뜬)소문, 가십.

scu·tum [skjúːtəm] (*pl.* ***-ta*** [-tə]) *n.* 〖고대로마〗 직사각형 방패; 〖동물〗 (곤충의 가슴·등의) 순판(楯板); (거북 따위의) 인갑(鱗甲); 〖해부〗 슬개골(膝蓋骨); (S-) 〖천문〗 방패자리.

scút·wòrk *n.* 《미구어》 (아랫사람이 하는) 정해진 허드렛일(=**scút wòrk**).

scuzz [skʌz] *n.* 《속어》 멸시할 만한〔구중중한, 더러운, 싫은〕 사람〔물건〕(=**scúzz·bàg, scúzz·bàll, scúzz·bùcket**). ── *a.* =SCUZZY[1]. ── *vt.* (남을) 역겨웁게 하다, 지겹게 하다《*out*》.

scuz·zy[1] [skʌ́zi] (***-zier; -ziest***) *a.* 《미속어》 구중중한, 때묻은, 지겨운, 틀린.

scuz·zy[2] *n.* 《미구어》 =SCSI.

Scyl·la [sílə] *n.* 스킬라. **1** Messina 해협 이탈리아쪽 해안의 큰 바위. **2** 〖그리스신화〗 이 바위에 살던 머리 6개, 다리 12개 달린 여자 괴물. ***between ~ and Charybdis*** 《문어》 진퇴유곡으로.

°**scythe** [saið] *n.* **1** (자루가 긴) 큰 낫. **2** 〖로마사〗 전차 낫《옛날, 전차의 굴대에 달아 적을 쓰러뜨린》. ── *vt.* 큰 낫으로 베다.

Scyth·ia [síθiə/síð-] *n.* 스키타이《옛날 흑해·카스피 해 북방에 있던 나라》. ㊕ **-i·an** *a.*, *n.* ~의; ~사람〔말〕의; ~사람; Ⓤ ~말《Iranian 어파의 하나》.

scythe 1

S/D, S. D. 〖상업〗 sight draft. **S.D.** =Sc. D.; sea-damaged; Senior Deacon; South Dakota; Special Delivery. **sd.** said; sound; 〖제본〗 sewed. **s.d.** several dates; *sine die* 《L.》 (=without day); shillings & pence.

S. Dak. South Dakota.

'sdeath [zdeθ] *int.* 《고어》 빌어먹을, 지겨워,

에잇《노여움·놀람·결의(決意) 따위를 나타내는 맹세의 말》. [◀ God's *death*]

SDI Strategic Defense Initiative(cf. Star Wars); selective dissemination of information. **SDIO** Strategic Defense Initiative Organization (Office). **SDLP** Social Democratic and Labor Party. **SDP** Social Democratic Party. **SDPC** 〖우주〗 shuttle data processing complex. **SDR** 〖경제〗 Special Drawing Rights((IMF의) 특별 인출권). **SDS** 〖군사〗 Satellite Data System.

se- [si, sə, se] *pref*. '떨어져, …없이'의 뜻: *se*clude, *se*cure.

SE, S.E. southeast. **SE** shift eater; systems engineering (시스템 공학). **SE, S.E., S/E** Stock Exchange. **Se** 〖화학〗 selenium.

SEA Single European Act; Southeast Asia.

†**sea** [siː] *n*. **1** (the ~) Ⓤ 바다, 대양, 대해, 해양. cf. ocean. ¶ sail on the ~ 해상을 항해하다. ★ '바다'의 뜻으로 미국에서는 일반적으로 ocean을 쓰며 sea는 흔히 시적인 느낌을 가짐. **2** (the ~) (육지·섬으로 둘린) 바다, …해《동해·지중해 따위》; 염수호(湖); 큰 호수: the closed ~ 영해 / ⇨SEVEN SEAS; DEAD SEA; BLACK SEA. **3** (어떤 상태의) 바다; 파도, 조수: a high (heavy) ~ 큰 파도, 놀 / a rough ~ 거친 바다 / a broken ~ 부서지는 파도 / a full ~ 만조(滿潮) / ⇨HIGH SEA. **4** (a ~ of ... *or* ~s of ...) 《비유》 (광대한) 퍼짐, …의 바다; 다량, 많음, 다수: a ~ *of* flame 불바다 / ~*s of* blood 피바다, 잔혹한 유혈. **5** 〖성서〗 =LAVER[1]; 〖천문〗 =MARE[2]. **6** (the ~) 선원 생활(살이).

across the* ~(*s*)** 해외에(로), 외국에. ***at* ~** (육지가 안 보이는) 해상에, 항해 중인; 《비유·구어》 어찌할 바를 몰라: all (totally) *at* ~ 아주 망연자실하여. ***beyond* (*across, over*) ~(*s*)** 해외에(로). ***by* ~** 바닷길로, 뱃길로; 배편으로. ***by the* ~** 바닷가에. ***command of the* ~** 제해권. ***far away in the* ~** 난바다에. ***follow the* ~** 뱃사람(선원)이 되다. ***go out to* ~** 바다로 나아가다, 난바다로 나오다. ***go to* ~** 뱃사람이 되다; 출항하다. ***go to the* ~** 해안으로 가다. ***half ~s over 《구어》 술에 취해. ***keep the* ~** 제해권을 유지하다; 난바다에 나와 있다, (배가) 속항하다. ***on the* ~** 해상에; 물결을 타고; 바닷가에. ***put* (*out*) *to* ~** 출항(출범(出帆))하다. ***sound the* ~** 바다 깊이를 재다. ***stand to* ~** 난바다로 나아가다. ***take* ~** (배가) 침수하다, 바닷물이 들어오다. ***take the* ~** 출범(진수)하다; 승선하다. ***the four ~s*** 《영》 (Great Britain의) 사방의 바다: within *the four ~s* 영국 국내에. ***when the ~ gives up its dead*** 다시 사는 날《수장 시의 문구; 계시록 XX: 13》. ***wish* a person *at the bottom of the* ~** 아무가 바다에 빠져 죽기를 원하다, 아무를 저주하다.

séa áir (요양에 좋은) 바닷(해변의) 공기, 해기(海氣).

séa ànchor 〖해사〗 물닻, (즈크제의) 띄움닻《표류를 막고, 이물을 바람머리로 돌려두기 위한》.

séa anémone 〖동물〗 말미잘.

séa bàg (끈으로 죄는 원통형의) 선원용 사물 포대.

séa bànk 제방, 방파제(sea wall); 해안.

séa-bàsed [-t] *a*. 해상에 기지를 갖는; 해상 기지 발진의: ~ missiles.

séa bàss [-bæs] 〖어류〗 농성어.

séa·bèach *n*. 바닷가, 해변.

séa bèar 〖동물〗 흰곰, 북극곰; 물개.

séa·bèd *n*. 해저(seafloor).

Sea·bee [síːbìː] *n*. 〖미해군〗 건설대원; (the ~s) 건설(시설) 부대; 시비선(船)《짐을 거룻배째 수송하는 대형 화물선》. [◀ *CB*=Construction Battalion]

séa bèlls 〖식물〗 갯메꽃.

séa·bìrd *n*. 바닷새(=**séa bird**).

séa bìscuit 건빵(hardtack).

séa blùbber 〖동물〗 해파리(jellyfish).

séa·bòard *n*. Ⓤ 해안, 연해(연안) 지방. —*a*. 해변의, 해안(지대)의.

séa bòat 외양선, 원양 항로선《근해선·강배에 대하여》; 구명보트: a good (bad) ~ 파도에 견디는(못 견디는) 배.

séa·bòot *n*. (선원·어부의) 긴 장화.

sea·bor·gi·um [siːbɔ́ːrgiəm] *n*. 〖화학〗 시보귬《인공 방사성 원소; 기호 Sg; 번호 106》.

séa-bòrn *a*. 바다에서 태어난, 해산(海產)의: the ~ city, Venice의 속칭 / the ~ goddess =APHRODITE.

séa·bòrne *a*. **1** 해상 수송의(에 의한); 바다를 건너오는, 해외로부터의: ~ articles 외래품 / ~ goods 해운 화물. **2** (배가) 표류하는; 표착한.

sea-bow [síːbòu] *n*. (물보라 속에 생기는) 무지개. [◀ *sea* rain*bow*]

séa brèad 항해용 건빵(ship biscuit).

séa brèam 〖어류〗 도미류(類).

séa brèeze 〖기상〗 바닷바람, 해연풍(海軟風).

séa càbbage =SEA KALE.

séa càlf 〖동물〗 바다표범.

séa canàry 〖동물〗 흰돌고래《공기 중에 전음(顫音)을 발함》.

séa càptain 함장, (특히 상선의) 선장; 해군 대령; 《시어·문어》 대(大)항해자, 대제독.

séa chànge 큰 변모, 양상의 완전한 변화; 《고어·문어》 바다 작용에 따른 변화: undergo a ~ 양상을 일변시키다.

séa chèst 〖해사〗 해수함(海水函)《바닷물을 끌어들이기 위해 흘수선 밑에 닮》; (선원의) 사물함.

séa chèstnut 〖동물〗 성게.

séa-clòth *n*. (극장 무대의) 파도용 막《배경막》.

séa còal 〖영국사〗 석탄《예전에 Newcastle에서 배로 수송된 석탄을 charcoal과 구별하여》.

°**séa·còast** *n*. Ⓤ 연안, 해안.

séa·còck *n*. (증기 기관의) 해수 콕, 선저판(船底瓣); 〖어류〗 성대(gurnard).

séa còok 《경멸》 배의 조리사.

sea·cop·ter [síːkɑ̀ptər/-kɔ̀p-] *n*. 수륙 양용 헬리콥터. [◀ *sea*+heli*copter*]

séa còw 〖동물〗 해우; 해마.

séa·cràft *n*. 원양 항해용 선박; 항해술.

séa cròw 〖조류〗 바다오리; 붉은부리갈매기.

séa cùcumber 〖동물〗 해삼.

séa·cùlture *n*. Ⓤ 해산물의 양식(養殖).

séa dèvil 〖어류〗 아귀; 매가오리.

séa dòg **1** 〖동물〗 바다표범의 일종; 〖어류〗 돔발상어. **2** 노련한 선원(선장); (옛날의) 해적.

séa·dròme *n*. 〖항공〗 해상 긴급(중계) 이착륙 설비, 수상 부유(浮遊) 공항, 시드롬.

séa dùck 〖조류〗 바다 오리.

séa dùty 〖미해군〗 해외 임무(근무).

séa èagle 〖조류〗 흰죽지참수리, 흰꼬리수리; 《미》 물수리.

séa-èar *n*. 〖패류〗 전복(abalone).

séa èlephant 〖동물〗 해마, 바다코끼리.

séa·fàrer *n*. 뱃사람; 항해자.

séa·fàring *a*. 항해의; 선원을 직업으로 하는: a ~ life 선원 생활. —*n*. Ⓤ 선원 생활; 배를 타는 직업; 항해.

séa fight 해전.

séa fire 바다 생물의 발광(發光).

séa fish (민물고기에 대하여) 바닷물고기.

séa·flòor *n*. 해저(seabed).

séa·flòwer *n*. =SEA ANEMONE.

séa fòam 해면의 거품; 〖광물〗 해포석(海泡石)(meerschaum).

séa fòg (바다에서 뭍으로 오는) 바다 안개.

séa·fòod *n*. 해산 식품《생선·조개류》, 해물;

《속어》 (호모 상대로서의) 선원.
séa·fòwl *n.* 바닷새(seabird).
séa fòx 〖어류〗 환도상어.
séa·frònt *n.* (건물의) 바다에 면한 부분; (도시의) 해안 거리; 임해 지구; 해안 산책로.
séa gàuge 〖해사〗 (배의) 흘수(吃水); 자기 측심계(自記測深計).
séa·gìrt *a.* 《시어》 바다에 둘러싸인.
séa·gòd *n.* 해신(Neptune).
séa·gòddess *n.* 바다의 여신(女神).
séa·gòing *a.* 원양 항로의〔에 적합한〕; 항해를 업으로 삼는; 《미속어》 (차(車) 따위) 요란스럽게 꾸민; (사람이) 되잖게 빼기는.
séa-grànt còllege 《미》 (연방 정부의 지원을 받는) 해양학 연구 대학.
séa gràpe 〖식물〗 모자반속(屬)의 바닷말(gulfweed); (*pl.*) 〖동물〗 왜오징어류의 우무 모양의
séa gréen 해록색(海綠色). ⌊난각(卵殼).
séa-gréen *a.* 해록색의.
séa gùll 갈매기; 《미속어》 항구의 매춘부.
séa hèdgehog 〖동물〗 성게; 〖어류〗 가시복;
séa hòg 〖동물〗 돌고래. ⌊복.
séa hòrse 〖신화〗 해마《해신의 전차를 끄는 말머리·물고기 꼬리의 괴물》; 〖동물·어류〗 해마.
séa·jàck *n.* (항해 중인) 선박 납치. **—** *vt.* ~하다.
séa kàle 십자화과(科)의 식물《유럽 해안산; 새싹은 식용》.
séa·kèeping *n.* 〖해사〗 능파성(凌波性)《선박이 거친 바다에 견디는 능력》.
séa-kìndly *a.* (배가) 거친 바다에도 끄떡없이 항해하는. ⌈Viking.
séa kìng (중세 스칸디나비아의) 해적왕. cf.
*__seal__[1] [siːl] (*pl.* **~s, ~**) *n.* 〖동물〗 바다표범, 물개 (fur ~), 강치; Ⓤ 그 모피; 암갈색(~ brown). **—** *vi.* 바다표범〔물개, 강치〕 사냥을 하다. ㊞ **∠·like** *a.*
*__seal__[2] *n.* **1** 봉인, 증인(證印)《봉랍(封蠟)·봉연(封鉛)·봉인지 등에 찍은》; (seal을 찍기 위한) 인장; 옥새(玉璽); 문장(紋章); 인발《주로 금속으로 됨》: impress one's ~ on the wax 인장을 봉랍 위에 찍다 / ⇨LORD PRIVY SEAL. **2** 보증〔인증〕의 표적, 보증인(印). **3** 비밀 엄수 약속, 입막음하는 것; 〖가톨릭〗 (사제의) 고백의 비밀(=**∠ of conféssion**): under ~ of …을 지킨다는 서약으로. **4** 《비유》 징후, …상(相): the ~ of death 죽을 상(相). **5** 실, 장식 우표: a Christmas ~. **6** (보통 the ~s (of office)) 《영》 대법관〔장관〕의 관직. **7** (하수관(管)의) 방취판(防臭瓣); 실《관을 S자 형으로 구부린 것》. ***affix a ~ to*** …에 도장을 찍다〔누르다〕. ***break the ~*** 개봉하다. ***put*** 〔***set***〕 ***one's ~ to*** …을 보증〔승인〕하다; …에 날인하다. ***receive*** 〔***return***〕 ***the ~s*** 장관·대법관에 취임〔사임〕하다. ***one's ~ of approval*** 정식 인가: He gave the plan his ~ *of approval*. 그는 그 계획을 승인했다. ***set the ~ on*** …을 결정적인 것으로 하다. ***the ~ of love*** 사랑의 표적《키스·결혼 따위》. ***under*** 〔***with***〕 ***a flying ~*** 봉하지 않고. ***under one's hand and ~*** (증서 따위에) 서명 날인으로. ***under*** (***the***) ***~ of secrecy*** 〔***silence***〕 비밀〔침묵〕을 지킨다는 약속으로.
— *vt.* **1** …에 날인하다, …에 조인하다; (상담 따위를) 타결 짓다. **2** 《~+목/+목+전+명》 (상품 따위에) 검인하다; 보증하다; 확인〔증명〕하다: We ~*ed* the promise *with* a handshake. 우리는 악수로 그 약속을 다짐했다. **3** …에 봉인하다《*off*》; (편지를) 봉하다: ~ a letter. **4** 《~+목/+목+부》 밀봉하다, 밀폐하다, 틈새를 막다《*up*》: ~ a pipe / ~ *up* a window 창문을 밀폐하다 / ~ the cracks in a wall 벽의 갈라진 틈을 막다. **5** 《+목+부》 가두다《*up*》, 새지 않게 하다《*out*》: be ~*ed up* in ice 얼음에 갇혀서 꼼짝 못하다 / Use a tight lid to ~ the flavor *in* 〔the air *out*〕. 맛이 새나가지 않도록 꼭 끼는 마개를 사용해라. **6** (입 따위를) 막다, (눈을) 가리다: His lips are ~*ed*. 그는 입막음을 당하고 있다. **7** (비밀을) 엄수시키다. **8** 《~+목/+목+부》 (운명 따위를) 결정하다: His fate is ~*ed* (*up*). 그의 운명은 결정됐다. **9** 〖종교〗 …에게 세례를 주다, 견진 성사를 베풀다. **10** 〖전기〗 (소켓 따위를) 끼우다. **11** 〖영군사〗 수납하다. **12** 《+목+전+명》 (날인하여) 주다, 하사하다, 양여하다: He has ~*ed* his will *to* his son. 그는 유서에 도장을 찍고 아들에게 주었다. **~ *off*** 밀봉하다; 출입을 금지하다, (비상선 등으로) 포위하다: ~ *off* a jar 항아리를 밀봉하다 / The police ~*ed off* the area. 경찰은 그 지역을 봉쇄했다.
㊞ **∠·a·ble** *a.*

a b

a. the Great Seal of the United States
b. the Great Seal of Canada
seal[2] 1

SEAL [siːl] 〖미해군〗 sea, air, land (team) 《미해군 특수 부대; 실》.
Sea·lab [síːlæ̀b] *n.* 〖미해군〗 해저 실험실.
séa làdder (뱃전의) 줄사다리. ⌈로.
séa làne (대양상의) 항로, 해상 교통로, 통상 항
seal·ant [síːlənt] *n.* 밀폐〔봉함〕제(劑).
séa làvender 갯질경잇과의 해안 식물.
séa làwyer 《해사구어》 이론을 곧잘 내세우는 선원《약간의 항해법 따위의 지식을 내세움》; 《속어》 성가신 놈; 〖어류〗 상어.
séal brówn 암갈색.
séal·éasy *a.* 간단히 봉할 수 있는: ~ envelopes.
sealed *a.* 도장을 찍은, 조인한; 봉인〔밀봉〕한.
séaled-béam hèadlight 실드빔 전조등《반사경, 렌즈, 필라멘트를 일체화한 헤드라이트》.
séaled bóok 내용을 알 수 없는 책; 신비, 수수
séaled móve 〖체스〗 봉수(封手). ⌊께끼.
séaled órders 〖해사〗 봉함 명령《선장이 출항 후에 개봉하거나, 어느 날짜까지는 개봉할 수 없는 명령서》: under ~. ⌈영군식(英軍式).
séaled páttern 《영》 (군용 장구의) 표준형,
séa lègs 《구어》 흔들리는 배 안을 잘 걷는 능력; 《비유》 뱃멀미 안 하기. ***get*** 〔***have, find***〕 ***one's ~*** (***on***) 배의 흔들림에 익숙해지다, 뱃멀미를 안 하게 되다. ***get one's ~ off*** 육지의 보행에 익숙해지다.
séa lèopard 바다표범의 일종《남극해산》.
séal·er[1] *n.* 날인자(者)〔기(機)〕; 검인자; 봉인자; 《영에서는 폐어》 도량형 검사관.
séal·er[2] *n.* 바다표범잡이(배).
seal·ery [síːləri] *n.* Ⓤ 바다표범 어업; Ⓒ 바다표범 어장〔서식지〕.
séa lètter (전시의) 중립국 선박 증명서.
séa lèvel 해수면, 평균 해면: above ~ 해발.
séal fishery 바다표범잡이 어장〔어업〕.
séa·lìft *n.* (군대·물자 등의 육상 수송이 불가능·부적당한 때의) 해상 수송. cf. airlift.

séa lìly 〖동물〗 갯나리.

séa lìne 수평선; 해안선; (어업·낚시용) 측심사(測深絲).

séal·ing *n.*, *a.* 바다표범 어업(의).

séaling wàx 봉랍.

séa lìon 〖동물〗 강치.

séal lìmb(s) 〖의학〗 해표지증(海豹肢症)(phocomelia).

Séa Lòrd 《영》 해군 본부 위원회(Board of Admiralty) 위원.

séal pòint 〖동물〗 샴고양이《농갈색 반점이 있는》.

séal rìng 인발이 찍힌 반지(signet ring).

séal ròokery 바다표범〔물개〕의 집단 번식지.

SEALS [siːlz] *n.* 〖미해군〗 실스《상륙 작전 시 정찰·해중 장애물 제거 등을 행하는 특수 부대》. [◂ *Sea Air and Land Soldiers*]

séal·skìn *n.* [U] 바다표범〔물개〕 가죽; [C] 그것으로 만든 여자용 외투: ~ boots / a ~ coat.

séal·stòne *n.* 석제(石製) 인장, 돌 도장.

Séa·ly·ham (tèrrier) [síːlihæ̀m(-), -liəm(-)/-liəm(-)] 테리어의 일종《백색의 복슬복슬한 털이 난》.

seam** [siːm] *n.* **1** (천 따위의) 솔기: cut a ~ open 솔기를 뜯다 / The ~ has started. 솔기가 터졌다. **2** (판자 따위의) 맞춘 곳, 이음매: ~*s* in brickwork 쌓은 벽돌의 메지. **3** 접합선; 상처(자국), 주름; 〖의학〗 봉합선. **4** 갈라진 틈, 금; 〖지학〗 두 지층 사이의 경계선, (석탄 등의) 얇은 층. **5** 주름. ***burst at the ~s ⇨BURST. ***come*** 〔***fall, break***〕 ***apart at the ~s*** 《구어》 (계획 등이) 실패로 돌아가다, 결딴나다, 쇠약해지다, 건강이 나빠지다. **—** *vt.* **1** 《+[목]+[부]》 이어〔꿰매어, 철하여〕 맞추다《*together; up*》; …에 솔기를 대다: ~ two pieces of cloth *together* 두 천을 꿰매어 잇다. **2** 《~+[목]/+[목]+[전]+[명]》 《보통 과거분사》 …에 틈〔상처 자국, 주름〕을 내다: a face ~*ed with* saber cuts 칼자국이 난 얼굴 / creeks that ~ a valley 계곡을 굽이굽이 흐르는 냇물. **3** (양말 따위를) 골지게 하다. **—** *vi.* 터지다, 째지다, 주름지다. (파) **∠·lìke** *a.*

séa·màid(en) 《시어》 *n.* 인어(mermaid); 바다의 요정; 바다의 여신.

sea·man** [síːmən] (*pl.* ***-men [-mən]) *n.* 선원, 뱃사람; 항해자; 〖해군〗 수병(bluejacket): a merchant ~ 상선 승무원 / a good 〔poor〕 ~ 배를 잘〔잘못〕 다루는 사람 / ⇨LEADING SEAMAN, ABLE(-BODIED) SEAMAN, ORDINARY SEAMAN.

séaman appréntice 〖미해군〗 일병.

séaman·lìke, -ly *a.* 선원〔수병〕 같은.

séaman recrúit 〖미해군〗 신병.

sea·man·ship [síːmənʃip] *n.* [U] 선박 조종술.

séa·màrk *n.* **1** 항해 표지. cf. landmark. **2** (파도가 밀리는 물가의) 파선(波線), 만조(滿潮) 수위선, 해안선; 위험 표지.

séa màt 〖동물〗 이끼벌레류의 동물《특히 그물코 모양의 것》.

séa mèw 갈매기(gull).

séa mìle 해리(nautical mile).

séam·ing (làce) 솔기〔이음매〕에 대는 레이스.

séa mìst 해무(海霧)《바다에서 육지로 몰려오는》.

séam·less *a.* 솔기〔이음매〕 없는; 상처 없는. (파) ~·**ly** *ad.* ~·**ness** *n.*

séa mònster 바다의 괴물; 〖어류〗 은상어.

séa·mòunt *n.* 해산(海山).

séam prèsser 솔기 누르는 다리미.

seam·ster [síːmstər, sém-/sém-] *n.* 재봉사, 재단사(tailor).

seam·stress [síːmstris/sém-] *n.* 침모, 여자 재봉사(sewing woman).

séa mùd 바다감탕《비료용》.

séa mùle 예인선(曳引船)《디젤 엔진으로 움직이는 상자형 철강제의》.

seamy [síːmi] (***seam·i·er; -i·est***) *a.* 솔기〔이음매〕가 있는; 《비유》 이면의, 보기 흉한, 불쾌한, 더러운. ***the ~ side*** (옷 등의) 안. ***the ~ side of life*** 인생의 이면, 사회의 암흑면.

Sean·ad Éir·eann [sǽnɑːdέərən, ʃǽnəd-/ʃǽnəd-] 아일랜드 공화국의 상원. cf. Oireachtas.

sé·ance, se- [séiɑːns] *n.* 《F.》 회의, 집회; 강령회(降靈會), 교령회(交靈會).

séa nèttle 〖동물〗 해파리.

séa nỳmph 바다의 요정.

séa òtter 〖동물〗 해달.

séa pàrrot 〖조류〗 =PUFFIN.

séa pàss (전시 중의) 중립선 증명서(sea letter).

séa pày 해상 근무〔전투〕 수당.

séa pèn 〖동물〗 바다조름.

séa pìe 〖해사〗 (선원용의) 절인 고기 파이; 《영》 〖조류〗 검은머리물떼새.

séa·pìece *n.* 바닷그림, 해양화(畫).

séa pìg 〖동물〗 돌고래; 듀공(dugong).

séa pìnk 〖식물〗 아르메리아(thrift).

séa·plàne *n.* 수상 비행기.

***sea·port** [síːpɔ̀ːrt] *n.* 항구; 항구 도시.

séa pòwer 해군력, 제해권; 해군국.

séa pùrse 〖동물〗 가오리·상어 따위의 알주머니.

SEAQ Stock Exchange Automated Quotation System (런던 증권 거래소의 시세 자동 표시 시스템).

séa·quàke *n.* 해진(海震)《해저의 지진》.

sear[1] [siər] *vt.* 태우다, 그을리다; 소인을 찍다(brand); 무감각하게 하다, (양심 따위를) 마비시키다; 시들게〔마르게〕 하다: a ~*ed* conscience 마비된 양심. **—** *vi.* (초목이) 시들다, 마르다. **—** *a.* 시든, 말라 배틀어진, 마른. ***the ~ and yellow leaf*** 늘그막, 노년. **—** *n.* [C] 타고 그은 자국; [U] 시든 상태. (파) **∠·ing·ly** *ad.*

sear[2] *n.* (총의 공이치기의) 걸쇠, 멈춤쇠.

search** [səːrtʃ] *vt.* **1** 《~+[목]/+[목]+[전]+[명]》 (장소를) 찾다, 뒤지다, 탐색하다, 수색하다: They ~*ed* the woods *for* the missing child. 그들은 실종된 아이를 찾아 숲을 수색했다. ★ 찾는 대상을 목적어로 하지 않음. **2** …의 몸을 수색하다《소지품 조사를 위해》: We were stopped by the police and ~*ed.* 우리는 경관에게 정지당하여 몸수색을 받았다. **3** (상처·감정 따위를) 살피다: ~ one's heart 자기의 마음속을 살펴보다. **4** 《~+[목]/+[목]+[전]+[명]》 (얼굴 등을) 유심히 (살펴)보다: He ~*ed* my face *for* my real intention. 그는 내 진의를 살피기 위해 나의 얼굴을 유심히 보았다. **5** (기억 등을) 더듬다; 자세히 살피다. **6** (추위·바람·빛·탄알 등이) …의 구석구석까지 미치다, …속에 스며들다. **7** 〖컴퓨터〗 (데이터 베이스·파일 등을) 검색하다《*for*》. **—** *vi.* 《+[전]+[명]》 **1** 찾다《*for; after*》: All men ~ *after* happiness. 사람은 다 행복을 추구한다 / He who would ~ *for* pearls must dive below. 《속담》 호랑이 굴에 가야 호랑이를 잡는다. **2** 조사하다, 파헤치다《*through; into*》: ~ *into* a matter 사건을 조사하다. ***Search me! =***You can*** 〔***may***〕 ***~ me!*** 《구어》 난 모른다(I don't know). ***~ high and low*** 모든 곳을 다 찾다. ***~ out*** 찾아내다.

— *n.* [U,C] **1** 탐색(探索), 수색, 추구《*for; after*》: a close ~ 엄밀한 수색 / Every ~ was made *for* him. 백방으로 손을 써서 그를 찾았다. **2** 조사, 검사《*of*》. **3** 〖컴퓨터〗 검색, 찾기: ~ key 검색 키. ***in ~ of*** …을 찾아. ***make a ~ for*** 〔***after***〕 …을 수색하다. ***the right of ~*** (교전국의 중립국 선박에 대한) 수색권.

(파) **∠·a·ble** *a.* 찾을〔조사할〕 수 있는. **∠·a·ble·ness** *n.*

séarch-and-destróy [-ən-] *a.* (대(對)게릴라전에서) 수색 섬멸의: ~ operations 〔mission〕 수색 섬멸 작전.

séarch èngine 〖컴퓨터〗 검색 엔진《인터넷에서 사용자가 원하는 정보를 구할 수 있는 사이트를 자동으로 찾아 주는 정보 검색 서비스 기능을 제공하는 도구》.

séarch·er *n.* **1** 수색자, 조사자, 검사관; 검사기. **2** 〖의학〗 탐침(探針), (방광 결석) 소식자(消息子). **3** 〖군사〗 (포강(砲腔)) 검사기. **4** 〖컴퓨터〗 검색사《인터넷이나 데이터베이스에서 다른 사람의 요청을 받아 대신해서 고객이 원하는 정보를 찾아 주는 사람》.

séarch·ing *a.* 수색하는; 구석구석까지 미치는; 엄중한, 엄격한; (찬바람 등이) 스며드는: a ~ cold 몸에 스며드는 추위. **—** *n.* [U] 수색, 음미. ***the ~s of heart*** 양심의 가책. [파] **~·ly** *ad.* 엄격히, 신랄히. **~·ness** *n.*

séarch·less *a.* 수색할 수 없는, 포착하기 어려운, 헤아릴 수 없는.

◇**séarch·light** *n.* 탐조등, 탐해등; 그 불빛: play a ~ on …을 탐조등《따위》으로 비추다.

séarch pàrty 수색대.

séarch tìme 〖컴퓨터〗 검색 시간《원하는 데이터를 찾아내는 데 걸리는 시간》.

séarch wàrrant (가택 등의) 수색 영장.

séa rèach (바다로 통하는 하구(河口) 부근의) 직선 수로.

sear·ing [síəriŋ] *a.* 타는 듯한, 무더운; 《구어》 (성적으로) 흥분시키는: a ~ pain 타는 듯한 고통.

séaring ìron 인두.

séa rìsks 〖보험〗 해난(perils of the sea).

séa ròbber 해적; 〖조류〗 도둑갈매기.

séa ròbin 〖어류〗 성대류(類)(gurnard).

séa ròom 〖해사〗 조선(操船) 여지(餘地)《배를 조종하기에 넉넉한 해면》; 《비유》 충분한 활동 여지.

séa ròver 해적(선).

Séars Róe·buck [síərzróubʌk] 시어스 로벅 (회사)《미국의 대통신 판매 회사; Sears 카탈로그는 세계적으로 유명했음; 본사 Chicago》.

Séars Tówer 시어스 타워《미국 Chicago에 있는 110층, 높이 443m의 고층 건물》.

séa sàlt 바닷소금. [cf.] rock salt.

séa·scàpe *n.* 바다의 경치; 바다 그림. [cf.] landscape.

séa scòut 해양 소년단원(=**séa explòrer**).

séa sèrpent **1** 바다뱀, 물뱀; 큰바다뱀《공상적 동물》: the (great) ~ 용(龍). **2** (the S- S-) 〖천문〗 바다뱀자리(Hydra).

séa shèll 바닷조개, 조가비.

***sea·shore** [síːʃɔ̀ːr] *n.* [U] 해변, 바닷가, 해안; 〖법률〗 해안《만조선과 간조선의 중간의 선》. [SYN.] ⇨BEACH.

séa·sìck *a.* 뱃멀미가 난, 뱃멀미의. [파] **~·ness** *n.* 뱃멀미.

‡**sea·side** [síːsàid] *n.* [U], *a.* 해변(의), 바닷가(의): a ~ resort 해수욕장, 해안의 유원지. [SYN.] ⇨BEACH. ***go to the ~*** (해수욕하러) 해안에 가다.

séa slùg 〖동물〗 해삼(sea cucumber); 나새류(裸鰓類)(=**nú·di·brànch**).

séa snàke 〖동물〗 물뱀; 큰바다뱀(sea serpent).

séa snìpe 〖조류〗 해변의 새, 《특히》 도요새류; 〖어류〗 대(大)주둥치과(科) 물고기의 총칭.

†**sea·son** [síːzən] *n.* **1** [C] 계절, 철, 사철의 하나: the four ~s 사철. **2** [U] (보통 the ~) 시절, 철, 때: the Christmas ~ 크리스마스 시기〔철〕/the rainy 〔wet〕 ~ 우기/⇨CLOSE 〔OPEN〕 SEASON. **3** (보통 *pl.*) 나이, …살; 인생의 한 시기: the boy of seven ~s 일곱 살의 소년/in the ~ of one's youth 청년 시절〔시대〕에. **4** [U] (보통 the ~) 한창때, 한물, 제철; (행사 따위가 행해지는) 활동기, 시즌, 시기: the baseball 〔holiday〕 ~ 야구〔휴가〕 시즌/the London ~ 런던의 사교 계절《초여름》/the ~ for oysters 한물 진 굴, 굴의 제철/⇨HIGH SEASON. **5** [C] 호기(好機), 알맞은 때, 제때: a word in ~ 때에 알맞은 충고/It is not the ~ for quarreling. 싸움하고 있을 때가 아니다. **6** 《영구어》 =SEASON TICKET. ***at all ~s*** 일년 동안 내내, 사철을 통하여. ***behind the ~*** 철늦은. ***come into ~*** (과일·생선 등이) 제철이 되다. ***for a*** (***passing***) ***~*** 《고어·문어》 잠시 동안. ***in due ~*** 이윽고, 끝내는, 때가 오면. ***in good ~*** 때마침, 때맞춰; 넉넉히 제시간에 대어: go back *in good* ~ 일찌감치 돌아가다. ***in ~*** 때맞춘, 알맞은 때의, 마침 좋은 때의; (과일 따위가) 한물 때에, 한창〔제때〕인; 사냥철에: Trout is *in* ~ for another month. 송어는 (아직) 한 달은 더 잡을 수 있다. ***in ~ and out of ~*** (철을 가리지 않고) 언제나, 늘, 때없이. ***out of ~*** 철지난, 한물간, 한창때를〔제철이〕 지난; 시기를 놓치어; 금렵기에. ***the off*** 〔***dead, dull***〕 **~** 철지남, 한창때가 지난〔제철이 아닌〕 시기.

— *vt.* **1** 《~+[목]/+[목]+[전]+[명]》 …에 맛을 내다, 간을 맞추다, 조미하다/~ a dish too highly 요리에 지나치게 맛을 내다/~ food *with* salt 소금으로 음식의 간을 맞추다. **2** 《+[목]+[전]+[명]》 …에 흥미를 돋우다: conversation *~ed with* wit 〔irony〕 재치〔빈정대는 투〕가 섞인 대화. **3** 누그러지게 하다, 완화하다: Let mercy ~ justice. 자비의 마음으로 심판을 너그럽게 하라《★Shakespeare 「베니스의 상인」에서》. **4** 《~+[목]/+[목]+[전]+[명]》 (환경·기후 따위에) 적응시키다, 길들이다; 단련하다: a *~ed* soldier 노련한 군인, 고참병/~ oneself *to* cold 추위에 몸을 순응시키다. **5** (재목을) 말리다; (술 따위를) 익히다. **—** *vi.* **1** 익숙해지다; 쓰기에 알맞게 되다. **2** (재목 따위가) 건조되다, 마르다. ***be ~ed for*** (the passage) (몸이 항해)에 지장 없다.

— *a.* =SEASONABLE.

séa·son·a·ble *a.* 계절에 알맞은; 시기를 얻은, 호기의; 적당〔적절〕한: ~ weather 순조로운 날씨. [파] **-bly** *ad.* **~·ness** *n.*

◇**sea·son·al** [síːzənəl] *a.* 계절의; 계절에 의한; 주기적인: a ~ labor 계절적 노동/~ fluctuation 계절적 변동/~ influence 계절 요인. [파] **~·ly** *ad.* **~·ness** *n.*

séasonal afféctive disórder 〖정신의학〗 계절성 정서〔감정〕 장애.

séa·soned *a.* **1** 조미(調味)한, 맛을 낸. **2** (재목 등이) 잘 마른. **3** 길든, 경험〔훈련〕을 쌓은. [파] **~·ly** *ad.*

séa·son·er *n.* 맛을 내는 사람; 조미료, 양념; 흥을 돋우는 것; 《미구어》 부랑자.

***sea·son·ing** [síːzəniŋ] *n.* [U] **1** 조미(調味); [C] 조미료, 양념; 흥을 돋우는 것. **2** 완화제. **3** 익힘; 단련; (목재) 건조(법).

séa·son·less *a.* 4계절의 구별이〔변화가〕 없는.

séason tícket 《영》 정기 승차권(《미》 commutation ticket); (연극·운동 경기 등의) 정기 입장권, 기간 중 내내 입장할 수 있는 입장권《*for*》.

séa squìrt 〖동물〗 멍게《원삭(原索) 동물》.

Séa Stàllion 〖미군사〗 시스탤리언《미 해병대의 공격·기뢰 제거·중수송용 대형 헬리콥터 H-53의 애칭; 무장병 38명《개량형은 64명》 수송이 가능함》.

séa stàr 〖동물〗 불가사리(starfish).

séa stàte 바다의 상황; 해황(海況).

séa stòres 항해 전에 준비하는 저장 물질《식량 등》.

séa swàllow 〖조류〗 제비갈매기, 바다제비.

†**seat** [siːt] *n.* **1** 자리, 좌석; 걸상《의자·벤치 따위》; (의자 따위의) 앉는 부분. **2** (극장 따위의)

지정석, 예약석: buy three ~*s to* the ballet 발레 표를 석장 사다. **3** 의석; 의석권; 의원〔위원〕의 지위; 왕좌, 왕권: win 〔get〕 a ~ in Congress 의원에 당선되다 / lose one's ~ 낙선하다, 떨어지다. **4** (활동의) 소재지, 중심지: 있는 곳, 위치; 병원(病原), 병소(病巢), 환부《*of*》: the ~ *of* government 정부의 소재지 / a ~ *of* learning 학문의 전당 / the ~ *of* the disease 병소. **5** 영지(領地), 토지; (시골의) 저택, 별장: a country ~ 시골의 대저택. **6** (몸의) 엉덩이, 둔부(臀部); (바지 등의) 엉덩이: the ~ of one's pants. **7** 착석법; (말 따위에) 탄 자세, (말)타기. **8** (기계 따위의) 대(臺), 대좌. ***by the ~ of one's pants*** 《구어》 (규칙 · 남의 도움보다) 자기 경험에 의거하여, (계기(計器)가 아니라) 육감으로; 《속어》 가까스로《잘 되다》. ***have a good ~ on*** (a horse) (말)을 훌륭히 타다. ***Have your ~s,*** (gentlemen.) (여러분) 앉으시기 바랍니다. ***hold a ~ in*** (the Cabinet) (내각)에 한자리를 차지하다. ***in the driver's ~*** 《구어》 책임자의 입장에서. ***keep*** 〔***have, hold***〕 ***a*** 〔***one's***〕 ~ 자리에 앉은 채로 있다; 지위를〔의석을〕 유지하다. ***Keep your ~.*** 부디 그대로 앉아 주세요. ***rise from*** one***'s ~*** (자리에서) 일어서다, 기립하다. ***~ of honor*** 상좌. ***take a*** 〔***one's***〕 ~ 자리에 앉다, 착석하다. ***take*** one***'s ~ in the House of Commons*** 《영》 하원 의원에 당선 후 첫 등원하다. ***the ~ of war*** 전쟁터.

— *vt.* **1** 《~+목/+목+전+명》 앉히다, 착석시키다; 〖~ oneself〗 (…에) 앉다: She ~*ed* her guests *around* the table. 그녀는 손님들을 식탁에 둘러앉혔다 / Please ~ your*self in* a chair. 의자에 앉아 주시오. **2** (건물이) …명분의 좌석을 갖다, 수용하다; (건물에) 좌석을 마련하다(accommodate): The hall ~*s* 〔is ~*ed* for〕 3,000. 회관에 3,000개의 좌석이 있다. **3** 《+목+전+명》 (남에게) 자리를 주다〔안내하다〕: The usher ~*ed* me *in* the front row. 안내원은 앞줄 좌석에 나를 안내했다. **4** 취임시키다, …에게 지위를 주다. **5** 《+목+전+명》 〖보통 ~ oneself 또는 수동태〗 …의 장소를 정하다, 정주시키다, …에 자리잡게〔뿌리박게〕 하다; …에 위치하다: They ~*ed* them*selves along* the shore. 그들은 해안에 정주하였다 / a family long ~*ed in* Boston 보스턴에 오래 정주해 온 집안 / The U.S. government *is* ~*ed at* Washington D.C. 미국 정부는 워싱턴 디시에 있다. **6** (걸상의) 앉는 부분을 갈다. **7** (바지의) 둔부 안받침을 갈다. **8** (실탄을) 총에 재다. **9** (받침 · 대 따위에) 붙박다, 설치하다. ***be ~ed*** ① 앉(아 있)다; Please *be ~ed*, gentlemen. 여러분 앉아 주십시오《Please *sit down*... 보다 점잖은 표현》. ② (…에) 위치해 있다. ③ 정착해 있다. ***~ a candidate*** 후보자를 선출하다.

㊕ ∠·less *a.*

séa tàngle 다시마《다시마속(屬)의 각종 해조「(海藻)》.

séat bèlt (비행기 · 자동차 등의) 좌석〔안전〕벨트〔띠〕: fasten 〔unfasten〕 a ~ 좌석벨트를 매다〔풀다〕.

séat èarth 〖지학〗 하반(下盤) 점토《석탄층의「아래층》.

(-)séat·ed [-id] *a.* **1** 걸상〔좌석〕이 …인; 걸터앉는〔엉덩이〕 부분이 …인: a cane-~ chair 등의자. **2** 위치가 …인: a deep-~ disease 뿌리 깊은 병, 만성병.

séat·er *n.* 〖보통 복합어로〗 (자동차 · 비행기의) …인승: a four-~, 4인승.

séat·ing *n.* Ⓤ 착석; 좌석(수), 수용(력); (극장 등의) 좌석 배치; 승마 자세. — *a.* 좌석〔착석자〕의: a ~ capacity 좌석 수, 수용력.

séat·màte *n.* 《미》 (탈것 따위의) 동석자, (교실의) 짝.

séat mìle 좌석 마일(passenger-mile).

SEATO, Sea·to [síːtou] Southeast Asia Treaty Organization(동남아시아 조약 기구).

séat-of-the-pánts 《구어》 *a.* (항공기의) 비(非)계기 비행에 익숙한, 육감과 경험에 의한, 반사적인.

séa·tràin *n.* 열차 수송선; (육해군의) 해상 수송「함대〔호송 선단〕.

séa tròut 〖어류〗 송어. 「항구 도시》.

Se·at·tle [siːǽtl] *n.* 시애틀《미국 워싱턴주의

séa tùrtle 〖동물〗 바다거북.

séat·wòrk *n.* 《미》 (학교에서의) 자습(학습).

séa ùrchin 〖동물〗 성게.

séa wàll 안벽(岸壁), 호안(護岸). 「지켜지는.

séa-wàlled *a.* 바다로 둘러싸인, 사면이 바다로

sea·ward [síːwərd] *n.* 바다쪽. — *a.* 바다에 면한. — *ad.* 바다쪽으로.

sea·wards [síːwərdz] *ad.* =SEAWARD.

séa·wàre *n.* (특히 바닷가에 떠올라온) 해초, 「해조《비료용》.

séa wàter 바닷물, 해수.

séa·wày *n.* **1** Ⓤ,Ⓒ 해로; 외해; (큰 배가 다닐 수 있는) 깊은 내륙 수로. **2** Ⓤ 항로, 항해: make ~ 항해하다. **3** 거친 바다, 사나운 물결: in a ~ 사나운 파도에 시달리어.

°**séa·wèed** *n.* Ⓤ 〖식물〗 해초, 바닷말; 《미속어》 「시금치.

séa·wìfe *n.* 〖어류〗 놀래깃과의 바닷물고기 「(wrasse).

séa wìnd =SEA BREEZE.

séa wòlf **1** =WOLFFISH. **2** 해적; 잠수함.

séa·wòrthy *a.* (배 따위) 항해에 적합한, 항해에 견디는. ㊕ **-wòrthiness** *n.* 내항성.

séa wràck (특히 대형) 해초〔바닷말〕류.

se·ba·ceous [sibéiʃəs] *a.* 지방(질)의; 지방을 분비하는: ~ glands 〖해부〗 피지선(皮脂腺).

Se·bas·tian [sibǽstʃən] *n.* **1** 세바스천《남자 이름》. **2** **Saint** ~ 성(聖)세바스천《로마의 군인 · 순교자; ?-A.D. 288?》.

SEbE southeast by east(남동미동(微東)).

seb·or·rhea, -rhoea [sèbəríːə] *n.* 〖의학〗 지루(증)(脂漏(症)). ㊕ **-rhé·al, -rhé·ic, -rhóe·ic** *a.*

SEbS southeast by south(남동미남(微南)).

se·bum [síːbəm] *n.* 〖생리〗 피지(皮脂).

sec[1] [sek] *a.* 《F.》 맛이 쓴(dry)《포도주 등》.

sec[2] *n.* 《구어》 **1** 일각, 순간(second): Wait a ~. **2** 《속어》 서기, 비서(secretary).

SEC, S.E.C. 《미》 Securities and Exchange Commission(증권(證券) 거래 위원회); 《Russ.》 Supreme Economic Council(최고 경제 회의).

Sec. Secretary. **sec.** secant; secondary; second(s); secretary; section(s); sector; *secundum* 《L.》 (=according to).

se·cant [síːkænt, -kənt/-kənt] 〖수학〗 *a.* 나누는, 자르는, 교차하는. — *n.* 할선(割線); 시컨트《생략: sec》.

sec·a·teurs [sékətər, -tə̀ːr/sékətəz, sèkətə́ːz] *n. pl.* 〖단 · 복수취급〗 《영》 (가지 치는) 전정(剪定)가위.

sec·co [sékou] *a.*, *ad.* 〖음악〗 짧게 단음적(斷音的)인〔으로〕. — (*pl.* ~**s**) *n.* Ⓤ,Ⓒ 건식(乾式) 프레스코 화법(畫法)(=**frésco** ∠). 「표명》.

Sec·co·tine [sékətìːn] *n.* 세코틴《접착제; 상

se·cede [sisíːd] *vi.* (교회 · 정당 등에서) 정식으로 탈퇴〔분리〕하다《*from*》. ◇ secession *n.*

se·céd·er *n.* 탈퇴자, 탈당자, 분리자; (the S-) 〖종교사〗 1733년 스코틀랜드 국교로부터 분리한 스코틀랜드 장로교 신자.

se·cern [sisə́ːrn] *vt.* 식별하다; 〖생리〗 분비하다(secrete). ㊕ ~·**ment** *n.*

se·cern·ent [sisə́ːrnənt] 〖생리〗 *a.* 분비하는. — *n.* 분비 기관; 분비 촉진제.

se·ces·sion [siséʃən] *n.* Ⓤ,Ⓒ 탈퇴, 분리; (종

종 S-) 〖미국사〗 (남북 전쟁의 발단이 된) 남부 11 주의 탈퇴. ◇ secede *v.* ***the War of Secession*** 〖미국사〗 남북 전쟁(the Civil War). ㊕ **~·al** *a.* **~·ism** *n.* Ⓤ 탈퇴〔분리〕론; 〖미국사〗 남부 11주 탈퇴론; 〖건축·공예〗 시세션 운동, 분리파 《1898년 Vienna에 일어난 예술 운동》. **~·ist** *n.*, *a.* 분리론자(의); (종종 S-) 〖미국사〗 (남북 전쟁 때의) 탈퇴론자(의).

Secéssion Chúrch (the ~) (1733년 스코틀랜드 국교에서 분리한) 분리 교회《장로교회》.

Séck·el (pèar) [sékəl(-)] 〖식물〗 세클 배《수분이 많고 적갈색인 단 배》.

sec. leg. 《L.》 *secundum legem.*

◇**se·clude** [siklú:d] *vt.* 《~+목/+목+전+명》 (사람·장소 따위를) 분리하다, 격리하다; 은퇴시키다; 추방하다《*from*》. ◇seclusion *n.* ~ ***oneself from*** …으로부터 은퇴하다.

◇**se·clúd·ed** [-id] *a.* 격리된; 은퇴한; 인가에서 멀리 떨어진, 한적한: lead a ~ life 은둔 생활을 하다. ㊕ **~·ly** *ad.* **~·ness** *n.*

◇**se·clu·sion** [siklú:ʒən] *n.* Ⓤ 격리; 은퇴, 은둔(隱遁); 한거(閑居); 인가에서 멀리 떨어진 곳: a policy of ~ 쇄국 정책. ***live in*** ~ 속세에서 멀리 떠나 지내다, 한거하다. ㊕ **~·ist** *n.* (표면에 나서기를 싫어하는) 적극성이 없는 사람; 은둔주의자; 쇄국주의자.

se·clu·sive [siklú:siv] *a.* 들어박혀 있기를 좋아하는, 은둔적인. ㊕ **~·ly** *ad.* **~·ness** *n.*

sec·o·bar·bi·tal [sèkoubá:rbətɔ̀:l, -tæ̀l] *n.* 〖약학〗 세코바르비탈《진정·최면제》.

Sec·o·nal [sékənɔ̀:l, -næ̀l/-næ̀l] *n.* 세코날《secobarbital의 상표명》.

†**sec·ond**[1] [sékənd] *a.* **1** 제2의, 둘째번〔두 번째〕의; 2등의, 둘째〔2위〕의, 차위의《생략: 2d, 2nd》: the ~ day of the month 초이틀/the ~ largest city in Korea 한국 두 번째의 대(大)도시. **2** 다음〔버금〕가는, …만 못한《*to*》. **3** 버금의, 부(副)의, 보조의; 종속적인, 부가의; 대신의, 대용의. **4** (a ~) 또 하나의, 다른: a ~ helping (식사의) 대용/a ~ Daniel (명재판관) 다니엘의 재래/Habit is (a) ~ nature. ⇨HABIT. **5** 〖음악〗 부차적인; 음정이 낮은: a ~ violin 제2 바이올린. ***every ~ day*** 하루 걸러. ***for the ~ time*** 다시, 두 번, 재차. ***play ~ fiddle*** ⇨FIDDLE. ~ ***only to*** A, A 다음으로 첫째. ~ ***to none*** 누구에게도〔무엇에도〕 뒤지지 않는, 첫째가는.

— *ad.* **1** 둘째〔제2〕로, 다음으로, 두 번째로: come ~ 차위가 되다, 두 번째가 되다〔로 오다〕/come in ~ (경주에서) 2착이 되다. **2** (교통 기관에서) 2등으로: travel ~, 2등차로 여행하다.

— *n.* **1** 두 번째〔둘째, 2위, 2류, 2급〕의 사람〔물건〕. **2** 2대째, 제2세; 제2〔2번〕 타자: George the *Second* =King George II. **3** 딴〔다른〕 사람, 또 한 사람; 대신인 사람; 두 번째의 남편〔아내〕. **4** 조수, 보조자; (결투·권투 따위의) 입회인, 세컨드; 〖정치〗 의안 심의〔동의 가결〕의 재창(자): act as ~ to a person 아무의 세컨드를 보다. **5** 초이틀, 제2일; 2등 차; 〖야구〗 2루(수(手)): the ~ of March 3월 2일. **6** 〖음악〗 2도 음정, 둘째 음; 알토. **7** (*pl.*) 2급품; 2급 밀가루(로 만든 빵). **8** (*pl.*) 《구어》 더 달래서 먹는 음식, 두 그릇째의 음식: have ~*s* on the potatoes 감자를 더 달래서 먹다. **9** (자동차의) 2단, 세컨드: shift into ~, 2단 기어를 넣다. ***a bad*** 〔***poor***〕 ~ 첫째보다 훨씬 못한 둘째 사람. ***a good*** ~ 첫째보다 그리 못하지 않은 둘째 사람. ***the ~ in command*** 부사령관.

— *vt.* **1** 후원하다; 보좌하다, 시중들다, 입회하다《특히 결투·권투 시합에서》. **2** (동의·제안에) 찬성하다, 지지하다: I ~ the motion. 방금 하신 동의에 찬성합니다/It has been moved and ~*ed* that .... …라는 동의가 있었고 방금 거기에 찬성자가 나왔습니다.

se·cond[2] [sikánd/sikɔ́nd] *vt.* 〖영군사〗 (장교의) 부대 소속을 해제하다, 대외(隊外) 근무를 명하다; 《영》 (공무원을) 임시로 다른 부(Ministry)로 옮기다, 소속을 임시로 바꾸다《*for*》: Captain Smith was ~*ed for* service on the general staff. 스미스 대위는 부대 근무를 면하고 일반 참모부 근무를 명받았다.

⁑**sec·ond**[3] [sékənd] *n.* **1** 초《시간·각도의 단위; 기호 ″》. **2** 《구어》 매우 짧은 시간: Wait a ~. 잠깐 기다려/a split ~ 몇 분의 1초; 눈 깜짝할 사이. ***in a few ~s*** 잠시 후에, 곧. ***not for a*** 〔***one***〕 ~ 〖강조〗 전혀〔조금도〕 …않다.

Sécond Ádvent 〔**Cóming**〕 (the ~) 그리스도의 재림.

Sécond Ádventist 그리스도 재림론자.

Sécond Améndment (the ~) 《미》 헌법 수정 제2조《미 헌법 수정 조항; 주(州)의 민병을 유지하기 위해서 시민의 총포 휴대권을 보장함; 1791년 권리 장전의 일부로 성립됨》.

sec·on·da·ri·ly [sékəndèrəli/-dəri-] *ad.* 두 번째로, 다음으로; 종속적으로; 제2위로; 보좌〔보조〕로서.

⁑**sec·ond·ary** [sékəndèri/-dəri] *a.* **1** 제2위의, 2차의, 2류의, 제이의적(第二義的)인, 제2의. ⓒⓕ primary. ¶ a ~ cause 제2의 원인/a ~ infection 제2차 감염. **2** 다음〔버금〕의, 부(副)의, 부차적인; 대리의, 보조의, 종속〔파생〕적인: a ~ meaning 파생적인 뜻. **3** 중등 교육의, 중등학교의. ⓒⓕ primary. ¶ ~ education 중등 교육. **4** 〖전기·화학〗 2차의: a ~ battery, 2차 전지/a ~ coil, 2차 코일/a ~ current, 2차 전류. **5** 〖의학〗 제2기의, 속발성(續發性)의. **6** 〖지학〗 중세대〔기〕의. ***of ~ importance*** 2차적으로 중요한; 별로 중요치 않은. ~ ***in meaning*** 제이의적(第二義的)인. — *n.* **1** 제2위(位)적인 것, 제이의적인 것. **2** 대리자; 보좌, 보조자; 종속물. **3** 〖천문〗 (행성의) 위성; (쌍성(雙星)의) 반성(伴星). **4** 〖동물〗 (새의) 버금 칼깃(~ feather); (나비 따위의) 뒷날갯죽지. **5** 〖문법〗 2차어(二次語), 형용사에 상당하는 말〔구(句)〕.

sécondary áccent 〖음성〗 제2악센트.

sécondary cáche 〖컴퓨터〗 2차 캐시《캐시 메모리와 메인 메모리 사이에 둔 메모리》.

sécondary céll 〖전기〗 2차 전지.

sécondary cólor 등화색(等和色)《두 원색을 같은 비율로 섞은 색》.

sécondary consúmer (초식 동물을 먹는) 2차 소비자《여우·매 등》.

sécondary dáta 〖상업〗 2차 자료《다른 목적으로 수집된 자료》.

sécondary derívative 〖문법〗 2차 파생어《(1) 자유형과 구속형으로 된 것: 보기 teacher. (2) 파생어에 다시 구속형이 붙은 것: 보기 manliness》.

sécondary distribútion 〖증권〗 제2차 분매(分賣)《이미 발행한 증권의 대량 매각》.

sécondary eléctron 〖물리〗 2차 전자.

sécondary emíssion 〖물리〗 (하전(荷電) 입자·γ선 따위의 충돌에 의한 입자의) 2차 방사(放射), 《특히》 2차 전자 방출.

sécondary féather 〖조류〗 버금 칼깃.

sécondary gróup 〖사회〗 제2차 〔파생적〕 집단, 특수 이해관계 집단.

sécondary índustry 2차(次) 산업. ⓒⓕ primary industry, tertiary industry.

sécondary módern schòol 《영》 근대 중등학교《제2차 세계 대전 후 설치된 실용 과목을 중시하는 학교》.

sécondary óffering =SECONDARY DISTRIBUTION.
sécondary pícketing 〖노동〗 제 2 차적 동정 피켓 시위《어떤 분쟁에 직접 관여되어 있지 않은 관련 또는 동종 업체의 노동조합원이 이들을 응원하기 위해 자기 회사에 대해 행하는 피켓 시위; 영국에서는 위법 행위》.
sécondary plánet 위성. 「방사선.
sécondary radiátion (X선 따위의) 제2차
sécondary recóvery 〖석유〗 2 차 채수(採收)《1 차 채수에서 채수하지 못한 원유의, 수공법(水攻法) · 가스 압입법 등에 의한 채수》. 「道).
sécondary róad 2급〔보조〕 도로; 간도(間
sécondary schòol 중등학교.
sécondary séx 〔séxual〕 characterístic 〔chàracter〕 〖의학〗 제 2 차 성징(性徵).
sécondary stórage 〔stóre〕 〖컴퓨터〗 보조 기억 장치.
sécondary stréss =SECONDARY ACCENT.
sécondary sýphilis 〖의학〗 제 2 기 매독.
sécondary téchnical schòol 《영》 중등 실업학교.
sécondary wáll 〖식물〗 (세포막의) 2 차막(膜).
sécondary wáve (지진(地震)의) 제 2 파(波)
sécond bállot 결선〔제 2 차〕투표. ⌊(S wave).
sécond banána 《미속어》 (코미디언 등의) 보조역(cf. top banana); 〔일반적〕 차위자(次位者), 넘버 투; 비굴한 놈.
sécond báse 〖야구〗 2 루.
sécond báseman 〖야구〗 2 루수. 「사람〔것〕.
sécond bést 차선(次善)의 방책, 둘째로 좋은
sécond-bést *a.* 제 2 위의, 두 번째로 좋은: come off ~, 2 위〔차위(次位)〕가 되다, 지다 / one's ~ suit 두 번째로 좋은 옷.
sécond bírth 재생.
sécond chámber (의회의) 상원.
sécond chíldhood 노망(dotage). ***in*** **one's** 〔***a***〕 **~** 늙어서 어린애같이 되어, 늙어 빠져.
sécond cláss (제) 2 급; 2 류; (탈것의) 2 등; (영국 대학 졸업 시험의) 차석 우등 졸업; 제 2 종 (우편물)《미국 · 캐나다는 신문 · 정기 간행물; 영국은 통상 우편》.
***sec·ond-class** [-klǽs, -klɑ́ːs] *a.* 2 류의, 2 종〔등〕의: a ~ matter 제 2 종 우편물. **—** *ad.* 2 종〔등〕으로: go ~, 2 등석에 타고 가다.
Sécond Cóming (the ~) 재림(再臨). cf. Advent.
sécond cóusin 6촌, 재종(형제〔자매〕).
sécond cóver (the ~) (잡지의) 표 2《표지
sécond cróp 뒷갈이. ⌊의 뒷면》.
sécond déath 〖신학〗 제 2 의 죽음, 영원한 죽음《사후(死後)의 재판으로, 그리스도교도가 아닌 자가 지옥으로 떨어지는 일》.
sécond-degrée *a.* (화상(火傷)이) 2 도의; (죄상 등이) 제 2 급의: ~ burn 〖의학〗 2 도 화상 / ~ murder 제 2 급 모살(謀殺). 「TANCE.
sécond dístance 〖영회화〗 =MIDDLE DIS-
sécond divísion 《영》 하급〔말단〕 공무원; 〖야구〗 하위〔B〕 클래스; 《영》 〖축구〗 제 2 부.
se·conde [sekɑ́nd/-kɔ́nd] *n.* 《F.》 〖펜싱〗 제 2 의 자세. cf. prime.
séc·ond·er *n.* (의안 · 동의(動議)의) 찬성자; 후원자. cf. proposer.
sécond estáte (종종 S– E–) 제 2 신분《중세 유럽의 3신분(Three Estates) 중의 귀족》.
sécond fíddle (오케스트라의) 제 2 바이올린 (연주자); 종속적〔부차적〕인 역할〔기능〕을 하는 사람; 《속어》 둘째로 좋은 것, 넘버 투.
sécond flóor 《미》 2 층; 《영》 3 층.
sécond géar (자동차의) 2 단 기어.
sécond-generátion *a.* 2 세의; 〖컴퓨터〗 제 2 세대의《컴퓨터에 고체 소자 반도체를 사용하던 시대를 지칭하여》. 「林), 재생림.
sécond grówth (원시림 파괴 후의) 2 차림(次
sécond-guéss *vt.* 《미구어》 사후 비판〔수정〕 하다; 예언하다, (아무)의 의도를 미리 짐작하다 (outguess). ㊕ **~·er** *n.*
sécond hànd[1] (시계의) 초침.
sécond hànd[2] 조수, 조력자. ***at*** **~** 전해〔얻어〕 들어서; 중개인〔매개물〕을 통하여, 간접적으로.
***sec·ond·hand** [sékəndhǽnd] *a.* **1** 간접적인; 전해〔얻어〕들은: ~ news 얻어들은 뉴스. **2** (상품 등이) 중고(품)의, 고물의; 고물〔헌것〕을 다루는: a ~ car 중고차 / a ~ bookseller 〔bookstore〕 헌책방 / ~ books 〔furniture〕 고본〔중고 가구〕. **—** *ad.* 간접으로; 전문(傳聞)으로; 중고품으로, 고물로: buy ~ 중고품으로 사다.
sécondhand smóke 비흡연자가 마시는 남의 담배 연기; 간접흡연.
sécond-in-commánd *n.* 부사령관.
sécond inténtion 〖의학〗 2 차 유합(癒合); 〖스콜라철학〗 제 2 지향(志向).
Sécond Internátional (the ~) 제 2 인터내셔널. cf. international. 「부통령 부인.
Sécond Lády (the ~, 때로 the s– l–) 《미》
sécond lánguage (한 나라의) 제 2 공용어; (모어(母語)에 다음가는) 제 2 의 언어, (학교에서) 제 1 외국어.
sécond lieuténant 〖군사〗 소위.
***sec·ond·ly** [sékəndli] *ad.* 제 2 로, 다음으로.
sécond-màrk *n.* (각도 · 시간의) 초를 나타내는 부호(″).
sécond máster 《영》 부교장, 교감. 「cer).
sécond máte 〖해사〗 2 등 항해사(second offi-
séc·ond·ment *n.* 《영》 임시〔일시〕 파견.
sécond mórtgage 2번 저당(抵當). 「癖).
sécond náture 제 2 의 천성, 후천적인 성벽(性
se·con·do [sikɑ́ndou/sikɔ́n-] (*pl.* ***-di***) *n.* 〖음악〗 (콘서트, 특히 피아노 이중주의) 저음부 (연주자). 「mate).
sécond ófficer 〖해사〗 2 등 항해사(second
sécond opínion 〖의학〗 다른 의사의 의견〔진단〕. 「방〔앞방〕.
sécond-pair báck 〔frónt〕 《영》 3 층의 뒷
sécond pápers 《미구어》 제 2 차 서류《1952 년 이전의, 미국 시민권 획득을 위한 최종 신청서》.
sécond pérson (the ~) 〖문법〗 제 2 인칭 《you》.
sécond posítion (the ~) 〖발레〗 제 2 위치 《양쪽 발끝을 바깥쪽으로 향하게 하고 양발을 일직선이 되게 하며, 양발의 뒤꿈치 간격을 한 발만큼 떼어 놓음》.
***sec·ond-rate** [sékəndréit] *a.* 2 류의; 2 등의; 우수하지 않은, …만 못한(inferior), 평범한. ㊕ **-ráter** *n.* 2류품; 보잘것없는 인물. 「會).
sécond réading 〖정치〗 (의회의) 제 2 독회(讀
sécond rún 〖영화〗 (개봉 다음의) 제 2 차 흥행, 재개봉.
sécond sélf (one's ~) 제 2 의 자기, 심복, 친구.
sécond séx (the ~) 제 2 의 성(性), 〔집합적〕 여성.
sécond síght 투시력, 통찰력, 천리안. ㊕ **sécond-síghted** [-id] *a.*
sécond sóurce (컴퓨터의 하드웨어 등의) 2 차 공급자《타사가 개발한 제품과 동일 또는 호환성 있는 제품의 공급 회사》.
sécond-sóurce *a.* 협동 제조 계약의《전자 부품 따위를 타사에도 제작도록 계약을 한》. **—** *vt.* 협동 제작 계약으로 제조하다.
sécond-sòurcing *a.* 2 차 공급자의.

sécond-stòry *a.* 《미》 2층의.
sécond-stóry màn 《미구어》 2층 창으로 침입하는 밤도둑(cat burglar).
sécond-stríke *a.* 제2격(擊)의, 반격용의《핵무기》: ~ capability 제2격 능력.
sécond-stríng *a.* 대리의; 2류의, 제2선급(線級)의《선수 따위》; 《영》 차선(次善)의《방책·계획 등》.
sécond-stríinger *n.* 《구어》 2류쯤 되는 선수《따위》; 시시한 것〔사람〕; 제2의 안(案), 대안(代案), 차선책.
sécond thóught(s) 재고(再考): on ~ 다시 생각해 보니 / *Second thoughts* are best. 《속담》 재고는 가장 좋은 안(案).
séc·ond-tíer [-tíər] *a.* 2류의.
sécond tóoth 영구치(齒). cf. milk tooth.
sécond wínd 제2호흡《심한 운동 뒤에 정상 상태로 돌아간 호흡》; 새로운 정력〔원기〕: get one's ~ (정상으로) 회복하다.
Sécond Wórld (the ~) 제2세계《(1) 미국과 옛 소련을 제외한 선진 공업 국가들. (2) 정치 경제 블록으로서의 공산주의 국가들》.
Sécond Wórld Wár (the ~) =WORLD WAR 「II.
se·cre·cy** [síːkrəsi] *n.* U 비밀(성); 비밀 엄수; 비밀주의; 입이 무거움: swear a person to ~ 아무에게 비밀 엄수를 맹세케 하다 / You may rely upon his ~. 그의 입이 무거운 것은 보증한다 / maintain ~ 일을 비밀에 부쳐 두다 / in the ~ of one's own heart 마음속에서. ***in ~ 비밀히, 몰래. ***promise*** ~ 비밀 엄수를 약속하다. ***with absolute*** ~ 극비로.
****se·cret** [síːkrit] (《드물게》 ~***·er;*** ~***·est***) *a.* **1** 비밀〔기밀〕의; 〖군사〗 극비의; 남에게 숨긴, 은밀한: a ~ bride 정식으로 결혼하지 않은 신부. **2** 눈에 보이지 않는, 보이지 않게 만든: a ~ door 비밀(장치)의 문. **3** 사람 눈에 안 띄는, 외진, 으슥한: a ~ place 〔spot〕 으슥한〔구석진〕 곳 / his ~ soul 그의 속마음. **4** 비밀을 지키는, 입이 무거운; 숨기는: She is ~ in her habits. 그녀는 무엇이든 숨기는 버릇이 있다. **5** 신비스러운, 헤아릴 수 없는: the ~ way of God 하느님의 헤아릴 수 없는 조화. ***keep*** a thing ~ 일을 비밀에 부치다. — *n.* **1** 비밀(한 일); 기밀: a military ~ 군의 기밀 / an open ~ 공공연한 비밀 / He kept the ~ to himself. 그는 비밀을 가슴 깊이 묻어 두었다 / They have no ~*s* from each other. 그들은 서로 털어놓는 사이이다.

> NOTE 기밀은 top-secret (1급 비밀), secret (2급 비밀), confidential (3급 비밀), restricted (부외비(部外秘))로 구분됨.

2 비법, 비결《*of*》: the ~ *of* success 성공의 비결. **3** 해결의〔비밀을 푸는〕 열쇠. **4** (종종 *pl.*) (자연계의) 신비: the ~*s* of nature. **5** (*pl.*) 음부(陰部). ***break a*** ~ 비밀을 누설하다. ***disclose a*** ~ 비밀을 폭로하다. ***in*** ~ 비밀히, 몰래. ***in the*** ~ 비밀을 알고, 기밀에 관여하여: be *in the* ~ of a person's plan 아무의 계획의 비밀을 알고 있다. ***It is no*** ~ ***that...*** …은 만인이 다 아는 일이다. ***keep a*** ~ 비밀을 지키다. ***keep*** a thing ***a*** ~ ***from*** a person 어떤 일을 아무에게 알리지 않다〔덮어 두다〕. ***let*** a person ***into a*** 〔***the***〕 ~ 아무에게 비밀을 밝히다; 비결을 가르치다. ***make a*** 〔***no***〕 ~ ***of*** …을 비밀로 하다〔하지 않다〕. ***smell out*** ~***s*** 비밀을 탐지하다.
sécret ágent 첩보원, 첩자, 간첩.
se·cre·ta·gog, -gogue [sikríːtəgɑ̀g, -gɔ̀ːg/-gɔ̀g] *n.* 〖생물〗 (위·췌장 등의) 분비 촉진약〔물질〕.
sec·re·taire [sèkrətέər] *n.* (사무용) 책상《프랑스 가구》.
sec·re·tar·i·al [sèkrətέəriəl] *a.* 서기〔비서〕의; 서기관〔비서관〕의; (국무) 장관의.
sec·re·tar·i·at(e) [sèkrətέəriət] *n.* **1** U 서기〔서기관, 비서관〕의 직. **2** C 비서과, 문서과, 서무과; 총무처; (the ~) U 그 직원들; (S-) (국제 조직의) 사무국; (보통 S-) (공산당 등의) 서기국.
****sec·re·ta·ry** [sékrətèri/-təri] *n.* **1** 비서, 서기; 사무관, 비서관, 서기관; 간사: a first 〔third〕 ~ of the embassy 대사관 1등〔3등〕 서기관 / an honorary ~ 명예 간사. **2** 〔S-〕 (각 부(部)의) 장관: the *Secretary* of State 《미》 국무 장관; 《영》 장관 / the *Secretary* of Defense 〔Treasury〕 《미》 국방〔재무〕 장관 / the Foreign 〔Home〕 *Secretary*; the *Secretary* of State for Foreign 〔Home〕 Affairs 《영》 외무〔내무〕 장관 / ⇨ PARLIAMENTARY 〔PERMANENT〕 SECRETARY. ★《영》 신설 부(部)의 장관은 minister가 보통: the Minister of Civil Aviation and Transport 민간 항공 운수 장관. **3** =SECRETAIRE. **4** U 〖인쇄〗 초서체(體) 활자(script). 파 ~**·ship** [-ʃip] *n.* U ~의 직〔임기〕.
sécretary bìrd 〖조류〗 독수리의 일종《뱀을 먹음; 아프리카산(産)》.

secretary bird

sécretary-géneral (*pl.* ***sécretaries-***) *n.* (U.N. 등의) 사무 총장〔국장〕《생략: Sec.-Gen., S.-G.》.
sécret bállot 비밀 투표.
se·crete[1] [sikríːt] *vt.* 비밀로 하다, 은닉하다; 숨기다: ~ oneself 숨다. SYN. ⇨ HIDE.
°**se·crete**[2] *vt.* 〖생리〗 분비하다: a *secreting* cell 분비 세포.
se·cre·tin [sikríːtin] *n.* U 〖생화학〗 세크레틴《소장 내에 생기는 일종의 호르몬》.
sécret ínk 은현(隱顯) 잉크.
°**se·cre·tion** [sikríːʃən] *n.* U **1** 〖생리〗 분비(작용); C 분비물, 분비액. **2** 숨김, 은닉.
se·cre·tive [síːkritiv, sikríː-] *a.* **1** 숨기는; 비밀주의의, 잠자코 있는. **2** [sikríːtiv] =SECRETORY. 파 ~**·ly** *ad.* ~**·ness** *n.*
***se·cret·ly** [síːkritli] *ad.* 비밀로, 몰래.
se·cre·tor [sikríːtər] *n.* 분비선(腺); 분비자(者)《타액 등의 액체에 ABO 혈액형의 항원(抗原)을 지니고 있는 사람. opp. *nonsecretor*》.
se·cre·to·ry [sikríːtəri] *a.* 분비성의; 분비를 촉진하는. — *n.* 분비선(腺), 분비 기관.
sécret pártner 익명 사원.
sécret párts (the ~) 음부(陰部).
sécret políce 비밀경찰.
sécret resérve 〖경영〗 비밀 적립금.
sécret sérvice 1 (정부의) 비밀 기관, 첩보부. cf. intelligence service. **2** (S- S-) 《미》 재무부 비밀 검찰부《대통령 호위, 위조지폐 적발 따위를 담당》; 《영》 내무성 (비밀) 검찰국. **3** 첩보 활동. 파 **sécret-sérvice** *a.*
sécret sérvice mòney 《영》 기밀비.
sécret socíety 비밀 결사.
sécret wéapon 비밀 병기; 《비유》 비장의 무기.
°**sect** [sekt] *n.* 분파, 종파; 교파; 당파; (철학 따위의) 학파, 반주류(反主流), 섹트.
sect. section.
sec·tar·i·an [sektέəriən] *a.* 분파의, 종파의; 학파의; 당파심이 강한; 협량(狹量)한, 편협한. — *n.* 종파에 속하는 사람; 파벌적인 사람; 분리파 교회 신도; 종파심〔당파심〕이 강한 사람. ㊐ ~·ism n. Ⓤ 종파심, 교파심; 학벌, 파벌, 섹트주의.

sec·tár·i·an·ìze vi. 분파〔반주류(反主流)〕 행동을 취하다, 분파로 갈라지다. ── vt. 파벌적으로 하다; 당파심을 불어넣다; 파벌하에 두다.

sec·ta·ry [séktəri] n. 한 종파에 속하는 사람, 《특히》 열렬한 신도; 〖영국사〗 (the Civil War 시대의) 국교에 반대하던 신〔청〕교도.

sec·tile [séktil/-tail] a. 〖광물〗 자를 수 있는, 절단 가능한. ㊐ **sec·til·i·ty** [sektíləti] n.

sec·tion [sékʃən] n. **1** Ⓤ,Ⓒ 절단, 분할; 절개; Ⓤ 자르기: Caesarean ~ 〔operation〕 제왕 절개. **2** 자른 면, 단면(도); 〖수학〗 (입체의) 절단면, 원뿔 곡선; 《비유》 (사회 따위의) 단면, 대표적인 면: ⇨ CROSS SECTION. **3** 절제 부분, 단편; 부분품, 접합 부분: the ~*s* of an orange 귤의 조각/a bookcase built in ~*s* 조립식(式) 책장/a microscopic ~ 현미경용의 박편(薄片)/~*s* of the machine 기계의 부품. **4** 구분, 구획; 구역, 구간; (대나무 따위의) 마디 사이; 《미》 (town 등의) 한 구역, 지구, 지방; 《미》 섹션《정부의 측량 단위로, 1제곱 마일의 구역; 36 섹션으로 township이 됨》. ⓒⓕ district. ¶a business ~ 상업 지구. **5** 부문; (회의 등의) 부회(部會); (단체의) 당, 파; (관청 등의) 부, 과, 반: the conservative ~ 보수파/a personnel ~ 인사과. **6** 〖미군사〗 반(班), 반(半) 소대; (포병의) 소대; 〖영군사〗 분대. **7** (책의) 절(節), 항(項), 단락(段落); (신문의) 난(欄); 〖음악〗 악절. **8** 〖생물〗 마디; 〖식물〗 아속(亞屬). **9** 《미》 (철도의) 보선구(保線區): a ~ gang 〔crew〕 《미》 보선구반(班)/a ~ hand 〔man〕 《미》 보선공〔인부〕. ***in*** ~ 단면으로. ***in*** ~***s*** 조립식의, 분해하여: convey *in* ~*s* 분해하여 운반하다.
── vt. **1** 분할하다, 구분〔구획〕하다: ~ a class by ability 클래스를 능력에 따라 구분하다. **2** 〖의학〗 절개하다. **3** (배 따위를) 해체하다. **4** …의 단면도를 그리다. **5** (현미경 검사를 위해) …의 박편을 만들다. **6** 절·항으로 구분 배열하다.

sec·tion·al [sékʃənəl] a. **1** 부분의; 구분의; 부문의; 절의, 단락의, 구분이 있는; 조립식의, 짜맞추는 식의. **2** 부분적인; 지방적인; 지방적 편견이 있는: ~ interests 지방〔지역〕(편중)적인 이해(利害). **3** 단면(도)의: the ~ plan of a building 건물의 단면도. ── n. 《미》 짜 맞추는〔조립식〕 가구. ㊐ ◇~·**ism** n. Ⓤ 지방〔부분〕 편중, 지방 중심〔주의〕; 지방적 편견; 파벌주의; 섹트주의〔근성〕. ~·**ist** n. ~·**ly** ad. 부분적으로; 지방적으로; 구분하여; 단면적으로; 조립식으로.

séc·tion·al·ìze vt. 부분으로 나누다; 구획하다, 지역으로 나누다. ㊐ **sèc·tion·al·i·zá·tion** n.

Séction Éight 〔8〕 《미》 부적격자로서의 제대(자); 《미속어》 (제대 이유가 된) 정신 장애, 신경증; 《미속어》 신경증 환자, 정신 이상자.

séction hòuse 《미》 (관할 구역) 경찰 독신자 숙소; 《미》 철도 보선 작업원 숙사; 철도 보선구 기재 창고.

séction màrk 〖인쇄〗 절의 표시《§ 따위》.

séction pàper 《영》 모눈종이(《미》 graph paper).

sec·tor [séktər] n. 〖수학〗 부채꼴; 함수자; 〖군사〗 선형(扇形) 전투 지구, 작전 지구; 《일반적》 분야, 방면, 영역, 구역; 〖통신〗 레이더의 유효 범위; 〖컴퓨터〗 (저장) 테조각, 섹터《자기(磁氣) 디스크나 disk pack의 track을 보다 작게 나눈 부분》.
── vt. 부채꼴로 분할하다. ㊐ ~·**al** a.

sec·to·ri·al [sektɔ́ːriəl] a. **1** sector의; 부채꼴의. **2** (이가) 살을 물고 뜯는 데 적합한. ── n. 송곳니. 「(走査).

séctor scàn 〖통신〗 (레이더의) 부채꼴 주사

sec·u·lar [sékjələr] a. **1** 현세의, 세속의; 비종교적인. ⓒⓕ mundane, worldly. ¶ ~ affairs 속세의 일/~ education (종교 교과를 가미하지 않은) 보통 교육/~ music 세속적인 음악/the ~ power 속권(俗權). **2** 〖교회〗 수도원 밖의, 수도서원(誓願)에 구애되지 않는. ⓄⓅⓅ *regular*. ¶a ~ priest 〔clergy〕 교구에 사는 사제〔성직자〕. **3** 〖고대로마〗 1세기 1회의, 1대(代) 1회의, 백년마다의; 1세기 계속되는. **4** 오랜 세월의〔에 걸치는〕; 불후의《명성 등》: the ~ bird 불사조/~ rivalry 오랜 항쟁/a ~ name 불후의 명성. ── n. **1** 〖가톨릭〗 수도회에 속하지 않은 성직자; 재속(在俗) 신부《수사(修士) 신부에 대하여》. **2** (종교가에 대한) 속인. ㊐ ~·**ly** ad. 세속적으로, 현세적으로; 속화(俗化)하여.

sécular árm (the ~) 〖역사〗 (예전의 교권에 대한) 속권(俗權); (종교 재판소에서 죄인을 보내는) 세속 재판.

sécular hùmanism 세속적 인간주의《비종교 교육을 비난하여 쓰는 말》.

séc·u·lar·ìsm [-rìzəm] n. Ⓤ 세속주의; 속된 마음; 비종교적 도덕론〔교육론〕; 교육 종교 분리주의. ㊐ **-ist** n. **sèc·u·lar·ís·tic** a.

sec·u·lar·i·ty [sèkjəlǽrəti] n. Ⓤ 세속주의; 속심(俗心), 번뇌; Ⓒ 속된 일.

séc·u·lar·ìze [-ràiz] vt. 세속화하다; (수사(修士)를) 재속(在俗) 신부로 하다, 세속적인 용도로 제공〔개방〕하다; (교회 재산·사업을) 정부〔민간〕 소유로 옮기다; (교육을) 종교에서 분리하다: ~ education 교육을 종교에서 분리하다.
㊐ **sèc·u·lar·i·zá·tion** n. Ⓤ

se·cund [síːkʌnd, sék-, sikʌ́nd/sikʌ́nd] a. 〖식물·동물〗 한쪽으로 편향한〔치우친〕, 한쪽만 나란한, 한쪽에만 생기는. ㊐ ~·**ly** ad.

se·cun·dum [səkʌ́ndəm; *L.* sɛkúndum] *prep.* 《L.》 …에 의하여, …에 따라서(according to): ~ legem [líːdʒem] 법에 따라서, 법적으로/~ artem [ɑ́ːrtem] 기술〔규칙〕에 따라서; 과학적으로, 인공적으로《생략: sec. art.》/~ naturam [nɑːtúːrɑːm] 자연에 따라, 자연히《생략: sec. nat.》.

se·cun·dus [səkʌ́ndəs] a. 제2의《동성(同姓)의 남학생 중 두번째》. ⓒⓕ primus.

se·cur·a·ble [sikjúərəbəl] a. 확보〔입수〕할 수 있는; 안전하게 할 수 있는.

se·cure [sikjúər] (*-cur·er; -cur·est*) a. **1** 안전한, 위험이 없는《*against; from*》: a ~ hideout 안전한 은신처. ⓈⓎⓃ. ⇨ SAFE. **2** (지위·생활·미래 등이) 안정된, 걱정이 없는; (발판·토대·매듭 등이) 튼튼한; (자물쇠·문 등이) 단단히 잠긴〔닫힌〕; (건물 등이) 무너지지 않는: a ~ job with good pay 급료가 좋은 안정된 일자리/a ~ foothold 튼튼한 발판/The building was ~, even in an earthquake. 그 건물은 지진에도 끄떡없었다. **3** 〖흔히 서술적〗 안전하게 보관된; 도망칠 염려 없는: keep 〔hold〕 a prisoner ~ 죄수를 엄중히 감금해 두다. **4** (일이) 확보된, 보증된; 확실한; (관계·명성 등이) 확립된; (판단 등이) 믿을 수 있는: a ~ victory 확실한 승리/His promotion is ~. 그의 승진은 틀림없다. **5** 〖서술적〗 (…에 대해) 안심하는, 걱정 없는《*about; as to*》; 의심 없는, (신념 등에서) 확고한: be ~ *of* victory 승리를 확신하고 있다/He feels ~ *about* 〔*as to*〕 his future. 그는 장래에 대하여 안심하고 있다. **6** (전화선 등이) 도청의 위험성이 없는. ◇ security. ***make*** ~ 공고히 하다, 튼튼히 하다.
── vt. **1** 《~+목/+목+전+명》 안전하게 하다, 굳게 지키다, 굳게 하다《*against; from*》: ~ a

city *from* danger 도시를 위험에서 지키다. **2** 확실하게 하다, 확고히 하다: The success ~*d* his reputation. 그 성공으로 그의 명성은 확고하게 되었다. **3** ((~+목/+목+전+명)) 보증하다, 책임지다, …에 담보를 제공하다〔잡히다〕; …을 보험에 넣다: ~ a loan 차관에 담보를 제공하다/He has been ~*d against* loss by fire. 그는 화재보험에 들어 있었다. **4** 인수하다, 보호하다. **5** ((~+목/+목+목/+목+전+명)) 확보〔획득〕하다, 얻다, 손에 넣다; (회견 따위를 할 기회를) 간신히 얻다: Please ~ me a seat. =Please ~ a seat *for* me. 자리를 하나 잡아 주시오. SYN. ⇨GET. **6** (죄인 따위를) 붙잡다; 도망치지 못하게 하다, 가두다, 감금하다. **7** (문을) 단단히 잠그다, 채우다: ~ locks 자물쇠를 단단히 채우다. **8** …에 쇠고리를 걸다; 고착시키다, 잡아매다((*to*)). **9** 유언으로 물려주다(devise). — *vi.* ((+전+명)) 안전하(게 되)다; 보증을 받고 있다, 담보를 잡고 있다: We must ~ *against* possible obstacles. 있을지도 모를 장애에 대하여 대책을 세워 놓아야 한다. ~ ***arms*** 〖군사〗 (비 맞지 않게) 총의 중요부를 껴안다. ***Secure arms!*** 팔에 총((구령)). ~ a thing ***from*** a person 아무로부터 무엇을 손에 넣다. ~ one***self against*** 〔***from***〕 …의 염려가 없도록 하다, …에 대해 몸을 지키다: ~ one*self against* accidents 손해보험에 들다. ㊞ ◇~·**ly** *ad.* 확실히, 확신하고, 단단히; ((고어)) 안심하고. **se·cúr·er** *n.*

sécure HTTP 〖컴퓨터〗 보안 HTTP((인터넷에서 웹문서의 교환을 위해 HTTP에 보안을 보강해서 만든 통신 규약))(secure hypertext transfer protocol).

se·cúre·ment *n.* 확보, 보증.

se·cu·ri·form [sikjúərəfɔ̀:rm] *a.* 〖곤충·식물〗 도끼 모양의.

Secúrities and Exchánge Commìssion ((미)) 증권 거래 위원회((생략: SEC)).

se·cù·ri·ti·zá·tion *n.* (은행 융자·저당 채권 등의) 증권화(證券化).

se·cú·ri·tìze *vt.* 〖금융〗 securitization으로 자금을 조달하다. ㊞ **-tìz·er** *n.*

‡**se·cu·ri·ty** [sikjúərəti] *n.* **1** Ⓤ 안전, 무사; 안심: rest in ~ 안심하고 쉬다. **2** Ⓤ 안심감, 방심: *Security* is the greatest enemy. ((속담)) 방심은 금물. **3** Ⓤ,Ⓒ 보안, 방위 (수단), 보호, 방어; 방호물(物), 〖군사〗 방호 조치; 보안 조치; 안전보장((*against; from*)): a ~ *against* burglars 도둑에 대한 방위 (수단). **4** Ⓤ,Ⓒ (재정상의) 안정, 보장; 보증; 보증금; 담보(물); 보증인; 차용증((*for*)): ~ *for* a loan 차용금에 대한 담보/The insurance policy gave the family ~. 그 보험으로 일가의 생활이 안정되었다. **5** (*pl.*) 유가 증권: government *securities* 공채(公債)/a *securities* company 〔firm〕 증권 회사/the *securities* market 증권 시장. **6** 경비 담당(자), 경비회사: He called ~ when he spotted the intruder. 침입자를 발견하고 그는 경비 회사에 전화를 걸었다. **7** 〖컴퓨터〗 보안((인가되지 않은 사용자가 무단으로 데이터에 접근할 수 없게 하는 일)). ***give ~ against*** …에 대해 보호하다. ***give*** 〔***go, stand***〕 ***~ for*** …의 보증인이 되다. ***in ~*** 안전하게, 무사히. ***in ~ for*** …의 보증으로〔담보로〕. ***on good ~*** 상당한 저당을 잡고. ***on ~ of*** …을 담보로 하여.

secúrity ànalyst 증권 분석가.

secúrity blànket ((미)) (안도감을 갖기 위해 아이가 갖고 다니는) 담요〔수건, 베개〕; 〖일반적〗 안전을 보장하는〔마음이 안정되는〕 것〔사람〕.

secúrity chèck 〖항공〗 (highjacking 방지를 위한) 보안 검사.

secúrity clèarance 비밀 정보 사용 허가; (국가 기밀 등을 맡길 수 있다는) 인물 증명.

Secúrity Cóuncil (the ~) (유엔) 안전 보장 이사회((생략: S.C.)).

Secúrity Fòrce UN군(軍)((정식명은 United Nations Peacemaking Force)).

secúrity guàrd (현금 수송 등의) 경호원, (빌딩 등의) 경비원. 「략: SID)).

secúrity idèntifier 〖컴퓨터〗 보안 식별자((생

secúrity índustry 경비 산업, 안전 산업.

secúrity ìnterest 〖법률〗 선취(先取) 특권.

secúrity màn 〔**òfficer**〕 경비원, 경호원.

secúrity políce 비밀경찰.

secúrity rìsk (치안상의) 위험인물. 「따위)).

secúrity sèrvice 국가 안보 기관((미국 CIA

secy., sec'y. secretary. **sed.** sediment; sedimentation.

◇**se·dan** [sidǽn] *n.* **1** (17-18세기의) 의자가마(=~ **chàir**). **2** ((미)) 세단형 자동차 (((영)) saloon).

sedan 1

se·date¹ [sidéit] (**-dat·er; -dat·est**) *a.* 침착한, 조용한; 진지한; 수수한((빛깔 따위)). ㊞ ~·**ly** *ad.* ~·**ness** *n.*

se·date² *vt.* …에 진정제를 마시게 하다.

se·dá·tion *n.* 〖의학〗 (진정제 등에 의한) 진정 (작용): be under ~.

sed·a·tive [sédətiv] *a.* 가라앉히는, 진정 작용이 있는. — *n.* 〖의학〗 진정제; 〖일반적〗 진정시키는 것.

se de·fen·den·do [si:-dì:fendéndou] ((L.)) 〖법률〗 자기 방위를 위하여〔위한〕.

sed·en·ta·ry [sédntèri/-təri] *a.* 앉은 채 있는; 좌업(坐業)의; 앉으려 드는; 좌업에서 발생하는, 오래 앉아 있는 데서 생기는((병)); 정주하는; 〖동물〗 이주하지 않는((새)); 착생(着生)의: ~ habits 앉으려는 습관/~ work 앉아 하는 일. — *n.* 앉아서 일하는 사람, 늘 앉아 있는 사람. ㊞ **-ri·ly** *ad.* (늘) 앉아서; 정주(定住)하여. **-ri·ness** *n.*

Se·der [séidər] (*pl.* **~s, -da·rim** [sidá:rim]) *n.* (종종 s-) (유대인의) 유월절(逾越節)밤 축제.

se·de·runt [sidíərənt] *n.* 회의, 집회; 성직자 회의; ((Sc.)) 포도주를 마시면서 하는 회의; 오랫동안 앉아 있음.

sedge [sedʒ] *n.* Ⓤ 사초속(屬)의 각종 식물. ㊞ **sédgy** *a.* 사초가 무성한; 사초의〔같은〕.

se·di·lia [sedíliə/-dái-, -díl-] (*sing.* **-di·le** [-dáili]) *n. pl.* (교회 안 제대(祭臺) 남쪽의) 사제석(司祭席)〔목사석〕.

sed·i·ment [sédəmənt] *n.* Ⓤ,Ⓒ 앙금, 침전물; 〖지학〗 퇴적물. — *vi.*, *vt.* 침전하다〔시키다〕.

sed·i·men·tal, -ta·ry [sèdəméntl], [-təri] *a.* 앙금의, 침전물의; 침전〔퇴적〕으로 생긴: *sedimentary* rock 퇴적암.

sed·i·men·ta·tion [sèdəmentéiʃən] *n.* Ⓤ 침전〔퇴적〕(작용); 〖물리〗 침강(沈降) 분리, 침강(법). 「*n.* 〖지학〗 퇴적학(堆積學).

sed·i·men·tol·o·gy [sèdəmentálədʒi/-tɔ́l-]

se·di·tion [sidíʃən] *n.* Ⓤ 난동, 선동, 치안 방해(죄), 폭동 교사 (행위); ((고어)) 소란, 폭동. ㊞ ~·**ist** *n.*

se·di·tion·ary [sidíʃənèri/-nəri] *a.* =SEDITIOUS. — *n.* 난동 선동〔교사〕자, 치안 방해자.

se·di·tious [sidíʃəs] *a.* 선동적인, 치안 방해적인. ㊞ ~·**ly** *ad.* ~·**ness** *n.*

◇**se·duce** [sidjú:s/-djú:s] *vt.* **1** ((+목+전+

명》 부추기다, 속이다, 꾀다: ~ a person *into* error 아무를 속여 실수하게 하다. **2** (이성을) 유혹하다; 매혹시키다, 반하게 하다. ㊞ **~·a·ble, se·dúc·i·ble** *a.* 유혹에 빠지기 쉬운, 유혹하기 쉬운. **se·dúc·er** *n.* 유혹자〔물〕, 《특히》 여자 농락꾼, 색마.

se·dúce·ment *n.* =SEDUCTION; 유혹하는〔부추기는〕 것, 매력.

se·duc·tion [sidʌ́kʃən] *n.* **1** Ⓤ 사주(使嗾), 유혹. **2** (보통 *pl.*) 유혹물, 매력, 매혹; 〖법률〗 (부녀자) 유괴.

se·duc·tive [sidʌ́ktiv] *a.* 유혹하는; 호리는, 매력 있는. ㊞ **~·ly** *ad.* **~·ness** *n.*

se·duc·tress [sidʌ́ktris] *n.* 남자를 좋아하는〔유혹하는〕 여자.

se·du·li·ty [sidjúːləti/-djúː-] *n.* Ⓤ 근면, 정려(精勵).

sed·u·lous [sédʒələs/-dju-] *a.* 근면한, 지멸있는; 정성을 다하는; 공들인. ***play the ~ ape*** 남의 문체(文體)를 모방하다, 모방으로 터득하다.

se·dum [síːdəm] *n.* 꿩의비름속의 식물.

†**see**[1] [siː] (***saw*** [sɔː]; ***seen*** [siːn]) *vt.* **1** 《~+목/+목+*do*/+목+-*ing*》 보다, …이 보이다: ~ a play 연극을 보다/*See* me in the face. 나를 똑바로 보시오/I *saw* her *go* out. 그녀가 외출하는 걸 보았다/She was *seen to* go out. 그녀가 외출하는 것이 보였다《수동태에서는 to 부정사를 수반함》/I *saw* her *kniting* wool into stockings. 그녀가 털실로 양말을 뜨고 있는 걸 보았다.

> SYN. **see** 시력을 특히 작용시키지 않는 점에 특징이 있음. see 의 다른 중요한 뜻인 '주의하다' '사람을 만나다' 는 모두 시력이 아닌 머리를 쓰는 점에 주의할 것. **look** '시선' 에 중점이 있음. 얼굴 · 눈이 그 쪽으로 향하다. 따라서 명사의 뜻인 '표정' 이 생김. **gaze upon, behold, stare at** (눈을 크게 뜨고) 눈여겨보다. stare 에는 놀람 · 호기심이 따를 때가 많음. **watch** 상대의 움직임 등을 지켜보다. 감시자가 정지해 있음을 시사함: *watch* TV 텔레비전을 보다.

2 《+목+전+명》 (글자 · 인쇄물 등을) 보다: I *saw* your appointment *in* the newspaper. 신문에서 너의 임명 기사를 보았다.
3 바라보다, 관찰하다; 구경하다: He ~*s* only her faults. 그에게는 그녀의 결점만이 눈에 비친다/It'll take a whole day to ~ the town. 시내 구경에 꼬박 하루가 걸릴 것이다.
4 …를 만나(보)다, …를 면회하다, …와 회견〔회담〕하다: Come and ~ me some time. 언젠가 와 주십시오/I am very glad to ~ you. 만나뵈어 반갑습니다; 잘 와 주셨습니다《초대면의 경우는 see 대신 meet를 쓰는 것이 좋을 것임》/I never *saw* him before. 그를 한 번도 만나본 일이 없다/*See* my agent. 대리인과 말씀하십시오. SYN. ⇨MEET.
5 방문하다, 찾다, (환자를) 문병하다; (의사에게) 진찰을 받다: You'd better ~ a doctor at once. 곧 의사의 진찰을 받는 것이 좋겠습니다. SYN. ⇨VISIT.
6 …와 자주〔종종〕 만나다〔데이트하다〕: ~ each other 서로 (가끔) 만나고〔데이트하고〕 있다.
7 …을 만나다, 조우하다, 겪다, 경험하다; (장소가) …현장이 되다, 목격하다: Everyone will ~ death. 누구에게나 죽음은 온다/The house *saw* all manner of human misery. 그 집은 인간의 온갖 불행을 겪었다/He has seen a lot of life. 그는 많은 인생 경험을 쌓았다.
8 《~+목/+목+전+명》 인정하다, 발견하다, 《특히》 장점으로서 …을 찾아내다: ~ charming traits *in* not-so-charming people 별로 매력

없는 사람들에게서 호감이 가는 특성을 찾아내다/I don't ~ any harm *in* it. 나는 그것에서 이렇다할 해로운 점을 찾을 수 없다/What do you ~ *in* her? 그녀의 어디가 마음에 들었나.
9 《~+목/+*wh.* 절/+*that* 절/+목+*to* do/+*wh. to* do》 깨닫다, 이해하다, 알다; …을 알아채다: I don't ~ your point. 취지를 모르겠습니다/I don't ~ *what*'s wrong with it. 그것이 어디가 나쁜지 알 수 없다/I ~ *what* you mean. 네 말을 이해하겠다/~ a joke 농담임을 알아채다/He didn't ~ (*that*) she was foolish. =《문어》 He didn't ~ her *to* be foolish. 그는 그녀가 어리석음을 알아채지 못했다/I don't ~ *how to* avert the danger. 어떻게 그 위험을 피해야 할지 모르겠다.
10 《~+목/+*wh.* 절》 잘 보다, 살펴보다, 조사〔검사〕하다: It would be better for you to go and ~ its truth for yourself. 가서 직접 그 진위를 확인하는 것이 좋다/*See who* is at the door. 누가 왔는지 나가 봐라/I'll ~ *whether* it gets done right away. 곧 해낼 수 있을지 조사해 보지요.
11 《~+목/+목+*as* 보/+목+-*ing*》 생각해 보다, 상상하다, (꿈에) 보다: I can't ~ him *as* a president. 그가 대통령이 된다는 따위는 상상도 할 수 없다/He can't ~ me know*ing* the fact. 그는 내가 사실을 알고 있으리라 상상도 못 한다.
12 《~+목/+목+부/+목+보》 생각하다, …하다고〔…라고〕 생각하다〔보다〕: ~ things *differently* now 이제는 세상을 다르게 보다/He *saw* it right to do so. 그는 그렇게 하는 것이 옳다고 여겼다/I can't ~ the matter that way. 나는 그 문제를 그런 식으로 생각하지 않는다.
13 《+목+부/+목+전+명》 바래다주다; 배웅하다《*to*》: May I ~ you *home?* 댁까지 바래다 드릴까요/I *saw* my friend *to* the station. 친구를 역까지 바래다주었다.
14 《+목+전+명》 …에게 원조를〔도움을, 돈을〕 주다: She *saw* her brother *through* college. 남동생을〔오빠를〕 도와 대학을 졸업시켰다.
15 《+*that* 절/+목+*done*》 (…이 …하도록) 마음을 쓰다, 주선〔배려, 조처〕하다: I'll ~ (*to it*) *that* everything is all right. 모든 일이 잘 되도록 조처하겠다/I'll ~ the work *done* in time. 일이 기한 내 끝나도록 신경을 쓰겠다.
16 《+목+-*ing*/+목+*do*/+목+*done*》 〖보통 의문문 · 부정문에서〗 묵인하다, 내버려두다; 〖will ~… before의 구문으로〗 바라다: I can't ~ him mak*ing* use of me. 나는 그에게 이용당하고만 있을 수 없다/I can't ~ many people suffer. 많은 사람들이 고통받는 것을 묵과할 수 없다/I'*d* ~ the house *burnt* down *before* I part with it. 집을 내주느니 차라리 불타 없어지는 게 낫겠다.
17 (포커에서) 같은 액수의 돈으로 내기〔상대〕에 응하다.
18 《미구어》 …에게 뇌물을 쓰다, …을 매수하다.
— *vi.* **1** 보다; 보이다, 눈이 보이다; (보인 것을 가리켜) 저봐, 자, 어때: I can't ~ that far. 그렇게 멀리는 안 보인다/those who can ~ far 선견지명이 있는 사람들/I can't ~ to read. 어두워 읽을 수가 없다/*See*, here he comes! 저봐 그가 온다. **2** 알다, 이해하다, 납득하다: Do you ~? 알았느냐/I ~. 알았어요. **3** 살펴보다, 주의하다, 확인하다, 조사하다: We'll just have to wait and ~. 우리는 그저 기다려서 형편을 살피는 수밖에 없다. **4** 생각해 보다: Let me ~, what was I saying? 그런데 무슨 말을 했더라. ***as I ~ it*** 내가 보는 바로는. ***as you ~*** 보는 바와

같이. ***Be ~ing you!*** 《구어》 안녕, 그럼 또 만나요. ***be seen no more*** 이미 없다; 죽었다. (They) ***have seen better days.*** (저들은) 한때 영화로웠던〔좋았던〕 때도 있었다. ***have seen service*** 전쟁에 나갔던 일이 있다; 경험이 있다; (옷 따위가) 낡아 있다. ***I'll ~*** (***about it***). (즉답을 피해) 생각해 보겠습니다; 어떻게 해보죠. ***I ~.*** 《구어》 알았다, 알겠다; 아, 그렇군 그래: You stay here until I come back. — *I ~*. 내가 돌아올 때까지 여기 있게나 — 알겠네. ***It will*** (***thus***) ***be seen that ....*** (따라서) …이라는 것이 명백해질 것이다. ***I've seen better*** 〔***worse***〕. 《구어》 (그것은) 대단한 것은 아니다〔아직 나은 편이다〕. (Just) ***let me ~*** (it). (그것 좀) 보여다오. ***live to ~ ...*** 살아 …을 보게 되다. ***~ about*** (…을) 처리〔조치〕하다; 고려〔검토〕하다, …에 신경을 쓰다. ***~ after*** …을 돌보다《look after 쪽이 보통임》. ***~ beyond ...*** 〖종종 부정어로〗 (가까이 있는 일)의 앞을 내다보다. ***~*** one***'s nose*** 앞을 내다보다. ***~ ... blowed*** 〔***damned, farther, hanged, in hell***〕 ***first*** (***before ...***) …만은 절대 사절이다. ***~*** a person ***coming*** ⇨COME. ***~*** a thing ***done*** 스스로 감독하여 (일을) 시키다. ***See everything clear!*** 〖해사〗 준비《보트 내릴 때의 명령》. ***~ for*** one***self*** 자신이 직접 보다, 자신이 조사〔확인〕하다: You can *~ for* your*self*. 네가 직접 확인하면 돼. ***~ good*** 〔***fit***〕 ***to*** do …하는 것이 좋다고 생각하다. ***See here!*** ⇨HERE. ***Seeing that ...*** …하므로, …한 이상(in as much as). [cf.] seeing. ***~ into*** …을 조사하다; …을 간파하다. ***~*** a person ***in*** his ***true colors*** 아무의 본색을 보다, 아무를 있는 그대로 보다. ***~ it*** 납득이 가다, 이해하다. ***~ much*** 〔***less, nothing, something***〕 ***of*** …을 자주 만나다〔자주 만나지 않다, 통 못 만나다, 때로 만나다〕. ***~ no further than*** one***'s nose*** 한 치 앞도 못 보다. ***~ off*** ① 배웅하다: ~ a person *off* into the train 기차를 탈 때까지 배웅하다. ② (침입자 등을) 좇아 버리다, (공격 등을) 격퇴하다. ***~ off a book*** 한눈팔다《책을 읽을 때》. ***~ out*** 《*vt.*+[부]》 ① (손님을) 현관까지 배웅하다《*of*》; (일·계획 따위를) 끝까지 (지켜)보다, 완수하다: I can ~ myself *out*. (현관까지 배웅하지 않아도) 혼자 돌아갈 수 있습니다 / ~ a play *out* 연극을 끝까지 보다. ② (아무를) 술마시기 내기에서 이기다. ③ 《구어》 …이 끝날 때까지 견뎌내다, …보다 오래 견디다〔살다〕. ④ (차의 운전자가 …에서) 나오도록 인도하다《*of*》. — 《*vi.*+[부]》 ⑤ 밖을 보다, 밖이 보이다. ***~ over*** 〔***round***〕 (집 따위를) 돌아보다, …을 시찰하다, …을 검사하다. ***~*** a person ***right*** 아무를 정당하게 다루다, 아무에게 손해를 안 보이다. ***~*** one***'s way to*** do = ***~*** one***'s way to*** do*ing* 어떻게든 (하여) …하다: I can't ~ *my way to* agree(*ing*) with you. 선생 의견에 찬동하지 못하겠습니다. ***~ the color of*** a person***'s money*** 아무의 지불 능력을 확인하다. ***~ the devil*** 《속어》 곤드레가 되다. ***~ the old year out and the new year in*** 묵은 해를 보내고 새해를 맞다. ***~ things*** ⇨THING[1]. ***~ through*** …을 꿰뚫어보다〔간파하다〕: ~ *through* a brick wall 〔a millstone〕 ⇨WALL[1], MILLSTONE. ***~*** a person ***through*** (his troubles) 아무를 도와 (고난을) 벗어나게 하다 〔극복시키다〕(⇨*vt.* 14). ***~*** a thing ***through*** 끝까지 지켜보다, 일을 끝까지 해내다. ***~ to*** …에 주의하다; (일 등)을 맡다, …을 처리하다; …을 준비하다; …을 조사하다: I'll ~ *to* that. 그건 제가 맡아 처리하죠. ***~*** a person ***to ...*** 아무를 …까지 바래다주다(⇨*vt.* 13); (식량·연료 등이) (어느 시기·장소)까지 충분하다: We have enough food to ~ us *to* the end of the week. 주말까지의 식량이 있다. ***~ to it that ...*** …하도록 하다〔돌보다, 조처하다〕(⇨*vt.* 15): *See* (*to it*) *that* he does the job properly. 그가 일을 틀림없이 하도록 해 주게. ***~ visions*** 환영〔환상〕을 보다; (장래에 대해) 꿈을 갖다, 장래의 일을 알다. ***~ with*** …와 같은 의견이다. ***things seen*** (실제로) 관찰한 사물. (Well), ***we'll ~.*** (그럼) 생각해 보죠. He ***will never ~*** 50 ***again***. 그는 벌써 50세를 지났다. ***You ~.*** 어때, 아시겠죠: It's like this, *you ~*. 이렇단 말야, 알겠지 / *You ~*, I'm very hungry. 실은 배가 몹시 고프단 말야. ***You shall ~.*** 곧 알게 돼, 나중에 이야기하지.

see² *n.* bishop 〔archbishop〕의 지위〔관구〕: the ~ of Rome = HOLY SEE.

sée·a·ble *a.* 볼 수 있는; 알 수 있는.

Sée·beck efféct [síːbek-] 〖물리〗 제베크 효과(thermoelectric effect).

:**seed** [siːd] (*pl.* **~s**, ~) *n.* **1** [U,C] 씨(앗), 종자, 열매《집합적으로도 씀》: grow a plant from ~ 씨를 뿌려 식물을 키우다. **2** [U] 〖성서〗 〖집합적〗 자손: The Jews are the ~ of Abraham. 유대인은 아브라함의 자손이다. **3** [U] (물고기 따위의) 알, 이리, (조개의) 알; (곤충의) 알, 정액. **4** [C] 씨가 되는 것; 종자굴(~ oyster); 알뿌리. **5** (보통 *pl.*) 《비유》 (악의) 근원, (싸움의) 원인〔불씨〕《*of*》. **6** 《구어》 시드 선수. **7** (씨처럼) 작은 알; (유리 속의) 기포(氣泡); 〖화학〗 (결정(結晶)의) 핵. **8** 〖물리·의학〗 시드《방사선원(源)을 넣는 원통형의 소형 용기》. **9** 《미속어》 마리화나 담배. ***go*** 〔***run***〕 ***to ~*** 꽃이 지고 열매를 맺다; 한창때가 지나다, 초라해지다, 황폐해지다. ***in ~*** (식물이) 씨를 맺어; (땅에) 씨가 뿌려져서. ***raise up ~*** 아이를 낳다, 〖성서〗 (아버지가) 아이를 얻다. ***sow the good ~*** 좋은 씨를 뿌리다; 《비유》 복음을 전하다. ***sow the ~***(***s***) ***of*** …의 씨를 뿌리다; …을 맨 먼저 시작하다.

— *vi.* **1** 씨를 뿌리다: a *~ing* machine 파종기. **2** 씨앗이 생기다; 여물다, 성숙하다. **3** 씨앗이 되다; 씨를 떨어뜨리다. — *vt.* **1** 《~+[목]/+[목]+[전]+[명]》 (땅에) 씨를 뿌리다: ~ a field *with* corn 밭에 옥수수 씨를 뿌리다. **2** (씨앗을) 뿌리다: Dandelions ~ themselves. 민들레는 스스로 씨를 뿌린다. **3** (성장·발전)의 인자를 공급하다; (병균을) 접종하다. **4** …에서 씨를 제거하다: She *~ed* the raisins for the cake. 그녀는 과자를 만들기 위해 건포도의 씨를 발라냈다. **5** 〖경기〗 시드하다《우수 선수끼리 처음부터 맞붙지 않도록 대진표를 짜다》. **6** (구름에) 드라이아이스 등 약품을 살포하다《인공 강우를 위해》.

séed bànk 종자 은행《절멸 위험이 있는 식물〔품종〕의 씨를 보존함》.

séed·bèd *n.* 묘상(苗床), 모판; 《비유》 양성소; (죄악 따위의) 온상. 「넣은) 씨가 든 과자.

séed·càke *n.* (주로 caraway 따위의 향미료를

séed càpsule 〖식물〗 (백합·붓꽃 따위의 씨를 싸고 있는) 삭(蒴), 과피(果皮).

séed·càse *n.* 씨주머니, 과피(果皮).

séed còat 씨껍질(testa).

séed còrn 씨앗용 옥수수〔곡물〕.

séed·ed [-id] *a.* 씨뿌려진, (식물이) 씨가 있는, (과실 등) 핵(核)이 있는; (건포도 따위) 씨를 뺀; 씨 없는.

séed·er *n.* 씨 뿌리는 사람; 파종기; 씨 받는 기계〔장치〕; 《영》 알밴 물고기, 알배기(seed fish); (인공 강우의) 모립(母粒) 살포 장치.

séed fèrn 양치류 종자 식물; 고생대의 화석 식물.

séed fish 알밴 물고기.

séed·ing *n.* [U] 파종; 인공 강우를 위한 드라이아이스 등의 살포.

séed lèaf 〔**lòbe**〕 〖식물〗 떡잎, 자엽.

séed·less *a.* 〖식물〗 무핵(無核)의, 씨 없는《과일》.

seed·ling [síːdliŋ] *n.* 〖식물〗 실생(實生)의 식물; 모종; 묘목《3 피트 이하》.

séed·man [-mən] *n.* =SEEDSMAN.

séed mòney (새 사업의) 착수(자)금, 밑천, 종잣돈.

séed òyster 〖패류〗 (양식용의) 종자(種子)굴.

séed pèarl 작은 진주알《4 분의 1 grain 이하》.

séed plànt 종자 식물.

séed-plòt *n.* =SEEDBED.

séed potàto 씨감자.

séeds·man [-mən] (*pl.* **-men** [-mən]) *n.* 씨 뿌리는 사람; 씨앗 장수, 종묘상.

séed·stòck *n.* 〖농업〗 (파종용으로 선별 보존한) 씨앗, 괴경(塊莖), 뿌리; (멸종되지 않게) 잡은 후에 남겨 두는 동물.

séed·tìme *n.* 파종기《늦봄 또는 초여름》; 《비유》 진전〔준비〕 시기, 초창기.

séed vèssel 〖식물〗 과피(果皮)(pericarp).

seedy [síːdi] (**seed·i·er; -i·est**) *a.* **1** 씨가 많은; 열매를 맺은; 풀향기를 띤《브랜디》; (유리에) 기포(氣泡)가 든. **2 a** 초라한, 인색한, 치사한; 평판이 나쁜. **b** 《구어》 기분이 언짢은, 몸이 불편한: feel 〔look〕 ~ 기분이 나쁘다〔나빠 보이다〕. ㊀ **séed·i·ly** *ad.* **-i·ness** *n.*

***see·ing** [síːiŋ] *n.* **1** Ⓤ,Ⓒ 보기, 보는 일: It is a sight worth ~. 그것은 볼 만한 경치다 / *Seeing* is believing. 《속담》 백문이 불여일견. **2** Ⓤ 시력, 시각. **—** *a.* 시각이 있는; (the ~) 〖명사적〗 눈뜬 사람들(OPP *the blind*) 《복수취급》. **—** *conj.* **1** …이므로, …이니까, …한 것을 보면, …에 비추어(considering), …임을 생각하면: *Seeing* (that) it is 9 o'clock, we will wait no longer. 이미 9시나 됐으니 더는 기다리지 말자. **2** …임에 비하면.

Séeing Ěye 미국 New Jersey 주의 Morristown에 있는 맹도견(盲導犬)을 훈련 공급하는 비영리 단체명; =SEEING EYE DOG.

Séeing Ěye dòg 맹도견(guide dog) 《Seeing Eye에서 훈련된 개; 상표명》.

⁑seek [siːk] (*p., pp.* **sought** [sɔːt]) *vt.* **1** 《~+목/+목+전+명》 찾다; 추구〔탐구〕하다, 조사하다; (명성·부(富) 따위를) 얻으려고 하다; (…에게 조언·설명을) 구하다, 요구하다: ~ fame 〔power〕 명성〔권력〕을 추구하다 / ~ fortune 한재산 모으려 하다 / ~ the truth 진리를 탐구하다 / ~ a person's advice 아무의 의견을 듣다 / ~ the solution *to* a problem 문제의 해결책을 모색하다 / You should ~ advice *from* your lawyer on this matter. 이 문제에 관해 너는 변호사에게 조언을 구해야 한다. **2** 《문어》 …하려고 시도〔노력〕하다《*to* do》: ~ *to* satisfy their needs 그들의 필요를 충족시키려고 노력하다. **3** 《고어》 …에 가고 싶어하다, …에 가다: ~ a place to rest 쉴 곳으로 가다. **—** *vi.* **1** 《~/+전+명》 찾다, 수색하다; 탐구하다《*for*》: ~ *for* something lost 잃은 것을 찾다. **2** 《+전+명》 얻으려고〔찾으려고〕 애쓰다, 희구하다, 요구하다, 청(請)하다《*after; for*》: He is always ~*ing after* fame. 그는 항상 명성을 추구하고 있다. **3** 《고어》 가끔 가다.

be* (*much, most, quite*) *sought after 요구받고 있다, 수요가 있다, 서로 끌어가려고 하다. ***be not far to*** **~** 가까운 곳에 있다, 명백하다: The reason he failed the test *is not far to* ~. 그가 그 시험에 실수한 이유는 명백하다. ***be* (*yet*) *to*** **~** 《고어》 ① 아직 발견되지 않다: A right man in that post *is* (*yet*) *to* ~. 그 부서에 알맞은 사람을 아직 찾지 못하였다. ② 결여되어 있다: Intelligence *is* sadly 〔far, much〕 *to* ~ among them. 그들에게는 지성이 아주 결여되어 있다. **~ *after*** 〔***for***〕 ⇨*vi.* 1, 2. **~ *a quarrel*** ⇨QUARREL. ***Seek dead!*** 사냥감을 찾아와《사냥개에게 하는 말》. **~** (assistance) ***from*** …의 (도움)을 청하다. **~ *out*** …을 찾아내다; …을 열심히 찾다; …와 교제를 바라다. **~** one***'s bed*** 잠자리에 들다. **~** a person***'s life*** 아무의 목숨을 노리다, 죽이려고 꾀하다. **~ *through*** (a place) = **~** (a place) ***through*** (장소)를 샅샅이 뒤지다〔찾다〕.

— *n.* (열·소리·광선·방사선 따위의) 목표물 탐색; 〖컴퓨터〗 탐색《자기(磁氣) 디스크 장치에서 읽기·쓰기를 위해 헤드를 이동시킴》.

㊀ **∠·er** *n.* 수색〔탐구, 추구(追求), 구도(求道)〕자; (미사일의) 목표물 탐색 장치, 그 장치를 한 미사일.

(-)séek·ing *a.* 〖복합어〗 …을 구하는〔찾는〕: heat-~ missile 열추적 미사일.

séek tìme 〖컴퓨터〗 탐색 시간《디스크상의 원하는 정보를 액세스하기 위하여 헤드를 트랙이나 실린더상에 위치시키는 데 걸리는 시간》.

seel [siːl] *vt.* **1** (어린 매의 눈을) 실로 꿰매다《길들이기 위해》. **2** 《고어》 (눈을) 감다; 소경으로 만들다; …의 눈을 속이다.

†seem [siːm] *vi.* **1** 《+(*to be*) 보》 …으로 보이다, …(인 것) 같다, …(인 것으)로 생각되다: He ~*s* (*to be*) a kind man. 그는 친절한 사람(인 것) 같다 / They don't ~ (*to be*) happy. 그들은 즐거워 보이지 않는다 / She ~*s* (*to be*) shocked at the news. 그녀는 그 소식에 충격을 받은 것 같다 / Her reaction ~*ed* strange to me. 나에겐 그녀의 반응이 이상하게 보였다 / The problem ~*s* (*to be*) of great importance. 그 문제는 매우 중요하게 생각된다 / Things are not what they ~. 사물은 겉모습과는 다르다 / All their efforts ~*ed* in vain. 그들의 모든 노력이 수포로 돌아간 것 같았다. ★ to be는 원칙적으로 삽입하는 형과 삽입하지 않는 형이 있는데, 실제로는 어조나 그 밖의 이유에서 어느 하나로 정해질 때가 많음.

> SYN. **seem** '말하는 이의 생각으로는 …로 생각되다'. 주관적 판단이 강조됨. **appear** 외견뿐만 아니라 실제도 그러할 때가 많음. He *appears* wise.는 종종 He is wise.이기도 함. **look** 겉모양에만 언급하고 있음. 따라서 겉모양과 실제가 일치하지 않는 경우도 있음. He *looks* wise.는 종종 He is not wise.일 때도 있을 수 있음. **sound** 들어서 또는 읽어서 느끼는 인상: The explanation *sounds* reasonable. 그 설명은 타당한 것 같다.

2 《+*to* do》 (아무가 …하는 것같이) 생각되다, (…하는 것 같은) 느낌이 들다, (…하는 것같이) 여겨지다〔생각되다〕: You don't ~ *to* like me. 자넨 내가 못마땅한 모양이군 / He ~*s to* have lived here then. 그는 당시 여기 살았던 것 같다 / I ~ *to* hear him sing. 그의 노랫소리가 들리는 것 같다.

3 《+보/+(*that*) 절/+전+명+*that* 절》 〖it을 주어로 하여〗 …인〔한〕 것 같다: *It* ~*s* so. 그런 것 같다 / *It* ~*s* good (to me) to do so. (나에게는) 그렇게 하는 것이 좋을 듯 싶다 / *It* ~*s* safer for you not to go. 너는 가지 않는 편이 안전할 성싶다 / *It* ~*s* likely to rain. 비가 올 것 같다 / *It* ~*s* (*that*) they are wrong. 그들이 잘못인 것 같다(=They ~ *to* be wrong.) / *It* ~*s to* me *that* he likes study. 내게는 그가 공부를 좋아하는 것같이 보인다(=He ~*s to* like study to me.).

NOTE *that* 절 대신에 *as if* 절, *as though* 절을 수반할 때도 있음: It ~*ed* (*to* him) *as if* 〔*as though*〕 all the world were smiling on him. (그에게는) 마치 온 세계가 자기에게 미소를 던지는 것같이 생각되었다.

4 《there ~(s) (to be) ...》 …이 있는 것같이 생각되다: *There* ~*s* (*to be*) no need to wait. 기다릴 필요는 없을 것 같다 / To me *there* ~*ed* no reason to hold a meeting. 내게는 회의를 열 이유가 없다고 생각되었다.

NOTE 부정의 not은 do *not* seem ... 의 형태로 앞에 나올 경우가 많음. 다음 예에서 〔 〕 안의 형식은 자주 쓰이지 않음《구어에서는 특히 그 경향이 짙음》: They *don't seem to* know. 〔They *seem not to* know.〕 모르는 것 같다. It does *not seem that* he succeeded. 〔It *seems that* he did *not* succeed.〕 그는 성공하지 못한 것 같다.

as it ~s 보기에. ***as ~s best*** 가장 좋도록, 될 수 있는 한 좋게: I shall act *as* ~*s best*. 나름대로 최선을 다하죠. ***can't ~ to*** do 《구어》 …할 수 있을 것 같지가 않다: I *can't* ~ *to* catch up with him. 그를 따라잡을 수 없을 것 같다. ***do not ~ to*** do 《구어》 아무래도 …아니다(⇨2). ***It ~s not.*** 〔부정문을 받아〕 그렇겠군; 〔긍정문을 받아〕 그렇지 않을걸. ***It would*** 〔《고어》 ***should***〕 ***~ that ....*** 아무래도 …인 것 같다《It ~s that .... 보다 조심스러운 말투》. ***So it ~s.*** =***It ~s so.*** 참말 그렇게 보인다: I've been out in the rain. — *So it* ~*s*. 비를 맞았다 — (젖은 걸 보니) 그런 것 같군.

séem·er *n.* 겉꾸미는〔겉치레하는〕 사람.

séem·ing *a.* 겉으로의, 외관상의; 겉보기만의, 허울만의, 그럴듯한: ~ friendship 겉만의 우정 / a ~ likeness 겉만 닮음 / with ~ kindness 사뭇 친절한 듯이. **—** *n.* Ⓤ,Ⓒ 외관, 거죽; 겉보기. ㊕ **~·ness** *n.*

***seem·ing·ly** [síːmiŋli] *ad.* **1** 보기엔, 외관상《내면의 여하에 불구하고》. **2** 겉으로는, 표면적으로는《실제로 내면은 다르지만》.

séem·ly (*-li·er; -li·est*) *a.* 적당한, 어울리는, 근사한, 매력적인; 예절에 맞는, 점잖은, (사회 통념상) 고상한. **—** *ad.* 매력적으로; 점잖게; 《고어》 어울리게. ㊕ **-li·ness** *n.*

seen [siːn] SEE[1]의 과거분사. **—** *a.* 눈에 보이는; 《고어》 정통하고 있는: be well ~ in music 《고어》 음악에 정통하고 있다.

seep[1] [siːp] *vi.* 스며나오다, 새다; 서서히 확산하다; (생각 따위가) 침투하다.

seep[2] *n.* 《미》 수륙 양용 지프차. [◂ sea jeep]

seep·age [síːpidʒ] *n.* Ⓤ 삼출(滲出), 침투(浸透), 침윤; 스며나온 양(量).

seepy [síːpi] (*seep·i·er; -i·est*) *a.* 물〔기름〕이 스며나온《땅》, 배수(排水)가 잘 안 되는.

◇**se·er**[1] [síːər] *n.* **1** 보는 사람. **2** [síər] 천리안《사람》; 앞일을 내다보는 사람; 선각자, 예언자, 손금쟁이.

seer[2] [siər] *n.* 인도의 무게의 단위《약 2 파운드》; 액량의 단위《약 1*l*》.

se·er·ess [síəris] *n.* 여자 예언자.

séer·fish [síər-] *n.* 〖어류〗 고등어류.

séer·sùcker [síər-] *n.* Ⓤ 아마포(亞麻布)〔리넨〕 또는 무명의 일종《인도산; 청백의 줄무늬가 있음; 커튼 · 시트용》.

see·saw [síːsɔ̀ː] *n.* **1** 시소(놀이); 시소판(板). **2** Ⓤ 《비유》 동요, 변동, 상하〔전후〕동(動); 쫓고 쫓기는 접전; 시소게임. **—** *a.* **1** 시소 같은, 아래위〔앞뒤〕로 움직이는. **2** 《비유》 일진일퇴의, 동요〔변동〕하는: a ~ game 〔match〕 (쫓고 쫓기는) 접전, 엎치락 뒤치락 싸움, 백중전 / a ~ policy 기회주의 정책. ***go ~*** (사물이) 변동〔일진일퇴〕하다; (마음 등이) 흔들리다. **—** *vi.* **1** 시소를 타다, 널뛰다. **2** 아래위〔앞뒤〕로 움직이다; 변동하다, (정책 따위가) 동요하다. **—** *vt.* 아래위〔앞뒤〕로 움직이다; 동요시키다; 기우뚱거리게 하다.

◇**seethe** [siːð] (**~*d***, 《고어》 ***sod*** [sɑd/sɔd]; **~*d***, 《고어》 ***sod·den*** [sɑ́dn/sɔ́dn]) *vi.* **1** 끓어오르다; 펄펄 끓다; (파도 따위가) 소용돌이치다. **2** 《~/+전+명》 (사람 · 마음 · 군중 등이) …로 법석 떨다, (분노 · 불만 · 흥분 따위로) 뒤끓다; (사회 따위가) 소연(騷然)하다《*with*》: The nation is *seething with* political unrest. 그 나라는 정치적 불안으로 소연하다. **—** *vt.* 《고어》 삶다; 액체에 담그다, (가죽을) 물에 담가 부드럽게 하다. **—** *n.* 비등, 분출; 소동(騷動). ㊕ **séeth·ing** *a.* 끓어오르는, 비등하는; 들끓는; 끊임없이 변동하는, 동요〔동란〕의; 심한, 혹독한.

sée-thròugh *a.* (물건 따위가) 비쳐 보이는, (천 · 직물 따위가) 비치는(=**sée-thrù**). **—** *n.* 투명; 비치는 옷〔드레스〕.

se·gar [sigɑ́ːr] *n.* =CIGAR.

◇**seg·ment** [ségmənt] *n.* **1** 단편, 조각; 부분, 구획: a ~ of an orange 귤 조각 / every ~ of American life 미국 사회의 구석구석. **2** 〖수학〗 (직선의) 선분; (원의) 호(弧). **3** 〖동물〗 체절, 환절(環節). **4** 〖기계〗 부채꼴 톱니바퀴. **5** 〖언어〗 (단)음((單)音), 분절(分節). **6** 〖컴퓨터〗 세그먼트《(1) 프로그램의 일부분으로 다른 부분과는 독립해 컴퓨터에 올려 실행함. (2) data base 내의 data의 단위》. **—** [ségment/-⌐] *vt., vi.* 분단〔분할〕하다, 분열하다〔시키다〕.

seg·men·tal [segméntl] *a.* **1** 단편의, 조각의, 부분의, 부분으로 나뉜. **2** 선분의, 호(弧)의; 환절(環節)의. **3** 〖언어〗 분절(分節)의. ㊕ **~·ly** *ad.* **~·ìze** *vt.* 분할〔구획〕하다; 분열시키다; 분절〔체절(體節)〕로 가르다. **seg·mèn·tal·i·zá·tion** *n.*

seg·men·tary [ségməntèri/-təri] *a.* =SEGMENTAL.

seg·men·ta·tion [sègməntéiʃən] *n.* Ⓤ 분할, 구분; 〖생물〗 분절(分節) (운동〔구조〕); 〖동물〗 난할(卵割); 〖컴퓨터〗 세그먼테이션.

se·gno [séinjou, sén-] (*pl.* ***-gni*** [-njiː]) *n.* 《It.》 〖음악〗 기호(sign); 반복 기호, 도돌이표.

se·go [síːgou] (*pl.* **~*s***) *n.* 〖식물〗 (북아메리카 서부의) 백합의 일종(=**∠ lily**)《알뿌리는 식용》.

Se·go·via [səgóuviə] *n.* 세고비아. **1 Andrés ~** 스페인의 기타 주자(1893-1987). **2** 스페인 중부의 도시《로마 시대의 수도교(水道橋)나 16세기 대성당이 상존함》.

◇**seg·re·gate** [ségrigèit] *vt.* 《~+목/+목+전+명》 분리〔격리〕하다(separate, isolate)《A *from* B》; (어떤 인종 · 사회층)에 대하여 차별 대우를 하다; (지역 · 국가)에 차별 정책을 쓰다: ~ the sick childeren *from* the rest of the group 아픈 아이들을 집단의 다른 아이들에게서 격리하다. **—** *vi.* 《~/+전+명》 분리하다, 이탈하다, 격리되다《*from*》; 〖유전〗 (표현형(型) · 대등 형질 · 대립 유전자가) 분리하다; 〖야금〗 편석(偏析)〔응리(凝離)〕하다. **—** [-gət, -gèit] *a.* 분리한, 격리된, 고립한. **—** [-gət, -gèit] *n.* 분리〔차별〕된 사람〔것, 집단〕.

ség·re·gàt·ed [-id] *a.* **1** 분리〔격리〕된; 인종 차별의〔을 하는〕: ~ education 인종 차별〔격리〕 교육. **2** 특수 인종〔그룹〕에 한정된: a ~ bus 흑백인의 자리가 따로 있는 버스. ㊕ **~·ly** *ad.* **~·ness** *n.*

sèg·re·gá·tion *n.* Ⓤ 분리, 격리, 차단; 분리된 물건; 인종 차별(대우); 인종 차별을 규정한 법률; 〖결정〗 분정(分晶), 〖지학〗 분결(分結); 〖야

금》 편석(偏析), 응리(凝離); 〖유전〗 분리. [파] **~·al** *a.* **~·ist** *n.* (이민족 등의) 격리론자, 인종 차별〔분리〕주의자.
seg·re·ga·tive [ségrigèitiv] *a.* 분리하는; 분리하기 쉬운; 교제를 싫어하는; 인종 차별적인.
seg·re·ga·tor [ségrigèitər] *n.* 분리하는 사람; 분리기(器).
se·gue [séigwei, ség-] *n.* 《It.》 〖음악〗 단절 없이 다음 악장으로 옮기는 지시; 앞 악장과 같은 스타일로 연주하라는 지시. **—** *vi.* 단절 없이 연주하다; 사이를 두지 않고 이행(移行)하다.
Sehn·sucht [*G.* zé:nzuxt] *n.* 《G.》 열망, 사모, 동경.
sei·del [sáidl, zái-] *n.* 《G.》 (맥주용) 조끼.
Séid·litz pòwders [sédlits-] 세들리츠산(散) 《약효가 체코의 보헤미아 남서부에 있는 Seidlitz 마을의 광천(鑛泉)과 같은 비등성(沸騰性) 완하제》.
sei·gneur, sei·gn(i)or [si:njɔ́:r, sei-/sei-], [sí:njər, séi-/séi-] *n.* (종종 S–) 봉건 군주, 영주; 《존칭》 …님, …선생 《Sir 또는 Mr.에 상당하는 존칭》: grand ~ [grά:n-] 귀족. [파] **sei·gn(i)o·ri·al** [sinjɔ́:riəl, sei-/sei-] *a.* 영주의.
sei·gneury [sí:njəri, séi-/séi-] *n.* 영주〔봉건 군주〕의 영지; (원래 프랑스령 캐나다에서) 칙허(勅許) 지주의 토지〔저택〕.
seign·(i)or·age [sí:njəridʒ, séi-/séi-] *n.* [U] 군주〔영주〕의 특권; 화폐 주조세; 화폐 주조 이익금(액); [C] 특허료, 광구 사용료; 인세.
seign·(i)ory [sí:njəri, séi-/séi-] *n.* **1** [U] 군주권, 영주권; 주권. **2** 영지. **3** 시회(市會) 《중세 이탈리아 도시 국가의》; 귀족.
Seil [zail] *n.* 《G.》 등산용 밧줄, 자일.
Seine [sein] *n.* (the ~) 센 강 《파리의 강》.
seine *n.* 저인망(底引網), 후릿그물. **—** *vt., vi.* (물고기를) 저인망으로 잡다; 저인망〔후릿그물〕을 치다.
sein·er [séinər] *n.* 저인망 어부〔어선〕. 「*vt.* 8.
seise [si:z] *v.* 《주로 영》 =SEIZE; 〖법률〗 ⇨SEIZE
sei·sin, -zin [sí:zn/-zin] *n.* 〖법률〗 (토지·동산의) (특별) 점유(권), 점유 행위; 점유 물권.
seism [sáizəm] *n.* 지진(earthquake).
seism- [sáizm, sáism/sáism] =SEISMO-.
seis·mal [sáizməl] *a.* =SEISMIC.
seis·mic, -mi·cal [sáizmik], [-əl] *a.* **1** 지진의〔에 의한〕, 진동(성)의: a *seismic* area 지진대 / the *seismic* center 〔focus〕 진원(震源). **2** (정도가) 큰, 심한. [파] **-mi·cal·ly** *ad.* **-mic·i·ty** [saizmísəti] *n.* [U] 지진 활동의 활발도.
séismic próspecting 인공 지진에 의한 지질 조사, 지진 탐사〔탐광〕.
séismic wáve 지진파. 「진 활동.
seis·mism [sáizmizəm] *n.* [U] 지진 현상, 지
seis·mo- [sáizmou, -mə] '지진, 진동'의 뜻의 결합사.
seis·mo·gram [sáizməgræ̀m] *n.* (지진계가 기록한) 진동 기록, 진동도(震動圖).
seis·mo·graph [sáizməgræ̀f, -grὰ:f] *n.* [U] 지진계, 진동계(震動計). [파] **seis·mo·graph·ic** [⌐-grǽfik] *a.* 지진계의, 진동계의.
seis·mog·ra·phy [saizmάgrəfi/-mɔ́g-] *n.* [U] 지진 관측(법); 지진학; 지진계 사용법. [파] **-pher** *n.* 지진학자.
seis·mol·o·gy [saizmάlədʒi/-mɔ́l-] *n.* [U] 지진학. [파] **-gist** *n.* 지진학자. **seis·mo·log·i·cal** [sàizməlάdʒikəl/-lɔ́dʒ-] *a.* 「지진계.
seis·mom·e·ter [saizmάmətər/-mɔ́m-] *n.*
seis·mo·scope [sáizməskòup] *n.* 감진기(感震器) 《간이 지진계》. [파] **sèis·mo·scóp·ic** [-skάpik/-skɔ́p-] *a.*
⁑**seize** [si:z] *vt.* **1** 《~+[목]/+[목]+[전]+[명]》 (갑자기) (붙)잡다, 붙들다, 꽉 (움켜)쥐다(grasp): ~ a rope 밧줄을 꽉 붙잡다 / ~ a person *by* the arm 아무의 팔을 (붙)잡다. [SYN.] ⇨TAKE. **2** (기회 따위를) 붙잡다, 포착하다: ~ an opportunity to ask questions 질문할 기회를 잡다. **3** 빼앗다, 탈취〔강탈〕하다: ~ a fortress 요새를 빼앗다 / ~ the leadership 지도권을 장악하다. **4** (의미 따위를) 파악〔이해〕하다(comprehend): ~ an idea / ~ the point of an argument 논의의 요점을 파악하다. **5** (공포·병 등이) 덮치다, 엄습하다, …에게 달라붙다: Panic ~*d* the crowd. =The crowd was ~*d* with 〔by〕 panic. 군중은 갑자기 공포에 사로잡혔다. **6** 체포하다(arrest). **7** 〖법률〗 몰수〔압수〕하다, 압류하다: ~ a person's property 아무의 재산을 압류하다. **8** 《+[목]+[전]+[명]》 〖법률〗 …에게 소유시키다 《*of*》. ★ 이 뜻으로는 seise로도 쓰고, 주로 과거분사형으로 씀: be 〔stand〕 ~*d* 〔*seised*〕 *of* … …을 소유하고 있다. **9** 《~+[목]/+[목]+[부]/+[목]+[전]+[명]》 〖해사〗 동여〔잡아〕매다 《*up*》: ~ a person *up* (매질하기 위하여) 아무를 활대〔삭구〕에 잡아매다 / ~ two ropes *together* 두개의 밧줄을 동여매다 / ~ one rope *to* another 한 밧줄을 다른 밧줄에 잇다. **—** *vi.* **1** 《+[전]+[명]》 꽉 쥐다, 움켜쥐다; (기회·구실 등을) 포착하다, 잘 이용하다 《*on, upon*》: ~ *on* 〔*upon*〕 a rope 밧줄을 붙잡다 / ~ *upon* a chance 〔pretext〕 기회를〔구실을〕 잡다. **2** 《+[전]+[명]》 (공포·병 등이) 덮치다; (생각 등이) 사로잡다 《*on, upon*》: A great fear ~*d upon* him. 그는 심한 공포에 사로잡혔다. **3** 《~/+[부]》 (과열·과압으로) 기계가 서다, 멈추다, 들러붙다 《*up*》; 《영구어》 (일이) 벽에 부딪히다: The engine ~*d up* from cold. 추워서 엔진이 멎었다. ◇ seizure *n.* ***be ~d with*** (병)에 걸리다; (공포 등)에 사로잡히다(⇨*vt.* 5). **~ *hold of*** …을 (움켜)잡다. **~ *the scepter*** 〔***throne***〕 왕위를 빼앗다. **~ ... *with both hands*** (기회·제안 등)에 발바투 달려들다. [파] **séiz·a·ble** *a.* 잡을 수 있는; 압류할 수 있는. **séiz·er** *n.* 잡는 사람; 압류인.
seized *a.* …을 소유〔점유〕한 《*of*》; (과열·가압(加壓) 등으로 기계가) 멈춘; …을 알고 있는 《*of*》: a ~ engine 정지한 엔진.
séize-ùp *n.* (기계의) 고장, 정지; 《영구어》 막다름, 벽에 부딪힘.
seizin ⇨SEISIN.
séiz·ing *n.* [U,C] 잡음, 붙잡음, 움켜쥠, 빼앗음; 소유, 점유; 압류, 압수; 〖해사〗 동여맴; 동여매는 밧줄. 「자.
sei·zor [sí:zər] *n.* 〖법률〗 점유〔소유〕자; 압류
◦**sei·zure** [sí:ʒər] *n.* **1** [U] 붙잡기, 쥐기. **2** [U,C] 압류, 압수, 몰수. **3** [U,C] 강탈; 점령; 점유. **4** [C] (병 따위의) 발작, 《특히》 졸도: a heart ~ 심장 발작. ◇ seize *v.*
se·j(e)ant [sí:dʒənt] *a.* 〖문장(紋章)〗 앞발을 세우고 앉은 《사자 따위》.
Sejm [seim] *n.* 폴란드 국회.
sel. select(ed); selection(s). 「魚)(에 속한).
se·la·chi·an [siléikiən] *n., a.* 연골어(軟骨
se·lah [sí:lə] *n.* 셀라 《구약 시편에 자주 나오는, 뜻이 분명치 않은 히브리 말; 악곡(樂曲)의 지시로서 휴지(休止)·양음(揚音)의 뜻》.
se·lam·lik [silά:mlik] *n.* 《Turk.》 (큰 집의) 남자들 방.
⁑**sel·dom** [séldəm] *ad.* 드물게, 좀처럼 …않는 (rarely): He ~ changed the opinion he had formed. 그는 한번 굳힌 의견은 좀처럼 바꾸지 않았다. ***not ~*** 왕왕, 자주(often): It *not* ~ happens that we have snow in April. 4월에 눈이 오는 일은 별로 드문 일이 아니다. ***~, if ever*** 설

령 …이라 치더라도 매우 드물게: He ~, *if ever*, goes out. 그는 외출하는 일이 좀처럼 없다. **~ *or never* =*very* ~** 거의 …하지 않는, 좀처럼 … 않는〔없는〕(hardly ever): He ~ *or never* reads. 그는 거의 책을 읽지 않는다/She attends our meeting *very* ~. 그녀는 우리 모임에 좀처럼 참석하지 않는다. ㊞ **~·ness** *n.*

se·lect** [silékt] *vt.* **1** 《~+목/+목+전+명/+목+*as* 보/+목+*to* do》 선택하다, 고르다, 선발하다, 발췌하다, 뽑다(choose): *Select* the book you want. 갖고 싶은 책을 골라라/He was ~*ed out of* 〔*from, among*〕 a great number of applicants. 그는 많은 응모자 중에서 뽑혔다/They ~*ed* Tom *as* leader of their group. 그들은 톰을 그룹의 리더로 뽑았다/I was ~*ed to* make the speech. 내가 선발되어 그 연설을 하였다. SYN. ⇨CHOOSE. **2** 〖전기〗 분극하다. **—** *vi.* 선택하다, 고르다. **~ *by vote 투표로 뽑다. **—** *a.* **1** 가려〔추려〕낸, 정선한, 극상의(superior): a ~ library 양서(良書)만으로 된 장서/a ~ crew 선발된 선원들. **2** 고른; 뽑아낸, 발췌한. **3** 가리는; (회 따위의) 입회 조건이〔선택에〕 까다로운: She is very ~ in the people she invites. 초청객을 고르는 데 그녀는 매우 까다롭다. **4** 상류 사회의, 상류 계급의: a ~ part of the city 그 도시의 고급 주택가/a ~ society 〔circle〕 상류 사회. **—** *n.* (종종 *pl.*) 극상품, 정선품.

seléct commíttee 〖영의회〗 특별 위원회.

se·léct·ed [-id] *a.* 선택된, 《특허》 고급의, 정선된, 질이 좋은.

se·lect·ee [silèktíː] *n.* 《미》 징병제에 의해 선발된 응소자. cf. selective service.

***se·lec·tion** [silékʃən] *n.* **1** U 선발, 선택, 정선, 선정: the ~ of the school he should attend 그가 갈 학교의 선택. **2** 선발된 사람〔것〕, 발췌, 정선물, 〖음악〗 발췌곡; (경마 따위에서) 이기리라고 예상한 말〔사람〕: a fine ~ of summer goods 정선된 여름철 물건/a ~ from the works of Hemingway 헤밍웨이 선집. **3** U 〖생물〗 선택, 도태; 〖통신〗 분리, 선택; 〖컴퓨터〗 선택: ~ sort 선택 정렬. ***be a good* ~** (아무가) 최적임이다. ㊞ **~·al** *a.*

seléction commìttee (선수) 선발 위원회.

se·léc·tion·ist *n.* 〖생물〗 선택주의자, 자연도태론자.

seléction rùle 〖물리〗 선택 규칙《양자역학적 상태에 대하여 허용되는 변화를 결정하는 규칙》.

se·lec·tive [siléktiv] *a.* 선택(성)의, 선택력 있는; 〖생물〗 선택의, 도태의; 〖통신〗 선택〔분리〕식의. ㊞ **~·ly** *ad.* **~·ness** *n.*

seléctive atténtion 〖심리〗 선택적 주의《특정한 것에만 주의함》.

seléctive-clèar 〖컴퓨터〗 선택적 소거.

seléctive emplóyment tàx 《영》 선택 고용세《제3차 산업 인구를 줄이기 위한 사업세; 생략: SET; 1966년에 시작했다가 1973년 VAT로 대체》.

seléctive phóto·thermolysis 〖의학〗 선택적 사진열 융해《특정 색을 보유한 조직만을 조사(照射)할 수 있는 레이저 조사법》.

seléctive sérvice 《미》 의무 병역; (S- S-) =SELECTIVE SERVICE SYSTEM.

Seléctive Sèrvice Sỳstem (the ~) 《미》 선발 징병제《1940년 발족, 1947년 폐지, 1948년에 부활됨; 생략: SSS》.

se·lec·tiv·i·ty [silèktívəti] *n.* U 선택력, 정선; 도태; 〖통신〗 (수신기 따위의) 선택 감도, 선택도, 선택성, 분리성.

se·léct·man [-mən] (*pl.* ***-men*** [-mən]) *n.* 《미》 도시 행정(行政) 위원《New England 여러 주의》.

se·lec·tor [siléktər] *n.* 선택자; 선별기; 〖기계·통신·컴퓨터〗 선택기; 《Austral.》 소농(小農).

seléctor lèver (클러치 없는 차의) 변속 레버, 체인지 레버.

sele·nate [sélənèit] *n.* 〖화학〗 셀렌산염(塩).

Se·le·ne [silíːni] *n.* 〖그리스신화〗 셀레네《달의 여신; 로마 신화의 Luna에 해당》. 「acid 셀렌산.

se·le·nic [silíːnik, -lén-] *a.* 〖화학〗 셀렌의: ~

sel·e·nide [sélənàid, -nid/-nàid] *n.* 〖화학〗 셀렌화물(化物). 「을 함유한.

sel·e·nif·er·ous [sèlənífərəs] *a.* 〖화학〗 셀렌

se·le·ni·ous [silíːniəs] *a.* 〖화학〗 아(亞)셀렌의.

se·le·nite [sélənàit/-li-] *n.* U 〖광물〗 투명석고; 〖화학〗 아(亞)셀렌산염; (S-) 《영》 달의 주민. ㊞ **sèl·e·nít·ic, -i·cal** *a.* 투명석고의〔와 같은〕.

se·le·ni·um [silíːniəm] *n.* U 〖화학〗 셀렌《비금속 원소; 기호 Se; 번호 34》.

selénium cèll 셀렌 광전지(光電池). 「器).

selénium rèctifier 〖전기〗 셀렌 정류기(整流

se·le·no- [silíːnou, -nə, sélə-], **se·len-** [silíːn, sélən] '달, 초승달 모양의'의 뜻의 결합사.

selèno·céntric *a.* 달 중심의, 달을 중심으로 본.

sel·e·nod·e·sy [sèlənádəsi/-nɔ́d-] *n.* U 월면(月面) 측량학. ㊞ **-sist** *n.*

seléno·gràph *n.* 월면도(圖).

sel·e·nog·ra·phy [sèlənágrəfi/-nɔ́g-] *n.* U 월리학(月理學), 태음(太陰) 지리학. ㊞ **-pher, -phist** [-fər], [-fist] *n.* 월리학자.

sel·e·nol·o·gy [sèlənálədʒi/-nɔ́l-] *n.* U 월학(月學), 월리학(月理學), 월질학(月質學). ㊞ **-gist** *n.* **se·le·no·log·i·cal** [silìːnəládʒikəl/-lɔ́dʒ-] *a.*

self** [self] (*pl.* ***selves [selvz]) *n.* **1** U 자기, 저, 자신, 〖철학〗 자아, 나; (이기심으로서의) 자기: one's own ~ 자기 자신/my humble ~ 소생, 불초《겸손의 말》/your honored ~ 귀하/have no thought of ~ 자기 일〔사욕〕을 생각지 않다/the study of ~ 자아의 탐구/*Self* do, ~ have. 《속담》 자업자득. **2** (자기의) 일면; (특정 시기에 있어서의) 그 사람: one's weaker 〔reckless〕 ~ 자기의 약한〔무모한〕 일면/his former ~ 이전의 그 (사람). **3** 본성, 진수: reveal its true ~ 본성을 드러내다/She is beauty's ~. 그녀는 미(美)의 화신이다. **4** (*pl.* **~s**) 〖원예〗 자가 수정에 의한 개체(個體)(opp. *crossbreed*); 단색〔자연색〕의 꽃. ***beside* one's ~** 정신이〔머리가〕 돌아. ***be*** 〔***feel,*** etc.〕 **one*'s old* ~** 컨디션이 좋다, 완전히 회복되었다. ***rise above* ~** 자기를〔사욕을〕 버리다. **one*'s better* ~** ① 좀더 기분이 좋을 때의 자기; 양심, 분별. ② 애처(愛妻). ***your good selves*** 귀하, 귀점, 귀사《상용문의 용어》.

— *pron.* 《상업속어·우스개》 나〔당신, 그〕자신《따위》: a check drawn to ~ 자기앞 수표/a ticket admitting ~ and friend 본인과 친구를 입장시키는 표.

— *a.* **1** (색 따위가) 단색인, 한결같은(uniform): ~ black 검정 일색. **2** 단색으로 무늬가 없는. **3** (다른 것과) 동일 재료의, 같은 종류의: a ~ belt 양복 천과 같은 천의 띠. **4** (활 따위가) 한 나무로 된. **5** 섞이지 않은, 순수한《술 따위가》.

— *vt.* =INBREED; 자가 수분(自家受粉)시키다.

— *vi.* 자가 수분하다.

self- [sélf, ˌ] '자기, 스스로의'의 뜻의 결합사.

> NOTE (1) 이 복합어는 거의 전부 하이픈으로 연결됨. (2) 거의 전부 self에 제1악센트를, 또 제2요소어(語)는 본래의 악센트를 유지함. (3) 여기에 보이지 않은 복합어는 어근(語根)의 뜻에서 유추하면 됨.

sélf-abándoned *a.* 자포자기의; 방종한.
sélf-abándonment *n.* Ⓤ 자포자기; 방종.
sélf-abásement *n.* Ⓤ 겸손(modesty), 자기를 낮춤.
sélf-abhórrence *n.* Ⓤ 자기혐오〔증오〕.
sélf-abnegátion *n.* Ⓤ 자기희생, 헌신; 자제; 자기 부정.
sélf-absórbed *a.* 자기 일〔생각, 이익〕에 열중한, 자기 도취의. 「자아 전념.
sélf-absórption *n.* Ⓤ 자기 몰두〔도취〕, 열중,
sélf-abúse *n.* 자기 비난; 신체의 혹사, 자기 재능의 남용; 수음(masturbation); 자학.
sélf-accusátion *n.* Ⓤ 자책, 자책감.
sélf-accúsing, sélf-accúsatory *a.* 자책(自責)의, 자책하는.
sélf-ácting *a.* 자동(식)의. 「동; 자동.
sélf-áction *n.* 자주적 행동〔활동〕, 독자적 행
sélf-áctivating *a.* (폭발 장치 등이) 자동 시동식인: a ~ explosive device 자동 폭발 장치.
sélf-actívity *n.* =SELF-ACTION.
sélf-áctor *n.* 자동기계, 《특히》 자동 뮬 방적기.
sélf-áctualize *vi.* 자기 능력을 최고로 발휘하다; 자기를 실현하다. ㊎ **-actualizátion** *n.*
sélf-addréssed [-t] *a.* 자기 (이름) 앞으로의〔쓴〕, 반신용의: a ~ stamped envelope 자기 앞 반신용(返信用) 봉투《생략: SASE, s.a.s.e.》.
sélf-adhésive, -adhéring *a.* (종이·플라스틱·봉투 등이) 풀칠되어 있는: ~ ceramic tiles 접착제가 도포된 타일.
sélf-adjústing *a.* 자동 조절(식)의.
sélf-adjústment *n.* 자기 조정; 순응.
sélf-admínister *vt.* (약 따위를) 스스로 자신에게 투여하다.
sélf-admínistered *a.* **1** (약을) 스스로 자기에게 투여한. **2** 자기 관리의, 자기 관리된.
sélf-admirátion *n.* 자기예찬, 자화자찬, 자만.
sélf-admíring *a.* 자찬하는, 자만하는. ㊎ **~·ly** *ad.*
sélf-adváncement *n.* 스스로 앞으로 나감; 자력〔자기〕 승진; 사리(私利) 추구.
sélf-ádvocacy *n.* 《주로 미》 정신장애자의 자립을 위한 자기주장; 정신장애자의 자립을 독려하는 것; 자기주장〔변호〕.
sélf-affécted [-id] *a.* 자만하는.
sélf-affirmátion *n.* Ⓤ 자아 확인; 독단.
sélf-aggrándizement *n.* (남을 꺼리지 않는) 자기 권력〔재산〕의 확대〔강화〕, 자기 발전. ㊎ **-diz·ing** *a.*
sélf-alienátion *n.* (정신병 경우의) 자기 소외.
sélf-análysis *n.* 자기 분석.
sélf-annihilátion *n.* 자살; 자기희생, 헌신.
sélf-ántigen *n.* 〖면역〗 자기 항원(抗原).
sélf-appláuding *a.* 자기예찬의, 자화자찬의.
sèlf-appláuse *n.* 자기 자랑, 자화자찬.
sélf-appóinted [-id] *a.* 혼자 정한, 자천(自薦)의, 자칭(自稱)의.
sélf-approbátion *n.* 자화자찬, 자기만족.
sélf-assémbly *n.* 〖생화학〗 (생체 고분자의) 자기 집합.
sélf-assérting *a.* 자기(권리)를 주장하는; 자신에 찬; 중뿔난, 오만한. ㊎ **~·ly** *ad.*
sélf-assértion *n.* Ⓤ 자기주장, 주제넘게 나섬, 과시.
sélf-assértive *a.* 자기를 주장하는, 주제넘은. ㊎ **~·ly** *ad.* **~·ness** *n.* 「고 납세.
sélf asséssment 《미》 과세액 자기 평가, 신
sèlf-assúmed *a.* 자칭의; 혼자 정하는, 독단의.
sèlf-assúmption *n.* =SELF-CONCEIT.
sélf-assúrance *n.* Ⓤ 자신(自信).
sélf-assúred *a.* 자신 있는; 자기만족의. ㊎ **~-ly** *ad.* **~·ness** *n.*

sélf-awáre *a.* 자기를 인식하고 있는, 자기를 아는; 자의식 과잉의. 「에 눈뜸.
sélf-awáreness *n.* Ⓤ 자기 인식; 자아(自我)
sélf-begótten *a.* 스스로 난, 자생의.
self belief 자신감.
sélf-bélt *n.* 옷과 같은 천으로 만든 허리띠.
sélf-bínder *n.* 자동식 묶음 기계; (책의) 자동 장정기(裝幀機). 「**sélf-búilder** *n.*
sélf-búild *n.* 《영》 자기 집을 손수 짓기. ㊎
sélf-búrning *n.* Ⓤ 분신자살.
sélf-cáncelling *a.* 《영》 스스로 상쇄하는, 스스로 무효가 되는; (기계 장치가) 불필요할 때 자동으로 정지하는.
sélf-cátering *n.*, *a.* 자취(의).
sélf-cénsorship *n.* 자기 검열.
sélf-céntered *a.* 자기중심〔본위〕의; 이기주의의〔적인〕; 자주적인, 자기 충족적인. SYN. ⇨ WILLFUL. ㊎ **~·ly** *ad.* **~·ness** *n.*
sélf-certificátion *n.* 자기 증명《특히 피고용자가 병으로 결근했을 때, 그 이유를 문서로 신고하기》.
sélf-cértify *vt.* (정식 문서로, 자기 수입 따위를) 스스로 밝히다.
sélf-chécking nùmber 〖컴퓨터〗 자체 검사 숫자《검사 문자가 부가된 수》.
sélf-clínging *a.* 자기 전착성(纏着性)의《점착(粘着)까지는 아니나 경미한 부착성의 것으로 식품용 랩 따위》.
sèlf-clósing *a.* 〖기계〗 자동 폐쇄(식)의.
sélf-colléctеd [-id] *a.* 침착한, 냉정한.
sélf-cólored *a.* 단색의, 자연색의.
sélf-commánd *n.* Ⓤ 자제, 극기(克己); 침착.
sélf-commúnion *n.* 자기반성〔성찰(省察)〕, 자성(自省), 내성(內省).
sélf-compátible *a.* 자가 수분(受粉)으로 결실할 수 있는〔열매를 맺을 수 있는〕; 자가(自家) 화합(和合)의.
sélf-complácence, -cency *n.* Ⓤ 자기만족, 자기도취.
sélf-complácent *a.* 자기만족〔도취〕의, 독선의. ㊎ **~·ly** *ad.*
sélf-compósed *a.* 냉정한, (자세를) 흩뜨리지 않는. ㊎ **~·ly** *ad.*
sélf-concéit *n.* Ⓤ 자부심, 허영심. ㊎ **~·ed** [-id] *a.* 자부심이 강한.
sélf-cóncept, -concéption *n.* 자아상(自我像), 자기에 대한 심상(self-image).
sélf-concérn *n.* 자기(이익)에 대하여 이기적〔병적〕으로 마음을 씀. ㊎ **~ed** *a.*
sélf-condemnátion *n.* 자기비난, 자책.
sélf-condémned *a.* 자책의, 양심의 가책을 받은. 「然)한.
sélf-conféssed [-t] *a.* 자인하는, 공연(公
sèlf-conféssion *n.* 공언, 자인.
***self-con·fi·dence** [sèlfkánfədəns/-kɔ́n-] *n.* 자신(自信); 자신 과잉, 자기 과신.
sélf-cónfident *a.* 자신 있는; 자신 과잉의.
sèlf-confrontátion *n.* 자기 분석. 「아함.
sélf-congratulátion *n.* 자축(自祝), 혼자 좋
***self-con·scious** [sélfkánʃəs/-kɔ́n-] *a.* 자의식이 강한; 사람 앞을 꺼리는, 수줍어하는. ㊎ **~·ly** *ad.* **~·ness** *n.* 자기의식, 자의식, 자각; 수줍음.
sélf-consecrátion *n.* 헌신; 자기 정화.
sélf-cónsequence *n.* Ⓤ 젠체함, 짐짓 뽐냄.
sélf-consístency *n.* Ⓤ 자기모순이 없는 성질〔상태〕, 시종일관(성), 논리정연.
sélf-consístent *a.* 사리에 맞는, 조리가 닿는, 자기모순이 없는.

sèlf-cónstituted [-id] *a.* 스스로 정한, 자기 설정의, 자임(自任)의. 「하는.
sélf-consúming *a.* 스스로 소모하는, 자멸
sélf-contáined *a.* **1** 말이 없는, 터놓지 않는; 독립적인. **2** 일체 완비된《기계 · 설비 따위》; 각 가구가 독립식인《아파트 따위》.
sélf-contaminátion *n.* 스스로 오염시킴, 자기 오염, 내부 오염.
sélf-contémpt *n.* Ⓤ 자기 경멸, 자조(自嘲).
sélf-contént *n.* Ⓤ 자기만족. ㊕ **~·ed** [-id] *a.* **~·edly** *ad.*
sélf-conténtment *n.* =SELF-SATISFACTION.
sélf-contradíction *n.* Ⓤ 자가당착, 자기모순(의 진술). 「의.
sélf-contradíctory *a.* 자기모순의, 자가당착
***self-con·trol** [sélfkəntróul] *n.* Ⓤ 자제(심), 극기. ㊕ **-trólled** *a.*
sèlf-convícted [-id] *a.* 스스로 유죄임을 인정한(증명한). 「수정하는.
sélf-corrécting *a.* 스스로 바르게 하는; 자동
sèlf-creáted [-id] *a.* 자기 창조의, 직접 만든; 자기가〔자신이〕 임명한.
sèlf-crítical *a.* 자기 비판적인, 자기 비판의.
sèlf-críticism *n.* Ⓤ 자기 비판.
sélf-cultivátion *n.* 자기 수양〔수련, 개발〕.
sélf-cúlture *n.* Ⓤ 자기 수양.
sélf-déaling *n.* Ⓤ 사적 금융 거래, 자기 거래, 《특히》 회사〔재단〕 돈의 사적 이용.
sélf-deceít *n.* =SELF-DECEPTION. 「각한.
sélf-deceíved *a.* 자기기만에 빠진; 잘못 생
sélf-deceíver *n.* 자신을 속이는 사람, 자기기
sélf-deceíving *a.* 자기기만의. ⌊만자.
sélf-decéption *n.* Ⓤ 자기기만.
sélf-decéptive *a.* =SELF-DECEIVING.
sélf-dedicátion *n.* (이상 · 목표 · 사람 등에 대한) 자기 헌신.
sélf-deféating *a.* 자멸적인.
***self-de·fense,** 《영》 **-fence** [sélfdiféns] *n.* Ⓤ 자위(自衛), 자기방어; 정당방위: *Self-Defense* Forces (일본의) 자위대《생략: SDF》. ***in* ~** 자위 수단으로서, 자기방어를 위해. ***the* (*noble*) *art of* ~** 자기방어술, 호신술《권투 · 태권도 따위》. ㊕ **-fén·sive** *a.*
sélf-definítion *n.* 자기 본질〔실체〕에 대한 인식〔확인〕, 자아 규정.
sélf-delíverance *n.* 자기 해방, 자살.
sélf-delúded [-id] *a.* =SELF-DECEIVED.
sélf-delúsion *n.* 자기기만(self-deception).
sélf-deníal *n.* Ⓤ 극기; 금욕; 무사(無私).
sélf-denýing *a.* 극기의, 무사(無私)의, 헌신적인; 금욕적인. ㊕ **~·ly** *ad.* 「자립.
sélf-depéndence *n.* Ⓤ 자기 신뢰〔의존〕,
sélf-déprecating, -déprecatory *a.* 자기 경시〔비하〕하는. ㊕ **-ingly** *ad.*
sélf-depreciátion *n.* 자기 경시, 자기를 낮춤, 자기 비하(卑下).
sélf-describéd *a.* 자평(自評)의.
sélf-designátion *n.* 자기 자신(들)을 부르는 이름, 자칭명(名).
sélf-despáir *n.* 자신에 대한 절망, 자포자기.
sélf-destróy·er *n.* 자멸하는 사람.
sélf-destrúct *vi.* **1** (로켓 · 미사일 따위가 고장 시) 자기 파괴하다; (기계 장치가 일정 시간 후) 자폭하다. **2** (사물 따위가) 자멸〔소실〕하다. **—** *a.* 자기 파괴〔자폭, 자멸〕하는: ~ mechanism 자폭 장치. 「자폭(自爆).
sélf-destrúction *n.* Ⓤ 자멸; 《특히》 자살;
sélf-destrúctive *a.* 자멸적인, 자멸형의, 자살적인. ㊕ **~·ly** *ad.* **~·ness** *n.*

sélf-determinátion *n.* Ⓤ 자결(自決)(권); 자발적 결정(능력); 민족 자결(권): racial ~ 민족 자결(주의(권)).
sélf-detérmined *a.* 자기 결정에 의한, 자결의.
sélf-detérmining *a.* 스스로 결정하는, (민족) ⌊자결의.
sélf·detérminism *n.* 자결주의.
sélf-devélopment *n.* Ⓤ 자기 발전〔개발〕, 자기 능력 개발.
sélf-devóted [-id] *a.* 헌신적인. ㊕ **~·ly** *ad.* **~·ness** *n.* 「*a.*
sélf-devótion *n.* Ⓤ 헌신, 자기희생. ㊕ **~·al**
sélf-diagnósis (*pl.* **-ses**) *n.* 자기 진단; 전자 장치의 자체 고장 탐지 능력. 「는, 자발적인.
sèlf-diréctted [-id] *a.* 스스로 방향을 결정하
sèlf-díscipline *n.* Ⓤ 자기 훈련〔수양〕; 자제.
sélf-discóvery *n.* Ⓤ 자기 발견.
sélf-disgúst *n.* 자기혐오.
sélf-displáy *n.* Ⓤ 자기 현시, 자기 선전.
sélf-distrúst *n.* Ⓤ 자기 불신, 자신 결여, 자신을 잃음. ㊕ **~·ful** *a.*
sélf-dóubt *n.* Ⓤ 신념〔자신〕 상실. 「듯이.
sèlf-drámatizing *a.* 자기 현시적인, 여봐란
sélf-dríve *a.* 《영》 렌터카의.
sélf-éducated [-id] *a.* 독학의; 고학의.
sélf-educátion *n.* 독학; 고학; 자기 교육.
sélf-effácement *n.* Ⓤ (물러앉아서) 표면에 나타나지 않음, 삼가는 태도.
sélf-effácing *a.* 주제넘지 않은, 자기를 내세우지 않는, 사양하는 태도의. ㊕ **~·ly** *ad.* 「명〕한.
sélf-eléct(ed) [-(id)] *a.* 손수〔직접〕 선임〔임
sélf-emplóyed *a.* 자가 영업〔근무〕의, 자영(自營)의, 자유업의.
sélf-emplóyment *n.* 자가 영업; 자가 경영.
sèlf-enclósed *a.* (사람 · 사회 · 시스템이) 외부와 교류하지 않는〔교류할 수 없는〕; 폐쇄된, 내폐(內閉)적인; 독립적으로 완비된.
sèlf-énergizing *a.* 자동적으로 힘이 가해지는(방식의): a ~ brake 자동 브레이크.
sèlf-enfórcing *a.* 독립 집행〔시행〕의《명령 · 조약 따위가》.
sèlf-enríchment *n.* 자신(의 내용)을 풍요롭게 하는 것.
sélf-estéem *n.* Ⓤ 자존; 자부(심), 자만(심).
sèlf-evaluátion *n.* 자기 평가.
sèlf-évidence *n.* 자명함; 스스로 나타내는 증
sèlf-évident *a.* 자명한. ⌊거.
sélf-examinátion *n.* Ⓤ 자기반성〔진단〕, 반성, 자기 분석.
sélf-excíted [-id] *a.* 〖전기〗 발전기 자체에 의한, 자려(自勵)(식)의.
sèlf-éxecuting *a.* 〖법률〗 (법률 · 조약 등이) 딴 법령을 기다리지 않고 즉시 시행되는, 자동 발효의. 「기 망명한.
sélf-éxiled *a.* (스스로의 의지로〔결정으로〕) 자
sélf-exístence *n.* 독립자존, 자존. 「재의.
sélf-exístent *a.* 자존(自存)하는, 독립적 존
sélf-expláining, -explánatory *a.* 자명한, 설명이 필요 없는.
sèlf-explorátion *a.* 자기 탐색, 자신의 미개척 능력을 찾는 것.
sélf-expréssion *n.* Ⓤ (예술 · 문학 등에 있어서) 자기〔개성〕 표현. ㊕ **-expréssive** *a.*
sélf-extínguishing *a.* 자기 소화성(消火性)의《불 속에서는 타고 끄집어내면 저절로 꺼지는 성질의》 「위가) 자연 그대로의.
sélf-fáced *a.* 손을 가하지 않은, (돌의 표면 따
sélf-fánning *a.* (카드 · 서류철 등이) 자동 인출식인, (글자가 잘 보이게) 카드에 집는 데가 있어 쉬이 끄집어낼 수 있는.
sélf-feed *vt.* (축산에서) 자동 보급하다《한 번에 대량의 사료를 주어 마음대로 먹게 하다》.

sélf-féeder *n.* (사료 · 연료의) 자동 보급 장치.
sélf-féeling *n.* 자기 본위의 감정, 자기 감정.
sélf-fértile *a.* 『생물』 자가수정(自家受精)하는. OPP. *self-sterile.* ㊞ **-fertílity** *n.* 「정받이.
sélf-fertilizátion *n.* U 『식물』 자가수정, 제꽃
sèlf-flagellátion *n.* 자책, 자학. 「하는.
sèlf-flláttering *a.* 자만하는, 자기만족의, 자찬
sélf-fócusing *a.* (텔레비전이) 자동 초점식의.
sélf-forgétful *a.* 자기를 잊은, 헌신적인, 무사 무욕의. ㊞ **~·ly** *ad.* **~·ness** *n.* 「*ad.*
sélf-forgétting *a.* =SELF-FORGETFUL. ㊞ **~·ly**
sélf-fórmed *a.* 자신이〔의 노력으로〕 이룩한.
sélf-frúit·ful *a.* 자가수분으로 열매를 맺을 수 있는. ㊞ **~·ness** *n.*
sélf-fulfílling *a.* 자기달성(自己達成)하고 있는; 자기달성적인; 예언〔예정〕대로 성취되는《예언》.
sélf-fulfíllment *n.* 자기달성.
sélf-génerating *a.* 자기 생식의, 자연 발생의, 스스로 번식하는. 「은.
sèlf-gíven *a.* (그) 자체에서 얻은; 자력으로 얻
sélf-gíving *a.* 자기희생의, 헌신적인.
sélf-glóry *n.* 허영심; 자부(自負), 거만.
sélf-góvernance *n.* 자치. 「기(克己)의.
sélf-góverned *a.* 자치의, 독립의; 자제의, 극
sélf-góverning *a.* 자치의; 자제의: a ~ dominion 자치령. 「제, 극기.
◇**sélf-góvernment** *n.* U 자치; 자주 관리; 자
sélf-gratificátion *n.* **1** 자기만족, 《특히》 자기 충동을〔욕구 · 욕망 따위를〕 만족시킴. **2** 자위(自慰).
sèlf-hárdening *a.* 『야금』 자경성(自硬性)의: ~ steel 자경강(鋼).
sélf-háte, -hátred *n.* 자기〔동포〕혐오.
sélf-hèal *n.* 병에 듣는 식물, 약초, 《특히》 꿀풀.
sélf-hélp *n.* U 자립, 자조(自助): *Self-help* is the best help. 《격언》 자조가 최상의 도움이다.
sélf-hòod *n.* 자아, 개성; 인격; 이기심.
sélf-humiliátion *n.* U 겸손, 자기 비하, 자기를 낮춤. 「기 최면.
sélf-hypnósis, sélf-hýpnotism *n.* U 자
sélf-idéntity *n.* U (사물 그 자체와의) 동일성; 주체와 객체와의 일치, 자기 동일성.
sélf-igníte *vi.* (꽃불 · 화염 등이) 자연 발화하는; 자동 점화하는. ㊞ **sélf-ignítion** *n.*
sélf-ímage *n.* 자신(의 역할〔자질, 가치 등〕)에 대한 이미지, 자상(自像)(self-concept).
sélf-immolátion *n.* U (적극적인) 자기희생.
sélf-impórtance *n.* U 자존, 젠체함, 거만하게 굶.
sélf-impórtant *a.* 젠체하는, 자부심이 강한. ㊞ **~·ly** *ad.* 「아서 하는.
sélf-impósed *a.* 스스로 맡아서 하는, 제가 좋
sélf-impróvement *n.* U 자기 개선, 자기 수양. ㊞ **-impróving** *a.*
sélf-inclúsive *a.* 자신을 내포한, 자체로 완전한; 자기 완결의.
sélf-incríminating *a.* (증언 등이) 자기에게 유죄(有罪)를 초래하는.
sélf-indúced [-t] *a.* 스스로 유도(誘導)한; 『전기』 자기 유도의. 「유도.
sèlf-indúction *n.* U 『전기』 자기 유도, 자체
sélf-indúlgence *n.* U 방종, 제멋대로 굶.
sélf-indúlgent *a.* 방종한, 제멋대로 구는. ㊞ **~·ly** *ad.*
sélf-inflícted [-id] *a.* 스스로 자신에게 과(課)한, 자초(自招)한.
sélf-insúrance *n.* 자가보험.
***self-in·ter·est** [sélfíntərist] *n.* U 자기의 이익〔권익〕; 사리사욕; 사리 추구.
sélf-ínterested [-id] *a.* 자기 본위의, 이기적인.
sèlf-invíted [-id] *a.* 초대도 받지 않고 찾아간, 불청객의.
****self·ish** [sélfiʃ] *a.* **1** 이기적인, 이기주의의, 자기 본위의: It is ~ *of* you *to* say so. 그런 말을 한다는 것은 너의 이기주의다. SYN. ⇨WILLFUL. **2** 『윤리』 자애적(인): the ~ theory of morals 자애설(自愛說), 이기설. ㊞ **~·ly** *ad.* **~·ness** *n.*
sélfish DNÁ 『유전』 이기적 DNA《다른 부위로 전이(轉移)함으로써 자기 복제(copy)를 증가시킴》.
sélfish géne 『유전』 이기적 유전자《염색체 안에서 자기 복제(copy)를 증가시킴》.
sélf·ism *n.* 자기중심, 자기 전념; 자신의 관심에만 집착하는 것. ㊞ **sélf·ist** *n.*
sélf-justificátion *n.* U 자기 정당화〔합리화〕; 『인쇄』 (행 끝을 가지런히 하기 위한 활자 간격의) 자동 조정.
sélf-jústifying *a.* 자기 정당화의; 『인쇄』 (프린터 등이) 자간(字間)을 자동 조정하는.
sélf-knówledge *n.* U 자각, 자기 인식.
sélf·less *a.* 사심〔이기심〕 없는, 무욕〔무사〕의 (unselfish); 헌신적인. ㊞ **~·ly** *ad.* **~·ness** *n.*
sélf-límiting *a.* 스스로 제약〔제한〕하는; 자기 제어 방식의.
sélf-líquidating *a.* 『상업』 (상품 등이) 구입처에 대금 지급 전에 현금이 되는, 곧 팔리는; (사업 등이 차입금의 교묘한 운용으로) 차입금을 변제할 수 있는, 자기 회수〔변제〕적인. 「동식의.
sélf-lóading *a.* (총 따위가) 자동 장전의, 반자
sélf-lóathing *n.* 자기혐오.
sélf-lócking *a.* 자동으로 열쇠가 잠기는.
sélf-lóve *n.* U 자애; 이기심, 이기주의; 자만, 허영.
sélf-lóving *a.* 자기애(愛)의; 자애(自愛)의; 자기 본위의, 방자한, 멋대로 구는.
sélf-máde *a.* 자력으로 만든〔출세한〕: He is a ~ man. 그는 자수성가한〔제 힘으로 출세한〕 사람이다.
sélf-máiler *n.* 봉투에 넣지 않고 우송할 수 있는 우편물〔인쇄물〕. 「있는.
sélf-máiling *a.* 봉투에 넣지 않고 우송할 수
sélf-mástery *n.* U 극기, 자제(自制), 침착.
sélf-médicate *vi.* (의사에 의존하지 않고) 스스로 치료하는. ㊞ **-medicátion** *n.*
sélf-mócking *a.* 자조적(自嘲的)인.
sélf-mortificátion *n.* 스스로 자진하여 고행(苦行)함.
sèlf-mótion *n.* 자동, 자연 운동, 자발 운동.
sélf-motivátion *n.* 자율적 동기 부여, 자기 동
sélf-móving *a.* 자동의. ⌊기 부여.
sélf-múrder *n.* U 자해(自害), 자살. ㊞ **~·er** *n.* 자살자.
sèlf-mutilátion *n.* 자신의 수족을 절단하는 것, 스스로 불구로 만드는 것; 『정신의학』 자해; 자상.
sélf·ness *n.* 이기주의; 개성, 인격.
sélf-nóise *n.* 『해사』 자생(自生) 잡음《배 자체의 잡음》; 『통신』 자기(自己) 잡음《송수신기 자체가 원인인 잡음》.
sélf-observátion *n.* (외모에 대한) 자기 관찰; 자기 성찰, 내성(內省). 「자동 제어의.
sélf-óperating, -óperative *a.* 자동(식)의,
sélf-opínion *n.* (과대한) 자기 평가; 《특히》 자만; (자기 의견을 바꾸지 않는) 고집, 완고.
sélf-opínionated [-id] *a.* 자부심이 강한, 고집이 센, 완고한. ㊞ **~·ness** *n.*
sélf-opínioned *a.* =SELF-OPINIONATED.
sèlf-ordáined *a.* 스스로 제정〔허가〕한, 자임하는, 자기 면허의.
sélf-organizátion *n.* **1** 자주적 조직 결성〔가입〕, 자기 조직 결성; 《특히》 노동조합 결성〔가입〕. **2** 자립성, 자기 충족성.

sélf-páced *a.* (학과 · 과정이) 자기의 진도에 맞춰 학습할 수 있는, 자기 페이스로 할 수 있는.
sélf-párody *n.* 자기 풍자.
sèlf-partiálity *n.* 자기 과대평가.
sélf-páy *n.* 자기 부담. 「자기상(像).
sélf-percéption *n.* 자기 인식〔개념〕; 《특히》
sélf-perpétuating *a.* (지위 · 직무에) 언제까지나 머무는〔머무를 수 있는〕; 무제한으로 계속할 수 있는. [파] **sélf-perpetuátion** *n.*
sélf-píty *n.* [U] 자기 연민.
sélf-pléased *a.* 자기만족의, 자기도취한.
sélf-pléasing *a.* 자기 마음에 드는, 자기에게 바람직스러운. 「유지하는.
sélf-póised *a.* 냉정한, 침착한, 자연히 균형을
sèlf-polícing *a.* 스스로 경비를 행하는, 자경 조직을 가진. ―*n.* 자경(自警); 자기 검열.
sélf-pollinátion *n.* [U] 【식물】 자가〔자화(自花)〕수분, 제꽃가루받이.
sélf-pórtrait *n.* 자화상, 자각상(自刻像).
sélf-posséssed [-t] *a.* 침착한, 냉정한.
sélf-posséssion *n.* [U] 침착, 냉정.
sèlf-pówered *a.* 자가 동력〔추진〕의.
sélf-práise *n.* [U] 자찬, 자기 자랑.
sélf-preparátion *n.* 저절로〔자연적으로〕 갖추어짐, 스스로 마련〔준비〕하기. 「자위적 본능.
sélf-preservátion *n.* [U] 자기 보존 (본능),
sélf-príde *n.* (자기의 능력 · 지위 등에 대한) 자랑; 자만, 자부, 긍지.
sélf-príming *a.* (펌프가) 자급식(自給式)의, (총 따위가) 자동 장전되는. 「칭의.
sélf-procláimed *a.* 스스로 주장〔선언〕한, 자
sélf-prodúced [-t] *a.* 자가 생산의, 자신이 만든; 자기 속으로부터 나오는〔생기는〕.
sélf-promótion *n.* 자기 과시〔선전〕.
sélf-pronóuncing *a.* (따로 음성 표기를 하지 않고) 철자에 악센트 부호나 발음 구별 부호를 직접 붙여서 발음을 나타내는.
sélf-propélled *a.* 자동 추진의; 자주식(自走式)의: a ~ gun 자주포(砲).
sélf-propélled scùlpture 움직이는 조각 《이른바 mobile에서, 소리나 빛의 반응으로 움직이는 전자 기구를 내장한 조각 등》.
sélf-propélling *a.* =SELF-PROPELLED.
sélf-propúlsion *n.* 자력 추진; (차 따위의) 자동 추진.
sélf-protéction *n.* 자기 방위, 자위(self-defense). 「된.
sélf-públished [-t] *a.* (책이) 자비 출판의
sélf-públishing *n.* 자비 출판.
sélf-purificátion *n.* 자연 정화, 자정(自淨)(작용); 자기 정제(精製); (인간의) 자기 정화.
sélf-quéstion *n.* 자문(自問), 자신에 대한 물음〔의문〕.
sélf-quéstioning *n.* [U] 자기의 행동〔동기, 신조 등〕에 대한 고찰〔성찰〕, 자문, 반성. 「상한.
sélf-ráised *a.* 자력으로 승진한, 자력으로 향
sélf-ráising *a.* 《영》 =SELF-RISING. 「가(의).
sélf-ráting *n.*, *a.* 자기 등급 부여(의), 자기 평
sélf-realizátion *n.* [U] 자기실현〔완성〕. [파] **~-ìsm** *n.* 자기 능력 발휘주의. **~·ist** *n.*
sélf-recognítion *n.* 자기〔자아〕 인식; 【생화학】 자기 인식 《개체의 면역계(系)가 자기의 화학물질 · 세포 · 조직과 외계의 침입물을 식별하는 과정》. 「정》.
sélf-recórding *a.* 자동 기록(식)의.
sélf-recriminátion *n.* 자기 힐책〔비난〕.
sèlf-referéntial *a.* 【윤리】 (글 따위가) 스스로의 진위를 주장하는, 자기 지시의; 스스로 언급하는, 자기 언급적인.
sélf-refléction *n.* 내성(內省)(introspection).
sélf-regárd *n.* [U] **1** 자애, 이기(利己). **2** 자존(심). 「기주의의.
sélf-regárding *a.* 자애(自愛)의; 이기적인, 이
sélf-régistering *a.* 자동 기록(식)의.
sélf-régulate *vi.* 자기 규제하다, 자중하다.
sélf-régulating *a.* 자동 조정의; 자기 조절의, 자동 제어의. 「립, 자신(自信).
sélf-relíance *n.* [U] 자기 신뢰, 독립 독행, 자
sélf-relíant *a.* 자기를 믿는, 독립 독행의. [파] **~-ly** *ad.* 「신, 무사(無私).
sélf-renunciátion *n.* [U] 자기 포기〔희생〕, 헌
sélf-réplicating *a.* (세포 따위가) 자기 재생하는, 자동적으로 재생하는 《생체의 분자 따위》.
sélf-replicátion *n.* 자기 재생〔증식〕.
sélf-représsion *n.* [U] 자기 억제〔억압〕.
sélf-repróach *n.* [U] 자책, 자기 비난, 후회. [파] **~·ful, ~·ing** *a.*
sélf-reprodúcing *a.* =SELF-REPLICATING.
***self-re·spect** [sélfrispékt] *n.* [U] 자존(심), 자중(自重). [파] **~·ful, ~·ing** *a.* 자존심 있는.
sélf-restráint *n.* [U] 자제(自制), 극기(克己).
sélf-revéaling *a.* (편지 따위가) 필자의 인품 · 사상 · 감정 등을 저절로 나타내고 있는, 자기를 나타내고 있는.
sélf-revelátion *n.* (인품 · 사상 · 감정 등의) 자연적인 자기 현시(顯示)〔표출〕.
sélf-réverence *n.* [U] 강한 자존심.
sélf-rewárd·ing *a.* 그 자체가 보수로 되는.
sélf-ríghteous *a.* 독선적인. [파] **~·ly** *ad.* **~·ness** *n.*
sélf-ríghting *a.* (요트 따위가) 자동적으로 복원(復元)하는, 전복할 우려가 없는: a ~ boat 자동 복원 보트.
sélf-rísing *a.* (이스트를 넣을 필요 없는) 베이킹파우더가 든(《영》 self-raising): ~ flour.
sélf-rúle *n.* 자치(self-government).
sélf-sácrifice *n.* [U] 자기희생, 헌신(적 행위). [파] **-ficing** *a.*
sélf·sàme *a.* 〔same의 강조형〕 꼭 같은, 동일한. [SYN.] ⇨SAME. [파] **~·ness** *n.*
sélf-satisfáction *n.* [U] 자기만족, 자부.
sélf-sátisfied *a.* 자기만족의.
sélf-sátisfying *a.* 자기만족을 주는.
sélf-scrútiny *n.* 자아를 돌아보는 것, 내성(內省)(self-examination).
sélf-séaling *a.* 펑크가 나도 자동적으로 찔린 구멍이 메워지는, 자동 밀봉식의 《타이어 따위》.
sélf-séarching *a.* 자문하는, 반성하는.
sélf-séeker *n.* 이기주의자, 자기 본위의 사람.
sélf-séeking *n.*, *a.* [U] 이기주의(의), 자기 본위(의). [파] **~·ness** *n.*
sélf-seléction *n.* 자주적 선택, 자기 선택, 《특히》 상점의 진열대에서 손님이 자유로 상품을 선택하기.
***self-serv·ice** [sélfsə́ːrvis] *n.*, *a.* [U] (식당 · 매점 따위의) 셀프서비스(의) 《손님이 손수 갖다 먹는 식의》, 자급식(自給式)(의).
sélf-sérving *a.* (사람이) 자기 잇속만 차리는, 이기적인.
sélf-sláughter *n.* [U] 자살, 자멸.
sélf-sówn *a.* 저절로 생긴〔난〕, 자생(自生)의.
sélf-stárter *n.* (자동차 따위의) 자동 시동 장치, 또 그 자동차; 《미구어》 자발적으로 계획을 실행하는 사람. [파] **-stárt·ing** *a.*
sélf-stéering *a.* 자동 조타의 《보트 따위》.
sélf-stérile *a.* 【생물】 자가 불임(不稔)(성(性))의. [opp] *self-fertile*. [파] **-sterílity** *n.*
sélf-stíck *a.* 이면에 접착제가 도포되어 있는, 그냥 붙이면 달라붙는.
sélf-stimulátion *n.* (자기 활동 · 행동의 결과로 생기는) 자기 자극.

sélf-stúdy *n.* (통신 교육 따위에 의한) 독학; 자기 관찰.
sélf-stýled *a.* 자칭〔자임〕하는: a ~ leader 「〔champion〕.
sélf-subsístence *n.* 자립, 자기〔자력〕 생존. [파] **-subsístent, -subsísting** *a.* 자립〔독립〕한, 자기(능력)만을 믿는.
sélf-suffíciency *n.* [U] 자급자족; 자부, 자만.
sélf-suffícient, -suffícing *a.* 자급(자족)할 수 있는, 경제적으로 자립한; 자부심이 강한, 오만한. [파] **~·ly** *ad.* 「gestion).
sélf-suggéstion *n.* [U] 자기 암시(autosug-
sélf-suppórt *n.* [U] 자영(自營), 자활; 자급. [파] **~·ed** [-id] *a.* **~·ing** *a.* 자활하는; 자급하는: ~*ing* accounting system 독립 채산제.
sélf-surrénder *n.* [U] 자기포기, 인종(忍從); 망아(忘我), 몰두.
sélf-sustáining *a.* 자립의, 자활의, 자급의. [파] **-sustáined** *a.*
sélf-táught *a.* 독학의, 독습〔자습〕의. 「(還買).
sélf·ténder *n.* 자사주(自社株) 공개 매수, 환매
sélf-tímer *n.* 〖사진〗 자동 셔터, 자동 개폐기.
sélf-torménting *a.* 스스로 괴롭히는, 자학하는. 「자학.
sélf-tórture *n.* [U] 난행(難行), 고행(苦行);
sélf-transcéndence *n.* 자기 초월 (능력).
sélf-tréat·ment *n.* (의사의 도움 없이 처방·관리를) 스스로 하는 의료 행위.
sélf-trúst *n.* =SELF-CONFIDENCE.
sélf-understánding *n.* 자각, 자기 인식.
sélf-wíll *n.* [U] 억지, 제멋대로임; 방자함; 완고. [파] **-wílled** *a.* 「감기는.
sélf-wínding *a.* (시계의 태엽이) 자동적으로
sélf-wórth *n.* 자존(심), 자부(自負)(self-esteem).
Sel·juk [seldʒúːk] *n., a.* 셀주크 사람(의), 셀주크 왕조《11-13세기에 아시아 중·서부를 통치한 왕조》, 셀주크 튀르크(=**~ Túrk**); 셀주크 왕조의 (사람). [파] **Sel·jú·ki·an** *n. a.*
†**sell** [sel] (*p., pp.* **sold** [sould]) *vt.* **1** 《~+[목]/+[목]+[전]+[명]/+[목]+[목]》 팔다, 매도〔매각〕하다. [opp] *buy*. ¶ a house to ~ 팔려고 내놓은 집/~ a used car *at* a good price 〔*at* a profit〕 중고차를 적절한 값으로〔이득을 보고〕 팔다/I'll ~ it to you *for* $100. 자네에게 백 달러에 팔겠네/I *sold* him my car. =I *sold* my car *to* him. 그에게 내 차를 팔았다. **2** 《비유》 (명예·정조 따위를) 팔다, (조국·친구 등을) 배반하다: ~ one's honor 〔chastity〕 명예〔정조〕를 팔다. **3** 《~+[목]/+[목]+[목]/+[목]+[전]+[명]》《구어》 판매를 촉진시키다, …의 팔림새를 돕다, (계획·생각 등을) …에게 선전하다, 추천하다: TV ~*s* consumer goods. TV 덕택으로 소비재가 팔린다/~ an idea *to* the public = ~ the public an idea 생각을 대중에게 선전하다/This design will ~ the purchaser. 이 디자인은 구입자의 구매심을 돋울 것이다. **4** 《+[목]+[전]+[명]》《구어》 …에게 ―을 받아들이게 하다〔납득시키다〕《*on*》: I *sold* him *on* the idea that .... 나는 그에게 …에 대한 계획을 납득시켰다/Well, I'm *sold on* the idea. 좋아, 그것에 찬성이다. **5** 〖보통 수동태〗《구어》 감쪽같이 속여넘기다: *Sold* again! 또 당했다〔속았다〕. ― *vi.* **1** 《~/+[부]/+[전]+[명]》 팔리다《*at; for*》: ~ like hot cakes 〔crazy, mad〕 《구어》 날개 돋친듯 팔리다/This shirt ~*s for* ten dollars. 이 셔츠는 10달러에 팔리고 있다. **2** 팔려고 내놓다; 장사를 하다: I like the house. Will you ~? 이 집이 마음에 듭니다. 파시겠습니까/They ~ dear at that shop. 저 가게에서는 물건 값이 비싸다. **3** 《구어》 채용되다, 환영받다: Your idea won't ~. 자네 아이디어는 찬성 못 받을걸.

be sold on …에 열중〔골똘〕해 있다, …에 반해 있다. *be sold out of* 매진〔품절〕되다: We *are sold out of* eggs. 달걀은 매진되었다. ***made to*** ~ (품질 등을 생각 않고) 단지 팔기 위해 만든. ~ ***a game*** 〔***match***〕 뇌물을 먹고 경기에 져 주다. ~ ***off*** 《*vt.* +[부]》 ① 싸게 팔아 치우다, 떨이로 팔다. ― 《*vi.* +[부]》 ② (값·시세가) 내리다, 하락하다. ~ ***out*** 《*vt.* +[부]》 ① (재고품 따위를) 죄다 팔아 치우다, 매각하다; 〖보통 수동태〗 (물건·표 등을) …에게 매진케 하다《*of*》: Sorry, we're *sold out* (*of* coffee). 미안합니다. (커피는) 다 팔렸습니다/The theater 〔concert〕 *is sold out*. 그 극장〔음악회〕 표는 매진되었다. ② 《미》〖보통 수동태〗 (채무 변제를 위해) 전 재산을 처분시키다. ③ (소유지를) 매각하다; (상점 등을) 처분하다, 팔려고 내놓다. ④ 〖영국사〗 군직(軍職)을 팔고 퇴역하다. ― 《*vi.* +[부]》 ⑤ 전상품을 팔아 버리다, 폐점하다, 사업에서 손을 떼다. ⑥ (상점에서 물건을) 다 팔아 버리다《*of*》; (물건이) 다 팔리다: We've *sold out of* your size. 구하시는 치수는 다 나갔습니다. ⑦ (이익을 위해 친구·주의 등을) 팔다, 배반하다《*to*》. ~ ***over*** 전매(轉賣)하다; 팔아넘기다. ~ ***short*** ⇨SHORT. ~ one***'s life dear***(***ly***) 될 수 있는 한 적에게 손해를 입히고 죽다. ~ ***time*** 상업 방송을 하다; 방송 광고를 허락하다. ~ ***up*** 《*vt.* +[부]》 ① (부채를 갚거나 물러나기 위해 재산을) 매각하다, 처분하다. ② 〖보통 수동태〗 (부채 변제를 위해) …에게 전 재산을 처분케 하다. ― 《*vi.* +[부]》 ③ 《주로 영》 재산·점포 따위를 매각하다〔처분하다〕.
― *n.* **1** [U] 판매(술), 판매면에서 본 매력; 《구어》 잘 팔리는 물건, 인기 상품. **2** [U] 《영구어》 실망, 기대 밖(disappointment). **3** [C] 《구어》 야바위, 사기(cheat): What a ~! 속았다.
séll-by dàte *n.* (포장 식품의) 판매 유효 기한(날짜).
***sell·er** [sélər] *n.* **1** 파는 사람, 판매인: a book ~ 책장수, 서적 판매인. **2** 팔리는 물건, 잘 나가는 상품: a good 〔bad, poor〕 ~ 잘 팔리는〔안 팔리는〕 상품/a best ~ 불티나게〔가장 잘〕 팔린 물건〔책〕, 베스트 셀러.
séllers' màrket 판매자 시장《공급이 적고 수요가 많음》. [opp] *buyers' market*.
séller's òption 매주(賣主) 선택《일정 기간 내에서는 판매자 쪽에서 상품의 인도일을 임의로 정해도 좋다는 계약 내용; 생략: S.O., s.o.》.
séll-ìn *n.* 선행〔사전〕 판매, (소매에 앞서) 상품을 소매업자에게 판매하는 것.
séll·ing *a.* **1** 판매하는〔의〕. **2** 판매에 종사하는. **3** (잘) 팔리는; 수요가 많은: the ~ price 판매 가격/the fastest-~ item 가장 잘 팔리는 품목. ― *n.* [U] 판매, 매각: ~ on consignment basis 위탁 판매/~ on credit 외상 판매.
sélling àgent 판매 대리상〔인〕.
sélling clìmax 대량 투매(投賣)에 따른 주가(株價)의 단기 급락.
sélling-òff *n.* [U] 재고 정리 염가 대매출.
sélling pòint 판매 때의 강조점, 상품의 장점이나 매력. 「긴 말을 경매하는》.
sélling ràce 〔**plàte**〕 매각 경마《경주 후에 이
séll-òff *n.* (주가 따위의) 대량 매도에 의한 급락, 주가 급락을 초래하는 대량 매도; (권리 상실 등에 의한) 재산 정리.
séll òrder 〖증권〗 매도 주문《주가 하락을 예상한》. [opp] *buy order*.
Sel·lo·tape [sélouteìp] *n.* 《영》 =SCOTCH TAPE.
séll·òut *n.* **1** 매진; 《구어》 (흥행물 따위의) 초만원: a ~ audience 만원인 청중. **2** 《미구어》 배반 (행위), 내통, 밀고.

séll-thròugh *n.* 판매를 위해 출시(出市)되는 상품《특히 비디오 따위》.

Sel·ma [sélmə] *n.* 셀마《여자 이름》.

Sélt·zer (wàter) [séltsər(-)] Ⓤ 셀처 탄산수《독일의 Nieder Selters 마을에서 나는 광천수(鑛泉水)》; (종종 s-) 그 비슷한 탄산수〔소다수〕.

sel·va [sélvə] *n.* 《Sp.·Port.》 (특히 남아메리카의) 열대 다우림(多雨林).

sel·vage, -vedge [sélvidʒ] *n.* **1** 피륙의 변폭(邊幅). **2** 가장자리. **3** 《드물게》 (자물쇠의) 가장자리 쇠. ⓜ **~d** *a.*

sel·va·gee [sèlvidʒíː] *n.* 〖해사〗 속환삭(束環索)《로프에 가는 줄을 감아서 실하게 한 밧줄》.

selves [selvz] SELF의 복수.

SEM scanning electron microscope. **Sem.** Seminary; Semitic. **sem.** semicolon.

se·man·teme [simǽntiːm] *n.* 〖언어〗 의의소(意義素)(sememe). cf. morpheme.

se·man·tic [simǽntik] *a.* 어의(語義)에 관한, 의미론(상)의. ⓜ **-ti·cal·ly** *ad.*

semántic análysis 〖심리〗 의미 분석.

se·man·ti·cist [simǽntəsist] *n.* 의미론〔어의론〕 학자.

semántic nét 〖컴퓨터〗 의미 네트(워크)《언어의 의미·개념 간의 관계, 지식 등을 표현하는 네트워크》.

se·mán·tics *n. pl.* 《단수취급》 〖언어〗 의미론; 어의론, 어의 발달론; 〖논리〗 의의학(意義學); 일반 의미론; 기호론(記號論). ⓜ **se·man·ti·cian** [sìːmæntíʃən] *n.*

sem·a·phore [séməfɔ̀ːr] *n.* (철도의) 까치발 신호기, 시그널; Ⓤ (군대의) 수기(手旗) 신호. ― *vt., vi.* 신호기〔수기(手旗) 신호〕로 알리다. ⓜ **sem·a·phor·ic** [sèməfɔ́ːrik, -fár-/-fɔ́r-] *a.*

se·ma·si·ol·o·gy [simèisiálədʒi/-ɔ́l-] *n.* Ⓤ =SEMANTICS.

se·mat·ic [simǽtik] *a.* 〖생물〗 (독사의 색채 따위처럼 다른 동물을) 경계하게 하는: a ~ color 경계색.

◇**sem·blance** [sémbləns] *n.* **1** Ⓤ 외관, 외형; 겉보기; 모양, 꾸밈. **2** 유사, 닮음; …비슷한 것: There is not even a ~ of proof. 증거 비슷한 것도 없다. ***have the ~ of*** …와 비슷하다. ***in ~*** 외관은. ***in the ~ of*** …의 모습으로. ***put on a ~ of*** … 인 체하다, …을 가장하다. ***to the ~ of*** …와 같이〔비슷하게〕. ***under the ~ of*** …을 가장하여.

se·mé(e) [səméi/sémei] *n., a.* 《F.》 〖문장(紋章)〗 띄엄띄엄 흩어진 무늬(의).

se·mei·og·ra·phy [sìːmiágrəfi, sèmi-, sìːmai-/-ɔ́g-] *n.* 〖의학〗 증후 기재(記載), 증후학.

se·mei·ol·o·gy, se·mei·ot·ics [sìːmaiálədʒi/-ɔ́l-], [-átiks/-ɔ́t-] *n.* =SEMIOLOGY.

sem·eme [sémiːm] *n.* 〖언어〗 의의소(意義素)《morpheme의 의미, 또는 의미의 기본 단위》.

se·men [síːmən] *n.* Ⓤ 〖생리〗 정액(sperm).

se·mes·ter [siméstər] *n.* (1년 2학기제 대학의) 한 학기, 반(半)학년. ⓜ **-tral, -tri·al** *a.*

seméster hòur 《미》 〖교육〗 이수 단위《주당 1시간의 강의를 한 학기 동안 받으면 1단위가 됨》.

semi [sémi] *n.* 《구어》 **1** =SEMIFINAL. **2** 《미·Austral.》 =SEMITRAILER. **3** 《영》 (두 가호(家戶)용으로 지은) 연립주택(semidetached house). **4** 《해커속어》 =SEMICOLON.

sem·i- [sémi, -mai/-mi] *pref.* '반…, 어느 정도…, 좀…'의 뜻. cf. demi-, hemi-, bi-. ★ 이 접두사는 고유명사나, i-로 시작되는 단어 이외에는 일반적으로 하이픈이 불필요함.

sèmi·áctive *a.* 〖군사〗 세미액티브《레이더나 레이저가 목표에 조사(照射)되어 그 반사파·빛을 포착하여 목표에 돌입시키는 방식의》.

sèmi·ánnual *a.* 반년마다의, 연 2회의, 반기의; 반년 계속의; 반년생의《식물》. ⓜ **~·ly** *ad.*

sèmi·árid *a.* 반건조의, 비가 매우 적은《지대·기후》; 〖동물·식물〗 반건지성(半乾地性)의. ⓜ **sèmi·arídity** *n.*

sèmi·áutomated [-id] *a.* 반자동화된, 반자동의.

sèmi·automátic *a.* 반자동식의《기계·총 따위》; (화기가) 자동 장전식의. ― *n.* 자동 장전식 소총. ⓜ **-ically** *ad.*

sèmi·áxis *n.* 〖수학〗 (쌍곡선 등의) 반축(半軸).

sèmi·básement *n.* 반(半)지하실.

sémi·brève *n.* 《영》 〖음악〗 온음표(《미》 whole note).

sèmi·centénnial, sèmi·céntenary *a.* 50년마다의, 50주년의. ― *n.* 50년제(祭).

sémi·chòrus *n.* 〖음악〗 소(小)합창《합창대의 일부에 의한》; 소합창곡〔대〕.

◇**sémi·cìrcle** *n.* 반원(형).

sèmi·círcular *a.* 반원(형)의: ~ canal 〖해부〗 (귀의) 반(半)고리관(管), 반규관(半規管).

sèmi·cívilized *a.* 반미개〔반문명〕의.

sèmi·clássic, -sical *a.* 준(準)고전적인, 준고전파의.

***sem·i·co·lon** [sémikòulən] *n.* 세미콜론(;). ★ period(.) 보다는 약하고, comma(,) 보다는 강한 구두점.

sémi·còlony *n.* 반(半)식민지(적 국가).

sèmi·cómatose *a.* 〖의학〗 반혼수상태의.

sèmi·commércial *a.* 반상업적인, 실험적 상품 판매의.

sèmi·condúctor *n.* 〖물리〗 반도체; 반도체를 이용한 장치《트랜지스터·IC 등》: ~ junction laser 반도체 접합 레이저.

sèmi·cónscious *a.* 반의식이 있는, 의식이 완전치 않은. ⓜ **~·ly** *ad.* **~·ness** *n.*

sèmi·consérvative *a.* 〖유전〗 (DNA 등의 복제되는 방법이) 반(半)보존적인. ⓜ **~·ly** *ad.*

sèmi·cústom *a.* (반도체업계에서) 반(半)특별 주문의.

sèmi·dáily *ad.* 하루에 두 번.

sèmi·dárkness *n.* 어둑어둑함.

sèmi·déify *vt.* 반(半)신성시하다, 신처럼 보다.

sèmi·demisémiquaver *n.* 〖음악〗 《영》 64분음표(《미》 sixty-fourth note).

sèmi·désert *n.* (사막과 초목지 중간 정도의) 반사막.

sèmi·detáched [-t] *a.* 반쯤 떨어진; 한쪽 벽이 이웃 채에 붙은, 두 가구 연립의. cf. detached. ¶ a ~ house =SEMI 3.

sèmi·devéloped [-t] *a.* 개발이 충분치 않은, 개발 도중의; 발육 부전의.

sèmi·diámeter *n.* Ⓤ,Ⓒ 반지름, 반경(radius).

sèmi·diúrnal *a.* 반일(간)의, 하루 두 번의, 한나절〔12시간〕마다의.

sèmi·divíne *a.* 반신성한, 반신(半神)인.

sèmi·documéntary *n., a.* 반기록적 작품(의)《실록(實錄) 작품을 극적 수법으로 재현한 영화·TV 등의 작품》.

sémi·dòme *n.* 〖건축〗 반원형 지붕. ⓜ **~d** *a.*

sèmi·dóminant *a.* 〖유전〗 불완전 우성(優性)의.

sèmi·drý *a.* 반건조의, 적당히 건조된; 좀 쓴 맛이 도는.

sèmi·drý·ing *a.* (기름이) 반건성(半乾性)의.

sèmi·fárming *n.* 방치(放置) 사육〔농업〕.

sèmi·fínal *n., a.* 〖경기〗 준결승(의), 〖권투〗 (메인이벤트 직전의) 세미파이널(의). ⓜ **~·ist** *n.* 준결승 진출 선수.

sèmi·fínished [-t] *a.* 대략 완성된; (강철이) 반(半)마무리된.

sèmi·flúid *n., a.* 반유동체(의). ⓜ **-fluídity** *n.*

sémi·glòss *a.* 약간 광택이 있는.

sèmi·léthal *n.* 〖유전〗 반치사(半致死)(성) 돌연변이, 반치사(성) 유전. ― *a.* 반치사(성)의.

sèmi·líquid *n.*, *a.* 반액체(의). [파] **-liquídity** *n.*
sèmi·líterate *a.*, *n.* 반문맹의 (사람), 읽고 쓰는 능력이 불충분한 (사람). [파] **-líteracy** *n.*
sèmi·lúnar *a.* 반달 꼴의: a ~ valve 〖해부〗 (대동맥·폐동맥의) 반월판(半月瓣).
sèmi·métal *n.* 〖화학〗 반금속《금속 특성이 낮고 전성(展性)이 없음; 비소 따위》. [파] **-metállic** *a.*
sèmi·mícro *a.* 반마이크로〔미시〕적인, 소량의.
sèmi·mónthly *a.* 반달마다의, 월 2회의. ― *ad.* 반달마다, 월 2회. ― *n.* 월 2회의 (정기) 간행물. [cf] bimonthly.
sèmi·mýstical *a.* 약간 신비적인. [파] **~·ly** *ad.*
se·mi·nal [sémənəl, síːm-] *a.* **1** 정액의; 〖식물〗 씨의. **2** 생식의, 발생의. **3** 씨눈〔배자〕 상태의. **4** 발전〔장래〕성 있는; 독창성이 풍부한; 생산적인. [파] **~·ly** *ad.* **sèm·i·nál·i·ty** [-nǽləti] *n.*
séminal dúct 〖해부〗 정관(精管).
séminal flúid 〖생리〗 정액(semen); (정액 중에서 정자를 뺀) 정장(精漿).
séminal vésicle 〖해부·동물〗 정낭(精囊).
sem·i·nar [sémənɑ̀ːr] *n.* (대학의) 세미나《교수의 지도에 의한 학생 공동 연구 그룹》; (대학의) 연구과, 대학원 과정; 연구실; 〔일반적〕 연구 집회; 《미》 전문가 회의.
◦**sem·i·na·ry** [sémənèri/-nəri] *n.* (high school 이상의) 학교, 대학원; 양성소; 신학교; 《비유》 (죄악의) 온상《*of*》: a ~ of vice 악의 온상. [파] **sem·i·nar·i·an** [ˋ-néəriən] *n.* 신학교의 학생. **sém·i·nar·ist** [-nərist] *n.* 신학생; 가톨릭 성직자.
sem·i·nate [sémənèit] *vt.* = INSEMINATE.
sèm·i·ná·tion *n.* 수정(授精); 씨뿌리기, 파종; 보급, 유포, 전파(propagation).
sèmi·nátural *a.* 여러 면에서 자연 그대로의, 반자연〔반천연〕적인.
sem·i·nif·er·ous [sèmənífərəs] *a.* 〖식물〗 씨가 생기는; 〖해부〗 정액을 만드는〔운반하는, 보내는〕.
Sem·i·nole [sémənòul] (*pl.* ~(**s**)) *n.*, *a.* 세미놀족(의)《북아메리카 인디언의 한 종족》.
sèmi·núde *a.* 반나체의. [파] **-núdity** *n.*
sèmi·offícial *a.* 반관적(半官的)인《보도, 성명 따위》, 반공식적인: a ~ gazette 반관보(半官報). [파] **~·ly** *ad.*
se·mi·ol·o·gy [sìːmiɑ́lədʒi, sèmi-, sìːmai-/ sèmiɔ́l-, sìːmi-] *n.* [U] 기호학; 기호 언어; 〖의학〗 증후학(學).
sèmi·opáque *a.* 거의 불투명한; 부전도성의.
se·mi·o·sis [sìːmióusəs, sèmi-, sìːmai-/ sèmi-, sìːmi-] *n.* 〖언어·논리〗 기호 현상《물건이 유기체에 대하여 기호로서 기능하는 과정》.
se·mi·ot·ic [sìːmiɑ́tik, sèmi-, sìːmai-/ sèmiɔ́t-, sìːmi-] *a.* **1** 기호(언어)의, 기호론〔학〕의. **2** 〖의학〗 증상의. [파] **-i·cal** *a.* 「〖의학〗 증후학.
sè·mi·ót·ics *n. pl.* 〔단수취급〕 기호(언어)학;
sèmi·parálysis *n.* 일부 마비, 불완전 마비.
sèmi·párasite *n.* 〖생물〗 = HEMIPARASITE.
sèmi·pérmanent *a.* 일부 영구적인; 반영구적인. 「透過性)의.
sèmi·pérmeable *a.* (막 따위가) 반투과성(半
sèmi·póstal *n.*, *a.* 기부금이 포함된 우표(의).
sèmi·précious *a.* 약간 귀중한; 준(準)보석의.
sèmi·prívate *a.* 반사용(半私用)의; (병원 처우가) 별실 제공·전임 의사 배치에 가까운 처우의, 준특별 진료의: a small ~ room with two patients 환자 2인용 작은 병실. [파] **-prívacy** *n.*
sémi·prò 《구어》 *a.* = SEMIPROFESSIONAL. ― (*pl.* **~s**) *n.* 세미프로〔반직업적〕 선수.
sèmi·proféssional *a.*, *n.* 반직업적인 (선수), 준전문적인, 세미프로(의). [파] **~·ly** *ad.*
sèmi·públic *a.* 반공공의; 반관반민의; 반공개적인.
sémi·quàver *n.* 《영》 〖음악〗 16분음표(《미》 sixteenth note).
sèmi·retíred *a.* 비상근 근무의.
sèmi·retírement *n.* 비(非)상근 (근무).
sèmi·rígid *a.* 반강체(半剛體)의; 〖항공〗 반경식(半硬式)의《비행선》.
sèmi·séaled *a.* (봉투가) 반만 봉해진, flap이 반만 붙은, 개봉식의.
sèmi·sécret *a.* 공표하지 않았으나 대중이 아는.
sèmi·skílled *a.* 반숙련의; 다소 숙련을 요하는.
sèmi·sólid *n.*, *a.* 반고체(의).
semi·submérsible drílling rìg 〖해양공학〗 반잠수형 해양 석유 굴착 장치.
sèmi·swámped [-t] *a.* 반침몰한: a ~ lifeboat 반침몰한 구명정.
sèmi·swéet *a.* 조금〔약간〕 달게 한, 지나치게 달지 않은《과자》. 「유》.
sèmi·synthétic *a.* 〖화학〗 반(半)합성의《섬
Sem·ite [sémait/síːm-, sém-] *n.* 셈족(族)《히브리 사람·아라비아 사람 등; 또 옛 아시리아 사람·바빌로니아 사람·페니키아 사람 등》; 유대인. ― *a.* (Noah의 아들) 셈의, 셈족의; 유대인의.
Se·mit·ic [səmítik] *a.* 셈족(族)의; 셈어의. ― *n.* [U] 셈어《히브리어·아라비아어 따위》; (**~s**) 〔단수취급〕 《미》 셈학(學).
Sem·i·tism [sémətìzəm] *n.* [C] 셈어투; [U] 셈족식; 《특히》 유대인 기질〔풍〕.
Sém·i·tist *n.* (셈족의 언어·문화·역사 등을 연구하는) 셈학자; (s–) 유대인에게 호의를 갖는 사람.
Sém·i·to-Hamític [sémətou-] *a.*, *n.* 셈·함어족(의)《Afro-Asiatic의 구칭》.
sémi·tòne *n.* 〖음악〗 반음(정)([cf] half step). [파] **sèm·i·tónic, -tónal** *a.*
sémi·tràiler *n.* 세미트레일러(semi)《대형 화물·승합 자동차》.

semitrailer

sèmi·translúcent *a.* 반투명의.
sèmi·transpárent *a.* 반투명의.
sèmi·trópical, -trópic *a.* 아열대의.
sèmi·trópics *n. pl.* = SUBTROPICS.
sèmi·vocálic, -vócal *a.* 반모음의.
sémi·vòwel *n.* **1** 반모음《[w, j] 따위; [m, n, ŋ, r, l] 따위를 포함시킬 때도 있음》. **2** 반모음자《w, y 따위》.
sèmi·wéekly *a.* 반주(半週)마다의, 주2회의. ― *ad.* 반주마다, 주2회. ― *n.* 주2회의 (정기) 간행물. 「〔실험〕 공장.
sémi·wòrks *n. pl.* (신제품·신제법의) 시험
sèmi·yéarly *a.* 반년마다의, 연2회의. ― *ad.* 반년마다, 연2회. ― *n.* 연2회 (정기) 간행물.
sem·o·li·na, sem·o·la [sèməlíːnə], [séməlә] *n.* [U] (체질한 후에 남는) 거친 밀가루《마카로니·푸딩의 원료》.
sem·per ea·dem [*L.* sέmpεr-εάːdεm] 《L.》 (=always the same) 항상 같음〔변함없음〕《여성형; Elizabeth 1세의 좌우명》.
sem·per fi·de·lis [sémpər-fidéilis] 《L.》 (=always faithful) 항상 충실한《미(美) 해병대의 표어》.
sem·per idem [-áidem, -ídem] 《L.》 (= always the same) 항상 같음《남성형》.
sem·per pa·ra·tus [-pəréitəs] 《L.》 (= always prepared) 항상 준비되어 있는《미국 연안 경비대 표어》.
sem·pi·ter·nal [sèmpitə́ːrnəl] *a.* 《문어》 영구한, 영원한(eternal). [파] **~·ly** *ad.*

sem·pli·ce [sémplitʃèi/-tʃi] *a.* 《It.》 〖음악〗 단순한, 단음의, 장식음이 없는.

sem·pre [sémprei] *ad.* 《It.》 〖음악〗 언제나, 끊임없이: ~ forte 항상 포르테로.

semp·stress [sémpstris] *n.* =SEAMSTRESS.

Sem·tex [sémtèks] *n.* 셈텍스《강력한 플라스틱 폭탄; 상표명》.

sen [sen] (*pl.* ~) *n.* 센. **1** 일본의 화폐 단위(=1/100 yen). **2** 인도네시아의 화폐 단위(=1/100 rupiah). **3** 캄보디아의 화폐 단위(=1/100 riel). **4** 말레이시아의 화폐 단위(=1/100 ringgit).

SEN, S.E.N. 《영》 State Enrolled Nurse.

Sen., sen. Senate; Senator; senior.

sen·a·ry [sénəri/síːn-] *a.* 6의.

⁑**sen·ate** [sénət] *n.* **1** (S–) (미국·캐나다·프랑스 등의) 상원: a *Senate* hearing 상원 청문회. cf. congress. **2** (고대 로마·그리스의) 원로원. **3** 입법부, 의회. **4** (Cambridge 대학 등의) 평의원회, 이사회.

Sénate Appropriátions Commìttee 《미》 상원 세출 위원회.

Sénate Éthics Commìttee 《미》 상원 윤리 위원회.

sénate hòuse 상원 의사당; (S–) (특히 Cambridge 대학의) 평의원 회관, 이사회관.

⁑**sen·a·tor** [sénətər] *n.* 원로원 의원; (S–) 《미》 상원 의원; (대학) 평의원, 이사. ㊕ **~·ship** [-ʃìp] *n.* Ⓤ ~의 직〔임기〕.

sen·a·to·ri·al [sènətɔ́ːriəl] *a.* 원로원의; 원로원 의원의; 상원의, 상원 의원의; 《미》 상원 의원 선출권이 있는《선거구》; 대학의 평의원회의. ㊕ **~·ly** *ad.* 상원〔원로원〕 의원답게; 위엄 있게.

senatórial cóurtesy 《미》 상원 의례《대통령이 임명한 자에 대한 비준을 해당 출신 구역 의원의 동의가 있어야만 통과시키는 상원의 관례》.

senatórial dìstrict 《미》 상원 의원 선출구.

sen·a·to·ri·an [sènətɔ́ːriən] *a.* 상원(의원)의; (특히 고대 로마의) 원로원(元老院)의.

†**send**[1] [send] (*p., pp.* **sent** [sent]) *vt.* **1** 《~+목/+목+부/+목+목/+목+전+명》 (물품 따위를) 보내다; 발송하다; (서신·메시지 따위를) 송신〔송전〕하다; 전언하다: ~ goods by rail 상품을 철도로 보내다/~ a person *home* 아무를 집까지 데려다 주다/~ a person a book =~ a book *to* a person 아무에게 책을 보내다/~ flowers *to* the patient 환자에게 꽃을 보내다/~ a line 한 줄 적어 보내다/~ help 구원을 보내다. **2** 《~+목/+목+부/+목+전+명》 (사람을) 파견하다, 가게 하다, 보내다: ~ an emissary 밀사를 보내다/~ a person *abroad* 아무를 해외에 파견하다/~ a boy *on* an errand 애를 심부름 보내다/*Send* a car *for* us. 차를 한 대 보내 주시오. **3** (접시·술 등을) 차례로 건네다, 돌리다. **4** 《~+목/+목+부/+목+전+명》 (빛·연기·열 따위를) 내다, 발(發)하다《*forth; off; out; through*》; (일정한 방향으로) 발사하다, 쏘다, 날리다; (돌 따위를) 던지다; (탄알 따위를) 도달시키다: ~ an arrow/~ *out* light 빛을 내다/~ a blow *to* the jaw 턱에 한 대 먹이다/~ a stone *through* a window 창 안으로 돌을 던지다. **5** 《+목+전+명》 내몰다, 억지로 보내다: *Send* the cat *out of* the room. 고양이를 방에서 내쫓으시오. **6** 《~+목/+목+목/+목+보/+목+전+명》 《문어》 (하느님·신이) 주다, 허락하다, 베풀다; (재앙 따위를) 입히다; 배려하다; …하게〔되게〕 하다: May God ~ help! 하느님, 도와 주소서/Heaven ~ that he arrives safely. 하늘이시여 그로 하여금 무사히 도착하게 해 주소서/May God ~ us rain! =May God ~ rain *to* us! 하느님 비를 내려 주소서/*Send* her〔him〕 victorious! 하느님 여왕〔왕〕을 승리자가 되게 하여 주소서《★ 영국 국가의 한 구절》. **7** 《+목+보/+목+전+명/+목+-*ing*》 …의 상태로 되게〔빠지게〕 하다; …상태로 몰아넣다: This noise will ~ me mad. 시끄러워서 미칠 것 같다/~ a person *into* tears〔laughter〕 아무를 울리다〔웃기다〕/The punch *sent* him reel*ing*. 주먹을 얻어 맞고 그는 비틀거렸다. **8** 《구어》 (청중을) 흥분시키다《재즈 연주 따위로》, 황홀하게 하다: His trumpet used to ~ me. 그의 트럼펫 소리를 들으면 언제나 황홀해진다. **9** 〖전기〗 송전하다, (신호·전파를) 보내다: ~ a current〔signal〕 전류〔신호〕를 보내다. ― *vi.* **1** 《~/+전+명/+*to* do》 사람을 보내다, 심부름꾼을 보내다: If you want me, please ~. 일이 있으면 사람을 보내시오/He *sent to* me *to* come soon. 그는 나를 곧 오라고 심부름꾼을 보내왔다. **2** 편지를 보내다, 소식을 전하다. **3** 〖전기〗 신호를 보내다.

~ a person ***about his business*** 아무를 내쫓다, 해고하다. ~ ***after*** …의 뒤를 쫓게 하다〔쫓다〕; …에게 전언을 보내다. ~ ***and*** do 사람을 보내어 …시키다. ~ ***away*** ① 떠나게〔물러가게〕 하다, 내쫓다. ② 해고하다, …을 내어보내다. ③ 멀리 보내다: We *sent* our son *away* to school in France. 아들을 프랑스에 있는 학교로 멀리 보냈다. ~ ***away for*** …을 우편으로 주문하다, (주문하여) 가져오게 하다. ~ ***back*** 돌려주다, 반환하다. ~ ***down*** 《*vt.*+부》 ① (…을) 하락〔하강〕시키다, 내리다: ~ prices *down* 물가를 내리다. ② 《영》 (아무를) 교도소에 넣다, 투옥하다. ③ 《영대학》 (아무에게) 정학을 명하다, 퇴학시키다《★ 보통 수동태로》. ― 《*vi.*+부》 ④ 아래〔주방〕에 주문을 내리다〔하다〕《*to*》: ~ *down to* the kitchen for some more coffee 커피를 더 가져오라고 주방에 주문하다. ~ ***... flying*** (불꽃·파편 등을) 튀기다, 날리다; (적을) 패주시키다, 흩어 버리다; (아무를) 냅다 갈기다. ~ ***for*** …을 가지러 (사람을) 보내다; …을 부르러 보내다: ~ *for* the doctor 의사를 부르러 보내다. ~ ***forth*** ① 파견하다, 보내다; (수출품 등을) 발송하다. ② (잎 따위를) 내다. ③ (향기·증기 등을) 발하다, 내다. ④ (책을) 발행하다; 《고어》 (명령을) 내리다. ~ ***in*** ① (아무를) …으로 들여보내다: *Send* her *in*. 그녀를 안으로 들여보내시오. ② (…을) 우송하다; (신청서·사표 따위를) 내다, 제출하다; (그림 등을) 출품하다, (명함을) 내놓다《전갈 나온 사람에게》: ~ *in* one's name 명함을 내놓다/~ *in*〔*up*〕 one's name (경기에) 참가를 신청하다. ~ ***off*** 배웅하다; 쫓아내다, 해고하다; (편지 따위를) 발송하다. ~ ***off for...*** =~ away for …. ~ ***off*** (***the field***) 〖축구·럭비〗 (반칙 등으로 선수를) 퇴장시키다《*for*》. ~ ***on*** 《*vt.*+부》 ① (화물·편지 등을) 회송〔전송〕하다; (짐 등을) 미리 보내다, (사람을) 앞서 보내다; (극·경기 등에 사람을) 출연〔출장〕시키다. ― 《*vt.*+전》 ② (아무를 휴가·여행 등에) 보내다. ~ ***out*** 《*vt.*+부》 ① (빛·열·연기 따위를) 발하다. ② (…을) 발송하다; (아무를) 파견하다; (벌로서) 밖으로 내보내다: ~ *out* invitations 초대장을 발송하다. ③ (신호를) 발신하다. ④ (…을) 가지러〔사러〕 보내다. ― 《*vi.*+부》 ⑤ (…을) 가져오도록 주문하다《*for*》; (…을) 구하러 사람을 보내다《*for*》: Let's ~ *out for* pizza. 피자를 가져오도록 주문하자. ~ ***over*** 방송하다. ~ a person ***packing*** ⇨PACK. ~ ***round*** 돌리다, 회람하다. ~ one***'s regards to*** …에게 안부를 전하다. ~ ***through*** (전갈 따위를) 보내다. ~ ***... under*** (경쟁에서) 패하게 하다. ~ ***up*** ① (로켓 따위를) 쏘아 올리다; (물가·기온 따위를) 올리다, 상승시키다. ② (공 따위를) 보내다, 던지

다. ③ (서류를) 제출하다; (이름을) 알리다, (명함을) 내놓다. ④ (음식을) 식탁에 내놓다. ⑤《미구어》 구치소에 처넣다; 판결하다. ⑥《영구어》 놀리다, 비웃다. ⑦ …을 타오르게 하다, 폭파하다. ~ ***word*** 전언하다, 알리다, 전해 보내다《*to*》.

send², scend [send] 〖해사〗 *n.* 파도의 추진력; [U] 배의 뒷질. [cf] pitch¹. ── (*p., pp.* ***sénd·ed, scénd·ed*** [-id]) *vi.* 파도를 헤치고 나아가다; 파도에 얹히다.

sénd·er *n.* **1** 발송인〔주〕, 출하자, 화주(貨主). **2** 〖전기〗 송신기, 발신인; 《구어》 크게 흥분시키는 〔즐겁게 하는〕 것.

sénd-òff *n.* 《구어》 **1** 배웅, 송별: give a ~ 배웅하다. **2** (사람 · 물건의) 출발, (경쟁적인) 스타트; (사업 따위의) 시작을 축하하기: His business had 〔got〕 a good ~. 그의 사업은 출발이 좋았다. **3** 《미속어》 장례식.

sénd-ùp *n.* 《영구어》 (풍자적인) 흉내, 놀림.

se·ne [séinei] (*pl.* **~, ~s**) *n.* 세네《사모아의 화폐 단위; 1/100 tala》.

Sen·e·ca [sénikə] *n.* **1 Lucius Annaeus ~** 세네카《로마의 정치가 · 철학자 · 비극 작가; 4 B.C. ?- A.D. 65》. **2** 아메리카 원주민의 한 부족.

sen·e·ga [sénigə] *n.* 〖식물〗 세네가《애기풀과; 북아메리카산》; 세네가 뿌리《거담제(去痰劑)》.

Sen·e·gal [sènigɔ́:l, -gɑ́:l] *n.* 세네갈《아프리카 서부에 있는 공화국; 수도 Dakar》.

Sen·e·gal·ese [sènəgɔːlíːz, -líːs, -gə-/-gəlíːz] *a.* 세네갈의; 세네갈 사람의.

Sen·e·gam·bia [sènigǽmbiə] *n.* 세네감비아《(1) Senegal강과 Gambia강 사이의 지역. (2) 세네갈과 감비아로 결성된 국가 연합》. ── (*pl.* **~**) *n.* 세네갈 사람; [U] 세네갈어(語).

se·nesce [sinés] *vi.* 〖생물〗 노화하다.

se·nes·cent [sinésnt] *a.* 늙은, 노쇠한. [파] **-cence** *n.* [U] 노후, 노쇠; 노령, 노년기.

sen·e·schal [sénəʃəl] *n.* (중세 귀족의) 집사(執事); (대성당의) 직원.

se·nhor [sinjɔ́ːr] (*pl.* **~s,** (Port.) ***se·nho·res*** [sinjɔ́ːris]) *n.* 《Port.》 …씨, …님, 나리《경칭으로, 성(姓) 앞이나 단독으로 씀; 생략: Sr.》; 포르투갈〔브라질〕 신사.

se·nho·ra [sinjɔ́ːrə] *n.* 《Port.》 …부인《경칭》; 마나님, 귀부인《생략: Sra.》.

se·nho·ri·ta [sènjəríːtə] *n.* 《Port.》 …양(孃)《경칭》; 영애, 아가씨《생략: Srta.》.

se·nile [síːnail] *a.* 나이 많은; 노쇠한.

sénile deméntia 〖의학〗 노인성 치매(癡呆).

sénile deteriorátion 노화로 인한 쇠퇴, 노년 쇠퇴, 노년기의 쇠퇴.

sénile psychósis 〖의학〗 노쇠성 정신병.

se·nil·i·ty [sinílәti] *n.* [U] 고령, 노쇠; 노인성 치매증.

⁑**sen·ior** [síːnjər] *a.* **1** 손위의, 연상의《*to*》: He is two years ~ *to* me. =He is ~ *to* me by two years. 그는 나보다 두 살 위다. **2** (가족 · 학교 따위 같은 집단의 같은 이름인 사람에 대해) 나이 많은 쪽의《생략: sen., senr. 또는 Sr.》: the ~ Mr. Brown; Mr. William Nathaniel Brown, *Sr.* 손위의(윌리엄 나다니엘) 브라운씨. **3** 선배의, 선임의, 고참의; 상사의, 윗자리의, 상급의: a ~ man 고참자, 상급생/a ~ examination 진급 시험/the ~ delegate 수석 대표/a ~ counsel 수석 변호사/He is a ~ member of the firm. 그는 이 회사의 고참의 한 사람이다. **4** 《미》 (4년제 대학의) 제4년〔최상〕급의, (고교의) 최고 학년의; 《영》 중등교육의. [cf] freshman, sophomore, junior. **5** (유가증권이) 우선권이 붙은, 상위의. **6** (…)이전의, (…보다) 앞선《*to*》. **7** 본가의. ── *n.* **1** 연장자(者), 손윗사람: He is two years my ~. 그는 나보다 두 살 위이다. **2** 어른, 고로(古老), 장로: the village ~*s* 마을의 어른들. **3** 선배, 선임자, 고참자. **4** 상사, 상관, 윗사람: my ~ in office. **5** 《미》 최상급생, 4학년생; 《영》 (대학의) 상급생.

sénior chíef pétty òfficer 〖미해군 · 연안 경비대〗 상사.

sénior cítizen 《완곡어》 고령 시민《보통, 여자 60세, 남자 65세 이상의 연금 생활자》, 고령자, 노인.

sénior cítizenship 고령, 노령; 고령자 신분.

sénior cóllege 《미》 (bachelor 학위를 주는) 4년제 칼리지.

se·ni·o·res pri·o·res [seniɔ́ːreis-priɔ́ːreis] 《L.》 나이순으로, 연장자 우선의.

sénior hígh (schòol) 《미》 상급 고등학교 《10, 11, 12학년으로 우리의 고교에 해당》. [cf] junior high school.

sen·ior·i·ty [siːnjɔ́ːrəti, -jɑ́r-/sìːniɔ́r-] *n.* [U] 연상(年上)〔선임자〕임; 선임자의 특권, 고참권.

senióríty rúle 《미》 (의회 위원회의) 고참제.

sénior máster sérgeant 〖미공군〗 상사.

sénior mòment 《구어》 (노인처럼) 깜박 잊은 순간.

sénior núrsing òfficer 《미》 (병원의) 간호부장.

sénior offícial 정부 고관, 정부 고위층. ★ 미국에서는 대체로 차관보 이상을 가리킴.

sénior pártner (합명회사 · 조합 등의) 대표, 사장.

sénior sérvice (the ~) 《영》 해군《육군 · 공군에 대하여》.

「로》 전무《생략: SVP》.

sénior více président (회사의) 상무; 《때

sen·i·ti [sénəti] (*pl.* **~**) *n.* 세니티《통가의 화폐 단위; =1/100 pa'anga》.

sen·na [sénə] *n.* 〖식물〗 센나《석결명류(類)》; 말린 센나잎 · 열매《완하제》.

sen·net [sénit] *n.* 나팔 신호《셰익스피어극 따위에서 배우의 등장 · 퇴장 신호》.

sen·night, se'n·night [sénait, -nit/-nait] *n.* 《고어》 1주간. [cf] fortnight. ¶ today ~ 전주〔내주〕의 오늘. [◂ seve*n* *night*s]

sen·nit [sénit] *n.* 〖해사〗 꼰 바; 밀짚.

se·ñor, -ñor [sinjɔ́ːr, siːn-/se-] (*pl.* ***-ñor·es*** [-njɔ́ːres]) *n.* 《Sp.》 …님, …씨; 나리《경칭; 생략: Sr.》; 스페인 신사.

se·ño·ra, -ño- [seinjɔ́ːrə, siːn-/se-] *n.* 《Sp.》 …부인, …마나님《경칭; 생략: Sra.》; 스페인 숙녀, 귀부인.

se·ño·ri·ta, -ño- [sèinjəríːtə, sìːn-/sénjɔː-] *n.* 《Sp.》 …양(孃)《경칭; 생략: Srta.》; 영애, 스페인 아가씨.

Se·nou(s)·si [sənúːsi] *n.* =SANUSI.

senr. senior.

sen·sate [sénseit] *a.* 오감으로 아는, 감각지(感覺知)의; 감각이 있는; 감각 중심의, 유물적인. [파] **~·ly** *ad.*

⁑**sen·sa·tion** [senséiʃən] *n.* **1** [U] 감각, 지각(知覺): the ~ of cold 〔heat〕 한랭〔온열〕 감각. [SYN.] ⇨SENSE. **2** [U,C] 마음, 기분; 감동, 흥분: feel a delightful ~ 즐거운 기분이 들다. **3** [C] 센세이션, 물의, 평판(이 대단한 것), 대사건: a worldwide ~ 세계적인 평판/the latest ~ 최근 화제에 오른 것《사건 · 연극 등》/create 〔cause, make〕 a ~ 센세이션을 일으키다. [파] **~·less** *a.*

*__sen·sa·tion·al__ [senséiʃənəl] *a.* **1** 선풍적 인기의, 대평판의, 세상을 놀라게 하는, 놀라운; 굉장한, 멋진; 선정적인, 흥미 본위의: a ~ event 떠들썩한 사건/a ~ novel 선정적인 소설/That's ~! 그것 참 멋지다〔굉장하다〕. **2** 감각의, 지각의. **3** 〖철학〗 감각론의. [파] **~·ly** *ad.*

sen·sá·tion·al·ìsm *n.* [U] **1** 〖철학〗 감각론;

〖윤리〗 감정론; 〖윤리〗 관능주의, (특히 예술 · 문학 · 정치상의) 선정주의. **2** 선정적인 일; 인기 언기. **3** 〖심리〗 =SENSATIONISM. ㊕ **-ist** *n.* 〖철학〗 감각론자; 인기 얻으려 애쓰는 자, 소란 피우는 사람, 선정주의자. **sen·sà·tion·al·ís·tic** [-lístik] *a.*

sen·sá·tion·al·ìze *vt.* 감동적〔선정적〕으로 하다〔표현하다〕.

sen·sá·tion·ìsm *n.* Ⓤ 〖심리〗 감각론; 〖철학〗 =SENSATIONALISM. ㊕ **-ist** *n.* **sen·sà·tion·ís·tic** *a.*

sensátion-mònger *n.* (문학 작품 등으로) 센세이션을 일으키는 사람, 선동가.

‡**sense** [sens] *n.* **1 a** (시각 · 청각 · 촉각 따위의) 감각, 오감(五感)의 하나, 관능; 감각 기관: the ~ of touch 〔vision, hearing, taste, smell〕 촉각〔시각, 청각, 미각, 후각〕/The dog has a keen ~ of smell. 개는 예민한 후각을 갖고 있다. **b** (one's ~s) (*pl.*) 오감; 제정신; 의식; 정상적인 의식 상태, 침착, 평정: frighten a person out of his ~*s* 사람을 놀라 어쩔 줄 모르게 하다. **2 a** 느낌, …감: a ~ of hunger 〔uneasiness〕 공복〔불안〕감/have a ~ of cold 차가운 느낌이 들다. **b** (the ~ 또는 a ~) 의식, 직감, 깨달음, (직감적인) 이해, (…의) 관념, …을 이해하는 마음: a ~ of beauty 미감/a ~ of humor 유머 감각/the moral ~ 도덕 관념/He has no ~ of economy. 그는 경제 관념이 없다.

> SYN. **sense** 막연한 느낌(feeling)이 의식으로서 파악된 것: a *sense* of insecurity 불안전감《불안한 느낌과 동시에 안전치 않다는 의식이 있음》. **feeling** 육체나 마음이 갖는 막연한 느낌: a *feeling* of insecurity 일말의 불안감. **sensation** 감각에 작용하여 feeling이나 sense를 일으키는 외부의 영향력을 강조: the sweet *sensation* of returning health (건강이 회복되고 있다는 육체가 주는 감미로운 감각).

3 Ⓤ 분별력, 센스, 사려, 판단력: a man of ~ 분별 있는 사람, 지각 있는 사람/⇨GOOD SENSE, COMMON SENSE/*Sense* comes with age. 《속담》 나이 들면 철도 든다. **4** Ⓤ (여러 사람의) 의향, 의견; 여론. **5** 의미, 뜻: In what ~ do you use the word? 자넨 그 말을 어떤 뜻으로 쓰는가. SYN. ⇨MEANING.

be common* 〔*sound*〕 ~** 현명한 일이다. ***bring a person ***to his ~s*** 아무를 제정신이 들게 하다; 미혹에서〔잘못을〕 깨우쳐 주다. ***collect*** one***'s ~s*** 마음을 가라앉히다. ***come to*** one***'s ~s*** ① 의식을 되찾다; 살아나다. ② 본심으로 되돌아오다. ***have more ~ than to*** do 상식〔분별〕이 있으므로 …따위를 안 하다. ***have no much ~*** 별로 영리하지 못하다. ***have the*** (***good***) ***~ to*** do … 할 만큼의 분별이 있다. ***in a limited ~*** 협의(狹義)로. ***in all ~s*** 모든 점에서. ***in a ~*** 어떤 점〔뜻〕에서, 어느 정도까지. ***in a worldwide ~*** 세계적으로 보아서. ***in every ~*** (***of the term***) 모든 의미에서. ***in no ~ =not in any ~*** 어떤 의미에서도〔결코〕 …이 아니다. ***in*** one***'s*** (***right***) ***~s*** 제정신으로. ***keep*** one***'s ~s*** 제정신을 잃지 않다. ***knock*** (***some***) ***~ into*** a person 아무에게 분별 있는 행동을 하게 하다. ***labor under a ~ of*** (오해하여) …라고 생각하다. ***lose*** one***'s ~s*** ① 기절하다. ② 미치다. ***make ~*** (사물이) 도리에 맞다; (표현 · 행동 등이) 이치에 닿다, 합리적이다, 이해되다: His attitude doesn't *make* ~ to me. 그의 태도는 이해할 수 없다/Am I *making* ~ to you? 알겠습니까. ***make ~ of*** …의 뜻을 이해하다. ***out of*** one***'s ~s*** ① 제정신〔이성〕을 잃고. ② 미쳐서. ***recover*** 〔***come to, come round***〕 one***'s ~s*** 제정신이 들다. ***~ and sensibility*** 이지(理知)와 감정(感情). ***stand to ~*** 사리에 맞다. ***take leave of*** one***'s ~s*** 《구어》 제정신을 잃다, 미치다. ***take the ~ of*** (the meeting) (집회)의 의향을 묻다. ***talk ~*** 맞는 말을 하다, 이치에 닿는 말을 하다. ***the five ~s*** 오감(五感). ***There is no ~ in*** doing... …하는 것은 무의미〔무분별〕하다. ***under a ~ of wrong*** 부당한 취급을 받고 있다는 느낌으로. ***use a little ~*** 조금 머리를 쓰다. ***with a ~ of relief*** 한시름 놓는 기분으로.

— *vt.* **1** 《+목/+목+*do*》 (…을) 느끼다, 느껴 알다, 지각하다: ~ danger 위험을 느끼다/She ~*d* a flush *rise* to her cheeks. 그녀는 (부끄러워서) 얼굴이 달아오름을 느꼈다. **2** 《~+목/+*that*절/+*wh.*절/+목+-*ing*》 알아채다; 깨닫다: He fully ~*d* the danger of his position. 그는 자기의 입장이 위험함을 잘 깨달았다/I ~*d that* she would go to kill herself. 그녀가 자살할 것 같은 예감이 들었다/I ~*d what* he was thinking. 그가 무슨 생각을 하고 있는지 알아차렸다/He ~*d* danger approach*ing*. 그는 위험이 다가오고 있음을 깨달았다. **3** 《미구어》 알다, 납득〔이해〕하다; (방사능을) 자동적으로 탐지하다. **4** 〖컴퓨터 · 전자〗 (외부로부터의 정보를) 감지하다, 판독하다.

sénse-dàtum (*pl.* **-ta** [-tə]) *n.* **1** 〖심리〗 감각 단위《감각 기관의 자극에 의해 생기는 경험의 기본 단위》; (감각을 생기게 하는) 자극. **2** 〖철학〗 (현대 경험주의에서) 감각 여건.

sense·ful [sénsfəl] *a.* 적정한, 사려분별 있는.

sense·less** [sénslis] *a.* **1** 무감각의〔한〕; 인사불성의: He was knocked ~. 얻어맞아 기절했다. **2** 몰상식한, 어리석은, 분별〔상식〕 없는. SYN. ⇨FOOLISH. **3** 뜻〔의미〕 없는. ***fall ~ 졸도하다. ㊕ **~·ly** *ad.* **~·ness** *n.*

sénse of occásion (경우에 맞는) 사회〔상식〕적 행동 감각, 상황 분별(력).

sénse òrgan 감각 기관.

sénse percèption (지적 인식에 대한) 감각 인식(력), 지각.

sénse·tàpe *n.* 감각 (비디오) 테이프《cyberpunk의 용어로, 체험하기 곤란한 일을 실감케 하는 비디오》.

sen·si·bil·ia [sènsəbíliə] (*sing.* **sen·si·bi·le** [sènsibí:lei]) *n. pl.* 〖철학〗 지각〔감지〕되는 것.

***sen·si·bil·i·ty** [sènsəbíləti] *n.* **1** Ⓤ 감각(력), 지각(知覺). **2** Ⓤ (계기 따위의) 감도. **3** Ⓤ 신경과민, 신경질《*to*》. **4** (종종 *pl.*) (예술가 등의) 섬세한 감수성, 다감; 감정의 섬세함, 민감성(sensitiveness): a man of strong *sensibilities* 감수성이 강한 사람.

‡**sen·si·ble** [sénsəbəl] *a.* **1** 분별 있는, 양식(良識)을 갖춘, 사리를 아는, 현명한. SYN. ⇨RATIONAL, WISE. **2** 《고어》 (…을) 느끼고〔깨닫고〕 있는 《*of*》: She is ~ *of* her selfishness. 그녀는 자신의 이기적인 마음을 잘 알고 있다. **3** 느낄〔깨달을〕 수 있는 (정도의); 두드러질 정도의, 현저한: There was a ~ fall in the temperature. 온도가 꽤 내렸다. **4** 민감한, 느끼기 쉬운《*to*》. cf. sensitive, sensuous. **5** (복장 등이) 실용 본위의, 기능적인: ~ clothes 실용적인 옷. — *n.* 감지할 수 있는 것; 〖음악〗 =LEADING TONE. ㊕ **~·ness** *n.*

sénsible héat 〖물리 · 지학〗 현열(顯熱).

sénsible horízen 〖천문 · 항공〗 거소 수평(居所水平), 지상 지평.

sén·si·bly *ad.* 두드러지게, 꽤; 현명하게, 분별 있게, 생각이 잘 미쳐: grow ~ colder 눈에 띄게 추워지다/speak ~ 분별 있는 말을 하다.

sénsing devìce 〔**ìnstrument**〕 (열 · 빛 · 연기 따위의) 감지기, 검출 장치《안테나 등》.

***sen·si·tive** [sénsətiv] *a.* **1** 민감한, 예민한, 과

민한. cf. sensible. ¶ a ~ ear 밝은 귀 / be ~ *to* heat 〔cold〕 더위〔추위〕를 잘 타다 / the ~ faculty 감성(感性). **2** 느끼기 쉬운; 감수성이 강한; 신경과민의, 화 잘 내는; (감정이) 상하기 쉬운; 걱정〔고민〕하는 《*about*; *over*》: be ~ *over* the scar on one's face 얼굴의 흉터로 고민하다. **3 a** 〖사진〗 감광성(感光性)의 《필름 등》; 〖기계〗 감도가 좋은〔예민한〕, 고감도의: a ~ balance 민감한 저울 / a ~ photographic film 감광도 높은 사진 필름. **b** (예술 따위가) 섬세한 표현의, 미묘한 것까지 나타내는: a ~ actor 섬세한 연기를 하는 배우 / give ~ performance 섬세한 연기〔연주〕를 하다. **4** 〖상업〗 불안정한, 민감한 《시세 따위》; 〖해부〗 구심성(求心性)의 《신경》(afferent). **5** (일·문제 등이) 미묘한; 주의를〔신중을〕 요하는; 국가 기밀에 속하는; 다루기 난처한: a ~ topic 미묘한 화제. — *n.* 민감한 사람; 《특히》 최면술에 잘 걸리는 사람; 영매(靈媒). ㊕ **~·ly** *ad.* 민감하게. **~·ness** *n.* U 민감; U.C 감수(성), 과민(성).

sénsitive páper 〖사진〗 감광지, 인화지.

sénsitive plànt 〖식물〗 함수초; 〖일반적〗 감각 식물; 민감한 사람(sensitive).

sen·si·tiv·i·ty [sènsətívəti] *n.* U 감성(感性), 민감도, 자극 감응〔반응〕성(irritability); 감도; 〖심리〗 민감성; 동정(同情); 〖사진〗 감광도; 〖물리〗 감도; 〖컴퓨터〗 민감도.

sensitívity gròup sensitivity training 참가자 집단(encounter group). cf. T-group.

sensitívity tràining 〖정신의학〗 (심리 요법으로서) 집단 감수성 훈련. cf. encounter group.

sèn·si·ti·zá·tion *n.* U 느끼기 쉽게〔민감하게〕 함; 〖사진〗 증감(增感).

sen·si·tize [sénsətàiz] *vt.* 민감〔예민〕하게 하다; 〖사진〗 …에 감광성을 주다; 〖면역〗 (사람을) 항원에 민감케 하다, 감작(感作)하다. — *vi.* 감광성을 얻다; 항원에 민감〔과민〕해지다. ㊕ **-tìz·er** *n.* 감광약〔제〕; 증감제; 감광제 도포공.

sen·si·tom·e·ter [sènsətámətər/-tɔ́m-] *n.* 〖사진〗 감광계(感光計).

sen·sor [sénsər, -sɔːr/-sə] *n.* 〖전자공학〗 (빛·열·소리에 반응하는) 감지기, 감지 장치.

sénsor básed compùter 〖컴퓨터〗 감지기(感知器) 기준 컴퓨터 《감지기에 의해 물리적 상태 따위를 입력시켜 자동 제어하는 컴퓨터》.

sen·so·ri·al [sensɔ́ːriəl] *a.* ＝SENSORY.

sen·so·ri·mo·tor [sènsərimóutər] *a.* 〖심리〗 감각 운동성(性)의; 〖생리〗 감각〔지각〕(겸) 운동의: a ~ area (뇌의 피질 중의) 감각 운동 중추 부위.

sen·so·ri·neu·ral [sènsərinjúərəl/-njúər-] *a.* 지각 신경의; 감각 신경적인.

sen·so·ri·um [sensɔ́ːriəm] (*pl.* **~s, -ria** [-riə]) *n.* 감각〔지각〕 중추; 지각 기관.

sen·so·ry [sénsəri] *a.* 지각〔감각〕(상)의; 지각 기관의, 감각 중추의: a ~ nerve 지각 신경 / a ~ temperature 체감 온도. — *n.* 감각 기관.

sénsory córtex 감각〔지각〕 피질(皮質) 《대뇌 피질에서 몸의 각 부위의 감각 정보를 받아 해석하는 부분》.

sénsory deprivátion *n.* 〖심리〗 감각 차단.

sénsory substitútion 〖의학〗 감각 대행 《잃은 감각을 인공 장치로 대행함》.

°**sen·su·al** [sénʃuəl/-sju-, -ʃu-] *a.* **1** 관능적인, 관능의 만족을 구하는; 호색(好色)의, 육욕의; 육감적인. cf. sensuous. **2** 세속적〔물질적〕인. **3** 《드물게》 감각의; 〖철학〗 감각론의. ㊕ **~·ly** *ad.* **~·ness** *n.*

sén·su·al·ìsm *n.* U 육욕〔관능〕주의, 호색; 〖철학〗 감각론; 〖윤리〗 쾌락주의; 〖미술〗 감각주의.

sén·su·al·ist *n.* 《미》 관능주의자, 호색가; 〖철학〗 감각론자; 〖미술〗 감각주의자.

sen·su·al·i·ty [sènʃuǽləti/-sju-, -ʃu-] *n.* U 관능성, 육욕성; 호색, 음탕. OPP *spirituality.*

sén·su·al·ize *vt.* 호색적으로〔육욕에 빠지게〕 하다; 타락시키다. ㊕ **sèn·su·al·i·zá·tion** *n.*

sen·su·ous [sénʃuəs/-sju-, -ʃu-] *a.* 감각적인; 오감에 의한; 미감에 호소하는, 심미적인. cf. sensitive, sensual. ㊕ **~·ly** *ad.* **~·ness** *n.*

sent[1] [sent] SEND[1]의 과거·과거분사.

sent[2] *n.* 센트 《에스토니아의 화폐 단위; ＝1/100 kroon》.

sen·te [sénti] (*pl.* **li·sen·te** [lisénti]) *n.* 센티 《레소토의 화폐 단위; ＝1/100 loti》.

sen·tence [séntəns] *n.* **1** 〖문법〗 문장, 글. cf. passage, style. ¶ stop a ~ 문장에 마침표를 찍다. ⇨ 《부록》 SENTENCE. **2** 판정, 판단, 《고어》 의견: My ~ is for innovation. 내 의견은 개혁에 찬성이다. **3** U.C 〖법률〗 판결, 선고; 처형(處刑). cf. verdict. ¶ carry out a ~ 판결을 집행하다. **4** 〖음악〗 악구(樂句). **5** 《고어》 격언, 금언, 명언. ***be under ~ of*** …의 선고(宣告)를 받다. ***pass*** 〔***pronounce***〕 ***~ upon*** …에게 형을 선고하다; …에 대하여 의견을 말하다. ***reduce a ~ to*** …으로 감형하다. ***serve*** one***'s ~*** 형을 살다. — *vt.* 《~+목/+목+전+명/+목+*to* do》 …에게 판결을 내리다〔형을 선고하다〕; 〖종종 수동태〗 …하도록 선고〔판결〕하다: The judge ~*d* the thief *to* five years' imprisonment. 재판관은 도둑에게 징역 5년의 판결을 내렸다 / I *was* ~*d to* pay a fine of $1,000. 나는 천 달러의 벌금을 지불하도록 선고받았다. ***be ~d for theft*** 절도죄로 형을 받다. ***be ~d to death*** 사형 선고를 받다.

séntence àdverb 〖문법〗 문장 수식 부사 《보기: *Frankly*, he can't be trusted.에서 Frankly 따위》.

séntence pàttern 〖문법〗 문형.

séntence strèss 〖음성〗 문장 강세〔악센트〕.

sen·ten·tia [senténʃiə] (*pl.* **-ti·ae** [-ʃiìː]) *n.* 《L.》 (*pl.*) 격언, 금언, 경구, 잠언.

sen·ten·tial [senténʃəl] *a.* 판결의; 판결적인; 〖문법〗 문장의〔을 이루는〕. ㊕ **~·ly** *ad.*

senténtial fúnction 〖논리〗 명제(命題) 함수.

sen·ten·tious [senténʃəs] *a.* (표현이) 간결한, 금언적인; 교훈적인; 금언을 즐기는 《사람》; 격언식 표현이 많은, 격언식으로 딱딱한 《문장》; 독선적인; 점잔 빼는. ㊕ **~·ly** *ad.* **~·ness** *n.*

sen·ti [sénti] (*pl.* ~) *n.* 센티 《탄자니아의 화폐 단위: ＝cent》.

sen·tience, -tien·cy [sénʃəns], [-si] *n.* U 감(각)성, 지각력; 유정(有情).

sen·tient [sénʃənt] *a.* 감각력〔지각력〕이 있는; 유정(有情)의. — *n.* 지각력이 있는 사람〔것〕. ㊕ **~·ly** *ad.*

sen·ti·ment [séntəmənt] *n.* **1 a** C.U (고상한) 감정, 정서, 정감; (예술품에 나타나는) 정취, 세련된 감정: have friendly 〔hostile〕 ~*s* toward …에 호의〔적의〕를 품고 있다. **b** U 감정에 흐르는 경향, 다정다감, 감상: She is full of ~. 그녀는 다감한 사람이다 / There is no place for ~ in competition. 승부에 동정은 금물. SYN. ⇨ FEELING, OPINION. **2** (종종 *pl.*) 소감, 감상, 생각; 취지; (말 자체에 대해 그 이면의) 뜻, 생각, 기분: These are 〔《우스개》 Them's〕 my ~*s*. 이것이 내 소감이다. **3** 기운(氣運), (감정적인) 지향(志向): a revolutionary ~ 혁명적인 기운. **4** (건배 등에서 말하는) 소감, 감회, (축하 등의) 말: I call upon Mr. Jones for a song or a ~. 존스씨에게 노래나 인사를 부탁합니다. ***a ~ on*** (a question) (문제)에 대한 여론. ***public ~*** 여론. ***There is a growing ~ that ...*** …이라는 생각이 점점 커지고 있다. ㊕ **~·less** *a.*

*__sen·ti·men·tal__ [sèntəméntəl] *a.* **1** (이성을 떠나) 감정적인, 감정에 의거한, (실리에 대비하여) 정적인: action by a ~ motive 감정적인 동기에 의한 행동/This watch is precious to me for ~ reasons. 이 시계는 심정상 이유로 내게는 소중하다《유품 따위로》. **2** 감상적인; 다정다감한; 《나쁜 의미로》정에 약한, 감정에 좌우되기 쉬운: become ~ remembering one's childhood 어린 시절을 생각하며 감상에 젖다. ㊞ **~·ly** *ad.* 감정적〔감상적〕으로.

sèn·ti·mén·tal·ìsm *n.* Ⓤ 감정〔정서〕주의, 감상주의; 다정다감, 감격성, 감상벽, 정감에 무름; 감상적 언동. ㊞ **-ist** *n.*

sen·ti·men·tal·i·ty [sèntəmentǽləti] *n.* Ⓤ 감정적〔감상적〕임, 감상벽; 감상적인 생각〔의견·행동 따위〕.

sen·ti·men·tal·ize [sèntəméntəlàiz] *vi., vt.* 감상적으로 다루다〔하다〕; 감상에 빠지다; 감상적으로 되다《*about; over*》. ㊞ **-iz·er** *n.* **sèn·ti·mèn·tal·i·zá·tion** *n.*

sentiméntal válue (개인적 회상 등이 깃든 사상(事象)에 대한) 감상적 가치.

sen·ti·mo [séntəmòu] (*pl.* **~s**) *n.* 센티모 (centavo)《필리핀의 화폐 단위; =1/100 peso》.

°**sen·ti·nel** [séntənəl] *n.* **1** 《문어》 보초; 파수. cf. sentry. **2** 〖컴퓨터〗 감시 문자《특정 정보의 시작·끝이나 자기 테이프의 끝을 표시하는》. ***stand ~*** 보초를 서다, 망을 보다《*over*》. — (***-l-***, 《영》 ***-ll-***) *vt.* 망보다; …에 보초를 세우다〔두다〕. ㊞ **~·lìke** *a.* **~·shìp** *n.*

°**sen·try** [séntri] *n.* 〖군사〗 **1** 보초, 초병. **2** (보초의) 감시, 파수. ***be on*** 〔***keep***〕 ***~*** 보초를 서다, 파수를 보다.

séntry bòx 보초막, 초소; 파수막.

séntry-gò *n.* 〖군사〗 보초 근무; 위병 교대의 신호: do ~ =be 〔stand〕 on ~ 보초근무를 하다〔서다〕.

séntry ràdar 감시(監視) 레이더.

Se·oul [sóul] *n.* 서울. ㊞ **Se·oul·ite** [sóulait] *n., a.* 서울 사람〔시민〕(의).

Sep., Sept. September; Septuagint. **sep.** separate; separated. **SEP** 《미》 simplified employee pension(간이 방식 종업원 연금 제도).

se·pal [sí:pəl, sép-] *n.* 〖식물〗 꽃받침. cf. petal.

sèp·a·ra·bíl·i·ty *n.* Ⓤ 분리할 수 있음.

sep·a·ra·ble [sépərəbəl] *a.* 분리할 수 있는 《*from*》. ㊞ **-bly** *ad.* **~·ness** *n.*

‡**sep·a·rate** [sépərèit] *vt.* **1** 《~+목/+목+전+명》 잘라서 떼어 놓다, 분리하다, 가르다: ~ church and state 교회와 국가〔정교(政敎)〕를 분리하다/The wall ~*s* the garden *into* two parts. 담이 뜰을 둘로 갈라놓고 있다/England is ~*d from* France by the Channel. 영국은 영국 해협에 의해 프랑스와 격리되어 있다.

> SYN **separate** 하나였던 것을 떼어내다. 분리가 강조됨: *separate* chaff from grain 겨를 곡식에서 분리하다. **part** separate와 비슷하나 분리되는 것 사이의 간격에 중점이 있음: *part* one's lips 입술을 벌리다. **divide** 분할하다, 몇 개의 작은 부분으로 가르다. 이 뜻에서 '불화 따위로 분열시키다'란 뜻도 됨. **sever** 절단하다, 결정적인 단절이 시사됨. 비유적으로는 '…의 사이를 가르다, 이간하다.'

2 《~+목/+목+전+명》 (사람을) 떼어〔갈라〕놓다, 별거시키다, 불화하게 하다: ~ the two boys who are fighting 싸우고 있는 두 소년을 떼어 놓다/He is ~*d from* his wife. 그는 아내와 별거하고 있다. **3** 《~+목/+목+전+명》 식별하다, 구별하다《*from*》: ~ sense *from* nonsense 조리와 부조리를 구별하다/We must ~ a crime *from* a person who commits it. 우리는 범죄와 그것을 범한 사람을 구별하여야 한다. **4** 《~+목/+목+전+명》 분류하다, 분리하여 뽑아내다: ~ cream *from* milk 우유를 탈지하다. **5** 《+목+전+명》 〖종종 수동태〗 제대시키다; 해고하다; 퇴학시키다: He *was* ~*d from* the army. 그는 제대되었다. — *vi.* **1** 《~/+전+명》 분리하다, 이탈하다, 독립하다, 교제를 끊다: ~ *from* a party 탈당하다/America ~*d from* Britain in 1776. 미국은 1776년에 영국으로부터 독립했다. **2** 《+전+명》 (성분이) 서로 섞이지 않다: Oil ~*s from* water. 기름은 물과 섞이지 않는다. **3** (부부가) 별거하다, 갈라지다. **4** 헤어지다, 산회〔해산〕하다: After dinner, we ~*d.* 저녁 식사 후 우리는 헤어졌다. **5** 끊어지다: The rope ~*d* under the strain. 밧줄이 너무 당겨져 끊겼다. ***~ the grain*** 〔***wheat***〕 ***from the chaff*** 가치 있는 것과 그렇지 않은 것을 구별하다.

— [sépərit] *a.* **1** 갈라진, 분리된, 분산된, 끊어진《*from*》: ~ volumes 분책(分冊). **2** 따로따로의, 하나하나의, 한 사람 한 사람의: Each of us sleeps in a ~ room. 우리는 각기 딴 방에서 잔다. **3** 단독(單獨)의, 독립된, 격리된《*from*》: a ~ peace 단독 강화. **4** 별거하는: live ~ *from* one's husband 남편과 별거하다. **5** 육체를 떠난. ***in their ~ ways*** 각기 다른〔독자적〕 방식으로.

— [sépərit] *n.* 갈라진〔따로 된〕 것; 발췌 인쇄(물); 분책(分冊); (*pl.*) 〖복식〗 세퍼레이츠《아래 위가 따로 된 여성·여아복》.

㊞ ***~·ly** [sépəritli] *ad.* 갈라져; 따로따로, 단독으로《*from*》. **~·ness** *n.*

séparate but équal 《미》 (인종) 분리 평등 정책의《흑인과 백인을 분리는 하지만, 교육·탈것·직업 등에서는 차별이 없다는》.

séparated mílk 탈지유(脫脂乳).

séparate estáte 〖법률〗 (별거 중인 아내의) 특유 재산.

séparate máintenance 〖법률〗 (남편이 아내에게 주는) 별거 수당. cf. alimony.

séparate schóol 《Can.》 (지방 교육 위원회의 감독하에 있는) 분리파 교회 학교.

*__sep·a·ra·tion__ [sèpəréiʃən] *n.* Ⓤ,Ⓒ **1** 분리, 떨어짐, 이탈《*from*》: ~ of church and state 정교 분리. **2** 이별; 별거: The friends were glad to meet after so long a ~. 친구들은 오랜 이별 끝에 다시 만나 기뻤다/get a ~ from her husband 남편과 별거하다. **3** 이직(離職); 퇴직, 퇴역: ~ from the service 〔employment〕. **4** 분류, 선별(選別); 〖화학〗 분리; 〖식물〗 분구(分球); 〖항공〗 =BURBLE *n.*; 〖로켓〗 (다단 로켓의) 분리(시기): ~ of mail 우편물의 분류. **5** 분리점, 분할〔경계〕선; 사이를 막는 것, 칸막이; 간격, 틈; 〖지학〗 (단층 등의) 격리(隔離) 거리: the ~ between the two towns 두 도시의 경계선. ◇ separate *v.* ***judicial ~*** 〖법률〗 (부부의) 판결에 의한 별거. ***~ of powers*** 〖정치〗 3권 분립.

separátion allówance 별거〔가족〕 수당《특히 정부가 출정 군인의 아내에게 지급하는》.

separátion anxìety 〖심리〗 분리 불안《주로 어린애가 양육자로부터 분리될 때의 심리 상태》.

separátion cènter 〖미군사〗 소집(召集)해제〔제대〕 본부.

sèp·a·rá·tion·ist *n.* =SEPARATIST.

sep·a·ra·tism [sépərətìzəm] *n.* Ⓤ (정치·종교상의) 분리주의. OPP *unionism.*

sep·a·ra·tist [sépərətist] *n.* (종종 S-) 분리주의자; 이탈〔탈퇴〕자; (S-) 〖영국사〗 (국교회로부터의) 분리파. — *a.* (종종 S-) 분리주의자의; 분리주의적인; 분리주의를 주창하는. ㊞ **sèp·a·ra·tís·tic** [-rə-] *a.*

sep·a·ra·tive [sépərətiv] *a.* 분리적 경향이 있

는, 분리성의; 독립적인; 〖동물 · 식물〗 구별적인. ㊞ ~·ly *ad.* ~·ness *n.*
sep·a·ra·tor [sépərèitər] *n.* 분리하는 사람; 선광기; (액체) 분리기; 분액기; 선별기; 〖전기〗 (축전지의) 격리판; 〖컴퓨터〗 (정보 단위의 개시 · 종료를 나타내는) 분리 문자. ㊞ **-to·ry** [sépərətɔ̀:ri/-təri] *a.* 분리시키는, 분리적인; 분리용의.
sepd. separated. **sepg.** separating.
Se·phar·di [səfá:rdi] (*pl.* **-dim** [-dim]) *n.* 세파르디 《스페인 · 포르투갈계 유대인》. ㊞ **-dic** *a.*
se·pia [sí:piə] *n.* Ⓤ 뼈오징어(cuttlefish)의 먹물; (그것으로 만든) 세피아 그림물감; 세피아 색의 사진〔그림〕. —*a.* 세피아 색〔그림, 사진〕의; 세피아 그림물감을 사용한; 암갈색 피부를 가진 (Negro). ㊞ ~·like *a.* **se·pic** [sí:pik, sép-] *a.*
se·pi·o·lite [sí:piəlàit] *n.* 〖광물〗 = MEERSCHAUM.
se·poy [sí:pɔi] *n.* (본래 영국 육군의) 인도병. ***the Sepoy Mutiny*** 〔***Rebellion***〕 세포이의 항쟁, 세포이 반란(1857-59).
seps [seps] *n. sing., pl.* 〖동물〗 사지가 퇴화한 「도마뱀의 일종.
sep·sis [sépsis] *n.* Ⓤ 〖의학〗 패혈증(septicemia), (상처의 화농으로 인한) 부패 작용.
sept [sept] *n.* 족(族), (옛 아일랜드의) 씨족.
sept-[1] [sépt], **sep·ti-** [sépti, -tə] '7'의 뜻의 결합사. 「이라는 뜻의 결합사.
sept-[2], **sep·ti-** '분할 · 격벽〔격막〕(septum)'
Sept. September; Septuagint.
sep·ta [séptə] SEPTUM의 복수.
sep·tal [séptəl] *a.* 격벽(隔壁)(septum)의.
sep·tan [séptən] *a.* 7일마다 일어나는. ㊂ quartan. ¶ ~ fever 〖의학〗 7일열(熱).
sept·an·gle [séptæ̀ŋgəl] *n.* 7각형.
sept·an·gu·lar [septǽŋgjələr] *a.* 7각(형)의.
sep·tate [sépteit] *a.* 격벽〔격막〕이 있는.
†**Sep·tem·ber** [septémbər] *n.* 9월 《생략: Sep., Sept.》.
Septémber Mássacre (the ~) 9월 학살 《1792년 프랑스 혁명당의 왕당파 대학살》.
Sep·tem·brist [septémbrist] *n.* **1** 〖프랑스사〗 9월당원 《1792년 9월 학살에 참가한 혁명파》. **2** = BLACK SEPTEMBER의 멤버.
sep·tem·par·tite [sèptempá:rtait] *a.* 〖식물〗 (잎이) 7부분으로 나뉜〔갈라진〕.
sep·te·na·ry [séptənèri/-nəri] *a.* 7의; 7개의, 7개로 이루어지는; 7년간의; 7년 1회의. —*n.* 일곱; 7개 한 벌; 7년간.
sep·ten·nial [septéniəl] *a.* 7년간 계속하는; 7년 1회의, 7년마다의. ㊞ ~·ly *ad.*
sep·ten·ni·um [septéniəm] (*pl.* **-nia** [-niə]) *n.* 《L.》 7년간, 7년기(期). 「북(방)의.
sep·ten·tri·o·nal [septéntriənl] *a.* 《고어》
sep·tet, -tette [septét] *n.* 〖음악〗 7중주〔창〕곡, 7부 합주〔창〕곡; 7인조; 일곱 개짜리.
septi- ⇨ SEPT-[1, 2].
sep·tic [séptik] *a.* 부패시키는; 부패에 의한. ㊞ **sep·tic·i·ty** [septísəti] *n.* Ⓤ 부패성.
sep·ti·ce·mia, -cae- [sèptəsí:miə] *n.* Ⓤ 〖의학〗 패혈증(blood poisoning). ㊞ **-mic** *a.*
séptic sóre thróat 〖의학〗 패혈성(敗血性) 인두염(咽頭炎). 「조(淨化槽).
séptic tànk (세균을 이용한) 오수(汚水) 정화
sèpti·láteral *a.* 7변〔면〕의.
sep·til·lion [septíljən] *n., a.* 셉틸리언(의) 《《미》에서는 10^{24}, 《영 · 독 · 프》에서는 10^{42}》. ㊞ **-lionth** *a., n.*
sep·ti·mal [séptəməl] *a.* 7의.
sep·time [sépti:m] *n.* 〖펜싱〗 (8가지 자세 중의) 제7의 자세.
sep·tin·ge·na·ry [sèptindʒí:nəri] *n.* 7백년제. ㊂ centenary. 「(價)의.
sep·ti·va·lent [sèptəvéilənt] *a.* 〖화학〗 7가
sep·tu·a·ge·nar·i·an [sèptʃuədʒənέəriən, -tju-/-tju-] *a., n.* 70세의 (사람); 70대(代)의 (사람).
sep·tu·ag·e·na·ry [sèptʃuǽʒənèri, -tju-/-tjuədʒí:nəri] *a.* 70(세)의.
Sep·tu·a·ges·i·ma [sèptʃuədʒésəmə, -tju-/-tju-] *n.* 〖가톨릭〗 칠순주일, 〖영국교회〗 단식재전 제3주일(= ~ **Súnday**) 《4순절 전 제3일요일; 부활절 전 70일째의 뜻이나 실제는 63일째》.
Sep·tu·a·gint [séptjuədʒint, -tʃu-/-tju-] *n.* 70인역(譯) 성서 《B.C. 270년경에 완성된 가장 오래 된 그리스어 역 구약성서》.
sep·tum [séptəm] (*pl.* **-ta** [-tə]) *n.* 격벽(隔壁); 〖생물〗 격막(隔膜), 중격(中隔); 〖식물〗 포편(胞片).
sep·tu·ple [séptjupəl/-tju-] *n., a.* 7배〔겹〕(의). —*vt.* 7배〔겹〕하다.
sep·tup·let [septʌ́plit, -tjú:-/-tjú:-] *n.* 일곱 자식의 하나; 7개〔7인〕조; 〖음악〗 일곱잇단음표.
°**sep·ul·cher, -chre** [sépəlkər] *n.* **1** 묘, 무덤; 매장소 《바위를 뚫거나, 돌 · 벽돌로 구축한 것》: ⇨ WHITED SEPULCHER. **2** 《비유》 (희망 등의) 무덤. **3** (the (Holy) S-) 성묘 《예수의 무덤》. ***the Easter*** ~ 부활절 때의 성물 안치소. —*vt.* 《고어》 무덤에 넣다〔묻다〕, 매장하다.
se·pul·chral [səpʌ́lkrəl] *a.* 묘의, 무덤의; 매장(식)의; 무덤 같은; 음산한(dismal).
sep·ul·ture [sépəltʃər] *n.* Ⓤ 매장; Ⓒ 《고어》 묘, 무덤, 묘소.
seq., seqq. sequentes, sequentia.
se·qua·cious [sikwéiʃəs] *a.* **1** 《고어》 남을 따르기 좋아하는; 굴종〔맹종〕적인. **2** 논리가 일관된, 논리에 맞는; (소리 · 운율 등이) 규칙적으로 나아가는. ㊞ ~·ly *ad.* ~·ness *n.* **se·quaci·ty** [sikwǽsəti] *n.*
°**se·quel** [sí:kwəl] *n.* 계속, 후편; 귀추, 결과, 결말, 귀착점 《*of; to*》: a ~ *to* the novel 그 소설의 속편. ***in the*** ~ 결국.
se·que·la [sikwí:lə] (*pl.* **-lae** [-li:]) *n.* (보통 *pl.*) 〖의학〗 후유증; 결과.
sé·quel·ize *vt.* …의 속편을 만들다.
se·quence** [sí:kwəns] *n.* **1** Ⓤ 연달아 일어남, 속발. **2** Ⓤ 연속, 연쇄, 계속: a ~ of rich harvest 계속되는 풍작 / Calamities fall in rapid ~. 불행은 잇따라 쉴 새 없이 일어난다. SYN. ⇨ SERIES. **3** Ⓤ 전후 관련; 순서, 차례: Arrange the names in alphabetical ~. 이름을 알파벳 순으로 배열하시오. **4** Ⓤ 이치, 조리. **5** Ⓤ 결과, 귀추; 결론. **6** 〖음악〗 반복 진행, 계기(繼起). **7** 〖영화〗 (연속된) 한 장면〔화면〕(scene). **8** 〖가톨릭〗 속창(續唱). **9** 〖카드놀이〗 차례로 갖춰진 같은 종류의 카드. **10** Ⓤ 〖문법〗 시제의 일치 (the ~ of tenses). **11** 〖수학〗 수열(~ of numbers); 〖컴퓨터〗 순차, 순서. ***in regular ~ 순서대로, 질서정연하게. ***in*** ~ 차례차례로. ***out of*** ~ 순서가 엉망으로. —*vt.* 〖컴퓨터〗 (자료를) 배열하다; 차례로 나열하다.
sé·quenc·er *n.* (정보 배열 · 로켓 발사 시 등의) 순서 결정〔조정〕 (전자) 장치, 순차기.
se·quen·cy [sí:kwənsi] *n.* 속발, 연속; 순서.
se·quent [sí:kwənt] *a.* 연속하는, 잇따라 일어나는; 다음의; 결과로서 생기는 《*on, upon; to*》. —*n.* 귀추, 결과. ㊞ ~·ly *ad.*
se·quen·tes, -tia [sikwénti:z] [-ʃiə] *n.* 《L.》 …이하(의 페이지 · 행(行) 따위).

NOTE seq. (*sing.*) 또는 seqq. (*pl.*)로 약하여 인용문의 출처를 보이기 위해 인용 첫 페이지 · 장구(章句) · 행 따위 숫자에 덧붙여 쓰임.

se·quen·tial [sikwénʃəl] *a.* 연속되는, 일련의, 잇따라 일어나는, 결과로〔후유증으로〕서 일어나는《*to*》; (부작용 제거를 위해) 특정 순서로 순차 복용하는《경구 피임약》; 〖통계〗 순차(적)《추출》. ── (보통 *pl.*) *n.* 순차 경구 피임약(= ∠ **pílls**); 〖컴퓨터〗 순차: ~ file 순차(기록)철. ㊞ **~·ly** *ad.* **se·quen·ti·al·i·ty** [sikwènʃiǽləti] *n.*

sequéntial áccess 〖컴퓨터〗 순차 접근: ~ method 순차 접근 방법.

sequéntial prócessing 〖컴퓨터〗 순차처리《파일에 수록된 데이터 레코드를 처음부터 차례로 검색 · 처리하는 것》.

se·ques·ter [sikwéstər] *vt.* **1** 《~+目/+目+前+名》 격리하다, 은퇴시키다; 〔종종 ~ oneself〕 은퇴하다《*from*》: ~ one*self from* society 세상을 등지다, 은퇴하다. **2** 〖법률〗 일시 압류하다, (계쟁물을) 공탁〔강제 보관〕하다; (적 국민의 재산을) 몰수하다, 접수하다. ── *vi.* 〖법률〗 (미망인이) 망부의 유산에 대한 요구를 포기하다. ㊞ **~ed** *a.* 은퇴한(retired); 깊숙한, 외딴.

se·ques·tra·ble [sikwéstrəbəl] *a.* 가압류할 수 있는, 몰수할 수 있는.

se·ques·trate [sikwéstreit] *vt.* 〖법률〗 가압류를 행하다, 몰수하다(sequester), 파산시키다; 〖의학〗 …에 부골(腐骨)을 형성하다; 《고어》 떼어놓다, 은퇴시키다. ㊞ **se·ques·tra·tion** [sìːkwestréiʃən / sèkwes-] *n.* Ⓤ **se·ques·tra·tor** [síːkwestrèitər] *n.*

se·ques·trum [sikwéstrəm] (*pl.* **~s, -tra** [-trə]) *n.* 〖의학〗 (건전한 뼈에서 분리 잔존하는) 부골편(腐骨片). ㊞ **-tral** *a.*

se·quin [síːkwin] *n.* 옛 Venice의 금화; 의복 장식으로 다는 원형의 작은 금속편, 세퀸. ㊞ **sé-quined** *a.* 세퀸으로 장식한.

se·qui·tur [sékwitər, -tùər] *n.* 〖논리〗 전제에서 이끌어 낸 추론(推論)〔결론〕.

se·quoia [sikwɔ́iə] *n.* 세쿼이아《미국 캘리포니아 주산(州産) 삼나뭇과의 거목(巨木); big tree와 redwood의 두 종류가 있음》.

Sequóia Nátional Párk 세쿼이아 국립공원《California 주 중동부의 sequoia 숲의 보호를 위해 지정된 공원》.

ser [siər] *n.* = SEER².

ser. serial; series; sermon.

se·ra [síərə] SERUM의 복수.

se·rac, sé- [sirǽk/sérӕk] *n.* (보통 *pl.*) 《F.》 세락《빙하가 급경사를 내려올 때 빙하의 균열의 교차로 생기는 탑상의 얼음 덩이》.

se·ra·glio [sirǽljou/siráːliòu] (*pl.* **~s**) *n.* 후궁; 처첩의 방(harem); 매춘굴; 〔집합적〕 후궁에 사는 처첩; 〖역사〗 (S-) 터키의 (옛) 궁전.

se·rai [səráːi, sərái/sərái] *n.* 숙사, (중 · 근동의) 대상(隊商)의 숙소(caravansary).

se·rang [sərǽŋ] *n.* 동인도 사람의 갑판장.

se·ra·pe, sa- [səráːpi] *n.* 세라페《화사한 모포; 멕시코 지방에서 숄 따위로 씀》.

serape

ser·aph [sérəf] (*pl.* **~s, -a·phim** [-fìm]) *n.* 천사(angel); 치품 천사(熾品天使)《세 쌍의 날개를 가진》. cf. archangel, cherub.

se·raph·ic [sirǽfik] *a.* 치품 천사의; 천사와 같은, 청순한; 거룩한. ㊞ **-i·cal** *a.* **-i·cal·ly** *ad.* **-i·cal·ness** *n.*

ser·a·phim [sérəfìm] SERAPH의 복수.

Serb, Ser·bi·an [səːrb], [sə́ːrbiən] *a.* 세르비아(사람)의; 세르비아 말의. ── *n.* 세르비아 사람; Ⓤ 세르비아 말.

Ser·bia [sə́ːrbiə] *n.* 세르비아《발칸반도 중앙부의 한 공화국; 1992년 유고 연방 해체 시 몬테네그로와 신(新)유고 연방을 이루었으나 2006년 몬테네그로로 분리 독립》.

Sérbia-Montenégro *n.* 세르비아-몬테네그로《2002년 신유고 연방을 바꾼 이름》.

Ser·bo-Croátian [sə́ːrbou-] *a.* 세르보크로아트어(계 주민)의. ── *n.* Ⓤ 세르보크로아티아말《유고슬라비아의 공용어; Slavic 어파에 속함》; Ⓒ 세르보크로아트어를 모어(母語)로 하는 사람.

Ser·bó·ni·an bóg [səːrbóuniən-] 세르보니스의 늪《나일강 삼각주와 수에즈 지협 간에 있었던 위험한 늪》; 《비유》 곤경, 궁지.

sere¹ [siər] *n.* 〖생태〗 천이 계열(遷移系列).

sere² *a.* 《시어》 말라빠진, 시든, 마른.

se·rein [sərǽn] *n.* 《F.》 (열대 지방의) 여우비.

Se·re·na [səríːnə] *n.* 세레나《여자 이름》.

ser·e·nade [sèrənéid] *n.* Ⓤ,Ⓒ 세레나데. **1** 남자가 밤에 연인의 창밑에서 부르는 노래〔연주〕. **2** **a** 1에 어울리는 노래, 소야곡. **b** 〖음악〗 다악장으로 된 기악곡 형식의 하나. **3** = SERENATA. ── *vt., vi.* (…에게) 세레나데를 들려주다〔연주하다, 노래하다〕. ㊞ **-nád·er** *n.*

ser·e·na·ta [sèrənáːtə] *n.* = CANTATA; 모음곡과 교향곡 중간의 몇 개의 악장으로 된 기악곡.

ser·en·dip·i·ty [sèrəndípəti] *n.* 뜻밖의 발견(을 하는 능력); 운좋게 발견한 것. ㊞ **-díp·i·tous** *a.* 뜻밖의 발견을 하는 능력의〔에 의하여 얻은〕. **-tous·ly** *ad.*

serendípity bèrry 〖식물〗 '이상한 액과(液果)'《신 것을 달게 하는 아프리카산 과일》.

ser·en·dip·per [sèrəndípər] *n.* 뜻밖에 행운의 발견을 하는 사람.

se·rene** [siríːn] (se·ren·er; -est***) *a.* **1** 고요한, 잔잔한; 화창한, 맑게 갠. **2** (사람 · 표정 · 기질 따위가) 침착한, 차분한; 평화스러운, 평온한: ~ old age 평온하게 보내는 노후. cf. calm, placid, tranquil. ***All ~!*** 《영속어》 이상 없음(all right). ***His*** 〔***Her***〕 ***Serene Highness*** 《생략: H.S.H.》, ***Their Serene Highnesses*** 《생략: T.S.H.》, ***Your Serene Highness***(***es***) 전하《유럽 대륙, 특히 독일에서 왕후〔왕비〕의 경칭》. ── *n.* Ⓤ 《고어 · 시어》 평온한 바다〔호수〕; 맑게 갠 하늘. ── *vt.* 《고어 · 시어》 (바다 · 하늘 · 얼굴 등을) 평온하게 하다. ㊞ **~·ly** *ad.* **~·ness** *n.*

Ser·en·geti [sèrəngéti] *n.* 세렌게티《탄자니아 북서부의 초원; 야생 동물 보호구(Serengeti National Park)를 포함함》.

°**se·ren·i·ty** [sirénəti] *n.* **1** Ⓤ (자연 · 바다 · 하늘 등의) 고요함; 평온; 청명, 화창함: the Sea of *Serenity* (달의) '고요의 바다'. **2** Ⓤ (인격 · 인생 등의) 평온, 차분함; 침착, 태연. **3** (S-) (유럽 대륙에서) 전하《경칭》. ***His*** 〔***Your,*** etc.〕 ***Serenity*** = His 〔Your, etc.〕 SERENE Highness.

serf [səːrf] *n.* 농노(農奴)《토지와 함께 매매된 봉건 시대의 최하위 계급의 농민》; 《비유》 노예(같은 사람); 고역을 치르는 사람. ㊞ **∠·age** [-idʒ], **∠·dom** [-dəm], **∠·hood** [-hud] *n.* Ⓤ 농노의 신분; 농노 제도.

Serg., Sergt. sergeant.

°**serge** [səːrdʒ] *n.* Ⓤ 서지《짜임이 튼튼한 피륙》.

***ser·geant** [sáːrdʒənt] *n.* **1** 부사관, 병장《생략: Serg., Sergt., Sgt.》. ★ 미국 육군에서는 staff *sergeant*의 아래, corporal의 윗 계급. **2** 경사(警査)《미국은 captain 또는 lieutenant와 patrolman의 중간, 영국은 inspector와 constable의 중간》. **3** (S-) 〖미군사〗 지대지 탄도 미사일의 일종. ㊞ **~·shìp, sér·gean·cy** *n.* Ⓤ ~의

직위〔임기〕.

sérgeant(-)at(-)árms (*pl.* ***sér·geants*(-)*at*(-)*árms***) *n.* (의회 · 법정 등의) 수위(守衛).

sérgeant-at-láw (*pl.* ***sérgeants-at-láw***) *n.* 《영》 최고위 법정 변호사《지금의 King's Counsel에 해당》.

sérgeant first cláss 〖미육군〗 중사.

sérgeant màjor 〖미육군 · 해병대〗 원사(元士).

Sergt., sergt. sergeant.

◇**se·ri·al** [síəriəl] *a.* **1** 계속되는, 연속〔일련〕의; 순차의; 연속물인; 정기의《간행물 따위》: ~ murders 연속 살인 / in ~ order 번호순으로, 순차적으로. **2** 〖컴퓨터〗 (자료의 전송(傳送) · 연산이) 직렬(直列)의(cf. parallel). ***in the ~ form*** 연재물로서. **—** *n.* **1** 연속물《신문 · 잡지 또는 영화의》; (연재물 따위의) 1회분; 정기 간행물. **2** 〖컴퓨터〗 직렬. ***write in ~s*** 연속물을 쓰다. ㊕ **~·ly** *ad.* 연속적으로; 연속물로서.

sérial-áccess mèmory 〖컴퓨터〗 직렬 접근 기억 장치.

sérial ínput/óutput 〖컴퓨터〗 직렬 입출력.

sérial ínterface 〖컴퓨터〗 직렬 인터페이스.

sé·ri·al·ism *n.* 〖음악〗 음렬(音列)(series)주의(의 이론〔실천〕)《특히 12음 조직, 12음 기법〔작곡법〕》.

sé·ri·al·ist *n.* 연재물 작가.

se·ri·al·i·ty [sìəriǽləti] *n.* 연속(성), 순차적임.

se·ri·al·ize [síəriəlàiz] *vt.* 차례로 나열하다; 연속물로서 연재〔출판, 방송〕하다. ㊕ **sè·ri·al·i·zá·tion** *n.*

sérial kíller 연속 살인마〔자〕.

sérial márriage 〖사회〗 연속혼(連續婚)《일생 동안 단기간씩 배우자를 바꾸는 결혼 형식》.

sérial monógamy 〖사회〗 연속단혼(連續單婚)《연속혼에 있어서의 일부 일처혼(婚)》.

sérial móuse 〖컴퓨터〗 직렬 마우스《serial port를 개재하여 컴퓨터에 접속되는 마우스》.

sérial nùmber 일련〔제작〕 번호; 〖군사〗 인식 번호, 군번; 〖컴퓨터〗 일련 번호.

sérial pórt 〖컴퓨터〗 직렬 포트《정보의 송수신을 직렬 전송으로 행하는 기기를 접속하기 위한 주변 기기 접속용 단자》.

sérial prìnter 한 자씩 순차적으로 인자(印字)하는 인자기. cf. line printer.

sérial prócessing 〖컴퓨터〗 직렬 처리《(1) 데이터가 저장 또는 입력된 순서대로 처리되는 일. (2) 프로그램 명령이 정해진 순서대로 실행되는 일》.

sérial ríghts 〖출판〗 연재권(連載權).

se·ri·ate [síərièit] *vt.* 연속시키다, 연속적으로 배열하다, 계속하다. **—** [síəriət, -rièit] *a.* 연속적인, 연속적으로 배열한〔일어나는〕; 일련의. ㊕ **-at·ed** [-èitid] *a.* **~·ly** *ad.* **sè·ri·á·tion** *n.*

se·ri·a·tim [sìəriéitim] *ad., a.* 《L.》 계속하여〔하는〕, 순차로〔의〕.

se·ri·ceous [siríʃəs] *a.* 명주(실) 같은; 명주 같은 윤이 나는; 〖식물〗 견모(絹毛)가 있는.

ser·i·cin [sérəsin] *n.* Ⓤ 세리신(silk gum)《고치에서 갓 자아낸 실의 젤라틴》.

ser·i·cite [sérəsàit] *n.* Ⓤ 견운모(絹雲母). ㊕ **sèr·i·cít·ic** [-sít-] *a.*

ser·i·cul·ture [sérəkʌ̀ltʃər] *n.* Ⓤ 양잠(업). ㊕ **sèr·i·cúl·tur·al** [-tʃərəl] *a.* **sèr·i·cúl·tur·ist** [-tʃərist] *n.* 양잠가.

‡**se·ries** [síəri:z] (*pl.* **~**) *n.* **1** 일련, 한 계열, 연속: a ~ of rainy days 우천의 연속 / a ~ of victories (연전) 연승.

SYN. **series** 연속하여 조(組)를 이루는 것, 구획에서 구획까지의 한 연속: a *series* of five games, 5경기 연속의 대전 / a *series* of stamps 동시 발행의 한 조의 우표. **sequence** 시간적인, 또는 인과 관계적인 순서에 의한 계속: the *sequence* of the seasons (사)계절의 순환. in alphabetical *sequence* 알파벳순으로. **succession** 잇따라 계속됨. 자연스런 시간적 연속이며, 구획된 조나 인과적 순서는 고려되지 않음.

2 시리즈, 총서, 연속 출판물, 제 …집, 〖TV · 라디오〗 연속물〔프로〕; 연속 강의; (야구 등의) 연속 시합; (우표 · 코인 등의) 한 세트: the first ~ 간행물의 제 1 집. **3** 〖전기〗 직렬; 〖화학〗 열(列); 〖수학〗 급수; 〖생물〗 계열; 〖지학〗 계(系), 통(統); 〖음악〗 음렬(音列): a ~ circuit 〖전기〗 직렬 회로 / ⇨ARITHMETIC 〔GEOMETRIC〕 SERIES. ***a ~ of*** 일련의, 연속된: *a ~ of* misfortunes 잇따른 재난. ***in ~*** 연속하여, 계열을 이루어; 〖전기〗 직렬로; 총서로, 시리즈물로. **—** *a.* 〖전기〗 직렬(식)의.

séries génerator 직권(直捲) 발전기.

séries párallel 〖전기〗 직병렬(直竝列).

séries wìnding 〖전기〗 직권(直捲)(법). opp. *shunt winding.*

séries-wòund *a.* 〖전기〗 직렬로 감은, 직권의.

ser·if, ser·iph [sérif] *n.* 〖인쇄〗 세리프《H, I 따위의 활자에서 볼 수 있는 상하의 가는 선》.

se·ri·graph [sérəgræ̀f, -grɑ̀:f] *n.* 세리그래프《실크스크린 날염의 색채화》; (S-) 세리그래프《생사(生絲) 검사기의 상표명》. ㊕ **se·rig·ra·pher** [sərígrəfər] *n.* 세리그래프 날염자.

se·rig·ra·phy [sirígrəfi] *n.* Ⓤ 실크스크린 날염(법).

ser·in [sérin] *n.* 〖조류〗 카나리아의 원종(原種).

ser·ine [séri(:)n, síər-] *n.* 〖생화학〗 세린《인체 내에서 합성 가능한 아미노산의 일종》.

se·ri·o·com·e·dy [sìərioukɑ́mədi/-kɔ́m-] *n.* 희비극(喜悲劇)(tragicomedy); 진지한 내용이 담긴 희극.

se·ri·o·com·ic, -i·cal [sìərioukɑ́mik/-kɔ́m-], [-əl] *a.* 진지하면서도 우스운. ㊕ **-i·cal·ly** *ad.*

‡**se·ri·ous** [síəriəs] *a.* **1** (표정 · 태도 따위가) 진지한, 진정인, 엄숙한, 심각한, 정색을 한: Are you ~? 자네 진정인가 / I'm quite ~ about it. 나는 그 일을 매우 진지하게 생각하고 있네 / a ~ look 〔face〕 심각한 표정〔얼굴〕 / a ~ worker 성실한 일꾼. **2** (사태 · 문제 따위가) 중대한, 심각한, 용이치 않은, 심상치 않은(important); (병 · 부상 따위가) 심한, 중한: a ~ problem 〔matter〕 중대한 문제〔일〕 / a ~ mistake 중대한 과오 / He suffered from a ~ illness. 그는 중병에 걸렸다 / The state of things is ~. 사태는 매우〔퍽〕 심각하다 / in ~ trouble 중대한 사건에 관련되어; 살인 혐의를 받아 / in a ~ condition 중태로. SYN. ⇨GRAVE[2]. **3** (문학 · 음악 따위가) 예술 본위의, 진지한, 딱딱한: ~ literature 순수 문학〔문예〕 / ~ readings 딱딱한 읽을거리〔책〕, 교양서. ***take for ~*** 곧이듣다, 진담으로 받아들이다. **—** *n.* (the ~) 진지하게 대처해야 할 일, 중대사, 심각함. ㊕ **~·ness** *n.*

sérious críme squàd 〖미경찰〗 강력범죄반.

Sérious Fráud Óffice (the ~) 《영》 중대 부정〔사기〕 수사국《생략: SFO》.

‡**se·ri·ous·ly** [síəriəsli] *ad.* **1** 진지하게, 진정으로: take a thing ~ 일을 진지하게 생각하다〔받아들이다〕. **2** 심각하게, 중대하게, 심하게: She was ~ ill. 그녀의 병은 심각했다. **3** 〖문두에서 문장 전체를 수식하여〗 진지한 이야기인데, (농담이 아니라) 진정으로 하는 말인데: *Seriously,* what should I do with it? 진정으로 하는 말인데, 나는 그것에 어떻게 대처해야 할지 모르겠다.

sérious-mínded [-id] *a.* 진지한, 신중한. ㊕ **~·ness** *n.*

seriph ⇨SERIF.

ser·jeant [sɑ́:rdʒənt] *n.* 《영》 =SERGEANT.

sérjeant(-)at(-)árms (*pl.* ***sérjeants*(-)*at*(-)*árms***) *n.* =SERGEANT(-)AT(-)ARMS.

*ser·mon [sə́:rmən] n. 1 설교. cf. preachment: an inspiring ~ 사람을 고무하는 설교/preach a ~ 설교하다/at 〔after〕 ~ 예배 중에 〔예배가 끝나고〕. 2 잔소리; 장광설: get a ~ on …에 관한 일로 잔소리를 듣다. ***a lay ~*** 속인의 설법. ***~s in stones*** 목석(따위의 대자연)에서 볼 수 있는 교훈《Shak., *As Y L* 2.1.17》. ***the Sermon on the Mount*** 〖성서〗 산상 수훈(垂訓) 《마태복음 V－VII》. ⓟ **sèr·mon·ét(te)** [-ét] n. 짧은 설교.

ser·mon·ic [sə:rmánik/-mɔ́n-] a. 설교적인.

sér·mon·ìze vt., vi. (…에게) 설교하다, 잔소리하다. ⓟ **-iz·er** n. 설교자.

se·ro- [síərou, -rə, sér-], **ser-** [síər, sér] '혈청'이란 뜻의 결합사.

sèro·convérsion n. 〖의학〗 혈청 변환《백신으로 투여한 항원에 응하여 항체가 출현하는 것》.

sèro·diagnósis (pl. ***-ses***) n. 〖의학〗 혈청(학적) 진단(법). ⓟ **-diagnóstic** a.

se·ro·log·ic, -i·cal [sìərəládʒik/-lɔ́dʒ-] [-ikəl] a. 혈청학의. ⓟ **-i·cal·ly** ad.

se·rol·o·gy [sirálədʒi/-rɔ́l-] n. Ⓤ 혈청학; Ⓒ 혈청 반응〔검사〕.

sèro·négative a. 〖의학〗 혈청 반응 음성의.

sèro·negatívity n. 〖의학〗 혈청 반응 음성, 《특히》 매독 반응 음성. 「**sèro·positívity** n.

sèro·pósitive a. 〖의학〗 혈청 반응 양성의. ⓟ

se·ro·sa [sirόusə, -zə] (pl. ***~s, -sae*** [-si:, -zi:]) n. 〖해부·동물〗 장(액)막(漿(液)膜)(chorion). ⓟ **-sal** a.

se·ros·i·ty [sirásəti/-rɔ́s-] n. Ⓤ 장액성(漿液性); 물과 같음; 〖생리〗 장액.

sèro·thérapy n. Ⓤ 〖의학〗 혈청 요법(serum therapy). 「SEROTINOUS.

ser·o·tine [sérətin, -tàin/-tàin] a. 〖식물〗 =

se·rot·i·nous [sirátənəs/-rɔ́ti-] a. 〖식물〗 늦되는《열매 따위》, 늦여름의, 가을에 피는.

ser·o·to·nin [sèrətóunin, siər-] n. 〖생화학〗 세로토닌《포유동물의 혈청·혈소판·뇌 따위에 있는 혈관 수축 물질》.

séro·type n. 〖의학〗 (미생물의 항원성(抗原性)에 의한) 혈청형, 항원형. — vt. …의 혈청〔항원〕형을 결정하다.

se·rous [síərəs] a. 〖생리〗 장액(漿液)의, 혈장(血漿)(모양)의; 물 같은, 희박한.

sérous flúid 〖생리〗 장액(漿液).

sérous mémbrane 〖동물·해부〗 장막(漿膜).

Ser·pens [sə́:rpənz, -penz] n. 〖천문〗 뱀자리.

°**ser·pent** [sə́:rpənt] n. 1 (크고 독 있는) 뱀. SYN. ⇨SNAKE. 2 음험한 사람; 교활한〔뱀 같은〕 사람; 악마(Satan). 3 (뱀처럼 꿈틀거리는) 불꽃 장치. 4 (the S–) 〖천문〗 뱀자리. 5 〖음악〗 (옛날의) 뱀 모양의 나팔. ***cherish a ~ in one's bosom*** 배은망덕한 자에게 친절을 베풀다. ***the (Old) Serpent*** 〖성서〗 유혹자, 악마《창세기 III: 1－5》.

serpent 5

ser·pen·tar·i·um [sə̀:rpəntέəriəm] (pl. ***~s, -tar·ia*** [-iə]) n. 《미》 뱀 사육장.

Sérpent Béarer (the ~) 〖천문〗 뱀주인자리 (Ophiuchus). 「리는 사람.

sérpent-chàrmer n. (피리를 불어) 뱀을 부

sérpent gràss 〖식물〗 산범꼬리.

ser·pen·tine [sə́:rpəntì:n, -tàin/-tàin] a. 뱀의; 뱀 같은; 꾸불꾸불한, 둘둘 말린; 음흉한, 교활한. — n. 1 뱀 모양의 것, 구불구불한 것; 종이 테이프; 뱀처럼 꿈틀거리는 불꽃. 2 Ⓤ 〖광물〗 사문석(蛇紋石). 3 옛날 대포의 일종. 4 〖스케이트〗 S자 곡선. 5 (the S–) 런던의 Hyde Park에 있는 S자형의 인공 연못. — vi. 꾸불꾸불 구부러지다, 굽이치다; 비틀거리며 걷다.

ser·pen·ti·nite [sə́:rpəntì:nait, -tài-] n. 사문암(蛇紋岩).

sérpent lìzard =SEPS.

sérpent's-tòngue n. =ADDER'S-TONGUE.

ser·pig·i·nous [sə:rpídʒənəs] a. 〖의학〗 (피부병 따위의) 사행성(蛇行性)〔상(狀)〕의.

ser·ra [sérə] n. 톱니 모양의 연산(連山); 산맥.

ser·rate [séreit, -rət] a. 〖생물〗 톱니 모양의, 톱니가 있는; 가장자리가 깔쭉깔쭉한. — vt. [séreit, səréit/səréit] …의 가장자리를 깔쭉깔쭉하게 하다. ⓟ **ser·rat·ed** [séreitid/-´-] a.

ser·ra·tion [seréiʃən] n. Ⓤ 톱니 모양; 톱니(모양의 돌기).

ser·ried [sérid] a. 밀집한, 우거진, 빽빽이 늘어선《대열(隊列)·나무 등》. ⓟ **~·ly** ad.

ser·ru·late, -lat·ed [sérjələt, -lèit/-ju-], [-lèitid] a. 작은 톱니 모양의. ⓟ **sèr·ru·lá·tion** n.

se·rum [síərəm] (pl. ***~s, -ra*** [-rə]) n. Ⓤ 〖생리〗 장액(漿液); Ⓒ 〖의학〗 혈청; 유장(乳漿), 림프액: a ~ injection 혈청 주사. ⓟ **~·al** a.

sérum hepatìtis 〖의학〗 혈청 간염《급성 바이러스 감염증》.

sérum thèrapy 〖의학〗 혈청 요법.

serv. servant; service.

ser·val [sə́:rvəl] n. 〖동물〗 살쾡이의 일종《아프리카산; 표범 같은 얼룩무늬가 있음》.

‡**serv·ant** [sə́:rvənt] n. 1 사용인, 고용인, 하인. 《보통 이 말 대신 (domestic) help를 씀》. opp. *master*. ¶ a ~ woman 〔maid〕 가정부 (cf. manservant, maidservant)/Fire and water may be good ~s, but bad masters. 《속담》 불과 물은 (쓰는 데 따라) 유용한 것도 되고 해도 된다. 2 부하, 종복; 봉사자, 충실한 사람. 3 공무원, 관리: ⇨CIVIL 〔PUBLIC〕 SERVANT. 4 《영》 (철도 회사 등의) 종업원, 사무원. 5 《미》 노예(slave). ***the ~ of the ~s (of God)*** 가장 천한 하인《로마 교황의 자칭》. ***What did your last ~ die of?*** 《구어·우스개》 그런 것쯤 제 손으로 하지. ***Your (most) obedient ~*** 《영》 경백(敬白)《공문서의 맺음말》. ⓟ **~·hòod** n. **~·less** a. **~·like** a.

sérvant gìrl 〔**màid**〕 하녀.

‡**serve** [sə:rv] vt. 1 (신·사람 등을) 섬기다, …에 봉사하다; …을 위해 진력하다, …을 위해 일하다: ~ one's master 〔God〕 주인〔신〕을 섬기다/~ the nation 국가를 위해 힘쓰다/For over ten years, he has ~*d* the company loyally and well. 10년 넘게 그는 회사에 충실히 잘 근무하였다. 2 《~+목/+목+전+명》 (손님의) 주문을 받다, (손님을) 응대하다, (손님에게) …을 보이다: ~ a customer 손님을 접대하다/What may I ~ you *with*? 무엇을 보여 드릴까요/Have you been ~*d*? 주문을 하셨는지요. 3 《~+목/+목+보/+목+목/+목+전+명》 (음식을) 차려 내다, 식탁을 준비하다; (손님의) 시중을 들다: Dinner is ~*d*. 식사 준비가 됐습니다/The dish must be ~*d* hot. 요리는 뜨거울 때 내놓아야 한다/The waiter ~*d* us coffee. = The waiter ~*d* coffee *to* us. 웨이터는 우리에게 커피를 가져왔다. 4 《~+목/+목+전+명》 …에게 공급하다, …의 요구를 채우다, …에게 편의를 주다; (교통 기관이) …에 통하다: ~ a town *with* gas = ~ gas *to* a town 시(市)에 가스를 공급하다/The hospital ~*s* the entire city. 그 병원은 전 시의 병자를 맡고 있다/All floors are

~*d* by elevators. 각 층 모두 승강기가 운행되고 있다. **5** 《~+목/+목+*as* 보》 …에 도움〔소용〕되다, …에 공헌〔이바지〕하다; (요구·필요를) 만족시키다, …(목적)에 맞다: ~ two ends 일거양득이 되다/~ one's purpose 〔need〕 …을 위해 소용되다/The excuse does not ~ you. 그 변명은 소용없다/This box ~*s* us *as* a table. 이 상자는 식탁 대용이 된다. **6** 《+목+목/+목+전+명/+목+부》 …을 다루다, 대우하다; …에 보답하다: ~ a person a dirty trick 아무에게 더러운 속임수를 쓰다/~ a person *with* the same sauce 아무에게 앙〔대〕갚음하다/~ a person *cruelly* 〔*well*〕 아무를 학대하다〔친절히 대우하다〕/That ~*d* him *ill*. 그것은 그에게 맞는 대우가 못 되었다. **7** 《~+목/+목+부/+목+*as* 보/+목+전+명》 (임기·연한·형기 따위를) 채우다, 복무〔근무〕하다, 보내다: ~ *out* an apprenticeship 수습 계약 기간을 다 마치다/~ two terms *as* mayor 〔President〕 시장〔대통령〕의 임기를 2기째 맡아 하다/~ one's sentence 복역하다/~ two years *in* the army 〔*at* the front〕 육군〔일선〕에서 2년간 복무하다. **8** (공을) 서브하다《테니스 등에서》: ~ a ball. **9** (대포 등을) 쏘다, 조작하다(operate). **10** (탄알을) 보급하다, 나르다. **11** (복사(服事)가) 사제를 도와 시종하다. **12** 《+목+전+명》 『법률』 (영장 등을) 송달하다《*with*》: ~ a person *with* a summons = ~ a summons *on* 〔*upon*〕 a person 아무에게 소환장을 송달하다. **13** 『해사』 (밧줄·버팀줄 따위를) 감아 주다, 보강하다. **14** (씨말 따위를 암말과) 교미시키다(cover).

— *vi.* **1** 《~/+전+명/+*as* 보》 봉사하다; 근무하다, 복무하다, 《특히》 군무에 복무하다: ~ *on* a farm 〔*in* the kitchen〕 농장〔부엌〕에서 일하다/~ *on* jury 배심원을 맡아 하다/He ~*d with* the Economic Planning Board. 그 사람은 경제 기획원에 근무했다/~ *as* a soldier 사병으로서 근무하다. **2** 《+전+명》 (의원·임원 등이) 임기 동안 일보다: ~ *on* a committee 위원을 맡아 보다. **3** 《+전+명》 (손님의) 시중을 들다: ~ *behind* a counter 점원 노릇〔일〕을 하다. **4** 《+전+명/+*as* 보/+*to* do》 도움〔소용〕이 되다, 쓸모 있다, 알맞다, 족하다; 편리하다: ~ *for* a wing 날개 구실을 하다/It ~*d as* a clue to a criminal's tracing. 그것으로 범인 추적의 단서를 잡았다/It ~*s to* show her honesty. 그것은 그녀의 성실함을 잘 나타내고 있다. **5** (날씨 등이) 알맞다, 적당하다: when the tide ~*s* 적당한〔형편이 좋을〕 때에. **6** 《+부》 (테니스 따위에서) 서브하다: ~ *well* 〔*badly, poorly*〕 서브가 좋다〔나쁘다〕. ◇ service *n.*

as memory ~s 생각나는 대로. ***as occasion ~s*** 기회 있는 대로, 편리한 때에. ***if my memory ~s me right*** 내가 기억하는 바로는. ***It ~s*** 〔《구어》 ***Serve***〕 ***him*** 〔***you,*** etc.〕 ***right!*** 꼴좋다, 고소하다. ~ a person ***a bad turn*** 아무를 혼내 주다. ~ ***a gun*** 포격을 계속하다. ~ ***as*** (a post) (기둥)의 대용이 되다. ~ ***at table*** 식사 시중을 들다. ~ ***for nothing*** 아무 쓸모도 없다. ~ ***out*** (음식 따위를) 도르다, 분배하다; (임기·형기를) 끝내다. ~ a person ***out*** 아무에게 복수하다. ~ a person ***right*** 《흔히 it를 주어로》 (아무에게는) 당연한 처사가 되다〔일이다〕, 자업자득이다: He failed his exam. *It ~d him right* because he had not studied. 그는 시험에 떨어졌는데, 공부를 하지 않았으니 자업자득이다〔당연한 일이다〕. ~ ***round*** (음식 따위를) 차례로 도르다. ~ ***one's time*** 임기 동안 근무하다; (병역에) 복무하다; 복역하다. ~ a person***'s turn*** 〔***need***〕 아무에게 소용이 되다, 임시변통되다. ~ ***tables*** 『성서』 (정신적 양식을 제쳐 놓고) 빈민에게 음식을 베풀다《사도행전 VI: 2》. ~ ***the devil*** 악마를 섬기다; 죄를 범하다, 나쁜 짓을 하다. ~ ***the time*** 〔***hour***〕 기회를 엿보다. ~ ***time*** 복역하다. ~ ***under*** a person 아무의 밑에서 일하다. ~ ***up*** (음식을 요리해서) 차려 내다; (묵은 이야기·수단을) 되풀이하다. ~ ***with*** 〔***in***〕 …에 근무하다. ~ a person ***with*** 아무에게 …을 제공하다, 보이다. ~ ***without salaries*** 무보수로 일하다. ***when the opportunity ~s*** 적당한 때에, 형편이 좋은 때에.

— *n.* U,C (테니스 따위에서) 서브 (방법); 서브 차례: return a ~ 서브를 되받아 넘기다.

°**serv·er** [sə́ːrvər] *n.* **1** 봉사자, 급사; 근무자; 『가톨릭』 (미사 때 사제(司祭)를 돕는) 복사(服事); 식사 시중드는 사람; 『구기』 서브하는 사람; 『법률』 집달관. **2** 쟁반, 밥상; 음식을 나누는 식기. **3** 『컴퓨터』 서버《분산 처리 시스템에서 client로 부터의 요구에 따라 서비스를 공급하는 기기〔프로세스〕》(cf. client).

serv·ery [sə́ːrvəri] *n.* 찬방(饌房), 식기실 (butler's pantry); (요리를 차리는) 카운터.

Ser·via [sə́ːrviə] *n.* =SERBIA.

Ser·vi·an [sə́ːrviən] *a., n.* =SERBIAN.

‡**ser·vice**[1] [sə́ːrvis] *n.* **1** U,C (종종 *pl.*) 봉사, 수고, 공헌, 이바지: render a great ~ to England 영국을 위해 큰 공헌을 하다. **2** C 돌봄, 조력; 도움, 유익, 유용; 편의, 은혜: It did me a valuable ~. 그것은 내게 큰 도움이 됐다. **3** U,C (보통 *pl.*) 『경제』 용역, 서비스; 사무; 공로, 공훈: the ~*s* of a doctor 의사의 일/⇨PUBLIC SERVICE. **4** U 부림을 당함, 고용(살이), 봉직, 근무: go into ~ 고용되다. **5** U (손님에 대한) 서비스, 접대; (식사) 시중; (자동차·전기기구 따위의) (애프터) 서비스; (정기) 점검〔수리〕: repair ~ (판매품에 대한) 수리 서비스/The food is good at this hotel, but the ~ is poor. 이 호텔은 식사는 괜찮은데 서비스가 나쁘다. **6** C,U (교통 기관의) 편(便), 운항: We have three airline ~*s* daily. 하루 3회의 항공편(便)이 있다/There is no bus ~ available in this part. 여기는 버스편이 없다. **7** C,U 공공사업, (우편·전화·전신 등의) 시설; (가스·수도의) 공급; 부설; (*pl.*) 부대 설비: telephone ~ 전화 사업/mail 〔postal〕 ~ 우편 업무. **8** C,U (관청의) 부문(department), …부, 국(局), 청(廳); (병원의) 과(科); 《집합적》 근무하는 사람들, (부·국의) 직원들: ⇨CIVIL SERVICE/the intelligence ~ 정보부(의 사람들)/Public Health *Service* 보건소〔과〕. **9** U,C 군무, 병역 (기간); 『군사』 (대포 따위의) 조작; the fighting 〔armed〕 ~*s* 육해공군: the military ~ 병역. **10** C,U 신을 섬김; (종종 *pl.*) 예배 (의식); 《일반적》 식; 전례(典禮)(음악), 전례 성가: a burial ~ 장례식/a marriage ~ 결혼식. **11** (식기 따위의) 한 벌; 메뉴: a silver tea ~ 은제의 차 세트. **12** U,C (테니스·탁구 따위에서) 서브(넣기): receive a ~ 서브를 받다. **13** U 『법률』 (영장 등의) 송달: ~ of a writ 영장의 송달. **14** 『상업』 국채 이자. **15** 『해사』 권삭(捲索) 줄《밧줄이 상하지 않도록 겉에 감는》. **16** U,C 『축산』 흘레붙이기. ◇ serve *v.* ***at*** a person***'s*** ~ 아무의 원하는 대로, 마음대로: I'm *at* your ~. 뭐든 분부만 하십시오/I am John Smith *at* your ~. 존 스미스라고 합니다(뭐든 말씀만 하십시오). ***be in*** 〔***out of***〕 ~ (철도·버스·교량 따위가 공적(公的)으로) 사용되고〔되지 않고〕 있다. ***be of ~ to*** …에 소용이 되다: Can I *be of* ~ *to* you? 뭐 도와 드릴 일 없습니까. ***bring ... into ~*** (철도·교량 따위를 공적으로) 사용하기 시작하다. ***come*** 〔***go***〕 ***into ~*** (공적으로) 사용하게 되다. ***die in ~*** 전사

하다. ***enter the*** ~ 입대하다. ***get some*** ~ ***in …*** 《속어》 …에 다소 경험을 쌓다. ***have seen*** ~ ① 실전 경험이 있다. ② (옷 따위가) 입어서 낡았다. ***in*** 〔***on***〕 ***active*** ~ 재직 중; 〖군사〗 현역 복무 중. ***in*** ~ (기구·탈것·교량·도로 등이) 사용되고, 운용되고; 군에 복무하고. ***in the*** ~ 《영》 군무에 종사하고. ***lip*** ~ 입에 발린 말, 말뿐인 호의: pay *lip* ~ to …에게 입에 발린 말을 하다. ***My*** ~ ***to*** (him). (그분에게) 안부 전해 주게. ***On His*** 〔***Her***〕 ***Majesty's Service*** 《영》 공용《공문서 등의 무료 송달 도장; 생략: O.H.M.S.》. ***on*** ~ 재직하고〔중의〕; 복무〔출정〕하고〔의〕. ***place at*** a person***'s*** ~ 아무에게 마음대로 쓰게 하다. ***see*** ~ ① 종군하다. ② 〔완료형으로〕 여러 해 근무해 오다, 실전 경험이 있다, 오래 소용이 되다, 써서 낡다: These boots *have seen* two years' ~. 이 구두는 2년 신었다. ***take*** a person ***into*** one***'s*** ~ 아무를 고용하다. ***take*** ~ ***with*** 〔***in***〕 … 에 근무하다. ***telecast*** 〔***television broadcast***〕 ~ 텔레비전 방송.

— *a.* **1** 근무의; 군용의: ~ clothes 근무복, 평상복/~ regulations 군복무 규율. **2** 고용인용의, 업무용의: a ~ door 업무용 입구/a ~ stairway 고용인〔점원〕용 계단. **3** 서비스를 제공하는; 하청 받는. **4** 일상 사용하는, 덕용의: a ~ brake 보통 브레이크〔제동기〕《emergency brake(비상 브레이크)에 대한》. **5** 유용한(useful). **6** 유지·수리를 하는.

— *vt., vi.* **1** (공급·시설·수리 따위를) 판매 후 손봐 주다, 정비〔점검, 손질〕하다: ~ an automobile 자동차를 정비하다/I have my car ~*d* regularly. 차를 정기적으로 점검받고 있다. **2** (가스·수도 등을) 공급하다. **3** 편리하게 하다; 편익이 있다. **4** (수컷이) 암컷과 교미하다. **5** 《영》 조력을〔정보를〕 제공하다. **6** (부채의) 이자를 치르다.

㊕ **sér·vi·cer** *n.*

ser·vice² *n.* 〖식물〗 =SERVICE TREE.

◇**sér·vice·a·ble** *a.* 쓸모 있는, 편리한《*to*》; 튼튼한(durable), 실용적인; 《고어》 남을 돕기 좋아하는(obliging), 친절한. ㊕ **-bly** *ad.* **~·ness** *n.* **sèr·vice·a·bíl·i·ty** *n.*

sérvice àce 〖테니스〗 서비스 에이스(ace).

sérvice àrea (라디오·TV의) 청취〔시청〕 가능 지역; (수도·전기의) 공급 구역; (자동차 도로의) 서비스 에어리어《주유소·식당·화장실 등이 있는》.

sérvice bòok 〖교회〗 기도서.

sérvice brèak 〖테니스〗 서비스 브레이크《상대의 서브를 잡아 얻는 점수》.

sérvice càp (챙 달린) 정식 군모, 제모.

sérvice cèiling 〖항공〗 실용 상승 한도.

sérvice chàrge (호텔 따위의) 서비스료.

sérvice clùb 봉사〔복지〕 클럽《로터리 클럽 따위》; (군대·단체 등의) 후생 오락 시설.

sérvice còntract 고용 계약; 서비스 계약.

sérvice còurt 〖테니스〗 서브를 넣는 코트 부분.

sérvice dèpot =SERVICE STATION.

sérvice drèss 〖영군사〗 보통 군복, 평상복.

sérvice èlevator 《미》 업무〔종업원〕용 엘리베이터(《영》 service lift).

sérvice engineèr 수리 기사, 수리공.

sérvice éntrance 업무용〔종업원 전용〕 출입구.

sérvice fèe =SERVICE CHARGE.

sérvice flàt 《영》 주방 설비를 갖춘 공동 주택.

sérvice hàtch 《영》 (주방에서 식당으로) 요리를 내보내는 창구.

sérvice ìndustry (교통·오락 등의) 서비스(산)업.

sérvice lìfe 내용(耐用) 연수; 〖항공〗 유효 수명.

sérvice lìft 《영》 (식당의) 요리 운반용 승강기(《미》 dumbwaiter).

sérvice lìne 〖테니스〗 서비스 라인.

sérvice·màn [-mæ̀n] (*pl.* **-mèn** [-mèn]) *n.* (현역) 군인; 수리공; 주유소 종업원: an ex-~ 재향 군인.

sérvice màrk 서비스 마크《수송·보험·세탁 따위의 서비스 제공 단체가 그 독자적인 서비스의 상징으로서 사용하는 표장〔어구(語句) 따위〕; 등록하면 법적으로 보호를 받음》. ⓒⓕ trademark.

sérvice mèdal 〖군사〗 공훈장(功勳章).

sérvice mòdule 〖우주〗 기계선《사람이 안 타는 기계 장치 부분; 생략: SM》.

sérvice òfficer 공무원, 관공리.

sérvice·pèrson *n.* 군인; 수리계〔수리공〕《성차별을 피한 표현》.

sérvice pìpe (가스·수도의 본관(本管)에서 건물로 끌어들이는) 배급관·인입관.

sérvice plàza (고속도로변의) 서비스 에어리어《식당·주유소 등이 있는》.

sérvice provìder 〖인터넷〗 서비스 제공자《일반 사용자의 네트워크로의 액세스를 주선하는 시설·회사》.

sérvice ròad 《영》 =FRONTAGE ROAD.

sérvice stàtion (자동차 등의) 주유소; 서비스 스테이션《기계·전기 기구 따위의 정비·수리 등을 하는 곳》.

sérvice strìpe 〖미군사〗 (군복 소매에 붙이는) 「정근장(精勤章).

sérvice trèe (유럽산) 마가목속의 식물; 그 열매; =《미》 JUNEBERRY.

sérvice ùniform 〖미군사〗 통상 군복, 평상복.

sérvice·wòman (*pl.* ***-wòmen***) *n.* 여성 군인; 여자 병사.

ser·vic·ing [sə́ːrvisiŋ] *n.* 수리; 정비.

ser·vi·ette [sə̀ːrviét] *n.* 《영·Can.》 냅킨.

◇**ser·vile** [sə́ːrvil, -vail/-vail] *a.* 노예의; 노예근성의, 비굴한(mean); 굴욕적인, 자주성이 없는, 추종적인: be ~ *to* public opinion 여론에 추종하다. ㊕ **~·ly** *ad.* **~·ness** *n.*

sérvile létter 보조 모음자《그 자체는 발음이 안 되고 선행 모음이 장음 또는 중모음임을 나타내는 글자: state의 e 따위》.

sérvile wórks 〖가톨릭〗 일요일·대축제일에 금지되어 있는 육체노동.

ser·vil·i·ty [səːrvíləti] *n.* Ⓤ 노예근성, 비굴; 노예 상태, 굴종; 예속; 독창성이 없음.

serv·ing [sə́ːrviŋ] *n.* 음식을 차림, 음식 시중, 접대; (음식의) 한 그릇; (전선·케이블 등의) 피복재(被覆材).

sérving·man [-mən] (*pl.* ***-men*** [-mən]) *n.* 「《고어》머슴, 하인.

ser·vi·tor [sə́ːrvətər] *n.* 《고어·시어》 종복, 머슴; 〖영국사〗 (Oxford 대학의) 근로 장학생《허드렛일을 하였음》. ㊕ **~·shìp** *n.*

◇**ser·vi·tude** [sə́ːrvətjùːd/-tjùːd] *n.* Ⓤ 노예 상태, 예속; 노역, 징역, 강제 노동; 〖법률〗 용역권(用役權): penal ~ 징역형《3년 이상의》/ intellectual ~ 지적 예속.

ser·vo [sə́ːrvou] (*pl.* **~s**) *n.* 《구어》 =SERVOMECHANISM; SERVOMOTOR. **—** *a.* 서보 기구(機構)의〔에 의한〕. **—** *vt.* =SERVO CONTROL.

sérvo contròl 〖항공〗 *n.* 서보 조종 장치. **—** *vt.* 서보 기구로 제어하다.

ser·vo·mech·an·ism [sə́ːrvoumèkənizəm] *n.* Ⓤ〖기계〗 서보 기구(機構)《자동 귀환 제어 장치》.

ser·vo·mo·tor [sə́ːrvoumòutər] *n.* 〖기계〗 보조 전동기, 간접 조속(調速) 장치.

sérvo sỳstem =SERVOMECHANISM.

ser·vo·tab [sə́ːrvoutæ̀b] *n.* 〖항공〗 서보태브(servo control).

SES socioeconomic status(사회 경제적 지위).

ses·a·me [sésəmi] *n.* Ⓤ 참깨(씨); =OPEN SESAME: ~ oil 참기름.

Sésame Strèet 세서미스트리트《미국의 어린이용 인기 TV 프로그램; 1969년부터》.

ses·a·moid [sésəmɔ̀id] 〖해부〗 *a.* 참깨씨 모양의; 종자(연)골(種子(軟)骨)의. **—** *n.* 종자(연)골.

ses·qui- [séskwi, -kwə] '1배 반, 〖화학〗 원소의 화합 비율이 3 대 2의'란 뜻의 결합사.

sèsqui·centénnial *a.* 150년(제)의. **—** *n.* 150년제〔축제〕. [cf.] centennial. (파) **~·ly** *ad.*

sess. session.

ses·sile [sésil, -sail/-sail] *a.* 〖식물〗 꼭지 없는; 〖동물〗 정착(성)의, 고착(성)의.

séssile òak 〖식물〗 =DURMAST.

ses·sion** [séʃən] *n.* **1** [U] (의회·회의 등의) 개회 중, 개회해 있음; (법정이) 개정 중임; (거래소의) 입회. **2** 회기, 개정 기간: the 30 ~ of the National Assembly 제 30회기 국회 / go into ~ 개회하다. **3** 《Sc.·미》 학기; 《영》 학년; 《미》 수업 시간: a morning 〔afternoon, night, summer〕 ~ 오전〔오후, 야간, 하계〕 수업 / at 〔in〕 the next ~ of this class 이 강좌의 다음 번 수업에. **4** (*pl.*) 《영》 판사의 정기 회의; (목사와 장로로 구성되는) 장로회: ~*s* of the peace 《영》 치안 판사 재판소(의 개정기). **5** 《미구어》 (활동) 기간; 《특히》 괴로운 경험; 《속어》 (마약에 의한) 환각 상태의 지속 기간; 《속어》 =JAM SESSION, (댄스)파티. **6** 《주로 미》 (특정 활동을 위한) 일시적 모임, 그 기간; (의사 따위의) 면담, 진료: a jazz ~ 재즈 연주회 / a ~ with the dentist 치과 의사에게 받는 진료 기간. **7** 〖컴퓨터〗 작업 시간《(1) 단말에서 컴퓨터 사용 시 사용 개시부터 종료까지의 시간. (2) 데이터 전송을 위한 논리적 과정》. ***in full* ~** 총회에서. ***in* ~** 개회〔회의, 개정〕 중. ***the Court of Session 《Sc.》 최고 민사 법원. ***the Court of Sessions*** 《미》 주(州) 형사 기록 법원. (파) **~·al** [-əl] *a.* **1** 개회〔개정〕의; 회기의: ~*al* orders 〔rules〕 의사 규정. **2** 재판소〔법원〕의.

séssion màn 세션맨《다른 연주자의 보좌역으로서 리코딩 따위에 개별 참가하는》.

ses·terce [séstəːrs] *n.* 세스테르스, 세스테르티우스(sestertius)《고대 로마의 화폐 단위; =1/4 denarius》.

ses·ter·ti·um [sestə́ːrʃiəm, -tiəm] (*pl.* **-tia** [-ʃiə/-tiə]) *n.* 세스테르티움《고대 로마의 화폐 단위; =1,000 sesterces》.

ses·ter·tius [sestə́ːrʃiəs] (*pl.* **-tii** [-ʃiài / -tiài]) *n.* =SESTERCE.

ses·tet [sestét] *n.* 《It.》 〖음악〗 6중창〔주〕(곡); 14행시(sonnet)의 후반 6행, 6행의 시(詩).

ses·ti·na [sestíːnə] *n.* 〖운율〗 6행 6연체(連體)《6행 6절과 3행의 절구(節句)로 된 시》.

Set [set] *n.* (이집트 신화의) 세트《악의 신; 짐승 머리에 코는 뾰족함》.

†**set** [set] (*p., pp.* ***set; sét·ting***) *vt.* **1** 《+[목]+[전]+[명]/+[목]+[부]》 두다, 놓다, 자리잡아 앉히다: ~ a vase *on* a table 꽃병을 테이블 위에 놓다 / ~ *down* the load 짐을 내려놓다.

> NOTE **set**와 **put**: 둘 다 '특정한 장소에 두다'라는 뜻이지만, set에는 '놓여진 의도'나 '놓여진 물건'이 그 장소를 옮기는 것이 바람직하지 않다는 점이 시사됨.

2 《~+[목]/+[목]+[부]/+[목]+[전]+[명]》 앉히다: The judges ~ themselves *down*. 판사들이 착석했다 / ~ a baby *in* a high chair 갓난아기를 높은 의자에 앉히다.

3 《~+[목]/+[목]+[전]+[명]》 (모종·씨 등을) 심다; (그림 등을) 끼우다: ~ plants 묘목을 심다 / ~ seeds 씨를 뿌리다 / ~ an oil painting *in* a frame 유화를 액자에 끼우다.

4 《~+[목]/+[목]+[전]+[명]》 (정연히) 배치하다, 나란히 세우다: ~ a watch 파수꾼을 세우다 / ~ guards *along* the borders 국경선을 따라 경비병을 배치하다.

5 준비〔마련〕하다, 차리다: ~ the table 밥상을 차리다 / ~ the trap 덫을 놓다.

6 《+[목]+[전]+[명]》 (사람을 임무 수행하라고 …에) 배치하다, 붙이다《*on*》; (개 등을 공격하라고) 부추기다《*on; at*》: ~ spies *on* a person 아무에게 스파이를 붙이다 / ~ a dog *on* a robber 개를 부추겨 도둑에게 덤벼들게 하다.

7 《+[목]+[전]+[명]》 (곡·가사를) 붙이다《*to*》; (성악·기악용으로) 편곡하다《*for*》: ~ words *to* music; ~ music *to* words 곡〔가사〕에 가사를〔곡을〕 붙이다 / ~ music *for* the orchestra 관현악용으로 편곡하다.

8 《+[목]+[전]+[명]》 향하다, 돌리다; (눈길·마음 등을) 쏟다: ~ one's face *towards* the light 얼굴을 불빛 쪽으로 돌리다 / ~ one's heart *on* …에 열중하다〔마음을 쏟다〕 / ~ one's affection *on* a person 아무에게 애정을 느끼다 / They ~ sail *for* America. 그들은 미국을 향하여 출범했다.

9 《+[목]+[전]+[명]/+[목]+*to* do》 (아무를) …에 종사시키다《*to*》; (아무에게) …시키다(impose, assign); 〖~ oneself〗 …하려고 노력하다: The boss ~ him *to* a work 〔*to* chopping wood〕. 주인은 그에게 일을 시켰다〔장작을 패게 했다〕 / She ~ her*self to* finish her work. 그녀는 자기 일을 마치려고 애썼다.

10 《+[목]+[보]/+[목]+[전]+[명]/+[목]+*-ing*》 …하게 하다, …상태로 하다: ~ a prisoner free 죄수를 풀어〔놓아〕 주다 / ~ a room *in* order 방을 치우다〔정돈하다〕 / ~ a question *at* rest 문제를 낙착시키다 / ~ a machine (*to*) go*ing* 〔*in* motion〕 기계를 작동하다 / That ~ me think*ing*. 그 일로 해서 나는 생각에 잠기게 됐다.

11 《~+[목]/+[목]+[전]+[명]/+[목]+[목]》 (때·장소 따위를) 정하다, 지정하다; (일·과제를) 과하다, 맡기다《*for*》: Let us ~ a place and a date (*for* a meeting). (회합) 장소와 날짜를 정합시다 / ~ one's course *to* the south 진로를 남으로 잡다 / Demand ~*s* a limit *to* production. 수요는 생산을 제한한다 / The chief ~ me a difficult task. =The chief ~ a difficult task *for* me. 과장은 나에게 어려운 일을 맡겼다.

12 《~+[목]/+[목]+[목]/+[목]+[전]+[명]》 형(型)을 정하다, (모범·유행 따위를) 보이다: ~ the pace (선두에서) 보조를 정하다; 모범을 보이다 / ~ a person an example =~ an example *to* a person 아무에게 모범을 보여 주다.

13 《~+[목]/+[목]+[전]+[명]》 (값을) 결정하다, 매기다; (가치를) 두다; 평가하다: The committee ~*s* the price. 위원회가 가격을 결정한다 / ~ a price *on* an article 상품의 값을 정하다 / ~ a high value *on* neatness 청결을 아주 중히 여기다 / He ~ the car *at* $600. 차 값을 600달러로 평가했다.

14 《+[목]+[전]+[명]》 갖다 대다, 접근시키다, 붙이다: ~ fire *to* a house = ~ a house *on* fire 집에 불을 지르다 / ~ a glass *to* one's lips 컵에 입술을 대다.

15 《~+[목]/+[목]+[부]/+[목]+[전]+[명]》 고정하다, 굳히다, 꽉 죄다; (머리를) 세트하다; (탈골된 뼈를) 맞춰 넣다, (부러진 뼈를) 잇다: ~ the white of an egg by boiling it 달걀을 삶아 흰자위를 굳히다 / ~ a dislocated 〔broken〕 bone 탈골된〔부러진〕 뼈를 정상으로 맞춰 넣다〔잇다〕 / ~ nuts well *up* 너트를 단단히 죄다 / The wheels are ~ *in* the mud. 바퀴가 진창에 박혀 움직이지 않는다 / She had her hair ~ *at* the beauty shop. 그녀는 미장원에서 머리를 세트했다. **16** ⟪~+목/+목+전+명⟫ (기계 따위를) 설치하다, 사용 가능한 상태로 하다, 조정하다: ~ one's camera lens *to* infinity 카메라 렌즈를 무한대에 맞추다. **17** (사냥개가 짐승의 위치를) 알리다: a dog ~*ting* a hare 토끼의 위치를 알리는 개. **18** ⟪+목+전+명⟫ (시계를) 맞추다; (눈금·다이얼 따위를) 맞추다; (자명종 따위를) …시에 울리게 맞춰 놓다: ~ one's watch *by* the time signal 라디오 시보에 시계를 맞추다/~ the alarm *for* six 자명종을 6시에 울리게 해 놓다. **19** ⟪~+목/+목+전+명⟫ (알을) 품게 하다, 부화기에 넣다: ~ a hen *on* eggs = ~ eggs *under* a hen 암탉에게 알을 품게 하다. **20** ⟪+목+전+명⟫ (무대·장면을) 장치[세트]하다: ~ a scene *in* Paris 파리를 무대로 하다. **21** (도장을) 찍다, 누르다. **22** ⟪+목+전+명⟫ …에 끼워 박다⟪*with*⟫: ~ a bracelet *with* pearls 팔찌에 진주를 박아 꾸미다/~ a diamond *in* gold 다이아몬드에 황금 거미발을 물리다. **23** ⟪~+목/+목+전+명⟫ (반죽을) 부풀리다; (우유 등을) 응고시키다: ~ milk *for* cheese 치즈를 만들기 위해 우유를 굳히다. **24** ⟪~+목/+목+부⟫ (활자를) 짜다; (원고를) 활자로 조판하다: ~ an article 논문을 활자로 조판하다/The copy is already ~ *up* in pages. 원고는 이미 조판되어 있다. **25** (날을) 갈다; (톱의) 날을 세우다: ~ (the teeth of) a saw 톱날을 세우다. **26** 〖컴퓨터〗 (어떤 비트(bit))에 값 1을 넣다.

— *vi.* **1** ⟪~/+전+명⟫ (해 따위가) 지다, 저물다: The sun has ~./The sun ~*s in* the west. 해는 서쪽으로 진다. **2** 기울다, 쇠하다. **3** 굳어지다, 엉겨 뭉치다, 응고하다: The jelly has ~. 젤리가 굳었다. **4** (표정 따위가) 굳어지다: His face has ~. **5** (머리가) 세트되다, 모양이 잡히다. **6** ⟪+부⟫ (옷이) 어울리다, 맞다: The coat ~*s well* [*badly*]. 코트가 잘[안] 어울린다. **7** ⟪+부/+전+명⟫ 종사하다, 착수하다⟪*about; to work*⟫; 움직이기 시작하다, 출발하다⟪*forth; out; off*⟫. **8** ⟪+전+명/+부⟫ (조수·바람 따위가) 흐르다, 불다: The wind ~*s to* [*from*] the north. 바람이 북쪽으로[에서 (남쪽으로)] 분다/The tide ~*s in* [*out*]. 조수가 들고[나가고] 있다. **9** ⟪+부⟫ 〖식물〗 열매를 맺다: The apple trees have ~ *well* this year. 금년은 사과가 잘 됐다. **10** ⟪+부/+전+명⟫ (암탉이) 알을 품다; (사냥개가) 멈춰서서 사냥물의 방향을 가리키다: This dog ~*s well*. 이 개는 사냥감을 잘 찾아낸다/A hen ~*s on* [*upon*] eggs. 암탉이 알을 품고 있다. **11** ⟪+보⟫ (날씨 따위가) 안정되다. **12** (춤 상대와) 마주 서게 되다: Now ~ to your partner! 자 서로 마주 서 주세요.

~ ***about*** ⟪*vi.*+전⟫ ① …에 착수하다; 꾀하다; …해 보다⟪*doing*⟫: We ~ *about* talking them into consent. 우리는 그들을 설득해서 동의케 하려고 했다. ② ⟪구어⟫ (무기·말 따위로) …을 공격하다. —⟪*vt.*+부⟫ ③ (소문 등을) 퍼뜨리다: ~ a rumor *about* 소문을 퍼뜨리다. ~ ***a case*** 가정하다. ~ ***against*** ⟪*vt.*+전⟫ ① (사물을) …와 비교하다, …에 어울리게[균형이 맞게] 하다; (…을) …에서 빼다: ~ gains *against* losses 이익을 손실과 상쇄하다. ② (아무를) …와 대립[대항]시키다: ~ oneself *against* the boss 상관과 대립하다. ③ …을 반대 방향으로 향하게 하다; (…을) 부추겨 공격하게 하다; …에 강경히 반대하다. —⟪*vi.*+전⟫ ④ …에 반대 움직임[동향]을 나타내다: The world is ~*ting against* racism. 세계는 인권 차별에 반대 움직임을 나타내고 있다. ~ ***apart*** ① (…을 위해) (따로) 떼어 두다(reserve)⟪*for*⟫: ~ *apart* some of one's salary *for* one's wedding 급료 중에서 얼마쯤을 결혼식을 위해 따로 떼어 두다. ② (다른 것과) …을 분리[구별]하다: He felt ~ *apart* from the other boys. 그는 다른 소년들로부터 따돌림 받고 있다고 느꼈다. ~ ***aside*** ① 곁에 두다; 챙겨 두다⟪*for*⟫. ② 무시하다; (요구 따위를) 거절하다; (적의·의례(儀禮) 따위를) 버리다; 〖법률〗 (판결 등을) 파기하다, 무효로 하다: Let's ~ *aside* all formality. 형식적인 일은 모두 집어치우자. ~ ***at*** …을 공격하다, 덮치다; (개를) …에 덤벼들게 하다. ~ ***at ease*** 안심시키다; 해결하다. ~ ***... at naught*** [***nothing***] …을 무시하다. ~ ***back*** ① (계획·발전 따위를) 방해하다, 저지하다, 좌절시키다. ② (시곗바늘 등을) 되돌리다; 〘흔히 수동태로〙 (행사 따위의) 일시[시각]을 늦추다: ~ *back* the clock one hour 시곗바늘을 한 시간 되돌려 놓다. ③ ⟪구어⟫ …에 비용을 들이다: This ~ me *back* a great deal of money. 이 때문에 많은 비용이 들었다. ④ 〘흔히 수동태〙 (집 등을) …에서 떨어져 위치시키다[세우다] ⟪*from*⟫: The house *was* ~ some distance *back from* the road. 그 집은 도로에서 조금 들어간 곳에 있었다. ~ ***before*** 앞에 늘어놓다, 제시하다; 차려 내다. ~ ***... beside ...*** ① (…을) …의 옆에 놓다[두다]. ② (…을) …와 비교하다: As a singer there's no one to ~ *beside* her. 가수로서 그녀와 비견될 만한 사람은 없다. ~ ***by*** 제쳐 놓다; 떼어 두다, 저축하다; 존중하다, (…을) 소중히 여기다. ~ ***down*** ⟪*vt.*+부⟫ ① …을 밑에 놓다⟪★ put down이 더 일반적임⟫; 〘~ oneself〙 (아무를) 앉히다, 앉게 하다: ~ one*self down* on the lawn 잔디에 앉아 휴식하다. ② ⟪영⟫ (승객 따위를) 내리게 하다: I'll ~ you *down* at the corner. 모퉁이에서 내려드리겠습니다. ③ (…을) 적어 두다; 인쇄하다. ④ (…을) …으로 여기다, 간주하다: We ~ him *down* as a liar. 우리는 그를 거짓말쟁이로 본다. ⑤ (원인 따위를) …의 탓으로 돌리다⟪*to*⟫: I ~ *down* your failure *to* idleness. 너의 실패는 태만의 탓이라고 나는 생각한다. ⑥ (규칙 따위를) 규정하다; (일시 따위를) 정하다; …라고 규정하다⟪*that*⟫. ⑦ (비행기를) 착륙시키다. —⟪*vi.*+부⟫ ⑧ (비행기가) 착륙하다. ~ ***fair*** 좋은 날씨가 계속될 듯한. ~ ***forth*** ⟪*vt.*+부⟫ ① (…을) (분명히 하다), (…을) …에게 설명하다, (의견 따위를) …에게 말하다⟪*to*⟫; 발표하다, 선언하다⟪*in*⟫: ~ *forth* one's theory *in* a scholarly report 학회지에 자기 이론을 설명[발표]하다. —⟪*vi.*+부⟫ ② 여행을 떠나다, 출발하다. ③ (이야기·설명을) 시작하다. ~ ***forward*** ⟪*vt.*+부⟫ ① (시계를) 빠르게 하다. ② (계획 따위를) 도와 이루게 하다; (사업 등을) 촉진하다. ③ (의견 등을) 제시하다, 제안[설명]하다. ④ (행사 따위의) 시일을 앞당기다. —⟪*vi.*+부⟫ ⑤ 출발하다. ~ ***in*** ⟪*vi.*+부⟫ ① (악천후·바람직하지 않은 상태가) 시작되다, 일어나다; (병·유행 따위가) 퍼지다; (밀물이) 들어오다; (바람이) 육지를 향해 불기 시작하다; (계절 등이) 시작되다: Spring has ~ *in*. 봄이 왔다/It ~ *in* to rain. 비가 내리기 시작했다. —⟪*vt.*+부⟫ ② (배를) 해안으로 향하게 하다. ③ 〘종종 수동태〙 …을 끼워 넣다, 끼우다; …을 꿰매 달다. ④ 무대 장치를 추가로 설치하다. ~ ***little*** [***light***] ***by*** …을 경시하다. ~ ***much*** [***store, a great deal***] ***by*** …을 크게 존중하다, 소중히 하다. ~ ***off*** ⟪*vi.*+부⟫ ① 출발하다, (여행을) 떠나다: ~ *off* on a journey 여행을 떠나다. ② …할 생각이다⟪*to* do⟫: I ~ *off to* make a doll by myself. 나는 혼자 인형을 만들 생각이다. ━《vt.+副》③ (폭탄·화약을) 폭발시키다; (로켓 따위를) 쏘아 올리다, 발사하다: ~ *off* fireworks 꽃불을 쏘아 올리다. ④ (기계·장치 등을) 가동〔시동〕시키다: ~ *off* a fire alarm 화재 경보기를 울리다. ⑤ (행동·감정 따위를) 일으키다, 유발하다: His jokes ~ everyone *off* laughing. 그의 조크는 모든 사람들을 웃겼다. ⑥ (대조에 의해) …을 돋보이게 하다, 강조하다. ⑦ 〖보통 수동태〗(…을) …으로 구별〔구분, 구획〕하다《*in; by*》. ⑧ (손실 따위를 이익으로) 상쇄하다, 메우다; 공제하다《*against; by*》: ~ *off* gains *against* losses 이익을 손실로 상쇄하다/He ~ *off* the loss *by* hard work. 그는 열심히 일해서 손실을 메웠다. **~ *on*** 《*vi.*+前》① …을 공격〔습격〕하다: He ~ *on* her with a knife. 그는 그녀에게 칼을 들고 공격했다. ━《*vt.*+副》② 부추겨〔선동하여〕…을 일으키다《*to*》; …하도록 부추기다〔선동하다〕《*to* do》: ~ a crew *on to* mutiny 승무원을 선동하여 반란을 일으키다. ③ …에게 뒤를 밟게 하다. ④ 《영》 고용하다. ━《*vt.*+前》⑤ (사람·동물을) 부추겨 …을 공격하게 하다. ⑥ (…에) 값을 매기다, (…에) 가치를 두다. **~ *out*** 《*vi.*+副》① (…을 향해) 출발하다《*on; for*》: ~ *out on* the return journey 귀로에 접어들다. ② (…하려고) 출발하다, 떠나다《do*ing*》: He ~ *out* seek*ing* India and found America. 그는 인도를 찾으러 떠나 미국을 발견했다. ③ …하기 시작하다, (…하는 일에) 착수하다; …하려고 시도하다《*to* do》: ~ *out to* improve one's living 생활 개선에 착수하다. ━《*vt.*+副》④ (생각·사실·이유 따위를) 순서 있게〔정연하게〕 설명하다, 말하다; …을 공표〔발표〕하다: ~ *out* one's idea 자기의 생각을 개진하다. ⑤ …을 설계〔입안〕하다, 디자인하다; 장식〔진열〕하다: ~ *out* books on a stall 책을 진열대에 전시하다/~ *out* a pattern 모양을 디자인하다. ⑥ (음식 따위를) 내놓다, (음식상을) 차리다. ⑦ (묘목 따위를) 일정 간격을 두고 심다〔이식하다〕. ⑧ 〖토목〗…의 위치를 측정하다. ⑨ 구획하다, 제한하다. ⑩ 두드러지게 하다, 강조하다. **~ *over*** ① …의 위에 놓다. ② 양도하다. ③ (아무)를 감독케 하다. ④ 《미속어》 죽이다. **~ one*self to*** …하고자 노력하다, 헌신적으로 …하다. **~ one's *wits to*** (another's) (아무)와 입씨름을 하다. **~ *the ax to*** …을 파괴하다; …을 폐지하다. **~*ting aside*** …은 차치하고. **~ *to*** 《*vi.*+前》① (일)에 착수하다, (일)을 시작하다: ~ *to* work 일을 시작하다. ② (스퀘어 댄스에서) 상대와 마주 서다: ~ *to* one's partner 상대와 마주 서다. ━《*vi.*+副》③ 진지하게〔본격적으로〕 하기 시작하다; (와작와작) 먹기 시작하다: As soon as the food was served, the men ~ *to*. 음식이 나오자마자 그 사내들은 와작와작 먹기 시작했다. ④ 싸움〔말다툼·토론〕을 시작하다: The two boys ~ *to* with their fists. 두 소년은 주먹다짐을 시작했다. ⑤ (흐름·바람 따위가) …으로 향하다, 불다, 흐르다; (의견 따위가) 기울다. **~ *up*** 《*vi.*+副》① (…로) 개업하다《*as*》: ~ *up as* a lawyer 변호사로 개업하다. ② (…라고) 주장〔공언〕하다, (…인 양) 뽐내다, 우쭐대다《*as; for*》: He ~ *up for* an authority. 그는 권위자인 양 우쭐댄다. ━《*vt.*+副》③ (기둥·동상 따위를) 세우다, (기·간판 따위를) 달다, 걸다: ~ *up* a pole 기둥을 세우다/~ *up* a sign 간판을 걸다. ④ (삼각대·테이블 따위를) 설치하다, 차려놓다; (천막을) 치다: ~ *up* a tent 천막을 치다. ⑤ (임시 막사 따위를) 세우다, (기계 따위를) 조립하다; (바리케이트를) 치다. ⑥ (시설·조직 따위를) 설립〔창설〕하다; (규칙 따위를) 제정하다; (사업 따위를) 시작하다: ~ *up* a hospital

〔school〕 병원을〔학교를〕 설립하다/~ *up* a bookshop 책방을 개업하다/~ *up* a rule 규칙을 만들다. ⑦ (기록 따위를) 수립하다: ~ *up* two world records in swimming 수영에서 두 개의 세계 기록을 세우다. ⑧ (아무에게 필요한 자금 따위를) 제공하다; (아무를 원조해서) 자립시키다〔장사를 시작케 하다〕: I ~ my son *up* in business. 나는 아들에게 사업을 시작하게 했다/He's well ~ *up*. 그에게는 충분한 자금이 제공되어 있다. ⑨ 〖~ oneself〗 …로 입신〔출세〕하다《*as*》: He ~ him*self up as* a composer. 그는 작곡가로 출세했다. ⑩ 소리를 지르다; (소동 따위를) 일으키다; (증상 따위가) 생기다: ~ *up* a protest 항의의 소리를 지르다/~ *up* inflammation 염증을 일으키다. ⑪ 《구어》 (휴가·식사 따위가) …를 기운나게 하다, (건강 따위를) 회복시키다. ⑫ (의견·생각 따위를) 제안〔제출〕하다; …을 면밀히 계획하다. ⑬ 〖~ oneself〗 …인 체하다, (자신을) …라고 주장하다《*as*》: ~ one*self up as* a great scholar 자신을 대학자라고 자인〔주장〕하다. ⑭ (단련 따위로 몸을) 튼튼히 하다: He's well ~ *up*. 그는 몸이 튼실하다. ⑮ (음식 따위를) 준비하다; 《미》 (술 따위를) 한턱내다《*to; for*》. ⑯ (범죄 따위를) 꾸미다, …의 준비를 갖추다; (아무를) 위험한 상황에 빠뜨리다. ⑰ 〖컴퓨터〗 (체계를) (어느 형태로) 설정하다. **~ *up against*** …에 대항하다〔시키다〕. **~ (one*self*) *up as* 〔*for, to be*〕 ...** 《구어》 …을 자처하다, …이라고 주장하다: Being ignorant, he ~*s up for* a critic. 아무것도 모르는 주제에 비평가를 자처한다. **~ *upon*** …에 덮쳐들다. ***well* ~ *up*** 몸이 충분히 발달한; 돈이 많이 있는; 매우 유복한.

━*n.* **1** Ⓤ 일몰, 해〔달〕의 짐; 그 시각: at ~ of sun 해질 녘에. **2** 한 벌, 한 조, 일습, 한 세트, 한 쌍; 일련(一聯); 〖우표 수집〗 세트《동시·일정 기간에 시리즈로 발매된 것》; 〖수학〗 집합; 〖컴퓨터〗 집합, 세트: a ~ of dishes 접시 한 세트/a tea ~ 다구(茶具) 한 벌/a complete ~ of Tolstoi 톨스토이 전집/a ~ of lectures 일련의 강의. **3** 한패(거리), 동아리, 사람들, 사회: a fine ~ of men 훌륭한 사람들/a literary ~ 문인 사회/the best ~ 상류 사회. **4** 한배의 알. **5** (라디오) 수신기, (TV) 수상기. **6** 모양(새), 체격, 자세; (옷 따위의) 맞음새, 입음새: the ~ *of* one's shoulders 어깨 모양. **7 a** (the ~, a ~) (바람·조류 따위의) 방향, 흐름; (여론의) 경향, 추세; (성격상의) 경향, 성향(性向), 성벽(性癖), 마음가짐: the ~ of the wind 풍향/the ~ of public opinion 여론의 동향/It depends on the ~ of your mind. 네 마음가짐 여하에 달렸다. **b** 기울기, 경사, 구부러짐, 휨: give a ~ to the right 오른쪽으로 약간 휘게 하다. **8** 응고: the ~ of the white of an egg 흰자의 응고. **9** 톱날; 톱날 세우는 연장. **10** 벽의 마무리칠. **11** 〖원예〗 꺾꽂이 나무, 묘목. **12** 〖인쇄〗 활자의 폭. **13** 〖광산〗 한 구(區), 한 구획; (갱의) 동바리. **14** 한 벌의 무자위; 〖포경〗 작살쏘기; 〖기계〗 단철(鍛鐵) 마무리 기구, 갈고리 달린 나사돌리개; 대갈못 형두기(形頭器), 펀치; 압력, 응압력; 〖토목〗 포석(鋪石), 까는 돌(sett). **15** 〖상업〗 세트빌, 복수 어음. **16** 〖연극·영화〗 무대 장치: an open ~ 야외 세트. **17** 《속어》 개인적인 대화; 담소; 토론. **18** 《미속어》 1회분의 마약《세코날 2정과 암페타민 1정》. **19** (재즈·댄스 음악 등의) 1회 연주 (시간)(에 연주되는 곡); 《속어》 =JAM SESSION; 〖경기〗 (테니스 등의) 세트: win the first ~ 첫째 세트를 이기다. **20** (머리의) 세트.

━*a.* **1** 고정된, 움직이지 않는: ~ eyes 응시하는 눈. **2** 결심한, 단호한; 제멋대로의, 억지 센, 완

고한《*in*》; (이를) 악문: a ~ mind 결심. **3** 정해진, 정규의, 규정의; 관습적인: a ~ meal 정식(定食) / ~ rules 정해진 규칙 / at the ~ time 규정된 시간에. **4** 준비가 된(ready): get ~ 준비를 갖추다 / Get ~! 〖경기〗 준비! ***all*** **~** 《구어》 준비가 되어, 준비 완료. ***in*** **~** ***terms*** 틀에 박힌 말로, 단호히. ***of*** 〔***on***〕 **~** ***purpose*** 뚜렷한 목적으로. **~** ***forms of prayer*** 틀에 박힌 기도. ***with*** **~** ***teeth*** 이를 악물고; 단단히 결심하고.

se·ta [síːtə] (*pl.* ***-tae*** [-tiː]) *n.* (동·식물의) 강모(剛毛), 가시. [파] **sé·tal** *a.* 강모의.

se·ta·ceous [sitéiʃəs] *a.* 강모와 같은; 강모가 난. [파] **~·ly** *ad.*

sét-asìde *n.* 《미》 〖군사〗 (식량 따위의) 사용 중지, 보류; 사용 중지량〔보류량〕.

sét báck 〖미식축구〗 세트백《쿼터백 뒤에 위치하는 오펜스 백》.

sét·bàck *n.* **1** (진행 따위의) 방해, 정지; 좌절, 차질. **2** 역류, 역수(逆水). **3** 〖건축〗 (고층 건물 상부의) 계단 모양의 후퇴 (부분). **4** 패배. **5** 《미속어》 가격. **6** 〖미식축구〗 세트백《전진을 방해하는 일》. ***receive a*** **~** 좌절하다.

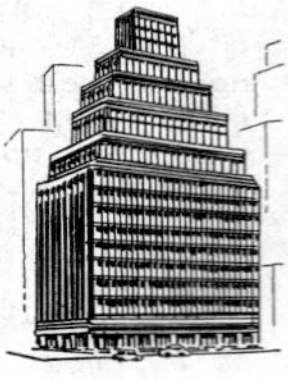

setback 3

sét chìsel (못·징 따위의) 대가리를 자르는 정〔끌〕.

sét·dòwn *n.* **1** 질책. **2** 욕지거리, 매도(罵倒). **3** (탈것의) 한 구간. **4** 편승(시키기).

sét gùn 세트건《방아쇠에 줄을 매 놓아, 그것을 건드리는 동물이나 사람을 쏘게 된 총》.

Seth[1] [seθ] *n.* **1** 세스《남자 이름》. **2** 〖성서〗 셋《Adam의 셋째 아들; 창세기 IV: 25》.

Seth[2] [seit] *n.* =SET.

SETI search for extraterrestrial intelligence (지구외(外) 문명 탐사 계획).

se·ti·form [síːtəfɔ̀ːrm] *a.* 〖생물〗 강모(剛毛) 같은〔모양의〕.

se·tig·er·ous [sətídʒərəs] *a.* 강모(剛毛)〔가시〕를 갖는〔가 생기는〕.

sét-ìn *n.* 개시; (계절 따위의) 찾아옴; 박아 넣기, 삽입한 것. **—** *a.* 어깨에서 꿰매어 붙이는《소매》; 끼워〔꿰매〕 넣는 식의: a ~ sleeve / a ~ bookcase.

sét·lìne *n.* 《미》 어업용(漁業用) 주낙류(trawl).

sét·òff *n.* **1** (여행의) 출발. **2** (대차의) 상계(相計), 에낌《*against; to*》; 〖법률〗 상계 청구. **3** 돋보이게 하는 것; 장식, 꾸밈. **4** 〖건축〗 벽단(壁段)(setback). **5** 〖인쇄〗 =OFFSET *n.* 4.

Se·ton [síːtn] *n.* 시튼. **1 Saint Elizabeth Ann (Barley)** ~ 미국의 교육가·사회 복지 개혁자·종교 지도자(1774–1821)《미국인으로서 처음으로 성렬(聖列)에 오름》. **2 Ernest Thompson** ~ 미국에서 활약한 영국 태생의 동물 소설가·삽화가《저술한 '동물기'는 유명함; 1860–1946》.

se·ton *n.* 〖의학〗 (예전에 외과에서) 사용했던 관선(串線)(법), 배액선(排液線).

se·tose [síːtous] *a.* 강모(剛毛)〔가시〕가 많은.

sét·òut *n.* **1** 개시, 출발(start). **2** [U,C] (특히 여행의) 준비, 채비; 몸차림. **3** (식기 등의) 한 벌; 상 차리기; 진열(display). **4** 《구어》 동아리, 패. ***at the first*** **~** 최초에.

sét pìece 1 (문예 따위의) 기성 형식(에 의한 구성); 전통적 수법의〔고심한〕 예술〔문학〕 작품. **2** 〖연극〗 (배경의) 독립된 무대 장치. **3** 특수 조작된 꽃불. **4** 군사〔외교〕 전략. **5** 《영》 〖축구〗 세트피스《프리킥·코너킥 따위》.

sét pòint 〖테니스〗 세트 포인트《그 세트의 승리를 결정하는 귀중한 득점》; 〖기계〗 (자동 제어의) 설정치(値), 목표치.

sét scène 〖연극〗 무대 장치; 〖영화〗 촬영용 장치.

sét·scrèw *n.* (톱니바퀴 등의) 멈춤나사; 스프링 조정 나사.

sét shòt 〖농구〗 세트 숏《선 위치에서 두 손으로 하는 숏; 자유투 따위》.

sét squàre 《영》 삼각자.

sett [set] *n.* **1** 포석(鋪石)(set). **2** (금속 가공용) 정.

set·tee [setíː] *n.* (등널이 있는) 긴 의자.

set·ter [sétər] *n.* **1** set 하는 사람〔물건〕; 상감자(象嵌者); 식자공; 작곡자. **2** 세터《사냥감을 발견하면 곧 서서 그 소재를 알리도록 훈련된 사냥개》; 〖배구〗 세터. **3** 교사자, 선동자; (사기꾼 등의) 한 동아리; (경찰의) 스파이, 밀고자. **4** (*pl.*) 여성.

setter 2

sét thèory 〖수학〗 집합론; 〖논리〗 집합 이론.

***set·ting** [sétiŋ] *n.* **1** 놓기, 붙박아〔자리잡아〕 두기, 고정시킴, 설치, 설정, (선로의) 부설. **2** 정하기, 지정; 과하기. **3** (해·달의) 지기: the ~ of the sun 일몰. **4** 경화(硬化), 응고, 응결(coagulation). **5** (머리의) 세트. **6** 환경, 주위(surroundings): the geographic ~ of Korea 한국의 지리적 환경. **7** (이야기 따위의) 배경, (소설·연극의) 장소와 때; (연극 따위의) (무대) 장치. **8** 〖교육〗 (특정 과목에서의) 능력별 그룹 편성. **9** (보석 따위의) 박아 끼우기, 상감(inlaying); 거미발, 상감물. **10** 〖인쇄〗 식자. **11** (기계·기구의) 조절 (방식〔눈금〕); (톱의) 날세우기. **12** 〖음악〗 (시 따위에 붙인) 곡, 작곡, 곡조 붙이기, 악보. **13** (조수의) 밀려듦; (바람의) 방향. **14** (식기 따위의) 한 벌; 《속어》 (새의) 한배에 깐 알. **15** 자리, 대(臺); 포상(砲床). **16** 〖원예〗 정식(定植), 아주심기. **17** (벽의) 마무리칠(~ coat). **18** 〖컴퓨터〗 설정.

sétting àgent 〖요업〗 유착제.

sétting bòard (곤충 표본용) 전시판(展翅板).

sétting lòtion 세트 로션《머리 세트용 화장수》.

sétting nèedle (곤충 표본용) 고정 핀.

sétting pòint 〖물리〗 (졸(sol)이 겔화(gel 化)하는) 응고점.

sétting rùle 〖인쇄〗 식자용 금속 자.

sétting stìck 〖인쇄〗 식자용 스틱.

sétting tìme (시멘트의) 응고 시간; (수지(樹脂)의) 경화 시간; 〖컴퓨터〗 정착 시간.

sétting-úp *n., a.* 조립(용의); 체력 단련(용의).

sétting-úp èxercises 유연(柔軟)〔맨손, 미용〕 체조(calisthenics).

****set·tle**[1] [sétl] *vt.* **1** (무엇을 어떤 위치에) 놓다, 두다(put), 안치〔설치〕하다, (움직이지 않게) 붙박다: ~ a gun 포를 설치하다 / ~ a camera on a tripod 카메라를 삼각대에 설치하다. **2** 《+[목]+[전]+[명]》 〖~ oneself〗 앉다, 자리잡다: ~ one*self in* an armchair 안락의자에 앉다. **3** 《+[목]+[전]+[명]》 (취직·결혼 따위로) 안정시키다, (직업을) 잡게 하다(establish): ~ one's son *in* business 아들에게 장사를 하게 하다. **4** 《+[목]+[전]+[명]》 (주거에) 자리 잡게 하다, 살게 하다, 정착〔거류〕시키다: ~ immigrants *in* rural areas 이민을 시골에 정착시키다 / sparsely ~*d* regions 인구가 희박한 지방. **5** 《~+[목] / +[목]+[전]+[명]》 …에 식민〔이주〕하다(colonize); (아무를) 식민〔이주〕시키다: Their grandparents ~*d* the land in 1856. 그들의 조상들은 1856년 그 땅에 이주하였다 / The Dutch were ~*d in* New York. 네덜란드인은 뉴욕에 이주했다. **6** (마음을) 진정시키다, (차분히) 가라앉히다(pacify): This drug will ~ your nerves. 이 약을 먹으면 신경이 안정될 것이다/A sharp word will ~ that boy. 한번 혼내 주면 저 애도 얌전해지겠지. **7** (부유물 따위를) 가라앉히다, 침전시키다: The rain will ~ that dust. 비가 오면 먼지가 일지 않을 테지. **8** (액체를) 맑게 하다(clarify); (지면을) 굳히다. **9** (동요를) 가라앉히다; (분쟁을) 수습하다, 조정하다: ~ a dispute 분쟁을 중재〔수습〕하다. **10** (문제·곤란 따위를) 결말짓다, 해결하다: ~ problems 문제를 해결하다/That ~*s* the matter 〔it〕! 《구어》 그것으로 일은 결정됐다. **11** 《~+목/+*wh. to* do/+*to* do》 (조건·시기·가격 따위를) 결정하다, 정하다(decide): ~ a date for the conference 회의 날짜를 정하다/~ a document 계약서·유언장 등의 형식·내용을 확정하다/Have you ~*d what to* do? 무엇을 하기로 결정했습니까/I have ~*d to* study law. 법률 공부를 하기로 결정했습니다. **12** 정리하다, 정돈하다, 처리〔처분〕하다: ~ one's affairs 용무를 처리하다, (유언 등으로) 사후의 일을 정리해 두다. **13** 《~+목/+목+부/+목+전+명》 (셈을) 청산〔지불〕하다, 가리다《*up*》: ~ (*up*) a bill 셈을 치르다/~ accounts *with* a person 아무에게 셈을 치르다, 아무와 셈을 청산하다/I have a debt to ~ *with* him. 그에게 갚아야 할 빚이 있다. **14** 《+목+전+명》 (연금 따위를) 설정하다, 주다; (권리 따위를) 양도하다; (유산 등을) 물려주다《*on, upon*》: He has ~*d* his estate *on* his son. 그는 아들에게 재산을 물려주었다. **15** (제도 등을) 확립하다: Custom is ~*d* by a long experience. 관습이란 오랜 경험에 의해 확립된다. **16** (소송을) 화해로 취하하다. **17** (상대방을) 해치우다, 침묵(沈默)시키다; 《속어》 투옥하다: One blow ~*d* him. 그는 한 방에 나가 떨어졌다. **18** (암컷)에 교배시키다.

— *vi.* **1** 《+부/+전+명》 (새 따위가) 앉다, 내려앉다; (비행기가) 착륙하다; (시선 따위가) 멈추다, 못박히다: ~ (*back*) *in* a chair 의자에 편히 (기대어) 앉다/My eyes ~*d on* a stranger in the company. 나의 눈길은 일행 중의 낯선 인물에 멎었다. **2** 《+전+명/+부》 자리잡다, 살다, 정착〔정주〕하다; 식민하다《*down*》: ~ (*down*) *in* London 런던에 정착하다. **3** 《+전+명》 안정하다; 마음을 붙이다; (…한 상태에) 빠지다《*into*》; (일 따위를) 하다, 익숙해지다《*down; to*》: ~ *into* sleep 잠에 빠지다/~ *to* …에 착수하다/I could ~ *to* nothing. 일이 손에 안 잡혔다. **4** 《+전+명》 결심하다, 결정하다; 동의(同意)하다《*on, upon; with*》: ~ *upon* a plan 방안을 정하다. **5** 《+부》 (사건·정세·마음 따위가) 가라앉다, 진정되다: The excitement has ~*d down*. 흥분이 가라앉았다. **6** (문제가) 해결되다; 처리되다, 결말나다. **7** 침전하다; (액체가) 맑아지다; (지면이) 굳어지다. **8** (토지 따위가) 내려〔주저〕앉다, 빠져들다; (배가) 가라앉다, 기울다: The car ~*d in* the soft ground. 자동차가 무른 땅에 빠져 버렸다. **9** 《+전+명》 청산하다, 지불하다: Will you ~ *for* me? 셈 좀 치러 주시오. **10** 《+전+명》 (안개 따위가) 내리다, 끼다; (침묵·우울 따위가) 엄습하다: Silence ~*d on* the lake. 호수면은 아주 잔잔했다.

~ *down* ① 편히 앉다: ~ *down in* a chair. ② 정주〔이주〕하다. ③ 안정하다: It is about time he ~*d down*. 그도 이제 자리가 잡혀야 할 때다. ④ (…을) 본격적으로 착수하다, 몰두하다《*to*》: I must ~ *down* and do my homework. 본격적으로 숙제를 해야겠다. ⑤ 진정되다, (기분이) 가라앉다. ⑥ 침전하다, 맑아지다. ⑦ 기울다. **~ *for*** 불만스럽지만 받아들이다, …으로 참고 수용하다, 할 수 없이 좋다고 하다. **~ *in*** 《*vi.*+부》 ① 이사해서 안정하다. ② 식민〔거류〕하다. ③ 집

에서 편히 쉬다. **—**《*vt.*+부》 ④ (새집 따위에) 자리잡게 하다. **~ *into shape*** 모양〔윤곽〕이 잡히다. **~ *on*** 〔***upon***〕 ① …으로 정하다; …에 동의하다. ② (재산 따위를) …에게 물려주다, 법에 따라 …의 종신 수익권을 주다. ③ (시선이) …에 멎다; (애정 따위가) …에게 기울다〔가다〕. ④ …에 내리다, (새가 나뭇가지에) 앉다. **~ *a person's business*** 아무를 해치우다, 처치하다. **~ *oneself*** 편히 앉다; 거처를 정하다; 자리 잡다, 안정시키다. **~ one*self down*** 마음을 정하고 착수하다. **~ *up*** ① 결말짓다. ② 지불하다. **~ *with*** ① …와 해결을 보다, …와 화해하다; …에게 보복하다, …을 처리하다. ② …에게 지불하다〔부채를 갚다〕.

set·tle[2] *n.* 등이 높은 긴 나무 의자《팔걸이가 있고 종종 좌석 밑이 물건 넣는 상자로 됨》.

settle[2]

sét·tled *a.* **1** 정해진, 일정한; 고정된, 변치 않는, 영속적인, 뿌리 깊은《슬픔 따위》; 자리잡은; 착실한, 차분한: a ~ conviction 확신/~ (fair) weather 계속되는 좋은 날씨/a ~ habit 확립된 습관. **2** 한곳에 정주하는; 거주민이 있는. **3** 처결된, 결말이 난; 청산된: a ~ account 청산된 셈; 결산 승인서. 파 **~·ly** *ad.* **~·ness** *n.*

‡**set·tle·ment** [sétlmənt] *n.* **1** Ⓤ 정착, 정주(定住); Ⓒ 정주지. **2** Ⓤ 이민, 식민(colonization); Ⓒ 개척지, 식민한 땅(colony). **3** Ⓒ 취락(聚落), 부락; 거류지, 조계(租界): fishing ~ 어촌. **4** Ⓤ (결혼·취직 등에 의한) 생활의 안정, 자리잡기, 일정한 직업을 갖기. **5** U,C (일·사무 따위의) 정리, 정돈. **6** U,C (사건 등의) 해결, (소송의) 화해: come to 〔reach〕 a ~ 화해하다/~ *of* a strike 스트라이크의 해결/effect a ~ out of court 화해〔사화〕하다. **7** U,C 청산, 결산; 지불. **8** Ⓤ 인보(隣保) 사업, (사회) 복지 사업《빈민굴의 개선을 꾀하는》; Ⓒ 인보관(=∠ **hòuse**). **9** Ⓤ (액체의) 침전(물); 침하, (바닥 따위의) 내려앉음. **10** Ⓤ 〖법률〗 (권리·재산 등의) 증여, 양도; 부동산 계승 처분; Ⓒ 증여 재산: make a ~ on …에게 재산을 증여하다. ***in ~ of*** …을 청산하여. ***the Act of Settlement*** 〖영국사〗 왕위 계승법〔령〕.

séttlement dày (거래소에서) 결산일, 결제일, 수도일(受渡日). 「사업원.

séttlement wòrker 인보 사업가, 사회 복지

***set·tler** [sétlər] *n.* **1** 이민, 개척자; (새 천지로의) 이주민. **2** 식민자, (식민지의) 정착자; 거류자. **3** 침전기〔통〕. **4** 해결사: a ~ of disputes 분쟁의 해결사. **5** 《속어》 (토론을) 끝장내는 것; (꼼짝 못하게 하는) 최후의 일격, (사건·논의 등의) 결정타.

set·tling [sétliŋ] *n.* **1** 고정, 붙박아 안정시킴. **2** 맑아짐; 침전; (*pl.*) 침전물, 찌끼, 앙금. **3** 결정; 해결; 청산, 결산. **4** 식민, 이주. **5** (바닥 따위의) 내려앉음.

séttling dày 《영》 (증권의) 청산일, 결산일.

séttling rèservoir 침전지(沈澱池).

séttling tànk 침전 탱크.

set·tlor [sétlər] *n.* 〖법률〗 재산 양도자.

sét-tò (*pl.* **~s**) *n.* 《구어》 서로 치고 때리기; 권투 경기; 격론.

sét-tòp bòx 셋톱 박스《텔레비전 위에 올려놓을 만한 소형 보조 장치; 스크램블을 해제하거나 이용자의 요구를 시스템에 전하거나 함》.

sét·ùp *n.* **1** Ⓤ 조직의 편제, 구성; (기계 등의) 조립; 조직, 기구; (실험 등의) 장치, 설비. **2** 《미》

자세, 몸가짐, 거동; 입장. **3** 무대 장치의 최종적 설정; 〖영화〗 (카메라·마이크·배우 따위의) 배치, 위치; (the ~) (정위치에서 찍는) 한 신(scene)의 필름 길이(footage). **4** 《미구어》 손쉽게 할 수 있는 일; 간단히 속여 넘길 수 있는 사람. **5** (보통 *pl.*) (술에 필요한) 소다수·얼음·잔 등의 일습; (실내의) 가구, 집기. **6** 《미구어》 짬짜미 경기; (승산 없는 경기에 나가는) 권투 선수. **7** 〖정치〗 관행, 관습. **8** 계획. **9** 〖컴퓨터〗 세트업.

sét-ùp *a.* 체격이 좋은; 《속어》 기운찬.

Seu·rat [sərɑ́ː/ˊ-; *F.* søʀa] *n.* **Georges** ~ 쇠라《신인상주의를 창시한 프랑스 화가; 점묘 화법으로 유명; 1859-91》.

†**sev·en** [sévən] *a.* 일곱의, 일곱 개〔사람〕의; 일곱 살인: the ~ chief 〔principal〕 virtues = the CARDINAL VIRTUES. ***the Seven Hills of Rome*** 로마의 일곱 언덕《고대 로마가 일곱 언덕 위 및 그 주변에 건설되어, Rome이 the City of Seven Hills이라 불림》. **—** *n.* **1** 일곱, 7, 일곱 개〔사람〕; 일곱 살, 일곱 시. **2** 기호의 7; (카드의) 7. **3** (the S-) 《구어》 유럽의 자유 무역권(圈). ***seventy times*** ~ 〖성서〗 몇 차례이고, 일곱 번을 일흔 번 할 때까지《마태복음 XVIII: 22》.

séven déadly síns ⇨ DEADLY.

7-Eléven *n.* 세븐일레븐《미국의 24시간 영업의 연쇄 편의점; 상표명》.

séven·fòld *a., ad.* 일곱 부분으로 되는; 일곱 배의〔로〕; 일곱 겹〔접이〕인〔으로〕. ㊞ **~·ed** [-id] *a.* 7부(部)로 된.

séven-league bóots (the ~) 옛이야기 *Hop-o'-my-Thumb*에 나오는 한 걸음에 7리그《약 21마일》 갈 수 있다는 구두.

Séven Sàges (the ~) (옛 그리스의) 일곱 현인.

séven séas (the ~, 종종 the S- S-) 7대양《남북 태평양·남북 대서양·인도양·남북 빙양(氷洋)》.

Séven Sísters 1 (the ~) 〖천문〗 묘수(昴宿) 칠성(Pleiades), 좀생이. **2** 7대 석유 회사《Exxon, Mobil, Texaco, Standard Oil of California, Gulf, British Petroleum, Royal Dutch Shell》.

Séven Stárs = SEVEN SISTERS 1.

†**sev·en·teen** [sévəntíːn] *a.* 열일곱의, 17의, 열일곱 개〔사람〕의; 열일곱 살인. **—** *n.* 열일곱, 17, 열일곱 개〔사람〕; 열일곱 살: *sweet* ~ 방년 17세, 묘령.

⁑**sev·en·teenth** [sévəntíːnθ] *a.* 제17의, 열일곱(번)째의; 17분의 1의. **—** *n.* 제17; 17분의 1(a ~ part); (달의) 17일.

sevéntéen-year lócust 〖곤충〗 17년매미《미국산; 17년 만에 성충이 됨》.

†**sev·enth** [sévənθ] *a.* **1** (보통 the ~) 제7의, 일곱(번)째의. **2** 7분의 1의. **—** *n.* **1** 제7, 일곱 번째, (달의) 7일. **2** 7분의 1. **3** 〖음악〗 7도(음정); 제7음. ***in the ~ heaven*** ⇨ SEVENTH HEAVEN. ㊞ **~·ly** *ad.* 일곱 (번)째로.

Séventh dày 주(週)의 제7일《유대교에서는 토요일이 안식일》; 토요일《퀘이커 교도의 용어》.

séventh-dày *a.* 주(週)의 제7일인 토요일의; (보통 Seventh-Day) 토요일을 안식일로 하는.

Séventh-Day Ádventist (the ~s) 제7일 안식일 재림파(의 신도).

séventh héaven (the ~) 제7천국《신과 천사가 사는 최상천(最上天)》, 하늘나라; 최고의 행복. ***in the*** ~ 그지없는 환희〔행복〕 속에; 미칠 듯이 기뻐하여〔황홀하여〕. ***the ~ of delight*** 기쁨의 절정〔극치〕.

***sev·en·ti·eth** [sévəntiiθ] *a.* **1** (보통 the ~) 제70의, 일흔 번째의. **2** 70분의 1의. **—** *n.* 제70, 일흔째; 70분의 1.

†**sev·en·ty** [sévənti] *a.* 70의. **—** *n.* 70, 일흔; 일흔 살: the *seventies* (세기의) 70년대 / one's *seventies* (연령의) 70대.

séventy-éight, 78 *n.* 《구어》 78회전 레코드판.

séventy-fíve *n.* 75; 〖군사〗 75밀리포《특히 제1차 세계 대전 때 쓴 프랑스군·미군의 75밀리 야포》. **—** *a.* 75의.

séven-ùp *n.* 2-4명이 하는 카드놀이의 일종 (all fours).

Séven Wónders of the Wórld (the ~) 세계 7대 불가사의《고대의 일곱 개의 대건축물 및 예술 작품: Egypt의 pyramids, Alexandria의 Pharos 등대, Babylon의 Hanging Gardens, Ephesus의 Artemis 신전, Olympia의 Zeus 상(像), Halicarnassus의 마우솔로스 능묘(Mausoleum), Rhodes의 Colossus》.

séven-year ítch 《구어》 〖의학〗 옴; 《우스개》 (the ~) (결혼 7년째의) 바람기, 권태.

◇**sev·er** [sévər] *vt.* **1** 《~+목/+목+전+명》 절단하다, 끊다《*from*》: ~ a rope 로프를 끊다 / ~ a bough *from* the trunk 줄기에서 가지를 잘라내다. **2** 《~+목/+목+전+명》 떼다, 가르다: The world was ~*ed into* two blocs. 세계는 두 진영으로 갈려 있었다. SYN. ⇨ SEPARATE. **3** 《+목+전+명》 …의 사이를 떼다, 이간시키다《A *and* B, A *from* B》: ~ wife *from* husband 처를 남편에게서 갈라 놓다. **4** 〖법률〗 (공유·심리를) 분리하다: ~ an estate 재산을 분리하다. **—** *vi.* 떨어지다; 갈라지다; 끊어지다. **~ *one's connections with*** …와 관계를 끊다. **~ *oneself from*** …에서 갈라지다, 몸을 빼다.

sev·er·a·ble [sévərəbəl] *a.* 절단할 수 있는; 〖법률〗 (계약 따위가) 분리할 수 있는, 가분(可分)의. ㊞ **sèv·er·a·bíl·i·ty** *n.*

†**sev·er·al** [sévərəl] *a.* **1** 몇몇의, 몇 개의; 몇 사람〔명〕의; 몇 번의: I have been there ~ times. 몇 번인가 거기 가 본 적이 있다. ★ 보통 대여섯 정도를 말하며, a few보다 많고 many보다는 적은 일정치 않은 수를 가리킴. **2** 각각〔각자〕의, 각기의; 여러 가지의; 따로따로의: each 〔every〕 ~ 각자〔각개〕의 / Each has his ~ ideal. 사람은 각기 이상이 있다 / *Several* men, ~ minds. 《속담》 각인각색. **3** 〖법률〗 개별〔단독〕의: a ~ estate 개별 재산 / ~ fishery 단독 어업권. ***go one's ~ ways*** 흩어져 가다. ***in ~ minds*** 갈피를 못 잡고. ***joint and*** ~ 〖법률〗 연대(連帶)의: a *joint and* ~ liability 〔responsibility〕 연대 및 단독 채무〔책임〕.
— *pron.* 몇몇, 몇 개; 몇 사람; 몇 마리: I have ~. 몇 개 가지고 있다 / *Several* (of them) were absent. (그들 중) 몇 사람은 결석이었다 / I have heard it from ~. 몇 사람에게서 그것을 들었다 / in ~ 《고어》 따로따로.
㊞ **~·fòld** *a., ad.* 몇 겹의〔으로〕, 몇 배의〔로〕. **~·ly** *ad.* 《고어》 각개〔각자〕에.

sev·er·al·ty [sévərəlti] *n.* Ⓤ 개별성, 독자성, 각자, 각각, 따로따로임; 〖법률〗 단독 보유(지): estate in ~ 단독 보유 물권(物權).

sev·er·ance [sévərəns] *n.* Ⓤ 절단, 끊음, 단절; 〖법률〗 분리; 격리; 해직, (고용의) 계약 해제.

séverance pày 해직〔퇴직〕 수당.

séverance tàx 《미》 주외(州外) 소비세《타주에서 소비되는 석유·가스·광물 등의 채수(採收)자에게 과하는 주세(州稅)》.

⁑**se·vere** [səvíər] (***se·ver·er; -est***) *a.* **1** 엄한, 호된, 모진; 엄격한(rigorous), 용서 없는, 통렬한, (벌 따위가) 가혹한(harsh): be ~ *on* 〔*upon*〕 …에 용서 없다, …에 모질게 대하다 / a ~ punishment 엄벌 / ~ criticism 혹평 / He is ~ *with* his children. 그는 아이들에게 엄하다.

SYN. **severe** 엄함을 보이는 가장 일반적인 말. **stern** 타협을 허락지 않는 엄격함이 태도·표정·말 등에 외면적인 딱딱함으로 나타나 있음. **austere** 엄격함이 꾸밈을 허락지 않는 간소함으로 나타나 있음. **harsh** soft의 반의어로 상대에게 주는 거칠고 사나운 느낌, 신랄성에 중점을 둠.

2 (아픔·폭풍 따위가) 맹렬한, 격심한, (병세가) 심한, 위중한(grave): a ~ ache 격심한 아픔 / a ~ illness 중한 병 / ~ heat 혹서(酷暑) / a ~ winter 엄동(嚴冬). **3** (일·시험 따위가) 힘드는, 어려운. **4** 엄밀한; 엄정한(exact): ~ logic 엄밀한 논리. **5** 엄숙한; 수수한(plain); 간결한(terse), 꾸밈없는: a ~ look 엄숙한 표정 / a ~ style 간결한 문체.

sevére combíned immúne deficiency 〔**immunodefíciency**〕 〖병리〗 중증 복합형 면역 부전증《세포성 및 체액성 면역의 양쪽이 결손되어 여러 질환에 대한 감염성이 증가하여 정상적인 환경 속에서는 살 수 없는 드문 선천성 이상; 생략: SCID》.

***se·vere·ly** [səvíərli] *ad.* 호되게; 격심하게; 엄격하게; 간소하게: be ~ ill 중병이다 / leave 〔let〕 ... ~ alone …을 일부러 피하다, 경원하다.

°**se·ver·i·ty** [səvérəti] *n.* Ⓤ **1** 엄격(rigor), 가혹(harshness); 엄중; 격렬함; 통렬함. **2** (일·시험 등의) 고통, 쓰라림. **3** 간소, 수수함(plainness); (*pl.*) 가혹한 처사.

Sev·ern [sévərn] *n.* (the ~) 세번 강《웨일스 중부로부터 잉글랜드 서부를 거쳐 Bristol 만으로 흐르는 강》.

Se·ville [səvíl] *n.* 세비야《스페인 남서부의 도시》(《Sp.》 =**Se·vil·la** [*Sp.* seβíʎa]).

Sè·vres [sévrə/séivrə; *F* sɛːvʀ] *n.* 《F.》 **1** 세브르《프랑스의 Seine 강가의 마을》. **2** 세브르 자기(=∠ **wàre**)《고급 자기》.

****sew** [sou] (***sewed; sewed, sewn*** [soun]) *vt.* **1** 《~+목/+목+부/+목+전+명》 꿰매다, 깁다; 꿰매어 붙이다〔달다〕, 박다: ~ a buttonhole 단춧구멍을 사뜨다 / ~ pieces of cloth *together* 헝겊 조각을 꿰매어 붙이다 / ~ a button *on* a coat 저고리에 단추를 달다. **2** 〖제본〗 (책을) 매다, 철하다. **—** *vi.* 바느질하다; 재봉틀로 박다. **~ *A in* 〔*into*〕 *B*,** A를 B에 넣고 꿰매다. **~ *down*** (호주머니·되접은 곳 따위를) 완전히 꿰매어 붙이다. **~ *up*** ① 꿰매어 잇다; 기워서 막다; (상처를) 꿰매다; 속에 넣고 꿰매다《*in; inside*》. ② 〔주로 수동태〕 《영구어》 취하게 하다; 기진맥진하게 하다; 《속어》 속이다; 《속어》 막히게 하다. ③ 《미》 지배권을 쥐다, 독점하다; 《구어》(배우 등과) 독점 계약하다, (…의 지지를〔협력을〕) 확보하다. ④ 〔보통 수동태〕 《구어》 (거래·계약을) 잘 마무리짓다, …로 잘 귀결〔결말〕짓다. ㊎ **∠·a·ble** *a.* **∼·a·bíl·i·ty** *n.*

sew·age [súːidʒ] *n.* Ⓤ 하수 오물, 오수(汚水): raw 〔untreated〕 ~ 미처리 하수. **—** *vt.* …에 하수 거름을 주다.

séwage dispòsal 하수 처리: a ~ plant.

séwage ejèctor 하수 배출 장치.

séwage fàrm 하수 관개(灌漑) 이용 농장; 《영》 하수처리장(=《미》 **séwage plànt**).

séwage wòrks 하수 처리장〔시설〕.

se·wan [síːwən] *n.* =WAMPUM.

°**sew·er**[1] [sóuər] *n.* 바느질하는〔꿰매는〕 사람, 재봉사, 재봉틀.

sew·er[2] [súːər/sjúː(ː)ə] *n.* 하수구(下水溝), 하수도; 〖해부〗 배설 구멍; 《미속어》 정맥, 동맥. **—** *vt., vi.* 하수 설비를 하다, 하수구를 설치하다.

sew·er[3] *n.* 〖역사〗 (중세 유럽의) 급사장, 상 보는 일을 맡은 시중꾼.

sew·er·age [súːəridʒ/sjúː(ː)ə-] *n.* 하수도; Ⓤ 하수 처리, 하수 시설〔공사〕; 하수, 오수(sewage); (하수 설비에 의한) 하수의 배출; 더러운 생각〔말〕.

séwer gàs [súːər-/sjúː(ː)ə-] 하수에서 발생하는 가스《메탄가스·이산화탄소를 포함하는》.

séwer ràt [súːər-/sjúː(ː)ə-] 〖동물〗 시궁쥐.

***sew·ing** [sóuiŋ] *n.* Ⓤ 재봉(裁縫); 재봉업; 바느질; 봉제(縫製); 〔집합적〕 바느질감; (*pl.*) 바느질실(=∠ **thrèad**). **—** *a.* 재봉(용)의: a ~ basket 반짇고리.

séwing cìrcle 바느질 봉사단, 자선 재봉회.

séwing còtton (무명의) 재봉실.

séwing machìne 재봉틀《재봉·제본용 따위》: a hand 〔an electric〕 ~ 수동〔전동〕 미싱.

sewn [soun] SEW의 과거분사.

****sex** [seks] *n.* **1** Ⓤ 성(性), 성별, 남녀별: a member of the opposite 〔same〕 ~ 이성〔동성〕인 사람 / the two ~*es* 남녀 / members of either ~ 남녀 회원 / without ~ 무성(無性)의 / without distinction of race, age or ~ 인종 남녀 노소의 구별 없이. **2** 〔집합적〕 남성, 여성; (the ~) 《우스개》 여성, 여자(women); (*pl.*) 양성: the equality of the ~*es* 남녀평등 / the fair 〔female, gentle, softer, weaker〕 ~ 〔집합적〕 여성 / the rough 〔stronger, sterner, male〕 ~ 〔집합적〕 남성. **3** Ⓤ 성욕; 《구어》 성교, 성행위; Ⓒ 성기: have ~ with ... 《구어》 …와 성교하다. ◇ sexual *a.*

— *a.* 《구어》 성의, 성에 관한, 성적인: ~ education 〔instruction〕 성교육 / ~ impulse 〔instinct〕 성적 충동〔본능〕 / ~ discrimination 성차별.

— *vt.* **1** (병아리의) 암수를 감별하다. **2** 《~+목+부》 …의 성욕을 돋우다, 성적으로 흥분시키다; 성적 매력을 늘리다, 섹시하게 하다《*up*》. **~ *it up*** 격렬하게 애무하다. 「결합사.

sex- [séks], **sex·i-** [séksə] '여섯, 6'의 뜻의

séx abùse =SEXUAL ABUSE.

sex·a·ge·nar·i·an [sèksədʒənέəriən] *a., n.* 60세〔대〕의 (사람).

sex·ag·e·nary [səksǽdʒənèri/-nəri] *a.* 예순의, 60의; 60을 단위로 하는; =SEXAGENARIAN. **—** *n.* =SEXAGESIMAL; =SEXAGENARIAN.

Sex·a·ges·i·ma [sèksədʒésəmə] *n.* 〖기독교〗 사순절 전의 제2일요일(=∠ **Súnday**).

sex·a·ges·i·mal [sèksədʒésəməl] *a.* 예순〔60〕의; 60을 단위로 하는, 60진법(進法)의. **—** *n.* 60분수(分數). ㊎ **~·ly** *ad.*

séx·àngle *n.* 〖수학〗 6각형. ㊎ **sèx·ángular** *a.* 6각(형)의.

séx appèal 성적 매력; 〔일반적〕 매력.

séx attràctant 〖동물〗 성(性)유인 물질.

séx-blínd *a.* 성별에 차별 두지〔영향 받지〕 않는.

séx bòmb 《속어》=SEXPOT.

séx cèll 〖생물〗 생식세포(gamete).

sèx·centénary *a.* 600의; 600(주)년의; 600년제(祭)의. **—** *n.* 600년제(祭). cf. centenary.

séx chànge (수술에 의한) 성전환.

séx chròmatin 성염색질(性染色質).

séx chròmosome 〖생물〗 성염색체.

séx clìnic 성(문제) 상담실〔진료소〕.

sex·cur·sion [sekskə́ːrʒən, -ʃən/-ʃən] *n.* (남자의) 섹스를 노린 여행, 섹스 투어. 「◂ *sex*+*excursion*」 「의 결정.

séx determinàtion (수태(受胎)할 때의) 성

sex·dig·i·tate [sèksdídʒətèit] *a.* 육손의.

séx drive (the ~) 성적 충동, 성욕, 성적 욕구.

sexed [-t] *a.* 자웅을 감별한; 유성(有性)의; 성

적 매력〔성욕〕이 있는: a ~ chicken 감별 병아리 / highly ~ 성욕이 강한.
sex·en·ni·al [sekséniəl] *a.* 6년 계속하는; 6년마다의, 6년에 한 번의. — *n.* 6년제(祭). [파] ~·**ly** *ad.* 「성의 식물〔꽃〕.
séx·fòil *n.* 〖건축〗 육엽(六葉) 장식; 〖식물〗 6엽
séx glànd 〖동물〗 생식선(gonad).
séx gòddess 성적 매력이 넘치는 여자.
séx hòrmone 〖생화학〗 성호르몬.
séx hỳgiene 성위생(衛生)(학)《성교의 빈도·방법 등의 연구》.
sexi- ⇨SEX-.
sèxi·décimal *a.* 16진법의.
sex·il·lion [seksíljən] *n.* =SEXTILLION.
séx-inclùsive *a.* 성(性)의 포괄적인《말 따위》.
séx ìndustry (the ~) 섹스 산업.
séx·ism *n.* [U] (보통 여성에 대한) 성차별(주의); 성차별 (사상); 성차별주의적인 태도〔행위〕. [파] **séx·ist** *a., n.* 여성 차별주의의; 성차별주의자.
sex·i·va·lent [sèksəvéilənt] *a.* 〖화학〗 6가(價)의. 「은 여자.
séx kìtten 《구어·우스개》 성적 매력이 있는 젊
séx·less *a.* **1** 성별이 없는, 무성의. **2** 성적 감정이 없는, 성에 냉담한. [파] ~·**ly** *ad.* ~·**ness** *n.*
séx lìfe 성생활. 「전·염색체》.
séx-lìmited [-id] *a.* 〖유전〗 한성(限性)의《유
séx-lìnkage *n.* [U] 〖유전〗 반성(伴性) (유전).
séx-lìnked [-t] *a.* 〖유전〗 반성의《치사(致死)·유전》; (형질이) 성염색체 내에 있는 유전자에 의
séx mànìac 색정광, 색골. ⌊해 결정되는.
séx òbject 성적 대상(이 되는 사람).
séx offènder 성범죄자.
sex·ol·o·gy [seksálədʒi/-sɔ́l-] *n.* [U] 성과학(性科學), 성학(性學). [파] **-gist** *n.* **sex·o·log·i·cal** [sèksəládʒikəl/ -lɔ́dʒ-] *a.*
séx òrgan 성기(sexual organ).
sex·par·tite [sekspáːrtait] *a.* 여섯으로 나뉜〔갈라진〕; 〖식물〗 (잎이) 육심렬(六深裂)의.
sex·pert [sékspəːrt] *n.* 《속어》 성문제 전문가. [◂ *sex*+*expert*]
sex·ploi·ta·tion [sèksplɔitéiʃən] *n.* [U] 성을 이용하는 일; 성(性)영화 제작; 성적(性的) 착취.
sex·ploit·er [séksplɔ̀itər] *n.* 《구어》 성을 내세운 영화, 포르노 영화.
séx·pòt *n.* 《구어》 성적 매력이 넘치는 여자.
séx ràtio 성비(性比)《여성 100에 대한 남성의 인구 비례》.
séx ròle 성적 분업〔역할〕《한쪽 성에 적합하고, 딴 성에 부적합한 작업·역할 등을 분담하는 것》.
séx shòp 포르노 숍, 성인의 성적인 장난감 가게《포르노 잡지·에로 사진·최음제·성구(性具) 등을 파는 가게》.
séx sỳmbol 성적 매력으로 유명한 사람.
sext [sekst] *n.* 〖기독교〗 제6시〔정오〕에 올리는 의식, 육시과(六時課); 〖음악〗 6도 음정.
sex·tain [sékstein] *n.* 〖운율〗 =SESTINA.
sex·tan [sékstən] *a.* 육일열(六日熱)의; 엿새(째)마다 일어나는《실제로는 닷새째》. — *n.* 〖의학〗 육일열.
Sex·tans [sékstənz] *n.* 〖천문〗 육분의(六分儀)자리(the Sextant)《별자리》.
sex·tant [sékstənt] *n.* 육분의(六分儀); 원(圓)의 1/6; (the S-) 〖천문〗 =SEXTANS.
séx tèst =FEMININITY TEST.
sex·tet(te) [sekstét] *n.* 〖음악〗 6중창(단), 6중주(단); 여섯 개 한 벌, 6인조.
séx thèrapy (심리적) 성적 장애 치료. [파] **séx thèrapist**
sex·tile [sékstil, -tàil/-tàil] *a.* 〖천문〗 서로 60도 떨어진. — *n.* 서로 60도 떨어진 두 행성의 위치〔모양〕; 〖통계〗 6분위수(數).
sex·til·lion [sekstíljən] *n., a.* 섹스틸리언(의)《《미·프》 10^{21}; 《영·독》 10^{36}》.
sex·to [sékstou] (*pl.* ~**s**) *n.* =SIXMO.
sex·to·dec·i·mo [sèkstoudésəmòu] (*pl.* ~**s**) *n.* =SIXTEENMO.
sex·ton [sékstən] *n.* 교회의 머슴〔관리인〕.
sex·tu·ple [sekstjúːpəl, sékstjə-/sékstjə-] *a.* 6배〔곱〕의; 6부분으로 된, 6겹의; 〖음악〗 6박자의. — *n.* 6배〔곱〕(의 것). — *vt., vi.* 6배하다〔가 되다〕; 6겹으로 하다〔이 되다〕. [cf.] quad-ruple.
sex·tu·plet [sekstʌ́plit, -tjúː-, sékstjə-/ sékstjə-] *n.* 여섯 쌍둥이 중의 하나; 여섯 개 한 벌〔조〕.
sex·tu·pli·cate [sekstjúːplikət, -tʌ́p-] *a.* 6통 작성한 (문서), 6통째의, 6배의. — *n.* (문서의) 6매 복사, 6개 중 하나, (문서의) 6매 복사 중 1매. — [sekstjúːpləkèit, -tʌ́p-] *vt.* (문서를) 동시에 6통 작성하다, 6배하다.
sex·tus [sékstəs] *a.* 《영》 여섯 번째의《이름이 같은 아동을 구별하기 위해 붙임》.
séx·tỳping *n.* 성적(性的) 분업 할당〔분업화〕.
****sex·u·al** [sékʃuəl] *a.* 성(性)의; 성적인; 〖생물〗 유성(有性)의, 자웅의: ~ advances 성적 유혹〔요구〕/ ~ appetite 성욕 / ~ disease 성병 / ~ organs 성기, 생식기 / ~ reproduction 〖생물〗 유성 생식 / ~ selection 〖생물〗 자웅 선택〔도태(淘汰)〕《Darwin설(說)의》/ ~ system 〔method〕 〖생물〗 자웅 분류법. [파] ~·**ly** *ad.* 성적으로; 유성적으로. 「abuse).
séxual abúse 성폭행, 성적 겁탈〔박해〕(sex
séxual assáult (여성에 대한) 성폭행, 강간
séxual deviátion =PARAPHILIA. ⌊(rape).
séxual discriminátion 성차별.
séxual generàtion 〖생물〗 유성(有性) 세대.
séxual haràssment 성희롱(性戲弄).
séxual íntercourse 성교(coitus).
sex·u·al·i·ty [sèkʃuǽləti] *n.* [U] 성별, 유성; 성적임; (특히 지나친) 성행위〔성욕〕, 성적 관심.
séx·u·al·ìze *vt.* …에 남녀〔암수〕의 구별을 짓다, …에 성적 특색〔능력〕을 부여하다; …에 성감(性感)을 주다.
séxually transmítted disèase 성행위를 매개로 하는 병, 성병《생략: STD》.
séxual moléster 치한(癡漢).
séxual orientátion 〔**préference**〕 성적(性的) 지향《동성애적 지향, 이성애적 지향 따위》.
séxual pólitics 성의 정치학《남녀 양성 간의 질서·지배 관계》.
séxual relátions 성교, 교접(coitus). 「《따위》.
séx wòrker 성을 파는 사람, 매춘부, 스티립퍼
sexy [séksi] (***sex·i·er; -i·est***) *a.* 성적 매력이 있는, 섹시한; 《널리》 매력적인, 남의 눈을 끄는; 《군대속어》 고성능의《신형기(新型機)》. [파] **séx·i·ly** *ad.* 섹시하게. **séx·i·ness** *n.*
Sey·chelles [seiʃél, -ʃélz] *n. pl.* (the ~) 세이셸《인도양 서부의 92개 섬으로 된 공화국》.
Séy·fert gàlaxy [sáifərt-] 〖천문〗 시퍼트 은하《중심핵(核)이 밝은 한 무리의 소우주》.
Sey·mour [síːmɔːr] *n.* 시모《남자 이름》.
sez [sez] 〖발음철자〗 says. ***Sez you*** 〔***he***〕 ***!*** 《구어》 말씀은 그러하나 어떨는지요, 글쎄요, 설마.
SF, S.F., sf science fiction. **SF, sf** 〖야구〗 sacrifice fly. **S.F.** sinking fund; Sinn Fein. **sf, sf.** 〖음악〗 sforzando. **S.F.A.** Scottish Football Association(스코틀랜드 축구 협회).
Sfc. sergeant first class.
sfer·ics [sfíəriks, sfér-/sfér-] *n. pl.* 〖단수취급〗 공전(空電)(atmospherics); 〖단·복수취급〗

〖기상〗 전자적 공전〔태풍〕 관측(장치).

SFO Serious Fraud Office; 〖공항 코드〗 San Francisco 국제공항.

sfor·zan·do, -za·to [sfɔːrtsáːndou], [-tsáːtou] *a.*, *ad.* 《It.》 〖음악〗 스포르찬도의〔로〕, 강음의〔으로〕; 특히 센〔세게〕, 힘을 준〔주어〕.

S.F.R.C. 《미》 Senate Foreign Relations Committee.

sfu·ma·to [sfuːmáːtou] (*pl.* **~s**) *n.* 〖미술〗 스푸마토《물건과 물건의 경계선을 바림하여 그리기》.

SFX 〖영화 · TV〗 special effects. **sfz, sfz.** 〖음악〗 sforzando. **sg.** singular. **S.G.** Solicitor General; Surgeon General. **s.g.** specific gravity. **sgd.** signed. **s.g.d.g.** *sans garantie du gouvernement* 《F.》 (=without government guarantee). **SGML** 〖정보〗 Standard Generalized Markup Language (표준화된 범용 표시 언어)《기계 처리되는 문서의 구조를 기술하기 위한 국제 표준화 기구 규준 규약》.

sgraf·fi·to [skrɑːfíːtou] (*pl.* ***-fi·ti*** [-fíːtiː]) *n.* 도료 · 플라스터 · 이장(泥漿) 따위의 표면을 긁어내어 바탕의 색채가 대조적으로 드러나게 하는 장식 기법; 그 기법에 의한 도자기.

Sgt. Sergeant.

sh [ʃ] *int.* 쉬!《조용히 하라는 소리》.

sh. sheep; sheet; shilling(s); shunt; 〖증권〗 share(s). **S.H.** School House. **SHA** 〖해사〗 sidereal hour angle(항성 시각(恒星時角)).

shab·by** [ʃǽbi] (-bi·er; -bi·est***) *a.* **1** 초라한(seedy); 누더기를 걸친. **2** 닳아 해진, 입어서 낡은, 누더기의(worn). **3** 추레한, 더러운, 꾀죄죄한(dingy): a ~ old man 추레한 노인. **4** 비열한, 인색한, 다랍게 구는: a ~ trick 야비한 속임수. ㊕ **-bi·ly** *ad.* **-bi·ness** *n.*

shábby-gentéel *a.* 영락했으면서도 체모 차리는, 몰락한 양반 같은, 허세 부리는. ㊕ **-gen·til·i·ty** [-tíləti] *n.* 영락했으면서도 잃지 않는 품위〔체모〕.

shab·rack [ʃǽbræk] *n.* (경기병(輕騎兵)의) 안장 덮개, 안장 깔개.

Sha·bu·oth, Sha·vu·ot(h) [ʃəvúːous, -əs] *n.* 〖유대교〗 오순절《Passover 후 50 일째의 성령 강림의 축일》.

shack [ʃæk] *n.* (초라한) 오두막, 두옥(斗屋), 판잣집; 《구어》 낡아 빠진 집; 《미속어》 (화차의) 제동수(制動手); 《미속어》 방랑자의 회합 장소. **— *vi.*** 《미》 살다, 머무르다《*in*》. **~ *up*** 《구어》 동서(同棲)하다; 불의의 관계를 갖다《*with*》; 《속어》 살다, 머무르다《*in*》.

◇**shack·le** [ʃǽkəl] *n.* (보통 *pl.*) 쇠고랑, 수갑, 족쇄, 차꼬(fetters); (보통 *pl.*) 《비유》 구속, 속박, 굴레(impediment); (연결용) U자형 고리, 사슬; 〖문장(紋章)〗 쇠고리줄 모양. **— *vt.*** …에 쇠고랑〔수갑〕을 채우다, 차꼬〔족쇄〕를 채우다; 〖보통 수동태〗 구속하다, 속박하다, 방해하다《*with; by*》; 사슬로 잇다: They *are* ~*d by* convention. 그들은 인습에 얽매여 있다.

shad [ʃæd] (*pl.* **~(*s*)**) *n.* 〖어류〗 청어류. ★ 종류를 가리킬 때의 복수는 shads.

shad·ber·ry [ʃǽdbèri/-bəri] *n.* 채진목의 열매〔나무〕.

shad·bush [ʃǽdbùʃ] *n.* 채진목나무.

shad·chan, -chen [ʃáːtxən; *Heb.* ʃaːtxáːn] (*pl.* **~s, *shad·cha·nim*** [ʃaːtxɔ́ːnim; *Heb.* ʃaːtxaːníːm]) *n.* 유대인 결혼 중매인.

shad·dock [ʃǽdək] *n.* 왕귤나무; 그 열매.

⁑**shade** [ʃeid] *n.* **1** Ⓤ,Ⓒ 그늘, 응달, 그늘진 곳: be dried in the ~ 그늘에서 말리다 / under the ~ of …의 그늘에서.

SYN. **shade** 광선이 막히어 생기는 막연한 그늘. **shadow** 윤곽이 뚜렷한 그림자.

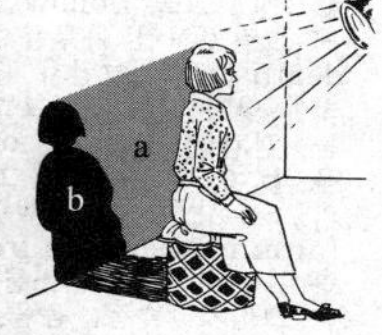

shade
a. shade b. shadow

2 (*pl.*) 땅거미, 어스름, (저녁때의) 어둠. ⓒⓕ shadow. **3** Ⓤ 〖회화 · 컴퓨터〗 명암, 음영(陰影); Ⓒ 명암〔농담(濃淡)〕의 정도, 색조(色調), 빛깔의 뉘앙스: all ~*s* of green 여러 가지 색조의 녹색. **4** 드러나지 않은〔희미한〕 상태, 알려지지 않음 (obscurity): remain in the ~ 세상에 알려지지 않다. **5** (얼굴의) 어두운 기색(cloud): a ~ of disappointment on his face 그의 얼굴에 나타난 실망의 빛. **6** 블라인드(blind), 해가리개, 차일, 커튼; 양산(parasol); (*pl.*) 《미구어》 선글라스; 차광기(eyeshade). **7** (남포 등의) 갓; 유리(창) 가리개; 먼지막이, 바람막이(shelter). **8** 《비유》 (색조 · 뜻의) 미묘한 차이, 사소한 차이(touch): a delicate ~ of meaning 미묘한 의미의 차이. **9** (a ~) 극히 조금, 기미, 약간: He sang a ~ too loud. 그의 노래는 목소리가 좀 강했다 / not a ~ of hesitation 조금도 주저함이 없이. **10** 《시어》 (the ~s) 저승; 황천(netherworld, Hades), 죽음; 무덤; 《문어》 망령(ghost); (the ~s) 〖집합적〗 영혼. **11** 《고어》 구석진〔으슥한〕 곳; (*pl.*) 호텔의 술 파는 곳.

fall into the ~ 그림자가 희미해지다, 빛을 빼앗기다; 세상에서 잊혀지다. ***go down to the ~s*** 죽다. ***in the ~*** 나무 그늘〔응달〕에서; 그늘에 숨어서. ***the shadow of a ~*** 환영(幻影), 더없이 허망(虛妄)한 것. ***throw*** 〔***put, cast***〕 ***… in*** 〔***into***〕 ***the ~*** …로 하여금 빛을 잃게〔무색게〕 하다; …의 빛을 빼앗다. ***without light and ~*** 명암이 없는《그림 따위》; 단조로운《문장 등》.

— *vt.* **1** 그늘지게 하다: The trees ~ the house nicely. 나무들로 집은 시원하게 그늘이 져 있다. **2** 《~+목/+목+전+명》 덮다(cover), 가리다(conceal)《*from; with*》, …에 블라인드를 달다; (남포 등에) 갓을 달다: a ~*d* lamp 갓을 단 전등 / She ~*d* her face *from* the sun with her hand. 그녀는 손을 들어 얼굴의 햇빛을 가리었다. **3** 《~+목/+목+전+명》 어둡게 하다, 흐리게 하다(darken): ~ one's face 얼굴을 어둡게 하다 / a face ~*d with* melancholy 우울한〔어두운〕 얼굴. **4** 바림하다, …에 그늘을 만들다, …에 명암〔농담〕이 지게 하다. **5** 〖회화〗 (착색 · 염색 따위를) 수색(修色)하다, (의견 · 방법 등을) 점차 변화시키다. **6** 〖음악〗 …의 가락을 조절하다〔늦추다〕. **7** 〖상업〗 …의 값을 조금 내리다〔깎아주다〕: ~ the price 값을 깎다. **— *vi.*** 《+부/+전+명》 (색조 따위가) 조금씩 변해 가다, 희미해지다《*away; off; into*》: blue *shading off into* green 점점 녹색으로 변하는 청색.

㊕ **∠·ful** *a.* **∠·less** *a.* 그늘이 없는.

sháde-gròwn *a.* 그늘에서 기른.

sháde plànt 녹음수(綠陰樹); 음성(陰性) 식물.

sháde trèe 그늘을 짓는 나무《가로수 따위》, 녹음수(綠陰樹).

shad·ing [ʃéidiŋ] *n.* **1** Ⓤ 그늘지게 하기, 차광(遮光), 차일(遮日). **2** Ⓤ 〖회화〗 묘영법(描影法), 명암법; 농담(濃淡); Ⓒ (빛깔 · 명암 따위의) 미세한〔점차적인〕 변화.

sha·doof, -duf [ʃɑːdúːf, ʃə-/ʃə-, ʃæ-] *n.*

(이집트·근동 여러 나라에서 관개용으로 쓰는) 방아두레박.

shad·ow [ʃǽdou] *n.* **1** [C] 그림자, 투영(投影); [U] 그늘: follow a person about like a ~ 그림자처럼 아무를 붙어 다니다 / the ~ of death 죽음의 그림자. [SYN.] ⇨SHADE. **2** [U] **a** 햇빛이 닿지 않는 곳, 그늘; 어둠; (*pl.*) 저녁의 어둠, 컴컴함: the ~*s* of night 어둠의 장막, 야음. **b** [C] 검은 부분《그림·사진·X-선 사진 등의》: ⇨ EYE SHADOW / She had ~*s* under 〔around〕 her eyes from fatigue. 그녀는 피로하여 눈자위가 거무스름 했었다. **3** (마음의) 어두운 그림자, 슬픔; 음울, 음침: cast a ~ on a person's reputation 아무의 명성에 어두운 그림자를 던지다. **4** (거울 따위에 비친) 영상(映像), 그림자; 《시어》 모습, 초상: one's ~ in the mirror 거울에 비친 자기 모습. **5** 유령, 망령(ghost); 곡두, 환영(幻影), 실체가 없는 것; 이름뿐인 것; (쇠약하여) 뼈와 가죽뿐인 사람; 자취, (희미한) 흔적: give the ~ of a smile 희미한 미소를 보이다 / He was only the ~ of his former self. 몰라보게 수척하였다. **6** 《흔히 부정·의문문을 수반》 조금, 극히 조금: beyond 〔without〕 the 〔a〕 ~ *of* (a) doubt 추호의 의심도 없이. **7** [U] 남의 눈에 띄지 않는 곳〔상태〕, 알려지지 않음(obscurity): live in the ~ 세상에 알려지지 않고 살다. **8** 그림자가 미치는 곳, 세력범위. **9** (그림자처럼) 따라다니는 사람, 찰거머리; 종자(從者), 식객(食客); 《구어》 미행자《밀정·탐정·형사 따위》: Sorrow is ~ to life. 비애는 인생에 붙어 다니는 것이다. **10** [U] 《고어》 〚성서〛 (신의) 가호, 비호, 보호(shelter). **11** (종종 *pl.*) 조짐, 전조(foreshadowing): ~*s* of war 전쟁의 조짐 / Coming events cast their ~*s* before. 일이 일어날 때에는 그 전에 전조가 나타난다. ***be afraid of* one's *own* ~** 제 그림자에 놀라다; 몹시 겁을 내다. ***be worn to a* ~** 몹시 수척해지다. ***cast a long* ~** 중요한 의미가 있다; 큰 영향(력)을 미치다. ***catch at* ~*s*** =***run after a* ~** 구름을〔그림자를〕 잡으려 들다, 헛수고하다. ***grasp at the* ~ *and lose the substance*** 그림자를 잡으려다 실체를 놓치다. ***have only the* ~ *of freedom*** 명색뿐인 자유를 얻다. ***in the* ~** 어두운 곳에, 그늘에. ***in the* ~ *of*** …의 아주 가까이에; 방금이라도 …이 되려고 하여. ***May your* ~ *never grow* 〔*be*〕 *less!*** 오래도록 번영〔건강〕하시기를 빕니다. ***quarrel with* one's *own* ~** 하찮은 일에 화를 내다. ***under the* ~ *of*** ① =in the ~ of. ② …의 위험에 직면하여, …의 운명을 지고. ③ …의 가호 밑에: *under the* ~ *of* the Almighty 전능하신 하느님의 가호 밑에. ***within the* ~ *of*** …의 바로 곁에.
— *vt.* **1** 어둡게 하다, 그늘지게 하다. **2** (그림에) 그늘〔음영(陰影)〕을 넣다〔나타내다〕, 바림하다. **3** 《+[목]+[전]+[명]》 덮다, 가리다: ~ the heat *from* one's face 얼굴에 열이 닿지 않게 가리다. **4** (그림자처럼) 붙어 다니다, 미행하다: The detective ~*ed* the suspect. 형사가 용의자를 미행했다. **5** 《고어》 지키다, 보호하다. **6** 《+[목]+[부]》 어렴풋이 보이다〔나타내다〕, …의 전조가 되다 (prefigure) 《*forth; out*》: his idea ~*ed forth* in these words 이 말 속에 대충 나타나 있는 그의 생각. **7** 우울케 하다, 마음을 어둡게 하다.

shádow bànd 〚천문〛 (개기식 전후에 보이는) 영대(影帶).

shádow bòx 섀도 박스(=**shádow bòx fràme**) 《미술품·보석 따위를 보호·전시하기 위해 앞면에 유리를 끼운 낮은 사각형 틀》.

shádow·bòx *vi.* **1** 혼자서 권투를 연습하다. **2** 직접〔결정〕적인 행동을 피하다. [파] **~·ing** *n.* [U]

shádow cábinet 《영》 야당〔예비〕 내각《집권을 예상하고 만든 야당의 각료 후보자들》.

shádow dànce 섀도 댄스《스크린에 투영된 무용수의 그림자를 보여 주는 댄스》.

shádow ecònomy 지하 경제《암거래·무신고 노동 등 불법 경제 활동》.

shádow fàctory 전시 군수 산업으로 전환할 수 있는 공장.

shádow·gràph *n.* 그림자 그림(의 인형놀이); 뢴트겐 사진(radiograph); 〚사진〛 실루엣〔역광선〕 사진. [파] **~·ist** *n.* **~y** *n.*

shád·ow·ing *n.* [U] 그림자(를 지움); 전조(前兆); 미행.

shádow·lànd *n.* 그림자 나라; 환영〔망령〕이 사는 곳; 무의식의 경지; 애매함.

shád·ow·less *a.* 그림자 없는.

shádow màsk 〚TV〛 섀도 마스크《컬러 텔레비전 수상관에 설치된 전자 빔 차폐판》.

shádow plày 〔**shòw, pàntomime**〕 그림자 놀이〔연극〕(shadowgraph).

shádow prìce 〚경제〛 잠재 가격《시장 가격이 존재하지 않는 서비스·재화 따위에, 정상적인 시장이 생긴다면 형성될 것이라고 생각되는 가격》.

shádow pùppet 그림자놀이 인형.

shádow stìtch 섀도 스티치《투명한 천의 뒷면에 스티치를 해서 겉면에 꿰맨 솔기가 보이도록 한 것》.

shádow tèst 〚의학〛 검영법(檢影法)(retinoscopy).

shádow thèater =SHADOW PLAY.

shad·owy [ʃǽdoui] (**-ow·i·er; -i·est**) *a.* **1** 그림자가 있는〔많은〕, 어둑한(shady): a cool, ~ woods 냉기가 돌고 어둑한 숲. **2** 그림자 같은; 아련〔희미〕한(faint); 어렴풋한(vague); 환영(幻影)의(ghostly), 공허한, 덧없는(transitory): a ~ outline 희미한 모습〔윤곽〕 / a ~ hope 꿈처럼 허망한 희망. **3** 투영(投影)하는. [파] **shád·ow·i·ly** *ad.* **-i·ness** *n.*

shady [ʃéidi] (**shad·i·er; -i·est**) *a.* **1** 그늘의, 그늘이 많은, 그늘진([opp.] *sunny*); 그늘을 이루는: a ~ nook 그늘진 한 구석. **2** 《구어》 뒤가 구린, 의심스러운, 수상한(questionable); 부정한, 좋지 않은: a ~ character 수상한 인물 / a ~ transaction 암거래 / be engaged in a rather ~ occupation 좀 수상한 직업을 갖고 있다. ***keep* ~** 《미속어》 비밀로 하다; 남의 눈을 피하다. ***on the* ~ *side of*** (forty), (40세)의 고개를 넘어. [파] **shád·i·ly** *ad.* **shád·i·ness** *n.*

Sha·fi'i [ʃǽfiː, ʃáːf-] *n.* 〚이슬람교〛 샤피이파(派)《Sunna파의 4학파의 하나로, 법원(法源)에 대한 방법론을 엄격히 지킴》.

shaft [ʃæft, ʃaːft/ʃaːft] *n.* **1** (창·망치·골프 클럽 따위의) 자루, 손잡이(handle); 화살대; 《고어·문어》 화살, 창. **2** 한 줄기 (광선); 번개, 전광. **3** (*pl.*) (수레의) 채, 끌채(thill). **4** 〚기계〛 샤프트, 굴대(axle), 축(軸): a ~ bearing 축베어링. **5** 〚건축〛 작은 기둥; 기둥몸; (지붕 위로 내민) 굴뚝. **6** 깃대(flagpole); 촛대의 지주(支柱); 기념기둥〔탑〕. **7** 〚광산〛 수갱(竪坑); 환기〔바람〕 구멍; 엘리베이터의 통로〔수직 공간〕. **8** 《비유》 사람을 찌르는 듯한 냉소, 가시 돋친 말: ~*s* of sarcasm 찌르는 듯한 비꼼 / direct a ~ of ridicule 《비유》 조소(嘲笑)를 한바탕 퍼붓다. **9** 〚식물〛 줄기, 대, 수간(樹幹)(trunk); 〚동물〛 깃촉, 우간(羽幹)(scape). **10** 《미비어》 음경(penis); (*pl.*) 《속어》 매력적인 여자의 다리. ***get the* ~** 《미속어》 속다, 호되게 당하다. ***give*** a person ***the* ~** 《미속어》 아무를 속이다, 호되게 당하게 하다. — *vt.* 자루〔장대〕로 밀다〔찌르다〕; 《미속어》 속이다, 혼내 주다; 《비어》 (여자와) 섹스를 하다.

sháft hòrse 채에 비끄러맨 (짐)말.

sháft hórsepower 〚기계〛 (엔진의 구동축(驅

動軸)에서 전해지는) 축마력(軸馬力).
sháft·ing *n.* [U] 〖기계〗 축계(軸系), 축재(軸材)《벨트·축(軸) 따위》; 《미속어》 심한〔부당한〕 취급〔대우〕.
sháft skìrt 〖복식〗 샤프트 스커트《앞〔뒷〕자락이 뾰족하게 긴 헴라인(hemline)의 스커트》.
shag[1] [ʃæg] *n.* [U] 거친 털, 조모(粗毛); 보풀; 보풀 일게 짠 천; 살담배의 일종; [C] 〖조류〗 가마우지(cormorant)의 일종. **—** (**-gg-**) *vt.* 더부룩하게 하다, 보풀이 일게 하다; 거칠게 하다, 껄끄럽게 하다.
shag[2] *n., vi.* 《미》 번갈아 한 발로 뛰는 스텝(으로 춤추다).
shag[3] (**-gg-**) *vt.* 추적하다; 〖야구〗 (플라이를) 쫓아가 받다《수비 연습에서》; 《영속어》 지치게 하다, 녹초가 되게 하다《*out*》; 《비어》 성교하다. **—** *vi.* 《구어》 공줍기를 하다; 《미속어》 (서둘러) 떠나다; 《비어》 자위 행위를 하다(masturbate). **—** *n.* 《속어》 데이트의 상대; 《비어》 난교(亂交); 《비어》 성교(의 상대). **—** *ad.* 연인과〔친구와〕 함께《 파티에 가다》. **—** *a.* 멋진, 굉장한. [파] **shág·ger** *n.* ~하기; 미행 경관.
shag·a·nap·pi [ʃǽgənæ̀pi] *n.* 생가죽 끈〔레이스〕.
shág·bàrk *n.* 〖식물〗 [C] hickory 의 일종; 그 열매; [U] 그 목재.
shagged [ʃægd] *a.* = SHAGGY; 《영속어》 지쳐 빠진《*out*》; 《속어》 술에 몹시 취한《*out*》.
shag·gy [ʃǽgi] (***-gi·er; -gi·est***) *a.* **1** 털북숭이의, 털이 텁수룩한; 거친 털의, 털〔숱〕이 많은《눈썹 따위》. [opp] *smooth.* **2** 머리를 텁수룩하게 한, 단정치 못한. **3** (피륙이) 보풀이 인. **4** 덤불투성이의; 엉기정기 가지가 난; 얽히고설킨; 껄끄러운, 우틀두틀한. [파] **-gi·ly** *ad.* **-gi·ness** *n.*
shággy càp = SHAGGYMANE.
shággy-dóg stòry (지껄이는 사람은 신명이 나나) 듣는 이에겐 지루한 이야기; 말하는 동물이 나오는 우스운 이야기.
shággy·màne *n.* 〖식물〗 식용 버섯의 일종(= ∠ **mùshroom**).
sha·green [ʃəgríːn, ʃæg-] *n.* [U] 새그린 가죽, 우툴두툴한〔껄끄러운〕 가죽《말·당나귀·낙타 가죽으로 만듦》; 상어 가죽《연마용》.
shah [ʃɑː] *n.* 《Per.》 (종종 S-) (이란의) 왕〔《칭호》. [파] ∠**·dom** *n.*
Shak. Shakespeare.
shak·a·ble, shake·a·ble [ʃéikəbəl] *a.* 휘두를 수 있는; 진동할〔뒤흔들〕 수 있는; 약화시킬 수 있는.
:shake [ʃeik] (***shook*** [ʃuk]; ***shak·en*** [ʃéikən]) *vt.* **1** 《~+[목]/+[목]+[전]+[명]》 흔들다, 뒤흔들다: ~ a person *by* the shoulder 아무의 어깨를 흔들다.

> [SYN] **shake** 대지(大地)나 집 따위 물건이 흔들리다. 사람이 떠는 경우는 비유적 용법이며, 자신의 의도에 반하여 무의식적으로 떨리다: His voice was *shaking* with excitement. 그의 목소리는 흥분으로 떨고 있었다. **tremble** 격정·공포 따위로 사람이 떨다. 나뭇잎 따위가 떠는 것은 비유적 용법. **rock** 전후·좌우로 천천히 크게 흔들리다. **quiver** 사람이나 나뭇잎·불꽃 따위가 가볍게 떨다. **shiver** 사람이 추위·공포 따위로 떨다. **shudder** 공포로 몹시 떨다.

2 《~+[목]/+[목]+[부]》 흔들어 움직이다, 휘두르다: ~ (*up*) a bottle of medicine 약병을 흔들어 잘 섞다. **3** 《~+[목]/+[목]+[전]+[명]/+[목]+[부]/+[목]+[보]》 흔들어 (…의 상태로) 되게 하다《*to; into*》; 〖흔히 ~ oneself〗 《구어》 분기케 하다《*up*》: ~ sand *out of* one's shoes 구두를 흔들어 속의 모래를 털다 / ~ apple (*down*) *from* a tree 나무를 흔들어 사과를 떨어뜨리다 / She *shook* the snow *off*. 그녀는 눈을 털었다 / The dog *shook* him*self* dry. 개는 몸을 부르르 떨어 물을 털었다. **4** 《~+[목]/+[목]+[전]+[명]》 (자신·신뢰 등을) 흔들리게 하다, 줄어들게 하다: ~ one's faith 신념〔결심〕이 흔들리다 / She has been *shaken out of* all reason. 그녀는 완전히 이성을 잃었다. **5** …의 마음을 동요시키다, …의 용기를 꺾다: ~ one's self-esteem 자존심을 뒤흔들다. **6** 〖음악〗 (목소리를) 떨다. **7** (주사위를) 흔들어 굴리다. **8** 《+[목]+[부]》 《미속어》 (병·근심·악습·뒤쫓는 사람 따위를) 떨어〔떼어〕 버리다, …으로부터 도망치다; 《Austral. 속어》 훔치다: ~ *off* reporters 신문기자들을 따돌리다. **9** 《속어》 (사람·방 등을) 철저히 수색하다, 가택 수색하다.
— *vi.* **1** 흔들리다; 진동(震動)하다. **2** 《~/+[전]+[명]》 (추위·공포 따위로) 떨다, 덜덜〔벌벌〕 떨다: ~ *with* cold 〔fear〕. **3** (자신 따위가) 흔들리다: His courage began to ~. 그는 용기가 꺾였다. **4** 《구어》 악수하다《*with*》. **5** 〖음악〗 떠는 소리로 노래하다, 목소리를 떨다, 전음(顫音)(trill)으로 연주하다. **6** 《+[부]》 (과일·곡식 따위가 후두둑〔뚝뚝〕) 떨어지다《*down; off*》: Sand ~*s off* easily. 모래는 쉽게 털어낼 수 있다 / Apples *shook down* with the last night's storm. 간밤의 비바람으로 사과가 떨어졌다. **7** 《속어》 선정적으로 허리를 흔들다; 《미속어》 춤추다. **8** 《미속어》 등치다, 공갈하다.
more … than* one *can* ~ *a stick at ⇨ STICK[1]. ~ ***a foot*** 〔***leg***〕 ⇨ LEG. ~ a person ***by the hand*** = ~ a person***'s hand*** = ~ ***hands with*** a person 아무와 악수하다. ~ ***down*** 《*vt.*+[부]》 ① (열매를) 흔들어 떨어뜨리다. ② 흔들어 채우다〔고르다〕; (여분을) 통합 정리하여 줄이다. ③ 《미구어》 (배·비행기 등을) 시운전하다. ④ 《미속어》 …에게서 돈을 빼앗다. ⑤ 《미구어》 철저히 조사하다; 《미속어》 …의 몸을 수색하다(frisk). **—** 《*vi.*+[부]》 ⑥ ⇨ *vi.* 6. ⑦ 임시 숙소〔침대〕에서 자다. ⑧ 새 환경〔일〕에 익숙해지다, 자리잡히다; (기계가) 제대로 움직이게 되다. ~ ***in*** one***'s shoes*** (무서워서) 흠칫흠칫하다. ***Shake it up!*** 《구어》 서둘러라, 꾸물대지 마라. ~ ***like a jelly*** 〔***leaf***〕 《구어》 (공포감·초조함 등으로) 떨다. ~ ***off*** 《*vi.*+[부]》 ① ⇨ *vi.* 6. **—** 《*vt.*+[부]》 ② (먼지 등을) 털다. ③ (근심·걱정거리 등을) 쫓아〔없애〕 버리다; (못된 버릇·병 등을) 고치다: I can't ~ *off* my cold. 도무지 감기가 떨어지지 않는다. ④ (요구·제안 등을) 거절하다; (뒤쫓는 사람을) 따돌리다, 떨어 버리다. ~ ***on it*** 《구어》 (동의·화해하여) 악수하다. ~ ***on to*** …을 승낙하다. ~ ***out*** (기·돛·상보 등을) 흔들어 펼치다; (상의·모포 등을) 흔들어 말리다; (먼지 등을) 털다; (그릇을) 흔들어 속을 비우다; (군대가) 산개 대형을 취하다; (성냥불을) 흔들어 끄다. ~ one***self free from*** …에서 몸을 뿌리쳐 떼다, …에서 벗어나다. ~ one***self together*** 기운을〔용기를〕 내다. ~ one***'s finger at*** …을 향해 손가락질을 하다《경고·협박·질책 등》. ~ one***'s fist*** 〔***stick***〕 ***in*** a person***'s face*** 〔***at*** a person〕 주먹을〔지팡이를〕 아무의 얼굴을 향해 휘두르다《위협》. ~ one***'s head*** (부정·거절·의심·실망·비난 따위의 표시로서) 머리를 가로젓다《*over; at*》; (승낙·동의·찬성 등의 표시로) 고개를 끄덕이다. ~ one***'s sides with laughing*** 배를 움켜쥐고 웃다. ~ ***the dust off*** 〔***from***〕 one***'s feet*** ⇨ DUST. ~ ***the elbow*** 주사위를 만지작거리다, 도박하다. ~ ***up*** 세게 흔들다; (술 따위를) 흔들어 섞다; (베개 따위를) 흔들어 모양을 바로잡다; 흔들어 일으키다, 깨우다; 격려하다, 편달하다; …의 신경을 뒤흔들어놓다, 섬뜩하게 하다; 대개혁〔조직개편〕하다; 긴장〔동요〕시키다: *Shake* yourself *up*. 기운을 내라. ***To be shaken before taken.***

잘 흔들어 복용할 것《약병의 주의 사항》.
— *n.* **1** 동요, 흔들림; 격동, 진동(震動). **2** 진동(振動), (한 번) 흔들기; 악수; (주사위의) 한 번 굴리기; (the ~) 《속어》(친구와) 인연을 끊음: with a ~ of one's 〔the〕 head 머리를 가로저어 《'No'의 표시》. **3** (몸을) 떪, 전율, 덜덜 떪; (the ~s) 《구어》 오한, 《특히》 = DELIRIRUM TREMENS; (the ~s) 말라리아: a ~ in the voice 목소리의 떨림 / have the ~s 오한이 나다. **4** 《미구어》 지진(earthquake). **5** 《미》 흔들어 만드는 음료수, 밀크셰이크(milk ~). **6** 《구어》 잠깐, 순간. **7** (지면·암석 따위의) 갈라진 틈, 균열; (목재의) 갈라진 금. **8** 《미》 나뭇조각, 지붕널. **9** 〖음악〗 전음(顫音)(trill). **10** 《미속어》 해고, 내쫓음; 《미속어》 등침, 공갈; 수회(금), 등친 돈.
a fair ~ 《미》 공정한 조치; 정당한 거래: give a person *a fair* 〔favorable〕 ~ 아무에 대해 공평한〔호의적인〕 조치〔거래〕를 하다. ***be all of a ~*** 벌벌 떨고 있다. ***be no great ~s*** 《구어》 대단한 일〔물건, 사람〕이 아니다, 신기하지 않다, 평범하다. ***get the ~*** 해고되다. ***give a ~*** 한 번 흔들다; 내쫓다. ***give a*** person ***the ~*** 아무를 해고하다. ***in a brace*** 〔***couple***〕 ***of ~s*** = ***in the ~ of a lamb's tail*** = ***in two ~s*** (***of a duck's*** 〔***lamb's***〕 ***tail***) = ***in*** (***half***) ***a ~*** 곧, 즉시: I'll be with you *in a* ~. 곧 찾아뵙겠습니다. ***on the ~*** (공갈 등) 못된 짓을 하여.

sháke·dòwn *n.* **1** (짚 따위의) 임시 침상〔잠자리〕. **2** Ⓤ 흔들어 떨어뜨리기. **3** 소란스러운 댄스. **4** Ⓤ,Ⓒ 시운전, (연습에 의한) 조정, 정비 (기간). **5** Ⓤ,Ⓒ 《미속어》 돈을 등침, 강취(extortion), 수회(收賄). **6** 《미구어》 철저한 수색, 몸 수색. — *a.* 시운전의, 성능 시험의《항해·비행 따위》.

sháke·hand gríp 〖탁구〗 탁구채를 악수하듯이 쥐는 법. ㉠ penholder grip. 「shake).

sháke-hànds *n. pl.* 《단수취급》 악수 (hand-

shak·en [ʃéikən] SHAKE의 과거분사.

sháken báby sỳndrome 〖의학〗 몹시 흔들린 아기 증후군《심하게 흔들린 젖먹이에게 일어나는 사지의 마비·시력 상실·정신 지체 따위의 증후군; 뇌·눈의 내출혈로 인한 것》.

sháke·òut *n.* Ⓒ **1** 〖경제〗 진정화(鎭靜化)《인플레 따위가 멎은 다음에 오는 경제 활동의 회복》; (과당 경쟁 등에 의한 기업·제품의) 도태. **2** 〖증권〗 (주식 따위의) 폭락; 작은 투자가의 도태. **3** (인원의 배치 전환·해고 등에 의한) 조직의 합리화, 조직 개편〔쇄신〕, 재편성. **4** 〖야금〗 형틀〔거푸집〕 해체.

◇**shak·er** [ʃéikər] *n.* **1** 흔드는 사람〔물건〕; 떠는 사람〔물건〕; 교반기(攪拌器). **2** 셰이커《칵테일 따위를 만들기 위한 음료 혼합기》; 흔들뿌리개《소금·후추 따위를 담은》; 선동자. **3** (the S–) 셰이커교도(敎徒)《공동 생활·공산제(共產制)·독신주의의 미국 기독교의 일파》. ㉠ Quaker. ㊞ ~·ism *n.* 셰이커교(敎)(의 교리).

***Shake·speare** [ʃéikspiər] *n.* **William ~** 셰익스피어《영국의 시인·극작가; 1564–1616》. ★ **Shake·spere, Shak·speare, Shak·spere** 라고도 씀.

Shake·spear·e·an, -i·an [ʃeikspíəriən] *a.* 셰익스피어(시대)의; 셰익스피어풍의. — *n.* 셰익스피어 학자〔연구가〕. ㊞ **Shake·spear·e·ana** [ʃèikspiəriǽnə, -ά:nə, -éinə/-ά:nə] *n. pl.* 셰익스피어 문학〔문헌〕.

Shakespéarean sónnet 셰익스피어풍의 14행시(Elizabethan 〔English〕 sonnet).

sháke-ùp *n.* Ⓤ,Ⓒ **1** 소동, 격동; 동요; (불쾌한) 진동, (섞거나 형태를 바꾸기 위해) 흔들어 대기. **2** 《구어》 (관청·회사 등의) 대쇄신, 대개혁; 대이동; 대정리, 도태. **3** Ⓒ 임시〔급조〕 건물. **4** 셰이크업《2종 이상의 위스키 등을 칵테일한 음료》.

shak·ing [ʃéikiŋ] *n.* 동요; 진동; 흔듦; 몸을 떪; 〖의학〗 진전(震顫), 학질(ague); (~s) 흔들려 떨어진 것; (돛·밧줄 따위의) 부스러기. — *a.* (벌벌) 떠는.

sháking pálsy 〖의학〗 진전(震顫) 마비(paralysis agitans).

shako [ʃǽkou, ʃéi-] (*pl.* ~(*e*)*s*) *n.* 샤코《깃털 장식이 있는 군모》.

shako

Shaks. Shakespeare.

Shak·spere *n.* = SHAKESPEARE.

Shak·ti, Sak- [ʃʌ́kti] *n.* 《Sans.》 〖힌두교〗 **1** Ⓤ (s–) 샤크티, 힘. **2** Ⓤ 여자의 생식력〔기(器)〕. **3** Ⓤ 여신.

Shak·tism, Sak- [ʃʌ́ktizəm] *n.* Ⓤ 〖힌두교〗 Shakti 숭배.

◇**shaky** [ʃéiki] (***shak·i·er; -i·est***) *a.* 흔들리는, 비틀비틀하는, 흔들흔들하는; 위태위태한; 떠는《소리 따위》; 불확실한, 불안정한, 기대할〔믿을〕수 없는; 허약한, 골골하는. ***feel ~*** 기분이 좋지 않다. ***look ~*** 안색이 좋지 않다. ㊞ **shák·i·ly** *ad.* **shák·i·ness** *n.* 동요, 진동; 불안정.

shale [ʃeil] *n.* Ⓤ 〖지학〗 혈암(頁岩), 셰일, 이판암(泥板岩). ㊞ **shály** *a.* 혈암(질)의.

shále clày 〖지학〗 혈암 점토(頁岩粘土).

shále òil 혈암유(頁岩油).

†**shall** ⇨ (p. 2281) SHALL.

shal·loon [ʃælú:n] *n.* Ⓤ 셜룬 천《모직물; 주로 안감·여성복용》. 「배, 조각배, 편주(扁舟).

shal·lop [ʃǽləp] *n.* (돛·노를 쓰는) 가벼운

shal·lot [ʃǽlət, ʃəlάt/ʃəlɔ́t] *n.* 〖식물〗 골파류(類).

‡**shal·low** [ʃǽlou] (**~·er; ~·est**) *a.* **1** 얕은. ⓞⓟⓟ *deep.* ¶ a ~ stream 얕은 시냇물. **2** 《비유》 천박한, 피상적인: a ~ mind 〔person〕 천박한 생각〔사람〕. — *n.* (종종 *pl.*) 《단·복수취급》 얕은 곳, 여울. — *vt., vi.* 얕게 하다, 얕아지다. ㊞ ~·ly *ad.* ~·ness *n.*

shállow-bráined, -héaded [-id], **-mínded** [-id], **-páted** [-id] *a.* 머리가 나쁜, 천박한, 어리석은.

shállow-héarted [-id] *a.* 박정한, 인정 없는.

shalt [ʃælt; 약 ʃəlt] *aux. v.* 《고어·방언》 SHALL의 2인칭 단수·직설법 현재《주어가 thou 일 때 씀》.

shal·war [ʃά:lwα:r] *n.* (파키스탄 등 남아시아 제국(諸國)의) 헐렁한 여성용 바지. 「의.

shaly [ʃéili] *a.* 혈암(頁岩)의, 혈암질(質)〔모양〕

◇**sham** [ʃæm] *n.* **1** 가짜, 속임, 협잡(挾雜), 위선; 겉만 번주그레한 사람〔것〕. **2** 속이는 사람; 사기꾼, 야바위꾼; 꾀병 부리는 사람; 《미속어》 경찰놈(policeman). **3** 《영에서는 고어》 (장식적인) 침대 덮개(sheet ~); 베갯잇(pillow ~). — *a.* 모조의, 가짜의, 허위의: a ~ battle 〔fight〕 모의전, 군사 연습 / a ~ plea 〖법률〗 허위의 항변《다만 시간을 끌기 위한》 / a ~ examination 모의 시험 / a ~ doctor 가짜 의사. — (***-mm-***) *vt., vi.* (…인) 체하다, 가장하다: He is only ~*ming.* 그는 그저 가장하고 있을 뿐이다 / ~ sleep 잠든 체하다 / ~ dead 죽은 체하다 / ~ madness 미친 체하다.

sha·man [ʃά:mən, ʃéim-, ʃǽm-/ʃǽm-] (*pl.* ~*s*) *n.* 샤먼; 방술사(方術師), 마술사, 무당. ㊞ **sha·man·ic** [ʃəmǽnik] *a.*

shá·man·ìsm *n.* Ⓤ 샤머니즘《원시 종교의 하나》. ㊞ **-ist** *a., n.* 샤머니즘의 (신자).

shall

shall의 원뜻은 must와 비슷하며, '본인의 의사에 의하지 않고, 어떤 다른 힘에 의해서 어떤 행위를 강요당하고 있다'는 데 있다. 예를 들어, *Shall* I 〔we〕…? '…할까요'나 *Shall* he …? '그로 하여금…하게 할까요'에서 '다른 힘'이란 질문에 답하는 사람의 의지, You 〔He〕 *shall* … '너〔그〕로 하여금 …하게 하겠다'에서 '다른 힘'은 말하는 이의 의지이며, 법률 조문의 shall(= must), 예언의 shall, '말하는 이의 결의'를 나타내는 I 〔we〕 shall에서 '다른 힘'은 각기 조문 그 자체, 운명·신, 약속·의무 따위로 생각할 수 있다. 또, '본인의 의사에 의하지 않는다'에서 '단순미래'의 표현 I 〔We〕 *shall* … 〔*Shall* you …?, He Says that he *shall* …〕 따위로까지 발전하였다.

다만, 요즈음의 일상어에서는 shall의 사용은 주로 1인칭의, 그것도 위에 보인 '…할까요'의 뜻일 때의 *Shall* I 〔we〕…?와 단순미래의 I 〔We〕 *shall* … 《주로 영》에 국한된다. 미래 표현으로는 본래 의지를 나타내었던 will이 발달하여 점차 많이 쓰이게 되었고, '단순미래'에서조차 will을 쓰는 일이, 특히 《미》에서 많아졌다.

변화형은 아래의 현대꼴 외에 예전꼴로 다음의 것이 있다: 2인칭 현재 단수(thou) **shalt** [ʃælt; 약 ʃəlt], 과거 **shouldst** [ʃudst; 약 ʃədst], **should·est** [ʃúdist]

shall [ʃæl; 약 ʃəl] (***should*** [ʃud; 약 ʃəd]; shall not의 간약형 ***shan't*** [ʃænt/ʃɑːnt], should not의 간약형 ***shouldn't*** [ʃúdnt]) *aux. v.* **1** 〖I 〔We〕 shall〗 **a** 〖단순미래〗 …일〔할〕 것이다; …하게〔이〕 되다〔된다〕: If I am late, I ~ lose the job. 늦으면 일거리를 잃게 될 것이다/I hope I ~ see you again. 다시 (만나) 뵙고 싶습니다/I ~ be happy to take your invitation. 기꺼이 초대〔초청〕에 응하겠습니다/I ~ be 20 in August. 8월이면 스무 살이 됩니다/I ~ have come home by seven. 7시까지는 집에 돌아와 있을 테죠《미래완료를 나타냄》. **b** 〖결의의 객관적인 표현〗 꼭 …한다: I ~ do everything I can. 할 수 있는 일은 무엇이든지 하겠다/I ~ arrive by the first train tomorrow. 내일 첫차로 도착합니다/I ~ go, come what may. 무슨 일이 있어도 나는 꼭 가련다.

> NOTE (1) 결의를 강하게 나타낼 때에는 간약형은 사용하지 아니함: I *shall* never betray your confidence. 《문어》 귀하의 신뢰에 배반하는 일은 결코 없을 것입니다/I *shall* return. 나는 반드시 돌아온다.
> (2) 가볍게 의지를 나타낼 때에는, 《미》에서도 문장어에 있어서는 드물지 않게 볼 수 있음: We *shall* return to the problem in the next chapter. 다음 장에서 이 문제로 되돌아오도록 하자.

2 〖Shall I 〔we〕…?〗 **a** 〖단순미래〗 …일〔할〕까요, …하게 될까요: *Shall I* succeed? 성공할 수 있을까요/*Shall I* be in time for the train? 열차 시간에 댈 수 있을까요/When ~ *we* see you again? 우리는 언제 또 당신을 뵐 수 있을까요. **b** 〖상대의 의사·결단을 물음〗 …할〔일〕까요, …하면 좋을까요: *Shall I* help you? 도와 드릴까요《대답의 말 '네, 부탁드립니다'는 Yes, please. '아뇨, 괜찮습니다'는 No, thank you. 따위》/*Shall we* go out for a walk? 산책 나가지 않으시렵니까《≒ Let's go out for a walk.》/What ~ *I* do next? 다음엔 뭘 하면 될까요.

> NOTE (1) 일상어로서는 *Shall* I do …? 대신 오늘날에는 종종 Do you want me to do …?를 씀. (2) shall we?는 Let's …의 부가의문에 사용됨: *Let's* do that, *shall* we? 그렇게 하십시다. (3) What *shall* I do?는 '어떻게 하면 좋은가'라는 곤혹스러운 기분을 나타냄: I've lost my wallet, what *shall* I do? 돈지갑을 잃어버렸네, 어쩐다지. 비교: What *shall* I do if I finish my work? 일이 끝나면 무얼 한다지《단순한 자기 의문》.

3 〖You shall〗 **a** 〖문어적 문맥에서 명령·금지〗 …할지니라, …할지어다: Thou *shalt* not kill. 사람을 죽이지 말지어다/Thou *shalt* love thy neighbor as thyself. 네 이웃 사랑하기를 네 자신과 같이 사랑하라. **b** 〖말하는 이의 결의·약속·협박〗 …하게〔하도록〕 하겠다, …해 주겠다, …할 테다: *You* ~ have my answer tomorrow. 내일 대답을 드리지요《=I will give you …》/*You* ~ not have any. 자네에겐 아무것도 아니 주겠네/If you are late again, you ~ be dismissed. 또다시 지각을 하면 해고다(=If …, I'll dismiss you.)/*You* ~ not do so. 그렇게 하면 안 돼.

4 〖Shall you …?〗 **a** 〖단순미래〗 …일까요: *Shall you* be home tomorrow? 내일은 댁에 계십니까. **b** 〖상대의 의향을 물음〗 …하시렵니까, …할 작정입니까: *Shall you* go to the meeting on Sunday? 일요일날 회합에 나갈 작정인가/*Shall you* sell your house and move into a flat? 집을 팔고 아파트로 이사하시렵니까《Are you going to sell …?이 보통》.

5 〖He 〔She, It, They〕 shall〗 **a** 〖문어적 문맥에서 운명적인 필연·예언을 나타냄〗 …하리라, …이리라: All men ~ die. 모든 사람은 죽으리라/Heaven and earth ~ pass away, but my words ~ not pass away. 천지는 없어지겠으나 내 말은 없어지지 아니하리라《성서 Matt. XXIV: 35》. **b** 〖말하는 이의 결의·약속·협박〗 …하게 하겠다, …하게 할 테다: *He* ~ not die. 그를 죽게 하진 않겠다/He says he won't go, but I say *he* ~. 그는 안 간다지만 난 가게 하겠다/*He* ~ pay for that. 그 보복은 하고 말 테다.

6 〖Shall he 〔she, it, they〕 …? 말을 거는 상대방의 의향·의지를 물음〗 …에게〔…로 하여금〕 —하게 할까요: *Shall* the boy go first? 소년을 먼저 보낼까요/*Shall he* wait for you till you come back? 당신이 돌아올 때까지 그를 기다리게 할까요(=*Shall* I ask him to wait …?)/What ~ Tom do next? 다음엔 톰에게 무엇을 시킬까요. ★ 일상어로서는 *Shall* he 〔they〕 do …? (대신)에 Do you want him 〔them〕 to do …?를 사용하는 것이 보통임.

7 《문어》 〖Who shall …? 수사적 의문문〗 누구라(서) …할 수 있을 것인가, 아무도 …않다〔못하다〕: *Who* ~ ever unravel the mysteries of the sea? 바다의 신비를 누가 풀 수 있을 것인가.

8 《문어》 **a** 〖명령·규정을 나타내어〗 …하여〔이어〕야 한다(cf. shalt): The fine ~ not exceed $400. 벌금은 4백 달러를 넘지 않는 것으로 한다. **b** 〖명령·요구·협정 따위를 나타내는 동사에 따르는 that절 속에서〗: Our civilization demands that we ~ be social creatures. 문명은 우리에게 사회적 동물이기를 요구한다.

★ 위의 3 b 이하의 shall은 오늘날에는 옛풍의 딱

딱한 표현이 되었으며, 특히 3 b-6에 있어서는 will, be going〔planning〕 to (do), be (do)ing 따위로 바꿔 쓰든가 전혀 다른 표현을 쓰는 경향이 많음.

NOTE **shall**과 간접화법 (1) 직접화법의 shall은 간접화법에서도 shall로 받는 것이 원칙이나 오늘날에 와서는 주어의 인칭에 관계없이 종종, 특히 미국에서는 will로 됨: He says, "I *shall* never succeed." → He says that he *will* 〔*shall*〕 never succeed.
(2) 직접화법에서 단순미래의 you〔he〕 will이 간접화법의 종속절에서 1인칭 주어로 나타내게 될 때 《미》에서는 will을 쓰지만, 《영》에서는 흔히 shall이 사용됨: Ask the doctor if I *will* 〔《영》 *shall*〕 recover. 내가 회복할 수 있는지 의사에게 물어 보시오.

sham·a·teur [ʃǽmətʃùər, -tər] *n.* 《속어》 사이비 아마 선수, 세미프로《아마추어이면서 돈을 버는 선수》. ㊕ **~·ism** *n.*

sham·ble [ʃǽmbəl] *vi.* 비슬비슬 걷다, 비틀거리다, 허영〔허정〕거리다. **—** *n.* 비틀거림, 비틀걸음.

sham·bles [ʃǽmbəlz] *n.* (*pl.* ~) **1** 〖보통 단수취급〗 **a** 도살장(slaughterhouse). **b** 유혈의 현장, 살육 장소; 싸움터. **c** 파괴의 장면; 파멸(wreck). **d** 난장판; 혼란스러운 것; 어지러운〔무질서〕 상태. **2** (때로 shamble) 《영》 (푸줏간의) 고기 파는 대(臺).

sham·bling [ʃǽmbliŋ] *a.* 꾸물거리는, 질질 끄는.

sham·bol·ic [ʃæmbɑ́lik/-bɔ́l-] *a.* 《영구어》 난잡한; 혼란스러운.

shame [ʃeim] *n.* **1** Ⓤ 부끄럼, 부끄러워하는 마음, 수치심: in ~ 부끄러워서 / feel ~ at having told a lie 거짓말을 하고 부끄러워하다 / I cannot do that for (very) ~. (정말) 부끄러워서 그런 짓은 못 한다 / flush with ~ 부끄러워 얼굴을 붉히다 / from 〔for, out of〕 ~ 부끄러워서 / suffer the ~ of …을 부끄럽게 여기다. **2** Ⓒ 수치, 창피, 치욕, 불명예. cf disgrace. ¶ There's no ~ in being poor. 가난한 것은 수치가 아니다. **3** Ⓤ (여자의) 음란함, 난질. **4** Ⓒ 《구어》 심한〔너무한〕 일; 유감된 일: What a ~! 이게 무슨 창피〔꼴〕인가, 너무 심하군. ***a life of*** **~** 《고어》 추업(醜業). ***cry*** **~ *on*** a person 아무를 수치도 모른다고 말하다, 아무를 극구 비난하다. ***dead to*** 〔***lost to, past, without***〕 **~** 창피〔수치〕를 모르는: He is *lost to* all ~. 그는 전혀 수치를 모른다. ***put*** 〔***bring***〕 a person ***to*** **~** ① 아무에게 창피를〔모욕·무안을〕 주다, 아무의 면목〔체면〕을 잃게 하다. ② 아무를 훨씬 앞지르다, 아무를 무색게 하다. ***Shame!*** **=*For*** **~*!*** **=*Fie for*** **~*!*** **=*Shame on you!*** 부끄럼을〔수치를〕 좀 알아라, 부끄럽지도 않으냐, 아이 보기 싫어, 꼴도 보기 싫다: ***For*** ~, let me go. 부끄럽게 왜 이래요 놓으세요. ***To my*** **~*, I must confess that ....*** 부끄러운 얘기지만 실은…. ***to the*** **~ *of*** …의 면목〔체면〕을 잃고.
— *vt.* **1** 창피 주다, 망신시키다; 모욕하다: ~ one's family 가문을 더럽히다. **2** 부끄러워하게 하다; 체면을 잃게 하다. **3** 《+목+전+명》 부끄러워 …(못) 하게 하다: He ~*d* her *into going.* 그녀로 하여금 부끄러워서 더 있을 수 없게 하였다 / He was ~*d out of* gambling. 수치스러워서 도박을 그만두었다.

sháme·fàced [-t] *a.* 부끄러운 듯싶은(bashful), 부끄러워〔수줍어〕하는(shy); 스스러워하는, 숫기 없는. ㊕ **-fàcedly** [-stli, -sid-] *ad.* **-fàcedness** *n.*

sháme·fàst *a.* 《고어》 =SHAMEFACED.

shame·ful [ʃéimfəl] *a.* **1** 부끄러운, 수치스러운, 치욕의, 창피한, 면목 없는: a ~ conduct 창피한 행위. **2** 괘씸한, 못된(scandalous). **3** 추잡한, 음란한(indecent). ㊕ **~·ly** *ad.* **~·ness** *n.*

shame·less [ʃéimlis] *a.* 부끄럼을 모르는, 파렴치한, 뻔뻔스러운; 추잡한, 음란한. ㊕ **~·ly** *ad.* **~·ness** *n.*

sham·mer [ʃǽmər] *n.* 속이는 사람, 야바위꾼, 사기꾼, 거짓말쟁이. cf sham.

sham·my, sham·oy [ʃǽmi] *n.* 《구어》 =CHAMOIS 2.

sham·poo [ʃæmpúː] *vt.* 씻다, (머리를) 감다; 《고어》 마사지하다(massage). **—** (*pl.* **~s**) *n.* **1** Ⓒ 세발; Ⓒ,Ⓤ 세발제(劑), 샴푸: a dry ~ 알코올성 세발액 / give a person a ~ 아무의 머리를 감기다. **2** 《속어·우스개》 샴페인. ㊕ **~·er** *n.*

sham·rock [ʃǽmrɑk/-rɔk] *n.* **1** 〖식물〗 토끼풀, 클로버《아일랜드의 국장(國章)》. **2** 《미속어》 아일랜드계 사람.

shamrock 1

sha·mus [ʃɑ́ːməs, ʃéi-] 《미속어》 *n.* 경찰; 사립 탐정, 수위, 파수꾼; 밀고자.

Shan [ʃɑːn, ʃæn/ʃɑːn] (*pl.* **~s,** 〖특히 집합적〗 ~) *n.* 샨족(의 한 사람)《미얀마 동북부에 사는 산지(山地) 민족》; Ⓤ 샨어(語)《샨족 언어로 타이 제어(諸語)의 하나》.

Shan·dong, -tung [ʃɑ̀ːndɔ́ːŋ/ʃændʌ́ŋ], [ʃǽntʌ́ŋ] *n.* 산둥(山東)《중국 북동부의 성(省)》.

shan·dry·dan [ʃǽndridæ̀n] *n.* 덜덜이 마차; 포장 경마차.

shan·dy(·gaff) [ʃǽndi(gæ̀f)] *n.* Ⓤ 섄디(개프)《맥주와 진저에일의 혼합주》.

Shang·hai [ʃæŋhái] *n.* **1** 상하이(上海), 상해. **2** 다리가 긴 닭의 일종.

shang·hai [ʃǽŋhài] (*p., pp.* **~ed; ~·ing**) *vt.* 《해사속어》 (마취제·술 따위로 의식을 잃게 하고 배에 납치하여) 선원을 만들다, 유괴〔납치〕하다; 《속어》 속여서〔강제로〕 싫은 일을 시키다.

Shan·gri-la, Shan·gri-La [ʃǽŋgrəlɑ́ː, ⌐‐⌐/⌐‐⌐] *n.* **1** 샹그릴라《James Hilton의 소설 *Lost Horizon* 속에 나오는 가공 이상향》. **2** 지상 낙원; 어딘가 말 못할 곳; 멀리 떨어진 은신처.

shank [ʃæŋk] *n.* **1** 정강이; 정강이뼈, 경골(脛骨)(=⌐ **bòne**); (양·소 따위의) 정강이살; 다리(leg). **2** 기둥의 몸; (연장의) 손잡이, 자루, (못·징의) 몸대, 긴 축《열쇠·닻·숟가락·낚시 등의》; (활자의) 몸체; 《속어》 나이프; 〖식물〗 잎자루. **3** 구두창의 땅에 닿지 않는 부분. **4** 《영》 (양말의) 정강이 부분. **5** 《구어》 남은 부분, 끝(장), 마지막: the ~ of the journey 여행의 끝날 무렵. **6** 《속어》 매춘부. ***in the*** **~ *of the evening*** 《미구어》 밤도 깊어 갈 즈음에; 황혼이 깃들일 무렵에. **—** *vi.* (꽃·잎·열매 등이) 꼭지가 썩어서 떨어지다(*off*); 《Sc.·방언》 도보 여행하다. **—** *vt.* 〖골프〗 (공을) 힐(heel)로 쳐서 빗나가게 하다, 섕크하다. ~ ***it*** 걷다, 산책하다. 「분의 심(芯).

shánk·pìece *n.* (구두창의) 땅에 닿지 않는 부

shánks' 〔**shánk's**〕 **máre** 〔**póny**〕 《구어》 자기 발, 도보; =POTLUCK. ***by*** **~** 걸어서. ***ride*** 〔***on***〕 〔***go on***〕 **~** (타지 않고) 걸어가다, 걷다.

shan't [ʃænt, ʃɑːnt/ʃɑːnt] shall not의 간약형. (***I***) **~*!*** 《속어》 싫어!《고집》. ***Now we*** **~ *be long.*** 이제(이만하면) 됐다 됐어.

Shan·tou, Swa·tow [ʃáːntóu/ʃæntáu], [swáːtáu/swɔ́-] *n.* 산터우(汕頭)《중국 광둥성의 동중국해에 면한 항구 도시》.

Shantung ⇨SHANDONG.

shan·tung [ʃæntʌ́ŋ] *n.* 산둥(山東) 비단.

shan·ty[1] [ʃǽnti] *n.* (초라한) 오두막, 판잣집; (선)술집; 《미속어》 얻어맞아 멍든 눈두덩.

shan·ty[2] *n.* =CHANTEY.

shánty·tòwn *n.* 판자촌, 판잣집 지구, 빈민가; 판잣집이 많은 도시; 그 주민《빈민과 노인》.

†**shape** [ʃeip] *n.* **1** U,C 모양, 형상, 외형: The ~ of Italy is like a boot. **2** U,C (사람의) 모습, 생김새, 외양(guise): an angel in human ~ 인간의 모습을 한 천사. **3** (어렴풋〔기괴〕한) 모습, 유령, 곡두(phantom). **4** 뚜렷한 모양, 정리〔구체화〕된 형태: the whole ~ of economics 경제의 전체상. **5** U 형세, 상태(condition): What will the ~ of the future be? 장래는 어떻게 될 것인가. **6** U (개개의 것의) 구체적인 형(태): This lake has a peculiar ~. 이 호수는 특이한 모양을 하고 있다. **7** 형식, 종류(sort): dangers of every ~ 여러 종류의 위험. **8** 〖건축·금형〗 형강(形鋼), 형(型), 모형틀; 〖요리〗 (젤리·우무 등의) 판; (모자 등의) 골. SYN. ⇨ PATTERN. ***beat into*** ~ 두드려 모양을 만들다; (법안·계획 등을) 정리하다. ***find a*** ~ 구체화하다, 실현하다《*in*》. ***get* 〔*put*〕 *into*** ~ 정리하다, 모습을〔형태를〕 이루다, 모습을 갖추다; (생각 따위를) 구체화하다. ***get out of its*** ~ 모양이 허물어지다〔망그러지다〕. ***give*** ~ ***to*** …에 모습을〔형태를〕 부여하다, …을 정리〔구체화〕하다: He could *give* no ~ *to* his ideas. 자기 생각을 정리할 수가 없었다. ***hold its*** ~ 형태가 망그러지지 않고 있다. ***in any*** ~ ***or form*** 어떤 형태로라도, 아무리 해도, 어떠한 …이라도. ***in no*** ~ 단연코. ***in*** ~ 본래의 상태로; 몸의 컨디션이 좋아, 건강하여: *in* good 〔poor〕 ~ (몸이) 본래의 컨디션으로〔이 아닌〕, 컨디션이 좋은〔좋지 않은〕《*for*》. ***in the*** ~ ***of*** …형식으로, …으로서의: a reward *in the* ~ *of* $200, 200달러의 사례. ***keep in*** ~ 모양을 망그러뜨리지 않도록 하다. ***lick* 〔*knock*〕 *... into*** ~ 《구어》 제구실을 하게 하다, 어엿하게 기르다, 세상 물정을 알게 하다. ***lose*** ~ 모양이 망그러지다. ***out of*** ~ ① 모양이 엉망이 되어: The box was crushed *out of* ~. 상자는 엉망으로 찌그러졌다. ② 몸이 불편하여. ***put ... in*** ~ …의 형태를 나타내다. ***take*** ~ 모양을〔형태를〕 이루다, 구체화하다, 실현하다《*in*》. ***take the*** ~ ***of*** …의 형태로 나타나다〔를 취하다〕. ***throw ... into*** ~ (생각·계획 등)을 구체화하다.

— (~*d*; ~*d*, 《고어》 ***shap·en*** [ʃéipən]) *vt.* **1** 《~+목/+목+전+명》 모양 짓다, 형체를 이루다(form), 만들다: ~ a pot on a wheel 녹로로 단지를 만들다/~ clay *into* an urn =~ an urn *out of* clay 진흙으로 독을 만들다. SYN. ⇨MAKE. **2** 《~+목/+목+전+명》 형체 짓다, 구체화하다, 실현하다; 구상하다, 고안하다; 정리하다, 말로 나타내다(express): ~ one's plan 계획을 구체화하다/~ one's ideas *into* a book 자기 생각을 책으로 정리하다. **3** 《+목+전+명》 적합시키다《*to*》; (옷을 몸에) 맞추다: ~ one's living *to* the times 생활 방식을 시대에 맞추다. **4** (진로·방침·행동·태도를) 정하다. — *vi.* **1** 《+부/+전+명》 모양을〔모습을, 형태를〕 취하다《*up*》; (…의) 형태가〔모양이〕 되다《*into*》. **2** 《+부》 이루어지다, 구체화되다《*up*》: The plan is *shaping up.* 계획이 이루어져 가고 있다. **3** 《+부》 발전하다, 잘되어 가다《*up*》: Everything is *shaping up* well 〔satisfactorily, properly〕. 만사가 잘되어 간다/It ~*s well.* 쓸모 있는 것이 될 듯하다; 잘되어 간다. ***a shaping machine*** =SHAPER 2. ~ ***up*** ① ⇨ *vi.* ② 정신차려 하다, 행실을 바로잡다: *Shape up* or get out. 정신 차려 해, 그렇지 않으려면 나가. ③ 미용〔건강〕을 위해 운동하다. ~ ***up or ship out*** 열심히 하지 않으려면 나가거라.

㊇ **sháp(e)·a·ble** *a.* 모양을〔형태를〕 지을 수 있는.

SHAPE, Shape [ʃeip] Supreme Headquarters Allied Powers in Europe(유럽 연합군 최고 사령부(1950)).

shaped [-t] *a.* **1** 〖종종 복합어를 이루어〗 …의 모양을 한: shell-~ insects 조가비 모양의 곤충/a squared-~ design 네모난 디자인. **2** (가구가) 표면이 판판하지 않은, 무늬가 있는. **3** 형에 맞추어 만든, 성형(成形)된.

sháped chárge 〖군사〗 성형(成形) 폭약, 원추탄《솔방울꼴의 고성능 폭탄》.

°**shápe·less** *a.* 형태가〔모양이〕 없는; 볼품없는, 엉성한; 혼란된. ㊇ ~**·ly** *ad.* ~**·ness** *n.*

°**shápe·ly** (*shape·li·er; -li·est*) *a.* 모양 좋은, 볼품 있는, (특히 여성이) 맵시 있는, 균형 잡힌. ㊇ **-li·ness** *n.*

shápe mèmory 형상(形狀) 기억《어떤 합금이 일정한 온도에서의 형태를 기억하여, 그 온도가 되면 본래의 형상대로 되돌아가는 현상》.

shap·en [ʃéipən] *a.* …모양의, …의 모양으로 만들어진: ill ~ 모양이 나쁜, 꼴사나운.

shap·er [ʃéipər] *n.* **1** 모양을〔형태를〕 만드는 사람〔것〕. **2** 〖기계〗 형삭반(形削盤), 셰이퍼.

shápe·shìfter *n.* 자기 모습을 바꾸는〔바꿀 수 있다고 생각되는〕 것《werewolf 따위》.

shápe-ùp *n.* 《미》 U (항만) 노동자를 집합〔정렬〕시켜 뽑는 방법.

shard, sherd [ʃaːrd], [ʃəːrd] *n.* 사금파리 파편(fragments); 〖곤충〗 (딱정벌레의) 겉날개, 시초(翅鞘); (달걀·달팽이의) 껍질(shell); 〖동물〗 비늘(scale).

‡**share**[1] [ʃɛər] *n.* **1** 몫; 배당몫, 일부분: a fair ~ 정당한〔당연한〕 몫/He should receive a generous ~ of praise. 그는 크게 칭찬을 받아야 할 것이다. **2** 할당, 분담, 부담; 출자 (비율)《*of; in*》: Do your ~ *of* work. 할당된 일은 해라/take a ~ *in* the fund 자금의 한 몫을 부담하다/He has a ~ *in* a business firm. 어떤 상사에 출자하고 있다. **3** U 역할, 진력, 공헌, 참가《*in*》: take ~ *in* the conversation 이야기에 참여하다/What ~ had he *in* your success? 그는 자네 성공에 얼마나 이바지했나. **4** (*pl.*) 《영》 주(株), 주식(《미》 stock); 증권, 주권(株券) (~ certificate). **5** 셰어, 시장 점유율(market ~). ***bear*** one***'s*** ~ ***of*** …을 분담하다. ***come in for a*** ~ ***of*** …의 분배를 받다. ***fall to*** a person***'s*** ~ 아무의 몫〔부담〕이 되다: It *fell to* his ~ to go. 그가 안 가면 안 되게 되었다. ***go* 〔*run*〕** ~***s*** 분담하다; 절반으로 가르다; 공동으로 하다《*with*》: *go* ~*s with* a person in an enterprise 사업을 아무와 공동으로 하다. ***hold*** ~***s in*** …의 주권을 소유하고 있다. ***on* 〔*upon*〕** ~***s*** 이해·손익을 공동으로 부담하여: They agreed to work *on* ~*s*. (go) ~ ***and*** ~ ***alike with*** a person 아무와 균등하게〔공동 부담으로〕 (나누다). ***take the lion's*** ~ 최대의 몫을〔가장 좋은 부분을〕 갖다.

— *vt.* **1** 《~+목/+목+부/+목+전+명》 분배하다, 나누다: ~ (*out*) $100 *among* five men, 100달러를 다섯 사람에게 분배하다/He ~*d* his food *with* the poor. 그는 가난한 사람들에게 음식물을 나누어 주었다.

SYN. **share, share in** 주로 share는 자기 소유물을 남에게도 나누다, share in은 남의 소

유물을 함께 나누다: *share* one's lunch with a friend 자기 도시락을 친구와 함께 먹다. *share in* another's joy 남의 기쁨을 함께 나누다. **participate** '참가, 관여'에 역점을 둠: *participate* in a crime 범죄에 관여하다. **partake** '소비를 위한 수용'에 역점을 둠.

2 《~+목/+목+전+명》 (방 따위를) 공유하다, 함께하다《*with*》: ~ a hotel room *with* a stranger 남과 호텔에서 한방에 들다/He ~*d* my joys and sorrows *with* me. 그는 나와 기쁨과 슬픔을 함께했다. **3** 《~+목/+목+전+명》 공동 부담하다, 함께 나누다: Let me ~ the cost *with* you. 비용을 공동으로 부담합시다/~ a taxi 택시를 합승하다. **—** *vi.* 《+전+명》 **1** 분배를〔몫을〕 받다: All must ~ alike. 모두 똑같이 할당받아야 한다/~ *in* profit 이익 분배에 한몫 끼다. **2** 함께 나누다, 공동 부담하다《*in; with*》: I'll ~ *with* you *in* the undertaking. 당신과 일을 함께 하겠소. **~ *and* ~ *alike*** 등분하다, 균등하게 나누다〔부담하다〕《*with*》. **~ *the bed of*** …와 함께 자다.

share² [ʃɛər] *n.* 보습의 날, 파종기(播種機) 따위의 날.

sháre·bròker *n.* 《영》 증권 중매인(仲買人) (《미》 stockbroker).

sháre certìficate 《미》 (신용 조합 발행의) 예금 증서; 《영》 주권(《미》 stock certificate).

sháre·cròp (*-pp-*) *vt., vi.* 《미》 소작하다. 파 **~·per** *n.* 《미》 소작인.

sháred fíle 〖컴퓨터〗 공용 파일.

sháred hóusing 양로〔노인〕 공동 주거.

sháred lógic 〖컴퓨터〗 공유 논리《복수의 사용자가 한 중앙 처리 장치를 공용하는 논리 형식》.

sháred párenting 《미》 =JOINT CUSTODY.

sháred resóurces 〖컴퓨터〗 공유 자원《복수의 사용자가 동시에 공용하는 주변 장치》.

sháre·hòlder *n.* 《영》 주주(株主)(《미》 stockholder).

sháre ìndex 《영》 주가(株價) 지수.

sháre lìst 《영》 증권 시세표(《미》 stock list).

sháre òption 《영》 **1** 자사주(自社株) 구입권 제도《종업원이 자사주를 일정한 할인 가격으로 살 수 있는 특전》. **2** 주식 옵션. cf. stock option.

sháre-òut *n.* (공제 조합 등의) 배급, 분배《*of*》.

sháre prèmium 《영》 자본 잉여금(《미》 capital surplus).

sháre·pùsher *n.* 《영구어》 시세 없는 불량 증권을 팔러 다니는 사람.

shar·er [ʃɛ́ərər] *n.* **1** (배급·배당을) 받는 사람; 공유하는〔분배에 참여하는〕 사람《*in; of*》. **2** 분배〔배급〕자(divider).

sháre·wàre *n.* 〖컴퓨터〗 쉐어웨어《무료 혹은 명목적 요금으로 사용할 수 있으나 계속 사용 시는 유료로 하는 저작권이 있는 소프트웨어》.

sha·ri'a, sha·ria, she- [ʃəríːə] *n.* 《Ar.》 (종종 S-) 이슬람 법, 성법(聖法), 샤리아《인간의 올바른 삶을 구체적으로 규정한 것》.

***shark** [ʃɑːrk] *n.* **1** 〖어류〗 상어. **2** 탐욕스러운 사람, 고리대금업자, 악착 같은 지주〔집주인〕; 사기꾼(swindler). **3** 《미속어》 능수, 권위자; 《미학생속어》 공부 잘하는 학생: a card ~ 트럼프 명수(名手). **4** 《영속어》 세관원. **—** *vi.* 《고어》 사기치다, 편취하다. **—** *vt.* 《고어》 속여 빼앗다, 착취하다《*up*》; 《고어》 게걸스럽게 먹다〔마시다〕. 파 **∠·er** *n.* 《폐어》 사기꾼(swindler).

shárk·pròof *a.* 상어 방지의《그물·약품 등》: a ~ metal cage 상어 방지 금속제(製) 우리.

shárk repèllent (기업의) 적대적 매수 회피를 위한 방어 조치; 상어 구축 수단〔약품〕.

shárk·skìn *n.* U 상어 가죽; 샤크스킨《상어 가죽 같은 양털·화학 섬유 직물》.

shárk sùcker 〖어류〗 빨판상어(remora).

Shar·on [ʃǽrən, ʃɛ́ərən] *n.* **1** 샤론《여자 이름; 애칭 Shari》. **2** 〖성서〗 샤론 (평야)(=the **Pláin of ∠**)《이스라엘 Tel Aviv에서 Haifa 남쪽 연안 평원》.

****sharp** [ʃɑːrp] *a.* **1 a** 날카로운, 모난, 뾰족한(pointed); (날이) 잘 드는, 예리한(keen). OPP. *dull, blunt.* ¶ a ~ point 〔summit〕 뾰족한 끝〔산봉우리〕/a ~ angle 예각(銳角). **b** (비탈 등이) 가파른, 험준한(steep); (길 따위가) 갑자기 꺾이는: a ~ turn in the road 도로의 급커브.

SYN. **sharp** (칼 따위가) 잘 드는, 예리한: a *sharp* knife. **keen** (날 끝이) 예리한: a *keen* blade 예리한 날. **acute** (각이) 뾰족한, 예각(銳角)의: an *acute* triangle 예각 삼각형. 이상 세 낱말은 비유적 용법에서는 거의 구별없이 쓰임: a *keen* 〔*sharp, acute*〕 mind 영민한 두뇌. a *keen* 〔*sharp, acute*〕 pain 격통.

2 (기질·말·목소리 따위가) 날카로운, 격렬한; (아픔·맛·추위·경험 따위가) 격심한, 모진, 매서운, 쓰라린, 신랄한(bitter), 얼얼한; 《미》 (치즈) 냄새가 강렬한: a ~ temper 날카로운 성미/a ~ reproof 호된 질책〔꾸지람〕/a ~ voice 날카로운 소리/a ~ contest 격심한 경쟁/a ~ appetite 강렬한 식욕/a ~ flavor 〔taste〕 얼얼〔짜릿〕한 맛/a ~ grief 깊은 슬픔/a ~ air 〔frost〕 살을 에는 듯한 냉기〔추위〕/He's ~ *with* his children. 그는 자식들에게 엄하다. **3** (머리 따위가) 예민한(acute); 빈틈이 없는(vigilant), 약삭빠른(shrewd), 교활한(crafty): ~ wits 날카로운 재치/~ intelligence 예민한 지능/He's ~ *at* math. 그는 수학을 잘한다/He's ~ *about* money. 그는 돈에 대해선 빈틈이 없다/It was ~ *of* you 〔You were ~〕 *to* catch him. 그를 붙잡았다니 너도 어지간하다/a ~ gambler 교활한 도박사/~ practices 사기 행위/be ~ *at* figures 계산이 빠르다, 빈틈없다. **4** 명확한(distinct), 뚜렷한(clear): a ~ outline 〔contrast〕 뚜렷한 윤곽〔대조〕/a ~ impression 선명한 인상. **5** (행동이) 날쌘, 재빠른, 민첩한: ~ work 날랜 솜씨. **6** 《구어》 멋진 옷차림을 한, 스마트한, 얼굴이 잘생긴. **7** 〖음악〗 반음 높은, 올림표(#)가 붙은. OPP. *flat*¹. **8** 〖음성〗 경음(硬音)의(fortis), 무성음의《[p, t, k] 등》. **9** 〖통신·전자〗 분리가 잘 되는, 감도가 좋은. **(*as*) ~ *as a needle*** 매우 영리한, 머리가 좋은. ***Sharp is* 〔*Sharp's*〕 *the word!*** 자 빨리빨리, 서둘러라.

— *ad.* **1** 날카롭게(keenly). **2** 빈틈없이, 방심않고(attentively); 날쌔게(briskly). **3** 갑자기, 돌연(abruptly), 급속히: turn ~ to the right 갑자기 오른쪽으로 꺾다〔돌다〕. **4** 꼭, 정각(exactly): at five o'clock ~, 5시 정각에. **5** 〖음악〗 반음 높게. ***Look* ~!** ⇨LOOK *v.*

— *n.* **1** 날카로운 것; (*pl.*) 바느질 바늘. **2** 《구어》 사기〔협잡〕꾼, 야바위꾼(sharper); 《미구어》 전문가, 명수, 명인(expert). **3** (*pl.*) 《영》 거친 밀가루(middling). **4** 〖음악〗 올림표, 샤프《#; 반음 높은 음》.

— *vt., vi.* **1** 〖음악〗 반음 올리다; 높은 소리로 노래하다. **2** 《고어》 속이다, 협잡〔사기〕하다. **3** 《고어》 =SHARPEN. 파 °**∠·ness** *n.* 「한, 신랄함.

shárp-cút *a.* 예리한 칼로 잘린; 뚜렷한, 선명

shárp-éared *a.* 귀가 뾰족한; 귀가 밝은.

shárp-édged *a.* **1** (날이) 예리한, 잘 드는. **2** (말 따위가) 날카로운, 신랄한.

***sharp·en** [ʃɑ́ːrpən] *vt.* **1** 날카롭게 하다; 뾰족하게 하다, 깎다, 갈다: ~ a knife 칼을 갈다/~ a pencil 연필을 뾰족하게 깎다. **2** 격심하게〔강하게〕 하다: ~ one's appetite 식욕을 돋우

다〔증진하다〕. **3** 또렷하게 하다. **4** 〖음악〗 반음 올리다. ― *vi.* 날카로워지다, 뾰족해지다; 격렬해지다: The debate ~*ed* considerably. 토론이 상당히 격렬해졌다. ⓜ **~·er** *n.* 가는〔깎는〕 사람〔기구〕: a pencil ~*er* 연필깎이 / a knife-~*er* 칼 가는 숫돌.

shárp énd 《구어》 뱃머리; 《구어》 (조직 따위의) 활동의 제일선, 결정권 따위를 가진 입장; 《비유》 첨단, 전선(前線); 매우 난처한 입장.

shárp·er *n.* 사기꾼, 직업적인 도박꾼.

shárp-éyed *a.* 눈이 날카로운, 눈치 빠른; 관찰력이 예리한; 날쌘.

shárp-fréeze *vt.* (음식을) 급속히 냉각하다 (quick-freeze).

sharp·ie, sharpy [ʃáːrpi] *n.* **1** 《미》 세모돛의 외〔두〕대박이 평저선(平底船). **2** =SHARPER; 《속어》 멋쟁이; 《구어》 빈틈없는 사람.

shárp·ish *a., ad.* 다소 날카로운〔날카롭게〕, 좀 높은〔높게〕; 《영구어》 조금 빠르게, 서둘러.

***sharp·ly** [ʃáːrpli] *ad.* **1** 날카롭게. **2** 세게, 격렬하게, 호되게, 몹시. **3** 급격하게; 날쌔게. **4** 빈틈없이. **5** 뚜렷이.

shárp-nósed *a.* 뾰족한 코를 한; 후각이 예민한; (비행기·경기용 자동차 따위) 앞이 뾰족한.

shárp-póinted [-id] *a.* 끝이 뾰족한.

shárp práctice 빈틈없는〔파렴치한〕 거래〔장사〕, 교활한 방식; 사기 행위.

shárp-sèt *a.* **1** 예각이 되게 단. **2** 열망〔갈망〕하는《*upon; after*》. **3** 몹시 배고픈〔굶주린〕《*for*》. ⓜ **~·ness** *n.*

shárp·shòoter *n.* 사격의 명수; 저격병; 〖미군사〗 1등 사수(의 등급); 《속어》 일거에 큰 이익을 노리는 단기 매매자; 〖경기〗 슛·겨냥이 정확한 선수.

shárp·shòoting *n.* 정확한 사격; (언론 등에 의한) 급소를 찌르는 공격.

shárp-síghted [-id] *a.* 눈이 날카로운, 눈치 빠른, 민첩한. ⓜ **~·ly** *ad.* **~·ness** *n.*

shárp-tóngued *a.* 바른말 하는, 말이 신랄한, 독설을 내뱉는.

shárp-wítted [-id] *a.* 빈틈없는; 머리가 예민한. ⓜ **~·ly** *ad.* **~·ness** *n.*

sharpy ⇨SHARPIE.

Shás·ta dáisy [ʃǽstə-] 〖식물〗 샤스타데이지 (〖잡종 국화의 일종〗).

Shas·tra [ʃáːstrə] *n.* (힌두교의) 성전(聖典).

shat·ter** [ʃǽtər] *vt.* **1** 산산이 부수다, 박살내다: ~ the window pane 창유리를 깨다. SYN. ⇨BREAK. **2** 부수다, 파괴하다(destroy), (희망 따위를) 꺾다, 못 쓰게 만들다(impair), 망치다: ~*ed* hopes 산산이 깨어진 희망 / ~*ed* nerves 〔constitution〕 결딴난 신경〔건강〕. **3** 〖보통 수동태〗 《구어》 …의 감정을 뒤흔들다, 압도하다; 《영구어》 기진맥진하게 하다. ― *vi.* 부서지다, 산산조각이 나다, 깨지다. ― *n.* **1** (보통 *pl.*) 파편, 깨진 조각; 파손. **2** 엉망이 된 상태《건강·정신 상태 등이》. ***break into ~s 분쇄하다. ***in*** 〔***into***〕 ***~s*** 조각조각이 되어, 산산이 부서져서. ≒shutter.

shátter còne 〖지학〗 (정점에서 방사상으로 줄이 있는) 충격〔분쇄〕 원뿔(암(岩))《분화나 운석 낙하의 충격에 의한》.

shát·ter·ing *a.* 파괴적인, 귀청이 떨어질 듯한, 놀랄 만한, 강렬한; 기진맥진한. ⓜ **~·ly** *ad.*

shátter·pròof *a.* (유리 등이) 잘게 바스러지지 않는, 비산(飛散) 방지(설계)의.

****shave** [ʃeiv] (***~d; ~d, shav·en*** [ʃéivən]) *vt.* **1** (수염을) 깎다, 면도하다; (잔디 따위를) 짧게 깎다: ~ one's face. **2** 《~+목/+목+보/+목+부》 대패질하다, 깎다; 밀다; 깎아 내다《*off*》: A barber ~*d* him bald. 이발사가 그의 머리를 빡빡 깎았다 / ~ (*off*) thin slices 얇은 조각으로 깎아 내다. **3** (자동차 등이) 스칠 듯 지나가다, 스치다(graze): The car just ~*d* the wall. 자동차는 담벽을 스칠 듯이 지나갔다. **4** 《미》 (어음·증권 등을) 대폭 할인하여 사다; (값을) 깎다. **5** (형기(刑期) 등을) 단축하다. **6** 속여 빼앗다. ― *vi.* **1** 수염을 깎다, 면도하다: He does not ~ every day. 그는 매일 면도하지는 않는다. **2** (면도칼이) 잘 들다. **3** 스치다. **4** 《미구어》 어음·증권 따위를 대폭 할인하여 사다. **~ *away*** 〔***off***〕 깎아〔밀어〕 버리다. **~ one*self*** 면도하다.

― *n.* **1** 면도하기, 수염깎기(shaving): A sharp razor gives you a close ~. 면도칼이 잘 들면 면도가 잘 된다 / a clean ~ 깨끗이 수염을 깎음 (cf. clean-shaven〔-shaved〕); 《영》 속임수, 사기. **2** 스칠 듯 말 듯(한 통과); 간신히 모면하기: a close ~ 위기일발. **3** 깎아 낸 조각〔부스러기〕, 대팻밥. **4** 깎는 기구《대패 따위》, 면도 기구. **5** 《미》 (어음 따위의) 고율 할인. **6** 《영》 사기, 협잡; 속임수, 장난. ***by a close*** 〔***narrow, near***〕 **~** 간신히, 아슬아슬하게. ***get*** 〔***have***〕 ***a ~*** 수염을 깎다: You must *have a* ~. 면도를 해라. ***have*** 〔***be***〕 ***a close ~*** (***of it***) 간신히〔아슬아슬하게〕 위기를 모면하다.

shaved *a.* 《속어》 (자동차가) 불필요한 부품·액세서리를 떼 낸.

shave·ling [ʃéivliŋ] 《보통 경멸》 *n.* 까까머리, 중, 뭉구리; (보통 little ~) 애송이.

shav·en [ʃéivən] SHAVE의 과거분사.

― *a.* 수염을〔머리를〕 깎은; 까까머리의, 뭉구리의; 짧게 깎은《잔디 따위》.

shav·er [ʃéivər] *n.* **1** 깎는〔면도하는〕 사람; 대패질하는 사람; 이발사; 면도 기구; 전기 면도기(electric razor). **2** 《미》 고리대금업자; 《고어》 사기꾼. **3** (보통 young ~) 《구어》 애송이, 사내아이.

sháve·tàil *n.* 《미군대속어》 풋내기〔신임〕 육군 소위; (군대용의) 아직 훈련되지 않은 노새.

Sha·vi·an [ʃéiviən] *a.* (Bernard) Shaw(류)의. ― *n.* Shaw 숭배자〔연구가〕. ⓜ **~·ism** *n.*

shav·ing [ʃéiviŋ] *n.* Ⓤ 깎음, 면도질; 깎아 냄, 대패질함; (*pl.*) 깎아 낸 부스러기, 대팻밥.

sháving brùsh 면도용 솔.

sháving crèam 면도용 크림.

sháving fòam 면도용 거품.

sháving hòrse 나무 깎을 때 걸터앉는 받침대.

sháving sòap 면도용 비누.

Shavuot(h) ⇨SHABUOTH.

Shaw [ʃɔː] *n.* **George Bernard ~** 쇼《영국의 극작가·비평가; 1856-1950; 생략: G.B.S.》.

shaw *n.* 《고어·시어·방언》 잡목 숲, 우거진 숲; 덤불(thicket).

◇**shawl** [ʃɔːl] *n.* 숄, 어깨 걸치개; 《영군대속어》 큰 외투(greatcoat). ― *vt.* …에 숄을 걸치다, …을 숄로 싸다.

sháwl còllar 숄칼라《숄 모양으로 목에서 늘어진 깃》.

sháwl-dànce *n.* 댄스의 일종《숄을 펄럭이며 춤》.

sháwl pàttern 숄 무늬《동양의 숄을 모방한 화려한 디자인》; 화려한 무늬〔디자인〕.

shawm [ʃɔːm] *n.* 중세의 오보에(oboe) 종류.

Shaw·nee [ʃɔːníː] (*pl.* **~, ~s**) *n.* 쇼니족(族)《Algonquin 족의 하나》; Ⓤ 쇼니어(語).

shay [ʃei] *n.* 《고어·방언·구어》 =CHAISE.

sha·zam [ʃəzǽm] *int.* 《미》 셔잼《물체가 사라지게 하거나 나타나게 할 때 외는 주문》.

†**she** [ʃiː; 약 ʃi] (*pl.* ***they***) *pron.* 그녀는〔가〕 《3인칭 여성 단수 주격의 인칭대명사; 소유격·목적격은 her; 소유대명사는 hers》: My sister says ~ likes to read. 누이는 독서를 좋아한다고 말한다. ★ 국가·도시·선박·(기)차·달 등 여성으로 취급되는 것에도 쓰임. ― (*pl.* **~s** [-z]) *n.*

여자, 여성; 암컷: Is the baby a he or a ~? 아기는 사내냐 계집애냐 / Our dog is a ~. 우리 집 개는 암놈이다. —*a.* 여자의; 〖복합어〗 암컷의: a ~-rabbit 암토끼 / a ~-cat 암고양이; 짓궂은〔앙칼진〕 계집.

s/he [ʃíːhìː] *pron.* 그(녀)는, 그(녀)가 《he or she, she or he; nonsexist의 사용어(使用語)》.

sheaf [ʃiːf] (*pl.* ***sheaves*** [ʃiːvz]) *n.* (곡식 등의) 단, 묶음, 한 다발: a ~ of papers 한 묶음의 서류 / a ~ of arrows 한 전동(箭筒)의 화살 《보통 24개》. —*vt.* 묶다, 다발 짓다.

◇**shear** [ʃiər] (**~ed,** 《방언·고어》 ***shore*** [ʃɔːr]; **~ed, shorn** [ʃɔːrn]) *vt.* **1** 《~+[목]/+[목]+[전]+[명]/+[목]+[부]》 (큰 가위 따위로) 베다, 잘라 내다, 치다; 깎다; 《Sc.》 (낫으로) 베어 내다; 〖기계〗 전단(剪斷)하다: ~ (wool *from*) sheep 양(털)을 깎다 / ~ a hedge 산울타리를 치다 / the lawn closely *shorn* 짧게 깎은 잔디 / ~ *off* a person's hair 아무의 머리를 자르다. **2** (털옷감 따위의) 보풀을 베어 내다: ~ cloth 직물의 보풀을 베다. **3** 《+[목]+[전]+[명]》〔보통 수동태〕 (권력 따위를) …에게서 빼앗다, …로부터 박탈〔탈취〕하다《*of*》: *be shorn of* one's authority 권한을 빼앗기다.
—*vi.* **1** 가위질하다; 양의 털을 깎다. **2** (무엇이) 가위에 잘리다, 깎이다; 〖기계〗 전단(剪斷)되다. **3** 《+[전]+[명]》 (배·비행기 따위가) 헤치고 나아가다 《*through*》: ~ *through* the clouds 〔the waves〕. **~ *off*** 잘라 내다, (가위로) 베다. **~ *off* a person's *plume*** 아무의 높은 콧대를 꺾다.
—*n.* **1** (*pl.*) 큰 가위 《흔히 a pair of ~s》; 가지 치는 가위; 전단기(剪斷機). **2** (양털)깎기. **3** 깎아 낸 것 《양털 따위》. **4** (양의) 털 깎은 횟수: (양의) 나이: a sheep of one ~ 〔two ~s〕 한〔두〕 살짜리 양. **5** 〖기계〗 전단(剪斷), 전단 응력(應力); 변형. **6** (*pl.*) =SHEAR LEGS.
[파] **∠·er** [-rər] *n.* 베는〔깎는〕 사람; 양털 깎는 사람; 전단기.

shéar hùlk 두 발 기중기선(起重機船).

shéar·ing [-riŋ] *n.* [U] 양의 털깎기; (*pl.*) 깎아 낸 양털; 〖기계〗 전단(剪斷), 전단 변형.

shéaring strèss 〖기계〗 전단 응력(剪斷應力) (=**shéar strèss**).

shéar lègs 두 발 크레인〔기중기〕.

shear·ling [ʃíərliŋ] *n.* 털을 한 번 깎은 양.

shéar pìn 〖기계〗 시어핀 《과대한 힘이 가해지면 부러지게 되어 있는, 기계의 중요한 부분에 끼워 놓은 핀》.

shéar stèel 〖야금〗 전단강(剪斷鋼), (날붙이「의) 날을 만드는 강철.

shéar·wàter *n.* 〖조류〗 섬새류.

shéat·fish [ʃíːt-] *n.* 〖어류〗 메기류 《유럽산(産)》.

◇**sheath** [ʃiːθ] (*pl.* **~s** [ʃiːðz, ʃiːθs]) *n.* 칼집; (연장의) 집, 덮개; 〖식물〗 엽초(葉鞘)(ocrea); 〖곤충〗 시초(翅鞘); 〖전기〗 (케이블의) 외장(外裝); 돌로 쌓은 둑; (음경의) 포피(包皮); 콘돔(condom). —*vt.* =SHEATHE.

sheathe [ʃiːð] *vt.* 칼집에 넣다〔꽂다〕; 칼집을 달다; 덮다, 싸다. **~ *the sword*** 칼을 칼집에 넣다; 《비유》 화해하다.

shéath·ing *n.* [U,C] 칼집에 꽂기; 덮개, 입힘, 씌움; 배의 밑바닥에 까는 쇠판; 〖전기〗 (케이블의) 외장(外裝); 〖건축〗 지붕널.

shéath knìfe 칼집이 있는 나이프. [cf.] clasp「knife.

sheave[1] [ʃiːv] *n.* 활차〔고패〕 바퀴; 도르래.

sheave[2] *vt.* (보릿짚 따위를) 단으로 묶다, 묶음으로 하다.

sheaves [ʃiːvz] SHEAF, SHEAVE[1]의 복수.

She·ba [ʃíːbə] *n.* **1** 〖성서〗 스바 《아라비아 남부의 옛 왕국》. **2** 《미구어》 매력이 넘치는 미인. ***the Queen of ~*** 〖성서〗 시바의 여왕 《Solomon 왕의 슬기와 위대함에 감복했다 함; 열왕기상(上) X: 1-13》.

she·bang [ʃəbǽŋ] 《미구어》 *n.* 당면한 사정; 판잣집; 소란; 파티. ***blow up the whole ~*** 깡그리 잡치다.

she·been [ʃəbíːn] *n.* 《Ir.》 무허가〔밀주〕 술집 (《미》 speakeasy), 〖일반적〗 싸구려 선술집.

****shed**[1] [ʃed] (*p., pp.* **~; ∠·*ding***) *vt.* **1** 뿌리다, (눈물·피 등을) 흘리다: ~ tears 〔sweat〕 눈물을〔땀을〕 흘리다 / ~ blood 피를 흘리다, 사람을 죽이다 ([cf.] bloodshed) / ~ other's blood (많은) 사람을 죽이다. **2** (잎·씨 따위를) 떨어뜨리다; (뿔·껍질·깃털 따위를) 갈다; (옷을) 벗다, 벗어 버리다(leave off): Trees ~ their leaves in fall. 나무는 가을에 잎이 진다 / A snake ~*s* its skin. 뱀은 허물을 벗는다. **3** 《~+[목]/+[목]+[전]+[명]/+[목]+[부]》 (빛·열·향기 등을) 발(산)하다, 퍼뜨리다, 풍기다(diffuse): These lilacs ~ a sweet perfume. 이 라일락은 향기가 좋다 / The moon ~ a silver luster *over* the landscape. 달은 주위 풍경에 온통 은색 빛을 비추고 있었다 / Roses ~ their fragrance *around*. 장미는 주위에 향기를 풍긴다. **4** 《비유》 버리다; 《구어》 …와 이혼하다, …와 결별하다: ~ a bad habit 악습을 버리다 / ~ one's colleagues 동료와 결별하다〔갈라지다〕. **5** (천 따위가) 물이 스며들지 않다, (물을) 튀기다(repel). **6** 《+[목]+[부]/+[목]+[전]+[명]》 (영향 따위를) 주위에 미치게 하다, 주다(impact): He ~*s* confidence *around* him 〔*wherever* he goes〕. 그는 주위에〔어디를 가나〕 남에게 신뢰감을 준다. —*vi.* 탈모(脫毛)〔탈피〕하다, 털갈이하다; 껍질〔허물〕을 벗다; (잎·씨 등이) 떨어지다: My dog is ~*ding* badly. 우리 집 개는 털갈이가 심하다. **~ *one's blood for*** …을 위해 피를 흘리다, …을 위해 죽다.

***shed**[2] *n.* **1** 헛간, 의지간, 까대기, 광; 가축 우리, 작업장. **2** 차고, 격납고. **3** (세관의) 창고. **4** 《미속어》 지붕 있는 자동차. —(**-dd-**) *vi.* ~에 넣다.

****she'd** [ʃiːd] she had 〔would〕의 간약형.

SHED 〖우주〗 solar heat exchanger drive(태양열 교환 추진).

shed·der [ʃédər] *n.* (눈물·피 따위를) 흘리는 사람; 붓는 사람〔기구〕; 〖동물〗 탈각기(脫殼期)의 게〔새우〕.

shed·ding[1] [ʃédiŋ] *n.* **1** [U] 흘리기, 발산. **2** (보통 *pl.*) 벗은 허물〔껍데기〕, 빈 껍질. **3** [U] 나누기; 분계(分界).

shed·ding[2] *n.* 헛간, 광; 차고.

shé-dévil *n.* 악독한 계집, 악녀, 독부.

shéd hànd 《Austral.》 양털깎기 일꾼〔조수〕.

shéd·lìke *a.* 헛간 같은, 곳간식의.

shéd·lòad *n.* 《구어》 많음, 다수.

sheen [ʃiːn] *n.* [U] 번쩍임, 광채(brightness); 광택, 윤(luster); 눈부신 의상. —*a.* 《고어》 빛나는, 번쩍이는; 광택 있는. —*vi.* 《방언》 빛나다, 번쩍이다(shine). [파] **∠·ful** *a.* **∠·less** *a.* **∠·ly** *ad.* 「는, 윤나는; 빛나는.

sheeny[1] [ʃíːni] (***sheen·i·er; -i·est***) *a.* 광택 있

sheeny[2], **shee·ney, shee·nie** [ʃíːni] *n.* 《경멸》 유대인(Jew).

****sheep** [ʃiːp] (*pl.* ~) *n.* **1** 양, 면양. [cf.] ewe, lamb, ram, mutton. ¶ a flock of ~ 한 떼의 양 / ⇨ BLACK SHEEP / As well be hanged 〔hung〕 for a ~ as (for) a lamb. 《속담》 《'새끼 양을 훔치고 교수형을 당하느니 차라리 어미 양을 훔친다' 란 뜻에서》. **2** [U] 양 가죽, 양피(羊皮). **3** 양같이 온순한 사람, 마음 약한 사람; 어리석은 사람. **4** 〔집합적〕 교구민, 신자([cf.] shepherd). ***a lost*** 〔***stray***〕 ***~*** 〖성서〗 길 잃은 양, 정도(正道)를 벗어난 사람 《예레미야 L: 6》. ***a wolf in ~'s clothing*** 〖성서〗 양의 가죽을 쓴 이리, 착한 사람의 가

면을 쓴 악인《마태복음 VII: 15》. ***follow like*** ~ 맹종하다. ***like*** 〔***as***〕 ***a*** ~ (***led***) ***to the slaughter*** 매우 온순하게, 얌전히. ***return to*** one's ~ 본제(本題)로 되돌아오다. ***separate the*** ~ ***from the goats*** 〖성서〗 선인과 악인을 구별하다《마태복음 XXV: 32》. ~ ***that have no shepherd*** 오합지중.

shéep·bèrry *n.* 〖식물〗 (북아메리카산(產)) 가막살나무속(屬)의 관목; 그 열매.

shéep·còte, -còt *n.* =SHEEPFOLD.

shéep-dìp *n.* 세양액(洗羊液)《기생충 구제(驅除)용》; 세양조(洗羊槽); 《미속어》 싸구려 술. — *vt.* 《미속어》 (군인을) 민간인으로 위장시키다《간첩 활동을 위하여》.

shéep dòg 양치기 개, 목양견(牧羊犬)《collie 따위》.

shéep-fàrmer *n.* 《영》 목양업자(《미》 sheepman).

shéep·fòld *n.* 양우리, 양사(羊舍).

shéep·hèrder *n.* 《미》 양 치는 사람, 목동(shepherd).

shéep·hòok *n.* 양 치는 사람의 지팡이.

sheep·ish [ʃíːpiʃ] *a.* (양처럼) 마음이 약한, 수줍어하는, 겁 많은, 빙충맞은; 어리석은. ⓜ **~·ly** *ad.* **~·ness** *n.*

shéep kèd 〖곤충〗 날개 없는 흡혈성 파리《양(羊)에 기생함》.

shéep lòuse 〖곤충〗 양의 이; =SHEEP KED.

shéep·man [-mæ̀n, -mən] (*pl.* ***-men*** [-mèn, -mən]) *n.* **1** 《미》 목양업자(《영》 sheepfarmer). **2** 《고어》 =SHEPHERD.

shéep-pèn *n.* 《영》 =SHEEPFOLD.

shéep rùn 큰 목양장(牧羊場)(=**shéep stàtion**)《특히 오스트레일리아의》.

shéep's èyes 《구어》 곁눈질, 추파. ***cast*** 〔***make***〕 ~ ***at*** ... …에(게) 추파를 던지다〔곁눈질하다〕.

shéep·shànk *n.* **1** 양의 정강이〔다리〕; 강마른 것. **2** 〖해사〗 간동그려 매기《밧줄을 일시 줄이는 방법》.

shéeps·hèad *n.* **1** (요리한) 양 머리. **2** 《고어》 얼간이; 바보. **3** 〖어류〗 돔과 식용어.

shéep·shèaring *n.* Ⓤ 양털 깎기; 양털 깎는 시기〔축제〕.

shéep·skìn *n.* **1** Ⓤ 양가죽, 다룬 양가죽. **2** Ⓒ 양가죽제(製)의 의류《외투·모자 따위》. **3** Ⓤ 양피지; Ⓒ 양피지 문서. **4** Ⓒ 《미구어·우스개》 졸업 증서(diploma).

shéep('s) sòrrel 〖식물〗 애기수영.

shéep tìck 〖곤충〗 =SHEEP KED.

shéep·wàlk *n.* 《영》 목양장.

shéep wàsh 세양장(洗羊場); 《영》 세양액(洗羊液)(sheep-dip).

*__sheer__[1] [ʃiər] *a.* **1** (천·피륙이) 얇은; 비치는 (diaphanous). **2** 섞이지 않은, 물 타지 않은, 순수한. ⓒⓕ mere[1], pure. ¶ ~ whisky 물 타지 않은 위스키. **3** 순전한, 단순한(mere), 완전한: a ~ waste of time 순전한 시간 낭비 / ~ nonsense 〔folly〕 정말 어처구니없는〔어리석은〕 것 / by ~ luck 정말 운이 좋아서 / by ~ force 우격다짐으로, 힘으로. **4** 깎아지른 듯한(perpendicular), 험준한, 수직의: a ~ drop of 100 feet to the water 수면까지 100 피트의 수직 낙하 거리.

— *ad.* **1** 완전히, 순전히, 아주; 정면〔정통〕으로: run ~ into the wall 벽에 정면으로 부딪치다. **2** 수직으로, 곧바로, 깎아지른 듯이: fall ~ down 300 feet, 300 피트 아래로 떨어지다 / The cliff descends ~ to the sea. 그 벼랑은 바다에 깎아지른 듯이 솟아 있다.

— *n.* Ⓤ 얇고 비치는 피륙; Ⓒ 그 옷.

ⓜ **∠·ly** *ad.* 전혀, 순전히, 완전히. **∠·ness** *n.*

sheer[2] *vi.* **1** 급히 방향을 바꾸어 나아가다; (옆으로) 벗어나다, 침로(針路)에서 벗어나다《*off; away*》. **2** (싫은 사람·일·화제 따위를) 피하다 《*off; away; from*》: I saw him but I ~*ed off.* 그를 보았지만 피했다. — *vt.* (배·차)의 진행방향을 바꾸다. — *n.* 〖해사〗 Ⓤ 침로의 전환; 현호(舷弧)《선측선(船側線)의 만곡》; Ⓒ 외닻으로 정박할 때 옆으로 기운 배의 위치; 만곡 진행.

shéer·lègs *n. pl.* =SHEAR LEGS.

shéer plàn 〖조선〗 측면선도(線圖). ⓒⓕ body plan, half-breadth plan.

__sheet__[1] [ʃiːt] *n.* **1 시트, (침구 따위의) 커버, 홑이불: She covered the ~*s* with a blanket. 시트 위에 담요를 씌웠다 / get between the ~*s* 잠자리에 들다, 자다. **2** (플레이트(plate)보다 얇은 유리·쇠·베니어판 따위의) 얇은 판, 박판. **3** …장〔매〕; 한 장의 종이; (서적·인쇄물·편지·신문 따위의) 한 장: two ~*s of* paper 종이 두 장 / a ~ *of* glass 〔iron〕 판유리〔철판〕 한 장 / an order ~ 주문 전표. **4** (눈·물·불·색(色) 따위의) 넓게 퍼진 면, 질펀함, 온통…, 일대(一帶): a ~ *of* water 질펀한 물 / a ~ *of* ice 온통 얼음 벌판〔바다〕, 빙원 / ~*s of* rain 호우(豪雨) / a ~ *of* fire 불바다. **5** (암석·흙·얼음 따위의) 얇은 층〔켜〕; 〖지학〗 기반암(基盤岩). **6** (참회자가 입는) 흰옷; 수의(壽衣). **7** 《시어》 돛(sail). **8** (보통 *pl.*) 매엽지(枚葉紙)《인쇄용 사이즈로 된 종이》; (설계 따위의) 도면; (우표의) 시트; 인쇄물; 《구어》 (저질의) 신문, 정기 간행물《따위》, 《미속어》 경마 뉴스(scratch ~); 《미속어》 (범죄자의) 기록, 파일(file); 식물 표본지: a proof ~ 교정쇄 / a news ~ 한 장짜리 신문 / a penny ~, 1페니짜리 신문 / ⇨ FLY SHEET. ***a blank*** ~ 백지; (선이나 악에 물들지 않은) 백지 같은 사람〔마음〕. ***a clean*** ~ 전과가 없는〔선량한〕 사람. (***as***) ***pale*** 〔***white***〕 ***as a*** ~ 새파랗게 질리어, 백짓장같이 되어. ***in*** ~***s*** ① 얇은 판〔박(箔)〕이 되어. ② 〖제본〗 제본하지 않고, 인쇄한 채로. ③ (비·안개가) 몹시: The rain was coming down *in* ~*s.*

— *vt.* **1** (잠자리 따위에) 시트를 깔다, 시트〔홑이불〕로 덮다. **2** 온통 (뒤)덮다. **3** …에게 수의를 입히다. ~***ed rain*** (억수같이 퍼붓는) 큰비(~s of rain).

— *a.* 박판(薄板)(제조)의.

sheet[2] *n.* 〖해사〗 **1** 아딧줄, 시트. **2** (*pl.*) (이물〔고물〕의) 공간, 자리. ***a*** ~ ***in*** 〔***to***〕 ***the wind*** 〔***wind's eye***〕 《구어》 얼근히 취하여. ***three*** 〔***four***〕 ~***s in*** 〔***to***〕 ***the wind*** 〔***wind's eye***〕 《구어》 만취하여. — *vt.* 〖다음 관용구로〗: ~ ***home*** 아딧줄을 켕기어 (돛을) 활짝 펴다; 《미》 …에 대해 책임을 지우다, (필요성 등을) 통감케 하다.

shéet ànchor 1 〖해사〗 예비의 큰 닻《비상용》. **2** 《비유》 마지막 수단〔의지가 되는 사람〕.

shéet bènd 〖해사〗 두 가닥의 밧줄을 잇는 매듭 방식《becket bend, mesh knot, netting knot, weaver's knot 등》.

shéet eròsion 〖지학〗 면상 침식(面狀侵蝕); 표층 침식.

shéet fèeder 〖컴퓨터〗 낱장 용지 공급기《프린터에 용지를 한 장씩 자동적으로 넣는 장치》.

shéet glàss 판유리.

shéet·ing *n.* Ⓤ **1** (깔개용) 시트(감). **2** 판금(板金)〔판 모양〕으로 하기; 판금. **3** 〖토목〗 흙막이 널, 판자울〔틀〕.

shéet ìron 박(薄)강판, 철판.

shéet lìghtning 〖기상〗 막전(幕電), 막상(幕狀) 번개《번개가 구름에 반사하여 하늘 전체가 밝아지는 현상》.

shéet mètal 판금(板金), 금속 박판(薄板).

shéet mùsic 한 장의 악보로 인쇄된 팝뮤직.

shéet pìle 시트 파일, 널말뚝.

Sheet·rock [ʃíːtrɑ̀k/-rɔ̀k] *n.* 시트록《석고판(板); 건축재; 상표명》.

Shef·field [ʃéfiːld] *n.* 셰필드《잉글랜드 중부의 공업 도시》.

Shéffield plàte 은도금한 동판.

shé-gòat *n.* 암염소. cf. he-goat.
shé-hè *n.* 《미속어》 여성적인 남자.
sheik, sheikh [ʃiːk, ʃeik/ʃeik] *n.* **1** (아라비아 사람 · 회교도의) 가장, 족장, 촌장, 교주《경칭으로도 씀》. **2** 《구어》 호남자, 뭇 여자를 호리는 사내. ***Sheik ul Islam*** 이슬람교의 교주. ㊕ **∠·dom** *n.* ~의 영지(領地).
Shei·la [ʃíːlə] *n.* **1** 《Ir.》 실라《여자 이름》. **2** (s–) 《Austral.속어 · S. Afr.속어》 젊은 여성, 소녀.
she·kár·ry *n.* =SHIKAREE.
shek·el [ʃékəl] *n.* **1** 세겔《(1) 옛 유대의 무게 · 은화의 단위. (2) 이스라엘의 화폐 단위; 기호 IS》. **2** 《구어》 경화(硬貨); (*pl.*) 《구어》 금전(money), 부(富); 《미속어》 1 달러짜리 지폐.
She·ki·nah [ʃikíːnə, -kái-/ʃekái-] *n.* 【유대교】 (신좌(神座)에 나타난) 여호와의 모습; 하느님의 시현(示現).
shel·drake [ʃéldrèik] (*pl.* **~s,** 〘집합적〙 ~; *fem.* ***shel·duck*** [-dʌ̀k], *fem. pl.* **~s,** 〘집합적〙 ~) *n.* 【조류】 혹부리오리, 황오리.
‡shelf [ʃelf] (*pl.* ***shelves*** [ʃelvz]) *n.* **1** 선반, 시렁; (선반 모양의) 턱진 장소; 단(壇)(platform); (벼랑의) 바위 턱(ledge): a book ~ 책꽂이. ◇ shelve[1] *v.* **2** 얕은 곳, 여울목(shoal), 모래톱(sand bank), 암초; 【광산】 선반 모양의 지층; 대륙붕(continental ~). **3** 【양궁】 활을 쥔 손의 위쪽《화살을 얹음》. ***off the*** ~ 재고가 있어, 곧 살 수 있어; (부품 등이) 규격품이어서. ***on the*** ~ 《구어》 (팔리지 않아) 선반에 얹힌 채; 쓰이지 않아, 보류되어; 해고되어; (여성이) 혼기를 넘겨: put 〔lay, cast〕 *on the* ~ 처박아 두다; 폐기처분하다; 퇴직시키다. **—** *vt.* 《속어》 중지하다, 보류하다. ㊕ **∠·ful** [-fùl] *n.* 선반 하나 가득.
shélf ìce 빙붕(氷棚)《빙상(氷床)(ice sheet)의 일부가 해상에 선반 모양으로 떠오른 것》.
shélf lìfe (재료 · 상품의) 저장 수명.
shélf màrk (도서관의) 서가(書架) 기호.
‡shell [ʃel] *n.* **1** (달걀 · 조개 따위의) 껍질, 조가비(sea ~): an egg ~ 달걀 껍질/a snail ~ 달팽이 껍데기/buttons made of ~ 조가비로 만든 단추. **2** 조개, 갑각류, 연체동물. **3** (거북의) 등딱지(tortoise ~). **4** (과일 · 씨 따위의) 딱딱한 외피〔겉껍데기〕, 껍질, 깍지: a nut ~ 호두 껍질. **5** 【물리】 (전자의) 껍질. **6** 포탄, 유탄(榴彈); 《미》 약협(藥莢), 탄피; 포탄의 파편: a tear ~ 최루탄. **7** 《비유》 (감정을 나타내지 않기 위한) 외관, 겉보기, 가장. **8** 외곽(틀), 뼈대: the ~ of a house 집의 뼈대. **9** (내부 장식과 구별하여) 건물 자체, 외부; (둥근 지붕이 있는) 실내 경기장. **10** 선체(船體); 《미》 (레이스용의) 경(輕)보트. **11** 내관(內棺)(inner coffin). **12** 맥주용 작은 술잔〔컵〕. **13** 【해부】 외이(外耳), 귓바퀴. **14** =SHELL JACKET. **15** 《영》 중간 학급(intermediate form). **16** 《시어》 칠현금(七絃琴)(lyre). **17** 여성의 소매 없는 블라우스《겉옷 안에 입음》. **18** =SHELL COMPANY. **19** 【컴퓨터】 셸《프로그램 본체(本體)는 감춰져 있는 소프트웨어》. ***cast the*** ~ 껍데기를 벗다. ***in the*** 〔one's〕 ~ 껍질에 쌓인 채로, (알이) 부화하지 않고; 《비유》 미발달 단계에서. ***out of*** one's ~ 《구어》 자기 껍질에서 나와서, 마음을 터놓고: come *out of* one's ~ 마음을 터놓다/bring a person *out of* his ~ 아무의 마음을 터놓게 하다. ***retire*** 〔***go***〕 ***into*** one's ~ 스스러워하다, 침묵하다, 마음을 터놓지 않다. **—** *vt.* **1** …에서 껍데기〔깍지, 꼬투리〕를 벗기다; 껍데기〔깍지〕에서 끄집어내다, 탈곡하다: ~ eggs 달걀 껍질을 벗기다/~ peas 콩깍지를 까다. **2** 껍데기로 싸다, 껍데기를 깔다. **3** 포격하다(bombard), 폭격하다: ~ a city. **4** 【야구 · 권투】 난타하다. **—** *vi.* **1** (껍질 · 껍데기 따위가) 벗어지다, 벗겨지다. **2** (열매 따위가) 깍지〔꼬투리〕에서 나오다. **3** (바닷가에서) 조개껍질을 줍다. **4** (금속 따위가) 벗겨지다. ~ ***off*** 비늘 모양으로 벗겨지다. ~ ***out*** 《구어》 《*vi.*+㊅》 ① 필요한 만큼 돈을 지불하다〔건네주다〕. **—** 《*vt.*+㊅》 ② (돈을) 지불하다〔건네주다〕.
㊕ **∠·less** *a.* **∠·like** *a.*
‡she'll [ʃiːl, 약 ʃil] she will 〔shall〕의 간약형.
shel·lac, -lack [ʃəlǽk] *n.* Ⓤ 셸락(도료). **—** (*p.*, *pp.* ***-lacked; -lack·ing***) *vt.* 셸락을 바르다〔으로 접합하다〕; 《미구어》 (몽둥이 따위로) 때리다, 구타하다; 완전하게 쳐부수다〔무찌르다〕(defeat). ㊕ **-lác·er** *n.*
shel·lác·king *n.* 《미속어》 **1** (스포츠에서) 완패, 대패함〔시킴〕. **2** 구타, 매를 때림〔맞음〕.
shéll·bàck *n.* 늙은〔노련한〕 선원; 《구어》 배로 적도를 횡단한 사람.
shéll·bàrk *n.* 【식물】 =SHAGBARK.
shéll bèan (깍지는 안 먹는) 콩류(類)《강낭콩 · 누에콩 · 잠두 따위》. cf. string bean.
shéll còmpany 〔**corporàtion**〕 자산도 거의 없고 사업 활동도 하지 않는 명의뿐인 회사.
shéll còncrete 【건축】 셸콘크리트《돔 모양의 지붕 공사 등에 쓰이는 얇은 강화 콘크리트》.
shéll constrùction 【건축】 셸 구조《얇은 강화 콘크리트로 된 곡면 구조》.
shelled *a.* **1** 〘복합어로〙 껍질이 있는: a hard-~ crab. **2** 껍데기〔깍지〕를 벗긴: ~ beans.
shéll ègg 보통 달걀《건조 · 분말로 하지 않은》.
shéll·er *n.* 껍질〔깍지〕 벗기는〔까는〕 사람; 껍질 벗기는 기계, 탈곡기.
Shel·ley [ʃéli] *n.* 셸리. **1 Mary Wollstonecraft** ~ 영국의 소설가《2의 아내; *Frankenstein, or the Modern Prometheus*로 유명함; 1797–1851》. **2 Percy Bysshe** [biʃ] ~ 《영국의 낭만파의 대표적 서정시인; 1792–1822》.
shéll·fire *n.* Ⓤ,Ⓒ 【군사】 포화(砲火), 포격.
shéll·fish *n.* 조개; 갑각류(甲殼類)《새우 · 게 따위》.
shéll·fishery *n.* 조개류 · 갑각류의 어획(고).
shéll fòlder 여행 팸플릿, 소책자(brochure).
shéll gàme 《미》 (종지로 하는) 먹국; 야바위 노름; 사기, 속임수.
shéll gáme plàn 【군사】 (미사일의) 이동 격납 방식.
shéll hèap 〔**mòund**〕 조개더미, 패총(貝塚)(kitchen midden)《원시인의 유적》.
shéll hòuse 〔**hòme**〕 외각(外殼)〔골격〕 주택《내장(內裝)은 구입자가 하는》.
shéll·ing *n.* Ⓤ 포격; 껍질〔깍지〕 벗기기; (*pl.*) 왕겨; 조개 줍기.
shéll jàcket (열대용의) 남자용 약식 예복; =MESS JACKET.
shéll·less *a.* 껍질〔등딱지, 깍지, 비늘〕 없는.
shéll-lìme *n.* Ⓤ 조가비 재, 굴껍질 재.
shéll mìdden 〔**mòund**〕 패총(貝塚).
shéll mòney 조가비 화폐《원시 시대의 화폐》.
shéll pínk 노랑색을 띤 핑크.
shéll·pròof *a.* 방탄(성)의, 포격에 견디는.
shéll shòck 【의학】 (포격 충격에 의한) 기억〔시각〕 상실증, 전쟁 신경증, 전투 피로증(combat fatigue).
shéll-shòcked [-t] *a.* 【의학】 포격 쇼크를 받은; 전쟁 노이로제의; 《미》 겁 많은.
shéll strùcture 【물리】 (원자 · 원자핵의) 껍질 구조; 【공학】 셸 구조(構造).
shéll sùit 겉은 방수 나일론이고 속은 면으로 된 육상 선수용 운동복.
shéll·wòrk *n.* Ⓤ 〘집합적〙 조가비〔자개〕 세공.
shelly [ʃéli] (***shell·i·er; shell·i·est***) *a.* (조개) 껍질이 많은〔로 덮인〕; (조개) 껍질 같은; (조개) 껍질로 된.

shel·ter [ʃéltər] *n.* **1** 피난 장소, 은신처; 대합실; 〖군사〗 대피호, 방공호(air-raid ~): a bus ~ 버스 대합실. **2** 차폐물, 엄호물: a ~ from the sun 해가리개, 차양. **3** Ⓤ 보호, 비호, 옹호(protection): fly to a person for ~ 아무의 곁으로 도망치다〔보호를 요청하다〕/ find 〔take〕 ~ 피난〔대피〕하다 / give 〔provide〕 ~ *to* …을 비호〔두둔〕하다 / under the ~ of …의 비호 아래. **4** Ⓤ 차폐; 피난(refuge). **5** (비바람을 피하는) 오두막, 숙소, 집: food, clothing and ~ 의식주.
— *vt.* 《~+목/+목+전+명》 **1** 숨기다, 감추다; 비호〔보호〕하다(shield): ~ a person for the night 아무를 하룻밤 재워 주다 / The wood ~*s* the house *from* cold winds. 그 숲은 찬바람으로부터 집을 보호해 준다. **2** 〖~ oneself〗 (부모·상사의) 비호를 받다, (위세를) 등에 업다《*under; beneath; behind*》: He tries to ~ him*self behind* his boss. 그는 상사의 비호를 받으려고 한다. **3** (무역·산업 등을) 보호하다.
— *vi.* 《~/+전+명》 **1** 숨다, 피난하다; (해·바람·비 따위를) 피하다《*from; in; under*》: ~ *from* the rain (*under* a tree) (나무 밑에서) 비를 피하다. **2** 《(+전+명)》 (부모·상사의) 비호를 받다《*under; beneath; behind*》: He always ~*s behind* his boss. 그는 항상 상사의 비호를 받는다. **~*ed trades*** 보호 산업《외국의 경쟁을 받지 않는 산업; 건축·내국 운수 따위》.
㊞ **~·er** *n.* 피난자; 보호자; 원호자. **~·less** *a.* 숨을 곳 없는, 피난할 곳 없는; 보호〔의지〕할 데 없는, 집 없는.

shélter·bèlt *n.* 방풍림(防風林).

shél·tered *a.* (비바람·위험 따위로부터) 보호받고 있는〔가리워져 있는〕; (험한 세파로부터) 떨어져 있는; (장애인·노약자가) 사회의 보호를 받는; (산업체 따위가) 심한 경쟁에 노출되지 않는; 과보호의.

shéltered hóusing (노인·장애인 등을 위「한) 보호 주택.

shéltered wórkshop (장애인을 위한) 보호「작업장.

shélter hàlf 2 인용 천막(의 반쪽).

shélter tènt 《미》 (2 인용의) 개인 천막《shelter half 2 매로 됨》.

shélter trènch 산병호(散兵壕), 방공〔대피〕호.

shélter·wòod 방풍림(防風林), 보안림.

shel·ty, -tie [ʃélti] *n.* =SHETLAND PONY.

shelve[1] [ʃelv] *vt., vi.* **1** 시렁〔선반〕 위에 얹다; 《비유》 처박아 두다, (해결 따위를) 미루다, 깔아뭉개다, (의안 따위를) 묵살하다; 퇴직〔해임〕시키다(dismiss): ~ a bill 법안을 보류하다. **2** …에 선반을 달다. ◇ shelf *n.* ㊞ **shélv·er** *n.*

shelve[2] *vi.* 완만하게 경사를 이루다.

shelves [ʃelvz] SHELF 의 복수.

shelv·ing[1] [ʃélviŋ] *n.* Ⓤ **1** 선반〔시렁〕에 얹기; 선반달기; 선반의 재료; 〖집합적〗 선반, 시렁. **2** '깔고 뭉갬', 묵살, 무기 연기; 포기, 면직(dismissal).

shelv·ing[2] *n.* Ⓒ 완만한 비탈; Ⓤ 완만한 비탈을 이룸. — *a.* 완만한 비탈의, 경사가 완만한.

Shem [ʃem] *n.* Noah 의 맏아들, 셈족의 선조.

Shem·ite, Shem·it·ic [ʃémait], [ʃəmítik] =SEMITE, SEMITIC.

she·moz·zle ⇨SCHEMOZZLE.

she·nan·i·gan [ʃənǽnigən] 《구어》 *n.* (보통 *pl.*) 허튼소리(nonsense); Ⓤ,Ⓒ 사기, 속임수, 간계, 야바위(humbug). 「(s-) 지옥(hell).

She·ol [ʃíːoul] *n.* 《Heb.》 저승, 황천(Hades);

Shep·ard [ʃépərd] *n.* **Alan Bartlett, Jr.** ~ 셰퍼드《미국의 우주 비행사; 1961 년 미국인으로는 처음으로 우주 비행함; 1923-98》.

shep·herd [ʃépərd] (*fem.* **~·ess** [-is]) *n.* **1** 양치는 사람, 양치기, 목(양)자(牧(羊)者). **2** 《비유》 목사(pastor); 지도자, 교사. ***the*** (***Good***) ***Shepherd*** 〖성서〗 선한 목자《그리스도》. — *vt.* **1** (양을) 지키다, …을 보살피다, 기르다. **2** 《~+목/+목+전+명/+목+부》 이끌다, 지도하다(guide); 안내하다: ~ a crowd *into* a bus 여러 사람을 안내해 버스에 태우다 / The guide ~*ed* the tourists *around*. 안내인은 관광객들을 이곳저곳 두루 안내했다. **3** 《구어》 감시하다; 미행하다. ㊞ **~·less** *a.*

shépherd dòg =SHEEP DOG.

Shépherd Kíng 힉소스 왕조(Hyksos)의 왕.

shépherd's cálendar 양치는 사람의 달력《그 일기 예보는 믿을 수 없음》.

shépherd's chéck 〔**pláid**〕 흑백 격자무늬; 그런 천.

shépherd's cróok (끝이 굽은) 목양자의 지「팡이.

shépherd's píe 파이의 일종《다진 고기와 양파를 이긴 감자에 싸서 구운 것》.

shépherd's pípe 양 치는 사람의 피리.

shépherd's púrse 〖식물〗 냉이. 「(產)》.

shé-píne *n.* 소나무의 일종《오스트레일리아산

sher·ard·ize [ʃérərdàiz] *vt.* (철강)의 표면에 아연을 확산 침투시키다.

Sher·a·ton [ʃérətən] *a., n.* 셰라턴풍〔식〕의 (가구)《영국의 가구 설계가 T. Sheraton (1751-1806)의 이름에서》.

sher·bet [ʃə́ːrbit] *n.* Ⓤ,Ⓒ 셔벗《과즙을 주로 한 빙과》; 《영》 찬 과즙 음료; 소다수류.

sherd [ʃəːrd] *n.* =SHARD.

she·reef, she·rif [ʃeríːf] *n.* Mohammed 의 자손; Morocco 왕(王); Mecca 의 장관(=**Gránd Sheréef**), 성지 수호자.

Sher·i·dan [ʃéridən] *n.* **Richard Brinsley** ~ 셰리든《아일랜드 태생의 극작가·정치가; 1751-1816》.

sher·iff [ʃérif] *n.* 《미》 군(郡) 보안관《민선되며 county 의 치안을 맡아 봄》; 《영》 주(州) 장관〔지사〕《county 또는 shire 의 치안과 행정을 집행하는 행정관; 현재는 high sheriff 라고 하며, 명예직》. ㊞ **shér·iff·al·ty** [-əlti], **~·dom, ~·hòod, ~-ship** *n.* Ⓤ ~의 직〔직권, 임기〕.

sher·lock [ʃə́ːrlɑk/-lɔk] *n.* (종종 S-) (명)탐정, 명추리〔해결〕자《Conan Doyle 의 추리 소설의 주인공 Sherlock Holmes 에서》.

Sher·pa [ʃέərpə, ʃə́ːr-/ʃə́ːr-] (*pl.* **~, ~s**) *n.* 셰르파 사람《티베트의 한 종족; 등산인의 포터로 많이 활약》; (s-) (선진국 수뇌 회의의) 예비 교섭을 하는 고위 관리.

sher·ry [ʃéri] *n.* Ⓤ 셰리《스페인산(產) 백포도주》; 그와 비슷한 백포도주.

shérry cóbbler 셰리가 든 청량음료.

shérry-glàss *n.* 셰리용 술잔.

sher·wa·ni [ʃərwáːni] *n.* 인도에서 남성이 입는 목닫이의 긴 윗옷.

Shér·wood Fórest [ʃə́ːrwùd-] 셔우드 포리스트《영국 중부 Nottinghamshire 에 있던 왕실림(林); 의적 Robin Hood 의 근거지》.

she's [ʃiːz] she is 〔has〕의 간약형.

Shet·land [ʃétlənd] *n.* 셰틀랜드《스코틀랜드 북북동에 있는 군도(群島)로 된 주》. ㊞ **~·er** *n.*

Shétland póny 셰틀랜드종(種)의 조랑말.

Shétland wóol 셰틀랜드산(產) 양털.

shew [ʃou] (**~*ed*; ~*n*** [ʃoun]) *vt., vi.* 《고어》 =SHOW.

shéw·brèad, shów- *n.* (고대 유대교의) 제단(祭壇)에 올리는 빵. 「고주파).

S.H.F., SHF, s.h.f. superhigh frequency(초

shh [ʃ] *int.* =SH.

Shi'a, Shia, Shi·ah [ʃíːə] *n.* 《Ar.》 시아파(派)《이슬람교의 2 대 분파의 하나》; 그 교파의 교도. ⓒⓕ Sunni.

shib·bo·leth [ʃíbəliθ, -lèθ/-lèθ] *n.* 〖성서〗 [ʃ] 음의 발음을 할 수 있는지 없는지를 시험해 보는 말《사사기(士師記) XII: 6》; 시험해 보는 물음말《국적·계급 등을 판별하는 특징을 이루는 말투·말버릇》; (정당인 등의) 구호, 표어.

shi·cer [ʃáisər] *n.* 《Austral. 속어》 산출이 없는 광산〔금광〕; 엇된 요구; 사기꾼.

shick·er, shik·ker [ʃíkər] *n.* 《속어》 술고래(drunkard); 《Austral.》 술, 알코올. ***on the*** ~ 《속어》 술에 취하여; 《속어》 술고래로. **—** *a.* (종종 ~ed) 술 취한.

shield [ʃiːld] *n.* **1** 방패. **2** 보호물〔자〕, 방어물; (원자로 둘레의) 차폐물; 후원자, 보호〔옹호〕자. **3** 보호, 보장: The air force is our ~ against invasion. 공군은 타국의 침략에 대한 나라의 방패다. **4** 〖전기〗 실드, 차폐. **5** 방패 모양의 것; (기계 등의) 호신판(護身板); (대포의) 방순(防盾); 〖공학〗 (터널 등을 팔 때 갱부를 보호하는) 실드, 받침대. **6** 〖문장(紋章)〗 (방패 모양의) 무늬 바탕; 《미》 경찰관의 기장(記章). **7** (의복 겨드랑이에 대는) 땀받이, (쟁기의) 흙받이. **8** (거북 등의) 방패꼴 등딱지. **9** 〖지학〗 순상지(楯狀地). ***both sides of the*** ~ 방패의 양면; 물건의 표리(表裏). ***the reverse*** 〔***other side***〕 ***of the*** ~ 방패의 반대쪽; 문제의 다른 일면. **—** *vt.* **1** 《~+목/+목+전+명》 감싸다, 보호하다(protect); 수호하다, 막다: ~ a person *from* danger 아무를 위험에서 지키다 / ~ one's daughter with one's own body 자기 몸을 방패삼아 딸을 보호하다. **2** 가리다, 차폐하다, 숨기다. **—** *vi.* 방패가 되다; 보호하다. ㊞ **∠·er** *n.* 방호자, 방호물.

shíeld bèarer 방패지기《옛 knight의 종자》.

shíeld bùg 〖곤충〗 노린재.

shíeld·ing *n.* 차폐; 〖물리〗 차폐물; 〖야금〗 실딩《전기 도금에서 전해액 중에 비(非)전해성 물질을 넣는 일》.

shíeld láw 《미》 수비권법(守秘權法)《저널리스트가 취재원(源)을 밝히지 않는 권리, 또 원고·증인이 사사(私事)에 관한 정보를 제공하지 않을 권리를 보호하는 법률》.

shíeld·less *a.* 방패 없는; 무방비의. ㊞ ~·ly ad. ~·ness *n.*

shíeld volcàno 〖지학〗 순상(楯狀) 화산.

shiel·ing, sheal- [ʃíːliŋ] *n.* 《영방언》 (양치기·등산자·어부 등을 위한) 오두막; (산악 지대의) 여름 방목장.

shi·er [ʃáiər] SHY의 비교급. **—** *n.* 잘 놀라 날뛰는 말(shyer).

shift [ʃift] *vi.* **1** 《~/+부/+전+명》 이동하다, 자리를 옮기다〔바꾸다, 뜨다〕: She ~*ed about* for many years. 그녀는 여러 해 동안 여기저기 옮겨 살았다 / The immigrants ~*ed from* one place *to* another. 이민들은 이곳저곳을 전전(轉轉)하였다 / The man was told to ~ *off*. 그 사내는 저리 가라는 말을 들었다. **2** 《+전+명》 (방향이) 바뀌다: The wind ~*ed to* the east. 동쪽으로 바람 방향이 바뀌었다. **3** (장면·상황·성격 등이) 바뀌다, 변화하다: The scene ~s. 무대가〔장면이〕 바뀐다. **4** 《~/+부/+전+명》 《미》 (자동차의) 기어를 바꿔 넣다, 변속하다; (타자기의) 시프트 키(~ key)를 누르다: ~ automatically 변속이 자동이다 / ~ *up* 〔*down*〕 *into* third 기어를 3단으로 올리다〔내리다〕. **5** 〖언어〗 (소리가) 변화하다. **6** 《~/+전+명》 이리저리 변통하다〔둘러대다〕, 꾸려나가다(manage): ~ *through* life 이럭저럭 살아가다 / ~ *with* little money 적은 돈으로 그럭저럭 꾸려가다. **—** *vt.* **1** 《~+목/+목+전+명/+목+부》 (…을) 이동시키다, 옮기다, 전위(轉位)하다: He ~*ed* his chair. 그는 의자를 옮겼다 / ~ a burden *to* the other shoulder 짐을 다른 어깨로 옮기다 / ~ one's head *round* 머리를 홱 돌리다. **2** (방향·위치·장면 등을) 바꾸다, 변경하다, 변화시키다: ~ the helm 키의 방향을 바꾸다 / ~ one's opinion 의견을 바꾸다 / ~ the scene 장면을 바꾸다. **3** 《+목+전+명》 (책임 등을) …에게 전가하다: Don't try to ~ the blame *onto* me! 내게 잘못을 떠넘기려 하지 마라. **4** 〖언어〗 (음성을) 체계적으로 변화시키다. **5** 《미》 (자동차 기어를) 바꿔 넣다. **6** 《~+목/+목+전+명》 제거하다, 없애다(remove): ~ the dirt 먼지를 제거하다 / ~ the tax 탈세하다 / ~ obstacles *out of* the way 장애물을 제거하다. **7** 《속어》 (음식을) 먹어치우다. ~ ***back*** (a day) (하루를) 앞당기다. ~ ***for oneself*** 자기 힘으로 꾸려 나가다, 자활하다. ~ ***off*** (책임 따위를) 남에게 전가하다, 회피하다; (의무를) 미루다.

— *n.* **1** 변천, 추이; 변화, 변동; (장면·태도·견해의) 변경, 전환: ~*s in* fashion 유행의 변천 / a ~ *of* interest from history to science 역사에서 과학으로의 흥미의 전환 / ~*s in* policy 정책의 변화 / There was a ~ *in* the wind. 바람 방향이 바뀌었다. **2** (근무의) 교체, 교대 (시간); 교대조(組): work in three ~*s*, 3교대제로 일하다 / an eight-hour ~, 8시간 근무(제) / graveyard ~ (3교대제 조업의) 야간 교대(조) 《0시부터 8시까지》. **3** 임시변통〔방편〕, 둘러대는 수단(expedient); 속임수, 술책(trick): be put 〔reduced〕 to ~*s* 궁여지책을 쓰게 되다 / for a ~ 임시변통으로, 미봉책으로 / live by ~(*s*) 변통하여 그럭저럭 살아가다. **4** (벽돌쌓기의) 호접법(互接法). **5** 〖광산〗 광맥의 단층(fault); 단층의 변위 거리. **6** (바이올린 따위를 켤 때의) 손놀림, 소리의 위치를 바꾸기. **7** 〖언어〗 음성의 추이. **8** (농작물의) 윤작, 돌려짓기. **9** 시프트 드레스(~ dress)《낙낙한 여성복》; 《영에서는 고어》 슈미즈(chemise). **10** 〖미식축구〗 경기 개시 직전의 공격 위치의 이동; 〖야구〗 수비 위치의 이동. **11** 〖컴퓨터〗 이동, 시프트《데이터를 우 또는 좌로 이동시킴》. ***be at*** one***'s last*** ~(**s**) 백계(百計)가 다하다. ***make*** (*a*) ~ 그럭저럭 꾸려 나가다; 변통하다. (work) ***on*** ~***s*** 교대제로 (근무하다). ***relieve a*** ~ 교대하다. ~ ***of crops*** 돌려짓기, 윤작(輪作). ***the*** ~***s and changes of life*** 이 세상의 유위전변(有爲轉變), 무상함.

㊞ **∠·a·ble** *a.* 옮길 수 있는; 소유권을 이전할 수 있는.

shíft·er *n.* 옮기는 사람〔것〕; 이동 장치; 속이는 사람; 《속어》 장물아비.

shíft·ing *a.* **1** 이동하는, 변하는; (풍향 따위가) 바뀌기 쉬운. **2** 술책을 쓰는, 속임수의. **—** *n.* U,C **1** 이동; 추이, 변경, 변화. **2** 바꿔〔갈아〕치기, 교대; 경질. **3** 술책, 속임수, 잔꾀. ㊞ ~·ly *ad.*

shífting cultivátion (열대 아프리카 등지의) 이동 경작〔농경〕, 화전 농경.

shíft kèy (타자기·컴퓨터 따위의) 시프트 키.

shíft·less *a.* 속수무책의; 변변치 못한, 주변머리 없는, 무능한; 게으른(lazy). ㊞ ~·ly *ad.* ~·ness *n.*

shíft règister 〖컴퓨터〗 시프트 레지스터《입력 펄스가 가해질 때마다 내용이 한 자리씩 이동하는 레지스터》.

shíft wòrking 교대제.

shifty [ʃífti] (*shift·i·er; -i·est*) *a.* 책략이〔재치가〕 풍부한, 잘 둘러대는; 잘 속이는; 부정직한, 미덥지 못한. ㊞ **shíft·i·ly** *ad.* **-i·ness** *n.*

shig·el·lo·sis [ʃìgəlóusis] *n.* 〖병리〗 적리(赤痢)(bacillary dysentery)《발열·복통·설사 등의 증상을 앓음》.

Shi'·ism, Shi·ism [ʃíːizəm] *n.* 〖회교〗 시아파의 교의(敎義).

Shi'·ite, Shi·ite [ʃíːait] *n., a.* 〖회교〗 시아파 신도(의). ㊞ **Shi·it·ic** [ʃiːítik] *a.*

shi·kar [ʃikάːr] 《Ind.》 *n.* [U] 사냥, 수렵. ── (*-rr-*) *vi., vt.* 사냥〔수렵〕하다. [파] **shi·ka·ree, -ka·ri, -kar·ry** [ʃikάːri, -kǽri] *n.* 사냥꾼(의 안내역 원주민).

shik·sa, -se, -seh [ʃíksə] *n.* **1** 《경멸》 (유대인이 아닌) 소녀, 여자. **2** (정통파 유대인의 시각에서 생각·행동이) 비유대적 유대인 여자.

shill [ʃil] *n.* 《미속어》 야바위꾼, 한통속.

shil·le·la(g)h, shil·la·la(h) [ʃəléili, -lə] *n.* 《Ir.》 (인목·떡갈나무의) 곤봉, 몽둥이.

°**shil·ling** [ʃíliŋ] *n.* **1** 실링《영국의 화폐 단위; 1/20 pound =12 pence에 상당; 생략: s.; 1971년 2월 15일 폐지됨》; 1실링의 백통전. **2** 실링《영국령 동아프리카의 화폐 단위; 생략: Sh.》. **3** 《미》 식민지 시대의 화폐. ***cut* a person *off with* 〔*without*〕 *a* ~ 〔*penny*〕** 명색뿐인 아주 적은 유산을 주어〔유산도 주지 않고〕 아무를 폐적(廢嫡)하다. ***pay twenty* ~*s in the pound*** 전액 지불하다. ***take the King's* 〔*Queen's*〕 ~** 《영》 군적에 들다, 입대하다. ***turn* 〔*make*〕 *an honest* ~** =turn an honest PENNY.

shílling màrk shilling의 기호《/》: 2/6=2 shillings 6 pence =two and six.

shílling shòcker 선정적인 저속 소설; 범죄 소설《빅토리아조(朝) 후기의》.

shíllings·wòrth *n.* 1실링의 가치; 1실링으로 살 수 있는 물건〔수량〕.

shil·ly-shal·ly [ʃíliʃæli] 《구어》 *a.* 결단을 못 내리는(irresolute), 망설이는(hesitating), 우물쭈물하는. ── *ad.* 주저하여, 망설이어. ── *n.* [U] 주저, 망설임, 우유부단. ── *vi.* 주저하다, 망설이다.

shi·ly [ʃáili] *ad.* =SHYLY.

shim [ʃim] *n.* 틈새를 메우는 나무〔쇠〕, 쐐기, 끼움쇠. ── (*-mm-*) *vt.* …에 끼움나무〔메움쇠〕를 끼우다〔박다〕.

°**shim·mer** [ʃímər] *n.* **1** 어렴풋한 빛, 가물거리는〔희미한〕 (불)빛, 미광(微光). **2** 흔들림, 가물거림; 흔들리는 상(像); 아지랑이: the ~ of the morning sun 아침 햇살의 빛남. ── *vi.* 희미하게 반짝이다, 가물거리다. [cf.] glimmer. ¶ Waves of heat ~*ed* from the pavement. 포장도로에서 아지랑이가 가물가물 오르고 있었다. ── *vt.* 희미하게 반짝이게 하다, 가물거리게 하다. [파] **~·ing·ly** [-riŋli] *ad.* **~y** [-məri] *a.* 희미하게 반짝이는, 가물거리는.

shim·my [ʃími] 《미》 *n.* 시미《몸을 떨며 추는 재즈 춤의 일종》; (자동차 앞바퀴의) 이상 진동; 《구어·방언》 =CHEMISE. ── *vi.* 시미춤을 추다; 몹시 흔들리다.

°**shin** [ʃin] *n.* 정강이; 정강이뼈; 소의 정강이살. ── (*-nn-*) *vi.* **1** 《+[전]+[명]》 기어오르다: ~ *up* a tree 나무에 기어오르다. **2** 《+[전]+[명]/+[부]》 《미》 걷다, 걸어가다《*along*》; 바삐 돌아다니다《*about*》: ~ *along* (the street) (거리를) 걸어가다. ── *vt.* **1** 《+[목]+[부]》 기어오르다《*up*》. **2** 《+[목]+[전]+[명]》 정강이를 차다〔까다〕: ~ oneself *against* a rock 바위에 정강이를 부딪치다. ***~ it* 〔*off, away*〕** 《미》 떠나다, 헤어지다.

shín·bòne *n.* 〚해부〛 정강이뼈, 경골(脛骨).

shin·dig [ʃíndìg] *n.* 《구어》 떠들썩하고 흥겨운 모임〔파티〕; 무도회; 축연(祝宴).

shin·dy [ʃíndi] *n.* 《구어》 소동; 싸움, 옥신각신; =SHINDIG. ***kick up a* ~** 소동을 일으키다, 싸움을 시작하다.

†**shine** [ʃain] (*p., pp.* ***shone***) *vt.* **1** 《~+[목]/+[목]+[전]+[명]》 빛나게〔번쩍이게〕 하다; 비추다; (불빛·거울 등을) 어떤 방향으로 돌리다: *Shine* your flashlight *on* my steps. 회중전등으로 나의 발 밑을 비추어 주게. **2** (*p., pp.* **~*d***) (구두·쇠장식·유리창·거울 따위를) 닦다(polish), 광을 내다: ~ one's shoes. ── *vi.* **1** 《~/+[전]+[명]/+[부]》 빛나다, 번쩍이다, 비치다; (홍분·기쁨으로 얼굴이) 밝(아지)다: The moon ~*s* bright(ly). 달이 환하게 비친다/Happiness ~*s on* her face. =Her face ~*s with* happiness. 그녀의 얼굴은 행복에 빛나고 있다/The sun *shone out*. 해가 반짝 내비치었다. **2** 《+[전]+[명]/+*as* [보]》 이채를 띠다, 눈에 띄다, 두드러지다, 빼어나다(excel); 반짝 띄다, 돋보이다: ~ *in* speech 연설을 뛰어나게 잘 하다/He ~*s as* a scholar. 그는 학자로서 뛰어난 사람이다. ***improve the shining hour*** 《비유》 시간을 최대한으로 이용하다. **~ *up to* =~ *round*** 《미속어》 …의 환심을 사려 들다, (여자)에게 추파를 보내다.

── *n.* **1** [U] 빛(남), 광휘(brightness): the ~ of the setting sun 석양의 햇빛. **2** 《비유》 찬란〔화려〕함. **3** [U] (날씨의) 맑음, 햇빛, 일광. **4** 〚단수로만 취급〛 윤, 광(택): Silk has a ~. 비단에는 광택이 있다/give one's shoes a ~ 구두에 광을 내다. **5** [C] 《구어》 애착, 좋아함(liking); 《미구어》 못된 장난; 법석. **6** 《미》 《경멸》 흑인. **(*come*) *rain or* ~ =(*in*) *rain or* ~** ⇨ RAIN. ***kick up* 〔*make*〕 *a* ~** 소동을 일으키다. ***make no end of a* ~** 《속어》 야단법석을 떨다. ***put a good* ~ *on*** …을 잘 닦다, 번쩍번쩍하게 닦다. ***take a* ~ *to* 〔*for*〕** 《구어》 …에 반하다, …이 좋아지다. ***take the* ~ *out of* 〔*off*〕** …의 광택을 지우다; …을 무색게 하다, 볼품없게 만들다.

shíne bòx 《미속어》 《경멸》 흑인 바.

shíned-ón *a.* 《미》 무시당한.

shin·er [ʃáinər] *n.* 빛나는 물건; 번쩍 띄는 인물; 《미》 은빛나는 작은 민물고기; 《구어》 시퍼렇게 멍든 눈; 《영속어》 돈, 《특히》 금화; (*pl.*) 금전; 다이아몬드; 별; (*pl.*) 〚제지〛 빛나는 반점《제조 과정에 생기는 흠》.

shin·gle[1] [ʃíŋgəl] *n.* **1** 지붕널, 지붕 이는 판자; 널로 인 지붕. **2** 《미구어》 (의사·변호사 등의) 작은 간판. **3** (여성 머리의) 싱글커트, 치켜 깎기. ***hang out* 〔*up*〕 one*'s* ~ =*put* 〔*set*〕 *up* one*'s* ~** 《미구어》 간판을 내걸다, (특히, 의사·변호사가) 개업하다. ── *vt.* **1** 지붕널로 이다. **2** (머리를) 싱글커트로 하다.

shin·gle[2] *n.* 《영》 〚집합적〛 둥글고 작은 돌, 조약돌《자갈(gravel)보다 크며 사람 머리만한 것까지》; (*pl.*) 조약돌이 깔린 해변.

shin·gles [ʃíŋgəlz] *n. pl.* 〚보통 단수취급〛 〚의학〛 대상 포진(帶狀疱疹).

shin·gly [ʃíŋgli] *a.* 자갈〔조약돌〕이 많은.

shín guàrd 정강이받이《하키·야구 포수용의》.

shin·ing [ʃáiniŋ] *a.* 빛나는, 번쩍이는; 화려한; 뛰어난, 반짝 띄는: a ~ example 훌륭한 예. [파] **~·ly** *ad.* 「밀생지.

shin·nery [ʃínəri] *n.* 《미남서부》 관목(灌木)

shin·ny[1], **-ney** [ʃíni] *n.* [U] 시니《하키 비슷한 경기》; [C] 그것에 쓰는 클럽〔타구봉〕. ── *vi.* 시니 경기를 하다.

shin·ny[2] *vi.* 《미구어》 (나무 따위에) 기어오르다《*up*》; 기어 내리다《*down*》.

shín·pàd *n.* =SHIN GUARD.

shín·plàster *n.* 정강이에 바르는 고약; 소액 지폐; (인플레 따위에 의한) 남발 지폐.

shín·splìnts *n.* 〚복수취급〛 《특히》 track 경기 선수에게 많이 생기는 정강이 염증〔통증〕.

°**shiny** [ʃáini] (***shin·i·er; -i·est***) *a.* **1** 빛나는; 번쩍이는, 윤나는; 오래 입어 반들반들한, 번들거리는《옷 따위》. **2** 햇빛이 쬐는, (날씨가) 청명한. [파] **shín·i·ly** *ad.* **-i·ness** *n.*

†**ship** [ʃip] *n.* **1** 배, 함(선); 돛배《세대박이 이상의》; 《영속어》 보트《레이스용의》: by ~ 배로, 배

편으로/a cargo ~ 화물선/a naval ~ 군함/a merchant ~ 상선/a ~'s company 승무원/a ~'s doctor 선의(船醫).

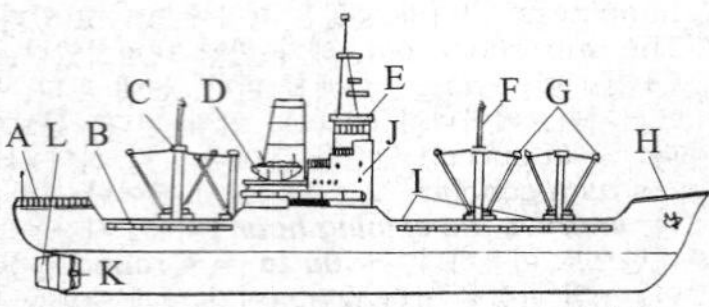

A. poop B. quarterdeck C. main mast D. lifeboat E. bridge F. foremast G. derrick H. forecastle I. hatch J. cabin K. propellar L. rudder

2 배 모양의 것《향로(香爐) 따위》. **3** 《미구어》 항공기, 비행선; 우주선(spaceship); 탈것. **4** 〖집합적〗 (배의) (전체) 승무원. ***About ~!*** 배를 돌려. ***a ~ of the line*** 《고어》 전열함(戰列艦)《포 74문 이상을 갖춘》. ***burn** one's **~*** 배수진(陣)을 치다. ***give up the ~*** 《보통 부정》 항복하다, 단념하다. ***on board* (*a*) *~*** 배 위〔선상〕에서, 배 안에. ***run a tight ~*** (선장이) 선원을 철저히 관리하다; (회사·관공서 등이) 사원〔직원〕을 성실히 일하도록 관리하고 있다, 철저한 노무〔인사〕 관리를 하고 있다. ***~s that pass in the night*** 스치고 지나는 사람, 우연히 알고 다시는 만나지 않는 사람. ***spoil the ~ for a ha'p'orth of tar*** 《속담》 기와 한 장 아끼려다 대들보 썩인다. ***take ~*** 《고어》 배를 타다, 배로 가다. ***the ~ of the desert*** 낙타, 약대. ***when** one's **~ comes home*** 〔***in***〕 돈이 손에 들어오면, 운이〔운수가〕 트이면.
— (**-pp-**) *vt.* **1** 《~+목/+목+전+명》 배로 보내다; 《미》 (철도·트럭 따위로) 수송〔발송〕하다: ~ cattle by rail 소를 철도로 수송하다/The corn was *~ped to* Africa. 곡물은 배로 아프리카에 수송됐다. **2** (배 등에) 싣다, 적재하다. **3** (마스트 따위를) 배에 설치하다; (노 등을) 제자리에 박다. **4** 선원으로 고용하다. **5** 《+목+전+명/+목+부》 (사람을) 전속시키다; 쫓아 버리다; (물건을) 옮기다, 제거하다《*off*》: I was *~ped off to* boarding school. 나는 학교 기숙사로 보내어졌다. **6** 《미속어》 해고〔퇴교〕시키다.
— *vi.* **1** 배를 타다, 승선하다(embark): ~ from San Francisco 샌프란시스코에서 승선하다. **2** 《+전+명》 선원으로 일하다: ~ as purser *on* an ocean liner 외항 정기선의 사무장이 되다. **3** 《미》 항해하다. ***~ a sea*** 〔***wave***〕 (배가) 파도를 뒤집어쓰다, 파도에 씻기다. ***~ off*** ⇨ *vt.* 5. ***~ on*** …일(日)에 발송하다《주문자가 희망하는 출하일》. ***~ out*** ① (배로) 외국에 보내다. ② (배로) 자기 나라를 떠나다; 선원으로 항해에 나서다. ③ 《구어》 그만두다; 해고당하다. ***~ over*** 《미군대속어》 해군에 (재)입대하다. ***~ped from*** …에서 발송《보통, 주와 도시를 기입》. ***~ to*** … 에게〔로〕 발송하다《수신인의 주소 성명을 기입》.

-ship [ʃip] *suf.* **1** 형용사에 붙여 추상명사를 만듦: hard*ship*. **2** 명사에 붙여 '상태, 신분, 직, 수완' 등을 나타내는 추상명사를 만듦: scholar*ship*.

shíp bìscuit 〖해사〗 (선원용) 건빵(hardtack).

shíp·bòard *n.* 배; 현측(舷側): go ~ 승선〔승함〕하다/on ~ 배 위〔안〕에(서).

shíp·bòrne *a.* 해상 수송(용)의.

shíp brèad =SHIP BISCUIT.

shíp brèaker 폐선 해체업자.

shíp bròker 선박 중개업자.

shíp·bùilder *n.* 배 만드는 사람〔업자〕; 조선 기사〔회사〕.

°**shíp·bùilding** *n.* Ⓤ 조선(造船); 조선학〔술〕; 조선업. — *a.* 조선(술)의: a ~ yard 조선소 (shipyard).

shíp bùrial 〖고고학〗 선관장(船棺葬)《시체를 배에 담아 땅에 매장함》.

shíp canàl 선박용 운하.

shíp càrpenter 선공(船工), 선장(船匠), 배 「목수.

shíp chàndler 선구상(船具商).

shíp chàndlery 선구(船具)(업); 선구 창고.

shíp fèver 발진티푸스.

shíp·fitter *n.* (선박 부재(部材)의) 설치공; (함내의) 판금공(板金工)《판금·배관 작업을 담당하는 기능자》; 《미》 (해군의) 의장병(艤裝兵).

shíp·làp *n.* 〖목공〗 반턱이음(판). — *vt.* (목재를) 반턱이음으로 잇다.

shíp·lòad *n.* (한 배분의) 적하량.

shíp·man [-mən] (*pl.* ***-men*** [-mən]) *n.* 《고어·시어》 뱃사람; 선장(shipmaster).

shíp·màster *n.* 선장.

shíp·màte *n.* (같은 배) 동료 선원.

°**shíp·ment** *n.* **1** Ⓤ 배에 싣기, 선적; 발송, 출하《《미》에서는 육로, 항공로에서도 사용함》. **2** Ⓒ 적하(積荷); 적하 위탁 화물; 선적량.

shíp of státe 나라, 국가: steer the ~ 나라의 키잡이를 하다.

shíp·òwner *n.* 선박 소유자, 선주.

shíp·pa·ble *a.* (모양·상태 등이) 선적〔해운〕에 적합한〔알맞은〕.

shíp·per *n.* 선적인〔회사〕, 화주.

shíp·ping *n.* Ⓤ **1** 해운업, 해상 운송업. **2** 선적(船積), 배에 싣기; 실어 내기. **3** 적하(積荷). **4** 〖집합적〗 (한 나라·한 항구·전 세계의) 선박(수); 선박 톤수. **5** (*pl.*) 선박주(株). **6** 〖일반적〗 수송, 운송. ***~ and handling charges*** 〖상업〗 발송 제(諸)경비《우편료·운임·보험·포장료 등》.

shípping àgent 선적 대리인, 선하(船荷) 취급인; 해운업자, 선박 회사 대리점.

shípping àrticles 선원 고용 계약(서).

shípping bìll 《영》 선하〔선적〕 송장(送狀).

shípping clèrk 《미》 (화물의) 발송계.

shípping fòrecast 해상 기상 예보.

shípping làne 항로(航路).

shípping màster 《영》 (고용 계약 따위에 입회하는) 해원 감독관.

shípping nèws 《미》 해상 기상 예보.

shípping òffice 해운업 사무소, 해상 운송점; 해원(海員) 감독 사무소.

shípping ròom (공장 따위의) 화물 발송실.

shíp·plàne *n.* 함재기(艦載機).

shíp-rìgged *a.* 3개의 돛대에 가로돛을 단.

shíp's àrticles 선원 고용 계약(서).

shíp's bìscuit =SHIP BISCUIT.

shíp's bóat 구명정(艇).

shíp's cómpany 〖해사〗 전(全) 승무원.

shíp's córporal 〖영해군〗 위병 병장.

shíp·shàpe *a., ad.* 정돈된〔되어〕, 정연한〔히〕, 깨끗한〔하게〕. (***all***) ***~ and Bristol fashion*** 정연히, 정돈되어.

shíp's húsband 선박 관리인.

shíp·sìde *n.* 선적지, 승선지; 독(dock), 선거.

shíp's pápers 선박 서류.

shíp's sérvice 해군용 매점.

shíp's stóres 선박용품.

shíp's tíme 〖해사〗 선박시(時)《선박이 사용하는 소재지의 지방시》.

shipt. shipment.

shíp-to-shóre *a.* 배와 육지 사이에서 일하는〔사이를 잇는〕. — *ad.* 배에서 육지로. — *n.* 배와 육지 사이의 무선; 《속어》 무선 전화.

shíp·wày *n.* 조선대(造船臺); =SHIP CANAL.

shíp·wòrm *n.* 〖패류〗 좀조개.

***ship·wreck** [ʃíprèk] *n.* **1** Ⓤ,Ⓒ 난선(難船), 난파; 배의 조난 사고: suffer ~ 난파하다. **2** 난파〔조난〕선. **3** Ⓤ 《비유》 파멸; 실패: make ~ of …을 파멸시키다〔부수다〕. **—** *vt., vi.* **1** 조난〔난선〕시키다〔하다〕: a ~*ed* vessel 난파한 배 / They were ~*ed* off the coast of Alaska. 그들은 알라스카 앞바다에서 난파했다. **2** 파멸시키다〔하다〕(destroy); 부수다, 부서지다, 깨지다: His hopes were ~*ed* by the war. 전쟁으로 그의 희망은 산산히 깨졌다.

shíp·wrìght *n.* 선공(船工), 선장(船匠), 배 목수.

shíp·yàrd *n.* 조선소.

shir [ʃəːr] *n.,* (*-rr-*) *vt.* 《미》 =SHIRR.

shir·a·lee [ʃírəli] *n.* 《Austral.》 =SWAG[1] 2.

shire [ʃáiər] *n.* **1** (영국의) 주(州)(county); = SHIRE HORSE. **2** (the S–s) 영국 중부 지방《shire로 끝나는 이름을 가진 여러 주(州); 특히 여우 사냥으로 유명한 Leicester*shire*, Northampton(*-shire*), Rutland*shire*》. ***knight of the ~*** 〚영국사〛 주(州) 선출 하원 의원.

shíre hòrse 주로 영국 중부 지방산(產)의 말《짐마차를 끎》.

shíre tòwn 《미》 군청 소재지(county seat).

°**shirk** [ʃəːrk] *vt.* 《~+목/+*-ing*》 (책임 등을) 회피하다; 기피하다: ~ military service 징병을 기피하다 / ~ go*ing* to school 학업을 게을리하다. **—** *vi.* 《~/+부/+전+명》 책임을 피하다《*out; off*》; 빈들거리다, 게으름 부리다《*from*》: ~ *from* one's duty 의무를 회피하다. ***~ away* 〔*out, off*〕** 《구어》 살짝 빠지다〔피하다〕. **—** *n.* 책임 회피, 기피; =SHIRKER. ㊕ **∠·er** *n.* 책임 회피자, 병역 기피자; 빈들거리는〔게으름 부리는〕 사람.

shirr [ʃəːr] *n.* 주름잡기; (천에 짜 넣는) 가는 고무줄; =SHIRRING. **—** *vt.* …에 주름을 잡다, 주름잡아 꿰매다; 〚요리〛 달걀을 깨어 버터 바른 얇은 접시에 고르게 담아 익히다. ㊕ **∠·ing** [ʃə́ːriŋ] *n.* (폭이 좁은) 장식 주름.

†**shirt** [ʃəːrt] *n.* **1** 와이셔츠, 셔츠: Near is my ~, but nearer is my skin. 《속담》 제 몸보다 소중한 것은 없다.

> SYN. **shirt** '와이셔츠'. **undershirt** '(속)셔츠, 내의'. **vest** 《영》에서는 undershirt 를 말함. **underwear** undershirt 와 panties 를 통틀어 일컫는 속옷을 말함.

2 칼라 및 커프스가 달린 블라우스; 내복, 속옷. ***(as) stiff as a boiled ~*** (태도가) 딱딱한, 점잔빼는. ***bet*** one***'s ~*** 확신하다, 꼭 …이라고 생각하다《*on*》. ***give the ~ off*** one***'s back*** 《구어》 무엇이든 주어 버리다. ***have not a ~ to*** one***'s back*** 입을 셔츠 하나 없다, 무일푼이다. ***have*** one***'s ~ out*** 〔***off***〕 《구어》 불끈하다. ***in*** one***'s ~ sleeves*** 셔츠 바람이 되어, 상의를 벗고. ***keep*** one***'s ~ on*** 《속어》 냉정을 유지하다. ***lose*** one***'s ~*** 《구어》 《투기 따위로》 무일푼이 되다, 크게 손해를 보다. ***put*** one***'s ~ on a horse*** 《구어》 (경마에다) 있는 돈을 몽땅 걸다. ***stripped to the ~*** 셔츠 바람으로《일하다》; 몸에 걸친 것을 몽땅 털리고. ㊕ **∠·less** *a.*

shírt·bànd *n.* 와이셔츠 깃《칼라를 다는 부분》; 《미》 셔츠의 소맷부리.

shírt·ed [-id] *a.* 와이셔츠〔셔츠〕를 입은.

shírt frònt 와이셔츠의 앞가슴, (떼었다 붙였다 할 수 있는) 셔츠의 가슴판(dickey).

shírt·ing *n.* Ⓤ 셔츠〔와이셔츠〕감.

shírt jàcket 〚복식〛 셔츠 재킷《셔츠풍의 경장(輕裝)용 재킷》.

shírt-lìfter *n.* 《Austral. 속어》 남성 동성애자, 호모.

shírt·màker *n.* 셔츠 제조자; 《미》 남자 와이셔츠 비슷하게 만든 여자용 블라우스(shirtwaist).

shírt-slèeve(s), -slèeved *a.* **1** 상의를 입지 않은, 와이셔츠 바람의. **2** 솔직한, 단도직입적인(direct), 마음을 터놓은, 비공식의(informal): ~ diplomacy (격식에 구애되지 않는) 비공식 외교. **3** 세련되지 않은(unpolished), 속된(plebeian), 실제적인: ~ philosophy 통속 철학.

shírt·tàil *n.* **1** 셔츠 자락. **2** (신문 기사 말미의) 관련〔보족〕 기사. **3** 잔단〔시시한〕 것.

shírt·wàist *n.* **1** (여성용의 와이셔츠식) 블라우스. **2** 앞으로 열리는 원피스(=**shírt-dress, shírtwaister, shírt-waist drèss**).

shirtwaist 1

shirty [ʃə́ːrti] (***shirt·i·er; shirt·i·est***) *a.* 《영구어》 기분이 언짢은, 찌무룩한, 성난.

shish ke·bab [ʃí(ː)ʃkə-bὰb/-bæ̀b], **shish·ka-bob** [-bὰb/-bɔ̀b] 〚요리〛 시시케밥《양념한 양고기 조각을 꼬챙이에 끼워 구운 중동 지역의 요리》.

shit [ʃit] (*p., pp.* **∠·ted, ~, shat** [ʃæt]; **∠·ting**) *vi., vt.* 《비어》 똥 누다; 속이다; 호통치다《*on*》; 경찰에 밀고하다《*on*》. ***be shat on*** (from a great 〔dizzy〕 height) (심한) 불벼락이 내려지다; 곤경에 빠지다. ***~ a brick*** ⇨BRICK. ***~ on one's own doorstep*** 성가신 일을 자초하다. ***~ one**self* 깜박 실수하다, 오줌〔똥〕을 싸다; 흠칫흠칫하다. **—** *n.* Ⓤ 똥(dung), 배설물; (*pl.*) 설사; 똥을 눔; 똥 쌀 놈, 바보녀석; 허풍, 거탈, 실없는 소리; 시시한 것; 마약《헤로인·대마초 등》; 〖감탄사적〗 염병할, 빌어먹을(Bull ~!). ***eat ~*** 어떤 (굴욕적인) 일이라도 하다, 굽실거리다. ***frighten*** 〔***scare***, etc.〕 ***the ~ out of*** a person (똥을 쌀 정도로) 아무를 무서워하게 하다. ***full of ~*** 거짓말〔허풍〕투성이의. ***not care a flying ~*** 전혀 개의치 않다. ***not worth a ~*** 전혀 가치가 없다.

shít-èating *a.* 《미속어·비어》 하찮은; 비열한; 멸시하는; 혼자 우쭐하는: Wipe that ~ grin off your face! 히죽거리지 마라.

shít-fàced [-t] *a.* 《비어》 (술에) 몹시 취한, 곤드레만드레가 된.

shít·hèad *n.* 《비어》 똥 쌀 놈, 싫은 녀석; 《영》 마리화나 상용자.

shít-hót *a.* 《구어》 아주 좋은.

shít·hòuse *n.* 《속어·비어》 옥외 변소; 〖일반적〗 불결한〔어지러진〕 장소.

shít·kìcker *n.* 《비어》 시골뜨기, 농부, 카우보이, 백인.

shít·less *a.* 《비어》 몹시 겁을 먹고 있는, 대변도 나오지 않을 정도로.

shít lìst 《미속어》 블랙리스트《요주의 인물 명부》.

shít·lòad *n.* (보통 a ~) 《미속어》 많은 것, 다량, 다수.

shít·scàred *a.* 《미속어·비어》 몹시 무서워하는.

shít stìrrer 《비어》 마구 문젯거리만 만드는 골치 아픈 녀석.

shit·ty [ʃíti] (***shit·ti·er, -ti·est***) *a.* 《비어》 지독한; 몹시 싫은; 지겨운; 시시한; 불쾌한; 비참한.

shít·wòrk *n.* 《미속어》 넌더리 나는 일, 하찮은 일.

shiv [ʃiv] *n.* 《속어》 날붙이, 칼, 면도칼.

Shi·va [ʃíːvə] *n.* =SIVA.

shiv·a·ree [ʃìvəríː] 《미》 *n.* 소란한 장단치기《신혼 부부에 대한 장난으로서 냄비·주전자 등을 두드림》, 야단법석. **—** *vt.* **1** (신혼부부)를 위해 시끄러운 장단치기를 하다. **2** (소음 따위로) 진절머리 나게 하다; (조롱하여) 쫓아내다.

shive [ʃaiv] *n.* (통·입이 큰 병의) 코르크 마개; 파편, 나뭇조각; 잘라진 조각.

***shiv·er**[1] [ʃívər] *vi.* **1** 《~/+전+명》 (추위·

공포 따위로) 와들와들〔후들후들〕 떨다(tremble): ~ *with* cold 추위로 덜덜 떨다. **2** (돛이) 펄럭이다; (돛배가) 바람 불어오는 쪽을 향하다. SYN. ⇨SHAKE. — *vt.* 떨(리게 하)다, 진동시키다. — *n.* **1** 몸서리; 떨림. **2** (the ~s) 오한, 전율: give him the ~s 그를 오싹하게 하다. ***send ~s*** 〔***a*** ~〕 ***up*** 〔***down, up and down***〕 (아무의) 등골을 오싹게 하다; (흥분으로) 가슴 설레게 하다.

shiv·er² *n.* (보통 *pl.*) 조각, 파편. ***break in*** 〔***into***〕 ***~s*** 산산이 부수다〔부서지다〕. — *vt., vi.* 산산이 부수다; 부서지다, 깨지다.

shív·er·ing [-riŋ] *n.* U 떨림, 전율. **~ *fit*** 오한. — *a.* 떨리는, 전율할. 파 **~·ly** *ad.* 떨면서.

shiv·ery¹ [ʃívəri] *a.* 떠는; 섬뜩〔오싹〕한, 오슬오슬 추운; 전율케 하는.

shiv·ery² *a.* 부서지기 쉬운, 무른(brittle).

shlemiel, shlep(p), shlock ⇨SCHLEMIEL, SCHLEP(P), SCHLOCK.

shlock [ʃlɑk/ʃlɔk] *a., n.* 《미속어》 =SCHLOCK.

shmaltz, shmatte, shmear, shmo(e) ⇨SCHMALTZ, SCHMATTE, SCHMEAR, SCHMO(E).

shnaps ⇨SCHNAP(P)S.

Sho·ah [ʃɔːάː] *n.* (the ~) (나치스에 의한) 유대인 대학살(the Holocaust).

shoal¹ [ʃoul] *n.* 얕은 곳, 여울목; 모래톱; (*pl.*) 숨은 위험〔장애〕, 함정. — *a.* 얕은; (배의) 배수량이 적은, (배의) 흘수가 낮은. — *vi.* 얕아지다, 여울이 되다. — *vt.* 얕아지게 하다; (배를) 얕은 곳으로 가게 하다. cf. shallow. 파 **shóaly** *a.* 얕은 곳〔여울〕이 많은; 숨은 위험이〔장애가〕 많은, 함정이 많은.

shoal² *n.* (물고기 따위의) 떼; 다량, 다수. cf. school². ***in ~s*** 떼를 지어. ***~s of*** 많은. — *vi.* (물고기가) 떼를 짓다, 떼 지어 유영(游泳)하다.

shoat¹ [ʃout] *n.* 젖 뗀 새끼 돼지(shote).

shoat² *n.* 양과 염소의 교배종. [◂ *sheep* +*goat*]

⁑shock¹ [ʃɑk/ʃɔk] *n.* **1** 충격; (격심한) 진동(concussion); 〖전기〗 전격(electric shock): the ~ of an earthquake 지진의 진동. **2** U 《비유》 (정신적인) 충격, 쇼크, 타격; 충격적 사건: die of ~ 충격을 받아 죽다 / give a terrible ~ to a person 아무에게 큰 타격을 주다 / come as a ~ 쇼크를 느끼다; 정신적 타격을 주다. **3** U 〖의학〗 쇼크, 진탕증(震盪症); 《구어》 마비. **4** (*pl.*) 《구어》 (비행기·자동차 등의) 충격 완화 장치(shock absorber). — *vt.* **1** 《~+목/+*to* do/+목+전+명》 《수동태》 …에 충격을〔쇼크를〕 주다〔일으키다〕; 깜짝 놀라게 하다; 격분시키다: I *am ~ed to* hear of his death. 그의 죽음을 듣고 충격을 받았다 / I *was ~ed at* his conduct. 그의 행동에는 놀랐다. **2** 《+목+전+명》 충격을〔쇼크를〕 주어 …하게 하다: ~ a person *into* realiz*ing* the truth 충격을 주어 아무로 하여금 진실에 눈뜨게 하다. **3** 감전(感電)시키다. ~ ***a secret out of*** a person 아무에게 충격을 주어 비밀을 토설시키다. — *vi.* **1** 부딪(치)다《*against*》. **2** 놀라다.

shock² *n., a.* 부스스 헝클어진 머리(카락)(의), 「난발(의).

shock³ *n.* 볏가리《벼 따위의 다발을 서로 기대어 세운 것》; 《미》 옥수수의 단〔다발〕. — *vt.* 볏단을 가리다.

shóck absòrber 〖기계〗 (자동차·비행기 따위의) 충격 흡수 장치; 완충 장치(shocker).

shóck àction 〖군사〗 급습, 충격 작전〔행동〕.

shóck còrd 〖항공〗 완충 고무줄《함재기(艦載機)의 착함(着艦) 때, 글라이더의 발진 때 씀》.

shóck dòg 삽살개, 《특히》 푸들개.

shóck·er *n.* 《구어》 오싹 놀라게 하는 사람〔것〕, 자극적인 것; 선정적인 싸구려 소설(shilling ~); 공포〔스릴〕 영화〔극〕; 싫은 놈〔사람〕, 틀려먹은 놈; 완충기.

shóck frònt 〖물리〗 충격파의 전면; 〖천문〗 충격파면(面).

shóck·hèaded [-id] *a.* 머리털이 부스스한, 봉두난발(蓬頭亂髮)의.

shóck-hòrror *a.* 《구어》 (특히 신문의 표제 따위가) 충격적인, 공포의, 선정적인.

***shock·ing** [ʃάkiŋ/ʃɔ́k-] *a.* 충격적인, 소름 끼치는, 무서운; 《구어》 망측한, 발칙한, 지독한; 형편없는, 조잡한: a ~ cold 심한 감기 / a ~ dinner 형편 없는 식사. — *ad.* 《구어》 몹시, 지독히(shockingly): ~ bad 〔poor〕 지독히 나쁜〔빈약한〕. 파 **~·ly** *ad.* 무시무시하게; 몹시. **~·ness** *n.*

shócking pínk 선명하고 밝은 핑크. 파 **shócking-pínk** *a.*

shóck-jòcking *n.* 라디오 방송 디스크자키의 「저속한 수다.

shóck·pròof *vt.* (시계 따위를) 충격에 견디게 하다. — *a.* (시계·기계가) 내진(耐震)(성)의.

shóck-róck *n.* 쇼크록《쇼크를 줄 만한 연주·복장·소품(小品)을 특색으로 하는 록 음악》.

shóck stàll 〖항공〗 충격파(波) 실속(失速).

shóck tàctics (장갑 부대 등의) 급습 전술; 《비유》 《일반적》 급격한 행동〔동작〕.

shóck thèrapy 〔**trèatment**〕 〖의학〗 충격요법《정신병 치료법》.

shóck tròops 〖군사〗 돌격 전문 부대, 돌격대.

shóck tùbe 충격파관(管)《실험실에서 충격파를 만드는 장치》.

shóck wàve 〖물리〗 충격파(波); 《비유》 (폭동 따위에 의한) 일대 여파: send ~s through … 에 충격을 주다.

shóck wòrkers 특별 작업대《옛 소련에서 규정량 이상의 생산 실적을 올린》.

shod [ʃɑd/ʃɔd] SHOE의 과거·과거분사. — *a.* **1** 바퀴멈추개〔겉포장, 타이어〕를 갖춘. **2** 신을 신은: badly ~ children 조잡한 신을 신은 아이들.

shod·dy [ʃάdi/ʃɔ́di] *n.* U 재생한 털실; U,C 재생 모직물(로 만든 옷); U 가짜, 위조품, 모조품, 굴퉁이. — (***-di·er; -di·est***) *a.* 재생한 모직(물)의; 가짜의, 겉만 그럴듯한, 싸구려의; (제품의 만듦새가) 조잡한, 조악품의, 질 나쁜; 천한, 비열한.

†shoe [ʃuː] *n.* **1** 신, 구두; 《영》 단화(《미》 low ~s). cf. boot¹. ¶ this ~ 이 구두 한 짝 / a pair 〔this pair〕 of ~s 구두〔이 구두〕 한 켤레 / these ~s 이 (한 켤레 또는 몇 켤레의) 구두 / put on 〔take off〕 ~s 구두를 신다〔벗다〕 / Over ~s, over boots. 《속담》 기왕에 내친 일이면 끝까지. **2** 편자(horseshoe). **3** 구두 같은〔모양의〕 것. **4** 소켓, 끼우는 쇠. **5** (브레이크의) 접촉부, 바퀴멈추개. **6** (자동차의) 타이어(의 외피); 썰매 밑의 쇠띠. **7** (전동차의) 집전(集電) 장치. **8** (지팡이 등의) 물미. **9** 〖건축〗 물받이. **10** (*pl.*) 사회적 지위: next in line of succession for one's boss's ~s 윗자리의 지위를 이어받을 입장에 있는. ***another pair of ~s*** ⇨PAIR. ***Blast my old ~s*** (***if I don't***). 《미구어》 정말이야. ***die with*** one's ***~s on*** =***die in*** one's ***~s*** ⇨DIE¹. ***fill*** 〔***stand***〕 a person's ***~s*** 아무를 대신하다. ***in*** a person's ***~s*** 아무의 입장이 되어, 아무를 대신하여. ***over*** (***the***) ***~s*** 몰두하여. ***put*** one***self in*** 〔***into***〕 a person's ***~s*** 아무의 입장이 되어 생각하다. ***put the ~ on the right foot*** 나무라야 할 것을 나무라다; 칭찬해야 할 것을 칭찬하다.

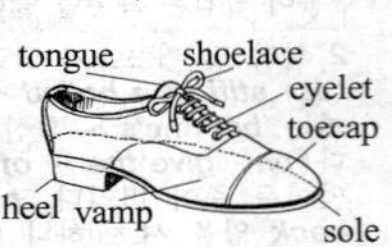

shoe 1

shake in one***'s ~s*** ⇨ SHAKE. ***step into*** a person***'s ~s*** 아무의 후임자로 들어앉다. ***the ~ is on the other foot*** 형세가 역전되다. ***wait for a dead man's*** 〔***dead men's***〕 ***~s*** 남의 유산을〔지위를〕 노리다. ***where the ~ pinches*** 재난〔슬픔·곤란 등〕의 원인: Only the wearer knows *where the ~ pinches.* 《속담》 진짜 괴로움은 당사자만이 안다.

— (*p.*, *pp.* **shod** [ʃad/ʃɔd], **shoed**) *vt.* …에 구두를 신기다; (말)에 편자를 박다; …에 쇠테〔쇠굴레〕를 끼우다; 물미〔마구리〕를 달다〔붙이다〕《*with*》: A blacksmith ~*s* horses. 편자공(工)이 말에 편자를 박는다 / a staff *shod* with iron 끝에 물미를 댄 지팡이 / neatly *shod* feet 신을 단정히 신은 발.

shóe·blàck *n.* (거리의) 구두닦이.

shóe·bòx *n.* (두꺼운 종이의) 구두 상자; 《구어》 구두 상자 모양의 물건, 《특히》 빌딩.

shóe·brùsh *n.* 구둣솔.

shóe bùckle 구두의 죔쇠.

shóe·hòrn *n.* 구둣주걱.

*__shoe·lace__ [ʃúːlèis] *n.* 구두끈(shoestring).

shóe lèather 구두용 가죽; 〖집합적〗 구두. ***as good a man as ever trod*** 〔***stepped into***〕 **~** 그 누구에게도 못지않은 좋은 사람. ***save ~*** (버스를 타는 등) 될 수 있는 대로 걷지 않다.

shóe lìft(**er**) =SHOEHORN.

*__shoe·mak·er__ [ʃúːmèikər] *n.* 구두 만드는〔고치는〕 사람, 제화공; 《속어》 엉터리: at a ~'s 양화점(洋靴店)에서 / Who is worse shod than the ~'s wife? 《속담》 대장간에 식칼이 논다.

shóe·màking *n.* Ⓤ 구두 만들기〔고치기〕.

shóe pòlish 구두약; 《미속어》 술, 싸구려 위스키.

shóe·shìne *n.* 구두닦기; 닦은 구두의 표면: a ~ boy 《미》 구두닦이 소년.

◇**shóe·strìng** *n.* 구두끈(shoelace); 《구어》 영세 자금, 적은 돈. ***on a ~*** 《구어》 약간의 자본으로. — *a.* 《구어》 아슬아슬한, 가까스로의; 시시한: a ~ majority 간신히 넘어선 과반수.

shóestring càtch 〖야구〗 땅을 스칠 듯한 공을 간신히 잡기.

shóestring potàtoes 《미》 가늘게 썬 감자 「튀김.

shóestring táckle 〖미식축구〗 《속어》 슈스트링 태클《ball carrier의 발목을 잡는 반칙》.

shóe·trèe *n.* 구두의 골.

sho·far [ʃóufər] *n.* 양뿔로 만든 유대군의 나팔 《지금은 종교 의식 때 씀》.

sho·gun [ʃóugən, -gʌn] *n.* 《Jap.》 (막부(幕府)의) 쇼군(將軍).

sho·gun·ate [ʃóugənət, -nèit] *n.* 《Jap.》 Ⓤ (일본의) 쇼군직(將軍職); 쇼군 정치, 막부(幕府) (시대).

shone [ʃoun/ʃɔn] SHINE의 과거·과거분사.

shonk [ʃaŋk/ʃɔŋk] *n.* 《Austral. 속어》 불법 상행위를 하는 자, 사기꾼.

shon·ky [ʃáŋki/ʃɔ́n-] (***shonk·i·er, -i·est***) *a.* 《Austral. 속어》 의지할 수 없는; 신용할 수 없는. — *n.* 불법 거래〔상행위〕를 하는 사람.

shoo [ʃuː] *int.* 쉬이, 쉿《새 따위를 쫓는 소리》; 나가. — *vi.*, *vt.* 쉬이하며 쫓다《*away; out*》. [imit.]

shóo·flỳ *n.* **1** 《미》 (말 따위 짐승을 본뜬) 어린이용 흔들의자. **2** 〖식물〗 파리를 쫓는다고 여겨지는 싸리속(屬)의 초본. **3** 파이의 일종(=**∠ pìe**). **4** 가설 선로〔도로〕.

shóo-in *n.* 《미구어》 당선〔우승〕이 확실한 후보자〔경기, 선수〕. — *a.* 권에 못 이겨 입후보한.

shook[1] [ʃuk] *n.* (통 따위를 만드는) 널조각의 한 벌; 《미》 곡식 단. — *vt.* 단을 짓다〔묶다〕.

shook[2] SHAKE의 과거.

shóok-úp *a.* 《미속어》 동요된, 마음이 흔들리는, 허둥대는; 흥분한; 순조롭게 진행되는.

⁑**shoot** [ʃuːt] (*p.*, *pp.* **shot** [ʃat/ʃɔt]) *vt.* **1** 《~+목/+목+전+명/+목+부》 (총·화살을) 쏘다, 발사하다: ~ a rifle 총을 쏘다〔발사하다〕 / ~ an arrow *into* the air 공중을 향해 활을 쏘다 / He had his arm *shot off.* 그는 포탄에 팔을 잃었다 / He *was shot in* the arm. 그는 팔에 총을 맞았다.

2 《~+목/+목+전+명》 (빛 따위를) 발하다, 내(쏘)다, 향하다; (시선·미소 등을) 던지다, 돌리다: ~ a light *on* the stage 무대에 조명을 비추다 / ~ a glance *at* a person 아무를 흘끗 보다.

3 《+목+전+명》 (질문·말·생각 따위를) 연거푸 퍼붓다, 연발하다: ~ question after question *at* a person 아무에게 연달아 질문을 퍼붓다.

4 (구슬치기에서) 구슬을 튀기다, 던지다; (축구·농구 따위에서) 공을 차〔던져〕 넣다; (득점을) 올리다; (돈을) 걸다.

5 《~+목/+목+전+명》 (주사위를) 던지다; (팽이를) 던지다; (짐 따위를) 들어 던지다, 내(어)던지다; (쓰레기 따위를) (왈칵) 버리다, 비우다: ~ an anchor 닻을 내리다 / ~ a fishing net 투망(投網)하다 / The rider was *shot over* the horse's head. 기수는 말 머리 너머로 내던져졌다.

6 《~+목/+목+부/+목+전+명》 (새싹·가지를) 뻗게 하다《*out; forth*》; (혀·입술·팔 등을) 내밀다《*out*》; (셔츠의 소매 등을) 쑥 잡아 빼다: ~ one's cuffs / ~ *out* buds 싹이 나다 / He *shot* his finger *at* my nose. 그는 내 코끝에 손가락을 들이댔다.

7 (빗장 따위를) 지르다.

8 《~+목/+목+보/+목+전+명/+목+부》 사살하다, 총살하다; (사냥감을) 쏴 죽이다; (비행기를) 격추하다《*down*》: ~ a bird 새를 쏘(아 죽이)다 / ~ a person dead =~ a person *to* death 아무를 사살하다 / Several enemy planes *were shot down.* 몇 대의 적기가 격추당했다.

9 총알〔화살〕로 상처를 입히다.

10 …의 사진을 찍다(photograph), 촬영하다.

11 (태양·천체의) 높이를 재다.

12 (화약을) 폭발시키다.

13 (어느 지역을) 사냥하다; 휙 지나다〔통과하다〕; 타고 넘다.

14 (급류를) 쏜살같이 내려가다, 재빨리 지나가다; 《속어》 (신호를) 무시하고 내달리다.

15 《+목+전+명》 〖주로 수동태〗 (천에) 금실 은실 등을 짜 넣다; …에 변화를 주다, 섞다《*with*》: cloth *shot with* gold 금실을 박은 천〔피륙〕.

16 (대패로) 반반하게 밀다〔깎다〕.

17 〖항공〗 되풀이 연습하다: ~ landings.

18 《속어》 (서둘러) 보내다, 건네주다.

19 …에게 예방 주사를 놓다; 《속어》 (마약을 정맥에) 주사하다《*up*》.

— *vi.* **1** 《~/+전+명》 사격하다, 쏘다《*at*》: ~ *at* a target 표적을 향해 쏘다.

2 총사냥하다. ⓒⓕ hunt.

3 《~/+부》 (총 따위가) 발사되다, 탄알이 나다: The gun ~*s* well. 그 총은 탄알이 잘 나간다.

4 《~/+부/+전+명》 분출하다, 세차게 나오다〔흐르다〕; 화살같이 …하다, 질주하다, 힘차게 움직이다; (빛이) 번쩍하고 빛나다; (통증·쾌감 등이) 찌릿하고 지나다: Flames *shot up from* the burning house. 불타는 집에서 불길이 확 치솟아올랐다 / Prices are ~*ing up.* 물가가 마구 뛰어오르고 있다 / Blood *shot from* the wound. 상처에서 피가 내뻗쳤다 / A car *shot by* us. 자동차 한 대가 우리 곁을 휙 지나갔다. SYN. ⇨ RUSH.

5 사진을 찍다; 촬영하다, 촬영을 개시하다.
6 《+[부]》 (초목이) 싹트다, 싹이 나오다《*out; forth*》: The leaves have begun to ~ *forth.* 나뭇잎이 싹트기 시작했다.
7 《+[부]/+[전]+[명]》 돌출하다, 내밀다, 튀어나오다《*out*》; 우뚝 솟다《*up*》: A cape ~*s out into* the sea. 곶 하나가 바다로 돌출해 있다.
8 떨어지다, 흘러내리다; (빗장이) 걸리다, (자물쇠가) 채워지다.
9 (공이) 지면을 스칠 듯이 날다.
10 (골을 향해 공을) 차다, 던지다, 슛하다.
11 《~/+[전]+[명]》 욱신욱신 쑤시다〔아프다〕: A sharp pain *shot through* me. 격통이 온몸에 퍼졌다.
12 《구어》 시작하다, 말을 꺼내다; 〖명령형〗 어서 말해, 빨리 털어놔.
be shot* (*through*) *with ... 《구어》 …로 가득 차 있다, …가 섞여 있다. ***I'll be shot if ....*** 〖강한 거부·부정〗 …이면 내 목을 쳐라, 절대로 …은 아니다. ~ ***a card*** 《속어》 명함을 놓다. ~ ***ahead*** 쑥 선두에 나서다; (제품 따위가) 개발되다. ~ ***a line*** ⇨LINE[1]. ~ ***a match*** 사격 경기에 참가하다. ~ ***at*** 〔***for***〕 …을 겨냥하여 쏘다; 《미구어》 …을 얻으려고〔달성하려고〕 노력하다. ~ ***away*** 계속 쏘아 대다; 재빨리 튀다; (탄알을) 다 쏘아 버리다. ~ ***down*** ① 쏘아 쓰러뜨리다, 쏴 죽이다; 쏘아 떨어뜨리다. ② (토론 등에서) 철저히 논파하다; (기록 따위를) 깨뜨리다. ~ a person ***down*** 남의 기회를 망쳐 놓다, 끽소리 못하게 만들다. ~ ***from the hip*** 깊이 생각하지 않고 말을 하다〔행동하다〕. ~ ***home*** 표적을 맞추다. ~ ***in*** 〖군사〗 (보병부대)의 엄호 사격을 하다. ~ ***it out*** 분쟁 따위를 무력으로 해결하다; 결말을 짓는 총격전을 하다. ~ ***off*** (총을) 발사하다; (꽃불을) 쏘아 올리다; 《비어》 사정(射精)하다. ~ ***off*** one's ***mouth*** 〔***face***〕 《구어》 (사실을 모르면서) 마구 지껄이다, 경솔한 말을 하다; 과장하여 말하다. ~ ***out*** ① (빛 따위를) 발포하여 끄다. ② (손·발 따위를) 불쑥 내밀다. ③ 돌출하다. ④ 무력으로 해결하다. ⑤ 해고하다, 내쫓다. ~ one***self*** (권총 따위로) 자살(自殺)하다. ~ ***straight*** 〔***square***〕 《구어》 공정하게 행하다; 정직하게 대하다. ~ ***the breeze*** 〔***bull***〕 ⇨BREEZE. ~ ***the moon*** ⇨MOON. ~ ***the shit*** 《속어》 허풍을 떨다, 큰소리만 치다. ~ ***up*** 《*vt.*+[부]》 ① 마구 쏘아 대다, 위협 사격하다. **—** 《*vi.*+[부]》 ② 우뚝 솟다; (어린이·초목 등이) 쑥쑥〔빨리〕 자라다〔뻗다〕. ③ 하늘 높이 치솟다; (물가가) 급등하다. ④ 《속어》 (마약을 정맥에) 주사하다.
— *int.* 《미구어》 쳇, 이런, 저런; 아이쿠《불쾌·놀람을 나타냄; shit의 완곡한 표현》.
— *n.* **1** 사격, 발사, 발포; 《속어》 주사. **2** 사냥터 (shooting); 사격 대회; 《영》 유렵회(遊獵會). **3** 어린 가지, 새싹: a bamboo ~ 죽순(竹筍)/the tender ~*s* in spring 초봄의 새싹. [SYN.] ⇨BRANCH. **4** 급류, 여울(rapid); 사수로(射水路); 활주로; 분수. **5** (곡식·석탄 등의) 활송(滑送) 장치, 활강관(管)(chute). **6** 지맥(支脈), 분맥. **7** 영화 촬영. **8** 〖경기〗 (보트의) stroke 사이의 시간. ***the whole*** ~ 《속어》 이것저것 다, 모두.

shoot-'em-up [ʃúːtəmʌ̀p] *n.* 《미구어》 **1** 총질〔격투, 폭력〕 장면이 많은 (서부극) 영화나 텔레비전 프로그램; 서부극; 전투 컴퓨터 게임; 〖형용사적〗 (배우 등이) 서로 총질하는. **2** 총격전.

shóot·er *n.* 사수, 포수; 사냥꾼; 연발총; 권총(revolver); 〖크리켓〗 지면을 스칠 듯 나는 공; 〖구기〗 슛을 잘하는 선수.

shóot·ing *n.* **1** [U] 사격, 발사; 총사냥, 총렵(권)(銃獵(權)). **2** [C] 사냥터. **3** [U,C] 욱신거리는 아픔. **4** [U] (영화) 촬영(shot): outdoor ~ 야외 촬영.

shóoting bòx 〔**lòdge**〕 《영》 사냥막.

shóoting gàllery (실내) 사격 연습장; 《미속어》 마약 주사 맞으러 가는 곳; 《미속어》 마약 주사 맞는 모임.

shóoting ìron 《속어》 총기《특히 권총·장총 따위》.

shóoting màtch **1** 사격 대회. **2** (the (whole) ~) 《구어》 전원, 전체.

shóoting rànge (표적이 있는) 사격장.

shóoting scrìpt 〖영화〗 촬영 대본.

shóoting stàr 유성(流星); 〖식물〗 미국앵초(櫻草).

shóoting stìck (위가 열려져 걸터 앉게 된) 수렵용 단장.

shóot·ist *n.* (권총〔소총〕의) 명사수, 저격수; (서부 개척 시대의) 총잡이.

shóot-òff *n.* 〖경기〗 (사격·양궁 등의) 우승 결정전.

shóot·òut *n.* 《구어》 (결판을 내는) 총격전; 《미구어》 총에 의한 결투; 《미》 〖축구〗 승부차기.

shóot-ùp *n.* 《속어》 마약의 정맥 주사; 《구어》 총격(전).

†**shop** [ʃɑp/ʃɔp] *n.* **1** 《영》 가게, 상점; 소매점 (《미》 store); 전문점; (큰 상점의) 전문 부문: open a ~ 가게를 열다〔시작하다〕. **2** 공장, 일터; 작업장, 제작소: a barber ~ 이발소(《영》 barber's ~)/a repair ~ 수리 공장. **3** (화제·관심사로서의) 자기의 일〔직업, 사업, 전문〕; 직업상 일; 전문 분야의 이야기: Cut the ~! 일 얘기는 집어쳐. **4** 《영속어》 (자기의) 직장, 사무소, 근무처; (the S-) 학교, 대학, 《특히》 영국 육군사관학교. ***all over the*** ~ 《영구어》 도처에; 어수선하게, 난잡하게. ***close*** ~ =shut up SHOP. ***come to the wrong*** ~ 《구어》 엉뚱한 곳에 부탁하러〔청하러〕 가다. ***keep*** ~ 가게를 차리다, 가게를 보다. ***mind the*** ~ 일에 전념하다. ***set up*** ~ 개업하다, 가게를 내다. ***shut up*** ~ ① 가게 문을 닫다. ② 가게를 걷어치우다, 폐점하다. ③ 일〔활동〕을 그만두다. ***sink the*** ~ 직업〔사업〕을 숨기다. ***smell of the*** ~ ① (하는 식이) 장사꾼티가 나다. ② (말 따위가) 전문가티가 나다. ***talk*** ~ (때와 장소를 가리지 않고) 장사〔전문적인〕 이야기만 하다. ***the other*** ~ 경쟁 상대가 되는 가게.
— (***-pp-***) *vi.* 물건을 사다, 쇼핑하다《*at*》: go ~*ping* 장보러 가다, 쇼핑 가다. **—** *vt.* **1** 《영속어》 밀고하다, 찌르다; 교도소에 넣다 (imprison). **2** 《미속어》 해직하다. **3** 《미구어》 (가게)에서 사다; (물건을) 사다. ~ ***around*** ① (사기 전에) 몇몇 가게를 둘러보다. ② (일자리·물건 등을) 찾아 헤메다, 물색하다《*for*》.

shòp·ahólic *n.* 쇼핑광(狂), 쇼핑 중독자.

shóp assìstant 《영》 점원(《미》 salesclerk).

shóp automàtion 제조 현장의 자동화.

shóp chàirman =SHOP STEWARD.

shóp commìttee (노조의) 직장 위원회.

shóp·fitter *n.* 점포 설계자〔장식업자〕.

shóp·fitting *n.* 〖복수취급〗 (대·선반 등) 점포용 비품; 점포 설계〔장식〕.

shóp flòor 《영》 **1** (회사·공장 등의) 작업 현장. **2** (the ~) 〖집합적〗 노동자; (특히 노동조합으로 조직된) 공장〔현장〕 노동자.

shóp-frònt *n.* 《영》 (쇼윈도가 있는) 점두(店頭), 가게 정면(《미》 storefront).

shóp·gìrl *n.* 《영》 여점원.

shóp·hòurs *n.* (상점의) 영업 시간.

shop·keep·er** [ʃɑ́pkìːpər/ʃɔ́p-] *n.* 《영》 가게 주인; 소매상인(《미》 storekeeper); 〖일반적〗 상인. ***a nation of **~s** 상인 근성의 국민《영국인의 멸칭》.

shóp·kèeping *n.* [U] 소매업.

shóp·lìft *vt., vi.* (가게 물건을) 후무리다, 슬쩍하다. [파] **~·er** *n.* (가게에서) 슬쩍 후무리는 사람, 들치기. **~·ing** *n.* [U] 들치기《행위》.

shóp·man [-mən] (*pl.* ***-men*** [-mən]) *n.* **1**

《영》 점원, 판매원. **2** 《영》 =SHOPKEEPER. **3** 《미》 직공, 수리공.

shoppe [ʃap/ʃɔp] *n.* 전문점, (큰 상점의) 전문 부문《간판 등에 쓰이며 예스러운 표기》.

shóp·per *n.* (물건) 사는 손님; 대리 구매업자; 《미》 경쟁 상품의 가격 조사원; 《영속어》 밀고자; 《미》 (광고용의) 무료 신문, 광고 신문.

⁑**shop·ping** [ʃápiŋ/ʃɔ́p-] *n.* **1** Ⓤ 쇼핑, 물건사기, 장보기: do one's ~ 쇼핑하다, 물건을 사다/have some ~ to do 살 것이 좀 있다/a ~ street 상가/window ~ 상품을 구경만 하고 사지 않는 것. **2** (고객에게 편리한) 구매 시설 또는 상품 (재고).

shópping bàg 《미》 쇼핑백(《영》 carrier bag).

shópping-bàg làdy 《미》 전 재산을 쇼핑백에 넣고 떠돌아다니는 집 없는 여성.

shópping càrt 손님용의 손수레《슈퍼마켓 등의》.

shópping cènter (도시 변두리의) 상점가.

shópping lìst 구입 품목 리스트, 쇼핑 리스트; 관련 품목 리스트.

shópping màll 《미 · Can.》 (보행자만 들어갈 수 있는) 상점가, 쇼핑센터 안의 한 구획(mall).

shópping plàza 《미 · Can》 =SHOPPING CENTER.

shópping prècinct 《영》 (자동차 통행을 금한) 보행자 전용 상점가.

shópping tròlley 《영》 =SHOPPING CART.

shop·py [ʃápi/ʃɔ́pi] (*-pi·er; -pi·est*) *a.* 상업상의, 전문〔직업상〕의《이야기 등》; 점포가 즐비한, 번화한; 소매의; 상인의; 상인 같은.

shóp-sòiled *a.* 《영》 =SHOPWORN.

shóp stèward 《영》 (노조의) 직장 대표.

shóp strèet 상점가, 번화가.

shóp·tàlk *n.* Ⓤ **1** (직장 밖에서의) 장사〔직업〕 이야기. **2** 장사〔직업〕 용어.

shóp·wàlker *n.* 《영》 (백화점 등에서) 판매장 감독(《미》 floorwalker).

shóp·wìndow *n.* 점포의 진열장(show window). ***put all*** one***'s goods*** 〔***have everything***〕 ***in the*** ~ 있는 대로 점포에 진열하다; 《비유》 깊이가 없다, 천박하다.

shóp·wòman (*pl.* *-wòm·en*) *n.* 여점원.

shóp·wòrn *a.* 《미》 상품이 오래 진열되어 찌든(《영》 shop-soiled); 신선미를 잃은, 진부한.

sho·ran [ʃɔ́:ræn] *n.* (*or* S-) 〖항공〗 단거리 무선 항법 장치. ⓒⓕ loran. [◂ *Sh*ort-*Ra*nge *N*avigation]

⁑**shore**¹ [ʃɔ:r] *n.* **1** 바닷가, 해안 (지방), 해변; (바다 · 호수 · 강의) 기슭.

> SYN. **shore**는 해상 · 수상에서 본 연안으로, 해변, 호숫가, 강변을 말함. **coast**는 육지에서 본 해안에 대해서만 쓰임. **beach**는 바다 · 호수 · 강가의 물결이 밀려오는 모래〔자갈〕밭.

2 〖법률〗 고조선(高潮線)과 저(低)조선 사이의 둔치. **3** (*pl.*) 육지(land)《water에 대하여》; 나라: one's native ~ 고향. ***go*** 〔***come***〕 ***on*** ~ 상륙하다. ***in*** ~ 얕은 곳에, 해안 가까이. ***off*** ~ 해안에서 떨어져서, 난바다에. ***on*** ~ 육지〔뭍〕에(서)(ashore). ⓄⓅⓅ *on the water, on board.* ***put ... on*** ~ …을 상륙시키다; …을 양륙하다. ***within these*** ~***s*** 이 나라 안에. ― *vt.* **1** 상륙시키다; 양륙하다. **2** 테두르다, 둘러싸다: a pond ~*d* by trees 수목으로 둘러싸인 못.

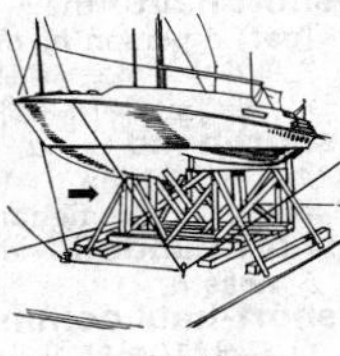
shore²

shore² *n.* (선체 · 건물 등의) 지주(支柱), 버팀대(prop). ― *vt.* 지주로 버티다; 경제적으로 지지하다《*up*》.

shore³ 《고어 · 방언》 SHEAR의 과거.

shóre-bàsed [-t] *a.* 육상 기지의, 기지가 육상에 있는《비행기 따위》.

shóre dìnner 《미》 해산물 요리.

shóre·frònt *n.* 물가, 해변, 연안의 토지.

shóre lèave 〖해군〗 상륙 허가 (시간).

shóre·less *a.* 해안이 없는; 끝없는.

shóre·lìne *n.* 해안선; 물가.

shóre pàrty 〖군사〗 상륙 전초 부대.

shóre patròl 《미》 해군 헌병(대) 《생략: SP》; 연안 경비〔초계〕.

shore·ward [ʃɔ́:rwərd] *ad.* 해안〔육지〕 쪽으로. ― *a.* 해안 쪽〔으로〕의.

shor·ing [ʃɔ́:riŋ] *n.* shore²로 받치기, 버팀목 설치공; 〖집합적〗 (건물 · 배 따위의) 지주(支柱), 버팀목.

shorn [ʃɔ:rn] SHEAR의 과거분사.
― *a.* (낫 따위로) 베어 낸, 잘라〔깎아〕 낸; 빼앗긴: God tempers the wind to the ~ lamb. 《속담》 하느님은 털을 갓 깎인 어린 양《약한 자》에게 모진 바람을 보내지 않는다. ***come home*** ~ 무일푼〔빈손〕이 되어 돌아오다. ~ ***of glory*** 영광을 잃고. ~ ***of*** one***'s money*** 돈을 빼앗겨.

†**short** [ʃɔ:rt] *a.* **1** 짧은《길이 · 거리 · 시간 등이》 (ⓄⓅⓅ *long*); 간결한, 간단한; (키 등이) 작은 (ⓄⓅⓅ *tall*); 닿지 않는: a ~ time 〔distance〕 단시간〔거리〕/a ~ walk 〔trip〕 단거리의 보행〔여행〕/~ notice 촉박한〔급한〕 예고/a ~ man 키 작은 사람/The coat is ~ on me. 이 코트가 내게는 짧다/This novel is two pages ~*er* than that one. 이 소설은 저 소설보다 2페이지 적다/~ terms 간결한 말.

> SYN. **short** 시간적으로도 공간적으로도 '짧은'의 뜻. 단, 시간적으로 쓸 때에는 생략 · 중단에 의한 불완전감이 포함됨. **brief** 짧으나 요점을 잡고 있음.

2 (시간 · 행위 등이) 짧게 느껴지는; 순식간에: a few ~ years 순식간에 지나간 몇 해. **3** 불충분〔부족〕한, 모자라는(insufficient); 주머니 사정이 나쁜: a ~ ten miles 약간 빠지는 10마일/I'm one dollar ~. 1달러가 모자란다. **4** 성마른, 퉁명스러운, 무뚝뚝한《*with*》: a ~ answer 무뚝뚝한 대답/I'm sorry I was so ~ *with* you. 퉁명스럽게 말하여 죄송합니다. **5** (숨결 · 맥박이) 빠른: ~ of breath 숨을 헐떡이어. **6** (지식 · 견해 등이) 짧은; 얕은, 좁은: ~ sight 근시/take a ~ view 눈앞의 일만 생각하다, 선견지명이 없다/be ~ on brains 머리가 모자라다/have a ~ memory 잘 잊다. **7** (술 따위에) 물을 타지 않은; 작은 글라스에 따른: a ~ drink (특히 식사 전의) 칵테일《따위》. **8** 〖상업〗 현품을 갖고 있지 않은, 현물 없이 파는; 값이 떨어질 것을 내다보는: a ~ contract 〖증권〗 공매(空賣) 계약/~ credit 단기 신용 대부. **9** 부서지기 쉬운, 파삭파삭한, 무른; 푸슬푸슬한, 차지지 않은; (잉크 따위가) 잘 나오지 않는: ~ pastry 파삭파삭한 과자/~ mortar 〔clay〕 헤식은〔차지지 않은〕 모르타르〔찰흙〕/~ ink 잘 나오지 않아 쓸 수 없는 잉크. **10** 〖크리켓〗 wicket에 미치지 않는. **11** 〖음성〗 단음의; 〖운율〗 약음의(unstressed). **12** 생략의《*for*》: Doc is ~ *for* doctor. Doc는 doctor의 약자이다. ***be*** ~ ***for*** ⇨ *a.* 12. ***get*** 〔***have***〕 a person ***by the*** ~ ***and curlies*** 《속어》 남의 약점을 파악하다〔하고 있다〕. ***get the*** ~ ***end of it*** 제일 손해를 보다. ***in the*** ~ ***run*** =RUN¹. ***keep*** a person ~ 아무에게 물건을 충분히 주지 않다. ***little*** ~ ***of*** …에 가까운, 거의 …한. ***make*** ~ ***work of*** 《구어》 …을 재빨리 해치우다. ~ ***and***

sweet 《보통 우스개》 간결하고 요점이 분명한. ~ *of ...* ① …이하의, …에 못 미치는. ② …에 부족한. ③ …까지는 안 가고, …하지 못하고; …을 제하고, 따로치고. *take a* 〔*the*〕 ~ *cut* 지름길을 취하다. *to be* ~ 요컨대, 간단히 말하면.
— *ad.* **1** 간단히, 짤막히(briefly): speak ~. **2** 부족하여, 불충분하게, 결핍하여. **3** 냉담하게, 무뚝뚝하게. **4** 갑자기, 별안간(suddenly). **5** 미치지 않아, 도중에: The arrow landed ~. 화살이 미치지 못했다. **6** 무르게. *be taken* ~ 《완곡어》 갑자기 뒤가 마렵다. *bring* 〔*pull*〕 *up* ~ 갑자기 〔급히〕 멈추다. *come* 〔*fall*〕 ~ *of* …에 미치지〔달하지〕 못하다; (기대 따위)에 어긋나다. *cut* ~ 갑자기 끝내다〔가로막다〕; 바짝 줄이다. *jump* ~ 뛰기에 실패하다. *go* ~ (*of...*) (…)없이 해나가다, 불충분함을 참다. *run* ~ 없어지다; 바닥나다, 부족하다《*of*》: I am running ~ *of* cash. 현금이 바닥날 것 같다. *sell* ~ (《*vi.*+副》) ① 〖상업〗 공매도(空賣渡)하다. — (《*vt.*+副》) ② (…을) 경시하다, 깔보다: They *sold* him ~. 그들은 그를 깔보았다. ~ *of* ① …을 제외하고, …을 별문제로 하고. ② …하지 않는 한. ③ …의 이쪽〔못미처〕에. *take up* a person ~ 아무의 말을 가로막다.
— *n.* **1** Ⓤ 간결, 짤막함, 간단. **2** Ⓤ (the ~) 개략, 적요, 대강, 요점. **3** Ⓤ,Ⓒ 결손, 부족; 짧은 것. **4** Ⓤ 〖상업〗 공(空)거래(의 물품), 공거래 시세; Ⓒ 공거래하는 사람〔투기꾼〕, 값의 하락을 내다보는 투기꾼. **5** 〖음성〗 단모음, 단음절; 그 기호. **6** Ⓒ 단편 소설〔영화〕. **7** (*pl.*) 짧은 바지, 운동 팬츠(trunks); 속옷붙이. **8** (*pl.*) 중등품; 기울과 탄 밀과의 혼합물《사료용》; 하급 밀가루. **9** Ⓒ 〖야구〗 유격수; Ⓤ 유격수의 수비 범위. **10** Ⓤ 〖전기〗 단락(短絡)(~ circuit). **11** (*pl.*) 〖인쇄〗 부족〔추가〕 부수. **12** Ⓤ (물 타지 않은) 순수한 화주(火酒). **13** 《구어》 (술의) 한 잔. **14** 〖군사〗 표적에 닿지 않는 탄환. **15** 《미속어》 자동차. *for* ~ 약하여: His name is William and he is called Will *for* ~. 그의 이름은 윌리엄인데 생략해 윌이라고 부른다. *in* ~ 요컨대, 결국. *the* ~ *and* (*the*) *long* 요점, 결국.
— *vt., vi.* 《구어》 =SHORT-CIRCUIT.

shórt accòunt 〖증권〗 (시세 하락을 예측한) 단기 매도 계정.

shórt-ácting *a.* 〖약학〗 단시간 작용하는 성질의, 비지속성의.

***short·age** [ʃɔ́ːrtidʒ] *n.* **1** Ⓤ,Ⓒ 부족(不足), 결핍(deficiency): a ~ of cash 〔rain〕 현금〔비〕 부족/a food ~ 식량난. **2** Ⓒ 부족액, 부족량. **3** 결함, 결점.

shórt ánd =AMPERSAND.

shórt and cúrlies (the ~) 거웃, 음모(陰毛). ⓒⓕ short hairs.

shórt-árm 권총, 피스톨; 《속어》 음경.

shórt bállot 〖미정치〗 요직만 선거로 뽑고 나머지는 임명제로 하는 투표 방식.

shórt bíll 단기 어음, 단기 채권.

shórt bónd 〖증권〗 (5년 이내에 만기가 되는)

shórt·brèad *n.* Ⓤ (부서지기 쉬운) 카스텔라식의 과자《버터·설탕·밀가루로 만듦》.

shórt·càke *n.* Ⓤ **1** 《영》 =SHORTBREAD. **2** 《미》 쇼트케이크《과일 따위를 카스텔라 사이에 끼우고 크림을 얹은 양과자》.

shórt chànge 부족한 거스름돈. *get* ~ 무시당하다, 별로 주목받지 못하다. *give ...* ~ 《구어》 …을 무시하다, …에 주의를 기울이지 않다.

shórt·chánge *vt.* …에게 거스름돈을 덜 주다; 속이다. ⓟ **-chánger** *n.*

shórt-chànge ártist 《미속어》 거스름돈을 속이는 상인〔점원〕.

shórt círcuit 〖전기〗 단락, 쇼트.

shòrt-círcuit *vt., vi.* 〖전기〗 단락(短絡)시키다〔하다〕; 누전시키다〔하다〕; 짧게〔간단히〕 하다; 《비유》 방해하다, 망치다, 좌절시키다.

short-círcuit reàction 〖심리〗 단락(短絡) 반응《충동적으로 일으키는 원시적 반응》.

shórt·clòthes *n. pl.* 《영》 어린이옷《배내옷에 대하여》 (ⓒⓕ long clothes); 《미》 (18-19세기의) 반바지.

shórt·còat *vt.* …에게 (짧은) 어린이옷을 입히다.

°**shórt·còming** *n.* **1** 결점, 단점, 모자라는 점: a social ~ 사회적 결함. **2** 결핍, 부족. **3** 흉작.

shórt-còmmons *n. pl.* 〖단수취급〗 《주로 영》 식량의 (공급) 부족; 불충분한 식사.

shórt còvering 〖증권〗 환매(還買) 《공매도(空賣渡)한 사람이 결제하기 위해 같은 양의 주식만큼 되사는 일》.

***short·cut** [ʃɔ́ːrtkʌ̀t] *n.* 지름길; 첩경, 최단 노선; 손쉬운 방법. — *a.* 지름길의; 손쉬운, 간단한: ~ methods 손쉬운 방법.

shórt-cùt *vt., vi.* 지름길〔빠른 방식〕을 취하다.

shórtcut ìcon 〖컴퓨터〗 단축키 아이콘《실제 파일을 나타내지 않고 단지 그 파일에 대한 링크만 제공하는 특수 아이콘》.

shórtcut kèy 〖컴퓨터〗 단축키《메뉴 방식의 프로그램에서 언제든지 그 키만 누르면 기능을 수행하도록 배정된 키》.

shórt dáte 〖상업〗 (어음 등의) 단기.

shórt-dáted [-id] *a.* 단기의.

shórt-dáy *a.* 〖식물〗 단일성(短日性)의.

shórt drínk (작은 잔으로 마시는) 독한 술; (특히 식사 전에 마시는) 칵테일. ⓒⓕ long drink.

***short·en** [ʃɔ́ːrtn] *vt.* **1** 짧게 하다, …의 치수를 줄이다: ~ trousers / ~ step 보폭을 줄이다.

> SYN. **shorten** 시간적·공간적으로 축소하는 뜻의 일반적인 말. **abridge** 내용을 바꾸지 않고 세부를 생략하고 축소하다. **abbreviate** 낱말에서는 음절을, 구에서는 낱말을 생략하고 단축하다.

2 짧아 보이게 하다; (시간·거리 등을) 짧게 느끼게 하다. **3** 적게 하다, 덜다(lessen), 삭감하다; 생략하다(abbreviate): ~ a prisoner's sentence 죄수의 형을 경감하다. **4** 빼앗다. **5** (과자·빵 따위를) 흐물흐물하게 하다《버터 따위를 가미하여》. **6** …에게 짧은 아기옷을 입히다《긴 배내옷을 벗기고》. **7** 〖해사〗 (돛을) 줄이다, 감다(reef): ~ sail. — *vi.* 짧아지다, 줄다, 감소〔축소〕하다: The days are ~*ing*. 낮시간이 짧아지고 있다.

shórt·en·ing *n.* **1** Ⓤ 짧게 함, 단축. **2** 쇼트닝《케이크 등을 만들 때 쓰이는 지방》. **3** Ⓒ 〖언어〗 생략(어).

shórt éyes 《미속어》 어린이에 대한 성폭행자.

shórt·fàll *n.* 《구어》 부족액(不足額), 부족량, 부족; 적자(deficit): a ~ of hands 일손 부족.

shórt field 〖야구〗 유격수(遊擊手)의 수비 범위.

shórt fúse 성급함: have a ~ 《미》 발끈 화내다.

shórt gàme 〖골프〗 그린 주변에서의 플레이.

shórt gòwn =NIGHTGOWN.

shórt háirs (the ~) 《속어》 거웃, 음모. *have* 〔*get*〕 a person *by the* ~ 《속어》 (특히 남자를) 도망가지 못하게 하다; 아무의 급소를〔약점을〕 잡다; 뜻대로 좌지우지하다.

shórt·hànd *n., a.* Ⓤ 속기(의): ~ machine 속기록기(機)/a ~ typist 속기자. — *vt., vi.* 속기하다. ⓒⓕ longhand.

shórt-hánded [-id] *a.* 일손〔사람〕 부족의. ⓟ ~**·ness** *n.*

shórt-haul communicàtions 〖통신〗 단거리 통신《10마일 이내의 음성·데이터 통신》.

shórt héad 《영》 (경마에서) 1마두(馬頭)의 차; 신승(辛勝).

shórt·hòld *n.*, *a.* 기한부 임차(의); 단기 임차(의).
shórt·hòrn *n.* 뿔이 짧은 소; Durham 종의 소.
shórt húndredweight 쇼트 헌드레드웨이트 《중량의 단위: =100 lb.》.
shortie ⇨SHORTY.
shórt ìnterest 〖증권〗 공매도(空賣渡) 총액.
short·ish [ʃɔ́ːrtiʃ] *a.* 약간〔좀〕 짧은; 좀 간단한; 키가 좀 작은. ㊎ **~·ly** *ad.* **~·ness** *n.*
shórt-lífe *a.* 단명의; 일시적인; (식품 따위가) 오래가지 않는, 썩기 쉬운; (임대차 계약 따위가) 단기의.
shórt lìst (최종) 선발 후보자 명단; 《속어》 사람〔물건〕의 능력〔특징〕 일람표.
shórt-lìst *vt.* (최종) 선발 후보자 명단에 올리다.
°**short-lived** [ʃɔ́ːrtláivd, -lívd/-lívd] *a.* 단명의; 일시적인, 덧없는; 단기의. ㊎ **~·ness** *n.*
*__short·ly__ [ʃɔ́ːrtli] *ad.* **1** 곧, 이내, 즉시, 머지않아; 〔어떤 종류의 구(句)에서〕 잠시, 잠깐, 조금: He will ~ arrive in Korea. 그는 머지않아 한국에 도착할 예정이다 / ~ before 〔after〕 three o'clock, 3시 조금 전〔후〕에. **2** 간략하게, 간단히: to put it ~ 간단히 말하면, 요컨대. **3** 냉랭하게, 무뚝뚝하게: answer ~.
shórt màn 〖야구〗 1-2 이닝용의 구원 투수.
shórt márk 단음 기호(breve) 《 ˘ 》.
shórt·ness *n.* Ⓤ **1** 짧음; 가까움, 낮음. **2** 간략; 부족. **3** 냉랭함, 무뚝뚝함. **4** (금속의) 무름. **~ *of breath*** 헐떡임, 숨참.
shórt òrder 《미》 (식당에서의) 즉석 요리(의 주문). ***in*** **~** 《미》 즉시, 재빨리.
shórt-òrder *a.* 《미》 즉석 요리(전문)의; 재빨리 행하는, 즉결의.
shórt périod còmet 〖천문〗 단주기(短周期) 혜성 《주기 3.3년 - 수십 년의 공전 주기를 가진 혜성》.
shórt posìtion 공매도(空賣渡)하는 사람의 입장; 공매도 총액(short interest).
shórt-ránge *a.* 사정 거리가 짧은; 단거리의; 단기의: a ~ plan 단기 계획.
shórt ràte 〖보험〗 단기 요율《1년 미만의》.
shórt róbe (the ~) 짧은 옷 《군복》, 군인들.
shórt-rún *a.* 단기(短期)의, 단기 상연의.
shórt sále 〖증권〗 단기 예측 매각, 공매도(空賣渡), 대주(貸株). 「㊎ **shórt sélling**
shórt séller 〖증권〗 단기 예측 매각자, 공매자.
shórt-shéet *vt.*, *vi.* (사람을 곯리려고) 한 장의 시트를 둘로 접어 (침대에) 깔다; 《속어》 장난치다. 「**stóry**).
shórt-shórt *n.* 장편(掌篇) 소설(=**shórt shòrt**
shórt shríft **1** (사형 집행 직전에) 참회와 면죄를 위해 주는 짧은 시간. **2** (사람 · 사물을 다룰 때) 대수롭지 않게 여김, 건성으로 다룸: give ~ to an opponent's arguments 반대자의 의론을 대수롭지 않게 여기다.
shórt síght 근시, 단려(短慮), 근시안적 견해.
°**shórt·síghted** [-id] *a.* 근시(안)의; 근시적인 (near-sighted); 선견지명이 없는. OPP *long-*〔*far-*〕*sighted*. ㊎ **~·ly** *ad.* **~·ness** *n.*
shórt-sléeved *a.* (옷이) 반소매의.
shórt-spóken *a.* 말이 적은; 상냥하지 못한, 무뚝뚝한, 통명스러운.
shórt-stáffed [-t] *a.* 직원〔요원〕 부족의.
shórt·stòp *n.* 〖야구〗 유격수; 〖사진〗 현상 정지욕(浴)〔액(液)〕(=**~ bàth**).
shórt stóry 단편 소설. cf. novel².
shórt sùbject 〖영화〗 단편 영화.
shórt-témpered *a.* 성마른, 불끈거리는.
shórt ténnis 쇼트 테니스《영국에서 고안된 어린이 · 고령자용 테니스》.
shórt-tèrm *a.* 단기의, 단기 만기의.
shórt-térmism *n.* (정치가 · 투자가 등의) 단기 수익을〔효과를〕 올리는 데 역점을 두는 경향, 단기 주의.
shórt-tèrm mémory 〖심리〗 단기 기억《번호 따위를 일시적으로 기억하는 능력》; 〖컴퓨터〗 단기 메모리.
shórt tíme 〖경제〗 조업 단축.
shórt tón 미(美)톤《2,000 파운드; 907.2 kg》.
shórt tráck spèed skáting 한 바퀴가 111.12 미터인 오벌 트랙에서 행하는 스피드 스케이트 경기.
shórt-wáisted [-id] *a.* 허리선이 높은; (의복 따위의) 허리가 짧은. 「파로 방송하다.
shórt·wáve *n.*, *a.* 〖전기〗 단파(의). **—** *vt.* 단
shórt-wéight *n.* (상품의) 중량 부족. **—** *vt.*, *vi.* (…의) 무게를 속여 팔다.
shórt-wínded [-id] *a.* 숨 가빠지기 쉬운; 숨이 찬; (문장 · 이야기 따위가) 간결한, 짧은.
shorty, short·ie [ʃɔ́ːrti] *n.* 《구어》 **1** 《경멸》 키 작은 사내, 종팽이, 땅딸보. **2** 길이가 짧은 물건《특히 짧은 옷》.
__shot__¹ [ʃɑt/ʃɔt] (*pl.* **~, ~s) *n.* **1** 발포, 발사, 총성, 포성: hear ~*s* in the distance 멀리서 총성이 들리다. **2** 탄환, 포탄; Ⓤ 《집합적》 산탄(散彈); (포환던지기의) 포환: fire a few ~ 몇 발의 총알을 쏘다. **3** Ⓤ 착탄 거리, 사정: within 〔out of〕 ~ 사정거리 안〔밖〕에. **4** 조준, 겨냥; 저격(shooting), 일격: at a ~ 단발에. **5** 추측, 어림짐작; 시도(attempt); 빗댐: make a bad 〔good〕 ~ 헛짚다〔짐작이 맞다〕. **6** 투망, 그물치기. **7** 〖축구〗 한 번 차기. **8** 〖당구〗 치기. **9** 총수(銃手), 사(격)수(marksman): ⇨DEAD SHOT. ¶ a bad ~ 서투른 사수; 잘못 짚음〔짐작〕, 헛짚기 / a good ~ 능숙한 사수; 적중, 맞힘. **10** 〖광산〗 발파, 폭발(explosion), 폭약. **11** 〖영화 · 사진〗 촬영, 사진; 한 화면; Ⓤ 촬영 거리: ⇨LONG SHOT. **12** 《구어》 (술의) 한 잔; (마약 따위의) 한 번 복용; (주사 따위의) 한 대(dose); (모르핀 따위의) 주사(injection); 《미속어》 사정(射精), 성교. **13** 날실에 끼우는 씨실의 양: a two-~ carpet. **14** 《미속어》 (나쁜) 버릇, 취미, 즐거움. ◇ shoot *v.*
a flying **~** 비행 물체 사격. ***a queer*** **~** 《속어》 괴짜. ***a*** **~** ***in the arm*** 팔의 주사; 자극물〔제〕; 《구어》 '활력소'. ***a*** **~** ***in the dark*** 막연한 추측; 가망성이 없는 시도. ***a*** **~** ***in the*** 〔one's〕 ***locker*** 《구어》 대비, 비축; 소지금; 만일의 경우의 의지. ***call*** one's **~*s*** 《미구어》 미리 분명히 말하다, 자기의 성적을 예상하다. ***call*** (***all***) ***the*** **~*s*** 《미속어》 지휘〔지배, 감독〕하다: He is a first-rate leader who knows how to *call the* ~*s*. 그는 지휘하는 법을 아는 훌륭한 지도자다. ***give*** one's ***best*** **~** 최선의 노력을 다하다. ***have a*** **~** ***for*** 〔***at***〕 …을 시도〔기도〕하다. ***like a*** **~** 번개 같은 동작으로, 총알처럼 재빠르게; 쾌히, 기꺼이 (willingly). ***make a*** **~** ***at*** …을 어림으로 짐작하다. ***not by a long*** **~** 조금도 …아니다. ***put the*** **~** 포환을 던지다. ***take a pot*** **~** 겨냥을 하지 않고 쏘다, 운에 맡기고 하다. ***take*** 〔***have***〕 ***a*** **~** ***at*** …을 저격하다, 겨누다.
— (***-tt-***) *vt.* **1** …에 총알을 재다, 장탄하다. **2** …에 추를 달다, 추를 달아 가라앉히다. **3** 《미》 시도〔기도〕하다, 해보다.
shot² SHOOT의 과거 · 과거분사. **—** *a.* **1** (보기에 따라 색이 변하게 짠) 양색(兩色) 직물의. **2** …색으로 물든, …기미의. **3** 《구어》 몹시 지친; 《속어》 술 취한(intoxicated). **4** 《구어》 아주 못쓰게 된, 구제할 길 없는. **~ *through with*** …이 스며든, …이 가득 찬.
shot³ *n.* 《구어》 (술집 따위의) 계산(서): pay one's ~ 셈을 치르다. ***stand*** **~** ***to*** …의 계산을

떠맡다, …을 한턱내다.

-shot 1 '…이 미치는〔들리는〕 범위'의 뜻의 결합사: ear*shot*, rifle*shot*. 2 '(피가) 솟은'의 뜻의 결합사: blood*shot*.

shote [ʃout] *n.* =SHOAT[1].

shót effèct (the ~) 〖물리〗 (열전자 방사(熱電子放射)의) 산탄(散彈) 효과; 산탄 잡음.

shót-fìrer *n.* (발파(發破)의) 점화원(點火員).

shót glàss 작은 유리잔《양주용의》.

◇**shót·gùn** *n.* 산탄총, 엽총, 새총; 《미속어》 매콤한 소스; 《미속어》 결혼 중매인; 《CB속어》 (경찰의) 자동차 속도 측정 장치. ***ride*** ~ 《미서부》 (역마차 등을) 무장 경호하다; 호위로 동승하다; 《미속어》 길 동반자로서 차〔트럭〕를 타다. — *a.* 강제적인; 무턱대고 하는, 무차별의; 하나만 맞으면 된다는 식의. — *vt.* 엽총으로 쏘다; 강압 수단을 쓰다.

shótgun hòuse 모든 방이 앞뒤로 곧장 이어져 있는 집.

shótgun márriage 〔**wédding**〕 《구어》 상대 처녀의 임신으로 마지못해 하는 결혼; 마지못한 타협〔결합〕.

shótgun mìcrophone 숏건 마이크《일정 방향으로 높은 감도를 갖게 한 지향성 마이크》.

shót hòle 발파용〔장약용〕 구멍; 〖식물〗 (잎의) 천공병(穿孔病).

shót nòise 〖물리〗 산탄(散彈) 잡음《전자관(電子管) 내에서의》.

shót·pròof *a.* 방탄의.

shót pùt (the ~) 〖경기〗 포환 던지기.

shót-pùtter *n.* 포환 던지기 선수.

shot·ten [ʃɑ́tn/ʃɔ́tn] *a.* 산란 후의《청어 등》; 《고어》 쓸모없는. ***a*** ~ ***herring*** 기진한 사람.

shót tòwer 탄환 제조탑《용해된 납을 물에 떨어뜨려 만드는》.

⁂**should** ⇨《p. 2301》 SHOULD.

⁂**shoul·der** [ʃóuldər] *n.* 1 어깨; 어깨 관절. 2 (*pl.*) 견부(肩部), 어깨 부분; (책임을 짊어지는) 어깨: bear a burden on one's ~*s* 〖비유적으로도〗 무거운 짐〔부담〕을 짊어지다 / square one's ~*s* 어깨를 펴다《도전·분발하는 기세를 보이는 표시》/ shrug one's ~*s* 어깨를 움츠리다《당황, 놀람, 절망, 체념 등의 표시로》/ shift the blame 〔responsibility〕 on to other ~*s* 남에게 책임을 넘겨 씌우다 / take on one's own ~*s* 책임을 지다. 3 어깨살〔고기〕《육식수(獸)의 앞다리 또는 전반부》. 4 어깨에 해당하는 부분; (옷·도구·현악기 따위의) 어깨; 어깨 모양의 것; 산마루의 아랫부분; 갓길《길 양옆 가장자리》. 5 〖인쇄〗 (활자의) 어깨. 6 〖건축〗 견각(肩角)《능보면과 측면이 이루는》. 7 〖군사〗 어깨총의 자세: come to the ~ 어깨총을 하다. 8 《서핑속어》 밀어닥치는 파도의 잔잔한 부분. ***cry on*** a person***'s*** ~ 아무의 어깨에 기대어 울다; 아무에게 괴로움을 하소연하여 위안을 얻고자 하다. ***give*** 〔***show, turn***〕 ***the cold*** ~ ***to*** …을 냉대하다; …을 피하다. ***have a chip on*** one***'s*** ~ 화를 잘내다, 걸핏하면 싸우려고 덤비다. ***have a head on*** one***'s*** ~***s*** 빈틈없다, 분별이 있다. ***have an old head on young*** ~***s*** 젊은 이답지 않게 분별력이 있다. ***have broad*** ~***s*** 어깨가 넓다, 무거운 짐〔세금, 부담, 중책〕에 견디다. ***hit straight from the*** ~ 정면(正面)으로 치다; 당당하게 맞서다. ***lay the blame on the right*** ~***s*** 책할 만한 사람을 책하다. ***put out*** one***'s*** ~ 어깨 뼈를 접질리다. ***put*** 〔***set***〕 one***'s*** ~ ***to the wheel*** 한몫 거들다, 발벗고 나서다, 크게 애〔힘〕쓰다. ***rub*** ~***s with*** ⇨RUB[1]. ~ ***to*** ~ 어깨를 나란히 하여; 협력하여; 밀집하여. ***stand head and*** ~***s above*** (one***'s colleagues***) (동료)보다 한층 뛰어나다. (***straight***) ***from the*** ~ 솔직하게, 단도직입적으로, 서슴없이, 마주 대고《평하다 따위; 본래 권투용어》.
— *vt.* 1 짊어지다, 메다: ~ a knapsack 냅색을 메다. 2 (책임·비용 따위를) 떠맡다, 짊어지다: ~ the responsibility 〔expense〕. 3 《+목+부/+목+전+명》 어깨로 밀다, 어깨로 밀어헤치고 나아가다: ~ one's way *through* a crowd / ~ a person *aside* 〔*out of* the way〕 남을 어깨로 밀어제치다. — *vi.* 어깨로 밀다. ***Shoulder arms!*** 〖군사〗 어깨총《구령》.

shóulder bàg 어깨에 메는 백.

shóulder bèlt 1 〖군사〗 멜빵. 2 (자동차 좌석의) 안전벨트(shoulder harness)《어깨에서 비스듬하게 거는》.

shóulder blàde 〔**bòne**〕 어깨뼈, 견갑골.

shóulder bòard (군복의) 견장; =SHOULDER MARK.

shóulder bràce 새우등 교정기.

shóul·dered *a.* 〖복합어로〗 …한 어깨의: round-~.

shóulder flàsh 〖군사〗 (연대(聯隊)·임무를 나타내는) 직무 견장.

shóulder gìrdle 〖해부〗 상지대(上肢帶), 견대(肩帶), (사족수(四足獸)의) 전지대(前肢帶).

shóulder hàrness 1 《미》 =SHOULDER BELT 2. 2 (어린아이를 업을 때 등의) 멜빵.

shóulder-hígh *a., ad.* 어깨 높이의〔로〕.

shóulder-hìtter *n.* 《미구어》 무법자, 난폭자, 싸움패.

shóulder hòlster 권총 장착(裝着)용 어깨띠.

shóulder knòt (17–18 세기의 리본 또는 레이스의) 어깨 장식; 〖군사〗 정장(正裝) 견장.

shóulder-léngth *a.* (머리칼 따위가) 어깨까지 내려오는 길이의, 어깨에 닿는.

shóulder lòop 《미》 견장《육군·공군·해병대 장교의》.

shóulder màrk 〖미해군〗 (장교의) 견장.

shóulder pàd 〖복식〗 어깨솜, 어깨에 넣는 패드.

shóulder pàtch 〖군사〗 수장(袖章).

shóulder-pégged *a.* (말의) 어깨가 딱딱한.

shóulder·pìece *n.* 어깨받이.

shóulder sèason 숄더시즌《봄·가을의 여행 성수기와 비수기 사이의 비교적 요금이 싼 시기; 평상시》.

shóulder stràp =SHOULDER LOOP 〔MARK〕; 멜빵.

⁂**should·n't** [ʃúdnt] should not의 간약형.

shouldst, should·est [ʃudst, 약 ʃədst], [ʃúdist] *aux. v.* 《고어》 SHOULD의 제2인칭 단수형《주어가 thou일 때 씀》.

shouse [ʃaus] 《Austral. 속어》 *n.* 변소. — *a.* 침울한, 풀이 죽은.

†**shout** [ʃaut] *vi.* 1 《~/+전+명/+*to* do/+부》 큰 소리를 내다, 외치다, 소리〔고함〕치다, 큰 소리로 이야기하다: ~ at the top of one's voice 목이 터져라 소리치다 / ~ *at* a person 아무에게 큰 소리〔야단〕치다 / ~ *with* laughter 큰 소리로 웃다 / ~ *for* the servant 큰 소리로 하인을 부르다 / He ~*ed for* 〔*to*〕 her *to* stop. 그는 그녀에게 멈추라고 소리쳤다 / *Shout* (*out*) when you are ready. 준비가 되면 큰 소리로 외쳐라. SYN. ⇨CRY. 2 《+전+명》 갈채하다, 떠들어대다《*for*》: ~ *with* 〔*for*〕 joy 환호(歡呼)하다. 3 《미속어》 찬송가 등을 정성 들여 부르다. — *vt.* 1 《~+목/+목+부/+*that* 절》 큰 소리로 말하다: ~ approbation 큰 소리로 찬성하다 / He ~*ed* (*out*) his orders. 그는 큰 소리로 명령을 내렸다 / I ~*ed that* all were safe. 모두 무사하다고 나는 소리쳤다. 2 《Austral. 구어》 …에게 술 등을 한턱내다. ***all over but*** 〔***bar***〕 ***the*** ~***ing*** 승부는 났다《갈채만 남았을 뿐》. ~ ***down*** 소리쳐 반대하다, 고함쳐 물리치다: The crowd ~*ed down* his suggestions. 군중은 그의 제의에 반대를 외쳐 댔다. ~***ed with*** …이 두드러진. ~ ***for*** …을 열광적으로 지지하다. ~ one***self hoarse*** 목이 쉬도록 소리치다.

should

should는 shall의 과거형이지만, 요즈음은 거의 가정법 전용의 조동사로 화(化)한 결과, 명백히 현재형 shall에 대응한다고 볼 수 있는 경우는 극히 한정되어 있다. 특히 미국에서는 should를 shall의 과거로서는 생각지 않고 must나 ought 처럼 독립된 하나의 조동사로 보고 있다. 다른 조동사 예컨대 can은 Yesterday John *ate* all he *could*.; Every day John *eats* all he *can*.에서와 같이 eats → ate; can → could로 되지만 should는 Yesterday John *ate* all he *should*. Every day John *eats* all he *should*.처럼 어느 쪽에나 쓸 수 있다. 또 조건절에 쓰인 경우에도 should는 가정법 과거형이라고 하기보다는 can 따위와 한가지로 독립된 조동사의 현재형으로 볼 수 있으며, If he *should* come, I *will* tell you.와 같은 경우 《미》·《영》 모두 귀결절의 조동사로서 반드시 과거형(would 따위)을 요구하지는 않는다(⇨ 밑의 4).

should [ʃud; 약 ʃəd] (should not의 간약형 ***should·n't*** [ʃúdnt]; 2인칭 단수 《고어》 (thou) ***shouldst*** [ʃudst; 약 ʃədst], ***shouldest*** [ʃúdist]) *aux. v.* **1** 〚간접화법에서〛 **a** 〚원칙적으로 직접화법의 shall을 종속절에서 그대로 받아서〛: I promised I ~ be back before 5 o'clock. 나는 5시 전에 돌아온다고 약속하였다(《"I *shall* be back ..."》)/I thought that I ~ soon be quite well again. 병이 곧 나으려니 생각했다(《"I *shall* soon be quite well again."》). **b** 〚1인칭 주어의 순수미래를 나타내는 종속절(節) 속에서〛: Teacher said that I ~ be a prize winner. 선생님은 내가 입상할 것이라고 말씀하셨다(《"The boy (=I) *will* be a prize winner."》). ★ (1) 이상 각 예문의 should는 would로 바꿀 수 있음. (2) 2인칭, 3인칭일 때 should 대신에 would를 쓸 경우가 많음. 또 《미》에서는, 특히 구어에서는 《영》에서도, 1인칭에 would로 될 때가 많음.

2 〚시제의 일치로 종속절 안에 쓰이어〛 《의지미래의 경우》. **a** 〚말하는 이의 강한 의향·결의를 나타내어〛 …할 테다〔하겠다〕 《용법은 1에서와 같음》: He said he ~ never forget it. 그는 그것을 결코 잊지 않겠다고 말했다(《He said, "I shall never forget it."》). **b** 〚상대의 의지를 확인하여〛 …할까요(라고 하다) 《주어의 인칭에 관계없이 should가 사용됨》: He asked me if he ~ call a taxi. 그는 택시를 부를까요하고 나에게 물었다 (《He said to me, "Shall I call a taxi?"》). ★이상의 경우, 《미》에서는 모든 인칭에서 would를 씀.

3 〚조건절의 귀결로서〛 **a** 〚1인칭에; ... should do〛 《주로 영》 …할〔일〕 텐데: If I had a thousand dollars, I ~ take a long holiday. 만일 1천 달러가 있으면 충분한 휴가를 가질 수 있을 텐데. **b** 〚1인칭 이외에〛 《말하는 이의 의지·결의·약속을 나타냄》 …하겠다, …할 테다: If the book were in the library, it ~ be at your service. 그 책이 도서실에 있으면 이용의 편의를 봐드리죠. **c** 〚... should have done〛 《현재의 시점에서 과거의 일을 상상하여》 …했을〔이었을〕 텐데: I ~ *have been* at a loss without your advice. 네 조언이 없었더라면 나는 어찌할 바를 몰랐을 것이다. ★이상의 경우, 《미》와 《영구어》에서는 should 대신 흔히 would를 씀.

4 〚if-절에서; 모든 인칭에〛 만일 (…하면); 설사 …하더라도: *If* you ~ see John, give him my best wishes. 만일 존을 만나게 되면 안부를 전하여 주게/*If* I ~ 〔*Should* I〕 live to be a hundred, I will 〔would; 《영》 shall, should〕 never understand Picasso. 설사 백 살까지 산다고 하더라도, 나는 피카소를 이해 못 할 것이다.

5 〚모든 인칭에서; 의무·당연〛 **a** …하여야 한다〔할 것이다〕, …하는 것이 당연하다〔좋다〕: You ~ love your neighbor. 사람은 (마땅히) 이웃을 사랑해야 한다/You ~ try. 해보는 것이 좋다/You ~*n't* speak so loud. 그렇게 큰 소리로 이야기하는 게 아니다/*Should* I wait for her? 그녀를 기다려야 하나요《겸손한 물음》/We ~ study harder, ~*n't* we? 우리는 더욱 열심히 공부해야 하겠네요. **b** 〚... should have done〛 …했어야 했는데〔하는데〕 《실제로는 하지 않았음을 나타냄》: You ~ really *have been* more careful. 자넨 좀더 조심했어야 했어/I ~*n't have come*. 오지 말았어야 했는데/*Should I have gone* to the party yesterday? 나는 어제 파티에(실제로 갔었는데) 과연 가야 하는 것이었을까. ★should는 ought to, must 보다 뜻이 좀 약하고 종종 의무보다(도) 권고를 나타냄.

6 〚강한 상상·기대·가능성·추측〛 **a** 〚should be/get〛 …임〔함〕에 틀림없다, 틀림없이 …일 거다〔일 것 같다〕: I guess it ~ *be* Mr. Brown. 틀림없이 브라운씨일 것으로 생각한다/Our plane ~ *be* landing. 비행기는 착륙할 예정임에 틀림없다. **b** 〚... should have done〛 …했음〔었음〕에 틀림없다, …해버렸을 거다: It ~ *have been* a great surprise to him, for he turned pale. 그것은 그에게 천만 뜻밖이었음에 틀림없는 것 같다, 새파랗게 질린 것을 보니/He ~ *have arrived* at the office by now. 그는 지금쯤 회사에 도착해 있을 것이다.

7 〚의문사와 더불어; 강한 의문〛 **a** 〚당연의 뜻을 강조하여〛 대체(어디서, 어떻게, 어째서 따위) …인가; …해야(만) 하나: *How* on earth ~ I know? 대체 내가 어떻게 안단 말인가/*Why* ~ he go for you? 어째서 그가 자네 대신 가야 하는가/*Why* ~ they have destroyed those building? 대체 어째서 그들은 저 건물을 허물어 버렸는가. **b** 〚who 〔what〕 ~ ... but — 의 형식으로〛 《놀라움·우스움을 나타내어》 (대체 — 말고 누가〔무엇이〕) …이었을까: *Who* ~ be there *but* Tom? 톰 말고(는) 누가 거기에 있었다고 생각하나요/*What* ~ happen *but* (that) my elevator stopped halfway. 글쎄 내가 탄 엘리베이터가 도중에서 멈추어 버렸다니 말이야.

8 〚흔히 ~ worry 형태로〛 〚반어적〛 《우스개》 (걱정할) 필요가 있을까: With his riches, he ~ *worry* about a penny! 그 사람 정도의 부(富)를 갖고서도 1페니를 걱정할 필요가 있을까.

9 〚that-절에서〛 **a** 〚놀라움·뜻밖·노여움·유감을 나타내어〛 …하다니, …이라니: *That* it ~ come to this! 이렇게 되다니/It's odd 〔surprising〕 *that* you ~*n't* know about it. 자네가 그걸 모르고 있다니 이상하군〔놀랍군〕/It is lucky *that* the weather ~ be so fine. 날씨가 이렇게 좋다니 운이 좋다/I'm sorry you ~ think I spoke ill of you. 내가 자네를 중상한 줄로 생각하고 있다니 유감이다. **b** 〚필요·당연 등을 나타내는 주절에 이은 명사절 속에서〛 …하다, …하는 것은〔이〕: It is not necessary *that* I ~ go there. 내가 거기로 갈 필요는 없다/It is (quite) natural *that* he ~ have refused our request. 그가 우리의 요구를 거절한 것은 (지극히) 당연하다/It is important *that* she ~ learn to control her temper. 그녀는 자신의 감정을 다스릴 줄 아는 것이 중요하다.

NOTE (1) 주로 다음 같은 구문에 쓰임: be alarmed 〔amazed, annoyed, delighted, pleased〕 (to find) that …/It is fortunate 〔horrible, impossible, improbable, inconceivable, marvelous, natural, proper, strange, unfortunate, unlikely, unlucky〕 that …. (2) 《구어》에서는 직설법도 일반적임: It's lucky (that) the weather is so fine./It's a pity (that) he did 〔has done〕 such a thing.

10 〔요구·제안·의향·주장·결정 따위를 보이는 명사절에서〕《구어에서는 흔히 should를 생략함》…하다, …하도록: I suggest *that* you ~ join us. 당신도 가담하실 것을 권하는 바입니다/I am anxious *that* the affair ~ be settled down. 나는 그 문제가 해결되기를 바라고 있다/The proposal *that* he ~ join us was reasonable. 그 사람을 우리 패에 끌어들이자는 제안은 타당했다. ★ 이 should는 가정법이므로, 주절의 시제의 영향을 받지 않음.
11 〔who에 계속되는 관계절에서〕: He *who* ~ content himself with what he is will never be a great man. 현재의 자기에게 만족하는 자는 위인은 되지 못할 것이다.
12 《문어》 **a** 〔lest에 계속되는 종속절에서〕…하지 않도록 《구어에서는 흔히 should를 생략함》: He jotted the name down *lest* he ~ forget it. 잊지 않도록 이름을 적었다. **b** 〔목적의 부사절에 쓰여〕…하도록: He lent her the book so *that* she ~ study the subject. 그는 그녀가 그 주제를 연구할 수 있도록 책을 빌려 주었다.
13 〔완곡한 표현으로서의 I should〕 (나로서는) …하고 싶지만, …합니다만, (나라면) …하(겠)는데: *I* ~ say he is over fifty. 50세는 더 됐을 테죠/He is a fool, *I* ~ think. 아무래도 그 작자(는) 바보야/*I* ~ refuse a bribe. 나라면 뇌물을 사절하겠네 《조언을 나타냄》. ★ '만일 내가 당신이라면' '만일 누가 묻는다면' '만일 권고를 받는다면' 따위 조건을 언외(言外)에 함축한 표현으로서, would가 쓰일 때도 있음.
as who ~ say …라고 하려는 듯이. ***I ~ like to*** …하고 싶다: I ~ *like to* go with you. 함께 가고 싶다. ★ 정중한 바람을 나타냄; 《미》에서는 이 should 대신 would를 쓰는 일이 많음; 《구어》에서는 흔히 I'd like to라고 간략형을 씀; 상대의 희망을 물을 때에는 *Would* you like to …? ***It ~ seem …*** …처럼 생각되다, 아무래도 …인 것 같다 《It seems 보다 완곡(婉曲)한 말씨》.

— *n*. **1** 외침, 부르짖음, 큰 소리: with a ~ 외치며/a ~ for help. **2** 환호, 환성: give a ~ of triumph 승리의 함성을 지르다. **3** 《미속어》 감정을 살려서 부르는 찬송가, 재즈 가수가 부르는 느린 블루스; 전도 집회; 교회 행사에서 격식 차리지 않은 댄스파티. **4** 《영구어·Austral.구어》 한턱낼 차례: It is my ~. 내가 한턱낼 차례다.
㊎ ∠·**er** *n*. 외치는〔큰 소리로 이야기하는〕 사람; 열렬한 지지자. ∠·**ing·ly** *ad*.

shóuting blúes 절규하듯 노래하는 블루스.

shóuting dìstance =HAILING DISTANCE.

shóuting màtch 격렬한 말싸움; 서로 소리지르기.

◇**shove** [ʃʌv] *vt*. 《~+[목]/+[목]+[전]+[명]/+[목]+[부]》 **1** 밀(치)다, 떠밀다, 밀고 나아가다, 냅다 밀다, 밀어제치다; 《미속어》 살해하다 《*off*》: ~ a person *over* a cliff 아무를 벼랑에서 밀어뜨리다/~ each other *about* 서로 밀치락거리다. SYN. ⇨PUSH. **2** 《구어》 (아무렇게나) 찔러 넣다; 밀어 넣다, 처넣다; (난폭하게) 놓다, 두다 《*up; down; in, into*》: ~ something *down* on paper 종이에 무언가 휘갈겨 쓰다/~ something *in* one's pocket 호주머니에 무엇을 찔러 넣다. — *vi*. 《+[부]/+[전]+[명]》 밀다, (떠)밀고 나아가다, 밀고 가다: They ~*d up* to the counter. 그들은 카운터로 밀려왔다. ~ ***along*** 밀고 가다; 《미속어》 떠나다, 나가다. ~ ***around*** 《구어》 마구 부리다, 혹사하다: be ~*d around* by one's boss 상사에게 혹사당하다. ~ ***down*** one**'s *throat*** ⇨THROAT. ~ ***in*** 밀고〔억지로〕 들어가다; 밀어 넣다. ~ ***off*** 〔***out***〕 (배를) 밀어내다; 저어 나가다; 《구어》 떠나다, 출발하다 《*for*》, 〔명령형〕 나가 없어져라. ~ ***on*** 밀고〔뚫고〕 나아가다; (옷을) 입다. ~ ***over*** 《구어》 자리를 조금 좁히다. ~ ***past*** 〔***through***〕 밀어제치며 나아가다. ~ one**'s *clothes on*** 옷을 (서둘러) 입다.
— *n*. 밂, 떠밂; 밀어제침, 떠다밂; (the ~) 《영속어》 추방, 해고: give it a ~ 그것을 냅다 밀다.
㊎ **shóv·er** *n*. **1** 《미속어》 위조지폐〔수표〕 사용자. **2** 통근 열차에 승객을 밀어 넣는 사람.

shòve-hálfpenny, -há'penny *n*. Ⓤ 《영》 =SHOVELBOARD.

shov·el** [ʃʌ́vəl] *n*. **1** 삽, 부삽; 삽이 달린 기계; 《미속어》 숟가락, 스푼(spoon). **2** =SHOVEL HAT. **3** =SHOVELFUL. ***be put to bed with a ~ 곤드레만드레 취해 있다. ***put in*** one**'s ~** 《구어》 관여하다, 말참견하다. ***put*** a person ***to bed with a ~*** 《속어》 (죽여서) 묻다. — (**-l-,** 《영》 **-ll-**) *vt*. **1** 《~+[목]/+[목]+[부]/+[목]+[전]+[명]》 삽〔부삽〕으로 푸다: ~ *up* coal 석탄을 삽으로 퍼내다/~ the snow *away from* the steps 층계에 눈을 쳐내다. **2** 《+[목]+[전]+[명]》 (길·도랑 등을) 삽으로 파다〔만들다〕. **3** 《+[목]+[전]+[명]》 많이 넣다: ~ sugar *into* one's coffee 커피에 설탕을 많이 넣다/He ~*ed* the food quickly *into* his mouth. 그는 음식을 게걸스럽게 먹었다. — *vi*. 삽으로 일하다. ~ ***up*** 〔***in***〕 ***money*** 큰돈을 벌다.

shóvel·bòard *n*. Ⓤ 원반치기(shuffleboard) 《놀이》; 구슬치기; 그 구슬〔대(臺)〕.

shóv·el·er *n*. **1** 삽질하는 사람〔기구〕. **2** 《미속어》 과장하는 버릇이 있는 사람. **3** 【조류】 넓적부리(= **shóvel·bill**).

shov·el·ful [ʃʌ́vəlfùl] (*pl*. **~s, shóv·els·fùl**) *n*. 한 삽 가득(한 양).

shóvel hàt (영국 국교회의 성직자가 쓰는) 챙 넓은 모자.

shovel hat

†**show** [ʃou] (***showed; shown,*** 《드물게》 ***showed***) *vt*. **1** 《~+[목]/+[목]+[목]/+[목]+[전]+[명]/+[목]+*wh*. [절]》 보이다; 제시하다; 지적〔지시〕하다: ~ one's passport 여권을 제시하다/He ~*ed* me his photos. =He ~*ed* his photos *to* me. 그는 내게 그의 사진을 보여 주었다/I ~*ed* the doctor *where* my leg hurt. 의사에게 내 다리의 아픈 곳을 보였다.

SYN. **show** 가장 일반적인 말. **exhibit, display** 사람 눈에 띄게 보이다, 전시하다, 진열하다. exhibit는 내놓아 눈에 띄게 하기. display는 펼쳐 보이기, 즉 진열 방법에 힘을 줌. **parade, flaunt** 여봐란 듯이 보이다: *parade* one's knowledge. **expose** 지금까지 보이지 않았던 것을 보이다, 사람 앞에 내놓다→팔 것으로 내놓다: *expose* goods for sale 상품을 진열하여 팔다.

2 《~+[목]/+[목]+[보]/+*that* [절]/+[목]+*to be* [보]/+

목+that 절/+wh. 절》(…임을) 보이다, 나타내다; …을 표시하다; …을 증명하다, 밝히다, 설명(說明)하다: His experiment *~ed* the fallacy in the theory. =His experiment *~ed* the theory (*to be*) false. =His experiment *~ed that* the theory was false. 그의 실험은 그 학설이 오류임을 증명하였다/He *~ed* me *that* it was true. 그는 그것이 진실임을 내게 증명해 주었다/This letter *~s what* he is. 이 편지는 그가 어떤 사람임을 말해 주고 있다. **3** 《+목+목/+목+wh. 절/+목+wh. *to* do》 해 보이다, 설명하다, 가르치다(explain): She *~ed* me *where* the bank was. 그녀는 은행이 있는 곳을 나에게 가리켜 주었다/I'll ~ you *what* I mean. 나의 진의를 가르쳐 주지. **4** 진열〔전시, 출품〕하다(exhibit); 달다; (연극 따위를) 상연하다: ~ one's dogs for prizes 상금을 목표로 (품평회에) 개를 내놓다/~ colors 기를 달다. **5** 눈에 띄게〔두드러지게〕 하다, 보이게 하다: A light-colored coat *~s* soil readily. 밝은 색 상의는 얼룩이 곧 드러난다. **6** 《+목+전+명/+목+부》 안내하다, 보이다(guide): ~ a person *around* the city 시내를 두루 안내하다/~ a guest *in* 〔*out*〕 손님을 안내〔전송〕하다. **7** 《~+목/+목+전+명/+목+목》 (감정 따위를) 나타내다; (호의 따위를) 보이다, 베풀다: ~ one's pleasure *at* the news 소식을 듣고 얼굴에 기쁜 빛을 나타내다/He didn't ~ any friendliness *to* me. =He didn't ~ me any friendliness. 그는 나에게 아무런 호의도 보여 주지 않았다. **8** (계기 등이) …을 나타내다: The thermometer *~ed* 10 below zero. 온도계는 영하 10도를 가리키고 있었다. **9** 〖법률〗 주장〔말〕하다(allege): ~ cause 이유를 말하다.

— *vi.* **1** 《~/+전+명》 나타나다, 보이다(appear): The summit *~ed* awhile. 산봉우리가 잠시 나타났다/Anger *~ed on* his face. 얼굴에 노여움이 드러났다. **2** 《+전+명》《구어》 출석하다; 등장〔참가〕하다: He seldom *~s at* his daughter's at-homes. 그는 딸의 가정 초대회에 좀처럼 참석하지 않는다. **3** 《+전+명/+보》 (어떤 상태로) 보이다: ~ *to* advantage 두드러져 보이다/The mountain *~s* purple from here. 그 산이 여기서는 자줏빛으로 보인다. **4** 전시회〔전람회〕를 열다; (극·영화)가 흥행되다, 상연〔상영〕 중이다.

go to ~ ① (…임이) 증명되다. ② 잘 알려지다〔증명되어 있다〕: It just 〔only〕 goes to ~ (that ...). ***have nothing to ~ for*** 노력의 자취를 보여 줄 것이 없다. ~ ***around*** 방문하다, 찾아오다. ~ ***fight*** 투지를 보이다, 반항하다. ~ ***forth*** 《고어》 전시하다, 설명하다. ~ ***off*** 《*vt.*+부》 ① (역량·학문 등을) 자랑해 보이다, 드러내다, 돋보이게 하다: Mothers will always ~ *off* their children. 어머니들은 늘 자기 아이를 자랑해 보이려고 한다. — 《*vi.*+부》 ② 자랑해 보이다, 눈길을 끄는 일을 하다: He's always *~ing off*. 그는 항상 자기 자랑이다. ~ ***out*** 《방언》 =~ off. ~ one***'s colors*** 실상을 보이다; 속뜻을 알리다. ~ one***self*** 사람 앞에 모습을 보이다, 나타나다; …임을 보이다. ~ one***'s hand*** 〔***cards***〕 〖카드놀이〗 손에 든 패를 보이다; 생각을 밝히다. ~ one***'s nose*** 〔***head***〕 얼굴을 내밀다. ~ one***'s teeth*** 이를 드러내다, 성내다. ~ (a thing) ***the fire*** 조금 데우다. ~ ***the way*** 길 안내를 하다; 해 보이다. ~ ***through*** (…을 통하여) 들여다보이다, (본성 따위가) 드러나다. ~ ***up*** 《*vt.*+부》 ① (…을) 폭로하다. ② 똑똑히 보이게 하다, 뚜렷하게 하다: The light *~ed up* the stain on the cloth. 불빛으로 천의 얼룩이 똑똑히 보였다. ③ 《구어》 …을 무안하게 하다. — 《*vi.*+부》 ④ 눈

에 띄다, 두드러지다: The white cliffs *~ed up* with surprising clearness. 그 하얀 절벽은 놀랄 만큼 뚜렷하게 보였다. ⑤ 《구어》 나오다, 나타나다: We invited him to the party, but he did not ~ *up*. 우리는 그를 파티에 초대했지만 그는 나타나지 않았다. ~ a person ***up as*** 〔***for, to be***〕 ... (본색을 폭로하여) 아무가 …임을 밝히다.

— *n.* **1** U,C 보이기, 나타내기, 표시. **2** U,C 과시(ostentation), 성장(盛裝), 허식(display): be fond of ~ 허영을 좋아하다. **3** U (때로 a ~) 시늉, 짓(pretense); 외관, 표면, 겉꾸밈, 겉치레(appearance): put on a ~ 거짓〔표면을〕 꾸미다, 연극을 하다/make a false ~ 거짓으로 꾸미다, 가장하다/make a good ~ 보기에 좋다, 훌륭하다. **4** 구경거리, 연극, 쇼, 흥행(entertainment); 《구어》 (방송의) 프로: a road ~ 특별 흥행/a television ~ 텔레비전의 연예/go to a ~ 연극〔영화〕구경 가다/⇨ DUMB SHOW. **5** 영화; 영화관. **6** 전시회, 전람회(exhibition). **7** 볼 만한 것; 웃음거리, 괴짜, 수치스러운 짓을 하는 사람. **8** 징후; 흔적, 무늬. **9** 《구어》 (수완을 보일) 호기, 기회(chance). **10** 《구어》 사건, 일; 사업, 기획: The party was a dull ~. 그 파티는 재미가 없었다. **11** U 《미》 (경마 따위의) 3위. ***all over the ~*** 《구어》 대혼란을 일으켜, 여기저기에. ***by*** (***a***) ***~ of hands*** (찬부를) 거수로. ***do a ~*** 《속어》 영화〔연극 따위〕를 보러 가다. ***for*** 보이기〔과시하기〕 위해, 자랑으로. ***get*** 〔***put***〕 ***the ~ on the road*** 《구어》 (조직 따위를) 실제로 움직이다; (안·계획을) 실행하다, 활동하기 시작하다, 일을 시작하다. ***give*** a person ***a fair ~*** 좋은 기회를 주다. ***give the*** (***whole***) ***~ away*** =***give away the*** (***whole***) ~ 내막을 폭로하다; (계획 따위의) 비밀을 밝히다; 마각을 드러내다, 실언하다. ***have*** 〔***stand***〕 ***a ~*** 《구어》 (희미한) 가망성이 있다《*of; for; to*》. ***in ~*** 표면은. ***make a ~ of*** …을 과시하다, 자랑하다. ***make a ~ of*** one***self*** 웃음거리가 되다, 어리석은〔수치스러운〕 짓을 하다. ***no ~*** (좌석 예약을 하고도 나타나지 않은) 결석객. ***on ~*** 진열되어, 구경거리가 되어: goods *on* ~ 진열품. ***Poor ~!*** 《구어》 형편없군, 보기 싫다. ***put up a good ~*** 《구어》 훌륭하게 해내다. ***run the ~*** 주도권을 쥐다; 운영하다. ***steal*** 〔***walk off with***〕 ***the ~*** 《구어》 (조연 배우가 주연의) 인기를 가로채다. ***stop the ~*** 〖연극〗 대성공을 거두다《앙코르에 몇 번이나 응하여 다음 차례를 할 수 없을 정도의》.

shów-and-téll *n.* (학생이 진기한 물건을 가져와서 설명하는) 발표회; (신제품 따위의) 설명회.

shów bìll 포스터; 광고 쪽지; 진행 순서표.

shów bìz 《구어》 =SHOW BUSINESS.

shów·bòat *n.* C 연예선(船); 《미속어》 두드러진 행동으로 사람들의 주의를 끌려는 사람. — *vt., vi.* 《미속어》 과시하다.

showbread ⇨ SHEWBREAD.

shów bùsiness 연예업, 흥행업.

shów càrd 광고 쪽지; 상품 견본이 붙은 카드.

shów·càse *n.* (유리) 진열장; 공개〔진열〕 장소〔수단〕; 《미속어》 ((보도) 관계자에게 선전하기 위한) 특별 공개〔공연〕. — *vt.* 전시〔진열〕하다; 《미》 두드러지게 나타내다.

shów còpy (특별 시사회 등의 중요한 장소에서 상영되는) 영화 필름.

shów·dòwn *n.* **1** U 〖포커〗 손에 든 패 전부를 보이기. **2** 《구어》 (계획·사실 따위의) 폭로, 발표, 공개. **3** (결말을 짓는) 최종 단계, 막판, 파국; 대결: a court ~ 법정에서의 대결/a ~ vote 결선 투표.

show·er[1] [ʃóuər] *n.* 보이는 사람〔물건〕.

show·er² [ʃáuər] *n.* **1** 소나기: be caught in 〔overtaken by〕 a ~ 소나기를 만나다. **2** 쏟아져 옴, 많음, (탄알·눈물·피·편지 따위가) 빗발치듯 함: a ~ *of* presents 많은 선물/a ~ *of* applause 빗발치는 박수갈채. **3** 《미》 (신부에게) 선물하는 파티. =SHOWER PARTY. **4** =SHOWER BATH: take a ~ 샤워를 하다. **5** 《영구어·경멸》 너절한〔게으른〕 사람(들). (Letters came) ***in ~s*** (편지가) 쏟아져 (들어왔다). ***send*** a person ***to the ~s*** 《야구속어》 선수〔《특히》 투수〕를 바꾸다, (심판 모욕 등으로) 퇴장시키다; 아무를 거부하다.
— *vi.* **1** 소나기가 오다; 좍좍〔세차게〕 내리다. **2** 《+전+명》 빗발치듯 쏟아지다: Tears ~*ed down* her cheeks. 눈물이 비 오듯 그녀의 뺨에 흘렀다. **3** 샤워를 하다. **4** 《미속어》 말에 채찍질하다. — *vt.* **1** 소나기로 적시다; 흠뻑 적시다: ~ plants 나무에 물을 뿌려 주다. **2** 《+목+전+명》 빗발처럼 퍼붓다, 뿌리다 《*on, upon*》: Questions were ~*ed on* him. 그에게 질문이 빗발치듯 했다. **3** 《+목+전+명》 (애정 등을) 쏟다, (선물 등을) 주다: He was ~*ed with* congratulation. 그는 잇따른 축하 세례를 받았다.

shówer bàth 샤워; 샤워 기구, 샤워실(室); 흠뻑 젖음.

shówer càp 샤워 모자.

shówer gèl 샤워젤《샤워용 젤 모양의 비누》.

shówer pàrty (특정한) 선물을 하기 위한 파티, (신부가 되는 여성에게 선물을 하는) 신부 피로연.

shówer·pròof *a.* (직물·옷 따위가) 비에 젖어도 괜찮은. — *vt.* 비에 젖어도 괜찮게 만들다.

show·ery [ʃáuəri] *a.* 소나기(가 올 것) 같은; 소나기가 잦은.

shów·fòlk *n. pl.* 연예인들.

shów gìrl (쇼 등의 잘 차려입은) 코러스걸; 연기보다 얼굴로 한몫 보는 여배우.

shów·gròund *n.* 품평〔전람〕회장.

shów·hòuse *n.* 극장(=**shów hòuse**).

shów·ing *n.* U,C **1** 전시. **2** 진열, 치장, 장식. **3** C 전람회, 전시회. **4** 외관, 겉보기, 허울. **5** 주장; 진술(statement), (사실·상태의) 표시(presentation). ***make a good ~*** 외관이 좋다; 실적을 올리다. ***on your own ~*** 당신 자신의 변명에 의해.

shów jùmping 〖승마〗 장애물 뛰어넘기《경기》.

shów·man [-mən] (*pl.* ***-men*** [-mən]) *n.* 흥행사. ㊕ **~·ly** *ad.* **~·ship** [-ʃip] *n.* U 흥행술; 흥행적 수완〔재능〕.

shów-me *a.* 《미구어》 증거에 구애되는, 의심이 많은.

Shów Mè Stàte (the ~) 미국 Missouri 주(州)의 속칭.

shown [ʃoun] SHOW의 과거분사.

shów-óff *n.* U,C 자랑, 과시; C 자랑꾼. ㊕ **~·ish** *a.*

shów of fórce 실력 행사 시위.

shów·pìece *n.* 전시용 우수 견본, 특별품; 자랑거리.

shów·plàce *n.* (여행자들의 흥미를 끄는) 명승지; 구경할 곳《일반에게 공개되는 건조물·정원 따위》.

shów·ròom *n.* 상품 진열실, 전시실.

shów·shòp *n.* 전시 판매점; 《미속어》 극장.

shów·stòpper *n.* U,C 박수갈채를 받는 명연기(자); 《구어》 아주 인상적인 것.

shów-stòpping *a.* 아주 인상적인.

Shów Súnday Oxford 대학 창립 기념 축제일 전의 일요일.

shów-thròugh *n.* U (반투명지 따위의) 종이 뒷면에 인쇄가 비쳐 보임; (종이의) 투명도.

shów·tìme *n.* 쇼의 개시 시간; (스포츠 선수의) 파인 플레이 장면.

shów trìal 여론 조작을 위한 재판.

shów wìndow 상품 진열창; 《비유》 견본: ~ of democracy.

show·y [ʃóui] (***show·i·er; -i·est***) *a.* 화려한, 현란한; 눈에 반짝 띄는(striking); 보기 좋은; 허식 부리는, 허영에 들뜬; 야한(gaudy). ㊕ **shów·i·ly** *ad.* **-i·ness** *n.*

SHP, shp, s.hp., s.h.p. shaft horsepower.

shpt. shipment. **shr.** 〖증권〗 share(s).

shrank [ʃræŋk] SHRINK의 과거.

shrap·nel [ʃrǽpnl] (*pl.* ~) *n.* 유산탄(榴散彈); 포탄〔총탄〕의 파편.

shred [ʃred] *n.* 끄트러기(strip), 조각, 파편, 세편(細片)(fragment); 약간, 소량(bit), 극히 조금《*of*》. cf. scrap¹. ¶ There is not a ~ *of* evidence 〔doubt〕. 쥐꼬리만한 증거〔의심〕도 없다/cut 〔tear〕 into 〔in, to〕 ~*s* 조각조각〔갈기갈기〕 끊다〔찢다〕. — (*p., pp.* **~·ded** [ʃrédid], 《옛투》 **~;** **∠·ding**) *vt., vi.* 조각조각으로 하다〔되다〕; 갈가리 찢다〔찢기다〕. ***~ the tube*** 《미속어》 서핑을 하다(surf). ㊕ **∠·der** *n.* 강판(薑板); 문서 절단기. **∠·less** *a.* **∠·like** *a.*

shrew [ʃruː] *n.* 잔소리가 심한 여자, 으드등대는 여자(termagant); =SHREWMOUSE.

shrewd [ʃruːd] *a.* **1** 예민한, 날카로운, 영리한, 통찰력이 있는: a ~ choice 똑똑한 선택/a ~ observer 예민한 관찰자. SYN. ⇨CLEVER. **2** 빈틈없는, 재빠른《*in; about*》: He's ~ *in* business (matters). 그는 장사에 관해서는 빈틈이 없다. **3** (눈초리가) 날카로운, (얼굴이) 영리해 보이는. ㊕ **∠·ly** *ad.* 기민하게; 현명하게. **∠·ness** *n.*

shrewd·ie [ʃrúːdi] *n.* 《구어》 빈틈없는 사람, 만만찮은 녀석.

shrew·ish [ʃrúːiʃ] *a.* 잔소리가 심한, 으드등〔앙앙〕거리는; 심술궂은(malicious).

shréw·mòuse (*pl.* ***-mice*** [-màis]) *n.* 〖동물〗 뾰족뒤쥐.

Shrews·bury [ʃrúːzbèri, ʃróuz-/ʃróuzbəri] *n.* 잉글랜드 Shropshire 주의 주도(州都).

shriek [ʃriːk] *n.* 날카로운〔새된〕 소리, 부르짖음; 비명: give 〔utter〕 a ~ of pain 아파서 비명을 지르다. — *vi.* 《+전+명》 날카로운〔새된〕 소리를 지르다, 비명을 지르다: ~ *for* help/~ *with* laughter 깔깔거리며 웃다. — *vt.* 《~+목/+목+전+명/+목+부》 새된 소리로 말하다, 비명을 지르며 말하다; 외마디 소리를 지르다: ~ curses *at* a person 새된 소리로 아무를 저주하다/~ *out* a warning 날카로운 소리로 경고를 발하다. ㊕ **∠·er** *n.* **∠·ing·ly** *ad.* **∠y** *a.*

shriev·al [ʃríːvəl] *a.* SHERIFF의〔에 관한〕.

shriev·al·ty [ʃríːvəlti] *n.* U,C 《주로 영》 주(州)장관(sheriff)의 직〔직권, 임기, 관할 구역〕.

shrift [ʃrift] 《고어》 *n.* U,C 참회, 고해(confession); 임종 고해; 고해에 의한 사죄(赦罪)(absolution). ***give* 〔*get*〕 *short ~*** ⇨SHORT SHRIFT.

shrike [ʃraik] *n.* 〖조류〗 때까치.

shrill [ʃril] *a.* **1** (소리가) 날카로운, 새된, 높은: a ~ whistle 날카로운 기적 (소리). **2** (색깔·빛 등이) 강렬한: a ~ blue light. **3** 푸념하는, 시끄러운, 성가신. — *ad.* 날카로운〔새된, 높은〕 소리로. — *n.* 날카로운 (목)소리, 새된 목소리. — *vt.* **1** 《~+목/+목+부》 새된〔날카로운〕 소리로 말하다《*out*》: ~ (*out*) an order 새된 소리로 명령을 내리다. **2** 날카롭게 울리다. — *vi.* 《드물게》 날카로운 소리를 내다. ㊕ **shril·ly** [ʃríl/li] *ad.* **∠·ness** *n.*

shrimp [ʃrimp] (*pl.* **~s,** 〖집합적〗 ~) *n.* 작은 새우; 《구어·경멸》 왜소한 사람, 난쟁이, 꼬마, 하찮은 놈. — *vi.* 작은 새우를 잡다. — *a.* 〖요리〗 작은 새우가 든. ㊕ **∠·er** *n.* 작은 새우를 잡는 어부〔배〕. **∠·ing** *n.* ~잡이. **∠y** *a.* 작은 새우가 많은; 쪼끄마한.

shrímp·bòat *n.* (작은 새우를 잡는) 새우잡이 배; 〖항공〗 항공 관제관이 비행 상태를 추적하기 위해 레이더 화면 위의 기영(機影) 옆에 붙여 놓는 작은 플라스틱 조각.
shrímp cócktail 《미》 새우 칵테일《매콤한 토마토 소스를 친 새우 전채(前菜)》.
shrímp pínk 진한 핑크색.
*__shrine__ [ʃrain] *n.* **1** 성체 용기(聖體容器), 성골함(聖骨函), 성감(聖龕). **2** (성인들의 유물·유골을 모신) 성당, 사당(祠堂), 묘(廟). **3** 《비유》 전당, 성지(聖地), 영역(靈域): a ~ of art 예술의 전당. **—** *vt.* 《시어》 사당〔묘우(廟宇)〕에 모시다 (enshrine). ㊕ **∠·less** *a.*
__shrink__ [ʃriŋk] (*shrank*** [ʃræŋk], ***shrunk*** [ʃrʌŋk]; ***shrunk, shrunk·en*** [ʃrʌ́ŋkən]) *vi.* **1** 《~/+전+명/+부》 (천 등이) 오그라들다, (수량·가치 등이) 줄다《*up; away*》: Wool ~*s* when washed. 양모는 빨면 줄어든다/My earnings *shrank away*. 벌이는 점점 줄어들었다. **2** 《+전+명/+부》 움츠리다《*up*》, 겁내다, 위축되다《*at*》; 주춤하다《*from*》; 피하다: ~ *away* 뒷걸음치다, 움츠리다; 소멸하다《*from*》/~ into ridges 주름이 지다/~ *from* (meeting) a person 아무를 (만나기를) 꺼리다/~ *back* 물러서다, 뒤로 움츠리다/The boys *shrank away* in horror. 소년들은 두려움에 기가 꺾였다. **—** *vt.* **1** 오그라뜨리다, 수축시키다; 축소시키다; 줄어들게 하다: ~ the office to the holder's ability 회사를 관리자의 능력에 맞추어 축소하다/Summer has *shrunk* the stream. 여름철이라 냇물이 줄어들었다. **2** (쇠테 등을) 가열해 끼우다《*on; on to*》.
~ *into* oneself 움츠러들다, 주눅이 들다. **~ *a person's head*** 아무의 정신 분석을 하다, 고민을 듣다. **~ *to nothing*** 점점 줄어들어 없어지다.
— *n.* **1** 뒷걸음질, 무르춤하기(recoil). **2** 수축(shrinking). **3** 긴 소매 블라우스〔스웨터〕 위에 입는 짧고 꼭 끼는 스웨터. **4** 《속어》 정신과 의사. ***You'd better see a ~.*** 《속어》 머리가 이상해진 게 아냐.
㊕ **∠·a·ble** *a.* 오그라들기 쉬운; 수축할 수 있는. **∠·er** *n.* 꽁무니를 빼는 사람; 수축기〔제〕; 《속어》 정신과 의사. **∠·ing·ly** *ad.* 뒷걸음쳐서, 움츠리며, 겁먹고.
shrink·age [ʃríŋkidʒ] *n.* 수축(량), 축소〔감소〕량; 가축의 몸무게와 얻어진 고기의 무게와의 차.
shrínk·ing víolet 수줍음을 타는 내성적인 사람.
shrínk-pròof, -resìstant *a.* (빨아도) 줄어들지 않는, (천 따위) 방축(防縮)(가공)의.
shrínk-wràp *n.*, *vt.* (플라스틱 피막으로) 수축 포장(하다).
shrive [ʃraiv] (***shrived, shrove*** [ʃrouv]; ***shrived, shriv·en*** [ʃrívən]) 《고어》 *vt.* 참회〔고해〕를 듣다〔듣고 죄를 용서하다〕. **—** *vi.* 참회〔고해〕를 듣다; 참회하다.
◇**shriv·el** [ʃríːvəl] (*-l-*, 《영》 *-ll-*) *vi.* 주름(살)지다(wrinkle), 줄어〔오그라〕들다; 시들다(wither); 뒤틀리다; 못 쓰게 되다. **—** *vt.* 주름(살)지게 하다, 오그라뜨리다, 줄게 하다; 시들게 하다; 뒤틀다; 못 쓰게 하다.
shriv·en [ʃrívən] SHRIVE의 과거분사.
shroff [ʃraf/ʃrɔf] *n.* 《Ind.》 환전업자(換錢業者); (특히 중국의) 화폐 감정인. **—** *vt.*, *vi.* (화폐를) 감정하다.
Shrop·shire [ʃrápʃiər/ʃrɔ́p-] *n.* **1** 슈롭셔《잉글랜드 중서부의 주; 주도 Shrewsbury; 옛 이름은 Salop(1974-80); 생략: Shrops.》. **2** 슈롭셔종(種)《영국산의 뿔 없는 양; 식육·채모(採毛)용》. ◇ Salopian *a.*
◇**shroud** [ʃraud] *n.* **1** 수의(壽衣). **2** 덮개, 가리개, 장막(veil). **3** (*pl.*) 〖해사〗 돛대 줄《돛대 꼭대기에서 양쪽 뱃전으로 뻗치는》; 낙하산의 갓과 멜빵을 잇는 끈. **4** 〖기계〗 (물레방아·터빈의) 측판(側板). **5** 〖로켓〗 우주선 발사 때의 고열로부터 보호하는 섬유 유리. **6** (흔히 *pl.*) 《고어》 지하 예배당. **—** *vt.* 수의를 입히다; 싸다, 가리다, 감추다《*in; by*》: The airport was ~*ed in* a heavy mist. 공항은 짙은 안개에 싸여 있었다. ㊕ **∠·less** *a.* 수의를 입지 않은; 덮이지 않은, 가리지 않은. **∠·lìke** *a.*
Shróud of Turín (the ~) 튜린〔토리노〕의 수의《예수의 시신을 쌌다는 세모시》.
Shrove [ʃrouv] *n.* Ⓤ 참회, 고해(에 의한 사죄(赦罪)).
shrove SHRIVE의 과거.
Shróve Súnday 〔**Mónday, Túesday**〕 성회(聖灰) 수요일(Ash Wednesday)의 바로 전의 일〔월, 화〕요일.
Shrove·tide [ʃróuvtàid] *n.* 성회(聖灰) 수요일 바로 전의 사흘간.
*__shrub__[1] [ʃrʌb] *n.* 키 작은 나무, 관목(灌木). ⓒⓕ bush[1]. ¶ a ~ zone 관목 지대.
shrub[2] *n.* Ⓤ 과즙에 설탕·럼술을 섞은 음료.
shrub·bery [ʃrʌ́bəri] *n.* Ⓤ 〔집합적〕 관목; Ⓒ 관목숲; 관목을 심은 길.
shrub·by [ʃrʌ́bi] (***-bi·er; -bi·est***) *a.* 관목의; 관목 같은; 관목이 무성한. ㊕ **-bi·ness** *n.*
shrúb làyer 〖생태〗 (식물 군락의) 관목층(灌木層).
__shrug__ [ʃrʌg] (-gg-*) *vt.*, *vi.* (어깨를) 으쓱하다 《보통 동시에 두 손바닥을 보임》. **~ *away*** 무시해 버리다. **~ *off*** ① 경시〔무시〕하다, 과소평가하다. ② 떨쳐〔내던져〕 버리다; …에서 빠져나가다. **~ *on*** 어깨를 움츠리며 (옷을) 입다. **~ *one's shoulders*** 어깨를 으쓱하다《불쾌·절망·놀라움·의심·냉소 등의 표현》. **—** *n.* 어깨를 으쓱하기; 소매가 짧고 낙낙한 여자용 스웨터.
shrunk [ʃrʌŋk] SHRINK의 과거·과거분사.
shrunk·en [ʃrʌ́ŋkən] SHRINK의 과거분사.
— *a.* 쪼그라든, 주름이 잡힌; 시든.
sht. sheet.
shtetl, shtet·el [ʃtétl, ʃtéitl] (*pl.* ***shtét·lach*** [-laːx], ***shtétls***) *n.* (원래 동유럽 등지에 존재했던) 유대인촌.
shtg(**.**) shortage.
shtick, schti(**c**)**k** [ʃtik] *n.* 《미속어》 (희극 등의) 상투적인 익살스러운 장면〔동작〕; 남의 눈을 끌기 위한 것; 특징, 특수한 재능.
shtoom, shtum(**m**) [ʃtum] *a.* 《속어》 말하지 않는, 입을 다문: keep 〔stay〕 ~ 한마디도 안 하다. **—** *vi.* 말을 안 하다. **~ *up*** 《속어》 잠자코 있다.
shtup [ʃtup] 《미비어》 *n.* 성교; 헤픈 여자. **—** *vt.* (여자와) 성교하다.
shuck [ʃʌk] *n.* (옥수수·땅콩 등의) 껍질, 겉껍데기, 깍지; 《미》 (굴·대합 등의) 껍데기, 조가비; (*pl.*) 《미구어》 시시한 것; 《미속어》 가짜, 속임; 《미속어》 전과자: be not worth ~*s* 아무 가치도 없다. ***not a ~*** 조금도 …않는. **—** *vt.* …의 껍데기를 벗기다, …의 껍질을〔꼬투리를〕 까다; 《미구어》 (웃옷 따위를) 벗다《*off*》; (악습 등을) 버리다《*off*》; 《미속어》 놀리다, 속이다: ~*ing* and jiving 《미속어》 허풍과 속임수. ㊕ **∠·er** *n.*
shucks [ʃʌks] *int.* 《미구어》 첫, 빌어먹을, 아뿔싸《불쾌·후회 따위를 나타냄》.
*__shud·der__ [ʃʌ́dər] *vi.* 《~/+전+명/+*to* do》 (공포·추위 따위로) 떨다, 전율하다(shiver, tremble); 오싹하다, 몸서리〔진저리〕치다: ~ *at* the thought of =~ *to* think of …을 생각만 해도 몸서리나다/~ *with* fear 공포로 떨다. SYN. ⇨ SHAKE. **—** *n.* (몸을) 떪, 전율; (the ~s) 《구어》 몸서리. ★ shiver 보다 뜻이 강함. ㊕ **shúd·dery** *a.*
shúd·der·ing [-riŋ] *a.* 떠는; 몸서리치는; 오싹하는, 쭈뼛해지는. ㊕ **~·ly** *ad.*

°**shuf·fle** [ʃʌ́fəl] *vi.* **1** 《~/+뮈/+젠+명》 발을 질질 끌다, 지척거리다; 발을 끌다《춤에서》: ~ *along* (a street) 발을 끌며 (길을) 걷다. **2** 뒤섞다; 카드를 섞어서 떼다. ★cut(떼어 나누다)와 비교. **3** 이리저리 움직이다. **4** 아무렇게나 입다, 되는대로 걸치다《*into*》; 벗다《*out of*》. **5** 《+젠+명》 속이다, 얼버무리다, 핑계 대다, 교묘하게 …하다〔해내다〕《*through*》; 교묘하게 헤어나다《*out of*》: ~ *through* one's work 일을 해내다. **6** 《미속어》 (젊은이가 거리에서) 싸우다. — *vt.* **1** (발을) 질질 끌다; 발을 끌며 (춤을) 추다. **2** 《~+목/+목+뮈》 섞다, (카드를) 섞어 떼다; 뒤섞다《*together*》: ~ the papers *together* 서류를 뒤섞다. **3** 이리저리 움직이게 하다. **4** 슬쩍 섞어 넣다《*in; into*》; 눈을 속여 내놓다《*out; out of*》. **5** 속이다, 핑계 대다. **6** 《+목+뮈/+목+젠+명》 급하게 하다《*on*》; (옷을) 아무렇게나 입다〔벗다〕《*on; off*》; (책임 따위를) 전가시키다《*onto; off*》: ~ *off* responsibility *onto* others 남에게 책임을 전가시키다. ~ ***out of*** (책임 등을) 교묘하게 피하다. ~ ***the cards*** 카드를 섞어 쳐서 떼다; 《비유》 역할을 바꾸다; 정책을 고치다. ~ ***through*** ⇨*vi.* 5.

— *n.* **1** 발을 질질 끌기, 지척거리기; (댄스의) 발을 끄는 동작. **2** 뒤섞음, 혼합; 카드를 쳐서 떼기〔떼는 차례〕. **3** 장소를〔인원을〕 바꾸기, 재편성. **4** 조작, 술책, 속임수. **5** (팝 뮤직에서) 부기우기의 변형 리듬. ***lose ... in the*** ~ 《미》 깜빡〔무심결에〕 …을 빠뜨리다〔무시하다, 놓치다〕.

shúffle·bòard *n.* Ⓤ 셔플보드, 원반밀어치기《긴 막대로 원반을 치는 놀이; 그 점수판》.

shúf·fler *n.* 카드를 쳐서 떼는 사람; 발을 끌며 걷는〔춤추는〕 사람; 《미속어》 실업자, 떠돌이 일꾼, 사기 도박꾼; 〖조류〗 검은머리흰죽지(scaup duck).

shuf·ty, -ti [ʃúfti, ʃʌ́fti] *n.* 《영속어》 보기, 한 번 봄: have〔take〕 a ~ (*at* ...).

shul, schul [ʃu(:)l] (*pl.* ***s*(*c*)*huln*** [ʃu(:)ln]) *n.* 유대교회(synagogue).

***shun** [ʃʌn] (**-*nn*-**) *vt.* 피하다, 비키다. cf. avoid. ¶ ~ society 사람 접촉을 피하다, 세상을 멀리하다. ㊞ **shún·ner** *n.*

'shun [ʃʌn] *int.* 〖영군사〗 차려《atten*tion*의 「간약형」》.

shún·less *a.* 《시어》 피할 길 없는.

shun·ner [ʃʌ́nər] *n.* 피하는 사람〔물건〕.

shun·pike [ʃʌ́npàik] 《미》 *a.* 유료 고속도로를 이용하지 않는. — *n.* 고속도로를 피하기 위해 이용하는 뒷길. — *vi.* 고속도로를 피하여 뒷길을 차로 가다. ㊞ **-pìk·er** *n.* **-pìk·ing** *n.*

shunt [ʃʌnt] *vt.* **1** 《~+목/+목+젠+명/+목+뮈》 옆으로 돌리다, 비키게 하다; 연기하다, 제쳐 놓다, 묵살하다; 제거하다; 회피하다: ~ the conversation *on to* another subject 대화를 딴 화제로 돌리다 / be ~*ed aside* 따돌림을 당하다. **2** 《~+목/+목+젠+명》 〖철도〗 (차량을) 측선(側線)에 넣다, 전철(轉轍)하다, 입환(入換)하다; (자동차 따위를) 옆으로 비키다: ~ a train *into* the siding. **3** 〖전기〗 분로(分路)를 만들다. **4** (자동차 경주에서 차를) 충돌〔격돌〕시키다. — *vi.* 한쪽으로 비키다; 〖철도〗 옆 선로로 들어가다, 대피하다; 왕복〔전진 후퇴〕하다: a ~*ing* yard〔signal〕 조차장(操車場)〔입환 신호(기)〕.

— *n.* **1** 비켜세움; 빗서게 함; 전환. **2** 전철기(轉轍機). **3** 〖전기〗 분로(分路), 분류(分流)기. **4** 〖외과〗 션트, 단락(短絡)《외과적 개조(改造)나 인공관으로 옆으로 낸 피의 흐름길》; 〖해부〗 문합(吻合)《딴 혈관·소화관을 이음》. **5** 《속어》 (자동차 레이스의) 접촉〔충돌〕 사고.

shúnt·er *n.* shunt 하는 사람; 〖미철도〗 전철원(轉轍員), 조차원(操車員); 《속어》 유능한 조직자, 수완가; 《미》 입환용(入換用) 기관차.

shúnt-wóund *a.* 〖전기〗 (발전기가) 분권(分捲)인.

shush [ʃʌʃ] *int.* 쉬, 쉿, 조용히 해. — *vi.* (집게손가락을 입에 대고) 쉿하다; 쥐죽은 듯해지다, 조용해지다. — *vt.* 쉿하여 가라앉히다〔제지하다〕; (발언을) 억누르다. — *n.* 쉿하는 신호. ㊞ **∠·er** *n.*

†**shut** [ʃʌt] (*p., pp.* ~; **∠·ting**) *vt.* **1** 《~+목/+목+젠+명/+목+뮈》 닫다《*up; down*》. opp. *open.* ¶ ~ the gate〔lid〕 문〔뚜껑〕을 닫다 / ~ one's eyes〔one's mouth, a book〕 눈을 감다〔입을 다물다, 책을 덮다〕 / ~ the stable door after the horse is stolen 소 잃고 외양간 고치다 / keep one's mouth ~ (about) (…에 관해) 입을 다물고 있다 / He ~ his ears *to* all the entreaties. 그는 모든 간청을 듣지 않았다 / ~ all the windows *down* 모든 창을 닫다. ★ 과거분사는 흔히 결과를 나타내는 보어로서 쓰임: The door banged ~. 문이 쾅하고 닫혔다. SYN. ⇨CLOSE. **2** 《~+목/+목+뮈》 (점포·공장 따위를) 일시 폐쇄하다, 폐점〔휴업〕하다《*up; down*》: He ~*s* (*up*) his store for the winter. 그는 겨울 동안 그의 가게를 닫는다. **3** 막다《*up*》: The enemy ~ every pass. 적은 모든 통로를 봉쇄했다. **4** 《+목+뮈/+목+젠+명》 가두다, 에워싸다; 가로막다: ~ a place *in* by a bamboo fence 어떤 곳을 대울타리로 에워싸다. **5** 《+목+젠+명》 (문 따위에) 끼우다: ~ one's clothes *in* a door 문 틈에 옷이 끼다. **6** 용접하다. — *vi.* **1** 닫히다《*down*》: Flowers ~ at night. 꽃은 밤새 오므린다 / The window ~*s* easily. 창문이 쉽게 닫힌다. **2** (상점·공장 등이) 휴업〔폐점〕하다《*up*》. **3** (어둠의 장막·안개 등이) 깃들이다, 내리다《*down; in*》.

be 〔***get***〕 ~ ***of*** 《속어》 …을 내쫓다, …와 인연을 끊다. ~ ***away*** 격리하다, 가두다: ~ oneself *away* in the country 시골에 들어박히다. ~ ***down*** 《*vt.*+뮈》 ① (가게·공장을) 폐쇄하다. ② (창 따위를) (단단히) 닫다. —《*vi.*+뮈》 ③ (상점·공장이) 폐쇄되다. ④ (어둠의 장막·안개 따위가) 내리다, 끼다. ~ ***in*** 둘러싸다; 보이지 않게 하다; (출입구를) 막다; 입을 다물다: a house ~ *in* by trees 나무에 둘러싸인 집. ~ ***... into*** (손가락 등을 문틈 따위)에 끼우다; …에 넣다, …에 가두다. ***Shut it!*** 입 닥쳐. ~ ***off*** 《*vt.*+뮈》 ① (물·가스·기계 따위를) 잠그다; 끄다. ② (교통을) 차단하다; 가로막다. ③ (…을) 떼어 내다, 격리하다. —《*vi.*+뮈》 ④ (기계 등이) 서다, 멈추다. ~ ***out*** ① 들이지 않다, 내쫓다. ② 가로막다; 안 보이게 하다. ③ 〖미경기〗 영봉(零封)하다, 영패시키다. ~ ***one's eyes*** 〔***ears***〕 ***to*** …을 보지〔듣지〕 않으려고 하다. ~ ***one's heart to*** …에 마음을 움직이지 않다. ~ ***one's lights*** (***off***) 죽다, 자살하다. ~ ***one's mind to*** …을 아예 받아들이지 않다. ~ ***one's teeth*** 이를 악물다. ~ ***the door upon*** ⇨DOOR. ~ ***to*** 《*vt.*+뮈》 ① (문 따위를) 꼭 닫다, 뚜껑을 덮다. —《*vi.*+뮈》 ② (문이) 닫히다: The door ~ *to*. 문이 닫혔다. ~ ***together*** 단접(鍛接)하다. ~ ***up*** 《*vt.*+뮈》 ① (집·가게 따위를) 닫다. ② 잘 챙겨 넣다; 밀폐하다: She ~ *up* her opal ring in her jewel box. 그녀는 오팔 반지를 보석함에 챙겨 넣었다. ③ 〖~ oneself 로〗 (…에) 틀어박히다, 두문불출하다. ④ 《구어》 입다물게 하다. ⑤ 투옥하다, 감금하다. —《*vi.*+뮈》 ⑥ 〖종종 명령형으로〗 입다물다: *Shut up!* 입 닥쳐. ⑦ (공장·가게를) 폐쇄〔폐점〕하다.

— *n.* **1** Ⓤ 닫음, 폐쇄. **2** Ⓤ 끝막음, 닫는 시각. **3** 〖음성〗 폐쇄음(stop). **4** 용접 부위.

— *a*. **1** 닫은: a ~ door 닫혀 있는 문. **2** 둘러싸인. **3** 〖음성〗 폐쇄음의《[p, b, t, k] 따위》.

shút·dòwn *n*. Ⓤ (공장 따위의) 일시 휴업, 조업 중지; 폐점(閉店), 폐쇄; 〖컴퓨터〗 셧다운.

shút-èye 《구어》 *n*. Ⓤ 잠(sleep); 무의식, 인사불성: catch 〔get〕 a little ~ 한숨 자다.

shút-in *a*. 《미》 (병 따위로) 집안에 갇힌, 외출할 수 없는; 〖의학〗 자폐적(自閉的)인. — *n*. 몸져누운 병자.

shút·òff *n*. (가스·수도 따위의) 꼭지, 고동; Ⓤ 멈춤, 차단, 마감.

shút·òut *n*. **1** Ⓤ 내쫓음; 공장 폐쇄(lockout). **2** 〖야구〗 완봉 (경기), 영봉, 완봉승(勝): ~ bid (브리지 놀이에서) 높이 불러 상대를 봉쇄하기.

shut·ter** [ʃʌ́tər] *n*. **1** 덧문, 겉문, (널)빈지 (blind); 뚜껑. **2** (사진기의) 셔터; (풍금의) 개폐기; 닫는 사람〔물건〕. **3** (*pl*.) 《속어》 눈꺼풀. ***put up 〔***take down***〕 ***the ~s*** 《구어》 덧문을 닫다〔열다〕, 빈지를 닫다〔열다〕; 가게를 닫다〔열다〕; 폐업〔개업〕하다. — *vt*. 덧문을 달다; …의 덧문〔겉창〕을 닫다; (사진기에) 셔터를 달다. ≒ shatter. ㊞ **~·less** *a*.

shútter·bug *n*. 《구어》 아마추어 사진사, 사진광(狂).

◇shut·tle [ʃʌ́tl] *n*. **1** (직조기의) 북; (재봉틀의 밑실이 든) 북, 보빈(bobbin) 케이스; 북처럼 움직이는 것. **2** (근거리) 왕복 운행(열차·버스 따위); 〖항공〗 연속 왕복기; 우주 왕복선(space ~); =DIPLOMATIC SHUTTLE; SHUTTLECOCK 1. — *vt*. **1** (정기) 왕복편으로 수송하다. **2** (…을) 좌우로 움직이다. — *vi*. **1** (정기적으로) 왕복하다. **2** 좌우로 움직이다. — *a*. 왕복의: a ~ flight 근거리 왕복 비행(편).

shúttle ármature 〖전기〗 이동 전기자(電機子).

shúttle·còck *n*. **1** (배드민턴의) 셔틀콕; 깃털 공치기 놀이(battledore and ~). ⓒⓕ badminton. **2** 왕복하는 것; 줏대 없는 사람. — *vt*. 서로 받아쳐 넘기다, 주고받다. — *vi*. 왕복하다.

shúttle diplómacy 왕복 외교《분쟁 중인 두 나라 사이를 제 3 국의 중재자가 오가며 해결을 시도하는》.

shúttle sérvice (열차·버스·항공기 등의 근거리) 왕복 운행.

shúttle tráin 근거리 왕복 열차(편).

shúttle vèctor 〖생물〗 셔틀 벡터《세균·효모 사이를 왕복하며 유전자를 운반하는 매개체》.

shut·tle·wise [ʃʌ́tlwaiz] *ad*. 왔다갔다, 여기저기.

shút·tling úpbringing [ʃʌ́tliŋ-] 〖심리〗 왕복 육아《이혼 또는 별거한 부모가 교대로 행하는 육아》.

s.h.v. *sub hoc verbo*, *sub hoc voce* 《L.》 (= under this world).

***shy¹** [ʃai] (*shý·er; -est;* or *shí·er; shí·est*) *a*. **1 a** 소심한, 부끄럼타는(bashful), 수줍어하는; 《복합어의 제 2 요소로서》 부끄러워하는, 두려워하는, 싫어하는: be ~ *with* 〔*of*〕 women / ⇨GUN-SHY, WORK-SHY. **b** 조심성 많은(wary); 조심하여 …하지 않는《*of* 〔*about*〕 do*ing*》; (새·짐승·물고기가) 잘 놀라는, 겁 많은(timid): He is ~ *of* tell*ing* the truth. 그는 사실을 말하길 꺼리고 있다. **c** 창피한.

> SYN. **shy** 태생이나 무경험 때문에 사람과의 사귐이나 사람 앞에 나가기를 꺼리는 경우에 쓰임: She is *shy* of meeting strangers. 낯선 사람 만나기를 수줍어한다. **bashful** 선천적으로 남에게 보이는 것이 부끄러워, 사람 앞에 서면 어쩔 줄 몰라하는 경우에 쓰임.

2 《구어》 부족하여, 없는《*of; on*》; 《구어》 (포커의 ante 등을) 지불하지 않고, 미불로: ~ *of* funds 자금 부족으로 / The house is ~ *of* a bathroom. 그 집에는 욕실이 없다 / an inch ~ *of* being six feet, 6 피트에 1 인치 모자라는. ***fight ~ of*** …을 피하다〔싫어하다〕, …을 경원하다. ***look ~ at*** 〔***on***〕 …을 의심하다, 수상하게 여기다.

— *vi*. (말이 놀라서) 뛰며 물러나다; 뒷걸음치다, 주춤하다《*at; from*》; 겁내다, 꽁무니 빼다《*away; off*》: Her eyes ~ *away from* mine. 그녀는 내게서 눈을 피하고 있다. — *vt*. 피하다, 비키다.

— *n*. (말의) 뒷걸음질, 뒤로 물러섬.

㊞ **shý·er¹, shí·er** *n*. 겁 많은 사람〔말〕, 잘 놀라는 말. **◇shý·ly** *ad*. 부끄러워서, 수줍어하여; 겁을 내어. **∠·ness** *n*. 수줍음, 스스러움; 소심, 겁.

shy² (*shied*, **∠·*ing***) *vt*., *vi*. 던지다, 내던지다. — *n*. 던지기, 내던짐; 《구어》 시도(試圖); 조소, 비웃음(gibe). ***have*** 〔***take***〕 ***a ~ at*** do*ing* …을 향해 던지다; …을 놀리다; 《구어》 시험 삼아 … 해보다. ㊞ **∠·er²** *n*.

-shy [ʃai] 'shy¹ *a*.' 의 뜻의 결합사: gun-~ 총을〔대포를〕 겁내는 / work-~ 일을 싫어하는.

Shy·lock [ʃáilɑk/-lɔk] *n*. **1** 샤일록《Shakespeare 작 *The Merchant of Venice* 에 나오는 유대인 고리대금업자》. **2** (때로 s-) 냉혹한 고리대금업자, 비열한 놈. — *vi*. (s-) 고리대금을 하다.

shy·poo [ʃaipúː] 《Austral.》 *n*. 싸구려 술(을 파는 술집). — *a*. 싸구려 술의〔을 파는〕.

shy·ster [ʃáistər] *n*. 《미구어》 악덕 변호사〔전문가 등〕; 책사(策士), 사기꾼.

Shý Tówn 《CB속어》 미국의 Chicago 시(市).

si [siː] *n*. 〖음악〗 시《장음계의 제 7 음》, 나 음.

sí [siː] *ad*. 《Sp.》 예(yes).

Si 〖화학〗 silicon. **SI** Système International (d'Unités) (=International System of Units 국제 단위) (⇨ SI unit). **S.I., SI** 〖의학〗 seriously ill; (Order of the) Star of India; Sandwich Islands; Staten Island. **SIA** 《미》 Semiconductor Industry Association (반도체 공업 협회). **S.I.A.** Securities Industry Association. **SIAD** Society of Industrial Artists and Designers.

si·al [sáiæl] *n*. 〖지학〗 시알《SIMA 상층에 있으며, 대륙 지각(地殼) 상반부를 구성하는 규소와 알루미늄이 많은 물질》. ㊞ **si·ál·ic** *a*.

si·al- [saiǽl], **si·alo-** [-lou, -lə] '타액' 이란 뜻의 결합사.

si·al·a·gogue, si·al·o- [saiǽləgɔ̀ːg, -gɑ̀g/ -gɔ̀g] *n*. 〖의학〗 타액 분비 촉진제.

si·a·log·ra·phy [sàiəlɑ́grəfi/-lɔ́g-] *n*. 〖의학〗 침샘 조영(造影)《뢴트겐 촬영을 위한》.

si·a·loid [sáiəlɔ̀id] *a*. 침〔타액〕 모양의.

Si·am [saiǽm, ∠-] *n*. 샴《Thailand 의 옛 이름》.

si·a·mang [síːəmæ̀ŋ] *n*. 〖동물〗 큰긴팔원숭이.

Si·a·mese [sàiəmíːz, -míːs] *a*. 샴의; 샴어(語)〔사람〕의; 흡사한. — (*pl*. ~) *n*. **1** 샴 사람; Ⓤ 샴어(語). **2** =SIAMESE CAT. **3** (s-) =SIAMESE CONNECTION.

Síamese cát 샴고양이《파란 눈, 짧은 털》.

síamese connéction 쌍가지〔Y자형〕 소화전(消火栓).

Síamese twíns 샴쌍둥이《허리가 붙었음; 1811-74》; 〖일반적〗 몸이 붙은 쌍둥이; 《비유》 밀접한 관계에 있는 한 쌍(의 것).

sib, sibb [sib] *a*. 집안의, 일가〔혈족〕의, 근친의. — *n*. 근친자, 일가, 친족; 친척 일동; 형제자매, 동기; 〖인류〗 씨족(氏族). ㊞ **∠·ship** *n*.

SIB 《영》 Securities and Investments Board.

Si·be·ria [saibíəriə] *n*. **1** 시베리아. **2** 지겨운

근무지〔일〕. ㊞ **-ri·an** *a.*, *n.* 시베리아의, 시베리아인(의).

Sibérian expréss 《미속어》 시베리아 특급 《시베리아에서 북극을 거쳐 Canada 또는 미국으로 불어오는 대한기단(大寒氣團)》.

sib·i·lance, -lan·cy [síbələns], [-lənsi] *n.* Ⓤ 〖음성〗 마찰음성.

sib·i·lant [síbələnt] *a.* 쉬쉬 소리를 내는 (hissing); 〖음성〗 마찰음의. — *n.* 〖음성〗 마찰음《[s, z, ʃ, ʒ] 등》. ㊞ **~·ly** *ad.*

sib·i·late [síbəlèit] *vt.* 〖음성〗 마찰음화(化)하여 발음하다. — *vi.* 쉬쉬 소리 내다. ㊞ **sìb·i·lá·tion** *n.* Ⓤ 마찰음화(化).

sib·ling [síbliŋ] *n.*, *a.* (보통 *pl.*) 형제(의), 자매(의); 의형제(의); 〖인류〗 씨족의 일원(一員); 〖생물〗 자매 세포. ⓒⓕ sib.

síbling rívalry 형제 자매 간의 경쟁《흔히 부모 사랑을 얻기 위한》.

síbling spècies 〖생물〗 자매종, 동포종(同胞種)《형태상으로는 동일하나 생식적(生殖的)으로 떨어져 있는 종》.

sib·yl, sib·il [síbəl] *n.* **1** (종종 S–) (고대 그리스 · 로마의) 무당, 무녀(巫女); 여자 점쟁이〔예언자, 마술사〕, 마녀. **2** (S–) 시빌《여자 이름》.

sib·yl·line [síbəli:n, -làin/-lâin] *a.* sibyl의; sibyl적인; 예언적인; 신비적인.

sic [sik] (***sicced; síc·cing***) *vt.* =SICK².

sic [sik] *ad.* 《L.》 원문 그대로(thus, so)《틀린 원문을 인용할 때 틀린 부분 다음에 (*sic*) 또는 [*sic*]라고 부기(附記)함》.

Sic. Sicilian; Sicily. **S.I.C.** specific inductive capacity.

sic·ca·tive [síkətiv] *a.* 건조시키는. — *n.* (페인트 등에 섞는) 건조제(drier).

sice¹ [sais] *n.* (주사위(눈)의) 6.

sice² *n.* ⇨SYCE.

Si·cil·ian [sisíljən, -liən] *a.* 시칠리아 섬〔왕국, 사람, 방언〕의. — *n.* 시칠리아 사람; Ⓤ 시칠리아 방언. 「춤〔무곡〕.

si·cil·i·a·no [sisìliá:nou] (*pl.* **~s**) *n.* 시칠리아

Sic·i·ly [sísəli] *n.* 시칠리아 섬, 시칠리아.

†**sick**¹ [sik] *a.* **1** 병의, 병에 걸린: be ~ with a fever 열이 있다/fall〔get〕 ~ 병들다. SYN. ⇨ILL.

> SYN. 서술적 용법인 경우 《미》에서는 보통 sick을 쓰며 ill은 좀 딱딱한 표현. 《영》에서는 성서나 성구에 한정되고 일반적으로 ill을 씀.

2 환자(용)의: a ~ chair 환자용 의자/~ insurance 건강 보험. **3** (얼굴빛 따위가) 핼쑥〔파리〕한, 병적인(pale); (사상 따위가) 불건전한: a ~ smile 병자 같은 힘없는 미소. **4** 《영》 느글거리는, 메스꺼운(nauseated); 《미속어》 마약 기운이 떨어져, 괴로운: ~ with fear 공포에 질려. **5** 〔서술적으로〕 물려서(weary), 신물이〔넌더리가〕 나서(tired)《*of*》; 실망하여《*at*》; 울화가 치밀어; 괴롭게 여기어《*about*》: ~ *of* flattery 아첨에 역겨워. **6** 그리워〔사모〕하고, 흐놀고《*for; of*》: ~ *of* one's home 향수에 젖어. **7** 좋지 않은, 불량한; 나빠진, (포도주가) 맛이 변한, 썩은; (광물이) 무른; 망가진; 경영 악화의; 〖농업〗 (땅이) 병균에 침식된: a ~ color 산뜻하지 않은 색/~ oysters 상한 굴/~ wine 맛이 변한 포도주/a ~ engine 결딴난 엔진. **8** 월경 중〔기간〕의. **9** (기울어가는 회사 등이) 경영 악화의; (배가) 수리를 요하는. (***as***) **~ *as a dog*** 《구어》 (몸의) 컨디션이 아주 나쁜. ***be off*** **~** 병으로 쉬고 있다. ***call in*** **~** 병결을 전화로 전하다. ***feel*** 〔***turn***〕 **~** 몸이 찌뿌드드하다; 《영》 느글거리다. ***go*** 〔***report***〕 **~** 병으로 결근하다, 병결근 신고를 내다. ***look*** **~** 하찮게 보이다. ***make ...*** **~** 《구어》 메슥거리게 하다, 걱정시키다, 안절부절못하게 하다. **~ *and tired of*** …에 진력난. **~ *at heart*** 《문어》 괴롭게 여기는, 비관하고 있는. ***the Sick Man of Europe*** 〔***of the East***〕 터키 제국. ***worried*** **~** 《구어》 몹시 걱정하여《*about*》.

— *n.* **1** (보통 the ~) 환자(들); 《영구어》 구토; 《미속어》 (마약 등에 의한) 금단 상태. **2** (보통 단수) 병: sea ~ 뱃멀미.

— *vt.*, *vi.* 《영구어》 토하다, 게우다《*up*》.

sick² *vt.* 공격하다, 덤벼들다《주로 개에 이름》; 추기다. ***Sick him!*** 덤벼, 쉭쉭《개를 추기는 말》.

síck bày 〔**bèrth**〕 (함선 내의) 병실, 진료〔의무〕실.

síck·bèd *n.* 병상.

síck bènefit (건강 보험의) 질병 수당.

síck buìlding sỳndrome 비위생 빌딩 질환 증후군.

síck càll 〖미군사〗 진료 소집 (신호〔시간〕); (의사 · 목사에 의한) 응진(應診), 위문.

síck dày (유급의) 병결일.

°**sick·en** [síkən] *vt.* **1** …에 구역질 나게 하다 (nauseate). **2** 물리게〔신물 나게, 넌더리 나게〕 하다(disgust): The very thought of it ~*s* me. 그것은 생각만 해도 신물이 난다. **3** 병나게 하다.

— *vi.* **1** 《~/+전+명/+*to* do》 구역질 나다, 느글거리다《*at*》: a ~*ing* sight 구역질 나는 광경/I ~*ed at* the mere sight of the lice. 나는 이를 보기만 해도 구역질이 났다/She ~*ed to* see many snakes. 그녀는 많은 뱀을 보고 속이 메스꺼웠다. **2** 《+전+명》 물리다, 신물〔넌더리〕 나다《*of*》: I am ~*ing of* my daily routine. 나는 매일매일의 판에 박힌 일에 신물이 난다. **3** 《~/+전+명》 병이 나다: He is ~*ing for* measles. 그는 홍역 증세를 보이고 있다. ㊞ **~·er** *n.* 병나게 하는 것; 구역질 나게 하는 것; 넌더리 나게 하는 일; 《속어》 보기 싫은 놈.

síck·en·ing *a.* **1** 구역질 나게 하는, 느글거리게 하는. **2** 신물 나는, 넌더리 나는. **3** 병들게 하는. ㊞ **~·ly** *ad.*

síck·er¹ *n.* 《미군대속어》 입원 환자.

síck·er² 《Sc.》 *a.* 안전한; 신뢰할 수 있는. — *ad.* 안전하게; 확실하게. ㊞ **~·ly** *ad.*

síck flàg 검역기(檢疫旗), 전염병기.

síck héadache 구토성 두통; 편두통.

sick·ie, sick·ee [síki] *n.* 《미속어》 병자, 《특히》 정신병 환자; 《Austral. 구어》 병가(病暇).

sick·ish [síkiʃ] *a.* 토할 것 같은; 느글거리는. ㊞ **~·ly** *ad.* **~·ness** *n.*

°**sick·le** [síkəl] *n.* **1** 낫, 작은 낫. ⓒⓕ scythe. **2** (싸움닭 다리에 붙이는) 며느리발톱. **3** (the S–) 〖천문〗 사자자리(Leo)의 별명. — *a.* 낫 모양의: the ~ moon. — *vt.* 낫질하다; 〖의학〗 (적혈구를) 겸상(鎌狀)으로 하다.

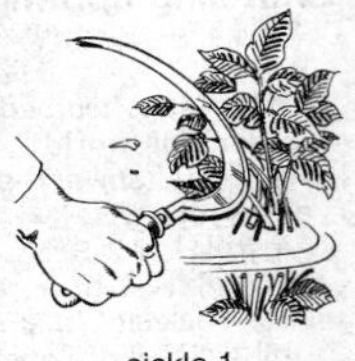

sickle 1

sick lèave 병가(病暇)(기간): She's on ~. 그녀는 병가 중이다.

síckle cèll anémia 〔**diséase**〕 〖의학〗 시클〔겸상(鎌狀)〕 (적)혈구성 빈혈《흑인의 유전병》.

síckle cèll tràit 〖의학〗 겸상 적혈구 체질《빈혈 증세가 없음》.

sick·le·mia [sìkəlí:miə] *n.* =SICKLE CELL TRAIT.

síck lìst 환자 명부: be on the ~ 병으로 결근 중이다, 건강이 나쁘다.

°**sick·ly** (***-li·er; -li·est***) *a.* **1** 병약한, 허약한, 골골하는. **2** (얼굴 따위가) 창백한, 핼쑥한, 병적인. **3** 약하디약한; 그늘진; (빛이) 희미한. **4** 병이 유행하는, 환자가 많은. **5** (기후 · 풍토 따위가) 건강에

좋지 않은. **6** (냄새 등이) 역겨운. **7** 넌더리 나는, 구역질 나는. **8** 감상적인(mawkish). **—** *ad.* 병적으로. **—** *vt.* 《고어》 병적으로 하다, 창백하게 하다《*over*》. ***sicklied o'er*** 핼쑥한《Shakespeare의 *Hamlet*에서》. ㉺ **-li·ly** *ad.* **-li·ness** *n.*

sick-màking *a.* 《구어》 =SICKENING.

⁑**sick·ness** [síknis] *n.* **1** [C,U] 병(disease); [U] 건강치 못함: a slight 〔serious〕 ~ 가벼운〔무거운〕 병/Viruses and germs cause most ~*es.* 대개의 질병은 바이러스와 세균이 일으킨다. **2** [U] 멀미. **3** [U] 욕지기, 구역질(nausea).

síckness bènefit 《영》 (국민 보험의) 질병 수당.

sick·nick [síknik] *n.* 정서 불안정자.

síck nòte 병결계(屆).

síck nùrse 간호사, 간호인.

sicko [síkou] (*pl.* ***sick·os***) *n.* 《미속어》 =SICKIE.

síck·òut *n., vi.* 병을 구실로 하는 비공식 파업(을 하다).

síck paràde 〚영군사〛 진료 소집(《미》 sick call).

síck pày 병가(病暇) 중의 수당.

síck·ròom *n.* 병실.

sic trans·it glo·ria mun·di [*L.* si:k-trá:nsit-gló:ria-múndi] 《L.》 이 세상의 영화(榮華)는 이와 같이 사라져 간다.

Sid·dhar·tha [sidá:rtə, -θə/-tə] *n.* 싯다르타, 실달다(悉達多)《석가의 어릴 때 이름》.

sid·dhi [sídi] *n.* 〚불교〛 실지(悉地)《성취 · 완성의 뜻》; 불가사의한 힘; 초월 명상(瞑想)(transcendental meditation)의 실천 기술《정신을 진정시켜 스트레스를 제거하려는 것》.

†**side** [said] *n.* **1** 쪽, 측, 측면, 면《앞뒤 · 좌우 · 상하 · 안팎》: at one's ~ 곁에/the left ~ 좌측/on the east 〔west〕 ~ of the town 시(市) 동〔서〕쪽에/the landward ~ 뭍 쪽, 육지 쪽.

2 산중턱; 사면, 비탈: the ~*s* of a mountain.

3 가장자리, 가《도로 · 강 따위의》.

4 끝, 변두리(edge, margin).

5 옆구리: a pain in the ~ 옆구리 통증.

6 (소 따위의) 허구리살, 몸의 한쪽; (짐승의) 반(半)마리분의 가죽.

7 《비유》 (문제 등의) 측면, (관찰)면, 관점: There are two ~*s* to every question. 어느 문제에나 두 가지 면이 있다/the dark ~ of life. [SYN.] ⇨ PHASE.

8 (혈통의) …쪽〔계(系)〕; (학과목의) 계통, 부문: the maternal ~ 모계/the science ~ 과학계(系).

9 (적과 자기편의) …쪽, …편, 팀; 당파: our ~ 우리 편/Let's play ~*s.* 편을 갈라 놀자/change ~*s* 탈당하다/choose ~*s* 편을 짜다.

10 〚수학〛 변, 면: A square has four ~*s.* 정사각형에는 네 변이 있다.

11 (종이 · 피륙 따위의) 한쪽 면, (책 · 기록의) 1쪽; (레코드의) 한쪽 면(에 녹음되어 있는 곡); 《구어》 (텔레비전의) 채널.

12 (보통 *pl.*) 〚연극〛 배역에 따른 대사의 발췌; 대사.

13 〚해사〛 뱃전, 현측(舷側)(ship's ~).

14 〚문장(紋章)〛 세로(줄)무늬.

15 [U] 〚영당구〛 틀어치기(《미》 English): put on ~ 틀어치다.

16 [U] 《영속어》 짐짓 젠체하기, 난체하기, 거만함.

17 [U] 거리낌〔스스럼〕없음, 뻔뻔스러움: He has too much ~. 그는 너무 건방지다.

at the ~ of 《영》 …에 비하면. ***be on the safe ~*** 신중하게 하다. ***by the ~ of*** =***by*** one***'s*** 〔its〕 ***~*** ① …가까이, …곁에. ② …에 비하여. ***come out on the right*** 〔***wrong***〕 ***~*** (장사꾼이) 손해를 안 보다〔보다〕. ***from all ~s*** 〔***every ~***〕 온갖 방면에(서); 빈틈없이. ***from ~ to ~*** 옆으로, 좌우로. ***get on*** a person***'s good ~*** 아무의 마음에 들다, …의 비위를 맞추다. ***go over the ~*** 《미해군속어》 무단히 배〔기지〕를 떠나다, 탈주하다. ***have lots of ~*** 《영속어》 뽐내다. ***hold*** 〔***shake, split***〕 one***'s ~s with*** 〔***for***〕 ***laughter*** 〔***laughing***〕 배를 쥐고 웃다. ***keep on the right ~ of the law*** 법을 위반하지 않다. ***let the ~ down*** 자기편을 불리하게 하다, 망신〔실망〕시키다. ***No ~!*** 〚축구〛 경기 끝!, 타임아웃! ***off*** 〔***on***〕 ***~*** 〚축구 · 하키〛 반칙〔정규〕의 위치에. ***on all ~s*** 도처에. ***on*** a person***'s bad*** 〔***wrong***〕 ***~*** =***on the bad*** 〔***wrong***〕 ***~ of*** a person 아무에게 미움받아. ***on the other ~*** 반대쪽의; 저 세상에서. ***on the right*** 〔***wrong, far, shady, other, thither,*** etc.〕 ***~ of*** (70), (70)의 고개를 넘기지 않고〔넘어〕. ***on the ~*** 본제를 떠나〔와 별도로〕, 덤으로; 《영》 부업(副業)으로; 《미》 곁들이는 요리로: I took a night job *on the* ~. 나는 부업으로 밤에 하는 일을 시작했다. ***on the … ~*** 얼마간 …한 낌새〔기세〕인: Prices are *on the* high ~. 물가는 오름세를 보이고 있다. ***on the ~ of*** …을 편들어: The hippies are *on the ~ of* the negro. 히피는 흑인 편이다. ***on the wrong ~ of the door*** 문 밖에 내쫓기어. ***on this ~ of*** (forty), (40)을 넘지 않은. ***put*** 〔***place***〕 ***… on*** 〔***to***〕 ***one ~*** 곁에 두다, 치우다; 따로 간직하다; 《비유》 따돌리다, 무시하다. ***put on ~*** 《영속어》 ① 난체하다, 젠체하다. ② 〚당구〛 공을 틀어치다. ***~ by ~*** 나란히, 병행하여, …와 결탁하여《*with*》. ***stand by*** a person***'s ~*** 아무를 편들다. ***take ~s*** 〔***a ~***〕 ***with*** a person =***take*** a person***'s ~*** (토론 등에서) 아무의 편을 들다. ***the other ~*** 《완곡어》 저 세상: get to 〔go to, reach〕 *the other* ~ 저승으로 가다. ***the right*** 〔***wrong***〕 ***~ of*** (the cloth) (피륙)의 거죽〔안〕쪽.

— *a.* **1** 한쪽의. **2** 곁의, 옆의; 측면의, 옆으로(부터)의: a ~ attack 측면 공격/a ~ entrance 통용문. **3** 부(副)의, 버금가는, 종속적인; 부업의: a ~ job 부업, 아르바이트.

— *vi.* **1** 찬성〔지지〕하다, 편들다《*with*》; 반대하다《*against*》: My mother always ~*d with* me. 어머니는 늘 내 편을 드셨다. **2** 《영속어》 뽐내다. **—** *vt.* **1** …에 옆〔측면〕을 대다; …에 인접하다; …에 동조〔지지〕하다. **2** 《미구어》 밀어젖히다; 치우다.

síde·àrm *a., ad.* 〚야구〛 옆으로 던지는〔던져〕: a ~ delivery 공을 옆으로 던지기, 사이드 스로.

síde àrms 허리에 차는 무기《권총 · 총검 등》; 《미군대속어》 (식탁의) 소금과 후추, 크림과 설탕《등》.

síde bànd 〚통신〛 측파대(側波帶).

síde·bàr *n.* 주요 뉴스에 곁들여 그것을 측면에서 해설하는 짧은 뉴스.

síde-bàr *a.* 부차적인, 보조적인, 파트타임의.

síde bèt (본래의 내기 외에) 부차적으로 하는 개인 간의 내기.

***side·board** [sáidbɔ̀:rd] *n.* (식당 벽면의) 식기 살강〔찬장〕; (*pl.*) 《속어》 구레나룻; (*pl.*) 〚하키〛 사이드보드《링크를 에워싸는 나무 울타리》.

síde·bòne *n.* (새의) 허리뼈; (종종 ~s) 〚단수 취급〛 〚수의〛 제연골화골증(蹄軟骨化骨症).

síde·bùrns *n. pl.* 짧은 구레나룻; 살쩍.

síde-by-síde *a.* 나란히 (서) 있는.

síde·càr *n.* **1** 사이드카《오토바이의》. **2** 칵테일의 일종《브랜디에 레몬주스 · 밀감주를 섞은 것》.

síde chàin 〚화학〛 결사슬, 측쇄(側鎖)(lateral chain).

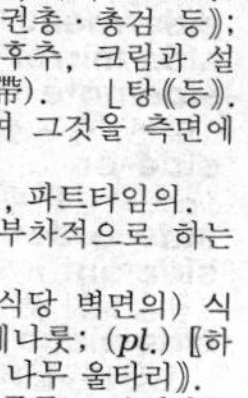

sideburns

síde chàir (식당 등에 놓는) 팔걸이 없는 작은
síde chàpel (교회당의) 부속 예배당. 「의자.
sid·ed [sáidid] *a.* 측(側)〔면, 변〕이 있는; 〖조선〗 시방서(示方書)의 늑재(肋材)를 사용한: ⇨ MANY-SIDED, ONE-SIDED. [파] **~·ness** *n.* 「접시.
síde dìsh (주(主)요리에) 곁들여 내는 요리; 그
síde dòor 옆으로 들어가는 입구; 《비유》 간접적 접근법; 《CB속어》 추월 차선.
síde·drèss *n.* 〖농업〗 측방 시비(側方施肥).
síde-drèss *vt.* …의 가까이에 거름을 주다.
síde drùm =SNARE DRUM.
síde effèct (약물 따위의) 부작용.
síde·fòot *vt., vi.* 〖축구〗 발 옆쪽으로 차다.
síde-glànce *n.* 곁눈(질), 스쳐보기; 간접적〔부수적〕 언급. 「작은 표제.
síde·hèad(ing) *n.* 〖인쇄〗 (인쇄물의 난외의)
síde·hìll *n.* 《미 · Can.》 산허리(hillside).
síde hòrse (the ~) 〖체조〗 안마(鞍馬).
síde ìssue 부수적인 문제, 부의제.
síde·kìck *n.* 《미구어》 짝패, 동료, 친구, 공모자; 《미속어》 (바지의) 옆주머니.
síde·lìght *n.* **1** [U] 측면광(光); [C] (자동차의) 차폭등; 〖해사〗 현등(舷燈); 옆창; 현창(舷窓); (문짝 따위의 옆의) 옆들창. **2** [U,C] 간접〔우연〕의 설명〔정보〕《*on, upon*》. ***throw*** 〔***let in***〕 ***a ~ upon*** 〔***on***〕 …을 측면에서 설명하다, 우연히 …을 밝히다.
síde·lìne *n.* **1** 측선(側線); 〖구기〗 사이드라인; (*pl.*) 사이드라인의 바깥쪽(의 선수 대기 장소); (*pl.*) 《일반적》 주변 부분. **2** 부업, 내직(內職); (상점의) 전문 외 취급품: as a ~ 부업으로. **3** (짐승의 같은 쪽 앞뒷발을 묶는) 밧줄. **4** (*pl.*) 방관자의 견해. ***on the ~s*** 방관자로서. **—** *vt.* 〖미경기〗 (부상 · 병 등이 선수를) 출장〔참가〕 못 하게 하다, …을 퇴장케 하다; 《미》 …의 참가를 방해하다. [파] **síde·lìner** *n.* 방관자.
side·ling, sid·ling [sáidliŋ] *ad.* 비껴, 비스듬히. **—** *a.* 옆으로 기운; 경사가 있는.
síde·lòng *ad.* 옆으로, 비스듬히. **—** *a.* 옆으로의, 비스듬한; 간접적인, 완곡한. ***cast*** 〔***give***〕 ***a ~ glance at*** 〔***upon***〕 …을 곁눈질로 슬쩍 보다.
síde-lòoking *a.* 측방(側方)〔측면〕 감시(용)의 《레이더 · 소나(sonar) 등》.
síde·man [-mæ̀n, -mən] (*pl.* ***-men*** [-mèn, -mən]) *n.* (특히 재즈 · 스윙의) 악단원, 반주 악기 연주자. 「히》 베이컨.
síde mèat 《미중남부》 돼지 옆구리 고기, 《특
síde mìrror =SIDEVIEW MIRROR.
síde·nòte *n.* 〖인쇄〗 (페이지 좌우에 작은 활자로 짠) 방주(傍注).
síde-ón *a.* 측면을 향한, 측면으로부터의. **—** *ad.* 측면을 향하여; 측면에서. 「주문.
síde òrder 《미》 (코스 이외의 요리의) 추가
síde·òut *n.* (배구 · 배드민턴에서) 서브 측이 득점을 하지 못해 서브권을 잃는 일.
síde·pìece *n.* (the ~) (물건의) 측면부; 옆에 곁들이는 물건.
-sid·er [sáidər] '…의 옆에 사는 사람' 이란 뜻의 결합사: a west-~. 「EFFECT.
síde reàction (화학적인) 부(副)반응; =SIDE
si·de·re·al [saidíəriəl] *a.* 별의, 항성(恒星)의, 별자리의; 별의 운행을 기초로 한: a ~ hour 항성시《항성일의 1/24》/a ~ day 항성일《태양일보다 약 4분 짧음》/a ~ month 항성월(月)《27일 7시간 43분 남짓》/a ~year 항성년(年)《365일 6시간 9분 남짓》/a ~ revolution 〔period〕 항성 주기. [파] **~·ly** *ad.*
sidéreal tíme 항성시; 춘분점의 시각(時角).
sid·er·ite [sídəràit] *n.* [U] 능철광(鑛).

sid·er·o-[1] [sídərou, -rə] '쇠, 철' 이란 뜻의 결합사《모음 앞에서는 **sider-**》.
sid·er·o-[2] '별(star)' 이란 뜻의 결합사《모음 앞에서는 **sider-**》.
síde ròad 옆길, 샛길.
síde ròd 〖철도〗 (기관차의 동력 전달의) 연결봉.
sid·er·o·sis [sìdəróusis] *n.* [U] 〖병리〗 철침착증(鐵沈着症), 철증(鐵症).
sid·er·o·stat [sídərəstæ̀t] *n.* 〖천문〗 시데로스탯《천체의 빛을 항상 일정 방향으로 인도하는 반사경의 일종》.
síde·sàddle *n.* 여성용 안장《양발을 나란히 한 옆에 드리우고 걸터앉음》. **—** *ad.* ~을 타고; ~처럼《앉다 따위》: ride ~.
síde-scàn *a.* =SIDE-LOOKING.
síde-scan sònar 사이드스캔 소나《측방(側方) 감시용 수중 음파 탐지기》.
síde scène (무대의) 보조 세트.
síde·sèat *n.* (버스 따위의) 옆자리, 측석(側席).
síde shòw (서커스 따위의) 여흥, 촌극(寸劇); 지엽 문제, (부수되는) 소사건.
síde·slìp *n.* **1** [U,C] (자동차 · 비행기 등이 급커브 · 급선회할 때) 한옆으로 미끄러지는 일. **2** [C] 《영》 곁가지; 《비유》 사생아. **—** *vi., vt.* 옆으로 미끄러지(게 하)다.
sídes·man [-mən] (*pl.* ***-men*** [-mən]) *n.* 〖영국교회〗 교구(教區) 위원〔집사〕보(補); 교회 일보는 사람.
síde-splìtting *a.* 우스워 견딜 수 없는, 포복절도할. [파] **~·ly** *ad.*
síde·stèp *n.* **1** 옆으로(한 걸음) 비켜 서기. **2** (마차 따위의) 옆 디딤판. **—** (**-pp-**) *vi., vt.* (특히 축구에서) 옆으로 비키다; (책임 따위를) 회피하다.
síde stìtching 〖제본〗 (두꺼운 잡지 따위의) 접지된 인쇄물의 등쪽을 철사로 엮는 방식. [cf] saddle stitch. 「(jumping jack).
síde-stràddle hòp 거수(擧手) 도약 운동
síde·stream smòke 담배 끝에서 나는 연기. [cf] mainstream smoke. 「옆길.
síde strèet (main street에서 들어가는) 골목,
síde·stròke *n.* **1** 모잽이헤엄, 사이드스트로크; (당구 따위의) 옆치기. **2** 우발〔부수적〕 행위, 후림불.
síde·swìpe *n.* [U,C] 옆을 스치듯 치기; 간접적인 비난〔비판〕. **—** *vt.* 《구어》 옆을 스치듯 때리다. [파] **-swìper** *n.*
síde tàble (벽에 붙여 놓는) 사이드테이블.
síde tòol 〖기계〗 외날 바이트.
síde·tràck *n.* 〖미철도〗 측선(側線), 대피선; 보조적 지위; (기분) 전환. **—** *vt.* 대피선에 넣다; 《비유》 …을 곁길로 빠지게 하다〔틀다〕; (문제 등을) 회피하다, (슬쩍) 돌리다; 《미속어》 체포하다.
síde trìp (여행 일정에 없는) 일시 방문.
síde-vàlve èngine 〖기계〗 측판식(側瓣式) 엔
síde vìew 측면도; 측면관, 옆얼굴. 「진.
síde·view mìrror (자동차의) 사이드미러; 옆얼굴을 보기 위한 거울.
side·walk [sáidwɔ̀ːk] *n.* 《미》 (특히 포장된) 보도, 인도(《영》 pavement): a ~ café 보도에 있는 (간단한 식사도 할 수 있는) 카페.

[SYN] **sidewalk** 《미》 포장한 '보도'. **sideway** 《미》 sidewalk와 같음. **footpath** 시골길에 연한 '보도'.

hit the ~ 《미속어》 걷다, 걸어다니다, 일자리를 찾아다니다; 《미속어》 파업에 돌입하다.
sídewalk àrtist 거리의 화가《보도 위에다 분필 따위로 그림이나 얼굴 따위를 그리는》.
sídewalk bìke (보조 뒷바퀴가 달린) 어린이용 자전거.

sídewalk superinténdent 《미구어·우스개》 건축 현장의 구경꾼.
síde·wàll *n.* 측벽(側壁); (타이어의) 사이드월.
side·ward [sáidwərd] *a.* 옆〔곁〕의, 비스듬한.
síde·wày *n.* 옆길(OPP. *main road*); 인도, 보도. SYN. ⇨SIDEWALK.
*__side·ways__ [sáidwèiz] *ad.* **1** 옆(쪽)으로: look ~ (…을) 곁눈으로 보다《*at*》. **2** 경멸적인 눈길로; 호색적인 눈길로. ***knock*** 〔***throw***〕 ***...*** ~ 《구어》 (사람에게) 쇼크를 주다; (사물에) 나쁜 영향을 주다. **—** *a.* 옆으로 향한, 비스듬한; 회피적인: a ~ glance 곁눈질.
síde·whèel *n., a.* 외륜(外輪)(식의)《기선 따위의》. ㊞ **~·er** *n.* 외륜선(paddle steamer); 왼손잡이 (투수).
síde whìskers 긴 구레나룻.
síde wìnd 옆바람; 간접적인 공격〔수단, 방법〕: learn by a ~ 간접으로 듣다.
síde·wìnder [-wàindər] *n.* **1** 방울뱀의 일종. **2** (S-) 〖미군사〗 공대공(空對空) 미사일의 일종. **3** 《미구어》 옆으로부터의 일격. **4** 《미속어》 사소한 일에 불끈하여 폭력을 휘두르는 자; 《미속어》 남을 배신하는 자.
side·wise [sáidwàiz] *ad.* 옆(쪽)으로, 비스듬히, 한쪽으로(sideways).
sid·ing [sáidiŋ] *n.* **1** 〖철도〗 측선(側線), 대피선; 〖미건축〗 (건물 바깥 벽의) 벽널; 판자벽. **2** Ⓤ 《고어》 (한쪽만) 편들기, 지지, 가담(partisanship).
si·dle [sáidl] *vi.* (가만히) 옆걸음질하다; (가만가만) 다가들다〔다가서다〕《*along; up*》. **—** *n.* Ⓤ,Ⓒ 옆걸음질; 다가듦, 다가섬.
Sid·ney [sídni] *n.* 시드니. **1** 남자 또는 여자 이름. **2** Sir **Philip** ~ 영국의 시인·정치가·군인 (1554-86).
Si·don [sáidn] *n.* 시돈《옛 페니키아의 악덕의 도시; 현재 Lebanon의 Saida》. ㊞ **Si·do·ni·an** [saidóuniən] *a., n.* ~의; ~ 사람(의).
SIDS sudden infant death syndrome (유아 돌연사 증후군).
siè·cle [sjékl] *n.* 《F.》 세기(世紀); 시대(時代).
◇**siege** [si:dʒ] *n.* Ⓒ,Ⓤ **1** 포위 공격, 공성(攻城), 포위 공격 기간: a regular ~ 정공법(正攻法)/a ~ gun 〖역사〗 공성포, 중포(重砲)/a ~ train 〖역사〗 공성 포열(砲列), 공성용 병기의 열/push 〔press〕 the ~ 포위 공격하다/stand a ~ 포위 공격에 굴하지 않다. **2** 끈덕진 권유〔조름〕; (병의) 끈덕진 계속, 끈질긴 병: a ~ of illness 오랜 투병 기간. **3** 많음(quantity): a ~ *of* work 많은 일. ***lay ~ to*** …을 포위 공격하다; …을 끈질기게 설득하다. ***lay ~ to a lady's heart*** 여자를 끈질기게 유혹하다. ***raise*** 〔***lift***〕 ***the ~ of*** … 의 포위를 풀다, …의 포위 공격을 중지하다. ***state of ~*** 계엄 (상태). ***undergo a ~*** 포위 공격을 당하다. **—** *vt.* 둘러〔에워〕싸다, 포위(공격)하다: be ~*d* 농성하다. ㊞ **∠·a·ble** *a.*
síege mentàlity (항상 압박을 받거나 고립해 있다고 느끼는) 강박 관념. 「호〔엄호〕.
síege·wórks *n. pl.* 〖군사〗 공성용(攻城用) 참
Sieg·fried [sí:gfri:d] *n.* 지크프리트《독일 전설의 영웅》. ***the ~ line*** 지크프리트선(線)《제 2 차 세계 대전에 앞서 독일이 구축한 대(對)프랑스 방어선》. cf. Maginot line.
sie·mens [sí:mənz] *n.* 〖전기〗 지멘스《도전율(導電率)의 단위; 생략: S》.
si·en·na [siénə] *n.* 시에나토(土)《황갈색 또는 적갈색의 그림물감 원료》; 황갈색.
si·er·ra [siérə] *n.* **1** 뾰족뾰족한 연산〔산맥〕《스페인·라틴 아메리카의》. **2** 〖어류〗 삼치류(類). **3** (S-) 글자 s를 나타내는 통신 용어. 「단체》.
Siérra Clùb 시에라 클럽《미국의 자연환경 보호
Siérra Le·ó·ne [-lióuni] 시에라리온《서아프리카의 공화국; 수도 Freetown》.
Siérra Má·dre [-má:drei] (the ~) 시에라마드레 산맥《멕시코를 횡단하는 산맥》.
Siérra Neváda (the ~) 시에라네바다 산맥《(1) 미국 California 주 동부의 산맥. (2) 스페인 남부의 산맥》.
si·es·ta [siéstə] *n.* 《Sp.》 (점심 후의) 낮잠.
◇**sieve** [siv] *n.* **1** (고운) 체; 조리: pass flour through a ~ 밀가루를 체로 치다/He is (as) leaky as a ~. 그는 입이 가벼워 무엇이나 다 말해 버린다. **2** 《비유》 입이 가벼운 사람, 비밀을 못 지키는 사람. ***draw water with a ~***=***pour water into a ~*** 헛수고하다. ***have a head*** 〔***memory, mind***〕 ***like a ~*** 기억력이 나쁘다. **—** *vt.* 체질하다, 거르다.
sie·vert [sí:vərt] *n.* 〖물리〗 시버트《인체가 방사선을 쐬었을 때 받는 영향의 정도를 나타내는 국제 단위; 기호 Sv》.
◇**sift** [sift] *vt.* **1** 《~+목/+목+전+명》 체로 치다, 체질〔조리질〕하다: ~the fine grains *from* the coarse 거친 낟알을 체질해 잔 낟알을 가려내다. **2** 《~+목/+목+부/+목+전+명》 가려내다《*out*》: ~ (*out*) the fact *from* testimonies 여러 증언에서 사실을 추출하다/~ the applicants 응모자 가운데서 뽑다. **3** 면밀히 조사하다, 심문하다: They ~*ed* me two hours on end. 그들은 2시간 계속하여 나를 심문했다. **4** 손가락으로 빗다. **—** *vi.* **1** 체를 통해 떨어지다. **2** 《+전+명》 (눈 따위가) 날아들다, 새어들다《*into; through*》: The snow ~*ed into* the room. 방안으로 눈이 날아들었다. **3** 가려내다; 정사(精査)하다: the ~*ing*, scientific mind 탐구적인 과학 정신. ㊞ **∠·er** *n.* 체; 체질하는 사람; 정사하는 사람.
sift·ing *n.* **1** 체로 고름; 감별, 정사(精査). **2** (*pl.*) 체로 친 것; (거르고 남은) 무거리, 찌꺼기 (riddlings); 실격자.
SIG Special Interest Group. **Sig.** 〖처방〗 *signa* 《L.》 (=write, mark, label); 〖의학〗 signature; 〖처방〗 *signetur* 《L.》 (=let it be written); Signor(s). **sig.** signal; signature; signor(s).
__sigh__ [sai] *vi.* **1 《~/+전+명》 한숨 쉬다〔짓다〕, 탄식하다, 한탄〔슬퍼〕하다《*over*》; 그리워 찾다, 그리워 한탄하다《*for*》: ~ *with* relief 안심하여 한시름 놓다/~ *over* one's misfortune 불운을 한탄하다/She ~*ed for* the happy old days. 그녀는 행복했던 옛날을 그리며 한숨지었다. **2** (바람이) 살랑거리다: reeds ~*ing* in the wind 바람에 살랑대는 갈대. **—** *vt.* 《~+목/+목+부》 탄식하여〔한숨지으며〕 말하다《*out*》: ~ *out* one's grief 한탄하다. **—** *n.* **1** 한숨, 탄식, 탄식 소리: give a ~ of relief 안도의 한숨을 쉬다, 한시름 놓다. **2** (바람의) 산들거리는 소리. ㊞ **∠·er** *n.* **∠·ing·ly** *ad.* 탄식하여; 한숨지으며; (바람이) 산들산들. **∠·less** *a.* **∠·like** *a.*
__sight__ [sait] *n.* **1 a Ⓤ 시각(視覺), 시력(視力) (vision): long 〔far〕 ~ 원시; 《비유》 선견/⇨SHORT SIGHT/lose one's ~ 실명하다.

> SYN. **sight** 시력을 나타내는 일반적인 말. **view** 원래 '보이는 것'을 나타내는 말이므로 단독으로는 시각의 뜻은 없고, be lost to *view* (보이지 않게 되다), a field of *view* (시계(視界)) 와 같은 구(句) 속에 끼어 비로소 시각의 뜻이 생김. **vision** 물리학·생리학 따위에서 '시력'의 뜻으로 쓰임. 구어로는 '꿰뚫어보는 힘, 통찰력', 즉 마음의 시력으로 쓰임: a man of *vision* 직관적 통찰력이 있는 사람.

b 봄, 보임, 목격, 일견, 일별, 일람(look); 볼 기

회: faint at the ~ of blood 피를 보자 정신을 잃다/learn by ~ 봐서 알고 있다/take a ~ of …을 (바라)보다. **c** Ⓤ 시계, 눈길 닿는 범위, 시야: The ship came into ~. 배가 시야에 들어왔다〔보였다〕/come within ~ of the mountains 산이 바라보이는 곳까지 오다. **d** Ⓤ 견지, 견해(opinion), 판단(judgment): abomination in the ~ of God 하느님의 견지에서 보아 금기할 행위/in one's (own) ~ 자기 견해에 따라, 자기 눈으로 보아. **2 a** 조망, 광경; 풍경, 경치(view); (the ~s) 명소, 명승지: a familiar ~ 흔히 볼 수 있는 광경/the ~s of the city 도시의 명승지/see 〔do〕 the ~s 명승지 구경을 하다. SYN. ⇨VIEW. **b** (a ~) 《구어》 놀라운〔충격적인, 비참한〕 것: You must get some sleep, you look a ~. 조금 자지 그래, 네 얼굴이 말이 아니다. **3** (총의) 겨냥, 조준(기); 가늠쇠〔자〕: take a careful ~ 잘 겨냥〔조준〕하다/adjust the ~s 조준을 맞추다. **4** (a ~) 《구어》 많음, 다수, 다량: a ~ *of* money 산더미 같은 돈. **5** 〖부사적〗 훨씬: a (long) ~ better 훨씬 좋은. **6** 〖형용사적〗 처음으로 본, 즉석의; 〖상업〗 (어음 따위가) 일람 출급의: a ~ translation 《영》 즉석 번역/⇨SIGHT DRAFT.

a damn(ed) ~ better 《미속어》 훨씬 좋은, 천양지차인. ***a line of ~*** 시선, 조준선. ***a ~ for sore eyes*** ⇨EYE. ***at first ~*** ⇨FIRST. ***at ~*** 보자마자; 즉석에서; 〖상업〗 제시하자마자, 일람 출급의: a bill payable *at* ~ 일람 출급 어음. ***at (the) ~ of*** …을 보고, …을 보자. ***cannot stand 〔bear〕 the ~ of*** …의 얼굴 따위는 보기도 싫다, 아주 싫다. ***catch 〔gain, get〕 ~ of*** …을 찾아내다; 흘끗〔언뜻〕 보다. ***feast*** one***'s ~ with*** …로 눈요기하다. ***find 〔gain〕 favor in*** a person***'s ~*** 아무에게 호감을 주다, 인기가 있다. ***go 〔get〕 out of ~*** 보이지 않게 되다. ***have 〔get〕 ... (lined up) in*** one***'s ~s*** …을 목표로 설정하다. ***in ~*** ① 보여, 보이는 거리에; (…이) 보이는 곳에(서) 《*of*》: We came 〔kept〕 *in* ~ *of* land. 육지가 〔에서〕 보이는 곳에 왔다〔있었다〕. ② (시간적으로) 가까워져. ***in*** a person***'s ~*** 아무의 면전에서; 아무의 눈으로 보면. ***in the ~ of*** …의 판단〔의견〕으로는. ***It is a ~.*** (대단한) 구경거리다; 보니 놀랍다; 보니 기쁘다. ***keep ~ of ...*** =***keep ... in ~*** …을 놓치지 않도록 지켜보다. ***know*** a person ***by ~*** 아무를 본 적이 있다, 면식이 있다; 얼굴만은 알고 있다. ***line up in*** one***'s ~s*** (표적·사냥감에) 조준을 딱 맞추다. ***lose ~ of*** …을 (시야에서) 놓치다; …와 오래 만나지 않다; …을 잊다 ***lower 〔raise〕*** one***'s ~s*** 목표를 낮추다〔높이다〕. ***make a ~ of*** oneself 야릇한 몸차림을 하다. ***not by a long 〔darned, considerable〕 ~*** 《구어》 결코〔절대로〕 …아닌. ***on 〔upon〕 ~*** 발견하는〔눈에 띄는〕 대로, 한눈으로. ***Out of my ~!*** 썩 꺼져라. ***out of ~*** 보이지 않는, 보이지 않는 곳에; 《구어》 (값이) 엄청 비싼; 《속어》 멀리 떨어진 (곳에); 《미속어》 아주 훌륭한, 멋진; 곤드레만드레가 된: The price is *out of* ~. 값이 터무니없이 비싸다/*Out of* ~, out of mind. 《속담》 헤어지면 마음도 멀어진다. ***put ... out of ~*** ① …을 무시하다. ② …을 숨기다. ③ 먹어〔마셔〕 버리다. ***set*** one***'s ~s on*** …을 얻다; …을 손에 넣으려고 하다; …에 조준을 맞추다, …에 목표를 정하다. ***sick of the ~ of*** …은 보기만 해도 지긋지긋한. ***~ unseen*** 〖상업〗 현물을 보지 않고: buy a thing ~ *unseen*. ***within ~*** 보이는 곳에(서); 가까이에, 손이 닿는 곳에.

— *vt*., *vi*. **1** 찾아내다, 목격하다, 보다. **2** (별 따위를) 관측하다: ~ a star. **3** (…에) 겨냥하다, 조준하다. **4** (…에) 조준기〔가늠자〕를 맞추다. **5** 〖상업〗 일람(一覽)시키다.

síght depòsit 〖금융〗 요구불 예금《당좌 예금(current account) 따위》.

síght dràft 〔《영》 **bill**〕 일람 출급 어음.

(-)síght·ed [-id] *a*. **1** 〖복합어로〗 …눈의, …안(眼)의, …시(視)의: short-~ 근시의. **2** 눈이 보이는.

sight·er *n*. (사격·궁술 경기에서) 6발〔대〕의 연습용 총알〔화살〕.

síght gàg (연극 등에서) 동작에 의한 개그.

síght glàss (용기의 내부를 들여다보는) 투명한 구멍〔창〕.

síght·hòle *n*. (관측 기계(器械) 따위의) 보는 구멍.

síght·ing *n*. 관찰하기; 조준 맞추기; (UFO나 항공기 따위의) 관찰〔목격〕례(例): ~ shot 시사탄(試射彈), 점검탄.

síght·less *a*. 보지 못하는, 시력이 없는, 소경의; 《시어》 보이지 않는. ㊞ **~·ly** *ad*. **~·ness** *n*.

síght·lìne *n*. (극장 관중의 무대로의) 시선(= **sight line**).

síght·ly (*-li·er; -li·est*) *a*. 보아서 기분이 좋은, 보기 좋은(comely), 아름다운; 《미》 전망이 좋은. ㊞ **-li·ness** *n*.

síght-rèad *vt*., *vi*. (외국어 따위를) 즉석에서 읽다, (악보 등을) 보고 (연습 없이) 즉석에서 연주〔노래〕하다. ㊞ **~·er** *n*. 악보를 보고 즉석에서 연주〔노래〕하는 사람. **~·ing** *n*. Ⓤ 시주(視奏), 시창(視唱)《악보를 보고 연주〔노래〕하기》; 즉독 즉해(卽讀卽解).

síght·sèe *vi*., *vt*. 유람하다, 관광하다.

‡**sight·see·ing** [sáitsìːiŋ] *n*. Ⓤ 관광, 구경, 유람: go ~ 관광하러 가다. — *a*. 관광〔유람〕의: a ~ bus 관광버스/a ~ party 관광단/a ~ trip 〔tour〕 관광 여행.

síght·sèer *n*. 관광객, 유람객.

síght·wòrthy *a*. 볼만한, 볼 가치가 있는.

sig·il [sídʒil] *n*. **1** 인발, 인형(印形), 도장, 막도장(seal, signet). **2** (점성술·마술 등에서 힘이 있다고 하는) 비술적(秘術的)인 기호〔말, 장치 따위〕.

sig·int, SIGINT [sígint] *n*. (통신 방수(傍受) 등에 의한) 비밀 정보 수집, (그것에 의한) 신호 정보. cf. humint. [◂ *sig*nal+*int*elligence]

sig·lum [sígləm] (*pl*. ***-la*** [-lə]) *n*. (서적의) 기호〔약어〕(표).

sig·ma [sígmə] *n*. 시그마《그리스어(語) 알파벳의 열여덟째 글자; Σ, σ, s; 로마자의 s》; 〖수학〗 Σ 기호; 〖생화학〗 =SIGMA FACTOR; 〖동물〗 (해면의) 시그마체(體); 〖물리〗 시그마 입자(=∠ **pàrticle**).

sígma fàctor 〖생화학〗 시그마 인자(因子)《RNA 고리의 합성을 자극하는 단백질》.

sig·mate [sígmeit] *vt*. …의 어미에 sigma 〔s자〕를 붙이다. — [-mət, -meit] *a*. sigma 형〔S자형〕의. ㊞ **sig·má·tion** *n*.

sig·ma·tism [sígmətìzəm] *n*. 〖음성〗 마찰음의 부정확한 발음.

sig·moid [sígmɔid] *a*. S 〔C〕자 형의; S〔C〕 모양의 만곡부의. — *n*. 〖해부〗 S자형 만곡부, S자 결장(結腸).

sígmoid flèxure 〔**còlon**〕 〖조류〗 (새·거북의 목 따위의) S자꼴 만곡; 〖해부〗 S자 결장(結腸).

sig·moid·o·scope [sigmɔ́idəskòup] *n*. 〖의학〗 S 자 결장경(結腸鏡). ㊞ **sig·mòid·o·scóp·ic** *a*.

†**sign** [sain] *n*. **1 a** 기호, 표시, 부호. cf. mark[1], symbol. **b** 신호, 군호; 암호, 변말(password); 손짓, 몸짓: a ~ and countersign 변말, 암호/make 〔give〕 a ~ to …에 신호하다.

SYN. **sign** 어떤 사실을 보이거나 어떤 뜻을 전하는 제스처·신호·기호·부첩 따위를 말함. **signal** 항상 어떤 뜻을 갖는 신호를 말함. **mark**

사물의 성격을 나타내는 표시를 말함. **token** 감정을 나타내거나, 과거의 일들을 상기케 하는 것으로 품위 있는 말: a *token* of one's gratitude 감사의 표시.

c 표지, 길잡이, 도표; 간판(signboard): street ~*s* 도로 표지/in ~ of …의 표시로서. **2 a** 기미, 징후; 조짐(indication), 전조; 모습, 기색; 〖의학〗 증후, 증세: The wind changed, a ~ *of* coming rain. 바람 방향이 바뀌었다, 비가 올 조짐이다/There were ~*s of* suffering on her face. 그녀의 얼굴에는 고통스러운 기색이 보였다/I see no ~ *of* rain. 비는 올 것 같지도 않다/the ~*s of* the times 시대의 증후〔동향〕, 시류. **b** 〘보통 부정어와 더불어〙 흔적, 자취, 형적(vestige); (들짐승의) 자귀, 똥: Old age will *not* fail to show its ~*s*. 나이는 못 속인다. **c** 〖성서〗 기적(miracle): seek a ~ 기적을 찾다/~*s* and wonders 기적. **3** 〖천문·점성〗 궁(宮) 《12궁의》. ***make no*** ~ 의식이 없는 것 같다; 아무런 태도 표시가 없다. ***make the*** ~ ***of the cross*** 성호를 긋다. ***not a*** 〔***no***〕 ~ ***of*** …의 형적도 없는: *not a* ~ *of* remorse 뉘우치는 기색이 전혀 보이지 않는/*not a* ~ *of* life anywhere 생물의 흔적이라곤 없는. ***There is a*** ~ ***of*** (snow 〔our guest changing his mind〕). (눈이 올〔손님의 마음이 변할〕) 기미가 보이다. ***There is no*** ~ ***that*** (they will help us). (그들이 도와줄) 눈치는 전혀 없다.

— *vt.* **1** 《~+목/+목+전+명》 …에 사인〔서명〕하다, 기명날인하다: ~ and seal a paper 증서에 서명날인하다/~ a legislative bill *into* law 법안에 서명하여 법률로서 발효(發效)시키다. **2** 《+목+부/+목+전+명》 서명하여 양도〔처분〕하다《*away; off; over*》: She ~*ed over* the property *to* me. 그녀는 재산을 나에게 물려주었다/~ *away* 증서에 서명하여 …을 양도하다《잘 생각지 않고》. **3** 《~+목/+목+*to* do》 (손짓 따위로) 신호하다, 알리다, 나타내다, …의 조짐이 되다: ~ one's assent (몸짓으로) 동의를 나타내다/He ~*ed* us *to* enter the room. 그는 우리에게 방에 들어오라고 신호했다. **4** 《+*to* do》 (…하기로) 계약 서명하다: ~ *to* act in a movie 영화 출연 계약을 맺다. **5** 성호를 긋다. **6** …에 표시를 하다: ~ a street 거리에 표지를 달다. — *vi.* **1** 서명(날인)하다, 서명하여 승인하다, 서명하여 계약하다《*for*》. **2** 《+전+명+*to* do》 (손짓·몸짓 따위로) 알리다, 신호하다: The policeman ~*ed to* me *to* stop. 경관은 나에게 멈추라고 신호하였다. **3** (길 따위에) 표지를 달다. ***~ed, sealed, and delivered*** 〖법률〗 서명날인하고 (상대방에) 교부필; 《우스개》 모두 완료하여. ~ ***for*** …의 수령을 서명〔사인〕하다. ~ ***in*** 《*vi.*+부》 ① (출근부·출석표 등에) 서명하여〔타임리코더로〕 출근 시간을 기록하다. ② (클럽 따위의) 회원이 되다. —《*vt.*+부》 ③ (사람)의 도착〔(물건)의 받음〕을 서명하여 기록하다. ④ (회원이) 서명하여 (비회원을 클럽 등에) 들이다《*to; at*》. ~ ***off*** ① 〖라디오·TV〗 방송〔방영〕 종료 신호를 하다, 방송〔방영〕을 마치다(opp. *sign on*); 《구어》 이야기를 그치다, 입을 다물다. ② 서명하고 …하지 않을 것을 맹세하다; 계약 따위를 파기하다; 관계를 끊다; 일을 마치다: ~ *off from* wine 금주를 서약하다. ③ 〖브리지〗 끝내기 비드를 하다. ~ ***off on …*** 《미속어》 (안 등)을 인정하다, 승인하다. ~ ***on*** ① (고용 계약서에 서명하고) 고용하다〔되다〕; …의 서명을 받다; 서명하여 참가〔가입〕하다; 서명 계약 입사〔입대〕하다《*for*》; 《영》 (직업소개소에) 이름을 등록하다《*at*》. ② 〖라디오·TV〗 방송〔방영〕 개시를 알리다(opp. *sign off*). ~ ***out*** 《*vi.*+부》 ① 서명하고 출발〔외출〕하다: ~*ed out* (*of*) the hospital. —《*vt.*+

부》 ② (이름을 써서 …로부터의) 외출〔대출〕을 인정하다《*of*》; 사인하고 보관하다. ~ ***over*** 서명하고 매도〔양도〕하다, 정식으로 (인도 등을) 승인하다《*to*》. ~ one***self*** …라고 서명〔사인〕하다. ~ ***up*** 《*vi.*+부》 ① 취업 계약을 하다. ② (…와) 계약하다《*for*》: ~ *up for* a new production 새 영화사와 계약하다. ③ 등록을 신청하다. ④ (조직·단체에 서명하고) 참가하다, 가입하다. ⑤ 입대〔입사〕하다. —《*vt.*+부》 ⑥ (사람을) 계약하여 고용하다. ⑦ 입대〔입사, 입회, 가입〕시키다.

sign·age [sáinidʒ] *n.* 도로 표지.

⁑sig·nal [sígnəl] *n.* **1** 신호, 군호; 암호: a traffic ~ 교통 신호/make a ~ (신호의) 사인을 하다/a distress ~ =a ~ of distress 조난 신호/give the ~ for …의 신호를 하다/the international code of ~*s* 국제 통신서. **2** 신호기(機). **3** 《고어》 전조, 징후, 조짐: a ~ *of* ill health 몸이 좋지 않은 징후. **4** 계기, 도화선, 동기《*for*》: the ~ *for* revolt 폭동의 도화선. **5** 〖카드놀이〗 짝패에게 보내는 신호(의 수단).

— *a.* **1** 신호의, 암호의; 신호용의: a ~ lamp 신호등/a ~ fire 봉화/a ~ flag 신호기. **2** 두드러진, 현저한, 주목할 만한; 뛰어난, 훌륭한: a ~ achievement 괄목할 업적.

— (*-l-,* 《영》 *-ll-*) *vi.* 《~/+전+명/+전+명+*to* do》 신호하다, 눈짓하다: ~ *for* a rescue boat 구조선을 부르는 신호를 하다/~ *to* a person *to* move on 아무에게 앞으로 나아가라고 신호하다. — *vt.* **1** 《~+목/+목+*to* do/+목+전+명/+목+*that* 절》 …에게 신호하다〔를 보내다〕; …을 신호로 알리다: ~ a message 신호로 전갈을 보내다/He ~*ed* me *to* stop talking. 그는 내게 이야기를 하지 말라고 신호했다/He ~*ed* the bartender *for* another drink. 그는 바텐더에게 한 잔 더 달라고 신호했다/The captain ~*ed* (*to*) the lifeboat *that* the ship was now out of danger. 선장은 구명정에 본선은 이제 위험을 벗어났다고 신호했다. **2** …의 전조가〔조짐이〕 되다. **3** …을 나타내다, 특징지우다: A camera and an aloha shirt ~ a tourist. 카메라와 알로하 셔츠로 관광객임을 알 수 있다.

sígnal bòok 신호 책, 암호표《특히 육해군의》.

sígnal bòx 〔**càbin**〕 《영》 (철도의) 신호소; (경찰에 연락하는) 경보함(函); 화재 경보기.

Sígnal Còrps 〖미육군〗 통신대《생략: S.C.》.

síg·nal·er, 《영》 **-nal·ler** *n.* 신호원〔기(機)〕; 〖군사〗 통신대원.

sígnal gùn (난파선 등의) 신호포(砲).

síg·nal·ing, 《영》 **-nal·ling** *n.* Ⓤ 신호법; 신호 표시.

sig·nal·ize [sígnəlàiz] *vt.* **1** 《~+목/+목+전+명》 유명하게 하다; 두드러지게 하다, 이색적 존재로 하다(distinguish): He ~*d* himself *by* discovering a new comet. 그는 새 혜성을 발견하여 유명해졌다. **2** 지적하다. **3** …에게 신호하다, …와 교신(交信)하다. **4** 신호로 알리다.

síg·nal·ly *ad.* 두드러지게; 신호에 의해.

sígnal·man [-mən, -mæ̀n] (*pl.* ***-men*** [-mən, -mèn]) *n.* (철도 따위의) 신호원〔수〕; 〖군사〗 통신대원.

síg·nal·ment *n.* (경찰용) 인상서(人相書).

sígnal sèrvice (특히 군용) 통신 기관.

sígnal-to-nóise ràtio 〖전기〗 신호 대(對) 잡음비, SN비(比).

sígnal tòwer 〖미철도〗 신호탑(塔)(《영》 signal box).

sig·na·to·ry [sígnətɔ̀ːri/-təri] *a.* 서명한, 참가〔가맹〕조인한: the ~ powers to a treaty 조약 가맹국. — *n.* 서명인; 조인자; 조인국(國), (조약의) 가맹국.

sig·na·ture [sígnətʃər] *n.* **1** 서명(하기): letters waiting for his ~ 그의 서명만 하면 되는 편지. **2** 〖음악〗 =KEY (TIME) SIGNATURE. **3** =SIGNATURE TUNE. **4** Ⓤ 〖의학〗 (약의 용기에다 쓰는) 용법 주의《생략: S. 또는 Sig.》. **5** 〖인쇄〗 접지 순서〔번호〕, 쪽지 표시; 견양 접장(摺帳); 번호 매긴 전지. **6** 징후, 조짐; 《고어》 특징: He has the ~ of early death in his face. 그는 요절할 상이다. ***write*** one's ~ 서명하다.

sígnature file 〖컴퓨터〗 시그너처 파일.

sígnature lòan 〖금융〗 신용 대출, 무담보 대부금. 「(theme song).

sígnature tùne 《영》 (방송 프로의) 테마 음악

sígn bit 〖컴퓨터〗 기호(記號) 비트.

sígn·bòard *n.* 간판; 게시〔고시〕판.

sígn dìgit 〖컴퓨터〗 부호 숫자.

sign·ee [sainí:, ⌐-] *n.* 서명자, 조인자(調印者) (signer, signatory).

sígn·er *n.* 서명자; (S-) 〖미국사〗 독립 선언서 서명자; sign language 사용자.

sig·net [sígnit] *n.* (반지 따위에 새긴) 막도장, 도장, 인장; 인발; (the (privy) ~) (옛 영국왕 의) 옥새.

sígnet rìng 도장이 새겨진 반지.

si·gni·fi·ant [sígnəfàiənt; *F.* siɲifjɑ̃] (*pl.* **~s** [-s; *F.* —]) *n.* 《F.》 〖언어〗 기호 표현(signifier) 《대상을 지시하는 기호》.

sig·nif·i·cance [signífikəns] *n.* Ⓤ **1** 의의(意義), 의미(meaning), 취지(import). SYN. ⇨ MEANING. **2** 의미심장함, 뜻 깊음: with a look 〔word〕 of great ~ 매우 의미심장한 표정으로 〔말로〕. **3** 중요성, 중대성(importance): a matter of ~ 중대 사건 / of little 〔no〕 ~ 대수롭지 않은, 하찮은.

signíficance lèvel 〖통계〗 위험 검정률《검정(檢定)에 있어 측정치에서 계산한 차이가 가설을 부정하기에 족할 만큼 큼》. 「정.

signíficance tèst 〖통계〗 유의성(有意性) 검

sig·nif·i·cant [signífikənt] *a.* **1** 중대한, 중요한, 귀중한(important). OPP. *insignificant*. **2** 뜻있는, 의의(意義) 깊은. **3** 함축성 있는, 의미심장한, 암시적인: a ~ wink 의미심장한 눈짓. **4** 나타내는(expressive), (…을) 표시하는(indicative), 뜻하는《*of*》: Smiles are ~ *of* pleasure. 미소는 기쁨의 표시이다. **5** 상당한; 뚜렷한: a ~ change 〔increase〕 뚜렷한 변화〔증가〕. **6** 〖언어〗 뜻의 구별을 나타내는, 시차적(示差的)인 (distinctive). **—** *n.* 《고어》 의미가 있는 것, 기호, 상징. ㊕ **~·ly** *ad.*

signíficant fígures 〔**dígits**〕 〖수학〗 유효 숫자《0을 제외한 1에서 9까지》.

signíficant óther 〖사회〗 중요한 타자(他者); 《구어》 소중한 상대, 배우자.

sig·ni·fi·ca·tion [sìgnəfikéiʃən] *n.* **1** Ⓤ 의미; Ⓒ 의의, 말뜻. **2** Ⓤ,Ⓒ 표시, 표의(表意); (정식) 통보.

sig·nif·i·ca·tive [signífəkèitiv/-kət-] *a.* 의의〔뜻〕 있는, 의미심장한; 표시하는《*of*》. ㊕ **~·ly** *ad.* **~·ness** *n.*

sig·ni·fi·er [sígnəfàiər] *n.* signify 하는 사람; 〖언어〗 =SIGNIFIANT.

sig·ni·fy [sígnəfài] *vt.* **1** 의미하다, 뜻하다 (mean): What does this phrase ~? 이 글귀는 어떤 의미입니까. **2** 《~+명/+*that* 절》 표시하다; 나타내다(represent): ~ one's approval 찬동의 뜻을 표하다 / With a nod he *signified that* he approved. 그는 머리를 끄덕여 찬성의 뜻을 표명했다. **3** 알리다, 보이다(indicate). **4** …의 전조가〔조짐이〕 되다. ***What does it ~?*** 대수로운 일도 아니지 않아. **—** *vi.* 《~/+부》 《주로 부정문 · 의문문》 중대하다, 영향을 끼치다, 문제가 되다(matter): It does *not* ~ (*much*). = It *signifies little*. 대단한 일이 아니다.

síg·ni·fỳ·ing, -in' *n.* 《미속어》 설전(舌戰), 서로 악담하기 시합《도시의 흑인 청년들 사이의》.

sígn-ìn *n.* 서명 운동.

sígn·ing *n.* **1** 서명; 계약; (축구 팀 · 레코드 회사 따위와) 막 계약한 사람〔그룹〕. **2** 수어(手語).

si·gnior [sí:njɔ:r] *n.* =SIGNOR.

sígn lànguage (이국인끼리의) 손짓〔몸짓〕말; 지화법(指話法), 수어(手語)(dactylology).

sígn mánual 자서(自署); (국왕 등의) 친서(親署), 독특한 서명; 특징.

sígn of aggregátion 〖수학〗 괄호 기호《{ }, [ ], ( ), — 따위》.

sígn-òff *n.* Ⓤ,Ⓒ **1** 방송 종료(의 신호). **2** (카드놀이에서) 돈 지르기의 마감.

sígn of the zódiac 〖천문〗 궁(宮). cf. zodiac.

sígn-òn *n.* **1** 방송 개시(의 신호). **2** 입대, 응소.

si·gnor [sí:njɔ:r] (*pl.* **~s, sí·gno·ri** [-ri:]) *n.* 《It.》 (S-) 각하, 씨, 님, 선생《Mr., Sir 에 해당》; (특히 이탈리아의) 귀족, 신사.

si·gno·ra [si:njɔ́:rə] (*pl.* **~s, -re** [-rei]) *n.* 《It.》 (S-) …부인, 아씨, 여사《Mrs., Madam 에 해당》; (특히 이탈리아의) 귀부인.

si·gno·re [si:njɔ́:rei] (*pl.* **-ri** [-ri:]) *n.* 《It.》 귀족, 신사; 군(君), 각하《호칭》.

si·gno·ri·na [sì:njɔ:rí:nə] (*pl.* **-ne** [-ne]) *n.* 《It.》 …양(孃)《Miss 에 해당》; (특히 이탈리아의) 영애(令愛), 아가씨.

si·gno·ri·no [sì:njɔ:rí:nou] (*pl.* **~s, -ni** [-ni:]) *n.* 《It.》 (특히 이탈리아의) 젊은 남성; (S-) 영식(令息), 도련님《영어의 Master 에 해당》.

si·gno·ry [sí:njəri] *n.* Ⓤ 주권; 영지, 영역.

sígn-òut *n.* 《구어》 외출〔퇴출〕 시의 서명.

sígn pàinter 〔**writer**〕 간판장이.

sígn·pòst *n.* 간판〔광고〕 기둥; (십자로 등의) 푯말, 이정표(guidepost); 《비유》 명확한 길잡이. **—** *vt.* (도로)에 푯말을 세우다; …에 방향을 지시〔표시〕하다《*for* Seoul》. ㊕ **~·ed** *a.* 도로 표지가 있는.

sígn tèst 〖통계〗 부호 검정. 「가입.

sígn-ùp *n.* 서명에 의한 등록; (단체 따위에의)

Sig·urd [sígərd/-guəd] *n.* 〖북유럽신화〗 지구르트《독일의 Siegfried 에 해당하는 영웅》.

Sikh [si:k] *n.* 《Ind.》 시크 교도. ㊕ **⌐·ism** *n.* Ⓤ 시크교(教).

Sik·kim [síkim] *n.* 시킴《네팔과 부탄 사이에 있는 인도의 한 주(州); 주도는 Gangtok》.

Si·kor·sky [sikɔ́:rski] *n.* **1 Igor ~** 시코르스키《러시아 태생의 미국 항공 기술자; 1889-1972》. **2** 세계적인 미국의 헬기 제작 회사명.

si·lage [sáilidʒ] *n.* 사일로(silo)에 저장한 꼴.

si·lane [sílein] *n.* 〖화학〗 실란《수소화 규소》.

si·lence [sáiləns] *n.* Ⓤ **1** 침묵, 무언; 무소식: a man of ~ 말이 없는 사람 / *Silence* gives consent. 《속담》 침묵은 승낙의 표시 / *Silence* is gold 〔golden〕. 《속담》 침묵은 금 / break 〔keep〕 ~ 침묵을 깨뜨리다〔지키다〕 / put a person to ~ 윽박질러 아무를 침묵시키다. **2** 비밀 엄수 (secrecy); 묵살; 언급하지 않음: the law's ~ as to the problem 이 문제에 관해서는 아무런 법조문이 없음 / buy a person's ~ 아무에게 돈을 주어 입을 막다 / give the ~ 《구어》 무시하다 / pass with ~ 묵살하다. **3** 망각(oblivion): pass into ~ (기억에서) 잊혀지다. **4** 고요함, 정적: deathlike ~ 죽음과 같은 고요 / the ~ of midnight 한밤중의 정적 / in ~ 조용히, 침묵하여. **5** 〖음악〗 휴지(休止). **6** 묵도, 묵념. **7** 죽음.

— *vt.* **1** 침묵시키다, 잠잠하게 하다, 억누르다, 가라앉히다(repress). **2** (적의 반대 · 포화 등을)

침묵시키다: ~ the enemy's guns. **3** (소음을) 가라앉히다. **4** 《영속어》 때려 기절시키다, 죽이다. **— *int.*** 조용히!, 쉬!

㊞ **sí·lenc·er** *n.* **1** 침묵시키는 사람〔것〕; 상대를 억누르는 의논. **2** 《영》 (발동기의) 소음기(消音器); (총포 등의) 소음 장치.

si·lenced [-t] *a.* 침묵을 강요당한, (총에) 소음 장치를 붙인, (목사가) 설교하는 것이 금지된.

†**si·lent** [sáilənt] *a.* **1** 침묵하는, 무언의(mute); 말 없는, 침묵을 지키는: ~ reading 묵독(默讀) / Be 〔Keep〕 ~ ! 조용히 하라, 입 다물어라.

> SYN. **silent** 침묵하고 있는 상태, 또는 다변(多辯)이 아님을 나타내는 단순한 말. **reticent** 귀찮아서 또는 흥미가 없어서 일시적으로 침묵하고 있는. **reserved** 얘기하고 싶은 것은 있지만 거리끼거나 어떤 배려에서 침묵을 지키는. **taciturn** 성격적으로 말이 없고 비사교적인.

2 아무 말〔언급〕도 없는(unmentioned), 명기〔기록〕되어 있지 않은(unrecorded): History is ~ *on* 〔*upon*〕 the subject. 역사는 그 문제에 언급하고 있지 않다. **3** 소식 없는, 무소식의. **4** 공표하지 않는, 알리지 않는. **5** 잠잠한, 쥐죽은 듯한, 고요한(quiet); 소리 없는. SYN. ⇨QUIET. **6** 〚상업〛 익명(匿名)의. **7** 활동하지 않는, 쉬고 있는(inactive): a ~ volcano 휴화산. **8** 〚음성〛 발음되지 않는, 묵음(默音)의《cake, knife 의 e, k 따위》; 〚영화〛 무성의: a ~ film 〔movie〕 무성 영화 / the ~ drama 무언극. ***give the ~ treatment*** 묵살〔무시〕하다. ~ ***as the grave*** ⇨GRAVE[1].

— *n.* (*pl.*) 무성 영화. ㊞ **~·ness** *n.*

sílent áuction 입찰식 경매.

sílent bútler 《미》 (식당용) 뚜껑 있는 납작한 쓰레기통. 「조용히.

*****si·lent·ly** [sáiləntli] *ad.* **1** 잠자코. **2** 고요히,

sílent majórity 말 없는 다수; 일반 대중.

sílent pártner 《미》 익명 사원(《영》 sleeping partner)《출자만 하고 업무에 관여하지 않는》.

sílent sérvice (the ~) 해군; (the ~) 잠수함대(隊).

sílent sóldier 《군대속어》 지뢰, 위장 폭탄.

sílent sỳstem (교도소 내에서의) 침묵 제도《죄수에게 침묵을 과하는 제도》.

sílent trèatment (경멸·불찬성·거절 등을 나타내어) 묵살, 무시: give the ~ 묵살〔무시〕하다.

sílent vòte 부동표(浮動票).

Si·le·nus [sailíːnəs] *n.* 〚그리스신화〛 실레노스《주신(酒神) Dionysus 의 양부(養父)》.

Si·le·sia [silíːʒə, -ʃə, sai-/sailíːziə, -ʒə, si-] *n.* 실레지아《유럽 중부의 지방》; U,C (s-) 실레지아 천《안감용》. ㊞ **Si·lé·sian** [-n] *a.*, *n.* 실레지아의 (사람).

si·lex [sáileks] *n.* U silica 나 분말 트리폴리 등의 규산 함유물; (silica 로 만든) 내열성 석영유리; C (S-) (내열 유리로 된) 커피 끓이는 그릇의 일종《상표명》.

*****sil·hou·ette** [sìluːét] *n.* **1** 실루엣, 그림자 그림, (옆얼굴의) 흑색 반면 영상(半面映像); 그림자(shadow). **2** 윤곽: give a fine ~ against the sky 하늘을 배경으로 뚜렷한 윤곽을 나타내다. ***in*** ~ 실루엣으로; 윤곽만으로. **— *vt.*** 《~+목/+목+전+명》〘보통 수동태〙 실루엣으로 그리다, …의 그림자를 비추다; …의 윤곽만을 보이다: a tree ~*d against* the evening sky 저녁 하늘을 배경으로 검은 윤곽을 드리운 한 그루의 나무.

silhouette 1

sil·i·ca [sílikə] *n.* U 실리카, 무수규산(無水珪酸), 규토(珪土).

sílica gèl 〚화학〛 실리카 겔《방습제》.

sil·i·cal·cite [sílikəlsàit] *n.* U 모래와 석회의 발포(發泡) 콘크리트.

sil·i·cate [síləkèit] *n.* U 〚화학〛 규산염(塩).

si·li·ceous, si·li·cious [silíʃəs] *a.* 규산의; 규토(질)의.

si·lic·ic [səlísik] *a.* 무수규산(無水珪酸)〔규토〕의; 규소를 함유하는: ~ acid 규산.

sil·i·cide [síləsàid, -sid] *n.* 〚화학〛 규소 화합물, 규화물(珪化物).

si·lic·i·fy [səlísəfài] *vt.* 규산화하다. ㊞ **si·lìc·i·fi·cá·tion** *n.*

sil·i·cle [sílikl] *n.* 〚식물〛 단각과(短角果).

°**sil·i·con** [sílikən, -kàn/-kən, -kɔ̀n] *n.* U 〚화학〛 규소《비금속 원소; 기호 Si; 번호 14》.

sílicon cárbide 〚화학〛 탄화(炭化) 규소.

sílicon chíp 〚전자〛 실리콘 칩.

sílicon-contròlled réctifier 〚전자〛 실리콘 제어 정류기(制御整流器)《생략: SCR》.

sílicon dióxide 〚화학〛 이산화규소(silica).

sil·i·cone [síləkòun] *n.* U 〚화학〛 실리콘, 규소 수지《합성수지·합성 고무 따위의 유기 화합물》: ~ oil 실리콘 유 / ~ resin 실리콘 수지 / ~ rubber 실리콘 고무. [◂ *silicon*+*-one*]

síl·i·con·ìzed *a.* 실리콘(silicone)으로 처리한〔된〕; (물질에) 실리콘이 첨가된.

sílicon nítride 〚화학〛 질화 규소《규소와 질소의 각종 화합물; 단단하며 내열성·내(耐)부식성이 강함》.

sílicon sỳndrome 실리콘 증후군《연구에만 몰두하는 과학자인 남편 때문에 부부간에 틈이 벌어지게 되는 증상》.

Sílicon Válley 실리콘 밸리《고도의 반도체 소자업체가 밀집해 있는 미국 샌프란시스코만 남쪽의 Santa Clara 지구의 속칭》.

sil·i·co·sis [sìləkóusis] *n.* U 〚의학〛 규폐증(珪肺症)《규토의 가루를 마셔 걸리는 폐의 질환》.

㊞ **sil·i·cot·ic** [sìləkátik/-kɔ́t-] *a.*, *n.* 규폐증에 걸린 (사람). 「果).

si·lique [silíːk, sílik] *n.* 〚식물〛 장각과(長角

sil·i·quose, -quous [síləkwòus], [-kwəs] *a.* 〚식물〛 장각과가 있는; 장각과 모양의.

‡**silk** [silk] *n.* U **1** 비단; 명주실, 생사; 깁, 견직물; (*pl.*) 비단옷; (*pl.*) (경마의 기수 등이 입는) 색색으로 된 비단 제복: *Silks* and satins put out the fire in the kitchen. 《속담》 옷 사치가 심하면 끼니가 없다 / artificial ~ 인조견(rayon) / be dressed in ~*s* and satins 사치스러운 옷차림을 하고 있다 / raw ~ 생사. **2** U,C 《영》 (왕실 변호사의) 비단 법복(~ gown); C 《영구어》 왕실 변호사; 《미공군속어》 낙하산; 《속어》 스카프, 머플러: hit the ~ 《미공군속어》 낙하산으로 뛰어내리다. **3** 비단실 모양의 것; (거미의) 줄; (옥수수의) 수염(corn ~); (보석 등의) 명주실 같은 광택. ***make a ~ purse out of a sow's ear*** 어림없는 짓을 하다, 말도 안 되는 소리를 하다. ***take*** (***the***) ~ 《영》 왕실 변호사가 되다.

silk·a·line, silk·o·line, silk·o·lene [sìlkəlíːn] *n.* 실칼린《얇고 부드러운 면포(綿布)》.

sílk còtton =KAPOK.

°**silk·en** [sílkən] *a.* **1** 비단의, 비단으로 만든. **2** (명주처럼) 보드라운, 매끄러운, 광택 있는. **3** 부드러운(suave); 비단옷을 입은. **4** 《드물게》 점잖은, 사치스러운, 우아한.

sílken cúrtain 비단 커튼《부드러우나 가차없는 영국의 외사(外事) 검열》.

sílk gówn 《영》 왕실 변호사(의 제복).

sílk gùm 〔**glùe**〕 =SERICIN.

sílk hát 실크해트.

silk hat

Sílk Róad (the ~) 〖역사〗 비단길, 실크 로드.
sílk scrèen 실크 스크린《날염용(用) 공판(孔版)》; =SILK-SCREEN PROCESS.
sílk-scrèen *a.* ~ process의. — *vt.* ~ process로 만들다.
sílk-screen príntíng 〖인쇄〗 실크 스크린 인쇄(screen printing).
sílk-screen pròcess 실크 스크린 날염〔인쇄〕법.
sílk stócking 비단 양말 (신은 사람); 사치스러운 사람, 호사바치, 귀족적인〔부유한〕 사람.
sílk-stócking *a.* 비단 양말의〔을 신은〕; 귀족적인, 부유한, 호사스러운, 호사스럽게〔기품 있게〕 차려 입은. — *n.* 부유층 사람; 귀인.
sílk·wèed *n.* 인주솜풀《박주가릿과(科)》.
°**sílk·wòrm** *n.* 누에; 《미군대속어》 낙하산병; (S-) 〖군사〗 중국제 대(對)함선 미사일.
°**silky** [sílki] (***silk·i·er; -i·est***) *a.* **1** 비단 같은; 보드라운(soft), 매끄러운(smooth). **2** 광택 있는(lustrous). **3** 나긋나긋한, 정중〔은근〕한(suave); 말솜씨가 번드르르한. ㊞ **sílk·i·ly** *ad.* **-i·ness** *n.*
°**sill** [sil] *n.* (기둥의) 토대, 하인방(下引枋); 문지방, 문턱(threshold), 창턱(window ~); 〖지학〗 관입암상(貫入岩床); 암층.
sil·la·bub [síləbʌ̀b] *n.* 와인 밀크〔크림〕《우유·크림을 거품 일게 하여 포도주 따위를 섞은 음료·음식》; 미사여구(美辭麗句).
sil·ler [sílər] *n.* 《Sc.》 Ⓤ 은, 금전.
Sil·lery [síləri] *n.* Ⓤ 샴페인의 일종《프랑스산》.
⁑**sil·ly** [síli] (***sil·li·er; -li·est***) *a.* **1** 어리석은(stupid). SYN. ⇨FOOLISH. **2** 양식(良識) 없는, 분별없는, 바보 같은(absurd): It was very ~ *of* me. 내가 생각해도 어리석었다. **3** 《구어》 아연(啞然)한, 어이없는, 기절한, 까무러친: knocked ~ 얻어맞고 기절한. **4** 《고어》 단순〔소박〕한, 순진한(innocent); 신분이 낮은(humble). **5** 천치의, 저능한(imbecile). ***Don't be ~.*** 바보 같은 소리 마라. ***play ~ buggers*** 〔***bleeders***〕 빈둥거리다. — *n.* 《구어》 바보, 멍청이. ㊞ **síl·li·ly** *ad.* 어리석게, 바보같이. **-li·ness** *n.* Ⓤ,Ⓒ 어리석음; 바보 같음; 어리석은 짓.
sílly àss 《우스개》 멍청이, 바보.
sílly bìlly 《구어》 우스운 사람, 바보.
sílly sèason (the ~) (신문의) 불황기(期) 《8·9월의 신문 기삿거리가 동날 때》.
si·lo [sáilou] (*pl.* **~s**) *n.* **1** 사일로《사료·곡물 등을 넣어 저장하는 원탑 모양의 건조물》; (석탄·시멘트 등의) 저장고. **2** 〖군사〗 사일로《미사일의 지하 격납고 겸 발사대》. — *vt.* (목초 등을) 사일로에 저장하다.
sílo búster 《미군대속어》 (보복 공격을 방지하기 위한) 사일로 공격 핵미사일.
si·lox·ane [silɑ́ksèin/-lɔ́k-] *n.* 〖화학〗 실록산 《산화규소의 수소 화합물》.
silt [silt] *n.* Ⓤ 침니(沈泥)《모래보다 곱고 진흙보다 거친 침적토(沈積土)》. — *vt., vi.* 침니로 막다〔막히다〕《*up*》; 스며들다《*in*》. ㊞ **∠·y** *a.* 침니의〔같은〕; 침니로 꽉 막힌.
Si·lu·ri·an [silúəriən, sai-/sai-] *a.* (옛 영국의) 실루리아 사람(Silures)의; 〖지학〗 실루리아기(紀)〔계(系)〕의. — *n.* 〖지학〗 (the ~) 실루리아기〔계〕.
sil·va [sílvə] *n.* (특정 지역의) 산림, 산림의 수목, 수림지(樹林誌)《어떤 지방의 수목에 관한 기술》. ⓒⓕ flora.
sil·van [sílvən] *a.* =SYLVAN.
Sil·va·nus [silvéinəs] *n.* 〖로마신화〗 실바누스 《숲의 신; 후에 농목(農牧)의 신》. ⓒⓕ Pan.
⁑**sil·ver** [sílvər] *n.* Ⓤ **1** 은《금속 원소; 기호 Ag; 번호 47》. **2** 은그릇, 은식기, 은제품(silverware); 은세공(품); 은박(箔), 은실: table ~ 은(도금한) 식기《스푼·나이프·접시 따위》/ kitchen ~ 부엌〔주방〕 식기《반드시 은제품은 아님》. **3** 은화; 금전, 화폐: a handful of ~. **4** 은백, 은빛, 은의 광택. **5** 〖사진〗 은염류(銀塩類), 《특히》 질산은, 브롬화은. — *a.* **1** 은의, 은제의, 은으로 만든: a ~ coin. **2** 은 같은; 은빛으로 빛나는; (머리 따위가) 은백색의: ~ hair. **3** 은방울을 굴리는 듯한, 낭랑한, (소리가) 맑은(silvery), (말을) 잘하는, 유창한(eloquent). **4** 〖경제〗 은본위제의. **5** 〖화학〗 은과 화합한. **6** (결혼기념일 등의) 25주년의. **7** 제2위의《제1위를 금으로 한》. — *vt.* **1** 은도금하다; …에 은을 입히다, 은빛으로 하다. **2** 백발이 되게 하다: Age has ~*ed* her hair. 나이가 들어 머리가 은백이 되었다. **3** 〖사진〗 (건판·필름에) 질산은을 입히다. — *vi.* **1** 은빛이 되다, 은빛으로 빛나다. **2** (머리가) 은백색이 되다.
sílver áge (the ~) 백은 시대《신화상 또는 문예상 최성기(the golden age)에 버금가는 시대; 라틴 문학에서는 14-138년경; 영문학에서는 Anne 여왕 시대(1702-14)》.
sílver anniversary 25주년 기념일〔축하〕.
sílver báth 〖사진〗 감광액, 질산은 용액 (용기).
sílver béll 〖식물〗 (북아메리카 원산의) 때죽나무류(類)의 관목《흰 방울꽃이 핌》.
sílver·bèrry *n.* 〖식물〗 볼레나무《북아메리카 원산》.
sílver bírch =PAPER BIRCH.
sílver brómide 〖화학〗 브롬화은, 취화은(臭化銀)《감광제》.
sílver búllet 《구어》 (문제 해결의) 묘책, 완전한 해결책(magic bullet).
sílver certíficate 〖경제〗 은증권(銀證券)《전에 미국 정부가 발행했던 은태환 지폐》.
sílver chlóride 〖화학〗 염화은(塩化銀).
sílver córd 탯줄; 모자간의 유대.
sílver dísc 실버 디스크《gold disc에 준하는 은색의 레코드》.
sílver dóctor 제물낚시《연어·송어용》.
sílver dóllar 《미》 1달러 은화.
sílver·fish (*pl.* **-fish**(**·es**)) *n.* 〖일반적〗 은빛 물고기; 〖곤충〗 반대좀(bookworm).
sílver fòil 은박.
sílver fóx 은빛 여우(의 털가죽).
sílver fróst 〖기상〗 비얼음(glaze), 우빙(雨氷).
sílver gílt (장식용) 은박; 금도금한 은(그릇).
sílver gráy 은백색.
sílver-gráy *a.* 은백색의.
sílver-háired *a.* 은발〔백발〕의.
síl·ver·ing [-riŋ] *n.* Ⓤ,Ⓒ 은도금, 은입히기; 〖사진〗 질산은 처리〔감광〕.
sílver íodide 〖화학〗 요오드화은(銀).
sílver júbilee 25주년 축전(祝典).
sílver kéy (the ~) 뇌물(의 돈).
sílver Látin silver age의 라틴말.
sílver léaf 은박《silver foil 보다 얇음》.
sil·ver·line [sílvərlàin] *vt.* …에서 희망을 발견하다, (비관적인 상황에 대하여) 낙관적인 희망을 표명하다: The President ~*d* the nation's job outlook. 대통령은 (악화되고 있는) 국민의 취업 전망에 관하여 낙관적인 의견을 표명하였다.
sílver líning (구름의) 환한 언저리; 밝은 희망, (앞날의) 광명.
síl·ver·ly *ad.* 은같이 (빛나); (소리·목소리가) 은방울 굴리듯 맑게.
sílver médal (2등상으로서의) 은메달.

sílver-móunted [-id] *a.* 은받침의; 은으로 장식한. 「의; 은과 같은.
sil·vern [sílvərn] *a.* 《고어·문어》 은의, 은제
sílver nítrate 〖화학〗 질산은. 「감광지.
sílver páper 은박지; 은종이; 석박(錫箔); 은
sílver pláte (식탁 또는 장식용) 은그릇, 은식기; 은으로 도금한 것.
sílver-pláte *vt.* 은도금하다.
sílver-pláted [-id] *a.* 은도금한, 은을 입힌.
sílver·pòint *n.* [U,C] 〖회화〗 은필(銀筆) (화법).
sílver prínt 〖사진〗 질산은 사진.
sílver sánd 백사(白砂)《조경용 고운 모래》.
sílver scréen (the ~) (영화의) 은막; (the ~) 영화(계), 영화 산업.
sílver sérvice 《영》 웨이터가 손님 접시에 음식을 떠 주는 서비스.
sílver·sìde *n.* 《영》 (소의) 허벅지살(코기).
sílver·smìth *n.* 은장이, 은세공사.
sílver spóon 《비유》 은수저《풍부한 재산; 특히 상속받은 부(富)》. [cf.] be born with a *silver* SPOON in one's mouth.
sílver stàndard (the ~) 은본위제(銀本位制).
Sílver Stár (Mèdal) 〖미육군〗 은성 훈장《전투에 공훈이 있는 장병에게 수여》.
Sílver Státe (the ~) Nevada 주의 속칭.
sílver stréak (the ~) 《영구어》 영국 해협 (English Channel).
sílver·tàil *n.* 〖곤충〗 반대좀(silverfish); 《Austral. 구어》 돈 많은 실력자, 명사. 「(rime).
sílver thàw 우빙(雨氷)(glaze); 무빙(霧氷)
sílver-tóngued *a.* 《문어》 웅변의, 구변이 좋은, 설득력이 있는.
sílver·wàre *n.* [U] 〔집합적〕 식탁용 은제품; 은그릇(silver plate).
sílver wédding 은혼식《결혼 25 주년 기념》.
sílver·wèed *n.* 〖식물〗 뱀딸기류(類); 민눈양지
sílver wíng 《미속어》 50센트 은화. ⌊꽃의 일종.
°**sil·very** [sílvəri] *a.* 은과 같은; 은빛의; 은방울 같은, (소리가) 맑은, 낭랑한; 은을 함유한〔입힌〕: ~ moonbeams 은백색 달빛. [파] **síl·ver·i·ness** [-inis] *n.*
sil·vi·cal [sílvikəl] *a.* 삼림〔임업〕의.
sil·vi·chem·i·cal [sìlvəkémikəl] *n.* 나무에서 추출되는 화학 물질의 총칭. 「林) 생태학.
sil·vics [sílviks] *n. pl.* 〔단수취급〕 삼림(森
sil·vi·cul·ture, syl- [sílvəkÀltʃər] *n.* [U] 삼림 육성, 식림법; 임학. [파] **sìl·vi·cúl·tur·al** [-tʃərəl] *a.* **-tur·ist** [-rist] *n.* 임학자, 식림법 연구가.
s'il vous plaît [sì:lvu:pléi; *F.* silvuplɛ] 《F.》 부디, 제발(if you please, please).
sim [sim] *n.* 《구어》 =SIMULATION; SIMULATOR.
si·ma [sáimə] *n.* 〖지학〗 시마《규소와 마그네슘이 풍부한 sial의 하층 및 해양 지각(地殼)을 이룸》. [*si*lica+*ma*gnesia]
si·ma·zine [sáiməzì:n] *n.* 시마진《제초제》.
SÍM càrd [sím-] (이동전화의) 가입자 식별 모듈 카드, 심카드. [◂ *s*ubscriber *i*dentity *m*odule *card*]
SIMD 〖컴퓨터〗 Single Instruction stream, Multiple Data stream (단일 명령 흐름 복수 자료 처리). 「의 아들.
Sim·e·on [símiən] *n.* 〖성서〗 Jacob과 Leah
Símeon Sty·lí·tes [-stailáiti:z] (Saint ~) 기둥 위에서 살았다는 Syria의 고행자(390?-459).
sim·i·an [símiən] *a.* 원숭이의; 유인원(類人猿)의; 원숭이 같은(apelike). ── *n.* 원숭이(monkey); 《특히》 유인원(ape).
sim·i·lar [símələr] *a.* **1** 유사한, 비슷한, 닮은, 같은《*to*》: Let us take a ~ instance. (그것과) 비슷한 경우를 생각해 보자. [SYN.] ⇨ SAME. **2** 〖수학〗 닮은꼴의, 상사(相似)의: ~ figures 닮은꼴. **3** 〖음악〗 평행하게 진행하는. ── *n.* 《고어》 비슷한〔닮은〕 것, 유사물. [파] °**~·ly** *ad.* 유사〔비슷〕하여, 마찬가지로.
°**sim·i·lar·i·ty** [sìməlǽrəti] *n.* 유사(점), 상사성; 닮은 점《*to; between; in*》.
°**sim·i·le** [síməli] *n.* 〖수사학〗 직유(直喩), 명유(明喩)《like, as 따위를 써서 하나를 직접 다른 것에 비유하기; a heart like stone 따위》. [cf.] metaphor.
si·mil·i·tude [simílətjù:d/-tjù:d] *n.* **1** [U] 유사, 상사, 비슷함. **2** [U] 외모, 모습. **3** [C] 유사점, 유사물, 빼쏜 것〔사람〕. **4** [C] 비교; 《고어》 비유, 직유. ***in ~s*** 비유로. ***in the ~ of*** …의 모습으로; …을 본떠서.
sim·i·lize [síməlàiz] *vi.* 직유(直喩)를 사용하다. ── *vt.* 직유로 설명하다.
sim·i·tar [símətər] *n.* =SCIMETAR.
SIMM [sim] *n.* 〖전자〗 심《몇 개 정도의 메모리〔RAM〕 칩을 실은 소회로판에서, 컴퓨터 따위의 메모리 증설용 슬롯에 삽입되도록 한쪽이 에지 접속기(edge connector)로 된 것》. [◂ *S*ingle *I*n-line *M*emory *M*odule]
°**sim·mer** [símər] *vi.* **1** (약한 불에) 부글부글〔지글지글〕 끓다, (주전자물 등이) 픽픽하고 끓다. [cf.] boil[1]. **2** (끓는 물 따위가) 푹푹 소리를 내다. **3** 《+[전]+[명]》 (분노·웃음 따위가) 당장에라도 터지려고 하다; (생각 따위가 머릿속에서) 부글부글 끓고 있다: ~ *with* laughter 〔anger〕 웃음〔노여움〕을 지그시 참고 있다. ── *vt.* 뭉근히 끓게 하다〔익히다〕, 약한 불로 끓이다. ~ ***down*** 《*vi.*+[부]》 ① (음식이 약한 불에) 졸아들다, 바특해지다; (끓던 것이) 차차 식어지다. ② (흥분 따위가) 가라앉다; 마음이 진정되다. ──《*vt.*+[부]》 ③ (음식을 약한 불로) 졸이다. ── *n.* 끓어오르려는〔폭발하려는〕 상태: at a 〔on the〕 ~ 푹푹〔부글부글〕 끓어(올라). [파] **~·ing·ly** [-riŋli] *ad.*
sím·nel (càke) [símnəl(-)] 《영》 프루트 케이크의 일종《크리스마스 등에 만듦》. 「(지폐).
si·mo·le·on [səmóuliən] *n.* 《미속어》 1 달러
Si·mon [sáimən] *n.* **1** 사이몬《남자 이름》. **2** 〖성서〗 시몬《예수의 십이 사도 중의 한 사람》.
si·mo·ni·ac [simóuniæ̀k] *n.* 성직 매매자.
si·mo·ni·a·cal [sàimənáiəkəl, sìm-/sài-] *a.* 성직 매매의. [파] **~·ly** [-əli] *ad.* 성직 매매에 의하여.
si·mon·ist [sáimənist, sím-] *n.* =SIMONIAC.
si·mon·ize [sáimənàiz] *vt.* (왁스 등으로) 닦다, 광내다.
Símon Le·grée [-ligrí:] 사이먼 리그리《Mrs. Stowe 작, *Uncle Tom's Cabin*에서의 노예 매매업자》; 냉혹하고 무자비한 주인〔두목〕.
Símon Péter 〖성서〗 베드로.
símon-púre *a.* 진짜의《영국 작가 S. Centlivre 작의 희극 중의 인물명에서》.
Símon sáys 제스처 게임의 하나《사이먼 역이 명령하는 동작을 모두가 따라 하는 게임》.
si·mo·ny [sáiməni, sím-] *n.* [U] 성직 매매(죄); 성물(聖物) 매매에 의한 이득.
si·moom, si·moon [simú:m], [-mú:n] *n.* 아라비아 사막의 모래열풍〔폭풍〕.
simp [simp] *n.* 《미속어》 =SIMPLETON.
sim·pa·ti·co [simpá:tikòu, -pǽt-] *a.* 같은 성질〔정신〕의, 마음이 서로 맞는; 매력이 있는, 호감을 사는.
sim·per [símpər] *n.* 억지웃음(smirk), 선웃음, 바보 웃음. ── *vi.* 억지웃음을 웃다, 선웃음치다(smirk). ── *vt.* 선웃음치며 말하다; 억지 웃음을 띄우다. [파] **~·ing·ly** [-riŋli] *ad.*

sim·ple [símpəl] (*-pler; -plest*) *a.* **1** 단일의, 분해할 수 없는; 〖각종 술어에 붙어〗 단(單)…. opp. *compound*¹, *complex*. ¶ a ~ sentence 〖문법〗 단문. **2** 단순한, 간단한; 쉬운, 수월한: a ~ question / a ~ design 간단한 디자인. **3** 간소한, 검소한, 꾸밈없는(unadorned), 수수한 (plain); (식사 등이) 담백한: ~ beauty 수수한 아름다움 / lead a ~ life 간소한 생활을 하다. **4** 성실하고 정직한(sincere), 순박〔소박〕한: ~ manners 순박한 태도. **5** 죄 없는, 순진한, 티없는(innocent); 천진난만한: a ~ heart. **6** 사람 좋은, 어리석은; 무지한, 경험〔지식〕이 부족한: be ~ enough to believe ... …을 믿을 정도로 사람이 어수룩하다. **7** 순연한, 순전한(sheer): His motive was ~ greed, nothing else. 그의 동기는 순전한 욕심에 불과했다. **8** 무조건〔무제한〕의(unconditional): ~ obligation 절대적인 의무. **9** 하찮은, 대단치 않은; 《문어》 천한; 평민(출신)의(humble): a ~ peasant 신분이 낮은 농부. **10** 〖식물〗 갈라지지 않은; 〖동물〗 단체(單體)의.
— *n.* **1** 단체(單體), 원소; 단순물(物), 단일물. **2** 《고어》 단순한 사람, 바보. **3** 신분이 낮은 사람. **4** 《고어》 약초; 약초 제제(製劑).
㊉ **~·ness** *n.* 《고어》 =SIMPLICITY.

símple cóntract 단순계약, 구두계약(parol contract) 《날인 증서가 따르지 않은 구두로 한 계약》.

símple equátion 〖수학〗 1 차 방정식.

símple éye 〖동물〗 (특히 곤충의) 단안(單眼).

símple fráction 〖수학〗 단분수.

símple fracture 〖의학〗 단순 골절.

símple frúit 〖식물〗 단과(單果).

símple harmónic mótion 〖물리〗 단진동(單振動).

símple-héarted [-id] *a.* 순진〔천진〕한; 티없는; 성실한, 곧은 성격의.

símple ínterest 단리(單利). opp. *compound interest*.

símple ínterval 〖음악〗 단(單)음정, 단순음정 《1옥타브 이내의 음정》.

símple léaf 〖식물〗 단엽(單葉).

símple machíne 단순 기계 《lever, wedge, pulley, wheel and axle, inclined plane, screw의 6종》.

símple mícroscope 확대경.

símple-mínded [-id] *a.* **1** 순진한; 실직(實直)한. **2** 단순한, 천진한(artless); 사람 좋은; 어리석은; 저능한, 정신박약의(feebleminded). ㊉ **~·ly** *ad.* **~·ness** *n.*

símple péndulum 〖물리〗 단진자(單振子).

símple prótein 〖생화학〗 단순 단백질 《가수 분해로 아미노산만을 만드는 단백질》.

Símple Símon **1** 얼뜨기 사이먼 《영국의 전승(傳承) 동요의 주인공》; 얼간이. **2** 《미속어》 돌, 다이아몬드.

símple súgar 단당(單糖).

símple ténse 〖문법〗 단순시제 《조동사를 수반하지 않음》.

símple tìme 〖음악〗 단순 박자.

sim·ple·ton [símpəltən] *n.* 숙맥, 바보(fool).

sim·plex [símpleks] *a.* 단순한, 단일의 (opp. *complex*); 〖통신〗 단신(單信) 방식의 (cf. duplex): ~ telegraphy 단신법(單信法). — (*pl.* **~·es, -pli·ces** [-pləsì:z], **sim·pli·cia** [simplíʃiə]) *n.* 〖문법〗 단일어, 단순어; 〖통신〗 단신법; 〖수학〗 단체(單體); 〖컴퓨터〗 일방, 단(單)방향.

sim·pli·ci·ter [simplísətər] *ad.* 절대로, 전혀, 완전히, 전면적으로, 무조건으로, 무제한으로.

sim·plic·i·ty [simplísəti] *n.* U **1** 단순; 단일; 간단, 평이; 간편. **2** 간소, 검소; 수수함, 담박: ~ in style 문체의 간소함. **3** 순박함, 순진, 천진난만함; 실직(實直), 성실함(sincerity): the sweet ~ of a child 어린이의 귀여운 천진난만함. **4** 우직, 무지(silliness); 사람이 좋음.

sim·pli·fi·ca·tion [sìmpləfikéiʃən] *n.* U,C 단순〔단일〕화; 간소〔간이〕화; 평이화.

sim·pli·fied [símpləfàid] *a.* 간이화한.

sim·pli·fy [símpləfài] *vt.* **1** 단순화하다, 단일화하다; 간단〔평이〕하게 하다: ~ one's explanation 알기 쉽게 설명하다. **2** 수수〔소박, 담박〕하게 하다. ◇ simplification *n.*

sim·pli·mat·ic [sìmpləmǽtik] *a.* (구조·취급 등이) 간단하며 자동식인.

sim·plism [símplizəm] *n.* U 극도의 단순화(化)(oversimplification), 과장된 간소화 《지나치게 단순화하여 어느 한 면만을 강조하고 복잡한 다른 면은 무시하는 방법·태도·입장》.

sim·plis·tic [simplístik] *a.* 극단적으로 단순〔평이, 간이〕화한. ㊉ **-ti·cal·ly** *ad.*

Sim·plon [símplɑn/-plɔn] *n.* (the ~) 스위스·이탈리아 사이의 알프스 산도(山道).

sim·ply [símpli] *ad.* **1** 솔직히, 순진〔천진〕하게; 소박하게. **2** 알기 쉽게, 평이하게(clearly): describe ~ 쉽게 표현하다. **3** 간단히, 꾸밈없이, 수수하게(plainly): be ~ dressed 수수한 옷을 입고 있다. **4** 단순히, 단지(merely): He is ~ a workman. 그는 그저 직공에 지나지 않는다 / They ~ did as they were ordered. 다만 시키는 대로 했을 뿐이다. **5** 〖강조〗 전혀(absolutely), 그저, 아주, 정말(very): I have ~ nothing to do. 전혀 할 일이 없다 / She is ~ lovely. 그녀는 정말 귀엽다. **6** 《고어》 어리석게도.

Simp·sons [símpsənz] *n.* (the ~) 심슨 일가 《미국의 TV 애니메이션; 부부와 세 아이의 전형적인 근로자 가정을 중심으로 이루어짐》.

sim·ul [síməl] *ad.* (처방전에서) 함께, 동시에, 같이(together). — *n.* 〖체스〗 동시 대국.

sim·u·la·crum [sìmjəléikrəm] (*pl.* **-cra** [-krə], **~s**) *n.* 상(像), 모습(image); 그림자, 환영(幻影); 가짜(sham), 모조품 《*of*》.

sim·u·lant [símjələnt] *a.* 〖생물〗 의태(擬態)의; …을 흉내 낸, …처럼 보이는 《*of*》. — *n.* 흉내내는 사람, 닮은 물건; 가짜.

sim·u·late [símjəlèit] *vt.* …을 가장하다, (짐짓) …체하다〔시늉하다〕; 흉내 내다; (…로) 분장〔扮裝〕하다; 〖생물〗 …의 의태(擬態)를 하다(mimic); …의 모의 실험〔조종〕을 하다. SYN. ⇨ IMITATE. — [-lit] *a.* 《고어》 =SIMULATED.

sím·u·làt·ed [-id] *a.* …와 같이 보이는, 가장한, 짐짓 …인 체하는; 흉내 낸, 모조의, 가짜의, 의태의: ~ pearls 모조 진주.

sìm·u·lá·tion *n.* **1** …체함, 가장, 속임. **2** 모의 실험〔훈련〕. **3** 모조품, 가짜 물건. **4** 〖정신의학〗 꾀병 《죄를 면하기 위해 정신적·육체적 병을 가장함》. **5** 〖컴퓨터〗 시뮬레이션 《어떤 시스템의 동작을 그와 비슷한 모델로 대용함; 특히 이 목적을 위한 컴퓨터 프로그램을 이용함》: ~ technology 시뮬레이션 기술.

sim·u·la·tive [símjəlèitiv/-lət-] *a.* 흉내 내는, 시늉〔가장〕하는, (짐짓) …같이 보이게 하는 《*of*》.

sim·u·la·tor [símjəlèitər] *n.* 흉내 내는 사람〔것〕; 〖기계〗 시뮬레이터, 모의 조종〔실험〕 장치 《훈련·실험용에 실제와 똑같은 상황을 만들어 내는 장치》: ⇨ FLIGHT SIMULATOR

si·mul·cast [sáiməlkæ̀st, -kɑ̀:st, sím-/síməlkɑ̀:st] *n.* (라디오와 TV 또는 AM과 FM과의) 동시 방송. — (*p., pp.* **-cast**) *vt.* 동시 방송하다.

si·mul·ta·ne·i·ty [sàiməltəní:əti, sìm-/sìm-] *n.* U 동시 (발생), 동시(성).

si·mul·ta·ne·ous [sàiməltéiniəs, sìm-] *a.* 동시의, 동시에 일어나는, 동시에 존재하는 《*with*》: ~ interpretation 〔translation〕 동시통역. ㊉ **~·ness** *n.*

simultáneous equátions 〖수학〗 연립 방정식.

◇**si·mul·tá·ne·ous·ly** *ad.* 동시에; 일제히: *Simultaneously*, we must consider the historical aspect. 동시에 역사적인 면도 고려할 필요가 있다. ~ ***with*** …와 동시에.

⁑**sin**[1] [sin] *n.* **1** Ⓤ,Ⓒ (종교·도덕상의) 죄, 죄악 (transgression): ⇨ACTUAL SIN, ORIGINAL SIN / commit 〔forgive〕 a ~ 죄를 범하다〔용서하다〕.

> SYN. **sin** 특히 종교상·도덕상의 죄. **crime** 법률을 어기는 죄로, 강도·사기·살인 등의 행위. **vice** 부도덕한 습관 또는 행위로서 이를테면 음주·방탕·허언 등. 따라서 crime, vice는 동시에 sin이지만, sin이라도 crime이나 vice가 아닌 것도 있음.

2 (세간의 관습·예절에 대한) 과실, 잘못; 위반 (offense) 《*against*》: ~ *against* good manners 예의에 벗어남 / ~*s* of commission 위반한 죄 / ~*s* of omission 태만죄 / a social ~ 사회적 관습에 대한 위반. **3** 어리석은 일, 죄로 갈 일; 바보 같은 것. ***as*** ~ 《구어》 실로, 참으로: (as) ugly *as* ~ 참으로 못생긴. ***for one's*** ~***s*** 《보통 우스개》 무슨 업보로. ***like*** ~ 《속어》 정색〔발끈〕하여; 몹시, 맹렬히(furiously). ***live in*** ~ 《구어》 (…와) 동서(同棲)하다 《*with*》. ***the man of*** ~ 그리스도의 적, 악마. ***the*** (***seven***) ***deadly*** ~***s*** ⇨DEADLY. ***the*** ~ ***against the Holy Ghost*** 〖종교〗 성령 모독죄. ***visit a*** ~ ***upon*** a person 아무에게 벌을 내리다.

— (***-nn-***) *vi.* 《~ / +전+명》 (…에 대해) 죄를 범하다, 나쁜 짓하다 《*against*》; (예절 따위에) 어긋나다 《*against*》: ~ *against* propriety 예절에 어긋나다. — *vt.* 범하다: He ~*ned* his crimes without compunction. 거리낌없이 범죄를 되풀이하였다. ***be more sinned against than sinning*** 저지른 죄 이상으로 비난받다. ~ ***in*** 〔***away***〕 나쁜 짓을 하여 …을 초래하다〔잃다〕. ~ ***in good company*** 높은 양반들도 같은 짓을 하고 있다 《그러니 걱정 마라》. ~ ***one's mercies*** 받은 복을 감사히 여기지 않다 《하느님의 은총 따위의》.

sin[2] *prep., ad.* 《Sc.》 = SINCE.

sin[3] 〖수학〗 sine.

Si·nai [sáinai, -niài] *n.* **1** 〖구약성서〗 (Mount ~) 시내산(山) 《모세가 십계명을 받은 산》. **2** 시나이 반도(= the ~ **Península**). ㊥ **Si·na·it·ic** [sàiniítik] *a.* Sinai의.

Sin·an·thro·pus [sainǽnθrəpəs, sin-/sin-ǽnθrəp-] *n.* 〖인류〗 베이징인(Peking man).

sin·a·pism [sínəpìzəm] *n.* Ⓤ = MUSTARD PLASTER.

Sin·ar·quism, -chism [síndːrkìzəm] *n.* 멕시코 국수주의 (운동) 《1937년 멕시코에 전체주의 국가를 세우려고 일어난》. ㊥ **Sin·ar·quis·ta, Sin·ar·chist** [sìnɑːrkwístə], [sínɑːrkist] *n.* 멕시코 국수당원.

Sin·bad [sínbæd] *n.* = SINDBAD.

sín-bìn *n.* **1** 《구어》 〖아이스하키〗 패널티박스 (penalty box). **2** 《영구어》 폭력 학생 특별 지도실〔시설〕. **3** 《미속어》 이성과 놀기 위한 침구를 갖춘 밴(van).

†**since** ⇨ 《p. 2320》 SINCE.

⁑**sin·cere** [sinsíər] (***-cer·er; -cer·est***) *a.* 성실한, 진실한; 충심으로의; 성심성의의, 정직한, 거짓 없는(honest); 《미속어》 느낌이 좋은, 호감이 가는; 《고어》 순수한(pure), 섞음질하지 않은 (unmixed) 《와인 등》: be ~ in one's promises 약속을 잘 지키다. ㊥ ~·**ness** *n.*

> SYN. **sincere** 표리가 없는, 말과 행동이 같은, 위선적이 아닌: a *sincere* hope 충심으로 바라는 희망. **honest** 거짓이 없는; 정직한: an *honest* presentation of the fact 사실을 정직하게 말함. **truthful** 늘 진실을 말하는. **wholehearted** 의심 따위를 품지 않는, 마음으로부터의: a *wholehearted* socialist 철저한 사회주의자. **hearty** 충심으로 열의를 나타내는: a *hearty* welcome 따뜻한 환영. **faithful, loyal** 약속·의무·애정 따위에 성실한, 충실한. faithful은 개 따위의 가축에게도 쓰이며, loyal은 임금·국가 등이 대상이 될 때가 있음: a *faithful* 〔*loyal*〕 friend 성실한 벗. **constant** 마음이 한결같은 → 성실한.

sin·cere·ly** [sinsíərli] *ad.* 성실〔진실〕하게; 충심으로, 진정으로. ***Yours ~ = ***Sincerely*** (***yours***) 불비(不備), 경구(敬具) 《편지의 끝맺음말》.

***sin·cer·i·ty** [sinsérəti] *n.* Ⓤ 성실, 성의, 진실, 진심; 순수함: a man of ~ 성의 있는 사람, 성실한 사람 / in all ~ 거짓 없이.

sin·ci·put [sínsəpʌ̀t] (*pl.* ~***s, sin·cip·i·ta*** [sinsípitə]) *n.* 〖해부〗 전두부(前頭部) (cf. occiput); 두정부(頭頂部). ㊥ **sin·cip·i·tal** [sinsípətl] *a.*

Sin·clair [sinklέər, síŋ-/síŋklεə, sin-] *n.* 싱클레어. **1** 남자 이름. **2 Upton** (**Beall**) ~ 미국의 사회주의 작가(1878–1968).

Sind·bad [síndbæd] *n.* 신드바드 《*Arabian Nights*에 나오는 뱃사람》; 선원.

Sin·dhi [síndi] (*pl.* ~, ~***s***) *n.* 신드족 《Sind 지방에 살며 주로 이슬람교도》; 신드어 《인도유럽어족 Indic 어파의 하나》.

sin·do·nol·o·gy [sìndənɑ́lədʒi/-nɔ́l-] *n.* 〖기독교〗 성해포(聖骸布) 연구.

sine [sain] *n.* 〖수학〗 사인, 정현(正弦) 《생략: sin》: ~ curve 사인 곡선.

si·ne [sáini] *prep.* 《L.》 …없이(without).

si·ne·cure [sáinikjùər, sín-] *n.* (명예 또는 수입이 있는) 한직(閑職), 《특히》 명목뿐인 목사직(職). ***hardly a*** 〔***not a, no***〕 ~ 좀처럼 수월치 않은 일. ㊥ **-cùr·ist** [-rist] *n.* 한직〔명목만의 목사직〕에 있는 사람.

si·ne die [sáini-dáii] 《L.》 무기한의〔으로〕.

sine no·mi·ne [-nɑ́mənèi] 《L.》 이름(의 기재) 없이〔없는〕 《생략: s.n.》.

sine qua non [-kwei-nɑ́n/-nɔ́n] 《L.》 필요 불가결의 것; 필수 조건〔자격〕.

◇**sin·ew** [sínjuː] *n.* **1** 〖해부〗 힘줄; (*pl.*) 근육, 체력, 정력: a man of ~*s* 근육이 늠름한 사람, 힘이 센 사람, 장사. **2** (보통 *pl.*) 지지자〔물〕, 원동력, 자력(資力): the ~*s* of war 군자금; 〖일반적〗 (운용) 자금. — *vt.* 힘줄로 맺다; 힘을 돋우다; 지지하다.

síne wàve 〖물리〗 사인파(波).

◇**sin·ewy** [sínjui] *a.* 힘줄의, 건질(腱質)의; 근육이 툭툭 불거진; 근골이 늠름한; 힘센, 힘찬 《문체 따위》. ㊥ **sín·ew·i·ness** *n.*

sin·fo·nia [sìnfouníːə] (*pl.* ***-nie*** [-níːei]) *n.* 《It.》 〖음악〗 교향곡(symphony); 교향악단; (초기 오페라의) 서곡(overture).

sinfonía concertánte 《It.》 〖음악〗 협주 교향곡.

sin·fo·niet·ta [sìnfənjétə, -foun-] *n.* 《It.》 신포니에타; 소(小)편성의 교향악단 《종종 현악기만의》.

◇**sin·ful** [sínfəl] *a.* 죄 있는, 죄 많은; 죄스러운, 죄받을. ㊥ ~·**ly** [-fəli] *ad.* ~·**ness** *n.*

†**sing** [siŋ] (***sang*** [sæŋ], 《드물게》 ***sung*** [sʌŋ]; ***sung***) *vi.* **1** 《~ / +전+명》 노래하다: ~ *in* 〔*out of*〕 tone 가락에 맞게〔틀리게〕 노래하다 / ~ *to* the piano 피아노에 맞추어 노래하다. **2** (새가) 울다, 지저귀다; (시냇물 따위가) 졸졸거리다, (탄

알 · 바람 소리가) 픙픙〔쌩쌩, 쏴아쏴아〕 울리다, (주전자의 물 끓는 소리가) 부글부글〔픽픽〕하다; (벌레가) 윙윙거리다: The bullet *sang* past his ear. 총알이 쌩하고 그의 귓가를 스치고 날아갔다. **3** 《+전+명》 크게 기뻐하다: ~ *for* joy 기뻐서 마음이 들뜨다. **4** 《~/+전+명》 노래를 읊조리다, 시를 짓다《*of*》; (시 · 노래로) 찬미〔예찬〕하다, 구가하다《*of*》: Homer *sang of* the Trojan War in his *Iliad*. 호머는 '일리어드'에서 트로이 전쟁을 시로 읊었다. **5** 《+부》 노래가 되다; (가사가) 노래로 부를 수 있다: The text of the song may ~ *well*. 그 가사는 노래로 부르기에 좋을 것이다. **6** (귀가) 울다: My ears ~. 귀가 운다. **7** 《속어》 자백하다, 고자질하다, 밀고하다. **8** 《미속어》 호객(呼客) 사설을 외치다. — *vt.* **1** 《~+목/+목+목/+목+전+명》 읊조리다, 노래하다: ~ a song / Please ~ us a song. =Please ~ a song *for* us. 우리에게 노래를 들려주시오. **2** (새가) 지저귀다. **3** 노래로 읊다; 노래를 지어 축하하다, 찬미〔구가〕하다: ~ Mass 미사를 부르다. **4** 《+목+전+명/+목+부》 노래하여 …시키다; 노래로 보내다〔맞이하다〕《*out; in*》: ~ a baby *to* sleep 노래를 불러 아기를 재우다 / ~ *away* one's trouble 노래로 괴로움을 달래다.

make a person***'s head*** ~ 아무의 머리를 띵하게 때리다. ~ ***another*** 〔***a different***〕 ***song*** 〔***tune***〕 ⇨TUNE(관용구). ~ ***for air*** 《구어》 숨을 허덕이다. ~ ***for*** one***'s supper*** ⇨SUPPER. ~ ***low*** 조심스레 말하다. ~ ***out*** 《*vi.*+부》 ① 외치다, 소리치다; (사람을) 부르다: *Sing out* if you need help. 도움이 필요하면 부르시오. — 《*vt.*+부》 ② 큰 소리로 말하다. ③ 큰 소리로 외치다: He *sang out* that land was in sight. 그는 육지가 보인다고 크게 외쳤다. ④ 노래로 보내다. ~ ***small*** 《구어》 (호언장담한 뒤에) 겸연쩍어 얌전히 거동하다, 풀이 죽다; 낮은 소리로 노래하다. ~ ***the blues*** 걱정을 늘어놓다, 비관적인 말을 하다. ~ ***the same*** 〔***old***〕 ***song*** 같은 것을 되풀이하다. ~ ***to*** (the harp) (하프)에 맞춰 노래하다. ~ ***up*** 목소리를 더 크게 하여 노래하다. (The song has been) ***sung to death.*** (이 노래는) 넌덜머리 나도록 들었다.

— *n.* **1** Ⓤ 노래 부르기; 노랫소리. **2** Ⓒ 《미》 합창회. **3** Ⓤ (탄환 따위의) 픙픙 소리, (바람의) 윙윙 소리. ***on the*** ~ (주전자가) 피이피이 끓어.

파 ∠·a·ble *a.*

sing. single; singular.

since

이 말의 뜻은 '(…) 이래'《부사 · 전치사 · 접속사》 및 이유를 보이는 '…해서, …하므로, …까닭에'《종위접속사》 등이다. 접속사인 경우, 구문이 같기 때문에 '…한 이래'와 '…하므로'의 혼동을 일으킬 경우가 있다. 보기를 들면, *since* he was born은 '그가 태어난 이래'란 뜻 외에 '그가 태어났으므로'란 뜻이 있는데, 이러한 것은 문맥으로 가려지게 된다. since에는 또한 부사로서 시간에 관한 '전에'란 뜻도 있다.

since [sins] *ad.* (비교 없음) **1** 〖완료형동사와 함께〗 **a** 그 후 (지금까지), 그 이래 (지금〔그때〕까지): I have not seen him ~. 그(때) 후 그를 만나지 못했다 / They have ~ become more friendly. 그들은 그 후 더욱 친해졌다. **b** 〖종종 ever ~의 형태로〗 (그때) 이래 (죽), 그 후 내내, 그 이후(죽 지금까지): I came here in 1982 and I have lived here *ever* ~. 나는 1982년에 이곳에와 그 후 내내 여기에 살고 있다. **2** 《구어》 〖과거 · (현재)완료시제로서; 종종 long ~〗 (지금부터) …전에《ago가 일반적임》: *long* ~ 훨씬 (이)전에 / a moment ~ 조금 전에 / I saw her not *long* ~. 그녀를 바로 최근에 만났다 / He has *long* ~ arrived. 그는 훨씬 전에 도착했다.

— *prep.* **1** 〖(현재)완료시제로〗 **a** 〖흔히 ever ~로 계속 · 경험의 완료동사와 더불어〗 …이래〔이후〕, …부터 (지금〔그때〕에 이르기까지), 그 후: He has been ill ~ leaving college. 그는 대학을 나온 이래 죽 앓고 있다 / They have been very happy together *ever* ~ their marriage. 그들은 결혼 후 함께 행복하게 지내고 있다 / I have known him ~ childhood. 나는 그를 어렸을 때부터 알고 있다. ★since는 from then till now의 뜻으로, 보통 현재완료와 함께 쓰임. **b** 《구어》 …(발명〔발견〕된) 시대 이래: the greatest invention ~ 1960, 1960년 이래의 최대의 발명 / He is the greatest playwright ~ Shakespeare. 그는 셰익스피어 이래 가장 위대한 극작가이다. **2** 〖It is … ~ —의 구문으로〗 —이래(…가 되다): It's a long time ~ her death. 그녀가 죽은 지도 꽤 오래 된다. ~ ***then*** 그때 이래. ~ ***when*** 언제부터: *Since when* have you lived here? 언제부터 여기에 살고 계십니까?

— *conj.* 〖종위접속사〗 **1 a** 〖주절에 완료형을 수반하여〗 …한 이래, …한 후 (지금까지) 《since절속의 동사는 보통 과거형이나, 현재도 계속되는 일의 시발점을 나타낼 때에는 완료형을 씀》: He has worked 〔has been working〕 ~ he left school. 그는 학교를 나온 이래 (직장에서) 일하고 있다 / I have known her ever ~ she was a child. 아이때부터 그녀를 잘 알고 있다《ever는 since의 의미를 세게 함》/ The city has changed a lot ~ I have lived here. 내가 여기에서 산 이래 도시가 많이 변했다《since절 안의 완료형은 지금도 살고 있음을 나타냄》/ He had not seen her ~ he (had) married. 그는 결혼한 후부터 그녀를 만나지 못했었다. **b** 〖It is 〔《구어》 has been〕… ~ —의 구문으로〗 …한 이래〔…한 지〕 —이 된다 《since절은 과거형이나, 《구어》에서는 완료형도 씀》: How long is it ~ I saw you last? 지난번에 뵌 이래 얼마나 됩니까 / It is two years ~ I saw Jane. =《구어》 It has been two years ~ I have seen Jane. 내가 제인을 만난지 2년이 된다《또 I *have* not *seen* Jane for two years. → Two years *have passed* ~ I saw Jane. → I saw Jane two years ago.처럼 바꿀 수도 있음》.

2 a …하므로〔이므로〕, …까닭에; …인〔한〕 이상: *Since* she wants to go, I'd let her. 그녀가 가고 싶어하니 그렇게 해 주지 / He must have shut the door ~ he was the last one to leave. 그가 마지막으로 떠났으니 그가 문을 닫았을 것이다.

NOTE (1) 《미》에서는 as 대신 자주 쓰임. (2) because가 뜻이 가장 세고 다음은 since, as, for의 순임. (3) because와는 달리 simply, partly, only 따위로 수식할 수 없음.

b …하므로〔…이기에〕 말하지만《Since …, I say —의 생략임》: She's all right ~ you want to know. 네가 알고 싶어하기에 말하지만, 그녀는 여느 때처럼 건강해.

síng-alòng *n.* 《구어》 노래부르기 위한 모임 (songfest).
Sin·ga·pore [síŋgəpɔ̀ːr] *n.* 싱가포르《말레이 반도 남단의 섬; 영연방 자치령으로서 1965년 말레이시아에서 독립; 그 수도》. ⓟ **Sìn·ga·pór·ean** *a., n.* 싱가포르의 (주민).
◇**singe** [sindʒ] (~·*ing*) *vt.* 태워 그스르다; (머리를 다듬고) 끝을 지지다; (돼지·새 등의) 털을 그스르다; (천의) 보풀을 태우다《제조 과정에서》; (명성 따위를) 손상하다. ── *vi.* 까맣게 타다, 눋다. ~ one's *feathers* 〔*wings*〕 명성을 손상시키다; 애먹다, 실수하다, 실패하다. ── *n.* 그스름, 탐, 눌음; 탄〔눌은〕 자국.
sing·er[1] [síŋər] *n.* **1** 노래하는 사람, 《특히》 가수, 성악가(vocalist). **2** 〖조류〗 우는 새, 명금(鳴禽)(songbird). **3** 시인. **4** 《미암흑가속어》 밀고자.
sing·er[2] [síndʒər] *n.* 그슬리는 사람〔것〕; 털을 태우는 사람, 머리 끝을 지지는 사람〔도구〕.
sínger-sóngwriter [síŋər-] *n.* 가수 겸 작곡가(=**sínger-wríter**).
Sin·gha·lese [sìŋgəlíːz] *a., n.* =SINHALESE.
síng-ìn *n.* 《미》 (청중도 노래하는) 합창 모임.
síng·ing *n.* Ⓤ 노래하기, 창가; 노랫소리; 지저귐; 욺, 울리기; 귀울림, 이명(耳鳴); 〖통신〗 울리는 소리. ── *a.* 노래하는; 지저귀는.
sínging-màn [-mæ̀n] (*pl.* **-mèn** [-mèn]) *n.* 《고어》 (직업) 가수.
sínging màster 성악 교사; (교회의) 성가대 지휘자.
sínging schòol 음악 학교〔교습소〕.
sin·gle [síŋgəl] *a.* **1** 단 하나의, 단 한 개의, 단지 홀로의: A ~ instance is not enough. 한 예만으로는 충분하지 않다/a ~ survivor 유일한 생존자.

> SYN. **single** 딴 것과 떼어져 있음. 동아리나 비슷한 것이 없음: a *single* case 유일한 경우. **only** 달리 또 없음: an *only* child 외아들. **sole** only와 같으나 그 밖에 '독점적인' 이란 뜻: *sole* rights of publication 판권의 독점/the *sole* power of Congress 의회만이 가질 수 있는 권한. **unique** 독자성이 강조됨. 유일무이의.

2 1인용의; 한 가족용의; 외톨로 서 있는: a ~ bed 〔room〕, 1인용 침대〔방〕. **3** 혼자〔독신〕의, 외로운, 고독한: a ~ life 독신 생활/~ blessedness 《우스개》 마음 편한 독신. **4** 1대 1의; 개개의; 따로따로의. **5** (꽃 따위가) 외〔홑〕겹의, 홑의, 단일의: a ~ rose 홑겹 장미. **6** 편도의《차표 따위》: a ~ ticket(《미》 one-way ticket). **7** 한결같은, 성실한(honest, sincere): ~ devotion to one's work 오로지 일에 대한 전념. **8** 획일적인; 모든 것에 공통된; 단결된. **9** 〖부기〗 단식(單式)의. ***each*** 〔***every***〕 ~ 《each 〔every〕의 강조형》 한 사람 한 사람의, 하나하나의: *each* ~ citizen 한 사람 한 사람의 시민. ***with a ~ eye*** 〔***heart, mind***〕 성심성의로.
── *n.* **1** 한 개, 단일, 한 사람; (*pl.*) 독신자《특히 젊고 활동적인》; 1인용 방〔선실, 침대, 식탁, 관람석〕, 1인석(席) 표. **2** (~s) 〖테니스〗 단식(경기). **3** 〖야구〗 단타(單打)(one-base hit). **4** 〖골프〗 2인 경기. **5** 〖카드놀이〗 (5점 승부의) 5대 4의 승리. **6** (*pl.*) 한 겹의 명주실. **7** 〖식물〗 홑겹의 꽃. **8** 《영》 편도 차표(~ ticket). **9** (보통 *pl.*) 《구어》 1달러〔파운드〕 지폐; (레코드의) 싱글음반; 《미속어》 (파트너 없이 하는) 단독 영업자, 독불장군, 독연(獨演)의 연예인〔탤런트〕; 솔로 공연, 독연. ***in*** **~s** 한 사람 한 사람, 하나하나.
── *ad.* 혼자서: live ~ 독신 생활을 하다.
── *vt.* **1** 《+목+전+명/+목+부》 뽑아내다, 선발〔발탁〕하다《*out; out of*》: We have ~*d* you *out from* all the candidates. 전 지원자 가운데서 당신을 선발했다. **2** 〖야구〗 (주자를) 싱글히트로 진루시키다, (1타점을) 싱글히트로 올리다. ── *vi.* 〖야구〗 단타(單打)를 치다.
síngle-ácting *a.* 〖기계〗 한 방향으로만 움직이는, 단동식(單動式)의, 단(單)작용의: a ~ pump 단동(單動)펌프/a ~ cylinder 단동 작동 실린더.
síngle-áction *a.* 단동식(single-acting)의; (총기가) 단발식의.
síngle-ánswer mèthod 찬반 질문법.
síngle-bànk *vt.* (훈련 등을 위해) 한 사람씩 노젓기를 시키다.
síngle-bárrel *n.* 단총신(單銃身)의 총.
síngle-blínd tèst 〖의학〗 단순 맹검법(盲檢法)《약이나 치료법의 내용을 피험자에게 알리지 않고 행하는 실험 방법》.
síngle bónd 〖화학〗 단일 결합.
síngle-bréasted [-id] *a.* 외줄 단추의, 싱글의《윗옷》. cf. double-breasted.
síngle-céll prótein 〖생화학〗 단세포 단백질《석유의 미생물·효모 발효에 의해 생산된 단백질; 생략: SCP》.
síngle-chìp *a.* 〖전자〗 단일(單一) 칩의.
síngle cómbat 1대 1의 싸움, 결투.
síngle-cópy sàles (잡지의) 낱권 판매《예약 구독(subscription)에 반대되는 개념; 특히 newsstand에서의 판매》.
síngle créam 《영》 18%의 유지(乳脂)를 함유하는 크림《커피용 크림 따위》.
síngle cróss 〖생물〗 단교잡(單交雜)《육종(育種)을 위한 교잡의 한 형식; 동종 간의 제1대 잡종》.
síngle cúrrency (몇 나라 공통의) 단일 통화.
síngle-décker *n.* 단층선(船)〔함(艦)〕; 《영》 2층 없는 전차〔버스〕(cf. double-decker). ── *a.* 1층만의《관람석·버스 따위》.
síngle-dènsity *n., a.* 〖컴퓨터〗 단밀도(의).
síngle-density dìsk 〖컴퓨터〗 단밀도 디스크《기록 용량이 180킬로비트(한쪽면), 또는 360킬로비트(양면)의 것》.
síngle-en·tén·dre [-ɑːntáːndrə] *n.* 꼭 들어맞는 말, 결정적인 한마디; 노골적인 말투.
síngle éntry 단식 부기〔기장법〕. cf. double entry.
Síngle Européan Àct (the ~) 단일 유럽 의정서《유럽 공동체(EC) 설립을 규정한 Roma 조약을 크게 개정한 조약; 각료 이사회의 결정을 신속화하는 제도를 도입하여 1992년 말까지 EC 시장 통합을 이루고 '국경 없는 유럽'을 실현하려 함; 생략: SEA》.
síngle Européan márket 유럽의 단일 시장《유럽의 무관세·자유 무역 시장》.
síngle éye 〖종교〗 (사물을 올바로 보는) 바른 눈. opp. *evil eye*.
síngle fíle 일렬종대(로).
síngle-fíre *a.* (탄약통 따위가) 단발(單發)의.
síngle-fòot *n., vi.* 〖승마〗 가벼운 구보(로 달리다). ⓟ **~·er** *n.*
síngle-hánded [-id] *a., ad.* **1** 한쪽 손의〔으로〕, 한 손 조작의〔으로〕. **2** 단독의〔으로〕, 독력의〔으로〕. ⓟ **~·ly** *ad.* **~·ness** *n.*
síngle-hánder *n.* 단독 항해하는 사람.
síngle-héarted [-id] *a.* 일편단심의, 진심의, 성의 있는, 성실한(sincere), 헌신적인. ⓟ **~·ly** *ad.* **~·ness** *n.*
síngle hónours 《영》 (대학의) 단일 전공 과정.
síngle-lèns réflex 일안(一眼) 리플렉스 (카메라)《생략: SLR》.
síngle-líne *a.* 일방통행의; 단일 품목〔업종〕의; 〖수산〗 외줄낚시의.
síngle-lóader *n.* 단발 화기, 단발총. cf. magazine gun 〔rifle〕.

síngle márket 단일 시장(single European market).
síngle-mínded [-id] *a.* =SINGLE-HEARTED; 목적이 단 하나의, 공통 목적을 가진, 일치단결한. ㊞ **~·ly** *ad.* **~·ness** *n.*
síngle móther 미혼모, 모자 가정의 모친.
síngle-náme pàper 〖은행〗 단명(單名)〔자기앞〕 어음.
sín·gle·ness *n.* Ⓤ **1** 단일, 단독; 독신. **2** 성의, 전심. ~ ***of heart*** 일편단심, 성실, 진심. ~ ***of purpose*** 한 가지 목적에만 골똘함, 전심(專心), 일심불란.
síngle párent 홀로 아이를 기르는 어버이, 편친(片親).
síngle-párent *a.* 편친의, 홀어버이의: ~ families 편친 가족들 / a ~ household 편친 가정.
síngle-phàse *a.* 〖전기〗 단상(單相)의: a ~ current 〔motor〕 단상 전류〔전동기〕.
síngle-pìece *a.* 일체 성형(成形)의: a ~ window frame and integral hinge 하나로 성형된 창틀과 경첩.
síngle-ràil tráck cìrcuit 〖철도〗 단(單)레일 궤도 회로, 단궤조(單軌條) 회로.
síngle rhýme 단운(單韻), 남성운(masculine rhyme).
síngles bàr =DATING BAR.
síngle-séater *n.* 1인승《단일 좌석(單一座席) 비행기 · 자동차 따위》.
síngle-sèrvice *a.* (음식 따위가) 1인분의, 1회분의.
síngle-sèx *a.* (남 · 녀) 한쪽 성만을 위한, (남녀) 공학이 아닌《교육 · 훈련 따위》.
síngle-shót *a.* (총이) 단발 수동(手動) 장전의, 단발식의; (자동 화기가) 반자동의.
síngle sídeband 〖통신〗 단측파대(單側波帶) 《생략: SSB》; 〔형용사적〕 단측파대의, SSB의: ~ transmission 〔reception〕 단측파대 전송〔수신〕.
síngle sóurcing 〖상업〗 구입처의 단일화, 단일 구입처.
síngle-spáce *vt., vi.* 싱글 스페이스로 〔행간 여백 없이〕 타자치다. ⓒⓕ double-space.
síngle stándard 1 (금 · 은 따위의) 단본위제. **2** 남녀 공통의〔평등한〕 (성)도덕률.
síngle stém 〖스키〗 반제동(半制動).
síngle-stép *vt.* 〖컴퓨터〗 (프로그램의) 한 조작마다 한 스텝씩 명령을 주다.
síngle·stìck *n.* (한 손) 목검술, 봉술(棒術); 목검.
síngle·stìcker *n.* 《구어》 외돛대 요트, 《특히》 슬루프(sloop).
sin·glet [síŋglit] *n.* 《영》 속셔츠, 내의.
síngle tàx 《미》 단일세; 지조(地租).
síngle thréad 〖컴퓨터〗 단일 스레드《처음부터 끝까지 처리 중인 데이터를 완전히 끝낸 다음 다른 데이터 처리를 하는 작업》.
síngle tícket 《영》 편도표(片道票)(《미》 one-way ticket). ⓒⓕ return ticket.
sin·gle·ton [síŋgəltən] *n.* (짝 · 집단이 아니라) 하나씩 일어나는 것〔일〕, 단독 개체; 외동이, (쌍둥이에 대해) 단일아; 〖카드놀이〗 한 장(패).
síngle-tòngue (*-tongued, -tongu·ing*) *vt.* 〖음악〗 (관악기로 빠른 템포의 악절을) 단절법으로 연주하다.
síngle-tráck *a.* 〖철도〗 단선의; 한쪽 방향으로밖에 나아가지〔행동하지〕 못하는; 《구어》 융통성이 없는, 편협한(one-track).
Síngle Transfèrable Vóte 단식 이양(單式移譲) 투표《투표자가 후보자를 좋아하는 순서로 열거하여 1위가 필요로 하는 표수를 넘은 부분을 2위 이하의 후보에게 순차로 배분하는 투표 방식; 생략: STV》.
síngle·trèe *n.* =WHIPPLETREE.
síngle-válued *a.* 〖수학〗 일가(一價)의《함수》.

°**sin·gly** [síŋgəli] *ad.* 하나씩, 하나하나, 따로따로(separately); 단독으로, 홀로(individually); 혼자 힘으로; 성실히: Misfortunes never come ~. 《속담》 재앙은 늘 겹쳐서 오게 된다.
Sing Sing [síŋsiŋ] 싱싱 교도소《미국 New York 주 Ossining에 있는 주립 교도소》.
síng·sòng *n.* (노래 · 이야기 소리의) 단조로움; 단조로운 노래〔목소리〕; 《영》 즉흥 합창회. **—** *a.* 단조로운, 활기가〔억양이〕 없는. **—** *vt., vi.* 단조롭게 노래〔이야기〕하다.
⁂**sin·gu·lar** [síŋgjələr] *a.* **1** 유일한〔의〕, 단독의, 독자의: an event ~ in history 사상 유례 없는 사건 / I am not ~ in my opinion. 나만이 독자적인 의견을 갖고 있는 것은 아니다. **2** 개개의, 따로따로의(separate), 각자의(individual). **3** 보통이 아닌, 뛰어난, 비범한(unusual): a woman of ~ beauty 뛰어나게 아름다운 미인. **4** 야릇한, 기묘한, 이상한(strange): ~ clothes 야릇한 복장. ⓈⓎⓃ ⇨ STRANGE. **5** 〖문법〗 단수의. ⓄⓅⓅ *plural*. ¶ the ~ noun 단수 명사. ***all and*** ~ 모두가 다, 죄다. ~ ***to say*** 이상한 이야기지만. **—** *n.* 〖문법〗 단수(형); 단수형의 말. ㊞ **~·ism** [-lərìzəm] *n.* Ⓤ 〖철학〗 단원(單元)〔일원〕론. **~·ly** *ad.* **~·ness** *n.* =SINGULARITY.
°**sin·gu·lar·i·ty** [sìŋgjəlǽrəti] *n.* Ⓤ **1** 기이(奇異), 기묘, 야릇함; 희유(稀有); 비범, 이상(異常); Ⓒ 기이한 물건, 기이한 버릇; Ⓒ 특이성; 〖수학〗 특이점(singular point). **2** 단일, 단독; 〖문법〗 단수성.
sín·gu·lar·ìze [-ràiz] *vt.* 단수화하다, 단수형으로 하다; 개별화하다; 두드러지게 하다. ㊞ **sìn·gu·lar·i·zá·tion** *n.*
síngular pòint 〖수학〗 특이점.
sin·gul·tus [siŋgʌ́ltəs] *n.* 딸꾹질(hiccup).
Sin·ha·lese [sìnhəlíːz] (*pl.* ~) *n.* 신할리즈족《스리랑카의 주요 민족》; 신할리즈어. **—** *a.* 신할리즈족〔어〕의.
Sin·i·cize, 《영》 **-cise** [sínəsàiz] *vt.* 중국화하다, 중국식으로 하다. ㊞ **Sìn·i·ci·zá·tion** *n.*
°**sin·is·ter** [sínəstər] *a.* **1** 불길한《조짐 따위》, 재난의(disastrous); 《고어》 불행한(unfortunate); 재수가 없는; 사악한, 못된(wicked). **2** 〖문장(紋章)〗 (방패의) 왼쪽의《마주 보아 오른쪽》. ⓄⓅⓅ *dexter*. ⓒⓕ bend sinister. **3** 《고어》 왼쪽의. ㊞ **~·ly** *ad.* 불길하게; 사악하게. **~·ness** *n.*
sin·is·tral [sínəstrəl] *a.* 왼쪽의; 왼손잡이의; 왼쪽으로 말린《고둥》. ⓄⓅⓅ *dextral*. ㊞ **~·ly** *ad.*
⁂**sink** [siŋk] (***sank*** [sæŋk], 《영에서는 고어》 ***sunk*** [sʌŋk]; ***sunk, sunk·en*** [sʌ́ŋkən]) *vi.* **1** 《~/+전+명》 (무거운 것이) 가라앉다, 침몰하다《*in; under*》: ~ like a stone 돌처럼 가라앉다《헤엄칠 줄 몰라서》/ This newly invented concrete block does not ~ *in* water. 이 새로 발명된 콘크리트 블록은 물에 가라앉지 않는다 / He *sank under* the waves. 그는 파도 밑으로 가라앉았다.
2 《~/+전+명》 (해 · 달 따위가) 지다, 떨어지다: The sun was ~*ing in* the west. 해는 서쪽으로 지고 있었다.
3 (구름 따위가) 내려오다; 기울다; (어둠이) 깔리다.
4 《~/+전+명》 (건물 · 지반 따위가) 내려앉다, 주저앉다, 함몰〔침하〕하다(subside): Ground *sank under* my feet. 발 아래 땅이 꺼졌다.
5 《~/+부/+전+명》 **a** (고개 · 팔 따위가) 숙다, 수그러지다(droop); (눈이) 밑을 향하다: His head seemed to ~ helplessly *down*. 그는 맥없이 고개를 떨구는 것 같았다. **b** (사람이) 비실비실〔맥없이〕 쓰러지다, 풀썩 주저앉다(fall): She *sank to* her knees in exhaustion. 그녀는 기진하여 털썩 무릎을 꿇었다 / He *sank into*

the chair and fell asleep at once. 그는 의자에 털썩 주저앉아 곧 잠들어 버렸다.
6 《+[부]》 (눈 따위가) 우묵해지다, 쑥 들어가다, (볼이) 홀쭉해지다《*in*》: Her cheeks have *sunk in*. 그녀의 볼이 홀쭉해졌다.
7 《~/+[전]+[명]》 (피로·불행·고통 등으로) 녹초가 되다; (병으로) 쇠약〔위독〕해지다: The patient was ~*ing* fast. 그 환자는 급속히 쇠약해지고 있었다 / She began to ~ *under* the burden of her worries. 그녀는 태산 같은 걱정으로 초췌해지기 시작했다.
8 (의기(意氣)가) 꺾이다, 풀이 죽다: a ~*ing* heart 무거운 마음 / one's heart ~*s* 낙심〔낙담〕하다.
9 《~/+[전]+[명]》 망하다, 영락〔몰락〕하다; 타락하다(degenerate): ~ *into* evil habits 〔poverty〕 악습〔빈곤〕에 빠지다.
10 《~/+[부]/+[전]+[명]》 (물·수량이) 줄다; (불길·바람 따위가) 약해지다《*down*》; (물가·가치 따위가) 내리다, 떨어지다: The flood water is ~*ing*. 홍수가 빠지고 있다 / The flames have *sunk down*. 불길이 약해졌다 / The stock *sank to* nothing. 재고가 바닥났다.
11 《+[전]+[명]》 (물 따위가) 스며들다, 침투하다 (penetrate)《*in; into*》: The ink ~*s* quickly *in* the blotting paper. 잉크는 압지에 곧 스며든다.
12 《+[부]/+[전]+[명]》 (말·교훈 따위가) 마음에 새겨지다, 이해되다, 명심되다《*in; into*》: The lesson has not *sunk in*. 교훈을 해도 소용(이) 없었다 / Their warning *sank into* my heart. 그들의 경고가 가슴에 와 닿았다.
13 《+[전]+[명]》 (잠·망각·절망에) 빠지다; (침묵·몽상·슬픔 따위에) 잠기다: ~ *into* sleep 잠에 빠지다 / ~ *into* reverie 몽상에 잠기다.
14 (물고기가) 물속 깊이 헤엄치다.
— *vt*. **1** 가라앉히다, 침몰시키다, 격침시키다.
2 《+[목]+[전]+[명]》 (말뚝 따위를) (파)묻다, 박아 넣다; 침하시키다; (단검으로) 찌르다: ~ a post *into* the ground 땅에 말뚝을 박아 넣다.
3 (우물 따위를) 파내리다, 파다: ~ a well.
4 《~+[목]/+[목]+[전]+[명]》 새기다, 파다, 조각하다 (engrave): ~ a die 철인(鐵印)〔주형(鑄型)〕을 파다 / ~ letters *into* stone 돌에 글자를 새기다.
5 《+[목]+[전]+[명]》 (목소리·음(音) 따위를) 낮추다, 내리다(lower): ~ one's voice *to* a whisper 목소리를 낮춰 속삭이다.
6 (고개 따위를) 수그리다, 숙이다; (눈을) 내리깔다: ~ one's eyes 눈을 내리깔다.
7 《+[목]+[전]+[명]》 (명예·위신 따위를) 떨어뜨리다, 손상하다; 몰락시키다, 쇠〔망〕하게 하다: Your conduct will ~ you *in* their esteem. 당신은 품행 때문에 그들의 존경을 잃게 될 것이다.
8 (증권 시세 따위를) 하락시키다, 떨어뜨리다; (자격·양·힘 따위를) 줄이다.
9 (재산을) 잃다, 결딴〔거덜〕내다.
10 (물을) 줄이다, 빠지게 하다.
11 《+[목]+[전]+[명]》 파괴〔파멸〕시키다; (몸·계획 등을) 망치다; 좌절시키다: Their crime has *sunk* them *to* the dust. 죄악이 그들을 멸망시켰다 / I'm *sunk*. (이젠) 틀렸다.
12 《+[목]+[전]+[명]》 (자본 따위를) 투자〔투입〕하다《특히 회수하기 힘든 사업에》; (자본을) 고정시키다; (빚을) 갚다, 청산하다: ~ one's capital *in* a mine 광산에 투자하다.
13 (신분·증거 따위를) 숨기다; 덮어 두다; 불문에 부치다, 무시하다; 억제하다: ~ evidence 증거를 숨기다〔감추다〕 / ~ one's identity 신원을 밝히지 않다 / ~ one's pride 자부심을 억제하다 / ~ oneself 〔one's own interests〕 사리사욕을 버리고 남의 이익을 꾀하다.
14 (배 따위가 멀어져) (물을) 보이지 않게 하다: The ship gradually *sank* the coast. 배가 멀어지면서 육지가 점점 시야에서 사라졌다.
15 《+[목]+[전]+[명]》 〖~ oneself 로〗 (생각에) 잠기다; (절망에) 빠지다: He *sank* him*self in* thought 〔his work〕. 그는 생각에 잠겼다〔일에 몰두했다〕.
16 〖구기〗 (공을) 바스켓〔홀, 포켓〕에 넣다.
17 《영속어》 (맥주 따위를) 마시다(drink).
~ down ⇨ *vi*. 10; (해 따위가) 지다《*in* the west》; 맥없이 주저앉다《*on* one's knees》; 안 보이게 하다. **~ in** 스며들다; 《구어》 마음에 새기다; (뉴스·생각 등이) 충분히 〔그럭저럭〕 이해되다. **~ in** a person**'s estimation** 아무의 신용을 잃다. **~ into** …에 스며들다; 차츰 …이 되다. **~ into absurdity** 부질없는〔어리석은〕 짓을 하다. **~ or swim** 성패를 하늘에 맡기고, 흥하든 망하든. **~** one**'s difference** 의견의 차이를 버리다. **~** one**'s mind to** …에 몰두하다, …에 열중하다. **~ tooth into** ⇨TOOTH. **~ under a burden** 무거운 짐〔중책〕을 감당하지 못하다.
— *n*. **1** (부엌의) 수채, 물 버리는 곳; 《미》 세면대. **2** 하수구(sewer), 시궁창, 구정물받이: Civilization has made ~*s* of our rivers. 문명은 강물을 더럽히고 말았다. **3** 소택지, 물이 괴는 낮은 땅; 웅덩이. **4** 〖기계〗 우묵함; 〖물리〗 (열·유체(流體) 등의) 흡수(장치〔계(系)〕), =HEAT SINK. **5** (…의) 소굴: a ~ of iniquity 악의 소굴. **6** 〖연극〗 (무대) 배경을 아래위로 움직이는 홈.

sínk·a·ble *a*. 가라앉힐 수 있는; 침몰할 우려가 있는.

sink·age [síŋkidʒ] *n*. **1** [U] 가라앉음, 침하(沈下)(도(度)). **2** [C] 함몰, 움푹한 곳. **3** [U,C] = SHRINKAGE.

sínk·er *n*. 가라앉히는 사람〔것〕; (낚싯줄 따위의) 봉돌; 우물 파는 사람; 《미속어》 도넛, 비스킷; 〖야구〗 싱커(=**∠·bàll**)《공을 드롭시키는 투구의 일종》.

sínk·hòle *n*. **1** 배수구; 하수구, 수챗구멍; 하수통. **2** 악의 소굴. **3** 《미구어》 채산 맞지 않는 사업. **4** 〖지학〗 함락공(孔)(《영》 swallow (hole)).

sínk·ing *n*. [U,C] 가라앉음, 침몰; 침하(沈下), 함몰; 시굴(試掘); 투자; 저하; 파 내림; (굶주림·고생 등에 의한) 무기력, 쇠약. **—** *a*. 가라앉는, 쇠하는: a ~ feeling (공포·공복 따위로) 맥이 풀리는 느낌, 허탈감.

sínking fùnd 감채(減債) 기금.

sínking spèed (비행기·새 따위의 활공 시의) 강하 속도.

sínking spèll (주가 따위의) 일시적인 하락; (건강 등의) 일시적 쇠약.

sínk-or-swím *a*. 흥하느냐 망하느냐의, 운명을 건.

sínk tìdy 싱크대의 삼각 코너《따위》.

sínk ùnit =KITCHEN UNIT.

sín·less *a*. 죄 없는, 결백한; 순결〔순진〕한. [파] **~·ly** *ad*. **~·ness** *n*.

°**sin·ner** [sínər] *n*. (종교·도덕상의) 죄인, 죄 많은 사람; 《구어》 벼락 맞을 사람〔놈〕; 《우스개》 예절 모르는 사람, 장난꾼: a young ~ 《우스개》 젊은이, 애송이.

Sinn Fein [ʃínféin] 신페인 운동《아일랜드의 독립 운동》; 신페인당(黨); 신페인당원. [파] **~·er** *n*. 신페인당원.

Si·no- [sáinou, -nə, sín-] '중국'이란 뜻의 결합사.

si·no·á·tri·al nóde [sàinouéitriəl-] 〖해부〗 (우심방의) 동방 결절(洞房結節).

sín òffering 속죄하기 위한 제물〔희생〕.

Sìno-Japanése *a*. 중일의, 중국과 일본 간의: the ~ war 청일(淸日) 전쟁.

Sìno-Koréan *a*. 한중(韓中)의, 한국과 중국에

관한. ― *n.* 한국어 속의 중국어.

si·nol·o·gist, si·no·logue [sainɑ́lədʒist, si-/-nɔ́l-], [sáinəlɔ̀ːg, sín-] *n.* (or S-) 중국학을 연구하는 학자.

si·nol·o·gy [sainɑ́lədʒi, si-/-nɔ́l-] *n.* (or S-) Ⓤ 중국학《중국의 언어·역사·문화·풍속 따위의 연구》. ㊞ **si·no·lóg·i·cal** *a.* 「아함〔하는〕.

Sin·o·phile [sáinəfàil, sín-] *n., a.* 중국을 좋

Sin·o·phobe [sáinəfòub, sín-] *a., n.* 중국을 혐오하는 (사람).

Sin·o·pho·bia [sàinəfóubiə, sìn-] *n.* 중국 혐오, 중국 공포증.

Sìno-Tibétan *n., a.* 시노티베트 어족(語族)(의)《Chinese, Tibetan, Myanmarese, Thai 따위》.

SINS 〖해사〗 Ship's Inertial Navigation System(선박 관성(慣性) 항행 장치). 「화나.

sin·se·mil·la [sìnsəmílə] *n.* 씨 없는 마리

sín sùbsidy 죄악〔위반〕 보조《부부보다 미혼인 두 사람 쪽이 적은 소득세》. 「위의 세금》.

sín tàx 《미구어》 '죄악' 세《술·담배·도박 따

sin·ter [síntər] *n.* (온천의) 탕화(湯花), 버캐; 〖야금〗 소결물(燒結物); =CINDER. ― *vt., vi.* 소결〔소고(燒固)〕하다〔시키다〕: ~*ing* furnace 소결로(爐).

sin·u·ate [sínjuət, -èit] *a.* 꾸불꾸불한(sinuous); 〖식물〗 (잎 가장자리가) 물결 모양의. ― *vi.* [-èit] 구불구불 구부러지다; (뱀 등이) 구불구불 기다《*along*》. ㊞ **sín·u·àt·ed** [-id] *a.* **sìn·u·á·tion** *n.* 꾸불꾸불함, 굴곡; 물결 모양.

sin·u·os·i·ty [sìnjuɑ́səti/-ɔ́s-] *n.* Ⓤ 꾸불꾸불함, 굴곡, 만곡; Ⓒ 만곡부, (강·길 따위의) 굽이진 곳.

sin·u·ous [sínjuəs] *a.* (강 따위가) 꾸불꾸불한, 굽이진(winding); 물결 모양의, 기복하는(undulating); 〖식물〗 =SINUATE; 복잡한(intricate); 에두르는; 사악한; 빙퉁그러진《성질 따위》. ㊞ **~·ly** *ad.* **~·ness** *n.*

si·nus [sáinəs] (*pl.* **~, ~·es**) *n.* 〖해부〗 공동(空洞)(cavity), 두(竇); 〖의학〗 누(瘻)(fistula); 〖식물〗 (잎의) 결각(缺刻); 우묵한 곳; 만곡(부); 후미, 만(灣). ㊞ **~·lìke** *a.*

si·nus·i·tis [sàinəsáitis] *n.* Ⓤ 〖의학〗 정맥두염(靜脈竇炎); 부비강염(副鼻腔炎).

si·nu·soid [sáinəsɔ̀id] *n.* 〖수학〗 사인 곡선(sine curve); 〖해부〗 유동(類洞), 동양(洞樣) 혈관. ㊞ **sì·nu·sói·dal** *a.* ~의.

sinusóidal projèction 〖지도〗 상송 도법(相送圖法).

Si·on [sáiən] *n.* =ZION.

-sion ⇨-TION.

Siou·an [súːən] *n., a.* Sioux 족(族)《북아메리카 원주민의 한 종족》〔말〕(의).

Sioux [suː] (*pl.* ~ [suː(z)]) *n.* 수족(族)의 사람; Ⓤ 수 말. ― *a.* 수족〔말〕의. 「별명.

Síoux Státe (the ~) North Dakota 주(州)의

***sip** [sip] *n.* (마실 것의) 한 모금, 한 번 마심, 한 번 홀짝임: take a ~ 홀짝이다, 홀짝홀짝 마시다. ― (*-pp-*) *vt.* (…을) 조금씩〔홀짝홀짝〕 마시다: He ~*ped* his brandy. 그는 브랜디를 홀짝이었다. ― *vi.* 《+前+名》 조금씩 마시다: I ~*ped at* the coffee. 커피를 조금씩 마셨다. ㊞ **sip·per** [sípər] *n.* 홀짝홀짝 마시는 사람; 술을 음미하는 사람; 《미》 종이빨대.

SIPC 《미》 Securities Investor Protection Corporation(증권 투자가 보호 기관).

sipe [saip] *n.* (타이어의) 땅에 닿는 부분의 홈.

°**si·phon, sy-** [sáifən] *n.* **1** 사이펀, 빨아올리는 관(管). **2** (소다수용의 압축 탄산수를 채운) 사이펀 병(=∠ **bòttle**). **3** 〖동물〗 수관(水管), 흡관(吸管). ― *vt.* **1** 《~+目/+目+前+名》 사이펀으로 빨아올리다, 사이펀으로 옮기다《*off; out; from*》: ~ gasoline *from* a tank 탱크에서 가솔린을 사이펀으로 빨아올리다. **2** (수입·세금 등을) 빨아올리다, 흡수하다: Heavy taxes ~ *off* the profits. 무거운 세금으로 이익을 흡수하다. **3** (자금 등을) (…에) 유용하다《*off; from; into*》. ― *vi.* 《~/+前+名》 사이펀을 통하다, 사이펀에서(처럼) 흘러나오다: A fine spray ~*s from* the hole. 잔 분무(噴霧)가 구멍에서 사이펀에서처럼 흘러나온다. ㊞ **~·al, si·phon·ic** [-fənəl], [saifɑ́nik/-fɔ́n-] *a.* 사이펀의; 〖동물〗 수관(水管)의, 흡관의.

si·phon·age [sáifənidʒ] *n.* 사이펀 작용.

si·pho·no·phore [sáifənəfɔ̀ːr, saifɑ́n-/sáifən-, saifɔ́n-] *n.* 〖동물〗 관(管)해파리.

sip·pet [sípit] *n.* (수프에 넣거나 또는 고기 따위에 곁들이는) 빵조각(crouton); 《비유》 작은 조각, 끄트러기.

SIPRI Stockholm International Peace Research Institute(스톡홀름 국제 평화 연구소).

‡**sir** [səːr, 약 sər] *n.* **1** 《호칭》 님, 선생(님), 귀하, 각하, 나리《손윗사람·미지(未知)의 남성 또는 의장에 대한 경칭》: Good morning, ~. 안녕히 주무셨습니까/*Sir*, may I ask a question? 선생님 질문 하나 해도 됩니까. **2** 〖강세를 두어〗 이봐, 이놈아《꾸짖거나 빈정거릴 때》: Keep still, ~! 이 녀석아 조용히 좀 해. **3** (S-) 근계(謹啓), 여불비례(餘不備禮)《보통 상용문의 서두, 또 옛날에는 끝맺는 인사말》; (Sirs) 제위(諸位), 귀중: I am, ~, yours truly. 여불비례/(Dear) *Sir* 〔*Sirs*〕 근계(謹啓)《단, 회사 앞으로 내는 상용문의 경우, 미국에서는 Gentlemen을 쓸 때가 많음》. **4** (S-) 경(卿)《영국에서는 나이트작(爵) 또는 준남작의 지위에 있는 사람의 성명 또는 이름 위에 붙임》. ★ *Sir* Winston Churchill을 생략할 때는 *Sir* Winston이라 하며 *Sir* Churchill이라고는 하지 않음. **5** 《미구어》 성(性)과는 무관계하게 긍정 또는 부정의 강조어: Yes, ~! 그렇고 말고요/No, ~! 천만에요. **6** 《고어》 직업·지위를 나타내는 명사에 덧붙인 존칭: *Sir* knight 기사님/~ judge 재판관님. **7** 빈정대는 투 또는 희롱조의 경칭: ~ critic 논평가〔비평가〕씨.
― (*-rr-, sir'd*) *vt.* …에게 sir 하고 부르다.

sir·dar [sərdɑ́ːr/sə́ːdɑː] *n.* (인도·파키스탄의) 군지휘관, 사령관, 대장(隊長); (본디 이집트군의 영국인) 군사령관.

sire [saiər] *n.* **1** 《고어》 폐하, 전하《호칭》. **2** 《시어》 아버지, 조상; 창시자. **3** (짐승의) 아비; 종마(種馬), 씨말. ㊂ dam². ― *vt.* (씨말이 새끼를) 낳게 하다; 창시하다; (책을) 저술하다.

***si·ren** [sáiərən] *n.* **1** 사이렌, 호적(號笛), 경보기: an ambulance ~ 구급차의 사이렌/blow 〔sound〕 a ~ 사이렌을 울리다. **2** (S-) 〖그리스 신화〗 사이렌《아름다운 노랫소리로 근처를 지나는 뱃사람을 유혹하여 파선시켰다는 바다의 요정》. **3** 마녀, 괴미인, 요부; 아름다운 목소리의 여가수; 유혹자〔물〕. **4** 인어. **5** 〖동물〗 사이렌과(科)의 동물《양서류》. ― *a.* 사이렌의; 매혹적인. ― *vi.* (구급차 따위가) 사이렌을 울리며 나아가다.

si·re·ni·an [sairíːniən] *n., a.* 〖동물〗 해우류(海牛類)(의)《dugong, manatee 따위》.

síren sòng 〔**càll**〕 유혹〔기만〕의 말〔호소〕.

síren sùit 《영》 방공복(防空服), 그와 비슷한 내리닫이의 작업복〔유아복〕.

Sir·i·an [síriən] *a.* 〖천문〗 Sirius 의.

si·ri·a·sis [siráiəsis] (*pl.* **-ses** [-sìːz]) *n.* Ⓤ 〖의학〗 일사병(sunstroke); (치료를 위한) 일광욕.

Sir·i·us [síriəs] *n.* 〖천문〗 시리우스, 천랑성(天狼星)(the Dog Star). 「부분.

sir·loin [sə́ːrlɔin] *n.* Ⓒ,Ⓤ 소 허릿고기의 윗

si·roc·co [sirákou/-rɔ́k-] (*pl.* **~s**) *n.* 열풍《아프리카에서 남유럽으로 몰아쳐 오는 바람》; 〖일반적〗 강열풍(強熱風).

sir·ra(h) [sírə] *n.* 《고어》 어이, 이봐, 이 자식아《경멸·역정을 나타내는 소리》.

sir·ree [sərí:] *int.* (*or* S-) 《미구어》〖yes 또는 no 의 뒤에 붙여 강조하는 말〗 =SIR: Yes, ~. 그렇고 말고.

sir·up [sírəp, sə́:r-/sír-] *n.*, *vt.* 《미》 =SYRUP.

sir·upy [sírəpi, sə́:r-] *a.* 《미》 =SYRUPY.

sis [sis] *n.* 《구어》 =SISTER; 《호칭》 아가씨.

-sis [sis] (*pl.* **-ses**) *suf.* '과정, 활동' 의 뜻.

SIS Scientific Intelligence Survey(과학 정보 조사단); Satellite Interceptor System(위성 요격 시스템). **S.I.S.** 《미》 Secret Intelligence Service.

si·sal [sáisəl, sís-/sais-] *n.* 〖식물〗 사이잘초(草)《용설란의 일종》; Ⓤ (그 잎에서 얻은) 사이잘삼(=~ **hèmp**)《밧줄의 원료》.

sis-boom-bah [sísbù:mbá:] *int.* 만세만세. **—** *n.* 《미속어》 보는 스포츠《특히 미식축구》.

sis·kin [sískin] *n.* 〖조류〗 검은방울새.

Sis·ley [sísli] *n.* **Alfred ~** 시슬레《영국 태생의 프랑스 인상파 화가; 1839–99》.

sis·si·fied [sísəfàid] *a.* 《구어》 =SISSY.

sis·soo [sísu:] (*pl.* **~s**) *n.* 인도산의 견고한 목재《조선(造船)·철도 침목용》.

sis·sy [sísi] *n.* 계집애; 여자 같은 사내(아이), 무기력한 남자 (아이), 뱅충이; =SISTER; 《미속어》 동성애자, 호모; 《미속어》 (탄산이 든) 청량음료. **—** *a.* 여자 같은, 유약한. ㊞ **~·ish** *a.*

síssy bàr 오토바이의 등받이《안장 뒤의 역(逆) U자꼴 금속 막대》.

†**sis·ter** [sístər] *n.* **1** 여자 형제, 언니〔누나〕 또는 (여)동생; 의붓〔배다른〕 자매; 처제, 처형, 올케, 형수, 계수: an elder 〔a younger〕 ~ 누나〔누이동생〕; 언니〔여동생〕: be like ~*s* 매우 다정〔친밀〕하다/half ~ 의붓〔배다른〕 자매. **2** 여자 친구; 동종(同宗)〔동지〕의 여자; 같은 학급의 여학생; 여성 회원, 여성 사우(社友): dear brethren and ~*s* 교우 여러분, 형제자매들. **3** 젊은 여성; 《미구어》 (여성을 친숙하게 불러) 언니, 아가씨. **4** 〖가톨릭〗 수녀, 시스터; 《영》 간호사, 《특히》 수간호사. **5** 《비유》 자매《배·나라·도시 따위》; 한 종류의 것, 짝, 쌍. **6** 약자(weak ~). ***the Fatal*** 〔***Three***〕 ***Sisters*** 〖그리스신화〗 운명의 세 여신. ⓒⓕ Fates. ***the Little Sisters of the Poor*** 빈민 구제 자매회《1840년 프랑스에 창립된 가톨릭 수녀회》. ***the Sisters of Mercy*** 자비의 성모 동정(童貞)(수녀)회. ***the weird ~s,*** Shakespeare 의 *Macbeth*에 나오는 마녀들. **—** *a.* 자매의〔관계와 같은〕: ~ arts 자매 예술/~ ships 자매함.

síster cíty 자매 도시.

síster-gérman (*pl.* **sísters-**) *n.* 친자매(full sister). ⓒⓕ german.

sis·ter·hood [sístərhùd] *n.* Ⓤ 자매임, 자매 관계; 자매의 도리〔의리〕; 자매간의 정; Ⓒ (종교·자선 등의) 여성 단체, 부인회; (the ~) 여성 해방 운동가들; 여성 해방 동지 관계〔공동 생활체〕.

síster hòok 〖해사〗 자매 갈고리《맞추면 8자꼴이 됨》, 시스터 훅.

◇**síster-in-làw** (*pl.* **sísters-**) *n.* 형수, 계수, 동서, 시누이, 올케, 처형, 처제《따위》.

síster lànguage 〖언어〗 자매어.

sís·ter·ly *a.* 자매 같은〔다운〕; 정다운; 친밀한. **—** *ad.* 자매같이. ㊞ **-li·ness** [-linis] *n.*

sís·ter·shìp [-ʃip] *n.* =SISTERHOOD.

síster-úterine (*pl.* **sísters-**) *n.* 동모(同母) 자매.

sis·te vi·ator [L. síste-wiá:tor] 《L.》 나그네여 발을 멈추어라《로마의 묘비명》.

Sis·tine [sísti(:)n, -tain/-ti:n, -tain] *a.* 로마 교황 Sixtus의, 《특히》 Sixtus 4 세〔5 세〕의.

Sístine Chápel (the ~) 시스티나 예배당《로마 Vatican 궁전 안의 교황의 예배당; Michelangelo 등의 벽화로 유명》.

Sístine Madónna (the ~) 독일 Dresden 박물관에 있는 Raphael이 그린 성모상.

sis·trum [sístrəm] (*pl.* **~s, -tra** [-trə]) *n.* 시스트럼《옛 이집트의 Isis 제(祭)에 쓰인 악기》.

Sis·y·phe·an [sìsəfí:ən] *a.* 〖그리스신화〗 Sisyphus왕의; 《비유》 끝없는, 헛수고의《일 따위》: ~ labor.

Sis·y·phus [sísəfəs] *n.* 〖그리스신화〗 시시포스《코린토스의 못된 왕으로, 죽은 후 지옥에서 돌을 산꼭대기에 굴려 올리면 되굴러 떨어져 이를 되풀이해야 하는 벌을 받음》. ***the stone of ~*** 끝없는 헛고생.

†**sit** [sit] (*p.*, *pp.* **sat** [sæt], 《고어》 **sate** [seit, sæt]; **sít·ting**) *vi.* **1** 《~/+전+명/+보/+부》 앉다, 걸터앉다, 착석하다; 앉아 있다: ~ *on* 〔*in*〕 a chair/~ *at* table 식탁에 앉다/~ still 가만히 앉아 있다/Please ~ *down*. 앉으십시오.
2 《~/+전+명》 (개 따위가) 앉다, 쭈그리다; (새가) 앉다(perch) 《*on*》: ~ *on* his back legs (개가) 뒷다리로 앉다/~ *on* a branch (새가) 나뭇가지에 앉다.
3 《~/+전+명》 (새가) 보금자리에 들다, 알을 품다(brood): ~ *on* eggs 알을 품다.
4 《+전+명》 (재판관·관공리 등이) 벼슬〔직위〕에 앉다; (위원회·의회)의 일원이다《*on; in; for*》: ~ *on* a jury 〔committee〕 배심원〔위원〕으로 있다/~ *for* a constituency 선거구를 대표하여 의원직을 맡아보다.
5 개회하다, 개원〔개정(開廷)〕하다; 의사(議事)를 진행하다; (사건을) 조사하다《*on, upon*》: Parliament was ~*ting*. 의회는 개회 중이었다.
6 《+전+명》 사진을 찍게 하다, 초상화를 그리게 하다; (사진·초상화를 위해) 자세〔포즈〕를 취하다(pose); 《영》 (시험을) 치르다《*for; to*》: ~ *for* a portrait 〔an examination〕 초상화의 모델이 되다〔시험을 치르다〕.
7 《+전+명》 그대로 움직이지 않다; (손해·책임 등이) 부담이 되다; (먹은 것이) 얹히다: Her years *sat* lightly *upon* her. 그녀는 나이의 영향을 그다지 받지 않았다/The pie *sat* heavily *on* his stomach. 그는 파이를 먹고 몹시 거북했다.
8 (사태 따위가) 그대로 있다; 방치되어 있다: let the matter ~ 사태를 그대로 방치하다.
9 《+전+명》 위치하다; (바람 방향이) …쪽이다, (바람이) …에서 불어오다《*in*》: The wind ~*s* *in* the north. 바람이 북쪽에서 불어온다.
10 《+부/+전+명》 (옷·지위 따위가) 맞다, 어울리다(befit) 《*on; with*》; 마음에 들다, 받아들여지다: The coat doesn't ~ well *on* you. 상의가 너에게 꼭 맞지 않는다/The honor ~*s* well 〔uncomfortably〕 *on* him. 그 명예는 그에게 어울린다〔어울리지 않는다〕/My plan *sat* well *with* my wife. 아내는 내 계획을 기꺼이 받아들였다.
11 《+전+명》 《구어》 억누르다, 압박하다; 입막음하다; 비난하다; (보도·조사 등을) 덮어 두다; 늦추다《*on, upon*》.
12 간호하다, 시중들다, 아이를 보다(baby-~).
13 〖군사〗 진을 치다.
— *vt.* **1** 《+목+부/+목+전+명》 〖~ oneself〗 앉다; 앉히다, 착석시키다(seat): *Sit yourself down* right here. 여기에 앉으세요/He *sat* the child *at* the table. 그 아이를 식탁에 앉혔다. **2** 《+목+부》 (말·보트 따위를) 타다: She ~*s* her horse *well*. 그녀는 말을 잘 탄다. **3**

《영》 (필기시험을) 치르다.
~ ***around*** 〔***about***〕 빈둥빈둥하다〔하며 지내다〕. ~ ***at home*** 하는 일 없이 집에 있다, 죽치고 있다; 활동하지 않다. ~ ***at the feet of*** …의 발밑에 앉다; …을 사사(師事)하다, …을 숭배하고 있다. ~ ***back*** ① (의자에) 깊숙이 앉다. ② 수수방관하다. ③ (일을 마치고) 편히 쉬다. ④ (건물이 길 따위에서) 떨어져 있다. ~ ***by*** 소극적인〔무관심한〕 태도를 취하다; 방관하고 있다. ~ ***down*** ① 앉다, 자리잡다. ② 진을 치다. ③ (아무가) 자리를 잡다, 정착하다. ④ 엉덩방아 찧다. ⑤ 착륙하다. ~ ***down before*** …앞에 진을 치다; …을 포위하다. ***Sit down before you fall down.*** 잠자코 앉아 있어. ~ ***down*** (***hard***) ***on*** (a plan) 《미》 (계획)에 강경하게 반대하다. ~ ***down to*** …에 착수하다, …을 열심히 시작하다. ~ ***down under*** (모욕 따위를) 감수하다, 참다. ~ ***down with*** …을 참다, 억누르다, 단념하다. ~ ***in*** ① (경기 · 회의 따위에) 참가하다: ~ *in* at a bridge game 브리지 놀이에 참가하다. ② 대역(代役)을 하다, 대리하다《*for*》. ③ 《영구어》 (빈집을 지키며) 아이를 보다(baby-sit). ④ 연좌데모를 하다. ~ ***in judgment*** 재판하다; 비판〔비난〕하다《*on*》. ~ ***in on*** 〔***at***〕 …을 방청〔참관, 청강, 견학〕하다: ~ *in on* a class 수업을 참관〔청강〕하다. ~ ***lightly on*** …에게 별로 괴로움〔부담〕이 안 되다. ~ ***loose*** 〔***loosely***〕 ***on*** …에 냉담하다〔열의를 안 보이다〕. ~ ***on*** 〔***upon***〕 ① (위원회 따위)의 일원이다(cf. *vi.* 4). ② …을 심리〔협의, 조사〕하다. ③ 《구어》 …을 억누르다〔제지하다〕: They *sat on* the bad news. 그들은 나쁜 소식을 감추고 있었다. ④ 《구어》 …에게 잔소리를 하다: That fellow wants ~*ting on*. 그 녀석 닦달 좀 해줘야겠다. ⑤ …의 결정〔…에의 대응〕을 늦추다. ~ ***on a lead*** 〖스포츠〗 리드를 유지하기 위해 조심해서 플레이하다. ~ ***on a volcano*** 문제나 위험이 느닷없이 터질 곳에 있다. ~ ***on it*** 〖명령법〗 조금 조용히 해요, 잠자코 있어요. ***Sit on it and rotate.*** 《미속어》 빌어먹을. ~ ***on*** ***one's hands*** ⇨HAND. ~ ***on the lid*** 소동을〔폭동을, 항의를〕 저지하다. ~ ***out*** 《*vi.*+副》 ① 실외(양지쪽)에 나가 앉다. ―《*vt.*+副》 ② (댄스 · 경기 등에) 참가하지〔축에 끼지〕 않다. ③ (음악회 · 연극 등을) 끝까지 듣다〔보다〕. ④ 끝까지 있다. ~ ***over*** ① (장소를 만들기 위해) 고쳐 앉다. ② 〖브리지〗 …의 왼쪽에 있어 유리하다. ~ ***pretty*** 우세〔유리〕한 입장에 있다; 성공하다. ~ ***still for*** …을 (조용히) 받아들이다, 부담하다. ~ ***through*** 끝날 때까지 가만히 있다, …을 끝까지 보다〔듣다〕. ~ ***tight*** ⇨TIGHT *ad.* ~***ting pretty*** ⇨PRETTY. ~ ***under*** ① …의 설교〔강의〕를 듣다. ② (아무)의 밑에서 연구하다〔가르치다, 봉사하다〕. ③ 〖브리지〗 …의 오른쪽에 있어 불리하다. ~ ***up*** 《*vi.*+副》 ① 일어나 앉다. ② 단정히 앉다. ③ 자지 않고 일어나 있다: ~ *up* late 밤늦도록 안 자다 / ~ *up* all night 철야하다 / ~ *up* at work 야근하다 / ~ *up* for a person 아무가 돌아오기를 자지 않고 기다리다 / ~ *up* with a patient 자지 않고 간병하다. ④ 《구어》 깜짝 놀라다, 정신 차리다, 분발하다. ⑤ (개가) 앞발을 세우고 앉다. ―《*vt.*+副》 ⑥ 일어나 앉게 하다. ~ ***up and take notice*** (병자가) 차도가 있다; 강한 관심을 보이다, 깜짝 놀라다. ~ ***well*** 〔***ill***〕 ***on*** 〔***with***〕 a person 아무에게 어울리다〔어울리지 않다〕. ~ ***with*** …와 회담하다.
― *n.* 앉음, 착석; 기다림, 앉아 있는〔기다리는〕 시간; (옷의) 어울림.

si·tar, sit·tar [sitáːr] *n.* 시타르《목 부분이 길고 동체가 작은 인도의 발현 악기》. 파 ~**·ist** *n.*

SITC Standard International Trade Classification((UN의) 표준 국제 무역 분류).

sit·com [sítkɑ̀m/-kɔ̀m] *n.* 《미구어》 =SITUATION COMEDY.

sít-dòwn *n.* 연좌〔농성〕 파업〔시위〕(=~ **stríke** 〔**demonstrátion**〕); 집회, 미팅; 편히 쉬는 한때; 앉아 먹는 식사. ― *a.* (식사가) 앉아 먹는; (댄스 따위가) 앉은 자세로 하는. 파 ~**·er** *n.*

*__site__ [sait] *n.* **1** 위치, (사건 따위의) 장소: the ~ of the murder 살인 현장. **2** (건물 따위의) 용지, 집터, 부지: a building ~ / a ~ plan (집단 주택의) 단지 계획. **3** 유적: historic ~*s* 사적. **4** 〖컴퓨터〗 사이트《홈페이지를 비롯한 서버를 가리킴, website의 준말》. ― *vt.* **1** …의 용지(用地)를 정하다. **2** (…에) 위치하게 하다. **3** (대포 따위를) 설치하다.

síte addrèss 〖컴퓨터〗 사이트 어드레스《인터넷상의 사이트를 특정하는 어드레스로, 점으로 단락된 문자열로 이루어짐》.

síte lìcense 〖컴퓨터〗 사이트 라이선스《네트워크의 사이트를 한 단위로 묶어서 일괄 사용을 허가하는 소프트웨어 라이선스》.

sith [siθ] *ad., conj., prep.* 《고어》 =SINCE.

sít-ìn *n.* =SIT-DOWN; (인종 차별 · 대학 (운영) 문제 · 전쟁 등에 대한) 연좌 항의. 파 ~**·er** *n.*

sít·ing *n.* 〖건축〗 부지(敷地); 부지 구획〔계획〕.

Sít·ka sprúce [sítkə-] 〖식물〗 가문비나무의 일종; 그 목재. 「품학.

si·tol·o·gy [saitɑ́lədʒi/-tɔ́l-] *n.* Ⓤ 영양학, 식

si·to·ma·nia [sàitəméiniə, -njə-] *n.* 〖의학〗 병적 기아(病的饑餓), 폭식증.

si·to·pho·bia [sàitəfóubiə, -tə-] *n.* 〖의학〗 거식증(拒食症), 음식 공포증.

sit·rep [sítrep] *n.* 〖영군사〗 상황〔전황〕 보고.

sít·ter [sítər] *n.* 착석자; (초상화 · 사진의) 모델(이 되는 사람); 앉아 있는 엽조(獵鳥); =BABY-SITTER, (병자의) 간호인, 시중드는 사람; 《구어》 쉽게 명중하는 사격의 표적, 수월한 일; 《속어》 엉덩이(buttocks).

sítter-ìn (*pl.* ***sítters-***) *n.* 《영》 =BABY-SITTER.

°**sít·ting** *n.* **1** 착석, 앉음; 개회, 개정(開廷); 회기, 개정 기간. **2** 초상화〔사진〕의 모델이 됨: give a ~ to an artist 한 번 화가의 모델이 되다. **3** (교회의) 일정한 좌석. **4** 알 안기〔품기〕(incubation); 한 번의 포란 수(抱卵數)(clutch). **5** 자리에 앉아〔일하고〕 있는 시간, 한 번의 일, 단숨, (식당 따위의 정해진) 식사 시간〔장소〕: read a book at a 〔one〕 ~ 책을 한 번〔단번〕에 다 읽다.
― *a.* 앉은; 재직〔현직〕의; 알을 품고 있는; 날지 않고 있는《새》: a ~ President 현직 대통령.

sítting dúck 《구어》 봉, 쉬운 일, 손쉬운 목표 (=**sítting tárget**); 무방비한 사람.

sítting mémber 《영》 현역 의원.

sítting ròom **1** 거실(居室), 거처방(living room) 《bedroom에 대하여》. **2** 객실, 사랑방. **3** 앉을 수 있는 장소〔여지〕.

sítting ténant 현재 차용 중인 입주자(入住者), 현차가인(現借家人), 현차지인(現借地人).

sit·u·ate [sítʃuèit] *vt.* **1** (어떤 장소에) 놓다, …의 위치를 정하다. **2** (어떤 입장 · 조건에) 놓이게 하다. ― *a.* [sítʃuit] 《고어》 =SITUATED.

*__sit·u·at·ed__ [sítʃuèitid] *a.* **1** 위치하고 있는 (located), 있는《*at; on*》; 부지가 …한: be ~ *on* a hill. **2** (어떤 환경 · 입장 · 조건에) 놓여 있는, 처해 있는: awkwardly 〔well〕 ~ 곤경에 처해 있는〔좋은 환경에 있는〕. SYN. ⇨LIE[1].

__sit·u·a·tion__ [sìtʃuéiʃən] *n.* **1 위치, 장소, 소재 (place); 환경. **2** 입장, 사정(circumstances). **3** 정세, 형세, 상태, 사태: the political ~ 정국. SYN. ⇨STATE. **4** (연극 · 소설 등의) 중대한 국면〔장면〕. **5** 지위, 일; 일자리(post): *Situation Vacant* 〔*Wanted*〕 〖광고〗 구인〔구직〕, 사람을

〔일자리를〕 구함. **6** 용지(用地), 부지(site). [파] **~·al** [-ənəl] *a.* 상황의〔에 의한, 에 알맞은〕.

situátion còmedy 〚라디오·TV〛 (같은 배우가 매일 장면을 바꿔 연기하는) 연속 홈코미디 (sitcom). [cf.] soap opera.

situátion éthics 상황 윤리.

sit·u·á·tion·ìsm *n.* 〚심리〛 상황주의《행동 결정에 대한 상황의 영향을 중시하는 입장》; =SITUATION ETHICS. [파] **-ist** *n.*, *a.*

situátion ròom 〚군사〛 전황 보고실, 상황실.

situátion·wìse [-wàiz] *ad.* 정세로는, 정황으로는.

sít-ùp, sít·ùp *n.* 윗몸 일으키기 운동.

sít-ùpon *n.* 《구어》 엉덩이(buttocks).

si·tus [sáitəs] (*pl.* ~) *n.* 위치(situation), 장소; (신체·식물 등 기관의) 정상〔원〕 위치.

sítus pìcketing 《미》 =COMMON SITUS PICKETING.

sítz bàth [síts-] 허리·엉덩이 부분만 하는 목욕(통), 좌욕(坐浴), 반신욕.

sitz·krieg [sítskrì:g, zíts-] *n.* 《G.》 교착전(膠着戰).

sitz·mark [sítsmà:rk, zíts-] *n.* 〚스키〛 활주 중 넘어져서 눈 위에 남긴 자국.

SÌ ùnit 국제 단위《국제 단위계(Système International d'Unités)의 단위; 미터·킬로그램·초·암페어 따위》.

Si·va [sí:və, ʃí:-] *n.* 〚힌두교〛 시바, 대자재천(大自在天)《파괴의 신, 또 구원의 신; Shiva 로도 씀》.

Siva

Si·wash [sáiwɑʃ, -wɔ:ʃ/-wɔʃ] *n.* **1** (종종 old ~) 《미구어》 아담한 전형적인 시골 대학. **2** (종종 s-) 《미북서부속어》 《경멸》 인디언 (언어), 인디언 같은 자《사냥꾼 등》, (s-) 난폭자, (사회의) 낙오자. ── (s-) *vi.* 《미북서부》 노숙하다. ── *vt.* 《속어》 블랙리스트에 올리다, …에게 술 사는 것을 금지하다.

†**six** [siks] *a.* 여섯〔6〕의, 여섯 개〔명〕의. ── *n.* 여섯, 6; 여섯 개〔명〕(한 벌〔조〕); 6의 기호; 여섯 시〔살〕, 6분; 6펜스, 6실링; 〚카드놀이〛 6점의 패; 6의 눈이 나온 주사위; (사이즈의) 6호〔문〕; 6푼 이자의 공채; (the S-) 〚음악〛 6인조; 6기통의 엔진〔자동차〕. ***at ~es and sevens*** 《구어》 (완전히) 혼란하여; (의견이) 일치되지 않아. (***It is***) ***~ of one and half a dozen of the other.*** 오십보백보, 비슷비슷하다. ***~ and eight*** (***pence***) 《영》 6실링 8펜스《변호사의 보통 보수》. ***~ of the best*** 채찍〔스틱〕으로 때리는 벌. ***~ to one,*** 6대 1; 《비유》 큰 차, 대차.

Síx-Dày Wár (the ~) 6일 전쟁, 제3차 중동전쟁《1967년 6월 5-10일》.

síx·er *n.* 〚크리켓〛 6점타(打).

síx·fòld *a.*, *ad.* 6배의〔로〕, 여섯 겹의〔으로〕.

síx-fóoter *n.* 《구어》 키가 6피트인 사람; 길이 6피트의 물건.

síx-gùn *n.* 《미구어》 =SIX-SHOOTER.

síx·mo, 6 mo [-mou] (*pl.* **~s**) *n.* 6절판(의 책〔종이〕)(sexto).

Síx Nátions (the ~) (북아메리카 인디언의) 6부족 연합《Five Nations에 Tuscarora족이 참가》.

síx-pàck *n.* (깡통·병 따위의 6개들이) 종이 상자, 그 내용물.

°**síx·pence** [-pəns] 《영》 *n.* 6펜스 은화《1971년 폐지》; [U] 6펜스의 가치, 6펜스어치.

síx·pènny *a.* 《영》 6펜스의; 하찮은, 싸구려의. ── *n.* 6펜스로 살 수 있는 것〔탈 수 있는 거리〕.

síxpenny bít 6펜스 동전(sixpence).

síx-shóoter *n.* 《미구어》 6연발 권총.

sixte [sikst] *n.* 〚펜싱〛 여섯째의 수비 자세《8가지 자세 중의》.

†**six·teen** [sìkstí:n] *a.* 열여섯〔16〕의, 열여섯 개〔명〕의. ── *n.* 열여섯(개, 명, 살); 16의 기호; 16번째(의 것); (사이즈의) 16번; 16인〔개〕(한 조〔벌〕).

síx·téen·mo [-mou] (*pl.* **~s**) *n.* 16절판(의 책〔종이〕)(sextodecimo)《보통 7×5인치 크기; 생략: 16mo, 기호 16°》.

‡**six·teenth** [sìkstí:nθ] *a.* 열여섯 번째의; 16분의 1의. ── *n.* 열여섯 번째; 16일; 16분의 1; =SIXTEENTH REST. [파] **~·ly** *ad.* 열여섯 번째로.

síxtéenth rèst 〔《미》 **nòte**〕 〚음악〛 16분쉼표〔음표〕.

†**sixth** [siksθ] *a.* 여섯째의; 6분의 1의. ── *n.* 제6, 여섯 번째; 6분의 1; (그 달의) 6일; 〚음악〛 6도 음정; 《영》 =SIXTH FORM. [파] **∠·ly** *ad.*

síxth cólumn 제6부대, 제6열《제 나라에 불리한 유언을 퍼뜨려 제5열을 돕는 사람들》. [cf.] fifth column.

Síxth dáy 금요일《퀘이커 교도의 용어》.

síxth fórm 《영》 제6학년《16세 이상의 학생으로 된 그래머〔퍼블릭〕 스쿨의 최상급 학년》.

síxth fòrm cóllege 《영》 식스폼 칼리지《제 6학년을 졸업하고 들어감》.

síxth fórmer 《영》 제6학년 학생《최상급생; 보통 16-17세》.

síx-thrèe-thrée *a.* (교육 제도가) 6·3·3제의.

síxth sénse 제6감, 직감: A 〔The〕 ~ told me that. 육감으로 그것을 알았다.

*__six·ti·eth__ [síkstiiθ] *a.* 60(번)째의; 60분의 1의. ── *n.* 60(번)째; 60분의 1.

Six·tine [síksti(:)n, -tain/-ti:n, -tain] *a.* =SISTINE.

Six·tus [síkstəs] *n.* 식스투스《로마 교황 5명의 이름》; 《특히》 ~ IV (1414-84; 재위 1471-84)와 ~ V(1520-90; 재위 1585-90).

†**six·ty** [síksti] *a.* 예순〔60〕의; 예순 명〔개〕의. ── *n.* **1** 예순, 60; 예순 살〔60세〕; 예순 명〔개〕; (the sixties) (나이의) 60대, (세기의) 60년대. **2** 〚상업〛 60일 지급의 어음; 60의 기호《lx, LX》. ***like*** ~ 《미구어》 매우 수월하게; 잽싸게.

síxty·fòld *a.*, *ad.* 60배의〔로〕.

síxty-four-dóllar quéstion (the ~) 중요한 문제《라디오 퀴즈 프로의 난문(難問)에서》.

sìx·ty-fóur·mo [-mou] (*pl.* **~s**) *n.* 64절판(折判)(의 책〔종이〕); 64절지(折紙)《생략: 64mo, 기호 64°》.

síxty-fóur-thousand-dóllar quéstion (the ~) =SIXTY-FOUR-DOLLAR QUESTION.

síxty-fóurth rèst 〔《미》 **nòte**〕 〚음악〛 64분쉼표〔음표〕.

siz·a·ble [sáizəbəl] *a.* 꽤 큰; 알맞은 (크기의). [파] **-bly** *ad.* **~·ness** *n.*

siz·ar, siz·er [sáizər] *n.* 장학생《Dublin의 Trinity College 및 Cambridge 대학의》. [파] **~·ship** *n.*

‡**size**[1] [saiz] *n.* **1** [U] 크기, 넓이(extent), 치수(dimension), 부피(bulk); [C] (옷·모자·장갑 따위의) 사이즈: measure 〔take〕 the ~ of … 의 치수를 재다/I prefer this ~ (to that one). (그것보다) 이 사이즈가 좋다/a shoe of ~ 4A, 사이즈 4A의 구두/economy ~ '경제형(經濟型)'《상품, 특히 소모품의》/all 〔much〕 of a ~ (모두〔거의〕) 같은 크기의/be half 〔twice〕 the ~ of …의 절반〔두 배〕의 크기다/Your shoes and mine are (of) the same ~. 네 구두와 내 구두는 같은 크기다/a monster onion (of) the

~ of a football 축구공만큼이나 큰 거대한 양파.

NOTE 마지막 두 보기의 ( ) 안의 of는 흔히 생략됨. What size에서는 그런 경향이 더 강함: What ~ is(=What's the ~ of) your shoes? =What ~ shoes do you take 〔wear〕? =What ~ do you take 〔wear〕 in shoes? 자네 구두 사이즈는 얼마인가.

2 Ⓤ 어떤 정도의 크기: Few of the fish attain any ~. 이 물고기로서 커지는 것은 드물다/towns of ~ 중(中)도시. 3 Ⓤ 양(量); 크기; 범위; 규모: the ~ of his bank account 그의 은행 예금액/a navy of considerable ~ 상당한 규모의 해군. 4 Ⓒ 진주(眞珠)를 고르는 채, 진주를 재는 자. 5 《구어》 실정, 진상: That's about the ~ of it. 그 진상은 그런 정도다. 6 《폐어》 (Cambridge 대학 구내 식당에서의 음식물의) 배급 정량. 7 Ⓤ 수완, 역량.
cut ... down to* (*the*) ~** ⇨CUT. ***for* ~** 시험적으로《써 보다 등》; 치수에 따라《분류되어 있다 등》. ***life* ~ =*the* ~ *of life 실물 크기. ***of all* ~*s*** 대소 여러 가지의. ***of some* ~** 꽤 큰. ***try ... for* ~** (사이즈가) 맞는지 시험해 보다; 시험적으로 …을 해보다: *Try* that *for* ~. 잘될는지 안 될는지 해 보렴.
— *a.* 〖흔히 복합어〗 …사이즈의, 사이즈가 …인: life-~.
— *vt.* 1 …의 치수를 재다. 2 《~+목/+목+전+명》 크기에 따라 배열〔분류〕하다: ~ the clothes *into* three classes 의복을 크기에 따라 3단계로 분류하다. 3 《+목+전+명》 …의 치수〔크기〕로 만들다: ~ a hat *to* one's head 모자를 머리에 맞추어서 만들다. — *vi.* (Cambridge 대학에서) 정량 식사를 주문하다. **~ *down*** 점차〔순차적으로〕 작게 하다. **~ *up*** ① 치수를 재다; 《구어》 (인물 등을) (한눈으로) 평가〔판단〕하다; 생각을 결정하다, 의견을 정하다. ② (어떤 조건〔기준〕에) 맞다, (어떤 수준에) 달하다《*to; with*》. ㊀ **∠·a·ble** =SIZABLE.

size² *n.* Ⓤ 아교물, 반수(礬水); 풀; 박(箔) 밑에 칠하는 니스. — *vt.* 반수를 먹이다; 풀을 바르다.

(-)sized *a.* 〖보통 복합어를 만들어〗 크기가 …인: small-〔large-〕~ 소〔대〕형의/middle-〔medium-〕~ 중형의/⇨LIFE-~.

síze·ism *n.* 뚱뚱한 사람에 대한 차별〔편견〕.

siz·er¹ [sáizər] *n.* 치수 측정기(器); 선별기(選別器), 선과기(選果機); 《영구어》 엄청나게 큰 것.

siz·er² ⇨SIZAR.

síze stìck (발 길이를 재는) 구둣방의 자.

síze-ùp *n.* 《미구어》 평가, 판단.

siz·ing¹ [sáiziŋ] *n.* 1 Ⓤ 크기〔키〕대로 가르기; (진주의) 정립(整粒). 2 Ⓤ 숙기《재배물의》. 3 Ⓒ 배급 정량《Cambridge 대학 · Dublin 의 Trinity College 의 구내(構內)식당의》.

siz·ing² *n.* Ⓤ size²를 바르기; 광내기; 번지는 것을 막는 재료; 풀칠; Ⓒ 풀칠하는 기계.

sizy [sáizi] (***siz·i·er; -i·est***) *a.* 《고어》 진득진득한, 점착성의.

siz·zle [sízəl] *vi.* 1 (튀김이나 고기 구울 때) 픽픽〔지글지글〕하다. 2 《구어》 매우 덥다. 3 《미구어》 화가 나서 속이 부글부글 끓다《*over*》. 4 《속어》 몹시 재미있다. 5 《미속어》 전기의자로 죽다. — *vt.* 지글지글 소리가 나도록 굽다〔뜨겁게 하다〕. — *n.* 지글지글하는 소리. ㊀ **-zler** *n.* 《구어》 뜨거운 것, 찌는 듯이 더운 날.

síz·zling *a.* 지글지글 소리 내는; 몹시 더운〔뜨거운〕: ~ hot 《구어》 몹시 더운〔뜨거운〕.

S.J. Society of Jesus.

sjam·bok [ʃæmbák/ʃæmbɔk] *n.*, *vt.* 《S.Afr.》 코뿔소 가죽 채찍(으로 때리다).

SJC 《미》 Supreme Judicial Court.

ŚJF schèduling 〖컴퓨터〗 Shortest Job First scheduling (최단 작업 우선 스케줄링).

ska [skɑː] *n.* 스카《자메이카 기원의 파퓰러 음악; 초기의 reggae》.

skad ⇨SCAD².

skag ⇨SCAG.

skald, scald [skɔːld, skɑːld/skɔːld] *n.* (옛 스칸디나비아의) 음송(吟誦) 시인. ㊀ **∠·ic** *a.*

skank [skæŋk] 《미속어》 *n.* 불쾌한 것〔사람〕, 기분 나쁜 것〔사람〕; 추녀; 매춘부; (복장이) 단정치 못한 스타일. — *vi.* (얼굴이) 못생기다, 추녀다.

skat, scat [skɑːt, skæt] *n.* Ⓤ 셋이서 하는 카드놀이의 일종.

†**skate¹** [skeit] *n.* 1 스케이트《쇠날 부분》; (보통 *pl.*) 스케이트 구두; 롤러스케이트(roller ~): a pair of ~*s* 스케이트 한 켤레. 2 〖전기〗 (전동차 따위의 전류를 끌어들이는) 접점(接點). ***get* 〔*put*〕 one's ~*s on*** 《구어》 서두르다. — *vi.* 1 스케이트를 지치다〔타다〕. 2 미끄러지듯 빨리 달리다; (문제 등을) 조금 손대다. — *vt.* (배경 등을) 무대에 미끄러뜨리다. **~ *over*** …을 경시하다, 피하다, 대충대충 다루다. **~ *over* 〔*on*〕 *thin ice*** 위태로운 줄타기를 하다, 살얼음을 밟다; 어려운 화제〔문제〕를 다루다. ㊀ **∠·a·ble** *a.*

skate² *n.* 〖어류〗 홍어.

skate³ *n.* 《미속어》 멸시할 사람; 말라빠진 늙은 말; 사람, 녀석, 놈: a good ~ 호감을 주는 사람, 좋은 놈/a cheap ~ 별 볼일 없는 놈.

skáte·bòard *n.* 스케이트보드《롤러스케이트 위에 길이 60cm 정도의 널을 댄 것; 그 위에서 타고 지침》. — *vi.* 스케이트보드를 타다〔로 지치다〕. ㊀ **~·er** *n.* **~·ing** *n.*

skáte·pàrk *n.* skateboard 장(場).

skát·er *n.* 스케이트를 타는 사람.

skát·ing *n.* Ⓤ 얼음지치기, 스케이트: go ~ 스케이트 타러 가다.

skáting rìnk 스케이트장(場), 롤러스케이트장.

skat·ole [skǽtoul] *n.* Ⓤ 〖생화학〗 스카톨《똥 냄새의 성분; 향료 제조에서 불휘발성제(不揮發性劑)로 쓰임》.

skean, skeen, skene [skiːən] *n.* 양날 단검(短劍)《아일랜드 · 스코틀랜드의》.

sked [sked] *n.*,(***-dd-***) *vt.* 《구어》 =SCHEDULE.

ske·dad·dle [skidǽdl] 《구어》 *vi.* 허둥지둥 달아나다; 급히 떠나다. — *n.* Ⓒ,Ⓤ 도주, 도망.

skee [skiː] *n.*, *v.* =SKI.

skee·sicks, -zicks [skíːziks] *n.* 《미속어》 부랑자, 쓸모없는 사람; 《우스개》 장난꾸러기.

skeet [skiːt] *n.* 스키트 사격(=∠ **shòoting**)《trapshooting의 일종; 사수는 보통 8개의 사격 위치에서 쏘는 복잡한 것》. ㊀ **∠·er** *n.*

skeg [skeg] *n.* 〖조선〗 (선미(船尾) 하단의) 뒤축; 키 아랫부분의 받침; 용골 앞끝의 돌출부《기뢰 방어기를 당기기 위한》; 《Austral.》 (서프보드) 바닥의 꼬리.

skein [skein] *n.* 실타래, 토리; 날짐승의 떼(flight); 《비유》 엉클어짐, 혼란.

skel·e·tal [skélətl] *a.* 골격의; 해골의.

***skel·e·ton** [skélətən] *n.* 1 골격. 2 해골; 뼈만 앙상한 사람〔동물〕: a mere 〔living, walking〕 ~ 피골이 상접한 사람. 3 (집 · 배 등의) 뼈대; 타고 남은 잔해. 4 골자, 윤곽, 개략(outline). 5 (잎의) 조직, 줄기. 6 〖군사〗 기간(基幹). 7 〖물리〗 유기 분자의 골격 구조. ***a* 〔*the*〕 ~ *at the feast* 〔*banquet*〕** 흥을 깨는 사람〔사건〕. ***a* 〔*the*〕 ~ *in the closet* 〔《영》 *cupboard*〕** =FAMILY SKELETON. ***worn* 〔*reduced*〕 *to a* ~** 피골이 상접한.
— *a.* 1 해골의; 말라빠진. 2 뼈대〔얼개〕의. 3 뼈

대뿐인, 윤곽만의; 개략의; (인원이) 최소한도의; 기간(基幹)의: a ~ army (기동 훈련의) 가상군《소수 병력으로 대부대를 나타냄》/a ~ regiment 〔company〕 (최소한의 인원만 있는) 기간 연대〔중대〕; (전사 따위로 인원이 격감한) 이름뿐인 연대〔중대〕/a ~ crew 최소의 인원; 〚해군〛 기간 승무원/a ~ staff 최소한도의 인원.

skéleton constrùction 〚건축〛 (고층 건축의) 골격〔가구식(架構式)〕 구조.

skéleton drìll 〚군사〛 가상 연습〔훈련〕.

skel·e·ton·ize [skélətənàiz] *vt.* 해골로 만들다, 살을 없애 버리다; 개요를 적다, 요약하다; …의 윤곽을 그리다; 인원을 격감하다.

skéleton kèy (여러 자물쇠에 맞는) 곁쇠.

skéleton sèt 〚연극〛 골격 세트《상연 중 바뀌지 않는 기본적인 무대 장치》.

skell [skel] *n.* 《속어》 **1** 부랑자, 떠돌이; 주정뱅이. **2** 칠칠치 못한 사람. [◂skeleton]

skel·lum [skéləm] *n.* 《고어·방언·Sc.》 악당, 무뢰한, 부랑자.

skelp [skelp] 《N.Eng.》 *vt.* 때리다, (엉덩이를) 치다(spank); 때려 쫓다. — *vi.* 원기 있게〔급히〕 걷다. — *n.* 철썩 한 번 때리기, 손바닥으로 때리기.

skene ⇨SKEAN.

skep·sis, 《영》 **scep-** [sképsis] *n.* 회의(懷疑), 회의 철학; 회의적 견해.

skep·tic [sképtik] *n.* 회의론자; 기독교 불신앙자; 무신론자; (S–) 〚철학〛 회의파 사람. — *a.* =SKEPTICAL.

°**skep·ti·cal** [sképtikəl] *a.* 의심 많은, 회의적인; 믿지 않는; (S–) 회의론(자)의; 무신론적인. ㊞ ~·ly *ad.* ~·ness *n.*

skep·ti·cism [sképtəsìzəm] *n.* 회의(론); 무신론; (S–) 〚철학〛 회의론.

⁑**sketch** [sketʃ] *n.* **1** 스케치, 사생화; 밑그림, 소묘, 약도, 겨냥도: make a ~ of …을 스케치하다, 겨냥도를 그리다. **2** 초고(草稿)(draft). **3** 대략, 개요: a biographical ~ 약전(略傳)/a ~ of one's career 약력. **4** (소설 등의) 소품, 단편; 토막극, (풍자적인) 촌극; 〚음악〛 소품〔소묘〕곡. **5** 《속어》 꼴불견, 익살맞은 사람〔일, 것〕: I never saw such a ~. 아주 꼴불견이더라. — *vt.* **1** 스케치〔사생〕하다, (…의) 약도를 그리다. **2** 《~+목/+목+부》 (…의) 개략을 진술하다〔적다〕, (…의) 대략〔윤곽〕을 그리다《*out*》: ~ (*out*) a plan 〔scheme〕 개략적인 계획을 세우다. — *vi.* 《(+전+명)》 스케치〔사생〕하다; 약도를 그리다; 촌극을 연출하다: go ~*ing* =go out to ~ 사생하러 가다/~ *from* nature 사생하다. ㊞ ∠·a·ble *a.* ∠·er *n.*

skétch blòck 사생첩, 스케치북; 떼어 쓸 수 있는 도화지.

skétch·bòok *n.* 사생첩, 스케치북; 소품〔수필〕집.

skétch màp 약도, 겨냥도.

skétch·pàd *n.* =SKETCHBOOK.

sketchy [skétʃi] (*sketch·i·er; -i·est*) *a.* 사생〔스케치풍〕의; 개략〔대강〕의; 《구어》 불완전〔불충분〕한, 미완성의: a ~ meal (대충 때우는) 간단한 식사. ㊞ **skétch·i·ly** *ad.* 스케치풍으로; 개략으로, 대충. **-i·ness** *n.*

skew [skju:] *a.* **1** 비스듬한, 기운(slanting), 뒤틀린(distorted): a ~ bridge 사교(斜橋), 빗놓인 다리/a ~ wheel 엇물리는 톱니바퀴. **2** 억지로 갖다 붙인; 잘못 쓰는; 〚수학·통계〛 불균제(不均齊)의, (분포 따위가) 비대칭의(unsymmetrical): a ~ curve 〚수학〛 빗곡선; 공간〔3차원〕 곡선. — *n.* **1** Ⓤ,Ⓒ 휨, 뒤틀림, 비스듬함. **2** 오용. **3** 곁눈질. **4** 〚건축〛 갓돌, 사절석(斜切石). ***on the*** 〔***a***〕 ~ 비스듬히, 뒤틀리어. — *vt.* 비뚤어지게 하다, 구부리다(slant); 휘(게 하)다(distort), (못을) 비스듬히 박다; 왜곡하다. — *vi.* 굽다; 빗나가다; 곁눈질하다, 스쳐보다《*at*》.

skéw·bàck *n.* 〚건축〛 기공석(起拱石), 홍예받침대; 〚기계〛 사륜(斜輪).

skéw·bàld *a.*, *n.* (백색과 갈색) 얼룩의 (말). 「cf. piebald.

skéw cùrve 〚수학〛 공간 곡선, 3차원 곡선.

skéw distribútion 〚통계〛 비(非)대칭 분포.

skéw·er *n.* **1** 꼬챙이, 꼬치, 구이 꼬치; 꼬챙이 모양의 것, 핀. **2** 《우스개》 검, 칼. — *vt.* 꼬챙이에 꿰다.

skewers1

skéw-èyed *a.* 곁눈질의; 사팔눈의.

skéw lìnes 〚수학〛 동일 평면 안에 없는〔꼬인 위치의〕 직선(군(群)).

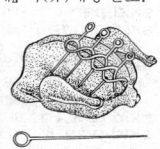

skéw·ness *n.* 뒤틀림, 꼬임; 〚통계〛 비대칭도(度), 왜곡도(歪曲度).

†**ski** [ski:] (*pl.* ~, ~**s**) *n.* 스키; 수상 스키(water ~): on ~s 스키로/put 〔bind〕 on one's ~s 스키를 신다. ★ 운동구이며, 스포츠의 스키(skiing)가 아님. — (*p.*, *pp.* ***skied, ski'd; ski·ing***) *vi.* 스키를 타다: go ~*ing* 스키 타러 가다. — *vt.* 스키로 가다〔넘다〕. ㊞ ∠·a·ble *a.*

ski·a·gram [skáiəgræ̀m] *n.* (X선 따위의) 투시도; =RADIOGRAPH.

ski·a·graph [skáiəgræ̀f, -grɑ̀:f] *n.* =RADIOGRAPH.

ski·ag·ra·phy [skaiǽgrəfi] *n.* Ⓤ X선 사진〔투시〕술. ㊞ **-pher** *n.*

ski·am·e·try [skaiǽmətri] *n.* Ⓤ **1** 〚의학〛 검영법(檢影法)에 의한 눈의 조절 측정. **2** 《고어》 일월식론(日月蝕論).

ski·a·scope [skáiəskòup] *n.* 〚의학〛 (눈의 굴절을 판정하는 데 쓰는) 검영기(檢影器).

ski·as·co·py [skaiǽskəpi] *n.* Ⓤ 〚의학〛 =RETINOSCOPY; FLUOROSCOPY.

skí·bòat *n.* 뗏목식 보트; 설상〔빙상〕 썰매의 일종.

ski·bob [skí:bɑ̀b/-bɔ̀b] *n.* 스키보브《앞쪽에는 작은 스키를, 뒤쪽에는 긴 스키를 댄 눈썰매; 미니스키를 신고 탐》. — *vi.* 스키보브를 타다. ㊞ ~-**ber** *n.* ~·**bing** *n.*

skí bòot 스키화.

skí-bòrne *a.* 스키로 움직이는: a ~ troop 스키 부대.

°**skid** [skid] *n.* **1** 미끄럼, 옆으로 미끄러지기. **2** (비탈길에 쓰는) 지륜(止輪) 장치, 미끄럼막이. **3** (무거운 짐을 굴려 내릴 때의) 활재(滑材); (물건을 미끄러져 가게 하는) 침목(枕木); (바퀴 달린) 낮은 짐대(臺); 〚해사〛 방현재(防舷材); 버팀 기둥; 〚항공〛 (이착륙용의) 활주부(滑走部). ***hit the ~s*** 《구어》 내리막이 되다, 파멸〔실패, 타락〕하다. ***on the ~s*** 《구어》 해고당할 것 같은, 실패할 듯한; 내리막길에 접어든, (세력·권세 등이) 기울어. ***put the ~s on*** 〔***under***〕 ***…*** 《구어》 ① …을 서두르게 하다; 파멸하게 하다. ② …을 늦추다, 멈추게 하다; …을 좌절시키다. — (**-dd-**) *vi.* 미끄럼막이를 한〔브레이크를 건〕 채 헛미끄러지다; 옆으로 미끄러지다. SYN. ⇨SLIDE. — *vt.* (바퀴에) 미끄럼막이를 하다; 활재(滑材) 위에 놓(고 끌)다; (차를) 옆으로 미끄러지게 하다.

skíd chàin =TIRE CHAIN.

skid·ding [skídiŋ] *n.* (자동차의) 옆미끄럼; 〚기계〛 미끄럼.

skid·doo [skidú:] *vi.* 도망하다; 《미구어》 떠나다.

skid·dy [skídi] (*-di·er; -di·est*) *a.* 미끄러지기 쉬운《표면·도로》.

skíd fin 〚항공〛 (복엽 비행기의) 주익(主翼) 위의 수직판(板).

skíd lìd 《구어》 (오토바이용) 안전 헬멧.

skíd màrk **1** (~s) 브레이크를 걸었을 때의 타이어 자국. **2** (~s) 《속어》 팬티의 얼룩. **3** 《미속어·경멸》 흑인.

ski·doo [skidúː] *n.* 설상(雪上) 스쿠터(《영》 ski-scooter)《본디 상표명》.

skíd pàd (차의) 옆미끄럼 시험용 코스〔연습장〕(skidpan)《미끄러지기 쉽게 됨》; (차의) 바퀴멈추개.

skíd·pàn *n.* =SKID PAD.

skíd·pròof *a.* 옆으로 미끄러지지 않는, 옆미끄럼막이의《타이어·길 따위》.

skíd róad 《미》 통나무를 굴려서 끌어내는 길; 《미서부》 (벌채꾼들이 잘 모이는) 읍의 번화가; (종종 S- R-) =SKID PAD.

skíd rów 《미》 하층 사회의 거리, 우범 지대.

skíd·wày *n.* (산륜(散輪)·구르는 침목을 깐) 화물 운반로; 미끄럼판《무거운 짐을 내리거나 싣기 위한》.

***ski·er** [skíːər] *n.* 스키를 타는 사람, 스키어.

skiff [skif] *n.* 소형 (모터)보트; 소형 경장(輕裝) 범선.

skif·fle [skífəl] *n.* 스키플《(1) 1920년대 미국에서 유행한 재즈의 한 스타일. (2) 1950년대 영국에서 유행한 기타와 수제(手製) 악기를 쓴 민요조(調) 재즈》; 《미속어》 =RENT PARTY.

skí flỳing 스키플라잉《폼은 무시하고 거리만을 겨루는 스키 점프》. ㊕ **skí flìer**

skí héil [-háil] 《G.》 시하일《스키어의 인사》.

****ski·ing** [skíːiŋ] *n.* Ⓤ 스키(타기), 스키술(術) 〔경기〕.

ski·jor·ing [skiːdʒɔ́ːriŋ, ∸-] *n.* (말 따위가 끄는) 스키 놀이. ㊕ **ski·jór·er** *n.*

skí jùmp *n.* 스키 점프(장〔코스〕). **—** *vi.* 스키 점프를 하다. ㊕ **skí jùmper**

skil·ful [skílfəl] *a.* =SKILLFUL. ㊕ **~·ly** *ad.* **~·ness** *n.*

skí lìft (skier를 나르는) 리프트.

****skill**[1] [skil] *n.* **1** Ⓤ 숙련, 노련, 교묘, 능숙함, 솜씨《*in; to* do》: a man of ~ 노련한 사람/one's ~ *in* music 음악의 기량/dance *with* ~ 능숙하게 춤추다/have no ~ *in* …을 못하다. **2** 기능, 기술《*in; of*》.

skill[2] *vi.* 〖비인칭; 부정 또는 의문문〗《고어》 문제되다, 소용되다: It ~*s not.* 소용되지 않다. **—** *vt.* 《영방언》 이해하다.

skíll cèntre *n.* (흔히 S-) 《영》 기능 센터《젊은이를 대상으로 하는 국립 직업 훈련소》.

°**skilled** *a.* **1** 숙련된, 능숙한(proficient)《*at; in*》: a ~ worker 숙련된 노동자/a ~ politician 노련한 정치가/He is ~ *in* teaching. 그는 가르치기에 숙달해 있다/He is ~ *at* skiing. 스키에 숙련되어 있다. ★ at은 구체적인 것, in은 추상적인 것에 쓰임. SYN. ⇨EXPERT. **2** 숙련을 요하는: ~ work.

skílled lábor 숙련 노동; 〖집합적〗 숙련공.

skil·let [skílit] *n.* **1** 《미》 프라이팬. **2** 《영》 (긴 손잡이에 발이 짧은) 스튜 냄비. **3** 《미흑인속어》 흑인.

skillet 2

****skill·ful** [skílfəl] *a.* 능숙〔능란〕한, 교묘한, 숙련된《*at; in; of*》; 훌륭한: a ~ surgeon 숙련된 외과의사. ★ 미국에서는 skill-, 영국에서는 skil-을 쓸 때가 많음. SYN. ⇨EXPERT. ㊕ **~·ly** *ad.* 교묘하게. **~·ness** *n.*

skílls shòrtage 《주로 영》 기능공 부족.

skil·ly [skíli] *n.* Ⓤ 《영》《특히》 묽은 오트밀죽 《전에 교도소·구빈원에서 주던》.

****skim** [skim] (*-mm-*) *vt.* **1** 《~+목/+목+부/+목+전+명》 위에 뜬 찌끼를 걷어내다《*off*》: ~ *off* the grease (*from* soup) (수프에서) 기름기를 걷어내다/~ the cream *from* 〔*off*〕 milk 우유에서 크림을 걷어내다. **2** (수면 등을) 스쳐 지나가다, 미끄러지듯 가다. **3** 《~+목/+목+전+명》 (수면 따위를) 스치듯 날리다: ~ a flat stone *over* the water 납작한 돌로 물수제비뜨다. **4** …에서 가장 좋은 것을 취하다; 대충 훑어 읽다〔보다〕. **5** 얇은 표피로〔막으로〕 덮다; 살얼음으로 덮다. **6** 《속어》 (도박 등의 수익을) 속여서 신고하다, (소득을) 감추다. **—** *vi.* **1** 《~/+부》 웃더껑이가〔피막이〕 생기다, 살얼음이 덮이다 《*over*》: The boiled milk ~*s over.* 끓인 우유에 더껑이가 낀다. **2** 《~/+전+명》 스쳐 지나가다, 미끄러지듯 지나가다《*along; over; through*》: A swallow ~*med* low (*over* the ground). 제비가 (땅 위를) 스치듯이 날아갔다. **3** 《+전+명》 대강 훑어 읽다〔보다〕《*over; through*》: ~ *over* a paper 신문을 죽 훑어보다. **4** 《미속어》 소득을 속이다. **~ off** ① ⇨*vt.* 1. ② (최상의 부분을) 취하다〔뽑다〕. **~ *the surface of*** …을 피상적으로 다루다.
— *n.* 웃더껑이를 걷어내기, 스침, 웃더껑이(의 얇은 층), 피막(皮膜); =SKIM MILK; 《미속어》 소득 은닉, 숨긴 소득.

skim·ble-skam·ble, -scam·ble [skímbəl-skǽmbəl] *a.* 지리멸렬한, 두서없는, 말 같지 않은.

skím·bòard *n.* 스킴보드《물가에서 파도 타는 원반형 널》.

skím(med) mílk 탈지유(脫脂乳)《우유에서 생크림을 제거한 것》.

skim·mer [skímər] *n.* **1** 더껑이를 걷어내는 도구〔사람〕; 그물국자, 석자; 스키머《수면 유출유(油)를 그러모으는 기구》. **2** 대충 훑어 읽는 사람. **3** 표면을 찰랑찰랑 스쳐〔미끄러져〕 가는 것. **4** 〖조류〗 제비갈매기류(類). **5** 챙이 넓고 위가 평평한 (밀짚)모자; 스키머《소매가 없고 플레어로 된 드레스》. **6** 《야구속어》 땅볼.

skim·ming [skímiŋ] *n.* Ⓤ 더껑이를 걷어냄; (*pl.*) 걷어낸 크림; 《속어》 (탈세를 위한) 도박 수입금 따위의 은닉; (*pl.*) 〖야금〗 =DROSS.

ski·mo·bile [skíːməbìːl] *n.* =SNOWMOBILE.

skí mountainèering 스키 등산, 산(山) 스키.

skimp [skimp] *vt.* **1** 《~+목/+목+전+명》 (돈·음식 따위를) 찔름찔름〔감질나게〕 주다; 인색하게 굴다; 바싹 줄이다: ~ food 음식을 조리차하다/~ a dog *with* 〔*in, for*〕 food 개에게 먹이 주기를 아까워하다. **2** (일을) 날리다. **—** *vi.* 절약하다, 바싹 줄이다. **—** *a.* 빈약한, 인색한. ㊕ **∠·ing·ly** *ad.* 다랍게, 인색하게.

skimpy [skímpi] (***skimp·i·er; -i·est***) *a.* 다라운; 충분치 못한, 부족한(scanty), 빈약한(meager); (옷이) 꽉 끼는. ㊕ **skímp·i·ly** *ad.* **-i·ness** *n.*

****skin** [skin] *n.* **1** Ⓤ,Ⓒ (사람) 피부, 살갗: a fair ~ 흰 살결/the outer ~ 표피/the true 〔inner〕 ~ 진피(眞皮)/be wet 〔drenched〕 to the ~ 옷 속까지 흠뻑 젖다. **2** Ⓤ,Ⓒ (동물의) 가죽, 피혁; Ⓒ 가죽 제품, 수피(獸皮)《깔개로 쓰는》, 가죽 부대: cast the ~ (뱀이) 허물을 벗다/Near is my shirt, but nearer (is) my ~. ⇨SHIRT.

> SYN. **skin** 사람이나 동물《개·토끼·돼지·양·송아지 따위》의 피부를 뜻하는 가장 일반적인 말. **hide** 큰 동물《말·소·코끼리 따위》의 생가죽을 말함. **leather** 장갑·신 따위를 만드는 무두질한 가죽. **fur** 부드럽고 짧은 털이 있는 가죽.

3 (과일 따위의) 껍질, (곡물의) 겉껍질, 껍데기 (rind). **4** Ⓤ (선체·비행기의) 외판(外板) (planking), 장갑(裝甲). **5** 《미속어》 구두쇠; 사

기꾼(swindler). **6** 《속어》 여윈 말; 《우스개》 사람, 놈. **7** 《미속어》 1달러 지폐. **8** 《비어》 콘돔; 《미속어》 (*pl.*) (재즈 밴드의) 드럼 세트, (닳은) 타이어. **9** 《미속어》 결점; 문서에 의한 징계. **10** 《구어》 생명, 목숨. ***be in a*** person***'s*** ~ 아무의 입장이 되다. ***be no ~ off*** a person***'s nose*** 〔***ass, back, elbow, teeth, knuckles***〕 《구어》 …에게는 전혀 영향〔상관〕이 없다, …의 알 바가 아니다. ***by*** 〔***with***〕 ***the ~ of*** one***'s teeth*** 《구어》 겨우, 간신히 《도망치다》. ***change*** one***'s*** ~ 성격을 바꾸다. ***fly*** 〔***leap, jump***〕 ***out of*** one***'s*** ~ (놀람·기쁨 따위로) 펄쩍 뛰다. ***get under*** 〔***beneath***〕 a person***'s*** ~ 《구어》 아무를 성나게〔애타게〕 하다; 아무의 마음을 사로잡다; 아무에게 흥미를 갖게 하다. ***give*** 〔***get***〕 a person (***some***) ~ 《미속어》 (손바닥을 때리듯이〔비비듯이〕) 아무와 악수하다. ***have a thick*** 〔***thin***〕 ~ 둔감〔민감〕하다. ***in a bad*** ~ 화나서, 기분이 나빠서. ***in*** 〔***with***〕 ***a whole*** ~ 무사히. ***in*** one***'s*** (***bare***) ~ 벌거벗고, 알몸으로. ***keep a whole*** ~ =***save*** one***'s*** ~ 《구어》 위험을 면하다; 무사히 도망하다. ***risk*** one***'s*** ~ 목숨에 관계되는 일을 하다. ~ ***and bone***(***s***) (바짝 말라) 뼈와 가죽뿐인 〔피골(皮骨)이 상접한〕 (사람〔동물, 몸〕). ***The ~ off your nose!*** 《구어》 건배! ***to the*** ~ 피부까지; 완전히, 온통. ***under the*** ~ 한 꺼풀 벗기면, 내심〔심중〕은; 《미속어》 나체〔포르노〕의. ***wear close*** 〔***next***〕 ***to*** one***'s*** ~ 맨몸에 그대로 입다.

— *a.* 살갗〔피부〕의; 《미속어》 나체의, 누드〔섹스〕를 다루는, 포르노의: ~ care 피부의 손질/a ~ magazine 도색 잡지.

— (***-nn-***) *vt.* **1** 껍질〔가죽〕을 벗기다(flay, peel); 피부를 까지게 하다, 스쳐 허물이 벗어지게 하다: ~ an onion 양파 껍질을 벗기다/~ one's hand on the rock 바위에 손이 벗겨지다. **2** 《~+목/+목+부/+목+전+명》 벗기다, 떼어내다: ~ *out* the hide 가죽을 벗기다/He ~*ned off* his coat to help. 그는 거들기 위해 웃옷을 벗었다/~ a stamp *from* an envelope 봉투에서 우표를 떼어 내다. **3** (가죽 따위로) 덮다《*over*》. **4** 《~+목/+목+전+명》 《속어》 …로부터 강탈하다, 빼앗다, 사취하다(fleece) 《*out of; of*》: ~ a person *of* every shilling 아무에게서 한푼 남기지 않고 빼앗다. **5** (상대를) 해치우다, 완패시키다; 《속어》 마구 비난하다. **6** (짐 끄는 말 등을) 몰아 대다. **7** (땅에서) 옥토를 흘려 보내다. **8** 《미속어》 =SKIN-POP. **—** *vi.* **1** 《+부》 (상처 따위가) 가죽으로〔껍질로〕 덮이다; 아물다, 합창(合瘡)하다《*over*》: The wound has ~*ned over.* 상처는 아물었다. **2** 《+부/+전+명》 《미속어》 빠져나오다, 살짝 나가다; 가까스로 통과하다〔벗어나다, 합격하다〕《*by; through*》. **3** 《+부/+전+명》 《구어》 기어오르다《*up*》; 기어내리다《*down*》: ~ *up* 〔*down*〕 (a tree). **4** 《미속어》 =SKIN-POP. ***keep*** one***'s eyes ~ned*** 《구어》 눈을 크게 뜨고 지켜보다, 방심하지 않다. ~ ***a flint*** ⇨ FLINT. ~ ***a goat*** 《미속어》 토하다. ~ a person ***alive*** 아무의 날가죽을 벗기다; 《미구어》 아무를 괴롭히다, 호되게 벌주다; 아무를 때리다; 《미속어》 (경기 등에서) 아무를 크게 이기다. ~ ***a razor*** 《구어》 불가능한 것을 하다.

skín-bòund *a.* **1** 가죽〔껍질〕이 덮인. **2** 『의학』 경피증(硬皮症)의.

skín·càre *n.*, *a.* 피부 손질(용의).

skín-déep *a.* (상처 등이) 깊지 않은; 겉만의; 얕은, 피상적인(superficial).

skín disèase 피부병.

skín-dìve *vi.* 스킨다이빙을 하다. ㊎ **skín dìver** 스킨다이버.

skín dìving 스킨다이빙《안경·물갈퀴·애퀄렁(aqualung) 따위의 장비를 갖추고 하는 잠수법》. ⓒⓕ scubadiving.

skin diving

skín effèct 『전기』 표피층 효과.

skín flìck 《속어》 도색 영화.

skín·flìnt *n.* 인색한〔다라운〕 사람, 탐욕스러운 사람, 구두쇠. ⓒⓕ flint. ㊎ **~y** *a.*

skín fòod 스킨 크림《영양 크림 등》.

skín frìction 『물리』 (액체와 고체 간의) 표면마찰.

skin·ful [skínfùl] *n.* **1** 육체. **2** 가죽 부대〔주머니〕 가득. **3** 《구어》 배불리 잔뜩; 과음(한 양(量)).

skín gàme 《구어》 협잡〔사기〕 게임〔도박〕, 야바위; 《미속어》 미안 성형(美顔成形).

skín gràft 『외과』 피부 이식용의 피부 조각.

skín gràfting 『외과』 피부 이식(술).

skín·hèad *n.* **1** 머리가 벗어진〔짧은〕 사람. **2** 《영》 스킨헤드족《장발족에 대항하여 까까머리를 한 보수파》. **3** 《미해군속어》 계급이 가장 낮은 병사.

skink[1] [skiŋk] *n.* 『동물』 열대산 도마뱀의 일종.

skink[2] *vt.* 《방언》 (마실 것을) 따르다.

skín·less *a.* **1** 껍질이 없는: a ~ sausage. **2** 느끼기 쉬운, 민감한.

skinned [skind] *a.* **1** 《미속어》 속은, (도박·사업의 실패로) 빈털터리가 된. **2** 총을 갖고 있지 않은. **3** 〔복합어로〕 가죽이〔피부가〕 …인; (경기장이) 잔디가 없는.

Skin·ner [skínər] *n.* **B**(**urrhus**) **F**(**rederic**) ~ 스키너《미국의 신행동주의를 창도한 심리학자; 1904-90》.

°**skin·ner** *n.* **1** 가죽〔모피〕 상인; 가죽을 벗기는〔무두질하는〕 사람. **2** 사기꾼. **3** 《구어》 노새를〔말을〕 모는 사람, 마부. **4** 《구어》 (트랙터·불도저 따위 대형 건설 기계의) 운전사.

Skin·ner·i·an [skiníəriən] *a.*, *n.* 스키너 이론의(지지자).

skin·nery [skínəri] *n.* 피혁 공장〔제조소〕.

°**skin·ny** [skíni] (***-ni·er; -ni·est***) *a.* 가죽 모양의, 피질(皮質)의; 뼈가죽만 남은, 바싹 여윈; 인색한; 열등한, 부적절한. **—** *n.* 《미속어》 (내부의 또는 확실한) 정보, 사실. ㊎ **-ni·ness** *n.*

skínny-dìp *vi.*, *n.* 《구어》 알몸으로 헤엄치다〔헤엄치기〕. ㊎ **-dìp·per** *n.*

skínny-rìb *n.* 몸에 착 달라붙는 스웨터〔카디건〕.

skín pàckage 스킨 포장《밀착 형태 플라스틱 필름 포장의 일종》.

skín-pòp *vt.*, *vi.* 《속어》 (마약을) 피하 주사하다. ㊎ **-pòp·per** *n.*

skín reàction (알레르기나 주사 따위에 의한) 피부 반응.

skín sèarch 《속어》 벌거벗겨 불법 소지품을〔마약 주사 자국을〕 조사하기, 피부 수사. ㊎ **skín-sèarch** *vt.*

skín spècialist 『의학』 피부과 전문의(dermatologist).

skint [skint] *a.* 《영속어》 무일푼의, 거덜 난.

skín tèst 『의학』 (알레르기 체질 등을 진찰하는) 피부 시험.

skín·tìght *a.* 살에 착 붙는, 몸에 꼭 맞는.

skín vìsion =EYELESS SIGHT.

skip**[1] [skip] (-pp-***) *vi.* **1** 《~/+부/+전+명》 가볍게 뛰다, 깡충깡충 뛰(놀)다, 까불다《*about*》: ~ *about* for joy 기뻐서 깡충깡충 뛰어다니다/Don't ~ *about* 〔*in*〕 the room. 방안을 뛰어다니지 마라. SYN. ⇨JUMP. **2** 《+전+명》 (돌 따위가) 수면 위로 튀면서 스쳐가다; 튀기며〔깡충깡충 뛰면서〕 나아가다: ~ *along* the surface of the water. **3** 《영》 줄넘기하다. **4** 《+전+명》 (일·화제 등이) 이리저리 바뀌다《*off; from ... to —*》: ~ *from* dance *to* mathematics 춤 얘기에서 갑자

기 수학 얘기로 옮기다. **5** 《~/+전+명》 빠뜨리다《*over*》; 건너뛰며 읽다; 《구어》 대충 훑어보다《*through*》: ~ *over* some chapters 몇 장(章)인가를 건너뛰어서 읽다. **6** 《미》 월반(越班)하(여 진급하)다. **7** 《~/+부/+전+명》 《구어》 급히 떠나다; 허둥지둥 도망치다(abscond), 셈을 치르지 않고 도망하다《*out;* 《영》 *off*》; 급히 여행하다, 몹시 급하게 가다: ~ *over* 〔*across*〕 *to* France 잠깐 프랑스로 여행하다. — *vt.* **1** (가볍게) 뛰어넘다: They are ~*ping* rope. 줄넘기를 하고 있다. **2** 《~+목/+목+전+명》 (돌 등을) 수면 위를 튀기도록 던지다, 물수제비뜨다: ~ a stone *on* the river 강에서 물수제비뜨다. **3** 거르다, 빠뜨리다; (군데군데) 건너뛰어 읽다: ~ large cities (관광 등에서) 큰 도시 몇 개를 빠뜨리다/I ~ coffee. (정식 등에서) 커피는 필요 없습니다. **4** 말하지 않고 두다. **5** 《구어》 …에서 급히〔허겁지겁〕 떠나다; 셈을 치르지 않고 도망치다: ~ the country 국외로 도망치다. **6** 《구어》 (학교 등을) 빼먹다, 결석하다: ~ a class. ***Skip it!*** 《구어》 =FORGET it! **~ *on*** 《미속어》 꺼지다, 떠나다. **~ *out on*** 《구어》 …에게서 도망치다, …을 돌보지 않다.

— *n.* **1** (가볍게) 뜀, 도약; 줄넘기. **2** 거르기, 건너뜀, 빠뜨림, 건너뛰어 읽기: read a book without a ~ 책을 정독하다. **3** 《영》 〖음악〗 도약 진행. **4** 〖인쇄·컴퓨터〗 넘김, (행·페이지의) 뒤로 물림. ㊞ **skíp·pa·ble** *a.*

skip² *n.* lawn bowling 〔curling〕 팀의 주장; 육군 대위; =SKIPPER¹; 《미속어》 (버스·택시의) 운전사; 《미속어》 (분서(分署)의) 서장. — (**-pp-**) *vt.* (팀)의 주장을 맡아보다; =SKIPPER¹.

skip³ *n.* 〖광물〗 (쇠로 된) 버킷; 광차(鑛車); (광산·채석장의) 인원·자재 운반용 대형 바구니.

skip⁴ *n.* (Dublin 대학에서) 사환.

skí pànts (발목 부분이 꼭 끼는) 스키바지.

skíp-bòmb *vt., vi.* 〖항공〗 (목표를) 저공에서 폭격하다.

skíp bòmbing 〖항공〗 저공 폭격(법).

skíp dìstance 〖통신〗 도약 거리《전리층을 이용하는 단파 통신 등에서 수신이 가능한 지표상의 거리》.

skíp·jàck (*pl.* **~s,** 〔집합적〕 **~**) *n.* **1** 물 위로 뛰어오르는 물고기, 《특히》 가다랑어(=**∠ tùna**); 생각이 얕은〔지나치게 잘난 체하는〕 젊은이. **2** 〖곤충〗 방아벌레류. **3** (오뚝오뚝 서는) 오뚝이의 일종. **4** 《미》 소형의 외대박이(sloop)《굴 양식·요트용》.

skí-plàne *n.* 〖항공〗 설상기(雪上機).

skí pòle 《미》 스키 폴(ski stick).

◇**skip·per¹** [skípər] *n.* (작은 상선·어선 따위의) 선장; 〔일반적〕 선장; (운동 팀의) 주장; 기장(機長); 《미》 매니저; 《미속어》 두목(boss). — *vt.* ~의 일을 맡아보다.

skip·per² *n.* 가볍게 뛰는〔춤추는〕 사람; 튀는 물건; 〖곤충〗 방아벌레; 구더기, 치즈벌레의 유충; 〖어류〗 꽁치류(saury).

skípper's dáughters 높은 흰 물결〔파도〕.

skíp·ping·ly *ad.* 가볍게 뛰면서; (독서 따위에서) 마구 빼먹고, 뛰어넘어서; 못 보고.

skíp(ping) ròpe (줄넘기의) 줄.

skíp tràcer 《구어》 행방불명 채무자 수색원(員). ㊞ **skíp tràcing** 「cf. skip distance.

skíp zòne 〖통신〗 도약대(帶), 불감(不感) 지대.

skirl [skəːrl] *n.* 《Sc.》 높고 날카로운 소리; 백파이프의 소리. — *vi.* 삐이삐이하다, 날카로운 소리를 내다(shriek); 백파이프를〔로〕 불다.

skir·mish [skə́ːrmiʃ] *n.* 전초전(前哨戰), (우발적인) 작은 전투, 승강이; 〔일반적〕 작은 충돌, 작은 논쟁. SYN. ⇨ FIGHT. — *vi.* 작은 충돌을〔승강이를〕 하다《*with*》. ㊞ **~·er** *n.* 사소한 충돌을 하는 사람; 〖군사〗 전위, 전초 척후병.

skirr [skəːr] *vi.* 급히 가다〔떠나다〕; 빨리 달리다〔날다, 범주(帆走)하다〕《*off; away*》. — *vt.* 《고어·문어》 …의 안을 찾아보다; …의 위를 휙 스쳐가다. — *n.* 삐걱삐걱하는 소리. [imit.]

†**skirt** [skəːrt] *n.* **1** 스커트, 치마; (일반적으로 옷의) 자락. **2** (물건의) 가장자리, 가, 끝(border); (가구 따위의) 가장자리 장식; 안장의 드림; (기계·차량 따위의) 철판 덮개; (의자·책상 등의) 보강재(補強材). **3** (*pl.*) 교외, 변두리(outskirts): on the ~*s* of the village 그 마을 변두리에. **4** 《속어》 계집, 여자, 아가씨: a bit 〔piece〕 of ~ (섹스 대상으로의) 여자/a loose ~ 허튼계집/a ~ chaser 여자 궁둥이를 좇아다니는 사내. **5** 〖건축〗 =SKIRTING BOARD. **6** (식육용 소의) 횡경막(살). ***shake*** one***'s*** ~ 《미속어》 (여자가) 춤추다.

— *vt.* **1** 둘러싸다, 두르다; …와 접경하다(border); …의 가〔변두리〕를 지나다: The highway ~*s* the city. 간선 도로가 그 도시 주변을 지나고 있다. **2** …에 자락을 달다; 자락으로 덮다. **3** (문제 따위를) 피해 가다, 회피하다; 겨우 모면하다.

— *vi.* **1** 가〔경계, 접경〕에 있다; 변두리에 살다. **2** 《+전+명》 언저리를 따라 나아가다《*along*》; 《특히》 (사냥에서) 장애물을 비켜 지나가다《*along; around*》: ~ *along* the edge of a cliff 벼랑 끝을 지나가다. **3** (문제·곤란 등을) 피하다, 회피하다《*round; around*》.

㊞ **∠·er** *n.* **∠·less** *a.* **∠·like** *a.* 「춤〔발레〕.

skírt dànce 긴 스커트 자락을 펄럭이며 추는

skírt·ed [-id] *a.* 〔보통 복합어로〕 …한 스커트의: a short-〔long-〕~. 「=SKIRTING BOARD.

skírt·ing *n.* 옷자락; Ⓤ 스커트 감; 〖건축〗

skírting bòard 《영》 〖건축〗 굽도리널, 걸레받이(skirting, 《미》 baseboard).

skírt-ròof *n.* (2층집의 1층과 2층 사이에 낸) 작은 장식 지붕.

skí rùn 〔**slòpe**〕 (스키를 타는) 슬로프, 활주로.

skí-scòoter *n.* 《영》 =SKIDOO.

skí stìck 《영》 =SKI POLE.

skí sùit 스키복.

skit [skit] *n.* 희문(戲文); 짧은 희극; 《드물게》 가벼운 풍자〔농담〕; 빈정댐, 비웃음.

skite¹ [skait] 《Austral. 구어》 *n.* 자만(하는 사람). — *vi.* 자만하다.

skite² 《Sc.》 *vi.* 서둘러 가다, 재빨리 나아가다, 스치다《*off*》. — *n.* 비스듬히 후려치는 일격〔강타〕; 들떠서 떠들어 댐.

skí tòuring 크로스컨트리 스키, 스키투어《눈이 내린 자연 코스를 자유로이 활주하며 다니기》. ㊞ **skí tòurer**

skí tòw 스키토《로프를 잡은 스키어를 정상으로 나르는》; =SKI LIFT.

skit·ter [skítər] *vi.* 경쾌하게〔잽싸게〕 나아가다〔달리다, 미끄러지다〕《*about; along; across; off*》; (물새 등이) 수면을 스치듯 날다; 낚싯바늘을 수면에 스치게 끌면서 낚다. — *vt.* ~시키다.

skit·tery [skítəri] *a.* =SKITTISH.

skit·tish [skítiʃ] *a.* **1** (말 등이) 겁 많은, 놀라기 잘하는. **2** 활발한, 원기 왕성한; 까불며 떠드는; 《특히》 중년의 여자가 소녀처럼 들뜬(lively), 말괄량이의; 변덕스러운(fickle). **3** 《드물게》 (사람이) 암띤; 조심성이 많은. **4** 다루기 어려운, 능숙한 솜씨를 요하는. ㊞ **~·ly** *ad.* **~·ness** *n.*

skit·tle [skítl] *n.* 영국식 구주희(九柱戲)용의 작은 기둥(=**∠ pìn**); (*pl.*) 〔단수취급〕 영국식 구주희; (*pl.*) 놀이, 즐거움. ***Life is not all beer and ~s.*** 인생은 즐겁기만 한 것은 아니다. ***Skittles!*** 《속어》 덜된 소리 좀 작작해, 시시하게. — *vt.* 〔다음 관용구로〕 **~ *out*** 〖크리켓〗 (타자를) 연달아 아웃시키다.

skíttle àlley 〔**gròund**〕 《영》 구주회장(場).

skíttle bàll 《영》 구주희용의 공.

skive [skaiv] *vi.* 《영속어》 살며시 빼소니치다, 몰래 떠나다《*off*》.

skiv·vy[1] [skívi] *n.* 《미속어》 **1** (남자용) 팬츠; (*pl.*) (팬츠와 T셔츠로 된) 내의, 속셔츠(=∠ **shìrt**)《특히 수병용의 둥근 목 반소매 셔츠 · 짧은 바지의》. **2** (*pl.*) 비치 샌들.

skiv·vy[2] *n.* 《영구어 · 경멸》 하녀. **—** *vi.* 하녀로 일하다.

ski·vy [skáivi] *a.* 《영속어》 정직하지 못한, 교활한.

skí wàlking 크로스컨트리 스키. ⓟ **skí-wàlk** *vt.*

skí·wèar *n.* 스키복.

skoal [skoul] *int., n.* (축배를 들어) 건강을 빕니다; 축배; 〖감탄사적〗 건배. **—** *vi.* 축배하다.

skol·ly, -lie [skáli/skɔ́-] *n.* 《S. Afr.》 (백인 이외의) 갱, 악당, 무뢰한.

skoo·kum [skú:kəm] 《미북서부 · Can.》 *a.* 큰, 힘센, 강력한; 일류의, 멋진. [◂ Chinook]

skóokum hòuse 《미구어》 형무소, '큰집'.

Skr., Skrt., Skt. Sanskrit.

Skryabin ⇨SCRIABIN.

SKU Stock Keeping Unit (재고 보관 단위).

skua [skjú:ə] *n.* 〖조류〗 도둑갈매기(=∠ **gùll**).

skul·dug·gery, 《미》 **skull-** [skʌldʌ́gəri] *n.* Ⓤ,Ⓒ 《구어 · 우스개》 야바위, 속임수(trickery); 음모, 부정(dishonesty).

skulk [skʌlk] *n.* =skulker. **—** *vi.* **1** 슬그머니 숨다《*behind*》; 잠복하다; 몸을 안전한 곳에 두다. **2** 살금살금 걷다; 살금살금 …하다《*through; about*》, 몰래〔가만히, 슬그머니〕 달아나다(sneak). **3** 《영》 일〔위험, 책임〕을 기피하다(shirk); 게을리하다, 빈들거리다. ⓟ **∠·er** *n.* 몰래 도망쳐 숨는 사람; (일 · 위험을 기피하는) 태만한 사람. **∠·ing·ly** *ad.*

skull** [skʌl] *n.* **1** 두개골(cranium); 《구어 · 경멸》 머리(head), 두뇌(brain): have a thick ~ 머리가 둔하다. **2** 《미속어》 일류 인물, 인텔리. ***bored out of one's ~ 《속어》 따분해서 미칠 지경인. ***go out of*** one's ~ 《미속어》 몹시 긴장〔흥분〕하다, 미치다, 신경질이 되다. **—** *vt.* 《속어》 …의 머리를 때리다. ⓟ **~ed** *a.* …한 두개골을 가진.

skúll and cróssbones 해골 밑에 대퇴골(大腿骨)을 열십자로 짝지은 그림《죽음의 상징; 해적기나 독약 병의 표지》.

skúll·càp *n.* **1** 〖해부〗 두개골의 상부; 두개. **2** 챙이 없는 사발을 엎은 모양의 모자《노인 · 성직자용》. **3** 〖식물〗 골무꽃.

skúll cràcker 건물 철거용 철구(鐵球).

skúll pràctice 〔**sèssion**〕 《미속어》 (운동부의) 기술 연수회, 작전 회의; 간담회, 의견〔정보〕 교환회.

°**skunk** [skʌŋk] (*pl.* **~**(***s***)) *n.* **1** 〖동물〗 스컹크《북아메리카산》; Ⓤ 스컹크 모피. **2** 《구어》 밉살맞은 놈; 《미속어》 흑인. **3** 《미해군속어》 레이더상의 수상한 물체. **4** 영패(零敗)시킴. **—** *vt.* 《미속어》 **1** 영패〔참패〕시키다; (계획 따위를) 망치다. **2** (빚 따위를) 떼먹다. **3** 사취(詐取)하다.

skunk 1

skúnk càbbage 〖식물〗 앉은부채.

skúnk wòrks 《구어》 (컴퓨터 · 항공기 등의) (비밀) 연구 개발 팀〔부문〕.

skurf·ing [skə́:rfiŋ] *n.* =SKATEBOARDING.

skut·te·rud·ite [skʌ́tərʌ̀dait] *n.* 〖광물〗 방(方)코발트광《코발트 · 니켈의 원광》.

†**sky** [skai] *n.* **1 a** (the ~ 〔skies〕) 하늘; 천국(heaven): high in the ~ 하늘 높이 / be raised to the *skies* 승천하다, 죽다. **b** 〔수식어를 수반

하여〕 (어떤 상태의) 하늘: a clear, blue ~ 맑고 푸른 하늘. **2** (*pl.*) 날씨, 기후; 풍토(climate): under a foreign ~ 이국의 하늘 아래 / stormy *skies* 폭풍우가 있을 것 같은 날씨 / forecast clear *skies* tomorrow 내일 맑겠다는 예보를 하다 / our temperate English *skies* 우리 영국의 온화한 기후. **3** Ⓤ 하늘빛. **4** 《미속어》 (제복 입은) 경관, 교도관. ***be in the*** **~** 〔***skies***〕 천국에 있다. ***drop from the skies*** 별안간〔갑자기, 느닷없이〕 나타나다. ***hit the*** **~** (스카이다이빙 따위에서) 하늘을 날다. ***out of a clear*** (***blue***) **~** (청천의 벽력처럼) 갑자기, 느닷없이. ***reach for the*** **~** 《속어》〖종종 명령어〗 손을 높이 들어《그렇지 않으면 사살한다》. ***The*** **~** ***is falling.*** 큰 일이 일어나다. ***The*** **~** ***is the limit.*** ⇨LIMIT. ***to the skies*** 높이, 크게. ***under the open*** **~** 야외〔한데〕에서.

— (***skied,*** **~*ed;*** **∠*·ing***) *vt.* 《구어》 (그림을) 높직한 곳에 걸다; (공 등을) 높이 쳐 올리다. **~ *up*** (매 사냥에서) 사냥감이 하늘 높이 올라가다.

skŷ blúe 하늘빛(azure).

ský-blúe *a.* 하늘빛의.

ský·bòrne *a.* 공수의(airborne): ~ troops 공수 부대.

ský·bòx *n.* 《미》 (스타디움 따위의 높은 곳에 위치한) 호화 특별 관람석; 곤돌라 방송석.

ský·brìdge *n.* **1** 두 빌딩 사이를 잇는 구름다리〔통로〕(skywalk). **2** 건물 내 안뜰 위의 구름다리(flying bridge; walkway).

ský bùrial 풍장(風葬)《티베트 장례법의 하나》.

ský·càp *n.* 공항 포터.

ský·clàd *a.* 나체〔알몸〕의, 벌거벗은《마녀》.

ský·còach *n.* (최하급의) 여객기.

ský·dìve *vi.* 스카이다이빙하다. ⓟ **-dìver** *n.* 스카이다이버.

ský·dìving *n.* 스카이다이빙.

Skye [skai] *n.* 스카이《스코틀랜드 서부의 섬》; 털이 길고 다리가 짧은 테리어개의 일종(=∠ **térrier**).

ský·er *n.* 〖크리켓〗 비구(飛球).

sky·ey, ski- [skáii] *a.* 하늘의; 하늘에 있는, 몹시 높은; 하늘빛의.

ský flàt 고층 아파트.

ský·glòw *n.* (도시 따위의 인공 광선에 의한) 야광(夜光).

ský-hígh *ad., a.* 까마득히 높이〔높은〕, 매우 높은〔높게〕; 열렬히; 산산조각으로. ***blow*** **~** 논파(論破)하다; 완전히 파괴하다.

ský-hìtching *n.* 하늘의 히치하이크.

ský·hòok *n.* 스카이훅《항공기에서 투하하는 물자의 강하 속도를 줄이기 위한 도르래 모양의 장치》; =SKYHOOK BALLOON.

skýhook ballòon 과학 관측용 고고도(高高度) 기구.

sky·ish [skáiiʃ] *a.* 《드물게》 하늘 같은; 하늘에 닿을 듯이 높은.

ský·jàck *vt.* (비행기를) 탈취하다. ⓟ **~·er** *n.* 비행기 탈취범. **~·ing** *n.*

Sky·lab [skáilæ̀b] *n.* 스카이랩《미국의 유인(有人) 우주 실험실》. [◂ *sky*+*laboratory*]

***sky·lark** [skáilὰ:rk] *n.* **1** 〖조류〗 종다리. **2** 《구어》 야단법석, 악의 없는 장난. **—** *vi.* 《구어》 뛰어 돌아다니다; 법석이다, 장난치다. ⓟ **~·er** *n.*

ský·less *a.* 하늘이 안 보이는; 흐린.

ský·lìght *n.* Ⓒ 〖건축〗 천장에 낸 채광창; Ⓤ 하늘의 빛, 스카이라이트《하늘의 산광(散光) · 반사광》; 야광. ⓟ **~·ed** [-id] *a.* 채광창이 있는.

°**ský·lìne** *n.* 지평선(horizon); (산 · 건물 따위가 하늘을 배경으로 하는) 선, 윤곽.

ský·lòunge *n.* 스카이라운지《터미널에서 승객을 태운 대합실형의 탈것을 헬리콥터에 매달아 공항까지 운반함》.

ský·man [-mən] (*pl.* ***-men*** [-mən]) *n.* 《구어》 비행사; 《속어》 낙하산 부대원.

skӯ màrker 〖군사〗 낙하산 달린 조명탄.
skӯ màrshal 기내(機內) 공안원.
skӯ pìlot 《미속어》 항공기 조종사, 비행가; 《속어》 (특히 군대의) 목사, 성직자.
skӯ·ròcket *n.* 유성(流星) 꽃불, 봉화. **—** *vi., vt.* 급히 상승〔출세〕하다〔시키다〕; 《구어》 급히 증대하다, (물가 따위가) 급등하다〔시키다〕.
sky·sail [skáisèil, 《해사》 -səl] *n.* 〖해사〗 (가로돛 장치 세대박이의) 윗돛 《royal의 바로 위의》.
skӯ·scàpe *n.* 하늘의 경치; 그 그림. cf. land-scape.
*__sky·scrap·er__ [skáiskrèipər] *n.* 마천루, 고층 건물; 〖해사〗 삼각형의 skysail; 《야구속어》 높은 플라이; 《미속어》 (여러 층으로 쌓은) 대형 샌드위치〔디저트〕. 「이 솟은 굴뚝.
skӯ·scràping *a.* 높이 솟은: a ~ chimney 높
skӯ sìgn (전광) 공중 광고, 옥상 광고.
skӯ sùrfer =HANG GLIDER. ㊥ **skӯ sùrfing**
Skӯ·swèeper *n.* 스카이스위퍼 《레이더 · 컴퓨터를 갖춘 자동 대공포; 상표명》. 「작은 호텔.
sky·tel [skaitél] *n.* 전세기 · 자가용기를 위한
skӯ tràin 공중 열차(air train) 《1대 이상의 글라이더와 그것을 끄는 비행기》.
skӯ·tròops *n. pl.* 공수 부대(paratroops).
skӯ trùck 《구어》 화물 수송기.
skӯ·wàlk *n.* =SKYBRIDGE. 「위쪽으로.
skӯ·ward [-wərd] *ad., a.* 하늘쪽으로(의),
skӯ·wards [-wərdz] *ad.* =SKYWARD.
skӯ wàve 〖통신〗 공간파(波), 상공파(上空波). cf. ground wave.
skӯ·wày *n.* 항공로(airway); 《미》 (도시 안의) 고가 간선 도로.
skӯ·wrìte *vi.* skywriting하다. **—** *vt.* skywriting으로 그리다, 공중 광고로 알리다; 널리 알리다. ㊥ **-wrìter** *n.* skywriting하는 사람〔비행기〕.
skӯ·wrìting *n.* (비행기가 연기 따위로) 공중에 글씨 · 무늬를 그리기 《공중 광고 수단》; 또, 그 글씨〔광고〕.
S.L. salvage loss; sea level; sergeant-at-law; solicitor at law; south latitude. **sl.** slightly; slow. **s.l.** 〖서지(書誌)〗 *sine loco* 《L.》 (=without place)(장소 기재 없음).
slab[1] [slæb] *n.* **1** 평석(平石), 석판: a marble ~ 대리석판. **2** (재목의) 등널, 평판(平板); 죽데기; (고기 · 빵 · 과자 따위의) 납작한 조각: ~ chocolate 판(板)초콜릿 / a ~ of bread. **3** 《야구속어》 투수판; 홈플레이트. **4** 《영속어》 수술대, 시체 안치대. **5** 〖인쇄〗 잉크 개는 판. **6** 《미속어》 읍, 도시. **7** 《미속어》 묘석. **—** (*-bb-*) *vt.* **1** (목재를) 널판으로 켜다; 두꺼운 널판으로 만들다〔덮다, 떠받치다〕. **2** 두껍게 얹다.
slab[2] *a.* **1** 《고어》 끈적끈적〔눅진눅진〕한, 걸쭉한. **2** 감상적인, 과장 표현이 많은.
slab·ber [slǽbər] *vi., vt., n.* =SLOBBER.
sláb-sìded [-id] *a.* 《미구어》 옆이 편평한; 껑충한, (키가) 멋없이 큰; 가냘픈. 「지는 돌》.
sláb·stòne *n.* 판석(板石) 《평판 모양으로 쪼개
*__slack__[1] [slæk] *a.* **1** (옷 따위가) 느슨한(loose) (OPP *tight*), 늘어진, 느스러진 《고삐 따위》. **2** 되는대로의, 부주의한(careless), 흘게 늦은, 태만한(idle). **3** 꾸물거리는, 느린, 더딘(slow); 기운없는, 께느른한(dull): feel ~ 께느른하다 / be ~ *in* 〔*about*〕 doing … 하는 것이 느리다. **4** (바람 · 조수 따위 흐름이) 정체되어 탁한, 흐린. **5** 침체된, 한산한, 부진한, 경기가 없는: ~ weather 끄물거리는 날씨 / a ~ season (장사의) 불경기철 / ~ time (차 · 식당 등의) 텅텅 비는 시간 / ~ trade 부진한 교역. **6** (빵 따위가) 덜〔설〕 구워진, 덜 마른. **7** (석회를) 소화(消和)하는, 비화(沸化)한(slaked): ~ lime 소(消)석회. **8** 〖음성〗 이완음(弛緩音)의, 개구음(開口音)의: ~ vowels 이완 모음(母音). ***keep a ~ hand*** 〔*rein*〕 고삐를 늦추다; 관대하게 다루다. **~ *in stays*** 〖해사〗 (배가) 도는 것이 느린.
— *ad.* **1** 느슨하게, 헐겁게. **2** 아무렇게나, 되는대로. **3** 꾸물꾸물, 느릿느릿(하게); 부진하게, 활발치 않게. **4** 불충분하게.
— *n.* **1** 느슨함, 느즈러짐: (the ~) (밧줄 · 띠 등의) 느즈러진 부분. **2** 불황(기), 불경기(철): a ~ in business. **3** =SLACK WATER; (바람이) 자기, 잔잔함. **4** 한가로이 쉼: have a good ~ 충분히 쉬다. **5** (*pl.*) 헐거운 바지 《운동용》, 슬랙스. **6** 〖시학〗 운각(韻脚)의 약음부(部). **7** 《영방언》 건방짐. ***take up*** 〔***take in, pull in***〕 ***the ~*** (로프의) 느슨함을 죄다 《*on; in*》; 기강을 바로잡다, 쇄신하다; (부진한 산업에) 활력을 불어넣다.
— *vt.* **1** 《~+目/+目+副》 《비유》 늦추다, 느즈러뜨리다, 줄이다, 완화하다 《*away; off*》; 게을리하다, 내버려두다: ~ (*up*) one's vigilance 〔one's effort, one's pace〕 주의를〔노력을, 걸음을〕 게을리하다〔늦추다〕 / ~ *off* speed 속도를 늦추다. **2** (석회를) 소화(消和)하다. **—** *vi.* **1** 느슨해지다. **2** 《~/+副》 약해지다; 쇠하다; 느려지다 《*up*》: The wind *~ed up.* 바람이 약해졌다 / Their enthusiasm *~ed off.* 그들의 열광은 식었다. **3** 게을리하다, 적당히 하다. **4** (석회가) 소화하다. **~ *back*** (기중기 · 잭 따위가) 무게로 인해 내려앉다〔느슨해지다〕. **~ *it down*** 《흑인속어》 머리를 풀다.
㊥ **∠·ly** *ad.* **∠·ness** *n.*
slack[2] *n.* 〖광물〗 분탄(粉炭), 지스러기탄.
sláck-báked [-t] *a.* 설구워진; 미숙한, 덜된.
°**slack·en** [slǽkən] *vt.* 《~+目/+目+副》 **1** 늦추다, 느슨하게 하다 《*off*》: ~ (*off*) a rope 밧줄을 늦추다. **2** (속력 · 노력 등을) 줄이다, 약하게 하다 《*up*》: ~ (*up*) speed for a curve 커브에서 속력을 줄이다. **—** *vi.* 《(+副)》 **1** (밧줄이) 느슨해지다, 늦추다: *Slacken off!* 밧줄을 늦춰라. **2** 게을리하다; (속도가) 느려지다; (장사가) 활발치 못하게 되다 《*off*》. **3** (바람 · 전투 등이) 약해지다 《*off*》.
sláck·er *n.* 태만한 사람; 게으름뱅이, 일을 아무렇게나 하는 사람; 책임 회피자, 병역 기피자.
slàck-jáwed *a.* 《구어》 **1** 몹시 놀란. **2** 입 벌린.
sláck-òff *n.* 《구어》 태업(怠業), 게으름 피우기.
sláck sùit 슬랙스와 재킷으로〔스포츠 셔츠로〕 된 한 벌 《남성용은 평상복; 여성용은 pants suit 라고도 함》.
sláck wáter 정지 상태의 조수(潮水), 게조(憩潮)(시(時))(=**sláck tíde**); (강 따위의) 정체된 물.
slag [slæg] *n.* U (광석의) 용재(鎔滓), 광재(dross), 슬래그; 화산암재(滓); 《영속어 · 경멸》 음란한 여자. **—** (*-gg-*) *vt.* 용재로 하다; …에서 용재를 제거하다. **—** *vi.* 용재를 형성하다; 《속어》 매도하다, 헐뜯다 《*down; off*》. ㊥ **∠·gy** *a.* 용재〔광재〕의, 용재〔광재〕 같은.
slág cemènt 슬래그〔고로(高爐)〕 시멘트.
slág·hèap *n.* 《주로 영》 탄을 캐고 난 찌꺼기 돌더미. ***on the ~*** 이젠 아무 쓸모없게 되어서.
slág wóol 광재면(鑛滓綿)(mineral wool).
slain [slein] SLAY의 과거분사.
slake [sleik] *vt.* **1** 갈증을 풀다, (굶주림 · 욕망 따위를) 채우다, 만족시키다(satisfy); (노염 등을) 누그러뜨리다(assuage); (원한 등을) 풀다. **2** (불을) 끄다. **3** (석회를) 소화(消和)〔비화(沸化)〕하다. **4** (속도 · 힘을) 늦추다(slacken). **—** *vi.* **1** (불이) 꺼지다; 느즈러지다; 활발치 않게 되다. **2** 소화〔비화〕되다.
sláked líme 소석회(消石灰).
sla·lom [slá:ləm, -loum] *n.* 슬랄롬 《(1) 스키

의 회전활강. (2) 지그재그 코스를 달리는 자동차 경주. (3) 격류에서의 카누 경기》. **—** *vi.* ~으로 활강하다〔달리다, 젓다〕.

*__slam__[1] [slæm] (***-mm-***) *vt.* **1** 《~+[목]/+[목]+[부]》 (문 따위를) 탕〔탁〕 닫다: ~ *down* the lid of a box 상자 뚜껑을 탕 닫다. **2** 《+[목]+[전]+[명]》 (무엇을) 털썩〔탁〕 놓다〔던지다〕, 냅다 팽개치다: ~ a book *on* a desk 책상 위에 책을 털썩 내려놓다. **3** 《속어》 …을 세게 치다〔때리다, 짓밟다〕. **4** 《구어》 …을 혹평하다, 평하다, 비방하다. **5** 〖야구〗 (홈런을) 때리다, (공을) 팡 치다, 강타하다. **6** 《속어》 …에게 낙승하다. **7** 《미속어》 (여자와) 성교하다; (술을) 꿀꺽꿀꺽 마시다. **—** *vi.* (문 따위가) 쾅〔탁〕 닫히다; 소리 내어 (…에) 세게 부딪다《*into*》; (…을) 세게 밟다《*down; on*》. **~ *off*** 《미속어》 뻗다. **~ *the door* (*in* a person*'s face*)** (거칠게) 들어오는 것을 막다, 문전 퇴짜 놓다; (회담·제의 따위를) 딱 거절하다.
— *n.* **1** 난폭하게 닫기〔치기, 부딪기〕; 쾅, 탁, 쿵: with a ~ 쾅〔탁, 쿵〕하고 난폭하게. **2** [U,C] 《구어》 혹평. **3** 《미속어》 경례. **4** 《야구속어》 히트. **5** 《미속어》 위스키 등의 한 잔. **6** 《미속어》 성교.
— *ad.* 쾅〔탁, 쿵〕하고.

slam[2] 〖카드놀이〗 (***-mm-***) *vt.* …에 전승(全勝)하다. **—** *n.* 전승; ruff 비슷한 옛날 게임.

slam[3] *n.* (보통 the ~) 《미속어》 교도소.

slám-báng 《구어》 *vi.* 통탕거리다, 소리를 내며 행동하다. **—** *vt.* 거칠게 치다(belabor). **—** *ad.* 통탕거리며, 거칠게; 《미》 무모하게 (recklessly). **—** *a.* **1** 거친 소리의: a ~ noise. **2** 힘찬(forceful). **3** 썩 좋은, 뛰어난; (영화·소설 따위가) 스릴 만점의. **—** *n.* 거친 소리.

slám dàncing 펑크록에 맞추어 격렬하게 추는 춤. ㊀ **slám dànce** *vi., n.*

slám dùnk 1 〖농구〗 강렬하고 극적인 덩크 슛 (=**slám·dùnk**). **2** 〖조정〗 딴 배에 가까이 접근한 위치에서의 방향 전환. **3** 수직 강하식 착륙. **4** 반드시 오르는 신발행 주(株). **—** *vt., vi.* 〖농구〗 덩크 슛하다. ㊀ **~·er** *n.*

slam·mer [slǽmər] 《미속어》 *n.* (보통 the ~) 감방, 빵깐; 문, 출입구.

slám·ming *n.* 슬래밍《지방 전화 회사가 이용자의 동의를 얻지 않고 장거리 전화 회사를 대신하는 일》.

s.l.a.n., SLAN *sine loco, anno,* (*vel*) *nomine* 《L.》 (=without place, year, or name).

°**slan·der** [slǽndər/slɑ́ːn-] *n.* [U,C] 중상, 비방; 〖법률〗 구두(口頭) 비난, 명예 훼손. [cf] libel. **—** *vt.* 중상〔비방〕하다, 명예를 훼손하다. ㊀ **~·er** [-rər] *n.* 헐뜯는 사람.

slan·der·ous [slǽndərəs/slɑ́ːn-] *a.* 중상적인; 헐뜯는, 비방하는, 하리노는: a ~ tongue 독설. ㊀ **~·ly** *ad.* **~·ness** *n.*

‡**slang** [slæŋ] *n.* [U] **1** 속어《표준적인 어법으로 인정되어 있지 않은 구어》. **2** (어떤 계급·사회의) 통용어, 전문어, 술어: students' ~ 학생어/doctors' ~ 의사 용어. ★ 오늘날에는 보통 shoptalk, argot, jargon 따위로 부름. **3** (도적·죄인 따위의) 은어. ★ 오늘날에는 보통 cant라 부름. **4** 〔형용사적〕 속어의: a ~ word 속어/~ expressions 속어적 표현. **—** *vi.* 속어를 쓰다.
— *vt.* 《영》 …에게 욕하다, 욕지거리하다.

slánging màtch 《주로 영》 서로 욕하는 싸움.

slan·guage [slǽŋgwidʒ] *n.* [U] 《미》 속어(적인 말투〔표현〕). [◂ *slang*+lan*guage*]

slangy [slǽŋi] (***slang·i·er; -i·est***) *a.* 속어적인, 속어의; 속어를 쓰는; (태도·복장 따위가) 야한. ㊀ **sláng·i·ly** *ad.* **-i·ness** *n.*

slank [slæŋk] 《고어》 SLINK[1]의 과거.

*__slant__ [slænt, slɑːnt/slɑːnt] *n.* **1** 경사, 비탈; 사면(斜面), 빗면; 〖인쇄〗 사선(diagonal)《/》. **2** 경사진 것: a ~ of light 사광(斜光). **3** (마음 따위의) 경향; 관점, 견지《*on*》: You have a wrong ~ *on* the problem. 자네의 이 문제에 관한 관점은 틀렸네. **4** 《구어》 슬쩍〔언뜻〕 봄, 곁눈질(glance). **5** 《미속어·경멸》 아시아〔동양〕 사람. **6** 《방언》 빈정댐, 빗댐. ***a ~ of wind*** 한 차례의 바람, 순풍. ***on* 〔*at*〕 *the* 〔*a*〕 ~** 기울어, 엇비스듬히(aslant): sit *at a* ~ 비스듬히 앉다.
— *a.* 기운, 비스듬한: a ~ ray of light.
— *vt.* **1** (…을) 비스듬하게 하다《상하·좌우 따위로》, 기울이다; 기대게 하다. **2** 《~+[목]/+[목]+[전]+[명]》 경향을 띠게 하다, 왜곡(歪曲)하다; (기사 등을) 어느 계층에 맞게 고쳐 쓰다《*for; toward; in favor of*》: ~ a story *for* children 이야기를 어린이에게 맞게 고쳐 쓰다/a magazine ~*ed for* women readers 여성 독자 취향의 잡지. **—** *vi.* **1** 《~/+[전]+[명]》 기울다, 경사지다; 기대다《*on, upon; against*》: Most handwriting ~*s to* the right. 대개의 필체는 우로 기운다. **2** 《+[전]+[명]》 …의 경향이 있다《*toward*》. **3** 《+[전]+[명]》 비스듬히 가다〔나아가다〕; 구부러지다: ~ *across* a river 강을 비스듬히 건너다. ㊀ **~·ly** *ad.*

slánt-èyed *a.* (몽고 인종 특유의) 눈꼬리가 치켜 올라간.

slan·tin·dic·u·lar, -ten- [slæntəndíkjələr, slɑ̀ːnt-/slɑ̀ːn-] *a.* 《우스개》 기운, 약간 경사진; 간접의, 에두른. [◂ *slanting*+perpendi*cular*]

slánt·ing *a.* 경사진, 기운. ㊀ **~·ly** *ad.*

slant·ways, -wise [slǽntwèiz, slɑ́ːnt-/slɑ́ːnt-], [-wàiz] *ad., a.* 비스듬히〔한〕, 기울게, 기운.

‡**slap** [slæp] *n.* **1** 넓적한 것으로 한번 침, 손바닥으로 (빰을) 때림, 철썩(때리기). **2** (기계 따위의) 덜커덕(거리는 소리). **3** 모욕(insult), 비난; 거절, 박참(rebuff). **4** 《비유》 타격: the ~ of an economic recession 경기 후퇴의 타격. (***a bit of***) **~ *and tickle*** 《영구어》 (소란스러운) 농탕질. ***a ~ in the face*** 〔***kisser, teeth***〕 얼굴을 후려갈김; 창피, 모욕; 거절; 비난; 실망. ***a ~ on the back*** 칭찬〔격려〕의 말〔표시〕. ***a ~ on the wrist*** 《구어》 잔소리, 가벼운 꾸지람. ***have a ~ at*** … 와 싸우다, …을 (얻으려) 시도하다.
— (***-pp-***) *vt.* **1** 《~+[목]/+[목]+[전]+[명]》 찰싹 때리다: ~ a person's face =~ a person *in* 〔*on*〕 the face 아무의 얼굴을 찰싹 때리다(⇨ 관용구). **2** 《+[목]+[전]+[명]》 세게 〔탁, 털썩〕 놓다〔차다, 던지다〕: ~ one's feet *on* the floor 발로 마루를 쿵쿵거리다. **3** 혹평하다, 모욕을 주다(insult). **4** 《구어》 (소환장·금지령 등을) 강요하다, 집행하다, 태연히 요구하다, (벌금 등을) 징수하다. **5** 《+[목]+[전]+[명]》 《구어》 (페인트·버터 등을 …에) 듬뿍〔덕지덕지〕 뒤바르다《*on; onto*》: ~ paint *on* the wall 벽에 페인트를 덕지덕지 뒤바르다. **—** *vi.* 찰싹 소리를 내다. **~ *around*** (사람을) 때려눕히다; 난폭하게 다루다; 혹평하다. **~ *down*** ① (손·돈·책 따위를) 휙 동댕이치다〔내던지다〕. ② 《구어》 (아무를 …로) 짓누르다, 침묵게 하다《*with*》; (반대자〔의견〕 따위를) 물리치다, 비난하다, 질책하다. ③ 《미속어》 곤혹스럽게 하다. **~** a person ***in the face*** 〔***eye***〕 모욕하다; 거절하다, 퇴짜 놓다《*with*》. **~ *on*** 척 걸치다〔입다, 쓰다〕. **~ *on*** 〔***onto***〕 ... 《구어》 …에게 (세금·할증료 등을) 물리다. **~** a person ***on the back*** (다정하게) 등을 두드리다, 칭찬하다. **~ *skin*** (상대의 손바닥을) 치다. **~** a person***'s wrist*** =**~ *the wrist of*** a person 《구어》 가볍게 꾸짖다. **~ *the book at*** (범죄자에게) 최대 형벌을 과하다. **~ *to*** (문 따위를) 탕 닫다. **~ *together*** 날림으로〔아무렇게나〕 만들다. **~ *up***

(음식을) 서둘러 만들다.

— *ad.* **1** 찰싹. **2** 갑자기, 불시에(unexpectedly). **3** 《구어》 곧바로, 정면으로, 정확히: hit a person ~ in the eye 아무의 눈을 정통으로 때리다. ***pay ~ down*** 깨끗이 지불하다. ***run ~ into*** …와 정면충돌하다.

sláp-báng *ad.* 쿵쾅하고, 시끄럽게; 황급히; 무모하게; 갑자기; 《구어》 정면으로.

sláp·dàsh *ad.* 무턱대고, 함부로, 무모하게, 되는대로(haphazardly); 바로, 정통으로. — *a.* 성급한(impetuous), 함부로 하는, 무모한, 소홀한(careless), 되는대로의. — *n.* Ⓤ 성급함, 무모, 경박한 짓, 되는대로 하기; 〖건축〗 초벌칠(roughcast). — *vt.* 되는대로 하다; 초벌칠하다.

sláp·hàppy (***-pi·er; -pi·est***) *a.* 《구어》 (권투 선수가) 얻어맞고 비틀거리는(groggy); 분별없는; 머리가 돈; 낙천적인, 경박한; 되는대로의.

sláp·hèad *n.* 《속어》 대머리, 머리를 밀어버린사람.

sláp·jàck *n.* 《미》 철판에 구운 과자(griddle cake); 핫케이크(flapjack); 슬랩잭《아이들의 간단한 카드놀이》.

sláp-on-the-wríst *a.* 가볍게 나무라는〔타이르는〕 정도의.

Slapp, SLAPP [slæp] *n.* 환경〔소비자〕 보호 운동가에 대한 전략적인 반대 소송. — *vt.* …을 상대로 ~을 제기하다. [◂ *s*trategic *l*awsuits *a*gainst *p*ublic *p*articipation]

slap·per [slǽpər] *n.* 《속어》 매춘부, 창녀.

slap·ping [slǽpiŋ] *a.* 《속어》 무척 빠른; (사람·말 따위가) 크고 당당한; 덩치 큰; 훌륭한. — *ad.* 굉장히 빠르게; 훌륭하게.

sláp shòt 〖아이스하키〗 슬랩샷《스틱을 짧게 휘둘러 퍽을 세게 치는 일》.

sláp·stìck *n.* (어릿광대용의) 끝이 갈라진 타봉(打棒); Ⓤ 익살극, 법석 떠는 희극. — *a.* 법석 떠는: a ~ comedy.

sláp-ùp *a.* 《영구어》 (특히 식사가) 일류의, 제1급의, 최고급의, 최상질의.

°**slash** [slæʃ] *vt.* **1** 휙〔썩〕 베다, 내리쳐 베다; 깃이기다, (칼 따위로) 난도질하다; 깊숙이 베다, 깊은 상처를 입히다(gash). **2** (휙휙) 채찍으로〔회초리로〕 치다(lash). **3 a** (나무 따위를 베어 버리고 땅을) 개간하다. **b** 《+목+전+명》 〖~ one's way 로〗 (나무 따위를 자르고) 나아가다: ~ one's *way through* the jungle 나무를 자르고 정글을 통과하다. **4** (옷의 일부를) 터 놓다《속 부분을 드러내기 위해》. **5** (예산·급료·쪽수 등을) (대폭) 삭감하다; (책을) 크게 개정하다. **6** 혹평하다, 깎아내리다. **7** 〖군사〗 (나무를) 베어 넘기다《방책용으로》. — *vi.* **1** 《~/+전+명》 휙〔썩〕 베다; 채찍을〔회초리를〕 휙휙 울리다; 쉬익 달리다, 돌진하다《*through*》; 마구 휘둘러 베다《*at*》: He ~*ed at* the vines with a machete. 그는 넓적한 칼로 덩굴을 마구 잘랐다. **2** 《+전+명》 (비 따위가) 세차게 내리다《*against*》. **3** 혹평하다.

— *n.* **1** 휙 벰, 내리침; 함부로 베기, 깃이김, 깊은 상처; 한 번의 채찍질. **2** (옷의) 터 놓음, 슬래시. **3** 삭감, 절하; 혹평. **4** 《미》 잘린 가지가 흩어져 있는 빈터《벌채 따위로 인한》; 잘려 어수선하게 흩어진 가지. **5** 〖인쇄〗 사선(diagonal). **6** 〖군사〗 방어용 울짱. **7** 《영속어》 방뇨: have a ~ 소변보다.

㊕ ∠·**er** *n.* ~하는 사람〔물건〕; 《미학생속어》 공부 벌레.

slásh-and-búrn [-ənd-] *a.* 수목을 벌채·소각하고 경지를 만드는, 화전식의《농사》.

slásh·ing *a.* 맹렬한《공격》; 신랄한《비평》; 《구어》 굉장한, 훌륭한. — *n.* 창상(創傷); 재단; 〖방적〗 날실 풀먹이기; =SLASH 2, 4.

slat[1] [slæt] *n.* 얇고 좁은 널〔금속〕 조각; 판금(板金); (얇은) 판석(板石); 슬레이트 조각; 《미속어》 스키; (*pl.*) 《속어》 궁둥이; (*pl.*) 갈빗대; 《미속어》 깡마른 여자.

slat[2] (***-tt-***) *vi.*, *vt.* 《영북부》 힘껏 때리다〔내던지다〕; 소리를 내며 부딪(치)다; (돛·밧줄 따위가) 파닥파닥 소리 내다〔부딪다〕.

S. lat., S. Lat. south latitude.

slate** [sleit] *n.* **1** Ⓤ 슬레이트, 점판암(粘板岩): roofing ~ 지붕용 슬레이트. **2 a** Ⓒ 석판(石板); Ⓤ 석판색, 암청회색(=∠ blùe). **b** 〖형용사적〗 석판질〔색〕의, 석판의. **3** Ⓒ 《미》 (지명) 후보자 명부; 《미》 (경기 따위의) 예정표. ***clean ~ 더할 나위 없는 기록〔경력〕. ***clean*** 〔***wipe off***〕 ***the ~*** =***wipe the ~ clean*** 과거의 실수·빚 등을 청산하고 새출발하다. ***have a ~ loose*** 《구어》 머리가 좀 이상하다. ***on the ~*** 외상으로(on credit).

— *vt.* **1** (지붕을) 슬레이트로 이다: a ~*d* roof 슬레이트 지붕. **2** 《+목+전+명/+목+*to be* 보》 〖보통 수동태〗 후보자 명부에 등록하다; 후보로 세우다, 선출하다《*for*》: He *is* ~*d for* the office. 그는 그 직위에 입후보되어 있다/He *is* ~*d to be* the next chairman. 그는 다음 의장 후보로 되어 있다. **3** 《~+목/+목+전+명》 〖수동태〗 《미》 예정하다: ~ the game 경기 일정을 정하다/The meeting *is* ~*d for* August. 그 회합은 8월에 열릴 예정이다. **4** (책 따위를) 혹평하다; (부하 등을) 호되게 꾸짖다.

㊕ ∠·lìke *a.*

sláte blàck 자주색을 띤 흑색.

sláte-còlored *a.* 석판색의; 암청회색의.

sláte pèncil 석필.

slát·er *n.* **1** 슬레이트를 이는 사람; (짐승 가죽의) 살 발라내는 연모〔기계〕. **2** 《영구어》 혹평〔비난〕하는 사람.

slath·er [slǽðər] 《구어》 *vt.* 듬뿍〔두텁게〕 바르다《*with; on*》, 아낌없이〔헤프게〕 쓰다. — *n.* (흔히 *pl.*) 다량: ~*s* of money 많은 돈.

slát·ing *n.* **1** 슬레이트로 지붕 이기; 지붕 이는 슬레이트(slate). **2** 《영구어》 혹평.

slat·tern [slǽtərn] *n.* 단정치 못한 여자; 허튼 계집, 매춘부. — *a.* =SLATTERNLY.

slat·tern·ly [slǽtərnli] *a.* 단정〔칠칠〕치 못한, 몸가짐이 헤픈. — *ad.* 단정치 않게, 흘게 늦게.

㊕ **-li·ness** *n.*

slat·ting [slǽtiŋ] *n.* **1** 〖집합적〗 얇고 좁은 널조각, 미늘널(slats). **2** 널조각의 원목.

slaty [sléiti] (***slat·i·er; -i·est***) *a.* **1** 슬레이트색의; 암회색의. **2** 슬레이트 같은. **3** 슬레이트가 많은. ㊕ **slát·i·ness** *n.*

***slaugh·ter** [slɔ́ːtər] *n.* Ⓤ **1** 도살(butchering). **2** 살인; 살육, 학살, (특히 전쟁 등에 의한) 대량 학살(massacre). **3** 〖상업〗 투매(投賣), 대할인 판매. **4** 《구어》 완패. — *vt.* **1** 도살하다(butcher). **2** (전쟁 따위로) 대량 학살하다. **3** 《구어》 완전히 쳐부수다, 해치우다. **4** 할인 판매하다. ㊕ **~·er** [-tərər] *n.* (소의) 도살자, 소백정; 살육자.

sláughter·hòuse *n.* **1** 도살장; 공설 도살장(abattoir). **2** 《비유》 대살육장, 수라장.

sláughter·man [-mən] *n.* (*pl.* ***-men*** [-mən]) 도살자, 백정.

slaugh·ter·ous [slɔ́ːtərəs] 《문어》 *a.* 살육을 즐기는, 잔인한; 파괴적인. ㊕ **~·ly** *ad.*

Slav [slɑːv, slæv/slɑːv] *n.* **1** 슬라브 사람《Russians, Bulgarians, Czechs, Poles 등의 인종》. **2** Ⓤ 슬라브 말(Slavic). — *a.* 슬라브 민족의; 슬라브 말의.

Slav. Slavic; Slavonic.

****slave** [sleiv] *n.* **1** 노예; 노예같이 일하는 사람(drudge). **2** 《비유》 …에 빠진〔사로잡힌〕 사람; 헌신하는 사람《*of; to*》: a ~ *to* 〔*of*〕 passion 정욕에 사로잡힌 사람/~*s of* fashion 유행의 노예/a ~ *to* duty 의무에 몸바쳐 일하는 사람. **3**

〖기계〗 종속 장치; 시시한 일. ◇ slavish *a.* ***make a ~ of*** …을 혹사하다. **—** *vi.* **1** 《~+[부]/+[전]+[명]》 노예처럼〔고되게〕 일하다(drudge): ~ (*away*) *for* a living 생활비를 벌기 위해 악착같이 일하다. **2** 노예 매매를 하다. **—** *vt.* 《드물게》 노예처럼 부려먹다; 노예로 삼다(enslave); 〖기계〗 종속 장치로서 작동시키다. **—** *a.* 노예의; 노예적인; 노예제의; 원격 조종의: a ~ station 〖통신〗 종국(從局). [파] **∠·less** *a.* **∠·like** *a.*

sláve ànt 〖곤충〗 노예개미.

sláve bàngle (금·은·유리의 여성용) 팔찌.

sláve-bòrn *a.* 노예 신분으로 태어난.

sláve bràcelet 발목에 끼우는 장식 고리.

Sláve Còast (the ~) 노예 해안《아프리카 서부 Guinea만 북안; 옛 노예 매매 중심지》.

sláve drìver 노예 감독〔감시〕자; 《구어》 혹사자, 무자비한 주인〔고용주〕; 학생에게 엄한 교사; 《우스개》 무서운 마누라, 엄처. [파] **sláve-drìve** *vt., vi.*

「노예가 만든《상품》.

sláve-gròwn *a.* 노예가 재배한《채소 따위》,

sláve·hòlder *n.* 노예 소유자.

sláve·hòlding *n.* [U], *a.* 노예 소유(의).

sláve hùnter (노예로 팔기 위하여) 흑인을 잡아 모으는 백인.

sláve hùnting (아프리카의) 노예 사냥.

sláve lábor 노예 노동; 강제〔저임금〕 노동; 〖집합적〗 강제 노동자.

sláve machìne 슬레이브 VTR《비디오카세트를 더빙할 때 마스터 VTR에 연결하여 녹화하는》.

sláve-màking ànt 〖곤충〗 다른 종류의 개미를 잡아 노예로 부리는 개미.

slav·er[1] [sléivər] *n.* 노예 상인; 노예 무역선.

slav·er[2] [slǽvər, sléivər/slǽvər] *vi.* 침을 흘리다(slobber) 《*over*》; 《비유》 군침을 삼키다 《*over*》; 아첨하다. **—** *vt.* 《고어》 침으로 더럽히다; …에게 아첨하다(flatter). **—** *n.* [U] 침, 군침(saliva); 아첨; 《구어》 농담. [파] **~·er** *n.*

*__slav·ery__ [sléivəri] *n.* [U] **1** 노예 상태, 노예〔농노〕의 신분: be sold into ~ 노예로 팔리다. **2** 노예 소유〔제도〕. **3** 굴종, 예속; (욕망·악습 등의) 노예 《*to; of*》: ~ *to* habit 습관의 노예. **4** 혹심한 노동〔일〕; 고역, 천한 일(drudgery).

sláve shìp 〖역사〗 노예(무역)선.

Sláve Stàte 〖미국사〗 노예주(州)《남북 전쟁 당시까지 노예 제도가 인정되던 미국 남부의 주; 15개 주》; (s- s-) 전체주의적 통치를 받는 나라.

sláve tràde 〖미국사〗 노예 매매《특히 남북 전쟁 이전의》, 노예 무역.

slav·ey [sléivi] *n.* 《영구어》 (하숙집 따위에서) 허드렛일을 하는 하녀.

Slav·ic [slɑ́:vik, slǽv-] *a.* 슬라브족의; 슬라브어(語)의. **—** *n.* [U] 슬라브어(Slavonic).

Slav·i·cist, Slav·ist [slɑ́:vəsist, slǽv-], [-vist] *n.* 슬라브어〔문화, 문학〕 전문〔연구〕가.

slav·ish [sléiviʃ] *a.* 노예의; 노예적인; 노예 근성의; 천한, 비열한(base); 독창성이 없는, 맹종하는; 고된. [파] **~·ly** *ad.* **~·ness** *n.*

Slav·ism [slɑ́:vizəm, slǽv-] *n.* [U] 슬라브족 기질, 슬라브풍(風)〔주의〕; [C] 슬라브 말투.

slav·oc·ra·cy [sleivɑ́krəsi/-vɔ́-] *n.* 〖미국사〗 (남북 전쟁 이전의) 노예 소유자〔노예 제도 지지자〕의 지배〔단체〕.

Sla·vo·ni·an [sləvóuniən] *a.* Slavonia《Croatia 북부의 한 지방》의; 《고어》 =SLAVIC. **—** *n.* Slavonia 사람; 슬라브인.

Sla·von·ic [sləvɑ́nik/-vɔ́n-] *a.* 슬라브 사람〔말〕의; Slavonia의. **—** *n.* 슬라브 사람; [U] 슬라브 말(Slavic).

Slav·o·phile, -phil [slɑ́:vəfàil, slǽv-], [-fil] *n., a.* 슬라브 사람 숭배〔심취〕(의).

Slav·o·phobe [slɑ́:vəfòub, slǽv-] *n., a.* 슬라브 사람 혐오(의), 슬라브 민족 공포증(의). [파] **Slàv·o·phó·bia** *n.*

slaw [slɔ:] *n.* [U] 양배추 샐러드(coleslaw).

◇**slay** [slei] (***slew*** [slu:]; ***slain*** [slein]) *vt.* **1** 죽이다, 살해하다. ★《영》에서는 주로《문어·우스개》, 《미》에서는 보통 저널리즘 용어. **2** 학살하다. **3** 파괴하다; 근절시키다; 소산(消散)시키다. **4** 《구어》 …의 마음을 몹시 뒤흔들다, 몹시 놀라게 하다; (여성을) 녹이다; 몹시 웃기다. **—** *vi.* 살해하다. [파] **∠·er** *n.* 살해자, 살인범(killer).

SLBM submarine-launched ballistic missile. **SLCM** submarine〔sea〕-launched cruise missile. **sld.** sailed; sealed; sold.

sleave [sli:v] *n.* [U] **1** 《시어》 뒤엉클린 것(tangle). **2** 엉클어진 실. **3** 《폐어》 풀솜. **—** *vt.* 《폐어》 (엉클어진 것을) 풀다. **—** *vi.* 풀려서 가는 실이 되다.

sleaze [sli:z] *n.* 《구어》 저속함, 추잡함.

sléaze·bàg *n.* 《속어》 너절한〔비열한; 칠칠치 못한〕 녀석(=**sléaze bàg; sléaze·bàll**).

slea·zo [slí:zou] *a.* 《구어》 =SLEAZY.

slea·zy, slee·zy [slí:zi, sléi-] (***-zi·er; -zi·est***) *a.* (직물이) 얄팍한, 흐르르한(flimsy); 허울〔겉모양〕만의; 싸구려의; 하찮은; 단정하지 못한(slatternly); (집 따위가) 초라한, 누추한. [파] **-zi·ly** *ad.* **-zi·ness** *n.*

__sled__ [sled] *n.* **1 썰매; (놀이용) 소형 썰매. [cf.] sleigh. [SYN.] ⇨SLEDGE[1]. **2** 《미》 목화 따는 기계. **—** (***-dd-***) *vt.* 썰매로 나르다; (목화를) 기계로 따다. **—** *vi.* 썰매를 타다, 썰매로 가다.

sléd·der *n.* 썰매로 나르는 사람, 썰매 타는 사람; 썰매 끄는 말〔동물〕.

sléd·ding *n.* [U] 썰매 이용; 썰매 타기; (썰매 이용에 알맞은) 눈의 상태; 《비유》 (일의) 진행 상태; 기계에 의한 목화 따기. ***hard*** 〔***rough, tough***〕 ~ 《미구어》 곤란한 일, 어려움; 불리한 형세.

sléd 〔**slédge**〕 **dòg** (북극 지방의) 썰매 끄는 개.

sledge[1] [sledʒ] *n.* 썰매《말·개·순록이 끄는 사람·짐 운반용》; 《영》 =SLEIGH.

> [SYN.] **sledge** 대형·소형의 '썰매'. **sled** 대형은 짐의 운반 따위에 쓰고, 소형은 아이들의 오락용임. **sleigh** 주로 말에 끌리어 눈이나 얼음 위에서 사람을 나르는 것.

— *vt., vi.* 썰매로 나르다〔가다〕, 썰매를 타다.

◇**sledge**[2] *n., v.* =SLEDGEHAMMER.

slédge·hàmmer *n.* 대형의 쇠망치〔해머〕, 쇠메《대장장이의》, 모루채; 《비유》 강타. ***take a ~ to crack*** 〔***break***〕 ***a*** (***wal***)***nut*** 《구어》 작은 일을 하는 데 큰 기구를 쓰다. **—** *vt., vi.* 메로 치다; (…에게) 철퇴를 가하다; 큰 타격을 주다. **—** *a.* 강력한; 가차없는; 우격다짐의: a ~ blow 큰〔치명적인〕 타격.

◇**sleek** [sli:k] *a.* **1** (머리칼 따위가) 매끄러운(smooth), 윤기 있는(glossy); 영양이 좋은, 잘 보살펴진. **2** (옷차림 따위가) 단정〔말쑥〕한, 맵시 낸. **3** 말주변이 좋은, 번드르르한. **—** *vt.* 《~+[목]/+[목]+[부]》 매끄럽게〔반드럽게〕 하다, 윤을 내다; 매만지다《*down; back*》; 단정히 하다, 맵시 내다; 은폐하다, 속이다《*over*》. **—** *vi.* 몸치장을 하다, 맵시 내다; 미끄러지다. [파] **∠·ly** *ad.* 매끈하게; 단정하게; 구변 좋게. **∠·ness** *n.*

「다.

sleek·en [slí:kən] *vt.* 매끄럽게〔깨끗하게〕 하

sleeky [slí:ki] (***sleek·i·er; -i·est***) *a.* =SLEEK; 《Sc.》 사람을 속이는, 교활한 성격의.

†**sleep** [sli:p] (*p., pp.* ***slept*** [slept]) *vi.* **1** 잠자다: ~ well 〔badly〕 잘 자다〔자지 못하다〕/ ~ late 늦잠 자다.

> SYN. **sleep** 우리말의 '자다'와 거의 같은 말. **slumber** 선잠. 편안한 잠: a *slumbering* baby 쌔근쌔근 잠자는 아기. **drowse, doze** 잘 뜻은 없어도 피곤 따위로 '꾸벅꾸벅 졸다'. 그래도 doze 쪽이 잠에 가까우며 '겉잠 자다'. **nap** (바쁜 중에) 잠깐 눈을 붙여 낮잠을 자다.

2 《~/+전+명/+부》 자다; 묵다《*at; in*》; (이성과) 동침하다《*together; with*》; 《구어》 (침대 따위) 잠자리가 …하다: I *slept in* the living room last night. 어젯밤에는 거실에서 잤다. **3** 영원히 잠들어 있다, 묻혀 있다: Keats ~*s* in an old cemetery in Rome. 키츠는 로마의 낡은 묘지에 묻혀 있다. **4** 활동하지 않다, 잠잠히 있다; 동면하다: ~ in peace 편안히 잠들다. **5** 무감각하게 되다; 멍해 있다: While England *slept*, Germany prepared for war. 영국이 잠자고 있는 동안 독일은 전쟁 준비를 했다. **6** (팽이가) 서 있다《빨리 돌아 움직이지 않는 것처럼 보임》. **7** 〖식물〗 (식물이) 밤에 꽃잎〔잎〕을 닫다, 수면하다. **—** *vt*. **1** 〖동족 목적어를 수반하여〗 잠자다: ~ a sound sleep 숙면하다. **2** 《+목+부/+목+보》 잠을 자서 (시간을) 보내다《*away; through*》; 잠을 자서 (…을) 고치다, 제거하다; 〖~ oneself〗 자서 …이 되다: He *slept* the day *away*. 그는 하루를 잠으로 보냈다/He *slept* him*self* sober. 그는 잠자서 술기운을 없앴다. **3** 투숙시키다, …만큼의 침실이 있다: The lodging house ~*s* 30 men. 그 여인숙엔 30명을 수용할 방이 있다. ~ ***around*** 《구어》 여러 남자〔여자〕와 자다. ~ ***in*** 《*vi*.+부》 ① (주인집에서) 숙식하다《고용인이》. ② 늦잠 자다. **—**《*vi*.+전》 ③ 〖주로 수동태〗 (침대)에 들어가 자다: His bed *was* not *slept in* last night. 그의 잠자리는 간밤에 비어 있었다. ~ ***like a log*** 〔***top***〕 푹 자다. ~ ***off*** (두통 따위를) 잠을 자서 낫게 하다〔잊다〕: ~ it *off* 자서 술이 깨게 하다/I *slept off* my headache. 나는 잠자서 두통을 없앴다. ~ ***on*** 〔***upon***〕 〖종종 it을 수반하여〗 《구어》 …을 하룻밤 자고 생각하다; …에 대해 즉답하지 않다. ~ ***out*** 외박하다; 통근하다; 《구어》 박〔천막〕에서 자다; 잠을 자며 보내다. ~ ***over*** …을 빠뜨리고 못 보다; 《구어》 외박하다; =~ on. ~ ***through*** … 동안 한 번도 깨지 않고 자다, 잠을 자고 있어 …을 깨닫지 못하다. **—** *n*. U,C **1** 잠; 졸음; (a ~) 수면 (기간): ⇨ BEAUTY SLEEP / talk in one's ~ 잠꼬대하다 / get a ~ 한잠 자다. **2** (활동) 정지; 정지 상태; 마비; (식물의) 수면; 동면. **3** 영면, 죽음. **4** 밤; 하루의 여정; 《미속어》 1년의 형기(刑期). **5** 《구어》 눈곱. ***fall on*** ~ 《고어》 잠들다; 죽다. ***get to*** ~ 잠들다. ***go to*** ~ 잠자리에 들다; (팔·다리가) 저리다. ***in*** ~ 잠자고. ***in*** one's ~ 잠자며. ***lose*** ~ ***over*** 〔***about***〕 〖흔히 부정문으로〗 …을 매우 걱정하다, …에 신경 쓰다. ***send*** 〔***put***〕 ***to*** ~ 재우다; 마취시키다; 《구어》 죽이다. one's 〔***the***〕 ***last*** 〔***big, long, eternal***〕 ~ 영면, 죽음. ***tear off some*** ~ 짬을 내어 잠자다. ***the*** ~ ***of the just*** 《문어》 안면, 숙면.
파 ~·like *a*.

sléep apnèa 〖의학〗 수면 시 무호흡《호흡기 계통의 신체적 장애·신경성 변조에 의한; 때로 죽기도 함》. 「윗도리 비슷함》.

sléep·còat *n*. 무릎 길이의 남자 잠옷《파자마

sléep·er *n*. **1** 잠자는〔자고 있는〕 사람; 잠꾸러기; 동면 동물: a good 〔bad〕 ~ 잘 자는〔잠 못 이루는〕 사람/a light 〔heavy〕 ~ 겉잠 자는〔깊은 잠을 자는〕 사람. **2** 자고 있는〔눈에 띄지 않는〕 것; 《영》 (철도의) 침목(《미》 tie); (건축용으로) 땅 위에 눕혀 놓은 목재. **3** 잠을 재워 주는 것〔사람〕; 침대차(sleeping car); 침대차의 침대〔좌석, 객실〕. **4** (보통 *pl*.) 《미》 (특히 어린이용) 잠옷; (아기용) 침낭(寢囊), 포대기. **5** =SAND *n*. 6. **6** 《미구어》 뜻하지 않게 히트〔성공〕한 상품《영화·출판물 따위》; (경마의) 다크호스; 갑자기 진가를 발휘하는 사람〔것〕; 사장(死藏)된 상품. **7** 《미속어》 야경(夜警); 《구어》 수면제, 진정제; 《미학생속어》 지루한 수업〔강의〕. **8** 《볼링속어》 슬리퍼《다른 핀에 가려 보이지 않는 핀》. **9** =SLEEPER AGENT.

sléeper àgent 슬리퍼 에이전트(sleeper, mole)《긴급 사태 발생에 대비하고 있는 첩보원》.

sléep-ìn *a*., *n*. 근무처에서 숙식하는 (사람)《가정부·간호사 등》; 철야 농성 데모. **—** *vi*. 숙식하며 일하다.

°**sléep·ing** *n*. U **1** 잠, 수면. **2** 휴지(休止), 활발치 않음. **—** *a*. 자고 있는, 잠자코 있는; 최면용의; 쉬고 있는; 마비된.

sléeping bàg 〔**sàck**〕 (등산용 따위의) 침낭(寢囊), 슬리핑백.

Sléeping Béauty 1 (the ~) 잠자는 숲속의 미녀《마법에 걸려 자다가 왕자가 입맞추어 깨어남》. **2** (s- b-) 〖식물〗 애기괭이밥의 일종. 「차.

sléeping càr 〔《영》 **càrriage**〕 (철도) 침대

sléeping dóg (*pl*.) 불쾌한 사실〔추억〕: Let ~*s* lie. 《속담》 긁어 부스럼 만들지 마라/wake a ~ 일을 시끄럽게 만들다.

sléeping dràught 수면제《물약》.

sléeping mòdule 각 방이 우주 로켓의 캡슐 모양인 간이 호텔.

sléeping pártner 《영》 (경영에 참여치 않는) 익명 사원(《미》 silent partner); (일에) 그다지 적극적이지 않은 동료.

sléeping pìll 〔**tàblet**〕 수면제《barbital 따위의 정제나 캡슐의》.

sléeping polícemen 《영》 과속(過速) 방지 턱《단지 내 등의 길에 만들어 놓은》. cf. speed bump, rumble strip.

sléeping pòrch 외기(外氣)를 쐬면서 잘 수 있게 만든 방〔베란다〕《창문이 큼》.

sléeping sìckness 〖의학〗 수면병《열대의 전염병》; 기면성(嗜眠性) 뇌염.

sléeping sùit 어린이용 내리닫이 잠옷.

sléep-lèarning *n*. 수면 학습.

***sleep·less** [slíːplis] *a*. 잠 못 자는, 잠을 설친, 잠들〔안면할〕 수 없는; 불면증의; 쉬지 않는, 끊임없는; 방심하지 않는: He was 〔lay〕 ~ with worry. 그는 걱정으로 잠을 이룰 수 없었다. 파 ~·ly *ad*. ~·ness *n*.

sléep mòde 〖컴퓨터〗 일시 정지 모드《컴퓨터에서, 일정 시간 이상 사용하지 않은 디스크 등의 기기가 작동을 정지한 상태》. 「야(晝夜)」 운동.

sléep mòvement 〖식물〗 (잎 등의) 수면〔주

sléep-òut *a*., *n*. **1** (고용인 등이) 통근하는 (사람)《가정부·간호사 등》. **2** 《Austral.》 침실로 쓸 수 있는 베란다.

sléep·òver *n*. 외박, 외박하는 사람.

sléep-tèaching *n*. 수면 교수법.

sléep·wàlk *vi*. 몽중(夢中) 보행하다. **—** *n*. 몽중 보행; 《미구어》 간단한 일. 파 ~·**er** *n*. 몽유병자. ~·**ing** *n*., *a*. 몽유병(의).

sléep·wèar *n*. 잠옷류(nightclothes).

****sleepy** [slíːpi] (*sleep·i·er; -i·est*) *a*. **1** 졸린, 졸음이 오는, 꾸벅꾸벅 조는; 졸린 듯한; 졸음이 오게 하는; 최면(성)의, 기면성(嗜眠性)의: feel ~ 졸음이 오다/~ voice 졸린 목소리/a ~ song 〔lecture〕 졸음이 오는 노래〔강의〕. **2** 마음이 무거운, 머리가 멍한. **3** (장소가) 활기가 없는; 생기 없이 조용한; 움직임이 없는: a ~ village. **4** (과일 특히 배가 곯아서) 물컹거리는. 파 **sléep·i·ly** *ad*. **-i·ness** *n*. 졸음(이 오게 함).

sléepy·hèad *n*. 잠꾸러기; 멍청이.

sléepy sìckness 《영》 =SLEEPING SICKNESS.

°**sleet** [sli:t] *n.* Ⓤ, *vi.* 진눈깨비(가 내리다); 《미》 우빙(雨氷); 《미》 도로의 살얼음: It ~*s*. 진눈깨비가 내린다.

sleety [slí:ti] (***sleet·i·er; -i·est***) *a.* 진눈깨비의, 진눈깨비가 오는. ㊖ **sléet·i·ness** *n.*

‡**sleeve** [sli:v] *n.* **1** 소매, 소맷자락: Every man has a fool in his ~. 《속담》 누구나 약점은 있는 법이다. **2** (레코드의) 재킷, 커버; 나무 상자. **3** 〖기계〗 슬리브《축(軸) 등을 끼우는 통·관(管)》. **4** =SLEEVELET. **5** =SLEEVE TARGET. ***a mandarin*** ~ 중국옷식의 소매. ***hang on*** a person***'s*** ~***s*** 아무의 소맷자락에 매달리다, 아무가 하라는 대로 하다. ***have*** 〔***keep***〕 ***... up*** one***'s*** ~ 일단 유사시를 위해 몰래 준비하고 있다, 만일을 위한 비장의 수가 있다. ***laugh in*** 〔***up***〕 one***'s*** ~ 《구어》 가만히〔뒷전에서〕 웃다, 득의의 미소를 짓다. ***pin*** one***'s faith*** 〔***belief***〕 ***on*** 〔***upon***〕 a person***'s*** ~ 아무를 철저하게 믿다〔신용하다〕. ***put the*** ~ ***on*** a person 《미속어》 아무를 체포하다; (얼굴을 보고) 아무를 확인하다; 돈을 꾸어 달라고 하다〔빚 갚으라고 요구하다〕. ***roll*** 〔***turn***〕 ***up*** one***'s*** 〔***shirt***〕 ~***s*** 《구어》 (싸움 등에서) 소매를 걷어붙이다; (큰 일의) 준비를 하다, 본격적으로 달라붙다. ***wear*** one***'s heart on*** 〔***upon***〕 one***'s*** ~ ⇨HEART. ── *vt.* …에 소매를 달다; 〖기계〗 …에 슬리브를 끼우다, 슬리브로 연결하다. ㊖ **∠·like** *a.*

sléeve·bòard *n.* 소매 다림질판.

sléeve bùtton 커프스 단추, 소매 단추; (*pl.*) 《미속어》 대구살의 둥근 덩이.

sleeved *a.* 소매 있는〔달린〕; 〖복합어로〗 …한 소매의: short-〔long-, half-〕~ 짧은〔긴, 반〕 소매의.

sléeve fìsh 〖동물〗 오징어(squid).

sléeve·less *a.* 소매 없는; 무익한; 《영》 하찮은.

sleeve·let [slí:vlit] *n.* (와이셔츠의) 소매 커버, 토시.

sléeve lìnk 커프스 단추(sleeve button, cuff link).

sléeve-nòte *n.* 《영》 레코드 재킷에 인쇄된 「해설.

sléeve nùt 〖기계〗 (바싹 죄는) 슬리브 너트《관(管) 따위의 결합용》.

sléeve tàrget 〖군사〗 (대공 사격 연습용으로 비행 중인 비행기에 단) 기류(旗旒) 표적.

sléeve vàlve 〖기계〗 (엔진의) 슬리브〔원통형〕 밸브.

sléev·ing *n.* 〖전기〗 슬리빙《전선에 씌우는 절연관(絶緣管)》.

sleezy ⇨SLEAZY.

*__sleigh__ [slei] *n.* **1** 썰매《보통, 말이 끎》. SYN. ⇨ SLEDGE[1]. **2** 〖군사〗 포가(砲架)의 활동부(滑動部). ***throw off the back of a*** 〔***the***〕 ~ 동아리에서 떼어 내다. ── *vt.*, *vi.* 썰매로 운반하다; 썰매로 가다, 썰매를 타다. ㊖ **∠·er** *n.*

sleigh 1

sléigh bèll 썰매의 방울, 〖음악〗 슬레이벨.

sléigh·ing *n.* Ⓤ 썰매타기, 썰매로 여행하기; 썰매의 달림새; 썰매를 끌기 위한 눈의 상태.

sléigh·rìde 《미속어》 *n.* 부(富)를〔권력을, 성공을〕 서로 나누어 가짐, 그 기회, 인생의 좋은 시기; (약점을) 이용당함; (1회분의) 코카인(cf. snow): be taken for a ~ 남에게 속다. ── *vi.* 코카인을 먹다〔주사 놓다〕.

sleight [slait] *n.* Ⓤ,Ⓒ 능숙한 솜씨, 재빠르고 재치 있는 솜씨(skill); 술책, 기계(奇計); 교활; 속임수(trick), 요술. ~ ***of hand*** 날랜 손재주; 요술, 기술(奇術); 교활, 교묘하게 속임.

sléight-of-móuth *n.* 《구어》 교묘한 말로 속임.

‡**slen·der** [sléndər] (~***·er;*** ~***·est***) *a.* **1** 홀쭉한, 가느다란, 가냘픈, 날씬한. **2** 얼마 안 되는, 적은, 빈약한(meager); 어쩐지 불안한, 미덥지 못한: a ~ income 얼마 안 되는 수입 / a ~ meal 빈약한 식사 / ~ prospects 희박한 전망. **3** 〖음성〗 협음(狹音)의, 약한. cf. slim. ㊖ ~**·ly** *ad.* ~**·ness** *n.*

slén·der·ìze [-ràiz] *vt.*, *vi.* 가늘게 하다〔되다〕; 가늘게〔가냘피〕 뵈도록 하다, 마르게 하다〔되다〕.

slénder lóris 〖동물〗 슬렌더로리스《늘보원숭이의 일종》.

slénder shád 〖어류〗 전어(箭魚), 준치.

slept [slept] SLEEP의 과거·과거분사.

sleuth [slu:θ] *n.* **1** 《고어》 (사람·동물의) 발자국, 냄새 자국. **2** 《구어·보통 우스개》 탐정(detective). **3** =SLEUTHHOUND. ── *vi.*, *vt.* 《구어》 추적하다, 뒤를 밟다(track).

sléuth·hòund *n.* 경찰견(犬)의 일종(bloodhound); 《구어》 탐정.

Ś lèvel 〖영교육〗 S급 시험《GCE의 하나; A level과 동시에 받는데, A level 보다 더 높은 자격을 얻음》. [◂ scholarship *level*]

slew[1] [slu:] 《미·Can.》 *n.* Ⓒ 습지; 늪.

slew[2] *vt.*, *vi.* 돌리다(turn); 뒤틀다, 비틀다(twist); 돌다, 회전하다; 비틀리다. ── *n.* Ⓤ,Ⓒ 회전, 비틀림.

slew[3] *n.* (보통 *sing.*) 《미구어》 다수, 대량, 많음: a ~ of statesmen 많은 정치가.

slew[4] SLAY의 과거.

sley, slay [slei] *n.* (베틀의) 바디.

‡**slice** [slais] *n.* **1** (빵·햄 등의) 얇은 조각, (베어낸) 한 조각; (현미경 검사용의 조직·암석 등의) 박편《*of*》; 〖광물〗 분층(分層): a ~ *of* bread. **2** 부분(part), 몫(share)《*of*》: a ~ *of* land 토지의 한 부분 / a ~ *of* profits 이익의 몫. **3** 얇은 식칼; 생선 써는 나이프(fish ~)《식탁용》; 쇠주걱; (부침 따위의) 뒤집개. **4** (골프 등에서 오른손잡이의) 우곡구(右曲球). cf. hook. ***cut a*** ~ (***off the joint***) (남자가) 성교하다. ~ ***and dice film*** 《미》 (특히 사람을 난도질하는) 공포 영화.

── *vt.* **1** 《~+목/+목+부》 얇게 베다〔썰다〕; 저미다, 베어〔잘라〕내다; 긁어〔깎아〕내다《*off*》: ~ *off* a piece of meat 고기 한 조각을 베어내다. **2 a** 《~+목/+목+부/+목+전+명》 나누다, 가르다, 분할하다《*up*》: ~ *up* a loaf of bread 빵을 얇게 썰다 / ~ a watermelon *in* four 수박을 넷으로 자르다. **b** 《+목+목/+목+전+명/+목+보》 (…에게) 잘라 주다; (…의 상태로) 자르다: Please ~ me a piece of ham. =Please ~ a piece of ham *for* me. 햄을 한 조각 잘라 주시오 / ~ a lemon thin 레몬을 얇게 자르다. **3** (주걱으로) 휘젓다, 바르다. **4** 가르듯이〔헤치듯〕 나아가다: The ship ~*d* the sea. 배는 파도를 헤치며 나아갔다. **5** (골프 등에서) 곡타(曲打)하다, 깎아치다. ── *vi.* **1** (골프 등에서) 공을 깎아치다, 곡타하다. **2** 얇게 베다《*through*》. ㊖ **∠·a·ble** *a.*

slíce bàr 부지깽이.

sliced [-t] *a.* 얇게 자른, (식품이) 얇게 잘라서 판매되는: ~ meats 햄·소시지류(類). ***the best thing since*** ~ ***bread*** 《구어》 최고의 것〔사람〕, 매우 뛰어난 것.

slíce-of-lífe *a.* (희곡·소설 따위에서) 실생활의 한 단면을 정확히 묘사한.

slic·er [sláisər] *n.* 얇게 베는 사람; (빵·햄 따위를) 얇게 써는 기계; 〖전기〗 (과대·과소 신호를 없애는) 진폭 게이트, 슬라이서.

°**slick** [slik] *a.* **1** 매끄러운(sleek), 흠치르르한(glossy), 반질반질한(slippery). **2** 교묘한, 능란한(clever); 교활한(sly). **3** 고급 광택지를 쓴: a

~ magazine 고급 광택지를 쓴 잡지. **4** 안이(安易)한: ~ solutions 임시변통의 해결법. **5** 《속어》 (식사 따위가) 일류의(first-rate); 매력이 있는(attractive), 멋진, 훌륭한(excellent). **6** (태도가) 빈틈없는, 말솜씨가 좋은(plausible). **7** 《속어》 섹시한.
— *ad.* 매끄럽게; 교묘하게(cleverly); 손쉽게(easily); 교활하게(slyly); 정통으로(directly), 바로(exactly); 완전히(completely): hit him ~ in the face 얼굴을 정통으로 때리다 / run ~ into …와 정면충돌하다 / go ~ 매끄럽게 운전하다. ***as ~ as nothing at all*** 《드물게》 순식간에. ***~ and clean*** 《미구어》 완전히.
— *n.* 매끄러운〔반드러운〕 곳《수면 따위》; 수면에 뜬 기름; 표면을 매끄럽게 하는 도구, 날이 넓은 대패; 《미구어》 광택지를 쓴 잡지, 호화판 잡지([cf.] pulp); (표면에 새김무늬(tread)가 없는) 슬릭타이어《drag race용 따위》; 《미속어》 보기에 좋은 중고차; 말만 번지르르하게 하는 사람.
— *vt.* 매끄럽게〔반드럽게〕 하다; 《미구어》 깨끗〔말쑥, 말끔〕하게 하다《*up; off*》; 숙달시키다, 연마하다《*up*》: be ~*ed up* 옷차림이 좋다 / ~ down (머리를 기름칠해) 매만지다. ***~ away*** 〔***out***〕 닦아서 제거하다.
[파] **∠·ly** *ad.* **∠·ness** *n.*

slíck chíck 《미속어》 멋진 여성.

slíck-èar *n.* 귀표(earmark) 없는 가축.

slíck·ens [slíkənz] *n. pl.* 유적 침니층(流積沈泥層)([cf.] silt); 〚야금〛 (쇄광기(碎鑛機)에서 나오는) 광석 가루.

slíck·en·side [slíkənsàid] *n.* (보통 *pl.*) 〚지학〛 활면(滑面)《단층에 의한 마찰로 매끄럽게 된 암석의 면》.

slíck·er *n.* 《미》 슬리커《길고 풍신한 레인코트》; 《미구어》 협잡〔사기〕꾼, 야바위꾼(swindler); 닳고 닳은 도회지 사람. **—** *vt.* 《미속어》 속이다.

slíck·ròck *n.* (풍화되어) 매끈매끈한 돌〔바위〕.

slid [slid] SLIDE의 과거·과거분사.

slide [slaid] (***slid*** [slid]; ***slid,*** 《고어》 ***slid·den*** [slídn]) *vi.* **1** 《~/+[부]/+[전]+[명]》 미끄러지다, 미끄러져 가다《*on, upon; over*》; 미끄러져 내리다; 흐르다; 활주하다《*down; off*》: The snow *slid off* the roof. 눈이 지붕에서 미끄러져 내렸다.

> [SYN.] **slide** 미끄러지는 속도에 대한 고려는 없음. 빠를 때도 느릴 때도 있음. 면과 면이 스치는 미끄럼도 slide. ⇨landslide. **glide** 미끄러지듯 움직이다. **slip** 갑자기 미끄러지다. 사고·실책을 시사함. **skid** (바퀴 따위가 회전을 멈추고) 옆으로 미끄러지다. 급속하고 소리가 나는 것이 보통.

2 《~/+[전]+[명]》 미끄럼 타다; 〚야구〛 슬라이딩하다: Let's go *sliding on* the ice. 얼음 지치러 가자 / The runner *slid into* second base. 주자는 2루에 슬라이딩했다. **3** 《+[전]+[명]》 부지중에 빠지다, 어느새 …이 되다《*into; to*》: ~ *into* sin 〔bad habits〕 부지중 죄를 범하다〔악습에 물들다〕. **4** 《+[부]/+[전]+[명]》 어느새 지나가다; 살짝〔가만히〕 빠져 달아나다〔빠져나가다, 들어오다〕; 《구어》 떠나다(leave): The years ~ *away* 〔*past*〕 swiftly. 세월이 덧없이 흘러간다 / Time *slid by*. 시간이 흘러갔다. **—** *vt.* **1** 《~+[목]/+[목]+[전]+[명]》 미끄러지게 하다, 활주시키다《*down; up; on, upon*》: ~ the car *to* the curb 자동차를 연석(緣石)까지 미끄러지듯이 대다. **2** 《+[목]+[전]+[명]》 …을 미끄러져 들어가게 하다, 슬그머니〔가만히〕 넣다《*in; into*》: He *slid* the revolver *into* the pocket of his coat. 그는 그의 상의 주머니에 권총을 쏙 넣었다. ***let*** (things) ~ (무엇을) 내버려두다, 돼 가는대로 맡기다: *Let* it ~! 《구어》 내버려둬. ***~ over*** …을 척척 처리하다; 살짝 손만 대다: ~ *over* a delicate subject 미묘한 문제를 시원스럽게 처리하다.
— *n.* **1** 미끄러짐, 활주; 〚야구〛 슬라이딩: have a ~ on the ice 얼음지치기를 하다. **2** 비탈길, 미끄럼길; 미끄럼틀〔판〕; (물건을 떨어뜨리는) 활송(滑送) 장치(chute); 《미속어》 바지 주머니, (*pl.*) 신발. **3** 사태, 눈사태; 단층. **4** 〚사진〛 (환등기·현미경의) 슬라이드; 〚기계〛 활판(滑瓣), 활동부(滑動部); 활좌(滑座). **5** 〚음악〛 앞꾸밈음; 포르타멘토; (트롬본 따위의 U자형) 활주관(滑奏管). ***on the ~*** 차차 형편이〔상태가〕 나빠지다.

slíde bàr 〚기계〛 (증기 기관의) 미끄럼 막대.

slíde fàstener 지퍼(zipper).

slíde·film *n.* [U,C] 환등 필름(filmstrip).

slíd·er *n.* 미끄러지는 사람〔물건〕; (기계 따위의) 활동부(滑動部), 〚기계〛 슬라이더; 〚야구〛 슬라이더《타자 근처에서 외각으로 빠지는 공》.

slíde rùle 계산자, 계산척(尺).

slíde vàlve 〚기계〛 활판(滑瓣).

slíde·wày *n.* 활주로, 활사면(滑斜面).

slíd·ing *n.* [U] 미끄러짐, 활주; 이동; 〚야구〛 슬라이딩. **—** *a.* 미끄러지는; 이동〔변화〕하는; 불확실한, 부정(不定)의.

slíding dóor 미닫이(문).

slíding kéel =CENTERBOARD.

slíding róof (자동차 따위의) 여닫는 지붕.

slíding rúle 《고어》 =SLIDE RULE.

slíding scále 〚경제〛 종가(從價) 임금제, 슬라이드제《임금 따위를 생계비 지수에 따라 조절하는 경우의 용어》; =SLIDE RULE.

slíding séat 활석(滑席)《레이스용 보트의》.

slíding tíme 《미》 =FLEXTIME.

sligh [slai] *vt.* 《미속어》 (텐트 등을) 철거하다.

‡slight [slait] *a.* **1** 약간의, 적은, 근소한 (inconsiderable): a ~ increase 근소한 증가. **2** 가벼운; 사소한, 대수롭지 않은, 하찮은(trivial): a ~ cold 〔wound〕 가벼운 감기〔상처〕. **3** 가는, 홀쭉한, 가냘픈(slender): be ~ *of* figure 몸이 가냘프다. **4** 무른, 취약(脆弱)한(frail), (박)약한(flimsy): a ~ fabric 취약한 조직. ***make ~ of*** …을 얕보다. ***not ... in the ~est*** 조금도 …않는.
— *vt.* **1** 경멸〔경시〕하다, 얕보다; 무시하다(disregard): feel ~*ed* 무시당한 느낌이 들다. [SYN.] ⇨NEGLECT. **2** (일 따위를) 등한(等閑)히 하다(neglect). **—** *n.* 경멸, 얕봄; 모욕; 등한시; 냉대《*to; upon*》: put a ~ *upon* …을 경시〔모욕〕하다 / suffer ~*s* 모욕을 당하다. [파] **∠·ish** *a.* **∠·ness** *n.* 적음, 사소함, 근소; 시시함.

slíght·ing *a.* 깔보는, 경멸하는, 대수롭지 않게 여기는(contemptuous), 실례되는. [파] **~·ly** *ad.* 깔보아, 경멸하여.

‡slight·ly [sláitli] *ad.* **1** 약간, 조금: be ~ sick 약간 몸이 불편하다. **2** 약하게, 가늘게 홀쭉하게, 가냘프게: a ~-built boy 가냘픈 소년.

sli·ly [sláili] *ad.* =SLYLY.

slim** [slim] (slím·mer; slím·mest***) *a.* **1** 호리호리한, 홀쭉한, 가는, 가냘픈(slender). **2** 얼마 안 되는, 불충분한(scanty), 불안한; 빈약한; 하찮은; (가능성 따위가) 적은: a ~ chance of success 희박한 성공 가망. **3** 경박한; 교활한, 간사한(sly). **—** (***-mm-***) *vi.* 가늘어지다; (감식·운동 따위로) 체중을 줄이다《*down*》: She ought to ~ (*down*). 그녀는 체중을 줄여야 한다. **—** *vt.* 가늘게〔마르게〕 하다; 억제하다: ~ inflation 인플레를 억제하다. **—** *n.* 《미속어》 (마리화나에 대하여) 지궐련. [파] **∠·ly** *ad.* 호리호리하게, 가냘프게; 약하디 약하게; 불충분하게; 교활하게. **∠·ness** *n.* **1** 호리호리함. **2** 교활함, 간사함.

◇slime [slaim] *n.* **1** [U] 차진 흙, 연니(軟泥), 이

사(泥砂); [U.C] 끈적끈적한 물건; 끈끈한 물질; [U] 점액(粘液), (달팽이 · 물고기 따위의) 진액; (*pl.*) 이광(泥鑛). **2** 악취가 나는 것; 《미속어》 악의 세계, 암흑가, 인간쓰레기들; 《구어》 비열한 근성, 간살, 중상 (기사); 《속어》 지겨운 사람〔것〕; 《미속어》 정액(精液). **3** 부패, 타락. — *vt.* 진흙을 (뒤)바르다; 점액으로 뒤덮다; (물고기)의 진액을 제거하다; 이사가 되게 바수다. — *vi.* 진흙투성이가 되다; 미끈미끈〔끈적끈적〕해지다; 《영속어》 알랑대다.

slíme mòld 점균(粘菌), 변형균(變形菌).

slíme pìt 역청갱(瀝青坑), 역청 채굴장.

slim-jim [slímdʒím] *n.*, *a.* 《미구어》 홀쭉한 (사람 · 물건).

slím·lìne *a.* 날씬한 디자인의; (형광등이) 가느다란.

slím·ming *n.* 《영》 [U] 슬리밍《몸무게를 빼기 위한 감식(減食)이나 운동》.

slim·mish [slímiʃ] *a.* 약간 홀쭉한, 가냘픈; 연약한.

slim·nas·tics [slìmnǽstiks] *n.* 〖단 · 복수취급〗 감량〔미용〕 체조.

slimp·sy, slim·sy [slímpsi], [slímzi] *a.* 《미구어》 무른; 연약한; 근소한; 얄팍한.

◇**slimy** [sláimi] (***slim·i·er; -i·est***) *a.* 진흙의; 진흙투성이의; 끈적끈적한, 미끈덕미끈덕한; 불쾌한; 《영》 굽실거리는, 비굴한, 성실성이 없는. ◇ slime *n.* ㊞ **slím·i·ly** *ad.* **-i·ness** *n.*

◇**sling**[1] [sliŋ] *n.* **1** 투석기, 〖성서〗 무릿매; 새총; 고무총. **2** (투석기에 의한) 투석; 던짐; 일격. **3 a** 달아 올리는 기계; 〖의학〗 팔걸이 붕대, 삼각건(巾). **b** 매다는 밧줄〔쇠사슬〕. **c** (총의) 멜빵; 슬링《뒤꿈치 쪽이 밴드로 되어 있는 슬리퍼식 여성화》. **4** 《Austral. 구어》 팁, 뇌물.

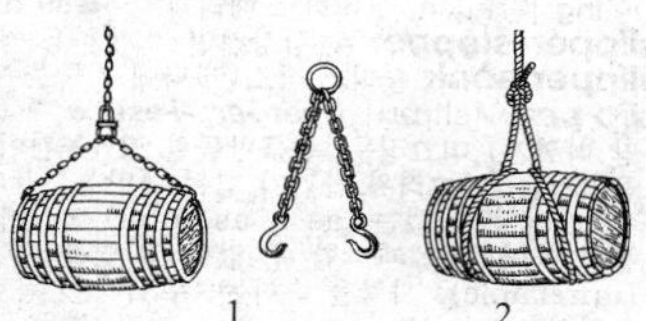

slings 3b

1. chain sling 2. rope sling

— (*p.*, *pp.* ***slung*** [slʌŋ]) *vt.* **1** 투석기로 쏘다; 던지다; (옷을) 걸치다; 《영속어》 팽개치다, 그만두다; 《영속어》 두다. **2** 팔걸이 붕대로 매달다; (칼 등을) 차다. **3** 《~+목/+목+전+명》 멜빵으로 메다; 달아 올리다: ~ a rifle *over* one's shoulder 총을 어깨에 걸어 메다. **4** 《속어》 수다떨다. — *vi.* 투석기로 던지다; 《Austral. 구어》 (팁 · 뇌물로서) 번 수입의 일부를 주다. ~ ***abuse*** 《속어》 욕을 하다. ~ ***a nasty foot*** 〔***ankle***〕 《미속어》 시원스럽게〔멋지게〕 춤추다. ~ ***beer*** 《미속어》 바텐더 노릇을 하다. ~ ***hash*** 《미속어》 (간이식당 등에서) 사환 노릇을 하다. ~ ***ink*** 《구어》 (싸구려 작가가) 글을 마구 갈겨쓰다; 신문 기자〔사무원〕 노릇을 하다. ~ ***it*** 《미속어》 수다〔허풍〕 떨다. ~ ***mud*** 《미속어》 비난〔중상〕하다. ~ ***off*** 《Austral. 구어》 조소하다, 비웃다《*at*》. ~ one-***self up*** 술술 올라가다. ~ one's ***hook*** ⇨HOOK. ~ ***the bull*** ⇨BULL[1].

sling[2] *n.* [U.C] 슬링《gin 따위에 설탕 · 탄산수 · 향료 따위를 섞어서 차게 한 음료》.

slíng-bàck *n.* 슬링백, 슬링밴드《뒤꿈치 쪽이 벨트로 되어 있는 신발; 그 벨트》.

slíng càrt 〖군사〗 (대포 따위를) 매달아 운반하는 차.

slíng chàir 슬링 체어《갑판용 즈크제(製)의 접의자》.

slíng·er[1] *n.* (무릿매로) 돌 던지는 사람; (옛날의) 투석 전사; 달아 올리는 사람; 《미속어》 웨이터, 웨이트리스; 《미속어》 수다쟁이, 허풍쟁이.

slíng·er[2] *n.* 하역 감독; 〖기계〗 슬링어《베어링에 기름을 뿌리는 장치》.

slínger rìng 〖항공〗 (프로펠러에 부동액을 뿌리는) 결빙 방지제 고리관(管).

slíng·shòt *n.* 《미》 (고무줄) 새총; (자동차 레이스에서) 바싹 뒤쫓던 차가 여세를 몰아 단숨에 앞선 차를 앞지르는 전술; 뒷바퀴 뒤쪽에 좌석이 있는 레이싱카.

◇**slink**[1] [sliŋk] (***slunk*** [slʌŋk], 《고어》 ***slank*** [slæŋk]; ***slunk***) *vi.* 살금살금〔가만히〕 걷다, 살며시 도망치다; 《구어》 (여자가) 간들간들 걷다《*away; by; off; about*》. — *ad.* 살금살금, 간들간들. ㊞ **∠·ing·ly** *ad.* 몰래, 가만히, 살며시.

slink[2] (*p.*, *pp.* ***slinked, slunk*** [slʌŋk]) *vt.*, *vi.* (짐승, 특히 가축이) 조산〔유산〕하다. — *a.* 조산의; 말라빠진. — *n.* (짐승의) 달이 못차서 나온 새끼; [U] 그 가죽〔고기〕.

slinky [slíŋki] (***slink·i·er; -i·est***) *a.* **1** 몰래 도망치는〔오는〕, 남의 눈을 기이는, 은밀한, 내밀의. **2** 《구어》 (동작 · 자태 등이) 나긋나긋하고 우아한, 날씬한, 섹시한.

SLIP [slip] *n.* 〖컴퓨터〗 직렬 회선 인터넷 통신 규약. [◂ *s*erial *l*ine *i*nternet *p*rotocol]

‡**slip**[1] [slip] (*p.*, *pp.* ***slipped*** [-t], 《고어》 ***slipt*** [-t]; ***slíp·ping***) *vi.* **1** 《~/+전+명》 (찍) 미끄러지다, 미끄러져 넘어지다(trip), 발을 헛디디다, 곱드러지다: ~ *on* the ice 얼음 위에서 찍 미끄러지다. [SYN.] ⇨SLIDE. **2** 《~/+부/+전+명》 슬그머니〔가만히〕 떠나다《*away; off*》; 미끄러져〔몰래〕 들어가다〔나가다〕; 곁을 지나가다《*in; into; out; out of*》: ~ *away* without being seen 들키지 않고 살짝 빠져나가다 / He ~*ped into* the room. 그는 몰래 방에 들어갔다. **3** 《~/+전+명》 벗어져〔미끄러져〕 내리다, 벗겨지다, 빠지다《*down; off*》; 헐거워지다, 풀리다: The knife ~*ped* and cut my hand. 칼이 미끄러져서 손을 베었다 / Some stones ~*ped down* the face of the cliff. 돌멩이가 절벽을 굴러 떨어졌다. **4** 《~/+부》 미끄러지듯 달리다〔움직이다, 흐르다〕; (때가) 어느덧 지나가다《*along; by*》: Time ~*s by* 〔*away*〕. 시간이 덧없이 흐른다. **5** 《~/+전+명》 (기회 등이) 지나가 버리다, 사라지다; (기억 · 기력 등이) 없어지다, 쇠퇴하다: let a good chance ~ 좋은 기회를 놓치다 / His name has ~*ped from* my memory. 그의 이름을 잊어버렸다. **6** 《+전+명》 무심코 입밖에 내다《*from*》; 얼결에 틀리다〔실수하다〕《*in*》: The secret ~*ped from* his lips. 그 비밀이 그의 입에서 새어버렸다 / He often ~*s in* his grammar. 그는 가끔 문법에서 틀린다. **7** 《+전+명》 얼른 들어가다; 후딱 입다〔벗다〕《*into; off*》: ~ *into* bed 침대에 얼른 들어가다 / ~ *into* a garment 옷을 후딱 걸쳐 입다 / ~ *off* one's coat 상의를 후딱 벗다. **8** (경기 따위가) 내리막이 되다; 쇠하다; 떨어지다: Prices have ~*ped*. 물가가 하락했다. **9** (자동차 · 비행기가) 옆으로 미끄러지다(sideslip).

— *vt.* **1** 《~+목/+목+전+명》 미끄러뜨리다; 미끄러져 들어가게 하다《*in; into*》: ~ a note *into* a person's hand 메모를 아무의 손에 살짝 건네다. **2** 《+목+전+명/+목+부》 쑥 끼우다〔입다, 신다〕《*on*》; 쑥 벗기다〔빼다〕《*off*》; 살짝 넣다〔꺼내다〕《*into; out of*》: ~ a ring *on* 〔*off*〕 one's finger 반지를 손가락에 끼우다〔손가락에서 빼다〕 / ~ one's clothes *on* 〔*off*〕 옷을 후딱 입다〔벗다〕. **3** 《+목+목/+목+전+명》 (…에게 …을) 몰래 주다; 살짝 건네어 주다: He ~*ped* the porter a quarter. =He ~*ped* a quarter *to* the porter. 그는 포터에게 25센트를 살짝 건네어 주었다. **4** 풀다, 풀어놓다, 놓아주다; (차량 등을) 떼어 놓다(release); (닻 따위를) 내리다: ~ anchor 닻을 내리다. **5** (개가 사슬 따위를) 풀다; …에서 빠져나가다: ~ one's pursuers 추격의 손을 벗어나다. **6** (기회 따위를) 놓치다, 잃다, …을 모르고 넘기다(miss); (말·쓰기를) 빠뜨리다(omit); (기억에서) 사라지다, 없어지다: ~ an opportunity 호기를 놓치다/The appointment ~*ped* my memory 〔mind〕. 약속을 깜박 잊었다. **7** (짐승이) 조산〔유산〕하다. **8** …의 관절을 삐게 하다: ~ one's shoulder 어깨를 삐다. **9** (그물코를) 빠뜨리다. **10** (뱀 따위가) 허물을 벗다.

let ~ ① (비밀 따위를) 무심코 입밖에 내다, 실언하다. ② …을 풀어 주다; (사람을) 놓치다; (기회 등을) 놓치다. ~ ***a cog*** ⇨COG¹. ~ ***along*** 《속어》 성큼성큼〔거침없이〕 가다. ~ ***away*** 〔***off, out***〕 인사도 없이 살짝〔가만히〕 가 버리다. ~ ***down*** (음료 따위가) 꿀꺽 목구멍으로 넘어가다. ~ ***into*** ① …에 빠지다. ② (옷을) 후딱 입다. ③ 《속어》 …을 심하게 때리다〔치다〕; …을 비난〔공격〕하다. ④ 실컷 먹다. ***Slip me five.*** 《미속어》 자, 악수합시다. ~ ***off*** ① =~ away. ② (옷을) 훌쩍 벗다. ③ 벗겨져〔미끄러져〕 내리다, 벗어지다. ~ ***one*** 〔***something, a trick***〕 ***over on*** a person 《미구어》 =《영속어》 ~ ***it across …*** …을 속이다, …에게 속임수를 쓰다. ~ ***over*** (길을) 서둘러 나아가다; 깜빡 빠뜨리고 넘기다, 되는대로 마치다. ~ one's ***breath*** 〔***cable, wind***〕 죽다. ~ one's ***trolley*** 《미속어》 ⇨TROLLEY. ~ ***up*** 헛디디다, 곱드러지다(stumble); 《구어》 실수하다, 틀리다(mistake), 실패하다《*in*》; 자취를 감추다; 재난을 만나다.

— *n.* **1** 미끄러짐, 미끄러져 구르기, 헛디딤, 곱드러짐; (바퀴의) 공전, 슬립; 〚항공〛 옆으로 미끄러짐(sideslip). **2** 과실, 잘못(error); (못 보고) 빠뜨림: a ~ of the pen 〔tongue〕 잘못 쓰기〔말하기〕/a ~ in counting 계산 착오/a ~ of the press 〚인쇄〛 오식/There's many a ~ 'twixt 〔between〕 the cup and the lip. 《격언》 다 끝내기까지 방심은 금물이다; 입에 든 떡도 넘어가야 제 것이다. SYN. ⇨ERROR. **3** (질·양 따위의) 저하, 쇠퇴; (물가의) 하락: a ~ in prices. **4** 슬립《여성용 속옷》; 《영방언》 (어린아이의) 앞치마; 겉옷; 베갯잇; (*pl.*) 《영》 수영복〔팬츠〕《남자용》. **5** (보통 *pl.*) 개의 사슬줄. **6** (양륙용의) 사면(斜面); (조선·수리용의) 조선대(造船臺). **7** (*pl.*) 〚연극〛 무대의 옆 출입구. **8** 〚크리켓〛 슬립《wicket에서 몇 야드 후방, 타자 쪽에서 보아 왼쪽 위치》; 그 위치에 서는 외야수. **9** 탈주, 도망(evading); 못된 행실(indiscretion). **10** 지층이 엇나간 곳, 단층. **11** 슬립, 차이《비행기·펌프 따위의 이론상의 출력과 실제와의》. ***get the*** ~ 보기좋게 놓치다〔따돌림을 당하다〕. ***give*** a person ***the*** ~ 남을 속이고 달아나다, (뒤쫓는 사람을) 떼쳐 버리다.

— *a.* 미끄러지게 하는; 뗄 수 있는; 풀매듭의.

***slip²** *n.* **1** (천·종이 따위의) 가느다란 조각; 종잇조각, 종이쪽지, 전표, 부전지(附箋紙); 〚인쇄〛 가(假)조판 교정쇄(刷): issue a ~ 전표를 떼다. **2** 〚원예〛 접지(椄枝), 꺾꽂이용 가지. **3** 《미》 (교회의) 긴 의자, 좁은 좌석. **4** 야윈 젊은이, 키만 껑충한 사내〔계집〕아이; 자손: a ~ of a boy 꺽다리 소년. **—** (**-pp-**) *vt.* 〚원예〛 (나무에서) 접붙일 나뭇가지를 베어 내다, …의 포기 나누기를 하다; (일부분을) 따다.

slip³ *n.* U 도자기 제조에 쓰이는 점토《고체 입자의 현탁액(懸濁液)》.

slíp càrriage 〔**còach**〕 〚영철도〛 (급행열차가 머물지 않고 통과역에서) 떼어 놓는 차량.

slíp·càse *n.* (한쪽만 열려 있는 판지로 만든) 책 케이스, 책갑.

slíp·còver *n.* 《미》 (긴 의자 따위의) 커버, 덮개; (책의) 커버. **—** *vt.* (의자 따위에) 커버를 씌우다.

slíp drèss 슬립 드레스.

slíp fòrm 〚토목〛 슬립 폼《이동시키면서 쓸 수 있는 콘크리트 형틀》.

slíp·fòrm *vt.* 〚토목〛 슬립 폼 공법으로 건설〔포장〕하다.

slíp jòint 〚건축〛 (배관(配管) 공사의) 활동(滑動) 이음쇠.

slíp·knòt *n.* 풀매듭《한쪽을 당기면 풀어짐》.

slíp·nòose *n.* 올가미(running noose).

slíp-òn *a.*, *n.* 손쉽게 입고 벗을 수 있는 (옷·스웨터 따위), =PULLOVER.

slíp·òver *n.*, *a.* 머리를 꿰어 입는 (스웨터 따위).

slip·page [slípidʒ] *n.* U **1** 미끄러짐; 그 정도. **2** 저하〔하락〕의 정도. **3** (목표·기일 등의) 불이행, 지연; (경제적인) 손실, 감소. **4** 〚기계〛 부품의 엇먹음이나 헛돌기 등으로 낭비되는 일의 양.

slípped dísk 〚의학〛 추간판(椎間板) 헤르니아, '디스크'.

****slip·per** [slípər] *n.* **1** (*pl.*) (가벼운) 실내화. ★신끈 없이 꿰어 신는 것이며, 우리말의 '슬리퍼'는 mule 또는 scuff라고 함. cf. mule, scuff. **2** (바퀴의) 지륜기(止輪機), 제동기. **—** *vt.* (어린아이에 대한 벌로) 실내화로 때리다; (발을) 실내화에 집어넣다. **—** *vi.* 실내화를 신고 걷다; 《미속어》 개심하다, 말을 듣다. ***take*** one***'s*** ~ ***to*** (아무를) 때리다. ㊎ ~**ed** *a.* 실내화를 신은. ~**·ing** [-riŋ] *n.* 실내화로 때리기. ~**·less** *a.*

slípper-slòpper *a.* 감상적인. 「한용 양말」.

slípper sòck 슬리퍼 삭스《바닥에 가죽을 댄 방한용 양말》.

slip·pery** [slípəri] (**-per·i·er; -i·est**) *a.* **1** (길·땅 따위가) 미끄러운, 반들반들한. **2** (물건이) 미끈거리는, 미끄러워 붙잡기 힘든; 《비유》 잡기 힘든, 파악할 수 없는: as ~ as an eel 뱀장어같이 붙잡기 어려운; 파악할 수 없는. **3** 믿을 수 없는(unreliable); 사람을 속이는; 부도덕한, 음란한; 교활한(tricky): a ~ action 거짓 행동/a ~ customer 신용할 수 없는 사람. **4** 불안정한; 의미가 불확실한, 애매한: a ~ situation 불안정한 상태. ***be on a 〔***the***〕 ~ ***slope*** 《영》 파탄〔악화〕 일로에 있다. ㊎ **slíp·per·i·ly** *ad.* **-i·ness** *n.*

slíppery élm 〚식물〛 느릅나무의 일종《북아메리카산》; 그 나무껍질《진통제를 만듦》.

slíp pròof 〚인쇄〛 가조판 교정쇄.

slip·py [slípi] (**-pi·er; -pi·est**) *a.* 《구어》 =SLIPPERY; 《주로영》 재빠른, 기민한, 빈틈없는(nimble), 활발한. ***look*** 〔***be***〕 ~ ***about it*** 《영구어》 약빠르다, 재빠르다; 서두르다.

slíp-resístant *a.* 미끄럼 방지의, 방활(防滑)의: the ~ surface 미끄럼 방지 처리를 한 표면.

slíp rìng 〚전자〛 집전(集電) 고리.

slíp-ròad *n.* 《영》 (고속도로 출입구의) 램프(ramp), 진입로, 퇴출로(退出路).

slíp shèet (더러워지는 것을 방지하기 위해 갓 인쇄한 종이 사이에 끼우는) 간지(間紙).

slíp·shèet *vt.*, *vi.* 《미》 (…의) 사이에 간지를 삽입하다.

slíp·shòd *a.* **1** 《고어》 뒤축이 닳아빠진 구두〔슬리퍼〕를 신은. **2** 다리를 질질 끄는(shuffling). **3** 초라한; (입은 옷, 언동 따위가) 단정치 못한, 흘게 늦은(slovenly), 되는대로의, 부주의한.

slíp·slòp *n.* **1** U 묽은〔밍밍한〕 술; U,C 묽은 음식. **2** C,U 감상적이고 싱거운 이야기〔글〕; 너절한 수다. **3** U 말의 우스꽝스러운 오용(malapropism). **—** *a.* 물기 많은, 약한, 싱거운《술 따위》; 너절한; 흘게 늦은, 엉성한; 감상적인. **—**

vi. 너절한 글을 쓰다; 터덜터덜 걷다.
slíp·sòle *n.* (구두의) 안창; (높이 조절·보온을 위해 안창 밑에 까는) 두꺼운 깔창.
slíp·stìck *n.* 《미속어》 계산자, 계산척(slide rule); =TROMBONE.
slíp stìtch 〖양재〗 공그르기.
slíp·strèam *n.* 〖항공〗 (프로펠러의) 후류(後流); 여파, 영향.
slipt [slipt] 《고어·시어》 SLIP¹ 의 과거.
slíp·ùp *n.* 《구어》 잘못(mistake); (못 보고) 빠뜨림(oversight), 간과; 재난.
slíp·wày *n.* (보통 *pl.*) (경사진) 조선대(造船臺), 선가(船架).
°**slit** [slit] *n.* **1** 길게 베어진 상처〔자국〕. **2** 아귀; 갈라진 틈, 틈새. **3** (스커트나 포켓 등의) 슬릿, 아귀. **4** (공중전화·자동판매기 등의) 동전 넣는 구멍(slot¹). **5** 〖물리·화학〗 슬릿. **6** 《비어》 여성의 성기. — (*p., pp.* **~;** **∠·ting**) *vt.* **1** 《~+[목]/+[목]+[전]+[명]》 세로로 베다〔자르다, 째다, 찢다〕《*in; into; to*》: ~ cloth *into* strips 천을 가늘고 길게 째다. **2** 《~+[목]/+[목]+[보]》 길게 찢은 자리를 내다; 찢어서 열다: He ~ the bag open. 그는 자루를 찢어서 열었다. — *vi.* (길게) 째지다.
slít-èyed *a.* 짝 째진 눈의.
slith·er [slíðər] *vi.* 주르르 미끄러지다; 미끄러져 가다〔내리다〕; 미끄러지듯 나아가다〔걷다〕. — *vt.* 주르르 미끄러지게 하다; (머리카락을) 치다, 자르다. — *n.* 주르르 미끄러짐, 활주; 잡석, 쇄석; (물) 미끄러져 흐르는〔떨어지는〕 소리.
slith·ery [slíðəri] *a.* 미끈미끈한, 반들반들한; 미끄러지듯 걷는《걸음걸이》.
slít pòcket 세로로 아귀를 낸 포켓.
slít skìrt 슬릿 스커트《앞이나 뒤에 세로로 아귀를 낸》.
slít trènch 〖군사〗 =FOXHOLE.
sliv·er [slívər] *n.* **1** (목재 따위의) 짜개진〔가늘고 긴〕 조각(splinter). **2** [sláivər] (양털의) 소모(梳毛); 소면(梳綿). **3** 작은 물고기의 찢긴 한 쪽《낚시 미끼》. — *vt., vi.* 세로로 베다〔쪼개다〕, 베어 찢다〔째다〕; (물고기의) 몸 한 쪽을 베어 내다; (세로로 가늘게) 갈라지다, 째지다, 찢어지다.
sliv·o·vitz, -witz, -vic [slívəvits, -wits] *n.* 슬리보비츠《헝가리·발칸 제국의 자두 브랜디》.
slob [slɑb/slɔb] *n.* [U] 《Ir.》 진흙; (강바닥·늪 속의) 감탕흙; [C] 《구어》 데퉁바리; 얼간이; 꾀죄죄한〔추레한〕 사람. ㉫ **∠·bish** *a.* **slob·by** [slɑ́bi/ slɔ́-] *a.* 꾀죄죄한.
slob·ber [slɑ́bər/slɔ́b-] *vi., vt.* 침을 흘리다(drivel), 침으로 적시다〔더럽히다〕(slaver); 몹시 감상적이 되다; 우는소리를 하다; 못 쓰게 만들다; (일을) 소홀히〔거칠게〕 하다. **~ *over*** 지나치게 귀여워하다, …에 키스를 퍼붓다; 감상적으로 이야기하다, 넋두리를 늘어놓다. — *n.* [U] 침; [U,C] 감상적인 이야기; 우는소리; [C] 퍼붓는 키스. ㉫ **~·er** *n.*
slob·bery [slɑ́bəri/slɔ́b-] (**-ber·i·er; -i·est**) *a.* 침 흘리는, 침에 젖은〔더러워진〕; 몹시 감상적인, 우는소리를 하는; 단정치 못한(slovenly); 질퍽질퍽한.
slób ìce (해상의) 유빙괴(流氷塊).
sloe [slou] *n.* 자두류(의 열매); 야생의 자두류.
slóe-èyed *a.* 파르스름한 기를 띤 까만 눈의.
slóe gìn 슬로진, 자두술.
slóe-wòrm *n.* 《영》 =SLOWWORM.
slog [slɑg/slɔg] (**-gg-**) *vt., vi.* (크리켓·권투 등에서) 강타〔난타〕하다(slug); 무거운 걸음걸이로 터벅터벅 걷다《*on; away*》; 꾸준히 일하다《*at; away*》. **~ *it out*** 악착같이 싸우다. **~ *through*** (진창이나 눈 속을) 힘들여 걷다. — *n.* 강타, 난타; 무거운 발걸음, 난항, 고투(의 시간); (선거전의) 교착 상태.
***slo·gan** [slóugən] *n.* **1** 외침, 함성. **2** (정당·단체 따위의) 슬로건, 표어; (상품의) 선전 문구, 모토. ㉫ **slò·gan·ís·tic, ~·lìke, ~ed** *a.*
slo·gan·eer [slòugəníər] *n.* 《미》 **1** (함부로) 슬로건을〔표어를〕 만들어 쓰는 사람. **2** (정치용·상업용) 슬로건 작자〔사용자〕. — *vi.* (여론을 바꾸기 위해) 그럴싸한 슬로건을 만들다, 슬로건을 퍼뜨리다〔유효하게 쓰다〕. ㉫ **~·ing** [-riŋ] *n.* 《미》 (여론에 영향을 주기 위한) 슬로건 작성〔사용〕.
sló·gan·ìze *vt.* 슬로건식으로 말하다, 표어화하다; 슬로건으로 영향을 끼치다〔설득하다〕.
slóg·ger *n.* (권투·크리켓 등의) 강타자(cf. slugger); 부지런한 사람, 한걸음 한걸음 착실히 나아가는 사람.
sloid, slojd [slɔid] *n.* =SLOYD.
slo-mo [slóumòu] *n.* 《구어》 =SLOW MOTION.
°**sloop** [sluːp] *n.* 범선(帆船)의 일종《돛대가 하나임》: a ~ of war 〖영국사〗 슬루프형 포함(砲艦); 포(砲)를 장착한 범선.
slóop-rìgged *a.* 슬루프형 범장(帆裝)의.
sloot ⇨SLUIT.
slop¹ [slɑp/slɔp] *n.* **1** (액체의) 엎지름, 엎지른 물; 흙탕물, 진창(slush); (*pl.*) 구정물, 개숫물. **2** (*pl.*) 먹다 남은 것, 부엌찌끼《가축 사료》; (*pl.*) 똥오줌. **3** (*pl.*) 《주로 영》 반유동식《죽 따위》; 《구어》 맛없는 요리〔음식〕; (*pl.*) 술찌끼; 알코올분이 없는 음료. **4** [U] 《구어》 값싼 감상; 감상적인 말. **5** 《미속어》 싸구려 술집, 삼류 레스토랑. **6** 《속어》 칠칠치 못한 남자, 야무지지 못한 녀석.
— (**-pp-**) *vt.* **1** 엎지르다(spill), (액체를) 튀기다. **2** 《~+[목]/+[목]+[전]+[명]》 (…에다) 흘리다《*on; over*》; 엎질러(서) 더럽히다《*with*》: ~ a floor *with* some paint 마루에 페인트를 엎지르다. **3** (음식을) 지저분하게 담다; 게걸스레 먹다, 벌꺽벌꺽 마시다; (돼지 따위에게) 밥찌끼를 주다.
— *vi.* **1** 《~/+[부]/+[전]+[명]》 엎질러지다, 넘치다, 넘쳐 흐르다《*over; out*》; 액체를 흩뿌리다: The coffee was ~*ping over onto* the saucer. 커피가 접시에 넘쳐 흐르고 있었다. **2** 《+[부]/+[전]+[명]》 진창〔홍건하게 괸 물〕 속을 걷다《*about; along; through; on*》: The boy ~*ped about in* the mud. 소년은 진창길을 걸어다녔다.
~ *around* 〔***about***〕 (액체가) 철벅철벅 튀기다, 출렁거리다; (물웅덩이 따위에서) 뛰어다니다; (…을) 어슬렁거리며 돌아다니다, (지저분한 차림으로) 헤매다, 배회하다. **~ *out*** (…의) 오물이나 더러운 물을 내다버리다. **~ *over*** 쏟아지다; 지나치게 감정을 겉으로 나타내다; 한도를 넘다.
slop² *n.* 헐렁한 웃옷; (*pl.*) 값싼 기성복; (*pl.*) 수병복, 수병〔선원〕의 침구〔담배 따위〕.
slóp bàsin 〔《영》 **bòwl**〕 개수통, (식탁의) 찻잔 가신 물을 받는 그릇.
slóp chèst 《해사속어》 (항해 중의 선원에게 파는) 선원복·담배·구두《따위》; 선내 매점; 《고어》 그 판매품을 넣은 상자.
****slope** [sloup] *n.* **1** 경사면, 비탈; 스키장; (종종 *pl.*) 경사지; (특정 대양을 향하여 경사진) 대륙 내의 지역, 사면(斜面). **2** 경사(도), 물매: the ~ of a roof. **3** 〖수학〗 기울기; 〖인쇄〗 자체(字體)의 기울기; 〖군사〗 어깨총 자세: at 〔come to〕 the ~ 어깨총 자세로〔자세를 취하다〕. **4** 경기 후퇴. **5** 《미속어·경멸》 아시아인. ***do a*** ~ 《구어》 달아나다.
— *vt.* **1** …을 물매〔경사〕지게 하다(incline) 《*up; down; off; away*》. **2** (총 따위를) 메다.
— *vi.* **1** 《~/+[부]/+[전]+[명]》 경사지다, 비탈지다: The hill ~*s* gently *down to* the foot. 언덕은 기슭까지 완만히 경사져 있다. **2** 《구어》 (내려)가다〔오다〕. **3** 《+[부]》 《미속어》 탈옥하다, 도망하다《*off; away*》; 《속어》 빈둥거리다《*about*》. **~ *home*** 집으로 돌아가다. **~ *off*** 《영속어》 (일

을 피하려고) 살짝 도망치다, 게으름을 피우다. ~ ***the standard*** 〖군사〗 군기를 비스듬히 숙이다 《경례》.

— *a.* 《시어》 경사진, 기운: ~-sided 사면이 있는. ㊕ **~·ly** *ad.* 경사〔비탈〕져.

slop·ing [slóupiŋ] *a.* 경사진, 물매진, 비탈진.

slo-pitch [slóupítʃ, ⌐⌐] *n.* 슬로피치《슬로볼만 던지는 소프트볼의 일종》. [◂ *slow pitch*]

slóp jàr (부엌의) 구정물통; 침실용 변기〔요강〕.

slóp pàil 구정물〔오물〕통《침실 · 부엌의》.

slop·py [slápi/slɔ́pi] (***-pi·er; -pi·est***) *a.* **1** (땅이) 질퍽한, 질척질척한, 물웅덩이가 많은; (날씨가) 비가 잘 오는. **2** (물 따위가) 튀어오른, 액체로 더러워진, 물에 잠긴. **3** 《구어》 (일 따위가) 엉성한, 조잡한; (언행 · 태도 등이) 깔끔치 못한, 맺힌 데 없는; (복장이) 칠칠치 못한. **4** 《구어》 (말 따위가) 감상적인, 푸념 어린, 나약한. **5** (음식 등이) 맛없게 생긴. **6** (옷이) 헐렁한, (몸에) 맞지 않는. **7** 《구어》 파도치는(choppy). **8** 술취한. ㊕ **slóp·pi·ly** *ad.* **-pi·ness** *n.*

slóppy jóe 《구어》 느슨한 스웨터《여성용》; 《미》 슬로피조《둥근 빵에 얹어 먹는, 토마토 소스 따위로 맛을 낸 저민 고기》.

slóp·sèller *n.* (특히 싸구려) 기성복 장수.

slóp·shòp *n.* (싸구려) 기성복 가게.

slóp sìnk 수채《구정물을 버리거나 자루 달린 걸레를 빪》.

slóp·wòrk *n.* **1** 싸구려 기성복 (제조). **2** 날림일, 아무렇게나 하는 일. ㊕ **~·er** *n.*

slosh [slaʃ/slɔʃ] *n.* **1** =SLUSH 1. **2** (액체가) 튀어 흩어짐, 튀어오름. **3** 《구어》 묽은 음료〔술〕. **4** 《영속어》 펀치, 강타. — *vt.* 《~+목/+목+전+명》 《구어》 흙탕물을 튀기다; 절벅절벅 휘젓다〔씻다〕; 《영속어》 강타하다(hit): ~ the paint *over* the wall 벽에다 페인트를 마구 칠하다 / He ~*ed* me *on* the chin. 그는 내 턱을 강타했다. — *vi.* 《~/+부/+전+명》 물〔흙탕〕 속을 절벅거리며 가다; 물을 튀기다《*about; around*》; (액체 따위가) 철벅철벅 튀다, 출렁거리다《*about; around*》; 《미》 배회하다(loaf) 《*around*》: ~ *about in* a puddle 물웅덩이를 저벅거리며 돌아다니다.

sloshed [-t] *a.* 《구어》 술 취한(drunk).

°**slot**[1] [slat/slɔt] *n.* **1 a** 가늘고 긴 틈〔홈〕; (동전 · 편지 등의) 투입구: put a coin in the ~ 투입구에 동전을 넣다. **b** 좁은 통로〔수로〕. **2** 《구어》 (연속된 것 중에서 점하는) 위치, 장소: (특히 방송 프로그램 중의) 시간대. **3** 〖언어〗 문법소론(文法素論) 용어에서 문법적 기능을 보일 수 있는 위치. **4** (일 등의) 부서, 지위: a coveted ~ 탐내는 부서〔자리〕. **5** (신문 · 잡지 등의 편집 데스크 안쪽에 있는) 편집 자리〔직〕. **6** (항공기의 정해진) 이착륙 시간〔장소〕. **7** (보통 *pl.*) 《미구어》 =SLOT MACHINE. **8** 〖항공〗 슬롯《날개 밑면 공기의 흐름을 날개 윗면으로 이동시켜 실속(失速)을 더디게 하기 위한 틈》. **9** 〖조류〗 익렬(翼裂) 《날개의 칼깃 끝부분이 손가락처럼 벌어진 상태》. **10** 〖아이스하키〗 슬롯《골 정면 공격에 최적인 지역》. **11** 《속어》 여성 성기, 질; (성교 대상으로서의) 여자; 《호모속어》 구멍(anus). **12** 《Austral. 속어》 (교도소의) 독방. **13** 〖컴퓨터〗 슬롯. ***in the ~*** 《미야구속어》 웨이팅 서클에 들어가, 때릴 차례를 기다리고.

— (***-tt-***) *vt.* 《~+목/+목+전+명》 갸름한 구멍을 내다; 집어넣다, 투입하다《*in*》; 《구어》 (예정 밖의 것을) 끼워 넣다; 《구어》 (조직 따위에) 배속하다: ~ the wall *for* guns 담벽에 총안(銃眼)을 내다.

slot[2] *n.* (사슴 따위의) 발자국, 자귀(track), 〖일반적〗 발자국. — (***-tt-***) *vt.* (…의) 뒤를 밟다, 추적하다.

slót·bàck *n.* 〖미식축구〗 슬롯백《태클과 엔드 사이의 바로 뒤에 자리한 공격 측 하프백》.

slót càr 《미》 슬롯 카《원격 조종으로 홈이 파인 궤도를 달리는 작은 게임용 레이싱 카》.

sloth [slouθ, slɔːθ] *n.* **1** Ⓤ 마음이 내키지 않음; 게으름, 나태. **2** 〖동물〗 나무늘보.

sloth 2

slóth bèar 〖동물〗 일종의 검은 곰《인도산》.

sloth·ful [slóuθfəl, slɔ́ːθ-] *a.* 나태한, 게으른(indolent); 굼뜬. ㊕ **~·ly** *ad.* **~·ness** *n.*

slót machìne 1 《미》 슬롯머신, 자동 도박기. **2** 《영》 자동판매기.

slót màn (신문사의) 기사 정리부장(copy editor).

slót ràcing 《미》 슬롯 카(slot car)의 레이스.

slótted spóon 길쭉한 구멍들이 뚫려 있는 대형 스푼.

°**slouch** [slautʃ] *n.* **1** 구부정한 걸음걸이〔섬새, 앉음새〕; =SLOUCH HAT. **2** 《구어》 너절한 사람, 게으름쟁이, 무능한 사람. ***be no ~ at*** 〔***as***〕 …의〔으로서의〕 솜씨는 상당〔대단〕하다: He *is no ~ at* tennis. 그의 테니스 솜씨는 깔볼 수 없다. ***be no ~ of*** 《속어》 상당히 중요하다. — *vi.* 축 늘어지다; (모자 테 따위가) 늘어지다; 숙어지다, 몸을 굽히다; 단정치 못하게 걷다〔앉다, 서다〕. — *vt.* (모자 테를) 늘어뜨리다, (모자를) 깊숙이 눌러 쓰다; (어깨를) 구부리다. ~ ***about*** 〔***around***〕 (꼴사나운 모습으로) 배회하다. ~ ***along*** 단정치 못한 걸음으로〔앞으로 수그리고〕 걷다.

slóuch hát 챙이 늘어진 중절모.

slouchy [sláutʃi] (***slouch·i·er; -i·est***) *a.* 앞으로 구부정한; 단정치 못한, 게으른.

slough[1] [slau] *n.* **1** 진창길, 질퍽한 데; [sluː] 《미 · Can.》 저습지, 늪지대, 진구렁, (태평양 연안의) 후미, 개《이 뜻으로는 slew, slue 라고 쓰기도 함》. **2** 《비유》 절망, 실망, 헤어날 수 없는 궁지, (타락의) 구렁텅이. **3** 《미속어》 체포, 형사. ***the Slough of Despond*** 절망의 구렁텅이《Bunyan 작 *Pilgrim's Progress* 에서》. — *vt.* **1** …을 진구렁에 처넣다. **2** 《미속어》 가두다, 감금하다, …을 체포하다《*in; up*》. — *vi.* 진구렁 속을 걷다.

slough[2], **sluff** [slʌf] *n.* **1** (뱀의) 벗은 허물. **2** 《비유》 버린 습관〔편견〕. **3** 〖의학〗 딱지(scab). **4** 〖카드놀이〗 (브리지에서) 버린 패. — *vi.* **1** 탈락하다, 허물 벗다《*off; away*》; 탈피하다. **2** 딱지가 앉다. **3** 서서히 무너지다〔떨어지다〕. **4** 〖트럼프〗 (브리지에서) 패를 버리다《*off*》. **5** 《미속어》 도망치다. — *vt.* **1** 탈피하다, 벗(어버리)다. **2** 《~+목/+목+부》 (편견 따위를) 버리다《*off*》: ~ *off* old habits 낡은 습관을 버리다. **3** 〖카드놀이〗 (브리지에서 패를) 버리다. **4** 《미속어》 (가게 · 텐트 따위를) 걷어치우다, 중지하다, (군중 따위를) 쫓아 버리다; 벗어던지다; 탈락하다. ~ ***off*** 〖농구〗 (다른 플레이에 가담하기 위하여) 가드를 그만두다. ~ ***over*** …을 경시하다, 깔보다; 속이다, 발뺌하다.

sloughy[1] [sláui, slúːi] (***slough·i·er; -i·est***) *a.* 질퍽거리는, 진창의; 진구렁 같은.

sloughy[2] [slʌ́fi] *a.* (뱀의) 벗은 허물〔껍데기〕 같은; 딱지의, 딱지 같은.

Slo·vak [slóuvaːk, -væk/-væk] *n.* 슬로바키아 사람《서(西) 슬라브족의 하나》; Ⓤ 슬로바키아 말. — *a.* 슬로바키아 민족〔말〕의.

Slo·va·kia [slouváːkiə, -vǽ-/-vǽ-] *n.* 슬로바키아 공화국《체코슬로바키아 연방공화국을 구성하고 있다가, 1993 년 분리 독립함; 수도:

Bratislava). ㊂ **-ki·an** [-n] *a., n.* =SLOVAK.
slov·en [slʌ́vən] *n.* 꾀죄죄한 사람, 게으름쟁이; 갱충맞은 사람. ㊂ **~·ry** *n.*
Slo·vene [slouví:n, ⌐⌐] *n.* Slovenia 사람; Ⓤ Slovenia 말. ── *a.* 슬로베니아 인[말]의.
Slo·ve·nia [slouví:niə, -njə] *n.* 슬로베니아 공화국《1991년 Yugoslavia에서 분리 독립함; 수도: Ljubljana》. ㊂ **-ni·an** [-n] *n., a.* = SLOVENE.
°**slóv·en·ly** (*-li·er; -li·est*) *a.* (옷차림이) 단정치 못한; 꾀죄죄한, 초라한(untidy); 되는대로의, 소홀한(careless). ── *ad.* 단정치 못하게, 되는대로. ㊂ **-li·ness** *n.*
†**slow** [slou] *a.* **1** (속도가) 느린, 더딘; 느릿느릿한. OPP. *quick.* ¶ a ~ train 완행열차(cf. express) / ~ progress [convalescence] 더딘 진척[회복] / The guests are ~ in arriving. 손님의 도착이 늦다 / Slow and [but] steady [sure] wins the race. 《속담》 느려도 착실하면 이긴다. **2** 심하지 않은; 화력이 약한: a ~ fire 뭉근한 불 / a ~ oven 불을 약하게 한 오븐. **3** 효과가[효력이] 늦은, 감광도가 낮은: a ~ poison 효력이 더딘 독약 / a ~ film 감광도가 낮은 필름. **4** 진행을 느리게 하는: a ~ mire 보행을 방해하는 진창. **5** (시계가) 늦은, 더디 가는(OPP. *fast*); (계기가) 기준 이하를 가리키는: a ~ clock 덜 가는 시계 / a ~ taximeter 숫자가 덜 오르는 택시미터 / Washington is several hours ~ on London (time). 워싱턴은 런던 시간보다 몇 시간 늦다. **6** 침체한(slack), 활기 없는(sluggish), 불경기의: a ~ town 활기 없는 거리 / Business is ~ in summer. 여름에는 장사가 잘 안 된다 / a ~ month 장사가 부진한 달. **7** 이해가 늦은, 아둔한(dull); 흥분치 않는: a ~ student [mind] 이해가 더딘 학생[사람] / He is ~ *to* learn. 그는 배움이 더디다 / a ~ audience 좀처럼 흥분을 하지 않는 관객 / He is ~ *at* accounts. 그는 계산이 더디다 / be ~ *of* speech [tongue] 입이 무겁다. **8** (따분하여) 시간 가는 것이 더딘, 지루한, 시시한(uninteresting): a ~ party [evening] 지루한 파티[하룻밤]. **9** 좀처럼 …않는《*to; of; to* do; *in* do*ing*》: ~ *to* offense 좀처럼 화내지 않는 / ~ *of* comprehension 머리가 나쁜 / ~ *in* com*ing* to a decision 과단성이 굼뜬, 우유부단한. **10** 보수적인, 시대에 뒤진.
── *ad.* 늦게, 더디게, 느리게, 천천히(slowly). ★감탄문에서 how의 다음 또는 복합어를 이룰 때 외에는 동사 뒤에 쓰이며 slowly보다 구어적이고 강세임. ¶ Drive ~. 서행(徐行) / Read ~*er*. 더 천천히 읽으시오. ***go*** **~** 천천히 가다[하다]; 태업(怠業)하다; 조심스럽게 하다; 경계하다. ***take it*** **~** 《미속어》 신중히 하다.
── *vt.* 《+목/+목+부》 더디게[느리게] 하다, (차 등의) 속력을 늦추다《*down; up*》: ~ one's walk 보조를 늦추다 / The train ~*ed down* [*up*] its speed. 열차는 속력을 늦추었다. ── *vi.* 《~(+부)/+전+명》 속도가 떨어지다, 늦어지다; 속도를 떨어뜨리다《*down; up*》: The train ~*ed* (*down*) *to* thirty miles an hour. 열차는 시속 30마일로 감속했다. **~ *down*** 누긋이 하다[시키다]: You ought to ~ *down*. **~ *up*** 활력이 떨어지다: The writer is beginning to ~ *up*. 그 작가는 활력이 떨어지기 시작한다.
── *n.* 〖구기〗 완구(緩球), 느린 공(=⌐ **bàll**).
㊂ **⌐·ish** *a.* **⌐·ness** *n.* 느림, 완만; 우둔.
slów-bèat gúy 《미속어》 꼴보기 싫은 놈.
slów búrn 《미속어》 〖종종 do a ~의 꼴로〗 점점 더해가는 노여움[경멸감].
slów còach 《구어》 (동작이) 굼뜬 사람, 얼간이(《미》 slowpoke); 시대에 뒤진 사람.
slów·dòwn *n.* 속력을 늦춤, 감속; 《미》 (공장의) 조업 단축; 경기 후퇴; 《미》 태업(=⌐ **strìke**).
slów drág 《미학생속어》 격식 차린[따분한] 댄스 파티.
slów fìre (시간을 제한하지 않는) 정밀 사격, 완사(緩射).
slów-fóoted [-id] *a.* 걸음이 느린, 굼뜬. ㊂ **~·ness** *n.*
slów hándclap 《미》 일제히 천천히 간격을 두고 치는 박수《불쾌·불만의 표시》.
slów inféction 〖의학〗 슬로 바이러스 감염《오랜 잠복기를 거치는》.
slów làne (고속도로의) 저속 주행 차로.
†**slów·ly** [slóuli] *ad.* 느릿느릿, 천천히; 느리게, 완만하게: drive ~ 느리게 운전하다 / How ~ the time passes! 시간이 왜 이리 더디 가나.
slów mátch 도화선[삭(索)], 화승(火繩).
slow-mo [slóumóu] *n.* 《구어》 =SLOW MOTION.
slów mótion 1 (영화·텔레비전 등의) 느린 동작[슬로 모션] (효과). **2** 슬로 모션 비슷한 동작[움직임].
slów-mótion *a.* (행동 따위가) 느린; 고속도 촬영의: a ~ picture 고속도 촬영 영화.
slów-móving *a.* **1** 걸음이 느린; 동작이 둔한; 진보가 더딘. **2** 잘 팔리지 않는, 거래가 뜬《주식 따위》.
slów néutron 〖물리〗 저속 중성자.
slów-páced [-t] *a.* 걸음이 느린; 진척이 더딘, 지지부진한.
Slów·pòke *n.* **1** 난방용 소형 원자로. **2** (s-) 《미구어》 굼뜬 사람, 굼벵이.
slów púncture 서서히 공기가 빠져나가는 펑크.
slów reáctor 저속 중성자 원자로.
slów tíme 〖군사〗 (장례 행진 등의) 완보(緩步) 《보통 1분간 65보》; 《구어》 보통 (표준) 시간《일광 절약 시간(daylight saving time)에 대하여》.
slów-twitch *a.* 〖생리〗 (근섬유가) 서서히 수축하는《특히 지구력을 필요로 하는 운동에서》.
slów vírus 슬로 바이러스《체내에 장기간 잠복하는 만성병 바이러스》.
slów-wáve slèep 〖생리〗 서파(徐波) 수면 《뇌파가 완만하여 5-6시간 거의 꿈 없는 숙면》.
slów-wítted [-id] *a.* 이해가 더딘, 머리가 둔한(dull-witted).
slów·wòrm *n.* 〖동물〗 뱀도마뱀.
sloyd [slɔid] *n.* (목각(木刻) 따위에 의한) 스웨덴식 공작 교육.
S.L.P. 〖미국사〗 Social Labor Party(사회 노동당). **s.l.p.** *sine legitima prole* 《L.》 (=without lawful issue). **SLR** single-lens reflex.
slub [slʌb] *n.* (초벌 꼰) 조방사(粗紡絲), 시방사(始紡絲). ── (**-bb-**) *vt., vi.* (양털·솜을) 초벌 꼬다, 시방(始紡)하다. ㊂ **⌐·bing** *n.* 시방.
slub·ber[1] [slʌ́bər] *vt., vi.* 엉성하게[날림으로] 하다(slobber) 《*over*》; 《영방언》 더럽히다.
slub·ber[2] *n.* (털실 등을) 꼬는 틀, 시방기(始紡機).
sludge [slʌdʒ] *n.* Ⓤ **1** 진흙, 진창, 질척질척한 눈. **2** 침전물, 슬러지, (광유의) 불순물, 찌꺼기(sediment). **3** (바다의) 부빙(浮氷), 작은 성엣장. ㊂ **slúdgy** *a.* 진창의; 질척거리는, 질척눈의.
slue[1] [slu:] *vt., vi., n.* =SLEW[2].
slue[2] *n.* 늪지, 진구렁창, 수렁(slough[1]).
slue[3] *n.* =SLEW[3].
sluff ⇨SLOUGH[2].
slug[1] [slʌg] *n.* **1** 〖동물〗 민달팽이, 괄태충. **2** 《미구어》 느릿느릿한 사람[동물, 차]. **3** 등그스름한 금속의 작은 덩어리; (구식 총의) 총탄, (공기총 따위의) 산탄(霰彈); 《미》 (자동판매기용의) 대용 경화(硬貨); 《미속어》 1달러; 50달러 금화: catch a ~ 탄알을 한 방 맞다. **4** 〖인쇄〗 대형의 공목[인테르]《두께 6포인트 정도》; (라이노타이프의) 활자의 행. **5** 〖물리〗 슬러그(=**géepòund**)《1 파운드의 중력이 작용하여 1 ft/sec의 가속도를 붙게 하는 질량의 단위; ≒ 32.2 pounds (14.6kg)); 〖전기〗 슬러그《코일·도파관(導波管)의 특성을 변화시키기 위한 가동(可動)의 금속〔유전체(誘電體)〕편(片)〔관〕); 〖원자〗 슬러그《짧은 둥근 막대〔관〕 모양의 핵연료). **6** 《속어》 (위스키 등의) 한 잔, 한 번 마시는 양(draught). **7** 《미속어》 도넛.
— (*-gg-*) *vt.* **1** 《영》 (뜰 따위의) 민달팽이를 잡아 없애다. **2** 〖인쇄〗 …에 공목을 끼우다; …에 탄알을 재다. **—** *vi.* **1** 게으름 피우다, 잠자코 있다. **2** (총탄이) 강선(腔線) 모양으로 변형하다.

slug[2] (*-gg-*) 《미》 *vt., vi.* 주먹으로 때리다(slog), 배트로 강타하다. ~ ***it out*** 《미》 끝까지 맹렬히 싸우다. **—** *n.* **1** 강타, 맹타. **2** 《미속어》 피대, 벨트.

slug·a·bed [slʌ́gəbèd] *n.* 늦잠꾸러기.

slug·fest [slʌ́gfèst] *n.* 《미구어》 〖권투〗 난타; 〖야구〗 타격전, 난타전.

slug·gard [slʌ́gərd] *n.* 게으름쟁이, 빈둥거리는 사람, 나태자(懶怠者). **—** *a.* 게으른(lazy), 빈둥거리는(idle). ㊞ **~·ly** *a.* 빈둥거리는, 게으른. **~·ness** *n.*

slug·ger [slʌ́gər] *n.* 《미구어》 강타의 복서《보통 디펜스는 좋지 않은 자》; 〖야구〗 강타자(cf. slogger); 《미속어》 귀밑까지 난 턱수염.

slúgging àverage 〖야구〗 장타율(長打率)《누타(壘打) 수를 타수로 나눈 것》.

°**slug·gish** [slʌ́giʃ] *a.* 게으른, 나태한《사람 등》; 동작이 느린, 굼뜬; 완만한《흐름 따위》; 부진(不振)한, 불경기의. ㊞ **~·ly** *ad.* **~·ness** *n.*

slúggish schizophrénia 나태 분열증《옛 소련에서 종종 정치범에게 붙였던 칭호》.

slúg-òut *n.* 쓰러지느냐 쓰러뜨리느냐의 싸움, 끝장을 보는 승부.

°**sluice** [slu:s] *n.* **1** 수문(~ gate), 보(洑). **2** 수문을 넘쳐흐르는 물, 분류(奔流); 수문으로 갇힌 물, 봇물. **3** (통나무를 띄어 보내는) 인공 수로, 방수로(drain); 〖광산〗 세광통(洗鑛桶), 사금 채취통. **4** (흐르는 물에) 점벙점벙 씻기, 헹구기. **5** 《비유》 배출구, 근원. ***open the*** ~ 수문을 열다; (억눌렸던) 감정〔비판, 불만〕을 터뜨리다.
— *vt.* **1** 《~+목/+목+전+명》 …에 수문을 설치하다, 수문을 열어 물을 일시에 내보내다, 홈통으로 (물을) 끌다《*into; from; out of*》: ~ water *into* a pond (홈통 따위로) 못에 물을 끌어들이다. **2** 《~+목/+목+부/+목+전+명》 물을 점벙거리며 씻다, 물을 일시에 흘려보내다: ~ (*down*) a pavement *with* a hose 호스로 보도를 씻어 내리다. **3** 〖광산〗 세광통(洗鑛桶) 물로 씻다; (통나무 따위를) 수로로 나르다. **—** *vi.* (물 따위가) 흘러나오다, 세차게 흐르다; (흐르는 물에) 헹구다, 점벙점벙 씻다.

slúice gàte 수문.

slúice vàlve 수문의 제수(制水) 밸브.

slúice·wày *n.* (수문이 있는) 인공 수로, 방수로.

sluicy [slú:si] *a.* 왈칵 쏟아져 내리는, 내뿜는, 분출하는.

「협곡, 도랑.

sluit, sloot [slu:t] *n.* 《S.Afr.》 (호우로 생긴)

°**slum**[1] [slʌm] *n.* **1** (종종 *pl.*) 빈민굴, 슬럼가. **2** 《미속어》 맛없는 음식, (경품으로 주는) 싸구려 물건; 《구어》 불결한 장소. **—** (*-mm-*) *vi.* (자선·조사 목적으로) 빈민굴을 찾다; 좋지 못한 데〔그룹〕에 드나들다: go ~*ming* 빈민굴에서 자선(사업)을 하다. ~ ***it*** 빈곤 속에 지내다. **—** *a.* 《미속어》 싸구려의, 너절한.

「는 찌끼.

slum[2] *n.* Ⓤ 이광(泥鑛); 윤활유 사용 중에 생기

°**slum·ber** [slʌ́mbər] *n.* Ⓤ,Ⓒ **1** (종종 *pl.*) 《문어》 잠, 《특히》 선잠, 겉잠: fall into a ~ 잠들어 버리다. SYN. ⇨SLEEP. **2** 《비유》 혼수〔무기력〕 상태, 침체. **—** *vi.* **1** 《문어》 꾸벅꾸벅 졸다(drowse), (잠시) 졸다(doze). **2** (화산 따위가) 활동을 멈추다, 정지하다. **—** *vt.* **1** 《+목+부》 잠자며〔하는 일 없이〕 시간을 보내다《*away; out; through*》: I ~*ed away* the daytime. **2** (불안 따위를) 잠을 자 잊어버리다〔떨쳐버리다〕《*away*》: ~ cares *away* 잠을 자서 걱정을 잊어버리다. ㊞ **~·er** [-rər] *n.* 잠자는 사람; 안일하게 사는 사람. **~·less** *a.*

「들려주는》.

slúmber·lànd *n.* 꿈나라《아이들에게 이야기로

slum·ber·ous, -brous [slʌ́mbərəs], [-brəs] 《문어》 *a.* 졸린 (듯한); 졸음이 오게 하는; 잠자고 있는 (것 같은); 나태한, 활기 없는(inactive, sluggish), 조용〔고요〕한(quiet), 정적의(calm). ㊞ **~·ly** *ad.* **~·ness** *n.*

slúmber pàrty 《영》 =PAJAMA PARTY.

slúmber wèar 잠옷.

「개발.

slúm clèarance 슬럼가 철거 (정책), 도시 재

slúm·dwèller *n.* 슬럼가 주민.

slum·gul·lion [slʌ̀mgʌ́ljən, ⸗-] *n.* 묽은〔싱거운〕 음료; 슬럼 걸리언(스튜)《고기 스튜》; 고래 기름의 찌끼; (홈통에 가라앉은) 붉은빛을 띤 진흙; 《속어》하찮은〔쩨쩨한〕 녀석.

slúm·ism *n.* 슬럼화(化).

slúm·lòrd *n.* 《미》 (슬럼가(街) 주택의) 악덕 집주인. ㊞ **~·ship** *n.*

slum·mer [slʌ́mər] *n.* 빈민 구제 자선 사업가; 빈민굴에 사는 사람, 빈민.

「이 많은).

slum·my [slʌ́mi] (*-mi·er; -i·est*) *a.* 빈민굴의

°**slump** [slʌmp] *n.* **1** 푹〔쑥〕 떨어짐〔빠져듦〕; (물가·증권 시세 따위의) 폭락, 불황, 불경기; (인기 따위의) 뚝 떨어짐. OPP. *boom*[1]. **2** 의기소침〔침체〕, 부진〔쇠퇴〕 상태. **3** 구부정한 자세〔걸음걸이〕. **4** (토사(土砂) 등의) 사태. **—** *vi.* **1** 《~/+부/+전+명》 툭 떨어지다, 쑥 빠져들다; 푹 고꾸라지다, 털썩 주저앉다《*down; into*》: He ~*ed* (*down*) *to* the floor in a faint. 그는 정신을 잃고 마루에 푹 쓰러졌다/Utterly wearied, I ~*ed into* the chair. 완전히 지쳐서 의자에 털썩 주저앉았다. **2** (시세가) 폭락하다, (매상이) 뚝 떨어지다; (사업·인기 등이) 급히 쇠퇴하다. **3** (원기가) 갑자기 없어지다. **4** 구부정한 자세를 취하다.

slump·fla·tion [slʌmpfléiʃən] *n.* 〖경제〗 불경기 하의 인플레이션, 슬럼프플레이션. [◂ *slump*+in*flation*]

slúmp tèst 《영》 〖토목〗 슬럼프 시험《콘크리트의 반죽 질기 시험》.

slung [slʌŋ] SLING[1]의 과거·과거분사.

slúng shót 쇠사슬·가죽끈 따위의 끝에 단 쇠뭉치《무기》.

slunk [slʌŋk] SLINK[1·2]의 과거·과거분사.

°**slur** [slə:r] (*-rr-*) *vt.* **1** 분명치 않게 빨리〔굴려〕 발음하다〔쓰다〕. **2** 〖음악〗 음표를 잇대어 연주하다〔노래하다〕; (음표)에 연결선을 붙이다. cf. legato. **3** 대충 훑어보다; 묵인하다, 못 본 체하다; 가볍게〔되는대로〕 처리하다《*over*》: ~ *over* duties 의무를 소홀히 하다. **4** 헐뜯다, 깎아내리다(disparage); 중상〔비방〕하다(calumniate). **—** *vi.* **1** 불분명하게 말을 하다, 글씨를 흘려 쓰다. **2** 날림으로 하다. **—** *n.* **1** Ⓤ 똑똑지 않은 잇따른 발음; Ⓒ 쓰기〔인쇄, 발음, 노래〕의 똑똑지 않은 부분. **2** 〖음악〗 슬러, 이음줄《⌒ 또는 ⌣》. **3** 이중 겹침 인쇄. **4** 중상, 비방(reproach); 오명, 치욕(stain). ***put a*** ~ ***upon*** =***cast*** 〔***throw***〕 ~***s at*** 헐뜯다, 중상〔비방〕하다.

slurb [slə:rb] *n.* 《미》 교외 빈민가. [◂ *slum*+sub*urb*]

slur·bia [slə́:rbiə] *n.* Ⓤ 교외 슬럼 지구 (주민).

slurp [slə:rp] 《구어》 *vi., vt., n.* 소리를 내며 먹다〔마시다〕; 그 소리.

slur·ry [slə́:ri/slʌ́ri] *n.* 슬러리《진흙·시멘트 따위에 물을 섞어 만든 현탁액(懸濁液)》.

slur·vian [slə́ːrviən] *n.* (보통 S–) 발음이 분명치 않은 말.
slush [slʌʃ] *n.* **1** [U] 진창눈; 진창(길). **2** 백연석회(白鉛石灰) 혼합제《기계의 녹이 스는 것을 막음》; 윤활유; 액상의 제지 펄프. **3** 값싼 감상; 푸념, 우는소리, 넋두리(drivel); 저속한 애정 소설〔영화〕. **4** (배의 조리장에서 나오는) 찌꺼기. **5** 《미속어》 잘게 썬 고기 요리. **6** 《미속어》 =SLUSH FUND. — *vt.* 윤활유를 바르다; 녹 방지제를 칠하다; 시멘트로 틈을 메우다《*in; up*》; (갑판 따위를) 물로 닦다. — *vi.* 진창을 지나가다〔가는 것 같은 소리를 내다〕《*along*》; 물을 끼얹어 첨벙첨벙 씻다.
slúsh fùnd 《미》 부정 자금, 뇌물〔매수〕 자금; (배·군함의 승무원·봉급자 따위의) 사전(私錢).
slushy [slʌ́ʃi] (***slush·i·er; -i·est***) *a.* 진창눈의; 질척거리는, 진창의; 《구어》 데데한, 감상적인. — *n.* 《Austral. 속어》 (목양장(牧羊場)의) 솜씨 나쁜 부엌 심부름꾼; 《속어》 배의 요리인. [파] **slúsh·i·ly** *ad.* **-i·ness** *n.*
slut [slʌt] *n.* 홀게 늦은〔더러운〕 여자, 허튼계집; 매춘부; 《고어》 암캐(bitch).
slut·tish [slʌ́tiʃ] *a.* 홀게 늦은, 방탕한; 몸가짐이 헤픈; 더러운. [파] **~·ly** *ad.* **~·ness** *n.*
sly** [slai] (slý·er, slí·er*** [-ər]; ***slý·est, slí·est*** [-ist]) *a.* **1** 교활한(cunning), 음흉한(insidious), 비열한, 계략을 쓰는: a ~ dog 교활한 놈/(as) ~ as a fox 매우 교활한. **2** 남의 눈을 기이는(stealthy), 은밀한(secretive); 솔직하지 못한; 방심할 수 없는. **3** 장난기가 있는(mischievous), 익살맞은: ~ humor 장난스러운 익살. ***on*** 〔***upon***〕 ***the*** **~** 은밀히, 가만히, 몰래. [파] **°~·ly** *ad.* 교활하게; 음험하게; 익살맞게. **~·ness** *n.*
slý·bòots *n. pl.* 〔단수취급〕《구어》 교활한 사람; 장난꾸러기《아이·애완동물에게 쓰임》.
slype [slaip] *n.* 【건축】 (본채에서 별채로 통한) 복도.
SM service module (기계선)《사령선(CM), 달착륙선(LM)과 함께 아폴로 우주선을 구성함》.
Sm 【화학】 samarium. **S.M.** *Scientiae Magister* 《L.》 (=Master of Science); Sergeant Major; Soldier's Medal; stage manager.
sm. small. **S-M, s-m, S/M, SM** sadomasochism; sadomasochist; sadomasochistic.
°**smack**[1] [smæk] *n.* **1** 맛, 풍미, 향기; 독특한 맛《*of*》: a ~ *of* the cask in wine 포도주 통의 향기. **2** (a ~) …낌새, 기미, …한 데〔티, 점〕《*of*》: a ~ *of* the pedant 학자연하는 티. **3** (a ~) 조금, 약간《*of*》: add a ~ *of* pepper to a dish 요리에 약간의 후춧가루를 치다. **4** 《미속어》 헤로인《마약》. — *vi.* 《+[전]+[명]》 **1** 맛이 나다, 향내가 나다《*of*》: This meat ~*s of* garlic. 이 고기는 마늘 냄새가 난다. **2** 낌새가〔…한 데가〕 있다, …을 생각〔연상〕하게 하다《*of*》: He ~*s of* the stage. 그는 무대 배우 같은 데가 있다.
°**smack**[2] *vt.* **1** 《+[목]+[전]+[명]》 세게 때리다, 손바닥으로 (철썩) 치다(slap): ~ a person *on* the face 아무의 따귀를 철썩 갈기다. **2** 《+[목]+[전]+[명]》 쳐 날리다: ~ a ball *over* the fence 공을 울 너머로 날려 보내다. **3** 《+[목]+[전]+[명]》 (입맛을) 다시다; …에 쪽 소리를 내며 키스하다: ~ one's lips *over* the soup 수프를 보고 입맛을 다시다/~ a person *on* the cheek 아무의 볼에다 쪽 소리를 내며 키스하다. **4** (회초리·채찍을) 휙휙 소리 내다(crack). — *vi.* **1** 강타하다; 세게 부딪치다. **2** 쩍쩍 입맛을 다시다. **3** 철썩철썩〔딱딱〕 소리를 내다. **~ *down*** 《미속어》 콧대를 꺾다, 혼쭐내다; 끌어내리다, 실각시키다.
— *n.* **1** (손바닥으로) 철썩 때리기〔때리는 소리〕: a ~ in the face 뺨따귀 때림; 심한 꾸지람을 들음. **2** (쩍쩍) 입맛 다시기. **3** 《구어》 쪽 소리 나는 키스: give a ~ on the cheek. **4** 딱〔휙휙〕하는 소리《채찍 등의》. ***a* ~ *in the eye*** 〔***face***〕 《비유》 핀잔, 호통, 퇴짜, 거절: get *a* ~ *in the eye* 기대를 배반당하다, 거절당하다, 퇴짜 맞다. ***have a* ~ *at*** 《구어》 …을 시험 삼아 해보다.
— *ad.* 《구어》 **1** 정면〔정통〕으로(directly); 느닷없이: run ~ *into* a wall 벽에 정통으로 부딪다. **2** 곧장, 똑바로: The street runs ~ along the river. 한길은 강을 따라 곧장 뻗어 있다.
smack[3] *n.* 《미》 (활어조(活魚槽)의 설비를 갖춘) 소형 어선(=∠ **bòat**).
smack[4] *n.* 《미속어》 헤로인.
smáck-dáb *ad.* 《미구어》 정통으로, 세차게; 「정면으로.
smáck·er *n.* (쩍쩍) 입맛 다시는 사람; 때리는 사람; 《구어》 쪽 소리가 큰 키스; 철썩 때리는 일격; 굉장한〔훌륭한〕 것, 일품; 《미속어》 1달러(dollar); 《영속어》 1파운드.
smack·er·oo [smækərúː] 《속어》 (*pl.* **~s**) *n.* 1달러, 1파운드; 세게 철썩 때림; 충돌.
smáck·ing *n.* 입맛을 다심; 찰싹 때림. — *a.* 쪽〔찰싹〕하는 소리가 나는; 활기 있는, 상쾌한; (바람 따위가) 세찬(brisk); 활기 있는 (lively), 기운찬; 《영속어》 무척 큰, 굉장한.
smácks·man [-mən] (*pl.* ***-men*** [-mən]) *n.* smack[3]의 선주〔선원〕.
smacky [smǽki] *a.* 〔다음 관용구로〕 ***play* ~ *lips*** 〔***mouth***〕 《미속어》 키스〔애무〕하다.
SMaj Sergeant Major.
†**small** [smɔːl] *a.* **1** 작은, 소형의, 비좁은. [opp.] *big, large.* ¶ a ~ house 작은 집/a ~ town 작은 읍/a ~ room 비좁은 방.

> [SYN.] **small, little** 거의 같게 쓰이지만 little은 '절대적인 작음'을 보이며 또한 '귀엽다'의 기분을 포함시킬 때도 있음. small은 '상대적인 작음', 평균과 비교해서 작음을 나타냄: a *little* child 어린애. a *small* child 평균보다 작은 어린애. **diminutive** 몹시 작아서 '모형'과 같은 느낌. 때로 '다랍게 작은'의 뜻. 어느 의미에선 그것이 보일 수 있는 최소한의 것을 나타냄: *diminutive* house 작은 주택《그 이상 작을 수 없는》. **minute** '입자처럼 작은, 보기조차 힘들 정도로 작은'의 뜻인데 주로 추상 개념과 더불어 사용되어 '극히 작은, 미세한': *minute* differences 근소한 차이.

2 소규모의: ~ businesses 소기업/on a ~ scale 소규모로. **3** (양·수(數)·정도·기간 등이) 얼마 안 되는, 적은, 거의 없는: no ~ sum of money 적지 않은〔꽤 많은〕 돈/~ hope of success 적은 성공률. **4** 하찮은, 시시한, 사소한(trivial): ~ errors 사소한 잘못/a ~ joke 하찮은 농담. **5** (신분·지위 등이) 천한, 낮은: great and ~ people 귀천 없이 모든 계급의 사람. **6** 도량이 좁은(illiberal), 인색한(stingy), 비열한(mean); 떳떳지 못한, 부끄러운: a ~ character 인색한 성격/a man with a ~ mind =a ~ man 마음 좁은 사람. **7** (목소리 따위가) 작은, 가는(low): in a ~ voice 작은 목소리로. **8** (술 따위가) 약한(diluted). **9** (시간·거리 등이) 짧은: a ~ space of time 짧은 시간/at a ~ distance away 조금 떨어진 곳에. **10** 소문자의: a ~ letter 소문자. ★ 한정 형용사로서 쓰일 때는 반드시 명사 전부에 걸리지는 않음. 예컨대 small eater는 '소식가'의 뜻이며 '작은 먹는 사람'은 아님. ***and* ~ *blame to*** (him) 그것이 (그의) 죄는 아니다: She left him, *and* ~ *blame to* her. 그의 곁을 떠났지만 그게 그녀 탓은 아니다. ***and* ~ *wonder*** …라고 해서 놀라운 일은 못된다. ***feel* ~** 풀이 죽다, 축 처지다, 부끄럽게 여기다. ***look* ~** 기가 죽다, 부끄럽게〔초라하게〕 여기다,

주눅 들다. ***on the ~ side*** 좀 작은 (편인).
— *ad.* **1** 잘게, 가늘게. **2** 소형으로, 작게; 소규모로. **3** (목소리 따위가) 약하게, 낮게. ***sing ~*** ⇨SING.
— *n.* **1** (the ~) 작은 것. **2** (the ~) 작은〔가는〕 부분, 《특히》 허리의 잘록한 부분(waist) 《*of* the back》. **3** (the ~) 신분이 낮은 사람들: the great and the ~ 신분이 높은 사람들과 낮은 사람들. **4** (*pl.*) 소형의 상품〔물건〕 《방물 · 장신구 따위》. **5** (*pl.*) 반바지. **6** (*pl.*) 《영구어》 (세탁물의) 자질구레한 것 《속옷 · 냅킨 따위》. **7** (*pl.*) 《Oxford 대학속어》 B.A.학위를 따기 위한 제1차 시험(responsions). ***a ~ and early*** 일찌감치 끝내는 조촐한 초저녁 파티. ***by ~ and ~*** 조금씩, 서서히(=bit by bit). ***do the ~s*** 《영속어》 지방 순회하다. ***in* (*the*) *~*** 작게, 소규모로, 소단위로.

smáll ád 《영》 =CLASSIFIED AD.

small·age [smɔ́:lidʒ] *n.* 〖식물〗 야생 셀러리.

smáll árms 〖군사〗 휴대 병기, 소(小)화기 《소총 · 권총 따위》. OPP *artillery*.

smáll béer 싱거운 맥주 《지게미를 씻은 물로 만든》; 《구어》 하찮은 것〔일〕: think no ~ *of* one*self* 자만하다.

smáll-bòre *a.* 소구경의, 22구경의 《총》; 편협한 《견해》.

Smáll Búsiness Administràtion 《미》 ⇨SBA.

smáll cálorie (열량 단위로서의) 소(小)칼로리, 그램칼로리. cf. calorie 1.

smáll cápital 〔**cáp**〕 〖인쇄〗 소형〔작은〕 대문자 《소문자 크기의; 생략: s.c., sm. c., sm. cap.》.

smáll cárd 〖카드놀이〗 숫자가 작은 패.

smáll chánge 잔돈; 《비유》 시시한 것〔일〕.

smáll círcle 〖수학〗 소원(小圓), 소권(小圈).

smáll-cláims còurt 〖법률〗 소액(少額) 재판소(=**smáll-débts còurt**).

smáll·clòthes *n. pl.* **1** 짧은 바지 《18세기의》. **2** 자지레한 옷가지 《속옷 · 손수건 등》.

smáll cráft advísory 〖기상〗 소형 선박을 위한 주의보.

smáll ènd 〖기계〗 (연접봉(連接棒)의) 소단(小端). OPP *big end*.

smállest róom (the ~) 《구어》 변소.

Smal·ley [smɔ́:li] *n.* **Richard ~** 스몰리 《미국 Houston의 Rie 대학 교수; 노벨 화학상 수상(1996); 1942-》.

smáll fórward 〖농구〗 스몰 포워드 《두 사람의 포워드 중 주로 득점 역할을 하는 선수》.

smáll frúit 《미》 씨 없는 작은 과실 (《영》 soft fruit) 《딸기 따위》.

smáll frỳ 어린 물고기, 잡어(雜魚); 어린이들, 젊은이들; 2류〔3류〕쯤 되는〔시시한〕 것〔사람들〕.

smáll-frỳ *a.* **1** 2류〔3류〕의, 중요하지 않은: a ~ politician. **2** 어린이(용)의, 어린애다운: ~ sports. **3** 잡어(雜魚)의.

smáll gáme 〖사냥〗 작은 사냥감 《토끼 · 비둘기 등》. cf. big game.

smáll gòods **1** 《Austral.》 조제를 한 고기 《소시지 따위》. **2** 자잘한 상품.

smáll gróss 10다스 《120개》.

smáll hólder 《영》 소(小)자작농.

smáll hólding 《영》 소(小)자작 농지.

smáll hóurs (the ~) 깊은 밤, 사경(四更) 《새벽 1시부터 3시까지》.

smáll intéstine (the ~) 〖해부〗 소장.

small·ish [smɔ́:liʃ] *a.* 좀 작은 (듯싶은).

smáll líttle 《S.Afr.》 작은.

smáll-mínded [-id] *a.* 도량이 좁은; 야비한, 쩨쩨한. ㊞ **~·ly** *ad.* **~·ness** *n.*

smáll píca 스몰 파이카 《11포인트 활자》.

smáll potátoes 《구어》 하찮은 것〔사람들〕; 푼돈.

smáll·pòx *n.* U 〖의학〗 천연두, 두창(痘瘡), 마마.

smáll prìnt 《주로 영》 =FINE PRINT 2.

smáll-scále *a.* 소규모의; 소비율의; 소축척의 《지도》. cf. large-scale.

smáll-scale integrátion 〖전자〗 소규모 집적(화(化)) 《생략: SSI》.

smáll scréen (the ~) 텔레비전 《특히 영화에 대하여》.

smáll·swòrd *n.* (결투 · 펜싱용) 찌르는 칼 (rapier).

smáll tàlk 잡담.

smáll tíme 《미속어》 3류 보드빌 극장 《하루 3회 이상 공연을 행함》.

smáll-tíme *a.* 《미구어》 소규모의, 시시한, 보잘것없는; 〖연극〗 출연료가 싼. ㊞ **-tímer** *n.*

smáll-tówn *a.* 지방 도시의; 소박한; 촌스러운, 시골티가 나는. ㊞ **~·er** *n.*

smáll-wáres *n. pl.* 《영》 방물, 장신구류; 잡화, 일용품.

smalt [smɔ:lt] *n.* U 화감청(花紺青)색; 화감청의 분말 채료(彩料); 암청색 유리.

sma·rag·dite [smərǽgdait] *n.* 녹섬석(綠閃石).

smarm [smɑ:*r*m] 《구어》 *vt.* 뒤바르다, 매만지다 《*down*》; …에게 빌붙다. **—** *n.* 아첨. ㊞ **∠·y** *a.* 《구어》 빌붙는; 얄밉도록 아첨하는(fulsome).

****smart** [smɑ:*r*t] *a.* **1** 쿡쿡 쑤시는, 욱신욱신 아픈: a ~ pain. **2** (타격 따위가) 센, 날카로운, (벌 등이) 엄한, 호된: a ~ blow / a ~ punishment 엄벌. **3** 날렵한, 활발한, 재빠른: a ~ pace 민첩한 발걸음. **4** 빈틈없는 《*in*》; 약삭빠른, 재치 있는: make a ~ job of it 재치 있게 해치우다 / He's ~ *in* his dealings. 그는 거래에 빈틈없다. SYN. ⇨CLEVER. **5** 약은, 약아빠진: a ~ dealing 교활한 수법. **6** 스마트한, 맵시 있는, 말쑥한, 산뜻한: ~ hotels 스마트한〔고급〕 호텔. **7** 건방진, 자깝스러운: a ~ attitude 건방진 태도. **8** 《방언》 상당한, 꽤 많은: a ~ price. **9** 머리가 좋은, 영리한, 똑똑한, 현명한(wise). **10** (기기 · 병기 등이) 컴퓨터화한, 고성능의. **11** 《미군대속어》 sensor 유도(誘導)의. ***a ~ few*** 꽤 많은. ***as ~ as a steel trap*** 《미구어》 아주 약삭빠른.
— *n.* **1** C,U 아픔, 쑤심, 동통, 고통. **2** U (the ~) 고뇌, 상심. **3** U 비통, 분개, 분노. **4** (보통 *pl.*) 《미속어》 재치, 빈틈없음, 명민함, 지능, 지성.
— *ad.* =SMARTLY.
— *vi.* 《+전+명》 **1** 욱신욱신 쑤시다, 쓰리다 《*with; from*》: My eyes ~*ed with* 〔*from*〕 tear gas. 최루 가스로 눈이 아팠다. **2** (말 따위로) 감정을 상하다, 분개하다 《*from; at*》; (…때문에) 자존심 상하다, 상심하다 《*under; over*》: ~ *at* a person's remarks 아무의 말에 분개하다 / She ~*ed under* their criticism. 그들의 비판에 그녀는 상처를 입었다. **3** (…때문에) 벌을 받다: I will make you ~ *for* this. 이런 짓을 했으니 따끔한 맛을 보여 주마. **—** *vt.* …을 아프게 하다; …을 괴롭히다.

smárt àlec(k) 〔**àlick**〕 (종종 s- A-) 《구어》 건방진 놈; 잘난〔똑똑한〕 체하는 놈.

smárt bómb 《미군대속어》 스마트 폭탄 《비행기 등에서 레이저 광선으로 유도함》.

smárt bùilding 스마트 빌딩 《엘리베이터 · 냉난방 장치 · 조명 · 방화 장치 등을 모두 컴퓨터로 자동화한 빌딩》.

smárt cár (센서나 레이더 따위를 이용한) (반) 자동 운전 승용차.

smárt càrd 스마트카드 《종래의 자기 스트라이프(magnetic stripe) 대신 마이크로프로세서나 메모리 등의 반도체 칩을 내장한 카드》.

smart·en [smɑ́:*r*tn] *vt.* **1** 《~+목/+목+부》 현대풍으로 하다, 멋을 내다; 말쑥〔깨끗〕하게 하다, 산뜻하게 하다 《*up*》: ~ one*self up* 몸차림을 깔끔하게 하다. **2** …을 교육하다, 가르치다 《*up*》. **3** 재빠르게 하다; 활발하게 하다. **—** *vi.* **1** 멋부리다, 깨끗이 되다 《*up*》. **2** 활발해지다 《*up*》.

smart·ie [smɑ́:rti] *n.* 《구어》 =SMARTY.
smárt·ly *ad.* 세게; 호되게, 몹시; 재빠르게; 꾀바르게; 산뜻하게.
smárt móney 〖미법률〗 상해 배상금, 벌금; (병역) 면제금; 〖영군사〗 부상 수당; 《미구어》 투기꾼(의 투자금).
smárt-móuth *vt., vi.* 《미속어》 (아무에게) 건방진〔주제넘은〕 말을 하다, 깜짝한 말대답을 하다.
smárt·ness *n.* 세련됨, 때벗음; 빈틈없음.
smárt phòne 고도 자동 기능 전화《각종 자동 기능을 갖춘 전화》.
smárt sèt 〘단·복수취급〙 유행의 첨단을 걷는 「이들, 최상류 계급.
smárt tèrminal 〖컴퓨터〗 스마트 단말기《대형 host computer와의 접속 시에 독자적으로 계산함으로써 host의 부담을 덜어 주는 단말》.
smárt·wèed *n.* 〖식물〗 버들여뀌류(water pepper).
smarty [smɑ́:rti] *n.* 《구어》 =SMART ALEC(K). **—** *a.* 아는 체하는, 자만의.
smárty-pànts, -bòots *n. pl.* 〘단수취급〙 《미속어·경멸》 =SMART ALEC(K), 지식인연하는 자.
smash [smæʃ] *vt.* **1** 《~+목/+목+부/+목+전+명/+목+보》 분쇄하다, 박살 내다《*up*》; 때려부수어 …하다; 부딪다, 충돌시키다: ~ *down* 〔*in*〕 a door (밖에서) 문을 때려부수다〔부수고 들어가다〕/~ a plate *into* 〔*to*〕 pieces 접시를 박살 내다/They ~*ed* them*selves against* the wall. 그들은 벽에 몸을 부딪쳤다/~ a window open 창을 부수고 열다. SYN. ⇨BREAK. **2** (이론·기록·적 등을) 깨뜨리다; 격파하다, 타파하다; 《비유》 (건강 등을) 해치다: ~ a record 기록을 깨뜨리다/~ an enemy 적을 격파하다. **3** 《~+목/+목+전+명》 세차게〔후려〕 치다; (칼 등을) 세차게 내리치다《*down; into; onto*》: ~ a person *on* the nose 〔*in* the belly〕 아무의 코〔배〕를 후려치다/He ~*ed* me *with* his fist. 그는 주먹으로 나를 힘껏 때렸다. **4** 〖구기〗 스매시하다, 강하게 내리치다. **5** …을 파산〔도산〕시키다. **6** 《영속어》 (가짜 돈을) 쓰다. **—** *vi.* **1** 《~/+부/+전+명》 박살이 나다; 찌부러지다《*up*》: The maid let the dishes ~ (*up*) *on* the floor. 하녀는 접시를 마루에 떨어뜨려 깨뜨렸다. **2** 《+전+명》 세게 충돌하다《*against; into*》: The car ~*ed into* a guardrail. 차가 가드레일을 들이받았다. **3** (회사 따위가) 파산하다. **4** 〖구기〗 스매시하다. **~ *mouth*** 《미속어》 열렬히 키스하다.
— *n.* **1** 깨뜨려 부숨, 분쇄; 쨍그렁하고 부서지는 소리. **2** 대패; 큰 실패; 파멸; 파산: a series of company ~*es* 회사의 연쇄 도산. **3** (차 따위의) 격돌, 충돌; 도괴(倒壞). **4** 《구어》 강타, 세찬 일격; 〖구기〗 스매시. **5** 일종의 청량음료《브랜디에 얼음·향료·설탕을 탄》. **6** 《구어》 =SMASH HIT. ***be in a*** **~** (차가) 충돌 사고를 일으키다. ***go*** 〔***come***〕 ***to*** **~** 산산조각이 되다〔나다〕; 파산되다; 대실패하다. ***play*** **~** 《미》 파산하다, 영락(零落)하다.
— *ad.* 철썩, 쟁그렁, 탕; 정면〔정통〕으로. cf. bang. ***go*** 〔***run***〕 **~ *into*** …에 정면충돌하다.
— *a.* 《구어》 대단한, 굉장한(smashing): the ~ best seller of the year 연간 최고의 베스트셀러.
smásh-and-gráb [-ən-] *a., n.* 《미구어》 가게의 진열창을 깨고 비싼 진열품을 삽시에 탈취하는 (강도).
smásh·bàll *n.* 스매시볼《둘 이상의 경기자가 네트나 코트 없이 라켓을 써서 노바운드로 공을 치고 받는 게임》.
smashed [-t] *a.* 《속어》 술 취한, 마약에 취한.
smásh·er *n.* **1** 맹렬한 타격; 추락; 결정적인 따끔한 말(대꾸); 〖테니스〗 스매시에 능한 선수. **2** 가짜 돈을 쓰는 사람. **3** 분쇄자, 파쇄기. **4** 《영구어》 굉장한 사람〔것〕.
smásh hìt 《구어》 대성공〔히트〕《영화 따위》.
smásh·ing *a.* 맹렬한《타격 따위》; 활발한《상황(商況) 따위》; 《영구어》 굉장한, 대단한. **—** *n.* smash 함; 《미속어》 키스, 네킹. ㊕ **~·ly** *ad.*
smásh-ùp *n.* (열차 따위의) 대충돌; 전복; 큰 패배; 대실패; 파산; 파멸.
smat·ter [smǽtər] *vi., vt.* 아는 척하다. **—** *n.* 데알기, 수박 겉핥기. ㊕ **~·er** *n.* 반거들충이.
smát·ter·ing *n.* (보통 a ~) 천박한〔수박 겉핥기의〕 지식; 소수, 드문드문함: have a ~ *of* Latin 라틴어를 조금 알고 있다/There was a ~ *of* applause. 산발적인 박수만 있었다. **—** *a.* 겉핥기로 아는. ㊕ **~·ly** *ad.*
SMATV satellite master antenna television 《통신 위성을 통하여 분배하는 TV 프로를 업자가 공동 주택·호텔 등 한 건물마다 parabola 안테나로 수신하여 건물 내 각 방에 재분배하는 형식》.
smaze [smeiz] *n.* Ⓤ (대기 중의) 연하(煙霞) 《연기가 섞인 연무; smog 보다 습도가 낮음》. cf. smog. [◂ *sm*oke+h*aze*]
SMB 〖컴퓨터〗 Server Message Block 《윈도 NT 기반 서버가 서로 중요한 서비스 정보를 주고받을 때 기초를 이루는 프로토콜》. **sm. c., sm. cap.** small capital. **SMDS** 〖컴퓨터〗 Switched Multimegabit Data Service.
smear [smiər] *vt.* **1** 《~+목/+목+전+명》 (기름 따위를) 바르다; 문대다, 매대기 치다; (표면을 기름 따위로) 더럽히다《*on; with*》: ~ butter *on* bread 빵에 버터를 바르다. **2** 문질러 더럽히다, 흐리게 하다. **3** 중상하다, 깎아내리다; (남의 명성을) 더럽히다. **4** 《미속어》 결정적으로 해치우다, 압도하다, 〖권투〗 녹아웃시키다; 살해하다. **5** …에 뇌물을 주다, 기름을 치다. **—** *vi.* 더러워지다, 흐려지다《물감·잉크 따위로》: Wet paint ~*s* easily. 갓 칠한 페인트는 더러워지기 쉽다. **—** *n.* **1** 얼룩, 오점; 《구어》 명예 훼손, 헐뜯음, 중상, 비방. **2** 도포(塗布) 표본《현미경 슬라이드에 바른》. **3** 흘림무늬《도자기에 부분적으로 칠한 유약》.
sméar campàign (신문 기사 등에 의한) 조 「직적 중상〔공격〕.
sméar-shèet *n.* 《구어》 저속한 신문〔잡지〕.
sméar tèst 〖의학〗 스미어테스트(Pap test).
sméar wòrd 남을 중상하는 말, 비방.
smeary [smíəri] (***smear·i·er; -i·est***) *a.* 더러워진; 기름이 밴(greasy); 들러붙는, 끈적이는(sticky). ㊕ **sméar·i·ness** *n.*
smec·tic [sméktik] *a.* 〖물리·화학〗 (액정이) 스멕틱의《가늘고 긴 분자가 그 장축을 일정 방향으로 향해 줄서서, 옆줄 분자와 이음매가 서로 일치하는 상태의》; 세정(洗淨)성의.
smeg·ma [smégmə] *n.* 〖생리〗 피지(皮脂), 《특히》 치구(恥垢).
smell [smel] (*p., pp.* **~*ed*** [-d], ***smelt*** [smelt]; ***smél·ling***) *vt.* **1** 냄새 맡다: ~ a flower 꽃냄새를 맡다. **2** 《~+목/+목+-*ing*/+*that* 절》 〘종종 can을 수반하여〙 … 냄새를 느끼다; 냄새로 알다: I *can* ~ something *burning.* 무엇인가 타는 냄새가 난다/I *can* ~ *that* this meat is rotten. 이 고기가 상한 것을 냄새로 알 수 있다. **3** 《~+목/+목+부/+목+-*ing*/+*that* 절》 《비유》 알아채다, 눈치채다, 찾아내다《*out*》: ~ *out* a plot 음모를 눈치채다/He could ~ disaster com*ing*. 그는 참사가 닥쳐오고 있음을 알아차렸다/I could ~ *that* something was going wrong. 뭔가 잘못되어 가고 있음을 눈치챘다. **4** 《~+목/+목+부》 …의 냄새가

나다; …을 냄새로 채우다《*up*》: You ~ whisky. 위스키 냄새가 나네그려 / The burnt toast ~*ed up* the room. 탄 토스트 냄새가 온 방안에 가득 찼다. **5** 《미속어》 (마약을) 흡인하다(sniff). **—** *vi.* **1** 《+전+명》 냄새를 맡다《*at*》: ~ *at* a flower. **2** 《+전+명 / +보》 냄새가 나다《*of; like*》: The air ~*s of* the sea. 공기에서 바다 냄새가 난다 / It ~*s like* roses. 장미 (같은) 향기가 난다 / This flower ~*s* sweet. 이 꽃은 향기가 좋다. **3** 《+전+명》 《비유》 …의 기미가〔경향이〕 있다, …냄새를 풍기다《*of*》: His proposals ~ *of* trickery. 그의 제안에는 속임수의 기미가 있다 / I don't like anything ~*ing of* politics. 정치 냄새를 풍기는 것은 싫다. **4** 악취를 풍기다; 구리다, 수상쩍다; 추하다, 비열하다: The meat began to ~. 그 고기는 상한 냄새가 나기 시작했다. **5** 냄새를 알아내다, 후각이 있다: Not all animals can ~. 어느 동물이나 후각이 있는 것은 아니다. **~ *about* 〔*around*〕** 냄새 맡으며 돌아다니다; 탐색하다: The policemen ~*ed* all *about* 〔*around*〕. 경관들이 근방을 구석구석 뒤지고 돌아다녔다. **~ *a rat*** ⇨RAT. **~ *of the lamp*** ⇨LAMP. **~ *of the shop*** ⇨SHOP. **~ *one's oats*** 생기가 돌다; 신이 나다. **~ *out*** 탐지해〔맡아〕 내다; 악취를 풍기다. **~ *powder*** ⇨POWDER. **~ *up*** 《미속어》 악취를 풍기다.
— *n.* **1** Ⓤ 후각. **2** Ⓤ,Ⓒ 냄새, 향기: a sweet ~ 달콤한 향기.

> SYN. **smell** 후각을 자극하는 것이란 말로 냄새를 뜻하는 일반적인 말. **scent** 주로 좋은 냄새. 또 사람·동물이 남긴 냄새. 이 냄새를 가려내려면 예민한 감각이 필요함. **odor** 물체의 특유한 냄새. 나쁜 냄새일 때가 많음: body ~ 체취.

3 Ⓤ,Ⓒ 악취; 구린내: What a ~! 아이 구려. **4** Ⓤ,Ⓒ …하는 티〔풍〕, 낌새, 기미《*of*》. **5** Ⓒ 〔보통 단수형〕 (한번) 냄새맡기: take a ~ at 〔have a ~ *of*〕 the rose 장미 향기를 맡아보다. ***get a ~ at ...*** 〔부정적·감탄적〕《영속어》 …에 접근하다. 파 **∠·er** *n.* 냄새 맡는 사람〔것〕, (동물의) 촉각, 촉모, 더듬이; 《속어·우스개》 코; 《속어》 콧등을 한 대 치기; 강타. **∠·less** *a.* 후각이〔냄새가〕 없는.
smell·ie [sméli] *n.* 냄새나는 영화(smell film). cf. talkie.
sméll·ing bòttle smelling salts를 넣은 작은 병.
smélling sàlts 〔단·복수취급〕 후자극제(嗅刺戟劑)《냄새로써 각성·자극시키는 약; 탄산암모늄이 주제(主劑)》.
smelly [sméli] (***smell·i·er; -i·est***) *a.* 불쾌한 냄새의; 냄새가 코를 찌르는. 파 **sméll·i·ness** *n.*
smelt[1] [smelt] SMELL의 과거·과거분사.
smelt[2] (*pl.* **~*s,*** ~) *n.* 〖어류〗 바다빙어류 식용어.
smelt[3] *vt., vi.* 〖야금〗 용해하다; 제련하다: a ~*ing* furnace 용광로. 파 **∠·er** *n.* 제련업자; 제련공; 제련소(=**smélt·ery**); 용광로.
Sme·ta·na [smétənə] *n.* **Bedřich ~** 스메타나《체코슬로바키아의 작곡가; 1824-84》.
smew [smjuː] *n.* 〖조류〗 흰비오리.
smid·gen, -geon, -gin [smídʒən], **smidge** [smidʒ] *n.* 《미구어》 극소량; 조금.
smi·lax [smáilæks] *n.* 청미래덩굴속(屬)의 식물.
†**smile** [smail] *vi.* **1** 《~ / +전+명 / +*to* do》 미소 짓다, 생글〔방긋〕거리다; 미소를 보내다《*at; on, upon*》: The infant ~*d at* 〔*on*〕 his mother. 아기는 엄마에게 방글거렸다 / She ~*d to* see the sight. 그녀는 그 광경을 보고 미소 지었다. ★smile at은 냉소할 때도 호의를 보일 때도 쓰이지만, smile on 〔upon〕은 호의를 보일 때 사용되는 것이 보통. SYN. ⇨LAUGH. **2** 《시어》 (경치 등이) 환하다: a *smiling* landscape 환한 경치. **3** 《+전+명》 (운 따위가) 트이다, 열리다: Fortune ~*d on* her. 그녀에게 운이 트였다.
— *vt.* **1** 〔동족목적어를 수반하여〕 미소하다, …한 웃음을 웃다: ~ an ironical *smile* 빈정대는 웃음을 웃다. **2** 미소로써 나타내다: ~ welcome 미소로 환영하다. **3** 《+목+전+명 / +목+부》 미소로써 …하게 하다: ~ a person *into* peace of mind 〔good humor〕 방긋 웃어 아무를 안심시키다〔기분 좋게 만들다〕 / ~ one's grief 〔tears〕 *away* 슬픔〔눈물〕을 웃음으로 넘겨버리다. ***come up smiling*** 《구어》 새로운 곤란에 힘차게 맞서다. ***I should ~!*** 《미구어》 (상대의 말을 경멸해) 아 그렇겠지. ***Smile and comb your hair.*** 《미속어》 전방에 경찰의 속도 측정 장치 있음, 서행하시오. **~ *at*** …을 보고 미소 짓다; (협박 등)을 일소에 부치다, 냉소〔무시〕하다; (곤란)을 참고 견디다. **~** a person ***out of*** 웃어서 아무로 하여금 …을 잊게 하다.
— *n.* **1** 미소; 웃는 얼굴. **2** (풍경·날씨 등의) 훤히 트임, 화창함: the ~ of spring 봄의 화창함. **3** (*pl.*) 호의, 은총; 순조(順調), 길조: the ~s of fortune 운명의 따스한 손길. **4** 〔all ~s; 보어로 써서〕 아주 기뻐하는. ***be all ~s*** 생글생글 웃고 있다: He *was all* ~*s*. 그는 희색이 만면했다. ***wipe* 〔*take*〕 *the ~* 〔*grin*〕 *off one's* 〔*a person's*〕 *face*** 《구어》 (흐뭇해하는 듯한) 히죽거림을 그치다〔아무에게 그치게 하다〕, (갑자기) 진지해지다〔하게 하다〕: *Take* 〔*Wipe*〕 that ~ 〔*grin*〕 *off* your *face!* 사람을 깔보듯 웃지 마라.
smíle·less *a.* 웃지 않는; 진지한.
smil·er [smáilər] *n.* 미소 짓는 사람; 《구어》 「술 (한 잔).
smíl·ing *a.* 방글〔벙긋〕거리는, 미소하는, 명랑한. 파 **~·ly** *ad.* **~·ness** *n.*
smirch [sməːrtʃ] *vt.* (명성 따위를) 더럽히다.
— *n.* 더럼, 오점《*on, upon*》.
smirk [sməːrk] *vi.* 능글맞게 웃다, 부자연한 웃음을 웃다《*at; on, upon*》. **—** *n.* 능글맞은〔억지〕 웃음.
smite [smait] (***smote*** [smout]; ***smit·ten*** [smítn], 《고어》 ***smit*** [smit]) *vt.* **1** 《~+목 / +목+보》 《문어》 세게 때리다〔치다〕, 강타하다; 쳐부수다; 죽이다: ~ the enemy 적을 쳐부수다 / ~ a person dead 아무를 때려 죽이다. **2** 〔보통 수동태〕 (재난 등이) 덮치다, 괴롭히다; (양심이) 찌르다, 가책하다; 매혹시키다, 홀리게 하다《*with; by*》: *be smitten with* flu 독감에 걸리다 / *be smitten with* 〔*by*〕 the charming girl 매력 있는 아가씨에게 홀딱 반하다. cf. strike.
— *vi.* 《~ / +부 / +전+명》 치다《*at*》; 부딪다《*on, upon*》: His knees *smote together* in awe. 그는 두려움에 질려 무릎이 덜덜 떨렸다 / ~ *upon* a door 문(門)을 두드리다. **~ *together*** 서로 부딪치다. **—** *n.* 《구어》 때리기, 타격, 강타; 《미속어》 소량, 조금《*of*》; 《구어》 시도: have a ~ at …을 해보다, 시도하다. 파 **smít·er** *n.*
Smith [smiθ] *n.* **Adam ~** 스미스《영국의 경제학자; 1723-90》.
smith *n.* 대장장이(blacksmith); 금속세공장(匠). ★ 보통 복합어로서 씀: gold*smith*, tin*smith*, silver*smith*.
Smíth and Wés·son [-ənwésn] 스미스 앤드 웨슨《소형 권총; 상표명》.
smith·er·eens, smith·ers [smìðəríːnz], [smíðərz] *n. pl.* 《구어》 작은 파편. ***break into ~*** 산산이 부수다.
smith·ery [smíθəri] *n.* **1** Ⓤ 대장장이의 기술〔직〕. **2** 대장장이의 일터, 대장간.
Smith·field [smíθfiːld] *n.* 스미스필드《원래 가축 시장이 있었던 London의 City 외곽 북서쪽

의 한 지구; 육류 시장으로 알려짐》.

Smith·só·ni·an Institútion [smiθsóuniən-] (the ~) 스미스소니언 협회《Washington, D.C.에 있는 미국 국립 박물관; 1846년 창립》.

smith·son·ite [smíθsənàit] *n.* 【광물】 능아연광〔석〕; 이극광(異極鑛).

smithy [smíθi, smíði] *n.* 대장장이의 일터.

smit·ten [smítn] SMITE의 과거분사.
— *a.* 매 맞은; 고통받고 있는; 《구어·우스개》 홀딱 반한, 열중한.

S. M. M. *Santa Mater Maria* 《L.》 (=Holy Mother Mary). **S.M.O.** Senior Medical Officer.

*__smock__ [smɑk/smɔk] *n.* **1** (옷 위에 덧걸치는) 작업복; 덧입는 겉옷《주로 어린이·여성·화가 등이 착용하는》, 스목. **2** =SMOCK FROCK; 《고어》 여성용 속옷.
— *vt.* 스목을 입히다; 장식 주름을 붙이다.

smocks 1

smóck fròck (특히 유럽의) 여성용 일복《들일할 때 입음》, 작업복.

smóck·ing *n.* Ⓤ 장식 주름.

*__smog__ [smɑg, smɔːg/smɔg] *n.* 스모그, 연무(煙霧)《도시 등의 연기 섞인 안개》. — (*-gg-*) *vt.* 스모그로 덮다. ⓒⓕ smaze. [◂ *smoke*+*fog*] ⓟ **~·less** *a.* **~·gy** [-i] *a.* 스모그가 많은.

smóg·bòund *a.* 스모그에 뒤덮인. 「모그.

smóg·òut *n.* 스모그로 덮인 상태, 자욱한 스

†**smoke** [smouk] *n.* **1 a** Ⓤ 연기; 매연; 연깃빛, 흐린 잿빛, 엷은 청색: a cloud of ~ 뭉게뭉게 피어오르는 연기 / (There is) no ~ without fire. 《속담》 아니 땐 굴뚝에 연기 날까. **b** Ⓤ 연기 비슷한 것《김·안개·물보라 따위》: the ~ of the waterfall 폭포의 물보라. **c** (the S-) 《속어·Austral. 속어》 =BIG SMOKE. **2** Ⓤ,Ⓒ **a** 실체가 없는 것, 공(空); 몽롱한 상태〔상황〕; 《야구속어》 대단한 스피드, 강속구를 던짐. **b** 《미속어》 거짓말, 허풍, 아첨; 수상쩍은 위스키〔와인〕, 메틸(과물을 섞은 음료). **3** 〔단수로만 씀〕 Ⓒ (담배·마리화나의) 한 대 피우기 흡연; 한 대 피우는 시간; 《구어》 엽궐련, 궐련: have 〔take〕 a ~ (담배) 한 대 피우다. **4** (신호로 올리는) 봉화. **5** 《학생속어》 1달러. **6** (S-) 《CB속어》 경찰. **7** 《속어》 검둥이. ***blow*** ~ 《속어》 마리화나를 피우다; 《속어》 시시한 얘기를 하다, 허풍을 떨다. ***from ~ into smother*** 《고어》 갈수록 태산. ***like*** ~ =***like a ~ on fire*** 《속어》 수월히, 쉽게; 곧, 잽싸게. **~ *and mirrors*** 《구어》 교묘하게 남을 속이는 것, 착각을 일으키는 것; 위장 공작, 속임수 전법.
— *vi.* **1** 연기를 내다; 잘 타지 않고 연기를 내뿜다, 내다: The stove ~*s* badly. 그 난로는 몹시 내를 낸다. **2** 담배를 피우다, 흡연하다: ~ like a chimney 담배를 너무 피우다, 용고뚜리이다. **3** 증발하다; (땀에서) 김이 무럭무럭 나다. **4** (먼지를 일으키며) 달리다《*along*》. **5** 《미속어》 화를 내다; 《학생속어》 얼굴을 붉히다. **6** 《고어》 중벌을 받다; 고통을 맛보다. — *vt.* **1** 연기 나게 하다, 그을리게 하다: ~*d* glass 검게 그을린 유리《태양 관찰용》. **2** 훈제(燻製)로 하다; 연기로 소독하다: ~ salmon 연어를 훈제하다. **3** 《+목+부/+목+전+명》 (벌레 등을) 연기를 피워 쫓아버리다《*from; out of*》: ~ *out* bees *from* a hive 연기를 피워 벌집에서 꿀벌을 쫓아내다. **4** 《~+목/+목+부/+목+전+명》 (담배·아편을) 피우다; (담배 파이프 따위를) 빠끔거리다; 흡연하여 …하다: ~ a cigarette 〔pipe〕 / ~ one's bad temper *down* 담배를 피워 분노〔화〕를 억누르다 / ~ oneself *into* composure 담배를 피워 기분을 가라앉히다. **5** 《고어》 알아〔낌새〕채다. **6** 《고어》 놀리다; 속이다. **~ *and joke*** 《미군대속어》 긴장이 풀리다, 한숨 놓이다. **~ *off*** 《Austral. 속어》 급히 떠나다, 도망치다. **~ *out*** ① ⇨ *vt.* 3. ② 《미》 (계략 등을) 냄새 맡다, 찾아내다; 공표하다, 폭로하다. **~ one*self sick*** 〔***silly***〕 담배를 피워 어지러워지다〔멍해지다〕.

smóke abàtement (도시의) 굴뚝 연기 규제.

smók(e)·a·ble *a.* 흡연(하기)에 적당한.

smóke alàrm 연기 탐지기〔경보기〕.

smóke bàll 1 【군사】 연막탄, 발연통〔탄〕. **2** 【야구】 강속구. **3** 【식물】 말불버섯. 「장치.

smóke-bèll *n.* (남포나 가스의) 그을음 제거

smóke bòmb 【군사】 발연탄《공격 목표 명시·풍향 관측·연막용》. 「방관.

smóke·chàser *n.* (특히 경장비의) 삼림 소

Smóke chòpper 《CB속어》 경찰 헬리콥터.

smóke consùmer 완전 연소 장치.

smóke detèctor 연기 탐지기《화재 경보기의 하나》.

smóked glàss 색이 짙은 유리.

smóke-drìed *a.* 훈제의.

smóke-drỳ *vt., vi.* (고기 따위를) 훈제하다.

smóke èater 《속어》 소방사(fire fighter), 용접공. 「후 협상실《호텔 등의》.

smóke-filled róom (정치적 협상을 하는) 막

smóke-frèe *a.* 연기 없는; 금연의: ~ area.

smóke·hòuse *n.* 훈제소. 「집회.

smóke-ìn *n.* 흡연〔마리화나 흡인〕 자유화 요구

smóke·jàck *n.* 구이꼬치 돌리개《부엌 굴뚝의 상승 기류를 이용하여 밑의 구이꼬치를 돌리는 장치》.

smóke·jùmper *n.* 《미》 산림 소방단원《지상 접근이 곤란한 화재 현장에 낙하산으로 강하함》.

smóke·less *a.* 연기 없는, 무연의: ~ coal 무연탄. ⓟ **~·ly** *ad.* **~·ness** *n.*

smókeless pówder 무연 화약.

smókeless zòne (도시 내의) 무연(無煙) 연료만 쓸 수 있는 지역.

smóke-ò(h) [-òu] *n.* 《Austral. 구어》 흡연 휴게 시간(break); =SMOKING-CONCERT.

smóke·òut *n.* =COOKOUT; (영구 금연의 한 단계로서의) 하루 금연.

smóke pollùtion 연기 오염〔공해〕.

smóke·pròof *a.* (방 따위가) 연기가 들어오지 않는; 방연(防煙)의《도어 따위》.

°**smók·er** *n.* **1** 흡연자, 담배 피우는 사람; (열차의) 흡연 찻간, 흡연실: a heavy 〔chain〕 ~ 골초, 용고뚜리. **2** (스스럼없는) 남자들만의 회합〔집회〕. **3** 훈제업자. **4** (양봉용) 훈연기(燻煙器); 증기기관차. **5** 《CB속어》 심한 배기가스를 내는 트럭. **6** =SMOKING STAND.

smóke rìng (담배의) 연기 고리.

smóke ròcket 스모크 로켓《파이프 등의 새는 곳을 발견키 위해 연기를 내는 장치》.

smóke ròom 《영》 =SMOKING ROOM. 「용》.

smóke scrèen 【군사】 연막《비유적으로도 사

smóke·shàde *n.* 스모크셰이드《대기 중의 입자꼴 오염 물질; 그 계량 단위》. 「가게.

smóke shòp 담배 가게; 마리화나 등을 파는

smóke sìgnal 연기 신호, 봉화; 《비유》 전조, 징후, 동향.

smóke·stàck *n.* (선박·기관차·공장 등의) 굴뚝. ***tickle one's*** ~ 《미속어》 분말 마약을 코로 흡입하다. — *a.* 중공업의: a ~ industry 중공업.

smóke·stòne *n.* Ⓤ 연수정(煙水晶)(cairngorm).

smóke trèe 〖식물〗 황로(黃櫨)《유럽 남부 · 소아시아산의 관목》.

smóke tùnnel 〖항공〗 연풍동(煙風洞)《연기를 써서 기류의 움직임을 살피는 풍동》.

smóke wàgon (증기 시대의) 기차.

Smok·ey [smóuki] *n.* (종종 s-) 《미속어》 (주의) 고속도로 순찰대원. ***a ~ beaver*** 《CB속어》 여성 경찰관. ***a ~ on rubber*** 《CB 속어》 이동 중인 경찰차.

smokey ⇨SMOKY.

Smókey the Béar 곰 스모키《미국의 산림 화재 예방 운동의 마스코트; 모자를 쓴 곰 모양》.

⁑**smok·ing** [smóukiŋ] *n.* Ⓤ 흡연; 연기가 낌; 발연(發煙); 수증기를〔땀을〕 냄. ***No ~*** (within these walls). (구내) 금연《게시》. **—** *a.* 내는, 그을리는; 담배 피우는, 끽연용의; 김〔땀〕 내는; 《비유》 준열한: a ~ horse 땀 흘리고 있는 말/fire off ~ letters 엄히 꾸짖는 편지를 잇따라 보내다. **~ *hot*** 김이 서릴 정도로 뜨거운〔더운〕《부사적 용법》. ㊐ **~·ly** *ad.* 연기같이; 김이 날 정도로.

smóking càr 〔《영》 **càrriage**〕 (열차의) 흡연 찻간(smoker).

smóking compàrtment (열차의) 흡연실.

smóking-còncert *n.* 《영》 흡연 자유의 음악회; (클럽 등의) 남자들만의 흘가분한 모임.

smóking gún 〔**pístol**〕 (논의의 여지 없는) 명백한〔결정적〕 증거《특히 범죄의》.

smóking jàcket (담배 피울 때 입는) 실내용 상의.

smóking mìxture 파이프용 혼합 담배.

smóking ròom 흡연실: a ~ story 〔talk〕 남자끼리의 담화, 《특히》 음담패설.

smóking-ròom *a.* 흡연실(에서)의〔용의〕, 천한, 야비한, 외설한: ~ talk 흡연실에서의 이야기, (특히 남자끼리의) 음담.

smóking stànd (마룻바닥에 놓는) 재떨이 스탠드.

smo·ko [smóukou] *n.* =SMOKE-O(H).

°**smoky, smok·ey** [smóuki] (***smok·i·er; -i·est***) *a.* 연기 나는; 내운; 연기가 많은, 연기가 자욱한; 연기와 같은; 그을은, 거무칙칙한. ㊐ **smók·i·ly** *ad.* **-i·ness** *n.*

Smóky Móuntains (the ~) =GREAT SMOKY MOUNTAINS.

smóky quártz 연수정(煙水晶).

smol·der, 《영》 **smoul-** [smóuldər] *vi.* 연기 나다, 내다《*up*》; (분노 · 불만 등이) 끓다; (억압된 감정이) 밖으로 나타나다. **—** *n.* Ⓤ,Ⓒ 연기 나는 불, 연기 남.

Smol·lett [smálit/smɔ́l-] *n.* **Tobias George ~** 스몰렛《스코틀랜드 태생(胎生)의 영국 작가; 1721–71》.

smolt [smoult] *n.* 〖어류〗 2년생 연어《처음 바다로 나감》.

SMON [smɑn/smɔn] *n.* 스몬병, 아급성 척추 시신경증(=∠ **disèase**). [◂ subacute *m*yelo-*o*ptico-*n*europathy]

smooch[1] [smuːtʃ] 《구어》 *vi.* 키스하다; 포옹하다; 애무하다(pet); 《미속어》 훔치다, 후무리다. **—** *n.* Ⓤ 키스; 애무. ㊐ **∠·er** 《구어》 *n.* 입; 밤낮 키스하는 사람. **smóochy**[1] *a.*

smooch[2] 《미》 *vt.* 더럽히다(smudge, smear); 《속어》 잠깐 빌리다, 실례하다. **—** *n.* 오점, 얼룩; 검댕, 먼지. ㊐ **smóochy**[2] *a.* 검댕이 낀, 더러워진(smudgy).

⁑**smooth** [smuːð] *a.* **1** 매끄러운, 매끈매끈〔반질반질〕한, 반드러운; 평탄(平坦)〔반반〕한(flat). opp. *rough.* ¶a ~ surface 반드러운 표면/a ~ road 평탄한 길. **2** (움직임이) 부드러운, 유연한, 삐걱거리지 않는: The car came to a ~ stop. 차는 조용히 섰다. **3** (일이) 순조로운(easy), 원활히 진행되는; 평온한: a ~ voyage 평온한 항해. **4** (말 · 문체 따위가) 막힘〔거침〕이 없는, 유창한(fluent): a ~ tone of voice. **5** 윤이 나는, 함치르르한《머리칼 따위》: ~ hair. **6** (반죽 · 풀 따위가) 고루 잘 섞인, 잘 이겨진, 응어리지지 않은; (음식물 따위가) 입에 당기는, 감칠맛이 도는: ~ salad dressing 부드러운 샐러드드레싱. **7** (남에게) 호감(好感)을 주는, (태도 따위가) 사근사근한, 나긋나긋한(suave): speak ~ words 듣기 좋은 치렛말을 하다/~ things 아첨. **8** (털 · 수염이) 없는, 민숭민숭한: a hairy man and a ~ man 털보와 민숭민숭한 사람. **9** 《구어》 스텝이 경쾌한《댄서》, 세련된; 《속어》 매력 있는, 멋진; 즐거운. ***make things ~*** 일을 순조롭게 하다; 일의 장애를 제거하다. ***run ~*** 순조롭게 되어 가다. **~ *water*** 잔잔한 수면; 《비유》 평온무사: in ~ *water* 순조롭게/get to 〔reach〕 ~ *water* 곤란〔어려움〕을 극복하다.

— *vt.* **1** 《~+목/+목+부》 매끄〔반드〕럽게 하다; 반반하게 하다; (주름을) 펴다, 다리다; (땅을) 고르다; 매만지다《*away; down; out*》: ~ one's brow 이마의 주름살을 펴다, 다시 부드러운 표정이 되다/She ~*ed out* the tablecloth. 탁자보의 주름을 폈다/~ down one's hair (흐트러진) 머리를 매만지다. **2** 《~+목/+목+부》 수월하게〔편하게〕 하다, (곤란 따위를) 제거하다: ~ one's way (장애 따위를 제거하여) 앞길을 순탄하게 만들다/~ difficulties *away* 어려움을 없애다/One by one, he ~*ed out* the problems facing him. 하나하나 자신이 직면하고 있는 문제를 처리하였다. **3** 《~+목/+목+부》 (잘못 따위를) 덮어 주다(palliate), 좋게 보이게 하다; 숨기다(cloak)《*over*》. **4** 평온〔원활〕하게 하다; 유창하게〔세련되게〕 하다. **5** 《~+목/+목+부》 (분노 · 동요 등을) 가라앉히다, 진정시키다《*down*》: ~ *down* a person 아무의 화를 가라앉히다. **6** 〖수학〗 (식을) 간략히 하다. **—** *vi.* 《~/+부》 **1** 매끈해〔반드러워, 반반해〕지다. **2** 평온해지다, 원활해지다, 가라앉다《*down*》: Everything has ~*ed down*. 모든 일이 순조로이 되어 갔다/The sea ~*ed down*. 바다가 잔잔해졌다.

~ over ① (사태 · 불화 등을) 가라앉히다, 원만히 수습하다; (장애 등을) 치우다(~ away). ② (과오 따위를) 덮어 가리다, 감추다, 겉바르다.

— *n.* **1** 매끈〔반반〕하게 하기, 고르기, 매만지기: give a ~ to one's hair 머리를 매만지다. **2** 매끈〔반반, 평탄〕한 것; 평지; 《미》 초원. ***take the rough with the ~*** 곤경에 처해도 태연하게 행동하다, 괴로워도 우는소리를 하지 않다.

— *ad.* =SMOOTHLY.

㊐ **∠·ness** *n.*

smóoth·bòre *n.* 활강총(滑腔銃), 활강포(砲)《총신 내부에 강선(腔線)이 없는 것》. cf. rifle[1].

smóoth bréathing 〖음성〗 (그리스어 어두 모음의) 기식음(氣息音)을 수반치 않는 발음; 또 그 기호《(')》. cf. rough breathing.

smooth·en [smúːðən] *vt., vi.* smooth 하게 하다〔되다〕.

smóoth·er *n.* smooth 하게 하는 사람〔기구 · 장치〕.

smóoth·fáced [-t] *a.* **1** (얼굴에) 수염이 없는, 수염을 깎은. **2** (천의) 표면이 매끈매끈한. **3** 유화〔온화〕한; 위선적인, 양의 탈을 쓴.

smóoth·hòund *n.* 〖어류〗 유럽산의 별상어의 일종.

smooth·ie, smoothy [smúːði] *n.* **1** 《구어》 세련된 사람, 매력적인 사람, 멋쟁이《특히 남자》. ★《영》에서는 때로 나쁜 의미도 있음. **2** 《미속어》 상질지(紙)의 잡지. **3** 스무디《바나나 등의 과일을 믹서로 밀크〔요구르트, 아이스크림, 얼음〕에 섞은 걸죽한 음료》.

smóothing ìron 인두, 다리미; 스무더《아스팔트 포장용 압연 기구》.

smóoth(ing) plàne 〖목공〗 마무리대패.

°**smóoth·ly** *ad.* **1** 매끈하게, 반드럽게, 평탄하

게. **2** 유창하게, 술술; 구변 좋게. **3** 평온하게, 조용히; 거리낌없이, 순조롭게.

smóoth múscle 〖해부〗 평활근(平滑筋).

smóoth óperator 《구어》 멋진〔근사한〕 사람, 구변이 좋은 사람.

smóoth-sháven *a.* 깨끗이 수염을 깎은.

smóoth-spóken, -tóngued *a.* 구변〔말솜씨〕 좋은.

smor·gas·bord, smör·gås- [smɔ́ːrgəs-bɔ̀ːrd] *n.* 《Swed.》 스칸디나비아식 전채(前菜)(hors d'oeuvres); 그 전채가 낀 식사(를 파는 음식점); 《비유》 잡동사니, 잡다함.

smor·zan·do [smɔːrtsáːndou; *It.* smor-tsándo] *a.* 《It.》 〖음악〗 스모르찬도, 점점 여리게, 템포를 늦추어.

smote [smout] SMITE의 과거.

°**smoth·er** [smʌ́ðər] *vt.* **1** 《~+목/+목+전+명》 …에게 숨막히게 하다, 숨차게 하다; 질식(사)시키다; …의 성장〔발전〕을 저지하다: be ~*ed with* smoke 연기로 숨이 막히다. **2** 《~+목/+목+전+명》 (불을) 덮어 끄다, (불을) 묻다: ~ a fire *with* sand 모래를 덮어 불을 끄다. **3** 《~+목/+목+부》 (범죄·제안·비밀 등을) 은폐하다, 쓱싹하다, 덮어 버리다, 묵살하다《*up*》: ~ *up* a crime 범죄를 은폐하다. **4** 〖보통 수동태〗 (연기·안개·천 따위로) 푹 싸다, 휩〔감〕싸다: The town *is* ~*ed in* fog. 시가지는 안개에 싸여 있다. **5** (감정·충동·성장 따위를) 억제하다, 억누르다; (하품을) 삼키다, 눌러 참다: ~ one's grief 슬픔을 억누르다. **6** 《+목+전+명》 (키스·선물·친절 따위로) 압도하다, 숨막히게 하다: ~ a person *with* kisses 아무에게 키스를 퍼붓다. **7** 찌다, 찜으로 하다: ~ chicken. **8** 《+목+전+명》 …에 뒤바르다, …에 듬뿍 칠하다《*with*》: ~ a salad *with* dressing 샐러드에 드레싱을 듬뿍 뿌리다. ── *vi.* 숨이 답답해지다, 질식하다, 질식하여 죽다《*in*》; 억제〔은폐〕되다. **~ a person *with*** 아무를 …로 숨도 못 쉬게 하다.
── *n.* **1** Ⓤ 연기 피움(smoulder), 연기 나는 재〔불〕; Ⓒ 연기 나는 것. **2** (a ~) 짙은 연기, 농무; 자욱한 먼지. **3** ⓊⒸ 혼란.
㊕ **~y** [smʌ́ðəri] *a.* 숨막히는 듯한(stifling), 질식할 것 같은, 질식시키는; 연기〔먼지〕가 많은.

smoulder ⇨SMOLDER.

s.m.p. *sine mascula prole* 《L.》(=without male issue). **SMS** short message service; 〖로켓〗 shuttle mission simulator《우주 왕복선 오비터 조종실의 실물 크기의 모형; 조종사 훈련용》. **SMSA** 《미》 Standard Metropolitan Statistical Area(표준 대도시 지구). **SMSgt** senior master sergeant. **SMTAS** 〖우주〗 shuttle model test and analysis system(셔틀 모델 시험 분석 시스템). **SMTP** 〖컴퓨터〗 simple mail transfer protocol 단일 전자 우편 전송 프로토콜《전자 우편을 실현하는 프로토콜》.

smudge [smʌdʒ] *n.* **1** 오점, 얼룩, 더러움. **2** 《미》 모깃불(=**∠ fire**), 모닥불《구충·서리 방지를 위한》. **3** 화장이 (땀·눈물 등으로) 얼룩짐. ── *vt., vi.* 더럽히다; 더러워지다, (잉크가) 배다; 흐리게 하다; 선명치 않게 되다; 《미》 모깃불을〔연기를〕 피우다.

smudgy [smʌ́dʒi] (***smudg·i·er; -i·est***) *a.* 더러워진, 얼룩투성이의; 화장이 얼룩진; 선명치 않은. ㊕ **smúdg·i·ly** *ad.* 더러워져. **-i·ness** *n.* Ⓤ 더러움, 얼룩; 선명치 않음.

°**smug** [smʌg] (***-gg-***) *a.* 독선적인, 점잔 빼는; 거드름 피우는; 말쑥한, 멋진: have a ~ air 젠체하다. ── *n.* 《영대학속어》 (공부만) 들고파는 학생; (운동 경기 따위에는 흥미가 없는) 공붓벌레. ㊕ **∠·ly** *ad.* **∠·ness** *n.* 새침 뗌, 젠체함.

°**smug·gle** [smʌ́gəl] *vt.* **1** 《~+목/+목+부》 밀수입〔밀수출〕하다, 밀수〔밀매매〕하다《*in; out; over*》; 밀항〔밀입국〕하다: ~*d* goods 밀수품 / ~ *in* 〔*out*〕 heroin 헤로인을 밀수입〔밀수출〕하다. **2** 《+목+전+명》 몰래 들여오다〔반입하다〕《*into*》; 몰래 내가다〔반출하다〕《*out of*》; 숨기다: The man ~*d* a revolver *into* the prison. 그 자는 권총을 교도소로 몰래 들여왔다. ── *vi.* 밀수입〔밀수출〕하다; 밀입국〔밀항〕하다. ㊕ **-gler** [-ər] *n.* 밀수입〔밀수출〕자; 밀수선; 밀수업자.

smut [smʌt] *n.* **1** Ⓒ (검댕·연기 따위의) 덩어리; 얼룩, 더럼; Ⓤ 〖식물〗 흑수병, (보리 등의) 깜부기. **2** Ⓤ 음탕한 말〔이야기〕. ── (***-tt-***) *vt.* (그을음 따위로) 더럽히다, 꺼멓게 하다; 〖식물〗 깜부깃병에 걸리게 하다. ── *vi.* 꺼메〔더러워〕지다; 〖식물〗 깜부깃병에 걸리다.

smutch [smʌtʃ] *n., vt., vi.* =SMUDGE.

smutchy [smʌ́tʃi] (***smutch·i·er; -i·est***) *a.* 더러운, 거뭇한.

smut·ty [smʌ́ti] (***-ti·er; -ti·est***) *a.* 더러워진, 그은, 거무스름한; 흑수병에 걸린; 음란〔외설〕한 (obscene). ㊕ **-ti·ly** *ad.* **-ti·ness** *n.*

SMV slow-moving vehicle. **SN** service number(군번); serial number. **S/N** 〖상업〗 shipping note. **Sn** 〖화학〗 *stannum* 《L.》 (=tin). **s.n.** *secundum naturam; sine nomine* 《L.》 (=without name); *sub nomine* 《L.》 (=under the name). **SNA** System of National Accounting(국민 계정 체계).

***snack** [snæk] *n.* (정규 식사 이외의) 가벼운 식사, 간식; 한입; 소량; 《드물게》 몫; 《Austral. 구어》 간단한 일, 쉬운 일. ***go* ~(*s*)** (몫을) 똑같이 나누다: He *went* ~*s* with Tom in profits. 그는 이익을 톰과 똑같이 나눴다. ── *vi.* 《미》 가벼운 식사를 하다.

snáck bàr 〔《영》 **cóunter, stànd**〕 《미》 간이식당, 스낵바.

snáck tàble 1인용의 소형 이동 식탁(=TV table).

snaf·fle [snǽfəl] *n.* (말에 물리는) 작은 재갈. ***ride* a person *on* 〔*in, with*〕 *the* ~** 아무를 손쉽게 휘어잡다, 온건하게 제어하다. ── *vt.* 작은 재갈을 물리다; 《비유》 가볍게 제어하다; 《미구어》 후무리다, 째비다.

sna·fu [snæfúː, ∠-] 《미속어》 *a.* 와글와글 들끓는, 대혼란의. ── *vt.* 혼란시키다. ── *n.* Ⓤ 대혼란, 수습할 도리가 없는 상태; (명백한) 잘못. [◂ *s*ituation *n*ormal *a*ll *f*ouled-*u*p]

snag [snæg] *n.* **1** 꺾어진 가지; 가지 그루터기; 빠진〔부러진〕 이의 뿌리, 이촉, 치근(齒根); 뻐드렁니. **2** (물속에 잠겨 있어 배의 통행을 방해하는) 나무, 잠긴 나무; 암초. **3** 뜻하지 않은 장애, 걸림, 난관. **4** (*pl.*) 《Austral. 속어》 소시지. ***come* 〔*run*〕 (*up*) *against a* ~ =*catch on* 〔*hit, strike*〕 *a* ~** 《구어》 (뜻하지 않은) 장애에 부딪치다. ── (***-gg-***) *vt.* 방해하다; 〖주로 수동태〗 (배를 물속에) 잠긴 나무에 걸리게 하다; (물속에) 잠긴 나무를 제거하다. ── *vi.* 《미》 (물속에) 잠긴 나무에 얽히다〔부딪치다〕; 장애가 되다; 걸리다.

snag·ged [snǽgəd] *a.* (물속에) 잠긴 나무가 많은; 잠긴 나무에 막힌; 잠긴 나무의 해를 입은; 혹투성이인, 울퉁불퉁한.

snag·gle·tooth [snǽgəltùːθ] (*pl.* ***-teeth*** [-tìːθ]) *n.* 고르지 못한 이; 덧니, 뻐드렁니. ㊕ **~ed** [-t, -ðd] *a.* ~의, 번니의.

snag·gy [snǽgi] (***-gi·er; -gi·est***) *a.* (물속에) 넘어진 나무가 많은; 혹투성이인; 뾰족 튀어나온.

snail** [sneil] *n.* **1** 〖동물〗 달팽이; 고둥: an edible ~ 식용 달팽이. **2** 꾸물거리는 사람; 늘보. **3** (시계의) 나선상(狀) 캠(snail cam). (as***) *slow as a* ~ 매우 느린. ***at a ~'s pace*** 〔***gallop***〕 느릿느릿, 천천히. [파] ~**·ery** [-əri] *n.* 식용 달팽이 사육장. ~**·like** *a.* 달팽이 같은, 아둔패기인.

snáil fèver =SCHISTOSOMIASIS.

snáil máil 《우스개》 스네일 메일《전자 메일에 대하여, 보통 우편》.

snáil-pàced, -slòw *a.* 달팽이처럼 느린〔굼뜬〕.

snake [sneik] *n.* **1** 뱀.

> [SYN.] **snake** '뱀'을 뜻하는 가장 일반적인 말. **serpent** snake 보다 크고 독성을 가진 뱀.

2 a 《비유》 음흉〔냉혹, 교활〕한 사람, 마음 놓을 수 없는 사람; 배신자. **b** 《미학생속어》 난봉꾼; 《미학생속어》 착실한 학생; 《미속어》 경찰관. **3** 굽은 도관(導管) 청소기; 〖건축〗 리드선《탄력성이 있는 강철 철사; 전선관 속을 통하여 배선(配線)하는 데 쓰임》; 〖군사〗 스네이크《지뢰 파괴용의 폭약이 든 긴 파이프》. **4** (보통 the ~) (EC 통화의) 공동 변동 환시세제《변동폭이 2.25%내로 고정되어 있기 때문에 뱀과 같은 움직임을 보이는 데서》. ***a ~ in the grass*** 신용할 수 없는 사람. ***be above*** ~ 《미구어》 살아 있다. ***lower than a snake's belly*** (상종 못할 정도로) 치사스러운, 아주 비열한. ***raise*** 〔***wake***〕 ***~s*** 소동을 일으키다; 재빨리 달아나다. ***see ~s*** =《미구어》 ***have ~s in*** one's ***boots*** 알코올 중독에 걸려 있다. ***Snakes!*** 제기랄《성난 목소리》. ***warm*** 〔***cherish, nourish***〕 ***a ~ in*** one's ***bosom*** 은혜를 원수로 보답받다.

— *vi.* 꿈틀꿈틀 움직이다, 기다, 꾸불꾸불 굽다; 《미속어》 몰래〔슬그머니〕 가버리다. **—** *vt.* **1** 《+[목]+[전]+[명]》 〖~ one's way로〗 구불구불 나아가다: The stream ~*s its way across* the field. 개천이 들판에 구불구불 뻗어 있다. **2** 《+[목]/+[목]+[부]》 《미》 (홱) 잡아당기다: ~ *out* a tooth 이를 잡아 뽑다. **3** (체인이나 로프로 통나무 등을) 끌다; 《미》 묶다, 감다; 스네이크로 (도관의) 막힌 것을 제거하다; 《흑인속어》 난처하게 되다; 《미속어》 …을 훔치다. ***get ~d*** 《미속어》 난처하게〔귀찮게〕 되다.
[파] ~**·like** *a.*

snáke·bìrd *n.* 〖조류〗 가마우지의 일종.

snáke·bìte *n.* 뱀에게 물린 상처.

snáke chàrmer 뱀 부리는 사람.

snáke dànce (종교 의식의) 뱀춤; (승리 축하·데모의) 사행(蛇行)〔지그재그〕 행렬〔행진〕.

snáke-dànce *vi.* 뱀춤을 추다; 사행(蛇行) 행렬을 하다.

snáke fènce 《미》 지그재그 모양으로 말뚝 끝을 교차시켜 세운 울타리(worm fence).

snáke·hèad, snáke's-hèad *n.* 〖식물〗 패모(貝母)의 일종(turtlehead).

snáke òil (medicine show에서 파는) 효력 없는 묘약, 가짜(만능)약; 허풍. [파] **snákeòil** *a.*

snáke pìt 뱀을 넣어 두는 우리〔구멍〕; 《구어》 (환자를 거칠게 다루는) 정신 병원; 《구어》 지저분한 장소; 혼잡, 혼란.

snáke·ròot *n.* 뿌리가 뱀에 물린 데 잘 듣는다는 풀.

snákes and ládders 〖단수취급〗 뱀과 사다리《주사위를 던져 말을 움직이는 쌍륙의 일종》.

snáke·skìn *n.* [U] 뱀 가죽; [C] 무두질한 뱀 가죽.

snáke·stòne *n.* **1** 〖고생물〗 암몬조개, 국석(菊石). [cf.] ammonite. **2** 뱀에 물린 데 잘 듣는다는 돌. 「《bistort 따위》.

snáke·wèed *n.* 〖식물〗 범꼬리속(屬)의 식물

snáke·wòod *n.* 〖식물〗 사목(蛇木)《브라질산의 견재(堅材); 껍질에 사문(蛇紋)이 있음; 장식용》.

snaky, snak·ey [snéiki] (***snak·i·er; -i·est***) *a.* 뱀의; 뱀 같은; 꾸불꾸불한(winding); 뱀이 많은; 교활〔음흉〕한; 잔학〔냉혹〕한.

snap [snæp] (**-pp-**) *vi.* **1** 《~/+[전]+[명]》 덥석 물다, 물어뜯다《*at*》: ~ *at* the bait (물고기가) 미끼를 덥석 물다. **2** 《~/+[전]+[명]》 (기다렸다는 듯이) 덤벼들다, 움켜쥐다: ~ *at* a chance 기회를 재빨리 붙잡다. **3** 《~/+[전]+[명]》 귀찮게 잔소리하다〔꾸짖다〕《*at*》: She always ~*s at* him. 그녀는 늘 앙알거리며 그에게 대든다. **4** 《~/+[부]/+[전]+[명]/+[보]》 찰깍〔딱〕하고 소리를 내다; (문·자물쇠가) 찰깍〔탕〕하고 닫히다《*to*》; (문 등이) 찰깍〔탕〕 소리를 내며 (…의 상태로) 되다: The latch ~*ped* (*to*). 자물쇠가 찰깍하고 잠겼다/The bolt ~*ped into* its place. 빗장이 찰깍하고 잠겼다/The door ~*ped* shut 〔open〕. 문이 탕하며 닫혔다〔열렸다〕. **5** 《~/+[부]/+[보]》 딱〔뚝〕 부러지다, 딱 하고 꺾이다〔망그러지다〕, (…의 상태로) 부러지다: The rope ~*ped*. 로프가 뚝 하고 끊겼다/The mast ~*ped off*. 돛대가 탁 부러졌다/The stick ~*ped* short. 막대가 뚝 하며 짧게 부러졌다. **6** 《~/+[부]》 (신경 따위가) (긴장으로) 갑자기 견딜 수 없게 되다: After the great strain, his nerves ~*ped*. 모진 심로(心勞) 끝에 그의 신경은 그만 기능을 잃고 말았다. **7** (채찍·권총 등이) 딱〔짤깍〕 소리를 내다, 불발이 되다. **8** 《+[전]+[명]》 (눈이) 번쩍 빛나다: His eyes ~*ped with* anger. 그의 눈은 노여움으로 번쩍였다. **9** 《+[전]+[명]》 날쌔게 행동하다, 민첩하게 움직이다: ~ *to* attention 재빨리 차려 자세를 취하다. **10** 〖사진〗 스냅 사진을 찍다.

— *vt.* **1** 《~+[목]/+[목]+[부]》 덥석 물다, 물어뜯다, 잘라먹다《*off*》: The dog ~*ped up* a piece of meat. 개는 고깃점을 덥석 물었다. **2** 《+[목]+[부]/+[목]+[전]+[명]》 움켜잡다, 긁어모으다《*up*》; 앞을 다투어 잡다〔빼앗다〕; …을 낚아〔잡아〕채다《*up; off*》: ~ a bag *from* a person 아무에게서 가방을 낚아채다/The bargains were ~*ped up* almost immediately. 특매품은 순식간에 앞다투어 팔렸다. **3** 급히〔서둘러〕 처리하다: ~ a bill through congress 법안을 서둘러 통과시키다. **4** 《~+[목]/+[목]+[부]/+[목]+[보]》 딱〔짤깍〕 소리 나게 하다; (손가락으로) 딱 소리를 내다; 탁하고 (…의 상태로) 하다; (권총 따위를) 탕 쏘다; (문을) 탕 닫다〔열다〕; (채찍 따위로) 휙 소리 내다; 튀기다: ~ a whip/He ~*ped down* the lid of the box. 상자 뚜껑을 탁 하고 닫았다/He ~*ped* his watch open 〔shut〕. 그는 시계 딱지를 짤깍하고 열었다〔닫았다〕. **5** 《~+[목]/+[목]+[부]/+[목]+[전]+[명]》 뚝〔딱〕 부러뜨리다〔꺾다〕《*off*》; 싹독 잘라내다, 뚝 끊다: The ties of affection were ~*ped*. 애정의 줄은 뚝 끊어졌다/~ *off* a twig 잔가지를 치다/~ a stick *into* two 막대기를 둘로 딱 분지르다. **6** 《~+[목]/+[목]+[부]》 딱딱거리며 말하다, 고함치다《*out*》: ~ *out* one's criticisms 딱딱거리며 비난하다. **7** …의 스냅 사진을 찍다. **8** 《+[목]+[전]+[명]》 …을 급히 움직이다, 휙 던지다: ~ a ball *to* the second 공을 2루에 재빨리 던지다.

~ at 달려들어 물다; 쾌히 응낙하다. ***~ back*** ① (홱) 되튀다. ② (말로) 날카롭게 되받아쏘다. ③ 《구어》 (건강·값 등이) 급속히 회복하다; (원상태로) 급히 환원하다, 재빨리 되돌아서다. ***~ (in)to it*** 《구어》 〖보통 명령형〗 급히 시작하다, 서두르다. ***~ it up*** 《구어》 =~ into it. ***~ off*** 《*vi.*+[부]》 ① ⇨*vi.* 5. **—** (*vt.*+[부]) ② ⇨*vt.* 5. ③ 덥석 물다. ④ (전등·라디오를) 찰깍 끄다. ⑤ (사진을) 찰깍 찍다; 총을 잽싸게 쏘다. ***~ out of ...*** 《구어》 …로부터 침착〔기운〕을 되찾다, 다시 일어서다, 회복하다. ~ ***one's fingers at*** ⇨FINGER. ***~ a person's nose*** 〔***head***〕 ***off*** 난폭하게 아무의 이야기를 방해하다, 콧대를 꺾다; 딱딱거리다. ***~ up*** ① ⇨*vt.* 1. ② 잽싸게 움직이다

〔행동하다〕. ③《구어》 재빨리 결혼하다; 지체 없이 입학〔입대〕시키다; (사람을) 재빨리 고용하다. — *n.* **1** 덥석 물기〔잡기〕: a ~ *at* a bait 먹이를 덥석 묾. **2** 뚝 부러짐〔쪼개짐〕; (채찍 따위의) 휙〔딱, 철썩〕하는 소리. **3** 스냅, (찰깍하고 채워지는) 죔쇠, 걸쇠. **4** 홀닦음, 퉁명스러움. **5** (날씨의) 급변, 《특히》 갑작스러운 추위. **6** 스냅 사진. **7** 《영》 생강이 든 과자. **8** Ⓤ 《구어》 정력, 활기: There is no ~ left in him. 그는 전혀 기운이 없다. **9** 《구어》 쉬운 것, 편한〔수월한〕 일; 《미속어》 무골호인, 점수가 후한 선생: a soft ~ 《미구어》 쉬운 일. **10** 《영방언》 급히 서둘러 먹는 식사, 스낵, (노동자의) 도시락. **11** Ⓤ 《영》 스냅《카드놀이의 일종》. **12** 〖야구〗 급투(急投), 스냅; 〖미식축구〗 스냅《플레이 개시 때 땅 위의 공을 한 동작으로 뒤쪽 선수에게 건네거나 패스함》. ***in a ~*** 곧, 즉시. ***not a ~*** 조금도 …않는, 전혀 개의치 않는. ***not give*** 〔***care***〕 ***a ~*** (***of*** one***'s fingers***) ***for*** …에 전혀 관심이 없다, 문제 삼지 않다, 무시하다. ***not worth a ~*** 아무런 가치도 없는. — *a.* **1** 찰깍하고 채워지는: a ~ bolt 자동식 빗장. **2** 급히 행해진, 즉석의, (준비 없이) 불시에 행해진: a ~ judgment 즉단(卽斷) / a ~ decision 즉석의 결정 / take a ~ vote 예고 없는 투표를〔표결을〕 하다. **3** 《미구어》 간단한, 쉬운: a ~ job 쉬운 일 / a ~ course 《미학생속어》 (대학의) 학점을 따기 쉬운 학과.

— *ad.* 딱, 뚝, 찰깍.

SNAP systems for nuclear auxiliary power (원자력 보조 전원(電源)).

snáp·awày *a.* (카본 복사의 사무 서식이) 구멍 점선으로 떼어 낼 수 있는, 구멍 점선 절취식의.

snáp·bàck *n.* 〖미식축구〗 스냅백《센터가 손으로 재빨리 공을 되보냄》; 갑작스러운 반발〔회복〕.

snáp bèan 《미》 꼬투리째 먹는 각종 콩과 식물.

snáp bòlt 자동 빗장《용수철 장치로 잠김》.

snáp-dòwn *n.* 〖군사〗 스냅다운《공대공 전투에서 아래쪽을 나는 목표물을 향해 공대공 미사일을 내리쏨; 또 그 능력》.

snáp·dràgon *n.* **1** 〖식물〗 금어초(金魚草). **2** 「=FLAPDRAGON.

snáp fàstener 〖양장〗 스냅, 똑딱단추.

snáp hòok =SPRING HOOK.

snáp lìnk 스냅 고리《사슬고리를 잇는 스냅 용수철 달린 고리; 다른 고리에 연결하는 것》.

snáp lòck 용수철식 자물쇠《문이 닫히면 저절로 걸림》.

snáp-òn *a.* 스냅(으로 잠그는) 방식의.

snap·per [snǽpər] *n.* **1** 스냅 (파스너), 똑딱단추; 짤깍하는 것. **2** 《속어》 뻿성; (*pl.*) 《미속어》 이빨; 앙알앙알하는 사람. **3** 《속어》 =PUNCH LINE; 무는 동물《개 따위》. **4** 스내퍼《깊은 해저에서 시료(試料) 인양용 뚜껑 달린 버킷》. **5** =SNAPPING TURTLE; 〖어류〗 도미의 일종; 〖어류〗 참돔류의 식용어 (=**schnáp·per**); 물퉁돔《멕시코만산》; 전갱이류(bluefish). **6** 《미비어》 포피(包皮), 질(膣). 「덤벼드는 사람.

snápper-úp (*pl.* ***-pers-úp***) *n.* (특매품 등에)

snap·ping [snǽpiŋ] *a.* 딱하고 소리 내는; 달려들어 무는. 「(click beetle).

snápping bèetle 〔**bùg**〕 〖곤충〗 방아벌레

snápping tùrtle 〖동물〗 (북아메리카 하천에 있는) 자라 비슷한 거북.

snap·pish [snǽpiʃ] *a.* (개 따위가) 무는 버릇이 있는; 딱딱거리는; 퉁명스러운(curt), 성마른 (testy). ⓟ **~·ly** *ad.* **~·ness** *n.*

°**snap·py** [snǽpi] (***-pi·er; -pi·est***) *a.* **1** 재빠른, 민첩한, 급히 된〔만들어진〕: a ~ worker 일이 빠른 사람. **2** 팔팔한, 활기찬; 일을 척척 잘하는. **3** 멋있는, 스마트한: a ~ dresser 세련된 옷차림을 하는 사람. **4** =snappish. **5** (바람 · 한기가) 살을 에는 듯한; (불이) 탁탁 소리 내며 타는. ***look ~*** 《영구어》 서두르다. ***Make it ~!*** 《구어》 빨리 하라, 서둘러라.

snáp ròll 〖항공〗 급횡전(急橫轉)(flick roll).

snáp·shòot *vt.* …의 스냅(사진)을 찍다. ⓟ **~-er** *n.*

snap·shot** [snǽpʃɑ̀t/-ʃɔ̀t] *n.* 〖사진〗 속사(速寫), 스냅(사진); (총의) 속사(速射), 함부로 쏘아대기: take a ~ of …을 속사(速寫)하다, …의 스냅(사진)을 찍다. — (-tt-***) *vt.* =SNAPSHOOT.

snápshot dùmp 〖컴퓨터〗 스냅샷 덤프《프로그램 실행 중인 여러 시점에서 기억 장치의 특정 부분을 인쇄 출력함》.

°**snare** [snɛər] *n.* **1** 덫, 올가미. **2** (종종 *pl.*) 《비유》 속임수, 함정, (사람이 빠지기 쉬운) 유혹. **3** (보통 *pl.*) 향현(響絃)《북 한가운데에 댄 줄》. ***set*** 〔***lay***〕 ***a ~ for*** …에 덫을 (만들어) 놓다; 함정에 빠뜨리려고 하다. — *vt.* **1** 《+목+전+명》 덫으로〔올가미로〕 잡다: ~ a rabbit *in* a trap 덫으로 토끼를 잡다. **2** 《비유》 (함정에) 빠뜨리다, 유혹하다; 약삭빠르게 손을 써 (…을) 손에 넣다. 「현을 댄 것》.

snáre drùm 군대용 작은 북의 일종《뒷면에 향

Snark [snɑːrk] *n.* 〖미군사〗 지대지(地對地) 장거리 유도탄의 일종.

snarky [snɑ́ːrki] (***snark·i·er; -i·est***) *a.* 《주로 영속어》 성마른, 짜증 난; 무뚝뚝한.

°**snarl**[1] [snɑːrl] *vi.* 《~/+전+명》 (개가 이빨을 드러내고) 으르렁거리다; 고함치다, 호통치다, 으드등거리다: The dog ~*ed at* me. 그 개는 나에게 으르렁거렸다. — *vt.* 《+목+부/+목+보》 호통치다, (버럭버럭) 소리 지르며 말하다《*out*》; 〖~ oneself〗 호통쳐서 …되다. Ⓒⓕ growl. ¶ He ~*ed out* his anger. 그는 노호(怒號)했다 / He ~*ed* him*self* hoarse. 호통 치는 바람에 그는 목이 쉬었다. — *n.* 으르렁거리는 소리; 서로 으르렁거리기; 홀닦음. ⓟ **∠·er** *n.* **∠·ing·ly** *ad.*

snarl[2] *n.* 뒤얽힘, (머리 · 실 등의) 엉클어짐; 혼란. — *vt.* 엉클어지게 하다; (교통 · 통신 등을) 혼란시키다; 갈피를 못 잡게 하다. — *vi.* 혼란해지다, 엉클어지다.

snárling ìron 돋울치기 정《용기의 안쪽 틀에 대고 쳐서 밖에 무늬를 내는》.

snárl-ùp *n.* 《구어》 (교통 따위의) 혼란, 혼잡.

snarly[1] [snɑ́ːrli] (***snarl·i·er; -i·est***) *a.* 심하게 잔소리하는, 심술궂은, 빙퉁그러진.

snarly[2] *a.* 뒤얽힌; 혼란한.

***snatch** [snætʃ] *vt.* **1** 《~+목/+목+전+명/+목+부》 와락 붙잡다, 움켜쥐다, 잡아〔낚아〕채다, 강탈하다《*up; down; away; off; from*》: ~ one's rifle 총을 움켜쥐다 / ~ a purse *from* 〔*out of*〕 a woman's hand 여자의 손에서 핸드백을 잡아채다 / ~ a gun *up* 〔*down*〕 총을 쑥 겨누다〔내리다〕. SYN. ⇨ TAKE. **2** 《+목+부/+목+전+명》 (이 세상에서) 앗아가다, 갑자기 모습을 감추게 하다, 죽이다: He was ~*ed away from* the face of the earth. 그는 이 세상에서 자취를 감추었다. **3** 《~+목/+목+전+명》 (식사 따위를) 급히 들다〔먹다〕; 뜻밖에〔겨우, 운 좋게〕 얻다; (기회를 보고) 급히 덤벼들다: ~ a hurried meal / ~ an hour's sleep 겨우 1시간 정도 자다 / He ~*ed* a kiss *from* her. (허락 없이) 그녀에게 잽싸게 키스했다. **4** 《+목+전+명》 (화재 · 위험 등에서) 구해 내다, 재빨리 구출하다 《*from*》: He ~*ed* the baby *from* the fire. 그는 아기를 불에서 구출했다. **5** 〖역도〗 인상(引上)으로 들어올리다. **6** 《미속어》 체포하다, 날치기하다, 유괴하다(kidnap). — *vi.* 《+전+명》 낚아채려 하다, 움켜잡으려 하다, (기회 등에) 달려〔덤벼〕들다《*at*》: ~ *at* a handbag 핸드백을 낚아채

려 하다. ~ *a nap* 한숨 자다. ~ *a victory out of defeat* 겨우 이겨 내다.

— *n.* **1** 잡아〔낚아〕챔, 날치기, 강탈. **2** 와락 움켜잡음; 달려듦, 덤벼듦. **3** (보통 *pl.*) 한차례의 일〔쉼〕, 짧은 시간, 한바탕: get a ~ of sleep 한잠 자다. **4** (종종 *pl.*) 단편(斷片), 한 조각; 한 입, 소량(bits): hear ~*es* of the story 이야기를 단편적으로 듣다. **5** 급히 먹는 식사. **6** 《미속어》 유괴, 납치; 체포. **7** 〖역도〗 인상(引上). **8** 《비어》 질(膣); 여자; 성교; (여성의) 살; (호모의) 면: get some ~ 여자와 자다. ***by*** (***fits and***) ~***es*** 때때로, 이따금 생각난 듯이. ***in*** ~***es of time*** 틈틈이. ***look like Mag's*** ~ 《속어》 칠칠치 못하다. ***make a*** ~ (***at ...***) (…을) 낚아채려 하다, …에게 와락 달려들다. ***put the*** ~ ***on*** …에게 요구하다; 《미속어》 …을 체포〔유괴〕하다; …을 날치기하다〔잡아채다〕.

㊞ ∠·a·ble *a.* ∠·ing·ly *ad.*

snátch·er *n.* 치기배; 묘 도굴꾼, 시체 도둑; 유괴범; (도살장의) 내장 척출(剔出)원; 《미속어》 순경.

snátch squàd 《영》 (소란 주모자) 색출 체포반.

snatchy [snǽtʃi] (***snatch·i·er; -i·est***) *a.* 이따금의, 때때로의, 단속적인, 불규칙한. ㊞ **snátch·i·ly** *ad.*

snath, snathe [snæθ], [sneið] *n.* 큰 낫(scythe)의 긴 자루.

snaz·zy [snǽzi] (***-zi·er, -zi·est***) *a.* 《구어》 멋을 낸, 모양새 좋은, 훌륭한, 매력적인.

SNCC [snik] 《미》 Student National 〔《본디》 Nonviolent〕 Coordinating Committee(학생 전미(全美)〔비폭력〕 조정 위원회). **SNCF** *Société Nationale des Chemins de Fer Français*(프랑스 국유 철도).

***sneak** [sni:k] *vi.* **1** 《+전+명/+부》 몰래〔살금살금〕 움직이다, 몰래〔가만히〕 내빼다《*away; off*》; 가만히〔몰래〕 들어가다〔나오다〕《*in; out*》; 살그머니 다가가다《*up; on; behind*》; (어정버정) 배회하다《*about; around*》: ~ *into* 〔*out of*〕 a room 살그머니 방으로 들어가다〔방에서 나가다〕/ ~ *out of* danger 위험을 슬쩍 피하다 / ~ *away* from company 몰래 동료들로부터 빠져나오다 / He ~*ed up on* 〔*behind*〕 her. 그는 그녀의 등 뒤로 살금살금 다가갔다. **2** 굽실거리다(cringe)《*to*》; 비열하게 굴다. **3** 《구어》 좀도둑질을 하다(pilfer), 훔치다. **4** 《영학생속어》 (선생에게) 고자질하다(peach). **—** *vt.* **1** 《+목+전+명》 몰래〔가만히〕 움직이다〔빼다, 가지고 가다, 넣다, 꺼내다〕: He ~*ed* his hand *to* the pistol. 가만히 손을 권총 쪽으로 가져갔다. **2** 가만히〔몰래〕 …하다: ~ a smoke 몰래 담배 피우다. **3** 《구어》 훔치다, 후무리다.

— *n.* **1** 몰래 하기〔하는 사람〕, 몰래 빠져나감〔가버림〕; 좀도둑. **2** 《영학생속어》 (선생에게) 고자질하는 학생(telltale); 《속어》 밀고자; 비겁자. **3** 〖크리켓〗 땅볼. **4** (*pl.*) 《미구어》 =SNEAKERS《신발》. **5** 〖미식축구〗 =QUARTERBACK SNEAK; 《미구어》 SNEAK PREVIEW. ***on the*** ~ 몰래, 내밀히.

snéak·er *n.* **1** 몰래〔가만히〕 행동하는 사람〔동물〕. **2** (*pl.*) 《미》 고무 바닥의 운동화《소리가 나지 않는 데서》. **3** =SNEAK THIEF. ㊞ ~**ed** *a.*

snéaker·nèt *n.* 《해커속어》 스니커넷《전자적으로 접속되어 있지 않은 컴퓨터의 운용 시스템》.

snéak·ing *a.* 살금살금 걷는, 몰래〔가만히〕 하는(furtive); 소심한, 겁 많은; 비열한(mean); 은밀한(secret): a ~ suspicion 남몰래 지니고 있는〔떨쳐 버릴 수 없는〕 의심.

snéak préview 《미구어》 (관객의 반응을 보기 위해 제목을 알리지 않는) 영화 시사회《예고된 영화와 함께 상영》.

snéak thìef 좀도둑, 빈집털이.

sneaky [sní:ki] (***sneak·i·er; -i·est***) *a.* 몰래〔가만히〕 하는; 비열한, 남을 속이는. ㊞ **snéak·i·ly** *ad.* **-i·ness** *n.*

***sneer** [sniər] *n.* 냉소; 비웃음, 경멸《*at*》; 남을 깔보는 듯한 표정〔빈정댐〕. **—** *vi.* 《~/+전+명》 냉소〔조소〕하다《*at*》; 비웃다, 비꼬다《*at*》: He ~*s at* religion. 그는 종교를 비웃었다. **—** *vt.* 《+목+부/+목+전+명》 조롱하여 말하다; 조소하여 …하게 하다: ~ a person *down* 아무를 몹시 비웃다 / ~ a person *out of* countenance 아무를 조소해 얼굴을 못 들게 하다. ㊞ ∠·**ing·ly** [-riŋli] *ad.* 냉소〔조롱〕하여.

sneeze** [sni:z] *n.* **1** 재채기 (소리). ★ 재채기 소리는 achoo, 《영》 atishoo. **2** 《미속어》 유괴, 체포. **—** *vi.* **1** 재채기하다. **2** 《구어》 경멸하다, 코웃음치다, 깔보다(despise)《*at*》; 《미속어》 유괴〔체포〕하다. ***nothing to ~ ***at*** 대단한 것. ***not to be*** ~***d at*** 《구어》 깔볼 수 없는, 상당한. ㊞ **snéezy** *a.* 재채기가 나는.

snéez·er *n.* **1** 재채기하는 사람. **2** 《속어》 코. **3** 한 잔(의 술). **4** 비범한 사람. **5** 《미속어》 교도소.

snell [snel] *n.* 낚싯바늘을 매는 줄, 목줄(leader) 《실·말총 등》. **—** *vt.* (낚시를) 목줄에 달다.

SNF short-range nuclear forces(단거리 핵전력). **SNG** substitute 〔synthetic〕 natural gas (대체〔합성〕 천연가스).

snib [snib] 《Sc.》 *n.* 걸쇠, 빗장(bolt, catch). **—** (***-bb-***) *vt.* …에 걸쇠를〔빗장을〕 지르다.

snick[1] [snik] *vt.* …에 새김금〔눈금〕을 내다(nick), 칼자국을 내다; 강타하다; 〖크리켓〗 공을 깎아 치다. **—** *n.* 벰; 가느다란 칼자국; 〖크리켓〗 공을 깎아 침.

snick[2] *vt.* (총의 방아쇠 따위를) 짤깍 소리 내다. **—** *n.* 짤깍하는 소리. [imit.]

snick·er *vi.* 《미》 킬킬거리다(snigger)《*at; over*》; (말이) 울다(whinny). **—** *n.* 킬킬거리는 웃음; 《미》 숨죽여 웃는 웃음; (말의) 울음소리; 《미구어》 금연 시행자.

snick·er·snee [sníkərsnì:] *n.* 《우스개》 단도; 비수.

snide [snaid] *a.* 가짜의, 모조의(spurious); 비열한(mean); 헐뜯는(derogatory); 교활한; 사람을 깔보는. **—** *n.* 가짜 보석, 위조지폐; 신용 못할 사람. ㊞ ∠·**ly** *ad.* ∠·**ness** *n.*

Sni·der [snáidər] *n.* 스나이더식 후장총(後裝銃).

***sniff** [snif] *vi.* **1** 《~/+전+명》 코를 킁킁거리다, 냄새를 맡다《*to*》; 코로 숨쉬다; 코를 훌쩍이다: The dog ~*ed at* the bone. 개가 코를 킁킁거리며 뼈다귀의 냄새를 맡았다. **2** 《+전+명》 콧방귀 뀌다《*at*》: I ~*ed at* his proposal to show my disapproval. 그의 제안을 비웃으며 불찬성의 뜻을 나타냈다. **—** *vt.* **1** 《~+목/+목+부》 코로 들이쉬다《*in; up*》: ~ the fresh morning air 신선한 아침 공기를 들이마시다 / ~ *up* an narcotic 마약을 코로 들이마시다. **2** …의 냄새를 맡다, …의 냄새를 알아차리다: ~ something burning 뭔가 타는 내가 나다. **3** 《~+목/+목+부》 낌새〔눈치〕채다(suspect): ~ (*out*) a trick. **4** 비웃는 투로 말하다. **—** *n.* **1** 냄새 맡음; 코로 숨쉬는 소리. **2** 퀴퀴한 냄새. **3** 한 번 냄새 맡음〔들이쉼〕: get a ~ of air 공기를 들이마시다 / give a ~ 킁킁하며 냄새 맡다. **4** 코웃음, 콧방귀, 경멸.

sniff·er *n.* **1** 냄새 맡는 사람. **2** 《구어》 (가스·방사선 등의) 탐지기; =PEOPLE SNIFFER. **3** 《구어》 마약〔폭약〕을 냄새 맡는 개, 마약견《★ 흔히 sniffer dog》. **4** 마약 흡입자(sniffler). **5** 《속어》 코.

snif·fle [snífəl] *vi.* (코를) 킁킁거리다(snuffle), 코를 훌쩍이다; 훌쩍이며 울다(snivel). **—** *n.* **1** 코를 킁킁거림; 콧방귀. **2** (the ~s) 코가 막힘, 훌쩍이며 욺; 코감기. ㊞ **sníf·fler** *n.*

sniffy [snífi] (***sniff·i·er; -i·est***) *a.* **1** 《구어》 콧방귀 뀌는, 오만한, 고자세를 취하는. **2** 《영》 구린, 악취 나는, 냄새가 확 풍기는(malodorous). [파] **sníff·i·ly** *ad.* **-i·ness** *n.*

snif·ter [sníftər] *n.* 주둥이가 조붓한 술잔; 《구어》 (술의) 한 모금, 한 잔; 《미속어》 코카인 상용자(常用者).

snig·ger [snígər] *vi., n.* =SNICKER.

snig·gle [snígəl] *vi.* 구멍에 미끼를 넣어 낚다 《*for* eels》. **—** *vt.* 구멍낚시로 (뱀장어를) 낚다. **—** *n.* 구멍낚시용 바늘. [파] **snig·gler** [-lər] *n.* 구멍낚시하는 사람.

°**snip** [snip] (**-*pp*-**) *vt.* 《~+[목]/+[목]+[부]》 …을 가위로 자르다, 싹둑 베다《*off; away; from*》: ~ a cloth / *Snip* the ends *off.* 끝을 잘라라. **—** *vi.* 《+[전]+[명]》 싹둑 베다《*at*》: ~ *at* a hedge 산울타리를 전지(剪枝)하다. **—** *n.* **1** 싹둑 자름; 가위질; (실·천 등의) 끄트러기(shred), 단편; 조금. **2** (*pl.*) 쇠 자르는 가위. **3** 《영구어》 재단사, 재봉사(tailor). **4** 《미구어》 하찮은 놈, 데데한 인물.

snipe [snaip] (*pl.* **~*s***, 〔집합적〕 ~) *n.* 〖조류〗 도요새; 비열한 사람; 《미속어》 (길가에 버린) 꽁초(butt); 〖군사〗 숨어 하는 사격, 저격. **—** *vt., vi.* 도요새잡이를 하다; 〖군사〗 (적을 숨어서) 저격하다《*at*》; 익명으로 비난 공격하다《*at; away*》; 《미속어》 훔치다.

snip·er [snáipər] *n.* 도요새 사냥꾼; 저격병; 《미속어》 소매치기, 빈집털이.

sníper·scòpe [-skòup] *n.* (총의) 적외선 조준기《야간 사격용》. [cf] snooperscope.

snip·pet [snípit] *n.* (베어 낸) 끄트러기, 조각, 단편; 조금; (*pl.*) (문학 작품 등의) 발췌; 단편적 지식〔보도〕; 《미구어》 하찮은 인물.

snip·pe·ty [snípəti] *a.* 매우 작은; 단편(斷片)으로 된; 매우 쌀쌀한.

snip·py [snípi] (***-pi·er; -pi·est***) *a.* **1** 《구어》 퉁명스러운(curt), 푸접 없는; 건방진, 도도하게 구는(haughty). **2** 단편적인, 그러모은.

sníp-snàp *n.* 싹둑싹둑《가위질 소리·동작의 표현》; 임기응변의 응답. **—** *ad.* 싹둑싹둑; 임기응변으로.

snit [snit] *n.* 흥분 (상태); 초조.

snitch[1] [snitʃ] *vt.* 《속어》 채다(snatch), 몰래 훔치다, 후무리다(pilfer). **—** *n.* 절도.

snitch[2] 《속어》 *vt., vi.* 고자질〔밀고〕하다《*on*》. **—** *n.* 통보자, 밀고자; 《영·우스개》 코(nose).

sniv·el [snívəl] (***-l-,*** 《영》 ***-ll-***) *vi.* 콧물을 흘리다; 코를 훌쩍이다(snuffle); 훌쩍훌쩍 울다; 슬픈 체하다, 울음 섞인〔울먹이는〕 소리를 내다. **—** *n.* **1** 콧물; (the ~s) 가벼운 코감기. **2** 흐느낌(whining); 우는 소리; 코멘소리; 가엾은 표정, 애처로운 태도. [파] **snív·el·(l)er** *n.* **snív·el(l)y** *a.*

S.N.O. Senior Naval Officer.

snob [snab/snɔb] *n.* **1** (지위·재산만을 존중하여) 윗사람에게 아첨하고 아랫사람에게 교만한 사람, 신사연하는 속물; 시큰둥하게 구는〔건방진〕 사람; 《고어》 태생〔신분〕이 낮은 사람. **2** 파업 파괴자(scab). [파] **∠·bery** [-əri] *n.* [U] 신사연함, 속물근성, 윗사람에게 아첨하고 아랫사람에게 뻐김, 귀족 숭배.

snób appèal (고가품·희귀품·외제 따위처럼) 구매자의 허영심을 자극하는 요소.

snob·bish [snábiʃ/snɔ́b-] *a.* 속물의, 신사연하는; (지식〔지위〕 등으로) 거드름 피우는. [파] **~-ly** *ad.* **~·ness** *n.* 속물근성.

snob·bism [snábizəm/snɔ́b-] *n.* 속물근성, 태부림; 부자〔귀족〕 숭배.

snob·by [snábi/snɔ́bi] (***-bi·er; -bi·est***) *a.* = SNOBBISH. [파] **snób·bi·ly** *ad.* **-bi·ness** *n.*

snob·oc·ra·cy [snabákrəsi/snɔbɔ́k-] *n.* [U] 속물 사회〔계급〕; 사이비 신사들.

SNO·BOL [snóubɔːl, -bal/-bɔl] *n.* 〖컴퓨터〗 스노볼《문자열(文字列)을 취급하기 위한 언어》. [◂ *String Oriented Symbolic Language*]

snób zòning 《미》 스노브 지대제《저소득층의 부동산 취득을 막기 위해 교외지 등에 부지의 최저 면적을 정하는 것 등》.

Sno-Cat [snóukæ̀t] *n.* 스노캣《무한궤도가 있는 설상차(雪上車)의 일종; 상표명》.

snoek [snuːk] *n.* 《S.Afr.》 〖어류〗 움직임이 활발한 각종 바닷물고기.

sno·fa·ri [snoufáːri] *n.* 스노파리《극지 등의 빙원·설원 탐험》. [◂ *snow*+*safari*]

snog [snag/snɔg] (**-*gg*-**) *vi.* 《영구어》 키스나 포옹을 하다. **—** *n.* 네킹(necking).

snol·ly·gos·ter [snáligàstər/snɔ́ligɔ̀s-] *n.* 《미속어》 무절조한 사람; 《특히》 악덕 정상배〔변호사〕.

snood [snuːd] *n.* **1 a** 머리를 동이는 리본《옛날 스코틀랜드, 잉글랜드 북부에서 미혼 여성의 표시로》. **b** 자루 모양의 헤어네트, 네트모(帽). **2** (낚시를 매는) 목줄《말총 따위》. **—** *vt.* ~를 두르다〔로 동여매다〕; (낚시에) 목줄을 매다.

snood 1a

snood 1b

snook[1] [snu(ː)k/snuːk] *n.* 《영구어》 엄지손가락을 코끝에 대고 다른 네 손가락을 펴 보이는 경멸의 동작. ***cock*** 〔***cut, make***〕 ***a*** 〔***one's***〕 **~** 〔**~*s***〕 ***at*** 〔***to***〕 《구어》 …에게 경멸의 몸짓을 하다, 바보 취급하다. ***Snooks!*** 뭐야 시시하게.

snook[2] (*pl.* ~(***s***)) *n.* 〖어류〗 가숭어, 《널리》 농어류의 물고기.

snóok·er *n.* 스누커《흰 큐볼 하나로 21개의 공을 포켓에 떨어뜨리는 당구》. **—** *vt.* ~에서 (상대를) 열세에 두다; 《미속어》 〔수동태〕 …을 속이다, 부정을 하다, (아무를) 사칭하다; 《구어》 〔흔히 수동태〕 방해하다.

snoop [snuːp] *vi.* 《구어》 (수상하게) 배회하다(prowl), 기웃거리며〔엿보며〕 다니다(pry), 시시콜콜히 캐다. **—** *vt.* 훔치다, 슬쩍하다; …을 세세히 캐다. **—** *n.* 캐고 다니는 사람, 덥적거리는 사람; 탐정, 스파이《등》.

snóop·er *n.* 《구어》 슬금슬금 둘러보는〔기웃거리는〕 사람; (귀찮은) 참견꾼; 고용된 조사원〔스파이〕; 정찰기.

snóop·er·scòpe [-skòup] *n.* 〖미군사〗 적외선 야시경(夜視鏡).

snoopy [snúːpi] (***snoop·i·er; -i·est***) *a.* 《구어》 캐기〔참견하기〕 좋아하는. **—** *n.* (S-) 스누피《C. Schulz의 만화 *Peanuts*에 나오는 개》. [파] **snóop·i·ly** *ad.* **-i·ness** *n.*

snoot [snuːt] *n.* 《속어》 코; 얼굴; 찡그린 얼굴, 오만상; =SNOOK[1]; 건방진 사람. ***cock*** 〔***make***〕 ***a*** **~** 〔**~*s***〕 ***at*** 《영구어》 =cock a SNOOK[1] at. ***have*** 〔***get***〕 ***a*** **~ *full*** 《속어》 진력나다; 취하다. **—** *vt.* 경멸하다.

snooty [snúːti] (***snoot·i·er; -i·est***) 《구어》 *a.* 무뚝뚝한, 거만한, 경멸하는, 오만한; 신사연(紳士然)하는, 자만하는; 고급〔일류〕의. [파] **snóot·i·ly** *ad.* **-i·ness** *n.*

snooze [snuːz] 《구어》 *vi., vt.* 수잠 자다(nap), 꾸벅꾸벅 졸다(doze); (시간을) 펀둥펀둥 보내다《*away*》. **—** *n.* 수잠, 꾸벅꾸벅 졺.

snóoze bùtton (괘종시계의) 스누즈 버튼《누르면 잠시 있다가 다시 종이 울림》.

*__snore__ [snɔːr] *n.* 코 곪; 《영》 (한)잠. **—** *vi.* 코를 골다. **—** *vt.* **1** 《+[목]+[부]》 코 골며 (시간을) 보내다《*away; out*》: ~ *away* the whole night 밤새껏 코를 골다. **2** 《+[목]+[보]/+[목]+[전]+[명]》 〖~ oneself〗 코를 골아 어떤 상태로 되게 하다: ~ one*self* awake 제 코 고는 소리에 잠을 깨다/~ one*self into* a nightmare 자기 코고는 소리에 가위눌리다. ㊕ **snór·er** [-rər] *n.* 코 고는 사람.

snor·kel [snɔ́ːrkəl] *n.* 스노클《(1) 두 개의 튜브에 의한 잠수함의 환기 장치. (2) 잠수 중에 호흡하는 관. (3) 소방 자동차에 붙인 소화용 수압 기중기》. **—** *vi.* 스노클로 잠수하다.

*__snort__ [snɔːrt] *vi.* **1** (말 등이) 코를 불며 거칠게 숨쉬다. **2** 《+[전]+[명]》 콧방귀 뀌다《경멸·반대 등의 표시》《*at*》: ~ *at* a person 아무를 경멸하다. **—** *vt.* **1** 코를 씩씩거리며 말하다《*out*》: He ~*ed out* a reply. 그는 코를 씩씩거리며 대꾸했다. **2** 《+[목]+[전]+[명]》 코를 씨근거리다《경멸·분개·도전 등을 나타내어》: They ~*ed* defiance *at* us. 그들은 코를 씨근거리며 우리한테 대들었다. **—** *n.* **1** 거센 콧바람; 기관의 배기음. **2** 《구어》 (보통 스트레이트로) 쭉 들이켬; 《미속어》 (마약, 특히 코카인의) 흡입; 《영》 =SNORKEL. **3** 《미속어》 소량, 단거리.

snórt·er *n.* **1** 거친 콧숨을 쉬는 사람〔동물〕. **2** 《영구어》 대단한 것〔기예, 재주, 사람〕, 거대〔곤란, 위험〕한 것; 《영속어》 어설픈 사람〔물건〕; (크리켓의) 속구; 《속어》 질풍, 강풍; 《미속어》 쭉 들이켬(snort), 그 술; 《속어》 마약 흡입자.

snorty [snɔ́ːrti] (*snort·i·er; -i·est*) *a.* 콧김이 센; 사람을 깔보는; 골을〔화를〕 잘 내는, 기분이 나쁜.

snot [snɑt/snɔt] *n.* [U] 《속어》 **1** 콧물, 누런 콧물; 코딱지. **2** 역겨운 녀석, (쌍)놈.

snót-ràg *n.* 《비어》 손수건, 콧수건.

snot·ty [snɑ́ti/snɔ́ti] (*-ti·er; -ti·est*) *a.* 《속어》 콧물투성이의, 추저분한(dirty); 불쾌한(offensive), 경멸할(contemptible); 《구어》 건방진, 성마른. **—** *n.* 《영해군속어·고어》 =MIDSHIPMAN; 《영속어》 소인물(小人物).

snout [snaut] *n.* **1** (돼지·개·악어 등의) 뻐죽한 코, 주둥이(muzzle); 《구어》 코, (특히 못생긴) 큰 코. **2** (호스 등의) 끝(nozzle); 뱃머리, 이물; (바위·벼랑 등의) 돌출부, (빙하의) 말단(末端). **3** 《영속어》 담배; 경찰에의 밀고자. ***have* (*got*) *a* ~ *on*** 《Austral. 속어》 (남에게) 한을 품다. **—** *vt.* …에 (호스 등의) 끝을 달다. **—** *vi.* 주둥이로 파다. ㊕ **∠·ed** [-id] *a.* **∠·ish** *a.*

snóut bèetle 바구밋과의 곤충.

†**snow**[1] [snou] *n.* **1** [U] 눈; [U,C] 강설(降雪); (*pl.*) 적설(積雪): a road deep in ~ 눈에 깊이 파묻힌 도로/We had a heavy ~ yesterday. 어제는 큰 눈이 내렸다. **2** [U] 눈 모양의 것. **3** 《시어》 새하얌, 순백; (*pl.*) 백발: her breast of ~ 눈처럼 흰 그녀의 가슴. **4** 〖TV〗 스노노이즈《전파가 약해서 생기는 화면의 흰 반점》. **5** [U] 《속어》 분말 코카인, 헤로인(heroin); 《군대속어》 은화(銀貨). **6** 《미속어》 그럴듯한 말, 감언. (***as***) ***white as*** ~ 눈처럼 새하얀; 결백한.

— *vi.* **1** 〖it을 주어로 하여〗 눈이 내리다. **2** 《+[부]》 눈처럼 쇄도하다; 우르르 몰려들다: Presents came ~*ing in*. 선물이 쏟아져 들어왔다. **—** *vt.* 《+[목]+[부]》 **1** 눈으로 덮다〔가두다〕《*over; under; up; in*》: Perhaps we'll be ~*ed in* for a week. 아마도 1주일간은 눈에 갇히게 될 것이다. **2** 눈처럼 쏟아지게 하다〔뿌리다〕: It ~*ed* disapproval. 비난의 소리가 빗발쳐 왔다. **3** (눈처럼) 하얗게 하다. **4** 깜짝 놀라게 하다; 《미속어》 감언이설로 속이다. ~ ***under*** ① ⇨ *vt.* 1. ② 《구어》 〖보통 수동태로〗 (수량으로) 압도하다《*by; with*》; 《미구어》 (선거 따위에서) 압도적으로 지우다: I'*m* ~*ed under with* correspondence. 쇄도하는 편지로 꼼짝을 못한다.

snow[2] *n.* 작은 가로 돛배의 일종.

snów·bàll *n.* **1** 눈뭉치, 눈덩이; 눈싸움. **2** 《영》 눈사람식 모금법(募金法)《차례차례로 권유시키는 식의》. **3** 시럽으로 조미한 빙과; 《영》 희고 둥근 푸딩류(類). **4** 〖식물〗 =GUELDER ROSE. **5** 《우스개》 백발의 흑인. **—** *vt., vi.* …에 눈뭉치〔덩이〕를 던지다, 눈싸움하다; 가속도적으로〔눈덩이처럼〕 커지다〔붇다〕. 「에 몰아친》.

snów·bànk *n.* 크게 쌓인 눈더미《특히 산비탈

snów·bèlt *n.* 호설(豪雪) 지대; (S-) 태평양에서 대서양에 이르는 미국의 북부 지역.

snów·bèrry *n.* 〖식물〗 인동덩굴과의 관목《북아메리카산》.

snów·bìrd *n.* 〖조류〗 흰멧새; 《미속어》 코카인〔헤로인〕 중독자; 《미속어》 피한(避寒)객〔노무자〕.

snów-blìnd *a.* 설맹(雪盲)의.

snów blìndness 설맹(雪盲).

snów·blìnk *n.* 설영(雪映)《눈벌판의 반영으로 지평선 부근의 하늘이 밝게 보이는 것》.

snów·blòwer *n.* 분무식 제설(除雪)기〔차〕.

snów·bòard *n.* 스노보드《snurfing 용 보드》.

snów·bòund *a.* 눈에 갇힌〔발이 묶인〕.

snów·brèak *n.* 방설림(防雪林); 눈석임; (수목이) 눈의 무게로 부러짐〔부러진 지역〕. 「눈.

snów-bròth *n.* 눈석임물, (녹아) 질척질척한

snów bùnting 〖조류〗 흰멧새.

snów-càpped, -cròwned *a.* (산꼭대기가) 눈으로 덮인.

snów·càt *n.* =SNOWMOBILE.

snów-clàd *a.* 《문어》 눈으로 덮인.

snów còne 스노 콘《시럽을 친 얼음과자》.

snów còver 적설(積雪)(량, 지역).

Snow·don [snóudn] *n.* 스노든《웨일스 북서부 Gwynedd 주에 있는 웨일스·잉글랜드의 최고봉; 1,085m》.

snów·drift *n.* 쌓인 눈더미, 휘몰아쳐 쌓인 눈.

snów·dròp *n.* **1** 〖식물〗 갈란투스, 눈풀꽃; 아네모네. **2** 《미군대속어》 헌병(M.P.).

snów·fàll *n.* 강설; [U] 강설량.

snow·fa·ri [snóufɑ̀ːri] *n.* 남극〔북극〕 탐험.

snów fènce 방설책(防雪柵).

snów·field *n.* 설원(雪原); 만년설.

snów·flàke *n.* **1** 눈송이. **2** 〖조류〗 흰멧새; 〖식물〗 눈풀꽃류.

snów gàuge 설량계(雪量計).

snów gòggles 눈〔스키〕 안경.

snów gòose 〖조류〗 흰기러기.

snów gràins 싸락눈.

snów gròuse 〖조류〗 뇌조.

snów·hòle *n.* 〖등산〗 스노홀, 설동(雪洞)《야영·저장고용으로 눈 비탈에 판 굴》.

snów ìce 설빙(雪氷).

snów jòb 《미속어》 (그럴듯하나) 기만적인 진술, 감언이설, 교묘한 거짓말: do 〔pull〕 a ~ on a person 아무를 기만하다, 감언이설로 속이다.

snów lèopard 〖동물〗 애엽표(艾葉豹)(ounce).

snów lìne 〔**lìmit**〕 〖기상〗 설선(雪線)《만년설의 최저 경계선》.

snów·màker *n.* 인공눈 제조기. 「(용의).

snów·màking *n., a.* (스키장의) 인공눈 제조

*__snow·man__ [snóumæ̀n] (*pl.* ***-men*** [-mèn]) *n.* **1** 눈사람. **2** (히말라야의) 설인(雪人)(Abominable Snowman). [cf] yeti.

snow·mo·bile [snóuməbìːl] *n.* 《미》 (앞바퀴 대신 썰매를 단) 눈자동차, 설상차(雪上車). **—** *vi.* 설상차로 가다. [◂ *snow*+auto*mobile*] ㊕ **-mo·bìl·er** *n.* **-mo·bìl·ist** *n.*

snów·mo·bìl·ing *n.* 스노모빌링《snowmobile을 타고 도는 스포츠》. 「나물류.

snów-on-the-móuntain *n.* 〖식물〗 점나도

snów·pàck *n.* 설괴빙원(雪塊氷原)《여름에 조금씩 녹는 얼음으로 굳은 고원》.

snow pèllets 〖기상〗 싸라기눈(graupel).

snów·plòw, 《영》 **-plòugh** *n.* (눈 치는) 넉가래, 제설기, 제설 장치.

snowplow

snów púdding 거품을 낸 흰자위에 레몬맛이 감도는 젤라틴을 넣어 솜처럼 부풀게 한 푸딩.

snów ròute 《미》 스노 루트《강설시 제설 작업을 위해 도로 밖으로 차량을 이동토록 하려는 중요한 시가 도로》.

snów·scàpe *n.* 눈경치, 설경.

snów·shèd *n.* 눈사태 방지 설비《선로변의》.

snów·shòe *n.*, *vi.* 설피(雪皮)(를 신고 걷다).

snowshoes

snów·slìde, -slìp *n.* 눈사태.

*__snow·storm__ [snóustɔ̀ːrm] *n.* 눈보라; 눈보라 같은 것; 《미속어》 코카인 모임〔파티〕, 마약에 의한 황홀 상태. 「방한복》.

snów·sùit *n.* 눈옷《두꺼운 안감을 댄 어린이용

snów tìre 스노타이어. 「의 주인공》.

Snów Whíte 백설 공주(=**Snów Dròp**)《동화

snów-whíte *a.* 눈같이 흰; 새하얀.

__snowy__ [snóui] (***snow·i·er; -i·est***) *a.* **1** 눈의; 눈으로 덮인; 눈이 내리는〔쌓인〕: a ~ day. **2** 눈처럼 흰; 깨끗한, 더럽혀지지 않은. ㊕ **snów·i·ly** *ad.* **-i·ness** *n.*

snówy ówl 〖조류〗 흰올빼미(=**snów òwl**).

SNP Scottish National Party. **Snr.** Senior.

SNS Social Networking Service《온라인을 통해 사회적 관계를 맺을 수 있도록 제공되는 사회관계망 서비스》.

◇**snub** [snʌb] (**-bb-**) *vt.* **1** 《~+목/+목+전+명》 타박하다, 윽박지르다; 냉대하다; 무시하다: His suggestions were ~*bed*. 그의 제의는 무시당했다 / ~ a person *into* silence 아무를 윽박질러 침묵시키다. **2** (배 따위를) 급히 멈추다; (풀어진 밧줄을) 팽팽히 하다; (담배를) 비벼 끄다. **—** *n.* **1** 윽박지름; 타박; 냉대. **2** 급정지; (배의) 완충기. **3** 사자코(~ nose). **—** *a.* 사자코〔들창코〕의; 코웃음 치는, 푸접 없는; 급히 멈추게 하기 위한《밧줄》.

snub·ber [snʌ́bər] *n.* 닦아세우는 사람; 급정지시키는 장치; 《미》 (자동차의) 완충기.

snúbbing pòst 〖해사〗 계선주(繫船柱)《밧줄을 던져 걸어 배의 항진 타력(航進惰力)을 저지하는 부두의 말뚝》.

snub·by [snʌ́bi] (***-bi·er; -bi·est***) *a.* =SNUB.

snúb-nósed *a.* 사자코의; 총신이 짧은《권총 등》; 끝이 뾰족하지 않은. 「거·과거분사.

snuck [snʌk] 《미방언·비표준》 SNEAK의 과

snuff[1] [snʌf] *n.* **1** Ⓤ 초 심지의 탄 부분; 남은 찌끼, 하찮은 것. **2** 〖종종 형용사적으로도〗《속어》 (실제의 가학·살인 행위를 촬영한 불법의) 잔학 영화〔비디오〕: ~ porn 엽기적 포르노물. **—** *vt.*, *vi.* (초의) 탄 심지를 잘라 밝게 하다; (초 따위를) 끄다, 꺼지다; 《구어》 억누르다, 끝내다; 《구어》 죽이다. ~ ***it*** 《영속어》 죽다. ~ ***out*** (초 따위를) 끄다; (희망 따위를) 꺾다; 멸하다; 탄압하다; 소멸시키다; 진압하다; 《구어》 (아무를) 없애 버리다(kill); 《속어》 죽다.

snuff[2] *vt.* 《~+목/+목+부》 코로 들이쉬다; 흥흥거리며 냄새를 맡다; 낌새채다: ~ the fresh air 신선한 공기를 들이마시다 / ~ (*up*) danger 위험을 낌새채다. **—** *vi.* 코로 들이쉬다; 코담배를 맡다; 코를 킁킁거리다; 흥흥 냄새 맡다《*at*》. **—** *n.* Ⓤ 코로 들이쉼; 코담배; 냄새 맡는 약; 향기, 냄새. cf. sniff. ***beat to*** ~ 때려눕히다. ***give a person*** ~ 아무를 냉대하다; 엄하게 꾸짖다. ***in high*** ~ 의기양양하게. ***up to*** ~ (건강 등이) 어느 기준에 이른, 양호한; 《영구어》 빈틈없는, 「속여 넘기기 어려운.

snúff·bòx *n.* 코담뱃갑.

snúff-còlored *a.* 고동색의.

snúff·er[1] *n.* 코를 킁킁거리는 사람〔동물〕; 코담배를 맡는 사람; 돌고래.

snúff·er[2] *n.* 촛불 끄개《자루 끝에 종 모양의 쇠붙이가 달린》; 심지를 자르는 사람; (보통 (a pair of) ~s) 심지 (자르는) 가위.

snúff film 〔**mòvie**〕 살인이 실연(實演)되는 도색〔포르노〕영화.

snuf·fle [snʌ́fəl] *n.* 콧소리; (the ~s) 코감기; 코가 멤. **—** *vi.*, *vt.* 코가 메다; (감기로) 코를 킁킁거리다(sniff); 콧소리로 말하다〔노래하다〕《*out*》; 냄새를 맡다. ㊕ **snúf·fler** *n.* **snúf·fly** *a.*

snúff stìck 《미중부》 코담배를 이나 잇몸에 붙이기 위한 이쑤시개.

snuffy [snʌ́fi] (***snuff·i·er; -i·est***) *a.* 코담배 같은; 코담배로 더러워진; 부루퉁한, 지르퉁한, 성낸; 역겨운. ㊕ **snúff·i·ness** *n.*

◇**snug** [snʌg] (***snúg·ger; -gest***) *a.* **1** (장소 따위가) 아늑한, 편안한, 포근하고 따스한, 안락한: a ~ seat by the fire 난로 옆의 따뜻한 자리. **2** 아담한, 깔끔한, 조촐한, 편리한: a ~ little cottage 아담한 별장. **3** (옷 따위가) 꼭 맞는(closely fitting). **4** (수입이) 상당한, 넉넉한. **5** 숨기에 안전한; 숨은, 비밀의: a ~ hideout 비밀의 은신처. **6** (배가) 항해하기에 적합한. (***as***) ~ ***as a bug in a rug*** 매우 편안하게, 포근히. **—** *n.* 《영·Ir.》 호텔의 주점; 《미속어》 (감추기에 편리한) 소형 권총. **—** *ad.* 기분 좋게, 아늑하게. **—** (**-gg-**) *vt.* **1** 기분 좋게 하다, 아늑하게 하다; 잘 정돈하다: be ~*ged* in one's bed 침대에서 편안하게 자다. **2** (돛·밧줄 따위를) 정연하게 개키다〔감다〕《*down*》. **—** *vi.* 기분 좋게 되다; 가까이 다가들다; 잠자리에 들다. ㊕ ◇**∠·ly** *ad.* 있기 편하게; 조촐하게. **∠·ness** *n.*

snug·gery, snug·ger·ie [snʌ́gəri] 《영》 *n.* **1** 아늑한 방〔장소〕; 《특히》 서재, 사실(私室), 작은 방. **2** 안락한 지위〔직〕. **3** (호텔의) 술 파는 곳(bar-parlour).

snug·gies [snʌ́giz] *n. pl.* (여자·어린이용의) 짜서 만든 따스한 속옷〔긴 팬츠, 타이츠〕.

snug·gle [snʌ́gəl] *vi.* 《+전+명/+부》 다가들다, 다가붙다《*up; to*》; 기분 좋게 드러눕다《*down*》: ~ *close to* a person / ~ *down* in bed 침대에 기분 좋게 눕다. **—** *vt.* 《+목+전+명》 바싹 당기다, 끌어안다, 껴안다(cuddle)《*to*》: She ~*d* her baby *in* 〔*to*〕 her arms. 어린애를 끌어안았다.

snurf·ing [snə́ːrfiŋ] *n.* 스너핑《플라스틱제(製) 보드를 타고 눈 위를 달리는 스포츠》. [◂ *snow*+*surfing*] 「지류(支流).

sny [snai] *n.* 《미·Can.》 (하천의) 수로(水路),

†**so**[1] ⇨《p. 2360》 SO[1].

so[2] [sou] *n.* 〖음악〗 =SOL[1].

SO, S.O. Signal Officer; Special Order; Staff Officer; standing order; Stationery Office;

so¹

so는 우리말의 '그래서, 그와 같이, 그러면'에 해당한다. 중심적인 용법은 부사용법의 '그렇게'에 전부 포함되었다고 해도 과언은 아니다. 등위접속사로서의 '그래서, 그러므로'도 부사용법 '그와 같이'의 연장으로도 볼 수 있다《thus와 비교》. do so '그렇게 하다'의 so는 구문상 do it, do that 따위의 it, that과 같아서, 흔히 대명사로 분류되는데, 여기서는 또 하나의 편법으로 do를 자동사, so를 부사로 분류했다. 이렇게 하는 것이 I am afraid *so*. 따위와 비교하는 데 무리가 없다.

so는 또한 that, as 따위와 결합하여 여러 가지 종위 상관접속사를 이루는 외에, *so so, so and so, so* many, *so* much 처럼 사용도가 높은 많은 관용구를 이룬다.

so [sou] *ad.* (비교 없음) **A** ≪양태≫ **1** 〖양태를 나타내어〗 그[이]와 같이, 그[이]렇게, 이[그]대로: Stand just *so*. 그렇게 서 있어라/*So* was I [I was *so*] engaged, when the telephone rang. 그렇게 하고 있는데, 그때 전화벨이 울렸다/Did he really say *so?* 정말로 그렇게 말했나/*So* it was (that) I became a salesman. 이렇게 해서 나는 외판원이 되었다/As it *so* happened, he was not at home. 마침 그때 그는 집에 없었다《이때의 so는 생략할 수 있음》.
2 〖just 따위에 수식되어서〗 정연히, 가지런히, 잘 정리[정돈]되어: He wants everything (to be) *just so*. 그는 항상 모든 것을 잘 정리해 두도록 (까다롭게) 잔소리한다/His books are always (arranged) *exactly so*. 그의 책들은 늘 잘 정돈되어 있다.
3 〖As ... so —로〗 **a** …와 마찬가지로 —: Just *as* the lion is the king of beasts, *so* the eagle is [*so* is the eagle] the king of birds. 바로 사자가 백수(百獸)의 왕인 것처럼 독수리는 모든 새들의 왕이다. **b** …와 동시에 —, …함에 따라서 —: *As* it became darker, *so* the wind blew harder. 어두워짐에 따라 바람은 점점 더 세차게 불어 왔다《so를 쓰지 않는 것보다 문어적》.
4 〖so ... as to do로〗 …하도록[하게]: The house is *so* designed *as* to be invisible from the road. 그 집은 길에서 보이지 않도록 설계돼 있다.
5 〖접속사적으로; and so로〗 그러므로, 고(故)로, 그래서(therefore): He was biased, *and so* unreliable. 그는 편견이 있어 그 때문에 신뢰할 수 없었다/I felt very tired, *and so* went to bed at once. 무척 피곤해서 곧 잠자리에 들었다.
6 〖문장 앞에 와서 감탄사적으로〗 **a** 〖말의 시작으로서〗 그러한 이유로, 그래서: *So* you are here again. 그래서 또 왔다는 말이군. **b** 〖발견의 놀라움·경멸·반항 등의 감정을 나타내어〗 그랬던가, 역시, 뭐야, 그래: *So*, that's who did it. 아 그랬었나, 그가 그것을 했는가/*So*, I broke it. 그래 내가 부쉈다.
B ≪정도≫
1 〖정도를 나타내어〗 **a** 〖부사·형용사 앞에서〗 그렇게, 이렇게, 그[이] 정도로, 이쯤: Don't walk *so* fast. 그렇게 빨리 걷지 마라/Don't get *so* worried. 그렇게 걱정하지 마시오(=Don't worry *so*.)/I have never seen *so* beautiful a sunset. 지금까지 이렇게 아름다운 일몰을 본 적이 없다《부정관사 a의 위치에 주의; 비교: *such a* beautiful sunset》. **b** 〖동사 뒤에서〗 그[이]렇게: Don't upset yourself *so*. 그렇게 당황하지 마라《so much의 생략》/He frightened me *so!* 그 사람 그렇게도 나를 놀라게 했어.
2 〖일정한 한계·한도〗《종종 just [about] so로》: 고작 그[이] 정도까지(는), 이[그]쯤까지(는): I can eat only *so* much and no more. 그 정도까지는 먹을 수 있지만 그 이상은 무리다/She is *about so* tall. 그녀의 키는 대체로 그쯤 된다.
3 〖강조적으로〗《구어》 매우, 무척, 대단히(≒very, very much): I'm *so* sorry. 정말(이지) 미안해/That's *so* sweet of you! 매우 친절하십니다/Thank you *so* much. 정말 고맙다/My head aches *so*. 머리가 몹시 아프다/My husband *so* wants to meet you. 저의 남편이 당신을 꼭 만나 뵙고 싶어합니다.
4 〖so ... as —로〗 **a** 〖부정어의 뒤에 와서〗 —만큼은[정도로는] … (하지 않다), —와 같은 정도로는 …(하지 않다, 아니다): He is*n't so* tall *as* you. 그는 너만큼 키가 크지 않다《He is*n't as* tall *as* you. 처럼 not as ... as —를 사용할 때도 있음》/She was*n't* quite *so* clever *as* I expected. 그녀는 생각했던 것만큼 영리하진 못했다/I do*n't* have *so* many friends [*so* much money] *as* you have. 너만큼 친구가 많지 않다 [부자는 아니다]《as는 관계대명사》. **b** 〖정도를 강조하여〗 …만큼 —한(도): There was enough space in the parking lot for a car *so* small *as* theirs. 주차장에는 그들의 소형차라면 주차할 정도의 공간은 있었다.
5 〖정도·결과를 나타내어〗 **a** 〖so ... that —로〗 —할 만큼[정도로] …하여; 〖차례로 새기어〗 매우 …해서 —《특히 구어에서는 종종 that이 생략됨》: He was *so* excited (*that*) he could not speak. 그는 몹시 흥분해서 말도 못 할 정도였다/⇨ so ... that(관용구). **b** 〖so ... as to do로〗 —할 만큼 …하여; 〖차례대로 새겨〗 매우 …하여 —하다, …하게도 —하다: Would you be *so* kind *as to* hold the door for me? 문을 좀 잡아 주시지 않겠습니까《비교: Would you be kind *enough* to hold ...? 보다 더 딱딱한 말》.
C ≪대용≫
1 a 〖that-절의 대용〗《say, think, hope, expect, guess, believe, imagine 따위의 목적어로서》 그렇게, 그처럼, 그럴: Will he fail?—I'm afraid *so*. 그는 실패할까요—안됐지만 그럴 것 같군/Is he coming?—I guess *so*. 그 사람 옵니까—네 아마(그럴 것 같군요)/You don't say *so?* 설마, 저런, 그렇습니까《놀라움》/I told you *so*. 그것 봐[그러니까] 내가 뭐라고 했지/I don't believe [suppose, think] *so*. 그렇게 생각지 않는다(=I believe [suppose, think] not.). **b** 〖문장 앞에서〗 그렇게《say, hear, tell, understand, believe 따위의 도치 목적어로서》: Susie is getting married.—*So* I heard. 수지가 결혼한대—그렇다더군《이 구문은 think, suppose, hope에는 쓰이지 않음》.
2 a 〖대동사 do의 목적어 대용〗: He was asked to leave the seat, but he refused to *do so*. 자리를 뜨도록 요청받았으나 그는 그렇게 하지 않았다. **b** 〖관용적 생략 구문에서〗: if *so* 만일 그렇다면(opp. *if not*)/Why *so?* 왜 그런가/Perhaps *so*. 아마 그럴 테지/even *so* 비록[설사] 그렇다 하더라도.
3 〖선행하는 낱말의 대용어로〗 **a** 그러하여, 그런 것 같아《be, become, seem, appear, remain, find 따위의 주격·목적격 보어로서 그 앞의 형용사·명사를 받음》: Was she clever?—I found

her *so*. 그녀는 영리했(었)나요 — 그랬습니다 / He became a clergyman and remained *so*. 그는 목사가 되었는데 그 후에도 내내 목사일을 보았다. **b** 〖형용사적으로〗 정말 (그러하여)(true): You probably won't believe it, but it's *so*. 아마 넌 믿지 않겠지만, 그건 사실이야 / Things will remain like this for some time. — Quite 〔Just〕 *so*. 당분간 이런 사태는 계속될 거야. — 정말 그래 / Is that *so?* 그렇습니까; 정말〔사실〕입니까 《놀라움을 보임》 / It can't be *so*. 사실일 리가 없다.

4 〖so+(조)동사+주어〗 …도 (또한) 그렇다 (too) 《긍정문을 받아 선행절의 주어와 같은 지시가 아닐 경우에 쓰임》: She *likes* wine. — *So* do I. 그녀는 포도주를 좋아한다 — 나도 그렇다(=I like it, too.) / I am very hungry. — *So* am I. 나는 배가 고프다 — 나도 그래 / The door is shut, and *so* are the windows. 방문이 닫혀 있는데 창문도 닫혀 있다 / Mary can speak English, and *so* can her brother. 메리는 영어를 할 줄 아는데 그녀의 오빠도 할 줄 안다. ★ 부정문을 받아서 '…도 또한 그렇지 않다'는 'Nor 〔Neither〕+(조)동사+주어'.

5 〖so+주어+(조)동사〗 《yes의 센 뜻으로, 동일 주어에 관한 되풀이》 (정말) 그렇다, 그렇고말고, 정말이야: It is raining outside. — *So* it is. 밖은 비가 내리고 있군 — 그렇군《It is not raining. (비가 오고 있지 않다)에 대하여 So it is.는 '아냐, 오고 있다'의 뜻》 / You promised to buy me a ring! — *So* I did! 반지를 사 주시겠다고 약속하지 않으셨어요! — 그랬었구나《내용상 You와 I는 같은 사람》.

and so forth 〔*on*〕 …따위, 등등. ***be so for ...*** …에 적용된다(be true of). ***ever so*** ⇨ EVER. ***ever so much*** 《구어》 매우. ***If so*** 만일 그렇다면. ***not so much ... as*** — …라기보다는〔도〕 오히려 —: He is *not so much* a scholar *as* a poet. 그는 학자라기보다는 오히려 시인이다 / I was *not so much* angry *as* disappointed. 성났다기보다는 오히려 실망했다. ***or so*** …내외, …정도: a week *or so* ago 한 주일쯤 전에 / three days *or so* of vacation 사흘 정도의 휴가. ***so as to*** do =《구어》 ***so's to*** do ① 〖목적〗 …하기 위해서〔하도록〕(≒ in order to): I took a taxi *so as* not *to* be late. 늦지 않게 택시를 탔다. ② 〖양태 · 정도〗 …할 만큼〔정도로〕: The day was dark, *so as to* make a good photograph hard to get. 그날은 좋은 사진을 찍기가 어려울 정도로 어두웠다. ***so ... as to*** do — 할 만큼 …한〔하게〕; …하게도 — 하다: He is not *so* foolish *as to* believe it. 그는 그것을 믿을 만큼 어리석지(는) 않다 / He got up *so* late *as to* miss the train. 너무 늦게 일어나서 열차를 놓쳤다. ***So be it.*** =***Be it so.*** =***Let it be so.*** 그러할지어다; 그렇다면 좋다; 그렇게 말한다면 그럴 테지. ***so far*** ⇨ FAR. ***so far as ...*** …하는 한(에서는): *so far as* I am concerned 나에 관한 한 / *so far as* I know 내가 알고 있는 한에서는. ***so far from*** do*ing* …은커녕(도리어): *So far from* prais*ing* him, I must blame him. 그를 칭찬하기는커녕 비난해야겠다. ***so long as ...*** ⇨ LONG. ***so many*** ⇨ MANY. ***so much*** ① 그만큼의; 그쯤〔그 정도〕의〔까지〕. ② 순전한, …에 지나지 않는(nothing but): It is only *so much* rubbish. 그것은 한낱 쓰레기에 지나지 않는다. ③ 〖일정량〔액〕을 가리켜〗 얼마, 얼마의〔로〕: at *so much* a week 〔a head〕, 1주(週)〔1인(人), 한 마리〕 당(當) 얼마(씩으)로. ***so much as*** 〖보통 부정적 표현 또는 if를 수반하여〗 …조차도: *without* saying *so much as* a goodbye 잘 있으라는 인사조차〔한마디〕 없이 / *if* you *so much as* speak to him 그에게 이야기라도 거는 날이면. ***so much for ...*** ⇨ MUCH. ***so much so that ...*** 아주 그러하므로 …하다. ***so much the better*** 그만큼 더욱 좋다, 더(구나) 좋다. ***so so*** 《구어》 좋지도 나쁘지도 않다; 그저 그렇다. ***so that ...*** ① 〖목적의 부사절을 이끌어〗 …하기 위해(서), …하도록《구어에서는 that이 종종 생략됨》: Talk louder *so that* I *may* hear you. 들을 수 있도록 더 큰 소리로 말해라. ② 〖결과의 부사절을 이끌어〗 그래서, 그 때문에, …하여(서): They were short of fresh water, *so that* they drank as little as possible. 그들은 물이 부족했으므로 될 수 있는 대로 절약해서 마셨다. ③ 《고어》 =just so(⇨ *conj.* 3). ***so ... that*** — ① 〖목적〗 —하도록 …하다: We have *so* arranged matters *that* one of us is always on duty. 우리들 중 하나는 늘 근무할 수 있게 정했다. ② ⇨ *ad.* B 5. ③ 〖양태〗 《(과거분사형의) 동사 앞에서》 …하게: The article is *so* written *that* it gives a wrong idea of the facts. 그 기사는 사실과 다른 관념을 가지게끔 씌어 있다. ***so then*** 그러면, 그러므로. ***so to speak*** 〔*say*〕 말하자면(as it were): The dog is, *so to speak*, a member of the family. 그 개는 말하자면 가족의 일원이나 같다.

— *conj.* **1** 〖결과〗 《so 앞에 콤마가 찍혀서》 그러므로, 그래서, …해서《so that, and so의 생략 표현》: She told me to go, *so* I went. 그녀가 내게 가라고 해서 갔지 / The hens are hungry, (*and*) *so* I must feed them now. 닭이 굶주리고 있으므로 이제 모이를 주어야겠다. **2** 〖목적〗 《구어》 …하도록, (…하기) 위하여《so that의 that이 생략된 것임》: Check the list carefully *so* there will be no mistakes. 틀림이 없도록 리스트를 잘 조사하시오. **3** 〖just so로서〗 《구어》 …하기만 한다면, …인 한은: *Just so* it is done, it doesn't matter how. 되기만 한다면야 방법이야 문제가 아니지. ***So what?*** 《구어》 그래서 그게 어쨌다는 건가; (상대를 힐문하여) 그런 일 상관없는 것 아닌가; (상대가 한 일을 잘 알 수 없어) 그것이 어쨌다고, 뭐라고.

suboffice; symphony orchestra. **S.O., s.o.** seller's option. **So.** 〖음악〗 Sonata; south, 《미》 South; southern. **s.o.** shipping order; 〖야구〗 strikeouts; substance of.

***soak** [souk] *vi.* **1** 《~/+전+명》 (물 따위에) 젖다, 잠기다; 흠뻑 젖다: Let the fruit ~ *in* water for a while. 그 과일을 잠시 물에 담가 놓아라. **2** 《+전+명》 (물 따위가) 스미다, 스며나오다, 스며들다《*through; into; out of*》: ~ *through* a roof 지붕으로 스며들다. **3** 《+전+명》 마음속에 스며들다, 알게 되다《*in; into*》: The idea gradually ~*ed into* his head. 그는 그 생각이 점점 이해되어 갔다. **4** 《구어》 술을 진탕 마시다. — *vt.* **1** 《~+목/+목+전+명/+목+부》 적시다, 담그다, 흠뻑 적시다: ~ bread *in* milk / be 〔get〕 ~*ed through* 〔*to* the skin〕 흠뻑 젖다 / ~ oneself *in* a hot bath 뜨거운 목욕물에 몸을 담그다. SYN. ⇨ WET. **2** 《+목+부/+목+전+명》 물〔액체〕에 적셔 빨아내다《*out*》: ~ *out* dirt 물에 담가 때를 빼다 / ~ stains *out of* a shirt 물에 담가 셔츠의 얼룩을 빼다. **3** (물 · 습기 따위가) …에 스며들다. **4** 《+목+부》 (물기를) 빨아들이다; (햇빛 등을) 흠뻑 받다; 《비유》 (지식 따위를) 흡수하다, 이해하다《*in; up*》: ~ *up* ink (압지가) 잉크를 빨아들이다 / ~ *up* the sun 일광욕을 하다. **5** 《+목+전+명》 〖~ oneself〗 …에 전념하다, 몰두하다: He ~*ed* him*self in* literature. 그는 문학에 전념했다. **6**

《구어》(술을) 퍼마시다, 통음하다; 《구어》 술 취하게 만들다. 7 《미속어》 때리다; 혼내 주다; 《속어》…에 엄청난 값을 부르다, 바가지 씌우다, 등쳐먹다; 《속어》 전당 잡히다. ***Go ~ yourself!*** 《미속어》 알아서 해《불신 · 짜증의 대답》. **~ *it*** 혼내 주다; 《미》 벌주다《*to*》. **~ *its way*** (물 따위가) 배어들다. **~ *off*** (우표 · 벽지 등을) 물에 불려 벗기다.

— *n.* **1** [U] 담그기; 적시기; 흠뻑 젖음. **2** [U] 담그는 액〔국물〕, 침액(浸液). **3** 《영》 늪지, (비 온 뒤의) 물웅덩이. **4** [C] 《구어》 술고래, 주정뱅이; [U] 통음; 주연. **5** [U] 《속어》 전당 잡히기(pawn). **6** [C] 《속어》 강타(hard blow). ***in ~*** 전당 잡혀. [파] **∠·age** [-idʒ] *n.* [U] **1** 담그기, 적시기. **2** 침투(량), 침출(량). **∠·er** *n.* 적시는〔담그는〕 사람〔물건〕; 억수, 호우; 술고래. **∠·ers** *n. pl.* 〖단수취급〗 털실로 된 아기 기저귀 커버. 「술취한.

soaked [-t] *a.* 함빡 젖은; 배어든; 《미속어》

sóak·ing *a.* 흠뻑 젖은: a ~ downpour 호우, 소나기. **—** *ad.* 흠뻑 젖어: ~ wet 흠뻑 젖어.

sóak·ing·ly *ad.* 서서히, 조금씩 (gradually); 흠뻑 젖어(drenchingly).

sóaking solùtion 콘택트렌즈의 보존액.

só-and-sò [-ən-] (*pl.* **~s, ~'s**) *n.* **1** 아무개; 무엇무엇: Mr. *So-and-so* 아무개씨, 모씨(某氏)/say ~ 여차여차 말하다/dine at ~'s 모씨 댁에서 식사하다. **2** 《구어 · 완곡어》 나쁜 놈, 밉살맞은 놈, (개)새끼(bastard): He really is a ~. 참 나쁜 놈이다.

soap [soup] *n.* [U] **1** 비누: a cake 〔bar, cube〕 of ~ 비누 하나/toilet 〔washing〕 ~ 세숫〔세탁〕비누/hard 〔soft〕 ~ 경질〔연질〕 비누. **2** 지방산의 알칼리 금속염(塩). **3** 《미속어》 금전, 돈, (특히 정치적인) 뇌물; 《속어》 아첨. **4** =SOAP OPERA. ***no ~*** 《미속어》 불가(not agreed); 실패(a failure); 모름(I don't know). ***not know*** a person ***from a bar of ~*** 《Austral. 구어》 아무를 전혀 모르다. ***wash one's hands in invisible ~*** 손을 비비다《아첨 · 당황의 몸짓》. **—** *vt., vi.* **1** 비누로 씻다, (…에) 비누질을 하다. **2** 《구어》 (…에게) 알랑거리다; 《미속어》 매수하다《*up*》. **~ *out*** 《속어》 (크기 · 힘 따위가) 줄다. **~ *the ways*** 일을 수월하게 하다.

sóap·bèrry *n.* 〖식물〗 무환자(無患子)나무속(屬)의 식물; 그 열매《비누 대용》.

sóap-bòiler *n.* 비누 제조업자.

sóap·bòx *n.* 비누 상자《포장용》; (임시로 만든) 약식 연단. ***get on*** 〔***off***〕 one's ~ 자기주장을 내세우다〔안 하다〕. **—** *a.* 비누 상자 모양의; 가두연설의: a ~ orator 가두연설자/~ oratory 가두연설. **—** *vi.* 가두연설을 하다《*for; at*》. [파] **~·er** *n.* 가두연설자. 「속 없는 것.

sóap bùbble 비눗방울; 《비유》 덧없는 것; 실

sóap dìsh (욕실 등의) 비누 그릇.

sóap·er *n.* **1** 비누 제조자; 비누 장수. **2** 《속어》 =SOAP OPERA.

soap·ery [sóupəri] *n.* 비누 공장.

sóap flàkes 〔**chìps**〕 얇은 조각 비누.

sóap·grèase *n.* 《방언》 돈(money).

sóap·less *a.* 비누가 없는, 비누를 안 쓰는; 세탁하지 않은, 더러운: ~ soap 합성 세제.

sóap nùt soapberry 의 열매.

sóap òpera 1 (주부들을 위한 주간의) 연속 라디오〔TV〕 (멜로)드라마《본디 주로 비누 회사가 스폰서였던 데서》. ★ 그냥 soap 라고도 함. 《속어》로는 soaper. **2** (멜로드라마에 나오는 것 같은) 현실의 위기, 트러블, 상황.

sóap pòwder 가루비누. 「부드러운 돌).

sóap·stòne *n.* [U,C] 동석(凍石)《비누 비슷한

sóap·sùds *n. pl.* 〖단 · 복수취급〗 (물에 뜬) 비누 거품; 비눗물.

sóap wòrks 비누 공장.

sóap·wòrt *n.* 〖식물〗 비누풀《비누 대용》.

soapy [sóupi] (***soap·i·er; -i·est***) *a.* 비누 같은〔질(質)의〕; 비누투성이의; 미끄러운; 《속어》 들맞추는; soap opera 같은: ~ water 비눗물. [파] **sóap·i·ly** *ad.* **-i·ness** *n.* [U] 비누질(質).

***soar** [sɔːr] *vi.* **1** 《~/+[전]+[명]》 높이 날다〔오르다〕, 날아오르다: The eagle ~*ed into* the sky. 독수리가 하늘로 날아올랐다. **2** 〖항공〗 (엔진을 끄고) 기류를 타고 날다. **3** (물가 따위가) 급등하다, 치솟다; (온도 따위가) 급상승하다. **4** (희망 · 기운 등이) 부풀다, 고양(高揚)하다: a ~*ing* ambition 원대한 포부, 웅지. **5** (산 · 고층건물 따위가) 솟다. **—** *n.* **1** 솟아〔날아〕오름. **2** 비상(飛翔)의 범위〔한도, 고도〕. [파] **∠·er** *n.*

soar·ing [sɔ́ːriŋ] *n.* 활상(滑翔), 소링《글라이더 따위로 상승 기류를 이용하여 나는 것》. **—** *a.* 급상승하는, 마구 치솟는. [파] **~·ly** *ad.*

****sob** [sɑb/sɔb] (**-bb-**) *vi.* **1** 흐느껴 울다, 흐느끼다. [SYN.] ⇨WEEP. **2** (바람 · 파도 따위가) 솨솨 치다; (기관이) 쉭쉭 소리를 내다; 숨을 헐떡이다. **—** *vt.* **1** 《~+[목]/+[목]+[부]》 흐느끼며 말하다《*out*》: He ~*bed out* the whole sad story. 그는 흐느끼면서 모든 슬픈 이야기를 말하였다. **2** 《+[목]+[부]/+[목]+[전]+[명]》 〖~ oneself〗 흐느껴 …를 ─로 하다《*into; to*》: She ~*bed* her*self to* sleep. 그녀는 울다가 잠들었다. **~ one's *eyes out*** 울어서 눈이 붓다. **~ one's *heart out*** 가슴이 메어질 정도로 흐느껴 울다. **—** *n.* 흐느낌, 목메어 울기; (바람 따위의) 흐느끼는 듯한 소리.

S.O.B., SOB, s.o.b. [èsòubíː] *n.* 《미속어》 염병할 놈, 개새끼(son of a bitch).

so·ber** [sóubər] (**~·er; ~·est**) *a.* **1** 술 취하지 않은, 맑은 정신의; 절주하고 있는: become ~ 술이 깨다. **2** 착실한, 침착한; 《고어》 냉정한: in ~ earnest 진실〔진지〕하게. [SYN.] ⇨GRAVE. **3** (사고방식 등이) 건전한, 온건한; 진실〔진지〕한: a ~ judgment 타당한 판정. **4** (옷 · 색깔이) 수수한, 소박한: ~ colors 수수한 빛깔. **5** 과장되지 않은, 있는 그대로의: the ~ truth 〔fact〕. ◇ sobriety *n.* ***appeal from Philip drunk to Philip ~ 재고를 요청하다《앞서의 의견 · 판단은 분별이 없었다는 뜻》. (***as***) **~ *as a judge*** (***on Friday***) 매우 진지〔근엄〕한.

— *vt.* 《+[목]+[부]》 **1** …의 술을 깨게 하다《*up*》. **2** 침착하게 하다, 마음을 가라앉히다; 진지하게 하다《*down; up*》: His solemn speech ~*ed down* the dinner. 그의 엄숙한 인사말이 만찬의 흥을 깨버렸다. **3** 냉정하게 하다, 반성시키다; …의 기분을 현실에 맞추어 생각하다《*down*》. **4** 차분한〔수수한〕 빛깔로 하다《*down*》. **—** *vi.* 《+[부]》 **1** 술이 깨다《*off; up*》: The drunken man soon ~*ed up*. 그 술취한 사람은 곧 술이 깼다. **2** 진지〔엄숙〕해지다, (마음이) 가라앉다《*down*》. [파] ◇**~·ly** *ad.* 취하지 않고, 진지하게, 냉정히. **~·ness** *n.* 제정신; 진지함: What ~*ness* conceals, drunkenness reveals. 《속담》 취중 진담(醉中眞談). 「정신이 들게〕 하는.

só·ber·ing [-riŋ] *a.* (사람을) 진지하게〔온전한

sóber-mínded [-id] *a.* 조용히 가라앉은, 자제심이 있는; 경솔〔성급〕하지 않은.

sóber·sìdes *n.* 〖단 · 복수취급〗 근엄〔냉정, 진실〕한 사람.

so·bor·nost [səbɔ́ːrnɔːst] *n.* 《Russ.》 소보르노스트《공동체를 뜻하며 동방 교회에서 주교들에 의하여 형성되는 교회 통치의 이상 형태》.

◇**so·bri·e·ty** [səbráiəti, sou-] *n.* [U] 절주(節酒); 절제(temperance); 제정신; 근엄; 냉정, 침착; 온건: a ~ test (운전자에 대한) 음주 측정

〔테스트〕. ◇ sober *a.*

sobríety chéckpoint 음주 운전 검문소《통칭 drunk driver traps》.

so·bri·quet [sóubrikèi] *n.* 《F.》 별명; 가명.

sób sìster 《미구어》 (비극 · 미담 등) 감상적 기사 전문의 여기자; 감상적인 사회 개량가.

sób stòry 《미구어》 눈물 나게 하는 얘기《구차한 변명을 비웃는 말》.

sób stùff 《미구어》 눈물거리《신세타령, 슬픈 소설 · 영화 · 장면 등》.

soc [sous, souʃ] *n.* 《미구어》 (특히 교과로서의) 사회학(sociology).

SOC social overhead capital; Space Operations Center((NASA의) 유인 우주 정거장).

Soc. Socialist; Society; Sociology.

so·ca [sóukə] *n.* 〖음악〗 소카《솔 음악과 칼립소가 융합된 대중음악》. [◂ *soul*+*ca*lypso]

***so-called** [sóukɔ́:ld] *a.* 소위, 이른바: a ~ liberal 소위 자유주의자. ★ 종종 불신 및 경멸의 뜻으로 쓰며, 명사 뒤에 올 때는 하이픈 없이 두 낱말로 씀.

***soc·cer** [sɑ́kər/sɔ́k-] *n.* Ⓤ 사커, 축구(association football). ㊀ rugger.

← 공격 방향

•9 goal area goal •10 penalty area 11• touchline/ sideline 6• center circle •7 •8 center line/ halfway line •3 •2 goal line 4• 1 •5

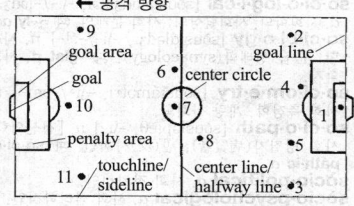

4 · 3 · 3 시스템의 포지션

1. goalkeeper 2. outside back 3. outside back 4. center back/sweeper 5. center back 6. right halfback 7. midfielder 8. left halfback 9. right wing 10. center forward 11. left wing

sóccer mòm 《미》 (도시 교외에 살고, 학교에 다니는 아이가 있는 전형적인) 중류 백인 어머니.

Sóccer Tríbe 사커족(族)《영국의 열광적인 프로 축구팀 팬》.

sò·cia·bíl·i·ty *n.* Ⓤ 사교성, 너울가지; 교제를 좋아함, 붙임성 있음, 사교에 능란함; (종종 *pl.*) 사교적 행사; 〖생태〗 군도(群度).

°**so·cia·ble** [sóuʃəbəl] *a.* 사교적인, 사교를 좋아하는; 사귀기 쉬운; 친목적인《모임 따위》; 군거성(群居性)의. ***just to be ~ like*** 《구어》 교제상; 의리상. **—** *n.* (좌석이 마주 보게 된) 4륜마차의 일종; 2인승 비행기〔3륜 자전거〕; 2인용 S자형의 소파; 《미》 친목회. ㊕ **-bly** *ad.* 상냥하게, 사교적으로. **~·ness** *n.*

****so·cial** [sóuʃəl] *a.* **1** 사회적인; 사회생활을 하는, 사회(생활)에 기초를 둔, 사회에 관한: Man is a ~ animal. 인간은 사회적 동물이다 / ~ customs 사회 관습 / the ~ code 〔morality〕 사회 도의〔도덕〕/ a ~ policy 〔problem〕 사회 정책〔문제〕/ ~ reform 사회 개혁 / ~ statistics 사회 통계학 / ~ participation 사회 참여 / ~ columns 〔pages〕 (신문의) 사회면 / ~ environment 사회적 환경. **2** 사교적인, 친목의: a ~ party 〔gathering〕 사교 파티, 친목회. **3** 사교계의, 상류 사회의. **4** 교제를 좋아하는; 사교에 능란한: have too little ~ life 남과의 교제가 거의 없다. **5** 〖동물〗 군거하는; 〖식물〗 군생(群生)하는. **6** 사회 정책적인; 사회주의의, 사회주의적인: ⇨SOCIAL DEMOCRACY. ◇ socialize. *v.* **—** *n.* 친목회, 사교 클럽. ㊕ **~·ly** *ad.* 사회적으로, 사교상; 친하게, 허물없이.

sócial accóunting 〖경제〗 사회 회계《국민 소득 등의 계산 체계》.

sócial áction 사회 (개량) 운동; 〖사회〗 사회적 행위.

sócial anthropólogy 문화 인류학; 사회 인류학《주로 문자가 없는 사회의 사회 구조를 연구》.

sócial assístance (정부의) 사회 복지.

Sócial Chárter (the ~) (유럽 공동체의) 사회 헌장《근로자의 권리 · 노동 조건 등을 위한 선언서》.

sócial cláss 사회 계급〔계층〕.

sócial clímber (부호 · 명사에게 아첨하여) 출세를 노리는 사람, 입신출세가. ㊕ **sócial clímbing**

sócial clúb 사교 클럽.

sócial cónscience (사회 문제 · 사회적 불공정에 대한) 사회적 양심.

sócial cóntract 〔cómpact〕 **1** 사회 계약《17–18세기의 사상가들이 주창한》. **2** (the S– C–) 《영》 사회 계약《정부와 노조 간의 임금 인상 자제(自制) 협정》: *The Social Contract* 사회계약론《루소의 저서》.

sócial contról 사회 통제《사회생활의 일정 형식을 유지하기 위한 유형 무형의 통제》.

Sócial Crédit 〖경제〗 사회 채권설, 사회적 신용설.

sócial dáncing 사교댄스(ballroom dancing).

sócial Dárwinism 사회 진화론《부(富)나 권력을 가지는 자는 생물학적으로도 우위에 있다는》.

Sócial Demócracy (*or* s– d–) 사회 민주주의.

Sócial Démocrat 사회 민주당원.

sócial democrátic 사회 민주주의〔당〕의.

sócial differentiátion 〖사회〗 사회 분화.

sócial disèase 사회병《결핵 따위》; 성병.

sócial disorganizátion 〖사회〗 사회 해체.

sócial dúmping 소셜 덤핑《저임금으로 생산한 제품을 해외에 덤핑하는 일》.

sócial dynámics 사회 역학(力學), 사회 동학(動學).

sócial ecólogy 사회 생태학.

sócial engineéring 사회 공학(工學).

sócial envíronment 사회적 환경.

sócial évil 사회악; (the ~) 《고어》 매춘.

sócial evolútion 사회 진화.

sócial exclúsion 사회적 소외.

sócial fúnd (the ~) 《영》 사회 기금《생활난에 시달리는 사람들을 위한 보조금 · 융자를 위해 정부가 유보하고 있는 자금》.

sócial héritage 〖사회〗 사회적 유산.

Sócial Impérialism 사회 제국주의《중국이 옛 소련의 대외 교섭 자세를 비난하면서 쓴 표현》.

sócial índicator 사회 지표.

sócial insúrance 사회 보험.

***so·cial·ism** [sóuʃəlìzəm] *n.* Ⓤ 사회주의(운동): state ~ 국가 사회주의.

sócial isolátion 〖사회〗 사회적 고립.

***so·cial·ist** [sóuʃəlist] *n.* 사회주의자; (보통 *pl.*) 사회당원. **—** *a.* =SOCIALISTIC.

so·cial·is·tic [sòuʃəlístik] *a.* 사회주의적인, 사회주의(자)의. ㊕ **-ti·cal·ly** *ad.*

Sócialist Internátional (the ~) 사회주의 인터내셔널《1951년 설립; 본부는 런던》.

Sócialist párty 사회당.

sócialist réalism 사회주의 리얼리즘.

so·cial·ite [sóuʃəlàit] *n.* 사교계의 명사(가 되고자 하는 사람).

so·ci·al·i·ty [sòuʃiǽləti] *n.* Ⓤ 사회성, 교제를 좋아함; 군거성(群居性), 군거적 경향.

so·cial·ize [sóuʃəlàiz] *vt.* 사회적〔사교적〕으로 하다, 사회화하다; 사회주의화하다; 《미》 정부〔집단〕의 보유〔통제, 관리〕로 하다, 국유화하다; (학습을) 개인 활동에서 그룹 활동으로 옮기다. — *vi.* 교제하다; 사교적 모임에 참석하다. ㊕ **sò·cial·i·zá·tion** *n.* Ⓤ 사회(주의)화.

sócialized médicine 《미》 의료 사회화 제도 《공영·국고 보조 따위》.

sócial lífe 사회생활; 사교 생활.

sócial márket (ecónomy) 사회적 시장 경제《정부의 사회 보장 제도의 틀 안에서 행해지는 자유 시장 경제》.

sócial-mínded [-id] *a.* 사회적 관심이 있는, 사회 복지에 관심을 가진.

sócial mobílity 〖사회〗 사회 이동(성)《사회 안에서 사람들이 장소·직업·계급 사이를 이동하는 일》.

sócial órder (인간관계의) 사회 조직.

sócial órganism (the ~) 사회 유기체.

sócial organizátion 〖사회〗 사회 조직.

sócial óverhead cápital 〖경제〗 사회 간접 자본《생략: SOC》.

sócial pathólogy 사회 병리학.

sócial préssure 사회적 압력《법률, 관습 등》.

sócial psychólogy 사회 심리학.

sócial quótient 사회성 지수(指數).

Sócial Régister 사교계 명사록《상표명》.

sócial sáfety nèt 최저한의 생활을 보장하는 사회 복지 계획.

sócial scíence 사회 과학; 사회학.

sócial sécretary 사교 사무 담당 사설(私設) 비서. ⓒⓕ private secretary.

sócial secúrity 사회 보장 제도《양로 연금·실업 보험 등》.

Sócial Secúrity Àct 《미》 사회 보장법《노인·실업자에 대한 복지 제도; 1935년 제정》.

sócial secúrity nùmber 《때로는 S- S- n-》 《미》 사회 보장 번호《생략: SSN》.

sócial seléction 〖사회〗 사회 도태(淘汰).

sócial sérvice 사회 복지 사업.

sócial snìffer 기분 전환〔오락〕으로 가끔 코카인을 피우는 사람.

sócial stúdies (초등·중학교의) 사회과(科).

sócial tóurism (정부·회사·노동조합에 의한) 비용 일부〔전액〕 부담의 여행; 그런 것을 취급하는 여행업.

sócial wáge 사회적 임금《시민 생활의 편익을 위해 공적 재원에서 지급되는 1인당 비용》.

sócial wélfare 사회 복지; 사회 사업.

sócial wòrk 사회 (복지 관련) 사업.

sócial wòrker 사회 사업가, 사회 복지사.

so·ci·e·tal [səsáiətl] *a.* 사회의, 사회 활동〔관습〕의. ㊕ **~·ly** *ad.*

socíetal márketing 사회 마케팅《사회적·복지적 목적을 위한 마케팅》.

‡so·ci·e·ty [səsáiəti] *n.* **1** Ⓤ 사회, (사회) 집단, 공동체; 세상: a member of ~ 사회의 일원/a primitive ~ 원시 사회. **2** (사회의) 층,…계: the literary ~ 문학계. **3** Ⓤ (the ~) 사교계; 상류 사회(의 사람들): high ~ 상류 사회. **4** Ⓤ 사교, 교제: seek 〔avoid〕 the ~ of rich people 부자와의 교제를 원하다〔피하다〕. **5** Ⓒ 회, 협회, 단체, 학회, 조합: a scientific ~ 과학 협회/a cooperative ~ 협동조합. ***go into ~*** 사회〔사교계〕에 나가다. ***in ~*** 사람 가운데서〔앞에서〕. ***move in ~*** 사교계에 출입하다. ***the Society for the Prevention of Cruelty to Animals*** 동물 학대 방지회《생략: S.P.C.A.》. ***the Society for the Propagation of the Gospel*** 복음 전도회《생략: S.P.G.》. ***the Society of Jesus*** 예수회《가톨릭 교회의 남성 수도회; 생략: S.J.》. — *a.* 상류 사회〔사교계〕의: a ~ man 〔lady, woman〕 사교계의 사람〔여성〕.

Socíety còlumn 《미》 (신문의) 사교계란.

Socíety Íslands (the ~) 소시에테 제도《남태평양에 있는 프랑스령 오세아니아의 일부》.

socíety-wíde *a.* 사회 전반의, 전사회적인. — *ad.* 사회 전반에.

so·ci·o- [sóusiou, -siə, -ʃi-] '사회의, 사회학의'라는 뜻의 결합사.

sòcio·biólogy *n.* Ⓤ 사회 생물학.

sòcio·cúltural *a.* 사회 문화적인. ㊕ **~·ly** *ad.*

sòcio·ecólogy *n.* 사회 생태학.

sòcio·económic *a.* 사회 경제적인: ~ status 사회 경제적 지위.

sòcio·económics *n. pl.* 사회 경제학 (=**sócial económics**).

so·ci·o·gram [sóusiəgræ̀m, -ʃiə-] *n.* 〖사회〗 소시오그램《인간관계·집단 구조의 도표》.

sociol. sociological, sociology.

so·ci·o·lect [soúsiəlèkt, -ʃiə-] *n.* 〖언어〗 사회 방언.

sòcio·linguístic *a.* 사회 언어학의, 언어 사회학의.

sòcio·linguístics *n. pl.* 〖언어〗 사회 언어학. ㊕ **-línguist** *n.*

so·ci·ol·o·gese [sòusiɑ̀lədʒíːz, -dʒíːs, -ʃi-/-ɔ̀lədʒíːz] *n.* 《경멸》 사회학 용어.

so·ci·o·log·i·cal [sòusiəlɑ́dʒikəl, -ʃi-/-lɔ́dʒ-] *a.* 사회학의, 사회학상의; 사회 문제의. ㊕ **~·ly** *ad.*

***so·ci·ol·o·gy** [sòusiɑ́lədʒi, -ʃi-/-ɔ́l-] *n.* 사회학; 군집 생태학(synecology). ㊕ **-gist** *n.* 사회학자.

so·ci·om·e·try [sòusiɑ́mətri, -ʃi-/-ɔ́m-] *n.* 사회 측정학, 계량 사회학.

so·ci·o·path [sóusiəpæ̀θ, -ʃi-] *n.* 〖정신의학〗 사회 병질자(病質者), 반(反)사회인. ㊕ **sò·ci·o·páth·ic** *a.*

sòcio·polítical *a.* 사회 정치적인.

sòcio·psychológical *a.* 사회 심리학적인.

sòcio·relígious *a.* 사회 종교적인.

sòcio·séxual *a.* 성(性)의 개인간 관계에 관한.

sòcio·technológical *a.* 사회 공학적인《사회적 요소와 과학 기술(과의 조화)에 관한》.

‡sock[1] [sɑk/sɔk] (*pl.* **~s,** 《미》 **1** 에서 ***sox*** [sɑks/sɔks]) *n.* **1** (보통 *pl.*) 삭스, 짧은 양말: a pair of ~*s* 양말 한 켤레/in one's ~*s* 신을 벗고.

> SYN. **socks** 원래는 남자의 짧은 양말, 지금은 여성도 신음. **stockings** 무릎 위까지 올라가는 긴 양말. **hose** 주로 상용어로서 여성의 stockings 를 말함.

2 (구두의) 안창. **3** (고대 그리스·로마의) 희극 배우용(用) 단화; (the ~) 희극(comedy). ⓒⓕ buskin. **4** 《미속어》 돈주머니, 돈궤, 금고, 돈 숨기는 데《은행 계좌 등》; 몰래 모은 돈. ***knock*** 〔***beat, blow***〕 one's 〔***the***〕 ***~s off*** …에 커다란 영향을 미치다, 타격을 입히다. ***Pull your ~s up!*** = ***Pull up your ~s!*** 《영구어》 기운을 내라, 분발해라. ***Put a ~ in*** 〔***into***〕 ***it!*** 《영구어·우스개》 입 닥쳐, 조용히 해. — *vt.* …에 ~을 신다, …에 양말을 신기다; 《미속어》 (장사 따위가 수익을) 가져오다. ***~ away*** 《미속어》 (돈을) 모으다. ***~ in*** 〖보통 수동태〗 《미속어》 (악천후로 공항·활주로를) 폐쇄하다. ㊕ **~·less** *a.*

sock[2] 《속어》 *vt.* (주먹으로) 치다; (나쁜 소식 등이) …에 충격을 주다. ***~ it to*** 《속어》 …을 정통으로 치다, …에 강렬한 충격〔인상〕을 주다. ***Sock it to me.*** 기분 좋게 놀자, 힘내자. — *n.* **1** (주먹으로의) 타격, 강타. **2** 《미》 성공적인 연극〔연기, 배우〕. **3** 《미》 충격, 쇼크; 〖야구〗 히트; 《미》 대성공(을 한 작품·흥행·사람); 《미속어》 어리석은 놈, 멍텅구리. ***give*** a person ***~s*** 아무를 때리다. — *a.* 크게 히트한, 성공적인. — *ad.* 정통으로, 쿵, 퍽(plump).

sock·dol·a·ger, -dol·o- [sɑkdálədʒər/sɔkdɔ́l-] ⟪미속어⟫ *n.* 결정적 타격(finisher), 결정적인 논의〔회답〕, 최후의 일격; 엄청나게 큰〔무거운〕 물건.
sóck·er [sákər/sɔ́k-] *n.* ⟪영⟫ =SOCCER.
*__sock·et__ [sákit/sɔ́k-] *n.* 꽂는〔끼우는〕 구멍, (전구 따위를 끼우는) 소켓; 〚해부〛 (눈 따위의) 와(窩), 강(腔): the ~ of the eye 안와, 눈구멍. ― *vt.* 소켓에 끼우다; 소켓을 달다.
sócket òutlet 〚전기〛 (벽의) 콘센트.
sócket wrènch ⟪미⟫ 박스 스패너, 소켓 렌치.
socko [sákou/sɔ́k-] *a.* ⟪미속어⟫ 훌륭한, 굉장한; 대성공의. ― (*pl.* ***sóck·os***) *n.* 큰 히트, 대성공; 〚권투〛 통타(痛打). ― *vi.* 〚권투〛 (턱 따위를) 통타하다; 대성공을 거두다.
socks [sɑks/sɔks] *n.* ⟪CB 속어⟫ 직선형 증폭기.
sóck suspènders ⟪영⟫ 양말대님(⟪미⟫ garters).
soc·le [sákəl, sóukəl/sɔ́kəl] *n.* 〚건축〛 (기둥의) 받침돌, 주춧돌. [cf] plinth.
Soc·ra·tes [sákrətiːz/sɔ́k-] *n.* 소크라테스 ⟪옛 그리스의 철학자; 470?-399 B.C.⟫.
So·crat·ic [səkrǽtik/sɔ-] *a.* 소크라테스(철학)의, 소크라테스적인. ― *n.* 소크라테스 문하〔학도〕.
Socrátic írony 소크라테스식 반어⟪상대방에게 가르침을 청하는 체하면서 그의 잘못을 폭로하는 논법⟫.
Socrátic méthod (the ~) (소크라테스식) 문답 교수법.
◇**sod**[1] [sɑd/sɔd] *n.* 뗏장, 떼, 잔디. [cf] lawn[1], turf. ***the old ~*** ⟪영구어⟫ 모국(母國). ***under the ~*** 땅속에 묻혀, 무덤 속에. ― (*-dd-*) *vt.* 떼를 입히다, 잔디로 덮다〔깔다〕.
sod[2] ⟪고어⟫ SEETHE의 과거.
sod[3] *n.* ⟪영속어⟫ 남색자(男色者), 호모; 놈(chap); 꼴보기 싫은 놈. ***not give*** 〔***care***〕 ***a ~*** ⟪영속어⟫ 전혀 상관 않는. ― (*-dd-*) *vt.* =DAMN. ***Sod it!*** ⟪영속어⟫ 젠장, 제기랄. ***Sod off.*** 나가, 꺼져.
⁑**so·da** [sóudə] *n.* [U] **1** 소다⟪특히 탄산소다 · 중탄산소다⟫; 중조(重曹); 수산화나트륨. **2** 탄산수; ⟪미⟫ 소다수(~ water): a whisky and ~ 하이볼.
sóda àsh 〚화학〛 소다회(灰).
sóda cràcker 비스킷의 일종⟪치즈 등과 함께 먹음⟫.
sóda fòuntain ⟪미⟫ (주둥이가 달린) 소다수 그릇; 소다수 판매점⟪가벼운 식사도 팖⟫.
sóda jèrk(er) ⟪미속어⟫ soda fountain의 점원.
sóda lìme 소다 석회.
so·dal·i·ty [soudǽləti, sə-] *n.* [U] 우호, 동지애; 조합(association); 〚가톨릭〛 (신앙 및 자선 활동을 목적으로 하는) 신도회.
sóda pòp ⟪미⟫ 소다수.
so·dar [sóudɑːr] *n.* 음파 기상(氣象) 탐지기(機). [◂ *so*und *d*etecting *a*nd *r*anging]
sóda sìphon 소다 사이펀⟪주둥이에 구부러진 관이 있어 밸브를 열면 소다수가 나오게 되어 있는 병⟫.
sóda wàter (중탄산) 소다수, 탄산수.
sod·bust [sádbʌ̀st/sɔ́d-] *vi.* ⟪Can · 미서부속어⟫ 농사를 짓다. [파] ~·**er** *n.* ⟪미서부 · 경멸⟫ 농부(farmer).
sod·den[1] [sádn/sɔ́dn] *a.* 흠뻑 젖은, (물에) 불은⟪*with*⟫; (빵이) 흐물흐물한, 눅눅한(soggy); 술에 젖은⟪사람⟫; (술 중독으로) 멍청한(dull); (얼굴 따위가) 부석부석한. ― *vt.* 잠그다, 적시다⟪*with*⟫; (머리 따위를) 술로 멍하게 하다. ― *vi.* 물에 잠기다, 젖다; 말랑말랑해지다, 흐물흐물해지다, (물에) 붇다; 썩다.
sod·den[2] ⟪고어⟫ SEETHE의 과거분사.
sód·ding *n.* 떼입히기.
sod·dy [sádi/sɔ́di] (*-di·er; -di·est*) *a.* 떼의, 뗏장의. ― *n.* ⟪미⟫ 뗏집.
so·dic [sóudik] *a.* 나트륨의〔을 함유한〕.
◇**so·di·um** [sóudiəm] *n.* [U] 〚화학〛 나트륨⟪금속 원소; 기호 Na; 번호 11⟫.
sódium ázide 〚화학〛 아지드화(化)나트륨.
sódium bénzoate 〚화학〛 안식향산나트륨.
sódium bicárbonate 〚화학〛 중탄산나트륨, 중조(重曹).
sódium cárbonate 〚화학〛 탄산나트륨.
sódium chlórate 〚화학〛 염소산나트륨.
sódium chlóride 〚화학〛 염화나트륨⟪식염⟫.
sódium cítrate 〚화학〛 구연산나트륨⟪백색 분말; 이뇨제 · 거담제 · 혈액 응고 방지제나, 청량음료 · 치즈 따위의 식품에 쓰임⟫.
sódium cýanide 〚화학〛 시안화나트륨.
sódium dichrómate 〚화학〛 중크롬산나트륨.
sódium flúoride 〚화학〛 플루오르화나트륨.
sódium flùoro·ácetate 〚화학〛 플루오르초산나트륨⟪유독한 백색 분말; 쥐약으로 쓰임⟫.
sódium hydróxide 〚화학〛 수산화나트륨, 가성소다, 양잿물.
sódium hypochlórite 〚화학〛 하이포아(亞)염소산나트륨.
sódium hyposúlfite 〚화학〛 하이포아황산나트륨.
sódium ìmaging 〚의학〛 나트륨 화상(畫像)(법)⟪뇌졸중 부위의 나트륨 축적량을 주사(走査) 장치로 검사하여 그 치료 효과를 살피거나, 심장 · 신장 등의 장애를 조사하는 데 쓰이는 화상 (진단법)⟫.
sódium íodide 〚화학〛 요오드화나트륨⟪사진 · 동물 사료 · 호흡기나 신경성 질환 치료용⟫.
sódium mèta·sílicate 〚화학〛 메타규산나트륨.
sódium nítrate 〚화학〛 질산나트륨⟪칠레 초석으로 천연으로 산출됨⟫.
sódium nítrite 〚화학〛 아초산나트륨⟪염료의 제조나 고기의 보존제로 쓰임⟫.
sódium óxide 〚화학〛 산화나트륨⟪탈수제⟫.
sódium péntothal 〚약학〛 펜토탈나트륨⟪마취 · 최면약용⟫.
sódium sílicate 물유리(water glass).
sódium súlfate 〚화학〛 황산나트륨.
sódium thiopéntal 〚약학〛 티오펜탈나트륨 ⟪sodium pentothal이라고도 함⟫.
sódium thiosúlfate 〚화학〛 티오황산나트륨.
sódium(-vapor) làmp 〚전기〛 나트륨등(燈) ⟪등황색을 발하는 도로 조명용⟫.
Sod·om [sádəm/sɔ́d-] *n.* **1** 〚성서〛 소돔⟪사해 남안(死海南岸)에 있던 옛 도시; 죄악 때문에 신에 의해 이웃 Gomorrah와 더불어 멸망되었다 함; 창세기 XVIII: 20-21; XIX: 24-28⟫. **2** 〘일반적〙 죄악〔타락〕의 장소.
sod·om·ite [sádəmàit/sɔ́d-] *n.* **1** ⟪드물게⟫ 남색자(男色者), 수간자(獸姦者), 이상(異常) 성행위에 빠진 사람. **2** (S-) 소돔 사람.
sod·om·ize [sádəmàiz/sɔ́d-] *vt.* 비역하다; 항문 성교를 하다.
sod·omy [sádəmi/sɔ́d-] *n.* [U] 비역, 남색; 수간(獸姦).
Sód's Làw ⟪영우스개⟫ 망가지는〔고장 나는〕 것은 언젠가 망가진다〔고장 난다〕는 법칙. [cf] Murphy's Law.
so·ev·er [souévər] *ad.* 아무리 …이라도〔하더라도〕; 〘no를 수반하여〙 조금도 (…않다): how great ~ he may be 그가 아무리 위대할지라도/ He gives *no* information ~. 아무 소식도 없다.

> [NOTE] 주로 who, what, when, where, how, all, any 따위와 함께 쓰임. 이때 이 말들과 soever 사이에 다른 말을 개재할 때가 있음⟪보기: in *any* way *soever* 어떤 방법으로든⟫.

SOF 〚군사〛 Special Operation Force(특수 작전 부대).

so·fa [sóufə] *n.* 소파, 긴 의자.
SOFA Status of Forces Agreement((한미) 주둔군 지위 협정).
sófa bèd 침대 겸용 소파, 소파식 침대.
so·far [sóufɑːr] *n.* 소파((조난자 구조용의 수중 측음(測音) 장치)). [◂ *so*und *f*ixing *a*nd *r*anging]
sof·fit [sɑ́fit/sɔ́f-] *n.* 〖건축〗 (arch, cornice 따위의) 하측(下側), 하면.
So·fi, So·fism [sóufi], [sóufizəm] *n.* =SUFI, SUFISM.
So·fia [sóufiə] *n.* 소피아((Bulgaria의 수도)).
†**soft** [sɔːft, sɑft/sɔft] *a.* **1** 부드러운, 유연한, 폭신한: a ~ pillow 폭신한 베개 / ~ ground 부드러운〔무른〕 땅 / Soft and fair goes far. ((속담)) 유능제강(柔能制剛).

SYN. **soft** hard의 반의어로서 물질적으로, 또는 촉감이 부드러운 것 외에 아래의 모든 뜻을 포함함. **tender** 저항물이 없는, 섬세한 부드러움에 쓰임: *tender* steak 연한 비프스테이크. a *tender* heart 상처받기 쉬운 마음. **mild** harsh, bitter 따위의 반의어로서, 기후·인품·벌·맛 따위가 독하지 않고, 온화한: a *mild* nature 온화한 기질. a *mild* cigarette 순한 담배.

2 매끄러운, 보들보들한, 촉감이 좋은: ~ skin / a ~ hand. **3** (빛·색이) 부드러운, 차분한; (음성이) 낮은(low), 조용한: a ~ light / a ~ voice. **4** (윤곽이) 또렷하지 않은, 아련한: ~ shadows 〔outlines〕 아련한 그림자〔윤곽〕. **5** (기후 등이) 온화한, 따스한(mild), (바람 따위가) 상쾌한 (balmy): ~ air 〔breeze〕 / a ~ winter 따뜻한 겨울. **6** (비탈·산 따위의 물매가) 완만한; 느린 (gentle). **7** (태도 따위가) 온화한; 다정한(mild), 너그러운(tolerant): a ~ knock 가벼운 노크 / a ~ answer (비난 등에 대하여) 온건한 대답 / a ~ heart 다정한 마음. **8** 사랑의; 사랑하고 있는: He is ~ about her. / a ~ glance 추파. **9** 연약〔나약〕한, 계집애 같은; ((구어)) 머리가 좀 모자라는: be ~ in the head =have a ~ spot in the head 머리가 좀 모자라다 / Bill's gone ~. 빌은 머리가 좀 돌았다. **10** ((속어)) 수월한, 안이한(easy): a ~ way to make money 손쉬운 돈벌이. **11** 알코올〔무기물〕이 들어 있지 않은; ((구어)) (마약이) 해(害)가 적은, 습관성이 아닌; 〖화학〗 (물이) 연성의, 단물의: ~ drinks 청량음료 (cf. minerals) / ~ water 단물, 연수. **12** 〖음성〗 연음(軟音)의((city의 [s], gem의 [dʒ])); 유성(有聲)의(([k]에 대한 [g])). **13** (충격이) 가벼운; 연착륙의; 다루기 쉬운; 부동적인; 〖군사〗 적의 공격에 대해 무방비한: ~ voters 부동표(票). **14** (계산·수치 등이) 불확실한, 믿지 못할, 잘 변하는. ***be ~ on*** …을 사랑하고 있다. ***the ~(er) sex*** 여성. OPP. *the rougher sex.*
— *n.* **1** 부드러운〔연한〕 물건〔부분〕; 부드러움; 연함. **2** ((구어)) 바보. **3** ((미속어)) 쉽게 번 돈, 악전(惡錢); (the ~) 돈.
— *ad.* 부드럽게, 연하게(softly), 상냥하게; 조용히, 가만히(quietly): speak ~.
— *int.* ((고어)) 쉿(hush), 조용히, 잠깐(stop), 서라: *Soft* you! 잠깐.
㊕ *∠·**ness** *n.* 부드러움, 연함, 상냥함, 온화, 자애; 관대; 조용함.
sóft·bàck *n.*, *a.* 페이퍼백(의)(paperback).
sóft·bàll *n.* Ⓤ ((미)) 소프트볼; 그 공.
sóft-bóiled *a.* 반숙(半熟)의((달걀 따위)); 〖반어적〗 (문체가) 건전하고 도덕적인(OPP. *hard-boiled*); 〖반어적〗 감상적인, 눈물 많은.
sóft·bòund *n.* =SOFTCOVER, PAPERBACK.
sóft-céntered *a.* (초콜릿 따위의) 속에 크림 따위가 들어 있는; ((비유)) 속이 부드러운.
sóft cháncre 〖의학〗 연성하감(軟性下疳).
sóft cóal 연질탄(軟質炭); 유연탄.
sóft commódities 소프트 상품((선물 거래에서 매매되는 곡물, 설탕 등의 비금속 상품)).
sóft còpy 〖컴퓨터〗 소프트카피((인쇄 용지에 기록한 것을 hard copy라고 하는 데 대해 기록으로 남지 않는 화면 표시 장치에의 출력을 이름)). OPP. *hard copy.*
sóft córe soft-core한 포르노.
sóft-córe *a.* (포르노 영화 등에서) 덜 노골적인 (OPP. *hard-core*); 온순한, 부드러운: ~ porn(o).
— *n.* =SOFT CORE.
sóft còrn 1 옥수수의 한 변종. **2** 발가락 사이의 못〔물집〕.
sóft·còver *a.*, *n.* 종이 표지의 (책).
sóft cúrrency 〖경제〗 연화(軟貨). cf. hard currency.
sóft detérgent 연성 세제(軟性洗劑)((생물 분해성 세제)). cf. hard detergent.
sóft dísk 〖컴퓨터〗 소프트 디스크((유연성 있는 (특히 플로피) 디스크)). cf. hard disk.
sóft dóck 〖우주〗 연(軟)결합((복수의 우주선이 기계적 결합이 아니라 나일론선(線) 따위로 결합함을 이름)).
sóft drínk 청량음료.
sóft drúg ((구어)) 중독성이 없는 환각제〔마약〕 ((마리화나·메스칼린 따위)). OPP. *hard drug.*
sof·ten** [sɔ́ːfən, sɑ́f-/sɔ́f-] *vt.* **1** 부드럽게〔연하게〕 하다: Heat ~*s* iron. 열은 쇠를 무르게 한다. **2** …의 마음을 누그러지게 하다; (나)약하게 하다: ~ a person's heart 아무의 마음을 누그러뜨리다. **3** (소리·빛깔을) 부드럽게〔수수하게〕 하다: ~ one's voice 〔light〕. **4** 덜다, 경감하다, 편하게 하다: ~ the punishment 처벌을 가볍게 하다. **5** (물을) 단물로 하다: ~ water 물을 단물로 만들다. **6** (물가·요구 따위를) 억제하다, 억누르다. **—** *vi.* **1** 부드러워지다, 유연해지다. **2** (마음이) 누그러지다, 나약해지다. **3** ((~/+전+명)) 온화해지다; 연해져〔약해져〕 …이 되다 ((*into*)): He ~*ed into* a gentler mood. 그는 마음이 더욱 온화해졌다. ***~ into tears 감격하여 울다. ***~ up*** ((*vt.*+부)) ① (적의) 저항력을〔사기를〕 약화시키다. ② (설득·선전 등으로) 태도를 누그러뜨리다, 복종시키다. **—** ((*vi.*+부)) ③ 부드러워지다.
sóf·ten·er *n.* 부드럽게〔누그러지게〕 하는 사람〔것〕; (경수(硬水)를 연수(軟水)로 만드는) 연화제〔장치〕(water ~); (직물을 부드럽게 하는) 연화제.
sóft énergy 소프트 에너지((태양열·풍력 등의 이용으로 얻을 수 있는 것)).
sóft·en·ing *n.* 연화(軟化); 연수법(軟水法). ***~ of the brain*** 〖의학〗 뇌(腦)연화(증); ((구어)) 노망, 우둔; ((폐어)) 전(全)마비성 치매.
sóft fíber 연질 섬유((아마·대마·황마·모시 등)).
sóft fócus 〖사진〗 연초점(軟焦點), 연조(軟調).
㊕ **sóft-fócus** *a.*
sóft fúrnishings ((영)) 실내 장식용의 커튼·매트·의자 커버((따위)).
sóft gòods 비내구재(非耐久財), ((특히)) 섬유제품; ((영)) 직물과 의류(dry goods).
sóft háil =GRAUPEL.
sóft hát ((미)) 중절모자.
sóft·hèad *n.* 바보, 멍청이; 분별없는 감상가.
sóft-héaded [-id] *a.* ((구어)) 투미한, 멍청한.
㊕ **~·ly** *ad.* **~·ness** *n.*
sóft-héarted [-id] *a.* 마음이 상냥한, 온화〔다정〕한; 관대한, 미온적인.
softie ⇨SOFTY.
sóft íron 연철((탄소 함유량이 적어 자기화(磁氣化)하기 쉬운 철; 원통형 코일 철심용)).

soft·ish [sɔ́:ftiʃ, sáft-/sɔ́ft-] *a.* 좀 연한〔부드러운〕.
sóft·kèy *n.* 〖컴퓨터〗 소프트키《기능 키처럼 사용자가 프로그램에 따라 그 기능을 정의해서 쓸 수 있는 키》.
sóft-lànd *vi., vt.* 연(軟)착륙하다〔시키다〕. ⊕ **~·er** *n.* 연착륙 우주선(船).
sóft lánding (천체에의) 연(軟)착륙; 《미》 불경기나 고(高)실업률을 초래하지 않고 경제 성장률을 낮추는 일.
sóft léns 소프트〔콘택트〕렌즈.
sóft lìne 온건 노선.
sóft-líner *n.* 온건파(의 사람).
sóft lòan 장기 저리 대부, 소프트론.
‡soft·ly [sɔ́:ftli, sáft-/sɔ́ft-] *ad.* **1** 부드럽게; 상냥하게, 너그럽게, 관대히. **2** 조심스럽게; 살며시; 침착하게, 조용하게. **3** 작은 소리로.
sóft móney **1** 지폐, 어음; (인플레로) 구매력이〔가치가〕 떨어진 통화. **2** 《미속어》 **a** 쉽게 버는 돈, 악전: Don't become dependent on ~. 돈을 쉽게 벌려고 하지 마라. **b** 선거 관리 위원회의 규제를 받지 않는 선거 기부금《투표 추진, 선거 계몽용》.
soft·nómics *n.* 〔복·단수취급〕 소프트노믹스《제조업에서 고도의 정보 산업화로의 선진국의 경제 기반의 변화를 다루는 학문 분야》.
sóft-nósed *a.* (탄환이) 연(軟)탄두인《충격으로 앞쪽이 퍼짐》.
sóft óption (가장) 쉬운〔편한〕 방법〔길〕.
sóft pálate 〖해부〗 연구개(軟口蓋)(velum).
sóft pàth 소프트 패스《소프트 테크놀로지(soft technology)의 응용》.
sóft pèdal (피아노·하프의) 약음 페달; 효과를 약화시키는〔덮어 가리는〕 것.
sóft-pédal (*-l-*, 《영》 *-ll-*) *vt., vi.* 약음 페달을 밟다, (음을) 부드럽게 하다; 《구어》 (어조 등을) 낮추다; 두드러지지 않게 하다, (논조·의견 등을) 억제하다.
sóft pòrn soft-core 한 포르노.
sóft róck 소프트록《섬세한 록 음악》.
sóft róe (물고기의) 이리.
sóft sáwder 아첨, 간살.
sóft scíence 소프트사이언스《정치학·경제학·사회학·심리학 등의 사회과학, 행동과학의 학문》.
sóft scúlpture 소프트 조각《천·플라스틱·기포 고무 등을 소재로 한 조각》.
sóft séll (종종 the ~) 《미구어》 조용한 설득에 의한 광고·판매 방법. ⓒⓕ hard sell.
sóft-shèll *a.* **1** 〖동물〗 (막 탈피하여) 껍질이〔등딱지가〕 연한. **2** (주의·사상이) 중도적인, 온건한. **—** *n.* (탈피 직후의) 등딱지가 연한 (식용의) 게; 중도〔온건, 자유〕주의자.
sóft-shèlled túrtle 〖동물〗 자라.
sóft shóulder 포장하지 않은 갓길.
sóft shówer 〖물리〗 연(軟)샤워《15-20 cm의 납을 통과할 수 없는 우주선(宇宙線) 샤워》.
sóft sóap 칼리 비누; 《구어》 아부, 아첨, 알랑거림.
sóft-sóap *vt., vi.* 연성〔물〕 비누로 씻다; 《구어》 아첨하다. ⓒⓕ soap.
sóft sólder **1** 가용성 합금(合金) 땜납. **2** 겉치레 말, 아첨, 빌붙음.
sóft-spóken *a.* 말씨가 상냥한; 표현이 부드러운; 설득조의.
sóft spòt 약점; 기호, 편애(偏愛); 감수성.
sóft stéel 연강(軟鋼).
sóft súgar 그래뉴당(糖), 분말당.
sóft tàck 보통의 빵. ⓒⓕ hard tack.
sóft tárget 〖군사〗 연목표(軟目標)《방호 수단이 없어 쉽게 파괴할 수 있는 목표; 대공 병기가 없는 레이더 기지, 장갑 방어가 없는 트럭 등》. ⓒⓕ hard target.
sóft technólogy 소프트 테크놀로지《태양열·풍력(風力)·지열(地熱) 따위 자연 에너지 이용의 과학 기술》.
sóft tíssues 〖생물〗 (뼈·연골이 아닌) 유조직(柔組織).
sóft-tòp *n.* 덮개를 접어 넣을 수 있는 승용차〔모터보트〕. ⓒⓕ hardtop.
sóft tóuch 《구어》 다루기〔설득하기〕 쉬운 상대; 쉽게 패배하는 사람〔팀〕; 수월한 일, 거저먹기; 쉽게 번 돈: Are you a ~? 왜 그렇게 무르냐.
sóft ùnderbelly 공격받기 쉬운 지점〔지역〕; 급소, 약점.
***soft·ware** [sɔ́:ftwɛ̀ər/sáft-/sɔ́ft-] *n.* **1** 〖컴퓨터〗 소프트웨어《컴퓨터의 프로그램 체계의 총칭》. ⓒⓕ hardware. **2** 기계·상품 따위의 부가(附加) 가치를 높이기 위한 수단·방법《시청각 기기의 교재 등》. **3** (로켓 등의) 도면, 연료《따위》.
sóftware hòuse 소프트웨어 (개발·판매) 회사.
sóftware pàckage 〖컴퓨터〗 소프트웨어 패키지《컴퓨터에서 사용할 목적으로 프로그램을 개발, 제품으로 만들어 판매함》.
sóftware pìracy 소프트웨어 제품에 대한 해적 행위, 소프트웨어의 부정 복사.
sóftware rót 〖컴퓨터〗 《미해커·우스개》 소프트웨어 부후증(腐朽症)《이용이 안 되는 프로그램의 기능 상실 상태를 병에 비유한 말》.
sóft whéat 연질 소맥《녹말이 많고 밀기울이 적음》.
sóft wìne 소프트 와인(light wine)《보통 와인보다 알코올분, 당분, 칼로리를 낮춘 와인》.
sóft-wítted [-id] *a.* =SOFT-HEADED.
sóft·wòod *n., a.* 침엽수의 (목재); 연한 나무(의).
softy, soft·ie [sɔ́(:)fti, sáfti] 《구어》 *n.* 몹시 감상적인 사람; 속기 쉬운 사람; 연약한 사람; 물컹이, 바보, 얼간이.
sog·gy [sági, sɔ́:gi] (*-gi·er; -gi·est*) *a.* 물에 잠긴〔젖은〕(soaked); (날씨 등이) 찌무룩한; (빵 따위가) 설구워진; 《구어》 무기력한, 침체된. ⊕ **-gi·ly** *ad.* **-gi·ness** *n.*
soh [sou] *int.* =SO¹.
SOH 〖컴퓨터〗 Start of Heading.
So·Ho¹ [sóuhou] *n.* 소호《New York 시 Manhattan 남부의 지구; 패션·(전위) 예술 등의 중심지》.
So·Ho² *n.* 소호, 재택 근무 일터《개인이 자기 집을 사무실로 하여 사업을 하는 소규모 업체》. [◂ Small *O*ffice; *H*ome *O*ffice]
So·ho *n.* 소호《런던의 한 지구; 프랑스·이탈리아인 등 외국인 경영의 (싼) 음식점이 많음》.
so·ho [souhóu] *int.* 우어《말이나 소를 달래는 소리》; 저기, 저것《사냥감을 발견했을 때 지르는 소리》; 쳇, 제기랄《갑작스러운 사태에 성내는 소리》.
soi-di·sant [swɑ̀:di:zɑ́:ŋ] *a.* 《F.》 《경멸》 자칭의(self-styled); 가짜의; 소위(so-called).
soi·gné [swɑ:njéi] (*fem.* ***-gnée*** [—]) *a.* 《F.》 공〔정성〕들인, 잘 매만진, 빈틈없는; 몸차림이 단정한.
‡soil¹ [sɔil] *n.* **1** 흙, 토양, 토질: rich 〔poor〕 ~ 기름진〔메마른〕 땅. **2** 땅, 국토, 나라: one's native 〔parent〕 ~ 고국, 고향/on foreign ~ 이국에서. SYN. ⇨LAND. **3** (the ~) 농업 (생활), 농지, 경작: belong to the ~ 농가이다, 농사 짓고 있다. **4** (해악(害惡) 등의) 온상: the ~ *for* crime 범죄의 온상.
***soil²** *n.* Ⓤ 더러움; 오물; 분뇨; 거름(night ~). **—** *vt.* **1** 더럽히다; …에 얼룩을 묻히다. **2** (명성·신용 등을) 손상시키다, 못 쓰게 만들다, (가문 등을) 더럽히다; 타락시키다(corrupt): ~ their social credit 그들의 사회적 신용을 손상시

키다. — *vi.* **1** 더러워지다, 더럽혀지다, 얼룩이 묻다. **2** 영락〔타락〕하다. ~ ***one's hands with*** …와 관계하여 품위를 떨어뜨리다.

soil³ *vt.* (마소에) 꼴〔풀〕을 베어 먹이다〔먹여 살찌우다〕. 「풀(grass).

soil·age¹ [sɔ́ilidʒ] *n.* (사료용으로 재배하는)

soil·age² *n.* 더럽힘, 오손(汚損).

sóil bank 《미》 (잉여 농작물로 인한) 휴경(休耕) 보조금 제도.

sóil·bòrne *a.* 토양에 의해 전달되는, 토양 전파성의: ~ fungi 토양균류(類).

sóil-cemént *n.* 흙시멘트《흙에 시멘트를 섞어 적당히 물기를 주어 굳힌 것》.

sóil conditioner 토질 개량제(劑).

sóil conservàtion 토양 보존〔개량〕 사업.

sóil deplétion 토양의 소모〔열화(劣化)〕.

sóil fertìlity 토양 비옥도(肥沃度).

sóil·less *a.* 토양을 쓰지 않는: ~ agriculture 수경(水耕) 농업.

sóil mechànics 토질 역학. 「수관.

sóil pìpe (변소 등의) 오수관(汚水管), 지하 배

sóil pollútion 토양 오염.

sóil scìence 토양학(pedology).

sóil sèries 토양통(土壤統)《지형 · 지질 · 기후가 비슷한 지방에서 볼 수 있는, 성인(成因)과 단면 형태가 같은 토양》.

sóil sùrvey 토질 조사.

soi·ree, -rée [swɑːréi/⌐–] *n.* 《F.》 야회, …의 밤; (연극의) 야간 흥행. ㊎ matinée. ¶ a musical ~ 음악의 밤.

so·journ [sóudʒəːrn, –⌐/sɔ́dʒ-] 《문어》 *vi.* 머무르다, 살다, 체재〔거류〕하다《*in, at* a place; *with, among* men》. — [sóudʒəːrn/sɔ́dʒ-] *n.* 머무름, 체재, 거류. ㊞ **~·er** [-ər] *n.* **1** ~하는 이. **2** (S–) 화성 탐사 로봇《Pathfinder 에 실려 화성에 내림》.

soke [souk] *n.* 〖영국사〗 재판권; 재판 관할구.

SOL [ésòuél] *a.* 《미속어》 재수 옴 붙은. [◂ shit *o*ut of *l*uck]

Sol [sɑl/sɔl] *n.* 〖로마신화〗 솔《태양신》(㊎ Helios); 《우스개》 해, 태양(old 〔big〕 ~). 「음》.

sol¹ [soul/sɔl] *n.* 〖음악〗 솔《장음계의 다섯째

sol² [soul, sɑl/soul] (*pl.* **~s, so·les** [sóuleis]) *n.* 솔《페루의 화폐 단위》; 솔은화〔지폐〕.

sol³ [sɔːl, sɑl/sɔl] *n.* Ⓤ 〖화학〗 졸, 교질(膠質)〔콜로이드〕 용액. 「분 22초》.

sol⁴ [sɑl/sɔl] *n.* 화성(火星)의 하루《24 시간 37

Sol. Solicitor; Solomon. **sol.** solicitor; soluble; solution.

so·la, sho·la [sóulɑː/-lə], [ʃóulə] *n.* 〖식물〗 자귀풀류(類)《그 심으로 모자를 만듦》; 자귀풀의 심으로 만든 헬멧(=**sóla tópi**).

◇**sol·ace** [sɑ́ləs/sɔ́l-] *n.* Ⓒ,Ⓤ **1** 위안, 위로, 위자(慰藉), 기분 전환: find 〔take〕 ~ in …을 위안으로 삼다. **2** 위안이 되는 것, 즐거움, 오락. ㊎ comfort. — *vt.* 《~+목/+목+전+명》 위안〔위로〕하다; …에게 위안을 주다; 안락〔편안〕하게 하다; (고통 · 슬픔 따위를) 덜어 주다: ~ the heart 마음을 위로하다 / I ~*d* myself *with* the fine scenery. 그 아름다운 풍경을 보면서 마음을 위로했다. — *vi.* 위안이 되다. ㊞ **~·ment** *n.* **sól·ac·er** *n.*

so·lán·der (**càse** 〔**bòx**〕) [souléndər(-)] *n.* (책 · 서류 · 식물 표본 등을 넣는) 책 모양의 곽〔상자〕. 「NET.

só·lan (**góose**) [sóulən(-)] 〖조류〗 =GAN-

so·la·nine [sóulənìːn, -nin] *n.* 〖생화학〗 솔라닌 (=**so·la·nin** [-nin])《가짓과 식물의 유독성 결정 알칼로이드》.

so·la·num [souléinəm] *n.* 〖식물〗 가짓과(科)의 각종 식물.

*__so·lar__ [sóulər] *a.* **1** 태양의, 태양에 관한. ㊎ lunar. ¶ a ~ myth 태양 신화 / ~ spots 태양 흑점. **2** 태양에서 나오는〔일어나는〕. **3** 태양 광선을 이용한: ~ heating 태양열 난방. **4** 〖점성〗 태양의 운행에 의해 정해지는; 태양의 영향을 받는: a ~ calendar 태양력. — *n.* (요양소 · 관광호텔 등의) 일광욕실; 태양 에너지(~ energy).

sólar árt 태양 광선을 초점에 모아 그 열로 나무판을 태워 만든 낙화(烙畫)의 일종. 「cell 로 됨》.

sólar báttery 태양 전지《하나 이상의 solar

sólar bréeder 〖전자〗 태양 전지(電池) 증식 공장《1982 년 미국의 Solalex 사가 완성》.

sólar céll 태양(광) 전지《한 개》.

Sólar Chállenger 솔라 챌린저호《미국의 태양 에너지 비행기의 이름》.

sólar colléctor 태양열 수집〔집열〕기.

sólar cónstant 태양 상수(常數)《지구 표면에 이르는 태양 에너지의 기준치》.

sólar cýcle 〖천문〗 태양 순환기《28년》; 태양 활동 주기《약 11년》.

sólar dáy 〖천문〗 태양일; 〖법률〗 주간(晝間).

sólar eclípse 일식(日蝕).

sólar enérgy 태양 에너지〔열〕(solar).

sólar fárm 사막같이 광대한 토지를 이용, 태양 에너지를 전기 에너지로 공급하는 시설.

sólar fláre 〖천문〗 태양면 폭발 플레어.

sólar fúrnace 태양로(爐)《태양열을 이용》.

sólar-héat *vt.* (태양열을 이용하여) …을 난방

sólar hòuse 태양열 주택. ⌊하다.

sólar índex 태양열 지수《하루 일광량을 0-100 까지 숫자로 표시, 태양열 온수기 등에 이용함》.

só·lar·ism [-rìzəm] *n.* Ⓤ (신화 · 전설 해석상의) 태양 중심설. ㊞ **-ist** *n.*

so·lar·i·um [səléəriəm, sou-] (*pl.* **-ia** [-riə]) *n.* (병원 등의) 일광욕실; 해시계.

sò·lar·i·zá·tion *n.* Ⓤ 〖사진〗 솔라리제이션《노출 과도에 의한 부분 반전(反轉)》, 반전 현상.

só·lar·ize [-ràiz] *vt., vi.* 햇볕에 쬐다〔노출하다〕; 〖사진〗 (…에) 솔라리제이션을 일으키다.

Sólar Máx 《미》 =SOLAR MAXIMUM MISSION.

Sólar Máximum Mìssion 〖우주〗 솔라맥시멈 미션《미국의 태양 활동 관측(觀測) 위성; 생략: S.M.M.》. ★ 애칭은 Solar Max. 「3.8초》.

sólar mónth 태양월(月)《30일 10시간 29분

Sólar Óne 미국의 태양열 발전 프로젝트《세계 최대의 태양열 발전소로 일컬어짐》.

sólar pánel (우주선 등의) 태양 전지판(板).

sólar párallax 〖천문〗 태양 시차(視差)《태양에서 지구 적도 반경을 본 각도》.

sólar pléxus 〖의학〗 태양 신경총(叢)《위(胃) 뒤쪽의 신경 마디의 중심》; 《구어》 명치.

sólar pónd 태양(열) 온수지(溫水池)《태양열 발전용 해수(海水) 집열지(池)》. 「발전소.

sólar pówer 태양 에너지: a ~ plant 태양열

sólar-pòwered *a.* 태양 전지가 달린: a ~ calculator.

sólar-pòwered pláne 태양열 비행기《날개에 태양 전지를 싣고 동력으로 함》.

sólar pówer sàtellite 태양 발전 위성.

sólar próminences 〖천문〗 (태양의) 홍염(紅焰), 프로미넌스.

sólar radiátion 태양 복사(輻射), 일사(日射).

sólar rádio emìssion 태양 전파 방사.

sólar (**rádio**) **nóise** 태양 전파 잡음.

sólar sáil 〖우주〗 태양범(帆) 항법(航法)《태양 광선을 받아 우주선을 안정시키는 장치》.

sólar sáiler 우주 범선(帆船)《태양풍의 압력을 받아 움직이는, 돛을 단 탐사기(機)》.

sólar sált 천일염(天日塩).

sólar-shíeld *a.* 태양열 차단의.
sólar stíll 태양 증류기(器)《태양 광선으로 바닷물이나 오염된 물을 음료수로 바꿈》.
sólar sỳstem (the ~) 〖천문〗 태양계.
Sólar Sỳstem Exploràtion Commìttee 《미》 태양계 탐사 위원회 《NASA의 위촉을 받아 주로 무인 탐사기로 금성·화성·소(小)행성의 관측 계획을 제언(提言)함》.

solar system

sólar wínd 〖천문〗 태양풍, 태양 미립자류(流).
sólar yéar 〖천문〗 태양년 (tropical year) 《365일 5시간 48분 46초》.
sol·ate [sáleit, sóul-/sɔ́ːl-] *vi.* 〖화학〗 졸화(化)하다. [파] **sol·á·tion** *n.*
so·la·ti·um [souléiʃiəm] (*pl.* **-tia** [-ʃiə]) *n.* 배상금; 위문금, 위자료(compensation).
sold [sould] SELL의 과거·과거분사.
◇**sol·der** [sádər/sɔ́ldər] *n.* **1** [U] 땜납. **2** 《비유》 접합물, 꺾쇠, 하나로 묶는 것, 유대(bond). — *vt.* 납으로 때우다; 수선하다; 《비유》 굳게 결합하다. — *vi.* 납땜하다〔으로 붙다〕. [파] **~·a·ble** *a.*
sóldering ìron (**còpper**) 납땜인두.
⁑**sol·dier** [sóuldʒər] *n.* **1** (육군) 군인: a career ~ 직업 군인/~*s* and sailors 육·해군 군인. **2** 병사, 부사관. [cf.] officer. ¶ a private 〔common〕 ~ 졸병. **3** (역전의) 용사, (유능한) 장교, 장군, 지휘관; (주의의) 투사: a ~ in the cause of peace 평화를 위하여 싸우는 투사. **4** 《해사속어》 요령 있게 꾀부리는 선원. **5** 〖곤충〗 병정개미 (~ ant); 〖동물〗 소라게. **6** 《속어》 훈제(燻製) 청어. **7** 《미속어》 (마피아의) 하부 조직원; 《미속어》 팁을 잘 주는 손님. ***a ~ of Christ*** 〔***the Cross***〕 열성적인 기독교 전도자. ***a ~ of fortune*** (이익·모험이라면 어디건 가는) 용병(傭兵); (혈기 왕성한) 모험가. ***come the old ~ over*** 선배연하다, 고참인 체하며 지휘하다; 꾀병 부리다. ***go*** 〔***enlist***〕 ***for a ~*** 병역을 지원하다; 군인이 되다. ***play at ~s*** 병정놀이하다. — *vi.* **1** 《~/+[전]+[명]》 군인이 되다, 병역에 복무하다: He *~ed in* two wars. 그는 두 전쟁에 종군했다. **2** 《고속어》 일을 꾀피우다, 꾀병을 앓다. ***go ~ing*** 군인이 되다. **~ *on*** 《구어》 (단호히) 일을 계속하다, 버텨 나가다.
sóldier ánt 〖곤충〗 병정개미.
sóldier cráb 〖동물〗 소라게.
sóldier·ing [-riŋ] *n.* [U] 군인 생활〔행위〕; 군인의 임무, 병역; 《구어》 일을 꾀피움, 꾀병 부림.
sóldier·lìke, -dier·ly *a.* **1** 군인다운; 군인 기질의. **2** 당당한, 늠름한, 용감한.
sol·dier·ship [sóuldʒərʃip] *n.* 군인의 신분〔지위, 자질〕; 군인 정신; 군사 과학.
sóldier's hòme 제대 군인 보호 구제 시설.
Sóldier's Mèdal 〖미군사〗 군인장(章)《전투 외의 영웅적 행위에 주는 훈장》.
sóldier's wínd 〖해사〗 (어디로나 갈 수 있는) 옆 바람, 측풍(側風).
sol·diery [sóuldʒəri] *n.* **1** 《집합적》 (특히, 나쁜) 군인, 군대; 군직(軍職). **2** [U] 군사 교련〔지식〕.
sóld-óut *a.* 매진된, 품절된.
*__sole__[1] [soul] *a.* **1** 오직 하나〔혼자〕의, 유일한 (only): the ~ living relative 생존하고 있는 유일한 친척. [SYN.] ⇨SINGLE. **2** 《고어》 혼자의, 고독한, 친구가 없는. **3** 〖법률〗 독신〔미혼〕의: feme ~ 독신녀([cf.] feme covert). **4** 단독의, 독점적인 (exclusive): ~ right of use 독점 사용권/the ~ agent 총대리점〔인〕.

*__sole__[2] *n.* **1** 발바닥; (말)굽바닥; 신바닥; 구두의 창(가죽). **2** 밑부분, 하부(bottom); (스키·골프채 등의) 밑부분; (오븐·다리미 등의) 바닥. — *vt.* 구두창을 대다〔갈다〕.
sole[3] *n.* 〖어류〗 혀가자미, 혀넙치.
sol·e·cism [sáləsìzəm/sɔ́l-] *n.* 어법〔문법〕 위반, 파격 어법; 부적당; 예법에 어긋남, 결례. [파] **-cist** *n.* 어법〔문법〕 위반자; 예의 없는 사람.
sol·e·cis·tic, -ti·cal [sàləsístik/sɔ̀l-], [-əl] *a.* 어법〔문법〕 위반의; 예의 없는, 결례의. [파] **-ti·cal·ly** *ad.*
sóle cústody 〖법률〗 단독 보호《이혼 후 한쪽 부모, 미국에서는 보통 어머니가 아이를 보호하는 일》.
soled *a.* 《복합어로》 …의 바닥의, 구두창이 「…인.
sóle lèather 구두창용의 두꺼운 가죽, 구두창.
*__sole·ly__ [sóulli] *ad.* **1** 혼자서, 단독으로: I am ~ responsible. 책임은 나에게만 있다. **2** 오로지, 전혀, 단지, 다만. [cf.] entirely, wholly. ¶ I went there ~ to see it. 오직 그것이 보고 싶어서 갔다.
*__sol·emn__ [sáləm/sɔ́l-] *a.* **1** 엄숙한, 근엄한: a ~ speech 엄숙한 말/put on a ~ look 근엄한 표정을 짓다. **2** 장엄한, 장중한: a ~ sight 장엄한 광경/~ music 장중곡. **3** 엄연한, 중대한: a ~ truth. **4** 진지한, 성실한; 젠체하는: a ~ promise 성의 있는 약속. [SYN.] ⇨GRAVE². **5** 〖종교〗 의식에 맞는; 종교상의, 신성한; 격식 차린. **6** 〖법률〗 정식(正式)의. ◇ solemnity *n.* [파] ◇**~·ly** *ad.* **~·ness** *n.*
so·lem·ni·fy [səlémnəfài] *vt.* …을 엄숙〔장엄〕하게 하다.
◇**so·lem·ni·ty** [səlémnəti] *n.* **1** [U] 장엄, 엄숙; 근엄, 장중한 말〔의식〕; 진중(鎭重)을 뗾, 진지한 체함, 젠체하기. **2** [U,C] (종종 *pl.*) 의식, 제전(祭典). **3** 〖법률〗 정식 절차.
sòl·em·ni·zá·tion *n.* [U] 식을 올림; 장엄화(化).
sol·em·nize [sáləmnàiz/sɔ́l-] *vt.* 엄숙히 축하하다; (결혼식 등을) 엄숙히 올리다; 장엄하게 하다. — *vi.* 엄숙하게 말〔행동〕하다, 진지해지다.
sólemn máss (종종 S- M-) 〖가톨릭〗 장엄 미사.
so·len [sóulin, -lən, -len] *n.* 〖패류〗 길맛.
so·le·noid [sóulənɔ̀id] *n.* 〖전기〗 솔레노이드, 원통 코일《속에 든 강편을 자석화함》.
sóle·plàte *n.* 〖기계〗 바닥판, 밑판; 다리미의 밑바닥.
sol-fa [sòulfáː/sɔ̀l-] 〖음악〗 *n.* [U] 계(階)이름 부르기, 도레미파 창법. — (*p., pp.* **~d, ~ed** [-d]) *vt., vi.* 계명 창법으로 노래하다.
sól-fa sỳllables 음계로 부르는 도레미파 음절.
sol·fa·ta·ra [sòulfətáːrə, sàl-/sɔ̀l-] *n.* 〖지학〗 황기공(黃氣孔). [파] **sòl·fa·tá·ric** *a.*
sol·fège [salféʒ/sɔl-] 〖음악〗 *n.* 솔페주《선율·음계를 계명으로 노래하기; 또, 도레미파를 쓴 시창법 (視唱法)》; 음악의 기초 이론 교육.
sol·feg·gio [salfédʒou, -dʒiòu/sɔlfédʒiòu] (*pl.* **-gi** [-dʒi(ː)], **~s**) *n.* 《It.》 =SOLFÈGE.
sol-gel [sáldʒèl, sóul-/sɔ́l-] *a.* 〖화학〗 졸이 되었다 겔이 되었다 하는.
Sol. Gen. Solicitor General.
so·li [sóuliː] SOLO의 복수.
sol·i- [sóulə, sálə/sóuli, sɔ́li] '단일의(alone), 유일한(solitary)'의 뜻의 결합사.
*__so·lic·it__ [səlísit] *vt.* **1** 《~+[목]/+[목]+[전]+[명]/+[목]+*to* do》 …에게 (간)청하다, 졸라대다; …에게 부탁하다: ~ advice 충고를 청하다/~ a person *for* help 아무에게 도움을 청하다/~ a person *to* do 아무에게 …하여 달라고 부탁하

다. SYN. ⇨BEG. **2** 《+목+전+명》 (무엇을) 구하다, 조르다: We ~ favors 〔custom〕 *of* 〔*from*〕 you. 애호해 주시기를 바랍니다《상용문》. **3** 《~+목/+목+전+명》 (나쁜 목적으로) (사람 등)에 접근〔가까이〕하다; (뇌물을 써서) 나쁜 일에 꼬드기다: ~ judges 재판관을 구슬리다/~ a person *to* evil. **4** (매춘부 따위가) 유혹하다, 끌다. — *vi.* **1** 《~/+전+명》 간청하다; 권유하다, 구걸하다; 애걸하며 물건을 팔다: ~ *for* help 원조를 요청하다. **2** (매춘부가) 손님을 끌다.

so·lic·i·tant [səlísətənt] *n.* solicit 하는 사람.

so·lic·i·ta·tion [səlìsətéiʃən] *n.* U,C 간원(懇願), 간청(entreaty); 권유; 유도; 유혹; (매춘부의) 손님끌기; 유혹(allurement); 애걸복걸; 〖법률〗 교사죄(敎唆罪).

◇**so·lic·i·tor** [səlísətər] *n.* **1** 간청자, 청원자; 구혼자; 설득하는 사람. **2** 《미》 (시·읍 따위의) 법무관. **3** 《영》 사무 변호사《법정 변호사와 소송 의뢰인 사이에서 주로 사무만을 취급하는 법률가》. cf. barrister. **4** 《미》 〖상업〗 주문받는 사람, 권유원; 선거 운동원: an insurance ~ 보험 권유원.

solícitor géneral (*pl.* ***solícitors géneral***) **1** 《영》 법무 차관(次官); 대검찰청 차장 검사. **2** (S- G-) 《미》 법무 차관; (주(州)의) 법무 장관, 검찰 총장.

so·lic·i·tous [səlísətəs] *a.* 열심인; 간절히 …하려 하는, 갈망하는《*to* do; *of*》; 걱정하는《*for; about*》. ㊀ **~·ly** *ad.* **~·ness** *n.*

◇**so·lic·i·tude** [səlísətjù:d/-tjù:d] *n.* U 근심, 우려(care), 염려(concern) 《*about*》; 갈망; 열심; 배려 《*for*》; (*pl.*) 걱정거리.

‡**sol·id** [sálid/sɔ́l-] (*~·er; ~·est*) *a.* **1** 고체의, 고형의, 단단한, 딱딱한: a ~ body 고체/~ fuel 고체 연료/~ ground 단단한 지면. **2** 견고한(firm), 튼튼한(massive): a ~ building 견고한 건물/a man of ~ build 체격이 튼튼한 사람. SYN. ⇨FIRM. **3** 속까지 굳은; 속이 비지 않은 (opp *hollow*); 속까지 동질인, 도금한 것이 아닌: a ~ tire 통 타이어(cf. pneumatic tire)/~ silver 순은. **4** 충실한, 실질적인(substantial): a ~ meal 실속 있는 식사/time for ~ reading (본격적인) 독서 시간. **5** 견실한, 확실한(sound), 믿을 수 있는; 진짜의(genuine): a ~ reasoning 확고한 추론/~ comfort 진정한 위안. **6** 단결〔결속〕한, 만장일치의(unanimous): a ~ vote 만장일치의 투표/go 〔be〕 ~ for 〔against〕 일치단결하여 찬성〔반대〕하다. **7** (빛깔에) 농담이 없는, 한결같은: a ~ black dress 검정 일색의 드레스. **8** (안개·구름 등이) 짙은(dense), 두터운. **9** 연속된(continuous), 끊긴 데 없는; 정미(正味), 알속: a ~ hour 꼬박 한 시간. **10** 〖수학〗 입체의, 입방의. **11** (복합어가) 하이픈 없이 이어진; 〖인쇄〗 행간을 띄우지 않은, 빽빽이 짠. **12** 《미》 〔종종 good ~〕 강한, 센, 철저한, 호된: a *good* ~ blow 맹렬한 일격. **13** 《미구어》 사이가 썩 좋은, 친밀한《*with*》. **14** 《미속어》 (댄스·재즈 연주 따위가) 멋있는(excellent), 훌륭한. ***be ~ with*** 《미구어》 …와 사이가 좋다.

— *n.* **1** 고체(=∠ **bódy**); 고형물(固形物). **2** (*pl.*) 고형식(食), (액체 속의) 덩어리. **3** 〖수학〗 입체; 얼룩이 없는 빛깔; 하이픈 없는 복합어; 《미속어》 신뢰할 수 있는 벗.

— *ad.* 일치하여; 《구어》 가득히, 완전히; 《미속어》 〔대답에 쓰여〕 물론: vote ~ 만장일치로 투표하다. ***Solid, Jackson.*** 맞다, 네 말대로다.

㊀ ◇**~·ly** *ad.* **~·ness** *n.*

sólid ángle 〖수학〗 입체각.

sol·i·da·rism [sálədərìzəm/sɔ́l-] *n.* ('한 사람은 만인을 위해, 만인은 한 사람을 위해'라고 하는) 연대주의(連帶主義). ㊀ **-rist** *n.* 연대주의자.

sol·i·dar·i·ty [sàlədǽrəti/sɔ̀l-] *n.* U **1** 결속, 단결, 공동 일치; 〖법률〗 연대 책임. **2** (S-) 연대 《1980년 9월에 결성된 폴란드의 자유 노동조합의 전국 조직》.

sol·i·da·ry [sálidèri/sɔ́lidəri] *a.* 공동의, 일치의; 연대(책임)의. ㊀ **-ri·ly** *ad.*

sólid-dráwn *a.* (쇠파이프 따위가) 이음매 없이 쭉 뽑아낸.

sólid fúel (로켓의) 고체 연료(solid propellant); (석유·가스에 대하여) 석탄 등의 고체 연료.

sólid-fúeled *a.* 고체 연료에 의한: a ~ rocket.

sólid geólogy 입체 지리학.

sólid geómetry 입체 기하학.

so·lid·i·fy [səlídəfài] *vt., vi.* 단결시키다〔하다〕, 응고〔응결, 결정(結晶)〕시키다〔하다〕; 굳(히)다. ***the ~ing point*** 〖물리〗 응고점. ㊀ **so·lìd·i·fi·cá·tion** [-fikéiʃən] *n.* U 단결; 응고.

so·lid·i·ty [səlídəti] *n.* U **1** 고체성, 고형성; 단단함. opp *fluidity*. **2** 속이 참, 충실. **3** 견고, 튼튼함, 견실(성). **4** 입체성; 〖수학〗 부피; 《고어》 용적(volume). **5** 고체, 고형물. **6** 〖기계〗 (프로펠러·팬(fan) 등의) 강률(剛率).

sólid mótor 고체 연료 추진 모터.

sólid of revolútion 〖수학〗 회전체; 〖기계〗 회전 입체.

sólid propéllant (인공위성의) 고체 추진제(劑); =SOLID FUEL.

sólid rócket bòoster 〖우주〗 고체 연료 로켓 부스터《우주 왕복선의 상승 추진력을 증강하는 2개의 교체 추진제 로켓; 생략: SRB》.

sólid solútion 〖물리〗 고용체(固溶體).

Sólid Sóuth (the ~) 《미》 전통적으로 민주당의 기반이 공고한 남부 제주(諸州).

sólid státe 〖물리〗 고체 (상태).

sólid-státe *a.* 〖전자〗 (트랜지스터 따위의) 반도체를 이용한; 〖물리〗 고체(물리)의: a ~ amplifier 반도체 증폭기/~ science 물성(物性) 과학.

sólid-státe electrónics 고체 전자 공학.

sólid-státe máser 〖전자〗 고체 메이저.

sólid-státe phýsics 고체 물리학.

sólid-státe technòlogy 〖전자〗 고체 기술《반도체 소자나 집적 회로의 제법(製法)에 관한 기술; 생략: SST》.

sol·i·dus [sálədəs/sɔ́l-] (*pl.* ***-di*** [-dài]) *n.* **1** 고대 로마의 금화의 일종. **2** 사선(斜線)《실링과 펜스, 달러와 센트 등의 사이, 또는 날짜·분수를 나타냄; 보기: 3/7》. ★2/6은 2실링 6펜스; 날짜의 경우, 3/7은 미국에서는 3월 7일, 영국에서는 7월 3일을 나타냄. **3** 〖물리·화학〗 고상선(固相線)(=∠ **cùrve**).

sólid wáste 고형(固形) 폐기물《빈 깡통, 유리병, 플라스틱 용기, 신문, 잡지 등과 큰 것은 폐차·폐기 전화(電化) 제품 등》.

sol·i·fid·i·an [sàləfídiən/sɔ̀l-] 〖신학〗 *a.* 유신론(唯神論)(자)의. — *n.* 유신론자. ㊀ **~·ìsm** *n.* U 〖신학〗 유신론.

so·li·fluc·tion, 《영》 **-flux·ion** [sòuləflʌ́kʃən, sàl-/sòul-, sɔ̀l-] *n.* 〖지학〗 토양류(流), 유토(流土), 솔리플럭션《동토(凍土) 지대에서 물에 포화된 토양이 사면(斜面)을 천천히 이동하는 현상》, 동상 침식(凍霜侵蝕).

so·lil·o·quist [səlíləkwist] *n.* 독백〔혼잣말〕하는 사람.

so·lil·o·quize [səlíləkwàiz] *vi., vt.* 혼잣말하다, 〖연극〗 독백하다.

so·lil·o·quy [səlíləkwi] *n.* U,C 혼잣말; C 〖연극〗 독백. cf. monologue.

sol·i·on [sálàiən, -an/sɔ́làiən, -ɔn] *n.* 〖전자〗 솔리온《용액 중의 이온의 이동을 이용한 검출·

증폭 전자 장치》. 「(동물)《말 따위》.

sol·i·ped [sálәpèd/sɔ́l-] *a., n.* 단제(單蹄)의

sol·ip·sism [sálipsìzәm, sóul-/sɔ́l-] *n.* Ⓤ 〖철학〗 유아론(唯我論); (일반적으로) 자기 감각〔욕망〕 세계의 탐닉. ⓟ **sòl·ip·sís·mal** *a.* **sól·ip·sist** *n., a.* **sòl·ip·sís·tic** *a.*

sol·i·taire [sálәtὲәr/sɔ̀litέә, ⌐-⌐] *n.* (반지 따위에) 한 개 박은 보석; 보석 하나 박은 장신구(裝身具)〔패물〕; Ⓤ 솔리테어《《미》 혼자서 하는 카드놀이(《영》 patience); 혼자 두는 장기》; 《미속어》 자살.

*__sol·i·tary__ [sálәtèri/sɔ́litәri] *a.* **1** 고독한, 외톨의, 외로운, 혼자의(alone): a ~ traveler 외로운 나그네/a ~ life 혼자 삶/~ chores 혼자 하는 일. SYN. ⇨ALONE. **2** 쓸쓸한, 적막한, 외진(secluded); 외딴: a ~ valley 호젓한 골짜기/a ~ house 외딴집. **3** 〖보통 부정·의문문〗 유일한(only), 단 하나의(sole): be not a ~ instance 유일한 예는 아니다. **4** 〖동물〗 군거(群居)하지 않는, 무리 짓지 않는; 〖식물〗 단생(單生)의. OPP. *social.* **—** *n.* 혼자 사는 사람; 은자(隱者); Ⓤ 《구어》 독방 감금. ⓟ **-ri·ly** *ad.* 홀로, 외로이(in solitude). **-ri·ness** *n.* 「독방 감금.

sólitary confínement 〔**imprísonment**〕

sólitary wáve 〖해양〗 고립파(孤立波)《단 하나의 물마루가 모양을 바꾸지 않고 상당히 멀리까지 진행하는 물결》.

sol·i·ton [sálitàn/sɔ́litɔ̀n] *n.* (보통 *pl.*) 〖물리〗 솔리톤《입자(粒子)처럼 움직이는 고립파(波)》.

*__sol·i·tude__ [sálәt*j*ù:d/sɔ́litjù:d] *n.* **1** Ⓤ 외톨이임, 홀로 삶; 외로움: live in ~ 홀로〔외롭게〕 살다. **2** Ⓒ 쓸쓸한 곳, 벽지; 황야. 「굉장히 큰 것.

sol·lick·er [sálikәr/sɔ́l-] *n.* 《Austral. 속어》

sol·mi·za·tion [sàlmәzéiʃәn/sɔ̀lm-] *n.* Ⓤ 〖음악〗 계(階)이름 부르기(sol-fa).

soln. solution.

*__so·lo__ [sóulou] (*pl.* **~s, -li** [-li]) *n.* **1** 〖음악〗 독주(곡); 독창(곡). ★ 2 중창〔중주〕에서 9 중창〔중주〕까지는 다음과 같음. (2) duet, (3) trio, (4) quartet, (5) quintet, (6) sextet *or* sestet, (7) septet, (8) octet, (9) nonet. **2** 〖항공〗 단독 비행. **3** 일인극(一人劇); 독무(獨舞), 혼자 추는 춤. **4** 혼자 하는 카드놀이; 혼자서 2인 이상을 상대로 하는 카드놀이. **—** *a.* 혼자 하는; 독창〔독주〕의; 단독의: a ~ flight 단독 비행. **—** *ad.* 단독으로, 혼자서(alone). **—** *vi.* 혼자 하다; 단독 비행하다. ⓟ **~·ist** *n.* 독주자; 독창자.

Sólo màn 〖인류〗 솔로인(人)《인도네시아 자바섬 Solo강 부근에서 발견된 화석 인류》.

Sol·o·mon [sálәmәn/sɔ́l-] *n.* 〖구약〗 솔로몬《Israel의 왕; David의 아들》; (s-) 어진 사람: (as) wise as ~ 매우 현명한/He is no ~. 아주 숙맥이다.

Sólomon Íslands (the ~) *pl.* 솔로몬 제도《New Guinea섬 동쪽에 있는 제도; 이 제도를 주축으로 한 국가; 1978년에 영(英)연방 내의 독립국이 됨; 수도는 호니아라(Honiara)》.

Sólomon's séal 1 둥굴레속(屬)의 식물《죽대 등》. **2** 육성형(六星形)《삼각형을 두 개 포갠 꼴; 중세 때 열병(熱病)에 대한 부적으로 썼음》.

Solomon's seal 2

sólo mótor cýcle 단차(單車)《사이드카 없는 오토바이》.

So·lon [sóulәn] *n.* **1** 솔론《Athens의 입법가(立法家)로, 그리스 칠현(七賢)의 한 사람; 638?-559? B.C.》. **2** (*or* s-) 현인(賢人); 명(名)입법가; 《미구어》 하원 의원.

sol·on·chak [sàlәntʃǽk/sɔ̀l-] *n.* 〖지학〗 솔론책《배수 불량 건조 지대에 생기는 염류 토양》.

sol·o·netz [sàlәnéts/sɔ̀l-] *n.* 〖지학〗 솔로네츠《솔론책에서 염류가 빠져나가 생긴 알칼리성 토양》. ⓟ **~·ic** *a.* 「(good-bye).

sò lóng, sò-lóng *int.* 《구어》 안녕히 가세요

sol·stice [sálstis/sɔ́l-] *n.* **1** 〖천문〗 지(至), 지일(至日), 지점(至點): ⇨SUMMER 〔WINTER〕 SOLSTICE. **2** 《비유》 최고점, 극점, 전환점. ⓟ **sol·sti·tial** [sɑlstíʃәl/sɔl-] *a.* 〖천문〗 지(至)의, 《특히》 하지(夏至)의.

sol·u·bil·i·ty [sàljәbílәti/sɔ̀l-] *n.* Ⓤ 녹음, 가용성, 용해성; 용해도; (문제·의문 등의) 해결〔해석〕 가능성: ~ product 〖화학〗 용해도 곱.

sol·u·bi·lize [sáljәbәlàiz/sɔ́l-] *vt.* 가용성(可溶性)으로 하다, …의 용해도를 높이다. ⓟ **sòl·u·bi·li·zá·tion** *n.* 가용화(可溶化).

◇**sol·u·ble** [sáljәbәl] *a.* **1** 녹는, 녹기 쉬운《*in*》; 용해할 수 있는: Salt and sugar are ~ in water. 설탕과 소금은 물에 녹는다. **2** (문제 따위가) 해결〔해답〕할 수 있는.

sóluble gláss 물유리(water glass).

sóluble RNA 〖생화학〗 가용성(可溶性) RNA《세포질 속을 자유로이 이동하는 RNA; 아미노산을 운반하는 transfer RNA가 가장 중요함》.

sóluble stárch 가용성 녹말.

so·lum [sóulәm] (*pl.* **-la** [-lә], **~s**) *n.* 〖지학〗 솔룸《식물 뿌리의 영향을 받는 토양 단면의 상층부》.

so·lus [sóulәs] (*fem.* **so·la** [sóulә]) *a.* 《L.》 혼자, 홀로(alone)《주로 연극 대본에 표시함》: Enter the king ~. 왕 혼자 등장.

sol·ute [sálju:t, sóulu:t/sɔ́lju:t] *n.* Ⓤ 〖화학〗 용질(溶質). **—** *a.* 용해된; 〖식물〗 유리된(separate).

****so·lu·tion** [sәlú:ʃәn] *n.* **1** Ⓤ 용해, 용해 상태; 용해법〔술〕: The sea-water holds various substances in ~. 바닷물에는 여러 가지 물질이 녹아 있다. **2** Ⓤ,Ⓒ 용액, 용제(溶劑); Ⓤ (종종 rubber-~) 고무풀《고무 타이어 수리용》; 〖의학〗 액제(液劑), 물약: a strong 〔weak〕 ~ 진한〔묽은〕 용액. **3** Ⓤ 분해, 해체, 분리, 붕괴. **4** Ⓤ (문제의) 해결, 해명(explanation); Ⓒ 해답(법): The situation is approaching ~. 사태는 해결에 다가가고 있다. **5** (수학 등의) 해법(解法), 풀이《*of; for; to*》. **6** 〖의학〗 (병의) 고비. **7** Ⓤ (채무 따위의 판상(辦償)에 의한) 해제. ***in* ~** 녹아서, 용해 상태로; (생각 따위가) 정리되지 않고, 흔들리고. ⓟ **~·ist** *n.* (퀴즈 등의) 직업적인 해답자.

solútion sèt 〖수학·논리〗 해집합(解集合), ∟=TRUTH SET.

sòlv·a·bíl·i·ty *n.* Ⓤ 해결 가능성.

solv·a·ble [sálvәbәl/sɔ́l-] *a.* 풀 수 있는, 해결〔해석, 설명〕할 수 있는. ⓟ **~·ness** *n.*

solv·ate [sálveit/sɔ́l-] 〖화학〗 *n.* 용매(溶媒) 화합물. **—** *vt., vi.* 용매화(和)〔化〕하다. ⓟ **solv·á·tion** *n.* 용매화.

Sól·vay prócess [sálvei-/sɔ́l-] 〖화학〗 솔베이법(法), 암모니아 소다법.

****solve** [sɑlv/sɔlv] *vt.* **1** (문제·수수께끼 따위를) 풀다, 해답하다, 해명하다: ~ a problem 문제를 풀다. **2** (곤란 따위를) 해결하다, …에 결말을 짓다. **3** 용해하다(melt); 《고어》 (매듭 등을) 풀다. ◇ solution *n.*

◇**sol·vent** [sálvәnt/sɔ́l-] *a.* 〖법률〗 지급 능력이 있는; 용해력이 있는; (마음·감정 등을) 누그러지게 하는; (신앙 따위를) 약화시키는《*of*》. **—** *n.* 용제(溶劑), 용매(menstruum)《*for; of*》; 누그러뜨리는 것; 해결책. ⓟ **sól·ven·cy** *n.* Ⓤ 지급 능력, 자력(資力); 용해력〔성(性)〕. 「ing).

sólvent abùse 본드〔시너〕 흡입(glue sniff-

sol·vol·y·sis [salvάləsis/sɔlvɔ́l-] *n.* Ⓤ 〖화학〗 가용매(加溶媒) 분해, 용매화 분해.

Sol·zhe·ni·tsyn [sòulʒəní:tsin, sɔ̀l-/sɔ̀lʒəníːt-] *n.* **Aleksandr Isayevich** ~ 솔제니친《러시아의 작가; Nobel 문학상 수상(1970); 반(反)체제적 이라는 이유로 1974년 국외로 추방당하였다가 1994년에 귀국함; 1918-2008》. cf. Gulag Archipelago.

som [sam, soum/sɔm] *n.* 솜《키르기스스탄의 「화폐 단위」》.

Som. Somerset(shire).

so·ma [sóumə] (*pl.* **~·ta** [-tə]) *n.* 〖생물〗 몸, 신체, 육체; 몸세포, 체세포.

So·ma·li [soumά:li] *n.* **1 a** (*pl.* ~(**s**)) 소말리족(族)《동아프리카의 한 종족; 흑인·아라비아인 기타의 혼혈》. **b** Ⓤ 소말리어(語). **2** 〖동물〗 소말리고양이《털이 긺》.

So·ma·lia [soumά:liə, -ljə] *n.* 소말리아《아프리카 동부(東部)의 Aden만과 인도양에 면한 공화국; 수도는 모가디슈(Mogadishu)》. ㊎ **So·má·lian** *a., n.*

So·ma·li·land [soumά:lilæ̀nd] *n.* 소말릴란드《아프리카 동부의 지방 이름》.

so·mat- [soumǽt, sə-, sóumət], **so·mat·o-** [-tou, -tə] '신체, 몸'의 뜻의 결합사. ★ 모음 앞에서는 somat-.

so·mat·ic [soumǽtik] *a.* 신체의; 육체의 (physical); 〖생물·해부〗 몸의; 체구의; 체강(體腔)의, 체벽(體壁)의. ㊎ **-i·cal·ly** *ad.*

somátic céll 〖생물〗 몸세포, 체세포.

somátic déath 〖의학〗 신체사(身體死). OPP. *local death.*

so·mat·i·za·tion [səmæ̀təzéiʃən, sòumətə-] *n.* 〖정신의학〗 신체화(化)《정신 상태의 영향으로 생리적 부전(不全)을 일으킨다든지 심리적 갈등을 신체적 증상으로 전환하는 일》.

so·ma·tol·o·gy [sòumətάlədʒi/-tɔ́l-] *n.* 〖인류〗 형질〔신체〕 인류학(physical anthropology); 《본디》 인체학(人體學), 비교 체격론.

so·mat·o·me·din [səmæ̀təmí:dən, sòumətə-] *n.* 〖생화학〗 소마토메딘《간장·신장에서 합성된, somatotropin의 작용을 자극하는 호르몬》.

so·ma·tom·e·try [sòumətάmətri/-tɔ́m-] *n.* 인체〔생체〕 계측.

so·mat·o·plasm [səmǽtəplæ̀zəm] *n.* 체세포 원형질; (생식질(生殖質)과 구별하여) 체질.

so·mat·o·pleure [səmǽtəplùər, sóumətə-] *n.* 〖발생〗 체벽엽(體壁葉). ㊎ **so·màt·o·pléu·ral, -ric** [-plúərəl], [-rik] *a.*

somàto·sénsory *a.* 체성(體性) 감각의.

so·mat·o·stat·in [səmæ̀təstǽtn, sòumətə-] *n.* 〖생화학〗 성장 억제 호르몬, 소마토스타틴《somatotropin 방출 억제 인자》.

somàto·thérapy *n.* 〖의학〗 (심리적 문제에 관 「한) 신체 치료.

so·mat·o·ton·ic [səmæ̀tətάnik, sóumətə-/-tɔ́nik] *a.* 〖심리〗 신체형의《근골이 발달한 사람에게 많은 활동적인 기질》.

so·mat·o·tró·phic hórmone [səmæ̀tətrάfik-, -tróufik-/-trɔ́f-] *n.* 〖생화학〗 성장 호르몬(growth hormone).

so·mat·o·tro·pin [səmæ̀tətróupin, sòumətə-] *n.* 〖생화학〗 성장 호르몬.

so·mat·o·type [səmǽtətàip, sòumətə-] *n.* 〖심리〗 체형(體型). cf. *endomorph, mesomorph, ectomorph.*

***som·ber,** 《영》 **-bre** [sάmbər/sɔ́m-] *a.* **1** (장소 따위가) 어둠침침한, 흐린; 음침한, 거무스름한; 칙칙한, 수수한《빛깔 따위》: a ~ sky/a ~ dress 칙칙한 색깔의 드레스. **2** 우울한, 음울한: He had a ~ expression on his face. 그는 우울한 표정을 지었다. ㊎ **~·ly** *ad.* **~·ness** *n.*

som·bre·ro [sambréərou/sɔm-] (*pl.* **~s**) *n.* 솜브레로《챙이 넓은 미국 남서부·멕시코의 중절모〔맥고모자〕》.

sombrero

som·brous [sάmbrəs/sɔ́m-] *a.* 《시어》 =SOMBER.

†**some** ⇨《p. 2373》 SOME.

-some [səm] *suf.* **1** '…에 적합한, …을 낳는〔가져오는〕, …하게 하는'의 뜻. **a** 〖명사에 붙여〗: hand*some*. **b** 〖형용사에 붙여〗: blithe*some*. **2** '…하기 쉬운, …경향이 있는, …하는'의 뜻: tire*some*. **3** 〖수사에 붙여〗 '…사람으로〔개로〕 이루어진 무리〔조(組)〕'의 뜻: two*some*.

†**some·body** [sʌ́mbὰdi, -bʌ̀di, -bədi/-bədi] *pron.* 어떤 사람, 누군가: *Somebody* is looking for you. 누군가 너를 찾고 있다/General *Somebody* 아무개 장군/There should be ~ at the entrance hall. 현관 출입구에는 누군가 있어야 할 것이다/If ~ telephones, remember to ask their 〔his, her〕 name. 누군가 전화를 하면, 잊지 말고 그 사람의 이름을 물어 주시오.

> NOTE someone 보다 구어적. (1) 보통 긍정문에 쓰이며, 부정·의문문에는 nobody, anybody가 쓰임.
> (2) 단수로 취급하며 그것을 받는 인칭대명사는 보통 단수의 he, his, him 또는 she, her이지만 《구어》에서는 종종 they, their, them을 씀.
> (3) some people(몇 명의 사람들)과 혼동하지 않도록 주의할 것.

~ ***else*** 누군가 다른 사람: It's ~ *else*'s hat. 누군가 딴 사람의 모자다. ~ ***or other*** 누군지 모르지만. ―*n.* 《구어》 아무개라는 사람; 어엿한 사람, 상당한 인물, 대단한 사람: He thinks he's (a) ~. 그는 자기를 대단한 사람이라고 생각한다.

‡**some·day** [sʌ́mdèi] *ad.* 언젠가 (훗날에): *Someday* you'll understand. 언젠가 알게 될 것이다. ★ someday는 미래에만 쓰이고, 과거에는 one day를 씀.

sóme·dèal *ad.* 《고어》 어느 정도로.

‡**some·how** [sʌ́mhàu] *ad.* **1** 어떻게든지 하여, 여하튼, 어쨌든: It must be done ~. 어떻게든지 그것은 해야 한다. **2** 어쩐지, 웬일인지, 아무래도: *Somehow* I don't like him. 어쩐지 그가 싫다. ~ ***or other*** 이럭저럭, 어떻게든지 하여; 웬일인지《somehow의 강조형》.

†**some·one** [sʌ́mwʌ̀n, -wən] *pron.* 누군가, 어떤 사람(somebody): *Someone* called me. 누군가 나를 불렀다/*Someone* is waiting for you. 너를 기다리는 사람이 있다/Ask ~ else. 누군가 딴 사람에게 물으시오.

sóme·plàce *ad.* 《미구어》 어딘가에〔로, 에서〕 (somewhere).

som·er·sault [sʌ́mərsɔ̀:lt] *n.* **1** 재주넘기, 공중제비: turn 〔cut, make, execute〕 a ~ 재주넘다. **2** 《비유》 (의견·태도 등의) 반전, 180도 전환. ―*vi.* 재주넘다, 공중제비하다.

Som·er·set [sʌ́mərsèt] *n.* **1** 서머싯《잉글랜드 남서부의 주》. **2** (s-) 《영》 (한쪽 다리 없는 사람을 위한) 서머싯 안장《이것을 사용한 장군 Lord F. H. Somerset에서 연유》.

som·er·set *n., vi.* =SOMERSAULT. ―*vt.* 내던져 뒤집다; …에게 공중제비를 시키다.

Sómerset Hòuse 유서 등기소·세무서 등이 있는 런던의 템스 강변의 관청 건물《본디 Somerset 공작의 저택》.

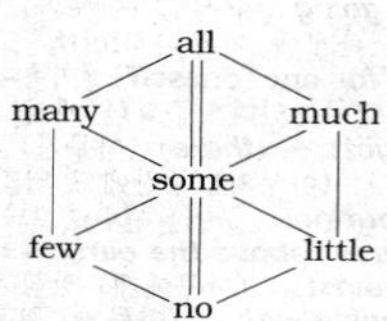

(1) some은 그림에서처럼 부정(不定)의 수량을 나타내는 말로서는 가장 중성적인 것이라고 할 수 있다. 우선 6각형의 왼쪽 반은 수에 관계되어 복수취급, 오른쪽 반은 양에 관계되어 단수취급을 하는데, 중앙의 all, some, no는 수와 양 양쪽에 관계하며, 이런 점에서 두 가지 용법이 있다. 중앙선상에서 some은 일반적으로 '부분'을 뜻하는 점에서 all과, 어쨌든 '있다'는 것을 가리키는 점에서 '전혀 없음'을 나타내는 no와 대립된다. 또 특히 많다고 밝히지 않는 점에서 many, much와, 적다고 밝히지 않는 점에서 few, little과 구별된다 (a few, a little의 경우는 some에 접근되지만). 또한 구문상 둘레의 6 낱말과 유사점이 많으며, 또 형용사적 및 명사적 용법의 두 가지로 쓰이는 점에서 no를 제외한 나머지 5 낱말과 공통점을 갖는다.

(2) 의문문·부정문·조건절 따위에서는 any로 바뀌는 경우가 많다.

some [sʌm, 약 səm] *a.* **1** 〖복수명사 또는 단수 불가산명사와 함께〗 얼만가의, 몇 개(인가)의, 다소의, 약간〔조금〕의. **a** 〖긍정의 평서문에서〗《의미가 약해서 굳이 우리말로 새길 필요가 없을 경우도 있음》: to ~ extent 어느 정도/Give me ~ apples 〔milk〕. 사과를 몇 개〔우유를 좀〕 주시오/You should have ~ sympathy for me. 조금쯤 동정해 주어도 괜찮을 거요. **b** 〖의문문에서〗《any 대신 some을 쓰면 긍정의 답을 기대하거나 권유·의뢰를 나타냄》: Don't you need ~ pencils? 연필이 필요하지./Will you have ~ tea? 차 좀 마시겠느냐. **c** 〖조건절에서〗《any 대신 some을 쓰면 조건의 가능성이 많음을 나타냄》: If you have ~ money, you should buy the book. 돈이 있으면 그 책을 사야지. ★ 긍정의 평서문에는 some을, 부정문·의문문·조건절에는 any를 쓰는 것이 일반적이나, 이상의 b, c에서와 같이 특별한 경우에는 some을 씀.

2 [sʌm] 〖분명치 않은 또는 불특정의 것·사람을 가리켜서〗 **a** 〖단수가산명사와 함께〗 어떤, 무언가의, 누군가의, 어딘가의《종종 명사 뒤에 or other를 곁들여 뜻을 강조함》: in ~ way (*or other*) 어떻게든 해서, 이럭저럭/for ~ reason (*or other*) 웬일인지, 무슨 이유인지/She is living in ~ village in India. 그녀는 인도 어딘가의 마을에 살고 있다/I saw him talking with ~ woman. 나는 그가 어떤 부인과 얘기하고 있는 것을 보았다/He's staying with ~ artist (*or other*) in Paris. 그는 파리에서 예술가인지 뭔지 하는 사람과 함께 지내고 있다. ★ some은 강세를 두어 발음하면 '어디 누구인지는 모르지만'과 같은 경멸적인 뜻도 나옴: He has been seeing ~ woman. 그 사람은 (어디의 누구인지도 모르는) 계집과 상종하고 있지요. **b** 〖복수가산명사와 함께〗 (어떤) 몇 개인가의, 몇 사람인가의: She's honest in ~ ways. 그녀는 어떤 면에서는 정직하다/*Some* people think they know everything. 모르는 것이 아무것도 없다고 생각하는 사람도 있다(⇨3).

3 [보통 sʌm] 사람〔물건〕에 따라 …(도 있다), 그 중에는 …(도 있다)《종종 뒤에 대조적으로 (the) other(s), the rest 또는 some이 따름》: in ~ instances 경우에 따라서는/*Some* books are interesting; *others* are boring. 재미있는 책도 있고 지루한 책도 있다/*Some* days I stay home, but ~ days I don't. 어떤 날엔 집에 있기도 하고 어떤 날엔 집에 없기도 하다.

4 [sʌm] **a** 《구어》 상당한, 어지간한, 꽤(≒considerable): I stayed there for ~ days 〔time〕. 며칠이나〔상당 기간〕 그곳에 머물렀다/The airport is (at) ~ distance from here. 공항은 여기서 상당한 거리에 있다. **b** 《구어》 대단한, 굉장한, 훌륭한; 격렬한: That was quite ~ party! 아주 성대한 파티였어/You're ~ boy, Jack! 넌 대단한 놈이야, 잭. **c** 〖종종 문장 앞에 some+명사가 와서; 빈정거리는 투로〗《구어》 대단한 (…이다)《전혀 …아니다》: *Some* friend you were! 자넨 참 대단한 친구였지《참 지독한 친구였었다》/Can you finish it by Wednesday? —*Some* chance! 수요일까지는 끝낼 수가 있습니까—도무지 가망이 없군요.

~ *day* 〖부사적으로〗 언젠가 (후에), 훗날(someday). **~ *few*** ⇨FEW. **~ *one*** ① (…중의) 어느 하나(의), 누군가 한 사람(의), 누군가, 어떤 사람: ~ *one* of the boxes 상자 중의 어느 것 한 개. ② =SOMEONE. **~ *other time*** 〔***day***〕 언젠가 다시. **~ *time*** ① 언젠가 (뒷날), 머지않아. ★ 보통 sometime. ② 잠시 (동안), 얼마 동안.

— *pron.* **1** 다소, 얼마간〔쯤〕, 좀, 약간, 일부: Do you want any tea?—Yes, give me ~. 당신 차를 마시고 싶습니까—네, 좀 주시오《양적》/Are there any apples?—Yes, there are ~. 아직 사과가 남아 있습니까—네, 아직(도) 남아 있습니다《수적》/*Some* of these books are quite interesting. 이 책 중에는 매우 재미있는 것도 있다《some of books처럼 한정사가 붙지 않은 명사는 some of 뒤에는 쓸 수 없음; 다만, some of them처럼 대명사일 때는 가능함》/I should like to have ~ of your patience. 너 같은 참을성이 조금이라도 있었으면 싶다《추상적》.

2 어떤 사람들, 어떤 것; 사람〔사물〕에 따라 (…한 사람〔사물〕도 있다)《종종 뒤에 대조적으로 others 또는 some을 사용》: *Some* say it is true, ~ not. 정말이라고 말하는 사람도 있고 그렇지 않다고 말하는 사람도 있다/*Some* were captured, *others* were killed. 포로로 잡힌 사람이 있는가 하면 죽음을 당한 사람(들)도 있다/Not all labor is hard; ~ is pleasant. 노동은 모두가 괴롭다고 할 수 없다, 즐거운 것도 있다. ★ some은 대명사일 때에도 긍정문에 쓰이며 부정문·의문문·조건절에는 any를 씀.

and then* ~** 《미구어》〖문장 끝에서〗 그 위에 듬뿍, 더욱 많이: He paid a thousand dollars *and then* ~. 그는 천 달러하고도 더 되는 돈을 지급하였다. **~ *of these (***fine***) ***days*** 《구어》 근일 중에, 일간.

— *ad.* (비교 없음) **1** 〖수사 앞에 쓰이어서〗 약《*about*가 보다 구어적임》: ~ thirty books 약 30권의 책. **2** 《구어》 얼마쯤, 어느 정도, 조금은, 좀(≒somewhat): I slept ~ last night. 어젯밤에는 얼마간 눈을 붙였다/I'm feeling ~ better now. 기분이 좀 나아졌습니다/I like baseball ~. 야구를 좀 좋아하는 편이다. **3** 《미구어》

꽤, 어지간히, 상당히(considerably): look ~ 상당〔대단〕하게 보이다 / Do you like it? — Some! 좋아하나 — 어지간히(Rather!) / How do you feel? — I hurt ~. 어떤가 — 꽤 아프다 / That's going ~! 꽤나 좋〔빠르〕군, 굉장하군. ~ **few** ⇨ FEW.

Som·er·set·shire [sʌ́mərsetʃìər, -ʃər] *n.* =SOMERSET 1.

som·es·the·sia, -sis [sòumisθí:ziə/sɔ̀m-], [-sis] *n.* 체성(體性) 감각, 체감.

†**some·thing** [sʌ́mθiŋ] *pron.* **1** 무언가, 어떤 것〔일〕: He has ~ on his mind. 그는 무언가 마음속에 품고 있다, 무언가 걱정되는 것이 있다 / I want ~ to eat 〔drink〕. 무엇 좀 먹을〔마실〕 것을 주었으면 좋겠다 / I prefer ~ cold. 뭐 좀 찬 것이 있으면 좋겠다 / There is ~ wrong with the machine. 그 기계는 무언가 잘못되어 있다 / You know ~? 저 말이야, 자네 알고 있나.

NOTE (1) something은 긍정문 중에, anything은 의문문·부정문 중에 쓰는 것이 보통이지만, 대화 상대에게 긍정의 답을 기대할 경우에는 something을 씀: Is there ~ to eat? 뭐 먹을 게 있습니까(cf. Is there *anything* to eat? 뭐 먹을게 없습니까). (2) 남에게 무엇을 권하는 경우, 또는 Will 〔Could〕 you ... 등으로 시작되는 의뢰문 따위에서도 something을 쓰는 일이 있음. (3) 한정형용사는 anything, nothing과 마찬가지로 뒤에 옴.

2 a 얼마간〔쯤〕, 어느 정도, 다소《*of*》: *Something* yet *of* doubt remains. 아직 다소의 의심이 남아 있다. **b** 《~ of a 〔an〕 ...으로, 보어로 써서》 어지간한, 상당한: Einstein was ~ *of a* violinist. 아인슈타인은 바이올린을 제법 잘 켰다. **3 a** 뭔가 먹을〔마실〕 것: Shall we have ~ with our tea? 차와 함께 뭔가 먹을까. **b** 《종종 ~ or other를 써서》 (잊어버렸거나 희미하게 기억나는) 어떤 것, 뭔가: He does ~ (*or other*) in the U.N. 그는 유엔에서 무슨 일인가를 하고 있다. **c** 《연호·시간 등의 일부를 가리켜》 몇년〔몇시, 몇분〕: The train leaves at three ~. 그 열차는 3시 몇분인가 발차한다. ***be* 〔*have*〕 ~ *to do with*** ...와 관계가 있다. ***make* ~ *of it*** 《속어》 그 일 때문에 싸움을 시작하다: You want to *make ~ of it*? 너, 한번 붙어보자는 거냐. ***or* ~** 《구어》 ...인지 무언지: I hear he has broken an arm *or* ~. 그는 팔인지 무언지 부러졌다고 한다 / He is a lawyer *or* ~. 그는 변호사인가 뭔가 이다. ***say* ~** 몇마디 말하다, 짧은 연설을 하다. ***see* ~ *of*** ⇨ SEE[1]. ***take a drop* 〔*glass*〕 *of* ~** 술을 한잔하다. ***There is* ~** (strange) ***about*** (him). (그)에겐 어딘가 (이상한) 데가 있다. ***You know* ~?** 할 이야기가 좀 있는데.

— *n.* **1** 《구어》 꽤 가치 있는 사람〔물건〕, 뛰어난 인물, 대단한 사람〔물건, 일〕: There is ~ in it. 거기에는 일리가 있다 / He is ~ in the department. 그는 부서 내에서 중요 인물이다 / It's ~ to be safe home again. 무사히 귀가할 수 있어 다행이다. **2** 실재물, 실제로 존재해 있는 것, 무언가 실질이 있는 것: *Something* is better than nothing. 무어라도 있으면 없는 것보다는 낫다. **3** (a ~) 어떤 것, 약간의 것〔돈〕: an indeterminate ~ 어떤 막연한 것 / a wonderful ~ 무언가 놀라운 것 / Here is a little ~ for your children. 약소한 것이지만 자녀들에게 주십시오. **4** 《구어》 《the ~의 형식으로 놀람·노여움·강조의 뜻을 나타내는 관용구에 사용》 도대체 (the devil): What the ~ are you doing here? 도대체 여기서 뭘 하고 있느냐. ***be* ~ 〔*one*〕 *for the books*** 《구어》 (어처구니없어) 할 말이 없다. ***be* ~ *to write home about*** 《구어》 훌륭하다, 멋지다, 최고다. ***find* ~** 《속어》 일자리를 얻다. ***get* ~ *going*** 《미구어》 (아무와) 사귀기 시작하다, 연애 관계에 이르다《*with*》. ***have* (*got*) ~ *going for*** one〔oneself〕 《미속어》 (아무가) 재주가〔매력이〕 있다; 중요한 데서 얼굴이 통하다. ***have* (*got*) ~ (*there*)** (아무가) 문제의 핵심을 쥐고 있다; (아무의) 주장에도 일리가 있다. ***have* ~ *about*** one 《구어》 사람을 끄는 무얼 갖고 있다. ***have* ~ *above the ears*** 머리가 좋다. ***have* ~ *against ...*** (아무에게) 앙심을 품고 있다. ***have* ~ *going with ...*** (아무와) 결혼 약속을 하고 있다, 친밀한 사이이다. ***it comes* 〔*we come*〕 *to* ~ (*when ...*)** 《구어》 ...이라니 놀랄〔이상한〕 일이다. ***It does* ~ (*for ...*)** 그것은 (아무에게) 도움이 된다. ***I will tell you* ~.** 《구어》 할 이야기가 있는데. ***make* ~ *of*** ① ...을 활용〔이용〕하다, 쓸모 있는 사람으로 만들다. ② ...을 중요시하다. ③ 《구어》 ...을 트집 잡고 시비를 걸다; ...을 문제 삼다. ***make* ~ *out of nothing*** 《속어》 트집 잡다. **~ *doing*** 재미있는〔이상한〕 일. **~ *else*** 《구어》 어떤 다른〔더 좋은〕 것, 매우 두드러진〔대단한〕 것. **~ *else again*** 별개의 것〔사안, 문제〕. ***Something has* (*got*) *to give.*** 《미구어》 조속히 어떤 대책을 마련하지 않으면 안 된다, 이대로 놓아둘 수는 없다. **~ *in the sock*** 《미구어》 비상금. **~ *of a ...*** 어지간〔상당〕한 .... ***Something tells me ....*** 《구어》 아마 ...이 아닐까 생각한다.

— *ad.* **1** 얼마쯤〔간〕, 다소(somewhat): ~ more than ... ...보다 좀 많은. ★ 오늘날엔 일반적으로 something like로서만 쓰임. **2** 《구어》 꽤 상당히(very). **~ *like*** ⇨ LIKE[2] *a.*

some·thingth [sʌ́mθiŋθ] *a.* 몇 번째인가의: in his seventy-~ year 일흔 몇 살엔가.

*__some·time__ [sʌ́mtàim] *ad.* **1** 언젠가; 언젠가 후일, 근근, 후에: Come and see me ~. 일간 놀러 오게 / ~ in 2001, 2001년 중에. ★ sometime은 미래 또는 과거의 불특정한 때를 나타냄. **2** 《고어》 =SOMETIMES. **3** 《고어》 일찍이, 이전에, 언젠가: He was in Paris ~ in April. 그는 4월 어느 땐가 파리에 있었다. **~ *or other*** 머지않아, 조만간. — *a.* 이전의; 《미구어·영구어》 한때의: the ~ leader of the group 그 그룹의 이전의 지도자 / Mr. Y, ~ professor at ... ...의 전 교수 Y씨.

†**some·times** [sʌ́mtàimz] *ad.* **1** 때때로, 때로는, 이따금: I usually walk, but ~ I take a taxi. 평소에는 걷지만 택시를 탈 때도 있다 / *Sometimes* they sang, (and) ~ they danced. 그들은 노래 부를 때도 있었고 춤출 때도 있었다 / I ~ can't understand my father. 때로는 아버지 마음을 이해하지 못할 때가 있다 / He does make mistakes ~, but not serious ones. 그도 때로는 잘못을 범하지만 중대한 잘못은 범하지 않는다. **2** 《폐어》 일찍이, 이전에.

some·way(s) [sʌ́mwèi(z)] *ad.* 어떻게든 하여, 그럭저럭; 웬일인지; 조금 떨어져.

__some·what__ [sʌ́mhwʌ̀t, -hwɑ̀t/-hwɔ̀t] *ad.* 얼마간, 얼마쯤, 어느 정도, 약간(slightly): look ~ disturbed 좀 근심스러운 얼굴을 하고 있다 / It's ~ different. 그것은 좀 다르다. ***more than* ~ 《구어》 대단히, 매우: I was *more than* ~ displeased. 몹시 불쾌했다. — *n.* (~ of ...) 어느 정도; 다소(something): He neglected ~ *of* his duty. 그는 직무를 다소 소홀히 했다.

sóme·whèn *ad.* 언젠간, 조만간(sometime).

__some·where__ [sʌ́mhwɛ̀ər] *ad.* **1 어딘가에(서), 어디론가: ~ in Seoul 서울 어딘가에〔로〕 /

~ about 〔around〕 here 이 근처 어디에〔에서, 로〕. **2** 〖명사적; 전치사·타동사의 목적어로 쓰여〗 어딘가, 어떤 곳: from ~ 어딘가에서 / He needed ~ to stay. 그는 어딘가 머무를 장소가 필요했다. **3** 〖보통 전치사구 앞에 쓰여〗 (시간·연령·분량 따위가) 대략, 정도, 쯤, 가량, 약 《*about; near; between; in*》: ~ *about* 〔*around*〕 forty, 40세 가량〔전후〕. ***get*** ~ 《구어》 진보하다, 성공하다, 잘되어 가다. ***I'll see you*** ~ ***first!*** 《구어》 이 빌어먹을 놈아; 딱 질색이다. ~ ***else*** 어딘가 다른 곳에서〔으로〕. ― *n.* 어떤 장소, 모처.

sóme·whères *ad.* 《방언》 =SOMEWHERE.

sóme·while 《고어》 *ad.* 때때로, 이따금; 이윽고; 잠시 (동안); 언젠가, 이전에.

some·whith·er [sʌ́m*h*wìðər] *ad.* 《고어》 어디론가.

some·wise [sʌ́mwàiz] *ad.* 《고어》 =SOMEWAY.

so·mite [sóumait] *n.* 〖동물〗 체절(體節) (metamere). ㊕ **so·mi·tal** [sóumitl] *a.*

som·ma [sɑ́mə/sɔ́mə] *n.* 〖지학〗 (분화구 주위의) 외륜산(外輪山).

som·me·lier [sʌ̀məljéi] *n.* 《F.》 (레스토랑 따위의) 포도주 담당 웨이터.

som·nam·bu·lant [sɑmnǽmbjələnt/sɔm-] *a.* 자면서 걸어다니는; 몽유병의.

som·nam·bu·late [sɑmnǽmbjəlèit/sɔm-] *vt., vi.* 잠결에 걸어다니다. ㊕ **som·nàm·bu·lá·tion** *n.* 몽유. **-la·tor** [-ər] *n.* 몽유병자.

som·nam·bu·lism [sɑmnǽmbjəlizəm/sɔm-] *n.* Ⓤ 몽유병. ㊕ **-list** *n.* 몽유병자.

som·nam·bu·lis·tic [sɑmnæ̀mbjəlístik/sɔm-] *a.* 몽유병의; 잠결에 걸어다니는.

som·ni- [sɑ́mnə/sɔ́m-] '잠'의 뜻의 결합사.

som·ni·fa·cient [sɑ̀mnəféiʃənt/sɔ̀m-] *a.* 최면성의(hypnotic). ― *n.* 수면제.

som·nif·er·ous [sɑmnífərəs/sɔm-] *a.* 잠이 오게〔졸리게〕 하는(soporific); 졸린. ㊕ ~**·ly** *ad.*

som·nif·ic [sɑmnífik/sɔm-] *a.* =SOMNIFEROUS.

som·nil·o·quence [sɑmníləkwəns/sɔm-] *n.* Ⓤ =SOMNILOQUY.

som·nil·o·quy [sɑmníləkwi/sɔm-] *n.* Ⓤ 잠꼬대하는 버릇. ㊕ **-quist** [-kwist] *n.*

som·nip·a·thy [sɑmnípəθi/sɔm-] *n.* 〖의학〗 수면 환자.

som·no·lent [sɑ́mnələnt/sɔ́m-] *a.* 졸린, 최면의. ㊕ **-lence, -len·cy** [-ləns], [-i] *n.* Ⓤ 졸림; 비몽사몽. ~**·ly** *ad.*

Som·nus [sɑ́mnəs/sɔ́m-] *n.* 〖로마신화〗 잠의 신.

SOMPA [sɑ́mpə/sɔ́m-] *n.* 《미》 솜파 《문화적 배경이 비슷한 아동의 득점을 대조함으로써 문화의 차이에 따른 지능지수의 편향을 배제하는 방식》. [◂ *S*ystem *o*f *M*ulticultural *P*luralistic *A*ssessment]

Soms. Somerset(shire).

†**son** [sʌn] *n.* **1** 아들, 자식; 사위, 의붓아들; 수양아들, 양자(adopted ~). OPP *daughter*. **2** (보통 *pl.*) (남자) 자손《*of*》: the ~*s of* Abraham 유대인. **3** …나라 사람, …사람《*of*》; (학교 등의) 일원, 자제; 당원; 계승자《*of*》; (특정 직업의) 종사자《*of*》: a ~ *of* toil 노동자 / a faithful ~ *of* England 충성스러운 영국 사람 / a ~ *of* Mars 〔the Muses〕 군인〔시인〕. **4** 《호칭》 자네, 젊은이, 군: Listen, ~. 이봐 젊은이 / old ~ 자네 《친근한 호칭》. ◇ filial *a.* ***a*** ~ ***of a bitch*** 〔***a bachelor, a sow***〕 《속어》 개자식, 개새끼, 병신 같은 놈, 치사한 놈. ***a*** ~ ***of Adam*** 사내(아이). ***a*** ~ ***of God*** 천사. ***a*** ~ ***of the soil*** 토착민; 농민. ***be*** one***'s father's*** ~ 아버지를 빼쏘다. ***every mother's*** ~ 누구나, 누구든지. ~ ***of a gun*** 《구어》 너, 자네; 어머, 아차, 체 《놀람·실망을 나타냄》. ~***s of darkness*** 어둠의 자식(들) 《비기독교도》. ~***s of light*** 빛〔광명〕의 자식(들) 《기독교도》. one***'s*** ~ ***and heir*** 대를 이을 아들, 장남. ***the Son*** (***of God***) 그리스도. ***the Son of Man*** 인자(人子), 예수. ***the*** ~***s of men*** 인류. ㊕ ~**·less** *a.*

son- [sɑ́n/sɔ́n], **son·i-** [sɑ́ni, -nə/sɔ́ni], **son·o-** [sɑ́nou, -nə/sɔ́n-] '소리, 음(音)'이란 뜻의 결합사.

so·nance, -cy [sóunəns], [-i] *n.* Ⓤ 유성(有聲)임; 울림.

so·nant [sóunənt] 〖음성〗 *a.* 유성의, 울리는 소리의; 소리〔음〕의; 소리 나는, 울리는(sounding). ― *n.* 울리는 소리; =SYLLABIC; 유성음《b, d, g 등; OPP *surd*》. ㊕ **so·nan·tal** [sounǽntl] *a.*

so·nar [sóunɑːr] *n.* 소나, 수중 음파 탐지기. [◂ *so*und *n*avigation (*a*nd) *r*anging]

sónar·man [-mən, -mæ̀n] (*pl.* **-men** [-mən, -mèn]) *n.* 〖미해군〗 수측원(水測員).

*****so·na·ta** [sənɑ́ːtə] *n.* 〖음악〗 소나타, 주명곡(奏鳴曲).

sonáta fòrm 〖음악〗 소나타 형식.

so·na·ti·na [sɑ̀nətíːnə/sɔ̀n-] (*pl.* **-ne** [-nei]) *n.* 《It.》 〖음악〗 소나티나, 소나티네, 소주명곡(小奏鳴曲).

sonde [sɑnd/sɔnd] *n.* 〖로켓〗 존데, 고공 기상 측정기; 〖의학〗 체내 검사용 소식자(消息子).

sone [soun] *n.* 〖음향〗 손《감각상의 소리 크기의 단위》.

SONET 〖컴퓨터〗 Synchronous Optical Network.

son et lu·mi·ère [*F.* sɔ̃elymjɛːr] =《F.》 SOUND-AND-LIGHT SHOW.

Song [sɔːŋ, suŋ] *n.* 〖역사〗 (중국의) 송(宋)나라(Sung).

†**song** [sɔːŋ, sɑŋ/sɔŋ] *n.* **1** Ⓒ,Ⓤ 노래, 창가, 성악 (singing); Ⓒ 가곡, 단가: a marching ~ 행진〔진군〕가 / break 〔burst (forth)〕 into ~ 노래하기 시작하다 / No ~, no supper. 《속담》 일하지 않는 자는 먹지를 마라. **2** Ⓤ 시, 시가(poetry). **3** (조류 등의) 우는〔지저귀는〕 소리: be in full ~(s) 소리 높여 울다〔지저귀다〕. **4** (주전자의 물 끓는) 소리, (시냇물 등의) 졸졸거리는 소리. **5** 하찮은〔변변찮은〕 것. ***a*** ~ ***and dance*** 노래와 춤; 《미구어》 장황한 변명, 엉터리〔속임수의〕 설명; 《영구어》 헛되이 떠들어 댐. ***for a*** ~ =《고어》 ***for an old*** 〔***a mere***〕 ~ 헐값으로, 싸구려로. ***nothing to make a*** ~ ***about*** 《속어》 하찮은〔시시한〕 것. ***not worth an old*** ~ 무가치하여. ***sing a new*** ~ 새 방침〔생활 방식〕을 취하다. ***sing another*** ~ 가락을〔논조, 방침, 태도 따위를〕 싹 바꾸다. ***sing the same*** 〔***old***〕 ~ 〔***tune***〕 같은 말만 되풀이하다. ***the Song of Songs*** 〔***Solomon***〕 〖성서〗 아가(雅歌) 《구약 중의 한 편》.

sóng·bìrd *n.* 우는 새, 명금(鳴禽); 여가수; 《속어》 정보 제공자, 자백자, 밀고자.

sóng·bòok *n.* 가요집(集); 찬송가집.

sóng cỳcle 〖음악〗 연작 가곡.

sóng·fèst [-fèst] *n.* 여럿이 노래를 부르는 모임.

sóng fòrm 가곡〔리트〕 형식.

song·ful [sɔ́ːŋfəl, sɑ́ŋ-/sɔ́ŋ-] *a.* 노래의, 가락이 좋은. ㊕ ~**·ly** *ad.* ~**·ness** *n.*

sóng·less *a.* 노래가 없는, 노래하지 않는, 노래를 못 하는, (새 따위가) 지저귀지 못하는.

Song of Sol. 〖성서〗 Song of Solomon.

sóng·plùgging *n.* (레코드·라디오에 의한) 가곡 선전.

sóng·smith *n.* 가곡 작곡가〔자〕.

sóng spàrrow 〖조류〗 (북아메리카산) 멧종다리.

song·ster [sɔ́(ː)ŋstər, sɑ́ŋ-] (*fem.* **-stress** [-stris]) *n.* 가수, 유행 가수; 노래 작자; 시인; 우는 새, 명금(songbird); 《미》 (특히 팝송의) 가요집(集) (songbook).

sóng thrùsh 〖조류〗 (유럽산) 지빠귀(throstle, mavis).

sóng·wrìter *n.* (유행 가곡의) 작사〔작곡〕가, 작사 작곡가.

soni- ⇨ SON-.
son·ic [sánik/sɔ́n-] *a.* 소리의, 음(파)의; 음속의. cf. subsonic, supersonic, transonic.
sónic altímeter 음향 고도계.
son·i·cate [sánikèit/sɔ́n-] *vt.* (세포·바이러스 등)에 초음파를 쐬어 분해하다, (초)음파 처리하다. ㊖ **-cà·tor** *n.* 「〔처리〕.
sòn·i·cá·tion *n.* Ⓤ 고주파음에 의한 분해
sónic bárrier 〔**wáll**〕 =SOUND BARRIER.
sónic bóom 〔《영》 **báng**〕 〚항공〛 충격 음파 《초음속 비행의 항공기에 의한 충격파가 지상에 달하여 나는 폭발음 비슷한 굉음》.
sónic dépth finder 음파 측심기(測深器).
sónic guíde 소닉 가이드《맹인이 안경에 붙여 바로 앞에 있는 물체를 감지하기 위한, 초음파를 발신·수신하는 장치》.
sónic míne 〚군사〛 =ACOUSTIC MINE.
són·ics *n. pl.* 〖복수취급〗 음향 효과; 〖복수취급〗 음향학.
sónic spéed 음속.
so·nif·er·ous [sənífərəs, sou-/sɔ-] *a.* 소리를〔음을〕 내는; 소리를 전하는.
◇**són-in-làw** (*pl.* ***sóns-***) *n.* 사위; 양자(養子).
Són·nen·feldt dòctrine [sánənfèlt-/sɔ́n-] 소넨펠트 독트린《1975년 미국의 Helmut Sonnenfeldt가 주창한 정책으로, 동유럽 나라들의 정치 폭동을 미국이 지원하면 소련의 개입으로 세계 대전의 위기가 증대한다는 설》. 「시(短詩).
***son·net** [sánit/sɔ́n-] *n.* 14행시, 소네트; 단
son·net·eer [sànətíər/sɔ̀n-] *n.* 14행시인, 소네트 시인; 시시한〔변변치 않은〕 시인. **—** *vt.*, *vi.* (…을 위해) 14행시를 짓다.
sónnet sèquence (종종 일관된 테마에 관한) 일련의 소네트, 소네트집.
son·ny [sʌ́ni] *n.* 《구어》 아가야, 얘《소년·연소자에 대한 친근한 호칭》.
sono- ⇨ SON-.
son·o·buoy [sánəbù:i, -bɔ̀i/sɔ́n-] *n.* 자동 전파 발신 부표(浮標)《수면 밑의 소리를 탐지하여, 증폭해서 무선 신호를 보냄》.
son·o·chem·is·try [sànəkémistri/sɔ̀n-] *n.* 초음파 화학, 초음향 화학.
son·o·gram [sánəgræ̀m, sóun-/sóun-, sɔ́n-] *n.* =SONOGRAPH.
son·o·graph [sánəgræ̀f, -grɑ̀:f/sóunə-, sɔ́n-] *n.* 소노그래프, 음향 기록 장치〔도(圖)〕; 음파 홀로그래피(holography)에 의한 3차원 상(像).
so·nog·ra·phy [sənágrəfi] *n.* 〚물리〛 음파 홀로그래피.
sòno·luminéscence *n.* 〚물리〛 음발광(音發光)《기포 용액에 (초)음파를 보내면 발광함》.
so·nom·e·ter [sənámətər/-nɔ́m-] *n.* 현(絃)의 진동수 측정기, 검음기(檢音器); 〚의학〛 청력계(聽力計).
son·o·ra·di·og·ra·phy [sànəreidiágrəfi/sɔ̀nəreidiɔ́g-] *n.* 음파 홀로그래피를 이용한 3차원 X선 사진술《의료 진단·비파괴 검사용》.
so·no·rant [sənɔ́:rənt, sou-/sɔ́nə-, sóunə-] *n.* 〚음성〛 자명음(自鳴音)《폐쇄음·마찰음과 모음과의 중간음; [m, n, ŋ, l] 따위》.
so·no·rif·ic [sànərífik/sɔ̀n-] *a.* 소리를 내는.
so·nor·i·ty [sənɔ́:rəti, -nár-/-nɔ́r-] *n.* Ⓤ,Ⓒ 울려 퍼짐(resonance); 〚음성〛 (음의) 들림.
◇**so·no·rous** [sənɔ́:rəs, sánə-/sɔ́nər-, sənɔ́:r-] *a.* **1** 낭랑한, 울려 퍼지는. **2** (문체·연설 등이) 격조 높은, 당당한; 홍감 부리는《말 따위》. ㊖ **~·ly** *ad.* 낭랑하게. **~·ness** *n.*
son·ship [sʌ́nʃip] *n.* Ⓤ 자식임; 자식의 신분.
son·sy, -sie [sánsi/sɔ́n-] 《Sc. Ir·영방언》 *a.* 행운의; 토실토실하고 귀여운(buxom); 쾌활한, 기분 좋은, 즐거운.
soo·ey [sú:i] *int.* 돼지 부르는 소리.
soo·jee [sú:dʒi] *n.* 인도산 고급 밀가루.
†**soon** [su:n] *ad.* **1** 이윽고, 곧, 이내: ~ after four o'clock, 4시 조금 지나(서) / He will come ~. 그는 곧 돌아올 것이다. **2** 빨리, 이르게(early), 급히; 쉽게: an hour too ~ (정각·예정보다) 한 시간이나 이르게 / You spoke too ~. 너무 일찍이 말문을 열었다 / Must you leave so ~? 그렇게 급히 돌아가셔야만 합니까 / *Soon* got 〔gotten〕, ~ gone 〔spent〕. 《속담》 쉽게 얻은 것은 쉽게 없어진다. **3** 〖would, had 따위와 더불어〗 자진하여, 쾌히, 기꺼이: I *would* 〔*had*〕 ~*er* die. 차라리 죽는 게 낫다.
all too **~** 너무나도 빨리; 어이없이. ***as*** 〔***so***〕 **~** ***as …*** …하자마자, …하자 곧: I will tell him so *as* ~ *as* he comes. 그가 오면 곧 그렇게 전하겠다. ***as*** **~** ***as look at you*** 《주로 영구어》 순식간에. ***as*** **~** ***as not*** 어느 쪽인가 하면, 오히려: I would go there *as* ~ *as not*. 어느 쪽인가 하면 거기에 가고 싶다. ***as*** **~** ***as possible*** 〔***one can, may be,*** 《구어》 ***maybe***〕 되도록 빨리, 한시라도 빨리. ***at the*** **~*est*** 아무리 빨라도. ***How*** **~** (can you be ready)? 얼마의 시간이면 (준비할 수 있는가). (***I'd***) **~*er*** (***it should be***) ***you than me.*** 《구어》 ① (나는 상관없으니) 좋으실 대로, 그것 참 잘되었군요. ② 그것 참 안되었군요, 큰일이군요. ③ (될 수만 있다면) 나는 사양하고 싶다. ***none too*** **~** 마침 제때에. ***No*** **~*er said than done.*** 《속어》 말이 떨어지기가 무섭게 실행되었다〔실행된다〕. ***no*** **~*er than …*** …이 끝나기가 무섭게…, …하자마자…, …한 순간에…: I had *no* ~*er* 〔*No* ~*er* had I〕 left home *than* it began to rain. 집을 나서자마자 비가 오기 시작했다. **~(*er*) *or late*(*r*)** 머지 않아, 조만간. ***Sooner than you think.*** 《구어》 예상외로 빨리 (일어날 것 같다). ***speak so*** 〔***too***〕 **~** 《구어》 경솔하게 입을 놀리다. ***The*** **~*er, the better.*** 빠르면 빠를수록 좋다. ***would as*** **~** ***… as*** — —하느니 (차라리) …하겠다: I *would as* ~ die *as* live in slavery. 노예로 사느니 차라리 죽는 것이 낫다. ***would*** 〔***should, had***〕 **~*er … than*** — —하기보다는 차라리 …하고 싶다: I *would* ~*er* die *than* consent. 승낙하느니 죽는 게 낫다.
sóon·er *n.* **1** 선구(先驅) 이주민《옛날 서부에서 정식 허가를 얻기 전에 현지로 가 선취권을 얻은》. **2** (S-) Oklahoma주(州) 주민의 속칭. **3** 《미속어》 부정(不正)에 선수 치는 사람.
Sóoner Státe (the ~) Oklahoma주의 속칭.
soon·ish [sú:niʃ] *ad.* 상당히 일찌감치.
***soot** [sut, su:t/sut] *n.* Ⓤ 검댕, 매연(煤煙), 유연(油煙). **—** *vt.* 검댕으로 더럽히다〔그을리다〕, 검댕투성이로 하다. ㊖ **∠·less** *a.* 그을음이 없는, 검댕이 나지 않는.
soot·er·kin [sútərkin] *n.* (상상상의) 후산(後產)《네덜란드 여성이 분만 후에 나온다고 믿었던》; 《비유》 실패로 끝나는 계획, 《특히》 조잡한〔날림〕 저작; 《고어》 네덜란드 사람(Dutchman).
sooth [su:θ] *n.*, *a.* Ⓤ 《고어·시어》 진실(의), 사실(의). ***in*** (***good*** 〔***very***〕) **~** 실로, 참으로. **~** ***to say*** =***to tell the*** **~** 사실을 말하면. ㊖ **∠·ly** *ad.* 실로, 실제로.
***soothe** [su:ð] *vt.* **1** (사람·감정 따위를) 달래다(comfort), 위로하다; 진정시키다(calm), 가라앉히다: ~ the crying child 우는 아이를 달래다 / I tried to ~ her anger. 그녀의 화를 진정시키려 했다. **2** (고통 따위를) 덜다(relieve), 완화하다, 누그러지게 하다: ~ sunburned skin 볕에 타서 화끈거리는 피부를 가라앉히다. **3** (허영심 따위를) 만족시키다, 기쁘게 하다; 《고어》 비위 맞추다. **—** *vi.* 안심시키다; 잘 달래다.

㊐ **sóoth·er** *n.* **1** 달래는 사람; 아첨꾼. **2** (젖먹이의) 고무 젖꼭지.
sooth·ing [sú:ðiŋ] *a.* 달래는 듯한, 마음을 진정시키는; 누그러뜨리는. ㊐ **~·ly** *ad.* 진정시키듯이. **~·ness** *n.*
sóoth·sày *vi.* 예고〔예언〕하다.
sóoth·sàyer *n.* 예언자, 점쟁이; 〖곤충〗 사마귀 (mantis).
sóoth·sàying *n.* Ⓤ 점, 예언, 예측.
◇**sooty** [sú(:)ti/súti] (***soot·i·er; -i·est***) *a.* 그은; 검댕이 낀, 거무스름한. ㊐ **sóot·i·ly** *ad.* **-i·ness** *n.* 검댕투성이.
sop [sap/sɔp] *n.* **1** 우유〔고깃국물〕 등에 담근 빵 조각; 그 수프〔밀크〕; 흠뻑 젖은 것〔사람〕; 《속어》 술꾼; 《속어》 술. **2** 환심 사기 위한 선물, 뇌물; 양보. **3** 《구어》 바보, 뱅충맞이(fool), 겁쟁이(milksop). **~ *in the pan*** 튀긴 빵; 맛있는 것. ***throw a ~ to Cerberus*** ⇨ CERBERUS. ── (***-pp-***) *vt.* 《~+목/+목+전+명/+목+부》 (빵 조각을) 담그다(soak) 《*in* milk》; 〔주로 수동태〕 흠뻑 적시다(drench); (스펀지 따위로) 빨아들이다《*up*》; (뇌물로) 매수하다: The shower ~*ped* the picnickers. 소나기로 소풍객들은 흠뻑 젖었다/He ~*ped* the bread *in* soup. 빵을 수프에 담갔다/I *was ~ped through.* 난 흠뻑 젖었다. ── *vi.* 흠뻑 젖다, 스며들다; 《속어》 (맥주 따위를) 마시다.
SOP 〖군사〗 Standing 〔《속용》 Standard〕 Operating Procedure(표준(標準) 처리 절차); Study Organization Plan《시스템 설계 수법의 하나》. **sop.** soprano.
soper ⇨SOPOR².
soph [saf/sɔf] *n.* 《미구어》 (대학·고등학교의) 2년생(sophomore). ── *a.* 《미속어》 미숙〔유치〕한.
soph. sophister; sophomore.
So·phia [safí:ə, -fáiə, sóufiə/səfáiə] *n.* 소피아《여자 이름; 애칭 Sophie, Sophy》.
soph·ism [sáfizəm/sɔ́f-] *n.* Ⓤ,Ⓒ 궤변; Ⓤ 고대 그리스의 궤변학파 철학.
soph·ist [sáfist/sɔ́f-] *n.* (S-) 소피스트《고대 그리스의 철학·수사(修辭)·변론술 등의 교사》; 궤변가; (때로 S-) 학자, 철학자.
soph·ist·er [sáfistər/sɔ́f-] *n.* Cambridge 대학 등의 2〔3〕년생; 《드물게》 =SOPHIST.
so·phis·tic [səfístik] *a.* 궤변의; 궤변적인, 궤변을 부리는; 소피스트의. ── *n.* (고대 그리스의) 궤변법; 궤변. ⌐**~·ly** *ad.*
so·phis·ti·cal [səfístikəl] *a.* =SOPHISTIC. ㊐
◇**so·phis·ti·cate** [səfístəkət, -kèit] *vt.* **1** 세파에 닳고 닳게〔물들게〕 하다. **2** (기계를) 복잡〔정교〕하게 하다; 복잡 미묘함을 알게 하다. **3** 도시적 감각을 주다, (취미·센스를) 세련시키다. **4** 《드물게》 궤변으로 속이다〔현혹시키다〕. **5** 불순하게 하다; (술·담배 등)에 섞음질을 하다(adulterate); …의 질을 떨어뜨리다; (원문·원작에) 함부로 손을 대다; (뜻을) 왜곡하다. ── *vi.* 궤변을 부리다, 말을 억지로 둘러대다. ── [-kit, -kèit] *n.* 닳아빠진〔약아빠진〕 사람; 〖복식〗 도시적인 뉘앙스〔세련〕. ── [-kit, -kèit] *a.* =SOPHISTICATED.
***so·phis·ti·cat·ed** [səfístəkèitid] *a.* **1** 순진하지 않은, 굴러먹은: a ~ boy. **2** (기계·기술 따위가) 정교한, 고성능의; 복잡한. **3** (맛이) 고급의, (사람이) 고상한, 재치 있는, 고도로 세련된: a ~ novel 지성적인 소설/a ~ reader 〔audience〕 눈이 높은 독자〔감상 능력이 세련된 청중〕. **4** (논법 등이) 견강부회의. **5** 섞음질을 한, 불순한; 손을 가한. ㊐ **~·ly** *ad.*
so·phìs·ti·cá·tion *n.* **1** Ⓤ 궤변을 농함, 억지이론; 세상 물정에 익숙함; (고도의) 지적 교양, 세련. **2** (기계 등의) 복잡〔정교〕화. **3** 섞음질; 가짜.
◇**soph·ist·ry** [sáfəstri/sɔ́f-] *n.* Ⓤ,Ⓒ 궤변; Ⓤ 궤변법; 견강부회, 억지 이론.
Soph·o·cles [sáfəklì:z/sɔ́f-] *n.* 소포클레스 《고대 그리스의 비극 시인; 496?-406? B.C.》.
soph·o·more [sáfəmɔ̀:r/sɔ́f-] *n.* 《미》 (4년제 대학·고등학교의) 2년생(cf. freshman, junior, senior); (실무·운동 등의 경험이) 2년인 사람, (그 방면의) 2년 경험자. ── *a.* 《속어》 미숙한, 유치한. [《Gr.》 sophos(=wise) +moros(=stupid)]
soph·o·mo·ric [sàfəmɔ́:rik/sɔ̀fəmɔ́r-] 《미》 *a.* sophomore의; 2년생다운; 어중된 지식을 내세우는, 젠체하나 미숙한, 건방진. ㊐ **-i·cal·ly** *ad.*
So·phy, So·phie [sóufi] *n.* 소피《여자 이름; Sophia의 애칭》.
so·por¹ [sóupər] *n.* 〖의학〗 혼면(昏眠), 깊은 잠.
so·por², so·per [sóupər] *n.* 《미속어》 잠자는 약. [◂상표명 Sopor에서]
sop·o·rif·er·ous [sàpərífərəs, sòupə-/sɔ̀p-] *a.* =SOPORIFIC.
sop·o·rif·ic [sàpərífik, sòup/sɔ̀p-, sòup-] *a.* 최면(성)의; 잠 오는, 졸린. ── *n.* 수면제, 마취제. ㊐ **-i·cal·ly** *ad.*
sop·ping [sápiŋ/sɔ́p-] *a., ad.* 흠뻑 젖은〔젖어서〕; 대단히: ~ wet 흠뻑 젖어.
sop·py [sápi/sɔ́pi] (***-pi·er; -pi·est***) *a.* 흠뻑 젖은; 축축한, 질퍽거리는(sloppy), (날씨가) 구질구질한, 비 오는; 《구어》 몹시 감상적인. ***be ~ on*** … 에 홀딱 반하다, 제정신을 잃다. ── *n.* 《속어》 술꾼, 주정뱅이.
so·pra·ni·no [sòuprəní:nou/sɔ̀p-] (*pl.* **~s**) *n.* 소프라니노《소프라노 음역보다 높은 악기》.
so·pra·nist [səprǽnist, -prá:n-/-prá:n-] *n.* 소프라노 가수.
so·pra·no [səprǽnou, -prá:n-/-prá:n-] (*pl.* **~s, *-ni*** [-ni(:)]) *n.* Ⓤ 〖음악〗 소프라노《생략: sop., s.》, (여성·아이의) 최고음부; Ⓒ 소프라노 가수; 소프라노 악기: sing in ~ 소프라노로 노래하다. ── *a.* 소프라노의: a ~ voice 소프라노 목소리.
SOR 〖물리〗 synchrotron orbital radiation(싱크로트론 궤도 복사).
sorb [sɔ:rb] *vt.* 흡착하다, 흡수하다.
sor·bate [sɔ́:rbèit] *n.* **1** 〖화학〗 소르브산염(塩). **2** 흡수된 것.
sor·be·fa·cient [sɔ̀:rbəféiʃənt] 〖의학〗 *a.* 흡수 촉진성의. ── *n.* 흡수 촉진약.
sor·bent [sɔ́:rbənt] *n.* 흡수〔흡착〕제.
sor·bet [sɔ́:rbət] *n.* 셔벗(sherbet).
sór·bic ácid [sɔ́:rbik-] 〖화학〗 소르브산《방부제》.
sor·bi·tol [sɔ́:rbətɔ̀:l, -tàl/-tɔ̀l] *n.* 〖화학〗 소르비톨《마가목 따위의 과즙에 함유됨; 설탕 대용품으로 당뇨병 환자용》.
Sor·bonne [sɔ:rbán, -bʌ́n/-bɔ́n] *n.* 《F.》 (the ~) 소르본 대학《구(舊)파리 대학 문리학부; 지금은 파리 제4대학의 통칭》.
sor·bose [sɔ́:rbous] *n.* 〖생화학〗 소르보스《비타민 C의 합성에 쓰이는 단당(單糖)》.
sor·cer·er [sɔ́:rsərər] (*fem.* ***-cer·ess*** [-ris]) *n.* 마법사(wizard), 마술사(magician).
sor·cery [sɔ́:rsəri] *n.* Ⓤ 마법, 마술, 요술. ㊐ **sór·cer·ous** [-sərəs] *a.* 마술의, 마술을 쓰는.
***sor·did** [sɔ́:rdid] *a.* **1** (환경 등이) 더러운, 지저분한(dirty). **2** 심보가 더러운, 치사스러운, 탐욕한(avaricious); 야비한, 천한. cf. squalid, vile. **3** 〖동물·식물〗 칙칙한 빛깔의, 흙빛의. ㊐ **~·ly** *ad.* **~·ness** *n.*
sor·di·no [sɔ:rdí:nou] (*pl.* ***-ni*** [-ni:]) *n.* 약음기(弱音器)(mute); (피아노) 지음기(止音器).

sore [sɔːr] *a.* **1** (상처가) 아픈(painful), 몸이 아픈, 욱신욱신〔따끔따끔〕 쑤시는, 피부가 까진, 염증을 일으킨: ~ muscles 아픈 근육/have a ~ throat (*from* a cold) 감기로 목에 염증이 생기다/I'm ~ all over. 온몸이 아프다. **2** 마음이 아픈, 아픔을 느끼고 있는. **3** 슬픈, 비탄에 잠긴, 슬픔을 느끼게 하는: be ~ at heart 비탄에 잠기다/a ~ bereavement 슬픈 사별(死別)/with a ~ heart 비탄에 잠겨. **4** 《고어·시어》 쓰라린, 괴로운, 지독한, 극도의, 격심한: a ~ trouble 혹독한 어려움/in ~ need 몹시 궁핍하여. **5** 남의 감정을 해치는, 울화가 치미는《*at; on; over*》. **6** 《구어》 성마른, 성내고 있는; 《미》 애타게 하는: get ~ 화를 내다/He's ~ *at* missing the game. 그는 그 경기에 져서 분해하고 있다. ***a sight for ~ eyes*** ⇨EYE. ***be*** 〔***feel***〕 ***~ about*** … 을 야속히 여기다; …을 괴로워하다; …에 성내다. ***like*** 〔***as cross as***〕 ***a bear with a ~ head*** ⇨BEAR². ***stand*** 〔***stick***〕 ***out like a ~ thumb*** (사람·물건이) 주위와 현저히 달라 어울리지 않다. ***touch*** a person ***on a ~ place*** 〔***spot***〕 (아무의) 아픈 데〔급소〕를 찌르다〔건드리다〕.
— *ad.* 《고어·시어》 심하게, 몹시.
— *n.* **1** 건드리면 아픈 곳; 헌데, 상처, 종기(boil). **2** 《비유》 옛 상처, 언짢은 추억, 옛 원한: old ~*s* 옛 상처/an open ~ 숙폐(宿弊).
[파] ∠·ness *n.* 아픔; 분개; 원한, 악의; 불화.

sóre·hèad 《미구어》 *n.*, *a.* 화난〔뚱한〕 (사람); 성마른 (사람), 불평가; 《특히》 (지고 나서) 분해하는 (사람).

sóre lòser 지고 나서 화내는 사람.

sóre·ly *ad.* **1** 아파서, 견디기 어려워. **2** 심하게, 몹시: They're ~ in need of support. 그들은 절실하게 원조를 필요로 하고 있다.

sóre spót 〔**póint**〕 아픈 곳, 약점, 남의 감정을 상하게 하는 점〔문제〕.

sóre thróat 후두염(喉頭炎), 목의 아픔.

sor·ghum [sɔ́ːrgəm] *n.* 〖식물〗 (S-) 수수속(屬)의 식물; 사탕수수로 만든 시럽〔당밀(糖蜜)〕; 몹시 감상적인 것.

sor·go, -gho [sɔ́ːrgou] (*pl.* ~*s*) *n.* 《It.》 〖식물〗 사탕수수《소·말의 사료로도 씀》; 소르고《아프리카 원주민의 술》.

sor·i·cine [sɔ́ːrəsàin, sár-/sɔ́r-] *a.* 〖동물〗 뾰족뒤쥐의〔같은〕. — *n.* 뾰족뒤쥐(shrew).

so·ri·tes [səráitiːz/sɔ-] (*pl.* ~) *n.* 〖논리〗 연쇄식(삼단논법); 연쇄식 궤변법. [파] **so·rít·i·cal** [-rít-] *a.*

so·rop·ti·mist [səráptəmist/sərɔ́pt-] *n.* (*or* S-) (봉사 단체인) 국제 직업 여성회(Soroptimist Club) 회원.

so·ro·ral [sərɔ́ːrəl] *a.* 자매(姉妹)의〔와 같은〕: ~ polygyny 자매형(型) 일부다처. [파] ~·**ly** *ad.*

so·ror·ate [sɔ́ːrəreit] *n.* 〖인류〗 소로레이트혼(婚)《죽은 아내의 자매와 재혼하는 풍습》.

so·ror·i·cide [sərɔ́ːrəsàid, -rár-/-rɔ́r-] *n.* 언니〔여동생〕 살해; 그 범인.

so·ror·i·ty [sərɔ́ːrəti, -rár-/-rɔ́r-] *n.* (교회 등의) 여성회, 여성 클럽; 《미》 (대학의) 여학생 클럽. [cf.] fraternity. ¶ a ~ house (대학의) 여학생 클럽 회관.

so·ro·sis¹ [səróusis] (*pl.* **-ses** [-siːz]) *n.* 〖식물〗 상과(桑果), 육질 집합과(肉質集合果)《파인애플·오디 따위》. 「club).

so·ro·sis² *n.* 《미》 여성 (사교) 클럽(women's

sorp·tion [sɔ́ːrpʃən] *n.* 〖물리·화학〗 수착(收着). [파] **sórp·tive** *a.*

sor·ra [sɔ́ːrə, sárə/sɔ́rə] *n.* 《Sc.·Ir.》 =SORROW. — *ad.* =NOT, NEVER.

sor·rel [sɔ́ːrəl-, sár-/sɔ́r-] *a.* 밤색의, (특히 말이) 밤색 털인. — *n.* **1** [U] 밤색; [C] 구렁말; 세 살 된 수사슴. **2** 수영속(屬)의 식물《소루쟁이 따위》; 괭이밥류(類).

sor·row [sárou, sɔ́ːr-/sɔ́r-] *n.* [U] **1** 슬픔, 비애(sadness), 비통, 비탄(grief) 《*at; for*》; (잃은 것에 대한) 아쉬움, 애석: the ~ of parting 이별의 슬픔/feel ~ *at* a person's misfortunes 아무의 불행을 딱하게 여기다/In ~ and in joy, he thought of his mother. 슬프거나 즐겁거나 그는 어머니를 회상했다.

> [SYN] **sorrow** 슬픔을 나타내는 가장 일반적인 말. **sadness** 슬픔. sorrow에 비해 보다 구어적이며 침통한 기분 따위에도 씀. **grief** 특정한 원인에 의해 일어나는 강한 슬픔. sorrow에 비해 단기간: *grief* over one's lost child 자식을 잃은 비탄. **distress** 마음의 괴롭고 아픔, 비통. 꽤 장기에 걸쳐 계속되며, 원인이나 환경이 바뀌지 않으면 가시지 않음: *distress* caused by famine 굶주림으로 인한 괴로움. **melancholy** 원인이 뚜렷하지 않은 상습적인 슬픔, 우울. **gloom** sadness에 가까우나 슬픔을 '어둠'에 비유한 표현. 마음이나 환경 따위를 뒤덮는 음울: A *gloom* hangs over his house. 그의 집은 슬픔에 잠겨 있다.

2 (잘못·실패 등에 대한) 유감, 후회(regret) 《*at; for; over*》: express ~ *for* having done wrong 잘못을 저지른 것을 후회하다. **3** (종종 *pl.*) 슬픔·애도의 원인; 불행(misfortune), 고통. **4** (종종 the ~) 〖부사적〗 《Sc.·Ir.》 결코 …않다(not, never): ~ a bit 조금도 …않다. ***drown*** one's ***~s*** 《구어》 술로 슬픔을 달래다. ***more in ~ than in anger*** 노엽기보다는 슬퍼서. ***the Man of Sorrows*** 그리스도, 예수. — *vi.* 《~/+[전]+[명]》 《문어》 슬퍼하다, 유감으로 생각하다《*at; for; over*》: ~ *after* 〔*for*〕 a lost person 돌아가신 이를 애도하다. [파] ~·**er** *n.* ~·**less** *a.*

sor·row·ful [sárəfəl, sɔ́ːr-/sɔ́r-] *a.* **1** 슬픈, 서글픈, 비탄에 잠긴(grieved). [SYN] ⇨SAD. **2** 슬픈 듯한(mournful), 슬픔을 나타낸: a ~ look 비통한 표정. **3** 슬픔을 자아내는, 불행한: a ~ news 슬픈 소식. [파] ~·**ly** *ad.* ~·**ness** *n.*

sórrow-strìcken *a.* 비탄〔슬픔〕에 잠긴.

sor·ry [sári, sɔ́ːri/sɔ́ri] (**-ri·er; -ri·est**) *a.* **1** 슬픈, 유감스러운, 가엾은, 딱한《*about; for; to* do; *that*》: I am 〔feel〕 ~ *for* him in his trouble. 그가 곤란에 처해 있는 것이 딱하다/You will be ~ *for* it later. 후에 후회하게 될 것이다/I'm deeply ~ *about* his death. 그의 죽음을 진심으로 애도한다/I'm ~ *to* hear it. 그건 유감스러운 얘기군요/I'm ~ (*that*) he has been punished. 그 분이 벌을 받아서 안됐다. **2** 〖사죄·변명〗 미안합니다(만), 죄송합니다만: I'm ~. = *Sorry*. 미안〔죄송〕합니다; 실례했습니다/I'm ~ *to* trouble you but .... 수고를 끼쳐 죄송합니다만…/*Sorry*, did I hurt you? 미안합니다, 아프셨습니까/I'm ~ (*that*) I have not written to you for so long. 오래도록 편지드리지 못해서 죄송합니다. **3** 《문어》 〖한정적〗 한심한, 넌더리 나는; 비참한; 빈약한; 서투른: a ~ fellow 시시〔한심〕한 친구/the ~ routine 지긋지긋한 일과/in ~ clothes 초라한 옷을 입고/make a ~ spectacle of oneself 비참한 모습을 드러내다/write a ~ hand 글씨가 서투르다. **4** (S-?) 《영구어》 뭐라고 말씀하셨지요(I beg your pardon.) 《되물을 때》. ~ ***for*** one***self*** 《구어》 낙심〔낙담〕하여. [파] **sór·ri·ly** *ad.* 슬프게; 가엾게〔딱하게〕 여겨; 하찮게; 서투르게. **-ri·ness** *n.* 슬픔, 비애; 유감, 딱함; 하찮음; 서투름. 「변치 못한.

sórry-àss *a.* 《미》 한심한, 시시한, 하찮은, 변

sort [sɔːrt] *n.* **1** 종류(kind), 부류《*of*》: a new ~ of game 새로운 종류의 놀이/of every ~ (and kind) 온갖 종류의/all ~*s* and conditions of men 각계각층의 사람들/It takes all ~*s* (to make a world). 《속담》 세상엔 별난 사람도 다 있다, 십인십색/Those people are not of our ~. 저런 사람들은 우리들과 부류가 다르다〔도무지 싫다〕/That's the ~ of thing I want. 그러한 것이 필요하다. **2** 성질, 품질(quality), 품등(品等): a girl of a nice ~ 마음씨 고운 아가씨. **3** 《고어》 …식, 양식, 방법, 모양, 정도: He talked along in this ~. 그는 이런 식으로 장광설을 늘어놓았다. **4** 〘보통 단수형으로 수식어를 수반〙 《구어》 …사람, 인품: He is a good 〔bad〕 ~ (of a man). 그는 좋은〔나쁜〕 사람이다/He is not the ~ (of man) to do that. 그는 그런 일을 할 만한 사람이 못 된다. **5** 〖인쇄〗 활자의 한 벌(font²). **6** 〖컴퓨터〗 소트, 정렬. ***after a*** **~** (불충분하지만) 우선은, 일단은; 어느 정도, 그런대로, 그럭저럭. ***all*** **~(*s*)** ***of*** 온갖 종류의, 각 종류의. ***a*** **~** ***of*** **(*a*)...** 일종의…; …와 같은 것: He is *a* ~ *of* pedant. 그는 학식을 내세우는 그런 사람이다/*a* ~ *of* politician 그런대로 정치가라고 할 만한 사람(cf. *of a* ~). ***in a*** **~** **(*of way*)** =after a ~. ***in some*** **~** 어느 정도 (까지), 약간. ***nothing of the*** **~** 〘강한 부정〙 그런 것이 아니다; 그런 일은 안 한다, 천만에, 당치도 않다. ***of a*** **~** **=*of*** **~*s*** ① 어떤 종류의: all *of a* ~ 비슷비슷한. ② (그 종류로서는) 신통치 않은, 엉터리(의): a scholar *of a* ~ 사이비 학자/a politician *of a* ~ 정상배(cf. *a* ~ *of*). ***of the*** **~** 그러한 (식의): I have never seen anything *of the* ~. 그런 것은 본 일이 없다. ***out of*** **~*s*** ① 몸이 불편한, 기운이 없는; 기분이 언짢은. ② 〖인쇄〗 활자가 고루 갖추어지지 않은. ***something of the*** **~** 대강〔그저〕 그러한 것. **~** ***of*** 《구어》 〘부사적〙 다소, 얼마간, 그럭저럭: He is ~ *of* angry. 그는 성이 좀 나 있다/I ~ *of* expected it. 다소 예기했었다. ★《미》에서는 종종 ~ o', ~er, ~ a 라고도 씀. cf. kind of.
— *vt.* **1** 《~+목/+목+부/+목+전+명》 종류로 나누다, 분류하다, 구분하다《*over*》; …을 가려〔골라〕내다; …을 구별하다《*out; from*》: ~ mail 우편물을 분류하다/She ~*ed out* her books in the bookshelves. 그녀는 서가에서 책을 골라냈다/~ the good *from* the bad 좋은 것과 나쁜 것을 선별하다. **2** 《+목+부/+목+전+명》 …을 (특정 계급·집단 등으로) 모으다《*together; with*》; (…을 …로) 갈라놓다《*into*》: ~ people *together* indiscriminately 사람을 가리지 않고 다 싸잡다/They are ~*ed into* vocational training and university preparation groups. 그들은 직업 훈련반과 대학입시반으로 갈라진다. **3** 〖컴퓨터〗 정렬하다《자료 항목을 지정된 순으로 가지런히 하는 일》. **4** 《Sc.》 **a** 《+목+전+명》 …에게 음식과 주거를 주다《*with*》. **b** …을 정리〔정돈〕하다. **5** (나무라서) 행동을 바로잡다. **—** *vi.* **1** 《+부/+전+명》 조화〔일치〕하다《*with*》: ~ *well* 〔*ill*〕 *with*... …와 잘 어울리다〔어울리지 않다〕. **2** 《+전+명》 교제〔상종〕하다, 사귀다《*with*》: ~ *with* juvenile delinquents 불량소년과 사귀다. **~** ***out*** ① ⇨ *vt.* 1. ② 《영》 정리하다, (분쟁·문제 등을) 해결하다; 《영》 (집단 등)의 체제를 정비하다. ③ 《영구어》 징계하다, 때리다. **~** **one*self out*** 《영》 (사람·사태 따위가) 정상 상태로 되다, 진정되다.

sorta [sɔ́ːrtə] *ad.* 《속어》 =SORTER².

sórt·a·ble *a.* 분류〔유별〕할 수 있는, 가지런히 정돈할 수 있는.

sórt·ed [-id] *a.* **1** 〖지학〗 분급(分級)한. **2** 《영속어》 〘종종 well-과〙 풍족한, 더할 나위 없는.

sórt·er[1] *n.* 분류하는 사람〔기계〕; 선별기(機); (우체국의) 우편물 분류계; 〖컴퓨터〗 분류기(機) 《특정 자료 항목의 대소순(大小順)으로 카드를 고쳐 정렬함》.

sórt·er[2] *ad.* 《속어》 어느 정도, 약간(sort of).

sor·tie [sɔ́ːrti] *n.* **1** 〖군사〗 (포위당한 진지로부터의) 출격, 돌격(sally); 돌격대; 〖항공〗 단기(單機) 출격 (횟수): make a ~ 출격하다. **2** (낯선 곳으로의) 짧은 여행. **—** *vi.* 출격하다.

sórtie làb 〔**càn, mòdule**〕 우주(宇宙) 실험실(space lab).

sor·ti·lege [sɔ́ːrtəlidʒ] *n.* Ⓤ 제비로 점치기; 마법(sorcery), 마술.

sórt·ing *n.* 구분, 분류; 〖지학〗 분급(分級) (과정(작용)).

sórting òffice 《영》 (우편물의 행선지별) 분류소.

sórting yàrd 〖철도〗 조차장(操車場)(《미》 switchyard).

sor·ti·tion [sɔːrtíʃən] *n.* Ⓤ 제비(뽑기); 추첨 분배; 추첨에 의한 결정.

sórt kèy 〖컴퓨터〗 정렬키.

sórt-òut *n.* 《영》 정리, 정돈.

so·rus [sɔ́ːrəs] (*pl.* **-ri** [-rai]) *n.* 〖식물〗 (양치류의) 포자낭군(胞子囊群).

SOS [ésòués] (*pl.* **~'s**) *n.* (무전의) 조난 신호; 위급 호출; 《구어》 위기 신호, 구원 요청: pick up 〔send〕 an ~ (call) 조난신호를 수신〔송신〕하다. ★ 문자 자체에는 뜻이 없으며, Save Our Souls 〔Ships〕 따위의 약어로 함은 통속 어원임.

so's [souz] 《속어》 so that.

só-sò 《구어》 *a.* 〘수식할 말 뒤에서〙 그저 그렇고 그런 (정도의), 좋지도 나쁘지도 않은. **—** *ad.* 그저 그만하게, 그럭저럭.

SÓS pàd (냄비 닦는) 철 수세미《상표명》.

SÓS repàir 〖유전〗 (DNA의 손상에 대한) SOS 수복(修復), 유도성(誘導性) 수복.

sos·te·nu·to [sàstənúːtou/sɔ̀s-] 〖음악〗 *ad.*, *a.* 《It.》 (음을) 유지하여(끌어서), 소스테누토로(의). **—** *n.* 소스테누토 악절〔악장〕.

SOSUS 〖군사〗 Sound Surveillance System(음향 감시 시스템)《잠수함 탐지 장치》.

sot [sat/sɔt] *n.* 주정뱅이, 모주(drunkard).

Soth·e·by's [sʌ́ðəbiz] *n.* 소더비 경매장 《London의 New Bond Street에 있는 골동·미술품·초판본 등의 경매실》.

So·thic [sóuθik, sáθ-/sóuθ-, sɔ́θ-] *a.* 〖천문〗 시리우스성(星)(Sirius, Dog Star)의.

So·this [sóuθis] *n.* 시리우스성, 천랑성(天狼星)《고대 이집트에서》.

sots [sɑts/sɔts] *n.* 소츠《옛 소련에서 사회주의 리얼리즘을 풍자하던 반체제적 예술 양식》. [《Russ.》 *sotsialist*(=socialist)]

sot·tish [sátiʃ/sɔ́t-] *a.* 주정뱅이의; 바보의. ㊞ **~·ly** *ad.* **~·ness** *n.*

sot·to vo·ce [sátouvóutʃi/sɔ́t-] 《It.》 저음(低音)으로; 방백(傍白)으로(aside).

sót-wèed *n.* 《구어》 담배.

sou [suː] *n.* 《F.》 **1** 프랑스의 옛 동화(銅貨); 특히 5〔10〕 상팀 동화. **2** =SOL². **3** 보잘것없는 것. ***not have a*** **~** 한 푼도 없다.

sou·brette [suːbrét] *n.* 《F.》 〖연극〗 희극에 나오는 시녀《재치와 계략이 뛰어난》; 그 역을 맡는 여배우; 〘일반적〙 왈가닥, 말괄량이.

sou·bri·quet [súːbrəkèi/súːbri-] *n.* =SOBRIQUET.

sou·chong [sùːʃáŋ/-tʃáŋ/-tʃɔ́ŋ, -ʃɔ́ŋ] *n.* 《Chin.》 소종(小種)《인도·실론산(産) 홍차》.

souf·fle [súːfəl] *n.* Ⓤ 〖의학〗 (청진기에 들리는 기관(器官)의) 잡음.

souf·flé [suːfléi, ㅡ́/ㅡ́] *n.* 《F.》 수플레《달걀의 흰자위를 거품이 일게 하여 구운 것》. **—** *a.*

구워서 부풀린. **—** *vt.* 요리하여 부풀리다, 수플레(풍으)로 하다.

sough [sau, sʌf] *n.* [U] 윙윙《바람 소리 등》. **—** *vi.* (바람이) 윙윙거리다, 쏴쏴 불다. [파] **∠-ful·ly** [-fəli] *ad.* **∠·less** *a.*

sought [sɔːt] SEEK의 과거·과거분사.

sóught-àfter *a.* 필요로 하고 있는, 수요가 많은, 인기가 있는(popular).

souk, suq [suːk] *n.* 《Ar.》 (북아프리카·중동「의) 야외 시장.

⁑**soul** [soul] *n.* **1** (영)혼, 넋, 얼; 정신, 마음. [opp.] *body, flesh.* ¶ the immortality of the ~ 영혼 불멸/the abode of the departed ~*s* 육체를 떠난 영혼의 안식처, 천국. [SYN.] ⇨MIND. **2** 생기(spirits), 기백; 감정, 열정: He has no ~. 그는 기백이 없다. **3** 정수, 생명: Brevity is the ~ *of* wit. ⇨BREVITY. **4** 전형, 권화(權化), 화신(embodiment): the ~ *of* honesty 정직의 화신. **5 a** (주의·운동·활동 등의) 중심인물, 수뇌, 지도자(leader): the ~ *of* the party 일행 중의 중심 인물. **b** (S-) 〖크리스천사이언스〗 신(God). **6** 《보통 부정어를 수반하여》 사람(person), 《형용사를 수반하여》 (…한) 인물: *Not* a ~ was to be seen. 사람 그림자 하나 안 보였다/a jolly 〔kind〕 ~ 유쾌한〔친절한〕 사람. **7** 죽은 사람의 영혼, 망령. **8** =SOUL MUSIC, SOUL FOOD, SOUL BROTHER 〔SISTER〕. ***Be a good ~ and do it.*** 착한 아이니 (제발) 그렇게 해 다오. ***cannot*** 〔***not be able to***〕 ***call*** one***'s ~*** one***'s own*** 완전히 남에게 좌지우지당하고 있다. ***commend*** one***'s ~ to God*** (임종의 사람이) 영혼을 하느님께 맡기다, 사후의 명복을 빌다. ***for the ~ of me*** =***for my ~*** =***to save my ~*** 결단코; 아무리 해도, 도무지: I can't remember *for the ~ of me.* 도무지 생각이 안 난다. ***have a ~ above*** …을 떳떳지 못하게 여기다. ***in my ~ of ~s*** 마음속에서는. ***keep body and ~ together*** 겨우 살아가다, 연명하다. ***Poor ~!*** 가엾어라. ***possess*** one***'s ~ in patience*** 〔***peace***〕 꾹 참다, 마음을 평안히 하고 있다. ***search*** one***'s ~*** 《구어》 반성하다. ***sell*** one***'s ~*** (***to the devil***) (악마에게) 영혼을 팔다《금전·권력 따위를 위해 양심에 부끄러운 일을 하다》《*for*》. ***upon*** 〔***'pon, on, by***〕 ***my ~*** ① 맹세코, 진정으로. ② 《감탄사적》 이거 놀랐다. ***with*** one***'s heart and ~*** 온 정신을 기울여. **—** 《구어》 *a.* 미국 흑인의, 흑인 문화의; 흑인을 위한; 흑인을 차별 안 하는, 흑인 환영의.

sóul bròther 《미》 (흑인의 동아리로서의) 흑인 남성, 동포. [cf.] soul sister.

sóul-destròying *a.* (짜증 날 만큼) 매우 단조「로운〔지루한〕.

souled *a.* 《복합어로》 정신〔마음〕이 …한: high-~ 고결한/mean-~ 마음이 비열한.

sóul fòod 미국 남부 흑인 특유의 식품(食品)《돼지 곱창·돼지족·고구마·옥수수빵 따위》; 《미흑인속어》 진실로 만족스러운 것.

soul·ful [sóulfəl] *a.* 정성 어린, 정신적인, 고상한; 활기에 찬, 정열적인; 《구어》 극단적으로 감정적인. [파] **~·ly** *ad.* **~·ness** *n.*

sóul kìss =FRENCH KISS.

sóul·less *a.* 정신이 없는; 영혼이 없는; 맥이 빠진, 기백이 없는; 무정한; 비열한. [파] **~·ly** *ad.* **~·ness** *n.*

sóul màte 《특히》 (이성(異性)의) 마음의 친구; 애인, 정부(情夫, 情婦); 지지자.

sóul mùsic 〖음악〗 솔 뮤직《리듬 앤드 블루스와 현대적인 흑인 영가인 gospel song이 섞인 미국의 흑인 음악》.

sóul ròck 솔 음악의 영향을 받은 로큰롤.

sóul-sèarching *n., a.* (동기·참뜻 등에 관한) 자기 분석(을 나타내는).

sóul sìster 《미》 (흑인의 동아리로서의) 흑인 여성. [cf.] soul brother.

†**sound**¹ [saund] *n.* [U,C] **1** 소리, 음, 음향, 울림: a musical ~ 음악(적인) 소리/a dull ~ 둔한 소리/make a ~ 소리를 내다.

> [SYN.] **sound** 소리를 나타내는 가장 일반적인 말. **noise** 바람직하지 않은 불쾌한 소리, 소음, 라디오 등의 잡음. **tone** 높낮이·억양·음조 따위에 초점을 맞춘 음, 음색: a voice silvery in *tone* 음색이 맑은 음.

2 (물체가 내는) 소리; 떠드는〔시끄러운〕 소리, 소음: the ~*s* from the next room. **3** 《보통 단수형; 수식어를 수반》 (말 따위의) 인상, 느낌(effect), 들림새, 어감: The report has a false ~. 날조한 듯한 느낌의 보고이다. **4** [U] 소리가 들리는 범위(earshot): within ~ of …이 들리는 곳에서. **5** 〖음성〗 소리, 음성: a vowel 〔consonant〕 ~ 모〔자〕음. **6** (때로 *pl.*) 《속어》 사운드《특정한 개인·그룹·지역에 특유한 음악 스타일》. **7** 《고어》 소식, 기별, 소문. ***catch the ~ of*** …의 의미를 대체로 파악하다. ***much ~ but little sense*** 헛소동. ***~ any fury*** 분노하여 외치는 소리, 의미없는 소음.

— *vi.* **1** 《~/+[보]》 소리가 나다, 울리다, 소리를 내다: The trumpets are ~*ing.*/The music ~*s* sweet. 아름다운 음악이다. **2** 《+[보]/+[전]+[명]/+*as if*[절]》 …하게 들리다, …하게 생각되다 《*like*》: The report ~*s* true. 그 보고는 사실같이 들린다/This ~*s* (*like*) fiction. 이것은 마치 꾸며낸 얘기 같다/It ~*s* (*to* me) *as if* somebody is calling you. 누군가가 너를 부르고 있는 것처럼 들린다. [SYN.] ⇨SEEM. **3** 《구어》 전해지다, 퍼지다. **4** …로 발음되다, …로 읽히다. **5** 《+[전]+[명]》 〖법률〗 …에 관계하다《*in*》: an action ~*ing in* damages 손해 배상에 관한 소송. **—** *vt.* **1** …을 소리 나게 하다, 울리다, 불다: ~ a bell 벨을 울리다. **2** (나팔·북·종 따위로) 알리다, 신호하다, 경보를 울리다; (찬사를) 크게 말하다, (평판을) 퍼뜨리다: ~ the retreat 퇴각 신호를 하다/~ a warning 경고를 발하다/He ~*ed* her praises. 그는 그녀를 극구 칭찬하였다. **3** (벽·레일 등을) 두드려 조사하다, 타진〔청진〕하다. **4** 《보통 수동태》 (글자를) 발음하다(pronounce), 소리 내어 읽다: The h of hour *is* not ~*ed.* hour의 h는 발음 안 한다. **5** 《속어》 여러 가지 말하여〔조롱하여〕 화나게 하다, 도발하다. **6** 《미속어》 (아무와) 서로 야유하다〔헐뜯다, 욕하다〕, 설전(舌戰)하다. (strange) ***as it may ~*** (이상)하게 들릴지 모르지만. ***~ off*** 《미구어》 ① (조용한 때에) 지껄이기 시작하다; 〖군사〗 큰 소리로 말〔대답〕하다; 《미》 (행진 중에 하나, 둘 하고) 보조를 맞추다; 《구어》 (자랑하면서) 마구 떠들어 대다. ② 〖군사〗 큰 소리로 번호·이름 따위를 대다. [OF *son*<《L.》 *sonus*; *-d*는 15세기부터의 첨자]

⁑**sound**² *a.* **1** 건전한, 정상적인; 상하지〔썩지〕 않은(uninjured): a man of ~ body and mind 심신이 모두 건전한 사람/~ fruit 〔timbers〕 썩지 않은 과일〔목재〕/A ~ mind in a ~ body. 《속담》 건강한 몸에 건전한 정신(이 깃들인다). [SYN.] ⇨HEALTHY. **2** (재정 상태 등이) 확실한, 착실〔견실〕한, 안전한(secure): a ~ friend 믿을 만한 친구/~ finance 건전 재정/a ~ investment 〔bank〕 안전한 투자〔은행〕/a ~ argument 확고한 주장. **3** (건물 등이) 견고한, 단단한, 튼튼한(solid); (사회 등이) 안정된: a ~ rock bed 견고한 암반(岩盤)/a ~ society 안정된 사회. **4** 철저한, 충분한: give a ~ beating 호되게 때리다/a ~ sleep 숙면(熟眠). **5** 논리적으로 옳은; 확고한 생각을 가진《*on*》: Is he ~ *on* free trade? 자유무역에 대한 그의 의견은 확고합니까. **6** (교리 등이) 정통의; 〖법률〗 유효한. (**as**) ~ **as a bell** 〔**colt, roach**〕 매우 건강하여. (**as**) ~ **as a top** 푹 잠든. **safe and** ~ ⇨SAFE. **—** *ad.* 깊이, 푹. ★ 보통 다음의 어구로 쓰임. ¶ sleep ~ 숙면(熟眠)하다 / ~ asleep 푹 잠들어. [OE (*ge*)*sund*; cf. 《G.》 *gesund*] ㊞ **∽·ness** *n.* 건전; 안전; 건강; 완전; 견실.

sound[3] *vt.* **1** (수심을) 측량하다; (대기·우주를) 조사하다. **2** 〖의학〗 소식자(消息子)를 넣어 진찰하다. **3** 《~+목/+목+부/+목+전+명》 …의 의중〔속〕을 떠보다, …을 타진하다《*out*》: ~ him *out on* his religious views 그의 종교관을 알아보다. **—** *vi.* 《~/+전+명》 물 깊이를 재다; 바닥에 닿다; (고래 따위가) 깊이 잠입하다; 정세를 살피다《*for*》. **—** *n.* 〖의학〗 (외과용) 소식자, 탐침(探針). [OF<《L.》 (*sub-*, *unda* wave)]

sound[4] *n.* 해협, 좁은 해협; 후미, 내포(內浦); (물고기의) 부레. [OE *sund* swimming, strait; cf. swim]

sóund absòrption 〖음성〗 흡음(吸音).

sóund-alìke *n.* 비슷한 이름의 사람〔것〕.

sóund-and-líght [-ənd-] *a.* 소리와 빛(과 녹음(錄音))을 사용한《디스코》; sound-and-light show의.

sóund-and-líght shòw 사적지(史跡地) 등에서 밤에 조명·녹음 음악·해설 등을 써서 그 유래를 말하는 쇼(son et lumière).

sóund bàrrier (the ~) 소리〔음속(音速)〕 장벽(sonic barrier)《초음속 비행에 적합하지 않은 비행기가 음속을 넘으려 해도 넘을 수 없는 보이지 않는 벽》: break through the ~ 음속을 넘어서 날다.

sóund bìte 1 (뉴스 프로그램에서) 사건을 단적으로 전하는 영상《되풀이해서 사용됨》. **2** (정치가 등의 발언·소견 따위를) 방송용으로 발췌한 간단하고 명료한 말. 「로 줄이다.

sóund-bìte *vt.* (사건 내용을) TV〔라디오〕용으

Sóund Blàster 〖컴퓨터〗 사운드 블라스터 《Creative Labs 사가 제조하고 있는 오디오 사운드 기기》.

sóund·bòard *n.* **1** 〖음악〗 =SOUNDING BOARD. **2** 〖컴퓨터〗 사운드 보드(sound card).

sóund·bòx *n.* 〖음악〗 (악기의) 공명 부분; (축음기의) 음향 변환 부분《진동판(板)이 있는》.

sóund bròadcasting (텔레비전과 구별하여) 라디오 방송.

sóund càmera 〖영화〗 동시 녹음용 카메라.

sóund càrd 〖컴퓨터〗 사운드 카드《다양한 종류의 음성 처리 기능을 가지고 있는 하드웨어 장치》.

sóund chèck (연주 전의) 음향 조절.

sóund-condìtion *vt.* …의 음을 조절하다, …의 음향 효과를 좋게 하다.

sóund effècts 〖방송·연극〗 음향 효과.

sóund enginéer 음향 기사.

sóund·er[1] *n.* 울리는 사람〔것〕; 〖통신〗 음향기《수신기의 일부》. [◂ sound[1]]

sóund·er[2] *n.* 측심원(測深員); 측심기; 〖의학〗 소식자. [◂ sound[3]]

sóund field 〖물리〗 음장(音場).

sóund film 토키, 발성 영화. 「발성부(部)》.

sóund·hèad *n.* 〖영화〗 사운드헤드《영사기의

sóund hòle 〖음악〗 (현악기의) 울림 구멍, (바이올린 등속의) f 자 구멍.

sóund·ing[1] *n.* **1** (종종 *pl.*) (측연(測鉛)에 의한) 측심(測深). **2** 수심(水深). **3** (*pl.*) 측연선으로 잴 수 있는 곳《깊이 600 피트 이내》. **4** 〖의학〗 탐침 진단. **5** (여러 고도에서의) 기상 관측, 우주 탐측. **6** (종종 *pl.*) (여론 등의) (신중한) 조사. ***be in*** **~s** (배가) 측연이 미치는 곳에 있다; (고래가) 얕은 곳에 있다. ***off*** 〔***out of***〕 **~s** (배가) 측연이 미치지 않는 곳에. ***strike*** **~s** (측연으로) 수심을 재다. ***take*** **~s** 서서히 사태를 살피다.

sóund·ing[2] *a.* 소리가 나는, 울려 퍼지는(resonant); 과장된; 어마어마하게 들리는, 당당한: a ~ title 어마어마한 직함 / ~ oratory 호언장담하는 웅변. **—** *n.* 《미속어》 =SIGNIFYING. ㊞ **~·ness** *n.*

sóunding ballòon 〖기상〗 기상 관측 기구.

sóunding bòard 1 〖음악〗 공명판; (연단의 위·뒤 따위의) 반향판《목소리를 잘 전하기 위한》; 흡음(吸音)〔방음〕판, 울림 방지판(板). **2** 의견 등을 선전하는 사람〔그룹〕; (의견 등에 대한) 반응을 테스트하는 사람〔그룹〕, 상담역, 고문.

sóunding lèad [-lèd] 측연《수심을 측량하는 추연(錘鉛)》.

sóunding lìne 측연선(線)(lead line).

sóund·ing·ly *ad.* 울려 퍼질 듯이; 당당하게, 인상적으로.

sóunding ròcket (기상) 탐사〔관측〕 로켓.

sóunding ròd 측간(測杆), 측량대.

sóund·less[1] *a.* 소리가 나지 않는, 아주 고요한. ㊞ **~·ly**[1] *ad.* **~·ness** *n.*

sóund·less[2] *a.* 《시어》 잴 수 없을 만큼 깊은, 헤아릴 수 없는(unfathomable). ㊞ **~·ly**[2] *ad.*

°**sóund·ly** *ad.* **1** (수면 상태가) 푹, 깊이: sleep ~ 푹 잠들다. **2** (타격 등이) 호되게, 철저하게: beat a person ~ 아무를 호되게 때리다. **3** 건전하게, 올바르게: train students ~ 학생들을 올바르게 훈련시키다. **4** 착실히, 견실하게: She has established herself ~ in the company. 그녀는 회사 내에서 착실히 자기 지위를 쌓았다.

sóund·màn [-mæ̀n] (*pl.* **-mèn** [-mèn]) *n.* 음향 효과 담당; =SOUND MIXER《사람》.

sóund mìxer 녹음·방송에서 여러 소리를 조정하여 혼합하는 사람; 소리의 조정 혼합 장치.

sóund múltiplex bròadcast 음성 다중(多重) 방송. 「방식.

sóund-múltiplex sỳstem 〖방송〗 음성 다중

sóund pollùtion 소음 공해(noise pollution).

sóund pòst 〖음악〗 (바이올린 같은 악기의) 앞판과 뒤판 사이의 버팀 막대.

sóund prèssure 〖물리〗 음압(音壓).

sóund·próof *a.* 방음의. **—** *vt.* …에 방음 장치를 하다. ㊞ **~·ing** *n.* 「어.

sóundproof brá 《미속어》 심을 넣은 브래지

sóund rànging 음원(音源) 탐지법.

sóund recòrding 녹음.

sóund·scape [sáundskèip] *n.* (음악 따위의) 소리의 퍼짐; 음경(音景), 소리의 풍경.

sóund scùlpture 소리가 나는 조각《좋은 소리가 나는 금속 막대 등을 씀》.

sóund shèet 《속어》 소노시트《보통 음반보다 얇고 유연한 플라스틱 음반; 광고·판매용》.

sóund shìft 〖음성〗 음추이(音推移), 음변화.

sóund spèctrogram 〖물리〗 음향 스펙트로그램, 음향 분석도.

sóund spèctrograph 〖물리〗 음향 스펙트로그래프《소리의 주파수·강도 및 그 시간적 변화를 기록하는 장치》. 「스튜디오.

sóund·stàge *n.* 사운드 필름을 제작하는 방음

sóund sỳstem (언어 따위의) 음성 체계; (무대 따위의) 음향 시스템.

sóund tràck 〖영화〗 사운드 트랙, (필름 가장자리의) 녹음대(帶); 영화 필름에 녹음된 음성; (판매용) 영화 음악〔회화〕.

sóund trùck 《미》 (선거 때 따위의) 선전 자동차(《영》 loudspeaker van).

sóund wàve 〖물리〗 음파(音波).

†**soup** [su:p] *n.* Ⓤ **1** 수프, 고깃국(물): chicken

〔onion〕 ~ 치킨〔양파〕 수프/eat ~ (스푼으로) 수프를 먹다. cf. broth. **2** 《미속어》 니트로글리세린, 다이너마이트《금고털이의 은어》; 《구어》 (사진의) 현상액. **3** 《구어》 짙은 안개. **4** 《속어》 (비행기·자동차의) 강화 연료; 《속어》 마력, 증력(增力)《엔진 따위의》; 《속어》 (경주말에 먹이는) 흥분제. **5** 《서핑속어》 부서진 파도의 흰 포말(泡沫). ***from ~ to nuts*** 《미》 처음부터 끝까지. ***in the ~*** 《구어》 곤경에 빠져, 꼼짝 못하게 되어.
— *vt.* 《+目+副》 **1** 《속어》 …의 마력〔출력, 능력, 효력〕을 증대시키다《*up*》. **2** 《비유》 활발하게 하다《*up*》; (이야기 따위를) 한층 자극적〔매력적〕으로 하다《*up*》.

sóup-and-físh *n.* 《속어》 (남자의) 정식 야회복.

sóup·bòne *n.* 수프용 뼈《소의 사골 등》; 《야구속어》 (투수의) 주로 쓰는 팔. 「금《*of*》; 기미.

soup·çon [su:psɔ́:ŋ, ⌐-/⌐⌐] *n.* 《F.》 소량, 조

sóuped-ùp [sú:pt-] *a.* 《속어》 **1** (엔진·자동차 등이) 마력을 올린, (속도를 내도록) 개조한. **2** 가치가〔매력이〕 증대한; 보다 (자)극적으로 한.

sóup hòuse 《미속어》 싸구려 식당.

sóup jòb 《미속어》 빠른 차〔비행기〕.

sóup jòckey 《미속어》 웨이터, 웨이트레스.

sóup kìtchen **1** (영세민을 위한) 무료 급식 시설《그 식권은 soup ticket》. **2** 《군대속어》 (제1차 세계 대전에서) 이동식 주방차.

sóup plàte (움푹한) 수프 접시.

sóup·spòon *n.* 수프스푼.

soupy [sú:pi] (***soup·i·er; -i·est***) *a.* 수프 같은; 진한, 걸쭉한; 《미구어》 감상적인; 안개가 짙은, 흐린.

‡sour [sáuər] *a.* **1** 시큼한, 신: a ~ apple 신맛이 나는〔덜 익은〕 사과. **2** (발효하여) 시어진, 산패(酸敗)한; 시큼한 냄새가 나는.

> SYN. **sour** 맛이나 냄새가 신 것으로서 발효·부패를 암시하는 경우에 쓰임. **acid** 원래 신맛이 있다는 뜻으로, sour 보다도 과학적인 말. **tart** 혀를 찌르는 듯이 신 것으로 기분 좋은 미각을 암시하는 말.

3 (사물이) 불쾌한, 싫은(disagreeable): a ~ job. **4** 표준 이하의, 빈약한, 졸렬한; 《구어》 나쁜; 불법〔위법〕의, 부도덕한. **5** 꾀까다로운(peevish); 찌무룩한, 심술궂은: look ~ 부루퉁한 얼굴을 하다. **6** (땅이) 산성인, 메마른(barren). **7** (날씨가) 구중중한(dank), 냉습한: ~ weather. **8** 황화물이 혼합된《휘발유 따위가》: ~ gas 〔oil〕 사워 가스〔오일〕. **9** 《구어》 【음악】 가락〔음정〕이 틀린. ***as ~ as vinegar*** 몹시 못마땅한 듯한. ***be ~ on ...*** 《미》 …에 적의를 품다, …을 싫어하다. ***for ~ apples*** 《속어》 서투르게, 보기 흉하게. ***go*** 〔***turn***〕 ~ ① (음식물이) 시어지다. ② 재미없게 되다; 못 쓰게 되다; 시시해지다《*on*》.
— *n.* U,C **1** 시큼한 것; 신맛, 산미(酸味). **2** (the ~) 싫은 것〔일〕, 괴로운 일: the sweet and ~ of life 인생의 고락. **3** 《미》 사워, 산성 음료수《레몬수·설탕을 가미한 위스키 따위》. ***in ~*** 잘 안 되어서, 곤란하여, 시초가 나빠서. ***take the sweet with the ~*** 인생의 고락을 감수하다, 낙천적으로 생각하다.
— *vt.* **1** 시게 하다. **2** 〔종종 수동태〕 꾀까다롭게 하다, 심술궂게 하다: He *was ~ed* by a business failure. 그는 사업에 실패하여 성격이 비뚤어졌다. **3** 《+目+前+名》 …을 싫어지게 하다, …에 대한 관심을〔흥미를〕 잃게 하다: The accident *~ed* me *on* driving. 그 사고로 자동차 운전이 싫어졌다. **—** *vi.* **1** 시어지다, 산패(酸敗)하다; (음식 따위가) 상하다. **2** (관계 따위가) 나빠지다; (일·계획 따위가) 틀어지다. **3** (사람이) 심술궂어지다, 비뚤어지다. **4** 《+前+名》 《미구어》 (…에) 환멸을 느끼다, 흥미를 잃다《*on*》: ~ *on* a person.
㊞ **~·ish** *a.* 약간 신. **~·ly** *ad.* 시큼하게; 찌무룩하게, 불쾌하게, 음침하게. **~·ness** *n.* 시큼함; 찌무룩함, 꾀까다로움, 심술궂음, 음침함.

sóur bàll 사워 볼《새콤하고 둥근 캔디》; 《미속어》 꾀까다로운 사람, 불평가.

‡source [sɔ:rs] *n.* **1** 수원(지), 원천(fountainhead) 《*of*》: the *~s of* the Han River 한강의 수원지(대). **2** 근원(origin), 근본, 원천, 원인 《*of*》: a ~ *of* political unrest 정치적 불안의 원인. **3** 공급원(源), 광원(光源), 전원(電源), 열원(熱源), (방사)선원(源): a ~ *of* light 〔electricity〕/the ~ *of* revenue 〔wealth〕 재원(財源)〔부원(富源)〕. SYN. ⇨ORIGIN. **4** (종종 *pl.*) 출처, 정보원(源), 전거(典據), 자료; 관계 당국, 소식통: historical ~s 사료(史料)/a news ~ 뉴스의 출처/a reliable ~ 확실한 소식통/trace a thing to its *~s* 출처를 규명하다. **5** (상환·배당금 따위의) 지불인: a tax paid at the ~ 원천 과세. **6** 【컴퓨터】 원시, 원천, 소스《파일의 복사 바탕》. **—** *vt.* (인용문의) 출전(出典)을 명시하다. ㊞ **⌐·ful** *a.* **⌐·less** *a.* 「원전(原典).

sóurce bòok (역사·과학 등의 근원이 되는)

sóurce còde 【컴퓨터】 원시 코드《컴파일러나 어셈블러를 써서 기계어로 변환하는 바탕이 되는 꼴의 프로그램》.

sóurce dàta 【컴퓨터】 원시 자료, 원시 데이터《컴퓨터 처리를 위해 준비된 으뜸 자료》.

sóurce dìsk 【컴퓨터】 원시 디스크《복사될 파일이나 프로그램을 갖고 있는 디스크》.

sóurce dòcument 【컴퓨터】 원시 문서《기초 데이터가 수록되어 있는 문서》.

sóurce file 【컴퓨터】 원시 파일《바탕 프로그램 코드가 들어 있는 파일》.

sóurce fóllower 【전자】 소스 폴로어《전기장(電氣場) 효과 트랜지스터의 전력 증폭 회로》.

sóurce lànguage 【언어】 기점(起點) 언어《번역의 원문 언어》; 【컴퓨터】 원시 언어《번역 처리의 입력(入力)이 되는 원 프로그램 언어》.

sóurce matèrial (연구·조사 따위의) 원(原)자료《기록·일기 등》.

sóurce prògram 【컴퓨터】 원시 프로그램《원시 언어로 나타낸 프로그램》.

sourc·ing [sɔ́:rsiŋ] *n.* 【경제】 (외부·해외에서 하는) 부품 조달. 「사워 크림.

sóur crèam 산패유(酸敗乳), 산성(酸性) 크림,

sour·dine [suərdí:n] *n.* **1** (악기의) 약음기(弱音器)(mute). **2** 소형 바이올린; 옛 오보에.

sóur·dòugh *n.* **1** 효모(酵母), 이스트. **2** 《미·Can.》 (특히 홀로 겨울을 지낸) 미국 서부·캐나다·알래스카 등지의 (고참) 개척자〔탐광자〕《빵을 굽는 효모를 쓴 데서》.

sóur grápes 억지, 지기 싫어함, 오기(傲氣)《이솝 우화의 '여우와 포도'에서》.

sóur gùm 북아메리카산(產)의 큰 고무나무.

sóur másh 《미》 사워 매시《위스키 등의 증류에서 젖산 발효를 높이기 위해 묵은 전(全)국을 조금 섞은 원액》.

sóur·pùss *n.* 《구어》 불쾌해 하는 사람, 음침한〔비뚤어진〕 성격의 사람, 보기 싫은 놈.

sóur sált 산미염(酸味塩), 결정 구연산(citric acid).

sóur·sòp *n.* 【식물】 가시번여지(蕃荔枝)《열대 아메리카산(產)》.

sou·sa·phone [sú:zəfòun, -sə-/-zə-] *n.* 【음악】 수자폰

sousaphone

《tuba 종류의 관악기》.

souse [saus] *n.* **1** Ⓤ 간국, (절이는 데 쓰는) 간물; Ⓤ 소금 절임; 소금에 절인 것《돼지 귀〔다리〕, 청어 등》. **2** Ⓒ 물에 담금, 흠뻑 젖음; 첨벙《물소리》. **3** Ⓒ 술잔치; 《속어》 술고래(drunkard). **— *vt.* 1** 소금〔초〕에 절이다(pickle). **2** 《~+목/+목+전+명》 물에 담그다, 흠뻑 적시다《*in*》; (물 따위를) 끼얹다, 뿌리다《*over; with*》: ~ water *over* a thing 무엇에 물을 뿌리다. **3** 〔보통 과거분사형으로〕《구어》 술에 취하게 하다(intoxicate): get ~*d* 몹시 취하다. **— *vi.* 1** 소금에 절여지다. **2** 물속에 뛰어들다; 흠뻑 젖다. **3** 《속어》 취하다. **— *ad.*** 첨벙, 풍덩.

sous·sous [súːsùː] *n.* 【발레】 수수《제 5 포지션의 자세에서 시작하여 제 5 포지션으로 끝나는 작은 점프》.

sou·tache [suːtǽʃ] *n.* 가는 띠줄, 장식끈.

sou·tane [suːtáːn] *n.* 【가톨릭】 수단《사제(司祭)의 평상시의 정복》.

sou·te·neur [sùːtənə́ːr] *n.* 《F.》 뚜쟁이(pimp). 「하실, 지하도.

sou·ter·rain [sùːtəréin, ´-´] *n.* 【고고학】 지

†**south** [sauθ] *n.* **1** Ⓤ (the ~) 남쪽; 남부《생략: S, S., s.》: in the ~ of …의 남쪽에 / on the ~ of …의 남측에 (접하여) / to the ~ of …의 남쪽으로. **2** (the S–) 남쪽 나라, 남부 지방〔지역〕; 《미》 남부 여러 주(州). **3** (the S–) (아시아 · 아프리카 · 중남미 따위의) 발전도상국. **4** (the S–) (자석의) 남쪽; (the S–) (지구의) 남극 지방. **5 a** (교회당의) 남쪽《제단을 향하여 우측》. cf. east. **b** (종종 S–) (브리지 따위에서) 남쪽 자리의 사람, =DECLARER. **6** 《시어》 남풍, 마파람. ★ 여기에 없는 관용구는 north 참조. ~ ***by east*** 〔***west***〕 남미동(南微東)〔서(西)〕《생략: SbE 〔SbW〕》. **— *a.*** 남(쪽)의, 남방에 있는; (S–) 남부의; 남으로부터의; 남쪽을 향한. **— *ad.*** 남방〔남부〕에〔(으)로〕. ***go*** ~ ① 남쪽으로 가다. ② 《미속어》 모습을 감추다〔숨기다〕; (…을 갖고) 도망치다《*with*》. ③ (주가 등이) 폭락하다. ~ ***of*** …의 남쪽에: That village is 〔lies〕 15 miles ~ *of* London. 그 마을은 런던 남쪽 15마일 지점에 있다. **— *vi.*** 남진하다; 남쪽으로 방향 전환하다; 【천문】 (달 등이) 자오선을 통과하다, 남중(南中)하다.

Sòuth África 남아프리카《공식명: the Republic of ~ (남아프리카 공화국)》.

Sòuth Áfrican *a.* 아프리카 남부의, 남아프리카공화국의. **— *n.*** 남아프리카공화국의 주민, 《특히》 남아프리카공화국 태생의 백인.

Sòuth Áfrican Dútch =AFRIKAANS《생략: SAfrD》; 보어 인(the Boers). 「의 (사람).

Sóuth América 남아메리카 (대륙). ㊀ **~n** ~

South·amp·ton [sauθhǽmptən] *n.* 사우샘프턴《영국 남해안의 항구 도시》.

Sóuth Austrália 사우스오스트레일리아《오스트레일리아 남부의 주(州)》.

sóuth·bòund *a.* 남행(南行)의.

Sóuth Carolína 사우스캐롤라이나《미국 남동부 대서양 연안의 주(州); 생략: S.C.》.

Sóuth Carolínian 사우스캐롤라이나의 (사람).

Sóuth Chína Séa (the ~) 남중국해.

Sóuth Dakóta 사우스다코타《미국 중앙 북부의 주; 생략: S.D(ak).》. ㊀ **~n** ~의 (사람).

South·down [sáuθdàun] *n.* 사우스다운 종(種)의 양(羊)《England 남부산》; 그 고기.

Sóuth Dówns 사우스다운스《영국 남동부에서 동서로 뻗은 낮은 초지성(草地性) 구릉》.

‡**south·east** [sàuθíːst; 《해사》 sauíːst] *n.* Ⓤ (the ~) 남동《생략: SE》; (the S–) 남동 지방; 미국 남동부; 《시어》 남동풍: ~ by east 〔south〕 남동미(微)동〔남〕《생략: SEbE 〔SEbS〕》. **— *a.*** 남동에 있는, 남동의, 남동으로(부터)의: ~ wind. **— *ad.*** 남동에, 남동으로(부터). 「람).

Sóutheast Ásia 동남아시아. ㊀ **~n** ~의 (사

Sóutheast Ásia Tréaty Organizàtion (the ~) 동남아시아 조약 기구《생략: SEATO》.

sòuth·éast·er *n.* 남동풍; 남동의 강풍〔폭풍〕. ㊀ **~·ly** *a., ad.* 남동의〔으로〕; 남동에서(의).

°**sòuth·éast·ern** *a.* 남동의, 남동쪽에 있는〔으로의〕; 남동에서의; (S–) 남동부(지방)의. ㊀ **~·er** *n.* 남동부 출신 주민; (S–) 《미》 남동부의 주민.

sòuth·éast·ward *ad., a.* 남동쪽으로〔의〕; 남동에 있는. **— *n.*** (the ~) 남동방(의 지점 · 지역). ㊀ **~·ly** *a., ad.* 남동으로(의); 남동으로부터(의).

sòuth·éast·wards *ad.* =SOUTHEASTWARD.

south·er [sáuðər] *n.* 남풍, 남쪽의 강풍.

south·er·ly [sʌ́ðərli] *a.* 남쪽의, 남쪽에 있는; 남쪽으로의; 남쪽으로부터의. **— *ad.*** 남쪽으로; 남쪽에서. **— *n.*** 남풍.

‡**south·ern** [sʌ́ðərn] *a.* **1** 남쪽의, 남쪽에 있는; 남쪽으로의, 남향의: a ~ course 남방 항로. **2** 남쪽으로부터의: ~ winds. **3** (종종 S–) 남부 지방의, 《미》 남부 여러 주(州)(에서)의; (종종 S–) 《미》 남부 방언의: the *Southern* States (미국의) 남부 제주(諸州). **4** 【천문】 남천(南天)의. **— *n.*** 남부 제주의 사람; (S–) (미국 영어의) 남부 방언(=**Sóuthern díalect**). ㊀ **~·ly** *a.* 남쪽에 있는〔방면의〕(southerly). 「의 산맥.

Sóuthern Álps (the ~) 뉴질랜드 South 섬

Sóuthern blót 【유전】 서던법(法)(Southern method)《제한 효소로 분해한 특정 DNA 단편에서 특정 염기 배열을 지니는 단편 검출법》.

Sóuthern Cróss (the ~) 【천문】 남(南)십자성(Crux).

Sóuthern Énglish 남부영어(Southern British English)《잉글랜드 남부의, 특히 교양 있는 사람들의 영어》; 미국 남부 방언. 「러 주 사람.

sóuth·ern·er *n.* 남부 지방 사람; (S–) 남부 여

Sóuthern Físh (the ~) 【천문】 남쪽물고기자리(Piscis Austrinus).

Sóuthern-fríed *a.* **1** (미국) 남부식으로 튀긴《밀가루 · 계란 · 빵가루를 묻혀 튀긴》: ~ chicken. **2** (종종 s–) 《속어》 미국 남부에 독특한, 남부에 기원한.

Sóuthern Hémisphere (the ~) 남반구.

sóuth·ern·ìsm *n.* (미국의) 남부 어법〔사투리〕; 남부(사람)의 특성〔기질〕.

sóuthern líghts (the ~) =AURORA AUSTRALIS.

sóuthern·mòst *a.* 가장 남쪽〔남단〕의, (최)남단의. 「OCEAN.

Sóuthern Ócean (the ~) =ANTARCTIC

sóuthern péa 【식물】 광저기(cowpea).

Sóuthern Rhodésia 남로디지아《1923 - 65년간의 Zimbabwe의 명칭》.

Sóuthern stràtegy (the ~) 【미정치】 남부 전략《남부 백인표를 모으면 전국을 이긴다는》.

sóuthern·wòod *n.* 【식물】 쑥의 일종(wormwood)《종종 맥주 주조용으로 쓰임》.

Sóuthern Yémen 옛 남부예멘. cf. Yemen.

Sou·they [sáuði, sʌ́ði] *n.* **Robert ~** 사우디《영국의 계관 시인; 1774 - 1843》.

Sóuth Frígid Zòne (the ~) 남한대(南寒帶).

Sóuth Gla·mór·gan [-gləmɔ́ːrgən] *n.* 사우스글러모건《영국 웨일스(Wales)의 주(州)》.

south·ing [sáuðiŋ] *n.* Ⓤ 남진; 【천문】 자오선 통과, 남중; 【해사】 남항(南航), 남거(南距).

Sóuth Ísland 남섬《뉴질랜드의 남쪽 큰 섬》.

sóuth·lànd *n.* (종종 S–) 남쪽 나라; (한 나라의) 남부 지방.

sóuth·mòst *a.* =SOUTHERNMOST.
sóuth·pàw 《구어》 *n.*, *a.* 왼손잡이(의); 〖야구〗 왼손잡이 투수; 〖권투〗 왼손잡이 선수.
sóuth póle (the ~, 종종 the S- P-) (지구의) 남극; (하늘의) 남극; (자석의) 남극.
south·ron [sʌ́ðrən] *n.* 남부인; (종종 S-) 《Sc.》 잉글랜드 사람; 《미남부》 남부 (제주(諸州)의) 사람.
Sóuth Sèa Íslands (the ~) 남양 제도(諸島)《남태평양의》. [파] **Sóuth Sèa Íslander**
Sóuth Séas (the ~) 남양, 《특히》 남태평양.
sóuth-sòutheást *n.* (the ~) 남남동《생략: SSE》. — *a.*, *ad.* 남남동에(있는)〔으로(부터)(의)〕.
sóuth-sòuthwést *n.* (the ~) 남남서《생략: SSW》. — *a.*, *ad.* 남남서에(있는)〔로(부터)(의)〕.
Sóuth Vietnám 구(舊)월남.
*__south·ward__ [sáuθwərd] *a.*, *ad.* 남쪽으로(의). — *n.* (the ~) 남부(의 지점〔지역〕), 남쪽: to 〔from〕 the ~ 남쪽으로〔에서〕. [파] **~·ly** *a.*, *ad.*
south·wards [sáuθwərdz] *ad.* =SOUTHWARD.
‡**south·west** [sàuθwést; 《해사》 sàuwést] *n.* [U] (the ~) 남서《생략: SW, S.W.》; 《시어》 남서풍(風); (the S-) 남서 지방; (the S-) 《미》 미국 남서부《멕시코에 인접한 여러 주》. ~ ***by south*** 〔***west***〕 남서미(微)남〔서〕《생략: SWbS 〔SWbW〕》. — *a.* 남서의; 남서쪽으로의; 남서로부터의. — *ad.* 남서쪽으로; 남서로부터.
sòuth·wést·er *n.* **1** 남서(강)풍. **2** 폭풍우용 방수모(sou'wester)《뒤쪽 양태가 넓음》. [파] **~·ly** *a.*, *ad.* 남서쪽으로(의); 남서쪽에서(의).
◇**sòuth·wést·ern** *a.* 남서의, 남서로의, 남서에 있는, 남서로부터의; 남서로 향한; (종종 S-) 남서부 지방의. [파] **~·er** *n.* 남서부 사람.
sòuth·wést·ward *ad.*, *a.* 남서로(의); 남서에 있는. — *n.* (the ~) 남서방(의 지점〔지역〕). [파] **~·ly** *a.*, *ad.* 남서 방향으로(의).
sòuth·wést·wards *ad.* =SOUTHWESTWARD.
Sóuth Yórkshire 사우스요크셔《잉글랜드 북부의 특별주》.
*__sou·ve·nir__ [sù:vəníər, ⌐-⌐] *n.* 기념품, 선물; 유물《*of*》: a ~ shop 선물 가게, 기념품점.
souvenír shèet 기념우표 시트.
sou'·west·er [sàuwéstər] *n.* =SOUTHWESTER 2; 남서(강)풍.
sov. sovereign.
*__sov·er·eign__ [sάvərən, sʌ́v-/sɔ́v-] *n.* **1** 주권자, 원수(元首), 군주(monarch), 국왕, 지배자. **2** 독립국, 자주국. **3** (옛 영국의) 1 파운드 금화《생략: sov.》. — *a.* **1** 주권이 있는, 군주인, 군림하는: a ~ prince 군주 / ~ authority 〔power〕 주권. **2** 독립한, 자주적인: a ~ state 독립 국가, 주권국. **3** 최상의(supreme), 최고의: the ~ good 〖논리〗 지고선(至高善). **4** 탁월한(excellent); (약이) 특효의(efficacious): a ~ remedy 영약, 특효약. [파] **~·ly** *ad.* 뛰어나게, 유난히; 주로; 효과적으로; 군주로서.
sov·er·eign·tist [sάvərəntist, sʌ́v-/sɔ́v-] *n.* (캐나다의) 주권 연합(sovereignty association) 지지자.
◇**sov·er·eign·ty** [sάvərənti, sʌ́v-/sɔ́v-] *n.* [U] 주권, 종주권; 통치권; [C] 독립국; 군주의 신분〔지위〕; 《폐어》 최상〔최선〕(의 것).
‡**So·vi·et** [sóuvièt, ⌐-⌐/sóuviət] *n.* 《Russ.》 **1** (the ~(s)) 소련(the ~ Union); (the ~s) 소련 정부〔국민〕; (~s) 볼셰비키. **2** (s-) 소비에트《옛 소련의 입법 · 행정 기관》; (소련의) 평의회. **3** (소연방을 구성했던 이전의) 공화국. — *a.* **1** 소비에트 연방〔인민〕의. **2** (s-) 소비에트의, 평의회의. [파] **~·ism** *n.* [U] (종종 s-) 소비에트식 정치 기구, 공산주의. **~·ist** *n.* (종종 s-) 소비에트 주의자. **~·ize** *vt.* 소비에트〔공산〕화하다.
So·vi·et·ol·o·gy [sòuviitάlədʒi/-tɔ́lə-] *n.* [U] =KREMLINOLOGY. [파] **-gist** *n.* =KREMLINOLOGIST.
Sóviet Únion (the ~) 소비에트 연방《공식명: the Union of Soviet Socialist Republics; 1991 년 12 월 21 일 소멸됨》.
sov·khoz [sɑfkɔ́:z, -s/-kɔ́z] *n.* 《Russ.》 소프호스《옛 소련의 국영 농장》. [cf] kolkhoz.
sov·prene [sάvpri:n/sɔ́v-] *n.* [U] 합성(合成)고무. [◂ *soviét*+*isoprene*]
sov·ran [sάvrən/sɔ́v-] *a.*, *n.* 《시어》 =SOVEREIGN.
‡**sow**¹ [sou] (*~ed*; *~ed*, *~n* [soun]) *vt.* **1** 《~+[목]/+[목]+[전]+[명]》 (씨를) 뿌리다《*in*》; (땅에) 파종(播種)하다《*with*》: ~ wheat *in* a field = ~ a field *with* wheat 밭에 밀씨앗을 뿌리다. **2** …의 원인을 만들다; (소문 · 해악 등을) 뿌리다, 퍼뜨리다, 유포하다(disseminate): ~ distrust 불신의 씨를 뿌리다 / ~ the seeds of hatred 증오의 씨를 뿌리다. **3** 〖과거분사로〗 …을 흩뿌리다, 아로새기다《*with*》: the sky *sown with* stars 별이 아로새겨진 하늘. — *vi.* 씨를 뿌리다: As a man ~*s* 〔you ~〕, so he 〔you〕 shall reap. 《속담》 제가 뿌린 씨는 제가 거둔다, '자작지얼'; 인과응보. ~ ***one's wild oats*** ⇨ OAT. ~ ***the wind and reap the whirlwind*** ⇨ REAP.
sow² [sau] *n.* **1** 암퇘지; (곰 따위의) 암컷; 《학생속어》 흘게늦은 여자(아이); 《속어》 추녀(醜女). **2** 〖야금〗 큰 주형(鑄型). ***(as) drunk as a ~*** 몹시 취하여, 고주망태가 되어. ***get*** 〔***have, take***〕 ***the wrong ~ by the ear*** 당찮은 사람을 탓하다; 그릇된 견해를 갖다.
so·war [souwά:r, -wɔ́:r] *n.* 인도의 현지인 기병.
sów·bàck [sáu-] *n.* =HOGBACK.
sów·bèlly [sáu-] *n.* 《미구어》 돼지고기 절임, 베이컨.
sów·brèad [sáu-] *n.* 〖식물〗 시클라멘《앵초과(科)의 다년초》.
sów bùg [sáu-] 〖곤충〗 쥐며느리 《또는 wood louse라고도 함》.
sów·er [sóuər] *n.* **1** 씨 뿌리는 사람〔기계〕; 파종기. **2** 《비유》 유포하는〔퍼뜨리는〕 사람, 선동자, 제창자.
So·we·to [səwí:tou] *n.* 소웨토《남아프리카공화국 Johannesburg 남서부에 있는 흑인 거주지역》. [◂ *S*outh *We*stern *To*wnships]
sown [soun] sow¹의 과거분사.
sów thìstle [sáu-] 〖식물〗 방가지똥.
sox [sɑks/sɔks] *n. pl.* 《구어》 짧은 양말, 삭스(socks).
soy, soya [sɔi], [sɔ́ijə] *n.* [U] 간장(醬)(=⌐ sàuce); [C] =SOYBEAN.
sóy·bèan *n.* 콩(=**sóya bèan**).
sóybean 〔**sóya**〕 **mìlk** 두유(豆乳).
sóybean 〔**sóya-bean**〕 **òil** 콩기름.
sóy ìnk 콩기름 잉크《무공해 인쇄 잉크》.
sóy·mìlk *n.* 두유(豆乳).
So·yuz [sɔ́:ju:z/sɔjú:z] *n.* 소유즈《옛 소련의 우주선; 우주 정거장 조립을 목적으로 함》.
so·zin [sóuzin] *n.* 〖생화학〗 소진《정상적 체내에 있는 항병성(抗病性) 단백질》.
soz·zle [sάzəl/sɔ́zəl] 《미》 *vt.* 점벙점벙 씻다〔헹구다〕; 《구어》 술 취하게 하다. — *vi.* 빈둥거리다(loll). [imit.]
sóz·zled *a.* 《구어》 억병으로 취한.
SP¹ [éspí:] *n.* 에스피 판《1 분간 78 회전의 레코드》. [cf] EP, LP. [◂ *S*tandard *P*laying (record)]
SP², **S.P.**, **s.p.** self-propelled; shore police; shore patrol(-man); Socialist party; submarine patrol. **SP**³, **sp.** specialist. **Sp.**

Spain; Spaniard; Spanish. **sp.** special; species; specific; specimen; spelling; spirit.

spa [spɑː] *n.* 광천(鑛泉), 온천장, 탕치장(湯治場); 《미》 온천장의 호텔; 《미동부》 약방 겸 음료 및 경식사 판매점(soda fountain); =HEALTH SPA; 《미》 =HOT TUB.

⁑**space** [speis] *n.* **1** Ⓤ 공간: time and ~ 시간과 공간/vanish into ~ 허공으로 사라지다. **2** Ⓤ (대기권 밖의) 우주(outer ~): launch a spaceship into ~ 우주에 우주선을 발사하다. **3** Ⓤ,Ⓒ 장소, 면(面)의 넓이, 면적; 빈곳, 여백, 여지(room): an open ~ 공지, 한터/floor ~ 마루의 면적/a ~ between two buildings 두 건물 사이의 빈터. **4** Ⓒ (특정한 목적을 위한) 장소(place), 구역; (탈것의) 좌석(seat); 《속어》 (사람의) 생활 공간: a parking ~ 주차하기 위한 장소/reserve one's ~ 좌석을 예약하다. **5** (a ~, the ~) (때의) 사이, 시간; (a ~) 잠시, 단시간: a ~ *of* two hours 2시간/for a ~ 잠시 동안. **6** Ⓤ (신문·잡지의) 지면; Ⓤ (라디오·텔레비전에서) 스폰서에게 파는 시간; 간격(interval); 거리(distance): sell ~ for a paper (광고 등에서) 신문의 지면을 팔다/for the ~ of a mile 1마일의 간격/at equal ~s 등거리 간격으로. **7** Ⓒ 『음악』 (악보의) 선간(線間); 『인쇄』 분공목(分空目); 행간(行間). **8** 『컴퓨터』 사이. ◇ spacious *a.* ***for the ~ of*** …의 사이. ★시간·거리 어느 쪽에도 쓰이나 시간인 경우는 for 대신에 in도 씀. ***take up ~*** 장소를 잡다. ── *vt.* 《~+목/+목+부》 **1** …에 일정한 간격〔거리, 시간〕을 두다《*out*》; 구분하다: The farms were ~*d out* three or four miles apart. 농장은 3·4마일의 간격으로 떨어져 있었다. **2** …의 행간〔어간〕을 띄우다; …의 스페이스를〔공간을〕 정하다: ~ *out* types 활자의 행간을 띄우다. ── *vi.* **1** 간격을 두다. **2** 행간〔어간〕을 띄우다, 스페이스를 잡다. ***be ~d out*** 《속어》 (마약 등으로) 멍해지다; 이상해지다.

spáce àge (때로 S- A-) 우주 시대.

spáce-àge *a.* 우주 시대의, 현대의, 최신의.

spáce bàndit 《속어》 =PRESS AGENT.

spáce bàr **1** 타자기의 어간을 떼는 가로막대. **2** 『컴퓨터』 스페이스 바.

spáce biòlogy 우주 생물학.

spáce blànket (등산용 따위의) 비닐제(製) 내한(耐寒) 침구용 시트.

spáce·bòrne *a.* 우주로 운반되는, 우주 경유의; 우주 중계의《텔레비전》.

spáce-bòund *a.* 우주로 향하는.

spáce càdet 《구어》 멍한 사람, 좀 모자라는 사람; 《미속어》 마약으로 황홀해져 있는 사람.

spáce càpsule 우주 캡슐《우주선의 기밀실》.

spáce càrrier 우주 차량.

spáce chàracter 『컴퓨터』 공백 문자《space bar〔key〕에 의하여 입력되는 문자 사이의 공백》.

spáce chàrge 『물리』 공간 전하(電荷).

spáce còlony 우주(식민)섬《인류를 이주시키기 위한 대형 인공위성》.

◇**spáce·cràft** *n.* 우주선(spaceship): ~ engineering 우주선 공학.

spáced(-òut) [spéist(-)] *a.* 《속어》 마약에 취해 멍한; 현실 감각을 잃은; 몹시 이상한.

spáce·fàrer *n.* 우주여행가; 우주 비행사.

spáce·fàring *n., a.* 우주여행(의).

spáce fiction (공상) 우주 소설.

spáce flìght 우주 비행; 우주여행.

spáce fòods 우주식(食).

spáce fràme 입체 뼈대《건물·경주용 자동차 따위 구조물의 중량을 전방향으로 균일하게 분포시키는》.

spáce frèighter 우주 화물선.

spáce gùn 우주총《우주 비행사의 우주 유영(游泳)용 분사식 추진 장치》.

spáce hèater 실내 난방기.

spáce hèating 난방.

spáce invèrsion 『물리』 공간 반전(space reflection).

spáce jùnk (우주선 등에서 배출되는) 우주 쓰레기.

spáce kèy =SPACE BAR 1.

spáce·lab [spéislæ̀b] *n.* 유인 우주 실험실.

spáce làttice 『결정』 공간 격자.

spáce làw 우주법《우주 개발·이용·관리에 대한 국제법》.

spáce·less *a.* **1** 《문어》 무한한, 끝없는. **2** 자리를 차지하지 않는.

spáce lìnkup 도킹(docking).

spáce·man [-mæ̀n, -mən] (*pl.* ***-men*** [-mèn, -mən]) *n.* 우주 비행사, 우주여행가, 우주선 승무원; 우주 개발 관계자〔연구가〕; 우주인.

spáce màrk 『인쇄』 간격 기호(#).

spáce mèdicine 우주 의학.

spáce òpera 우주여행이나 우주인과 지구인과의 싸움 등을 소재로 한 SF 소설·영화 등.

spáce óptics 우주 광학.

spáce·plàne *n.* 우주 왕복선(space shuttle).

spáce plàtform =SPACE STATION.

spáce·pòrt *n.* 우주 공항, 우주선 기지《우주선의 테스트·발사용 시설》.

spáce pròbe 우주 탐사기: the ~ Galileo 우주 탐사기 갈릴레오.

spac·er [spéisər] *n.* (인쇄기 등의) 간격을 띄우는 장치〔사람〕; 『전기』 역전류기(逆電流器); =SPACE BAR.

spáce reflèction =SPACE INVERSION.

spáce ròcket 우주선 발사용 로켓.

spáce sàlvage (수명이 다한 우주선 따위의) 우주 폐기물 회수.

spáce-sàving *a.* 공간을 차지하지 않는; 소형(小型)의.

◇**spáce·shìp** *n.* 우주선.

spáce·shòt *n.* (우주선 등의) 대기권 밖으로의 발사, 우주 비행.

spáce shùttle 우주 왕복〔연락〕선.

spáce spectróscopy 우주 분광학(分光學).

spáce stàtion 우주 정류장(space platform); 우주국《지구의 대기권 밖에 설치하는 무선국》.

spáce·sùit *n.* 우주복; =G-SUIT.

spáce technòlogy 우주 공학〔기술〕.

spáce-tíme *n.* 시공(時空)《4차원의 세계》: ~ continuum 시공 연속체《4차원》.

spáce tràvel 우주여행(space flight).

spáce tùg 스페이스 터그《우주선과 우주 정거장 간의 연락·운반용 로켓》.

spáce·wàlk *n.* 우주 유영(=**spáce wàlk**). ── *vi.* 우주 유영하다.

spáce wàrp 공간 왜곡(歪曲)《과학 소설에서 가상적인 초공간적 왜곡 또는 왜곡 공간으로의 틈; 그것에 의해 별 사이의 여행이 가능하다 함》.

spáce wátch càmera 우주 감시 카메라.

spáce·wòman (*pl.* ***-wòmen***) *n.* 여자 우주 비행사.

spáce·wòrthy *a.* 우주 항행에 견디는.

spáce wrìter 활자화(活字化)된 지면(紙面)의 면적〔행수〕에 따라 원고료를 받는 필자.

spacial ⇨SPATIAL.

spac·ing [spéisiŋ] *n.* Ⓤ 간격을 두기; 『인쇄』 어간의 간격, 글자 배열, 자간; Ⓒ 공간, 간격; 『전기』 선간(線間) 거리; 『공학』 차두(車頭) 간격.

*__spa·cious__ [spéiʃəs] *a.* **1** 넓은(roomy), 넓은 범위의: a ~ yard 넓은 마당. **2** (지식 등이) 광범한, 풍부한. ≒spatial. 파 **~·ly** *ad.* **~·ness** *n.*

Spack·le [spǽkəl] *n.* 《미》 스패클《물과 섞어 페인트를 칠하기 전에 틈이나 구멍을 메우는 분말; 상표명》. — *vt.* (s-) 스패클로 메우다.

spacy, spac·ey [spéisi] (***spac·i·er; -i·est***) 《속어》 *a.* =SPACED(-OUT); 기묘한, 이상야릇한.

SPADATS 《미》 space detection and tracking system(우주 경계 조직).

spade[1] [speid] *n.* **1** 가래, 삽. cf. shovel. **2** 가래 비슷한 평평한 날 달린 도구; 돋을새김을 하는 끌, 고래 (절개용) 끌. **3** 〖군사〗 (화기 발사 때의 반동 방지를 위한) 포미(砲尾)박기. ***call a ~ a (bloody) shovel*** 《구어》 거리낌 없이 말하다 《call a ~ a ~를 더 강조한 표현》. ***call a ~ a ~ (by name)*** 《구어·우스개》 사실 그대로〔까놓고〕 말하다, 직언하다. ***in ~s*** 《구어》 극도로; 확실히, 절대로, 단연; 솔직히. — *vt.* **1** 《~+목/+목+부》 가래로〔삽으로〕 파다: ~ *up* the garden 정원을 파다. **2** (고래를) 끌로 절개하다. ㊞ **spád·er** *n.*

spade[2] *n.* **1** 〖카드놀이〗 스페이드; (*pl.*) 스페이드 한 벌: the five 〔Queen〕 of ~*s*. **2** 《미속어·경멸》 흑인, 검둥이(negro).

spade·ful [spéidfùl] *n.* 가래로 하나 가득, 「한 삽.

spáde·wòrk *n.* Ⓤ 가래질, 삽질; (힘드는 일의) 기초 작업; 사전 준비.

spa·dix [spéidiks] (*pl.* ***spa·di·ces*** [speidáisi:z]) *n.* 〖식물〗 육수(肉穗)꽃차례.

spa·ghet·ti [spəgéti] *n.* 《It.》 **1** Ⓤ 스파게티. **2** 〖전기〗 (나선(裸線)을 싸는) 절연관. **3** 《속어》 소방 호스(fire hose); 텔레비전 안테나(의 인입선).

spaghétti jùnction 복잡하게 교차된 인터체인지 《잉글랜드 Birmingham 북부의 자동차 도로(M6)의 속칭에서》.

spaghétti stràp 〖복식〗 (드레스 따위의) 가는 「어깨끈.

spaghétti wèstern (종종 S- W-) 《속어》 마카로니웨스턴 《이탈리아제 서부극》.

spa·hee, spa·hi [spá:hi:] *n.* 〖역사〗 (14 세기 터키의) 비정규 기병; (프랑스 육군의) 알제리 원주민 기병.

Spain** [spein] *n.* 스페인, 에스파냐 《수도 Madrid》. cf. Spanish, Spaniard. ***a castle in ~ ⇨CASTLE.

spake [speik] 《고어》 SPEAK의 과거.

spall [spɔ:l] *n.* (광석 따위의) 조각(chip), 《특히》 깨진 돌조각. — *vt.* (광석 따위를) 깨다, 부수다, 대강 쪼개다. — *vi.* 쪼개지다, 부서지다.

spall·a·tion [spɔ:léiʃən] *n.* 〖물리〗 (원자핵의) 파쇄(破碎). cf. fission, fusion.

spal·peen [spælpí:n, ´-] *n.* 《Ir.》 건달; 불한당, 깡패; 애송이, 풋내기.

spam [spæ(:)m] *vi., vt.* 〖컴퓨터〗 (인터넷에) (필요 없는 질문을) 마구 올려놓다, …에 메시지를 마구 전송하다. ㊞ **spám·mer** *n.*

Sp. Am. Spanish America(n).

spám·ming *n.* 〖컴퓨터〗 스패밍 《인터넷을 광고 수단으로 이용하는 것》.

span**[1] [spæn] *n.* **1** 한 뼘 《엄지손가락과 새끼손가락을 편 사이의 길이; 보통 9인치, 23cm》. **2** 약간의 짧은 거리〔넓이, 양〕. **3** 주의력·생명 등의 지속 길이; 두 날짜〔사건〕 사이의 기간: a memory 〔attention〕 ~ 기억〔주의력〕이 지속하는 기간 / within a ~ of twenty-four hours 24시간 이내에. **4** 지름, 전장(全長): the ~ of a bridge 다리의 전장. **5** 〖건축〗 경간(徑間); 지점(支點) 간의 거리, 지간(支間); 〖항공〗 (비행기의) 날개 길이, 날개 폭: a bridge of four ~*s* 지주 사이가 넷 있는 다리. **6** 《S.Afr.구어》 다수(多數) 《*of*》. **7** 〖컴퓨터〗 범위 《어떤 값의 최댓값과 최솟값의 차》. — (-nn-***) *vt.* **1** 손가락〔뼘〕으로 재다; 목측하다: ~ a distance 거리를 재다. **2** (강·계곡 따위에) 걸치다, 걸리다: A bridge ~*s* the river. 강에 다리가 걸려 있다. **3** 《~+목/+목+전+명》 …에 다리를 놓다〔걸치다〕 《*with*》: ~ a river *with* a bridge 강에 다리를 놓다. **4** (시간적으로) …에 걸치다, …에 미치다; (기억·상상 따위가) …에 미치다, 확대되다; (공백을) 메우다: His active career ~*ned* the two decades. 그의 현역으로서의 경력은 20년간에 걸쳤다 / Our imagination can ~ great gaps in time. 우리의 상상력은 시간의 커다란 공백을 메워 준다. **5** (활시위를) 당기다. — *vi.* 자벌레처럼 나아가다, 꿈틀거리며 나아가다.

span[2] *n.* **1** 〖해사〗 건너지른 밧줄 《양단을 묶어 그 중간이 V자형으로 늘어진》. **2** 《미》 한 멍에에 매인 소〔말·나귀〕; 《S.Afr.》 2쌍 이상의 소. — (***-nn-***) *vt.* 밧줄로 매다.

span[3] 《고어》 SPIN의 과거.

Span. Spaniard; Spanish.

Span·dau [G. ʃpándau] *n.* 《G.》 슈판다우 《옛 서(西)Berlin의 한 지역; 그곳 형무소에 Nazi 전범이 수용되어 있었음》.

span·dex [spǽndeks] *n.* 스판덱스 《폴리우레탄계(系) 합성섬유; 거들이나 수영복 따위에 씀》.

span·drel, span·dril [spǽndrəl], [-dril] *n.* 〖건축〗 삼각 소간(小間), 인접한 두 아치 사이의 삼각형 모양의 빈 부분.

spandrel

span·dy [spǽndi] 《미구어》 *a.* 훌륭한, 굉장한, 멋있는. — *ad.* 아주, 완전히.

spang[1] [spæŋ] 《미구어》 *ad.* 불시에(abruptly); 완전히; 정확히; 곧바로; 정면으로(squarely); 꼭(exactly).

spang[2] 《미구어·Sc.》 *n.* 되튀어옴; 갑작스럽고 격렬한 움직임. — *vi.* 튀어서 되돌아오다. — *vt.* 내던지다.

span·gle [spǽŋgəl] *n.* 번쩍이는 금속 조각 《특히 무대 의상 따위의》; 번쩍번쩍 빛나는 것 《별·운모·서리 따위》. — *vt.* 《+목+전+명》 〔보통 수동태로〕 금속 조각으로 장식하다, 번쩍이게 하다, (보석 따위를) 박아 넣다: The sky *was* ~*d with* stars. 하늘엔 별들이 반짝이고 있었다. — *vi.* 번쩍번쩍 빛나다(glitter).

Span·glish [spǽŋgliʃ] *n.* Ⓤ 스페인식 영어 《미국 남서부나 라틴 아메리카의 영어》.

***Span·iard** [spǽnjərd] *n.* 스페인 사람.

span·iel [spǽnjəl] *n.* (S-) 스패니얼 《털의 결이 곱고 귀가 긴 개》; 《비유》 알랑쇠, 빌붙는 사람. ***a tame ~*** 남이 시키는 대로 하는 사람, 아첨꾼. ㊞ **~·lìke** *a.*

***Span·ish** [spǽniʃ] *n.* **1** Ⓤ 스페인 말. **2** (the ~) 〔집합적〕 스페인 사람. cf. Spaniard. — *a.* 스페인의; 스페인 사람〔말〕의; 스페인풍〔식〕의.

Spánish Amêrica 스페인어권(語圈) 아메리카 《브라질 등을 제외한 라틴 아메리카》; (미국 내의) 스페인계 지역. ㊞ **Spánish Américan** ~의 주민; 스페인계 미국인.

Spánish-Américan *a.* Spanish America의 (주민의); 스페인과 미국(간)의. ***the ~ War*** 〖역사〗 미서(美西) 전쟁(1898).

Spánish Armáda (the ~) =INVINCIBLE 「ARMADA.

Spánish bayonét 〔dágger〕 〖식물〗 유카난초(yucca) 《사막의 식물》.

Spánish cédar 〖식물〗 (열대 아메리카산) 스 「페인 삼목.

Spánish Cívil Wár (the ~) 스페인 내란(內亂)(1936-39).

Spánish flý 〖곤충〗 가뢰류(類); 〖약학〗 =CANTHARIDES; 《속어》 최음제.

Spánish influénza 유행성 감기, 스페인 감기.
Spánish Inquisítion (the ~) 〖가톨릭〗 (1478-1834년의) 스페인의 이단(異端) 심문〔종교 재판〕.
Spánish Máin (the ~) 〖역사〗 남아메리카의 북안(北岸)《특히 파나마 지협에서 베네수엘라의 오리노코(Orinoco) 강에 이르는 구역》; (해적이 출몰한 당시의) 카리브해.
Spánish móss 〖식물〗 소나무겨우살이의 일종.
Spánish ómelet 스페인식 오믈렛《잘게 썬 피망·양파·토마토로 된 소스를 친》.
Spánish ónion 〖식물〗 스페인 양파《크고 연「함》.
spank[1] [spæŋk] *vt.* (손바닥·슬리퍼 따위로) 찰싹 때리다《벌로 엉덩이 따위를》, 냅다 갈기다; 《속어》 (경기 등에서) 해내다, 지우다. **—** *vi.* 찰싹 부딪다〔떨어지다〕. **—** *n.* 찰싹 때리기.
spank[2] *vi.* 《구어》 (말·배·차 따위가) 질주하다《*along*》.
spánk·er *n.* 《구어》 날랜 말, 준마(駿馬); 〖해사〗 후장 세로돛《범선의 맨 뒤 마스트에 다는》; 《구어》 활발한〔훌륭한〕 것〔사람〕.
spánk·ing[1] *a.* 질주하는《말 따위》, 기운차게 달리는; 활발한, 윙윙〔세차게〕 부는《바람 따위》; 《구어》 멋진, 훌륭한: a ~ breeze 세차게 부는 바람. **—** *ad.* 《구어》 몹시, 매우, 대단히; 뚜렷이: a girl in a ~ new dress 아주 새로운 옷을 입은 소녀. [파] **~·ly** *ad.*
spánk·ing[2] *n.* [U,C] (벌로 엉덩이를) 찰싹 때림. ***take a*** ~ 《속어》 얻어맞다; 《속어》 응보를 받다.
spán·less *a.* 잴〔측정할〕 수 없는.
span·ner[1] [spǽnər] *n.* 손가락으로 재는 사람; =SPANWORM.
span·ner[2] *n.* 《영》 스패너(wrench)《너트를 죄는 공구》. ***throw a ~ in(to) the works*** 《영구어》 (계획이나 일의 진행을) 방해하다, 망치다.
spán-néw *a.* 갓 만든, 아주 새로운(brand-new).
spán ròof 〖건축〗 (양쪽이 같은 기울기의) 맞배지붕.
Span·sule [spǽnsəl, -sju:l/-sju:l] *n.* 스팬슐《장시간 효과가 유지되도록 각종 입자가 일정한 간격으로 녹게 된 약의 캡슐; 상표명》. [◀ *span*+*capsule*]
spán·wòrm *n.* 〖곤충〗 자벌레.
spar[1] [spɑ:r] *n.* 〖선박〗 원재(圓材)《돛대·활대 따위》; 〖항공〗 익형(翼桁). **—** (*-rr-*) *vt.* …에 원재(圓材)를 대다. [파] **∠·like** *a.*
spar[2] *n.* [U] 〖광물〗 스파《벽개성(劈開性) 비금속 광물의 총칭》. ★종종 복합어로도 쓰임: calc*spar*, fluor*spar*.
spar[3] (*-rr-*) *vi.* (싸움닭이) 서로 차다《*at*》; 〖권투〗 스파링하다; (가볍게) 치고 덤비다《*at*》; 《비유》 말다툼하다; (질문 따위를) 잘 받아넘기다《*with*》. **—** *n.* 스파링; 권투; 투계; 언쟁.
spar·a·ble [spǽrəbəl] *n.* (구두 바닥의 마멸을 막는) 대가리 없는 작은 못.
spár bùoy 〖해사〗 원주 부표(圓柱浮標).
spár dèck 〖해사〗 경갑판(輕甲板).
spare [spɛər] *vt.* **1** 〖종종 부정문〗 절약하다, 아끼다; 〖~ oneself〗 수고를 아끼다: *Spare* no butter. 버터를 아끼지 마시오/~ *no* expense 비용을 아끼지 않다/He didn't ~ him*self*. 그는 수고를 아끼지 않고 노력했다. **2** (아까워서) 사용치 않다: *Spare* the rod and spoil the child. 《속담》 매를 아끼면 자식을 버린다, 귀한 자식은 고생을 시켜라. **3** 《+[목]+[전]+[명]》 (특수한 목적으로) 잡아두다: We can't ~ land *for* parking. 주차용으로 땅을 놀릴 수는 없다. **4** 《~+[목]/+[목]+[목]/+[목]+[전]+[명]》 (여유가 있어서) 떼어 두다; (충분해서) 나누어 주다, 빌려 주다; (시간 따위를) 할애하다: I have no time to ~. 한가한 시간이 없다/Can you ~ me a few moments? 잠깐 뵐 수 있겠습니까/~ land *for* a garden 정원용으로 땅을 남겨 두다. **5** 〖보통 can(not) ~로〗 (사람·사물이) 없이 지내다: I *can't* ~ him 〔the car〕 today. 오늘은 그〔자동차〕가 꼭 필요하다. **6** 《~+[목]/+[목]+[목]》 용서해 주다, …에게서 빼앗지 않다; …에게 인정을〔자비를〕 베풀다, …의 목숨을 살려 주다: *Spare* (me) my life! 목숨만은 살려 주시오/~ one's enemy 적에게 인정을 베풀다/Death ~*s* no one. 죽음은 아무도 피할 수 없다/We'll meet again, if we are ~*d*. 죽지 않으면 또 만나세. **7** 《~+[목]/+[목]+[목]》 소중히 다루다; (폐·수고 따위를) 끼치지 않다, 덜다; (…한 꼴을) 당하지 않게 하다, 면하게 하다: ~ ancient monuments 옛 유적을 잘 보존하다/~ a person's feelings 아무의 감정을 상하지 않게 하다/He tried to ~ his friend trouble. 그는 친구에게 폐를 끼치지 않으려고 애썼다. **8** 《+[목]+[목]/+*to* do/+*-ing*》 삼가다, 사양하다: ~ *to* speak 말을 삼가다/He ~*d* com*ing* here. 그는 사양하고 오지 않았다/*Spare* us the boring details! 따분하고 자잘한 이야기는 삼가 주시오. **—** *vi.* **1** 《드물게》 검약〔절약〕하다. **2** 용서하다. ***don't ~ the horses*** 전속력으로 나아가다. ***enough and to ~*** 남아돌아갈 만큼의: Of coffee we had *enough and to* ~. 커피는 남아돌아갈 만큼 충분하였다. ***to ~*** 여분의: money *to* ~ 여분의 돈.
— *a.* **1** 여분의, 남아돌아가는; 예비의, 따로 남겨 둔; 한가한: a ~ man 보결 선수/a ~ copy 여분의 한 부, (문서·인쇄물 따위의) 사본/~ parts 예비 부속품/a ~ bedroom (손님용의) 예비 침실/~ time 여가/a ~ half-hour, 30분간의 짬. **2** 부족한, 빈약한(scanty), 인색한, 검소한, 조리차하는(frugal): a ~ diet 검소한 식사. **3** 여윈(lean), 마른, 홀쭉한: a man of ~ frame 여윈 체격의 사람. **4** 《영속어》 게으름 피우는. ***going ~*** 입수되는, 이용할 수 있는, 비어 있는. ***go ~*** 《영속어》 몹시 걱정하다〔흐트러지다, 화내다〕.
— *n.* **1** 여분(의 것); 예비품〔금, 실〕; (종종 *pl.*) (기계 따위의) 예비 부품, 스페어; 스페어타이어. **2** 〖볼링〗 2구(球)로써 10주(柱) 전부를 쓰러뜨리기; 그 득점. ***make ~*** 검약하다. ***without ~*** 가차없이.
[파] **∠·a·ble** *a.* **∠·ly** *ad.* 인색하게; 부족하게; 여위어. **∠·ness** *n.* 결핍; 깡마름; 부족.
spáre-part súrgery 《구어》 (타인의 장기·인공 장기의) 이식 수술; 장기 이식 외과.
spar·er [spɛ́ərər] *n.* spare 하는 사람〔것〕; 파괴를 완화하는 것.
spáre·rìb *n.* (보통 *pl.*) (발라낸) 돼지갈비《살이 붙어 있음》.
spáre tíre 스페어타이어; 《구어·우스개》 허리의 군살; 《속어》 (게임 따위에서) 남은 한 사람; 《속어》 불필요한 사람; 《속어》 시골뜨기.
sparge [spɑ:rdʒ] *vt.*, *vi.* 뿌리다, 살포하다. **—** *n.* 뿌리기, 살포.
spar·ing [spɛ́əriŋ] *a.* 삼가는, 검소한, 알뜰한《*in; of*》; (자료·내용 따위가) 빈약한, 부족한; (사람이) 관대한. ***be ~ of*** one***self*** 꾀부리다. [파] **~·ly** *ad.* 검약하여; 부족하여; 관대하게; (말 따위를) 삼가고; 드물게. **~·ness** *n.*
spark[1] [spɑ:rk] *n.* **1** 불꽃, 불똥; 섬광: throw (off) ~ 불꽃을 튀기다/a ~ of light 섬광. **2** (보석의) 광채; (보석 따위의) 자잘한 조각, 작은 다이아몬드. **3** 《비유》 (재치 따위의) 번득임: a ~ of wit 재치의 번득임. **4** 생기, 활기를 더하는 것; (a bright ~) 머리 좋은 사람; 《반어적》 얼간이: the vital ~ 생기, 활기/strike ~*s* out of a person 아무의 재기〔활기〕를 발휘하게 하다. **5** (a ~) 〖보통 부정문으로〗 아주 조금, 약간: have *not a ~ of* interest 〔conscience〕 흥미가〔양심이〕 조금

도 없다. **6** 〖전기〗 불꽃, 스파크; (내연 기관의) 점화전(栓)의 스파크, 발화 장치. **7** (*pl.*) 〘단수취급〙 《구어》 (배·항공기의) 무전 기사, 전기 기사. **8** 《영속어》 방사선과(科). ***as the ~s fly upward*** 자연의 이치에 따라, 필연적으로, 확실히. ***fairy ~s*** (썩은 나무 따위에서 나는) 인광(燐光). ***make the ~s fly*** 야단을 치다; 격심한 논쟁을〔반대를〕 일으키다. ***the ~ of life*** 생명의 불꽃, 생기. — *vi.* **1** 불꽃이 (되어) 튀다. **2** 번쩍이다, 번득이다. **3** 〖전기〗 스파크하다. **4** 재치가 번득이다. — *vt.* **1** 발화시키다《*off*》. **2** 《~+목/+목+부》 (흥미·기운 따위를) 갑자기 불러일으키다, 북돋다, 고무하다; 유발하다《*off*》: ~ (*off*) a chain reaction 연쇄 반응을 일으키다. **3** 《+목+전+명》 자극을 주어 …을 시키다《*to, into*》: He ~*ed* her *into* greater efforts. 그는 그녀를 고무하여 더욱 분발하게 했다. ㊕ **~·lìke** *a.*

spark² *n.* 기운차고 쾌활한 남자, 멋진 젊은이; 애인《남자》; 구혼자; 미인, 재녀(才女). — *vi.*, *vt.* 《구어》 구애〔구혼〕하다(woo); 《속어》 애무하다. **~ *it*** 《구어》 구애하다.

spárk arrèster 〖전기〗 (전기 회로의) 불꽃 방지 장치; 〖철도〗 (기관차 굴뚝의) 불똥막이.

spárk chàmber 〖물리〗 방전함(放電函)《하전(荷電) 입자의 비적(飛跡)을 관찰하는 장치》.

spárk còil 〖전기〗 점화 코일.

spárk dischárge 〖전기〗 불꽃 방전.

spárk·er¹ *n.* 불꽃을 내는 것; 전선 절연 검사 장치; 《영》 (배의) 무선 기사; 점화기(點火器) (igniter).

spárk·er² *n.* 연인, 애인《남자》.

spárk gàp 불꽃 틈새《방전(放電)이 일어날 수 있는 양극 간의 거리》; 전극(電極) 틈새.

spárking plùg 《영》 =SPARK PLUG.

spark·ish [spáːrkiʃ] *a.* 화려한, 멋진 (성격의); 쾌활한, 호색적인; 미남연하는. ㊕ **~·ly** *ad.*

***spar·kle** [spáːrkəl] *n.* **1** 불꽃, 불똥, 섬광. **2** 번쩍임, 광채, 광택. **3** (재기 등의) 번득임; 생기, 활기: put ~ in a person's life 아무의 생활에 활기를 불어넣다. **4** (포도주 등의) 거품. — *vi.* **1** 불꽃을 튀기다: The flames leaped and ~*d.* 불길이 피어오르면서 불꽃을 튀겼다. **2** 《~/+전+명》 (보석·재치 등이) 번쩍〔번득〕이다, 빛나다 《*with*》: Her eyes ~*d with* joy. 그녀의 눈은 기쁨으로 빛났다. **3** (포도주 따위가) 거품이 일다. — *vt.* 번득〔번쩍〕이게 하다; 비추다. ⓒⓕ flash. ㊕ **spár·kly** *a.*

spár·kler *n.* (번쩍) 빛나는 것〔사람〕; 불꽃; 《구어》 보석, 다이아몬드 (반지); 재사(才士), 가인(佳人); (*pl.*) 《구어》 빛나는 눈; 거품 이는 것〔포도주〕. ㊕ **~·ly** *ad.* 「는.

spárk·less *a.* 불꽃을 내지 않는, 스파크가 없

spark·let [spáːrklit] *n.* **1** 작은 불꽃. **2** (이산화탄소로 채운) 금속 캡슐; (가정의 소다수 제조용) 거품 일게 하는 알약. **3** (여자 옷의) 번쩍이는 작은 장식.

spár·kling *a.* 불꽃을 튀기는; 스파크하는, 번쩍하는; 번쩍이는, 번득이는; 생기에 찬(lively); 재기가 넘쳐 흐르는; 거품이 이는《포도주 따위》 (ⓞⓟⓟ *still*). ㊕ **~·ly** *ad.* **~·ness** *n.*

spárkling wáter 소다수(soda water).

spárkling wíne 발포(포도)주《알코올분 12 %》.

spárk plùg 스파크 플러그, (내연 기관의) 점화전; 《미구어》 (일·사업의) 주동 역할, 중심적 인물; 한 무리의 지도자.

spárk·plùg *vt.* 《미구어》 (일 등에서) 주동적〔지도적〕 역할을 하다, 주도〔지휘〕하다; (일 따위를) 촉진하다, 독려하다, 고무하다.

spárk transmìtter 불꽃식 송신기.

sparky [spáːrki] (***spark·i·er; -i·est***) *a.* 활발한, 발랄한, 생생한. — *n.* 《CB 속어》 전기 기사 (=**spárk·ie**). ㊕ **spárk·i·ly** *ad.*

spar·ring [spáːriŋ] *n.* 〖권투〗 스파링; 논쟁.

spárring pàrtner 〖권투〗 (복싱의) 스파링 파트너, 연습 상대; (우호적인) 논쟁 상대.

***spar·row** [spǽrou] *n.* **1** 참새: ⇨ ENGLISH 〔HOUSE〕 SPARROW; HEDGE SPARROW. **2** (S-) 〖미해군〗 스패로《공대공 미사일》. ㊕ **~·less** *a.* **~·like** *a.*

spárrow·gràss *n.* 《방언·비어》 =ASPARAGUS.

spárrow hàwk 〖조류〗 새매.

spar·ry [spáːri] *a.* 〖광물〗 스파(spar²)(모양)의. 「의.

◇**sparse** [spaːrs] *a.* 성긴(ⓞⓟⓟ *dense*), 드문드문한, (털 등이) 숱이 적은(thin); (인구 따위가) 희박한; 빈약한: a ~ population 희박한 인구(밀도) / a ~ beard 엉성하게 난 턱수염 / ~ planting 〖원예〗 성기게 심음. ㊕ **∠·ly** *ad.* **∠·ness** *n.* **spár·si·ty** *n.* Ⓤ 성김, 희박; 빈약.

◇**Spar·ta** [spáːrtə] *n.* 스파르타《그리스의 옛 도시 국가》. 「시 국가》.

Spar·ta·cist [spáːrtəsist] *n.* Spartacus 단원.

Spar·ta·cus [spáːrtəkəs] *n.* 스파르타쿠스 (? - 71 B.C.)《트라키아 출신의 노예 검사(劍士); 로마에 대하여 노예 반란을 일으킴》.

Spártacus Párty 〔**Léague**〕 스파르타쿠스단(團)《독일의 공산당 전신》.

◇**Spar·tan** [spáːrtn] *a.* 스파르타의; 스파르타 사람의; 스파르타식의, 검소하고 엄격한. — *n.* 스파르타 사람; 굳세고 용맹스러운〔검소하고 엄격한〕 사람. ㊕ **~·ism** *n.* 스파르타주의〔정신, 교육〕. **~·ly** *ad.*

spar·te·ine [spáːrtiìːn] *n.* Ⓤ 〖화학〗 스파르테인《유독한 액체 알칼로이드로, 이전의 강심제용》.

◇**spasm** [spǽzəm] *n.* 〖의학〗 경련, 쥐; (감정·활동 등의 돌발적인) 발작, 충동(적 분기); 《구어》 한 차례: a ~ of grief 복받치는 슬픔 / a tonic ~ 강직성 경련 / have a ~ of industry 〔temper〕 종종 생각난 듯이 공부할 마음을 일으키다〔화를 내다〕.

spas·mod·ic, -i·cal [spæzmádik/-mɔ́d-], [-əl] *a.* 〖의학〗 (병 따위가) 경련(성)의, 경련에 의한; 〘일반적〙 발작적〔돌발적〕인, 오래가지 않는; 《드물게》 격하기 쉬운. ㊕ **-i·cal·ly** *ad.*

spas·mo·lyt·ic [spæ̀zməlítik] *a.*, *n.* 진경(鎭痙)(성(性))의; 진경약〔제〕.

spas·tic [spǽstik] *a.* 〖의학〗 경련(성)의 (spasmodic); 〘일반적〙 발작적인; 《속어》 아둔한, 무능한, 바보의. — *n.* 경련성 마비 환자; 《속어·소아어》 바보. ㊕ **-ti·cal·ly** *ad.*

spástic parálysis 〖의학〗 경련성 마비.

spat¹ [spæt] *n.* Ⓤ,Ⓒ 조개알; 《특히》 굴의 알 (spawn); 〘단수 또는 집합적〙 새끼굴. — (**-tt-**) *vt.*, *vi.* (굴이) 알을 슬다.

spat² *n.* (보통 *pl.*) 스패츠《발등과 발목을 덮는 짧은 각반(脚絆)》. [◂ *spat*terdash]

spat³ *n.* 《드물게》 손바닥으로 때리기; 《미》 승강이, 말다툼; 후두두하는 빗소리. — (**-tt-**) *vi.*, *vt.* 《드물게》 손바닥으로 때리다; 《미》 승강이하다; (빗물이) 튀기다, 후두두 떨어지다《*against*》: rain ~*ting against* the window 창문에 후두두 떨어지는 비.

spat⁴ SPIT¹의 과거·과거분사.

spatch·cock [spǽtʃkɑ̀k/-kɔ̀k] *n.* (잡아서 곧 만드는) 즉석 새 요리. — *vt.* (새를) 잡아서 즉시 요리하다; 《영구어》 (뒤에 생각난 일을) 부랴부랴 써넣다, 삽입하다《*in; into*》.

spate [speit] *n.* Ⓤ 《영》 (강의) 증수(增水), 홍수(flood); 큰비, 호우; Ⓒ 《비유》 (말 등의) 쏟아져 나옴, (감정 따위의) 폭발《*of*》; 대량, 다수《*of*》: in ~ 홍수가 져서, 범람하여 / a ~ *of* words 잇따라 나오는 말. ***in full ~*** =in full FLOOD.

spathe [speið] *n.* 〖식물〗 불염포(佛焰苞).

spath·ic [spǽθik] *a.* 〖광물〗 엽편상(葉片狀)의.
spáthic íron (**òre**) 능철석(菱鐵石).
spa·tial, -cial [spéiʃəl] *a.* 공간의; 공간적인; 장소의, 공간에 존재하는; 우주의. ◇ space *n.* ㊎ **~·ly** *ad.* 공간적으로.
spa·ti·al·i·ty [spèiʃiǽləti] *n.* 공간성, (공간적) 넓이.
spátial summátion 〖생물〗 공간적 가중(加重)《각기 다른 부위를 자극함으로써 한 군데를 자극하는 것보다 자극 효과가 커지는 일》.
spa·ti·og·ra·phy [spèiʃiάgrəfi/-ɔ́g-] *n.* Ⓤ 우주 지리학〔공간학〕.
spa·ti·o·per·cep·tu·al [spèiʃioupəːrsép-tʃuəl] *a.* 공간 지각〔인지〕의.
spa·ti·o·tem·po·ral [spèiʃioutémpərəl] *a.* 공간과 시간상의, 시공(時空)의〔에 관한〕.
spat·ter [spǽtər] *vt.* 《~+목/+목+전+명》 **1** …을 튀기다(splash); …에 뿌리다(scatter) 《*over*》; 튀겨 묻히다(spot); …을 끼얹다《*with*》: The car ~*ed* mud *on* my dress. 자동차가 나의 옷에 흙탕물을 튀겼다/~ the ground *with* water 땅바닥에 물을 뿌리다. **2** (욕설을) 퍼붓다(defame), 중상하다《*with*》: ~ a person *with* slanders 아무를 중상하다. **—** *vi.* **1** (물이) 튀다, 흩어지다. **2** 《+전+명》 (비가) 후두두 떨어지다《*on*》: The rain is ~*ing on* my umbrella. 비가 우산에 후두두 내리고 있다. **3** (탄알이) 빗발처럼 날아오다. **4** (말할 때) 침을 튀기다, 게거품을 튀기다. **—** *n.* **1** 튀김, 튀긴 것, 튀기는 소리; 후두두하는 소리; 빗소리; 멀리서 들리는 총소리: the ~ of rain on a roof 지붕에 후두두 떨어지는 빗소리. **2** 〖야금〗 스패터《용접 때 튀는 금속 입자》. **3** 드문드문 들림〔보임〕, 소량, 조금. ㊎ **~·ing·ly** *ad.* 「(spat²)《승마용》.
spátter·dàsh *n.* (보통 *pl.*) 진흙막이 각반
spátter·dòck *n.* 〖식물〗 수련(睡蓮)의 일종.
spátter glàss =END-OF-DAY GLASS.
spat·u·la [spǽtʃulə] *n.* 《L.》 (고약 따위를 펴는) 주걱; 〖의학〗 압설자(壓舌子). ㊎ **-lar** *a.* 주걱의; 압설자의. 「주걱 모양의.
spat·u·late [spǽtʃələt, -lèit] *a.* 〖동물·식물〗
spav·in(**e**) [spǽvin] *n.* Ⓤ 〖수의〗 (말의 발의) 비절내종(飛節內腫). ㊎ **-ined** *a.* 비절내종이 생긴; 절름발이의, 불구의.
spawn [spɔːn] *n.* Ⓤ **1** 알《물고기·개구리·조개 따위의》; 이리; (알에서) 갓 부화한 새끼. **2** 《경멸》 우글우글한 자식 새끼들; 산물(產物), 결과(result). **3** 〖식물〗 균사(菌絲). **—** *vt., vi.* (물고기·개구리 따위가) 알을 낳다, 산란(產卵)하다; 《경멸》 (아이를) 많이 낳다; 《비유》 대량 생산하다; (소문을) 낳다, 야기하다. ㊎ **~·er** *n.* 산란기의 물고기; 낳는〔생산하는〕 사람〔것〕.
spáwn·ing *n.* (물고기 따위의) 산란; (어란의) 채란(採卵). 「떼다.
spay [spei] *vt.* 〖수의〗 (동물의) 난소(卵巢)를
spaz [spæz] 《속어》 *n.* **1** 탐탁지 않은 녀석. **2** 야단스럽게 떠들어대는 사람; 색다른 녀석. **3** 울컥함, 발끈함: have a ~ 노하다. **—** *a.* 색다른; 어리석은. **—** *vi.* **1** 무위도식하다, 빈둥거리다 《*around*》. **2** 울컥하다, 발끈하다.
SPC, S.P.C. Society for the Prevention of Crime; South Pacific Commission (남태평양위원회). **S.P.C.A.** Society for the Prevention of Cruelty to Animals《현재는 R.S.P.C.A.》. **S.P.C.C.** Society for the Prevention of Cruelty to Children《현재는 N.S.P.C.C.》. **S.P.C.K.** 《영》 Society for Promoting Christian Knowledge(기독교 지식(知識) 보급회). **SPD** *Sozialdemokratische Partei Deutschlands* 《G.》 (=Social Democratic Party) ((독일) 사회 민주당). **SPD, spd** steamer pays dues. **S.P.E.** 《영》 Society for Pure English.

†**speak** [spiːk] (***spoke*** [spouk], 《고어》 ***spake*** [speik]; ***spo·ken*** [spóukən], 《고어》 ***spoke***) *vi.* **1** 이야기〔말〕하다(talk); 지껄이다: Please ~ more slowly. 좀더 천천히 말해 주시오/I was so shocked I couldn't ~. 나는 너무 놀라서 말을 할 수 없었다.

> SYN. **speak** 스스럼없는 잡담에서부터 정식의 연설에 이르기까지 모든 구두 전달을 일컬음. **converse** speak와 거의 같은 뜻이지만 보통 격식 차린 얘기로서 의견 교환에 중점을 둠: *converse* with a friend 친구와 담화하다. **talk** 듣는 사람을 상대로 의미를 알 수 있는 얘기를 하는 것을 일컫지만, 때로는 내용이 없는 단순한 말을 가리키는 경우도 있음. **tell** '눈앞의 상대에게 정보를 주다'라는 점에 역점이 있으며, 반드시 speak, talk하지 않아도 되며 노래나 몸짓 따위로 tell하여도 됨. 그 점 relate, narrate에 가깝지만, (1) 알리는 내용과 동시에 알림을 당하는 상대가 강조되는 점, (2) 미래에 대한 예측을 포함하는 점, (3)보다 구어적인 점 따위가 이들 두 말과 다름.

2 《~/+전+명》 이야기를 하다; …에 관하여 이야기를〔평을〕 하다《*about; on; of*》; 이야기를 걸다《*to*; 《드물게》 *with*》: This is Tom ~*ing*. (전화로) 톰입니다/I'll ~ *to* her *about* 〔*on*〕 it. 그것에 관해 그녀에게 이야기를 하겠다. **3** 《~/+전+명》 연설하다; 강연하다: The lecturer *spoke* about an hour. 강사는 한 시간 가량 연설했다/It's an honor for me to be able to ~ *to* you today. 오늘 여러분에게 연설할 수 있게 된 것을 영광으로 생각합니다. **4** 《+전+명》 (책·신문 등이) …을 피력하다, 전달하다(communicate)《*to; of*》: The newspaper ~*s* *to* a lot of people. 신문은 많은 사람에게 소식을 전달한다/This poem ~*s of* memories of his childhood. 이 시는 그의 어린 시절을 이야기한다. **5** 《~/+전+명》 (의사·감정 등을) 나타내다: Actions ~ louder than words. 《속담》 말보다는 행동이 설득력 있다/His eyes *spoke of* sleepless nights. 그의 눈을 보면 며칠 밤 잠을 못 잔 것을 알 수 있다. **6** (악기·시계·바람 따위가) 소리를 내다, (대포 소리 따위가) 울리다; (사냥개가 냄새를 맡고) 짖다. cf. say, tell.
— *vt.* **1** 《~+목/+목+전+명》 말하다, 얘기하다(tell): ~ a word 한 마디 하다/~ the truth 진실을 말하다/No one *spoke* a word *to* me. 아무도 나에게 한 마디 말도 해 주지 않았다. **2** 《~+목/+목+보》 전하다; 《고어》 나타내다, 보이다, 증명하다: eyes that ~ affection 애정을 호소하는 눈/His conduct ~*s* him a small person 〔a rogue〕. 하는 짓이 그가 작은 인물〔악인〕임을 말해 주고 있다. **3** (어느 국어를) 말하다, 쓰다(use): English (is) *spoken* (here). 폐점(弊店)에서는 영어가 통합니다. **4** (문서 따위로) 성명(聲明)하다(declare), 낭독하다: ~ a piece 작품을 낭독하다. **5** 《고어》 …에게 말을 걸다(address): ~ a person fair 공손하게 말을 걸다. **6** 〖해사〗 (해상에서 다른 배와) 통신하다, 신호〔교신〕하다; 〖컴퓨터〗 (데이터·정보 등을) 음성으로 표시하다: ~ a passing ship 통과하는 배와 교신하다.
as they 〔***men***〕 **~** 소위, 이른바. ***generally*** 〔***roughly, legally, properly, strictly, historically***〕 **~*ing*** 일반적으로〔대충, 법률적으로, 정확히, 엄밀히, 역사적으로〕 말하면. ***not to ~ of*** …은 말할 것도 없고, …은 물론. **~ *against*** …에 반대하다; …의 욕을 하다. **~ *as* one *finds*** ⇨ FIND. **~ *aside*** 옆을 향해 (살짝) 이야기하다; (무

대 배우가) 방백(傍白)을 하다. ~ **at** …에 빗대어 말하다. ~ **by the book** 권위를〔확신을〕 가지고 말하다, 정확히 이야기하다. ~ **for** ① …을 대변〔대표〕하다, 변호〔옹호〕하다: ~ *for* the group 그 그룹을 대표하다/~ *for* the poor 가난한 사람들을 대변하다. ②〖보통 수동태〗…을 요구〔청구〕하다, …을 주문하다. ③ …을 증명하다; (사물이) …을 나타내다, 상징하다. ~ **for oneself** 자기를 위해 말하다〔변명하다〕, 자기 설(說)〔의견〕을 말하다: *Speak for* your*self!* 남의 의견까지 대변했다고 생각지 마라, 이쪽 생각은 다르다《부동의의 표현》. ~ **from experience** 체험으로 말하다. ~ **from** one**'s heart** 진정을 토로하다. ~ **highly of** …을 극구 칭찬하다. ~**ing for myself**〔**ourselves**〕 나〔우리〕의 의견을 말하면. ~ **of** ① ⇨*vi.* 2. ② …을 초들어 말하다; …이라는 말을〔용어를〕 쓰다: be *spoken of* as …이라고 일컬어지다/Then we ~ *of* a vested right. 그러한 경우 '기득권'이란 말을 쓴다. ~ **on**〔**upon**〕 …의 이야기를 계속하다, …의 제목으로 강연하다. ~ **out**〔**up**〕 ① 큰 소리로 말을 하다. ② (의견 따위를) 거리낌 없이〔정정당당히〕 이야기하다. ~ one**'s mind** 속마음을 털어놓고 이야기하다. ~ **to** ① …에게 말을 걸다, …와 이야기하다. ② …에 언급하다. ③《구어》 …을 꾸짖다(chide); 비난하다; …에게 충고하다(admonish). ④ …을 확증하다; …의 흥미를 끌다. ~ **together** (…에 관하여) 의논〔상담〕하다《*about*》. ~ **up for**〔**against**〕 …에 대해 지지〔반대〕를 표명하다. ~ **volumes** ⇨VOLUME. ~ **well**〔**ill**〕 **for** …의 유효함을 증명하다〔하지 못하다〕. ~ **well**〔**ill**〕 **of** …을 좋게〔나쁘게〕 말하다, …을 칭찬하다〔헐뜯다〕. ~ **with** …와 이야기하다; 《구어》 …을 꾸짖다. ~ **without** (one**'s**) **book** 기억을 더듬어 이야기하다. **to** ~ **of**〖주로 부정문에서〗 언급〔주목〕할 만한: The island has *no* trees *to* ~ *of*. 그 섬에는 나무라고 할 만한 것은 없다/It is *nothing to* ~ *of*. 그것은 대단한 것이 아니다.

spéak·a·ble *a.* 말해도 좋은; 말하기에 적합한.

spéak·èasy *n.* 《미속어》 (금주법 철폐 전의) 무허가 술집, 주류 밀매점.

***speak·er** [spíːkər/-ə] *n.* **1** 말〔이야기〕하는 사람; 강연자, 연설자, 변사(辯士); 웅변가: a good〔poor〕~ 말솜씨 좋은〔서툰〕 사람. **2** (보통 S-) (영·미 등 하원의) 의장: Mr. *Speaker!* 의장《호칭》. **3** 스피커, 확성기(loudspeaker). **4** (웅변술 연습용의) 명연설집, 연설 교본. **not be on ~s**《영》 =be not on SPEAKING terms. ㊞ **~-ship** [-ʃìp] *n.* Ⓤ 의장의 직〔임기〕.

Spéaker of the Hóuse〔《영》**Cómmons**〕 (the ~) 하원 의장.

spéaker·phòne *n.*〖전화〗스피커폰《송수화기를 들지 않고도 몸체에 설치된 스피커를 통하여 대화할 수 있는 장치》.

spéak·ing *n.* Ⓤ 말하기(talking); Ⓤ,Ⓒ 담화, 연설; 정치적 집회; (*pl.*) 구전(口傳) 문학, 구비(口碑). **at the**〔**this**〕 **present ~** (이렇게 말하고 있는) 현재로는, 말하고 있는 바로 지금(으로는). **—** *a.* **1** 말〔이야기〕하는, 이야기의; 말할 수 있는; 말하기에 알맞은; 말이라도 할 듯한, 살아 있는 것 같은(lifelike), 생생한; 표정이 풍부한(expressive): a ~ acquaintance 만나면 말이나 나눌 정도의 사이〔사람〕/a ~ portrait〔likeness〕 살아 있는 듯한 초상/the ~ voice 말소리. **2**〖복합어를 만들어〗…을 말하는: English-~ nations 영어를 말하는 나라들. **be not on ~ terms** 말을 건넬 정도의 사이는 아니다; 사이가 틀어져 있다《*with*》. **have a ~ knowledge of** (English) 말이나 할 정도의 (영어)를 알고 있다. ㊞ **~·ness** *n.*

spéaking clóck《영》전화 시간 안내.

spéaking trùmpet 전성기(傳聲器), 확성기, 메가폰.

spéaking tùbe (건물·배 따위의) 통화관(管), 전성관(傳聲管).

spéak-òut *n.* (체험·의견을) 자유롭게 말하는 「모임.

***spear**[1] [spiər] *n.* **1** 창(槍), 투창(投槍); (고기 잡는) 작살. **2**《고어》창병(槍兵), 창잡이(spearman). **3**《속어》포크(fork). **take the ~** (**in** one**'s chest**) 비난의 표적이 되다, 벌을 혼자 뒤집어쓰다. **—** *vt.* **1** 창으로 찌르다; (물고기를) 작살로 잡다. **2**《구어》(공을) 손을 뻗쳐 한 손으로 잡다;《미속어》구걸하다, 거저 얻다. **—** *vi.* 창처럼 꽂히다; 돌진하다. **—** *a.* 아버지의(paternal); 남자의(male).

spear[2] *n.* (식물의) 눈, 새싹, 어린 가지, 유근(幼根). **—** *vi.* 싹이 나다, 발아(發芽)하다, 어린 가지가 뻗다.

spéar càrrier 부차적 인물, 말단, 수하; (동아리의) 선두에 서는 자, 지도자, 기수.

spéar·fish (*pl.* **~, ~·es**) *n.*〖어류〗청새치. **—** *vi.* 작살로〔수중총으로〕 물고기를 찌르다〔잡다〕.

spéar gùn 작살(발사)총, 수중총.

spéar·hèad *n.* 창끝; 선봉, 돌격대의 선두, 공격 최전선, 선두에 서는 사람. **—** *vt.* (공격의) 선두에 서다; 선봉을 맡다.

spéar·ing [-riŋ] *n.* 스피어링《(1)〖아이스하키〗스틱 끝으로 상대를 찌름; 반칙. (2)〖미식축구〗헬멧으로 상대를 박치기하는 것》.

spéar·man [-mən] (*pl.* **-men** [-mən]) *n.* 창병(槍兵).

spéar·mìnt *n.*〖식물〗양박하.

spéar sìde (the ~) 남계(男系), 부계(父系). ⓒⓕ distaff〔spindle〕 side.

spec[1] [spek] *n.* Ⓤ,Ⓒ《구어》투기(speculation). **on ~**《구어》투기적으로, 요행수를 바라고: buy a thing *on* ~ 투기 구매하다. **—** *vi.* 《학생속어》요행수를 바라고 암기하다.

spec[2] *n.* 연예(show), 구경거리(spectacle).

spec[3] (*p., pp.* **specced, ~'d** [spekt]) *vt.*《구어》…의 명세서를 쓰다, …의 세부 사항을 지정하다: The newest truck was ~*'d* by a computer. 그 최신형 트럭은 컴퓨터로 세부까지 설계되었다.

spec[4] *n.*《미구어》기술병, 전문 요원(specialist).

SPEC South Pacific Bureau for Economic Cooperation(남태평양 경제 협력 기구). **spec.** specialist; special; specifical(ly); specification; speculation.

***spe·cial** [spéʃəl] *a.* **1** 특별한(particular), 특수한; 독특한, 특유의(peculiar): a ~ kind of key 특수한 열쇠/~ occasions 특별한 경우/a ~ agency 특별 대리점/a ~ case 특례;〖법률〗특별 사건/one's ~ duty 특별한 임무.

> SYN. **special** 성질상 일반과는 달라 특별 취급할 만한: *special* circumstances 특수 사정. a *special* purpose 특별한 목적. **particular** 같은 종류 중 특히 하나만 구별되는, 이것에 한정된, 독자의: on that *particular* day 다른 날이 아닌 바로 그 날. a *particular* purpose 특수한 목적. **specific** 성질·내용이 한정된, 규정된: a *specific* sum of money 특정 금액. a *specific* purpose 내용이 뚜렷한 특정의 목적.

2 전용의, 개인용의; 특별히 맞춘; 특히 친한: one's ~ chair 개인용 의자/not a ~ friend of mine 특별히 친한 친구가 아닌. **3** 전문〔전공〕의(specialized): a ~ hospital 전문 병원/make a ~ study of …을 전공하다. **4** 임시의(extra), 특정한(specific): a ~ train 임시 열차/a ~

session 임시〔특별〕 의회. **5** 유다른, 유별난, 이례(異例)의, 특이한(exceptional), 예외적인: a matter of ~ importance 특별히 중요한 사항 / There is no ~ recipe for success in life. 인생에 있어서 이례적〔예외적〕인 성공의 비결이 있는 것은 아니다.

— *n.* **1** 특별한 사람〔것〕; 임시의 사람〔것〕; 특파원(=∠ **correspóndent**), 특사; 《영》 임시 경찰관(~ constable); 《미》 선과생(選科生). **2** 특별 시험; 특별〔임시〕 열차〔버스〕; 특전(特電), 속달 우편, 호외, 임시 증간; 특별 제공〔봉사, 할인〕품; 특별상; 〖영화〗 특작, 〖TV〗 특별 프로; 특별 매출(賣出); 특가품; 특별 요리; 〖연극〗 특별 스포트라이트. OPP regular.

㊥ ***~·ly** [-ʃəli] *ad.* 특히, 특별히; 일부러; 임시로. SYN. ⇨ESPECIALLY. **~·ness** *n.*

spécial accóunt 특별 회계.

spécial áct 특별법.

spécial ágent (FBI의) 특별 수사관.

spécial áreas 《영》 특별 (피폐(疲弊)) 지역 《1934년 제정》; (지금의) 특별 개발 지구.

spécial asséssment 《미》 (공공사업의 이익을 받는 시설·재산에 대한) 특별 재산세. 「부.

Spécial Brànch (the ~) 《영》 (경찰의) 공안

spécial cháracter 〖컴퓨터〗 특수 문자.

spécial cléaring 특별어음교환《특별 요금을 지급하고 통상의 3일보다 빨리 교환함》.

spécial cóurt-martial 〖미군사〗 특별 군사법원《고등 군사 법원보다 가벼운 위반을 다룸》.

spécial delívery 《미》 속달 우편(물) (《영》 express delivery); 속달 취급인(印); 〖영우편〗 (정시 외의) 특별 배달.

spécial dístrict 《미》 특별구《상하수도 등 공공사업 대상 지역에 설정된 주(州) 안의 행정구》.

spécial dráwing rìghts (국제 통화 기금의) 특별 인출권《생략: SDR(s)》.

spécial económic zòne (the ~) (외국 자본 따위의 도입을 목적으로 중국 국내에 설정된) 경제 특구.

spécial edítion 〖신문〗 (마감 후의 뉴스를 박아 넣은) 특별판, 호외; 《영》 (최종판 직전의) 특별 석간.

spécial educátion 〖교육〗 특수 교육.

spécial effécts 〖영화·TV〗 특수 효과; 특수 촬영, 트릭 촬영.

Spécial Fórces 〖미군사〗 특수 (근무) 부대.

spécial hándling 《미》 (우편물의) 특수 취급 《특별 요금을 지급함》.

spécial ínterest 특수 이익 단체《정치적 압력을 써서 경제의 특수한 부문에 특별한 이익을 갖는 사람〔단체, 법인〕》. 「야), (직업 등의) 전문.

spé·cial·ìsm *n.* Ⓤ (학문·연구의) 전공(분

****spe·cial·ist** [spéʃəlist] *n.* 전문가; (학문·연구 따위의) 전공자; (학문·과학 따위의) 전문 지식인; 전문의(醫) 《*in*》; 〖미육군〗 기술 부사관. **—** *a.* 전문(가)의, 전문적인; 전문화 경향이 있는 (=**spè·cial·ís·tic**).

spe·ci·al·i·ty [spèʃiǽləti] *n.* 《영》 =SPECIALTY.

◦spè·cial·i·zá·tion *n.* Ⓤ (뜻의) 한정, 제한; 특수화, 전문화, 전문 과목〔분야〕; 〖생물〗 분화(한 기관(器官)〔조직〕).

***spe·cial·ize** [spéʃəlàiz] *vi.* **1** 《~/+전+명》 전문으로 다루다〔하다〕, 전공하다《*in*》: He ~*s in* chemistry 〔economics〕. 그는 화학〔경제학〕 전공이다. **2** 〖생물〗 분화〔진화〕하다. **3** 상세히 말하다. **—** *vt.* **1** 특수〔전문〕화하다, 독특하게 하다: ~*d* knowledge 전문 지식 / a ~*d* magazine 전문지. **2** (의미·조건·용도 따위를) 한정〔국한〕하다(limit). **3** …을 상세히 말〔설명〕하다. **4** (증권 등의) 지급인을 지정하다, (어음 따위의) 지급을 한정하다. **5** 〖생물〗 분화〔진화〕시키다.

spé·cial·ìzed *a.* 전문의; 〖생물〗 분화한.

spécial júry 〖법률〗 특별 배심(陪審) 《(1) BLUE-RIBBON JURY. (2) 《미》 STRUCK JURY》. cf. common jury.

spécial lícence 《영》 예외적 특권을 인정하는 허가증, (특히 Canterbury 대주교에 의한) 결혼 특별 허가증. 「욕구.

spécial néeds (장애인 등에게 생기는) 특수

spécial óffer 특가 제공(품), 특매(품).

Spécial Olýmpics (the ~) 심신 장애자 올림픽《1968년 창설; 4년마다 개최되는 장애인의 국제 스포츠 대회》.

spécial órder 〖군사〗 개별〔특별〕 명령, 특명; (보초 등의) 특별 수칙.

spécial pártner 유한 책임 사원. cf. general partner.

spécial pléader 특별 변호인.

spécial pléading 〖법률〗 **1** 특별 변론《상대방 진술에 반증을 듦》. **2** 《구어》 (자기에게 유리한 것만 말하는) 제멋대로의 진술〔주장〕.

spécial prívilege 〖법률〗 (법에 의한) 특권, 특전: ~ of high rank 높은 지위의 특권.

spécial prósecutor 특별 검사.

spécial púrpose compúter 〖컴퓨터〗 특수 목적 컴퓨터《한정된 분야의 문제만을 처리할 수 있는》. 「한) 특수 학교.

spécial schòol (정신적·육체적 장애자를 위

spécial séssion (의회의) 특별 회기〔개회〕; (*pl.*) 《영법률》 치안 판사 재판소 특별 법정.

spécial situátion 〖증권〗 특수 상황《회사 합병 등의 예외적 사유로 주가의 대폭 등귀가 예상되는 상황》: ~ investment 특수 투자.

spécial sórt 〖인쇄〗 특수 활자.

spécial stáff 특별 참모. cf. general staff.

spécial stúdent 〖미대학〗 특별 청강생.

spécial téam 〖미식축구〗 스페셜 팀. cf. kicking team.

spécial théory of relatívity 〖물리〗 특수 상대성 이론(=**spécial relatívity**).

◦spe·cial·ty [spéʃəlti] *n.* **1** 전문, 전공, 본직; 특히 잘하는 것, 장기(長技): His ~ is Korean history. 그의 전공은 한국사다. **2** 특제품; 특산품, 명물. **3** 신(형)제품, 신안품. **4** 특수성, 특색; 특별 사항. **5** 〖법률〗 날인 증서〔계약〕. ★ 영국에서는 5의 뜻 이외로는 speciality를 씀. ***in*** **~** 특히. ***make a*** **~** ***of*** …을 전문으로 하다. **—** *a.* 〖연극〗 특수 연기의; 특별한: a ~ act 특별 연기 / the ~ number 특별 프로〔연출〕 / a ~ store 〔《영》 shop〕 (특선품(特選品)을 파는) 전문점.

spécialty gòods 〖마케팅〗 전문품《브랜드의 이미지가 구매에 큰 영향을 주는 특수한 성질을 갖는 소비재》.

spe·ci·ate [spíːʃièit, -si-/-ʃi-] *vi.* 〖생물〗 새로운 종(種)으로 분화하다.

spe·ci·a·tion [spìːʃiéiʃən, -si-/-ʃi-] *n.* Ⓤ 〖생물〗 종(種)형성〔분화(分化)〕《진화를 통한 신종의 형성》. ㊥ **~·al** *a.*

spe·cie [spíːʃiː, -siː/-ʃiː] *n.* Ⓤ 정금(正金), 정화(正貨)《지폐에 대하여》: ~ reserve 정화 준비 / a ~ bank 정금 은행 / ~ payment 정화 지급 / ~ shipment 정화 현송(現送). ***in*** **~** ① (금전이 아닌) 물품으로; 같은 종류로; 종류로서는. ② (지폐·어음이 아닌) 정금으로. ③ 같은 방식으로. ④ 〖법률〗 (형식상) 규정대로.

spécie pòint 〖경제〗 =GOLD POINT.

****spe·cies** [spíːʃiːz, -siːz/-ʃiːz] (*pl.* ~) *n.* **1** (공통된 특성을 가진) 종류. SYN. ⇨KIND[1]. **2** 인종; (the ~ our ~) 인류; 〖생물〗 종(種)《genus의 하위 구분》: *The Origin of Species* 종의 기원 《Darwin의 저서》. **3** 〖논리〗 종(개념)《genus의

하위 구분; 공통의 속성을 가진 것); 〚물리〛 핵종(核種). **4** 〚법률〛 형식, 체재. **5** 〚가톨릭〛 미사용의 빵과 포도주.

spécies bàrrier 종(種)의 장벽《한 종의 병이 다른 종으로 번지는 것을 막는 자연적인 장치; 흔히 BSE와 CJD의 관련에 관해 이름》.

spé·cies·ìsm *n.* (동물에 대해) 종(種)(에 의한) 차별《애완동물과 실험동물에 대한 태도의 차이 따위》.

spécies-specífic *a.* 〚생태〛 한 종(種)에만 연관된〔한정된〕, 종 특이성의.

specif. specific; specifically.

*__spe·cif·ic__ [spisífik] *a.* **1** 특유한, 특수한, 독특한(peculiar). OPP *general.* ¶ a way of living ~ *to* Korea 한국 특유의 생활양식. SYN. ⇨SPECIAL. **2** 일정한, 특정한(specified): a ~ sum of money 특정 금액. SYN. ⇨DEFINITE. **3** (진술 따위가) 명확한(definite), 상세한, 구체적인: to be ~ 명확히 말하면 / one's ~ purpose 구체적인 목적. **4** 〚생물〛 종(種)의, 그 종 특유의. **5** 〚의학〛 (병이) 특이한, 특수한 원인으로 생기는; 특효(성)의: a ~ disease 특이한 병 / a ~ remedy 특수 요법 / a ~ medicine 특효약. **6** 〚물리〛 비(比)의《(1) 기준량에 대한: ⇨SPECIFIC GRAVITY. (2)단위량에 대한: ⇨SPECIFIC HEAT》. **7** 〚상업〛 종량(從量)의. ── *n.* **1** 특성, 특질; 특정의 것. **2** (종종 *pl.*) 명세, 상세한 점; 상론(詳論); (*pl.*) 명세서(明細書). **3** 특효약《*for; against*》.

*__spe·cif·i·cal·ly__ [spisífikəli] *ad.* **1** 명확히, 분명히: The bottle was ~ labeled 'poison'. 그 병에는 명확히 '독극물'이라는 라벨이 붙어 있었다. **2** 〔형용사 앞에 두어〕 특히: a ~ West-coast phenomenon 특히 서해안의 현상. **3** 구체적으로 말하면, 즉.

spec·i·fi·ca·tion [spèsəfikéiʃən] *n.* Ⓤ 상술, 상기(詳記), 열거; (*pl.*) (건물·기계 등의) 시방서, 설계 명세서; (보통 *pl.*) (명세서 등의) 명세(사항), 세목, 내역; 〚민법〛 가공(품); 명확화, 특정화; 〚법률〛 (특허 출원의) 특허 설명서; 〚컴퓨터〛 명세《재료나 제품, 공구, 설비 등에 대한 구조, 성능, 특성 등의 요구 조건을 규정한 것》.

specífic cáuse (어떤 병의) 특이한 원인.

specífic cháracter 〚생물〛 (종(種)의 구별이 되는) 특이성, 특징.

specífic chárge 〚물리〛 비전하(比電荷)《전하 입자의 전기량과 질량의 비》.

specífic commódity ràte 〚항공〛 (항공 수송 화물의) 특수 품목 운임율.

specífic dúty 〚상업〛 종량세(從量稅).

specífic épithet 〚생물〛 (학명의) 종소명(種小名)《이명명법(二命名法)에서 속명 뒤에 오는 라틴어의 소문자로 된 종명 형용어》.

specífic grávity 〚물리〛 비중《생략: sp. gr.》.

specífic héat 〚물리〛 비열(比熱)《생략: s.h.》.

specífic ímpulse (로켓 추진의) 비추력(比推力).

spec·i·fic·i·ty [spèsəfísəti] *n.* Ⓤ,Ⓒ specific 함; 특이성; 한정성: ~ of enzyme 효소의 특이성.

specífic náme 〚생물〛 종명(種名).

specífic perfórmance 〚법률〛 특정 이행(履行)《법원의 명령에 의한 계약의 강제적 이행》.

specífic resístance 〚물리〛 비(比)〔고유〕저항, 저항률.

°**spec·i·fy** [spésəfài] *vt.* **1** 《~+목/+*that* 절/+*wh.* 절》 일일이 열거하다; 자세히〔구체적으로〕 말하다〔쓰다〕, 명시〔명기(明記)〕하다: The ticket *specifies that* the concert begins at 8:00. 입장권에는 콘서트가 8시에 개막된다고 명시되어 있다 / The invitation doesn't ~ *what* we should wear. 초대장에는 무슨 복장을 해야 하는지 명기되어 있지 않다. **2** 명세서〔설계서〕에 기입하다. ㊞ **spéc·i·fi·a·ble** *a.*

*__spec·i·men__ [spésəmən] *n.* **1** 견본(sample); (동식물의) 표본(標本); 예(例), 실례(example): zoological ~*s* 동물 표본 / a ~ page 견본쇄(刷) / stuffed ~*s* 박제(剝製) / ~*s* in spirits 알코올에 담근 표본. **2** 검사·연구를 위한 재료〔자료〕, 시료(試料): a urine ~ 검뇨용의 오줌. **3** 《구어·때로 경멸》 기묘한 사람, 기인, 괴짜: a weird female ~ 괴상한 여자 / What a ~! 참 별난 녀석이군.

spe·ci·ol·o·gy [spìːʃiálədʒi/-ɔ́l-] *n.* Ⓤ 종족학(種族學).

spe·ci·os·i·ty [spìːʃiásəti/-ɔ́s-] *n.* Ⓤ,Ⓒ 허울만 반드르르함; 그럴듯함, 진실 같음; 아주 그럴듯한 언동《따위》.

spe·cious [spíːʃəs] *a.* 허울〔외양〕만 좋은, 진실같이 보이는; 그럴듯한(plausible); 가면을 쓴. ㊞ **~·ly** *ad.* **~·ness** *n.*

*__speck__[1] [spek] *n.* **1** 작은 반점(spot), 얼룩(stain), 오점; 《특히》 (과일 따위의) 썩은 흠《*of*》: ~*s of* soot 검댕에 의한 얼룩. **2** 작은 조각(particle), 단편; 작은 알갱이, 입자. **3** 적은 양(量), 소량《*of*》: a ~ *of* sugar 약간의 설탕. **4** (거리가 멀어) (반)점같이 보이는 것, 점: Our earth is only a ~ in the universe. 이 지구는 우주의 한 점에 불과하다. **5** 《영속어》 (축구 경기의) 관람석. ***not (...) a ~*** 전혀 …이 없는〔아닌〕(not at all): There was*n't a* ~ *of* cloud. 구름 한 점 없었다. ── *vt.* 〚주로 과거분사형으로〛 …에 작은 반점〔얼룩〕을 찍다, 오점을 찍다: ~*ed* apples 흠이 있는 사과. ㊞ **∠·ed·ness** [-idnis] *n.* **∠·less** *a.*

speck[2] *n.* Ⓤ (물개·고래 따위의) 지방; 《미·S.Afr.》 지방질 많은 고기, 《특히》 베이컨.

°**speck·le** [spékəl] *n.* (표면 전체에 있는) 작은 반점, 얼룩, 반문; (피부 따위의) 주근깨. ── *vt.* 〚주로 과거분사형으로〛 …에 반점을 찍다, 얼룩덜룩하게 하다, 얼룩지게 하다. ㊞ **~d** *a.* 얼룩덜룩한, 반점이 있는.

spéckled tróut 〚어류〛 =BROOK TROUT; SEA TROUT.

specs[1] [speks] *n. pl.* 《구어》 안경.

specs[2] *n. pl.* 《구어》 명세서, 시방서(示方書).

__spec·ta·cle__ [spéktəkəl] *n.* **1 광경, 미관, 장관, 기관(奇觀); 비참한 광경: The stars make a fine ~ tonight. 오늘밤은 별이 장관이다. **2** (호화로운) 구경거리, 쇼; 스펙터클 영화. **3** (*pl.*) 안경: a pair of ~*s* 안경 하나. **4** (*pl.*) 〚크리켓〛 타자의 두번째의 0점. ***make a ~ of oneself*** 남의 웃음거리가 되는 짓〔복장〕을 하다, 창피한 꼴을 보이다. ***see*** 〔***look at, behold, view***〕 ***all things through rose-colored*** 〔***rose-tinted, rosy***〕 ***~s*** 〔***glasses***〕 무엇이든 낙관하다〔낙관적으로 보다〕.

spéc·ta·cled *a.* **1** 안경을 낀. **2** 〚동물〛 안경 모양의 반점이 있는: a ~ bear 안경곰《남아메리카산》 / a ~ cobra 안경코브라.

*__spec·tac·u·lar__ [spektǽkjələr] *a.* **1** 구경거리의, 볼 만한, 장관의: ~ scenes 장엄한 장면. **2** 스릴 만점의; 눈부신, 깜짝 놀라게 하는, 화려한. ── *n.* 호화판 텔레비전 쇼, 초대작(超大作); (남의 눈을 끄는) 특제 대(大)광고. ㊞ **~·ly** *ad.*

spec·tac·u·lar·i·ty [spektæ̀kjəlǽrəti] *n.* Ⓤ,Ⓒ 장관(壯觀).

spec·tate [spékteit] *vi.* 방관하다, 구경하다.

__spec·ta·tor__ [spékteitər, -∠-/-∠-] (*fem.* *-tress*** [-tris]) *n.* **1** 구경꾼, 관객: ~*s* at a game. **2** 관찰자, 목격자. **3** 방관자.

spec·ta·to·ri·al [spèktətɔ́ːriəl] *a.* 구경꾼의, 방관자의.

spec·tá·tor·ism [-rìzəm] *n.* (스포츠 등의) 관전자주의.

spec·ta·tor·i·tis [spektèitəráitis] *n.* 관전(방

관]자증(症)《자신은 운동을 하지 않고 관전만 하는 일》. 「《야구·축구 따위》.

spéctator spòrt 관객 동원력이 있는 스포츠

◇**spec·ter,** 《영》 **-tre** [spéktər] *n.* **1** 유령, 망령, 요괴. [cf.] apparition, ghost, phantom. **2** 공포의 원인, 무서운 것.

spec·ti·no·my·cin [spèktənoumáisn/-sin] *n.* 『약학』 스펙티노마이신《임질 항균약》.

spec·tra [spéktrə] SPECTRUM의 복수.

spec·tral [spéktrəl] *a.* **1** 유령의[과 같은], 곡두 같은, 괴기한(ghostly). **2** 『광학·물리』 스펙트럼의: a ~ analysis 스펙트럼 분석/a ~ apparatus 분광기(分光器)/~ colors 분광색《무지개 빛깔》. [파] **~·ly** *ad.* **1** 유령[곡두]같이; 무섭게. **2** 스펙트럼으로. **~·ness** *n.*

spec·tral·i·ty [spektrǽləti] *n.* [U] 유령임, 환영(幻影).

spéctral líne 『물리』 스펙트럼선(線).

spéctral overcrówding 『통신』 전파 할당 주파수의 과밀 사용 상태.

spéctral séries 『물리』 스펙트럼 계열.

spéctral týpe 『천문』 (별의) 스펙트럼형(型).

spectre ⇨SPECTER.

spec·tro- [spéktrou, -trə] '스펙트럼의, 분광기(分光器)가 달린'의 뜻의 결합사.

spèctro·bolómeter *n.* 『물리』 스펙트로볼로미터《스펙트럼 중의 복사(輻射) 에너지 분포를 측정하는 기구》. 「화학.

spèctro·chémistry *n.* 『화학』 [U] 분광(分光)

spèctro·fluorómeter, -fluorímeter *n.* 『광학』 분광(分光) 형광계. 「트럼) 사진.

spec·tro·gram [spéktrəgræ̀m] *n.* 분광[스펙

spec·tro·graph [spéktrəgræ̀f, -grɑ̀ːf] *n.* 분광기(器), 분광[스펙트럼] 사진기; 분광 사진; =SOUND SPECTROGRAPH. [파] **spèc·tro·gráph·ic** [-fik] *a.*

spèctro·héliogram *n.* 분광 태양 사진.

spèctro·héliograph *n.* 분광 태양 사진기.

spèctro·hélioscope *n.* 분광 태양 망원경.

spec·trol·o·gy [spektrálədʒi/-trɔ́l-] *n.* **1** 스펙트럼 분석학. **2** [U] 유령 연구. [파] **spèc·tro·lóg·i·cal** [-trəládʒikəl/-lɔ́dʒ-] *a.*

spec·trom·e·ter [spektrámətər/-trɔ́m-] *n.* 분광계(分光計).

spèctro·photómeter *n.* 분광 광도계(光度計)[측광기(測光器)].

◇**spec·tro·scope** [spéktrəskòup] *n.* 『광학』 분광기(分光器). [파] **spèc·tro·scóp·ic, -i·cal** [-skápik/-skɔ́p-], [-ikəl] *a.* 분광기의[에 의한].

spectroscópic análysis 분광 분석, 스펙트럼 분석. 「光雙星).

spectroscópic bínary 『천문』 분광 쌍성(分

spec·tros·co·py [spektráskəpi/-trɔ́s-] *n.* [U] 분광학; 분광기의 사용(술).

◇**spec·trum** [spéktrəm] (*pl.* **-tra** [-trə], **~s**) *n.* **1** 『광학』 스펙트럼, 분광; (눈의) 잔상(殘像). **2** (변동이 있는 것의) 범위, 연속체. **3** 『물리』 (특정 진동의) 주파수역(域), 가시 파장역(可視波長域), 가청(可聽) 진동수역(域); =RADIO SPECTRUM; ELECTROMAGNETIC SPECTRUM. ***a broad ~ of*** 광범위한, 가지각색의.

spéctrum análysis 『물리』 스펙트럼 분석, 《특히》 분광 화학 분석.

spec·u·la [spékjələ] *n.* SPECULUM의 복수.

spec·u·lar [spékjələr] *a.* 거울의; 거울 같은, 반사하는; 『의학』 검경(檢鏡)의[에 의한].

***spec·u·late** [spékjəlèit] *vi.* 《~/+[전]+[명]》 **1** 여러 가지로[이리저리] 생각하다, (…에 관해) 사색[심사숙고]하다; 추측[억측]하다(conjecture) 《*about; on, upon*》: ~ *about* one's future 장래를 심사숙고하다. [SYN.] ⇨THINK. **2** 투기를 하다, 요행수를 노리다《*in*》: ~ *in* stocks 증권에 손을 대다/~ *on* a rise [fall] 등귀를[하락을] 예상하고 투기를 하다. **—** *vt.* 《+*that*[절]/+*wh.* [절]》 추측하다, 궁리하다, 숙고하다: He ~*d that* this might lead to success. 그는 이렇게 하면 성공할지 모른다고 추측했다/He ~*d who* might have done it [*what* might happen]. 그는 누가 그것을 했는지[무슨 일이 일어났는지] 생각해 보았다. ◇ speculation *n.*

◇**spèc·u·lá·tion** *n.* **1** [U] 사색, 숙고, 심사, 고찰. **2** (사색에 의한) 결론, 의견. **3** 추측, 억측; 공리(空理), 공론(空論). **4** [U,C] 투기, 사행: on ~ 투기적으로, 요행을 걸고(on spec)/buy land as a ~ 시세가 오를 것을 예상하고 땅을 사다. **5** [U] 일종의 카드놀이.

spec·u·la·tive [spékjəlèitiv, -lə-/-lə-] *a.* **1** 사색적인, 명상적인; 추리의; 순(純)이론의, 공론(空論)의: ~ geometry 순정(純正) 기하학. **2** 투기의; 투기적인; 위험한(risky), 모험적인, 불확실한: a ~ market 투기 시장/a ~ stock 투기주(株)/~ buying 투기적 구매, 매점 매석/~ demand 가(假)수요/~ importation 내다보는 수입《새로운 수입세의 부과 또는 세율의 인상, 물가의 등귀를 예상하는》. **3** 호기심이 어린《눈 따위》; 전망이 좋은. [파] **~·ly** *ad.* **~·ness** *n.*

spéculative philósophy 사변(思辨) 철학.

◇**spec·u·la·tor** [spékjəlèitər] *n.* **1** 투기(업)자; 『상업』 투기꾼. **2** 사색가, 순이론가. **3** 《미》 (입장권 등을) 매점하는 사람, 암표상.

spec·u·lum [spékjələm] (*pl.* **-la** [-lə], **~s**) *n.* 금속 거울, 반사경; 『의학』 검경(檢鏡)《자궁·입·코·질 등의》; 『조류』 (날개의) 아롱진 색점(色點): an eye ~ 검안경. 「반사경용》.

spéculum mètal 경금(鏡金)《망원경 따위의

sped [sped] SPEED의 과거·과거분사.

⁑**speech** [spiːtʃ] *n.* [U] **1** 말, 언어: daily [everyday] ~ 일상 언어. [SYN.] ⇨LANGUAGE. **2** 한 나라[지방]의 말, 국어(language), 방언(dialect). **3** 언어 능력[표현력]; 말하는 것, 발언: freedom of ~ 언론의 자유/*Speech* is silver, but silence is golden. 《속담》 웅변은 은이요, 침묵은 금이다. **4** 이야기, 담화(talk), 회화; (연극의 긴) 대사; 말(솜)씨, 말투: have ~ of [with] a person 아무와 이야기하다. **5** [C] 연설(address), 강연; …사(辭): make [deliver] a ~ 연설하다/a farewell ~ 고별사/an after-dinner ~ (만찬 후의) 인사말.

> [SYN.] **speech** '연설'의 일반적인 말. **address** 미리 준비되어 내용을 중요시한 격식 차린 연설. speech 보다 격식을 차린 말임. **toast** 건강을 축하하는 건배의 말. **lecture** 청중을 가르치기 위하여 어떤 문제에 대해 정성을 들여서 준비한 speech 를 말함.

6 『음악』 (악기의) 음색, 음향(sound). **7** 『문법』 화법: the direct [indirect] ~ 직접[간접]화법/⇨REPORTED SPEECH. ***give ~ to*** …을 입 밖에 내다. ***lose*** [***find, recover***] ***one's ~*** 말을 제대로 할 수 없게[있게] 되다. ***parts of ~*** 『문법』 품사. ***slow of ~*** 말을 더듬는. ***the ~ from the throne*** 《영》 의회 개회[폐회]의 인사말.

spéech clìnic 언어 장애 교정소.

spéech commùnity 『언어』 언어 공동체, 언어 집단《특정한 구어·방언을 쓰는 집단》.

spéech corrèction 언어 교정.

spéech dày 《영》 (학교의) 종업식 날《증서·상품 따위가 수여되며 암송·연설이 행하여짐》.

spéech defèct [**disòrder**] 언어 장애.

spéech fòrm 『언어』 =LINGUISTIC FORM.

speech·i·fi·ca·tion [spìːtʃəfikéiʃən] *n.* 연설; 훈시. 「가, 변사.

speech·i·fi·er [spíːtʃəfàiər] *n.* 《경멸》 연설

speech·i·fy [spíːtʃəfài] *vi.* 《구어·우스개·경멸》 연설하다, 장광설을 늘어놓다; 지껄여대다(harangue).

spéech ìsland 언어의 섬《작은 언어 지역》.

°**spéech·less** *a.* **1** 말을 못 하는, 벙어리의(dumb). **2** 입을 열지 않는(silent); (격분 따위로) 말을 못 하는. **3** (충격 따위로) 말이 안 나오는, 어안이 벙벙한《*with; from*》; 이루 형언할 수 없는: He was ~ *with* anger. 그는 분노로 할 말을 잃었다 / ~ grief 이루 형언할 수 없는 슬픔. ⓕ **~·ly** *ad.* **~·ness** *n.*

spéech·màker *n.* 연설가, 강연자, 변사(辯士). ⓕ **-màking** *n.*

spéech màrks 《영》 =QUOTATION MARKS.

spéech òrgan 발음 기관. 「(lip reading).

spéech rèading (벙어리의) 독순법(讀脣法)

spéech recognition 〖컴퓨터〗 음성 인식.

spéech sòund 언어음《보통의 소리·기침·재채기 따위에 대하여》; (모음·자음 등의) 단음.

spéech sỳnthesis 〖전자〗 음성 합성.

spéech sỳnthesizer (전자 공학적) 음성 합성 장치.

spéech thèrapy 언어 요법, 언어 (장애) 치료. ⓕ **spéech thèrapist** 언어 요법사.

spéech wrìter 연설 초고 작성자《특히 정치가를 위해 쓰는 사람》.

‡**speed** [spiːd] *n.* Ⓤ **1** (구체적일 때 Ⓒ) 빠르기(rapidity), 속력, 속도: at a high ~ 고속으로 / landing ~ 〖항공〗 착륙 속도 / at full 〔top〕 ~ 전속력으로 / travel at a ~ of 30 miles an hour 시속 30 마일로 나아가다. SYN. ⇨HASTE. **2** 빠름, 신속: More haste, less ~. 《속담》 급할수록 천천히 / make ~ 서두르다. **3** 《고어》 행운, 번영(prosperity), 성공(success). **4** (자동차 따위의) 변속 장치: shift to low ~ 저속 기어로 바꿔 넣다 / a five ~ bicycle 5단 기어 자전거. **5** 《속어》 중추 신경 자극제, 각성제, 《특히》 히로뽕. **6** 〖사진〗 셔터 스피드, 노광(露光) 속도, 감도(感度); 〖사진·광학〗 (렌즈의) 집광(集光) 능력(cf. f-number). **7** 《구어》 (사람의) 능력〔성격〕에 알맞은 것〔일〕, 좋아하는 사람〔것〕. ***at*** ~ 서둘러, 급히. ***bring up to*** ~ 《속어》 (회의 따위를 하기 전에) 예비지식을 주다; 상황을 알게 하다. ***Full ~ ahead!*** 척척〔빨리〕 해라〔일해라〕. ***God send*** 〔***give***〕 ***you good ~!*** 《고어》 성공을 빕니다. ***put on full*** ~ 전속력을 내다. ***with great*** 〔***all***〕 ~ 전속력으로.

— (*p., pp.* ***sped*** [sped], **~·ed**) *vt.* **1** 《+목+목/+목+전+명》 서두르게〔빠르게〕 하다; 빨리 보내다: ~ a person news = ~ news *to* a person 아무에게 급히 소식을 보내다. **2** 진척시키다(promote), 추진〔촉진〕하다: ~ the negotiations 교섭을 추진하다. **3** 《+목+부》 (기계·생산 따위의) 속도를 빠르게 하다(accelerate)《*up*》: ~ *up* industrial production 공업 생산의 속도를 빠르게 하다. **4** (화살을) 쏘다. **5** 《고어》 성공〔번성〕시키다; …의 안전〔성공〕을 빌다.

— *vi.* **1** 《+전+명》 급히 가다, 질주하다《*along; down*》: The car *sped along* 〔*down*〕 the streets. 그 차는 거리를 질주했다. **2** 《~/+부》 (자동차 등이) 속도를 늘리다, 스피드를 내다; 속도위반을 하다: be arrested for ~*ing* 속도위반으로 잡히다 / The car ~*ed up*. 그 자동차는 속도를 냈다. **3** 그럭저럭 지내다〔살아가다〕; (일이) 잘 진행하다. **4** 《속어》 중추 신경 자극제를〔암페타민을〕 먹다〔맞다〕. **5** 《고어》 성공〔번영〕하다: ~ well 〔ill〕 잘돼 가다〔잘되지 않다〕. ***God ~ you!*** 성공을 비네.

spéed bàg 《미》 스피드 백《권투 선수가 빠른 펀치를 연습하는 작은 펀치 백》.

spéed·bàll[1] *n.* 《미》 스피드볼《축구와 비슷한 것으로 손을 사용할 수 있음》.

spéed·bàll[2] *n.* 《속어》 코카인에 헤로인, 모르핀, 암페타민을 섞은 마약 (주사).

spéed·bòat *n.* 고속 모터보트.

spéed bùmp (주택 지구나 학교 주변의) 과속 방지턱(=**spéed hùmp**). 「라.

spéed càmera (과속 차량 단속용) 무인 카메

spéed cóunter 〖기계〗 (엔진 등) 회전 계수기.

spéed dèmon 《구어》 스피드광(speedster).

spéed·er *n.* 속도 조절〔가감〕 장치; 속도위반자.

spéed frèak 《속어》 히로뽕 중독자. 「반자.

spéed gàrage 스피드 거라지《거라지 뮤직의 빠른 형태》.

spéed gùn 속도 측정기.

spéed ìndicator 속도계.

spéed·ing *a.* 고속으로 움직이는. — *n.* 고속 진행〔운전〕, 속도위반.

spéeding tìcket 속도위반 소환장.

spéed kìng 《속어》 자동차 레이스 챔피언.

spéed lìmit 제한 속도, 최고 허용 속도.

spéed mèrchant **1** 《영구어》 (차의) 스피드광. **2** 《미속어》 발빠르고 민첩한 사람〔운동선수〕.

spee·do [spíːdou] *n.* 《구어》 =SPEEDOMETER.

speed·om·e·ter [spiːdámətər, spid-/spid-ɔ́m-, spiːd-] *n.* 속도계; 주행(走行) 기록계.

speed·read [spíːdrìːd] (*p., pp.* ***-read*** [-rèd]) *vt., vi.* 속독(速讀)하다. ⓕ **~·er** *n.* **~·ing** *n.*

spéed shòp 스피드 숍《hot rodder 용 특제 자동차 부품점》.

spéed skàte =RACING SKATE.

spéed skàting 스피드 스케이팅 (경기). ⓕ **spéed skàter**

spéed sprày er 고속 분무기.

speed·ster [spíːdstər] *n.* 고속을 내는 선수〔탈것, 말〕; 2인승 고속 (무개(無蓋)) 자동차; 쾌속선; 속도위반자.

spéed tràp 속도위반 특별 단속 구간; 속도위반 적발 장치.

spéed·ùp *n.* Ⓤ,Ⓒ (기계 따위의) 능률 촉진; 속력 증가; 생산 증가; 노동 강화. 「보도.

spéed·wàlk *n.* (에스컬레이터식의) 움직이는

spéed·wày *n.* 오토바이·자동차 따위의 경주장; 《미》 고속도로.

spéed·wèll *n.* 〖식물〗 꼬리풀의 일종.

speedy** [spíːdi] (speed·i·er; -i·est***) *a.* **1** 빠른(quick); 급속한, 신속한(prompt): a ~ worker 일이 빠른 사람. SYN. ⇨FAST. **2** 즉시의, 즉석의; 재빠른(rapid): a ~ answer 즉답. — *n.* 《미속어》 배달원, 메신저; 《미속어》 속달 우편물. ⓕ °**spéed·i·ly** *ad.* **-i·ness** *n.* Ⓤ

speiss [spais] *n.* 〖야금〗 비피(砒鈹)《어떤 금속 광석을 정련할 때 생기는 비소(砒素) 화합물》.

spe·l(a)e·an [spilíːən] *a.* 동굴의〔같은〕; 동굴에 사는.

spe·l(a)e·ol·o·gy [spìːliálədʒi/-ɔ́l-] *n.* Ⓤ 동굴학(學); 동굴 탐험. ⓕ **-gist** *n.* 동굴학자; 동굴탐험가(spelunker).

spe·leo·them [spíːliəθèm] *n.* 동굴 이차 생성물《종유석 따위》.

‡**spell**[1] [spel] (*p., pp.* ***spelt*** [spelt], **~ed** [spelt, -d]) *vt.* **1** 《~+목/+목+보》 (낱말을 …라고) 철자하다; …의 철자를 말하다〔쓰다〕: ~ a word correctly 단어를 정확히 철자하다 / My name is ~*ed* B-O-Y-D. 내 이름은 B-O-Y-D 라고 철자한다. **2** 《+목+부》 (글을) 뜯어보다, 판독〔해석〕하다《*out; over*》: He ~*ed* it *out*. 그는 그것을 판독했다. **3** …라는 철자가 —이 되다, …라고 읽다: D-O-G ~*s* a dog. DOG로 쓰면

개가 된다. **4** 의미하다, …한 결과가 되다, 가져오다, 따르다, 이끌다《*for*》: Failure ~s death. 실패하면 파멸이다. **—** *vi.* 철자하다, 정식으로〔정확하게〕 쓰다〔읽다〕; 《시어》 연구하다, 고찰하다. **~ *backward*** 거꾸로 철자하다; 곱새기다, 곡해〔오해〕하다. **~ *down*** 철자 시합(spelldown)에서 (상대를) 지우다. **~ *out*** ① (단어를) 한 자 한 자 읽다〔쓰다, 철자하다〕. ② 명확히〔상세하게〕 설명하다. ㊞ **∠·a·ble** *a.*

spell[2] *n.* **1** 한동안의 계속, 한차례; 잠시 동안; 《Austral.》 휴식 기간, 잠깐 쉼: a ~ of bad luck 〔fine weather〕 불운〔좋은 날씨〕의 계속. **2** 한바탕의 일; (일의) 교대 차례, 순번; 근무 시간; 교체 요원. **3** 《미구어》 병의 발작: have a ~ of coughing 기침이 발작하다. ***by ~s* = *~ and* 〔*for*〕 *~*** 번갈아, 끊임없이. ***for a ~*** 잠시. ***give a person a ~*** 아무와 일을 교대해 주다. ***Spell oh* 〔*ho*〕*!*** (일을) 쉬어. ***take ~s at*** 교대하여 …을 하다. **—** (*p., pp.* **~*ed*** [spelt, -d]) *vt., vi.* 《구어》 (…와) 교대하다(relieve); 《Austral.》 (말 따위에) 휴식 시간을 주다, 잠깐 휴식하다〔시키다〕.

spell[3] *n.* **1** 주문(呪文), 마력(魔力), 마법(incantation). **2** 〖보통 단수형〗 매력(fascination), 매료: under the ~ of a person's eloquence 아무의 웅변에 매료되어. ***cast* 〔*lay, put*〕 *... under a ~* = *cast a ~ on* 〔*over*〕** …에 마법을 걸다, 마법으로 꼼짝 못하게 하다; 완전히 …의 사랑을 획득하다. **—** (*p., pp.* ***spelt*** [spelt], **~*ed*** [spelt, -ld]) *vt.* 주문으로 얽어매다(charm); 매혹하다.

spéll·bìnd (*p., pp.* ***-bound***) *vt.* 주문을 걸다; 마술을 걸다; 매혹하다, 황홀케 하다. ㊞ **~·ing·ly** *ad.*

spéll·bìnder *n.* 《구어》 웅변가; 청중을 매혹시키는 정치가.

spéll·bòund *a.* 주문에 걸린; 홀린; 넋을 잃은 (entranced, enchanted): hold the audience ~ 청중을 매혹하다.

spéll chècker 〖컴퓨터〗 철자 검사《입력한 단어 중 잘못된 것을 검색하여 바르게 잡아 주는 장치》.

spéll·dòwn *n.* 철자 시합《전원이 일어서서 시합을 시작하여 틀린 사람은 앉고, 선 사람이 한 사람이 될 때까지 계속함》.

spéll·er *n.* **1** 철자하는 사람: a good ~ 철자가 정확한 사람. **2** = SPELLING BOOK.

spell·ing [spéliŋ] *n.* **1** Ⓒ 철자법, 정자(正字)〔정서〕법(orthography); 철자: an incorrect ~ 부정확한 철자법. **2** Ⓤ 철자하기.

spélling bèe 〔**màtch**〕 철자 시합.

spélling bòok 철자 교본.

spélling chècker 〖컴퓨터〗 철자 검사 프로그램《입력(入力)된 단어의 철자가 정확한지를 검사하는 프로그램》.

spélling pronunciàtion 철자 발음《boatswain [bóusən]을 [bóutswèin]으로 발음하는 따위》.

spélling refòrm 철자 개혁《낱말을 발음에 가깝게 고치려는》.

spelt[1] [spelt] SPELL[1,3]의 과거·과거분사.

spelt[2], **speltz** [―], [spelts] *n.* Ⓤ 〖식물〗 밀의 일종《가축 사료》.

spel·ter [spéltər] *n.* Ⓤ 〖야금〗 아연(주괴(鑄塊)); (납땜용) 아연봉.

spe·lunk·er [spilʌ́ŋkər] *n.* (아마추어) 동굴 탐험가. ㊞ **spe·lúnk·ing** *n.*

spence, spense [spens] *n.* 《고어·영방언》 식품 저장실, 찬장; 《Sc.》 (흔히 부엌에 가까운) 안방.

Spen·cer [spénsər] *n.* **Herbert ~** 스펜서《영국의 철학자; 1820-1903》.

spen·cer[1] *n.* 짧은 외투〔웃옷〕《19세기의 여성·어린이용》.

spen·cer[2] *n.* 〖선박〗 앞〔큰〕돛대 세로돛.

Spen·ce·ri·an [spensíəriən] *a.* Spencer 철학의. **—** *n.* Spencer 파의 철학자. ㊞ **~·ism** *n.* = SPENCERISM.

Spén·cer·ìsm [-rìzəm] *n.* Ⓤ Spencer 철학, 종합 철학《진화론적 철학으로, 모든 것을 자연에 맡기라는 주장》.

†**spend** [spend] (*p., pp.* ***spent*** [spent]) *vt.* **1** 《~+목/+목+전+명/+목+-*ing*》 (돈을) 쓰다, 소비하다(expend): ~*ing* money 용돈(pocket money) / ~ ten dollars a day 하루에 10 달러를 쓰다 / ~ much money *on* clothes 옷에 많은 돈을 들이다 / She ~*s* a lot of money (*on*) entertain*ing* her friends. 그녀는 친구들을 접대하는 데 많은 돈을 쓴다.

> SYN. **spend** 주로 돈이나 시간을 쓸 때의 가장 일반적인 말. 아래 낱말들에 비해 소비 목적이 뚜렷할 때가 많음: *spend* a lot of money on books 많은 돈을 책에 쓰다. **waste** 낭비하다. 소비 목적·낭비의 자각 증상이 없을 때가 많음: *waste* words 헛된 말을 하다. **consume** 다 써 버리다. waste 와 거의 같게 쓰이지만 낭비가 아닌 소모에 역점이 있음.

2 《~+목/+목+전+명》 (노력·시간·말 따위를) 들이다, 소비(消費)하다(consume): ~ one's energy 〔strength〕 *to* no purpose 힘을 무익하게 소모하다 / Don't ~ much time *on* it. 그것에 너무 시간을 소비하지 마라. **3** 《~+목/+목+전+명/+목+-*ing*》 (때를) 보내다, 지내다 (pass): How did you ~ the vacation? 휴가를 어떻게 지내셨습니까 / ~ a week *in* New York 뉴욕에서 한 주일을 보내다 / She ~*s* too much time (*in*) watch*ing* television. 그녀는 텔레비전을 보는 데 너무 많은 시간을 보낸다. **4** 〖수동태 또는 ~ oneself〗 다 써 없애다; 낭비하다; …의 힘을 다 쓰다; 약하게 하다, 지쳐 빠지게〔기진맥진케〕 하다(exhaust): Our food *was* all *spent*. 식량이 떨어졌다 / The storm soon *spent* it*self*. 폭풍우는 곧 세력이 약해졌다. **5** 〖해사〗 (배가 돛대 따위를) 잃다. **—** *vi.* **1** 낭비하다, 돈을 (다) 쓰다: ~ freely 아낌없이 돈을 쓰다. **2** (물고기가) 알을 낳다. **3** 다 없어져 버리다, 탕진되다: Our money spent fast. 갖고 있던 돈은 곧 없어졌다.

~ one*'s words* 〔*breath*〕 부질없는 말을 지껄이다, 간언 따위를 해도 허사가 되다. ***The night is far spent.*** 《고어》 밤은 깊었다.

㊞ **∠·a·ble** *a.* 쓸〔소비할〕 수 있는: ~*able* income 실수입. **∠·er** *n.* 소비하는 사람, 낭비가.

spend·a·hol·ic [spèndəhɔ́ːlik, -hál-/-hɔ́l-] *a., n.* 소비〔쇼핑〕에 중독된 (사람).

spénd·àll *n.* 낭비가(spendthrift).

Spen·der [spéndər] *n.* **Stephen ~** 스펜더《영국의 시인·비평가; 1909-95》.

spénd·ing *n.* Ⓤ,Ⓒ 지출; 소비.

spénding mòney = POCKET MONEY.

spénd·thrìft *n.* 돈 씀씀이 헤픈 사람, 낭비가; (주색·노름으로) 재산을 탕진하는 사람, 방탕자 (prodigal). **—** *a.* 돈을 헤프게 쓰는, 낭비하는.

spénd·ùp *n.* 《구어》 내키는 대로 돈을 쓸 수 있는 기회〔일〕.

Spen·gler [spéŋglər, ʃpéŋ-] *n.* **Oswald ~** 슈펭글러《독일의 철학자·역사가; 1880-1936》.

Spens. Spenser.

Spen·ser [spénsər] *n.* **Edmund ~** 스펜서《영국의 시인; 1552?-99》.

Spen·se·ri·an [spensíəriən] *a.* Spenser 풍(風)의.

Spensérian stánza 스펜서 시형(詩形)《스펜서가 *The Faerie Queene*에서 쓴 시형; 압운(押韻) 형식은 ababbcbcc》.

spent [spent] SPEND의 과거·과거분사. — *a.* **1** 힘이 빠진, 지쳐 버린, 기진한(wornout), 다 써 버린: a ~ horse 지쳐 버린 말/The storm is ~. 비바람이 가라앉았다/~ tan ⇨TAN[1] *n.* 2. **2** (물고기 따위가) 산란(產卵)한.

sperm[1] [spəːrm] (*pl.* ~, ~s) *n.* 〖생리〗 Ⓤ 정액(精液)(semen); 정충.

sperm[2] *n.* Ⓤ 경뇌(鯨腦), 고래기름(spermaceti); 〖동물〗 향유고래(=∠ **whàle**).

sper·ma·ce·ti [spə̀ːrməséti, -síːti] *n.* Ⓤ 경뇌(鯨腦), 경랍(鯨蠟).

sper·ma·ry [spə́ːrməri] *n.* 〖동물〗 정(精)집, 정소(精巢), 고환, 정자선(精子腺); 〖식물〗 웅기(雄器), 조정기(造精器).

sper·mat- [spəːrmǽt, spə́ːrmət/spə́ːmət], **sper·mat·o-** [-tou, -tə] '종자, 정자'의 뜻의 결합사.

sper·mat·ic [spəːrmǽtik] *a.* 정액의; 정낭(精囊)의, 고환의; 생식의.

spermátic córd 〔**funículus**〕 〖해부·동물〗 정삭(精索), 정사(精絲).

spermátic flúid 〖생리〗 정액.

spermátic sác 〖해부·동물〗 정낭(精囊).

sper·ma·tid [spə́ːrmətid] *n.* 〖동물〗 정자 세포.

sper·mat·o·blast [spəːrmǽtəblæ̀st, spə́ːrmətə-] *n.* 〖동물〗 정자를 만드는 세포, 정세포.

sper·mat·o·cyte [spəːrmǽtəsàit, spə́ːrmət-/spə́ːmət-] *n.* 〖생물〗 정모(精母) 세포.

spermàto·génesis *n.* 〖생물〗 정자 형성. ㊞ **-genétic, -génic** *a.*

sper·mat·o·go·ni·um [spəːrmæ̀təgóuniəm, spə̀ːrmət-/spə̀ːmət-] (*pl.* **-nia** [-niə]) *n.* 〖생물〗 정원(精原)세포《정모(精母) 세포를 형성하는 원래의 세포》. ㊞ **sper·màt·o·gó·ni·al** *a.*

sper·mat·o·phore [spəːrmǽtəfɔ̀ːr, spə́ːrmətə-/spə́ːmət-] *n.* 〖동물〗 정협(精莢), 정포(精包).

sper·mat·o·phyte [spəːrmǽtəfàit, spə́ːrmətə-/spə́ːmət-] *n.* 종자〔유정(有精)〕식물.

sper·ma·tor·rhea, -rhoea [spə̀ːrmətəríːə, spəːrmǽtə-/spə̀ːmətə-] *n.* Ⓤ 〖의학〗 정액루(精液漏).

sper·ma·to·zo·id [spə̀ːrmətəzóuid, spəːrmæ̀tə-/spə́ːmət-] *n.* 〖식물〗 정자(精子).

sper·ma·to·zo·on [spə̀ːrmətəzóuən, spəːrmæ̀tə-/spə̀ːmətəzóuɔn] (*pl.* **-zoa** [-zóuə]) *n.* 〖동물〗 정자(精子), 정충(精蟲).

spérm bànk 정자은행《인공수정용 정자 저장 기관》.

spérm cèll 〖동물〗 정자(精子).

spérm còunt 〖의학〗 (정액 중에 생존한) 정자 수 측정.

sper·mic [spə́ːrmik] *a.* =SPERMATIC.

sperm·i·cide [spə́ːrməsàid] *n.* (피임용) 살정자제(殺精子劑)(=**sper·mát·o·cìde**).

sper·mi·dine [spə́ːrmədiːn, -din] *n.* 〖생화학〗 스페르미딘《특히 정액 중의 폴리아민》.

sperm·ine [spə́ːrmiːn, -min] *n.* 〖생화학〗 스페르민《정액 따위에 함유된 일종의 폴리아민; 정액의 특이한 냄새는 이 때문임》.

sper·mi·o·gen·e·sis [spə̀ːrmioudʒénəsis] *n.* 〖생물〗 정자 완성〔변형〕; =SPERMATOGENESIS. ㊞ **-ge·net·ic** [-dʒənétik] *a.*

spérm nùcleus 〖생물〗 정핵(精核), 웅핵(雄核).

spérm òil 〖화학〗 고래기름, 향유고래기름.

sper·mo·phile [spə́ːrməfàil] *n.* 〖동물〗 들다람쥐류(類).

sper·mous [spə́ːrməs] *a.* 정자의〔같은〕.

spérm whàle 〖동물〗 향유고래.

sper·ry·lite [spérəlàit] *n.* 〖광물〗 스페릴라이트《백금의 광석 광물의 하나》.

spes·sart·ite, -tine [spésərtàit], [-tìːn] *n.* 〖광물〗 망간 석류석(石榴石); 〖암석〗 스페사르트암(岩)《염기성 화성암》.

spew [spjuː] *vt., vi.* **1** (울컥) 토해 내다《*out*》; 스며나오다: ~ (*up*) one's guts 〔ring〕 맹렬히 토해내다. **2** (연속 사격으로) 총구가 휘다. — *n.* 토해낸 것; 비어져〔스며〕 나온 것. ㊞ ∠·**er** *n.*

SPF sun protection factor. **S.P.G.** Society for the Propagation of the Gospel. **sp.gr.** specific gravity.

sphac·e·late [sfǽsəlèit] *vt., vi.* 〖의학〗 탈저(脫疽)〔괴저(壞疽)〕에 걸리(게 하)다. ㊞ **sphàc·e·lá·tion** *n.* 〖의학〗 탈저〔괴저〕에 걸림, 습성 괴사(濕性壞死).

sphag·nous [sfǽgnəs] *a.* 물이끼의〔가 많은〕.

sphag·num [sfǽgnəm] (*pl.* **-na** [-nə]) *n.* 〖식물〗 물이끼.

sphal·er·ite [sfǽlərὰit, sféil-] *n.* 〖광물〗 섬(閃)아연석.

S̀ phàse 〖생물〗 S상(相), S기(期)《세포 주기 중 DNA 합성기》. ★S는 synthesis의 머리글자.

sphen- [sfiːn], **sphe·no-** [sfíːnou, -nə] '쐐기, 접형골(蝶形骨)'의 뜻의 결합사.

sphene [sfiːn] *n.* 〖광물〗 티탄석, 티타나이트(titanite).

sphe·nic [sfíːnik] *a.* 쐐기 모양의.

sphe·no·gram [sfíːnəgræ̀m] *n.* 설형(楔形)문자.

sphe·noid [sfíːnɔid] *a.* 〖해부〗 접형골(蝶形骨)의; 쐐기 모양의. — *n.* 〖해부〗 접형골(=∠ **bóne**); 〖광물·결정〗 설형정(楔形晶).

spher·al [sfíərəl] *a.* 구(球)(sphere)의, 구 모양의; 완벽한, 대칭(對稱)의, 균형이〔조화가〕 잡힌.

sphere** [sfiər] *n.* **1** 구체(球體), 구(球), 구형, 구면. SYN. ⇨BALL. **2** 〖천문〗 천구(天球), 천체; 지구의(地球儀), 천체의(天體儀): ⇨ CELESTIAL SPHERE. **3** (활동) 영역, (세력) 범위《*of*》; 본분, 본령(本領): ~ of influence 세력권/remain 〔keep〕 within 〔in〕 one's (proper) ~ 자기의 본분을 지키다/the ~ *of* science 과학의 분야. **4** 지위, (사회적) 신분, 계급. **5** 《시어》 하늘, 창공(sky). **6** 《미속어》 (야구·골프 따위의) 볼, 공. ***be in 〔***out of***〕 ***one's ~*** 자기의 영역 내〔밖〕에 있다. — *vt.* **1** 구상(球狀)으로 하다. **2** (천(天)) 구(球) 안에 놓다; 둘러싸다. **3** 천체 사이에 놓다.

spher·ic [sférik, sfíərik] *a.* 구(체)(球(體))의; 구 모양의; 구면의.

spher·i·cal [sférikəl] *a.* 구(球)의, 구면의; 구상의(globular), 둥근; 천체의〔에 관한〕: a ~ surface 구면. ㊞ ~·**ly** *ad.* ~·**ness** *n.*

sphérical aberrátion 〖광학〗 (렌즈·반사경의) 구면 수차(收差).

sphérical ángle 〖수학〗 구면각(角).

sphérical astrónomy 구면(球面) 천체학.

sphérical coórdinates 〖수학〗 구면 좌표.

sphérical geómetry 구면 기하학.

sphérical léns 구면 렌즈.

sphérical pólygon 〖기하〗 구면 다각형.

sphérical sáiling 〖해사〗 구면 항법.

sphérical tríangle 구면 삼각형.

sphérical trigonómetry 구면 삼각법.

sphe·ric·i·ty [sfirísəti] *n.* Ⓤ 구상(球狀), 구면(球面), 구형(球形), 구형도(球形度).

sphér·ics *n. pl.* 〔단수취급〕 구면 기하학; 구면 삼각법.

sphe·roid [sfíərɔid] *n.* 〖수학〗 회전 타원체, 장구(長球). ㊞ **sphe·roi·dal, -dic** [sfiərɔ́idl], [-dik] *a.*

sphe·roi·dic·i·ty [sfìərɔidísəti] *n.* 회전 타원형.

sphe·rom·e·ter [sfiərɑ́mətər/-rɔ́m-] *n.* 구면계(球面計).

sphe·ro·plast [sfíərəplæ̀st] *n.* 『곤충』 세포벽을 거의 다 제거한 균세포.

spher·ule [sférjuːl, sfíər-/sféruːl] *n.* 소구(小球), 소구체. [파] **sphér·u·lar** [sférjələr, sfíər-/sféruːl-] *a.* 「구정(球晶).

spher·u·lite [sférjəlàit, sfíər-/sférə-] *n.*

sphery [sfíəri] 《시어》 *a.* 천구의; 구상의; 천체의〔같은〕; 천구의 음악의〔같은〕; 별 같은.

sphinc·ter [sfíŋktər] *n.* 『해부』 괄약근(括約筋), 조임근, 늘옴치근. [파] **~·al** [-tərəl] *a.*

sphin·go·my·e·lin [sfìŋgoumáiəlin] *n.* 『생화학』 스핑고미엘린《생체 조직에 널리 존재하며, 특히 뇌 조직에 많은 인산 지질(脂質)》.

sphin·go·sine [sfíŋgəsiːn, -sin] *n.* 『생화학』 스핑고신《염기성 불포화 아미노알코올의 일종》.

°**sphinx** [sfiŋks] (*pl.* **~·es, sphin·ges** [sfíndʒiːz]) *n.* **1** (the S–) 『그리스신화』 스핑크스《여자의 머리와 사자의 몸뚱이에 날개를 단 괴물》. **2** 스핑크스상(像)《특히 이집트의 Giza 부근의 거상(巨像)》. **3** 불가해한〔수수께끼의〕 사람.

sphínx mòth 『곤충』 박각시나방.

sphra·gis·tic [sfrədʒístik] *a.* 인장(학)(印章(學))의, 인장에 관한.

sphra·gís·tics *n. pl.* 〘단수취급〙 인장학.

sp. ht., sp ht specific heat.

sphyg·mic [sfígmik] *a.* 『생리·의학』 맥박의.

sphyg·mo- [sfígmou, -mə] '맥박(pulse)'의 뜻의 결합사. 「맥파도(脈波圖).

sphyg·mo·gram [sfígməgræ̀m] *n.* 『의학』

sphyg·mo·graph [sfígməgræ̀f, -grɑ̀ːf] *n.* 『의학』 맥파(脈波) 묘사기(器), 맥박 기록기.

sphyg·mog·ra·phy [sfigmɑ́grəfi/-mɔ́g-] *n.* 『의학』 맥파(脈波) 기록법. [파] **sphỳg·mo·gráph·ic** *a.* 「壓)계.

sphỳgmo·manómeter *n.* 혈압계, 맥압(脈

sphyg·mom·e·ter [sfigmɑ́mətər/-mɔ́m-] *n.* 『생리』 맥박계. [파] **sphỳg·mo·mét·ric** *a.*

sphyg·mus [sfígməs] *n.* 『생리』 맥박, 고동.

SPI 『우주』 surface position indicator(지표면 위치 지시계). 「(의).

spic [spik] *n., a.* 《미속어·경멸》 스페인계 미국인

spi·ca [spáikə] (*pl.* **-cae** [-siː], **~s**) *n.* 『식물』 수상(穗狀)꽃차례(spike), 화수(花穗); 『의학』 나선꼴로 붕대 감는 법; (S–) 『천문』 스피카《처녀자리(Virgo)의 1 등성》.

spi·cate, -cat·ed [spáikeit], [-keitid] *a.* 『식물』 이삭이 있는, 수상(穗狀)꽃차례의; 『동물』 이삭 모양을 한.

spic·ca·to [spikɑ́ːtou] *a., ad.* 『음악』 (바이올린 연주에서) 스피카토의〔로〕《활을 짧게 단속적으로 튀기며 연주하는 악보의 표시》. **—** (*pl.* **~s**) *n.* 스피카토 주법(奏法).

***spice** [spais] *n.* [U,C] **1** 양념, 〘집합적〙 향신료(香辛料), 양념류(類). **2** (흔히 a ~) 《비유》 풍미, 취향, 묘미; (…한) 맛(*of*): a ~ *of* humor in his solemnity 장중한 태도 속에 깃든 유머의 멋. **3** 정취, 흥취: The anecdotes lent ~ to her talk. 그 일화들은 그녀의 이야기에 흥취를 돋우었다. **4** 《시어》 방향(芳香). **5** 《고어》 소량, 미량, 한 조각(trace, bit). **6** 《요크셔 방언》 과자류. **—** *vt.* 《~+[목]/+[목]+[전]+[명]》 **1** …에 양념을〔향신료를〕 치다; …에 양념으로서 곁들이다(season) 《*with*》: ~ a sauce / The dish is ~*d with* ginger. 요리는 생강으로 조미되어 있다. **2** 《비유》 …에 풍취를〔묘미를, 짜릿한 자극을〕 곁들이다《*with*》: ~ one's sermons *with* grim irony 설교에 신랄한 풍자를 곁들이다. [파] **spíc·er** *n.*

spíce·bèrry *n.* 『식물』 철쭉과의 식물; 정향나무류; 털조장나무류.

spíce bòx 양념 그릇. 「메리카산》.

spíce·bùsh *n.* 『식물』 털조장나무의 일종《북아

Spíce Íslands (the ~) 향료 군도(群島)《Moluccas의 옛 이름》.

spic·ery [spáisəri] *n.* **1** 〘집합적〙 양념류, 향미료(spices). **2** 향미, 방향(芳香); 짜릿한 맛. **3** (*pl.* **-ies**) 《고어》 향료〔양념〕 저장소.

spíce·wòod *n.* =SPICEBUSH.

spick [spik] *n., a.* =SPIC.

spíck-and-spán [-ən-] *a.* 아주 새로운, 갓 맞춘《옷 따위》, 참신한; 말쑥한. **—** *ad.* 말쑥하게, 깨끗하게. 「=SPICULE.

spic·u·la [spíkjələ] (*pl.* **-lae** [-lìː, -lài]) *n.*

spic·u·lar [spíkjələr] *a.* =SPICULATE.

spic·u·late [spíkjəlèit, -lət] *a.* 바늘 모양의, 뾰족한; 침골(針骨)이 있는. [파] **spìc·u·lá·tion** *n.*

spic·ule [spíkjuːl] *n.* 침상체(針狀體); 『식물』 작은 이삭; 소수상(小穗狀)꽃차례(spikelet); 『동물』 (해면 등의) 침골, 조각뼈; 『천문』 (태양 표면에서 3천 내지 6천 마일에 걸쳐 있는 직경 수백 마일의) 제트 기체.

spic·u·lum [spíkjələm] (*pl.* **-la** [-lə]) *n.* 『동물』 침상(針狀)부; (선충류(線蟲類)의) 교미침〔기관〕.

°**spicy** [spáisi] (**spic·i·er; -i·est**) *a.* **1** 향(신)료를 넣은, 향긋한; 향료를 산출하는. **2** 《영속어》 멋진, 스마트한. **3** 야비한, 외설한: ~ conversation 음담패설. **4** 기운찬, 생기〔활기〕 있는: a ~ talk 활기찬 이야기. **5** 짜릿한, 통쾌한, 신랄한: ~ criticism 신랄한 비평. [파] **spíc·i·ly** *ad.* **-i·ness** *n.*

***spi·der** [spáidər] *n.* **1** 『동물』 거미; 거미류에 속하는 절지동물. **2** 계략을〔간계를〕 꾸미는 사람: a ~ and a fly 농락하는 자와 농락당하는 자. **3** 거미 비슷한 기구; 《특히》 삼발이; (다리 달린) 프라이팬. **4** 생사(生絲) 제조자〔노동자〕.

spíder cràb 『동물』 거미게.

spíder lìnes 『광학』 십자선(線)(cross hairs).

spíder·màn [-mæ̀n] (*pl.* **-men** [-mèn]) *n.* 빌딩 건축 현장 고소(高所) 작업원; =STEEPLEJACK.

spíder mònkey 『동물』 거미원숭이《긴 꼬리원숭이의 일종》.

spider monkey

spíder('s) wèb 거미줄〔집〕.

spíder·wòrt *n.* 『식물』 자주달개비.

spi·dery [spáidəri] *a.* **1** 거미의〔같은〕, 거미가 많은. **2** (글씨체·발 등이) 거미(집) 비슷한; 가늘고 긴; 그물눈 모양의; 섬세한: ~ handwriting 가늘게 쓴 흘림 글자.

spie·gel·ei·sen [spíːgəlàizən] *n.* 《G.》 [U] 경철(鏡鐵)《다량의 망간이 포함된 주철의 일종》.

spiel [spiːl] 《속어》 *n.* [C] 연설; [U] 이야기(talk); 흥감스럽게 떠벌림(harangue). **—** *vt., vi.* 흥감스레 떠벌리다; 교묘하게 꾀다〔속이다〕; 음악을 연주하다. **~ off** 《미속어》 (암기한 것처럼) 주워대다.

spíel·er 《미속어》 *n.* (시장 등의) 여리꾼; 협잡꾼, 야바위꾼(sharper). 「(spy).

spi·er [spáiər] *n.* 정찰〔감시〕하는 사람; 스파이

spiff [spif] *vt.* 《구어》 말쑥하게 하다, 멋 부리다《*up*》. **~ed out** 《구어》 멋 부린, 모양을 낸.

spiff·ing *a.* 《구어》 =SPIFFY.

spiffy [spífi] (**spiff·i·er; -i·est**) *a.* 《구어》 멋진(smart), 눈에 띄는; 말쑥한, 세련된. [파] **spíff·i·ly** *ad.* **-i·ness** *n.*

spif·li·cate, spif·fli- [spífləkèit] *vt.* 《속어·

우스개》 폭력으로〔거칠게〕 해치우다; 때리다.

spig·ot [spígət] *n.* (수도 · 통 등의) 마개, 주둥이; 《미》 (액체를 따르는) 주둥이, 물꼭지(faucet); (파이프의) 끼워 넣는 부분.

spik [spik] *n.* =SPIC.

°**spike**[1] [spaik] *n.* **1** 긴 못《뾰족한 끝을 위나 밖으로 향하게 담 따위에 박는》, 담장못, (보통 *pl.*) 스파이크화(靴), 스파이크《야구화 등의 바닥에 붙인》; (철도용) 대못. **2** (대포의) 화문전(火門栓). **3** (도표 등의) 물결형 첨단, 스파이크파형(波形). **4** 어린 사슴의 뿔; 〖어류〗 새끼 고등어. **5** 《속어》 총검; 《속어》 피하 주사 바늘. **6** 《속어》 구빈원(救貧院). **7** 〖배구〗 스파이크. ***hang up*** one***'s*** **~*s*** 《구어》 프로 스포츠계에서 은퇴하다. ***have*** 〔***get***〕 ***the*** ~ 화를 내다. **—** *vt.* **1** 큰 못으로 박다; …에 못〔징〕을 박다; 말뚝을 박다; …의 끝을 뾰족하게 하다. **2** (사용하지 못하도록 구장포(口裝砲)의) 화문(火門)을 막다; 사용하지 못하게 하다; 방해하다(block). **3** (야구 따위에서) 스파이크로 (선수에게) 상처를 내다. **4** 《주로 미》 …을 무효로 하다, 망쳐 놓다: ~ a person's chances for promotion 아무의 승진 기회를 망치다. **5** 〖배구〗 스파이크하다. **6** 《구어》 (음료에) 술을 타다; (음료에) 화학 약품〔독약 등〕을 첨가하다. **7** 〖물리〗 (원자로 등에) 특정 동위원소를 가하다; …에 특정 물질을 조금 가하다. **8** 《속어》 (원고 따위를) 채택하지 않다. ~ a person***'s guns*** ⇨GUN(관용구). ㊞ **∠·like** *a.* **spík·er** *n.*

spike[2] *n.* (보리 따위의) 이삭, 〖식물〗 수상(穗狀)꽃차례.

spíke héel 스파이크힐《여자 구두의 끝이 가늘고 높은 뒷굽》.

spike·let [spáiklit] *n.* 〖식물〗 소수상(小穗狀) 꽃차례; 작은 이삭; 작은 스파이크.

spíke·nard [-nərd, -nɑːrd/-nɑːd] *n.* Ⓤ 〖식물〗 감송(甘松); 감송향(香)《미국산(産)》.

spiky [spáiki] (***spik·i·er; -i·est***) *a.* **1** 대못과 같은, 끝이 뾰족한; (큰) 못투성이의; 선단(先端)〔끝〕이 날카로운. **2** 《영구어》 성마른, 성 잘내는. **3** 《영구어 · 경멸》 비타협적인, 성가신, 완고한. ㊞ **spík·i·ly** *ad.* **-i·ness** *n.*

spile[1] [spail] *n.* 나무 마개, 꼭지(spigot), (통 따위의) 주둥이; 《미》 (사탕단풍의 즙을 받기 위한) 삽관(插管); 말뚝. **—** *vt.* 《미》 (나무에서) 수액을 채취하다; …에 작은 마개를 꽂다; 작은 구멍을 내다; 삽관을 달다; 말뚝을 박다.

spile[2] *vt., vi.* =SPOIL《spoil의 시각(視覺) 사투리(eye dialect)》.

spíle·hòle *n.* (통 따위의) 통기 구멍(vent).

spil·i·kin [spílikin] *n.* =SPILLIKIN.

spil·ing [spáiliŋ] *n.* Ⓤ 《집합적》 말뚝(spiles).

⁑**spill**[1] [spil] (*p., pp.* **~*ed*** [-t, -d], ***spilt*** [spilt]) *vt.* **1** 《~+목/+목+전+명》 (액체 · 가루 따위를) 엎지르다, 흘뜨리다, (피를) 흘리다(shed): ~ the blood of … …을 죽이다/~ coffee *on* one's dress 옷에 커피를 엎지르다. **2** (서류 따위를) 뿌리다, 흩뜨리다(disperse). **3** 《~+목/+목+전+명》 《구어》 (말 · 차에서 사람을) 팽개치다, 내동댕이치다, 떨어뜨리다《*from*》: The horse *~ed* him. 말이 그를 내동댕이쳤다/A child was *~ed from* a bus. 아이가 버스에서 내동댕이쳐졌다. **4** 《구어》 (정보 · 비밀을) 누설하다, 폭로하다, 퍼뜨리다: ~ the secret. **5** 낭비하다. **6** 〖해사〗 (돛에서) 바람이 빠지게 하다. **—** *vi.* **1** 《~/+전+명/+부》 엎질러지다; 넘치다: Don't shake the table, or the coffee will ~. 식탁을 흔들지 마라, 커피가 엎질러질라/Tears were *~ing from* her eyes. 그녀의 눈에서 눈물이 흐르고 있었다/His displeasure *~ed over* into the newspaper. 그는 신문에까지 불만을 터뜨렸다. **2** 《구어》 (말 · 차 등에서) 떨어지다. **3** 《속어》 분명히 말하다; 고자질하다; 헐뜯다. ~ ***money*** 《속어》 (노름 따위로) 돈을 잃다. **~ *out*** 《*vt.*+부》 ① …을 넘쳐 흐르게 하다; 내팽개치다. ② (비밀 등을) 폭로하다, 멋대로 말하다. **—** 《*vi.*+부》 ③ 넘치다. ~ ***over*** 넘치다. ~ one***'s cookies*** 〔***breakfast, dinner, lunch, supper***〕 토하다. ~ ***the beans*** 〔***the soap, the works, it***〕 ⇨BEAN.

— *n.* **1** 엎지름, 엎질러짐(spilling), 엎지른〔흘린〕 양. **2** (폐액(廢液) 따위의) 유출. **3** 엎지른〔흘린〕 흔적, 더러움. **4** 《구어》 (탈것에서) 내던져짐, 떨어짐. **5** =SPILLWAY. **6** 《구어》 억수, 큰비(downpour). **7** 《미속어 · 경멸》 흑인, 푸에르토리코 사람; 흑인과 푸에르토리코 사람과의 튀기. ㊞ **∠·a·ble** *a.* **∠·er** *n.*

spill[2] *n.* (나무 등의) 얇은 조각, 부서진 조각; 점화용 심지; 못, 핀; 불쏘시개; (통의) 작은 마개(stopper); 원뿔형 종이컵.

spill·age [spílidʒ] *n.* =SPILL[1] 1.

spíll·bàck *n.* (교차로, 진입로의) 차량의 혼잡.

spil·li·kin [spílikin] *n.* (jackstraws에 쓰이는) 나뭇조각, 뼛조각《따위》; (*pl.*) 《단수취급》 =JACKSTRAWS《놀이》.

spíll·òver *n.* 엎지르기; 엎질러진 물건, 과잉 인구; 《미》 과잉, 풍부; 〖경제〗 일출(溢出) 효과《공공 지출에 의한 간접적인 영향》; 부작용, 여파.

spíll·pìpe *n.* 쇄관(鎖管)(=**cháin pìpe**).

spíll·pròof *a.* (그릇 등이 밀폐식으로) 속의 것이 엎질러지지 않는.

spíll·wày *n.* (저수지 · 호수 등의) 배수구〔로〕, 「여수로(餘水路).

spilt [spilt] SPILL[1]의 과거 · 과거분사.

spilth [spilθ] *n.* 엎질러진 것; 흘려 버려진 것; 찌꺼기; 나머지.

⁑**spin** [spin] (***spun*** [spʌn], 《고어》 ***span*** [spæn]; ***spun; ∠·ning***) *vt.* **1** 《~+목/+목+전+명》 (실을) 잣다, 방적하다, 실(모양으)로 만들다: ~ thread *out of* cotton 솜에서 실을 잣다. **2** (누에 · 거미 따위가) 실을 내다, 치다. **3** (장황하게) 이야기하다(tell): He *spun* a tale of bygone days. 그는 지난 일을 장황하게 늘어놓았다. **4** 《+목+부》 오래〔질질〕 끌다: She *spun* the project *out* for over five months. 그녀는 계획을 5개월 이상이나 끌었다. **5** 《+목+보》 (세탁물을) 탈수기로 …하다: She *spun* the laundry dry. 그녀는 세탁물을 탈수기로 말렸다. **6** (팽이 따위를) 돌리다, 회전시키다; 〖크리켓 · 테니스〗 (공에) 스핀을 주다; 《미속어》 (레코드를 플레이어에) 걸다. **7** (금속판을) 우묵한 원형으로 만들다《선반 따위를 회전시켜서》. **8** (차바퀴를) 공전(空轉)시키다; (차를) 급회전시키다. **—** *vi.* **1** 실을 잣다; (누에 · 거미 따위가) 실을 내다, 집을 짓다, 고치를 짓다. **2** (팽이 따위가) 돌다, 뱅뱅 돌다《*round*》. SYN. ⇨TURN. **3** 어지럽다, 현기증이 나다, 눈이 핑 돌다; 〖항공〗 나선식 강하를 하다: My head is *~ning*. 머리가 어지럽다. **4** (차바퀴가) 헛〔겉〕돌다. **5** 《+부》 질주하다《*away*》; 빨리 지나다: Time *~s away*. **6** 《영속어》 시험에 낙제하다. ***send*** a person **~*ning*** 아무를 힘껏 후려쳐 비틀거리게 하다. **~ *a waltz*** 《속어》 왈츠를 추다. **~ *down*** 〔***up***〕 〖천문〗 (항성 · 행성이) 스핀다운〔스핀업〕하다(cf. spindown). **~ *off*** (회사 · 자산 등을) (그 규모 · 안정성의 손실 없이) 분리 신설하다; (부수적으로) 딴것을 파생시키다, 생기게 하다. **~ *out*** ① (날짜를) 오래 끌다; (토론 · 이야기를) 장황하게 하다; (돈을) 오래 가게 하다. ② (자동차가) 옆으로 미끄러지다. ~ one***'s wheels*** 노력을 헛되게 하다. **~ *the drum*** 《영경찰속어》 가택 수색을 하다.

— *n.* **1** Ⓤ 회전(whirl); (탁구 · 골프공 등의) 스핀. **2** (탈것의) 질주, 한바탕 달리기. **3** 《구어》

(가격 따위의) 급락. **4** 《구어》 현기증, 혼란; 〖항공〗 나선식 강하. **5** 〖물리〗 (소립자의) 각(角) 운동량, 스핀. ***go into a*** (***flat***) **~** (비행기가) 나선식 강하 상태가 되다; (사람이) 자제심을 잃다(cf. flat spin). ***have*** 〔***go for***〕 ***a*** **~** ***in*** (자전거 · 배 · 마차 따위로) 드라이브하러 가다. ***in a*** (***flat***) **~** 현기증이 나서; 혼란스러워서.

spin- [spáin], **spi·ni-** [spáini, -nə], **spi·no-** [spáinou, -nə] '가시, 척골'을 뜻하는 결합사: *spini*form. ★ 모음 앞에서는 spin-.

spína bí·fi·da [-bífidə] 〖의학〗 《L.》 (=cleft spine) 척추피열(披裂). 「의〔같은〕.

spi·na·ceous [spinéiʃəs] *a.* 시금치(spinach)

°**spin·ach, -age** [spínitʃ/-nidʒ, -nitʃ], [-idʒ] *n.* Ⓤ 시금치; 《미구어》 필요 없는 것, 군더더기; 《미속어》 너절하게 자란〔난〕 것《수염 · 잔디》.

spi·nal [spáinl] *a.* 〖해부〗 등뼈(spine)의, 척추의; 바늘의, 가시의; 가시 모양 돌기(突起)의: ~ anesthesia 척수 마취 / ~ canal 척추관 / a ~ column 척주 / a ~ cord 척수 / ~ ganglion 척수 신경절 / ~ nerves 척수 신경.

spinal táp =LUMBAR PUNCTURE.

spín·càst *vi.* spin casting 을 하다.

spín càsting 제물낚시(로 하는 던질낚시)질. ㊎ **spín càster** 「작; 여론의 유도.

spín contròl 《속어》 (매스컴에 대한) 정보조

spin·dle [spíndl] *n.* **1** (물레의) 가락; (방적 기계의) 방추(紡錘); 굴대, (공작 기계의) 주축(主軸) (axle): a live 〔dead〕 ~ 도는〔돌지 않는〕 축. **2** 실 척도(尺度)의 단위《무명실은 15,120 야드, 삼실은 14,400 야드》. **3** 〖건축〗 =NEWEL; 《미》 탁상용 서류꽂이(~ file). **—** *vi.* 가늘고 길게 되다; 긴 줄기가 되다. **—** *vt.* 방추형으로 하다, 가늘고 길게 하다; …에 ~을 달다; 《미》 (서류꽂이에) 꽂다. ㊎ **spín·dler** *n.*

spíndle cèll 〖생물〗 방추(紡錘) 세포.

spíndle file (송곳 모양의) 서류꽂이.

spíndle-lègged *a.* 다리가 가늘고 긴.

spíndle·lègs *n. pl.* 가늘고 긴 다리; 《단수취급》 《구어》 다리가 가늘고 긴 사람.

spíndle-shànked [-t] *a.* 다리가 가늘고 긴 (spindle-legged).

spíndle·shànks *n.* =SPINDLELEGS.

spíndle sìde (the ~) 여계(女系), 모계(母系). cf. distaff side, spear side.

spíndle trèe 〖식물〗 화살나무.

spin·dling [spíndliŋ] *a., n.* 껑충한 (사람), 가냘픈 (것). 「허약한.

spin·dly [spíndli] (*-dli·er; -dli·est*) *a.* 껑충한;

spín dòctor 《미속어》 (특히 정치가의) 보도 대책 조언자, 대(對)미디어 대변인《미디어에 당파적인 분석을 전하거나 화제에 대한 새 해석을 말함》.

spín·dòwn *n.* 〖천문〗 스핀다운《천체의 자전 속도의 감소》; 〖물리〗 스핀다운《소립자의 스핀으로, spinup 과 역(逆)의 축(軸)벡터를 갖는 것》.

spin dríer 〔**drýer**〕 (원심 분리식) 탈수기(脫水機)《특히 세탁기의》.

spín·drìft *n.* Ⓤ 〖해사〗 (물결칠 때의) 물보라; 모래 먼지, 눈보라: ~ clouds 새털 모양의 구름.

spín-drỳ *vt.* 원심력으로 탈수(脫水)하다《세탁기의 탈수기에서》.

spine [spain] *n.* 〖해부〗 등뼈, 척주; 〖식물〗 바늘, 가시; 〖동물〗 가시 모양의 돌기; 〖제본〗 (책의) 등; 《미속어》 (화물 열차 지붕의) 연결판; 용기, 기골, 기력. ㊎ **~d** *a.* 등뼈가 있는, 척주가 있는; 가시가 있는, 바늘이 있는《식물 · 동물 등》. **∠·like** *a.*

spíne-bàsher *n.* 《Austral. 속어》 게으름뱅이, 건달(loafer). ㊎ **-bàsh·ing** *n.*

spíne-chìller *n.* 등골을 오싹하게 하는 책, 공포 영화. ㊎ **-chìlling** *a.*

spi·nel, spi·nelle [spinél, spínəl] *n.* Ⓤ 〖광물〗 첨정석(尖晶石).

spíne·less *a.* 척추가 없는; 줏대가 없는, 무골충의; 결단력 없는; 〖식물〗 바늘이〔가시가〕 없는. ㊎ **~·ly** *ad.* **~·ness** *n.*

spinél rùby 홍첨정석(紅尖晶石).

spi·nes·cent [spainésnt] *a.* 〖식물 · 동물〗 가시 모양의〔가 있는〕; (털 따위가) 뻣뻣한.

spíne-shàttering *a.* 골수에 사무치는.

spin·et [spínit/spinét] *n.* 옛날의 쳄발로; 소형 업라이트 피아노〔전자 오르간〕. 「치는.

spíne-tìngling *a.* 가슴이 두근거리는, 스릴 넘

spín-flìp *n.* 〖물리〗 스핀 반전《원자핵 입자의 스핀 방향이 역전하는 현상》.

spín-flip láser 〖물리〗 스핀플립 레이저《전자가 스핀플립을 할 때 방출되는 빛을 발진(發振)시키는 반도체 레이저》. 「많은.

spi·nif·er·ous [spainífərəs] *a.* 가시가 있는

spi·ni·form [spáinəfɔ̀ːrm] *a.* 가시 모양의.

spin·na·ker [spínəkər] *n.* 〖해사〗 (이물의) 큰 삼각돛, 스피너커《경조용(競漕用) 요트의 대장범(大檣帆) 반대쪽에 순풍일 때 침》: a ~ boom 스피너커의 지주(支柱).

spin·ner [spínər] *n.* 실 잣는 사람, 방적공; 방적기; 〖항공〗 스피너《프로펠러 끝에 다는 유선형 캡》; 〖낚시〗 찜 미끼의 일종《뱅뱅 돎》; 〖야구 · 크리켓〗 스핀을 건 공(을 잘 던지는 투수); (체스 등에서 다음 수를 나타내는) 화살표; 〖미식축구〗 공을 쥔 자가 전진 방향을 모르게 하기 위해 재빨리 회전하는 트릭 플레이의 하나(=∠ **plày**); 〖서핑〗 스피너《직진하는 서프보드에서 1회전하기》; 《영구어》 〖조류〗 (유럽의) 쏙독새(nightjar).

spin·ner·et [spínərèt] *n.* 〖동물〗 (거미 · 누에 등의) 출사(出絲) 돌기《실이 나오는 구멍》.

spin·nery [spínəri] *n.* 방적 공장. 「목숲.

spin·ney [spíni] (*pl.* **~s**) *n.* 《영》 덤불, 잡

spin·ning [spíniŋ] *n.* Ⓤ, *a.* 방적(의), 방적업(의); 급회전(의).

spínning fràme 정방기(精紡機).

spínning jènny (초기의) 다축(多軸) 방적기.

spínning machìne 방적기.

spínning rèel 〖낚시〗 스피닝 릴.

spínning ròd 〖낚시〗 스피닝 릴이 달린 낚싯대.

spínning whèel 물레.

spín-òff *n.* **1** 《미》 (회사 조직의 재편성에서) 모회사가 소유 또는 분할하게 된 자회사의 주를 모회사의 주주에게 배분하는 일(《영》 hive-off). **2** (산업 · 기술 개발 등의) 부산물, 파생물, 파급 효과, 부작용. **3** 〖TV〗 속편(續編) 시리즈 프로. **4** 《속어》 노이로제. **5** (*pl.*) 〖우주〗 로켓 또는 유도 미사일을 우주 공간에서 분리하는 일.

spinning wheel

spin·or [spínər] *n.* 〖수학 · 물리〗 스피너《2〔4〕 차원 공간에서 복소수를 성분으로 하는 벡터; 스핀의 상태 기록에 쓰임》. 「**~·ly** *ad.*

spi·nose [spáinous] *a.* 가시가 있는〔많은〕. ㊎

spi·nos·i·ty [spainɑ́səti/-nɔ́s-] *n.* Ⓤ 가시가 있음〔있는 것〕; Ⓒ 가시 모양의 부분; 곤란한 것; 가시 돋친〔신랄한〕 말.

spi·nous [spáinəs] *a.* 가시의〔많은〕; 가시 모양의, 뾰족한; 가시 돋친《평 · 유머》; 곤란한.

spín·òut *n.* (차가 고속으로 커브를 돌 때의) 도로에서 튀어나가는 일.

Spi·no·za [spinóuzə] *n.* **Baruch** ~ 스피노자 《네덜란드의 철학자; 1632-77》.

spín stabilizàtion 〖항공〗 스핀 안정화(化) 《로켓 등을 회전시켜 방향 안정성을 부여하는 일》.

◇**spin·ster** [spínstər] *n.* **1** 미혼여자, 노처녀 (old maid). ⓒⓕ bachelor. **2** 실 잣는 여자. ㊞ **~·hòod** *n.* Ⓤ (여자의) 독신, 미혼. **~·ish** *a.* (혼기를 놓친) 독신 여성적인.

spin·thar·i·scope [spinθǽrəskòup] *n.* 〖물리〗 스핀새리스코프《방사선원(源)으로부터의 알파선에 의한 형광판의 번쩍임을 관찰하는 확대경》.

spin·to [spíntou] *a.* 《It.》 스핀토의, (목소리가) 극적이고 서정적인.

spi·nule [spáinju:l] *n.* 〖동물 · 식물〗 작은 가시.

spin·u·lose, -lous [spáinjəlòus, spín-], [-ləs] *a.* 작은 가시로 덮인〔모양의〕.

spín·ùp *n.* 〖천문〗 스핀업《항성 · 행성 등의 자전 각속도(角速度)의 증대》; 〖물리〗 스핀업《소립자의 스핀으로, spindown과 역(逆)의 축(軸)벡터를 갖는 것》.

spín wàve 〖물리〗 스핀파(波)《핵스핀의 변화에 의해 전파되는 파》.

spiny [spáini] (***spin·i·er; -i·est***) *a.* 가시로 덮인, 가시투성이의; 가시 모양의, 뾰족한; 《비유》 (문제 따위가) 어려운(difficult), 귀찮은, 성가신.

spíny ánteater 〖동물〗 바늘두더지(echidna).

spíny-headed wórm 〖동물〗 구두충(鉤頭蟲).

spíny lóbster 〖동물〗 대하(大蝦).

spíny rát 〖동물〗 고슴도치.

spir- [spáiər], **spi·ro-** [spáiərou, -rə] '소용돌이, 나선'의 뜻의 결합사.

spi·ra·cle [spáiərəkəl, spír-] *n.* 공기구멍; 〖동물〗 (곤충류의) 숨구멍, 기문(氣門); (고래 따위의) 분수공(孔), (상어 따위의) 호흡공(孔).

spi·raea [spairí:ə] *n.* =SPIREA.

***spi·ral**[1] [spáiərəl] *a.* 나선〔나사〕 모양의; 소용돌이선(線)의, 와선(渦線)의: ~ scanning 〖TV〗 선회주사(旋回走査) / a ~ line 나선 / a ~ down 〖항공〗 나선 강하. **—** *n.* **1** 나선; 와선. **2** 나선형의 것; 나선 용수철; 고둥. **3** 〖항공〗 나선 강하; 〖경제〗 (물가 따위의) 연속적 변동; 악순환. **—** (*-l-,* 《영》 *-ll-*) *vi.* **1** 《~/+부》 소용돌이꼴로 나아가다; (연기 등이) 소용돌이꼴로 피어오르다: Black smoke was ~*ing up* from the burning ship. 불타는 배에서 검은 연기가 소용돌이치며 피어올랐다. **2** (착실히) 전진〔증가〕하다, 상승하다: Costs have been ~*ing* all year. 비용은 1년 내내 증가하고 있다. **3** 〖항공〗 나선 강하〔상승〕하다. ㊞ **~·ly** *ad.* 나선형으로.

spi·ral[2] *a.* 뾰족탑(spire)의〔같은〕; 뾰족하게 높이 솟은.

spíral bálance 용수철저울.

spíral bínding (책 · 노트의) 나선철(綴). ㊞ **spíral-bóund** *a.*

spíral cléavage 〖생물〗 나사선 난할(卵割) 《할구(割球)가 난축(卵軸)에 대하여 나사선 모양으로 배열되는 것》. ⓒⓕ radial cleavage.

spíral gálaxy 〖천문〗 나선(螺旋) 은하.

spíral of Archimédes (the ~) 〖수학〗 아르키메데스의 나사선.

spíral stáirs 〔**stáircase**〕 나선 층계.

spi·rant [spáiərənt] *n.*, *a.* 〖음성〗 마찰음(의) 《[f, v, θ, ð] 따위》.

***spire**[1] [spaiər] *n.* **1** 뾰족탑; (지붕의) 뾰족한 꼭대기: a church ~. **2** 원추형〔원뿔 모양〕의 것, (산의) 정상; 뾰족한 우듬지. **3** (풀의) 잎, (가는) 싹. **4** (행복 · 번영 따위의) 절정(summit). **—** *vi.* 치솟다; 돌출하다, 쑥 내밀다, 싹트다. **—** *vt.* …에 뾰족탑을 달다; 싹트게 하다; 늘이다. ㊞ **~d**[1] *a.* 뾰족탑이 있는.

spire[2] *n.* 나선(의 한 둘레), 소용돌이; 〖동물〗 나탑(螺塔)《권패(卷貝)의 윗부분》. **—** *vi.* 나선(모양)이 되다. ㊞ **~d**[2] *a.* 나선 모양의.

spi·rea [spairí:ə/-rí(:)ə] *n.* 〖식물〗 조팝나뭇과의 식물.

spi·reme [spáiəri:m] *n.* 〖생물〗 (염색체의) 핵사(核絲).

spi·ril·lum [spaiərílәm] (*pl.* ***-la*** [-lə]) *n.* 〖세균〗 나선균, 나균(螺菌).

****spir·it** [spírit] *n.* **1** Ⓤ 정신, 영(靈)(soul), 마음. ⓞⓟⓟ *body, flesh, matter.* ¶ Blessed are the poor in ~. 〖성서〗 마음이 가난한 자는 복이 있나니《마태복음 V: 3》. ⓈⓎⓃ ⇨MIND. **2** 신령; (the (Holy) S-) 신, 성령(聖靈). **3** (육체를 떠난) 혼, 영혼; 유령, 망령; 악마, 요정(sprite, elf); 천사: the work of ~*s* 망령의 소행. **4** 〔수식어를 수반하여〕 (…의 성격〔기질〕을 가진) 사람, 인물(person): a noble 〔generous〕 ~ 고결〔관대〕한 사람 / leading ~*s* 지도자들. **5** Ⓤ 활기, 기백, 기운; 용기(courage), 열심: fighting ~ 투지 / lose one's ~*s* 사기를 잃다 / a man of ~ 용기가〔기력이〕 있는 사람. **6** (*pl.*) 기분 (mood): be in good ~*s* 기분이 좋다 / in high 〔great, excellent〕 ~*s* 기분이 (썩) 좋아. **7** Ⓤ 성품, 기질, 기풍(temper); 시대정신, 풍조, 시류 (tendency) 《*of*》: the ~ *of* the age 〔times〕 시대정신. **8** 〔단수형; 보통 the ~〕 Ⓤ (법 따위의) 정신, 참뜻(intent) 《자의(字義)(letter)에 대해》: the ~ of law 법의 정신. **9** Ⓤ (소속 단체에 대한) 충성심(loyalty): school 〔college〕 ~ 애교심. **10** (종종 *pl.*) 알코올; 화주(火酒), 독한 술; Ⓤ 〖의학〗 주정제(酒精劑), 에센스(essence): ~(*s*) and water 물을 탄 화주 / ~(*s*) of wine (순수한) 알코올. ***be full of animal ~s*** 혈기(가) 왕성하다. ***be with*** a person ***in ~*** 마음속으로 아무를 생각하고 있다. ***break*** a person***'s ~s*** 아무의 기운을 꺾다. ***catch*** a person***'s ~s*** 아무의 의기에 감동하다. ***from a ~ of contradiction*** 트집을 잡으려고. ***give*** 〔***yield***〕 ***up the ~*** 죽다. ***in low*** 〔***poor***〕 ***~s*** 기운 없이, 의기소침하여. ***in ~s*** ① 유쾌〔발랄〕하게. ② 알코올에 담근. ***in the ~ of the drama*** 〔***chivalry***〕 연극조로〔기사(騎士)풍으로〕. ***keep up*** one***'s ~s*** 사기를 잃지 않도록 하다, 정신을 바짝 차리고 있다. ***knock the ~ out of ...*** =《구어》 knock 〔beat, take〕 the STUFFING out of .... ***out of ~s*** 침울하여, 풀이 죽어. ***recover*** one***'s ~s*** 기운을 내다. ***say in a kind ~*** 친절한 마음으로 말하다. **~**(***s***) ***of hartshorn*** 〖화학〗 암모니아수. **~**(***s***) ***of salt*** 염산. **~**(***s***) ***of wood*** 〖화학〗 메탄올. ***take in a wrong ~*** 나쁘게 해석하다, 성내다. ***throw*** one***'s ~ into*** …에 전력을 기울이다. ***to*** one***'s ~*** 마음속까지. ***with ~*** 기운차게.

— *a.* 정신의; 심령술의; 알코올의.

— *vt.* **1** 《+목+부》 (어린애 등을) 유괴〔납치〕하다, 감쪽같이 채가다〔감추다〕《*away; off*, etc.》: ~ *away* a girl 소녀를 유괴하다. **2** 《+목+전+명》 기운을 돋우다, …에 활기를 주다: ~ a person *with* wine 아무에게 포도주를 먹여 기운을 돋우다. **3** 《+목+부》 …을 북돋다, 분발시키다; 선동하다《*up*》: ~ the mob *up* to revolt 군중을 선동하여 반란을 일으키게 하다.

spírit blúe 아닐린청(青)《물감》.

spírit dúplicator 스피릿 복사기《화상전사(畫像轉寫)에 알코올을 씀》.

◇**spír·it·ed** [-id] *a.* **1** 기운찬, 활발한, 용기 있는: a ~ horse 한마(悍馬). **2** 〔복합어의 요소로서〕 정신이 …한, 원기가〔기분이〕 …한, …심(心)이 있는, …혼(魂)의: high-〔low-〕~ 기백이 있는〔없는〕 / mean-~ 비열한. ㊞ **~·ly** *ad.* **~·ness** *n.*

spírit gùm 가짜 수염 따위를 달 때 쓰는 고무풀의 일종.

spír·it·ing *n.* 《문어》 정신 활동〔작용〕.
spír·it·ism *n.* Ⓤ 강신술(降神術), 심령술(心靈術)(spiritualism). ㊐ **spìr·it·ís·tic** *a.* 심령(현상)의〔을 믿는〕.
spírit làmp 알코올램프.
spír·it·less *a.* 정신이 없는; 생기〔원기, 용기〕가 없는; 얼빠진, 무감동한.
spírit lèvel 기포(氣泡) 수준기(水準器).
spi·ri·to·so [spìrətóusou] *a., ad.* 《It.》 〖음악〗 기운찬, 기운차게, 활발한, 활발하게.
spírit ràpper 강신술사(降神術師).
spírit ràpping 강신술《영혼이 테이블 따위를 두드려 뜻을 술사에게 전함》.
spírit(s) of wíne 순(純)알코올.
***spir·it·u·al** [spíritʃuəl] *a.* **1** 정신의, 정신적인. opp. *material, physical.* ¶ one's ~ welfare 정신적 행복. **2** 정신적 경향의, 탈속적(脫俗的)인; 품격이 높은, 고상한. opp. *earthy.* **3** 영적인, 심령적인; 초자연의: a ~ life. **4** 성령의, 성령에 의한; 신의. **5** 신성한; 종교적인(opp. *secular*); 교회의: ~ songs 성가. **—** *n.* **1** 정신적인 일〔물건〕. **2** (*pl.*) 교회 관계의 일. **3** 흑인 영가(Negro ~). **4** (the ~) 정신계. ㊐ ◇**~·ly** *ad.* **~·ness** *n.*
spír·it·u·al·ìsm *n.* Ⓤ **1** 강신술, 교령술(交靈術). **2** 정신적 경향, 정신주의. **3** 〖철학〗 유심론, 관념론. cf. materialism. ㊐ **spìr·i·tu·al·ís·tic** [-ístik] *a.*
spír·it·u·al·ist *n.* **1** 심령술사; 심령주의자. **2** 정신주의자. **3** 유심론자.
spir·it·u·al·i·ty [spìritʃuǽləti] *n.* **1** Ⓤ 정신적임, 영성(靈性); 신성; 고상, 탈속; 영적 권위. **2** (종종 *pl.*) (성직자로서의) 직무〔수입·재산〕.
spìr·it·u·al·i·zá·tion *n.* Ⓤ 영화(靈化), 정화(淨化).
spír·it·u·al·ìze *vt.* 정신적〔영적〕으로 하다; 마음을 정하게 하다; 영화〔정화〕하다; 고상하게 하다; 정신적 의의로 해석하다.
spi·ri·tu·el, -tu·elle [spìritʃuél] *a.* 《F.》 (태도·용모 따위가) 고상하고 세련된(refined); 품위 있는(graceful); 재치 있는《특히 여성에 대해서 씀》.
spir·it·u·ous [spíritʃuəs] *a.* (다량의) 알코올을 함유한; (알코올음료가) 증류한(distilled); 《고어》 원기 좋은: ~ liquors 증류주류(類).
spi·ro-[1] [spáiərou, -rə] '호흡'의 뜻의 결합사.
spiro-[2] ⇨SPIR-.
spi·ro·chete, -chaete [spàiərəkíːt] *n.* 〖세균〗 스피로헤타, 파상균(波狀菌)《재귀열·매독 등의 병원체》.
spi·ro·graph [spáiərəgræ̀f, -grὰːf] *n.* 호흡운동 기록기(器).
spi·ro·gy·ra [spàiərədʒáiərə] *n.* 〖식물〗 해캄〔수면〕속(屬)의 녹조류.
spi·rom·e·ter [spaiərɑ́mətər/spaiərɔ́m-] *n.* 폐활량계(肺活量計).
spíro·plàsma *n.* 〖생물〗 스피로플라스마《나선형으로 세포벽이 없는 미생물》.
spirt ⇨SPURT.
spiry[1] [spáiəri] *a.* 가느다랗고 뾰족한; 첨탑(尖塔) 모양의; 첨탑이 많은《마을 따위》.
spiry[2] *n.* 《시어》 나사〔나선〕 모양의(spiral).
****spit**[1] [spit] (*p., pp.* ***spat*** [spæt], ***spit; spít·ting***) *vt.* **1** 《~+목/+목+부》 (침·음식·피 따위를) 뱉다《*out*》, 토해내다《*up*》: ~ saliva 침을 뱉다/He *spat out* the medicine. 그는 약을 토해냈다/~ *up* blood 피를 토하다. **2** 《~+목/+목+부/+목+전+명》 (욕·폭언 따위를) 내뱉다, 내뱉듯이 말하다《*out*》: ~ threats 으르다, 위협하다/He *spat* (*out*) curses *at* me. 내게 욕설을 퍼부었다. **3** (포화 따위를) 뿜어내다; (도화선 따위에) 점화하다. **—** *vi.* **1** 《~/+전+명》 침을 뱉다〔내뱉다〕《*at; in; on, upon*》: She has ~ *in* my face. 그녀는 내 얼굴에다 침을 뱉았다. **2** 《~/+전+명》 몹시 싫어하다, 경멸〔증오〕하다: I ~ *on* 〔*upon*〕 money. 돈 따위는 싫다. **3** 〔it을 주어로 하여〕 (비·눈 따위가) 후두두 내리다: *It* was ~*ting* (with rain). 비가 후두두 내리고 있었다. **4** (양초 따위가) 지그르르 타다; (끓는 기름 등이) 툭툭 튀다. **5** (성난 고양이가) 야옹거리다《*at*》. ***~ in*** 〔***on***〕 one***'s hands*** 손에 침칠을 하다, 단단히 차리고 덤비다. ***~ in the eye of*** …을 경멸하다. ***~ it out*** 《구어》 내뱉듯이 말하다; 서슴지 않고 말해 버리다; 나쁜 짓을 자백하다.
— *n.* Ⓤ **1** 침을 뱉음〔뱉는 소리〕. **2** 침. **3** (성난 고양이의) 소리《따위》; (곤충의) 내뿜는 거품. **4** 후두두 뿌리는 비〔눈〕. **5** Ⓒ 좀매미. **6** Ⓒ 《구어》 꼭 닮은 것(spitting image). ***a ~ and a drag*** 〔***draw***〕 《영속어》 몰래 담배 피움. ***be the ~ of*** =***be the very*** 〔***dead***〕 ***~ of*** 《구어》 …을 영락없이 닮다, …을 빼쏘다. ***~ and image*** =SPITTING IMAGE. ***~ and polish*** (선원·수병의) 닦는 일〔작업〕; 《구어》 한껏 멋부린 복장. ***swap ~s*** 《미속어》 키스하다, 입 맞추다.
spit[2] *n.* **1** (고기 굽는) 쇠꼬챙이, 꼬치. **2** 갑(岬), 곶, (바다에 길게 돌출한) 모래톱. **—** (**-tt-**) *vt.* 구이용 꼬치에 꿰다; 막대기에 꿰다; (칼·꼬챙이 따위로) 찌르다. **—** *vi.* 구이용 꼬치에 꿰다, 꼬치구이로 하다; 푹 찌르다(pierce).
spit[3] *n.* 《영》 가래(spade)의 날만큼의 깊이, 한 삽.
spít·bàll *n.* 종이를 씹어 뭉친 것; 〖야구〗 스핏볼《공에 침〔땀〕을 발라서 베이스 가까이에서 떨어지게 던지는 변화구; 반칙》. **—** *vi., vt.* 〖야구〗 스핏볼을 던지다; 《속어》 (생각난 것을) 마구 지껄이다. ㊐ **~·er** *n.*
spitch·cock [spítʃkὰk/-kɔ̀k] *n.* Ⓤ 배를 갈라서 꼬치구이한 뱀장어. **—** *vt.* (뱀장어를) 꼬치구이하다; 학대하다.
spít cùrl 《미》 (이마·관자놀이 따위에) 착 붙게 한 곱슬〔애교〕머리.
****spite** [spait] *n.* Ⓤ 악의(malice), 심술; Ⓒ 원한(grudge), 앙심: bear a person a ~ =have a ~ against a person 아무에게 원한이 있다. ***from*** 〔***in, out of***〕 ***~*** 앙갚음으로, 분풀이로. ***in ~ of*** =《드물게》 ***~ of*** …에도 불구하고, …을 무릅쓰고. ***in ~ of oneself*** 저도 모르게, 무심코. **—** *vt.* **1** …에 심술부리다, 괴롭히다(annoy): to ~ …을 괴롭히기 위해서. **2** 《고어》 짜증 나게 하다(vex), 화나게 하다. ***cut off*** one***'s nose to ~*** one***'s face*** 짓궂게 굴다가 오히려 자기가 손해 보다, 남을 해치려다 도리어 제가 불이익을 받다.
◇**spite·ful** [spáitfəl] *a.* 원한을 품은; 악의가 있는, 짓궂은《*of; to* do》: It was ~ *of* you 〔You were ~〕 *to* tell him that. 그에게 그런 말을 했다니 너도 짓궂다. ㊐ **~·ly** *ad.* **~·ness** *n.*
spít·fire *n.* 불을 뿜는 것《대포·화산 따위》; (특히 여성·어린애의) 불뚱이; (S-) 영국 전투기의 일종《2차 대전 때의》.
spít-ròast *vt.* (고기를) 꼬치에 꿰어 굽다. ㊐ **~·ed** [-id] *a.*
spít shìne (침을 칠해 구두 따위를 닦아서) 번쩍거림.
spit·ter [spítər] *n.* 침을 뱉는 사람; 〖야구〗 =SPITBALL; 고기를 꼬챙이에 꿰어 굽는 사람.
spítting dìstance 짧은〔손이 닿는〕 거리.
spítting ímage (흔히 the ~) 《구어》 빼쏨, 꼭 닮음(spit of image) 《*of*》.
spit·tle [spítl] *n.* Ⓤ (특히 내뱉은) 침; 〖곤충〗 (벌레가 뿜은) 거품.
spit·toon [spitúːn] *n.* 타구(唾具)(《미》 cuspidor).
spitz [spits] *n.* (때로 S-) 스피츠《포메라니아종의 작은 개》.
spitz·en·burg, -berg [spítsənbə̀ːrg] *n.* 〖원

예]] 여름철에 익는 적색·황색 등의 미국산 사과.
spiv [spiv] *n.* 《영속어》 건달《일정한 직업 없이 암거래 따위로 살아가는 자》. ㊞ **spiv·vy** [spívi] *a.* 《영속어》 화려한 모양의, 건달풍의.
spiv·(v)ery [spívəri] *n.* 《영속어》 건달 생활, 기생적(寄生的) 생활.
splanch·nic [splǽŋknik] *a.* 내장의.
splanch·nol·o·gy [splæŋknálədʒi-/-nɔ́l-] *n.* Ⓤ 내장학(內臟學).
splash [splæʃ] *vt.* **1** 《~+목/+목+부/+목+전+명》 (물·흙탕 따위를) 튀기다《*about; over*》: ~ water *about* 물을 주위에 튀기다 / The children played ~*ing* water *over* one another. 아이들은 물을 서로 튀기며 놀았다. **2** 《~+목/+목+전+명》 물 따위를 튀겨 더럽히다[적시다]; …에 튀기다《*with*》: ~ a page *with* ink = ~ ink *on* (*to*) a page / The car ~*ed* me *with* mud. 자동차가 내게 흙탕을 튀겼다. **3** (물이) …에 튀어오르다: The filthy water ~*ed* her dress. 더러운 물이 그녀의 드레스에 튀었다. **4** 《+목+전+명》 첨벙거리며 나아가다: They ~*ed* their way *up* the brook. 그들은 철벅거리며 개울을 따라 올라갔다. **5** 철벅거리며 …에서 물[흙탕]을 튀기다: ~ an oar 노로 물을 튀기며 젓다. **6** (벽지 등을) 얼룩얼룩한 무늬로 하다. **7** 《~+목/+목+부》 《미구어》 격추하다; 《영구어》 (돈 따위를) 뿌리다《*about; out* (*on*)》; 《구어》 (신문 등이) 화려하게 다루다: ~ one's money *about* 재산을 흩어 없애다. ── *vi.* **1** 《~/+부/+전+명》 (물 따위가) 튀(어오르)다, 튀어 흩어지다, 물을 튀기다: The boy ~*ed about* in the tub. 그 사내애는 욕조 속에서 물을 튀겼다 / The mud ~*ed up to* the windshield. 흙탕이 차 앞유리창까지 튀었다. **2** 《+전+명》 (물이) 철썩 소리내며 부딪쳐 오다: The waves ~*ed onto* the shore. 파도가 철썩거리며 해변에 밀려왔다. **3** 《+전+명》 첨벙첨벙[철벅철벅] 소리를 내며 …하다[가다]; 철벅철벅 소리내며 나아가다《*across; along; through*》; 텀벙 떨어지다: ~ *across* a stream 시내를 텀벙텀벙 건너다 / The stone ~*ed into* the water. 돌이 물속에 텀벙 떨어졌다. **4** 《+부/+전+명》 돈을 마구 쓰다[뿌리다]: He is always ~*ing out on* books. 그는 항상 책을 사는 데 돈을 많이 쓴다. ~ ***down*** (우주선이) 착수(着水)하다. ~ one***'s boots*** 《영속어》 =have a ~.
── *n.* **1** 튀김; 튄 물; 튀기는 소리: with a ~ 텀벙하고. **2** (잉크 따위의) 튄 것, 비말(飛沫), 얼룩, 반점《*of*》: a white dog with black ~*es* 바둑이 / ~*es of* mud 흙탕 얼룩. **3** (댐에서) 일시에 흘려 보내는 물; 《미속어》 물(water), 한 잔의 물; 《영구어》 (위스키에 타는) 소량의 소다수. **4** 《속어》 화려한 겉치레; 대성공. ***have a*** ~ 《영속어》 (남자가) 방뇨하다. ***make*** [***cut***] ***a*** ~ 철벅[텀벙]하고 소리를 내다; 《구어》 큰 평판이 나다; 《속어》 호기롭게 지폐를 꺼내 쓰다.
── *ad.* 첨벙[철벅]하고.
spláshˑbàck *n.* 싱크대[가스레인지 따위]의 물튀김막이판(板)[벽(壁)].
spláshˑbòard *n.* (차의) 흙받기(mudflap, splash guard); 싱크대의 물튀김막이; 〖해사〗 (배의) 방파판(防波板); (저수지 등의) 수량 조절용 수문.
spláshˑdòwn *n.* (우주선의) 착수(着水) (장소 「시각」).
spláshˑer *n.* 물을 튀겨 뿌리는 것[사람]; (자동차 따위의) 흙받기; (세면대 뒤의) 물튀김막이.
splásh guàrd (자동차의) 흙받기.
splásh hèadline 〖영신문〗 (화려한) 큰 제목.
splásh lubricàtion 〖기계〗 비말(飛沫) 주유(注油).
splashy [splǽʃi] (***splash·i·er; -i·est***) *a.* (흙탕이) 튀기 쉬운, 질퍽질퍽한; 튄 흙[얼룩]투성이의; 《구어》 화려한; 평판이 자자한. ㊞ **splásh·i·ly** *ad.* **-i·ness** *n.*
splat[1] [splæt] *n.* (의자의 등에 댄) 세로 널.
splat[2] *n.* 〔감탄사적〕 철벅, 철썩《물 따위가 튀거나 젖은 것이 바닥에 메어꽂힐 때 등의 소리》.
splát film [**mòvie**] =SPLATTER FILM [MOVIE].
splat·ter [splǽtər] *vt., vi.* 철벅철벅 소리를 내다, (물·흙탕 따위를) 튀기다, 철벅거리다; 재잘재잘[못 알아들을 말을] 지껄이다. ***get*** ~***ed*** 《영속어》 대패하다. ── *n.* 튀기기; 〖통신〗 혼신.
splátterˑdàsh *n.* **1** 와글거림(noise), 대소동(clamor). **2** (*pl.*) =SPATTERDASHES.
splátter film [**mòvie**] **1** 피를 튀기는 잔인한 살인 장면이 자주 등장하는 영화. **2** (실제 살인을 찍은) 엽기적인 포르노 영화.
splátterˑpùnk *n.* 《구어》 (공포·폭력·포르노 따위의) 노골적인 묘사를 특징으로 하는 문학의 장르; 펑크조(調)의 잔혹한 SF물(物).
splay [splei] *vt., vi.* **1** (팔꿈치·다리 따위를) 벌리다《*out*》. **2** (문설주·창틀·총안(銃眼) 따위를) 바깥쪽으로 벌어지게 하다; (통 따위를) 나팔꽃 모양으로 위쪽을 벌려 만들다; 바깥쪽으로 벌어지다. **3** 〖수의〗 탈구(脫臼)시키다. ── *a.* 바깥쪽으로 벌어진; 보기 흉하게 벌린《무릎 따위》; 보기 흉한, 모양 없는. ── *n.* 〖건축〗 (창틀 따위의) 바깥쪽으로 퍼지게 하기, (총안 따위의) 나팔꽃 모양의 바라짐; 《미속어》 마리화나.
spláyˑfòot (*pl.* ***-feet***) *n.* 편평족(扁平足), 평발(flatfoot); 《특히》 밭장다리의 편평족. ── *a.* (발이) 편평족인; 밭장다리의; 보기 흉한, 모양 없는. ㊞ ~**·ed** *a.*
spleen [spli:n] *n.* **1** 〖해부〗 비장(脾臟), 지라. **2** Ⓤ 울화, 언짢음; 심술, 악의(malice); 원한(grudge), 유한; Ⓤ 《고어》 우울(melancholy), 낙담(dejection). ***a fit of*** (***the***) ~ 홧김. ***bear a*** ~ ***against*** …에게 원한을 품다. ***vent*** one***'s*** ~ ***on*** [***upon***] …에게 울분을 풀다, 화풀이를 하다.
spleenˑful [splí:nfəl] *a.* 성마른(fiery); 기분이 언짢은(ill-humored); 우울한. ㊞ ~**·ly** *ad.*
spleenˑish [splí:niʃ] *a.* =SPLEENFUL.
spléenˑwòrt *n.* 〖식물〗 차꼬리고사리속의 식물《예전의 우울증 약》.
splen- [splí:n, splén/splí:n], **sple·no-** [splí:nou, -nə, splén-/splí:n-] '비장(脾臟)'의 뜻의 결합사.
splen·dent [spléndənt] 《고어》 *a.* 번쩍이는, 빛나는(shining); 호화로운(illustrious), 훌륭한, 눈부신(brilliant); 뛰어난. ㊞ ~**·ly** *ad.*
splen·did [spléndid] *a.* **1** 빛나는(glorious), 훌륭한, 장한: a ~ achievement [success] 위대한 업적[대성공]. **2** 화려한(gorgeous), 호사한: a ~ scene. **3** (착상 따위가) 멋진, 근사한(excellent), 더할 나위 없는 (satisfactory): a ~ idea 멋진 착상 / have a ~ time 퍽 즐거운 시간을 보내다 / It's ~ *of* her [She's ~] *to* be so attentive. 그토록 마음을 써 주다니 그녀도 대단하다. **4** 《드물게》 반짝이는. ◇ splendor *n.* ㊞ ◇~**·ly** *ad.* ~**·ness** *n.*
splen·dif·er·ous [splendífərəs] *a.* 《구어》 《종종 우스개·반어적》 대단한; 훌륭한(splendid), 화려한(gorgeous). ㊞ ~**·ly** *ad.* ~**·ness** *n.*
splen·dor [spléndər] *n.* Ⓤ **1** 빛남, 광휘, 광채(brilliance): in full ~ 번쩍번쩍 빛나서. **2** 호화, 장려(magnificence), 장대(壯大): the ~ of the palace 궁전의 장려함. **3** 현저함, 훌륭함, 뛰어남; (명성·업적 따위의) 화려함, 탁월. **4** Ⓒ 현저한 것; 호화스러운 광경, 장대한 건물; 위업. **5** 호사: live in ~ 호사스럽게 지내다.

splen·dor·ous, -drous [spléndərəs], [-drəs] *a.* 빛나는, 찬란한, 장려(壯麗)한.

sple·nec·to·my [splinéktəmi] *n.* Ⓤ,Ⓒ 〖의학〗 비장(脾臟) 절제(술).

sple·net·ic [splinétik] *a.* **1** 비장〔지라〕의; 비장 기능에 장애가 있는. **2** 성을 잘 내는(peevish), 까다로운(ill-tempered), 짓궂은《여자 따위》; 《구어》 우울증의. **—** *n.* **1** 비장병 환자. **2** 성마른〔성미 까다로운〕 사람, 짓궂은 사람. **3** 비장병 약. ㊕ **-i·cal·ly** [-əli] *ad.*

splen·ic, -i·cal [splíːnik, splén-], [-əl] *a.* 비장〔지라〕의: the ~ artery 비장동맥.

splénic féver 〖의학〗 비탈저(脾脫疽). 「炎).

sple·ni·tis [spliːnáitis] *n.* Ⓤ 〖의학〗 비염(脾

sple·ni·us [splíːniəs] (*pl.* **-nii** [-niài]) *n.* 〖해부〗 판상근(板狀筋)《머리를 뒤로 젖히는 근육》. ㊕ **-ni·al** [-niəl] *a.*

sple·no·meg·a·ly [splìːnəmégəli, splèn-/splìːn-] *n.* 〖의학〗 비종(脾腫), 거비(巨脾)(증).

splib [splib] *n.* 《미흑인속어》 (특히 남자) 흑인.

splice [splais] *vt.* 합쳐 잇다, (밧줄 따위를) 가닥을 풀어 꼬아 잇다; (나뭇조각 · 막대기 · 필름 · 테이프 따위를) 겹쳐 잇다; 〖생물〗 (유전자나 DNA의 절편(切片) · 염색 분체(分體) 등을) (재(再))접합하다; (변형시킨 새 유전자 등을) 삽입하다; 《구어》 결혼시키다. ***get ~d*** 《구어》 결혼하다. **~ *the main brace*** ⇨ MAIN BRACE. **—** *n.* **1** 가닥을 꼬아 잇기, 이어 맞추기, 접착. **2** (재목 · 레일 등의) 첨접(添接), 겹쳐 잇기; 〖전기〗 접속 (기구); 《속어》 결혼(marriage). ***sit on the ~*** 《크리켓속어》 방어 태세로 신중히 싸우다.

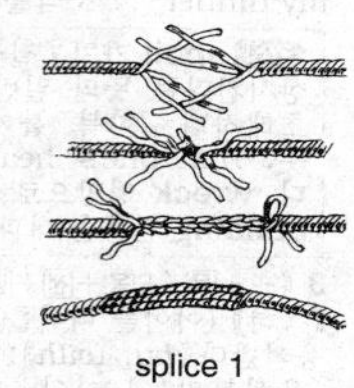

splice 1

splic·er [spláisər] *n.* 이어 맞추는 사람; 접착구; 스플라이서《필름 · 테이프 등을 연결하는 도구》.

spliff [splif] *n.* 《미속어》 마리화나 담배.

spline [splain] *n.* (금속이나 나무의) 가늘고 긴 박판(薄板); (큰 호(弧)를 그릴 때 쓰는) 운형(雲形)자; 〖기계〗 키(key), 키홈《한 굴대 끝이 다른 굴대 속에서 꼭 끼게 된》; 지전(止轉)쐐기《수레바퀴가 굴대의 좌우로 미끄러짐을 막음》; 각전(角栓). **—** *vt.* 각전을 달다.

splint [splint] *n.* 얇은 널조각; (접골 치료용) 부목(副木); 〖해부〗 비골(腓骨); 〖수의〗 관골류(管骨瘤); (성냥)개비; (갑옷의) 미늘. **—** *vt.* …에 부목을 대다.

splínt bòne 〖해부〗 부목골(副木骨), 비골(腓骨), 종아리뼈(fibula).

°**splin·ter** [splíntər] *n.* 부서진〔쪼개진〕 조각; 지저깨비; (나무 · 대나무 따위의) 가시; (포탄 등의) 파편; =SPLINTER GROUP. ***be smashed into ~s*** 산산이 조각나다. **—** *a.* 분리〔분열〕한; 도당의, 당파의, 분파의(factional). **—** *vt., vi.* 쪼개(지)다, 찢(어지)다; 산산조각이 되다; (의견 따위가) 갈리다. **~ one's *toupee*** 《미속어》 미치다.

splínter bàr (마차 따위의) 스프링을 받치는 가로장; 《영》 =WHIPPLETREE. 「소수파.

splínter gròup 〔**pàrty**〕 〖정치〗 분(리)파,

splín·ter·less *a.* 잘 깨지지〔부서지지〕 않는; 깨져도 사방으로 흩어지지 않는《유리 따위》.

splínter·pròof *a., n.* 탄편(彈片)을 막는 (물건).

splin·tery [splíntəri] *a.* 파편의; 열편(裂片) 같은; 쪼개지기〔찢어지기〕 쉬운; 깔쭉깔쭉한《바위 따위》.

split [split] (*p., pp.* ***split; splít·ting***) *vt.* **1** 《~+목/+목+전+명/+목+보》 쪼개다(cleave), 찢다, 째다(rive), 분할하다: ~ wood 나무를 쪼개다 / ~ a log *into* two 통나무를 둘로 쪼개다 / The river ~*s* the city *in* two. 강이 도시를 2분하고 있다 / ~ peas open 콩을 쪼개서 벌리다. **2** 《~+목/+목+전+명》 분배하다, 모두에게〔둘이서〕 나누다(divide); 분담하다, 함께하다(share) 《*with*》; 《미》 (주식을) 분할하다: ~ profits 이익을 서로 나누다 / ~ a job *with* him 그와 일을 분담하다. **3** 《~+목/+목+전+명/+목+부》 분열시키다, 이간시키다, 불화하게 하다《*up*》: ~ a party *into* three factions 당을 셋으로 분열시키다. **4** 《+목+부/+목+전+명》 떼어내다, 벗기다《*from*》: ~ a piece (*off*) *from* a block 나무토막에서 한 조각을 떼어내다. **5** 《~+목/+목+부/+목+전+명》 〖화학 · 물리〗 (분자 · 원자를) 분열시키다, (화합물을) 분해하다, 분해하여 제거하다《*off; away*》: ~ the atom 원자를 분열시키다 / ~ (*up*) a compound *into* its elements 화합물을 원소로 분해하다. **6** 《영속어》 (비밀 따위를) 누설시키다, 밀고하다. **7** 《속어》 (서둘러서) 떠나다, 사라지다(leave). **8** 《미》 (위스키 따위에) 물을 타다. **—** *vi.* **1** 《~/+전+명/+보》 (세로로) 쪼개지다, 갈라지다, 찢어지다《*off; up*》: The coat ~ *at* the seams. 웃옷의 솔기가 타졌다 / ~ *in* 〔*into*〕 two 둘로 쪼개지다 / Peas ~ open when they are roasted. 콩은 볶으면 터져 갈라진다. **2** 《~/+전+명/+부》 (당 따위가) 분열하다《*in, into*》; 분리하다《*away; off*》: Our class has ~ (*up*) *into* five groups. 우리 반은 5그룹으로 갈라졌다 / His faction ~ *off from* the party. 그의 파벌은 당에서 이탈했다. **3** 《+부/+전+명》 (두 사람 이상이) 불화하다, 헤어지다, 이혼하다, 결별하다, 사이가 틀어지다: They ~ *up* last year. 그들은 작년에 이혼했다 / I ~ (*up*) *with* my business partners. 공동 경영자와 사이가 틀어졌다. **4** 《~/+전+명》 《구어》 (서로) 나누어 갖다 《*with*》: Let's ~ *with* them. 그들과 분배하자. **5** 《~/+전+명》 《영속어》 배반하다, 밀고하다 《*on, upon*》: ~ *on* a person. **6** (급히) 떠나다, 돌아가다, 도망치다. **~ *across*** 둘로 갈라지다, 쪼개지다. **~ *a gut*** (***laughing***) 폭소하다. **~ *fair*** 《속어》 사실을 말하다. **~ *hairs*** 〔***straws, words***〕 ⇨HAIR. **~ *off*** 〔***away***〕 찢(어지)다, 쪼개(지)다; 분열〔분리〕하다《*from*》. **~ *on*** 〔***upon***〕 ***a rock*** (배가) 난파하다. **~ a person*'s ears*** 아무를 귀가 먹게 하다. **~ one*'s sides*** 크게 웃다, 포복절도하다. **~ one*'s vote*** 〔《미》 ***ticket, ballot***〕 분할 투표하다, 두 파의 후보자에게 투표하다. **~ *the difference*** ⇨ DIFFERENCE. **~ *the scene*** 《미속어》 돌아오다〔가다〕.

— *a.* **1** 쪼개진, 갈라진, 찢어진; 분리〔분열〕한, 분할된: a ~ opinion. **2** (생선 따위를) 갈라서 말린〔소금에 절인〕. **3** 《미》 〖증권〗 분할의. ***a ~ minute*** 눈 깜짝할 순간.

— *n.* **1** 쪼개(지)기, 찢(어지)기. **2** 쪼개진〔갈라진〕 금〔틈〕; 홈. **3** 분열, 분할; 불화, 사이가 틀어짐(rupture)《*in*》: a ~ *in* the party 당의 분열. **4** 불화의 원인, 입장의 상위(相違): a major ~ between the two countries 양국 간의 불화의 주된 원인. **5** 열편(裂片), 부서진 조각, 단편(斷片). **6** 얄팍한 널조각, 잘게 쪼갠 널빤지, (잘게 쪼갠) 버들가지(=~ **òsier**)《광주리 제조용》; 2장으로 벗긴 껍질. **7** 〖증권〗 주식 분할; 《구어》 (이익 · 전리품 따위의) 몫(share). **8** 《구어》 술 반 잔, (술 등의) 작은 병. **9** 〖요리〗 아이스크림을 친 얇게 썬 과일《특히 바나나》. **10** (종종 the ~s) 〖단수취급〗 두 다리를 일직선으로 벌리고 앉는 곡예 연기. **11** 〖볼링〗 스플릿《제1투(投)에서 핀 사이가 벌어진 채 남는 일》. ⓒⓕ spare. **12** 《구

어》 섞은 것《알코올과 소다수 등》. (*at*) ***full*** ~ 《속어》 아주 급하게. ***run like*** ~《미》 전속력으로 달리다.

splít bàr 〖컴퓨터〗 분할 바《윈도를 분할하는 선》.

splít-bráin *a.* 〖의학〗 분할〔분단〕뇌(腦)의《대뇌의 반구간(半球間)의 연락이 단절된 상태의》.

splít clóth 묶는 끝이 여러 가닥으로 된 붕대《머리·안면용》.

splít decísion 〖권투〗 레퍼리·심판의 불일치 판정.

splít énd 〖미식축구〗 스플릿 엔드《포메이션에서 몇 야드 밖으로 퍼져 있는 공격 측의 엔드》; 끝이 갈라진 머리털.

splít-fingered fástball 〖야구〗 스플릿핑거, 스플리터(splitter)《속구처럼 팔을 휘둘러 던지는 포크볼 비슷한 변화구; 타자 바로 앞에서 떨어짐》.

splít infínitive 〖문법〗 분리 부정사《to 부정사 사이에 부사(구)가 끼어 있는 꼴. 보기: He decided *to fully prove* the fact.》.

splít kéyboarding 〖컴퓨터〗 분할 입력《어느 단말기로부터 나온 데이터를 다른 단말기로 편집하는 것》.

splít-lével *a., n.* 〖건축〗 같은 층의 일부의 방이 딴 방보다 바닥이 높게 된 (건물).

splít mínd 정신 분열증(schizophrenia).

splít páge 〖신문〗 뒤 판의 고쳐 짠 페이지; 제 2 부의 제 1 페이지.

splít péa 말려 쪼갠 완두콩《수프용》.

splít personálity 〖심리〗 이중〔다중〕인격; 《구어》 정신 분열증(schizophrenia).

splít púlley 분륜(分輪)(split wheel)《굴대에서 뺄 때 두 부분으로 나뉨》.

splít ríng 〖기계〗 분할 링〔고리〕《서로 절연된 링을 여럿 겹쳐 놓은 것으로, 모터의 정류자로 쓰임》.

splít scréen (**techníque**) 〖영화·TV〗 분할 스크린(법)《둘 이상의 화상을 늘어놓는》.

splít sécond 1 초의 몇 분의 1 의 시간, 순간.

splít-sécond *a.* 비할 데 없이 정확한; 순간적인.

splít shíft 분할 근무, 분할 시프트.

splít shòt 〔**stròke**〕 〖크로케〗 (상접한 두 개의 공을 각각 딴 방향으로) 흩뜨려 치기; 흩뜨려 치는 공.

splits·ville [splítsvil] *n.* Ⓤ 《미속어》 별거.

splít·ter *n.* 쪼개는〔가르는〕 사람〔도구〕; 분열파의 사람; =HAIRSPLITTER, SPLIT-FINGERED FASTBALL; (생물 분류상의) 세분파(細分派)의 학자 (opp. *lumper*); 《미속어》 가출자.

splít tícket 〖미정치〗 분할 투표《두 당 이상의 후보를 연기(連記)한 표》; 분할 후보자 명부《후보자 전부가 같은 당에 속하지 않음》.

splít·ting *a.* 빠개지는 듯한, 심한《두통 따위》; 귀청이 터질 것 같은, 몹시 요란한《소음 따위》; 《구어》 우스워 견딜 수 없는(sidesplitting); 나는 듯한, 재빠른: at a ~ pace 나는 듯한 속도로. ── *n.* (보통 *pl.*) 파편, 조각; 〖정신의학〗 분열《양가성(兩價性)의 갈등 등을 회피하는 방위기제(防衛機制)》.

split·tism [splítizəm] *n.* 분열주의.

splít-ùp *n.* 분리, 분열, 해체, 분해; 이혼; 회사 분할 (독립); 주식 분할.

split wéek 《연극속어》 (전반과 후반을) 두 극장에 겹치기로 출연하는 주(週).

splít whèel =SPLIT PULLEY.

splodge [splɑdʒ/splɔdʒ] *n., vt.* 《영》 =SPLOTCH. ── *vi.* =SPLASH. ㊞ **splódgy** *a.* =SPLOTCHY.

splosh [splɑʃ/splɔʃ] *n.* **1** 《속어》 돈, 금전(money). **2** 《구어》 갑자기 쫙 뿌려지는 물(소리).

splotch [splɑtʃ/splɔtʃ] *n.* 오점, 반점(斑點), 얼룩(stain). ── *vt., vi.* 오점을 내다, 얼룩지게 하다; 더러워지다. ㊞ **splótchy** *a.* 더럽혀진, 얼룩진.

splurge [splə:rdʒ] 《구어》 *n.* 과시, 자랑, 대기염(大氣焰). ── *vt., vi.* 자랑해 보이다, 과시하다, 기염을 토하다; (돈을) 물 쓰듯 하다.

splut·ter [splʌ́tər] *vt., vi., n.* =SPUTTER.

Spode [spoud] *n.* (때로 s-) 스포드 도자기(=∠ **chìna**)《영국의 도예가 J. Spode 및 그의 회사가 만든》.

spod·o·sol [spɑ́dəsɔ̀:l, -sɑ̀l/spɔ́dəsɔ̀l] *n.* 〖토양〗 스포도솔《한랭 습윤 지역에서 흔히 볼 수 있는 비옥도가 낮은 산성 토양》.

spod·u·mene [spɑ́dʒumi:n/spɔ́dju-] *n.* Ⓤ 〖광물〗 리티아 휘석(輝石)《리튬의 중요 광석》.

⁑**spoil** [spɔil] (*p., pp.* ***spoilt*** [spɔilt], **~*ed*** [-t, -d]) *vt.* **1** 망쳐 놓다(destroy), 결딴내다, 못 쓰게 만들다, 손상하다(damage), 해치다(injure): ~ a new dress 새옷을 못 쓰게 만들다〔더럽히다〕/ Too many cooks ~ the broth. 《속담》 사공이 많으면 배가 산으로 올라간다. **2** (음식물을) 상하게 하다; (흥미를) 잃게 하다: The news *spoilt* my dinner. 그 소식을 듣자 밥맛이 가셨다.

> SYN. **spoil** 가치·질·유용성(有用性) 등을 손상시킨다는 뜻의 일반어. **ruin** 완전한 파괴를 초래하다, 회복 불가능한 손해를 입히다의 뜻: *ruin* one's health 건강을 완전히 망치다. **wreck** 엉망으로 파괴한다는 뜻: *wreck* a building 건물을 대파하다.

3 《~+목/+목+전+명》 (성격을) 버리다(ruin), 《특히》 (아이들 따위를) 버릇없게 기르다, 어하다, 응석받다《*by; with*》: a *spoilt* child 버릇없는〔응석부리는〕 아이, 떼쟁이 / ~ a child *by* 〔*with*〕 indulgence 아이를 제멋대로 내버려두어 성질을 버려 놓다. **4** 《~+목/+목+전+명》 (사람을) 지나치게 대접하다; 만족할 수 없게 하다: Some wives ~ their husbands. 남편을 지나치게 떠받드는 부인들이 있다 / This hotel will ~ you *for* cheaper ones. 이 호텔에 숙박하면 싸구려 호텔에서는 만족할 수 없게 될 것이다. **5** 《~+목/+목+전+명》 《고어·문어》 (아무로부터) …을 약탈〔강탈〕하다, 빼앗다(plunder)《*of*》: ~ a person *of* goods 아무에게서 물건을 빼앗다. ── *vi.* **1** 결딴나다, 못 쓰게 되다, 나빠지다; (음식물이) 썩다, 상하다, 부패하다: Some kinds of food soon ~. **2** 《고어》 약탈하다(plunder). ***be ~ing for*** 《구어》 …을 하고 싶어서 못 견디다; …을 열망하다. **~ *the Egyptians*** 〖성서〗 가차없이 적의 물건을 빼앗다《출애굽기 XII: 36》.

── *n.* **1** (종종 *pl.*) 전리품, 약탈품, 탈취한 물건(booty); (수집가가) 발굴해 낸 물건. **2** (*pl.*) (노력 따위의) 성과. **3** (*pl.*) 《미》 (선거에 이긴 정당의 정치적 권리로서의) 관직, 직위에 따르는 이득, 이권. **4** 발굴〔준설〕 따위로 파낸 흙. **5** 《고어》 약탈(spoliation), 탈취; (약탈 따위의) 목적물(prey).

㊞ **∠·a·ble** *a.*

spoil·age [spɔ́ilidʒ] *n.* Ⓤ,Ⓒ **1** 〖인쇄〗 인쇄하다 못 쓰게 된 것〔종이〕. **2** 망치기; 망쳐진 것; 손상(물), 손상액(額). **3** 강탈, 약탈, 탈취.

spóil·er *n.* **1** 약탈자; 망치는 사람〔물건〕. **2** 〖항공〗 스포일러《하강 선회 능률을 좋게 하기 위하여 날개에 다는》. **3** 《미》 방해 입후보자. **4** 〖통신〗 스포일러《지향성(指向性)을 변화시키기 위하여 파라볼라 안테나에 단 격자》. **5** 〖자동차〗 스포일러《차체의 앞뒤에 다는 지느러미나 날붙이 꼴의 부품으로 고속 주행 시 차량의 뜸을 막고 안정성을 유지시킴》. **6** 〖전기〗 CD 에서 DAT 로의 녹음시 잡음 발생을 방지하는 전자 장치; 그 잡음.

spóiler pàrty 《미》 방해 정당《두 정당의 한쪽을 선거에서 방해하기 위하여 결성된 정당》.

spóil gròund 〖해사〗 준설 토사(土沙)를 버리

는 지정 해역.

spóils·man [-mən] (*pl.* **-men** [-mən]) *n.* 《미》 (이익을 위해서 정당을 지지하는) 이권 운동자, (금전의 이득을 도모하는) 엽관(獵官) 운동자; 엽관 제도의 옹호자.

spóil·spòrt *n.* (남의 즐거움을 방해하는) 불쾌한 사람; 흥을 깨뜨리는 사람(skeleton at the feast).

spóils sỳstem 《미》 (집권당의) 엽관(獵官) 제도《선거에서 이긴 정당이 정실(情實)로 관직을 정하는 일》. cf. merit system.

spoilt [spɔilt] SPOIL의 과거 · 과거분사.

spoke[1] [spouk] *n.* (수레바퀴의) 살, 스포크; 〖선박〗 (타륜(舵輪) 둘레의) 손잡이; 단(段), 디딤대(rung) 《사닥다리의 가로장》; 바퀴멈춤대(drag). ***put* 〔*thrust*〕 *a* ~ *in* a person*'s wheel*** (아무의 계획 등을) 훼방 놓다. ── *vt.* …에 ~를 달다; 훼방 놓다.

spoke[2] SPEAK의 과거 · 《고어》 과거분사.

***spo·ken** [spóukən] SPEAK의 과거분사.
── *a.* **1** 말로 하는, 구두의(OPP. *written*), 구어의(OPP. *literary*): ~ English 구어 영어 / ~ language 구어. **2** 〖복합어〗 말솜씨가 …한: soft-~ 말이 부드러운 / free-~ 솔직히 말하는.

spóken wórd (the ~) 구어.

spóke·shàve *n.* 바퀴살 대패, 복도(輻刀)《바퀴살 깎는》.

◇**spókes·man** [-mən] (*pl.* **-men** [-mən]) *n.* 대변인; 대표자; 연설가. 파 **~·shìp** *n.*

spókes·pèople *n. pl.* 대변자들.

spókes·pèrson *n.* 대변인, 대표자; 〖광고〗 (상품) 설명자.

spókes·wòman (*pl.* **-wòmen**) *n.* 여성 대변인.

spoke·wise [spóukwàiz] *a., ad.* 방사상(放射狀)의〔으로〕.

spo·lia [spóuliə] *n. pl.* 약탈품(spoils).

spo·li·ate [spóulièit] *vt., vi.* 약탈〔강탈〕하다. 파 **-à·tor** *n.*

spò·li·á·tion *n.* U 강탈(robbery), 약탈(plundering)《특히 교전국의 중립국 선박에 대한》; 〖종교〗 교회 재산 횡령; 강탈(extortion); 파괴; 〖법률〗 (어음 · 유서 따위의) 문서 파기〔변조〕.

spon·da·ic, -i·cal [spandéiik/spɔn-], [-əl] *a., n.* 〖운율〗 spondee의 (시).

spon·dee [spándi:/spɔ́n-] *n.* 〖운율〗 (영시의) 강강격(強強格)《ㅡㅡ》; (고전시의) 장장격《--》.

spon·du·licks, -lix [spandú:liks/spɔn-] *n. pl.* 《속어》 돈(money), 자금(funds); 《고어》 소액 통화.

spon·dy·li·tis [spàndəláitis/spɔ̀n-] *n.* U 〖의학〗 척추염(脊椎炎).

sponge** [spʌndʒ] *n.* **1** U 〖동물〗 해면(동물). **2** 목욕용 해면, 스펀지. **3** U,C 해면 모양의 것; 효모로 부풀린 날빵; 스펀지케이크《카스텔라 · 푸딩 따위》. **4** 〖의학〗 외과용 살균 거즈; (포의) 꽂을대, 소간(掃桿)《발사 후 청소 용구》. **5** C 《구어》 기식자(寄食者), 식객(parasite); 《구어》 술고래; =SPONGE BATH; 《구어》 (지식 등을) 탐욕스레 취하는 사람. ***have a* ~ *down (젖은 해면 · 천으로) 대강 몸을 씻다〔훔치다〕. ***pass the* ~ *over*** 《고어》 (분노 · 원한 등을) 잊어버리다, …을 깨끗이 잊다. ***throw* 〔*toss*〕 *up* 〔*in*〕 *the* ~** = ***chuck up the* ~** 〖권투〗 (졌다는 표시로) 스펀지를 던지다; 《비유》 패배를 자인하다; 항복하다.
── *vt.* **1** 《~+목/+목+부》 해면으로 닦다《*off; away; out; down*》; 해면으로 적시다; 해면에 흡수시키다《*up*》: ~ *down* one's body 스펀지로 몸을 닦다 / ~ *up* spilled ink 흘린 잉크를 흡수하다. **2** 《~+목/+목+전+명》 《구어》 (속여서) 우려먹다, 등치다《*from; off*》: ~ a meal *off* a person 남한테 식사를 우려먹다. ── *vi.* **1** (해면 등이) 흡수하다. **2** 해면을 채집하다. **3** 《+전+명》 《구어》 기식(寄食)하다, 식객이 되다; 우려내다《*on; for*》: ~ *on* one's uncle *for* money 삼촌한테 돈을 우려내다.
파 **∠·lìke** *a.* **spóng·ing·ly** *ad.*

spónge bàg 《영》 (방수(防水)의) 세면도구 주머니, 화장품 주머니.

spónge bàth 젖은 해면〔수건〕으로 몸을 씻음《탕에 들어가지 않고》. cf. blanket bath.

spónge bìscuit 〔càke〕 스펀지케이크《카스텔라류》.

spónge clòth 올이 성긴 천, 라티네 천(ratiné).

spónge cùcumber 〔gòurd〕 〖식물〗 수세미외; 수세미외 제품(dishcloth gourd).

spónge-dòwn *n.* =SPONGE BATH.

spónge fìnger 《영》 =LADYFINGER.

spónge ìron 〖야금〗 해면철.

spóng·er *n.* 해면으로 닦는 사람〔것〕; 해면 채집자〔선〕; 《구어》 기식자, 식객(parasite) 《*on*》.

spónge rúbber 스펀지 고무《가공 고무; 요 · 방석 따위에 씀》.

spon·gi·form [spʌ́ndʒifɔ̀:rm] *a.* 해면〔스펀지〕 모양의.

spónging hòuse 〖영국사〗 채무자 구류소.

spon·gy [spʌ́ndʒi] (**-gi·er; -gi·est**) *a.* 해면 모양의, 해면질의; 작은 구멍이 많은(porous); 푸한, 푹신푹신한; 흡수성의(absorbent); 《비유》 (태도 · 신념 등이) 믿을 수 없는, 흐리터분한. 파 **-gi·ly** *ad.* **-gi·ness** *n.* U 해면질.

spon·sion [spánʃən/spɔ́n-] *n.* U,C 보증.

spon·son [spánsən/spɔ́n-] *n.* U 〖해사〗 뱃전의 쑥 내민 부분; (군함 · 탱크 등의) 밖으로 내민 포좌(砲座), 측면 포탑; (비행정의) 날개 끝의 부주(浮舟), 수상 안전익(翼).

***spon·sor** [spánsər/spɔ́n-] *n.* **1** 보증인(surety) 《*for; of*》. **2** 후원자, 발기인, (선거 입후보자의) 후원회.

> SYN. **sponsor** 남을 위하여 어떠한 책임을 지는 후원자나 보증인을 말함. **patron** 예술 · 학문 · 개인 등에 보호 · 은혜를 베푸는 사람을 말함.

3 《미》 (상업 방송의) 스폰서, 광고주《*for; to*》: a ~ *for* a TV program 텔레비전 프로그램의 스폰서. **4** 〖종교〗 대부〔모〕(代父〔母〕)(godparent); (진수선(船)의) 명명자: stand ~ *to* a person 아무의 대부〔모〕가 되다. ── *vt.* **1** 후원하다, 발기하다; 보증하다, 보증인이 되다. **2** (상업 방송의) 광고주〔스폰서〕가 되다. **3** …의 대부〔모〕가 되다.
파 **spon·so·ri·al** [spansɔ́:riəl/spɔn-] *a.* ~의. **~·shìp** [-ʃip] *n.* U ~임; 후원, 발기.

spónsored wálk =CHARITY WALK.

spon·ta·ne·i·ty [spàntəní:əti/spɔ̀n-] *n.* U,C 자발(성), 자발 행동〔활동〕; 무의식; 자연스러움; 자발적 행위; (특히 식물의) 자생(自生).

***spon·ta·ne·ous** [spantéiniəs/spɔn-] *a.* **1** 자발적인, 자진해서 하는, 임의의(voluntary): a ~ action 자발적인 행동 / ~ expression of gratitude 스스로 우러나온 감사의 표현. **2** 자연히 일어나는〔생기는〕, 무의식적인: a ~ cry of joy 무의식적으로 터져나오는 환성. **3** (현상 따위가) 자동적인: ~ movement 자동 운동. **4** (수목 · 과실 따위가) 자생의(indigenous), 천연의. **5** (문체 따위가) 자연스러운, 유려한, 시원스러운: a ~ writer 시원스러운 문장가. 파 **~·ly** *ad.* **~·ness** *n.*

spontáneous abórtion 자연 유산.

spontáneous combústion 〔ignítion〕 자연 발화〔연소〕.

spontáneous emíssion 〖물리〗 자연〔자발〕 방출《여기(勵起)한 물질로부터의 외부 자극에 의하지 않은 전자파(電磁波)의 방출》.

spontáneous generátion 〖생물〗 =ABIOGENESIS.

spontáneous recóvery 〖심리〗 (소거(消去)

된 조건 반응의) 자발적 회복.

spon·toon [spɑntúːn/spɔn-] *n.* 단창(短槍)《17–18세기, 영국 보병의 하급 장교가 사용한》; (경관의) 경찰봉(truncheon).

spoof [spuːf]《구어》*n.* U,C 속여넘김, 눈속임, 야바위(hoax). **—** *a.* 가짜〔속임수〕의. **—** *vt., vi.* 장난으로 속이다, 속여넘기다(hoax); 조롱하다.

spook [spuːk] *n.*《구어》유령, 도깨비(ghost, specter);《구어》괴짜, 기인;《미속어·경멸》검둥이, 흑인(Negro);《속어》스파이, 비밀 공작원; 정신과 의사. **—** *vt.*《구어》(유령같이) 나타나다; 떨리게 하다, 위협을 주다. **—** *vi.*《구어》놀라 달아나다; 무서워서 떨다. ㊔ **~ed**《구어》*a.* 불행에 사로잡힌; 침착하지 못한, 안달이 난. **~·ery** *n.* **~·ish** *a.* =SPOOKY.

spooky [spúːki] (*spook·i·er; -i·est*)《구어》*a.* 유령 같은; 유령이 나올 것 같은, 무시무시한; (말·여자 따위가) 잘 놀라는, 겁 많은. ㊔ **spóok·i·ly** *ad.* **-i·ness** *n.*

Spool [spuːl] *n.*〖컴퓨터〗스풀《얼레치기(spooling)에 의한 처리, 복수 프로그램의 동시 처리》. [◂ *s*imultaneous *p*eripheral *o*peration *o*n-*l*ine]

spool *n.* 실패(bobbin), 실꾸릿대(reel); (테이프·필름 따위의) 릴, 스풀; (실 따위의) 감은 것〔양〕. **—** *vt., vi.* ~에 감(기)다; 되감다.

spóol·er *n.*〖컴퓨터〗스풀러, 순간 작동《얼레치기(spooling)를 행하는 프로그램》.

spóol·ing *n.*〖컴퓨터〗스풀링《출력 데이터를 일시적으로 파일 등에 모으면서 순차 처리하기》.

†**spoon** [spuːn] *n.* **1** 숟가락, 스푼; 한 숟가락의 양《*of*》: two *~s of* sugar 두 숟가락의 설탕. **2** 숟가락 모양의 물건; 숟가락 모양의 노;〖골프〗숟가락 모양의 클럽. **3** 후림낚시(~ bait)《물속에서 회전시키는 가짜 미끼》. **4**《속어》바보(simpleton);《속어》여자에게 무른〔사족 못 쓰는〕남자, 바람둥이. ***be born with a silver*** 〔***gold***〕 ***~ in one's mouth*** 부귀한 집에 태어나다. ***be past the ~*** 이젠 어린애가 아니다. ***be ~s on*** 〔***with***〕 …에 반해 있다. ***hang up the ~***《속어》죽다. ***make a ~ or spoil a horn*** 성패를 운에 맡기고 해보다. ***on the ~*** 설득하여, 구애(求愛)하여.
— *vt.* **1**《+目+副》숟가락으로 떠내다〔푸다〕《*out; up*》; (공을) 떠올리듯 (가볍게) 치다《*up*》: ~ *up* one's soup (숟가락으로) 수프를 뜨다. **2**《구어》(여자를) 애무하다. **—** *vi.* **1** 공을 떠올리듯 치다. **2** 후림낚시로 낚(시하)다. **3**《구어》(남녀가) 서로 애무하다(neck, pet)《*with*》. ㊔ **~·like** *a.*

spóon bàit =SPOON 3.

spóon·bìll *n.*〖조류〗노랑부리저어새.

spóon brèad《미남부·중부》우유·고기·달걀을 섞은 연한 빵.

spóon·drìft *n.* U (파도의) 물보라(spindrift).

spoon·er·ism [spúːnərìzəm] *n.* U,C 두음전환(頭音轉換)《*c*rushing *b*low를 *b*lushing *c*row로 잘못 말하는 따위》.

spóon-fèd *a.* 숟가락으로 떠먹이는《어린애·병자》; 응석 부리게 하는, 과보호의; 지나치게 보호를 받는《산업》, 하나에서 열까지 돌봐 주어 독립심이 없는.

spóon-fèed (*p., pp.* **-fed**) *vt.* (어린애 따위에게) 숟갈로 먹이다; 어하다; (학생 따위에게) 하나하나 곱씹어 가르치다; (산업을) 지나치게 보호하다; (정보 따위를) 일방적으로 제공하다. ㊔ **~·ing** *n.* 어린애 취급하기, 과잉보호.

***spoon·ful** [spúːnfùl] (*pl.* **~s, spoons·ful**) *n.* 한 숟갈 가득(한 양); 소량: a ~ *of* salt.

spóon mèat 〔**fòod**〕 부드러운 식사, 유동식(流動食)《어린애·환자용의》.

spóon-nèt *n.* 사내끼.

spoony, spoon·ey [spúːni] (*spoon·i·er; -i·est*)《구어》*a.* 정에 여린; 여자〔자식〕에게 무른《*on; over*》; 바보 같은, 얼간이의. **—** *n.*《구어》여자에게 무른 사람; 얼간이, 반편. ㊔ **spóon·i·ly** *ad.*

spoor [spuər] *n.* 자취, (야수의) 자귀. **—** *vt., vi.* 자귀 짚다, 뒤를 밟다.

spo·rad·ic, -i·cal [spərǽdik], [-ikəl] *a.* 때때로 일어나는(occasional), 산발적인; 산재하는, 드문드문한(scattered)《식물의 종류 따위》;〖의학〗산발성(散發性)의《병》. ㊔ **-i·cal·ly** *ad.* 이따금, 산발적으로; 드문드문, 여기저기; 특발적으로.

sporádic chólera〖의학〗산발성(散發性) 콜레라(cholera morbus).

sporádic É láyer 스포라딕 E층《전리층의 E층 내에 돌발적으로 생기는 밀도가 높은 이온층》.

spo·ran·gi·um [spərǽndʒiəm] (*pl.* **-gia** [-dʒiə]) *n.*〖식물〗포자낭, 아포낭(芽胞囊).

spore [spɔːr] *n.*〖생물〗(균류(菌類)·식물의) 포자(胞子), 아포(芽胞); 배종(胚種)(germ), 종자, 씨(seed); 근원, 원인: a ~ case 포자낭.

spo·ri·cide [spɔ́ːrəsàid] *n.* 홀씨 박멸제. ㊔ **spò·ri·cíd·al** *a.*

Spork [spɔːrk] *n.* 포크 겸용 스푼, 스포크《상표명》. [◂ *spoon*+*fork*]

spo·ro·gen·e·sis [spɔ̀ːrədʒénəsis] *n.*〖생물〗홀씨 형성; 홀씨 생식.

spo·ro·go·ni·um [spɔ̀ːrəgóuniəm] (*pl.* **-nia** [-niə]) *n.*〖식물〗(이끼류 따위의) 포자체.

spo·rog·o·ny [spərɑ́gəni/-rɔ́g-] *n.* U〖생물〗포자〔전파(傳播)〕생식.

spo·ro·phore [spɔ́ːrəfɔ̀ːr] *n.*〖식물〗홀씨자루, 담포자체(擔胞子體)《포자를 달고 있는 영양체》.

spo·ro·phyl(l) [spɔ́ːrəfil] *n.*〖식물〗포자엽(胞子葉), 아포엽(芽胞葉).

spo·ro·phyte [spɔ́ːrəfàit] *n.*〖식물〗포자체(胞子體), 조포체(造胞體), 포자 형성체, 아포(芽胞) 식물.

spo·ro·pol·len·in [spɔ̀ːrəpɑ́lənin/-pɔ́l-] *n.*〖생화학〗스포로폴레닌《꽃가루나 고등 식물의 홀씨 외막에 형성되는 화학적 불활성 중합체》.

spo·ro·tri·cho·sis [spɔ̀ːrətrikóusis] *n.*〖의학〗스포로트리쿰증《피부·림프절에 궤양을 발생》.

spo·ro·zo·ite [spɔ̀ːrəzóuait] *n.*〖동물〗(포자충(胞子蟲)의) 종충(種蟲).

spor·ran [spɑ́rən, spɔ́ːr-/spɔ́r-] *n.* 모피로 만든 주머니《스코틀랜드 고지(高地) 남자의 짧은 스커트(kilt) 앞에 닮》.

†**sport** [spɔːrt] *n.* **1** (또는 *pl.*) 스포츠, 운동, 경기《hunting, fishing을 포함》: spend the afternoon in *~s* 오후를 스포츠를 하며 보내다/be fond of *~(s)* 스포츠를 좋아하다. SYN. ⇨GAME. **2** (*pl.*) 운동회, 경기회: the school *~s*. **3** U 소창(消暢), 즐거움, 위안, 오락: make ~ 즐겁게 하다/What ~! 정말 재미있군. SYN. ⇨PLAY. **4** U 농담, 장난, 희롱(jest), 놀림(raillery): in 〔for〕 ~ 농담〔장난〕으로. **5** (the ~) C 웃음〔조롱〕거리(laughingstock); U 농락당하는 것, 놀림〔장난〕감(plaything): the ~ of nature 자연의 장난《기형·변종(變種)》. **6**《구어》운동가; 사냥꾼. **7**《구어》(스포츠맨답게) 공명정대한 사람; (성품이) 소탈한 사람. **8**《구어》노름꾼, 도박꾼. **9**《구어》멋진 남자. **10** C〖생물〗변종, 돌연변이(mutation). **11**〖형용사적〗《미》=SPORTS. ***a ~ of terms*** 〔***wit, words***〕 익살, 재담. ***Be a ~!*** 스포츠맨답게 해라, 떳떳하게 해라. ***become the ~ of fortune*** 운명에 희롱당하다. ***have a ~ with*** …을 조롱하다. ***have good ~*** (사냥에서) 많이

잡다. ***make ~ of*** …을 놀리다, …을 조롱하다. ***Old ~!*** 《호칭》 자네. ***spoil the ~*** 흥을 깨뜨리다. cf. spoilsport.

— *vi.* **1** (어린애 · 동물 따위가) 놀다, 장난치다(play). **2** 《+전+명》 농락하다, 놀리다(wanton) 《*with*》: The cat ~*ed with* the mouse. 고양이가 쥐를 갖고 놀렸다. **3** 스포츠를〔운동을〕 하다. **4** 〖생물〗 돌연변이를 일으키다(mutate). — *vt.* **1** 〖생물〗 …의 변종을 만들다. **2** 《구어》 과시하다, 자랑해 보이다(display): ~ one's learning in public 남 앞에서 학식을 자랑하다. **3** 《+목+부》 (시간 · 돈 따위를) 낭비하다: ~ one's time *away* 시간을 낭비하다. **4** 〖~ oneself〗 (시간을) 즐겁게 보내다. ~ ***one's oak*** 〔***timber, door***〕 ⇨OAK.

㊕ **~·ful** [-fəl] *a.* 장난치며 노는, 명랑하게 떠드는, 들뜬; 놀기 좋아하는; 농담의. **~·ful·ly** *ad.* **~·ful·ness** *n.*

sport. sporting.

spórt còat 《미》 스포츠 코트《스포티하게 입을 수 있는 웃옷》.

spórt·er *n.* 스포츠맨; 화려한 낭비가; 스포츠(로서의 사냥)용 기구〔엽총, 사냥개〕.

spórt fish 스포츠 피시《스포츠로서 낚시꾼이 특히 노리는 물고기》.

spórt·fisherman *n.* 스포츠피싱용(用)의 대형 모터보트.

spórt·fishing *n.* 스포츠피싱《취미나 재미로 모터보트에서 하는 릴낚시》.

spor·tif [spɔ́ːrtif] *a.* 스포츠를 좋아하는, (의류가) 스포츠용의, 평상복의; =SPORTIVE.

spórt·ing *a.* **1** 경기를〔사냥을〕 좋아하는; 운동〔경기〕용의: the ~ world 스포츠계/a ~ news 스포츠 뉴스. **2** 운동가다운, 정정당당한. **3** 모험적인, 위험을 수반하는; 내기를 좋아하는, 도박적인: a ~ chance 성공 불성공이〔승패가〕 반반인 기회. **4** 〖생물〗 돌연변이를 하는. ㊕ **~·ly** *ad.*

spórting blóod 모험심.

spórting gùn 스포츠 총, 엽총.

spor·tive [spɔ́ːrtiv] *a.* 장난하며 노는; 까부는; 장난〔농담〕의; 운동 경기의; 스마트한, 화려한, 스포티한; 〖생물〗 변종의. ㊕ **~·ly** *ad.* **~·ness** *n.*

spórt jàcket 스포츠 재킷《간편한 남성 상의》.

sports [spɔːrts] *a.* (복장 등이) 경쾌한, 날씬한, 스포츠용의. cf. sport. ¶a ~ store 운동구점/a ~ counter 스포츠 용품 매장/~ shoes 운동화/a ~ festival 스포츠 제전.

spórts bàr 스포츠 바《TV의 각종 스포츠 중계를 볼 수 있는 바》.

spórts càr 스포츠카(=**spórt càr**)《보통 2인승; 차체가 낮은 무개(無蓋) 쾌속 자동차》.

spórts·càst *n.* 《미구어》 스포츠 방송〔뉴스〕. ㊕ **~·er** *n.* 스포츠 담당 아나운서〔해설자〕. **~·ing** *n.*

spórts cènter 스포츠 센터.

spórts còat 《미》 =SPORT COAT.

spórts dày (학교 등의) 운동회 날.

spórts·dom [-dəm] *n.* 스포츠계, 체육계.

spórts drìnk 활력을 주는 비알코올성 음료.

spórts èditor (신문사의) 스포츠 편집장.

spórt shìrt 스포츠 셔츠.

spórts jàcket 《영》 =SPORT JACKET.

****sports·man** [spɔ́ːrtsmən] (*pl.* **-men** [-mən]) *n.* **1** 운동가, 운동 애호가; 사냥 · 낚시질 따위를 즐기는 사람. **2** 스포츠맨다운 사람, 무슨 일이나 정정당당하게 하는 사람. **3** 《고어》 경마꾼, 노름꾼. ㊕ **~·lìke, ~·ly** *a.* 운동가다운; 경기 정신에 어긋나지 않는, 정정당당한. **~·li·ness** *n.*

◇sports·man·ship [spɔ́ːrtsmənʃìp] *n.* Ⓤ **1** 스포츠맨십, 운동가 정신〔태도〕, 정정당당함(fair play). **2** 사냥〔낚시질 따위〕의 솜씨〔열성〕.

spórts mèdicine 스포츠 의학.

spórts pàge (신문의) 스포츠 면(面).

spórts·pèrson *n.* 스포츠 하는 사람.

spórts shìrt =SPORT SHIRT.

spórts sùpplement 건강 보조 식품〔약품〕.

spórt·ster [spɔ́ːrtstər] *n.* 《구어》 스포츠카.

spórts·wèar *n.* 운동복; 간이복.

spórts·wòman (*pl.* **-wòmen**) *n.* 여자 운동가.

spórts·wrìter *n.* 스포츠 기자.

spórts·wrìting *n.* 스포츠 기사를 쓰는 일.

spórt utìlity vèhicle 스포츠 범용(汎用) 차《트럭 차대의 튼튼한 사륜 구동차》.

sporty [spɔ́ːrti] (***sport·i·er; -i·est***) 《구어》 *a.* 스포츠적인, 운동가다운; (복장 등이) 화려한(gay), 야한(flashy); (태도 · 외양 따위가) 경쾌한, 발랄한, '스포티'한. cf. dressy. ㊕ **spórt·i·ly** *ad.* **-i·ness** *n.*

spor·u·late [spɔ́ːrjəlèit, spár-/spɔ́r-] 〖생물〗 *vi.* 포자(胞子) 형성을 하다. — *vt.* 포자로 하다〔변태시키다〕. ㊕ **spòr·u·lá·tion** *n.* 포자 형성. **spór·u·là·tive** *a.*

spor·ule [spɔ́(ː)rjuːl, spár-/spɔ́r-] *n.* 〖생물〗 《특히》 작은 포자(胞子), 아포(芽胞).

****spot** [spat/spɔt] *n.* **1 a** 반점(speck), 점; 얼룩(stain): a sun ~ =a ~ in the sun 태양의 흑점; 《비유》 옥에 티/a black dog with white ~s 흰 반점이 있는 검정개/The tablecloth has many ~s. 이 식탁보는 얼룩투성이다. **b** (주사위 따위의) 점; 작은 삽화〔컷〕(~ illustration). **2** 〖의학〗 사마귀, 점; 《완곡어》 발진(發疹), 부스럼, 여드름(pimple), 종기; 《폐어》 만들어 붙인 점(beauty ~): a face covered with ~s 여드름투성이의 얼굴. **3** 《비유》 (도덕상의) 오점(blemish), (인격의) 흠(flaw), 결점, 오명《*on, upon*》: a ~ *on* one's honor 명예를 더럽히는 오점. **4** (특정의) 장소, 지점; 현장; (a ~) 〔수식어를 수반〕 (감정 · 기분상의) …점, …데; 《구어》 행락지, 관광지, 환락가; 《미속어》 나이트클럽, 바, 레스토랑《따위》: a fishing ~ 낚시터/a dangerous ~ 위험한 지점/a tourist ~ 관광지/a weak ~ (비판 · 반대의 표적으로서) 약점. **5** 《구어》 지위(position), 직(職); (난처한) 입장. **6** 《구어》 (우승자 · 범인 등에) 점 찍어두기; 점찍힌 사람〔경주자, 말〕: He is a safe ~ for the hurdles. 그가 허들에서 이기는 것은 확실하다. **7** (*pl.*) 〖상업〗 현물, 현금 거래 매물(賣物)(~ goods); 《미속어》 〖수사를 수반하여〗 (소액의) 달러 지폐: a five ~, 5달러 지폐. **8** 〖당구〗 검은 점이 있는 흰 공(~ ball); 스폿《당구대의 공 놓는 자리》. **9** (a ~) **a** 《영구어》 조금, 소량, 한 입(의 식사); 《구어》 한 잔(의 위스키〔홍차 따위〕)《*of*》: a ~ *of* lunch 가벼운 점심식사. **b** 잠시 잠, 한잠; 《미속어》 (짧은) 형기의 선고: a two-~, 2년의 형. **10** (*pl.*) 《구어》 표범(leopard); 〖조류〗 집비둘기의 일종; 〖어류〗 조기류(類). **11** 《구어》 =SPOTLIGHT. cf. floodlight. **12** 《구어》 〖TV · 라디오〗 (프로와 프로 사이의) 짧은 삽입 (광고) 방송; (일람표 · 프로그램 따위 속의) 순번, 차례; (오락 프로의) 출연. **13** 〖카드놀이〗 (다이아몬드 · 하트 · 클럽 · 스페이드 따위의) 도형; 숫자 패《2에서 10까지의 패》: a four ~, 4의 패.

a tender 〔***sore***〕 ***~*** 《비유》 약점, 아픈 데: touch *the tender* 〔*sore*〕 ~ 급소를 찌르다. ***change one's ~s*** 〖보통 부정문〗 근본 성격〔생활 방식〕을 바꾸다. ***get off the ~*** 궁한 처지를 벗어나다. ***have a soft ~ for*** a person 아무를 귀여워하다, (좋아서) 아무에게 약하다. ***hit the high ~s*** 《구어》 주요한 점만 다루다〔언급하다〕; (낭비 · 연회 따위가) 최고조에 달하다. ***hit*** 〔***go to***〕 ***the ~*** 《구어》 더할 나위 없다; 욕구〔필요〕를 만족시키다. ***in a*** (***bad***) ***~*** 《구어》 곤란하여, 괴로운 입장에 처하여. ***in ~s*** 《미》 어떤 점에서는, 어느 정

도까지; 때때로. ***knock*** (***the***) **~*s off*** 〔***out of***〕 《영구어》 …을 완전히 굴복시키다; …을 훨씬 능가하다. ***on*** 〔***upon***〕 ***the*** **~** ① (바로) 그 자리에서, 즉석에서. ② 현장에서〔의〕. ③ 미흡함〔빈틈〕이 없이. ④ 〖상업〗 현물로, 현금으로. ⑤ 《속어》 위험〔곤란〕한 상태에 빠져. ***price on the*** **~** 현물 시세; 현금 매가(賣價). ***put*** a person ***on the*** **~** 《미속어》 아무의 목숨을 노리다, 아무를 죽이기로 정하다. ***rooted to the*** **~** (공포나 두려움 따위로) 꼼짝 못하는, 선 채 움직이지 못하는. ***running on the*** **~** 제자리걸음 하며, 답보 상태에.
— *a.* **1** 즉석의(on hand): a ~ answer 즉답. **2** 현장에서의: ~ regulation of traffic 요소(要所) 교통 정리. **3** 〖상업〗 현금 지불의, 현금 거래의: a ~ transaction 현금 거래 / a ~ sale 현금 판매 / ~ delivery 〖상업〗 현장〔즉시〕 인도. **4** 〖방송〗 현지의: ~ broadcasting 현지 (중계) 방송 / ~ report 현지 보고. **5** 프로 사이에 끼운 《광고 문구 따위》: a ~ announcement 삽입 광고 방송.
— *ad.* 《영구어》 꼭, 정확히. **~ *on*** 《영구어》 아주 정확한, 정곡(正鵠)을 찔러.
— (***-tt-***) *vt.* **1** …에 반점을 찍다, 얼룩지게 하다 (stain). **2** 《+목+전+명》 얼룩덜룩하게 하다, 더럽히다: ~ one's dress *with* ink 드레스를 잉크로 더럽히다. **3** (인격 따위를) 손상시키다: ~ one's reputation 명성을 더럽히다. **4** 《+목+부》 《미》 …에서 얼룩을 빼다《*up; out*》: ~ *out* the stain 얼룩을 빼다. **5** 《~+목/+목+전+명/+목+*as* 보》 《구어》 (누구인지) 알아맞히다(recognize), 발견하다, 탐지해 내다(detect): ~ the winner *in* a race 경마에서 이길 말을 알아맞히다 / I ~*ted* him at once *as* 〔*for*〕 an American. 그가 미국인이라는 것을 곧 알았다. **6** 《+목+전+명》 (어느 위치에) 두다; 배치하다, 사방에 흩뜨려 놓다: ~ one's men *at* strategic spots 부하를 요소요소에 배치하다. **7** 〖군사〗 …의 위치를 정확히 재다〔정하다〕; (탄착점을) 관측하다. **8** …에 스포트라이트를 비추다. **9** 《+목+목》 《미구어》 (핸디캡을) 인정하다: I ~*ted* him two points. 그에게 2점의 핸디캡을 주었다. **10** 〖당구〗 (공을) 특정한 스폿에 놓다. — *vi.* **1** 얼룩〔오점〕이 생기다; 더럽혀지다: White shirts ~ easily. 흰 셔츠는 더러움을 잘 탄다. **2** 《~/+전+명》 〔it을 주어로 하여〕 빗방울이 조금씩 떨어지다: *It*'s beginning to ~. =*It*'s ~*ting with* rain. **3** (경기의) 보조원 노릇을 하다; 탄착 관측을 하다.

SPOT [spɑt/spɔt] satellite positioning and tracking. 「휜 공.

spót bàll 〖당구〗 스폿에 놓인 공; 흑점이 있는

spót brèaker 〖방송〗 스폿 브레이커《두 광고 방송 사이에 삽입하는 짧은 스폿 방송》.

spót chèck 임의 추출 조사; 불시 점검.

spót-chèck *vt.* 임의〔무작위〕 (추출) 조사하다.

spót ecònomy 현물(現物) 경제《futures economy (선물(先物) 경제)에 대한 관련 용어》.

spót hèight 독립 표고(標高).

spót kìck 《구어》 〖축구〗 =PENALTY KICK.

***spot·less** [spátlis/spɔ́t-] *a.* 더럽혀지지 않은, 얼룩이 없는, 무구(無垢)의; 결점이 없는, 완벽한; 결백한. ㊞ **~·ly** *ad.* **~·ness** *n.*

spot·light** [spátlàit/spɔ́t-] *n.* **1** 〖연극〗 스포트라이트, 각광; (자동차 따위의) 조사등(照射燈). **2** (the ~) (세인의) 주시, 관심: He wanted to be in the ~. 그는 세상 사람들의 주목을 받고 싶었다. ***come into the **~** 세인의 주목을 모으다.
— *vt.* 스포트라이트로 비추다; 돋보이게 하다.

spót màrket 〖경제〗 현금 거래 시장, 현물 시장.

spót néws 속보되는 최신 뉴스, 스폿 뉴스.

spót-òn *a., ad.* 《영구어》 꼭〔딱〕 들어맞는〔맞게〕, 정확한〔히〕.

spót páss 스폿 패스《농구 등에서 리시버와 미리 약속한 장소로의 패스》.

spót prìce 현물 가격, 스폿 가격.

spót stàrter 〖야구〗 임시 선발 투수.

spót·ted [-id] *a.* 반점이 있는, 얼룩덜룩한; 더럽혀진(stained), (명예 따위가) 손상된. ㊞ **~·ly** *ad.* **~·ness** *n.* 「푸딩.

spótted díck 《영》 건포도가 든 수에트(suet)

spótted dóg 얼룩개; 《영》 =SPOTTED DICK.

spótted féver 〖의학〗 뇌척수막염; 텍사스열〔우역(牛疫)〕《반점열》. 「카산(産)》.

spótted hyéna 〖동물〗 얼룩하이에나《아프리

spótted ówl 〖조류〗 점박이올빼미《캐나다에서 맥시코까지의 태평양안(岸)에 분포함》.

spót·ter *n.* 반점을〔표시를〕 찍는 것〔사람〕; 《미》 (피용자 따위의) 감시자; 〖군사〗 탄착(彈着) 관측병; (사격장의) 감적수(監的手); 탄흔(彈痕); 《미》 (전시 따위의) 민간 대공(對空) 감시원; 항공 정찰원; 정찰기, 관측 기구(氣球); 〖철도〗 검로기(檢路器); (세탁소의) 얼룩 빼는 사람; 중계방송 아나운서의 조수; 〖볼링〗 핀세터(pinsetter).

spót tèst 스폿 테스트, 약식 비공식 추출 테스트; 개략 견본 테스트; 〖화학〗 점적(點滴) 분석.

spot·ty [spáti/spɔ́ti] (***-ti·er; -ti·est***) *a.* 얼룩〔반점〕투성이의; 발진(發疹)〔여드름〕이 있는; 한결같지 않은, 부조화의; 드문드문 존재하는. ㊞ **-ti·ly** *ad.* **-ti·ness** *n.* 「에 의한 접합부.

spót-wèld *vt.* 스폿 용접하다. — *n.* 스폿 용접

spót wèlding 점(點) 용접.

spous·al [spáuzəl] *n.* Ⓤ 결혼; (종종 *pl.*) 《드물게》 결혼식(nuptials). — *a.* 《드물게》 결혼(식)의(matrimonial). ㊞ **~·ly** *ad.*

◇**spouse** [spaus, spauz] *n.* 배우자; (*pl.*) 부부.
— [spauz, -s] *vt.* 《고어》 …와 결혼하다〔시키다〕.
㊞ **∠·hood** *n.* **∠·less** *a.*

spout [spaut] *vt.* **1** 《~+목/+목+부》 (액체·증기·화염 등을) 내뿜다; 분출하다(eject): The pipe ~*ed* (*out*) steam. 파이프가 증기를 내뿜었다 / ~ *out* flames 화염을 내뿜다. **2** 《+목+전+명》 《구어》 도도히〔막힘없이〕 말하다; 음송(吟誦)하다: He ~*ed* his theories *on* foreign policy. 그는 외교 정책을 피력했다. **3** 《속어》 전당 잡히다(pawn). — *vi.* **1** 《~/+부/+전+명》 분출하다, 내뿜다: A fountain is ~*ing out*. 샘이 분출하고 있다 / Blood ~*ed from* his wound. 상처에서 피가 내솟았다. **2** 《+부》 《구어》 막힘없이 말하다, 낭송하다《*off*》.
— *n.* **1** (주전자 따위의) 주둥이; 물꼭지; (고래의) 분수공(噴水孔)(=**∠ hòle**); 관(管), 홈통; 분수, 분출; 물기둥(waterspout); 분류(奔流); 회오리 기둥. **2** (옛날 전당포의) 반송기(搬送機) (shoot); 《영속어》 전당포(pawnshop). ***down the*** **~** 《영속어》 파산〔영락〕하여. ***up the*** **~** 《속어》 전당 잡혀; 《구어》 곤경에 빠져, 꼼짝 못하게 되어, 영락하여; 《속어》 임신하여: go *up the* ~ 꼼짝 못하게 되다 / put one's jewels *up the* ~ 보석을 전당 잡히다.
㊞ **∠·ed** *a.* (용기가) 주둥이가 있는. **∠·less** *a.* **∠·lìke** *a.*

spp. species. **S.P.Q.R.** *Senatus Populusque Romanus* 《L.》 (=the Senate and the People of Rome); small profits and quick returns.

SPR., S.P.R. Society for Psychical Research(심리 연구 협회).

sprad·dle [sprǽdl] *vt., vi.* (두 다리를) 벌리다, 황새걸음으로 걷다; =SPRAWL.

sprag [spræːg] *n.* (수레의 후퇴 방지용) 브레이크; (탄갱(炭坑) 내의) 지주(支柱).

°**sprain** [sprein] *vt.* (발목·손목 따위를) 삐다 (wrench): ~ one's finger 손가락을 삐다. — *n.* 삠, 접질림.

sprang [spræŋ] SPRING의 과거.

sprat [spræt] *n.* 청어속(屬)의 작은 물고기; 《우스개·경멸》 하찮은 놈, 꼬마; 《영속어》 =SIXPENCE. ***throw*** 〔***fling away***〕 ***a ~ to catch a herring*** 〔***mackerel, whale***〕 적은 밑천으로 큰 것을 바라다.

sprát dày 《영》 스프랫 데이《11월 9일; 청어의 계절이 시작됨》.

sprat·tle [sprǽtl] *n.* 《Sc.》 고투(苦鬪), 싸움.

°**sprawl** [sprɔːl] *vi.* **1** 《~/+전+명》 손발을 쭉 뻗다, 큰대자로 드러눕다; 배를 깔고 엎디다: ~ *on* the sand 모래밭에 큰대자로 드러눕다. **2** 《~/+부》 버둥〔허위적〕거리다; 기다, 기어가다 《*out*》: Two figures ~*ed out*. 두 사람이 기어 나왔다. **3** 《+부/+전+명》 (건물·필적 등이) 보기 흉하게〔불규칙하게〕 퍼지다; 마구 뻗다: The city is ~*ing out into* suburbs. 그 도시는 교외로 뻗어나가고 있다. **4** (군대가) 불규칙하게 산개하다. — *vt.* **1** 《+목+부》 (손발을) 큰대자로 뻗다: ~ one's legs *out* 두 다리를 큰대자로 뻗다. **2** 뻗어 버리도록 때려눕히다〔내던지다〕. **3** 모양 없이 퍼지게 하다. ***send*** a person ***~ing*** 아무를 때려눕히다; 굴복시키다. — *n.* **1** 볼썽사납게 손발을 뻗고〔큰대자로〕 드러눕기: in a (long) ~ 큰대자로 누워. **2** 허위적거리기. **3** (*or* a ~) 불규칙하게〔모양 없이〕 퍼짐; (도시 등의) 스프롤 현상. 파 **∠·er** *n.* **∠·y** *a.* (불규칙하게) 퍼진.

spráwl·ing *a.* **1** 불규칙하게〔질서 없이〕 퍼져나간. **2** (팔·다리를) 꼴사납게 내뻗은, 큰대자로 누워 있는. **3** (글씨가) 맺힘이 없는.

***spray**[1] [sprei] *n.* **1** Ⓤ 물보라, 비말(飛沫), 물안개. **2** Ⓤ,Ⓒ (향수·소독약·페인트 등의) 스프레이, 분무; 그 액(液). **3** 흡입기; 소독기; 분무기, 향수 뿌리개. — *vt.* **1** 물보라를〔비말을〕 날리다, (물보라·소독액 따위를) 뿜다. **2** 《+목+전+명》 …을 뿌리다《*on*》: ~ insecticide *upon* flies 파리에 살충제를 뿌리다. **3** 《+목+전+명》 …에 뿌리다《*with*》: ~ plants *with* insecticide 초목에 살충제를 뿌리다. **4** 《+목+전+명》 (…을) …에 끼얹다《*with*》: ~ a mob *with* tear gas 군중에게 최루가스를 퍼붓다. — *vi.* **1** 물을 뿜다〔뿌리다〕. **2** (물이) 뿜어 나오다. 파 **∠·er** *n.* 물보라를 뿜는 사람〔장치〕; 분무기; 흡입기; 분유기(噴油器).

°**spray**[2] *n.* (꽃이나 잎이 달린) 작은 가지; (보석 따위의) 가지 무늬 (모양의 장식), (꽃·가지) 다발. 파 **∠·lìke** *a.*

spráy càn 에어로졸〔스프레이〕 통.

spráy gùn (페인트·방부제·살충제 등의) 분무기.

spráy hìtter 〖야구〗 스프레이 히터《어느 방향으로나 마음대로 칠 수 있는 타자》.

spráy nòzzle 〔**hèad**〕 분무기 노즐.

spráy-pàint *vt.* 분무 도장(塗裝)하다.

spráy plàne 농약 살포기(機)(crop duster).

****spread** [spred] (*p., pp.* ~) *vt.* **1** 《~+목/+목+전+명/+목+부》 펴다, 펼치다(unfold), 전개하다, 늘이다(extend)《*out*》: ~ a folded map 접은 지도를 펴다/~ one's hands *to* the fire 두 손을 펴고 불을 쬐다/~ *out* the newspaper 신문을 펼치다. **2** 《~+목/+목+부》 (돛·날개·양팔 따위를) 펴다, 벌리다《*out*》: ~ wings/~ *out* one's arms 양팔을 벌리다. **3** 《~+목/+목+전+명/+목+보》 (얇게) 바르다, 덮다, 칠하다《*on; with*》: ~ butter *on* toast =~ toast *with* butter 토스트에 버터를 바르다/Don't ~ the butter too thick. 버터를 너무 두껍게 바르지 마라. **4** 벌이다, 늘어놓다, 진열하다: ~ goods for sale 팔 물건을 늘어놓다. **5** 《+목+전+명》 …에 흩뿌리다, …에 살포하다, 뒤덮다《*with*》: ~ manure *over* the field 밭에 비료를 흩뿌리다/a meadow ~ *with* flowers 온통 꽃으로 덮인 초원. **6** 《~+목/+목+부/+목+전+명》 미루다, 연기〔연장〕하다(prolong): ~ *out* the payments *over* several months 몇 달에 걸쳐 지불토록 하다. **7** (빛·소리·향기 따위를) 발산(發散)하다; (소문·보도 따위를) 퍼뜨리다, 유포하다, 보급시키다; (병·불평 따위를) 만연시키다, 퍼뜨리다: ~ a disease 병을 퍼뜨리다/roses ~*ing* their fragrance 향기를 풍기고 있는 장미꽃들. **8** 《~+목/+목+전+명》 (식탁을) 준비하다; (식탁에 음식을) 차려 놓다(serve)《*with*》: ~ the table (*with* dishes) 식탁에 요리를 차려 놓다, 식사 준비를 하다. **9** 《+목+전+명》 (모포·덮개 따위를) 덮다, 덮어씌우다《*on; over*》: She ~ a cloth *on* 〔*over*〕 the table. 그녀는 식탁보를 씌웠다. **10** 〖음성〗 (입술을) 옆으로 길게 벌리다; 비순음화(非脣音化)하다. **11** 《+목+전+명》 기록〔기재〕하다《*on*》: ~ a protest *on* the records 이의를 기록하다.

— *vi.* **1** 《~/+부》 퍼지다, (기 따위가) 펼쳐지다, (꽃 따위가) 피다; (나무가) 가지를 뻗다: ~*ing* branches 뻗은 가지/The roots of the tree ~ *wide*. 그 나무는 널리 뿌리를 뻗치고 있다. **2** 《+부/+전+명》 (공간적으로) 퍼지다, 멀리 미치다, 전개되다, 광범위하게 걸치다(expand): The fields ~ *out before* us. 들판이 우리 앞에 펼쳐 있다. **3** (어떤 기간에) 걸치다, 계속하다. **4** 《~/+부》 (명성·소문·유행·불 따위가) 퍼지다, 번지다, 전해지다: His fame ~ *far* and *wide*. 그의 명성은 널리 퍼졌다/The news ~ fast. 그 소식은 빨리 퍼졌다. **5** (페인트가) 칠해지다; 얇게 늘어나다〔퍼지다〕: The paint ~*s* easily. 이 페인트는 잘 칠해진다. **6** (잉크가) 번지다. **7** 산산이 흩어지다; (도로 따위가) 뻗치다, 방사(放射)하다. ***~ abroad*** (소문 따위를) 퍼뜨리다. ***~ it on thick*** 《구어》 =LAY[1] it on thick. ***~ on the records*** ⇨ *vt.* 11. ***~ over*** …에 퍼지다, …을 덮다; …에 걸치다〔미치다〕. ~ one***self*** ① 퍼지다, 뻗다; 발전하다. ② 길게 지껄여 대다〔논하다〕《*on*》. ③ 자기 의견을 관철하려고 하다. ④ 으쓱거리다, 자랑하다(brag). ***~*** one***self out*** 주제넘게 나서다. ***~*** one***self*** (***too***) ***thin***(***ly***) 《미》 한꺼번에 너무 많이 하려고〔얻으려고〕 하다, (지나칠 정도로 동시에) 이것저것 손을 대다.

— *n.* **1** 〔보통 단수형〕 퍼짐; 폭, 넓이(extent): a ~ of thirty miles, 30마일 폭. **2** 〔단수형〕 (보통 the ~) 뻗음; 보급, 전파; 만연(diffusion); Ⓒ 전개; 확장: the ~ *of* education 교육의 보급/the ~ *of* (a) disease 병의 만연. **3** 늘어남, 전성(展性). **4** Ⓒ 식탁보, 침대 시트. **5** 《구어》 맛있는 음식, 식탁에 차려진 요리: What a ~! 대단한 요리다. **6** Ⓒ 빵에 바르는 것《버터·잼 등》: cheese ~. **7** (신문·잡지의 2단〔2페이지〕 이상에 걸치는) 상세한 리포트〔기사〕, 큰 광고, 특집 기사. cf. double(-page) spread. **8** 《구어》 자랑해 보임, 겉치장. **9 a** 〖상업〗 (원가와 판매가와의) 차액, 마진. **b** 〖미식축구〗 (경기 등에서 내기의 경우의) 점수 차. **10** 〖항공〗 날개 길이. **11** 《미구어》 (농장 따위의) 토지, (광활한) 땅. **12** 《구어》 (허리가) 굵어짐: develop a middleage ~ 중년이 되어 군살이 찌다. ***give a ~*** 연회를 열다. ***no end of a ~*** 푸짐한 성찬.

— *a.* 〔과거분사로〕 퍼져 있는, 퍼진, 평면의; 〖보석〗 박석(薄石)의《깊이가 불충분하여 광택이 약한 것》; 〖음성〗 평순(平脣)의.

파 **∠·a·ble** *a.* **∠·a·bíl·i·ty** *n.*

spréad béaver 《비어》 만개(萬開)(split beaver)《포르노 사진 등에서 벌려서 보인 여자의 음부》, (무릎을 벌리고 앉은 여성의) 들여다보이는 성기.

spréad cíty 《미》 무질서하게 개발·확대된 도시, sprawl화(化)한 도시.

spréad éagle **1** 날개를 편 독수리《미국의 문장(紋章)》. **2** 〖스케이트〗 가로 일직선형(으로 지치기). **3** 사지를 큰대자로 벌려서 묶인 사람; 등을 갈라서 구운 닭고기. **4** 《미》 미국에 대한 광신적 애국심을 자랑하는 사람.

spréad-èagle *a.* 날개를 편 독수리 형태의; 《미》 제 나라를 자랑하는《특히 미국 사람이》; 과장적인(bombastic). **—** *vi.* 〖스케이트〗 spread eagle형으로 지치다; 《속어》 팔다리를 벌리고 서다〔나아가다〕. **—** *vt.* 날개를 편 독수리 같은 형태로 하다; 〖해사〗 (벌로서) 사지를 벌려서 삭구(索具)에 붙들어 매다. [파] **spréad-éagleìsm** *n.* 《미구어》 과장적인 미국 자랑〔애국주의〕. **-éagleist** *n.*

spréad énd =SPLIT END.

spréad·er *n.* **1** 퍼뜨리는〔퍼지는〕 사람〔것〕, 전파자; 버터 (바르는) 나이프; 흩뿌리는 기구·기계《비료 살포기 등》; (안테나의) 세움대; (삼·비단용의) 연전기(延展機); 〖해사〗 지삭(支索)을 팽팽하게 당기는 막대. **2** 전착제(展着劑), 유화제(乳化劑), 침윤제(浸潤劑)(wetting agent).

spread F 〖통신〗 스프레드 F《전파가 전리층의 F층에서 난반사되어 수신할 수 없는 상태》.

spréad formàtion 〖미식축구〗 스프레드 포메이션《엔드는 태클의 3-5야드 바깥쪽, 테일백은 라인의 7-8야드 후방, 그 밖의 3인 백은 라인 가까이 측면을 노리는 위치》.

spréad·hèad *n.* (신문의) 큰 표제.

spréading fàctor 〖생화학〗 =HYALURONIDASE.

spréad òption 〖상업〗 스프레드 옵션《동일 기초 증권〔자산〕에 대한 풋 옵션 또는 콜 옵션의 다른 행사 가격에 의한 매도와 매입을 동시에 행하는 일; 간단히 spread라고도 함》.

spréad-over (sýstem) 작업 시간의 신축제(伸縮制).

spréad·shèet *n.* **1** 〖회계〗 매트릭스 정산표. **2** 〖컴퓨터〗 스프레드시트, 전자 계산서《(1) 자료를 가로세로의 표 모양으로 나열해 놓은 것. (2) 그런 자료를 편집·계산 처리·인쇄하거나 플로피 디스크에 기록할 수 있는 소프트웨어》.

spréadsheet prògram 스프레드시트 프로그램《통계·재무 관련 업무에 사용되는 응용 프로그램》.

spreathed [spriːðd] *a.* 《영남부·남웨일스》 (살갗이) 튼, 아픈, 알알한(chapped).

◇**spree** [spriː] *n.* 흥청거림, 법석댐; 연회, 주연(酒宴)(carousal); 탐닉(耽溺); 활발한 활동: a drinking ~ 주연(酒宴). ***a buying*** 〔***shopping, spending***〕 ~ 돈을 물 쓰듯 씀; 물건을 왕창 사들임, (보너스 때 따위의) 소비 경쟁. ***go on*** 〔***have***〕 ***a*** ~ 통음(痛飮)하다. ***on the*** ~ 흥겹게 마시고 떠들며. **—** *vi.* 흥겹게 마시고 떠들다.

◇**sprig** [sprig] *n.* **1** 잔가지, 어린 가지(shoot); (직물·도기·벽지 따위의) 잔가지 모양의 무늬. [cf.] branch. **2** 아들, 자손, …출신; 《구어·우스개》 후계자; 《경멸》 젊은 녀석. **3** 은혈(隱穴)못, 장부 핀(=**dówel pìn**). **—** (***-gg-***) *vt.* **1** …의 잔가지를 치다; 잔가지로 장식하다, …에 잔가지 무늬를 넣다. **2** 은혈못으로 고정시키다《*down; on*》. [파] **∠·gy** [-i] *a.* 잔〔어린〕 가지가 많은.

◇**spright·ly** [spráitli] (***-li·er; -li·est***) *a.*, *ad.* 기운찬〔차게〕, 쾌활한〔하게〕, 명랑한〔하게〕. [파] **-li·ness** *n.*

†**spring** [spriŋ] *n.* **1** [U] 봄: bloom in (the) ~ 봄에 꽃이 피다. **2** [U] 《비유》 청춘 시대, 성장기; 초기: in the ~ of life 청춘기에. **3** 튀어오름, 도약(leap), 비약. **4** [U] 용솟음치는 기운, 활력, 생기. **5** 용수철, 스프링, 태엽. **6** 샘, 샘물. **7** (종종 *pl.*) 광천(鑛泉); 온천지: a hot ~ 온천(지)/mineral ~*s*. **8** 원천, 근원, 본원; 발생: the ~ *of* Western civilization 서구 문명의 기원. **9** 동기, 원동력; 《미속어》 빚(loan). **10** [U] 되튀기, 반동; 탄성, 탄력: There is no ~ left in this rubber band. 이 고무 밴드는 탄력이 없어졌다. **11** (목재 따위의) 휨, 뒤틀림(warp). **12** (돛대의) 굽음, 갈라진 틈, 균열 (crack). **13** 〖해사〗 (배의) 누수구(漏水口). **14** 〖건축〗 아치 지점. **15** (종종 *pl.*) 한사리(의 시기)(~ tide). **16** 〖형용사적〗 **a** 탄력 있는, 용수철〔스프링〕에 지탱된. **b** 봄의; 봄철용의《모자 등》; 봄에 심는; 젊은. ***a*** ~ ***in one's step*** 발걸음의 가벼움. ***make a*** ~ ***at*** …에 달려들다〔덤벼들다〕. ***with a*** ~ 후닥닥, 단숨에.

— (***sprang*** [spræŋ], ***sprung*** [sprʌŋ]; ***sprung***) *vi.* **1** 《+[부]/+[전]+[명]》 **a** 튀다(leap), 도약하다, 뛰어오르다(jump): ~ *into* the air 공중으로 뛰어오르다/~ *over* a ditch 도랑을 뛰어넘다/~ *out of* bed 잠자리에서 벌떡 일어나다/~ *to* one's feet 벌떡 일어서다/~ *up* 튀어〔뛰어〕오르다. [SYN.] ⇨JUMP. **b** (용수철·탄력 있는 것이) 튕기다, 튀어서 되돌아오다: The boy let the branch ~ *back*. 소년은 나뭇가지를 휘게 했다가 되튕겼다. **2** 《+[부]/+[보]/+[전]+[명]》 갑자기 움직이다, 갑자기 …하다, 일약 …해지다: Blood *sprang to* her cheeks. 볼에 핏기가 후끈 달아올랐다, 얼굴을 확 붉혔다/The doors *sprang* open 〔shut〕. 문이 홱 열렸다〔쾅 닫혔다〕/He *sprang into* fame. 그는 일약 유명해졌다/A wind suddenly *sprang up*. 갑자기 바람이 일었다. **3** 《+[전]+[명]/+[부]》 (물·눈물·피 따위가) 솟아오르다, 별안간 흘러나오다; (불꽃·불이) 튀어오르다, 타오르다《*forth; out; up*》: The tears of joy *sprang into* 〔*from*〕 her eyes. 너무 기뻐서 그녀의 눈에 눈물이 어렸다/Water *sprang up*. 물이 솟아나왔다. **4** 《+[부]/+[전]+[명]》 생기다, 발생하다, 일어나다, (바람이) 불다《*up*》: A breeze has *sprung up*. 산들바람이 불기 시작했다/A suspicion *sprang up* in her mind. 그녀의 마음에 의심이 생겼다/The river ~*s from* the side of the mountain. 그 강은 산중턱에서 발원한다. **5** 《+[전]+[명]》 (아무가) …출신이다: ~ *from* a noble family 명문 출신이다/~ *from* the people 서민 출신이다. **6** 《+[부]》 (식물이) 싹트다, 돋아나다(shoot); 《비유》 조금씩 조금씩 나타나다, 태어나다: The rice is beginning to ~ *up*. 벼가 싹트기 시작한다. **7** (탑·산 등이) 우뚝 솟다, 빼어나다《*above; from*》. **8** (재목 등이) 휘다(warp), 뒤틀리다, 뒤둥그러지다; 휘어서 떨어지다《*from*》; 터지다, 갈라지다(crack). **9** (아치 따위가) 위로 솟아 올라가다. **10** (지뢰 등이) 폭발하다(explode). **11** (사람이) 갑자기 모습을 나타내다, (사냥감이) 구멍 따위에서 휙 튀어나오다; 《구어》 탈옥하다, 석방되다. **12** 《+[전]+[명]》 《미속어》 (남에게) 한턱내다. **—** *vt.* **1** 《~+[목]/+[목]+[보]》 (용수철·덫 등을) 되튀게 하다; …의 걸쇠를 벗기다; …을 되튀겨 (…의 상태로) 하다: ~ a trap/~ a lock/~ a watchcase open 〔shut〕 회중시계의 뚜껑을 탁 열다〔닫다〕. **2** 《~+[목]/+[목]+[부]》 뛰어오르게 하다; (새를) 날아가게 하다; (말을) 달리게 하다: ~ a horse *ahead* 말을 질주시키다. **3** (기뢰 따위를) 폭파시키다(explode). **4** 《~+[목]/+[목]+[전]+[명]》 (의견·새 학설·질문·요구 따위를) 느닷없이 내놓다, 갑자기 꺼내다, 제출하다: ~ a joke 느닷없이 농담을 하다/~ a new proposal *upon* a person 돌연 아무에게 새 제안을 내놓다. **5** 휘게 하다(warp), 굽히다; 쪼개다; (너무 구부려) 터지게〔갈라지게〕 하다(crack). **6** (갈라진 틈 따위

를) 벌리다: ~ a leak 물이 새어 나오게 하다. **7** 〖해사〗 (줄을 늦춰서 배를) 움직이게 하다: ~ a butt (심한 동요로) 선판(船板)의 접합부를 느즈러지게 하다. **8** 《구어》 출옥〔탈옥〕시키다; 석방시키다. **9** 《드물게》 뛰어넘다: ~ a fence. **10** 〖주로 수동태〗 …에 용수철을 달다. ~ ***a somersault*** 공중제비하다, 재주를 넘다. ~ ***a surprise on*** 갑자기 …을 놀라게 하다. ~ ***at*** 〔***on***〕 …에 덤벼〔달려〕들다. ~ ***back*** 튀어오르다, 튀어 물러나다. ~ ***forth*** 튀어나가다, 돌출하다. ~ ***off*** (손톱 따위로) 튀기다. ~ ***the*** 〔***her***〕 ***luff*** 《영》 키를 늦추어 배를 바람머리로 돌리다. ~ ***with*** 《구어》 …와 함께 나타나다, …을 소개하다〔알리다〕.

spring·al(d) [spríŋəl(d)] *n.* 《고어》 젊은이.

spríng bálance 용수철저울. 「받침보.

spríng béam 〖해사〗 (paddle box를 버티는)

spríng béauty 〖식물〗 클레이토니아(=**clay·tonia** [kleitóuniə]) 《쇠비름과(科)의 관상식물; 북아메리카산(產)》.

spríng béd 스프링 침대.

spríng·bòard *n.* (수영의) 뜀판, (체조 따위의) 도약판; 《비유》 새로운 출발점, (발전을) 촉진시키는 것.

spring·bok, -buck [spríŋbɑ̀k/spríŋbɔ̀k], [-bʌ̀k] (*pl.* **~s,** 〖집합적〗 **~**) *n.* 영양(羚羊)의 일종 《남아프리카산(產)》.

spríng bòlt 용수철 달린 빗장.

spríng bréak **1** 《미》 봄방학 《3월이나 4월에 1주일간》. **2** 《영》 봄방학〔휴가〕.

spríng càrriage 용수철 달린 차량.

spríng càrt 용수철 달린 짐수레〔짐마차〕.

spríng chícken **1** (튀김 요리용) 햇닭. **2** 《속어》 철없는 처녀; 풋내기.

spríng-cléan *vt.* …의 (춘계) 대청소를 하다. [파] **~·ing** *n.* [U] (춘계) 대청소.

springe [sprindʒ] *n.* (새나 작은 동물용의) 덫. **—** *vt.* 덫에 걸리게 하다. **—** *vi.* 덫을 놓다. 「점.

spríng équinox (the ~) 춘분; 〖천문〗 춘분

spríng·er *n.* **1** 뛰〔튀〕는 사람〔것〕. **2** 〖건축〗 기공석(起拱石), 홍예받침(대〔돌〕). **3** 〖동물〗 =SPRINGBOK; (사냥에서 꿩 등을 날아오르게 하는) 스패니얼개(=**∠ spániel**); 범고래류(grampus). **4** = SPRING CHICKEN 1.

spríng féver 초봄의 우울증〔나른한 기분〕.

Spring·field [spríŋfìːld] *n.* **1** 스프링필드 《(1) Illinois 주의 주도. (2) Massachusetts 주 남서부의 도시. (3) Missouri 주 남서부의 도시》. **2** 스프링필드 총(=**∠ rifle**).

spríng·hàlt *n.* [U] (말의) 파행증(跛行症)(string-

spríng·hèad *n.* 수원(水源), 원천. ⌊halt).

spríng hòok 여미는 곳을 스프링으로 채우는 훅, 호크; 〖낚시〗 고기가 물면 스프링이 튀어서 걸리게 된 낚시.

spríng·hòuse *n.* 《미》 샘〔시내〕 위에 세운 냉장 오두막 《밀크·고기 따위를 냉각·저장함》.

spríng·ing *n.* **1** 도약. **2** 용수철, (특히 탈것의) 완충 스프링, 스프링 장치. **3** 〖건축〗 =SPRING *n.* 14. 「(奏法)(spiccatos).

spríngíng bów 〖음악〗 (현악기의) 튕김 주법

spríng·less *a.* 스프링〔용수철〕이 없는; 탄력성〔활력, 기운〕이 없는.

spring·let [spríŋlit] *n.* 작은 샘.

spríng·lòck *n.* 용수철 자물쇠.

spríng máttress 용수철이 든 매트리스.

spríng ónion 〖식물〗 파(Welsh onion).

spríng róll 얇게 구운 밀전병에 소를 넣고 기름에 튀긴 중국 요리(egg roll).

spríng·tàil *n.* (각종의) 뛰〔튀〕는 벌레.

spríng tíde (초승·보름께에 일어나는) 한사리; 《비유》 분류(奔流), 급류; 홍수.

***spring·time, -tide** [spríŋtàim], [-tàid] *n.* [U] (종종 the ~) 봄(철); 청춘(기); 초기.

spríng tráining (프로 야구 팀의) 춘계 훈련.

spríng·wàter *n.* 용수(湧水), 용천(湧泉). [cf.] surface water.

springy [spríŋi] (***spring·i·er; -i·est***) *a.* 탄력〔탄성〕이 있는(elastic), 신축자재의; 경쾌한 《걸음걸이》, 활발한; 샘이 많은; 습한, 질척질척한. [파] **spríng·i·ly** *ad.* **-i·ness** *n.*

***sprin·kle** [spríŋkəl] *vt.* **1** 《~+[목]/+[목]+[전]+[명]》 (액체·분말 따위를) 뿌리다; 끼얹다; 흩(뿌리)다 《*on; over*》: ~ powder *on* the baby 아기에게 파우더를 뿌려 주다 / ~ salt *on* a dish 요리에 소금을 뿌리다. [SYN.] ⇨SCATTER. **2** 《+[목]+[전]+[명]》 (장소·물체)에 (…을) (흩)뿌리다 《*with*》; …을 살짝 적시다〔축축하게 하다〕; (꽃 등에) 물을 주다; …에 물을 뿌려 깨끗이 하다〔세례하다〕: ~ the road *with* sand 도로에 모래를 흩뿌리다 / ~ flowers *with* water = ~ water *on* 〔*over*〕 flowers 꽃에 물을 뿌리다. **3** 《+[목]+[전]+[명]》 …에 점재(點在)〔산재〕시키다, 분산시키다 《*over; with*》: villages ~*d over* the plain 평원에 점재하는 촌락. **—** *vi.* **1** 부슬부슬 내리다. **2** 〖it을 주어로 하여〗 가랑비가 내리다. **—** *n.* **1** 흩뿌려진 것; (*pl.*) (쿠키 등에) 잘게 뿌려진 초콜릿·설탕 따위. **2** 〖보통 단수형〗 소량; 소수의 사람들, 조금 《*of*》: a ~ *of* salt 극소량의 소금. **3** 가랑비. **4** 살수기.

sprín·kler *n.* (물 따위를) 뿌리는 사람〔물건〕; 살수차; 물뿌리개; 살수 장치, 스프링클러; 저수실(貯水室). [파] **~ed** *a.* 스프링클러〔살수소화(消火) 장치〕를 설치한.

sprínkler sỳstem (천장 따위에 장치한) 자동소화(消火) 장치; (탄광 따위의) 방진용(防塵用) 살수 장치; (잔디·골프장 등의) 살수 장치(= **sprínkling sỳstem**).

sprín·kling *n.* **1** 흩뿌리기, 살포, 끼얹기; 분무작업, 물 뿌리기; 살수 관개(灌漑). **2** (비 따위가) 부슬부슬 내림; (손님 등이) 드문드문함〔옴〕; 조금, 소량, 소수 《*of*》: a ~ *of* visitors 드문드문 오는 손님들 / not a ~ *of* sympathy 손톱만큼의 동정도 없는. 「pot).

sprínkling càn 물뿌리개, 살수기(watering

sprint [sprint] *vt., vi.* (단거리를) 역주〔역조(力漕)〕하다. **—** *n.* 단거리 경주(~ race); 전력 질주, 스프린트; 단시간의 노력〔격무〕. [파] **∠·er** *n.* 단거리 선수, 스프린터. 「주용 차》.

sprínt càr 스프린트 카 《중형(中型)의 단거리 경

sprit [sprit] *n.* 〖선박〗 사형(斜桁) 《돛대 아래 부위에서 뒤쪽으로 비스듬히 뻗쳐 spritsail을 매다는 활대》; (옛날의) 제 1 사장(斜檣).

sprite [sprait] *n.* (작은) 요정(妖精); 《고어》 도깨비(spirit); 《고어》 영혼(soul); 〖컴퓨터〗 스프라이트 《도형 패턴을 화면에 표시한 것; 고속 이동이 가능》.

sprit·sail [sprítsèil, 《해사》 -səl] *n.* 〖선박〗 사형범(斜桁帆) 《원래 선수재(船首材) 밑의 활대에 친 가로돛》.

spritz [sprits, ʃprits] *n.* 분출, 즉흥(의 재미있는 말). **—** *vt., vi.* 분출시키다〔하다〕.

spritz·er [sprítsər, ʃpríts-] *n.* 차가운 백포도주와 소다수의 혼합 음료.

sprock·et [sprɑ́kit/sprɔ́k-] *n.* 사슬톱니; 사슬바퀴; (자전거의 체인이 걸리는) 사슬톱니바퀴, 〖사진〗 스프로킷(=**∠ whéel**) 《사진기의 필름 감기 레버》; 〖건축〗 처마 서까래.

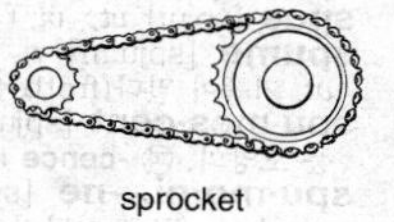
sprocket

sprog [sprɔːg, sprɑg/sprɔg] *n.* 《영우스개》 아

이, 어린애; 신병, 신참, 신입생.

*__sprout__ [spraut] *vi.* **1** 《~/+副》 싹이 트다, 발아하다: The new leaves ~*ed up*. 새잎이 돋았다. **2** 《+前+名》 갑자기 자라다; 발육〔성장〕하다: ~ *into* manhood 어른이 되다. — *vt.* **1** …에 싹이 트게〔나게〕 하다. **2** (뿔 따위를) 내다, (수염 따위를) 기르다: ~ a mustache. **3** 《구어》 (감자 따위의) 싹을 따다. — *n.* **1** (새)싹, 눈, 움, 봉오리가 벌어짐, 종자의 발아; 싹처럼 자라는 것; (*pl.*) 《구어》 =BRUSSELS SPROUTS. **2** 자손; 《구어》 젊은이. ***put through a course of ~s*** 《미구어》 맹훈련하다, 혼내 주다.

sprout·ling [spráutliŋ] *n.* 작은 (새)싹.

spruce[1] [spru:s] *n.* U,C 가문비나무속(屬)의 식물《갯솔·전나무 등》; 독일가문비(=∠ **fir**).

spruce[2] *a.* 말쑥한, 멋진, 맵시 있는, 스마트한. — *vt.* 《+目+副》 말쑥하게〔단정하게〕 하다, 모양내다《*up*》: She ~*d* herself *up*. 그녀는 옷차림을 단정히 했다. — *vi.* 모양을 내다, 멋을 부리다《*up*》. ㊞ ∠·**ly** *ad.* ∠·**ness** *n.*

sprúce bèer 가문비나무 술《가문비나무의 가지·잎을 넣고 당밀을 데쳐서 빚은 발효주》.

sprúce gùm 스프루스 검《전나무·가문비나무에서 채취하는 껌의 재료》.

sprue[1] [spru:] *n.* 〚주조〛 쇳물을 거푸집에 흘러내리게 하는 주둥이, 탕구(湯口).

sprue[2] *n.* U 〚의학〛 장(腸) 흡수 부전증《설사·구강염 따위를 일으킴》.

spruik [spru:k] *vi.* 《Austral. 속어》 열변을 토하다, 장광설을 늘어놓다; 팔(아먹)다. ㊞ ∠·**er** *n.* 《Austral. 속어》 쇼맨(showman); 웅변가, 선동가, 세일즈맨.

spruit [spru:t, spreit] *n.* (아프리카 남부의) 우기 때만 물이 흐르는 작은 지류(支流).

sprung [sprʌŋ] SPRING의 과거·과거분사. — *a.* **1** 용수철이 달린〔든〕. **2** 갈라진, 쪼개진, 금이 간, 타진《돛 따위》. **3** 《속어》 얼근한, 취한. **4** 《미속어》 홀딱 반한, 열중하는《*on*》.

sprúng rhỳthm 〚운율〛 운율법(韻律法)의 하나《하나의 강세가 넷까지의 약한 음절을 지배하며, 주로 두운(頭韻)·중간운(中間韻) 및 어구의 반복에 의하여 리듬을 갖추는 법》.

spry [sprai] (∠·*er*, ***sprí·er***; ∠·*est*, ***sprí·est***) *a.* 기운찬(brisk); 활발한(active), 민첩한(nimble). ㊞ ∠·**ly** *ad.* ∠·**ness** *n.*

SPS 〚우주〛 Service Propulsion System《service module의 주(主)로켓 시스템》. **s.p.s.** *sine prole superstite* 《L.》 (=without surviving issue) 《살아남은 자손 없이》. **spt.** seaport; spirit; support.

spud [spʌd] *n.* 작은 가래《제초용》; 나무껍질 벗기는 칼; 《구어》 감자(potato); 《속어》 돈. — (*-dd-*) *vt.* 작은 가래로 파다《*up; out*》; (유전 등을) 본격적으로 시추하기 시작하다. 「기구.

spúd bàsher 《영군대속어》 감자 껍질 벗기는

spúd·der *n.* 나무껍질 벗기는 끌 모양의 도구; 《구어》 (유정(油井)의) 개갱(開坑) 작업원, 굴착장치. 「치다.

spud·dle [spʌ́dl] *vt., vi.* 《영》 조금 파다, 파헤

spud·dy [spʌ́di] *a.* 뭉뚝한(pudgy).

spue [spju:] *vt., vi.* 《고어》 =SPEW.

spume [spju:m] *n.* U 거품(foam). — *vi., vt.* 거품이 일다(froth); 거품이 일게 하다.

spu·mes·cent [spjumésnt] *a.* 거품 이는; 거품 모양의. ㊞ **-cence** *n.* U

spu·mo·ni, -ne [spumóuni, spə-], [-ni, -nei] *n.* 《It.》 이탈리아식 아이스크림《과일·나무 열매를 넣고 맛·향기가 충지게 한 것》.

spu·mous [spjú:məs] *a.* =SPUMY.

spumy [spjú:mi] (***spum·i·er; -i·est***) *a.* 거품의; 거품투성이의, 발포성(發泡性)의.

spun [spʌn] SPIN의 과거·과거분사. — *a.* **1** (실로) 자은, 섬유로 만들어진: ~ gold 〔silver〕 금〔은〕실/~ silk 방적견사, 견방. **2** 잡아늘인《*out*》. **3** 《영속어》 지쳐빠진(tired out).

spún·bònded [-id] *a.* 스펀본디드의《화학 섬유를 방사(紡絲)하면서 만들어진 부직포(不織布)를 일컬음》.

spún-dýed *a.* 스펀 염색의《방사하기 전에〔방사할 때〕 염색한》.

spún glàss 실유리, 유리 섬유.

spunk [spʌŋk] *n.* U **1** 《구어》 원기(mettle), 용기(courage); 성남(anger). **2** 부싯깃(tinder). **3** 《영비어》 정액. ***get*** one's ***~ up*** 《구어》 기운을 내다, 분발하다; 성내다. ***~ of fire*** 불길. — *vi.* 《Sc.》 (이야기 따위가) 새다, 알려지다; 《방언》 불끈하다; 《미》 분발하다《*up*》. — *vt.* 《미》 (용기를) 떨쳐 일으키다《*up*》.

spunk·ie [spʌ́ŋki] *n.* 《Sc.》 **1** 도깨비불. **2** 혈기왕성한 사람, 용감한 사람; 성미가 급한 사람.

spunky [spʌ́ŋki] (***spunk·i·er; -i·est***) *a.* 《구어》 씩씩한(spirited), 용감한(plucky); 활기 있는; 성마른(quick-tempered), 성급한, 성을 잘 내는(touchy). ㊞ **spúnk·i·ly** *ad.* **-i·ness** *n.*

spún ráyon 방적 인견, 스펀 레이온, 스프.

spún sílk 견방사(의 직물).

spún súgar 《미》 솜사탕(《영》 candy floss).

spún yárn 방적사, 꼰 실; 〚해사〛 꼰 밧줄.

*__spur__ [spə:*r*] *n.* **1** 박차, 〚역사〛 황금의 박차《knight의 상징》: put 〔set〕 ~*s* to a horse 말에 박차를 가하다. **2** 《비유》 자극(stimulus), 격려, 선동; 동기(incentive)《*to; for*》: Poverty is the best ~ *to* the artist. 가난은 예술가에게 가장 좋은 자극(제)이다. **3** 박차 모양의 것; (새의) 며느리발톱; (등산용 구두의) 아이젠(climbing iron), 동철(冬鐵); (쌈닭의 며느리발톱에 끼우는) 쇠발톱; (산의) 돌출부, (산맥의) 지맥; 돌출한 나무뿌리〔나뭇가지〕; 〚건축〛 버팀벽; 〚동물〛 가시, 바늘; 〚철도〛 =SPUR TRACK. ***on the ~*** 매우 급히. ***on the ~ of the moment*** 얼떨결에, 앞뒤 생각 없이; 갑자기, 즉석에서. ***win*** 〔***gain***〕 ***one's ~s*** 〚역사〛 knight 작위를 받다; 《비유》 처음으로 공훈을 세우다, 이름을 떨치다.

— (*-rr-*) *vt.* **1** 《~+目/+目+副》 …에 박차를 가하다; 질주하게 하다《*on*》: ~ a horse *on* 말에 박차를 가하다. SYN. ⇨URGE. **2** 《+目+副/+目+前+名/+目+*to* do》 몰아대다(drive), 자극〔격려〕하다《(*on*) *to; into*》: ~ a person *on to* 〔*into*〕 action 아무를 격려하여 활동시키다/What ~*red* him *to* join the party? 왜 그는 그 당에 들어갈 생각을 하게 되었는가. **3** 며느리발톱으로 차다〔상처를 입히다〕. **4** 〖주로 과거분사로서〗 …에 박차를〔쇠발톱을〕 달다; (쌈닭 등이) 며느리발톱으로 상처를 내다. — *vi.* 《+副/+前+名》 (박차를 가하여) 말을 달리다; 질주하다, 서두르다: Wheeling the white horse, he ~*red away*. 백마를 몰고 그는 질주해 갔다/~ *into* a fight (며느리발톱을 써서) 싸움을 시작하다. ***~ a willing horse*** 필요 이상 독려하다, 집요하게 다그치다. ~ (a horse) ***forward*** (말을) 급히 몰다. ㊞ ∠·**less** *a.* 박차(拍車)가 없는; 며느리발톱이 없는. ∠·**rer** *n.* 「은 하제(下劑)》.

spurge [spə:rdʒ] *n.* 〚식물〛 등대풀《수액(樹液)

spúr gèar 〚기계〛 평(平)톱니바퀴.

spúr gèaring 〚기계〛 평톱니바퀴 장치.

spu·ri·ous [spjúəriəs] *a.* 가짜의, 위조의; 겉치레의, 그럴듯한; 비적출(非嫡出)〔서출(庶出)〕의; 〚생물〛 의사(擬似)의: a ~ coin 위조 화폐/~ pregnancy 상상 임신. ㊞ **~·ly** *ad.* **~·ness** *n.*

◇__spurn__ [spə:*r*n] *vt.* **1** (사람·제의·충고 등을)

퇴짜 놓다: ~ a marriage offer 결혼 신청을 퇴짜 놓다. **2** …을 콧방귀 뀌다, 경멸하다. **3** 《고어》 차다, 걷어차다(kick): ~ the ground (훌쩍) 뛰다, 도약하다. **—** *vi.* **1** (위험 등을) 얕보다, 경멸하다《*at*》. **2** 《고어》 곱드러지다《*against*》. **—** *n.* 자빡 댐, 일축, 문전에서 내쫓음; 멸시; 《고어》 차기(kick), 찌르기(thrust).

spur·ri·er [spə́:riər, spʌ́r-/spʌ́r-] *n.* 박차 제조자. 「큰개미자리.

spur·ry, -rey [spə́:ri, spʌ́ri/spʌ́ri] *n.* 『식물』

◇**spurt, spirt** [spə:rt] *vi.* **1** 《~/+[부]/+[전]+[명]》 뿜어 나오다, 분출하다《*out; up; down*》: ~ *out* in stream 분류(奔流)하다/Water ~*ed from* the crack. 틈새에서 물이 뿜어 나왔다. **2** (단기간) 버티다, 분발하다; 『경기』 역주(力走)하다. **—** *vt.* 《+[목]+[부]/+[목]+[전]+[명]》 뿜어내다《*out; up; from*》: ~ *up* water very high 물을 매우 높이 분출시키다. **—** *n.* **1** 분출, 뿜어 나옴; (감정 등의) 격발《*of*》. **2** (한바탕의) 분발; 역주, 역영(力泳): make 〔put on〕 a ~ 역주하다/last 〔the finishing〕 ~ 라스트 스퍼트. **3** (값의) 급등 (기간). ***by ~s*** 가끔, 생각난 듯이.

spúr tràck 『철도』 (한쪽만 본선에 연결되는)

spúr whèel 『기계』 =SPUR GEAR. ⌊지선(支線).

sput [spu:t, spʌt] *n.* 《속어》 =SPUTNIK.

sput·nik [spú:tnik, spʌ́t-] *n.* 《Russ.》(=traveling companion) (종종 S–) 스푸트니크《옛 소련의 인공위성; 1호는 1957년 발사》; 〖일반적〗 인공위성.

◇**sput·ter** [spʌ́tər] *vi.* **1** 《~/+[부]》 (불꽃 등을 튀기며) 푹푹 내뿜다, 톡톡 튀다, 톡톡〔푹푹〕 소리 내다: The match ~*ed out.* 성냥은 탁탁 소리를 내며 불탔다. **2** (지껄일 때 등) 입에서 침〔음식물〕을 튀기다, 게거품을 튀기다. **3** (기계·기관총 등이) 심한 (발사) 소리를 내다; (엔진이) (멈출 것 같아) 탕탕거리다. **—** *vt.* **1** (작은 것을) 푹푹 뿜어내다, 톡톡 튀기다. **2** (흥분했을 때 등에) (침·음식물 등을) 입에서 툭툭 튀기다〔내뱉다〕. **3** …을 빠른 말로〔서둘러〕 지껄이다, 냅다 지껄여대다. **4** 『물리』 **a** (이온을 조사(照射)하여) (금속의) 원자를 튀어나게 하다. **b** (표면을 sputtering에 의해) 피막으로 덮다. **—** *n.* **1** 푹푹 뿜어냄; 그 소리. **2** 냅다 지껄여댐. **3** 입에서 튀어나온〔뱉어 낸〕 것《침·음식물 따위》. [파] **~·er** *n.* **~·ing·ly** *ad.* 웅얼웅얼 (말하면서).

spu·tum [spjú:təm] (*pl.* ***-ta*** [-tə], **~*s***) *n.* [U] 침, 타액; [U,C] 가래(expectoration), 담.

SPX 『컴퓨터』 Sequenced Packet Exchange 《노벨 네트워크를 위해 개발된 전송 레벨 프로토콜》.

spy** [spai] *n.* **1** 스파이, 밀정, 간첩: a ~ ring 간첩단/an industrial ~ 산업 스파이. **2** 탐정, 정찰. ★ 스파이 행위는 espionage. ¶ be a ~ on …을 정찰하다. ***a ~ in the cab 《구어》 (택시의) 요금 미터(taximeter). **—** *vi.* **1** 《~/+[전]+[명]》 스파이 노릇을 하다; 감시하다《*on, upon*》: ~ *on* the enemy 적정을 정찰하다. **2** 《+[전]+[명]》 (몰래) 조사하다《*into*》: ~ *into* a person's actions 아무의 행동을 몰래 조사하다. **—** *vt.* **1** 스파이질하다; 감시하다. **2** 《+[목]+[부]》 몰래 탐지하다, 조사하다《*out*》: ~ *out* natural resources 천연자원을 몰래 조사하다. **3** 《~+[목]/+[목]+[부]/+[목]+-*ing*》 발견하다; 찾아내다(discover)《*out*》: He *spied out* the secret. 그는 비밀을 알아냈다/I *spied* a stranger com*ing* up the path. 나는 낯선 사람이 길 이쪽으로 오는 것을 확인했다. **4** …에 시선이 멎다.

spý·glàss *n.* 작은 망원경, 쌍안경.

spý·hòle *n.* (방문자 확인용의) 내다보는 구멍(peephole).

spý-in-the-skỳ *n.* 정찰〔스파이〕 위성.

spý·màster *n.* 간첩망(網)을 지휘하는 사람.

spý plàne 스파이기(機).

spý sàtellite 정찰〔스파이〕 위성.

Sq. Squadron. **sq.** *sequens* 《L.》(=the following (one)); sequence; square. **SQ** 『국제항공약칭』 Singapore Airlines; survival quotient (장수 지수(指數)). **Sqd(n). Ldr.** Squadron Leader. **sq. ft.** square foot 〔feet〕. **sq. in.** square inch(es).

SQL [sí:kwəl] 『컴퓨터』 structured query language(구조화 질의 언어).

sq. mi. square mile(s). **sqn.** squadron. **sqq.** *sequentes* or *sequentia* 《L.》(=(and) the following (ones)).

squab [skwɑb/skwɔb] *a.* 살찐, 똥똥한, 땅딸막한; (새가) 털이 아직 안 난, 갓 부화된: a ~ chick. **—** *n.* 비둘기 새끼; 새 새끼; 똥똥한 사람; 《미속어》 젊은 여성; 푹신한 쿠션; 소파; 《영》 (자동차 시트의) 쿠션 부분. **—** *ad.* 털썩(plump).

squab·ble [skwɑ́bəl/skwɔ́bəl] *n.* 시시한 언쟁, 말다툼. **—** *vi.* 시시한 일로 말다툼하다, 싸우다《*with; about*》; 『인쇄』 (짜 놓은 활자가) 무너지다. **—** *vt.* 뒤죽박죽을 만들다; 『인쇄』 (짜 놓은 활자를) 무느다〔흩뜨리다〕. [파] **-bler** *n.* 『인쇄』 해판자; 말다툼하는 사람. 「막한(squat).

squab·by [skwɑ́bi/skwɔ́bi] *a.* 똥똥한, 땅딸

squáb pie 양〔비둘기〕고기 파이의 일종.

◇**squad** [skwɑd/skwɔd] *n.* 〖집합적〗 **1** 『미군사』 분대, 『영군사』 반(班): ~ drill 분대 교련. ★ 집합체로 생각할 때는 단수, 구성 요소로 생각할 때는 복수 취급. **2** 소집단, 일단(의 사람들), 한 조(組), 팀《*of*》; 《미속어》 =GOON SQUAD: a ~ *of* policemen 경찰대(隊). ***an awkward ~*** 신병반. ***a relief ~*** 구조대. **—** *vt.* 《미》 분대로 편성〔편입〕하다.

Squad. 『군사』 Squadron.

squád càr (무선 장비를 갖춘) 경찰 순찰차(《미》 cruise car, cruiser, prowl car).

squad·die, -dy [skwɑ́di/skwɔ́di] *n.* 《구어》 반원(班員)《squad의 일원》; 《영속어》 신병, 사병, 졸병.

squád lèader 분대장.

squad·rol [skwɑ́droul/skwɔ́d-] *n.* (경찰) 구급차 겸용 순찰차; 《속어》 경관(의 일대(一隊)).

squad·ron [skwɑ́drən/skwɔ́d-] *n.* 『육군』 기병 대대; 『해군』 소함대, 전대《함대(fleet)의 일부》; 『미공군』 비행 (대)대《2개 이상의 중대〔편대〕(flight)로 됨》; 『영공군』 비행 중대《10–18대로 됨; 생략: squad.》; 방진(方陣); 〖일반적〗 조직된 단체, 그룹, 집단. **—** *vt.* ~으로 편성하다.

squádron lèader 『영공군』 비행 중대장, 공군 소령.

squád ròom 『군사』 분대 막사〔침실〕; (경찰서의) 경관 집합실.

squail [skweil] *n.* 《영》 **1** (과녁맞히기 놀이 용의) 작은 나무 원반. **2** (*pl.*) 〖단수취급〗 과녁맞히기 놀이《작은 구슬을 튕겨서 판의 복판 과녁에 맞히는 놀이》.

squa·lene [skwéili:n] *n.* 『생화학』 스콸렌《상어 간유에 다량 존재하는 사슬 모양 탄화수소로, 스테롤류(類) 생합성의 중간체》.

squal·id [skwɑ́lid/skwɔ́l-] *a.* 더러운, 누추한, 지저분한; 《비유》 비참한; 비열한, 치사〔야비〕한《싸움 등》. [파] **~·ly** *ad.* **~·ness** *n.* **squa·lid·i·ty** [skwɑlídəti/skwɔl-] *n.* [U] 불결, 비열.

◇**squall**¹ [skwɔ:l] *n.* **1** 질풍, 돌풍, 스콜《비나 눈을 동반》: a black ~ 검은 스콜《검은 비구름이나 강수를 동반》/a thick ~ 진눈깨비〔싸락눈, 우박 따위〕를 동반하는 질풍/a white ~ 흰 스콜《구름 없이 강수를 동반》. **2** 《구어》 돌발적 소동〔혼란〕. ***look out for ~s*** 위험〔말썽〕을 경계하다.

— *vi.* 〖주어는 it〗 질풍이 몰아치다. [파] ∠·ish *a.*

squall² *vi.* 비명〔고함〕을 지르다; 큰 소리로 울다. — *vt.* 《+[목]+[부]》 (고함을 질러) …라고 말하다: The women ~*ed out* their complaints. 여자들은 악을 쓰며 큰 소리로 불평했다. — *n.* 비명, 외마디 소리, 아우성. [파] ∠·er *n.*

squáll lìne 〖기상〗 스콜선(線)《스콜 또는 천둥을 동반한 한랭 전선에 연한 선; 생략: q.》.

squally [skwɔ́:li] *a.* 폭풍이 일 것 같은, 질풍이 잦은; 《구어》 (형세가) 험악한, 심상치 않은.

squa·loid [skwéilɔid] *a.* 상어(shark)의, 상어 비슷한.

squal·or [skwálər, skwɔ́:l-/skwɔ́lər] *n.* [U] 불결함; 비참함; 비열, 야비함. ◇ squalid *a.*

squa·ma [skwéimə] (*pl.* **-mae** [-mi:]) *n.* 〖식물·동물〗 인편(鱗片), 비늘, 비늘 모양의 부분.

squa·mate [skwéimeit] *a.* 비늘이 있는.

squa·mose, -mous [skwéimous], [-məs] *a.* 비늘로 덮인; 비늘이 있는; 비늘 모양의. [파] ~·**ly** *ad.* ~·**ness** *n.*

squámous céll 〖의학〗 편평상피(扁平上皮)세포.

◇**squan·der** [skwándər/skwɔ́n-] *vt.* 《~+[목]/+[목]+[전]+[명]》 (시간·돈 따위를) 낭비하다, 헛되이 쓰다(waste), (재산을) 탕진하다《*in; on*》: ~ money *in* gambling 도박에 돈을 탕진하다. — *vi.* 유랑하다, 헤매다; 낭비하다; 여기저기 흩어지다. — *n.* 낭비, 산재(散財). [파] ~·**er** *n.* 낭비자, 방탕자. ~·**ing·ly** [-riŋli] *ad.*

squan·der·ma·nia [skwàndərméiniə/skwɔ̀n-] *n.* [U] 낭비《특히 정부의》.

†**square** [skwɛər] *n.* **1** 정사각형; 사각의 것〔면〕. **2** (바둑판의) 눈. **3** (거리의) 광장; 《미》 (사방이 길로 둘러싸인) 시가의 한 구획, 그 한 변의 길이, 가구(街區)(block): Madison *Square* (뉴욕의) 매디슨 광장(廣場). **4** 《미》 (신문 광고란 따위의) 한 칸. **5** (옛 군대의) 방진(方陣). **6** 직각자, 곱자: a T ~, T자. **7** 〖수학〗 제곱, 평방: bring to a ~ 제곱하다. **8** 면적의 단위, 스퀘어《100제곱피트》. **9** (권투장의) 링. **10** 《구어》 구식 사람, 고지식하고 변통 없는 사람, 속기 쉬운 사람. **11** 《구어》 =SQUARE MEAL; 《미속어》 정상적인 담배《마리화나 담배에 대해》. ***break*** **~(s)** 질서를 어지럽히다: It *breaks* no ~(*s*). 그것은 아무 해도 없다, 조금도 방해가 되지 않는다. ***by the*** **~** 《고어》 정확히, 정밀하게(exactly). ***on the*** **~** ① 직각으로. ② 동등한, 동격의《*with*》. ③ 《구어》 정직하게〔한〕, 공정히〔한〕. ④ 정돈하여. ***out of*** **~** ① 직각이 아닌. ② 부조화로, 일치하지 않고. ③ 부정〔부정확〕한〔하게〕. ④ 무질서한, 어질러진.

— *a.* **1** 정사각형의, 사각의; 직각의, 직각을 이루는《*with; to*》. **2** 평행하고 있는, 수평을 이루는《*with*》: ~ *with* the ground 지면과 직각을 이루는. **3** 동등〔평등〕한, 호각의, 과부족 없는. **4** 대차 없는, 셈이 끝난: *be* ~ *with* one's landlord 집주인과 셈이 끝나다. **5** 가지런한, 정연한, 정돈된. **6** 공명정대한, 올바른; 정직한: ~ deal 공정한 거래/You're not being ~ *with* me. 너는 나에 대해 공평하지 못하다. **7** 단호한, 딱 잘라 말하는: a ~ denial 단호한 부정〔부인〕. **8** 〖수학〗 평방의, 제곱의: eight ~ miles, 8제곱마일. **9** 《구어》 실속 있는, 알찬, 충분한《식사 따위》: ⇨SQUARE MEAL. **10** 《구어》 (생각·취미가) 구식인, 고지식한, 소박한. **11** 〖해사〗 (돛·활대가) 용골과 직각을 이루는. **12** 《구어》 보수적인, 시대에 뒤진, 소박한. ***all*** **~** 준비가 다 갖춰진; 〖스포츠〗 호각인, 비등한. ***call it*** (***all***) **~** 호각으로〔비등하다고〕 보다. ***get*** one***'s accounts*** **~** 결산〔청산〕하다. ***get*** **~ *with*** ① …와 동등〔비등〕해지다, 막상막하가 되다. ② …와 대차가 없어지다〔비기다〕. ③ …에게 앙갚음〔보복〕하다. ***get things*** **~** 《구어》 정돈하다, 고치다; 일을 납득하다. ***hit a person*** **~** (아무를) 정통으로 때리다.

— *ad.* **1** 직각으로, 사각으로; 〖축구·하키〗 사이드라인에 직각으로. **2** 《구어》 정면으로, 정통으로: look a person ~ in the face 아무의 얼굴을 빤히 쳐다보다. **3** 《구어》 공평하게(fairly), 정정당당하게, 정직하게(honestly). ***fair and*** **~** ⇨FAIR¹. ***play*** **~** 공명정대하게 하다.

— *vt.* **1** 《~+[목]/+[목]+[부]》 정사각형으로 하다; (재목 따위를) 네모지게〔직각으로〕 하다《*up; off*》: He ~*d off* the log to make a timber for his house. 집 재목으로 쓰기 위해 통나무를 각재(角材)로 깎았다. **2** (어깨·팔꿈치를) 펴다. **3** 똑바로 하다, 굽은 곳을 바로잡다; 평평하게 하다. **4** 《+[목]+[전]+[명]》 맞게〔적합하게〕 하다(adjust), 적응시키다, 일치시키다《*with; to*》: ~ one's conduct *with* one's principles 행동을 주의(主義)에 맞추다. **5** 《~+[목]/+[목]+[부]》 청산〔결제〕하다; 보복하다: ~ a bill 〔*up* one's debt〕 계산〔빚〕을 청산하다. **6** 〖경기〗 동점으로〔비기게〕 하다: ~ the score 스코어를 동점으로 하다. **7** 〖군사〗 방진(方陣)으로 하다. **8** 〖수학〗 제곱하다, …의 면적을 구하다: Three ~*d* is nine. 3의 제곱은 9. **9** 〖해사〗 (활대를) 용골과 직각이 되게 하다; (항로 등을) 정하다. **10** 《구어》 매수하다(bribe); 매수하여 해결하다; (아무를) 달래다: ~ government officials 공무원을 매수하다. — *vi.* **1** 사각을 이루다《*with*》. **2** 《+[전]+[명]》 맞다(conform), 적합하다(suit), 일치〔조화〕하다(agree)《*with*》: His behavior does not ~ *with* his words. 그의 행동은 말과 일치하지 않는다. **3** 《+[전]+[명]/+[부]》 청산〔결제〕하다《*for; up*》: ~ *for* one's meal 식대를 지급하다/I've just ~*d up*. 방금 청산을 끝냈다. **4** 《+[부]/+[전]+[명]》 〖골프〗 동점이 되다; 〖권투〗 자세를 취하다; (곤란 등에) 진지하게 맞서다《*up*》: It's time you ~*d up to* these facts. 당신이 이 사실과 정면으로 맞설 때이다. **~ *accounts*** 〔one***'s account***〕 ***with*** (…와의 관계 등을) 청산하다; (…에 대한) 원한을 풀다. **~ *away*** 《*vi.*+[부]》 ① 〖해사〗 순풍을 받고 나아가다. ② 《미》 갖추다, 준비하다; 처리하다. ③ 《구어》 막 싸우려 하다. — 《*vt.*+[부]》 ④ …을 깨끗이 정리〔정돈〕하다. **~ *off*** 《*vi.*+[부]》 ① 《미》 싸울 자세를 취하다. — 《*vt.*+[부]》 ② 사각형으로 하다, 사각형으로 자르다. **~ one*self*** (잘못·실언 등의) 책임을 지다, 변명하다; 청산하다; 앙갚음하다. **~ one*'s shoulders*** 〔***elbows***〕 어깨를 으쓱하다〔팔꿈치를 펴다〕《싸움의 자세·뽐내는 태도 따위》. **~ *the circle*** ⇨ CIRCLE. **~ *up*** 《*vi.*+[부]》 ① 《빚·계산 등을》 결제〔청산〕하다《*with*》. ② (깨끗이) 정리〔정돈〕하다. ③ (싸울) 자세를 취하다, (어려움에) 맞서다, 도전하다《*to*》. — 《*vt.*+[부]》 ④ (물건의 끝을) 직각으로 하다. ⑤ 정리하다, 보상하다.

[파] ∠·**like** *a.* ∠·**ness** *n.* 네모짐; 정직, 성실; 공정 거래.

squáre báck 〖제본〗 각진 등.

squáre bádge 《미속어》 경비원.

squáre-bàsh·ing *n.* 《영군대속어》 군사 교련. [파] **squáre-bàsh** *vi.*

squáre bódy 〖해사〗 선체(船體) 평행부.

squáre brácket 〖인쇄〗 꺾쇠괄호《[ ]》.

squáre-buílt *a.* 어깨가 떡 벌어진, 튼튼한; 모난, 옆으로 퍼진.

squáre cáp 대학모, 사각모.

squáre dànce 스퀘어 댄스《남녀 4쌍이 한 단위로 춤》.

squared círcle 〔**ríng**〕 [skwɛ́ərd-] 《구어》 링(boxing ring).

squáre déal 공평한 조처〔거래〕; 〖카드놀이〗 패를 공정하게 도르기; 공평한 정책(政策): give

a person a ~ 아무를 공평하게 대우하다.
squáred páper 방안지, 모눈종이.
squáre-èyes *n.* 《영속어》 TV 보기에 열중해 있는 사람. ㊥ **squáre-èyed** *a.*
squáre-fàced [-t] *a.* 모난 얼굴의.
squáre fóot 제곱피트.
squáre·hèad *n.* 《미속어》 멍청이, 바보; 《경멸》 독일·네덜란드·스칸디나비아 사람(의 이민).
squáre ín 〖축구〗 스퀘어인《패스의 일종》.
squáre ínch 제곱인치.
squáre knòt 옭매듭(reef knot).
squáre-law detéctor 〖전자〗 제곱 검파기.
squáre lèg 〖크리켓〗 **1** 타자의 좌측, wicket 정면 부근의 야수(野手) 위치. **2** 그 위치의 야수.
***square·ly** [skwέərli] *ad.* **1** 네모꼴로, 네모지게; 직각으로. **2** 정면으로(directly), 곧바로: face a problem ~ 문제에 정면으로 직면하다. **3** 정직하게; 공평〔공정〕히. **4** 단호히, 분명히; 정직하게, 공평하게: ~ refuse to answer 대답을 단호히 거절하다. **5** 《속어》 (식사 등을) 배불리, 충분히.
squáre mátrix 1 〖수학〗 정사각 행렬(行列), 정방(正方) 행렬. **2** 〖컴퓨터〗 정방 행렬《행과 열이 같은 수인》.
squáre méal (양적으로나 내용적으로) 푸짐한 「[알찬] 식사.
squáre méasure 〔**númber**〕 〖수학〗 제곱 「측도[수].
squáre méter 제곱미터.
Squáre Míle (the ~) 스퀘어 마일《런던의 은행·금융 기관·대기업의 밀집 지역》.
squáre óne 출발점, 시작: from ~ 처음부터. ***back at*** 〔***to***〕 ***the*** **~** (조사·실험 등) 출발점으로 되돌아가서.
squáre óut 〖축구〗 스퀘어아웃《패스의 일종》.
squáre ríg 《영군대속어》 수병복(水兵服).
squáre-rígged *a.* 〖해사〗 가로돛 장치의.
squáre-rígger *n.* 가로돛 (장치의) 배.
squáre róot 〖수학〗 제 「곱근.
squáre sàil 가로돛.
squáre shóoter 《미구어》 정직〔공정〕한 사람.

square-rigger

squáre-shóuldered *a.* 어깨가 딱 벌어진.
squares·ville [skwέərzvil] 《속어》 *n.* 구식〔인습적인〕 사회. **—** *a.* 시대에 뒤진, 구식의, 완고한.
squáre-tóed *a.* **1** (구두 따위의) 끝이 네모진. **2** 《비유》 청교(도)적인, 엄격한, 금욕적인, 강직한; 면밀한; 보수적인. ㊥ **~·ness** *n.*
squáre-tòes *n. pl.* 〖단수취급〗 꼼꼼한 사람, 정밀 세심한 사람; 인습적인 사람; 청교도적인 「사람.
squáre wàve 〖전기〗 방형파(方形波).
squar·ish [skwέəriʃ] *a.* 네모진, 모난. ㊥ **~·ly** *ad.* **~·ness** *n.*
squark [skwɔːrk, skwɑːrk/skwɑːk] *n.* 〖물리〗 스쿼크《초(超)대칭성에 의해 쿼크와 쌍을 이루는 입자》.
squar·son [skwɑ́ːrsn] *n.* 《영·우스개》 목사 「겸 지주(地主).
squash[1] [skwɑʃ/skwɔʃ] *vt.* **1** 《~+목/+목+보》 으깨다, 으끄러뜨리다: ~ a cockroach 바퀴벌레를 으깨 죽이다 / My hat was ~*ed* flat. 내 모자가 찌그러졌다. **2** 《+목+전+명》 (좁은 곳에) 밀어넣다, 쑤셔 넣다: ~ many people *into* a bus 많은 사람을 버스에 밀어넣다. **3** 억누르다(suppress), 진압하다; 《구어》 옥박질러 찍소리 못하게 하다; (제안 등을) 물리치다. **—** *vi.* **1** 으스러지다, 으끄러지다. **2** 《+전+명》 억지로 헤치고〔비집고〕 들어가다《*in; into; out*》: ~ *into* a crowded bus 만원 버스에 억지로 올라타다. ***Squash that*** (***melon***)**!** 《미속어》 이제 괜찮다, 걱정 마라. **—** *n.* **1** 와싹, 철썩《소리》; 으깨져 흐물흐물한 것; Ⓤ,Ⓒ 《영》 과즙, 음료, 스쿼시: lemon ~. **2** (a ~) 붐빔, 혼잡; 군중: There was a dreadful ~ at the door. 문간이 몹시 붐볐다. **3** =SQUASH RACQUETS; SQUASH TENNIS.
squash[2] (*pl.* **~·es,** 〖특히 집합적〗 **~**) *n.* 〖식물〗 「호박류.
squásh bùg 노린재의 일종《미국산(產); 박과(科) 식물의 해충》.
squásh hát 챙이 넓은 소프트 모자《접을 수 「있음》.
squásh ràcquets 〔**ràckets**〕 일종의 테니스《사면이 벽으로 둘러싸인 코트에서 자루가 긴 둥근 라켓을 씀》.
squásh tènnis squash rackets 비슷한 구기《벽으로 둘러진 코트에서 고무공을 사용함》.
squashy [skwɑ́ʃi/skwɔ́ʃi] (***squash·i·er; -i·est***) *a.* 찌부러지기 쉬운, 물컹거리는; 질퍽질퍽한; 쭈글쭈글해진; 모양이 찌그러진. ㊥ **squásh·i·ly** *ad.* **-i·ness** *n.*
squat** [skwɑt/skwɔt] (*p., pp.* ***squát·ted, **~;** ***squát·ting***) *vi.* **1** 《~/+부》 웅크리(고 털썩 앉)다, 쭈그리다(crouch); 《영구어》 앉다: She ~*ted down* by the fire. 그녀는 모닥불 곁에 웅크리고 앉았다. **2** 《미》 공유지〔남의 땅〕에 무단히 정주하다; 신개척지에 거주하다. **3** (동물이) 땅에 엎드리다; 숨다. **4** 〖해사〗 (속력을 냈을 때) 고물이 침하(沈下)하다. **—** *vt.* 《~+목/+목+부》 **1** 〖~ oneself〗 웅크리다: She ~*ted herself down.* 그녀는 웅크리고 앉았다. **2** …에 무단으로 정주하다. **~ *hot*** 《미속어》 전기의자에 앉다. **—** *a.* **1** 웅크린, 쭈그린(crouching). **2** 땅딸막한; 낮고 폭이 넓은. **—** *n.* **1** Ⓤ,Ⓒ 웅크리기, 쭈그린 자세. **2** 정착지; 《영속어》 불법 점유지; (동물의) 집. ㊥ **∠·ly** *ad.* **∠·ness** *n.*
squat·ter [skwɑ́tər/skwɔ́t-] *n.* 웅크리는 사람〔동물〕; (미개지·국유지·건물에) 무단 거주자, 불법 거주〔점거〕자; 《미·Austral.》 합법적인 공유지 정주자; 《Austral.》 목장 차용인, (대규모) 목양〔목우〕업자, 대목장주.
squátter's ríght 공유지 정주(定住)〔점유〕권.
squat·toc·ra·cy [skwɑtɑ́krəsi/skwɔtɔ́k-] *n.* (the ~) 《Austral.》 (사회적·정치적 그룹으로서의) 대목장주 계급.
squat·ty [skwɑ́ti/skwɔ́ti] (***-ti·er; -ti·est***) *a.* 웅크린, 땅딸막한, 굵고 짧은; 낮고 폭이 넓은《집 따위》. ㊥ **squát·ti·ness** *n.*
squaw [skwɔː] *n.* 북아메리카 원주민의 여자; 《미속어·우스개》 아내, 여자.
squáw·fish *n.* 〖어류〗 **1** 잉엇과(科)의 큰 식용 담수어《북아메리카 서해안산(產)》. **2** 망성어의 일종《북아메리카 태평양 연안산(產)》.
squawk [skwɔːk] *n.* 꽥꽥, 깍깍《새 따위의 울음소리》; 《구어》 시끄러운 불평; 〖항공〗 항공기 승무원이 비행 중 기체·장비의 이상을 알리는 신고; 〖조류〗 푸른백로. **—** *vi., vt.* (물오리 따위가) 꽥꽥〔깍깍〕 울다; 《구어》 시끄럽게 불평하다, 투덜거리다《*about*》; 《미속어》 고자질하다, 찌르다; 《미속어》 자백하다; 《군대속어》 (일을) 점검하다. ㊥ **∠·er** *n.* **1** 꽥꽥거리는 사람; 《특히》 비둘기 새끼. **2** 《속어》 밀고자; 《특히》 경찰에 동료를 파는 자. **3** 《구어》 위기일발, 신승. **4** 중음용(中音用)의 스피커.
squáwk bòx 《구어》 사내(社內)〔구내, 기내〕 방송용 스피커.
squáw màn 《미》 북아메리카 원주민의 여자와 「결혼한 백인.
squáw wìnter 《미》 Indian summer 전(前)의 겨울 같은 날씨.
°**squeak** [skwiːk] *vi.* **1** (쥐 따위가) 찍찍〔끽끽〕 울다; (어린애가) 앙앙 울다; (차륜·구두 등이) 삐걱 소리 내다; 삐걱거리다. **2** 《구어》 (벌을 면

하려고) 밀고하다, 고자질하다. **3** 간신히 성공하다〔이기다, 도망치다〕《*through; by*》. **—** *vt.* 《+목+부》 새된 소리로 말하다: ~ *out* few words 새된 소리로 몇 마디 하다. **—** *n.* **1** ~하는 소리, 찍찍〔끽끽〕하는 소리, 새된 소리. **2** 《미속어》 밀고. **3** 〖보통 a narrow〔close, near〕 ~로〗《구어》 아슬아슬한 탈출, 위기일발. **4** 《구어》 (마지막) 기회, 찬스. ***have a ~ of it*** 간신히 도망치다〔성공하다〕.

squéak·er *n.* 찍찍〔끽끽〕거리는 것; 병아리, 《특히》 새끼 비둘기; 《속어》 밀고〔배신〕자; 《구어》 대접전 (끝에 이긴 경기), 간신히 이긴 선거.

squeaky [skwí:ki] (***squeak·i·er; -i·est***) *a.* 찍찍〔끽끽〕하는, 삐걱거리는. **~ *clean*** 《미구어》 아주 깨끗한. ㊞ **squéak·i·ly** *ad.* **-i·ness** *n.*

◇**squeal** [skwi:l] *vi.* **1** (고통·공포 따위로) 끽끽〔깩깩〕 울다, 비명을 지르다: The bus *~ed to* a stop. 버스가 끼익하고 멈추었다. **2** 《속어》 배반〔밀고〕하다《*on*》. **3** 《속어》 불평하다(complain); 큰 소리로 항의하다. **—** *vt.* **1** 길게 새된 소리로 말하다《*out*》. **2** (문·타이어 등이) 끼익 소리를 내다. **3** 《속어》 밀고하다, 일러바치다; 배신하다. **—** *n.* 끽끽 (우는 소리), (어린이·돼지 등의) 비명; 《속어》 불평, 항의; 《영속어》 밀고; 《속어》 베이컨, 돼지고기. ㊞ **∠·er** *n.* 불평꾼; 끽끽 우는 새; 《속어》 고자쟁이, 밀고자.

squeam·ish [skwí:miʃ] *a.* 몹시 딱딱한, 결백한, 신경질적인; 괴까다로운(fastidious); 잘 토하는. ㊞ **~·ly** *ad.* **~·ness** *n.*

squee·gee [skwí:dʒi:, -∠] *n.* **1** 고무 청소기《창 닦기용 따위》; 〖사진〗 스퀴지, 고무 롤러《인화지 등의 여분의 물기를 제거하는 데 쓰는》. **2** 《미속어》 얼간이, 등신. **—** *vt.* …에 고무 청소기를 사용하다, 고무 롤러를 대다.

squeez·a·ble [skwí:zəbəl] *a.* **1** 압착할 수 있는. **2** 압력에 굴하는, 설득〔위압〕당하는; 무기력한. **3** 껴안고 싶은 심정의. ㊞ **squèez·a·bíl·i·ty** *n.*

squeeze [skwi:z] *vt.* **1** 죄다, 압착하다; 꽉 쥐다, 꼭 껴안다; (방아쇠를) 당기다: ~ a person's hand 아무의 손을 꼭 쥐다 / ~ the trigger 방아쇠를 당기다. **2** 《~+목/+목+보》 짓눌러 찌그러뜨리다, 짜다: ~ an orange (dry) 오렌지를 (완전히) 짜다. **3** 《~+목/+목+부/+목+전+명》 짜내다: ~ toothpaste *out* 치약을 짜내다 / ~ water *from* the clothes 옷에서 물을 짜다. **4** 《+목+전+명》 **a** (물건을) 밀어넣다, 틀어박다: ~ three suits *into* a small suitcase 작은 가방에 옷 세 벌을 쑤셔넣다. **b** 〖~ oneself〗 무리하게 끼어들다; 〖~ one's way〗 밀어젖히며 나아가다: ~ one*self between* two people 두 사람 사이에 끼어들다 / ~ one's *way through* a crowd 군중을 헤치며 나아가다. **5** 《~+목/+목+전+명》 압력을 가하다, 협박하다; (돈을) 갈취하다《*from; out of*》: ~ the poor 가난한 사람들을 착취하다 / ~ money *out of* a person 아무에게서 돈을 갈취하다. **6** 《+목+전+명》 (정보·자백을 강제로) 이끌어내다, (묘안을) 짜내다: ~ a secret *from* a person 아무를 억지로 자백시키다. **7** …의 본〔탑본(搨本)〕을 뜨다. **8** 〖야구〗 (주자를) 스퀴즈플레이로 생환시키다; (득점을) 스퀴즈로 올리다《*in*》; (의회 등에서) 득표 차를 간신히 획득하다. **—** *vi.* **1** 죄어지다, 압착되다. **2** 《+전+명/+부》 비집고 나아가다〔들어가다, 나오다〕, 억지로 지나가다, 끼어들다《*through; in; into; out*》: ~ *between* two cars 두 대의 차 사이에 끼어들다 / He tried to ~ *in*. 그는 비집고 들어오려 했다. **3** (노선 등이) 합병〔합류〕되다. ***~ off*** 방아쇠를 당겨 (탄환을 한 방) 쏘다; 발포하다. ***~ out*** 짜내다; 계략으로 파산〔폐업〕시키다. ***~ through*** 〔*by*〕 가까스로 통과하다; 《구어》 간신히 승리〔성공〕하다. ***~ to death*** 압살하다, 눌러 죽이다. ***~ up*** (승객 등을) 밀어넣다; (승객 등이) 밀려들다. **—** *n.* **1** 압착; 짜기; 한 번 짠 양: a ~ of lemon. **2** 굳은 악수; 꼭 껴안기, 포옹. **3** 서로 밀치기, 꽉 참; 붐빔, 혼잡. **4** 탑본, 눌러 박아내기, 본뜨기. **5** Ⓤ 규제, 압력, (재정상의) 압박; (경제상의) 긴축, (정부에 의한) 금융 긴축; 착취; 수회; 《구어》 협박, 강요; (관리가 취득하는) 뇌물, 부정한 수수료; (중간 상인의) 이문. **6** 《구어》 곤경, 진퇴양난. **7** 〖야구〗 =SQUEEZE PLAY. **8** 《속어》 걸〔보이〕 프렌드, 애인; 《흑인속어》 친구. ***at*** 〔***upon***〕 ***a ~*** 위급한 때를 당하여. ***in a tight ~*** ⇨TIGHT. ***put the ~ on*** …에 압력을 가하다, 강제하다.

squéeze bòttle (플라스틱제의) 눌러 짜내는 그릇《마요네즈 따위의》.

squéeze·bòx *n.* 《구어》 =CONCERTINA, ACCORDION.

squéeze bùnt 〖야구〗 스퀴즈 번트.

squéezed órange 《비유》 이용 가치가 없어진 것〔사람〕.

squéeze plày 〖야구〗 스퀴즈 플레이; 〖카드놀이〗 으뜸패로 상대방의 중요한 패를 내놓게 하기.

squéez·er *n.* **1** 죄는〔압착하는〕 사람; (특히 과일즙을) 짜내는 기구; 압착기; 탈수기. **2** 《속어》 팁을 안 주는 자, 노랭이; (*pl.*) 오른쪽 윗구석에 점수가 기입된 포커용 카드.

squeg [skweg] (**-gg-**) *vi.* 〖전자〗 (과도한 feedback 때문에 회로가) 불규칙하게 발진하다.

squég·ger *n.* 〖전기〗 단속(斷續) 발진기(發振器).

squelch [skweltʃ] *vt.* **1** 짓눌러 찌부러뜨리다. **2** 《구어》 윽박지르다, 입 다물게 하다; (제안·계획 등을) 억누르다. **3** 진압하다. **—** *vi.* 찌부러지다; 철벅 소리를 내다; (진창 따위를) 철벅거리며 걷다. **—** *n.* 퍽〔철벅철벅〕하는 소리; 눌러 찌부러뜨리기; 억압; 찍소리 못하게 하는 말; 〖전자〗 스켈치 회로(=∠ **cìrcuit**). ㊞ **∠·er** *n.* 《구어》 상대를 침묵시키는 대답, 호된 역습; 찌부러뜨리는 것〔사람〕. **∠·ing·ly** *ad.* **squélchy** *a.*

squib [skwib] *n.* **1** 폭죽《일종의 작은 불꽃》; (탄알·로켓을 발사시키는) 도화폭관(導火爆管); 불발탄. **2** 풍자 이야기, 풍자문; 짧은 뉴스; 《구어》 짧은 CM. **3** 《Austral. 속어》 겁쟁이. **—** (**-bb-**) *vt.*, *vi.* 폭죽을 터뜨리다; 펑 튀다; 비유하다, 풍자하다; 《미속어》 좀 과장해서 말하다, 거짓말하다.

squíb kìck 〖미식축구〗 =ONSIDE KICK.

squid[1] [skwid] (*pl.* **~(s)**) *n.* Ⓒ,Ⓤ 〖동물〗 오징어《cuttlefish의 일종》; 미끼용 오징어; 오징어 모양으로 만든 가짜 미끼〔낚시〕; 〖군사〗 대잠 폭뢰(對潛爆雷) 발사 장치.

squid[2] *n.* 〖물리〗 초전도(超傳導) 양자 간섭계.

squidgy [skwídʒi] *a.* 《영구어》 질척질척한.

squiffed [skwift] *a.* 《구어》 =SQUIFFY.

squif·fer [skwífər] *n.* 《영속어》 손풍금.

squif·fy [skwífi] (***-fi·er; -fi·est***) *a.* 《구어》 **1** 약간 취한. **2** 일그러진, 비스듬한.

squig·gle [skwígəl] *vi.* 비틀리다, 꿈틀거리다, 몸부림치다; 갈겨쓰다. **—** *vt.* 비틀다; 갈겨쓰다; …에 구불구불한 곡선을 만들다. **—** *n.* 구부러진 선; 꼬부라져 읽기 어려운 글자, 갈겨쓰기.

squil·gee, squill- [skwíldʒi:, -∠], **squil·la·gee** [skwílədʒi:] *n.*, *vt.* =SQUEEGEE.

squill [skwil] *n.* 〖식물〗 해총(海葱)(sea onion)《백합과(科)의 다년초》; 해총의 구근(球根)《이뇨제》; 〖동물〗 갯가재.

squil·la [skwílə] (*pl.* **~, ~s, -lae** [-li:, -lai]) *n.* 〖동물〗 갯가재.

squil·lion [skwíliən] *n.* 셀 수 없을 만큼 많은 수.

squinch[1] [skwintʃ] *n.* 〖건축〗 스퀸치《탑 따위를 떠받치기 위해 사각형의 구석에 설치하는 작은 홍예 또는 까치발 등의 장치》.

squinch² *vt.*, *vi.* (눈을) 가늘게 뜨다, (얼굴을) 찌푸리다; 압착(壓搾)하다; 몸을 옴츠리다; 꽁무니를 빼다.

squint [skwint] *a.* 사시(斜視)의, 사팔눈의; 곁눈질하는. **—** *n.* 사팔눈, 사시; 곁눈질; 《구어》 일별(一瞥), 스쳐〔얼핏〕보기; 기울기, 경향《*to; toward*》; 〖건축〗 (교회의) 성체 요배창(窓): Let me have a ~ at it. 어디 잠깐 봅시다. **—** *vi.* **1** 사팔눈이다; 곁눈질로 보다, 눈을 가늘게 뜨고 보다《*at*》. **2** 틈으로 들여다보다, 얼핏 보다《*through*》. **3** 《+전+명》 기울다, 빗나가다《*toward; to*》: His article ~*s toward* radicalism. 그의 논설에는 급진적인 경향이 있다. **—** *vt.* 사팔뜨기가 되게 하다; (눈을) 껌벅이다; 가늘게 뜨다. ㊕ **∠·er** *n.* 사팔뜨기. **∠·ing·ly** *ad.* **∠y** *a.*

squínt-èyed *a.* 사팔눈의; 곁눈질하는; 《비유》 심술궂은, 편견을 가진.

◇**squire** [skwaiər] *n.* **1** (영국 지방의) 지주, 시골 유지, 시골 신사; (the ~) (그 지방의) 대지주. **2** 《영구어》 …나리《상점 주인 · 외판원 등이 씀》. **3** 〖역사〗 기사의 종자(從者); 고관의 종자. **4** 여성을 에스코트하는 사람, 여성에게 친절한 남자(gallant), 멋쟁이. **5** 치안 판사, 재판관, 변호사《경칭》. **—** *vt.* (여성을) 에스코트하다(escort). ㊕ **∠·ship** [-ʃip] *n.* Ⓤ 지주 신분.

squir(e)·arch [skwáiərɑːrk] *n.* 지주 계급의 사람. ㊕ **~y** [-i] *n.* (the ~) (정치적 · 사회적 영향력을 갖는) 지주 계급, 지주들; Ⓤ 지주 (계급의) 정치.

squire·dom [skwáiərdəm] *n.* squire의 신분〔위신, 영지〕; 지주 계급.

squir·een [skwaiəríːn] *n.* 《Ir.》 소지주(小地主).

squire·let, -ling [skwáiərlit], [-liŋ] *n.* 소지주, 젊은 지주.

squirm [skwəːrm] *vi.* (벌레처럼) 꿈틀거리다, 움직거리다, 꿈틀거리며 나아가다; 《비유》 머뭇거리다; 어색해하다. **—** *n.* Ⓤ 머뭇머뭇하기; 〖해사〗 밧줄의 꼬임. ㊕ **∠y** *a.*

***squir·rel** [skwə́ːrəl, skwʌ́r-/skwír-] *n.* (*pl.* **~s, ~**) **1** 〖동물〗 다람쥐; Ⓤ 다람쥐 가죽. **2** 잡동사니를 소중히 간직하고 있는 사람; 《미속어》 심리학자, 정신과 의사《nuts를 진료하므로》; 《미속어》 사소한 일에 불끈 화를 내는 운전사; 《미속어》 미치광이. **—** *vt.* 《+목+부》 (돈 · 귀금속 따위를) 저장하다, 감추어 두다《*away*》: ~ *away* a few dollars for an emergency 비상시를 위해 약간의 돈을 비축하다.

squírrel càge (쳇바퀴가 달린) 다람쥐 집; 다람쥐 집 모양의 선풍기; 《구어》 (다람쥐 쳇바퀴 돌 듯) 단조로운 일〔생활〕, 끝없는 헛된 되풀이.

squir·rel·ly, -rely [skwə́ːrəli, skwʌ́r-/skwírəli] *a.* 기묘한, 상궤(常軌)를 벗어난, 미친 (것의).

squírrel rìfle 〔**gùn**〕 22 구경 라이플.

◇**squirt** [skwəːrt] *vi.* 《~/+전+명》 분출하다; 뿜어 나오다, 뻗쳐 나오다; 주사하다《*at*》; 퍼붓다: The blood ~*ed out of* the wound. 상처에서 피가 내솟았다. **—** *vt.* 《+목+전+명》 분출시키다; (분출하는 액체로) 끼얹다《*with*》: ~ someone *with* a hose 누군가에게 호스로 물을 끼얹다. **—** *n.* **1** 물딱총(=∠ **gùn**); 주사기; 소화기; 분출, 뿜어 나오기; 분수. **2** 《구어》 건방진〔같잖은〕 어정뱅이, 벼락부자, 풋내기, 꼬마. **3** 《미속어》 기총소사(機銃掃射); 제트 비행기. ***have a*** **~** 《속어》 오줌 누다. ㊕ **∠·er** *n.*

squish [skwiʃ] *vt.* 철썩하고 진창〔물속〕에 넣다〔에서 꺼내다〕; 《구어》 찌부러뜨리다, 으깨다. **—** *vi.* 철썩철썩 소리를 내다. **—** *n.* 철썩거리는 소리; 《구어》 으깸, 으깬 것; Ⓤ 《구어》 =MARMALADE.

squishy [skwíʃi] (***squish·i·er; -i·est***) *a.* 는적는적한; 《속어》 감상적인. ㊕ **squísh·i·ness** *n.*

squit [skwít] *n.* 《영속어》 쓸모없는〔건방진〕 녀석; 허튼소리; (the ~s) 《영속어》 설사. ㊕ **∠·ters** *n.* 《영구어》 (특히 가축의) 설사.

squiz [skwiz] (*pl.* **∠·zes**) *n.* 《Austral. 속어》 흘끗 봄.

sq. yd. square yard(s). **Sr** 〖화학〗 strontium. **Sr.** Senior; *Señor*; Sir; Sister. **S.R.** seaman recruit; Senate resolution. **S-R** stimulus-response. **Sra.** *Señora*. **SRAM** short-range attack missile.

SRAM, S-RAM [ésræ̀(ː)m] 〖컴퓨터〗 =STATIC RAM.

SRBM short-range ballistic missile. **S.R.C.** 《영》 Science Research Council.

S̀-R̀ connèction 〖심리〗 자극 반응 결합 (stimulus-response connection).

Sres. Senores. **S. Res.** Senate resolution.

sri, shri [sriː, ʃriː] *n.* 스리《힌두의 신 · 지존자(至尊者) · 성전(聖典)에 붙이는 경칭》; …님, …선생《Mr., Sir.에 상당》.

S.R.I. *Sacrum Romanum Imperium* 《L.》 (=Holy Roman Empire).

Sri Lan·ka [srìːlɑ́ːŋkə, -lǽŋkə] 스리랑카《인도 남동방의 Ceylon 섬으로 이루어진 공화국; 수도 Colombo》. ㊕ **~n** *a.*, *n.*

SRN 《영》 State Registered Nurse (국가 공인 간호사). **sRNA** 〖생화학〗 soluble RNA (가용성 RNA). **S.R.O.** standing room only(입석뿐임); single-room occupancy (1실 거주): ~ hotel. **Srta.** *Señorita*. **SRY** sorry《이메일 · 문자 메시지 따위에서》. **SS** 고감도 필름의 약호. ⓒⓕ S, SSS. **ss, ss., s.s.** 〖야구〗 shortstop. **SS.** Saints. **ss.** *scilicet* 《L.》 (=namely); sections; supersonic. **S.S.** *Schutzstaffel* (나치스 친위대); screw steamer; Secretary of State; Silver Star (은성 훈장); *sensu stricto* 《L.》 (=in the strict sense); Straits Settlements; Sunday School. **SSA** Social Security Administration. **SSB** single sideband (transmission). **SSBN** 〖미해군〗 Strategic Submarine Ballistic Nuclear (탄도 미사일 탑재 원자력 잠수함). **S.Sc.D** Doctor of Social Science. **SS.D.** *Sanctissimus Dominus* 《L.》 (=Most Holy Lord)《교황의 존칭》. **SSDDS** self-service discount department store. **SSDS** self-service discount store. **SSE, S.S.E.** south-southeast (남남동). **SSI** small-scale integration 〔integrator〕(소규모 집적회로); Supplemental Security Income. **SSL** Secure Sockets Layer (보안 소켓 계통)《인터넷 통신에서 암호 이용을 통해 신뢰도를 높이는 규격》. **SSM** surface-to-surface missile; 〖미공군〗 staff sergeant major.

SSN [èsèsén] *n.* 〖미해군〗 원자력 잠수함《함선 종별 기호; SS는 submarine, N은 nuclear propulsion(원자력 추진)이란 뜻》.

SSN Social Security Number. **SSR, S.S.R.** Soviet Socialist Republic. **SSS** 《미》 Selective Service System; 〖골프〗 standard scratch score. **SSS** 초고감도 필름의 약호. ⓒⓕ S, SS. **SST** supersonic transport. **SSTF** 〖컴퓨터〗 Shortest Seek Time First scheduling (최단 탐색 우선 공급 스케줄링). **SSUS** spinning solid upper stage. **S.S.W.** south-southwest(남남서).

⁑**St.**¹ [seint, sənt/sənt, snt] (*pl.* ***Sts., SS.***) *n.* 성(聖)…, 세인트(Saint)…《★ 이 사전에서는 St.의 복합어는 Saint로서의 어순으로 표제어로 내세웠음》.

***St.**² Saturday; Strait; Street; statute. **st.** stanza; statute(s); state; stem; *stet* 《L.》

(=let it stand); 《영》 stone《중량의 명칭》; strophe. **s.t.** short ton. 「51*st*.
-st [st] 숫자 1 뒤에 붙여 서수를 나타냄: 1*st*,
Sta. Station. **sta.** station; stationary.
stab** [stæb] (*-bb-*) *vt*. **1** 《~+목/+목+전+명》 (칼 따위로) 찌르다(thrust); 꿰다(pierce), 찔러 죽이다《*in; into; to*》: ~ a person *to* death 아무를 찔러 죽이다. **2** 《~+목/+목+전+명》 《구어》 (마음·몸을) 찌르듯이 아프게 하다; (감정·명성 등을) 해치다, 중상하다: Her insult ~*bed* me *to* the heart. 그녀에게 모욕을 당하여 몹시 마음이 아팠다. **3** (석회 따위가 잘 붙도록 벽돌 벽을) 쪼아서 꺼칠꺼칠하게 하다; 〖제본〗 (접장 등)에 구멍을 뚫다. — *vi*. **1** 《~/+전+명》 찌르다, 찌르며 덤비다《*at*》: ~ *at* her with a knife 나이프로 그녀를 찌르다. **2** 찌르듯이 아프다. ~ a person ***in the back (비열하게) 뒤에서 찌르다; 아무를 중상〔배신〕하다, 아무의 험담을 하다. — *n*. **1** 찌르기; 찔린 상처. **2** 찌르는 듯한 아픔. **3** Ⓤ 중상, 험담. **4** 《구어》 기도(企圖), 시도: have 〔take〕 a ~ *at* …을 기도〔시도〕하다. ***a ~ in the back*** 중상; 비겁한 행위, 배반.
Sta·bat Ma·ter [stá:ba:t-má:tər/stá:bæt-má:tə] 《L.》 (=Stood the Mother) 〖기독교〗 슬픔의 성모에 대한 성가; 그 곡. 「자; 송곳.
stáb·ber *n*. 찌르는 사람〔것〕; 자객(刺客), 암살
stáb·bing *a*. **1** (아픔 등이) 관통하는, 찌르는 듯한: a ~ pain 찌르는 듯한 아픔. **2** (언동 등이) 신랄한, 통렬한. — *n*. 〖제본〗 (등 가까이에) 철할 구멍을 뚫음; (구멍 뚫는) 송곳.
stáb cùlture (균의) 천자(穿刺) 배양.
sta·bile [stéibil/-bail] *a*. **1** 안정된, 정착된. **2** 〖의학〗 내열성의; (전기 요법에서) 전극을 환부에 고정해 두는. — [stéibi:l/-bail] *n*. 〖미술〗 스태빌 작품《금속판·철사·나무 따위로 만드는 정지한 추상 조각〔구축물〕》. ⓒⓕ mobile.
***sta·bil·i·ty** [stəbíləti] *n*. Ⓤ **1** 안정; 안정성〔도〕(firmness): emotional ~ 감정적 불변성. **2** 공고(鞏固); 착실(성), 견실, 영속성(steadiness), 부동성. **3** 〖기계〗 복원성(復原性)〔력〕《특히 항공기·선박의》. ◇ stable *a*. 「(化); 고정.
◇**stà·bi·li·zá·tion** *n*. Ⓤ 안정(시킴), 안정화
◇**sta·bi·lize** [stéibəlàiz] *vt*. 안정시키다, 견고하게 하다; 안정 장치를 하다: a *stabilizing* apparatus 안정 장치 / ~*d* world (전쟁이 없는) 안정된 세계 / *stabilizing* fins 〖항공〗 안정판(板).
stá·bi·lìz·er *n*. 안정시키는 사람〔것〕; (배의) 안정 장치, (비행기의) 수평 미익(水平尾翼), 안정판(板); (화약 따위의 자연 분해를 막는) 안정제(劑).
stábilizer bàr (자동차 앞쪽의 두 서스펜션을 연결하는) 차체 요동 방지 장치의 수평 금속봉.
***sta·ble¹** [stéibəl] *a*. **1** 안정된(firm), 견고한: emotionally ~ 정서적으로 안정된 / ~ foundations 견고한 토대. **2** 견실한(steady), 착실한; 변동 없는, 영속적인: a ~ peace 영속적인 평화. **3** 〖기계〗 복원력(復原力)〔성〕이 있는. **4** 〖화학〗 분해하기 어려운; 〖물리〗 안정된《원자핵·소립자 등》. ◇ stability *n*. ㊀ **-bly** *ad*. **~·ness** *n*.
sta·ble²** *n*. **1** 마구간; 가축 우리; 《속어》 지저분한 방〔건물〕: lock the ~ door after the horse has bolted 〔is stolen〕 소 잃고 외양간 고치다. **2** (경마말의) 마사(馬舍); 〔집합적〕 (한 마구간의) 경마말, 관리인. **3** (*pl*.) 〖군사〗 말〔마구간〕의 돌봄. **4** 같은 감독 밑에서 일하는 사람들《기수(騎手)·권투 선수·기자 등》. **5** 《구어》 양성소, 도장. ***go out of the ~ (말이) 경주에 나가다. — *vt*. 마구간에 넣다. — *vi*. 마구간(같은 데)에서 살다〔묵다〕.
stáble·bòy, 《영》 **-làd** *n*. 마구간 말 돌보는 남자《특히 소년》.
stáble compànion 같은 도장〔클럽〕의 선수.
stáble equilíbrium 〖기계〗 안정 균형; 〖물리〗 안정 평형(平衡). 「녀》.
stáble·gìrl *n*. 마구간 말 돌보는 여자《특히 소
stáble·man [-mən, -mæ̀n] (*pl*. ***-men*** [-mən, -mèn]) *n*. =STABLE BOY.
stáble·màte *n*. 한 마구간〔마주(馬主)〕의 말; 《비유》 클럽 동료(stable companion), 《비유》 (자본·목적·관심 등을 함께하는) 한패, 같은 그룹, 《특히》 같은 학교 사람.
stá·bler *n*. 마구간지기.
stá·bling *n*. Ⓤ 마구간에 넣기〔의 설비〕; 〔집합적〕 마구간, 마사(馬舍)(stables).
stab·lish [stǽbliʃ] *vt*. 《고어》 =ESTABLISH.
stacc. staccato.
stac·ca·to [stəká:tou] *ad*. 《It.》 〖음악〗 스타카토로, 끊음음으로, 단음적(斷音的)으로. — *a*. 스타카토의, 끊음음의〔적인〕. — (*pl*. **~s, *-ti*** [-ti:]) *n*. 스타카토, 끊음음〔표〕.
***stack** [stæk] *n*. **1** 더미, 퇴적《*of*》: a ~ *of* wood 목재 더미. **2** 볏가리, (건초·밀짚 따위의) 쌓아 올린 더미. **3** (보통 *pl*.) (도서관의) 서가(rack), 서고. **4** 걸어총(~ of arms). **5** (기차·기선 따위의) 굴뚝(funnel), 한곳에 죽 늘어선 굴뚝. **6** (a ~ 또는 *pl*.) 다량, 많음《*of*》: I have ~*s of* work to do. 할 일이 산적해 있다. **7** 한 가리《숯·장작을 재는 단위; 108세제곱피트》. **8** 〖컴퓨터〗 스택《나중에 든 데이터를 가장 먼저 꺼낼 수 있게 하는 데이터 기억 장치》. **9** (파식(波蝕)에 의해) 외따로 선 바위, 스택. **10** 고도차를 유지하며 공항 위를 선회하면서 착륙 차례를 기다리는 한 떼의 비행기.
— *vt*. **1** 《~+목/+목+부/+목+전+명》 치쌓다, 산더미처럼 쌓아올리다: ~ hay / The dishes were ~*ed up* to dry. 접시들이 말리기 위해 쌓여졌다 / The desk was ~*ed with* papers. 책상 위에 서류들이 쌓여 있었다. **2** (총을) 걸다. **3** (카드를) 부정한 방법으로 치다. **4** 부정한 방법으로 …의 선택〔선발〕을 하다. **5** 《목+부》 (착륙 전의 비행기들에 각기 다른 고도의) 선회를 지시하다; (교통을) 정체시키다《*up*》: Traffic was ~*ed up* for miles because of the accident. 교통사고로 교통이 여러 마일 정체되었다. — *vi*. **1** 산더미처럼 쌓이다. **2** (교통 정체로 차들이) 열을 짓다. ***have the cards ~ed against*** one 〔***in*** one***'s favor***〕 매우 불리〔유리〕한 입장에 놓이다. ***Stack arms!*** 걸어총《구령》. **~ *the cards*** 〔***deck***〕 〖카드놀이〗 부정한 방법으로 치다; 〔일반적〕 부정 수단을 쓰다. **~ *up*** 《*vi*.+부》 ① 산더미처럼 쌓이다(⇨*vi*. 1). ② (비행기가 착륙 전에) 선회 비행하다. ③ 사재기〔매점〕하다《*with*》. ④ (차 등이) 정체하다. ⑤ 합계 …이 되다. ⑥ 《미구어》 (…에) 필적하다, 지지 않다《*against; with*》. ⑦ 《미구어》 (형세가) 진전하다. — 《*vt*.+부》 ⑧ 쌓아 올리다, 겹쳐 쌓다(⇨*vt*. 1). ⑨ (비행기를 착륙 전에) 선회 비행시키다; 교통이 정체되다(⇨ *vt*. 5).
㊀ **∠·a·ble** *a*. 쌓아올릴 수 있는〔올리기 쉬운〕. **∠·er** *n*.
stacked [-t] *a*. 《미속어》 (여성이) 풍만한 가슴을 가지고 있는, 글래머의.
stácked héel, 《미》 **stáck hèel** 스택힐《색이 서로 다른 가죽 층을 교대로 겹쳐 만든 뒤축》.
stáck·ing *n*. 〖항공〗 선회 대기《착륙 대기 중인 몇 대의 비행기가 고도차를 유지한 채 선회하는 일》.
stáck ròom (도서관의) 서고. 「차 사고.
stáck·ùp *n*. 〖항공〗 =STACKING; 《미속어》 자동
stac·te [stǽkti:] *n*. Ⓤ 소합향(蘇合香)《고대 유대인의 신성한 향료; 출애굽기 XXX: 34》.

stac·tom·e·ter [stæktámətər/-tɔ́m-] *n.* 적량계(滴量計).
sta·dia[1] [stéidiə] *n.* 〖측량〗 시거의(視距儀).
sta·dia[2] STADIUM 의 복수.
sta·di·om·e·ter [stèidiámətər/-ɔ́m-] *n.* 스타디오미터《곡선 등의 길이를 재는 도구》; 구형(舊型)의 tachymeter.
***sta·di·um** [stéidiəm] (*pl.* **-dia** [-djə, -diə], **~s**) *n.* **1** 육상 경기장, 스타디움. **2** 〖고대그리스〗 경주장(競走場). ★ 현재의 운동 경기장인 경우에는 복수형은 stadiums가 되고, 고대 그리스의 경기장을 가리킬 때에는 복수형은 stadia가 됨. **3** 〖고대그리스〗 길이의 단위《약 200m》. **4** 〖의학〗 (병의) 단계(stage), 제 …기(期).
stad(t)·hold·er [stǽthòuldər] *n.* 〖역사〗 (네덜란드의) 주지사, 총독. [파] **~·ship** *n.*
staff[1] [stæf, stɑːf/stɑːf] (*pl.* 1, 2, 3, 7은 ***staves*** [steivz], ***staffs;*** 기타는 ***staffs***) *n.* **1** 막대기, 지팡이(stick), 장대(pole), 곤봉. **2** 지휘봉, (직권의 상징인) 권표(權標); 〖측량〗 측량(막)대, 표척(標尺); 해상용 측고의(測高儀)의 일종; 《고어》 (창 따위의) 자루(shaft). **3** 깃대. **4** 《비유》 지탱, 의지(support). **5** 〔집합적〕 〖군사〗 참모, 막료: chief of the general ~ 참모총장 / ⇨ GENERAL STAFF, SPECIAL STAFF. **6** 〔집합적〕 부원, (사무국) 직원, 사원, 간부: the editorial ~ 편집국〔원〕 / the teaching ~ 교수〔교사〕진. **7** 〖음악〗 오선(五線), 보표(譜表)(stave). **8** 〖철도〗 (단선(單線) 구간의) 태블릿. ***be on the ~*** 부원〔직원, 간부〕이다. ***Bread is the ~ of life.*** 《속담》 빵은 생명의 양식. ***set up*** one's ~ 살 곳을 정하다, 정착하다.
— *vt.* **1** 《~+[목]/+[목]+[전]+[명]》 〔보통 수동태〕 …에 직원〔부원〕을 두다: We *are* short *~ed.* 직원이 부족하다 / He *~ed* his office *with* excellent secretaries. 그는 사무소에 유능한 비서들을 두고 있다. **2** …의 직원〔부원 등〕으로 근무하다. **~ *up*** …의 인원을 늘리다: We will ~ *up* this department. 이 부서에 인원을 늘릴 참이다.
— *a.* **1** 참모의; (간부) 직원의: a ~ member. **2** 상근(常勤)의; (의사·변호사·회계사 등이) 회사 직속의, 봉급을 받는. [cf.] selfemployed. ¶ a ~ writer.
staff[2] *n.* 삼 부스러기 등을 섞은 석고《임시 건조물의 건축 재료》.
stáff associàtion 직원 조합, 종업원회《노동조합을 대신할 수 있음》.
stáff cóllege 〖영군사〗 참모 대학《수료 후 이름에 PSC(=*P*assed *S*taff *C*ollege)라고 부기함》.
stáff·er, stáff·màn [-mæ̀n] *n.* staff[1]의 한 사람; 《구어》 직원, 부원, 《특히》 신문 기자〔편집인〕; (-man) 측량(막)대를〔표척(標尺)을〕 잡는 사람.
stáff·less notátion 〖음악〗 비보표(非譜表) 기보법《보표를 쓰지 않고 문자나 기호로 하는》.
stáff notàtion 〖음악〗 기보법(記譜法). [cf.] tonicsol-fa.
stáff nùrse 《영》 일반 간호사.
stáff òfficer 참모 장교; 〖미해군〗 비(非)군사 업무 장교《군의관·군종(軍宗) 등》.
Staf·ford·shire [stǽfərdʃìər, -ʃər] *n.* 스태퍼드셔《잉글랜드 중서부의 주》.
stáff organizàtion 〖경영〗 스태프 조직《라인 부문을 보좌·촉진하는 부문》.
Staffs. [stæfs] Staffordshire.
stáff sérgeant 1 〖미공군〗 airman first class 와 technical sergeant 사이의 계급. **2** 〖미육군〗 하사《sergeant 와 sergeant first class 사이의 계급》. **3** 〖미해병대〗 sergeant 와 gunnery sergeant 사이의 계급. **4** 〖영육군〗 sergeant 와 warrant officer 사이의 계급.
stáff trèe 〖식물〗 노박덩굴; 노박덩굴과(科) 식물의 총칭.
◇**stag** [stæg] *n.* **1** 수사슴《특히 5살 이상의》([cf.] hart, hind[2]); 거세한 황소〔수퇘지〕; 수탉, (여우·칠면조 등의) 수컷. **2** 〖영증권〗 단기 매매 차익(差益)을 노리는 신주 청약자, 권리주 매매 투기자; 《영속어》 밀고자. **3** 《구어》 (파티 등에) 여성을 동반치 않고 온 남성; 홀아비; 《구어》=STAG PARTY: No *Stags* Allowed. 부부 동반이 아니면 사절. **4** 《미흑인속어》 =DETECTIVE. **—** *a.* 남자만의, 여성을 뺀《파티 등》; 남성 취향의, 포르노의; 《구어》 이성(異性) 동반자〔에스코트〕 없는. **—** *ad.* 《구어》 남자만, 여성을 동반치 않고. ***go ~*** 여자를 동반치 않고 (회합에) 가다. **—** (***-gg-***) *vi.* 《구어》 여성을 동반하지 않고 출석하다; 〖영증권〗 단기 매매차익을 노리고 신주를 청약하다; 《영》 밀고〔배신〕하다. **—** *vt.* 《영》 탐정〔염탐〕하다《*upon*》; 《영》 짧게 자르다; 《미속어》 바짓가랑이를 잘라 버리다《수영복으로 만들다》.
stág bèetle 〖곤충〗 사슴벌레.
stage** [steidʒ] *n.* **1** 스테이지, 무대, 연단, 마루, 대(臺)(platform): a revolving ~ 회전 무대 / bring on 〔to〕 the ~ 상연하다. **2** [U] (the ~) 극(문학), 연극(계). **3** [U] 배우업(業). **4** (보통 the ~) 활동 무대〔장소〕, 활동 범위《*of*》. **5** 발판, 비계(scaffold), 장소. **6** (여행 도중의) 역(station), 역참; 여정, 행정(行程); 역마차, 승합 마차(stagecoach), 버스. **7** (발달 따위의) 단계, 계제(階梯), 기(期), 시기(period); (강의) 수위: at this ~ 이 단계에서 / a learner in the first ~ 초학자. **8** 부두, 선창. **9** 〖로켓〗 단(段). ***be on the ~ 무대에 서다, 배우이다. ***by*** 〔***in***〕 ***easy ~s*** 서두르지 않고, 천천히, 쉬엄쉬엄《여행하다·일하다 등》. ***come on*** 〔***go on, take to***〕 ***the ~*** 배우가 되다. ***hold the ~*** (극이) 계속 상연되다; (배우가) 무대를 호평 받게 하다; 주목의 대상이 되다, 그 자리의 주역〔중심〕이 되다. ***quit the ~*** 무대를 떠나다; (정계 등을) 은퇴하다; 죽다. ***set the ~ for*** …을 위한 무대 장치를 하다; 《비유》 준비하다.
— *vt.* **1** (극을) 무대에 올리다, 상연하다: ~ a play. **2** 각색하다; 연출〔감독〕하다. **3** (파업·정치 운동·군사 작전 등을) 기획하다, 해내다, 행하다: ~ a riot 폭동을 꾸미다. **4** 《구어》 =UPSTAGE. **5** 〖로켓〗 다단식으로 하다. **—** *vi.* **1** 《+[부]》 상연에 적합하다, 상연할 만하다: ~ *well* 흥행 거리가 되다. **2** 역마차로 여행하다.
[파] **∠·a·ble** *a.* **∠·fùl** *n.*
◇**stáge·còach** *n.* (예전의) 역마차, 승합 마차.

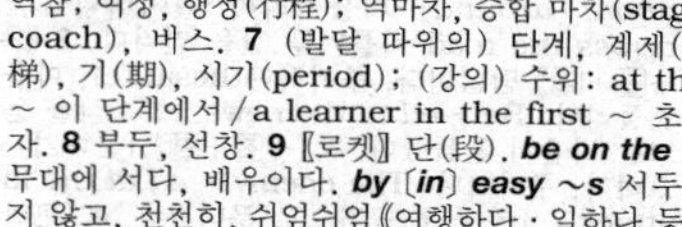

stagecoach

stáge·còach·man *n.* 역〔승합〕마차의 마부.
stáge·cràft *n.* [U] (각색·연출·연기 등의) 기법〔경험〕.
stáge dirèction 1 (배우의 동작을 지시하는) 무대 지시(서). **2** 연출(기술).
stáge dirèctor 《미》 연출가; 《영》 무대 감독.
stáge dóor 무대 출입구.
Stáge-dòor Jóhnny 《구어》 여배우를〔코러스 걸을〕 사귀려고 극장에 자주 가는 사나이.
stáge effèct 무대 효과; (관객에게 영합하는) 저속한〔과장된〕 연기.
stáge frìght (특히 첫무대의) 무대 공포증.
stáge·hànd *n.* (장치·조명 따위의) 무대 담당.

stáge léft (관객을 향해) 왼쪽.
stáge-mànage *vt.* …의 연출을 하다; 배후에서 조정[지시]하다. ── *vi.* 무대 감독으로 일하다.
stáge mànager 무대 감독.
stáge nàme (배우의) 무대명, 예명. 「한 말].
stáge plày 무대 연기; 무대극《방송극에 대비
stág·er *n.* [U] 노련한 사람[동물]; 경험자; 《고어》 배우. ***an old ~*** 노련가, 베테랑, 고참자.
stáge rìght (연극) 홍행[상연]권; [⌐⌐] (관객을 향해) 무대 오른쪽(에[에서]).
stáge sèt 무대 장치(set).
stáge sètting 무대 장치를 하기; =STAGE SET.
stáge-strùck *a.* 배우열에 들뜬, 무대 생활을 동경하는.
stáge whìsper (관객에게 들리게 말하는) 큰 소리의 방백(傍白); 《비유》 일부러 들으라고 하는 속삭임.
stagey ⇨STAGY.
stág fílm 《영》 남성용 영화, 《특히》 포르노 영화 (《미》 =**stág móvie**).
stag·fla·tion [stæɡfléiʃən] *n.* 〖경제〗 스태그플레이션, 경기 침체하의 인플레이션. [◀ *stag*nation+in*flation*] ㊕ **~·àry** *a.*
‡stag·ger [stǽɡər] *vi.* **1** 《~/+[부]/+[전]+[명]》 비틀거리다, 비틀거리며 걷다[움직이다]《*away; into; down*》: ~ *along* 비틀거리며 걷다 / ~ *about* [*around*] 비틀거리며 걸어다니다 / ~ *across* the road 비틀비틀 길을 건너다. **2** 《~/+[전]+[명]》 망설이다, 주저하다(hesitate), 마음이 흔들리다: He *~ed at* the news. 그 소식을 듣고 그는 마음이 흔들렸다. **3** 《+[전]+[명]》 (군대가) 동요하다, 무너지다: The enemy *~ed at* the first attack. 적은 최초 공격으로 무너졌다. **4** (곤란에 맞서) 헤쳐 나가다. ── *vt.* **1** 비틀거리게 하다: The blow *~ed* him. 그 일격으로 그는 비틀거렸다. **2** (결심 따위를) 흔들리게 하다: ~ a person's belief. **3** 깜짝 놀라게 하다: I was *~ed* to hear that .... …이라는 말을 듣고 어리둥절했다. **4** 〖기계〗 (바퀴의 살 등을) 서로 엇갈리게 하다. **5** 《속어》 (휴가 기간 · 근무 시간 등을) 서로 차이지게 하다; (통근 시간에) 시차제를 두어 교통을 완화하다. ***~ to one's feet*** 비슬비슬 일어서다.
── *n.* **1** 비트적거림; (the ~s) 갈지자걸음. **2** (~s) 〖단수취급〗 케이슨 병(病); (소 · 말 · 양 등의) 훈도병(暈倒病)(=**blínd ⌐s**); 현기증. **3** 〖기계〗 엇물림 (장치[배치, 정도]).
── *a.* 지그재그[물결 모양]의, 갈지자형(배열)의; 부분적으로 비켜 놓은, 시차적(時差的)인; 번갈아 하는.
stággered bóard 임기별 임원회《선거 시기를 달리하는 임원으로 구성된 경영진; 회사 경영 독점 방지를 위함》.
stággered (òffice) hóurs 시차 출근제.
stág·ger·er [-rər] *n.* 비틀거리는 사람; 깜짝 놀라게 하는 일[것], 대사건, 난문제.
stág·ger·ing [-riŋ] *a.* 비틀거리는[게 하는]; 망설이는; 혼비백산케 하는, 어마어마한, 경이적인. ㊕ **~·ly** *ad.*
stág·hòrn *n.* 사슴뿔; 〖식물〗 석송(石松)(=**⌐ móss**); 〖식물〗 박쥐난(=**⌐ férn**); 〖동물〗 석(石)산호류의 일종(=**⌐ córal**)《골격은 사슴뿔 모양임》. 「사냥하던 큰 사냥개》.
stág·hòund *n.* 스태그하운드《원래 사슴 등을
stag·ing [stéidʒiŋ] *n.* [U] **1** [U.C] 발판, 비계(scaffolding). **2** 각색(脚色), 상연. **3** 역마차 여행. **4** 〖군사〗 수송 (집합). **5** 〖로켓〗 스테이징《일단 분리된 후 다음 점화까지의 일련의 작업》.
stáging àrea 〖군사〗 부대 집결지《새로운 작전 · 임무에 앞서 체제를 정비하기 위한》.
stáging pòst 《영》 **1** =STAGING AREA. **2** 준비단계. **3** 〖항공〗 정기 기항지.
Stag·i·rite [stǽdʒəràit] *n.* 스타기라(Stagira)《옛 Macedonia의 도시; 아리스토텔레스의 출생지》 사람, (the ~) 아리스토텔레스의 속칭.
stág lìne 《미구어》 (댄스파티에) 여성을 동반하지 않고 와서 한구석에 몰려 있는 남자들.
***stag·nant** [stǽɡnənt] *a.* **1** (물이) 흐르지 않는, 괴어 있는, 정체된; 썩은(foul) 《괸 물》. **2** 불경기의, 부진한(sluggish). ㊕ **-nan·cy, -nance** *n.* [U] 정체; 침체; 불경기, 부진. **~·ly** *ad.*
stag·nate [stǽɡneit/-⌐, ⌐-] *vi.* (물이) 썩다, (공기가) 탁해지다; (일 따위가) 지체되다; 침체되다; 활기를 잃다; 불경기가 되다. ── *vt.* 썩게 하다; 침체시키다; 부진하게 하다. ㊕ **stag·ná·tion** *n.* [U] 침체, 정체; 부진, 불황. **stag·na·to·ry** [stǽɡnətɔ̀ːri/-təri] *a.* 「*hen party*.
stág pàrty [**nìght**] 남자들만의 파티. [OPP.]
stagy, stag·ey [stéidʒi] (***stag·i·er; -i·est***) *a.* 무대의; 연극 같은, 연극조의(theatrical); 과장된(pompous), 야단스러운. ㊕ **stág·i·ly** *ad.* **-i·ness** *n.*
◇staid [steid] 《고어》 STAY[1]의 과거 · 과거분사.
── *a.* 착실한, 성실한(steady, sober); 차분한, 침착한; 근엄한; 《드물게》 고정된, 불변의. ㊕ **⌐·ly** *ad.* **⌐·ness** *n.*
‡stain [stein] *n.* **1** 더럼, 얼룩, 오점《*on*》; 녹: a ~ *on* one's reputation 명성의 흠. **2** 착색(제); 색소, 물감. ── *vt.* **1** 《~+[목]/+[목]+[전]+[명]》 더럽히다, 얼룩지게 하다(soil): ~ a person's reputation 아무의 평판을 더럽히다 / His fingers were *~ed with* red ink. 그의 손가락은 빨간 잉크로 얼룩졌다. **2** 《~+[목]/+[목]+[보]》 …에 채색하다; (유리에) 착색하다: The wood was *~ed* yellow. 그 나무는 누렇게 착색돼 있었다. **3** 《비유》 (명성 · 인격을) 더럽히다. ── *vi.* 더러워지다, 얼룩이 지다; 녹슬다. ㊕ **⌐·a·ble** *a.* **⌐·a·bly** *ad.* **⌐·er** *n.* 착색공; 염색공; 착색제[액].
stàin·a·bíl·i·ty *n.* 염색성《세포가 특정 색소로 염색되는 성질》.
stáined gláss (착)색유리, 스테인드글라스.
stáin·less *a.* 더럽혀지지 않은; 흠이 없는; 녹슬지 않는; 스테인리스(제)의; 결백한. ── *n.* 스테인리스제의 식기류.
stáinless stéel 스테인리스강(鋼).
stáin·pròof *a.* 오염 방지의; 방수(防銹)의.
‡stair [stɛər] *n.* (계단의) 한 단; (종종 ~s) 〖단 · 복수취급〗 계단, 층계: a flight [pair] of ~s 한 줄로 이어진 계단 / a screw [spiral] ~ 나선식 계단 / a winding ~ 회전 계단. ***above ~s*** 《고어》 (하인 방이 있던 지하에 대하여 주인이 살고 있는) 층계 위에, 위층에. ***below ~s*** 아래층에서; 지하실에서; 《영》 하인방에서. ㊕ **⌐·less** *a.* **⌐·like** *a.*
‡stair·case [stɛ́ərkèis] *n.* (난간 등을 포함한) 계단, (건물의) 계단 부분.
stáir·hèad *n.* 계단의 정상부. 「기.
stáir·lìft *n.* (계단가에 설치된) 의자 형식의 승강
stáir ròd 계단의 융단 누르개.
stáir·wày *n.* (연결되어 통로 구실을 하는) 계단.
stáir·wèll *n.* 〖건축〗 계단통《계단으로 이루어진 우물 모양의 수직 공간》. 「역 선창.
staith, staithe [steiθ], [-ð] *n.* 《영》 석탄 하
stake**[1] [steik] *n.* **1** (경계 표지 · 식물의 받침대로 쓰는) 말뚝, 막대기(stick). **2** 화형주(火刑柱); (the ~) 화형: burn at the ~ 화형에 처하다. **3** (땜장이의) 작은 쇠모루(small anvil). **4** 〖모르몬교〗 여러 지방 분회(ward)로 구성된 교구. ***drive ~s 《미구어》 말뚝을 박고 불하 청구지를 확보하다; 《구어》 천막을 치다, 주거를 정하다. ***go to the ~*** (신념을 관철하기 위하여) 어떤 형벌[곤란]도 각오하고 있다. ***pull up ~s*** 《구어》 이사하

다, 전직하다; 떠나다. ***up ~s*** 《미속어》 (어떤 곳·마을을) 떠나(가)다. ***water a ~*** 헛수고하다. ── *vt.* **1** 《+목+부》 (말뚝을 박아) …의 경계를 표시하다, 구획하다, 경계를 정하다《*off; out*》: ~ *off* the boundary 말뚝을 박아 경계를 정하다. **2** 《+목+부》 내 것이라고 주장하다, (몫으로) 차지하다《*off; out*》: I'm *staking out* ten percent of the profit for myself. 나의 몫으로 이익의 10%를 요구할 작정이다. **3** 《~+목/+목+전+명》 (식물을) 막대기로 지탱하다: I transplanted a pine tree and ~*d* it *with* three poles. 소나무를 이식하고 지주 세 개로 지탱하였다. **4** (동물을) 말뚝에 잡아매다. **~ *out*** ① ⇨*vt.* 1. ② 《구어》 (혐의자를) 감시〔미행〕하다; 감시원을 배치하다.

stake**² *n.* **1** 내기; (종종 *pl.*) 내기에 건 돈; (*pl.*) 상금; 《속어》 소액의 (목)돈; 《미구어》 =GRUBSTAKE. **2** (~s) 〖단수취급〗 내기 경마(~ race). **3** 이해(관계)(interest), (개인적) 관여《*in*》: have a ~ *in* one's child's happiness 자식의 행복에 큰 관심을 갖고 있다. **4** 주(株)의 보유분. ***at ~ (돈·목숨·운명이) 걸리어; 문제가 되어; 위태로워져서. ***have a ~ in*** …에 이해관계를 갖다. ***play for high ~s*** 큰 도박을 하다, 모험을 하다. ── *vt.* **1** 《~+목/+목+전+명》 (생명·돈 따위를) 걸다(wager)《*on*》: ~ much money *on* a race 경마에 많은 돈을 걸다. **2** 위험에 내맡기다. **3** 《+목+전+명》 《구어》 …에게 주다, 제공하다《*to*》: He ~*d* me *to* a good meal. 그는 맛있는 음식을 대접해 주었다.

stáke bòat 〖경조〗 (출발선(線)·결승선에 있는) 고정 보트; 다른 배를 계류하기 위해 닻으로 고정된 배.

stáke·bùilding *n.* (어느 회사의) 주식 지분을 늘림.

stáke·hòlder *n.* 내깃돈을 맡(아 보관하)는 제삼자; (사업 따위의) 출자자, 이해관계자; 〖법률〗 계쟁물(係爭物) 보관자《복수의 소유권 주장자가 있을 때, 재산을 보관하는 제 3 자》.

stáke hòrse stake race에 출장하는 말.

stáke·òut *n.* **1** (경찰의) 망보기, 잠복. **2** 망보는 장소〔사람〕, 감시인. **3** 소유물로 말뚝으로 에운 땅〔재산〕; 소유권 주장물.

stáke(s) ràce 〖경마〗 내기 경마《출장 등록료 총액을 3등 안에 든 말에게 배분함》.

Sta·kha·nov·ism [stəkɑ́ːnəvìzəm/stækǽnə-] *n.* 스타하노프 법《옛 소련의 능률 보상 제도; 노르마의 14.5배나 일을 한 탄광 노동자 A.G. Stakhanov가 발안·실시함》.

Sta·kha·nov·ite [stəkɑ́ːnəvàit/stækǽn-] *a.* 스타하노프 제도〔법〕의. ── *n.* 스타하노프 제도에서 우수한 성적을 올린 노동자.

sta·lac·ti·form [stəlǽktəfɔ̀ːrm] *a.* 종유석 모양의.

sta·lac·tite [stəlǽktait, stǽləktàit/stǽləktàit] *n.* 〖광물〗 종유석(鍾乳石). ㊐ **sta·lac·tic, stal·ac·tit·ic** [stəlǽktik], [stæ̀ləktítik] *a.* 종유석 (모양)의.

sta·lag [stǽləg] *n.* 《G.》 (독일의) 포로 수용소 《부사관·사병의》. [《G.》 *Stammlager*, group camp]

sta·lag·mite [stəlǽgmait, stǽləgmàit/stǽləgmàit] *n.* 〖광물〗 석순(石筍). ㊐ **stal·ag·mit·ic** [stæ̀ləgmítik] *a.* 석순의; 석순 모양의. **-i·cal·ly** *ad.*

stal·ag·mom·e·ter [stæ̀ləgmɑ́mətər/-mɔ́m-] *n.* 〖물리·화학〗 적수계(滴數計)《표면 장력 측정용》. ㊐ **stàl·ag·móm·e·try** *n.* 적수계 측정.

***stale**¹ [steil] *a.* **1** (음식 따위가) 상한; 신선하지 않은, 상해 가는(OPP *fresh*); (술 따위가) 김빠진: ~ bread. **2** 신선미가 없는, 써서 낡은, 케케묵은, 흔해빠진(trite); 〖법률〗 (청구권 등이 장기간 행사되지 않아서) 실효된: ~ jokes 진부한 농담. **3** (공기·빵 따위가) 곰팡내 나는(musty). **4** (과로 따위로) 생기가 없는. ── *vt., vi.* 김빠지(게 하)다; 시시하(게 하)다. ㊐ **∠·ly** *ad.* **∠·ness** *n.*

stale² *n.* (소·말의) 오줌. ── *vi.* 《고어·방언》 (소·말이) 오줌을 누다.

stále·màte *n.* U,C 〖체스〗 수의 막힘《쌍방이 다 둘 만한 수가 없는 상태》; 막다름; 교착 상태. ── *vt.* 〖체스〗 수가 막히게 하다; 막다르게 하다, 정돈(停頓)시키다.

Sta·lin [stɑ́ːlin] *n.* **Joseph V. ~** 스탈린《구소련의 정치가; 1879-1953》. ㊐ **~·ìsm** *n.* 스탈린주의. **~·ist** *n., a.* 스탈린주의자(의). **~·ite** [-àit] *n., a.* 스탈린 지지자(의). **~·ize** *vt.* 스탈린(주의)화하다. **~·òid** *n., a.* 스탈린주의자〔의〕.

◇stalk¹ [stɔːk] *n.* **1** 〖식물〗 줄기, 대, 잎자루(petiole), 화경(花梗), 꽃자루(peduncle); 주병(珠柄); 〖동물〗 경상부(莖狀部); 우축(羽軸).

> SYN. **stalk** 보리·벼 따위 초질(草質)의 줄기. **trunk** 수목의 줄기. **stem** 보통 관목(장미·진달래 따위)의 줄기.

2 가느다란 버팀; 술잔의 길쭉한 굽; 높은 굴뚝; 〖건축〗 줄기 모양의 장식. ㊐ **∠·less** *a.* ~가 없는; 〖식물〗 무병(無柄)의. **∠·let** *n.* 작은 화경〔꽃자루〕. **∠y** *a.* ~가 많은, ~ 같은; 가늘고 긴.

***stalk**² *vi.* **1** 《+부/+전+명》 성큼성큼〔천천히〕 걷다, 활보하다(stride): He ~*ed out* (*of* the room). 그는 성큼성큼 (방을) 나갔다. **2** 《+전+명》 (역병 따위가) 만연하다, 퍼지다(spread): Cholera ~*ed through* the land. 콜레라가 그 지역을 휩쓸었다. **3** 몰래 추적하다. ── *vt.* (적·사냥감에) 살그머니 접근하다: ~ a rabbit. ── *n.* **1** 성큼성큼 걷기, 활보. **2** 추적, 살그머니 다가감. ㊐ **∠·er** *n.*

stálking-hòrse *n.* 은신마(隱身馬)《사냥꾼이 몸을 숨기어 사냥감에 다가가기 위한 말 또는 말 모양의 것》; 《비유》 구실(pretext); 위장; 〖미정치〗 앞잡이〔허수아비〕 입후보자《다른 후보자의 은폐나 상대편의 분열을 위한》.

***stall**¹ [stɔːl] *n.* **1** 마구간, 외양간〔마구간〕의 한 칸〔구획〕, 마방(馬房)《한 마리씩 넣는》; 《속어》 지저분한 방. **2** 매점, 노점; 《미속어》 가게, 사무실, 일터(stand); 상품 진열대, =BOOKSTALL: a flower-~ 꽃 가게. **3** (흔히 *pl.*) 《영》 (극장의) 1층 정면 1등석(의 관객); 성직자석, 성가대석; (교회의) 좌석(pew); (도서관 서고(書庫) 안의) 개인 열람석. **4** (주차용·샤워용 등의) 한 구획; 〖광물〗 채탄장, 채광장; 〖야금〗 배소실(焙燒室). **5** 손가락 싸개〔색(sack)〕(fingerstall). **6** 엔진 정지; 〖항공〗 실속(失速).

── *vt.* **1** 마구간〔외양간, 주차장〕에 넣(어 두)다; (축사에) 칸막이를 하다; 《폐어》 취임시키다. **2** (말·자동차·군대 등을) 오도 가도 못하게 하다; 엔진을 멎게 하다; 〖항공〗 (비행기를) 실속시키다: be ~*ed* in the snow 눈 속에서 오도 가도 못하다. ── *vi.* **1** (엔진·차 등이) 멎다, (비행기가) 실속(失速)하다《*out*》. **2** 막다르다; 진흙 등에 빠지다; 《미》 (말·차 등이) (눈으로) 오도 가도 못하다. **3** (가축 등이) 축사에 들어가 있다. ㊐ **∠·age** [-idʒ] *n.* U 〖영법률〗 매점 설치권〔료〕.

stall² *n.* **1** 《구어》 구실(pretext), 속임수; 《속어》 시간 벌기 (전술); 《속어》 조작된 알리바이. **2** 《속어》 소매치기의 바람잡이; (범죄·도망 등의) 조력자, 파수꾼. ── *vt.* 《구어》 교묘하게 핑계하여〔속여〕 지연시키다, 발뺌하다(evade)《*off*》; 말리다, 만류하다. ── *vi.* 《구어》 교묘하게 시간을 벌다; 《미구어》 (상대편을 속이려고) 힘을 아끼면서 경기하다; 《속어》 소매치기의 바람잡이〔한패〕 노릇을 하다. ***~ for time*** 지연 전술을 쓰다.

stáll àngle 〖항공〗 실속각(失速角).
stáll-fèd *a.* 축사(畜舍)에 넣어 길러 살이 찐.
stáll-fèed (*p., pp.* **-fed**) *vt.* 축사〔우리〕 속에서 길러 살찌우다.
stáll·hòlder *n.* 《영》 (시장의) 좌판 장수, 노「점상.
stálling àngle 〖항공〗 =STALL ANGLE.
stálling spèed 〖항공〗 실속(失速) 속도.
stal·lion [stǽljən] *n.* 수말, 종마(種馬), 씨말.
◇**stal·wart** [stɔ́:lwərt] *a.* **1** 튼튼한(strongly-built), 건장한(stout). **2** 용감한(courageous), 영웅적인(valiant). **3** 불굴의, 완강한; 애당심이 강한. **—** *n.* 억센〔다부진〕 사람; 충실한 당원. ㊞ **~·ly** *ad.* **~·ness** *n.*
◇**sta·men** [stéimən/-men] (*pl.* **~s, stam·i·na** [stǽmənə]) *n.* 〖식물〗 수술, 웅예.
stam·i·na[1] [stǽmənə] *n.* Ⓤ 정력, 체력, 끈기, 원기, 스태미너.
stam·i·na[2] STAMEN의 복수.
stam·i·nal[1] [stǽmənl] *a.* stamina[1]의.
stam·i·nal[2] *a.* 〖식물〗 수술의. 「술(만)이 있는.
stam·i·nate [stǽmənət, -nèit] *a.* 〖식물〗 수
***stam·mer** [stǽmər] *vi.* 《~/+전+명》 말을 더듬다: He *~ed over* a few words. 그는 더듬거리며 몇 마디 말했다. **—** *vt.* 《~+목/+목+부》 더듬거리며〔우물거리며〕 말하다《*out*》: He *~ed out* a few words. 그는 더듬으며 몇 마디 했다. **—** *n.* 말더듬기. cf. stutter. ㊞ **~·er** [-rər] *n.* 말더듬이. **~·ing·ly** *ad.*
†**stamp** [stæmp] *n.* **1** 스탬프, 인(印), 도장《고무도장 따위》, 소인(消印)《단, 우표에 찍힌 '소인'은 postmark》: a rubber ~. **2** 인지, 우표(postage ~); 수입인지(revenue ~): cancel a ~ 우표에 소인을 찍다/a trading ~ 《미》 경품권. **3** 타인기(打印器); 압단기(壓斷機); 〖광산〗 쇄광기(碎鑛機)(의 방아), 금방아. **4** 압형(押型), 각인(刻印), 검인, 상표; 흔적. **5** (보통 *sing.*) 특징, 특질: bear the ~ of …한 특징이 있다. **6** (보통 *sing.*) 종류, 형(type): Men of this ~ are rare. 이런 타입의 사람은 좀체 없다. **7** 발구르기, 짓밟기; 발구르는 소리. ***of the same* ~** 같은 종류의. ***put to* ~** 인쇄에 부치다.
— *vt.* **1** …에 인지를 붙이다, …에 우표를 붙이다: ~ a letter.
2 《+목+전+명》 …에 날인하다, …에 도장을 찍다; …에 (一을) 누르다《*with*》: ~ a document *with* a seal 서류에 도장을 찍다/Age *~ed* him *with* lines. 나이가 들어 그의 얼굴에는 주름이 잡혔다.
3 《+목+전+명》 (마음 등에) (인상·생각 등을) 새겨 넣다《*with*》; (인상 등이) (마음 등에) 새겨 들다《*on; onto*》: His face was *~ed with* marks of grief. 그의 얼굴에 고뇌의 흔적이 새겨져 있었다/The sad event was *~ed on* her memory. 그 슬픈 사건은 그녀의 기억에 깊이 새겨져 있었다.
4 …에 압형(押型)을 찍다, …에 무늬를 내다: *~ed* leather 무늬를 눌러 박은 가죽.
5 《~+목/+목+*as* 보》 (사람·물건·일이) (…임을) 나타내다, 특징지우다; (아무가 …이라고) 구별하다〔분명하게 나타내다〕: His manners ~ him *as* a gentleman. 태도를 보니 그는 확실히 신사다.
6 …에 품질 보증의 도장을 찍다: ~ a person's reputation 아무의 명성을 뒷받침하다.
7 《+목+부》 틀로 찍어내다《*out*》: ~ *out* a coin 틀로 동전을 찍어내다.
8 《~+목/+목+전+명》 짓밟다, 발을 구르다, 발을 굴러 소리 내다: ~ one's foot *on* the stage 무대 위에서 발을 구르다.
9 밟다, 걷다: the watch officer *~ing* the deck 갑판을 뚜벅뚜벅 걷는 당직 사관.
10 《+목+부》 밟아 뭉개다〔끄다〕《*out*》: ~ *out* a cigarette 담뱃불을 밟아 끄다.
11 《+목+보》 (밟아서) 눌러 찌그러뜨리다: ~ one's hat flat 모자를 납작하게 밟아 찌그러뜨리다.
12 (반란 등을) 진압하다, 근절시키다《*out*》.
— *vi.* 《+부/+전+명》 찧다(pound); 발을 (동동) 구르다; 쿵쿵 걷다; 밟아 뭉개다, 짓밟다《*on; down*》: He *~ed about* 〔*out of*〕 the room. 그는 쿵쿵거리며 실내를 걸어다녔다/~ *on* a cockroach/~ *on* the accelerator. **~ *out*** (불을) 밟아 끄다; (폭동 따위를) 진압하다, 박멸하다; (감정을) 억누르다.
Stámp Àct (the ~) 〖역사〗 인지조례《특히 1765년 영국이 아메리카 식민지에 과한》.
stámp collèctor 우표 수집가(philatelist).
stámp dùty 〔**tàx**〕 인지세.
stámped addréssed énvelope 우표를 붙이고 수신인 주소·성명을 쓴 반신용 봉투《생략: SAE, s.a.e.》.
stam·pede [stæmpí:d] *n.* 놀라서 우르르 도망침《야수·가축 떼 따위가》; (군대의) 대패주(大敗走), 궤주(潰走); (군중의) 쇄도; 〖미정치〗 후보자 지지를 위한 선거민 대표의 쇄도; 《미서부·Can.》 (rodeo·박람회 따위의) 화려한 모임, 축제; 로데오. **—** *vi., vt.* 우르르 도망치다〔치게 하다〕; 대패주하다〔시키다〕; 《미》 (후보자 지지를 위해) 우르르 몰려오다.
stámp·er *n.* stamp하는 사람〔것〕; 《영》 (우체국의) 소인을 찍는 사람; 압인기(押印器); 절굿공이(pestle); (무늬 등의) 날염공. 「잘 가는 곳.
stámping gròund (종종 *pl.*) (사람·짐승이)
stámp 〔**stámping**〕 **mìll** 〖광산〗 쇄광기(碎鑛機)(=**quártz bàttery**).
stámp nòte (세관의) 화물 적재 허가서.
stance [stæns] *n.* Ⓤ,Ⓒ 〖스포츠〗 (골퍼·타자의) 발의 자세, 스탠스; Ⓒ (육체적, 정신적인) 자세; 〖등산〗 (바위타기의) 발디딤, 스탠스; 《Sc.》 (건물의) 위치.
◇**stanch**[1] [stɔ:ntʃ, stæntʃ, stɑ:ntʃ/stɑ:ntʃ] *vt.* **1** (피·눈물 따위를) 멈추게 하다; (상처를) 지혈하다; (경향 등)에 쐐기를 박다; (새는 곳 등을) 막다. **2** 《고어》 (고통을) 완화하다. **—** *vi.* (피·눈물 등이) 멎다. **~ *out*** 《속어》 내디디다, 시작하다. **—** *n.* (배가 얕은 여울을 지나갈 수 있게) 수위를 높이는 수문. ㊞ **∠·er** *n.* **∠·less** *a.*
stanch[2] *a.* =STAUNCH[2].
stan·chion [stǽnʃən, -tʃən/stɑ́:n-] *n.* 기둥, 지주(支柱), 칸막이 나무. **—** *vt.* (가축을 외양간의) 칸막이 말뚝에 매다; (외양간에) 칸막이 나무를 대다; 지주로 버티다.
†**stand** [stænd] (*p., pp.* **stood** [stud]) *vi.* **1** 《~/+보/+전+명/+-*ing*/+*done*》 서다, (계속해서) 서 있다: Don't ~ if you are tired, but sit down. 피곤하면 서 있지 말고 앉아요/*Stand* still! 그대로 가만히 서 있어/A tall tree *~s on* the riverside. 강변에 키 큰 나무가 서 있다/~ *on* one's head 〔hands〕 물구나무서다/They *stood* bow*ing* as the President passed. 대통령이 지나가는 동안 그들은 머리를 숙이고 서 있었다/She *stood* astonish*ed* at the sight. 그녀는 그 광경을 보고 놀라서 서 있었다.
2 《+부/+전+명》 (어떤 자세로〔위치에〕) 서다: ~ *apart from* the other children 다른 아이들과 떨어져 서 있다/*Stand aside*, the firemen can't get through! 비켜 서시오, 소방관이 지나갈 수 없습니다/*Stand back!* This is a very powerful explosive! 물러서시오, 이건 아주 강력한 폭발물입니다.

3 《~/+㊀》 일어서다, 기립하다《*up*》: Everyone *stood* as the chairman entered. 의장이 들어오자 모두들 일어섰다/His hair *stood* on end with fright. 그는 공포로 머리카락이 곤두섰다/*Stand up*. 일어서.
4 멈춰 서다, 움직이지 않다, 그대로이다〔있다〕; (차가) 일시 주차하다: *Stand* and be identified! 정지, 누구냐/Let the mixture ~ for two hours. 혼합액(混合液)을 두 시간 동안 그대로 두시오/No ~*ing*. 《게시》 (노상) 정차 금지.
5 《+㊉+㊔》 (어떤 곳에) 위치하다, (…에) 있다; (…으로) 서다, (…에) 세워져 있다: London ~*s on* the Thames. 런던은 템스 강가에 있다/The bicycle *stood in* the basement all the winter. 자전거는 겨우내 지하실에 방치되었다/The chair will not ~ *on* two legs. 그 의자는 두 다리로 세워지지 않는다/A ladder *stood against* the wall. 담벽에 사다리가 세워져 있었다.
6 《+㊃/+*done*/+㊉+㊔》 (어떤 상태)이다, …의 관계〔순위, 입장〕에 있다: ~ a person's friend 아무의 친구(가 되어 있)다/The boy ~*s* first *in* the class. 이 아이가 반에서 제일 잘한다/He *stood accused* of having betrayed his friend. 그는 친구를 배반했다는 일로 비난받았다/~ *under* heavy obligation 중대한 의무를 짊어지고 있다.
7 《+*to* do/+㊃/+㊉+㊔》 (형세가) …할 것 같다; 높이가 …이다, 값이〔물가가〕 …이다, 온도계가 …도를 가리키다: We ~ *to* win〔lose〕. 우리가 이길〔질〕 것 같다/He ~*s* six feet three. 그는 키가 6피트 3인치이다/Prices *stood* higher than ever. 물가가 전보다 더 올랐다/The thermometer ~*s at* zero. 온도계는 0도를 가리키고있다.
8 《~/+㊀/+㊃》 오래가다, 지속〔지탱〕하다; 유효하다: The old building ~*s up* well. 저 낡은 건물은 잘 지탱하고 있다/The clothes will ~ another year. 이 옷은 1년 더 입을 수 있겠다/The regulation still ~*s*. 그 규정은 아직도 유효하다/The agreement ~*s* as signed. 협정은 조인 당시와 변함없다.
9 《~/+㊉+㊔》 (물 따위가) 괴어 있다, 정체되어 있다, 흐르지 않다: ~*ing* water 괸 물/The sweat ~*s on* his forehead. 그의 이마엔 땀이 배어 있다/Tears *stood in* her eyes. 그녀의 눈에 눈물이 고였다.
10 《+㊀/+㊉+㊔》 〖해사〗 (배가) 어떤 방향으로 나아가다, 직행하다: The ship *stood out to* sea. 배는 난바다로 진로를 잡았다.
11 《+㊉+㊔》 (찬성·반대의) 태도를 취하다, 찬성〔반대〕하다《*for; against*》: ~ *for*〔*against*〕 rearmament 재무장에 찬성〔반대〕하다.
12 《+㊉+㊔》 《영》 입후보하다《*for*》(《미》 run): ~ *for* Parliament 국회의원에 입후보하다.
13 (종마(種馬)가) 교배(交配)에 쓰이다.
14 〖크리켓〗 심판을 맡아보다.
— *vt.* 1 《~+㊍/+㊍+㊉+㊔》 세우다, 서게 하다, 세워 놓다〔걸치다〕; 놓다, 얹다: *Stand* the box here. 상자를 여기 놓아라/~ a thing *on* its head〔upside down〕 물건을 세워 놓다〔거꾸로 놓다〕/They *stood* a ladder *against* the wall. 그들은 사다리를 담에 세워 놓았다. 2 《~+㊍/+-*ing*》 …에 견디다, 참다; …의 시련을 겪다; (사용에) 견디다: Can you ~ the pain? 고통을 참을 수 있는가/She won't ~ any nonsense. 그녀는 허튼수작에 가만 있진 않을 게다/cloth that will ~ wear 좀처럼 해지지 않는 천/This cloth will not ~ wash*ing*. 이 천은 빨지 못한다. SYN. ⇨BEAR. 3 …와 맞서다, …에 저항〔대항〕하다: ~ an enemy 적에 대항하다/~ an assault 공격에 맞서다. 4 고수〔고집〕하다: *Stand* your ground. Don't retreat. 입장을 고수해 물러서지 마라. 5 《~+㊍/+㊍+㊍/+㊍+㊉+㊔》 《구어》 …에게 한턱내다, 대접하다(treat), …의 비용을 부담하다: ~ treat 한턱내다/I'll ~ you a round of drinks. 내가 자네들에게 술을 한 잔씩 내지/I'll ~ you (*to*) a dinner. 식사를 대접하지. 6 《+㊍+㊉+㊔/+㊍+㊍》 (아무에게) …의 비용이 들다《*in*》: The bag *stood* me (*in*) sixty-five dollars. 그 가방을 사는 데 65달러가 들었다. 7 (당번·의무 따위를) 맡(아보)다: ~ watch aboard ship 배에서 감시를 서다. 8 (시련·재판 등을) 받다; (운명 등에) 따르다: ~ one's chance 운에 맡기다/~ the judgment of the law 판결에 따르다.

as affairs*〔*matters*〕 ~** =as it ~s*** ⇨MATTER. ***as things ~*** 현상태로는. **~ *about*〔*around*〕** (아무 일도 않고) 우두커니 서 있다. **~ *a chance*〔*a show*〕** 기회가 있다, 유망하다: His survival ~*s a* fair *chance*. 그가 살아남을 가망은 충분히 있다. **~ *against*** …에 저항〔대항〕하다, …에 맞서다. **~ *alone*** 고립하다〔해 있다〕; 비길 데가 없다. ***Stand and deliver!*** 가진 돈 모조리 털어 놔《옛날 노상강도의 말》. **~ *at*** ① …에 서다. ② …을 나타내다. ③ …을 망설이다. **~ *at ease*** 쉬어 자세로 서다. **~ *away*** 떨어져 있다, 가까이 가지 않다. **~ *behind*** 후원하다, 뒤를 밀어주다; …의 배경이 되어 있다. **~ *between*** =COME[1] between. **~ *by*** 《*vi.*+㊀》 ① 곁에 있다, 방관하다: I can't ~ *by* and see them illtreated. 그들이 학대받는 것을 보고만 있을 수 없다. cf. bystander. ② 대기하다. — 《*vi.*+㊉》 ③ …을 지원〔원조, 지지〕하다: She *stood by* him whenever he was in trouble. 그가 곤경에 처했을 때 그녀는 언제나 그를 도왔다. ④ (약속 따위)를 지키다: ~ *by* an agreement 협정을 지키다. **~ *clear of*** …에서 멀리 떨어지다, …을 피하다. **~ *down*** 《*vi.*+㊀》 ① (다른 후보에게 양보하고) 물러서다, 사퇴하다. ② (법정의) 증인석에서 내려오다. ③ 《영》 (병사가) 비번이 되다. — 《*vt.*+㊀》 ④ (군대를) 해체시키다. ***Stand easy!*** 《구령》 쉬어. **~ *fire*** 적의 포화〔비평〕에 감연히 맞서다. **~ *for*** ① …을 나타내다, 대표〔대리〕하다, …을 뜻하다: White ~*s for* purity. 백(白)은 청정(淸淨)을 나타낸다/Words ~ *for* ideas. 말은 개념을 나타낸다. ② …에(게) 찬성하다, …에 편들다: I ~ *for* Free Trade. 자유 무역에 찬성한다. ③ …을 위하여 싸우다, …의 편을 들다: The Americans *stood for* liberty. 미국 사람들은 자유를 위하여 일어섰다. ④ 《영》 …에 입후보하(고 있)다. ⑤ …에 소용되다. ⑥ 〖해사〗 …을 향하다. ⑦ 《구어》 …을 참고 견디다, …에 따르다. **~ *from under*** 《구어》 (위난)을 벗어나다, 피하다, 면하다. **~ *good*** 여전히 진실이다〔유효하다〕. **~ *in*** ① (내기 등)에 참가하다. ② 《고어》 (돈이) 들다. ③ 대역을 하다, 대리를 맡다《*for*》. ④ 입고 있다: ~ *in* a shabby sweater 허름한 스웨터를 입고 있다. **~*ing on* one's *head*** (손)쉽게. **~ *in with*** ① …에 편들다, …을 지지〔지원〕하다; …와 공모하다: I always ~ *in with* the Labour Party. 나는 언제나 노동당을 지지한다. ② …와 함께 나누다; 《구어》 비용을 분담하다: Nobody *stood in with* me in distress. 아무도 나와 괴로움을 함께하는 사람은 없었다. **~ *off*** 《*vi.*+㊀》 ① 〖해사〗 (바닷가·위험한 장소에서) 떨어져 있다. ② 멀리하다, 멀리 두다. ③ 서먹서먹하다; 동의하지 않다. — 《*vt.*+㊀》 ④ (빚장이 등을) 피하다, 멀리하다; (공격 등을) 격퇴하다. ⑤ 《영》 (종업원을) 일시 해고하다. **~ *off and on*** 〖해사〗 육지에서 멀어졌다 가까워

졌다 하면서 (어느 목표 지점을 놓치지 않도록) 항해하다. ~ ***on*** ① …위에 서다, …에 의거하다: This plan ~*s on* a hypothesis. 이 계획은 가정에 의거하고 있다. ② …따위를 고수〔고집, 주장〕하다, …에 까다롭다: ~ *on* etiquette 예절에 까다롭다. ~ ***... its head*** 뒤집어 엎다, 혼란시키다; (방법 등을) 역(逆)으로 하다, (논의 따위에서) 뜻밖의 수를 쓰다. ~ ***or fall by*** (주의 등과) 생사를 함께하다, 일치단결하다; (계획·결과 등에) 운명을 걸다. ~ ***out*** ① 끝까지 저항하다, 버티다《*against; for*》. ② 눈에 띄다, 두드러지다; (다른 것보다) 뛰어나다, 우수하다《*among; from*》: She ~*s out* in a crowd. 그녀는 군중들 속에서 한층 돋보인다. ③ 관여치 않다, 개입하지 않다: ~ *out* of a quarrel 싸움에 끼어들지 않다. ~ ***over*** 《*vi.*+뮈》 ① 연기하다〔되다〕. ―《*vi.*+전》 ② 감독하다, …에 입회하다. ~ ***pat*** ⇨PAT². ~ ***still*** ① 잠자코 있다. ② 현상을 유지하다. ③ 참다, 견디다. ~ ***tall*** ⇨TALL. ~ ***to*** 《*vi.*+전》 ① (조건·약속 등을) 지키다; (진술 등의) 진실을 고집〔주장〕하다: ~ *to* one's colors 자기 설〔입장〕을 고수하다/He *stood to* it that he had *not* seen it. 그것을 보지 못했다고 주장했다. ―《*vi.*+뮈》 ② 〖영군사〗 (적의 공격에) 대기하다. ~ ***together*** ① 나란히 서다, 단결하다. ② (의견 등이) 일치하다. ~ ***to reason*** 이치〔사리〕에 맞다: It ~*s to reason* that .... …라는 것은 사리에 맞는다. ~ ***under*** …에 견디다, …을 참다; …을 받다. ~ ***up*** 《*vi.*+뮈》 ① 일어서다〔나다〕. ② 오래가다, 지속하다, 유효하다. ③ (의견 따위가) 설득력이 있다, 인정받다. ―《*vt.*+뮈》 ④ (약속을) 어기다; 《구어》 (이성에게) 기다리게 하여 바람맞히다: Her boyfriend *stood* her *up*. 남자 친구가 그녀를 바람맞혔다. ~ ***up against*** …에 저항하다. ~ ***up for*** …을 옹호〔변호〕하다, …의 편을 들다; 《미》 신부의 들러리를 서다. ~ ***upon*** ① …을 주장하다. ② …에 의거하다, 의하다. ③ …을 의지하다, 신뢰하다. ④ …을 굳게 지키다. ~ ***up to*** …에 (용감히) 맞서다, 대항하다; (물건이) …에 견디다, (문서·의논 등이) …후에도 통용되다. ~ ***up with*** ① …와 춤을 추러 일어서다, …와 춤을 추다. ② (신랑·신부의) 들러리를 서다. ~ ***well with*** …와 사이가 좋다, …에게 평판이〔인기가〕 좋다: The congressman ~*s well with* his constituency. 그 국회의원은 선거구민에 인기가 있다. ~ ***with*** ① …와 일치하다, 조화되다. ② …에 찬성하다. ③ …을 주장하다. ***where*** one ~***s*** 〖know, learn, find out 등에 이어져서〗 자신의 입장.

― *n.* **1 a** 섬, 서 있음, 일어섬, 기립 (자세); 《속어》 발기(勃起). **b** (단호한) 저항, 반항; 정지(停止), 막다름; 〖해양〗 정조(停潮): make a ~ against aggression 침략에 저항하다. **c** (문제에 대한 명확한) 입장, 견해, 태도; (서 있는) 위치, 장소: make one's ~ clear 태도를 분명히 하다/Shift your ~ a little toward your left. 왼쪽으로 약간 다가서시오. **d** (순회 중인 극단 등의) 체재(滯在) (흥행); 흥행지. **2 a** 대(臺), 대좌; …걸이, …꽂이, …세우개. **b** 노점, (역·길가 등의 신문·잡지) 매점: a music ~ 악보대/an umbrella ~ 우산 꽂이/a news ~ 신문 판매점. **3 a** (*pl.*) (경기장 등의 계단식) 스탠드, 관람석; (스탠드의) 관객. **b** 야외 음악당, 연주단(壇); 연단; 《미》 증인석(《영》 witness-box). **4 a** 장사에 알맞은 장소; 《미》 영업 장소; 《S. Afr.》 건축 예정지: a good ~ for a coffee shop 다방으로 안성맞춤인 장소. **b** (택시 등의) 주차장, 승객 대기소: a bus ~ 버스 정류장/a taxicab ~ 택시 승차장. **5 a** 입목(立木); (일정한 면적에 대한) 입목의 수효〔밀도〕; 〖생태〗 임분(林分); 초본(草本), 식생(植生), 초생(草生)《잡초·곡물 등》: a good ~ of wheat 밭의 잘 자란 밀/the huge ~*s* in the forested area 숲지대의 거대한 수목. **b** 한 벌통의 꿀벌떼(hive). **c** 《고어》 (무기 등의) 한 벌, 일습. ***be at a*** ~ 막다르다, 막히다, 어찌할 바를 모르다. ***bring to a*** ~ 멈추게 하다; 궁지에 빠뜨리다. ***come to a*** ~ 멈추어 서다; 막다른 곳에 부닥치다. ***high*** ~ 우등. ***hit the*** ~***s*** 《미속어》 발매되다. ***make a*** ~ 멈춰 서다《*at*》; …을 위해 싸우다《*for*》; 저항하다《*against*》; 일정한 입장을〔견해를〕 지지하다. ***put to a*** ~ 당혹게 하다, 저지하다. ***take a*** (***firm***) ~ 분명한 입장을 취하다, 단호한 태도를 취하다, 견해를 명확히 하다《*on; over; for; against*》. ***take*** one's 〔***a***〕 ~ 위치〔부서〕에 서다, 자리잡다; (…에) 입각하다《*on*》. ***take the*** ~ 《미》 증인석에 앉다, 증인대에 서다; (…을) 보증하다《*on*》.

stánd-alòne *a.* 〖컴퓨터〗 (주변 장치가 필요 없는) 독립(형)의: ~ system 독립 시스템. ― *n.* 독립.

⁑**stand·ard** [stǽndərd] *n.* **1** U,C (종종 *pl.*) 표준, 기준, 규격; 규범, 모범: below ~ 표준 이하로서/selection ~*s* 선택 기준/the ~ of living 〔life〕 =the living ~ 생활수준.

> SYN. **standard** 이상적인 표준, 기준으로서 인정된 것: She is the *standard* of good breeding. 그녀는 교양 있게 자란 아가씨의 전형이다. **criterion** 판단의 기준이 되는 것: Wealth is no *criterion* of a man's worth. 부(富)가 남자의 가치를 판단하는 기준은 아니다. **rule** 행동의 기준, 규칙.

2 U 〖조폐〗 본위; 규정 순도《순금·순은과의 비율》: the gold ~ 금본위제. **3** (의복 등의) 표준 치수; 〖재목〗 스탠더드《부피 단위로 《미》에서는 165 세제곱피트(=4.67 m³), 《영》에서는 16 2/3 세제곱피트(=0.472 m³)》; 도량형 원기(原器). **4** 등급; 《영》 (초등학교의) 학년, 학급(《미》 grade). **5** 《미구어》 (재즈의) 스탠더드넘버, 표준 연주 곡명. **6** 기(旗); (주력 부대의) 군기; 기병 연대기; 기치(旗幟), 기장, 상징; 〖문장(紋章)〗 (국왕·왕족 등의) 좁고 긴 기. SYN. ⇨FLAG. **7** 지주(支柱), 전주; 램프대, 촛대; (술잔의) 굽. **8** 굽 높은 컵, 큰 잔. **9** 입목, 자연목. **10** 〖원예〗 (관목(灌木)을 접목하는) 대목(臺木), 접본(椄本). **11** 〖컴퓨터〗 표준, 규격. ***join the*** ~ ***of*** …의 깃발 아래 모이다. ***under the*** ~ ***of*** …의 기치 아래서. ***up to*** 〔***below***〕 ***the*** ~ 합격〔불합격〕하여, 표준에 달하여〔미달하여〕.

― *a.* **1** 표준의, 모범적인; 보통의; 일반적인, 널리 쓰이는〔알려진〕; 규격에 맞는: the ~ weights and measures 표준 도량형/the ~ time 〔size, unit〕 표준시〔형, 단위〕/the ~ language 표준어. **2** 일류의, 우수한, 훌륭한. **3** 공인의; (작가·참고서 따위가) 권위〔정평〕 있는; (언어·어법·발음 등이) 용인될 수 있는, 표준의: ~ authors 권위 있는 작가. **4** 〖원예〗 (나무가) 곧바른; 자연목의: ~ fruit trees 야생 과수(果樹). **5** 받침이 달린《램프 따위》.

Stándard and Póor's Corporàtion 스탠더드 앤드 푸어스사《미국의 통계 서비스 회사; 생략: S & P》.

Stándard & Póor's 500 (**Stóck Ìndex**) 〖증권〗 스탠더드 앤드 푸어스사 500종 평균 주가《생략: S&P(500)》.

stándard átmosphere 〖기상〗 표준대기.

stándard-bèarer *n.* 〖군사〗 기수(旗手); 《비유》 (정당 따위의) 주창〔창도〕자, 당수, 지도자(leader); (당 선출의) 간판 후보.

stándard bréad 《영》 표준빵.

stándard·brèd *n.* 《미》 (종종 S–) 스탠더드브

레드종(種)의 말(=**Américan trótter**)《북아메리카산; 주로 계가(繫駕) 경주용》.
stándard-brèd *a.* 《미》 표준 성능에 맞게 사육된, 《특히》 스탠더드브레드종(의 말)의.
stándard cándle =CANDELA; 〖천문〗 광도 기준성(基準星).
stándard céll 〖물리〗 표준 전지《전압 교정용》.
stándard cóst 〖회계〗 표준 원가. cf. actual cost.
stándard deviátion 〖통계〗 표준 편차.
stándard Énglish 표준 영어.
stándard érror 〖통계〗 표준 오차.
stándard fúnction 〖컴퓨터〗 표준 함수.
stándard gáuge 〖철도〗 표준 궤간《영국·미국에서는 1.435m; 이것보다 넓은 것은 broad gauge, 좁은 것은 narrow gauge》; 표준 궤간의 철도〔기관차, 화차〕; 〖기계〗 표준 게이지, 「장치.
stándard I/O devíces 〖컴퓨터〗 표준 입출력
*****stand·ard·ize** [stǽndərdàiz] *vt.* 표준〔규격〕에 맞추다, 표준화〔규격화〕하다; 〖화학〗 표준에 따라 시험하다: ~*d* goods 〔articles, products〕 규격품. ㊞ **-iz·er** *n.* **stànd·ard·i·zá·tion** *n.* Ⓤ 표준〔규격〕화.
stándard léngth (물고기의) 표준 체장(體長)《코끝에서 등뼈끝까지》.
stándard létter (기업체 따위의) 공개 서한.
stándard móney 〖경제〗 본위 화폐.
stándard óperating procèdure 표준 실시 요령; 〖군사〗 관리 운용 규정, 작전 규정; 〖컴퓨터〗 표준 조작 수순(手順).
stándard scóre 〖통계〗 표준 득점《표준 편차를 단위로 한 측정값》.
stándard solútion 〖화학〗 표준 용액.
stándard stár 〖천문〗 기준성(星)《별의 위치 등을 정하는 데 쓰임》.
stándard tìme **1** 표준시(slow time). cf. local time. **2** 〖경영〗 표준 (작업) 시간《평균의 작업자가 소정 작업에 요하는 시간》.
stánd·awày *a.* 〖복식〗 (옷·칼라가) 헐렁한, 몸에 붙지 않는, 스탠드어웨이의: a ~ collar 스탠드어웨이 칼라.
stánd·bỳ (*pl.* **~s**) *n.* **1** (급할 때) 의지가 되는 사람〔것〕, 비상시용 물자, 예비물, 비축; 예비, 대기 (선수〔배우〕), 대역. **2** 대기 신호; 〖통신〗 조정을 하고 발신〔수신〕을 기다림; 공석을 대기하는 여행자〔승객〕. **3** 〖해사〗 (기관 정지 등의) 준비〔대비〕, 구급용 선박. **4** (예정된 방송 프로그램이 취소될 때의) 예비 프로그램. ***on*** **~** 대기하고 있는, 공석이 나기를 기다리는. **—** *a.* 긴급시 곧 쓸 수 있는, 대역의; 공석 나기를 기다리는: ~ credit 〖경제〗 대기(待機) 차관. **—** *ad.* 공석이 나기를 기다리어.
stándby (**pówer**) **sỳstem** 예비 발전〔배전〕 장치.
stánd·dòwn *n.* STAND down 함.
stand·ee [stændíː] *n.* 《구어》 (극장·버스·열차 등의) 입석(立席) 손님; 입석 승객용 버스〔열차〕.
stánd·er-bý (*pl.* ***stánd·ers-***) *n.* =BYSTANDER.
stánd·fàst *n.* 바른〔확고한, 안정된〕 위치.
stánd-ìn *n.* (배우의) 대역; 대신할〔바꿔칠〕 사람, 〚일반적〛 대리인; 《구어》 총애, 연줄, 연고 《*with*》; 유리한 입장.
°**stánd·ing** *a.* **1** 서 있는, 선 채로의; 입목(立木)의; 선 자세로〔위치에서〕 행하는: ~ audience 서 있는 관객/a ~ vote 기립 표결/a ~ jump 제자리멀리뛰기. **2** 멈춰 서 있는, 움직이지 않는, 괴어 있는《물 따위》: ~ water 괴어 있는 물. **3** 변하지 않는, 날지 않는《빛깔 따위》. **4** 지속〔영속, 계속〕적인; 상설의, 상임의《위원 등》; 상비의《군대 따위》. **5** 고정된, 일시적이 아닌, 정해진《주문 따위》; 일정한, 늘 나오는《요리 따위》; 〖인쇄〗 짜 놓은《활자 따위》: a ~ problem 오랜 미해결 문제/a ~ dish 일정한 요리/a ~ joke 판에 박은

농담. **6** 관습적〔법적〕으로 확립된; 현행의. ***all*** **~** 〖해사〗 돛을 내릴 틈도 없이, 허를 찔리어; 만반의 준비가 된.
— *n.* **1** Ⓤ 기립; Ⓤ,Ⓒ 설 자리. **2** Ⓤ 지속, 존속: a custom of long ~ 오랜 관습. **3** Ⓒ,Ⓤ 입장, 지위, 신분; Ⓒ,Ⓤ 명성, 평판: men of high 〔good〕 ~ 신분이 높은 사람들. **4** (*pl.*) 〖경기〗 순위〔랭킹〕표. **5** Ⓤ 경력, (경력에서 오는) 자격. ***in*** **~** (규칙을 지키고 회비를 납부하고 있는) 착실한. ***of old*** **~** 예로부터의, 오래된.
stánding ármy 상비군.
stánding bróad jùmp 제자리멀리뛰기.
stánding chàrge (전기·가스·수도·전화 따위의) 정액 요금.
stánding commìttee 상임 위원(회).
stánding cróp 〖농업〗 논밭에 자라고 있는 농작물; 〖생물〗 (어느 시점에서 특정 공간의) 생물의 총체, 현존량.
stánding órder 〖군사〗 내무〔복무〕 규정; (보통 ~s) 정기 구독; (the ~s) 〖의회〗 의사 규칙; 《영》 (은행에 대한) 자동 대체(對替).
stánding ovátion 일제히 기립해서 하는 박수〔갈채〕: receive a ~ 우레와 같은 기립 박수로 환영받다.
stánding róom (열차 따위의) 서 있을 만한 여지; (극장의) 입석: ~ only '입석 외 만원'《보통 S.R.O.로 생략》.
stánding rúles 잠정 규칙; 정관(定款).
stánding stárt 〖육상경기〗 서서출발. OPP. *flying start, crouch start.*
stánding stòne 〖고고학〗 선돌, 입석(立石) (menhir).
stánding wáve 〖물리〗 정재파(定在波).
stand·ish [stǽndiʃ] *n.* 잉크스탠드, 잉크병.
stánd·òff *a.* **1** 떨어져〔고립되어〕 있는; 냉담한, 무관심한. **2** 〖군사〗 (미사일·폭격기가) 스탠드오프형인《목표 상공에 진입하지 않고 멀리서 공격할 수 있는》. **—** *n.* **1** Ⓤ 《미구어》 떨어져 있음, 고립; 격의를 둠, 쌀쌀함. **2** (경기 등의) 동점, 무승부. **3** 균형 잡는 것; 평형력; (사다리 끝의) 받침. **4** 《구어》 막다름, 교착 상태. **5** 〖전기〗 격리 애자. **6** = STANDOFF HALF.
stándoff hàlf 〖럭비〗 스탠드오프 하프《scrum half와 three-quarter backs의 중간을 수비하는 하프백(의 위치)》.
stànd·óffish *a.* 쌀쌀한, 냉담한; 사양하는; 불친절한. ㊞ **~·ly** *ad.* **~·ness** *n.*
stánd òil (아마인유를 가열한) 농화유(濃化油)《페인트·인쇄 잉크용》.
stánd·òut *n.*, *a.* 《미구어》 총의에 따르지 않는 사람, 지론을 굽히지 않는 사람; 《미》 뛰어난〔두드러진〕 (사람〔것〕).
stánd·pàt 《구어》 *a.* 자기 주장을 고집하는; 현상 유지를 주장하는, 보수적인, 완고한. **—** *n.* = STANDPATTER. ㊞ **~·tism** *n.* **~·ter** 《구어》 *n.* 개혁 반대자, 현상 유지론자.
stánd·pìpe *n.* 저수탑(塔), 급수탑.
*****stand·point** [stǽndpɔ̀int] *n.* 입장, 입각점; 견지, 관점: consider the matter from a commercial ~ 문제를 상업적인 관점에서 생각해 보다.
*****stand·still** [stǽndstìl] *n.* Ⓒ 막힘, 정돈(停頓); Ⓤ,Ⓒ 멈춤, 정지, 휴지(休止): cardiac ~ 심장의 정지/at a ~ 정돈 상태에 있는/come 〔be brought〕 to a ~ 멈추다; 막히다. **—** *a.* 현상 유지의: a ~ agreement 현상 유지 협정.
stánd-tò *n.* 〖영군사〗 대기: be on ~ 대기하고 있다.
stánd-ùp *a.* 서 있는; 곧추 선; 선 것의; 선 채로 하는《식사 따위》; 정정당당한《싸움 따위》, (회

극 배우가) 독백하는, 단독 연기 중인: a ~ collar 선 깃, 스탠드칼라.

stánd-úpper *n.* 현장 리포터에 의한 (TV의) 뉴스 보도〔인터뷰〕.

Stán·ford-Bi·nét (tèst) [stǽnfərdbinéi(-)] 〖심리〗 스탠퍼드 비네식 지능 검사법(=**Stánford revìsion**). ⓒⓕ Binet-Simon test.

stan·hope [stǽnhòup, stǽnəp/stǽnəp] *n.* 포장 없는 2 륜〔4 륜〕 경(輕)마차; 인쇄기의 일종.

stank[1] [stæŋk] STINK의 과거.

stank[2] *n.* 《영》 작은 댐, (강의) 둑; 《N.Eng.》 = POND, POOL[1]; 《영방언》 하수구(溝). **—** *vt.* (진흙으로 둑 등의) 누수를 막다.

Stan·ley [stǽnli] *n.* **1** 스탠리 《남자 이름》. **2** Sir **Henry Morton** ~ 스탠리 《영국의 탐험가; 1841-1904》. **3 Mount** ~ 스탠리 산 《아프리카 중동부의 산(5,109m)》.

stann- [stǽn] '주석의〔을 함유하는〕' (이)란 뜻의 결합사.

stan·na·ry [stǽnəri] 《영》 *n.* 주석 광산; 주석 광업지. **—** *a.* 주석광(산)의.

stan·nate [stǽneit] *n.* Ⓤ 〖화학〗 주석산염.

stan·nic [stǽnik] *a.* 〖화학〗 (제 2)주석의: ~ acid 주석산 / ~ oxide 산화(제 2)주석.

stan·nif·er·ous [stənífərəs] *a.* 〖화학〗 주석(tin)을 포함하고 있는.

stan·nite [stǽnait] *n.* 스태나이트, 황석석(黃錫石).

stan·nous [stǽnəs] *a.* 〖화학〗 주석의, 주석을 함유하는; 제1주석의: ~ fluoride 플루오르화 제1주석 《치아의 부식 방지용》.

stan·num [stǽnəm] *n.* 〖화학〗 주석(tin) 《금속 원소; 기호 Sn; 번호 50》.

stan·za [stǽnzə] *n.* **1** 〖운율〗 (시의) 연(聯) 《보통 4행 이상의 각운이 있는 시구》, 스탠자. **2** 《속어》 〖권투〗 라운드, 〖야구〗 이닝, 〖미식축구〗 쿼터. ㊕ **stan·za·ic** [stænzéiik] *a.*

sta·pe·dec·to·my [stèipidéktəmi] *n.* 〖의학〗 등골(鐙骨) 적출〔절제〕술. ㊕ **-mized** [-màizd] *a.*

sta·pe·di·al [stəpí:diəl] *a.* 등골(鐙骨) (stapes)의.

sta·pes [stéipi:z] (*pl.* **~, sta·pe·des** [stəpí:di:z]) *n.* 〖해부〗 등골(鐙骨).

staph [stæf] (*pl.* ~) *n.* 《구어》 =STAPHYLOCOCCUS.

staph·y·lo- [stǽfəlou, -lə] '포도송이, 포도상 구균, 목젖(uvula)' 이란 뜻의 결합사.

stàphylo·cóccus (*pl.* **-cocci**) *n.* 〖세균〗 포도상 구균. ㊕ **-cal** *a.* 포도상 구균의〔에 관한〕. **-cic** *a.* 포도상 구균에 의한.

°**sta·ple**[1] [stéipəl] *n.* **1** (보통 *pl.*) 주요 산물, 중요 상품, 명산(名產): the ~*s* of Korean industry 한국의 주요 생산물. **2** 주요〔기본〕 식품. **3** 주요소, 주성분《*of*》. **4** 요항, (담화 따위의) 주제. **5** Ⓤ 원료, (섬유 제품의) 재료《*for*》. **6** 주요 산품의 집산, 중앙 시장; 《미》 공급지〔원〕. **7** Ⓤ 섬유의 품등(品等), 표준 길이. **—** *a.* 중요한, 주요한; 대량 생산의, 널리 거래〔소비〕되는: ~ food 주식(主食). **—** *vt.* (양털 따위를) 분류하다; 선별하다.

sta·ple[2] *n.* (U자 모양의) 꺾쇠; (호치키스의) 철(綴)쇠, 철침, 스테이플; 거멀못. **—** *vt.* 꺾쇠〔철쇠〕로 박다〔고정시키다〕.

stáple díet **1** 주식. **2** (TV 프로 · 오락 등의) 규칙적으로 제공받는 것.

stáple gùn 스테이플건 《대형 스테이플러》.

stáple·pùncture *n.* 〖의학〗 스테이플 천자(穿刺) 《외이(外耳)에 침을 꽂아 식욕 · 약물 장애를 줄임》.

sta·pler[1] [stéiplər] *n.* 주산물 상인; 양털 선별인(sorter); 양털상(商).

sta·pler[2] *n.* 호치키스, 스테이플러; 〖제본〗 철사기(鐵絲機), 책을 철사로 철하는 기계(=**stápling machìne**).

†**star** [stɑ:r] *n.* **1** 별; 항성(fixed ~) (ⓒⓕ planet); 《구어》 〖일반적〗 천체: ⇨ EVENING STAR, NORTH STAR, POLAR STAR / a falling ~ 별똥별, 유성. **2** 별모양의 것, 〖인쇄〗 별표《*》; (호텔 · 식당 등의 등급을 표시하는) 별표《5개가 최고》. **3** 성장(星章), 훈장. **4** 〖점성〗 운성(運星); (종종 *pl.*) 운, 운수: be born under a lucky ~ 행운(의 별)을 타고나다. **5** 스타, 인기 배우, 인기인: a film ~ / a football ~. **6** (말 이마의) 흰 점; =STAR-FISH. ***a bright particular*** **~** 심혈을 기울이는 대상〔인물〕. ***curse*** **one's** ***~s*** 운명을 저주하다. ***My ~s!*** 《구어》 응, 뭐라고《놀람》. ***see ~s*** (머리를 맞아) 눈에서 불꽃이 번쩍 튀다, 눈앞이 아찔하다. ***~s in*** **one's** ***eyes*** 낙관; 뭔가 좋은 일이 실현될 듯한 기분. ***thank*** **one's** ***(lucky) ~s*** 《구어》 행운의 별에 감사하다. ***the Star of Bethle-hem*** 베들레헴의 별 《예수의 강탄 때 나타난》. ***the Star of David*** 다윗의 별, 6각성형(星形) 《✡; 유대교의 상징》. ***the ~ of day*** 태양. ***the Stars and Bars*** 〖미국사〗 옛 미국기; 남부 연방기. ***the Stars and Stripes*** 〔단수취급〕 (미국의) 성조기. ***this ~*** 《시어》 지구. ***trust*** **one's** **~** 성공을 믿다.

— *a.* **1** 스타의, 인기 배우의; 가장 소중한, 뛰어난. **2** 별의, 별 모양의, 별을 붙인: a ~ athlete 인기 선수.

— (**-rr-**) *vt.* **1** 《~+목/+목+전+명》 〔흔히 과거분사로〕 별로 장식하다, …에 별을 점점이 박다; 점점이 흩뿌려 놓다《*with*》; …에 별표를 붙이다: a crown ~*red with* diamonds 온통 다이아몬드를 박아 넣은 왕관. **2** 주역으로 하다. **—** *vi.* **1** 별처럼 빛나다, 두드러지다, 돋보이다. **2** 《~/+전+명》 주역을 맡다, 주연하다: a ~*ring* role 주역 / Audry Hepburn ~*red in* 'My Fair Lady'. 오드리 헵번은 '마이 페어 레이디' 에서 주연했다. **3** 〖영당구〗 돈을 내고 차례를 사다.

STAR Satellite Television Asia Region(아시아 지역 위성 텔레비전).

stár·bòard *n.* 〖해사〗 (이물을 향하여) 우현(右舷) (ⓞⓟⓟ *larboard, port*[3]); 〖항공〗 (기수를 향하여) 우측. **—** *a.* 우현의; 우현에 바람을 받은; 《미속어》 (투수 등이) 오른손잡이의. **—** *vt., vi.* (배의) 진로를 오른쪽으로 잡다, 우현으로 돌리다: *Starboard* (the helm)! 우현으로, 키를 우로《구령》.

stár·bùrst *n.* **1** 중심점에서 선 · 광선이 방사상으로 퍼지는 형태; 이와 비슷한 광경이 생기는 폭발. **2** 〖천문〗 은하 생성기의 폭발적인 별의 형성.

°**starch** [stɑ:rtʃ] *n.* Ⓤ **1** 녹말, 전분; 풀. **2** (*pl.*) 녹말이 많은 음식물. **3** 거북살스러움, 형식을 차리기. **4** 《미구어》 정력, 원기. ***take the ~ out of ...*** 《구어》 …을 무기력하게〔낙심하게〕 하다. **—** *vt.* (옷에) 풀을 먹이다; 거북스럽게 하다 《*up*》. **—** *a.* 거북한. ㊕ **~ed** [-t] *a.* 풀을 먹인; 위엄을 부리는《거동 · 표정 따위》. **∠·er** *n.* **∠·less** *a.* **∠·ly** *ad.* **∠·ness** *n.*

Stár Chàmber **1** (the ~) 〖영국사〗 성실청(星室廳), 성실 법원 《불공평하기로 유명한 형사 법원; 1641년 폐지》. **2** (때로 s- c-) 불공평한 법원〔위원회 등〕.

stár chàrt 〖천문〗 성도(星圖).

stárch blòcker 〖약학〗 녹말 소화 효소 저해제(沮害劑) 《아밀라아제의 효소 작용을 저해하여 체중 증가를 방지하는 알약》.

stárch sỳrup 녹말 시럽.

starchy [stɑ́:rtʃi] *a.* **1** 녹말의; 녹말 같은; 풀의, 풀 같은. **2** 풀을 먹인(것 같은); 딱딱한; 《구어》 형식을 차리는, 거북살스러운. ㊕ **stárch·i·ly** *ad.* **-i·ness** *n.*

stár clòud 〖천문〗 항성운, 항성 집단.

stár clùster 〖천문〗 성단(星團).

stár connèction 〖전기〗 성형 결선(星形結線)《다상(多相) 교류에서 트랜스 코일·임피던스 따위의 결선 방식》.
stár-cròssed [-t] *a.* 《문어》 운수 나쁜, 복 없는, 불행한: ~ lovers 불행한 연인들.
star·dom [stáːrdəm] *n.* Ⓤ 주역〔스타〕의 지위〔신분〕; 《집합적》 스타들: rise to ~ 스타덤에 오르다.
stár drìft 〖천문〗 성류(星流) 운동(star stream) 《항성의 집단적 운동》.
stár·dùst *n.* **1** 소성단(小星團), 우주진(宇宙塵). **2** 《구어》 (티 없는, 황홀한) 매력; 황홀.
***stare** [stɛər] *vt.* **1** 《+목+부/+목+전+명》 응시하다, 빤히 보다: ~ a person *up* and *down* 아무를 빤히 위아래로 훑어보다/He ~*d* me *in* the face. 그는 내 얼굴을 빤히 쳐다보았다. SYN. ⇨SEE. **2** 《+목+전+명/+목+보》 노려보아 …하게 하다: We ~*d* the girl *into* confusion. 우리들이 노려보아 소녀는 당황했다/~ a person dumb 아무를 노려보아 침묵게 하다.
— *vi.* **1** 《~/+전+명》 말똥말똥 보다, 응시하다, 노려보다《*at; on; into*》: ~ *into* the darkness 어둠 속을 응시하다/Don't ~ *at* me like that. 그렇게 빤히 쳐다보지 마세요. **2** 《~/+전+명》 눈을 둥그렇게 뜨다; (눈이) 크게 떠지다: with *staring* eyes 눈을 둥그렇게 뜨고/~ vacantly 어안이 벙벙하다/~ *with* astonishment 놀라 눈을 둥그렇게 뜨다. **3** (빛깔이) 현란하게 눈에 뜨이다《*out*》. **4** (털이) 곤두서다. **~ a person *down* 〔*out of countenance*〕** 아무를 빤히 쳐다보아 무안케 하다. **~ a person *in the face*** ① 아무의 얼굴을 빤히 쳐다보다(⇨*vt.* 1). ② (사실이 아무에게 있어) 명백하다; (물건·죽음·파멸 등이) 눈앞에 닥치다.
— *n.* 응시, 빤히 쳐다보기.
㊎ **stár·er** *n.*
sta·re de·ci·sis [stɛ́əridisáisis] 〖법률〗 선례(先例) 구속성의 원칙.
stár·fish *n.* 〖동물〗 불가사리.
stár·flòwer *n.* 〖식물〗 별 모양의 꽃이 피는 초본(草本)《앵초과(科)의 기생꽃 등》. 「별 모양임》.
stár·frùit *n.* 열대 과일의 일종《반으로 자르면
stár·gàze *vi.* 별을 쳐다보다; 공상에 빠지다.
㊎ **-gàzer** *n.* **1** 별을 쳐다보는 사람; 《종종 우스개》 점성가, 천문학자. **2** 몽상가. **3** 머리를 너무 쳐드는 말. **4** 〖어류〗 얼룩통구멍. **-gàzing** *n.* 《종종 우스개》 천문학; 방심 상태.
star·ing [stɛ́əriŋ] *a.* 응시하는; 노려보는; 눈에 띄는, 야한《빛깔·무늬 따위》; 곤두선《머리털 따위》. **—** *ad.* 아주, 전혀. ***stark ~ mad*** 《구어》 아주 미쳐 버린. ㊎ **~·ly** *ad.*
°stark [staːrk] *a.* **1** (시체 따위가) 굳어진, 빳빳해진. **2** 순전한, 완전한; 진짜의. **3** 강한, 건실한; 엄한, 완고한. **4** 홀랑 벗은; (전망 등이) 삭막〔황량〕한; 텅 빈《방 따위》. **5** 뚜렷한, 두드러진: a ~ contrast 현저한 대조. ***~ and stiff*** (시체 따위가) 경직하여; 경직한. **—** *ad.* 아주, 순전히, 전혀: ~ mad 아주 미쳐서. ㊎ **∠·ly** *ad.* **∠·ness** *n.*
Stárk effèct 〖물리〗 슈타르크 효과《광원이 전장(電場)에 있으면 그 스펙트럼선이 분기함》.
stark·ers [stáːrkərz] *a.* 《영속어》 홀랑 벗은; 아주 미친 짓의, 완전히 돈. ***in the ~*** 알몸으로.
stár kèy (전화기나 컴퓨터 문자판의) 별표(*) 키. 「벗은.
stárk-náked [-id] *a.* 〖명사 뒤에 와서〗 홀랑
star·let [stáːrlit] *n.* 작은 별; (각광을 받기 시작한) 신인 여배우, 신출내기 스타. 「은 (밤의).
stár·lìght *n.* Ⓤ 별빛. **—** *a.* 별빛의, 별빛이 밝
stár·lìke *a.* 별 모양의; 별처럼 빛나는.
star·ling[1] [stáːrliŋ] *n.* 〖조류〗 찌르레기.
stár·ling[2] *n.* 〖토목〗 (교각의) 물을 가르는 말뚝《물의 압력을 약화시키기 위한》.
star·lit [stáːrlìt] *a.* 《문어》 별빛의.
stár màp 〖천문〗 성도(星圖).
stár nètwork 〖전기〗 성형(星形) 회로; 〖컴퓨터〗 스타 네트워크《각 장치가 하나의 중심 장치에 접속됨》.
starred [staːrd] *a.* 별로 장식한; 별표가 있는; (배우가) 주연의, 주역이 된; (좋게 또는 나쁘게) 운명 지어진: ill-~ 비운의.
stárring róle 주연, 주역.
stár ròute 《미》 국간(局間) 우편물 배달 루트《2개 도시나 과소(過疎) 지구 간을 특정 계약자가 운반함; 공보에 *를 붙인 데서 유래된 이름》.
***star·ry** [stáːri] (*-ri·er; -ri·est*) *a.* **1** 별의. **2** 별이 많은, 별빛이 밝은 밤의. **3** 별처럼 빛나는; 별을 총총히 박은; 별 모양의; =STARRY-EYED. ㊎ **-ri·ly** *ad.* **-ri·ness** *n.*
stárry-èyed *a.* 《구어》 공상적인, 비현실적인.
stár shèll 조명탄, 예광탄.
star·ship [stáːrʃip] *n.* 은하계 우주 탐사선.
stár shòwer 〖천문〗 유성우(流星雨).
stár sign (12 궁(宮)의) 궁(sign). 「총한.
stár-spàngled *a.* 별이 촘촘히 박힌, 별이 총
Stár-Spangled Bánner (the ~) **1** 성조기《미국 국기》. **2** 미국 국가.
stár strèam =STAR DRIFT.
stár-strìke *vt.* 《구어》 …의 눈을 속이다.
stár·strùck *a.* 스타(의 세계)에 매료된.
stár-stùdded [-id] *a.* **1** 별이 총총한; 별이 빛나는. **2** 저명인사가 기라성처럼 줄지은; 유명 배우들이 출석한.
stár sỳstem (the ~) 스타 시스템《관객 동원을 위해 인기 스타를 출연시키는 흥행 형태》.
†start [staːrt] *vi.* **1** 《~/+전+명/+부/+보》 출발하다, 떠나다(leave)《*from; for; on*》: He ~*ed on* a journey. 그는 여행을 떠났다/Let's ~ early 〔at five〕. 일찍 〔5시에〕 출발합시다/He ~*ed* rich but ended up in prison. 그는 처음에는 부자였지만 마지막에 교도소에 들어갔다. SYN. ⇨LEAVE. **2** 《~/+전+명》 시작하다, 시작되다; 개시하다《*from; with*》: The show ~*s* at eight. 쇼는 여덟 시에 시작된다/The fight ~*ed from* a misunderstanding. 싸움은 오해에서 비롯되었다/The meal ~*ed with* soup. 식사는 수프로 시작했다. SYN. ⇨BEGIN. **3** 《+전+명》 (일에) 착수하다, 활동하기 시작하다《*in; on*》: She ~*ed on* a new work. 그녀는 새 작품에 착수했다/When did you ~ *in* business? 사업은 언제 시작했습니까. **4** 《+전+명》 (눈물·피 따위가) 솟구치다, 뿜어나오다; (눈이) 튀어나오다《*to; from*》: I saw tears ~*ing from* her eyes. 그녀의 눈에서 눈물이 흐르는 것을 보았다. **5** 《~/+전+명》 돌발하다, 생기다, 나타나다: How did the war ~? 전쟁은 왜 일어났는가. **6** 《~/+전+명/+부》 (놀라서) 튀어나가다《*forward; out*》; 물러서다《*away; aside*》; 걷기 시작하다; 갑자기 움직이다; (기계가) 시동하다: I ~*ed to* my feet. 나는 벌떡 일어섰다/*Start aside!* 비켜라/The engine ~*ed* at last. 마침내 엔진이 시동되었다. **7** 《~/+전+명》 (놀람·공포 따위로) 움찔하다, 깜짝 놀라다, 흠칫하다: The sound made me ~. 그 소리에 나는 흠칫했다/He ~*ed at* the sight of a snake. 그는 뱀을 보고 오싹해졌다. **8** (선재(船材)·못 따위가) 느슨해지다, 휘다, 빠지다: The planks have ~*ed*. 판자가 휘어졌다. **9** 《영구어》 말썽을 일으키다; 《구어》 (험담·자랑 등이) 나오기 시작하다.
— *vt.* **1** 《+목+전+명》 출발시키다; 여행을 떠나게 하다; (인생 행로로) 내어보내다: ~ him *on*

a journey 그를 여행 보내다 / The book *~ed* him *on* the road to a popular writer. 이 책으로 그는 인기 작가의 길을 걷기 시작했다. **2** 《+목+전+명/+목+-*ing*》 시작하게 하다: He *~ed* me *in* business. 나는 그의 도움으로 장사를 시작했다 / This news *~ed* me think*ing*. 이 뉴스에 접하고 생각하기 시작했다. **3** 《~+목/+목+부》 (일·행위 등을) 시작하다: ~ work / ~ (*up*) a conversation 이야기를 시작하다. **4** 《~+목/+-*ing*/+*to* do》 …하기 시작하다: ~ a book 책을 읽기 시작하다 / ~ cry*ing* =~ *to* cry 울기 시작하다. **5** 《~+목/+목+부》 시동하다; (기계를) 운전하다; (사업 따위를) 일으키다, …에 착수하다: He *~ed* a newspaper. 그는 신문 사업을 시작했다 / I could not ~ (*up*) the engine. 엔진을 가동시킬 수가 없었다. **6** (경주에서) 출발 신호를 하다, 스타트시키다; (사냥감을) 튀어 달아나게 하다, 몰아내다. **7** 《고어》 깜짝〔흠칫〕 놀라게 하다. **8** 말을 꺼내다, (불평 따위를) 말하다. **9** 앞장서서 하다, 선도하다, 주창하다. **10** (화재 따위를) 일으키다. **11** (술 따위를) 통에서 따르다; (통 따위를) 비우다. **12** (못 따위를) 휘게 하다, 느즈러지게 하다, 빠지게 하다.

~ against …에 대항하다, …의 대립 후보로 나서다. ***~ back*** 껑충 물러서다; 뒷걸음질치다. ***~ for*** …으로 향해 떠나다; …의 후보로 나서다. ***~ in*** 시작하다《*to* do; *on* do*ing*》; 인생의 첫발을 내딛다; 처음으로 취직하다《*as*》; 《구어》 호통치다, …을 비난하기 시작하다《*on*》. ~ a person ***in*** 아무를 채용하다《*as*》. ***~ off*** ① 시작하다《*with* a song; *by* do*ing*; *on* a subject》; …에게 (공부·말 따위를) 시작하게 하다《*on*》. ② 여행 떠나다, 움직이기 시작하다. ***~ on ...*** 《영구어》 …와 싸움을 시작하다, …을 괴롭히다〔꾸짖다〕. ***~ out*** ① ⇨*vi*. 1, 4. ② 착수하다, 나서다《*to* do》. ③ 《미》 여행을 떠나다. ④ 인생〔일〕을 시작하다《*as*》. ***~ something*** 《구어》 사건〔소동〕을 일으키다. ***~ up*** 《*vi*.+부》 ① 걷기 시작하다; (자동차 등이) 움직이기 시작하다. ② (놀라) 튀어 일어나다, 흠칫하다. ③ (일 따위를) 시작하다. **—** 《*vt*.+부》 ④ (차·엔진을) 시동하다. ⑤ 채용하다《*as*》. ***to ~ with*** 우선 첫째로(to begin with), 하여간; 처음에(는).

— *n*. **1** 출발, 스타트; (경주의) 출발점; 출발 신호: a ~ in life 인생의 첫 출발 / line up at the ~ 출발선에 서다. **2** 펄쩍 뜀; 깜짝 놀람; 《구어》 놀랄 만한 일: with a ~ 흠칫 놀라. **3** 시동; (사업 등의) 개시, 착수《*on; in*》: make a ~ 개시〔착수〕하다. **4** 선발(先發)(권); 기선(機先), 유리(한 위치). **5** (*pl*.) 발작. **6** 느슨함, 엇갈림; 균열. ***for a ~*** 《구어》 우선, 시작으로. ***from ~ to finish*** 처음부터 끝까지, 철두철미. ***get a ~*** 흠칫 놀라다. ***get*** 〔***be***〕 ***off to a good*** 〔***bad***〕 ***~*** 첫 시작이 좋다〔나쁘다〕. ***get the ~ of*** 〔***on***〕 …의 기선을 제압하다. ***give*** a person ***a ~*** 아무를 깜짝 놀라게 하다. ***give*** a person ***a ~ in life*** 아무를 세상에 내보내다. ***make a good ~*** 시발이 좋다.

START [stɑːrt] Strategic Arms Reduction Talks(전략 무기 감축 회담).

°**stárt·er** *n*. **1** 출발자, 개시자; 시초, 개시; 경주 참가자; 출전하는 말. **2** (경주 등의) 출발 신호원, (기차 등의) 발차계. **3** 〖기계〗 (내연기관의) 시동 장치. **4** 원인, 유인(誘因). **5** (식사의) 제 1 코스. **6** (유제품(乳製品)의) 발효용 배양균, 효모; 〖농업〗 뿌리내림 비료. **7** 〖야구〗 선발 투수. **8** 〖전자〗 시동기, (형광등의) 스타터. ***as*** 〔***for***〕 ***a ~*** =***for ~s*** 《구어》 처음에, 우선 먼저. ***under ~'s orders*** (경주마 따위가) 출발 신호를 기다리어.

stárter kit 〔《영》 **pàck**〕 (시작할) 기초적 비품〔도구〕.

stárter mòter 시동기, (엔진) 스타터.

stárting blòck (경주의) 스타팅 블록, (pool의) 출발대.

stárting gàte (경마·스키 경기 따위의) 출발문, 발마문(發馬門).

stárting grìd (스타팅) 그리드《자동차 경주 코스의 출발할 차가 늘어설 자리의 모눈 표시》.

stárting gùn 출발 신호 총.

stárting lìne (경주의) 출발선.

stárting pìtcher 〖야구〗 선발(先發) 투수.

stárting pòint 기점(起點), 출발점.

stárting pòst (경마 등의) 출발점: left at the ~ 처음부터 뒤져서.

stárting prìce (경마·경견(競犬)에서) 출발 직전에 거는 돈의 비율.

stárting stàlls 〖영경마〗 발마기(發馬機), 출발문(starting gate).

***star·tle** [stáːrtl] *vi*. 《+전+명》 깜짝 놀라다; 펄쩍 뛰다: I *~d at* the knocking at midnight. 한밤중의 문 두드리는 소리에 깜짝 놀랐다. **—** *vt*. 《~+목/+목+전+명》 깜짝 놀라게 하다; 펄쩍 뛰게 하다: The noise *~d* me *out of* my sleep. 그 소리에 깜짝 놀라 나는 잠이 깨었다. **—** *n*. Ⓤ 놀람; Ⓒ 놀라게 하는 것. ㊞ **~·ment** *n*. **-tler** *n*. 놀래는 사람〔것〕; 놀랄 만한 사실〔진술〕.

***star·tling** [stáːrtliŋ] *a*. 놀라운, 깜짝 놀라게 하는: ~ news. ㊞ **~·ly** *ad*. **~·ness** *n*.

stár topólogy 〖컴퓨터〗 스타 토폴로지《중심이 되는 한 대의 컴퓨터에 방사상으로 배열된 각 장치를 접속하는, 네트워크 구성 장치의 접속 방식》.

stárt pàge (인터넷 접속 시의) 시작 페이지.

stárt-ùp *n*. 조업〔행동〕 개시, 첫 운전, 시동; 신설 기업; 《고어》 벼락부자; 〖컴퓨터〗 시동. **—** *a*. 조업〔생산〕 개시의〔를 위한〕; 이제 막 활동을 시작한, 신진의.

stár túrn (연극·쇼 따위에서) 가장 인기 있는 연기(자).

***star·va·tion** [stɑːrvéiʃən] *n*. Ⓤ 굶주림, 기아; 아사(餓死): die of ~ 굶어 죽다 / ~ diet 단식〔기아〕 요법, 기아식(食).

starvátion wàges 기아 임금.

****starve** [stɑːrv] *vi*. **1** 굶주리다, 배고프다; 굶어 죽다: What time's lunch? I'm simply *starving*. 점심은 언제야. 배고파 죽을 지경이다. SYN. ⇨HUNGRY. **2** 절식(絶食)하다; 굶주림으로 고통받다〔쇠약해지다〕. **3** 《+전+명》 갈망하다, 간절히 바라다《*for*》: The motherless children ~ *for* affection. 어머니가 없는 아이들은 애정에 굶주려 있다. **4** 《고어·방언》 얼어 죽다; 추위에 얼다. **—** *vt*. **1** 《~+목/+목+전+명》 굶기다, 굶겨 죽이다: be *~d to* death 굶어 죽다. **2** 《+목+전+명/+목+부》 굶겨〔식량을 끊어〕 …하게 하다: ~ the enemy *out* 〔*into* surrender(ing)〕 적을 식량 보급 차단 전술로 항복시키다. **3** 《+목+전+명》 〖종종 수동태 또는 ~ oneself〗 …으로부터 (필요한 것을) 빼앗다《*of*》, …의 결핍으로 괴롭히다, …에게 갈망케 하다《*for; of*》: The engine *was ~d of* fuel. 엔진은 연료가 떨어졌다 / ~ one*self of* love 사랑에 굶주리다. ***Starve the bears.*** 《CB 속어》 속도위반 딱지를 안 떼게 해라.

starve·ling [stáːrvliŋ] 《고어·문어》 *n*. 굶주려서 여윈 사람〔동물, 식물〕, 영양이 나쁜 사람〔동물, 식물〕. **—** *a*. 굶주린; 수척한; 도탄에 빠진.

Stár Wàrs 별들의 전쟁. **1** 미국의 George Lucas 감독의 SF 영화(1977)《아카데미상 7개 부문 수상》. **2** 《구어》 미국 전략 방위 구상(Strategic Defense Initiative)의 별칭.

Stár Wàrs prógram =STRATEGIC DEFENSE INITIATIVE.

stash [stæʃ] *vi*., *vt*. 《구어》 (돈·귀중품 따위를) 간수하다〔챙겨 두다〕, 은닉하다, 은행에 넣다; 《미에서는 고어》 마치다, 그만두다. ***~ away*** 숨기다. **—** *n*. **1** 《주로 미》 거둬 둔〔감춘〕 것, 은닉물. **2** 《주로 미》 감춘 곳(cache). **3** 《미속어》

은닉한 마약의 비축. 4 《속어》 집; 은신한 집.

sta·sis [stéisis] (*pl.* **-ses** [-siːz]) *n.* 〖생리〗 혈행(血行) 정지, 울혈(鬱血); (세력 등의) 균형〔평형〕 상태, 정지, (문학상의) 정체.

-sta·sis [stéisis, stǽs-, stəs-] '정지, 안정 상태'의 뜻의 결합사: hemo*stasis* 지혈, 울혈.

stat[1] [stæt] *n.* 《구어》 **1** =THERMOSTAT(또는 'stat). **2** =PHOTOSTAT.

stat[2] 《구어》 *n.* 통계량; (보통 ~s) 통계(학). ── *a.* 통계(학)의. [◂ statistics, statistic]

stat[3] *int.* 《병원 속어》 즉시, 빨리.

stat- [stǽt] 〖전기〗 'cgs 정전(靜電) 단위계의'란 뜻의 결합사: *stat*coulomb 스태트쿨롬 《전하 단위》.

-stat [stæt] '안정 장치, 반사 장치, 발육 저지제(沮止劑)'란 뜻의 결합사: gyro*stat*.

stat. statics; 〖처방〗 *statim* 《L.》(=immediately); stationary; statuary; statue; statute(s).

†**state** [steit] *n.* **1** 상태, 형편, 사정, 형세: He is in a poor ~ of health. 그는 건강이 좋지 않다/ Ice is water in a solid ~. 얼음은 고체 상태에 있는 물이다.

> [SYN.] **state** 어떤 시기에서 사물의 상태·모양을 객관적으로 말함: a gaseous *state* 기체(상태). **condition** state와 거의 같지만 사물의 기능과 결부된 상태. 조절의 가능성이 시사됨: in poor *condition* 병약하여. **situation** 주위의 상태, 상황.

2 〔보통 in〔into〕 a ~로〕 《구어》 (극도의) 흥분〔긴장, 혼란〕 상태; (보통 a ~) (정신적인) 상태: She's *in* quite *a* ~. 그녀는 상당히 흥분 상태에 있다/be *in a* nervous ~ 초조한 상태이다. **3** (사회적) 지위, 신분, 계급, 《특히》 고위; (응접실·식탁 등의) 상석(上席): people in every ~ of life 온갖 신분의 사람들. **4** [U] 위엄, 당당한 모습, 훌륭함; 의식(儀式): in ~ 당당히/live in ~ 호사스러운 생활을 하다/a visit of ~ 공식 방문. **5** (흔히 the S-) 국가, 나라; 국토; (church에 대한) 정부: a welfare ~ 복지 국가. **6** 국사, 국무, 국정; 《미구어》 국무부(the Department of State): the Secretary of State 《미》 국무장관. **7** (종종 S-) (미국·오스트레일리아의) 주(州); (the S-s) 《구어》 미국《미국인이 국외(國外)에서 씀》. **8** 〖영군사〗 군사 보고서. **9** 〖컴퓨터〗 (컴퓨터를 포함한 automation의) 상태: ~ table 상태표. ***in great* 〔*easy*〕 ~** 위엄 있는〔허물없는〕 태도로. ***keep* (one's) ~** 짐짓 거드름 부리다, 젠체하다. ***lie in* ~** (국왕 등의 유해가 공중 앞에) 정장(正裝) 안치되다. ***lose a* ~** 《미구어》 (선거에 져서) 주(州)를 잃다. **~ *of life*** 계급, 직업. **~ *of mind*** 기분. ***the* ~ *of affairs* 〔*things, play*〕** 상황, 정세, 사정, 현상(現狀). ***the* ~ *of the art*** (과학 기술·예술 등의) 한 시점의 도달 수준; (컴퓨터 따위의) 최신형.

── *a.* **1** (종종 S-) 국가의, 국사에 관한: ~ affairs 국사(國事)/~ service 국무/a ~ funeral 국장(國葬)/a ~ guest 국빈. **2** 《미》 주(州)의, 주립의: a ~ highway 《미》 주 관할 고속도로/a ~ university 주립대학. **3** 대례(大禮)〔의식〕용의, 공식의, 훌륭한: a ~ coach 대례용의 마차/a ~ dinner 공식 만찬회/~ ceremonies 공식 행사.

── *vt.* **1** 《~+[목]/+*that* [절]/+*wh.* [절]/+[목]+*to* do》 진술하다, 주장하다, 말하다. [cf.] speak. ¶ He ~*d* his own opinion. 그는 자기 의견을 진술하였다/He ~*d that* the negotiations would continue. 협상은 계속될 것이라고 그는 말했다/ You should have ~*d how* much it would cost. 비용이 얼마나 드는지 말해 두었어야 했다/ Tradition ~*s* him to have been a priest. 전설에 따르면 그는 성직자였다고 한다. **2** 〔흔히 과거분사로〕 지정하다, (시일·장소 따위를) 정하다. **3** 〖수학〗 식〔부호, 대수식〕으로 나타내다. ***as* ~*d above*** 상술한 바와 같이.

státe áid 국고 보조(금).

Státe attórney 《미》 주(지방) 검사, 주측(州側) 대리인(State's attorney).

státe bánk 국립 은행; 《미》 주립 은행.

státe bénefit 《영》 (실업·질병 따위에 대한) 국가 급부금.

Státe bírd 《미》 주조(州鳥) 《주(州)의 상징으로 선정된 새》.

státe cápitalism 국가 자본주의; (때때로) = STATE SOCIALISM.

státe chámber 의전실(儀典室).

státe cóllege 《미》 주립 단과 대학; state university를 구성하고 있는 대학.

státe·cràft *n.* [U] 치국책(治國策), 경륜, 정치; 《고어》 정치적 수완.

stát·ed [-id] *a.* 정하여진, 일정한, 정기(定期)의; 공인〔공식〕의; 명백히 규정된: a ~ price 〔fee〕 규정 가격〔요금〕. [파] **~·ly** *ad.* 정기적으로.

Státe Depàrtment (the ~) 《미》 국무부(the Department of State).

Státe Enrólled Núrse 《영》 국가 등록 간호사《State Registered Nurse 보다 아래의 자격; 생략: SEN》.

Státe flówer 《미》 주화(州花) 《주(州)의 상징으로 선정된 꽃》.

state·hood [stéithùd] *n.* [U] 국가〔주〕로서의 지위.

státe·hòuse *n.* 《미》 주 의회 의사당.

státe·less *a.* 국적〔나라〕 없는〔상실한〕; 《영》 위엄이 없는. [파] **~·ness** *n.*

state·let [stéitlit] *n.* 작은 나라, 소국《특히 대국의 일부였던》.

státe líne 주(州) 경계(선).

***state·ly** [stéitli] (**-li·er; -li·est**) *a.* 당당한; 위엄 있는, 장중한; 품위 있는. [cf.] grand. ¶ a ~ speech. ── *ad.* 《드물게》 위엄 있게, 당당하게; 장중하게. [파] **-li·ness** *n.*

státely hóme 《영》 (일반인에게도 공개된) 대저택.

státe médicine 의료의 국가 관리.

‡**state·ment** [stéitmənt] *n.* [U] **1** 성명; [C] 성명서: make a ~ 성명을 발표하다. **2** (아무의) 말, 설, 말한 것: His ~ was received with ridicule. 그의 말은 웃음거리가 되었다/The ~ that the earth is round is universally accepted today. 지구가 둥글다는 것은 오늘날 누구나 인정하고 있다. **3** 진술《*that*》; [C] 〖문법〗 진술문, 서술문: The ~ *that* I was present there is false. 내가 거기에 있었다는 진술은 거짓이다. **4** 〖법률〗 신고, 공술. **5** [C] 〖상업〗 명세서; (사업) 보고(서). **6** 〖컴퓨터〗 문, 문장, 명령문《고급 프로그램 언어에 의한 실행 명령 등의 프로그램 기술(記述)상 필요한 기본적 표현》. ***make a* ~ *to the effect that ...*** …라는 뜻의 진술을 하다.

státement of cláim 〖영법률〗 (민사 소송에서) 청구의 원인에 관한 진술.

Stát·en Ísland [stǽtn-] 스태튼아일랜드《(1) 뉴욕 만 안의 섬. (2) 그 섬을 포함하는 뉴욕시의 한 구(區); 구칭 Richmond; 생략: SI》.

státe-ó [-óu] (*pl.* **~s**) *n.* 《미속어》 주 교도소의 죄수복.

státe-of-the-árt *a.* (기기가) 최신식인, 최신〔최첨단〕 기술을 결집한; 최고급의, 최신 기술의.

Státe of the Únion addrèss 〔mèssage〕 (the ~) 《미》 일반 교서《매년 1월 대통령이 의회에서 행하는 국정 보고로, 삼대 연두 교서의 하나》.

Státe of the Wórld mèssage (the ~) 《미》 (의회에 대한) 대통령의 외교 교서.

Státe Ópening of Párliament (the ~)

《영》 의회 개회(식).
státe-òwned *a.* 국유의.
státe políce 《미》 주 경찰.
státe príson 국사범 교도소(=**státe's príson**); 《미》 주 교도소《중범죄용》.
státe prísoner 국사범(國事犯)(political prisoner).
sta·ter [stéitər] *n.* 스타테르《고대 그리스의 금화〔은화〕, 금은 합금화》.
Státe Régistered Núrse 《영》 국가 공인 간호사《생략: S.R.N.》.
státe relígion 국교(國敎).
státe·ròom *n.* (궁중 따위의) 알현실, 대접견실; (열차·여객기 따위의) 특별〔전용〕실.
státe-rùn *a.* 국영의.
Státe's attórney =STATE ATTORNEY.
státe schóol 《영》 공립학교《의무 교육은 무상》.
státe sécret 국가 기밀.
státe's évidence (종종 S-) 《미》 공범 증언. ★ 영국에선 King's 〔Queen's〕 evidence. ***turn*** ~ 공범자에게 불리한 증언을 하다.
Státes-Géneral *n.* (the ~) (16-18 세기) 네덜란드 국회; 〖프랑스사〗 삼부회(三部會)(Estates General).
státe·sìde *a., ad.* 《미구어》 (국외에서 보아) 미국(본토)의〔로, 에〕. ― *n.* (종종 S-) 미국 본토. ㊕ **-sìder** *n.* 미본국 태생의 사람, 본토인.
states·man** [stéitsmən] (*pl.* ***-men [-mən]) *n.* 정치가, 경세가(經世家); 《영방언》 소지주.

> SYN. **statesman** 국내 정치나 외교에 관한 정치가로서 공정하고 존경받는 사람을 뜻함. **politician** 정당 정치가, 정치꾼. 이익에 따라 정책을 바꾸는 정상배 등 나쁜 의미로도 쓰임. 모사(謀士).

㊕ **~·lìke, ~·ly** *a.* 정치가다운; 정치적 수완이 있는. **~·shìp** *n.* Ⓤ 정치적 수완.
státe sócialism 국가 사회주의.
státes·pèrson *n.* 정치가《statesman, stateswoman을 피한 표현》.
státe's príson =STATE PRISON.
státes' ríghter (흔히 S-) 《미》 주권(州權)주의자, 주권론자.
státe(s') ríghts (때로 S- R-) 《미》 주(州)의 권리; 주권(州權) 확대론.
státes·wòman (*pl.* ***-wòmen***) *n.* 여성 정치가.
státe táble 〖컴퓨터〗 상태표《입력과 그 이전의 출력을 기초로 한 논리 회로의 출력 리스트》.
státe trée 《미》 주목(州木).
státe tríal 국사범(國事犯) 심문〔재판〕.
státe tróoper 《미》 주(州) 경찰관.
státe univérsity 《미》 주립 대학교.
státe vísit (국가 수뇌의) 공식 방문.
státe·wíde *a., ad.* (때로 S-) 《미》 주 전체의〔로〕, 주 규모의.
°**stat·ic** [stǽtik] *a.* **1** 정적(靜的)인, 고정된; 정지 상태의. OPP *dynamic, kinetic.* ¶ ~ sensation 정적〔평형〕 감각/a ~ installation 고정 설비. **2** 움직임이 없는, 활기 없는. **3** 〖물리〗 정지의; 〖전기〗 공전(空電)〔정전기(靜電氣)〕의: ⇨ STATIC ELECTRICITY/~ pressure 정압(靜壓). **4** 〖컴퓨터〗 정적(靜的)《재생하지 않아도 기억 내용이 유지되는》. ― *n.* Ⓤ 〖전기〗 공전(空電), (수신기의) 잡음, 전파 방해; 《미구어》 격렬한 반대, 요란한 비난, 시끄러운 논의. ㊕ **-i·cal** [-ikəl] *a.* **-i·cal·ly** *ad.* 정적(靜的)으로.
-sta·tic [stǽtik] *suf.* -stasis에 대응하는 형용사를 만듦.
státic electrícity 〖전기〗 정전기.
státic fríction 〖물리〗 정지 마찰.
státic líne 〖항공〗 자동삭(索)《낙하산 수납 주머니와 비행기를 잇는 줄; 자동으로 펼쳐짐》.
státic mémory 〖컴퓨터〗 정적(靜的) 기억 장치《기억 내용이 장치 내의 고정 위치에 보존되어, 임의의 위치가 임의의 순간에 접근할 수 있는 메모리》.
státic RÁM 〖전자〗 정적(靜的) 램〔막기억 장치〕《전원만 끊지 않으면 속의 정보가 꺼지지 않고 보존되는 IC 기억 장치》.
stát·ics *n. pl.* 〔단수취급〕 정역학(靜力學).
státic tésting (로켓, 미사일, 엔진 등의) 정지(靜止) 시험, 지상(地上) 시험.
státic tùbe 정압관(靜壓管)《유체의 정압을 측정함》.
†**sta·tion** [stéiʃən] *n.* **1** 정거장, 역(railroad ~), 정류장; 역사(驛舍): a railroad 〔《영》 railway〕 ~ 철도역/a freight ~ 화물역. **2 a** 소(所), 서(署), 국(局), 부(部): a fire ~ 소방서/a broadcasting ~ 방송국/a police ~ 경찰서/a power ~ 발전소. **b** 사업소, 관측소, 연구소: a gasoline 〔filling〕 ~ 주유소/a meteorological 〔weather〕 ~ 기상 관측소. **3** 〖군사〗 주둔지, 기지, 근거지, 군항(軍港): a frontier ~ 국경 주둔지. **4** 위치, 장소; (담당) 부서(部署): keep one's ~ 부서를 떠나지 않다. **5** Ⓤ,Ⓒ 계급, 지위, 신분: a woman of high ~ 지체 높은 여성. **6** (동물 따위의) 서식지; 산지(產地). **7** 〖측량〗 측점, 삼각점; 관측소, 연구소; 〖조선〗 단면도. **8** 〖교회〗 소재(小齋), 단식《그리스 정교회는 수요일·금요일에, 가톨릭에서는 금요일에 함》. **9** 〖가톨릭〗 (십자가의 길의) 기도처(the stations of the cross)《신자가 순례하는 14 처의 예배(禮拜) 장소》. **10** 〖광산〗 (수갱(竪坑) 등 속의) 광장, 적치장(積置場); 《Austral.》 (건물·토지를 포함한) 목장, 농장. **11** 〖컴퓨터〗 국《네트워크를 구성하는 각 컴퓨터》. ***above*** one***'s*** ~ 자신의 지위를〔신분을〕 잊고. ***be on*** ~ (배가) 정박 중이다. ***out of*** ~ 있어야 할 위치에 없어; 부서를 떠나. ***take up*** one***'s*** ~ 부서에 자리잡다.
― *vt.* 《~+목/+목+전+명》 **1** 부서에 앉히다, 배치하다, 주재시키다《*at; on*》: Soldiers have been *~ed around* the building. 군인들이 건물 주위에 배치되어 있다. **2** 〔~ oneself〕 (…의) 위치에 있다, 서 있다: ~ one*self at* the porch 현관에 서다.
㊕ **~·al** *a.*
státion àgent 《미》 (작은 역의) 역장; (큰 역의) 과장.
***sta·tion·ary** [stéiʃənèri/-nəri] *a.* **1** 움직이지 않는, 정지된, 멈춰 있는: Remain ~! 움직이지 마. **2** 변화하지 않는《온도 따위》; 증감하지 않는《인구 등》. **3** 움직일 수 없게 장치한, 고정시킨《기계 등》. **4** 정주(定住)의; 상비의《군대 등》: ~ troops 주둔군 ― *n.* 움직이지 않는 사람〔것〕; (*pl.*) 상비군, 주둔군.
státionary áir (폐 안의) 잔류 공기.
státionary bíke 〔**bícycle**〕 페달 밟기 운동기, 고정 자전거《자전거의 바퀴가 없는》.
státionary éngine 〔**engineér**〕 (건물 내의) 정치(定置) 기관〔정치 기관 담당 기사〕.
státionary frónt 〖기상〗 정체 전선.
státionary órbit 정지 궤도(synchronous orbit).
státionary póint 〖천문〗 (행성의) 유(留); 〖수학〗 정류점(停留點); 정상점(定常點).
státionary státe 〖물리〗 정상(定常) 상태.
státionary wáve 〔**vibrátion**〕 〖물리〗 정상파(定常波)(standing wave).
státion brèak 《미》 〖라디오·TV〗 (방송국명·주파수 따위를 알리는) 프로와 프로 사이의 토막 시간; 그 사이의 공지 사항이나 광고.
sta·tio·ner [stéiʃənər] *n.* 문방구상, 문방구점; 《고어》 서적상, 출판업자.
Státioners' Háll 《영》 런던 서적 출판업 조합 사무소《원래 출판물의 등록처》.

sta·tio·nery [stéiʃənèri/-nəri] *n.* Ⓤ **1** 〔집합적〕 문방구, 문구. **2** (봉투가 딸린) 편지지.
Státionery Óffice 《영》 정부(간행물) 출판국 《정식명 Her 〔His〕 Majesty's Stationery Office; 생략: H.M.S.O.》.
státion hòspital 〖군사〗 위수(衛戍) 병원.
státion hòuse 《특히》 경찰서; 소방서; (시골의) 역사(驛舍), 정거장.
státion identificátion 《미》 =STATION BREAK.
státion kèeping 〖해군〗 (함대 등에서 각 함의) 순항 적정 위치 유지.
státion·màster *n.* (철도의) 역장.
státion pòinter 〖측량〗 삼각(三脚) 각도기 (threearm protractor).
státion pòle 〔**ròd, stàff**〕 〖측량〗 폴, 표주(標柱).
státion sèrgeant 《영》 (경찰서의) 경사, 지방 경찰서장.
státion-to-státion [-tə-] *a.* (장거리 전화가) 번호 통화의 《건 번호로 통화가 된 시점(時點)에서 요금이 과해짐》. ⓒⓕ person-to-person. **—** *ad.* 국에서 국으로; 번호 통화로: call a person ~ 번호 통화로 아무에게 전화하다.
státion wàgon 《미》 스테이션왜건(《영》 estate (car)) 《뒤에 접는〔떼어내기〕식 좌석이 있음》.
stat·ism [stéitizəm] *n.* Ⓤ (경제·행정의) 국가 통제(주의).
stat·ist[1] [stéitist] *n., a.* 국가 통제〔주권〕주의자(의).
stat·ist[2] [stǽtist] *n.* =STATISTICIAN.
sta·tis·tic [stətístik] *n.* 통계치, 통계량. **—** *a.* 《드물게》 =STATISTICAL.
sta·tis·ti·cal [stətístikəl] *a.* 통계(상)의; 통계학의: ~ inference 통계적 추론 / ~ probability 통계적 확률. ⓜ **~·ly** *ad.* 통계상.
statístical mechánics 통계역학.
statístical phýsics 통계 물리학.
statístical signíficance 통계상의 유의성(有意性).
stat·is·ti·cian [stæ̀tistíʃən] *n.* 통계가〔학자〕.
sta·tis·tics [stətístiks] *n. pl.* **1** 〔복수취급〕 통계(표): cite ~ 통계를 인용하다 / collect ~ 통계를 잡다 / ~ of population 인구 통계. **2** 〔단수취급〕 통계학.
stat·o- [stǽtou, -tə] '휴지(休止), 평형'이란 뜻의 결합사.
stat·o·lith [stǽtəliθ] *n.* 〖생물〗 평형석(平衡石), 이석(耳石). ⓜ **stàt·o·líth·ic** *a.*
sta·tor [stéitər] *n.* 〖전기〗 (발전기 등의) 고정자(固定子). ⓞⓟⓟ rotor.
stat·o·scope [stǽtəskòup] *n.* 미(微)기압계; 〖항공〗 승강계.
stats [stæts] *n.pl.* 《구어》 통계학, 통계(statistics).
stat·u·ary [stǽtʃuèri/-əri] *n.* Ⓤ 〔집합적〕 조상(彫像); 조상술; Ⓒ 조상〔조각〕가. **—** *a.* 조상의; 조상용의: ~ marble 조상용(用) 대리석.
stat·ue [stǽtʃuː] *n.* 상(像), 조상(彫像). ***Statue of Liberty*** ① (the ~) 자유의 여신상 《New York 항 Liberty Island의》. ② 〖미식축구〗 백이 공을 든 손을 높이 들어 던지는 척하면서 옆 플레이어에게 건네는 플레이.
stat·u·esque [stæ̀tʃuésk] *a.* 조상(彫像) 같은; 균형 잡힌; 윤곽이 고른; 차분한; 위엄 있는. ⓜ **~·ly** *ad.* **~·ness** *n.*
stat·u·ette [stæ̀tʃuét] *n.* 작은 조상(彫像).
stat·ure [stǽtʃər] *n.* Ⓤ **1** (특히 사람의) 키, 신장: He is short of ~. 키가 작다. **2** 《비유》 (인물의) 크기, 능력, 재능; (정신적·도덕적인) 성장(도), 진보 달성 (수준); 고매함: moral ~ 도덕 수준 / a writer of ~ 재능 있는 작가 / an artist of great ~ 위대한 예술가.
sta·tus [stéitəs, stǽtəs] *n.* 《L.》 Ⓤ,Ⓒ **1** 상태, 사정, 정세: the present ~ of affairs 현재의 상태. **2** (사회적) 지위; 자격; 〖법률〗 신분: the political and social ~ of women 여성의 정치적, 사회적 지위. **3** 〖컴퓨터〗 (입출력 장치의 작동) 상태. **~ *of forces agreement*** 주둔군 신분 협정, 행정 협정.
státus bàr 〖컴퓨터〗 상태 바.
státus lìne 〖컴퓨터〗 상태 표시 행(行) 《데이터베이스 관리 프로그램 등에서 현재 처리되고 있는 파일》.
státus offènder 《미》 우범 소년 《법원 감독하에 있는》.
státus quó [-kwóu] (the ~) 현상(現狀) (= **státus in quó**): maintain the ~ 현상을 유지하다.
státus quò án·te [-ǽnti] (the ~) 이전의 상태.
státus-quó·ite [-kwóuàit] *n.* 현상 유지론자, 체제 지지자.
státus règister 〖컴퓨터〗 상태 레지스터.
státus sèeker 출세주의자, 엽관 운동자.
státus sỳmbol 높은 사회적 신분의 상징 《소유물·습관 등》.
sta·tusy [stéitəsi, stǽt-] *a.* 《구어》 높은 지위〔위신〕을 지닌〔나타내는, 주는〕.
stat·ut·a·ble [stǽtʃutəbəl] *a.* 성문율의, 법령의; 법령에 의한; (위반·죄 등이) 제정법에 저촉되는. ⓜ **-bly** *ad.* **~·ness** *n.*
stat·ute [stǽtʃuːt] *n.* 법령, 성문법, 법규; 정관(定款), 규칙 《*of*》: a general 〔public〕 ~ 일반법〔공법(公法)〕 / a private ~ 사법(私法) / ~s at large 일반 법규(집); 법령집. ⓈⓎⓃ. ⇨LAW.
státute-bárred *a.* 〖법률〗 제소(提訴) 기간이 지난, 시효에 걸린.
státute bòok (보통 *pl.*) 법령집: not on the ~.
státute làw =STATUTORY LAW.
státute mìle 법정(法定) 마일 《5,280 피트; 1,609.3m》.
státute of limitátion (the ~) 〖법률〗 출소(出訴) 기한법.
stat·u·to·ry [stǽtʃutɔ̀ːri/-təri] *a.* 법령의; 법정(法定)의; 법에 걸리는 《죄 등》: ~ tariff 〔ownership〕 법정 세율〔소유권〕.
státutory ínstrument 〖영법률〗 (행정 기관이 제정하는) 명령, 행정 입법.
státutory láw 성문〔제정〕법. ⓒⓕ case law, unwritten law.
státutory offénse 〔**críme**〕 〖법률〗 제정법상의 범죄, 《특히》 =STATUTORY RAPE.
státutory rápe 〖미법률〗 미성년자에 대한 강간.
státutory sick pày 《영》 법정 질병 수당.
staunch[1] [stɔːntʃ] *vt., vi., n.* = STANCH[1].
staunch[2], **stanch**[2] [stɔːntʃ, stɑːntʃ/stɔːntʃ] *a.* **1** (사람·주장 따위가) 신조에 철두철미한, 완고한, 충실한: a ~ Democrat 철두철미한〔비타협적인〕 민주당원. **2** (건물 따위가) 견고한, 튼튼한. **3** 방수의, 항해에 견디는. ⓜ **∠·ly** *ad.* **∠·ness** *n.*
stau·ro·scope [stɔ́ːrəskòup] *n.* 십자경 《결정체의 편광(偏光) 방위를 측정하는 기계》.
stave [steiv] *n.* **1** 통(桶)널; (사닥다리의) 단, 디딤대《가로장》. **2** 막대기, 장대. **3** 시의 일절, 시구; (시행(詩行)의) 두운(頭韻). **4** 〖음악〗 보표(staff). **—** (*p., pp.* **~d, stove** [stouv]) *vt.* **1** 통널을 붙이다. **2** (+目+副) (통·배 따위에) 구멍을 뚫다; (상자·모자 따위를) 찌그러뜨리다 《*in*》: The deckhouse had been ~*d in* by the enormous waves. 갑판실은 큰 파도로 파괴되었다. **3** 단을〔디딤대를〕 대다. **4** (납 따위를) 눌러 굳히다. **—** *vi.* **1** (보트 등에) 구멍이 뚫리다. **2** 《미》 심하게 부딪다, 부서지다 《*in*》; 돌진하다. **~ *off*** 비키다, 피하다, 간신히 모면하다.
stáv·er *n.* 《미》 활동〔정력〕가.
stáve rhỳme 〖시학〗 두운(頭韻).

staves [steivz] STAFF, STAVE의 복수.

staves·acre [stéivzèikər] *n.* 『식물』 참제비고깔의 일종《유라시아산》; 그 종자《살충제·토제[吐劑]용》.

stáv·ing *a.* 《미》 강력한; 굉장한.

†**stay**[1] [stei] (*p.*, *pp.* **~ed** [-d], 《고어》 **staid** [steid]) *vi.* **1** 《~/+副/+前+名/*to* do》 (장소·위치 등에) 머무르다, 남다; 체재하다, 숙박하다, 묵다: ~ *out* 외출〔외박〕해 있다 / *Stay here* till I return. 내가 돌아올 때까지 여기 있게 / Can you ~ *to* dinner? 식사 때까지 계실 수 있소 / ~ *at* a hotel 〔*with* one's aunt〕 호텔〔아주머니 댁〕에 묵다 / He ~*ed to* see which team would win. 그는 어느 팀이 이기는지 보려고 남았다. SYN. ⇨ LIVE.

> SYN. **stay** 사람이 어떤 곳에 머물러 있다는 뜻의 일반적인 말. **remain** 사람이나 물건이 형태나 성질을 바꾸지 않고 어떤 장소〔상태〕에 머물러 있다는 뜻의 말.

2 《+補/+前+名》 …인 채로 있다(remain): ~ young 늙지 않다 / ~ neutral 중립을 유지하다 / ~ *in* tune (악기가) 가락을 유지하다. **3** 《~/+前+名》 《구어》 지탱〔지속〕하다, 견디다; 호각〔백중〕이다, …와 겨루다《*with*》: ~ *to* the end of a race 경주의 최후까지 버티다 / ~ *with* the leaders 선도자들에게 지지 않다. **4** 《고어》 〔종종 명령형〕 기다리다; 멈추다; 사이를 두다, (잠시) 중단하다; 우물쭈물하다.

— *vt.* **1** 멈추(게 하)다, 막(아 내)다: There is nothing to ~ us in this town. 이 도시에는 묵으면서까지 볼 만한 것이 아무것도 없다. **2** (욕망을) 채우다, (굶주림을) 일시 때우다; 면하게 하다: A glass of milk ~*ed* me until meal time. 식사 때까지 우유 한 잔으로 때웠다. **3** 《구어》 버티다, 지탱하다, …의 최후까지 버티다: I could not ~ the whole course. 전 코스를 끝까지 뛰지 못했다. **4** (어느 기간을) 체류하다, 머무르다: ~ the night 하룻밤 묵다. **5** (판결 따위를) 연기하다, 유예하다.

be here to **~** 안정〔보급〕되다; (유행·관습 등이) 정착하다: The compact car *is here to* ~. 소형차가 시장에 정착해 있다. ***come to*** **~** 《구어》 오래 계속하다, 정착하다, 쉽게 변하지 않다: I hope peace will *come to* ~. 평화가 영속하기를 바란다. **~ *away*** (***from***) (…에서) 떨어져 있다; 집을 비우다, 결석하다: *Stay away from* my daughter! 우리 딸 근처에 얼씬거리지도 마. **~ *back*** 나서지 않다. **~ *behind*** 뒤에 남다, 남아 있다. **~ *down*** (핸들·스위치 등이) 내려진 채로 있다; (먹은 것·약 등이) 위에 내려가 있다; 《영》 갱내에서 농성 파업을 하다. **~ *in*** 집에 있다; (학교 따위에 벌로) 남아 있다; 농성 파업을 하다. **~ *off*** 멀리하다, 삼가다; (건강을 위해) 먹지〔마시지〕 않다. **~ *on*** (뚜껑 등이) …에 덮여〔끼어〕 있다; (학교·회사 등에) 유임하다《*at*》; (등불·TV 등이) 계속 켜져 있다. **~ *out*** 《*vi.*+副》 ① =*vi.* 1. ② (도박 등에) 끼어들지 않다, (남의 일에) 간섭하지 않다, (귀찮은 일에) 말려들지 않다. ③ 파업을 계속하다. —《*vt.*+副》 ④ 끝까지 머물다〔지켜보다〕. ⑤ (남보다) 오래 남아 있다. **~ *over*** 외박하다《*in; at*》. **~ *put*** 그대로 있다, 원래의 장소에 남다. ★put은 과거분사. ¶ *Stay put* until I come and pick you up. (차로) 데리러 올 때까지 그대로 있어라. **~ *one's stomach*** 허기를 채우다. **~ *up*** 밤새우다, 밤샘하다; (장소에) 그대로 남아 있다. **~ *with*** ① 묵다, 체류하다. ② (일을) 계속하다; (물건을) 계속해서 쓰다. ③ 기억하고 있다. ④ 열중하다, 계속 주의하다.

— *n.* **1** 〔보통 *sing.*〕 머무름, 체재, 체류, 체재 기간: make a long ~ 장기 체재하다 / have a three-day ~ at the Grand Hotel 그랜드 호텔에서 3일간 묵다. **2** U.C 『법률』 연기, 유예; 정지, 중지: a ~ of execution 형의 집행 유예. **3** 《폐어》 제어, 억제; 장애(물): put a ~ on (격정 등)을 억누르다. **4** U 《구어》 지속〔내구〕력, 끈기.

stay[2] *n.* 『선박』 지삭(支索)《돛대를 앞쪽으로 유지하는》; 버팀줄《전주·안테나 따위의》; 〔일반적〕 밧줄, 로프. ***be in ~s*** 『해사』 이물이 바람 부는 쪽으로 돌려 있다, (배가) 바람 부는 쪽으로 가고 있다: *be* quick *in ~s* (배가) 재빠르게 바람 부는 쪽으로 돌다. ***miss*** 〔***lose***〕 ***~s*** 『해사』 (바람 부는 쪽으로) 돌리기에 실패하다. — *vt.* 『해사』 지삭으로 버티다; (돛을) 기울이다; (배를) 바람받이로 돌리다.

stay[3] *n.* **1** 지주; 『전기』 지선. **2** 《비유》 버팀, 지주, 기둥(처럼 의지하는 사람): He is the ~ of my old age. 그는 노후에 의지할 사람이다. **3** (*pl.*) 《영》 코르셋《종종 a pair of ~*s*》. — *vt.* 《문어》 지주로 버티다《*up*》; 안정시키다; (정신적으로) 지원하다, 격려하다.

stáy-at-hòme *a.*, *n.* 집에 틀어박혀 있는 (사람); 외출을 싫어하는 (사람); 거주지를 떠나지 않는 (사람); (보통 *pl.*) 《정치속어》 (선거의 투표) 기권자.

stáy bàr 〔**ròd**〕 (건물·기계의) 지지봉(支持棒).

stáy-dòwn strìke 《영》 (탄갱부의) 갱내 농성 파업.

stáy·er[1] *n.* 체재자; 끈기 있는 사람〔동물〕; 억제하는 사람〔물건〕; 『경마』 장거리 말.

stáy·er[2] *n.* 지지〔옹호〕자.

stáying pòwer 지구력, 내구력〔성〕, 스태미너(stamina).

stáy-in (**strìke**) 연좌 파업.

stáy·làce *n.* 코르셋의 끈.

stáy·less *a.* 코르셋을 입지 않은.

stáy·màker *n.* 코르셋 제조자.

stáy·òver *n.* 체류, 체재.

stáy-prèss *a.* (천·옷이 세탁 후에) 구김살이 지지 않는.

stáy·sàil [-sèil, 《해사》 -səl] *n.* 『선박』 (삼각형의) 지삭범(支索帆)《마스트 전방의 지삭에 닮》.

stáy-ùp *n.* 가터가 필요 없는 스타킹.

S.T.B. *Sacrae Theologiae Baccalaureus* 《L.》 (=Bachelor of Sacred Theology)(신학사).

stbd. starboard. **STC** Senior Training Corps 《영》 (고급 장교 양성단). cf. O.T.C. **S.T.C.** Samuel Taylor COLERIDGE. **STD, S.T.D.** 《영》 subscriber trunk dialling(다이얼 직통 장거리 전화); sexually transmitted disease. **S.T.D.** *Sacrae Theologiae Doctor* 《L.》 (=Doctor of Sacred Theology)(신학 박사). **STDN** space tracking and data network(우주 추적 데이터 통신망). **Ste.** *Sainte* 《F.》 《Saint의 여성형》.

stead [sted] 《문어》 *n.* U **1** 대신, 대리. **2** 도움, 이익; 《폐어》 장소. ***in*** a person***'s ~*** = ***in the ~ of*** a person 아무의 대신에. ***in*** (***the***) **~ *of*** =INSTEAD of. ***stand*** a person ***in good ~*** 크게 아무에게 도움〔이익〕이 되다.

***stead·fast** [stédfæ̀st, -fɑ̀:st, -fəst/-fɑ̀:st, -fəst] *a.* 확고부동한, 고정된, (신념 등) 불변의, 부동의: be ~ in one's faith 신념을 굽히지 않다 / He was ~ *to* his principles. 그는 끝까지 주의를 일관했다. 㽕 **~·ly** *ad.* **~·ness** *n.*

Stéadfastness and Confrontátion Frònt 아랍 강경 대결 전선《이스라엘에 대한》.

***stead·i·ly** [stédili] *ad.* **1** 착실하게, 견실하게. **2** 꾸준히, 착착; 끊임없이: He went on working ~. 그는 꾸준히 일했다.

stéad·ing *n.* 《영》 농장(의 건물); 작은 농장; (건물의) 부지.

****steady** [stédi] (**stead·i·er; -i·est**) *a.* **1** 고정

된, 확고한, 흔들리지 않는: a ~ ladder 고정된 사다리 / a ~ hand 떨지 않는 손 / ~ as a rock 바위같이 흔들리지 않는 / give a ~ look 뚫어지게 보다, 응시하다《*at*》. **2** 안정된; 견고한, 한결같은, 착실한, 절도 있는, 규율 바른: a ~ temper 안정된 기질 / a ~ job 안정된 직업 / a ~ pace 착실한 보조 / a ~ player 안정된 기술을 가진 경기자. **3** 〖해사〗 침로가 바뀌지 않은. **4** 불변의, 끊임없는, 한결같은. ***go*** **~** 《구어》 한 상대하고만 데이트하다《*with*》; 애인이 되다. ***Keep her ~!*** 〖해사〗 배의 진로를 그대로. ***play*** **~** 덤비지 않다.

— *n.* **1** 대(臺), 받침. **2** 《미구어》 정해진 상대〔애인〕.

— *vt.* 견고〔견실〕하게 하다; 침착하게 하다; 흔들리지 않게 하다: ~ oneself by holding on to a strap 가죽 손잡이를 붙잡아 흔들리지 않도록 하다. — *vi.* 《~/+副》 견고해〔침착해〕지다; (배 따위가) 안정되다: He will ~ *down* when he gets older. 그도 더 나이가 들면 침착해지겠지요. ***Steady on!*** (노젓기) 그만; 《구어》 당황하지 마라, 침착히 해라.

㊎ ◇**stéad·i·ness** *n.* 착실; 불변, 한결같음.

stéady-gòing *a.* 견실한, 착착 진행하는; 보조가 바뀌지 않는. 「가 일정한》.

stéady mótion 정상(定常) 운동《액체의 속도

stéady státe 〖물리〗 정상 상태.

stéady-stàte *a., n.* 〖물리〗 정상 상태(의), 비교적 안정한; 〖천문〗 정상 우주론의.

stéady státe thèory 〔**cosmòlogy**〕 (the ~) 〖천문〗 정상 우주론《우주는 팽창과 더불어 물질을 만들어 내며 밀도 등이 시간이 지나도 크게 변하지 않는다는 설》. cf. big bang theory.

⁑**steak** [steik] *n.* Ⓤ,Ⓒ 스테이크, 《특히》 비프스테이크(beef ~); 《미》 (스테이크용) 고기; (생선의) 저민 살.

stéak·hòuse *n.* 스테이크 전문점.

stéak knìfe (톱니 있는) 스테이크 나이프.

stéak tártar(e) 타르타르 스테이크(=**tártar stèak**)《달걀과 양파를 곁들인 잘게 썬 날 쇠고기 요리》.

⁑**steal** [sti:l] (***stole*** [stoul]; ***sto·len*** [stóulən]) *vt.* **1** 《~+目/+目+前+名》 훔치다, 몰래 빼앗다, 절취하다《*from*》: ~ a watch 시계를 훔치다 / I had my purse *stolen*. 내 지갑을 도둑맞았다 / ~ money *from* a safe 금고에서 돈을 훔치다.

> SYN. **steal** 남의 것을 몰래 훔쳐감. **rob** 위협 또는 폭력을 써서 빼앗아감. **pilfer** 가치 없는 물건을 좀도둑질함.

2 《~+目/+目+前+名》 무단 차용하다; 몰래 가지다; 교묘히 손에 넣다; 〖경기〗 교활한 수단으로 득점하다; 〖야구〗 도루하다: ~ a kiss (상대가 모르는 사이에) 슬쩍 키스하다 / ~ a person's heart ⇨ HEART(관용구) / ~ a glance *at* …을 몰래 훔쳐보다 / ~ second, 2루로 도루하다 / ~ a ride *on* a train 기차를 공짜로 타다. **3** 《+目+副/+目+前+名》 몰래 움직이다〔나르다〕, 몰래 두다〔넣다, 내가다〕《*away; from; into*》: They *stole* his corpse *away*. 그들은 그의 시체를 몰래 운반해 갔다 / ~ an egg *into* one's bag 자기 백 속에 몰래 달걀을 넣다.

— *vi.* **1** 《~/+副》 도둑질하다《*off*》. **2** 《+副/+前+名》 몰래〔가만히〕 …가다〔오다〕《*along; by; up; through*》, 숨어 들어가다《*in; into*》: He *stole up on* the gentleman. 그는 그 신사에게 몰래 접근했다 / ~ *out of* a room 몰래 방에서 빠져나가다. **3** 《+副/+前+名》 모르는 사이에 지나가다〔생기다〕; (기분·졸음 따위가) 어느새 엄습하다《*on; over*》: A sense of happiness *stole over* 〔*upon*〕 her. 행복감이 저도 모르게 그녀를 감쌌다 / The years *stole by*. 세월은 어느덧〔어언간〕 지나갔다. **4** 〖야구〗 도루하다. ◇ stealth. *n.* **~ *away*** 몰래 가 버리다〔가져가다〕. **~ *in*** 살그머니 들어가다〔침입하다〕; 밀수하다. **~ *off*** 가지고 도망치다. **~** a person***'s thunder*** ⇨ THUNDER. **~** one***'s way*** 몰래 가다〔오다〕. **~ *the spotlight*** 주의를 딴 데로 돌리다.

— *n.* 《미구어》 **1** Ⓤ 도둑질, 훔침, 절도; Ⓒ 훔친 물건; 표절물; 의외로 싸게 산 물건, 횡재. **2** 〖야구〗 도루(盜壘). **3** 추잡한 (정치적) 거래.

steal·age [stí:lidʒ] *n.* Ⓤ 절도, 도둑질; 도둑

stéal·er *n.* 도둑(thief). 「피해.

stéal·ing *n.* Ⓤ 몰래 훔치기, 절도; Ⓒ 〖야구〗 도루; (보통 *pl.*) 《미》 훔친 물건. — *a.* (몰래) 훔치는; 몰래 하는. ㊎ **~·ly** *ad.*

◇**stealth** [stelθ] *n.* Ⓤ 몰래 하기, 비밀; (S-) 〖미 공군〗 스텔스 계획《레이더·적외선·가시광선에 의한 탐지를 막는 항공기의 개발 계획》; 〖항공〗 스텔스기(機); 스텔스 기술. ***by*** **~** 몰래, 비밀히.

stéalth àircraft 〔**bòmber**〕 〖항공〗 스텔스 항공기〔폭격기〕《레이더 등으로는 포착되지 않는》.

◇**stealthy** [stélθi] (***stealth·i·er; -i·est***) *a.* 비밀의, 남의 눈을 피하는, 살금살금 하는: a ~ glance 훔쳐보기. ㊎ ◇**stéalth·i·ly** *ad.* **-i·ness** *n.*

⁑**steam** [sti:m] *n.* Ⓤ **1** 증기, 스팀, 수증기; 증기력: rooms heated by ~ 스팀 난방을 한 방. **2** 김, 연무, 안개: a cloud of ~ 뭉게 김 / windows clouded with ~ 김으로 뿌예진 창문들. **3** 《구어》 힘, 원기, 정력. **4** 《미속어》 밀매 위스키. ***at full*** **~** =***full*** **~ *ahead*** 전속력으로: *Full ~ ahead!* 전속력으로 전진해라; (일 등에) 전력투구해라. ***by*** **~** 증기로; 기선으로. ***get up*** **~** 증기를 일으키다; 《구어》 분발하다; 《구어》 급히 가다; 화내다. ***let*** 〔***blow, work***〕 ***off*** **~** 여분의 증기를 빼내다; 《구어》 울분을 풀다, 긴장을 풀다. ***put on*** **~** 《구어》 분발하다. ***run out of*** **~** 《구어》 힘〔기력〕을 잃다, (운동·공격 따위가) 활력을 잃다, 정체하다; 가솔린이 떨어지다. ***under*** one***'s own*** **~** 혼자 힘으로, 자력으로. ***under*** **~** 증기의 힘으로〔의〕; (기선이) 항해 중에〔의〕; 기운을 내서.

— *a.* 증기의〔에 의한, 용의〕; 《영구어·우스개》 시대물의, 구식의.

— *vi.* **1** 《~/+副》 김을 내다; 증기를 발생하다: This boiler ~*s well*. 이 보일러는 증기가 잘 나온다. **2** 《~/+副/+前+名》 증기의 힘으로 나아가다《*across; along; away; out*》: The ship is ~*ing in*. 기선이 들어온다 / The ship ~*ed down* the river. 배가 강 하류로 갔다. **3** 《~/+副/+前+名》 증발하다, 땀을 내다; (유리가) 김으로 흐려지다《*up; away*》: The water has ~*ed away*. 물은 증발해 버렸다 / The heat is ~*ing out of* the woods. 열기가 숲에서 발산되고 있다. **4** 《구어》 화내다(boil). **5** 《구어》 굉장한 스피드로 달리다, (열심히) 일하다, 척척 진척되다《*ahead; along; away; up*》. — *vt.* **1** 찌다: ~ potatoes. **2** (증기를) 분출하다; 증기력으로 나르다. **3** 《~+目/+目+補/+目+前+名》 …에 김을 쐬다, 증기를 쐬어 …하게 하다: ~ open an envelope / ~ a stamp *off* an envelope 김을 쐬어 우표를 봉투에서 떼다. **4** 《+目+副》 증발시키다: ~ *up* liquid 액체를 증발시키다. **~ *along*** 〔***ahead***〕 《구어》 분발하여 일하다, 착착 진척되다. **~ *away*** 증발하다; 진척되다. **~ *up*** ① (창유리 따위가) 흐려지(게 하)다. ② 〔보통 수동태〕 《구어》 …에게 자극을 주다, 격려하다, 화나게 하다. ③ 《영》 (분만 전의 가축에게) 먹이를 많이 주다.

stéam bath 증기탕.

stéam bèer 스팀 맥주《미국 서부에서 나는 고(高)비등성 맥주》. 「기선.

◇**stéam·bòat** *n.* (주로 내해용의 작은) 기선, 증

stéam bòiler 증기 보일러.
stéam bòx 〔**chèst**〕 (증기 기관의) 증기실.
stéam càbinet (앉은 자세에서 머리만 밖으로 내놓게 되어 있는) 증기 목욕용 욕조.
stéam·clèan *vt.* 증기 세탁하다.
stéam còal 보일러용 석탄.
stéam còlor (빛깔이 날지 않게 하는) 증기 「염색.
stéam cỳlinder 증기 실린더, 증기통.
stéam distillàtion 증기 증류《액체 혼합물에 증기를 불어넣어 휘발성분을 그 비점(沸點) 이하의 온도로 유출(溜出)시키는 증류법》.
stéamed-ùp *a.* 《구어》 화낸, 몹시 흥분한.
stéam ѐngine 증기 기관(차). ***like a*** ~ 원기 왕성하게.
‡**steam·er** [stíːmər] *n.* **1** 기선; 증기 기관; 증기 소방 펌프; 찌는 기구〔사람〕, 찜통, 시루. **2** 〖패류〗 다랑조개(soft-shell clam). — *vi.* 기선으로 여행하다.
stéamer bàsket (선박) 여행자를 위한 전별 선물 바구니《과일 · 과자 · 브랜디 등을 채움》.
stéamer chàir =DECK CHAIR.
stéamer rùg 《미》 갑판 의자용 무릎 덮개.
stéamer trùnk 얄고 폭넓은 트렁크《배의 침대 밑에 넣을 수 있게 만든 여행용》.
stéam fitter 증기 기관 · 스팀 난방 따위의 설치 「〔수리〕공.
stéam fitting 증기 기관 · 스팀 난방 등의 설치 〔수리〕 공사.
stéam gàuge 증기 압력계.
stéam-generàting héavy-wàter reác·tor 〖원자력〗 증기 발생 중수로(重水爐)《생략: SGHWR》.
stéam hàmmer 증기 해머.
stéam héat 증기열, 증기 열량.
stéam héating 스팀 난방 (장치).
stéam·i·ly *ad.* **1** 증기를 내어, 몽롱해져서. **2** 《구어》 에로틱하게, 선정적으로.
stéam·ing *a.*, *ad.* 김을 푹푹 내뿜는〔내뿜을 만큼〕: ~ (hot) coffee 김이 나는 (따끈한) 커피. — *n.* Ⓤ 김쐬기, 김내기; 기선으로 간 여행 거리: a distance of one hour's ~ 기선으로 한 시간의 거리.
stéam ìron 증기다리미.
stéam jàcket 스팀 재킷《증기 기관의 실린더 벽에 설치된 고온 보존용 구조》.
stéam-làunch *n.* 작은 증기선.
stéam locomòtive 증기 기관차.
stéam nàvvy 《영》 =STEAM SHOVEL.
stéam òrgan 〔**piàno**〕 증기 오르간(calliope).
stéam pìpe 스팀 파이프.
stéam pòint (물의) 끓는점.
stéam pòrt 증기구(口), 기문(汽門).
stéam pòwer 증기 동력, 기력(汽力): ~ generation 화력 발전.
stéam pùmp 증기 (양수) 펌프.
stéam ràdio 《영구어》 라디오《텔레비전과 구별, 구식인 데서》.
stéam·ròller *n.* **1** 증기 롤러《도로 공사용》, 〖일반적〗 =ROAD ROLLER. **2** 《비유》 강압 수단, 우격다짐, 압력(을 넣는 사람). — *a.* 강압적인, 증기 롤러를 연상케 하는. — *vt.* **1** (도로 · 지면을) 증기 롤러로 고르다〔다지다〕. **2** (강한 힘으로) 제압〔압도〕하다; 우격다짐으로 밀어붙이다〔…하게 하다〕: ~ the resolution through 결의안을 우격다짐으로 통과시키다. **3** 〖스포츠〗 압승하다. — *vi.* 무작정〔우격다짐으로〕 (밀고) 나아가다.
stéam ròom =STEAM CABINET.
°**stéam·shìp** *n.* 기선, 증기선, 상선《생략: S.S.》. ★ 엄밀히 말하면 motor ship《생략: M.S.》과 구별해서 쓰는 말.
stéam shòvel (토목 공사용) 증기삽《증기력에 의한 굴착기》, 〖일반적〗 =POWER SHOVEL; 《미군대속어》 감자 껍질 벗기기.
stéam tàble 《미》 스팀 테이블《요리를 그릇째 보온하는 대(臺)》.
stéam·tìght *a.* 증기가 새지 않는, 기밀(氣密)의.
stéam tràin 증기 기관차.
stéam tùg (소형의) 증기 예인선(曳引船).
stéam tùrbine 증기 터빈.
stéam whìstle 기적(汽笛).
steamy [stíːmi] (***steam·i·er; -i·est***) *a.* 증기의 〔같은〕; 증기를 내는; 김이 자욱한; 안개가 짙은; 고온 다습의; 《구어》 에로틱한. — *n.* 《미속어》 에로 영화. ㊞ **stéam·i·ly** *ad.* **-i·ness** *n.*
ste·ap·sin [stiǽpsin] *n.* Ⓤ 스테압신《췌장에서 분비되는 지방 분해 효소》.
ste·a·rate [stíːərèit, stìər-/stíər-] *n.* Ⓤ 〖화학〗 스테아르산염(酸塩)《양초 제조용》.
ste·ar·ic [stiǽrik] *a.* 〖화학〗 스테아린의: ~ acid 스테아르산.
ste·a·rin(e) [stíːərin, stíər-/stíər-] *n.* Ⓤ 〖화학〗 스테아린《지방소(素)》, 경지(硬脂); 스테아르산《양초 제조용, 이 뜻으로는 stearine 으로 씀》.
ste·a·tite [stíːətàit/stíə-] *n.* Ⓤ 〖광물〗 동석(凍石), 스테아타이트; 동석제의 절연용 뚱딴지〔애자(碍子)〕. ㊞ **ste·a·tit·ic** [stìːətítik/stìə-] *a.* 〖광물〗 동석(凍石)의.
ste·a·tol·y·sis [stìːətáləsis/-tɔ́l-] *n.* 〖생리〗 (소화 과정에서) 지방 융해; 〖화학〗 지방 분해.
ste·at·o·py·gia [stiæ̀təpáidʒiə, stìːət-/stìət-] *n.* 둔부(臀部) 지방 축적(증). ㊞ **-pyg·ic** [-pídʒik], **-py·gous** [-təpáigəs] *a.*
ste·at·or·rhea [stiæ̀tərí:ə, stìːət-/stìət-] *n.* 〖의학〗 지방변(脂肪便), 지방성 설사; 지루증(脂漏症).
ste·a·to·sis [stìːətóusis/stìət-] (*pl.* **-ses** [-siːz]) *n.* 〖의학〗 지방증(症).
sted·fast [stédfæ̀st, -fɑ̀ːst, -fəst/-fɑ̀ːst, -fəst] *a.* =STEADFAST.
steed [stiːd] *n.* 《고어 · 문어》 말《특히 승마용》, 군마(軍馬).
‡**steel** [stiːl] *n.* **1** Ⓤ 강철, 강(鋼), 스틸: hard 〔soft, mild〕 ~ 경강(硬鋼)〔연강(軟鋼)〕. **2** (the ~, one's ~) 《문어》 검(劍), 칼: ⇨ COLD STEEL. **3** (코르셋 따위의) 버팀테. **4** 부시; 강철 숫돌. **5** (*pl.*) 강재(鋼材); 강철 제품. **6** 철강 산업; (*pl.*) 〖증권〗 철강주(株). **7** (강철같이) 단단함, 엄함: with a grip of ~ 단단히 쥐고. ***a heart of*** ~ 냉혹한 마음. ***draw*** one's ~ 칼〔권총〕을 뽑아들다. ***lift ring of*** ~ 군대를 철수시키다. ***worthy of*** one's ~ 상대로서 부족이 없는: an enemy *worthy of one's* ~ 호적수(好敵手).
— *a.* 강철(제)의; (강철같이) 단단한; 냉혹한: a ~ bar 강철봉 / a ~ cap 철모.
— *vt.* **1** …에 강철을 입히다: (…에) 강철 날을 달다: ~ an arrow 강철의 화살촉을 달다. **2** 《~+목/+목+전+명/+목+*to* do》 (강철같이) 견고하게 하다, 단단하게 하다; 무감각〔냉혹, 완고〕하게 하다《*for; against*》, (마음을) 단단히 하다: ~ oneself 〔one's heart〕 *against* …에 대해 마음을 모질게 먹다 / He ~*ed* his heart *against* the poor. 가난한 사람들에게 비정하게 대했다 / He ~*ed* himself *to* undergo the pain. 고통을 참을 각오를 했다.
㊞ ∠·less *a.* ∠·like *a.*
stéel bánd 〖음악〗 스틸 밴드《드럼통을 여러 종류의 높이로 잘라 일정한 음정으로 조율하여 타악기로 사용하는 악단; 서인도 제도의 Trinidad 에서 시작됨》.
stéel blúe 강철색.
stéel-clád *a.* 장갑(裝甲)의; 갑옷으로 무장한.
stéel-collar wórker 산업용 로봇.
stéel drúm 스틸 드럼《드럼통 밑부분을 욱여서 몇 개의 면으로 나누어 각 면이 다른 음을 내도록 한 타악기》.

stéel èlbow 사람을 밀치고 나아가는 힘.
stéel engràving 강판(鋼板) 조각(술); 강판 인화(印畫).
stéel gráy 푸른빛이 도는 잿빛(회색).
stéel guitár 〖음악〗 스틸 기타(Hawaiian guitar).
stéel·hèad *n.* 〖어류〗 옥새송어.
steel·ie [stíːli] *n.* 강철 구슬.
stéel·màker *n.* 제강업자.
stéel·màking *n.* 제강(製鋼).
stéel mìll 제강소(steelworks).
stéel plàte 강판(鋼板).
stéel tràp 강철제의 올가미. ***have a mind like a ~*** 매사에 이해가 빠르다.
stéel-tràp *a.* 이해가 빠른, 예민한.
stéel wóol 강모(鋼毛)《연마용》.
stéel·wòrk *n.* U 강철 구조(부); C 강철 제품; (*pl.*)〔단수취급〕 제강소; U (교량·건물의) 강철 골조, 철골 (작업).
stéel·wòrker *n.* 강철 공장 직공, 철강 노동자.
steely [stíːli] (***steel·i·er; -i·est***) *a.* 강철의; 강철로 만든; 강철 같은; 강철빛의; 완고한, 엄격한; 무정한. ㊕ **stéel·i·ness** [-inis] *n.* U **1** 강철 모양; 몹시 굳음. **2** 무감각, 완고, 무정.
stéel·yàrd *n.* 대저울.
steen·bo(c)k [stíːnbɑ̀k, stéin-/-bɔ̀k] *n.* 《D.》〖동물〗 작은 영양《아프리카산》.
⁑**steep**¹ [stiːp] *a.* **1** 가파른, 깎아지른 듯한, 급경사진, 험한: a ~ slope 가파른 언덕. **2** 《구어》 터무니없는, 무리한《요구·값 등》: a ~ tax / That's a bit ~. 그건 너무하다. **3** 《구어》 (이야기가) 과장된, 믿을 수 없는. ── *n.* 가풀막; 절벽. ㊕ *∠·ly *ad.* 가파르게, 험준하게. ∠·**ness** *n.* 가파름, 험준함; 터무니없음.
*__steep__² *vt.* **1** 《~+목/+목+전+명》 …에 담그다, 적시다《*in*》; 배어들게 하다; 함빡 젖게 하다: ~ seeds *in* water before sowing 씨를 뿌리기 전에 물에 담그다 / a university *~ed in* tradition 전통이 깊이 스며든 대학교. **2** 《+목+전+명》〔수동태〕 몰두〔열중〕하게 하다, …에 깊이 빠지게 하다《*in*》: *be ~ed in* crime 죄악에 깊이 빠져 있다. **3** 《+목+전+명》 (…으로) 싸다; (안개·연기 따위가) 뒤덮다, 자욱이 끼다: an incident *~ed in* mystery 수수께끼에 싸여 있는 사건 / The woods are *~ed in* the heavy fog. 숲은 짙은 안개가 자욱이 끼여 있다. ── *vi.* (물 따위에) 잠기다: This tea ~*s* well. 이 차는 잘 우러난다. **~ one*self* in** …에 빠지다, 열중하다. ── *n.* U 담금, 담김; 담그는 액체; 담그는 통. ***in ~*** 담가서, 잠기어. ㊕ ∠·**er** *n.* 담그는 통〔사람〕.
steep·en [stíːpn] *vt., vi.* 가파르게〔험준하게〕 하다〔되다〕.
steep·ish [stíːpiʃ] *a.* 물매가 좀 가파른, 약간 험한; 좀 부당한, 좀 지나친.
°**stee·ple** [stíːpəl] *n.* (교회 따위의) 뾰족탑《그 끝은 spire》. ㊕ **~d** *a.* 뾰족탑이 있는, 뾰족탑 모양의.

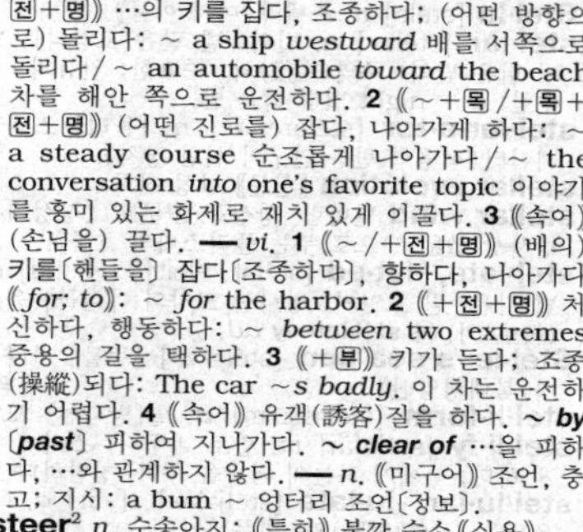

a. spire¹ 1
b. steeple

stéeple·bùsh *n.* 〖식물〗 조팝나무류(類)(hardhack).
stéeple·chàse *n.* (야외 횡단) 장애물 경마; (단교(斷郊)) 장애물 경주. ── *vi.* (야외) 장애물 경주에 출전하다. ㊕ **-chàser** *n.* ~에 나가는 기수〔말〕.
stéeple-cròwned *a.* 꼭대기가 높고 뾰족한: a ~ hat.
stéeple·jàck *n.* (뾰족탑·높은 굴뚝 따위의) 수리공.
stéeple·tòp *n.* 뾰족탑의 꼭대기.
steepy [stíːpi] *a.* 《고어·시어》 가파른, 험준한.
⁑**steer**¹ [stiər] *vt.* **1** 《~+목/+목+부/+목+전+명》 …의 키를 잡다, 조종하다; (어떤 방향으로) 돌리다: ~ a ship *westward* 배를 서쪽으로 돌리다 / ~ an automobile *toward* the beach 차를 해안 쪽으로 운전하다. **2** 《~+목/+목+전+명》 (어떤 진로를) 잡다, 나아가게 하다: ~ a steady course 순조롭게 나아가다 / ~ the conversation *into* one's favorite topic 이야기를 흥미 있는 화제로 재치 있게 이끌다. **3** 《속어》 (손님을) 끌다. ── *vi.* **1** 《~/+전+명》 (배의) 키를〔핸들을〕 잡다〔조종하다〕, 향하다, 나아가다《*for; to*》: ~ *for* the harbor. **2** 《+전+명》 처신하다, 행동하다: ~ *between* two extremes 중용의 길을 택하다. **3** 《+부》 키가 듣다; 조종(操縱)되다: The car ~*s badly*. 이 차는 운전하기 어렵다. **4** 《속어》 유객(誘客)질을 하다. **~ *by*** 〔***past***〕 피하여 지나가다. **~ *clear of*** …을 피하다, …와 관계하지 않다. ── *n.* 《미구어》 조언, 충고; 지시: a bum ~ 엉터리 조언〔정보〕.
steer² *n.* 수송아지; 《특히》 불깐 수소《식용》.
steer·a·ble [stíərəbəl] *a.* (기구·배 따위가) 키가 듣는, 조종할 수 있는.
steer·age [stíəridʒ] *n.* (상선의) 최저 요금의 객실, (군함의) 하급 사관실; U,C 조타(操舵), 조종 (장치), 〖해사〗 키의 효율, 조종성(性); 고물, 선미(船尾): go with easy ~ 키가 조종하기 쉽다. ── *ad.* 3 등으로: go 〔travel〕 ~.
stéerage pàssenger 〖해사〗 3 등 선객.
stéerage·wày *n.* U 〖해사〗 키 효율 속도《키를 조종하는 데 필요한 최저 속도》.
stéer·er [-rər] *n.* U 키잡이; 《속어》 (사기 도박 따위의) 유객꾼.
stéer·ing [-riŋ] *n.* U 조타(操舵), 조종, 스티어링; =STEERING GEAR.
stéering còlumn 스티어링 칼럼《차바퀴와 핸들을 연결하는 철봉》.
stéering committee (의회〔의사(議事)〕) 운영 위원회.
stéering gèar 조향(操向) 기어, 조타 장치〔기(機)〕; (자동차 등의) 스티어링 기어.
stéering whèel (배의) 조타륜(操舵輪); (자동차의) 핸들.
stéers·man [-mən] (*pl.* ***-men*** [-mən]) *n.* 조타수(helmsman); (기계의) 운전자.
steeve¹ [stiːv] 〖선박〗 *n.* 사장 앙각(斜檣仰角)《제 1 사장과 수평선과의 각도》. ── *vt., vi.* 기울이다, 기울다.
steeve² *n., vt.* 〖해사〗 기중(起重) 돛대(로 짐을 싣다).
steg·o·don [stégədɑ̀n/-dɔ̀n] *n.* 〖고생물〗 스테고돈《동아시아·아프리카에 생존했던 대형 코끼리 화석》.
steg·o·saur [stégəsɔ̀ːr] *n.* 〖고생물〗 스테고사우루스, 검룡(劍龍)《검룡아목(Stegosauria)의 초식 공룡의 총칭; 쥐라기(紀)에 번성함》.
steg·o·sau·rus [stègəsɔ́ːrəs] (*pl.* ***-ri*** [-rai]) *n.* 〖고생물〗 스테고사우루스; 검룡(劍龍).
stein [stain] *n.* (오지로 만든) 맥주컵《약 1 pint 들이》.
Stein·beck [stáinbek] *n.* **John Ernest ~** 스타인벡《미국의 소설가; Nobel 문학상 수상(1963); 1902–68》.
stein·bo(c)k [stáinbɑ̀k/-bɔ̀k] *n.* =STEENBO(C)K.
Stein·way [stáinwèi] *n.* 스타인웨이《미국 Steinway & Sons Co. 제(製)의 피아노; 상표명》.
ste·la, ste·le¹ [stíːlə], [stíːli] (*pl.* ***-lae*** [-liː], ***~s***) *n.* 〖고고학〗 비문을 새긴 돌기둥, 석비; 〖고대그리스·고대로마〗 묘비로서의 석판(石板); 〖건축〗 (현관의) 현판.
ste·le² *n.* 〖식물〗 중심주(中心柱).

Stel·la [stélə] *n.* 스텔라《여자 이름》.
stel·lar [stélər] *a.* 별의; 별 같은〔모양의〕; 별빛 밝은 밤의; 주역(主役)의; 주요한; 일류의, 우수한: a ~ night 별빛 밝은 밤.
stel·lar·a·tor [stélərèitər] *n.* 〖물리〗 스텔러레이터《핵융합 반응 연구의 실험 장치》.
stéllar evolútion 〖천문〗 항성 진화.
stéllar wínd 별바람, 항성풍(恒星風)《항성에서 방사상(放射狀)으로 부는 플라스마의 흐름》.
stel·late, -lat·ed [stélət, -leit], [-leitid] *a.* 별 같은, 별 모양의; 방사선 모양의; 〖식물〗 윤생(輪生)의. ㊕ **stél·late·ly** *ad.*
Stél·ler's séa lìon [stélərz-] 〖동물〗 바다사자《북태평양산》.
stel·li·form [stéləfɔ̀ːrm] *a.* 별〔방사선〕 모양의.
stel·li·fy [stéləfài] *vt.* 별로 바꾸다; 스타에 끼게 하다; …에게 하늘의 영광을 주다, 칭찬하다.
stel·lu·lar, -lu·late [stéljələr], [-lit] *a.* (작은) 방사상(放射狀)의; 별무늬의.
stem[1] [stem] *n.* **1** (풀·나무의) 줄기, 대. **2** 꽃자루, 잎자루〔꼭지〕, 열매꼭지. **3** (특히 성서에서) 종족(種族), 혈통, 계통. **4** 〖문법〗 어간. ⓒⓕ ending, root, base[1]. **5** 줄기〔대〕 모양의 것; 〖기계〗 굴대, 회전축; (공구(工具)의) 자루; (골통대의) 축(軸), 담배 설대; 《미속어》 아편 파이프; (온도계의) 유리관; (컵의) 굽; (시계의) 용두의 축. **6** 〖음악〗 (음표의) 대《수직선 부분》; 〖인쇄〗 (활자의) 굵은 세로줄. **7** (*pl.*) 《속어》 (사람의 예쁜) 다리, 정강이. **8** 《미속어》 (도시의) 넓은 거리. ***work the*** ~ 《미속어》 구걸하다. ── (**-mm-**) *vt.* **1** …에서 줄기를 떼내다; (조화 따위에서) …에 줄기를 붙이다. **2** 《미속어》 큰 거리〔노상〕에서 매달려 구걸하다. ── *vi.* 《+전+명》 《미》 유래하다, 일어나다, 생기다《*from; out of*》: The plan ~*s from* his idea. 그 계획은 그의 착상에서 나왔다. ㊕ **∠·less** *a.* 줄기 없는.
stem[2] (**-mm-**) *vt.* **1** (반대 따위를) 저지하다, (흐름을) 막다; 《Sc.》 (출혈을) 막다; (구멍 따위를) 막다: ~ a torrent 급류를 막다. **2** (바람·흐름 따위에) 거슬러 나아가다; (시류 따위에) 저항하다. ── *vi.* 〖스키〗 제동(회전)하다. ~ ***back*** 저항하다; 저지하다. ── *n.* 〖스키〗 Ⓤ 제동; 저지; (흐름을) 막는 것.
stem[3] *n.* 〖해사〗 선수(船首), 이물, 선수재(船垂材). ***from*** ~ ***to stern*** 이물에서 고물까지, 배 전체; 모조리; 구석구석까지. ***give … the*** ~ (다른 배에) 부딪혀 가다. ~ ***for*** ~ 배 속력을 맞추어. ~ ***on*** 이물을 돌려서. ~ ***to*** ~ 서로 이물을 마주 대하고.
STEM [stem] scanning transmission electron microscope(주사(走査)투과 전자 현미경).
stém cèll 〖해부·물리〗 줄기세포.
stém chrìstie (종종 s- C-) 〖스키〗 스템 크리스티아니아 회전《우선 한쪽 스키의 방향을 바꾸고, 다른 스키도 이에 나란히 하여 회전을 완성함》.
stém·hèad *n.* 선수, 이물.
stem·ma [stémə] (*pl.* ~**s**, ~**·ta** [-mətə]) *n.* 가계(家系); 계도(系圖); 〖곤충〗 홑눈, 단안(單眼); 〖곤충〗 촉각 기부(觸角基部).
stemmed [stemd] *a.* 줄기를 떼낸; 《복합어로서》 …한 줄기가 있는: short-~.
stem·mer [stémər] *n.* 담배〔포도〕 (따위의) 줄기를 따내는 사람〔기구〕.
stem·mery [stéməri] *n.* 담배 제경(除莖) 공장.
stem·my [stémi] *a.* 줄기가 많은〔섞인〕, 줄기뿐인.
stem·ple [stémpəl] *n.* 〖광산〗 수갱(竪坑)의 비계용 목재.
stém rùst 〖식물〗 (보리·밀의) 검은 녹병(病).
stém tùrn 〖스키〗 제동(制動) 회전.

Bordeaux champagne brandy
goblet white wine cocktail liqueur
stemware

stém·wàre *n.* Ⓤ (굽 달린) 양주용 유리잔.
stém-wìnder *n.* **1** 용두(龍頭) 태엽 시계. **2 a** 감동적인〔열렬한, 멋진〕 연설. **b** 《미속어》 제1급〔1류〕의 사람〔것〕. **c** 《미속어》 감동을 주는 웅변가.
stém-wìnding *a.* 용두(龍頭) 태엽의; 《미》 일류의, 튼튼한.
Sten [sten] *n.* 경기관총의 일종(= ∠ **gùn**).
stench [stentʃ] *n.* Ⓤ 악취(를 풍기는 것). ⓒⓕ stink.
stench·ful [sténtʃfəl] *a.* 악취가 가득 찬.
sténch tràp (하수관 등의) 방취판(防臭瓣).
sten·cil [sténsəl] *n.* 스텐실, 형판(型板)《금속판·종이 따위에 무늬〔글자〕를 오려 내어, 그 위에 잉크를 발라 인쇄하는》; 스텐실로 찍은 문자〔그림무늬〕; Ⓤ 등사 원지; 스텐실 인쇄(법). ── (**-l-,** 《영》 **-ll-**) *vt.* …에 스텐실〔형판〕을 대고 찍다; 등사하다. ㊕ ~**·er,** 《영》 ~**·ler** *n.* 형판공(工). ~**·ing,** ~**·ling** *n.* Ⓤ 등사판술.
sténcil pàper 등사 원지.
sténcil-plàte *n.* 형판(stencil).
Sten·dhal [stendáːl, stæn-] *n.* 스탕달《프랑스의 소설가; 1783-1842》.
steno [sténou] (*pl.* **stén·os**) *n.* 《미구어》 **1** = STENOGRAPHER. **2** =STENOGRAPHY.
sten·o·chro·my [sténəkròumi] *n.* Ⓤ 스테노크로미, 다색(多色) 인쇄법.
ste·nog [stənág/-nɔ́g] *n.* 《구어》 =STENOGRAPHER.
sten·o·graph [sténəgræ̀f, -grɑ̀ːf] *n.* 속기 문자; 속기물; 속기 타이프라이터. ── *vt.* 속기(문자)로 쓰다, 속기하다.
ste·nog·ra·pher, -phist [stənágrəfər/-nɔ́g-], [-fist] *n.* 《미》 속기사(速記士); 속기 타이피스트(《영》 shorthand typist).
sten·o·graph·ic [stènəgrǽfik] *a.* 속기(술)의; 속기에 의한. ㊕ **-i·cal·ly** [-kəli] *ad.*
ste·nog·ra·phy [stənágrəfi/-nɔ́g-] *n.* Ⓤ 속기; 속기술.
ste·no·ky [stənóuki/ste-] *n.* 〖생태〗 협환경성(狹環境性).
ste·nosed [stinóust, -zd] *a.* 〖의학〗 협착에 걸린.
ste·no·sis [stinóusis] (*pl.* **-ses** [-siːz]) *n.* 〖의학〗 (통로나 관의) 협착(증). ㊕ **ste·not·ic** [stənátik/-nɔ́t-] *a.*
Sten·o·type [sténətàip] *n.* 스테노타이프《속기용 타이프라이터의 일종; 상표명》; (s-) 속기용 문자. ── *vt.* 스테노타이프로 기록하다.
sten·o·typy [sténətàipi] *n.* Ⓤ 스테노타이프 속기《보통의 알파벳 문자를 쓰는 속기술》.
stent [stent] *n.* 〖의학〗 스텐트《(1) 관이나 혈관 안에 치료 촉진이나 폐색(閉塞) 완화를 위해 넣는 부자(副子). (2) 이식한 피부를 고정시키기 위해 쓰는 주형(鑄型)》.
Sten·tor [séntɔːr] *n.* 스텐토르《Iliad에 나오는 Troy 전쟁 때의 목소리가 큰 전령》; (보통 s-) 목소리가 큰 사람; (s-) 〖동물〗 나팔벌레.
sten·to·ri·an [stentɔ́ːriən] *a.* 큰 목소리의: a ~ voice 큰 음성. ㊕ ~**·ly** *ad.*
sten·tor·phone [sténtərfòun] *n.* 강력 확성기.
step [step] (**-pp-**) *vi.* **1** 《~/+전+명/+부》

걷다《특히 짧은 거리를》; (독특한) 걸음걸이를 하다; 발을 내딛다; 나아가다, 걸음을 옮기다, 가다; 밟다: ~ upstairs 이층에 오르다 / ~ *forward* 〔*backward*〕 전진〔후퇴〕하다 / ~ *on* a person's foot 아무의 발을 밟다 / I opened the door and ~*ped out* of the room. 나는 문을 열고 방 밖으로 나왔다. **2** 《구어》 급히 서두르다《*along*》; 떠나다, 외출하다《*along*》: ~ outside (잠깐) 외출하다 / ~ lively 서두르다. **3** 《+전+명》 (어떤 상태로) 되다, (지위를) 차지하다, 간단히 손에 넣다, 얻게 되다《*into*》: ~ *into* journalism 기자가 되다 / ~ *into* a good business opportunity 쉽사리 좋은 사업 기회를 잡다. **4** 《미구어》 스텝을 밟다, 춤추다: ~ through a dance 춤을 추다.
— *vt.* **1** 《~+목/+목+전+명》 걷다, 나아가다; (발을) 땅에 밟다, 디디다: ~ foot *on* 〔*in*〕 a place 〔the enemy's soil〕 어떤 장소에〔적지에〕 발을 들여놓다. **2** 《~+목/+목+부》 보측(步測)하다《*off; out*》. **3** 춤추다, (댄스의 스텝을) 밟다. **4** 계단 모양으로 만들다: ~ a hill 산에 층계를 내다. **5** 〖해사〗 (돛대를) 장좌(檣座)에 세우다, (마스트를) 세우다.
~ **aside** ① 옆으로 비키다. ② 양보하다; 남에게 맡기다. ③ 탈선하다. ~ **back** ① 물러서다; 물러나 있다. ② (건물의 층계 따위를) 뒤로 물리다〔들이키다〕. ③ 거리를 두고 생각하다. ~ **down** 《*vi.*+부》 ① (차 따위에서) 내리다. ② 《구어》 (높은 지위에서) 사직〔사임, 은퇴〕하다《*from*》. — 《*vt.*+부》 ③ (정도·전압 등을) 내리다, 줄이다, 저하시키다. ~ **forward** (증인 등이) 앞으로 나가다, 출두하다. ~ **high** (말이) 앞발을 높이 올리다. ~ **in** 들르다, 들어가다; 《비유》 간섭〔개입〕하다: ~ *in* to stop a fight 싸움을 말리려고 끼어들다. ~ **inside** 안으로 들어가다: Will you ~ *inside?* 안으로 들어오십시오. ~ **into ...** ① …에 들어가다: ~ *into* a taxi 택시를 타다. ② (재산·지위 등을) 쉽사리 손에 넣다, 계승하다. ~ **into** a person**'s shoes** ⇨SHOE. ~ **it** 《구어》 춤추다; 걸어서 가다. ~ **off** ① 보측하다. ② 《속어》 실책을 하다; 《미속어》 결혼하다; 죽다. ③ (…에서) 내리다, 나오다. ④ 행진을 개시하다. ~ **off the deep end** 《미속어》 (확인도 하지 않고) 행동을 시작하다, 터없는 짓을 하다; 《영속어》 자제심을 잃다. ~ **on ...** 《구어》 (아무의 감정을) 상하게 하다; (아무를) 나무라다; …을 밟다. ~ **on it** 《구어》 급히 서두르다; =~ on the GAS. ~ **out** 《*vi.*+부》 ① 〖군사〗 빠른 보조로 걷다〔행진하다〕; (더) 서두르다: Let's ~ *out.* 더 서두르자. ② (잠시) 집〔방을〕 나가다, 자리를 뜨다; 외출하다; 사직하다; 《미속어》 죽다. ③ 〖보통 진행형으로〗 《구어》 놀러 나가다; (인생을) 즐기다. — 《*vt.*+부》 ④ …을 보측(步測)하다. ~ **out of line** (집단·정당 등의) 방침에 반하는 행동을 하다, 예상 밖의 행동을 하다. ~ **out on** (연인을) 배신하다, 부정한 짓을 하다. ~ **over** 넘다; 가로지르다; 범하다; …에 잠시 들르다《*to*》. ~ **short** 〔**long**〕 잔걸음으로〔성큼성큼〕 걷다. **Step this way, please.** 이리 오십시오. ~ **up** 《*vi.*+부》 ① (낮은 곳에서) 올라가다; 향상〔진보〕하다. ② (…에) 다가가다《*to*》. — 《*vt.*+부》 ③ (속력 따위를) 늘리다, (전압을) 올리다. ④ (일·생산 따위를) 촉진하다; 향상〔증가, 승진〕시키다: ~ *up* production 증산하다. ⑤ 구혼하다《*to*》.
— *n.* **1** 걸음; (*pl.*) 보행: take 〔make〕 a ~ forward 일보 전진하다 / make 〔take〕 a false ~ 발을 헛디디다. **2** U,C 걸음걸이, 보조, 발과 몸의 놀림새, (댄스의) 스텝: a heavy ~ 무거운 걸음. **3** 발소리; 발자국: know a person's ~ 아무의 발소리를 알다. **4** 한 걸음, 일보, 보폭(步幅), 근거리: at every ~ 한 걸음마다. **5** 단(段); (*pl.*) 계단, 디딤판, (탈것의) 발판; (*pl.*) 발판 사다리. **6** 단계, 계층, 계급; 《비유》 승급, 승진. **7** 조치, 수단, 방법: ~*s* of procedure 절차. **8** 〖음악〗 음정. **9** 〖기계〗 축받이; 〖선박〗 장좌(檣座). **10** (로켓의) 단(段)(stage). **11** 〖컴퓨터〗 단계, 스텝《단일한 계산기 명령〔조작〕》.
a ~ in the right 〔**wrong**〕 **direction** 올바른〔잘못된〕 방책; 적절〔부적절〕한 조치. **bend one's ~s** 《문어》 걸음을 옮기다, 가다. **break ~** ① (보행·행진에서) 보조(步調)를 흩뜨리다. ② 동료 사이가 갈라지다, 규칙을 깨다. **Change ~!** 《구령》 보조 바꿔. **fall into ~** (**with**) (…와) 보조를 맞추어 걷기 시작하다; 《비유》 (…한) 방법을 받아들이다. **get one's ~** 진급하다《특히 군대에서》. **give** a person **a ~** 아무를 승진〔진급〕시키다. **in ~** 보조를 맞추어《*with*》; 《비유》 일치〔조화, 협조〕하여《*with*》. **in** a person**'s ~s** (아무의) 예를 따라서. **keep ~ with** 〔**to**〕 …와 보조를 맞추다. **on the ~** (물 위를) 활주하여. **one ~ forward, two ~s back** 일보 전진, 2보 후퇴. **out of ~** 보조를 흩뜨려; (…에) 조화〔일치〕되지 않아; …에 뒤쳐져《*with*》: *out of ~ with* the times 시대에 뒤떨어져 / fall *out of ~* 보조〔조화〕를 흩뜨리다. **rise a ~ in** a person**'s opinion** 〔**estimation**〕 아무에게 중요시되다, 한층 훌륭히 여겨지다. **~ by ~** 한 걸음 한 걸음; 착착. **~ for ~** 같은 보조로. **take ~s** 조처를 취하다. **tread in the ~s of** …의 뒤를 따라가다; 《비유》 …을 본으로 삼다. **watch** 〔**mind**〕 **one's ~** 발 밑을 조심하다; 《구어》 경계〔조심〕하다, (말려들지 않도록) 신중히 행동하다〔말하다〕.

step- [stép] *pref.* '의붓…, 계(繼)…, 아버지〔어머니〕가 다른' 의 뜻.

stép aeròbics 스텝 에어로빅스《발판 오르내리기를 삽입한 에어로빅스》.

stép·bròther *n.* 아버지〔어머니〕가 다른 형제, 배다른 형제, 이복형제.

stép-by-stép *a.* 일보일보의, 단계적〔점진적〕인, 서서히 나아가는.

stép chànge 〖신문〗 장족의 발전.

stép·chìld (*pl.* **-chìld·ren**) *n.* 의붓자식; 《비유》 따돌림받는 사람.

stép·dàme *n.* 《고어》 =STEPMOTHER.

stép dànce 발 동작을 중심으로 하는 댄스《tap dance 따위》.

stép·dàughter *n.* 의붓딸.

stép-dòwn *a.* 단계적으로 감소하는; 전압을 낮추는; (기어가) 감속하는. OPP. *step-up.* ¶ a ~ transformer 강압(降壓) 변압기. — *n.* U,C (양·크기 따위의) 감소.

stép-fàmily *n.* 복합〔혼성〕가족《이혼·재혼 등으로 혈연이 없는 가족이 포함되는 새로운 가족》.

stép·fàther *n.* 의붓아버지, 계부.

stép fàult 〖지학〗 계단 단층.

stép fùnction 〖수학〗 계단 함수.

Steph·a·na, -nie [stéfənə], [-ni] *n.* 스테파나, 스테파니《여자 이름》.

steph·a·no·tis [stèfənóutis] *n.* 〖식물〗 박주가릿과(科)의 덩굴식물.

Ste·phen [stíːvən] *n.* 스티븐《남자 이름; 애칭 Steve》.

Ste·phen·son [stíːvənsən] *n.* **George ~** 스티븐슨《증기 기관차를 완성한 영국인; 1781-1848》.

stép-ìn *a., n.* (*pl.*) 발을 꿰어 그냥 입을〔신을〕 수 있는 (것); (*pl.*) 팬티.

Step·in·fetch·it [stépənfétʃit] *n.* 《미》 비굴한 흑인 하인.

stép·làdder *n.* 발판 사닥다리.

***step·moth·er** [stépmʌ̀ðər] *n.* 의붓어머니, 계모, 서모. 파 **~·ly** *a.* 계모의〔같은〕, 매정한.

step·ney [stépni] *n.* 《영》 (옛 자동차의) 예비바퀴(=~ **whèel**).

stép·òff *n.* 헛디딤, 추락 (현장).
stép·òn *a.* (쓰레기통 따위가) 밟으면 열리는.
stép·pàrent *n.* 의붓어버이.
steppe [step] *n.* Ⓤ 스텝 지대《시베리아 등지의 수목 없는 대초원》; (the S–(s)) 대초원 지대《유럽 남동부·아시아 남서부 따위의》; (the S–s) 키르기스 스텝(Kirghiz Steppe).
stepped [-t] *a.* 계단이 있는, 계단 모양의.
stépped-ùp *a.* 증가된, 높인, 확대된, 강화된.
stép·per *n.* 걸음걸이가 …한 사람〔말〕, 《특히》 앞발을 높이 들고 나가는 말; 《구어》 댄서; 《미학생속어》 사교를 좋아하는 사람; 『전자』 (웨이퍼 (wafer)) 스테퍼, 축소 투영 노광(露光) 장치《초고밀도 집적회로 제조 장치의 하나》.
stépping-óff plàce 밖으로 향하는 교통의 기점(起點); 미지의 곳으로의 출발지.
stépping-stòne *n.* 디딤돌, 징검돌; 《비유》 (출세 따위를 위한) 수단, 방법, 발판.
stépping swìtch 『전기』 스테핑 계전기(繼電機).
stép ròcket 다단식(多段式) 로켓.
stép·sìster *n.* 아버지〔어머니〕가 다른 자매, 배다른 자매, 이복자매.
stép·sòn *n.* 의붓아들〔자식〕.
stept [stept] 《시어》 STEP의 과거·과거분사.
stép tùrn 『스키』 스텝턴《활주 중 한쪽 스키를 들어 회전 방향으로 옮긴 후 다른 스키를 그에 평행하게 하여 방향을 전환하는 기술》.
stép·ùp *n.* Ⓤ,Ⓒ (비율·양·활동 따위의) 증가, 증대: a ~ in production 생산 증가. — *a.* 단계적으로 증가하는; 전압을 높이는《변압기 따위》. OPP *step-down*. ¶ a ~ transformer 승압(昇壓) 변압기.
stép·wày *n.* (연속된) 계단, 계단으로 된 통로.
step·wise [stépwàiz] *ad.* 서서히, 계단식으로; 한 걸음씩; 《미》 『음악』 순차 진행으로.
-ster [stər] '…하는 사람, …한 사람'의 뜻의 결합사: young*ster*, gang*ster*, song*ster*. ★ 종종 경멸의 뜻을 풍김.
ster. stereotype; sterling.
ste·ra·di·an [stəréidiən] *n.* Ⓤ 『수학』 스테라디안《입체각의 크기의 단위; 생략: sr》.
ster·co·ra·ceous [stə̀ːrkəréiʃəs] *a.* 『생리』 분변(糞便)(상)의; 숙변성의.
stere [stiər] *n.* 《F.》 세제곱미터, 스테르《장작의 부피 단위》.
***ster·eo** [stériòu, stíər-] (*pl.* **ster·e·os**) *n.* Ⓤ 입체 음향; Ⓒ 스테레오 전축〔테이프, 레코드〕; 연판(鉛版); 실체〔입체〕경(鏡); 입체 사진 (필름). — *a.* 스테레오의, 입체 음향(장치)의; 실체〔입체〕경의; 연판의.
ster·e·o- [stériou, -riə, stíər-] *pref.* '굳은, 단단한; 3차원〔공간〕의, 입체의'의 뜻.
stéreo càmera 입체 사진용 카메라.
stèreo·chémistry *n.* Ⓤ 입체 화학《분자의 입체 구조를 연구함》.
ster·e·o·gram [stériəgræ̀m, stíər-] *n.* **1** (입체감을 주는) 실체(實體) 도표, 실체화(畫). **2** = STEREOGRAPH; 《영》 스테레오 장치.
ster·e·o·graph [stériəgræ̀f, -grɑ̀ːf, stíər-/-grɑ̀ːf, græ̀f] *n.* 실체화(畫), 입체화; 실체 사진. — *vt.* …의 ~를 만들다.
ster·e·o·gráph·ic projéction [stèriəgrǽfik-, stìər-] 『지도』 평사(平射) 도법.
ster·e·og·ra·phy [stèriágrəfi, stìər-/-ɔ́g-] *n.* Ⓤ 입체〔실체〕 화법《입체 기하학의 한 분야》; 입체 사진술. ㊕ **stèr·e·o·gráph·ic** *a.* 입체〔실체〕 화법의; 입체 사진의.
stèreo·ísomer *n.* 『화학』 입체 이성체(異性體). ㊕ **-isoméric** *a.*
stèreo·isómerism *n.* Ⓤ 『화학』 입체 이성(異性).
ster·e·ol·o·gy [stèriálədʒi, stìər-/-riɔ́l-] *n.* 입체 해석학(解析學). ㊕ **ster·e·o·log·i·cal** [stèriəládʒikəl, stìər-/-lɔ́dʒ-] *a.* **-i·cal·ly** *ad.*
ster·e·om·e·try [stèriámətri, stìər-/-riɔ́m-] *n.* Ⓤ 부피 측정(법), 구적법(求積法).
stèreo·mícroscope *n.* (쌍안) 입체 현미경. ㊕ **-microscópic** *a.*
ster·e·o·phone [stériəfòun, stíər-] *n.* 스테레오폰《스테레오용 헤드폰》.
ster·e·o·phon·ic [stèriəfánik, stìər-/-fɔ́n-] *a.* 입체 음향(효과)의, 스테레오의: a ~ broadcast 스테레오 방송 / ~ sound 입체음 / ~ television 입체 (음향) 텔레비전.
stèr·e·o·phón·ics *n. pl.* 《단수취급》 입체 음향학.
ster·e·oph·o·ny [stèriáfəni, stìər-/-ɔ́f-] *n.* Ⓤ 『물리』 입체 음향 (효과).
stèreo·photógraphy *n.* Ⓤ 입체 사진술.
ster·e·op·sis [stèriápsis, stìər-/-ɔ́p-] *n.* 『생리』 입체시《거리를 아는 이안시(二眼視)》.
ster·e·op·ti·con [stèriáptikən, stìər-/-ɔ́p-] *n.* 실체〔입체〕 환등기.
ster·e·op·tics [stèriáptiks, stìər-/-ɔ́p-] *n. pl.* 《단수취급》 입체 광학.
stèreo·régular *a.* 『화학』 입체 규칙성의: ~ rubber 스테레오 고무. ㊕ **-regulárity** *n.*
ster·e·o·scope [stériəskòup, stíər-] *n.* 실체경(實體鏡), 입체경(鏡), 입체 사진경.
ster·e·o·scop·ic [stèriəskápik, stìər-/-kɔ́p-] *a.* 실체경〔입체경〕의: ~ television 입체(화면) 텔레비전. ㊕ **-i·cal·ly** *ad.*
ster·e·os·co·py [stèriáskəpi, stìər-/-ɔ́s-] *n.* Ⓤ **1** 입체〔실체〕경(鏡)학《입체경 및 그 기술 연구》. **2** 입체적〔실체적〕 영상.
stèreo·specífic *a.* 『화학』 입체 특이성(特異性)의. ㊕ **-i·cal·ly** *ad.*
stéreo sỳstem 스테레오 재생 장치(stereo).
ster·e·o·tac·tic [stèriətǽktik] *a.* = STEREOTAXIC; stereotaxis 의〔에 관한〕.
stéreo·tàpe *n.* 스테레오 녹음 테이프.
ster·e·o·tax·ic [stèriətǽksik, stìər-] *a.* 『의학』 정위(定位)(법)의, 정위 뇌수술의《뇌의 수술이나 연구를 위하여 뇌를 3차원적으로 검사하는 수법·장치》. ㊕ **-i·cal·ly** *ad.*
ster·e·o·tax·is [stèriətǽksis, stìər-] *n.* 『생리』 정위법(定位法)《뇌의 연구·수술에서, 침이나 가는 전극을 써서 3차원적으로 정확한 위치를 정하는 기술》; 『생물』 주촉성(走觸性), 접촉 주성(走性).
°**ster·e·o·type** [stériətàip, stíər-] *n.* **1** 『인쇄』 Ⓤ,Ⓒ 연판(鉛版)(stereo), 스테로판; Ⓤ 연판 제조, 연판 인쇄. **2** 《비유》 고정관념, 판에 박힌 문구; 상투 수단. **3** 『의학』 = STEREOTYPY. — *vt.* 연판〔스테로판〕으로 하다; 연판으로 인쇄하다; 고정시키다; 판에 박다. ㊕ **~d** [-t] *a.* 연판의; 《비유》 판에 박은, 진부한: ~*d* phrases 상투 문구.
stèr·e·o·týp·ic, -týp·i·cal [-típik], [-əl] *a.* 『인쇄』 연판법〔인쇄〕의〔에 의한〕; 흔히 있는, 진부한.
ster·e·o·typy [stériətàipi, stíər-] *n.* Ⓤ 연판 인쇄술, 연판 제조법; 『의학』 상동증(常同症)《무의미한 행위를 반복 지속하는 증상》.
stéreo·vìsion *n.* 입체시(立體視), 입체상(像).
ster·ic, -i·cal [stérik, stíərik], [-ikəl] *a.* 『화학』 (분자 중의) 원자의 공간적〔입체적〕 배치에 관한, 입체의.
ster·il·ant [stérələnt] *n.* 멸균〔살균〕제, 소독약, 《특히》 제초제; 멸균기.
***ster·ile** [stéril/-rail] *a.* **1** 메마른, 불모의《땅 따위》; 흉작의; 자식을 못 낳는, 불임의. OPP *fertile*. cf. barren. **2** 내용이 빈약한《강연·문장 따위》, 박력 없는, 단조로운, 함축성 없는《문체 따

위》; (사상 · 창작력이) 빈곤한. **3** 헛된《교섭 따위》. **4** 안전〔기밀〕 유지를 위한 조치를 마친; 균 없는, 살균한: ~ culture 무균 배양. ★보통 sterilized 라고도 함. **5** 〖식물〗 중성의(neutral), 열매를 맺지 않는; (고사리 따위가) 포자(胞子)가 안 생기는. **6** 〖경제〗 금불태화(金不胎化) 정책의《외국에서 유입된 금이 국내 통화의 증가로 이어지지 않도록 하는 제도〔정책〕에 관한》.

ste·ril·i·ty [stərílәti] *n.* Ⓤ 생식〔번식〕 불능(증), 불임(증); (토지의) 불모; 무효; (내용 · 사상의) 빈약, 빈곤; 무취미; 〖식물〗 중성(中性).

stèr·i·li·zá·tion *n.* Ⓤ 불임케〔메마르게〕 하기; 단종(斷種)(법); 피임(법); 살균(법), 소독(법).

°**ster·i·lize** [stérəlàiz] *vt.* **1** (토질을) 불모로 되게 하다; 불임케 하다; 단종(斷種)하다; (내용 · 창작력 따위를) 빈약하게 하다. **2** 살균하다, 소독하다. **3** (도시 계획으로 어느 구역의) 건물 따위를 철거하다. **4** 《속어》 …에 대해 안전〔기밀〕 유지를 위한 조치를 취하다. ㊞ **stér·i·lized** *a.* (공항에서 하이잭 방지를 위한) 금속 탐지 검사를 받은 사람 이외 탑승 금지의(sterile). **-lìz·er** *n.* ~하는 사람〔것〕; 《특히》 살균 장치.

ster·ling [stə́ːrliŋ] *a.* **1** 영화(英貨)의《금액의 뒤에 부기하여 보통 stg.로 생략함: £500 *stg.*》; 파운드의: ~ exchange 파운드환(換) / five pound ~ 영화 5 파운드. **2** 순은(純銀)의; 순은으로 만든: ~ silver 법정 순은/a ~ teapot 순은제 홍차 포트. **3** 진짜의, 신뢰할 만한: a ~ fellow 신뢰할 만한 사나이/~ worth 진가(眞價). **4** 가치 있는《서적 따위》; 권위 있는. **5** 《Austral.》 영본토 태생의: a ~ lass 영본토 태생의 소녀. ── *n.* Ⓤ 영화(英貨); 순은; 순은 제품.

stérling àrea 〔**blòc**〕 파운드 (통용) 지역.

stérling bálance 〖경제〗 파운드 잔고(殘高).

Stern [stəːrn] *n.* 스턴. **1 Gladys Bertha** ~ 영국의 유대인계 소설가《'*Matriarch*' 3부작이 알려짐; 1890-1973》. **2 Isaac** ~ 러시아 태생의 미국 바이올린 주자(1920-2001). **3 Otto** ~ 독일 태생의 미국 물리학자《노벨 물리학상 수상(1934); 1888-1969》.

***stern**¹ [stəːrn] *a.* **1** 엄격한《사람 등》, 단호한, 근엄한; (말 · 조처 따위가) 준엄한, 용서 없는; (시대 · 사정 따위가) 가혹한, 심각한, 짓눌리듯 괴로운: a ~ father 엄격한 아버지/~ reality 가혹한 현실. SYN. ⇨SEVERE. **2** (표정 · 인상 따위가) 엄숙한, 험한, 무서운, 쉬이 접근할 수 없는: a ~ face 근엄한 얼굴. cf. austere. **3** 황량한, 피폐한《토지 따위》. *the ~er sex* 남성. ㊞ **∠·ly** *ad.* **∠·ness** *n.*

°**stern**² *n.* **1** 고물, 선미(船尾). OPP. *bow*³. cf. stem³. **2** 〖일반적〗 뒷부분; 《구어 · 우스개》 (동물의) 엉덩이; (여우 사냥개의) 꼬리; 〖문장(紋章)〗 이리의 꼬리. **3** (the S-) 〖천문〗 고물자리(Puppis). *down by the* ~ 〖해사〗 고물이 물속에 내려앉아. *Stern all!* =*Stern hard!* 〖해사〗 뒤로. ~ *on* 고물을 이쪽으로 돌리고.

ster·na [stə́ːrnə] STERNUM의 복수.

ster·nal [stə́ːrnl] *a.* 〖해사〗 흉골의; 흉골부에 있는.

stérnal rìb 〖해부〗 흉골, 늑골(true rib).

stérn chàse 〖해군〗 함미 추격.

stérn chàser 함미포(砲).

stérn fàst 〔**lìne**〕 〖선박〗 선미삭(船尾索).

stèrn·fóremost *ad.* 고물을 앞으로 하고, 후진(後進)하여; 볼꼴 사납게, 서투르게, 고생하여.

stérn·mòst *a.* 고물에 가장 가까운; 최후방의.

Ster·no [stə́ːrnou] *n.* (깡통에 든) 고형 알코올 연료《상표명》.

ster·no·cos·tal [stə̀ːrnoukástl/-kɔ́s-] *a.* 〖해부〗 흉골과 늑골의〔사이에 있는〕.

stérn·pòst *n.* Ⓤ 선미재(船尾材).

stérn shèets (보트 따위 갑판이 없는 배의) 선미 마루널, 고물의 자리.

ster·num [stə́ːrnəm] (*pl.* **-na** [-nə], **~s**) *n.* 〖해부〗 흉골(breastbone); 〖동물〗 (곤충 · 갑각류의) 가슴판, 복판(腹板).

ster·nu·ta·tion [stə̀ːrnjətéiʃən] *n.* Ⓤ 재채기 (하기)(sneezing).

ster·nu·ta·tor [stə́ːrnjətèitər] *n.* 재채기 나게 하는 약.

ster·nu·ta·to·ry [stəːrnjúːtətɔ̀ːri/-njúːtətəri] *a., n.* 재채기 나게 하는 (약).

stern·ward(s) [stə́ːrnwərd(z)] *a., ad.* 고물의〔로〕, 후부의〔로〕.

stérn·wày *n.* 배의 후진(後進): have ~ on (배가) 후진하(고 있)다.

stérn·wheel·er *n.* 선미 외륜(外輪) 기선.

stern-wheeler

ster·oid [stíərɔid, stér-] *n.* Ⓤ 〖생화학〗 스테로이드《스테롤 · 담즙산 · 성호르몬 등 지방 용해성 화합물의 총칭》. ── *a.* 스테로이드의. ㊞ **ste·rói·dal** *a.*

ste·roi·do·gen·e·sis [stiərɔ̀idədʒénəsis, ster-] *n.* 〖생화학〗 스테로이드 합성.

ster·ol [stíərɔːl, -ral, stér-/-rɔl] *n.* Ⓤ 〖생화학〗 스테린, 스테롤.

ster·tor [stə́ːrtər] *n.* (혼수에 빠진 사람 등의) 코골기.

ster·tor·ous [stə́ːrtərəs] *a.* 코고는. ㊞ **~·ly** *ad.* **~·ness** *n.*

stet [stet] (**-tt-**) *vi., vt.* 《L.》 (=let it stand) 〖교정〗 (지운 것이) 살다, 살리다, 〖감탄사적〗 살리라.

ste·thom·e·ter [steθámətər/-θɔ́m-] *n.* 호흡 운동 측정기.

steth·o·scope [stéθəskòup] *n.* 〖의학〗 청진기. ── *vt.* 청진기로 진찰하다.

steth·o·scop·ic, -i·cal [stèθəskápik/-skɔ́p-], [-əl] *a.* 청진기의; 청진기에 의한.

ste·thos·co·py [steθáskəpi/-θɔ́s-] *n.* Ⓤ 청진, 청진법.

Stet·son [stétsən] *n.* **1** (종종 s-) 스테트슨《차양이 넓은 소프트 모자, 카우보이 모자; 상표명》. **2** 스테트슨 모자 회사〔점〕. **3** (메이커와 관계없이) 남자 모자. **4** 행상인; 이동 노동자.

Stéu·ben glàss [stjúːbən-/stjúː-] 스튜번 유리《미국의 고급 유리 제품명》.

Steve [stiːv] *n.* 스티브《Stephen의 애칭》.

ste·ve·dore [stíːvədɔ̀ːr] *n.* (뱃짐을) 싣고 부리는 인부, 하역 인부, 항만 노동자, 부두 일꾼; 하역 회사. ── *vt.* 하역 인부로서 (짐을) 다루다; (짐을) 싣다〔부리다〕. ── *vi.* 하역 인부로서 일하다.

Ste·ven·graph [stíːvəngræ̀f, -grɑ̀ːf] *n.* 스티븐그래프《비단에 짜 넣은 컬러풀한 그림》.

Ste·ven·son [stíːvənsən] *n.* **Robert Louis** ~ 스티븐슨《스코틀랜드 태생의 영국의 소설가 · 시인; 1850-94》.

ste·via [stíːviə] *n.* 〖식물〗 스티비아《남아메리카 파라과이 구릉 지대에 자생하는 국화과 식물; 강한 감미(甘味)가 있음》; 그 감미료.

***stew**¹ [stjuː/stjuː] *vt.* **1** 뭉근한 불로 끓이다, 스튜 요리로 하다: ~ meat 〔fruit〕 고기를〔과일을〕 뭉근한 불에 삶다. **2** 《+목+전+명/목+부》 《미구어》 속타게 하다, 마음 졸이게 하다《*up*》: ~ oneself *over* something 어떤 일에 마음을 졸이다/He is ~*ed up* with anxiety. 그는 걱정으로 애태우고 있다. ── *vi.* **1** 뭉근한 불에 끓다. **2** 《구어》 더워서 땀을 흘리다. **3** 《+전+명》

《구어》 마음 졸이다, 안달하다, 성내다《*over*》: ~ *over* a matter 어떤 문제로 조바심하다. **4** 《속어》 기를 쓰고 공부하다(swot¹). ***let** a person ~ **in** his **own juice*** 아무를 멋대로 어리석은 짓을 하게 내버려두다, 자업자득으로 고생하게 하다.
— *n.* **1** C,U 스튜(요리). **2** 《구어》 근심, 당황, 초조, 애태움; 혼란 상태. **3** (잡다한 것·사람들의) 뒤범벅, 뒤섞임《*of*》; 혼잡; 파열된〔땀에 젖은〕 상태. **4** 《속어》 주정뱅이; 《고어》 (보통 *pl.*) 매춘굴; 매춘 지대. ***cut into ~ meat*** 칼로 짓다지다. ***get into a ~*** 속이 타다, 마음 졸이게 되다. ***in a*** (***regular***) ***~*** (매우) 마음 졸이며, 속을 태워.

stew² *n.* **1** 《영》 양어지(養魚池), 양어장(fish-pond). **2** 굴 양식장.

stew³ *n.* 《속어》 =STEWARD(ESS).

Stew·ard [stjúːərd] *n.* **Julian Haynes ~** 스튜어드《미국의 인류학자; 문화의 결정 요소로서 생태계를 강조함; 1902–72》.

***stew·ard** [stjúːərd/stjú(ː)əd] *n.* **1** 가령(家令), 집사, 청지기《식탁 및 재산 관리 책임자》; 지배인, 사무장; =SHOP STEWARD. **2** 식사계, (클럽·병원 등의) 용도〔조달〕계. **3** (객선·여객기·버스 따위의) 사환, 여객 계원, 스튜어드. **4** (전람회·무도회·경마 따위의) 접대역, 간사. **5** 〖미해군〗 장교 숙소〔식당〕 담당 부사관. — *vt., vi.* (…의) ~의 일을 보다. ㊞ **~·ly** *a.* 잘 돌봐 주는. **~·ship** [-ʃip] *n.* U **1** ~의 직·일. **2** (한 개인으로서의 사회적·종교적) 책무.

***stew·ard·ess** [stjúːərdis/stjú(ː)əd-] *n.* 여성 steward; 스튜어디스《여객선·여객기 등의 여자 안내원》. ㊞ **~·ship** *n.* ~의 직.

Stew·art [stjúːərt/stjú(ː)ət] *n.* 스튜어트《남자 이름》.

stéw·bùilder *n.* 《미속어》 요리사.

stéw·bùm *n.* 《속어》 주정뱅이; 부랑자.

stewed *a.* 뭉근한 불로 끓인; 스튜로 한; 《영》 (차가) 너무 진한; 《구어》 마음 졸인, 초조한; 《속어》 억병으로 취한. ***~ to the gills*** 《미속어》 곤드레만드레가 되어.

stéw·pàn *n.* 스튜 냄비.

stéw·pòt *n.* (2개의 손잡이가 있는 깊은) 스튜 냄비.

St. Ex. Stock Exchange. **stg.** sterling. **stge.** storage. **Sth.** South.

sthe·nia [sθənáiə, sθíːniə] *n.* U 〖의학〗 강장(強壯), 항진(亢進).

sthen·ic [sθénik] *a.* 늠름한, 혈기 왕성한; 〖의학〗 병적으로 활발한, 항진성(亢進性)의《병 따위》.

Sthptn. Southampton.

stib·i·al [stíbiəl] *a.* 안티몬의, 안티몬 같은.

stib·i·um [stíbiəm] *n.* U 〖화학〗 안티몬(antimony); 〖광물〗 휘안석(輝安石)(=**stíb·nite**).

‡stick¹ [stik] *n.* **1** 막대기, 나무토막, 잘라낸 나뭇가지. **2** 단장(短杖), 지팡이(cf. cane): walk with a ~ 지팡이를 짚고 걷다. **3** 곤봉, 방망이; 《비유》 남을 강제하는 수단, 공갈; 매; (the ~) 매질〔채찍질〕하기; 《비유》 엄벌: ⇨ BIG STICK. **4** 《구어》 망석중이, 등신, 밥통; 《미속어》 순경, 야경꾼, 수위: a dull ~ 얼간이. **5** 막대기 모양의 물건《초콜릿 등》: a ~ of candy. **6** 〖음악〗 지휘봉; (자동차의) 기어용 레버; 〖항공〗 조종간; 〖인쇄〗 식자용 스틱(의 활자); 《우스개》 〖선박〗 마스트, 활대; 《미속어》 클라리넷; 《속어》 연필, 만년필, 계산자; (*pl.*) 《속어》 다리(legs); 〖곤충〗 대벌레(~ insect). **7** 한 자루《*of*》; 《구어》 한 점의 가구: a ~ *of* chalk / a ~ *of* soap 막대 비누(한 개) / a few ~s *of* furniture. **8** (야구의) 배트, (당구의) 큐, 골프채, =CROSSE, (계주의) 배턴, 《스키속어》 스키(스틱), 《미속어》 서프보드; 《구어》 (장애물 경주의) 허들; (하키의) 스틱. **9** 《구어》 (홍차 따위에 타는) 술《브랜디 따위》. **10** 〖군사〗 일렬 연속 투하 폭탄; 미사일의 연속 발사. **11** 《미구어》 마리화나 담배. **12** (the ~s) 《구어》 삼림 지대, 궁벽한 곳, 외딴 시골, 벽지. ***a ~ with which to beat*** a person 아무를 공격〔비난, 처벌〕하는 재료〔사실〕. ***at the ~'s end*** 멀리, 거리를 두고. ***beat*** a person ***all to ~s*** 《속어》 (아무를) 완전히 때려눕히다. ***cut*** one's ***~*** 《속어》 달아나다. ***get*** 〔***have***〕 ***hold of the dirty*** 〔***short, sticky***〕 ***end of the ~*** 《구어》 부당한 취급을 받다, 혹평받다, 야단맞다, 싫은〔손해 보는〕 일을 하게 되다. ***get*** 〔***have***〕 (***hold of***) ***the right end of the ~*** (이론·발언 등을) 바르게 이해하다. ***get*** 〔***have***〕 (***hold of***) ***the wrong end of the ~*** (이론·이야기 줄거리 등을) 헷갈리다, 오해하다, 잘못 알다. ***get on the ~*** 《속어》 일을 시작하다. ***get*** 〔***take***〕 ***~*** 《구어》 몹시 두들겨 맞다〔야단맞다〕. ***give*** a person ***the ~*** 아무를 매질〔채찍질〕하다, 응징〔비난〕하다. ***go to ~s*** (***and staves***) 뿔뿔이 흩어지다, 와해하다. ***hold ~s with*** =***hold a ~ to*** …와 막상막하의 승부를 겨루다. ***in a cleft ~*** ⇨ CLEFT. ***more ... than*** one ***can shake a ~ at*** 셀〔믿을〕 수 없을 만큼 많은…. ***on the ~*** 《미속어》 잽싼, 빈틈이 없는; 활발〔민활〕한. ***play a good ~*** 바이올린을 잘 켜다; 훌륭히 맡은 일을 완수하다. ***shake a ~ at ...*** 《구어》 …을 깨닫다, 알아차리다. ***want the ~*** 매 좀 맞아야겠다.
— *vt.* **1** (식물을) 막대기로 받쳐 주다. **2** (활자를) 짜다, 식자하다; (재목을) 쌓아올리다.

‡stick² (*p., pp.* ***stuck*** [stʌk]) *vt.* **1** 《~+목/+목+전+명/+목+부》 (뾰족한 것으로) 찌르다; 찔러 죽이다: ~ a finger *with* a pin 핀으로 손가락을 찌르다 / ~ a potato *on* a fork 〔spit〕 감자를 포크〔꼬챙이〕로 찌르다 / ~ salmon 연어를 작살로 찌르다 / His chest was *stuck through with* a dagger. 그는 가슴을 비수에 찔렸다. **2** 《~+목/+목+전+명》 (뾰족한 도구로 …을) 꿰찌르다, 꿰다: ~ a fork *into* thick meat 두꺼운 고기에 포크를 꿰찌르다 / ~ a pin *through* the cloth 천에 핀을 찌르다. **3** 《+목+전+명》 찔러 끼우다; 찔러 박다, 꽂다, 고정하다, 붙박다, 장치하다: ~ a rose *in* one's buttonhole 단춧구멍에 장미꽃을 꽂다 / ~ the washing *in* the machine 세탁물을 세탁기에 넣다 / ~ one's pipe *between* one's teeth 파이프를 물다 / ~ the letter *under* the door 편지를 문 밑으로 찔러 넣다 / ~ candles *in* a birthday cake 생일 케이크에 초를 꽂다. **4** 《~+목/+목+전+명/+목+부》 (몸의 일부를) 내밀다《*out*》, 디밀다《*in*》: ~ one's arms 〔head〕 *out of* one's sleeves 〔the window〕 소맷부리〔창문〕에서 팔〔얼굴〕을 내밀다 / ~ *out* one's tongue 혀를 내밀다. **5** 《~+목/+목+전+명/+목+부》 (핀으로) 고정하다, 달다, 걸다; 붙이다: ~ a badge *on* one's coat 코트에 배지를 달다 / ~ a painting *on* the wall 그림을 벽에 걸다 / ~ a stamp *on* a letter 편지에 우표를 붙이다 / He *stuck* the broken pieces *together*. 깨진 파편을 붙였다 / *Stick* no bills. 《영》 전단 부착 금지. **6** 《+목+전+명/+목+부》 (아무렇게나) 놓다: ~ a chair *in* the corner 의자를 구석에 놓다 / *Stick* it *down* here. 그것을 여기에 내려놓으시오. **7** 《~+목/+목+전+명》 〖주로 수동태〗 …을 꼼짝 못하게 하다; (계획·진행 따위를) 벽에 부딪히게 하다; 이러지도 저러지도 못하게 하다: A cart *is stuck in* the mud. 짐수레가 진흙 속에 빠져 꼼짝 못하고 있다 / Our work *got stuck under* the new circumstances. 그 새로운 사정으로 인해 우리들의 일은 벽에 부딪혔다. **8** 《구어》 …을 억지로 떠맡기다, 강요하다; 터무니없는 값을 지불하게 하다; …을 속이다, 야바위치다; …에게 가짜를 안기다《*with; for*》: ~ a person *for* the cost of long distance calls 아무에게 장거리 전화 요금을 지불하게 하다/be *stuck* by a fraudulent advertisement 속임수 광고에 걸려들다/I *was stuck with* doing the dishes. 나에게 설거지하는 일이 떠맡겨졌다. **9** 《~+목/+목+부》《구어》〔부정·의문문에서 can과 함께〕 참다, 견디다: I *cannot* ~ it *out* any longer. 이젠 더 못 참겠다/He *couldn't* ~ the job for three days. 그 일을 3일도 견딜 수 없었다.

— *vi.* **1** 《+전+명》 찔리다, 꽂히다《*in*》: The arrow *stuck in* the tree. 화살이 나무에 꽂혔다. **2** 《~/+전+명/+부》 달라붙다, 들러붙다《*on; to*》, 떨어지지 않다, 교착하다《*together*》: Glue *stuck to* my fingers. 아교가 손가락에 들러붙었다/Several pages have *stuck together*. 몇 페이지가 함께 달라붙었다. **3** 《~/+전+명/+부》 움직이지 않게 되다; (말 따위가) 막히다: Her zipper *stuck* halfway *up*. 그녀의 지퍼가 중간에서 걸려 꼼짝 않게 되었다/The speaker *stuck in* the middle of the speech. 연사는 연설 도중에 말이 꽉 막혔다. **4** 《+전+명/+부》 (기억 등이) 사라지지 않다; 《구어》 (비난 등이) 없어지지 않다; 머무르다, 지속하다; (추적·경기 등에서) 떨어지지 않고 가다; 붙들고 늘어지다《*to; at*》: The event ~*s in* my mind. 그 사건은 잊혀지지 않는다/You ~ *indoors* too much. 당신은 방 안에 너무 틀어박혀 있다. **5** 《+전+명》 충실하다; 고집하다《*to; by*》; 꾸준히 하다《*with; at; to*》: ~ *to* one's friend 〔promise〕 친구〔약속〕에 충실하다/Teachers should ~ *to* education. 교사는 교육에 전념해야 한다/~ *to* a job 일을 쉬지 않다, 계속 분발하여(서) 일하다. **6** 《+전+명》 (일·학업 따위로) 옴짝달싹 못하다, 애를 먹다, 곤란을 느끼다《*at*》: I ~ *at* mathematics. 수학에는 손들었다. **7** 《+전+명》〔부정·의문문에서〕 주저하다, 망설이다《*at*》: He ~*s at* nothing to succeed. 그는 성공하기 위해서는 어떤 일도 주저하지 않는다. **8** (…에서) 튀어나오다, 비어져 나오다《*up; out*》: ~ *out* of the window 창에서 튀어나오다.

be stuck for (대답 등에) 궁하다, 막히다. ***be stuck on*** 《구어》 …에게 반해 있다. ***be stuck with*** …와 떨어질 수 없게 되다: *be stuck with* the job of reading the exam papers 채점으로 손이 나지 않다; ⇨ *vt.* 8. ***get stuck in*** 《구어》 (일 등을) 진지하게 시작하다, 열심히 달려들다: *Get stuck in!* 힘내라, 분발해라. ~ ***around*** 〔***about***〕 《구어》 곁에서 기다리다, 주변에서 어슬렁거리다. ~ ***at*** ① …을 열심히 하다. ② …에 난감〔곤란〕해지다, …에 막히다. ③ …을 주저하다. ~ ***at nothing*** 어떤 일에도 주저하지 않다; 태연하다. ~ ***by*** …에 충실하다. ~ ***down*** 《구어》 (물건을) 아무렇게나 내려놓다; (주소 따위를) 적어두다; …을 붙이다. ~ ***fast*** 꽉 달라붙다; 막히다, 궁지에 빠지다. ~ ***in*** ① 《속어》 (사실을) 문장 속에 삽입하다. ② 집에 틀어박히다. ③ 지위에 매달리다. ~ ***in*** a person***'s craw*** 〔***crop***〕 아무를 화나게〔괴롭게〕 하다: His parents' praise of his brother *stuck in Jerry's craw*. 부모가 형을 칭찬하는 바람에 제리는 화가 났다. ~ ***in*** one***'s throat*** ⇨ THROAT. ~ ***it on*** 《속어》 비싼 값을 매기다; 《속어》 과장하여 말하다. ~ ***it*** (***out***) 《구어》 꾹 (눌러) 참다; 끝까지 계속하다〔버티다〕. ~ ***it to*** 《미구어》 (아무를) 가혹〔부당〕하게 다루다; (아무에게) 까탈을 부리다, 불평을 말하다. ***Stick it up*** (***your ass***)***!*** 《속어》 엿먹어라, 뒈져라. ~ ***on*** 떨어지지 않다, 버티고 눌러앉아 있다; (일 따위에서) 뒤에 남다, 잔업하다. ~ ***out*** 《*vi.*+부》 ① 튀어나오다, 돌출하다. ② 《구어》 (…에 찬성〔반대〕하여) 끝까지 주장하다《*for; against*》: ~ *out against* her marriage 그녀의 결혼을 끝까지 반대하다. ③ 《구어》 (사람·물건이) 두드러지다, (사물이) 명료하다. ④ 완강히 저항하다. **—** 《*vt.*+부》 ⑤ (긴 여행 따위를 끝까지) 참고 견디다; 최후까지 견뎌내다〔해내다〕. ⑥ …라고 끝까지 주장하다《*that* ...》. ~ 〔***stand***〕 ***out a mile*** ⇨ MILE. ~ ***out for*** (임금 인상 따위를) 끈질기게 요구하다, …을 하고 싶어하다. ~ ***out like a sore thumb*** ⇨ SORE. ~ ***pigs*** 말 위에서 창으로 야생 돼지를 찔러 죽이다《놀이》. ~ ***to*** …에 달라붙다; …에 집착하다; (주제 따위에서) 벗어나지 않다; …에 충실하다; (약속 따위를) 지키다; 《구어》 (금품 따위를) 횡령하다. ~ ***together*** 협조하다, 단결하다; 사이가 좋다. ~ ***to it*** 배겨내다, 버티다; 끝까지 해내다. ~ ***to*** one***'s last*** 끝까지 버티다. ~ ***to*** one***'s ribs*** ⇨ RIB(관용구). ~ ***up*** 《*vi.*+부》 ① 튀어나와 있다, 곧추서다. ② (…에) 저항하다, 굴하지 않다《*to*》. ③ 《구어》 (…에게) 구애하다; 《구어》 …라고 자칭〔자인〕하다. **—** 《*vt.*+부》 ④ …을 내밀다. ⑤ 《미구어》 (열차·은행 따위를) 흉기를 들고 습격하다, 강도짓을 하다. ⑥ 〔보통 명령형〕 《구어》 (항복의 표시로) 손을 들다: *Stick*'em 〔your hands〕 *up!* 손 들어. ~ ***up for*** 《구어》 …을 변호〔지지〕하다, (권리 따위를) 지키다. ~ ***up to*** 《구어》 ① …에 저항하다, 굴하지 않다. ② 《영방언》 (여자)에게 지싯거리다, 구애하다. ~ ***with*** (안전 따위를 위해) …에서 떠나지 않고 있다; 《구어》 …에 충실하다, …의 지원을 계속하다; (이상(理想) 등을) 지키다.

— *n.* **1** 꿰찌르기, 척살(刺殺), (한번) 찌르기. **2** 끈기; 점착력〔성〕; 점착물. **3** 막다름, 막힘. **4** (일시적) 정지, 지연, 장애(물).

stìck·a·bíl·i·ty *n.* 참을성, 인내력.

stick-at-it·ive [stikǽtitiv] *a.* 《구어》 =STICK-TO-ITIVE.

stíck-at-nóthing *a.* 무슨 일에나 서슴지〔주저하지〕 않는, 결연〔단호〕한.

stíck·bàll *n.* Ⓤ 《미》 막대기〔빗자루〕와 고무공으로 하는 어린이 노상 야구.

stíck·er *n.* 찌르는 막대기; 《속어》 (무기로서의) 나이프; 《속어》 칼잡이; (도살장의) 백정; 찌르는 연장; (전단 따위를) 붙이는 사람; 망설이는〔꺼리는〕 사람; (규칙·계획 따위에) 집착하는 사람; 끈덕진〔버티는〕 사람; 밑질긴 손님; 〖크리켓〗 신중을 기하는 타자; 〖음악〗 풍금의 건(鍵)과 송기(送氣) 조절판(瓣)을 잇는 나무 지렛대; 풀 묻힌 레테르, 스티커; (자동차의) 주차 위반표; 딱지; 좀처럼 팔리지 않는 상품, 팔다 남은 상품; 《미》 밤송이, 가시; 돼지 백정; 《구어》 수수께끼, 난문제 (제출자).

stícker prìce (자동차 등의) 메이커 희망 소비자 가격.

stícker shòck 《미속어》 (특히 차의) 값이 비싼에 놀람.

stíck fìgure 〔**dràwing**〕 봉선화(棒線畫)《몸통·사지는 직선으로 머리는 원으로 그린 인물·동물의 도식적인 표현; 특히 무용·스포츠 등에서 체위, 손발의 모양, 위치를 나타내는 데 씀》; (소설 등에서) 깊이 없는〔현실미 없는, 피상적으로 그린〕 인물.

stíck·hàndler *n.* 하키 선수.

stíck·ing *n.* **1** 끈적거림, 들러붙음. **2** 찌르기, 꿰뚫기. **3** 개탕대패로 깎기.

stícking plàce **1** 발판; 발붙일 곳; 물건을 고정시킬 수 있는 곳, 걸리게 된 곳. **2** (도살할 때의) 동물의 목의 급소. ***screw*** one***'s courage to the*** ~ 기력을〔용기를〕 북돋우다.

stícking plàster 반창고.

stícking pòint (문제 해결의) 장애, 지장, 문제점; =STICKING PLACE 1.

stíck ìnsect 〖곤충〗 대벌레(walking stick).

stíck-in-the-mùd 《구어》 *a.* 고루한, 구폐의, 인습적인; 굼뜬. **—** *n.* 《특히》 고루한 사람, 벽창

호; 굼뜬 사람. ***Mr.*** 〔***Mrs.***〕 ***Stick-in-the-mud*** 《속어》 아무개 씨〔부인〕《이름을 잊었을 때》.

stíck·jàw *n*. 입안에 들러붙어 씹기 거북한 캔디〔껌, 푸딩 따위〕.

stíck làc 〖화학〗 스틱랙《랙깍지진디의 분비물로, Shellac의 원료》.

stick·le [stíkəl] *vi*. (하찮은 일로) 종알거리다, 끈질기게 말하다; 이의를 말하다, 난색을 표하다.

stíckle·bàck *n*. 〖어류〗 큰가시고기.

stíck·ler *n*. **1** 잔소리가 심한 사람, 꾀까다로운 사람《*for*》. **2** 난문제, 곤란한 문제.

stíck·màn [-mæ̀n] (*pl*. ***-mèn*** [-mèn]) *n*. **1** 도박장의 시중꾼, =CROUPIER. **2** 하키 선수. **3** 드럼 연주자(drummer).

stíck-òn *a*. 스티커식의《뒷면에 풀을 묻힌》.

stíck·òut *a*., *n*. 《구어》 뛰어난 (사람); 《속어》 우승 후보 말.

stíck·pìn *n*. 《미》 넥타이핀, 장식핀.

stíck·sèed *n*. 〖식물〗 들지치.

stíck shìft 《미》 (자동차의) 수동 변속기.

stíck·tìght *n*. 〖식물〗 국화과(科) 가막사리속(屬)의 각종 다년초; =STICKSEED; 그 수과(瘦果).

stick-to-it·ive [stìktúːitiv] *a*. 《미구어》 끈질긴, 끈기 있는, 한결같은. ㊔ **~·ly** *ad*. **~·ness** *n*.
「어」 포마드.

stick·um [stíkəm] *n*. 《구어》 접착물〔제〕; 《속

stíck·ùp *n*., *a*. (깃이) 서 있는, 세운 깃(의); 《속어》 권총 강도(의).
「(holdup man).

stíckup màn 《미구어》 강도, 《특히》 권총 강도

stíck·wàter *n*. (물고기를 증기 가공할 때 생기는) 악취 있는 점성 폐액《사료 등의 원료》.

stíck·wòrk 《구어》 *n*. (하키 따위의) 스틱 다루기; (북의) 북채 놀림새; 〖야구〗 타력.

¦stícky [stíki] (***stick·i·er; -i·est***) *a*. **1** 끈적끈적〔끈끈〕한, 들러붙는, 점착성의. **2** 잘 움직이지 않는; 《구어》 꺼리는, 이의를 주장하는; 《구어》 완고한, 꾀까다로운; 《구어》 딱딱〔어색〕한. **3** 《구어》 매우 센티멘털한; 《구어》 불쾌한. **4** 《구어》 귀찮은, 곤란한; 《구어》 잘 팔리지 않는, 움직임이 느린. **5** 습기가 많은, 무더운. ㊔ **stíck·i·ly** *ad*. **-i·ness** *n*.

stícky·bèak *vt*. 《Austral.·N.Zeal. 구어》 꼬치꼬치 캐들다, 참견하다. **—** *n*. 캐고 들기〔참견하기〕 좋아하는 사람.

sticky bómb 〔**chárge, grenáde**〕 〖군사〗 점착성 폭파약, 점착 폭탄.
「점착성 말단.

sticky énd 〖생화학〗 (중합 사슬 핵산 분자의)

sticky-fíngered *a*. 《미속어》 손버릇이 나쁜, 도벽이 있는; 구두쇠의.

stícky fíngers 《미속어》 손버릇이 나쁨, 도벽; 〖미식축구〗 패스가 익숙함.

stícky flóor 〔**bóttom**〕 《미구어》 (입사 시의 직위에서) 승진하지 못함.

stícky plátelet sỳndrome 〖병리〗 과점착혈소판(過粘着血小板) 증후군.

stícky tàpe 《구어》 접착 테이프.

stícky wícket 1 〖크리켓〗 비 온 다음 질척해진 필드. **2** 《영구어》 난처한 입장: be on 〔have, bat on〕 a ~ 《영구어》 곤경에 처해 있다.

stic·tion [stíkʃən] *n*. 〖공학〗 (특히 가동 부품 간의) 정지 마찰(static friction).

¦stiff [stif] *a*. **1** 뻣뻣한, 딱딱한, 경직된, 굳은: a ~ collar. ⓒⓕ firm. **2** (목·어깨 따위가) 뻐근한; (몸의 근육이) 땅기는: have a ~ neck 목이 땅겨 돌지 않다. **3** (줄 따위가) 팽팽한. **4** 잘〔곧〕 움직이지 않는, 고착된, 움직임이 둔한. **5** (점토·반죽 따위가) 된; 응고한, 딱딱해진, 끈적이는: a ~ grease 점성(粘性)이 있는 윤활유. **6** 완강한, 완고한; 무리한, 부자연스러운, 딱딱한: a ~ style of writing 딱딱한 문체 / turn ~ toward …에 대한 태도를 경직시키다 / make a ~ bow 딱딱하게 절을 하다. **7** 단호한, 불굴의, (저항 따위가) 강경한; (바람·비 따위가) 맹렬한; (술 따위가) 독한: ~ drink 독한 술 / ~ gale 강풍. **8** 〖상업〗 (물가가) 오름세의. **9** 어려운, 힘든: a ~ work 힘든 일 / find it ~ going 그것이 곤란한 일임을 알다. **10** (조건·벌 따위가) 엄한, (경쟁 따위가) 심한; 《구어》 (가격 따위가) 엄청난, 터무니없는: a ~ price 〔tax〕. **11** 《구어》 당치 않은, 심한. **12** 《속어》 술 취해서 동작이 둔한. **13** 〖해사〗 쉽게 기울지 않는. **14** (디자인 따위가) 틀에 박힌; 《속어》 위조의《어음》. (***as***) **~ *as a crutch*** 《Austral.》 무일푼의(penniless). ***be ~ with ...*** 《구어》 …으로 가득하다: The place *was ~ with* police. 그곳은 경찰관으로 가득했다. ***keep a ~ face*** 〔***lip***〕 동하지 않다, 점잔 빼다. ***keep*** 〔***carry***〕 ***a ~ upper lip*** ⇨ LIP. ***scare*** a person ~ 아무를 몹시 놀래다: *be scared ~* 몹시 겁내다; (…하는 것을) 몹시 두려워하다《*of doing*》. ***take a ~ line*** 강경하게 나오다.

— *ad*. **1** 딱딱하게, 단단하게: The wet shirt was frozen ~. 젖은 셔츠가 딱딱하게 얼었다. **2** 강경하게, 맹렬히, 심히; 《구어》 매우; 크게, 아주, 완전히.

— *n*. 《속어》 **1** 〖특히 a big ~〗 딱딱한 사람, 융통성 없는 사람; 둔한〔서투른〕 사람. **2** 구두쇠; 술 취한 사람; 시체. **3** (…한) 인간〔사람〕: a poor ~ 가련한 놈. **4** 부랑자; (떠돌이) 노동자. **5** Ⓒ 위조 수표; Ⓤ 지폐, 돈; 위조지폐. **6** 어음, 환. **7** 편지, (특히 비밀의) 기록 문서. **8** 지게 되어 있는 경주말; 별 볼일 없는 선수〔팀〕. **9** 《미》 팁을 안 주는 사람. **10** 히트하지 않은 레코드〔물건〕.

— *vt*. 《미속어》 **1** (웨이터에게) 팁을 주지 않다. **2** …을 속이다, 야바위치다; (…에게서 물건을) 후리다. **3** …을 부당하게〔엄히〕 다루다; (아무를) 학대하다. **4** 〖경마〗 (말을) 지게 하다. **5** 《암흑가 속어》 (아무를) 죽이다; 《영속어》 …와 성교하다.

— *vi*. 《속어》 경제적으로 실패하다, (레코드·상연물이) 흥행하지 않다.

㊔ **∠·ish** *a*. 좀 딱딱한〔어려운〕. **∠·ly** *ad*. 딱딱하게; 완고하게. **∠·ness** *n*. ~함; 강성(剛性).

stíff-àrm *vt*., *vi*., *n*. =STRAIGHT-ARM.

stíff càrd 《미속어》 정식 초대장.

***stiff·en** [stífən] *vt*. **1** 《~+목/+목+전+명》 뻣뻣하게 하다, 딱딱하게 하다; 경직시키다; (어깨 따위를) 뻐근하게 하다; (손발 따위를) 마비시키다: ~ cloth *with* starch 풀먹여 천을 뻣뻣하게 하다 / ~ one's limbs with cold 추위로 손발이 마비되다. **2** (태도 등을) 경직시키다, 완고하게 하다; 딱딱〔어색〕하게 하다: ~ one's attitude 태도를 경직시키다. **3** (풀 등을) 진하게 하다, …을 걸쭉하게 하다. **4** 〖전기〗 …의 감응을 증대시키다; 〖토목〗 보강(補強)시키다; 〖군사〗 (군대를) 보강하다. **5** (값 따위를) 올리다; (요구 등을) 까다롭게 하다. **—** *vi*. **1** 《~/+전+명》 뻣뻣해지다, 딱딱해지다, 굳어지다; (바람 따위가) 거세지다: The breeze *~ed to* a gale. 산들바람은 강풍으로 변했다. **2** 고집이 세지다; 딱딱〔어색〕해지다. **3** 진해지다, 걸쭉해지다. **4** 〖상업〗 비싸지다, (가격 등이) 오르다; (시황이) 강세가 되다.

㊔ **~·ing** *n*. **1** 뻣뻣하게 하는 재료《옷의 심 등》; 뻣뻣하게 하는 사람〔물건〕. **2** 〖토목〗 보강재; 옷깃·책 표지의 심. **3** 자극제, 강장제(tonic); (용기·결심 따위를) 굳히는 것; 《속어》 음료에 타는 위스키. **4** 《권투속어》 녹아웃 펀치; 《경기속어》 결정적인 수.

stíff néck 1 (잘못 자거나 류머티즘 따위로) 구부리면 아픈 목. **2** 완고한 사람, 독선적인 사람; 완고. ***with ~*** 완고하게.
「뻣해진.

stíff-nécked [-t] *a*. 완고한, 고집 센; 목이 뻣

stíff úpper líp 불굴의 정신. 「장; 《비어》 발기.
stíffy *n.* 《속어》 바보, 단순한 녀석; (정식의) 초대
*__sti·fle__[1] [stáifəl] *vt.* **1** 《~+목/+목+전+명》 …을 숨막히게 하다, 질식(사)시키다《*by; with*》: ~ a person *with* smoke 연기로 아무를 질식시키다. **2** (불 따위를) 끄다; 방해하다, 억누르다; (불평 따위를) 짓누르다; 《미속어》 …를 때려눕히다; (반란 따위를) 진압하다. **3** (숨·목소리를) 죽이다, (웃음·하품 따위를) 참다. ── *vi.* 숨막히다; 질식(사)하다; (연기가) 나다. cf. choke, smother. ㊕ **stí·fler** *n.*
sti·fle[2] *n.* (사람의) 무릎 관절, (말·개의) 뒷무릎 관절(= ∠ **jòint**); Ⓤ 뒷무릎 관절병.
stífle bòne (말의) 슬개골(膝蓋骨)(patella).
sti·fling [stáifliŋ] *a.* 숨막힐 듯한, 질식할 것 같은《공기 따위》; 답답한, 갑갑한, 거북한《예의 따위》. ㊕ **~·ly** *ad.*
stig·ma [stígmə] (*pl.* **~s, ~·ta** [-tə]) *n.* **1** 치욕, 오명, 오점, 불명예; 결점, 흠. **2** 《고어》 낙인《노예·죄수 등에게 찍은 것》. **3** 〖해부·동물〗 반점; 〖식물〗 암술머리; 〖동물〗 (곤충·거미 따위의) 기문(氣門), 숨문; 〖의학〗 징후(徵候); 〖의학〗 소적반(小赤斑), 홍반(紅斑)《정기적으로 또는 정신적 자극에 의하여 출혈함》. **4** (*pl.* **~·ta**) 〖가톨릭〗 성흔(聖痕)《성인 등의 몸에 나타나는 십자가 위의 예수의 것과 비슷한 상처 자국》.
stig·mas·ter·ol [stigmǽstərɔ̀ːl, -ròul, -rɑ̀l/-rɔ̀l] *n.* 〖생화학〗 스티그마스테롤《스테로이드 호르몬 합성의 원료》.
stig·mat·ic [stigmǽtik] *a.* **1** 불명예스러운; 낙인이 찍힌; 추한. **2** stigma가 있는. ── *n.* 〖가톨릭〗 성흔이 있는 사람. ㊕ **-mát·i·cal** *a.*
stig·ma·tism [stígmətìzəm] *n.* Ⓤ **1** 〖병리〗 홍반(紅斑) 출현. **2** 〖광학〗 무수차(無收差). opp. *astigmatism*. **3** 〖의학〗 정시(正視). **4** 〖가톨릭〗 성흔 발현(聖痕發現).
stig·ma·tize [stígmətàiz] *vt.* **1** 《+목+*as* 보》 …에게 오명을 씌우다, 낙인을 찍다《*as*》; 비난하다: ~ a person *as* a liar 아무를 거짓말쟁이라고 비난하다. **2** 《고어》 …에 소인(燒印)을 찍다. **3** …에 홍반〔성흔〕이 생기게 하다. ㊕ **stìg·ma·ti·zá·tion** *n.*
stilb [stilb] *n.* 〖광학〗 스틸브《휘도의 단위; = 1cd/cm²》.
stil·bene [stílbiːn] *n.* 〖화학〗 스틸벤《염료 제「조용》.
stil·bes·trol, -boes- [stilbéstrɔːl, -troul, -trɑl/-trɔl] *n.* 〖생화학〗 스틸베스트롤《(1) 합성 발정 호르몬 물질. (2) = DIETHYLSTILBESTROL》.
stil·bite [stílbait] *n.* 〖광물〗 스틸바이트《zeolite의 일종》.
stile[1] [stail] *n.* **1** 넘어 다니기 위한 층계《울타리나 벽을 사람만이 넘을 수 있고 가축은 못 다니게 만든》. **2** 회전식 (나무)문(turnstile).

stile[1] 1

stile[2] *n.* 〖건축〗 소란; 문설주.
sti·let·to [stilétou] (*pl.* **~(e)s**) *n.* 《It.》 (송곳 모양의) 작은 칼〔단검〕의 일종; (자수·재봉용의) 구멍 뚫는 바늘〔송곳〕; 《영》 스파이크 힐(= ∠ **hèel**). ── *vt.* 《고어》 단검으로 찌르다〔죽이다〕.
†**still**[1] [stil] *a.* **1** 정지(靜止)한, 움직이지 않는: keep 〔sit〕 ~ 가만히〔앉아〕 있다 / The sea is ~ today. 오늘은 바다가 잔잔하다 / *Still* waters run deep. 《속담》 ⇨ DEEP. **2** 소리가 없는, 조용〔고요〕한, 쥐죽은 듯한; 말이 없는: a ~ night 〔scene〕 고요한 밤〔광경〕. SYN. ⇨ QUIET. **3** (소리가) 조용한, 상냥한, (음성이) 낮은. **4** 평온무사한, 평화로운. **5** (술이) 거품이 일지 않는. **6** 〖영화·사진〗 스틸 사진의《movies에 대하여》. (**as**) **~ as death** 〔**the grave, a stone**〕 몹시 조용한, 쥐죽은 듯한. **as ~ as ~** 소리 하나 없이. **stand ~** 가만히 멈춰 서다.
── *ad.* **1** 아직(도), 상금, 여전히: He is ~ poor 〔alive〕. 그는 아직도 가난하다〔살아 있다〕. **2** 그럼에도, …하지만, 그러나: I am sleepy, (but) ~ I will work. 졸리지만 일을 하겠다. ★ 거의 접속사처럼 쓰여 but, however 보다 센 뜻을 나타냄. **3** 〔비교급과 더불어〕 더욱, 더, 더한층: ~ better = better ~ 더욱 좋은. **4** 《영고어》 늘, 끊임없이. **~ and all** 《미구어》 그럼에도 불구하고. **~ more** 〔긍정을 받아〕 하물며, 황차, 더군다나, 더욱 많이.
── *n.* **1** 고요, 정적, 침묵: the ~ of the night 밤의 정적. **2** 〖영화·사진〗 스틸; 보통 사진《영화에 대하여》. **3** 《구어》 정물(화). **4** 《구어》 = STILL ALARM.
── *vt.* **1** 고요하게 하다, 가라앉히다; 달래다. **2** (식욕·양심 따위를) 만족시키다. **3** (소리 따위를) 부드럽게 하다, 그치게〔멎게〕 하다: ~ one's thirst 갈증을 풀다. ── *vi.* 조용해지다, (바람이) 잔잔해지다.
still[2] *n.* 증류기(器); = DISTILLERY; 《속어》 열교환기(heat exchanger). ── *vt.* 증류하다; 《방언》《특히》 (위스키·진 등을) 밀조하다. 「은 대.
stil·lage [stílidʒ] *n.* (통 따위를 올려놓는) 낮
stíll alàrm 《미》 (전화 따위에 의한) 화재경보.
stíll bànk (동물 모양의) 저금통.
stíll·bìrth *n.* Ⓤ,Ⓒ 사산(死産); Ⓒ 사산아(兒).
stíll·bòrn *a.* 사산한; 《비유》 실패의. ── (*pl.* **~, ~s**) *n.* 사산아.
stíll fràme (영화·TV의) 정지 화상.
stíll hùnt (사냥감·적 등에게〔을〕) 몰래 다가감〔기다림〕; 《구어》 (정치적) 이면〔비밀〕 공작.
stíll-hùnt *vt., vi.* 《미》 몰래 다가가다〔기다리다〕; 《구어》 비밀 공작을 하다.
stil·li·cide [stíləsàid] *n.* 〖법률〗 적하권(滴下權)《지붕의 빗물을 남의 토지에 흘릴 수 있는 권리》. 「(數).
stil·lion [stíljən] *n.* 《미속어》 엄청나게 큰 수
stíll lífe 정물(화)(靜物(畫)).
stíll-lífe *a.* 정물(화)의. 「기사.
stíll·man [-mən] *n.* 증류소 경영자; 증류장치
*__stíll·ness__ [stílnis] *n.* Ⓤ 고요, 정적; 정지(靜止); 침묵; Ⓒ 조용한 장소〔환경〕. 「방송.
stíll pícture bróadcasting 정지(靜止)화면
stíll·ròom 《영》 *n.* (화주(火酒) 제조용의) 증류실(소); (대저택의) 식료품 저장실.
Stíll·son wrènch [stílsən-] (파이프 턱을 조절(調節)하는 L자형) 렌치, 파이프렌치《상표명》.
stilly[1] [stílli] (**still·i·er; -i·est**) *a.* 《시어》 움직이지 않는; 고요한.
stilly[2] *ad.* 《고어·문어》 고요히; 소리 없이.
°**stilt** [stilt] *n.* 대말, 죽마(竹馬); (건조물의) 지주(支柱), (수상 가옥 따위의) 각주(脚柱); (*pl.* **~, ~s**) 〖조류〗 장다리물떼새(= **stílt·bìrd**). **on ~s** 죽마를 타고; 《비유》 호언장담하여, 과장하여. ── *vt.* 죽마에 태우다; 지주로 들어올리다.
stílt·ed [-id] *a.* 죽마를 탄; 과장된《문체 따위》, 뽐내는, 잘난 체하는; 딱딱한《편지 따위》; 〖건축〗 보통보다 높은 위치의: a ~ arch 〖건축〗 상심(上心) 홍예. ㊕ **~·ly** *ad.* **~·ness** *n.*
Stíl·ton (**chéese**) [stíltn(-)] 고급 치즈의 일종《영국 Stilton 산》.
°**stim·u·lant** [stímjələnt] *a.* 〖의학〗 흥분성의; 자극성의; 격려하는, 고무하는. ── *n.* Ⓤ,Ⓒ 〖의

학] 흥분제; 자극(물); 격려; 《구어》 술.

*stim·u·late [stímjəlèit] vt. 1 《~+목/+목+to do/+목+전+명》 자극하다, 활발하게 하다; 북돋우다(incite); 격려〔고무〕하다; …의 격려가 되다: High wages ~*d* the national economy. 높은 임금이 국가의 경제를 자극했다/Praise ~*d* students to work harder. 칭찬에 자극되어 학생들은 더 열심히 공부하게 됐다/~ a person's interest in poetry 시에 대한 흥미를 자극하다. 2 (커피·주류 따위로) 흥분시키다; 〖의학·생리〗 (기관(器官) 따위를) 자극하다, 흥분시키다. ── *vi.* 자극〔유인〕이 되다, 격려가 되다; 술을 마시다.

stím·u·làt·ing a. 자극적인, 격려하는.

◇stim·u·lá·tion n. Ⓤ 1 자극. OPP. *response.* 2 격려, 고무; 흥분; 술(을 마심).

stim·u·la·tive [stímjəlèitiv/-lət-] a. 자극적인; 격려하는; 고무하는. ── *n.* 자극물.

stim·u·la·tor, -lat·er [stímjəlèitər] n. 자극하는 사람; 자극물; 격려하는 사람.

*stim·u·lus [stímjələs] (*pl.* *-li* [-lài]) n. 자극; 격려, 고무; 자극물, 흥분제; 〖생리·심리〗 자극; 〖식물〗 가시털; 〖곤충〗 침(針).

sti·my [stáimi] n., vt. =STYMIE.

‡sting [stiŋ] (*p.*, *pp.* ***stung*** [stʌŋ], 《미고어》 ***stang*** [stæŋ]) vt. 1 《~+목/+목+전+명》 (침 따위로) 찌르다: A bee *stung* my arm. =A bee *stung* me *on* the arm. 벌이 팔을 쏘았다. 2 얼얼〔따끔따끔〕하게 하다: Smoke ~*s* my eyes. 연기로 눈이 따끔거린다. 3 괴롭히다, 고민하게 하다; (감정을) 해치다: My conscience *stung* me. 나는 양심의 가책을 받았다. 4 (혀 따위를) 자극하다, 톡 쏘다: Pepper ~*s* the tongue. 후추는 혀를 자극한다. 5 《~+목/+목+전+명》 자극하다, 부추겨서〔자극하여〕 …하게 하다《*to; into*》: *be stung* with vanity 허영심에 자극되다/Anger *stung* him *to* action. 그는 화가 나서 행동을 개시했다. 6 《구어》〖주로 수동태〗 속이다, 속여 빼앗다: He *got stung* on the deal. 그는 그 거래에서 속았다/How much did they ~ you *for?* 얼마나 빼앗겼느냐. ── *vi.* 1 (침·가시를 가진 동식물이) 쏘다, 찌르다; 침이〔가시가〕 있다. 2 얼얼〔따끔따끔〕하다; 톡 쏘는 맛이〔향기가〕 있다: Ginger ~*s.* 생강은 톡 쏘는 맛이 있다/The slap made his hand ~. 손바닥으로 철썩 때렸더니 그는 손이 얼얼했다. 3 (정신적으로) 괴로움을 주다: The memory of the insult still ~*s.* 그 모욕은 생각만 해도 마음을 괴롭힌다. 4 (육체적·정신적으로) 고통을 느끼다. ── *n.* 1 찌르기, 쏘기; 찔린 상처; 자통(刺痛): be hurt by a ~ 찔리어 상처 입다. 2 U,C 쑤시는 듯한 아픔, 격통. 3 U,C 자극; 신랄함, 비꼼, 빈정댐: Satire has a ~. 풍자에는 빈정댐이 있다. 4 U,C (정신적인) 괴로움, 고통: the ~ of defeat 패배의 고통. 5 〖동물〗 침, 독아(毒牙), 독침; 〖식물〗 가시. 6 《속어》 교묘하게 꾸민 신용(信用) 사기, 함정 수사; 《속어》 강도. 7 《미속어》 범죄로 얻은 돈, 도둑 물건. ***have a ~ in the tail*** (말·편지 등의) 뒷맛이 쓰다. ***have no ~ in it*** 자극이 없다, 맛이 없다. ***take the ~ out of…*** 《구어》 (실망·실패·비난 등)의 혹독함을 완화시키다. ㊎ ∠·less a. 가시가〔침이〕 없는.

sting·a·ree [stíŋəri:] n. 《미·Austral.》 =STING-RAY.

stíng·er n. 1 쏘는 동물〔식물〕; 빈정거리는 사람; 〖동물〗 침, 가시. 2 U,C 《구어》 통격(痛擊); 빗댐, 빈정거림. 3 Ⓤ 《미》 브랜디를 사용한 씁쓸한 칵테일의 일종; 《영구어》 =HIGHBALL. 4 《공군속어》 (기미(機尾)의) 기관총. 5 《속어》 우주인의 선외 작업용 갈퀴창. 6 〖군사〗 스팅어《어깨에 놓고 사격하는 휴대용 방공 미사일》. 7 《미속어》 철도역원〔야경(夜警)〕. 8 《미속어》 어려운 문제, 장애. 9 《속어》 (온수기 등의) 전열 코일. 10 《방송속어》 CM 끝 무렵의 음악〔효과음〕. ㊎ ~·ly ad. ~·ness n.

stíng·ing a. 찌르는, 쏘는; 쑤시는 듯한《고통 따위》, 날카로운; 신랄한《풍자 등》. ㊎ ~·ly ad.

stíng(ing) hàir 〖식물〗 가시(sting, stinger).

stínging nèttle 〖식물〗 쐐기풀.

stin·go [stíŋgou] (*pl.* ~*s*) n. 《영》 Ⓤ 1 독한 맥주. 2 《비유》 열의, 원기, 기력. ***give*** a person ~ 아무를 심하게 꾸짖다.

stíng operàtion (FBI 등의) 함정 수사.

stíng·rày n. 〖어류〗 노랑가오리《꼬리에 맹독 있는 가시가 있음》.

stingy¹ [stíŋi] (***sting·i·er; -i·est***) a. 쏘는; 가시가〔침이〕 있는.

◇stin·gy² [stíndʒi] (***-gi·er; -gi·est***) a. 물건을 너무 아끼는, 인색한; 부족한, 근소한. ***be ~ with*** …을 내기 아까워하다. ㊎ **-gi·ly** ad. 인색하여. **-gi·ness** n. 인색, 단작스러움.

◇stink [stiŋk] (***stank*** [stæŋk], ***stunk*** [stʌŋk]; ***stunk***) vi. 1 《~/+전+명》 고약한 냄새가 나다; 코를 찌르다: This ham ~*s.* 이 햄은 악취가 심하다/He ~*s of* wine. 술 냄새가 코를 찌른다. 2 평판이 매우 나쁘다, 불쾌하다, 역겹다. 3 《~/+전+명》 아주 서투르다; 《속어》 아무 쓸모없다; 《속어》 질이 나쁘다: He ~*s at* tennis. 그는 테니스가 아주 서투르다. 4 《~/+전+명》 《속어》 가득히〔굉장히 많이〕 갖고 있다《*of; with*》: ~ *of* 〔*with*〕 money 돈을 주체 못할 만큼 가지고 있다. ── *vt.* 1 《+목+부》 (장소 따위를) 악취가 나게 하다, 악취로 가득 차게 하다《*up*》; 악취를 풍겨 내쫓다《*out*》: ~ *out* a fox 연기를 피워 여우를 굴에서 내몰다. 2 《속어》 …의 냄새를 맡아 내다. ~ ***in the nostrils of*** a person ⇨ NOSTRIL. ~ ***to high heaven*** 《구어》 지독한 악취를 풍기다; 《비유》 (일이) 부정〔부패〕를 강하게 암시하다. ~ ***up*** 《미》 악취로 가득 채우다.

── *n.* 악취, 고약한 냄새; 《구어》 (부정 등에 대한) 소동, 논쟁, 물의; (~s) 〖단수취급〗 《영속어》 화학, 자연 과학. ***like*** ~ 《구어》 필사적으로, 맹렬히. ***raise*** 〔***create, kick up, make***〕 ***a*** (***big*** 〔***real,*** etc.〕) ~ 《구어》 (부정 따위가) 물의를 일으키다, (사람이) 소동을 일으키다《*about*》.

stink·ard [stíŋkərd] n. 악취를 풍기는 사람〔동물〕; 역겨운 놈; 〖동물〗 =TELEDU.

stínk·bàll n. 악취탄(stinkpot); 역겨운 사람〔것〕.

stínk bòmb 악취탄《폭발하면 악취를 풍김》.

stínk·bùg n. 〖곤충〗 노린재류(類); 악취를 풍기는 곤충.

stínk·er n. Ⓒ 1 냄새나는 사람〔동물〕. 2 《속어》 불쾌한 놈. 3 〖조류〗 왕바다제비류. 4 《속어》 잡동사니. 5 《속어》 어려운 문제, 골칫거리; 《영속어》 기분 나쁜 편지; 《속어》 저속한 연예.

stink·er·oo, stink·a·roo [stìŋkərú:] a., n. (*pl.* ~*s*) 《속어》 실로 하찮은〔몹시 진력나는〕 (흥행물); 싫은〔지겨운〕 (것).

stínk·ing a. 악취를 풍기는; 《속어》 역겨운, 지독한; 《속어》 곤드레만드레 취한. ***cry ~ fish*** ⇨ FISH. ── *ad.* 《속어》 무지막지하게, 엄청나게.

stínking smút 〖식물〗 (밀의) 비린깜부깃병.

stin·ko [stíŋkou] a. 《속어》 술 취한(drunk); 고약한 냄새가 나는; 싫은, 불쾌한; 시시한. ── (*pl.* ***stínk·os***) n. 지겨운 놈.

stínk·pòt n. 악취 나는 단지, 악취탄《옛날 해전 때 씀》; 변기(便器); 《속어》 구린 놈, 역겨운 놈.

stínk·stòne n. 취석(臭石)《깨거나 비비면 석유 내가 나는 각종 유기물 함유석》.

stínk tràp 방취판(防臭瓣)(stench trap).

stínk·wèed n. 악취 나는 풀, 《특히》 jimsonweed 따위.

stint¹ [stint] vt. 1 《~+목/+목+전+명》 (비

용·식사 따위를) 바싹 줄이다, 내기 아까워하다, 제한하다《*of; in*》: Don't ~ yourself. 아까워하지〔인색하게 굴지〕 마라. **2** 《고어》 그만두다. **—** *vi.* **1** 절약하다, 검약하다. **2** 《고어》 중지하다, 그만두다. ~ one***self in*** 〔***of***〕 (food) (음식)을 줄이다.
— *n.* **1** (일에) 할당된 기간; 할당된 일(양). **2** [U] (특히 양의) 제한, 한정; 내기를 아낌: give without 〔with no〕 ~ 아낌없이 주다. **3** 규정된 양〔몫, 비율 등〕, 정량, 정액, 할당. ***do*** one***'s usual*** ~ 늘 하는 일을 하다. ***labor without*** ~ 몸을 안 아끼고 일하다. [파] **∠·er** *n.* **∠·ing·ly** *ad.* 내기 아까워하여, 인색하여. **∠·less** *a.* 무제한의.

stint[2] (*pl.* **~s, ~**) *n.* 〖조류〗 민물도요.

stipe [staip] *n.* **1** 〖식물〗 줄기, (양치류의) 잎자루, 잎꼭지, 엽병; 버섯자루; (속씨식물의) 씨방꼭지. **2** 〖동물〗 =STIPES 2. [파] **~d** [-t] *a.*

sti·pel [stáipəl] *n.* 〖식물〗 소탁엽(小托葉).

sti·pend [stáipend] *n.* 수당, 급료, 봉급; 연금(年金), 《특히》 목사의 봉급; (학생·연구원이 정기적으로 받는) 장학금, 급비. [SYN.] ⇨ PAY. [cf.] salary. [파] **~·less** *a.*

sti·pen·di·ary [staipéndièri/-diəri] *a.* 봉급을 받는, 유급의; 봉급의. **—** *n.* 유급자, 장학생; 《영》 유급 치안 판사〔목사〕.

sti·pes [stáipi:z] (*pl.* ***stip·i·tes*** [stípəti:z]) *n.* **1** 〖곤충〗 접교절(蝶咬節)《작은 턱 기부(基部)의 둘째 마디》. **2** 〖동물〗 안병(眼柄). **3** 〖식물〗 =STIPE 1.

stip·ple [stípəl] *n.* [U,C] **1** 점각법(點刻法); 점화(點畫)(법), 점채(點彩)(법). **2** 점각 작품〔효과〕, 점묘(點描) 작품〔효과〕. **—** *vt., vi.* 점각하다; 점화를 그리다, 점채하다. [파] **-pling** *n.* = stipple.

stip·u·lar, -lary [stípjələr], [-lèri/-ləri] *a.* 〖식물〗 턱잎〔탁엽(托葉)〕(꼴)의; 턱잎이 있는; 턱잎(가까이)에 나는.

stip·u·late[1] [stípjəlèit] *vt.* (조항 등이) …을 규정하다, 명기〔명문화〕하다; 조건으로서 요구하다, 약정〔계약〕하다: The material is not of the ~*d* quality. 그 재료는 (계약에서) 규정된 품질이 아니다 / It *was* ~*d* (in writing) that the delivery (should) be effected this month. 인도는 이달에 끝내기로 (계약서에) 명기돼 있었다. **—** *vi.* (…을) 약정의 조건으로서 요구하다; (…을 계약 조항으로서) 규정〔명기, 결정〕하다《*for*》: ~ *for* inclusion of these terms in the agreement 협정에 이들 조건을 포함시키도록 요구하다. [파] **-la·tor** [-lèitər] *n.* 계약자; 약정〔규정〕자.

stip·u·late[2]**, -lat·ed** [stípjələt, -lèit], [-lèitid] *a.* 〖식물〗 턱잎〔탁엽(托葉)〕이 있는.

stìp·u·lá·tion *n.* [U,C] 약속, 약정, 계약; 규정, 명기; [C] 조항, 조건: a contract containing so many ~*s* 대단히 많은 조항을 포함하는 계약. ***on*** 〔***under***〕 ***the ~ that ...*** …라는 조건으로(on condition that ...). [파] **~d** *a.*

stip·ule [stípju:l] *n.* 〖식물〗 턱잎, 탁엽(托葉).

stir[1] [stə:r] (*-rr-*) *vt.* **1** 움직이다, (억지로, 약간) 움직이다: The wind ~*s* the leaves. 바람이 나뭇잎을 살랑거리게 한다 / He did not ~ a finger. 그는 손가락 하나 까딱 안 했다. **2** 《~+[목]/+[목]+[전]+[명]》 휘젓다, 뒤섞다: ~ one's tea 차를 젓다 / ~ vinegar *into* salad oil 식초를 샐러드 오일에 뒤섞다. **3** 분발〔분기〕시키다: Can't you ~ yourself to do something? 분발해서 어떻게든 해보겠다는 생각이 들지 않느냐. **4** 《~+[목]/+[목]+[부]/+[목]+[전]+[명]/+[목]+*to* do》 감동〔흥분〕시키다《*up*》; 자극하다, 선동하다《*up*》: John ~*s* the children *to* 〔*to* do〕 mischief. 존이 아이들을 부추기어 나쁜 짓을 시킨다 / ~ *up* one's desires 욕망을 북돋우다 / ~ *up* a strike 파업을 선동하다 / ~ a person *to* tears 아무를 감동시켜 울리다 / ~ the boy's interest 소년의 흥미를 자극하다. **5** 《~+[목]/+[목]+[부]》 (감정을) 움직이다; (불만·문제 따위를) 일으키다《*up*》; (기억 따위를) 환기시키다; 각성시키다: *Stir* yourself! 기운을 내라 / ~ *up* trouble 문제를 일으키다 / ~ memories better left forgotten 빨리 잊고 싶은 추억들을 환기시키다. **—** *vi.* **1** 움직이다; 꿈틀거리다. **2** 일어나 있다, 활동하고 있다: No one was *stirring* in the house. 그 집에서는 아무도 일어나 있지 않았다 / Don't ~ or I'll shoot! 꼼짝하지 마, 움직이면 쏜다. **3** (화폐 따위가) 유통하다: Is there any news ~*ring*? 무슨 새로운 소식이라도 있나. **4** 《~/+[부]》 뒤섞이다: hard to ~ 잘 섞이지 않는 / This paint ~*s* easily. 이 페인트는 섞기 쉽다. **5** 분발하다, 흥분하다; (감정이) 일게 하다; 일어나다: Pity ~*red* in her heart. 그녀 마음에 연민의 정이 일었다. ***not ~ an eyelid*** 미동도 하지 않는. ***~ it*** (***up***) 《영속어》 문제〔분규〕를 일으키다. ***~ round for*** …을 찾아 돌아다니다. ***~ a person's bile*** 〔***pity, spirit***〕 ***up*** 아무로 하여금 화가 나게〔동정심이 일어나게, 기운이 나게〕 하다. ***~ the*** 〔a person***'s***〕 ***blood*** (아무의) 피를 끓게 하다, 열광시키다. ***~ ... to the depths*** 깊이 감동시키다. ***~ up*** ① 잘 젓다, 흔들다. ② 일으키다, 환기하다, 분발케 하다, 선동하다.
— *n.* **1** 움직임, 휘젓기: Give it a ~. 좀 휘저어라. **2** 움직임, (바람의) 살랑거림. **3** 찌름, 밂. **4** (보통 a ~) 대소동, 법석; 물의, 평판: The news created 〔caused, made〕 (quite) a ~. 그 뉴스는 물의를 일으켰다. **5** (보통 a ~) 감동, 감격, 자극.
[파] **∠·less** *a.* 움직이지 않는, 조용한.

stir[2] *n.* 《속어》 교도소: just out of ~ / in ~.

stír·abòut *n.* 《영》 **1** [U] 귀리〔오트밀〕 죽, 옥수수 죽. **2** 법석. **3** 활동가. **—** *a.* 활동적인; 떠들썩한, 혼잡한.

stír-cràzy *a.* 《미속어》 (오랜 감금·교도소 생활로) 머리가 돈.

stír-frý *vt.* (중국 요리 등에서) 프라이팬을 흔들며 센불로 빨리 볶다. **—** *n.* 그렇게 요리한 음식.

stirk [stə:rk] *n.* 《영》 1 살의〔하릅〕 수소〔암소〕; 《Sc.》 얼간이.

Stír·ling cỳcle [stə́:rliŋ-] 〖물리〗 스털링 사이클《정용(定容) 가열, 정온(定溫) 팽창, 정용 냉각, 정온 압축의 네 과정을 짜맞춘 재생열 사이클; 스코틀랜드의 기사 Robert Stirling(1790-1878)의 이름에서》.

stir·pi·cul·ture [stə́:rpəkʌ̀ltʃər] *n.* [U] 우량종 양식, 종족 개량.

stirps [stə:rps] (*pl.* ***stir·pes*** [stə́:rpi:z]) *n.* 《L.》 종족, 혈통, 가계(家系); 〖법률〗 조상; 〖생물〗 [U] (수정란 속의) 유전소(遺傳素).

stir·rer [stə́:rər] *n.* **1** 휘젓는〔뒤섞는〕 사람; 교반기(器). **2** 활동가; 《속어》 선동자.

stir·ring [stə́:riŋ] *a.* 마음을 동요시키는; 감동시키는; 고무하는; 활발한, 활동적인, 바쁜; 번화한, (거리 따위가) 붐비는; 시끄러운: ~ times 시끄러운 세상.

stírring bár 〖화학〗 교반(攪拌)용 막대자석.

°**stir·rup** [stə́:rəp, stír-, stʌ́r-/stír-] *n.* 등자(鐙子); 〖기계〗 등자 모양의 연장; 〖해사〗 등삭(鐙索); 〖해부〗 등골(鐙骨)(=∠ **bòne**). ***high up*** (***in***) ***the ~s*** 신분이 높은. ***hold the*** 〔***a***〕 ***~*** (***for***) (…을) 섬기다.

stírrup cùp (옛날 말 타고 떠나는 사람에 대한) 작별의 잔; 이별주.

stírrup lèather 〔**stràp**〕 (등자를 매다는) 등자 가죽〔끈〕.

stírrup pànts 가랑이 끝에 발에 거는 끈이 달린 바지.

stírrup pùmp 소화용 손펌프.

*stitch [stitʃ] n. 1 한 바늘, 한 땀, 한 코, 한 뜸: A ~ in time saves nine. 《속담》 제때의 한 바늘이 뒤의 아홉 바늘을 던다. 2 바늘땀〔코〕, 바느질 자리; 한 번 바느질할 길이의 실; 솔기; 〖의학〗 (상처를 꿰매는) 한 바늘. 3 U,C 바느질〔뜨개질〕 방식: a buttonhole ~ 단춧구멍의 사뜨기. 4 〖보통 부정문〗 헝겊〔천〕 조각: be without a ~ of clothing =have not a ~ on 몸에 실오라기 하나 걸치지 않다. 5 〖제본〗 철(綴). 6 (a ~) 〖부정문〗 《구어》 조금, 약간《of》: He didn't do a ~ of work. 그는 조금도 일을 하지 않았다. 7 (a ~) 통증, 쑤심: a ~ in the side 옆구리의 통증. 8 《미속어》 재미있는 것〔사람〕; (the ~es) 배를 움켜쥘 만큼 우스움. **be in ~es** 《구어》 포복절도(抱腹絶倒)하다. **drop a ~** (편물에서) 한 코를 빠뜨리다. **every ~ of clothes** 옷 전부. **have not a dry ~ on** one 함빡 젖어 있다. **not have a ~ to one's back** 변변한 옷도 못 입을 정도로 가난한. **put a ~ in** 한 바늘 꿰매다. **~ by ~** (바늘) 한 땀씩; 《비유》 일일이, 하나하나.

— vt. 1 《~+목/+목+부》 바느질하다; 꿰매어 꾸미다; …에 자수하다(embroider): ~ *together* …을 꿰매어 합치다 / ~ *up* a rent 터진 곳을 꿰매다. 2 (스테이플러로) 철하다. 3 〖제본〗 매다.
— vi. 꿰매다; 바느질하다, 뜨개질하다.

stitch·ery [stítʃəri] n. 자수법, 뜨개질법, 바느질; 자수〔뜨개질〕 장식품.

stítch·ing n. 바느질; 한 가닥의 꿰맨 줄; 기움.

stítch-ùp n. 《구어》 부정한 처사〔결과〕.

stítch·wòrk n. 자수, 바느질.

stítch·wòrt n. 〖식물〗 별꽃무리의 풀.

stithy [stíði, -θi/-ði] n. =ANVIL; 《고어·방언》 =SMITHY. — vt. 《고어·시어》 =FORGE.

sti·ver, stui- [stáivər], **stee·ver** [stí:-] n. 스타이버《네덜란드의 화폐 단위: =1/20 gulden》; 적은 돈; 조금; 근소; 하찮은 것: not worth a ~ 한푼의 값어치도 없는.

stk. stock. **STM** synchronous transfer mode (동기(同期) 전송 방식). **Stn.** Station.

stoa [stóuə] (pl. **sto·ae** [stóui:], **sto·as**) n. 〖고대그리스〗 보랑(步廊), 주랑(柱廊)《산책·집회용》; (the S–) 스토아 철학(the Porch).

stoat[1] [stout] n. 〖동물〗 담비《특히 여름의》.

stoat[2] vt. (솔기가 안 보이게) 꿰매다, 감치다.

sto·chas·tic [stəkǽstik] a. 추계학(推計學)〔추측 통계학〕적인, 확률론적인; 《드물게》 추측의: a ~ function 확률 함수 / a ~ variable 확률〔우연〕 변수. 파 **-ti·cal·ly** ad.

‡stock [stɑk/stɔk] n. 1 a (나무·풀 등의) 줄기, 나무 밑동; 근경(根莖), 지하경, 〖암석〗 암주(岩株). b (접목의) 대목(臺木), 접본(椄本), 원줄기; 그루터기; 《고어》 통나무, 나뭇조각. c U,C 혈통, 가계(家系), 가문; 〖법률〗 선조: She is of (old) New England ~. 그녀는 뉴잉글랜드 지방(의 구가(舊家)) 출신이다. d U,C 〖인류〗 종족, 인종; (동식물 따위의) 족(族); 어족(語族); 〖생물〗 군체(群體), 군서(群棲). e 〖언어〗 어계(語系); 관련어들. 2 a 받침 나무, 총 개머리, (대패·모루의) 몸통, (가래·채찍 등의) 자루, (도래송곳의) 돌림자루(=**bít·stòck**); 사물의 중요 부분, (낚싯대 등의) 기부(基部); 〖해사〗 닻장, (pl.) 키의 굴대; 바퀴통(hub); 나사골을 내는 다이스를 무는 스패너: ⇨LOCK[1], ~, and barrel. b 주요 직립(直立) 부분, 버팀 구조물; (pl.) 조선대〔가〕(造船臺〔架〕); 포가(砲架); (포가의) 가로 받침대. c (the ~s) 〖역사〗 차꼬 달린 대《죄인을 내보여 창피 주는》. cf. pillory. d 한 마리만 넣는 우리; (편자를 박을 때 따위에) 말을 매어 놓는 틀. 3 바보, 얼간이; 생명〔감정 등〕이 없는 것, 목석. 4 a 스톡《전에 특히 군복에 쓰인 일종의 가죽 목도리》. b 스톡《여성복의 목닫이》. c (목사가 칼라 밑에 두르는) 비단 스카프. d 《고어》 스타킹. 5 〖식물〗 스톡, 비단향꽃무. 6 스톡카(~ car). 7 C,U a 《미》 주식, 증권, 주(株)(《영》 share); 《비유》 (사람의) 평가, 평판, 인기, 신용; 지위: invest a lot of money in ~s 많은 돈을 주식에 투자하다 / His ~ is high in this town. 이 도시에서 그의 인기는 높다. b 공채 증서, 국고 채권; (the ~s) 《영》 공채, 국채; 꾼돈, 부채: ⇨COMMON STOCK / one's ~ rises 〔falls〕 주가가 올라가다〔내려가다〕《비유적으로도 씀》. c 자본금 (capital ~); 《고어》 기금, 자본. 8 C,U a 저장(량), 비축, 저축; (지식 따위의) 축적, 온축(蘊蓄): a ~ of provision 식량의 비축 / have a good ~ of information 풍부한 정보를 갖고 있다, 소식통이다 / We constantly keep a large ~ of gasoline. 우리는 다량의 휘발유를 비축하고 있다. b 재고(품); 사들인 물건: The book is not in ~. 그 책은 매진되었다 / get 〔lay〕 in a ~ of flour 밀가루를 사들이다. c C 〖연극〗 상연목록, 레퍼토리; 레퍼토리 극단(~ company)(에 의한 상연); 〖카드놀이〗 스톡《도르고 남은 패》. 9 a U 자원; 원료《for》; 제지 원료(paper ~); (특정한) 종이(heavy ~); 필름 재료: Rags are used as ~ *for* making paper. 넝마는 제지 원료로 쓰인다. b 〖요리〗 (수프용으로 고기, 물고기 등을) 삶은 국물. c (pl.) 《영》 상질의 기와; 〖야금〗 용광로에서 제련 중인 원광석; 단조(鍛造)용 금속 조각. d …의 표적, …거리: ⇨LAUGHING-STOCK. 10 a U 가축(livestock); 사육용 동물; (농장·목장 등의) 전(全) 자산: fat ~ 식육용의 가축. b 〖철도〗 =ROLLING STOCK.

have 〔**keep**〕 **in ~** (창고에) 쌓아 놓고 있다. **in ~** 입하(入荷)하여, 재고(在庫)로. **off the ~s** 진수(進水)하여; 완성되어 발매한: a product just off the ~ 완성되어 발매한 갓나온 제품. **on the ~s** (배가) 건조 중의; 계획 중의. **out of ~** 품절되어. **put ~ in** =take ~ in ②. **sit in the ~s** 차꼬가 채워져 수치를 당하다. **stand ~ still** 가만히 멈추어 서다. **~ in trade** ① 재고품. ② 장사 도구; 상투적 수단. **~, lock, and barrel** 전부, 일체; 남김없이, 완전히. **~s and stones** 목석 같은 사람, 무정한 사람. **take no ~ in** …에 관심을 나타내지 않다, …을 가볍게 보다. **take no ~ of** …을 문제시하지 않다. **take ~** 재고 조사를 하다; 현황을 점검하다, 실적을 평가하다. **take ~ in** ① …의 주를 사다. ② 〖보통 부정문〗 《비유》 …에 관계하다〔관심을 가지다〕; 《구어》 …을 신뢰하다, …을 중히 여기다. **take ~ of** 《비유》 …을 평가하다; 《구어》 자세히 뜯어보다; …을 찬찬히 바라보다: *take ~ of* the situation 상황을 판단하다.

— a. 1 수중에 있는, 재고의. 2 표준의; 평범한, 보통의; 진부한: ~ sizes in hats 표준 사이즈의 모자 / a ~ comparison 진부한 비유. 3 《미》 주식의, 주(株)의; 《영》 공채〔국채〕의. 4 가축 사육의.

— vt. 1 …에 자루〔대(臺)〕를 달다. 2 a 《~+목/+목+전+명》 씨를 뿌리다, 파종하다《with》; (농장에) 가축을 넣다《with》; (가축)에 우량종을 교배시키다; 방목하다; (강 따위)에 물고기를 방류하다: ~ land *with* clover 땅에 클로버 씨를 뿌리다 / ~ a lake *with* fish 호수에 물고기를 방류하다. b 《+목+부/+목+전+명》 (점포에 물품을) 사들이다, 구입하다《with》; (가게에 물품을) 놓다, 팔고 있다《up》; 비축하다, 갖추다《with》; (장래를 위해) 간직해 놓다; …에 보충〔보급〕하다《with》: a store well ~*ed with* goods 재고가 풍부한 상점 / ~ one's store (*up*) *with* summer goods 가게에 여름철 상품을 들여놓다. 3 〖역사〗 차꼬를 채워 망신을 주다. —

vi. **1** 《~+부/+전+명》 사들이다, 구입하다, 들여놓다《*up; with*》: We must ~ *up* (*with* food) *for* the winter. 겨울을 나기 위해 식료품을 구입해 두어야 한다. **2** 〖식물〗 움이 나다〔트다〕. ~ ***in on*** …을 사들이다. ~ ***up on*** …을 비축(備蓄)해 두다.

stock·ade [stakéid/stɔk-] *n.* 방책(防柵); 말뚝으로 둘러친 장소; 말뚝 방파제; 〖미군사〗 영창. **—** *vt.* 말뚝〔방책〕을 둘러치다.

「품 상점.

stóck àgent 《Austral.》 목축상(인); 목축 용

stock·a·teer [stàkətíːər] *n.* 《속어》 협잡꾼 증권 브로커.

「따위의) 혈통부.

stóck bòok 재고품 원장; 주식 대장; (말·개

stóck·brèeder *n.* 목축〔축산〕업자. ㊀ **-brèed-ing** *n.*

stóck·bròker *n.* 증권 중개인.

stóckbroker bèlt 교외의 고급 주택지.

「(업).

stóck·bròking, -bròkerage *n.* 주식 중개

stóck càr 1 (특별 주문 차에 대하여) 일반 시판 자동차. **2** (시판 승용차의 엔진 등을 바꿔 끼운) 경주용 차.

「truck).

stóck·càr *n.* 《미》 〖철도〗 가축 차(《영》 cattle

stóck certificate 《미》 기명 주권; 《영》 공채 증서.

stóck còmpany 《미》 **1** 〖금융〗 주식회사. **2** 레퍼토리 극단《고유의 극장과 전속 배우와 일정한 상연 종목(repertoire)을 가짐》.

stóck contròl (상품의) 재고 조정.

stóck cùbe 고형(固形) 수프 원료.

stóck dìvidend 주식 배당.

stóck dòve 〖조류〗 들비둘기《유럽산》.

stóck·er *n.* stock 하는 사람〔것〕; 어린 식육우(食肉牛), 번식용의 가축《heifer 따위》; 《구어》 = STOCK CAR.

stóck exchànge 1 (종종 S- E-) 증권 거래소; 증권 중개인 조합. **2** 거래소의 거래액〔가〕.

stóck fàrm 목축장. ㊀ ~·**er** 목축업자. ~·**ing** 목축업, 축산.

「건대구.

stóck·fish (*pl.* ~, ~·*es*) *n.* 어물(魚物), 건어;

°**stóck·hòlder** *n.* 《미》 주주(株主) (《영》 share-holder); 《영》 공채〔국채〕 소유자; 《Austral.》 목축업자. ***a ~ of record*** 〖증권〗 등록 주주.

stóck·hòlding *a.* 주식을 소유한. **—** *n.* 주식 소유, 주식 보유.

Stock·holm [stákhoulm/stɔ́khoum] *n.* 스톡홀름《스웨덴의 수도》.

Stóckholm sýndrome 스톡홀름 증후군(症候群)《인질이 범인에게 자진해서 협력하고 이를 정당화하려 하는 심리적 증후군》.

Stóckholm tár 〔**pítch**〕 스톡홀름 타르《수지제 타르; 조선용》.

「목축 말.

stóck hòrse 《미·Austral.》 (소 떼를 지키는)

stóck ìndex 주가 지수.

stock·i·net(**te**) [stàkənét/stɔk-] *n.* Ⓤ 메리야스《유아복·속내의 등에 씀》.

*°**stock·ing** [stákiŋ/stɔ́k-] *n.* **1** (보통 *pl.*) 스타킹, 긴 양말. ⓒⓕ sock¹. ¶ a pair of ~*s* 한 켤레의 긴 양말. **2** (말 따위의) 딴 부분과는 털 빛깔이 다른 다리. ***in** one's ~**s*** 〔~ ***feet***〕 양말만 신고, 신발을 벗고: He is six feet *in his* ~*s*. 신을 벗고 키가 6 피트이다. ***wear yellow ~s*** 시기하다. ㊀ ~**ed** *a.* 양말을 신은.

「용 털모자.

stócking càp 꼭대기에 술이 달린 겨울 스포츠

stócking filler 《영》 (양말에 넣는) 크리스마스 선물.

stócking fràme 〔**lòom, machìne**〕 양말〔메리야스〕 짜는 기계.

stócking màsk (강도의) 나일론 스타킹 복면.

stócking stùffer 《미》 크리스마스에 양말에 넣어 주는 자그마한 선물; 작은 크리스마스 선물.

stóck-in-tráde *n.* 소지품, 재고품; 장사 도구; 상투 수단.

stock·ish [stákiʃ/stɔ́-] *a.* 어리석은, 둔한; 튼실한. ㊀ ~·**ly** *ad.*

「구입 업자.

stóck·ist *n.* 《영》 (특정 상품의) 보유자, 대량

stóck·jòbber 《영》 *n.* 증권 거래인; 투기업자; 《미·경멸》 증권 중개인.

stóck·jòbbing *n.* 증권 매매(업); 투기.

stóck·kèeper *n.* 가축 사육자; 재고품 관리자; 목부(牧夫).

stóck·less *a.* (닻 따위가) stock이 달려 있지 않은; 재고가 없는.

stóck lìst 증권〔공채〕 시세표.

stóck·man [-mən] (*pl.* ***-men*** [-mən, -mèn]) *n.* 목동; 《미·Austral.》 목축〔축산〕업자; 《영》 창고계원, 재고 관리원.

stóck màrket 증권 거래소〔시장〕(stock exchange); 증권 매매; 《미》 주가, 주식 시세; 가축 시장: ~ price index futures 주가 지수에 의한 선물(先物) 거래.

stóck òption (회사 임원의) 주식 매입 선택권.

stóck pìgeon = STOCK DOVE.

stóck·pìle *n.* 비축〔축적〕(량), (자재 따위의) 재고; 저장 원료; (도로 보수 따위의) 보급 재료의 더미; 〖광산〗 저광(貯鑛), 저탄(貯炭); 핵무기의 저장. **—** *vt., vi.* 비축〔저장〕하다. ㊀ **-pìler** *n.*

stóck plànt 〖원예〗 모주(母株).

stóck·pòt *n.* 수프 냄비.

stóck·pròof *a.* 가축이 빠져나갈 수 없는《전기

stóck ràising 목축, 축산.

「울타리 따위》.

stóck·rìder *n.* 《Austral.》 말탄 목동.

stóck·ròom *n.* (물자·상품 따위의) 저장실; 《미》 (호텔 등의) 상품 전시실.

stóck-ròute *n.* 《Austral.》 (남의 소유지 내의) 가축 이동용 도로.

「액면은 감소》.

stóck splìt 주식 분할《주주에게 신주를 발행함;

stóck-stíll *a. ad.* 전혀 움직이지 않는〔않고〕, 꼼짝 않는〔않고〕, 부동의〔으로〕: stand ~ 꼼짝 않고 서 있다.

stóck·tàking *n.* Ⓤ 재고 조사; (사업의) 실적 평가, 현상 파악.

「(表示器).

stóck tìcker (전신에 의한) 증권 시세 표시기

stocky [stáki/stɔ́ki] (***stock·i·er; -i·est***) *a.* 땅딸막한, 단단한; 〖식물〗 튼튼한 줄기의. ㊀ **stóck·i·ly** *ad.* **-i·ness** *n.*

stóck·yàrd *n.* (도살장·시장 등의) 임시 가축 수용장; (농장의) 가축 방목장.

stodge [stadʒ/stɔdʒ] *vt., vi.* 게걸스럽게 먹다, 마구 퍼 넣다; 《구어》 터덜터덜 걷다. **—** *n.* Ⓤ 소화가 잘 안 되는〔진한〕 음식; Ⓒ 탐식가; 지루한 읽을거리; 멍청이.

stodgy [stádʒi/stɔ́dʒi] (***stodg·i·er; -i·est***) *a.* **1 a** (음식 따위가) 느끼한, 느긋느긋한, 소화가 잘 안 되는; (자루·봉투 따위가) 가득 채워진. **b** (문체 따위가) 딱딱한, 무거운; (소설 따위가) 재미없는, 지루한; (복장 따위가) 촌스러운, 세련되지 않은, 품위 없는; (사람·생각 따위가) 구식인, 케케묵은; 지나치게 격식에 치우친. **2** 느릿느릿 걷는; (몸집이) 땅딸막한. ㊀ **stódg·i·ly** *ad.* **-i·ness** *n.*

sto·gy, sto·gie, 《미》 **sto·gey** [stóugi] (*pl.* ***sto·gies***) 《미》 *n.* (튼튼하고 싼) 장화의 일종; (긴) 싸구려 여송연.

°**Sto·ic** [stóuik] *n.* 스토아 학파의 철학자; (s-) 금욕〔극기〕주의자. **—** *a.* (s-) = STOICAL.

sto·i·cal [stóuikəl] *a.* 스토아 학파의; 금욕주의의, 자제〔극기〕심이 강한; 냉철한. ㊀ ~·**ly** *ad.* ~·**ness** *n.*

stoi·chi·ol·o·gy, 《영》 **-chei-** [stɔ̀ikiálədʒi/-ɔ́l-] *n.* 요소학(要素學), 《특히》 세포 조직〔생리〕학.

stoi·chi·o·met·ric, 《영》 **-chei-, -ri·cal**

[stɔ̀ikaiəmétrik], [-kəl] *a.* 화학량론(化學量論)의; 화학식대로의《화합물》: ~ coefficient 화학량론 계수. [파] **-ri·cal·ly** *ad.*

stoi·chi·om·e·try, 《영》 **-chei-** [stɔ̀ikiámətri/-ɔ́m-] *n.* 화학량론.

Sto·i·cism [stóuəsìzəm] *n.* [U] 스토아철학; (s-) 금욕, 극기, 금욕주의; 냉철.

stoke [stouk] *vt., vi.* (기관차·난로 따위에) 불을 지피다〔피우다〕, 때다; 화부 노릇을 하다; (음식을) 퍼〔쓸어〕 넣다《*up*》; 실컷 먹다. **~ *up*** (증오 따위를) 북돋우다; (…에) 대비하다《*for*》.

stoked [-t] *a.* **1** 《속어》 열광적인. **2** 《미속어》 활기 있는, 재미나는(lively). **3** 술 취한. **4** (좋은 일이 있어) 어쩔 줄 모르는.

stóke·hòld *n.* (기선의) 기관실; 화부실; (배의) 보일러실.

stóke·hòle *n.* (노(爐)·보일러의) 아궁이; =STOKEHOLD.

Sto·ker [stóukər] *n.* **Bram ~** 스토커《흡혈귀인 Dracula를 창작한 아일랜드 태생의 영국 작가; 1847-1912》.

stok·er [stóukər] *n.* (기관의) 화부; 급탄기(給炭機), 자동 급탄 장치.

stokes [stouks] *n.* 〖물리〗 스토크스《점성률(粘性率)의 cgs 단위; 기호 St.》.

sto·ke·sia [stoukíːʒiə, stóuksiə] *n.* 〖식물〗 스토케시아속의 각종 초본《북아메리카 원산; 국화과》.

STOL [éstɔ̀ːl] *n.* 〖항공〗 스톨《단거리 이착륙(기)》: a ~ plane 단거리 이착륙기. [◂ *s*hort *t*ake-*o*ff and *l*anding]

stole[1] [stoul] *n.* **1 a** 〖고대로마〗 길고 헐거운 여성용 겉옷. **b** 스톨《모피·깃털 따위로 만든 여성용 목도리》. **2** 〖가톨릭〗 영대(領帶); 〖기독교〗 제의(祭衣).

stole[1] 1b

stole[2] STEAL의 과거.

sto·len [stóulən] STEAL의 과거분사. **—** *a.* **1** 훔친: ~ goods 도둑맞은 물건 / a ~ base 〖야구〗 도루(盜壘). **2** 은밀한: a ~ marriage 은밀한 결혼, 도둑 결혼.

stol·id [stálid/stɔ́l-] (**~·er; ~·est**) *a.* 둔감한, 신경이 무딘. [파] **~·ly** *ad.* **~·ness** *n.*

sto·lid·i·ty [stəlídəti] *n.* [U] 둔감, 무신경.

stol·len [stóulən] (*pl.* **~, ~s**) *n.* 견과와 과일이 든 단빵.

sto·lon [stóulən] *n.* 〖식물〗 포복경(匍匐莖), 기중 균사(氣中菌絲); 〖동물〗 눈줄기, 주근(走根).

STOL·port [éstɔːlpɔ̀ːrt] *n.* 스톨용 공항.

sto·ma [stóumə] (*pl.* **~·ta** [-tə]) *n.* 〖해부·동물〗 (혈관·벽 따위의) 작은 구멍; 〖식물〗 숨구멍, 기공(氣孔), 기문(氣門).

****stom·ach** [stʌ́mək] *n.* **1** 위(胃): have a weak〔strong〕 ~ 위가 약하다〔튼튼하다〕/ be sick at one's ~ 《미》 역겹다, 메스껍다. **2** 복부, 배, 위부(胃部). **3** [U,C] 식욕; 욕망, …하고 싶은 마음〔기분〕《*for*》: have a good ~ *for* dinner after exercise 운동 후에 식욕이 나다 / have no ~ *for* …에 마음이 내키지 않다. ***lie* (*heavy*) *on* one's ~** (음식이) 얹히다, 체(滯)하다. ***lie* (at full length) *on* one's ~** (쭉 뻗고) 엎드리다. ***My ~ thinks my throat is cut.*** 《미구어》 몹시 배가 고프다. ***on a full*** 〔***on an empty***〕 **~** 만복〔공복〕 시에. ***settle the ~*** 구역질을 참다〔억누르다〕. ***turn* a person's ~** 아무를 역겹게 하다, 몹시 불쾌하게 하다; 구역질이 나게 하다.

— *vt.* **1** 〔보통 부정·의문문에서〕 …을 (참고) 먹다, 삼키다: can*not* ~ one's food 음식이 넘어가지 않다. **2** 소화하다, 맛보다. **3** 〔보통 부정문〕 (모욕 따위를) 참다, 견디다: can*not* ~ such an insult 그런 모욕은 참을 수 없다. **—** *vi.* 《폐어》 화내다.

***stom·ach·ache** [stʌ́məkèik] *n.* [U,C] 위통, 복통: suffer from ~ 위통으로 고생하다 / have a ~ 위가 아프다.

stómach-chùrning *a.* 기분을 상하게 하는, 역겹게 하는.

stom·ach·er [stʌ́məkər] *n.* 〖역사〗 (15-16세기에 유행한) 삼각형 가슴 장식, 가슴받이.

stomacher

stom·ach·ful [stʌ́məkfùl] *n.* 한 배〔위〕 가득한 (양); 한껏 참음, 그 한도.

sto·mach·ic, -i·cal [stoumǽkik], [-əl] *a.* 위의; 건위(健胃)의, 식욕을 증진하는; 소화를 돕는. **—** *n.* [U] 건위제(劑). [파] **-i·cal·ly** *ad.*

stómach pùmp 〖의학〗 위 세척기.

stómach ròbber 《미속어》 벌채 현장의 조리사.

stómach-stàggers *n. pl.* 〖수의〗 (말의) 위경련.

stómach swèetbread 송아지의 이자〔췌장〕《식용》.

stómach tòoth 《구어》 (유아의) 아래 송곳니.

stómach tùbe 〖의학〗 위관(胃管)《경관(經管) 영양용》.

stómach ùpset 복통.

stómach wòrm 〖동물〗 (사람·동물 따위에 기생하는) 위충(胃蟲), 《특히》 꼬임털선충.

stom·achy [stʌ́məki] *a.* 올챙이배의; 원기 왕성한.

stom·a·tal [stámətl, stóum-/stóum-, stɔ́m-] *a.* stoma의〔를 이루는〕.

sto·mate [stóumeit] *a.* =STOMATOUS. **—** *n.* 〖식물〗 기공(氣孔)(stoma).

stom·a·ti·tis [stòumətáitis, stàm-/stòum-, stɔ̀m-] *n.* [U] 〖의학〗 구내염(口內炎).

sto·ma·tol·o·gy [stòumətálədʒi, stàmə-/stòumətɔ́l-, stɔ̀mə-] *n.* [U] 구강병학(口腔病學).

sto·mat·o·pod [stoumǽtəpàd, stóumə-/stóumətəpɔ̀d, stɔ́m-] *n., a.* 〖동물〗 (갑각 동물) 구각류(口脚類)(의); 갯가재(의).

sto·mat·o·scope [stoumǽtəskòup, stóumət-] *n.* 〖의학〗 구강경(口腔鏡).

stom·a·tous [stámətəs/stɔ́m-] *a.* 소공(小孔)〔기공(氣孔)〕이 있는.

stomp [stamp/stɔmp] *n.* 발을 세게 구르는 재즈 춤(곡); 《구어》 발구르기(stamp). **—** *vt., vi.* 《구어》 짓밟다; 《구어》 무거운 발걸음으로 걷다; 스톰프 춤곡에 맞추어 춤추다.

stómping gròund =STAMPING GROUND.

†stone [stoun] *n.* **1 a** [U,C] 돌, 돌멩이: ⇨ ROLLING STONE / throw a ~ 돌을 던지다. **b** [U] 바위; 석재, 돌: building ~ 건축용 석재. **c** [U] 엷은〔밝은〕 잿빛〔베이지〕. **2** 비석, 기념비, 묘비(墓碑); 맷돌; 숫돌; 바닥에 까는 돌; 〖인쇄〗 석판(정판(整版))석. **3** 보석; 우박, 싸락눈(hailstone). **4** [U,C] 〖의학〗 결석(結石)(병): a kidney ~ 신장 결석. **5** 〖식물〗 핵(核), 씨: a peach ~ 복숭아 씨. **6** (보통 *pl.*) 《고어·비어》 불알. **7** 〔단·복수 동형〕《영》 스톤《중량, 특히 몸무게를 나타냄; 흔히 14파운드. 단, 고기는 8파운드, 치즈는 16파운드, 건초는 22파운드, 양털은 24파운드; 생략: st.》. (***as***) ***cold*** 〔***hard***〕 ***as*** (***a***) **~** 돌처럼 차가운〔단단한, 무정한〕. ***break* ~s** (자갈용으로) 돌을 부수다; 《비유》 비참한 생활을 하다. ***cast*** 〔***throw***〕 **~s** 〔***a* ~**〕 ***at*** …에 돌을 던지다; …을

비난하다. ***cast the first*** ~ 〖성서〗 먼저 돌을 던지다; 먼저 비난하다《요한복음 VIII: 7》. ***give a*** ~ ***and a beating to*** …에 쉽게 이기다. ***give a*** ~ ***for bread*** 〖성서〗 떡을 달라는데 돌을 주다, 돕는 체하면서 우롱하다《마태복음 VII: 9》. ***harden into*** ~ 《비유》 석화(石化)하다. ***have a heart of*** ~ 냉혹〔무자비〕하다, 무정하다. ***leave no*** ~ ***unturned*** 온갖 수단을 다하다, 백방으로 손을 쓰다《*to* do》. ***set a*** ~ ***rolling*** ① 돌을 굴리다. ② 터무니없는 결과가 될 일을 시작하다. ***Stones will cry out.*** 〖성서〗 돌들이 소리 지르리라, 나쁜 짓은 드러난다《누가복음 XIX: 40》.

— *a.* **1** 돌의, 석조의: a ~ building 석조 건물. **2** 《미속어》 완전한, 철저한; 훌륭한, 매력적인: a ~ fox 매우 매력적인 여자/a ~ party 훌륭한〔굉장한〕 파티. **3** (종종 S-) 석기(石器) 시대의: *Stone* culture 석기 문화.

— *vt.* **1** …에(게) 돌을 던지다; 돌로 쳐 죽이다. **2** …에 돌을 깔다〔쌓다〕. **3** (과일에서) 씨를 바르다: ~*d* cherries. **4** 돌로 닦다, 숫돌로 갈다. **5 a** (술·마약 등이 사람을) 취하게 하다: ~*d* on marihuana 마리화나에 취했다. **b** 《폐어》 무감각〔둔감, 냉혹〕하게 하다. **—** *vi.* 《원래 미속어》 취하다; 마약으로 황홀해지다《*out*》. ***Stone me!*** 《속어》 저런, 와, 하, 굉장하다《놀람·당혹 따위》.

Stóne Àge 〖고고학〗 (the ~) 석기 시대.

stóne àx〔**àxe**〕 돌 자르는 도끼; 〖고고학〗 돌도끼.

stóne-blínd *a.* 눈이 아주 먼, 전맹(全盲)의; 《미속어》 만취하여. ㉺ **~·ness** *n.*

stóne·bòat *n.* 《미》 돌〔중량물〕 운반용 썰매.

stóne·brèaker *n.* (도로 표면을 마무리하기 위해) 돌을 깨는 사람, 쇄석기.

stóne-bróke *a.* 《속어》 무일푼이 된, 파산한.

stóne brùise 돌에 의한 타박상《특히 발바닥의》.

stóne·càst *n.* =STONE'S CAST.

stóne·càt *n.* 〖어류〗 메기《미국산》.

stóne·chàt *n.* 〖조류〗 검은딱새.

stóne chína 경질 백색 도기(陶器).

stóne cìrcle 〖고고학〗 환상 열석(環狀列石).

stóne còal 무연탄(anthracite).

stóne-cóld *a.* 돌처럼 차가운; 매우 냉담한; 경기가 냉각된; 죽은. **—** *ad.* 완전히: ~ sober 맨 정신의, 말똥말똥한.

stóne·cròp *n.* 〖식물〗 꿩의비름속(屬)의 식물.

stóne crùsher 쇄석기(碎石機).

stóne·cùtter *n.* 석수; 돌 자르는 기계.

stoned *a.* 씨를 뺀; 《속어》 취한; 《속어》 마약으로 황홀해진. ~ ***out of mind*** 정신없이 취하여; 마약 기운이 돌아.

stóne-déad *a.* 완전히 죽은.

stóne-déaf *a.* 전혀 못 듣는. ㉺ **~·ness** *n.*

stóne fàce 무표정한 사람.

stóne-fàced [-t] *a.* (돌처럼) 무표정한, 감정을 조금도 나타내지 않는.

stóne fènce 《미》 돌담(stone wall); 《미속어》 위스키와 사과술 따위의 혼합 음료.

stóne·flỳ *n.* 〖곤충〗 강도래《낚시미끼용》.

stóne frùit 핵과(核果).

stóne-gròund *a.* (가루가) 맷돌로 간.

Stóne·hènge [-hendʒ/ˊˋ] *n.* 〖고고학〗 스톤헨지《영국 Wiltshire의 Salisbury 평원에 있는 선사(先史) 시대의 거석주군(巨石柱群)》.

stóne-hòrse *n.* 《고어·방언》 씨말, 종마(種馬)(stallion).

stóne·less *a.* 돌이 없는, 보석이 들어 있지 않은; 씨 없는.

stóne·man [-mən] (*pl.* ***-men*** [-mən]) *n.* 석수; 정판공; (이정표로서의) 돌무더기(cairn).

stóne màrten 〖동물〗 흰담비; [U] 그 털가죽.

stóne·màson *n.* 석수, 석공, 채석공. ㉺ **~·ry** *n.* [U] 석공술; 석조 건축.

stóne pìne 〖식물〗 지중해 연안 원산인 소나무의 일종.

stóne pìt 채석장.

stóne plòver 바닷가에 사는 각종 새.

stóne sàw 돌 (자르는) 톱.

stóne-sòber *a.* 전혀 취기(醉氣) 없는〔취하지 않은〕.

stóne's thrów〔**cást**〕 돌을 던지면 닿을 만한 거리《약 50-150야드》; 근거리: at a ~ 가까운 거리에/within a ~ of 〔from〕 …의 바로 가까이에, 지척에.

stóne wáll 《미북부》 돌담, 석벽; 저항; (뛰어넘기 어려운) 큰 장애; 완고한 생각. ★ 흔히 hit〔run into〕 a ~의 구로서 잘 씀: We *ran into* a ~ when we tried to solve that advanced math problem. 그 고등 수학 문제를 풀려고 했으나 손도 댈 수 없었다.

stóne·wàll *a.* 돌담의; 견고한; 완고한. **—** *vt., vi.* 〖크리켓〗 신중히 타구하다; 《영》 (의사 진행을) 방해하다(《미》 filibuster); 《미구어》 (심리·조사를) 방해하다; 말로 발뺌하다; 꼬리 잡히지 않도록 행동하다. ㉺ **~·er** *n.* **~·ing** *n.* [U] 〖크리켓〗 신중한 타구; 《영》 의사 방해; (사임을) 완강히 거절함.

stóne·wàre *n.* [U] 석기; 도자기.

stóne·wàshed [-t] *a.* (진 따위 천을) 스톤워시 가공을 한《천을 색이 바랜 느낌을 주도록 연마 작용이 있는 돌과 함께 기계 세탁을 한》.

stóne·wòrk *n.* [U] 돌〔보석〕 세공; 석조(건축)물; (*pl.*) 〖단·복수취급〗 돌 세공장(細工場), 석재 공장.

stóne·wòrt *n.* 〖식물〗 굴대말《담수산의 녹조류》.

stonk [staŋk/stɔŋk] *n.* 맹폭격, 집중 포격; 《영속어》 (음경의) 발기, 발기한 음경. **—** *vt.* 맹포격〔맹폭격〕을 가하다; 집중 포화를 퍼붓다.

stónk·er *vt.* 《Austral. 속어》 후려갈기다, 혼내주다; 좌절시키다(baffle); …의 허를 찌르다(foil). ㉺ **~ed** *a.* 《Austral. 속어》 때려눕혀진, 한대 먹은; 기진맥진한.

stónk·ing *a.* 《속어》 굉장한, 대단한.

****stony, ston·ey** [stóuni] (***ston·i·er; -i·est***) *a.* **1** 돌의; 돌 같은; 돌이 많은《땅·길 등》: a ~ path. **2** 돌처럼 굳은. **3** 무감동한, 무자비한, 냉혹한《마음 따위》; 무표정한, 움직이지 않는《시선 따위》: a ~ heart 무정한 마음. **4** 그 자리에 얼어붙게 하는, 멈칫하게 하는: ~ fear 섬뜩하게 하는 공포. **5** 《속어》 빈털터리의. **6** 《구어》 (남의 말을) 전혀 듣지 않는. **7** (과일 따위가) 씨가 있는. ㉺ **stón·i·ly** *ad.* **stón·i·ness** *n.*

stóny bróke *a.* 《구어》 무일푼의, 빈털터리의.

stóny-fáced [-t] *a.* 성난〔무뚝뚝한〕 표정의.

stóny-héarted [-id] *a.* 무정한, 냉혹한.

stood [stud] STAND의 과거·과거분사.

stooge [stuːdʒ] *n.* **1** 《구어》 희극의 조연역(助演役); 들러리 배우《관객 속에 섞여 소리치는》; 속이기 쉬운 녀석, 얼간이. **2** 《구어》 이름뿐인 두목, 추종자; 꼭두각시, 조수; 부하; 《구어》 (경찰의) 첩자, 끄나풀. **3** 《속어》 비행 연습생. **—** *vi.* 《구어》 조연역을 하다《*for*》; 《속어》 추종자〔꼭두각시〕 노릇을 하다《*for*》; 《공군속어》 (동일 지구를) 초계 비행하다, (비행기로) 선회하다; 《영속어》 어슬렁거리다, 서성거리며 기다리다《*about; around*》.

stook [stu(ː)k] *n., vt.* 《Sc.》 =SHOCK³.

stool** [stuːl] *n.* **1 a** (등 없는) 걸상; (발 올려놓는) 발판; 무릎 기대는 궤. **b** (걸상식의) 변기(便器); 변소; (종종 *pl.*) [U,C] 변통(便通); 대변. **2 a** 창문턱; 미끼새를 매어둔 홰; =STOOL PIGEON; 《미》 사복《경관》. **b** (싹이 나는) 뿌리, 그루터기; 접본(椄本)〔원줄기〕(에서 나는 싹), 움돋이. **3** [U] 권좌, 권위, 위광. ***fall (***to the ground***) ***between two*** ~***s*** 이것저것 욕심을 부리다가 모두 실패하다. ***go to*** ~ 변소에 가다, 용변하다.

the ~ of repentance =CUTTY STOOL. **—** *vi.* **1** 뿌리에서 싹이〔움이〕 돋다. **2** 《고어》 변소에 가다, 용변하다. **3** 《미속어》 밀고자 노릇을 하다. **—** *vt.* 《미》 미끼새로 (들새 따위를) 꾀어 들이다.

stóol-bàll *n.* [U] 크리켓 비슷한 옛날 구기(球技) 《지금도 영국 일부에 남아 있어 소녀들이 즐김》.

stool·ie, -ey [stú:li] *n.* 《미속어》 =STOOL PIGEON.

stóol pìgeon 후림 비둘기; 한통속; (미끼로서) 손님을 끄는 사람; 밀고자, 끄나풀.

stoop[1] [stu:p] *vi.* **1 a** 《~/+[부]/+[전]+[명]/+*to* do》 몸을 꾸부리다〔굽히다〕, 웅크리다《*down*》; (사람이) 구부정하다, 새우등이다, 구부정히 하고 서다〔걷다〕: He *~ed down* suddenly. 그는 급히 몸을 굽혔다 / ~ *over* a desk 책상 위에 웅크리다 / ~ *to* pick up a coin 동전을 줍기 위해 몸을 굽히다 / ~ from age 나이 들어 허리가 구부정하다. **b** (나무·벼랑 등이) 기울다, 덮이다. **2** 《+[전]+[명]/+*to* do》 자기를 낮추다〔굽히다〕; …할 정도로 타락하다, 수치를 무릅쓰고 …하다《*to; to* do; *to* do*ing*》; 《드물게》 굴복하다: ~ *to* cheat*ing* 비루하게도 남을 속이다 / ~ *to* lie 수치를 무릅쓰고 거짓말하다. **3** 《~/+[전]+[명]》 (매 따위가) 덤벼들다, 위에서 덮치다《*at; on, upon*》: A big eagle *~ed at*〔*on*〕 its prey. 큰 독수리가 사냥감을 덮쳤다. **—** *vt.* **1** (머리·몸 따위를) 굽히다, 꾸부리다: ~ oneself 몸을 굽히다. **2** 타락시키다: ~ one's talents to an unworthy cause 무가치한 명분을 위해 재능을 낭비하다. **3** 《고어》 굴복시키다. ***~ to conquer*** 〔***win***〕 몸을 굽히어〔굴욕을 참고〕 목적을 달하다. ***~ to flattery*** 알랑방귀 뀌다.

— *n.* **1** 앞으로 몸을 굽힘, 새우등: walk with a ~ 몸을 꾸부정하게 하고 걷다. **2** [U] 굴복; 자기를 낮춤. **3** 《고어》 (매·수리 따위의) 습격.

[파] **∠·er** *n.* ~하는 사람; 《속어》 (버려진 적중권(的中券)을 찾는) 마권(馬券)주이. **∠·ing·ly** *ad.*

stoop[2] *n.* 《미·Can.》 현관 입구의 계단, 현관 툇마루.

stoop[2]

stoop[3] ⇨ STOUP.

stóop cròp 몸을 굽히고 가꾸거나 수확하여야 하는 농작물《야채 따위》.

stóop làbor 구부리고 하는 경작〔수확〕 노동(을 하는 사람).

†**stop** [stap/stɔp] (*p., pp.* **~ped** [-t], 《고어·시어》 **~t; ∠·ping**) *vt.* **1** 《~+[목]/+[목]+[전]+[명]》 (움직이고 있는 것을) 멈추다, 멈추게 하다, 정지시키다, 세우다: ~ a train / ~ a factory 공장의 조업을 정지시키다 / ~ a leak *in* a pipe 파이프가 새는 것을 멈추게 하다.

2 붙잡다: *Stop* thief! 도둑이야 (잡아라).

3 《~+[목]/+[목]+[전]+[명]》 (아무가 …하는 것을) 막다, 방해하다, 중단하다; 그만두게 하다; (소음·소리 따위를) 차단하다, 가로막다: A curtain does not ~ sound. 커튼으로는 방음이 안 된다 / ~ a speaker 연사의 말을 중지시키다 / *Stop* your work just a minute. 잠깐 일을 그치시오 / No one can ~ my going out. 누가 말리든 나는 나가련다 / Who can ~ her *from* behaving like that? 누가 그녀의 그런 행동을 막을 수 있으랴《아무도 못 한다》.

4 《~+[목]/+-*ing*》 (행동·진행 중인 것을) 그치다, 중지하다; 그만두다: Don't ~ your questions. 질문을 계속해라 / It has *~ped* rain*ing*. 비가 멎었다. ★ stop+gerund (~ing)는 '…하는 것을 그만두다', stop+infinitive (to ~)는 '…하기 위하여 멈추다〔그만두다〕, 멈추고〔그만두고〕 …하다': He *stopped* smoking〔to smoke〕. 그는 담배 피우기를 그만두었다〔담배 피우기 위하여 멈춰 섰다〕.

5 (통로 따위를) 막다, 방해하다: ~ a passage 통로를 막다 / ~ the way 길을 막다.

6 《~+[목]/+[목]+[부]/+[목]+[전]+[명]》 (구멍 등을) 막다, 메우다《*up*》: ~(*up*) a tooth 이의 구멍을 메우다 / ~ a wound 상처의 피를 멎게 하다 / ~ a bottle *with* a cork 병아가리를 코르크로 막다 / ~ one's ears *to*〔*against*〕 귀를 막고 …을 들으려고 하지 않다.

7 (흐르는 가스·수도 따위를) 막다, 잠그다: ~ water〔gas〕 수도〔가스〕를 잠그다.

8 《~+[목]/+[목]+[전]+[명]》 (지불·공급 따위를) 정지하다; 빼다, 공제하다《*out of*》: ~ one's check 은행에 수표의 지불을 정지시키다 / ~ payment (은행이) 지불을 정지하다 / The cost must be *~ped out of* his salary. 든 비용만큼 그의 봉급에서 공제해야 한다.

9 〚경기〛 무찌르다, 패배시키다(defeat); 〚권투〛 때려눕히다; 〚펜싱〛 공격을 받아넘기다. [cf.] parry. ¶ ~ an opposing team 상대 팀을 이기다.

10 〚음악〛 (관악기의) 구멍을 막다; (현(絃)을) 손가락으로 누르다.

11 《영》 〚수사학〛 …에 구두점을 찍다.

12 〚해사〛 (밧줄로) 동이다.

13 〚카드놀이〛 (브리지에서) 스톱을 걸다.

— *vi.* **1** 《~/+*to* do》 (움직이고 있는 것이) 멈추다, 멎다, (…하기 위해) 멈춰 서다; (비 등이) 그치다; (일·이야기 등이) 중지〔중단〕되다; (…하기 위해 일손 따위를) 쉬다《*to* do》: His heart〔The clock〕 has *~ped*. 심장이 멎었다〔시계가 섰다〕 / ~ still 딱 멈추다 / The rain has *~ped*. 비가 그쳤다 / We *~ped to* talk. 이야기하기 위해 멈춰 섰다《We *~ped* talk*ing*. 이야기를 그쳤다》 / He *~ped* for a while *to* have lunch. 그는 점심을 먹기 위해 잠시 일손을 쉬었다 / Suddenly the music *~ped*. 갑자기 음악이 중단되었다.

> [SYN.] **stop** 진행·운동·행동·일 따위를 멈추다. 가장 적용 범위가 넓은 말로서 단기 체재의 뜻도 있음: He is *stopping* at the best hotel in town. 그는 시내에서 가장 좋은 호텔에 묵고 있다. **halt** (휴식 따위를 위해) 진행을 정지하다: order the troop to *halt* 군대에 정지를 명하다. **pause** 일시적으로 정지하다. **cease** 존재나 계속을 그치다. 좀 딱딱한 말.

2 《+[전]+[명]》 들르다《*by; in*》; 《구어》 묵다, 체재(滯在)하다《*at; in*》; (교통 기관이) 서다《*at; in*》: ~ *at* home 안 나가고 집에 있다 / ~ *at* a hotel 호텔에 묵다 / ~ away 외박하다 / ~ *out of* school 학교에 가지 않다〔오지 않다〕 / Does this bus ~ *at* the city hall? 이 버스는 시청에 섭니까.

3 (관(管) 따위가) 막히다.

~ a blow with one***'s head*** 《우스개》 한 대 얻어맞다. ***~ a bullet*** 〔***one, a shell***〕 《군대속어》 총에 맞아 죽다〔부상하다〕. ***~ at*** (곤란 따위)에 주저하다. ***~ at nothing*** 어떤 일도 서슴지〔망설이지〕 않다. ***~ behind*** (모임 따위가 끝난 뒤) 남아 있다. ***~ by*** 《미》 (아무의 집에) 잠시 들르다. ***~ cold*** 〔***dead, in*** one***'s tracks***〕 갑자기〔딱〕 멈추다. ***~ down*** 〚사진〛 렌즈를 조르다. ***~ in*** 《구어》 집에 있다, 외출하지 않다(~ indoors); (벌로) 학교에 남다; =~ by. ***~ off*** 《*vi.*,+[부]》 ① 《구어》 =~ over 《*at*》; (여행 중 …에서) 도중하차하다; (학교 따위를) 결석하다. **—** 《*vt.*,+[부]》 ② (거푸집에) 모래를 채우다. ***~ on*** 《주로 영》 (한 장소에) 계속 남다《*at*》; (일을) 계속하다. ***~ out***

《*vi.*+副》 ① 《영구어》 집에 돌아가지 않다, (외출한 채로) 밖에 나가 있다. ② 스트라이크를 계속하다. ③ 《미》 (다른 일을 하기 위해) 일시 휴학하다. ── 《*vt.*+副》 ④ 〖증권〗 (증권을) 역지정가(逆指定價) 주문으로 팔다. ~ ***over*** (여행 도중에) 잠시 머무르다《*at; in*》; 도중 하차〔하선〕하다; =~ by. ~ ***round*** =~ by. ~ ***short*** =~ a person ***short*** 아무의 이야기를 가로막다. ~ ***short at*** 〔***of*** do***ing***〕 …까지에는 이르지 않다, …하기 직전에 멈추다〔단념하다〕: He *~ped short of firing* her. 그는 그녀를 파면까지는 하지 않았다. ~ one***'s jaw*** 수다를 그치다. ~ ***up*** 《*vi.*+副》 ① 《영구어》 (밤에 자지 않고) 일어나 있다. ── 《*vt.*+副》 ② (구멍·출구 따위를) 막다; (병 따위에) 마개를 하다, 틀어막다.

── *n.* **1 a** 멈춤, 중지, 휴지(休止), 끝: without a ~ 멈추지 않고, 끊임없이/There'll be no ~ to our efforts. 우리는 계속 노력할 것이다. **b** (수표 등의) 지급 정지 통고; 〖증권〗 =STOP ORDER. **2 a** 정지; 들름, 머무름; 정거, 착륙: enjoy one's ~ in Vienna 빈에서 재미있게 지내다/No ~ is permitted on the road. 노상 정차 금지. **b** 정거〔정류〕장, 착륙장: a bus ~ 버스 정류소/the last ~ 종점. **3 a** 방해(물), 장애(물); 방지, 저지. **b** 〖광학·사진〗 조리개, F넘버, 그 눈금. **c** 〖음성〗 (숨의) 폐쇄; 폐쇄음《[p, t, k, b, d, g] 따위》. **d** 〖스포츠〗 방어 플레이, 막아냄, 비킴, 격퇴; 〖펜싱〗 아레(arrêt), 쿠다레(coup d'arrêt)《상대의 공격을 봉쇄하는 치기》. **e** (~s) 〔단수취급〕 스톱이 걸릴 때까지 계속하는 카드놀이의 총칭; 스톱을 거는 카드; =STOPPER. **4** 〖건축〗 걸리개, 창문받이 턱 소란, 원산(遠山); (서랍 따위의) 가로대, 멈춤 기구; 〖해사〗 지삭(止索), 묶음 바; 《Austral.》 축구화의 징; 〖기계〗 억제〔제어〕 장치, 개폐 장치, 갈퀴. **5 a** 틀어막음, 마개; (풍금의) 음전(音栓), 스톱, (관악기의) 지공(指孔); (6현금의) 기러기발, (기타 따위의) 프렛: pull out all (the) ~*s* (⇨ 관용구). **b** 〖음악〗 손가락으로 현〔지공〕을 눌러 가락을 바꿈, 스톱으로 가락을 바꿈; 《영》 구조(句調), 어조. **6** 《영》 구두점, 《특히》 피리어드(full ~); 구점(句點)《전문(電文)에서는 구점 대신 STOP로 철자함》; (시의) 단락(pause). **7** (짐승의) 앞이마와 돌출한 코 입 부분 사이의 오목한 곳. **8** 《미속어》 장물아비. **9** 〖컴퓨터〗 멈춤.

at a ~ 정지 중. ***bring ... to a*** ~ 멈추게 하다, 멈추다, 끝내다: *bring* their quarrel *to a* ~ 그들의 말다툼을 멈추게 하다. ***come to a*** ~ 멎다, 끝나다: The train *came to a* sudden ~. 열차가 급정거했다. ***make a*** ~ 멈추다, 정지〔정차〕하다. ***pull out all*** (***the***) ***~s*** 오르간의 전체 음전(音栓)을 사용하여 연주하다; 최대한의 노력을 하다. ***put*** 〔***give***〕 ***a*** ~ ***to*** …을 중지시키다. ***with all the ~s out*** 전력을 기울여.

── *a.* 〖음성〗 폐쇄음의.

㊎ **~·less** *a.* **stóp·pa·ble** *a.*

stóp-and-gó [-ən-] *a.* 조금 가다가는 서는, (교통) 신호 규제의: ~ traffic 교통 정체.

stóp bàth 〖사진〗 현상 정지욕(停止浴)〔액〕.

stóp-bỳ *n.* 《구어》 (지나는 길에) 들름, 얼굴을 내밂.

stóp·còck *n.* (수도 따위의) 꼭지, 고동, 조절판.

stóp-cỳlinder prèss 〖인쇄〗 정지 원통 인쇄기.

stóp drìll 스톱이 붙어 있는 드릴《일정 한도 이상 들어가지 않게 된》.

stope [stoup] *n., vt., vi.* (계단식) 채광〔채굴〕장(에서 채광(採鑛)하다).

stóp èlement 〖컴퓨터〗 정지 요소《비동기(非同期)식(asynchronous) 직렬 전송에 있어서 문자의 끝에 놓이는 요소》.

stóp·er [stóupər] *n.* 착암기, 스토퍼.

stóp·gàp *n.* 구멍 메우개; 빈 곳 메우기; 임시변통의 것〔사람〕, 미봉책. ── *a.* 임시변통의, 미봉의: a ~ cabinet 잠정 내각.

stóp-gò *n., a.* 《영》 스톱고 정책(의)《경제의 긴축과 완화를 섞바꾸어 가는》; (진보·활동 따위가) 단속적임〔인〕.

stop·ing [stóupiŋ] *n.* 〖지학〗 스토핑(=**magmátic** ∠)《상승하는 마그마가 모암(母岩)을 파괴하면서 진입하는 관입(貫入) 구조》.

stóp knòb (풍금 따위의) 음전(音栓) 핸들.

stóp·lìght *n.* 정지 신호등; (자동차 후미의) 정지등(《영》 =**stóp làmp**).

stóp lìst 거래 정지 대상자 명단; 〖컴퓨터〗 정지 리스트, 배제 대상어 리스트《색인에서 자동적으로 배제될 단어의 리스트》.

stóp mòtion 〖영화·TV〗 저속도 촬영《식물의 성장 따위 촬영 기법》. ㊎ **stóp-mòtion** *a.*

stóp·òff *n.* 《구어》 =STOPOVER.

stóp òrder 〖증권〗 역지정가(逆指定價) 주문; 지불 정지 지시.

stóp·òut *n.* 《미》 (대학의) 일시 휴학생《딴 일을 하기 위해 단기간 동안 학업을 중단하는》.

stóp·òver *n.* (여행 중의) 단기 체재(지); 도중 하차〔하선〕(지); 잠깐 들르는 곳.

stop·page [stápidʒ/stɔ́p-] *n.* **1** Ⓤ,Ⓒ (활동의) 중지, 정지; 방해, 장애. **2** 중지시키는〔방해하는〕 것; 중지〔정지〕 상태. **3** 파업, 휴업. **4** 지불 정지; (임금의) 공제 지급. **5** 《해커속어》 이용 불가능한 상태.

stóppage tìme (축구나 럭비 따위에서 경기가 중단된 만큼의) 연장 시간.

stóp páyment 〖상업〗 (수표의) 지불 정지 지시.

°**stóp·per** *n.* **1** 멈추는 사람〔물건〕, 방해자〔물〕, (기계 따위의) 정지 장치; 〖카드놀이〗 스토퍼《상대의 득점을 막는 패》; 〖야구〗 (효과적인) 구원 투수; 《구어》 사람의 주의를〔관심을〕 끄는 것〔사람〕; 《권투속어》 녹아웃. **2** (병·통 따위의) 마개; (관의) 막는 꼭지, 스토퍼; 〖해사〗 지삭(止索); 바퀴굄; (파이프에 담배를 재는) 스토퍼. ***put a*** ~ 〔***the ~s***〕 ***on*** …에 마개를 하다; …을 누르다; 더 이상 일어나지 않게 하다. ── *vt.* 마개를 하다; 막다; 〖해사〗 …에 지삭을 매다. ㊎ **~·less** *a.*

stóp·ping *n.* Ⓤ **1** 중지, 정지; 구두점을 닮. **2** 틀어막음, 메움, 충전(물); 〖치과〗 봉 박는 물건; 〖음악〗 스토핑《손가락으로 현을 누름》. **3** 〖광산〗 차단벽, 판자막이《가스〔공기〕의 흐름·화염 등을 차단하는 막이》.

stópping tràin 《영》 (역마다 정차하는) 완행열차.

stóp plàte (차량의) 굴대받이.

stop·ple [stápəl/stɔ́pəl] *n., vt.* 마개(를 하다).

stóp prèss 《영》 신문 인쇄 중에 추가〔정정〕된 최신 기사(란), 마감 후의 보도 기사.

stóp-prèss *a.* 《영》 윤전기를 멈추는; 최신의.

stóp sìgn 《미》 (도로의) 일시 정지 표지.

stóp-stárt *a.* (자동차 등의 진행이) 느릿느릿한.

stóp strèet (우선 도로(through street)에 진입하기 전에) 일단정지해야 하는 도로.

stopt [stapt/stɔpt] 《고어·시어》 STOP의 과거·과거분사.

stóp vàlve (액체의) 스톱 밸브, 조절판(瓣).

stóp vòlley 〖테니스〗 상대의 공을 네트 가까이에 살짝 쳐넘겨 떨어뜨리기.

stóp·wàtch *n.* 스톱워치.

stor. storage.

stor·a·ble [stɔ́:rəbəl] *a.* 저장할 수 있는. ── *n.* (*pl.*) 저장할 수 있는 것.

***stor·age** [stɔ́:ridʒ] *n.* Ⓤ **1** 저장, 보관: in cold ~ 냉장되어. **2** 창고, 저장소: in ~ 입고중/put ... in ~ …을 창고에 보관하다. **3** 보관〔창고〕료. **4** 〖전기〗 축전(蓄電). **5** Ⓤ,Ⓒ (창고·저수지의) 수용력. **6** Ⓤ,Ⓒ 〖컴퓨터〗 기억 (장치)《기억

된 정보량》.
stórage bàttery 축전지.
stórage capàcity 〖컴퓨터〗 기억 용량.
stórage cèll 〖전기〗 축전지; 〖컴퓨터〗 기억 셀.
stórage devìce 《영》 〖컴퓨터〗 기억 장치(memory).
stórage hèater 축열(蓄熱) 히터.
stórage rìng 〖물리〗 스토리지 링《고에너지의 하전 입자를 장시간 저장하는 초고진공(超高眞空) 용기가 있는 싱크로트론》.
stórage tànk (물 · 석유 · 가스 등의) 저장 탱크.
sto·rax [stɔ́:ræks] *n.* Ⓤ 소합향(蘇合香); 〖식물〗 때죽나무.
storch [stɔ:rtʃ] *n.* 《미속어》 보통 사람〔남자〕 「(Joe Storch); 봉(mark).
†**store** [stɔ:r] *n.* **1** (종종 *pl.*) **a** 저축, 저장, 비축: have (a) good ~ 〔have ~s〕 of wine 포도주를 많이 저장하고 있다. **b** (지식 등의) 축적; 온축(蘊蓄); 풍부, 다량《*of*》: have a great ~ *of* knowledge 학식이 풍부하다/lay in ~*s of* fuel for the winter 겨울에 대비하여 연료를 사들이다. **2 a** 《미》 가게, 상점(《영》 shop); (흔히 ~s) 〔단 · 복수취급〕 《영》 백화점(department ~); 《미속어》 (축제 따위의) 간이매점; 《미속어》 사무실, 작업장: a general ~ 잡화점. **b** 〔형용사적〕 《미》 기성품의, 대량 생산품의; 인조(人造)의: ~ clothes 기성복/a ~ tooth 의치. **3 a** 《주로 영》 창고, 저장소. **b** (*pl.*) 비품, 스페어 부품; 필수품: ⇨SHIP'S STORES. **4** 〖컴퓨터〗 기억《데이터를 기억 장치에 저장하는 것》. **5** (흔히 *pl.*) 《영》 살찌우기 위하여 사들인 마른 소; 젖뗄 때가 안 된 40kg 이하의 돼지. **6** 〖항공〗 스토어《payload의 일부로서 특히 기체(機體) 밖에 탑재되는 것의 총칭》. ***a great ~ of*** 많은. ***in ~*** 저축〔준비〕하여: She keeps plenty of food *in* ~. 그녀는 많은 식량을 비축해 두고 있다/You can never tell what the future has *in* ~. 장래 어떻게 될지 알 도리가 없다. ***in ~ for*** …을 위해 준비되어 있는; (운명이) …에게 닥쳐오고 있는: I have a surprise *in* ~ *for* you. 너를 놀라게 할 일이 있다. ***lay up in ~*** (장래 쓰기 위해) 소중히 간직해 두다. ***mind the ~*** 《미》 일에 전념하다. ***out of ~*** 준비되어 있지 않은; 여축이 없는. ***set*** 〔***put, lay***〕 ***~ by*** 〔***on***〕 … 을 중히 여기다: *lay* great 〔little〕 ~ *on* …을 중요시하다〔얕보다〕/*set* no (great) ~ *by* …을 중시하지 않다.
— *vt.* **1** 《~+목/+목+부/+목+전+명》 저축〔저장, 비축〕하다《*up; away*》: ~ *up* fuel *for* the winter 겨울에 대비하여 연료를 비축하다. SYN. ⇨SAVE. **2** 《+목+전+명》 …에 공급하다《*with*》: ~ the mind *with* knowledge 머릿속에 지식을 축적하다/~ a ship *with* provisions 배에 식량을 싣다. **3** 창고에 보관하다. **4** 들여놓을 여지를 갖다. **5** 〖전기〗 축전(蓄電)하다. **6** 〖컴퓨터〗 (데이터를 기억 장치에) 기억시키다.
stóre and fórward swítching 〖컴퓨터〗 저장 전달 교환.
stóre-and-fórward sỳstem [-ən-] 〖통신〗 수신한 메시지를 일시 축적했다가 필요에 따라 송출하는 방식.
stóre-bóught *a.* 가게에서 산〔살 수 있는〕 (boughten), 기성의. cf. homemade.
stóre brànd 판매점의 라벨을 붙여 파는 상품.
stóre càrd 회사명을 넣은 상품권. 「시원.
stóre detèctive (대형 상점의) 매장(賣場) 감
stóre·frònt *n.* (길거리에 면한) 점포〔빌딩〕의 정면(이 있는 방〔건물〕).
°**stóre·hòuse** *n.* 창고; (지식 따위의) 보고.
*****store·keep·er** [stɔ́:rkì:pər] *n.* **1** 《미》 가게 주인(《영》 shopkeeper); 창고 관리인; 〖미해군〗 (군함 · 기지의) 보급계원. **2** 《미속어》 팔다 남은 것, 잔고품.
stóre·man [-mən] *n.* (*pl.* **-men** [-mən]) **1** (특히 백화점) 주인; 지배인. **2** (상점의) 창고계.
stóre of válue 〖경제〗 (화폐의) 가치 보장(기능).
°**stóre·ròom** *n.* 저장실, 광.
stóre·shìp *n.* 군수 물자 수송선.
stóre·wìde *a.* 전 점포의《대매출 따위》.
storey ⇨STORY².
sto·ried¹ [stɔ́:rid] *a.* 이야기〔역사, 전설 등〕에서 유명한; 역사화(畫)로 장식한.
sto·ried², 《영》 **sto·reyed** [stɔ́:rid] *a.* …층으로 지은: a five-~ pagoda, 5층탑.
sto·ri·ette, -ry- [stɔ̀:riét] *n.* 짧은 이야기〔소설〕, 콩트, 장편(掌篇) 소설. 「〔전설〕 연구.
sto·ri·ol·o·gy [stɔ̀:riɑ́lədʒi/-ɔ́l-] *n.* Ⓤ 민화
°**stork** [stɔ:rk] *n.* 황새《갓난 아기는 이 새가 갖다 주는 것이라고 하는 속신(俗信)》: The ~ came (to our house) last night. 지난밤 아기가 탄생했다/⇨KING STORK. ***a visit from the ~*** 아기의 출생. 「양귀손이.
stórks·bìll *n.* 〖식물〗 양아욱;

stork

*****storm** [stɔ:rm] *n.* **1** 폭풍(우), 모진 비바람: A ~ caught us. 폭풍우를 만났다/After a ~ (comes) a calm. 《속담》 고진감래(苦盡甘來).

> SYN. **storm** 기상학상 초속 28.5–32.6m의 비바람. 눈 · 우박 · 천둥 따위를 수반할 때가 많으며 rain*storm*, snow*storm*, hail*storm*, thunder*storm* 따위의 복합어가 있음. 또 폭풍우를 나타내는 가장 일반적인 말로, 많은 비유적 말뜻이 있음: take by *storm* 급습하다. **tempest** storm의 좀 예스러운 표현. 주로 '동란' 따위의 비유적 용법에 쓰임. **gale** 강풍. storm과 breeze의 중간 정도로서 겨울이나 환절기에 많음. **typhoon** 태풍. 태평양 · 남중국해에서 발생하는 것. **hurricane** 서인도 제도 · 멕시코 만에서 발생하는 것. **cyclone** 위의 양자를 포함하는 열대성 저기압의 총칭. 북반구에서는 좌선회, 남반구에서는 우선회함.

2 큰비, 세찬 비〔눈〕: a ~ of snow 폭설. **3** 〖기상〗 폭풍, 노대바람. **4** (탄알 등의) 빗발; (우레 같은) 박수, 빗발치는 비난. **5** 격정. **6** Ⓤ,Ⓒ 〖군사〗 습격, 급습: a ~ patrol 돌격대. **7** 소동, 파란, 동란: a political ~ 정치적 격동. ***a ~ in a teacup*** 〔***teapot, puddle***〕 내분(內紛), 집안싸움, 헛소동. ***attack ... by ~*** …을 강습하다. ***blow up a ~*** 《재즈속어》 멋진 연주를 하다; 《미속어》 미쳐 날뛰다; 《미속어》 큰 소동을 벌이다. ***bow to the ~*** 격렬한 여론에 굴복하다. ***in a ~*** 《미속어》 흥분〔혼란〕하여. ***take ... by ~*** ① 〖군사〗 강습하여 …을 빼앗다. ② 《비유》 갑자기 황홀케 하다. ***up a ~*** 《구어》 극도로, 잔뜩. ***weather the ~*** 위기를 빠져나가다.
— *vi.* **1** 〔it을 주어로〕 (날씨가) 사나워지다; (바람이) 심하게 불다: *It* ~*ed* last night. 어젯밤 폭풍우가 몰아쳤다. **2** 《+전+명》 호통치다, 홀닦다: ~ *at* a person 아무에게 호통치다. **3** 《+부/+전+명》 돌격하다; 돌진하다; 사납게 날뛰다: ~ *out* 뛰쳐나가다/~ *against* a fort 요새로 돌격하다/~ *out of* 〔*into*〕 an office 화나서 사무실을 뛰쳐나가다〔로 뛰쳐들어오다〕. — *vt.* **1** 《~+목/+목+전+명》 강습하다, 습격하다: ~ a person *with* questions 아무에게 질문 공세를 하다. **2** …에 쇄도하다; (요구 따위를) 마구 외치다. **~ one's way into ...** (군중 따위가)

…에 쇄도하다, 밀어닥치다.
stórm and stréss (the ~) 동요, 동란; (종종 the S– and S–) =STURM UND DRANG.
stórm-bèaten *a.* 폭풍우에 휩쓸린.
stórm-bèlt *n.* 폭풍우대(帶).
stórm bòat (상륙 작전용) 돌격정(艇).
stórm·bòund *a.* (배 따위가) 폭풍우에 발이 묶인.
stórm cènter 폭풍우의 중심; 《비유》 난동의 중심인물〔문제〕.
stórm clòud 폭풍우를 실은 구름; (*pl.*) 동란의 전조.
stórm·còck *n.* 〖조류〗 지빠귀의 일종.
stórm cóllar 스톰 칼라《웃옷의 높은 깃》.
stórm dòor (출입문 밖에 덧대는) 유리 끼운 덧문, 방풍(防風) 문.
stórm dràin 빗물 배수관, 우수관(storm sewer).
stórm drùm 폭풍우 경보의 원통 표지.
stórm·er *n.* 난폭하게 구는 사람; 습격〔돌격〕자.
stórm flàp (텐트나 코트의) 비 가리개.
stórming pàrty 〖군사〗 습격대, 공격 부대.
stórm pètrel 〖조류〗 바다제비《폭풍우를 예보한다고 함》.
stórm·pròof *a.* 폭풍우에 견디는.
stórm sàsh =STORM WINDOW.
stórm sèwer (호우 · 홍수용의) 배수구(溝).
stórm sìgnal 폭풍 신호; 곤란이 닥쳐올 징조.
stórm sùrge 〖기상〗 폭풍 해일, 고조(高潮).
stórm-tòssed [-t] *a.* 폭풍우에 흔들리는〔휘둘리는〕; 마음이 동요하는.
stórm tròoper (나치스) 돌격대원.
stórm tròops (특히 나치스의) 돌격대.
stórm wàrning 폭풍우 경보; 곤란이 닥쳐올 조짐.
stórm wàtch 〖기상〗 (기상청에서 발령하는) 폭풍우 경보.
stórm wìnd 폭풍(우), 광풍.
stórm wìndow (눈 · 찬바람을 막기 위한) 빈지문, 덧문.
⁑**stormy** [stɔ́ːrmi] (*storm·i·er*; *-i·est*) *a.* **1** 폭풍우의, 폭풍의; 날씨가 험악한: ~ weather 험악한 날씨. **2** 격렬한《정열 따위》; 소란스러운, 동요하는: a man of ~ passion 격정적인 사람 / a ~ life 파란만장한 생애. **3** 난폭한; 논쟁하기 좋아하는. ㊞ **stórm·i·ly** *ad.* **-i·ness** *n.*
stórmy pétrel =STORM PETREL; 만나면 재수 없는 사람; 분쟁을 좋아하는 사람.
Stor·t(h)ing [stɔ́ːrtiŋ] *n.* 《Norw.》 노르웨이의 국회.
†**sto·ry**¹ [stɔ́ːri] (*pl.* **sto·ries**) *n.* **1** 이야기, 설화; 실화; 동화; (단편) 소설; (신문의) 기사(news ~): the ~ of the French Revolution 프랑스 혁명 이야기 / a true ~ 실화 / a detective ~ 탐정 소설.

> SYN. **story** 픽션, 실화 어느 것이든 좋으나 말하는 이의 말하는 식, 주관에 중점이 있음: according to my friend's *story* 친구 말에 의하면. **tale** 은 story 에 비해 약간 픽션 · 각색의 뜻을 포함함. 신문 기사는 newspaper story 이고 tale이라곤 안 함. **narrative** 좀 형식적인 말로 허구의 기미가 많음. **account** 설명을 위한 사실의 자세한 묘사: an *account* of the trip 여행담(談).

2 ⓊⒸ 줄거리, 구상: read a novel for its ~ 소설의 줄거리만 따서 읽다. **3** (하나의) 역사, 연혁《*of*》; 전기, 신상 이야기; 내력, 일화; 《고어》 역사(history): a woman with a ~ 과거가 있는 여자. **4** 소문: The ~ goes that …. …하다는 소문이다. **5** 《소아어 · 구어》 거짓말, 꾸며댄 이야기; 거짓말쟁이: a tall ~ 허풍. **6** 〖신문 · 방송〗 기사, 뉴스. ***another*** ~ ① 다른 이야기, 무관계한 것. ② 다른 것, 별다른〔딴〕 일. ***as the ~ goes*** 소문에 의하면. ***be a different*** ~ 이야기가〔사정이〕 다르다. ***be all in one*** ~ =***be in the same*** ~ 모두가 하는 말이 같다〔일치하다〕. ***but that is another*** ~ 각설(却說)하고, 이젠 본론으로 돌아가서《담화 때의 상투적 문구》. ***in one*** ~ 모든 사람의 이야기가 일치하여. ***It is quite another ~ now.*** 《비유》 지금은 사정이 전혀 달라졌다. ***Oh, you ~!*** 《소아어》 에이 거짓말. ***tell one's*** 〔***its***〕 ***own*** ~ 신상 이야기를 하다; 사정을 명백히 하다. ***tell stories*** 《구어》 거짓말을 하다. ***the whole*** ~ 일의 자초지종. ***to make a long ~ short*** =***to make short of a long*** ~ 한마디로 말하면; 요컨대. ***You ~!*** 《구어》 이 거짓말쟁이야. ── *vt.* **1** 이야기〔사실(史實), 전설〕로 꾸미다. **2** 《고어》 이야기하다. ── *vi.* 이야기를 하다; 거짓말을 하다.
⁑**sto·ry**², 《영》 **sto·rey** [stɔ́ːri] (*pl.* **sto·ries,** 《영》 ***-reys***) *n.* **1** 층, 계층: the second ~ 2층 《《영》에서는 the first stor(e)y라고 함》 / a house of one ~ 단층집 / a building of three *stories* 〔*storeys*〕 3층 건물 / eight *stories* 〔*storeys*〕 high 8층 높이. ★ floor 와는 다르게, 1층과 2층, 2층과 3층 따위의 사이의 공간을 말함. 따라서 *on the* first floor, *in* the second stor(e)y와 같이 전치사가 다름. **2** 〖집합적〗 같은 층의 방. ***the upper*** ~ ① 위층. ② 《속어》 머리, 두뇌: He is wrong in *the upper* ~. 《우스개》 그는 머리가 좀 돌았다.
stóry àrt 스토리 아트《언어적 요소와 시각적 요소를 이용하는 예술 형태》.
stóry·bòard *n.* 스토리보드《(텔레비전) 영화의 주요 장면을 간단히 그린 일련의 그림을 나란히 붙인 화판(畫板)》.
stóry·bòok *n.* (특히 어린이를 위한) 이야기〔동화〕책. ── *a.* 동화의, 동화 같은.
stóry èditor (영화 · TV 대본의 내용 · 형식에 관해) 조언하는 편집자.
stóry lìne 〖문예〗 줄거리(plot).
stóry stóck 〖증권〗 (호재료) 화제주, 매력적인 소문으로 사게 되는 주.
***sto·ry·tell·er** [stɔ́ːritèlər] *n.* 이야기 (잘) 하는〔쓰는〕 사람, (단편) 작가; 《구어》 거짓말쟁이.
stóry·tèlling *a.*, *n.* 이야기를 하는〔하기〕; 《구어》 거짓말을 하는〔하기〕.
stóry·writer *n.* (단편) 소설가.
sto·tin [stɔ(ː)tíːn] *n.* 스토틴《슬로베니아의 화폐 단위; =1/100 tolar》.
sto·tin·ka [stɔːtíŋkaː, -kə] (*pl.* ***-ki*** [-ki]) *n.* 스토팅카《불가리아의 화폐 단위; =1/100 lev》.
stoup, stoop [stuːp] *n.* 음료 용기(drinking vessel); 잔, 큰 컵, 술잔; 잔에 하나 가득한 분량; 〖교회〗 성수반(聖水盤); 《Sc.》 물통, 버킷.
stoush [stauʃ] 《Austral. 구어》 *n.* 치고받기, 싸움; 포격. ***the big*** ~ 제1차 세계 대전. ── *vt.* …와 치고받고 싸우다; (일)과 씨름하다.
stout** [staut] *a.* **1** 단단한, 억센; 튼튼한, 견고한. **2** 굳센, 단호한; 용감한; 완강한; 세찬. **3** 살찐, 뚱뚱한; 실속 있는《음식 등》. **4** (술 따위가) 독한. ⓒⓕ strong, sturdy¹, tough. ***a ~ heart 용기. ~ ***fellow*** 《고어 · 구어》 용감한 투사《따위》; 《영구어》 훌륭한 사람, 명사. ── *n.* **1** Ⓤ 스타우트, 흑맥주. ⓒⓕ ale, beer, lager, porter². **2** 뚱뚱보. **3** 비만형의 옷〔치수〕. ㊞ **∠·ish** *a.* 뚱뚱한 편인. **∠·ly** *ad.* **∠·ness** *n.*
stout·en [stáutn] *vt.*, *vi.* 확실히〔하게〕 하다; 튼실케 하다〔튼실해지다〕.
stóut-héarted [-id] *a.* 용감한, 어기찬, 대담한; 완고한, 고집센. ㊞ **~·ly** *ad.* **~·ness** *n.*
⁑**stove**¹ [stouv] *n.* **1** 스토브, 난로. **2** 풍로(cooking ~). **3** 건조실; 《영》 〖원예〗 온실(溫室). ── *vt.* 난로로 뜨뜻이 하다〔말리다〕; 《영》 (식물을) 온실에서 (촉성) 재배하다.
stove² STAVE의 과거 · 과거분사.

stóve còal 스토브용 (무연)탄《직경 1 5/8-2 7/16 인치 크기》.

stóve enàmel 내화(耐火) 에나멜.

stóve léague 《미속어》 스토브리그, 시즌오프 동안 전(前) 시즌의 회고담에 잠기는 야구 팬들.

stóve·pipe *n.* 난로 연통〔굴뚝〕; 《구어》 (우뚝한) 실크해트(=∠ **hát**); (*pl.*) 《구어》 스토브파이프《홀태바지》; 《미속어》 박격포; 《미속어》 제트전투기.

stóve plànt 온실 식물.

sto·ver [stóuvər] *n.* Ⓤ 여물, 짚; 《미》 옥수수 줄기와 잎《가축 사료》.

STOVL 〖군사〗 short take-off and vertical landing(단거리 이륙 수직 착륙).

°**stow** [stou] *vt.* 《~+목/+목+부/+목+전+명》 집어넣다《*away; in*》; 가득 채워 넣다《*with*》; 싣다, (방 따위에) …을 넣다〔수용하다〕; (음식 따위를) 먹어 치우다, 배를 채우다《*away*》; 《속어》〖보통 명령형〗 (법석·농담 따위를) 그치다: ~ a car 차에 가득 싣다 / ~ cargo *in* a ship's hold =~ a ship's hold *with* cargo 선창(船倉)에 화물을 싣다. ── *vi.* 《~/+부》 (배·비행기 따위로) 밀항하다; 몰래 공짜로 타다《*away*》. ~ ***down*** 실어 넣다. ***Stow it!*** 《속어》 입 닥쳐, 그만둬.

㊕ **~·age** [stóuidʒ] *n.* **1** 실어〔쌓아〕 넣기, 짐싣기; Ⓤ 짐 싣는 법. **2** Ⓒ 쌓아 넣는 장소〔공간〕; Ⓤ 적하물(積荷物). **3** Ⓤ 적하료. **4** Ⓤ 식욕, 먹새. **5** 수용 능력.

stów·awày *n.* 밀항자; 은신처; 무임 승객.

Stowe [stou] *n.* **Harriet** (**Elizabeth**) **Beecher** ~ 스토《미국의 여류 작가; 1811-96; *Uncle Tom's Cabin*(1852)》.

STP standard temperature and pressure; Scientifically Treated Petroleum 《휘발유 첨가제; 상표명》; Serenity, Tranquillity, and Peace 《환각제의 일종》. **stp.** stamped. **STR, S.T.R.** submarine thermal reactor. **str.** steamer; strait; 〖음악〗 string(s); stroke oar.

stra·bis·mal, -bis·mic [strəbízməl], [-mik] *a.* 사팔눈〔사시〕의.

stra·bis·mus [strəbízməs] *n.* Ⓤ 〖의학〗 사팔눈, 사시(斜視): cross-eyed ~ 내(內)사시, 모들뜨기 / wall-eyed ~ 외(外)사시.

stra·bot·o·my [strəbátəmi/-bɔ́t-] *n.* Ⓤ 〖의학〗 사팔눈 수술.

STRAC 《미》 Strategic Army Corps (육군 전략 기동 군단).

Strad [stræd] *n.* 《구어》 =STRADIVARIUS.

strad·dle [strǽdl] *vi.* **1** 가랑이를 벌리다, 다리를 벌리고 서다〔앉다, 걷다〕; 불규칙하게 퍼지다(sprawl). **2** 기회를 엿보다, 찬부를 분명히 하지 않다《*on*》; 〖증권〗 양쪽알〔양건(兩建)〕 거래를 하다. ── *vt.* **1** 가랑이를 벌리고 서다〔걷다, 앉다〕; (다리를) 벌리다: ~ a horse 말에 올라타다. **2** 《미》 (쟁의 따위에서) 거취를 분명히 하지 않다, 애매한 입장을 취하다; 〖포커〗 곱걸다. **3** 〖군사〗 폭격하다; 협차(夾叉)하다《사정 측정을 위해서 목표의 앞뒤에 시사(試射)함》. ~ ***the fence*** ⇨ FENCE. ── *n.* Ⓤ **1** 걸터앉기〔앉음〕; 두 다리를 벌린 거리. **2** 기회주의, 거취 불명의 태도. **3** 〖증권〗 양쪽알〔양건, 복합〕 거래. ㊕ **-dler** *n.*

Strad·i·var·i·us [strædəvέəriəs] *n.* 이탈리아의 Stradivari(1644?-1737) 또는 그 일가(一家)가 만든 현악기《주로 violin》.

strafe [streif, strɑːf] *vt.* 맹포격〔폭격〕하다; 기총 소사하다; 손해를 주다; 《속어》 몹시 꾸짖다〔벌주다〕. ── *n.* Ⓤ,Ⓒ 맹포격〔폭격〕, 기총 소사; 손해; 《속어》 처벌. ㊕ **stráf·er** *n.*

strag·gle [strǽgəl] *vi.* **1** 《~/+부/+전+명》 (뿔뿔이) 흩어지다; 무질서하게 가다〔오다〕; 일행에서 뒤떨어지다, 낙오〔탈락〕하다: They ~*d off.* 그들은 뿔뿔이 흩어져 갔다 / The girls ~*d along* the country road. 소녀들은 시골길을 뿔뿔이 걸어갔다. **2** 《+전+명》 산재〔점재〕하다: Houses ~ *at* the foot of the mountain. 인가가 산기슭에 산재해 있다. **3** 《+전+명》 무질서하게 퍼지다; (복장 등이) 단정치 못하다, (머리카락이) 헝클어지다《*over*》: ivies *straggling over* the fences 담장 위에 무질서하게 뻗어 있는 담쟁이덩굴.

strág·gler *n.* **1** 배회자; 부랑자. **2** 낙오자〔병〕; 귀함(歸艦) 지각자. **3** 우거져 퍼지는 초목〔나뭇가지〕. **4** 길 잃은 철새.

strág·gling *a.* 대열을 떠난, 낙오한; 뿔뿔이 흩어져 나아가는; 볼품없이 퍼진, 우거져 퍼진《나뭇가지 따위》; (머리 따위가) 헝클어진; (수염이) 멋대로 난; 산재한《집 따위》, 드문드문한. ㊕ **~·ly** *ad.*

strag·gly [strǽgli] (*-gli·er; -gli·est*) *a.* =STRAGGLING.

⁑**straight** [streit] (∠·*er*; ∠·*est*) *a.* **1 a** 곧은, 일직선의; 수직의, 곧추선, 직립의; 수평의, 평탄한; (아치의) 위가 평평한; (다른 것과) 일직선을 이루는, 평행하는; (스커트가) 플레어가 아닌, 스트레이트인; (모발 등이) 곱슬하지 않은; 〖권투〗 스트레이트의: a ~ line 직선 / a ~ table 수평면의 테이블 / hang a picture ~ 그림을 똑바로 걸다. **b** 연속한, 끊이지 않는《열(列) 따위》; 〖기계〗 (내연 기관이) 실린더가 한 줄로 줄지은, 직렬형의; 〖포커〗 스트레이트의: a ~ set (테니스에서) 연승한 세트 / a ~ eight 직렬 8기통 자동차. **2** 정돈〔정리〕된, 가지런한; (빚 따위의) 청산을〔결제를〕 끝낸; 《구어》 대차(貸借)가 없는: put a room ~ 방을 정돈하다 / The accounts are ~. 계산은 결제〔청산〕되어 있다. **3 a** (목적을 향해) 외곬으로 나가는; 직접의, 솔직한《말 따위》, 태도가 분명한; 《미》 순수한, 철저한: ~ speech 직언 / a ~ talk 솔직한 이야기 / a ~ Democrat 순수〔철저〕한 민주당원. **b** 〖연극〗 (극·연기가) 솔직한, 진지한; (희극이 아닌) 정극(正劇)의; (음악 따위가) 원곡 그대로의, 즉흥 따위가 가미 안 된. **c** 《속어》 동성애〔호모〕가 아닌(cf. bent¹), 정상인; 융통성 없이 고지식한, 보수〔인습〕적인; 마약〔술〕을 하지 않은; 범죄에 관련되어 있지 않은, 법을 어기지 않은. **d** 《속어》 마약을 쓰지 않는: get ~ 마약을 쓰지 않고 정상 상태로 돌아오다. **4 a** 정직한, 공명정대한; 정숙한; (논리 등이) 조리가 선, 정확한; 《구어》 (정보 따위가) 확실한, 신뢰할 수 있는: a ~ report 신뢰할 수 있는 보고 / ~ dealings 공정한 거래 / Are you being ~ with me? 거짓말하는게 아니지 / a ~ tip (경마·투기 따위의) 확실한 소식통으로부터의 정보〔예상〕. **b** 변경을 가하지 않은, 개변하지 않은; 《미》 순수한, 물타지 않은: a ~ comedy 순(純)희극 / drink whiskey ~ 물타지 않은 위스키를 마시다. **c** 〖저널리즘〗 객관적인, 사견·논평을 포함하지 않은《뉴스 따위》. **d** (매매의 수량에 관계없이) 균일한 값의, 에누리 없는; (급료의 지급 형태가) 단일한. **5** 《비어》 〖감탄사적〗 맞다, 그렇고말고. ***get*** **...** ~ …을 제대로의 형태가 되게 하다, 정리하다; …을 확실히 머리에 집어넣다〔재확인하다〕. ***in the ~ lane*** 《속어》 (범죄·마약·동성애 따위와 관계하지 않고) 성실한, 건전한. ***keep one's face*** ~ 진지한 표정을 하다; 웃음을 참다. ***keep*** ~ 착실히 하다, 정직하게 하다; (여자가) 정조를 지키다. ***make*** ~ 똑바로 하다, 정돈하다. ***out of*** ~ 못된, 일그러진. ~ ***up*** (위스키가) 스트레이트로. ***vote a ~ ticket*** 〖미정치〗 자기 당 공천 후보에게 투표하다.

── *ad.* **1** 곧장, 똑바로, 일직선으로: walk ~ (on) 곧장 걷다 / shoot 〔hit〕 ~ 명중시키다. **2** 곧추서서, 바른 위치에: stand up ~ 꼿꼿이 서다. **3** 직접(으로), 곧바로: Come ~ home after school. 학교가 끝나면 곧바로 돌아와라. **4** 솔직하게, 정직하게: talk ~ 솔직히 이야기하다/live ~ 바르게 살다. **5** 객관적으로, 꾸밈없이: write a story ~ (신문) 기사를 객관적으로 쓰다. **6** 계속해서, 중단 없이: keep ~ on 중단 없이 계속하다. **7** (수량에 관계없이) 할인하지 않고: cigars ten cents ~ 몇 개를 사도 하나 값이 10 센트인 시가. ***put ... ~ to*** a person =tell a person ~. ***ride ~*** 장애물을 넘어서 말을 달리다. ***run ~*** 곧장 달리다; 틀린 짓〔잘못〕을 안 하다. ***set*** 〔***put***〕 a person 〔the facts, the record〕 ~ 아무에게 사태의 실상을 (숨김없이) 전하다. ***~ as they come*** 〔***make them***〕 《영속어》 아주 정직한. ***~ away*** 즉시. ***~ from the horse's mouth*** 《속어》 믿을 수 있는 소스나 사람에게서; 근원에서 직접. ***~ from the shoulder*** ⇨SHOULDER. ***~ off*** 《구어》 곧, 즉시. ***~ out*** 솔직히; 철저하게; 〖감탄사적〗 그렇고말고, 참으로. ***~ up*** 《영구어》 정말로, 솔직히 말해서; 《미구어》 (칵테일·술에) 물타지 않고: *Straight up?* 《구어》 정말이냐. ***tell*** a person ~ 《구어》 아무에게 거침없이 말하다.

— *n.* **1** [U] 곧음, 일직선. **2** (the ~) 직선 코스. **3** 〖카드놀이〗 (포커의) 스트레이트. **4** (the ~) 《미속어》 거짓이 없는 성명, 진상; 《속어》 정상인 사람, 호모〔마약 중독이〕 아닌 사람. ***on the ~*** 똑바로; 《구어》 정직하게. ***out of*** (***the***) ***~*** 굽어 있는; 부정(不正)으로. ***the ~ and narrow*** 《구어》 도덕적으로 바른 생활, 진실된 생활 방식.

[파] **∠·ly** *ad.* **∠·ness** *n.*

stráight Á 전과목 수(秀)의: a ~ student.

stráight-ahéad *a.* 꾸밈이 없는 (연주의); 속임이 없는, 정통의, 곧은, 외곬인.

stráight àngle 평각《180°》.

stráight-àrm *vt.*, *n.* 〖미식축구〗 팔을 곧장 내뻗어 태클을 막다〔막기〕.

stráight árrow 《미속어》 곧은〔정직한〕 사람.

stráight-árrow *a.* 고지식한.

stráight·awày 《미》 *a.*, *ad.* 곧장 나아가는〔나아가서〕; 똑바른, 똑바르게; 솔직한, 솔직히; 즉시의, 즉시로. — *n.* 직선 코스; 직선 도로.

stráight bállot 《미》 동시에 시행되는 각종 선거에서 같은 정당 후보에게 투표함.

stráight bìll of láding 기명식 선하 증권.

stráight·brèd *a.* 순종의.

stráight-cháin *n.* 〖화학〗 (탄소류의) 곧은사슬.

stráight cháir 등받이가 높고 수직이며 딱딱한 의자.

stráight-cút *a.* (담배가) 잎을 세로로 썬.

stráight dráma =LEGITIMATE DRAMA.

stráight·èdge *n.* 직선(直線)자.

stráight-éight *n.* 직렬 8기통 엔진(차).

straight·en** [stréitn] *vt.* 《~+[목]/+[목]+[부]》 **1** 똑바르게 하다, (주름 따위를) 펴다《*out*》: ~ one's tie 넥타이를 똑바르게 하다/~ oneself *out* 몸을 똑바로 펴다. **2** 정리〔정돈〕하다; 해결하다《*out*》: ~ *out* difficulties 어려운 일을 해결하다. **3** (고민 따위를) 해결하다; 회복시키다《*out*》. **4** (행실을) 바로잡다《*out*》. — *vi.* 《(+[부])》 **1** 똑바르게 되다《*out; up*》. **2** 정돈되다, 해결되다《*out*》. ~ one's ***face 정색을 하다. [파] **~·er** *n.*

stráight éye 굽은 것을 찾아내는 능력.

stráight-fáced [-t] *a.* 무표정한 얼굴을 한.

stráight fíght 전력을 다하는 싸움; 《영》 (선거에서 두 후보의) 맞대결.

stráight flúsh 〖포커〗 스트레이트 플러시《같은 짝패의 다섯장 연속》.

***straight·for·ward** [strèitfɔ́ːrwərd] *a.* 똑바른; 정직한; 솔직한; (일이) 간단한. — *ad.* =STRAIGHTFORWARDS. [파] **~·ly** *ad.* **~·ness** *n.*

stràight·fórwards *ad.* 똑바로; 솔직하게.

stráight-from-the-shóulder *a.* 솔직한, 단도직입적인.

stráight góods 《속어》 에누리 없는 진실.

stráight-gráined *a.* 세로로 나뭇결이 있는.

stráight·jácket *n.* =STRAITJACKET.

stráight-jèt *a.* (프로펠러 없이) 순 제트 분사식의.

stráight jòint 〖건축〗 일자(一字) 줄눈; (목재끼리의) 통이음.

stráight-láced [-t] *a.* =STRAIT-LACED.

stráight-lég *a.* 히프 아래에서 바짓단까지 같은 폭(幅)의《진 바지》.

stráight lífe insùrance 종신 생명 보험(ordinary life insurance).

stráight-líne *a.* **1** 〖기계〗 직선의, 직선으로 벌여 놓은; 직선 운동을 하는: ~ motion 직선 운동(기구). **2** 〖회계〗 (매기(每期) 동일액을 상각하는) 정액〔직선〕 방식의: ~ depreciation (감가상각의) 정액법.

stráight màn 희극 배우의 조연역(役).

stráight màtter 〖인쇄〗 보통 조판; (광고를 제외한) 본문 원고.

stráight-óut *a.* 솔직한, 노골적인; 《미구어》 철저한; 공명한.

stráight pláy (음악 등이 없는) 보통의 대화극「(對話劇).

stráight quótes 〖컴퓨터〗 직선 인용 부호.

stráight rázor 면도칼《칼집에 날을 접어 넣을 수 있는》.

stráight-rún gásoline 직류(直溜) 가솔린.

stráight shóoter 정직한〔공정한〕 사람.

stráight-síx *n.* 직렬 6기통 엔진(차).

stráight tícket 〖미정치〗 전표(全票) 획득 투표용지《전부 같은 정당의 후보자에게 투표한 연기(連記) 투표》. [cf] split ticket.

stráight tìme (주간(週間)) 규정 노동 시간(에 대한 임금). [cf] overtime.

stráight-to-vídeo *a.* (상영하지 않고) 바로 비디오〔DVD〕용으로 판매하는.

stráight·ùp *a.* **1** 《구어》 정직한, 성실한. **2** 《미》 (칵테일이) 얼음을 넣지 않고 나오는.

°**stráight·wày** *ad.* 《영에서는 고어》 곧(at once); 일직선으로, 직접. — *a.* 일직선의.

stráight wín 〖경기〗 연승.

***strain**[1] [strein] *vt.* **1** **a** 잡아당기다, 꽉 죄다. **b** 긴장시키다, (귀를) 쫑그리다, (목소리를) 짜내다. **2** **a** 너무 긴장시키다, 무리하게 사용하다, 혹사하다: He ~*ed* his heart. 그는 무리를 해서 심장을 상했다. **b** (근육 따위가) 접질리게 하다, 뒤틀리게 하다, (발목 따위를) 삐다; 〖기계〗 뒤틀게 하다. **3** **a** (법 등을) 억지 해석하다, 곡해하다; (권력 따위를) 남용하다: ~ a person's good temper 사람이 좋은 것을 기화로 삼다. **b** …에게 무리한 요구를 하다: ~ one's luck 행운을 너무 기대하다. **c** 《폐어》 강요하다(constrain): The quality of mercy is not ~'*d.* 자비는 강요할 것이 아니다《Shak. *Merch V* 4.1.184》. **4** 《~+[목]/+[목]+[전]+[명]》 껴안다: She ~*ed* her baby *to* her breast. 그녀는 아기를 품에 껴안았다. **5** 《~+[목]/+[목]+[부]/+[목]+[전]+[명]》 거르다, 걸러내다《*out; off*》: ~ *out* coffee grounds 커피 찌꺼기를 걸러내다/~ seeds *from* orange juice 오렌지 주스를 걸러 씨를 제거하다. — *vi.* **1** 《(+[전]+[명])》 잡아당기다《*at*》: ~ *at* a rope 밧줄을 잡아당기다. **2** 긴장하다. **3** 《~/+*to* do/+[전]+[명]》 열심히 노력하다, 온힘을 발휘하다, 크게 애쓰다: He ~*ed to* reach the shore. 그는 해안에 닿기 위해 필사적이었다/~ *after* happiness 행복을 찾아서 노력하다. **4** 《+[전]+[명]》 반발〔저항〕하다; 강한 난색을 표하다《*at*》: ~ *at* accepting an unpleasant fact 불쾌한 사실을 받아들이지 않다. **5** 모양이 찌그러지다, 뒤틀리다. **6** 《~/+[전]+[명]》 걸러지다, 스며 나오다〔들다〕: ~

through a sandy soil (물이) 모래땅에 스며들다. **~ after an effect** 〔**effects**〕 억지로 효과를 올리려 하다. **~ after for** …에 열중하다; …을 입수하려고 힘쓰다. **~ a point** ⇨ POINT. **~ courtesy** 예의에 구애되다. **~ing at the leash** 《구어》 자유로워지고 싶어, 생각대로 하고 싶어, 구속에 반발하여. **~ one*self*** 무리〔과로〕를 하다.
— *n.* **1** [C,U] **a** 긴장, 팽팽함; 당기는 힘〔무게〕: Too much ~ broke the rope. 너무 당겨서 밧줄이 끊어졌다/There is nothing else to take the ~. 긴장을 풀어 주는 것은 달리 아무것도 없다. **b** 힘〔압력〕이 걸려 있는 상태; 긴장 상태; (개인·국가 간의) 긴박한 상태. **2** [U] 피로, 피곤; 정신적 긴장: the ~ of worry 심로(心勞). **3** [U,C] (무리해 몸 따위를) 상하게 함, 삠, 접질림(muscular ~). **4** [C,U] (…에 대한) 부담, 중압; 압력 《*on*》. **5** [U,C] 〖물리〗 (압력·힘에 의한) 변형(變形), 손상. **6** 크게 애씀, 분투; 유창한 변설. ***at full* ~** =***on the* ~** 긴장하여. ***put a* ~ *on*** …에 중압을 가하다, 시련을 겪게 하다. ***stand the* ~** 억지로 견디다. ***under the* ~** 긴장〔과로〕한 탓으로. ***without* ~** 무리하지 않고.
[파] **∠·a·ble** *a.* **∠·less** *a.*

◇**strain²** *n.* **1** 종족, 혈통, 가계(家系); 계통: He comes of a good ~. 그는 명문 출신이다. **2** 유전질, 소질; 기질, 기풍; 경향: There is a ~ of insanity in her. 그녀는 정신병 핏줄을 이어받고 있다. **3** 변종(變種), 품종: a high-yielding ~ of wheat 다산종의 소맥. **4** (종종 *pl.*) 가락, 선율(旋律), 곡, 노래; 《문어》 시(詩). **5** 〖유전〗 균주(菌株), 계통《본래의 세균과 성질이 약간 다른 균》. ***in the same* ~** 같은 투로.

◇**strained** *a.* **1** 긴장한, 긴장된. **2** 부자연한, 일부러 꾸민: a ~ smile/a ~ laugh 거짓〔억지〕웃음.

stráin·er *n.* 잡아당기는 사람〔물건〕; 팽팽하게 하는 기구; 여과기, 체. 「=EXTENSOMETER.

stráin gàuge 〖기계〗 스트레인 게이지,

stráin hàrdening 〖야금〗 변형 경화(硬化)《재결정(再結晶) 온도 이하에서 소성(塑性) 변형시킴으로써 금속의 경도(硬度)와 강도(強度)가 증대하는 일》.

strait** [streit] *n.* **1** 해협. ★ 고유명사에 붙일 때는 보통 복수로서 단수 취급: the *Straits* of Dover 도버 해협. **2** (보통 *pl.*) 궁상, 곤란, 궁핍: I am in desperate ~*s for* money. 나는 돈에 매우 쪼들리고 있다. ***the Straits (본래는) Gibraltar 해협; (지금은) Malacca 해협. — *a.* **1** 《고어》 좁은, 답답한. **2** 〖종교〗 엄중한, 엄격한: the ~ gate 〖성서〗 좁은 문《마태복음 VII: 13》. [파] **∠·ly** *ad.* **∠·ness** *n.* 좁음; 곤란, 결핍; 엄격.

strait·en [stréitn] *vt.* **1** 괴롭히다; 고생시키다: in ~*ed* circumstances 궁핍하여. **2** 《고어》 제한하다; 좁히다.

stráit·jácket *n.* **1** (미친 사람, 광포한 죄수에게 입히는) 구속복. **2** 구속, 속박.

stráit-láced [-t] *a.* (예의범절에) 엄격한, 사람이 딱딱한. [파] **~·ly** *ad.* **~·ness** *n.*

Stráits Séttlements (the ~) (동남아시아의) 옛 영국의 해협 식민지《1826-1946》.

stráit·wáistcoat *n.* =STRAITJACKET.

strake [streik] *n.* (수레의) 바퀴쇠; 〖선박〗 뱃전판, (이물에서 고물까지의) 배밑판; 〖광산〗 선광반(選鑛盤).

stra·min·e·ous [strəmíniəs] *a.* 담황색의; 《고어》 짚의, 짚 같은, 하찮은. [파] **~·ly** *ad.*

stra·mo·ni·um [strəmóuniəm] *n.* 〖식물〗 흰독말풀; [U] 그 말린 잎《약용》.

Strand [strænd] *n.* (the ~) 스트랜드 가《영국 London의 호텔·극장·상점이 많은 거리》.

◇**strand¹** *n.* 《시어》 물가, 바닷가, 해안; 타향 땅.
— *vt., vi.* **1** 좌초시키다〔하다〕; 〖야구〗 (주자를) 잔루시키다, 베이스에 남게 하다. **2** 궁지에 몰다〔몰리다〕, 오도 가도 못하게 하다〔못하다〕. ***be* ~*ed*** 궁지에 빠지다, 막히다, (자금·수단 따위가 다하여) 꼼짝 못하게 되다.

◇**strand²** *n.* (밧줄의) 가닥; 한 가닥의 실; 섬유; (머리털의) 숱; 〖전기〗 꼰 줄; 요소, 소질. [파] **∠·er** 새끼 꼬는 기계.

stránd·ed [-id] *a.* 《흔히 복합어로》 …한〔가닥의〕 줄로 된; 〖유전〗 …사슬의《DNA》: a five-~ rope 다섯 가닥으로 꼰 밧줄. [파] **~·ness** *n.*

†**strange** [streindʒ] (***stráng·er, stráng·est***) 《비교급은 more strange가 보편적》 *a.* **1** 이상한, 야릇한, 괴이한, 기묘한: Truth is *stranger* than fiction. 사실은 소설보다 (더) 기묘하다.

> [SYN] **strange** 여느 때·보통과 다른, 낯선: a *strange* experience 이상한 경험. **peculiar** 특유한, 딴 데서 볼 수 없는: a *peculiar* flavor 어떤 독특한 맛. **singular** 보통 것과는 두드러지게 다른, 야릇한: a *singular* remark 기묘한 발언.

2 낯선, 눈〔귀〕에 익숙지 않은, 생소한, 알지 못하는: a ~ voice 듣지 못하던 목소리/~ customs 미지의 관습. **3** 생소하여: In Teheran I *felt* quite ~. 테헤란에선 아주 생소한 감을 느꼈다. **4** 생무지여서, 생소하여, 경험이 없어: I am ~ to this town 〔job〕. 이 도시는〔일은〕 전혀 모른다. **5** 서먹서먹한, 스스러워하는, 부끄러워하는(shy). **6** 《고어》 외국〔이국〕의: in a ~ land 이국 땅에서. **7** 〖물리〗 0 이외의 strangeness 양자수(量子數)를 갖는 입자의, 스트레인지의. ***feel* ~** ① 이상한 기분이 들다; (몸이) 찌뿌드드하다. ② 생소하다; 서먹서먹한 느낌이 들다. ***it feels* ~** 달라진 느낌이 들다. ***make* one*self* ~** 모르는 체하다. **~ *to say*** 〔***tell***〕 ⇨ SAY.
— *ad.* 《보통 복합어》《구어》 이상하게, 묘하게; 스스러워: act ~ 이상한 행동을 하다/~-clad 풍채가 이상한/~-fashioned 묘하게 만든.

Strange·love [stréindʒlʌv] *n.* (종종 Dr. ~) 전면 핵전쟁 추진론자《영화 *Dr. Strangelove* (1964) 중의 광인 핵전략가에서》.

strange·ly** [stréindʒli] *ad.* 별스럽게, 이상〔기묘, 불가사의〕하게, 이상할 만큼; 진기하게; 이상하게도. **~ *enough 이상한 일이지만, 기묘하게도.

stránge·ness *n.* [U] 이상함; 〖물리〗 스트레인지니스《소립자 상태를 규정하는 입자 고유의 양자수(量子數)》.

stránge párticle 〖물리〗 스트레인지 입자(粒子)《strangeness가 0이 아닌 입자》.

stránge quárk 〖물리〗 스트레인지 쿼크 《strangeness -1, 전하 -1/3을 갖는 쿼크》.

‡**stran·ger** [stréindʒər] *n.* **1 a** 모르는〔낯선〕 사람([opp] *acquaintance*), 남; 방문자, 손님, 틈입자, 외부 사람; 《미속어》 여보(sir)《낯선 사람에게 좀 무례한 호칭》: He is a total ~ to me. 나는 그를 전혀 모른다/You are quite a ~. 참으로 오래간만이군요. **b** 〖생태〗 객원종(客員種); 《고어》 외국인. **c** 귀한 손님이 올 전조. **2** 경험 없는 사람, 문외한, 생무지, 초대, 풋내기《*to*》; 생소한 사람, 처음 보는 사람《*to*》; 〖법률〗 제삼자: I'm quite a ~ *to* 〔*in*〕 London. 런던은 전혀 모릅니다《*to*는 런던 밖에, *in*은 안에 있으면서 말할 때》/He is no ~ *to* poverty. 가난의 맛을 잘 알고 있다. ***I spy*** 〔***see***〕 **~*s.*** 〖영하원〗 방청 금지《비밀 회의를 요구할 때의 말》. ***make a*** 〔***no***〕 **~ *of*** …을 냉랭하게〔친절히〕 대하다. (***the***) ***little* ~** 《우스개》 이제 막 태어난 갓난이.

stránger's 〔**strángers'**〕 **gállery** (the ~) (의회의) 방청석.

stránge wóman (the ~) 〚성서〛 매춘부.

°**stran·gle** [strǽŋgəl] *vt.* **1** 《~+목/+목+전+명》 교살하다; 질식(사)시키다: ~ a person *to* death 아무를 교살하다. **2** (하품·외침 따위를) 참다; 억제〔억압〕하다; (의안 따위를) 묵살하다. **3** (발전·활동·비판 따위를) 억압하다, 눌러 못하게 하다: ~ a social movement 사회 운동을 억압하다. 파 **strán·gler** *n.* **-gling·ly** *ad.*

stránglehòld *n.* 〚레슬링〛 목조르기; 《비유》 자유를〔발전을〕 억누르는〔저해하는〕 것〔힘〕.

stran·gles [strǽŋgəlz] *n. pl.* 〔보통 단수취급〕 〚의학〛 선역(腺疫)《말의 전염병》.

stran·gu·late [strǽŋgjəlèit] *vt.* 〚의학〛 압박하여 혈행(血行)을 멈추게 하다, 괄약(括約)하다; 교살하다: ~*d* hernia 〚의학〛 감돈(嵌頓) 탈장. 파 **stràn·gu·lá·tion** *n.* Ⓤ 교살; 〚의학〛 감돈(嵌頓), 괄약.

stran·gu·ry [strǽŋgjəri] *n.* 〚의학〛 유통성(有痛性) 배뇨 곤란.

strap** [stræp] *n.* **1** 가죽 끈, 혁대. **2** (전차 따위의) (가죽) 손잡이: hold on to a ~ 가죽 손잡이를 잡다. **3** 고리, 띠. **4** 가죽숫돌(strop). **5** 견장(shoulder ~). **6** 〚기계〛 쇠띠, 피대. **7** 〚식물〛 소설편(小舌片). **8** (the ~) 매질, 고문. **9** 《미속어》(공부는 하지 않고) 운동만 열심히 하는 학생; 《Ir.》 혈게 늙은 여자. ***on (***the***) ~ 《영속어》 외상으로. ── (*-pp-*) *vt.* **1** 끈으로 매다〔묶다〕. **2** 가죽끈으로 때리다. **3** 가죽숫돌에 갈다. **4** 〚의학〛 …에 반창고를 붙이다《*up; down*》. **5** 《구어》 곤궁하게 하다. 파 **∠·like** *a.*

stráp·hàng *vi.* 《구어》 가죽 손잡이에 매달리다, (버스·지하철 따위로) 통근하다. 파 **~·er** *n.* **~·ing** *n.* 가죽 손잡이에 매달려 섬.

stráp·less *a.* (여성복 따위의) 어깨끈이 없는.

stráp·lìne *n.* (신문·잡지 등의) 소제목〔표제〕.

stráp-òn *a.* (우주선에) 부착하는. ── *n.* 부착식 보조 로켓 엔진.

strap·pa·do [strəpéidou, -pá:-] (*pl.* ~(*e*)*s*) *n.* Ⓤ,Ⓒ 매다는 형벌《옛날 죄인을 묶어 매달고 갑자기 떨어뜨리던 형벌》; 그 형틀. ── *vt.* 매다는 형벌로 괴롭히다.

strapped [-t] *a.* 가죽끈을 붙들어 맨; 《미구어》 자금이 없어진, 돈에 궁한.

stráp·per *n.* 가죽끈으로 묶는 사람〔것〕; 마부; 가죽숫돌로 가는 사람; 《미구어》 몸집 큰 사람, 대장부, 왜장녀.

stráp·ping *a.* 《구어》 체격이 건장한, 다부진; 터무니없이 큰, 큼직한: a ~ lie. ── *n.* Ⓤ 가죽끈 (재료); Ⓤ,Ⓒ 채찍질, 매질; Ⓤ 〚의학〛 반창고.

stràp·wòrk *n.* 〚건축〛 띠무늬, 띠장식, 끈 모양의 세공.

strass [stræs] *n.* Ⓤ (모조 보석 제조용의) 납유리.

°**stra·ta** [stréitə, strǽtə/strá:tə, stréitə] STRATUM 의 복수.

°**strat·a·gem** [strǽtədʒəm] *n.* Ⓤ,Ⓒ 전략, 군략; 책략(trick), 계략, 술책, 모략.

stra·tal [stréitl] *a.* 〚지학〛 층(stratum)의, 지층의.

°**stra·te·gic** [strətí:dʒik] *a.* 전략(상)의; 전략상 중요한, 적의 군사·경제상 요충지를 노린《폭격 따위》. cf. tactical. ¶ the ~ air force 전략 공군 / ~ arms 전략 무기 / a ~ bomber 전략 폭격기 / ~ bombing 전략 폭격 / ~ materials 전략 물자 / a ~ point 전략 요점 / a ~ target 전략 목표 / a ~ retreat 전략적 후퇴(後退). 파 **-gi·cal·ly** *ad.* 전략상, 전략적으로.

Stratégic Áir Commànd 미국 전략 공군 사령부《생략: SAC》.

Stratégic Árms Limitátion Tàlks 전략 무기 제한 협상《생략: SALT》.

Stratégic Árms Redúction Tàlks 전략 무기 감축 협상《생략: START》.

Stratégic Defénse Inìtiative 〚군사〛 전략 방위 구상《지상 또는 위성에서 레이저 광선이나 입자 빔을 발사하여 비행 중인 탄도 미사일을 격파하는 계획; 생략: SDI》. cf. Star Wars 2.

stratégic núclear fórce 〚군사〛 전략 핵전력《대규모 파괴력을 가진 장거리 핵무기의 총칭》.

stratégic núclear wèapon 〚군사〛 전략 핵무기《주로 ICBM, SLBM, 전략 폭격기》.

stratégic plánning 〚마케팅〛 전략적 계획 책정《전체의 경영 목표와 변화하는 여러 시장 기회와의 전략적 적응 과정을 연구하는 작업》.

stra·té·gics *n. pl.* 〔단수취급〕 병법, 용병학, 전략(strategy).

stratégic tríad 〚미군사〛 핵전략의 세 기둥 《육지의 대륙간 탄도 미사일(ICBM), 바다의 잠수함 발사 탄도 미사일(SLBM), 하늘의 전략 폭격기 (strategic bomber)》.

strat·e·gist [strǽtədʒist] *n.* 전략가; 모사.

strat·e·gize [strǽtədʒàiz] *vi.* 전략을 세우다; 주의 깊게 계획하다.

***strat·e·gy** [strǽtədʒi] *n.* Ⓤ,Ⓒ 용병학, 병법; (대규모의) 전략; 작전; 책략. cf. tactics.

Strat·ford-on-A·von [strǽtfərdɑnéivən/-ɔn-] *n.* 영국 Warwickshire 주의 도시《Shakespeare 의 출생지·매장지》.

strath [stræθ] *n.* 《Sc.》 넓은〔큰〕 골짜기.

strath·spey [stræθspéi] *n.* Ⓒ,Ⓤ 스코틀랜드의 쾌활한 춤; 그 무곡.

strat·i·fi·ca·tion [strætəfikéiʃən] *n.* Ⓤ,Ⓒ 층화(層化); 〚통계〛 층별(화); 〚지학〛 층리(層理), 성층(成層); (지층 중의) 단층(stratum); 〚사회〛 사회 성층. 파 **~·al** *a.* ~의: ~*al* grammar 〚문법〛 성층 문법.

strat·i·form [strǽtəfɔ̀:rm] *a.* 층상의, 층을 이루는; 〚지학〛 성층(성)의; 〚기상〛 층상 구름의.

strat·i·fy [strǽtəfài] *vt.* 층을 이루게 하다; 〚사회〛 (사람을) 계층별로 분류하다; 등급별로 분류하다; (종자를) 땅의 층 사이에 보존하다: *stratified* rocks 성층암 / ~ society 사회를 계층화하다 / *stratified* sample 〚통계〛 층화(層化) 추출 표본. ── *vi.* 층을 이루다; 〚사회〛 …이 계층화하다; 〚지학〛 층리(層理)로 하다, 층을 형성하다; 〚식물〛 (씨를) 토사층 사이에 넣어 보존하다〔발아시키다〕.

stra·tig·ra·phy [strətígrəfi] *n.* Ⓤ 층위(層位); 〚지학〛 층위〔지층, 층서〕학; 〚고고학〛 단층(斷層). 파 **-pher, -phist** *n.* 층위학자.

strat·o- [strǽtou, -tə, stréit-] '층운(層雲), 성층권' 의 뜻의 결합사.

stràto·círrus (*pl.* *-ri*) *n.* 권층운(卷層雲), 솜털구름.

stra·toc·ra·cy [strətákrəsi/-tɔ́k-] *n.* Ⓤ 군정, 무단〔군인, 군벌〕 정치.

Stra·to·cruis·er [strǽtoukrù:zər] *n.* (Boeing 사제(製)의) 성층권 비행기《상표명》.

stràto·cúmulus (*pl.* *-li*) *n.* 층적운(層積雲), 층쌘구름, 두루마리구름《생략: Sc.》.

strat·o·pause [strǽtəpɔ̀:z] *n.* 〚기상〛 성층권 계면(界面).

strat·o·sphere [strǽtəsfìər] *n.* (the ~) **1** 〚기상〛 성층권: a ~ plane 성층권 비행기. **2** (물가의) 최고가; 최고 수준; (계급·등급 등의) 최상층: the ~ of English society 영국 사회의 최상층부 / Oil prices are in the ~. 석유는 목하(目下) 최고값이다. **3** 고도로 추상적〔실험적〕인 분야. 파 **strat·o·spher·ic** [strætəsférik] *a.* 성층권의: a *stratospheric* flying 성층권 비행 / *stratospheric* drip =FALLOUT.

strat·o·vi·sion [strǽtəvìʒən] *n.* Ⓤ 〚통신〛 성층권 TV·FM 방송《항공기 중계 방식》.

°**stra·tum** [stréitəm, strǽt-/strá:t-, stréit-]

(*pl.* **-ta** [-tə], **~s**) *n.* 층; (대기·해양의) 층; 〖생태〗 (식물·생물의) 층; 〖지학〗 지층; 단층; (고고학상의) 유적이 있는 층; 〖생물〗 조직의 박층(薄層)(lamella); 〖사회〗 계층, 계급; 〖통계〗 층(層)《조사를 위해 어떤 기준에 따라 구분한 집단》; 시대 구분, 발전 단계.

strátum cór·ne·um [-kɔ́:rniəm] (*pl.* ***strá·ta cór·nea*** [-niə]) 〖해부〗 각질층.

stra·tus [stréitəs] (*pl.* **-ti** [-tai]) *n.* 층운(層雲), 층구름, 안개구름《기호 St.》.

Strauss [straus, ʃt-] *n.* **Johann ~** 슈트라우스《오스트리아의 작곡가; 1825-99》.

straw [strɔ:] *n.* **1** Ⓤ 짚, 밀짚. **2** 짚 한 오라기; (음료용) 빨대: A ~ shows which way the wind blows. 오동잎 하나 떨어져 천하의 가을을 알다. **3** 《구어》 밀짚모자(~ hat). **4** 하찮은 물건. **5** 조금, 근소. ***a man of ~*** 짚 인형; 가공의 인물; 재산 없는 사람. ***as a last ~*** 잇따른 불행 끝에. ***a ~ in the wind*** =***a ~ that shows how*** 〔***which way***〕 ***the wind blows*** 바람의 방향〔여론의 동향〕을 나타내는 것; 조짐. ***catch*** 〔***clutch, grab, grasp***〕 ***at a ~*** 〔***~s, any ~(s)***〕 《구어》 짚이라도 잡으려 하다, 의지가 안 되는 것을 의지하다: A drowning man will *catch at a ~*. 《속담》 물에 빠지면 지푸라기라도 잡으려 한다. ***do not care a ~*** 〔***two ~s***〕 전혀 개의치 않다. ***draw ~s*** 제비를 뽑다. ***in the ~*** 《고어》 산욕(産褥)에 누워서; 아직 타작하지 않고. ***make bricks without ~*** ⇨ BRICK. ***not worth a ~*** 한푼의 가치도 없는. ***out of ~*** 《고어》 해산(解產)이 끝나서. ***split ~s*** 시시콜콜하게 따지다〔가리다〕. ***stumble at a ~*** 하찮은 일에 고생하다. ***throw ~s against the wind*** 불가능한 일을 꾀하다.
— *a.* **1** (밀)짚의, (밀)짚으로 만든; 밀짚 빛깔의. **2** 《미》 하찮은, 무가치한. **3** 《미》 가짜〔모조, 허위〕의. **4** 《미》 straw vote 의.

straw·ber·ry [strɔ́:bèri/-bəri] *n.* 딸기, 양딸기; 딸기색; 딸기코. ***crushed ~*** 흐린 진홍색.

stráwberry blónde 불그레한 금발머리(의 여인).

stráwberry léaves (the ~) 《영》 고위 귀족의 지위《공작·후작 및 백작; 관(冠)에 딸기잎 장식을 단 데서》.

stráwberry màrk 〖의학〗 딸기 모양의 혈관종(血管腫).

stráw·bòard *n.* Ⓤ 마분지.

stráw bóater 딱딱한 밀짚모자.

stráw bòss 《미구어》 (일터의) 감독 조수, 직장(職長) 대리; 자기도 일하며 동료를 감독하는 노동자; 실권 없는 보스.

stráw càt 《미속어》 수확기의 뜨내기 노동자.

stráw còlor (밀)짚 빛깔, 담황색.

stráw-còlored *a.* (밀)짚 빛깔의, 담황색의.

stráw hàt 밀짚모자.

stráw-hàt *n., a.* 《미》 지방 순회의 하기(夏期) 극장(=∠ **thèater**)(의).

stráw màn (허수아비로 쓰는) 짚 인형; 위증(僞證)을 하는〔한〕 증인; 보잘것없는 사람〔것, 의견〕.

stráw pláit 납작하게 짠 밀짚 끈.

stráw vòte 〔**pòll**〕 《미》 (투표 전에 하는) 비공식 투표.

stráw wédding 고혼식(藁婚式)《결혼 2주년 기념》.

strawy [strɔ́:i] (***straw·i·er; -i·est***) *a.* 짚의, 짚 같은, 짚으로 만든; (지붕을) 짚으로 인; 보잘것 없는.

stray [strei] *vi.* **1** 《~/+전+명/+부》 옆길로 빗나가다, 딴길로 들어서다《*from*》; (눈 따위가) 멍하니 움직이다: ~ *from* the main road/~ *off in* a wood 숲속으로 잘못 들어가다. **2** 탈선하다, (주제(主題) 등에서) 빗나가다《*from*》; (주의력 등이) 산만해지다. **3** 《+전+명》 타락하다: ~ *from* the right path. **4** 꼬불꼬불 구부러지다. **~ *apart*** (두 사람 이상의 사람이) 서로 상대방을 잃어버리다.
— *a.* **1** 처진, 길을 잃은: a ~ bullet 유탄/a ~ sheep 〔child〕 길 잃은 양〔미아〕. **2** 뿔뿔이 흩어진, 산란한: ~ hairs 산발한 머리/pick up ~ cigarettes 흩어진 담배를 줍다. **3** 이따금 나타나는; 산재하는; 불쑥 찾아오는《손님 등》; 쓸모없는; 예외적인: a few ~ houses 산재해 있는 두서너 채의 집/except for ~ ones 예외적인 것을 제외하고. **4** 〖통신〗 표유(漂遊)의: ~ capacity 표유 용량.
— *n.* **1** 길 잃은 사람〔가축〕. **2** 무숙자, 부랑자; 미아. **3** (*pl.*) 〖통신〗 공전(空電). **4** (*pl.*) 《영》 (상속자가 없어) 국가에 귀속되는 유산.

streak [stri:k] *n.* **1** 줄, 선, 줄무늬; 광선, 번개: the first ~*s* of dawn 서광(曙光)/⇨ SILVER STREAK. **2** 광맥; (좁은〔얇은〕) 층(層); 〖광산〗 조흔(條痕). **3** 《구어》 연속: a winning ~ 연승. **4** 《비유》 경향, 티, 기미, …한 데, …미(味)《*of*》: ⇨ YELLOW STREAK. **5** 《구어》 기간, 단기간(spell). **6** 《속어》 가능성, 가망. **7** 《속어》 스트리킹. **8** 《영속어》 강마른 사람. ***have a ~ of*** …의 기미가 있다. ***hit a ~*** 행운을 만나다. ***like a ~*** (***of lightning***) 전광석화같이; 전속력으로. ***make a ~ for*** …으로 급히 가다〔서두르다〕. — *vt.* **1** 《~+목/+목+전+명》 《보통 수동태》 …에 줄을 긋다, 줄무늬를 넣다《*with*》: a necktie ~*ed with* blue 푸른 줄무늬가 있는 넥타이/Her face *was ~ed with* tears. 그녀의 얼굴에는 몇 줄기의 눈물 자국이 있었다. **2** (공공장소에서) 스트리킹하다. — *vi.* **1** 줄이〔줄무늬가〕 지다: hair beginning to ~ with gray 백발이 듬성듬성 나기 시작한 머리. **2** 《+부》 번개처럼 달리다, 질주하다: When I opened the door, the cat ~*ed in*. 문을 열었더니 고양이가 번개같이 들어왔다. **3** 《구어》 스트리킹하다. ㊕ ∠**·er** *n.* 스트리킹을 하는 사람.

stréak càmera 고속 현상 촬영용 카메라.

streaked [-t] *a.* 줄이〔줄무늬가〕 있는; 《미구어》 불안한, 당황해 하는; (병·근심 등으로) 괴로워하는, 몸에 탈이 난.

stréak·ing *n.* Ⓤ 스트리킹《벌거벗고 대중 앞을 달리기》; (약품 표백제에 의한) 모발의 탈색.

streaky [strí:ki] (***streak·i·er; -i·est***) *a.* 줄이〔줄무늬가〕 있는; 채가 진, 한결같지 않은, 변덕스러운; 《속어》 성마른, 초조해 하는. ㊕ **stréak·i·ly** *ad.* **-i·ness** *n.*

stream [stri:m] *n.* **1** 시내, 개울. **2** 흐름, 조류: the Gulf *Stream* 멕시코 만류/a ~ of water 〔tears〕 물의 흐름〔흐르는 눈물〕. SYN. ⇨ FLOW. **3** (액체·기체·광선·사람·차량·물자 등의) 흐름, 움직임《*of*》; (…의) 홍수: ~*s* of blood 〔tears〕 대량의 출혈〔넘쳐 흐르는 눈물〕/a ~ of cold 〔warm〕 air 한〔난〕기류/A ~ of moonlight fell from the clouds. 한 줄기 달빛이 구름 사이에서 비쳤다/The street had a ~ of cars. 거리에는 자동차의 물결이 그치지 않았다. **4** (사건 등의) 연속, 계속. **5** 《주로 영》 〖교육〗 능력별 클래스〔코스〕. **6** (흔히 the ~) (때·역사·여론 등의) 흐름; 동향, 경향, 추세, 풍조: the ~ *of* opinion 여론의 동향/go 〔drift〕 against the ~ 시류에 거역하다. **7** 《주로 영》 (도로의) 차선. ***down*** (***the***) ***~*** 흐름을 따라, 하류로. ***flow in ~s*** 세차게 유출하다. ***go with the ~*** 흐름을 따라가다; 시류(時流)를 좇다. ***in a ~*** =***in ~s*** 연달아서. ***in the ~*** 흐름 속에; 세상에 밝은. ***off ~*** (공장 등이) 생산 중지 중이어서. ***on ~*** (공장이) 가동되어, 조업 중에. ***the ~ of consciousness*** 의식의 흐름, 내적 독백(interior monologue). ***the ~ of times*** 시세, 시류(時流). ***up*** (***the***) ~ 상류로.

— *vi.* 《~/+전+명》 **1** (눈물·물·피 따위가) 흐르다, 흘러나오다; (빛 따위가) 흘러들다: A brook ~*s by* our house. 시내가 우리 집 옆을 흐르고 있다 / Tears were ~*ing down* her cheeks. 흐르는 눈물이 그녀의 뺨을 적시고 있었다. **2** 끊임없이 계속되다, 세차게 나아가다: ~ *out of* 〔*into*〕... …에서 속속 나오다〔…에 속속 들어가다〕. **3** (눈·이마에서 눈물·땀 따위를) 흘리다, 뚝뚝 떨어지다《*with*》: eyes ~*ing with* tears 눈물이 뚝뚝 떨어지는 눈. **4** (기 등이) 펄럭이다; (머리칼 등이) 나부끼다: Her long hair ~*ed over* her shoulders. 긴 머리가 어깨 위로 치렁거렸다. — *vt.* **1** (눈·코·상처 따위가) …을 흘리다; 유출시키다: The wound ~*ed* blood. 상처에서 피가 마구 흘러나왔다. **2** (기·머리칼 등을) 펄럭이게〔나부끼게〕 하다. **3** 〖광산〗 세광(洗鑛)하다. **4** (영국 등지에서 학생을) 능력별로 우열반을 가르다.

stréam·bèd *n.* 하상(河床).

stréam·er *n.* **1** 기(旗)드림; 장식 리본; (기선이 떠날 때 쓰는) 색 테이프(=**páper ~**). **2** (극광(極光) 따위의) 유광(流光), 사광(射光); (개기일식 때의) corona의 광채. **3** 가늘고 긴 나뭇가지·구름《등》; 〖신문〗 =BANNER.

stréam·ing *n.* 흐름; 〖교육〗 (영국 등지의) 능력별 학급 편성(《미》 tracking); 〖생물〗 =CYCLOSIS.

stream·let [stríːmlit] *n.* 작은 시내, 실개천.

stréam·lìne *n., a.* 유선; 유선형(의). — *vt.* 유선형으로 하다; 《비유》 (일·과정·계획 따위를) 능률적으로 하다; 현대풍으로 하다; 《비유》 합리화〔간소화〕하다: Customs procedures must be ~*d.* 세관 수속은 능률화되어야 한다. ***a ~ form*** 〔***shape***〕 유선형. ㊞ **~d** *a.* **1** 유선형의, 날씬한. **2** 능률화〔간소화〕된; 최신식의: a ~*d* kitchen 최신식 부엌. **-lìner** *n.* 유선형 열차〔버스〕.

stréam·sìde *n.* 강가.

stréam wàlker 하천 감시인《환경 보전 봉사 그룹의 하나》.

stréam·wày *n.* (하천의) 주류.

streamy [stríːmi] (***stream·i·er; -i·est***) *a.* 시내가〔개울이〕 많은; 시내처럼 흐르는; 빛을 발하는. ㊞ **stréam·i·ness** *n.*

†**street** [striːt] *n.* **1** 거리, 가로; …가(街), …거리《생략: St.》: Downing *Street* 다우닝가(街) / walk along 〔up, down〕 a ~ 거리를 거닐다. cf. avenue. SYN. ⇨ ROAD. **2** (인도와 구별하여) 차도, 가도. **3** (the ~) 큰 거리, 중심가; 《미속어》 (도시의) 환락가; (the S-) 《미구어》 =WALL STREET, 《영구어》 =FLEET STREET, 《영구어》 =LOMBARD STREET; 《속어》 (the ~) (교도소에 대하여) 바깥세상, (악덕이 판치는) 속세. **4** 〔집합적〕 동네 사람들: the whole ~ 동네의 전 주민. **5** (실행을 위한) 수단: be workable in a two-way ~ 어느 쪽으로 하든 실행이 가능하다. ***a woman of the ~s*** 매춘부. ***by a ~*** 《영》 큰 차이로: win *by a* ~. ***in the ~*** 〖증권〗 시간 후에 거래되는. ***live in the ~*** 자주 외출하다. ***live*** 〔***go***〕 ***on the ~s*** 매춘부 생활을 하다, 매춘부가 되다. ***not in the same ~ with*** 〔***as***〕 《구어》 …와 겨룰 수 없는, …에는 도저히 미칠 수 없는. ***on*** 〔***in***〕 ***the ~*** ① 거리에서. ② 부랑 생활을 하여; 실직하여. ***put it on the ~*** 《미속어》 정보를 주다, 누설하다, 모두에게 알리다. (***right*** 〔***just, bang***〕) ***up*** 〔***down***〕 a person***'s ~*** 〔***alley***〕 《구어》 자신만만한, 가장 장기로 하는, (아주) 들어맞는. ***take to the ~s*** 《미속어》 요구를 내걸고 가두데모에 나서다. ***the man in*** 〔《미》 ***on***〕 ***the ~*** ⇨ MAN. ***walk the ~***(***s***) ⇨ WALK *v.*

— *a.* **1** 거리(에서)의, 거리에서 일하는〔연주하는〕; 가로에 면한〔있는〕: ~ fight 시가전 / a ~ peddler 거리의 행상인 / a ~ band. **2** 거리에 어울리는: a ~ dress 외출복《장보기 등을 위해 외출할 때》. **3** 평범한, 통속적인: ~ humor.

— (~s) *ad.* 《영》 훨씬, 매우: ~*s* ahead of 〔better than〕 …보다 훨씬〔월등히〕 좋은 / ~*s* apart 전혀 달라서.

stréet acàdemy 《미》 고등학교 중퇴자의 교육을 계속하기 위하여 빈민가 등에 설치된 학교.

stréet Àrab 〔àrab〕 집 없는 아이, 부랑아.

stréet bànd 가두 악대(《미》 German band).

stréet bròker 〖증권〗 장외(場外) 거래인.

‡**street·car** [stríːtkɑ̀ːr] *n.* 《미》 시가〔노면〕 전차(《영》 tram(car)).

stréet Chrìstian 《미》 가두 크리스천《1960년대, 체제적인 교회 생활보다 사회적·공동체적 단체 활동에 신앙 생활의 중심을 둠》.

stréet clèaner 거리 미화원.

stréet crèd 〔**credibìlity**〕 도시적 문화를 형성하는 사람들 사이에서의 인기〔신용〕, 그때그때의 유행〔사회적 관심사 등〕과 상통하는 것.

stréet crìme unít 《미》 (뉴욕 시경의) 방범대.

stréet cùlture 도시적 문화《도시 환경에서 생활하는 젊은 사람들 사이에 번지고 있는 가치관〔라이프 스타일〕》.

stréet dòor 가로에 접한 문. cf. front door.

stréet·ed [-id] *a.* 가로〔거리〕가 있는.

stréet fùrniture 도로 시설물《지붕 있는 버스 정류장·휴지통·가로등 따위》; 《미속어》 (아직 쓸 수 있는) 노상에 폐기된 가구.

street·geist [stríːtgàist/ㅡㅡ] *n.* 시정(市井) 근성《번화가에서 몸에 밴 근성이나 감각》.

stréet gìrl =STREETWALKER; SHOPPING-BAG LADY.

stréet·làmp, -lìght *n.* 가로등.

stréet-lègal *a.* (자동차 따위가) 도로에서 사용하기 위해 필요한 법적 조건을 갖춘.

stréet·lèngth *a.* (스커트가) 거리에서 입기에 알맞은 길이의. cf. full-length.

stréet lìfe 거리의 생활《대도시 빈민가 등에서의 많은 사람이 모여 사는》.

stréet nàme 증권업자 명의(의 증권)《투자가 대신에 업자 명의로 보유하고 있는 증권》.

stréet òrderly 《영》 거리 미화원(scavenger).

stréet pèople 거리〔주택 밀집지·빈민가〕의 주민; (주소 불명의) 히피족·학생《등》.

stréet prìce (마약 등의) 말단(末端) 가격.

stréet pùsher 《속어》 가장 말단 단계의 마약 장수《거리에서 낱개로 팖》.

stréet rádical 가두(街頭) 운동가《데모 등에 의한 직접적 반체제 운동가》.

stréet ràilway 시내 전차〔버스〕(를 경영하는 회사).

stréet·scàpe *n.* 거리의 풍경.

stréet-smárt *a.* 《미속어》 =STREETWISE.

stréet smàrts 《미속어》 (빈민가 등의 생활로 익힌) 어떤 처지에서도 살아갈 수 있는 요령〔지혜〕.

stréet swèeper 거리 미화원〔청소기〕.

stréet tàx 자릿세《불량배·폭력단 등이 거리에서 등치는 돈》.

stréet thèater =GUERRILLA THEATER.

stréet tìme 《속어》 바깥세상에 있을 수 있는 동안《집행〔판결〕 유예 기간》.

stréet ùrchin =STREET ARAB.

stréet vàlue 시가(市價); 암거래 값, (마약의) 말단 가격.

stréet·wàlker *n.* 매춘부. ㊞ **stréet·wàlking** *n.* 매춘 (생활).

street·ward [stríːtwərd] *ad., a.* 거리쪽으로〔의〕.

street·wise [stríːtwàiz] *a.* 세상 물정에 밝은, 서민 생활에 정통한.

stréet wòrker 《미·Can.》 가두(街頭) 소년

선도원《비행 소년이나 고민거리가 있는 소년을 선도하는 사회 봉사가》.

‡strength [streŋkθ] *n.* [U] **1** 세기, 힘: a person of great ~ 장사 / have the ~ *to* do …할 만한 힘을 갖고 있다 / It is too much for my ~. 그것은 나에게는 벅차다. [SYN.] ⇨POWER. **2** 체력, 근력. **3** 정신력, 지력; 도의심, 용기: have the ~ of character 강한 성격을 갖고 있다. **4** 강한 점, 장점, 이점. **5** 힘이〔의지가〕 되는 것: God is our ~. 신은 우리들의 힘이다. **6** 저항력, 내구력, 견고성: the ~ of a bridge 교량의 내구력. **7** 세력, 병력, 인원수, 정원: What is your ~? 그쪽의 인원은 얼마요 / effective ~ 정원. **8** (약·술·색깔·소리·향기 등의) 농도, 강도: the ~ of a solution 용액의 농도 / the ~ of a sound 소리의 강도. **9** (의논 따위의) 효과, 설득력. **10** 《영구어》 진의, 참뜻. **11** (주식·상품 시세 등의) 강세; 《속어》 (비싸게 팔아 얻어지는) 벌이. ◇ strong *a.* ***at full*** ~ 전원 빠짐없이, (군대 등) 총력으로. ***below*** 〔***up to***〕 ~ 정원(定員)에 미달된〔달한〕. ***from*** ~ 강한 위치〔입장〕에서. ***from*** ~ ***to*** ~ 힘있게, 조금도 늦잡죔이 없이. ***get the*** ~ ***of*** …의 진상을 파악하다. ***Give me*** ~***!*** 《구어》 더는 못 참겠다. ***go from*** ~ ***to*** ~ 급속도로 강력〔유명〕해지다. ***in full*** 〔***great***〕 ~ 전원〔여럿이〕 모여서. ***in*** one***'s own*** ~ 자기 힘으로, 자력으로. ***on the*** ~ 〖영군사〗 병적에 편입되어. ***on the*** ~ ***of*** …을 의지하여, …의 힘〔도움〕으로, …을 근거〔이유〕로.

strength·en** [stréŋkθən] *vt.* **1** 강하게〔튼튼하게〕 하다, 강화하다. **2** 힘〔기운〕을 돋우다; 증원(增員)〔증원(增援)〕하다. **—** *vi.* 강해지다, 튼튼해지다; 기운이 나다. ~ one's hand***(***s***) …의 입장을 강화〔유리하게〕 하다.

stréngth·less *a.* 힘없는.

◇stren·u·ous [strénjuəs] *a.* 정력적인, 열심인; 노력을 요하는, 격렬한. ***make*** ~ ***efforts*** 무척 노력하다. ㊞ **~·ly** *ad.* **~·ness** *n.* **stren·u·os·i·ty** [strènjuásəti/-ɔ́s-] *n.*

strep [strep] *n.* 《구어》 = STREPTOCOCCUS.

Streph·on [stréfɑn] *n.* (시골의) 사랑에 고민하는 남자. ~ ***and Chloe*** [-klóui] 사랑하는 남녀.

strep·o·gen·in [strèpədʒénin] *n.* 〖생화학〗 스트레포게닌《세균·생쥐의 성장을 촉진하는 펩티드》.

strép thròat 《구어》 = SEPTIC SORE THROAT.

strep·to·ba·cil·lus [strèptəbəsíləs] (*pl.* ***-li*** [-lai]) *n.* 연쇄상 간상균(桿狀菌).

strep·to·coc·cal, -coc·cic [strèptəkákəl/-kɔ́k-], [-káksik/-kɔ́k-] *a.* 연쇄상 구균(球菌)의, 연쇄상 구균에 의한.

strep·to·coc·cus [strèptəkákəs/-kɔ́k-] (*pl.* ***-coc·ci*** [-sai]) *n.* 연쇄상 구균(球菌).

strep·to·ki·nase [strèptoukáineis, -neiz, -kí-] *n.* 〖약학〗 스트렙토키나아제《연쇄상 구균에서 채취한 섬유소 분해 효소》.

strep·to·my·cin [strèptəmáisn/-sin] *n.* [U] 〖약학〗 스트렙토마이신《결핵 치료용 항생 물질》.

strep·to·thri·cin, -thry·sin [strèptəθráisin] *n.* 〖약학〗 [U] 스트렙토트리신《항생 물질의 일종》.

strep·to·va·ri·cin [strèptəvəráisn/-sin] *n.* [U] 스트렙토바리신《결핵 치료용 항생 물질》.

strep·to·zot·oc·in [strèptəzátəsn/-zɔ́təsin] *n.* [U] 〖생화학〗 스트렙토조토신《항종양성(抗腫瘍性)·당뇨병 유발성(誘發性) 항생 물질》.

stress** [stres] *n.* **1** [U] 압박, 강제. **2** [U] 모진 시련, 곤경(困境): in times of ~ 긴박한 때에; (상황(商況)이) 바쁜〔분망한〕 때에. **3** [U] (정신적인) 긴장; 노력, 분투. **4** [C,U] 〖물리〗 압력; 힘. **5** [C,U] 〖물리·기계〗 응력(應力). **6** [U,C] 〖음성〗 강세, 악센트; 〖음악〗 악센트 (기호), 비트(beat). **7** [C,U] (중요성의) 강조, 역설. **8** [C,U] 〖생리〗 스트레스. ***lay 〔***place, put***〕 (***a***) ~ ***on*** 〔***upon***〕 …을 강조〔역설〕하다. ***no*** ~ 《미구어》〖감탄사적〗 문제없다, 괜찮다(no problem). ***under*** (***the***) ~ ***of*** (circumstances) (상황)에 쫓기어.

— *vt.* **1** 강조하다; 역설하다: ~ the point that… …라는 점을 강조하다. **2** 〖음성〗 …에 강세〔악센트〕를 붙이다〔두다〕: a ~*ed* syllable 강세를 둔 음절. **3** 압박하다; 긴장시키다; 〖기계〗 …에 압력〔응력〕을 가하다.

-stress [stris] -STER의 여성형: seam*stress*, song*stress*.

stréss àccent 〖음성〗 (영어 등의) 강약의 악센트, 강세. [cf.] pitch 〔tonic〕 accent.

stréss clìnic 심리적 압박이나 스트레스를 제거하기 위한 정신과나 심리 치료 내과의 일종.

stréssed-óut [strést-] *a.* 스트레스로 녹초가 된, 스트레스가 쌓인.

stréss fràcture 〖의학〗 피로 골절《반복적이거나 지속적인 압박을 받아 다리나 발 따위의 뼈에 생긴 실 같은 금》.

stress·ful [strésfəl] *a.* 긴장이〔스트레스가〕 많은. ㊞ **~·ly** *ad.*

stréss mànagement 스트레스 대책: take a ~ course 스트레스 예방이나 치료를 위한 처치를 받다.

stréss màrk 〖음성〗 강세 기호.

stress·or [strésər] *n.* 스트레스 요인《스트레스를 일으키는 자극》.

stréss-stráin cùrve 응력(應力) 변형도 곡선.

stréss tèst(**ing**) 〖의학〗 스트레스 테스트《스트레스 상황에서의 심장 기능 테스트》.

‡stretch [stretʃ] *vt.* **1** 《~+[목]/+[목]+[전]+[명]/+[목]+[보]》 뻗치다, 늘이다, 펴다, 잡아당기다: ~ one's trousers (주름을 펴기 위해) 바지를 펴다 / ~ branches *over* a road (나무가) 가지를 길 위로 뻗다 / He ~*ed* the rope tight. 밧줄을 팽팽히 잡아당겼다. **2** (시트 따위를) 깔다. **3** 《~+[목]/+[목]+[부]/+[목]+[전]+[명]》 (손 따위를) 내밀다, 내뻗다《*out*》: He ~*ed* his arms and yawned. 그는 양팔을 뻗으며 하품했다 / She ~*ed out* her hand *for* the hat. 그녀는 모자를 집으려고 손을 내밀었다. **4** (입·눈 따위를) 크게 벌리다〔뜨다〕. **5** (신경 등을) 극도로 긴장시키다, 과로시키다. **6** 《구어》 (법·주의·진실 따위를) 왜곡하다, 확대해석하다; 남용〔악용〕하다; 《구어》 과장하다. **7** (음식물·마약·그림물감 등을)(…로) 묽게 하여 양을 늘리다《*with; by*》: The bartender ~*ed* the gin *with* water. 바텐더는 진에 물을 타서 불렸다. **8** 《+[목]+[부]/+[목]+[전]+[명]》 《구어》 (때려서) 뻗게 하다, 때려눕히다《*out*》; 《미속어》 죽이다(kill): The blow ~*ed* him *out on* the ground. 되게 얻어맞고 그는 땅바닥에 뻗어버렸다. **9** 《고어·구어》 교살하다; 《방언》 (죽은 사람의) 손발을 펴서 매장 준비를 하다. **10** 《+[목]+[부]》 (방문·프로 따위를) 오래 끌게 하다; 늘이다《*out*》: ~ the drama *out* by creating new episodes 새로운 이야기를 삽입하여 드라마를 오래 끌게 하다.

— *vi.* **1** 《+[전]+[명]》 (시간적·공간적으로) 뻗다, 퍼지다: The forest ~*es to* the river. 숲은 강까지 펼쳐져 있다. **2** 《+[부]》 기지개를 켜다; 큰대자로 눕다《*out*》: ~ *out* on a bed 침대 위에 팔다리를 뻗고 눕다. **3** 《+[전]+[명]》 손을 내밀다: ~ *for* a book 책을 집으려고 손을 뻗다. **4** (시간이) 계속되다, 미치다. **5** 《~/+[부]》 늘어나다, 신축성이 있다: Rubber ~*es easily*. **6** 《구어》 허풍 치다, 크게 떠벌리다. **7** 《고어·구어》 교수형에 처해지다.

~ ***a point*** ⇨ POINT(관용구). ~ ***out*** 수족을 뻗치다; 성큼성큼 걷기 시작하다; 역조(力漕)하다; (돈·식량 등을[이]) 지탱하(게 하)다, 충족시키다; 《속어》 마음껏[뜻대로] 연주하다, 감정을 드러내다. ~ one***'s credit*** 신용을 지나치게 이용하다. ~ one***self*** 기지개를 켜다; 전력을 다하다. ~ one***'s legs*** ⇨ LEG. ~ one***'s luck*** 위험을 자초하다. ~ ***the truth*** 진실을 왜곡하다, 거짓말하다.
— *n.* **1** 뻗기, 질편함; 확장; 신축성: a wide ~ of land 광활한 땅. **2** 한 연속, 단숨; 한 연속의 시간[일, 노력]: do a ~ of service (의무 기간) 병역을 치르다. **3** 신장(伸張), 팽팽함; 무리한 사용. **4** 긴장: nerves on the ~. **5** 과장; 남용. **6** 《미》 『경기』 직선 코스; (the ~) 최후의 직선 코스(home ~); (야구·선거 따위의) 최후의 접전[분발]. **7** 『야구』 스트레치《보통 주자가 큰 리드를 할 수 없도록 하는 작은 와인드업(wind up)》. **8** 범위, 한도; 『해사』 일범주(一帆走) 거리. **9** 《속어》 금고, 징역; 《속어》 형기(刑期), 《영》 1년의 형기. **10** (*pl.*) 《속어》 바지 멜빵; 『복식』 =ELASTIC. ***a ~ of the imagination*** 상상력을 마음껏 뻗기. ***at a ~*** 단숨에, 단번에. ***at full ~*** (설비 등을) 최대한으로 이용[활용]하여: The factory is (working) *at full ~*. ***bring to the ~*** 긴장시키다. ***by a ~ of authority*** 권력을 남용하여. ***for a long ~ of time*** 장시간(에 걸쳐서). ***on the ~*** 긴장하여.
— *a.* 신축성이 있는: ~ fabric.

◇**strétch·er** *n.* **1** 들것. **2** 뻗는[펼치는] 사람[물건]. **3** 신장구(伸張具)《펴지게 하는 기구》. **4** 펴지게 하는 재료; (받침대·이음재로 쓰이는) 막대, 들보, 조립재. **5** 『석공』 (벽돌·석재의) 긴 쪽《긴 면이 벽면이 되게 쌓은 것》. **6** (캔버스의) 나무틀. **7** (가구의) 다리와 다리를 잇는 보강재; 그 틀의 한 부분 재료. **8** (보트의) 스트레처《노를 저을 때 발을 걸치고 힘주는 널》. **9** (양산의) 뼈대. **10** 《고어·구어》 과장된 말, 허풍. **11** 『낚시』 제물낚싯바늘.

strétcher-bèarer *n.* 들것 드는 사람.

strétcher pàrty 들것 구조대.

strétch lìmo 《구어》 차체가 긴 호화 리무진 (=**strétch lìmousine**).

strétch màrks (경산부(經産婦) 하복부의) 임신선.

strétch-òut *n.* 《미》 (임금 거치 또는 근소한 승급(昇給)에 의한) 노동 강화; 생산 시간 연장(에 의한 지연 전술); 《미속어》 (예정된 기간·안(案) 등의) 실시 연장.

strétch recèptor 『해부』 (근육의) 신장 수용기(受容器).

strétch rèflex 『생리』 (근육의) 신장(伸張)[신전(伸展)] 반사.

strétch rùnner 『경마』 홈스트레치에 강한 말, 후행마(後行馬).

stretchy [strétʃi] (***stretch·i·er; -i·est***) *a.* (잘) 늘어나는, 탄력성 있는; 뻗으려는, 기지개 켜고 싶은; (돼지가) 몸통이 긴. ㊎ **strétch·i·ness** *n.*

◇**strew** [struː] (**~*ed*; ~*ed*, ~*n*** [struːn]) *vt.* 《~+목/+목+전+명》 (모래·꽃 따위를) 흩뿌리다《*around; on; over*》; (…의 표면을) 온통 뒤덮다《*with*》; (소문 등을) 퍼뜨리다: ~ sand *on* a slippery road 미끄러운 길에 모래를 뿌리다/His desk is *strewn with* journals. 책상 위가 신문 잡지로 어수선하다.

'strewth ⇨ 'STRUTH.

stria [stráiə] (*pl.* ***stri·ae*** [stráiiː]) *n.* 『지학·광산』 찰흔(擦痕), 조선(條線)(striation); 『의학』 줄무늬(stripe), 가는 홈(furrow); 『건축』 원기둥의 홈과 홈 사이의 골.

stri·a·tal [straiéitl] *a.* 『해부』 선조체(線條體)의.

stri·ate [stráieit] *vt.* …에 줄무늬를[선, 홈을] 넣다. — [stráiət, -eit] *a.* 줄[선, 줄무늬, 홈]이 있는; 선 모양의. ㊎ **stri·at·ed** [stráieitid/-ˊ-] *a.* 평행으로 달리는 줄[홈]이 있는: *striated* muscle 가로무늬근(筋), 횡문근. ⓒⓕ smooth muscle.

stri·á·tion *n.* **1** Ⓤ 줄무늬 넣기. **2** 줄 자국, 줄무늬, 가는 홈. **3** (횡문근의) 근원(筋原) 섬유; 『지학』 찰흔(擦痕)(stria); 『전자』 광조(光條).

strib [strib] *n.* 《미속어》 간수, 교도관.

strick [strik] *n.* 빗질한 아마[삼] 다발.

strick·en [stríkən] 《고어》 STRIKE의 과거분사.
— *a.* **1** (탄환 등에) 맞은; 다친. **2** (병·재해 따위에) 시달리는, 괴로움을 당한: ~ areas 피해 지역/terror-~ 공포에 질린. **3** 내용물이 두량(斗量)에 꼭 차는, 평미레질한(level). ~ ***in years*** [***age***] 《고어》 늙은. ~ ***with*** …으로 괴로워하는: ~ *with* disease 병에 걸린.

strick·le [stríkəl] *n.* **1** 평미레. **2** 주형(鑄型)용 평미레. **3** (낫 가는) 막대기 숫돌. **4** 구두닦기 막대. — *vt.* 평미레로 밀다.

strict** [strikt] *a.* **1** 엄격한, 엄한《*about* a matter; *with* a person》: a ~ order 엄명/be ~ *with* one's pupils 학생에게 엄하다. **2** 엄밀한, 정확한: a ~ statement of facts 사실의 정확한 진술. **3** 진정한, 순전한; 완전한: the ~ truth 거짓 없는 진실. **4** 『식물』 직립성(直立性)의: a ~ plant 직립성 식물. **5** 《구어》 긴장된, 팽팽한. ***in the ~ sense 엄밀히 말하여, 엄밀한 뜻으로는. ㊎ ∠·ness *n.*

stríct constrúction 『법률』 (법령이나 문서의, 법정에 의한) 엄격한 해석.

stric·tion [stríkʃən] *n.* Ⓤ 긴축, 긴장, 압축.

stríct liabílity 『법률』 무과실 책임.

***strict·ly** [stríktli] *ad.* **1** 엄격히; 엄하게: be ~ prohibited 엄금되어 있다. **2** 엄밀히, 정밀하게. **3** 순전히: ~ between us 순전히 우리만의[내밀한] 이야기지만/a ~ technical matter 순전한 기술상의 문제.

stric·ture [stríktʃər] *n.* 『의학』 협착; 구속(물); (보통 *pl.*) 혹평, 비난, 탄핵《*on, upon*》. ***pass ~s on*** [***upon***] …을 비난[탄핵]하다.

stride** [straid] (strode*** [stroud]; ***strid·den*** [strídn], 《고어》 ***strid*** [strid]) *vi.* **1** 《+부/+전+명》 큰 걸음으로 걷다, 활보하다: ~ *away* 큰 걸음으로 성큼성큼 가 버리다/~ *to* the door 문쪽으로 성큼성큼 걸어가다. SYN. ⇨ WALK. **2** 《+전+명》 넘(어서)다《*over; across*》: ~ *over* a brook. **3** 걸터앉다[서다]. — *vt.* **1** …을 큰 걸음으로 걷다, 활보하다: ~ the street. **2** 넘어서다. **3** 《고어·시어》 …에 걸터앉다[서다]: ~ a horse. — *n.* **1** 큰 걸음, 활보. **2** 한 걸음(의 폭). **3** 보조; 《비유》 가락. **4** (보통 *pl.*) 진보, 발달, 전진. **5** (*pl.*) 《구어》 남자 바지. ***at*** [***in***] ***a ~*** 한 걸음으로. ***get into*** one***'s ~*** 본궤도에 오르다, 제가락이 나다. ***have a fine ~*** 큰 걸음으로 유유히 걷다. ***hit*** one***'s ~*** 《미》 가락을[페이스를] 되찾다. ***lengthen*** [***shorten***] one***'s ~*** 속력을 내다[줄이다]. ***make great*** [***rapid***] ***~s*** 장족의 진보를 하다. ***put*** a person ***off his ~*** [***stroke***] 《구어》 아무의 평소의 페이스를 흐트러지게 하다. ***take... in*** (one***'s***) ~ 쉽게 뛰어넘다; (어려운 일을) 무난히 해결해 나가다, …을 해내다: She *took* the examination *in ~*. 그녀는 시험을 무사히 치렀다. ***with big ~*** 황새걸음으로.

stri·dent [stráidnt] *a.*, *n.* 귀에 거슬리는 (소리), 삐걱거리는 (소리); (빛깔 등이) 야한. ㊎ **~·ly** *ad.* **-dence, -den·cy** *n.*

stri·dor [stráidər] *n.* 『의학』 천명(喘鳴); 《문어》 끽끽[삐걱]거리는 소리.

strid·u·late [strídʒəlèit/-dju-] *vi.* (곤충이) 날카로운 소리를 내다, 찍찍 울다. ㊎ **strìd·u·lá·tion** *n.* (곤충의) 울음소리; 새된 소리; 마찰음.

***strife** [straif] *n.* Ⓤ,Ⓒ 투쟁, 다툼; 싸움; 《영》

쟁의; 경쟁(contest); 《Austral.》 난처한 일, 분쟁: a labor ~ 노동 쟁의. ***be at ~ with*** …와 사이가 나쁘다〔다투고 있다〕.

strig·il [strídʒəl] *n.* 【고대그리스·고대로마】 (목욕실의) 몸 긁는〔때 미는〕 도구.

⁑strike [straik] (***struck*** [strʌk]; ***struck,*** 《고어》 ***strick·en*** [stríkən]) *vt.* **1** 《~+[목]/+[목]+[전]+[명]》 치다, 두드리다, 때리다《*up; down; aside*》. [cf.] hit, smite. ¶ ~ a ball 볼을 치다〔때리다〕/~ a person *on* the head 〔*in* the face〕 아무의 머리를〔얼굴을〕 때리다.
2 《~+[목]/+[목]+[전]+[명]》 두들겨 만들다〔…하다〕, 쳐서 만들어내다; 주조하다(coin): ~ a medal 메달을 두들겨 만들다/~ fruits *from* the tree 과일을 나무에서 두들겨 떨어뜨리다.
3 (시계가 시각을) 치다, 쳐서 알리다: Then the church clock was *striking* eleven. 그때 교회 시계가 11시를 치고 있었다.
4 《~+[목]/+[목]+[전]+[명]》 맞부딪치다, 부딪다, 들이받다: ~ one's head *against* a post/The ship *struck* a rock. 배가 암초에 부딪쳤다.
5 (부싯돌을) 치다; (성냥을) 긋다; (불꽃을) 튀게 하다: ~ a light (성냥으로) 불을 붙이다.
6 (목수가 먹줄을) 튀기다.
7 (되에 담은 곡물을) 평미레로 밀다(strickle).
8 (도로 따위가) 나오다, …에 이르다, 도착하다: ~ the main road after a short drive 차를 조금 달리니 큰길이 나오다/We *struck* Rome before dark. 어두워지기 전에 로마에 도착했다.
9 …와 뜻밖에 마주치다, (우연히) 발견하다; (지하자원을) 발견하다: ~ oil 유맥을 발견하다/~ a bonanza 풍부한 광맥을 발견하다; 대성공을 거두다.
10 결제〔결산〕하다, (평균을) 산출하다, (결론·타협 따위에) 이르다, (거래·예약·조약을) 맺다, 비준하다, 확정하다: ~ a compromise 타협하다/~ a mean 평균치를〔중용을〕 얻다/~ a bargain 거래하다.
11 (눈에) 띄다, (주의를) 끌다, (귀에) 들리다: ~ the eye 〔attention〕/a strange sound that *struck* my ear 내 귀에 들려온 이상한 소리.
12 《~+[목]/+[목]+[전]+[명]》 …의 마음을 울리다〔찌르다〕, …에 감명을 주다: The news of his father's death *struck* him *to* the heart. 부친 사망 통보로 그의 마음은 몹시 슬펐다.
13 《~+[목]/+[목]+*as*[보]》 (생각 따위가) 갑자기 떠오르다, …의 마음이 생기다, …에게 인상을 주다: A fine idea *struck* him./They ~ me *as* abnormal. 나는 그들이 이상하게 여겨진다.
14 《~+[목]/+[목]+[목]》 일격을 가하다, (타격을) 가하다, 주다: ~ a person a blow.
15 《+[목]+[전]+[명]》 꿰뚫다, (검 따위로) 꿰찌르다: ~ a dagger *into* a person 아무를 단도로 푹 찌르다.
16 (뱀이 먹이에) 엄니를 덥석 찔러 넣다.
17 【낚시】 (물고기가 미끼를) 덥석 물다, (물고기를) 걸려들게 하다.
18 【낚시】 (미끼를 무는 물고기를) 낚아채다; (고래에) 작살을 명중시키다.
19 (뿌리를) 박다: ~ deep roots.
20 《+[목]+[전]+[명]》 (공포 등을) 불어넣다《*into*》: It *struck* terror *into* my heart. 그것은 내 마음에 공포심을 불어넣었다.
21 습격〔공격〕하다; (병·불행 등이) 닥치다.
22 《+[목]+[보]》 습격하여 …하다: ~ a person dead 아무를 죽이다/~ a person dumb 아무를 아연케 하다.
23 《+[목]+[부]/+[목]+[전]+[명]》 잘라 내다, 끊어〔떼어〕 놓다《*off; away*》: ~ *off* a person's arm 아무의 팔을 잘라 내다/It *struck* him *off from* social contacts. 그것은 그를 사회와의 접촉으로부터 떼어 놓았다.
24 《+[목]+[부]/+[목]+[전]+[명]》 (글자 따위를) 지우다; (표·기록에서) 삭제하다《*out; off*》: ~ *out* a page that seems useless 쓸모없다고 생각되는 한 페이지를 삭제하다/~ a person's name *off* the list 아무의 이름을 명단에서 삭제하다.
25 《+[목]+[부]》 【야구】 삼진(三振)으로 아웃시키다《*out*》.
26 (통에) 주둥이를 내다.
27 《+[목]+[전]+[명]》 타진하다, …에 부탁하다: ~ a person *for* his autograph 아무에게 사인을 부탁하다.
28 …에 대해 파업을 하다, …에게 파업을 선언하다, (일을) 파업으로 포기하다.
29 (구조물·무대 장치 따위를) 해체하다, 철거하다; (조명을) 어둡게 하다, 끄다: ~ a tent 천막을 철거하다/~ a stage set 무대 장치를 치우다.
30 (돛·기 등을) 내리다, 걷다: ~ one's 〔the〕 flag 기를 내리다《항복·인사의 뜻으로》.
31 《~+[목]/+[목]+[전]+[명]》 갑자기 …하기 시작하다; (어떤 태도를) 취하다; 《구어》 (남에게) 맹렬하게 호소〔읍소〕하다, 조르다《*for*》; (식물이 뿌리를) 내리다: ~ a gallop 갑자기 내닫다/~ a polite attitude 갑자기 공손한 태도를 취하다/The boy *struck* his mother *for* more pocket money. 소년은 어머니에게 용돈을 더 달라고 졸랐다.
32 (포즈를) 취하다: ~ a dignified pose 위엄 있는 포즈를 취하다.
★ 과거분사 stricken은 주로 7, 21, 24에 쓰이나 특히 복합어에 있어서 현재에도 많이 쓰이고 있음. ⇨ STRICKEN.
— *vi.* **1** 《~/+[전]+[명]》 치다, 때리다; 공격하다《*at*》; (뱀·호랑이가) 급습하다; (고기가) 미끼를 물다: *Strike* while the iron is hot. 《속담》 쇠는 뜨거울 때 쳐라/a rattlesnake ready to ~ 덮쳐들려는 방울뱀/~ *at* a person 아무를 때리려 들다. **2** 《+[전]+[명]/+[부]》 타격을 가하다, 침해하다《*at*》: ~ *at* the foundation 〔root〕 of democracy 민주주의의 기틀을 위태롭게 하다/The disease *struck inward*. 병이 내공(內攻)하였다. **3** 《~/+[전]+[명]》 부딪다, 충돌하다; 좌초하다《*against; on*》: The ship *struck on* a rock. 배는 좌초했다. **4** 점화〔발화〕하다: The match wouldn't ~. 성냥이 아무리 해도 켜지지 않았다. **5** 《+[부]/+[전]+[명]》 향하다, 가다, 지나다, 꿰뚫다: ~ *northward* 북쪽으로 가다/~ *into* the woods 숲속으로 가다/We *struck out across* the fields. 우리는 들판을 가로질러 갔다. **6** (식물이) 뿌리박다, 뿌리내리다, (안료가) 달라붙다: The roots of the trees ~ deep. 그 나무는 깊이 뿌리를 박는다. **7** 기를 내리다; 기를 감고 항복하다〔경의를 나타내다〕. **8** (시계가) 울리다, 치다; (때가) 오다: The hour has *struck*. 바야흐로 때는 왔다. **9** 《~/+[전]+[명]》 동맹 파업을 하다: ~ *for* higher wages 〔*against* longer hours〕 임금 인상을 요구〔노동 시간 연장에 반대〕하여 파업하다. **10** 《+[전]+[명]》 노력하다, 싸우다: ~ *for* freedom. **11** 【연극】 (공연이 끝나) 세트를 걷어치우다. **12** 【미육군】 장교의 당번병이 되다; 【미해군】 (부사관 승진을 위해) 특별 훈련을 받다.
be stricken with (병)에 걸리다. ***be struck on*** 《구어》 …에 몰두〔열중〕하다, 반하다. ***be struck with*** …에 감명받다, …에 끌리다. ***It ~s me*** (***that***) ***….*** …와 같이 (나에게는) 생각된다, 나의 감상은 …이다. **~ *a blow for*** …을 위해 전력을 다하다. **~ *a happy medium*** =HAPPY MEDIUM. ***Strike a light!*** 《구어》 =Strike me pink! **~ *a***

line 〔*path*〕 진로를 잡다. ~ a person ***all of a heap*** 아무를 아연케 만들다. ~ ***aside*** 받아넘기다, 피하다. ~ ***at*** ⇨ *vi.* 1, 2. ~ ***back*** 《*vt.*+[부]》 ① (…을) 되받아치다. —《*vi.*+[부]》 ② (버너의) 불이 역류(逆流)하다. ~ a person ***blind*** 일격으로 아무를 눈멀게 하다. ~ ***down*** 때려눕히다; 죽이다; (병이) 덮치다; 〖수동태〗 급사하게 하다; (태양이) 내리쬐다; (생선을) 통에 재어다〔채워 넣다〕. ~ ***dumb*** ⇨ *vt.* 22. ~ ***hands*** ⇨ HAND. ~ ***home*** 치명상을 입히다, 급소를 찌르다; (말 따위가) 핵심을 찌르다, 소기의 효과를 올리다, 감동시키다. ~ ***in*** ① 갑자기 입을 열다; 갑자기 끼어들다; 훼방 놓다. ② (통풍(痛風) 등이) 내공(內攻)하다. ~ ***into*** ① …에 처박다〔찌르다〕. ② 갑자기 …에 들어가다〔을 시작하다〕. ~ ***it rich*** 좋은 광맥〔유맥〕을 찾아내다; 《비유》 뜻밖의 횡재를 하다. ~ ***lucky*** 운 좋게 성공하다. ***Strike me dead if ....*** 《속어》 …이라면 내 목을 주마, …은 정한 이치다. ***Strike me blind*** 〔***dead, pink***〕 ***!*** =***Strike*** (***me***) ***!*** 《구어》 이거 놀랍군, 어렵쇼. ~ ***off*** 《*vt.*+[부]》 ① ⇨ *vt.* 23, 24. ② (…을) 인쇄하다: ~ *off* 30,000 copies of the dictionary 사전을 3만부 인쇄하다. —《*vt.*+[전]》 ③ ⇨ *vt.* 24. —《*vi.*+[부]》 ④ (…을 향해서) 나아가다; 출발하다. ~ ***on*** =~ upon. ~ ***out*** 《*vt.*+[부]》 ① ⇨ *vt.* 24, 25. ② (방법·계획 따위를) 생각해내다, 안출하다: ~ *out* a new method 새로운 방법을 생각해내다. —《*vi.*+[부]》 ③ …에게 치려고 덤벼들다《*at*》: ~ *out at* his assailant 공격자를 향해 주먹을 휘두르며 덤벼들다. ④ 새로운 길〔방향〕을 개척하다〔밟기 시작하다〕, 독립하여 활약하다: ~ *out* on one's own 새롭게 독자적인 길을 밟기 시작하다. ⑤ (…을 향해) 나아가다, 출발하다, 헤엄쳐〔저어, 미끄러져〕 나가다《*for*》: ~ *out for* the shore 해안으로 헤엄쳐 가다. ⑥ 〖야구〗 (타자가) 삼진당하다. ⑦ 《미구어》 실패하다: His two business ventures *struck out*. 그의 두 모험적 사업은 실패로 끝났다. ~ ***the track*** 길로 나오다. ~ ***through*** 선을 그어 지우다〔삭제하다〕; 꿰뚫다. ~ ***together*** 충돌하다〔시키다〕. ~ ***twelve*** 전력을 다하다; 대성공을 거두다. ~ ***up*** 《*vt.*+[부]》 ① (곡·노래를) 부르기〔연주하기〕 시작하다: The band *struck up* a tune. 밴드는 곡을 연주하기 시작했다. ② (아무와) 교우 관계를 맺다, (대화 따위를) 시작하다《*with*》: ~ *up* a conversation *with* new neighbors 새로운 이웃사람과 대화를 시작하다. —《*vi.*+[부]》 ③ 노래를 부르기 시작하다, 곡을 연주하기 시작하다. ~ ***upon*** 〔***on***〕 (an idea 〔a plan〕) (어떤 생각〔계획〕이) 떠오르다. ~ ***up the heels of*** …을 걸어 넘어뜨리다.

— *n.* **1** 타격, 치기, 때리기. **2** 스트라이크, 파업, (노동) 쟁의. **3** 〖야구〗 스트라이크. [opp.] *ball*. **4** 〖지학〗 주향(走向). **5** (유전·금광 따위의) 노다지의 발견; 《구어》 (사업의) 대성공. **6** 《미》 공갈, 갈취, 협박. **7** 용량의 단위《보통 1 bushel》. **8** (화폐의) 1회분의 주조액. **9** (물고기가) 미끼에 걸림. **10** 〖공군〗 공습 (편대), (단일 목표에의) 집중 공격. **11** 〖볼링〗 스트라이크《제1투로 전부 쓰러뜨리는 일》; 그 득점. ***break up a*** ~ 파업을 깨다. ***call a*** ~ 파업을 일으키다〔선언하다〕. ***go*** (***out***) ***on*** ~ 〔《미》 ***a*** ~〕 파업하다. ***be*** (***out***) ***on*** (***a***) ~ 파업 중이다. ***have two*** ~***s against*** 〔***on***〕 ***one*** 〖야구〗 스트라이크를 2개 빼앗기고 있다; 《미구어》 불리한 입장에 있다. ~ ***of day*** 여명(黎明). ***three*** ~***s*** 〖야구〗 삼진(strikeout). [OE *strican* to go, stroke; cf. 《G.》 *streichen*]

stríke·bòund *a.* 파업으로 기능이 정지된《공장 등》, 파업으로 고민하는. 「속어》 대역(代役) 연인.

stríke·brèaker *n.* 파업 파괴자〔노동자〕; 《미

stríke·brèaking *n.* [U] 파업 파괴 (행위).

stríke fàult 〖지학〗 주향 단층(走向斷層).

stríke fòrce 〖군사〗 타격 부대, 즉시 공격력.

stríke fùnd 파업 자금.

stríke·less *a.* strike가 없는〔를 면한〕.

stríke méasure (계량할 때의) 평미레질.

stríke-òff *n.* 〖인쇄〗 교정쇄(刷), 시험쇄(刷).

stríke-òut *n.* 〖야구〗 삼진; 《미》 부두 노동을 말지 못하는 전과자.

stríke·òver *n.* [C,U] 타자기 문자의 2중 타자.

stríke pày 〔**bènefit**〕 (노조로부터의) 파업 수당. 「격.

stríke prìce 〖증권〗 (옵션 거래의) 권리 행사 가

stríк·er *n.* 치는 사람; 파업 참가자; (포경선의) 작살 사수(射手); (총의) 공이; 자명종; 〖미육군〗 당번병, 《널리》 조수; 《미해군속어》 적당히 해서 승진하려는 자; (각종 구기(球技)의) 타자; 《구어》 (축구의) (센터)포워드.

stríke ràte (골 따위의) 성공률.

stríke tòne 종칠 때 맨 처음 나는 소리.

stríke zòne 〖야구〗 스트라이크 존.

*__strik·ing__ [stráikiŋ] *a.* **1** 현저한, 두드러진; 인상적인, 멋있는: a scene of ~ beauty 사람 눈을 끄는 아름다운 경치 / a ~ lack of enthusiasm 열의의 두드러진 결여. **2** 치는, 공격의; 시간을 울리는《시계》. **3** 파업 중인. ㊕ °~·**ly** *ad.* 현저하게. ~·**ness** *n.*

stríking cìrcle 〖하키〗 스트라이킹 서클《골 앞의 반원형의 구역, 여기서 골인시켜 득점》.

stríking dìstance 타격 도달 범위〔거리〕. ***within*** ~ 아주 가까이에. 「격 부대.

stríking fòrce 〖군사〗 (즉시 출격 가능한) 타

stríking prìce =STRIKE PRICE.

Strine [strain] *n.* [U] 오스트레일리아 영어.

__string__ [striŋ] *n.* **1 [U,C] 끈, 줄, 실, 노끈: a piece of ~ 한 가닥의 끈. ★ cord 보다 가늘고 thread보다 굵은 끈. [SYN.] ⇨ THREAD. **2** 끈으로〔실로〕 꿴 것; 연이어서 꿴 것: a ~ of dried fish 한 꿰미의 마른 어물(魚物). **3** 일련(一連), 한 줄, (사람 따위의) 일렬, 일대(一隊): a ~ of cars waiting at a red light 정지 신호로 대기 중인 자동차의 열. **4** (악기의) 현(絃), (활의) 시위; (the ~s) 〖음악〗 현악기 (연주자): the G ~ (바이올린의) G 선. **5** 섬유; 〖식물〗 (콩 꼬투리의) 힘줄, 덩굴손; 〖의학〗 건(腱), 근(筋). **6** 〖당구〗 득점 (계산기). **7** (모자 등의) 줄, 리본. **8** (*pl.*) 《비유·구어》 부대 조건, 단서(但書): without (any) ~*s* 조건부가 아닌《원조 등》. **9** 《속어》 거짓말, 협잡; (거짓말·질문 등의) 연속, 연발: a ~ of lies 〔questions〕 거짓말〔질문〕의 연발. **10** 《속어》 넥타이. **11** 〖컴퓨터〗 문자열《단위로서 취급되는 기호·문자·비트를 한 줄로 지은 것》. **12** (노출도가 심한) 비키니(~ bikini). **13** (동일 경영자의) 체인점. ***a second*** ~ ***to*** one***'s bow*** 다른 수단, 제2의 수단〔방법〕. ***by the*** ~ ***rather than the bow*** 단도직입적으로. ***get*** 〔***have, keep***〕 a person ***on a*** ~ =《미》 ***have a*** ~ ***on*** a person 아무를 지배하다〔조종하다〕. ***harp on one*** 〔***the same***〕 ~ 같은 말을 되풀이하다. ***have two*** ~***s*** 〔***another*** ~, ***an extra*** ~, ***a second*** ~, ***more than one*** ~〕 ***to*** one***'s bow*** 제2의 방책이 있다, 만일의 대비가 있다; 다재다능하다, 기략(機略)이 뛰어나다. ***on a*** ~ 허공에 떠서, 아슬아슬하여; (남이) 시키는 대로. ***pull every*** ~ 전력을 다하다. ***pull*** (***the***) ~***s*** (인형극에서) 줄을 조종하다; 배후에서 조종하다, 배후 조종자가 되다; 연줄을 통하여 운동하다. ***touch a*** ~ ***in*** a person***'s heart*** 《비유》 아무의 심금을 울리다. ***touch the*** ~***s*** 현악기를 연주하다.

— (*p., pp.* ***strung***) *vt.* **1** 《~+[목]/+[목]+[전]+

명》 끈으로〔실로〕 묶다; 매달다: ~ a packet of books 책꾸러미를 묶다/the rigging *strung with* fish 물고기를 매단 삭구(索具). **2** 《~+목/+목+전+명》 …에 실을 꿰다, (실 따위를) 연속으로 꿰다: ~ pearls for a necklace 목걸이를 만들기 위해 진주를 실로 꿰다/~ a cord *with* beads 염주를 끈에 꿰다. **3** 《~+목/+목+부》 (악기·활의) 현을〔시위를〕 팽팽히 하다; …을 조율하다《*up*》: ~ (*up*) a violin 바이올린 가락을 고르다. **4** 《+목+전+명/+목+부》 치다; 잡아늘이다: ~ wires *from* post *to* post/~ *out* one's life 수명을 연장하다. **5** 《~+목/+목+부/+목+*to* do》〔보통 수동태 또는 ~ oneself〕 긴장하다; 흥분하다《*up*》: *be* highly *strung* 몹시 긴장하고 있다/~ one*self up* to the highest pitch 극도로 긴장하다/~ one*self up to* do 힘내어 …하다. **6** 일렬로 세우다, 배열하다《*out*》. **7** (콩 따위의) 덩굴손〔힘줄〕을 없애다. **8** 《속어》 속이다. **9** 《+목+부》《미》 (강의 등을) 연장시키다《*out*》. **—** *vi.* **1** 실같이 되다; (아교 등이) 실처럼 늘어나다. **2** 길게 이어지다; 줄지어 나아가다, 줄서다. **3** 《속어》 협잡하다, 거짓말하다. **4** 〖당구〗 (공을 쳐서) 순서를 정하다.

~ a person ***along*** (아무를) 속이다, 조종하다; (아무에게) 협력을 계속하게 하다. **~ *along*** (***with*** ...) 《구어》 …에 꼭 붙어서 가다; 《구어》 (신뢰하여) …에 따르다, …와 협조하다. **~ *on*** (시간을 벌기 위하여) 속이다. **~ *out*** 한 줄로 세우다〔서다〕; 산개(散開)하다, 뻗치다, 미치다; 《미구어》 (말 따위를) 질질 끌다. **~ *together*** (사실 등을) 연결시키다. **~ *up*** ① ⇨ *vt.* 3. ② 높이 매달다; 《구어》 목매달아 죽이다, 교수형에 처하다.

stríng bàg 망태기.

stríng bànd 현악단.

stríng bàss 콘트라베이스(double bass).

stríng bèan 《미》 꼬투리째 먹는 콩《강낭콩·완두 따위》; 그 꼬투리; 《구어·비유》 키가 크고 마른 사람.

stríng bikíni 스트링 비키니《몹시 짧은 비키니》.

stríng·bòard *n.* 〖건축〗 계단 옆판, 계단 양옆의 치장 판자.

stríng correspòndent 현지 고용〔파트타임〕의 통신원, 기사의 행수에 따라 보수를 받는 기자 (stringer).

stríng·còurse *n.* 〖건축〗 돌림띠.

stringcourse

stríng devèlopment =RIBBON DEVELOPMENT.

stringed *a.* **1** 현이 있는: a ~ instrument 현악기. **2** 현악기에 의한.

strin·gen·cy [stríndʒənsi] *n.* U,C (규칙 등의) 엄중함; (상황(商況) 등의) 절박, 자금 핍박; (학설 등의) 설득력, 박력.

strin·gen·do [strindʒéndou] *ad.* 《It.》 〖음악〗 점점 빠르게.

strin·gent [stríndʒənt] *a.* **1** 절박한; 자금이 핍박한(tight). **2** 엄중한《규칙 따위》. **3** (학설 등이) 설득력 있는. ㊞ **~·ly** *ad.* **~·ness** *n.*

stríng·er *n.* **1** (활)시위를 메우는 장색(匠色); (악기의) 현(絃)을 매는 기술자. **2** 〖철도〗 세로 깐 침목; 〖건축〗 세로 보, 스트링어; =STRINGBOARD; 〖선박〗 종통재(縱通材), 종재(縱材). **3** (*pl.*) 《속어》 수갑. **4** 〖신문〗 비상근(非常勤) 통신원, 〔일반적〕 특파원, =STRING CORRESPONDENT. **5** 《미》 능력별로 랭크된 사람: a second-~, 2군〔보결〕 선수.

string·halt [stríŋhɔ̀:lt] *n.* U =SPRINGHALT.

stríng·ing *n.* (라켓의) 거트.

stríng·lìne *n.* 〖건축〗 (벽돌 쌓을 때) 수평을 나타내기 위해 쳐 놓은 실.

stríng órchestra 현악 합주단.

stríng·pìece *n.* 〖건축〗 들보, 횡보.

stríng-pùlling *n.* 《구어》 배후 조종. ㊞ **stríng-pùller** *n.* 흑막, 배후 조종자.

stríng quartét 현악 사중주(단).

stríng thèory 〖물리〗 끈 이론, 현(弦)이론, 스트링 이론《소립자를 끈 모양의 것(string)으로 다룸으로써, 점으로 다루는 경우에 생기는 많은 수학적 곤란을 회피하는 이론》.

stríng tìe 가늘고 짧은 넥타이《보통 나비매듭으로 맴》.

stríng-whànger *n.* 《재즈속어》 기타 주자.

stringy [stríŋi] (***string·i·er; -i·est***) *a.* 실의, 끈의; 섬유질의; 줄이 많은; (고기가) 힘줄투성이의; 끈적끈적한, 실오리처럼 늘어나는; (사람이) 체격이 늠름한. ㊞ **stríng·i·ness** *n.*

strip[1] [strip] (*p., pp.* **~ped** [stript], 《드물게》 **~t; ∠·ping**) *vt.* **1** 《~+목/+목+전+명/+목+부》 (겉껍질 따위를) 벗기다, 까다; 떼어내다, 발기다《*off*》; (낡은 페인트 따위를) 벗기다《*off; away*》; …의 칠〔벽지 등〕을 벗기다《*down*》; (개의) 빠진 털을 빗어내다: ~ the bark *off* 나무껍질을 벗기다/~ a mold *from* a casting 주물에서 주형을 떼어내다/~ *off* the skin of a banana 바나나 껍질을 벗기다. **2** 《+목+전+명》 …로부터 빼앗다〔제거하다〕《*of*》: ~ a person *of* his money 아무의 돈을 빼앗다. **3** 《~+목/+목+보/+목+부/+목+전+명》 (사람)의 옷을 벗기다: ~ a person naked 아무를 벌거벗기다/~ *off* one's clothes 옷을 벗다. **4** 《~+목/+목+부》 삭구(索具)를 떼다, (배의) 의장(艤裝)을 풀다; (차 따위를) 해체하다; (엔진 등을) 분해하다《*down*》; 무장 해제하다; (화물 수송에서) 컨테이너를 풀다: ~ *down* an engine 엔진을 분해하다. **5** 젖을 다 짜내다. **6** (나사의) 날을 닳려 없애다. **—** *vi.* **1** (껍질이) 벗겨지다. **2** 《~/+전+명》 옷을 벗다, 벌거벗다: She ~*ped to* her bathing suit. 그녀는 수영복만 남기고 옷을 다 벗었다. **3** (나사의) 날이 닳다, (나사가) 느슨해지다; (총알이) 회전하지 않고 튀어 나가다. **~ *down*** ① ⇨ *vt.* 4. ② 몹시 꾸짖다. **~ a person *to the skin*** 아무를 벌거벗기다. **~ *off*** ① ⇨ *vt.* 1, 3. ② 〖인쇄〗 인쇄하다. ③ (그림·시 따위를) 즉석에서 그리다〔짓다〕, 척척 그리다〔쓰다〕. [OE *strȳpan*, -*strīepan* to despoil; cf. 《G.》 *streifen*] ㊞ **stríp·pa·ble** *a.*

strip[2] *n.* **1** (헝겊·종이·널빤지 따위의) 길고 가느다란 조각, 작은 조각: in ~*s* 길고 가느다란 조각이 되어/a ~ of wood 조붓한 나뭇조각. **2** 좁고 긴 땅; 〖항공〗 가설(假設) 활주로(airstrip). **3** =COMIC STRIP. **4** 석 장 (이상) 붙은 우표. **5** (the S-) 각종 가게가 즐비한 거리; (the S-) 《미속어》 (Las Vegas 등지의) 환락가; 《속어》 =DRAG STRIP. **6** (TV의) 연속 프로. ***leave a*** **~** 《미속어》 급히 감속하다, 브레이크를 걸다, (노면에 타이어 자국을 내며) 급정거하다. ***tear a*** **~** 〔**~*s***〕 ***off*** a person =***tear*** a person ***off a*** **~** 《영구어》 아무를 호통치다. **—** (**-*pp*-**) *vt.* **1** 길쭉하게 자르다〔찢다〕. **2** 〖인쇄〗 (사진 제판에서) 네가 필름막(膜)을 붙이다. [MLG *strippe* strap, thong]

stríp àrtist 스트리퍼(stripteaser).

stríp cartóon =COMIC STRIP.

stríp cèll 《미속어》 교도소의 빈 방.

stríp chàrt 스트립 차트《긴 띠 모양의 용지를 사용하는 장기간 기록도(圖)〔장치〕》.

stríp cìty 《미》 (두 도시를 잇는) 대상(帶狀) 시가지, 대상 도시.

stríp clùb 스트립 클럽, 스트립쇼장(場).

stripe** [straip] *n.* **1** 줄무늬, 줄, 선조(線條). **2** 줄무늬 있는 천; (보통 *pl.*) 줄무늬 옷, 《특히》 죄수복. **3** (보통 *pl.*) 〖군사〗 수장(袖章), 계급: ⇨ SERVICE STRIPE. **4** (보통 *pl.*) 《고어》 채찍 자국, 매질. **5** 《미》 (종교·정치론 따위의) 종류, 특색, 형(型): artists of every ~ 모든 종류의 예술가들. **6** (~s) 〔단수취급〕 《구어》 호랑이. **7** 《미》 (인물 등의) 유형, 종류, 의견: a man of his ~ 그 사람류의 인물. ***get* 〔*lose*〕 *one's* ~*s 〖군사〗 승진하다〔강등되다〕. ***wear* (*the*) ~*s*** 《미》 교도소에 들어가다, 복역 중이다. **—** *vt.* …에 줄을 붙이다, 줄무늬로 하다; 매질하다. [파] °~**d** [-t] *a.* 줄무늬가 있는: ~*d* bass 〖어류〗 줄무늬농어. **~·less** *a.*

stríped múscle 가로무늬근, 횡문근.

stríped-pànts *a.* 《구어》 외교단의; 외교적인, 의례적인: ~ diplomacy 판에 박힌 외교.

strip·er [stráipər] *n.* 《군대속어》 계급을〔근무연수를〕 나타내는 수장(袖章)을 단 군인: a five-~, 5년병 / a one-~ 《미해군속어》 해군 소위.

strípe smùt 〖식물〗 흑수병(黑穗病), 깜부깃병.

stríp fìlm =FILMSTRIP.

strip·ing [stráipiŋ] *n.* 줄무늬를 붙임; 붙인 줄무늬; 줄무늬 디자인.

stríp jóint 《구어》 =STRIP CLUB.

stríp·lìght *n.* 갸름한 상자에 전구를 나란히 박은 무대 조명용 라이트; 막대꼴 형광등.

stríp lìghting (막대꼴 형광등에 의한) 조명.

strip·ling [stríplIŋ] *n.* 풋내기, 애송이, 소녀.

stríp màll 스트립 몰《상점이나 음식점이 한 줄로 죽 늘어서고, 그 앞에 길게 주차장이 있는》.

stríp mìll 스트립 밀《철·알루미늄·구리 따위의 대상(帶狀) 금속판을 연속적으로 만드는 압축기〔공장〕》.

stríp mìne 《미》 노천광(鑛).

stríp mìner 노천 채광부.

stríp mìning 《미》 (석탄 등의) 노천 채굴.

stríp-pàckaging *n.* 스트립 포장《약품 등을 두 장의 금박 또는 플라스틱 필름 사이에 1회분씩 구획 연결시킨 포장 형태》.

stripped [-t] *a.* (너트·볼트 등의 나사산(螺絲山)이) 손상된, 마멸된.

strípped-dówn *a.* 불필요한 장비를 모두 제거한《자동차》: a ~ car.

stríp·per *n.* **1** strip 하는 사람〔기구·도구〕. **2** 젖 마른 소; 생산량이 격감한 유정(油井). **3** 《구어》 =STRIPTEASER. **4** 스트리퍼《카폰·에어컨 등 중요치 않은 장비를 모조리 뗀 차》.

stríp pòker 질 때마다 옷 하나씩 벗는 포커.

stríp sèarch 《속어》 =SKIN SEARCH.

stríp-sèarch *vt.* (사람)을 홀랑 벗기고 조사하다. **—** *n.* 그 신체검사.

stríp shòw 스트립쇼.

stript [stript] STRIP[1]의 과거·과거분사.

stríp·tèase *n.* 스트립쇼(=**~ shòw**). **—** *vi.* 스트립쇼를 하다. [파] **-tèaser** *n.* 스트리퍼, 스트립쇼의 무희.

stripy [stráipi] (***strip·i·er; -i·est***) *a.* 줄무늬 있는.

strive** [straiv] (strove*** [strouv]; ***striv·en*** [strívən]) *vi.* **1** 《~/+*to* do》 노력하다: He *strove to* overcome his bad habits. 나쁜 버릇을 없애려고 노력했다. **2** 《+[전]+[명]》 얻으려고 애쓰다《*after; for*》: ~ *for* independence. **3** 《+[전]+[명]》 싸우다, 항쟁〔분투〕하다, 겨루다《*with; against*》; 승강이하다《*together; with* each other》: ~ *against* fate 〔destiny〕 운명과 싸우다.

striv·en [strívən] STRIVE의 과거분사.

strobe [stroub] *n.* 《구어》 =STROBOSCOPE; 〖사진〗 스트로보(strobe light).

stróbe lìght 〖사진〗 스트로보, 섬광 전구(flash lamp).

strob·ile [stróubail, -bil] *n.* 구과(毬果)《솔방울 따위》.

stro·bo·scope [stróubəskòup] *n.* 스트로보스코프《급속히 움직이는 물체를 정지한 것처럼 관측·촬영하는 장치》; 〖사진〗 스트로보.

stro·bo·scóp·ic lámp [stròubəskápik-/-skɔ́p-] 〖사진〗 스트로보.

stro·bo·tron [stróubətràn/-trɔ̀n] *n.* 〖전기〗 스트로보트론《가스가 든 방전관(放電管)》.

strode [stroud] STRIDE의 과거.

****stroke**[1] [strouk] *n.* **1** 한 번 치기〔찌르기〕, 일격, 치기, 타격: a ~ of lightning 낙뢰 / Little ~*s* fell great oaks. 《속담》 열 번 찍어 안 넘어가는 나무 없다; 티끌 모아 태산. **2** [U,C] (보트를) 한 번 젓기; 젓는 법, 정조(整調); 정조수(手); [C] (구기에서의) 공을 한 번 치기, 타격법: a backhand ~ (테니스의) 백핸드 스트로크. **3** (수영의) 한 번 손발을 놀리기, 수영법; (새의) 한 번 날개치기. **4** 일필(一筆), 필법; 한 획, (한자(漢字)의) 자획; 사선(斜線)(virgule); 〖기계〗 전후 왕복 운동〔거리〕, 행정(行程): with a ~ of the pen 일필휘지하여. **5** 한칼, 한 번 새김. **6** 치는 소리《시계·종 따위》; (심장의) 한 고동, 맥박: on the ~ of two, 2시를 치면. **7** (병의) 발작, 《특히》 뇌졸중. **8** 한바탕 일하기, 한바탕의 일; 수완, 솜씨, 공로, 성공: I did a fine ~ *of* business. 수지맞는 거래를 했다. **9** 〖전자〗 (음극선상의 전자빔의) 스트로크. **10** 〖컴퓨터〗 스트로크; (키보드 상의 키) 누르기, 치기 (자판). ***a finishing* ~** 최후의 일격; 끝마무리. ***a* ~ *above*** (…보다) 한 수 위인. ***a* ~ *of genius*** 천재적인 수완. ***a* ~ *of luck*** 요행수. ***at* 〔*in*〕 *a* 〔*one*〕 ~** 일격으로; 단번에, 단숨에. ***keep* ~** 박자 맞추어 노를 젓다. ***off one's* ~** 평소의 능률이 오르지 않아: put a person *off* his ~ 아무의 활동〔능률〕을 둔하게 하다. ***on* 〔*at*〕 *the* ~** 정각에《도착하다 등》. ***pull a* ~** 비열한 수단을 쓰다.

— *vt.* **1** (t자(字) 등에) 짧은 줄을 긋다; (기록한 어구 등에) 줄을 그어 지우다《*out*》. **2** (보트의) 피치를 정하다, (보트의〔경조(競漕)에서〕) 정조수(整調手) 노릇을 하다. **3** 치다, 때리다; 〖구기〗 (공을) 겨냥하여 치다, 확실하게 치다. **—** *vi.* 공을 치다; (보트의) 정조수 역할을 하다.

stroke**[2] *vt.* 《~+[목]/+[목]+[부]》 쓰다듬다, 어루만지다; 주름을 펴다; 〖석공〗 …에 홈을 파다; 《미구어》 달래다, 구슬리다; 《미구어》 (여자와) 관계하다: ~ (*down*) one's hair 머리를 쓰다듬다. **~ a person *down 아무를 달래다. **~ a person 〔*a person's hair*〕 *up* 〔*the wrong way*〕** 아무를 성나게 하다, 짜증 나게 하다. **—** *n.* (한 번) 쓰다듬기, 달램; 《미》 감언, 칭찬의 말; 《미》 설득력. [OE *strācian*; cf. 《G.》 *streichen*]

stróke fònt 〖컴퓨터〗 스트로크 글꼴《선의 조합으로 인쇄되는》.

stróke hòuse 《미속어》 포르노 극장.

stróke òar 〖보트〗 정조수(整調手)가 젓는 노; 정조수.

stróke plày 〖골프〗 타수 경기(medal play).

strókes·man [-mən] (*pl.* ***-men*** [-mən]) *n.* (보트의) 정조수(整調手).

***stroll** [stroul] *n.* 어슬렁어슬렁 거닐기, 산책; 《미속어》 도로, 가로; 《미속어》 쉬운 일: go for 〔take〕 a ~ 산책하다. **—** *vi.* **1** 《~/+[부]/+[전]+[명]》 산책하다, 만보하다: ~ *about* in the suburbs 교외를 어슬렁어슬렁 거닐다 / ~ *along* the beach 해안을 산책하다. [SYN.] ⇨ WALK. **2** 방랑하다. **3** (배우 등이) 순회공연하다. **—** *vt.* 《미》 (거리 따위를) 어슬렁어슬렁 걷다. [cf.] ramble, saunter. [파] **~·er** *n.* 산책하는 사람; 순회공연자; 무숙자; 《미》 걸상식으로 된 유모차.

strόll·ing *a.* 〔한정적〕 떠돌아다니는, 순회공연하는《배우 등》.

stro·ma [stróumə] (*pl.* **~·ta** [-tə]) *n.* **1** 〖해부〗 스트로마, (적혈구 등의) 기질(基質), 기(基) 조직, 간질(間質): cancer ~ 암의 기질. **2** 〖식물〗 자좌(子座)《밀집한 균사(菌絲)》; 엽록체.

stro·mat·o·lite [stroumǽtəlàit] *n.* 〖고생물〗 스트로마톨라이트《녹조류(綠藻類) 화석을 포함하는 층상(層狀) 석회석》.

†**strong** [strɔːŋ, strɑŋ/strɔŋ] (**∠·er** [-gər]; **∠·est** [-gist]) *a.* **1** 강한, 강대한, 유력한. OPP *weak.* ¶ a ~ nation 강국 / a ~ economy 강력한 경제(력) / a ~ wind 강풍.

> SYN. **strong** 우리말의 '강한'과 마찬가지로 신체의 강함, 물건의 강도, 정신의 굳건함 따위에 널리 쓰임: *strong* in mind and body 심신이 아울러 튼튼한. *strong* in mathematics 수학을 잘하는. **mighty** 남을 압도할 만한 힘을 가진: a *mighty* ruler 강력한 통치자. **powerful** power를 가진. mighty가 외부에 대한 압력, 거대함을 강조함에 대하여, 내적인 힘, 실력을 강조함: a *powerful* engine 강력한 엔진. **vigorous** 정력적, 힘찬: a *vigorous* style 힘찬 문체.

2 굳센, 완강한, (몸이) 튼튼한; (천이) 질긴; 딱딱한, 소화가 안 되는《음식》: the ~*er* sex 남성 / ~ walls 튼튼한 벽 / ~ defense 튼튼한 방위 / ~ cloth 질긴 천 / a ~ young man 건강한 청년.
3 (정신적으로) 튼튼한, 움직이지 않는, 확고한, 완고한: a ~ conviction 확신 / ~ prejudices 뿌리 깊은 편견 / a ~ conservative 철저한 보수주의자.
4 강렬한, 힘찬, 세찬: a ~ blow 강력한 일격 / a ~ handshake 힘찬 악수 / a ~ attack 맹공격 / ~ measures 강경 수단.
5 (의견·증거 등이) 설득력 있는, 타당한; 효과적인, 유력한; (극·이야기의 장면이) 감동적인, (말 따위가) 격렬한, 힘센: a ~ situation (극·이야기 등의) 감동적인 장면 / a ~ argument 설득력 있는 주장 / The prosecutor has ~ evidence against him. 검사는 그에게 불리한 유력한 증거를 잡고 있다.
6 뛰어난, 잘하는; 《미속어》 활수(滑手)한, 돈 쓰기 좋아하는: He is ~ *in* physics. 물리학을 잘한다 / a ~ point 장점 / I'm not ~ *on* literature. 문학에는 소질이 없다.
7 (정도가) 강한〔큰〕, (가능성 따위가) 높은: a ~ possibility 높은 가능성 / bear a ~ resemblance 매우 비슷하다《*to*》/ a President ~ in the affection of the people 국민의 사랑을 듬뿍 받고 있는 대통령.
8 a (감정 등이) 격렬한; 열심인, 열렬한; 철저한, 전적인: ~ affection 〔hatred〕 강한 애정〔증오〕/ He's a ~ Democrat. 그는 열렬한 민주당원이다. **b** (활동·노력 등이) 분투적〔정력적〕인, 맹렬한: ~ efforts 맹렬한 노력.
9 (경제력이) 튼튼한; 견실〔건전〕한; (카드놀이의 패 등이) 센: a ~ economy 건전한 경제 / a ~ hand in trumps 카드놀이에서 손에 든 센 패.
10 (인원·수효가) 많은, 강대한; 〖수사 뒤에서〗 총 …명의, …에 달하는: an army ten thousand ~ 총 1만명의 군대 / a ~ army 우세한 군대.
11 (소리·빛·맛·냄새 따위가) 강한, 강렬한, 짙은; 선명한《인상》, 현저한《유사·대조》; 냄새나는: a ~ color 강렬한〔짙은〕 색 / a ~ light 강렬한 빛 / a ~ flavor 강렬한 맛〔냄새〕/ a ~ voice 큰 목소리 / ~ cheese 맛이 진한 치즈.
12 냄새가 좋지 않은; 썩어서 냄새가 나는: a ~ breath 구린내 나는 입김 / ~ butter 썩기 시작한 버터.
13 (차(茶) 등이) 진한; (술이) 독한, 알코올분이 센; (약효가) 센, 잘 듣는. OPP *weak, soft.* ¶ ~ tea 진한 차 / ⇨ STRONG DRINK.
14 〖상업〗 오를 낌새〔기미〕의, 강세의; 《미속어》 부당한 이익을 올리는: Prices are ~. 시세는 오름세다 / a ~ market 강세의 시장.
15 〖문법〗 강변화의: ~ verbs 강변화 동사《sing, sang, sung의 경우 따위》.
16 〖음성〗 강세 있는. cf. weak. ◇ strength *n.*
(*as*) ~ ***as a horse*** 〔***an ox, a bull, a bear***〕 매우 튼튼한. ***be ~ against*** …에 절대 반대다. ***be ~ for*** …에 대찬성이다, …을 중시하다. ***be ~ on*** 〔***at***〕 ... …을 중히 여기다, …을 좋아하다: *be ~ on* family ties 가족 관계를 중시하다. ***by*** 〔***with***〕 ***a*** 〔***the***〕 ***~ hand*** 〔***arm***〕 우격다짐으로, 폭력〔힘〕으로. ***have a ~ head*** 〔***stomach***〕 (사람이) 술이 세다, 취하지 않다. ***take ~ action*** 확고한 조처를 취하다. ***take ~ root*** 튼튼히 뿌리박다.
— *ad.* 세게, 맹렬히, 엄청나게, 터무니없이: The wind is blowing ~. 바람이 세게 불고 있다. ***be*** (***still***) ***going ~*** 《구어》 기운차게 하고 있다; 《구어》 아직 튼튼〔건강〕하다, 번창하고 있다, 성공적이다: He is eighty and *still going* ~. 그는 80세이지만 아직도 건강하다. ***come*** 〔***go, pitch***〕 ***it*** (***a bit, too***) ~ 《구어》 정도가〔말이〕 지나치다(cf. DRAW it mild). ***come on ~*** 《구어》 강인한〔개성이 강한〕 인상을 주다, (너무) 강하게 자기 주장을 하다. ***come out ~*** 과장〔역설〕하다. ***put it ~*** 나쁘게〔심하게〕 말하다, 과장하다.

stróng àrm 힘, 고압 수단, 폭력; (남의 밑에서) 폭력을 쓰는 남자, 폭한: the ~ of the law 강권(強權), 경찰 및 법의 힘.

stróng-àrm 《구어》 *a.* 완력적인; 힘센: a ~ man 폭력단원. **—** *vt.* 《미》 …에 폭력을 쓰다; 강탈하다.

stróng·bòx *n.* 금고, 귀중품 상자.

stróng bréeze 〖기상〗 된바람; 웅풍(雄風)《시속 25–31 마일》.

stróng drínk 주류(酒類), 증류주.

stróng fórce 〖물리〗 =STRONG INTERACTION.

stróng fòrm 〖문법〗 강형(強形). ⇨《부록》 STRONG FORM.

stróng gále 〖기상〗 큰센바람, 대강풍《시속 47–54 마일》.

stróng·héaded [-id] *a.* 완강한(headstrong); 머리가 좋은.

stróng·héarted [-id] *a.* 용감한, 용기 있는.

stróng·hòld *n.* 요새, 성채; (어떤 사상 등의) 중심점, 본거지, 거점.

stróng interáction 〖물리〗 (소립자 간의) 강한 상호 작용(strong force).

strong·ish [strɔ́(ː)ŋiʃ, strɑ́ŋ-] *a.* 튼튼해 보이는, 상당히 강한.

stróng lánguage 심한 말, 극단적인 표현; 《완곡어》 독설, 악담, 저주.

***strong·ly** [strɔ́ːŋli, strɑ́ŋ-/strɔ́ŋ-] *ad.* 강하게, 공고히; 격심하게, 맹렬히; 튼튼하게; 열심히, 강경히: be ~ built 견고하게 지어져 있다 / be ~ against it 그것에 강경히 반대하다.

stróng·màn [-mæ̀n] (*pl.* **-mèn** [mèn]) *n.* **1** 장사, (서커스 등의) 괴력사. **2** (힘으로 지배하는) 정치적 지도자, 독재자. **3** (기구·조직 내의) 실력자, 세력자(=**stróng màn**).

stróng méat 질긴 고기; (사람에게) 공포·분노·반발 등을 일으키게 하는 것, 소름 끼치는 것; 〖성서〗 어려운 교의(教義).

stróng-mínded [-id] *a.* 심지가 굳은, 과단성 있는; 오기 있는《여성 등》. ㊞ **~·ly** *ad.*

stróng·pòint *n.* 장기(長技), 강점; 〖군사〗 방어 거점.

stróng·ròom *n.* 《주로 영》 금고실, 귀중품실; 중증 정신병 환자를 가두는 특별실.

stróng síde 〚미식축구〛 (공격 진형의 좌우 어느 쪽인가) 인원수가 많은 쪽.
stróng súit 〚카드놀이〛 높은 끗수의 패; 《비유》 장점, 장기(長技)(long suit).
stróng-vóiced [-t] *a.* 크고 똑똑한 목소리의.
stróng-wílled *a.* 의지가 굳센; 완고한.
stron·gy·loi·di·a·sis, -loi·do·sis [strὰndʒəlɔidáiəsis/strɔ̀n-], [-dóusis] *n.* 〚의학·수의〛 분선충증(糞線蟲症).
stron·tia [stránʃiə, -ʃə/strɔ́ntiə, -ʃiə] *n.* 〚화학〛 스트론티아《산화스트론튬 또는 수산화스트론튬》.
stron·ti·an·ite [stránʃiənàit, -ʃə-/strɔ́ntiə-, -ʃiə-] *n.* 〚광물〛 스트론튬석(石), 스트론티아나이트.
stron·ti·um [stránʃiəm, -tiəm/strɔ́ntiəm, -ʃiəm] *n.* Ⓤ 〚화학〛 스트론튬《금속 원소; 기호 Sr; 번호 38》: ~ 90, 스트론튬 90《스트론튬의 인공 방사성 동위 원소의 하나; 인체에 유해; 기호 ^{90}Sr》.
strop [strap/strɔp] *n.* 가죽숫돌(strap); 〚선박〛 도르래(의 고리)줄. ── **(-pp-)** *vt.* 가죽숫돌에 갈다. ㊕ **∠·per** *n.*
stro·phan·thin [stroufǽnθin] *n.* 〚약학〛 스트로판틴《주로 strophanthus의 씨에서 채취하는 씁쓸한 배당체(配糖體) 혼합물; 강심제로 쓰임》.
stro·phan·thus [stroufǽnθəs] (*pl.* **~·es**) *n.* 스트로판투스《열대 아프리카산(産) 협죽도과(夾竹桃科)와 금룡화속(金龍花屬) *Strophanthus* 관목의 총칭; 그 씨에는 맹독이 있어 화살 독으로 쓰였고, 강심제 strophanthin의 원료임》.
stro·phe [stróufi] *n.* (옛 그리스 합창 무용단의) 왼쪽으로의 이동; 그때 노래하는 가장(歌章); 〚운율〛 절(節)(stanza).
strop·py [strápi/strɔ́pi] (**-pi·er; -pi·est**) *a.* 《영구어》 반항적인; 불평을 늘어놓는, 투덜거리는; 꼴사나운.
strove [strouv] STRIVE의 과거.
strow [strou] (**~ed; ~n** [stroun], **~ed**) *vt.* 《고어》 =STREW.
struck [strʌk] STRIKE의 과거·과거분사.
── *a.* 《속어》 반한, 열중하는《*with; on*》; 《미》 파업 중인: a ~ factory.
strúck júry 〚미법률〛 특별 배심(special jury) 《쌍방의 변호사가 특별 협정에 따라 배심원 중에서 고르는 12명》.
strúck óut swínging 〚야구〛 스윙 아웃.
*__struc·tur·al__ [strʌ́ktʃərəl] *a.* 구조(상)의, 조직의; 건축(용)의; 〚생물〛 생체 구조의; 〚화학〛 화학 구조의; 〚경제〛 구조상의《실업·불황 등》; 건축(용)의: a ~ fault 구조상의 결함 / the ~ beauty of a temple 사원의 구조미. ㊕ **~·ly** *ad.* 구조상, 구조적으로.
strúctural anthropólogy 〚인류〛 구조 인류학.
strúctural enginéer 구조 기술자.
strúctural enginéering 구조 공학《대규모의 건물·댐 따위를 다루는 토목 공학 분야》.
strúctural fórmula 〚화학〛 구조식.
strúctural géne 〚생물〛 구조 유전자. ⓒⓕ regulator gene.
strúctural íron 건축용 철재.
strúc·tur·al·ìsm *n.* Ⓤ 구조주의《언어학·인문과학 등에서 기능보다 구조에 중점을 두는》; = STRUCTURAL LINGUISTICS, STRUCTURAL PSYCHOLOGY.
strúctural ísomer 〚화학〛 구조 이성체.
strúctural·ist *n.*, *a.* 구조(주의) 언어학자(의); 구조주의 비평가(의).
struc·tur·al·ize, 《특히 영》 **-ise** [strʌ́ktʃərəlàiz] *vt.* 조직〔구조〕화하다. ㊕ **strùc·tur·al·i·zá·tion** *n.*
strúctural linguístics 《단수취급》 구조 언어학.
strúctural psychólogy 구성 심리학.
strúctural recéssion 〚경제〛 구조(構造) 불황(=**strúctural depréssion**).
strúctural stéel 〚건축〛 구조용 강재.
strúctural unemplóyment (경제 구조의 변화로 인한) 구조적 실업.
struc·tur·a·tion [strʌ̀ktʃəréiʃən] *n.* 조직 구조《조직체에 있어서 구성 부위의 상호 관계》.
__struc·ture__ [strʌ́ktʃər] *n.* Ⓤ,Ⓒ **1 구조, 짜임새, 얼개, 기구, 구성, 조립, 조직, 체계; 사회 구조: the economic ~ of Korea 한국의 경제 구조. **2** Ⓒ 구조물, 건조물, 건축물: an old wooden ~. SYN. ⇨ BUILDING. **3** 〚화학〛 화학 구조; 〚문법〛 구문. **4** 돌결, 나뭇결. **5** 〚컴퓨터〛 구조. ◇ structural *a.* ── *vt.* (생각·계획 등을) 짜다, 구축〔조직〕하다, 조직〔체계〕화하다. ㊕ **~d** *a.* **~·less** *a.*
strúctured lánguage 〚컴퓨터〛 구조적 언어.
strúctured prógramming 〚컴퓨터〛 구조화 프로그래밍《프로그램 작성에서 생산성, 신뢰성, 보수성의 향상을 위해 개발된 방법》.
strúcture plàn 구조 계획《지정 지구에 있어서 토지의 개발·이용·보전 따위에 관해 지방 자치체가 책정한 계획》.
strúc·tur·ìsm [-rìzəm] *n.* 〚미술〛 구조주의. ㊕ **-ist** *n.*
strúc·tur·ìze [-ràiz] *vt.* …을 조직화〔구조화〕하다.
stru·del [strú:dl] *n.* 과일·치즈 따위를 반죽한 밀가루로 얇게 싸서 화덕에 구운 과자.
__strug·gle__ [strʌ́gəl] *vi.* **1 《~/+*to* do》 버둥〔허우적〕거리다: ~ *to* escape 도망치려고 허우적거리다. **2** 《+전+명》 애쓰며 가다〔나아가다〕, 그럭저럭 해나가다《*along; through; in; up*》: ~ *through* the snow 눈을 헤치고 나아가다. **3** 《+*to* do》 노력〔분투〕하다, 고투하다: ~ *to* calm oneself 냉정하려고 애쓰다. **4** 《+전+명》 싸우다 《*against; with; for*》: ~ *with* many problems 많은 문제와 싸우다 / ~ *for* a living 생활을 위해 싸우다. ── *vt.* 《+목+부/+목+전+명》 노력해서 …을 해내다〔움직이다〕; 애써서 …을 (어떤) 상태로 만들다: ~ *down* one's excitement 애써〔겨우〕 흥분을 가라앉히다 / He ~*d* the heavy box *into* a corner. 무거운 상자를 간신히 구석으로 옮겼다. **~ one*self to*** do 간신히〔애써〕 …하다. **~ one*'s way*** (through a crowd) (군중을) 헤치고 나아가다. **~ *to* one*'s feet*** 간신히 일어나다.
── *n.* **1** 버둥질. **2** 노력, 고투. **3** 싸움, 전투, 투쟁. ⓒⓕ fight. ¶ the ~ *for* existence 〔life〕 생존경쟁 / one's death ~ 사투(死鬪).
strúg·gling *a.* 노력하는, 분투〔고투〕하는, 《특히》 생활고와 싸우는. ㊕ **~·ly** *ad.*
strum [strʌm] (**-mm-**) *vt.*, *vi.* 서투르게 치다〔타다, 켜다〕: ~ (*on*) a guitar 기타를 서투르게〔아무렇게나〕 치다. ── *n.* 서투르게 켜기〔탄주(彈奏)하기〕; 그 소리.
stru·ma [strú:mə] (*pl.* **~e** [-mi:]) *n.* 《L.》 〚의학〛 《고어》 연주창(scrofula); 갑상선종; 〚식물〛 혹 모양의 돌기, 소엽절(小葉節). ㊕ **strú·mose** [-mous] *a.* 〚식물〛 혹 모양의 돌기가 있는.
strum·pet [strʌ́mpit] *n.* 《고어》 매춘부.
strung [strʌŋ] STRING의 과거·과거분사.
── *a.* (피아노 등) 특별한 줄을 친. ***highly*** **~** 《영구어》 =HIGH-STRUNG. **~ *out*** 《속어》 마약 중독의; 《속어》 마약이 떨어져 괴로워서; 《속어》 신경과민으로; 《흑인속어》 (사랑에) 미쳐. **~ *up*** 《구어》 몹시 긴장한〔하여〕, 신경질의.
◇**strut**[1] [strʌt] (**-tt-**) *vi.* 《~/+부/+전+명》 (공작새 등이) 뽐내며〔점잔 빼며〕 걷다; (옷 따위를) 자랑해 보이다: The actor ~*ted about* 〔*on to*〕 the stage. 그 배우는 어깨를 으쓱거리며 무대를 서성댔다〔에 나타났다〕. ── *vt.* 뽐내다, 과시하

다. ~ one's *stuff* 《속어》 좋은 면을 보이다, 역량[공적]을 과시하다. — *n.* 점잔 빼 걸음걸이, 활보; 과시, 자만. [ME =to bulge, swell, strive < OE *strūtian* ? to be rigid] ㊞ ∠·ter *n.*

strut[2] 【건축】 *n.* 지주(支柱), 버팀목. — (*-tt-*) *vt.* (버팀대 따위로) 뼈대의 짜임새를 튼튼히 하다. [C16 ? strut[1]]

'struth, 'strewth [stru:θ] *int.* 《구어》 으악, 어머나, 이크, 맙소사《놀람의 소리》.

strut·ting [strʌ́tiŋ] *a.* 점잔 빼며 걷는, 점잔 빼는.

strych·nic [stríknik] *a.* 스트리크닌의.

strych·nine [stríkni(:)n, -nain/-ni:n] *n.* Ⓤ 【화학】 스트리크닌《유기염기(有機塩基)의 일종; 신경 흥분제》; =NUX VOMICA.

Sts. Saints. **STS** 【우주】 Space Transportation System(우주 수송 시스템). **S.T.S.** Scottish Text Society.

Stu·art [stjú:ərt/stjú-] *n.* **1** 스튜어트《남자 이름》. **2** 【영국사】 스튜어트 왕가의 사람; (the ~*s*) 스튜어트 왕가(the House of ~)《처음에 스코틀랜드를(1371-1603), 그 후에는 잉글랜드를 통치했음(1603-1714)》.

stub [stʌb] *n.* **1** (나무의) 그루터기; 쓰다 남은 토막, (연필 따위의) 동강, 꽁초; (치아 따위의) 뿌리; 짧고 몽뚝한 것. **2** 대지(臺紙), 원부(原符), (수표의) 한쪽을 떼어 주고 남은 쪽. **3** 《미속어》 땅딸막한 사람[여자]. — (*-bb-*) *vt.* 그루터기를 파내다《*up*》; 뿌리째 뽑다《*up*》; (피우던 궐련을) 비벼 끄다《*out*》; (발부리를) 그루터기 · 돌 따위에 채다.

stub·bed [stʌ́bid, stʌ́bd/stʌbd] *a.* 그루터기가 많은[된]; 그루터기 모양의. ㊞ ~·ness *n.*

stub·ble [stʌ́bəl] *n.* **1** (보통 *pl.*) 그루터기. **2** Ⓤ 짧게 깎은 머리[수염]; 다박나룻.

stub·bly [stʌ́bəli] *a.* 그루터기투성이의; 그루터기 같은; 짧고 억센《수염 따위》.

***stub·born** [stʌ́bərn] *a.* **1** 완고한, 고집 센. **2** 완강한, 불굴의《저항 따위》: ~ resistance. **3** 다루기 어려운, 말을 안 듣는; (병 따위가) 고치기 어려운: ~ problems 난제/a ~ cough. **4** 단단한《목재 · 돌 따위》, 잘 녹지 않는《금속 따위》. ⓒⓕ headstrong, obstinate. ㊞ ~·ly *ad.* 완고하게; 완강히. ~·ness *n.* 완고, 완강.

stub·by [stʌ́bi] (*-bi·er; -bi·est*) *a.* 그루터기 같은[투성이의]; 땅딸막한; 짧고 억센《털 따위》. ㊞ **stúb·bi·ly** *ad.* **-bi·ness** *n.*

stúb mòrtise 【목공】 짧은 장붓구멍.

stúb náil 굵고 짧은 못; 편자의 낡은 못.

stúb tènon 【목공】 짧은 장부.

stuc·co [stʌ́kou] *n.* Ⓤ 치장 벽토 (세공). — *vt.* (*~es, ~s; ~ed; ~·ing*) 치장 벽토를 바르다.

stúcco·wòrker *n.* 벽토 치장공.

stuck[1] [stʌk] STICK[2]의 과거 · 과거분사.

stuck[2] [ʃtuk] *n.* 《Yid.》 《다음 관용구로만》 *in* [*out of*] ~ 《구어》 곤경에 빠져[을 벗어나].

stúck-úp *a.* 《구어》 거만한, 거드름 피우는, 건방진.

◇**stud**[1] [stʌd] *n.* (가죽 따위에 박는) 장식 못, 징; (와이셔츠의) 장식 단추(《미》 collar button); 【기계】 박아 넣는 볼트(=∠ **bòlt**); 마개; 【건축】 샛기둥; (스노타이어의) 징. — (*-dd-*) *vt.* **1** 《+목+전+명》 장식용 못을 박다; 장식 단추를 달다: The gate is ~*ded with* big bosses. 그 대문엔 큰 장식못이 박혀 있다. **2** 《+목+전+명》 …에 온통 박다, 흩뿌리다: a brooch ~*ded with* pearls 진주가 점점이 박혀 있는 브로치. **3** …에 점재[산재]해 있다: Numerous islands ~ the bay. 무수한 섬이 그 만에 산재해 있다. **4** 【건축】 샛기둥으로 버티다. ***be ~ded with*** …이 점재하다; …이 점점이 박혀 있다. [OE *studu* post; cf. 《G.》 *stützen* to prop]

stud[2] *n.* (번식 · 사냥 · 경마용으로 기르는) 말떼; 말의 사육장(場); 종마; 《속어》 호색한(漢); 《일반적》 종축(種畜). [OE *stōd*(→to stand); cf. 《G.》 *Stute* mare]

stúd·bòok *n.* (말 · 개의) 혈통 기록, 마적부(馬籍簿).

stúd·ding *n.* 【건축】 샛기둥; Ⓤ 그 재목.

stúdding·sàil [-sèil, 《해사》 stʌnsəl] *n.* 【해사】 보조범(補助帆), 스턴슬.

†**stu·dent** [stjú:dənt/stjú:-] *n.* **1** 학생《미국에서는 중학생 이상, 영국에서는 대학생》. SYN. ⇨PUPIL. **2** 학자, 연구자; (대학 · 연구소 따위의) 연구생; (종종 S-) (Oxford 대학 Christ Church 등의) 급비생, 장학생: a ~ of insects 곤충 연구가. **3** 《드물게》 공부벌레; 《미속어》 수습생, 초심자《특히 마약의》.

stúdent bòdy (주로 대학의) 총학생 수, 전(全)학생.

stúdent cóuncil 《미》 학생 자치 위원회.

stúdent góvernment 학생 자치(회).

stúdent intérpreter (영사관의) 수습 통역관, (외무부의) 외국어 연수생.

stúdent làmp (높이를 조절할 수 있는) 독서용 스탠드.

stúdent lóan 학생 융자《학생이 빌려 쓰고 졸업 후 취직하여 갚음》.

stúdent núrse 수습 간호사.

stúdent pówer 학생 자치회에 의한 대학[학교] 관리 운영.

stu·dent·ship [stjú:dəntʃip/stjú:-] *n.* Ⓤ 학생 신분; 《영》 대학 장학금.

Stúdent's t distribútion 【통계】 스튜던트의 t-분포(=**Stúdent t distribútion**) 《종형 확률분포곡선》. ★ Student는 영국 통계학자 William Sealy Gosset (1876-1937)의 필명.

stúdent(s') ùnion 학우회; (대학 구내의) 학생 회관.

stúdent téacher 교생(敎生).

stúdent téaching 교육 실습.

stúd fàrm 종마(種馬) 사육장.

stúd·hòrse *n.* 종마.

◇**stud·ied** [stʌ́did] *a.* **1** 깊이 생각한; 고의의; 일부러 꾸민, 부자연스러운《문체 등》: a ~ reply 깊이 생각한 끝의 대답/a ~ smile 부자연스러운 억지웃음. **2** 《고어》 학문이 있는, 정통한《*in*》. ㊞ ~·ly *ad.* ~·ness *n.*

***stu·dio** [stjú:diòu/stjú:-] (*pl.* **-di·òs**) *n.* **1** (예술가의) 작업장, 아틀리에; (음악 · 댄스 등의) 연습장. **2** (보통 *pl.*) 스튜디오, (영화) 촬영소; (방송국의) 방송실; (레코드의) 녹음실; =STUDIO APARTMENT.

stúdio apàrtment 방 하나에 침실 · 부엌 · 욕실이 딸린 아파트, 일실형(一室型) 주거.

stúdio àudience (라디오 · 텔레비전의) 방송 프로 참가자[방청객].

stúdio cóuch 침대 겸용의 소파.

stúdio musícian 【재즈 · 팝스】 특정 그룹으로 활동하지 않고 소속 없이 다양한 가수와 레코딩 활동을 하는 악사. ⓒⓕ session man.

stúdio thèater 스튜디오 극장《실험적 · 혁신적인 상연을 하는 소극장》.

◇**stu·di·ous** [stjú:diəs/stjú:-] *a.* **1** 학문을 좋아하는, 면학가(勉學家)의. **2** 애써 …하는, 몹시 …하고 싶어하는《*to* do; *of*》; 열심인, 고심하는. **3** 신중한, 주의 깊은, 꼼꼼한. **4** 《드물게》 고의의, 꾸민. ***be ~ of doing*** …하기에 열심이다. ㊞ ~·ly *ad.* 열심히, 고심하여; 신중히, 공들여. ~·ness *n.*

stúd màre 번식용 암말.

stúd póker 【카드놀이】 스터드 포커《첫 한 장은 엎어 주고, 나머지 4장은 한 장씩 젖혀서 돌라 줌》.

†**study** [stʌ́di] *n.* **1** Ⓤ 공부, 면학(勉學), 학습: the hours of ~ 공부 시간/the ~ *of* history 역사 공부. **2** 학과, 과목(subject). **3** (종종 *pl.*)

연구, 학문《*of*》: linguistic *studies* 언어(학) 연구/Korean *studies* 한국학(學), 한국 연구/He is devoted to his ~ 〔*studies*〕. 연구에 여념이 없다. **4** 검토, 조사: under ~ 검토 중. **5** 연구 사항; (a ~) 연구할〔해볼〕 만한 것: The picture was a real ~. 그 그림은 정말로 볼 만한 것이었다. **6** [U] (끊임없는) 노력; 배려〔노력〕의 대상: It was the ~ of my life to please my mother. 어머니를 기쁘게 해드리는 것이 내 염원이었다. **7** 서재, 연구실; (개인의) 사무실. **8** (문학·예술 등의) 스케치, 시작(試作), 습작; 〖음악〗 연습곡(étude). **9** 〖연극〗 대사의 암송; 대사를 외는 배우: a slow 〔quick〕 ~ 대사 암송이 느린〔빠른〕 배우. **10** 《단수로만》 침사(沈思), 묵상: be (lost) in a ~ 깊은 생각에 잠겨 있다. ***in a brown ~*** …에 골몰하고 있는. ***make a ~ of*** …을 연구하다.
— *vt.* **1** 배우다, 공부하다: ~ English 영어를 공부하다. **2** 《~+[목]/+[목]+[전]+[명]》 연구하다, 고찰〔검토〕하다; (면밀히) 조사하다; 숙독하다: ~ medicine 의학을 연구하다/~ traffic conditions *in* Seoul 서울의 교통 사정을 조사하다. **3** 눈여겨 〔유심히〕 보다: ~ a person's face 아무의 얼굴을 주시하다. **4** (대사 등을) 외다: ~ one's part 대사를 외다. **5** …에 마음을 쓰다, …을 돌보다: ~ other's convenience 남의 편의를 돌보다. **6** (남의 희망·감정 등을) 고려하다, …을 위해 애쓰다, 도모하다: ~ a person's interests 아무의 이익을 고려하다. **7** (방법 따위를) 생각해 내다: ~ ways to get out of one's debt 빚에서 벗어날 방법을 생각해 내다. — *vi.* **1** 《~/+[전]+[명]》 공부하다, 학습하다, 연구하다《*at; for*》: ~ abroad 해외 유학하다/~ *for* the bar 〔church〕 변호사〔목사〕가 되려고 공부하다. [SYN.] ⇨ LEARN. **2** 《+*to* do》 애써 …하려 하다: The salesman *studied to* please his customers. 판매원은 손님의 마음에 들려고 고심하였다. **3** (…에 관해) 잘 생각하다, 숙고하다; 명상하다: ~ about what it means 그것이 무엇을 뜻하는지 잘 생각해 보다. ***~ out*** ① 생각해 내다; 고안하다: ~ *out* a new system 새 방식을 고안해 내다. ② (문제를) 풀다, 해명하다. ***~ up on ...*** 《미구어》 …을 상세히 조사하다.

stúdy gròup (정기적인) 연구회.

stúdy hàll (감독이 딸린 넓은) 학교 자습실; (수업 시간표의 일부로서의) 자습 시간.

⁑**stuff** [stʌf] *n.* [U] **1** [U,C] 재료, 원료; 물자: building ~ 건축 자재/a hard ~ 단단한 물질/garden ~ 야채류. [SYN.] ⇨ SUBSTANCE, MATTER. **2** 자료, 내용. **3** 《비유》 요소; 《구어》 소질, 재능: Tom has good ~ in him. 톰에겐 뛰어난 소질이 있다/the ~ of life 인생의 본질. **4** 《구어》 (one's ~) 소지품; 근무, 일: Leave your ~ here. 소지품은 이곳에 두어라/This is our ~. 이것은 우리가 할 일이다. **5** 《구어》 (예술적인) 작품; 연출, 연주; 《구어》 (자기 전문의) 지식, 기술, 역량; 일의 내용: poor ~ 졸작(拙作)/She knows her ~. 그녀는 자신의 일이 무엇인지 알고 있다. **6** 《야구속어》 제구력, 구종(球種), 커브, 스핀; (발사된) 총알, 포탄; (코미디언의) 장기, 특기. **7** 음식물, 음료; 약; (the ~) 《속어》 마약; (the (good 〔hard〕) ~) (밀조) 위스키: green ~ 야채류/sweet ~ 과자/doctors' ~ 약/smell the ~ 코카인을 피우다/a drop of the hard ~ 약간의 위스키. **8** (막연히) 물건, 것: soft ~ 부드러운 것/the real ~ 진짜/kid ~ (아동용의) 하찮은 것. **9** 잡동사니, 폐품; 잠꼬대, 부질없는 소리〔행동〕: Do you call this ~ beer? 이것도 맥주냐/What ~! 참 시시한 소리를 하는군/Do your ~. 자 해봐〔말해봐〕. **10** 직물; 《특히》 모직물, 나사. **11** (보통 the ~, 때로 the hard ~) 《구어》 현금; 《속어》 장물(贓物). **12** [C] 《비어》 (성적 대상으로서의) 젊은 여자. ***and all that ~*** 《구어》 그밖에 이것저것 여러 가지로. ***a*** 〔person***'s***〕 (***nice***) ***bit of ~*** ⇨ BIT¹. ***do*** one***'s ~*** 《구어》 (기대한 대로의) 솜씨를 보이다, 잘 해내다, 장기〔특기〕를 보이다. ***hot ~*** ⇨ HOT STUFF. ***know*** one***'s ~*** 만사를 잘 알고 있다, 능수능란하다. ***no ~*** 《미속어》 거짓말이 아니다, 사실이다. ***~ and nonsense*** 엉터리 글〔말〕, 거짓말, 난센스. ***That's the*** (***sort of***) ***~ to give 'em.*** 《속어》 (놈들에겐) 그게 당연한 조처다, 그래야 마땅하지. ***That's the ~!*** 《구어》 맞다, 좋아, 그거야말로 학수고대하던 거다.
— *vt.* **1** 《~+[목]/+[목]+[전]+[명]》 …에 채우다〔채워 넣다〕《*with*》: ~ the mattress 매트리스에 속을 채우다/~ a room *with* people 방을 사람으로 채우다. **2** 《+[목]+[부]/+[목]+[전]+[명]》 (관·구멍을) 메우다, 틀어막다《*up*》: ~ (*up*) one's ears *with* cotton wool 귀를 솜으로 틀어막다. **3** 《~+[목]/+[목]+[전]+[명]》 가득하게 하다; 실컷 먹이다《*with*》: ~ oneself 배불리 먹다/~ a young mind *with* silly ideas 젊은이에게 부질없는 생각들을 불어넣다/~ a child *with* cake 아이에게 과자를 듬뿍 주다. **4** 《~+[목]/+[목]+[전]+[명]》 (요리할 조류에) 소를 넣다; (새 따위에 솜을 채워 넣어) 박제(剝製)로 하다; (사람에게) 지식을 주입하다: a ~*ed* bird 박제한 새/~ a turkey *with* forcemeat 칠면조의 배에 다진 고기 소를 채우다. **5** 《+[목]+[전]+[명]》 채워〔밀어〕 넣다《*into*》: ~ one's clothes *into* the drawer 옷장 서랍에 옷을 채워 넣다. **6** 《미》 (투표함에) 부정표를 넣다. **7** 《미속어》 속이다, 기만하다, 웃음거리로 만들다. **8** 《비어》 …와 성교하다; 《속어》 (싫다고) 집어던지다. — *vi.* 배불리 먹다; 《비어》 성교하다. ***Get ~ed! = Stuff it!*** 《속어》 저리 가, 꺼져, 그만 해, 귀찮아《분노·경멸의 말》. ***~ a sock in it!*** 《미속어》 입 닥쳐. ***~ the ballot box*** 《미》 (투표함에) 부정표를 넣다. ***~*** (***up***) ***one's head*** 〔***mind***〕 ***with*** …로 머리를 꽉 채우다.

stúffed ánimal 봉제 동물 인형; 동물 박제.

stúffed shírt 《구어》 (실속 없이) 젠체하는 사람.

stúff·er *n.* 《속어》 마약 상습자〔중독자〕; 호모.

stúff gòwn 《영》 (하급 법원 변호사의) 나사(羅紗)로 된 가운; 하급 변호사.

stúff·ing *n.* [U] 채워 넣기; (의자·이불 따위에 채우는) 깃털〔솜, 짚〕; 박제; [U,C] 〖요리〗 소《조류의 배에 채워 넣는》; (신문의) 빈자리 메우는 기사. ***knock*** 〔***beat, take***〕 ***the ~ out of ...*** 《구어》 …을 혼내 주다, 꼼짝 못하게 만들다, …의 자신〔자만심〕을 꺾어 놓다, (병이) …을 애먹이다.

stúffing and strípping 〖해운〗 컨테이너 짐의 하역(荷役).

stúffing bòx 〖기계〗 패킹 상자.

stúff·less *a.* 내용〔실속〕이 없는.

stúff sàck 잡낭(雜囊)《침낭·옷 따위를 넣어 두거나 운반하기 쉽게 만든》.

stúff shòt 〖농구〗 = DUNK SHOT.

stuffy [stʌ́fi] (***stuff·i·er; -i·est***) *a.* 통풍이 나쁜, 숨막힐 듯한; 코가 막힌; 《구어》 케케묵은; 《구어》 보잘것없는; 부루퉁한(sulky); 《구어》 딱딱한; 거북한; 거만한; 《CB속어》 (도로·채널이) 혼잡한: a ~ room 통풍이 나쁜 방/~ odor 곰팡내/get ~ about it 그것에 관해 화를 내다. [파] **stúff·i·ly** *ad.* **-i·ness** *n.*

Stu·ka [stúːkə, *G.* ʃtúːka] *n.* 《G.》 슈투카 《제2차 세계 대전 때의 독일의 급강하 폭격기》. [◂ *sturzkampfflugzeug*]

stul·ti·fy [stʌ́ltəfài] *vt.* 어리석어 보이게 하다, 무의미하게 하다; 망쳐 버리다; 〖법률〗 (정신 이상 등으로 남을) 무능력하다고 주장하다. ~ one***self*** 수치를 드러내다, 창피를 당하다. ㊞ **stùl·ti·fi·cá·tion** [-fikéiʃən] *n.* Ⓤ

stum [stʌm] *n.* Ⓤ 미(未)발효된 포도즙(汁)(발효 방지액)(을 섞어 다시 발효시킨 포도주). — (***-mm-***) *vt.* **1** stum을 섞어 (포도주를) 재발효시키다. **2** (포도즙)의 발효를 방지하다.

***stum·ble** [stʌ́mbəl] *vi.* **1** 《+전+명》 (실족하여) 넘어지다, 곱드러지다《*at; over*》: ~ *over* [*on*] a stone 돌에 걸려 넘어지다. **2** 《+전+명》 마주치다, 우연히 만나다《*across; on, upon*》: ~ *across* a clue 우연히 단서를 발견하다. **3** 《~/+부/+전+명》 비틀거리다, 비틀거리며 걷다《*along*》: The old man ~*d along.* 노인은 비틀거리며 걸어갔다/He ~*d into* the room. 비틀거리며 방으로 들어갔다. **4** 실수하다, 잘못하다; (도덕상의) 죄를 범하다. **5** 《+전+명》 말을 더듬다; 《고어》 주저하다: ~ *over* one's words 말을 더듬다. **6** 《미속어》 붙잡히다, 체포되다. — *vt.* 곱드러지게 하다; 난처하게 하다. — *n.* 비틀거림, 비트적거림; 실책, 과오. ㊞ **stúm·bler** *n.*

stúmble·bùm *n.* 《속어》 서투른 권투 선수; 무능한 놈; 《미》 낙오자, 거지.

stúm·bling *a.* **1** (발이 걸려) 비틀거리는. **2** 주저하는, 망설이는. **3** 더듬거리는. — *n.* 비틀거림; 주저, 망설임; 말더듬기. ㊞ **~·ly** *ad.*

stúmbling blòck 방해물, 장애물.

stu·mer [stjúːmər/-stjúː-] *n.* 《영속어》 **1** 가짜, 위조 수표, 가짜 돈, 위폐(僞幣). **2** (보통 짬짜미에 의하여) 시합에서 진 말; 바보; 실패, 실수; 틀림. ***come a*** ~ 《Austral.》 파산하다; 《영속어》 덜컥 쓰러지다, 걷잡을 수 없이 하락하다. ***run a*** ~ 《Austral. 속어》 부정한 경주를 하다.

°**stump** [stʌmp] *n.* **1** (나무의) 그루터기. **2** (부러진 이의) 뿌리, (손이나 발의) 잘리고 남은 부분, (연필·붓 따위의) 토막, 쓰다 남은 몽당이, (담배의) 꽁초, (잎을 따낸) 밑동 줄기. **3** (*pl.*) 《구어·우스개》 다리(legs); 의족. **4** 무거운 발걸음(발소리). **5** 가구(家具)의 앞다리; 〖크리켓〗 3 주문의 기둥. **6** 연단; 선거 연설. **7** 《미구어》 도전(challenge). **8** (*pl.*) 짧게 깎은 머리. **9** 땅딸보. **10** 〖미술〗 찰필(擦筆). ***beyond the black*** ~ 머나먼 오지에, 문명 사회의 끝에. ***draw*** ~***s*** 〖크리켓〗 플레이를 중단하다. ***fool around the*** ~ 《구어》 꾸물거리다; 에둘러서 속을 떠보다. ***on the*** ~ 정치 운동에 종사하여. ***run against the*** ~ 곤란에 부닥치다. ***stir*** one***'s*** ~***s*** 《구어》 걷다; 급히 가다: *Stir your* ~*s!* 서둘러라. ***take*** [***go on***] ***the*** ~ 《미구어》 선거 연설을 하면서 다니다. ***up a*** ~ 《미구어》 답변에 궁하여; 곤경에 빠져; 어찌할 바를 몰라서; 당황하여. ***wear to the*** ~***s*** (연필 따위를) 닳아서 몽당이가 될 때까지 쓰다. ***Your head is full of*** ~ ***water.*** 《미속어》 너는 머리가 빈 깡통 같은 녀석이다.

— *vt.* **1** (나무의 윗부분을 잘라) 그루터기로 하다, 베다. **2** 그루터기를 없애다(태워 버리다). **3** 뿌리 뽑다, 근절하다《*up*》. **4** (발부리 따위를) 돌에 부딪다. **5** 〖보통 과거분사로〗 《영속어》 무일푼이 되게 하다; 《구어》 (질문 따위로) 쩔쩔매게 하다, 난처하게 하다. **6** 유세(遊說)하다《*for*》. **7** 《미구어》 …에 맞서다, 도전하다, 과감히 해보다. **8** 〖크리켓〗 3 주문의 기둥을 넘어뜨려 아웃시키다. **9** 〖미술〗 찰필로 바림을 하다. — *vi.* **1** 《+부》 (의족으로 걷듯이) 뚜벅뚜벅 걷다: ~ *along* 터벅터벅 걸어가다. **2** 유세하다. ~ ***for…*** 《미속어》 …을 적극 지지하다. ~ ***it*** 걷다, 도망치다; 《미구어》 유세하다. ~ ***up*** 《영구어》 《*vt.*+부》 ① (돈을) 마지못해 지불하다, 내다. ② 《속어》 〖보통 과거분사형으로〗 무일푼이 되다. — 《*vi.*+부》 ③ 내야 할 돈을 마지못해 지불하다.

stump·age [stʌ́mpidʒ] *n.* Ⓤ 《미》 입목(立木)(값); 입목 벌채권.

stúmp·er *n.* 나무 베는 사람(것); 《미구어》 가두 연설자; 허풍선이; 《미구어》 당황케 하는 것, 난문(難問); 《구어》 =WICKETKEEPER.

stúmp òrator 가두 정치 연설자; 민중 선동자.

stúmp òratory 가두연설에 적합한 웅변(술).

stúmp spèaker 가두연설자.

stúmp spèech 가두연설.

stúmp wórk 스텀프 워크《속에 말총 따위를 넣어 복잡한 제재(題材)를 도드라지게 놓는 자수》.

stumpy [stʌ́mpi] (***stump·i·er; -i·est***) *a.* 그루터기가 많은; 그루터기 모양의; 땅딸막한, 몽톡한, (연필·꼬리 등이) 굵고 짧은. ㊞ **stúmp·i·ly** *ad.* **-i·ness** *n.*

stun** [stʌn] (-nn-***) *vt.* **1** (머리 따위를 때려서) 기절시키다, 아찔하게 하다, 정신을 잃게 하다: The fall ~*ned* him. 넘어진 쇼크로 그는 기절했다. **2** 어리벙벙하게 하다, 간담을 서늘케 하다, 깜짝 놀라게 하다: The news ~*ned* us. 그 소식을 듣고 우리는 어리벙벙하였다. **3** (소리가) …의 귀를 먹먹하게 하다. — *n.* Ⓤ,Ⓒ 충격; (일시적인) 기절 상태, 인사불성. ㊞ **stún·ned** [-id] *a.* 《미속어》 몹시 취해.

stung [stʌŋ] STING의 과거·과거분사.
— *a.* 《속어》 협잡(사기)에 걸린; 《Austral. 속어》 술 취한(drunk).

stún gàs 착란 가스《강렬한 최루 가스의 일종》.

stún grenàde (강렬한 섬광과 폭음으로 멍청하게 하는) 섬광 수류탄.

stún gùn 스턴총《(1) 폭동 진압용의 작은 모래주머니·최루탄 등을 발사하는 총. (2) 전선이 달린 화살을 쏘아 전기 쇼크로 마비시키는 총》.

stunk [stʌŋk] STINK의 과거·과거분사.

stún·ner *n.* 기절시키는 사람(것); 《구어》 근사한 것(말), 굉장한 미인; 불의의 사건.

°**stún·ning** *a.* 기절할 만큼의; 귀가 먹먹할 만큼의; 《구어》 근사한, 멋진, 굉장히 예쁜: ~ victory 멋진 승리. ㊞ **~·ly** *ad.*

stun·sail, stun·s'l [stʌ́nsəl] *n.* =STUDDING-SAIL.

stunt[1] [stʌnt] *vt.* 성장(발육)을 방해하다, 주접들게(지지러지게) 하다; 저지하다. — *n.* Ⓤ 발육(발전) 저해; 발육이 저해된 식물(동물); 성장을 방해하는 것. ㊞ **∠·ed** [-id] *a.* 성장(발육)을 방해당한; 주접든, 지지러진: a ~*ed* mind 발육 부전의 정신(지능). **∠·ed·ness** *n.*

stunt**[2] *n.* 묘기, 곡예, 고등 비행, 곡예비행, (차의) 곡예 운전, 스턴트; 이목을 끌기 위한 행위: a political ~ 이목을 끌기 위한 정치 활동/That's a good ~. 그건 묘안이다. ***pull a ~ (어리석은) 계책을 쓰다; 어리석은 짓을 하다. — *vi.* 재주 부리다; 곡예비행(운전)을 하다. — *vt.* …으로 묘기를 부리다: ~ an airplane 곡예비행을 하다.

stúnt dóuble 스턴트 더블《특정 배우와 짝지어 일하는 스턴트맨(우먼)》.

stúnt màn (*fem.* ***stúnt wòman*** [***gìrl***]) 위험한 장면의 대역(代役), 스턴트맨.

stu·pa [stúːpə] *n.* 〖불교〗 사리탑, 불탑.

stupe[1] [stjuːp/stjuːp] *n.* 〖의학〗 더운 찜질. — *vt.* 더운 찜질을 하다.

stupe[2] *n.* 《속어》 바보, 얼간이.

stu·pe·fa·cient [stjùːpəféiʃənt/stjùː-] *a.* 마취시키는, 무감각하게 하는. — *n.* 〖의학〗 마취제.

stu·pe·fac·tion [stjùːpəfǽkʃən/stjùː-] *n.* Ⓤ 마취 (상태); 혼수; 망연(자실); 깜짝 놀람. ㊞ **stù·pe·fác·tive** *a.*

°**stu·pe·fy** [stjúːpəfài/stjúː-] *vt.* 《+목+전+명》 마취시키다; 지각을 잃게 하다; 망연케 하다, 깜짝 놀라게 하다: be *stupefied with* grief 슬픔으로 넋을 잃다. ㊞ **stú·pe·fi·er** *n.* 지각을 잃게

하는 사람(것); 마취제.

°**stu·pen·dous** [stjuːpéndəs/stjuː-] *a.* 엄청난, 굉장한; 거대한. ㊞ **~·ly** *ad.* **~·ness** *n.*

‡**stu·pid** [stjúːpid/stjúː-] (**~·er; ~·est**) *a.* **1** 어리석은, 우둔한, 바보 같은: It was ~ *of* me to behave like that. 그렇게 행동하다니 나도 바보였어. SYN. ⇨ FOOLISH. **2** 시시한, 하찮은. **3** 무감각한, 마비된: He is ~ *with* drink. 그는 술에 취해 정신이 없다. — *n.* 《구어》 바보, 얼간이. ㊞ **~·ly** *ad.* 어리석게도. **~·ness** *n.*

***stu·pid·i·ty** [stjuːpídəti/stjuː-] *n.* **1** Ⓤ 우둔, 어리석음, 어리석은 정도. **2** (보통 *pl.*) 어리석은 짓(소리), 우행(愚行).

°**stu·por** [stjúːpər/stjúː-] *n.* U,C 무감각, 인사불성, 마비; 혼수; 망연자실, 멍청함; 〖의학〗 혼미《의식의 혼탁》. ㊞ **~·ous** [-rəs] *a.* 혼미의; 무감각한, 인사불성의, 혼수의; 망연자실의.

***stur·dy**[1] [stə́ːrdi] (**stur·di·er; -di·est**) *a.* **1** 억센, 튼튼한, 건장한; 건전한, 착실한. **2** 완강한; 불굴의; (식물 따위가) 내한성의. cf. stout, strong. ㊞ °**stúr·di·ly** *ad.* **-di·ness** *n.*

stur·dy[2] *n.* Ⓤ (양의) 어지럼병(gid).

stur·geon [stə́ːrdʒən] *n.* 〖어류〗 철갑상어.

Sturm·ab·tei·lung [G. ʃtúrmaptàiluŋ] *n.* 《G.》 (나치스 독일의) 돌격대, 에스아《1923년경 조직된 나치스의 군사 조직, 포학과 테러 행위로 악명이 높았음; 생략: SA》.

Sturm und Drang [G. ʃtúrmuntdráŋ] 《G.》 질풍노도《18세기 말 독일 낭만주의 문학 운동》.

sturgeon

sturt [stəːrt] *n.* 《Sc.》 다툼.

stut·ter [stʌ́tər] *vi.*, *vt.* 말을 더듬다, 떠듬적거리다《*out*》; (기관총 따위가) 연속음을 내다. — *n.* Ⓤ 말더듬기 (버릇); 〖통신〗 (팩시밀리 신호의) 스터터. ㊞ **~·er** [-rər] *n.* 말더듬이. **~·ing·ly** *ad.*

STV subscription television (서브스크립션 텔레비전)《유료 텔레비전 서비스; 전파에 scramble을 걸어 방송되며, 유료 decoder를 설치한 계약자만이 시청할 수 있음》.

STX 〖통신〗 start of text《텍스트의 개시를 나타냄》.

sty[1], **stye**[1] [stai] *n.* 돼지우리(pigsty); (더러운) 돼지우리 같은 집(방); 더러운 장소; 매춘굴. — *vt.* 돼지우리에 넣다. — *vi.* 더러운 집에 묵다(살다).

sty[2], **stye**[2] *n.* 맥립종(麥粒腫), 다래끼. ***have a ~ in one's eye*** 눈에 다래끼가 나다.

Styg·i·an [stídʒiən] *a.* 삼도(三途)내(Styx)의; 지옥의; 죽은 듯한; 어두운, 음침한; 취소(배반)할 수 없는《서약 등》: ~ gloom (darkness) 캄캄한 어둠.

styl-[1] [stáil], **sty·lo-**[1] [stáilou, -lə] '기둥·관(管)'의 뜻의 결합사.

styl-[2] [stáil], **sty·li-** [stáili, -lə], **sty·lo-**[2] [stáilou, -lə] '첨필상(尖筆狀) 돌기'라는 뜻의 결합사.

sty·lar [stáilər] *a.* 첨필(尖筆) 모양의(styliform); 펜(연필) 모양의.

sty·late [stáileit, -lət] *a.* 〖동물〗 봉상체(棒狀體)(침상체(針狀體))(style)가 있는.

‡**style**[1] [stail] *n.* **1** C,U 문체; 필체; 말씨, 어조; 독자적인 표현법: a familiar ~ of writing 딱딱하지 않은 문체. **2** U,C (문예·예술 따위의) 유파, 양식, 체(體), …류(流): the Renaissance ~ of painting 르네상스 화풍(畫風). **3** (특수한) 방법, 방식: ~s of swimming 여러 가지 수영 방식. **4** U,C 사는 법; 호화로운(사치스러운) 생활; 상품(上品), 품격, 품위: have no ~ 품위가 없다; 평범하다 / live in (great (grand)) ~ 호화로운 생활을 하다 / do a thing in ~ 무엇을 기품 있게 하다, (하는 품이) 세련되다. **5** U,C 스타일, 모양; 유행(형): the latest Paris ~ in hats 모자의 최신 파리 유행형. **6** Ⓤ 풍채, 몸차림: a woman of ~ (귀부인처럼) 고상하게 차린 여인. **7** 종류, 유형(類型). **8** 〖인쇄〗 U,C 체재, 조판(組版) 양식. **9** 역법(曆法): the New *Style* 신력(新曆)(the Gregorian calendar)《생략: N.S.》/ the Old *Style* 구력(the Julian calendar)《생략: O.S.》. **10** 첨필(尖筆)《옛날 납판에 글씨를 쓰는 데 썼음》; 철필; 《시어》 (문필가의 상징으로서의) 펜, 붓, 연필. cf. stylus. **11** 조각칼. **12** 칭호, 명칭. **13** 해시계의 바늘(gnomon). **14** 〖동물〗 침상(針狀) 구조, 봉상체(棒狀體), 경상체(莖狀體); 〖식물〗 암술대, 화주(花柱). **15** 〖컴퓨터〗 자체, 스타일《그래픽에서 선분이나 글씨의 그려지는 형태 지정》. ***cramp one's ~*** ⇨ CRAMP[1]. ***dress in good ~*** 고상한 복장을 하다. ***go out of ~*** 유행에 뒤지다. ***in ~*** 스마트하게. ***in the ~ of*** …류(流)로, …식으로. ***out of ~*** 유행에 뒤떨어져서: Her hat is *out of* ~. ***put on ~*** 《미속어》 거드름 피우다. ***under the ~ of*** …의 명칭으로(칭호로), …라는 명칭의.

— *vt.* **1** 《+목+보》 칭하다, 부르다, 이름 짓다: ~ oneself a countess 백작 부인이라고 자칭하다. **2** 《~+목/+목+전+명》 유행(일정한 양식)에 따라 디자인하다; (원고 따위를) 특정한 양식에 맞추다: ~ an evening dress 이브닝드레스를 유행형에 맞추어 짓다 / clothes ~*d for* young men 젊은이에 맞게 디자인된 옷. — *vi.* 조각칼로 장식을 하다, 장식품을 만들다. ㊞ **∠·less** *a.* **∠·less·ness** *n.*

style[2] *n.* 《고어》 =STILE[2].

stýle·bòok *n.* (복장의 유행형을 수록한) 스타일북; 〖인쇄〗 철자·약자·구두점(句讀點) 등의 인쇄 규칙을 쓴 편람(便覽).

stýl·er *n.* 디자이너.

sty·let [stáilit] *n.* 단검(stiletto); 〖의학〗 탐침, 「소식자(消息子).

styli- ⇨ STYL-[2].

sty·li·form [stáiləfɔ̀ːrm] *a.* 〖동물〗 첨필(尖筆)(바늘) 모양의.

stýl·ing *n.* 양식(형·스타일)에 맞춰 꾸미기; (표현을 잘하기 위해) 문장의 문체를 다듬기; (상품 따위에) 어떤 스타일을 부여하기, 또 그 방식.

styl·ish [stáiliʃ] *a.* 현대식의, 유행의, 유행에 맞는; 멋있는, 스마트한: a ~ young man 멋있는 젊은이. ㊞ **~·ly** *ad.* **~·ness** *n.*

styl·ist [stáilist] *n.* 문장가, 명문가(名文家); (의복·실내 장식의) 의장가, 디자이너; 어떤 양식의 창시자.

sty·lis·tic, -ti·cal [stailístik], [-kəl] *a.* 문체(양식)의; 문체에 공들이는; 문체론(상)의. ㊞ **-ti·cal·ly** *ad.* 문체(양식)상.

sty·lís·tics *n. pl.* 《단수취급》 문체론.

sty·lite [stáilait] *n.* 〖기독교〗 (중세의) 주상(柱上) 고행자《높은 기둥 꼭대기에서 고행하였음》.

styl·ize [stáilaiz] *vt.* 《보통 수동태》 인습적으로 하다; 〖미술〗 (도안 등을) 일정한 양식에 맞추다, 양식화(樣式化)하다.

sty·lo [stáilou] (*pl.* **~s**) *n.* 《구어》 =STYLOGRAPH.

stylo- ⇨ STYL-[1,2].

sty·lo·bate [stáiləbèit] *n.* 〖건축〗 스타일로베이트《토대(foundation) 최상단으로, 이 위에 기둥이 늘어섬》.

sty·lo·graph [stáiləgræ̀f, -grɑ̀:f] *n.* 첨필(尖筆) 만년필《촉 끝에 핀이 나와 있어, 쓸 때에는 이것이 밀려들어가 잉크가 나옴》. ㊔ **sty·lo·graph·ic** [stàiləgrǽfik] *a.* 첨필(서법(書法))의.

sty·loid [stáilɔid] *a.* 〖해부〗 첨필상(尖筆狀)의, 봉상(棒狀)의, 경상(莖狀)의: a ~ process 경상 돌기.

stỳlo·statístics *n. pl.* 《단수취급》 〖언어〗 문체 통계학, 계량(計量) 문체론.

sty·lus [stáiləs] (*pl.* **~·es, -li** [-lai]) *n.* 철필, 첨필(尖筆); (축음기의) 바늘; (해시계의) 바늘; 〖해부〗 필상(筆狀) 돌기.

sty·mie, sty·my [stáimi] *n.* 〖골프〗 방해구《자기의 공과 홀의 사이에 다른 공이 있는 상태》; 《비유》 방해하고 있음; 난처한 상태〔입장〕. ── *vt.* 방해구로 방해하다; 《비유》 방해하다, 훼방놓다, 좌절시키다, 어찌할 도리가 없게 하다.

styp·sis [stípsis] *n.* 〖의학〗 수렴제(收斂劑)〔지혈제〕에 의한 처치.

styp·tic [stíptik] *a.* 수렴성(收斂性)의; 출혈을 멈추는. ── *n.* 〖의학〗 수렴제; 지혈약. ㊔ **-ti·cal** *a.*

styp·tic·i·ty [stiptísəti] *n.* 수렴성.

stýptic péncil 립스틱 모양의 지혈약(止血藥)《면도 상처에 바르는》.

sty·rax [stáiræks] *n.* 〖식물〗 때죽나무속(S-)의 각종 관목.

sty·rene [stáiəri:n, stíər-/stáiər-] *n.* Ⓤ 〖화학〗 스티렌《합성수지 · 합성 고무의 원료》.

stýrene-butadíene rùbber 스티렌부타디엔 고무《대표적 합성 고무; 생략: SBR》.

stýrene rèsin 스티렌 수지(樹脂).

Sty·ro·foam [stáiərəfòum] *n.* Ⓤ 스티로폼《발포(發泡) 폴리스티렌; 상표명》.

Styx [stiks] *n.* 〖그리스신화〗 지옥(Hades)의 강, 삼도(三途)내. (**as**) ***black as the*** ~ 칠흑처럼 캄캄한. ***cross the*** ~ 죽다.

S.U. 〖물리〗 strontium unit.

su·a·ble [sú:əbəl/sjú:-] *a.* 고소할 수 있는, 고소할 만한, 소송의 대상이 될 수 있는. ◇ sue *v.*

sua·sion [swéiʒən] *n.* Ⓤ 설득, 권고(persuasion). ***moral*** ~ (도의에 호소하는) 권고.

sua·sive [swéisiv] *a.* 설득하는; 말주변이 좋은. ㊔ ~·**ly** *ad.* ~·**ness** *n.*

suave [swɑ:v] *a.* 기분 좋은, 유쾌한; 유순한, 온화한, 얌전한, 상냥한《사람 · 말씨 따위》; 자극성이 없는, 입에 순한《술 · 약 등》. ㊔ ~·**ly** *ad.*

sua·vi·ter in mo·do, for·ti·ter in re [swéivitər-in-móudou-fɔ́:rtitər-in-rí:] 《L.》 (=gently in manner, strongly in deed) 온건하면서도 단호히; 외유내강(外柔內剛)으로.

suav·i·ty [swɑ́:vəti, swǽv-] *n.* Ⓤ 유화(柔和), 온화; 유쾌; (*pl.*) 상냥한 언동, 정중한 태도. ◇ suave *a.*

sub [sʌb] *n.* 《구어》 **1** 보충원; 〖야구〗 후보 선수. **2** 속관(屬官); 《영》 중위, (해군) 소위. **3** =SUBMARINE. **4** 기부; 예약. **5** =SUBEDITOR. **6** =SUBSCRIPTION. **7** 《미속어》 지능이 모자란 사람; 《영》 (급료 등의) 선불; (*pl.*) 《미속어》 발(feet). **8** 〖사진〗 =SUBSTRATUM. **9** =SUBCONTRACTOR. **10** =SUBMARINE SANDWICH. ── *a.* 하위의, 부차적인; 표준〔수준〕 이하의; 속관의; 잠수함의. ── (**-bb-**) *vi.* 《구어》 대신〔대리〕하다《*for*》; 《영》 (급료 따위를) 선불하다, 가지급 받다. ── *vt.* 《영》 선불하다, 가지급 받다《급료 따위를》; 〖사진〗 (필름 따위를)에 젤라틴으로 애벌칠〔밑칠〕을 하다; =SUBEDIT.

sub [sʌb] *prep.* 《L.》 …의 밑에〔밑의〕.

sub- [sʌ́b, səb] *pref.* '아래; 아(亞), 하위, 부(副); 조금, 반' 의 뜻: *sub*class, *sub*marine.

SUB 〖통신 · 컴퓨터〗 substitute (치환 문자).

sub. subaltern; subject; submarine; subscription; substitute; suburb(an); subway.

sùb·ácid *a.* 약간 신; 《비유》 (말 등이) 조금 신랄한, 좀 빈정대는 듯한. ㊔ ~·**ly** *ad.* ~·**ness** *n.*

sùb·acídity *n.* 〖의학〗 (위)산 감소(증).

sùb·acúte *a.* **1** 약간 날카로운〔뾰족한〕. **2** 〖의학〗 (병이) 아급성(亞急性)의; 급성과 만성 중간의.

sùb·adúlt *a., n.* 성장기가 거의 끝난 (사람, 동물); 〖동물〗 아성체(亞成體)(의).

sùb·áerial *a.* 지면의, 지표의. ㊔ ~·**ly** *ad.*

sùb·ágency *n.* 부대리(점)(副代理(店)); 보조기관.

sùb·ágent *n.* 부(副)대리인.

su·ba(h)·dar [sù:bədɑ́:r] *n.* 〖역사〗 (인도인 용병의) 중대장; (무굴 제국의) 지방 총독, 지사.

sùb·álpine *a.* 〖생태〗 아고산대(亞高山帶)의; (알프스) 산록의.

sub·al·tern [səbɔ́:ltərn/sʌ́bltən] *n.* (또 《구어》에선 **sub**) **1** 지위가〔신분이〕 아래인 사람, 하위〔하급〕자. **2** 〖영군사〗 준(準)대위《육군 대위보다 하위 장교》. **3** [+미 sʌ́bəltə̀:rn] 〖논리〗 특수명제. ── *a.* **1** 하위의, 종속하는. **2** 〖영군사〗 준대위의. **3** [+미 sʌ́bəltə̀:rn] 〖논리〗 **a** 특수한. **b** 특수 명제의.

sub·al·ter·nate [sʌbɔ́:ltərnət, -ǽl-/-ɔ́:l-] *a.* 하위의, 차위(次位)의. ── *n.* 〖논리〗 특칭 명제. ㊔ ~·**ly** *ad.* **sub·àl·ter·ná·tion** *n.*

sùb·antárctic *a., n.* 남극권에 접한, 아(亞)남극의 (지대). ㊔ ~·**ly** *ad.*

sùb·ápical *a.* 〖해부〗 apex 아래〔가까이〕 있는.

sùb·áqua *a.* 수중의, 잠수의; 수중 스포츠의.

sùb·aquátic *a.* 〖동물 · 식물〗 반수생(半水生)의; =SUBAQUEOUS.

sùb·áqueous *a.* 물속에 있는, 물속의, 수중용의, 수중에서 일어나는.

sùb·aráchnoid *a.* 〖해부〗 지주막(蜘蛛膜) 밑의.

sùb·árctic *a., n.* 북극권에 접한, 아(亞)북극의 (지대).

sùb·árid *a.* 반(半)건조(지대)의.

sùb·assémbly *n.* (기계 · 전자 기기 따위의) 소(小)조립 부품《큰 조립품의 부품》.

sùb·ástral *a.* 《드물게》 별 아래의, 지상(地上)의.

sùb·astríngent *a.* 약수렴성(弱收斂性)의.

sùb·atmosphéric *a.* 대기의 상태치(常態値) 이하의: ~ temperature 대기의 상온보다 낮은 온도.

sùb·átom *n.* 〖물리〗 원자 구성 요소《양성자 · 전자 따위》.

sùb·atómic *a.* 원자 내에서 생기는, 원자보다 작은 (입자의).

sùb·áudible *a.* 가청치(可聽値) 이하의《주파수 따위》.

sùb·audítion *n.* Ⓤ 언외(言外)의 뜻(을 알아챔); 보충된 뜻.

sùb·áverage *a.* 표준에 달하지 않은.

súb·bàse[1] *n.* 〖건축〗 (원주(圓柱) 토대의) 기부(基部)(㊂ surbase); 〖토목〗 (도로의) 보조 기층(基層), (하층) 노반(路盤).

súb·bàsement *n.* 지하 2 층.

sub·bass, -base[2] [sʌ́bbèis] *n.* 〖음악〗 (오르간의) 최저음의 음전(音栓).

súb·brànch *n.* 잔가지; (지점 아래의) 출장소, 분점(分店).

sùb·cábinet *a.* (미국 정부의) 각료급에 버금가는, 대통령의 (비공식) 고문단의: ~ appointments 차관급 인사(人事). ── *n.* 〖행정〗 《미》 부(副)각료, 차관급 회의《각의 다음가는 중요한 자문 기구. 각 부에서 선발된 행정관으로 구성됨》.

sùb·cárrier *n.* 〖통신〗 서브 반송파(搬送波).

sùb·cáste *n.* 서브 카스트《카스트 내의 하위 구분》.

sùb·cátegory *n.* 하위 범주〔구분〕.

sùb·celéstial *a.* 하늘 밑의, 지상의; 현세의, 세속의. ── *n.* 지상의 생물.

súb·cèllar *n.* 지하 2층《지하실의 밑층》.

súb·cènter *n.* (상업 중심지외(外)의) 부(副)상업 지구, 부도심.

sùb·céntral *a.* 중심 밑의; 중심에 가까운. ㊕ **~·ly** *ad.*
súb·chàser *n.* =SUBMARINE CHASER.
súb·clàss *n.* 〖생물〗 아강(亞綱)《class의 하위 분류》; 〖수학〗 =SUBSET. ── *vt.* 하위로〔아강으로〕 분류하다.
sùb·classificátion *n.* 하위 분류〔구분〕.
sùb·clássify *vt.* 하위 분류〔구분〕하다.
sùb·cláuse *n.* 〖법률〗 하위 조항; 〖문법〗 = SUBORDINATE CLAUSE.
sub·cla·vi·an [sʌbkléiviən] 〖해부〗 *a.* 쇄골(clavicle) 밑의; 쇄골하 동맥〔정맥 등〕의. ── *n.* 쇄골 하부, 쇄골하 동맥〔정맥 따위〕. 「안정기.
sùb·clímax *n.* 〖생태〗 아극상(亞極相), 아(亞)
sùb·clínical *a.* 〖의학〗 준(準)임상적인, 무증상의, 잠재성의: a ~ infection 무증상 감염. ㊕ **~·ly** *ad.*
sùb·collégiate *a.* 대학 교육을 받지 못한 학생을 위한. 「(副)위원.
sùb·commíssioner *n.* 분과 위원회 위원; 부
súb·commìttee *n.* 분과 위원회, 소(小)위원회.
sùb·commúnity *n.* (대도시권에서 볼 수 있는) 소(小)사회.
sùb·cómpact *n.* compact[1] 보다 소형의 자동차. ── [ˊ-ˊ-] *a.* compact[1] 보다 소형의.
sùb·compónent *n.* 서브컴포넌트《상품의 일부이면서 부품의 특성을 갖는 부분》.
***sub·con·scious** [sʌbkánʃəs/-kɔ́n-] *a.*, *n.* Ⓤ 잠재의식(의), 어렴풋이 의식하고 있는〔있음〕. ㊕ **~·ly** *ad.* **~·ness** *n.* 잠재의식. 「따위》.
sùb·cóntinent *n.* 아(亞)대륙《인도·그린란드
sub·con·tract [sʌbkántrækt/-kɔ́n-] *n.* 도급 (계약). ── [sʌ̀bkəntrǽkt] *vt.*, *vi.* 도급(계약)하다. ㊕ **sub·con·trac·tor** [sʌ̀bkántræktər, -kəntrǽkt-/-kəntrǽkt-, -kɔntrǽk-] *n.* 도급인, 도급업자〔회사, 공장〕.
sùb·contraríety *n.* 〖논리〗 소반대(小反對).
sùb·cóntrary *a.*, *n.* 〖논리〗 소(小)반대의; 소반대 명제. 「**~·ly** *ad.*
sùb·córtical *a.* 〖해부〗 피질(皮質)하의. ㊕
sùb·cóstal *a.*, *n.* 〖해부〗 늑골 아래의 (근육).
sùb·crítical *a.* 결정적이기까지는 아닌; 〖핵물리〗 임계(臨界) 미만의. cf. supercritical.
sùb·crústal *a.* 〖지학〗 지각 아래의.
sùb·cúlt *n.* 이문화 집단(subculture).
sub·cul·ture [sʌ́bkʌ̀ltʃər] *n.* Ⓤ,Ⓒ **1** 〖세균〗 2차 배양, 조직 배양의 이식(移植). **2** 소(小)문화(권), 하위 문화; (히피 따위의) 신문화, 반(反)문화, 이(異)문화 (집단). ── [sʌbkʌ́ltʃər] *vt.* 〖세균〗 (세균을) 별도의 새 배양기(培養基)에서 배양하다, 2차 배양하다.
sùb·cutáneous *a.* 피하의: a ~ injection 피하 주사. ㊕ **~·ly** *ad.* **~·ness** *n.*
sùb·cútis *n.* 〖해부〗 피하 세포층.
sub·dea·con [sʌbdíːkən, ˊ-ˊ-] *n.* 〖가톨릭〗 차부제(次副祭). ㊕ **~·ate** [-nit, -nèit] *n.* Ⓤ,Ⓒ ~의 직위〔직〕.
sub·dean [sʌ̀bdíːn] *n.* 〖영국교회〗 부감독보(副監督補), 부주교보. 「TE.
sub·deb [sʌ́bdèb] *n.* 《미구어》 =SUBDEBUTAN-
sùb·débutante *n.* 《미》 사교계에 나가기 전의 15-16세의 처녀; 나이찬 처녀(middle teens).
sùb·decánal *a.* 〖교회〗 부감독보〔부주교보〕(subdean)의.
sùb·dépot *n.* 〖군사〗 보급소 지소(支所).
sùb·dérmal *a.* =SUBCUTANEOUS.
subdérmal ìmplant 〖의학〗 피하(皮下) 이식.
sùb·diáconate *n.* 〖교회〗 차부제(次副祭)의 직.
sùb·diréctory *n.* 〖컴퓨터〗 서브디렉터리《다른 자료방(directory) 아래에 있는 자료방》.

sùb·díscipline *n.* 학문 분야의 하위 구분.
***sub·di·vide** [sʌ̀bdiváid] *vt.* 다시 나누다, 잘게 나누다, 세분하다; 《미》 (토지를) 분필(分筆)하다, (분양용으로) 구획 분할하다. ── *vi.* 다시 나뉘다. ㊕ **-di·víd·a·ble, -di·vís·i·ble** [-diváidəbəl], [-divízəbəl] *a.* 재분(再分)되는, 세분할 수 있는.
◇**súb·divìsion** *n.* Ⓤ 재분(再分), 잘게 나눔, 세분; 《미》 (토지의) 분필(分筆), 구획〔대지〕 분할; Ⓒ (재분하여 생긴) 한 부분, 일구분; 《미》 분양 토지.
súb·domàin *n.* 〖컴퓨터〗 서브도메인《인터넷의 주소에서 지역 이름과 맨 끝의 영역 이름 사이에 오는 이름》.
sùb·dóminant *n.*, *a.* 〖음악〗 버금딸림음(의) 《각 음계의 제 4 음》.
sub·du·a·ble [səbdjúːəbəl/-djúː-] *a.* 정복할 수 있는; 억제할 수 있는; 완화할 수 있는.
sub·du·al [səbdjúːəl/-djúː-] *n.* Ⓤ 정복, 억제; 완화. ◇ subdue *v.*
sub·duct [səbdʌ́kt] *vt.* 제거하다; 감하다, 빼다(subtract).
sub·duc·tion [səbdʌ́kʃən] *n.* Ⓤ 제거; 차감; 정복.
***sub·due** [səbdjúː/-djúː-] *vt.* **1** (적·나라 등을) 정복하다, (사람을) 위압〔압도〕하다; (반란 따위를) 진압〔제압〕하다. SYN. ⇨ DEFEAT. ¶ use tear gas to ~ the rioters 폭도들을 진압하기 위해 최루탄을 사용하다. **2** (분노 따위를) 억제하다; (염증 따위를) 가라앉히다, 경감하다: ~ a desire to laugh 웃음을 참다. **3** (잡초 따위를) 뿌리 뽑다, 없애다. **4** (목소리 따위를) 낮추다, 나직하게 하다; (빛깔 따위를) 차분하게 하다. **5** (토지를) 개간하다.
sub·dúed *a.* 정복당한, 복종하게 된; 억제된; 부드러워진, 낮아진, 차분해진: a ~ color 〔tone〕 부드러운 색〔소리〕 / ~ light 잔잔한 빛 / a ~ mood 차분한 기분. ㊕ **~·ly** *ad.*
sùb·dúral *a.* 〖해부〗 경막하(硬膜下)의.
sùb·édit *vt.* (신문·잡지 따위의) 부주필 일을 하다, …의 편집을 돕다; 《영》 (원고를) 정리하다.
sùb·éditor *n.* 부주필, 편집 차장; 편집 조수; 《영》 원고 정리부원, 편집부원. ㊕ **~·ship** *n.*
sùb·emplóyed *a.* (근로자가) 반〔불완전, 저소득〕 고용 상태인.
sùb·emplóyment *n.* 〖경제〗 불완전〔저소득〕 고용; 반(半)실업.
súb·èntry *n.* 하위 기재 항목, 소항목.
sùb·epidérmal *a.* 〖해부〗 표피 아래의.
sùb·équal *a.* 거의 같은.
sùb·equatórial *a.* 아(亞)적도대(특유)의.
su·be·re·ous, su·ber·ose [suːbíəriəs/sjuː-], [súːbəròus/sjúː-] *a.* 수베린(질〔상(狀)〕)의.
su·ber·in [suːbérin/sjúːbə-] *n.* 〖식물〗 수베린, 코르크질.
su·ber·ize [súːbəràiz/sjúː-] *vt.* 〖식물〗 수베린으로〔코르크질로〕 바꾸다. ㊕ **-ized** *a.*
sù·ber·izá·tion *n.* 수베린〔코르크〕화(化).
sub·fam·i·ly [sʌbfǽməli, ˊ-ˊ--/ˊ-ˊ--] *n.* 〖생물〗 아과(亞科); 〖언어〗 어파(語派)《어족(語族)의 하위 구분》.
súb·field *n.* 〖수학〗 부분체(部分體); 서브필드《어느 연구 분야의 하위 분야》; 〖컴퓨터〗 아래 기록란, 서브필드.
sub fi·nem [sʌ́b-fáinəm; *L.* sub-fíːnem] 《L.》 (=toward the end) (장(章) 따위의) 말미에《생략: s.f.》. 「은 바닥.
súb·flòor *n.* 마루 바닥재 밑에 기초로서 깔아놓
súb·fòrm *n.* 종속적〔2차적〕 형태

sùb·fóssil *a., n.* 〖고고학〗 준〔반〕화석(의).
súb·fréezing *a.* 어는점〔빙점〕 아래의.
sub·fusc, sub·fus·cous [sʌbfʌ́sk/ㅡㅡ, ㅡㅡ], [sʌbfʌ́skəs] *a.* (빛깔이) 거무스름한; 어두운.
sùb·génus (*pl.* **-gen·e·ra, ~·es**) *n.* 〖생물〗 아속(亞屬).
sùb·glácial *a.* 빙하 밑의〔에 있는〕; 원래는 빙하 밑에 있던; 〖지학〗 빙하기 후의. [파] **~·ly** *ad.*
súb·gòvernment *n.* 제 2 의 정부《정부에 대하여 큰 영향을 갖는 비공식 모임 등》.
súb·gràde *n.* 〖토목〗 지반, (도로의) 노상(路床). **—** *a.* 노상의.
súb·gròup *n.* (집단을 분할한) 소집단, 하위(下位) 집단; 〖화학 · 수학〗 부분군(群).
súb·harmónic *n.* 〖통신〗 저주파.
súb·hèad *n.* 작은 표제, 부표제; 《미》 부교장, 「교감.
súb·hèading *n.* 작은 표제, 부표제.
sùb·húman *a.* 인간에 가까운, 유인(類人)의; 인간 이하의.
sùb·índex *n.* 부(副)색인《주요 분류의 하위 구분》; 〖수학〗 부지수(副指數).
sub·in·feu·date [sʌ̀binfjúːdeit] *vt., vi.* 〖봉건법〗 …에게 영지를〔보유권을〕 다시 나누어 주다, 재분봉(再分封)하다. 「분 구간.
sùb·ínterval *n.* (하위 구분의) 기간; 〖수학〗 부
sùb·írrigate *vt.* (파이프 따위로) …의 지하 관개(灌漑)를 하다. [파] **sùb·irrigátion** *n.* 「비토.
su·bi·to [súːbitòu] *ad.* 《It.》 〖음악〗 바로, 곧, 수
subj. subject; subjective(ly); subjunctive.
sub·ja·cent [sʌbdʒéisnt] *a.* 밑에 있는, 하위(下位)의; 토대를 이루는. [파] **~·ly** *ad.*
†**sub·ject** [sʌ́bdʒikt] *a.* **1** 지배를 받는, 복종하는, 종속하는《*to*》: We are ~ *to* our country's laws. 우리는 국법에 복종해야 한다. **2** 〔서술적〕 받기 쉬운, (…을) 입기〔걸리기〕 쉬운《*to*》: be ~ *to* colds 감기에 걸리기 쉽다. **3** 〔서술적〕 …조건으로 하는, (…을) 받지 않으면 안 되는, (…을) 필요로 하는《*to*》: This treaty is ~ *to* ratification. 이 조약은 비준을 받아야 한다. ***~ to*** …을 (얻는 것을) 조건으로 하여, …을 가정하여, …에 복종하여: *Subject to* your consent, I will try again. 승낙해 주시면 다시 해 보겠습니다.
— *n.* **1** 국민; 신하, 신(臣): a British ~ 영국 국민 / rulers and ~*s* 지배자와 피지배자. **2** 주제, 문제, 제목, 연제, 화제(畫題).

> [SYN] **subject** 논문 · 연구 · 이야기 · 작품 따위에서 다루는 대상 · 제재(題材): a *subject* for discussion 의제(議題). **theme** 표제로서 다뤄지지 않더라도 일관하여 흐르는 주제, 테마: The *theme* of a need for reform runs throughout his work. 개혁의 필요성이 그의 작품을 일관하고 있는 테마이다. **topic** 논문 · 이야기 등의 부분적인 주제, 화제.

3 학과, 과목: a compulsory 〔an optional〕 ~ 필수〔선택〕 과목. **4** 〖문법〗 주어, 주부(主部). ⇨《부록》 SUBJECT. **5** 〖논리〗 주사(主辭). **6** 〖철학〗 주관, 자아. [OPP] *object*. **7** 〖철학〗 주체, 실체. [cf.] attribute. **8** 〖음악〗 주제, 테마, 주악상(主樂想). **9** 주인(主因), 원인: a ~ for complaint 불평의 원인. **10** 환자; …질(質)의 사람; 본인. **11** 피(被)실험자, 실험 재료; (최면술의) 실험 대상자; 해부 시체. ***on the ~ of*** …에 관하여.
— [səbdʒékt] *vt.* 《~+[목]/+[목]+[전]+[명]》 **1** 복종〔종속〕시키다, 지배하다, (…의) 영향하에 두다《*to*》: ~ the mind of the people 사람의 마음을 지배하다 / ~ a nation *to* one's rule 국민을 지배하여 다스리다. **2** 《+[목]+[전]+[명]》 〘종종 수동태 또는 ~ oneself〙 (좋지 않은 일을) 당하게〔받게〕 하다, 입히다《*to*》: ~ a person *to* torture 아무를 고문하다 / ~ one*self to* criticism 비판당하다 / He *was* ~*ed to* ridicule. 그는 냉소당했다. **3** 《+[목]+[전]+[명]》 〘종종 수동태〙 맡기다, 회부하다, 위임하다; (사람 · 물건을) …에 드러내다, (열 따위에) 쬐다《*to*》: ~ new policies *to* public discussion 새 정책을 공개 토의에 부치다 / ~ metal *to* intense heat 금속을 강한 열에 쬐다 / *be* ~*ed to* concentrated research 집중적으로 연구되다.
súbject càtalog (도서관의) 주제별 목록, 건명(件名) 목록. 「명(件名) 목록.
súbject hèading (카탈로그 · 색인 따위의) 건
sub·jec·ti·fy [səbdʒéktəfài] *vt.* 주관적으로 하다; 주관적으로 해석하다.
°**sub·jec·tion** [səbdʒékʃən] *n.* [U] 정복; 복종, 종속《*to*》. ***in ~ to*** …에 종속〔복종〕하여. [파] **~·al** *a.*
***sub·jec·tive** [səbdʒéktiv] *a.* **1** 〖철학〗 주관의, 주관적인; 사적인. [OPP] *objective*. **2** 내성적인. **3** 〖문법〗 주격의: the ~ case 〖문법〗 주격 / the ~ genitive 〖문법〗 주어 속격《보기: the act *of God*; *God's* love 따위》(《[cf.] objective genitive) / the ~ complement 〖문법〗 주격보어《보기: He lies dead.의 dead》. **—** *n.* 〖문법〗 주격. [파] **~·ly** *ad.* **~·ness** *n.*
subjéctive idéalism 〖철학〗 주관적 관념론.
sub·jec·tiv·ism [səbdʒéktəvìzəm] *n.* [U] 주관론, 주관주의, 주관적 논법([OPP] *objectivism*). [파] **-ist** *n.* 주관론자. **sub·jèc·ti·vís·tic** [-vístik] *a.* 주관론적인.
sub·jec·tiv·i·ty [sʌ̀bdʒektívəti] *n.* [U] 주관성, 자기 본위; 주관(주의).
sub·jec·tiv·ize, 《특히 영》 **-ise** [səbdʒéktivàiz] *vt.* 주관화하다, 주관적으로 보다. [파] **sub·jèc·tiv·i·zá·tion** *n.*
súbject lìne 〖컴퓨터〗 (이메일의) 제목란.
súbject màtter 제재(題材), 테마, 내용, 주제.
súbject-óbject *n.* 〖철학〗 주관적 객관《지식의 주체임과 동시에 그 객체인 '자아(ego)'를 가리키는 Fichte의 용어》.
sub·join [səbdʒɔ́in, sʌb-/sʌb-] *vt.* 증보(추가)하다, …에 보유(補遺)를 붙이다.
sub·join·der [səbdʒɔ́indər, sʌb-/sʌb-] *n.* 추가물; 추보(追補) 설명. 「節).
súb·jòint *n.* 〖동물〗 (절지동물의) 부관절(副關
sub ju·di·ce [sʌb-dʒúːdisìː] 《L.》 (=under a judge) 심리 중, 미결로.
sub·ju·gate [sʌ́bdʒugèit] *vt.* 정복하다, 복종〔예속〕시키다; (격정 따위를) 가라앉히다. [파] **sùb·ju·gá·tion** *n.* [U] 정복, 진압; 종속. **súb·ju·gà·tor** [-ər] *n.* 정복자. 「첨가〕(물).
sub·junc·tion [səbdʒʌ́ŋkʃən] *n.* 추가〔증보,
***sub·junc·tive** [səbdʒʌ́ŋktiv] 〖문법〗 *n., a.* 가정법(의), 서상법(敍想法)(의), 접속법(의); 가정법 동사. [cf.] indicative, imperative. [파] **~·ly** *ad.*
subjúnctive móod (the ~) 〖문법〗 가정법. ⇨《부록》 SUBJUNCTIVE MOOD. 「아계(亞界).
sub·king·dom [sʌbkíŋdəm, ㅡㅡ] *n.* 〖생물〗
súb·lànguage *n.* (어떤 그룹 · 사회에서만 통용되는) 특수 언어.
sub·late [sʌ́bleit] *vt.* 〖논리〗 부인〔부정〕하다([cf.] posit); (헤겔 철학에서) 지양(止揚)하다. [파] **sub·lá·tion** *n.*
sub·lease [sʌ́bliːs] *n.* 전대(轉貸), 다시 빌려줌; 전차(轉借). **—** [ㅡ́] *vt.* 전대〔전차〕하다; …을 다시 빌려 주다〔빌리다〕.
sub·les·see [sʌ̀blesíː] *n.* 전차인(轉借人).
sub·les·sor [sʌblésɔːr] *n.* 전대인(轉貸人).
súb·lét (*p., pp.* **~; ~·ting**) *vt., vi.* 전대(轉貸)〔전차(轉借)〕하다; (도급맡은 일을) 다시 도급

주다. ── *n.* 전대; 전차; 전대용(用)의 집; 전차 ⌊한 집.
sùb·léthal *a.* 거의 치사량에 가까운.
sùb·librárian *n.* 도서관 부관장, 사서보(司書補).
sùb·lieuténant *n.* ⟪영⟫ 해군 중위. ***an acting*** ~ ⟪영⟫ 해군 소위.
sub·li·mate [sʌ́bləmèit] *vt.*, *vi.* **1** 〖화학·정신분석〗 승화시키다〔하다〕. **2** ⟪비유⟫ 고상하게 하다〔되다〕, 순화(純化)하다. ── [-mit, -mèit] *a.* 〖화학〗 승화한〔된〕; 이상화한, 고상한. ── [-mit, -mèit] *n.* 〖화학〗 승화물; 승홍(昇汞). ㊞ **sùb·li·má·tion** *n.* Ⓤ 고상하게 함, 순화; 〖화학〗 승화.
sub·lime** [səbláim] (-lim·er; -est***) *a.* **1** 장대한, 웅대한, 장엄한; 숭고한: ~ scenery 웅대한 경치. **2** 최고의, 탁월한, 빼어난. **3** ⟪시어⟫ 득의만면의; 거만한. **4** ⟪구어⟫ 터무니없는: ~ ignorance 형편없는 무지. **5** 〖해부〗 표면에 가까운. ── *n.* (the ~) 숭고한 것; 숭고(함); 절정, 극치 ⟪*of*⟫: There is but one step from the ~ to the ridiculous. 숭고함과 우스꽝스러움은 종이 한 장 차이 ⟪Napoleon 1 세의 말⟫. ── *vt.* **1** 높이다, 고상하게 하다, 정화하다. **2** 〖화학·물리〗 승화시키다 ⟪*into*⟫. ── *vi.* **1** 높아지다, 고상해지다, 정화되다. **2** 〖화학·물리〗 승화하다 ⟪*into*⟫. ㊞ ~**·ly** *ad.* ~**·ness** *n.* **sub·lím·er** *n.* 승화자〔기(器)〕.
Sublíme Pórte (the ~) PORTE의 공식명.
sub·lim·i·nal [sʌblímənl] *a.* 〖심리〗 의식에 오르지 않는, 식역하(識閾下)의, 잠재의식의. ── *n.* =SUBLIMINAL SELF. ㊞ ~**·ly** *ad.*
sublíminal ádvertising (잠재의식에의 작용을 노리는 텔레비전 따위의) 식역하(識閾下) 광고.
sublíminal léarning 〖심리〗 식역하(識閾下) 학습 ⟪학습자가 지각할 수 없는 자극을 되풀이하여 줌으로써 이루어지는 학습⟫.
sublíminal sélf (the ~) 〖심리〗 식역하(識閾下)의 자아(自我).
sub·lim·it [sʌ́blìmit] *n.* (최대한도 이하의) 2차 한도, 부차(副次) 제한.
sub·lim·i·ty [səblíməti] *n.* **1** Ⓤ 장엄, 숭고, 고상; 절정, 극치. **2** (종종 *pl.*) 숭고한 사람〔물건〕.
súb·lìne *n.* 하나의 계통〔혈통〕의 하위 구분.
sùb·língual *a.* 혀 밑의: the ~ gland 〔artery〕 혀밑샘〔동맥〕. ── *n.* 혀밑샘〔동맥〕 ⟪따위⟫.
sùb·líterate *a.* (읽기·쓰기의) 충분한 소양(素養)이 결여된.
sùb·líttoral *a.* 〖생태〗 연안 가까운 수중에 있는, 저조선(低潮線)과 대륙붕 사이의, 조하대(潮下帶)의, 아연안대(亞沿岸帶)의, 아조간대(亞潮間帶)의. ── *n.* 조하대, 아조간대.
sùb·lúnar, sub·lu·nary [sʌ́blu:nèri, sʌblú:nəri/sʌblú:nəri] *a.* 월하(月下)의, 지상의. OPP *superlunar(y)*. 「(不全) 탈구.
sùb·luxátion *n.* 〖의학〗 아탈구(亞脫臼), 부전
sub·machíne gùn 기관단총 ⟪생략: S.M.G.⟫.
sub·man [sʌ́bmæ̀n] (*pl.* ***-men*** [-mèn]) *n.* ⟪경멸⟫ 바보, 얼간이. cf. superman.
sub·mandíbular (glánd) 〖해부〗 턱밑샘.
sùb·márginal *a.* 가장자리에 가까운; 한계 이하의; 수익 표준〔생산력〕 이하의; (농지가) 경작 한계에 가까운.
****sub·ma·rine** [sʌ̀bmərí:n, ⌐-⌐] *n.* **1** 잠수함 (sub). **2** 해중〔해저〕 동〔식〕물. **3** 〖서핑〗 서핑하는 사람의 몸에 비해 너무 작은 서프보드. **4** ⟪미속어⟫ 서브머린 샌드위치(=∠ **sàndwich**) ⟪긴 롤빵에 냉육·치즈·야채를 끼운 큰 샌드위치⟫.
── *a.* 바닷속의, 해저의, 바닷속에 사는; 바닷속에서 쓰는: a ~ apparatus 잠수기/a ~ armor 잠수복/a ~ boat 잠수함/a ~ cable 해저 전선/a ~ mine 부설 기뢰/a ~ volcano 해저 화산/~ warfare 잠수함전.
── *vt.* 잠수함으로 공격〔격침〕하다. ── *vi.* 잠수함에 타다; 잠수하다; 〖미식축구〗 (방어 측 라인맨이) 공격 측 라인맨의 블록 밑으로 파고들어가다.
súbmarine-bàsed [-t] *a.* (미사일 따위) 잠수함에서 발사된, 잠수함 탑재의. 「추격용).
súbmarine chàser 구잠정(驅潛艇) ⟪잠수함
súbmarine-láunched [-t] *a.* 잠수함에서 발사된: ~ cruise missile 잠수함 발사 순항 미 ⌊사일.
súbmarine pèn 잠수함 대피소.
sùb·ma·rín·er *n.* 잠수함 승무원; 〖야구〗 언더스로 투수. 「ING.
súbmarine wàtching ⟪미학생속어⟫ =NECK-
sùb·máster *n.* 부교장; 주인 대리.
sùb·máxillary *n.*, *a.* 〖해부〗 아래턱(의), 하악골(의); 턱밑샘(의): the ~ gland 턱밑샘.
súb·mènu *n.* 〖컴퓨터〗 부(副)메뉴 ⟪메뉴 중에서 어느 항목을 선택했을 때에 표시되는 하위의 메뉴⟫.
◇**sub·merge** [səbmə́:rdʒ] *vt.* 물속에 잠그다〔가라앉히다〕; 물에 담그다; 물에 빠지게 하다; 덮어 가리다; (빈곤 따위에) 빠뜨리다 ⟪*in*⟫. ── *vi.* (잠수함 따위가 물속에) 잠기다, 잠수〔잠항〕하다, 안 보이게 되다. OPP *emerge*.
sub·mérged *a.* 수중에 가라앉은, 침수의; 〖식물〗 침수생(沈水生)의(submersed); 〖생물〗 액내(液內)(에서)의 ⟪배양⟫; 감춰진, 미지의; 극빈의: ~ speed 잠항 속도/the ~ envy 마음속에 감춰진 선망의 대상/the socioeconomic ~ groups 사회 경제적 극빈층. ***the* ~ *tenth*** 〔***class***〕 (빈궁의) 밑바닥 계층, 극빈자층 ⟪사회의 약 10분의 1이라는 뜻에서⟫ (OPP *the upper ten*).
sub·mer·gence [səbmə́:rdʒəns] *n.* Ⓤ 물속에 가라앉음; 침수, 관수(冠水), 침몰.
sub·mer·gi·ble [səbmə́:rdʒəbəl] *a.*, *n.* = SUBMERSIBLE.
sub·merse [səbmə́:rs] *vt.* =SUBMERGE.
sub·mérsed [-t] *a.* 물속에 가라앉은, 침수의; 〖식물〗 침수생(沈水生)의.
sub·mers·i·ble [səbmə́:rsəbəl] *a.* 물속에 잠길 수 있는, 잠수〔잠항〕할 수 있는. ── *n.* 잠수정 ⟪특히 과학 측정용⟫. 「SUBMERGENCE.
sub·mer·sion [səbmə́:rʒən, -ʃən/-ʃən-] *n.* =
sùb·metacéntric 〖생물〗 *a.* 차중부동원체(次中部動原體)(형)의. ── *n.* 차중부동원체 (염색 ⌊체).
sùb·metállic *a.* 아(亞)금속의.
sùb·mícrogram *a.* 1 마이크로그램 미만의.
sùb·mícron *a.* 1미크론 이하의, 초미세(超微細)한. 「*ad.*
sùb·microscópic *a.* 초현미경적인. ㊞ **-ically**
sùb·míllimeter *a.* 1밀리미터 이하〔미만〕의 ⟪파장 따위⟫.
sùb·míniature *a.* (카메라·전기 부품 따위) 초소형의. ── *n.* 초소형 카메라(=∠ **cámera**).
sùb·míniaturize *vt.* (전자 장치를) 초소형화하다.
sub·mis·sion** [səbmíʃən] *n.* Ⓤ **1** 복종; 항복. **2** 순종; 유순. **3** Ⓤ,Ⓒ 제출물, 제안, (의견·판정의) 개진; 〖법률〗 중재 부탁의 합의, 중재 계약. **4** 기탁, 의뢰: the ~ of the signature to an expert 전문가에게 서명 감정의 의뢰. ◇ submit *v.* ***bring into ~ 복종시키다. ***in my*** ~ 나의 견해로는. ***with all due*** ~ 공손히, 정중히.
◇**sub·mis·sive** [səbmísiv] *a.* 복종하는, 순종하는, 유순한, 온순한(meek). ㊞ ~**·ly** *ad.* 유순하게. ~**·ness** *n.* 유순.
submíssive déath 굴복사, 절망사, 각오사 ⟪막다른 불리한 상황에서 사람이나 동물이 죽음을 택하는 일⟫.

sub·mit [səbmít] (**-tt-**) *vt.* **1** ⦅+목+전+명⦆ 〖~ oneself〗 복종시키다, 따르게 하다⦅*to*⦆: ~ one*self to* a person's direction 아무의 지시에 따르다. **2** ⦅~+목/+목+전+명⦆ 제출하다, (재결을 받기 위하여) 제출하다, 맡기다, 일임시키다: ~ a report 보고서를 제출하다/~ a case *to* a court 법원에 제소하다. **3** ⦅+*that*절⦆ 공손히 아뢰다, 의견으로서 진술하다: I ~ *that* you are mistaken. 실례지만 당신은 잘못 생각하고 있다고 말씀드리고 싶습니다. ── *vi.* ⦅+전+명⦆ 복종하다; 굴복하다, 항복하다; 감수하다⦅*to*⦆; (수술 따위를) 받다⦅*to*⦆: ~ *to* authority 권위에 복종하다. SYN. ⇨ SURRENDER. ◇ submission *n.* ── *n.* 〖컴퓨터〗 처리 의뢰⦅컴퓨터에 실행을 명하는 일⦆. ㊎ **sub·mít·ta·ble** *a.* **-tal** *n.* **-ter** *n.*

sub mo·do [sʌ̀b-móudou] ⦅L.⦆ (=under a qualification) 일정한 조건〔제한〕 아래.

sùb·móntane *a.* 산기슭에 있는, 산 밑의.

sùb·mucósa *n.* 〖해부〗 점막하(粘膜下) 조직.

sùb·múltiple *n., a.* 〖수학〗 약수(約數)(의).

sùb·narcótic *a.* 경(輕)마취성의; (마취약의 양이) 완전 마취에는 불충분한.

sùb·nórmal *a.* 정상〔보통〕 이하의; 저능의⦅IQ 70 이하⦆; 이상한; 〖수학〗 법선(法線)을 그은. ── *n.* 저능한 사람. ㊎ **~·ly** *ad.*

sùb·nótebook *n.* 〖컴퓨터〗 서브노트북⦅노트북 컴퓨터보다 작은 포터블 컴퓨터⦆.

sub·nu·cle·ar [sʌbnjú:kliər] *a.* 〖물리〗 **1** 원자핵 속의; 원자핵보다 작은, 소립자(素粒子)의. **2** 원자핵 내의 입자나 현상에 관한.

sùb·núcleon *n.* 〖물리〗 핵자 구성소(核子構成素)⦅가설상의⦆.

sùb·oceánic *a.* 대양 밑의, 해저의⦅석유 자원 등⦆.

sùb·óptimize *vi., vt.* 차선(次善)의 상태로 하다, 부분적으로 최선의 상태로 하다.

sùb·órbital *a.* 〖해부〗 눈구멍 밑의; (인공위성 따위가) 궤도에 오르지 않은, 궤도를 벗어난: a ~ flight (우주선 등의) 궤도에 오르지 않은 탄도 비행.

súb·òrder *n.* 〖생물〗 아목(亞目). ㊎ **sùb-órdinal** *a.*

sub·or·di·na·cy [səbɔ́:rdənəsi] *n.* 종속성, 종속 상태; =SUBORDINATION.

***sub·or·di·nate** [səbɔ́:rdənət] *a.* (계급·지위가) …아래의, 차위〔하급〕의; 부수〔종속〕하는⦅*to*⦆; 〖문법〗 종속의 (OPP. *coordinate*): a ~ position 하위(직)/~ officials 하급 관리들/a ~ task 부수되는 일/a ~ state 속국. ── *n.* 하위(의 사람), 속관(屬官), 부하; 〖생태〗 열위(劣位)자〔종〕; 〖문법〗 종속절, 종속어〔구〕. ── [-nèit] *vt.* ⦅~+목/+목+전+명⦆ 하위에 두다; 종속시키다⦅*to*⦆; 경시하다, 얕보다⦅*to*⦆: ~ work *to* pleasure 일보다도 즐거움을 중시하다/~ furies *to* reason 이성으로 격분을 억누르다. ㊎ **~·ly** *ad.* **~·ness** *n.*

subórdinate cláuse 〖문법〗 종속절.

subórdinate conjúnction 종속 접속사.

sub·òr·di·ná·tion *n.* Ⓤ 예속시킴; 종속시키기; 경시; 하위; 종속 (관계); ⦅드물게⦆ 복종. ***in ~ to*** …에 종속하여.

sub·òr·di·ná·tion·ìsm *n.* 〖신학〗 성자(聖子) 종속설, (삼위일체의) 제 1 위 우위설. ㊎ **-ist** *n.*

sub·or·di·na·tive [səbɔ́:rdənèitiv, -nə-] *a.* 종속적인, 종속 관계를 나타내는; 하위〔차위〕의; 〖문법〗 =SUBORDINATE; 〖언어〗 내심적 구조의.

sub·or·di·na·tor [səbɔ́:rdənèitər] *n.* 종속시키는 것〔사람〕; = SUBORDINATE CONJUNCTION.

sub·orn [səbɔ́:rn] *vt.* 〖법률〗 (돈 등을 주어) 거짓 맹세〔위증(僞證)〕시키다; 사주〔교사(教唆)〕하다, 매수하다. ㊎ **~·er** *n.* 〖법률〗 위증 교사자, 매수자. **sub·ór·native** [-ətiv] *a.*

sub·or·na·tion [sʌ̀bɔ:rnéiʃən] *n.* Ⓤ 〖법률〗 거짓 맹세〔위증〕시킴; 매수.

sùb·óxide *n.* Ⓤ,Ⓒ 〖화학〗 아(亞)산화물.

sùb·pár *a., ad.* 표준 이하의〔로〕.

subpar. subparagraph.

sùb·phýlum *n.* 〖생물〗 아문(亞門).

súb·plòt *n.* (연극·소설의) 부차적 줄거리.

sub·poe·na, -pe·na [səbpí:nə] 〖법률〗 *n.* 소환장, 호출장, (불응 시의 벌칙이 부기된) 벌칙부 소환 영장⦅*to*⦆. ── (**-naed, ~·ing**) *vt.* 소환하다, 소환장을 발부하다.

subpóena ad tes·ti·fi·cán·dum [-æd-tèstəfikǽndəm] 〖법률〗 증인 소환 영장.

subpóena dú·ces té·cum [-djú:si:z-tí:kəm] 〖법률〗 증거 문서 제출 명령.

sùb·pólar *a.* 극지에 가까운, 극에 가까운, 아한대(亞寒帶)의.

sùb·populátion *n.* 〖통계〗 부분 모집단(母集團); 〖생태〗 부차(副次) 집단.

sùb·pótency *n.* 〖생물〗 유전 형질 전달 능력의 감소.

sùb·pótent *a.* 통상의 효력보다 약한; 〖생물〗 유전 형질 전달 기능이 약한.

sùb·préfect *n.* 부지사; (프랑스의) 군수(郡守); 경찰서장 대리.

sùb·príme *a.* 2급품의; 금리가 prime rate 이하의⦅융자 등⦆.

sub·prin·ci·pal [sʌbprínsəpəl, ⌐ㅡ] *n.* 부장관〔교장, 사장, 회장〕, 장관〔교장, 사장, 회장〕 대리; 〖목공〗 보조 서까래〔버팀목〕; 〖음악〗 서브프린시펄 스톱⦅오르간의 저음을 내는 개구(開口) 음전의 하나⦆.

sùb·príor *n.* 수도원 부원장.

sùb·próblem *n.* (포괄적 문제에 포함되는) 하위의 문제.

sùb·proféssional *a., n.* 준전문직의 (사람).

súb·prògram *n.* 〖컴퓨터〗 서브프로그램⦅프로그램의 일부로서 독립된 형태로 실행 가능한 정리된 프로그램의 한 단위⦆.

súb·règion *n.* (region 안) 소구역(小區域), 소지역; 〖생물지리〗 아구(亞區). ㊎ **sub·régional** *a.*

sub·rep·tion [səbrépʃən] *n.* 〖교회법〗 (교황청에의) 허위 진술; (목적 달성을 위한) 사실 은닉, 허위 주장(에 의한 추론). ㊎ **sub·rep·ti·tious** [sʌ̀breptíʃəs] *a.*

súb·rìng *n.* 〖수학〗 부분환(部分環).

sub·roc [sʌ́bràk/-rɔ̀k] *n.* 〖미해군〗 서브록⦅대잠(對潛) 미사일⦆. [◂ *sub*marine + *roc*ket]

sub·ro·gate [sʌ́brəgèit] *vt.* 〖법률〗 대위(代位)하다, 대위 변제하다; 〖일반적〗 …의 대리 노릇을 하다. ㊎ **sùb·ro·gá·tion** *n.* Ⓤ,Ⓒ 〖법률〗 대위(代位), 대위 변제(辨濟); 〖일반적〗 대신(함).

sub ro·sa [sʌb-róuzə] ⦅L.⦆ 비밀히, 몰래.

súb·routìne *n.* 〖컴퓨터〗 서브루틴⦅특정 또는 다수의 프로그램 중에서 반복 사용할 수 있는 독립된 명령군(群)⦆.

sùb-Saháran *a.* 사하라 사막 이남의.

súb·sàmple 〖통계〗 *n.* 부표본(副標本). ── [-⌐-] *vt.* …의 부표본을 만들다.

súb·sàtellite *n.* 인공위성에서 발사된 소형 위성; 위성국(衛星國) 내의 위성국.

***sub·scribe** [səbskráib] *vt.* ⦅~+목/+목+전+명⦆ **1** (기부 따위를) 기명(記名) 승낙하다, 기부하다(contribute); 응모하다, 신청〔예약〕하다: ~ a large sum *to* charities 자선 사업에 거액의 기부를 하다. **2** (성명 따위를) 문서의 밑에 쓰다; (청원서 따위에) 서명하여 동의를 나타내다: ~ a contract 계약서에 서명하다/President ~*d* his name *to* the document. 대통령은 그 문서에 서명하였다. ── *vi.* **1** ⦅~/+전+명⦆ 기부자 명부에 기명하다, 기부〔출자〕(를 약속)하다⦅*to*⦆: ~ *to* charities 자선 사업에 기부하다/~

for ten dollars, 10달러 기부하다. **2** 《+전+명》 찬동〔동의〕하다《*to*》: ~ *to* a person's opinion 아무의 의견에 찬동하다. **3** 《+전+명》 예약〔응모〕하다; 구독을 예약하다, 구독하다《*to; for*》: ~ *to*〔*for*〕a magazine 잡지를 예약(구독)하다. **4** 《+전+명》 서명〔기명〕하다《*to*》: ~ *to* a document 문서에 서명하다.

***sub·scrib·er** [səbskráibər] *n.* **1** 기부자《*to*》. **2** 예약자, 응모자, 신청자; 가입자《*for; to*》; 구독자; 전화 가입자. **3** 기명자, 서명자. **4** (연주회 등의) 정기 회원.

subscríber trúnk dìalling 《영》 다이얼 직통 장거리 전화(《미》 direct distance dialing) 《생략: STD》.

sub·script [sʌ́bskript] *a.* (문자·기호 따위가) 밑에 쓰인〔붙는〕《*α, η, ω*의 밑에 쓰는 *ι*(iota)를 말함》. **—** *n.* 아래쪽에 쓴 기호·숫자·문자《H_2SO_4의 2, 4 따위》(cf. superscript); 〖컴퓨터〗 첨자(添字)《특정 요소 또는 집합의 요소를 식별하기 위하여 붙이는 기호》.

sub·scrip·tion** [səbskrípʃən] *n.* Ⓤ **1** 기부 청약, 기부; 응모; 가입; Ⓒ 기부금. **2** Ⓒ 예약금, 불입금; (서적 따위의) 구독 예약, 예약 출판; 예약 구독금〔기간〕; (극장 좌석 따위의) 예약. **3** 서명 승낙, 기명 동의; 동의, 찬성. **4** 《미》 권유 판매. ***by **~** 예약에 의해서. ***raise a*** **~** =***make***〔***take up***〕***a*** **~** 기부금을 모집하다.

subscríption àgency 〖출판〗 예약 구독 판매 대리점.

subscríption bòok 예약자 명부; 예약 출판 「도서.

subscríption cóncert 《미》 예약 연주회.

subscríption edìtion 예약(한정)판.

subscríption lìbrary 회원제 대출 도서관.

subscríption télevision ⇨STV.

súb·sèa *a.* =SUBMARINE; UNDERSEA.

subsec. subsection.

sub·sec·tion [sʌ́bsèkʃən, ˌ-ˈ-] *n.* 작은〔하위〕 구분, 분과(分課), 소부(小部), 세분; 〖생물〗 (유전자 따위의) 작은 단위.

sub·se·quence[1] [sʌ́bsikwəns] *n.* Ⓤ,Ⓒ 뒤이어 일어남, 연속; 계속하여 일어나는 사건.

sub·se·quence[2] *n.* 〖수학〗 부분 수열(數列).

***sub·se·quent** [sʌ́bsikwənt] *a.* 뒤의, 차후의; 다음의, 계속해서 일어나는, …에 이어지는《*to*》; 결과로서〔더불어〕 일어나는(consequent)《*upon*》; 〖지학〗 적종(適從)의《계곡·하천 따위가 지질 구조가 약한 선을 따라서 형성되는》. **—** *n.* 계속해서〔뒤이어〕 일어나는 것〔일〕, 후속의 것; 〖지학〗 적종하류(適從河流). ㊕ **~·ness** *n.*

◇**súb·se·quent·ly** *ad.* 그 후, 뒤에, 계속해서《*to*》. 「에 공헌하다.

sub·serve [səbsə́ːrv] *vt.* 돕다, 보조하다, …

sub·ser·vi·ent [səbsə́ːrviənt] *a.* 도움〔공헌〕이 되는《*to*》; 추종하는, 비굴한《*to*》. ㊕ **~·ly** *ad.* **-vi·ence, -vi·en·cy** *n.* Ⓤ

súb·sèt *n.* 〖수학〗 부분 집합.

◇**sub·side** [səbsáid] *vi.* **1** 가라앉다, 침강(沈降)하다, 침전하다; (홍수·부기 따위가) 빠지다. **2** 움푹 들어가다, (땅이) 꺼지다; (건물이 땅속으로) 내려앉다. **3** 《~/+전+명》 《구어·우스개》 앉다, 주저앉다, 무릎 꿇다: ~ *into* a chair 의자에 앉다. **4** 잠잠해지다, (비바람·소동 따위가) 진정되다, (논쟁자 등이) 침묵하다. ㊕ **sub·si·dence** [səbsáidəns, sʌ́bsə-] *n.* Ⓤ,Ⓒ 침전; 침강, 함몰, 잠잠해짐, 진정; 감퇴; 가라앉음. **sub·síd·er** *n.*

sub·sid·i·ar·i·ty [səbsìdiǽrəti] *n.* 보조적〔부차적, 종속적〕인 것; 보완성, 보완 원칙(principle of ~)《중앙 권력은 차위 또는 지방적 조직이 효과적으로 할 수 없는 기능만을 수행한다는 원칙》.

sub·sid·i·ary [səbsídièri] *a.* **1** 보조의; 부차적인; 종속적인, 보충적인《*to*》: a ~ craft 보조 함정/a ~ business〔occupation〕 부업/a ~ stream 지류. **2** 타국에 고용된《군대 등》. **3** 조성금의; 보조금에 의한. **—** *n.* 자회사; (보통 *pl.*) 부가〔부속〕물; 보조자〔물〕; 〖음악〗 부주제(副主題).

subsídiary còin 보조 화폐《특히 은화》. 「회사.

subsídiary cómpany 자회사(子會社), 종속

subsídiary rìghts 〖출판〗 부차권(副次權)《원저작물의 출판권 이외의 권리》.

sub·si·dize [sʌ́bsədàiz] *vt.* 보조금〔장려금〕을 주다; 증회(贈賄)하다; 매수하다(bribe). ㊕ **sùb·si·di·zá·tion** *n.*

sub·si·dy [sʌ́bsədi] *n.* (국가의 민간에 대한) 보조〔장려〕금, 조성금; 교부금, 기부금; (국가 간의 군사적 원조에 대한) 보수금; 〖영국사〗 (의회의 협찬을 거쳐 왕에게 교부하는) 특별 보조금(을 위한 특별세) 「에 의한 출판.

súbsidy pùblishing (연구서 따위의) 보조금

sub si·len·tio [sʌ́b-silénʃiou] 《L.》 (=under or in silence) 말없이, 몰래.

◇**sub·sist** [səbsíst] *vi.* **1** 《~/+전+명》 살아가다, 생명을 보존하다, 생활해 가다《*on; by*》: ~ *upon* scanty food 부족한 음식으로 생활해 가다/~ *by* begging 걸식으로 연명하다. **2** 존재하다, 존속하다; 내재(內在)하다《*in*》; 〖철학〗 (수·관계 등이) 초시간적〔추상적〕으로 존재하다; (독자적으로) 존재하다, 자존(自存)하다. **—** *vt.* 《고어》 …에게 음식물을 주다, 부양하다. ㊕ **~·ing·ly** *ad.*

◇**sub·sist·ence** [səbsístəns] *n.* Ⓤ 생존; 현존, 존재; 생활, 호구지책, 생계; 생존 수단; 〖철학〗 자존(自存).

subsístence allòwance〔**mòney**〕 (신입 사원의) 생계 가불금; 입사〔출장〕 수당; (군대의) 식비 수당.

subsístence cròp 자급용(自給用) 작물.

subsístence fàrming〔**àgriculture**〕 자급 농업.

subsístence lèvel 최저 생활수준.

subsístence wàges 최저 (생활) 임금.

sub·sist·ent [səbsístənt] *a.* 실재하는; 현실적인; 고유의. **—** *n.* 실재하는 것; 〖철학〗 (추상 개념으로서의) 존재물.

sùb·sócial *a.* 완전한 사회를 갖지 않은, 명확한 사회 구조가 없는; 〖사회〗 하위 사회적인; (곤충 등이) 아(亞)사회성인〔의〕.

súb·sòil *n.* Ⓤ 하층토(土), 심토(心土), 밑흙. **—** *vt.* …의 밑흙을 파 일구다. ㊕ **~·er** *n.* 심토용 쟁기(를 쓰는 사람). 「회귀선 사이의.

sùb·sólar *a.* 태양 직하(直下)의, 《특히》 양(兩)

subsólar póint (지구상의) 태양 직하점.

sùb·sónic *a.* 음속보다 느린, 아(亞)음속의《시속 700-750마일 이하》. opp. *supersonic*. **—** *n.* 아음속 (항공기). ㊕ **-ically** *ad.*

súb·spàce *n.* 〖수학〗 부분 공간.

sub·spe·cial·ty [sʌ́bspéʃəlti, ˌ-ˈ--] *n.* 부차적 전문 분야, 부업.

sub spe·cie ae·ter·ni·ta·tis [sùb-spékièi-aitèrnətáːtəs, sʌ̀b-spíːʃiiː-iːtəːrnətéitəs] 《L.》 (=under the aspect of eternity) 영원한 모습〔형태〕 아래에《Spinoza의 말》.

sub·spe·cies [sʌ́bspìːʃiːz, -ˈ-/ˈ-ˈ-] *n.* 《단·복수 동형》 〖생물〗 아종(亞種).

subst. substantive(ly); substitute.

****sub·stance** [sʌ́bstəns] *n.* Ⓤ **1** Ⓤ,Ⓒ 물질(material), 물체.

> SYN. **substance** 어떤 물건의 실체, 본질을 구성하고 있는 것, 물질 그 자체: chemical *substances* 화학적 물질. **matter** mind 또는 spirit의 반의어로서의 물질. substance의 '본

질로서의 물체'에 대하여 '공간을 차지하는 물체'. 또 thing과 가까우며 많은 비유적인 뜻이 있음: solid *matter* 고체. a *matter* for regret 유감된 일. **material** 재료로서의 물건: fire-resisting *material* 내화(耐火) 재료. **stuff** material의 구어임과 동시에 matter나 thing과 같은 비유적인 뜻을 가짐: a cushion filled with soft *stuff* 부드러운 것으로 속을 채운 쿠션.

2 실질, 내용: ~ and form 내용과 형식. **3** (the ~) 요지, 요점, 대의, 골자: the ~ of his lecture 그의 강연의 요지. **4** 〖철학〗 실체, 본질, 본체; 〖종교〗 신성(神性). **5** (직물 따위의) 바탕. **6** 자산, 재산: a man of ~ 자산가. **7** (the ~) 대부분《*of*》. ◇ substantial *a.* ***in* ~** 본질적으로, 실질적으로, 사실상, 실제로; 대체로: two opinions agreeing *in* ~ 거의 일치하는 두 의견 / different *in* ~ 본질적으로 다른. ㊕ **~·less** *a.*

súbstance abùse 〖병리〗 물질 남용《술·약물·마약 등을 장기간 병적으로 사용함; 광의적으로는 술이나 약물에 탐닉함을 가리킴》.

súbstance P 〖생화학〗 P 물질《아픔의 감각을 일으킨다고 여겨지고 있는 화학 물질》.

sùb·stándard *a.* 표준 이하의《제품·언어 등》; 규격에서 벗어난; (어법·발음 따위가) 비표준의, 표준 이하의《사용자의 교양이 없음을 나타냄》.

***sub·stan·tial** [səbstǽnʃəl] *a.* **1** 실질적인; 실제상의: a ~ victory 사실상의 승리 / be in ~ agreement 실질적으로는 일치하고 있다. **2** 내용이 풍부한; (음식 등이) 실속 있는: a ~ meal 실속 있는 식사. **3** (양·정도 따위가) 상당한, 꽤 많은, 다대한, 대폭적인: a ~ improvement 상당한 개선〔발전〕 / a ~ sum of money 꽤 많은 돈. **4** (자산이) 풍부한; 재산이 있는. **5** (금전상의) 신용이 있는; (학자로서의) 실력 있는: a ~ firm 신용 있는 회사. **6** 견실한, 착실한, 튼튼한; 확실성이 많은; 중요한, 가치 있는《공헌 따위》: ~ hopes 확실성 있는 희망. **7** 〖철학〗 실체의, 본체의, 본질의. ◇ substance *n.* **—** *n.* (보통 *pl.*) 실체가〔실질이〕 있는 것, 중요한 가치가 있는 것, 요점, 요지, 대의; 본질. ㊕ **~·ìsm** *n.* Ⓤ 〖철학〗 실체론. **~·ist** *n.* 실체론자. **sub·stan·ti·al·i·ty** [səbstæ̀nʃiǽləti] *n.* Ⓤ 실재성; 실체; 견고; 진가.

sub·stán·tial·ìze *vt.* 실체로 하다, 실체화하다; 실재(實在)시키다, 실재화하다; 실현하다, 실지로 나타내다.

°**sub·stán·tial·ly** *ad.* **1** 실체상, 본질상; 대체로; 사실상. **2** 굳세게, 튼튼하게, 든든히. **3** 충분히, 풍부히.

sub·stan·tia ni·gra [səbstǽnʃiə-náigrə, -níg-] (*pl.* ***sub·stan·ti·ae ni·grae*** [səbstǽnʃiìː-náigriː, -níg-]) 〖해부〗 (중뇌의) 흑질(黑質).

sub·stan·ti·ate [səbstǽnʃièit] *vt.* 성립시키다, 실체화〔구체화〕하다; 실증하다, 입증하다. ㊕ **sub·stàn·ti·á·tion** *n.* Ⓤ 실증, 입증; 실체화; 증거.

sub·stan·ti·val [sʌ̀bstəntáivəl] *a.* 〖문법〗 실(명)사(實(名)詞)의, 명사의. ㊕ **~·ly** *ad.* 실사(實詞)로서.

sub·stan·tive [sʌ́bstəntiv] *a.* **1** 〖문법〗 실명사의; 명사처럼 쓰이는; 존재를 나타내는: a ~ adjective 명사적 형용사 / a ~ clause 명사절. **2** 실재를 나타내는, 실재적인; 실질이 있는; 본질적인; 현실의; 〖법률〗 실체의, 명문화된; 견고한. **3** 독립의, 자립의: a ~ nation 독립국. **—** *n.* 〖문법〗 실사, 실명사, 명사(상당 어구). ㊕ **~·ly** *ad.* 실질상; 〖문법〗 실(명)사로서. **~·ness** *n.*

súbstantive agréements (단체 교섭 결과의) 노동 협약.

súbstantive dúe prócess 〖미법률〗 실체적 적정 과정《입법이 실체면에서 적정할 것을 요구하는 헌법 해석상의 사고방식》.

súbstantive láw 〖법률〗 실체법.

súbstantive ránk 〖군사〗 정식 위계(位階).

súbstantive ríght 〖법률〗 실체적 권리《생명·자유·재산·명예 따위의 권리》.

súbstantive vérb 〖문법〗 존재 동사《동사 be》.

súb·stàtion *n.* 변전소; 변압소; (우체국·방송국 등의) 지국, 분국, 출장소.

sub·stit·u·ent [sʌbstítʃuənt/-tju-] *n.* 〖화학〗 (원자·원자단(團)의) 치환기(置換基).

***sub·sti·tute** [sʌ́bstətjùːt/-tjùːt-] *vt.* **1** 《~+목/+목+전+명》 대용(代用)하다, 바꾸다《*for*》; …을 대리케 하다《*for*》: ~ a new technique 새로운 기술로 대체하다 / ~ A *for* B, B 대신 A를 쓰다 / ~ B *by* A, 《오용》 B를 빼고 A를 대신 쓰다. **2** 〖화학〗 치환하다. ◇ substitution *n.* **—** *vi.* 《+전+명》 대신하다, 교체하다, 대리하다《*for*》; 〖화학〗 치환하다: He ~*d for* the president who was in hospital. 그는 입원 중인 사장의 대리 노릇을 하였다. **—** *n.* **1** 대리(인); 교체(자); 보결(자); 대역《사람》, 대체물. **2** 대용물〔품〕, 예비품: a good ~ *for* silk 명주의 훌륭한 대용품. **3** 〖문법〗 대용어《보기: I run faster than he does.의 does(=runs)》. **4** 〖컴퓨터〗 치환《정보의 임의 요소를 다른 요소로 바꾸는 일》. **—** *a.* 대리〔대용, 대체〕의: a ~ food 대용식 / ~ fuel 대체 연료. ㊕ **súb·sti·tùt·a·ble** *a.* **sùb·sti·tùt·a·bíl·i·ty** *n.*

súbstitute téacher 《미》 대리 교사(《영》 supply teacher).

°**sub·sti·tu·tion** [sʌ̀bstətjúːʃən/-tjúː-] *n.* Ⓤ,Ⓒ 대리, 대용, 대체, 교체, 교환《*for*》; 〖화학〗 치환; 〖법률〗 예비 상속인 지명; 〖수학〗 대입(代入); 〖문법〗 대용; 〖기독교〗 그리스도의 대속(代贖); 〖상업〗 (부정한) 바꿔치기. ***in* ~ *for*** …의 대용으로서. ㊕ **~·al, ~·àry** [-èri/-əri] *a.* **~·al·ly** *ad.*

substitútion cìpher 환자식(換字式) 암호(법)《계통적으로 문자를 치환하는》.

sub·sti·tu·tive [sʌ́bstətjùːtiv/-tjùː-] *a.* 대리가〔대용이〕 되는, 대체할 수 있는; 치환의. ㊕ **~·ly** *ad.*

súb·stòrm *n.* (오로라 현상 등으로 나타나는) 지구 자기의 소규모 폭풍.

sub·strate [sʌ́bstreit] *n.* **1** =SUBSTRATUM. **2** 〖생화학〗 기질(基質)《효소의 작용에서 화학 반응을 일으키는 물질》; 〖화학〗 기질(基質); 〖생물·세균〗 배양기(基). **3** 〖전자〗 회로 기판(基板); 접착 기면(基面), 지지층.

sub·strátosphère *n.* (the ~) 아(亞)성층권《성층권의 바로 아래》.

sub·stra·tum [sʌ́bstrèitəm, -stræ̀t-] (*pl.* ***-ta*** [-tə]) *n.* 하층; 〖농업〗 하층토(下層土); 토대, 기초, 근저; 〖철학〗 실체; 〖생물〗 저질(底質), 기층(基層); 〖사회〗 계층; 〖언어〗 기층(언어); 〖사진〗 필름〔건판〕의 젤라틴 애벌칠(sub); 〖우주〗 매질(媒質) 유체.

sub·string [sʌ́bstrìŋ] *n.* 〖컴퓨터〗 아랫문자열《문자열의 일부분》.

sub·struc·tion [sʌbstrʌ́kʃən] *n.* (건물·댐 따위의) 기초, 토대; 교각; 기초 공사. ㊕ **~·al** *a.*

sub·struc·ture [sʌbstrʌ́ktʃər, ⌐‿/⌐‿-] *n.* Ⓤ 하부 구조; 기초 공사; 기초, 토대; 교각(橋脚).

sub·sume [sʌbsúːm/-sjúːm] *vt.* 〖논리〗 포섭〔포함〕하다; 규칙을 적용하다.

sub·sump·tion [səbsʌ́mpʃən] *n.* Ⓤ 〖논리〗 포섭, 포함; 포섭된 명제, (삼단논법의) 소전제; 《일반적》 포함, 포용.

sub·sur·face [sʌbsə́ːrfəs, ⌐‿-] *a.* 지표(地表) 밑의《바위 따위》, 수면 밑의.

sub·sys·tem [sʌ́bsìstəm, -⌐-] *n.* Ⓤ 하부 조

직, 서브시스템; (로켓·미사일의) 구성 부분.

sùb·tángent *n.* 〖수학〗 (X축 위의) 접선영(接線影).

sùb·téen *n.* 《구어》 13세 미만〔10대 미만〕의 어린이(=**sùb·téen-áger**).

sùb·témperate *a.* 아온대(亞溫帶)의.

sùb·ténant *n.* (부동산의) 전차인(轉借人). ㊎ **-ténancy** *n.* Ⓤ 전차(轉借).

sub·tend [səbténd, sʌb-/səb-] *vt.* 〖수학〗 대(對)하다《현(弦)·변(邊)이 호(弧)·각(角)에》; 〖식물〗 엽액(葉腋)〔잎겨드랑이〕에 끼다; …에 내재하다; …의 경계를〔윤곽을〕 이루다〔보이다〕.

sùb·ténse *n.* 〖수학〗 현(弦), 대변(對邊).

sùb·ténure *n.* 〖법률〗 전차(轉借)기간; 전차권(의 내용, 조건); 전차인의 보유권.

sub·ter- [sʌ́btər] *pref.* '아래의; 이하의; 몰래의' 란 뜻. cf. super-.

sub·ter·fuge [sʌ́btərfjùːdʒ] *n.* Ⓤ,Ⓒ 둔사(遁辭), 구실, 핑계; 속임수.

sùb·términal *a.* 끝 가까운 (데서의).

sùbter·nátural *a.* 아주 자연스럽다고는 할 수 없는, 좀 부자연스러운.

sub·ter·ra·ne·an, sub·ter·ra·ne·ous [sʌ̀btəréiniən], [sʌ̀btəréiniəs] *a.* 지하의, 지중의; 숨은: ~ water 지하수/a ~ maneuver 지하 공작/a ~ railway 〔railroad〕 지하철. ── *n.* 지하에서 사는〔일하는〕 사람; 지하의 동굴, 지하실.

sub·ter·rene [sʌ́btəriːn, ⌐-⌐] *n.* 〖토목〗 (암반을 녹이면서 굴착〔굴삭〕하는) 용융(熔融) 드릴.

súb·tèxt *n.* 서브텍스트《문학 작품의 텍스트 배후의 의미》; 언외의 의미.

sub·tile [sʌ́tl, sʌ́btəl] (때로 ***sub·til·er; -til·est***) *a.* 《고어》 =SUBTLE. ㊎ **~·ly** *ad.* **~·ness** *n.*

sub·til·i·sin [sʌbtíləsin] *n.* 〖생화학〗 서브틸리신《진정(眞正) 세균의 일종에서 얻어지는 세포외 단백질 분해 효소》.

sub·til·i·ty [sʌbtíləti] *n.* 《고어》 =SUBTLETY.

sub·til·ize [sʌ́təlàiz, sʌ́btəl-/sʌ́təl-] *vt.* 희박하게 하다; 섬세하게〔세련되게〕 하다; (감각 따위를) 예민하게 하다; 미세하게 하다; 상세히 논하다; 순화하다, 승화하다. ── *vi.* 세밀하게 구별 짓다; 상론하다. ㊎ **sùb·til·i·zá·tion** *n.*

sub·til·ty [sʌ́tlti, sʌ́btəl-/sʌ́tl-] *n.* 《고어》 = SUBTLETY.

súb·tìtle *n.* (책 따위의) 부제; (보통 *pl.*) 〖영화〗 (화면의) 설명 자막, 대사 자막. ── *vt.* …에 부제를 달다; (설명) 자막을 넣다.

sub·tle** [sʌ́tl] (sub·tler; -tlest***) *a.* **1** 미묘한, 포착하기 힘든, 난해한: a ~ difference 〔nuance〕 미묘한 차이〔뉘앙스〕/a ~ humor 미묘한 유머. **2** (향기·용액·기체 따위가) 엷은, 희박한, 희미한: a ~ odor of perfume 엷은 향수 냄새/~ air 희박한 공기. **3** (지각·감각 등이) 예민한, 명민한; (두뇌 등이) 명석한, 회전이 빠른: a ~ intelligence 예민한 지성/her ~ brain 그녀의 명석한 두뇌. **4** 교활한, 음흉한: a ~ trick 교활한 수단. **5** (약·독 따위가) 부지불식간에 작용하는; (병 따위가) 잠재성의: a ~ drug 부지불식간에 몸속에 퍼지는 독물. **6** 솜씨 있는, 교묘한, 창의력이 풍부한: a ~ painter 창의력이 풍부한 화가. ◇ subtlety *n.* ㊎ **~·ness** *n.* **súb·tly, ~·ly** *ad.*

súbtle bódy 신비체(神秘體)《육체에 겹쳐서 오감으로는 식별할 수 없는 초감각적 세계에 존재하는 몸(body)의 총칭; 넓은 뜻으로는 신이나 지상아(至上我), 좁은 뜻으로는 astral body, mental body 따위를 뜻함》.

°**sub·tle·ty** [sʌ́tlti] (*pl.* ***-ties***) *n.* **1** 희박(함). **2 a** 파악하기 어려움, (뜻 등의) 섬세, 미묘. **b** 섬세〔미묘〕한 것. **3** (지각·감각·지성 등의) 예민, 민감; 예리한 통찰력, 안식. **4** 세밀한 구별; (추리·이론 등의) 정치(精緻), 치밀함, 정묘함: the *subtleties* of logic 이론의 치밀함.

sùb·tónic *n.* 〖음악〗 이끎음, 도음(導音)(leading tone).

sub·to·pia [sʌbtóupiə] *n.* Ⓤ 《영·경멸》 (공업·도시화하는) 교외 주택지.

súb·tòpic *n.* (논제의 일부를 이루는) 부차적인 논제.

sùb·tórrid *a.* =SUBTROPICAL.

sub·to·tal [sʌ́btòutl, ⌐-⌐] *n.* 소계(小計).

⁑**sub·tract** [səbtrǽkt] *vt.* 《~+목/+목+전+명》 빼다, 감하다; 공제하다《*from*》: ~ 3 *from* 5/That will ~ nothing *from* his fame. 그것으로 그의 명성이 깎이는 일은 없을 것이다. ── *vi.* 감하다《*from*》, 일부를 제외하다《*from*》; 뺄셈을 하다. OPP *add.* ◇ subtraction *n.* ㊎ **~·er** *n.* 감하는 사람, 공제자; 〖수학〗 감수(減數); 〖컴퓨터〗 감산기《입력 데이터로 표시되는 수의 차를 출력 데이터로서 표시하는 장치》.

sub·trac·tion [səbtrǽkʃən] *n.* Ⓤ,Ⓒ 빼기, 공제《*from*》; 뺄셈.

subtráction sìgn 뺄셈 기호.

sub·trac·tive [səbtrǽktiv] *a.* 감하는, 뺄셈〔마이너스〕 기호가 있는, 마이너스의.

sub·tra·hend [sʌ́btrəhènd] *n.* 〖수학〗 감수(減數). OPP *minuend.*

sub·treas·ury [sʌ̀btréʒəri, ⌐⌐--] *n.* (국고(國庫) 따위의) 분고(分庫), 지금고(支金庫); 〖미국사〗 재무부 분국.

súb·trìbe *n.* 〖동물·식물〗 아족(亞族).

sùb·trópical, sub·trópic *a.* 아열대의.

sùb·trópics *n. pl.* 아열대 지방.

súb·tỳpe *n.* 아류형(亞類型); 특수형.

su·bu·late, su·bu·li·form [súːbjələt, -lèit], [súːbjələfɔ̀ːrm] *a.* 〖생물〗 송곳 모양의.

súb·ùnit *n.* 〖생화학〗 서브유닛《생체 입자〔고분자〕를 성립시키는 기본 단위》.

⁑**sub·urb** [sʌ́bəːrb] *n.* **1** 교외, 근교; (the ~s) 도시 주변의 지역《특히 주택 지구》: in the ~*s* of Seoul 서울 교외에/a Seoul ~ 서울 근교의 한 지역. **2** (*pl.*) 부근, 주변.

***sub·ur·ban** [səbə́ːrbən] *a.* 도시 주변의, 시외〔교외〕의; 변두리다운, 세련되지 않은. ── *n.* = SUBURBANITE.

sub·ur·ban·ite [səbə́ːrbənàit] *n.* 교외 거주자.

sub·ur·ban·i·ty [sʌ̀bəːrbǽnəti] *n.* 교외〔도시 근교〕의 특징〔성격, 분위기〕.

sub·úr·ban·ìze, 《영》 **-ìse** *vt.* (지역 등을) 교외화하다, …에 교외 특징을 주다. ㊎ **sub·ùr·ban·i·zá·tion** *n.*

sub·ur·bia [səbə́ːrbiə] *n.* 교외; 〖집합적〗 교외 거주자; 교외의 풍속〔문화 수준〕; (S-) 《영·경멸》 (런던의) 교외 주민.

sub·ur·bi·car·i·an [səbə̀ːrbəkέəriən] *a.* 도시〔로마시〕 근교의; 근교 주택 지구의; 〖가톨릭〗 로마 근교의 7개의 관구(管區)의.

sùb·varíety *n.* 〖생물〗 아변종(亞變種).

sub·vene [səbvíːn] *vi.* 《드물게》 도움이 되다, 구제〔지원〕하러 오다.

sub·vent [səbvént] *vt.* 보조금으로 원조하다.

sub·ven·tion [səbvénʃən] *n.* Ⓤ 보조금, (정부의) 조성금; 구원.

sub ver·bo [sʌb-və́ːrbou] 《L.》 (=under the word) …이라는 단어 아래에, …이라는 단어를 보라《생략: s. v.》.

sub·ver·sion [səbvə́ːrʒən, -ʃən/-ʃən] *n.* Ⓤ 전복, 타도, 파괴.

sub·ver·sive [səbvə́ːrsiv] *a.* 전복하는, 파괴적인《*of*》. ── *n.* 파괴 분자, 위험인물. ㊎ **~·ly** *ad.* **~·ness** *n.*

sub·vert [səbvə́ːrt] *vt.* (체제·권위 따위를) 뒤엎다, (국가, 정부 따위를) 전복〔멸망〕시키다,

파괴하다, (종교·주의 따위를) 타파하다; (정신·사상 따위를) 타락〔부패〕시키다.

sùb·víral *a.* (단백질 따위) 바이러스의 일부를 이루는 구조(체)의, 바이러스 성분에 의한: ~ influenza.

sub·vit·re·ous [sʌbvítriəs] *a.* 완전히 유리질〔모양〕은 아닌; 준(準)투명의.

sub vo·ce [sʌb-vóusi] 《L.》 =SUB VERBO.

*__sub·way__ [sʌ́bwèi] *n.* 《미》 지하철(《영》 tube, underground); 《영》 지하도(《미》 underpass); (수도·전선·가스파이프 따위를 설치하는) 지하 갱로(坑路); (*pl.*) 《미속어》 발(feet). — *vi.* 《미》 지하철을 타고 가다.

sùb-zéro *a.* (화씨) 영하의; 영하 기온용의.

suc- [sək, sʌk] *pref.* =SUB- 《c 앞에서》.

suc·cade [səkéid, sʌk-] *n.* 설탕에 절인 과일.

suc·ce·da·ne·ous [sʌ̀ksədéiniəs] *a.* 대용물의; 대용의.

suc·ce·da·ne·um [sʌ̀ksədéiniəm] (*pl.* **~s, -nea** [-niə]) *n.* 대용물; 대용약; 대리자; 〚치과〛 금 대용의 아말감.

suc·ce·dent [səksíːdnt] *a.* 다음에 계속되는 (succeeding).

*__suc·ceed__ [səksíːd] *vi.* **1** 《~/+전+명》 성공하다, 출세하다; 잘되어 가다, 번창하다《*in*》. OPP. *fail.* ¶ ~ *in* business 장사에 성공하다/~ *in* solv*ing* a problem 문제를 푸는 데 성공하다. ◇ success *n.* successful *a.*

> SYN. **succeed** 목적을 달하다. **flourish** 성공의 외면에 나타난 화려함을 강조함. 번영하다: Culture *flourishes* among free people. 문화는 자유인 사이에서 꽃핀다. **prosper** 물질적으로 번영하다: He *prospered* but was still discontented. 풍성한 생활을 했으나 정신적 만족은 못 얻었다.

2 《+부》 결과를 얻다: ~ badly 나쁜 결과로 끝나다. **3** 계속되다, 잇따라 일어나다: the ~*ing* five years 그 후 5년간. **4** 《~/+전+명》 상속인〔후임〕이 되다; 상속〔계승〕하다《*to*》: ~ *to* an estate 부동산을 상속하다/~ *to* the crown 왕위를 계승하다/Upon the death of the president the vice-president would ~. 대통령이 작고하면 부통령이 뒤를 잇는다. ◇ 3, 4에서 succession *n.* successive *a.* — *vt.* **1** …에 계속되다, …에 대신하다: One exciting event ~*ed* another. 재미있는 일이 잇따라 일어났다/Sadness and gladness ~ each other. 《속담》 슬픔과 기쁨은 서로 잇따라 온다. **2** 《~+목/+목+*as* 보》 …의 뒤를 잇다, …의 상속자가 되다, …에 갈마들다: Nixon ~*ed* Johnson *as* President. 닉슨이 존슨의 뒤를 이어 대통령이 되었다. ~ one*self* 《미》 재선되다. 파 **~·a·ble** *a.* **~·er** *n.*

suc·céed·ing *a.* 계속되는, 다음의, 계속 일어나는. 파 **~·ly** *ad.*

suc·cen·tor [səkséntər] *n.* 〚교회〛 성가대 부지도자《precentor의 대리》; 성가대의 저음 주창자.

suc·cès de scan·dale [*F.* syksɛdəskɑ̃dal] 《F.》 (보통 나쁜 뜻으로) 문제작; (가혹한) 혹평, 악명.

suc·cès d'es·time [*F.* syksɛdɛstim] 《F.》 배우·작가에 대한 의례적인 찬사.

suc·cès fou [*F.* syksɛfu] 《F.》 엄청난 대성공, 대히트.

*__suc·cess__ [səksés] *n.* **1** U 성공, 성취; 좋은 결과: ~ in life 입신, 출세/return without ~ 성공 못 하고 돌아오다/Nothing succeeds like ~. 《속담》 하나가 잘되면 만사가 잘된다. **2** 〔흔히 보어〕 성공자; 히트〔성공〕한 것; 시험 합격자: The show was a (great) ~. 쇼는 크게 히트하였다/She was a ~ as an actress. 그녀는 여배우로서 성공했다. **3** U 《폐어》 결과. ◇ succeed *v.* ***drink*** **~ *to*** …의 성공을 축하하여 축배를 들다. ***make a*** **~ *of*** …을 성공으로 이끌다, …을 훌륭하게 해내다. ***score a*** **~** 성공을 거두다. ***with*** **(*good*) ~** 성공리에, 훌륭하게.

*__suc·cess·ful__ [səksésfəl] *a.* 성공한, 좋은 결과의, 잘된; 번창하는; (시험에) 합격한; 크게 히트한, 출세한, (회합 따위가) 성대한: a ~ candidate 당선자; 합격자/a ~ business 번창하는 사업. ***be* ~ *in*** …에 성공하다. 파 ***~·ly** [-fəli] *ad.* 성공적으로; 훌륭하게. **~·ness** *n.*

*__suc·ces·sion__ [səkséʃən] *n.* **1** U,C 연속; 연속물: many troubles in ~ 꼬리를 물고 일어나는 말썽거리. SYN. ⇨ SERIES. **2** U 상속(권), 계승(권), 왕위 계승권, 상속〔계승〕 순위: the ~ *to* the throne 왕위 계승. **3** C 상속〔계승〕자, 자손 (posterity). **4** U,C 〚생물〛 계통, 계열; 〚농업〛 돌려짓기, 윤작; 〚생태〛 (자연) 천이(遷移), 갱신. ◇ succeed *v.* successive *a.* ***by*** **~** 세습에 의해. ***in due*** **~** 당연한 순서로. ***in*** **~** 계속하여, 연속하여, 연달아. ***in*** **~ *to*** …을 상속〔계승〕하여. ***the law of*** **~** 상속법.

suc·ces·sion·al [səkséʃənəl] *a.* 잇따른, 연속적인; 상속 순위의. 파 **~·ly** *ad.*

succéssion dùty 《영》 상속세(《미》 inheritance tax).

Succéssion Státes (the ~) 오스트리아와 헝가리의 분열로 생긴 여러 나라《옛 체코슬로바키아·유고슬라비아 등》.

*__suc·ces·sive__ [səksésiv] *a.* 잇따른, 연면한, 계속되는, 연속하는; 상속〔계승〕의: It rained (for) five ~ days. 5일간 계속 비가 왔다.

> SYN. **successive** 연속되는 것의 크기나 간격에 상관없이 잇닿는 일. **consecutive** 일정한 순서에 따라 끊임없이 계속됨: The army was finally routed by defeats on three *consecutive* days. 군대는 3일 연속된 패배로 마침내 패주했다.

파 °**~·ly** *ad.* **~·ness** *n.*

*__suc·ces·sor__ [səksésər] *n.* 상속〔계승〕자; 후계〔후임〕자; 대신하는 것《*to*》. OPP. *predecessor.* 파 **~·al** *a.*

succéss stòry 성공담, 출세담.

suc·ci·nate [sʌ́ksənèit] *n.* 〚화학〛 석신산염「(酸塩).

suc·cinct [səksíŋkt] *a.* 간결한, 간명한; 《시어》 걷어 올린. 파 **~·ly** *ad.* **~·ness** *n.*

suc·cin·ic [səksínik] *a.* 〚화학〛 석신(산(酸))의.

succínic ácid 〚화학〛 석신산(酸) 《주로 도료·염료·향수 제조용》.

suc·ci·nyl [sʌ́ksənl, -nìl/-nìl] *n.* 〚화학〛 석시닐《석신산에서 유도된 2가〔1가〕의 산기》.

sùccinyl·chóline *n.* 〚화학〛 석시닐콜린《근육 이완제로 씀》.

suc·cor, 《영》 **suc·cour** [sʌ́kər] *n.* **1** U 구조, 구원. **2** 원조자; 구원자; (*pl.*) 《고어》 원군(援軍). — *vt.* 돕다, 구제하다, 구원하다.

suc·cor·ance [sʌ́kərəns] *n.* 의존(dependence); 양육 의존. 파 **-ant** *a.*

suc·co·ry [sʌ́kəri] *n.* 꽃상춧과(科)의 식물.

suc·cose [sʌ́kous] *a.* 즙이 많은, 다즙(多汁)의(juicy).

suc·co·tash [sʌ́kətæʃ] *n.* 《미》 콩요리《강낭콩과 옥수수와 돼지고기를 섞어 끓인 것》.

suc·cu·ba [sʌ́kjəbə] (*pl.* ***-bae*** [-bìː]) *n.* =SUCCUBUS.

suc·cu·bus [sʌ́kjəbəs] (*pl.* ***-bi*** [-bài]) *n.* **1** 마녀《잠자는 남자와 정을 통한다는》. cf. incubus. **2** 악령; 매춘부.

suc·cu·lence, -len·cy [sʌ́kjələns], [-si] *n.* Ⓤ 즙이 많음, 다즙, 다장성(多漿性), 다액질; 재미가 많음.

suc·cu·lent [sʌ́kjələnt] *a.* 즙(수분)이 많은; 〖식물〗 다즙의, 다장(多漿)의; 재미있는, 흥미진진한. ⓟ **~·ly** *ad.*

◇**suc·cumb** [səkʌ́m] *vi.* 《+전+명》 **1** 굴복하다, 압도되다, 굽히다, 지다《*to*》: ~ *to* 〔*before*〕 temptation 유혹에 지다. **2** 죽다: ~ *to* cancer 암으로 죽다.

suc·cur·sal [səkə́ːrsəl/sʌk-] *a.*, *n.* 종속적인, 부속의 (교회〔은행 따위〕).

suc·cuss [səkʌ́s] *vt.* 마구〔심하게〕 흔들다; 〖고대의학〗 (환자를) 몹시 흔들어 흉부의 공동(空洞)을 살피다, 진탕음청진(震盪音聽診)하다. ⓟ **succús·sion** *n.*

†**such** [sʌtʃ, 약 sətʃ] *a.* **1** 그러한, 그런, 그(이)와 같은: all ~ men 그런 사람은 모두/~ *a* man 그런 사람. ★ 방금 말한 사람·물건·수·양(量)·성질·상태 따위를 가리키며, 단수일 때에는 a, an 앞에 붙임.

2 그와 비슷한, 같은, 그런 종류의, 위에 말한 바와 같은: Tigers eat meat; ~ animals are dangerous. 호랑이는 고기를 먹는다, 그런 동물은 위험하다.

3 〖서술적〗 그러한 상태에〔로〕, 이런 식으로: *Such* is life 〔the world〕! 인생〔세상〕은 이런 것이다《체념의 말》/She is not kind, only she seems ~. 그녀는 친절하지 않다, 다만 그렇게 보일 뿐이다.

4 〖such _ as ..., such as ... 로서〗 …와 같은: *Such* scientists *as* Newton are rare. 뉴턴과 같은 과학자는 드물다/A plan ~ *as* he proposes is unrealistic. 그의 제안과 같은 계획은 비현실적이다.

5 …하리만큼, …할 정도로 그런《such _ as to (do), such _ that 으로 쓰일 때가 많음》: I am not ~ a fool *as to* believe it. 나는 그것을 믿을 정도로 바보는 아니다/Her change was ~ *that* even her father could not recognize her. 그녀는 아주 변모해 버려서 그녀의 아버지조차도 그녀가 누군지 알아보지 못할 정도였다.

6 저만한, 저토록, 저렇게; 대단한, 훌륭한: I have never seen ~ a liar. 나는 저렇게 지독한 거짓말쟁이를 본 일이 없다.

7 (법률 조문 따위에서) 상기의, 전술한.

8 〖부정의 뜻〗 이러이러(여차여차)한(~ and ~). ***no*** 〔***not any***〕 **~ *thing*** ① 그런 일은 …(하지) 않는. ② 전혀 다른(quite the contrary). **~ *and* ~** 〖부정(不定)의 뜻〗 이러이러한: on ~ *and* ~ a day 이러이러한 날에. **~ *a*** 〔《고어》 ***an***〕 ***one*** 《문어》 이런 사람〔것〕; 《고어》 모(某). ***Such as ... ?*** 〖말의 계속을 재촉하여〗 이를테면? **~ *as it is*** 〔***was***〕 =**~ *as they are*** 〔***were***〕 …할 정도의 것은 아니지만〔아니었지만〕, 대단한 것은 못되지만, 변변치 않지만: You may use my car, ~ *as it is*. 좋은 차는 아닙니다만 제 차를 사용하십시오. **~ *... but*** (***that*** 〔***what***〕) …않을 만큼의: He is not ~ a coward *but* he can do that. 그것을 못할 만큼 겁쟁이는 아니다. **~ *other*** 〔***another***〕 이런 다른(것): I hope never to have ~ *another* experience. 이런 경험은 두번 다시 하고 싶지 않다. **~ *...,* ~ *...*** 그 …에 그 …: *Such* master, ~ servant. 《속담》 그 주인에 그 머슴. ★ Such father, such son. 같은 어구를 이룸.

— *pron.* **1** 〖보통 복수의 뜻을 나타냄〗 그와 같은 사람〔일, 물건〕: *Such* were the results. 결과는 그와 같았다. **2** 《속어》 지금 말한 사물; 〖상업〗 상기(上記)의 물건. ***all*** **~** 이러한 사람들. ***and*** 〔***or***〕 **~** 따위, 등등: tools, machines, *and* ~ 공구, 기계 등등. ***another*** **~** 또 하나의 그러한 것〔사람〕. ***as*** **~** ① 그 자체로, 그것만으로: I have never studied history *as* ~. 나는 역사를 역사로서〔역사적 흥미에서〕 공부한 적은 없다. ② 그 자격으로: He was a student and was treated *as* ~. 그는 학생이며 학생으로서 취급을 받았다. **~ *and*** **~** 이러이러한〔여차여차한〕 일〔것, 사람〕: You always have to know what to do if ~ *and* ~ should happen. 무슨 일이 일어나면 어떻게 하겠다는 것을 항상 알고 있어야 한다. **~ *as*** 《고어·시어》 …하는 사람들(all who): ~ *as* dwell in tents 천막에 사는 사람들. **~ *being the case*** 이러한 사정이므로. **~ *that ...*** …와 같은(비슷한 정도의) 것: The goods were ~ *that* we could not accept any of them. 그 상품들은 어느것도 받아들일 수 없는 것이었다.

súch-and-súch [-ənd-] *n.* 《미속어》 무뢰한, 불량배(rascal).

súch·lìke *a.* 《구어》 이와 같은, 그러한. **—** *pron.* 그런 것, 이런 종류의 것.

súch·ness *n.* 기본적 성질, 본질, 특질.

⁑**suck** [sʌk] *vt.* **1** 《~+목/+목+전+명/+목+부》 (젖·액체를) 빨다, 빨아들이다《*in; down*》: ~ the breast 젖을 빨다/A sponge ~*s in* water. 해면은 물을 빨아들인다/~ *out* blood 피를 빨아내다. **2** 핥다, 빨아 먹다: ~ one's thumb 엄지손가락을 빨다. **3** 《~+목/+목+부/+목+전+명》 《비유》 (지식·정보 따위를) 얻다, 흡수하다, (이익 등을) 우려내다, 얻다《*from; out of*》: ~ (*in*) knowledge 지식을 흡수하다/~ every possible profit *out of* a deal 거래에서 가능한 모든 이익을 우려내다. **4 a** 《+목+부》 (소용돌이 따위가 배를) 휩쓸어 넣다《*down*》: The whirlpool ~*ed down* the wreck. 소용돌이가 난파선을 삼켜 버렸다. **b** 〖보통 수동태로〗 《+목+전+명》 (억지로 또는 속여서) …에 끌어들이다, 말려들게 하다《*in; into*》: He *was* ~*ed into* the plot. 그는 음모에 말려들었다. **5** 《비어》 (성기를) 빨다. **—** *vi.* **1** 《+전+명/+부》 (젖 따위를) 빨다, 마시다, 홀짝이다; (곰방대 등을) 빨다; (파도 등이) 핥듯이 씻다: ~ (*away*) *at* one's cigar 여송연을 (계속) 피우다/The baby is ~*ing away at* a feeding bottle. 아기는 젖병을 계속 빨고 있다. **2** (펌프가) 빨아들이는 소리를 내다. **3** 《비어》 성기를 빨다. ◇ suction *n.* **~ *around*** 《미속어》 (…에게 빌붙으려고) 따라다니다, 알랑거리다. **~ *at*** …을 빨다, …을 마시다. **~ *dry*** 빨아 없애다, 다 빨아 버리다. **~ *in*** 빨아들이다; 〖보통 수동태〗 《속어》 속이다; …을 이용하다. **~ *out*** …을 빨아내다. **~** a person***'s brains*** 아무에게서 지식을 흡수하다. **~ *up*** ① 빨아올리다, 흡수하다: Blotting paper ~*s up* ink. 압지는 잉크를 빨아들인다. ② 《구어》 …에게 알랑거리다《*to*》.

— *n.* **1** 《구어》 한 번 빨기, 한 모금, 한 번 핥기, 한 번 홀짝하기. **2** 젖빨기, 빨아들이기. **3** 빨리는 것, 모유; 《영학생속어》 (*pl.*) 과자(sweets). **4** 알랑쇠; 치살림, 부추김. **5** 《영속어》 실망, 실패. **6** 《속어》 사기, 협잡. ***a child at*** **~** 젖먹이. ***give*** **~ *to*** 《고어》 …에게 젖을 빨리다. ***have*** 〔***take***〕 ***a*** **~ *at*** …을 한 모금 빨다. ***What a*** **~*!*** =***Sucks*** (***to you***)***!*** 꼴좋다, 아이구 시원해라.

súcked órange (이렇다 할 것이 남아 있지 않은) 찌꺼기.

súck·er *n.* **1** 빠는 사람〔것〕; 젖먹이; (돼지 따위의) 젖 먹는 새끼. **2** 흡관(吸管); 〖동물〗 흡반(吸盤), 빨판; 〖식물〗 흡지(吸枝), 흡근(吸根); (펌프의) 흡입관(吸入管); 〖어류〗 서커《잉엇과에 가까운 북아메리카의 담수어》; 흡반이 있는 물고기. **3** 《구어》 호인, 잘 속는 사람; 《속어》 풋내

기. **4** 《미구어》 막대기에 붙인 사탕. **—** *vt.* **1** 〖농업〗 움돋이를 이식하다, 곁눈을 이식하다, 그루〔포기〕 이식을 하다. **2** 《미속어》 …을 속이다, 놀리다, 봉으로 잡다. **—** *vi.* 〖농업〗 움이 트다; 곁눈이 나다.

súcker bàit 《미속어》 남을 속여먹기 위한 미끼.

súcker·fish *n.* 〖어류〗 서커(sucker); 빨판상어(remora).

súcker lìst 《미속어》 단골손님의 명단, 봉이 될 만한 인물의 명단.

súcker plày 《속어》 사람을 속이기, 속임수(에 걸려들기); 《스포츠속어》 속임수〔트릭〕 플레이.

Súcker Státe (the ~) Illinois 주의 속칭.

súck-ìn *n.* 《영》 속음, 사기당함.

súck·ing *a.* **1** 빨아들이는; 젖을 빠는. **2** 아직 젖 떨어지지 않은; 미숙한, 젖내 나는: a ~ pig 젖먹이 돼지 새끼 《특히 통구이용》/ a ~ disk 〖동물〗 흡반(sucker).

suck·le [sʌ́kəl] *vt.* …에게 젖을 먹이다; 양육하다. **—** *vi.* 젖을 먹다.

suck·ler [sʌ́klər] *n.* =SUCKLING; 포유동물.

suck·ling [sʌ́kliŋ] *n.* 젖먹이, 유아; 젖 떨어지지 않은 짐승 새끼; 풋내기, 신출내기: babes and ~*s* 아주 숫된 녀석. **—** *a.* 아주 어린; 아직 젖 떼지 않은.

súckling pìg 젖 떨어지지 않은 새끼 돼지, 애저(猪).

súck·ùp *n.* 《속어》 알랑쇠, 아첨자.

su·crase [sú:kreis, -kreiz/sjú:-] *n.* 〖생화학〗 =INVERTASE.

su·cre [sú:krei] *n.* 수크레 《에콰도르의 화폐 단위》.

su·cri·er [sù:kriér, ⌐-⌐] *n.* 《F.》 (보통 뚜껑이 있는) 설탕 단지.

su·crose [sú:krous/sjú:-] *n.* Ⓤ 〖화학〗 수크로오스, 자당(蔗糖).

°**suc·tion** [sʌ́kʃən] *n.* Ⓤ 빨기; 빨아들이기, 빨아올리기; 빨아들이는 힘; 흡인 통풍(吸引通風); Ⓒ 흡입〔흡수〕관(=⌐ **pìpe**); 《영》 음주; 《미속어》 Ⓤ 영향력, 연줄: a ~ chamber (펌프) 흡입실.

súction and curéttage 〖의학〗 흡인 소파법 《임신 초기의 중절법》.

súction cùp 《미》 석션 컵, 진공 흡착 패드(=《영》 **súction càp**).

súction mèthod 〖의학〗 =VACUUM ASPIRATION.

súction pùmp 빨펌프(lift pump).

suc·to·ri·al [sʌktɔ́:riəl] *a.* 〖동물〗 흡착하는; 빨기에 알맞은; 빨판이 있는.

suc·to·ri·an [sʌktɔ́:riən] *n.* 흡관충(吸管蟲); 흡착성 동물.

sud [sʌd] *n.* (주로) 잠자다가 갑자기 죽는 병. [◂ *s*udden *u*nexpected *d*eath]

Su·dan [su:dǽn, -dá:n] *n.* **1** 수단 《(1) 아프리카 북동부의 지방 이름. (2) 아프리카 동북부의 공화국; 수도는 하르툼(Khartoum)》. **2** 〖식물〗 =SUDAN GRASS. ㊕ **~·ic** *a., n.* 수단 어군(語群)(의).

Su·da·nese [sù:dəní:z, -ní:s/-nì:z] *a.* Sudan 의. **—** (*pl.* ~) *n.* Sudan 사람.

Sudán gràss 〖식물〗 옥수수류 《목초》.

su·dar·i·um [su:dɛ́əriəm/sju-] (*pl.* **-ia** [-riə]) *n.* **1** (고대 로마 상류인이 쓰던) 손수건; 《특히》 베로니카의 손수건 (⇨Veronica); 예수와 비슷한 얼굴을 그린 손수건〔천〕. **2** =SUDATORIUM.

su·da·to·ri·um [sù:dətɔ́:riəm/sjù:-] (*pl.* **-ria** [-riə]) *n.* 한증막, 증기탕.

su·da·to·ry [sú:dətɔ̀:ri/sjú:dətəri] *a.* 발한(發汗)을 촉진하는. **—** *n.* 발한제; 한증막.

sudd [sʌd] *n.* 《Ar.》 (White Nile 에서 항행을 방해하는) 부평초의 뭉치.

‡**sud·den** [sʌ́dn] *a.* 돌연한, 갑작스러운, 불시의, 별안간의, 느닷없는.

> SYN. **sudden** 돌연한 행동·변화를 보임. 예측 여부는 관계없음: a *sudden* change in the weather 날씨의 급변. **unexpected** 예측 못한, 뜻하지 않은. 받아들이는 쪽의 준비 부족이 강조됨: an *unexpected* crisis 뜻하지 않은 위기. **abrupt** 위의 양자를 합친 뜻을 지니나 급변의 부자연스러움, 그에 따르는 불쾌, 기대에 어그러짐이 강조됨: an *abrupt* change in manner 갑작스러운 태도의 변화. The road came to an *abrupt* end. 길은 갑자기 끊겼다.

— *n.* 《폐어》 불시, 돌연 《다음 관용구로만 쓰임》. (**all**) **of a ~** = (**all**) **on a** 〔**the**〕 **~** 돌연, 갑자기, 느닷없이. **—** *ad.* 《시어》 =SUDDENLY. ㊕ **~·ness** *n.*

súdden déath 급사, 돌연사; 《구어》 (주사위 등의) 단판 승부, (골프 등에서 동점인 경우의) 연장 시합에서의 1회〔1점〕 승부: die a ~ 급사하다.

súdden ínfant déath sỳndrome 〖병리〗 유아 돌연사 증후군 《생략: SIDS》.

†**sud·den·ly** [sʌ́dnli] *ad.* 갑자기, 불시에, 졸지에, 돌연, 느닷없이: He stopped the car ~. 그는 급정차하였다.

su·dor [sú:dɔ:r/sjú:-] *n.* 땀; 발한(發汗).

su·dor·if·er·ous [sù:dərífərəs/sjù:-] *a.* 땀을 분비하는, 발한하는 《선(腺)에 대해 이름》.

su·dor·if·ic [sù:dərífik/sjù:-] *a.* 땀 나게 하는, 발한을 촉진하는. **—** *n.* 발한제. 「한(發汗)하는.

su·do·rip·a·rous [sù:dəripərəs/sjù:-] *a.* 발

Su·dra [sú:drə/sjú:-] *n.* 수드라 《인도 사성(四姓)의 제4계급; 노예 계급》. cf. caste.

°**suds** [sʌdz] *n. pl.* 〖단·복수취급〗 비눗물, 비누 거품; 《미속어》 맥주 (거품). **in the ~** 《구어》 난처하여, 곤경에 빠져. **—** *vi., vt.* 거품이 일다; 《미》 비눗물로 씻다. ㊕ **⌐·less** *a.*

súds·er *n.* 거품이 이는 것; 《미속어》 =SOAP OPERA.

sudsy [sʌ́dzi] (**suds·i·er; -i·est**) *a.* (비누) 거품투성이인, 거품을 내는〔포함한〕; 거품 같은; 《미속어》 주간 멜로드라마(soap opera)적인.

Sue [su:/sju:] *n.* 수 《여자 이름; Susan, Susanna(h)의 애칭》.

°**sue** *vt.* **1** 《~+목/+목+전+명》 고소하다, (…을 상대로) 소송을 제기하다: ~ a person *for* damages 아무를 상대로 손해 배상 소송을 제기하다. **2** 《드물게》 …에게 간청하다 《*for*》. **3** 《고어》 …에게 구혼하다. **—** *vi.* 《+전+명》 **1** 소송을 제기하다 《*to; for*》: ~ *for* a divorce 이혼 소송을 제기하다. **2** 간원하다, 청구하다 《*to; for*》: ~ *for* peace 화평을 청하다. ◇ suit *n.* **~ out** (영장·사면 등을) 청구하여 얻다. ㊕ **sú·er** *n.*

suede, suède [sweid] *n.* Ⓤ 스웨이드 《안쪽에 보풀이 있는, 부드럽게 무두질한 양가죽》; 스웨이드 클로스(=⌐ **clòth**) 《스웨이드와 비슷한 천》. **—** *a.* 스웨이드 가죽의. 「스웨이드 클로스.

sue·dette [sweidét] *n.* 인조〔모조〕 스웨이드,

su·et [sú:it/sjú:-] *n.* Ⓤ 쇠기름, 양기름. ㊕ **sú·ety** *a.* 쇠〔양〕기름 같은〔이 많은〕.

Su·ez [su:éz, ⌐-/sú:iz] *n.* 수에즈 지협; 수에즈 운하 남단의 항구.

Súez Canál (the ~) 수에즈 운하 《1869 년 완성》.

suf- [səf, sʌf] *pref.* =SUB- 《f 앞에서》.

suf., suff. sufficient; suffix. **Suff.** Suffolk.

‡**suf·fer** [sʌ́fər] *vt.* **1** 《~+목/+목+전+명》 (고통·변화 따위를) 경험하다, 입다, 받다: ~ insults 모욕을 당하다 / ~ defeat 패배하다 / He ~*ed* the capital punishment *for* his murder. 그는 살인죄로 극형을 당했다. **2** 〖종종 의문·부정문에 쓰여〗 《문어》 …에 견디다, 참다. cf. bear[1]. ¶The roses can*not* ~ winter cold. 장미는 겨울 추위를 견디지 못한다 / I can*not* ~

him. 저 자에 대해 더 이상 참을 수가 없다/How can you ~ such conduct? 그런 행동에 대해 어떻게 참을 수 있겠느냐. **3** 《+목+*to* do》 《고어·문어》 (굳이) …하게 하다, (묵묵히) …하게 내버려두다: ~ one's beard *to* grow long 수염이 자라는 대로 내버려두다/*Suffer* me *to* tell you the truth. 진실을 말하게 해 주시오. — *vi.* 《~/+전+명》 **1** 괴로워하다, 고민하다, 고생하다; 상처 입다《*for; from*》: make a person ~ 아무를 괴롭히다/~ *for* 〔*from*〕 one's mistake 잘못을 고민하다/~ *from* the lack of funds 자금 부족으로 고민하다. **2** 앓다, 병들다《*from*》: ~ *from* mental illness 정신병에 걸리다. **3** 방치되다: Don't let your work ~. 일손을 멈추지 마라. **4** 벌받다; (기결수가) 사형에 처해지다: ~ *for* high treason 반역죄로 사형당하다. ◇ sufferance, suffering *n.* ***do not ~ fools gladly*** 어리석은 짓을 용서치 않다. ㊕ **~·a·ble** [-rəbəl] *a.* 참을 수 있는, 견딜 만한, 용서할 수 있는.

suf·fer·ance [sʌ́fərəns] *n.* Ⓤ 관용, 허용, 묵인, 묵허(默許); 《고어·문어》 인내(력); 《고어》 복종. ◇ suffer *v.* ***beyond ~*** 참을 수 없는. ***on*** 〔***by, through***〕 ***~*** 눈감아 주어, 덕분으로.

súf·fer·er [-rər] *n.* 괴로워하는〔고민하는〕 사람; 수난자; 이재민, 조난자, 피해자, 환자: war ~*s*.

***suf·fer·ing** [sʌ́fəriŋ] *n.* Ⓤ **1** 괴로움, 고통; 고생. **2** (종종 *pl.*) 피해, 재해; 수난; 손해: the ~*s* of the Jews 유대 민족의 수난.

> SYN. **suffering** 괴로움을 겪어 시달리며 지그시 참는 수동적 자세에 역점이 있음. **distress** 비참한 환경이 주는 심신의 고통. (공공의) 원조를 필요로 할 때가 많음: relieve *distress* among the people 빈민의 곤궁을 구제하다. **misery** 비참하고 가엾은 처지. 장기적인 것이 많음. **hardship** 굳센 의지와 버티는 정신력을 필요로 하는 따위의 쓰라린 환경. distress나 misery에 비해 극복될 가능성이 시사됨.

◇**suf·fice** [səfáis, -fáiz/-fáis] *vi.* 《~/+전+명》 《문어》 족하다, 충분하다: Three hundred dollars a month ~*d for* my need. 월 300 달러는 내가 필요로 하는 충분한 돈이었다. — *vt.* 《문어》 …에 충분하다, 만족시키다: A small amount will ~ me. 소량으로 충분하다. ◇ sufficient *a.* ***Suffice it*** (***to say***) ***that ....*** (지금은) …이라고만 말해 두자; …이라고 말하면 충분하다.

suf·fi·cien·cy [səfíʃənsi] *n.* 충분(한 상태); 충분한 수량〔역량〕; 자부(自負); 《고어》 능력: a ~ of food 충분한 음식/I ate a ~.

suf·fi·cient** [səfíʃənt] *a.* **1** 충분한, 족한《*for*》. cf. deficient. ¶The child has ~ courage *for* it 〔*to* do it〕. 그 아이는 그것을 할 만한 용기가 있다/*Sufficient* unto the day is the evil thereof. 〖성서〗 한 날 괴로움은 그날에 족하니라《마태복음 VI: 34》. SYN. ⇨ENOUGH. **2** 《고어》 역량〔자격〕이 있는. ◇ sufficiency *n.* ***Not ~! 〖은행〗 자금 부족《부도 수표에 적는 말; 생략: N.S., N/S》. — *n.* Ⓤ 충분(한 양): Have you had ~? 충분히 먹었느냐/I have quite ~. 충분히 가지고 있다. ㊕ ◇**~·ly** *ad.* 충분히.

suffícient condítion 〖논리〗 충분조건. cf. necessary condition.

suf·fix [sʌ́fiks] *n.* **1** 접미사. cf. prefix. **2** 추가〔첨가〕물. **3** 〖수학〗 =SUBINDEX. — [səfíks] *vt.* …에 접미사로서 붙이다; …의 끝〔밑〕에 붙이다. — *vi.* 접미사가 붙다; 접미사를 붙이다.

suf·fo·cate** [sʌ́fəkèit] *vt.* **1** …의 숨을 막다; 질식(사)시키다. cf. smother, stifle[1]. **2** 호흡을 곤란하게 하다, 숨이 막히게 하다; …의 목소리가 안 나오게 하다. **3** (불 따위를) 끄다; 억누르다. **4** (조직·활동 따위를) 압박하다, 억압하다, (발전·발달을) 방해〔저지〕하다. — *vi.* 《~/+전+명》 숨이 막히다, 질식하다; 헐떡이다, 숨이 차다; (성장·발달이) 저지〔방해〕되다: The child was *suffocating in* water. 그 아이는 익사 직전에 있었다. ***be ~d by …로 숨이 막히게 되다, 소리가 안 나오게 되다. ◇ suffocation *n.* ㊕ **-càt·ing·ly** *ad.* 숨막힐 듯이. **sùf·fo·cá·tion** *n.* Ⓤ 질식. **súf·fo·cà·tive** [-tiv] *a.* 숨막히는, 호흡을 곤란케 하는.

Suf·folk [sʌ́fək] *n.* **1** 서퍽《영국 동부의 주》. **2** (때로 s-) 〖축산〗 (영국종) 고급 식용 양(羊); 작고 검은 돼지. **3** (영국종) 마차 말(=∠ pùnch) 《밤색에 다리가 짧음》.

suf·fo·sion [səfóuʒən] *n.* 〖지학〗 지하 침윤《지하에서 암석 속으로 물이 스며드는 일》.

suf·fra·gan [sʌ́frəgən] 〖종교〗 *n.* 부감독, 부주교. — *a.* 보조의; 부감독의: a ~ bishop =a bishop ~ 부감독, 감독보.

◇**suf·frage** [sʌ́fridʒ] *n.* **1** Ⓒ 투표; Ⓤ 투표권, 선거권, 참정권: ⇨MANHOOD SUFFRAGE, UNIVERSAL SUFFRAGE, WOMAN 〔FEMALE〕 SUFFRAGE. **2** Ⓤ 찬성투표; 동의, 찬성. **3** (보통 *pl.*) 〖교회〗 (목사에의) 응도(應禱); 대도(代禱). — *vt.* (투표로) 지지하다, 인정하다.

suf·fra·gette [sʌ̀frədʒét] *n.* 여성 참정권론자《특히 여성을 말함》.

suf·fra·gism [sʌ́frədʒìsəm] *n.* 참정권 확장론, 여성 참정론.

suf·fra·gist [sʌ́frədʒist] *n.* 참정권 확장론자, 《특히》 여성 참정권론자: a universal 〔woman〕 ~ 보통 선거권〔여성 참정권〕론자.

suf·fu·mi·gate [səfjúːməgèit] *vt.* 밑으로부터 그을리다; 밑에서 …로 증기〔연기, 향연(香煙) 따위〕를 보내다.

suf·fuse [səfjúːz] *vt.* 뒤덮다, 확 퍼지다, 채우다《액체·눈물·빛 따위가》. ***be ~d with*** …이 가득히 퍼져 있다, …으로 가득 차 있다.

suf·fu·sion [səfjúːʒən] *n.* Ⓤ,Ⓒ 넘칠 듯 가득함, 뒤덮임; 덮는 것; (얼굴 등이) 확 달아오름, 홍조(紅潮).

Su·fi [súːfi] (*pl.* **~s**) *n.* 〖회교〗 수피교도《이슬람교의 신비주의자》. — *a.* 수피교(도)의. ㊕ **Sú·fic** [-fik] *a.* **Sú·fism** [-fizəm] *n.* Ⓤ 수피교; 범신론적(汎神論的) 신비설.

sug [sʌg] *n.* 시장 조사를 하는 척하면서 살 만한 사람의 전화번호 따위를 알아내는 영업 활동. — *vi., vt.* (아무에게) 시장 조사를 하는 척하면서 세일즈하다. [◂ selling *u*nder *g*uise]

sug- [səg, sʌg] *pref.* =SUB-《g 앞에서의 꼴》.

†**sug·ar** [ʃúgər] *n.* Ⓤ **1** 설탕; 〖화학〗 당(糖); 당질; 《속어》 LSD; 〖의학〗 당뇨병(~ diabetes). **2** Ⓒ 설탕 한 개〔한 숟가락〕: a lump of ~ (각)설탕 한 개/How many ~*s* (shall I put) in your tea? 차에 설탕을 얼마나 넣을까요. **3** 《비유》 감언, 달콤한 말, 겉치레 말. **4** 《미속어》 뇌물, 돈. **5** 〖감탄사〗 《구어》 제기랄, 빌어먹을; 《호칭》 여보, 당신(darling, honey). ***block*** 〔***cube, cut, lump***〕 ***~*** 각설탕. ***not made of ~*** 젖어도 녹지 않는, 비가 와도 상관없는. ***raw*** 〔***brown, muscovado***〕 ***~*** 흑설탕. ***~ of lead*** 연당(鉛糖), 아세트산납. — *vt.* **1** …에 설탕을 넣다〔뿌리다, 입히다〕, 달게 하다. **2** 《구어》 …에게 아첨을 하다. **3** 《구어》 매수하다. **4** 〖수동태〗 저주하다: Liars *be ~ed!* 거짓말쟁이는 나가 뒈져라. — *vi.* **1** 설탕이 되다, 당화하다. **2** 《미》 (사탕단풍의 수액으로) 단풍당(糖)을 만들다. **3** 《영속어》 꾀부리다, 일을 게을리하다. ***~ off*** 《미》 〖제당〗 당밀이 되도록 고다.

súgar bèet 〖식물〗 사탕무. cf. beet sugar.

Súgar Bòwl (the ~) 슈거볼《(1) Louisiana주

New Orleans에 있는 미식축구 경기장. (2) 그곳에서 매년 1월 1일 열리는 초청 대학 팀의 미식축구 경기》.

súgar bòwl 〔《영》 **bàsin**〕 (식탁용) 설탕 그릇.

súgar·bùsh *n.* 사탕단풍의 숲.

súgar cándy (고급)캔디; 《영》 얼음사탕; 감미로운〔유쾌한, 즐거운〕 사람〔물건〕.

súgar càne 사탕수수.

súgar·còat *vt.* **1** (알약 따위에) 당의(糖衣)를 입히다. **2** …을 먹기 좋게 하다, …의 체재(體裁)를 좋게 하다; …의 겉을 잘 꾸미다; (나쁜 소식)을 좋게 전하다, (싫은 일)에 보수를 내다. ㊎ **∼·ed** *a.*

súgar·còating *n.* Ⓤ 당의; 구미에 당기게 「하기.

súgar còrn 사탕옥수수(sweet corn).

súgar-cùred *a.* (햄·베이컨이) 설탕·소금·질산염 등의 피클로 처리된.

súgar dàddy 《구어》 (금품 따위를 뿌리며) 젊은 여자를 후리는 돈 많은 중년 남자; 자금을 대는 사람〔단체〕.

súgar diabètes 당뇨병(diabetes mellitus).

súg·ared *a.* 설탕을 넣은〔친〕; 설탕으로 달게 한; 《비유》 달콤한: ∼ words.

súgar-frée *a.* 설탕이 들어 있지 않은: a ∼ cola 무당(無糖) 콜라. 「리아산(産)》.

súgar gùm 〖식물〗 유칼리의 일종《오스트레일

súgar·hèad *n.* 《미속어》 밀조 위스키.

Súgar Híll (때로 s- h-) 《미속어》 슈거힐《(1) 흑인의 사창가. (2) 뉴욕시 Harlem이 내려다보이는 부유층 거주 지구》.

súgar·hòuse *n.* 제당소(製糖所).

súgar·less *a.* 무당의, 인공 감미료를 사용한.

súgar lòaf 막대설탕; 원뿔꼴의 모자; 원뿔꼴의 산.

súgar-lòaf *a.* 막대설탕 모양의; 원뿔 모양의.

súgar màple 〖식물〗 사탕단풍《북아메리카 주산》.

súgar mìll 제당 공장; 사탕수수 압착기.

súgar of mílk 젖당(lactose).

súgar òrchard 《미동부》 =SUGAR BUSH.

súgar pìne 소나무의 일종《미국 북서부산》.

súgar·plùm *n.* **1** 당과(糖菓)의 일종, 봉봉(bonbon). **2** 감언(甘言); 뇌물.

súgar refìner 제당업자.

súgar refìnery 제당소.

súgar repòrt 《미학생·군대속어》 애인으로부터의 편지《여성이 남성에게 보내는》.

súgar sòap (설탕 비슷한) 알칼리 비누《도장면(塗裝面)의 세정에 씀》.

Súgar Státe (the ∼) Louisiana주의 속칭.

súgar-tìt, -tèat *n.* 설탕 젖꼭지《설탕을 젖꼭지 모양으로 천에 싸서 빨리는》.

súgar tòngs 각설탕 집게《식탁용》.

sug·ary [ʃúgəri] *a.* 설탕이 든; 설탕 같은, 단; 알랑거리는, 달콤한《말 따위》; (시·음악 등) 달콤하고 감상적인, 감미로운; 입상(粒狀) 조직〔표면〕을 갖는. ㊎ **súg·ar·i·ness** *n.*

sug·gest [səgdʒést/sədʒést] *vt.* **1** 《∼+목/+*that*절》 암시하다, 비추다, 시사하다, 넌지시 말하다: I didn't tell him to leave. I only ∼*ed* it. 그에게 떠나라고는 안 했다. 단지 암시만 주었을 뿐이다 / Do you ∼ *that* I am lying? 자네는 내가 거짓말이라도 한다는 말인가.

> SYN. **suggest** 머릿속에 상기시키다, 시사하다. '제안하다'는 propose를 완곡히 표현한 것: The name doesn't *suggest* anything to me. 그 이름을 들어도 도무지 생각나는 게 없다. **imply** 직접 표현 안 해도 사리상 또는 필연적으로 함축되다, 암암리에 뜻하다: Speech *implies* a speaker. 말이란 필연적으로 말한 사람을 암시하게 마련이다. **hint** 남이 알게 넌지시 비추다, 암시하다: He *hinted* that he would like a present. 그는 선물을 바라는 눈치를 넌지시 비쳤다. **intimate** hint에 거의 가까우나, 정신 차리지 않으면 알아채지 못할 정도로 완곡히 말하여 상대의 행동·생각 등에 영향을 주다: He *intimated* that there would be danger if we went on. 그는 우리가 그대로 계속하면 위험하리라는 것을 암암리에 비쳤다. **insinuate** 간접적 표현으로 남에게 어떤 것을 믿게 하려고 하다. 중상 따위가 많음: He *insinuated* that they were dangerous people. 그는 그 사람들이 위험인물이라고 남이 믿게 하려고 했다.

2 《∼+목/+목+전+명/(+전+명)+*that* 절/+*wh.* 절/+*wh. to* do/+-*ing*》 제안하다, 제창하다, 말을 꺼내다, 권하다: ∼ a swim 수영을 권하다 / I ∼*ed* another plan *to* the committee. 나는 위원회에 다른 안을 제출하였다 / It is ∼*ed that* …라는 설이 있다 / My family doctor ∼*s* (*to* me) *that* I (should) take a walk every day. 우리 단골 의사는 매일 산책을 하라고 권한다 / He ∼*ed which* way I should take. =He ∼*ed which* way *to* take. 어느 방법을 취해야 할지 가르쳐 주었다 / Father ∼*ed going* on a picnic. 아버지는 피크닉을 가면 어떻겠느냐고 말씀하셨다. SYN. ⇨PROPOSE. **3** 《∼+목/+목+전+명》 연상시키다, 생각나게 하다: Soldiers ∼ ants. 병사들을 보면 개미 생각이 난다 / Does the name ∼ anything *to* you? 그 이름을 듣고 뭐 생각나는 것이 없느냐 / What does the shape ∼ *to* you? 그 모습은 자네에게 무엇을 연상하게 하는가. **4** (최면술로) 암시하다, …에 암시를 주다. ◇ suggestion *n.* **∼ *itself* (*to*)** (…의) 마음〔머리〕에 떠오르다, 생각이 나다, 나타나다: A good idea ∼*ed itself to* me. 좋은 생각이 떠올랐다.

sug·gést·i·ble *a.* 시사할 수 있는; 제의할 수 있는; (최면술의) 암시에 걸리기 쉬운. ㊎ **sug·gèst·i·bíl·i·ty** *n.* Ⓤ 시사할 수 있음; 피(被)암시성, 암시 감응성.

sug·ges·tio fal·si [sədʒéstʃiòu-fɔ́:lsai/sədʒésti-] 《L.》 (고의 아닌) 허위의 암시.

sug·ges·tion [səgdʒéstʃən/sədʒés-] *n.* **1** Ⓤ 암시, 시사, 넌지시 비춤. **2** 연상, 생각남, 착상: by ∼ 연상하여. **3** 제안, 제의, 제언: at a person's ∼ 아무의 제안으로 / the ∼ that he (should) join 그도 한몫 끼어야 한다는 제안. **4** (열정(劣情) 따위의) 유발; 동기, 유인; Ⓤ 〖최면술〗 암시; Ⓒ 암시된 사물. **5** 기미, 기색, 모양: not even a ∼ *of* fatigue 피로한 기색도 없는 / a ∼ *of* blue in the gray 푸르스름한 잿빛. ◇ suggest *v.* ***full of* ∼*s*** 암시가 많은, 여러 가지로 생각하게 하는; 유발적인. ***make* 〔*offer*〕 *a* ∼** 제안하다: He *made a* ∼ that the student (should) be punished. 그는 그 학생을 처벌할 것을 제의했다.

suggéstion(s)-bòx *n.* 투서함.

sug·ges·tive [səgdʒéstiv/sədʒés-] *a.* **1** 시사하는, 암시하는, 넌지시 비추는. **2** (…을) 연상시키는, 암시가 많은; …을 생각나게 하는《*of*》: The melody is ∼ *of* rolling waves. 그 멜로디는 넘실거리는 파도를 연상케 한다. **3** (열정(劣情)을) 유발케 하는, 외설한. ㊎ **∼·ly** *ad.* **∼·ness** *n.*

sug·gest·ol·o·gy [sʌ̀gdʒestálədʒi/sʌ̀dʒestɔ́l-] *n.* (교육·심리 요법에서의) 암시학.

sug·ges·to·pae·dia [səgdʒèstəpí:diə/sədʒés-] *n.* 암시학 적용〔응용〕(법).

su·i·cid·al [sù:əsáidl/sjù:-] *a.* 자살의, 자살

적인; 자살 충동에 사로잡히는; 《비유》 자멸적인: ~ explosion 자폭/a ~ policy. [파] **~·ly** *ad.*

⁑su·i·cide [sú:əsàid/sjú:-] *n.* **1** [U,C] 자살, 자살 행위; [U] 자멸: two ~*s* yesterday 어제 자살 2건. **2** 자살자. ***commit*** **~** 자살하다, 자해하다. ***political*** **~** 정치적 자살 행위. **—** *vi.* 자살하다. **—** *vt.* 〖주로 ~ oneself〗 죽이다.

súicide càrgo 〔**lòad**〕 《CB속어》 위험한 짐 《폭발물·극약 등》.

súicide machìne (의사가 이용하는) 자살 방조 장치.

súicide nòte 자살자의 유서.

súicide pàct 정사(情死)〔동반 자살〕(의 약속) 《두 사람 이상의》.

súicide pìlot 특공대 비행사.

súicide sèat 《구어》 (자동차의) 조수석.

súicide squàd 〖군사〗 특공대, 결사대; 〖미식축구〗 =KICKING TEAM.

súicide squèeze 〖야구〗 스퀴즈 플레이 《희생 번트로 3루 주자가 홈인함》.

su·i·ci·do·gen·ic [sù:əsàidədʒénik/sjù:-] *a.* 자살 유발성의.

su·i·ci·dol·o·gy [sù:əsaidálədʒi/sjù:isaidɔ́l-] *n.* [U] 자살학, 자살 연구. [파] **-gist** *n.*

sui ge·ne·ris [sú:ai-dʒénəris] 《L.》 독특하여, 독특한, 특수한, 독자적(으로).

sui ju·ris [sú:ai-dʒúəris] 《L.》 (=of one's right) 성년에 달한, 제구실하는; 〖법률〗 능력이 있는.

⁑suit [su:t/sju:t] *n.* [C] **1** 소송, 고소(lawsuit): a civil 〔criminal〕 ~ 민사〔형사〕 소송. ◇ sue *v.* **2** [U,C] 청원, 탄원, 간원: make ~ to ... …에게 청원하다. **3** [U] 《문어》 구혼(wooing), 구애(求愛): reject a person's ~ 구혼을 거절하다. **4 a** (복장의) 한 벌, 일습, (남자 옷의) 셋 갖춤 《저고리·조끼·바지》; 상하 한 벌의 여성복. [SYN.] ⇨CLOTHES. **b** 〖수식어가 따라〗 …옷(복(服)): a gym ~ 운동복/a business ~ 신사복/dress ~ (남자의) 야회복. **5** (마구·갑옷 등의) 한 벌 《*of*》; 〖해사〗 돛 한 벌. **6** 〖카드놀이〗 짝패 한 벌 《hearts, diamonds, clubs, spades로 각 13장》: ⇨LONG SUIT, STRONG SUIT. ***bring*** (***a***) **~** ***against*** …을 상대로 소송을 제기하다. ***follow*** **~** 카드놀이에서 남이 내놓은 패와 같은 패를 내다; 남이 하는 대로 하다, 선례에 따르다. ***have a*** **~** ***to*** …에게 청이 있다. ***in*** one***'s birthday*** **~** 벌거벗고. ***in*** 〔***out of***〕 **~** 《고어》 …와 일치하여〔일치하지 않아〕; …와 조화〔불화〕되어. ***of a*** **~** ***with...*** 《고어》 …와 일치하여, 일관하여. ***press*** 〔***push, plead***〕 one***'s*** **~** 거듭 탄원〔청혼〕하다. **—** *vt.* **1** 《+[목]+[전]+[명]》 적합하게 하다, 일치시키다 《*to*》: ~ one's speech *to* one's audience 청중에 맞추어 연설하다. **2** 《~+[목]/+[목]+[전]+[명]/+[목]+*to be* [보]》 …에 적합하다, …에 어울리다: Blue ~*s* you very well. 푸른색이 네게는 잘 어울린다/He is ~*ed for* 〔*to be*〕 a teacher. 그는 선생(노릇)이 적격이다. **3** …의 마음에 들다: a dish that will ~ every palate 누구 구미에나 맞는 요리. **4** …에 편리하다, …에 형편이 좋다: That will ~ me. 나는 그것으로 좋소. **5** 단장시키다, 옷을 입히다: ~*ed* in black 검은 옷을 입고. **—** *vi.* **1** 《~/+[전]+[명]》 어울리다, 적합하다 《*with; to*》: The proposal does not ~. 그 제안은 부적당하다/Yellow does not ~ *with* her. 노랑색은 그녀에게 어울리지 않는다. **2** 형편이 좋다: What date ~*s* best? 어느 날이 가장 형편이 좋겠습니까. ***be*** **~*ed for*** 〔***to***〕 …에 어울리다〔적합하다〕. **~** ***all tastes*** 누구에게나 맞다. **~** one***self*** 자기 생각〔마음〕대로 하다, 제멋대로 하다: *Suit yourself!* 마음대로 해라, 싫으면 그만둬라. **~** ***the action to the word*** 《문어》 말한 대로 실천하다 《협박 따위를》. **~** ***up*** 《주로 미》 제복〔유니폼〕을 입다; 방호구를 착용하다.

suit 4a

⁑suit·a·ble [sú:təbəl/sjú:t-] *a.* (…에) 적당한, 상당한; 어울리는, 알맞은 《*to; for*》: ~ *to* the occasion 시기에 적합한/~ *for* men 남자에게 어울리는. [SYN.] ⇨FIT. [파] **-bly** *ad.* **sùit·a·bíl·i·ty** *n.* [U] 적합, 적당; 적부; 어울림.

⁑suit·case [sú:tkèis/sjú:t-] *n.* 여행 가방, 슈트케이스. [SYN.] ⇨ TRUNK. ***live out of a*** **~** ⇨LIVE¹.

súitcase fàrmer 《미》 1년의 태반을 딴 곳에 사는 건조지의 농업 종사자.

°suite [swi:t] *n.* **1** (가구 따위의) 한 벌; 〖음악〗 모음곡(曲), 조곡(組曲) 《원래는 갖가지 무도곡을 섞어 맞춘 것》. **2** 붙은 방 《호텔 등에서 침실 외에 거실·응접실 따위가 붙어 있는 것》. **3** 《드물게》 (종자(從者)의) 일행, 수행원. ***in the*** **~** ***of*** …에 수행하여.

súit·ed [-id] *a.* 적당한, 적절한; 적합한, 모순없는.

súit·er *n.* 〖흔히 복합어로〗 …옷을 넣는 슈트케이스.

súit·ing *n.* [U] 양복지.

°suit·or [sú:tər/sjú:t-] *n.* **1** (남성) 구혼〔구애〕자. **2** 〖법률〗 원고(plaintiff), 제소인. **3** 청원〔탄원, 간원〕자. **4** 《구어》 기업 매수를 하는 자〔기업〕.

Su·kar·no [su:ká:rnou] *n.* **Achmed ~** 수카르노 《인도네시아의 정치가·초대 대통령(1945-67); 1901-70》.

Su·khoi [su:hɔ́i] *n.* 수호이(=**Su·khóy**) 《옛 소련의 기사단(技師團); 또 그 설계에 의한 전투기》.

Suk·koth [súkəs, sukóus] *n.* 초막절 《Tishri 달 15일에 시작되는 유대인의 절기; 수확의 축하와 출애굽 후 광야에서의 초막 생활을 기념함》.

sul·cate [sʌ́lkeit] *a.* 〖식물·해부〗 (줄기 등이) 홈이 있는; (발굽 따위가) 갈라진.

sul·cus [sʌ́lkəs] (*pl.* **-ci** [-sai]) *n.* 홈(groove), 세로 홈; 〖해부〗 (특히, 대뇌의) 뇌구(腦溝).

sulf- [sʌ́lf] =SULFO-.

sul·fa, sul·pha [sʌ́lfə] *a.* 〖화학·약학〗 술파기(基)의. **—** *n.* 술파제(~ drug) 《sulfanilamide의 간약형; 술폰아미드계의 합성약으로 세균성 질환에 특효가 있음》.

sul·fa·di·a·zine [sʌ̀lfədáiəzì:n, -zin] *n.* [U] 〖약학〗 술파다이아진.

súlfa drùg 〖약학〗 술파제.

sùlfa·guánidine *n.* [U] 〖약학〗 술파구아니딘 《장(腸) 질환의 치료·예방약》.

sul·fám·ic ácid [sʌlfǽmik-] 〖화학〗 술팜산(酸) 《금속 표면의 세척·유기 합성에 쓰임》.

sul·fa·nil·a·mide [sʌ̀lfənílәmàid, -mid] *n.* [U] 〖화학·약학〗 술파닐아미드 《패혈증·임질 따위의 특효약》.

sul·fa·níl·ic ácid [sʌ̀lfənílik-] 〖화학〗 술파닐산(酸) 《염료 제조의 중간체》.

sùlfa·pýridine *n.* [U] 〖약학〗 술파피리딘 《항(抗) 피부염제》.

sul·fa·tase [sʌ́lfətèis, -tèiz] *n.* 〖생화학〗 술파타아제 《유기황산 에스테르의 가수 분해 효소》.

sul·fate, -phate [sʌ́lfeit] *n.* 〖화학〗 황산염: calcium ~ 황산칼슘, 석고. **—** *vt.* 황산(염)으로 처리하다; 〖전기〗 (건전지의 연판(鉛版)에) 황산염 화합물을 침적(沈積)시키다. **—** *vi.* 황산화하다. [파] **sul·fá·tion** *n.* 황산화.

sul·fa·thi·a·zole [sʌ̀lfəθáiəzòul] *n.* Ⓤ 〖약학〗 술파다이어졸《원래 폐렴 및 화농성 질환 특효약》.

sulf·hy·dryl, sul·phy- [sʌlfháidril] *n.* 〖화학〗 메르캅토기(基).

sul·fide, -phide [sʌ́lfaid] *n.* 〖화학〗 황화물: ~ of copper 황화구리/~ of iron 황철석.

sul·fin·pyr·a·zone [sʌ̀lfinpírəzòun] *n.* 〖약학〗 술핀피라존《요산(尿酸) 배설 촉진제로서 통풍(痛風) 치료에 씀》.

sul·fite, -phite [sʌ́lfait] *n.* 〖화학〗 아황산염.

sul·fo- [sʌ́lfou] SULFUR라는 뜻의 결합사.

Sul·fo·nal [sʌ́lfənæ̀l] *n.* 〖약학〗 술포날《최면제; 상표명》.

sul·fon·a·mide [sʌlfánəmàid/-fɔ́n-] *n.* 〖약학〗 술폰아미드《세균 감염증에 유효한 합성 화학요법제》.

sul·fo·nate, -pho- [sʌ́lfənèit] *n.* 〖화학〗 술폰산염. — *vt.* …을 술폰화하다.

sul·fone [sʌ́lfoun] *n.* 〖화학〗 술폰《술포닐기가 두 탄화수소기를 결합한 유기 화합물의 총칭》.

sul·fon·ic [sʌlfánik/-fɔ́n-] *a.* 〖화학〗 술폰기(基)의[를 함유한, 에서 유도된].

sulfónic ácid 〖화학〗 술폰산.

sul·fo·ni·um [sʌlfóuniəm] *n.* 〖화학〗 술포늄《1가의 황삼수소기》.

sul·fon·meth·ane [sʌ̀lfounméθein/-míːθ-] *n.* 〖약학〗 Ⓤ 술폰메탄《최면제·진정제용》.

sul·fo·nyl [sʌ́lfənil] *n.* 〖화학〗 술포닐기(基)《유기 화합물 중 2가의 이산화황기》. ⓒⓕ sulfuryl.

sul·fo·nyl·u·rea [sʌ̀lfəniljuəríːə, -júəriə/-júəriə] *n.* 〖약학〗 술포닐 요소(尿素)《혈당 강하 작용이 있음; 인슐린 대용》.

sulf·óxide *n.* 〖화학〗 술폭시화물《술폭시드기(基)를 가진 화합물의 총칭》.

◇**sul·fur, -phur** [sʌ́lfər] *n.* **1** Ⓤ 〖화학〗 황《비금속 원소; 기호 S; 번호 16》; 유황빛: **roll** [**stick**] ~ 막대황(黃). **2** (보통 sulphur) 〖곤충〗 노랑나빗과의 나비(=∠ **bútterfly**). ***flowers of*** **~** 황화(黃華). — *a.* 황(黃)의, 황을 함유한; 유황빛의. — *vt.* 황으로 그슬리다[처리하다].

sul·fu·rate, -phu- [sʌ́lfjurèit/-fju-] *vt.* 황(黃)과 화합시키다, 황을 함유시키다, 황화시키다; 황으로 훈증하다[그슬리다, 표백하다].

sùl·fu·rá·tion *n.* 황과의 화합, 황화(黃化); 유황 훈증; 유황 표백.

sul·fu·ra·tor [sʌ́lfjurèitər/-fju-] *n.* 유황 훈증[표백]기(器); 유황 분무기.

súlfur bactèria 〖세균〗 황(黃)세균《황화물을 산화시킴》.

súlfur dióxide 〖화학〗 이산화황, 아황산가스, 무수 아황산가스.

súlfur dỳe 〖화학〗 황화(黃化) 염료.

sul·fu·re·ous, -phu- [sʌlfjúəriəs] *a.* 황의[과 같은], 황을 함유한, 유황빛의.

sul·fu·ret·ed, 《특히 영》 **-ret·ted** [sʌ́lfjərètid] *a.* 〖화학〗 황화(黃化)한, 황을 함유한: ~ hydrogen 황화수소.

sul·fu·ric, -phu- [sʌlfjúərik] *a.* 〖화학〗 황의; 《특히》 6가의 황을 함유한.

sulfúric ácid 〖화학〗 황산.

sul·fu·rize, -phu- [sʌ́lfjuràiz/-fju-] *vt.* =SULFURATE.

◇**sul·fur·ous, -phur-** [sʌ́lfərəs] *a.* **1** 〖화학〗 황의[과 같은]; 《특히》 4가의 황(黃)을 함유한. ⓒⓕ sulfuric. **2** 유황빛의. **3** 천둥의; 화약 연기의[가 자욱한]; 지옥불의[과 같은]; (비난 등이) 통렬한, 독기 서린, 모독적인. ⓟ **~·ly** *ad.* **~·ness** *n.*

súlfurous ácid 〖화학〗 아황산《유기 합성용, 표백제》.

súlfur sprìng 유황천(泉).

súlfur trióxide 〖화학〗 삼산화황.

sul·fury [sʌ́lfəri] *a.* 황의[같은], 유황질의.

sul·fur·yl [sʌ́lfjurìl/-fju-] *n.* 〖화학〗 술푸릴(기(基))(=∠ **gròup** [**ràdical**])《무기화합물 중의 이산화황기》. ⓒⓕ sulfonyl.

sulk [sʌlk] *n.* (보통 *pl.*) 실쭉하기, 부루퉁함. ***in the* ~*s*** 실쭉하여, 부루퉁하여. — *vi.* 실쭉거리다, 골나다, 부루퉁해지다.

◇**sulky** [sʌ́lki] (***sulk·i·er; -i·est***) *a.* **1** 실쭉한, 뚱한, 골난, 부루퉁한. **2** 음침한, 음산한《날씨 따위》. — *n.* 말 한 필이 끄는 1인승 2륜마차. ⓟ **súlk·i·ly** *ad.* 심술이 나서, 골나서, 부루퉁해서. **-i·ness** *n.* 실쭉하기; 찌푸린 얼굴, 부루퉁한 상.

sul·lage [sʌ́lidʒ] *n.* Ⓤ 〖야금〗 쇠똥; 광재(鑛滓); 쓰레기; 구정물; 가라앉은 진흙.

***sul·len** [sʌ́lən] *a.* **1** 찌무룩한, 무뚝뚝[부루퉁, 실쭉]한. **2** 음침한, 음울한(gloomy); (빛·소리 등이) 가라앉은, 맑지 못한. **3** 육중한, (흐름 등이) 느린, 완만한. — *n.* (the ~s) 《고어》 언짢음, 부루퉁함, 음울함. ⓟ **~·ly** *ad.* **~·ness** *n.*

Sul·li·van [sʌ́ləvən] *n.* 설리번. **1 Anne ~** 미국의 교육가《헬렌 켈러의 선생; 1866-1936》. **2 James Edward ~** 미국의 출판업자·스포츠 프로모터《Amateur Athletic Union of the United States를 설립; 고대 그리스 올림픽 경기 부활에 힘썼고 스포츠에서의 아마추어리즘 유지에 힘씀; 1860-1914》.

sul·ly [sʌ́li] *vt.* 《문어》 더럽히다, 오손하다; 망쳐 놓다; (명예 따위를) 훼손하다. — *vi.* 《폐어》 더러워지다, 오손되다. — *n.* 《고어》 더러움, 오점.

sulph- ⇨SULF-.

súlphur yéllow 유황색《밝은 녹색을 띤 황색》.

◇**sul·tan** [sʌ́ltən] *n.* **1** 술탄, 이슬람교국 군주; (the S–) (옛날의) 터키 황제《1922년 이전의》; 전제 군주. **2** (터키종(種)) 닭. **3** 〖식물〗 =SWEET SULTAN. ⓟ **~·shìp** *n.* Ⓤ ~의 직[지위, 위엄].

sul·tana [sʌltǽnə, -táːnə] *n.* **1** 이슬람교국 왕비[왕녀, 왕의 자매, 황태후]. **2** 왕후(王侯)의 후궁. **3** 《주로 영》 씨 없는 (건)포도의 일종. **4** 목걸이의 일종.

sul·tan·ate [sʌ́ltənèit, -nət] *n.* Ⓒ sultan의 영지; Ⓤ sultan의 지위[통치].

sul·tan·ess [sʌ́ltənis] *n.* 《고어》 =SULTANA 1.

sul·try** [sʌ́ltri] (-tri·er; -tri·est***) *a.* **1** 무더운, 찌는 듯이 더운; 몹시 뜨거운; 땀을 많이 흘리게 되는: a ~ day 매우 무더운 날/~ work in the fields 땀 흘리는 밭일/the ~ sun 작열하는 태양. **2** 난폭한《성질·말씨 등》; 무시무시한; 몹시 불쾌한. **3** 정열적인, 관능적인《여배우·음악》: ~ eyes 정열적인 눈길. **4** 음탕한《말 따위》. ⓟ **súl·tri·ly** *ad.* **súl·tri·ness** *n.* 〖기상〗 무더위.

****sum** [sʌm] *n.* **1** 총계, 총액, 총수, 합계. ⓒⓕ total. ¶ History is not a ~ *of* events. 역사는 사실의 총화가 아니다/The ~ *of* 2 and 3 is 5. 2+3=5. **2** 《고어》 (…의) 절정: the ~ of human happiness 인간 행복의 절정. **3** 개요, 개략, 대의: the ~ of an argument 논의의 요지. **4** 금액: a ~ *of* fifty won 일금 50원정/a good [round] ~ 꽤 많은 돈, 목돈. **5** 〖수학〗 합(合)집합(union); 산수 문제; (*pl.*) (학교의) 산수, 계산. ***a large*** [***small***] **~ *of*** (money) 다액[소액]의(돈). ***do* ~*s*** [***a* ~**] 계산하다. ***in* ~** 요컨대, 말하자면, 결국. ***lump* ~** 일괄 지급금. ***the* ~ *and substance*** 요지, 요점. ***the* ~ *of things*** 최고의 공공 이익[복리]; 우주.

— (***-mm-***) *vt.* 《+목+부》 **1** 총계하다, 합계하다: ~ *up* bills 계정을 셈하다. **2** 요약하다: His opinion may be ~*med up* in the following few words. 그의 의견은 다음 몇 마디로 요약할 수 있을 것이다. **3** …의 대세를 판단하다, 재빨리 평가[판단]하다: I ~*med up* her in a moment. 나는 재빨리 그녀의 인품을 알아차렸다. — *vi.* **1** 《+부》 요약[개설]하다; (판사가 원고·

피고의 말을 들은 후) 요지의 개략을 설명하다: The judge ~*med up*. 판사는 증언을 약설했다. **2** ⦅+전+명⦆ 합계 …가 되다⦅*to; into*⦆: The expense ~*s to*〔*into*〕 500 dollars. 비용은 합계 500 달러가 된다. ***to ~ up*** 요약하면.
㊞ **∠·less** *a*. 무수한, 수〔한〕없는. 「이는 꼴」.
sum- [səm, sʌm] *pref*. =SUB-⦅m 앞에서 쓰
SUM surface-to-underwater missile.
su·mac(h) [súːmæk, ʃúː-] *n*. 〖식물〗 슈맥⦅옻나무·거망옻나무·북나무 무리⦆: Ⓤ 슈맥의 마른 잎⦅무두질용 및 염료용⦆.
Su·ma·tra [sumáːtrə] *n*. **1** 수마트라 섬. **2** (종종 s-) 말라카 해협의 돌풍. ㊞ **~n** [-n] *a*., *n*. 수마트라(인)의; 수마트라 섬 사람.
súm chèck 〖컴퓨터〗 합계 검사⦅개개의 자리를 사용하여 얻어지는 합계 검사⦆.
Su·me·ri·an [suːmíəriən/sju-] *a*. Sumer⦅유프라테스 강 어귀의 옛 지명⦆ 사람〔말〕의. **—** *n*. 수메르 사람; Ⓤ 수메르 말.
sum·ma [súmə, sʌ́mə] (*pl*. ***-mae*** [-mai, -miː]) *n*. **1** (어느 분야·주제에 관한) 종합 연구서, 전집, 총서, 대계(大系). **2** 백과전서.
sum·ma cum lau·de [súmə-kum-láudei, sʌ́mə-kʌm-lɔ́ːdi] ⦅L.⦆(=with highest praise) 최우등〔수석〕으로〔의〕⦅졸업생에 주어지는 세 종류의 우등상 중 최고상의 졸업 증서에 기재되는 말⦆. ⓒⓕ cum laude. 「(被加數).
sum·mand [sʌ́mænd, -∠] *n*. 〖수학〗 피가수
***sum·ma·rize** [sʌ́məràiz] *vt*. 요약하여 말하다, 요약하다, 개괄하다: ~ the problem in one sentence 그 문제를 하나의 문장으로 요약하다.
㊞ **sùm·ma·ri·zá·tion** *n*. Ⓤ,Ⓒ
sum·ma·ry** [sʌ́məri] *n*. 요약, 개요, 대략; 적요(서), 일람: give a brief ~ of… …의 간단한 개요를 말하다/make a ~ of a lecture 강의를 요약하다. ***in ~ 요컨대, 결국. **—** *a*. **1** 요약한, 개략의; 간결한, 간략한: a ~ account 약술(略述), 약기. **2** 즉석의, 재빠른, 약식의: make a ~ job of …을 잽싸게 처리하다. **3** 〖법률〗 (법적 수속·재판권 따위가) 약식의(ⓞⓟⓟ *plenary*); 즉결의⦅판결 따위⦆; 정식 절차를 생략한: ~ justice 즉결 재판/~ proceeding〔procedure〕 (즉결 재판의) 약식 절차. ㊞ **-ri·ly** *ad*. 약식으로, 즉결로; 즉석에서. **-ri·ness** *n*.
súmmary cóurt 즉결 재판소⦅생략: S.C.⦆.
súmmary cóurt-martial ⦅미⦆ 약식 군법 회의⦅장교 1 명에 의한⦆. 「경범죄.
súmmary offénse 〖법률〗 약식 기소 범죄,
sum·mat [sʌ́mət] *ad*. ⦅구어·방언⦆ =SOMEWHAT.
sum·mate [sʌ́meit] *vt*. 합계하다; 요약하다. **—** *vi*. 합계되다.
sum·ma·tion [sʌméiʃən] *n*. 덧셈, 가법, 합계; 요약; 〖법률〗 (반대 측 변호인의) 최종 변론; 〖의학〗 (자극의) 가중(加重).
sum·ma·tive [sʌ́mətiv] *a*. 부가〔누적〕적인.
súmmative evaluátion 〖교육〗 총괄적 평가.
†**sum·mer**[1] [sʌ́mər] *n*. **1** Ⓤ,Ⓒ 여름, 여름철: regions of everlasting ~ 상하 지대. ★ 미국에서는 6 월에서 8 월까지; 영국에서는 5 월부터 7 월까지; 천문학적으로는 하지부터 추분까지. **2** Ⓤ 더운 철〔계절〕: We have had no ~ yet. 금년 들어 아직 더운 날이 없었다. **3** Ⓤ ⦅비유⦆ 전성기, 절정, (인생의) 한창때: the ~ of (one's) life 장년기/be still in the ~ of life 아직 한창 일할 나이다. **4** 〔보통 수사를 수반〕 (*pl*.) ⦅시어⦆ (젊은 이의) 나이, …살〔세〕: a girl of twenty ~*s* 스무 살의 처녀. **5** 〔형용사적으로〕 여름(철)의, 여름철에 알맞은; 여름 같은: a ~ resort 피서지/the ~ vacation〔holidays〕 여름 휴가/a ~ drink 여름철 음료/~ sports 하계 스포츠. ***St. Luke's*** ~ 늦가을의 봄철 같은 화창한 날씨. ***in high ~*** 삼복 중에. ***~ and winter*** 일년 내내.
— *vi*. ⦅+전+명⦆ 여름을 지내다, 피서하다: ~ *at* the seashore/~ *in* Switzerland 스위스에서 피서하다. **—** *vt*. ⦅+목+전+명⦆ 여름철에 (가축을) 방목(放牧)하다⦅*at; in*⦆: Sheep are ~*ed in* high pasture. 양은 여름 동안 고원의 목초지에 방목된다. ***~ and winter*** ① 꼬박 한 해를 보내다. ② 소중히 하다. ③ …에(게) 충실하다.
sum·mer[2] *n*. 〖건축〗 대들보; 상인방; 주춧돌.
súmmer hòuse ⦅미⦆ 여름〔피서지의〕 별장.
súmmer·hòuse *n*. (정원·공원 따위의) 정자.
súmmer líghtning (여름 밤 천둥이 없는 먼 곳에서의) 마른번개(heat lightning).
súm·mer·ly *a*. 여름의〔같은〕.
sum·mer·sault, -set [sʌ́mərsɔ̀ːlt], [-sèt] *n*., *vi*. =SOMERSAULT. 「필요 없는).
súmmer sáusage 건조〔훈제〕 소시지⦅냉장할
súmmer schòol 하기 강습회, 하기 학교.
súmmer sólstice (the ~) 〖천문〗 하지(점). ⓞⓟⓟ *winter solstice*.
súmmer squásh 〖식물〗 호박의 일종.
súmmer stóck (극·뮤지컬 따위의) 여름 공연물; 여름 경극장, 하기 공연⦅집합적⦆.
súmmer théater (행락지·교외 등의) 하기 경(輕)극장.
súmmer tìme ⦅영⦆ 일광 절약 시간, 서머타임 (⦅미⦆ daylight-saving time) ⦅생략: S.T.⦆: double ~ ⦅영⦆ 2 중 서머 타임⦅2 시간 빠르게 함⦆.
súmmer·tìme, -tìde *n*. Ⓤ 여름(철), 하절.
súmmer-wéight *a*. (옷·신 등이) 여름용의, 가벼운. 「름철에 알맞은.
sum·mery [sʌ́məri] *a*. 여름의, 여름 같은, 여
súm·ming-úp (*pl*. ***-mings-úp***) *n*. 요약, 적요; 약술; (특히 판사가 배심원에게 하는) 사건 요지의 설명.
***sum·mit** [sʌ́mit] *n*. **1** 정상, 꼭대기, 절정. **2** (the ~) 극치, 극점; 최고의 상태: at the ~ of power 권력의 정점에 서서/The ~ of his ambition was to be the president of a big company. 그의 궁극적인 야심은 대회사의 사장이 되는 것이었다. **3** 수뇌부, 수뇌 회의, 수뇌급: a ~ conference〔meeting〕 =~ talks 수뇌〔정상〕 회담/~ diplomacy 정상 외교. **4** (the S-) 선진국 수뇌 회의⦅매년 개최하며 선진 8 개국 수뇌가 모임⦆. **5** 〖수학〗 꼭짓점, 정점, 모서리. **—** *vi*. 정상회담에 참가하다. 「참가자〔국〕.
sum·mit·eer [sʌ̀mətíər] *n*. ⦅구어⦆ 수뇌 회담
súmmit lèvel 최고 클래스; (도로·철도 등의) 최고 지점. ***at ~*** ⦅구어⦆ 수뇌급(회담)에서〔의〕.
sum·mit·ry [sʌ́mitri] *n*. ⦅주로 미⦆ 수뇌 회담을 열기; 수뇌 외교(에의 의존); 수뇌 회담의 운영 방식; 〔집합적〕 수뇌회의.
***sum·mon** [sʌ́mən] *vt*. **1** ⦅~+목/+목+전+명/+목+*to* do⦆ 소환하다, 호출하다(call) ⦅*to*⦆; (피고 등에게) 출두를 명하다: ~ a defendant/He ~*ed* me *to* his bedside. 그는 나를 침대 곁으로 가까이 불렀다/He was ~*ed to* appear in court. 그는 법정 출두 명령을 받았다. **2** (의회·배심원 등을) 소집하다: ~ parliament. **3** ⦅+목+*to* do⦆ 〖군사〗 …에게 항복을 권하다: ~ the enemy *to* surrender 적에게 항복할 것을 권유〔요구〕하다. **4** ⦅~+목/+목+부⦆ (용기 따위를) 불러일으키다⦅*up*⦆: ~ (*up*) all one's strength 있는 힘을 다 내다/~ *up* the effort to do 분발하여 …하다. ㊞ **~·er** *n*. 소환자; 〖역사〗 (법정의) 소환 담당자.
°**sum·mons** [sʌ́mənz] (*pl*. ***~·es***) *n*. 소환, 호

출(장); 〖법률〗 (법원에의) 출두 명령, 소환장; (의회 등의) 소집; 〖군사〗 항복권고: serve a ~ on a person 아무에게 소환장을 내다. — *vt.* 법정에 소환하다, 호출하다, (법정에) 출석을 명하다.

sum·mum bo·num [sʌ́məm-bóunəm] 《L.》 (=the highest good) 〖윤리〗 최고(지고)선(善).

sump [sʌmp] *n.* 오수(汚水)(구정물) 모으는 웅덩이; 〖광산〗 (갱저(坑底)의) 물웅덩이; (엔진의) 기름통.

súmp pùmp (웅덩이(기름통)의 물(기름)을 퍼 올리는) 배출 펌프.

sump·ter [sʌ́mptər] *n.* 《고어》 복마(卜馬), 짐 싣는 노새; 그 마부.

sump·tion [sʌ́mpʃən] *n.* 가정(假定), 억측; 〖논리〗 대전제.

sump·tu·ary [sʌ́mptʃuèri/-tʃuəri] *a.* 비용 절감의, 사치를 금지하는《법령 따위》: a ~ law 사치 금지법(령).

sump·tu·ous [sʌ́mptʃuəs] *a.* 사치스러운, 화려한, 호화로운, 값진: a ~ feast 호화스러운 연회. ⓒⓕ luxurious. ⊕ **~·ly** *ad.* **~·ness** *n.*

súm tótal 총계; (the ~) 전체, 총체적 결과; 요지.

súm-ùp *n.* Ⓤ 《구어》 요약, 종합.

Sun [sʌn] *n.* **1** (the ~) 선 강《Montana주 북서부를 동으로 흘러 Great Falls에서 Missouri 강에 합류》. **2** 선사(社)(~ Co., Inc.)《미국의 대종합 석유 회사; 1901년 설립》. **3** (The ~) 선 《(1) 영국의 일간 대중지; 1964년 창간. (2) Maryland주 Baltimore시 발행의 조간지; 석간지는 *Evening Sun*; 1837년 창간의 미국 명문지》. **4** 선《Sun Microsystems사제의 컴퓨터 워크스테이션; 상표명》.

†**sun** [sʌn] *n.* **1** 〖일반적〗 (the ~) 태양, 해: heat from the ~ 태양열 / The ~ is rising. 해가 떠오른다 / Let not the ~ go down upon your wrath. 〖성서〗 해가 지도록 분을 품지 마라《에베소서 IV: 26》. **2** 햇빛, 일광; 햇볕: a glaring ~ 눈부신 햇빛 / in the scorching ~ 타는 듯한 태양 아래서 / expose a thing to the ~ 물건을 햇볕에 쬐다, 볕을 쬐다. **3** 항성(恒星): a ~. **4** 《시어》 해(year), 날(day). **5** 《고어》 해돋이; 일몰: work from ~ to ~ 종일 일하다. **6** 《문어》 영광, 광휘; 전성; 권세: His ~ is set. 그의 전성기는 지났다. ***against the ~*** 〖해사〗 태양의 움직임과 반대로; 왼쪽으로 도는. ⓄⓅⓅ *with the sun*. ***a place in the ~*** 볕이 잘 드는 장소, 양지; 장래가 약속된 지위. ***bask in the ~*** 햇볕을 쬐다. ***catch the ~*** 약간 볕에 타다; (방 따위가) 양지바르다. ***hail*** (***adore***) ***the rising ~*** 새 세력에 아첨(추종)하다. ***have been in the ~*** 《속어》 술 취해 있다. ***have the ~ in*** one's ***eyes*** 눈에 해가 비치다; 《속어》 술 취해 있다. ***hold a candle to the ~*** 쓸데없는 짓을 하다. ***in the ~*** 양지에; 걱정(고생) 없이; 뭇사람이 보는 곳에서. ⓒⓕ in the SHADE. ***rise with the ~*** 일찍 일어나다. ***see the ~*** 이 세상에 태어나다; 살아 있다. ***shoot the ~*** 《해사속어》 (육분의(六分儀)로) 위도를 재다. one's (***a***) ***place in the ~*** 누구나 받을 수 있는 것에 대한 몫; 순경(順境), 호조건; 자기(나라)를 위해 진력해야 할 지위; (세간의) 주목, 인식. ***take*** (***bathe in***) ***the ~*** 햇볕을 쬐다. ***the Sun of Righteousness*** 〖성서〗 정의의 태양, 예수. ***think the ~ shines out of*** a person's ***bum*** (***behind, backside, bottom***) 《비어》 아무를 더할 나위 없는 것으로 생각하다, 홀딱 반해 있다. ***touch of the ~*** 가벼운 일사병. ***under*** (***beneath***) ***the ~*** 이 세상에(in the world), 하늘 아래; 《강조구로서》 도대체(on earth): everything *under the* ~ 이 세상에 있는 모든 것 / There is nothing new *under the* ~. 《속담》 하늘 아래 새로운 것은 하나도 없다. ***with the ~*** 〖해사〗 태양의 움직임과 같은 방향으로; 오른쪽으로 돌아. ⓄⓅⓅ *against the sun*.
— (*-nn-*) *vt.* 햇볕에 쬐다, 볕에 말리다. — *vi.* 햇볕을 쬐다, 일광욕하다. ~ one*self* 일광욕하다.

Sun. Sunday.

sún-and-plánet gèar 〖기계〗 유성(遊星) 톱니바퀴 장치.

sún-and-plánet mòtion 〖기계〗 유성(遊星) 운동《유성 톱니바퀴 장치의》.

sún·bàke *n.* 《Austral. 구어》 일광욕 (시간, 기간).

sún·bàked [-t] *a.* 햇볕에 말린, 햇볕에 탄.

sún·bàth *n.* 일광욕; 태양등(燈) 조사(照射).

sún·bàthe *vi.* 일광욕을 하다. ⊕ **-bàther** *n.*

*__sun·beam__ [sʌ́nbìːm] *n.* 일광, 광선, 햇살. ⊕ **~ed, ~y** *a.*

sún bèd 일광욕용 침대; 선베드《태양 등을 이용하도록 조립된 침대》.

Súnbelt (**Zòne**) (the ~) 선벨트, 태양 지대 《미국 남부를 동서로 뻗은 온난 지대》. ⓒⓕ Snowbelt.

sún·bìrd *n.* 〖조류〗 태양조.

sún·blìnd *n.* 《영》 =AWNING; VENETIAN BLIND.

sún blòck 자외선 방지 (크림, 로션).

sún·bònnet *n.* (어린애 · 여성용) 차일(遮日) 모자.

sún·bòw [-bòu] *n.* 태양 광선으로 생기는 무지개《폭포 등에서 볼 수 있는》.

sún·brèak(**er**) *n.* (일광을 막기 위한 건물의) 차양, 차일; 일출《갑자기 구름 사이로 비치는 강렬한 햇살》.

*__sun·burn__ [sʌ́nbə̀ːrn] *n.* Ⓤ,Ⓒ 볕에 탐. — (*p., pp.* ***-burnt, burned***) *vi.* 햇볕에 타다: My skin ~s quickly. — *vt.* 햇볕에 태우다(그을리다). ***get ~t*** 햇볕에 타다.

sún·bùrned *a.* 볕에 그을린(탄).

sún bùrner 태양등.

sún·bùrnt SUNBURN의 과거 · 과거분사. — *a.* =SUNBURNED.

sún·bùrst *n.* 구름 사이로 비치는 강렬한 햇살; (보석을 박은) 해 모양의 브로치; 햇살같이 퍼지는 꽃불.

súnburst plèats 〖복식〗 선버스트 플리츠 (sunray pleats)《스커트의 위는 좁게, 아래는 넓게 잡은 주름》.

sún·crèam *n.* 선크림《피부를 보호하면서 곱게 태움》.

sún·cùred *a.* (고기 · 과일 등을) 햇볕에 말린.

Sund. Sunday.

sun·dae [sʌ́ndei, -di] *n.* 아이스크림선디《시럽 · 과일 등을 얹은 아이스크림》.

Sún Dày 태양의 날《태양 에너지 개발 촉진일》.

†**Sun·day** [sʌ́ndei, -di] *n.* **1** 일요일, (기독교회의) 안식일(Sabbath): keep (observe) ~ 안식일(주일)을 지키다. **2** 〖형용사적으로〗 나들이의, 가장 좋은: ~ manner 남의 앞에서의 예절. **3** 〖부사적으로〗 《구어》 일요일(같은 날)에는(on ~). ***a month of ~s*** ⇨ MONTH. ***last ~*** =***on ~ last*** 지난 주 일요일(에). ***look two ways to find ~*** 사팔눈이다. ***Low ~*** 부활절 다음의 일요일. ***next ~*** =***on ~ next*** 내주 일요일(에).

Súnday bést (**clóthes**) 《구어》 나들이옷: in one's ~ 차려 입고.

Súnday dríver 일요 운전자《아직 미숙하여 신중하게 운전하는》.

Súnday-gò-to-méeting *a.* 《구어 · 우스개》 (말씨 · 옷 따위가) 일요일에 교회 가기에 알맞은, 가장 좋은, 나들이용의.

Súnday létter =DOMINICAL LETTER.

Súnday páinter 일요(아마추어) 화가.

Súnday páper 일요지(紙), 일요판《일요일에 발행되는 신문》.

Súnday púnch 《구어》 (권투의) 강타(hard blow), 녹아웃 펀치; (적에 대한) 강력한 타격.

Súnday róast 〔**jóint**〕 (the ~) 선데이 로스트《영국에서 일요일에 먹는 전통적 점심. 로스구이에 야채와 고깃국물 소스가 곁들임》.
Sún·days *ad.* 일요일마다〔에는 언제나〕(on ~).
Súnday Sáint 《속어》 일요일에만 신자인 체하는 사람, 일요 성인(聖人); 위선자.
Súnday Schòol 〔**schòol**〕 주일 학교; 그 직원〔학생〕《생략: S.S.》.
sún dèck 〚해사〛(여객선 등의) 상(上)갑판; 일광욕용(用) 옥상〔테라스〕.
sun·der [sʌ́ndər] 《고어·문어》 *vt.* 떼다, 가르다, 쪼개다, 자르다. ― *vi.* 끊어지다, 분리되다. ― *n.* 《다음 관용구로만》 *in* ~ 떨어져서, 따로따로: break *in* ~ 산산이 부수다. ㊎ **~·ance** [-dərəns] *n.* 분리, 격리, 절단.
sún·dèw *n.* 〚식물〛 끈끈이주걱《식충(食蟲) 식물》.
sún·dìal *n.* 해시계.
sún·dòg *n.* **1** =PARHELION. **2** 작은〔부분〕 무지개《지평선 근처에 나타남》.
sún·dòwn *n.* Ⓤ 일몰 (sunset). OPP *sunup.* ¶ at ~ 해질녘에. ― *vi.* 〚정신의학〛 일몰 환각을 체험〔경험〕하다. ㊎ **~·er** *n.* 《Austral. 속어》 부랑자(hobo); 《주로 영구어》 저녁 때의 한 잔(술).

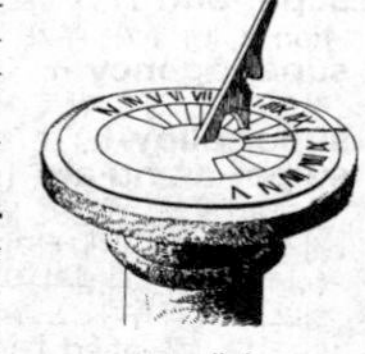
sundial

sún-drènched [-t] *a.* (해안 따위가) 강렬한 햇빛을 받은〔에 드러난〕.
sún·drèss *n.* (팔·어깨 따위가 노출된) 여름용 드레스.
sún·drìed *a.* 볕에 말린: ~ bricks 〔raisins〕.
sun·dries [sʌ́ndriz] *n. pl.* 잡화, 잡동사니; 잡건(雜件); 잡비; 〚부기〛 제(諸)계정.
sun·dry** [sʌ́ndri] *a.* 갖가지의, 잡다한: ~ goods 잡화. ― *pron.* (*pl.*) 잡다한 사람들〔일〕, 무수(無數). ***all and ~ 각자, 저마다, 누구나 모두. ㊎ **sún·dri·ly** *ad.*
súndry shòp (말레이시아에서) 주로 중국 식료품 판매점.
sún·fàst *a.* 《미》 햇볕에 색이 바래지 않는.
SUNFED Special United Nations Fund for Economic Development(국제 연합 경제 개발 특별 기금).
sún·fish *n.* 〚어류〛 개복치; 작은 민물고기《북아메리카산(産)》.
°sún·flòwer *n.* 해바라기《Kansas 주의 주화(州花)》.
Súnflower Státe (the ~) Kansas 주의 속칭.
sung [sʌŋ] SING의 과거·과거분사.
sún gèar 〚기계〛 태양 기어《유성 기어의 중심 기어》.
sún·glàss *n.* 화경(火鏡)(burning glass); (*pl.*) 색안경, 선글라스.
sún·glòw *n.* 아침놀, 저녁놀; 태양백광(corona).
sún-gòd *n.* 해의 신(神), 태양신.
sún hàt 볕 가리는 (밀짚)모자《챙이 넓은》.
sún hèlmet (챙 넓은) 볕 가리는 헬멧.
sunk [sʌŋk] SINK의 과거·과거분사. ― *a.* **1** 가라앉은, 침몰〔매몰〕된(sunken). **2** 〚서술적〛 《구어》 패배한(subdued): Now we are ~. 이젠 끝장이다〔글렀다〕.
°sunk·en [sʌ́ŋkən] SINK의 과거분사. ― *a.* **1** 가라앉은; 물속의, 물 밑의; 움푹 들어간, 내려앉은; 파묻힌, 땅속의: ~ rocks 암초. **2** 살 빠진: ~ cheeks 홀쭉한 볼 / ~ eyes 움푹 들어간 눈.
súnken gárden 침상원(沈床園)(=**súnk gárden**)《주위보다 한층 낮게 만든 정원》.
súnk fénce 은장(隱墻)(ha-ha)《경관을 해치지 않고 토지를 경계 짓기 위하여 땅속에 설치된 담》.
sún-kíssed [-t] *a.* 햇볕을 쬔, 햇볕에 탄; 《비유》 명랑한, 밝은.
sún làmp **1** =SUNLAMP. **2** 〚영화〛 포물면경이 있는 큰 전등《영화 촬영용》.
sún·làmp *n.* 〚의학〛 태양등《피부병 치료·미용(用)》.
sún·less *a.* 볕이 들지 않는, 어두운; 희망 없는, 쓸쓸한.
sun·light** [sʌ́nlàit] *n.* Ⓤ 햇빛, 일광. ***artificial ~ 태양등.
sún·lìt *a.* 햇볕에 쬐인, 볕이 드는; 희망에 찬.
sún lòunge 《영》 일광욕실(《미》 sun parlor).
Sún Mi·cro·sýs·tems [-màikrousìstəmz] 선 마이크로시스템사(社)《미국의 컴퓨터 회사; 1982년 설립》.
sunn [sʌn] *n.* 활나물속(屬)의 섬유(纖維) 식물(=**súnn hèmp**)《인도산 콩과(科)》.
sun·na, -nah [súnə, sʌ́nə] *n.* 《Ar.》 (종종 S–) 수나《Muhammad의 언행에 바탕을 두고 이루어졌다는 회교의 구전(口傳) 율법》.
Sun·ni [súni] *n.* **1** 수니파(派), 수나파《회교의 2대 분파의 하나》. cf. Shi'a. **2** =SUNNITE. ― *a.* 수니파의. ㊎ **-nism** *n.* 수니파의 교의.
Sun·nite [súnait] *n.* (회교의) 수니파교도《코란과 더불어 전통적 구전(口傳)을 신봉함》.
sun·ny** [sʌ́ni] (-ni·er; -ni·est***) *a.* **1** 양지바른, 밝게 비치는, 햇볕이 잘 드는(OPP *shady*): a ~ room. **2** 태양의〔같은〕; 명랑한, 쾌활한, 밝은(OPP *dark*): a ~ disposition 쾌활한 기질. ㊎ **sún·ni·ly** *ad.* 햇볕이 들어; 명랑〔쾌활〕하게. **-ni·ness** *n.*
sunn·ya·see [sʌnjɑ́:si] *n.* =SANNYASI.
súnny sìde 태양이 비치는 곳; 밝은〔유쾌한〕 면, 바람직한 면. ***on the*** ~ ***of*** (fifty), (50세)보다 젊게〔이전으로〕.
súnny-side úp (달걀이) 한쪽만 프라이한; 《미속어》 엎드려 뻗은.
sún pàrlor 《미》 일광욕실.
sún pòrch 《미》 (특히 유리를 두른) 일광욕실.
sún·pròof *a.* 햇빛이 통하지 않는; 내광성(耐光性)의, 색이 바래지 않는.
sún protèction fàctor 태양 광선 보호지수, 태양 광선 차단지수.
sún·rày *n.* 태양 광선; (*pl.*) 인공 태양 광선《의료용 자외선》: ~ treatment 일광 요법.
súnray plèats 〚복식〛 =SUNBURST PLEATS.
Sún rèader 《영·경멸》 선 애독자《정치적으로 우익적이고 고등 교육을 받지 않은, *The Sun*의 독자층에 속하는 사람》.
***sun·rise** [sʌ́nràiz] *n.* Ⓤ **1** 해돋이, 일출, 해뜨는 시각(sunup); 동틀 녘; 아침놀: at ~ 동틀 녘에. **2** 《시어》 해뜨는 곳, 동쪽. **3** (인생의) 초기, 초년, 시발: at ~ of the 20th century, 20세기 초에. OPP *sunset.*
súnrise ìndustry (기술 집약형) 신흥 산업. cf. sunset industry.
sún·ròof *n.* 일광욕용 옥상〔지붕〕; (자동차의) 개폐식 천창 달린 지붕(sunshine roof).
sún·ròom *n.* =SUN PARLOR.
sún·scrèen *n.* 햇볕 차단제(劑). ㊎ **~·ing** *a.*
sún·sèeker *n.* **1** 피한(避寒)객. **2** 향일 장치, (특히 우주선의) 태양 추적 장치.
***sun·set** [sʌ́nsèt] *n.* Ⓤ **1** 해넘이, 일몰; 해질녘, 해거름; 저녁놀이 진 하늘: at ~ 해질 녘에 / after ~ 일몰 후에. **2** 해지는 쪽, 서쪽. **3** 《비유》 만년(晩年), 말로; 쇠미: the ~ of life 늘그막, 만년. OPP *sunrise.*
súnset ìndustry 사양 산업. cf. sunrise industry.
súnset làw 〔**provìsion**〕 《미》 선셋법, 행정 개혁 촉진법《정부 기관〔사업〕 존폐의 정기적인 검토를 의무화시킨 법》.
Súnset Státe (the ~) Oregon 주의 속칭.
sún·shàde *n.* (대형) 양산; (창 따위의) 차양;

(여성 모자의) 챙, 렌즈 후드(hood) ⦅따위⦆; (*pl.*) ⦅속어⦆ 선글라스.

†**sun·shine** [sʌ́nʃàin] *n.* Ⓤ **1** 햇빛, 일광(日光); 양지: in the ~ 양지에서 / You are my ~. 당신은 나의 태양. **2** 맑은 날씨. **3** ⦅비유⦆ 쾌활, 명랑, 쾌활〔명랑〕한 사람; 행복의 근원. **4** ⦅영구어⦆ 날씨 좋군요, 안녕하세요. **5** ⦅미속어⦆ 환각제 LSD의 노란〔오렌지색〕 정제(=∠ **pill**). **6** ⦅미속어⦆ 흑인.

súnshine làw ⦅미⦆ 선샤인법, 의사(議事) 공개법⦅Florida(=*Sunshine* State)에서 최초로 시행됨⦆.

súnshine recòrder 자동 일조계(日照計).

súnshine ròof =SUNROOF.

Súnshine Státe (the ~) Florida 〔New Mexico, South Dakota〕 주의 속칭.

sun·shiny [sʌ́nʃàini] *a.* 햇볕이 잘 드는, 양지바른; 청명한; 명랑한, 쾌활한.

sún-shòwer *n.* 여우비.

sún spàce 태양열 주택(부속)의 방⦅일광욕실 · 온실 따위⦆; 햇볕이 드는 곳.

***sun·spot** [sʌ́nspɑ̀t/sʌ́nspɔ̀t] *n.* 태양의 흑점; 〖의학〗 주근깨(freckle); ⦅영구어⦆ 휴일에 일광욕하러 사람들이 모이는 곳. 「=AVENTURINE.

sún·stòne *n.* Ⓤ 〖광물〗 일장석(日長石);

sún·stròke *n.* Ⓤ 일사병: have 〔be affected by〕 ~ 일사병에 걸리다. 「햇빛에 빛나는.

sún·strùck *a.* 일사병에 걸린; 태양빛에 물든,

sún·sùit *n.* (일광욕이나 놀이 때 입는 간단한) 옷⦅흔히 halter와 반바지⦆.

sún·tàn *n.* 볕에 그을음; 밝은 갈색; 볕에 그을린 빛; (*pl.*) 담갈색 여름 군복. ㊎ **~ned** *a.*

súntan lòtion 선탠 로션〔크림, 오일〕.

sún tràp (집안의) 양지바른 곳.

sún·ùp *n.* ⦅미⦆ =SUNRISE.

sún vìsor 차양판⦅자동차의 직사광선을 피하는⦆.

sun·ward [sʌ́nwərd] *ad.* 태양 쪽으로. ― *a.* 태양 쪽의, 태양을 향한.

sun·wards [sʌ́nwərdz] *ad.* =SUNWARD.

Sun Wen, Sun Wên [súnwén] 쑨원(孫文) ⦅중국의 정치가 · 혁명가; 1866-1925⦆.

sún whèel 〖기계〗 =SUN GEAR.

sun·wise [sʌ́nwàiz] *ad.* 태양의 운행과 같은 방향으로, 왼쪽에서 오른쪽으로(clockwise).

sún wòrship 태양(신) 숭배.

Sun Yi·xian, Sun Yat-sen [súnjíːʃiáːn], [súnjáːt-sén] 쑨이셴(孫逸仙)(Sun Wen).

sup[1] [sʌp] (*-pp-*) *vt.* ⦅드물게⦆ …에게 저녁을 먹이다. ― *vi.* 저녁을 먹다. ~ ***off*** 〔***on***〕 저녁으로 …을 먹다. ~ ***out*** 밖에서 저녁을 먹다.

sup[2] (*-pp-*) *vt.* 홀짝이다, 홀짝홀짝 마시다(sip); …을 맛보다, 경험하다. ― *vi.* ⦅방언⦆ 홀짝이다, 숟가락으로 조금씩 떠먹다: He needs a long spoon that ~*s* with the devil. ⦅속담⦆ 악인을 대할 때는 조심하는 게 상책. ― *n.* ⦅Sc.⦆ (음료의) 한 모금, 한 번 마시기⦅*of*⦆.

sup- [səp, sʌp] *pref.* =SUB- ⦅p 앞에서의 꼴⦆.

sup. superior; superlative; supine; supplement(ary); *supra* ⦅L.⦆ (=above); supreme.

Sup. Ct. Superior Court; Supreme Court.

supe [suːp/sjuːp] *n.* ⦅속어⦆ =SUPER.

su·per [súːpər/sjúː-] *n.* ⦅구어⦆ **1** 단역(端役), 엑스트라 (배우)(supernumerary); 불필요한 사람; 여분. **2** 감독, 관리자(superintendent). **3** 〖상업〗 특등〔특대〕품; 〖영화〗 특작 영화(superfilm). **4** = SUPERMARKET. **5** (제본용의) 성긴 면포(綿布), 한랭사(寒冷紗). ― *a.* ⦅구어⦆ 최고(급)의, 극상의, 특대의; 초고 성능의; 표면의(superficial), 면적의; 평방의; 〖상업〗 특등품의: a ~ player 최고의 선수 / 150 ~ feet =150 feet ~ ⦅영⦆ 150 제곱피트. ― *ad.* ⦅속어⦆ 대단히, 굉장히, 특별히: ~ classy 최고급의 / This is ~ secret. 이것은 극비 중의 극비이다.

su·per- [súːpər/sjúː-] *pref.* 〘형용사 · 명사 · 동사에 붙여서〙 '…의 위에, 더욱 …하는, 뛰어나게 …한, 과도하게 …한, 초(超)…, 〖화학〗 과(過)…' 의 뜻. 「supernumerary.

super. superfine; superior; superintendent;

su·per·a·ble [súːpərəbəl/sjúː-] *a.* 이길〔정복할〕 수 있는. 「⦅*in; with*⦆.

sùper·abóund *vi.* 너무〔아주〕 많다; 남아돌다

sùper·abúndant *a.* 과다한; 남아돌아가는. ㊎ **-dance** *n.* 여분으로 있음; 과다, 여분.

superáctinide sèries 〖화학〗 슈퍼악티늄 계열⦅transactinide series 보다 큰 원자 번호를 갖는 초중(超重) 원소의 계열⦆.

sùper·ádd *vt.* 더 보태다, 덧붙이다. ㊎ **-addítion** *n.* Ⓤ 추가, 부가, 첨가; Ⓒ 추가물, 첨가물.

súper·àgency *n.* 출장소, 지청 등을 감독하는 정부 기관, 상부 감독 기관. 「에 견딤⦆.

sùper·álloy *n.* 초(超)합금⦅산화 · 고온 · 고압

su·per·an·nu·ate [sùːpərǽnjuèit/sjùː-] *vt.* **1** 고령〔병약〕 때문에 퇴직시키다, 연금을 주어 퇴직시키다; 시대에 뒤진다 하여 제거하다. **2** ⦅영⦆ (성적이 나쁜 학생의) 퇴학을 요구하다. ― *vi.* 노령으로 퇴직하다; 노후하다, 시대에 뒤지다, 구식이 되다. ㊎ **-àt·ed** [-id] *a.* **sù·per·àn·nu·á·tion** *n.* Ⓤ 노년〔정년〕 퇴직; Ⓒ 퇴직금〔연금〕; Ⓤ 노후(老朽), 노쇠.

sùper·atómic *a.* 초(超)원자의.

***su·perb** [supə́ːrb/sju-] *a.* 훌륭한, 멋진; (건물 등이) 당당한, 장려한, 화려한; 뛰어난. ⓒⓕ majestic, splendid. ㊎ **~·ly** *ad.* **~·ness** *n.*

súper·bàby *n.* (때로 S-) 영재 교육을 받는 유유아(乳幼兒); (S-) 젖먹이 슈퍼맨.

súper·bazà(a)r *n.* ⦅Ind.⦆ (특히 정부 설립의 협동조합 방식에 의한) 슈퍼마켓.

súper·blòck *n.* 초가구(超街區), 슈퍼블록⦅교통을 차단한 주택 · 상업 지구⦆.

súper·bòlt *n.* 〖기상〗 초(超)전광⦅10^{13} 와트의 광(光)에너지를 내는 번개⦆.

súper·bòmb *n.* 초고성능 폭탄⦅수소폭탄 따위⦆. ㊎ **~·er** *n.* 초대형 폭격기⦅superbomb 을 탑재⦆.

Súper Bówl (the ~) 슈퍼볼⦅1967 년에 시작된, 미국 프로 미식축구의 왕좌 결정전⦆.

súper-bùg *n.* 슈퍼 세균⦅항생 물질 등의 약에 내성이 강한 세균⦆.

sùper·cálender *n.* (종이에) 특별한 광택을 내는 기계. ― *vt.* (종이를) ~로 광택을 내다: ~*ed* paper 특별한 광택이 나도록 마무리한 종이.

sùper·capácity *n.* 초용량(超容量), 초고성능.

súper·càrgo (*pl.* ~(*e*)*s*) *n.* 〖상업〗 화물 관리인⦅상선에서 실은 화물을 감독함⦆. 「에 의한⦆.

súper·càrrier *n.* 초대형 항공모함⦅원자력 등

súper·cènter *n.* (특히 교외의) 대형 쇼핑센터.

súper·chàrge *vt.* (엔진 따위에) 과급(過給)하다, …을 가압(加壓)하다; (감정 · 긴장 · 에너지 등을) 지나치게 들이다. ㊎ **-chàrger** *n.* (엔진의) 과급기.

súper-chìc *a.* 최고급의: a ~ restaurant.

súper·chìp *n.* 슈퍼칩, 초(超)LSI⦅대규모 집적회로⦆. 「합 교회⦆.

súper·chùrch *n.* 거대 교회⦅여러 파(派)의 통

su·per·cil·i·ary [sùːpərsílièri/sjùːpəsíliəri] *a.* 눈(꺼풀) 위의; 눈썹의.

su·per·cil·i·ous [sùːpərsíliəs/sjùː-] *a.* 거만한, 젠체하는, 사람을 깔보는, 거드름 피우는. ㊎ **~·ly** *ad.* **~·ness** *n.* 「lis).

súper·cìty *n.* 거대 도시, 대도시권(megalopo-

súper·clàss *n.* 〚생물〛 (분류상의) 초강(超綱).
súper·clùster *n.* 〚천문〛 초(超) 은하단(=**súpergàlaxy**). 「*a.*
súper·còil *n.* 〚생화학〛 =SUPERHELIX. ㊕ **~ed**
súper·collìder *n.* 슈퍼컬리더《초대형 입자 가속기》.
súper·colóssal *a.* 어마어마하게 거대한, 초(超)대작의. 「(重列柱式).
sùper·columniátion *n.* Ⓤ 〚건축〛 중열주식
sùper·compúter *n.* 슈퍼컴퓨터, 초고속 전산기. 「산(演算).
sùper·compúting *n.* 슈퍼컴퓨터에 의한 연
sùper·condúct *vi.* 초전도(超傳導)하다.
sùper·conductívity *n.* 〚물리〛 초전도성(超傳導性). ㊕ **-condúction** *n.* **-condúctive, -ting**
sùper·condúctor *n.* 초전도체(超傳導體). 「*a.*
sùper·cónscious *a.* 〚심리〛 인간의 의식을 초월한, 초의식의. **—** *n.* 초의식(超意識). **~·ly** *ad.* **~·ness** *n.*
sùper·cóntinent *n.* 〚지학〛 초(超)대륙《현재의 대륙이 예전에는 하나의 땅덩어리였다는 가상의》.
sùper·cóol *vt., vi.* 〚화학〛 (액체를) 응고시키지 않고 빙점 이하로 냉각하다, 과냉(過冷)하다〔되다〕. ㊕ **~ed** *a.*
súper·còuntry *n.* 초(超)대국.
su·per·crat [súːpərkræt] *n.* 《구어》 (각료급의) 고급 관료, 고관.
sùper·crítical *a.* 〚물리〛 (핵반응 물질 농도 등) 임계(臨界) 초과의, 초임계의: ~ state 초임계 상태. ㊕ **~·ly** *ad.*
supercrítical wíng 〚항공〛 초임계익(超臨界翼), 천(遷)음속익《기류가 날개 위를 초음속으로 흘러 충격파 발생을 제거케 한 날개》.
súper·cùrrent *n.* 〚물리〛 초전도(超傳導) 전류.
súper·dòme *n.* 슈퍼돔《둥근 지붕에 냉난방 완비의 초대형 스타디움》.
sùper·dóminant *n.* 〚음악〛 상속음(上屬音)《음계의 제6음》.
sùper·dréadnought *n.* 초노급(超弩級) 전함.
sùper-dú·per [-djúːpər/-djúː-] *a.* 《구어》 훌륭한, 월등히 좋은, 거대한, 극상의.
sùper·égo *n.* 〚정신분석〛 초자아(超自我), 상위(上位) 자아《자아를 감시하는 무의식적 양심》.
sùper·élevate *vt.* 〚토목〛 …에 외쪽 경사가 지게 하다(bank). ㊕ **~d** [-id] *a.* 외쪽 경사가 진(banked).
sùper·elevátion *n.* **1** 한쪽 경사(傾斜)《철도·고속도로 등의 커브길에서 바깥쪽을 높인》. **2** 추가적으로 높임.
sùper·éminent *a.* 탁월한; 빼어난. ㊕ **~·ly** *ad.* **-nence** *n.*
sùper·empírical *a.* 초경험적인, 경험을 초월한, 경험적 방법을 초월하여 얻은.
su·per·er·o·gate [sùːpərérəgèit] *vi.* 직무〔필요〕 이상의 일〔것〕을 하다.
sùper·erogátion *n.* Ⓤ 직무 이상의 일; 과분한 노력; 〚종교〛 적선, 공덕(功德).
su·per·e·rog·a·to·ry [sùːpərərágətɔ̀ːri/sjùːpərərɔ́gətəri] *a.* 직무 이상의 일을 하는; 여분의.
Su·per-É·tend·ard [sùːpəreitáːndaːrd/sjùː-] *n.* 〚군사〛 슈퍼에탕다르《프랑스제 최신예 함재(艦載) 전투 폭격기; 1인승; 폭탄 외에 대함 미사일 Exocet 도 탑재함》. 「퍼마켓.
su·per·ette [sùːpərét/sjùː-] *n.* 《미》 소형 슈
sùper·éxcellent *a.* 극히 우수한, 탁월한, 무상(無上)의, 절묘한. ㊕ **-éxcellence** *n.*
sùper·expréss *a., n.* 초특급의 (열차).
súper·fàmily *n.* 〚생물〛 (분류상의) 상과(上科), 초과(超科).
sùper·fátted [-id] *a.* 지방(脂肪) 과다 함유의: ~ soap 과(過)지방 비누.

su·per·fec·ta [sùːpərféktə/sjùː-] *n.* 《미》 〚경마〛 4연승 단식 승마 투표법〔권〕《1착에서 4착까지를 알아맞히는》. ⓒⓕ perfecta, trifecta.
sùper·fecundátion *n.* 과(過)임신, 동기(同期) 복(複)임신.
sùper·fémale *n.* 〚유전〛 초자(超雌)(metafemale)《X염색체 수가 보통보다 많은 불임자성(不姙雌性) 생물, 특히 초파리》.
Su·per·fet [súːpərfet/sjúː-] *n.* 《미》 슈퍼펫《고속·대(大)전력 집적 회로의 일종; 상표명》.
su·per·fe·ta·tion [sùːpərfiːtéiʃən/sjùː-] *n.* 〚동물〛 과(過)수태〔수정(受精)〕, 이기(異期) 복(複)임신; 과잉 산출〔축적〕, 누적.
*__su·per·fi·cial__ [sùːpərfíʃəl/sjùː-] *a.* **1** 표면(상)의, 외면의; (상처 따위가) 표면에 있는; 외견상의: a ~ wound 얕은 상처 / a ~ resemblance 외견상의 유사〔닮음〕. **2** 면적의, 제곱의: ~ dimensions 면적. **3** 피상적인, 천박한: a ~ writer 천박한 작가. **4** 영향이 적은; 실질적이 아닌, 무의미한: ~ improvements 알맹이 없는 개선. ㊕ **~·ly** *ad.* 외면적으로, 피상적으로, 천박하게. **~·ness** *n.* **-fi·ci·al·i·ty** [-fiʃiǽləti] *n.* Ⓤ 표면적〔피상적〕임, 천박; Ⓒ 천박한 것. 「하 조직.
superfícial fáscia 〚해부〛 천근막(淺筋膜), 피
su·per·fi·ci·es [sùːpərfíʃiìːz, -ʃiːz/sjùː-] (*pl.* ~) *n.* 표면; 면적; 외관, 외모; 〚법률〛 지상권
súper·film *n.* 특작 영화. 」(權).
sùper·fíne *a.* 지나치게 세밀한; 미세한; 〚상업〛 극상의, 월등한.
su·per·fix [súːpərfìks/sjúː-] *n.* 〚음성〛 상피(上被)《복합어 등에 공통으로 나타나는 강세형(型); 복합 명사의 ˊˋ 따위》.
sùper·flúid *n., a.* 〚물리〛 초유동체(超流動體)(의). ㊕ **-fluídity** *n.* Ⓤ 〚물리〛 초유동.
su·per·flu·i·ty [sùːpərflúːəti/sjùː-] *n.* **1** Ⓤ,Ⓒ 여분; 과다《*of*》. **2** (보통 *pl.*) 없어도 좋은 물건, 사치품, 남아돌아가는 재산.
*__su·per·flu·ous__ [suːpə́ːrfluəs/sjuː-] *a.* 남는, 여분의, 과잉의; 불필요한. ㊕ **~·ly** *ad.* **~·ness**
sùper·flúx *n.* 과잉; 과잉 유출〔유입〕. 」*n.*
Su·per·fort, Su·per·for·tress [súːpərfɔ̀ːrt/sjúː-], [-ris] *n.* 〚미군사〛 초(超)공중 요새《2차 대전 말의 B-29; 후의 B-50》.
sùper·fréeze *vt.* …을 극도로 냉각하다.
súper·fùnd *n.* (막대한 비용이 드는 프로젝트를 위한) 대형 기금; 《S-》《미》 유해 산업 폐기물 처리 기금.
súper Ǵ 〚스키〛 슈퍼 대회전《대회전(大回轉)보다 기문(旗門) 간격이 좁고 활강에 비해 짧은 코스에서 행함》. [◂ *super giant slalom*]
su·per·gene [súːpərdʒìːn/sjúː-] *n.* 〚유전〛 초(超)유전자《동일 염색체 안에 있으면서 단일 유전자로서 작용하는 유전자군(群)》.
súper·gìant *n.* 아주 거대한 것; 초거대 기업; 초유력자; 〚천문〛 초거성(=~ **stár**)(ⓒⓕ giant star). **—** *a.* 아주 거대한. 「다).
súper·glùe *n., vt.* 강력 순간 접착제(로 붙이
súper·gòvernment *n.* 연방 정부 (조직); 강력한 정부.
súper·gràss *n.* 《구어》 (많은 인물에 관한 중대한 정보를 제공하는) 거물 정보원〔밀고자〕.
sùper·grávity *n.* 〚물리〛 초(超)중력.
súper·gròup *n.* 〚음악〛 슈퍼그룹《해체된 몇 개 그룹의 우수한 멤버들로 재편성된 록 밴드》.
súper·hàwk *n.* (핵전쟁도 불사하는) 초강경파 사람.
sùper·héat *vt.* 〚화학〛 (액체를) 비등(沸騰)하지 않고 끓는점 이상으로 가열하다, 과열하다. ⓒⓕ supercool. **—** [ˊ-ˋ] *n.* Ⓤ 과열 (상태). ㊕ **~·er**

n. (증기 따위의) 과열 장치〔과열기(器)〕.
sùper·héavy 〖물리〗 a. 초중(超重)의《기지(旣知)의 것보다 큰 원자 번호·원자 질량을 갖는》: ~ atom 초중 원자. **—** n. 초중 원소.
superhéavy èlements 〖물리〗 초중 원소.
súper héavyweight (올림픽 역도·레슬링·복싱 따위의) 슈퍼헤비급 선수.
súper·hèlix n. 〖생화학〗 초(超)헬릭스(=**súper-còil**)《DNA 등의 나선 구조를 가진 중합 사슬이 다시 꼬인 것》.
súper·hèro (pl. **~s**) n. 슈퍼히어로《(1) 초(超)일류 탤런트·운동선수(superstar). (2) 만화에서 초인적 능력으로 악과 싸우는 가공의 영웅》.
sùper·héterodyne n. U,C, a. 〖통신〗 슈퍼헤테로다인, 고감도 수신 장치; 슈퍼헤테로다인(장치)의.
súper·high fréquency 〖전기〗 센티미터파(波), 초고주파《생략: SHF》.
súperhigh préssure 〖전기〗 초고압.
sùper·híghway n. 《미》 (폭이 넓은) 간선 고속도로.
sùper·húman a. 초인적인, 사람의 능력〔영역〕 이상의, 인간 이상의 힘을 가진: a ~ being 초인간적 존재〔힘〕/ a ~ effort 초인적인 노력. ㊞ **~·ly** ad. **~·ness** n.
sùper·impóse vt. 위에 놓다, 겹쳐 놓다《on》; 덧붙이다, 첨가하다; 〖영화·TV〗 2중으로 인화하다《두 화상을 겹쳐 인화하여 새 화면을 만들기》. ㊞ **-imposítion** n.
sùper·incúmbent a. (다른 물건) 위에 있는, 위로 뻗어나와 있는; 위로부터의《압력 따위》.
sùper·indivídual a. 초개인적인, 한 개인을 초월한 조직〔존재〕의.
sùper·indúce vt. 덧붙이다, 첨가하다; (병 따위를) 병발시키다; (…을) 다시 유발〔야기〕시키다: ~ a new theory of vision upon one's former plan 지금까지의 계획에 새로운 미래상을 부가하다. ㊞ **-indúction** n. U 덧붙이기, 부가, 첨가; 여병 병발(餘病倂發).
sùper·inféction n. 〖의학〗 중(복)감염. ㊞ **sùper·inféct** vt.
◇**su·per·in·tend** [sùːpərinténd/sjùː-] vt., vi. 지휘〔관리, 감독〕하다. ㊞ **~·ence** [-əns] n. U 지휘, 관리; 감독: under the ~*ence* of …의 감독 아래. **~·en·cy** [-ənsi] n. U 감독자의 지위〔권한, 직무〕.
su·per·in·tend·ent** [sùːpərinténdənt/sjùː-] n. 감독자, 지휘〔관리〕자; 소장, 원장, 교장; 장관; 국장; 부장; 《미》 경찰 본부장, 경찰서장; 《영》 총경; (신교의) 감독; 《미》 (건물의) 관리인. ***the ~ of schools 교육장(長). **—** a. 감독〔지휘, 관리〕하는.
Su·pe·ri·or [səpíəriər, su-/sju-] n. **Lake ~** 슈피리어호(湖)《북아메리카 5 대호의 하나》.
****su·pé·ri·or** [səpíəriər, su-/sjuː-] a. **1** (지위·계급 등이) (보다) 위의, 보다 높은, 보다 고위〔상위〕의, 상급의《to》: one's ~ officer 상관. **2** (소질·품질 따위가) 우수한, 보다 나은, 뛰어난《to》; 양질의, 우량한. OPP *inferior*. ¶ ~ quality 상등질 / ~ persons 우수한 사람들; 〖비꼬아서〗 높으신 양반들. **3** (수량적으로) 우세한, 다수의: the ~ numbers 우세, 다수 / escape by ~ speed 상대방보다 빠른 속도로 달아나다. **4** (유혹 따위에) 초연한, …에 좌우되지〔영향을 받지〕 않는《to》: ~ *to* bribery 〔temptation〕 뇌물〔유혹〕에 동요되지 않는 / I'm ~ *to* that fear. 그러한 무서움쯤은 아무것도 아니다. **5** 거만한, 잘난 체하는: with ~ airs 거만하게. **6** (장소·위치 따위가) 보다 높은 (곳에 있는); 상부의, 위쪽의; 〖천문〗 외측의: the ~ strata 상층 지층 / the ~ rim of the sun 태양의 상부. **7** (개념·분류 따위가) (…보다) 포괄적인, 상위의《to》; 초자연적인. **8** 〖식물〗 위에 나는, (꽃받침이) 씨방 위에 있는. **9** 〖인쇄〗 어깨 글자의, 글자가 위에 붙은: a ~ figure 〔letter〕 어깨 숫자〔글자〕《보기: shock², x^n의 2, n 따위》. **—** n. **1** 윗사람, 좌상, 상관, 선배: one's immediate ~ 직속상관. **2** 뛰어난 사람, 상수, 우월한 사람《in; as》: have no ~ 견줄 만한 사람이 없다. **3** (S-, 종종 the Father 〔Mother, Lady〕 S-) 수도원장. **4** 〖인쇄〗 어깨 숫자〔글자〕. ㊞ **~·ly** ad. 우수〔우세〕하게, 탁월하여; 위에, 상부에; 거만하게.
supérior cóurt 《미》 상급 법원; 《영》 고등〔항소〕 법원.
supérior góods 〖경제〗 우등재, 상급재《소비자의 수입 증가에 따라 수요가 많아지는 물건》. cf. inferior goods.
***su·pe·ri·or·i·ty** [səpìəriɔ́ːrəti, su-, -ár-/sjuːpìəriɔ́r-] n. U **1** 우월, 우위, 탁월, 우수, 우세《to; over》. OPP *inferiority*. **2** 거만. ◇ superior a.
superióríty còmplex 〖정신분석〗 우월 콤플렉스《자기가 남보다 우월하다는 잠재 관념》(OPP *inferiority complex*); 《구어》 우월감.
supérior plánet 〖천문〗 외행성《지구보다 궤도가 바깥쪽에 있는 행성; 화성 따위》. cf. planet¹.
súper·jèt n. 초(超)음속〔점보〕 제트기.
superl. superlative.
◇**su·per·la·tive** [səpə́ːrlətiv, suː-/sju-] a. **1** 최상의, 최고(도)의; 무비(無比)의(supreme). **2** 과도한, 과장된, 떠벌린. **3** 〖문법〗 최상급의. **—** n. (the ~) 〖문법〗 최상급(~ degree); (보통 pl.) 최상급의 말〔찬사〕; 극치, 완벽(完璧). ***speak*** 〔***talk***〕 ***in ~s*** 과장하여 말하다. ㊞ **~·ly** ad. **~·ness** n.
súper·lìner n. 대형 호화 쾌속 객선.
sùper·lúminal a. 〖천문〗 초광속(超光速)의.
sùper·lúnar, -lúnary a. 달 위의; 하늘의; 이 세상 것이 아닌; 터무니없는. OPP *sublunar(y)*.
súper·majòrity n. (과반수를 훨씬 넘은) 압도적 다수.
sùper·mále n. 〖유전〗 초웅(超雄)(metamale)《상(常)염색체 수가 보통보다 많은 생식력 없는 웅성(雄性) 생물, 특히 초파리》.
súper·màn [-mæ̀n] (pl. **-mèn** [-mèn]) n. 슈퍼맨, 초인; 〖철학〗 (Nietzsche가 제창한) 초인; (S-) 슈퍼맨《Jerry Siegel과 Joe Shuster의 만화 주인공인 초인》.
súper-mány-tìme thèory 〖물리〗 초다시간(超多時間) 이론《상대론적으로 장(場)의 양자론을 정식화(定式化)한》.
****su·per·mar·ket** [súːpərmɑ̀ːrkit/sjúː-] n. 슈퍼마켓.
súper·màrt n. =SUPERMARKET.
sùper·mássive a. 〖천문〗 초(超)큰질량의: a ~ black hole.
sùper·médial a. 중(中) 이상의, 중심보다 위인.
súper·mìcro n. 〖컴퓨터〗 슈퍼마이크로 컴퓨터《마이크로 컴퓨터 중 최고속, 최고 성능기의 총칭》.
sùper·mícroscope n. 초현미경《전자 현미경의 일종》.
súper·mìni n. =SUPERMINICOMPUTER; 강력 엔진을 가진 소형차.
sùper·míni·compùter 〖컴퓨터〗 슈퍼미니컴퓨터《종래의 16 비트 미니컴퓨터에 대하여, 32 비트의 연산(演算) 처리 단위를 가짐》.
súper·mòdel n. 슈퍼모델《높은 수입을 올리는 세계적인 패션 모델》.
sùper·mólecule n. 〖화학〗 거대〔집합〕 분자, 「초(超)분자.
súper·mòm n. 《미구어》 (직업도 갖고 가정도 돌보는) 슈퍼 엄마.
sùper·múndane a. 속세〔현세〕를 초월한.

su·per·nac·u·lum [sù:pərnǽkjələm/sjù:-] *ad.* 마지막 한 방울까지: drink ~.

su·per·nal [su:pə́:rnl/sju:-] *a.* 《시어·문어》 **1** 하늘의, 천상의, 신의(divine). OPP *infernal*. **2** 고매한; 높은, 위에 있는.

su·per·na·tant [sù:pərnéitnt/sjù:-] *a.* 표면에 뜨는; 〖화학〗 상청액(上清液)의. — *n.* 〖화학〗 상청〔상층〕액.

***su·per·nat·u·ral** [sù:pərnǽtʃərəl/sjù:-] *a.* 초자연의, 불가사의한; 신의 조화의; 이상한. — *n.* (the ~) 초자연적 작용〔현상〕, 불가사의; 신의 조화; 신통력. ㊕ **~·ism** *n.* Ⓤ 초자연성, 초자연(론); 초자연력 숭배. **~·ist** *n., a.* 초자연론자(의). **~·ly** *ad.* 초자연적으로.

súper·nàture *n.* 초자연.

sùper·nórmal *a.* 비범한; 보통이 아닌; 인지(人智)로는 헤아릴 수 없는(paranormal).

sùper·nóva (*pl.* **-vae, ~s**) *n.* 〖천문〗 초신성(超新星)《별의 진화 과정에서 마지막으로 대폭발을 일으켜 태양의 천만 배에서 수억 배까지 밝아지는 별》.

súper NÓW 〔**nów**〕 **accòunt** 〖미금융〗 슈퍼나우 예금 계좌《시장 금리에 연동(連動)하여 이자가 붙는 NOW account》.

sùper·núke *n.* 《미구어》 원자력 발전소의 상주 기술 고문(technical adviser).

sùper·númerary *a.* 정수(定數) 외의, 여분의; (특히 군편제(軍編制)에서) 정원 외의, 예비의. — *n.* 정원 외의 사람, 임시 고용인; 여분의 사람〔물건〕; 〖연극〗 단역(端役), 엑스트라.

sùper·nutrítion *n.* Ⓤ 영양 과다, 자양 과다.

súper·òrder *n.* 〖생물〗 (분류학상의) 상목(上目)《강(綱)의 아래》.

su·per·or·di·nate [sù:pərɔ́:rdənət, -nèit/sjù:-] *a.* (격·지위 등이) 상위의《*to*》; 〖논리〗 상위의《개념》. — *n.* 상위의 사람〔것〕.

sùper·orgánic *a.* 〖사회·인류〗 초유기체의, 초개인의《생물적 존재로서의 구성 멤버의 입장을 초월하여 사회의 문화적 통합 원리에 의거하는 경우에 대해 이름》.

sùper·óvulate *vi., vt.* 과잉 배란(排卵)하다. ㊕ **-ovulátion** *n.*

sùper·óxide *n.* 〖화학〗 (초)과산화물.

sùper·párasitism *n.* 〖생물〗 다기생(多寄生)《한 숙주(宿主)에 동종의 기생 생물이 둘 이상 기생하는 일》.

sùper·phósphate *n.* Ⓤ 〖화학〗 과인산염; 과인산 석회.

sùper·phýsical *a.* 초물질적인, 물리학적으로 설명할 수 없는.

sùper·plastícity *n.* (합금의) 초(超)가소성. ㊕ **-plástic** *a., n.* 초가소성의 (물질).

súper·pòrt *n.* 초대형 항구《매머드 탱커 등을 위해, 특히 해상에 건설된》.

su·per·pose [sù:pərpóuz/sjù:-] *vt.* 위에 놓다, 겹쳐 놓다《*on, upon*》. ㊕ **-po·si·tion** [-pəzíʃən] *n.* Ⓤ 포갬, 포개짐, 중첩(重疊).

sùper·pótent *a.* 특히 강력한, (약품 등이) 초(超)효력의. ㊕ **-pótency** *n.*

súper·pòwer *n.* Ⓤ 초강력; 〖전기〗 초(超)출력《몇 개의 발전소를 연결하여 얻음》; 초강대국; (강대국을 억누르는) 강력한 국제 (연합) 기구. ㊕ **~ed** *a.*

súper príme ráte 〖미금융〗 초우대 대출 금리《prime rate보다 낮음》.

súper·pùb *n.* (컴퓨터 게임·DJ 따위가 있어 손님이 많은) 대형 술집.

súper·ràce *n.* (타민족보다 뛰어나다고 생각하는) 우수 민족.

súper rát (종래의 살서제(殺鼠劑) 등의 독물에 대해 유전적 면역성을 획득한) 슈퍼 쥐.

sùper·réalism *n.* =SURREALISM. ㊕ **-ist** *n.* =SURREALIST.

sùper·sáturate *vt.* 과도 포화시키다. ㊕ **-saturátion** *n.* 과포화(過飽和).

Súper Sáver 《미》 초(超)할인 국내 항공 운임《30일 전에 구입, 7일 이상의 여행이 조건》.

sùper·scálar árchitecture 〖컴퓨터〗 슈퍼스케일러 아키텍처《클록 주기마다 여러 개의 명령을 실행할 수 있는 마이크로프로세서 아키텍처》.

su·per·scribe [sú:pərskràib, ˌ-ˈ-/sjú:pə-skràib, ˌ-ˈ-] *vt.* …의 위에 쓰다〔적다, 새기다〕; (편지)에 수취인 주소를 쓰다; …에 표제를 쓰다.

su·per·script [sú:pərskrìpt/sjú:-] *a.* 위에 쓴. — *n.* 어깨 글자〔기호〕, 어깨 숫자《H^2, C^n의 2, *n* 따위》. cf. subscript.

su·per·scrip·tion [sù:pərskrípʃən/sjù:-] *n.* 위에 쓰기; 수취인 주소·성명; 표제.

sùper·sécret *a.* 초(超)극비의(top secret).

su·per·sede, -cede [sù:pərsí:d/sjù:-] *vt.* **1** …에 대신하다, …의 지위를 빼앗다: The radio has been ~*d* by the TV. 라디오는 텔레비전으로 대치되었다. **2** 《~+목/+목+전+명》 (사람을) 바꾸다, 경질하다, 면직시키다: ~ Mr. A *with* Mr. B. A씨를 바꾸어 B씨를 취임시키다. **3** …을 소용없게 하다, 폐지시키다.

su·per·se·de·as [sù:pərsí:diəs/sjù:-] *n.* 《L.》 〖법률〗 소송 중지 영장.

su·per·se·dure [sù:pərsí:dʒər/sjù:-] *n.* 대신 들어섬; 교체, 경질, 폐기, 《특히》 신구(新舊) 여왕벌의 교체.

sùper·sénsible *a.* 오감(五感)을 초월한, 정신적인, 영혼의.

sùper·sénsitive *a.* =HYPERSENSITIVE; (감광유제·신관(信管) 등이) 고감도의. ㊕ **~·ly** *ad.* **-sensitívity** *n.*

sùper·sénsitize *vt.* 과민하게 하다; 고감도(高感度)로 하다.

sùper·sénsual *a.* 오감을 초월한, 정신적인, 관념적인; 극히 관능적인.

su·per·ses·sion [sù:pərséʃən/sjù:-] *n.* Ⓤ 대신 들어서기; 교체, 경질; 폐기, 폐지.

súper·sèx *n.* 〖유전〗 초성(超性)《성염색체 비율이 문란해진 중성의 유기체〔생물〕》.

súper·shìp *n.* 초대형 선박, 《특히》 매머드 「탱커.

°**sùper·sónic** *a.* 〖물리·항공〗 초음파의《주파수가 20,000 이상인》; 초음속의《음속의 1-5배임》. cf. hypersonic. OPP *subsonic*. ¶ ~ speed 초음속 / ~ waves 초음파 / ~ plane 초음속기. — *n.* 초음파; 초음속 (항공기). ㊕ **-ically** *ad.* **~s** *n. pl.* 〖단수취급〗 초음파〔초음속〕학; 초음속 항공기 산업.

supersónic trànsport 초음속 수송기《생략: 「SST》.

súper·sòund *n.* Ⓤ =ULTRASOUND.

súper·spàce *n.* 〖물리〗 초(超)공간《3차원의 공간이 점으로 되는 이론상의 공간》.

súper·spèed *a.* 초고속의, 《특히》 초음속의.

súper·stàr *n.* **1** (스포츠·예능의) 슈퍼스타. **2** 〖천문〗 강력한 전자기파(電磁氣波)를 내는 천체.

súper·stàte *n.* (가맹국들을 지배하는) 국제 정치 기구; 초(超)대국(superpower); 전체주의 국가, 강력한 중앙 집권 국가.

súper·stàtion *n.* (유선 텔레비전 조직에서) 위성으로 계약자에게 방송을 보내는 텔레비전국.

súper stèreo 〖음향〗 슈퍼스테레오《연주회장의 가장 좋은 위치에서 듣는 것 같은 입체 음향 재생》.

***su·per·sti·tion** [sù:pərstíʃən/sjù:-] *n.* Ⓤ,Ⓒ 미신; 미신적 관습〔행위〕; 《경멸》 사교(邪教) 신앙: do away with a ~ 미신을 타파하다.

*su·per·sti·tious [sù:pərstíʃəs/sjù:-] a. 미신적인, 미신에 사로잡힌; 미신에 의한. ㊎ ~·ly ad. 미신에 사로잡혀. ~·ness n.
súper·stòre n. 《영》 대형 슈퍼(마켓), 슈퍼스토어(hypermarket).
sùper·stráin n. 초긴장.
súper·stràtum (pl. ~s, -ta) n. 【지학】 상층(上層); 【언어】 상층 (언어). opp. *substratum*.
súper·strìng n. 【물리】 초(超)끈, 슈퍼스트링 《string theory에서, 초대칭성을 갖는 string이라고 부르는 소립자》.
súperstring thèory 초(超)끈 이론, 슈퍼스트링 이론《중력, 자기력, 약한 힘, 센 힘이라고 하는, 소립자 간에 작용하는 기본적인 4힘을 superstring에 의해 통일적으로 기술하려는 이론》.
su·per·struct [sù:pərstrʌ́kt/sjù:-] vt. 【건축】 기초 또는 건축물 위에 건축하다.
súper·strùcture n. 상부 구조(공사); (토대 위의) 건조물; 【해사】 (함선의) 상부 구조《중갑판 이상의》, 선루(船樓); (사상 체계 등의) 상부 구조 《마르크스주의에서의》.
sùper·súbmarine n. (강력한) 대형 잠수함.
sùper·substántial a. 초물질적인 《성찬의 빵·신의 속성 따위가》.
sùper·súbtle a. 지나치게 미묘(미세)한.
sùper·sýmmetry n. 【물리】 초(超)대칭성 《fermion과 boson을 가진 입자군 간의 가상적 대칭성》. ㊎ **súper·symmétric** a.
súper·tànker n. 초대형 유조선(油槽船), 매머드 탱커.
súper·tàx n. U,C 《미》 부가(소득)세(surtax).
Súper 301 provísions 슈퍼 301조《종래의 통상법 301조에 1988년 무역 자유화에 관한 우선 교섭국 특정 조항을 부여한 것》.
súper·tìtle n. (무대 위쪽 스크린에 비치는) 오페라(극)의 대사·줄거리 따위의 번역(surtitle).
sùper·tónic n. 【음악】 위으뜸음, (장(단)음계의) 제2음.
sùper·transuránic n., a. 【물리·화학】 초초(超超)우라늄 원소(元素)(의).
Súper Túesday 【정치】 슈퍼 화요일《미국 각 주의 대통령 예비 선거가 있고, 다수의 전국 당대회 대의원이 동시에 선출되는 3월의 둘째 화요일》. ★ superprimary라고도 함.
súper·ùser n. 【컴퓨터】 슈퍼 사용자《UNIX 체계에서의 특권적 사용자》. cf. root.
su·per·vac·cine [sú:pərvæksi:n, ⌐-⌐-⌐] n. 슈퍼백신《여러 종류의 바이러스에 대해 동시에 면역이 있는 백신》.
su·per·vene [sù:pərví:n/sjù:-] vi. 잇따라(결과로서) 일어나다, 병발하다; 부수되다.
su·per·ven·tion [sù:pərvénʃən/sjù:-] n. U,C 속발(續發), 병발; 부가, 첨가.
Súper Vìrtual Gráphics Arrày 【컴퓨터】 슈퍼브이지에이《고해상도와 다양한 색상, 그래픽을 제공하는 디스플레이 카드와 모니터로서 VGA의 상기 기종》.
°su·per·vise [sú:pərvàiz/sjú:-] vt. 관리(감독)하다, 지휘(지도)하다.
°su·per·vi·sion [sù:pərvíʒən/sjù:-] n. U 관리, 감독, 지휘, 감시. ◇ supervise v. ***under the ~ of*** …의 관리 아래, …의 감독 밑에.
su·per·vi·sor [sú:pərvàizər/sjú:-] n. 관리(감독)자, 감시자(원), 주임; 《미》 군(郡)의 감독관; (학교의) 지도 주임; 《영》 (철도의) 보선(保線) 담당자; 【컴퓨터】 감독자《운영 체제(OS)의 중심 부분에서 하드웨어의 능력을 최대한 활용할 수 있도록 체계를 감시·제어하는 프로그램》.
súpervisor càll 【컴퓨터】 슈퍼바이저 호출《운영 체제(OS)의 동작 방식을 문제 프로그램 방식에서 슈퍼바이저 방식으로 전환한 명령》.
su·per·vi·so·ry [sù:pərváizəri] a. 관리(인)의, 감독(자)의, 감시하는.
súper·wàter n. =POLYWATER.
súper·wèapon n. 초강력 병기(兵器).
súper·wòman (pl. -wòmen) n. 슈퍼우먼《직업도 갖고 가정도 돌보는 활동적인 여성》.
su·pi·nate [sú:pənèit/sjú:-] vt., vi. 【생리】 (손바닥·발바닥을) 위로 향하(게 하)다, 외전(外轉)하다. opp. *pronate*.
sù·pi·ná·tion n. U 【생리】 (손·발의) 외전(外轉) (운동). opp. *pronation*.
su·pi·na·tor [sú:pənèitər/sjú:-] n. 【해부】 회외근(回外筋).
su·pine¹ [su:páin/sju-] a. 1 a 반듯이 누운. opp. *prone*. b 손바닥을 위로 향한. 2 무관심(무기력)한, 활발치 못한. ㊎ ~·ly ad. ~·ness n.
su·pine² n. 【라틴문법】 동사상(動詞狀) 명사, 동명사; 【문법】 to가 붙은 부정사(不定詞).
†sup·per [sʌ́pər] n. U,C (낮에 dinner를 먹었을 때의) 만찬, 저녁 식사《특히 dinner보다 가벼운 식사》, 서퍼: ⇨LAST (LORD'S) SUPPER. ***sing for*** one's ~ 응분의 답례를 하다. ㊎ ~·less a. 저녁 식사를 하지 않은.
súpper clùb 《미》 (식사·음료를 제공하는) 고급 나이트클럽.
súpper·tìme n. U 저녁 식사 때.
supp(l). supplement; supplementary.
sup·plant [səplǽnt, -plá:nt/-plá:nt] vt. 밀어내다; (책략 따위를 써서) 대신 들어앉다, 탈취하다; …에 대신하다. cf. replace. ㊎ ~·er n.
sup·ple [sʌ́pəl] (-pler; -plest) a. 나긋나긋한, 유연한; 온순한; 순응성이 있는; 《특히》 빌붙는, 비굴한. ── vt., vi. 유연하게 하다(되다); 유순하게 하다(되다); (말을) 길들이다. ㊎ ~·ly ad. 유연(유순)하게. ~·ness n.
súpple·jàck n. 【식물】 청사조류(青蛇條類); 청사조로 만든 지팡이.
**sup·ple·ment [sʌ́pləmənt] n. 보충, 추가, 보유(補遺), 부록《to》; 【수학】 보각(補角). cf. appendix. ── [-mènt] vt. 보충하다, 보족하다; …에 보태다, 추가하다; 보유를(부록을) 달다; 메우다. ㊎ ~·er n.
sup·ple·men·tal [sʌ̀pləméntl] a. =SUPPLEMENTARY.
*sup·ple·men·ta·ry [sʌ̀pləméntəri] a. 보충의, 보족의, 보유(補遺)의, 추가(부록)의, 증보(增補)의; 부(副)의; 【수학】 보각의: ~ budget 추가경정 예산/~ readings 보조 독본/~ instruction 보충 교육(수업). ㊎ -ri·ly [-rili] ad.
suppleméntary ángle 【수학】 보각(補角).
suppleméntary bénefit 《영》 보족 급부(補足給付)《일종의 극빈자 보호》.
suppleméntary únit 【물리·화학】 보조 단위 《SI 단위계에서 기본 단위를 보완하는 두 개의 무차원 단위, radian과 steradian》.
sup·ple·tion [səplí:ʃən] n. 【언어】 보충법《어형 변화가 없는 형(形)을 다른 어원의 말로 보충하기. 보기: go, *went*, gone; good, *better*, *best* 따위의 이탤릭체 부분》.
sup·ple·to·ry [sʌ́plətɔ̀:ri/-təri] a. 《예투》 보충의, 보유(補遺)의.
sup·pli·ance¹, **sup·pli·al** [səpláiəns], [səpláiəl] n. 공급, 보충 (방법).
sup·pli·ance² [sʌ́pliəns] n. U 탄원, 애원 (supplication) 《for》: in ~ for …을 간청하여.
sup·pli·ant [sʌ́pliənt] 《문어》 a. 탄원하는, 간청하는, 애원적인. ── n. 탄원자, 애원자. ㊎ ~·ly ad. 탄원(애원)하여.
sup·pli·cant [sʌ́plikənt] n., a. =SUPPLIANT.
sup·pli·cate [sʌ́pləkèit] vt. 《~+목/+목+전+명/+목+to do》 탄원하다, 간곡히 부탁하다: ~ God *for* mercy 신의 자비를 기원하다/

The traitors ~*d* the king *to* spare their lives. 반역자들은 왕에게 구명을 탄원했다. — *vi.* 《+전+명》 탄원하다, 애원하다: ~ *to* a person *for* mercy 아무에게 자비를 탄원하다. ◇ supplication *n.*

sùp·pli·cá·tion *n.* Ⓤ 탄원, 애원《*to; for*》; Ⓤ,Ⓒ 〖종교〗 기원.

sup·pli·ca·tor [sʌ́pləkèitər] *n.* 탄원자, 애원자; 기도를 올리는 사람, 기원자.

sup·pli·ca·to·ry [sʌ́plikətɔ̀ːri/-təri] *a.* 탄원하는, 간청하는; 기원하는.

sup·pli·er [səpláiər] *n.* 공급〔보충〕하는 사람〔것〕; 원료 공급국〔지〕; 제품 제조업자.

supplíer's crèdit 서플라이어스 크레디트《수출업자 자신이 수입업자에게 연불(延拂) 신용을 공여(供與)하는 거래 형태》. cf. bank loan, buyer's credit.

⁑**sup·ply**[1] [səplái] *vt.* **1** 《~+목/+목+전+명/+목+목》 공급하다, 지급하다; 배급하다; 배달하다: This tree *supplies* fine shade in summer. 이 나무는 여름에 훌륭한 그늘을 만들어 준다 / Our school *supplies* food *for* 〔*to*〕 the children. 우리 학교에서는 아동에게 급식한다 / ~ people clothing 《주로 미》 사람들에게 옷을 주다. SYN. ⇨GIVE. **2** 《+목+전+명》 …에 공급〔지급, 배급, 배달, 조달〕하다《*with*》: Our school *supplies* the children *with* food. 우리 학교에서는 아동에게 급식한다.

> SYN. **supply** 결핍되어 있는 것을 보급하는 뜻. **furnish** 주로 생활이나 위락에 필요한 것을 공급함. **equip** 일에 필요한 것을 갖춤.

3 보완하다, 보충하다, 채우다: ~ a loss 손실을 보충하다 / ~ the demand 수요에 응하다 / ~ a person's needs 아무의 요구를 채우다. **4** (지위·자리 등을) 대신하다: No one can ~ the place of Mr. A. A씨의 지위를 대신할 유능한 사람은 없다. — *vi.* 대리하다, (목사·선생 등의) 대리를 맡아 하다.

— *n.* **1** Ⓤ 공급(opp. *demand*), 지급; 배급; 보급: The storm cut off the water ~. 폭풍우로 물의 공급이 끊겼다. **2** 공급품, 지급품, 공급량. **3** 재고품, 비축 물자. **4** Ⓤ (특히 목사·교사의) 대리(인), 보결. **5** (종종 *pl.*) 양식; 〖군사〗 군수품; 병참; 군량; Ⓤ 군수. **6** (*pl.*) (정부의) 세출, 경비. **7** (*pl.*) (개인의) 지출, (생활비·학비 등의) 송금. **8** 〖전기〗 전원(電源). ***a ~ of*** 어느 분량의: the need for *a ~ of* books 어느 분량의 책의 필요성. ***have a good ~ of*** …을 많이 갖고 있다. ***in short ~*** 공급 부족으로, 결핍하여. ***on ~*** 임시 고용인으로서; 대리로서. ***the Committee of Supply*** (영국 하원의) 예산 위원회. ***the line of ~*** 〖군사〗 병참선(線). ***the Ministry of Supply*** 《영》 군수부.

sup·ply[2] [sʌ́pli] *ad.* =SUPPLELY.

súpply chàin 공급망.

supplý cùrve 〖경제〗 공급 곡선. cf. demand curve.

súpply lìne 〖군사〗 병참선.

supplý-drìven *a.* 〖경제〗 공급 주도형의.

supplý-síde *a.* 〖경제〗 공급 측 중시의《경제의 안정 회복과 인플레 억제를 위해 감세나 기업의 투자 확대 촉진법을 만들어, 재(財)·서비스의 공급을 증가시킬 필요가 있다는 이론》, 공급 측 중시 경제 이론의.

supplý-side económics 〖경제〗 공급 측(중시) 경제(이론)《감세 등의 정책을 통해 재(財)·용역 공급 증가를 꾀하고 고용을 확대하려는 이론》.

supplý-sìder *n.* 공급 측 중시의 경제학을 주장하는 미국 경제학의 한 파.

supplý tèacher =SUBSTITUTE TEACHER.

⁑**sup·port** [səpɔ́ːrt] *vt.* **1** 지탱하다, 버티다, (주의·정책 등을) 지지하다: ~ a motion 동의를 지지하다 / These beams ~ the roof. 이 들보들이 지붕을 지탱하고 있다.

> SYN. **support** 물리적인 지지에서 정신적 지지, 생활비의 유지에 이르기까지 넓은 뜻을 가짐. 버팀이 없으면 무너질 가능성을 시사함: His wife *supported* him throughout the ordeal. 그는 그 시련을 겪는 동안 아내에 의해 지탱되어 왔다. **maintain** 현상태가 유지되도록 버티다. 특히 정신적인 일에 쓰임. **sustain** 좀 딱딱한 말. 정당한 것으로서 (공적으로) 지지하다: The court *sustained* his claim. 법정은 그의 주장을 인정했다. **uphold** 남의 주의·주장·신념 따위를 옹호·격려하다: *uphold* the rights of the colored people 유색인종의 권리를 옹호하다.

2 《~+목/+목+전+명》 쓰러지지〔가라앉지〕 않게 하다, 의지하다: ~ oneself *with* a stick 몸을 지팡이에 의지하다. **3** 원조하다, 후원〔옹호〕하다, 편들다, 찬성하다. **4** (가족을) 부양하다, 먹여 살리다; (재정적으로) 지원하다《시설 등을》: ~ a family 가족을 부양하다. **5** 힘을 돋우다, 기운을 북돋우다; 보좌하다; 시중들다. **6** (진술 따위를) 입증하다, 뒷받침하다. **7** 견디다, 참다. **8** 〖연극〗 (맡은 역을) 충분히 연기하다; 조연하다, (스타)의 조역을 하다. **9** 〖음악〗 반주하다(accompany). **10** 〖컴퓨터〗 지원하다《본체가 관련된 기구·기능을》. ~ one***self*** 자활하다.

— *n.* Ⓤ **1** 버팀, 지지, 유지. **2** Ⓒ 지지자〔물〕; 지주(支柱), 받침기둥; 의지가 되는 것《*of*》. **3** 원조, 후원, 고무, 옹호; 찬성: speak *in* ~ of a motion 동의(動議)에 찬성 연설을 하다. **4** 양육, 부양; (재정적인) 유지; 생활비: offer a salary and ~ 급료와 의식주를 지급하다. **5** Ⓒ 〖군사〗 지원 부대; 예비대(troops in ~). **6** (the ~) Ⓒ 〖연극〗 조연자, 공연자(共演者); Ⓤ,Ⓒ 〖음악〗 반주; 〖의학〗 부목(副木). **7** 증거 (서류). **8** 〖증권〗 =SUPPORT LEVEL. **9** 〖컴퓨터〗 지원《컴퓨터 사용 시 쓸 수 있는 소프트웨어나 주변 장치》. ***give ~ to*** …을 지지〔후원〕하다. ***in ~ of*** …의 원조〔변호〕로, …을 옹호하여.

sup·pórt·a·ble *a.* 지탱할 수 있는; 참을 수 있는; 원조할 수 있는, 찬성〔지지〕할 수 있는; 부양할 수 있는. 파 **-bly** *ad.* **sup·pòrt·a·bíl·i·ty** *n.* 지탱할 수 있음; 참을 수 있음.

suppórt àrea =SUPPORT LEVEL.

suppórted wórk 정부 지원 직업 훈련 계획《복지 대상자에 대한》.

sup·pórt·er *n.* **1** 지지자; 원조자, 옹호자, 찬성자, 후원자, 패트런; 시중드는 사람; 부양자; 〖연극〗 조연자, 공연자. **2** 지지물, 버팀; 《우스개》 발. **3** 양말 대님, (운동 경기자용) 서포터(athletic ~) 《남자용》. **4** 〖문장(紋章)〗 문장(紋章)·방패를 받드는 좌우의 동물 중의 한쪽. **5** 〖의학〗 박대(縛帶).

suppórt gròup (알코올 중독자나 유족 등 공통의 고민이나 경험을 가진 사람끼리 모이는) 협동 지지 그룹.

suppórt hòse 《미》 〖의학〗 서포트 호스, 탄성 스타킹《다리 보호용의 신축성 있는 스타킹》.

sup·pórt·ing *a.* 버티는, 지지〔원조, 후원〕하는: a ~ actor 조연자 / a ~ part 〔role〕 조역 / a ~ program 보조(補助) 프로 / a ~ film 〔picture〕 보조〔동시 상영〕 영화.

sup·port·ive [səpɔ́ːrtiv] *a.* 지지가 되는; 협력적인《*of*》; 《특히》 환자의 체력 유지에 유효한. 파 **~·ness** *n.*

suppórtive thérapy 〔**tréatment**〕 〖의학〗 지지 요법《체력·정신적으로 환자를 떠받쳐 주는》.

sup·pórt·less *a.* 지지자가〔후원이〕 없는; 버팀이 없는.

suppórt lèvel 〖증권〗 지지선(support, support area). OPP *resistance level*.

suppórt mìssion 적 지상군에 대한 아군 지상군 지원 공습.

suppórt prìce (농가 등에 대한 정부 보조금의) 최저 보장 가격.

suppórt sỳstem 지원 체제, 지원자 네트워크.

suppórt tìghts 《영》 =SUPPORT HOSE.

suppos. 〖처방〗 suppository. 「추측.

sup·pos·al [səpóuzəl] *n.* U 상상하기; C

‡**sup·pose** [səpóuz] *vt.* **1** 《+(*that*) 절》 가정하다(assume), 상상하다: Let us ~ (*that*) the news is really true. 그 뉴스가 사실이라고 가정하자. **2** 《+목+*to* do/+목+(*to be*) 보/+(*that*) 절》 추측하다(guess), 헤아리다, 생각하다: Nobody ~*d* him *to* have done such a thing. 그가 설마 이런 일을 하리라고는 아무도 생각지 않았다/He ~*s* me (*to be*) rich. 그는 날 부자로 알고 있다/I ~ (*that*) he is right. 그의 말이 맞을 테죠/You are Mr. Smith, I ~. 스미스씨지요/I ~ so〔not〕. 아마 그럴〔안 그럴〕 걸요/I ~ she doesn't know.=I don't ~ she knows. 그녀는 모를 테지요. SYN. ⇨THINK. **3** 상정(想定)하다, 전제로 하다, 필요조건으로 하다: Purpose ~*s* foresight. 목적은 선견(先見)을 전제로 한다/Your theory ~*s* God. 신의 존재를 생각하지 않고는 자네 이론은 성립되지 않네. **4** 《+(*that*) 절》 〖현재분사 또는 명령형으로〗 만약 …하다면(if); 〖명령형으로〗 …하면 어떤가, …하세그려, …하십시다: *Suppose*〔*Supposing*〕 (*that*) we are late, what will he say? 우리가 늦으면 그가 뭐라고 할까/But ~ he can't come? 그러나 그가 못 오면 어쩌지/*Suppose* we go to the station? 정거장에 나가는 게 어때. — *vi.* 가정〔상상〕하다, 추측〔생각〕하다.

be ~d to do …할 것으로 상상〔기대〕되다, …하기로 되어 있다: Everybody *is ~d to* know the law. 법률은 누구나 다 알고 있는 것으로 되어 있다《몰랐다 해도 면할 수 없다》/You *are* not *~d to* do that. 그런 짓을 하는 게 아니다.

㊞ **-pós·a·ble** *a.* 상상〔가정〕할 수 있는.

°**sup·pósed** *a.* **1** 상상된, 가정의, 가상의: the ~ prince 왕자라고 생각되었던 사람. **2** 소문난: the ~ best student in the class 학급에서 가장 공부 잘한다고 소문난 학생. ㊞ **-pós·ed·ly** [-idli] *ad.* 상상〔추정〕상, 아마, 필경; 소문으로는.

***sup·pos·ing** [səpóuziŋ] *conj.* 〖직설법·가정법으로 쓰여〗 만약 …이라면: *Supposing* you can't come, who will do the work? 만일 네가 오지 못할 경우 누가 그 일을 하지/*Supposing* (that) it were true, nothing would be different. 그것이 사실이라 하더라도 아무것도 달라지지 않을 것이다.

°**sup·po·si·tion** [sʌ̀pəzíʃən] *n.* U 상상, 추측, 추찰(推察); C 가정, 가설. ◇ suppose *v.* ***on the ~ that...*** …이라 가정하고, …이라 간주하고. ㊞ **~·al** [-ʃənəl] *a.* **~·al·ly** *ad.* 「TIOUS.

sup·po·si·tious [sʌ̀pəzíʃəs] *a.* =SUPPOSITI-

sup·pos·i·ti·tious [səpɑ̀zətíʃəs/-pɔ̀-] *a.* 가짜의, 몰래 바꿔친; 상상상(上)의, 가정의: a ~ child 슬쩍 바꿔친 아이/a ~ letter 가짜 편지. ㊞ **~·ly** *ad.* **~·ness** *n.*

sup·pos·i·tive [səpɑ́zətiv/-pɔ́-] *a.* 상상의, 가정의; 〖문법〗 가정을 나타내는. — *n.* 〖문법〗 가정을 나타내는 말《if, assuming, provided 따위》. ㊞ **~·ly** *ad.*

sup·pos·i·to·ry [səpɑ́zətɔ̀:ri/-pɔ́zitəri] *n.* 〖의학〗 좌약(坐藥).

sup·press** [səprés] *vt.* **1** 억압하다; (반란 등을) 가라앉히다, 진압하다: ~ a riot 폭동을 진압하다. **2** 억누르다, 참다, (웃음·감정 따위를) 나타내지 않다: ~ a yawn 하품을 꾹 참다. **3** (증거·사실·성명 따위를) 감추다, 발표하지 않다; (책 따위의) 발매를〔발행을〕 금지하다; (책의 일부를) 삭제〔커트〕하다, (기사를) 금하다. **4** (출혈 등을) 막다. **5** 〖전기〗 (회로 내의 불필요한 진동·신호 중의 특정 주파수(대)를) 억제하다. ◇ suppression *n.* ***with laughter ~ed 웃음을 참으면서. ㊞ **-prés·sant** [-ənt] *a.*, *n.* 억제하는; 반응 억제 물질(약). **~·er** *n.* =SUPPRESSOR. **~·i·ble** *a.* ~할 수 있는. **sup·prèss·i·bíl·i·ty** *n.*

°**sup·pres·sion** [səpréʃən] *n.* U,C **1** 억압, 진압. **2** 억제; 감추기, 은폐. **3** 제지, 금지; 발매〔발행〕 금지; 삭제. **4** 〖정신의학〗 (충동 따위의) 억제. **5** (출혈 따위를) 막음. ◇ suppress *v.* ㊞ **~·al** [-ʃənəl] *a.*

sup·pres·sive [səprésiv] *a.* 진압하는; 억압〔억제〕하는; 억누르는; 은폐하는; 제지〔금지〕하는; 말살〔삭제〕하는; 〖정신의학〗 억제적인. ㊞ **~·ly** *ad.* **~·ness** *n.*

sup·pres·sor [səprésər] *n.* 진압자, 금지자, 억제자; 〖생물〗 억제 유전자; 〖전기〗 억제기(器)《잡음 따위를 감소시키는》.

suppréssor gène 〖생화학〗 억제 유전자《다른 유전자에 생기는 변이를 억제하는 유전자》.

suppréssor grìd 〖전자〗 억제 그리드.

suppréssor T̀ cèll 〖생리〗 억제 T세포《B세포나 딴 T세포의 활동을 억제하는 T세포》.

sup·pu·rate [sʌ́pjərèit] *vi.* 곪다, 화농(化膿)하다(fester). ㊞ **sùp·pu·rá·tion** *n.* U 화농; 고름(pus).

sup·pu·ra·tive [sʌ́pjərèitiv/-rət-] *a.* 화농(化膿)시키는, 화농성의; 화농을 촉진하는. — *n.* 화농 촉진제, 고름 빨아내는 약.

supr. superior; supreme.

su·pra [sú:prə/sjú:-] *ad.* 《L.》 위에; 앞에. OPP *infra*. ***vide ~*** [váidi-] 상기 참조(see above)《생략: v.s.》.

su·pra- [sú:prə/sjú:-] *pref.* '위에〔의〕, 초월하여, 앞에' 라는 뜻.

sùpra·céllular *a.* 세포 이상의, 세포보다 큰.

sùpra·génic *a.* 유전자를〔의 수준을〕 넘어선, 초(超)유전자적인.

sùpra·líminal *a.* 〖심리〗 식역상(識閾上)의, 의식 내의, 자극역〔변별역〕을 초월한.

sùpra·molécular *a.* 〖물리〗 초분자(超分子)의《분자보다 더 복잡한; 많은 분자로 된》.

sùpra·múndane *a.* 속세를 떠난, 이 세상 밖의, 영계(靈界)의.

sùpra·národnal *a.* 초국가(적)인. ㊞ **~·ism** *n.* **~·ist** *n.*

sùpra·óptic *a.* 〖해부〗 (뇌의) 시신경 교차 위에 위치하는. 「도 위의.

sùpra·órbital *a.* 안와(眼窩)〔눈구멍〕 위의; 궤

sùpra·pártisan *a.* 초당파의: ~ diplomacy.

sùpra·prótest *n.* 〖법률〗 참가〔영예〕 인수(引受)《어음 지급의》.

sùpra·rátional *a.* 이성을 초월한.

sùpra·rénal 〖해부〗 *a.* 신장(腎臟) 위의; 부신(副腎)의. — *n.* 신상체(腎上體), 《특히》 부신(=∠ glánd).

supra·segméntal phóneme 〖음성〗 초분절(超分節) 음소《pitch, stress, juncture 따위》.

sùpra·thérmal íon detèctor 〖우주〗 초열(超熱) 이온 검출 장치《태양풍(太陽風) 에너지를 측정할 목적으로 월면(月面)에 설치된》.

sùpra·ventrícular *a.* 〖해부〗 (심)실상의.

sùpra·vítal *a.* 〖의학〗 초생체(超生體)의《생체에서 꺼낸 살아 있는 조직·세포 등이》. ㊕ **~·ly** *ad.*

su·prem·a·cist [səpréməsist/sju-] *n.* 지상(至上)주의자: a white ~ 백인 지상주의자.

°**su·prem·a·cy** [səpréməsi, su-/sju-] *n.* U,C **1** 지고(至高), 최고; 최상위. **2** 주권, 지상권(至上權); 패권(霸權); 우위, 우월. ***the Act of Supremacy*** 〖영국사〗 수장령(首長令)《로마 교황의 주권을 부인하고, 영국왕을 영국의 정치·종교 양면의 주권자로 한 Henry 8세 치하의 법령(1534)》.

su·prem·a·tism [səprémətizəm/sju-] *n.* 〖미술〗 절대주의, (러시아의) 쉬프레마티슴《1913년에 일어남》. ㊕ **-tist** *n.*

su·preme** [səprí:m, su-/sju(:)-] *a.* **1** 최고의, 최상의: the ~ good 지고선(至高善). **2** 가장 중요한; 극상의, 무상(無上)의; 궁극의, 최후의: ~ happiness 더없는 행복. **3** 주권을 갖는. ◇ supremacy *n.* ***at the ~ hour 〔***moment***〕 가장 중요한 고비에《절정·한창때·임종 등》. **—** *n.* 최고〔지고〕의 것; (the ~) 최고, 절정(height); (the S-) 신. ㊕ **~·ly** *ad.* **~·ness** *n.*

Supréme Béing (the ~) 《문어》 하느님, 신.

supréme commánder 《미》 최고 사령관.

Supréme Cóurt (the ~) 《미》 **1** 연방 대법원. **2** (많은 주(州)의) 대법원. **3** (s- c-) (몇몇 주의) 제1심 법원, 지방 법원. ***the ~ of Judicature*** 《영》 최고 법원.

supréme góod 〔**énd**〕 =SUMMUM BONUM.

supréme sácrifice (the ~) 최고의 희생《전쟁·대의(大義)를 위해 목숨을 바침》; 헌신: make the ~ 목숨을 바치다, 죽다. 「회의.

Supréme Sóviet (the ~) (옛 소련의) 최고

su·pre·mo [səprí:mou, su-/sju-] (*pl.* **~s**) *n.* 《영》 최고 지도자〔지배자〕, 총통.

su·pre·mum [səprí:məm, su-/sju-] *n.* 〖수학〗 상한(上限). cf. infimum.

Supt., supt. superintendent.

sur-[1] [sər, sʌr, sə:r] *pref.* =SUB-《r 앞에서》.

sur-[2] *pref.* =SUPER-.

sur. surface.

Su·ra·ba·ya [sùərəbá:jə, -báiə] *n.* 수라바야(=**Sù·ra·bá·ja**)《Java 섬 북동부의 항구 도시로 인도네시아 제2의 도시; 전에 네덜란드 동인도 회사의 해군 기지가 있었음》. 「(節).

su·rah[1] [sjúərə] *n.* 《Ar.》 (코란의) 장(章), 절

su·rah[2] *n.* U,C 능직(綾織)으로 짠 비단.

Su·ra·kar·ta [sùərəká:rtə] *n.* 수라카르타《인도네시아 중부, Java 섬 중부의 도시; 전통 문화 중심지의 하나》.

su·ral [súərəl/sjúərəl] *a.* 〖해부〗 장딴지의.

su·rat [suərǽt, súərət] *n.* U 인도 봄베이 지방에서 나는 면화〔무명〕《산지 이름에서》.

sur·base [sə́:rbèis] *n.* 〖건축〗 (징두리널 등의) 갓; (주추 따위의) 정부(頂部).

sur·cease [sə:rsí:s] 《고어》 *n.* U 그침, 정지(停止). **—***vi.* 그치다, 정지하다; 종결하다. **—** *vt.* 중단〔중지〕하다; 포기하다.

sur·charge [sə́:rtʃɑ̀:rdʒ] *n.* U **1** (짐 따위의) 과중한 적재, 추가로 쌓기〔얹기〕, 너무 재어 넣기; 〖전기〗 과충전(過充電). **2** (대금 따위의) 부당〔초과〕 청구; 추가 요금. **3** (과세 재산 따위의 부정 신고에 대한) 추징금; 부족세(稅). **4** 우표 따위의 가격〔날짜〕 정정인(訂正印)《생략: sur.》. **5** (회계 검사관의 인가가 없는) 부당 지출의 배상액. **—** [-ˊ, ˋˊ] *vt.* **1** (짐을) 지나치게 쌓다〔얹다〕; (화약을) 지나치게 장전하다; …에 지나치게 충전하다. **2** …에 부당 대금〔추가 요금〕을 청구하다; …에서 폭리를 보다. **3** 지나치게 (정신적) 부담을 지우다. **4** (부정 신고에 대해) 추징금을 부과하다; 부당 지출 배상으로 청구하다. **5** 가격〔날짜〕 정정인을 찍다.

sur·cin·gle [sə́:rsìŋgəl] *n.* (말의) 뱃대끈; 《고어》 제의(祭衣)(cassock)의 띠. **—** *vt.* 뱃대끈을 달다, 뱃대끈으로 죄다.

sur·coat [sə́:rkòut] *n.* 겉옷《중세 기사가 갑옷 위에 입던 것》; (중세의) 여성의 겉옷.

sur·cu·lose [sə́:rkjəlòus] *a.* 〖식물〗 흡지(吸枝)《지하경에서 나는 가지》를 내는.

surd [sə:rd] *a.* **1** 불합리한. **2** 〖수학〗 무리수(無理數)의, 부진근(不盡根)의, 부진근수의; 〖음성〗 무성(음)의: a ~ number 부진근수/a ~ letter 무성음자/a ~ sound 무성음. **—** *n.* **1** 〖수학〗 무리수, 부진근수. **2** 〖음성〗 무성음《[p, t, k, f, s, ʃ, θ] 따위》. OPP. *sonant.* **3** 이치로는 명쾌하게 결론지을 수 없는 성질.

†**sure** [ʃuər, ʃə:r/ʃuə, ʃɔ:] *a.* **1** 틀림없는, 확실한: His success is ~. 그의 성공은 틀림없다.

> SYN. **sure** 주로 주관적으로 확실한 것. **certain** sure와 같은 뜻으로 쓰이기도 하지만 객관적으로 특수한 이유나 증거에 의거하여 확실한 것.

2 튼튼한, 안전한. **3** 믿을 수 있는, 기대할 수 있는, 반드시 효과가 있는: a ~ remedy 확실한 치료법. **4** 확신하고 있는, 자신이 있는, 믿고 있는《*of; that*》: I am ~ (*that*) he will come. 그는 꼭 올 것으로 생각한다. **5** 꼭〔반드시〕 …하는《*to* do》: He is ~ *to* come. 그는 꼭 온다. ***be ~ and*** 〔***to***〕 ***do...*** 《구어》 반드시 …하다: *Be ~ to* close the windows. 반드시 창문을 닫도록 하여라. ***be ~ of one****self* 자신이 있다. ***for ~*** 《구어》 확실히(for certain): that's *for* ~ 그것은 확실하다. ***make ~*** 확인〔다짐〕하다; 확신하다. ***make ~ of*** …을 확인하다; …을 손에 넣다. …을 확보하다. ***make ~ that*** …을 확인하다; 반드시 …하도록 손을 쓰다. ***~ thing*** 《미구어》 ① 성공이 확실한 것. ② 〖감탄사로서〗 그렇고 말고요, 물론이죠; 꼭, 반드시. ***to be ~*** ① 〖양보구〗 알겠어, 과연, 그렇군, 아무렴. ② 참말, 어머나, 저런《놀라는 말》; 확실히: *To be* ~, this is a masterpiece. 확실히 이것은 걸작품이다. ***to make ~*** 〖독립구〗 확실히 해 두기 위해. ***Well, I'm ~!*** 원 이런《놀랄 때》. ***you can*** 〔***may***〕 ***be ~*** 확실히, 반드시, 꼭.

— *ad.* 《미구어》 확실히, 틀림없이, 꼭(《영》 certainly). ***as ~ as*** …와 마찬가지로 확실히. **(*as*) *~ as death*** 〔***fate, a gun, nails, I live***〕 확실히, 틀림없이. ***as ~ as eggs is eggs*** ⇨EGG[1]. ***~ as hell*** 《미속어》 아주 확실히. ***~ enough*** 《구어》 정말이지, 참말로, 아니나 다를까, 과연.

㊕ **ˊ·ness** *n.* U 확실(함); 안전.

súre-enóugh *a.* 《미구어》 진짜의, 실제〔현실〕의, 사실상의. 「없는.

súre-fíre *a.* 《미구어》 확실한, 틀림없는, 실패

súre-fóoted [-id] *a.* 발을 단단히 딛고 선, 자빠지지 않는; 틀림없는, 실수 없는, 믿음직한, 착실한. ㊕ **~·ly** *ad.* **~·ness** *n.*

‡**sure·ly** [ʃúərli, ʃə́:r-/ʃúəli, ʃɔ́:-] *ad.* **1** 확실히, 반드시, 틀림없이: He will ~ succeed. 그는 꼭 성공할 게다. **2** 〖대답〗 물론, 네, 그럼요: Will you go with us? — *Surely!* 함께 가시겠습니까 — 가고 말고요. **3** 〖부정문에서〗 설마: *Surely,* you do*n't* mean to go. 설마 가시려고 하는 것은 아닐 테죠. **4** 《고어》 안전하게, 튼튼히. ***as ~ as*** …와 마찬가지로 확실히. ***slowly but ~*** 천천히 그러나 확실하게.

sure·ty [ʃúərəti, ʃúərti/ʃúəti, ʃúərəti] *n.* C,U 《영에서는 고어》 보증, 담보 (물건), 저당 (물건); (보석(保釋)) 보증인, 인수인; 연대 보증업자; U

《고어》 확실(성). **of** 〔**for**〕 **a ~** 《고어》 틀림없이, 꼭. **stand** 〔**go**〕 **~ for** …의 보증인이 되다. ㊕ **~·ship** n. Ⓤ 〖법률〗 보증인의 지위〔책임〕.

súrety bònd (계약·의무 수행의) 보증서.

°**surf** [sə:rf] n. Ⓤ (해안에) 밀려드는 파도, 밀려와서 부서지는 파도, 연안 쇄파(沿岸碎波). ― vi. **1** 서핑을〔파도타기를〕 하다. **2** 〖컴퓨터〗 검색하다 《파도타기라는 의미지만 인터넷이나 PC통신으로 구성되는 사이버 공간에서는 통신망으로 연결된 컴퓨터시스템을 자유롭게 옮겨다니면서 정보를 교환하고 획득하는 작업》. ㊕ **∠·er** n.

súrf·a·ble a. 서핑에 적합한.

sur·face [sə́:rfis] n. **1** 표면, 외면, 외부: the ~ of the earth 〔water〕 지표면〔수면〕 / come to the ~ (수면 따위에) 떠오르다 / rise 〔raise〕 to the ~ 부상(浮上)하다〔시키다〕; (사실 등을) 표면화하다〔시키다〕. **2** 외관, 겉보기, 외양. **3** 〖수학〗 면(面): a plane 〔curved〕 ~ 평면〔곡면〕. **beneath** 〔**below**〕 **the ~** 내면은, 속은. **get below the ~** 밑에 들어가다, 마음속을 살피다, 깊이 사귀다. **on the ~** 외관은, 겉보기에는. **scratch the ~ of** ⇨ SCRATCH.

― a. **1** 표면의, 피상의: a ~ view 피상적인 관찰. **2** 지상의; 물위의; 갱외의: a ~ worker 갱외 인부 / a ~ boat 수상정.

― vt. **1** 《~+목/+목+전+명》 …에 표지를〔표면을〕 달다; 포장(鋪裝)하다: ~ a road *with* asphalt 길을 아스팔트로 포장하다. **2** (잠수함 따위를) 떠오르게 하다, 부상시키다. **3** 표면화시키다, 드러내다: He ~*d* his annoyance in the letter. 편지에는 그의 괴로움이 드러나 있었다.

― vi. **1** (지하철 등이) 지상으로 올라오다; (잠수함 등이) 떠오르다. **2** (진실 등이) 명백해지다; 《구어》 나타나다, 표면화하다: Their differences began to ~. 그들의 의견 차이가 표면화되기 시작했다. **3** 지표(地表)〔지상, 수상(水上)〕에서 일하다; 《구어》 기상하다; (보이지 않던 것이) 다시 모습을 나타내다. **4** 〖광물〗 지표(가까이)에서 채광하다, (광석의) 표면 퇴적물을 씻다.

súrface acóustic wàve 〖음향〗 표면탄성파 《생략: SAW》.

súrface-áctive a. 〖화학〗 표면〔계면(界面)〕 활성(表面活性)의: a ~ agent 표면〔계면〕 활성제.

súrface àrea 표면적.

súrface bóundary làyer 〖기상〗 표면 경계층, 접지(기)층(接地(氣)層) 《지구면 약 1km의 대기층》.

súrface bùrst (폭탄의) 지〔수〕표면 폭발.

súrface càr 《미》 (고가·지하 철도에 대하여) 노면(路面) 전차.

súrface còlor (보석 따위의) 표면색.

súrface cràft (잠수함에 대하여) 수상선.

súrface dénsity 〖물리〗 표면 밀도.

súrface drèssing 간이 포장에 의한 도로 보수 「(재료).

súrface-efféct shìp 《미》 수상용 호버크라프트(hovercraft).

súrface frìction dràg 〖항공〗 표면 마찰 항력 「(抗力).

súrface màil (항공편에 대하여) 육상〔해상〕 우편(물), 《특히》 선편: by ~.

súrface·man [-mən] (*pl.* **-men** [-mən]) n. 〖철도〗 보선(保線)공; 갱외 인부; 지상병(兵).

súrface nòise 〖음향〗 (음반의 마찰에 의한) 표면 잡음.

súrface prìnting 철판(凸版) 인쇄(letterpress); 평판(平版) 인쇄(=**pla·nóg·ra·phy**).

súrface ríghts 지상권(地上權).

súrface-rípened a. (치즈가) 표면 숙성된.

súrface sòil 표층토, 표토(表土).

súrface strùcture 〖언어〗 표층(表層) 구조.

súrface ténsion 〖물리〗 표면 장력(張力).

súrface-to-áir a. 지〔함〕대공의: a ~ missile 지대공 미사일 《생략: SAM》.

súrface-to-súrface a. 지대지의: a ~ missile 지대지 미사일 《생략: SSM》. ― ad. 지상에서 지상으로.

súrface-to-únderwater a. 지대수중(地對水中)의. ― ad. 지상에서 수중으로.

súrface wàter 지상〔지표〕수; (바다·호수 등의) 표층수(水).

súrface wàve (지진에 의한) 표면파(波).

sur·fac·ing [sə́:rfisiŋ] n. 표면 형성〔마무리, 마감〕; 표면재; (수면으로의) 부상(浮上); 〖광산〗 지표에서의 채광 (작업).

sur·fac·tant [sə:rfǽktənt] n. 〖화학〗 표면〔계면〕 활성제(surface-active agent).

súrf and túrf 〖요리〗 새우 요리와 비프스테이크가 한 코스인 요리.

sur·fa·ri [sərfɑ́:ri] n. 《구어》 서핑할 만한 해안을 찾아다니는 서퍼 그룹. [◂ *surf*ing+sa*fari*]

súrf·bòard n. 파도타기 널. ― vi. 파도타기를 하다. ㊕ **~·er** n. **~·ing** n.

surfboard

súrf·bòat n. 거친 파도를 헤치고 나아가는 데 쓰는 보트〔구명용 보트〕.

súrf càster 〖낚시〗 해안에서 던질낚시질하는 사람.

súrf càsting 해안에서 하는 던질낚시.

súrf dùck 〖조류〗 검둥오리(scoter).

°**sur·feit** [sə́:rfit] n. Ⓤ,Ⓒ 과다; 과식, 과음; 식상(食傷), 포만(飽滿), 물림; 범람, 홍수 《*of*》. ― vi. 과식하다, 과음하다 《*on*》; 물리다 《*with*》; 몰두하다, 빠지다. ― vt. 《~+목/+목+전+명》 …에게 과식〔과음〕하게 하다; 물리게 하다: ~ one*self with* sweets 단것을 물리도록 먹다. ㊕ **~·er** n.

súrfer's knòt 파도타기하는 사람의 못 《무릎이나 발등에 생김》.

súrf·fish n. 〖어류〗 망성어(望星魚)(=**súrf·pèrch**); 동갈민어류의 바닷물고기(croaker) 《우는 소리를 냄》.

sur·fi·cial [sə:rfíʃəl] a. 표면의, 《특히》 지표 「(地表)의.

súrf·ing n. Ⓤ 서핑, 파도타기; 미국에서 생긴 재즈의 하나; 〖컴퓨터〗 서핑 《웹 브라우저를 사용하여 인터넷을 탐색하는 것》.

súrf·man [-mən] (*pl.* **-men** [-mən]) n. surfboat를 잘 조종하는 사람; 《미》 (연안 경비대의) 구명대원. 「**-rìder** n.

súrf·rìding n. Ⓤ 파도타기, 서핑(surfing). ㊕

surfy [sə́:rfi] a. 파도가 많은, 파도가 거센; 부딪쳐 부서지는 물결의; 밀어닥치는 파도 같은.

surg. surgeon; surgery; surgical.

°**surge** [sə:rdʒ] n. Ⓤ,Ⓒ **1** 큰 파도, 놀; 굽이치는 바다; 파도침; 《비유》 (감정 따위의) 동요, 격동. **2** 급상승; 〖전기〗 서지 《전류·전압의 급증〔동요〕》; (군중 따위의) 쇄도; 〖해사〗 로프의 느슨해짐; 〖기계〗 서지 《엔진의 불규칙한 움직임》: a ~ in the price of living 생활비의 급상승. **3** 〖기상〗 서지 《급격한 기압 변화》; =STORM SURGE. **4** 〖컴퓨터〗 서지 《전기 회로에서 외부적 요인에 의한 전류, 전압 및 전력 등의 변동》.

― vi. **1** 큰 파도가 일다; 물결치는 대로 떠돌다. **2** 《~/+전+명/+부》 (군중·감정 따위가) 파동치다; 밀어닥치다, 들끓다; (물가가) 급등하다: *surging* crowds 밀어닥치는 군중〔인파〕 / An eager crowd ~*d into* the theater. 열성적인 군중이 극장에 쇄도했다 / Lately prices are *surging up*. 최근에는 물가가 계속 급등하고 있다. **3** (전류가) 갑자기 세어지다, (전압이) 갑자기 높아지다; 〖해사〗 (밧줄이) 갑자기 느슨해지다; (차 바퀴가) 헛돌다. ── *vt*. 물결치게 하다, 〖해사〗 (밧줄을) 느슨해지게 하다.

***sur·geon** [sə́:rdʒən] *n*. **1** 외과 의사. cf. physician. **2** 〖군사〗 군의관; 선의(船醫). 「의사.

súrgeon déntist 치과 의사, 구강(口腔) 외과

súrgeon·fish *n*. 쥐돔(tang')《가시 모양의 지느러미가 있는 열대어》.

súrgeon géneral (*pl*. ***súrgeons géneral***) 의무감(監); 《미》 (S- G-) 공중(公衆) 위생국 장관.

súrge protèctor 〖전기〗 서지 프로텍터《서지로부터 기기를 보호하는 회로〔장치〕》.

***sur·gery** [sə́:rdʒəri] *n*. **1** Ⓤ 외과 (의술), 수술. cf. medicine. **2** Ⓒ 외과(수술)실; 《영》 외과 의원, 조제실, 진찰실; 진료 시간. **3** 《구어》 (의원(議員)·변호사가 사람들과 만나는) 면담실.

súrge tànk 〖기계〗 서지 탱크《수량·수압의 급변을 억제하기 위한 조정용 탱크》.

°**sur·gi·cal** [sə́:rdʒikəl] *a*. 외과(술(術))의; 외과적인; 외과 의사의; 외과용의; 수술(상)의, 수술에 기인하는《열》; 교정〔정형〕용의. ㊕ **~·ly** *ad*. 외과적으로.

súrgical bóot 〔**shóe**〕 (다리 치료용) 교정화(矯正靴), 정형외과 구두. 「세척용》.

súrgical spírit 〖화학〗 외과용 알코올《피부

súrgical stríke 〖군사〗 국부(局部) 공격《특정 목표에 신속 정확하게 하는》.

sur·gi·cen·ter [sə́:rdʒəsèntər] *n*. 《미》 외과 센터《입원이 불필요한 작은 수술을 함》.

surgy [sə́:rdʒi] *a*. 크게 파도치는, 놀치는, 굽이치는; 큰〔거친〕 파도에 의한.

Su·ri·na·me, -nam [súərənɑ̀:m, -næm/sùərinǽm] *n*. 수리남《남아메리카의 독립국; 옛 네덜란드 자치령; 수도 Paramaribo》. 「射).

sur·jec·tion [sə:rdʒékʃən] *n*. 〖수학〗 전사(全

sur·jec·tive [sə:rdʒéktiv] *a*. 〖수학〗 전사적(全射的)인《사상(寫像)》.

sur·loin [sə́:rlɔin] *n*. =SIRLOIN.

sur·ly [sə́:rli] (***-li·er; -li·est***) *a*. 지르퉁한, 무뚝뚝한; 퉁명스러운; 험악한《날씨 따위》. ── *ad*. 오만〔거만〕하게. ㊕ **súr·li·ly** *ad*. **-li·ness** *n*.

sur·mis·a·ble [sərmáizəbəl] *a*. 추측〔짐작〕할 수 있는.

°**sur·mise** [sərmáiz, sə́:rmaiz/sə:máiz, sə-, sə́:maiz] *n*. Ⓤ,Ⓒ 추측, 추량. ── [sərmáiz/sə(:)-] *vt*. 《~+목/+*that* 절》 추측〔짐작〕하다; …인가 하고 생각하다: I ~*d* from his looks *that* he was very poor then. 그의 모양으로 보아 그때 그는 매우 가난했던 것으로 생각했다. ── *vi*. 추측하다(conjecture, guess).

***sur·mount** [sərmáunt/sə-] *vt*. (산에) 오르다; 완전히 오르다, 타고 넘다; (곤란 등을) 이겨내다; 극복하다; 헤어나다; 〖보통 수동태〗 …의 위에 놓다, 얹다《*by; with*》: peaks ~*ed with* snow 눈 덮인 봉우리들. ㊕ **~·a·ble** *a*. 이겨낼〔타파할〕 수 있는. 「〖어류〗 노랑촉수.

sur·mul·let [sərmʌ́lit/sə(:)-] (*pl*. **~s, ~**) *n*.

***sur·name** [sə́:rnèim] *n*. 성(姓)(family name) 《Christian name에 대한》; 별명, 이명. ── *vt*. 《~+목/+목+보》〖보통 수동태〗 성을 붙이다; …에 별명을 붙이다; 성〔별명〕으로 부르다: King Richard *was* ~*d* 'the Lion-hearted'. 리처드 왕은 '사자왕'이라는 별명으로 불리었다.

***sur·pass** [sərpǽs, -pɑ́:s/səpɑ́:s] *vt*. 《~+목/+목+전+명》 …보다 낫다, …을 능가하다, 뛰어나다; …을 넘다〔초월하다〕: ~ one's expectation 기대 이상이다 / ~ description 필설로 이루 다할 수 없다 / He ~*ed* his father *in* sports. 그는 운동에 있어서는 아버지를 능가했다. SYN. ⇨EXCEL. ㊕ **~·a·ble** *a*. **~·er** *n*.

sur·páss·ing *a*. 뛰어난, 빼어난, 우수〔탁월〕한. ── *ad*. 《고어·시어》 뛰어나게, 탁월하여. ㊕ **~·ly** *ad*. **~·ness** *n*.

surplice

sur·plice [sə́:rplis] *n*. 〖가톨릭·영국교회〗 중백의(中白衣), 소백의(小白衣). ㊕ **~d** [-t] *a*. 중〔소〕백의를 입은.

súrplice-fèe *n*. 〖영국교회〗 (결혼식·장례식 따위에서) 목사에의 사례(금).

°**sur·plus** [sə́:rplʌs, -pləs] *n*. 나머지, 잔여(殘餘), 과잉; 〖회계〗 잉여(금); 흑자(opp. *deficit*); 《미》 잉여 농산물, 《영》 잔액. ── *a*. 나머지의, 잔여의, 과잉의; 흑자의; 《미》 잉여의《농산물 따위》: ~ funds 잉여금 / a ~ population 과잉 인구 / ~ to one's needs 필요 이상으로, 여분으로. ㊕ **~·age** [-idʒ] *n*. Ⓤ 잉여, 여분, 과잉; Ⓒ 쓸데없는 문구〔사항〕; 〖법률〗 불필요한 변호.

súrplus válue 〖경제〗 잉여 가치.

sur·print [sə́:rprìnt] *n*. 〖인쇄〗 =OVERPRINT.

sur·pris·al [sərpráizəl] 《옛투》 *n*. Ⓤ 놀람, 뜻밖의 일〔물건〕; 기습.

†**sur·prise** [sərpráiz] *vt*. **1** 《~+목/+목+전+명》 (깜짝) 놀라게 하다: Nothing ~*s* him. 어떤 것도 그를 놀라게 하지 못한다 / They ~*d* her *with* a magnificent birthday present. 그들은 훌륭한 생일 선물로 그녀를 깜짝 놀라게 했다.

> SYN. **surprise** 기대·준비가 없는 사람을 갑자기 놀라게 하다: *surprise* the enemy 방심한 적을 기습하다. **astonish** 불가능 또는 있을 법하지 않은 일 따위를 실현하여 놀라게 하다: He had been such a gentleman that his crime *astonished* us. 그이 같은 신사가 죄를 지어 몹시 놀랐다. **amaze** astonish와 비슷하나 '그저 어이가 없다, 두 손 들었다'와 같은 어감을 띰. 상대에 대한 비판·재평가 등을 시사함: I was *amazed* at his ignorance. 그의 무식에는 두 손 들었다. **astound** 사고력이 없어질 정도로 놀라게 하다, 간 떨어지게 하다.

2 〖수동태로 형용사적〗 놀라다, 아연해 하다《*at; by; to* do; *that*》: I *was* ~*d at* you. 네겐 놀랐다〔질렸다〕 / I *am* ~*d to* see you. 자넬 보고 놀랐네; 설마 만나리라곤 생각도 못했네; 잘 왔네 / He *was* ~*d that* I did not look tired at all. 내가 조금도 지친 기색을 보이지 않자 그는 놀라워했다 / You will *be* ~*d how* kind he is. 그의 친절함에는 깜짝 놀랄 게다 / I *am* not ~*d if* he knows. 그가 알고 있다 해도 이상할 것은 없다. **3** 《+목+전+명》 놀래 주어 …하게 하다, (얼떨결에) …시키다: We ~*d* him *into* admitting. 우리는 그가 얼떨결에 자백하게 만들었다. **4** …을 불시에 (덮)치다, 기습 점령하다: They were ~*d* by the enemy. 그들은 적에게 불의의 습격을 당했다. **5** 《~+목/+목+전+명》 …하는 현장을 잡다: Our army ~*d* the enemy's camp. 아군은 적의 야영지를 기습했다 / The students were ~*d in* the act of smoking. 학생들은 담배 피우는 현장을 들켰다. **6** …을 알아〔눈치〕채다: I ~*d* a flush on his face. 그의 얼굴이 붉어지는 것을 보았다. ***I shouldn't*** 〔***wouldn't***〕 ***be ~d if ...*** 필시 …일 것이다; …하여도 당연하다(고 생각한다).

— *n.* [U] **1** 놀람, 경악: What a ~! 아이구 깜짝이야. **2** [C] 놀라운 일〔물건〕; 뜻밖의 일〔것〕: His resignation was a ~. 그의 사임은 의외였다/I have a ~ for you. 자네를 깜짝 놀래 줄 것이 있네《소식·선물 등》/He read the note with ~. 그는 그 쪽지를 읽고 깜짝 놀랐다. **3** 불시에 치기, 기습. ***a pleasant*** ~ 뜻하지 않은 기쁨. ***by*** ~ 불시에, 느닷없이. ***in*** ~ 놀라서. ***spring a*** ~ ***on*** …에 불의의 습격을 하다. ***Surprise,*** ~! 놀랐는걸, 거 참, 아니나 다를까《비꼬는 투》. ***take ... by*** ~ ① …에 불의의 습격을 하다, 허를 찌르다. ② …을 깜짝 놀라게 하다. ***to*** one's (***great***) ~ (아주) 놀랍게도.
— *a.* 불시의, 기습의, 뜻하지 않은.
[파] **sur·prís·ed·ly** [-idli] *ad.* 놀라서. **sur·prís·er** *n.*

surpríse attàck 기습.

surpríse pàrty 《미》 깜짝 파티《친구들이 몰래 계획·준비하여 벗을 찾아가 갑자기 열어 주는 축하회 따위》; 기습 부대.

surpríse vìsit 불시의 방문; 임검(臨檢).

***sur·pris·ing** [sərpráiziŋ] *a.* 놀랄 만한, 불가사의한, 의외의; 눈부신. [파] ~**·ly** *ad.* 놀랄 정도로, 의외로. ~**·ness** *n.*

sur·ra(**h**) [súərə] *n.* 【수의】 수라《인도·미얀마 등지의 소·낙타·코끼리 등의 악성 전염병》.

sur·re·al [səríːəl, -ríːl/-ríəl] *a.* 초현실적인, 기상천외의. — *n.* (the ~) 초현실적인 것〔분위기〕. [파] ~**·ly** *ad.*

sur·ré·al·ìsm *n.* [U] 【미술·문학】 초현실주의. [파] **-ist** *n., a.* 초현실주의자(의).

sur·re·al·is·tic [səriːəlístik/-rìəl-] *a.* 초현실주의(자)의. [파] **-ti·cal·ly** *ad.*

sur·re·but [səːrribʌ́t/sʌ̀r-] (**-tt-**) *vi.* 【법률】 (원고가 피고의 세 번째 답변에 대해) 네 번째 답변을 하다. [파] ~**·ter** [-ər] *n.* (원고의) 네 번째 답변(pleading).

sur·re·but·tal [səːrribʌ́tl/sʌ̀r-] *n.* 【법률】 재항변, 재반론《피고의 반론에 항변하기 위한 증거 제출》.

sur·re·join [səːrridʒɔ́in/sʌ̀r-] *vi.* 【법률】 (원고가 피고의 두 번째 답변에) 세 번째 답변을 하다. [파] ~**·der** [-dər] *n.* (원고의) 세 번째 답변.

***sur·ren·der** [səréndər] *vt.* **1** 《~+[목]/+[목]+[전]+[명]》 내어 주다, 넘겨주다, 양도〔명도〕하다: ~ a fort *to* the enemy 적에게 요새를 넘겨주다. **2** 포기하다, 내던지다: ~ all hopes 모든 희망을 버리다. **3** 《+[목]+[전]+[명]》 〖~ oneself〗 (감정·습관 따위에) 빠지다; 항복하다《*to*》: ~ one*self to* grief 비탄에 잠기다/~ one*self to* despair 자포자기에 빠지다. **4** …의 보험을 해약하다. **5** 【경제】 (계획 경제에서 생산량의 할당분을 공정 가격으로 정부에) 제공하다. — *vi.* **1** 《~/+[전]+[명]》 항복〔굴복〕하다: ~ *to* the enemy.

> [SYN.] **surrender** 굴복하기 전의 저항과 굴복 후의 무저항을 시사함. **yield to** 외부 압력에 굴하다. 단, surrender와 달리 전면적 또는 항구적으로 굴하는 것은 아님: *yield* only *to* violence 폭력 이외의 그 무엇에도 굴하지 않다. **submit to** 권력·지배 따위에 순순히 복종하다: *submit to* God's will 신의 뜻에 따르다.

2 《+[전]+[명]》 (감정·습관 등에) 빠지다, 골몰하다, 몸을 내맡기다: ~ *to* indolence 게으름으로 신세를 망치다. ~ one***self to justice*** 〔***the police***〕 자수하다.
— *n.* [U,C] **1** 인도; 양도: ~ of a fugitive 【국제법】 탈주범의 인도(引渡). **2** 항복, 굴복, 함락: unconditional ~ 무조건 항복. **3** 자수(自首). **4** 보험 해약. **5** 【경제】 (정부 공정 가격으로 제공하는) 공출량. ***the Instrument of Surrender*** 항복 문서.

surrénder vàlue 【보험】 중도 해약 환급금(還給金).

sur·rep·ti·tious [səːrəptíʃəs/sʌ̀r-] *a.* 내밀한, 비밀의, 은밀한; 뒤가 구린, 부정한; 간교한. [파] ~**·ly** *ad.* ~**·ness** *n.*

Sur·rey [sə́ːri, sʌ́ri/sʌ́ri] *n.* 서리《잉글랜드 남부의 주; 주도 Kingston upon Thames》.

sur·rey *n.* 《미》 서리《2석 4인승 4륜 마차〔자동차〕》.

sur·ro·ga·cy [sə́ːrəgəsi, sʌ́r-/sʌ́r-] *n.* **1** 대리인의 역할〔임무〕; 대리 제도. **2** 대리모(代理母) 역할을 함〔하기〕; 대리모 제도.

sur·ro·gate [sə́ːrəgèit, -gət, sʌ́r-/sʌ́rəgət] *n.* **1** 대리, 대리인. **2** 【영국교회】 감독 대리《banns 없이 결혼 허가를 해주는》, 종교 재판소 판사 대리. **3** 《미》 유언 검증〔유산 처리〕 판사; 【정신분석】 대리《무의식 중에 부모를 대신하는 권위자》. **4** 대신, 대용물《*for; of*》. — *a.* 대리의, 대용의. — [-gèit] *vt.* **1** …의 대리로 임명하다; 자기의 후임으로 지명하다. **2** 【법률】 대위(代位)하다. [파] ~**·shìp** *n.* ~의 임기〔직무〕. **sùr·ro·gá·tion** *n.*

súrrogate mòther 대리모《다른 부부를 위해 자궁을 빌려 주고 아기를 낳는 여성; 모르는 남성의 정자에 의한 인공 수정이나 체외 수정(in vitro fertilization)의 수정란 이식에 의함》.

súrrogate mòtherhood 대리모업(業).

súrrogate pàrenting 대리모 노릇(=**súrrogate mòthering**).

****sur·round** [səráund] *vt.* **1** 에워싸다, 둘러싸다.

> [SYN.] **surround** 사방 또는 삼방으로 둘러싸다. 이하의 모든 말과 대치할 수 있는 말이며 영속되지 않는 행위에도 쓰임: When she came out of the dressing room she was *surrounded* by admirers. 분장실에서 나왔을 때 그녀는 팬들에게 둘러싸였다. **environ** surround와 같지만 환경의 일부를 이루는 영속적 상태에 관해 쓰임: The town is *environed* by beautiful woods. 도시는 아름다운 숲으로 둘러싸여 있다. **encircle** (거의) 원형으로 포위되고 있음을 말함: the lake *encircled* with trees 나무들로 빙 둘러싸인 호수. **enclose** 속의 것이 탈출 못 하도록 가두는 것으로 외계(外界)와의 단절이 강조됨: a house *enclosed* with a wall 담으로 둘러싸인 집.

2 【군사】 포위하다; 에두르다, 에우다. [cf.] encircle. ***be*** ~***ed with*** 〔***by***〕 …에 둘러싸이다.
— *n.* 둘러싸는 것, 경계가 되는 것; (*pl.*) 환경, 주위; 【건축】 (창 따위의) 가장자리 테; 《영》 (벽과 카펫 사이의) 마루; 거기에 까는 깔개; 【사냥】 포위 사냥법〔장소〕. [파] ~**·er** *n.*

***sur·round·ing** [səráundiŋ] *n.* (보통 *pl.*) (주위) 환경, 주위의 상황; (때로 *pl.*) 주위의 사물〔사람〕, 측근자들. [cf.] environment. ¶ social ~s 사회 환경. — *a.* 주위의, 둘레〔부근〕의: the ~ hills.

surróund-sòund *n.* 《영》 【오디오】 서라운드 사운드《음악 등 현장감(感)을 살린 재생음》.

sur·sum cor·da [súərsum-kɔ́ːrdɑː, sə́ːrsəm-kɔ́ːrdə/sə́ːsəm-kɔ́ːdə] *n.* 《L.》 (=lift up your hearts) 용기를 불러일으키게 하는 것; (종종 S- C-) 【가톨릭】 '마음을 드높이…' 《미사 서창(序唱)의 문구》.

sur·tax [sə́ːrtæ̀ks] *n.* [U,C] 부가세, 가산세; 소득세 특별 부과세《영국에서는 supertax 대신 1929-30년 이후 실시》. — *vt.* …에게 (누진) 부가세를 과하다.

sur·ti·tle [sə́ːrtàitl] *n.* =SUPERTITLE.

sur·tout [sərtú:, -tú:t/sə́:tu:] *n.* (중세의) 남자 외투《특히 프록코트형의》; (여자용의) 후드가 달린 외투. **— *a.*** 〖문장(紋章)〗 (방패의 무늬가) 부분적으로 다른 무늬와 겹치는.

surv. survey(ing); surveyor; surviving; survivor.

sur·veil, -veille [sə:rvéil/sə(:)-] *vt.* …을 감「독〔감시〕하다.

sur·veil·lance [sərvéiləns, -ljəns/sə:véiləns] *n.* Ⓤ 감시; 감독. ***under* ~** 감시를 받고.

sur·veil·lant [sərvéilənt, -ljənt/sə:véilənt] *a.* 감시〔감독〕하는. **— *n.*** 감시〔감독〕자.

＊sur·vey [sərvéi, sə́:rvei] *vt.* **1** 내려다보다, 전망하다. **2** 개관하다, 관찰하다: ~ the world situation. **3** 측량하다: ~ a railroad. **4** 조사하다, 검사〔사정〕하다. **5** 검사 후 퇴직시키다. **— *vi.*** 측량을 하다. **—** [sə́:rvei, sərvéi] *n.* **1** 바라다〔내다〕봄. **2** 개관, 관찰. **3** 측량, 실지 답사; 측량〔실측〕도(圖); 측량부(部). **4** 조사, 검사; 조사표, 조사서; 〖통계〗 표본 조사. ***make a* ~ *of*** … 을 측량하다; 개관하다. ㊉ **~·ing** *n.* Ⓤ 측량(술).

súrvey còurse 개설(槪說) 강의.

◇sur·vey·or [sərvéiər] *n.* 측량사〔기사〕; (부동산 따위의) 감정인, 《미》 조세 사정(査定)관; 《미》 (세관의) 수입품 검사관《*of*》; (배의) 내항성(耐航性) 검사관; 감시인, 감독자; (S-) 미국의 달 연착륙 계획에 의한 인공위성. ㊉ **~·ship** [-ʃìp] *n.* Ⓤ ~의 지위〔직무, 신분〕.

survéyor géneral (*pl.* ***survéyors géneral, ~s***) 《미》 공유지〔국유지〕 감독관; 검사 주임.

survéyor's chàin 〖측량〗 측쇄(測鎖)《거리 측정용 쇠사슬》.

survéyor's lèvel 측량용 수준의(水準儀).

survéyor's mèasure 《미》 (측쇄(測鎖)를 기준으로 한) 측량 단위.

súrvey rèsearch 〖마케팅〗 서베이 리서치《일정한 표적 대상이나 집단에 직접 또는 간접으로 인터뷰하여 시장 정보를 입수하는 연구 방법》.

sur·viv·a·ble [sərváivəbəl] *a.* 살아남을 수 있는; 살아남게 하는. ㊉ **sur·vìv·a·bíl·i·ty** *n.*

＊sur·viv·al [sərváivəl] *n.* **1** Ⓤ 살아남음, 생존, 잔존. **2** 생존자, 잔존물; 유물, 유풍. ◇ survive *v.* ***the* ~ *of the fittest*** 적자(適者)생존. **— *a.*** (식량·의류 등이) 긴급용〔비상 시용〕의.

survíval bàg (구명용) 비상백《등산가들이 조난당했을 때, 몸을 감싸는 대형 플라스틱제의》.

survíval cùrve 생존율 곡선《방사선 피폭자·암환자 등 특정한 집단의 생존율을 나타내는 곡선 그래프》.

survíval guìlt 생존자의 자책〔죄악감〕《전쟁·재해에서 살아남은 사람이 희생자에 대하여 가지는》.

sur·vív·al·ìsm *n.* 생존주의《전쟁·재해 등에서 살아남기 위해 대비하는 일》. ㊉ **-ist** *n.* 생존주의자.

survíval kìt 〖항공〗 (비상용) 생존 장비, 구명대「(救命袋).

＊sur·vive [sərváiv] *vt.* **1** …의 후까지 생존하다〔살아남다〕, (남보다) 오래 살다: He ~*d* his children. 자식들보다 오래 살았다 / He is ~*d* by his wife and children. 유족에는 처와 자식들이 있다. **2** (재해로부터) 헤어나다, 면하다: The crops ~*d* the drought. 농작물은 한발을 면했다. **3** 《구어》 (격무 등)에 견디다. **— *vi.*** 살아남다; 목숨을 부지하다, 잔존하다; 《구어》 (불행 등에) 아랑곳하지 않다: those who ~ 생존자, 구조된 사람. ◇ survival *n.* **~ *one's usefulness*** 오래 살아서 무용지물이 되다.

sur·vi·vor [sərváivər] *n.* **1** 살아남은 사람, 생존자, 잔존자: He was the sole ~. 그는 유일한 생존자였다. **2** 유족. **3** 잔존물, 유물.

survívor guìlt =SURVIVAL GUILT.

Survívor's Bénefit 《미》 유족 급부금《전국의 치안·법집행 기관의 직원이 순직했을 때 주는》.

sur·vi·vor·ship [sərváivərʃìp] *n.* Ⓤ 생존, 잔존; 〖법률〗 (공유 재산의) 생존자권, 잔존자 취득권.

survívor sỳndrome 〖의학〗 생존자 증후군《전쟁·재해의 생존자가 나타내는, 죄악감에 바탕을 두는 정신 증상》.

sus, suss [sʌs] 《영속어》 (**-ss-**) *vt.* 의심하다. **~ *out*** 《영속어》 정찰하다, 조사하다; 간파하다. **— *n.*** 의심, 혐의(suspicion). ***on* ~** 《영속어》 혐의를 받아.

sus- [səs, sʌs] *pref.* =SUB-《c, p, t 앞에서》.

Su·san [sú:zən], **Su·san·na(h)** [su:zǽnə], **Su·sanne** [su:zǽn] *n.* 수잔, 수재나, 수잰《여자 이름; 애칭 Sue, Suky, Susie 따위》.

Su·san·na [su:zǽnə] *n.* **1** =SUSAN. **2** 〖성서〗 수산나《Joachim 의 아내로, '수산나 이야기'에 나오는 정숙한 여자》; 수산나 이야기《구약 성서 외전(外典)의 **The Hístory of ∼**》.

sus·cèp·ti·bíl·i·ty *n.* **1** Ⓤ **a** 다감함, 감수성(性), 민감《*to*》. **b** (병 등에) 감염되기〔걸리기〕 쉬움《*to*》. **2** (*pl.*) 감정: wound 〔offend〕 a person's *susceptibilities* 아무의 감정을 해치다. **3** Ⓤ 〖전기〗 자화율(磁化率), 대자율(帶磁率)(magnetic ~); 〖기계〗 고장 발생도(度).

◇sus·cep·ti·ble [səséptəbəl] *a.* **1** 느끼기 쉬운, (다정)다감한, 민감한《*of*》; 움직이기 쉬운, 정(情)에 무른《*to*》; (…에) 걸리기〔영향받기〕 쉬운《*to*》: a ~ youth 다감한 청년 / ~ *to* colds 감기에 걸리기 쉬운. **2** …을 할 수 있는〔허락하는〕《*of; to*》: a problem ~ *to* solution 해결 가능한 문제 / ~ *of* several interpretations 여러 가지로 해석할 수 있는. ㊉ **-bly** *ad.* **~·ness** *n.*

sus·cep·tive [səséptiv] *a.* 감수성이 강한, 다감한, 민감한《*of*》; 받는, 받기 쉬운《*of*》. ㊉ **~-ness** *n.* **sus·cep·tiv·i·ty** [sʌ̀septívəti] *n.*

Su·sie [sú:zi] *n.* 수지《여자 이름; Susan, Susanna(h) 등의 애칭》.

＊sus·pect [səspékt] *vt.* **1** 《+목+*to be* 보/+(*that*) 절》 …이 아닌가 의심하다, (위험·음모 따위를) 어렴풋이 느끼다〔알아채다〕: I ~ him *to be* a liar. 그는 거짓말쟁이가 아닌가 생각된다 / a ~*ed* case 의사(擬似) 환자 / I ~ (*that*) he is a spy. 그가 간첩이 아닌가 생각한다.

> NOTE suspect 는 '…일 것이다'를 의미하며, doubt 는 '…은 아니겠지, …임을 의심하다'를 뜻하는 것으로 대립되는 말: I *doubt* that 〔if〕 he is a spy. 그는 첩자〔스파이〕는 아닐 것이다.

2 《+목+전+명/+목+*as* 보》 의심하다, 유죄〔허위, 악질이〕라고 의심하다, 불량하다고 의심하다: ~ a person *of* murder 아무에게 살인 혐의를 두다 / ~ a person *as* the theft 아무에게 도둑 혐의를 걸다. **3** (부정·위험 등의) 낌새를 느끼다: ~ danger 〔intrigue〕 위험을〔음모를〕 눈치채다 / He ~*ed* a perforated ulcer. 그는 천공성 궤양임을 감지했다. **— *vi.*** 의심을 품다, 혐의를 두다; 느끼다. ◇ suspicion *n.* ***be* ~*ed of*** … 의 혐의를 받다.

— [sʌ́spekt] *a.* 의심스러운, 수상한〔쩍은〕: His theory is ~. 그의 이론은 의심스럽다 / *Suspect* drugs are removed from the market. 의심스러운 약품은 마켓에서 판매가 금지되어 있다.

— [sʌ́spekt] *n.* 혐의자, 용의자, 주의 인물.

㊉ **sus·péct·a·ble** *a.* 혐의를 걸 수 있는, 수상한.

＊sus·pend [səspénd] *vt.* **1** 《~+목/+목+전+명》 (매)달다, 걸다: ~ a ball *by* a thread 공을 실로 매달다. **2** 중지하다, 일시 정지하다, 한때 멈

추다, 연기하다: ~ payment 지급을 중지하다/~ business 영업을 일시 중지시키다. **3** 《~+[목]/+[목]+[전]+[명]》 정직〔정학〕시키다, …의 특권을 일시 정지시키다; (결정·집행 따위를) 보류하다: ~ judgment 결정〔판결〕을 보류하다/~ a student *from* school 학생을 정학시키다. **4** 《[목]+[전]+[명]》 〖수동태〗 (액체·공기 속에) 뜨게 하다: dust ~*ed in* the air 공기 중에 떠도는 먼지. **5** 《[목]+[전]+[명]》 …의 마음을 들뜨게 하다, …의 속을 태우다; 불안하게〔어리둥절하게〕 하여 …하게 하다《*into*》: He ~*ed* me *into* consenting. 그는 나를 어리둥절케 해서 동의하게 했다/Finish the story; don't ~ us in midair. 어서 이야기를 끝내라, 애를 태우지 말고. **6** 〖음악〗 길게 늘이다. **— *vi.*** **1** 일시 정지하다, 중단하다. **2** 지급을 정지〔중지〕하다; 부채를 갚을 수 없게 되다. **3** 매달리다; (공중에) 뜨다. ◇ suspense, suspension *n.* ~ ***one's judgment*** 판결〔판정〕을 보류하다.

suspénded animátion 가사(假死) 상태, 인사불성; 생명 활동의 일시 중단.

suspénded séntence 〖법률〗 집행 유예.

suspénded sólids 현탁(懸濁) 물질, 부유물《물을 오염시키는 고형물(固形物); 불용성(不溶性)으로 입경(粒徑) 2mm 이하; 생략: SS》.

sus·pénd·er *n.* (매)다는 사람〔물건〕; (*pl.*) 《영》 양말대님; (*pl.*) 《미》 바지 멜빵(《영》 braces); (적교(吊橋)의) 매다는 줄.

suspénder bèlt 《영》 =GARTER BELT.

◇**sus·pense** [səspéns] *n.* [U] **1** 미결정, 미정; 허공에 매달려 있는 상태, 어중간. **2** 걱정, 불안; (소설·영화 등에 의한) 지속적 불안감, 긴장감, 서스펜스. **3** 〖법률〗 (권리의) 정지. ◇ suspend *v.* ***hold ... in*** ~ …을 미결인 채로 두다; 애태우게 하다. ***keep*** a person ***in*** ~ 아무를 불안하게 해 두다, 마음졸이게 하다. [파] **~·ful** [-fəl] *a.* 서스펜스가 많은.

suspénse accòunt 〖부기〗 가(假)계정, 가기입.

sus·pen·si·ble [səspénsəbəl] *a.* 매달 수 있는; 중지할 수 있는; 미결(未決)로 해 둘 수 있는; 부유성(浮遊性)의. [파] **sus·pèn·si·bíl·i·ty** *n.*

sus·pen·sion [səspénʃən] *n.* [U] **1** 걸(치)기, 매달기; 매달려 축 늘어짐; 걸림; 부유 (상태). **2** 이도 저도 아님, 미결정. **3** 중지, 정지; 선고〔처형〕 중지; 정직, 정학, 권리 정지; 〖가톨릭〗 성직정지. **4** 지급 정지. **5** [C] 버팀대; (자동차 따위의) 현가(懸架) 장치《스프링 따위》. **6** 〖화학〗 서스펜션, 현탁(懸濁)(액); [C] (액체·고체 중의) 부유물. **7** 〖음악〗 걸림음(音), 계류음(繫留音). **8** 〖수사학〗 현연법(懸延法)《이야기의 주요 부분을 뒤로 돌리는》. ◇ suspend *v.*

suspénsion brìdge 현수교(懸垂橋), 조교(弔橋).

suspénsion pèriods 〔**pòints**〕 《미》 〖인쇄〗 생략 부호《글의 생략을 나타내며, 글 안에서는 3점(…), 글 끝에서는 보통 4점(….)을 찍음》.

sus·pen·sive [səspénsiv] *a.* 미결정의; 의심스러운, 불안〔불확실〕한; 중지〔휴지〕하는, 정지의; 《드물게》 매단. [파] **~·ly** *ad.* **~·ness** *n.*

suspénsive véto 정지권(停止權).

sus·pen·soid [səspénsɔid] *n.* 〖물리·화학〗 현탁콜로이드, 서스펜션액(液).

sus·pen·sor [səspénsər] *n.* =SUSPENSORY; 〖식물〗 배병(胚柄), 배(胚)자루.

sus·pen·so·ry [səspénsəri] *a.* 매다는, 매달아 늘어뜨린, 버티는; 일시 중지의; 미결로 두는. **— *n.*** 〖의학〗 현수대(懸垂帶), 멜빵붕대; 〖해부〗 현수근(筋)《인대(靭帶) 따위》.

suspénsory lígament 〖해부〗 현수 인대.

‡sus·pi·cion [səspíʃən] *n.* **1** [U,C] 혐의, 의심(쩍음): have a ~ of a person's honesty 아무의 정직함을 의심하다. [SYN.] ⇨DOUBT. **2** 낌새챔, 막연한 느낌: I have a ~ that you are right. 네가 옳은 것 같다/I hadn't the slightest ~ of his presence. 나는 그가 있는 것을 전혀 알지 못했다. **3** (a ~) 극소량, 기미《*of*》: She had a ~ *of* sadness in her voice. 그녀의 목소리엔 약간 슬픔이 깃들어 있었다. ◇ suspect *v.* ***above*** ~ 혐의의 여지가 없이, 아주 공정하여. ***hold ... in*** ~ =***cast*** ~ ***on ...*** …에 혐의를 두다. ***not the shadow*** 〔***ghost***〕 ***of a*** ~ 한가닥 의심도 없는. ***on*** (***the***) ~ ***of ...*** …한 혐의로. ***under*** ~ 혐의를 받고. **— *vt.*** 《방언·구어》 의심하다; 혐의를 두다. [파] **~·less** *a.*

sus·pi·cion·al [səspíʃənəl] *a.* (병적으로) 의심 많은.

***sus·pi·cious** [səspíʃəs] *a.* **1** 의심스러운, 괴이쩍은, 미심한, (거동이) 수상쩍은: The patrol officer inspected all ~ cars. 순찰 경관은 모든 의심스러운 차를 검색했다. **2** 의심 많은, 공연히 의심하는《*of; that*》: a ~ nature 의심 많은 성질〔사람〕/He is ~ *of* me 〔my intentions〕. 그는 나〔내 의도〕를 의심하고 있다. **3** 의심쩍은, 의심을 나타내는: a ~ look 의심쩍은 눈초리. ◇ suspect *v.* [파] **~·ly** *ad.* **~·ness** *n.*

sus·pi·ra·tion [sʌ̀spəréiʃən] *n.* 《고어·시어》 한숨, (장)탄식.

sus·pire [səspáiər] 《고어·시어》 *vi.* 한숨쉬다, 탄식하다《*for*》; 호흡하다. **— *vt.*** 탄식하며 말하다.

Sus·sex [sʌ́siks] *n.* **1** 서섹스《(1)잉글랜드 남동부의 옛 주; 1974년 East ~, West ~의 두 주(州)로 분할됨; 생략: Suss. (2) 앵글로색슨의 7왕국(heptarchy)의 하나》. **2** (닭 및 식육우(牛)의) 서섹스종(種).

sus·tain** [səstéin] *vt.* **1** (아래서) 떠받치다. **2** 유지하다, 계속하다: ~ a conversation 담화를 계속하다/~*ed* efforts 부단한 노력. **3** 부양하다, 양육하다, 기르다: a large family to ~ 많은 부양 가족. **4** (손해 따위를) 받다, 입다: ~ severe injuries 심한 상처를 입다. **5** 참고 견디다; (중책 등을) 맡다; (맡은 역을) 훌륭히 해내다. **6** 《~+[목]/+[목]+[전]+[명]》 확증〔확인〕하다, 승인하다; 입증하다: The court ~*ed* his suit. =The court ~*ed* him *in* his suit. 법정은 그의 소송을 인정했다. **7** 지지〔지원〕하다; 격려하다, 기운내게 하다. [SYN.] ⇨SUPPORT. ◇ sustenance *n.* ~ ***comparison with (another) (딴 것)과 비교하여 손색이 없다. [파] **~·ment** *n.*

sus·táin·a·ble *a.* **1** 유지〔계속〕할 수 있는, 받칠 수 있는. **2** 〖환경〗 (자원 이용이) 환경이 파괴되지 않고 계속될 수 있는; (자원이) 고갈됨이 없이 이용할 수 있는; (개발 등이) 야생 동물을 절멸시키지 않는.

sus·táined *a.* 지속된, 일련의. [파] **-tain·ed·ly** [-téinidli] *ad.*

sustáined-reléase *a.* =TIMED-RELEASE.

sustáined yíeld 수확량 유지《수확하여 감소한 삼림·물고기 등의 생물 자원이 다음 수확 이전에 불어나도록 관리하는 일》.

sus·táin·er *n.* 떠받치는〔버티는〕 사람〔물건〕; 《미》 =SUSTAINING PROGRAM; 〖로켓〗 지속(持續) 비행(용 로켓 엔진).

sus·táin·ing *a.* 떠받치는, 버티는; 자주(自主) 프로의; 몸에 좋은, 체력을 북돋우는: ~ food.

sustáining prògram 《미》 자주(自主) 프로《스폰서 없이 방송국 자체가 하는 비(非)상업적 프로》.

sus·te·nance [sʌ́stənəns] *n.* [U] 생계; 생활; 생명(력)을 유지하는 물건; 음식, 먹을 것; 자양물; 지지, 유지; 내구(耐久), 지속. ◇ sustain *v.*

sus·ten·tác·u·lar céll [sʌ̀stəntǽkjələr-]

〖해부〗 지지(支持) 세포《특별 기능이 없는 상피(上皮) 세포》.

sus·ten·ta·tion [sʌ̀stəntéiʃən] *n.* Ⓤ,Ⓒ 지지, (생명〔생활〕의) 유지, 부조, 부양; 음식. 「금.

sustentátion fùnd 〖기독교〗 전도사 부조 기

sus·ten·tion [səsténʃən] *n.* =SUSTENTATION.

su·sur·ra·tion [sù:səréiʃən/sjù:-] *n.* 《문어》 속삭임.

su·sur·rous [susə́:rəs/sju:sʌ́rəs] *a.* 《문어》 속삭임이 가득한; 살랑거리는.

Su·sy [sú:zi] *n.* 수지《여자 이름; Susan, Susanna(h)의 애칭》. 「상인.

sut·ler [sʌ́tlər] *n.* (이전의) 종군(從軍) 매점

su·tra [sú:trə] *n.* 《Sans.》 (종종 S-) (베다 문학의) 계율 금언(집); 〖불교〗 경(經), 경전.

sut·tee, sa·ti [sʌtí:, ⌐-] *n.* 《Sans.》 **1** Ⓤ 아내의 순사(殉死)《옛날 인도에서 아내가 남편의 시체와 함께 산 채로 화장되던 풍습》. **2** 죽은 남편을 따라 죽는 아내. ⊞ **sut·tee·ism** [sʌtí:izəm, ⌐-⌐] *n.* 아내가 남편을 따라 죽는 풍습.

su·tur·al [sú:tʃərəl/sjú:-] *a.* 솔기의, 꿰맨 줄의; 〖해부·식물·동물〗 봉합선의. ⊞ **~·ly** *ad.*

su·ture [sú:tʃər/sjú:-] *n.* **1** 〖의학〗 봉합; 봉합선; 봉합사(絲). **2** 〖해부〗 (두개골의) 봉합선; 〖식물·동물〗 봉합(선). **3** 꿰매어 맞춤, 접합함. ── *vt.* (상처 따위를) 봉합하다, 합쳐 꿰매다.

SUV [ésjù:ví:] *n.* 《미》 =SPORT UTILITY VEHICLE.

Su·va [sú:və] *n.* 수바《Fiji의 수도·항구 도시》.

su·ze·rain [sú:zərin, -rèin/sjú:-] *n.* 영주, 종주(宗主); (속국에 대하여) 종주국. ⊞ **~·ty** [-ti] *n.* Ⓤ 종주권; 영주의 지위〔권력〕.

Su·zy, -zie [sú:zi] *n.* 수지《여자 이름; Susan, Susanna(h) 등의 애칭》.

S.V. *Sancta Virgo* 《L.》 (=Holy Virgin); *Sanctitas Vestra* 《L.》 (=Your Holiness). **s.v.** sailing vessel; *sub verbo* 〔*voce*〕 《L.》 (=under the word 〔heading〕).

sva·ra·bhak·ti [sfɑ̀:rəbʌ́kti, svɑ̀:-/svʌ̀rəbʌ́kti] *n.* 《Sans.》 〖언어〗 모음 감입(母音嵌入)《산스크리트에서, 특히 r〔l〕과 직후(直後)의 자음 사이에 모음이 삽입되는 일; 또 다른 언어에서의 같은 현상》.

svc, svce. service.

svelte [svelt, sfelt] *a.* 《F.》 날씬한, 몸매 좋은, 호리호리한, 미끈한《여성의 자태 따위》. ⊞ **⌐·ly** *ad.* **⌐·ness** *n.*

Sven·ga·li [svengɑ́:li, sfen-] *n.* 이기적〔사악한〕 의도로 남을 지배하려는 사람.

SV40 Simian Virus 40(시미언 바이러스 40; 원숭이의 발암 바이러스). **SVGA** 〖컴퓨터〗 Super Video Graphics Array. **svgs.** savings. **SVP** senior vice president((회사의) 상무). ⓒⓕ EVP. **SW** shipper's weight. **SW, sw** shortwave. **SW, S.W., s.w.** southwest(ern). **Sw.** Sweden; Swedish. **S.W.** South Wales. **S.W.A.** South-West Africa.

swab [swɑb/swɔb] *n.* (갑판 따위를 닦는) 자루걸레, 몹; 〖의학〗 면봉(綿棒); 면봉으로 모은 표본《세균 검사용의 분비물 따위》; 포신(砲身) 내부를 닦는 청소봉(棒); 《영》 해군 사관의 견장(epaulet); 《속어》 데통바리, 얼간이; 《미속어》 =SWABBIE. ── (*-bb-*) *vt.* (자루걸레로) 훔치다 《종종 *down*》; …에서 물기를 닦다, 훔치다《*up*》; (약물을) 면봉으로 바르다. ⊞ **⌐·ber** *n.* 청소 담당 선원; 자루걸레; 《속어》 데통바리.

swab·bie, -by [swɑ́bi/swɔ́bi] *n.* 〔보통 호칭〕 《미속어》 해군 부사관, 수병(swab).

Swa·bi·an [swéibiən] *a.* (독일의) 슈바벤(Schwaben) 지방의; 슈바벤 사람의. ── *n.* 슈바벤 사람〔방언〕. 「한.

swacked [swækt] *a.* 《속어》 (술·마약에) 취

swad·dle [swɑ́dl/swɔ́dl] *vt.* (갓난 아이를) 포대기로 폭 싸다; 헝겊으로〔붕대로〕 둘둘 두르다 〔감다〕. ── *n.* 《미》 =SWADDLING CLOTHES 1.

swáddling clòthes 〔**bànds**〕 **1** (본디 갓난애를 둘둘 감는) 천; 배내옷; 기저귀. **2** 유년기〔시절〕, 요람기. **3** 《비유》 (어린애에 대한) 속박, 엄한 감시.

Swa·de·shi [swədéiʃi] 《Ind.》 *n.* 스와데시《독립 이전 인도에서의 국산품 애용, 특히 영국 상품 배척 운동》. ── *a.* 인도제〔산(產)〕의.

swag[1] [swæg] *n.* **1** 《속어》 Ⓤ 약탈물(booty); 훔친 물건; 부정 소득; 《속어》 돈, 귀중품, 밀수품. **2** 《Austral.》 (삼림 지대 여행자 등의) 휴대품 보따리.

swag[2] *n.* 꽃장식, 꽃줄(festoon); =SWALE; 흔들림. ── (*-gg-*) *vi.* 흔들리다; 기울다; 축 늘어지다. ── *vt.* 늘어뜨리다, 흔들다; 꽃장식으로 장식하다.

swage [sweidʒ] *n.* 형철(型鐵)《쇠붙이의 형체를 뜨는 틀》; =SWAGE BLOCK. ── *vt.* 형철로 구부리다〔형을 뜨다〕. 「形孔臺).

swáge blòck 〖기계〗 벌집틀, 이형 공대(異

°**swag·ger** [swǽgər] *vi.* **1** 《~/+뮈/+전+명》 뽐내며 걷다, 활보하다《*about; in; out,* etc.》: He *~ed about* 〔*into* the room〕. 그는 뽐내며 돌아다녔다〔방에 들어왔다〕. **2** 《~/+전+명》 으스대다, 허풍 떨다; 흰소리치다《*about*》: He *~s about* his boldness. 그는 자신이 대담하다고 허풍을 떤다. ── *vt.* 《+목+전+명》 으름장을 놓아…시키다《*into*》; 을러대어 …을 그만두게 하다 《*out of*》: ~ a person *into* concession 아무를 공갈쳐서 양보시키다. ── *n.* **1** 으쓱거리며 걷기, 활보. **2** 뽐냄. **3** 흰소리치기. **4** 《Austral.》 방랑자, 떠돌이 노동자. ── *a.* 《구어》 멋진, 스마트한, 맵시 있는. ⊞ **~·er** *n.*

swágger còat 스왜거 코트《어깨가 넓고 뒤에 플레어를 넣은 여성용 코트》.

swág·ger·ing [-riŋ] *a.* 뽐내며 걷는; 뻐기는. ⊞ **~·ly** *ad.* 뽐내어, 뻐기며.

swágger stìck 〔**càne**〕 (군인 등이 산책 따위를 할 때 들고 다니는) 단장(短杖).

swág·man, swágs- [-mən] (*pl.* ***-men*** [-mən]) *n.* 《Austral.》 휴대품을 꾸러미(swag)로 하여 들고 다니는 떠돌이 노동자; 방랑자.

Swa·hi·li [swɑ:hí:li] (*pl.* **~, ~s**) *n.* 스와힐리 사람《아프리카 Zanzibar 및 그 부근 연안에 사는 Bantu 사람》; Ⓤ 그 언어《동부 아프리카·콩고의 공용어》.

swain [swein] *n.* 《고어·시어·우스개》 시골 젊은이; 시골의 멋쟁이; 연인, 구혼자《남자》.

SWAK, S.W.A.K., swak [swæk] sealed with a kiss(키스로 봉함; 아이들이나 연인이 편지에 쓰는 말). 「지(低地).

swale [sweil] *n.* 《미》 풀이 무성한 저습지; 저

SWALK [swɔ:k] sealed with a loving kiss. ★ 연애편지 봉투 뒤에 씀. ⓒⓕ SWAK.

^*^swal·low[1] [swɑ́lou/swɔ́l-] *vt.* **1** 《~+목/+목+뮈》 들이켜다, 삼키다, 꿀꺽 삼키다《*down; in; up*》: ~ a pill 알약을 삼키다 / *Swallow* it *down* and have another. 그걸 들이켜고 한 잔 더 해라. **2** 《+목+뮈》 먹어 치우다, (써) 없애다, 다 써 버리다《*up*》: The expenses *~ed up* the earning. 지출이 수입을 다 까먹었다. **3** 《구어》 그대로 받아들이다, 쉽사리 곧이듣다, 경솔히 믿다: I can't ~ that. 그런 걸 믿을 수 있겠소. **4** 참다, 받아들이다; (노여움 따위를) 억누르다: ~ an insult 모욕을 참다 / ~ an unfavorable condition 불리한 조건을 받아들이다. **5** 가슴에 품어 두다, 삼가다: ~ a smile. **6** 《+목+뮈/+

[목]+[전]+[명]》 싸다, 가리다《*up*》: Her figure was ~*ed up in* the mist. 그녀의 모습은 안개 속으로 사라졌다. **7** (말한 것을) 취소하다: ~ one's words (앞서) 한 말을 취소하다. **—** *vi.* 마시다, 들이켜다; (감정을 억제하여 침을 꿀꺽) 삼키다. ~ ***the anchor*** ⇨ANCHOR.

— *n.* **1** 삼킴, 마심; 한 모금(의 양). **2** 식도(食道), 목구멍. **3** 수채 구덩이, 오물[폐물] 구덩이. **4** 《영》 【지학】 (석회암 따위의) 함락공; (물 따위를) 빨아들이는 구멍(=∠ **hòle**). ***at*** [***in***] ***one*** ~ 한입에. ***take a*** ~ ***of*** …을 한모금 마시다, 꿀꺽 마시다.

[파] ~**·a·ble** *a.* ~**·er** *n.* 삼키는 사람; 대식가.

***swal·low**² *n.* 제비: One ~ does not make a summer. 《속담》 제비 한 마리 왔다고 해서 여름이 온 것은 아니다; 사물의 일면만 보고 전체를 단정하지 마라.

swállow dìve 《영》 【수영】 =SWAN DIVE.

swállow hòle 《영》 【지학】 (석회암 지방에 생기는 지하의) 물의 흡입구, 포노르(ponor).

swállow·tàil *n.* **1** 제비 꼬리 (모양의 것); 연미복(=∠ **cóat**). **2** 【해사】 제비 꼬리 모양의 깃발의 끝; 【곤충】 산호랑나비. [파] ~**ed** *a.* 제비 꼬리 모양의: a ~*ed* coat.

swam [swæm] SWIM의 과거.

swa·mi, -my [swɑ́:mi] *n.* 《Hind.》 스와미 《인도에서의 종교가·학자의 존칭》; 《미》 요가 수행자(yogi); =PUNDIT.

swamp** [swamp/swɔmp] *n.* [U,C] 늪, 소택(沼澤), 습지. **—** *vt.* **1** 《~+[목]/+[목]+[전]+[명]》 물에 잠기게 하다; 수렁[물속]에 처박다; 【해사】 (물을 넣어 배를) 침몰[전복]시키다: A big wave ~*ed* the boat. 큰 파도로 보트가 물에 잠겼다/ Some houses were ~*ed in* the stream by the storm. 몇몇 집은 폭풍우로 강물에 잠겨 버렸다. **2** 《+[목]+[전]+[명]》 〖보통 수동태〗 궁지에 몰아넣다; 압도하다, 밀물처럼 쇄도하다《*with; in*》; 바빠서 정신 못 차리게 하다《*with*》; 《미》 …에 압승하다: I *was* ~*ed with* work. 나는 일에 몰려 정신이 없었다. **3** 《미》 (덤불·퇴적물을 제거하여 길을) 내다《*out*》; (벌목한 나무)의 가지를 치다. **—** *vi.* 침수되어 가라앉다; 어찌할 수 없게 되다, 궁지에 빠지다. ***be ~***ed with*** ⇨*vt.* 2.

swámp bòat (소택지용) 에어보트.

swámp bùggy 《미》 소택지에서 쓰이는 탈것.

swámp·er *n.* 《미》 소택지에 사는 사람; 잡역 인부; 《미속어》 (트럭의) 조수.

swámp féver 《미》 말라리아(malaria); 감염성 빈혈; 렙토스피라증(leptospirosis).

swámp·lànd *n.* (경작할 수 있는) 소택지(沼澤地), 습지.

°**swampy** [swɑ́mpi/swɔ́mpi] (***swamp·i·er; -i·est***) *a.* 늪[수렁]의; 늪이 많은; 습지의, 질퍽질퍽한. [파] **swámp·i·ness** *n.*

swan**¹ [swan/swɔn] *n.* **1** 백조. **2** 《드물게》 시인; 가수. **3** 훌륭한[아름다운] 사람[것]. **4** (the S–) 【천문】 백조자리(Cygnus). ***the (***sweet***) ***Swan of Avon,*** Shakespeare의 별칭. **—** (***-nn-***) *vi.* 《구어》 정처 없이 헤매다《*about; around*》; 유유히 나아가다; (남의 돈으로) 멋부리며 놀러 다니다. ~ ***it*** 《구어》 빈들거리(며 지내)다. [파] ∠**·lìke** *a.*

swan² (***-nn-***) *vi.* 《미방언》 맹세하다, 단언하다. ***I*** ~***!*** 꼭 그렇다, 정말이다.

swán bòat (유원지 등의) 백조 모양의 보트.

swán dìve 【수영】 《미》 제비식 다이빙(《영》 swallow dive).

swang [swæŋ] 《드물게》 SWING의 과거.

swán·hèrd *n.* 백조 지키는 사람.

swank [swæŋk] 《구어》 *n.* **1** [U] 허세; 허풍; 《미》 (복장·태도 등의) 스마트함, 화사함; 멋부림. **2** [C] 《영》 젠체하는[허세 부리는] 사람(=∠**·pòt,** ∠**·er**); 《미》 멋진[화사한] 옷. **—** *a.* 화사한, 멋부린, 스마트한. **—** *vi., vt.* 허세 부리다; (옛 친구에게) 푸대접하다, 냉대하다(snub). [파] ∠**y** [-i] 《구어》 *a.* 허세 부리는; 스마트한; 멋진.

swan·nery [swɑ́nəri/swɔ́n-] *n.* 백조 사육장.

swáns·dòwn, swán's- *n.* [U] 백조의 솜털 《의상(衣裳)의 가장자리 장식이나 분첩 따위에 쓰임》; 유아복(服) 따위에 쓰이는 부드러운 천《한쪽 면이 보풀보풀함》.

swán shòt 백조 사냥용 총알《대형 새를 쏘는, 보통 것보다 큰 산탄(散彈)》. 「넬의 일종.

swán·skìn *n.* (깃털이 붙은) 백조의 가죽; 플란

swán sòng 백조의 노래《백조가 죽을 때 부른다는》; 《비유》 (시인·음악가 등의) 마지막 작품, 절필(絶筆); 최후의 업적.

swán-ùpping *n.* [U] 《영》 백조 조사(調査)《백조 부리에 임자 표지를 새기는 Thames강의 연례 행사》.

swap [swap/swɔp] (***-pp-***) *vt.* 《~+[목]/+[목]+[전]+[명]》 《구어》 (물물)교환하다, 바꾸다; 《비어》 (부부를) 교환하다: ~ A *for* B, A를 B와 바꾸다/Never ~ horses while crossing the [a] stream. 《속담》 개울을 건너다 말을 갈아 타지 마라; 난국에 처하여 조직을[지도자를] 바꾸지 마라. **—** *vi.* 물물교환하다; 《비어》 부부 교환을 하다. ~ ***over*** [***round***] (좌석 따위를) 바꾸다. **—** *n.* 《구어》 (물물)교환(품); 《비어》 부부 교환; 【컴퓨터】 교체, 스왑《주기억 장치와 보조 기억 장치 사이의 프로그램을 바꾸어 넣음》; 【금융】 (통화·금리 등의) 상환(相換) 거래.

swáp agréement [**arrángement**] 【경제】 스왑 협정《국제 간에서 자국의 통화를 서로 융통하는 협정》.

swáp file 【컴퓨터】 교체 파일《윈도 내에서 가상 기억 장치를 구현할 때 사용되는 파일》.

swáp mèet 《미》 중고품 교환회[시장].

SWAPO, Swa·po [swɑ́:pou] *n.* 서남 아프리카 인민 기구, 스와포《나미비아의 독립을 추진, 독립후 집권당이 됨》. [◂ South-West African People's Organization]

swap·ping [swɑ́piŋ/swɔ́-] *n.* 【컴퓨터】 (페이지·프로세스·프로그램의) 교체.

swap·tion [swɑ́pʃən/swɔ́p-] *n.* 【금융】 스왑션, 금리·통화 스왑 거래 옵션《고정 금리 채무와 변동 금리 채무를 교환하는 선택권》.

swa·raj [swərɑ́:dʒ] 《Ind.》 *n.* 자치; 독립, 스와라지. [파] ~**·ism** *n.* ~**·ist** *n.* 인도 독립 운동가.

sward [swɔ:rd] 《문어》 *n.* [U] 초지(草地); 잔디. **—** *vt., vi.* 잔디로 뒤덮다[뒤덮이다]. ★ *vt.*는 보통 수동태로. [파] ∠**·ed** [-id] *a.*

sware [swεər] 《고어》 SWEAR의 과거. 「러기.

swarf [swɔ:rf] *n.* (나무·쇠붙이 등의) 지스

swarm**¹ [swɔ:rm] *n.* **1** 떼, 무리: a ~ of butterflies 나비 떼. **2** (분봉하는) 꿀벌의 떼, 개미 떼. **3** (종종 *pl.*) 대군(大群), 군중; 다수, 많음: in ~s 떼[무리] 지어. ~s of*** 다수의. **—** *vi.* **1** 《+[부]/+[전]+[명]》 떼(를) 짓다; 가득 차다, 많이 모여들다《*around; about; over*》: Tramps ~ *about* in the park. 부랑자들이 공원에 떼 지어 있다/Bluebottle flies ~*ed over* the melon rinds. 금파리가 멜론 껍질에 몰려 있었다. **2** 《+[전]+[명]》 (장소가) 충만하다, 꽉 차다《*with*》: Every place ~*ed with* people on Sundays. 일요일에는 어디를 가나 사람들로 꽉 찼다. **3** 《+[전]+[명]》 떼 지어 이동하다; (벌 따위가) 분봉하다: Rural population ~*ed into* nearby towns. 농촌 인구가 가까운 도시로 대거 이동했다. **—** *vt.* 〖보통 수동태로〗 …에 떼 지어 모여들다《*with*》.

swarm² *vt., vi.* (나무 따위에) 기어오르다《*up*》.

swárm·er *n.* 우글우글 떼 짓는 사람〔것〕; 무리 중의 한 사람〔개(個)〕; 분봉 준비가 다 된 꿀벌; 〖생물〗 =SWARM SPORE.

swárm spòre 〔**cèll**〕 〖생물〗 운동성 홀씨, 유주자(遊走子)(zoospore).

swart [swɔːrt] *a.* **1** =SWARTHY. **2** 피부를 거무스레하게 하는, 햇볕에 그을리게 하는; 유독한 ㊞ **∽·ness** *n.*

swarth[1] [swɔːrθ] 《고어·방언》 *n.* 건초용 작물; =SWARD. 「=SWARTHY.

swarth[2] *n.* 《방언》 피부, 살가죽. — *a.* 《고어》

swarthy [swɔ́ːrði, -θi] (***swarth·i·er; -i·est***) *a.* (피부·얼굴 따위가) 거무스레한, 가무잡잡한. ㊞ **swárth·i·ly** *ad.* 거무스름하게. **-i·ness** *n.*

swash [swɑʃ, swɔːʃ/swɔʃ] *vi., vt.* (물을) 튀기다; (좔좔·철벅철벅) 소리 나다; 세차게 부딪치다; 《고어》 허세 부리다《*with*》. ***a ~ing blow*** 강타, 통격(痛擊). — *n.* **1** 물의 튀김〔튐〕, 분류(奔流); Ⓤ 철벙철벙, 좔좔《물소리》. **2** Ⓤ 《고어》 허세 (부림). **3** 《미》 모래톱 가운데〔모래톱과 뭍 사이〕의 수로; 파도에 씻기는 모래톱. **4** 강타.

swásh·bùckler *n.* 허세 부리는 사람(을 다룬 소설·극).

swásh·bùckling *n.* Ⓤ 허세. — *a.* 허세를 〔만용을〕 부리는; (영화가) 모험과 스릴에 찬.

swásh bùlkhead 〖해사〗 제수격벽(制水隔壁).

swásh plàte 〖기계〗 회전 경사판(傾斜板); = SWASH BULKHEAD.

swas·ti·ka [swɑ́stikə/swɔ́s-] *n.* 《Sans.》 만자(卍)《십자가의 변형》; 옛 나치스의 어금꺾쇠 십자기장(記章)《卐》. ⓒⓕ gammadion.

SWAT, S.W.A.T. [swɑt/swɔt] *n.* 《미》 스와트 《(FBI 등의) 특수 공격대, 특별 기동대》. [◂ *S*pecial *W*eapons *a*nd *T*actics, *S*pecial *W*eapons *A*ttack *T*eam]

swat[1] [swɑt/swɔt] (***-tt-***) *vt., vi.* (파리 따위를) 찰싹 치다; 〖야구〗 장타를 치다. — *n.* 찰싹 때림, 강타; 〖야구〗 장타, 홈런.

swat[2] *n.*, (***-tt-***) *vt., vi.* 《영구어》 =SWOT[1].

swatch [swɑtʃ/swɔtʃ] *n.* (직물·피혁 등의) 견본 (조각), 천조각; 전형적인 예.

swath [swɑθ, swɔːθ/swɔ(ː)θ] (*pl.* **~s** [-θs, -ðz]) *n.* **1** 한 번 낫질한 넓이, 한 번 낫질한 자취; 한 줄의 벤 풀〔보리〕. **2** 베어 낸 한 구획, 베어 낸 자리. **3** (베어 모은) 풀〔곡물〕의 줄. **4** 띠 모양을 이루는 것〔장소〕(strip, belt); 긴 줄, 넓은 길; 〖해사〗 파도 너비. ***cut a*** (***wide***) **~** 풀을 베어 길을 내다; (폭풍 따위가) 광범위하게 파괴하다《*through*》; 《미》 잘난 체하다, 주의를 끌다.

swathe[1] [swɑð, sweið/sweið] 《문어》 *n.* 싸는〔감는〕 천; 붕대. — *vt.* 싸다, 감다; 동이다; …을 붕대로 감다. ㊞ **swáth·er** *n.*

swathe[2] *n.* =SWATH.

swat·ter [swɑ́tər/swɔ́tər] *n.* 철썩 때리는 사람〔물건〕; 파리채; 〖야구〗 강타자.

Ś wàve (지진의) S파(波), 횡파(橫波).

*__sway__ [swei] *vi.* **1** 흔들리다, 흔들흔들하다, 동요하다: The trees are *~ing* in the wind. 바람에 나무가 흔들리고 있다. SYN. ⇨SWING. **2** (판단·의견 등이) 동요하다, (한쪽으로) 기울다: His resolution *~ed* after the failure. 실패 후 그의 결심이 흔들렸다. **3** 《문어》 지배〔통치〕하다, 사물을 좌우하다; 권력을 휘두르다〔행사하다〕. — *vt.* **1** 흔들다. **2** 기울이다, 기울게 하다. **3** (사람·의견 따위를) 움직이다, 좌우하다: His speech *~ed* thousands of votes. 그의 연설이 수천 표를 좌우했다. **4** (진로를) 빗나가게 하다; 전환시키다. **5** 《고어》 (통치권·무력·권력 따위를) 휘두르다. **6** 《고어·시어》 지배〔통치〕하다. **7** 〖해사〗 (돛대를) 세우다, (활대를) 올리다《*up*》. — *n.* Ⓤ **1** 동요, 흔들림. **2** 편향(偏向), 경향, 경사. **3** 《고어·문어》 지배(력), 영향(력), 통치. SYN. ⇨POWER. ***hold ~*** (***over …***) (…을) 지배하다, (…을) 마음대로 하다. ***under the ~ of*** …에 지배되어. ㊞ **∽·er** *n.*

swáy-bàck *n.* 〖수의〗 (말의) 척주 만곡증; 굽은 등; 〖의학〗 척주 전만증(前彎症). — *a.* =SWAYBACKED.

swáy·bàcked [-t] *a.* (말이) 척주가 굽은.

swáy bàr 〖자동차〗 =STABILIZER BAR.

swayed *a.* =SWAYBACKED.

Swa·zi·land [swɑ́ːzilæ̀nd] *n.* 스와질란드《아프리카 남부의 왕국; 수도는 음바바네(Mbabane)》. 「취한.

swaz·zled [swɑ́zld/swɔ́-] *a.* 《미속어》 몹시

swbd. switch board. **SWbS, S.W.bS.** southwest by south (남서미남(南西微南)). **SWbW, S.W.bW.** south-west by west (남서미서(微西)).

sweal [swiːl] 《방언》 *vi., vt.* 타다, 태우다; (초가〔초를〕) 녹다〔녹이다〕.

__swear__ [swɛər] (*swore*** [swɔːr], 《고어》 ***sware*** [swɛər]; ***sworn*** [swɔːrn]) *vi.* **1** 《~/+전+명》 맹세하다, 선서하다: ~ *by* 〔*on*〕 the Bible 성서에 손을 얹고 선서하다 / ~ *by* 〔*before*〕 God 하느님께〔앞에〕 맹세하다. **2** 《+전+명》 〖법률〗 (증거 따위를) 선서를 하고 진술〔증언〕하다《*to; for*》: ~ *to* one's identity 본인이 틀림없다고 선서하고 증언하다. **3** 함부로 하느님의 이름을 부르다, (저주·분노·강조 때문에) 벌 받을 소리를 하다. **4** 《(+전+명)》 (하느님의 이름을 내대며) 욕설하다《*at*》: He *swore at* me. 그는 지독한 말로 나를 욕했다〔나에게 욕을 퍼부었다〕. **5** (…라고) 단언하다, 맹세코 …라고 말하다《*to*》: ~ *to* its truth 그것이 진실임을 단언하다 / I can't ~ *to* his faithfulness. 나는 그가 성실하다고 단언할 수 없다.

> NOTE swear는 본래는 You *damned* fool! (저주 받을 바보 →) '이 바보 같은 놈아', Go to *hell!* (지옥에나 가라 →) '빌어먹을', *God damn* (it)! (하느님께서 (그것을) 저주하시기를 →) '빌어먹을, 염병할' 따위와 같이, 불필요하게 하느님이나 그에 관한 말을 인용함을 말함. 의미가 확장되어 비속한 말로 욕하는 경우도 있음. 단 '욕설한다' 고 해도 You liar! (이 거짓말쟁이), You wretched imbecile! (이 멍청아) 따위와 같이 어디에도 하느님과 관계없는 것은 단순한 call a person (bad) names 로서, 엄밀하게는 swear라고는 하지 않음.

— *vt.* **1** 선서하다: ~ a solemn oath 엄숙히 선서하다. **2** 《~+목/+*to* do/+*that* 절》 맹세하다, …할 것을 맹세하다〔보증하다〕: ~ eternal love 영원한 사랑을 맹세하다 / He *swore to* tell the truth. 그는 진실을 말할 것을 맹세했다 / He *swore that* he would be revenged on her. 그는 그녀에게 복수하겠다고 맹세하였다. **3** (선서하고) 증언하다. **4** 《+(*that*) 절》 …라고 단언하다《that은 종종 생략됨》: I could have *sworn* (*that*) she was there. 그녀는 분명히 거기에 있었을 텐데(=I was sure …). **5** 《~+목/+목+전+명》 (법정의 증인에게) 선서시키다; 맹세시키다, 맹세코 …한 상태로 하다: ~ a person *to* secrecy 〔*off* smoking〕 아무에게 비밀을 지킬 것〔금연〕을 맹세시키다. **6** 《+목+전+명》 (선서하여) …을 고발하다: ~ treason *against* a person 아무를 반역죄로 고발하다.

cannot ~ to it 《구어》 그렇다고는 단언 못하다. ***enough to ~ by*** 《구어》 극히 조금. ***I'll be sworn.*** 틀림없다. **~ *a charge*** 〔***an accusation***〕

against …에 대하여 선서하고 고소〔탄핵〕하다. ~ *at* …을 욕하다; (색이) …와 전혀 조화하지 않다. ~ *away* 맹세코 빼앗다. ~ *black is white* 흰 것을 검다고 주장하다, 우겨 대다. ~ *by* ① …을 두고 맹세하다. ②《구어》…을 깊이 신뢰하다, …을 크게 장려하다. ③《구어》…을 분명히 알고 있다. ~ *for* …을 보증하다. ~ *in* 선서하고 취임시키다〔하다〕《증인 · 배심원 · 공무원 등에》. ~ *in favor of* 〔*against*〕 (the accused) (피고에) 유리한〔불리한〕 증언을 하다. ~ *off* (술 따위를) 끊겠다고 맹세하다; …(의 사용)을 딱 끊다: ~ *off* drinking 금주를 맹세하다. ~ *out* ① 단연코 끊다〔쫓아내다〕. ②《미》선서하고 (…의 구속 영장)을 발부받다. ~ *to* …을 단언〔확언〕하다.

— *n.* 선서; 《구어》저주, 욕, 욕설.

[파] ∠·er *n.* ∠·ing·ly *ad.*

swéar·ing-ìn [swέəriŋ-] *n.* (미(美)대통령 등의) 선서 취임식.

swéar·wòrd *n.* 욕, 욕설(하는 말)《특히 swear *vi.* 4에 관한》; 천한 말, 불경스러운〔천벌을 받을〕 말.

*⁎***sweat** [swet] *n.* **1** [U] 땀. **2** (종종 *pl.*) (운동 후 등의) 심한 발한(發汗); (a ~) 발한 상태: night(ly) ~s 식은땀, 도한(盜汗) / A good ~ sometimes cures a cold. 땀을 많이 흘리면 감기가 낫는 수가 있다. **3** [U] 습기, (벽 · 유리 표면의) 물기. **4 a** (a ~) 《구어》힘드는〔어려운〕 일, 고역; 《미속어》고문. **b** 《구어》식은땀, 불안, 초조, 걱정. **5** 《미》(경마 따위의) 경주 전의 예비 운동. **6** (보통 an old ~) 《영구어》노병, 고참병. *all of a* ~ 《구어》땀투성이가 되어; 근심하여, 두려워서. *an old* ~ 숙련자, 베테랑, 고참병. *can not stand the* ~ *of it* 그 괴로움에 배기지 못하다. *in a cold* ~ 두려워서. *in a* ~ 땀에 젖어; 《구어》걱정하여, 초조하여《*to* do》. *in* 〔*by*〕 *the* ~ *of* one's *brow* 〔*face*〕 이마에 땀을 흘려, 열심히 일하여. *no* ~ 《미속어》간단히. *No* ~. 《미속어》힘든 일은 아니야.

— (*p.*, *pp.* ~, ∠·*ed*) *vi.* **1** 땀〔식은땀〕을 흘리다, 땀이 배다. **2** (벽 따위에) 물기가 서리다, 습기가 차다: A pitcher of ice water ~s on a hot day. 더운 날에는 얼음물을 담은 주전자에 물기가 서린다. **3** (담뱃잎 따위가) 발효하다. **4** (물기가) 스며나오다, 분비하다. **5** 《~/+[부]/+[전]+[명]》 땀 흘리며 일하다; 저임금으로 장시간 노동에 종사하다, 착취〔혹사〕당하다: ~ (*away*) at one's job 땀 흘리며 일하다. **6** 《구어》고생하다, 괴로워하다, 걱정하다. **7** 《고어》호된 벌을 받다.

— *vt.* **1** …에게 땀을 흘리게 하다; …에게 땀나게 하다《약이나 운동 따위로》. **2** (땀 날 정도로) 혹사하다; 장시간 악조건하에 일시키다; 《미속어》착취하다. **3** 《미구어》장시간의 심문으로 입을 열게 하다, 고문하다. **4** (땀을) 흘리게 하다, 스며나오게 하다, 땀을 내다. **5** (벽 따위가 물기를) 스며나오게 하다, (물기를) 내다. **6** (담뱃잎을) 발효시키다. **7** 땀으로 적시다, 땀으로 더럽히다. **8** 땀 흘려 손에 넣다. **9** 《+[목]+[전]+[명]/+[목]+[부]》 (체중 · 감기 따위를) 땀 흘려 제거하다〔떨어지게 하다, 줄이다, 낫게 하다〕《*away; out; off*》: ~ *out* cold 땀 흘려 감기를 떨어지게 하다 / The hard work ~ five pounds *off* him. 심한 노동으로 체중이 5파운드 줄었다 / ~ *away* one's surplus weight 땀을 내어 과중한 체중을 줄이다. **10** 〖야금〗 가열하여 가용물(可鎔物)을 제거하다. **11** 〖야금〗 (땜납을) 가열하여 녹이다; 용접하다: ~ a gold pen to an iridium point 금펜촉 끝에 이리듐을 용접하다. **12** (금화를) 마찰시켜 금속 가루를 얻다. **13** 《미속어》(아무에게서) 돈을 등치다; (돈을) 빼앗다《*away; out*》; 《미구어》고문하다. **14** 《속어》혹사해서 제조하다: ~*ed* goods 저임금 노동으로 제조된 상품.

~ *blood* 《구어》① 열심히 일하다, 피땀을 흘리다. ② 몹시 마음을 쓰다, 마음 졸이다, 안절부절 못하다. ~ *bullets* 《속어》몹시 걱정하다; 열심히 일하다. ~ *down* 몹시 압축하다. ~ *for it* 후회하다: I will make him ~ *for it.* 그가 그런 일을 하다니 앞으로 후회하도록 만들겠다〔혼내 주겠다〕. ~ *it* 《미구어》속태우다, 시달리다; =~ it out. ~ *it out* 《구어》심한 운동을 하다; 《구어》(싫은 일 따위를) 끝까지 참고 견디다; 조마조마하며〔애태우며〕 기다리다; 《미속어》심하게〔협박적으로〕 신문하다, 고문하다. ~ *like a pig* 《구어》(식은)땀을 몹시 흘리다. ~ *on* 《속어》크게 기대하다. ~ *out* ① ⇨*vt.* 9. ②《미속어》끝까지 견뎌내다, 지루하게 기다리다. ③ (목표 · 해결)을 위해 힘쓰다. ~ one's *guts out* ⇨GUT.

swéat·bànd *n.* (모자의) 속테; (이마 · 팔의) 땀 받는 띠.

swéat·bòx *n.* (쇠가죽 · 담뱃잎 등의) 건조 상자; 돼지의 속성 사육 우리; 《구어》한증탕〔막〕; 발한 치료실〔법〕; 《미구어》죄수 징벌실〔상자〕, 신문실.

swéat dùct 〖해부〗 한선관(汗腺管).

swéat·ed [-id] *a.* 저임금 노동으로 만들어진; 저임금으로〔악조건하에〕 혹사〔착취〕당하는; 노동조건이 나쁜: ~ labor 착취 노동 / ~ goods 저임금 노동으로 만든 제품.

swéat èquity 《미》노동 부가로 얻는 소유권《황폐 건물에 입주자의 노동력을 부가시켜 일정 기간 싼 집세로 거주시킨 후 소유권을 주는 정책》.

*⁎***sweat·er** [swétər] *n.* **1** 스웨터. **2** (심하게) 땀 흘리는 사람; 발한제(劑). **3** 노동 착취자.

swéater·drèss *n.* 〖복식〗 스웨터드레스《긴 스웨터 같은 느낌이 나는 뜨개질한 드레스》.

swéater gìrl 《구어》젖가슴이 풍만한 처녀〔여배우, 모델〕, 《특히》몸에 꼭 끼는 스웨터를 입고 버스트를 강조하는 여자. 「소재의 조끼》.

swéater-vèst *n.* 〖복식〗 스웨터베스트《스웨터

swéat glànd 〖해부〗 땀샘, 한선(汗腺).

swéat·ing *n.* [U] 발한(發汗); 고역; 착취당하기; 《미구어》(또는 a ~) 고문: after a little ~ 조금만 고문하면.

swéating bàth 한증막〔탕〕. 「조실.

swéating ròom 땀내는 방, 사우나탕; 치즈 건

swéating sìckness 〖의학〗 속립열(粟粒熱).

swéating sỳstem 노동자 착취 제도.

swéat pànts 경기자가 보온용으로 경기 전후에 입는 헐렁한 바지.

swéat shìrt (경기자가 보온용으로 경기 전후에 입는) 두껍고 헐거운 스웨터.

swéat·shòp *n.* (저임금으로 노동자를 장시간 혹사시키는) 착취 공장.

swéat sòck 《미》(땀 흡수용) 두꺼운 양말.

swéat sùit 운동복《sweat shirt 와 sweat pants》.

swéat tèst 〖의학〗 땀 검사《낭포성 섬유증(cystic fibrosis) 검사법; 환자의 땀에 고농도의 염분이 포함되어 있는지의 여부를 검사함》.

sweaty [swéti] (*sweat·i·er; -i·est*) *a.* 땀투성이의, 땀에 젖은; 땀을 빼게 하는; 힘드는; 땀 같은. [파] **swéat·i·ly** *ad.* **-i·ness** *n.*

Swed. Sweden; Swedish.

◇**Swede** [swiːd] *n.* **1** 스웨덴 사람《개인》. **2** (보통 s-) 〖식물〗 스웨덴 순무(rutabaga). **3** (종종 s-) 《미속어》얼간이(같이 한 일).

*⁎***Swe·den** [swíːdn] *n.* 스웨덴《왕국; 수도는 스톡홀름(Stockholm)》.

Swe·den·bor·gi·an [swìːdnbɔ́ːrdʒiən, -giən] *a.*, *n.* 스베덴보리《스웨덴의 종교적 신비 철학자 (1688-1772)》의 (신봉자).

◇**Swe·dish** [swíːdiʃ] *a.* 스웨덴의; 스웨덴식〔풍〕

의; 스웨덴 사람〔말〕의. ── n. (the ~) 《집합적》 스웨덴 사람; Ⓤ 스웨덴 말.

Swédish móvements 〔**gymnástics**〕 스웨덴식 운동〔체조〕. 「GA.

Swédish túrnip (종종 s-) 〖식물〗 =RUTABA-

swee·ny [swíːni] n. Ⓤ 《미》 〖수의〗 (특히 말 어깨의) 근육 위축증.

***sweep** [swiːp] (p., pp. **swept** [swept]) vt. **1** 《~+목/+목+부/+목+전+명》 청소하다; (먼지 따위를) 쓸다, 털다《away; up; off》: ~ the floor *with* a broom 빗자루로 마루를 청소하다 / ~ *up* the dead leaves 낙엽을 쓸어 모으다 / The dust was *swept off* the shelf. 선반에서 먼지를 털었다. **2** 《~+목/+목+보/+목+부》 (방·마루 따위를) 깨끗이 하다, 쓸다, 걸레질하다《off》: ~ (*out*) a chimney / ~ a room clean. **3** 《~+목/+목+부/+목+전+명》 (말끔히) 몰아가다〔가져가다〕; 일소하다; 휩쓸다: Be careful not to get your hat *swept off* your head. 당신의 모자를 바람에 날리지 않도록 조심하세요 / The wind ~*s* the snow *into* drifts. 바람이 눈을 날려서 눈더미를 만든다. **4** 스쳐〔스칠 듯이〕 지나가다, 휙 지나가다: searchlights ~*ing* the sky 하늘을 싹 비추는 탐조등. **5** 멀리 내다보다. **6** 소사(掃射)하다; 소해(掃海)하다. **7** (경기 등에서) 연승하다; (토너먼트에서) 이겨 승자전에 진출하다; (선거 따위에) 압승하다. **8** (옷자락 등이) …의 위에 끌리다: ~ the ground 지면에 끌리다. **9** (현악기를) 타다. **10** 〖해사〗 (거룻배 따위를) 큰 노로 젓다. **11** 《+목+목》 공손히 (절을) 하다: She *swept* the king a curtsey. 그녀는 왕에게 무릎을 굽혀 공손히 절했다.

── vi. **1** 청소하다, 쓸다; 솔로 털다: A new broom ~*s* clean. 《속담》 새 비는 잘 쓸린다; 신관은 구악을 일소한다. **2** 《+부/+전+명》 휙 지나가다, 휩쓸다: A flock of birds *swept by*. 한 떼의 새들이 휙 지나갔다 / planes ~*ing across* the sky 하늘을 가로질러 나는 비행기. **3** 《+부/+전+명》 내습하다, 휘몰아치다《over; through; down》: A deadly fear *swept over* me. 심한 공포감이 나를 엄습하였다 / Wind and snow ~*ed down* upon him. 바람과 눈이 그에게로 휘몰아쳤다. **4** 《+부/+전+명》 당당히〔조용조용히〕 나아가다; 옷자락을 끌며 가다: The lady *swept in* 〔*into* the room〕. 그 부인은 조용히 들어왔다〔방으로 들어왔다〕. **5** 《+보/+부》 완만한 커브를 그리며 계속되다, 멀리 저쪽까지 잇따르다〔뻗치다〕: The bride's dress ~*s* long. 신부의 드레스가 길게 끌린다 / The plain ~*s away to* the sea. 평야는 멀리 바다까지 뻗쳐 있다. **6** 《+전+명》 휙 둘러보다: His eyes *swept about* the room. 그는 방안을 휙 둘러보았다. **7** 바라보다, 전망하다. **8** 《미속어》 도망치다.

~ all 〔**everything**〕 **before** one 《구어》 맹렬한 기세로 나아가다, 파죽지세로 나아가다; 대성공을 거두다; 간단히 이기다. **~ aside** (비판 등을) 일축(一蹴)하다. **~ away** ① 일소하다, 휩쓸어 가다. ② 멀리 퍼지다. ③ 〔보통 수동태〕 (아무의) 마음을 움직이다〔빼앗다〕: She *was swept away* by the beauty of the scene. 그녀는 경치의 아름다움에 정신을 빼앗겼다. **~ down on** …을 급습하다. **~ off** 일소하다; 털어〔떨어〕내다, 휩쓸다; (전염병 등이 많은 사람·가축을) 쓰러뜨리다. **~ a person off** his **feet** ① (파도 따위가)(…의) 발을 채다. ② 《구어》 (아무를) 열중케 하다; 한눈에 반하게 하다. ③ 《구어》 (아무를) 쉽게 납득시키다. **~ over** (격한 감정이) …에 밀려오다, …을 압도하다; (폭풍·전염병·유행 따위가) 휘몰아치다, 휩쓸다, 만연하다. **~ one's audience along with** one 청중의 인기를 독차지하다. **~ the board** 〔**table**〕 ⇨BOARD. **~ the deck** ① (파도가) 갑판을 쓸다; 갑판을 소사(掃射)하다. ② 판돈을 몽땅 쓸어가다. **~ the seas** 해상을 종횡으로 달리다; 해상의 적을 일소하다; 소해(掃海)하다. **~ ... under the rug** (좋지 않은 일)을 비밀로 하다, 감추다.

── n. **1** 청소, 쓸기; 일소; 소탕. **2** (낫 따위의) 한 번 휘두르기; 베어 넘기기; 소사(掃射). **3** 흐르는 듯한 선(線), 크게 굽이진 길〔강의 흐름〕, 만곡, 굴곡. **4** 해안선. **5** (토지 따위의) 펼쳐진 넓이, 시계(視界); (미치는) 범위, 영역, 한계: within the ~ of the eye 보이는 곳에 / the wide ~ of meadows 넓게 펼쳐진 목초지. **6** 진전, 발전, 진보. **7** (선거 따위의) 압승, 연승. **8** (보통 pl.) 쓸어 모은 것, 쓰레기. **9** 《영》 (굴뚝) 청소부 (chimney ~), 〔일반적〕 청소부. **10** 〖해사〗 길고 큰 노. **11** 두레박(의 장대). **12** =SWEEPSTAKE(S). **13** 《속어》 악당, 무뢰한. **14** 〖방송〗 스위프《코멘트 없이 계속해서 레코드 연주를 보내기》; (보통 pl.) 지방국(局)의 광고 산정(算定)을 위하여 텔레비전 프로의 시청률을 연속적으로 4주간 조사하는 기간. **15** 〖전자〗 소사(掃射)(를 일으키는 전압〔전류〕); 〖물리〗 열(熱)평형에 이르기까지의 불가역적(不可逆的) 과정. ***a regular little*** ~ 몹시 더러운 아이. (**as**) **black as a** ~ 새까만, 더러운. **at one** ~ 일거에, 단번에. **beyond the ~ of** … 이 미치지 않는 곳에, …의 범위 밖에. **give it a thorough** ~ 일소하다. **make a clean ~ of** …을 일소하다; …을 전멸시키다; (인원 따위를) 다수 정리하다, (고물 따위)를 일제히 처분하다; …으로 압승하다〔대성공을 거두다〕.

swéep·bàck n. Ⓤ 〖항공〗 (비행기 날개의) 후퇴(각): ~ wings 후퇴익(翼).

swéep chèck 〖아이스하키〗 스윕 체크《스틱 끝의 꼬부라진 데에 퍽(puck)을 걸어 가로채는 작전》.

°swéep·er n. 청소부〔기〕; (빌딩 등의) 관리인 (janitor); (특히 융단의) 청소기; 〖축구〗 스위퍼 (=~·bàck) 《골키퍼 앞의》.

swéep hànd =SWEEP-SECOND.

***sweep·ing** [swíːpiŋ] a. **1** 일소하는; 파죽지세로 나가는; 큰 곡선을 그리며 움직이는〔뻗는〕. **2** 광범위한, 포괄적인, 철저한, (승리 등) 결정적인; 대범한, 무차별의: ~ changes 〔reforms〕 전면적인 변경〔개혁〕. ── n. 쓰레질; 일소; 소탕; 소해(掃海); (pl.) 쓸어 모은 것, 쓰레기, 먼지; 《경멸》 얼간이. 파 **~·ly** ad. **~·ness** n. 「(捕蟲網).

swéep nèt 후릿그물(=**swéep sèine**); 포충망

swéep-sècond n. (시계의 시침·분침과 동심(同心)인) 초침(sweep hand).

swéep·stàke(s) n. pl. 《단·복수취급》 **1** 내기 경마〔경기〕; 그 건 돈의 전부. **2** (건 돈을 혼자 또는 몇 사람만이 휩쓰는) 독점 내기〔경마〕.

swéep·swìnger n. 《미학생속어》 shell 젓는

swéep tìcket sweepstake(s)의 마권. 「사람.

swéepy a. 큰 곡선을 그리며 뻗어나가는〔나아가는〕.

†sweet [swiːt] a. **1** 단, 달콤한, 당분이 있는. OPP. *bitter*. ¶ ~ stuff 단것《과자류》. **2** 맛좋은, 맛있는. **3** 향기로운, 방향이 있는: It smells ~. 향기가 좋다 / ~ flowers 향기로운 꽃. **4** (음의) 가락이 고운, 듣기 좋은: ~ sounds of music 신묘한 음악 소리. **5** 감미로운, 유쾌한, 즐거운, 기분 좋은: words ~ to one's ears 듣기 좋은 말. **6** 상냥〔다정〕한, 친절한: It's very ~ of you to let me know it. 친절하게도 나에게 알려 주어 고맙다. **7** 《구어》 〔특히 여성용법〕 예쁜, 멋진, 애교 있는, 귀여운: a ~ character 매력 있는 성격 / a ~ smile 상냥한 미소 / ~ seventeen 〔sixteen〕 꽃다운 나이. **8** 〔반어적〕 지독한. **9** (술이)

달짝지근한. **10** 염분이 없는, 짜지 않은: ~ water 담수, 단물, 음료수 / ~ butter 무염(無塩) 버터. **11** 〖화학〗 산성이 그다지 강하지 않은; 〖석유〗 황분(黃分)을 함유치 않은. **12** (땅이) 산성이 아닌, 농경에 알맞은. **13** 신선한, 썩지 않은: ~ air 신선한 공기 / The milk is still ~. 이 우유는 아직 신선하다. **14** 〖재즈〗 느리고 달콤한. cf. hot. **15** (기계·배 등이) 잘 도는〔나아가는〕, 호조의; 쉽게 조작할 수 있는: a ~ engine 잘 도는 엔진. **16** 《미속어》 수월하게 벌 수 있는《일 등》. **17** 잘하는, 익숙한(skillful). ***at one's own ~ will*** ⇨WILL². ***be ~ on*** 〔***upon***〕 《구어》 …에게 반하다〔열중하다〕. ***give*** a person ***a ~ one*** 《속어》 주먹으로 한대 먹이다. ***have a ~ tooth*** 단것을 무척 좋아하다. ***keep*** a person ~ 아무에게 아첨하다. ***~ and twenty*** 20세의 미인. ***~ spirit***(***s***) ***of niter*** 〖약학〗 진정 발한제(鎭靜發汗劑).

— *n.* **1** 단맛, 단것. **2** (보통 *pl.*) 사탕, 사탕절임; (보통 *pl.*) 《영》 식후에 먹는 단것. **3** (종종 *pl.*) 즐거움; 유쾌한 것〔경험〕. **4** 〖주로 호칭〗 귀여운〔사랑하는〕 당신. **5** (보통 *pl.*) 《고어·시어》 방향, 향기. **6** 《미구어》 고구마. ***taste the ~s of success*** 성공의 기쁨을 맛보다. ***the ~***(***s***) ***and the bitter***(***s***) ***of life*** 인생의 고락.

— *ad.* =SWEETLY.

swéet alýssum 〖식물〗 해빈얼리섬《지중해 지방 원산의 겨잣과 식물》.

swéet-and-sóur [-ən-] *a.* 새콤달콤하게 양념한.

swéet básil 〖식물〗 차조깃과의 풀《향미료·약용》.

swéet báy 〖식물〗 월계수; 목련과의 일종《북아메리카산》.

swéet·brèad *n.* (주로 송아지의) 췌장 또는 흉선(胸腺)《식용으로서 애용됨》.

swéet·brìer, -brìar *n.* 〖식물〗 찔레《들장미의 일종》.

swéet cíder 미발효의 사과 주스; 《영》 단맛의 사과술.

swéet clóver 〖식물〗 전동싸리《사료·토양 개량용》.

swéet córn 〖식물〗 사탕옥수수; 덜 익은 말랑말랑한 옥수수(green corn).

◇**sweet·en** [swíːtn] *vt.* **1** 달게 하다; 향기롭게 하다; 음〔가락〕을 좋게 하다. **2** 유쾌하게 하다. **3** 온화하게〔상냥하게〕 하다; 누그러지게 하다. **4** 깨끗이 하다, 상쾌하게 하다; (방 등을) 소독하다. **5** 〖상업〗 《구어》 (담보물을) 증가하다; 《속어》 (포커에서) 판돈을 늘리다. **6** (흙·위(胃) 따위의) 산성을 약하게 하다. **7** 《속어》 …의 환심을 사다, …에게 아첨하다, 증회(贈賄)하다《*up*》. — *vi.* **1** 달아지다; 향기가 좋아지다; 음〔가락〕이 좋아지다. **2** 유쾌해지다; 깨끗해지다; 아름다워지다; 상쾌해지다. 때 **~·er** *n.* 감미료; 《속어》 (권유를 위한) 우대〔호〕조건《따위》: an artificial *~er* 인공 감미료. **~·ing** *n.* U 달게 함; C 감미료.

swéet FÁ 《속어》 영, 제로(nothing at all). [◂ *sweet* Fanny Adams]

swéet férn 〖식물〗 고사리류의 일종; 소귀나무의 일종《북아메리카 원산》.

swéet·fish *n.* 〖어류〗 은어.

swéet flág 〖식물〗 창포(calamus, sweet root).

swéet gále 〖식물〗 버들소귀나무《소귀나뭇과의 낙엽 관목》.

swéet gúm 〖식물〗 소합향(蘇合香)의 일종《북아메리카산》; 그 나무에서 얻은 향액(香液).

◇**swéet·hèart** *n.* 연인, 애인《특히 여성에 대해서; cf. lover》; 《호칭》 여보, 당신(darling, sweet (one)); 《구어》 멋진 사람. — *vt.*, *vi.* (…을) 사랑하다, 구애〔구혼〕하다. ***go ~ing*** …에게 구애〔구혼〕하다《*with*》.

swéetheart agrèement 〔《미》 **còntract**〕 직공에게 낮은 임금을 주도록 회사와 노조가 공모하는 일.

swéetheart dèal 관계 당사자들만의 이익을 꾀하는 부정한 거래, 담합(談合).

swéetheart nèckline 〖복식〗 스위트하트 네크라인《하트형으로 깊이 판 네크라인》.

sweet·ie [swíːti] *n.* **1** 《구어》 연인, 애인(sweetheart). **2** (보통 *pl.*) 《영구어·Sc.》 단 과자(sweetmeat), 사탕.

swéet·ing *n.* U 단 사과의 일종; 《고어》 연인, 애인.

sweet·ish [swíːtiʃ] *a.* 약간〔몹시〕 단.

◇**swéet·ly** *ad.* **1** 달게, 맛있게, 향기롭게. **2** 제대로, 순조롭게. **3** 상냥하게, 친절하게, 싹싹하게. **4** 사랑스럽게, 아름답게. **5** (칼 따위가) 잘 들어, 용이하게; 기분 좋게; 척척, 술술; 부드럽게. ***pay*** 〔***cost***〕 ~ 몹시 값이 비싸다.

swéet máma 《미속어》 스위트 마마《관능적이고 돈 잘 쓰는 애인》.

swéet mán 《미속어》 (멋있고 돈 잘 쓰는) 연인; 《카리브》 정부(情夫).

swéet márjoram 〖식물〗 마요라나《향기 있는 차조깃과의 다년초; 잎은 향미료용》.

swéet·mèat *n.* (보통 *pl.*) 사탕 과자《초콜릿, 봉봉, 캔디, 캐러멜 따위》; (과일의) 설탕절임.

sweet·ness** [swíːtnis] *n.* U **1** 단맛, 달콤함. **2** 맛있음, 맛좋음. **3** 신선; 방향(芳香). **4** (목소리·음의) 아름다움; U,C 사랑스러움. **5** 유쾌. **6** 상냥함, 친절; C 친절한 말〔행위〕. ***~ and light 《종종 우스개》 기분 좋은.

Swéet'N Lów [swíːtn-] 스위튼로《인공 감미료의 하나; 상표명》.

swéet nóthings 《구어》 사랑의 말, 밀어(蜜語).

swéet òil 올리브 기름, 평지 기름(rape oil)《식용》.

swéet pápa 《미속어》 스위트 파파《젊은 여자에게 돈 잘 쓰는 중년 플레이보이》.

swéet pèa 〖식물〗 스위트피《콩과의 원예 식물》; 《미속어》 연인, 애인; 《미속어》 속기 잘하는 사람, 봉.

swéet pépper 〖식물〗 피망(green pepper).

swéet potàto 고구마; 《미구어》 =OCARINA.

swéet·ròot *n.* 감초(甘草)(licorice); =SWEET FLAG.

swéet-scènted [-id] *a.* 향기로운, 향기가 좋은, 방향 있는.

swéet-shòp *n.* 《영》 과자 가게(《미》 candy store).

swéet·sòp *n.* 〖식물〗 번려지(蕃茘枝)《열대 아메리카 원산》; 그 열매.

swéet sórghum 〖식물〗 사탕수수(sorgo).

swéet spót 〖스포츠〗 스위트 스폿《골프 클럽·라켓·야구 배트 등에 공 맞히기 가장 좋은 곳》.

swéet súltan 〖식물〗 사향수레꽃의 일종《국화과에 속하는 풀》.

swéet tálk 《구어》 감언(甘言), 아첨.

swéet-tàlk *vt.*, *vi.* 《미구어》 감언으로 꾀다, 아첨하다, 달콤한 말을 하다: ~ a person into do*ing* ... 아무를 달콤한 말로 …시키다.

swéet-témpered *a.* 마음씨가 상냥한, 얌전한, 사랑스러운.

swéet tòoth **1** 단것을 좋아함: have a ~ 단것을 좋아하다. **2** 《미속어》 마약 상용자.

swéet víolet 〖식물〗 향기제비꽃.

swèet wílliam 〖식물〗 아메리카패랭이꽃.

sweety [swíːti] *n.* (보통 *pl.*) 《영구어》 =SWEETMEAT.

⁑**swell** [swel] (**~*ed*; *swol·len*** [swóulən], 《고어》 ***swoln*** [swouln], 《드물게》 ***~ed***) *vi.* **1** 《~/+부》 부풀다, 팽창하다; 부어오르다《*up; out*》: The sails *~ed out*. 돛이 바람을 받아 (잔뜩) 부풀었다 / His face *~ed up* 〔*out*〕. 그의 얼굴은 부어올랐다. **2** 《~/+전+명》 (땅·바다 등이) 솟아오르다, 융기하다《*up; out*》: The hills ~ gradually (*up*) from the plain. 작은 산들

은 평지에서 완만한 경사를 이루며 솟아 있다. **3** (강이) 증수하다, (물의 양이) 붇다, 늘다; (밀물이) 들다, 차다; (샘 · 눈물이) 솟아나오다: The river has *swollen.* 강물이 불었다. **4** 《~/+[전]+[명]》 (수량이) 증대하다; 커지다; (소리가) 높아지다, 격해지다: ~ *into* a roar (목소리가) 높아져 고함 소리가 되다. **5** (울화 등이) 치밀어 오르다, 부글부글 끓다《*up*》. **6** 《~/+[전]+[명]》 (감정이) 끓어오르다《*in*》; (가슴이) 벅차지다, 부풀다《*with*》: Her heart ~*ed with* sorrow. 그녀 마음은 슬픔으로 가득 찼다. **7** 의기양양해 하다, 뽐내다《*up*》; 오만하게 거동하다〔말하다〕: ~ like a turkey cock 거만스럽게 행동하다, 몹시 으스대다. — *vt.* **1** 부풀리다, 팽창시키다; 부어오르게 하다: ~ the sail 돛에 바람을 잔뜩 받아 부풀리다. **2** 《~+[목]/+[목]+[부]》 (수량 · 정도 등을) 늘리다, 불리다, 크게 하다: a rapidly ~*ing* population 급증하는 인구 / ~ one's costs 비용을 늘리다 / rivers *swollen* by rain 비로 물이 불은 강 / New notes and additions of all kind ~*ed* the book *out* to monstrous size. 갖가지 종류의 새로운 주(註)와 추가분 때문에 그 책은 부피가 크게 늘었다. [SYN.] ⇨EXPAND. **3** 〖주로 과거분사형으로〗 가슴 벅차게 하다《*with*》, 흥분시키다; 으스대게 하다; (일시적으로) (목소리 따위를) 높이다: be *swollen with* pride 자만하고 있다. ***~ a note*** 음조(音調)를 높여 노래하다〔연주하다〕. ***~ like a turkey cock*** ⇨ *vi.* 7. ***~ the chorus*** 찬성하다, 부화뇌동하다, 남의 뜻에 동조하다: ~ *the chorus* of admiration 숭배자의 한 사람이 되다. ***~ the ranks of*** …에 가담하다.
— *n.* **1** [U] 팽창; 종창(腫脹), 부어오름; 부풂. **2** 융기(부), 구릉(丘陵); 〖지학〗 지팽(地膨), 해팽(海膨); (몸의) 돌출부. **3** 큰 파도, 놀, (파도의) 굽이침. **4** (수량 · 정도 따위의) 증대, 증가, 확대: a ~ in population 인구의 증대〔증가〕. **5** 《고속어》 멋쟁이, 맵시꾼; 명사, 거물: a ~ *in* politics 정계의 명사. **6** 《고속어》 수완가, 명수; 박식한 사람. **7** [U] (소리의) 증대, (감정의) 높아짐; 〖음악〗 (음의) 증감, 억양; [C] 증감기호《<, >》. **8** (악기의) 음량 조절 장치. ***a ~ at*** …의 명수: *a ~ at* tennis.
— *a.* **1** 《미구어》 일류의, 훌륭한, 굉장한: a ~ hotel 일류 호텔 / a ~ time 몹시 즐거운 한때 / Have a ~ time! 실컷 즐겨라. **2** 《고속어》 멋진; 맵시 있는: look ~ 맵시 있다, 날씬하다. **3** (사회적으로) 저명한.
— *ad.* 《미속어》 훌륭히, 멋지게; 유쾌하게.

swéll bòx 〖음악〗 (풍금의) 증음(增音) 장치.

swell·dom [swéldəm] *n.* [U] 《구어》 상류〔사교〕 사회, 높으신 분들, 멋쟁이들.

swélled héad 《구어》 자만; =SWELLHEAD.

swéll·fish *n.* 〖어류〗 복어(globefish).

swéll·hèad *n.* 자만하고 있는 사람. [파] **~·ed** [-id] *a.* **~·ed·ness** *n.*

swéll·ing *n.* 증대; 팽창; 〖기계〗 팽윤(膨潤); 혹; 종기; 융기; 불룩함; 융기부, 돌출부; 언덕; (강물의) 증수, (파도의) 굽이침. — *a.* 커지는; 부푼; (토지가) 융기한; 거만한, 과장〔자만〕하는: a ~ oratory 과장된 연설.

swell·ish [swéliʃ] *a.* 《속어》 멋부린, 멋진.

swéll mób 《영고속어》 〖집합적〗 신사 차림의 악한〔소매치기〕 일당〔패〕.

swéll òrgan 〖음악〗 증음 장치가 달린 풍금.

swel·ter [swéltər] *vi.* 무더위에 지치다; 더위먹다; 땀투성이가 되다. — *n.* 무더움; 흥분 (상태): in a ~ 땀투성이의 상태로; 흥분하여.

swél·ter·ing [-riŋ] *a.* 찌는 듯이 더운; 땀투성이의, 더위에 허덕이는. [파] **~·ly** *ad.*

swept [swept] SWEEP의 과거 · 과거분사.

swépt·báck *a.* 〖항공〗 (날개가) 후퇴각을 가진; (비행기 · 미사일 등이) 후퇴익(後退翼)이 있는; (머리가) 올 백의.

swépt·wìng *a.* 〖항공〗 후퇴익〔전진익〕이 있는.

°**swerve** [swəːrv] *vi.* 《~/+[전]+[명]》 빗나가다, 벗어나다, 상궤를 벗어나다, 바른 길에서 벗어나다《*from*》: The bullet ~*d from* the mark. 탄환이 표적을 빗나갔다. — *vt.* 벗어나게〔빗나가게〕 하다《*from*》; (공을) 커브시키다. — *n.* 벗어남, 빗나감; 〖크리켓〗 곡구(曲球). [cf.] veer.

S.W.G., SWG standard wire gauge.

SWIFT [swift] *n.* 스위프트《컴퓨터 · 네트워크를 통한 국제 은행 간 통신 협회》. [◂ *S*ociety for *W*orld *I*nterbank *F*inancial *T*elecommunication]

Swift [swift] *n.* **Jonathan ~** 스위프트《영국의 풍자 작가(1667–1745); *Gulliver's Travels* (1726년)의 작자》.

⁑**swift** [swift] *a.* **1** 날랜, 빠른, 신속한: ~ *of* foot 발이 빠른. [SYN.] ⇨FAST. **2** 순식간의. **3** 즉석의, 즉각적인: a ~ response 즉답. **4** 곧 하는, …하기 쉬운《*to do*》: ~ *to* suspect 곧 의심하는. **5** 《미속어》 방탕한. — *ad.* 《시어》 신속하게, 빨리(swiftly). — *n.* **1** 〖조류〗 칼새; 〖곤충〗 박쥐나방(=∠ **mòth**); 〖동물〗 민첩한 작은 도마뱀. **2** 물레; (방적 기계 등의) 대원통(大圓筒). **3** 《속어》 스피드, 속도. **4** 동작이 빠른 사람; 《속어》 재빠른 문선공. [파] °**∠·ly** *ad.* 신속히, 즉각. °**∠·ness** *n.*

swíft-fóoted [-id] *a.* 발이 빠른, 잘 달리는.

swíft-hánded [-id] *a.* 손이 빠른; 민첩한.

swift·ie, swifty [swífti] *n.* 《Austral. 속어》 ⌊책략, 계략.

swíft-wínged *a.* 빨리 나는.

swig [swig] 《구어》 *n.* 통음(痛飮), 꿀꺽꿀꺽 들이켬, 경음(鯨飮): take a ~ 꿀꺽꿀꺽 마시다《*at*》. — (**-gg-**) *vt., vi.* 꿀꺽꿀꺽〔벌컥벌컥〕 들이켜다, 통음하다, 퍼마시다.

swill [swil] *vt.* **1** 《~+[목]/+[목]+[전]+[명]》 꿀꺽꿀꺽 들이켜다; 과음하다: ~ beer 맥주를 들이켜다 / ~ oneself *with* wine 술을 실컷 마시다. **2** 《~+[목]/+[목]+[부]》 씻가시다(rinse), 물로 씻어내다《*out*》: She ~*ed out* dirty cups. 그녀는 더러워진 컵을 씻었다. **3** (돼지 등에게) 음식 찌꺼기를 넉넉히 주다. — *vi.* 꿀꺽꿀꺽 마시다; 걸신들린 듯이 먹다; 좍좍 소리내며 흐르다. — *n.* [U] **1** 부엌의 음식 찌꺼기《돼지 사료》; (음식 찌꺼기를 연상케 하는) 불쾌한 것. **2** 통음, 경음(鯨飮); 값싼 술. **3** (a ~) 헹구기, 씻가시기.

swíll·er *n.* 《구어》 술고래, 주호(酒豪).

†**swim** [swim] (**swam** [swæm], 《고어》 **swum** [swʌm]; **swum; ∠·ming**) *vi.* **1** 《~/+[부]/+[전]+[명]》 헤엄치다, 수영하다: ~ *on* one's back 〔chest〕 배영〔평영〕하다 / Let's go ~*ming.* 헤엄치러 가자 / Salmon ~ *up* through the rapids. 연어는 급류를 거슬러 오른다. **2** 뜨다, 부유하다; (미끄러지듯) 움직이다; (둥둥) 떠서 움직이다: ~ *into* the room 방으로 쑥 들어서다. **3** 《+[전]+[명]》 (물에) 잠기다《*in*》; 넘치다, 가득하다《*with; in*》: eyes ~*ming with* tears 눈물이 넘쳐 흐르는 눈. **4** 현기증이 나다, (머리가) 어찔어찔하다: My mind *swam.* 머리가 어찔어찔했다 / The heat made my head ~. 더위로 내 머리가 어찔어찔했다. **5** (물건이) 빙빙 도는 것같이 보이다: The room *swam* before his eyes. 그의 눈에는 방이 빙빙 도는 것같이 보였다. — *vt.* **1** 헤엄치다, 헤엄쳐 건너다: ~ a breaststroke 평영(平泳)을 하다 / ~ the English Channel 영국 해협을 헤엄쳐 건너다. **2** …와 경영(競泳)하다; (경영에) 나가다: Let's ~ the race. **3** (개 · 말 따위를) 헤엄치게 하다: ~ a horse. **4** (배 등을) 띄

우다, 항행(航行)시키다; (물에) 잠그다, 적시다. ***cannot* ~ *a stroke*** 전혀 헤엄칠 줄 모르다. ***~ to the bottom*** = ***~ like a stone* 〔*brick*〕** 헤엄칠 줄 모르다, '맥주병이다'. **~ 〔*go*〕 *with* 〔*against*〕 *the stream* 〔*current, tide*〕** 시류에 편승〔역행〕하다, 대세를 따르다〔거스르다〕.

— *n.* **1** 수영, 유영; 한 차례의 헤엄; 헤엄친〔칠〕 거리: have a ~ 헤엄을 치다 / go for a ~ (in the lake) 헤엄치러 가다. **2** 《주로 미》 물고기의 부레. **3** (물고기가 모이는) 깊은 곳. **4** (the ~) 추이(趨移), 정세, 대세. **5** 현기(증): My head is in a ~. 현기증이 난다. **6** 춤의 일종. ***be in* 〔*out of*〕 *the* ~** 《구어》 사정에 밝다〔어둡다〕; 시세에 뒤지지 않다〔뒤지다〕; 한패가 되다〔안 되다〕.

swim·a·thon [swíməθàn/-θɔ̀n] *n.* 경영(競泳) 대회, 수영 대회.

swím blàdder (물고기의) 부레(bladder).

swím fìn (잠수용) 고무 물갈퀴(flipper).

swím mèet 수영 대회.

*__swim·mer__ [swímər] *n.* 헤엄치는 사람〔동물〕: a strong 〔poor〕 ~ 헤엄을 잘〔못〕 치는 사람.

swim·mer·et [swímərèt] *n.* 『동물』 (갑각류(甲殼類)의) 유영각(遊泳脚).

swímmer's ítch 『의학』 수영자 양진(痒疹) 《유충형 주혈흡충(住血吸蟲)이 피부에 침입하여 생기는 소양성 피부염》.

__swim·ming__ [swímiŋ] *n.* **1 Ⓤ 수영, 경영(競泳); 『동물』 유영(遊泳): an expert at ~ 수영의 명인. **2** (a ~) 현기(증): have a ~ in the head 머리가 어찔어찔하다. ***go*** **~** 수영하러 가다. **—** *a.* **1** 헤엄치는; (새 따위가) 유영성(遊泳性)인. **2** 수영용의: a ~ suit 수영복. **3** (동작이) 시원시원한, 거침없는, 흐르는〔미끄러지는〕 듯한. **4** 눈물〔땀, 물〕이 넘치는: ~ eyes 눈물이 그득한 눈. **5** 현기증이 나는.

swímming bàth 《영》 (보통 실내의) 수영장.

swímming bèll 『동물』 (해파리 등의) 갓, 영종(泳鐘).

swímming bèlt (수영 연습용) 부대(浮袋).

swímming blàdder = SWIM BLADDER.

swímming càp (고무나 플라스틱제의) 수영모.

swímming còstume 《영》 수영복.

swímming cráb 『동물』 꽃게.

swímming hòle (강 속의) 수영이 가능한 깊은 곳.

swím·ming·ly *ad.* 거침없이, 쉽게, 일사천리로: go 〔get〕 on 〔along〕 ~ 일이 쉽게 진척되다.

swímming pòol 수영 풀; (원자력 발전소의) 용수(用水) 탱크 《방사성 폐기물의 냉각·일시적 저장용》.

swímming-pool reáctor 수영 풀형 원자로.

swímming stòne 경석(輕石)(floatstone).

swímming trùnks 수영 팬츠.

swim·my [swími] *a.* 현기증나는, 어지러운; (눈 따위가) 흐려진, 침침해진. ㊊ **-mi·ly** *ad.*

swím·sùit *n.* 수영복(bathing suit), 《특히》 어깨끈이 없는 수영복(maillot).

swím·wèar *n.* 수영복, 해변복.

°**swin·dle** [swíndl] *vi.* 사취하다. **—** *vt.* 《~+목/+목+전+명》 사취하다, 속이다, 속여 빼앗다 《*out of*》; 야바위치다: ~ a person *out of* his money = ~ money *out of* a person 아무에게서 돈을 사취하다. **—** *n.* Ⓤ,Ⓒ 사취; 사기, 협잡; 가짜, 겉보기와 다른 사람〔것〕; 《미속어》 (상)거래, 일: This advertisement is a real ~. 이 광고는 아주 엉터리다. ㊊ **~r** *n.* 사기꾼.

swíndle shèet 《구어》 (종업원이 적는) 출금 청구 전표, 소요 경비; 《CB속어》 운행 일지.

°**swine** [swain] *n.* **1** (*pl.* ~) **a** 《미》 돼지. ★ 집합적이며 일반적으로는 pig, hog를 씀. **b** 멧돼지. **2** (*pl.* **~s**) 《속어》 아비한 녀석, 욕심꾸러기, 탐욕자, 호색한: You ~! 이새끼.

swíne fèver 『수의』 돼지 콜레라; = SWINE PLAGUE.

swíne·hèrd *n.* 양돈가.

swíne plàgue 『수의』 돼지의 패혈증.

swíne pòx 『수의』 돈두(豚痘).

swin·ery [swáinəri] *n.* 양돈장, 돼지우리; 《집합적》 돼지, 욕심쟁이; Ⓤ 불결(한 상태·행위).

swíne vesícular diséase 『수의』 돼지 수포병(水胞病).

__swing__ [swiŋ] (*swung*** [swʌŋ], 《드물게》 ***swang*** [swæŋ]; ***swung***) *vi.* **1** 흔들리다, 흔들거리다; 진동하다: The lamp 〔door〕 *swung* in the wind. 등잔〔문〕이 바람에 흔들렸다.

> SYN. **swing** 일정한 점을 축으로 전후 좌우로 흔들리거나 팽이처럼 회전하다. **sway** 외부 힘에 의해 불안정하게 흔들리다. **wave** sway보다도 더 불안정하게 흔들리다.

2 《~/+전+명》 매달리다; 그네를 뛰다; 《구어》 교수형을 받다: He *swung for* the murder. 그는 살인죄로 교수형을 받았다. **3 a** 《+전+명/+부/+보》 (한 점을 축으로 하여) 빙 돌다, 회전하다 《(*a*)*round*》: ~ *round* a corner 길모퉁이를 돌다 / The knight *swung round* and faced the enemy. 그 기사는 휙 돌아서서 적을 마주 보았다 / The door *swung* open. 문이 휙 열렸다. **b** 《+전+명》 (팔을 크게 휘둘러) 때리다, 한방 먹이다 《*at*》: ~ *at* a fast ball 속구를 후려치다. **4** 《~/+전+명/+부》 대오정연하게 나아가다, 몸을 흔들며 힘차게 행진하다; 흔들거리며 나아가다 《*along; past; by*》: He *swung out of* the room. 그는 휙 방에서 나갔다 / The troop went ~*ing along*. 군대는 힘차게 진행해 갔다. **5** (음악 등이) 순조롭게 진행되다. **6** 스윙(음악)식으로 연주〔지휘〕하다, 스윙 춤을 추다. **7** 《미속어》 (작품 따위가) 잘 써어 있다; 《속어》 활기가 넘치다, 활기 있게 하다; 《속어》 시대〔유행〕의 첨단을 걷다. **8** 《속어》 (두 사람이) 사이가 좋다; 《미속어》 (부랑배의) 한패이다. **9** 《속어》 부부교환을 하다, (쾌락·섹스를) 마음껏 즐기다, 프리섹스를 하다.

— *vt.* **1** 흔들거리게 하다, 흔들다, 흔들어 움직이다: ~ a child (그네 따위에 태워서) 아이를 흔들다. **2** 《~+목/+목+전+명/+목+부》 (주먹·무기 등을) 휘두르다; 휙 치켜올리다 《*up*》: ~ a club *around* one's head 곤봉을 머리 위로 휘두르다 / ~ cargo *up* (크레인이) 화물을 휙 달아 올리다. **3** 《+목+보/+목+부/+목+전+명》 빙그르르〔휙〕 돌리다, 회전시키다; …에게 커브를 틀게 하다; …의 방향을 바꾸다: ~ a door open 문을 휙 열다 / He *swung* the car *around* (the corner). 그는 자동차를 (길모퉁이에서) 휙 돌렸다. **4** 《~+목/+목+전+명》 매달다: ~ a hammock *between* two trees 두 나무 사이에 해먹을 매달다 / ~ a car *on* board a ship 자동차를 배에 매달아 싣다. **5** (의견·입장·취미 따위를) 바꾸다, (관심을) 돌리다; 《구어》 (여론 따위를) 좌우하다. **6** 《미구어》 잘 처리하다〔취급하다〕(manage): ~ a business deal 상거래를 잘 이루어 놓다. **7** 스윙(음악)식으로 연주하다〔지휘하다, 춤추다, 노래하다〕.

no room to* ~ *a cat in ⇨ ROOM. **~ *both ways*** 어느 쪽도 좋다〔상관없다〕; 《미속어》 남녀 양성과 섹스하다. **~ *for it*** 교수형에 처해지다. **~ *into action*** 활동을 개시하다. **~ *like a* (*rusty*) *gate*** 《야구속어》 크게 휘두르다; 《미속어》 스윙을 솜씨 있게 연주하다. **~ *round the circle*** 《미》 선거구를 유세하다; 대충 개설(槪說)하다. **~ *round* (*to…*)** (바람 따위가) 방향을 (…으로) 바꾸다; (아무가) 반대 의견〔입장〕으로 바뀌다. **~ *the lead*** [led] ⇨ LEAD². **~ *to*** (문이) 탕하고 닫히다.

— *n.* **1** Ⓒ,Ⓤ 휘두름; 〚테니스·골프·야구〛 휘두르기, 스윙: a short ~ 짧게 휘두르기. **2** Ⓤ 흔들림, 진동; 빙 돎; 전후 운동; Ⓒ 진폭: the ~ of the tides 조수의 간만(干滿). **3** Ⓤ (시·음악 등의) 율동, 음률, 가락. **4** 그네, 그네 타기: ride in a ~ 그네를 타다 / What one loses on the ~s one gains 〔wins〕 on the roundabouts. 《속담》 고생이 있으면 낙도 있다. **5** 격렬한 일격; 〚권투〛 스윙: take a ~ at a person 아무를 때리다. **6** 활기 차게 걸음, 위세 당당한 움직임. **7** Ⓤ (일 등의) 진행, 진척. **8** Ⓤ 자유 활동, 행동의 자유: Give him full ~. 그를 자유롭게 내버려둬라. **9** 경향. **10** 《상업구어》 (주가 등의) 변동; (여론·득표·득점 따위의) 움직임. **11** Ⓤ 〚음악〛 스윙(~ music); 스윙 애호가들. **12** 《미》 일주 여행; 《미속어》 바쁜 여행: a ~ around the country 국내 일주 여행. **13** 《미구어》 (교대 근무의) 오후 근무(ⓒⓕ swing shift); 《미속어》 (근로자의) 점심 후 휴식, 휴게 시간. ***a ~ round the circle*** 《미》 (선거 등을 위한) 유세 여행. ***go with a ~*** 《구어》 순조롭게 진행되다; (집회 등이) 성황을 이루다. ***in full ~*** 《구어》 한창(진행 중)인, 한창 신이 나서. ***lose on the ~s what*** one ***makes on the roundabouts*** 도로아미타불이 되다.

— *a.* **1** 〚음악〛 스윙(음악)의. **2** 흔들리는, 진동의. **3** (여론 따위를) 좌우하는. **4** 회전하는; 매달리는; 교수형(용)의. **5** 《구어》 (야근 따위의) 교대용(用)의.

swíng·bàck *n.* (특히 정치적인) 역행, 본래 상태로 되돌아감.

swíng·bòat *n.* (유원지 등의) 배 모양의 그네.

swíng brìdge 선회교, 선개교(旋開橋).

swíng-bỳ (*pl.* ~*s*) *n.* (우주선의) 행성 궤도 근접 통과(=**swíng-aròund**) 《궤도 수정을 할 때 행성의 중력장(重力場)을 이용하는 비행》.

swíng dòor =SWINGING DOOR.

swinge[1] [swindʒ] *vt.* 《고어·시어》 매질하다, 강타하다; (아무를) 징계하다.

swinge[2] *vt.* 《방언》 =SINGE.

swinge·ing [swíndʒiŋ] 《영》 *n.* 강타(強打). — *a.* 격렬한《타격 따위》; 강력한; 압도적인, 엄청나게 큰〔많은〕; 굉장한. — *ad.* 매우, 굉장히.

swing·er[1] [swíŋər] *n.* **1** swing 하는 사람. **2** 《속어》 활동적이고 세련된 사람, 유행의 첨단을 걷는 사람; 쾌락〔성〕의 탐닉자; 부부 교환을〔프리섹스를〕 하는 사람. **3** 《경기속어》 두 포지션을 잘 해내는 선수.

swing·er[2] [swíndʒər] *n.* 매질〔징계〕하는 사람; 《구어》 거대한 것; 거짓말쟁이.

swing·ing [swíŋiŋ] *a.* **1** 흔들리는; 진동하는. **2** 《속어》 (걸음걸이가) 당당한, 활발한. **3** (노래·걸음걸이 따위가) 경쾌한, 박자가 빠른. **4** 《속어》 훌륭한, 일류의, 최고의, 활동적이고 현대적인, 유행의 첨단을 걷는; (장소가) 현대적이고 유쾌한. ***get ~ on ...*** 《속어》 …에 착수하다. — *n.* 흔들림, 진동; 《속어》 프리섹스 (행위), 부부〔연인〕 교환 (행위). ㊀ **~·ly** *ad.* 흔들려서; 《속어》 활발하게.

swínging dóor (안팎으로 열리는) 자동식 문, 자재문(自在門)(swing door).

swínging vóter 《Austral. 구어》 (선거의) 부동층(浮動層).

swin·gle[1] [swíŋgəl] *n.* 타마기(打麻器); 도리깻열. — *vt.* 타마기〔도리깨〕로 쳐서 정제(精製)하다.

swin·gle[2] *n.* 《미·Can.》 (보통 *pl.*) 독신의 플레이보이〔걸〕. [◂ *swinging*+*single*]

swíngle·trèe, 《영》 **swíngle·bàr** *n.* =WHIPPLETREE.

swíng·màn [-mæ̀n] (*pl.* **-mèn** [-mèn]) *n.* 다른 포지션도 잘 해내는 선수, 《특히》 공수 양면에 강한 농구 선수; 《속어》 결정표를 던지는 사람; 《미속어》 마약 판매인〔중개인〕; 《미》 이동(移動)중인 소를 감시하는 카우보이; 스윙 음악가.

swíng mùsic 스윙《재즈 음악》.

swing·om·e·ter [swiŋámətər/-ɔ́m-] *n.* 〚TV〛 총선거 중 정당 간의 표의 움직임을 나타내는 장치.

swíng-òver *n.* (여론 따위의) 백팔십도 전환, 변환.

swíng ròom 《미속어》 (공장 안 등의) 휴게실.

swíng sèt 《미》 스윙 셋《그네 의자가 매달린 놀이기구》.

swíng shìft 《미》 야근〔야반〕 교대《보통 16-24시》; 〚집합적〛 야간 교대 작업원들.

swíng stràtegy 〚군사〛 스윙 전략《NATO 제국(諸國)이 공격받았을 때 아시아에 배치된 미군을 유럽으로 돌리는 전략》.

swíng vòter 부동표 투표자.

swíng-wìng 〚항공〛 *a.* 가변 후퇴익(可變後退翼)의. — *n.* 가변 후퇴익(기).

swin·ish [swáiniʃ] *a.* 돼지의; 돼지 같은; 욕심 많은; 호색한. ㊀ **~·ly** *ad.* 돼지같이; 상스럽게.

swink [swiŋk] (***swank*** [swæŋk], ***swonk*** [swɑŋk/swɔŋk]; ***swonk·en*** [swáŋkən/swɔ́ŋk-]) 《고어·방언》 *vi.* 구슬땀〔비지땀〕을 흘리며 일하다, 애쓰다. — *n.* Ⓤ 노고, 수고, 애씀, 노동.

swipe [swaip] *n.* 《구어》 (크리켓 따위에서) 강타, 맹타, 세게 휘두르기; 신랄한 말〔비평〕; (두레박의) 대; (특히 경마장의) 마부; (술 따위를) 들이켜기; (*pl.*) 《영속어》 약하고 값싼 맥주; 《미속어》 자가제(製)의 질이 나쁜 위스키〔포도주〕. ***take a ~ at ...*** 《구어》 …을 때리려고 하다, …에게 일격을 가하다. — *vi.* 《구어》 강타하다(*at*); 단숨에 마시다. — *vt.* 강타하다; 《구어》 훔치다, 무단히 차용하다; 《구어》 (신용카드 따위를) 판독기에 통과시키다.

swípe càrd (판독기에 swipe하는) 자기(磁氣)카드.

swipes [swaips] *n. pl.* 《영구어》 싱거운 싸구려 맥주, 〚일반적〛 맥주.

swirl [swəːrl] *vi.* **1** 《~/+副/+前+名》 소용돌이치다(*about*); 소용돌이에 휩쓸리다: The dust is ~*ing about.* 먼지가 소용돌이치고 있다 / The stream ~*s over* the rock. 개울이 소용돌이치면서 바위 위를 흐르고 있다. **2** (머리가) 어찔어찔하다. — *vt.* 소용돌이치게 하다(*about*). — *n.* 소용돌이; (물고기·보트가 일으키는) 작은 소용돌이; 소용돌이꼴《장식 따위》; 고수머리(curl); 머리 장식; 혼란.

swirly [swə́ːrli] *a.* 소용돌이치는, 소용돌이꼴의, 소용돌이가 많은; 《Sc.》 뒤얽힌, 꼬인.

swish [swiʃ] *n.* 휙휙《날개·채찍 등의 소리》; 위석위석《풀 베는 낫 소리·비단 스커트 자락이 스치는 소리》; 철썩철썩《파도 소리》; 《미속어》 동성애자, 호모; 몽둥이 따위로 침, 채찍질: the steady ~ of (the) wind 끊임없이 쌩쌩 부는 바람 소리. — *vi.* 《~/+副/+前+名》 **1** (채찍이〔나는 새가〕) 휙 소리를 내다, 휙 움직이다〔때리다, 날다〕: ~ *out of* the room 방에서 휙 뛰어나가다 / A car ~*ed by.* 자동차가 휙 지나갔다 / The whip ~*ed past* his ear. 채찍이 그의 귀를 휙 스쳤다. **2** 《미속어》 여성적으로 행동하다〔걷다〕. — *vt.* **1** (채찍 등을) 휘두르다, 휙 소리 내다. **2** 《+目+副》 싹 베어 버리다(*off*): ~ *off* the tops of a branch 나뭇가지 끝을 싹 잘라 버리다. **3** 채찍질하다. — *a.* =SWISHY; 《구어》 호화로운, 선드러진, 멋을 낸, 맵시 있는《옷 따위》.

swishy [swíʃi] (***swish·i·er; -i·est***) *a.* 휙 소리를 내는; 연약한, 남자답지 않은, 《미속어》 호모의.

***Swiss** [swis] (*pl.* ~) *n.* 스위스(Switzerland) 사람; Ⓤ 스위스 사투리《특히 독일어 따위의》; 비치는 면직물의 일종. — *a.* 스위스의, 스위스식

의; 스위스 사람의. ㉮ **∠·er** *n.* 스위스 사람.
Swíss chárd 〖식물〗 근대《식용》.
Swíss chéese 스위스 치즈《딴딴하고 구멍이 많은》.
Swíss Confederátion (the ~) 스위스 연방《스위스의 공식 명칭》.
Swíss Frénch 〔**Gérman**〕 스위스에서 사용되는 프랑스어〔독일어〕 방언.
Swíss guárds (로마 교황청의) 스위스인 위병(衛兵).
Swíss mílk 연유(煉乳).
Swíss róll (잼을 넣은) 롤카스텔라.
Swíss stéak 스위스 스테이크《토마토·양파 따위로 양념하여 약한 불로 익힌 쇠고기》.
Swit. Switzerland.
‡switch [switʃ] *n.* **1** 〖전기〗 스위치, 개폐기: an on-off ~ ⇨ON-OFF. **2** (가스 따위의) 고동, 꼭지. **3** 〖전화〗 교환대. **4** 〖철도〗 전철기(轉轍機), 포인트(《영》 points), 측선(側線). **5** 바꿈, 전환, 변경, 교환: a ~ in policy 정책의 전환. **6** 휘청휘청한 나뭇가지《회초리 따위에 씀》. **7** 휘청휘청한 막대, 회초리; 《미속어》 잭나이프. **8** (회초리 따위의) 한 번 휘두르기, 한 번 때리기: a ~ of a buffalo's tail 물소의 꼬리치기. **9** (여자 머리의) 다리꼭지. **10** (소·사자 따위의) 꼬리끝 털. **11** 〖컴퓨터〗 엇바꾸개, 스위치《(1) 프로그래밍에 있어 다수의 선택 가능 경로 중 하나를 선택하는 분기 명령. (2) 명령(command)에 부가하여 명령 작용을 수식하는 추가 선택(option)》. ***asleep at the*** ~ 《미구어》 ① 방심하여, 소홀히 하여. ② 의무를 게을리하여.
— *vt.* **1** 《+목+부》 (전류를) 통하다; (전등·라디오 따위를) 켜다; (전화를) 연결하다《*on*》: ~ the radio *on.* **2** 《+목+부》 (전류·전화 따위를) 끊다, (전등·라디오 따위를) 끄다《*off*》: ~ a light *off.* **3 a** 《~+목/+목+전+명》 〖철도〗 전철하다, (다른 선로에) 바꿔 넣다: The train was ~*ed into* the siding. 열차는 측선으로 전철되었다. **b** (차량을) 연결하다, 떼어 놓다. **4** 《+목+전+명》 (생각·화제 따위를) 바꾸다, 전환하다, 돌리다: ~ the conversation *to* another subject 이야기를 다른 화제로 돌리다. **5** 치환하다, 바꿔치다, 교환하다: ~ seats 자리를 바꾸다. **6** 《~+목/+목+전+명》 잡아채다; (짐승이 꼬리를) 흔들다〔치다〕, (지팡이·낚싯줄 따위를) 휘두르다: ~ a cane 지팡이를 휘두르다/a cow ~*ing* its tail 꼬리를 흔들고 있는 소/He ~*ed* the letter *out of* my hand. 그는 그 편지를 내 손에서 잡아챘다. **7** 《~+목/+목+전+명》 회초리〔매〕로 때리다(whip): The man ~*ed* the slave *with* a birch. 그 사람은 노예를 회초리로 매질했다. **8** 〖카드놀이〗 딴 짝패로 바꾸다. **9** 〖경마〗 자기 말을 남의 명의로 경주에 출장시키다.
— *vi.* 스위치를 돌리다〔켜다《*on*》, 끄다《*off*》〕; 〖철도〗 전철하다; 전환하다, (방향 따위를) 바꾸다; 교환하다; 회초리로 때리다; 《미속어》 통보〔밀고〕하다. ~ **(*a*)*round*** (가구·직원 등)의 배치를 바꾸다. ~ ***off*** 《*vt.*+부》 ① (전등·라디오 따위를) 스위치로 끄다. ② (아무에게) 이야기를 중지시키다. ③ 《구어》 (아무에게) 흥미를 잃게 하다. —《*vi.*+부》 ④ 스위치를 끄다. ⑤ 《구어》 (아무가) 흥미를 잃다. ~ ***on*** 《*vt.*+부》 ① (전등·라디오 따위를) 스위치로 켜다. ② 《구어》 (아무에게) 흥미를 일으키다. ③ (태도 따위를) 갑자기 보이다〔나타내다〕. ④ 〔보통 수동태로〕 《속어》 (아무를) 마약에 취하게 하다, 환각 상태에 빠뜨리다; 최신 유행을 좇게 하다. ⑤ (아무를) 흥분시키다《이야기·음악 따위가》. —《*vi.*+부》 ⑥ 스위치를 넣다. ⑦ 《구어》 (아무가) 흥미를 가지다; 흥분하다. ⑧ (마약으로) 환각 상태가 되다. ~ ***over*** 《*vt.*+부》 ① …을 (—으로) 바꾸다〔전환〕하다, (TV 따위의 프로를) 다른 채널로 바꾸다《*to*》, (장소·위치를) 바꾸다: They ~*ed* us *over to* a bus. 그들은 우리를 버스에 바꿔 타게 했다. —《*vi.*+부》 ② (…에서 —으로) 바꾸다《*from* ... *to*》; (TV 따위의) 채널을 바꾸다: He ~*ed over* (*from* whisky) *to* soju. 그는 (위스키에서) 소주로 바꿨다. ~ ***through*** (전화로 …에게) 연결하다《*to*》: *Switch* this call *through to* Mr. Jones on extension 250. 이 전화를 내선(內線) 250의 존스씨에게 연결해 주시오.
㉮ **∠·a·ble** *a.*
swítch·bàck *n.* 〖철도〗 전향선(轉向線); (가파른 고개를 올라가기 위한) 지그재그의 길〔철도〕, 스위치백; 《영》 =ROLLER COASTER; 〖영화〗 장면 전환. ⓒⓕ cut-back, flashback.
swítch·blàde (knífe) 《미》 날이 튀어나오게 된 나이프(《영》 flick-knife).
swítch·bòard *n.* (전기의) 배전반(配電盤); (전화의) 교환대: a ~ operator 전화 교환원.
swítched-ón [-t-] *a.* 《구어》 =TURNED-ON.
switch·er·oo [switʃərúː] (*pl.* **~s**) *n.* 《미속어》 불의의 전환〔역전〕, 돌연한 변화.
swítch·gèar *n.* 〖전기〗 (고압용) 개폐기〔장치〕.
swítch-hít *vi.* 〖야구〗 (타자가) 좌우 어느 박스에서나 치다. ㉮ **~·ter** *n.* 〖야구〗 스위치 히터; 《속어》 두 가지 일을 잘 처리하는 사람, 다재한 사람; 양성애(兩性愛)인 남자. **~·ting** *n.*, *a.*
swítch·ing *n.* 〖컴퓨터〗 스위칭, 전환《(1) 상대를 선택하여 원격 단말기 등과 접속함. (2) 전송로망에서 장애 등의 발생시 전송로를 현용에서 예비로 전환함》.
swítch·man [-mən] (*pl.* **-men** [-mən, -mèn]) *n.* (철도의) 전철수(轉轍手); 조차계(操車係).
swítch-òff *n.* (동력·전등·가전제품 등의) 스위치를 끔.
swítch-òn *n.* (점화·전등·가전제품 등의) 스위치를 켬.
swítch·òver *n.* =CHANGEOVER.
swítch sèlling 후림판매《싼 물건 광고로 손님을 모아 비싼 상품을 판매하는 일》.
swítch sìgnal 전철(轉轍) 신호.
swítch tòwer 《미》 (철도의) 신호소(所) (signal box).
swítch tràding 〖경제〗 스위치 무역.
swítch·yàrd *n.* 《미》 〖철도〗 조차장(操車場).
swith·er [swíðər] 《Sc.》 *vi.* 망설이다, 의혹을 품다. — *n.* Ⓤ 불안, 의심, 망설임; 낭패, 혼란.
Switz., Swtz. Switzerland.
Switz·er [swítsər] *n.* 스위스 사람; 스위스 용병(傭兵).
***Switz·er·land** [-lənd] *n.* 스위스《수도 Bern》.
◇ Swiss *a.*
swiv·el [swívəl] *n.* 전환(轉鐶), 회전 고리; 회전의자의 받침; 회전 포가(砲架); =SWIVEL GUN.
— (**-l-**, 《영》 **-ll-**) *vi.*, *vt.* 회전 고리로 돌(리)다; 회전 고리를 달다〔로 버티다, 로 멈추다〕; 선회하다〔시키다〕. ㉮ **~ed,** 《영》 **~led** [-d] *a.* 회전 고리를 단.
swível brìdge =SWING BRIDGE.
swível chàir 회전의자.
swível gùn 선회포(旋回砲).
swível pìn (자동차의) 킹핀(kingpin).
swiv·et [swívit] *n.* 《방언·구어》 초조, 격앙: in a ~ 당황하고, 초조하여.
swiz(z) [swiz] (*pl.* **swízz·es**) *n.* 《영구어》 실망시킴, 사기, 속임.
swiz·zle [swízəl] *n.* Ⓤ 혼합주(酒)《칵테일의 일종》; 《영구어》 =SWIZZ. — *vt.* 휘저어 섞다.
swízzle stìck (칵테일용의) 휘젓는 막대.
swob [swɑb/swɔb] *n.*, (**-bb-**) *vt.* =SWAB.
swol·len [swóulən] SWELL의 과거분사. — *a.* 부어오른; 부푼; 물이 불은; 과장한, 과대한《평가 따위》. ㉮ **~·ly** *ad.* **~·ness** *n.*
swóllen héad =SWELLED HEAD.

swoln [swouln] a. 《고어》 =SWOLLEN.

°**swoon** [swuːn] n. 기절, 졸도; 혼란, 황홀; 어렴풋한 상태, 무감각; (소리 따위가) 서서히 사라짐〔약해짐〕. ***be in*** 〔***fall into***〕 ***a*** ~ 기절해 있다〔기절하다〕. — vi. **1** 기절〔졸도〕하다, 까무러치다. **2** (쇠)약해지다, (소리 따위가) 차츰 사라져 가다. **3** 《문어 · 우스개》 황홀해지다《*with*》. [파] ∠·**er** n. ∠·**ing** a. ∠·**ing·ly** ad.

swoony [swúːni] a., n. 《미속어》 매력적인〔귀여운〕 (사내아이).

°**swoop** [swuːp] vi. **1** 《+[부]/+[전]+[명]》 위로부터 와락 덤벼들다; 급습하다《*down; on, upon*》; 기습하다《*in; on*》: The army ~*ed down on* the town. 군대가 읍을 기습하였다. **2** 《+[전]+[명]》 단숨에 내리다, 급강하하다: The elevator ~*ed down* the forty stories. 엘리베이터는 40층을 단숨에 내려갔다. — vt. 《+[목]+[부]/+[목]+[전]+[명]》 《구어》 잡아채다, 채어가다《*off; away; up*》: He ~*ed* her *up in* his arms. 그녀를 와락 끌어안았다. — n. 위로부터 덮침; 급강하; 급습; (홱) 잡아챔. ***at*** 〔***in***〕 ***one fell*** ~ 갑자기; 단번에, 일거에. ***make a*** ~ ***at*** …을 급습하다. ***with a*** ~ 일격으로; 홱《덤벼들다, 강하하다 따위》.

swoosh [swuʃ] n. 분사, 분출; 휙〔쉭〕하는 소리. — vi., vt. 휙〔쉭〕 소리를 내다; 좍하고 용솟음치다; 쉭하고 발사하다〔나르다〕.

swop [swɑp/swɔp] n., (**-pp-**) vt., vi. =SWAP.

sword [sɔːrd] n. **1** 검(劍), 칼, 사벨: a cavalry ~ 기병(騎兵)의 사벨 / a dueling ~ =SMALLSWORD / ⇨COURT 〔DRESS〕 SWORD.

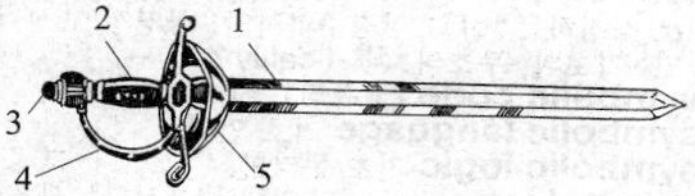

sword 1
1. blade 2. hilt 3. pommel 4. bow 5. guard

2 (the ~) 무력, 폭력, 군사력; 통수권; 전쟁: The pen is mightier than the ~. 《속담》 문(文)은 무(武)보다 강하다. **3** 《군대속어》 총검. ***at the point of the*** ~ =***at*** ~ ***point*** ⇨POINT. ***be at*** ~***s' points*** =***be at*** ~***s drawn*** 사이가 몹시 나쁘다, 일촉즉발의 상태이다. ***cross*** ~***s with*** …와 싸우다; …와 다투다; 《비유》 …와 논쟁하다. ***draw*** one***'s*** ~ ***against*** …을 공격하다. ***draw*** 〔***put up, sheathe***〕 ***the*** ~ 칼을 빼다〔칼집에 꽂다〕; 전단(戰端)을 열다〔화해하다〕. ***fall on*** one***'s*** ~ 자인(自刃)하다. ***measure*** ~***s*** ⇨MEASURE. ***put*** a person ***to*** (***the edge of***) ***the*** ~ (승자가) 아무를 베어 죽이다, 대학살하다. ***the*** ~ ***of justice*** 사법권. ***the*** ~ ***of State*** 〔***honour***〕 (대례(大禮) 때 영국왕 앞에서 받드는) 보검(寶劍). ***the*** ~ ***of the Spirit*** 신(神)의 말씀. ***throw*** one***'s*** ~ ***into the scale*** ⇨SCALE². ***wear the*** ~ 병사가 되다. ***with a stretch of the*** ~ 단칼로. [파] ∠·**less** a. ∠·**like** a.

swórd àrm 오른팔.

swórd báyonet 총검.

swórd bèan 〖식물〗 작두콩(=**sáber bèan**).

swórd-bèarer n. 칼을 찬 사람; 《영》 검을 드는 사람.

swórd bèlt 검대(劍帶).

swórd·bìll n. 〖조류〗 벌새의 일종《남아메리카산》.

swórd càne 속에 칼이 든 지팡이.

swórd·cràft n. 검술 솜씨; 《드물게》 용병술(用兵術), 전력(戰力).

swórd-cùt n. 칼에 벤 상처, 칼자국.

swórd dànce 칼춤, 검무(劍舞).

swórd·fish n. **1** 〖어류〗 황새치. **2** (the S-) 〖천문〗 황새치자리(Dorado).

swordfish 1

swórd-flàg n. 〖식물〗 노랑창포.

swórd gràss 〖식물〗 잎이 칼 모양인 풀《글라디올러스 · 칼풀 따위》.

swórd-guàrd n. (칼의) 날밑.

swórd hànd 오른손. [opp.] *bow hand*.

swórd knòt 칼자루에 늘어뜨린 끈〔술〕.

swórd-làw n. 무단 정치; 군정.

swórd lìly 〖식물〗 글라디올러스, 당창포.

swórd·man [-mən] (pl. **-men** [-mən]) n. 《고어》 =SWORDSMAN.

swórd of Dámocles (the ~, 종종 the S-) ⇨DAMOCLES.

swórd·plày n. [U] 펜싱, 검술(의 묘기); 《비유》 불꽃 튀기는 논쟁; 응구첩대.

swórd·pròof a. 칼이 안 들어가는.

swórd ràttling =SABER RATTLING.

swórds·man [-mən] (pl. **-men** [-mən]) n. 검술가; 검객; 군인, 무인(武人). [파] ~·**ship** n. 검술, 검도.

swórd stìck =SWORD CANE.

swórd·tàil n. 〖어류〗 검상(劍狀)꼬리송사리《멕시코 지방산의 담수 감상어(鑑賞魚)》; 〖동물〗 참게(king crab).

swore [swɔːr] SWEAR의 과거.

sworn [swɔːrn] SWEAR의 과거분사. — a. 맹세한, 선서를 마친, 언약한; 공공연한: ~ brothers 〔friends〕 의(義)형제〔맹우(盟友)〕 / ~ enemies 〔foes〕 불공대천의 원수, 절대 용서 못할 적.

swot¹ [swɑt/swɔt] (**-tt-**) 《영구어》 vt., vi. (시험을 위해) 들입다 공부하다, (…을) 기를 쓰고 〔열심히〕 공부하다《*at*》. ~ ***at*** (a subject) = ~ (a subject) ***up*** (어떤 학과를) 열심히 공부하다. — n. [U,C] 기를 쓰고 하는 공부; 힘드는 일; [C] 기를 쓰고 공부하는 사람: It's too much ~. 너무 힘이 든다 / What a ~! 참 힘들군.

swot² n., (**-tt-**) vt. 《미》 =SWAT¹.

swound [swaund] vi., n. 《고어 · 방언》 =SWOON.

'swounds [zwaundz] int. 《고어》 빌어먹을, 아뿔싸. [◂God's *wounds*]

Swtz. Switzerland. **SWU** separate work unit(분리 작업 단위)《천연 우라늄에서 농축 우라늄을 만들 때의 작업량 단위》.

swum [swʌm] SWIM의 과거분사; 《고어》 SWIM의 과거.

swung [swʌŋ] SWING의 과거 · 과거분사.

swúng dàsh 〖인쇄〗 물결표, 파형(波形) 대시(~).

S.Y., SY steam yacht.

sy- [si, sə] pref. =SYN-¹《sc, sp, st, z 앞에 올 때의 한 꼴》.

Syb·a·rite [síbəràit] n. 시바리스(Sybaris)《남이탈리아의 옛 도시》 사람; (종종 s-) 사치 · 방탕을 일삼는 무리. — a. (s-) =SYBARITIC 2.

Syb·a·rit·ic [sìbərítik] a. **1** Sybaris 사람의. **2** (종종 s-) 사치 향락에 빠지는, 나약한.

syb·il [síbəl] n. =SIBYL.

syc·a·mine [síkəmin, -màin] n. 〖성서〗 (검은 오디가 열리는) 뽕나무 일종《누가복음 XVII: 6》.

syc·a·more [síkəmɔ̀ːr] n. 〖식물〗 **1** 〖성서〗 (이집트 · 소아시아산의) 무화과(=∠ **fíg**). **2** 단풍나무의 일종(=∠ **máple**); [U] 그 목재《현악기에 씀; 비쌈》. **3** 《미》 플라타너스(buttonwood).

syce, sice [sais] n. 《Ind.》 말구종, 마부.

sy·cée (**sílver**) [saisíː(-)] (중국의) 말굽은, 마제은(馬蹄銀).

sy·co·ni·um [saikóuniəm] (pl. **-nia** [-niə])

n. 『식물』 은화과(隱花果).
syc·o·phan·cy [síkəfənsi] n. Ⓤ 추종, 아첨, 아부; 욕, 중상.
syc·o·phant [síkəfənt] n. 알랑쇠, 아첨꾼.
syc·o·phan·tic, -ti·cal [sìkəfǽntik], [-kəl] a. 알랑대는, 아첨하는; 중상적인.
sy·co·sis [saikóusis] (pl. **-ses** [-si:z]) n. 『의학』 모창(毛瘡).
Syd·ney [sídni] n. 시드니《오스트레일리아 최대의 도시로 항구 도시》.
sy·e·nite [sáiənàit] n. Ⓤ 『광물』 섬장암(閃長岩). ㊞ **sy·e·nit·ic** [sàiənítik] a.
syl- [sil, səl] pref. =SYN-¹《l앞에 올 때의 꼴》.
syl., syll. syllable(s); syllabus.
syl·la·bary [síləbèri/-bəri] n. 자음표(字音表); 음절 문자표《한글의 가나다 음표 따위》.
syl·la·bi [síləbài] SYLLABUS의 복수형.
syl·lab·ic [silǽbik] a. 음절의, 철자의; 음절을 나타내는; 각 음절을 발음하는; 발음이 매우 명료한; 『음성』 음절(의 중핵)을 이루는. ── n. 음절 문자; 음절 주음(主音)《각 모음 외에, double [dʌ́bl]의 [l], rhythm [ríðəm]의 [m], hidden [hídn]의 [n] 따위》; (pl.) 음절시. ㊞ **-i·cal·ly** [-əli] ad.
syl·lab·i·cate [silǽbəkèit] vt. 음절로 나누다, 분철(分綴)하다. ㊞ **syl·làb·i·cá·tion** n. Ⓤ 음절 구분; 분철법.
syl·lab·i·fy [silǽbəfài] vt. =SYLLABICATE. ㊞ **syl·làb·i·fi·cá·tion** [-ʃən] n.
syl·la·bism [síləbìzəm] n. 음절 문자의 사용〔발달〕; 분철(syllabication).
syl·la·bize [síləbàiz] vt. =SYLLABICATE.
syl·la·ble** [síləbəl] n. **1** 음절, 실러블; 음절을 나타내는 문자〔철자〕. **2** 한마디, 일언반구. ***in words of one ~ 쉬운 말로 하면, 솔직히 말하여. ***Not a*** ~! 한마디도 말하지 마라. ***to the last*** ~ 마지막까지. ── vt. 음절로 나누다; 음절마다 발음하다; 똑똑히 발음하다; 《시어》 말하다, 이야기하다, (이름·말 등을 입 밖에) 내다. ── vi. 이야기〔말〕하다. ◇ syllabication n.
syl·la·bub [síləbʌ̀b] n. =SILLABUB.
syl·la·bus [síləbəs] (pl. ~**·es, -bi** [-bài]) n. 적요(摘要), (강의 따위의) 요목; 《영》 시간표; 『법률』 판결 요지; (종종 S-) 『가톨릭』 교서 요목 《특히 교황 Pius 9세와 Pius 10세가 지적한 이단서(異端書)의 표》.
syl·lep·sis [silépsis] (pl. **-ses** [-si:z]) n. 『수사학』 일필 쌍서법(一筆雙敍法)《구체(具體)·추상의 양쪽을 겸하는 표현: He *lost* his temper and his hat.》; 『문법』 겸용법《보기: Either they or I *am* wrong.》.
syl·lep·tic [siléptik] a. syllepsis의. ㊞ **-ti·cal·ly** ad.
syl·lo·gism [sílədʒìzəm] n. **1** 『논리』 삼단 논법, 추론식. **2** 연역(법). ⓒⓕ deduction, induction. **3** 그럴 듯한 논법, 정교한 이론.
syl·lo·gis·tic [sìlədʒístik] a. 삼단 논법〔연역법〕의. ── n. (종종 pl.) (논리학의 일부로서의) 삼단 논법(론); 삼단 논법적 추론(推論). ㊞ **-ti·cal** [-əl] a. **-ti·cal·ly** ad.
syl·lo·gize [sílədʒàiz] vi. 삼단 논법으로 논하다; 삼단 논법을 쓰다, 추론하다. ── vt. 삼단 논법으로 추론하다; 삼단 논법의 형식으로 하다. ㊞ **sỳl·lo·gi·zá·tion** n. 삼단 논법에 의한 추론.
sylph [silf] n. **1** 공기〔바람〕의 요정(妖精). ⓒⓕ dryad, gnome², nymph, salamander. **2** 날씬하고 우아한 여자〔소녀〕. **3** 『조류』 벌새의 일종. ㊞ **∠·like** a. 공기〔바람〕의 요정 같은; 가냘픈.
sylph·id [sílfid] n. 젊은〔작은〕 sylph.
syl·va [sílvə] (pl. ~**s, -vae** [-vi:]) n. =SILVA; 《고어》 시집, 문집《책 이름에 씀》.
syl·van, sil·van [sílvən] a. 숲의; 숲 속의; 숲이 있는; 나무가 무성한; 목가적(牧歌的)인. ── n. 숲의 정(精); 숲의 조수(鳥獸); 숲속의 주민. 「《금의 원광》.
syl·van·ite [sílvənàit] n. 『광물』 실바나이트
syl·vat·ic [silvǽtik] a. =SYLVAN; (병이) 야생 조수에게 발생〔전염〕하는.
syl·vi·cul·ture n. =SILVICULTURE. 「염(岩塩).
syl·vite, -vin(e) [sílvait], [-vin] n. 칼리 암
sym- [sim, səm] pref. =SYN-¹《b, m, p 앞에 올 때의 꼴》.
sym. symbol; 『화학』 symmetrical; symphony; symptom. 「공생자(共生者).
sym·bi·ont [símbiɑ̀nt, -bai-/-ɔ̀nt] n. 『생태』
sym·bi·o·sis [sìmbióusis, -bai-] (pl. **-ses** [-si:z]) n. 『생태』 (상조(相助)) 공생(共生), 공동 생활; 《비유》 (사람의) 협력.
sym·bi·ot·ic [sìmbiɑ́tik, -bai-/-ɔ́t-] a. 『생태』 공생의〔하는〕. ㊞ **-i·cal·ly** ad.
‡**sym·bol** [símbəl] n. **1** 상징, 표상, 심벌: The cross is the ~ of Christianity. 십자가는 기독교의 상징이다. **2** 기호, 부호: chemical ~*s* 화학 기호/graphic ~*s* 도해 기호/phonetic ~ 발음〔음성〕 기호/express by ~*s* 부호로 나타내다. **3** 『종교』 신조(信條). ⓒⓕ emblem, sign. **4** 『정신분석』 심벌《억압된 무의식적 욕구를 나타내는 행위〔것〕》. **5** 『컴퓨터』 기호, 심벌《어떤 것에 대응짓는 양식·도형 등》. ── (**-l-**, 《영》 **-ll-**) vt. 표상하다, 상징하다; 기호로 나타내다.
***sym·bol·ic, -i·cal** [simbɑ́lik/-bɔ́l-], [-əl] a. 상징하는《of》; 상징주의적인; 상징적〔표상적〕인; 기호의, 부호의. ㊞ **-i·cal·ly** ad.
symbólic códe 『컴퓨터』 =PSEUDO-CODE.
symbólic lánguage 기호 언어.
symbólic lógic 기호 논리학.
sym·ból·ics n. pl. 《단수취급》 『신학』 신조론(信條論)〔학〕; 『인류』 의식(儀式) 연구.
sým·bol·ism n. Ⓤ **1** 상징〔기호〕의 사용; 상징으로〔기호로〕 나타냄; Ⓒ 부호 체계; 《집합적》 상징, 기호. **2** (자연의 사물의) 상징적 의미, 상징성. **3** (특히 예술상의) 상징주의, 상징파. ㊞ **-ist** n. 기호〔부호〕 사용자〔학자〕, (특히 예술상의) 상징주의자.
sym·bol·is·tic [sìmbəlístik] a. 상징주의(자)의; 상징적인. ㊞ **-ti·cal·ly** ad.
◇**sym·bol·ize** [símbəlàiz] vt. 상징하다, …의 상징이다; …을 나타내다; 상징〔표상〕화하다; 상징으로 보다; 기호〔부호〕로 나타내다, …의 기호〔부호〕이다. ── vi. 상징하다; 상징을〔기호를〕 쓰다; 《고어》 합치〔조화〕하다. ㊞ **sỳm·bol·i·zá·tion** n. 상징〔기호〕화; (인간 특유의) 기호 체계를 발전시키는 능력.
sym·bol·o·gy [simbɑ́lədʒi/-bɔ́l-] n. Ⓤ 상징〔기호〕학; 상징〔기호〕의 사용. ㊞ **-gist** n.
sym·met·al·lism [simmétəlìzəm] n. 『경제』 (화폐) 복본위제(複本位制). ⓒⓕ bimetallism.
◇**sym·met·ric, -ri·cal** [simétrik], [-əl] a. (좌우) 상칭적(相稱的)인, 균형 잡힌; 『식물』 상칭의; 『화학·수학·논리』 대칭의; 『의학』 대칭성의《발진 따위》. ㊞ **-ri·cal·ly** ad.
symmétric gróup 『수학』 대칭군(群).
symmétric mátrix 『수학』 대칭 행렬.
sym·me·trize [símətrаìz] vt. 상칭적〔대칭적〕으로 하다; 균형을 이루게 하다, 조화시키다. ㊞ **sỳm·me·tri·zá·tion** n.
◇**sym·me·try** [símətri] n. Ⓤ 좌우 상칭(相稱)〔대칭〕, 좌우 균정(均整); 『식물』 상칭; 『수학·물리』 대칭(성); 균형, 균정; 조화, 균정미(美).
sym·pa·thec·to·my [sìmpəθéktəmi] n. 『의학』 교감 신경 절제(술).

***sym·pa·thet·ic** [sìmpəθétik] *a.* **1** 동정적인, 인정 있는, 공감을 나타내는: a ~ look [smile] 인정 있는 표정[미소] / ~ tears 동정의 눈물. **2** 동정[공감]에서 우러나오는. **3** 호의적인, 찬성하는: He was ~ *to* our plan. 그는 우리 계획에 찬성이었다. **4** 마음에 맞는, 서로 마음이 통하는: a ~ atmosphere 아늑한 분위기 / ~ friends 마음 맞는 친구들. **5** 〖생리〗 교감(交感)의. **6** 〖물리〗 공명(共鳴)[공진(共振)]하는. **7** (잉크가) 은현(隱顯)인. ◇ sympathy *n.* **—** *n.* 〖해부〗 교감 신경; 〖심리〗 (최면술 따위에) 걸리기 쉬운 사람. ㊞ **-i·cal·ly** [-ikəli] *ad.* 동정[공명, 교감]하여; 가엾이 여겨; 감응하여; 찬성하여.

sympathétic cóntact 〖사회〗 공감 접촉《개인과 접촉할 때, 그가 속한 집단의 일원으로서보다도 개인적 특성에 의거하여 행하는 행동》. opp. *categorical contact.*

sympathétic ínk =SECRET INK.

sympathétic nérve 〖해부·생리〗 교감 신경.

sympathétic (nérvous) sýstem 〖해부·생리〗 교감 신경계.

sympathétic stríke =SYMPATHY STRIKE.

sympathétic vibrátion 〖물리〗 공명.

sym·pa·thin [símpəθən] *n.* 〖생화학〗 심파틴《교감 신경 말단부에서 분비되는 흥분성 전달 물질》.

***sym·pa·thize** [símpəθàiz] *vi.* 《~/+전+명》 **1** 동정하다, 위로하다, 조의를 표하다《*with*》: ~ *with* a person 아무에게 동정하다 / ~ *with* a person's grief 아무의 슬픔에 동정하다. **2** 공감[공명]하다, 찬성[동의]하다《*with*》: Why doesn't she ~ *with* my plan? 왜 그녀는 내 계획에 찬성하지 않는가. **3** 감응[동조]하다; 일치하다: The poet ~*d with* the spirit of nature. 시인은 자연의 영기에 감응하였다. ㊞ **-thìz·er** *n.* **1** 동정자, 인정 있는 사람. **2** 동조자, 공명자, 지지자, 동지.

sym·pa·tho·lyt·ic [sìmpəθoulítik] 〖약학〗 *a.* 교감 신경 차단성의. **—** *n.* 교감 신경 차단제.

sym·pa·tho·mi·met·ic [sìmpəθoumimétik] *a.* 〖약학〗 교감 신경 자극성의. **—** *n.* 교감 신경 흥분제.

****sym·pa·thy** [símpəθi] *n.* Ⓤ **1** 동정, 헤아림; 조위(弔慰), 문상, 위문. opp. *antipathy.* ¶ have [feel] ~ *for* the poor 가난한 사람들에게 동정하다 / excite (a person's) ~ (아무의) 동정을 사다 / a letter of ~ 조의의 편지 / express ~ *for* …에게 조의를 표하다, …을 위문하다. **2** (종종 *pl.*) 호의, 찬성, 동감, 공명; 〖심리〗 공감: I have no ~ *with* his foolish idea. 그의 어리석은 생각에는 찬성할 수 없다.

> SYN. **sympathy** 서로의 마음·취미·의견을 나누어 가짐. 공감, 공명: Humor has its roots not in cynicism but in *sympathy.* 유머는 냉소(冷笑)가 아니라 공감에서 생긴다. **pity** 동정, 연민. 흔히는 인간애에서 발생되나 경멸에서 생기는 경우도 있음: Give me hatred rather than *pity.* 동정해 주느니 차라리 미워해 다오. **compassion** pity는 '연민'을 나타내는 경우가 있어 오해를 피하기 위해, 대등한 입장에서의 인간적인 동정을 강조하고자 할 때에는 이 말을 씀.

3 (*pl.*) 불쌍히 여김, 연민의 정: You have all my *sympathies.* =All my *sympathies* are with you. 참으로 안됐습니다. **4** 일치, 조화《*with*》. **5** 감응(성); 〖생리〗 교감; 〖물리〗 공명, 공진(共振). ◇ sympathetic *a.* sympathize *v.* ***in ~ with*** ① …에 동정[공명, 찬성]하여. ② …와 일치[동조]하여. ***out of ~ with*** ① …에 동정[공명, 찬성]하지 않고. ② …와 일치[동조]하지 않고.

sýmpathy àction =SYMPATHY STRIKE.

sýmpathy càrd (가족을 잃은 사람에게 보내는) 위로 편지[카드].

sýmpathy strìke 동정 파업.

sym·pat·ric [simpǽtrik, -péit-] *a.* 〖생물〗 동지역성(同地域性)의. ㊞ **-ri·cal·ly** *ad.*

sym·pet·al·ous [simpétələs] *a.* 〖식물〗 통꽃잎의, 합판(合瓣)의(gamopetalous).

sym·phi·ly [símfəli] *n.* 〖생태〗 우호 공생.

sym·phon·ic [simfánik/-fɔ́n-] *a.* 〖음악〗 심포니(식)의, 교향악(형식)의, 교향적인; (협)화음의; (말 따위가) 유사음의: a ~ suite 교향 모음곡. ㊞ **-i·cal·ly** *ad.*

symphónic póem 〖음악〗 교향시.

sym·pho·ni·ous [simfóuniəs] 《문어》 *a.* 화음의《*with*》; 가락이 잡힌; 조화를 이룬《*to; with*》. ㊞ **~·ly** *ad.*

sym·pho·nist [símfənist] *n.* 교향곡 작곡가; 「교향악단원.

sym·pho·nize [símfənàiz] *vt., vi.* (…을) 조화시키다, 조화하다(harmonize); 교향곡풍으로 연주하다.

***sym·pho·ny** [símfəni] *n.* **1** 교향곡, 심포니. **2** 합창곡[가곡] 중의 기악부; 《미》 교향악단(의 콘서트). **3** 화음, 협화음. **4** 〖회화〗 색채의 조화; 《고어》 조화. cf. harmony.

sýmphony órchestra 교향악단.

sym·phy·sis [símfəsis] (*pl.* **-ses** [-sì:z]) *n.* 뼈의 유착, 유합(癒合); 〖식물〗 합생(合生).

sym·po·si·ac [simpóuziæ̀k] *a.* 심포지엄의[에 적합한]. **—** *n.* 《고어》 =SYMPOSIUM.

sym·po·si·arch [simpóuziɑ̀:rk] *n.* 심포지엄의 사회자; 《드물게》 연회의 사회자.

sym·po·si·ast [simpóuziæ̀st] *n.* 심포지엄 참가[기고(寄稿)]자.

sym·po·si·um [simpóuziəm] (*pl.* **~s, -sia** [-ziə]) *n.* **1** 토론회, 좌담회, 심포지엄, 연찬회. **2** 논집(論集), (같은 문제에 대한 여러 사람의) 평론집. **3** 주연(酒宴), (본디 옛 그리스의) 향연.

***symp·tom** [símptəm] *n.* 징후, 조짐, 전조《*of*》; 〖의학〗 증상, 증후; 증세. ㊞ **~·less** *a.*

symp·to·mat·ic, -i·cal [sìmptəmǽtik], [-əl] *a.* 징후[증후]인《*of*》; 전조가 되는; 징후에 관한; (…을) 나타내는《*of*》.

symp·tom·a·tol·o·gy [sìmptəmətálədʒi/-tɔ́l-] *n.* Ⓤ 〖의학〗 징후학, 증후학; 증후군(群).

SYN 〖컴퓨터〗 Synchronous Idle (동기 유휴) 《동기형 전송 시스템에서 송수신 간에 동기를 이루고 유지하기 위하여 이용되는 제어 문자》.

syn-[1] [sin, sən] *pref.* '더불어, 함께, 동시에, 유사한' 이란 뜻. ★1 앞에서는 동화되어 syl-; b, m, p 앞에서는 sym-; s 앞에서는 sys-; sc, sp, st, z 앞에서는 sy-로 됨.

syn-[2] '합성'이란 뜻의 결합사.

syn. synonym; synonymous; synonymy.

syn·aer·e·sis, syn·er- [sinérəsis, -níər-/-níər-] (*pl.* **-ses** [-sì:z]) *n.* 〖문법〗 합음(合音)《두 모음[음절]을 하나로 줄임》.

synaesthesia ⇨SYNESTHESIA.

°**syn·a·gog(ue)** [sínəgɑ̀g, -gɔ̀:g/-gɔ̀g] *n.* (예배를 위한) 유대인 집회; 유대교 회당, 시나고그; (the ~) (예배에 모인) 유대교도들; 유대인회. ㊞ **syn·a·gog·ic, -i·cal** [sìnəgɑ́dʒik/-gɔ́dʒ-], [-əl] *a.*

syn·a·le·pha, -loe·pha [sìnəlí:fə] *n.* 〖문법〗 어미의 모음이 다음 어두 모음의 앞에서 탈락되기《보기: *th'*(=the) eagle》.

syn·apse [sínæps/sáinæps] *n.* 〖해부〗 시냅스《신경 세포의 자극 전달부》; 〖생물〗 =SYNAPSIS.

syn·ap·sis [sinǽpsis] (*pl.* **-ses** [-si:z]) *n.*

〚생물〛 시냅시스, 염색체 접합; 〚해부〛 =SYNAPSE.
syn·ap·to·né·mal cómplex [sinæptəníː-məl-] 〚생물〛 합사기(合絲期) 복합체.
syn·ap·to·some [sinǽptəsòum] *n.* 〚생리〛 시냅토솜《동질의 신경 세포에서 추출되어 신경 말단을 형성한다고 보는 구조물》.
syn·archy [sínərki] *n.* 공동 지배〔통치〕.
syn·ar·thro·sis [sìnɑːrθróusis] (*pl.* **-ses** [-siːz]) *n.* 〚해부〛 (뼈의) 부동(不動) 결합, 관절 유합(증).
syn·as·try [sínəstri] *n.* 〚점성〛 상성(相性)《출생 시의 행성 배치의 상호 관계에서 보는 상성으로 affinity와 다름》.
syn·ax·is [sinǽksis] (*pl.* **-ax·es** [-siːz]) *n.* (초기 교회의) 성찬 예배 집회, 성체 배령 미사.
sync, synch [siŋk] 《구어》 *n.* **1** 시간을 일치시킴; (TV 등에서) 동조(synchronization); 동시 발생, 동시성(synchronism); (영상과 음성의) 동시 진행: The picture and the sound-track were *out of* ~. 영상과 음(성)이 동조하지 못하였다. **2** 협조 관계: be *in* ~ *with* …와 협조 관계에 있다. ***in* 〔*out of*〕 ~** 같은 의견의〔생각이 같지 않은〕. **—** *vi., vt.* =SYNCHRONIZE.
syn·carp [sínkɑːrp] *n.* 〚식물〛 다화과(多花果), 집합과(集合果), 복과(複果).
syn·car·pous [sinkɑ́ːrpəs] 〚식물〛 *a.* 합성 심피(心皮)를 갖는; syncarp의.
syn·chon·dro·sis [sìŋkandróusis/-kɔn-] (*pl.* **-ses** [-siːz]) *n.* 〚해부〛 연골(軟骨) 결합.
syn·chro [síŋkrou] (*pl.* **~s**) *n.* 싱크로《회전 또는 병진의 변위를 멀리 전달하는 장치》. **—** *a.* 동시 작동의, 동조(同調)의.
sỳnchro-cýclotron *n.* 〚물리〛 싱크로사이클로트론《입자 가속 장치의 일종》.
sýnchro·flàsh *n., a.* 〚사진〛 동시 섬광(의)《셔터와 플래시가 동조하는》.
sýnchro·mèsh *n., a.* 〚자동차〛 톱니바퀴를 동시에 맞물리게 한 장치(의). [◂ *synchronized mesh*]
syn·chro·nal [síŋkrənl] *a.* =SYNCHRONOUS.
syn·chron·ic, -i·cal [sinkránik, siŋ-/-krɔ́n-], [-əl] *a.* =SYNCHRONOUS; 〚언어〛 공시(共時)적인《언어를 시대마다 구분하여 사적(史的) 배경을 배제하여 연구하는》(opp. *diachronic*). ⓜ **-i·cal·ly** *ad.*
syn·chro·nic·i·ty [sìŋkrənísəti] *n.* 동시 발생, 동시성(synchronism).
syn·chro·nism [síŋkrənìzəm] *n.* Ⓤ **1** 동시 발생, 병발(倂發); 동시성; 〚전기·물리〛 동기(同期)(성); 〚영화〛 영상과 음성의 일치. **2** (역사적 사건의) 연대별 배열; Ⓒ 대조 역사 연표(年表).
syn·chro·nize [síŋkrənàiz] *vi.* **1** 《+전+명》 동시에 발생〔진행, 반복〕하다, 동시성을 가지다 《*with*》: One event ~*s with* another. 한 사건이 다른 사건과 함께 일어난다. **2** (여러 개의 시계가) 같은 시간을 가리키다. **3** 〚영화·TV〛 화면과 발성이 일치하다. **—** *vt.* 《~+목/+목+전+명》 …에 동시성을 지니게 하다, 동시에 진행〔작동〕시키다; (시계·행동 따위의) 시간을 맞추다; (사건 따위가) 동시〔동시대〕임을 나타내다; 〚영화·TV〛 (음악·음성을) 화면과 일치시키다; 〚사진〛 (셔터의 개방을) 플래시의 섬광과 동조시키다: ~ everybody's watch 모든 사람의 시계를 일치시키다. ⓜ **sỳn·chro·ni·zá·tion** *n.* 〚컴퓨터〛 동기화(同期化)《동기 신호를 시계 뛰놀이(clock pulse)의 타이밍에 맞춤》. **sýn·chro·nìz·er** *n.* 동기 장치.
sýnchronized shífting (자동차의) 동기 변속.
sýnchronized sléep 〚생리〛 동기(同期) 수면《뇌파 진동수가 적어 꿈 등을 거의 안 꾸는 수면》.
sýnchronized swímming 〚수영〛 싱크로나이즈드 스위밍, 수중 발레.
syn·chro·nous [síŋkrənəs] *a.* 동시(성)의; 동시 발생〔반복, 작동〕하는; 〚물리·전기;〛 동기식〔동위상(同位相)〕의; 〚우주〛 정지(靜止) 궤도를 도는, 정지 위성의; 〚컴퓨터〛 동기(同期)적《시계(clock)나 공통의 타이밍 기호에 의거한 제어하에 둘 이상의 처리가 동시 병행 시에 행해지는 것》. ⓜ **~·ly** *ad.* 동시에; 동기에. **~·ness** *n.*
sýnchronous compúter 동기식(同期式) 전산기〔컴퓨터〕.
sýnchronous convérter 〚전기〛 동기〔회전〕변류기.
sýnchronous mótor 〚전기〛 동기 전동기.
sýnchronous órbit 〚항공〛 동기(同期) 궤도《24시간 주기의 원형 궤도에서 위성은 지구의 특정한 점 위에 정지한 것같이 됨》.
sýnchronous sátellite 정지 (궤도) 위성(geostationary satellite). cf. Syncom.
syn·chro·ny [síŋkrəni] *n.* =SYNCHRONISM; 〚언어〛 공시태〔상〕(共時態〔相〕), 공시적 연구, 공시 언어학.
syn·chro·scope [síŋkrəskòup] *n.* 〚전기〛 동기 검정기, 싱크로스코프《동기 소인형(同期掃引型) 오실로스코프》.
syn·chro·tron [síŋkrətràn/-trɔ̀n] *n.* 싱크로트론《사이클로트론을 개량한 하전 입자 가속 장치》. cf. bevatron.
sýnchrotron radiátion 〚물리〛 싱크로트론 방사《상대론적으로 큰 에너지를 갖는 하전 입자가 가속될 때 방출하는 빛; 성운(星雲)·싱크로트론 등에서 보임》.
syn·cli·nal [siŋkláinl] *a.* (한 점〔선〕에서 만나도록) 반대 방향으로 경사진; 〚지학〛 향사(向斜)의: a ~ valley 향사곡. **—** *n.* =SYNCLINE.
syn·cline [síŋklain] *n.* 〚지학〛 향사(向斜).
Syn·com [síŋkam/-kɔm] *n.* 신콤 위성《미국의 정지(靜止) 통신 위성》. [◂ *Syn*chronous *com*munications satellite]
syn·co·pate [síŋkəpèit] *vt.* 〚문법〛 중략(中略)하다, 말의 중간 문자를〔음절을〕 생략하다 《never를 ne'er로 하는 따위》; 〚음악〛 당김음으로 하다. ⓜ **sỳn·co·pá·tion** *n.* Ⓤ 〚문법〛 어중음(語中音) 소실, 중략(中略); 〚음악〛 싱커페이션, 당김음. **sýn·co·pà·tor** [-tər] *n.* 싱커페이션을 쓰는 사람; 재즈 음악 연주가.
syn·co·pe [síŋkəpìː, sín-/síŋkəpi] *n.* Ⓤ **1** 〚문법〛 어중음(語中音) 소실, 중략; Ⓒ 중략어. cf. apocope. **2** 〚의학〛 가사(假死), 기절. **3** 〚음악〛 당김음법.
syn·cret·ic [siŋkrétik] *a.* 혼합주의의; 〚언어〛 다른 상이한 격(格)의 기능을 흡수한.
syn·cre·tism [síŋkrətìzəm] *n.* Ⓤ 〚철학·종교〛 제설(諸說) 혼합주의; 〚언어〛 (다른 기능의 어형) 융합. ⓜ **-tist** *n., a.* **sỳn·cre·tís·tic** *a.*
syn·cre·tize [síŋkritàiz] *vi.* 단결〔융화〕하다; (제파(諸派)가) 합병(을 찬성)하다. **—** *vt.* (제파를) 융화 통합하려고 힘쓰다. 「합성 원유.
syn·crude [sínkrùːd] *n.* (석탄에서 얻어지는)
sýnc sìgnal 〚전자〛 동기 신호.
syn·cy·tium [sinsíʃiəm/-tiəm] (*pl.* **-tia** [-ʃiə/-tiə]) *n.* 〚생물〛 신시티움, 합포체(合胞體)《둘 이상의 세포가 유합(癒合)한 다핵체(多核體)》; =COENOCYTE. ⓜ **-tial** *a.*
syn·dac·tyl, -tyle [sindǽktəl/-til] *a.* 합지(合指)의《손가락이 유착한》. **—** *n.* 합지 동물.
syn·des·mo·sis [sìndezmóusis, -des-] (*pl.* **-ses** [-siːz]) *n.* 〚해부〛 인대(靭帶) 결합. ⓜ **sỳn·des·mót·ic** [-mát-/-mɔ́t-] *a.* 「+de*tergent*]
syn·det [síndet] *n.* 합성 세제. [◂ *syn*thetic
syn·det·ic, -i·cal [sindétik], [-əl] *a.* 연

결〔결합〕하는; 『문법』 접속사의, 접속사를 쓰는.

syn·dic [síndik] *n.* **1** 《영》 (대학 등의) 평의원, 이사(理事). **2** (Cambridge 대학의) 특별 평의원. **3** (Andorra 등지의) 장관; 지방 행정 장관.

syn·di·cal [síndikəl] *a.* syndic의; syndic의 권력을 집행하는 위원회의, 직업 조합의; 신디칼리즘의.

sýn·di·cal·ìsm *n.* Ⓤ 『사회』 노동조합주의, 신디칼리즘《직접 행동으로 생산·분배를 수중에 넣으려는 투쟁적인 노동조합 운동》. ㊞ **-ist** *n.* 그 주의자. **sỳn·di·cal·ís·tic** *a.*

syn·di·cate [síndikət] *n.* **1** 기업연합, 신디케이트. ⓒⓕ cartel, trust. **2** 공사채(公社債)〔주식〕 인수 조합〔은행단〕. **3** 신문 잡지용 기사〔사진·만화〕 배급자 기업. **4** (동일 경영하의) 신문 연합. **5** 평의원단; 이사회, (특히 Cambridge 대학의) 평의원회. **6** 《미》 조직 폭력 연합. **7** (수렵·어업권 등의) 권리 임대 연합. **—** [-dikèit] *vt., vi.* 신디케이트를 만들다; 신디케이트 조직으로 하다; (기사 따위를) 신디케이트를 통해 발표〔관리, 배급〕하다: ~*d* loan 국제 협조 융자. ㊞ **sỳn·di·cá·tion** *n.* Ⓤ 신디케이트를 조직하기; 신디케이트 조직.

syn·drome [síndroum, -drəm/-droum] *n.* 『의학』 증후군(症候群); (어떤 감정·행동 따위가 일어나는) 일련의 징후, 일정한 행동 양식. ㊞ **-drom·ic** [sindrámik] *a.*

syne [sain] *ad., prep., conj.* 《Sc.》 이전에, 전에(since). ⓒⓕ auld lang syne.

syn·ec·do·che [sinékdəki] *n.* Ⓤ 『수사학』 제유(提喩)《일부로써 전체를, 특수로써 일반을 나타내는 표현법, 또는 그 반대를 뜻하기도 함; *sail, keel*이 ship, a *creature*가 a man을 나타내는 따위》. ⓒⓕ metonymy.

syn·e·col·o·gy [sìnikálədʒi/-kɔ́l-] *n.* Ⓤ 군집(群集)〔군락(群落)〕 생태학(生態學). ㊞ **-gist** *n.* **sỳn·ec·o·lóg·ic, -i·cal** *a.* **-i·cal·ly** *ad.*

syn·ec·tics [sinéktiks] *n. pl.* 〖단수취급〗 창조 공학, 시넥틱스《창조적 문제 해법》.

syn·er·e·sis [sinérəsis/-níər-] *n.* **1** =SYNAERESIS. **2** 『물리·화학』 시네레시스, 이장(離漿)《gel 내부의 액체를 방출해 부피가 주는 현상》.

syn·er·ga·my [sinə́ːrgəmi] *n.* Ⓤ 공동 결혼, 집단혼(集團婚)《공동체적 복수 결혼제》.

syn·er·gic [sinə́ːrdʒik] *a.* 함께 일하는, 공동 작용의. ㊞ **-gi·cal·ly** *ad.*

synérgic cúrve 『항공』 연료 경제 곡선《최소의 에너지로 로켓 등에 일정한 위치·속도를 부여하는 궤도》.

syn·er·gid [sinə́ːrdʒid, sínər-] *n.* 『식물』 조세포(助細胞).

syn·er·gism [sínərdʒìzəm] *n.* Ⓤ **1** 『신학』 신인(神人) 협력설. **2** (약 등의) 상승 작용. **3** 『생태』 상조(相助) 작용, 협동 효과. **4** (근육 따위의) 공동(共動).

syn·er·gist [sínərdʒist, sinə́ːr-] *n.* 『화학·약학』 상승제(相乘劑), 공력제(共力劑); 『의학』 공력근(筋)〔기관〕; 『신학』 신인 협력주의자.

syn·er·gis·tic, -ti·cal [sìnərdʒístik], [-ikəl] *a.* 『신학』 신인 협력설의; (약·근육 따위) 공동성의; (반응·효과 따위) 상호 의존적인, 상승 작용적인. ㊞ **-ti·cal·ly** *ad.*

syn·er·gize [sínərdʒàiz] *vi.* 협력하다, 상승 작용을 나타내다. **—** *vt.* …의 작용을 돕다.

syn·er·gy [sínərdʒi] *n.* Ⓤ **1** (효과·작용·기능 등의) 협력 작용; (둘 이상의 근육·신경 등의) 공력(共力) 작용. **2** (둘 이상의 자극물·약품 등의) 상승 작용. **3** 『사회』 (사회 내 특정 집단〔개인〕의) 공동 작업.

syn·e·sis [sínəsis] *n.* Ⓤ 『수사학』 뜻에 의한 문법 무시; 『문법』 의미 구문《보기: Neither of them *are* present.》

syn·es·the·sia, -aes- [sìnəsθíːʒiə] *n.* 『심리』 공감각(共感覺)《하나의 감각이 다른 영역의 감각을 작용하게 하는 일》.

syn·fu·el [sínfjùː(ː)əl] *n.* =SYNTHETIC FUEL.

syn·ga·my [síŋgəmi] 『생물』 *n.* 배우자 합체(配偶子合體); 유성(有性) 생식.

syn·gas [síŋgæ̀s] *n.* (석탄에서 얻어지는) 합성가스.

syn·ge·ne·ic [sìndʒəníːik] *a.* 『생물·의학』 친연성(親緣性)의; 공통 유전형의, 선천성의.

syn·gen·e·sis [sindʒénəsis] *n.* 『생물』 유성(有性) 생식; 『지학』 동생(同生)《광상(鑛床)이 모암(母岩)과 동시에 생성하는 일》.

syn·kar·y·on [sinkǽriàn, -riən/-riɔ̀n] *n.* 『생물』 융합핵, 합핵(合核).

syn·met·al [sínmètl] *n.* 합성 금속.

syn·od [sínəd] *n.* 종교〔교회〕 회의; 『장로교회』 대회《장로회와 장로 대회와의 중간적 회의》; 《드물게》〖일반적〗 회의, 집회; 『천문』 (행성의) 합(合), 상합(相合). ㊞ **~·al** [-l] *a.* =SYNODIC.

syn·od·ic, -i·cal [sinádik/-nɔ́d-], [-əl] *a.* (종교) 회의의; 『천문』 합(合)의.

synódic(al) mónth 『천문』 삭망월(朔望月)《29일 12시간 44분》.

***syn·o·nym** [sínənim] *n.* **1** 동의어, 유의어(類義語), 비슷한 말. ⓄⓅⓅ *antonym.* **2** (타국어의) 해당어. **3** 별명, 별칭. **4** 《구어》 유사물. **5** 『동물·식물』 (분류상의) 이명(異名). ⓒⓕ homonym. ㊞ **syn·o·nym·ic, -i·cal** [sìnəními k], [-əl] *a.* ~의; ~을 사용한. **sỳn·o·ným·i·ty** [-əti] *n.* Ⓤ 같은 뜻, 동의, 유의(類義)(성).

syn·on·y·mize [sinánəmàiz/-nɔ́n-] *vt.* …의 유의어를 나타내다; (어떤 말의) 유의어를 분석하다; (사전 따위)에 유의어 분석 해설을 싣다. **—** *vi.* 유의어를 사용하다.

syn·on·y·mous [sinánəməs/-nɔ́n-] *a.* 동의어의, 유의어의, 같은 뜻의《*with*》. ㊞ **~·ly** *ad.*

syn·on·y·my [sinánəmi/-nɔ́n-] *n.* **1** Ⓤ 유의(類義)〔동의〕(성). **2** 유어 반복《뜻을 강조하기 위함: in any *shape* or *form*》. **3** 유어(類語)집〔표〕; Ⓤ 유어의 비교 연구. **4** 『생물』 (분류상의) 이명(異名)(표).

synop. synopsis.

syn·op·sis [sinápsis/-nɔ́p-] (*pl.* **-ses** [-siːz]) *n.* 개관, 개요, 적요, 대의; 대조표, 일람(표).

syn·op·size [sinápsaiz/-nɔ́p-] *vt.* 《미》 …의 대강의 줄거리를〔일람을〕 만들다.

syn·op·tic [sinάptik/-nɔ́p-] *a.* 개관의, 대의의; (종종 S-) 공관(共觀) 복음서의; 『기상』 종관(綜觀)적인. **—** *n.* (종종 S-) 공관 복음서(의 저자). ㊞ **-ti·cal** [-əl] *a.* **-ti·cal·ly** *ad.* **-tist** *n.* (종종 S-) 공관 복음서 저자.

synóptic chárt 일기도, 기상 일람도(weather map).

synóptic Góspels (the ~, 종종 the S-) 공관 복음서《마태복음·마가복음·누가복음의 3편》.

synóptic meteorólogy 종관 기상학.

syn·os·te·o·sis, syn·os·to·sis [sìnɑstióusis/sìnɔs-], [-tóu-] (*pl.* **-ses** [-siːz]) *n.* 『해부·의학』 골유착(증).

syn·o·via [sinóuviə] *n.* Ⓤ 『해부』 (관절) 활액(滑液).

syn·o·vi·al [sinóuviəl] *a.* 『해부』 활액(滑液)의〔을 분비하는〕: ~ membrane.

syn·o·vi·tis [sìnəváitis] *n.* Ⓤ 『의학』 활액막염(滑液膜炎).

sy·no·vi·um [sinóuviəm] *n.* 『해부』 활액막.

syn·roc [sínrὰk/-rɔ̀k] *n.* 핵폐기용 합성 암석《핵폐기물을 고압과 고열로 압축한》. [◂ *syn*thetick *rock*]

syn·tac·tic, -ti·cal [sintǽktik], [-əl] *a.* 구문론의; 구문론적인; 통어법(統語法)에 따른. ㊞ **-ti·cal·ly** *ad.*

syntáctic fóam 유리 기포(氣泡) 강화 플라스틱《부양성(浮揚性)이 있어 잠수함(潛水艦)·우주선에 쓰임》. 「통합론.
syn·tác·tics *n. pl.* 《단수취급》 『논리』 기호
syn·tagm [síntæm] *n.* =SYNTAGMA.
syn·tag·ma [sintǽgmə] (*pl.* **~s, -ma·ta** [-tə]) *n.* 『언어』 신태그머《통어적(統語的) 관계를 갖는 어구; 발화(發話)의 질서가 선 집합》. ㊕ **syn·tag·mat·ic** [sìntægmǽtik] *a.*
syn·tax [síntæks] *n.* Ⓤ **1** 『문법』 통어법〔론〕, 구문(론). **2** =SYNTACTICS. **3** 『컴퓨터』 구문, 신택스《어떤 언어에서 명확한 표현이나 문장 구성에 필요한 일련의 규칙》: ~ error 통사 착오, 틀림.
syn·tech·nic [sintéknik] *a.* 『생물』 유사한 환경에 있음으로써 유연(類緣) 관계가 없는 생물이 서로 닮아 가는.
syn·te·ny [síntəni] *n.* 『유전』 같은 염색분체(分體)에 여러 개의 유전자가 얹혀 있는 일.
syn·tex·is [sintéksis] *n.* 『지학』 신텍시스《이종(異種)의 암석 마그마에 의한 동화 · 재용융(再熔融) 작용》.
syn·thase [sínθeis, -z] *n.* 『생화학』 신타아제《역방향으로 리아제 반응을 하는 효소》.
syn·the·sis [sínθəsis] (*pl.* **-ses** [-sìːz]) *n.* Ⓤ **1** 종합, 통합, 조립. opp. *analysis*. **2** Ⓒ 종합〔통합〕체. **3** 『화학』 합성, 인조. **4** 『논리』 종합(법); (Hegel의 변증법의) 합(合), 진테제. cf. thesis, antithesis. **5** 『의학』 접골(接骨), 복위(復位). **6** 『문법』 (말의) 합성, 복합〔파생〕어를 만드는 일. **7** (제어 따위의) 시스템 설계〔합성〕.
sýnthesis gàs =SYNGAS.
syn·the·size [sínθəsàiz] *vt., vi.* 종합하다; 『화학』 합성하다; 종합적으로 다루다. ㊕ **-siz·er** *n.* 합성하는 사람〔물건〕; 『컴퓨터』 음성 합성 장치; 신시사이저《전자 공학의 기술을 써서 소리를 합성하는 장치〔악기〕》. 「=LIGASE.
syn·the·tase [sínθətèis, -tèiz] *n.* 『생화학』
°**syn·thet·ic** [sinθétik] *a.* **1** 종합적인, 종합의. **2** 『화학』 합성의, 인조의《고무 따위》; 대용의, 진짜가 아닌: ~ dye 합성 물감. **3** 『언어』 종합적인. **4** 『논리』 종합의. **—** *n.* 『화학』 합성 물질, 《특히》 합성〔화학〕 섬유. ㊕ **-i·cal** [-əl] *a.* =SYNTHETIC. **-i·cal·ly** *ad.* 종합하여, 합성적으로.
synthétic-áperture ràdar 합성 개구(開口) 레이더《비행기 · 인공위성 등에 탑재하는 공대지(空對地) 고분해능(高分解能) 레이더》.
synthétic blóod 『의학』 합성 혈액.
synthétic detérgent 합성 세제(syndet).
synthétic fíber 인조 섬유.
synthétic fúel 합성 연료(synfuel).
synthétic geómetry 종합 기하학.
syn·thet·i·cism [sinθétəsìzəm] *n.* 합성적 방법〔절차, 순서〕.
synthétic músic 전자 음악, 합성 음악《synthesizer를 사용한 음악》.
synthétic philósophy 『철학』 (Herbert Spencer의) 종합 철학.
synthétic proposítion 『논리』 종합 명제.
synthétic résin 합성 수지.
synthétic rúbber 합성 고무, 인조 고무.
syn·thét·ics *n. pl.* 《단수취급》 합성 화학; 합성 화학 산업.
synthétic séed 합성 종자《배양으로 무성(無性) 생식된 배(胚)를 천연 종피(種皮) 대신 합성 물질로 싼 것》.
synthétic spéech 『컴퓨터』 합성 음성《사람의 말을 컴퓨터로 인공적으로 합성한 음성》.
syn·the·tism [sínθətìzəm] *n.* 『미술』 생테티슴, 종합주의; 『의학』 골절(骨折) 접합법.
syn·the·tize [sínθətàiz] *vt.* =SYNTHESIZE.
syn·thet·o·graph [sinθétəgræ̀f, -grɑ̀ːf] *n.* (몇 가지 표본의) 합성도(圖).
syn·ton·ic [sintánik/-tɔ́n-] *a.* 『전기』 동조(同調)의〔하는〕; 『심리』 동조적인.
syn·to·nize [síntənàiz] *vt.* 『전기』 동조시키다.
syn·to·nous [síntənəs] *a.* =SYNTONIC.
syn·to·ny [síntəni] *n.* Ⓤ 『전기』 동조; 『심리』 (환경에 대한) 동조(同調)(성).
syn·type [síntàip] *n.* 『생물』 총모식(總模式) 표본, 등가 기준 표본.
syn·u·ra [sənjúərə] (*pl.* **-rae** [-riː], **~s**) *n.* 『동물』 시누라속(屬)의 각종 황색 편모충(鞭毛蟲).
syph [sif] *n.* 《속어》 =SYPHILIS.
syph·i·lis [sífəlis] *n.* Ⓤ 『의학』 매독.
syph·i·lit·ic [sìfəlítik] *a.* 매독(성)의, 매독에 걸린. **—** *n.* 매독 환자.
syph·i·lize [sífəlàiz] *vt.* 매독을 감염시키다.
syph·i·lol·o·gy [sìfəlálədʒi/-lɔ́l-] *n.* Ⓤ 매독학. ㊕ **-gist** *n.*
syphon ⇨SIPHON.
Syr. Syria; Syriac; Syrian. **syr.** syrup.
Syr·a·cuse [sírəkjùːs, -z] *n.* **1** 시러큐스《미국 New York주 중부의 도시》. **2** 시라쿠사《이탈리아 Sicily섬 남동부의 항구 도시; 이탈리아 이름은 Siracusa》.
Syr Dar·ya [siərdɑ́ːrjə] (the ~) 시르 다리야《톈산(天山) 산맥에서 서쪽으로 흘러 Aral해로 나가는 중앙 아시아 최대의 강》.
sy·ren *n., a.* 《영》 =SIREN. 「표명》.
Syr·ette [sirét] *n.* 시레트《1회용 주사기; 상
Syr·ia [síriə] *n.* **1** 시리아《정식명 Syrian Arab Republic; 수도 Damascus》. **2** 『역사』 현재의 시리아와 레바논을 포함한 프랑스 위임 통치령(1922-44). **3** 『역사』 옛 시리아《로마 제국의 일부》.
Syr·i·ac [síriæ̀k] *n., a.* 옛 시리아말(의).
Syr·i·a·cism [síriəsìzəm] *n.* 옛 시리아어풍(語風)〔어법〕. 「사람.
Syr·i·an [síriən] *a.* 시리아(인)의. **—** *n.* 시리아
sy·rin·ga [səríŋgə] *n.* 『식물』 들정향나무속(屬)의 식물; 고광나무속의 식물(mock orange); 라일락(속의 식물).
sy·ringe [sərínd3, sírind3/sírind3, -ˊ] *n.* 주사기; 세척기(洗滌器); 관장기(灌腸器); 『축산』 주사통(筒); 수동(手動) 펌프; 물딱총; 주수기(注水器); 《미속어》 피임액 주입기; 《미속어》 트롬본: a hypodermic ~ 피하 주사기. **—** *vt.* …에 주사하다; 세척하다, (귀 등을) 씻다; (주수기로 초목에) 물을 뿌리다. ㊕ **~·ful** [-fùl] *n.* 주사기에 가득한 분량, 1회분의 주사〔세척〕량.
sy·rin·ge·al [səríndʒiəl] *a.* syrinx의. 「管炎).
syr·in·gi·tis [sìrindʒáitis] *n.* 『의학』 이관염(耳
sy·rin·go·my·e·lia [səriŋgoumaiíːliə] *n.* 『의학』 척수 공동증(脊髓空洞症). ㊕ **sy·rìn·go·my·él·ic** [-él-] *a.*
syr·inx [síriŋks] (*pl.* **sy·rin·ges** [sirínd3iːz], **~·es**) *n.* **1** (S-) 『그리스신화』 목신(牧神) Pan의 피리(Panpipe). **2** (새의) 명기(鳴器), 울대. **3** 『해부』 이관(耳管), 유스타키오관(管) (Eustachian tube). **4** 『고고학』 (옛 이집트의 분묘 속의) 좁은 돌 복도. 「의 결합사.
Sy·ro- [sáirou, -rə, sír-] '시리아 (사람)'의 뜻
syr·phid [sə́ːrfid] 『곤충』 *a.* 꽃등엣과의. **—** *n.* 꽃등에(=∠ flỳ). 「(syrphid (fly)).
sýr·phus flỳ [sə́ːrfəs-] 『곤충』 꽃등에
syr·tic [sə́ːrtik] *a.* 표사(漂沙)〔유사(流沙)〕에 관한〔비슷한〕.
***syr·up** [sírəp, sə́ːr-/sír-] *n.* Ⓤ 시럽; 당밀(糖蜜); 《비유》 (문학 작품 속) 감상(感傷). **—** *vt.* 시럽 형태로 하다; 시럽으로 씌우다〔달게 하다〕.
syr·upy [sírəpi, sə́ːr-/sír-] *a.* 시럽의; 시럽 같은; 달콤한, 감상적인《문체 따위》.
sys- [sis, səs] *pref.* ⇨SYN-《s 앞에 올 때의 꼴》.
sys·gen [sísdʒèn] *n.* 『컴퓨터』 시스템 생성(生

成). [◂ *system generation*]

sys·op [sísɑ̀p/-ɔ̀p] *n.* 〖컴퓨터〗《속어》 시스템 운영자(system operator). 「(筋骨)연결.

sys·sar·co·sis [sìsɑːrkóusis] *n.* 〖해부〗 근골

syst. system; systematic.

sys·tal·tic [sistɔ́ːltik, -tǽl-/-tǽl-] *a.* 〖의학〗 번갈아 수축 팽창하는; 심장(心臟) 수축(기능)의.

⁑**sys·tem** [sístəm] *n.* Ⓤ,Ⓒ **1** 체계, 계통, 시스템: a mountain ~ 산계/the digestive ~ 소화기 계통/a supply ~ 공급 계통/a ~ of grammar 문법 체계. **2** (the ~) 우주; 소우주; 신체: be good for the ~ 신체에 좋다. **3** (사회적·정치적) 조직(망), 제도, 체제: the postal ~ 우편 제도/a telephone ~ 전화망(網). **4** (the ~, 종종 the S-) (지배) 체제(the establishment). **5** (조직적인) 방식, 방법; (도량형의) 법; 분류법: the conveyor ~ 컨베이어 작업 방식, 유동 작업/a new ~ of teaching 새 교수 방식/the sales ~ 판매법/the Linnaean ~ 린네식 (동·식물) 분류법. **6** 학문 체계; 가설(假說): the Ptolemaic ~ 톨레미설(說), 천동설/the Copernican ~ 코페르니쿠스의 지동설. **7** 질서; 정연(성), 순서, 규칙: Every part works with ~. 각 부분이 정연하게 조직적으로 작용한다/He has no ~ in his thinking. 그는 조리 있게 생각하지 않는다/His thought lacks ~. 그의 사상에는 체계가 없다. **8** 〖천문·화학·물리·지학·결정〗 계(系); 〖생물〗 계, 계통, 기관(器官): the ~*s* of crystalization 결정계(結晶系)/the nervous ~ 신경 계통〔기관〕/⇨SOLAR SYSTEM. **9** 복합적인 기계 장치; 오디오의 시스템; (종종 *pl.*) 〖컴퓨터〗 시스템《운영 체계(operating system); 대규모의 프로그램》: a suspension ~ (자동차의) 현가(懸架) 장치/The ~ is up. 컴퓨터는 가동하고 있다. **10** (the ~, one's ~) 신체, 전신; (the 〔this, etc.〕 ~) 세계, 우주. ◇ systematic *a.* ***All ~s go!*** 《구어》 만사 준비 완료《우주 용어에서》. ***do*** something ***without*** ~ 일하는 것이 조직적이 아니다. ***get ... out of one's ~*** 《구어》 (생각·걱정 등을) 버리다, (감정을 솔직히 털어놓든가 하여) …에서 홀가분해지다. ⓟ **~·less** *a.*

sýstem admìnistrator 〖컴퓨터〗 시스템 관리자.

⁑**sys·tem·at·ic, -i·cal** [sìstəmǽtik], [-əl] *a.* **1** 체계〔조직, 계통〕적인: a ~ course of study 조직적 학습 과정. **2** 질서 있는〔잡힌〕, 조리가 정연한; 규칙적인, 규칙 바른: in a ~ way 질서 정연하게. **3** 고의의, 계획적인: a ~ liar 고의로 거짓말하는 사람. **4** 〖생물〗 분류(법)의, 분류상의: ~ botany 〔zoology〕 식물〔동물〕 분류학. **5** 우주의, 우주적인(cosmical). ⓟ **°-i·cal·ly** *ad.*

systemátic érror 〖통계〗 정오차(定誤差), 계통 오차《원인이 분명한 보정(補正) 가능 오차》.

sỳs·tem·át·ics *n. pl.* 《단수취급》 분류학, 계통학; 〖생물〗 계통 분류학; 분류법(taxonomy).

systemátic theólogy 〖신학〗 조직 신학.

sys·tem·a·tism [sístəmətìzəm] *n.* 조직〔계통, 체계〕화; 조직〔계통〕주의; 계통〔조직〕 고수〔중시〕; 분류. ⓟ **-tist** *n.* 조직〔계통〕주의자〔을 고집하는 사람〕; 분류학자. 「계통화; 분류.

sỳs·tem·a·ti·zá·tion *n.* Ⓤ 조직화, 체계화;

sys·tem·a·tize [sístəmətàiz] *vt.* 조직화하다, 체계화하다; 계통적으로 하다, 분류하다. ⓟ **-tiz·er** *n.* 조직자.

sys·tem·a·tol·ogy [sìstəmətɑ́lədʒi/-tɔ́l-] *n.* 체계학, 계통학. 「공법.

sýstem bùilding 〖건축〗 조립식 공법, prefab

sýstem dísk 〖컴퓨터〗 시스템디스크《기본 운영 체제가 저장되어 있는 디스크》.

sýstem dìskette 〖컴퓨터〗 시스템디스켓《마이

크로프로세서의 기본 운영 체제를 담은 디스켓》.

sýs·temed *a.* 조직화〔계통화〕된, 조직으로서 작용하는; 정연한.

sýstem fàilure 〖컴퓨터〗 시스템 장애《시스템이 기능을 수행할 수 없게 된 상태》.

sýstem file 〖컴퓨터〗 시스템 파일《(1) 제어 프로그램이 필요로 하며 관리하는 파일. (2) 체계 논리 장치를 할당·처리하는 파일》.

sys·tem·ic [sistémik] *a.* 조직〔계통, 체계〕의; 〖생리〗 온몸의; 전신에 영향을 주는; (특정한) 계(系)의; 식물체 전체에 침투 효과를 나타내는《살충제 따위》. ― *n.* 침투 살충제《식물에 흡수시키는》.

systémic circulátion 〖생물〗 대(大)순환, 큰 피돌기, 체순환(體循環).

systémic insécticide 침투(浸透) 살충제.

sys·te·mic·i·ty [sìstəmísəti] *n.* 체계성, 계통성, 조직성.

systémic lúpus er·y·the·ma·tó·sus [-èrəθìmətóusəs] 〖의학〗 전신성 홍반성 루프스〔낭창(狼瘡)〕.

sys·tem·ize [sístəmàiz] *vt.* = SYSTEMATIZE. ⓟ **sỳs·tem·i·zá·tion** *n.*

sýstem máintenance 〖컴퓨터〗 시스템 유지 보수《체계가 항상 정상으로 동작하도록 검사·점검하는》.

sýstem òperator 〖컴퓨터〗 시스템 운영자.

sýstem prògram 〖컴퓨터〗 시스템프로그램《컴퓨터 시스템을 효율적으로 움직이기 위한 관리 프로그램의 총칭》. ⓟ **sýstem prògramming.**

sýstem requìrements 〖컴퓨터〗 동작 환경《프로그램 동작에 필요한 메모리 시스템 환경》.

sýstems anàlysis 시스템 분석. ⓟ **sýstems ànalyst** 「의 감사.

sýstems àudit 〖회계〗 컴퓨터화된 회계 시스템

sýstems desìgn 시스템 설계《컴퓨터 처리를 하기 쉽게 문제를 분석 체계화하는 일; 일련의 정보 처리 시스템이 기능을 다하게 조직화하는 일》.

sýstems dynàmics 시스템 역학《어떤 시스템 안에서 문제·경향을 일으키는 모든 힘을 수학적 모델을 써서 모식적(模式的)으로 재현하기》.

sýstems enginèer 〖컴퓨터〗 시스템 기술자.

sýstems enginèering 시스템〔조직〕 공학.

sýstems plànner = SYSTEMS ENGINEER.

sýstem(s) prògrammer 〖컴퓨터〗 시스템 프로그래머《systems software의 작성자》.

sýstems sòftware 〖컴퓨터〗 시스템 소프트웨어《운영 체제와 유틸리티 프로그램의 총칭》.

sýstem·wìde *a.* 전조직〔계열, 체계〕에 미치는〔걸치는〕.

sys·to·le [sístəliː, -li/-li] *n.* **1** 〖생리〗 심장 수축(기). ⓒⓕ diastole. **2** 〖고대시학〗 (장음절의) 음절 단축. ⓟ **sys·tol·ic** [sistɑ́lik/-tɔ́l-] *a.*

systólic préssure 〖의학〗 수축기압(收縮期壓)《최고 혈압》. ⓒⓕ diastolic pressure.

Sys·tox [sístɑks/-tɔks] *n.* 시스톡스《살충제 demeton의 상표명》.

sys·tyle [sístail] *a.* 〖건축〗 집주식(集柱式)의, 이경간식(二徑間式)의, 기둥 사이가 (비교적) 좁은. ― *n.* 집주식, 이경간식; 집주식의 열주(列柱) 〔건물〕.

syz·y·get·ic [sìzədʒétik] *a.* 삭망(朔望)에 관한. ⓟ **-i·cal·ly** *ad.*

syz·y·gy [sízədʒi] *n.* 〖천문〗 삭망(朔望), 합(合)(conjunction), 충(衝)(opposition)《태양·지구·달 등 세 천체가 대충 일직선상에 옴》; 〖생물〗 연접(連接). ⓟ **sy·zyg·i·al** [sizídʒiəl] *a.*

Szcze·cin [ʃtʃétʃiːn] *n.* 슈체친《폴란드 북서쪽의 항구 도시》.

T

T, t [tiː] (*pl.* **T's, *Ts*, t's, *ts*** [-z]) **1** 티《영어 알파벳의 스무째 글자》. **2** T자 모양의 물건: a *T* bandage〔pipe, square〕, T자형 붕대〔T형관, T자〕. **3** (보통 T) =T FORMATION; T-SHIRT. **4** (t) 〖통계〗 =DISTRIBUTION; (T) =TECHNICAL FOUL. **5** 제 20 번째의 것《j를 빼면 19번째》. ***cross one's*** 〔***the***〕 ***t's,*** t 자의 횡선을 긋다; 사소한 일에까지 주의하다; 강조하다. ***marked with a T*** 《영》 (죄인이 엄지손가락에) T자 낙인이 찍힌; 도둑(T =Thief)으로 알려진. ***to a T*** 〔***tee***〕 정확히, 딱, 꼭, 완전히: This job suits me *to a T.*

T-1 trainer(미군의 연습기) 《T-38, T-41 따위》. **2** tank(러시아의 탱크) 《T-34, T-54 따위》.

t' [tə] **1** 《고어》 to의 간약형《모음으로 시작되는 동사 앞에 부정사가 올 때》: *t'*attempt =to attempt. **2** 《방언》 the 의 생략: *t'*bottle =the bottle.

't [t] (동사의 앞뒤에서) it의 간약형: *'t*is =it is; *'t*was =it was; see*'t* =see it.

T. tablespoon; Territory; Testament; Trinity; Tuesday; Turkish (pounds). **t.** tackle; taken (from); tare; target; teaspoon; technical; telephone; temperature; 〖음악〗 tempo; *tempore* 《L.》 (=in the time of); tenor; 〖문법〗 tense; tension; terminal; territory; time; tome; ton(s); top; town; township; transit; transitive; troy.

ta [tɑː] *int.* 《영구어》 thank you의 아기 말: *Ta* muchly. 정말 고맙습니다/You must say *ta.* 고맙습니다 해야지.

Ta 〖화학〗 tantalum. **TA** 〖심리〗 transactional analysis(교류 분석). **T.A.** tax agent; teaching assistant; Telegraphic Address; 《영》 Territorial Army. **TAA** Technical Assistance Administration((유엔) 기술 원조국).

Taal [tɑːl] *n.* Ⓤ (the ~) 탈 말《남아프리카의 네덜란드어(語) 방언》. ⓒⓕ Afrikaans.

tab [tæb] *n.* **1** (옷·모자 따위에 붙은) 드림; (어린이옷의) 드리운 소매; 손잡이끈. **2** (모자의) 귀덮개; 《영방언》 구두끈 끝의 쇠붙이; 《영방언》 (구두·샌들의) 가죽끈. **3** 《구어》 회계, 기장; 《미구어》 계산서, 전표 ; 《구어》 차용증. **4** 〖영군사〗 참모 장교의 붉은 금장(襟章). **5** 〖항공〗 태브《보조익(翼)·방향타(舵) 따위에 붙어 있는 작은 가동 날개》. **6** (카드 따위에 붙인) 색인표; 물표, 꼬리표, 부전(tag, label). **7** 《미속어》 LSD 캡슐. **8** 〖컴퓨터〗 징검(돌), 태브《세트해 둔 장소로 커서(cursor)를 옮기는 기능》. ***keep ~(s)*** 〔***a ~***〕 ***on*** 《구어》 …에 주의하다, …을 감시하다, …에서 눈을 떼지 않다; 기장(記帳)하다. ***pick up the ~*** 《미구어》 셈을 치르다《*for*》; 《속어》 책임을 지다, (자기 행위의) 결과를 감수하다. ***throw up a ~*** 《구어》 빚을 자꾸 지다. **—** (***-bb-***) *vt.* **1** …에 ~를 달다, ~로 장식하다. **2** 지명하다; 선정하다. **3** =TABULATE. **—** *vi.* =TABULATE.

TAB, TABs 《미》 tax anticipation bills(납세 국채). **T. A. B.** typhoid-paratyphoid A and B (vaccine)(장티푸스·파라티푸스 복합 백신).

tab. table(s); tablet.

tab·ard [tǽbərd] *n.* 〖역사〗 문장(紋章) 박은 겉옷《중세 기사가 갑옷 위에 입은》; 전령사(傳令使)의 관복; (중세 농민의) 느슨한 외투.

Ta·bas·co [təbǽskou] *n.* Ⓤ 타바스코 소스《고추로 만듦; 상품명》; (t-) 고추. 「드.

tab·bou·leh [təbúːlə, -li] *n.* 중동식 야채 샐러

tab·by[1] [tǽbi] *n.* **1** 얼룩〔범무늬〕 고양이(=~ **càt**); 고양이《특히 암고양이》. **2** 심술궂고 수다스러운 여자; 《영》 노처녀, 올드미스. **3** Ⓤ 태비 천《물결무늬 있는 견직물》. **—** *a.* 태비 천의; 줄〔얼룩〕무늬가 있는; (견직물이) 물결무늬가 있는. **—** *vt.* (비단 등에) 물결〔줄〕무늬를 넣다.

tab·by[2] *n.* Ⓤ 태비《석회·자갈·굴껍질·물을 섞어 갠 콘크리트의 일종》.

táb chàracter 〖컴퓨터〗 태브 문자《커서·인자(印字) 위치 등을 다음 tab stop까지 이동시키는 문자》. 「소모증.

tab·e·fac·tion [tæ̀bəfǽkʃən] *n.* 〖의학〗 여윔,

tab·er·nac·le [tǽbərnæ̀kəl] *n.* **1** 임시로 지은 집, 가옥(假屋); 천막. **2** (영혼이 일시 머무르는 집으로서의) 육체. **3** 큰 예배당; 《영》 《종종 경멸》 (비국교파의) 예배소. **4** (종종 T-) 유대 신전. **5** (성상(聖像) 등을 안치하는) 닫집 달린 감실(龕室). **6** (종종 T-) 〖성서〗 성막(聖幕)《옛 유대의 이동식 신전(神殿)》. **7** (성체를 담는) 성합(聖盒). ***the Feast of Tabernacles*** (조상의 황야 방랑을 기념하는 유대인의) 성막절, 수장절(收藏節). **—** *vi., vt.* 임시로 거주하다; …에게 숙소를 제공하다; 《고어》 …을 ~에 모시다〔안치하다〕. ⓟ **tàb·er·nác·u·lar** [-nǽkjələr] *a.* ~의.

ta·bes [téibiːz] *n.* Ⓤ **1** 쇠약, 소모. **2** 〖의학〗 소모증; 척수로(脊髓癆)(=~ **dorsális**).

ta·bes·cent [təbésənt] *a.* 소모성의; 여윈, 쇠약한. 「환자.

ta·bet·ic [təbétik] *a.* 척수로의. **—** *n.* 척수로

tab·i·net [tǽbənèt] *n.* Ⓤ 물결무늬의 견모(絹毛) 교직물의 일종《실내 장식용》.

táb kèy 〖컴퓨터〗 태브 키《tab character를 입력하기 위한 키》.

ta·bla [tɑ́ːblə, tʌ́b-] *n.* 〖음악〗 타블라《인도의 손으로 치는 작은 북; 보통 바야(baya)와 두 개의 북이 한 조를 이룸》.

tab·la·ture [tǽblətʃər, -tʃùər] *n.* **1** (무늬·글자 등이 새겨진) 평면; 명판(銘板)(tablet). **2** 〖음악〗 타블라튀르, 표보(標譜). **3** 《고어》 마음에 그리는 화상(畫像), 심상(心像); 〖일반적〗 그림.

†ta·ble [téibəl] *n.* **1** 테이블, 탁자; (일이나 유희를 위한) 대(臺): a dining ~ 식탁/a tea ~ 차(茶)탁자/a billiard ~ 당구대/a card ~ 카드놀이 탁자. **2** 식탁; (식탁 위의) 요리, 음식: pleasure of the ~ 식도락/a good ~ 성찬(盛饌)/clear the ~ 식탁을 치우다/lay〔set, spread〕 the ~ 식탁 준비를 하다, 밥상을 차리다, 요리를 차려내다/sit down at 〔to〕 ~ 식탁에 앉다. **3** 식탁〔탁자〕에 둘러앉은 사람들, 한자리에 모인 사람들, 동석자: a ~ of card players 탁자에 둘러앉은 카드놀이꾼/jokes that amused the whole ~ 온 좌석을 흥겹게 한 농담. **4** 평면, 평지, 평원. **5** 대지, 고원. **6** (나무·돌·금속 따위의) 판(板), 평판, 평반(平盤), 얇은 판; 화판(畫板), 서판(書板), 조각판. **7** 화판〔서판, 조각판〕에 그린〔쓴, 새긴〕 것《그림·글자·명각문(銘刻文) 따위》. **8** (*pl.*) (평판에 새긴) 법률; 〖일반적〗 법전; (the ~) 모세의 십계명. **9** 표, 리

스트, 목록; 곱셈 구구표 (a multiplication ~): a ~ of weights and measures 도량형표 / a ~ of contents 목차, 차례 / learn one's ~*s* 구구단을 외다. **10** 〖건축〗 배내기(cornice)《벽 윗부분에 장식적으로 두른 돌출부》; 직사각형의 면, 액판(額板). cf. desk, board. **11** 투시면, 배경(背景) 평면. **12** (보석 위쪽의) 평활면(平滑面). **13** 〖수상(手相)〗 손바닥《특히 운명 따위를 나타내는 부분》. **14** 〖해부〗 두개골판(板). **15** (*pl.*) 정세, 형세. **16** 〖교회〗 성찬대; 성찬. **17** 〖컴퓨터〗 표, 테이블《일련의 자료를 한 라벨로 나타내어 상호 자료를 그 상대적 위치에서 일의(一義)적으로 식별할 수 있는 자료의 묶음》. ***a ~ of descent*** 계보도(系譜圖). ***at ~*** 식사 중에[의], 식탁에 앉아(있는). ***be on the ~*** 검토 중이다; 널리 알려져 있다. ***get round the ~*** (노사 간이[을]) 타협의 자리에 앉다[앉히다]. ***go to the ~*** 《방언》 영성체하다. ***keep a good ~*** 늘 미식(美食)을 먹다[제공하다]. ***keep an open ~*** (식탁을 개방해) 손님을 환영하다. ***keep the ~ amused*** 식사의 좌석을 흥겹게 하다, 좌석 분위기를 맞추다. ***lie on the ~*** (의안의) 심의가 일시 중단되다, 무기 연기되다, 묵살되다. ***on*** [***upon***] ***the ~*** ① 똑똑히 보이는 곳에, 공개적으로, 공명정대하게. ② 〖미의회〗 연기되어서. ***set a good ~*** 좋은 음식을 대접하다. ***set the ~ in a roar*** 온 좌석을 와 웃기다. ***the green ~*** (녹색 테이블보를 씌운) 도박대. ***the Twelve Tables,*** 12 동판법《로마법의 원전; 451-450 B.C. 공포》. ***the two ~s*** =***the ~s of the law*** 모세의 십계명. ***turn the ~s*** 국면을 일변시키다, 형세를 역전시키다, 역습하다, 주객이 전도되다. ***under the ~*** ① 곤드레만드레 취하여. ② 비밀히; 뇌물로서. ***wait on ~*** =《영》 ***wait at ~*** 식사 시중을 들다.

— *a.* **1** 테이블의, 탁상의, 식탁의: a ~ lamp 탁상 전기스탠드. **2** 식사의, 식탁용의: ~ manners 식사 예법 / ~ salt 식염.

— *vt.* **1** 탁상에 놓다, 대(臺) 위에 올려놓다. **2 a** 《미》 (의안을) 묵살[무기연기]하다: ~ a motion [bill]. **b** 《영》 (의안 등을) 상정하다. **3** 표로 만들다. **4** 〖건축〗 (재목을) 장부촉이음하다. **5** 지불하다. **6** 〖해사〗 돛에 가선을 둘러 보강하다.

tab·leau [tǽblou, -ˊ/ˊ-] (*pl.* **~x** [-z], **~s** [-z]) *n.* 《F.》 그림, 그림 같은 묘사; 인상적[예술적]인 배열; 극적[인상적]인 장면; =TABLEAU VIVANT. ***Tableau!*** (어떤 사건을 묘사한) 그 장면[정경]을 상상해 보시라. cf. Curtain!

tabléau cùrtain 〖연극〗 가운데에서 비스듬히 위쪽으로 당겨 여는 막.

ta·bleau vi·vant [F. tablovivɑ̃] (*pl.* ***ta·bleaux vivants*** [—]) 《F.》 활인화(活人畫).

táble bèer (보통의) 순한 맥주.

táble bòard **1** 식탁의 판(板). **2** 《미》 식사, (하숙은 않고) 식사만 제공받기. cf. room and board. **3** 게임대(臺), 도박대.

táble bòok 계산표 (책); (응접실의) 탁상 장식용 책; 《고어》 수첩.

*__ta·ble·cloth__ [téibəlklɔ̀:θ, -klɑ̀θ/-klɔ̀θ] (*pl.* **~s** [-ðz, -θs]) *n.* 식탁[테이블]보.

táble cùt 테이블컷《보석의 위쪽을 평평하게 깎는 양식》. ㊂ **táble-cùt** *a.*

ta·ble d'hôte [tɑ́:bəldóut, tǽb-/tɑ́:bəl-] (*pl.* ***ta·bles d'–*** [-bəlz-]) 《F.》 **1** 정식(定食). cf. à la carte. **2** (호텔 등의) 공동 식탁.

táble flàp (경첩을 달아서 접었다 폈다 하는) 탁자의 판.

ta·ble·ful [téibəlfùl] (*pl.* **~s, tá·bles·fùl**) *n.* 한 식탁분(의 수량); 한 식탁에 둘러앉는 사람 수.

táble gàrden 채마밭.

táble-hòp *vi.* 《구어》 (레스토랑·나이트클럽 등에서) 테이블 사이를 돌아다니며 지껄이다. ㊂ **-hòpper** *n.*

táble knìfe 식탁용 나이프.

táble·lànd *n.* 대지(plateau), 고원.

táble lìcence 《영》 (식사와 함께 낼 경우에 한한) 주류 판매 허가(증).

táble lìfting 초자연력으로 테이블이 들어올려지는 현상; 강령술(降靈術).

táble lìnen 식탁용 흰 천《식탁보·냅킨 따위》.

táble-mànners *n. pl.* 식사 예절, 테이블 매너.

táble màt (식탁에서 뜨거운 요리 접시 따위 밑에 까는) 받침, 깔개.

táble·màte *n.* 식사를 함께하는 사람.

táble mòney 《영》 (클럽의) 식당 사용료; (고급 장교의) 접대[교제]비.

táble·mòunt *n.* 위가 평평한 해산(海山)(guyot).

táble mòuntain (정상이 평탄한) 탁상 산지(卓狀山地).

táble of organizátion 〖군사〗 편성표.

táble ràpping =SPIRIT RAPPING.

táble sàlt 식탁용 소금.

◇**táble·spòon** *n.* (수프용) 식탁용 큰 스푼. cf. teaspoon.

táble·spoonfùl (*pl.* **~s, -spoonsfùl**) *n.* 식탁용 큰 스푼 하나 가득한 분량.

táble sùgar 그래뉼러당(糖); 〖일반적〗 설탕.

⁑**tab·let** [tǽblit] *n.* **1** 평판(平板), 명판(銘板), 기념 액자, 패(牌): a bronze ~ 청동패. **2** 작고 납작한 조각《비누·캔디 등》: a ~ of chocolate 판 초콜릿 하나. **3** 정제(錠劑): sugar-coated ~*s* 당의정. **4** (떼어 쓰게 된) 편지지첩. **5** 서판(書板)《옛 로마인이 종이 대신 쓴 나무·돌·상아 등의 얇은 판》; (*pl.*) 서책(書冊). **6** 〖건축〗 갓돌. **7** 태블릿《단선 구간(單線區間) 따위에서 기관사에게 건네주는 열차 운행표》. **8** 〖컴퓨터〗 태블릿《좌표 데이터 입력에 쓰이는 특수한 평면상의 기구》. ***Keep taking the ~s!*** (난폭·엉뚱한 언동을 하는 사람에게) 진정하라. **—** *vt.* …에 ~을 달다; …을 (~에) 메모하다; …을 ~ 모양으로 만들다.

táble tàlk 식탁에서의 잡담[화제], 좌담; (서책에 실린) 저명인의 담화.

táblet(-arm) chàir 타블렛 체어《우측 팔걸이 끝이 넓어 필기할 때 받침이 되는 교실용 의자》.

táble tènnis 탁구. cf. ping-pong.

táble tìpping [**tìlting, tùrning**] 강령(降靈)회에서 여러 사람이 테이블 위에 손을 놓으면 테이블이 움직이는 심령 현상(心靈現象)의 일종.

táble·tòp *n.* **1** 테이블의 윗면. **2** (탁상의 물건을 찍은) 정물(靜物) 사진. **—** *a.* 탁상용의; 테이블 모양의.

Táblet PC 〖컴퓨터〗 키보드 대신 터치스크린을 이용해 조작하는 휴대용 컴퓨터

táble·wàre *n.* Ⓤ 식탁용 식기류.

táble wàter (병에 넣은) 식탁용 미네랄워터.

táble wìne 식탁용 포도주《알코올분 8-13%》.

táb-lìfter *n.* 《미속어》 나이트클럽의 손님.

ta·bling [téibliŋ] *n.* Ⓤ **1** 〖집합적〗 냅킨류. **2** (돛의) 가에 덧대는 천. **3** 〖목공〗 맞물리기; 〖건축〗 (벽 위의) 갓돌(coping). **4** 《드물게》 표(表)로 만듦, 작표(作表).

tab·loid [tǽblɔid] *n.* 타블로이드판 신문, 그림을 넣은 소형 신문; 요약; (T-) 알약, 정제《상표명》. **—** *a.* 타블로이드판의, 요약한, 압축된; 선정적인: in ~ form 요약하여 / a ~ play 촌극, 토막극.

tábloid TV 선정적이고 쇼킹한 TV 프로그램.

*__ta·boo, ta·bu__ [təbú:, tæ-] (*pl.* **~s** [-bú:z]) *n.* Ⓤ,Ⓒ **1** (종교상의) 터부, 금기; Ⓒ 기(忌)하는 말[물건]: be under (a) ~ 금기로 되어 있다. **2** 접근[사용, 교제] 금지; 〖일반적〗 금제(禁制): put [place] a ~ on =put under (a) ~ …을 금기로 하다. **—** *a.* 금기의; 금제의; 피하여야 할. **—** *vt.* 금기하다; 금제[금단]하다; 피하다;

추방하다. ㊞ ~ed a. 금제의: a ~ed word 금구(禁句).

ta·bor, -bour [téibər] n. (피리를 불며 한 손으로 치는) 작은북, 테이버. —vi. 작은북을 치다.

tab·o·ret, -ou- [tǽbərit, tæ̀bərét, -réi/tǽbərit] n. (화분 따위를 얹는) 낮은 대(臺); 낮은 걸상; 수틀; 《고어》 작은북.

ta·bou·leh, -li [təbúːlə, -li] n. =TABBOULEH.

tabor

táb stòp 〚컴퓨터〛 태브 스톱《tab character가 입력되었을 때 커서 등이 이동되는 자리 위치》.

tabu ⇨TABOO.

tab·u·la [tǽbjələ] (pl. **-lae** [-liː]) n. 《L.》 〚해부·동물〛 골판(骨板), 상판(床板); 필기판.

tab·u·lar [tǽbjələr] a. **1** 표(表)의, 표로 만든, 표에 의해 계산한, 표를 사용한: in ~ form 표(의 형식으)로 하여. **2** 평판(모양)의; 얇은 판의. ㊞ **~·ly** ad.

tábula rá·sa [-ráːsə, -ráːzə, -réi-] (pl. **tabulae ra·sae** [-ráːsiː, -ziː, -réi-]) n. 《L.》 글자가 씌어 있지 않은 서판(書板)〔석판〕; 〚교육〛 (마음 등의) 백지 상태, 순결한 마음.

tábular dífference 〚수학〛 (수표(數表)의) 「표차(表差).

tábular stándard 계표(計表) 본위《화폐 가치 변동에 의한 대차(貸借)의 불공평을 없애기 위해 복수 상품을 기준으로 화폐 가치를 정하는 일》.

◇**tab·u·late** [tǽbjəlèit] vt. (일람)표로 만들다; 평면으로 하다; 평판(平板) 모양으로 만들다. —vi. 요약하다; tabulator 를 조작하다. —[-lət, -lèit] a. 평면의; 평판 모양의. ㊞ **tàb·u·lá·tion** n. Ⓤ 표의 작성; 표. **táb·u·là·tor** [-tər] n. 도표 작성자; (타자기의) 도표 작성〔위치 맞추는〕 장치; 〚컴퓨터〛 도표 작성기《데이터를 입력하면 자동적으로 도표화됨》.

ta·bun [táːbun] n. 〚화학〛 독가스의 일종.

TAC [tæk] 《미》 Tactical Air Command.

tac·a·ma·hac, tac·a·ma·haca [tǽkəməhæ̀k], [tæ̀kəməhǽkə] n. Ⓤ 방향성 수지의 일종; Ⓒ 그 수지를 채취하는 나무; 《특히》 북아메리카산 포플러의 일종(balsam poplar).

TACAMO [tækǽmou] n. 〚군사〛 미국 해군의 공중 통신 중계기(機)의 통칭. [◂ *take charge and move out*]

TACAN [tǽkæn] 타칸《기상용(機上用) 단거리 항법 장치》. [◂ *tactical air navigation*]

tac-au-tac [tǽkoutǽk] n. 〚펜싱〛 (상대의 찌르기를) 피하고 되찌르기.

ta·cet [táːket, tǽsit, téisit] vi. 《명령형》 〚음악〛 휴지하라(be silent).

tach(e) [tætʃ] n. 《고어》 고리, 걸쇠.

tach·ism, -isme [tǽʃizəm], [F. taʃism] n. (흔히 T-) 타시즘《그림물감을 흘리거나 뿌리는 추상화의 양식》. ㊞ **tách·ist** n.

ta·chis·to·scope [təkístəskòup] n. 〚심리〛 순간 주의력〔기억〕 측정 장치, 순간 노출기.

tacho [tǽkou] n. 《구어》 =TACHOMETER.

tach·o- [tǽkə] '속도'의 뜻의 결합사.

tach·o·gram [tǽkəgræ̀m] n. 태코그램《tachograph의 기록》.

tach·o·graph [tǽkəgræ̀f, -grɑ̀ːf] n. (자동차 따위의) 자기(自記) 회전 속도계, 태코그래프; =TACHOGRAM.

ta·chom·e·ter [tækámətər, tə-/tækɔ́m-] n. 태코미터, (자동차 엔진 등의) 회전 속도계; 〚의학〛 혈류(血流) 속도계. ㊞ **-try** [-tri] n. Ⓤ 회전 속도 측정; 혈류 측정.

tach·y- [tǽki] '빠른'의 뜻의 결합사.

tàchy·arrhýthmia n. 〚의학〛 빈박성 부정맥(頻拍性不整脈)《심박동 수가 매분 100을 넘는 심장 율동 장애》. 「(心頻搏).

tàchy·cárdia n. Ⓤ 〚의학〛 빈맥(頻脈), 심빈박

tach·y·graph [tǽkigræ̀f, -grɑ̀ːf] n. 속기(速記) 문자, 속기 문서; 속기사(stenographer).

ta·chyg·ra·phy [tækígrəfi, tə-/tæ-] n. Ⓤ 속기술《특히 옛 그리스·로마의》. ㊞ **ta·chýg·ra·pher, -phist** n. **tàchy·gráph·ic, -i·cal** [-grǽfik] [-ikəl] a.

ta·chym·e·ter [tækímətər, tə-/tæ-] n. 〚측량〛 시거의(視距儀); 속도계. ㊞ **-try** [-tri] n. Ⓤ 시거(視距) 측량법.

tach·y·on [tǽkiàn/-ɔ̀n] n. 〚물리〛 타키온《빛보다 빠른 가상의 소립자(素粒子)》. ㊞ **tàch·y·ón·ic** [-ánik/-ɔ́nik] a. 〚물리〛 타키온 입자의, 초광속 입자에 관한.

tach·y·ph·y·lax·is [tæ̀kəfilǽksis] (pl. **-lax·es** [-siːz]) n. 〚의학〛 속성 내성(耐性), 타키필락시스《생리적 유효 성분의 반복 투여에 의해서 반응이 차차 약해지는 일》.

tach·yp·n(o)ea [tæ̀kipníːə] n. Ⓤ 〚의학〛 빈호흡(頻呼吸), 빠른 호흡.

ta·chys·ter·ol [tækístərɔ̀ːl, tə-, -ràl/tækístərɔ̀l] n. 〚생화학〛 타키스테롤《에르고스테린에 자외선을 쐬어 생성되는 물질》.

tach·y·tely [tǽkitèli] n. 〚생물〛 급진화.

***tac·it** [tǽsit] a. 무언의; 잠잠한《관중 등》, 침묵의; 암묵(暗默)의; 〚법률〛 묵시의: a ~ consent 무언의 승낙〔동의〕/a ~ understanding 말없는 양해, 묵계/a ~ prayer 묵도/~ approval 묵인/a ~ agreement 묵계. ㊞ **~·ly** ad. 소리 없이; 잠자코; 암암리에, 넌지시. **~·ness** n.

tac·i·turn [tǽsətə̀ːrn] a. 말없는, 무언의, 입이 무거운. SYN. ⇨SILENT. ㊞ **~·ly** ad.

tac·i·tur·ni·ty [tæ̀sətə́ːrnəti] n. Ⓤ 말이 없음, 과묵, 침묵.

Tac·i·tus [tǽsətəs] n. **Publius Cornelius** ~ 타키투스《로마의 역사가; 55?-120?》.

◇**tack**¹ [tæk] n. **1** 납작한 못, 압정: a carpet ~ 양탄자 고정 압정. **2** (pl.) 〚재봉〛 주름; 시침질, 가봉. **3** 〚해사〛 (바람과 돛의 상태 여하로 정해지는) 배의 침로; 맞바람을 비스듬히 받고 지그재그 항법으로 나아가기; (동일 침로의) 한 항정(航程); 세로돛의 앞면 밑 모퉁이(의 밧줄). **4** (육상에서의) 갈지자(字) 진로(의 한 구간). **5** (새) 방침; 정책(전환): try another ~ 다른 방침을 시도하다. **6** Ⓤ (니스·페인트·접착테이프 등의) 접착성, 끈적이는 기운, 점성(粘性). **7** 〚영의회〛 (법안에 부대하여 제출한) 부가 조항. **8** (한 벌의) 마구《안장·고삐 등》. **9** 《미속어》 (남학교의) 학생 지도원. (**as**) ***sharp as a*** ~ ① 옷차림이 매우 단정하여. ② 머리가 아주 좋은, 이해가 매우 빠른. ***be on the wrong*** 〔***right***〕 ~ 방침이〔침로가〕 틀리다〔옳다〕. ***come down to brass*** **~s** ⇨BRASS TACKS. ***go sit on a*** ~ 《속어》 〚보통 명령문〛 말없이 떠나가다; 방해〔참견〕하지 않고 있다. ***hold*** ~ ***with*** 진로를 유지하다, (…에) 따라가다. ***on the*** ~ 《속어》 금주하여. ***sail on the port*** 〔***starboard***〕 ~ 바람을 좌현〔우현〕 쪽으로 받고 범주(帆走)하다. ***split*** **~s** (미·Austral. 속어) 격노하다, 발끈하다. ~ ***and*** ~ 돛의 바람 받는 방향에 따라 계속적으로 배의 침로를 바꾸며, 심한 갈지자형 항법으로.

—vt. **1** 《+목+부/+목+전+명》 압정으로 고정시키다《*up; down; together*》: The carpet needs to be ~*ed down*. 깔개를 압정으로 고정

시켜 놓아야겠다 / She ~*ed* a notice *to* the board. 그녀는 공고를 게시판에 핀으로 붙여 놓았다. **2** 《+목+부/+목+전+명》 〖재봉〗 (…에) 시침질〔가봉(假縫)〕하다《*up; on; together*》: *Tack up* the hem and I'll sew it later. 가두리를 시쳐 놓아라. 그러면 뒤에 내가 박겠다 / ~ the pleat in position *at* the hemline 옷단에 주름을 잡아서 시치다. **3** 《+목+전+명/+목+부》 부가하다, 덧붙이다(add) 《*to; onto*》: ~ an amendment *to* the bill 법안에 수정안을 부가하다 / He ended his speech by ~*ing* an appeal for help *onto* it. 마지막으로 도움을 덧붙여 호소함으로써 강연을 마쳤다. **4** 〖해사〗 돛의 바람받이 방향에 따라 침로를 (좌우현으로) 돌리다, 갈지자로 나아가게 하다. **5** 〖영의회〗 (법안에) 본래 관계가 없는 조항을 덧붙이다. **6** 마구를 달다. **—** *vi.* **1** 《~/+부/+전+명》 〖해사〗 (지그재그로 자주) 침로를 바꾸다《*about*》; 갈지자형으로 가다: The boat ~*ed about against* the wind. 배는 바람을 안고 지그재그로 나아갔다. **2** 방침〔정책〕을 바꾸다. **3** 마구를 달다. 「을 끊고 있다.

tack[2] *n.* 〖해사〗 음식물. ***be on the*** ~ 《속어》 술

táck bòard (압정을 박아 고정시키는) 게시판.

táck clàw 압정뽑이.

táck drìver 압정 박는 자동 기계. 「람.

táck·er *n.* 압정 박는 사람〔연장〕; 시침질하는 사

táck hàmmer 리벳 따위를 박는 장도리.

táck·hèad *n.* 《미속어》 멍청이, 얼간이.

tack·i·fy [tǽkəfài] *vt.* 점착(粘着)하기 좋게 하다; …의 점착성을 강화하다. ㊀ **táck·i·fi·er** *n.* 점착성 부여제.

tack·le** [tǽkəl] *n.* **1** Ⓤ 연장, 도구, 기구; 《특히》 낚시 도구(fishing ~). ⓒⓕ gear, gadget. ¶ writing ~ 필기구. **2** [téikəl] Ⓤ,Ⓒ 〖해사〗 삭구(索具), (돛 조종용의) 고패 장치. **3** Ⓤ,Ⓒ 도르래 장치, 자아틀, 윈치. **4** 〖구기〗 태클. **5** 〖미식축구〗 end와 guard 사이의 전위. **—** *vt.* **1** (일·문제 따위에) 달려들다, 달라붙다: ~ a problem 문제와 씨름하다. **2** (…와) 맞붙다, 붙잡다; 태클하다: ~ a thief 도둑을 붙잡다. **3** 《~+목/+목+전+명》 (아무와) 논쟁하다, 맞싸우다: ~ a person *on* the question of free trade 자유 무역론으로 아무와 논쟁하다. **4** 《+목+부》 (말에) 마구를 달다 (harness)《*up*》: ~ a horse *up* for plowing 경작을 위해 말에 마구를 달다. **5** 도르래로 끌어올리다〔고정하다〕. **—** *vi.* 〖축구·럭비〗 태클하다. ~ ***to 《고어》 …에 열심히 달라붙다. ㊀ **táck·ler** *n.*

táckle bòx 낚시 도구 상자.

tack·ling [tǽkəliŋ] *n.* 배의 삭구(索具); 《드물게》 도구의 한 벌; 〖미식축구〗 태클 동작〔기량〕.

táck ròom (마구간에 딸린) 마구실.

tacky[1] [tǽki] (***tack·i·er; -i·est***) *a.* 끈적끈적한, 들러붙는, 점착성의. ㊀ **táck·i·ness** *n.*

tacky[2] (***tack·i·er; -i·est***) *a.* **1** 《미구어》 초라한, 볼품없는, 시대에 뒤떨어진. ⓒⓕ shabby. **2** 일부러 이상한 차림을 한.

ta·co [tá:kou] (*pl.* **~*s***) *n.* 타코《고기·치즈·양상추 등을 넣고 튀긴 옥수수빵; 멕시코 요리》.

TACOMSAT, TACSAT 《미》 tactical communications satellite(전술용 통신 위성).

tac·o·nite [tǽkənàit] *n.* Ⓤ 〖광물〗 타코나이트, 각암(角岩).

tac·rin [tǽkrin] *n.* 〖약학〗 태크린(THA)《노인 치매병 약; 상표명은 Cognex》. [◂ tetrahydroaminoacridine]

***tact** [tækt] *n.* **1** Ⓤ 재치, 기지(機智), 꾀바름; 솜씨, 요령; 예민한 감각, 세련된 미적 감각. **2** Ⓒ 〖음악〗 택트, 박자; Ⓤ,Ⓒ 《드물게》 촉감.

tact·ful [tǽktfəl] *a.* 재치 있는, 꾀바른, 약삭빠른; 솜씨 좋은; (미적) 감각이 세련된; 적절한. ㊀ **~·ly** *ad.* **~·ness** *n.*

***tac·tic** [tǽktik] *a.* 순서〔배열, 조직〕의; 〖생물〗 주성(走性)의〔을 보이는〕; 전술(상)의(tactical). **—** *n.* =TACTICS; 용병(用兵), 작전, 전법; 방책, 수단, 책략.

tac·ti·cal [tǽktikəl] *a.* 군학(軍學)의, 전술상의, 전술적인, 용병(用兵)상의; 책략〔술책〕이 능란한. ⓒⓕ strategic. ¶ a ~ command ship 기동함대 지휘함 / a ~ point 전술상의 요점 / a ~ target 전술 목표 / a ~ weapon 전술 무기. ***the Tactical Air Command*** 《미》 전술 공군 사령부 《생략: TAC》. ㊀ **~·ly** *ad.*

táctical núclear wéapon 〖군사〗 전술 핵무기《생략: TNW》.

táctical únit 전술 부대.

táctical vóting 전략적 투표《다른 후보나 당을 떨어뜨리기 위해 지지하지 않는 후보나 당에 투표하는 일》. 「(謀士).

tac·ti·cian [tæktíʃən] *n.* 전술가; 책략가, 모사

°**tac·tics** [tǽktiks] *n. pl.* **1** 《단수취급》 용병학, 전술(학), 병법: air ~ 항공 전술 / grand〔minor〕 ~ 고등〔국지〕 전술. ★ 전체적 작전 계획은 strategy. tactics는 개개의 전투 용병. **2** 《복수취급》 (전술의 응용으로서의) 작전; 책략, 방책, 술책. **3** 《단·복수취급》 (언어 요소의) 배열론〔연구〕.

tac·tile [tǽktil, -tail/-tail] *a.* **1** 촉각의; 촉각이 있는: ~ hairs 〖동물〗 촉모(觸毛) / a ~ impression〔sensation〕 촉감 / a ~ organ 촉각기관. **2** 감촉할〔만져서 알〕 수 있는. **3** 〖회화〗 입체감의, 입체감을 내는.

Táctile Commúnicator 촉감 전달 장치《청각 장애 휴대용 보조 장치; 상품명》. 「體).

táctile córpuscle 〖생물〗 촉각소체(觸覺小

tac·til·i·ty [tæktíləti] *n.* Ⓤ 감촉성; 촉감.

tac·tion [tǽkʃən] *n.* 접촉.

táct·less *a.* 재치〔요령〕 없는, 분별없는; 서투른. ㊀ **~·ly** *ad.* **~·ness** *n.*

tac·tu·al [tǽktʃuəl] *a.* 촉각(기관)의, 촉각에 의한. ㊀ **~·ly** *ad.* 촉감으로.

TACV tracked air cushion vehicle(공기 부상식 초고속 철도).

tad [tæd] *n.* 《미구어》 **1** 어린아이; 《특히》 소년. **2** (a ~) 조금(bit)《양·정도》.

°**tad·pole** [tǽdpòul] *n.* 올챙이; (T−) 미국 Mississippi 주 사람의 속칭.

tádpole gàlaxy 〖천문〗 태드폴 은하《올챙이 모양을 한 전파 은하》. 「인(의).

Ta·dzhik, Ta·jik [tɑ:dʒík] *n., a.* 타지키스탄

Ta·dzhik·i·stan [tədʒíkəstæn, -stɑ:n, tɑ:-/tɑ:dʒikistɑ́:n] *n.* 타지키스탄《아프가니스탄 북방에 위치하는 독립 국가 연합 가맹국의 하나; 수도 Dushanbe》. 「권태, 염세.

tae·di·um vi·tae [tí:diəm-váiti:] 《L.》 삶의

tae kwon do, tae·kwon·do [táigwándóu/-gwɔ́n-] (종종 T− K− D−) 태권도《2000년 시드니 올림픽에 정식 종목(남녀 도합 8체급)으로 채택》.

tael [teil] *n.* 은량(銀量), 테일《중국 등지의 중량 단위, 보통 37.7g; 중국의 옛 화폐 단위》.

ta'en [tein] 《시어》 =TAKEN.

tae·nia, te- [tí:niə] (*pl.* **~*s*, *-ni·ae*** [-nii:]) *n.* 〖고대그리스·고대로마〗 머리 장식용 띠, 머리띠; 〖해부〗 (신경 조직·근육의) 띠, 끈 모양의 조직; 붕대; 〖건축〗 (도리아식 건축의) 평연(平緣); 〖동물〗 촌충. ㊀ **tae·ni·oid, te-** [tí:niɔ̀id] *a.* 끈 모양의; 촌충(모양)의.

tae·ni·a·fuge, te- [tí:niəfjù:dʒ] *n.* 촌충(구제)약. **—** *a.* 촌충을 구제하는.

tae·ni·a·sis [ti:náiəsis] *n.* 〖병리〗 촌충 기생, 촌충증(症)《촌충이 기생해 있는 상태》.

TAF, T. A. F. Tactical Air Force.

taf·fa·rel, -fe- [tǽfərəl, -rèl] *n.* =TAFFRAIL.
taf·fe·ta [tǽfitə] *n.* Ⓤ 태피터, 호박단(縀)《광택이 있는 좀 톡톡한 평직견(平織絹)》.
taff·rail [tǽfrèil, -rəl] *n.* 【선박】 고물 난간; 고물의 상부, 선미의 갑판. 「Wales 사람《별명》.
Taf·fy [tǽfi] *n.* **1** 태피《남자 이름》. **2** 《구어》
taf·fy [tǽfi] *n.* Ⓤ,Ⓒ 태피(《영》 toffee, toffy)《땅콩을 넣은 버터볼》; Ⓤ 《미구어》 아첨, 아
táffy pùll 태피 사탕을 만드는 모임. ⌊부, 따리.
taf·ia [tǽfiə] *n.* Ⓤ 럼주의 일종《서인도산》.
Taft [tæft/tæft, tɑːft] *n.* **William Howard** ~ 태프트《미국 제27대 대통령; 1857-1930》.
Táft-Hárt·ley Àct [tǽfthɑ́ːrtli-] 미국의 노동 관계 조정법.
TAG the adjutant general.
◇**tag**[1] [tæg] *n.* **1** 태그, 표, 꼬리표, 물표; 번호패; 《미속어》 인식표(dog ~); 부전, 찌지; 【물리·화학】 표지(label): a name ~ 명찰/a price ~ 가격표. **2** 늘어뜨린 끝 부분, 드리워진 것; 끈 끝의 쇠붙이. **3** (장화의) 손잡이 가죽; (옷을 걸기 위한) 깃끈. **4** (동물의) 꼬리(의 끝); (양의) 엉클린 털. **5** 판에 박은 인용어, 상투어구; 연설·이야기 끝에 덧붙이는 교훈〔짧은 인용구〕; 노래의 후렴. **6** 【연극】 끝맺음 말. **7** 《미속어》 (본명에 덧붙이는) 별명. **8** 《미속어》 체포 영장; 《미》 자동차의 번호판; 교통 위반 딱지. **9** 《폐어》 하층민. **10** 【언어】 부가절(~ clause). **11** 【컴퓨터】 태그《그것을 부착한 것〔사람〕의 소재를 컴퓨터로 추적하게 만든 전자 장치》. ***keep a ~ on ...*** 《영구어》 …을 감시하다; …에서 눈을 떼지 않다. ★ 《미》에서는 keep tabs on을 씀.
— (*-gg-*) *vt.* **1** 《~+목/+목+전+명》 표〔정가표, 찌지〕를 붙이다; (끈 끝 따위에) 쇠붙이를 달다《*with*》; (불필요한 것을) 덧붙이다, (장식으로) 붙이다《*to; onto*》: ~ every item in the store 가게의 모든 품목에 정찰을 달다/~ one's trunk *with* one's name 트렁크에 이름표를 달다. **2** 《+목+전+명/+목+부》 (연설·이야기 따위를) 인용구로 맺다; (글 따위를) 연결하다, 잇대다; 압운(押韻)하다《*with; together*》: ~ one's speech *with* a quotation 연설을 인용구로 끝맺다/~ old articles *together* 낡은 논문을 모아 엮다. **3** 《+목+부》 《구어》 붙어다니다, 쫓아다니다: The boy ~*ged* his brother *around*. 소년은 형을 쫓아다녔다. **4** (양의) 엉클린 털을 풀다〔깎다〕. **5** 《+목+*as* 보》 (…에게) 별명을〔레터르를〕 붙이다: We ~*ged* him *as* a sissy. 그에게 뱅충이라는 별명을 붙였다. **6** 《+목+전+명》 값을 매기다: He ~*ged* it *at* 1,000 won. 그는 그것에 천 원의 값을 매겼다. **7** 《고어》 세게 치다. **8** 《미구어》 자동차에 교통〔주차〕 위반 딱지를 붙이다; (운전자·소유자)에게 교통 위반 딱지를 건네다. **9** …에게 책임을 지우다; 《미속어》 체포하다. **10** (동물에) 표지를 달다, (물고기를) 표지를 하여 방류하다. — *vi.* 《~/+전+명/+부》 붙어다니다, 뒤를 쫓다〔따르다〕《*after; at*》: ~ *at* a person's heels 아무의 뒤를 쫓아다니다/I went first and the children ~*ged along* 〔*behind*〕. 내가 먼저 가고 아이들이 뒤따라왔다.
tag[2] *n.* Ⓤ **1** 술래잡기. cf. tagger[2]. ¶ play ~. **2** 【야구】 터치아웃, 척살. — (*-gg-*) *vt.* **1** (술래가) 붙잡다. **2** 【야구】 (주자를) 터치아웃시키다; (베이스를) 밟다; (투수)에게서 히트를 빼앗다; (공을) 치다《*for* a home run》; 【프로레슬링】 (자기편)과 터치하다. **3** 세게 치다〔때리다, 부딪다〕. **4** 선출하다. ~ ***up*** 【야구】 (주자가) 베이스에 이르다, 터치업하다.
Ta·ga·log [təgɑ́ːləg, -lɔːg, tɑː-/təgɑ́ːlɔg] (*pl.* ~(**s**)) *n.* 타갈로그 사람《필리핀 루손 섬의 원주민》; Ⓤ 타갈로그 말.
tág·alòng *n.*, *a.* 귀찮게 늘 붙어다니는 (사람).
tág·bòard *n.* 두꺼운 종이로 된 짐표.
tág dày 《미》 가두 모금일(《영》 flag day).
tág énd **1** (보통 the ~) (경과·진행하고 있는 것의) 마지막 부분〔대목〕, 최후미, 말미: at the ~ of the nineteenth century, 19세기의 마지막에. **2** (보통 ~s) 끝 토막, 자투리.
tágged átom [tǽgd-] 【물리】 추적자(子)로 쓰이는 이상 질량의 (방사성) 동위 원소.
tag·ger[1] [tǽgər] *n.* 늘어뜨린 물건; 붙어다니는 사람; (쇠붙이를) 붙이는 사람; (양의) 엉클린 털을 깎는 기계; (*pl.*) 아주 얇은 양철. ***black ~s*** 주석을 입히지 않은 얇은 철판.
tag·ger[2] *n.* (술래잡기의) 술래. ★ it 라고도 함.
tag·ging [tǽgiŋ] *n.* 【수산】 표지(標識) 방류《산 물고기에 표지를 하여 방류하는 일》.
ta·glia·tel·le [tɑ̀ːljətéli] *n.* Ⓤ 탈리아텔레《얇게 편 길쭉한 파스타의 일종》.
tág lìne **1** (극·이야기·연설 등의) 최후의 한 절, 결구(結句). **2** (특정의 개인·단체·상품 등과 동일시되거나 연결되는) 표어, 캐치프레이즈. **3** 【기계】 (기중기의 버킷을 매다는) 케이블.
tag·ma [tǽgmə] (*pl.* ***-ma·ta*** [-tə]) *n.* 【동물】 (절지동물의) 체절(體節), 몸마디《곤충의 두부·흉부·복부 따위》. 「는 프로레슬링》.
tág màtch 태그 매치《두 사람씩 편을 짜서 하
tag·meme [tǽgmiːm] *n.* 【언어】 문법소(素).
㊞ **tag·mé·mics** *n.* 【언어】 문법소론(論).
Ta·gore [təgɔ́ːr, tɑ́ːgɔːr] *n.* **Sir Rabindranath** ~ 타고르《인도의 시인; Nobel 문학상 수상(1913); 1861-1941》.
tág quèstion 【문법】 부가의문(문)《보기: It is beautiful, *isn't it?*》.
tág·ràg [tǽgræ̀g] *n.* 하층민, 어중이떠중이(ragtag); 넝마. ~ ***and bobtail*** 하층민.
tág sàle (자기 집 차고 등에서 여는) 중고 가정용품 판매(garage sale).
tág tèam (프로 레슬링에서) 2인조 팀.
Ta·hi·ti [təhíːti, tɑː-] *n.* 타히티 섬《남태평양 상의 섬; 프랑스령(領)》.
Ta·hi·tian [təhíːʃən, -tiən, tɑː-] *a.* 타히티 섬(사람·말)의. — *n.* 타히티 섬 사람; Ⓤ 타히티 말.
Ta·hoe [tɑ́ːhou] *n.* **Lake** ~ 타호 호(湖)《미국 California 주 동부와 Nevada 주 서부에 걸친 Sierra Nevada 산맥 속의 호수; 면적 520 km²》.
Tai [tai, tɑ́ːiː] *n.*, *a.* =THAI.
t'ai chi (ch'uan) [táidʒìː(tʃwɑ́ːn), -tʃíː-] 태극권(太極拳)《중국의 체조식 권법》.
tai·ga [táigə, taigɑ́ː] *n.* 《Russ.》 타이가《시베리아·북아메리카 등의 침엽수림 지대》.
⁑**tail**[1] [teil] *n.* **1** (동물의) 꼬리. **2** 꼬리 모양의 물건; 땋아늘인 머리, 변발; (양복의) 느림, 연미(燕尾); (*pl.*) 여성복의 자락; 연의 꼬리; 혜성의 꼬리; 【항공】 (비행기·미사일의) 미부(尾部); 【음악】 음표의 꼬리; 【인쇄】 (문자의) 기선(基線) 아래로 나오는 부분《g·y의 아랫부분 따위》. **3** (*pl.*) 모닝코트, 연미복. **4** 끄트머리, 말미, 후부, 미부(尾部): the ~ of a procession 행렬의 후미. **5** 페이지의 하단, 여백. **6** 아랫사람, 말단, 최하위: the ~ of the eleven 축구팀에서 가장 못하는 선수. **7** 열, 행렬; 동행자, 수행원: a ~ of attendants 수행원 일행. **8** 《군대속어》 (비전투원으로 구성된) 후속 부대; 미행하는 탐정: put a ~ on the suspect 용의자에게 미행자를 붙이다. **9** (*pl.*) 찌꺼기. **10** (보통 *pl.*) 《속어》 화폐의 뒷면. opp. *head*. **11** 【건축】 (기와·슬레이트 따위의) 노출된 끝 부분. **12** 《속어》 궁둥이; 《비어》 질(膣), (성의 대상으로서의) 여자; 성교. **13** 【컴퓨터】 테일《연결 리스트(linked list)에서 마지막 항목에 있는 알리개(pointer)》. ***a*** 〔a person's〕 (***nice***)

bit of ~ ⇨ BIT. ***cannot make head*(*s*) *or* ~(*s*) *of*** …의 뜻을 전혀 모르다. ***close on*** a person***'s*** ~ 아무의 바로 뒤에 (바짝 붙어서). ***drag*** one***'s*** ~ 《미속어》 느릿느릿 일하다, 풀이 죽다. ***get off*** one***'s*** ~ 《속어》 일에 착수하다. ***get*** 〔***have***〕 one***'s*** ~ ***down*** 〔***up***〕 풀이 죽다〔기운이 나다〕, 자신을 잃다〔자신만만하다〕. ***have*** a person 〔something〕 ***by the*** ~ 아무의〔일의〕 약점을 알고 있다. ***keep*** one***'s*** ~ ***up*** 기운이 나 있다. ***keep the*** ~ ***in waters*** 《속어》 번창하다. ***on*** a person***'s*** ~ 아무를 미행〔추적〕하여, 바싹 붙어서. ***play*** (***at***) ***heads and*** ~***s*** 돈을 던져 앞면인지 뒷면인지 알아맞히기를 하다. ~(***s***) ***up*** ① 기분이 좋아서. ② 《비유》 싸울 마음가짐으로. ***the*** ~ ***of the eye*** 눈초리: with 〔out of〕 *the* ~ *of the eye* 곁눈질로 (훔쳐보다). ***the*** ~ ***wagging the dog*** 〖흔히 It is (a case of) 뒤에서〗 주객전도〔하극상〕(의 상황). ***turn*** ~ (***and run***) 꽁무니를 빼다, 달아나다. ***twist the*** ~***s of*** …의 비위에 거슬리는 짓을 하다, …을 괴롭히다. ***with*** one***'s*** ~ ***down*** 〔***up***〕 기가 죽어서〔살아서〕. ***with the*** 〔one***'s***〕 ~ ***between the*** 〔one***'s***〕 ***legs*** 기가 죽어, 위축되어, 겁에 질려. ***work*** one***'s*** ~ ***off*** 뼈 빠지게 일하다.

― *vt.* **1** …에 꼬리를 달다: ~ a kite 연에 꼬리를 달다. **2** 《(+목+전+명)》 …에 붙이다《*with*》: ~ a name *with* a title 이름에 직함을 붙이다. **3** 《(~+목/+목+전+명)》 (후부에) 붙이다; 첨부하다《*on; to; onto*》: ~ one folly *onto* another 어리석은 짓을 거듭하다/~ two coaches *on* a train 열차 후부에 객차 두 량을 연결하다. **4** (끝머리를) 고정시키다; (타일·판자·벽돌 등을) 끼워 넣다《*on; in*》. **5** …의 뒤를 따르다; 《구어》 미행하다: ~ a suspect 용의자를 미행하다. **6** …의 꼬리〔가장자리〕를 자르다. **7** (개 따위의) 꼬리를 잡아당기다〔잡다〕. ― *vi.* **1** 꼬리를 끌다, 꼬리처럼 늘어지다, 척 늘어지다; 꼬리가 되다. **2** 《(+전+명)》 뒤를 따르다, 줄줄 따라가다《*on; along; after*》. **3** 열〔줄〕을 이루다〔짓다〕. **4** 《(+부)》 점점 작아〔희미해, 드문드문해, 적어〕지다, 뒤로 처지다《*away; off*》; 낙오하다《*away; down; out; off*》: The clap of thunder ~*ed away.* 우렛소리가 차츰 사라져 갔다. **5** (물고기가) 꼬리를 수면에 나타내다. **6** 《(~/+전+명)》 〖해사〗 (암초 등에) 고물이 얹히다; (정박 중인 배가 특정 방향으로) 고물을 돌리다: ~ down-river. ~ ***after*** …의 대열을 따르다, …의 뒤를 따르다. ~ ***off*** ① 점차 감소하다〔시키다〕, 소실하다; (목소리 따위가) 작아지다, 도중에서 끊어지다, 침묵해 버리다. ② 도망치다. ③ 뒤져서 행렬이 흩어지다. ~ ***to the tide*** = ~ ***up and down the stream*** (정박선이) 조수의 간만에 따라 고물을 돌리다.

― *a.* **1** 뒤에서 오는: a ~ breeze. **2** 맨 꽁무니의, 미부(尾部)의.

㊕ ∠·like *a.*

tail[2] 〖법률〗 *n.* Ⓤ 상속인 한정(限定); 상속 한정. ― *a.* 상속 한정의.

táil·bàck *n.* **1** 〖미식축구〗 후위. **2** 《영》 (사고 등으로) 밀린 자동차의 열.

táil·bòard *n.* (특히 트럭·짐마차 따위의) 떼어낼〔여닫을〕 수 있는 뒤의 판자〔뒷문〕.

táil·bòne *n.* 미저골(coccyx).

táil·còat *n.* 연미복, 모닝 코트.

tailed *a.* 꼬리가 잘린; 〖복합어로〗 꼬리가 …한, 꼬리 있는: a long-~ bird 꽁지가 긴 새.

táil énd (the ~) 후미, 하단, 말단; (the ~) 최종 단계, 말기, 종말부; 《구어》 궁둥이, 둔부.

táil-ènd Chárlie [téilènd-] 《영속어》 맨 뒤의 사람. 「꼴찌.

táil·énder *n.* 《구어》 (사람·팀 따위의) 최하위,

táil·er *n.* tail[1] 하는 사람〔것〕; 《특히》 미행자 (shadow).

tai·le·ron [téilərɑ̀n] *n.* 〖항공〗 테일러론《피치와 롤을 제어하기 위한 수평미익(尾翼)》.

táil fin 꼬리지느러미; 〖항공〗 수직 안정판. 「고.

táil·fírst *ad.* 뒷걸음질을 쳐서, 꼬리를 앞으로 하

táil·gàte *n.* (수문의) 아랫문; (트럭·마차·왜건 등의) 뒷문. ― *vi.* 앞차에 바싹 대어 차를 몰다. ― *vt.* (앞차에) 바싹 다가붙어서 나아가다; 《미》 스테이션 왜건 등의 뒤판을 내리고 음식을 차려 식사하다. ― *a.* (음식이) 내린 뒤판 위에 차려지는: a ~ picnic 〔party〕 스테이션 왜건 뒤판을 이용한 작은 파티. 「운전사.

táil·gàter *n.* 앞차에 바싹 다가붙어서 운전하는

táil·gàting *n.* 《미》 (미식축구 팬 또는 응원 학생 등이) 시합 전후에 경기장 밖에서 가지는 야외 ⌊파티.

táil gròup 〖항공〗 =TAIL UNIT.

táil-hèavy *a.* 〖항공〗 (비행기가) 꼬리가 무거운 《중심(重心)이 후방에 있는 상태》.

táil·ing *n.* Ⓤ **1** 꼬리달기; 〖건축〗 벽에 벽돌 따위를 박는 부분. **2** (*pl.*) 쓰레기, 찌끼; 무거리; 광물 부스러기, 광미(鑛尾), 복대기, 폐석. **3** 미행.

táil làmp 《주로 영》 =TAILLIGHT.

táil·less *a.* 꼬리〔미부(尾部)〕가 없는. ㊕ ~·**ly** *ad.* ~·**ness** *n.*

táilless áirplane 〖항공〗 무미익기(無尾翼機).

táil·lìght *n.* (자동차·열차 따위의) 테일라이트, 미등(尾燈). ⓒⓕ headlight.

táil màrgin (책의) 페이지 아래쪽의 여백.

táil-òff *n.* (수요의) 감소.

⁑tai·lor [téilər] (*fem.* ~·**ess** [-ris]) *n.* 재봉사, (주로 남성복의) 재단사. ⓒⓕ dressmaker. ¶ a ~ 〔《영》 ~*'s*〕 shop 맞춤 양복점/Nine ~*s* go to 〔make〕 a man. 《속담》 양복 직공은 아홉 사람이 한 사람 구실을 한다《양복 직공을 비웃는 말》/The ~ makes the man. 《속담》 옷이 날개. ***ride like a*** ~ 말타기가 서투르다. ***sit*** ~ ***fashion*** 책상다리를 하고 앉다.

― *vi.* 양복을 짓다; 양복점을 경영하다. ― *vt.* **1** 《(~+목/+목+목)》 (양복을) 짓다; (기성복을) 몸에 맞도록 손질하다〔고치다〕: The suit is well ~*ed.* 이 양복은 잘 지어졌다/He is well ~*ed.* 그는 몸에 꼭 맞는 옷을 입고 있다/He ~*ed* me several suits. 그는 나에게 양복 몇 벌을 지어 주었다. **2** 《(+목+전+명/+목+*to* do)》 (요구·조건·필요에) 맞추어 만들다〔고치다〕, 맞게 하다 《*to*》: His stories are well ~*ed to* popular tastes. 그의 소설은 대중의 구미에 맞추어져 있다/The vacation plans are ~*ed to* fit our needs. 휴가 계획은 우리의 요구에 맞도록 짜여져 있다. **3** (여성복을) 남자복 스타일로 짓다.

táilor·bìrd *n.* 〖조류〗 재봉새《남아시아·아프리카산; 잎을 꿰매듯이 하여 둥지를 지음》.

tái·lored *a.* =TAILOR-MADE.

tái·lor·ing [-riŋ] *n.* Ⓤ **1** 재봉업, 양복점업. **2** 양복 짓는 법〔기술〕. **3** (목적에 꼭 맞게 하는) 개조(改造), 개작(改作), 변경(adaptation).

táilor-máde *a.* 양복점에서 지은; 남자옷처럼 지은《여자옷》; 주문에 따라 맞춘《가구 따위》; 《속어》 (궐련이 손으로 만 것이 아니고) 기계로 만.

― [∠-∠] *n.* (보통 *pl.*) 맞춤옷; 《속어》 공장제 궐련; 《미속어》 사복경관〔형사〕.

táilor's cháir (다리 없는) 재봉사용 의자.

táilor's chálk 재단용 초크.

táil·pìece *n.* **1** 꼬리 조각; (꼬리 부분의) 부속물; (현악기 맨 끝의) 줄걸이. **2** 〖인쇄〗 책의 장(章)끝〔권말〕의 여백에 넣는 장식 컷. ⓒⓕ headpiece. **3** 〖건축〗 토막 귀틀.

táil·pìpe *n.* (펌프의) 흡관(吸管); (자동차 뒤쪽에 있는) 배기관(排氣管); 〖항공〗 (제트 엔진의)

미관(尾管).
táil-pipe búrner ＝AFTERBURNER.
táil plàne 〖항공〗 수평 꼬리날개〔미익(尾翼)〕.
táil·ràce *n.* (물방아의) 방수로(放水路); 〖광산〗 광석 부스러기를 흘려 보내는 도랑.
táil ròtor 〖항공〗 (헬리콥터의) 미부 회전익.
táil skìd 〖항공〗 비행기 꼬리의 활재(滑材).
táil slìde 〔**slìp**〕 〖항공〗 미부(尾部) 활공.
táil·spìn *n.* **1** 〖항공〗 (비행기의) 나선식 급강하. **2** 《구어》 당황, 허탈, 의기소침. **3** 《구어》 (경제적) 혼란, 침체. ***go into a ~*** 〔***nose dive***〕 《구어》 급히 무너지다, 하락하다; 노이로제가 되다, 의욕〔희망〕이 없어지다.
táil ùnit 〖항공〗 미부(尾部), 미익(尾翼).
táil·wàter *n.* (물레방아의) 방수로의 물; (댐 등의) 방수된 물.
táil whèel (비행기 등의) 꼬리바퀴.
táil·wìnd *n.* 〖항공·해사〗 뒤에서 부는 바람, 뒷바람.
tain [tein] *n.* Ⓤ 얇은 주석판; (거울 뒤의) 주석박(箔).
◇**taint** [teint] *n.* **1** Ⓒ 더럼; 얼룩, 오점. cf. soil², stain. **2** Ⓒ 오명; 치욕《*of*》: the ~ *of* scandal 추문이라는 오명. **3** Ⓤ 감염; 병독, 해독; 부패, 타락; 폐해; 결함: moral ~ 도덕적 타락〔부패〕. **4** Ⓒ 기미, 흔적: a ~ of insanity 광기의 기미. **—** *vt.* **1** 더럽히다, 오염시키다; 감염시키다: the air ~*ed* by〔with〕 smog 스모그로 오염된 공기/He is ~*ed* with skepticism. 그는 회의주의에 물들어 있다. **2** 해독을 주다; 썩이다, 부패시키다; 타락시키다: The meat is ~*ed*. 고기는 썩어 있다/Pornography ~*s* the young mind. 포르노는 젊은이의 마음에 해독을 끼친다. **—** *vi.* 오염되다; 독을 받다; 감염하다; 썩다; 타락하다.
'tain't [teint] 《방언·속어》 it ain't의 간약형.
táint·ed [-id] *a.* 더럽혀진, 썩은, 부패한: a ~ family 혈통이 나쁜 집안/~ money 부정(不正)한 돈.
táint·less *a.* 오점이 없는; 순결〔깨끗〕한; 병독이 없는. ㊎ **~·ly** *ad.* **~·ness** *n.*
tai·pan [táipæn] *n.* **1** 《Chin.》(중국에서 외국상사의) 지배인《代辨》. **2** 〖동물〗 타이판《오스트레일리아 북부·뉴기니 등에 사는 거대한 맹독 뱀》.
Tai·peh, -pei [tàipéi, -béi/-péi] *n.* 타이베이, 대북(臺北).
Tai·ping [táipíŋ] *n.* 〖역사〗 (중국의) 장발적(長髮賊): the ~ Rebellion 태평천국의 난, 장발적의 난(1850-64).
Tai·wan [tàiwá:n] *n.* 타이완, 대만(Formosa).
Tai·wan·ese [tàiwɑní:z, -ní:s] *a.* 타이완(사람)의. **—** *n.* 타이완 사람; Ⓤ 타이완 말.
taj [tɑ:ʒ, tɑ:dʒ] *n.* 이슬람교권에서 남자가 쓰는 높은 원뿔꼴의 테가 없는 모자.
Taj Ma·hal [tá:dʒməhá:l, tá:ʒ-/tá:dʒ-] (the ~) 타지마할《인도 Agra의 하얀 대리석 영묘(靈廟)》.
ta·ka [tá:kə] (*pl.* ~, ~*s*) *n.* 방글라데시의 화폐 단위《＝100 poisha〔paise〕; 기호 Tk》.
†**take** [teik] (***took*** [tuk]; ***tak·en*** [téikən]) *vt.* **1** 《~＋목/＋목＋전＋명/＋목＋부》 손에 잡다, 쥐다(seize, grasp)《*in; by; with; up*》: ~ a book *in* one's hand 책을 손에 들다/He *took* me *by* the hand. 그는 내 손을 잡았다《He took my hand. 보다 감정적인 표현》/~ something *up* with one's fingers 손가락으로 물건을 집어 올리다.

> SYN. **take** '손에 가지다' 와 '가져가다' 의 두 뜻이 있음. 따라서 '손에 가지다' 의 경우에도 가져간다는 목적이 내포되어 있는 일이 많음: He *took* me by the hand and led me to a corner of the room. 그는 내 손을 잡고 방 한 구석으로 끌고 갔다. **seize** 갑자기 힘차게 잡다: *seize* the gun from the rack 총가(銃架)에서 총을 확 집다. **grasp** 손바닥으로 쥐듯이 잡다, 파악하다 → 이해하다: I don't *grasp* your meaning. 네 말뜻을 이해하지 못하겠다. **clutch** (공포심 따위로) 꼭 쥐고 놓지 않다: She *clutched* my hand in the dark. 그녀는 어둠 속에서 내 손을 꼭 쥐고 있었다. **grab** 탐욕스레 움켜쥐다: The child *grabbed* all the candy. 아이는 캔디를 남김없이 움켜쥐었다. **snatch** 세차게 낚아채어 빼앗다: She *snatched* the letter from my hand. 그녀는 내 손에서 편지를 확 빼앗았다.

2 《＋목＋전＋명》 안다, 껴안다, 품다《*to*》: She *took* her child *to* her breast. 그녀는 아이를 가슴에 꼭 껴안았다.
3 《~＋목/＋목＋보/＋목＋전＋명》 (덫 따위로 짐승을) 잡다, 포획하다; (범인 따위를) 붙잡다, 체포하다; 포로로 하다: ~ a wild animal 야생 동물을 포획하다/be *taken* prisoner 포로가 되다/~ a rabbit *in* a trap 토끼를 덫으로 잡다.
4 《~＋목/＋목＋전＋명》 (우격다짐으로) 빼앗다, 탈취하다; 점령〔점거〕하다: ~ a bag *from* a person's hand 아무의 손에서 가방을 빼앗다/~ a fortress by storm 강습하여 요새를 점령하다.
5 (상을) 타다; (노력하여) 획득하다, 벌다, 손에 넣다; (시합에) 이기다: Who *took* the first prize? 누가 1등상을 탔느냐/He ~*s* 200 dollars a week. 그는 주급 200달러를 받는다/~ one game out of three, 1승 2패의 성적을 올리다.
6 《~＋목/＋목＋전＋명》 받다, 받아들이다(accept), (대가·보수 등을) 얻다: ~ a bribe 뇌물을 받다/What will you ~ *for* this watch? 이 시계를 얼마에 팔겠소/give and ~ 주고받다.
7 (체내에) 섭취하다, 먹다, 마시다, 흡수하다; (일광·신선한 공기를) 쐬다: Don't ~ too much. 과식을 하지 마라/~ a medicine 약을 먹다/~ a deep breath 심호흡하다/~ tea〔coffee〕 차〔커피〕를 마시다《구어로는 have가 보통》/~ the sun on the lawn 잔디 위에서 일광욕을 하다.
8 사다(buy); (신문·잡지를) 구독하다; (수업을) 받다, (학과를) 공부하다, 배우다: ~ a magazine 잡지를 구독하다/I'll ~ this hat. 나는 이 모자를 사겠다/What paper do you ~ (《영》 in)? 무슨 신문을 보십니까/~ ballet 발레를 배우다.
9 예약하다, 빌리다, 확보하다: ~ a cottage for the summer 여름 휴가를 위해 작은 별장을 빌리다/~ a box at a theater 극장의 지정석을 예약하다.
10 골라 가지다, 선택하다; 골라잡다: I'll ~ this one. 이것을 주십시오/*Take* any book you want. 원하는 책을 골라 가져라.
11 《＋목/＋목＋전＋명/＋목＋*to be*》 (사람을) 채용하다, 맞이하다; (사위 등을) 보다; (회원으로) 가입시키다: He *took* a wife. 그는 아내를 맞이하였다/~ a new member *into* the club 클럽에 신회원을 가입시키다/She decided to ~ him *for*〔*to be*〕 her husband. 그녀는 그를 남편으로 맞을 결심을 했다.
12 (수단·방침을) 취하다; (본을) 따르다; (시간·기회를) 이용하다: ~ measures 조처를 취하다/~ example by another 남의 본을 따르다/He *took* the opportunity to leave. 그는 기회를 보아 떠나갔다.

13 《+목+전+명》 인용하다; 차용하다: ~ a line *from* Keats 키츠(의 시)에서 한 줄 인용하다.
14 《+목+전+명》 (아무를) 불시에 습격하다; 일격을 가하다; (…로) 덮치다《*by; at*》; (병·발작에) 걸리다: ~ a person *by* surprise 아무에게 불시의 일격을 가하다/be *taken by* a fit 발작이 일어나다.
15 (눈길·관심을) 끌다(attract); 〖보통 수동태〗 마음을 끌다〔빼앗다〕, 황홀하게 하다: ~ a person's eye 〔attention〕 아무의 눈길을〔주의를〕 끌다/The song *took* my fancy. 그 노래가 마음에 들었다/He *was* much *taken* with her beauty. 그녀의 아름다움에 그는 넋을 잃었다.
16 (외부의 힘·영향을) 받다; (색에) 물들다; (냄새가) 배다; (불이) 붙다; (윤이) 나다: ~ fire 불이 붙다/~ the color (색에) 물들다/Marble ~*s* a high polish. 대리석은 닦으면 윤이 난다.
17 〖문법〗 (어미·목적어·악센트 등을) 취하다: Ordinary nouns ~-s in the plural. 보통 명사의 복수형에는 (어미에) s가 붙는다.
18 《+목+부/+목+전+명/+목+목》 가지고 가다, 휴대하다: *Take* these things *home*. 이것들을 집으로 가지고 가라/*Take* an umbrella *with* you. 우산을 가지고 가거라/He *took* her some flowers. 그는 그녀에게 꽃을 가져다주었다. SYN. ⇨ BRING.
19 《+목+전+명/+목+부》 데리고 가다, 동반하다, 안내하다: ~ a person *out of* a room 아무를 방 밖으로 데리고 나가다/He *took* me *home* in his car. 그는 나를 차로 집까지 바래다 주었다.
20 《~+목/+목+*to* do/+목+목/+*-ing*》 〖it를 주어로 하는 경우가 많음〗 (시간·노력 따위를) 필요로 하다, 힘이 들다; (용적·넓이를) 차지하다, (시간이) 걸리다: *It took* longer than we expected. 생각했던것보다 시간이 더 걸렸다/*It* ~*s* three men *to* do the job. 그 일에는 세 사람이 필요하다/Don't ~ too long over it. 그것에 너무 시간을 들이지 마라/The refrigerator ~*s* much room. 이 냉장고는 상당히 자리를 차지한다/*It took* me an hour *to* do the work. 내가 그 일을 하는 데 한 시간 걸렸다/That would ~ a lot of do*ing*. 그 일은 꽤 많은 힘이 들 것이다.
21 《+목+전+명》 (어느 장소에서) 가지고 오다; (근원에서) 캐내다, 따오다: ~ an orange *out of* the box 귤을 상자에서 꺼내다/The river ~*s* its rise *from* a lake. 그 강은 호수로부터 발원한다.
22 《+목+부/+목+전+명》 치우다, 제거하다; 빼다, 감하다; (생명을) 빼앗다, 살해하다: *Take* this chair *away*. 이 의자를 치워라/~ 2 *from* 5. 5에서 2를 빼다/~ one's own life 자살하다/The flood *took* many families. 홍수는 많은 가족의 생명을 앗아갔다.
23 (뛰어)넘다: The horse *took* the hedge with an easy jump. 말은 쉽게 담을 뛰어넘었다.
24 …로 도망쳐 들어가다, 숨다: The fox *took* earth. 여우는 굴로 도망쳤다/The birds *took* cover. 새들이 숲속으로 달아났다.
25 《~+목/+목+부/+목+*to be* 보/+목+전+명/+목+*as* 보》 (좋게 또는 나쁘게) 받아들이다, 이해하다, …라고 생각〔간주〕하다, 믿다: Do you ~ me? 내 말 알아듣겠나/Don't ~ it *ill*. 나쁘게 생각지 말게/He *was taken to be* wealthy. 그는 부자로 간주되었다/We *took* it *for* granted that we would be welcomed. 우리는 당연히 환영받으리라고 생각했다/He *took* my remark *as* an insult. 그는 내 말을 모욕으로 생각했다.
26 (비난·충고 등을) 받아들이다, …에 따르다; 감수하다; 참고 견디다: ~ punishment 벌을 받다〔받아들이다〕/~ a joke (자기에 대한) 농담을 화를 내지 않고 받아 주다/I shall ~ none of your advice. 네 충고 따위는 듣지 않겠다.
27 《~+목/+목+*as* 보》 (문제·사태를) 거론하다, 초들다, 다루다(treat); 고려하다, 예로 들다: ~ the problems one by one 문제를 하나하나 초들어 말하다/Let's ~ Greece. 그리스의 경우를 생각해 보자/*Take* the following sentence *as* an example. 다음 문장을 예로 들어 보자.
28 〖~ it로〗 (시련·모욕·비판·혹사 등에) 견디어〔참아〕 내다, 해내다.
29 (어떤 행동을) 취하다, 하다, 행하다; 맹세하다: ~ a walk 산책하다/~ a flight 하늘을 날다/~ a trip 여행하다/~ action 행동을 취하다/~ pains 수고를 하다/~ vengeance 복수하다/~ a rest 휴식하다/~ comfort 위안 삼다, 만족하다/~ exception 이의를 제기하다《*to*》/~ an objection 반대하다/~ resolution 결심하다.
30 《~+목/+목+전+명》 (견해·주의·태도를) 가지다, 취하다; (항쟁·쟁의 따위에서) …측에 편들다: ~ a gloomy view 비관적 견해를 가지다/~ one's stand *on*… …을 주장하다/~ a person's side 아무에게 편들다/~ liberties *with* a person 아무에게 허물〔버릇〕없이 대하다/Some *took* part *with* me. 몇 사람은 나에게 편들었다.
31 《~+목/+목+전+명》 (호감·나쁜 감정을) 일으키다, 느끼다, 품다: ~ a dislike 싫어하게 되다《*to*》/~ a fancy 좋아지다《*to*》/~ offense 화내다《*at*》/~ delight *in* a thing 어떤 것에 기쁨을 느끼다.
32 《~+목/+목+전+명》 (탈것에) 타다: ~ a car 〔taxi, train, plane〕 차〔택시, 기차, 비행기〕를 타다/~ horse 말을 타다/~ ship 배를 타다/~ the subway *to* work 지하철로 통근하다.
33 《~+목/+목+전+명/+목+부》 쓰다, 적다; (사진을) 찍다, 사진으로 찍다; (초상을) 그리다: They *took* notes of his speech. 그들은 그의 연설을 노트했다/~ a photograph 〔a picture〕 사진을 찍다/I *took* his broadcast *down* in shorthand. 그의 방송을 속기했다/~ a speech *on* 〔*in*〕 tape 연설을 테이프에 녹음하다.
34 (기장(記章)·상징으로서) 몸에 지니다〔걸치다〕, (익명·가명 따위를) 사용하다; (성직·왕위 등에) 앉다, 오르다: ~ an assumed name 가명을 사용하다/~ the throne 〔crown〕 왕위에 오르다/~ the chair 〔gown〕 의장석에 앉다〔성직자가 되다〕.
35 (길을) 가다, 취하다: *Take* the next road to the right. 다음 길을 오른쪽으로 꺾어 가시오.
36 (책임·의무 등을) 지다, 떠맡다; (직무·역할·소임을) 다하다, 행하다, 담당하다(perform): ~ duty 의무를 다하다/~ a class 학급을 담당하다/~ lodgers 하숙을 치다/~ the lead 모범을 보이다, 솔선하다/~ (the role of) the villain 악역을 맡다/~ the trouble 〔pains〕 to (do) 수고스럽게도 …하다.
37 재다, 측정치를 내다; 조사하다, 사정(査定)하다: ~ a poll 여론 조사를 하다/~ stock 재고를 조사하다/The tailor *took* the customer's measures. 재단사는 손님의 치수를 쟀다/When you do not feel yourself, ~ your temperature first of all. 몸이 불편할 때는 우선 체온을 재라.
38 《속어》 속이다(cheat); 속여서 …을 빼앗다: No one shall ~ me. 나는 누구에게도 속지 않는

다/I was badly *taken*. 나는 감쪽같이 속았다.
39 〖음악〗 연주하다, 켜다, 타다, 노래하다.
40 《~+目/+目+前+名/+目+補》 (병 따위에) 걸리다; 〖수동태로〗 (병 따위가) 침범하다: Plague ~ him! 염병할 놈/be *taken with* illness 병에 걸리다/be *taken* ill 병이 나다, 병들다.
41 《구어》 성교하다.
— *vi.* **1** 얻다, 획득하다, 손에 넣다: Those who ~ are not always those who give. 수입이 많은 자가 꼭 베푸는 자는 아니다.
2 《+前+名》 감하다, 빼내다《*from*》: His ungentlemanly behavior *took* greatly *from* the pleasure of those who were present. 그의 비신사적인 태도는 모인 사람들의 흥을 크게 깨뜨렸다/It little ~*s from* his true merit. 그것 때문에 그의 진가가 손상받을 일은 별로 없다.
3 《~/+副》 (뿌리가) 내리다, 자라기 시작하다; (효과가) 나다, (약이) 듣다; (불이) 붙다: The medicine ~*s* instantly. 이 약은 즉효가 있다/This dye ~*s well*. 이 물감은 염색이 잘 된다/The fire *took rapidly*. 불이 급속히 번졌다.
4 《~/+前+名》 인기를 얻다, 받다: The play *took* from its first performance. 연극은 첫 공연부터 인기를 얻었다/The magazine ~*s* well *with* highbrows. 이 잡지는 지식인에게 인기가 있다.
5 (새·물고기 등이) 잡히다, 걸리다: A lot of fish ~ in the stream. 이 시내에서는 물고기가 많이 잡힌다.
6 (기계·장치가) 걸리다, (톱니바퀴 따위가) 맞물리다: These gears ~ very effectively. 이 톱니바퀴는 아주 잘 물린다.
7 《+前+名》 나아가다, 진행하다, 가다《*across; down; over; after; to*》: ~ *across* the field 들을 가다/The horse *took to* the roadside. 말은 길가로 나갔다/With a cry she *took to* the door. 외마디 소리와 함께 그녀는 문 쪽으로 달려갔다.
8 《+副》《구어》 (사진으로) 찍히다: She always ~*s well* 〔*badly*〕. 그녀는 항상 사진이 잘〔잘못〕 찍힌다.
9 《+補》《구어·방언》 (병에) 걸리다: He *took* sick 〔ill〕. 그는 병에 걸렸다.
10 《미》 얼다: In this part of the country everything ~*s* in winter. 이 지방에서는 겨울이 되면 모든 것이 얼어 버린다.
be taken up with …에 열중해 있다, 몰두하다. ***have what it ~s*** 성공에 필요한 소질이 갖추어져 있다. ***not taking any*** ⇨ not having ANY. **~ *aback*** 놀라게 하다; 허를 찌르다. **~ *after*** ① …을 닮다. ② …을 본받다, 흉내 내다. ③ (또는 ~ ***off*** 〔***out***〕 ***after***) …을 쫓다, …을 추적〔미행〕하다. **~ *against*** …에 반대〔반항〕하다, …에 반감을 품다. **~ *along with*** …을 같이 데리고 가다, 휴대하다. **~ *and…*** 자진해서 …하다, …하여 보다: I'll ~ *and* try it. 한번 해보겠다. **~ *apart*** (기계 따위를) 분해하다; 분석하다; 혹평하다; 훌닦다. **~ *around*** 〔***round***〕 (***with*** one) 언제나 데리고 다니다. **~ *a screw at …*** 《속어》 …에 적의〔증오〕의 눈길을 보내다. ~ a thing ***as*** it ***is*** =~ a thing ***as*** one ***finds*** it 있는 그대로 받아들이다, …라고 단념하다, …라고 생각해 버리다: You should ~ the world *as* it *is*. 세상은 그런 것이라고 단념해야 한다/Don't ~ people *as* you *find* them. 사람을 겉모양만 보고 믿어선 안 된다. **~ *away*** 《*vt.*+副》 ① (…을) 가지고 가다. ② (…에서) 제거하다《*from*》. ③ 《영》 (음식물을) 사가지고 돌아가다《미 take out》. **—** 《*vi.*+副》 ④ (…의) 가치〔효과〕를 줄이다《*from*》. **~ *back*** ① 도로 찾다. ② (약속 따위)를 취소하다, 철회하다: ~ *back* what one said 말을 취소하다. ③ (옛날)을 회상시키다: This picture ~*s* me *back* to my childhood. 이 사진을 보면 어린 시절이 생각난다. ~ a person ***before*** 아무를 …에 출석시키다. **~ *coolly*** 태연자약하다. **~ *down*** ① 내리다, 낮추다: ~ *down* a baggage from the shelf 선반에서 짐을 내리다. ② 콧대를 꺾어주다, 교만기(氣)를 꺾다, 비난〔욕〕하다: I'll ~ him *down* a notch or two. 그의 교만한 콧대를 좀 꺾어 주겠다. ③ (집 따위를) 헐다. ④ (머리를) 풀다: She *took down* her hair before she shampooed it. 그녀는 머리를 감기 전에 머리를 풀었다. ⑤ 적어 놓다, 써 두다, 녹음하다 (record). ⑥ (겨우) 삼키다: Don't chew. Only ~ it *down*. 씹지 말고 삼키시오. ⑦ 분해〔해체〕하다, 해판(解版)하다. ⑧ 〖수동태로〗 (병 따위로) 쓰러지다《*with*》: He *was taken down with* the flu. 그는 독감으로 쓰러졌다. **~ *for*** ① …로 잘못 알다, …라고 생각하다: They *took* my story *for* a lie. 그들은 내 얘기를 거짓말이라고 생각했다. ② 《드물게》 …을 편들다, …을 지지하다. **~ *from*** ① …을 줄이다, (무게·가치 등을) 덜다, 떨어뜨리다; (흥미 따위)를 잡치다: It *took* greatly *from* the pleasure. 그건 즐거운 기분을 크게 잡치게 했다. ② …에게서 이어받다; …에서 끌어내다: ~ one's good looks *from* one's mother 어머니의 미모를 이어받다/~ one's subject *from* one's own experience 자기의 경험을 논제(論題)로 삼다. **~ *in*** ① 받아들이다, 끌어들이다: The pipe ~*s in* 3,000 gallons of water per minute. 이 파이프는 매분 3,000 갤런의 물을 끌어들인다. ② (짐·손님을) 싣다, 적재하다; 수용하다. ③ 묵게 하다, (하숙인을) 치다. ④ (빨래·바느질감 등을) 내직으로서 맡다. ⑤ 《영》 (신문 등을) 받아보다, 구독하다: ~ *in* the weekly 주간지를 보다. ⑥ (여성을) 객실에서 식당으로 안내하다; 경찰에 연행하다. ⑦ 납득하다, 이해하다: ~ *in* a lecture 강연의 내용을 이해하다. ⑧ (옷의) 기장을 줄이다: ~ *in* a dress 옷을 줄이다. ⑨ (돛을) 접다. ⑩ 뚫어지게 보다, 눈여겨보다, 잘 관찰하다: Her eyes *took in* everything. 샅샅이 관찰하였다. ⑪ 기만하다, 속이다: I was nicely *taken in*. 나는 감쪽같이 속았다. ⑫ 포괄〔포함〕하다; 고려에 넣다. ⑬ (수입이) 늘다. ⑭ 《미》 방문하다;(영화 따위)를 보러 가다: ~ *in* a movie. **~ *it*** ① 믿다; 받아들이다; …로 이해하다; 생각하다《*that*》: You can ~ *it* from me. 내가 한 말이니 정말로 믿어도 좋다. ② 〖보통 can (not)과 함께〗《구어》 벌〔고생, 공격〕을 견디다, 벌을 받다. ***Take it away.*** 〖TV·라디오〗 (노래·연주 따위를) 시작〔진행〕하시오 《You're on the air. 또는 Mike is yours.에 가까운 표현》. **~ *it easy*** 여유를 가지고 하다, 느긋하게 대처하다. **~ *it easy on*** ① …에게 부드럽게 대하다. ② …을 절약해서 사용하다. **~ *it from there*** 〔***here***〕 (남이 시작한 일을) 거기〔여기〕에서 계속하다. **~ *it hard*** 걱정하다, 신경을 쓰다, 비관하다, 기가 죽다. **~ *it on*** 《미속어》 게걸스레 먹다. **~ *it on*** 〔***upon***〕 one***self to*** do 결단을 내리고 …하다; …할 책임을 떠맡다. **~ *it or leave it*** 그대로 받아들이든지 말든지 하다. **~ *it out in …*** (돈 대신 물건으로) 받다. **~ *it out of*** a person ① 아무를 못살게 굴다, 괴롭히다; 지치게 하다: Traveling two hours to work really ~*s it out of* me. 통근에 2시간 걸려 참으로 피곤하다. ② 아무에게 분풀이하다. **~ *it out on*** …에게 마구 호통치다《분풀이 대상으로》: Look, ~ *it out on* me. 이봐, 분풀이하려거든 내게 해라. **~ *it that…*** …라고 믿다〔생각하다〕: I ~ *it that* we

are to come early. 우리는 일찍 오지 않으면 안 된다고 생각합니다. ***Take my word for it.*** 내 말은 정말이야. ~ ***off*** 《*vt.*+副》 ① (옷·모자·구두·안경·반지 등을) 벗다. OPP. *put on.* ¶ ~ *off* one's hat 모자를 벗다. ② (뚜껑 등을) 떼어 내다〔벗기다〕, 제거하다. ③ (값을) 깎다, 할인하다. ④ (손 발 따위를) 절단하다. ⑤ (사람을) 데리고 가다: The girl was *taken off* by kidnappers. 그 소녀는 유괴범들에게 끌려갔다. ⑥ (시간을) 내다, (휴가로) 일을 쉬다: ~ the whole week *off* 일주일 전부 휴가를 내다. ⑦ (열차·버스 등의) 운행을 멈추다. ⑧《구어》(남의 버릇을) 흉내 내다. ⑨ (체중·무게 따위를) 줄이다, 빼다. ⑩ 〖~ oneself off로〗 …에서 (서둘러) 떠나다. ―《*vi.*+副》 ⑪ (비행기·우주선이) 이륙하다; (서둘러) 출발하다: We *took off* at eight o'clock for Paris. 우리는 8시에 파리를 향하여 출발하였다. ⑫《구어》(…으로 향하여) 떠나가다, 가 버리다《*for*》. ⑬ (조수가) 빠지다; (바람이) 자다, 잔잔해지다, (비가) 그치다. ⑭ (일이) 잘 되다; 경기가 좋아지다. ⑮ (…에) 열중하다, 흥분하다. ~ ***on*** 《*vt.*+副》 ① (일·책임을) 떠맡다. ② 고용하다(hire): ~ *on* extra workers 임시 고용인을 채용하다. ③ (싸움·경기에서) 다투다《*at*》; 도전하다, 덤벼들다. ④ (성질·모양·의미 등을) 지니게 되다; 띠다(assume); (뜻을) 갖게 되다. ⑤ (사람을) 태우다; (짐을) 싣다: The bus *took on* some tourists at the next stop. 버스가 다음 정류장에서 몇명의 관광객을 태웠다. ―《*vi.*+副》 ⑥ 인기를 얻다, 유행이 되다. ⑦ 흥분하다, 떠들어대다: Don't ~ *on* so! 그렇게 흥분하지 말게. ~ ***or leave*** (즉석의 판단·기호로) …을 인정하거나 말거나의 태도를 정하다; 다소의 차이는〔과부족은〕 있는 것으로 치고(give or take): He left one million, ~ *or leave* a few won. 약간의 차이는 있겠으나 100만 원을 남겼다. ~ ***out*** 《*vt.*+副》 ① 꺼내다, 끄집어내다, 공제하다, 제외하다. ② 《미》(음식을 식당에서) 사 갖고 가다; (산책·영화·식사 등에) 데리고 나가다《*for; to*》: He *took* me *out to* dinner 〔*for* a walk〕. 그는 나를 저녁식사에〔산책에〕 데리고 나갔다. ③ (이·얼룩 따위를) 빼다, 제거하다: ~ *out* a stain. ④ (전매권·보험·면허장 따위를) 획득하다, 받다, (보험)에 들다. ⑤ (서적 등을) 대출하다; 베끼다, 발췌하다. ⑥《구어》(여성을) 식당으로〔무도실로〕 안내하다. ⑦ 파괴하다, …의 기능을 마비시키다. ―《*vi.*+副》 ⑧ 〖브리지〗 (다른 짝의 패로 파트너)보다 높이 걸다. ⑨ 나가다; 달려가다, 쫓아가다《*after*》. ~ a person ***out of*** him***self*** 아무에게 기분 전환을 시키다〔근심을 잊게 하다〕. ~ ***over*** 《*vt.*+副》 ① 이어〔인계〕받다, 양도받다; 접수하다, 점거하다: The occupation army *took over* my house. 점령군이 나의 집을 접수했다. ② 차용〔채용, 모방〕하다; 〖인쇄〗 다음 행으로 보내다. ―《*vi.*+副》 ③ 뒤를 이어〔인계〕받다《*from*》. ④ 대신 들어서서 한몫 보다; (널리) 퍼지다. ~ a person ***round*** 〔***about***〕 (a town) 아무를 (거리로) 안내하며 돌다. ~ one***self away*** 〔***off***〕 물러가다, 떠나가다. ~ ***one's life upon*** …에 목숨을 걸고 덤벼들다, 생명을 바쳐서 …을 하다. ~ ***to*** ① …이 좋아지다, …을 따르다, …에 순응〔적응〕하다; …의 습관이 붙다; …에 몰두하다: The baby has *taken to* her new nursemaid. 아기가 새 유모를 따랐다 / The tree ~*s* well *to* this soil. 그 나무는 이 토양에 잘 적응한다 / ~ *to* drink 〔smoke〕 술〔담배〕의 습관이 붙다 / ~ *to* study 연구에 전념하다. ② (은신처·피신처를 찾아서) …에 가다: ~ *to* one's bed 자리에 눕다. ③ …에 의지하다, …에 호소하다: ~ *to* violence 폭력을 쓰게 되다. ~ ***together*** 일괄(一括)해서 생각하다: *Taken together*, there cannot be more than a dozen. 모두 다 합쳐도 한 다스 이상 있을 리 없다. ~ ***up*** ① 집어 올리다, 손에 쥐다, 주워 올리다; (화제·주제 따위로) 채택하다: ~ *up* a thing for a topic 어떤 일을 화제로 삼다. ② (시간·장소 따위를) 잡다, 차지하다, (마음·주의 등을) 끌다: It'll ~ *up* a lot of time. 그것은 많은 시간을 잡아먹을 것이다. ③ (손님을) 잡다, 태우다, (배가 짐을) 싣다. ④ 보호〔비호〕하다; 후원〔원조〕하다. ⑤ 체포하다, 인치(引致)하다, 연행하다: be *taken up* by the police. ⑥ 흡수하다: A sponge ~*s up* water. 스펀지는 물을 흡수한다. ⑦ …의 말을 가로막다; …에게 질문하다, 꾸짖다, 비난하다: ~ a person *up* soundly 아무를 몹시 꾸짖다. ⑧ (제안·도전·내기에) 응하다; (어음을) 인수〔지급〕하다, 다 갚다: Not one of the shares was *taken up*. 그 주(株)는 하나도 응모가 없었다. ⑨ (연구 등)에 착수하다, …에 종사하다, 취임하다. ⑩ (숙소를) 정하다: ~ *up* one's lodging with …에 숙소를 잡다. ⑪ (옷을) 줄이다, (실패·릴 등으로 실·테이프 등을) 감다, 감아서 팽팽히 하다; (볼트를) 죄다. ⑫ (꿀벌을) 그을려 죽이다《꿀 채취를 위해》. ⑬ 용해하다. ⑭ (기부금 등을) 모금하다: ~ *up* a collection 헌금을 모으다. ⑮ (문제 등을) 취급하다, 처리하다; (태도를) 취하다. ⑯ 계속하다, 다시 시작하다, (끊어진 이야기)의 실마리를 잇다. ⑰ (익살 등을) 이해하다. ⑱ (날씨가) 회복되다. ⑲ 재개하다; (수업 따위가) 시작되다. ~ ***up for*** …의 편을 들다. ~ ***upon*** 〔***on***〕 one***self*** ① (책임 따위를) 지다, 떠맡다. ② 〖~ (it) upon 〔on〕 oneself to *do*로〗 …함을 자기 책임으로〔의무로〕 하다; …하기를 스스로 정하다〔시작하다〕: She has *taken it upon* her*self to* support the family. 그녀는 가족의 부양을 떠맡기로 하였다. ③ (모습·성질 등을) 가장하다, 꾸며 보이다. ~ ***up with*** ① (아무와) 친해지다, 친밀해지다. ② …에 흥미를〔관심을〕 갖다. ③《고어》(방법·설(說) 등을) 채택하다, 지지하다, …에 찬성하다. ④ …와 합숙하다. ~ (a matter 〔question, etc.〕) ***up with ...*** (관계자·책임자)에게 (문제를) 조회〔문의〕하다. ~ ***with ...*** 《Sc.》 …을 좋아하다; 참다; 인정하다. ***You can*** ~ ***that*** 〔***your ...***〕 ***and ...*** 그런 것〔...〕 따위는 멋대로 해라〔똥이나 먹어라〕.

― *n.* **1** 포획, 취득, 거두어들임, 거두어들이는 과정. **2** 포획량, 고기잡이, 사냥: a great ~ of fish 〔game〕 풍어(豊漁)〔풍렵(豊獵)〕 / the day's ~ 그날의 포획고. **3** (*pl.*)《속어》 수익, 이득; 《속어》(경마 등에서 건 돈에 대한) 몫, 수익률(cut); 《미속어》 뇌물; 매상고, (입장료의) 판매액; 총징수액: the tax ~ last year 작년의 세수액(稅收額). **4** 〖영화〗 한 장면, 한 샷: The director spends a whole week for several ~*s*. 그 감독은 몇 장면을 찍는 데 온 1주일을 소비한다. **5** 〖인쇄〗 (식자공이 맡는) 1회분(의) 원고. **6** (신문 기사의) 취재(량); 반응, 응대(하는 품); 《구어》 시도. **7** 종두가〔접골이, 접목이, 식피(植皮)가〕 접착됨. ***cut a*** ~ 《미속어》 녹음하다; 정확히 설명하다. ***on the*** ~ 《미속어》 ① (남을 희생하고) 자기 이익만을 노려서. ② 뇌물을 받고〔받기를 노리고〕.

táke-alòng *a.* 휴대용의.

táke·awày 《영》 *n.* =TAKEOUT 2. ― *a.* =TAKEOUT.

táke-chárge *a.* 관리〔책임〕 능력이 있는〔있는 듯한〕, 신뢰할 만한.

táke·dòwn *a.* 분해식의. ― *n.* **1** TAKE down 함. **2** 분해할 수 있는 부분, 조립식 기계. **3** 《구어》 창피, 굴욕.

táke-hòme *a.* 학생이 집에 가지고 가서 하는, 숙제용의.

táke-home pày (세금 따위를 뺀) 실제 손에 들어오는 급료.
táke-home sàle 《영》 (가게에서 마시지 않고) 사 갖고 가는 주류의 판매(off-sale).
táke-in *n.* 《구어》 사기, 협잡; 엉터리; 사기꾼, TAKE in 함[된 수·양].
táke-it-or-léave-it *a.* 승낙이냐 아니냐밖에 없는, 승낙 여부를 묻는, 교섭의 여지가 없는.
táke-it-wíth-you *a.* 휴대용의, 갖고 다닐 수 있는: ~ TV sets.
tak·en [téikən] TAKE의 과거분사.
táke-nò-prísoners *a.* 단호한; 투지만만한.
***take·off** [téikɔ̀:f, -ɑ̀f/-ɔ̀f] *n.* **1** 출발(점), 발진(기지), 개시 (단계); (마술·육상 경기에서의) 도약 (지점); 〖경제〗 (급속한 경제 성장의) 출발점, 도약 (단계); 〖항공〗 이륙〔이수〕 (지점): ~ stage (공업국으로의) 도약 단계 / ~ speed 〔distance〕 이륙 속도〔거리〕. **2** 《구어》 (풍자적인) 흉내; 만화. **3** 결점. **4** 딴 장소를〔목적을〕 향하여 이끄는 수단〔장치, 부분〕, (엔진의 힘 등을 딴 데로 이끄는) 전도(傳導) 기구〔장치〕. **5** (건축에 앞서 하는 필요 자재 일체에 관한) 견적 조사. **6** (관(管)·전선 따위의) 분지(分枝), 지선(支線); 방수로(放水路). **7** 《미속어》《노상》 무장강도.
táke-òne *n.* 낱장으로 떼어 내는 전단.
táke-one ád 《미》 떼어 내기식 광고《광고와 함께 놓이어 한 장씩 떼어 내도록 된 신청 용지〔엽서〕나 광고지》.
táke·òut *n.* **1** 지출(持出), 꺼냄. **2** 연구, 리포트. **3** 《미》 사 가지고 가는 요리(를 파는 가게). — *a.* 《미》 (요리 따위의) 사 가지고 가는, (상점이) 가지고 가는 음식을 파는: a ~ pizza pie.
táke·òver *n.* TAKE over 함; 관리권〔지배권, 소유권〕의 취득〔횡령〕, (회사 따위의) 탈취; (릴레이의) 배턴 터치.
táke(-)over bíd 《영》 (매수(買收)를 노리는 기업 주식의) 공개 매입《생략: T.O.B.》.
táke-over zóne 〖육상〗 배턴 존《릴레이에서, 배턴을 주고받는 구역》.
tak·er [téikər] *n.* 잡는 사람, 포획자; 수취인; 구독자; 소비자; 임차인; (광구(鑛區) 따위의) 조차자(租借者); 내기〔도전〕에 응하는 사람.
táke-ùp *n.* TAKE up 함; 빨아올리는 통풍관; 죄기; 죄는 도구; 〖영화〗 (필름을) 감는 장치, (직물·벽지 따위의) 감아올리는 장치; (직물의) 수축, 오그라듦.
ta·kin [tá:ki(:)n] *n.* 〖동물〗 타킨《대형의 영양(羚羊) 비슷한 산양; 티베트산》.
tak·ing [téikiŋ] *a.* **1** 마음〔관심〕을 끄는, 매력〔애교〕 있는, 흥미를 돋우는: in a ~ manner 애교 있는 태도〔말투〕로. **2** 《구어》 옮는, 전염하는: a ~ disease 전염병. — *n.* **1** 취득(한 것), 획득, 체포, 포획(물〔고〕). **2** (*pl.*) 매상고, 소득, 수입. **3** 《속어》 고민, 흥분, (마음의) 동요: in a great ~ 몹시 고민하여. **4** (병의) 발작. ***for the ~*** (손에) 잡기만 하면: It's yours *for the* ~. 손으로 잡기만 하면 가질 수 있다《마음대로 가지세요》. ㊞ **~·ly** *ad.* **~·ness** *n.*
táking-óff *n.* **1** 제거, 치우기. **2** 〖항공〗 =TAKE-OFF. **3** 《속어》 흉내(imitation).
Ta·kla·ma·kan, Ta·kli- [tɑ̀kləməkɑ́:n] *n.* 타클라마칸 (사막)《중국 신장 웨이우얼 자치구 중남부의 사막; 중국 최대의 사막》.
taky [téiki] (*tak·i·er; -i·est*) *a.* 《구어》 매력 있는, 마음이 끌리는.
ta·la[1] [tá:lə] (*pl.* **~, ~s**) *n.* 서사모아의 화폐 단위《=100 sene; 기호 WS $》.
ta·la[2] *n.* 〖음악〗 인도 음악의 전통적 리듬 형식.
Ta·laing [tɑ:láiŋ] *n.* =MON.
ta·lar·ia [təlέəriə] *n. pl.* 《L.》 〖그리스신화·로마신화〗 (Hermes, Mercury의) 날개 달린 샌들.
Tal·bot [tɔ́:lbət] *n.* **1** 사냥개의 일종(∼ **dog** 〔**hòund**〕)《현재는 절멸; bloodhound 등의 조상》. **2** 톨벗《영국 Talbot Motor 사제 자동차》. **3** 탈보《프랑스제 자동차》.
talc [tælk] *n.* Ⓤ **1** 탤크, 활석. **2** 《속어》 운모(雲母)(mica). **3** =TALCUM POWDER. — (*p., pp.* ***talcked, talced*** [-t]; ***tálck·ing, tálc·ing***) *vt.* 활석으로 문지르다; 활석으로 처리하다.
talc·ose, talc·ous [tǽlkous, -´/-´], [tǽlkəs] *a.* 활석의, 활석을 함유한.
tal·cum [tǽlkəm] *n.* =TALC.
tálcum pòwder 탤컴파우더《활석 가루에 붕산(硼酸)·향료를 넣은 화장품》.
⁑**tale** [teil] *n.* **1** 이야기, 설화. cf. narrative. ¶ a fairy ~ 옛날 이야기 / A ~ never loses in the telling. 《속담》 말은 되풀이되면 커지게 마련이다. SYN. ⇨ STORY. **2** 꾸민 이야기, 거짓말; 소문; 고자질, 험담: a tall ~ 허풍 / If all ~*s* be true .... 세상 소문이 모두 사실이라면… / a ~ of roasted horse 꾸며낸 이야기 / a ~ of a tub 터무니없는 이야기. **3** 《고어》 총계, 총액: The ~ is complete. 숫자가〔계산이〕 맞다. ◇ tell *v.* (***and***) ***thereby hangs a ~*** (그래서) 거기엔 좀 재미있는 이야기가〔까닭이〕 있다. ***a ~ of nought*** 시시한 사물. ***a ~ of woe*** 슬픈 신세타령, (사람을) 울리는 것. ***carry*** 〔***tell***〕 ***~s*** 고자질하다; 소문을 퍼뜨리다; 비밀을 누설하다. ***His ~ is*** 〔***has been***〕 ***told.*** 그는 이제 글렀다; 운이 다했다. ***in the same*** 〔***a, one***〕 ***~*** 《고어》 의견이 일치하여. ***tell a ~*** 이야기를 하다; 뜻이 깊다, 시사적이다: That *tells a* ~. 거기에는 무슨 사정이 있다. ***tell its own ~*** 자명하다, 설명이 필요하지 않다. ***tell one's ~*** 신상 이야기를 하다. ***tell ~s out of school*** ⇨ SCHOOL[1]. ***tell the ~*** 《속어》 (동정을 사려고) 우는소리를 하다; 대단한〔놀라운〕 이야기를 하다.
tále·bèarer *n.* 나쁜 소문을 퍼뜨리는 사람; 고자쟁이. ㊞ **tále·bèar·ing** *a., n.* 소문을 퍼뜨리는 〔퍼뜨리기〕.
***tal·ent** [tǽlənt] *n.* **1** Ⓤ (타고난) 재주, 재능; Ⓒ 재간, 수완, 솜씨《*for*》: have a ~ *for* music 음악의 재능이 있다 / a man of ~ 재사 / a man of no ~ 무능한 사람/literary ~ 문재(文才).

> SYN. **talent** 그것을 키우면 그 분야에서 성공할 타고난 재능. 예능에 대하여 쓰이는 일이 많음. **gift** 천부의 재주. talent와 비슷하나, '그 분야에 있어서의 성공'은 시사되지 않음. **aptitude** 직업 등에 대한 타고난 적성: *aptitude* test 적성 검사. **faculty** 실무·살림 등의 재간, 수완. 주로 구어로 쓰임: business *faculty* 실무의 재간. **genius** 놀랄 만한 천부의 재능, 천재. talent에 비해 창조성이 강조됨.

2 〔집합적〕 재주있는 사람들, 인재; (개인으로서의) 탤런트, 예능인(들): look for local ~ 지방의 인재를 찾다 / an exhibition of local ~ 그 고장 사람들의 작품 전람회 / stage ~(*s*) 무대배우. **3** 달란트《옛 그리스·로마·헤브라이의 무게·화폐의 이름》. **4** 《속어》 (the ~) 〖경마〗 자기 생각대로 거는 사람; 《영구어》 매력적인 이성들; 《미속어》 남자〔여자〕 친구. ㊞ **~·ed** [-id] *a.* 재주있는. **~·less** *a.* 무능한.
tálent mòney 〖야구·크리켓〗 (직업 선수에게 주는) 우수 성적 특별 상금.
tálent scòut 〔**spòtter**〕 탤런트 스카우트, (운동·예능계 따위의) 신인 발굴 담당자.
tálent shòw (아마추어의) 예능 장기 대회.
taler ⇨ THALER.
ta·les [téilz, téili:z/téili:z] *n. pl.* 《L.》 〖법률〗

1 (법정 방청인 중에서 뽑은) 보결 배심원. 2 〖단수취급〗 보결 배심원 소집 영장.

tales·man [téilzmən, téili:z-/téili:z-] (*pl.* **-men** [-mən]) *n.* 보결 배심원《방청인 중에서 선출》.

tále·tèller *n.* 1 이야기하는 사람. 2 고자쟁이, 험담가. [파] **tále·tèlling** *a., n.* [U]

ta·li [téilai] TALUS[1]의 복수.

tal·i·on [tǽliən] *n.* 〖성서〗 동해(同害) 복수법《피해자의 손해와 똑같은 손해를 가해자에게 입힘; 레위기(記) XXIV: 17-21》.

tal·i·ped [tǽləpèd] *a., n.* 기형족(畸形足)〔비틀어진 발〕의 (사람·동물).

tal·i·pes [tǽləpi:z] *n.* [U] 기형족, 비틀어진 발.

tal·i·pot [tǽləpɑ̀t/-pɔ̀t] *n.* 〖식물〗 탈리폿야자《남인도산》.

tal·is·man [tǽlismən, -iz-] (*pl.* **~s**) *n.* 호부(護符), 부적; 불가사의한 힘이 있는 것. [파] **tàl·is·mán·ic, -i·cal** [-mǽnik], [-əl] *a.* 부적의; 마력 있는, 불가사의한.

†**talk** [tɔ:k] *vi.* 1 《~/+[전]+[명]》 말하다; 지껄이다; (…와) 이야기하다《*to; with; on*》; 강연하다《*on; to*》: Human beings can ~; animals can't. 인간은 말할 수 있으나 동물은 할 수 없다/He was *~ing to* 〔*with*〕 a friend. 그는 친구와 이야기하고 있었다/What are you *~ing about?* 무슨 말을 하고 있는 거야/It's been good *~ing* 〔~〕 *to* you. 당신과 이야기하여 즐겁게 지냈습니다《작별할 때의 말》. [SYN.] ⇨SPEAK.

2 《+[전]+[명]/+[부]》 (…와) 이야기를 나누다, 의논하다, 의견을 듣다; 협의하다; 상담하다《*together; with; to*》: *Talk with* your adviser. 조언자와 의논하세요/We have *~ed together* about it. 그것에 대해 이야기를 나누었습니다.

3 《~/+[전]+[명]》 객쩍은 소리를〔소문을, 험담을〕 지껄이다; 비밀을 누설하다; 자백하다, 입을 열다《*of*》: She *~s* too much. 그녀는 쓸데없는 말을 너무 지껄인다/*Talk of* the devil, and he is sure to appear. 《속담》 호랑이도 제 말 하면 온다/People will ~. 세상 사람들의 소문은 막을 수 없다/The police made the suspect ~. 경찰이 용의자를 자백시켰다/*~ against* a person 아무의 욕을 하다.

4 《+[전]+[명]》 훈계〔충고〕하다, 불평을 말하다《*to*》: I shall have to ~ *to* my tailor; this suit fits very badly. 양복장이한테 한마디 해야겠어, 이 양복이 도무지 몸에 안 맞아.

5 《~/+[전]+[명]》 (몸짓 따위로) 의사를 소통하다; (무선으로) 교신하다: ~ *by* signs 손짓으로 이야기하다/~ *with* a shore station 연안 무선국과 통신하다.

6 효력을 내다; 영향을 미치다: Money *~s.* 돈이 말을 한다, 돈이면 다 된다.

── *vt.* 1 말하다, 이야기하다; 논하다: ~ rubbish 〔nonsense〕 쓸데없는〔바보 같은〕 말을 하다/~ politics 정치를 논(論)하다/~ Spanish 스페인 말을 쓰다. 2 《+[목]+[부]/+[목]+[보]/+[목]+[전]+[명]》 이야기하여 …시키다《*into* doing; *away*》; 이야기하여 …되게 하다; 이야기하여 …하지 않도록 하다《*out of* doing》: ~ one's fears *away* 얘기하며 공포를 얼버무리다/~ oneself hoarse 너무 지껄여 목이 쉬다/~ one's father *into* buy*ing* a bicycle 아버지를 설득하여 자전거를 사게 하다/~ the workers *out of* walk*ing* out 노동자에게 직장을 떠나지 않도록 설득하다. 3 이야기하여 (시간을) 보내다: ~ *away* an evening 저녁을 이야기로 보내다.

be 〔***get*** one***self***〕 ***~ed about*** 소문거리가 되다: You'll *get* your*self ~ed about* if you behave badly. 행동을 조심하지 않으면 평판이 나빠진다.

know what one ***is ~ing about*** 통달해 있다, 전문이다. ***Now you're ~ing!*** 그렇다면 말이 통한다. ~ ***about*** ① …에 대하여 말하다, …을 논하다. ② 〔명령형〕《구어》 …란 (바로) 이거야, 《반어적》 …라니 (말도 안 돼): *Talk about* hot! 덥기란 말도 못해/*Talk about* good film! 참 훌륭한 영화로군《형편없는 영화다》. ~ ***against time*** 시간을 보내기 위해서 지껄이다. ~ ***a good game*** 《미구어》 (입에 발린) 말을 하다. ~ ***around*** (꼭 할 말은 않고) 에둘러 이것저것 말하다, 곧바로 말하기를 피하다. ~ a person ***around*** 아무를 설득하다, 설득시켜 (…에) 동조케 하다《*to*》. ~ ***aside with*** 옆에 떨어져서 몰래 …와 이야기하다. ~ ***at*** a person …에게 빗대어 말하다; …에게 일방적으로 말하다. ~ ***away*** 《*vt.*+[부]》 ① 이야기를 하며 (시간·밤을) 보내다; 이야기로 얼버무리다. ──《*vi.*+[부]》 ② 계속 지껄이다. ~ ***back*** 말대꾸하다《*to*》; (시청자·독자 등이) 반응하다, 답하다, 〖통신〗 응답하다. ~ ***big*** 《속어》 큰소리치다, 허풍 떨다. ~ ***business*** 진지한 이야기를 하다. ~ ***cold turkey*** =~ turkey. ~ ***down*** ① (상대를) 말로 꼼짝 못하게 하다, 큰 목소리로 압도하다. ② (아무에게) 너무 정도〔어조〕를 낮춰 이야기하다《*to*》; 거만한〔깔보는〕 태도로 이야기하다《*to*》. ③ 대수롭지 않은 일이라고 말하다(belittle): ~ *down* the importance of a person's visit here 아무의 이곳 방문은 별 뜻이 없다고 말하다. ④ 비방하다, 폄하다. ⑤ 〖항공〗 (야간이나 안개가 질을 때 무전으로) …의 착륙을 유도하다: ~ *down* a pilot. ~ ***down to*** a person 내려다보는 듯한 태도로 말하다. ~ ***freely of*** …을 거리낌 없이 이야기하다. ~ ***from the point*** 빗나간 이야기를 하다, 탈선하다. ~ ***Greek*** 〔***Hebrew, gibberish***〕 잠꼬대 같은 소리를 지껄이다. ~ ***in*** (비행기·조종사를) 무전으로 유도하다. ~***ing*** 〔***speaking***〕 ***of*** …으로 말하자면, …의 이야기가 났으니 말인데: *Talking of* travel, have you been to Athens yet? 여행 이야기가 났으니 말인데 아테네에 갔다 오신 적이 있는지요. ~ a person ***into*** 〔***out of***〕 아무를 설득하여 …을 시키다〔하지 않도록 하다〕. ~ ***of*** …에 관하여 이야기하다, …의 소문을 이야기하다, …할 생각이라고 말하다: He *~s of* going abroad. 그는 외국에 갈 생각이라고 말한다. ~ ***out*** ① 끝까지 이야기하다. ② 기탄없이 이야기하다; 철저하게 논하다. ③ 《영》 (의안을) 폐회 시간까지 토의를 끌어서 폐기시키다. ~ ***over*** ① 설득하다. ② …에 관해서 상담〔이야기〕하다: ~ the subject *over* 그 문제를 의논하다/~ *over* old times 옛이야기를 하다. ③ =~ around. ④ …을 하면서 이야기하다: ~ *over* a glass of wine 술을 마시면서 이야기하다. ~ ***over*** a person***'s head*** 남이 이해하기 어려운 말로 말하다. ~ ***round*** =~ around. ~ ***sailor*** 뱃사람 말을 쓰다. ~ ***scandal*** 추문이 될 이야기를 하다. ~ one***self out of breath*** 너무 지껄여서 숨이 차다. ~ one***'s head*** 〔***arm, ear, leg***〕 ***off*** 《속어》 쉴 새 없이 이야기하다. ~ ***shop*** ⇨SHOP. ~ one***'s way*** 설득하여〔말을 잘하여〕 …에 들어가다〔…에서 나오다〕. ~ ***tall*** 흰소리치다, 허풍 떨다. ~ ***the bark off a tree*** ⇨BARK[2]. ~ ***the hind leg***(***s***) ***off a donkey*** 〔***dog, horse, mule***〕 =~ ***a donkey's*** 〔***horse's***〕 ***hind leg off*** 계속〔마구〕 지껄여대다. ~ ***to*** ① …에게 말을 걸다, …와 말하다. ② 《구어》 …에게 따지다, …을 꾸짖다 (reprove). ③ …을 훈계하다, …에게 충고하다. ~ ***to death*** ① 《구어》 쉴 새 없이 지껄여대다. ② =~ out ③. ~ ***to*** one***self*** 혼잣말을 하다. [cf.] SAY to oneself. ~ ***turkey*** ⇨TURKEY. ~ ***up*** 《구어》 ① 큰 소리로 말하다, 똑똑히〔거리낌없이〕 말하다. ② 열성껏 말하다; 얘기해서 (상대로 하여금)

…에 흥미를 갖게 하다; 흥미를 갖도록 하기 위해서 서로 이야기하다. ③ 칭찬하다. ~ *a person up to* 아무에게 이야기해서 …시키다, 설득하다. ***You can*** ~. 《구어》 ① 자네라면 그렇게 말할 수 있다, 그건 걱정 없다. ② =You can't TALK. ***You can't*** ~. 《구어》 너도 큰소리 칠 수는 없다.

— *n.* **1** Ⓒ,Ⓤ 이야기, 지껄임, 담화, 좌담, 회화: an idle ~ 쓸데〔실〕없는 이야기 / have a ~ with …와 의논하다; …와 이야기를 하다〔주고받다〕/ He sometimes rambles in his ~. 그의 이야기에는 때때로 맺힌 데가 없다. **2** Ⓒ,Ⓤ (종종 *pl.*) 협의, 의논; 회담, 담판: preliminary ~*s* on a peace treaty 평화 조약에 관한 예비 회담. **3** Ⓒ (짧은) 강연, 강의, 강화(講話), 연설; (라디오 따위의 회화체의 짧은) 이야기. **4** Ⓤ 풍설, 소문, 알림: I heard it in ~. 소문으로 들었다. **5** Ⓤ 화제, 얘깃거리. **6** Ⓤ 공론, 객담: It's just a lot of ~. 단지 말만 많이 하고 있을 뿐이다. **7** 말투, 말씨; (특수 사회의) 말, 용어; 언성(言聲)과 비슷한 (울음)소리: a halting ~ 떠듬거리는 말투 / campus ~ 학생 용어.

be all ~ (아무가) 말로만 지껄이고 아무것도 안 하다. ***big*** 〔***tall***〕 ~ 《속어》 허풍. ***end in*** ~ 아무 결실도 못 보다. ***give a*** ~ 이야기를 해서 들려주다; 강화(講話)하다. ***make*** ~ ① 소문거리가 되다, 자자해지다. ② 시간을 보내기 위하여 그저 지껄이다. ***small*** ~ 잡담, 세상 이야기. ~ ***of the town*** 세상의 화제, 자자한 소문. ***That's the*** ~. 《미》 조용히 (들읍시다).

talk·a·thon [tɔ́:kəθɑ̀n/-θɔ̀n] *n.* 장시간의 토론〔연설, 회담〕; (의사 방해를 위한) 장황한〔지연〕 연설(filibuster); (라디오 · TV국에서 전화에 의한) 후보자와의 장시간의 일문일답《선거 운동의 한 방법》. [◂ *talk*+mar*athon*]

talk·a·tive [tɔ́:kətiv] *a.* 이야기하기 좋아하는, 수다스러운, 말 많은. opp. *taciturn.* ㊕ ~**·ly** *ad.* ~**·ness** *n.*

tálk-bàck *n.* (시청자 등의) 반응, 응답; 〖TV · 라디오〗 토크백《조정실과 스튜디오 안의 촬영 감독 등과의 지시 · 응답 통화 시스템》.

tálk-bòx *n.* 《속어》 입.

tálk·dòwn *n.* (항공기에 대한) 무선 착륙 지시.

talk·ee-talk·ee [tɔ́:kitɔ́:ki] *n.* 부정확한 어법(語法); (흑인 등의) 서투른 영어; 수다.

°**tálk·er** *n.* 이야기하는 사람; 말하는 새; 《구어》 (서커스 등에서의) 여리꾼(barker): a good ~ 좌담의 명수(名手). ***a fast*** ~ 《미구어》 사기꾼.

talk·fest [tɔ́:kfèst] *n.* 《구어》 (격의 없는) 간담회, 토론회; (시민 일반이 가지는 관심사에 대한) 장시간〔장기간〕에 걸친 토론.

talk·ie [tɔ́:ki] *n.* **1** 《구어》 발성 영화, 토키(talking film). **2** 《미속어》 (2차 대전의 미군) 휴대용 무선 전화기. 「의, 토론회.

tálk-in *n.* 항의 토론 집회; 비공식적인 강연; 회

tálk·ing *a.* 말을 하는; 표정이 있는《눈 따위》; 수다스러운: a ~ doll 말하는 인형. — *n.* Ⓤ 담화, 토론; 잡담, 수다: do the ~ 대변하다, 말하다. ***give*** a person ***a*** ~ ***to*** 《미구어》 아무를 질책하다, 혼내 주다.

tálking bóok 맹인용 녹음책.

tálking fílm 〔**pícture**〕 =TALKIE 1.

tálking héad (텔레비전 · 영화) 화면에 등장하여 말하는 사람《뉴스 해설자 따위》. 「graph).

tálking machìne 《고어》 축음기(phono-

tálking pàper 입장 표명서(position paper).

tálking pòint 1 (논의 · 토론 따위에서) 한쪽에 유리한 점〔사실〕. **2** 화제(topic).

tálk(ing) shòp 《영》 **1** 약소(弱小) 조직, 영향력을 갖지 못한 단체《실제로 교섭 · 거래할 힘이 없고 이야기 모임 정도로밖에 참가할 수 없는》. **2** 《경멸》 의회, 《특히》 하원.

tálking skìp 《CB속어》 장거리 CB 라디오 교신(=**skíp shòoting**). 「지람, 잔소리.

tálking-tò (*pl.* ~***s, talkings-to***) *n.* 《구어》 꾸

tálk jòckey 《미》 (전화에 의한 청취자 참가 라디오 프로의) 사회자.

tálk ràdio 청취자와의 전화나 잡담만으로 구성되는 라디오 프로그램. 「로.

tálk shòw 〖라디오 · TV〗 유명인과의 인터뷰 프

talky [tɔ́:ki] (***talk·i·er; talk·i·est***) *a.* 수다스러운, 지껄이기 좋아하는; (소설 · 극 등이) 대화가 너무 많은.

tálky tálk 《구어》 수다, 시시한 이야기.

†**tall** [tɔ:l] *a.* **1** 키 큰. opp. *short.* ¶ a ~ man 키 큰 사람 / a ~ building 고층 건물. SYN. ⇨ HIGH. **2** 높이〔키〕가 …인: He is 6 feet ~. 그는 신장이 6 피트이다. **3** 보통보다 긴《양말 따위》. **4** (수량이) 많은, 엄청난. **5** 《구어》 터무니없는; 과장된: a ~ order 터무니없는 요구 / a ~ price 엄청난 값 / a ~ tale 〔story〕 믿어지지 않는〔과장된〕 이야기. **6** 《CB속어》 차량과 교량 등의 상부와의 공간; 자동차 높이의 최고 한도. **7** 《폐어》 훌륭한.

— *ad.* 《구어》 **1** 의기양양하게. **2** 터무니없이, 과장하여. ***stand*** ~ 《미군대속어》 준비가 되어 있다. ***walk*** ~ ⇨ WALK (관용구). ㊕ ∠**·ness** *n.*

tal·lage [tǽlidʒ] *n.* Ⓤ 〖역사〗 (영주에게 납부한) 지대(地代); (노르만 왕이 영토 · 도시에 부과한) 임시세. — *vt.* …에게 ~를 과하다.

Tal·la·has·see [tæ̀ləhǽsi] *n.* 탤러해시《미국 Florida 주의 북부 도시로 주도(州都)》.

táll·bòy *n.* (침실용의) 다리가 높은 옷장(highboy), 2 층장(chest-on-chest); (굴뚝 꼭대기의) 통풍관; 굽이 높은 컵; 《영》 =CLOTHES PRESS.

táll cópy 〖제본〗 상하의 여백을 보통 책보다 많이 남기고 재단한 책.

táll drínk 운두가 높은 컵에 넣어 마시는 칵테일《탄산수 · 과즙 따위를 주로 하는》.

táll hát 실크해트(top hat).

tall·ish [tɔ́:liʃ] *a.* 키가 좀 큰, 키가 큰 편인.

tal·lith, -lis, -lit [tɑ́:lis, -liθ, -lit] (*pl.* ***tal·li·thim, -li·sim, -li·tim*** [tɑ:lí:sim, -léi-, tɑ̀:ləsím], ***ta·ley·sim*** [təléisim]) *n.* 탈리스《(1) 유대교도 남자가 아침 예배 때 어깨에 걸치는 옷(=**práyer shàwl**). (2) 이보다 작으며 유대인 남자가 웃옷 속에 입는 옷》.

táll òil [tɑ́:l-, tɔ́:l-] 〖화학〗 톨유(油)《펄프 제조시 생기는 수지성 부산물; 비누 · 페인트 제조용》.

tal·low [tǽlou] *n.* Ⓤ 쇠〔양〕기름, 수지(獸脂): a ~ candle 수지양초 / beef ~ 쇠기름, 우지(牛脂) / ⇨ VEGETABLE TALLOW. — *vt.* 수지를 바르다; (양 · 소를) 살찌게 하다《수지를 얻기 위해》. — *vi.* 수지가 생겨나다.

tállow-chàndler *n.* 수지양초 제조인〔장수〕.

tállow-fàced [-t] *a.* 창백한〔뜬〕 안색의.

tal·lowy [tǽloui] *a.* 수지(獸脂)(질)의, 기름기의; 수지 같은; 기름진; 살찐; 창백한, 누런.

táll póppy 《Austral. 구어》 고액 임금 수령자; 뛰어난 인물. 「(square-rigger).

táll shíp 대형 범선, 《특히》 가로돛 (장치의) 배

táll tímber (the ~s) **1** 《미속어》 시골, 지방(도시). **2** 《야구속어》 =MINOR LEAGUE.

tal·ly [tǽli] *n.* **1** 부절(符節), 부신(符信)《대차(貸借) 관계자가 막대기에 눈금을 새겨 금액을 나타내고 세로로 쪼개서 뒷날의 증거로 삼은 것》; 부신에 새긴 눈금. **2** 계산서, 장부, 득점표〔판〕. **3 a** 계정, 계산; (금액 등의) 기록. **b** Ⓒ,Ⓤ 《구어》 득점, 스코어; 득표. **4** (물건 이름을 쓴) 이름표, 명찰. **5** 짝의 한 쪽; Ⓤ,Ⓒ 일치, 부합. **6** (물품을 주고받는) 계산 단위《한 다스 · 한 묶음 · 20개 등》; (계산 단위의) 정(整)《20을 단위로 할 때 '18,

19, tally' 라고 하면 tally는 20을 말함)): a ~ register 계수기. **7** 계수 표시((5단위의 경우에 쓰이는 卌, 正 등)). ***by the*** ~ 일정 단위에 얼마로. ***live*** (***on***) ~ ((N.Eng.속어)) 동거 생활을 하다 ((*with*)). ***make*** (***earn***) ***a*** ~ 득점하다. ***strike*** ~ 부합하다. — *vt.* 부신에 새기다; 계산하다, 꺾자 놓다((*up*)); 기록하다; 패를 달다; 부합(일치)시키다, 대조하다. — *vi.* **1** 기록하다. **2** ((~/+전+명)) 일치하다, 꼭 들어맞다((*with*)): His story *tallies with* Tom's. 그의 얘기는 톰의 얘기와 일치한다. **3** (경기에서) 득점하다. ㊞ **tál·li·er** *n.*

tálly bòard 셈판(板), 계산판.

tálly càrd =TALLY SHEET.

tálly clèrk **1** 할부 판매원(tallyman). **2** (하역 등의) 계수원; ((미)) (투표의) 계표원.

tal·ly·ho [tæ̀lihóu] (*pl.* **~s**) *n.* **1** 쉭쉭((사냥개를 추기는 소리)). **2** [ˊ-ˋ] ((영)) 우편마차, 대형 4두마차. — *int.* 쉭쉭. — (*p., pp.* ***-hoed; -ho'd; -ho·ing***) *vt., vi.* (사냥개를) 쉭쉭하고 추기다.

tálly·man [-mən] (*pl.* ***-men*** [-mən, -mèn]) *n.* **1** ((영)) 할부 판매인; 할부 판매점 주인. **2** (하역 등의) 계수원. **3** ((N.Eng.속어)) 동거하는 남자.

tálly shèet 점수(계산, 기록) 기입 용지; ((미)) (선거의) 투표수 기입지.

tálly·shòp *n.* ((영)) 할부 판매점.

tálly sỳstem (**tràde**) ((영)) 할부제 판매.

tál·mi gòld [tæ̀lmi-] 금 입힌 놋쇠.

Tal·mud [tá:lmud, -məd, tæ̀l-/tæ̀lmud] *n.* (the ~) 탈무드((해설을 붙인 유대교의 율법 및 전설집)). ㊞ **Tal·mudic, -i·cal** [ta:lmjú:dik, -múd-, -mʌ́d-, tæl-/tælmúd-], [-ikəl] *a.* 탈무드의, 탈무드와 같은. **~·ism** *n.* 탈무드 교리(의 신봉) **~·ist** *n.* 탈무드 편찬자(연구가, 신봉자(信奉者)).

tal·on [tǽlən] *n.* **1** (맹금(猛禽)의) 발톱; 그렇게 생긴 손가락; (*pl.*) ((비유)) 마수(魔手). **2** 〖건축〗 새가슴 모양의 쇠시리; 〖카드놀이〗 도르고 남은 패. **3** 칼코등이 밑. **4** (채권의) 이자(利子) 교환권. ㊞ **~ed** *a.*

Ta·los [téilas/-ləs] *n.* 탈로스. **1** 〖그리스신화〗 숙부(叔父) Daedalus의 질투로 살해된 발명가. **2** 〖그리스신화〗 Crete섬의 수호를 위해 불의 신(神) 헤파이스토스(Hephaestus)가 만든 청동 인간. **3** 미해군의 지대공 유도 미사일.

tal. qual. talis qualis ((L.)) (=such as it is).

ta·lus[1] [téiləs] (*pl.* ***-li*** [-lai]) *n.* 〖해부〗 거골(距骨); 복사뼈(ankle).

ta·lus[2] [téiləs, tǽləs] (*pl.* **~·es**) *n.* 사면(斜面); 〖건축〗 물매, (담 등의) 물매진 면; 〖지학〗 애추(崖錐), 테일러스((낭떠러지 밑에 쌓인 암설(岩屑)의 퇴적)).

tam [tæm] *n.* =TAM-O'-SHANTER.

TAM television audience measurement(텔레비전 시청자 수 (측정)). **Tam.** Tamil.

tam·a·ble [téiməbəl] *a.* 길들일 수 있는. ㊞ **~·ness** *n.* **tàm·a·bíl·i·ty** *n.*

ta·ma·le [təmá:li] *n.* 멕시코 요리의 일종((옥수숫가루 · 다진 고기 · 고추로 만듦)).

ta·man·dua [təmǽnduə, təmæ̀nduá:/tæ̀məndúə] *n.* 〖동물〗 작은개미핥기((열대 아메리카산)).

tam·a·rack [tǽməræ̀k] *n.* 〖식물〗 미국낙엽송(=**Amèrican lárch**); Ⓤ 그 재목.

tam·a·rin [tǽmərin, -ræ̀n/-rin] *n.* 〖동물〗 타마린((엄니가 긴 명주원숭이의 일종; 남아메리카산)).

tam·a·rind [tǽmərind] *n.* 〖식물〗 타마린드((열대산 콩과 상록수)); 그 열매((약용 · 요리용)).

tam·a·risk [tǽmərisk] *n.* 〖식물〗 위성류(渭城柳).

ta·ma·ru·go [tà:ma:rú:gou] (*pl.* **~s**) *n.* 〖식물〗 타마루고((칠레의 사막에 나는 콩과의 관목)).

ta·ma·sha [təmá:ʃə] *n.* ((Ind.)) 구경거리, 흥행, 모임, 식전.

tam·ba·la [ta:mbá:lə] (*pl.* ~, **~s**) *n.* 탐발라((Malawi의 화폐 단위; =1/100 kwacha)).

tam·bour [tǽmbuər, -ˊ/ˊ-] *n.* **1** (저음의) 큰북; 고수(鼓手). **2** (둥근) 수틀; Ⓤ 자수세공. **3** 〖건축〗 호박주추. **4** (캐비닛 등의) 사슬문. — *a.* 사슬문식(式)의. — *vt., vi.* 수놓다. ㊞ **~·er** *n.*

tam·bou·ra, -bu- [tæmbúərə] *n.* 〖악기〗 탐부라((인도의 기타 비슷한 악기)).

támbour clòck 받침이 양쪽으로 뻗은 둥근 사발시계.

tam·bou·rin [tǽmburin, -bərin] *n.* 탕부랭((남프랑스의 길쭉한 북; 그 북에 맞추어 추는 춤(곡)); (이집트의) 병 모양의 북.

tam·bou·rine [tæ̀mbərí:n] *n.* 탬버린((가장자리에 방울이 달린 작은북)).

Tam·bur·laine [tǽmbərlèin] *n.* =TAMERLANE.

⁑**tame** [teim] *a.* **1** 길든, 길러 길들인; 유순한. opp *fierce, wild.* ¶ a ~ porpoise 사람에게 길든 돌고래 / (as) ~ as a (house) cat 아주 순한. **2** (식물이) 재배된; (토지가) 경작된: ~ plants 재배 식물. **3** 무기력한, 비굴한: a ~ husband 엄처시하의 남편 / ~ submission 무기력한 복종. **4** 재미없는, 단조로운, 생기가 없는: a ~ baseball match 박력 없는 야구 시합 / a ~ resort 보잘것없는 피서지(피한지). **5** 대단치 않은, 두려울 것이 없는: a ~ enemy 약한 적. — *vt.* **1** 길들이다: ~ a wild bird 야생의 새를 길들이다. **2** 복종시키다, 따르게 하다. **3** 무기력하게 하다, …의 용기를 꺾다, 약하게 하다: Severe discipline in childhood had ~*d* him and broken his will. 유년 시절의 심한 훈육으로 그는 풀이 죽고 의지력을 상실했다. **4** (정열 따위를) 억누르다. **5** (색채 등을) 부드럽게 하다((*down*)). **6** 재배하다, 경작하다; 이용할 수 있도록 관리(통제)하다: ~ the desert through irrigation 사막에 물을 대어 농지로 만들다. **7** 싫증나게 하다. — *vi.* **1** 길들다. **2** (온)순해지다. ㊞ **ˊ·a·ble** *a.* =TAMABLE. **ˊ·ly** *ad.* **ˊ·ness** *n.*

táme cát 집고양이; ((비유)) 모두가 아끼는 호인.

táme·less *a.* 길들지 않은; 길들이기 힘든; 야성의, 거친. ㊞ **~·ly** *ad.*

tam·er [téimər] *n.* (야수(野獸) 등을) 길들이는 사람: a lion-tamer 사자 조련사.

Tam·er·lane [tǽmərlèin] *n.* 타메를란(('절름발이 티무르'의 뜻으로 Timour의 별칭)).

Tam·il [tǽmil, tʌ́m-, tá:m-/tǽm-] (*pl.* ~, **~s**) *n., a.* 타밀 사람((남인도 및 스리랑카에 사는 인종))(의); Ⓤ 타밀 말(의); 타밀 문자.

Támil Tígers (the ~) 타밀 타이거즈((스리랑카 북부 · 동부 주를 통합한 타밀 국가의 건설을 목표로 하는 과격파 조직 타밀 엘람(Tamil Eelam) 해방 호랑이(LTTE)의 통칭)).

tam·is [tǽmi, -mis] (*pl.* **~·es**) *n.* 태미, 여과포(濾過布)((발이 성긴 소모(梳毛)의)).

Tam·ma·ny [tǽməni] *n., a.* 태머니파(派)((1789년에 조직된 New York 시의 Tammany Hall을 본거로 한 민주당의 일파; 종종 정치적 부패 · 추문을 암시함))(의).

Támmany Háll =TAMMANY; (the ~) 태머니 홀((태머니파의 본거지가 된 뉴욕 시 Manhattan의 회관)).

tam·my [tǽmi] *n.* ((영)) =TAM-O'-SHANTER; ((영구어)) 스코틀랜드 사람.

tam-o'-shan·ter [tǽməʃæ̀ntər, ˋ-ˊ-] *n.* (스코틀랜드 사람이 쓰는) 베레모.

tam-o'-shanter

ta·mox·i·fen [təmɑ́ksəfən/-mɔ́k-] *n.* 〖약학〗 암세포 발정 호르몬 수체(受體)를 마비시키는 항종양성(抗腫瘍性) 약《유방암 치료제》.

tamp [tæmp] *vt.* (길바닥을) 단단히 굳히다; (발파공(孔)을) 진흙·모래 따위로 틀어막다; (담뱃대에) 담배를 재다; 다져굳히다《*down*》; 《미》 힘으로 복속시키다〔억누르다〕: He *~ed down* the tobacco in(to) his pipe 파이프에 담배를 눌러 담았다. **—** *n.* 담배를 눌러 담는 도구.

Tam·pax [tǽmpæks] *n.* 탬팩스《생리용의 탐폰; 상표명》.

°**tam·per**[1] [tǽmpər] *vi.* 《~/+전+명》 **1** 참견〔간섭〕하다; (허락 없이) 개봉하다《*with*》: Someone is *~ing with* my mail. 누군가가 내 우편물을 멋대로 개봉하고 있다. **2 a** (물건 따위를 변경·손상 등을 위해) 주무르다, 만져 놓다. **b** (원문·서류 등을 허락 없이) 함부로 고치다《*with*》; 개찬(改竄)하다: ~ *with* a document 문서를 멋대로 변경하다. **3** 뇌물을 주다, 매수하다, 뒷거래하다《*with*》. **—** *vt.* (부당하게) 변경하다. ㊕ **~·er** *n.*

tam·per[2] *n.* tamp 하는 사람; 메워 넣는 막대, 달굿대; (콘크리트 등의) 죄어 굳히는 기계; 〖물리〗 반사재(反射材), 탬퍼.

támper-èvident *a.* 손댄〔조작된, 개봉한〕 흔적이 분명한.

támper-indícative *a.* 손댄 흔적이 분명한 (tamper-evident).

támper·pròof *a.* (계기가) 부정(不正) 조작이 불가능한, (기록 따위가) 고쳐질 염려 없는, 간섭을 막을 수 있게 된.

támper-resìstant *a.* (포장 등이) 부정 조작되기 어려운《약품을 바꾸거나 혼입 등의 장난을 못하게 잘 포장되어 있는》.

támper-sénsitive *a.* 부정에 좌우되기 쉬운, 독물이 혼입되기 쉬운.

támp·ing *n.* Ⓤ (발파공을) 틀어막기; 충전(재료); (도로를) 달구질해 굳히기, 다짐.

tam·pi·on, tom- [tǽmpiən], [tɑ́m-/tɔ́m-] *n.* (총구·포구의) 나무마개; 〖음악〗 풍금 음관(音管) 상단의 마개.

tam·pon [tǽmpɑn/-pɔn] *n.* 〖외과〗 지혈(止血) 마개, 탐폰; 양끝에 머리가 있는 북채. **—** *vt.* …을 탐폰으로 틀어막다.

tam·pon·ade, tam·pon·age [tæ̀mpənéid], [tǽmpənidʒ] *n.* 〖외과〗 탐폰 삽입(법); 〖의학〗 심장 탐폰 삽입상(狀) 급성 압박《심낭(心囊) 혈액의 이상 충만으로 인한 심장 압박》.

tam-tam [tʌ́mtʌ̀m, tǽmtæ̀m] *n.* =TOM-TOM; 〖악기〗 징(gong).

__tan__[1] [tæn] (-nn-*) *vt.* **1** (가죽을) 무두질하다: *~ned* leather 무두질한 가죽. **2** (그물 따위에) 타닌을 먹이다. **3** (피부를) 햇볕에 태우다: ~ the skin on the beach 바닷가에서 피부를 태우다. **4** 《구어》 후려갈기다, 때리다; 매질하다. **—** *vi.* **1** 부드러워지다. **2** 볕에 타다. ~ *a person's hide* ⇨ HIDE[2]. **—** *n.* **1** Ⓤ 탠 껍질(tanbark)《가죽을 무두질할 때 쓰는 떡갈나무의 껍질 따위》. **2** Ⓤ 탠 껍질의 찌끼(spent ~)《무두질에 쓴 뒤에 도로·정원 따위에 깖》. **3** 타닌액. **4** Ⓤ 햇볕에 탄 빛깔, 황갈색. **5** (*pl.*) 황갈색 구두. **6** (the ~) 《영속어》 승마 연습장, 곡예장. ***kiss the*** ~ 《속어》 말에서 떨어지다. **—** *a.* 무두질(용)의; 황갈색의: ~ shoes 황갈색 구두.

tan[2] 〖수학〗 tangent.

tan·a·ger [tǽnədʒər] *n.* 〖조류〗 풍금조《아메리카산》.

Ta·nan·a·rive [tənæ̀nəríːv, ˌ-ˊ-ˋ] *n.* 타나나리브《Antananarivo의 별칭》.

tán·bàrk *n.* Ⓤ (무두질용의) 탠 껍질; 그것을 바닥에 깐 지면.

T. & A.V.R. 《영》 Territorial and Army Volunteer Reserve(국방 의용 예비군). **T & E** travel and entertainment.

tan·dem [tǽndəm] *ad.* (말 두 필이) 앞뒤 일렬로, 세로로 나란히 서서; 〖전기〗 직렬(直列)로: drive ~ 마차 말을 세로로 매어 몰다. **—** *a.* 세로로 나란히 선; 직렬의. **—** *n.* **1** 세로로 나란히 마차에 맨 두 필의 말; 그 마차. **2** (세로로 나란히 앉는) 2 인승 자전거(=ˊ~ **bícycle**); 탠덤 트레일러《2 대의 트레일러와 견인용 트럭으로 된》(=ˊ~ **tràiler**). **3** 탠덤〔직렬식〕 기계《세로로 줄지어 연결 배치한 기계 장치》. **4** (2 사람의) 연계, 협력, 제휴. ***in*** ~ ① 세로로 1 열이 되어. ② 협력하여《*with*》.

tandem bicycle

tan·door [tɑːndúər] (*pl.* **~s, -doo·ri** [-dúəri]) *n.* 《Ind.》 〖요리〗 탄두르《진흙의 원통형 화덕; 고기나 빵굽기에 씀》.

Tang [tɑːŋ/tæŋ] *n.* 〖역사〗 당(唐)나라(618-907).

tang[1] [tæŋ] *n.* **1** 싸한〔톡 쏘는〕 맛, 특유한 맛; 톡 쏘는〔특유한〕 냄새; 특성, 특질, 기미, 풍미《*of*》. **2** 〖어류〗 쥐돔. **3** (끌·칼 따위의) 슴베. **4** 가시. **—** *vt.* 짜릿하게 하다; 슴베를 자루에 박다. ㊕ **~ed** *a.*

tang[2] *n.* (금속의) 쨍 울리는 소리. **—** *vt., vi.* (종 따위를〔가〕) 땡하고 울리게 하다〔울리다〕.

tang[3] *n.* 〖식물〗 큰 해조(海藻)의 일종.

tan·ga [tǽŋgə] *n.* 탱거《천의 작은 끈으로 매는 비키니》.

Tan·gan·yi·ka [tæ̀ŋgənjíːkə, -gəníː-, tæ̀ŋ-/tæ̀ŋ-] *n.* **1** 탕가니카《아프리카 중동부에 있던 옛 영국령; 1964 년 Zanzibar와 합병 Tanzania가 됨》. **2 Lake** ~ 탕가니카 호.

tan·ge·lo [tǽndʒəlòu] (*pl.* **~s**) *n.* 탄젤로《귤과 그레이프프루트(grapefruit)의 교배종》.

tan·gen·cy [tǽndʒənsi] *n.* Ⓤ 접촉.

tan·gent [tǽndʒənt] *a.* (한 점에서) 접하는《*to*》; 〖수학〗 접선의, 접하는; 정접(正接)하는; 본래의 목적〔방침〕에서 벗어난: a ~ line 〔plane〕 접선〔접평면(接平面)〕. **—** *n.* **1** 접선; 정접(선), 탄젠트《생략: tan》. **2** (철도·도로 따위의) 직선 구간. ***fly*** 〔***go***〕 ***off at*** 〔***on***〕 ***a*** ~ 갑자기 옆길로 새다, 방침〔생각〕을 느닷없이 바꾸다.

tángent bàlance 탄젠트〔정접(正接)〕 저울.

tángent galvanómeter 〖전기〗 탄젠트 검류계(檢流計).

tan·gen·tial [tændʒénʃəl] *a.* 〖수학〗 접선의, 접하는; 정접의; 접선에 따라 작용하는《힘 운동 등》; 약간 스칠 정도의; (이야기 등이) 곁길로 새는, 탈선적인. ㊕ **~·ly** *ad.*

tángent scàle 〔**sìght**〕 (소화기(小火器)의) 탄젠트 자, 표척(表尺).

tan·ge·rine [tæ̀ndʒəríːn, ˊ-ˋ] *n.* 〖식물〗 탄제린(나무)《미국·남부 아프리카에 흔히 나는 귤》, 《일반적》 =MANDARIN(=ˊ~ **òrange**); 진한 등색; (T-) Tangier 사람. **—** *a.* 진한 등색의; (T-) Tangier 의.

°**tan·gi·ble** [tǽndʒəbəl] *a.* 만져서 알 수 있는; 실체적인; 확실한, 명백한, 현실의; 〖법률〗 유형(有形)의. **—** *n.* (*pl.*) 유형 자산(=ˊ~ **ássets**). ㊕ **-bly** *ad.* 만져 알 수 있게; 명백히. **~·ness** *n.* **tàn·gi·bíl·i·ty** *n.* Ⓤ

Tan·gier [tændʒíər] *n.* 탕헤르《아프리카 북서단에 있는 모로코의 항구 도시》.

°**tan·gle**[1] [tǽŋgəl] *vt.* **1** 《~+목/+목+전+명》 엉키게 하다, 얽히게 하다《*with*》: a *~d* jungle

밀림 / The hedge is ~*d with* morning glories. 울타리에 나팔꽃 덩굴이 엉켜 있다. **2** (일을) 꼬이게 하다, 혼란시키다. **3** 《~+목/+목+전+명》《종종 수동태》(논쟁·혼란·함정에) 빠뜨리다, 올가미에 걸려들게 하다: He *got* ~*d* (*up*) *in* the affair. 그는 그 사건에 말려들었다. **—** *vi.* **1** 엉키다, 얽히다. **2** 혼란에 빠지다; 연루되다, 언걸먹다. **3** 《구어》 …와 다투다, 티격태격하다《*with*》. **—** *n.* **1** 엉킴, 얽힘: This string is all in a ~. 이 실은 완전히 얽혀 있다. **2** 혼란, 혼잡, 분규: The traffic was in a frightful ~. 교통은 완전히 혼잡 상태였다. **3** 《구어》 말다툼, 격론, 다툼. ***get into ~s*** 뒤죽박죽이〔혼란하게〕 되다. ***in a ~*** 혼란하여; 뒤얽혀. ***make a ~ of*** …을 얽히게 하다. 파 **~d** *a.* **~·ment** *n.* **-gler** *n.*

tan·gle² *n.* 다시마류(類).

tángle·fòot (*pl.* ~*s*) *n.* **1** Ⓤ 《미속어》 독한 술, 《특히》 싼 위스키. **2** 〖식물〗 탱알속(屬)의 잡초(=**héath àster**)《미국 동부산》; 연(蓮) 종류의 잡초《북아메리카 남서부산》.

tan·gly [tǽŋgli] *a.* 엉킨, 뒤얽힌; 혼란한.

tan·go [tǽŋgou] (*pl.* ~*s*) *n.* 탱고《춤의 일종》; 그 곡; (T-) 문자 t를 나타내는 통신 용어. **—** *vi.* 탱고를 추다; (정치에서) 서로 양보하지 않으면 아무것도 못한다; (문제가 생기면) 쌍방에 똑같이 책임이 있다. ***It takes two to ~.*** 혼자서는 아무것도 못한다.

tan·gram [tǽŋgrəm, -græm] *n.* 지혜의 판(板)《네모난 판을 삼각·사각 따위 7개로 자른 것을 짜 맞추며 노는 (중국의) 장난감》.

tangy [tǽŋi] (***tang·i·er; -i·est***) *a.* (맛이) 싸한; (냄새가) 코를 쏘는. 파 **táng·i·ness** *n.*

tan·ist [tǽnist, θɔ́:n-] *n.* 〖역사〗 (켈트인의) 족장 후계자《tanistry에 근거하여 뽑힌》.

tan·ist·ry [tǽnəstri, θɔ́:n-] *n.* (켈트인의) 족장 후계자 선정제(制)《족장 생존 중 친족 중에서 후계자를 선거로 결정했음》.

⁑tank [tæŋk] *n.* **1** (물)탱크, 수조(水槽); 유조(油槽); 연료 용기; 가스탱크; (비행기의) 보조 연료 탱크: ~*s* for storing oil 석유 저장 탱크. **2** 《미속어》 수영 풀(pool); 《Ind.》 저수지; 《미·영 방언》 못, 호수. **3** 〖군사〗 전차, 탱크: a female 〔male〕 ~ =a light 〔heavy〕 ~ 경〔중〕전차. **4** 《미속어》 혼거(混居) 감방; 작은 마을; 위, 밥통. **5** =TANK FIGHT. **6** =TANK LOCOMOTIVE. ***go in the ~*** 《미속어》 시합을 포기하다. ***in the ~*** 《미속어》 취하여(drunk). **—** *vt.* 탱크에 넣다〔저장하다〕; 탱크 속에서 처리하다; 《미속어》 일부러 져 주다. **—** *vi.* 《구어》 탱크와 같이 움직이다. **~ *up*** 《구어》 (휘발유를) 탱크에 가득 채우다; 《속어》 진탕 마시다〔먹다〕《*on*》, 《특히》 폭음하다, 만취하다.

tank·age [tǽŋkidʒ] *n.* Ⓤ 탱크 저장(량); 탱크 사용료〔용량〕, 탱크 설비; 지스러기 고기·내장 등을 탱크 속에서 쪄서 기름을 빼낸 찌꺼기《비료·사료용》.

tan·kard [tǽŋkərd] *n.* 큰 조끼《뚜껑 및 손잡이가 달린 맥주용》; 큰 조끼에 하나 가득 찬 음료〔용량〕.

tank·a·to·ri·um [tǽŋkətɔ̀:ri:əm] *n.* 탱크 요법 클리닉《뜨뜻한 소금물을 반쯤 채운 밀폐된 탱크에 환자를 넣고 치료하는 정신 요법 시설》.

tánk càr 〖철도〗 탱크차《각종 액체나 기체의 수송용 탱크를 싣는 화차》.

tánk destròyer 자주(自走) 대(對)전차포, 전차 공격차.

tánk dràma 《속어》 값싼 연극《수난(水難) 구조 장면에 진짜 물을 사용해 인기를 끄는 연극에서》.

tanked [-t] *a.* 탱크에 저장한; 《속어》 몹시 취한(=**∠ úp**). ***get ~ up*** 《속어》 만취하다.

tánk èngine =TANK LOCOMOTIVE.

***tank·er** [tǽŋkər] *n.* **1** 유조선, 탱커; 탱크로리(lorry). **2** 〖항공〗 (공중) 급유기. **3** 〖미군사〗 전차〔장갑차〕 대원(tankman). **4** 《CB속어》 알코올음료 운반용 트레일러〔자동차〕.

tánk fàrm 석유 탱크 집합 지역.

tánk fàrming 수경법(水耕法)(hydroponics).

tánk fìght 《미속어》 짬짜미 권투 시합(=**tánk jòb, tánk àct**).

tánk locomòtive 〖철도〗 탱크 기관차《석탄·물을 적재한》.

tánk·man [-mən] (*pl.* ***-men*** [-mən, -mèn]) *n.* (공장의) 탱크 담당; (수족관의) 수조 담당; 〖미군사〗 =TANKER; 《속어》 남자 수영 선수《스포츠 기자 용어》.

tánk·shìp *n.* 유조선, 탱커.

tánk sùit (원피스 모양의) 여성용 수영복《1920년대 유행》.

tánk tòp 러닝셔츠 모양의 웃옷.

tánk tòwn 〖미철도〗 급수역; 작은 마을.

tánk tràiler (석유·가스 수송용) 탱크 트레일러〔로리〕.

tánk tràp 대전차 장애물〔호(壕)〕.

tánk trùck 탱크차; 유조〔수조(水槽)〕 트럭.

tank top

tan·na·ble [tǽnəbəl] *a.* 무두질할 수 있는.

tan·nage [tǽnidʒ] *n.* Ⓤ 무두질; 무두질한 가죽(제품).

tan·nate [tǽneit] *n.* Ⓤ 〖화학〗 타닌산염(酸塩).

tanned [tænd] *a.* 무두질한; 햇볕에 탄.

tan·nen·baum [tǽnənbàum] *n.* 《G.》 크리스마스트리《전나무의 뜻》.

tan·ner¹ [tǽnər] *n.* 무두장이, 제혁(製革)업자.

tan·ner² *n.* 《영속어》 6펜스 (백통화).

tan·nery [tǽnəri] *n.* 무두질 공장〔방법〕.

Tann·häu·ser [tǽnhɔ̀izər, -hàu-] *n.* 탄호이저《13 세기의 독일 서정시인》; 이를 주제로 한 Wagner의 3부작 가극(1845).

tan·nic [tǽnik] *a.* **1** 타닌(성(性))의; 타닌에서 얻은: ~ acid 〖화학〗 타닌산(酸). **2** (와인이) 타닌의 떫은 맛이 강한.

tan·nin [tǽnin] *n.* Ⓤ 〖화학〗 타닌(산); 무두질 작용을 하는 물질.

tan·ning [tǽniŋ] *n.* **1** Ⓤ 무두질, 가죽이기기, 제혁(법). **2** Ⓤ 햇볕에 탐. **3** Ⓤ,Ⓒ 《구어》 매질.

tánning bèd 일광욕용 베드.

tan·nish [tǽniʃ] *a.* 황갈색을 띤.

Tan·noy [tǽnɔi] *n.* 탄노이《스피커 장치; 상표명》; (t-) 《영》 스피커 장치. **—** *vt.* (t-) 《영》 스피커 장치로 방송하다.

TANS 〖항공〗 tactical air navigation system (전술 항법 시스템)《Doppler radar 등을 이용》.

TANs 《미》 tax anticipation notes(납세 지방채(債); 지방 자치 단체가 세수(稅收)를 예상하여 발행하는 공채).

tan·sy [tǽnzi] *n.* 〖식물〗 쑥국화《약용·요리용》.

tan·ta·lite [tǽntəlàit] *n.* 탄탈라이트《탄탈룸(tantalum)의 원광》.

tan·ta·lize [tǽntəlàiz] *vt.* (보여 주거나 헛된 기대를 갖게 하여) 감질나게〔안타깝게〕 하여 괴롭히다. **—** *vi.* 사람을 애먹이다. ㊎ Tantalus. [◂ *Tantalus*+*ize*] 파 **-lìz·er** *n.* **tàn·ta·li·zá·tion** *n.*

tán·ta·lìz·ing *a.* 애타게 하는, 감질나게 하는; 기대를〔욕망을·흥미를〕 부추기는, 관심을 끌게 하는. 파 **~·ly** *ad.*

tan·ta·lum [tǽntələm] *n.* Ⓤ 〖화학〗 탄탈룸《금속 원소; 기호 Ta; 번호 73; 백금 대용품》.

Tan·ta·lus [tǽntələs] *n.* 〖그리스신화〗 탄탈로스《Zeus의 아들; 아들 Pelops를 잡아 요리하여 신들에게 바친 벌로 호수에 턱까지 잠기어 물을 마시려 하면 물이 빠지고, 머리 위의 나무 열매를 따려 하면 가지가 뒤로 물러났다 함》; (t–) 술병 진열대의 일종《열쇠 없이는 술병을 꺼낼 수 없음》.

tan·ta·mount [tǽntəmàunt] *a.* 〖보어로서〗 동등한, 같은, 상당하는(equal)《*to*》.

tan·ta·ra [tǽntərə, tæntǽrə, tæntɑ́:rə] *n.* 뚜뚜《나팔〔뿔피리〕 소리》. [imit.]

tan·tivy [tæntívi] *ad.* 질주하여, 쏜살같이; 단숨에. **—** *n.* 질주, 돌진; 〖사냥〗 '달려가라' 하는 외침. **—** *a.* 질주하는.

tan·to [tɑ́:ntou/tǽn-] *ad.* 〖음악〗 《It.》 지나치게, 너무, 그렇게: non ~ 너무 …하지 않게.

tán·tony (pìg) [tǽntəni(-)] 한 배에서 난 새끼 돼지 중 가장 작은 놈(Anthony); 추종자.

tan·tra [tʌ́ntrə, tǽn-] *n.* (종종 T–) 〖힌두교〗 탄트라 경전; Ⓤ 그 교리. ㊕ **tán·tric** *a.*

tan·trum [tǽntrəm] *n.* (종종 *pl.*) 불끈하기, 울화. ***be in*** one's **~s** 기분이 언짢다. ***go*** 〔***fly, get***〕 ***into*** one's **~s** 〔***a*** **~**〕 불끈하다, 화내다.

tán·yàrd *n.* 무두질〔제혁〕 공장.

Tan·za·nia [tæ̀nzəní:ə] *n.* 탄자니아《아프리카 동부의 공화국; 수도 Dar es Salaam》. ㊕ **-ní·an** *a.*, *n.* 탄자니아의 (사람).

Tao [tau, dau] *n.* (때로 t–) (도교의) 도(道); (유교의) 도(道); (기예 따위의) 도(道).

taoi·seach [tí:ʃəx] *n.* (아일랜드 공화국의) 수상.

Ta·o·ism [táuizəm, dáu-] *n.* Ⓤ (노자가 제창한) 도교(道教); 노장(老莊) 철학.

Tá·o·ist *a.* 노장 철학의; 도교의. **—** *n.* 노장 철학신 봉자, 도교 신자; 도사(道士). ㊕ **Ta·o·ís·tic** [-ístik] *a.*

tap[1] [tæp] (***-pp-***) *vt.* **1** 《~+목/+목+전+명》 가볍게 두드리다〔치다〕, 똑똑 두드리다《*against*; *on*》: Someone ~*ped* me *on* the shoulder. 누군가가 어깨를 툭 쳤다 / ~ feet *on* the floor 발로 마루를 똑똑 울리게 하다. **2** 《~+목/+목+전+명》 가볍게 두드려서 …하다: ~ ashes *out of* a pipe 파이프의 재를 털어 내다. **3** 《~+목/+목+부/+목+전+명》 가볍게 쳐서 만들다, (타자기 등을) 치다《*out*》; (컴퓨터에 정보를) 입력하다《*into*》; 박자를 맞추다: ~ *out* an SOS 에스오에스의 무전을 치다 / ~ a time 박자를 맞추다 / ~ a message *with* a finger 손가락으로 똑똑 신호하다. **4** 《미》 구두창을 (갈아) 대다. **5** 〖농구〗 공중의 공을 가볍게 치다. **6** 《미》 (클럽 멤버로) …을 뽑다〔임명하다〕. **—** *vi.* **1** 《~/+전+명》 똑똑 두드리다〔치다〕《*at*; *on*》: ~ *on* 〔*at*〕 the door 문을 똑똑 두드리다. **2** 똑똑 (가벼운 소리를 내며) 걷다. **3** 탭댄스를 추다. **~ *up*** 문을 두드려 깨우다.

— *n.* **1** 가볍게 두드리기〔두드리는 소리〕: There was a ~ on the door. 문 두드리는 소리가 났다. **2** 구두 창갈이 (가죽). **3** (*pl.*) 작은북의 연타음(cf. taps); 탭댄스. **4** (탭댄스용 구두의) 큰징. **5** 〖농구〗 공중의 공을 가볍게 침. **6** 〖복수형으로 보통 단수취급〗 〖미군사〗 소등 신호.

tap[2] *n.* **1** (통에 달린) 주둥이, (수도 등의) 꼭지(《미》 faucet), (급수)전(栓), 마개: turn the ~ on 〔off〕 꼭지를 틀어서 따르다〔잠그다〕. **2** 같은 술통 꼭지에서 따른 술; 술의 품질〔종류〕; 〖일반적〗 특질: an excellent ~ 좋은 술 / liquor of the same ~ 같은 술통〔독〕의 술. **3** =TAPROOM. **4** 〖전기〗 탭, 콘센트, 전류를 따내는 중간 접점; 방수(傍受), 도청; 도청기, 은닉 마이크. **5** 〖기계〗 암나사의 골을 내는 공구, 탭. **6** 〖외과〗 천자(穿刺)(법)《체액 제거》. ***on*** **~** ① (통이) 주둥이가 달려, 꼭지가 열려. ② 언제든지 따를〔쓸〕 수 있도록 준비되어: The natural resources are now *on* ~. 천연자원 개발의 길이 트였다. ③ 언제든지 살 수 있는《국채 따위》.

— (***-pp-***) *vt.* **1** (통·관에) 꼭지〔마개〕를 달다, …의 꼭지를 따다, 용기의 꼭지를 따고 (술 따위를) 따르다: ~ a cask of wine 포도주통의 꼭지를 따다. **2** 꼭지를 열어〔줄기에 홈을 새겨〕 …의 즙〔수액〕을 받다; 〖외과〗 천자(穿刺)하다; (본관)에서 수도〔가스〕를 끌다: ~ a rubber tree 고무나무에 홈을 새겨서 수액을 받다. **3** (지식의 원천 따위를) 개척하다; (토지·지하자원을) 개발하다: ~ an oil field 유전을 개발하다 / The railway ~*ped* the district. 철도가 이 지방을 개발했다. **4** (전화선 등에) 탭을 만들고 방수〔도청〕하다; (전기 회로를) 분기시키다, (전류를) 잇다. **5** (새 학설 등을) 제창하다; (이야기를) 꺼내다. **6** 《+목+전+명》 (아무에게 돈·정보·도움 등을) 청하다; (아무에게서) 돈을 뜯다, 조르다: ~ a person *for* money 〔a tip, information〕 아무에게서 돈을〔팁을, 정보를〕 얻어내려 하다. **7** 〖기계〗 …에 암나사의 골을 파다. **~ *out*** 《미속어》 (도박이나 금융 시장에서) 돈을 다 잃다. **~ *the admiral*** 《해사속어》 통의 술을 훔치다.

— *a.* (채권(債券)이) 발행 기간·발행 총액에 제한이 없는.

ta·pa[1] [tɑ́:pə, tǽpə] *n.* Ⓤ 타파《꾸지나무의 속껍질》; 타파 천(=∠ **clòth**)《남태평양 제도산(産)의 꾸지나무 껍질 등을 두들겨 만든 천; 옷·깔개용》.

ta·pa[2] *n.* (보통 *pl.*) 타파스《스페인 요리의 전채(前菜) 또는 바 따위의 마른안주》.

táp bòlt 〖기계〗 탭볼트(cap screw).

táp bònd 〔**ìssue**〕 《미》 (유휴 자본 흡수를 위한) 국채.

táp bòrer 마개 따는 (나사)송곳.

táp cìnder 〖야금〗 광재(鑛滓).

táp dànce 탭댄스《구두 소리로 리듬을 맞추는》.

táp-dànce *vi.* 탭댄스를 추다.

táp dàncer 탭댄서.

tape [teip] *n.* **1** Ⓤ,Ⓒ (납작한) 끈《짐꾸리기·양재에 쓰임》, 테이프: three yards of linen ~ 리넨 끈 3야드 / do up the ~s of an apron into bows 앞치마의 끈을 나비 모양으로 매다 / fancy ~ 장식용의 예쁜 끈. **2** 각종 테이프《녹음·비디오·접착·절연 따위》: insulating ~ 절연 테이프 / magnetic ~ 자기(磁氣) 테이프《녹음·녹화 테이프》 / ticker ~ (전신을 자동적으로 표시하는) 인자(印字) 테이프 / adhesive ~ 접착용 테이프. **3** 〖경기〗 (결승선용) 테이프. **4** =TAPEWORM. **5** 《속어》 술, 화주(火酒). **6** 줄자(~ measure). **7** 천공 테이프《컴퓨터·전신 수신용》. **8** =TAPE RECORDING. **9** (기계의) 피대, 벨트. ***breast the*** **~** 테이프를 끊다, 경주에서 1착(着)이 되다. ***run the*** **~** ***over…*** 《영속어》 …을 검사하다.

— *vt.* **1** …에 테이프를 달다〔붙이다〕. **2** 《+목+부》 테이프로 묶다〔매다〕: The doctor ~*d up* the wound. **3** …에 테이프를 감다. **4** 줄자로 재다. **5** 〖경기〗 (결승선에) 테이프를 치다. **6** (소리·화상·컴퓨터용 데이터 따위를) 테이프에 기록하다; 녹음〔녹화〕하다. **—** *vi.* 테이프에 기록하다. ***be*** **~*d*** 《영구어》 완전히 이해하고 있다; 결말이 나 있다. ***have*** 〔***get***〕***…*** **~*d*** 《영구어》 (사람·문제·사태 등을) 간파하다; …의 결말을 짓다.

— *a.* 테이프에 기록한; 기록용 테이프와 함께 사용하는.

㊕ **∠·less** *a.* **∠·like** *a.*

tápe dèck 테이프덱《(1) 자기(磁氣) 헤드에 테이프를 통과시키는 기구(機構), 테이프 구동(驅動) 기구(tape transport). (2) 앰프·스피커가 없는 테이프 리코더》; =TAPE PLAYER.

tápe-delày *n.* 테이프딜레이《(1) 녹음한 것을 방송에 걸기까지의 시간. (2) 연주의 생방송에서 효과를 높이는 방법으로 후속되는 연주에 음을 겹치기 위한 녹음》.

tápe drìve 〖컴퓨터〗 테이프드라이브《자기(磁氣) 테이프의 정보를 판독하거나 테이프에 정보를 기록하는 장치》.
tápe·lìne *n.* =TAPE MEASURE.
tápe machìne 1 《영》 =TICKER. 2 =TAPE RECORDER.
tápe mèasure 줄자《천 또는 얇은 금속제》.
tápe plàyer 테이프 플레이어《테이프 재생 전용 장치》.
tápe pùnch 〖컴퓨터〗 테이프 천공기(穿孔機).
◇**ta·per**[1] [téipər] *n.* **1** 가는 초; 초 먹인 심지《점화용》. **2** 끝이 뾰족한 것〔모양〕; (주물공의) 인두. **3** (끝이 빤 물체의 두께·지름·너비 등의) 체감도〔률〕; (활동·힘 등이) 점점 약해지기, 점감(漸減). **4** 《시어》 약한 빛. **—** *a.* 끝이 (점점) 가늘어진《손가락 따위》; (운임 등) 체감적으로 유별된. **—** *vi.* 《~/+副/+前+名》 점점 가늘어지다〔뾰족해지다〕《*off; away; down*》; 점점 줄다, 적어지다《*off*》: ~ 〔be ~*ed*〕 (*off*) *to* a point 점차 가늘어져 끝이 뾰족해지다, 끝이 빨다. **—** *vt.* 차차 가늘게 하다, 뾰족하게 하다. ~ ***off*** 《*vi.*+副》 ① ⇨ *vi.* ② (폭풍·조직 등이) 차츰 소멸하다: Foreign aids ~ *off.* 외국 원조가 차츰 준다. **—** 《*vt.*+副》 ③ ⇨ *vt.* ④ (습관 등을) 점차 그만두다: I tried to ~ *off* the daily amount of drink. 매일 매일의 음주량을 줄이려고 애썼다. ⊕ **~·er** *n.* (종교상의 행렬에서) 가는 초를 드는 사람.
tap·er[2] *n.* tape를 사용하는 사람; 테이프를 거는 기계, 테이퍼.
tápe rèader 〖컴퓨터〗 테이프 판독기(判讀機).
tápe-record *vt.* …을 테이프에 녹음하다.
tápe recòrder 테이프 리코더, 녹음기.
tápe recòrding 테이프 녹음〔녹화〕.
tápe rèel 〖컴퓨터〗 테이프 릴《자기(磁氣) 테이프를 감기 위한 얼레》.
táper fìnger 끝이 가는 손가락. OPP. *sausage finger.*
táp·er·ing [-riŋ] *a.* 끝이 가늘어진, 끝이 뾰족한, 점점 준. ⊕ **~·ly** *ad.*
tápe strèamer 〖컴퓨터〗 대용량의 하드디스크를 자기(磁氣) 테이프에 고속으로 보존하는 장치.
tap·es·tried [tǽpəstrid] *a.* tapestry로 장식한〔수놓은〕.
◇**tap·es·try** [tǽpəstri] *n.* C,U **1** 태피스트리《색색의 실로 수놓은 벽걸이나 실내 장식용 비단》. **2** 그런 직물의 무늬. **—** *vt.* ~로 장식하다; (무늬를) 비단〔융단〕에 짜 넣다.
tápestry càrpet 태피스트리 카펫《미리 도안을 실에 염색해 넣어서 짜는》.
tápe trànsport 테이프 구동(驅動), 테이프 전송(轉送).
tápe ùnit 〖컴퓨터〗 테이프 장치.
tápe·wòrm *n.* 〖동물〗 촌충.
táp·hòle *n.* (나무통의) 액체를 따르는 주둥이; 〖야금〗 출탕구(出湯口)《용광로 따위에서 쇳물이 흘러나오게 하는 구멍》; 수액 채취구《수목에 구멍을 뚫은》.
ta·phon·o·my [təfánəmiː/-fɔ́n-] *n.* 〖지학〗 **1** (동식물의) 화석화(化石化)(의 과정 조건). **2** 화석학(學), 화석 생성론.
táp·hòuse *n.* 《영》 (생맥주) 선술집.
táp-ìn *n.* 〖농구〗 탭인《공중 볼을 쳐서 바스켓에 집어넣는 골(goal)》.
tap·i·o·ca [tæ̀pióukə] *n.* U 타피오카《cassava의 뿌리에서 채취한 식용 녹말》, 그 요리.
ta·pir [téipər, təpíər/téipə, -piə] (*pl.* **~, ~s**) *n.* 〖동물〗 맥(貘)《말레이·라틴 아메리카산(產)》.
ta·pis [tǽpiː, -´, tǽpis/tǽpiː] *n.* 《F.》 《폐어》 태피스트리. ***be on the*** ~ 심의〔고려〕 중이다.
táp-òff *n.* 〖농구〗 =TIPOFF.
ta·pote·ment [təpóutmənt] *n.* U 〖의학〗 가볍게 두드리는 안마법.
tap·per[1] [tǽpər] *n.* 가볍게 두드리는 사람;구두 수선인; (전신기의) 전건(電鍵); (벨의) 딸딸이; 《영방언》 딱따구리; 탭댄서.
tap·per[2] *n.* tap²하는 사람〔것〕; 수액(樹液) 채취자〔기〕; 암나사의 골을 내는 사람〔기계〕.
tap·pet [tǽpit] *n.* 〖기계〗 태핏.
tap·ping[1] [tǽpiŋ] *n.* U 가볍게 치기, 똑똑 치기; 똑똑 치는 소리.
tap·ping[2] *n.* U **1** 술통의 마개를 따기. **2** (*pl.*) 마개를 따서 따라 놓은 것; (채취한) 수액(樹液). **3** 암나사깎기. **4** 〖의학〗 복수(腹水) 빼내기. **5** (전화 따위의) 도청.
táp ràte 《영》 (국채 따위의) 시세.
táp·ròom *n.* 《영》 (호텔 등의) 바(barroom).
táp·ròot *n.* 〖식물〗 주근(主根), 곧은 뿌리, 직근(直根); 《비유》 성장의 요인.
TAPS [tæps] *n.* 알래스카 횡단 석유 수송관망(網). [◂ *T*rans-*A*laska *P*ipeline *S*ystem]
taps [tæps] *n.* 〔단·복수취급〕 〖미군사〗 소등나팔〔북〕; (장례·위령제의) 영결 나팔.
tap·sal-tee·rie, tap·sie- [tǽpsəltíːri], [tǽpsi-] *ad., a., n., v.* 《Sc.》 =TOPSY-TURVY.
tap·ster [tǽpstər] *n.* 《드물게》 (술집의) 서비스 종사원《남녀》, 바텐더.
táp-táp *n.* 똑똑 두드리는 소리. **—** *vi.* 똑똑 소리를 내다.
táp wàter (수도 꼭지에서 받은) 맹물.
tar**[1] [tɑːr] *n.* U 타르; 콜타르 피치; (담배의) 댓진; 《미속어》 아편; 커피. ◇ tarry *a.* (as***) ***brisk as bees in a ~ bucket*** 《미구어》 아주 활발한. ***beat*** 〔***knock, whip, whale***〕 ***the ~ out of*** 《미구어》 …을 사정없이 때려눕히다. ***have*** one's ***head in a ~ barrel*** 《미구어》 곤란에 빠지다. ***lose*** 〔***spoil***〕 ***the sheep*** 〔***the ship, the ewe, the hog***〕 ***for a half pennyworth of ~*** 푼돈을 아끼다 큰 것을 망치다, 소탐대실하다. **—** (***-rr-***) *vt.* 타르를 칠하다《*with*》; 타르로〔를 바른 듯이〕 더럽히다; (…에게) 오명을 씌우다; (평판 등을) 손상시키다. ***be ~red with the same brush*** 〔***stick***〕 같은 결점이 있다, 죄는 같다. ~ ***and feather*** a person 아무의 온몸에 타르를 칠하고 새털을 붙여 둘러메고 다니다《린치의 일종》; 엄하게 벌하다. **—** *a.* 타르의〔같은〕; 타르를 바른.
tar[2] *n.* 《구어》 선원, 뱃사람(jack-~).
tar[3], **tarre** [tɑːr] (***tarred***) *vt.* 부추기다, 선동하다《*on*》.
tar·a·did·dle, tar·ra- [tǽrədídl/´-´-] *n.* 《구어》 터무니없는 거짓말, 그럴듯한 속임수.
ta·ra·ma·sa·la·ta, -mo- [tɑ̀ːrəmɑːsəlɑ́ːtə/tæ̀rəmə-] *n.* 〖요리〗 타라마살라타《어란(魚卵)으로 만든 그리스풍의 오르되브르》.
ta·ran·tass, -tas [tɑ̀ːrəntɑ́ːs] *n.* 《Russ.》 (러시아의) 대형 4 륜마차.
tar·an·tel·la, -telle [tæ̀rəntélə], [-tél] *n.* 타란텔라《남이탈리아의 활발한 춤》; 그 곡.
tar·an·tism [tǽrəntìzəm] *n.* U 〖의학〗 무도병(舞蹈病)《tarantula에 물리면 걸린다는》.
ta·ran·tu·la [tərǽntʃələ/-tju-, -tʃu-] (*pl.* **~s, -lae** [-lìː]) *n.* 독거미의 일종《남이탈리아의 Taranto 지방산》.

tarantula

tar·a·tan·ta·ra [tæ̀rətǽntərə] *n.* =TANTARA.
ta·rax·a·cum [tərǽksəkəm] *n.* 민들레속(屬)의 풀; (*pl.*) 그 뿌리로 만든 하제(下劑).
tár bàby 빼도박도 못하게 된 상황〔상태〕, 어쩔도리 없는 상태〔사정〕.
tar·boosh, -bush [tɑːrbúːʃ] *n.* 《Ar.》 터키

모자(술 달린 양태 없는 남성모; 보통 빨간색).

tár·brùsh *n.* 타르솔; 《속어》《보통 경멸》 흑인의 혈통. ***be touched with the same*** ~ 똑같은 결점을 갖다. ***have a touch*** 〔***lick, dash***〕 ***of the*** ~ 《경멸》 흑인〔인도인〕 피가 섞여 있다.

Tar·de·noi·sian [tɑ̀ːrdənɔ́iʒən, -ziən] *n., a.* 〖고고학〗 타르드누아 문화기(의)《기하학 형태의 세석기(細石器)를 특징으로 하는 유럽의 중(中)석기 문화; 표준 유적은 프랑스 북동부의 Fère-en-Tardenois》.

tar·di·grade [tɑ́ːrdəgrèid] *a., n.* (걸음·동작이) 느린 (동물); 〖동물〗 완보류(緩步類)(의).

tar·dive [tɑ́ːrdiv] *a.* 만기(晩期)의, 지발성(遲發性)의.

tárdive dys·ki·né·sia [-dìskəníːʒə] 〖의학〗 지발성(遲發性) 안면 경련《생략: TD》.

tar·do [tɑ́ːrdou] *a.* 《It.》 〖음악〗 느린(slow).

°**tar·dy** [tɑ́ːrdi] (***-di·er; -di·est***) *a.* **1** 느린, 완만한; 늦은, 더딘; (학교·모임 등에) 지각한(*at; for; to*): a ~ repentance 때늦은 뉘우침 / a ~ reader 문자 해독이 더딘 아이 / a ~ student 지각생. **2** 우물쭈물하는, 마지못해 하는: a ~ consent 마지못해 하는 승낙. **—** *n.* 지각, 지참(遲參). ㊔ **-di·ly** *ad.* **-di·ness** *n.*

tar·dy·on [tɑ́ːrdiɑ̀n/-ɔ̀n] *n.* 〖물리〗 타디온, 아광속(亞光速) 입자. ㉢ tachyon.

tare[1] [tɛər] *n.* 〖식물〗 살갈퀴; (*pl.*) 〖성서〗 가라지, 독(毒)보리《마태복음 XIII: 25, 36》; (*pl.*) 《비유》 해독(害毒). ***sow*** **~*s among*** a person's ***wheat*** 남을 속여 해를 입히다.

tare[2] *n.* Ⓤ (화물의) 포장 중량; 차체(車體) 중량; 〖화학〗 용기의 중량. ~ ***and tret*** 용기 계산법. **—** *vt.* 포장〔용기〕의 무게를 달다〔공제하다〕.

targe [tɑːrdʒ] *n.* 《고어》 작고 둥근 방패; 표적.

tar·get** [tɑ́ːrgit] *n.* **1** 과녁, 표적: shoot at the ~ 표적을 쏘다. **2** (모금·생산 등의 도달) 목표, 목적물, 목표액: an export ~ 수출 목표액. **3** (웃음·분노·비판·경멸 등의) 대상, 목표(*for; of*): He was made the ~ *of* his father's anger. 그는 아버지의 분노의 대상이 되었다. **4** 〖측량〗 타깃, 조준판. **5** 〖미철도〗 (전철기의) 원판 신호기. **6** 《고어》 =TARGE. **7** 〖전자〗 물표(物標)《레이더·소나의 빔을 반사하는 목표물》. **8** 《영》 새끼 양의 목·가슴고기. **9** 〖컴퓨터〗 대상《편집기(editor)를 복사, 이동, 병합할 자료의 삽입 위치 표시》. ***hit a ~ 과녁에 맞(히)다; 목표액에 이르다. ***miss the*** ~ 과녁을 빗맞히다; 예상이 어긋나다. ***off*** ~ 과녁을〔목표를〕 벗어난, 빗나간. ***on*** ~ (문제 해석·대처 방법이) 적확한, 정곡을 찌른. **—** *vt.* **1** …을 목표로 정하다, 목적으로 하다. **2** (미사일 등을) …로 겨냥하다. ㊔ **~·a·ble** *a.* 목표를 정할 수 있는. **~·less** *a.*

tárget àudience 광고 타깃《광고주가 광고 메시지를 전하려고 노리는 대상》.

tárget càrd (사격의) 점수 기입부.

tárget compúter 〖컴퓨터〗 대상 컴퓨터《(1) 특정 목적 프로그램 실행을 위한 체계의 컴퓨터. (2) 컴퓨터 통신망 내에서 자료 전송의 대상이 되는 컴퓨터》.

tárget dàte (계획 따위의) 목표 기일.

tárget dìsk 〖컴퓨터〗 목적 디스크, 대상 디스크《복사 대상이 되는 디스크》.

tár·get·ing *n.* 〖약학〗 약물 표적화(化)《환부에 대한 약효의 지속화·증강을 목적으로 함》.

tárget lànguage (학습 또는 번역의) 목적〔대상〕 언어《국문 영역의 경우 영어 따위》.

tárget màn 《영》〖축구〗 타깃 맨《특히 장신의 포워드로, 자기 편이 센터링이나 크로스패스로 공을 보내는 공격의 중심 선수》.

tárget màrket 표적 시장《기업의 마케팅 계획 충족을 위해 필요한 일정한 고객군(群)》.

tárget pràctice 사격 연습.

tárget shìp 표적함〔선〕.

tárget zòne 〖금융〗 (국제 통화 안정을 위해 목표로 설정한) 외환 시세 변동폭.

Tar·gum [tɑ́ːrgum] (*pl.* **~*s, -gu·mim*** [tɑ̀ːrguːmíːm]) *n.* 타르굼《아람말(Aramaic)로 번역된 구약성서》. ㊔ **~·ist** *n.* ~의 필자〔역자〕; ~연구자. **Tar·gum·ic** [tɑːrgúːmik] *a.*

Tar·heel(·er) [tɑ́ːrhìːl(ər)] *n.* North Carolina 주 주민의 속칭.

Tár Hèel Stàte (the ~) North Carolina의 「속칭.

°**tar·iff** [tǽrif] *n.* **1** 관세표(關稅表)〔율〕; 관세(제도): preferential ~ 특혜 관세 / ~ rates 세율; (보험 등의) 협정률 / the ~ system 관세 제도 / retaliatory ~ 보복 관세 / protective ~ 보호 관세. **2** (철도·전신 등의) 요금표, 운임표; (여관·음식점 등의) 요금〔가격〕표; 《영》 공공요금 산정법〔방식〕; (보험 등의) 요율(料率); 《미구어》 (규정) 요금: ~ companies (임금·요금률에 관한) 협정 회사. **—** *vt.* …에 관세를 부과하다; …의 세율〔요금〕을 정하다. ㊔ **~·less** *a.*

táriff bàrrier 〔**wàll**〕 관세 장벽.

táriff òffice 〔**còmpany**〕 〖보험〗 협정 (가입) 회사《다른 보험 회사와 결정한 협정 요율에 의거 보험료를 산정하는 보험 회사》.

táriff refòrm 관세 개정《보통 영국에서는 자유 무역 반대, 미국에서는 보호 무역 반대 정책》.

tar·la·tan, -le- [tɑ́ːrlətən] *n.* Ⓤ 탈러턴《얇은 메린스; 무용복용》.

tar·mac [tɑ́ːrmæk] *n.* (T-) 타르맥《포장용 아스팔트 응고제; 상표명》; 타르머캐덤 포장의 도로〔활주로, (공항) 에이프런〕. **—** (***-mack-***) *vt.* (도로·활주로를) 타르머캐덤으로 포장하다.

tar·mac·ad·am [tɑ́ːrməkæ̀dəm, ˋ-ˊ-] *n.* 타르머캐덤《타르와 자갈의 혼합물》; 그 포장도로. **—** *vt.* =TARMAC.

tarn[1] [tɑːrn] *n.* 산 속의 작은 호수〔늪〕; 〖지학〗 「권곡호(圈谷湖).

tarn[2] *n.* 《고어·방언》 〖조류〗 =TERN[1].

tar·nal, 'tar- [tɑ́ːrnl] *a., ad.* 《미방언》 엄청난, 엄청나게, 터무니없는〔없이〕. ㊔ **~·ly** *ad.*

tar·na·tion [tɑːrnéiʃən] 《미방언》 *a., ad.* =TARNAL. **—** ***int., n.*** =DAMNATION.

tar·nish [tɑ́ːrniʃ] *vt.* **1** 흐리게 하다; 녹슬게 하다; 변색시키다. **2** …의 질을〔가치를〕 저하시키다; (명예 등을) 더럽히다, 손상시키다. **—** *vi.* 흐려지다; 녹슬다; 변색하다. **—** *n.* Ⓤ 흐림, 녹; 오점, 더럼; 〖광물〗 표면 변색. ㊔ **~·a·ble** *a.* **~ed** [-t] *a.* **~·er** *n.*

ta·ro [tɑ́ːrou, tɛ́ər-, tǽr-/tɑ́ːr-] (*pl.* **~s**) *n.* 〖식물〗 타로토란. 「(점(占) 전용 그림 카드).

ta·rot [tǽrou, -ˊ/ˊ-] *n.* 타로《78매 한 벌로 된

tarp [tɑːrp] *n.* 《미구어》 =TARPAULIN.

tar·pan [tɑːrpǽn] *n.* 〖동물〗 타르판(=**Tártar hórse**)《중앙아시아 초원 지대의 빨리 달리는 작은 야생마; 19세기에 멸종》.

tár pàper 타르지(紙)《건축용》; 루핑.

tar·pau·lin [tɑːrpɔ́ːlin, tɑ́ːrpə-/tɑːpɔ́ː-] *n.* Ⓤ 타르칠한 방수포〔범포(帆布)〕; Ⓒ (선원의) 방수외투, 방수모(防水帽); 《드물게·고어》 선원. **—** *vt.* 방수포로 덮다.

tar·pon [tɑ́ːrpən] (*pl.* **~s,** 〖집합적〗 ~) *n.* 〖어류〗 타폰(=**sílver kíng**)《Florida 반도·서인도 제도 주변의 큰 물고기》.

tarradiddle ⇨ TARADIDDLE.

tar·ra·gon [tǽrəgɑ̀n, -gən/-gən] *n.* 〖식물〗 사철쑥류(의 잎)《샐러드 등의 조미료》.

tar·ra·go·na [tæ̀rəgóunə] *n.* Ⓤ 스페인산(產)의 달착지근한 포도주.

tarred [tɑːrd] *a.* 타르를 칠한.

◇tar·ry[1] [tǽri] *vi.* **1** ⦅+전+명⦆ 체재하다, 묵다 ⦅*at; in; on*⦆: ~ *at* home 집에 있다 / He *tarried in* Baltimore on his way to Washington. 워싱턴으로 가는 도중 볼티모어에 체재했다. **2** 시간이 걸리다, 늦어지다; 주저하다. **3** ⦅+전+명⦆ 기다리다⦅*for*⦆. ― *vt.* …을 기다리다. ― *n.* ⦅고어⦆ 체재. ⓟ **tár·ri·er** *n.*

tar·ry[2] [tá:ri] (*-ri·er; -ri·est*) *a.* 타르의; 타르질(質)의; 타르를 칠한, 타르로 더럽혀진.

tars- [tɑ:rs], **tar·so-** [tá:rsou, -sə] 'tarsus(의)' 라는 뜻의 결합사.

tar·sal [tá:rsəl] 〖해부〗 *a.* 발목의, 부골(跗骨)의; 안검연골(眼瞼軟骨)의. ― *n.* 발목뼈.

tár sànds 〖지학〗 타르 샌드⦅아스팔트를 채취할 수 있는 역청질의 사암(砂岩)⦆.

tar·sia [tá:rsiə, tɑ:rsí:ə] *n.* ⦅It.⦆ 쪽매질 (intarsia).

tar·si·er [tá:rsiər, -sièi/-siə] *n.* 〖동물〗 안경원숭이(=**spécter lémur**).

tar·sus [tá:rsəs] (*pl.* **-si** [-sai, -si:]) *n.* 〖해부〗 발목뼈, 부골(跗骨); 안검연골(眼瞼軟骨); (새의) 부척골(跗蹠骨); (곤충의) 부절(跗節).

◇tart[1] [tɑ:rt] *a.* **1** 시큼한, 짜릿한. SYN. ⇨ SOUR. **2** ⦅비유⦆ (말·태도가) 신랄한, 날카로운: a ~ reply 가시 돋친 대답. ⓟ **∠-ish** *a.* **∠-ish·ly** *ad.* **∠·ly** *ad.* **∠·ness** *n.*

tart[2] *n.* 타트⦅영국에서는 과일 파이, 미국에서는 속이 보이는 작은 파이⦆; ⦅구어⦆ 행실이 단정치 못한 여자, 매춘부. ― *vt., vi.* ⦅영구어⦆ (야하게) 꾸미다, 차려입다⦅*up*⦆: ~ oneself *up* =get ~*ed up* 천하게 차려입다.

tar·tan[1] [tá:rtn] *n.* Ⓤ, *a.* 타탄(의), 격자무늬의 (모직물); Ⓒ (스코틀랜드의 각 씨족 특유의) 격자무늬.

tar·tan[2] *n.* (지중해의) 외대박이 삼각돛배.

tártan tràck 타탄 트랙⦅아스팔트 위에 합성수지를 깐 전천후 경주로(路)⦆.

Tártan Túrf 타탄 터프⦅경기장용 인공 잔디: 상표명⦆.

Tar·tar [tá:rtər] *n.* **1** 타타르 사람; Ⓤ 타타르 말. **2** (or t-) 사나운 사람; 감때사나운 여자. **3** 〖미해군〗 타타르 유도탄⦅함대공(艦對空) 미사일⦆. ***a young*** ~ 다루기 힘든 아이. ***catch a*** ~ 몹시 애먹이는 상대를 만나다; 애먹다. ― *a.* 타타르(사람〔풍〕)의; 사나운.

tar·tar *n.* Ⓤ 〖화학〗 주석(酒石); 치석(齒石), 이똥. ***cream of*** ~ 주석영(酒石英).

Tar·tar·e·an [tɑ:rtέəriən] *a.* 지옥의.

tártar emétic 〖화학·약학〗 토주석(吐酒石), 타타르산 안티모닐칼륨.

tár·tare sàuce [tá:rtər-] =TARTAR SAUCE.

Tar·tar·i·an [tɑ:rtέəriən] *n., a.* 타타르 사람(의).

tar·tar·ic [tɑ:rtǽrik, -tá:r-] *a.* 주석(酒石)의〔같은〕; 주석을 함유하는: ~ acid 타르타르산.

tár·tar·ìze [-ràiz] *vt.* 〖화학〗 주석화(酒石化)하다; 주석으로 처리하다.

tar·tar·ous [tá:rtərəs] *a.* 주석을 함유한, 주석의〔같은〕.

tártar sàuce 타르타르 소스⦅생선 요리용 마요네즈 소스의 하나⦆.

Tar·ta·rus [tá:rtərəs] *n.* 〖그리스신화〗 지옥 밑바닥의 끝없는 구렁; 〖일반적〗 지옥; 〖그리스신화〗 타르타로스⦅Gaia 의 남편⦆.

Tar·ta·ry [tá:rtəri] *n.* 〖역사〗 타타르 (지방).

tart·let [tá:rtlit] *n.* 작은 타트(small tart).

tar·trate [tá:rtreit] *n.* Ⓤ 〖화학〗 타르타르산염(酸塩).

tar·tra·zine [tá:rtrəzì:n, -zin] *n.* 〖화학〗 타르트라진⦅등황색의 분말; 양모·견(絹)의 염색이나 식품 착색용⦆.

Tar·tuf(f)e [tɑ:rtú(:)f] *n.* 타르튀프⦅Molière 작 희극의 주인공⦆; (종종 t-) 위선자. ⓟ **Tar·túf(f)·ìsm** *n.* 위선, 위선적 신앙〔성격〕.

tárty [tá:rti] *a.* ⦅구어⦆ 매춘부의〔같은〕, 야한, 현란한. ⓟ **tár·ti·ness** *n.*

Tar·zan [tá:rzən, -zæn] *n.* 타잔⦅미국의 작가 E.R. Burroughs(1875-1950) 작(作) 정글 모험 소설의 주인공⦆; (종종 t-) 초인적인 힘을 가진 사람.

TAS telephone answering service; 〖항공〗 true airspeed(진대기(眞對氣) 속도). **Tas.** Tasmania.

Ta·sa·day [tà:sədái] (*pl.* **~, ~s**) *n.* 타사다이족⦅Mindanao 섬 동굴에 사는⦆; Ⓤ 타사다이 말.

Ta·ser [téizər] *n.* 테이저 총⦅긴 전선 끝에 화살을 달아서 쏘는 무기; 맞으면 전기 충격으로 한때 마비됨; 상표명⦆. ― *vt.* ~로 공격하다. [◀ *T*ele-*A*ctive *S*hock *E*lectronic *R*epulsion]

tash [tæʃ] *n.* ⦅영속어⦆ =MUSTACHE.

Ta·shi La·ma [tá:ʃilá:mə] =PANCHEN LAMA.

Tash·kent [tɑ:ʃként, tæʃ-/tæʃ-] *n.* 타슈켄트⦅Uzbekistan 공화국의 수도⦆.

ta·sim·e·ter [tæsímitər] *n.* 미압계(微壓計)⦅전기 저항을 이용하여 온도나 습도의 변화에 따른 물질의 미세 변화를 측정함⦆. ⓟ **tas·i·met·ric** [tæ̀səmétrik] *a.*

‡task [tæsk, tɑ:sk/tɑ:sk] *n.* **1** (일정한 기간에 완수해야 할) 일, 임무; 작업, 사업; 과업: a home ~ 숙제 / a great ~ 대사업 / be at one's ~ 일을 하고 있다 / set a person (to) a ~ 아무에게 일을 과하다. **2** 노역, 고된〔어려운, 괴로운〕 일: She finds housekeeping an irksome ~. 그녀는 가사를 귀찮은 일로 여기고 있다. **3** 〖컴퓨터〗 태스크⦅컴퓨터로 처리되는 일의 최소단위⦆. ***call*** 〔***bring, take***〕 a person ***to*** ~ 아무를 꾸짖다, 비난하다⦅*for; about*⦆: He *took* me *to* ~ *for* being late. 그는 지각했다고 나를 책망했다. ― *vt.* **1** …에 일을 과하다. **2** …에게 무거운 짐을 지우다, 혹사하다, 괴롭히다. ~ ***a person's brain*** 아무의 머리를 썩이다, 골치를 앓게 하다: Mathematics ~*s* that boy's *brain*. 수학은 저 아이의 머리로는 무리다. ~ ***one's energies*** 전력을 기울이다.

task bar 〖컴퓨터〗 작업 표시줄⦅윈도 바탕화면 하단에 있는 가로 방향의 얇은 띠모양의 것⦆.

tásk fòrce 〔**gròup**〕 **1** 〖군사〗 기동〔특수 임무〕 부대. **2** 특별 전문 위원회〔조사단〕; 프로젝트팀; 대책 위원회〔본부〕. **3** ⦅영⦆ 특별 수사대⦅하이잭·테러·유괴범 수사에 임함⦆.

tásk·màster (*fem.* **-mistress**) *n.* (일을 할당하는) 공사 감독, 십장; 혹사하는 사람, 엄한 주인〔선생, 감독자〕.

tásk·wòrk *n.* 고된 일, 강제 노동; ⦅드물게⦆ =PIECEWORK.

Tas·man [tǽzmən] *n.* **Abel Janszoon** ~ 타스만⦅네덜란드의 항해가·탐험가(1603?-59); Tasmania, New Zealand 등을 발견⦆.

Tas·ma·nia [tæzméiniə, -njə] *n.* 태즈메이니아⦅오스트레일리아 남동의 섬; 오스트레일리아 연방의 한 주; 수도 Hobart; 생략: Tas., Tasm.⦆. ⓟ **-ni·an** *a., n.* 태즈메이니아의 (사람〔말〕).

Tasmánian dévil 〖동물〗 (태즈메이니아산) 주머니곰.

Tasmánian wólf 〔**tíger**〕 〖동물〗 (오스트레일리아의 태즈메이니아산(産)의) 주머니늑대.

Tass, TASS [tæs, tɑ:s/tæs] *n.* (옛 소련의) 타스 통신사⦅1992 년 1 월 30 일부터 러시아 통신사와 통합하여 'ITAR-TASS' 로 개명됨⦆. [⦅Russ.⦆ *T*elegrafnoe *A*gentstvo *S*ovetskovo *S*oyuza (=Telegraph Agency of the Soviet Union)]

tasse [tæs] *n.* 허리에서 넓적다리까지 늘이는 갑옷 미늘.

tas·sel [tǽsəl] *n.* 술; 장식술; 〖식물〗 총상(總狀) 화서〔꽃차례〕; (옥수수의) 수염; (책의) 서표(書標)〔갈피〕끈. **—** (*-l-*, 《영》 *-ll-*) *vt.* …에 술을 달다; (옥수수의) 수염을 뜯다. **—** *vi.* (옥수수 따위가) 수염이 나다《*out*》. ㊕ **-seled,** 《영》 **-selled** *a.* 술 달린.

tas·set [tǽsit] *n.* =TASSE.

Tas·sie, -sy [tǽzi] *n.* 《Austral.구어》 =TASMANIA; 태즈메이니아 사람.

Tas·so [tǽsou] *n.* **Torquato** ~ 타소《이탈리아의 서사시인; 1544-95》.

tast·a·ble [téistəbəl] *a.* =TASTEABLE.

taste [teist] *n.* **1** (the ~) Ⓤ 미각; Ⓤ,Ⓒ 맛, 풍미《*of*》: sweet 〔bitter, sour〕 to the ~ 맛이 단〔쓴, 신〕/ the delicate ~ *of* seafood 해산물의 감칠맛 / I've got a cold, so my ~'s quite gone. 감기에 걸려 맛을 전혀 모르겠다.

2 (a ~) 시식, 맛보기, 시음, 한 입, 소량《*of*》; 《미속어》 (이익의) 몫: Won't you have a ~ *of* this wine? 이 포도주를 한 모금 맛보시지 않겠습니까.

3 (a ~) (약간의) 경험, 맛; 형적; 《비어》 성교: Give him a ~ *of* the whip. 따끔한 채찍 맛을 보여 줘라 / get 〔have〕 one's first ~ *of* …을 처음으로 경험하다.

4 기미, 기색, 눈치: a ~ *of* sadness in her eyes 그녀의 눈에 어린 일말의 슬픈 기색.

5 Ⓒ,Ⓤ 취미, 좋아함, 기호: a man of ~ (미술 · 문학 등) 취미를 이해하는 사람, 멋을 아는 사람, 풍류인 / a matter of ~ 취미 문제, 취미 나름 / a ~ *for* music 음악 취미 / It's not in the best of ~. 그것은 그다지 좋은 취미가 아니다 / There's no accounting for ~*s*. =*Tastes* differ. 《속담》 각인각색, 오이를 거꾸로 먹어도 제멋.

6 Ⓤ 감식력, 심미안; Ⓒ,Ⓤ 고상한 취미; 풍취: She has excellent ~ in dress. 그녀는 옷에 대한 취미가 퍽 고상하다 / a house small but with a ~ 작으나마 풍취가 있는 집 / His speech was in excellent ~. 그의 연설은 대단히 세련되어 있었다.

7 양식, 스타일: a house in a Gothic ~ 고딕 양식의 집. ◇ tasty *a.*

have a ~ for …을 좋아하다; …에 대해서 심미안이 있다, …에 취미가 있다: He *has a* ~ *for* traveling 〔music〕. 그는 여행을 좋아한다〔음악을 안다〕. ***have no*** 〔***little***〕 ~ 맛이 없다〔거의 없다〕. ***in bad ~*** 천하게, 품위 없이. ***in good ~*** 취미가 고상하게, 품위 있게, 멋있게. ***in ~*** =in good ~. ***leave a nasty*** 〔***bitter, bad***〕 ***~ in the mouth*** 뒷맛이 쓰다; 나쁜 인상을 남기다. ***out of ~*** 맛을 모르는; 멋없는, 풍취가 없는. ***to a person's ~*** 아무의 기호에 맞춰서, 마음에 들어서: Abstract art is not *to* my ~. 추상 예술은 나의 취향에 안 맞는다. ***to ~*** 기호에 따라. ***to the*** 〔***a***〕 ***king's*** 〔***queen's***〕 ***~*** 더할 나위 없이, 완전히.

— *vt.* **1** …의 맛을 보다, 시식하다: The cook ~*d* the soup to see whether he had enough salt in it. 간을 보기 위해서 요리사는 수프 맛을 보았다. **2** …의 맛을 느끼다〔알다〕: ~ almond in a cake 케이크에 아몬드의 맛이 있는 것을 알아차리다 / Can you ~ anything strange in this soup? 이 수프엔 뭔가 이상한 맛이 나지 않습니까. **3** 〖주로 부정구문〗 (조금) 먹다, 마시다: I haven't ~*d* food for two days. 이틀 동안 아무것도 먹지 않았다. **4** 경험하다, 맛보다, 향수(享受)하다: ~ the sweet(s) and bitter(s) of life 인생의 쓴맛 단맛을 다 보다. **5** (익살 등을) 이해하다. **—** *vi.* **1** 《+보/+전+명/+*done*》 맛이 나다; 풍미가 있다《*of*》: It ~*s* bitter. 맛이 쓰다 / It ~*s* too much *of* garlic. 마늘 맛이 너무 강하다 / This coffee ~*s* burnt. 이 커피는 (눌어) 단내가 난다. **2** 《+전+명》 맛을 알다; 맛을 보다《*of*》: I ~*d of* the bread and it was good. 그 빵을 맛보았더니 맛이 좋았다. **3** 《+전+명》 《비유》 낌새가 있다《*of*》: The story ~*s of* treason. 그 이야기는 반역 낌새가 있다. **4** 《+전+명》 (조금) 먹다, 마시다《*of*》; 《문어》 경험하다, 맛보다《*of*》: ~ *of* the joys of life 생의 즐거움을 맛보다.

táste·a·ble *a.* 맛볼 수 있는, 맛〔풍미〕 있는.

táste bùd 〖해부〗 미뢰(味蕾), 맛봉오리《혀의 미각 기관》.

taste·ful [téistfəl] *a.* 취미를〔멋을〕 아는, 풍류가 있는; 감식력이 있는; 점잖은, 멋있는, 우아한. ㊕ **~·ly** *ad.* **~·ness** *n.*

táste·less *a.* 맛없는; 취미 없는, 멋없는; 품위 없는, 비속한; 감식력이 없는. ㊕ **~·ly** *ad.* **~·ness** *n.*

táste·màker *n.* 인기를 높이는〔유행을 일으키는〕 사람〔물건〕.

tast·er [téistər] *n.* 맛보는 사람, 맛〔술맛〕을 감정하는 사람; 〖역사〗 독의 유무(有無)를 맛보는 사람; 술맛 감정용 잔; (치즈의) 속 빼 보는 기구; 맛보기용 소량의 음식물; 《영비유》 (출판사의) 원고 감정〔심사〕 담당자.

tast·ing [téistiŋ] *n.* (음식물, 특히 wine의) 감정회(鑑定會).

tasty [téisti] (***tast·i·er; -i·est***) *a.* 풍미〔맛〕있는; 《구어》 재미있는; (복장 등이) 점잖은, 멋진, 고상한. ㊕ **tást·i·ly** *ad.* 《구어》 맛있게; 운치 있게, 고상하게. **-i·ness** *n.*

tat[1] [tæt] (*-tt-*) *vi.*, *vt.* 태팅(tatting)을 하다, (실 · 끈 따위로) 사뜨며서 만들다, 짜다.

tat[2] *n.* 가볍게 치기. ***tit for ~*** 맞받아 쏘아주기. **—** (*-tt-*) *vt.*, *vi.* 《방언》 가볍게 치다.

TAT 〖심리〗 thematic apperception test (과제 통각(統覺) 검사).

ta·ta [tá:tá/tætá:] *int.* 《영소아어 · 구어》 안녕, 빠이빠이. **—** *n.* 《영소아어》 〖다음 관용구로〗 ***go ~'s*** =***go for a ~*** 걸음마하다.

Ta·tar [tá:tər] *n.*, *a.* 타타르 사람(의); 타타르 말(의). ***the ~ Republic*** 타타르 공화국《러시아 연방의 자치 공화국의 하나; 수도 Kazan》.

Ta·tar·i·an, Ta·tar·ic [tɑ:tέəriən], [tɑ:tǽrik] *a.* =TARTAR.

Ta·ta·ry [tá:təri] *n.* =TARTARY.

Táte Gállery [téit-] (the ~) 테이트 미술관《런던의 Westminster에 있는 국립 미술관; 기증자는 Sir Henry Tate》.

ta·ter, 'ta- [téitər] *n.* 《방언 · 비어》 감자(potato).

tat·ter[1] [tǽtər] *n.* (보통 *pl.*) 넝마; 누더기옷; 《비유》 무용지물. ***in*** (***rags and***) ***~s*** 누더기가 되어, 다 해져서: dressed *in* (*rags and*) ~*s* 누더기를 입은. ***tear to ~s*** 갈가리 찢다; 호되게 논박하다; 《비유》 분쇄하다. **—** *vt.*, *vi.* 너덜너덜하게 해뜨리다〔해지다〕; 갈가리 찢(어지)다.

tat·ter[2] *n.* tatting 하는 사람.

tat·ter·de·ma·lion [tæ̀tərdiméiljən, -mǽl-] *n.* 누더기를 입은 사람. **—** *a.* 누덕누덕한; 망그러진; 빈약한.

tát·tered *a.* 누덕누덕한; 누더기 옷을 입은; 망그러진; 산산조각이 난.

tat·ter·sall [tǽtərsɔ̀:l, -səl] *n.* 태터솔(=∠ **chèck**)《2-3 색의 체크무늬》; 태터솔 무늬의 모직물〔프린트지(地)〕.

tát·ting *n.* Ⓤ 태팅《레이스 모양의 뜨개질의 일종》; 태팅으로 뜬 레이스.

tat·tle [tǽtl] *vi.* 잡담하다, 수다 떨다; 비밀을 누설하다《*on*》. **—** *vt.* 지껄이다, (비밀 등을) 지껄여 누설시키다. **—** *n.* Ⓤ 객담, 수다, 잡담; 소문, 떠도는 이야기, 가십.

tát·tler *n.* [U] 수다쟁이, 잡담을 늘어놓는 사람; 〖조류〗 노랑발도요; 《미속어》 자명종; 야경꾼.

táttle·tàle *n., a.* 수다쟁이(의), 고자쟁이(의) (telltale). — *vt., vi.* 고자질하다.

◇**tat·too**[1] [tætúː/tæ-, tə-] (*pl.* **~s**) *n.* [U] 귀영 나팔〔북〕《보통 오후 10시의》, 폐문 신호 소리; [C] 《영》(군악에 맞추어 하는) 야간 분열 행진; [C] 똑똑〔둥둥〕 두드리는 소리: ⇨ DEVIL'S TATTOO. — *vi.* 똑똑〔둥둥〕 두드리다. — *vt.* (북 따위를) 치다; 똑똑 두드리다.

tat·too[2] *vt.* 문신(文身)을 하다: ~ a rose *on* one's arm 팔에 장미 문신을 하다 — (*pl.* **~s**) *n.* 문신(文身): a ~ artist 문신사. [파] **~·er, ~·ist** *n.* 문신사(師).

tat·ty[1] [tǽti] (**-ti·er; -ti·est**) *a.* 《영》 초라한, 넝마의; 싸구려의; 요란한. [파] **-ti·ly** *ad.* **-ti·ness** *n.*

tat·ty[2] *n.* 《Ind.》 멍석발의 일종《더위를 덜기 위하여 물에 적셔 문이나 창에 침》.

tau [tau, tɔː] *n.* 그리스 자모의 열아홉째 글자 《Τ, τ; 로마자의 T, t에 해당함》; 〖물리〗 타우 입자.

táu cròss T 자형 십자가.

taught [tɔːt] TEACH의 과거·과거분사.

táu neutrìno 〖물리〗 타우 입자(형) 뉴트리노 (=**tauónic neutríno**)《약한 상호 작용에 있어서 타우 입자와 상대되는 뉴트리노》.

◇**taunt**[1] [tɔːnt, tɑːnt/tɔːnt] *n.* 비웃음, 모욕, 조롱; 조롱거리. — *vt.* 《+[목]+[전]+[명]》 비웃다; 비웃어서 …하게 하다; 힐책하다《*for; with; into*》: Don't ~ me *with* cowardice. 나를 비겁하다고 비웃지 말라 / They ~*ed* him *into* losing his temper. 그들은 그를 비웃어서 화를 내게 했다. [파] **∠·er** *n.* **∠·ing·ly** *ad.* 조롱〔힐책〕하여, 입정 사납게.

taunt[2] *a.* 〖해사〗 (돛대가) 아주 높은.

Taun·ton [tɔ́ːntn, 《현지에서》 tɑ́ːn-/tɔːn-] *n.* 잉글랜드 Somerset 주(州)의 도시.

táu pàrticle 〖물리〗 타우 입자(tau).

taupe [toup] *n., a.* 짙은 회색(의).

tau·rine [tɔ́ːrain, -rin] *a.* 황소 같은; 〖천문〗 황소자리의, 금우궁(金牛宮)의. — *n.* 〖생화학〗 타우린《담즙에서 얻어지는 중성의 결정 물질》.

tau·ro·chó·lic ácid [tɔ̀ːrəkóulik-, -kɑ́l-] 〖화학〗 타우로콜산(酸)《육식성 동물의 담즙 중에 나트륨염(塩)으로 존재함》.

tau·rom·a·chy [tɔːrɑ́məki/-rɔ́m-] *n.* 《문어》 투우(술).

Tau·rus [tɔ́ːrəs] *n.* 〖천문〗 황소자리 (태생의 사람); 금우궁(金牛宮).

taut [tɔːt] *a.* 〖해사〗 팽팽하게 친《밧줄 따위》; 잘 정비된《배 따위》; 단정한《옷차림 따위》; 긴장된 《신경 따위》; 엄격한; 간결한: a ~ hand 엄격한 장교; 잔소리꾼. [파] **~·en** [tɔ́ːtn] *vt., vi.* (밧줄 따위를) 팽팽하게 켕기다. **∠·ly** *ad.* **∠·ness** *n.*

taut- [tɔːt], **tau·to-** [tɔ́ːtou, -tə] '같은, 동등한'의 뜻의 결합사. ★ 모음 앞에서는 taut-.

tau·tog [tɔ́ːtɑ́g, -tɔ́ːg/-tɔ́g] *n.* 〖어류〗 양놀래깃과(科)의 식용어《북아메리카 대서양 연안산(産)》.

tau·to·log·i·cal, -ic [tɔ̀ːtəlɑ́dʒikəl/-lɔ́dʒ-], [-lɑ́dʒik/-lɔ́dʒ-] *a.* 같은 말을 거듭하는; 동의어의; 〖논리〗 =TAUTOLOGOUS. [파] **-i·cal·ly** *ad.*

tau·tol·o·gism [tɔːtɑ́lədʒìzəm/-tɔ́l-] *n.* 동어〔유어〕 반복 (사용); 그 예(例).

tau·tol·o·gist [tɔːtɑ́lədʒist/-tɔ́l-] *n.* 같은 말을〔동의어를〕 되풀이하는 사람.

tau·tol·o·gize [tɔːtɑ́lədʒàiz/-tɔ́l-] *vi.* 같은 말을〔동의어를〕 반복하다.

tau·tol·o·gous [tɔːtɑ́ləgəs/-tɔ́l-] *a.* =TAUTOLOGICAL; 〖논리〗 그 이론 형식 때문에 항상 진실〔참〕인, 항진식(恒眞式)의. [파] **~·ly** *ad.*

tau·tol·o·gy [tɔːtɑ́lədʒi/-tɔ́l-] *n.* [C,U] **1** 유어(類語) 반복《특히 말의 불필요한 반복: 예 widow woman》. **2** 〖논리〗 **a** 동어〔동의〕 반복(문). **b** 항진(恒眞) 명제. **3** (행위·경험 등의) 반복.

tau·to·mer [tɔ́ːtəmər] *n.* 〖화학〗 토토머. [파] **tàu·to·mér·ic** [-mér-] *a.* 토토머의.

tau·tom·er·ism [tɔːtɑ́mərìzəm/-tɔ́m-] *n.* [U] 〖화학〗 토토머화 (현상)《어느 유기 화합물의 여러 이성질체(異性質體)가 혼합한 채 서로 변환하여 평형을 유지하는 현상》.

tau·to·nym [tɔ́ːtənìm] *n.* 〖생물〗 반복명(反復名)《종(種)의 학명(學名)에 있어서, 속명(屬名)과 종소명(種小名)이 같은 것을 말함》.

◇**tav·ern** [tǽvərn] *n.* 선술집; 여인숙(inn). [SYN.] ⇨ HOTEL.

ta·ver·na [təvɚ́ːrnə, -vέər-] *n.* 타베르나《그리스 지방의 작은 요릿집》.

taw[1] [tɔː] *vt.* (생가죽을 백반과 소금물에 담가) 무두질하다; 《고어》 (원료를) 가공하다; 《고어·방언》 채찍질하다. [파] **∠·er** *n.* **∠·ery** *n.*

taw[2] *n.* 튀김돌, 돌튀기기《유희》; 돌튀기기 놀이의 개시선(線); 스퀘어 댄스의 파트너; 투자금. ***come*** 〔***bring***〕 ***to*** **~** (경기에서) 출발점에 서다〔세우다〕. — *vi.* 튀김돌을 던지다《유희로서》.

taw·dry [tɔ́ːdri] (**-dri·er; -dri·est**) *a.* 야한; 값싸고 번지르르한, 값싼, 비속한. — *n.* 값싸고 번지르르한 것〔장식, 의상〕. [파] **táw·dri·ly** *ad.* **-dri·ness** *n.*

taw·ny [tɔ́ːni] (**-ni·er; -ni·est**) *n., a.* 황갈색(의); 황갈색의 것〔사람〕; 《미속어》 최고의. [파] **táw·ni·ly** *ad.* **-ni·ness** *n.*

taw·pie, taw·py [tɔ́ːpi] *a., n.* 《Sc.》 어리석은〔경솔한〕 (젊은이〔여자〕).

taws(**e**) [tɔːz, tɑːz/tɔːz] (*pl.* ***taws*(*e*)**) 《Sc.》 *n.* (the ~) 〔단·복수취급〕 가죽채찍《아이들을 벌주는》; (the ~) 〔보통 단수취급〕 채찍질《벌》; 〔단·복수취급〕 (팽이를 돌리는) 가죽끈. — *vt.* ~로 때리다.

⁑**tax** [tæks] *n.* **1** [C,U] 세(稅), 세금, 조세: after ~ 세금을 공제하고, 실수령으로 / before ~ 세금을 포함하여 / free of ~ 세금없이 / impose 〔put〕 a ~ *on* a fat income 고소득에 과세하다 / He paid $500 in ~*es*. 500 달러의 세금을 냈다 / national 〔local〕 ~*es* 국세〔지방세〕 / the business ~ 영업세 / ⇨ INCOME 〔PROPERTY〕 TAX, ADDITIONAL TAX, DIRECT 〔INDIRECT〕 TAX, COMMODITY TAX. **2** (a ~) 부담, 무거운 짐, 의무; 가혹한 요구《*on, upon*》: a heavy ~ *upon* the boy's health 어린이의 건강상 무리한 일 / a great ~ *upon* one's time 시간이 대단히 많이 걸리는 일. **3** 《미》 회비, 분담액; 셈, 청구액.

— *vt.* **1** …에 과세하다: ~ imported goods 수입품에 과세하다. **2** 무거운 짐을 지우다, (한도까지) 혹사하다: Reading in a poor light ~*es* the eyes. 어두운 곳에서 책을 읽으면 눈이 피로해진다 / ~ one's patience 더 이상 참을 수 없게 하다. **3** 《+[목]+[전]+[명]》 비난하다, 책망하다 《*with*》: ~ a person *with* laziness 태만하다고 아무를 나무라다. **4** 《미구어》 (대금으로) 청구하다: He ~*ed* me 10 dollars for that. 그는 그 대금으로 나에게 10 달러를 청구했다. **5** 〖법률〗 (보상금·소송비 등을) 사정(查定)하다; 《고어》 (금액을) 어림하다. **6** 《폐어》 (개인별로) 조사 등록하다《징세 목적》. ◇ taxation *n.* **~ *away*** 세금으로 거두다. **~ one's *brains*** 머리를 짜내다. **~ one's ingenuity** 궁리해 내다. **~ a person*'s strength*** 아무를 혹사하다, 아무에게 육체노동을 시키다. **~** (people) ***to the bone*** (국민에게) 무거운 세금을 부과하다.

[파] **∠·er** *n.*

tax- [tæks], **tax·i-** [tǽksi, -sə], **tax·o-** [tǽksou, -sə] '순서, 배열'의 뜻의 결합사. ★ 모음 앞에서는 tax-.

taxa [tǽksə] TAXON 의 복수.

táx·a·ble *a.* 과세할 수 있는; 세금이 붙는; 〖법률〗 당연히 청구할 수 있는. ── *n.* (보통 *pl.*) 《미》 과세 대상. ㊞ **-bly** *ad.* **~·ness** *n.* **tàx·a·bíl·i·ty** *n.*

◇**tax·a·tion** [tækséiʃən] *n.* Ⓤ **1** 과세, 징세; 세제: progressive ~ 누진 과세 / be subject to ~ 과세되다 / impose high ~ 중세(重稅)를 부과하다 / a ~ office 세무서 / ~ at the source 원천 과세. **2** 조세(액), 세수(입). **3** 〖법률〗 소송비용 사정(査定). ◇ tax *v.* ㊞ **~·al** *a.*

táx avòidance (합법적인) 절세(節稅), 세금 회피.

táx·bàck *n.* 국세의 무조건 지방 교부.

táx bàse 과세 표준; (부동산·수입 등 과세 대상이 되는) 세 기반(稅基盤).

táx bràcket (같은 세율이 적용되는) 과세 등급.

táx brèak 세제(稅制)상의 우대 조치, 감세(減稅).

táx collèctor 수세 관리(收稅官吏), 세리(稅吏).

táx crèdit 세액 공제(稅額控除).

táx crèep 택스 크리프《누진 과세로 인하여 소득 증가에 따라 소득세액이 점차 늘어남》.

táx-dedùctible *a.* 소득에서 공제할 수 있는.

táx dedùction 세금 공제(액).

táx-deférred *a.* 과세 유예의 《어느 시점까지 이자, 배당, 값오른 이익 등 누적 소득에 대한 과세가 면제됨》: ~ savings 과세 유예 저축.

táx dìsc 《영》 =TAX TOKEN.

táx dòdger 탈세자.

táx-dòdging *a.* 탈세하는. ── *n.* 탈세 (행위).

táx dùplicate 부동산 평가 증명서; 세무 등본.

tax·eme [tǽksiːm] *n.* 〖문법〗 문법 특성소(特性素)《구문에서의 어순·어형·음형·음조 등의 선택적 특징》. ㊞ **tax·e·mic** [tæksíːmik] *a.*

táx evàsion (부정 신고에 의한) 탈세.

táx-exèmpt *a.* 면세의, 이자가 비과세의.

táx èxile 〔**expàtriate**〕 탈세를 위한 국외 이주자.

táx fàrmer 《영》 세금 징수 도급인.

tax·fla·tion [tæksfléiʃən] *n.* 택스플레이션《높은 세율 때문에 생기는 인플레이션》.

táx-frèe *a.* =TAX-EXEMPT.

táx hàven 조세 피난지〔국〕《저과세나 무세의》.

táx hòliday 《구어》 면세〔감세〕 기간.

†**taxi** [tǽksi] (*pl.* ***tax·i(e)s***) *n.* 택시(taxicab); 택시처럼 영업하는 배〔비행기〕: go by ~ 택시로 가다 / take a ~ 택시를 타다. ── (*p., pp.* ***tax·ied; tax·i·ing, tax·y·ing***) *vt., vi.* **1** 택시로 가다〔운반하다〕: ~ to the station. ★ 이 뜻에서는 take a taxi 또는 go by taxi 와 같이 명사를 쓰는 것이 보통. **2** 〖항공〗 육상〔수상〕에서 이동하(게 하)다《자체의 동력으로》.

táxi·càb *n.* 택시《taxi 또는 cab로 생략함》.

táxi dàncer 직업 댄서.

tax·i·der·my [tǽksidəːrmi] *n.* Ⓤ 박제술(剝製術). ㊞ **tàx·i·dér·mal, -dér·mic** [-dəːrməl], [-mik] *a.* 박제술의. **-mist** *n.* 박제사(師).

táxi drìver 택시 운전 기사.

táxi lìght 〖항공〗 유도등(誘導燈).

táxi·man [-mən] (*pl.* ***-men*** [-mən]) *n.* 《영》 =TAXI DRIVER.

tax·i·me·ter [tǽksimìːtər] *n.* (택시의) 미터, 요금 표시기.

táx incèntive 세제상의 유도 조치.

táx·ing *a.* 부담이 큰, 수고스러운. ㊞ **~·ly** *ad.*

táxi·plàne *n.* (단거리) 전세 비행기.

táxi rànk 《영》 =TAXI STAND.

tax·is [tǽksis] (*pl.* **-es** [-siːz]) *n.* **1** 〖의학〗 (탈장 등의) 정복술〔법〕(整復術〔法〕), 환납술(還納術). **2** 〖생물〗 주성(走性). **3** 〖동물〗 분류(법). **4** 〖고대그리스〗 군대 편성 단위《대대·중대 등》. **5** 〖문법〗 순서, 배열.

-tax·is [tǽksis] *suf.* '배열, 주성(走性)'의 뜻을 나타내는 명사를 만듦: para*taxis*.

táxi squàd 〖미식축구〗 연습 상대로 고용된 축구 선수단.

táxi stànd 《미》 택시 승차장.

táxi strìp =TAXIWAY.

táxi·wày *n.* 〖항공〗 (공항의) 유도로(誘導路).

táx·less *a.* =TAX-FREE.

táx·màn [-mæ̀n] (*pl.* ***-men*** [-mèn]) *n.* 《구어》 =TAX COLLECTOR.

tax·ol [tǽksɔːl] *n.* 택솔《주목(朱木)에서 채취하는 항암제》.

tax·ol·o·gy [tæksálədʒi/-sɔ́l-] *n.* 분류학.

tax·on [tǽksɑn/-ɔn] (*pl.* ***taxa*** [tǽksə], **~s**) *n.* 〖생물〗 분류군(群); 유명(類名).

taxon. taxonomic; taxonomy.

tax·o·nom·ic, -i·cal [tæ̀ksənámik/-nɔ́m-], [-əl] *a.* 분류학〔법〕의. ㊞ **-i·cal·ly** *ad.*

tax·on·o·my [tæksánəmi/-sɔ́n-] *n.* Ⓤ 분류학, 분류; 분류법. ㊞ **-mist** *n.* 분류학자.

***tax-pay·er** [tǽkspèiər] *n.* 납세자(納稅者), 납세 의무자.

táx pòint (부가 가치세의) 과세 시기.

táx ràte 세율.

táx relìef (소득의 일부에 관해 인정되는) 세금 감면.

táx retùrn (납세를 위한) 소득 신고.

táx sàle 체납(滯納) 처분 공매.

táx sèlling 세금 매출《소득세 신고용으로 손익을 명확하게 하기 위하여 연도말에 증권을 일제히 매출하는 일》.

táx shèlter 탈세를 위한 위장《특별 소득 공제 등》; =TAX HAVEN.

táx stàmp 징세 검인, 납세필증지(紙).

táx thrèshold 면세 소득, 과세 최저 소득 수준.

táx tìtle 〖법률〗 조세 체납 때문에 공매된 물건에 대하여 매수인이 얻은 권원(權原).

táx tòken 《영》 (자동차의) 납세필 증표(tax disc)《앞 유리에 붙이는》.

táx yèar 과세 연도(financial 〔fiscal〕 year).

Tay·lor·ism [téilərìzəm] *n.* 테일러리즘, 과학적 경영 관리법《미국의 기사(技師) Fredrick W. Taylor (1856–1915)가 고안했음》.

Táylor('s) sèries 〖수학〗 테일러 급수《함수를 나타내는 급수의 하나; 영국의 수학자 Brook Taylor (1685–1731)의 이름에서》.

Tay-Sachs [téisǽks] *n.* 〖병리〗 테이색스병 (=∠ **disèase**)《가족성 흑내장 백치; 영국의 안과 의사 Warren Tay (1843–1927)와 미국의 정신병 환자 Bernard Sachs (1858–1944)의 이름에서》.

Tay·side [téisaid] *n.* 테이사이드《1975년 신설된 스코틀랜드 중동부의 주; 수도 Dundee》.

taz·za [tɑ́ːtsə, tǽtsə] (*pl.* **~s, -ze** [-tse]) *n.* 《It.》 높은 굽이 달린 큰 접시.

TB [tìːbíː] *n.* 《구어》 =TUBERCULOSIS.

TB, T.B., tb, t.b. torpedo boat; tubercle bacillus; tuberculosis. **Tb** 〖컴퓨터〗 terabyte(s); 〖화학〗 terbium. **tb** tablespoon(s); tablespoonful(s). **t.b.** 《영》 trial balance.

TBA, tba to be announced.

T́-bàll *n.* Ⓤ T볼《막대 위에 놓인 공을 치는 야구 비슷한 어린이 놀이; 상표명》.

T́-bàr *n.* (스키 리프트용의) T자형 가로대; =T-BAR LIFT.

T́-bar lìft 티바 리프트《T자형 가로대로 2명씩 운반하는 스키 리프트》.

T.B.D. torpedo-boat destroyer.

T́-bèam *n.* T형 강(鋼)(T-bar).

Tbi·li·si [təbəlíːsi] *n.* 트빌리시《독립 국가 연합 그루지야(Gruziya) 공화국의 수도》.

T́-bill *n.* 《미구어》 =TREASURY BILL.

T́-bòne *n.* 티본스테이크(=∠ **stéak**)《소의 허리 부분의 뼈가 붙은 T자형 스테이크》.

TBS 《미》 Turner Broadcasting System《CNN의 모(母)회사; 1995년 Time Warner가 매수》.

tbs., tbsp. tablespoon(s). **Tc** 〖화학〗 technetium. **tc.** tierce(s). **T.C., TC** 〖군사〗 Tank Corps; Teachers College; Temporary Constable; Town Council(lor); traveler's check; 〖UN〗 Trusteeship Council; 〖자동차〗 twin carburetors《한 쌍의 기화기》. **TCBM** 〖군사〗 transcontinental ballistic missile. **TCD** 〖항공〗 technical circular directive(내공성(耐空性) 개선 통보)《운수부 항공국에서 발행함》. **T.C.D.** Trinity College, Dublin. **TCDD** tetrachlorodibenzo-p-dioxin《고엽제에 함유되는 잔류성의 발암성 다이옥신》. **TCE** 〖화학〗 trichloroethylene.

T̍ cèll 〖의학〗 T세포《흉선(胸腺)에서 분화한 림프구(球)》. [◀ *thymus-derived cell*]

Tchai·kov·sky, Tschai- [tʃaikɔ́ːfski, -káf-/ -kɔ́f-] *n.* **Peter Ilych** ~ 차이콥스키《러시아의 작곡가; 1840-93》. 「〔소품〕.

tchotch·ke [tʃátʃkə] *n.* 《미속어》 장식 방물

tchr. teacher. **TCP/IP** 〖컴퓨터〗 Transmission Control Protocol/Internet Protocol《컴퓨터와 통신 장치를 통신망에 접속하기 위해 사용되는 통신 규약을 모아 둔 것》. **TD** tank destroyer; touch-down(s). **T.D.** Telegraph 〔Telephone〕 Department; Traffic Director; Treasury Department. **T/D** 〖상업〗 time deposit. **TDB** Trade and Development Board of the UN. **TDD** telecommunications device for the deaf (농아용 통신 기기).

t́ distribùtion = STUDENT'S T DISTRIBUTION.

TDMA 〖컴퓨터〗 time division multiple access (시(時)분할 다중 접속). **TDN, T.D.N.** total digestible nutrients (가소화(可消化) 양분 총량). **TDRS** tracking and data relay satellite (추적 데이터 중계 위성). **TDY** temporary duty. **TE, T.E.** table of equipment (장비표); trailing edge. **Te** 〖화학〗 tellurium.

te [tei/tíː] *n.* 〖음악〗 음계의 제 7 음(ti).

†**tea** [tiː] *n.* **1 a** Ⓤ (홍)차: a cup of ~ 차 한 잔/the first fusion of ~ 첫 번째로 우려낸 차/⇨ GREEN 〔BLACK〕 TEA/coarse ~ 엽차/cold ~ 냉차; 《속어》 술/dust ~ 가루차/early ~ 조반 전의 가벼운 식사/have 〔take〕 ~ 차를 마시다/make ~ 차를 끓이다/roasted ~ 볶은 차. **b** 〖보통 복수형〗 한 잔의 차: Two ~*s*, please. 홍차 두 잔 주세요. **2** 차잎사귀; 차나무(~plant). **3** Ⓒ,Ⓤ 《영》 티, 오후의 차(afternoon 〔five o'clock〕 ~)《5시경 홍차를 주로 하는 간식》: ⇨ HIGH 〔MEAT〕 TEA. **4** 다과회, 오후의 초대(~party). **5** (차 비슷하게) 달여낸 물: ⇨ BEEF TEA. **6** 《속어》 = MARIJUANA.

go* (*out*) *for* one's ~** 《N.Ir. 속어》 위험한 심부름을 가다; 연행되어 벌 받다. ***not for all the ~ in China 《구어·보통 우스개》 어떤 일〔이유, 이익〕이 있어도 …하지 않는. (talk) ***over ~*** 차를 마시며 (이야기하다). one***'s cup of ~*** ⇨ CUP. ***take ~ with ...*** …와 교제하다. ***That's another cup of ~.*** 《구어》 그것은 별개 문제다. **~ *of heaven*** 감차(甘茶). ***wet the ~*** 《영속어》 차를 끓이다.

— (**~*ed*, ~*'d***) *vi.* 차를 마시다; 가벼운 식사를 들다. **—** *vt.* …에게 차를 대접하다. **~*ed up*** 《속어》 마리화나에 취하여.

㊕ **~·like** *a.*

téa and sýmpathy 《구어》 불행한 사람에 대한 호의적인 대접, (말로만 하는) 동정, 위안.

téa bàg (1인분의) 차를 넣은 봉지.

téa bàll 티 볼《차 우리는 그릇, 작은 구멍이 뚫린 공 모양의 쇠그릇》.

téa·bèrry *n.* = CHECKERBERRY.

téa bìscuit 《영》 (오후에 차와 함께 나오는) 동그란 소형 비스킷.

téa bòard (특히 나무) 찻쟁반.

téa brèak 《영》 차 마시는 (휴게) 시간《오전·오후 중간의 휴식》. cf. coffee break.

téa càddy 차통, 차관(罐)(caddy).

téa·càke *n.* 《영》 차 마실 때 먹는 건포도가 든 과자; 《미》 차 마실 때 먹는 쿠키.

téa càrt 《미》 = TEA WAGON.

†**teach** [tiːtʃ] (*p., pp.* ***taught*** [tɔːt]) *vt.* **1** 《~+목/+목+목/+목+전+명/+*that* 절》 (학과·학급을) 가르치다, 교수하다, 교육하다, 훈육하다: ~ children 아이들을 가르치다/She ~*es* five classes daily. 그녀는 매일 5시간을 가르친다/~ a person English = ~ English *to* a person 아무에게 영어를 가르치다/She has *taught* us (*that*) reading poetry is fun. 그녀는 우리에게 시를 읽는 즐거움을 가르쳐 주었다.

> SYN. **teach** 가르치다의 뜻의 가장 일반적인 말로 학교 교육 이외에도 쓰임: The accident *taught* him to be careful. 그 사고는 그에게 주의가 중요함을 가르쳐 주었다. **instruct** 조직적으로 교수(敎授)하다: She *instructs* in chemistry. 그녀는 화학을 가르친다. **educate** teaching 또는 instruction에 의해 사람의 능력을 키워 주다: be *educated* at Oxford 옥스퍼드에서 교육을 받다. **train** 바람직한 습관·지력·체력 등을 익히게 하기 위해 기술적 훈련을 베풀다: *train* soldiers 군인을 훈련시키다. **discipline** train 과 비슷하나 훈련의 목적으로 규율·자기 억제·정확성이 강조됨.

2 《+목+*to* do/+목+*wh. to* do/+목+*wh.* 절》 (사람·짐승에게)(…의 방법을) 가르치다, 훈련하다, 길들이다: Who *taught* you *to* play the piano? 누가 피아노를 가르쳐 주었느냐/~ a dog *how to* beg 개에게 뒷발로 서는 재롱을 가르치다/He *taught* them *how* a canoe was built. 그들에게 카누 만드는 법을 가르쳤다. **3** 《+목+목/+목+*to* do/+목+*that* 절/+목+*wh.* 절》 (경험·사건 등이) …을 가르쳐 주다: The sufferings *taught* them the worth of liberty. 그 고난은 그들에게 자유의 가치를 깨닫게 했다/This will ~ you *to* speak the truth. 거짓말을 하면 안 된다는 걸 알았지《벌을 주면서》/Experience ~*es* us *that* our powers are limited. 경험에 의해서 우리 힘에는 한계가 있음을 알게 된다/The accident *taught* me *how* dangerous fast driving is. 그 사고로 차를 과속으로 모는 것이 얼마나 위험한가를 깨달았다. **4** 《+목+목/+목+*to* do》 《구어》 (협박적으로) 깨닫게 하다, 혼내 주다: I'll ~ you *to* meddle in my affairs. 이것저것 내 일에 간섭하면 혼날 줄 알아〔용서치 않을 테다〕. **—** *vi.* 《~/+전+명》 가르치다, 선생 노릇을 하다: He ~*es* for a living. 그는 생활 때문에 선생 노릇을 한다. ~ a person ***manners*** 〔***a lesson***〕 아무의 버릇을 고쳐 주다, 혼내 주다. **~ *school*** 《미》 교편을 잡다. **~ one*self*** 독학하다. **~ one*'s grandmother*** 〔***granny***〕 (***to suck eggs***) 부처님한테 설법을 하다. **~ *the young idea how to shoot*** 《우스개》 젊은이의 마음의 싹이 트게 하다, 단련시키다.

— *n.* 《속어》 선생. 「능력.

tèach·a·bíl·i·ty *n.* Ⓤ 교육용으로 알맞음; 학습

téach·a·ble *a.* 가르칠 수 있는; (학생이) 가르침을 잘 듣는, 온순한; 학습력〔의욕〕이 있는. ㊕ **-bly** *ad.* **~·ness** *n.*

†**teach·er** [tíːtʃər] *n.* **1** 선생, 교사, 스승, 교수자: a ~ of English 영어 선생/an English ~ 영어 선생《⌐⌐》, 영국인 선생《⌐⌐》. ★「브라운 선생」이라고 할 때 Teacher Brown이라고 하지 않고 Mr. 〔Miss, Mrs.〕 Brown이라고 함. **2** 설

교사. ***be** one's **own*** ~ 독학〔독습〕하다. ㊞ ~·**shìp** *n.* Ⓤ 교사의 직위〔신분〕, 교직.

téachers còllege 《미》 교육대학.

téacher's pèt 선생의 마음에 드는 학생; 권위에 아첨하는 자.

téa chést 차(茶)상자.

téach-ìn *n.* 티치인《정치나 사회 문제에 대한 교수와 대학생 간의 장시간에 걸친 토론 집회》.

***teach·ing** [tíːtʃiŋ] *n.* Ⓤ **1** 교육, 수업, 교수, 훈육: ~ experience =experience in ~ 교수 경험. **2** 가르침, 교지(教旨); 교직(教職). **3** (종종 *pl.*) 교의(教義), 교훈: the ~(*s*) of Christ 그리스도의 가르침. ── *a.* 가르치는.

téaching àid 보조 교재, 교구(教具).

téaching assìstant 《미》 조교《수업을 담당하거나 교수를 보좌하는 대학원생》.

téaching fèllow 학생 조교《대학원생으로서 수업을 보좌하는 대신 장학금을 받음》.

téaching fèllowship (대학원생의) 교직 의무 조건부 장학금.

téaching hòspital 의과 대학 부속 병원.

téaching machìne 〖교육〗 티칭 머신, 교수 기기(機器).

téaching pràctice 〖교육〗 교생 실습, 교육 실습.

téach yoursélf 독습(용)의《교본 따위》.

téach·wàre *n.* 시청각 교재, 교수 매체.

téa clòth 작은 식탁보《차탁자용》; (찻그릇) 행주.

téa còzy 차 덮개《차 보온용의 솜 둔 주머니》.

téa·cùp *n.* **1** (홍차) 찻잔. **2** 찻잔 한 잔(의 양). ***a storm in a*** ~ ⇨ STORM.

tea·cup·ful [tíːkʌpfùl] (*pl.* **~s, -cups·fùl**) *n.* 찻잔 한 잔(의 양).

téa dànce 오후의 티파티 댄스.

téa fìght 《구어》 =TEA PARTY.

téa gàrden 다원(茶園), 차밭; 다방 설비가 있는 공원.

téa gòwn (여성의 낙낙한) 다회복(茶會服).

Teague [tiːg] *n.* 《경멸》 아일랜드 사람.

téa hòund 다과회(茶菓會)에 자주 나오는 사람; 나약한 남자.

téa·hòuse *n.* (동양의) 찻집, 다방.

teak [tiːk] *n.* 티크나무; Ⓤ 티크재(材).

téa·kèttle *n.* 차탕관, 차관(茶罐); 《미속어》 작은 상업 라디오 방송국.

téak·wòod *n.* 티크재(材).

teal [tiːl] (*pl.* **~s,** 〖집합적〗 ~) *n.* 〖조류〗 상오리.

téa làdy (회사에서) 차 시중을 드는 여성.

téal blúe 암회색(暗灰色).

téa-lèaf (*pl.* **-lèaves**) *n.* 찻잎사귀; (*pl.*) 차 찌끼; 《영속어》 도둑.

†**team** [tiːm] *n.* **1** 〖경기〗 조, 팀; 작업조; 한패: a baseball ~ 야구 팀. **2** (수레에 맨) 한 떼의 동물; (두 마리 이상의 마소가 끄는) 수레〔썰매 등〕; 마차: a ~ of four horses 함께 끄는 4마리의 말. **3** 《고어·방언》 (돼지 따위의) 한배의 새끼; 《폐어》 자손, 종족. ***a whole*** 〔***full***〕 ~ 《구어》 능력 있는 사람. ***be on a*** ~ 팀에 속해 있다. ── *a.* 팀으로 행하는: a ~ effort. ── *vi.* **1** 《+閉/+前+名》 팀이 되다, 팀을 짜다《*up; with; together*》: ~ *up with* an ultra-revolutionary bunch 과격 혁명파와 협력하다. **2** 한 떼의 짐승을 몰다. ── *vt.* **1** (소·말 따위를) 한 조로 매다; 가축을 한데 묶어 운반하다. **2** 《구어》 (일을) 하도급 주다.

téam fòul 〖농구〗 팀 파울《각 개인의 파울의 합계》.

téam hàndball 7인제 핸드볼.

téam·màte [tíːmmèit] *n.* 팀 동료.

téam pláy 팀의 전원이 하는 플레이; 공동 동작; 협력. ㊞ **téam plàyer**

téam spìrit **1** 단체정신, 공동 정신. **2** (T- S-) 팀 스피릿《1976년 이후 매년 실시되는 한미 합동 군사 훈련》.

team·ster [tíːmstər] *n.* 일련(一連)의 말을〔소를〕 부리는 사람; 팀의 지도자; 트럭 운전사; (the T-s) 《미》 전(全) 미국 트럭 운전사 조합(=the **Téamster's Únion**); 그 조합원.

téam téaching 팀 티칭《수명의 교사가 협동하여 지도 계획을 세우고 협력·분담하여 행하는 학습 지도법》. 「협동 작업.

téam·wòrk *n.* Ⓤ팀워크, 협력; (통제 아래 있는)

téa pàrty (오후의) 다과회, 다화회(茶話會); 소란, 분쟁 (행위); 《미속어》 마리화나 파티.

téa plànt 차나무(tea).

téa plantàtion 차 재배지.

téa plànter 차 재배자.

°**téa·pòt** *n.* 찻병, 찻주전자. ***a tempest in a*** ~ 《미》 =a STORM in a ~.

téa·poy *n.* (찻그릇을 놓는) 차탁자.

‡**tear**[1] [tiər] *n.* **1** (보통 *pl.*) 눈물: shed (bitter) ~*s* (피)눈물을 흘리다 / melt into ~*s* 울음에 잠기다 / *Tears* stood in her eyes. 그녀의 눈에는 눈물이 어리었다 / ~ of joy 기쁨의 눈물 / with ~*s* in one's eyes 〔voice〕 눈물을 글썽이며〔눈물 어린 목소리로〕 / burst into ~*s* 왈칵 울음을 터뜨리다 / draw ~*s* from …의 눈물을 자아내다. **2** (*pl.*) 비애, 비탄. **3** 눈물 비슷한 것, 물방울. ***be moved to*** **~*s*** 감동해서 울음을 터뜨리다. ***bored to*** **~*s*** 몹시 지루하여. ***dry** one's* **~*s*** 눈물을 닦다. ***in*** **~*s*** 눈물을 흘리며. ***one's eyes swim with*** **~*s*** 눈에 눈물이 글썽거리다. ***squeeze out a*** ~ 억지로 눈물을 짜다. **~*s of Eos*** 아침 이슬. ***without*** **~*s*** 쉽게 학습〔작업〕할 수 있도록 연구한. ── *vi.* 눈물을 흘리다〔머금다〕.

‡**tear**[2] [tɛər] (**tore** [tɔːr]; **torn** [tɔːrn]) *vt.* **1** 《~+目/+目+前+名/+目+補/+目+副》 찢다, 째다(cf. cut), 찢어서 …상태가 되게 하다; 잡아뜯다: I've *torn* his letter. (실수로) 그의 편지를 찢어 버렸다 / ~ a sheet of paper *in* two 〔*to* bits〕 종이를 둘로〔잘게〕 찢다 / ~ the envelope open 봉투를 뜯어 열다 / ~ *up* a letter 편지를 (일부러) 찢다. **2** 《+目+副/+目+前+名》 잡아채다; 우격으로 떼어 놓다, 홱 채어 빼앗다〔벗기다〕; 잡아 뽑다: ~ one's pajamas *off* 파자마를 벗어 버리다 / ~ a page *out of* a book 책에서 한 페이지를 뜯어내다 / ~ a book *from* a person's hands 아무의 손에서 책을 낚아채다. **3** 《~+目/+目+前+名》 (구멍 따위를) 째서 내다; …에 찢긴 구멍을 내다; 상처 내다: ~ a hole *in* one's jacket 재킷에 구멍을 내다 / ~ one's dress *on* a nail 못에 걸려 옷을 찢다. **4** 세게 잡아당기다. **5** (머리카락을) 쥐어뜯다, 할퀴다. **6** 《~+目/+目+副/+目+前+名》 〖보통 수동태〗 (마음을) 괴롭히다; 분열시키다《나라 따위》: *be torn with* jealousy 질투로 괴로워하다 / a country *torn apart by* civil war 내란으로 분열된 나라 / Her heart *was torn by* grief. 그녀의 가슴은 슬픔으로 찢어질 듯이 아팠다.

── *vi.* **1** 째〔찢어〕지다: Tissue paper ~*s* easily. 박엽지는 쉽게 찢어진다. **2** 《+前+名》 찢으려 하다; 쥐어뜯다《*at*》: ~ *at* the wrappings 포장지를 찢으려고 하다. **3** 《+副/+前+名》 질주하다; 날뛰다: A car came ~*ing along*. 자동차가 질주해 오고 있었다 / The children *tore out of* the school gates. 아이들이 교문 밖으로 뛰어나갔다. SYN. ⇨ RUSH. **4** 《+前+名》 (…을) 심하게 공격하다; 비난하다, 혹평하다.

be torn between …의 사이에 끼어〔어느 쪽을 선택할까 하고〕 망설이다, 괴로워하다. ~ ***about*** 정신없이 뛰어다니다. ~ ***… across*** (둘로) …을 찢다. ~ ***… apart*** (집 등을) 부수다, 해체하다; (무엇을 찾느라고 장소를) 휘젓다; (나라를) 분열시키다, …의 평온〔마음〕을 헤집다; 《구어》 혈뜯

다, 꾸짖다. ~ ***around*** 〔***round***〕 흥분〔분노〕하여 안정을 잃고 헤매(어 다니)다; 방종한 생활을 하다. ~ ***at*** (가슴을) 쥐어뜯다; (마음 등)을 괴롭히다; 《미속어》 …을 공격하다. ~ ***away*** (가면·베일 따위를) 벗기다; 폭로하다; (즐거움·책·친구로부터) 억지로 떼어놓다. ~ ***down*** ① 잡아떼어 벗기다. ② 헐다, 부수다; 분해〔해체〕하다. ③ (명성 등을) 손상하다, …을 중상하다. ④ 논박하다. ~ ***into*** (송곳·불도저 등이) …에 구멍을 내다; …에 힘차게〔생각 없이〕 덤벼들다; 《구어》 …에 맹렬히 공격을 가하다〔비난하다〕. ~ ***it*** 《영속어》 (계획·희망·목적 등을) 망쳐 놓다; 호기를 놓치다. ~ ***loose*** 벗겨〔풀어〕지다, 떨어지다, (속박에서) 벗어나다; 자유로워지다. ~ ***off*** ① 잡아떼다; (위장 등을) 벗기다; (옷을) 급히 벗다. ② 황급히 떠나다; 질주하다. ③ 《구어》 단숨에 써내다〔해치우다〕; 《미속어》 (수면을) 취하다, (한 곡) 연주하다. ~ ***out*** 찢어〔뜯어〕내다; 뛰어나가다: ~ *out* a weed. ~ one***self away*** 석별(惜別)하다, (몸을) 뿌리치고 떠나다《*from*》: She could scarcely ~ her*self* away *from* the scene. 그녀는 차마 그 곳을 떠날 수가 없었다. ~ one***'s hair*** ⇨ HAIR. ~ one***'s way*** 마구 나아가다. ***That's torn it.*** 《영구어》 (계획 등) 만사 끝이다, 이제는 다 글렀다. ~ ***up*** ① 뿌리째 뽑다, 잡아 빼다. ② 갈기갈기 찢다. ③ (도로·마루)에 구멍을 내다; (협정 등을) 파기하다. ***That ~s it!*** 《미구어》 이것으로 충분하다, 이거 너무 지나치다.

—*n*. **1** 째진 틈, 찢어진 곳, 해진 데: a big ~ in one's coat 상의의 크게 해진 자리. **2** 잡아찢기, 쥐어뜯기. **3** 돌진, 맹렬한 속도; 황급. **4** 격노; 미쳐 날뛰기, 광포. **5** 《미속어》 야단법석. ***at* 〔*in*〕 *a* ~** 냅다, 황급히. ***full* ~** 곧장. ***go on a* ~** 야단법석하다.

téar·awày [tέər-] *n*. 난폭한 사람〔동물〕; 불량배. —*a*. 맹렬한.

téar bòmb 〔grenàde〕 [tíər-] 최루탄.

téar·dòwn [tέər-] *n*. 분해, 해체.

téar·dròp [tíər-] *n*. 눈물 (방울); (귀고리·목걸이 등의) 눈물 방울 같은 펜던트. —*a*. 눈물 모양의.

téar dùct [tíər-] 〖해부〗 누관(淚管).

tear·er [tέərər] *n*. 찢는〔째는〕 사람; 《미구어》 마구 날뛰는 것, 《특히》 폭풍우.

°**tear·ful** [tíərfəl] *a*. 눈물 어린《눈 따위》; 울고 있는; 눈물이 헤픈; 눈물을 자아내는, 슬픈《소식 따위》: a ~ voice 울음 섞인 목소리 / ~ news 비보. ㊎ **~·ly** *ad*. **~·ness** *n*.

téar gàs [tíər-] 최루 가스.

téar-gàs [tíər-] *vt*. …에 최루 가스를 쓰다〔퍼붓다〕.

tear·ing [tέəriŋ] *a*. 잡아 찢는, 쥐어뜯는 듯한, 괴로운; (폭풍·노여움·선전 따위가) 격렬한, 맹렬한; 돌진하는. ㊎ **~·ly** *ad*.

téar·jèrker [tíər-] *n*. 《구어》 눈물을 짜게 하는 영화·연극 따위.

téar·less [tíər-] *a*. 눈물 없는, 눈물을 흘리지 않는; 《비유》 감정 없는. ㊎ **~·ly** *ad*. **~·ness** *n*.

téar-òff [tέər-] *a*., *n*. (페이지 등이) 떼어내게 된 (부분), (절취선으로) 떼어낼 수 있는 (부분).

téa·ròom *n*. 다실, 다방; 《미속어》 호모 행위가 행해지는 남자 변소.

téa ròse 월계화(月季花)《중국 원산》.

téar shèet [tέər-] (광고주에게 보내는 서적·잡지 따위의) 뜯어낼 수 있는 페이지.

téar shèll [tíər-] =TEAR BOMB.

téar-stàined [tíər-] *a*. 눈물에 젖은.

téar strìp [tέər-] (깡통이나 포장지를 뜯기 쉽게 두른) 개봉띠.

téar-strìp kèy [tέər-] 개봉띠(를 감아 따는) 키.

téar tàpe [tέər-] (골판지 상자의 뚜껑을 열기 쉽게 붙여 놓은) 개봉 테이프.

téar-tàpe pàckaging [tέər-] 개봉 테이프식 포장.

teary [tíəri] (***tear·i·er; -i·est***) *a*. **1** 눈물의(같은). **2** =TEARFUL.

téary-èyed *a*. 눈물을 머금은.

tease** [ti:z] *vt*. **1** 《~+목/+목+전+명》 지분〔집적〕거리다, 애타게 하다, 괴롭히다; 성적으로 애타게 하다: ~ a girl 소녀를 괴롭히다 / The child was *teasing* the cat *by* pulling its tail. 아이는 꼬리를 잡아당기어 고양이를 못살게 굴었다. **2** 《+목+전+명》 희롱하다, 놀리다: Don't ~ him *about* his peculiar habit(s). 묘한 버릇이 있다고 그를 놀려서는 안 된다. **3** 《+목+전+명 /+목+*to* do》 몹시 조르다, 치근대다: ~ one's mother *for* chocolate 초콜릿을 달라고 어머니에게 보채다 / ~ a person *to* marry 아무에게 결혼하자고 귀찮게 조르다. **4** (삼·양털 따위를) 빗다; 잘게 찢다, 《특히》 (조직·표본을) 현미경 검사용으로 잘게 자르다. **5** (머리털)을 세워 부풀리다; (모직물의) 보풀을 세우다. —*vi*. 《~/+전+명》 집적거리다, 놀리다, 못살게 굴다; 졸라대다; 양털을 빗다; 삼을 잘게 찢다; 모직물의 보풀을 세우다: Don't take it seriously—he was only *teasing*. 심각하게 생각할 것 없다. 그가 놀리느라고 그랬을 뿐이야 / ~ *for* everything 보이는 것은 뭐든지 달라고 졸라대다. ~ ***out 뾰족한 기구로 빗어서〔풀어서〕 빼내다; (정보 따위를) 어떻게 해서든 빼내다. ~ ***(...) up*** (불비(不備)한 곳을) 고치다, 손보다.

—*n*. **1** 끈덕지게 괴롭히는〔놀려대는, 조르는〕 사람: He's a terrible ~. 그는 지독하게 남을 못살게 구는 사람이다. **2** 지분거림, 놀림, 끈덕지게 괴롭힘(을 당함), 귀찮게 조름〔졸림〕. **3** 《TV속어》 (프로 첫머리에 삽입하는) 프로 예고〔소개〕(teaser). **4** 《속어》 돈. **5** 《속어》 (성적으로 애만 태우는) 여자, 교태 부리는 여자.

㊎ **téas·a·ble** *a*.

tea·sel, tea·zel, tea·zle [tíːzəl] *n*. **1** 산토끼꽃의 일종; 그 꽃의 구과(毬果)《보풀을 세우는 데 씀》. **2** 보풀 세우는 기구, 기모기(起毛機). —(***-l-***, 《영》 ***-ll-***) *vt*. (보풀 세우는 기구로) …에 보풀을 세우다.

teas·er [tíːzər] *n*. **1** 지분거리는〔괴롭히는〕 사람〔것〕, 놀려대는 사람. **2** 난문제, 곤란한 일. **3** (삼·양털 따위를) 빗는 사람〔기계〕, 소모기(梳毛機). **4** 《권투속어》 만만찮은 상대. **5** 〖상업〗 (상금·상품 따위로) 살 마음이 내키게 하는 광고; =STRIPTEASER. **6** 《주로 TV속어》 =TEASE *n*. 3. **7** 마음만 부추겨 놓고 성교에는 응하지 않는 여자. **8** 무대 상부에 드린 막; =KICKER 7.

téaser campàign 선전의 정체를 숨겨 두고, 완전한 내용을 전하지 않는 일련의 광고 캠페인 《소비자의 호기심을 자극하기 위한》.

téa sèrvice 〔sèt〕 찻그릇 한 벌, 티세트.

téa shòp 《영》 다방; 간이식당.

teas·ing [tíːziŋ] *a*. 지분거리는, 못살게 구는, 괴롭히는; 귀찮은, 성가신. ㊎ **~·ly** *ad*.

***tea·spoon** [tíːspùːn] *n*. 찻숟가락; =TEASPOONFUL.

°**tea·spoon·ful** [tíːspuːnfùl] (*pl*. ***~s, tea·spoons·ful***) *n*. 찻숟갈 하나 가득(한 양(量)) 《tablespoon의 1/3; 생략: tsp》; 소량.

téa stràiner 차를 거르는 조리.

teat [tiːt, tit/tiːt] *n*. 젖꼭지(nipple), (포유병(哺乳甁)의) 젖꼭지; 유두상 돌기(乳頭狀突起). ㊎ **~·ed** [-id] *a*.

téa tàble 차탁자; 다과회(茶菓會).

téa-thìngs *n. pl*. 《구어》 =TEA SERVICE.

téa·tìme *n*. (오후의) 차 마시는 시간.

téa tòwel (접시·식기를 닦는) 행주(dish towel).

téa tray 찻쟁반.

téa trèe =TEA PLANT.
téa tròlley 《영》 =TEA WAGON.
téa ùrn 차탕관, 차관(茶罐), 차 끓이는 솥.
téa wàgon 《미》 (바퀴 달린) 차도구 운반대.
teazle ⇨ TEASEL. ⌈detective⌉
tec [tek] *n.* 《속어》 탐정, 형사; 추리 소설. [◂
TEC 《영》 Training and Enterprise Council.
tec. technical; technician.
tech [tek] 《구어》 *a.* 기술상의; 전문적인; 하이테크의. — *n.* **1** 전문가, 기술자; 과학 기술. **2** (또는 T-) 공업 학교, 공과 대학. ★tec라고도 함.
tech, techn. technical(ly); technician; technological; technology.
tech·ie [téki] *n.* 《구어》 **1** 기술, 특히 전자 분야 전문가·연구자·열광자. **2** (연예계의) 기술자.
tech·ne·ti·um [tekní:ʃiəm] *n.* Ⓤ 〖화학〗 테크네튬《방사성 원소; 기호 Tc; 번호 43》.
tech·ne·tron·ic [tèknətránik/-trɔ́n-] *a.* 정보화 시대의《사회》.
tech·nic [téknik] *n.* **1** [ˈtekní:k] =TECHNIQUE. **2** (*pl.*) 〘단·복수취급〙 과학 기술, 공예(학), 테크놀로지. **3** (보통 *pl.*) 전문적 사항〔방법, 표현〕, 전문(용)어. — *a.* =TECHNICAL.
⁑**tech·ni·cal** [téknikəl] *a.* **1** 기술적, (과학) 기술의: a ~ adviser 기술 고문/~ skill 기교/a ~ expert 전문 기술가/~ aid 〔assistance〕 기술 원조/a ~ director 〖영화〗 기술 감독. **2** 전문의; 특수한《학문·직업·기술 등》: ~ knowledge 전문적 지식/~ terms 술어, 전문어. **3** 공업〔공예〕의: ~ analysis 공업 분석/~ school 〔institute〕 공업 학교. **4** (시세가) 인위적인. **5** 법률상 성립되는; 절차상의; 형식적인: a ~ assault 법률적으로 보아 성립되는 폭행 (미수)/a ~ difficulty 법률 절차상의 어려움. ◇ technique *n.*
téchnical cóllege 《영》 실업 전문대학.
téchnical fóul 〖농구〗 테크니컬 파울《상대 선수와의 신체적 접촉에 의하지 않은 파울》. ⌈지.
téchnical hítch (기계 고장에 의한) 일시 정
tech·ni·cal·i·ty [tèknikǽləti] *n.* 전문적〔학술적〕임; 전문적 사항〔방법〕; 전문어, 학술어; 절차상의 문제, 형식.
tech·ni·cal·ize [téknikəlàiz] *vt.* 전문화〔기술화〕하다. ⓜ **tèch·ni·cal·i·zá·tion** *n.*
téchnical knóckout 〖권투〗 테크니컬 녹아웃, 티케이오《생략: TKO, T.K.O.》.
téch·ni·cal·ly *ad.* 기술적〔학술적〕으로, 전문적으로; 전문어로 (말하면).
téchnical sérgeant 〖미공군〗 중사(中士).
téchnical suppórt 〖컴퓨터〗 기술 지원《컴퓨터의 하드〔소프트〕웨어 판매자가 구매자에게 교육·수리·정기 점검 등의 지원을 하는 것》.
tech·ni·cian [tekníʃən] *n.* 기술자; 전문가; (음악 등의) 기교가; 〖미군사〗 (전의) 기술 부사관《지금의 specialist》.
tech·ni·cism, tech·nism [téknəsìzəm], [téknizəm] *n.* 기술 지상주의, 테크놀로지 만능주의; 기술 편중.
tech·ni·cist [téknəsist] *n.* =TECHNICIAN. — *a.* 기술 편중의, 기술 지상주의적인.
Tech·ni·col·or [téknikʌ̀lər] *n.* 〖영화〗 테크니컬러, 천연색 영화〔사진〕 촬영법《상품명》; (t-) 선명한 색채. ⓜ **~ed** *a.* 천연색(영화)의; 선명한 빛깔의.
tech·ni·con [téknəkàn/-kɔ̀n] *n.* (피아노·풍금의) 손가락 연습기《소리 나지 않는 건반》.
tech·ni·cum, -kum [téknəkəm] *n.* (특히 러시아의) 공업학교(technical school).
tech·ni·fy [téknəfài] *vt., vi.* 기술을 도입하다, 고도로 기술화하다, 기술적으로 세분하다, 기술 혁신하다: the most *technified* war in history 사상(史上) 가장 고도의 기술을 도입한 전쟁.
⁑**tech·nique** [tekní:k] *n.* **1** Ⓤ (전문) 기술《학문·과학 연구 따위의》. **2** Ⓒ (예술상의) 수법, 기법, 기교, 테크닉, 예풍(藝風), 화풍; (음악의) 연주법. **3** Ⓤ 수완, 솜씨, 역량. ◇ technical *a.*
tech·no [téknou] *a.* 〖음악〗 테크노의《신시사이저 등의 전자 악기를 많이 써서 기계적인 리듬을 특징으로 함》. — *n.* 테크노 음악.
tech·no- [téknou, -nə] '기술, 공예, 응용'이라는 뜻의 결합사.
téchno-ánxious *a.* 과학 기술 불안증의.
téchno·bàbble *n.* 《경멸》 초심자가 들어도 이해하지 못하는 테크놀로지 관계의 전문 용어.
téchno·bàndit *n.* 《구어》 첨단기술 밀매자《특히 첨단 기술을 사거나 훔쳐서 밀매하는 사람》.
tèchno-céntered *a.* 과학 기술 중심주의의. ⓜ **~·ness** *n.*
tèchno·céntrism *n.* 기술 지상(至上)주의.
tech·noc·ra·cy [teknákrəsi/-nɔ́k-] *n.* Ⓤ 기술자 지배; (종종 T-) 기술주의, 테크노크라시《경제·정치를 전문 기술자에게 위임하는 방식》; 기술주의 사회. ⓜ **tech·no·crat** [téknəkræ̀t] *n.* 테크노크라시주의자〔신봉자〕; 기술자 출신의 고급 관료, (경영직·관리직에 있는) 전문 기술자. **tech·no·crat·ic** [tèknəkrǽtik] *a.* ⌈공포〔불안〕.
téchno·fèar *n.* 테크놀로지〔과학 기술〕에 대한
tech·nog·ra·phy [teknágrəfi/-nɔ́g-] *n.* 기술사(史)〔지(誌)〕, 과학사〔지〕《지리적 분포와 관련된 예술·응용과학의 역사적 기술 또는 연구》.
téchno·klùtz *n.* 《속어》 컴맹.
technol. technological(ly); technology.
tech·no·log·ic, -i·cal [tèknəládʒik/-lɔ́dʒ-], [-əl] *a.* 공예(상)의; 공예학의; 과학 기술의, 기술적 원인에 의한: ~ unemployment (기술 혁신에 의한) 기술적 실업. ⓜ **-i·cal·ly** *ad.*
tech·nol·o·gize [teknálədʒàiz/-nɔ́l-] *vt.* 기술 혁신하다, 고도 기술화〔공업화〕하다: ~*d* society 기술화〔공업화〕 사회.
*__tech·nol·o·gy__ [teknálədʒi/-nɔ́l-] *n.* Ⓤ **1** 공업〔과학〕 기술. **2** 공예(학). **3** 술어, 전문어. **4** 응용과학. ⓜ **-gist** *n.* 과학 기술자〔연구가〕, 공학자; 공예가, 공예학자. ⌈(事前) 평가.
technólogy assèssment 기술 개발의 사전
technólogy pùll 테크놀로지 풀《기술 혁신에 수반하는, 문제의 전통적 해결에 대한 재검토의 요청》. ⌈원조.
technólogy trànsfer 기술 이전〔도입〕; 기술
tech·no·ma·nia [tèknəméiniə] *n.* Ⓤ 과도한 기술 편중주의.
téchno·nèrd *n.* 《미속어》 컴퓨터 전문 기술자.
téchno·pèasant *n.* 기술〔컴퓨터〕에 약한 사람.
tech·no·phile [téknəfàil] *n.* 과학 기술에 강한 관심을 가진 사람, 하이테크 애호가.
tech·no·phobe [téknəfòub] *n.* 최신 기술에 약한 사람; 컴퓨터를 싫어하는 사람.
tech·no·pho·bia [tèknəfóubiə] *n.* Ⓤ 과학 기술 공포증.
tech·nop·o·lis [teknápəlis/-nɔ́p-] *n.* Ⓤ 기술 지배 사회. ⓜ **tech·no·pol·i·tan** [tèknəpálətn/-pɔ́l-] *a.*
téchno-pòp *n.* (때로 T-) 〖음악〗 테크노팝《신시사이저에 의한 전자음악을 기조로 한 팝 음악》.
tech·no·sphere [téknəsfìər] *n.* 인간 중심의 공업〔과학〕 기술; 인간 활동의 (과학) 기술적 측면.
téchno-strèss *n.* 〖심리〗 테크노스트레스《컴퓨터 기술을 중심으로 한 사회에의 적응에 실패했을 때 일어나는 증상》.
téchno·strùcture *n.* 기술자 중심의 대규모 기업 조직; 이것을 운영하는 기술자층.

téchno-thrìller *n.* 테크노스릴러《하이테크 병기 따위의 조작으로 서스펜스를 주는 소설 형태》.
tech·scam [tékskæ̀m] *n.* (첨단 기술 정보를 불법 입수하려는) 스파이 행위에 대한 함정 수사.
Tech. Sgt. Technical Sergeant.
techy ⇨ TETCHY.
tec·tol·o·gy [tektɑ́lədʒi/-tɔ́l-] *n.* Ⓤ 〖생물〗 조직 형태학.
tec·ton·ic [tektɑ́nik/-tɔ́n-] *a.* 축조(築造)의, 건축의; 〖생물〗 구조〔구성〕의; 〖지학〗 구조상의, 구조 변화의: a ~ earthquake 구조 지진/a ~ lake 구조호/a ~ landform 구조 지형. ㊎ **-i·cal·ly** *ad.*
tectónic plàte 〖지학〗 (지각) 구조 플레이트.
tec·tón·ics *n. pl.* 〔단수취급〕 (실용과 미의 양면에서 생각하는) 구축〔구조〕학〔술〕; 지질 구조; 구조 지질학; 지각 변동.
tec·to·nism [téktənìzəm] *n.* 〖지학〗 =DIASTROPHISM.
tec·to·no·mag·net·ism [tèktənoumǽgnətìzəm] *n.* 〖지학〗 지각 자기(地殼磁氣)《지각 변형에 기인하는 지구 자기장의 이상》.
Ted [ted] *n.* **1** 테드《남자 이름; Edward, Theodore의 애칭》. **2** (종종 t-) 《영구어》 =TEDDY BOY.
ted [ted] (*-dd-*) *vt.* (풀 따위를) 널어 말리다. ㊎ **∠·der** [-ər] *n.* ~하는 사람; 건초기.
Ted·dy, -die [tédi] *n.* **1** TED 1. **2** 《구어》 TEDDY BOY. **3** 《유아》 곰.
ted·dy [tédi] *n.* (보통 teddies) 〔때로 단수취급〕 테디《슈미즈의 상반부와 낙낙한 팬티를 이은 여성용 속옷; 1920년대에 유행》.
téddy bèar (봉제의) 장난감 곰; 《CB속어》 경찰.
Téddy bòy 〔**gìrl**〕 《영구어》 (종종 t-) (1950-60년대에 Edward 7세 시대의 화려한 복장을 즐겨 입던) 영국의 불량 소년〔소녀〕.
Te De·um [téi-déium, -déiəm, tìː-díːəm/tìː-díːəm] 《L.》 테데움 성가(聖歌); 테데움의 곡; 테데움을 노래하는 감사 예배. ***sing*** ~ 환회하다.

teddy bear

***te·di·ous** [tíːdiəs, -dʒəs] *a.* 지루한, 싫증 나는; 장황한; 끈덕진. ⓒⓕ dull, tiresome, wearisome. ¶ a ~ discourse 〔lecture〕 따분한 이야기〔강의〕. ◇ tedium *n.* ㊎ **~·ly** *ad.* **~·ness** *n.*
te·di·um [tíːdiəm] *n.* Ⓤ 싫증, 지루함.
tee[1] [tiː] *n.* T자; T자형의 물건; T자관(管); T형강(形鋼); (고리던지기 따위의) 목표, 표적. ***to a*** ~ 〔***T***〕 정연히.
tee[2] *n.* 〖골프〗 구좌(球座), 티《공을 올려놓는 받침; 옛날에는 모래를 쌓은 것》; 각 홀의 출발점: dead from the ~ 친 공의 겨냥이 틀리지 않고. ― *vt., vi.* 〖골프〗 (공을) 티 위에 올려놓다《*up*》. **~*d*** 〔**~*'d***〕 ***off*** 《미속어》 노하여, 진절머리를 내어. **~*d up*** 《미속어》 취하여. ~ ***off*** ① 〖골프〗 티에서 제 1 타를 치다. ② 〖권투·야구〗 강타하다《*on*》; 《속어》 비난하다, 꾸짖다《*on*》. ③ 《비유》 시작하다《*with*》. ④ 〔보통 수동태〕 《속어》 안달이〔화〕나게 하다.
tee-hee ⇨ TEHEE.
téeing gròund 〖골프〗 초구(初球)를 치는 구역.
teel ⇨ TIL.
teem[1] [tiːm] *vi.* **1** 《+전+명》 충만〔풍부〕하다, 많이 있다《*with*》: The river ~*s with* fish. =Fish ~ *in* the river. 그 강에는 물고기가 많다. **2** 《고어》 아이를 낳다, 열매를 맺다. ― *vt.* 《고어》 낳다, 생산하다.
teem[2] *vt.* 《고어》 (속엣것을) 비우다; (녹은 쇳물을) 도가니에서 거푸집에 붓다. ― *vi.* (물이) 쏟아지다.
teem·ful [tíːmfəl] *a.* 풍부한, 결실이 많은. ㊎ **~·ness** *n.*
téem·ing[1] *a.* **1** 넘치는, 떼 지어 있는《사람 등이》: We elbowed our way *through* the ~ station. 우리는 붐비는 역을 팔꿈치로 헤치며 나아갔다. **2** (동물이) 다산인; (땅이) 비옥한; (창작력 등이) 풍부한. ㊎ **~·ly** *ad.* **~·ness** *n.*
téem·ing[2] *a.* 억수같이 내리는: a ~ rain 억수같이 내리는 비.
teen[1] [tiːn] *n.* 《고어》 슬픔; 비탄, 불행; 《Sc.》 노여움.
teen[2] *a.* =TEEN-AGE. ― *n.* =TEEN-AGER.
-teen [tiːn, tìːn] *suf.* '십(十)'의 뜻《13-19의 수의 어미에 씀》. ★ -teen이 붙는 말(13-19)의 악센트는 리듬 관계로 ∸∸ 또는 ∸∸이 됨.
téen·àge(d) *a.* 10대의.
***teen·ag·er** [tíːnèidʒər] *n.* 10대의 소년〔소녀〕, 틴 에이저《13-19 살까지의》. ⓒⓕ teens.
téen·er *n.* =TEENAGER.
téen·pìx *n. pl.* 10대를 위한 영화.
***teens** [tiːnz] *n. pl.* 10대(代)《정확하게는 13-19세; 숫자가 -teen으로 끝남》: She is *in her* early 〔late〕 ~. 그녀는 로〔하이〕틴이다/in 〔out of〕 one's ~, 10대에〔10대를 넘어서〕/pass 〔enter〕 one's ~, 10대를 지나가다〔13세가 되다〕/in one's last ~, 19세 때에. ★ low, high도 쓰이나 early, late가 보통.
teen·ster [tíːnstər] *n.* =TEENAGER.
teen·sy, teent·sy [tíːnsi], [tíːntsi] *a.* 《구어》 =TINY.
téensy-wéen·sy [-wíːnsi], **téentsy-weent·sy** [-wíːntsi], **teen·sie-ween·sie** [tíːnsiwíːnsi] *a.* 《구어》 =TINY.
tee·ny [tíːni] (*-ni·er; -ni·est*) 《구어》 *a.* 조그만(tiny). ― *n.* =TEENAGER.
teeny·bop [tíːnibɑ̀p/-bɔ̀p] *n., a.* 《속어》 = TEENYBOPPER (의).
téeny·bòp·per [-bɑ̀pər/-bɔ̀p-] *n.* 《속어》 십대 소녀; 히피의 행동을 흉내 내거나 일시적 유행을 좇는 틴에이저.
téeny-wéeny, téenie-wéenie *a.* 《구어》 =TINY.
tee·pee [tíːpiː] *n.* =TEPEE.
tée shìrt =T-SHIRT.
tee·ter [tíːtər] *vi., vt.* **1** 동요하다; 비틀비틀 서 있다〔움직이다〕《*across; along; on*》: ~ *on* the verge of exhaustion 피로에 지쳐 비틀비틀하다. **2** =SEESAW. ***be ~ing on the brink*** 〔***edge***〕 거의 극에〔위험한 지경에〕 달해 있다. ― *n.* 비틀거림, 동요; 《비유》 망설임, 주저; =SEESAW.
téeter·bòard *n.* =SEESAW; 티터보드《널뛰기식으로 한쪽 사람을 튕겨내는 기구》.
téeter-tòtter *n.* 《미》 =SEESAW.
teeth [tiːθ] TOOTH의 복수.
teethe [tiːð] *vi.* 이가 나다《특히 젖니가》.
téeth grìnding (특히 수면 중의) 이갈이.
teeth·ing [tíːðiŋ] *n.* Ⓤ 이〔젖니〕가 남; 이가 나는 시기.
téething rìng (젖니 발생기의 유아에게 물리는) 고무〔상아, 플라스틱〕 고리.
téething tróubles 〔**pàins, problems**〕 (사업 따위의) 초기의 곤란, 발족〔창업〕 때의 고생.
téeth·rìdge *n.* 〖음성〗 잇몸.
tee·to·tal [tiːtóutl, ∸∸/-∸∸] *a.* 절대 금주(주의)의《생략: TT》; 《구어》 순전한, 절대적인: a ~ society 절대 금주회. ― (*-l-*, 《영》 *-ll-*) *vi.* 절대 금주를 실행〔주창〕하다. ㊎ **~·er,** 《영》 **~·ler** *n.* 절대 금주(주의)자. **~·ism** *n.* Ⓤ 절대 금주(주의). **~·ly** *ad.* 금주주의상; 《구어》 전혀.
tee·to·tum [tiːtóutəm] *n.* 네모팽이; 손가락으로 돌리는 팽이. ***like a*** ~ 뱅뱅 돌아서.
tee·vee [tíːvíː] *n.* =TELEVISION.

TEFL [téfəl] 외국어로서의 영어 교수(법). [◂ *t*eaching *E*nglish as a *f*oreign *l*anguage]
Tef·lon [téflɑn/-lɔn] *n.* 테플론《열에 강한 수지; 상표명》: ~ factor 테플론 효과〔요인〕《실언·실책 따위를 유머 등으로 돌려서 심한 타격을 받지 않음의 비유》.
teg [teg] *n.* 두 살 난〔두습〕 암사슴; 두습양(털).
t.e.g. 〖제본〗 top edge(s) gilt(천금(天金)).
teg·men [tégmən] (*pl.* ***-mi·na*** [-mənə]) *n.* 겉껍질; 〖식물〗 내종피(內種皮); 〖곤충〗 (갑충의) 시초(翅鞘); 〖곤충〗 (직시류의) 단단한 앞날개. ㊕ **tég·mi·nal** *a.*
Te·gu·ci·gal·pa [təgùːsigǽlpə] *n.* 테구시갈파《Honduras 공화국의 수도》.
teg·u·lar [tégjələr] *a.* 기와 모양의; 〖곤충〗 어깨판의. ㊕ **~·ly** *ad.*
teg·u·ment [tégjəmənt] *n.* 외피; 포피(包皮). ㊕ **teg·u·men·tal, -ta·ry** [tègjəméntl], [-təri] *a.* 외피의, 포피의.
teh ch'i [tétʃíː] 감응《침술에서 침이 혈에 닿았을 때 시술자·환자가 느끼는》.
te·hee, tee-hee [tiːhíː] *int.*, *n.* 히히〔낄낄〕 (거리는 웃음). **—** *vi.* 낄낄 웃다.
Te·he·ran, Teh·ran [terǽn, -ráːn, tèhə-/tɛərάːn] *n.* 테헤란《이란의 수도》.
teil [tiːl] *n.* 〖식물〗 보리수.
Teil·hard·i·an [teijáːrdiən] *a.* 테야르 드 샤르댕(이론)의《인간은 신적(神的)인 종국점을 향하여 진화한다는》. **—** *n.* 테야르 드 샤르댕파 사람 《프랑스 신학자 Pierre Teilhard de Chardin (1881-1955)의 이름에서》.
te·in [téiin] *n.* 카자흐스탄의 화폐 단위《=1/100 「tenge》.
Te·ja·no [teiháːnou, tə-] (*pl.* **~s**) *n.* 《미남서부》 테하노, 텍사스 주민, 멕시코계 텍사스 주민; 테하노 뮤직(=**Tejáno mùsic**). [Sp. *Tejas* Texas, *-ano* -an]
tek·tite [téktait] *n.* 텍타이트《미소 운석(微小「隕石)》.
tel- [tel], **te·le-** [télə], **tel·o-** [télou, -lə, tíːl-] '원거리의, 전신, 텔레비전, 전송'의 뜻의 결합사.
tel. telegram; telegraph(ic); telephone.
tel·a·mon [télәmən, -mɑ̀n/-mən, -mɔ̀n] (*pl.* ***-mo·nes*** [tèləmóuniːz]) *n.* 〖건축〗 남상주(男像柱). opp. *caryatid.*
tel·an·gi·ec·ta·sia, tel·an·gi·ec·ta·sis [telæ̀ndʒiektéiʒiə, tə-, -ziə], [telæ̀ndʒiéktəsis, tə-] (*pl.* ***-tá·sias, -ta·ses*** [-təsìːz]) *n.* 〖의학〗 모세관 확장증. ㊕ **tel·àn·gi·ec·tát·ic** *a.*
tel·au·to·gram [telɔ́ːtəgræ̀m] *n.* 전송 서화〔사진〕.
Tel·Au·to·graph [telɔ́ːtəgræ̀f, -grɑ̀ːf] *n.* (서화(書畫)·사진) 전송기《상표명》. 「도시》.
Tel Aviv [télәvíːv] 텔아비브《이스라엘의 최대
tel·co [télkòu] *n.* 전화 회사《전문어·회사명으로서》. [◂ *tel*ephone *co*mpany]
tele [téli] *n.* 《구어》 =TELEVISION; TELLY.
tele- ⇨TEL-.
téle-àd. *n.* (전화로 신청하는) 신문 광고. 「작.
tele-ar·chics [tèliáːrkiks] *n.* 항공기 원격 조
téle·bànking *n.* 텔레뱅킹《TV나 컴퓨터를 통해 은행과 거래를 하는 금융 서비스》.
téle·càmera *n.* 텔레비전〔망원〕 카메라.
tel·e·cast [télikæ̀st, -kɑ̀ːst/-kɑ̀ːst] (*p.*, *pp.* **~, ~ed**) *vt.*, *vi.* 텔레비전 방송을 하다. **—** *n.* 텔레비전 방송. [◂ *tele*vision+broad*cast*] ㊕ **~·er** *n.* 텔레비전 방송자〔뉴스 해설자〕.
tel·e·cine [télәsìni, ⌐-⌐] *n.* 텔레비전 영화; 텔레비전 스튜디오. 「MUNICATION(S).
tel·e·com [télikɑ̀m/-likɔ̀m] *n.* =TELECOM-
tèle·communicátion *n.* **1** (라디오·텔레비전·전신·전화 따위에 의한) 원거리 통신. cf. Telstar. ¶ a ~*s* satellite 통신 위성. **2** (보통 ~s) 전기 통신학. **3** 〖컴퓨터〗 원격 통신, 텔레커뮤니케이션.
téle·commùte *vi.* 컴퓨터로 집에서 근무하다. ㊕ **-mùting** *n.* **tèle·commúter** *n.*
téle·compùter *n.* 〖컴퓨터〗 텔레컴퓨터《전화선이나 원거리 통신 체계를 이용하여 정보를 송수신하는 컴퓨터》.
téle·compùting *n.* 〖컴퓨터〗 텔레컴퓨팅《telecomputer 체계를 사용한 정보의 처리·전송》.
téle·cònference *n.* (장거리 전화·텔레비전 등을 이용한) 원격지 간의 회의. ㊕ **-enc·ing** *n.*
tèle·consultátion *n.* 〖의학〗 원격 상담《원격 측정기기나 텔레비전을 이용한 원격지로부터의 의료 상담》. 「리모트 컨트롤.
tèle·contról *n.* (전파 따위에 의한) 원격 조작,
Tel·e·cop·i·er [téikɑ̀piər] *n.* 전화 복사기《문자나 도형을 전화 회선을 이용해서 전송·복사하는 기계; 상표명》.
téle·còttage *n.* 텔레코티지《시골에 있지만 대도시나 세계와 컴퓨터로 맺어진 주택》.
téle·còurse *n.* 《미》 텔레비전 강좌《대학 따위의 텔레비전에 의한 강의》.
tèle·diagnósis *n.* U 텔레비전〔원격〕 진단.
tel·e·du [télәdùː] *n.* 〖동물〗 오소리류(類)《자바 및 수마트라산(產)》. 「송하는 방법.
tèle·facsímile *n.* C,U 인쇄물을 원격지에 전
téle·film *n.* 텔레비전용 영화 (필름).
teleg. telegram; telegraphy.
téle·gàmes *n. pl.* 《단수취급》 텔레게임, 전화 회선을 이용하여 원거리 복수 플레이어가 동시에 참가하는 게임《체스·바둑 따위》.
tel·e·gen·ic [tèlədʒénik] *a.* 텔레비전 방송에 알맞은; 텔레비전에 깨끗이 비치는. cf. photogenic, radiogenic, etc. ¶ a ~ actress 텔레비전 방송에 적합한 여배우. 「應) 유전.
te·leg·o·ny [təlégəni] *n.* U 〖유전〗 감응(感
****tel·e·gram** [téligræ̀m] *n.* 전보, 전신: an urgent ~ 지급(至急) 전보/send 〔address, dispatch〕 a ~ 전보를 치다/a ~ to follow 후속(後續) 전보/a ~ in cipher 〔in plain language〕 암호〔보통어〕 전보/by ~ 전보로.
***tel·e·graph** [téligræ̀f, -grɑ̀ːf] *n.* **1** 전신, 전보; 전신기: a ~ office 전신국/a ~ operator 전신 기사/a ~ slip 〔form, 《미》 blank〕 전보용지/a duplex 〔quadruple〕 ~, 2중〔4중〕 전신기/by ~ 전보로, 전신으로. **2** (경기 득점 따위의) 속보 게시판(~ board). **3** (T-) …통신《The Daily *Telegraph* 따위처럼 신문 이름에 씀》. **4** 〖컴퓨터〗 전신《전기 통신의 일종으로 on/off의 단속 신호에 의하여 숫자나 알파벳을 나타냄으로써 하는 통신》.
— *vt.* **1** 《~+목/+목+전+명/+목+목/+목+*that* 절/+목+*to* do》 타전하다, 전신으로 알리다; 전송하다: ~ one's intention 의도를 전보로 알리다/~ one's departure *to* one's friends 출발을 친구들에게 전보로 알리다/Please ~ me the result. 결과를 전보로 알려주시오/The office ~*ed* me *that* they had not received my application. 사무국은 내 원서를 접수하지 않았다고 전보로 알려왔다/He ~*ed* his men *to* sell. 그는 사원들에게 (주식을) 팔도록 타전했다. **2** (몸짓·눈짓 따위로) 느끼게 하다.
— *vi.* **1** 《~/+전+명/+전+명+*to* do》 전보를 치다, 타전하다: ~ *to* a person 아무에게 전보를 치다/He ~*ed to* me *to* come up at once. 그는 나에게 곧 오라고 타전해 왔다. **2** 신호하다: ~ by glance 눈짓으로 알리다.
㊕ **te·leg·ra·pher,** 《영》 **-phist** [təlégrəfər],

[-fist] *n.* 전신계원, 전신 기사. 「게시판.
télegraph bòard (경마장 따위의) 속보(速報)
tel·e·graph·ese [tèləgræfí:z, -fí:s, ⌐-⌐-⌐] *n.*, *a.* 전문체(電文體)(의); 《우스개》 과장적 문체(의).
tel·e·graph·ic [tèləgrǽfik] *a.* 전신기의; 전신의, 전보의; 전송의; 전문체의, 간결한: a ~ address (전보의) 수신인 약호, 전략(電略) / a ~ code 전신 부호《특히 Morse식의》/ ~ instructions 전보 훈령 / a ~ message 전보, 전문 / a ~ picture 전송 사진. ㊕ **-i·cal·ly** *ad.*
telegráphic tránsfer 《영》 전신환(換)(《미》 cable transfer)《생략: TT》.
télegraph kèy 전건(電鍵).
télegraph lìne 전신선.
télegraph mòney òrder 전신환.
te·leg·ra·phone [təlégrəfòun] *n.* (초기의) 전자(電磁)식 녹음(재생)기.
tel·e·graph·o·scope [tèligrǽfəskòup] *n.* (초기의) 사진 전송기(電送機).
télegraph plànt 〖식물〗 무초(舞草)《열대 아시아 원산》.
télegraph pòle 〔**pòst**〕 《영》 전(신)주.
télegraph wìre 전(신)선.
te·leg·ra·phy [təlégrəfi] *n.* Ⓤ 전신술〔학〕; 전신법; 전신: ⇨ WIRELESS TELEGRAPHY.
tel·e·kin·e·ma [téləkìnəmə] *n.* 텔레비전 영화 상영관. 「**tèle·kinétic** *a.*
tèle·kinésis *n.* 〖심령〗 = PSYCHOKINESIS. ㊕
Téle-lèarning *n.* 텔레러닝《본부와 전화선으로 연결된 홈 컴퓨터(home computer)로 대학 수준의 강의를 받을 수 있는 가정 학습 시스템》.
téle·lècture *n.* 전화 강연《전화를 이용한 마이크
téle·lèns *n.* 망원렌즈(=TELEPHOTOS). 〔방송〕.
téle·màn [-mæ̀n] (*pl.* **-mèn** [-mèn]) *n.* 〖미 해군〗 사무·암호·통신을 담당하는 상급 부사관.
tel·e·mark [téləmɑ̀:rk] *n.* 〖스키〗 텔레마크식 회전《노르웨이의 지명에서 유래》.
téle·màrketing *n.* 전화를 이용한 판매〔광고〕 활동. ㊕ **-màrket** *vi.*, *vt.* **-màrketer** *n.*
te·le·mat·ics [tèləmǽtiks] *n.* =TÉLÉMATIQUE.
té·lé·ma·ti·que [*F.* telematik] *n.* 《F.》 〖전자〗 텔레마티크《전화와 컴퓨터를 결합한 정보 서비스 시스템》.
télématique service [⌐⌐] 〖통신〗 기존의 전신 전화에 대신하는 새로운 비전화계(非電話系) 서비스의 총칭. 「원격〔무선〕 조작(법).
téle·mechànics *n. pl.* 〔단수취급〕 (기계의)
téle·mèdicine *n.* (전화·텔레비전 등의 통신 시스템에 의한) 원격 의약 처방.
téle·mèssage *n.* 《영》 텔레메시지《전화나 텔렉스로 받은 전보문》.
tel·e·me·ter [təlémətər, téləmì:tər] *n.* 텔레미터, 거리 측정기(range finder); 원격 계측기(計測器), (로켓 등의) 자동 계측 전송(電送) 장치. ― *vt.*, *vi.* (측정치를) 원격 계측기로 송신〔기록〕 하다. ㊕ **~·ing** *n.* Ⓤ 원격 측정.
te·lem·et·ry [təlémətri] *n.* Ⓤ 텔레미터법, 원격 측정법. ㊕ **tel·e·met·ric** [tèləmétrik] *a.*
téle·mòtor *n.* 〖해사〗 원격 조타(操舵) 장치.
tèl·encéphalon (*pl.* **~s, -la**) *n.* 〖해부·동물〗 단뇌(端腦)(=**énd·bràin**).
téle·nèws *n.* 텔레비전 뉴스.
tel·e·o·log·ic, -i·cal [tèliəlɑ́dʒik/-lɔ́dʒ-], [-ikəl] *a.* 〖철학〗 목적론의〔적인〕, 목적관(觀)의. ㊕ **-i·cal·ly** *ad.*
tel·e·ol·o·gy [tèliɑ́lədʒi, tì:l-/-ɔ́l-] *n.* Ⓤ 〖철학〗 목적론; 목적 원인론. ㊕ **-gism** *n.* Ⓤ 목적론 신봉; 목적관. **-gist** *n.* 목적론자.
tel·e·on·o·my [tèliɑ́nəmi, tì:li-/-ɔ́n-] *n.* 목적론적 법칙《생물에 있어서의 구조·기능의 존재는 그것이 진화하며 남겨질 가치를 갖고 있었다고 하는 것》; 종합적 목적에 지배되는 사회 조직〔집단〕.
tèle·óperator *n.* 원격 조작 로봇 장치.
Tel·e·o·sau·rus [tèliəsɔ́:rəs] *n.* 〖고생물〗 쥐라기(紀)의 악어류(類)에 속하는 파충류.
tel·e·ost [téliɑ̀st, tí:li-/-ɔ̀st] *n.* 〖어류〗 경골(硬骨) 어류.
tel·e·path [téləpæ̀θ] *n.* 텔레파시 능력자(telepathist). ― *vi.* =TELEPATHIZE.
tel·e·path·ic [tèləpǽθik] *a.* 정신 감응의, 이심전심의. ㊕ **-i·cal·ly** *ad.*
te·lep·a·thist [təlépəθist] *n.* 정신 감응술 연구가; 텔레파시 능력자.
te·lep·a·thize [təlépəθàiz] *vt.*, *vi.* 정신 감응으로 전하다, 정신 감응술을 행하다.
te·lep·a·thy [təlépəθi] *n.* Ⓤ 텔레파시, 정신 감응(술); 감응, 이심전심.
tèle·páyment *n.* 비디오텍스를 이용하여 대금을 지불하는 방법.
†**tel·e·phone** [téləfòun] *n.* 전화; 전화기; (the ~) 전화 (통신) 조직. ★《구어》에서는 phone《생략: tel.》, 내선은 extention《생략: ext.》. ¶ a ~ line 전화선 / a public ~ 공중전화 / a ~ message 통화 내용 / a ~ set 전화기 / a ~ subscriber 전화 가입자 / answer the ~ 전화를 받다 / be wanted on the ~ 전화가 와 있다 / send a message by ~ 전화로 용건을 전하다〔통신문을 보내다〕《by ~ 은 무관사》/ call a person on 〔to〕 the ~ 아무를 전화통에 불러내다 / speak to a person over 〔on〕 the ~ 아무와 전화로 이야기하다 / have 〔receive, get〕 a ~ call 전화를 받다 / make a ~ call 전화를 걸다.

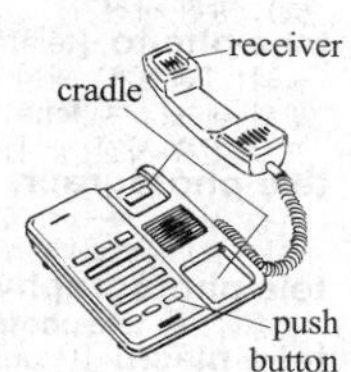

push-button telephone

― *vt.* **1** 《~+목/+목+전+명/+목+목/+목+*to* do/+목+*that* 절》 …에게 전화를 걸다, …을 전화로 불러내다〔전하다〕: ~ a person by long distance 아무에게 장거리 전화를 걸다 / ~ a message *to* a person =~ a person a message 전화로 아무에게 말을 전하다 / I ~*d* him *to* come at once. 나는 그에게 곧 오도록 전화했다 / He ~*d* me *that* he would come to see me. 그가 나를 만나러 오겠다고 전화를 했다. **2** 《+목+목/+목+전+명》 전화를 걸어 …을 하게 하다: ~ a person a congratulatory telegram =~ a congratulatory telegram *to* a person 전화국에 부탁하여 아무에게 축전을 치게 하다. ― *vi.* 《~/+전+명/+*to* do》 전화를 걸다〔하다〕; 전화로 이야기하다: ~ *to* one's friend 친구에게 전화하다 / ~ *for* a doctor 전화로 의사를 부르다 / I ~*d to* say that I wanted to see him. 나는 전화로 그를 만나고 싶다고 말했다. ★ 특히 《구어》에서는 종종 *n.*, *v.* 모두 단순히 phone을 씀.
㊕ **tél·e·phòn·er** *n.* 전화를 거는 사람.
télephone ánswering machìne =ANSWERING MACHINE.
télephone bànk (자원 봉사자들이 투표나 자선 모금을 권유하기 위해 마련한) 전화 활동 조직(체).
télephone bìt 《미속어》 장기 금고형(刑).
télephone bòok 〔**dirèctory**〕 전화번호부.
télephone bòoth 〔《영》 **bòx, kìosk**〕 공중전화 박스.

tele·phon·ee [tèləfouníː] *n.* 전화가 걸려온 사람.
télephone exchànge 〔**òffice**〕 전화 교환국.
télephone nùmber 전화번호; 《미속어》 =TELEPHONE BIT.
télephone òperator 교환원.
télephone pòle 전화선 전주.
télephone recèiver 〔**transmìtter**〕 수〔송〕화기.
télephone tàg 텔레폰태그《계속 전화를 걸어도 상대방의 부재로 통화가 안 되는 상태》; 전화 술래잡기.
tel·e·phon·ic [tèləfánik/-lifɔ́n-] *a.* 전화의; 전화에 의한. ㊞ **-i·cal·ly** *ad.*
te·leph·o·nist [təléfənist, téləfòu-/təléfə-] *n.* 《영》 전화 교환원〔기술자〕.
te·le·pho·ni·tis [tèləfənáitis] *n.* Ⓤ 《우스개》 전화광(狂)〔중독〕.
te·leph·o·ny [təléfəni] *n.* Ⓤ (전화) 통화법; 전화 통신.
tel·e·phote [téləfòut] *n.* 사진 전송기(電送機); 망원 사진기.
tel·e·pho·to [téləfòutou] *a.* 망원〔전송〕 사진술의; (렌즈가) 망원 사진용의. ── (*pl.* **~s**) *n.* 망원 렌즈(=∠ **léns**); 망원 사진(술); (T-) 텔레포토《전송 사진〔장치〕의 상표명》.
tèle·phótograph *n.* 망원 렌즈(=∠ **léns**); 전송 사진. ── *vt.* 망원 (렌즈로) 사진을 찍다; (사진을) 전송하다.
tèle·photógraphy *n.* Ⓤ 망원 사진술; 사진 전송술. ㊞ **tèle·photográphic** *a.*
tel·e·plasm [téləplæ̀zəm] *n.* 〖심령〗 영매(靈媒)의 몸에서 방사(放射)되는 영기(靈氣)(ectoplasm).
téle·plày *n.* 텔레비전극.
tel·e·port[1] [téləpɔ̀ːrt] *vt.* 〖심령〗 (물체·사람을) 염력(念力)으로 움직이다〔이동시키다〕. ㊞ **tèl·e·por·tá·tion, tél·e·pòr·tage** *n.*
tel·e·port[2] *n.* 〖통신〗 텔레포트《통신 위성으로 세계에 통신을 송수신하는 지상 센터》.
téle·prèsence *n.* 원격 제어 장치의 오퍼레이터가 느끼는 임장감(臨場感).
téle·prìnter *n.* 인쇄 전신기; =TELETYPEWRITER.
téle·procéssing *n.* 〖컴퓨터〗 원격 처리《원거리 통신 체계를 이용한 컴퓨터에 의한 원격 조작 및 자료 전송》.
Tel·e·Promp·Ter [téləprɑ̀mptər/-prɔ̀mp-] *n.* 텔레프롬프터《TV 출연자에게 대본을 확대시켜 보이며, 화면에는 비치지 않는 장치; 상표명》.
Tel·e·put·er [téləpjùːtər] *n.* 《영》 텔레퓨터《퍼스널 컴퓨터와 비디오텍스를 결합한 것》.
tel·e·ran [télərӕn] *n.* Ⓤ 〖항공〗 텔레랜《지상 레이더로 얻은 정보가 TV를 통해 항공기 내에 표시되는 항공 지시 방식》. [◂ *tele*vision *r*adar *a*ir *n*avigation]
téle·recòrd *vt.* 〖TV〗 녹화하다.
téle·recòrding *n.* 〖TV〗 녹화 (프로).
tel·er·gy [télərdʒi] *n.* Ⓤ 〖심리〗 원격 정신 작용.
téle·sàles *n. pl.* 〔단수취급〕 (전화에 의한) 판매·광고 활동.
***tel·e·scope** [téləskòup] *n.* **1** 망원경; 원통상(狀) 확대 광학 기계《기관지경·방광경 등》: a binocular ~ 쌍안경 / an equatorial ~ 적도의(儀) / a sighting ~ (총포의) 조준 망원경 / ⇨ ASTRONOMICAL 〔RADIO〕 TELESCOPE. **2** 〖천문〗 (the T-) = TELESCOPIUM. ── *a.* 끼워 넣는 (식의). ── *vi.* 끼워 넣어지다; 자유자재로 늘고 줄다; (열차 따위가) 충돌하여 포개어지다. ── *vt.* **1** (망원경의 통처럼) 끼워 넣다; (열차 따위가 충돌하여) 겹쌓이게 하다. **2** 짧게 하다, 단축하다《*into*》.
télescope bàg 뚜껑 달린 여행가방.
télescope sátellite (달 등의) 탐사용 무인 인공위성.
télescope sìght (총포의) 광학식 조준경.
télescope wòrd =PORTMANTEAU WORD.
tel·e·scop·ic [tèləskápik/-skɔ́p-] *a.* 망원경의; 망원경으로 본; 육안으로는 보이지 않는; 먼 곳까지 보이는, 멀리 볼 수 있는; 끼워 넣을 수 있는; 신축자재의: a ~ antenna 로드(rod) 안테나 / a ~ sight 망원 가늠자. ㊞ **-i·cal·ly** *ad.*
Tele·sco·pi·um [tèləskóupiəm] *n.* 〖천문〗 망원경자리《궁수(弓手)자리 남쪽의 작은 별자리》.
te·les·co·py [təléskəpi] *n.* Ⓤ 망원경 사용법〔관측술〕; 망원경 제조법. ㊞ **-pist** *n.* 망원경 사용자〔관측자〕; 망원경 사용에 숙달된 사람.
téle·scrèen *n.* **1** 텔레비전 수상면(受像面). **2** 송수신(送受信) 겸용 텔레비전막(幕)《George Orwell의 소설 "*1984*" 중의 사찰 경찰이 국민을 감시하기 위한 장치》.
tel·e·script [téləskrìpt] *n.* 텔레비전 방송용 대본.
tèle·secúrity *n.* 도청 방지.
téle·sèism *n.* 원지(遠地) 지진.
téle·shòpping *n.* 텔레쇼핑(telemarketing)《텔레비전에서 상품을 보고 주문하는 구매 방식》.
tel·e·sis [téləsis] *n.* (목적 달성을 위한 자연력·사회력의) 계획적 이용; (지적인 계획에 의한) 진보, 목적 달성.
tèle·sóftware 텔레소프트웨어《멀리 떨어진 곳에 전송하는 컴퓨터 소프트웨어》.
tèle·spéctroscope *n.* 망원 분광기(分光器).
tèle·stéreoscope *n.* 입체 망원경.
tel·es·the·sia [tèlesθíːʒiə, -ziə] *n.* Ⓤ 〖심령〗 원격 감지《예감·천리안(千里眼) 따위》. ㊞ **tèl·es·thét·ic** [-θét-] *a.*
téle·stùdent *n.* telecourse 의 수강생.
tel·e·tex [télətèks] *n.* 텔레텍스《종래의 텔렉스를 고속화·고성능화한 것》.
téle·tèxt *n.* 텔레텍스트, 문자 다중(多重) 방송; 〖컴퓨터〗 텔레텍스트.
tèle·thérapy *n.* 〖의학〗 원격 치료(법)《방사선 치료처럼 몸에서 떨어진 곳에 치료원(治療源)이 있는 상태에서의 치료》.
tèle·thermómeter *n.* 원격 자동 기록 온도계, 전기 온도계.
tel·e·thon [téləθɑ̀n/-θɔ̀n] *n.* (자선 사업·정치 자금 모금 따위를 위한) 장시간의 텔레비전 방송. [◂ *tele*vision + mara*thon*]
tèle·transcríption *n.* 비디오 등에 의한 텔레비전 프로의 녹화.
Tel·e·type [télətàip] *n.* 《미》 텔레타이프《텔레타이프라이터의 상표명》; (종종 t-) 텔레타이프 통신(문). ── *vt., vi.* (종종 t-) ~로 송신하다.
téle·tỳper *n.* =TELETYPIST.
Tel·e·type·set·ter [tèlətáipsètər, ∠-∠-] *n.* 전송식 식자기《상표명》.
tèle·týpewriter *n.* 《미》 텔레타이프라이터, 전신 타자기.
téle·tỳpist *n.* 텔레타이프 타자수.
te·leu·to·spore [təlúːtəspɔ̀ːr] *n.* =TELIOSPORE.
tèle·vángelist *n.* 텔레비전 전도사《텔레비전으로 정기 예배를 함》.
téle·vìew *vt., vi.* 텔레비전으로〔을〕 보다. ㊞ **~·er** *n.* 텔레비전 시청자.
tel·e·vise [téləvàiz] *vt.* (텔레비전으로) 방송〔수상〕하다.
†**tel·e·vi·sion** [téləvìʒən] *n.* **1** Ⓤ 텔레비전《생략: TV》; 텔레비전 영상〔프로〕: He was watching ~. 그는 텔레비전을 보고 있었다 / I saw the Olympics on (the) ~. 나는 텔레비전으로 올림픽 경기를 보았다. **2** Ⓒ 텔레비전 수상기(=∠ **sèt**). **3** 텔레비전 방송 산업; 텔레비전에 관련된 일: He is in ~. 그는 텔레비전 관계의 일을 하고 있다. ㊞ **tèl·e·ví·sion·al, tèl·e·ví·sion·ary** [-ʒənəl], [-ʒənèri/-nəri] *a.* 텔레비전의〔에 의한〕.
télevision lìcence 《영》 TV 수신 허가증.
télevision shòpping =TELESHOPPING.
télevision stàtion 텔레비전 방송국.
télevision tùbe 수상관(受像管).

tel·e·vi·sor [téləvàizər] *n.* 텔레비전 송신〔수신〕 장치; 텔레비전 방송자.

tèle·vísual *a.* 텔레비전의, 텔레비전 방송에 알맞은.

tel·e·vox [téləvàks/-vɔ̀ks] *n.* (발성 장치를 가진) 로봇.

tèle·wórking *n.* 재택 근무(telecommuting).

téle·wrìter *n.* 전기 사자기(寫字機), 전신 인자기(印字機).

tel·ex [téleks] *n.* 텔렉스《가입자가 교환 접속에 의해 teletypewriter로 교신하는 통신 방식; T- 는 그 상표명》; 텔레타이프; 그 통신문. **—** *vt.* 텔렉스로 송신하다; …와 텔렉스로 교신하다. [◂ *tel*-etypewriter 〔*tele*printer〕 + *ex*change]

telfer ⇨ TELPHER.

te·li·al [tí:liəl, tél-] *a.* TELIUM 의.

te·lic [télik, tí:l-] *a.* 목적에 맞는; 〖문법〗 (절·구가) 목적을 나타내는. ㊞ **té·li·cal·ly** *ad.*

te·li·o·spore [tí:liəspɔ̀:r, tél-] *n.* 〖세균〗 겨울포자(winter spore). ㊞ **tè·li·o·spór·ic** *a.*

te·li·um [tí:liəm, tél-] (*pl.* ***te·lia*** [tí:liə, tél-]) *n.* 〖세균〗 겨울포자층(層)《겨울포자 집합체》.

Tell [tel] *n.* **William ~** 텔《스위스의 전설적 영웅》.

†**tell** [tel] (*p., pp.* ***told*** [tould]) *vt.* **1** 《~+[목]/+[목]+[목]/+[목]+[전]+[명]/+[목]+*that* [절]》 말하다, 이야기하다: ~ one's experience/He *told* us his adventures. =He *told* his adventures *to* us. 그는 우리에게 그의 모험담을 이야기해 주었다/She *told* me *that* she had been to America. 그녀는 미국에 간 적이 있다고 나에게 말했다. SYN. ⇨ SPEAK.

2 《~+[목]/+*wh.* [절]/+[목]+*wh.* [절]/+[목]+[전]+[명]/+[목]+*that* [절]/+[목]+[목]/+[목]+*wh. to* do》 (아무에게) 들려주다, 고하다, 전하다, 알리다《*of; about*》; (길 따위를) 가르쳐 주다: ~ news 뉴스를 알리다/I can't ~ (you) *how* happy I am. 얼마나 기쁜지 말로 표현할 수가 없다/*Tell* me (all) *about* it. 그것에 대하여 죄다 얘기해 주시오/He *told* me his name. 그는 나에게 이름을 가르쳐 주었다/I am *told* (*that*) you were ill. 편찮으셨다면서요/*Tell* me *how to* make it. 그것 만드는 방법을 가르쳐 주시오.

3 《~+[목]/+[목]+[목]/+*wh.*[절]》 (비밀 따위를) 말하다; 누설하다, 털어놓고 이야기하다: Don't ~ (me) a lie. (내게) 거짓말을 하지 마라/Don't ~ *where* the money is. 돈 있는 곳을 대지 마라.

4 《~+[목]/+[목]+[전]+[명]》〔주어가 사람 이외의 경우〕 증명하다, 증거가 되다, (스스로) 말하다; 나타내다: Her face *told* her grief. 그녀의 얼굴이 그녀의 슬픔을 나타내었다/The smashed automobile *told* a sad story. 엉망이 된 자동차는 사고가 비참하였음을 말해 주고 있었다/A room ~*s* a lot *about* its occupant. 방을 보면 그 곳에 살고 있는 사람에 대해 잘 알 수 있다.

5 (시계가 때를) 알리다: The clock *told* the time.

6 《+[목]+*to* do》 명하다, 분부하다: I *told* him *to* go on. 계속하라고 그에게 일렀다. SYN. ⇨ ORDER.

7 《~+[목]/+[목]+[전]+[명]/+*wh.* [절]/+[목]+[부]》 〔보통 can, could, be able to를 수반하여〕 분간하다, 식별〔구별〕하다《*from*》; …을 알다, 납득하다: *Can* you ~ the difference? 차이를 알겠니/I *can't* ~ the reason. 이유를 모르겠다/~ wheat *from* barley 밀과 보리를 식별하다/There is no ~*ing what* will happen in future. 장차 무슨 일이 일어날지 전혀 모른다/I might have learned to ~ a few of them *apart*. 그들 중 몇 사람은 구별할 수 있게 되었는지 모르겠다.

8 《고어》 세다, 셈하다: ~ the number of the stars 별의 수를 세다.

— *vi.* **1** 《~/+[전]+[명]》 말하다, 얘기하다, 보고하다, 예언하다《*about; of*》: Her tears *told of* the sorrow in her heart. 그녀의 눈물은 그녀의 마음의 슬픔을 말해 주었다/There is no ~*ing about* the weather. 날씨라는 것은 알 수 없다. **2** 《~/+[전]+[명]》 고자질하다, 밀고하다《*on*》: He promised not to ~. 그는 남에게 말하지 않겠다고 약속했다/Don't ~ *on* me. 나를 밀고하지 마라/John *told on* his brother. 존은 형〔동생〕을 고자질했다. **3** 《~/+[전]+[명]》 효과가 있다, 듣다, 영향을 주다《*on*》; 답하다; 명중하다: Honesty will ~ in the end. 결국은 정직이 말을 한다/The strain will ~ *on* you. 그렇게 무리하면 몸에 해롭다/Every shot *told*. 백발백중이었다. **4** 《+[전]+[명]》 (명확히〔잘라〕) 말하다: No one can ~ *about* his destiny. 자신의 운명은 아무도 모른다. **5** 〔보통 can, could, be able to 따위를 수반하여〕 분별하다, 식별하다: How *can* I ~? 어찌 내가 알 수 있겠는가/I *can* ~ at a glance. 한 눈에 알겠다. **6** 《영방언》 지껄이다, 잡담하다. ◇ tale *n.*

A little bird told me. ⇨ BIRD. ***all told*** 합계(해서), 통틀어, 전체적으로 보아: There are twenty of us *all told*. 우리는 모두 20명 있습니다. ***Don't*** 〔***Never***〕 ***~ me!*** 설마; 바보 같은 소리 마라. ***Do ~!*** 《구어》 무슨 말씀, 설마. ***hear ~*** (***of***) ⇨ HEAR. ***I am told*** …인 것 같다, …라는 이야기다: I *am told* he is rich. 그는 부자라더라. ***I can ~ you.*** =***I ~ you.*** =***Let me ~ you.*** 사실, 참으로, 정말 …이다, 정말이지: It isn't easy, *I can ~ you*. 그렇게 쉬운 일이 아니라네. ***I'll ~ you what*** (***it is***). 좋은 이야기가 있으니 들어 보게나, 이야기하고 싶은 것이 있다네; 결국 이렇단 말야. ***I'm ~ing you.*** 《구어》 〔먼저 말을 강조하여〕 정말이야; 〔후속 말을 강조하여〕 여기가 중요한 대목인데, 잘 들어봐. ***I'm not ~ing!*** 대답하고 싶지 않다. ***I told you so!*** 그러게 내가 뭐라던가. ***I will ~ you.*** 자 들어보시오, 자세한 것을 이야기하지요. ***So they ~ me*** 〔***us***〕. =***So I*** 〔***we***〕***'ve been told.*** 그렇다는 말입니다, …라고들 (말)합디다: I hear you've beaten the record. —*So they ~ me*. 당신은 기록을 깨뜨렸다지요 — 그렇다고들 하더군요. ***~ a green*** 〔***blue***〕 ***man*** 《미속어》 진실을 말하다. ***~ all*** 진실을 폭로하다. ***~ apart*** 식별하다. ***~ a tale*** ⇨ TALE. ***~ away*** 《방언》 (아픔을) 주문(呪文)을 외어 없애다. ***~ for*** 〔***against***〕 …에(게) 유리〔불리〕하다. ***~ it like*** 〔***how***〕 ***it is*** 〔***was***〕 《미속어》 (언짢은 일도) 사실대로 말하다. ***~ its own tale*** 스스로 드러나다, 자명하다. ***Tell me another!*** 《구어》 믿어지지 않는데, 그건 농담이겠지. ***~ off*** ① 세어서 가르다〔갈라 해산하다〕; 〔보통 수동태〕 (세어 갈라서 일을) 할당하다《*for* duty; *to* do》. ② 특파하다: Ten men were *told off* for special duty. 10명의 남자가 특별 임무를 띠고 파견되었다. ③ 《고어·구어》 야단치다, 책망하다《*for*》: That fellow needs to be *told off*. 저놈은 야단 좀 맞아야겠다. ④ 《미속어》 사전에 알리다. ***~ on*** ① …에 즉효가 있다, …에 영향을 미치다: His age is beginning to ~ *on* him. 그도 나이에는 어쩔 수 없게 되었다. ② 《구어》 …의 고자질을 하다: I did not ~ *on* her. 그녀의 비밀을 누설하지 않았다. ***~ out*** =~ away. ***~ over*** (돈을) 여러 번 세다, (이야기를) 여러 번 되풀이하다. ***~ tales*** (***out of school***) 비밀을 누설시키다, 고자질하다. ***Tell that to the*** (***horse***) ***marines!*** 그걸 누가 믿겠나, 거짓말 말게. ***~ the tale*** = TALE. ***~ the world*** 《미》 공언〔단언〕하다. ***~ a person where to get off*** 아무를 꾸짖다, 아무에게 호통치다. ***That would be ~ing.*** 《구어》 (혼

히 비밀을 비쳐 놓고) 거기엔 좀 답변하기 어려운데요. **(There's) no way to ~.** 《구어》 아무도 모른다. **Time will ~.** 때가 오면 알게 될 것이다. **Who can ~?** 누가 알 수 있겠는가, 아무도 모른다. **You can never can ~.** 아무도 모르는 일이라네. **You're ~ing me!** 《구어》 (안 들어도) 다 안다; 과연 그렇군. **You ~ 'em!** 《속어》 그렇다《남의 말에 찬성·격려의 말》. **You ~ me.** 《구어》 나는 모른다.
㊎ **∠·a·ble** *a.* 이야기할 수 있는; 이야기한 보람이 있는, 이야기할 가치가 있는.

téll-áll *n.*, *a.* (때때로 폭로적인) 고백적 (저서[자서전]), 모든 것을 털어놓은 (저술), (충격적인) 고백서.

Tel·ler [télər] *n.* **Edward ~** 텔러《헝가리 태생의 미국 물리학자; 수소 폭탄 개발을 지휘함; 1908-2003》.

téll·er *n.* **1** 이야기하는 사람, 말하는 사람. **2** 세는 사람; (투표의) 계표원; (은행의) 금전 출납원 (《영》 bank clerk): a deposit [savings] ~ 예금계원/a paying [receiving] ~ 지출[수납]원. ㊎ **~·ship** *n.* Ⓤ 출납[계산]원의 직[지위].

téll·ing *a.* 효력이 있는; 반응이 있는; 현저한: strike a ~ blow 호되게 때리다. ***with ~ effect*** 뚜렷한 효험이 있어. **—** *n.* 이야기하기; 세기. ***take a ~*** 《속어》 충고를 듣다. ***That's ~.*** =***That would be ~.*** 《속어》 그런 말을 하면 비밀이 드러난다. ***There is no ~ (...).*** (…에 관하여는) 무어라 말할 수 없다, 예언할 수 없다. ㊎ **~·ly** *ad.* 유효하게, 재미있게.

tèlling·óff *n.* 《구어》 꾸짖음(scolding), 질책.

téll·tàle *n.* **1** 고자쟁이; 수다쟁이. **2** 내막을 폭로하는 것, 증거. **3** 〖기계〗 자동 표시기; 타임리코더; 등록기. **4** 〖해사〗 타각(舵角) 표시기; 달아맨 나침의; 풍향포(風向布). **5** 〖음악〗 (오르간의) 풍압 표시기. **6** 〖철도〗 경렴(警簾)《철로 위의 위험을 표시》. **—** *a.* 고자질하는; 내막을 폭로하는, 숨기려 해도 숨길 수 없는, 보면 금세 그것임을 알 수 있는《붉어진 얼굴·증거물 등》; (자동으로) 점검 기록[경고]하는《장치 등》.

tel·lu·ral [teljúərəl] *a.* 《우스개》 지구(주민)의, 지상(인)의.

tel·lu·rate [téljərèit] *n.* 〖화학〗 텔루르산염.

tel·lu·ri·an [teljúəriən] *a.*, *n.* 지구인(의), 지상의 (주민).

tel·lu·ric [teljúərik] *a.* 〖화학〗 텔루르의[를 함유하는]; 지구의; 땅에서 나는: ~ current survey method 〖공학〗 지전류(地電流) 탐사법.

tellúric ácid 〖화학〗 텔루르산(酸)《분석용 시약으로 쓰임》.

tellúric líne 〖천문〗 지구(대기)선((大氣)線).

tel·lu·ride [téljəràid, -rid] *n.* Ⓤ 〖화학〗 텔루르 화합물. 「산화텔루르광(鑛).

tel·lu·rite [téljəràit] *n.* **1** 아(亞)텔루르산염. **2**

tel·lu·ri·um [telúəriəm] *n.* Ⓤ 〖화학〗 텔루르《비금속 원소; 기호 Te; 번호 52》.

tel·lu·rize [téljəràiz] *vt.* 〖화학〗 텔루르화하다; 텔루르로 처리하다.

tel·lu·rom·e·ter [tèljərámətər/-rɔ́-] *n.* 텔루로미터《초단파 거리 측정 장치》.

tel·lu·rous [téljərəs, telúərəs] *a.* 〖화학〗 아(亞)텔루르의, 《특히》 4가(價)의 텔루르를 함유한.

tel·ly [téli] (*pl.* **~s, -lies**) *n.* (the ~) 《영구어》 텔레비전 (수상기). [◂ *tele*vision] 「화.

TEL-MED [télmèd] *n.* 《미》 무료 의료 상담 전

TELNET [télnet] 〖컴퓨터〗 teletype network 《TCP/IP 네트워크 서비스의 한가지로서 호스트 컴퓨터로의 연결을 가능하게 하며 터미널 세션을 실행한다》.

telo- ⇨TEL-.

tel·o·cen·tric [tèləséntrik] *n.*, *a.* 〖생물〗 말단 동원체형(動原體型)(의).

tèlo·dynámic *a.* 동력 원거리 전송(傳送)의.

tel·o·hol·ic [tèləhɔ́:lik] *n.* 텔레비전 중독 환자.

tel·ome [tí:loum] *n.* 〖식물〗 텔롬《관다발 식물의 구조 단위》. ㊎ **te·lo·mic** [tilóumik, -lám-] *a.*

tel·o·mere [téləmìər, tí:l-] *n.* 〖생물〗 (염색체 팔끝에 있는) 말단 소립(末端小粒).

tel·op [télàp/-ɔp] *n.* 〖TV〗 텔롭《화면에 삽입되는 문자 등》. 「(末期).

tel·o·phase [téləfèiz] *n.* (유사 분열의) 말기

te·los [télas, tí:l-/-lɔs] (*pl.* **-loi** [-lɔi]) *n.* (특히 아리스토텔레스 철학에서의) 목적인(目的因).

tel·o·tax·is [tèlətǽksis, tì:l-] *n.* 〖생물〗 목표 주성(目標走性)《생물체가 많은 동시 자극 중 하나만을 향하거나 그것에서 떨어져 이동해 가는 것》.

tel·o·type [télətàip, tí:l-] *n.* 자동 전보 인쇄기; 자동 인쇄 전문(電文).

tel·pher, -fer [télfər] *n.*, *a.* 공중 케이블(카) [전기 삭도(차)](의). **—** *vt.* 전기 삭도차로 운반하다. ㊎ **~·age** [-ridʒ] *n.* 텔퍼 운반 (장치).

tel·son [télsən] *n.* 〖동물〗 (병안(柄眼) 갑각류·전갈·곤충의) 꼬리마디.

Tel·star [télstà:r] *n.* 텔스타 (위성)《미국의 통신 위성; 1962·63 년 발사》.

tem·blor [témblər, -blɔ:r] (*pl.* **~s** [-z], ***tem·blo·res*** [*sp.* -blóres]) *n.* 《미》 지진.

tem·er·ar·i·ous [tèmərέəriəs] *a.* 무모한, 대담 무쌍한. ⓒⓕ rash[1], reckless. ㊎ **~·ly** *ad.* **~·ness** *n.* 「용.

te·mer·i·ty [təmérəti] *n.* Ⓤ 무모(한 행위), 만

Tém·in énzyme [témin-] 〖생화학〗 테민 효소《RNA에서 DNA를 만드는 역전사(逆轉寫) 효소》.

Tem·in·ism [témənìzəm] *n.* 〖생화학〗 테민 이론《유전자의 역전사(逆轉寫) 이론》.

temp [temp] *n.* 《구어》 임시 직원《비서·타자수》. **—** *vi.* 임시 직원으로서 일하다. [◂ *temp*orary (employee)]

temp. temperature; temporal; temporary; *tempore* 《L.》 (=in the time [period] of).

témp àgency =TEMPING AGENCY.

tem·per [témpər] *n.* **1 a** 기질, 천성, 성질. ⓒⓕ disposition. ¶ an equal [even] ~ 차분한 성미/a hot [quick, short] ~ 단기, 울화, 성마름. **b** 기분; 《비유》 (시대 등의) 경향, 추세: in a bad [good] ~ 기분 나쁘게[좋게]. ⓈⓎⓃ. ⇨MOOD. **c** 화, 짜증, 노기: What a ~ he is in! 몹시 화를 내고 있구나. **2 a** 침착, 평정; 참음: hold onto one's ~ 평정을 유지하다. **b** 용기, 예기, 기개. **3 a** Ⓤ (점토 따위의) 반죽의 정도; (강철의) 다시 불림, 다시 불린 경도(硬度), 탄성(彈性): the ~ of clay 점토의 갠 정도/the ~ of steel 강철의 불림/of the finest ~ 최상으로 단련한. **b** 가변(加變) 첨가제; 합금 첨가물, 합금 원소 (혼합물); (가단(可鍛) 주철의) 연화 탄소; (강철의) 함탄(含炭)량[율]. **4** 《고어》 **a** 조성, 성질; 《폐어》 체격, 체질. **b** (여러 성질의) 적절한 균형, 중용(中庸): a ~ between the two rival systems 두 개의 대립하는 제도의 절충. ***fly into a ~*** 화를 내다. ***get [go] into [in] a ~*** 화를 내다, 울화통을 터뜨리다. ***get out of ~*** =***lose*** one***'s ~*** 화를 내다, 울화통을 터뜨리다. ***have a ~*** 성미가 급하다. ***in a fit of ~*** 화를 내고, 홧김에. ***in a ~*** 화를 내고 있는, 성미를 부리고 있는. ***keep [hold, control]*** one***'s ~*** 참다, 화를 억누르다. ***put*** a person ***out of ~*** 아무를 화나게 하다. ***recover [regain]*** one***'s ~*** 냉정을 되찾다. ***show ~*** 분노의 빛을 나타내다, 화를 내다. ***Temper, ~!*** 그렇게 화내지 마세요, 침착하시오.
— *vt.* **1** (《~+목/+목+전+명》) 부드럽게 하다, 진정시키다, 누르다, 경감하다: Let discretion

~ zeal. 정열을 양식(良識)으로 진정시켜라 / ~ justice *with* mercy 정의의 엄함을 자비로 누그러뜨리다 / God ~s the wind to the shorn lamb. 《속담》 신은 털 깎인 새끼양(약자)에게는 바람을 줄인다, 하늘은 사람을 저버리지 않는다. **2** 《+목+전+명》 (적당히) 섞다, 조합(調合)하다; 조화시키다, 조절하다《*to; with*》: ~ strong drink *with* water 독한 술에 물을 타다 / ~ one's desires *to* one's circumstances 욕망을 환경에 조화시키다. **3** (점토 따위를) 개다, 반죽하다; (그림물감을) 기름으로 개다. **4** (강철 따위를) 불리다, (칼 따위를) 담금질하다; (사람을) 단련시키다. **5** 〖음악〗 (악기를) 조율하다, (목소리를) 조절하다. **—** *vi.* **1** 적당〔유연〕해지다, 부드러워지다. **2** (점토 따위가) 개어지다, (강철이) 불리어지다, 잘 달구어지다: ~ by heat 열로 불리다. 파 **~·a·ble** *a.* **~·er** *n.* **tém·per·à·tive** [-rèitiv/ -rətiv] *a.*

tem·pera [témpərə] *n.* C,U 템페라화(畫)「(법).

*****tem·per·a·ment** [témpərəmənt, -pərmənt/ -pərə-] *n.* C,U **1** 기질, 성질, 성미, 체질. cf. disposition. **2** 과격한 기질, 흥분하기 쉬운 기질, 예민한 감수성, 신경질: She is excitable by ~. =She has an excitable ~. 그녀는 곧잘 흥분하는 기질이다. **3** 〖음악〗 평균율(平均律)〔법〕: an equal 〔even〕 ~ 평균율. **4** 조절, 타협; 중용.

tem·per·a·men·tal [tèmpərəméntl, -pərmén-/ -pərə-] *a.* 기질〔성정〕의, 타고난; 개성이 강한; 성마른; 신경질〔감정〕적인; 변덕스러운. 파 **~·ly** *ad.*

°**tem·per·ance** [témpərəns] *n.* **1** 절제; 자제; 극기, 삼감, 중용. **2** 절주, 금주: a ~ hotel 술을 내지 않는 호텔 / ~ drinks 알코올 성분이 없는 음료 / a ~ movement 〔society〕 금주 운동〔금주회〕 / a ~ pledge 금주의 맹세. ◇ temperate *a.*

*****tem·per·ate** [témpərət] *a.* **1** (기후·계절 등이) 온화한; (지역 따위) 온대성의: a ~ climate 온화한 기후 / ~ humid soil 〖지학〗 온대 습윤(濕潤) 토양 / ~ low pressure 〖기상〗 온대성 저기압. **2** 삼가는, 알맞은, 중용의, 온건한, 적당한: Be more ~ in your language, please. 말 좀 삼가시오. **3** 절제하는; 금주의: a man of ~ habits 절제가. **4** 〖음악〗 평균율의. ◇ temperance *n.* 파 **~·ly** *ad.* 알맞게. **~·ness** *n.*

témperate phàge 〖생물〗 용원성(溶原性) 파지《용원균에서 유발하여 생성되는 박테리오파지》.

Témperate Zòne (the ~) 온대. ***the north* 〔*south*〕 ~** 북〔남〕반구 온대.

‡**tem·per·a·ture** [témpərətʃər, -tʃùər, -pərtʃər/ -pərətʃə] *n.* C,U **1** 온도; 기온: the mean ~ of the month of May, 5월의 평균 기온 / The ~ reads 25°C (in the shade). 온도가 (그늘에서) 25°C이다. **2** 체온; 신열, 고열: the normal ~ 평열 / have a 〔no〕 ~ 열이 있다〔없다〕 / run a ~ 열을 내다, 열이 있다 / take a person's ~ 아무의 체온을 재다.

témperature cùrve (환자의) 체온 곡선.

témperature gràdient 〖기상〗 온도 기울기.

témperature-humídity índex 온습(溫濕) 지수《discomfort index(불쾌지수)라고도 함; 생략: THI》.

témperature invèrsion 〖지학〗 기온 역전《대기 중의 어느 층에서 고도가 높아짐에 따라 온도가 상승함》.

témperature scàle 온도계의 눈금. 「각.

témperature sensàtion (피부의) 온도 감

tém·pered *a.* 조절된; 완화된; 〖음악〗 평균율의; 불린, 단련한; 《복합어로》 (…한) 성질의: ~ steel 단강(鍛鋼) / good-~ 성질이 좋은 / short-~ 성급한. 「는, 성마른.

tem·per·some [témpərsəm] *a.* 성을 잘 내

témper tàntrum 울화(통).

°**tem·pest** [témpist] *n.* **1** 사나운 비바람, 폭풍우〔설〕. SYN. ⇨ STORM. **2** 야단법석, 대소동, 동란. ***a ~ in a teacup* 〔*teapot*〕** =a STORM in a teacup. **—** *vt.* 《시어》 몹시 사나워지게 하다; …에 소동〔소란〕을 일으키다. **—** *vi.* 사납게 날뛰다, 사나워지다. ◇ tempestuous *a.*

témpest-swèpt, -tòssed *a.* 《미》 세파에 시달린, (불행·불운 따위에) 번롱된.

°**tem·pes·tu·ous** [tempéstʃuəs] *a.* 사나운 비바람의, 폭풍우의, 폭풍설의; 소란스러운, 광포한; 맹렬한: the most ~ periods in history 사상 최대의 격동기. ◇ tempest *n.* 파 **~·ly** *ad.* 「**~·ness** *n.*

tem·pi [témpi:] TEMPO의 복수.

tém·ping àgency 인재(人材) 파견 회사《특히 비서 따위를 알선하는》.

Tem·plar [témplər] *n.* **1** 템플 기사단원(騎士團員)(⇨ KNIGHTS TEMPLARS). **2** (t-) 《영》 법학생, 법률가, 변호사《법학원 Inner Temple 또는 Middle Temple에 사무소를 두고 있는》. **3** 금주회(禁酒會)(Good 〔Free〕 ~s)의 회원. ***Good ~s*** 1851년 미국에서 조직된 금주회.

tem·plate, -plet [témplət] *n.* (수지(樹脂) 등의) 형판(型板), 본뜨는 자; 〖생화학〗 (유전자 복제의) 주형; 〖건축〗 보〔도리〕받이; 조선대(造船臺)의 쐐기; (반)투명의 피복지(被覆紙); 〖컴퓨터〗 템플릿《키보드 위에 놓고 각 키에 할당된 명령의 내용을 보이는 시트》.

‡**tem·ple**[1] [témpəl] *n.* **1 a** (고대 그리스, 로마, 이집트의) 신전, (불교·힌두교·유대교 등의) 절, 사찰, 사원; (모르몬교) 회당; (기독교 및 신교의) 성당, 교회당; 《미》 =SYNAGOGUE. **b** (the ~, 종종 the T-) (Jerusalem) 성전. **2** 성령이 계시는 성전《기독교도의 몸; 고린도전서 VI: 19》: the ~ of the Holy Ghost. **3** (the T-) **a** 《영》 템플 법학원《the Inns of Court의 Inner Temple 또는 Middle Temple》. **b** 템플 기사단(騎士團)의 성당. **4** 전당: a ~ of art 예술의 전당.

*****tem·ple**[2] *n.* 〖해부〗 관자놀이; 안경다리(의 한 쪽).

tem·ple[3] *n.* (베틀의) 쳇발.

Témple Bár 1879년 철거된 런던 시 서쪽 끝의 문《죄인·반역자의 머리를 매달던 곳》.

témple blòck 목탁.

templet ⇨ TEMPLATE.

tem·po [témpou] (*pl.* **~s, -pi** [-pi:]) *n.* 《It.》 〖음악〗 빠르기, 박자, 템포(생략: t.); 《비유》 (활동·운동 등의) 속도; 〖체스〗 템포《노리는 어떤 순서와 관련된 한 수》: ~ di ballo 〖음악〗 템포 디 발로《왈츠의 빠르기로》.

témpo prí·mo [-prímou] 〖음악〗 =A TEMPO.

°**tem·po·ral**[1] [témpərəl] *a.* **1** 시간의. OPP. *spatial.* ¶ a ~ restriction 시간의 제약. **2** 일시적인(temporary), 잠시의. OPP. *eternal.* **3** 현세의, 뜬세상의; 속계의, 속세의. OPP. *spiritual.* ¶ ~ affairs 속사(俗事) / ~ prosperity 현세의 번영 / ~ powers (교황 등의) 정치적 권력 / the lords ~ =the ~ peers 《영》 성직을 갖지 않은 상원의원(cf. Lord Spiritual). **4** 〖문법〗 때를 나타내는, 시제의. **—** *n.* (보통 *pl.*) 속사, 세사(世事); 현세의 권력〔재산〕. 파 **~·ly** *ad.* 일시적으로, 속사에 관하여.

tem·po·ral[2] 〖해부〗 *n.* 관자놀이뼈, 측두골(側頭骨). cf. temple[2]. **—** *a.* 관자놀이의, 측두(側頭)의. ¶ the ~ bone 관자놀이뼈, 측두골 / ~ lobe 측두엽(側頭葉).

tem·po·ral·i·ty [tèmpərǽləti] *n.* **1** 일시적임, 덧없음. OPP. *perpetuity.* **2** 《집합적》 속사(俗事); 속계(俗界), 속인. **3** 〖법률〗 일시적 소유〔수입〕; (보통 *pl.*) 종교 단체의 재산〔수입〕. cf.

spiritualities (⇨ SPIRITUALITY).

tém·po·ral·ize *vt.* 시간적으로 차지할 위치〔자리〕를 부여하다〔한정하다〕; 세속화하다.

témporal summátion 〖심리〗 시간적 가중(加重)《2개 이상의 자극이 짧은 시간 간격으로 주어지면 강하게 느껴지는 것》.

tem·po·ral·ty [témpərəlti] *n.* 《고어》 **1** 〔집합적〕 속인. **2** 종교 단체의 재산〔수입〕.

***tem·po·rary** [témpərèri/-pərəri] *a.* **1** 일시의, 잠깐 동안의, 순간의, 덧없는. OPP *lasting, permanent.* ¶ a ~ star 신성(新星). **2** 임시의, 당장의, 임시변통의: ~ measures 임시 조처 / a ~ account 가계정 / ~ average 〔mean〕 〖수학〗 가평균 / ~ planting 〖농업〗 가식(假植), 한때심기 / the ~ headquarters 임시 본부 / a ~ quotient 〖수학〗 가(假)몫. ◇ temporize *v.* — *n.* 임시변통의 것; 임시 고용인. ㊕ °**-rar·i·ly** *ad.* 일시적으로, 임시로. **-rar·i·ness** *n.*

témporary dúty 〖군사〗 임시 직무, 일시 파견 근무《생략: TDY》.

témporary file 〖컴퓨터〗 임시 파일《어떤 작업 내에서 일시 만들어졌다가 작업 종료 시에 소거되는 파일》.

témporary óut of stòck 〖상업〗 일시적 재고 품절《생략: TOS》.

témporary stórage 〖컴퓨터〗 임시 기억 장소.

tem·po·rize [témpəràiz] *vi.* **1** 고식적인 수단을 취하다, 임시변통하다, 미봉책을 쓰다; 우물쭈물하다《*between*》. **2** 세상 풍조에 따르다, 시세에 영합하다; 남의 환심을 사다; 타협하다《*with*》. ㊕ **tèm·po·ri·zá·tion** *n.* 임시변통, 미봉; 시간 끌기(논의〔교섭〕); 형세관망; 타협. **tém·po·rìz·er** *n.*

tém·po·rìz·ing *n.* = TEMPORIZATION. — *a.* 임시변통의, 타협적인; 방관적인; 영합적인: ~ measures 미봉책, 임시변통. ㊕ **~·ly** *ad.*

témpo tùrn 〖스키〗 템포 턴《속도를 낮추지 않고 큰 반원을 그리며 하는 평행 회전》.

****tempt** [tempt] *vt.* **1** 《~+목/+목+전+명/+목+*to* do》 …의 마음을 끌다, 유혹하다, 부추기다《*to; into*》: The serpent ~*ed* Eve. 뱀은 이브를 유혹했다 / His friends ~*ed* him *into* stealing 〔*to* steal〕 the money. 친구들이 그에게 돈을 훔치도록 부추겼다. **2** 《+목+부/+목+*to* do》 …할 기분이 나게 하다, 꾀다: The fine weather ~*ed* me *out*. 날씨가 좋아 밖에 나갔다 / She ~*ed* the child *to* have a little more soup. 그녀는 어떻게 해서든지 아이에게 수프를 조금 더 먹이려고 했다. **3** (마음·식욕 따위가) 당기게 하다, 돋우다: The cake ~*s* my appetite. 그 케이크를 보니 먹고 싶어진다. **4** 《고어》 시험하다; 해보다; (바다·자연력 따위를) 노하게 하다: ~ one's fate 운명에 도전하다. **5** 《시어》 …의 위험을 무릅쓰다. ◇ temptation *n.*

be* 〔*feel*〕 *~ed to do …하고 싶어지다: I *am* ~*ed to* question that. 그것을 의심하고 싶어진다. ***Nothing will*** 〔***would***〕 ~ a person ***to*** do. 어떠한 일이 있어도 …하지 않다. ~ ***God*** 〔***Providence, fate***〕 신의 뜻을 시험〔거역〕하다, 신을 겁내지 않는 짓〔모험〕을 하다, 벌 받을 짓을 하다. ㊕ **∠·a·ble** *a.* 유혹할 수 있는, 유혹당하기 쉬운.

°**temp·ta·tion** [temptéiʃən] *n.* **1** U 유혹, 유혹함〔됨〕: fall into ~ 유혹에 빠지다 / yield to ~ 유혹에 지다 / lead a person into ~ 아무를 유혹에 빠뜨리다. **2** 유혹물, 마음을 끄는 것: a great ~ 크게 마음을 끄는 것. **3** (the T-) 〖성서〗 (예수가 사탄으로부터 받은) 광야의 시험《마태복음 IV》. ◇ tempt *v.*

témpt·er *n.* 유혹자〔물〕; (the T-) 악마, 사탄 (Satan).

°**témpt·ing** *a.* 유혹하는, 부추기는, 사람의 마음을〔입맛을〕 당기는: a ~ offer 솔깃해지는 제안 / a ~ market 시장의 호경기 기미. ***look*** ~ 맛있어 보이다. ㊕ **~·ly** *ad.* **~·ness** *n.*

tempt·ress [témptris] *n.* 유혹하는 여자, 요부.

tem·pus fu·git [témpəs-fjúːdʒit] 《L.》 (= Time flies.) 세월은 화살과 같다.

te·mu·lent [témjələnt] *a.* 《미구어》 술취한. [《L.》 *tēmulentus*의 영어화]

†**ten** [ten] *a.* **1** 10의; 10인〔개〕의: ~ times as big, 10배나 큰. **2** 《막연히》 많은: I'd ~ times rather stay here. 여기에 있는 편이 훨씬 낫다 / *Ten* men, ~ colors. 《속담》 십인십색. — *pron.* 〔복수취급〕 **1** 10인. **2** 10개. — *n.* **1** (수의) 10; 10의 기호《x, X》: Five ~*s* are fifty. 10의 5배는 50 / ~*s* of thousands (of) 수만이나. **2** 10명〔개〕; 《구어》 10달러〔파운드〕 지폐; 10에이커의 땅: in ~*s*, 10씩, 10명씩. **3 a** 10시, 10세; 열 번째의 것〔사람〕; 10끗의 카드; (사이즈의) 10번, (*pl.*) 10번 사이즈의 것. **b** 〖수학〗 10자리(= ∠**s plàce**), 10자릿수. **4** 10명〔개〕한 조; 10명이 젓는 보트; 10음절의 1행. **5** 〖광고〗 (라디오·TV의) 10초 스폿. **6** 《속어》 = AMPHETAMINE; (a ~) 《미구어》 최고의 것〔미인〕. ***take*** ~ 《미》 10분간 휴식하다. ~ ***to one,*** 10대 1; 십중팔구, 틀림없이: *Ten to one* he will arrive late. 십중팔구 그는 늦을 것이다.

ten. tenement; 〖음악〗 tenor; 〖음악〗 tenuto.

ten·a·ble [ténəbəl] *a.* (요새·진지 등이) 공격에 견딜 수 있는; 유지〔방어〕할 수 있는; (학술 등이) 지지〔주장〕할 수 있는, 조리 있는. ㊕ **-bly** *ad.* **tèn·a·bíl·i·ty** *n.* **~·ness** *n.*

°**te·na·cious** [tənéiʃəs] *a.* 고집이 센, 완강한, 집요한, 참을성이 강한; 달라붙어 놓지〔떨어지지〕 않는《*of*》; 차진, 끈끈한; 좀처럼 잊지 않는: ~ *of* life 좀처럼 죽지 않는 / a ~ memory 강한 기억력 / a ~ foe 집요한 적. ㊕ **~·ly** *ad.* **~·ness** *n.*

te·nac·i·ty [tənǽsəti] *n.* U 고집; 끈기; 완강, 불굴, 집요; 강한 기억력; 〖기계〗 항장력(抗張力)이 셈: ~ of purpose 불굴의 의지.

ten·an·cy [ténənsi] *n.* U (땅·집의) 차용, 임차; C 차지(借地), 셋집; U 차용〔소작〕 기간, 차용권; (지위·직 등의) 보유, 소유, 점유.

ten·ant** [ténənt] *n.* **1** 차가인(借家人); 차지인(借地人), 소작인. OPP *landlord.* ¶ evict ~*s* for non-payment of rent 집세를 내지 않아 세든 사람을 내보내다 / the ~ system 소작 제도. **2** (토지·가옥 따위의) 점유자, 거주자《*of*》: ~*s of* the woods 〔trees〕 조류(鳥類). **3** 〖법률〗 잠정적 부동산권 보유〔점유〕자. ~ ***in chief 〖역사〗 (국왕으로부터의) 직접 수봉(受封)자. — *vt.* 〔보통 수동태〕 (토지·가옥을) 빌리다, 임차하여 살다: buildings ~*ed* by railway workers 철도원이 살고 있는 건물. — *vi.* 《드물게》 거주하다, 살다《*in*》. ㊕ **~·a·ble** *a.* (토지나 집을) 임차할 수 있는; 살 수 있는. **~·less** *a.* 빌려 쓰는 사람이 없는; 거주자가 없는; 빈터〔집〕의. **~·ship** *n.*

ténant fàrmer 소작농, 소작인.

ténant rìght 《영》 차용〔차지〕권, 소작권.

ten·ant·ry [ténəntri] *n.* U **1** 〔집합적〕 차지인, 차가인, 소작인. **2** 차지인〔소작인〕의 신분, 토지〔가옥〕의 차용.

tén-cènt stòre 《미구어》 10센트 균일 상점. cf. five-and-ten(-cent store).

tench [tentʃ] (*pl.* ~, ∠·**es**) *n.* 잉어의 일종《유럽산》.

Tén Commándments (the ~) 〖성서〗 십계명.

****tend**[1] [tend] *vi.* **1** 《+부/+전+명》 (…방향으로) 향하다, 가다, 도달하다《*to; toward*》: Prices are ~*ing upward* 〔*downward*〕. 물가는 상승〔하락〕하고 있다 / The road ~*s to* the south here. 길은 여기서 남으로 뻗어 있다. **2** 《+전+명/+*to* do》 경향이 있다《*to; toward*》; …하기

(가) 쉽다: Old men ~ *toward* conservatism. 노인은 보수적인 경향이 있다 / Fruits ~ *to* decay. 과일은 자칫 썩기가 쉽다. **3** 《+전+명/+*to* do》 이바지하다, 공헌하다, 도움이 되다: Our organization will ~ *to* the improvement of society. 우리 조직은 사회 개선에 이바지할 것이다 / Education ~*s to* improve human relations. 교육은 인간관계의 개선에 이바지한다. ◇ tendency *n.*

tend**[2] *vt.* **1** …을 돌보다, 간호하다; (가축 등)을 지키다; (식물 등을) 기르다, 재배하다; (기계 등)을 손질하다; (가게·바 등의) …에게 서비스하다; 〖해사〗 (정박선을) 망보다《닻줄이 엉키지 않게》, (로프·잠수용 급기관(給氣管) 등)의 얽힘을 경계하다: A nurse ~*s* the sick. 간호사는 환자를 간호한다 / ~ a customer 손님에게 서비스하다 / ~ a flock 양을 돌보다 / ~ the flowers 화초를 손질하다 / ~ a bridge 〔tollgate〕 다리〔톨게이트〕를 지키다. **2** 《미》 …에 출석하다. **—** *vi.* 《+전+명》 **1** 돌보다; 시중들다《*on, upon*》: She ~*ed on* the patient. 그녀는 환자를 돌보았다. **2** 배려하다, 주의하다; 전념하다《*to*》: *Tend to* your own affairs. 네 일에나 마음을 써라. **3** 《고어》 귀기울이다, 경청하다; 《폐어》 기다리다. [◂ at*tend*] ◇ tendance *n.* **~ *shop 가게를 보다. ㊁ **~·ance** [-əns] *n.* 시중, 돌보기, 간호; 《고어》 〖집합적〗 종자(從者)(attendants).

ten·den·cious, -tious [tendénʃəs] *a.* 경향을 나타내는; 목적이 있는; 저의〔의도〕가 있는 《글·발언 따위》; 편향(偏向)의. ㊁ **~·ly** *ad.* **~·ness** *n.*

****ten·den·cy** [téndənsi] *n.* **1** 경향, 풍조, 추세 《*to; toward; to* do》: an upward ~ in business 경기의 상승 추세. **2** 버릇, 성벽, 성향《*to; toward; to* do》: a ~ *to* talk too much 말을 많이 하는 버릇. **3** (문서·발언 등의) 특정한 의도 〔관점〕, 취향, 취지: a ~ novel 경향 소설. ◇ tend[1] *v.*

****ten·der**[1] [téndər] *a.* **1 a** (고기 따위가) 부드러운, 씹기 쉬운. OPP. *tough*. ¶ ~ meat 연한 고기. SYN. ⇨SOFT. **b** (색채·빛 따위가) 부드러운, 약한: ~ colors / ~ green 신록(新綠) / a ~ shoot 가냘픈 애가지. **2 a** 어린, 미숙한, 유약한: ~ buds 새싹 / a child of ~ age 〔years〕 =a child at a ~ age 〔of ~ age〕 나이어린〔철없는〕 아이. **b** 무른, 부서지기〔상하기, 손상되기〕 쉬운; 허약한; (추위에) 상하기 쉬운; 내한(耐寒)성이 없는: a ~ blossom 서리의 해를 입기 쉬운 꽃 / a ~ skin 상하기 쉬운 피부. **3 a** 만지면 아픈, 촉각이 예민한; 모욕에 민감한, 상처받기 쉬운; 민감한: a ~ conscience 민감한 양심 / My bruise is still ~. 타박 상처를 만지면 아직도 아프다 / ⇨a ~ SPOT. **b** (사태·문제 등) 미묘한, 다루기 까다로운; 〖해사〗 (범선이) 항행 중에 기울기 쉬운: a ~ question 어려운 질문. **4 a** 상냥한, 친절한, 애정이 깃든; 잘 배려된, 융숭한; 동정심 많은, 남을 사랑하는: a ~ heart 다정한 마음 / the ~ emotions 애정; 동정심 / the ~ passion(s) 〔sentiment(s)〕 애정; 연애. **b** 《서술적》 마음을 쓰는, 조심하는, (…)하려 하지 않는 《*of*》: He is ~ *of* his honor. 그는 명예가 손상될까 마음을 쓴다. **5** 《폐어》 귀중한, 무엇과도 바꿀 수 없는《목숨 따위》. ***be ~ of** doing* …하지 않도록 주의하다: *be ~ of* hurt*ing* another's feelings 남의 감정을 상하지 않도록 주의하다. ***grow ~ of** a person* …가 좋아지다.

— *vt.* 부드럽게 하다.

— *ad.* 상냥〔다정〕하게: Love me ~. 포근히 사랑해 주세요.

㊁ ***~·ly** *ad.* ◇**~·ness** *n.*

tend·er[2] *n.* **1** 돌보는 사람, 간호사; 망꾼, 감시인, 감독: a baby ~ 아이 보는 사람. **2** (모선(母船)의) 부속선, 거룻배. **3** (증기 기관차의) 탄수차(炭水車); 〖군사〗 보급 정비함: a submarine ~ 잠수함 모함. **—** *vi.* 거룻배에 싣다.

***ten·der**[3] *vt.* **1** 《~+목/+목+목/+목+전+명》 제출하다; 제공하다, 신청하다: ~ one's apologies 〔thanks〕 사과〔사례〕하다 / ~ one's services 지원하다 / ~ a person a reception 아무를 위하여 환영회를 열다 / He ~*ed* his resignation to his boss. 그는 상사에게 사표를 제출했다. **2** 〖법률〗 변제로서〔대상(代償)으로서〕 제공하다; (돈을) 지불하다: ~ the amount of debt 부채 상환을 신청하다. **—** *vi.* 〖상업〗 입찰하다《*for*》.

— *n.* **1 a** 제출, 제공, 신청; 〖법률〗 변제의 제공; 〖상업〗 입찰; 〖Sc. 법률〗 (소송 중의) 화해제의: accept a ~ 신청을 수락하다 / put ... out to ~ 입찰에 붙이다; …의 입찰을 모집하다. **b** 제공물; 변제금〔물〕; 화폐, 통화(cf. legal tender). **2** 〖증권〗 (어떤 회사의 지배권 장악을 위한) 주식매입〔매점, 공개 매입〕(~ offer). ***invite ~ for*** … 의 입찰을 모집하다. 「한.

ténder-éyed *a.* 눈매가 부드러운; 시력이 약

ténder·fòot (*pl.* **-fòots, -fèet**) *n.* **1** 《미》 신참자, 신출내기; 풋내기. **2** (보이〔걸〕스카우트의) 신입 대원.

ténder·héarted [-id] *a.* 다정한, 상냥한, 정에 무른, 인정 많은. ㊁ **~·ly** *ad.* **~·ness** *n.*

tén·der·ìze [-ràiz] *vt.* (고기 따위를) 연하게 하다. ㊁ **tèn·der·i·zá·tion** *n.* 연화(軟化).

ténder·lòin *n.* **1** (소·돼지고기의) 안심, 필레살. **2** 《미》 (T-) (본디 뉴욕의) 환락가.

ténder-mínded [-id] *a.* 심약한, 《특히》 불쾌한 현실을 직시하지 못하는.

ténder òffer 〖증권〗 공개 매입.

ten·der·om·e·ter [tèndərámətər/-ɔ́m-] *n.* (채소·과일의) 성숙도(成熟度) 측정기.

ten·di·ni·tis [tèndənáitis] *n.* 〖의학〗 건염(腱炎)(=**tèn·do·ní·tis**). 「건질(腱質)의.

ten·di·nous [téndənəs] *a.* 건(腱)의, 힘줄의,

◇**ten·don** [téndən] *n.* 힘줄, 건(腱).

téndon of Achílles =ACHILLES TENDON.

ten·dril [téndril] *n.* 〖식물〗 덩굴손 (모양의 것). ㊁ **~·lar** [-ər] *a.*

Ten·e·brae [ténəbrèi/-brìː] *n. pl.* 《L.》 〖가톨릭〗 테네브리《부활절 전주의 목·금·토요일에 행하는 예수 수난 기념의 아침 기도 및 찬미가》.

ten·e·brif·ic [tènəbrífik] *a.* 어둡게 하는; 어두운.

Ten·e·brism [ténəbrìzəm] *n.* (때로 t-) 〖미술〗 명암 대비 화법(畫法)《특히 이탈리아 바로크(baroque)의》. ㊁ **-brist** *n., a.*

ten·e·brous, -brose [ténəbrəs], [-bròus] *a.* 어두운, 음침한《비유적으로도 씀》.

10820 [ténèittwénti] *n.* =METHADON(E).

1080, ten-eighty [ténéiti] *n.* 〖화학〗 플루오르아세트산나트륨.

◇**ten·e·ment** [ténəmənt] *n.* **1** 집, 건물; 주택; 셋방: the soul's ~ =the ~ of clay 《시어》 혼이 머무는 곳, 육체. **2** =TENEMENT HOUSE. **3** 〖법률〗 보유 재산; 차지(借地), 차가(借家). ㊁ **tèn·e·mén·tal, -mén·ta·ry** [-méntl], [-méntəri] *a.*

ténement hòuse (도시 하층민의) 아파트, 공동 주택.

te·nes·mus [tinézməs, -nés-] *n.* Ⓤ 〖의학〗 후중(後重)《배설 후 뒤가 무지근한 증세》.

ten·et [ténit/téːn-, tíːn-] *n.* (특히 집단의) 주의(主義); 교의(教義)(doctrine). 「로〔겹으로〕.

tén·fòld [ténfòuld] *a., ad.* 10 배〔겹〕의; 10배

1040 [ténfɔ́ːrti] *n.* 《미》 개인용 소득세 신고 용지(individual tax form).

tén-fòur, 10-4 *n., int.* 《미속어》 (특히 시민 라디오(CB radio) 통신에서) 알았다, 오케이.

tén-gállon hát (챙이 넓은) 카우보이의 모자(cowboy hat).

tenge [téŋgei, ⌐⌐] *n.* 카자흐스탄의 화폐 단위.

Teng Hsiao-ping [dʌ́ŋsjàupíŋ, téŋsjàupíŋ] = DENG XIAOPING.

tenia ⇨ TAENIA.

teniafuge ⇨ TAENIAFUGE.

te·ni·a·sis [tiːnáiəsis] *n.* 〖병리〗 =TAENIASIS.

tén-mínute màn 《미속어》 정력적인 사람, 구변 좋은 사람.

Tenn. Tennessee.

ten·ner [ténər] *n.* 《구어》 10 달러〔파운드〕 지폐; 10 을 세는 것; 《속어》 10 년형(기).

Ten·nes·se·an, -see- [tènəsíːən] *a., n.* 테네시 주의 (사람).

Ten·nes·see [tènəsíː] *n.* 테네시《미국 남동부의 주; 생략: Tenn., TN》; (the ~) 테네시 강.

Ténnessee Válley Authòrity (the ~) 테네시 강 유역 개발 공사《테네시 강 유역의 발전·치수·산업을 개발함; 생략: TVA》.

Ténnessee Wálts 〖음악〗 테네시 왈츠《1965 년 Tennessee주의 주가(州歌)로 제정된 컨트리 앤드 웨스턴의 유명곡》.

ten·nies [téniːz] *n. pl.* 〖복수취급〗 테니스화.

†**ten·nis** [ténis] *n.* Ⓤ 테니스: play ~ 테니스를 치다.

ténnis àrm 테니스 따위의 과도한 운동으로 생기는 팔의 통증〔염증〕.

ténnis bàll 테니스공.

ténnis còurt 테니스 코트.

ténnis èlbow 팔을 급격히 뒤튼 탓으로 인한 팔꿈치의 통증〔염증〕.

ténnis ràcket 테니스 라켓.

ténnis shòe 테니스화(sneaker); 《CB속어》 트럭 타이어.

ten·nist [ténist] *n.* 테니스를 하는 사람, 테니스 선수.

ténnis tòe 테니스 토《급격한 정지로 인한 테니스 선수의 발끝의 통증》.

Ten·ny·son [ténəsən] *n.* **Alfred** ~ 테니슨《영국의 계관 시인; 1809-92》. ㊎ **-so·ni·an** [⌐-sóuniən] *n., a.* 테니슨 연구자〔(풍)의〕.

ten·on [ténən] *n.* 〖목공〗 장부. ―*vt.* 장부를 만들다; 장부촉이음하다. ⓒⓕ mortise.

ténon sàw 날이 가는 잔톱.

◇**ten·or** [ténər] *n.* **1** 방침, 방향, 경향, 행정(行程), 진로《*of*》: the even ~ *of* (one's) life 단조로운 나날의 생활. **2** 취지, 대의. **3** 〖음악〗 Ⓤ 테너, 차중음(次中音); Ⓒ 차중음부〔악기〕; 테너 가수. ―*a.* 〖음악〗 테너의. ㊎ **~·ist** [-rist] *n.* 테너 가수. **~·less** *a.* 방침이 없는, 취지가 없는.

ténor cléf 〖음악〗 넷째줄에 씌어진 C〔다〕음자리표(C clef).

ten·o·syn·o·vi·tis [tènousìnəváitis] *n.* 〖의학〗 건초염(腱鞘炎), 건활막염(腱滑膜炎).

te·not·o·my [tənátəmi/-nɔ́t-] *n.* Ⓤ 〖외과〗 건(腱)절단 (수술).

ten·our [ténər] *n.* 《영》 =TENOR.

tén·pènny *a.* 10 펜스의; 《미》 10 센트의.

ténpenny náil 《미》 3 인치 길이의 못.

tén-percénter *n.* 《속어》 (배우·작가 등의) 대리인; 10 퍼센트의 수수료를 받는 사람.

tén·pìn *n.* **1** 십주희(十柱戲)용 핀. **2** (~s) 〖단수취급〗 텐핀스(=⌐ **bòwling**) 《열 개의 핀을 사용하는 볼링》. ⓒⓕ ninepins.

ten·pound·er [ténpáundər] *n.* **1** 10 파운드 무게의 물건; 10 파운드포(砲). **2** 10 파운드 값의 물건; 10 파운드 지폐. **3** 〖영국사〗 1 년에 10 파운드씩 땅세〔집세〕를 물고 선거권을 가지는 사람. **4** 〖어류〗 청어 비슷한 은빛의 큰 물고기《tarpon 류; 난해산(暖海産)》.

tén ròger 《CB속어》 앎, 요해(了解): That's a ~. 알았다. ⓒⓕ ten-four.

tén(')s dìgit (아라비아 숫자 표기의) 10 자릿수《234 의 3》.

⁑**tense**[1] [tens] *a.* **1** 팽팽한, 켕긴. **2** (신경·감정이) 긴장한; 긴박〔절박〕한, 긴장시키는《상황·극 등》; 딱딱한, 부자연한. **3** 〖음성〗 혀 근육이 긴장된《주로 모음에 대해서 쓰임》. opp *lax.* **4** 《해커속어》 능률적인; 약은. ―*vt., vi.* 팽팽하게 하다; 긴장시키다〔하다〕《*up*》. ◇ tension *n.* ㊎ **⌐·ly** *ad.* 팽팽하게; 긴장하여. **⌐·ness** *n.*

***tense**[2] *n.* 〖문법〗 Ⓤ,Ⓒ (동사의) 시제, 시칭(時稱). ⇨ 《부록》 TENSE. ㊎ **⌐·less** *a.*

ten·si·ble [ténsəbəl] *a.* 잡아늘일 수 있는. ㊎ **-bly** *ad.* **~·ness** *n.* **ten·si·bil·i·ty** [tènsəbíləti] *n.* Ⓤ 신장성(伸長性).

ten·sile [ténsəl, -sil/-sail] *a.* 신장성 있는; 장력(張力)의, 긴장의: ~ force 〖물리〗 인장력. ㊎ **ten·sil·i·ty** [tensíləti] *n.* Ⓤ 인장력, 장력; 신장성(伸張性).

ténsile stréngth 〖물리〗 인장(引張) 강도.

ténsile stréss 〖물리〗 인장 변형력(變形力); =TENSILE STRENGTH.

ten·sim·e·ter [tensímətər] *n.* Ⓤ 가스〔기체〕 장력계(計).

ten·si·om·e·ter [tènsiámətər/-ɔ́m-] *n.* 장력계(張力計); 수량계(水量計); 표면 장력계.

ten·si·om·e·try [tènsiámətri/-ɔ́m-] *n.* Ⓤ 장력학(張力學).

⁑**ten·sion** [ténʃən] *n.* Ⓤ **1** 팽팽함; 켕김, 긴장; 신장(伸張): ~ of the muscles 근육의 긴장. **2** (정신적인) 긴장, 흥분; 노력: under extreme ~ 극도로 긴장하여 / ease the ~ 긴장을 완화하다. **3** (국제 정세 따위의) 절박, 긴장 상태; (힘의) 균형, 길항(拮抗): the ~s between labor and management 노사 간 긴장 (상태) / racial ~(*s*) 인종 관계의 긴장 상태. **4 a** 〖물리〗 장력, 응력(應力); (기체의) 팽창력, 압력: ⇨ SURFACE TENSION / VAPOR TENSION. **b** 〖전기〗 전압: a high ~ current 고압 전류. **5** (직기·재봉틀 등의 실의 켕김을 조절하는) 실 당김 장치. ―*vt.* 팽팽하게 하다, 긴장시키다. ㊎ **~·al** *a.* 긴장의, 장력의. **~ed** *a.* 팽팽한, 긴장한. **~·er** *n.* **~·less** *a.*

ten·si·ty [ténsəti] *n.* Ⓤ 긴장 (상태), 긴장도.

ten·sive [ténsiv] *a.* 긴장력이 있는〔생기는〕.

ten·som·e·ter [tensámətər/-sɔ́m-] *n.* 장력계(張力計)(tensiometer).

ten·son, ten·zon [tensóun, -sən], [-zən] *n.* Ⓤ 논쟁시, 경시(競詩)《두 troubadours가 동일형식으로 번갈아 다투어 노래한 시》.

ten·sor [ténsər, -sɔːr] *n.* **1** 〖해부〗 장근(張筋). **2** 〖수학〗 텐서: ~ analysis 〖수학〗 텐서 해석.

ténsor lìght 〔**làmp**〕 텐서 라이트《경첩이 달린 축을 늘여 조명 위치를 바꿀 수 있는 탁상램프》.

tén-spèed *n.* Ⓤ 10 단 변속(기어)의 자전거.

tén(')s plàce (아라비아 숫자 표기의) 10 의 자리.

tén-spòt *n.* Ⓤ 10 끗짜리 카드; 《미속어》 10 년 형(刑); 《미구어》 10 달러 지폐.

tén-strìke *n.* 《미》 **1** 텐스트라이크《tenpins에서 핀 10개를 전부 쓰러뜨리기》. **2** 《구어》 대성공, 대히트.

⁑**tent**[1] [tent] *n.* **1** 텐트, 천막: pitch 〔strike, lower〕 a ~ 텐트를 치다〔걷다〕 / a bell ~ 종 모양〔원뿔형〕 텐트 / ~ bottom 천막용 마루널. **2** 텐트 모양의 것; (환자용의) 텐트, 《특히》 =OXYGEN TENT; 〖사진〗 휴대 암실. **3** 《비유》 주거, 주택. ***pitch*** 〔***have***〕 **one's ~** 거처를 정하다, 정주하다. ―*vt.* 천막으로 덮다, 천막에서 재우다: All the honor guests were ~*ed.* 내빈은 모두 천막에 수용되었다. ―*vi.* 천막 생활을 하다; 야

영하다; 임시로 거처하다. ~ *it* 야영하다. [파] ∠·less *a.* ∠·lìke *a.*

tent² 〖의학〗 *n.* 상처 구멍에 채워 넣는 거즈〔심〕. — *vt.* (상처 구멍을) 거즈를 넣어 벌려 놓다.

tent³ *n.* 새빨간 포도주《특히 성찬(聖餐)용》.

ten·ta·cle [téntəkəl] *n.* 〖동물〗 (하등 동물의) 촉수, 촉각; 〖식물〗 촉사(觸絲), 촉모, 섬모. [파] ~**d** *a.* 촉수〔촉모〕가 있는.

ten·tac·u·lar [tentǽkjələr] *a.* 촉수〔촉사〕(모「양)의.

tent·age [téntidʒ] *n.* 《집합적》 천막, 텐트(tents); 천막〔텐트〕 설비.

°**ten·ta·tive** [téntətiv] *a.* **1** 시험적인; 시험 삼아 하는; 임시의: a ~ plan 시안(試案) / a ~ theory 가설(假說). **2** 주저하는, 모호한. — *n.* 시험; 시안; 가설. [파] ~·**ly** *ad.* 시험적으로, 시험 삼아; 임시로. ~·**ness** *n.*

tént bèd 텐트형 닫집이 있는 침대.

tént càterpillar 〖곤충〗 천막벌레나방의 유충.

tént còat 〔**drèss**〕 텐트 코트《어깨에서 자락에 걸쳐 삼각형으로 퍼진 코트〔드레스〕》.

tént·ed [-id] *a.* 텐트를 친, 텐트로 덮인; 텐트를 숙사로 하는; 텐트 모양의.

tén-tèn *int.* 《CB속어》 송신 완료, 스탠바이 (stand by): *Ten-ten* until we do it again. 다음에 또, 안녕.

ten·ter¹ [téntər] *n.* 〖방적〗 재양틀, 텐터《직물의 폭을 조정하며 건조시키는 장치》. ***be on the ~s*** 《고어》 =be on TENTERHOOKS. — *vt.* (직물을) 텐터에 치다.

tent·er² *n.* 《영》 문지기, (특히 공장의) 기계계「원; 숙련공 보조원.

ténter·hòok *n.* 재양틀의 갈고리. ***be on ~s*** 조바심〔걱정〕하다.

tént flỳ 천막의 윗덮개《비·햇빛을 막음》; (천막「입구의) 드림.

†**tenth** [tenθ] *a.* **1** (보통 the ~) 제 10 의, 10 번째의. **2** 10 분의 1의: a ~ part, 10 분의 1. — *n.* **1** (보통 the ~)(서수의) 열번째, 제 10《생략 10th》. **2** 10분의 1: a 〔one〕 ~. **3** (달의) 10 일. **4** 〖음악〗 10 도 음정, 제 10 음. **5** 〖역사〗 십일세(十一稅). **6** 〖항공〗 (시계(視界)의) 구름 양(量)의 단위《1 에서 10 까지의 숫자를 붙여서 농도를 나타냄》. — *pron.* (the ~) 열번째의 사람〔것〕. [파] ∠·**ly** *ad.*

ténth-ràte *a.* (질이) 최저의.

tént·màker *n.* 텐트 만드는 사람.

tént pèg 〔**pìn**〕 천막 말뚝.

tént pègging 천막 말뚝뽑기《전속력으로 달리며 말뚝을 뽑아내는 기병대의 교련·스포츠》.

tént shòw 서커스. 「누비는 방법》.

tént stìtch 〖복식〗 텐트 스티치《짧게 비스듬히

tént tràiler 텐트식 트레일러《이동 캠프용》.

tenty [ténti] *a.* 《Sc.》 주의깊은(=**tént·ie**).

ten·u·is [ténjuis] (*pl.* **-u·es** [-juìːz]) *n.* 〖음성〗 무성 파열음《[k, t, p]》.

te·nu·i·ty [tənjúːəti], te-/-njúː-] *n.* [U] 가늚; 엷음; (공기·액체 등의) 희박; (빛·소리 등의) 미약; (증거 등의) 빈약.

ten·u·ous [ténjuəs] *a.* 희박한; 엷은; 가는; 미약한; 보잘것없는, 빈약한, 박약한. [파] ~·**ly** *ad.* ~·**ness** *n.*

°**ten·ure** [ténjuər] *n.* **1** [U],[C] (부동산·지위·직분 등의) 보유; 보유권; [C] 보유 기간; [U] 보유 조건〔형태〕: one's ~ of life 수명 / ~ for life 종신 (토지) 보유권 / hold one's life on a precarious ~ 오늘 내일 하는 목숨이다. **2** 재직 기간, 임기; [U] (대학교수 등의) 종신 재직권: during one's ~ of office 재직 (기간) 중에. ***feudal ~*** 봉건적 토지 보유권. ***military ~*** 병역을 조건으로 한 토지 소유권.

tén·ured *a.* (특히 대학교수가) 종신 재직권을 가진, 보유권이 있는: ~ graduate student 《우스개》 10 년째의 대학원생.

ténure-tràck *a.* (대학교수가) 종신 재직이 인정되는 신분에 있는.

te·nu·to [tənúːtou/-njúː-] *a.* 《It.》 〖음악〗 테누토, 음을 제 길이대로 충분히 연주하는. [cf.] staccato. — (*pl.* **~s, -ti** [-ti]) *n.* 테누토 기호.

tenzon ⇨ TENSON.

te·pa [tíːpə] *n.* [U] 테파《곤충 불임제(不姙劑)·제암제(制癌劑)·섬유의 방염제(防炎劑)용》.

te·pee, tee-, ti·pi [tíːpiː] *n.* (모피로 만든) 아메리칸 인디언의 원뿔형 천막.

tepee

tep·e·fy [tépəfài] *vt., vi.* 미지근하게 하다〔되다〕. [파] **tep·e·fac·tion** [tèpəfǽkʃən] *n.* [U] 미온화(微溫化).

teph·ra [téfrə] *n.* 테프라《분화로 방출되어 퇴적한 화산 쇄설물(碎屑物)》.

teph·ro·chro·nol·o·gy [tèfroukrənálədʒi/ -nɔ́l-] *n.* [U] 테프라 연대학《tephra에 의한 편년(編年)》.

tep·id [tépid] *a.* 미지근한《차(茶) 따위》; 열의 없는, 시들한《접대 등》. [파] ~·**ly** *ad.* ~·**ness** *n.*

te·pid·i·ty [tipídəti] *n.* [U] 미온, 열의가 없음.

TEPP 〖화학〗 tetraethyl pyrophosphate 《살충제》.

te·qui·la [təkíːlə] *n.* 〖식물〗 테킬라용설《멕시코산》; [U] 테킬라《줄기의 즙을 발효시킨 증류주》.

ter [təːr] *ad.* 《L.》 〖음악·처방〗 세 번, 3 회.

ter- [təːr] '3 회' 란 뜻의 결합사: *ter*diurnal(하「루 세 번의).

ter. terrace; territory.

ter·a- [térə] '10 의 12 제곱' 의 뜻의 결합사: *tera*bit(1 조 비트에 해당하는 정보량의 기본 단위).

téra·bỳte *n.* 〖컴퓨터〗 테라바이트《=10^{12} bytes; 생략: Tb, TB》.

téra·cỳcle *n.* 테라사이클《=10^{12} cycles》.

téra·flòps *n.* 〖컴퓨터〗 테라플롭스《10^{12} flops》.

téra·hèrtz *n.* 테라헤르츠《=10^{12} hertz; 생략: THz》.

te·rai [tərái] *n.* (아열대 지방에서 쓰는 챙이 넓은) 이중 펠트 모자(=∠ **hàt**).

ter·a·phim [térəfim] (*sing.* ***ter·aph*** [térəf]) *n. pl.* 《단수취급》 (옛 유대인의) 가신상(家神像).

ter·at- [térət], **ter·a·to-** [-tou, -tə] '기형, 괴물' 의 뜻의 결합사. 「괴물 숭배.

ter·a·tism [térətìzəm] *n.* [U] 기형; 괴기 취미,

ter·a·to·gen [tərǽtədʒən, -dʒèn, térətə-] *n.* [U] 〖생물·의학〗 (태아기의) 기형(奇形) 발생 물질. [파] **te·ràt·o·gén·ic** *a.* 기형 생성의. 「성〕.

tèrato·génesis *n.* 〖생물·의학〗 기형 발생〔생

ter·a·tol·o·gy [tèrətálədʒi/-tɔ́l-] *n.* [U] 〖생물〗 (동식물의) 기형학; 괴이(怪異)연구; 괴기담(談). [파] **ter·a·to·log·ic, -i·cal** [tèrətəládʒik/ -lɔ́dʒ-], [-kəl] *a.* 기형학상의. **tèr·a·tól·o·gist** [-tálədʒist/-tɔ́l-] *n.* 기형학자.

ter·a·to·ma [tèrətóumə] (*pl.* ***~s, -ma·ta*** [-mətə]) *n.* 〖병리〗 기형종(畸形腫).

téra·vòlt *n.* 〖물리〗 테라볼트《(1) =10^{12} volts. (2) =10^{12} electron volts》.

téra·wàtt *n.* [U] 테라와트《=10^{12} watts》.

ter·bi·um [tə́ːrbiəm] *n.* 〖화학〗 테르븀《희토류(稀土類) 원소; 기호 Tb; 번호 65》.

ter·cel [tə́ːrsəl] *n.* 〖조류〗 (훈련된) 매의 수컷.

ter·cen·ten·ary [tə̀ːrsenténəri, təːrséntənè-ri/tə̀ːrsentíːnəri] *a., n.* [U] 300 년(간)의; 300 년(제(祭)). [cf.] centenary.

ter·cen·ten·ni·al [tə̀ːrsenténiəl] *a., n.* =TERCENTENARY.

ter·cet, tier- [tə́ːrsit, təːrsét], [tíərsit] *n.* 〖운율〗 3행(압운) 연구(聯句); 〖음악〗 셋잇단음표(triplet).

Ter·com [tɛ́ərkɑ̀m/-kɔ̀m] *n.* 〖군사〗 테르콤 《표적까지의 지형을 기억시킨 컴퓨터에 의하여 비행하는 순항 미사일의 유도 방식》. [◂ *ter*rain *co*ntour *m*atching]

ter·e·bene [térəbìːn] *n.* Ⓤ 〖화학〗 테레빈.

te·reb·ic [tərébik, -ríːb-/te-] *a.* 테레빈의: ~ acid 테레빈산(酸).

ter·e·binth [térəbìnθ] *n.* 〖식물〗 테레빈나무. ***oil of*** **~** 테레빈유(油).

ter·e·bin·thine [tèrəbínθin, -θain/-θain] *a.* 테레빈나무의; 테레빈(질)의.

te·re·do [təríːdou] (*pl.* **~s, -red·i·nes** [-rédəniːz]) *n.* 〖패류〗 좀조개(shipworm). 「Terry》.

Ter·ence [térəns] *n.* 테렌스《남자 이름; 애칭

ter·eph·thal·ate [tèrefθǽleit, -lət, təréfθəlèit] *n.* 〖화학〗 테레프탈산염〔에스테르〕.

ter·eph·thál·ic ácid [tèrefθǽlik-] 〖화학〗 테레프탈산《폴리에스테르 섬유나 합성수지의 중요한 원료》.

Te·re·sa [təríːsə, -zə, -réi-/-zə] *n.* **1** 테레사 《여자 이름(Theresa)》. **2 Mother ~** 마더 테레사《알바니아 출생의 가톨릭 수녀; 빈민 구제에 헌신, 노벨 평화상 수상(1979); 1910-97》.

te·rete [təríːt, tériːt] *a.* 원기둥형의, 양끝이 가늘어진 원기둥형의.

ter·gal [tə́ːrgəl] *a.* 〖해부〗 tergum의.

ter·gi·ver·sate [tə́ːrdʒivərsèit] *vi.* 변절〔전향, 탈당〕하다, 속이다, 핑계 대다. ⓜ **tèr·gi·ver·sá·tion** *n.* **tér·gi·ver·sà·tor** [-tər] *n.*

ter·gum [tə́ːrgəm] (*pl.* ***-ga*** [-gə]) *n.* 〖동물〗 (절지(節肢)동물의) 배판(背板).

‡term [təːrm] *n.* **1** Ⓒ,Ⓤ 기간; 임기; 학기; 형기(刑期); (의회의) 회기, (법정 따위의) 개정 기간; 〖법률〗 권리의 존속 기간; 임대차의 기간: the first ~ 제1학기 / a long ~ of imprisonment 장기 금고형 / a ~ of office〔service〕 임기 / a ~ of two years, 2년의 임기 / the spring〔fall〕 ~ 봄〔가을〕 학기 / for ~*s* of life 종신, 평생. **2** (의무·계약의) 기한, (만료) 기일; (종종 full ~) 출산 예정일, 해산일: children born at full ~ 달이 차서 난 아이들. **3** (*pl.*) (계약·지불·요금 등의) 조건《*of*》; 약정, 협정, 협약, 동의; 요구액; 값; 요금, 임금《*for*》: be in ~*s* 교섭〔상담·담판〕 중이다《*with*》/ the ~*s* of payment 지급 조건 / On what ~*s*? 어떤 조건으로 / ~*s* for a stay at a hotel 호텔 체류비. **4** (*pl.*) (친한) 사이, (교제) 관계: ~*s* of intimacy 친한 사이 / on bad ~*s* 불화하여, 사이가 나쁘게《*with*》/ on calling〔visiting〕 ~*s* 서로 왕래하는 사이로 《*with*》/ on equal〔even〕 ~*s* 대등하게《*with*》/ on speaking〔writing〕 ~*s* 말을 건넬〔편지할〕 정도의 사이로《*with*》. **5** 말; 《특히》 술어, 용어, 전문어; (*pl.*) 말투, 말씨, 표현: accept a ~ in its literal sense 말을 글자 그대로 받아들이다 / contradiction in ~*s* 말의 모순 / an abstract ~ 추상어 / technical〔legal〕 ~*s* 전문〔법률〕 용어. **6** 〖논리〗 명사(名辭): ⇨ GENERAL〔MAJOR, MIDDLE, MINOR〕 TERM. **7** 〖수학〗 항(項). **8** 《고어》 종말, 종극: The ~ of their happiness was likewise the ~ of their life. 그들의 행복의 종말은 곧 생활의 종말이었다. **9** 한계, 경계; 〖수학〗 한계점〔선, 면〕; 〖건축〗 (옛 로마의) 경계상(像). ***at*** **~** (특정한) 기간이 끝나서. ***bring*** a person ***to*** **~*s*** 아무를 항복시키다; 승낙하게〔따르게〕 하다. ***come to ~s with ...*** ① 타협하다, 타협이 이루어지다, 상담이 매듭지어지다. ② (사태 등)을 감수하다, (체념해서) …에 길이 들다. ***eat*** one's **~*s*** ⇨ EAT. ***fill*** one's **~ *of life*** 천명을 다하다. ***for*** **~ *of*** one's ***life*** 한평생. ***get on ~s with ...*** 《영속어》 (상대)와 같은 정도의 기량〔수준〕이 되다. ***in any*** **~** 어쨌든. ***in general***〔***plain, set***〕 **~*s*** 개괄적인〔평이한, 판에 박은〕 말로. ***in high ~s*** 극구 칭찬하여. ***in ~s*** 명확히. ***in ~s of*** ① …의 말로, …에 특유한 말로; 〖수학〗 …항〔식〕으로. ② …에 의하여; …으로 환산하여; …에 관하여, …의 점에서 (보아): Don't see all life *in* ~*s of* money. 인생의 전부를 금전면에서 보지 마라. ***in the long***〔***short***〕 **~** 장기〔단기〕적으로는. ***keep a ~,*** 1학기 동안 출석하다. ***keep ~s*** 규정된 학기 동안 재학하다; 교섭〔담판〕을 계속하다《*with*》. ***make ~s*** 타협하다《*with*》. ***not on***〔***under***〕 ***any ~s*** =***on***〔***under***〕 ***no ~s*** 결코 …하지 않다. ***on good***〔***friendly***〕 **~*s*** 친근한 사이로, 친밀하게《*with*》. ***on*** one's ***own ~s*** 자기 생각대로, 자기 방식으로: He does nothing unless it is *on his own* ~*s*. 그는 제 생각대로가 아니면 아무 것도 안 한다. ***sell on better ~s*** 더 나은 값으로 팔다. ***set ~s*** 조건을 붙이다. ***Terms cash.*** 현금 지급. **~*s of reference*** 《영》 (위원회 등에의) 위임 사항, 권한.

— *vt.* 《+목+보》 이름 짓다, 칭하다, 부르다 (call, name): The dog is ~*ed* John. 그 개는 존이라고 불린다. ***be justly ~ed*** …라고 부르는 것은 옳다. ***be officially***〔***popularly***〕 **~*ed*** 공식으로는〔세상에서는〕 …라고 부르고 있다. **~ one*self* ...** …라고 자칭하다: He has no right to ~ him*self* a professor. 자신을 교수라고 일컬을 자격이 없다.

term. terminal; termination.

ter·ma·gant [tə́ːrməgənt] *n.* 잔소리가 심한 여자; (T-) (중세의 종교극에 나오는 사나운) 이슬람 교도의 신. **—** *a.* (특히, 여자가) 잔소리가 심한, 사나운. ⓜ **~·ly** *ad.* **-gan·cy** [-gənsi] *n.* Ⓤ (여자의) 사나움, 잔소리가 심함, 광포성.

térm dày 계산일, 지급일; 만기일.

térm·er *n.* **1** 복역수(囚): a life ~ 종신형의 복역자 / a second-~ 전과 2범(자). **2** (장관·의원 등의) 임기 중인 사람.

ter·mi·na·ble [tə́ːrmənəbəl] *a.* (일정 기간에) 끝마칠 수 있는 ; 기한부의《계약 따위》. ⓜ **-bly** *ad.* 기한부로. **~·ness** *n.* **tèr·mi·na·bíl·i·ty** *n.* Ⓤ 유기(有期), 유한(有限).

‡ter·mi·nal [tə́ːrmənəl] *a.* **1** 말단(末端)의, 종말의, 경계의: the ~ part〔section〕 말단부. **2** 종점의, 종착역(驛)의; (역 등에서의) 화물 취급의; (분할불·연재 등) 최종회의: a ~ station 종착역 / ~ facilities 종착역〔항〕 시설 / ~ charge 하역료(荷役料). **3** 매기(每期)의; 학기말의, 정기의: ~ accounts 기말 청산 / a ~ fee 한 학기분 수업료 / a ~ examination 학기말 시험. **4** 〖동물·해부〗 말단의. **5** 〖식물〗 정생(頂生)의: a ~ leaflet 정생엽(葉). **6** 말초(末梢)의《신경 등》. **7** 〖의학〗 (치명적인 병이) 말기의, (환자가) 말기 증상의; 가망이 없는, 불치의; 치명적인; 《비유》 손을 쓸 수 없는, 구제 불능의; 《영구어》 비참한, 파멸의; 대단한. **8** 〖논리〗 명사(名辭)의.

— *n.* **1** 끝, 말단; 어미(의 음절·글자). **2** 종점(終點), 터미널, 종착역(이 있는 도시), 종점 도시 (terminus); 에어터미널; (공항(空港)에서 떨어진 시내의) 항공 여객용 버스 발착장; 화물의 집하(集荷)·발송역: a bus ~ 버스 종점. **3** 학기말 시험. **4** 〖전기〗 전극, 단자(端子); 〖컴퓨터〗 단말기; 〖생물〗 신경 말단. **5** 〖건축〗 끄트머리〔꼭대기〕 장식; 경계상(像)(term). **6** (주로 *pl.*) 하역 요금 (charges). ⓜ **~·ly** *ad.* 종말에; 말단에; 기(期)

마다, 정기에; 학기말에.

términal élevator ⦅Can.⦆ 대형 곡물 창고.

términal emulátion 〖컴퓨터〗 단말기 에뮬레이션⦅어떤 컴퓨터 단말기가 다른 기종의 단말기와 같은 작동을 하도록 하는 것⦆.

términal equípment 단말 장치⦅컴퓨터 본체와 떨어져 통신 회선에 의해 연결된 입출력 기기, 읽기 장치나 텔레타이프 등⦆.

términal fígure 〖건축〗 흉신주(胸神柱)〔대(臺)〕, 경계상(境界像)(term).

términal identificátion 〖컴퓨터〗 단말 장치 식별 기구(機構). 「스.

términal ínterface 〖컴퓨터〗 단말기 인터페이

términal júncture 〖언어〗 말미 연접(末尾連接).

términal léave 〖군사〗 (제대 직전의) 제대 휴가.

términal scánner 〖컴퓨터〗 단말 스캐너.

términal séquencer 〖우주〗 터미널 시퀜서⦅발사 초읽기 전자 제어 장치⦆.

términal velócity 〖물리〗 종단(終端) 속도.

***ter·mi·nate** [tə́ːrmənèit] *vt.* 끝내다; …의 최후를 마무리하다, 종결시키다; 해고하다; 한정하다, 경계를 짓다: ~ a contract 해약하다 / ~ a pregnancy 예정일보다 빨리 인공적으로 출산시키다 / The mountain ~*s* the view. 그 산이 시야를 가로막고 있다. ── *vi.* **1** 끝나다, 그치다, 종결하다⦅*in*⦆. SYN. ⇨ END. **2** ⦅+전+명⦆ (…으로) 끝나다⦅*in; at; with*⦆; (어미 따위가 …으로) 끝나다⦅*in*⦆: Many adverbs ~ *in* -ly. -ly로 끝나는 부사가 많다. **3** (열차·버스 등이) (…에서) 종점이 되다. **4** 다하다; 기한이 끝나다. ── [-niət] *a.* **1** 유한한: a ~ decimal 〖수학〗 유한소수. **2** 종지의: the ~ aspect 〖문법〗 종지상(相). ◇ termination *n.* 「(finite decimal).

términating décimal 〖수학〗 유한소수

tèr·mi·ná·tion *n.* U,C **1** 종지, 종료; 폐지; 만기; 결말, 종국: bring ... to a ~ =put a ~ to …을 종결시키다. **2** 말단, 말미; 한계, 구획. **3** 결과, 결론. **4** C 〖문법〗 접미사(suffix), 어미(ending). ◇ terminate *v.* ~ ***with extreme prejudice*** ⦅미속어⦆ 살인, 암살. ㊕ **~·al** [-ʃənəl] *a.*

ter·mi·na·tive [tə́ːrmənèitiv/-nə-] *a.* 종결의; 끝내는; 결정적인(conclusive); 〖문법〗 종지상(相)의. ── *n.* 〖문법〗 접미사.

ter·mi·na·tor [tə́ːrmənèitər] *n.* 종결시키는 사람〔물건〕; 〖천문〗 (달·별의) 명암 경계선; 〖유전〗 (DNA상의) 종료 암호; 〖컴퓨터〗 종료기(終了器).

ter·mi·na·to·ry [tə́ːrmənətɔ̀ːri/-təri] *a.* 말단의; 말단을〔한계를〕 형성하는.

ter·mi·ni [tə́ːrmənài] TERMINUS의 복수.

ter·mi·nism [tə́ːrmənìzəm] *n.* U 〖신학〗 성총 유한설⦅신이 정한 회개 시기를 놓치면 구제되지 못한다는 설⦆; 〖철학〗 명사론(名辭論), 유명론(唯名論)(nominalism). ㊕ **-nist** *n.* **tèr·mi·nís·tic** *a.*

ter·mi·no·log·i·cal [tə̀ːrmənəlɑ́dʒikəl/-lɔ́dʒ-] *a.* 술어학(상)의; 술어〔용어〕(상)의: ~ inexactitude ⦅우스개⦆ 용어(用語)의 부정확⦅거짓말⦆. ㊕ **~·ly** *ad.*

ter·mi·nol·o·gy [tə̀ːrmənɑ́lədʒi/-nɔ́l-] *n.* U **1** ⦅집합적⦆ 전문 용어, 술어: technical ~ 전문어. **2** 술어학; (특수한) 용어법〔론〕.

térm insùrance (계약 기간 내에 사망했을 때에만 보험금을 지급받는) 정기 보험.

°**ter·mi·nus** [tə́ːrmənəs] (*pl.* ***-ni*** [-nài], **~·es**) *n.* (철도·버스의) 종점, 종착역(terminal), 종점 도시; 종착지, 목적지; 경계, 경계선의 말뚝〔돌〕; (T-) 〖고대로마〗 테르미누스⦅경계신(境界神)⦆.

ter·mi·nus ad quem [tə́ːrmənəs-æd-kwém] ⦅L.⦆ (토론·정책 등의) 귀착점, 목표, 결말; (논거·추정에 의한) 최신 연대.

ter·mi·nus a quo [-ei-kwóu] ⦅L.⦆ (토론·정책 따위의) 출발점; (논거·추정에 의한) 최고(最古) 연대. 「ant).

ter·mite [tə́ːrmait] *n.* 〖곤충〗 흰개미(white

térm·less *a.* 구속되어 있지 않은, 무조건의; 한〔끝〕이 없는, 무궁무진한; ⦅시어⦆ 형언할 수 없는.

térm life insùrance 〖보험〗 정기 보험⦅5년, 10년 등 일정 보험 기간 내에 피보험자가 사망해야만 보험금이 지급됨⦆. 「〔인〕, 학기마다(의).

term·ly [tə́ːrmli] ⦅고어⦆ *ad.*, *a.* 정기적으로

ter·mor [tə́ːrmər] *n.* 〖법률〗 정기〔종신〕 부동산 「소유권자.

térm páper 학기말 리포트〔논문〕.

térms of tráde 〖경제〗 교역 조건⦅수출품과 수입품의 교환 비율⦆. 「(재판의) 개정 기간.

térm·tìme *n.* U (학교의) 재학기간; 〖법률〗

tern[1] [təːrn] *n.* 〖조류〗 제비갈매기.

tern[2] *n.* 세 개 한 벌; 셋을 갖추면 당첨되는 복권; 그 상품. ── *a.* =TERNATE.

tern[3] *n.* ⦅미⦆ 〖의학〗 인턴. [◂ in*tern*]

tern·al [tə́ːrnl] *a.* 셋〔3 요소, 세 부분, 세 구분〕으로 이루는.

ter·na·ry [tə́ːrnəri] *a.* 셋의, 세 개 한 벌의; 세 겹의; 세 번째의; 〖화학〗 삼원(三元)의; 〖수학〗 삼원의, 삼진(三進)의, 3 변수의, 3을 기수(基數)로 하는: ~ alloy(s), 3원 합금 / the ~ scale, 3 진 기수법(法). ── *n.* ⦅드물게⦆ 세 개 한 벌로 된 것.

ternary físsion 〖물리〗 삼중(三重) 핵분열.

ternary fórm 〖음악〗 세 도막 형식.

ter·nate [tə́ːrnət, -neit] *a.* 셋으로 된, 세 개 한 벌의; 〖식물〗 삼출(三出)의, 세 잎의. ㊕ **~·ly** *ad.*

terne [təːrn] *n.* 턴메탈(=∠ **mètal**)⦅terneplate용의 주석 1, 납 4 비율의 합금⦆. 「판).

térne·plàte *n.* 턴플레이트⦅턴메탈을 입힌 강

te·ro·tech·nol·o·gy [tèrouteknɑ́lədʒi/-nɔ́l-] *n.* U 테로테크놀로지⦅기계·플랜트·장치 등 설비 일반의 운전·유지를 연구하는 공학의 한 분야⦆.

ter·pene [tə́ːrpiːn] *n.* U 〖화학〗 테르펜.

ter·pe·noid [tə́ːrpənɔ̀id, təːrpíːnɔid] 〖화학〗 *a.* (분자 구조가) 테르펜(terpene) 모양의, 테르펜류(類)와 비슷한. ── *n.* =TERPENE.

ter·pol·y·mer [təːrpɑ́ləmər/-pɔ́l-] *n.* 〖화학〗 삼량체(三量體).

Terp·sich·o·re [təːrpsíkəriː] *n.* 〖그리스신화〗 테르프시코레⦅노래·춤의 여신; nine Muses의 하나⦆.

terp·si·cho·re·an [tə̀ːrpsikəríːən, -kɔ́ːriən] *a.* ⦅종종 우스개⦆ 무용의; (T-) Terpsichore의. ── *n.* ⦅종종 우스개⦆ 댄서, 무희.

terr [tɛər] *n.* ⦅S.Afr.·경멸⦆ (짐바브웨·남아프리카의) 흑인 게릴라(=**ter**). [◂ *terrorist*]

terr. terrace; territory.

ter·ra [térə] *n.* ⦅L.⦆ 땅, 토지, 대지(大地)(earth); 지구; 〖천문〗 (달의) 육지.

***ter·race** [térəs] *n.* **1** 단지(段地)⦅경사지를 계단 모양으로 깎은⦆; 계단 모양의 뜰; 극히 완만한 계단 모양의 광장〔언덕〕; 대지(臺地); 〖지학〗 해안〔하안〕 단구(段丘). **2 a** 고지대에 늘어선 집들; 거기를 따라 뻗는 도로⦅종종 길의 이름⦆; ⦅미⦆ =MEDIAN STRIP. **b** 연립 주택. **c** (집에 붙여 달아낸 식사·휴식용의 돌을 깐) 테라스, 주랑(柱廊); 넓은 베란다. **d** (지붕 있는) 작은 발코니; 거의 물매가 없는

terrace 2c

지붕. **3** (보통 *pl.*) (축구장의 층으로 된) 입석, 〖집합적〗 그 관객. **—** *vt.* **1** 테라스 모양으로 하다: ~*d* fields 계단식 밭. **2** …에 발코니〔테라스〕를 달다.

térrace(d) hóuse [térəs(t)-] 테라스 하우스(《미》 row house)《연립 주택의 한 채》.

térraced róof (특히 인도 등지의) 평지붕.

ter·rac·ing [térəsiŋ] *n.* 단구(段丘) 형성; 단구〔대지(臺地)〕 구조; (경사지의) 계단, 계단식 밭〔논〕; 계단석(階段席).

tér·ra cót·ta [térəkátə, -kɔ́:tə/-kɔ́tə] 테라코타《점토의 질그릇》; 테라코타 건축재; 테라코타 인형〔꽃병 따위〕; 적갈색. [It. =baked earth]

térra-cótta *a.* 테라코타제(製)의; 테라코타색의. 「대지, 뭍.

térra fír·ma [-fə́:rmə] 마른〔굳은〕 땅, 육지,

térra·fòrm *vt.* (천체를〔의 환경을〕) 지구형으로 변화시키다, 지구인이 살 수 있게 하다《SF 에서》. ㊕ **~·er** *n.*

ter·rain [təréin, térein] *n.* 지대, 지역; 〖군사〗 지형; 지세; 〖지학〗 =TERRANE; 환경; 〖일반적〗 영역, 분야.

térra in·cog·ní·ta [-inkágnitə, -inkagní:-/-kɔ́g-] 《L.》 미지의 땅〔나라, 세계〕; 미개척 영역.

terráin-fòllowing ràdar 〖군사〗 지형 추적 레이더《비행하는 아래 지형에 따라 비행기 · 미사일의 고도가 자동적으로 조절되는 레이더 장치》.

Ter·ra·my·cin [tèrəmáisən/-sin] *n.* Ⓤ 〖약학〗 테라마이신《oxytetracycline의 상표명》.

Ter·ran [térən] *n.* 지구인《SF 용어》.

ter·rane [təréin, térein] *n.* 〖지학〗 지층, 암층(岩層), 계통; (특정 암석이 많이 분포된) 지역.

ter·ra·pin [térəpin] *n.* 〖동물〗 테라핀《식용 거북; 북아메리카 민물산》.

ter·ra·que·ous [teréikwiəs, -rǽk-] *a.* 〖지학〗 육지와 물로 된, 수륙의.

ter·rar·i·um [tərέəriəm, te-] (*pl.* **~s, *-rar·ia*** [-iə]) *n.* 육생 동물 사육장; (옥내 식물 재배용) 유리그릇, 테라리엄. ⓒⓕ aquarium.

térra rós·sa [-rásə/-rɔ́-] 테라로사(=**réd ócher**). [It. =red earth]

ter·raz·zo [tərǽzou, -rá:z-, -rá:tsou/terǽtsou] *n.* 《It.》 테라초《대리석 부스러기를 박은 다음 닦아서 윤을 낸 시멘트 바닥》.

Tér·rence Híg·gins Trúst [térənshíginz-] 영국의 AIDS 상담 원조 단체《영국에서 처음 AIDS로 사망한 Terrence Higgins의 이름에서》.

ter·rene [terí:n, tə-, téri:n] *a.* 지구의; 흙의, 토질의; 현세의, 속세의. **—** *n.* 대륙, 육지.

ter·re·plein [tέərplèin, térə-/tέəplèin] *n.* (성벽 · 성채 위의) 대포를 놓아 두는 평지; 꼭대기가 판판한 둑.

*__ter·res·tri·al__ [təréstriəl] *a.* **1** 지구(상)의; 지상의, 뭍으로 된; 흙의, 토질의. ⓞⓟⓟ *celestial.* ¶ the ~ ball 〔sphere〕 지구 / a ~ globe 지구의(儀) / ~ heat 지열 / ~ magnetism 지자기(地磁氣). **2** 〖생물〗 지상생(生)의; 육서(陸棲) 생물의; 〖천문〗 행성이 지구형(型)의. ⓒⓕ aquatic. **3** (우주적인 것에 대하여) 지구적인, 지상의; 세속적〔현실적〕인, 현세의: ~ interests 명리심(名利心). **—** *n.* 지구〔육상〕의 생물; 인간. ㊕ **~·ly** *ad.*

terréstrial guídance 〖항공〗 지구 기준 유도《지자기 · 중력 등의 세기 · 방향에 의거해서 하는 미사일 · 로켓의 유도》.

terréstrial plánet 지구형 행성(inner planet)《수성 · 금성 · 지구 · 화성》. ⓒⓕ Jovian planet.

terréstrial télescope 지상 망원경. ⓒⓕ astronomical telescope.

ter·ret [térit] *n.* (안장의) 고삐 꿰는 고리; (개목걸이의) 개줄 매는 고리.

⁑ter·ri·ble [térəbəl] *a.* **1** 무서운, 가공할, 소름 끼치는, 굉장한. ⓒⓕ fearful. ¶ a ~ crime 〔sight〕 무서운 범죄〔광경〕. **2** 《구어》 심한, 혹독한, 대단한: a ~ winter 엄동 / ~ heat 혹서(酷暑). **3** 《구어》 지독한, 터무니없는, 서투른: He is in a ~ hurry. 그는 몹시 서두르고 있다 / His performance is ~. 그의 연기는 엉망이다. ***a ~ man to drink*** 《구어》 술고래. **~ *in anger*** 화나면 무서운. **—** *ad.* 《구어》 몹시, 굉장히: in a ~ bad way 대단히 곤란하여. **—** *n.* (주로 *pl.*) 무서운 사람〔것〕. ㊕ **~·ness** *n.*

térrible twós *pl.* (the ~) 미운 다섯 살《어린이 성장기에서 가장 말썽을 부리는 나이》.

⁑ter·ri·bly [térəbəli] *ad.* **1** 무섭게, 지독하게. **2** 《구어》 몹시, 굉장히, 대단히.

°ter·ri·er[1] [tériər] *n.* **1** 테리어개《사냥개 · 애완견》. **2** (T-) 《영구어》 국방 의용병; (T-) 〖미해군〗 지대공(地對空) 미사일.

ter·ri·er[2] *n.* 〖법률〗 토지 대장.

⁑ter·rif·ic [tərífik] *a.* **1** 《구어》 **a** 빼어난, 대단한: ~ speed 맹렬한 속도. **b** 아주 좋은, 멋진: a ~ vacation 아주 멋진 휴가. **2** 무시무시한, 소름 끼치는. ㊕ **-i·cal·ly** *ad.*

ter·ri·fy** [térəfài] *vt.* **1** 겁나게 하다, 무서워하게 하다, 놀래다(frighten). ⓈⓎⓃ. ⇨ AFRAID. ¶ The possibility of nuclear war *terrifies* everyone. 핵전쟁의 가능성에는 누구나 다 겁먹고 있다. **2** 《~+목/+목+전+명》 (사람을) 위협하여 …하게 하다《*into*》: His threats *terrified* her *into* hand*ing* over the money. 그의 협박에 그녀는 무서워서 그 돈을 넘겨주었다. ***be terrified at 〔***with***〕 …에 놀라다, …에 간담이 서늘해지다. ***be terrified out of*** one***'s senses*** 〔***wits***〕 놀라서 혼비백산하다. ***You ~ me!*** 놀랐잖아. ㊕ **~·ing** *a.* 두렵게 하는, 무서운; 예사롭지 않은. **~·ing·ly** *ad.*

ter·rig·e·nous [terídʒənəs] *a.* 지상에〔땅에서〕 생긴(earthborn); 〖지학〗 (해저 퇴적물이) 육성(陸成)의.

ter·rine [tərí:n, te-] *n.* 《F.》 (요리를 담아서 파는 뚜껑과 다리가 있는) 단지; 거기에 담은 식품.

°ter·ri·to·ri·al [tèrətɔ́:riəl] *a.* **1** 영토의; 사유〔점유〕지의; 토지의: ~ integrity 영토 보전 / a ~ issue 영토 문제 / ~ sovereignty 영토 주권 / the ~ air 〔seas〕 영공〔영해〕 / ~ expansion 영토 확장 / ~ principle 속지(屬地)주의. **2** 특정 영역〔관할구〕의, 지정〔담당〕 구역의. **3** 〖생태〗 (동물이) 세력권세(勢)의 습성을 갖는. **4** 지방〔지역〕적인; (종종 T-) 〖군사〗 지방 수비의; 《영》 국방 의용군의; (T-) 《미 · Can.》 준주(準州)의: The *Territorial* Army 《영》 국방 의용군《생략: TA》. **—** *n.* 〖군사〗 지방 수비대원; 《영》 국방 의용군의 병사. ㊕ **~·ly** *ad.* 영토적으로; 지역적으로.

territórial cóurt (미국의 자치령에 둔) 준주(準州) 법원.

territórial impérative 〖생태〗 세력권 의식.

tèr·ri·tó·ri·al·ism *n.* Ⓤ 지주 제도; (교회 제도의) 영주주의《지역의 지배자를 종교상의 지배자로 하는》; (종종 T-) 유대인 자치 구역 획득주의〔운동〕; 〖생태〗 세력권제(制).

ter·ri·to·ri·al·i·ty [tèrətɔ̀:riǽləti] *n.* Ⓤ 영토임, 영토권; 세력권 의식; 〖생태〗 세력권제(制).

tèr·ri·tó·ri·al·ìze *vt.* …의 영토를 확장하다; 영토화하다; 속령으로 격하(格下)하다; 각 영역으로 배분하다; 지역 단위로 조직하다. ㊕ **tèr·ri·tò·ri·al·i·zá·tion** *n.* Ⓤ 「히) 영해(marine belt).

territórial wáters (the ~) 영수(領水), 《특

⁑ter·ri·to·ry [térətɔ̀:ri/-təri] *n.* **1** Ⓤ,Ⓒ (영해를 포함한) 영토, 영지; (본토에서 떨어져 있는) 속령, 보호〔자치〕령: Portuguese ~ in Africa 아

프리카의 포르투갈 영토/the ex-English ~ 영국의 구영토. **2** U,C 땅; 지역, 지방: Much ~ in Africa is desert. 아프리카는 넓은 지역이 사막으로 되어 있다. **3** C,U 〖생태〗 (동물의) 세력권; U,C (학문·행동 등의) 영역, 분야; C,U (외판원 따위의) 담당 구역 세력권; 지반; (경찰 등의) 관할 구역; 〖경기〗 (각 팀의) 수비 구역: the ~ of biochemistry 생화학의 분야. **4** C (T-) 《미·Can·Austral.》 준주(準州); (the T-) 《Austral.》 =NORTHERN TERRITORY. ***a leased ~*** 조차지(租借地). ***come*** 〔***go***〕 ***with the ~*** 《미구어》 (싫은 일 따위가) 그 작업〔직업, 지위 따위〕에 따라다니다.

ter·ror [térər] *n.* **1** U,C (무서운) 공포, 두려움: look up with ~ 겁을 집어먹고 쳐다보다/a novel 〔romance〕 of ~ 공포 소설/be a ~ to …에게 두려움이 되다/be in ~ of …을 두려워하다/strike a ~ into a person's head 아무를 공포에 몰아넣다. ★ 그 경험을 가리키면 가산 명사(a terror, terrors)가 됨. **2** (사물의) 무서운 측면; 공포의 씨앗〔원인〕, 가공할 일; 무서운 사람〔것〕: This added to our ~*s*. 이것으로 무서움이 더하여졌다/the ~*s* of the storm 폭풍우가 끼치는 위해(危害). **3** (종종 a holy ~) 《구어》 대단한 골칫거리, 성가신 녀석〔아이〕: This child is a perfect 〔holy〕 ~. 이 애는 정말 골칫거리다. **4** (the T-) 〖프랑스사〗 공포 시대(=the Reign of Terror); (프랑스 혁명 중의) 공포 정치: ⇨ WHITE 〔RED〕 TERROR. **5** 테러; 테러 계획, 테러 집단. ***have a*** (***holy***) ***~ of*** …을 몹시 겁내다: *have a ~ of* fire 불을 몹시 무서워하다. ***have*** 〔***hold***〕 ***no ~s*** 〔***fears***〕 ***for*** a person (어떤 일이) 아무를 조금도 두렵게 하지 않다. ***in ~ of one's life*** 죽지나 않을까 겁내어. ***the king of ~s*** 〖성서〗 죽음, 사신(死神)《욥기(記) XVIII: 14》.

ter·ror·ism [térərìzəm] *n.* U 테러리즘, 공포정치; 테러〔폭력〕 행위; 폭력주의.

ter·ror·ist [térərist] *n.* 테러리스트, terrorism 신봉〔실행〕자, 폭력 혁명주의자; 함부로 공포를 일으키는 사람, 소란을 피우는 자. ㊞ **tèr·ror·ís·tic** [-ik] *a.* 테러리스트의, 폭력주의의.

ter·ror·ize [térəràiz] *vt.* …을 무서워하게 하다; 탄압〔위협〕하다, 위협〔협박〕해서 …시키다 《*into*》. ㊞ **tèr·ror·i·zá·tion** *n.* U 위협; 테러 수단에 의한 억압〔탄압〕.

térror-strìcken, -strùck *a.* 공포에 사로잡힌, 겁에 질린.

ter·ry [téri] *n.* U 테리천(=∠ **clòth**)《보풀을 고리지게 짠 두꺼운 직물》: a ~ towel (여느) 타월/~ velvet 보풀을 자르지 않은 우단.

terse [təːrs] *a.* (문체·표현 따위가) 간결한, 생동감 있는; 쌀쌀한. ㊞ **∠·ly** *ad.* **∠·ness** *n.*

ter·tian [tə́ːrʃən] *a.* 사흘째마다 일어나는, 격일의. **—** *n.* U 〖의학〗 3 일열(熱).

ter·ti·ary [tə́ːrʃièri, -ʃəri/-ʃəri] *a.* 제 3 의, 제 3 위의; (산업이) 제 3 차의, 서비스 부문의; 제 3 기의《매독 등》; (T-) 〖지학〗 제 3 기(紀)〔계(系)〕의; 〖화학〗 제 3 (급)의; 제 3 렬(列)의. **—** *n.* **1** 〖조류〗 셋째줄 날개깃. **2** 〖문법〗 삼차어(三次語)《부사 구실을 하는 말》. cf. primary, secondary. **3** 〖가톨릭〗 제 3 회원《속적(俗籍)에 있는 수도회원》. **4** (the T-) 〖지학〗 제 3 기(층). **5** (*pl.*) 〖의학〗 제 3 기 매독의 징후. **6** =TERTIARY COLOR. **7** 3 진법.

tértiary cáre 3 차 의료《고도로 전문화되고 복잡한 의료》.

tértiary còllege 《영》 고등 전문학교《중등학교를 잇는 국립 직업 전문학교의 총칭; 수업 연한 3-4 년》. 「의한》.

tértiary cólor 제 3 색《제 2 색의 둘의 혼색에

tértiary consúmer 〖생태〗 3 차 소비자《소형 육식 동물을 먹는 대형 육식 동물》.

tértiary educátion 《영》 제 3 차 교육《중등교육에 이어지는 대학 및 직업 전문교육의 총칭》. cf. higher education.

tértiary índustry 제 3 차 산업.

tértiary recóvery (secondary recovery에 의해 채수(採收) 불능이 된 유전·가스전(田)으로부터의) 제 3 차 채수.

tértiary sýphilis 〖의학〗 제 3 기 매독.

ter·ti·um quid [tə́ːrʃiəm-kwíd, -tiəm-] 제 3 의 것, (양자의) 중간물; 이도저도 아닌 것. [L. =third something]

ter·ti·us [tə́ːrʃiəs] *a.* 《L.》 제 3 의; 《영》 세 번째의, 최연소의《같은 성의 남학생 중》. cf. primus, secundus, quartus.

tértius gáu·dens, tértius gáu·det [-gɔ́ːdenz, -gáudeins], [-gɔ́ːdet] 《L.》 어부지리(漁夫之利)를 얻는 제 3 자.

ter·va·lent [təːrvéilənt] *a.* 〖화학〗 3 가(價)의; 3 개의 다른 원자가를 가진.

Ter·y·lene [térəlìːn] *n.* 《영》 테릴렌《폴리에스테르 섬유; 상표명》.

ter·za ri·ma [tɛ́ərtsəríːmə] 이탈리아의 3 운구법(韻句法)《Dante 의 '신곡(神曲)'의 시형식》. [It. =third rhyme]

ter·zet·to [tɛərtsétou/təː-, -tɛə-] (*pl.* **~s, *-ti*** [-tiː]) *n.* 《It.》 〖음악〗 3 중창〔주〕(곡).

Tes·co [téskou] *n.* 테스코《영국의 잡화·식료품점과 슈퍼마켓의 체인점》.

TESL [tesəl] *t*eaching *E*nglish as a *s*econd *l*anguage (제 2 언어로서의 영어 교수).

tes·la [téslə] *n.* 〖물리〗 테슬라《자기력선속 밀도(磁氣力線束密度)의 국제 단위》.

Tésla còil 〖전기〗 테슬라 코일《고주파 교류를 발생하는 유도 코일의 일종》.

TESOL [tíːsɔːl, tésəl/tíːsɔl] Teachers of English to Speakers of Other Languages《미국에서 1966 년 결성》; teaching of English to speakers of other languages.

Tess [tes] *n.* 테스《Theresa의 애칭》.

TESSA, Tessa [tésə] 《영》 tax exempt special savings account (특별 면세 저축 계좌)《일정액의 저축까지 이자 과세를 면제하는》.

tes·sel·lar [tésələr] *a.* 쪽매붙임 세공의, 모자이크 모양의.

tes·sel·late [tésəlèit] *vt.* (마루·포장도로 등을) 쪽매붙임〔모자이크식〕으로 만들다〔꾸미다〕. **—** *vi.* (삼각형 등 동일형이) 서로 꼭 맞다. **—** [-lət] *a.* =TESSELLATED. ㊞ **-lat·ed** [-lèitid] *a.* 바둑판 무늬의, 모자이크(식)의. **tès·sel·lá·tion** *n.* U 쪽매붙임 세공; 모자이크식 포장(鋪裝).

tes·sera [tésərə] (*pl.* ***-ser·ae*** [-rìː]) *n.* (모자이크용의) 네모난 대리석〔상아, 유리〕 쪽; 〖고대로마〗 (표, 패, 주사위 등에 쓴) 뼈〔상아, 나무 등속의〕 조각. 「면체.

tes·ser·act [tésərӕkt] *n.* 〖수학〗 4 차원 정육

tes·si·tu·ra [tèsətúərə] (*pl.* **~s**) *n.* 〖음악〗 음역, 성역(聲域). [It. =texture]

test[1] [test] *n.* **1** 테스트, 시험, 검사, 실험; 고사(achievement): a ~ in arithmetic 산수 시험/a ~ for color blindness 색맹 검사/a blood ~ 혈액 검사/a nuclear ~ 핵실험/an efficiency ~ 성능 검사/undergo a ~ 테스트를 받다/⇨ ACHIEVEMENT 〔APTITUDE, INTELLIGENCE〕 TEST. SYN. ⇨ TRIAL. **2** 시험의 수단〔방법〕; 시련; 시험물, 시금석《*of*》: Wealth, no less than poverty, is a ~ *of* character. 부는 빈곤 못지 않게 인격의 시금석이다. **3** 〖화학〗 분석(시험); 시약; 〖수학〗 검정: a ~ for carbon dioxide 이산화탄소의 검출 시험. **4** 《영》 〖야금〗 시험용 골회(骨灰)

접시, 분석용 노상(爐床). **5** (판단·평가의) 기준; 시험 결과, 평가. **6** 《구어》 =TEST MATCH. **7** (the T-) Ⓤ 〖영국사〗 (Test Act에 의한) 취임 선서: take the *Test* 〖영국사〗 취임 선서하다. **8** 〖컴퓨터〗 시험, 테스트《제조된 논리 회로의 기능·성능의 확인》. ***by all* ~*s*** 어느 점으로 보아도. ***give a* ~ (*in*)** (…의) 시험을〔검사를〕 하다. ***put to the* ~** 시험〔음미〕하다. ***stand* 〔*bear, pass*〕 *the* ~** 시험에 합격하다, 시련에 견디다.

— *vt.* **1** (순도·성능·정도 따위를) 검사〔시험〕하다, 테스트하다, 조사하다: have one's eyesight ~*ed* 시력 검사를 받다, 검안하다 / ~ nuclear weapons 핵무기(의 성능) 실험을 하다 / a ~*ing* device 시험 장치 / a ~*ing* machine 재료(강도) 시험기 / a ~*ing* stand 시험대(臺).

> SYN. **test** 물건이나 사람이 기준에 합치하는가, 사용에 견딜 수 있는가 따위를 조사하다. 인격·품질·성능을 검사하다. **examine** 판단의 자료로서 내용을 상세히 조사하다: *examine* a theory 이론을 검토하다. **try** 우리말의 '해 보다'에 해당. 시험 삼아 (능력의 한계까지) test해 보는 경우와 시험 삼아 써 보는 경우가 있음: *try* one's strength 힘을 시험해 보다. Will you *try* this instant coffee? 이 인스턴트 커피를 시음해 보지 않겠소.

2 …의 가치〔진위 (따위)〕를 판단하다. **3** 〖화학〗 (시약으로) 검출〔시험, 분석, 감식〕하다: ~ the ore for gold 금의 유무를 알기 위해 광석을 분석하다. **4** (금·은을 회취법(灰吹法)으로) 정련하다. **5** …에게 품의하다, …의 보증을 바라다. **6** (사람·물건에) 큰 부담이 되다. **—** *vi.* **1** 테스트를 받다. **2** 테스트에 의해 평가가 결정되다. ***Just* ~*ing*.** 《구어》 그저 한 번 해본 말이야《자기 발언이 잘못되었음을 지적당했을 때 변명하는 말》. **~ *for*** …의 시험을 하다. **~ *out*** (이론 등을) 실지로 시험해 보다. **~ *... to failure* 〔*destruction*〕** …을 검사〔검증〕하여 무효임을 밝히다.

test² *n.* **1** 〖동물〗 (연체동물 따위의) 껍데기, 외각(shell). **2** 〖식물〗 =TESTA.

Test. Testament.

tes·ta [téstə] (*pl.* **-tae** [-tiː]) *n.* 〖식물〗 외종피(外種皮).

tést·a·ble¹ *a.* 시험〔검사·분석〕할 수 있는; 정련할 수 있는. ㊀ **tèst·a·bíl·i·ty** *n.*

tést·a·ble² *a.* 〖법률〗 유언 능력이 있는, 유언으로 양도할 수 있는.

tes·ta·cean [testéiʃən] 〖동물〗 *a.* 유각(有殼) 아메바류(類)의. **—** *n.* 유각류(有殼類) 아메바.

tes·ta·ceous [testéiʃəs] *a.* 겉껍데기가 있는; 겉껍데기의; 〖동물·식물〗 붉은 벽돌빛의.

Tést Àct (the ~) 〖영국사〗 심사령(審査令)《모든 관리의 국교 신봉을 선서시킨 조령; 1673-1828》.

tes·ta·cy [téstəsi] *n.* Ⓤ 〖법률〗 유언(장)이 있음.

°tes·ta·ment [téstəmənt] *n.* **1** 유언(장), 유서: a person's last will and ~(죽은 후 재산 처분에 관한) 유언(장) / a military ~ (구두의) 군인 유언. **2** (신과 사람과의) 계약, 성약. **3** (the T-) 성서; 《구어》 신약성서: ⇨ OLD 〔NEW〕 TESTAMENT. **4** (사실·정당성 등의) 입증, 증거. **5** 신앙〔신조〕의 표명; 고백.

tes·ta·men·tal [tèstəméntl] *ad.* 유언의.

tes·ta·men·ta·ry [tèstəméntəri] *a.* 유언의; 유언(장)에 의한; 유언에 지정된. ㊀ **-ri·ly** *ad.*

tes·ta·mur [testéimər] *n.* 〖영대학〗 시험합격증.

tes·tate [tésteit, -tət] *a.*, *n.* (법적으로 유효한) 유언(장)을 남기고 죽은 (사람): die ~ 유언을 남기고 죽다.

tes·tá·tion *n.* Ⓤ 〖법률〗 유언에 의한 유산 처리, 유증(遺贈); 《폐어》 입증, 증언.

tes·ta·tor [tésteitər, -´-/-´-] *n.* 유언자.

tes·ta·trix [testéitriks, ´--/-´-] (*pl.* **-tri·ces** [-trəsìːz, tèstətráisiːz/testéitrisìːz]) *n.* 여성 유언자.

tes·ta·tum [testéitəm] *n.* 〖법률〗 (날인 증서 따위의) 본문.

tést bàn (대기권) 핵실험 금지 협정.

tést bèd (비행기 등의 엔진) 시험대.

tést càrd 〖TV〗 =TEST PATTERN.

tést càse **1** 〖법률〗 시소(試訴)《(1) 그 판결이 다른 유사 사건의 선례가 되는 사건. (2) 어떤 법률의 합헌성(合憲性)을 묻는 소송》. **2** 선례가 되는 사례, 테스트 케이스.

tést certìficate 《영》 (자동차) 검사필증.

tést·cròss *n.*, *vt.* 〖생물〗 검정 교잡(檢定交雜)(시키다).

tést drìve (차의) 시운전, 시승.

tést-drìve *vt.* (차를) 시운전하다.

tést-drìver *n.* (차를) 시운전하는 사람; 〖컴퓨터〗 시험 드라이버《프로그램의 실행 시험을 하는 프로그램》.

tést-dròp *vt.* (폭탄 등을) 시험 투하하다.

tést·ed [-id] *a.* 〔종종 복합어를 이루어〕 시련을 겪은, 경험이 풍부한; 시험을〔검사를〕 마친〔끝낸〕.

test·ee [testíː] *n.* 수험자.

tést·er¹ *n.* 시험〔검사〕자, 시험〔검사〕 장치, 테스터.

tés·ter² *n.* (침대·제단 등의) 닫집(canopy).

tes·tes [téstiːz] TESTIS의 복수.

tést-fíre *vt.* (로켓 따위를) 시험 발사하다.

tést flìght 시험 비행.

tést-flỳ *vt.* 시험 비행하다.

tést glàss 〖화학〗 시험용 컵.

tes·ti·cle [téstikəl] *n.* (보통 *pl.*) 〖해부〗 정소(精巢), 고환(testis). ㊀ **-tic·u·lar** [testíkjələr] *a.*

testícular feminizátion 〖유전〗 정소성(精巢性)〔고환〕 여성화(증)《발생 단계에서 고환의 미발달로 남성이 여성의 외모로 태어나는 일》.

tes·tic·u·late [testíkjələt] *a.* 〖식물〗 고환 모양의 (괴경(塊莖)을 가지는).

tes·ti·fi·ca·tion [tèstəfikéiʃən] *n.* Ⓤ 입증, 증언; 증거가 되는 것.

***tes·ti·fy** [téstəfài] *vi.* **1** 《~/+전+명》 증명하다, 입증하다; 증언하다《*to*》; 증인이 되다: ~ *to* a fact 사실을 증명하다. **2** 《+전+명》 (언동·사실이 …의) 증거가 되다《*to*》; 〖법률〗 선서 증언을 하다; 자기 신념을 표명하다: ~ before court 법정에서 증언하다 / This incident *testified to* his incompetency. 이 사건은 그의 무능을 증명했다. **—** *vt.* **1** 《+*that* 절》 …을 증언하다, 입증하다; …을 확언하다: He *testified that* he had not been there. 그는 그곳에 있지 않았다고 증언했다. **2** 증명하다: ~ a person's honesty 아무가 정직함을 증명하다. **3** 표명하다: ~ one's regret 유감의 뜻을 나타내다. **4** (사물이) 증거가 되다: Her tears *testified* her grief. 눈물로써 그녀의 슬픔을 알았다. **~ *against* 〔*for*〕** …에게 불리〔유리〕한 증언을 하다: I won't ~ *against* my friend. 친구에게 불리한 증언은 안 하겠다. ㊀ **-fi·er** [-ər] *n.* 증언하는 사람, 증인.

tes·ti·mo·ni·al [tèstəmóuniəl] *n.* 증명서; 추천장; 상장, 감사장, 표창장; (감사·공로 표창의) 선물, 기념품. **—** *a.* 증명서의; 상(賞)의, 감사의.

tès·ti·mó·ni·al·ìze *vt.* …에게 감사장〔기념품〕을 주다; …에 추천장을 쓰다.

°tes·ti·mo·ny [téstəmòuni/-məni] *n.* Ⓤ **1 a** 증언, (법정에서의) 선서증언; 《널리》 언명; (신앙·경험 등의) 고백, 선언: A witness gave ~ *that* .... 한 증인이 …라고 증언했다 / give false ~ 위증(僞證)하다. SYN. ⇨ EVIDENCE. **b** (또는 a ~) 증거, 증명, 입증; 고증(考證): bear 〔give〕 ~ *to* 〔*against, for*〕 …에 대해〔불리한, 유리한〕 증언을 하다. SYN. ⇨ PROOF. **2** (the ~) 〖성서〗

율법, 십계; 증거판《십계명을 쓴 돌판》; 증거판의 궤, 법궤《출애굽기 XXV: 16》; (the ~ *or pl.*) 성서(속의 하느님 말씀). **3** 《고어》 항의《*against*》. ***bear*** ~ 증언하다; 증명하다, 입증하다《*to*》; 《고어》 항의하다《*against*》: I can *bear* ~ *to* his good character. 그가 훌륭한 인물임을 나는 입증할 수 있다. ***be a*** ~ ***to*** …의 증거이다: His poverty *is a* ~ *to* his innocence. 가난하다는 것이 그가 결백하다는 증거다. ***call*** a person ***in*** ~ 아무를 증인으로 세우다: Those people were *called in* ~. 그들이 증인으로 세워졌다. ***give*** ~ ***to*** …의 증거를 대다. ***in*** ~ ***of*** …의 증거로, …의 표시로. ***produce*** ~ ***to*** 〔***of***〕 …의 증거를 제출하다.

tést·ing *a.* 최대한의 노력〔능력〕이 요구되는, 극히 곤란한. **—** *n.* 테스트(하기), 시험, 실험. ㊕ **~·ly** *ad.*

tésting gròund (자동차 따위의 성능) 시험장; (사물의) 시험의 장(場).

tes·tis [téstis] (*pl.* **-tes** [-ti:z]) *n.* =TESTICLE.

tést màrket 시장 실험, 시험 판매.

tést-màrket *vt.* (상품을) 시험 판매하다.

tést màrketing 테스트 마케팅《어떤 제품을 선택된 일정 지역에서 시험적으로 판매하는 일》.

tést màtch (국제) 크리켓〔럭비 따위〕 결승전.

tést mèssage 테스트 메시지《인터넷에서, 뉴스 그룹에서의 접속 확인을 위해 전용 장소에 게시하는 메시지》.

tes·tos·ter·one [testástəròun/-tɔ́s-] *n.* 【생화학】 테스토스테론《남성 호르몬의 일종》.

tést pàper 1 시험 문제〔답안〕지. **2** 【화학】 시험지.

tést pàttern 【TV】 테스트 패턴《화면 조정용 도형》.

tést pìece (콩쿠르 등의) 지정곡.

tést pìlot 테스트 파일럿, 시험 조종사.

tést prògram 【컴퓨터】 시험용 프로그램《부호화가 끝난 프로그램을 시험하기 위한 프로그램》.

tést rùn 시운전, 실지로 해 보는 것: give a ~.

tést tàker 수험자(受驗者).

tést tùbe 시험관.

tést-tùbe *a.* 시험관 속에서 만들어 낸; 인공 수정의.

tést-tube báby 시험관 아기, 체외〔인공〕 수정 아기; 인공 수정아(lab-conceived baby).

tést týpe 시력 검사표의 문자; (*pl.*) 시력 검사표.

tes·tu·di·nal [test*j*ú:dənəl/-tjú:-] *a.* 거북〔귀갑(龜甲)〕의〔같은〕.

tes·tu·di·nate [test*j*ú:dənət, -nèit/-tjú:-] *a.* 거북류(類)〔목(目)〕의; 거북등 같은 아치형의. **—** *n.* 거북(turtle).

tes·tu·do [test*j*ú:dou/-tjú:-] (*pl.* **~s, -di·nes** [-dəni:z]) *n.* 【고대로마】 (온 몸을 숨기는) 거북등딱지 모양의 큰 방패; 【의학】 귀갑대(龜甲帶); (T-) 【동물】 남생이속(屬).

tes·ty [tésti] (**-ti·er; -ti·est**) *a.* 성미 급한, 성잘 내는; (언행 따위가) 퉁명스러운. ㊕ **tés·ti·ly** *ad.* **-ti·ness** *n.*

te·tan·ic [tətǽnik, te-] *a.* 【의학】 파상풍(성)의; 강직 경련(성)의. **—** *n.* 강직 경련 유기제(誘起劑).

tet·a·nize [tétənàiz] *vt.* 【생리】 (근육에) 강직성 경련을 일으키다. ㊕ **tèt·a·ni·zá·tion** *n.*

tet·a·nus [tétənəs] *n.* Ⓤ 【의학】 파상풍(균); (근육의) 강직 경련.

tet·a·ny [tétəni] *n.* Ⓤ 【의학】 테타니, 근(筋)강직성 경련.

tetchy, techy [tétʃi] (**te(t)ch·i·er; -i·est**) *a.* 성 잘 내는; 까다로운《문제 등》. ㊕ **té(t)ch·i·ly** *ad.* **-i·ness** *n.*

tête-à-tête [téitətéit, tétətét] *ad., a.* 《F.》 단 둘이서〔의〕, 마주 앉아서, 마주 앉은; 남몰래, 남이 모르는, 내밀히, 내밀한: a ~ dinner 마주 앉아서 드는 만찬. **—** *n.* 터놓고 하는 이야기; 밀담; 대담; S 자형의 2 인용 의자. ***have a*** ~ ***talk*** 마주 앉아 이야기하다《*with*》.

teth·er [téðər] *n.* **1** (마소용의) 잡아매는 밧줄〔사슬〕. **2** Ⓤ 《비유》 (능력·재력·인내 등의) 한계, 범위, 극한. ***at the end of*** one's ~ 백계가 다하여, 궁지에 빠져, 한계에 이르러. ***be beyond*** one's ~ 힘이 미치지 못하다; 권한 밖이다. ***the matrimonial*** ~ 부부의 인연. **—** *vt.* (밧줄·사슬로) 매다; 구속〔속박〕하다.

téther·bàll *n.* 테더볼《기둥에 매단 공을 라켓으로 치는 2 인용 게임; 그 공》.

Te·thys [tí:θis] *n.* 【그리스신화】 테티스《Uranus와 Gaea의 딸로 Oceanus의 처》; 【천문】 테티스《토성의 제 3 위성》; (the ~) 테티스해《옛 지중해》.

tetr- [tétr], **tet·ra-** [tétrə] '넷; 【화학】 4 원자〔기(基), 원자단〕을 갖는' 의 뜻의 결합사: *tetra*chord, *tetr*oxide.

tètra·básic [tètrəbéisik] *a.* 【화학】 4 염기성〔(塩基性)〕의.

tet·ra·ben·a·zine [tètrəbénəzi:n] *n.* 【약학】 테트라베나진《정신 안정제》.

tet·ra·caine [tétrəkèin] *n.* 【약학】 테트라카인《국부 마취제》.

tètra·chlóride *n.* 【화학】 4 염화물(塩化物).

tet·ra·chlo·ro·di·ben·zo(-p-)di·ox·in [tètrəklɔ̀:roudaibénzou(pí:)daiáksin/-ɔ́ks-] *n.* 고엽제(枯葉劑)·제초제에 함유된 잔류성의 발암성 다이옥신《미군이 베트남전에서 Agent Orange에 썼음; 생략: TCDD》.

tètra·chloro·éthylene *n.* 【화학】 4 염화에틸렌《세척제, 고무나 타르의 용제로 쓰임》.

tet·ra·chord [tétrəkɔ̀:rd] *n.* 【음악】 4 음음계; 완전 4 도; 테트라코드《옛 사현금(四絃琴)의 일종》.

tet·ra·cy·cline [tètrəsáikli(:)n, -klain] *n.* Ⓤ 【약학】 테트라사이클린《항생제의 일종》.

tet·rad [tétræd] *n.* 네 개; 넷 한 벌; 【생물】 4 분자《한 모세포에서 감수 분열로 생긴 네 세포》; 【생물】 4 분 염색체; 【화학】 4 가(價) 원소.

tètra·dáctyl *n.* 【동물】 사지(四指)동물. **—** *a.* 사지를 지닌(=**tètra·dáctylous**).

tétra·èthyl léad [-léd] 【화학】 4 에틸납《무색 액체; 앤티노크제(劑)》.

tet·ra·gon [tétrəgàn/-gən] *n.* 【수학】 4 각형; 4 변형: a regular ~ 정 4 각형.

te·trag·o·nal [tetrǽgənl] *a.* 4 각형의; 【결정】 정방정계(正方晶系)의. ㊕ **~·ly** *ad.*

tetrágonal sỳstem 【결정】 정방정계.

tet·ra·gram [tétrəgræ̀m] *n.* 네 자로 된 말.

Tet·ra·gram·ma·ton [tètrəgrǽmətàn/-tən] *n.* 히브리어로 신의 이름을 나타내는 4 문자(yod, he, vav, he)《흔히 YHVH처럼 자음으로 자역(字譯)됨》.

tet·ra·he·dral [tètrəhí:drəl] *a.* 4 면이 있는; 4 면체의. ㊕ **~·ly** *ad.*

tet·ra·he·drite [tètrəhí:drait] *n.* 【광물】 사면동광(四面銅鑛).

tet·ra·he·dron [tètrəhí:drən] (*pl.* **~s, -dra** [-drə]) *n.* 【수학】 4 면체.

tètra·hỳdro·cannábinol *n.* Ⓤ 테트라하이드로카나비놀《마리화나의 유효 성분; 생략: THC》.

te·tral·o·gy [tetrǽlədʒi, -trá:l-/-trǽl-] *n.* 4 부곡; (극·소설 등의) 4 부작; 【고대그리스】 4 부극《3 비극과 1 풍자극으로 이루어짐》.

te·tram·e·ter [tetrǽmətər] *n., a.* 【운율】 4 보격(步格)(의).

tet·ra·pet·al·ous [tètrəpétələs] *a.* 【식물】 꽃잎이 넷 있는.

tet·ra·ple·gia [tètrəplí:dʒiə] *n.* 【의학】 사지마비(quadriplegia).

te·tra·ploid [tétrəplɔ̀id] 【생물】 *a.* (염색체가) 4 배성의. **—** *n.* 4 배체(倍體).

tet·ra·pod [tétrəpàd/-pɔ̀d] *n.* (탁자·의자 등의) 네 다리; 【공학】 테트라포드《네 다리가 있는 호안용(護岸用) 콘크리트 블록》; 【동물】 사지(四

肢) 동물, 네발짐승.
te·trarch [tétrɑːrk, tíːt-] *n.* 〖고대로마〗 사분령(四分領)의 영주; (속령(屬領)의) 영주〔소왕(小王)〕; 4 두정치 통치자의 한 사람. ㊥ **~·ate** [-kèit] *n.* = TETRARCHY.
te·trar·chy [tétrɑːrki, tíːt-] *n.* tetrarch의 직〔영지〕; 4 두정치; 그 네 통치자; 4 행정구로 나뉜 나라.
tet·ra·spore [tétrəspɔ̀ːr] *n.* 〖식물〗 사분포자(四分胞子). ㊥ **tet·ra·spor·ic** [tètrəspɔ́ːrik, -spár-/-spɔ́r-], **tet·ra·spor·ous** [tètrəspɔ́ːrəs, titrǽspərəs] *a.*
tet·ra·stich [tétrəstìk, tetrǽstik] *n.* 〖운율〗 「4 행시(四行詩).
tet·ra·style [tétrəstàil] *a., n.* 〖건축〗 4 주식(四柱式)의 (건물).
tet·ra·syl·la·ble [tétrəsìləbəl, ⌐-⌐-] *n.* 4 음절어〔시행(詩行)〕. ㊥ **tèt·ra·syl·láb·ic** [-lǽbik] *a.* 4 음절의.
tet·rath·lon [tetrǽθlən, -lɑn/-lən, -lɔn] *n.* 4 종경기《특히 마술(馬術)·사격·수영·경주》.
tet·ra·tom·ic [tètrətámik/-tɔ́m-] *a.* 〖화학〗 4 가(價)의; 4 원자(原子)의; 치환할 수 있는 4 개의 원자를 가진.
tet·ra·va·lent [tètrəvéilənt, tetrǽvəl-] *a.* 〖화학·생물〗 4 가(價)의. **—** *n.* 〖생물〗 4 가 염색체.
tet·rode [tétroud] *n.* 〖전기〗 4 극(極)(진공)관.
tet·ro·do·tox·in [tetròudətáksin/-tɔ́ksin] *n.* 〖생화학〗 테트로도톡신《복어의 유독 성분》.
tet·rose [tétrous, -rouz] *n.* 〖화학〗 테트로오스, 4 탄당.
te·trox·ide [tetráksaid, -sid/-trɔ́k-] *n.* 〖화학〗 4 산화물.
tet·ter [tétər] *n.* Ⓤ,Ⓒ 〖의학〗 피진(皮疹), 피부병: moist ~ 습진. ㊥ **~ed** *a.* 피진이 생긴.
Teut. Teuton; Teutonic.
Teu·ton [tjúːtn/tjúː-] *n.* 튜턴 사람《B.C. 4 세기경부터 유럽 중부에 살던 민족으로 지금의 독일·네덜란드·스칸디나비아 등지의 북유럽 민족, 특히 독일인》.
Teu·ton·ic [tjuːtánik/tjuːtɔ́n-] *n., a.* 튜턴 사람〔족〕(의); 튜턴 말(의); 게르만(민족·말)(의), 독일(사람·말)(의).
Teu·ton·i·cism [tjuːtánəsìzəm/tjuːtɔ́n-] *n.* 「= TEUTONISM.
Teu·ton·ism [tjúːtənìzəm/tjúː-] *n.* Ⓤ,Ⓒ 튜턴주의〔문화·정신〕; 튜턴어풍(語風).
Teu·ton·ize [tjúːtənàiz] *vt., vi.* 튜턴화(化)하다. ㊥ **Tèu·ton·i·zá·tion** *n.*
TEV Today's English Version(현대역 성서).
TEWT [tjuːt/tjuːt] *n.* 〖영군사〗 현지 전술《사령부·참모들만으로 하는 모의전》. [◂ *T*actical *E*xercise *W*ithout *T*roops]
Tex. Texan; Texas. 「사; 상표명》.
Tex·a·co [téksəkou] *n.* 텍사코《미국 석유 회
Tex·an [téksən] *a.* 텍사스 주(사람)의. **—** *n.* 텍사스 사람〔주민〕. 「미국과 멕시코와의 국경.
Téxan 〔Téxas〕 bórder (the ~) 《미속어》
Tex·as [téksəs] *n.* 텍사스《미국 남서부의 주; 생략: Tex.》; (t-) (*pl.* **~, ~·es**) 《미》 (하천(河川) 증기선의) 최고 갑판실《고급 선원용》.
Téxas féver 텍사스열(熱)《진드기에 의해 전염되는 마소의 전염병》.
Téxas Ínstruments 텍사스 인스트루먼트(사)(~, Inc.)《미국의 전자·전기 제품 제조 회사; 생략: TI》.
Téxas léaguer 〖야구〗 텍사스 리거《내야수와 외야수 사이에 떨어지는 힘없는 안타》.
Téxas ptérosaur 〖동물〗 텍사스 프테로사우루스《절멸한 파충류 익룡목(翼龍目)의 일종; 그 화석이 1975 년 Texas주 서부에서 발견됨》.
Téxas Ránger (the ~) 텍사스(주) 기마경관《미국에서 가장 오래된 주경찰》. 「계용 레이더 탑.
Téxas tówer 〖미군사〗 (바다에 건설한) 조기 경
Tex·i·can [téksikən] *n.* 텍사스 스페인어(語) (Tex-Mex). [◂ *Tex*as+Mex*ican*]
Tex-Mex [téksméks] *a.* 《미》 텍사스 주와 멕시코와의 국경 부근의; 텍사스·멕시코 절충의. **—** *n.* 영어적 요소가 섞인 멕시코의 스페인어.
‡**text** [tekst] *n.* Ⓒ **1** Ⓤ (서문·부록·주석·삽화 등에 대하여) 본문. **2** (요약·번역에 대하여) 원문. ⓒⓕ paraphrase. ¶ the original ~ 원문, 원전 / The newspaper published the whole ~ of the speech. 그 신문은 연설 전문을 실었다 / a full ~ 전문(全文), 정문(正文). **3** (설교 등에 인용되는) 성서의 구절; 격언; 정보원(源), 출전, 전거. **4** (연설·토론 등의) 연제, 주제, 화제: the speaker's ~ 연설자의 연제. **5** 《미》 = TEXTBOOK. **6** = TEXT HAND. **7** 〖컴퓨터〗 본문, 텍스트《(1) 수치·그림 인쇄(graphics) 등과 구별하여 문자로 구성되는 정보. (2) 메시지의 본문》. ***go by the ~*** 정석(定石)대로 하다. ***stick to*** one's ***~*** (이야기가) 주제에서 벗어나지 않다, 탈선하지 않다.
‡**text·book** [tékstbùk] *n.* 교과서. ㊥ **~·ish** *a.* 교과서(식)의.
téxt bòx 〖컴퓨터〗 텍스트박스《그래픽 사용자 인터페이스(GUI)환경에서, 문자열(列)을 입력하는 난(欄)》.
téxt èditing 〖컴퓨터〗 텍스트 편집.
téxt edìtion 교과서판(版)《교실 배부용의 염가판》. 「기.
téxt èditor 〖컴퓨터〗 본문 편집기, 텍스트 편집
téxt file 〖컴퓨터〗 텍스트 파일《문서 정보(text)를 수납한 파일》. 「은 문자》.
téxt hànd 〖인쇄〗 텍스트체(體)《옛날의 획이 굵
◇**tex·tile** [tékstail, -til/-tail] *n.* (보통 *pl.*) 직물, 옷감, 직물의 원료: Glass can be used as a ~. 유리는 섬유 재료로서 쓰일 수 있다. **—** *a.* 직물의; 방직된: ~ art 직물 공예 / ~ fabrics 직물 / the ~ industry 섬유 산업.
téxt·ing *n.* Ⓤ (휴대 전화의) 문자 메시지 전송.
téxt mèssage (휴대 전화의) 문자 메시지.
téxt mèssaging = TEXTING.
téxt procèssing 〖컴퓨터〗 텍스트 처리.
téxt-to-spéech *a.* 텍스트를 음성으로 변환하는, 맹인용 녹음 테이프의.
tex·tu·al [tékstʃuəl] *a.* 본문의; 원문의; 원문대로의, 축어적인; (성서의) 본문에 의한. ㊥ **~·ly** *ad.*
téxtual críticism (특히 성서의) 원문 대조 비평; (작품의 독자성을 평가하는) 작품 분석 비평.
téx·tu·al·ìsm *n.* Ⓤ (특히 성서의) 원문 고집〔존중〕; (성서의) 원문 연구〔비판〕의 기술.
téx·tu·al·ist *n.* (특히 성서의) 원문주의자〔연구가〕, 원문 학자〔비평자〕.
tex·tu·ar·y [tékstʃuèri/-əri] *a.* 원문(原文)의〔에 관한〕. **—** *n.* (*pl.* **-ar·ies**) 성서의 원문에 정통한 사람, 《특히》 성서의 원문주의자.
tex·tur·al [tékstʃərəl] *a.* 조직〔구조〕상의; 피륙의. ㊥ **~·ly** *ad.*
◇**tex·ture** [tékstʃər] *n.* Ⓤ,Ⓒ **1** 직물, 피륙, 천; (피륙의) 짜임새, 바탕; 《비유》 본질, 특질, 성격. **2** (피부·목재·암석 등의) 결, 감촉; (문장의) 구성; (외면적인) 느낌. **3** 조직, 구조. **4** 〖음악〗 (전체적인) 기조(基調), 텍스처. **5** 〖컴퓨터〗 텍스처《밝기나 색의 공간적 변화가 고른 모양》. **—** *vt.* (피륙을) 짜다; (무늬를) 짜 넣다; …에 특정의 texture를 내다.
téx·tured *a.* (거친) 감촉〔질감〕을 드러낸, (매끄럽지 않은) 감촉이 남아 있는.
téxtured végetable prótein (콩단백질제(製)의) 인조(人造) 고기.
téxture màpping 〖컴퓨터〗 텍스처 매핑《컴퓨

터 그래픽에서, 평면상으로 구성된 문양(紋樣)을 입체감이나 질감을 나타내기 위해 각종 무늬나 음영을 넣는 기법》.

téx·tur·ìze [-ràiz] *vt.* (목재·돌 따위에) 특정한 결을 내다. 「rial Force.

TF, T.F. task force; tank forces; 《영》 Territo-

T formàtion 〖축구〗 T자형의 공격 진형.

TFR 〖군사〗 terrain-following radar. **tfr.** transfer. **TFT** 〖전자〗 thin film transistor(박막 트랜지스터)《액정 화면 표시의 전환 장치(switch device)로써 쓰임》. **TFTR** 〖원자〗 Tokamak Fusion Test Reactor(토카막형(型) 핵융합 시험로). **TGIF, T.G.I.F.** thank God it's Friday《주말의 안도감을 나타냄》.

T-gròup *n.* 〖심리〗 훈련 그룹, T그룹《소외감을 극복시켜 인간관계의 원활을 기하려는 심리학적 훈련 그룹》.

tgt. target. **TGV** train à grande vitesse((프랑스 국철의) 초고속 열차, 테제베). **TGWU, T.G.W.U.** 《영》 Transport and General Workers' Union (일반 운수 노동조합). **Th** 〖화학〗 thorium. **Th.** Theodore; Thomas; Thursday.

-th[1] [θ] *suf.* 형용사·동사로부터 추상명사를 만듦: tru*th*, grow*th*.

-th[2] [θ], **-eth**[1] [iθ] *suf.* 4 이상의 기수(基數)에 붙여 서수(序數) 및 분모를 만듦: four*th*. ★ -ty로 끝나는 수사에는 -eth 가 붙음: thirti*eth*.

-th[3] [θ], **-eth**[2] [iθ] *suf.* 《고어》 동사의 직설법·현재·3인칭·단수를 만듦《오늘날의 -s, -es에 해당》: do*th*(=does), ha*th*(=has).

THA 〖약학〗 tetrahydroaminoacridine《tacrine의 화학명》.

THAAD [θɑːd] *n.* 고(高)고도 미사일 방어 체계《미 육군의 지역 방위용 탄도 미사일 방어 요격 체계》. [◂ *t*erminal *h*igh *a*ltitude *a*rea *d*efense]

Thack·er·ay [θǽkəri] *n.* **William Makepeace** ~ 새커리《영국의 소설가; 1811-63》.

Thai [tai] *n.* 타이 사람; Ⓤ 타이〔샴〕 말; (the ~(s)) 타이 국민. **—** *a.* 타이 말〔사람〕의.

Thai. Thailand.

Thai·land [táilæ̀nd, -lənd] *n.* 타이《구칭 Siam; 수도 Bangkok》. ⊞ **~·er** *n.* 타이 사람.

Thái stìck 타이 스틱《아시아산의 독한 마리화나를 말아 놓은 가느다란 막대기》.

thal·a·mus [θǽləməs] (*pl.* **-mi** [-mài]) *n.* 〖해부〗 시상(視床), 시신경상(床)《간뇌(間腦)의 일부》; 〖식물〗 화탁(花托), 꽃받침; 〖고대그리스〗 내실(內室). ***optic*** ~ 〖해부〗 시신경상(床).

thal·as·se·mia [θæ̀ləsíːmiə] *n.* 〖의학〗 지중해 빈혈(=**Cóoley's anémia**): ~ major 중증성 지중해 빈혈. ⊞ **-sé·mic** *a.*

tha·las·sic [θəlǽsik] *a.* 바다〔해양〕의; 내해(內海)의; 바다에서 사는〔나는〕.

thal·as·so·chem·is·try [θæ̀ləsoukémistri] *n.* Ⓤ 해양화학. 「해권(制海權).

thal·as·soc·ra·cy [θæ̀ləsákrəsi/-sɔ́-] *n.* 제

tha·las·so·crat [θəlǽsəkræ̀t] *n.* 제해권(制海權)을 가진 자.

thal·as·sog·ra·phy [θæ̀ləságrəfi/-sɔ́-] *n.* (연안) 해양학.

tha·las·so·ther·a·py [θəlǽsəθèrəpi] *n.* 〖의학〗 해수 요법(海水療法)《다친 사람을 위한》.

tha·ler, ta·ler [táːlər] (*pl.* ~(**s**)) *n.* 은화 이름《15-19세기 독일 각지에서 발행된》.

Tha·les [θéiliːz] *n.* 탈레스《그리스의 철인 (640?-546 B.C.); 7현인(賢人) 중의 한 사람》.

Tha·lia [θəláiə, θéiliə] *n.* 〖그리스신화〗 탈리아《(1) 희극·목가를 주관하는 여신; Nine Muses의 하나. (2) 미의 3여신(Graces)의 하나》. [《Gr.》 *thaleia* blooming] ⊞ **Tha·lí·an** *a.* ~의; 희극의.

tha·lid·o·mide [θəlídəmàid, θæ-] *n.* 〖약학〗

탈리도마이드《진정·수면제의 일종》: a ~ baby 임산부의 탈리도마이드 복용으로 출산한 기형아.

thal·lic [θǽlik] *a.* 탈륨의, 《특히》 제2탈륨염(塩)의. Ⓒⓕ thallous. 「소; 기호 Tl; 번호 81》.

thal·li·um [θǽliəm] *n.* 〖화학〗 탈륨《희금속원

thal·loid [θǽlɔid] *a.* 〖식물〗 엽상체(葉狀體)의, 엽상체에서 생긴〔와 비슷한〕.

thal·lo·phyte [θǽləfàit] *n.* 엽상(葉狀) 식물《이끼·버섯·마름·균류(菌類)》.

thal·lous [θǽləs] *a.* 〖화학〗 탈륨의, 《특히》 제1탈륨염(塩)의. 「엽상체(葉狀體).

thal·lus [θǽləs] (*pl.* **~·es, -li** [-lai]) *n.* 〖식물〗

thal·weg [táːlveg, -veik] *n.* 《G.》 **1** (지도에 그려진) 요선(凹線). **2** 〖국제법〗 주요 항행 수로(水路)의 중앙선.

Thames** [temz] *n.* (the ~) 템스 강《런던을 흐르는 강》. ***set the ~ on fire ⇨ FIRE.

†**than** ⇨《p. 2566》 THAN. 「(領地)〕.

than·age [θéinidʒ] *n.* Ⓤ thane의 신분〔영지

than·a·to- [θǽnətou, -tə] '죽음'의 뜻의 결합사《모음 앞에서는 **thanat-**》.

than·a·toid [θǽnətɔ̀id] *a.* 죽음 같은, 죽은 듯한; 가사 상태의; 생명에 관한, 치명적인.

than·a·tol·o·gist [θæ̀nətálədʒist/-tɔ́l-] *n.* 사망학 연구자, 사망학자; 장의업자.

than·a·tol·o·gy [θæ̀nətálədʒi/-tɔ́l-] *n.* Ⓤ 사망학(死亡學), 사망 심리 연구.

than·a·to·pho·bia [θæ̀nətəfóubiə] *n.* 〖정신의학〗 죽음 공포(증).

than·a·top·sis [θæ̀nətápsis/-tɔ́p-] *n.* 《미》 죽음에 관한 고찰, 사관(死觀).

Than·a·tos [θǽnətɑ̀s, -tous/-tɔ̀s] *n.* **1** 〖그리스신화〗 타나토스, 의인화(擬人化)된 죽음(의 신). **2** 〖정신분석〗 죽음의 본능.

thane, thegn [θein] *n.* 〖영국사〗 (귀족과 자유민 중간의) 향사(鄕士), 호족; 〖Sc. 역사〗 영주, 귀족. ⊞ **∠·dom** *n.* ~의 영토. **∠·hòod**, **∠·shìp** *n.* Ⓤ ~의 지위.

†**thank** [θæŋk] *vt.* **1** 《~+목/+목+전+명》 …에게 사례하다, …에게 감사하다, …에게 사의를 표하다: *Thank* Tom, not me. 내게 아니라 톰에게 감사하시오/She ~*ed* him *for* his advice. 그의 충고에 대하여 그녀는 감사했다/*Thank* you for helping me. 도와주셔서 감사합니다/I must ~ you *for* your letter of May 1. 5월 1일자 귀하의 편지에 대하여 감사드립니다(⇨관용구 Thank you). **2** 《+목+전+명/+목+*to* do》 〖보통 미래형으로 공손한 의뢰 또는 반어·비꼼에 쓰이어〗 (…을) 요구하다, (…하여 주기를) 부탁하다《*for*》: I will ~ you *for* the return of my money. 이제 제 돈을 돌려주십시오/I will ~ you *to* leave me alone for a moment. 잠시 동안 저를 혼자 있게 해 주십시오/I'll ~ you *to* mind your own business. 당신 일이나 걱정하시오. **3** 《+목+전+명》 **a** 〖~ oneself 또는 have oneself to ~로〗 자기 책임이다, 자업자득이다: You may ~ your*self for* that. =You have (only) your*self to* ~ *for* that. 그것은 자네 자업자득일세. **b** 〖have a person to ~로〗 (…의) 탓이다: We *have* him *to* ~ *for* our failure. 우리가 실패한 것은 그녀석 탓이다. ***No, ~ you.*** 아니, 괜찮습니다《사절의 인사》. ***Thank God*** 〔***Heaven***〕***!*** 고마워라, 이런; 고맙게도: *Thank Heaven* you've come. 잘 오셨소/*Thank God* she's safe. 고맙게도 그녀는 구조되었다. ***Thanking you in anticipation.*** 이만 부탁드리면서《의뢰하는 편지의 끝맺음말》. ★ 직역하면 '미리 감사드립니다'의 뜻. 호의를 강요하거나, 추후 사례를 생략하겠다는 인상을 상대방에게 주

비교급의 형용사·부사 뒤에 와서 '…보다'의 뜻을 나타내는 절을 이끈다. 다만, 그 종속절에서는 주절과 공통되는 부분이 생략될 경우가 많다: She is brighter than her brother (is bright). 다음 보기에서는 대명사의 형태에 주의할 것: She respected him more than *I* (=than I respected him). 나보다도 그녀가 더 그를 존경했다—She respected him more than *me* (=than she respected me). 그녀는 나를 존경하는 이상으로 그를 존경했다.

than은 반드시 형용사·부사의 비교급(other, otherwise, rather, else 따위를 포함)에 수반되어 사용되는데 이것들 없이 단독으로 쓰이는 일은 없지만, 우리말에서는 '보다(도)'가 단독으로 동사적 표현과 결합될 때가 있다: I want to go to Paris *rather than* London. '런던보다도 파리로 가고 싶다.' 이때 우리말 표현에 끌리어 rather를 빠뜨리지 않도록 주의를 요한다.

than [ðæn, 약 ðən] *conj.* **1** 〖형용사·부사의 비교급에 계속되어〗 …보다, …에 비하여, …와 비교하여《than 절에서는 앞뒤 관계로 알 수 있는 부분은 생략될 때가 많음》: You will get there earlier ~ he (will). 그보다 자네가 거기 먼저 도착할 것이네/He is taller ~ I (am). 그는 나보다 키가 크다《구어에서는 흔히 He is taller ~ me.라고 하는데 이때 than은 전치사(⇨ *prep.*1 a)》/He loves you more ~ (he loves) me. 그는 나보다 너를 더 사랑하고 있다/He spoke less eloquently ~ usual 〔before〕. 그는 여느때〔이전〕만큼 웅변을 보이지 못했다/It is easier to persuade him ~ forcing 〔(to) force〕 him. 그 사람을 강제하기보다 설득하는 편이 쉽다《than의 뒤에서는 동명사·부정사 둘 다 쓸 수가 있음》/She is cleverer ~ us all. 그녀는 우리 모두보다 머리가 좋다《than 뒤에 오는 인칭대명사는 both, all 로 수식되면 목적격이 됨》/He accomplished more ~ what was expected of him. 《구어》 그는 기대 이상의 것을 이루었다《what을 생략하면 than은 관계대명사와 같이 됨(⇨ 2)》/I am wiser ~ to believe it. 나는 그것을 믿을 만큼 바보는 아니다/That is more ~ enough. 충분하고도 남는다/Easier 〔Sooner〕 said ~ done. 《속담》 말하기는 쉽고 행하기는 어렵다.

> NOTE (1) 동사가 타동사라는 따위의 이유로 than을 전치사화하면 오해를 일으키기 쉬운 경우라든가, than 다음에 오는 명사 따위로서 특히 주격임을 명시하고자 할 경우에는 흔히 대동사 do를 씀: She respected him more than I *did* (=respected him). 그녀는 내가 그 사람을 존경하는 것보다 더 그를 존경했다《than me로 하면 뜻이 바뀜》. She respects him more than anybody else 〔her brother〕 *does*. 다른 누가 〔그녀의 남동생이〕 그를 존경하는 것보다 그녀는 더 그를 존경하고 있다. ★ 문어에서는 종종 주어와 대동사가 도치됨: She respects him far more than *does* her son. 그녀의 아들보다 그녀가 그를 훨씬 더 존경하고 있다.
> (2) **than any other ...** —He is taller ~ *any other* boy 〔《구어》 *any* boy〕 in his class. (그는 반에서 누구보다도 키가 크다)에서처럼, than any other는 동일 종류의 것 중에서의 비교에 씀. ... ~ *any* boy로 하면 any boy에 '그'도 포함되므로 비논리적이지만, 실제는 꽤 흔하게 씀. The two boys are taller ~ *any other* boys...에서와 같이, 주어가 복수면 ~ *any other* boys로 됨. 다른 종류의 것과의 비교에는 ~ *any*를 씀: This horse is cleverer ~ *any* dog. 이 말은 어느 개보다도 영리하다.

2 〖관계대명사적으로〗 …보다(도), …이상으로《목적어·주어·보어의 역할을 겸해서 갖는 용법임》: There is more money ~ is needed. 필요 이상의 돈이 있다/He offered more ~ could be expected. 그는 기대할 수 없을 정도의 많은 것을 내놓았다/Don't use more words ~ are necessary(=~ *those which* are necessary). 필요 이상의 말은 쓰지 마라.
3 〖rather, sooner, prefer, preferable, preferably 따위의 뒤에 와서〗 …하기보다는 (오히려), …할 바에는 (차라리): He is a businessman *rather* ~ 〔He is *rather* a businessman ~〕 a scholar. 그는 학자라기보다는 (오히려) 실업가이다/I'd *rather* walk ~ drive there. 차로 가기보다 걸어가는 게 낫다/I'd *prefer* to resign (*rather*) ~ take part in such a plot. 그런 음모에 가담하느니 차라리 사직을 하겠다.
4 a 〖else, other, otherwise, another 따위와 함께; 흔히 부정문에서〗 …밖에는 (다른), …이외에(는): I have *no other* dictionary ~ this. 이것밖에는 사전이 없다/She did nothing *else* ~ smile. 그녀는 그저 미소만 지을 뿐이었다/I can*not* do *otherwise* ~ obey you. 너를 따르는 것 밖에는 별 도리가 없다/It was *no* 〔*none*〕 *other* ~ my old friend Irving. 누군가 했더니 옛 친구 어빙 그 사람이었다/How *else* can we come ~ on foot? 걸어올 수밖에 다른 도리가 없잖아. **b** 〖different, differently와 함께〗 《미구어》 …와는 다른〔달라서〕: It was done *differently* 〔in a *different* way〕 ~ ever before. 그것은 지금까지와는 다른 방법으로 행해졌다.
5 〖Scarcely 〔Hardly, Barely〕+had+주어+과거분사의 형식으로〗 《구어》 =when 《no sooner... than과의 혼동에 의한 오용(誤用)에서》: *Hardly* had I got home ~ it began to rain. 집에 돌아오자마자 비가 오기 시작했다.
— *prep.* **1 a** 〖비교급의 뒤에서〗 《구어》 …보다도, …에 비하여: drive at more ~ sixty miles per hour 시속 60 마일 이상으로 차를 몰다/Paul is taller ~ me. 폴은 나보다 키가 크다. **b** 〖ever, before, usual 따위의 앞에 와서〗 …보다도: He came earlier ~ *usual*. 그는 여느 때보다 일찍 왔다/The park has become cleaner ~ *before*. 그 공원은 전보다 깨끗해졌다.
2 《문어》 〖주로 관계대명사 whom, which의 앞에서〗 …보다도, …이상으로: a man ~ *whom* no one can do more 어느 누구보다도 유능한 사람/a city ~ *which* there is none finer 더없이 아름다운 도시.
***no sooner* —~ ...** ⇨ SOON. ***nothing more* ~ ...** ⇨ MORE. ***not more* ~ ...** ⇨ MORE.

므로 최근에는 이런 표현을 기피하는 경향이 있음. ***Thank you.*** ① 고맙소; 수고했소; 미안합니다《감사의 뜻으로》: *Thank you* very much. 대단히 고맙습니다. ② 부탁드립니다, 제발. ★ '*Thank* you.'는 'Yes, please.'의 뜻으로 흔히 쓰임. ③ 〖상대방의 Thank you. 에 답하여, you에 강세를 두고〗 천만에, 별 말씀을, 제가 오히려. ★ I와 you에 강세를 두고 I must *thank* you. 라고도 함. ④ (강연의 마지막 등에) (들어 주셔서) 감사합니다; (훈시·무전 연락 등의 끝에) 이상. ***Thank you for nothing.*** 걱정도 팔자다, 쓸데없는 간섭이다.

── *n.* **1** (복합어 이외는 보통 *pl.*) 감사, 사의, 치사, 사례: express 〔extend〕 one's ~*s* 사의를 표하다/I owe you ~*s*. 당신에게 감사합니다/receive ~*s* 감사를 받다/He smiled his ~*s*. 그는 미소로 감사의 뜻을 표했다. **2** 〔감탄사적으로 써서〕《구어》 매우 고마워요: *Thanks*. 고맙소. ***A thousand*** 〔***Many, Much, My best***〕 ***~s.*** 참으로 감사합니다. ***bow*** one***'s ~s*** 절을 하고 사의를 표하다. ***give*** 〔***return***〕 ***~s to*** …에게 감사하다. ***my ~s go to…*** 나는 …에게 감사한다; (건배에 대해) 답사를 하다, (식사 전후에) 감사기도를 드리다. ***No ~s!*** 달갑지 않다. ***No, ~s.*** 《구어》 아니 괜찮습니다(No, ~ you). ***no*** 〔***small***〕 ***~s to*** 《구어》 …때문〔덕분〕이 아니라. ***Small*** 〔《비꼼》 ***Much***〕 ***~s I got for it!*** 사례는커녕. ***Thanks a lot.*** =Thank you very much. ★ 미국에서는 보통 *Thanks* a lot. 은 남성이 많이 쓰고, 여성은 *Thank* you (ever). =*Thanks* so much. 를 씀. ***Thanks be to God!*** 됐다, 아아 고마워라. ***~s to*** …의 덕택에, …의 결과, 〔반어적〕 …때문에. (accept…) ***with ~s*** 감사히 (…을 받아들이다).

***thank·ful** [θǽŋkfəl] *a.* **1** 감사하고 있는, 고마워하는: I am ~ *to* you *for* your encouraging words. 격려의 말씀을 해 주셔서 감사합니다/I am ~ *that* he came. 그가 와 주어 고맙다. **2** 사의를 표하는, 감사의; (마음·언동이) 감사에 넘치는: with a ~ heart 감사하는 마음으로. [SYN.] ⇨ GRATEFUL. [파] **~·ly** *ad.* **~·ness** *n.*

◇**thánk·less** *a.* **1** 감사하지 않는, 은혜를 모르는, 배은망덕의. **2** 감사받지 못하는, 남에게 인정받지 못하는, 수지 안 맞는, 손해되는《일 따위》: a ~ job 빛이 나지 않는 일. [파] **~·ly** *ad.* **~·ness** *n.*

thánk òffering 〖종교〗 (신에게) 감사하여 바치는 물건; 사은제(謝恩祭).

thánks·gìver *n.* 감사하는 사람.

◇**thanks·giv·ing** [θæ̀ŋksgíviŋ/⌐⌐⌐] *n.* [U] **1** (T-) 《미·Can.》 =THANKSGIVING DAY. **2** 감사하기; (특히 하느님에 대한) 감사; [C] 감사의 기도: a harvest ~ 추수 감사절.

Thanksgíving Dày 감사절《미국은 11월의 제4목요일; 캐나다는 10월의 제2월요일》.

thánk·wòrthy *a.* 고마운, 감사할 만한.

thánk-yòu *a.* 《구어》 감사의, 사은(謝恩)의: a ~ letter 〔note〕 사례 편지. ── *n.* 감사의 말.

thánk-you-mà'am *n.* 《미구어》 도로의 울퉁불퉁함《차가 갈 때 타고 있는 사람의 머리가 절하듯 앞으로 숙여지므로》; (배수를 위해) 도로를 비스듬히 가로지른 작은 도랑.

thar [tɑːr] *n.* 〖동물〗 영양(羚羊)의 일종.

†**that** ⇨《p. 2568》 THAT.

that-a-way [ðǽtəwèi] *ad.* 《방언》 저쪽으로; 「그렇게 (하여).

thát-a-wáy *a.* 《미속어》 임신하여.

◇**thatch** [θætʃ] *n.* **1** [U] (지붕 따위를 이기 위한) 짚, 억새, 풀. **2** [C] 초가지붕. **3** 《구어》 숱이 많은 머리털. ── *vt.* (지붕을) 짚으로〔풀로〕 이다: a ~*ed* roof 〔cottage〕 초가지붕〔초가집〕. [파] **∠·er** *n.* 개초장이.

Thatch·er [θǽtʃər] *n.* **Margaret Hilda** ~ 대처(1925-)《영국의 여류 정치가; 수상(1979-90)》. [파] **~·ism** [-rìzəm] *n.* 대처리즘《대처의 정치 경제 정책》. **~·ite** [-ràit] *a.*, *n.* 대처리즘의; 대처 정책 지지자.

thátch·ing *n.* [U] 지붕을 이기; 지붕 이는 재료.

thát·ness *n.* (스콜라 철학에서) 통성(通性) 원리《같은 종류의 개체에 공통적인 본질(quiddity)》.

⁑**that's** [ðɛts] that is, that has의 간약형.

thau·ma·trope [θɔ́ːmətròup] *n.* 회전 요지경《이를테면 원반(圓盤)의 한쪽에 새장을, 다른 한쪽에 새를 그리고, 직경을 축으로 하여 회전시키면 새가 새장 안에 있는 듯이 보임》.

thau·ma·turge, -tur·gist [θɔ́ːmətə̀ːrdʒ], [-ist] *n.* 요술사.

thau·ma·tur·gy [θɔ́ːmətə̀ːrdʒi] *n.* [U] 요술, 마술. [파] **thau·ma·tur·gic, -gi·cal** [θɔ̀ːmətə́ːrdʒik], [-kəl] *a.* 요술의; 기적적인.

***thaw** [θɔː] *vi.* **1** (눈·서리·얼음 따위가) 녹다; 〔it 이 주어〕 눈·서리가 녹는 철이 되다: It ~*ed* early last spring. 작년 봄엔 눈〔얼음〕이 일찍 녹았다. **2** 《~/+[부]》 (냉동식품이) 해동 상태가 되다《*out*》; (얼었던 몸이) 차차 녹다《*out*》: I'm ~*ing*. 겨우 몸이 풀렸다〔녹았다〕/They sat by the fire and ~*ed out*. 그들은 불 옆에 앉아 몸을 녹였다. **3** (감정·태도 따위가) 누그러지다, 풀리다《*out*》: His shyness ~*ed* under her kindness. 그녀의 호의로 그의 수줍음은 누그러졌다. **4** 유동〔활동〕적이 되다. ── *vt.* **1** 녹이다. **2** (언 몸을) 따뜻하게 하다. **3** 《~+[목]/+[목]+[부]》 풀리게 하다: Some kind words will ~ him *out*. 친절한 말에 그는 누그러질 것이다. ── *n.* [U,C] **1** 눈석임, 해동, 눈녹음〔녹은 물〕, 서리가 녹음〔녹은 물〕; 눈이〔서리가〕 녹는 때〔따뜻한 날씨〕, 해빙기〔일〕: spring ~ 봄의 해동/The frost resolved into a trickling ~. 서리가 녹아 물이 되어 떨어졌다/Let's go skating before the 〔a〕 ~ sets in. 해빙기에 들어서기 전에 스케이트를 타러 가자/⇨ SILVER THAW. **2** 마음의 풀림. **3** (국제 관계 등의) 긴장 완화. [파] **∠·less** *a.* (눈·얼음 따위가) 녹지 않는; (감정 따위가) 풀리지 않는. **∠·y** [θɔ́ːi] *a.* 눈이〔서리가〕 녹는.

Th.B. *Theologiae Baccalaureus* 《L.》(=Bachelor of Theology). **THC** tetrahydrocannabinol. **Th.D.** *Theologiae Doctor* 《L.》(=Doctor of Theology 신학 박사).

†**the** ⇨《p. 2571》 THE.

the- [θiː/θiː, θi] =THEO-

the·an·dric [θiǽndrik] *a.* (예수와 같이) 신인 양성(神人兩性)을 지니고 있는, 신인의.

the·an·throp·ic, -i·cal [θìːænθrɑ́pik/-θrɔ́p-], [-kəl] *a.* 신인 양성을 갖추고 있는; 신성(神性)을 인간의 모습에 나타내고 있는.

the·an·thro·pism [θiːǽnθrəpìzəm] *n.* [U] **1** 신인(神人) 일체설, 그리스도 신인설(說). **2** 신성(神性)을 인간적으로 구현하는 일; 신인 동형동성설(同形同性說).

the·ar·chy [θíːɑːrki] *n.* 신의 지배; 신정(神政); 신정국(神政國); 신들의 계급〔서열〕.

theat. theater; theatrical.

⁑**the·a·ter,** 《영》 **-tre** [θíː(ː)ətər/θíə-] *n.* **1** 극장; (고대의) 야외 극장: a movie 〔picture〕 ~ 영화관/a drive-in ~ (자동차를 탄 채 보는) 야외 영화관/a patent ~ 《영》 칙허(勅許) 극장. **2** (the ~) 연극; 〔집합적〕 극문학(작품); 연극계; 〔집합적〕 (극장의) 관객: the modern ~ 현대 연극/the Elizabethan ~ 엘리자베스조(朝)의 극문학/do a ~ 《구어》 =go to the ~ 연극 구경을 가다. **3** 연극 상연; 상연 효과; 연기. **4** 《비유》 (전쟁·사건 등의) 현장, 무대, 장면: the ~ of earthquakes 지진의 현장. **5** 계단 강당〔교실〕; 《영》 수술실, 《본디는》 계단 수술 교실(=**óperating thèater**). **6** 〔종종 형용사

theater 1

that의 용법은 발음·뜻·구문상의 유사성으로 지시사(demonstrative)와 연결사(connective)의 둘로 대별되는데 각기 몇 개의 품사로 갈라진다.

A 《지시사》 [ðæt] (1) 〖형용사〗 *that* book 저〔그〕 책. (2) 〖대명사〗 What's *that?* 저〔그〕것은 무엇입니까. (3) 〖부사〗 Don't eat *that* much. 그렇게 많이 먹지 마라. B 《연결사》 [보통 ðət] (1) 〖대명사〗 the boy *that* told me the way 나에게 길을 가리켜 준 소년. (2) 〖접속사〗 I believe *that* you are right. 말씀이 옳다고 생각합니다.

위의 A (2)와 B (1)은 다 같이 대명사로서 품사는 일치하지만, 말뜻·구문상으로는 큰 차이가 있으며, 오히려 A의 (1), (2), (3), B의 (1), (2)에서 품사가 다름에도 불구하고 강한 공통성을 발견할 수 있다. 이런 관점에서 B에서의 관용구는 특히 품사별을 강조하지 않고 〖연결사〗의 입장에서 마지막으로 돌렸다. A에 있어서도 관용구를 〖지시사〗의 입장에서 똑같이 취급했는데, 이것도 this (...) and 〔or〕 *that* (...)처럼 형용사와 대명사의 양자에 걸치는 것이 있어, 이런 용례들은 한 곳에 모으는 것이 비교 종합하기가 쉽기 때문이다.

that [ðæt, 약 ðət, ðt] 《용법 A, B에 의한 발음차이에 주의. A의 복수형 those는 별항에서 설명》.

A 《지시사》 [ðæt] (*pl.* ***those*** [ðouz]) *a.* 〖지시형용사〗 **1** 〖떨어져 있는 것·사람에 관하여〗 저, 그. **a** 〖가리키면서〗: Give me ~ chair, not this one. 이것 말고 저〔그〕 의자를 주시오/Who is ~ boy over there? 저기 있는 (저) 소년은 누구냐. **b** 〖먼 때·곳을 가리켜〗 그, 저 쪽의, 저: at ~ time 그때/in ~ country 그 나라에서/~ day 〔night〕 그날〔그날 밤〕《종종 부사적으로 사용됨》. **c** 〖상대가 몸에 지니거나, 상대 가까이 있는 것에 관하여〗 그: Where did you buy ~ watch, Tom? 톰, 그 시계는 어디서 샀니. **d** 〖this와 상관적으로 쓰이어〗 저: He walked *this* way and ~ way. 그는 여기저기를 걸었다.
2 〖친근·칭찬·혐오 등의 감정을 담아〗 그, 저, 예의: ~ dear (of my wife) 나의 사랑하는 아내/Here comes ~ smile! 예의 그 미소가 떠오른다/We're getting tired of ~ Bill. 저 빌 녀석에겐 진절머리 난다/I hate ~ laugh of hers. 난 그녀의 저 웃음소리가 싫다/~ amusing fellow who often comes here 여기에 자주 오는 그〔예의〕 재미있는 친구.
3 〖양에 관한 명사 앞에서〗 그, 그만큼의, 그 정도의. **a** 〖단순한 수식〗: ~ amount 〔length, weight〕 그만큼〔정도〕의 금액〔길이, 무게〕/*That* fifty dollars helped me greatly. 그 50 달러는 크게 도움이 되었다《dollars는 복수이나 하나의 금액이므로 단수 꼴 that을 썼음》. **b** 〖접속사로서의 that과 상관적으로〗: She was angry to ~ [ðǽt] (=such a, so great a) degree *that* [ðət] she turned pale. 새파랗게 질릴 정도로 그녀는 화가 났다.

— (*pl.* ***those***) *pron.* 〖지시대명사〗 **1** 〖떨어져 있는 것·사람에 관하여〗 저것, 그것; 저〔그〕 사람. **a** 〖자기로부터도 상대로부터도 떨어져 있는 대상에 관하여〗: What's ~? 저〔그〕것은 무엇인가/Who's ~? 그 사람은 누구인가/*That's* my house. 저것이 내 집이다/Is ~ Tom?—Yes, speaking. (전화에서) 톰입니까—예, 그렇습니다. **b** 〖상대가 갖고 있거나, 상대에게 가까운 대상에 관하여〗 그것, 그 사람: Is ~ your own camera 〔baby〕, Nancy? 낸시야 그건〔그 애는〕 네 카메라〔애기〕냐/*That's* a nice tie you are wearing. 자네가 맨 넥타이 참 멋지군.
2 〖이미 언급된 것, 상대에게 저절로 이해되고 있는 것에 관하여〗 그것, 저것; 그〔저, 예의〕 일; 그〔저〕 사람: After ~, things changed. 그 후 사정이 바뀌었다/*That* will do. 그것이면 된다《좋다》; 이제 그만둬라, 작작 해 두어라/(Is) ~ so? 그러냐, 정말이냐/*That* must be Ben back from school. 저건〔저 소리는〕 필시 벤이 학교에서 돌아온 것〔소리〕일 게야/*That*'s not what I mean. 제가 말씀드린 건 그런 뜻이 아닙니다/The rules at school? Is ~ what's bothering you? 교칙이라니, 그런 것 걱정하고 있나《앞의 복수 명사를 that 으로 받기도 함》.
3 a 〖앞서 말한 명사의 반복을 피하여〗《one과는 달리 'the+명사'를 대신함(복수형은 those); 사람에 대하여는 안 씀》 (…의, …한) 그것: His dress is ~ of a gentleman, but his manners are *those* of a clown. 그의 복장은 신사(의 그것이)지만 그의 행동거지는 시골뜨기(의 그것이)다/The temperature here is higher than ~ of Seoul. 여기의 기온은 서울(의 기온)보다 높다. **b** 〖앞선 진술을〔의 일부를〕 강조적으로 반복하여〗 (바로) 그렇다, 맞다; 좋다: Is he happy?—He is ~. 그는 행복한가—그렇고말고/Is John capable?—He's ~ alright! 존은 유능한가—그렇고말고《Yes, he is. 나 So he is. 보다도 강조적임》/Will you take this to her?—*That* I will. 이걸 그녀에게 갖다 주겠나—그렇게 하지.
4 〖관계대명사의 선행사로서〗《that은 사람을 가리키지 않음》 …하는 것〔일〕: There is ~ about him *which* mystifies one. 그에게는 어딘가 사람을 어리둥절케 하는 데가 있다/*That which* is bought cheaply is the dearest. 《속담》 싼 게 비지떡. ★ *that* which 대신 *that* that 꼴을 쓸 수는 없음. cf. which.
5 〖this '후자'와 호응하여〗 전자(the former): Virtue and vice are before you; *this* leads you to misery, ~ to peace. 선과 악이 주어졌다. 후자는 사람을 불행으로 인도하고, 전자는 평화로 인도한다. ***and all*** **~** 《구어》 …나 그 밖에 여러 가지, …등(and so forth). ***and*** **~** ① 〖앞엣말 전체를 받아〗 게다가, 그것도: Get out of here, *and* ~ quick! 여기서 꺼져, 냉큼. ② 《영속어》 =and all ~(관용구). ***at*** **~** 《구어》 ① 〖흔히 문장·절의 끝에서〗 그 위에, 게다가(as well): He bought a car, and a Cadillac *at* ~. 그는 차를 샀다, 그것도 캐딜락으로. ② 그대로; 거기까지, 그쯤에서《'그 이상은 …하지 않다'의 뜻》: Let's leave *at* ~. 거기까지 해 두자. ③ 그래도, 그렇다 하더라도. ④ 〖과거형과 함께; 흔히 문두에서〗 그렇게 말하고, 그러고 나서. 그리고(⇨ with that). ***be* ~ *as it may*** ⇨ MAY[1]. ***Come out of* ~!** 《속어》 꺼져 버려, 물러가라. ***do not care*** 〔***give***〕 **~** ***for ...*** (딱 손가락을 울리면서) …은 요만큼도 상관없다〔요만큼의 가치도 없다〕. ***for all*** **~** 그럼에도 불구하고. ***like*** **~** 그렇게, 그런 식으로: Do you always study *like* ~? 언제나 그렇게 공부하나. ***So*** 〔***And***〕 **~*'s* ~.** =That's ~. ***Take* ~!** (사람을 치거나 할 때) 이거나 먹어라, 이래도 덤빌 테냐. **~ *being so*** 그런 까닭으로〔이므로〕. **~ *is*** (***to say***) ⇨ SAY. ***That's all*** (***there is to it***). =***That's all she wrote.*** 《미구어》 그뿐(의 일)이야; 그것으로 전부〔끝이〕다. ***That's ... for you.*** …이란 그런 거야: Jane changed her mind about going. *That's* a girl *for you*. 제인은 가려던 생각을 바꾸었다. 여자애란 그런 것이란다. ***That's***

it. ⇨ IT[1]. ***That's more like it!*** 《구어》 점점 좋아졌다, 그렇지, 그것이면 됐다. ***That's right!*** = ***That's so!*** 그래, 맞아, 맞았어; 《구어》 찬성이요 찬성, 옳소《강연회·의회 등에서》. ***That's ~.*** 《구어》 그것으로 끝〔결정됐다〕; 이것으로 폐회합니다; 자〔이제〕 끝났다《일 따위가 끝났을 때》; 끝장이다《단념·포기》; 더 이상 얘기해 보았자 소용없다: I won't go and *that's* ~. 안 간다면 안 가는 거야. ***That's what it is!*** ⇨ WHAT. ***~ there*** 《속어》 저, 그(that). ***That will do.*** 그것으로 좋다〔됐다, 쓸 만하다〕. ***this* (...) *and* 〔*or*〕 ~** ⇨ THIS. ***upon ~*** 이에, 그래서 곧. ***with ~*** 그리하여, 그렇게 말하고.

— *ad.* (비교없음) 〔지시부사〕 《구어》 **1** 그렇게, 그정도로(to that extent)《수량·정도를 나타내는 형용사·부사를 수식》: I hope he'll be ~ lucky. 그에게 그 정도의 운이 트였으면 좋겠어요/He only knows ~ much. 그는 그만큼밖에 모른다. **2** 〔not (all) that...으로〕 그다지〔그렇게〕 …하지 않다〔…아니다〕(not very)《부정을 약화시킴》: He is*n't* (*all*) ~ rich. 그는 그렇게 부자는 아니다/I ca*n't* walk ~ fast 〔far, long〕. 그렇게 빨리〔멀리, 오래〕는 걷지 못한다.

B 《연결사》 [ðət, 《드물게》 ðæt] *rel. pron.* 〔제한적 용법의 관계대명사〕 《관계절 중에서 목적격이 되는 that은 생략 가능. 특히 구어에서 자주 생략됨》 **1** 〔who(m) 또는 which와의 교환이 가장 자유로운 경우〕: Give it to the girl ~ (=who) came here yesterday. 어제 여기 왔던 소녀에게 그것을 주시오/The old man (~ (=whom)) we helped has turned out to be a remote relative of our own. 우리가 구한 노인은 우리의 먼 친척임을 알았다/Here is a fish (~(= which)) I caught this morning. 여기 오늘 아침 내가 잡은 물고기가 있다.

> **NOTE** (1) that은 보통 비제한적으로는 쓰이지 않음. (2) that의 앞에는 전치사를 붙일 수 없음. 전치사가 있는 경우에는 whom, which를 쓰든가, 관계대명사를 아주 생략하여 전치사를 관계절의 끝에 가져옴: The man you are talking *about* happens to be my father. 자네가 지금 화제에 올리고 있는 분은 실은 우리 아버지라네.

2 〔일반적으로 that을 쓰는 경우〕 **a** 〔선행사가 형용사의 최상급 또는 all the, the only, the same, the very 따위의 말로 수식된 때〕 《한정적인 뜻이 강함》: *the first* man ~ came here 여기에 온 최초의 사람《who도 많이 사용됨》/*the best* friend (~) I have 나의 가장 좋은 친구/These are *the only* good books (~) there are on the subject. 그 문제를 논한 책으로서 좋은 책은 이것들뿐이다《주격이라도, 관계사절이 there is로 시작될 때엔 흔히 생략》. **b** 〔선행사가 all(사물), much, little, everything, anything 따위의 부정대명사일 때〕 《목적격에서는 보통 that이 생략됨》: *All* ~ glitters is not gold. 번쩍이는 것 모두가 황금은 아니다/*Much* ~ had been said about her proved true. 그녀에 관한 소문은 거의가 사실임이 드러났다/He fixed almost *anything* ~ needed repairing. 그는 수리가 필요한 것은 무엇이든 거의 다 고쳤다. **c** 〔관계절이 의문대명사를 수식할 때〕: *Who* ~ has common sense can believe such a thing? 상식이 있는 사람이라면 누가 그런 것을 믿을 것인가. **d** 〔선행사가 사람·사물을 함께 포함할 때〕: The *pedestrians* and *vehicles* ~ cross this bridge are counted automatically. 이 다리를 건너는 사람과 차량수는 자동으로 계산된다. **e** 〔관계대명사가 관계절 중에서 보어가 될 때〕 《that은 흔히 생략됨》: The actor is no longer the central figure (~) he once was. 이미 저 배우는 이전과 같은 중심인물은 아니다/Act like the 〔a〕 man ~ you are. 너는 사나이이니까 사나이답게 굴어라/Fool ~ I was! 아, 난 바보였다《이 때 선행사의 단수명사에는 관사가 붙지 않음》.

3 〔관계부사적인 용법〕 《(1) 때·방법·이유 따위를 나타냄. (2) that은 관계절 중에서 부사적 목적격으로 쓰여 흔히 생략됨》: That was the second time (~) we met. 그것이 우리가 만난 두 번째 기회였다(=at which)/Philip earned $30 each Saturday ~ he worked. 필립은 토요일에 일할 때마다 30 달러 벌었다(=when; on which)/He slid his hands back and forth over the table (in) the way (~) the carpenter used his plane. 목수가 대패질하듯 양손으로 탁자 위를 앞뒤로 문질러댔다(=in which).

4 〔It is 〔was〕... ~ __ 으로 명사(상당어구)를 강조하여〕 — 하는 것은 (…이다)《부사(상당어구)의 강조구문 ⇨ *conj.* 5; 구어에서는 흔히 that이 생략됨》: *It was* a book ~ I bought yesterday. 내가 어제 산 것은 책이다/*It is* he ~ deserves to be praised. 칭찬 받아 마땅한 사람은 그이다/What *was it* (~) drove him mad? 그가 미치게 된 것은 무엇 때문이냐. ★that 대신에 who, which를 쓸 때도 있음.

5 〔that+be 형태로 인명과 함께〕: Mrs. Brown, Miss Nixon ~ *was* 브라운 부인 즉 본디 닉슨 양/Miss Lake, Mrs. Jones ~ *is* to be 장차 존스 부인이 될 레이크 양.

— [ðət, 《드물게》 ðæt] *conj.* 〔종속접속사〕 **1** 〔명사절을 이끄는 경우〕 …하다는〔이라는〕 것 **a** 〔주어가 되는 절을 이끌어〕 《흔히 가주어 it을 써서 that 절은 뒤로 돌림; 이 때 that은 생략되기도 함》: *That* he will come is certain. =*It* is certain (~) he will come./*That* the earth is round is common knowledge today. 지구가 둥글다는 것은 오늘날에는 상식이다/*It* is right ~ you should do so. 네가 그렇게 하는 것은 옳다. **b** 〔보어절을 이끌어〕 《구어에서는 that이 종종 생략되거나 콤마로 될 때가 있음》: My opinion is (~) he really doesn't understand you. 제 의견은, 그가 실제로는 선생의 말씀을 못 알아듣는다는 것입니다《이런 문형이 가능한 주요 명사들: chance, fact, problem, reason, rumor, trouble, truth》/It seems (~) the baby is asleep. 아기는 잠을 자는 것 같다. **c** 〔목적어절을 이끌어〕 《비교적 평이한 문장에서는 종종 that이 생략됨》: I knew (~) he was alive. 그가 살아 있음은 알고 있었다/I believe (~) he is a great scholar. 그가 위대한 학자라고 생각한다. **d** 〔동격절을 이끌어〕: The belief ~ the world was round was not peculiar to Columbus. 이 세상이 둥글다는 신념은 콜럼버스만의 것은 아니었다/The chances are very good ~ she'll be promoted. 그 여자가 승진할 가능성은 매우 높다.

2 〔in that-절〕 (…한, …하다는, …이라는) 점에서, …하므로〔이므로〕; 〔except that-절〕 …한〔하다는, 라는〕 점을 제외하고《but that-절, save that-절로도 하지만 드묾》: He takes after his father *in* ~ he is fond of music. 그애는 음악을 좋아한다는 점에서 그의 아버지를 닮았다/I forgot everything *except* ~ I wanted to go home. 그저 집에 돌아가고 싶은 마음뿐이었다.

3 〔형용사·자동사 등에 계속되어 전치사구와 대등한 부사절을 이끌어서〕 …하는〔한〕 것을; …하여서: I am *sorry* (~) I am late. 늦어서 미안합니다(=I am sorry *for* my delay.)/I'm glad 〔happy, pleased〕 (~) you (should) like it. 마음에 들어하니 기쁘다/We were *informed* ~ an epidemic had broken out in the next

village. 이웃 마을에 전염병이 발생했다는 통보를 받았다.
4 〖부사절을 이끄는 경우〗 **a** 〖(so) that... may do, in order that... may do로 목적의 부사절을 이끌어〗《that-절 속에서 may 〔might〕를 쓰는 것은 딱딱한 표현이며, can〔could〕, will〔would〕이 쓰임; 또 구어에서는 종종 that이 생략됨》 …하기 위해, …하도록: Speak louder *so* (~) everybody *can* hear you. 모두에게 들리도록 더 큰 소리로 말하세요 / He sacrificed his life ~〔*so* ~, *in order* ~〕 his friends *might* live happily. 그는 친구들이 행복하게 살 수 있도록 자기 생명을 희생했다. **b** 〖so〔such〕... that으로 결과·정도를 나타내는 부사절을 이끌어〗 너무 …해서, …할 만큼《구어에서는 흔히 that이 생략됨》: I remember *so* much (~) I often think I ought to write a book. 생각나는 것이 아주 많아서 책이라도 써야겠다고 가끔 생각한다 / He is *such* a nice man (~) everybody likes him. 사람이 좋으므로 모든 사람들이 그를 좋아한다. **c** 〖원인·이유를 나타내는 부사절을 이끌어〗 …이므로, …때문에, …해서: If I find fault, it is not ~ I am angry; it is ~ I want you to improve. 내가 잔소리를 하는 것은 성이 나서가 아니라 네가 향상되기를 바라기 때문이다 / It is not ~〔Not ~〕 I want it. 그렇다고 해서 그것을 원해서가 아니다. **d** 〖판단의 근거를 나타내는 부사절을 이끌어〗《that-절(속)에서 종종 should가 쓰임》 …을 보니〔보면〕, …하다니: Are you mad ~ you *should* do such a thing? 그런 짓을 하다니 자네 미쳤나 / Who is he, ~ he *should* come at such an hour? 이런 시각에 오다니 도대체 그 자는 어떤 놈이냐《발칙하다》.
5 〖It is〔was〕... ~ __으로 부사 (상당어구)를 강조하여〗 …하는 것은(—이다)《명사(상당어구)의 강조 구문 ⇨ *rel. pron.* 4》: *It was* yesterday ~ I bought the book. 그 책을 산 것은 어제였다 / *It's* because he is cruel ~ I dislike him. 내가 그를 싫어하는 이유는 그가 잔인하기 때문이다. ★ 시간·장소를 강조할 때에는 that 대신에 각기 when, where를 쓰기도 함.
6 〖부정의 주절 뒤에서; 제한절을 이끌어〗 …하는 한《다음 구에서》: Any calls for me? — *Not* ~ I know of. 내게 전화 왔었나? — 내가 아는 한 없었어. ★ 다른 경우에는 as far as ... 를 씀.
7 《문어》 〖가정법을 수반하여 바람·기원·놀람·분개 따위를 나타내는 절을 이끌어〗 …면 좋을 텐데: *That* he *should* betray us! 그가 우리를 배반하다니 / O ~〔Would ~〕 I *knew* the truth! 진상을 알면 좋을 텐데.
8 《문어》 〖양보·사정을 나타내는 절을 이끌어〗 …이지만〔하지만〕; …이〔하〕므로, …하여서(as) 《(1) 보어가 되는 명사·형용사가 that의 앞에 옴. (2) 양보의 뜻인지 사정의 뜻인지는 문맥 여하로 판별》: Naked ~ I was, I braved the storm. 비록 알몸이긴 하였지만 나는 폭풍우를 무릅썼다 (=Though I was naked, ...) / Jim, fool ~ he was, completely ruined the dinner. 짐은 바보였으므로 저녁 식사를 완전히 잡쳐 놓았다《that 앞의 단수 명사에는 관사가 붙지 않음》. ***but*** **~** … 이 아니었더라면, …을 제외하면(unless) (⇨ *conj.* 2). ***in*** **~ ...** ⇨ *conj.* 2. ***not*** **~** ***but*** **~** ⇨ NOT. ***now*** **~ ...** 이제 …하므로, 이제… 한 이상.

적》 전역(戰域)(의): NATO-*theater* nuclear forces, NATO 지역 핵군사력. (The play will) ***be*** 〔***make***〕 ***good*** **~.** (그 연극은) 상연에 적합하다, 상연하면 성공한다. ***the*** **~** ***of operations*** 전투 지역. ***the*** **~** ***of war*** 교전권(圈): *the* Pacific ~ *of war* 태평양 전쟁 지역.

théater ármaments 〖군사〗 전역(戰域) 무기《사정 거리가 전술 무기보다 크고 전략 무기보다 작은 병기(兵器)》.

théater commànder 〖군사〗 전역(戰域) 사령관.

théater·gòer *n.* 연극 구경을 자주 가는 사람, 연극을 좋아하는 사람.

théater·gòing *n.* Ⓤ 연극 구경. **—** *a.* 연극 구경을 가는, 연극을 좋아하는.

théater-in-the-róund *n.* 원형 극장; 그 곳에서 상연하기 위한 작품.

théater núclear fórce 〖군사〗 전역(戰域) 핵전력《전략 핵전력과 전술 핵전력의 중간형; 생략: TNF》. ㊞ **~s** 〖군사〗 전역 핵장비군《중거리 미사일·중성자 탄두 따위 핵무기를 가진 군대》.

théater núclear wéapon 〖군사〗 전역(戰域) 핵무기《IRBM·MRBM 따위의 총칭》.

théater of crúelty (the ~) 잔혹(연)극《사디스트적인 행위 표현으로 인간 존재의 잔인성을 강조하는 전위 연극》.

théater of fáct (the ~) 사실 연극.

théater of the absúrd (the ~) 부조리극 (absurd theater).

the·at·ric [θiǽtrik] *a.* =THEATRICAL.

°**the·at·ri·cal** [θiǽtrikəl] *a.* 극장의; 연극의; 배우의; 연극조의, 연극 같은, 과장된: ~ effect 극적 효과 / ~ gestures 연극조의 몸짓 / ~ scenery 무대 배경. **—** *n.* (*pl.*) 연극, 《특히》 소인(素人)극, 아마추어 연극; (*pl.*) 연극 기법; 연극 배우; (*pl.*) 연극조의 짓: amateur 〔private〕 ~s 소인극. ㊞ **~·ly** *ad.* **~·ism** *n.* Ⓤ 연출법; 연극조; 연극 같음, 꾸민 것 같음. **thè·at·ri·cál·i·ty** [-trikǽləti] *n.* Ⓤ 연극조, 연극 같음, 부자연스러움. **thé·at·ri·cal·ìze** *vt., vi.* 과장하여〔연극조로〕 표현하다; 연극화하다, 각색하다.

the·át·rics *n. pl.* **1** 〖단수취급〗 연극법, 연출법. **2** 〖복수취급〗 (소인)극((素人)劇), (아마추어) 연극; 연극조의 동작, 과장된 말.

The·ban [θíːbən] *a.* Thebes(사람)의. **—** *n.* (특히 그리스의) Thebes 사람.

the·be [tébe] (*pl.* ~) *n.* 테베《Botswana의 화폐 단위; =1/100 pula》.

Thebes [θiːbz] *n.* 테베《(1) 옛 그리스의 도시 국가; (2) 옛 이집트의 수도》.

the·ca [θíːkə] (*pl.* **-cae** [-siː]) *n.* 〖식물〗 (양치(羊齒)식물의) 포자낭(胞子囊), (선태(蘚苔)류의) 삭(蒴); 〖식물〗 (피자(被子)식물의) 화분낭(花粉囊); 〖해부·동물〗 포막(包膜); 〖동물〗 (바다나리류의) 관부(冠部). ㊞ **thé·cal** *a.* **the·cate** [θíːkət, -keit] *a.*

thé dan·sant [*F.* tedɑ̃sɑ̃] (*pl.* ***thés dansants*** [—]) =TEA DANCE.

°**thee** [ðiː] *pron.* 〖thou의 목적어〗 《고어·시어》 그대에게, 그대를. ★ 퀘이커교도는 Thee has(=You have)와 같이 주어로 씀. ***Get*** **~** (=thyself) ***gone!*** 가라, 떠나라.

thee·lin [θíːlin] *n.* 〖생화학〗 =ESTRONE.

*__theft__ [θeft] *n.* Ⓒ,Ⓤ 도둑질, 절도; 절도죄; 〖야구〗 도루(盜壘); 《드물게》 도난품, 장물.

théft·pròof *a.* 도난 방지의: a ~ lock 도난 방지용 자물쇠.

thegn ⇨ THANE.

the·ine, -in [θíːi(ː)n] *n.* Ⓤ 〖화학〗 테인, 카페인, 다소(茶素).

†**their** [강 ðɛər, 약 《보통 모음 앞》 ðər] *pron.* **1** 〖they의 소유격〗 그들의, 저 사람들의; 그것들의. **2** 《구어》 〖everybody 따위의 단수의 부정대명사를 받아서〗 =HIS〔HER〕: No one in ~ senses would say such a thing. 올바른 정신으로 그런 말을 할 사람은 없겠지.

부정관사 a, an은 문제되어 있는 것이 듣는 이에게 미지(未知)의 것임을 시사함에 반하여, the는 어떤 의미로건 그것이 듣는 이에게 이미 알려져 있는 것임을 시사한다. '이미 알고 있는 것'의 가장 분명한 일례로서 이미 나온 것을 가리키는 경우를 생각할 수 있다: I have bought a book and a dictionary. *The* dictionary is thicker than *the* book.

the는 우리말로 새길 수 없는 경우가 많다. 때로 '그'라고 새길 수는 있지만, 그 경우의 '그'는 손으로 가리키는 '그'가 아님은 마치 it의 '그것'의 경우와 같으며, 직접 손으로 가리키는 '그'는 that이다. 또한 the는 본래 that과 동류의 지시사에서 갈려나온 것으로 that과 밀접한 관계가 있다. 주어를 이루는 명사에 붙는 경우, 부정관사 a, an과 정관사 the의 함축 의미는 각각 우리말의 '이, 가'와 '은, 는'으로 나타낼 수 있다: *A* bird came flying. *The* bird alighted on a twig. 새가 날아 왔다. 새는 작은 가지에 앉았다.

그러나 이것은 절대적은 아니다. 부정관사도 '은, 는'이 될 경우가 있다: *A* horse is a noble animal. 말은 고상한 동물이다. 한편, 다음과 같이 주어에 특히 강세를 두고 발음할 경우에는 정관사라도 '이, 가'가 된다: *The* bird ate it. 새가 그것을 먹었다.

the [보통은 약 ðə《자음 앞》, ði《모음 앞》; 강 ði:] *def. art.* **1**〖한정〗그, 이, 예의 **a**〖이미 나온 명사에 붙여〗: Once there was *an* old man. *The* old man had three sons. 옛날에 한 노인이 살고 있었다. 그 노인에게는 아들이 셋 있었다 / There are two dolls. (*The*) one is for you and ~ other is for your sister. 인형이 둘 있다. 하나는 너에게 또 하나는 (여)동생에게 주겠다. **b**〖수식어가 뒤에 오는 명사에 붙여〗: ~ house we live in now 지금 우리들이 살고 있는 집 / He is (~) principal of our school. 그는 우리 학교 교장이시다《직위·직책을 나타내는 명사가 보어나 동격으로 쓰인 경우 흔히 관사를 붙이지 않음》/ He had ~ goodness to help me out. 그는 친절하게도 나를 구출해 주었다《이같은 경우엔 추상명사에도 the가 붙음》. **c**〖특히 부정·의문문에서, 셀 수 없는 명사에 붙어서〗: I have*n't* got ~ time to answer these letters. 지금 이 편지들에 답장을 쓸 틈이 없다 / We did*n't* have ~ money for a house. 집을 살 수 있을 만큼의 돈이 없다. **d**〖이미 나온 것과 관계가 있는 것: 그 일부〗: He built a house and painted ~ roof red. 집을 짓고 지붕을 빨갛게 칠했다 / A fire broke out; but ~ cause was unknown. 화재가 일어났으나 그 원인은 알 수 없었다. **e**〖주위의 정황으로 보아 듣는이가 알 수 있는 것에 붙여〗: Shut ~ door, please. 문을 닫아 주시오《가까이 있는》/ Please pass me ~ salt. 그 소금그릇 좀 건네주세요 / Let's go to ~ park. 공원에 갑시다 / Send for ~ doctor. 의사를 부르러 보내라 / I came across my old friend at ~ post office. 우체국에서 우연히 옛 친구를 만났다. **f**〖유일물·방위 따위에 붙여〗: ~ sun 태양 / ~ moon 달 / ~ earth 대지, 지구 / ~ sea 바다 / ~ world 세계, 세상 / ~ sky 하늘 / ~ air 공중 / ~ north〔south, east, west〕북〔남, 동, 서〕/ ~ right〔left〕오른쪽〔왼쪽〕/ ~ horizon 지평선 / ~ zenith 천정(天頂) / ~ Bible 성서 / ~ Devil 악마 / ~ Almighty 전능한 신. ★ 이것들도 형용사와 함께 쓰일 때는 종종 a, an을 붙임: *a* calm sea 잔잔한 바다 / *a* full moon 보름달, 만월. **g**〖시기·계절 따위에 붙여〗: ~ past〔present〕과거〔현재〕/ ~ rainy season 우기 / flowers that bloom in (~) spring 봄에 피는 꽃《사철 이름에는 관사를 붙이지 않는 것이 보통임》.

2〖인명에 수반되는 형용사·동격명사 앞에 붙여〗: ~ poet Byron 시인 바이런 / William ~ Conqueror 정복왕 윌리엄 / ~ ambitious Napoleon 야심찬 나폴레옹. ★ 이 경우 형용사가 good, great, old, little, young, poor와 같은 감정적인 말일 때는 the가 안 붙음 : *Poor John* was at a loss. 가엾은 존은 어찌할 바를 몰랐다.

3〖총칭 용법〗…라는 것. **a**〖사람·동식물의 종류〗: *The* dog is a quadruped. 개는 네발짐승이다. ★ man과 woman은 child, boy, girl 등과 대조적으로 쓰이는 경우 외에는 관사 없이 인간 일반을 의미함: *Man* is mortal. 사람은 언젠가는 죽는다. **b**〖the+복수 고유명사〗: ~ Koreans〔British, Americans〕한국인〔영국인, 미국인〕《민족 전체; 단수형 the *American*은 특정의 한 미국인, 또는 '미국 사람이란 것'이라는 총칭적인 표현》/ ~ Kims 김씨 가문《전원》. **c**〖종류·유형의 대표〗Did you listen to ~ radio last night? 어젯밤에 라디오를 들었는가. **d**〖기계·발명품·악기명 앞에〗play ~ piano 피아노를 치다 / *The* gramophone was invented by Thomas Edison. 축음기는 토머스 에디슨에 의해 발명되었다. **e** (the ~s)〖애타는 기분〗: ~ blues 우울 / ~ jitters 안달. **f**〖어떤 종류의 병명〗《현재는 흔히 생략》: (~) measles 홍역. **g**〖집합명사에 붙여〗: ~ multitude 대중 / ~ elite 엘리트족(族). **h**〖the+직업 이름〗~ bench 법관의 직, 법관 전부 / ~ bar 법조계《변호사들의》/ ~ pulpit 종교계.

4〖소유격 대신으로〗**a**〖신체나 의복의 일부 등을 가리켜〗: She caught me by ~ sleeve. 나의 소매를 잡아당겼다 / She took him by ~ hand. 그녀는 그의 손을 잡았다. **b**《구어》〖가족명과 함께〗: consult ~ wife 아내와 의논하다.

5〖the+형용사〗…한 사람들《복수취급》: ~ poor 가난한 사람들, 빈민 / We are collecting money for ~ blind. 우리는 시각 장애자들을 위해 모금을 하고 있다.

6〖추상적 성질을 나타내는 the〗**a**〖형용사·분사 앞에 붙어〗《추상명사의 대용으로서 단수취급》: ~ beautiful 아름다움, 미(美) / ~ sublime 숭고(함) / *The* unexpected is bound to happen. 예기치 않은 일은 반드시 일어나게 마련이다. **b**〖the+보통명사〗: ~ heart 애정 / ~ plow 농경 / ~ cradle 유아〔요람〕기 / *The* pen is mightier than ~ sword. 문(文)은 무(武)보다 강하다 / When one is poor, ~ beggar will come out. 가난하면 거지 근성이 나온다.

7〖the+분사〗《보통명사의 대용임》: ~ deceased 고인(故人) / ~ dead and wounded 사상자 / ~ accused 피고 / ~ pursued 추적당하는 사람.

8〖계량 단위를 나타내는 명사에 붙여서〗《전치사 뒤에 올 때가 많음》: Tea is sold by ~ pound. 차는 파운드 단위로 판다 / by ~ day〔hour〕하루〔한 시간〕에 얼마로.

9〖보통명사 앞에 붙여서〗진짜, 일류의, 대표적〔전형적〕인, 그 유명한《종종 [ði:]로 발음하며, 인쇄에서는 이탤릭체로 씀》: Beer is ~ drink for hot weather. 더울 때는 맥주가 최고다 / Caesar was ~ general of Rome. 카이사르는 로마 최고의 명장이었다.

10〖때를 나타내는 말 앞에 붙여서〗현재의《저명한 사람·행사 따위를 보이는 구·명칭에 사용

됨》: books of ~ month 이 달의 책 / a match of ~ day 오늘의 경기 / about this time of ~ year 매년 이맘때쯤.
11 〖twenties, thirties, forties등의 복수형 수사 앞에서〗 …년대; …대(臺): in ~ *sixties* 60 년대에 / Your grade was in ~ nine*ties*. 네 점수는 90 점대다.
12 〖the 를 상습적으로 수반하는 형용사〗 **a** 〖최상급과 둘을 비교할 때의 비교급〗: ~ *best* thing 최상의 것 / ~ *better* dancer (보다) 더 잘 추는 댄서 / ~ *younger* of the two 두 사람 중 젊은 쪽. ★ 다만, 명사도 of the two도 붙지 않은 Which is *better* 〔*longer*, etc.〕?의 형태에서는 흔히 관사를 안 붙임. **b** 〖동일함을 나타내는 것〗: ~ *same* thing 동일물 / ~ *very* book I lost 잃어버린 바로 그 책 / ~ *identical* person 본인. **c** 〖유일·전체를 가리키는 것〗: ~ *only* hope 유일한 희망 / ~ *sole* agent 총대리점 / ~ *whole* town 온 읍내 / ~ *total* amount 총계. **d** 〖바르고 그름과 적당하고 부적당함 따위의 구별을 나타내는 것에〗: ~ *right* man in ~ *right* place 적재적소 / choose ~ *proper* time 적당한 때를 가리다. **e** 〖'주된' 을 뜻하는 것에〗: ~ *chief* topic 주요한 화제 / ~ *principal* products 주요 생산물 / ~ *leading* article 사설, 주논문. ★ 다만, *a* principal product 주생산물의 하나. *a* leading newspaper 한 유명 신문. **f** 〖둘 중 하나를 나타냄; 둘 또는 둘 이상의 것 중 어떤 수를 제외한 나머지를 나타냄〗: (~) one …, ~ other; one 〔some, two, etc.〕 …, ~ other(s) 〔~ rest〕; ~ former, ~ latter 등. **g** 〖서수 또는 순서를 나타내는 형용사〗: ~ 2nd (day) of January 정월 2 일 / *The* second man succeeded, but ~ third man failed. 두 번째 사람은 성공했으나 세 번째 사람은 실패했다《비교: There is *a* third man working behind the scenes. (두 사람 외에) 배후에서 활동하고 있는 또 한 사람이 있다》/ ~ *preceding* chapter 앞장(章) / ~ *previous* night 전날 밤 / ~ *following* day 다음 날.
13 〖the를 상습적으로 수반하는 고유명사〗 **a** 〖군도·산맥은 the+복수꼴〗: ~ Hawaiian Islands 하와이 제도 / ~ Alps 알프스 (산맥). ★ 산 개개의 명칭은 관사가 없음. 예외: *the* Matterhorn, *the* Jungfrau. **b** 〖해양·만·해협·갑(岬)·강·운하·사막·고개·반도 등〗: ~ Pacific (Ocean) 태평양 / ~ Okhotsk Sea 오호츠크 해 / ~ Mediterranean (Sea) 지중해 / ~ Bay of Gyeonggi 경기만《다만, Gyeonggi Bay로 되면 관사가 붙지 않음》/ ~ English Channel 영국 해협 / ~ Cape of Good Hope 희망봉 / ~ Sahara 사하라 사막 / ~ Mississippi (River) 미시시피 강(江) 《~ River Thames와 같은 어순은 주로 영국》/ ~ Panama Canal 파나마 운하 / ~ Mungyeong Pass 문경 새재 / ~ Malay Peninsula 말레이 반도. **c** 〖국명·지명의 일부〗: ~ United States of America 미합중국《약어에도 the를 붙임; 보기: ~ U.S.》/ ~ Sudan 수단 / ~ Netherlands 네덜란드 / *The* Hague 헤이그《네덜란드의 수도; 이 The는 언제나 대문자》. **d** 〖배·함대·철도·항공로〗: ~ Cleveland 클리블랜드 호 / ~ Atlantic Fleet 대서양 함대 / ~ Kyeongbu Line 경부선 / ~ Pennsylvania Railroad 펜실베이니아 철도 / ~ transpacific line 태평양 횡단 항공로 / ~ Polar route 북극 경유 항로. ★ 복수형일 때는 관사 없음: American President Lines 프레지던트 항로, Northwest Airlines 서북 항공. **e** 〖공공건물·시설·협회 따위〗: ~ White House 백악관 / ~ Grand Hotel 그랜드 호텔 / ~ Municipal Hall 시민회관 / ~ Vatican 바티칸 궁전 / ~ British Museum 대영 박물관 / ~ Royal Academy of Arts 영국 미술 협회 / ~ Grand Central Station 그랜드센트럴 정거장(역) / ~ University of Seoul 서울 대학교《다만, Seoul University로 할 때는 관사 없음》. ★ 일반적으로는 역·공항·항구의 이름에는 the가 붙지 않음: Seoul Station 서울역. 또, of가 든 구(句)에는 반드시 the가 붙으며 그 외의 것은 주의를 요함: *the* Crystal Palace 수정궁. Buckingham Palace 버킹엄 궁전. *the* Sheffield Corp. 셰필드 회사. Xerox Corp. 제록스 회사. **f** 〖특정의 가로·다리〗 《일반적으로는 관사가 붙지 않음》: ~ Oxford Road(London에서 Oxford로 통하는) 옥스퍼드 가도《비교: 런던 시내의 Oxford Street는 무관사》/ ~ Brooklyn Bridge 브루클린교(橋). **g** 〖신문·서적〗: *The* New York Times 뉴욕타임스지(紙) / *The* American College Dictionary 아메리칸 칼리지 사전 / a copy of ~ Iliad 일리어드 1 부. ★ 출판물에서는 여러 가지 경우가 있음: Life 라이프지(誌). *An* Anglo-Saxon Dictionary 앵글로색슨 사전.
— *ad.* **1** 〖지시부사: 형용사·부사의 비교급 앞에 붙여서〗 (그 때문에) 더욱(더), 그만큼(더), 오히려 더: I like him all ~ *better* for his faults. 그에게 결점이 있기에 그만큼 더 좋아한다 / She began to work ~ *harder*, because her salary was raised. 급료가 올랐으므로 그녀는 더욱 열심히 일하기 시작했다 / She is none ~ *better* for taking those pills. 그 약을 먹어도 조금도 좋아지지 않았다. **2** 〖관계부사; 지시부사절에 호응하여〗 …하면 할수록 그만큼〔점점〕: *The sooner*, ~ *better*. 빠르면 빠를수록 좋다 / *The more* I see of her, ~ *more* I like her. 그녀를 만나면 만날수록 더 좋아진다 / *The higher* one goes, ~ *rarer* becomes the air. 높이 오르면 오를수록 공기가 희박해진다. ★ 앞의 the는 관계부사, 뒤의 the는 지시부사. 다만, 때로는 종절《관계부사가 이끄는 절》이 뒤에 올 때도 있음. 이때 종종 주절의 the가 빠짐: She played (~) better, ~ more she practiced. 연습하면 할수록 잘하게 되었다.

†**theirs** [ðɛərz] *pron.* 〖they의 소유대명사〗 그들의 것; 그것들의 것. ⓒⓕ mine. ¶ Our school is larger than ~. 우리 학교는 그들의 학교보다 크다 / The reward is ~. 보수는 그들의 것〔그들에게 주어져야 할 것〕이다 / that peculiar custom of ~ 그들의 저 독특한 풍습 / *Theirs* is a wonderful house. 그들의 집은 훌륭하다.
the·ism[1] [θíːizəm] *n.* Ⓤ 유신론(有神論); 일신론(一神論), 인격신론. [《Gr.》 *theos* god]
the·ism[2] *n.* Ⓤ 〚의학〛 차(茶) 중독. [NL *thea* tea]
the·ist [θíːist, θiist] *n.* 유신〔일신〕론자; 인격신론자.
the·ist·ic, -i·cal [θiːístik], [-əl] *a.* 유신론(자)의; 일신론(자)의; 인격신론(人格神論)(자)의. ⓟ **-ti·cal·ly** *ad.*
the·li·tis [θiláitis] *n.* 〚의학〛 유두염(乳頭炎).
Thel·ma [θélmə] *n.* 셀마《여자 이름》.
T̍ hèlper cèll 〚면역〛 =HELPER T CELL.
†**them** [강 ðem, 약 ðəm, əm] *pron.* **1** 〖they의 목적격; 《구어》 'em [əm]〗 그들을〔에게〕; 그것들을〔에게〕: I teach ~. 나는 그들을 가르치고 있다 / He gave ~ some books. =He gave some books to ~. 그는 그들에게 몇 권의 책을 주었다. **2** 〖단수의 부정대명사를 받아〗 =HIM 〔HER〕: Nobody has so much to worry ~ as he has. 그이처럼 걱정이 많은 사람은 없다. **3** 《방언·속어》 =THOSE: some of ~ books 그 책 몇 권. **4** 〖be의 보어로 또는 as, than뒤에서〗《구

어》 =THEY: It's ~. 그것은 그들이다 / He's taller than ~. 그는 그들보다 키가 더 크다. **5** 〖동명사의 의미상 주어로서〗 =THEIR: I don't like ~ going out at night. 나는 그들이 밤에 외출하는 것을 싫어한다. ***Them's my sentiments.*** 《우스개》 그게 내 생각이다.

the·ma [θíːmə] (*pl.* **-ma·ta** [-tə]) *n.* =THEME.

the·mat·ic [θiːmǽtik, θiː-] *a.* 주제〔논제〕의; 〖문법〗 어간의; (모음이) 어간을 형성하는; 〖음악〗 주제〔주선율〕의: a ~ catalog 주제 목록. **—** *n.* 어간 형성 모음. [파] **-i·cal·ly** *ad.*

Themátic Appercéption Tèst 〖심리〗 주제(主題) 통각 검사《생략: TAT》.

the·ma·ti·za·tion [θiːmətizéiʃən/-taiz-] *n.* 〖언어〗 주제화(主題化)《담화 중의 특정 화제(topic)를, 또는 문장 중에서 특정 단어를 뽑는 심리적 행동·과정》.

*__theme__ [θiːm] *n.* **1** 주제, 화제, 논지; (논문 따위의) 제목, 테마. [SYN.] ⇨SUBJECT. **2** 《미》 (학교 과제의) 작문; (짧은) 논문. **3** 〖문법〗 어간. **4** 〖음악〗 테마, 주제, 주선율; (라디오·텔레비전의) 테마 음악, 주제 음악(=∠ **mùsic**). **5** (행동의) 근거. **6** 〖광고〗 =TAG LINE. **—** *a.* (레스토랑·호텔이) 특정 장소·시대 등의 분위기를 살린, 특징적이고 정교하게 만든. [파] **∠·less** *a.*

théme pàrk 테마 공원《야생 동물·해양 생물·동화의 나라와 같은 테마로 통일한 공원》.

théme pàrty 테마 파티《테마에 따라 음식이나 장식을 마련하는》.

théme sòng (라디오·텔레비전 프로의) 테마곡; (오페레타·영화 등의) 주제가.

The·mis [θíːmis] *n.* 〖그리스신화〗 테미스《법률·재판·정의를 주관하는 여신》; (종종 t-) 법률, 규율, 정의.

The·mis·to·cles [θəmístəklìːz] *n.* 테미스토클레스《그리스, 아테네의 정치가·장군; 527?-460? B.C.》.

‡**them·selves** [ðəmsélvz, ðèm-] *pron. pl.* **1** 〖강의적; 보통 they와 동격〗 그들 자신: They ~ have made mistakes. 그들 자신이 잘못을 저질렀다. **2** 〖~ oneself〗 그들 자신을〔에게〕: They killed ~ by taking poison. 그들은 독약을 먹고 자살하였다. [cf.] oneself. **3** 〖명사적〗 본래의 자신; 정상적인 그들: They were ~ again. 그들은 본래의 자신으로 돌아왔다 / They are not ~ today. 그들은 오늘 정상이 아니다. ***in*** **~** 〖복수 명사를 받아서〗 그 자체로(는), 본래(는). [cf.] in ITSELF.

†**then** [ðen] *ad., conj.* **1** 〖과거·미래에도 씀〗 그때(에〔는〕), 그 당시(에〔는〕), 당시: I was still unmarried ~. 당시 나는 아직 독신이었다 / Things will be different ~. 그 때가 되면 사정은 달라질 것이다.

2 그 다음에, 다음에(는), 그래서, 이번에는: First comes spring, ~ summer. 처음에 봄이, 다음엔 여름이 온다 / Now he laughs, ~ he weeps. 이내 웃었다간 금세 또 운다 / Take a hot drink and ~ go to bed. 따뜻한 것을 마시고 자거라.

3 그 위에, 게다가, 그 밖에: I like my job, and ~ it pays well. 일이 마음에도 들고, 게다가 돈벌이도 된다.

4 그렇다면, 그러면: "It isn't here." "It must be in the next room, ~." '이 방에는 없다' '그렇다면 옆 방에 있을 것이 틀림없다' / If you are ill, ~ you must stay in bed. 아프면 누워 있어야 한다. ***and*** **~** ***only*** 그리해야만 비로소. ***and*** **~** ***some*** 그 이상의 것이, 적어도: You need luck *and* ~ *some.* 적어도 행운은 필요하다. ***but*** **~** 그러나 (한편으로는): Jane didn't want to go to London, *but* ~ she didn't want to

be at home either. 제인은 런던으로 가고 싶지는 않았지만 그렇다고 고향에 머물러 있고 싶지도 않았다. ***even*** **~** 그렇다 해도. **(*every*) *now and*** **~** =NOW. **~** ***again*** ⇨AGAIN. **~** ***and not till*** **~** 그때 비로소. **~** ***and there*** =***there and*** **~** 그때 그 자리에서, 즉시, 즉석에서: I decided to refuse his proposal ~ *and there.* 나는 즉석에서 그의 제안을 거절하기로 결심했다. ***well*** **~** 그러면, 자아. ***What*** **~*?*** 그렇다면 어떻게 되지.

— *n.* 〖주로 전치사의 목적어〗 그때, 당시: before ~ 그 이전에 / by ~ 그때까지(는) / since ~ =from ~ on(ward) 그(때) 이래, 그때 이후 지금까지 / the ~ and the now 당시와 현재. ***till*** **~** =***up to*** **~** 그때까지: *Till* ~, farewell. 그때까지 안녕.

— *a.* 그 당시의: the ~ government 그 당시의 정부. ***the*** **~** ***existing*** (system) 그 당시 있었던 (조직).

the·nar [θíːnɑːr] *n., a.* 〖해부〗 **1** 손바닥(palm) (의); 《때로》 발바닥(sole)(의). **2** 엄지두덩〔무지구(拇指球)〕《엄지손가락 밑부분의 불룩한 부분》(의).

°**thence** [ðens] *ad.* 《고어》 그렇기 때문에; 《문어》 거기서부터; 《고어》 그때부터: from ~ 거기서부터 / a year ~ 그때부터 1년 / the evils ~ resulting 그것에서 생기는 폐해.

thènce·fórth *ad.* 그때부터, 그 이후, 거기서부터: from ~ 그때 이후.

thènce·fórward(s) *ad.* 《문어》 =THENCEFORTH.

Theo. Theodore.

the·o- [θíːou, θíːə/θí(ː)ou, θí(ː)ə] '신(神)'의 뜻의 결합사: *theo*logist.

the·o·bro·mine [θìːəbróumi(ː)n] *n.* [U] 〖약학〗 테오브로민《카카오의 알칼로이드》.

the·o·cen·tric [θìːəséntrik/θiə-] *a.* 신을 사상〔관심〕의 중심으로 하는.

the·oc·ra·cy [θiɑ́krəsi/-ɔ́k-] *n.* **1** [U] 신권 정체(政體), 신정(神政)《신탁(神託)에 의한 정치》; (the T-) (고대 이스라엘의) 신정 정치 (시대). **2** [C] 신정국(國).

the·oc·ra·sy [θiːɑ́krəsi/-ɔ́k-] *n.* [U] 제신 혼효(諸神混淆); (명상에 의한) 신인(神人) 융합, 신령(神靈) 교류.

the·o·crat [θíːəkræ̀t] *n.* 신권 정치가; 신정주의자. [파] **the·o·crat·ic, -i·cal** [θìːəkrǽtik], [-əl] *a.* 신권 정치의; 신정(국)의. **-i·cal·ly** *ad.*

the·od·i·cy [θiɑ́dəsi/-ɔ́d-] *n.* 〖신학·철학〗 [U] 악의 존재를 신의 섭리라고 하는 주장, 신정설(神正說), 호신론(護神論).

the·od·o·lite [θiɑ́dəlàit/-ɔ́d-] *n.* 세오돌라이트, 경위의(經緯儀).

The·o·do·ra [θìːədɔ́ːrə] *n.* 시어도라《여자 이름》.

The·o·dore [θíːədɔ̀ːr] *n.* 시어도어《남자 이름》.

The·o·do·si·us [θìːədóuʃiəs] *n.* 시어도시어스《남자 이름》.

the·og·o·ny [θiːɑ́gəni/-ɔ́g-] *n.* [U] 신들의 기원〔계보〕; 신통(神統) 계보학, 신통기(神統記). [파] **-nist** *n.* **thè·o·gón·ic** [θìːəgɑ́nik/-gɔ́n-] *a.*

theol. theologian; theological; theology.

the·o·lo·gi·an [θìːəlóudʒiən] *n.* 신학자; 〖가톨릭〗 신학생.

°**the·o·log·i·cal, -log·ic** [θìːəlɑ́dʒikəl/-lɔ́dʒi-], [-ik] *a.* 신학(상)의; 신학 학습〔지도〕의; 신의(神意)와 신성(神性)에 기초한; 성서(聖書)에 기초한: a ~ student 신학생. [파] **-i·cal·ly** *ad.*

theológical vírtues 대신덕(對神德)《faith, hope, charity의 3 덕》. [cf.] cardinal virtues.

the·ol·o·gize [θiːɑ́lədʒàiz/-ɔ́l-] *vt., vi.* 신학을 연구하다; 신학적으로 다루다.

the·o·logue, 《미》 **-log** [θíːəlɔ̀ːg, -lɑ̀g/-lɔ̀g] *n.* ＝THEOLOGIAN; 《미구어》 신학생.

◇**the·ol·o·gy** [θiɑ́lədʒi/-ɔ́l-] *n.* Ⓤ (기독교) 신학《신의 본질과 속성, 신과 인간과 세계와의 관계를 연구하는 학문》; 〖가톨릭〗 (4 년간의) 신학 과정; 종교 심리학: ⇨ NATURAL 〔SYSTEMATIC〕 THEOLOGY. ***speculative*** ~사변(思辨)신학. ㊕ **-gist** *n.*

the·om·a·chy [θiɑ́məki/-ɔ́m-] *n.* 신들의 싸움〔항쟁〕; 《고어》 신에의 반역, 신과의 싸움.

the·o·man·cy [θíːəmæ̀nsi] *n.* 신탁점(神託占).

the·o·ma·nia [θìːouméiniə, -njə] *n.* 〖정신의학〗 자기를 신이라고 믿는 과대망상; 신(神) 지핀 사람.

the·o·mor·phic [θìːəmɔ́ːrfik] *a.* 신의 모습을 한, 신을 닮은.

the·on·o·my [θiɑ́nəmi/θiɔ́-] *n.* 신에 의한 통치〔지배〕.

the·op·a·thy [θiɑ́pəθi/θiɔ́-] *n.* (종교적 묵상에 의한) 신인 융합감(神人融合感). ㊕ **the·o·pa·thet·ic** [θìːoupəθétik] *a.*

the·oph·a·ny [θiɑ́fəni/-ɔ́f-] *n.* 〖신학〗 신의 출현, (사람 모습을 한) 신의 현현(顯現).

the·o·pho·bia [θìːəfóubiə] *n.* 신(神)공포(증).

the·o·phor·ic [θìːəfɔ́ːrik, -fɑ́rik/-fɔ́r-] *a.* 신의 이름을 받은.

the·oph·yl·line [θìːəfíli(ː)n] *n.* Ⓤ 〖약학〗 테오필린《차(茶)의 알칼로이드》.

theor. theorem.

the·or·bo [θiɔ́ːrbou] (*pl.* **~s**) *n.* 〖악기〗 류트(lute)의 일종《17 세기의 다현(多絃) 악기》.

the·o·rem [θíːərəm, θíər-/θíər-] *n.* **1** 증명할 수 있는 일반 원리, 법칙. ⓒⓕ axiom. **2** 〖수학·논리〗 정리(定理), 일반 원리, 공리(公理). ㊕ **thè·o·re·mát·ic, -i·cal** [-mǽtik], [-əl] *a.* 정리의.

theoret. theoretic(cal).

◇**the·o·ret·ic, -i·cal** [θìːərétik/θiə-], [-əl] *a.* 이론(상)의; 학리(學理)〔순리(純理)〕적인; 사색적인; 이론뿐인, 공론의; 이론을 좋아하는; 가정상의: ~ physics 이론 물리학. ㊕ **-i·cal·ly** *ad.* 이론상, 이론적으로.

theorétical aríthmetic 〖수학〗 정수론.

the·o·re·ti·cian [θìːərətíʃən, θìər-/θìər-] *n.* ＝THEORIST.

thè·o·rét·ics *n. pl.* 《단수취급》 (어떤 과학·주제의) 순리(純理)적 측면, 이론.

the·o·rist [θíːərist, θíər-/θíər-] *n.* (학)설을 세우는 사람; 이론가; 공론가.

the·o·rize [θíːəràiz, θíər-/θíər-] *vi.* 이론을 세우다《*about*》. ── *vt.* 이론화하다. ㊕ **-riz·er** *n.* 이론가. **thè·ori·zá·tion** *n.* 이론을 세움, 이론 구성.

*__the·o·ry__ [θíːəri, θíəri/θíəri] *n.* **1** 학설, 설(說), 논(論), (학문상의) 법칙: Newton's ~ of gravitation 뉴턴의 만유인력설/the ~ of evolution 진화론/Einstein's ~ of relativity 아인슈타인의 상대성 이론.

> SYN. **theory** practice(실천)에 상대되는 것으로, 논리적인 말이나 수식으로 표현되는 이론. 학리, 학설. **hypothesis** (과학상의) 가설. 그 자체는 증명되어 있지 않지만 가정으로 받아들이면 딴 현상을 설명하는 데 도움이 되는 것: Most of unifying conceptions of modern science are working *hypotheses*. 현대 과학의 통일 개념의 대부분은 실제에 도움이 되는 가설에 불과하다. **assumption** 어떤 일을 당연한 것 또는 사실인 것으로 받아들이는 것. 가정 또는 가정된 사항: All theories are built on *assumptions*. 모든 이론은 가정을 기초로 하고 있다. **principle** 그것에서 모든 것이 나온 원리, 원칙. 그것을 인정 안하면 모든 것이 성립 안되는 것. 그 내용은 law, assumption, doctrine 등 무엇이라도 무방함. **doctrine** 흔히 종교의 교리, 정치상의 주의로 쓰이지만 학문상으로는 많은 지지자가 있고 한 시대를 구획짓는 theory. **postulate** 증명을 요하지 않는 자명한 원리. 기초 조건이 되는 가정, 전제. **law** 모든 사람으로부터 무시 못할 법칙으로서 인정되고 있는 것. principle과 달라 이미 자연의 원리 그 자체로 간주됨: the *law* of gravitation 인력의 법칙.

2 Ⓤ (실제에 대한 예술·과학의) 이론, 학리(學理), 원리, 규칙: the ~ and practice of music 음악의 이론과 실제/the ~ of physical education (실기에 대한) 체육 이론. **3** 의견, 사론(私論), 지론: my ~ of life 나의 인생관. **4** Ⓤ 이치; 공론; 가설: The plan is well in ~, but would it succeed in practice? 그 계획은 이치로는 좋으나 실제로 성공할까. **5** 추측, 억측. **6** 《해커속어》 〖일반적〗 의견, 생각, 계획. ***number*** **~** ＝~ ***of numbers*** 〖수학〗 정수론(整數論).

théory of gámes (the ~) ＝GAME THEORY.

théory X 〖경영〗 X 이론《인간은 본디 작업 기피, 책임 회피 등의 경향이 있다는》.

théory Y 〖경영〗 Y이론《인간은 본디 목표를 위해 헌신하며, 문제 해결에 창조성을 발휘한다는 등의 경영 이론》.

theos. theosophical; theosophy.

the·os·o·pher [θiɑ́səfər/-ɔ́s-] *n.* ＝THEOSOPHIST.

the·os·o·phy [θiɑ́səfi/-ɔ́s-] *n.* Ⓤ 견신론(見神論), 접신(接神)론, 접신학, 신지학(神智學). ㊕ **the·o·soph·ic, -i·cal** [θìəsɑ́fik/-sɔ́f-], [-əl] *a.* **-i·cal·ly** *ad.* **the·os·o·phist** [θiɑ́səfist/-ɔ́s-] *n.* 견신론자, 신지학자.

ther·a·peu·sis [θèrəpjúːsəs] *n.* ＝THERAPEUTICS.

ther·a·peu·tic, -ti·cal [θèrəpjúːtik], [-əl] *a.* 치료의, 치료법의; 건강 유지에 도움이 되는. ㊕ **-ti·cal·ly** *ad.*

therapéutic abórtion 〖의학〗 치료적 유산《임신에 의해 모체가 위험에 처한 때에 실시하는 인공 유산》.

therapéutic commúnity 치료 사회《종래의 정신병원보다 민주화된 집단 의료 기관》.

therapéutic índex 〖약학〗 치료 계수《약제 투여에 있어서 유효 치료량과 확실 치사량의 비율》.

thèr·a·péu·tics *n. pl.* 《단수취급》 치료학, 치료법.

ther·a·peu·tist [θèrəpjúːtist] *n.* (의사 등) 치료 기술의 전문가.

ther·a·pist [θérəpist] *n.* ＝THERAPEUTIST.

(-)ther·a·py [θérəpi] *n.* Ⓤ 치료, (…)치료법: hydro*therapy*.

Ther·a·va·da [θèrəvɑ́ːdə] *n.* 〖불교〗 상좌부(上座部)《Hinayana (소승불교)의 별칭》.

†**there** ⇨ 《p. 2575》 THERE.

◇**thére·about(s)** *ad.* **1** 그 근처(부근)에(서). **2** 그 무렵에, 그때쯤. **3** 대략, …정도, …쯤.

*__there·af·ter__ [ðɛəræ̀ftər, ðɛ̀ərɑ́ːf-] *ad.* **1** 그 후, 그 이래, 그로부터. **2** 《고어》 그에 따라서.

thère·amóng *ad.* 그들 사이〔속〕에서.

thère·át *ad.* 《고어》 거기에, 거기서; 그런 까닭에, 그로 말미암아; 그때.

◇**thère·bý** *ad.* **1** 그것에 의해서, 그것으로. **2** 그에 대해서〔관해서〕. **3** 《고어》 그 근처에. **4** 《Sc.》 …정도(thereabout). (***and***) **~** ***hangs a tale*** ⇨ TALE. ***come*** **~** 그것을 손에 넣다.

there'd [강 ðɛərd, 약 ðərd] there had, there would의 간약형.

thère·fór *ad.* 《고어》 그 때문에; 그 대신에.

*__there·fore__ [ðɛ́ərfɔ̀ːr] *ad.*, *conj.* 그런 까닭에,

there의 용법은 다음 두 가지로 대별된다: A) 항상 [ðɛər]로 발음되는 것, 즉 허사(expletive) 이외의 용법과 B) [ðɛər]를 강형(強形)으로 하고 빈도가 높은 약형(弱形) [ðər]를 가지는 것, 즉 허사로서의 용법이 그것이다.

A 허사 이외의 there는 '거기에(서)' '거기로' 라는 장소의 부사가 중심이며, 이 기능은 from *there*(거기로부터)와 같이 주로 전치사의 목적어로서 쓰이는, 기능이 불완전한 (대)명사에 의해 보충된다. 이것들로부터 추출되는 '거기'의 뜻은 that에 상당하며 실제로 장소를 가리키는 뚜렷한 지시사적인 요소와, it에 상당하여 이미 나온 장소 따위에 언급하는, 말하자면 '3 인칭의 인칭대명사적'인 요소를 아울러 갖춘 점이 주목할 만하다.

B 허사의 there는 '예비의 there' 라고도 하며 본래는 부사이지만 '거기에'의 뜻이 완전히 사라져서 실제적 기능은 '예비의 it' (*It* is pleasant to read.)와 마찬가지로 대명사에 가깝다. 특히 빈도가 높은 *There* is a new book on the shelf. 따위 "허사+be+명사"의 구문에서는 there는 보통의 주어와 같은 위치를 취하여, 구문상 마치 주어와 같은 구실을 한다. 예를 들면 접속사 that에 이끌리어 명사절을 이룬다: I know *that there are* good hotels here. 《비교: I know *that they are* good hotels.》 또 다음처럼 목적어 또는 '의미상의 주어' 같이 작용하는 경우도 있다. (1) to be 와의 결합: I expect *there to be* good harmony. 《비교: I expect *him to be* a good boy.》. (2) 동명사 · 현재분사의 being과의 결합: the idea of *there being* a good man 좋은 사람이 있다는 생각《비교: the idea of *his* 〔*him*〕 *being* a good man 그가 좋은 사람이라는 생각》.

there [ðɛər, ðər] **A** ≪허사 이외의 용법≫ [ðɛər] *ad.* (비교 없음) **1** 〖장소 · 방향을 나타내어〗 **a** 거기〔그 곳〕에, 거기(에)서(in that place, at that place): live 〔stay, arrive〕 ~ 거기(에) 살다〔머무르다, 도착하다〕/We shall soon be ~. 곧 거기로 갑니다/It seems to be cold out ~. 거기 바깥은 추운 것 같다/The bag is ~(,) on the table. 가방은 거기 탁자 위에 있다. **b** 그곳으로, 거기로〔에〕(to that place, into that place): I was on my way ~ then. 그때 나는 그곳으로 가는 도중이었다/You can go ~ and back within two hours. 그곳은 두 시간 이내면 왕복할 수 있다. **c** 〖명사 · 대명사 뒤에서; 흔히 강조적으로〗《구어》 거기의: The boys ~ want to see you. 거기 소년들이 당신을 만나보고 싶어합니다/ Stop! You ~! 거기 당신, 멈추시오.
2 〖문장 첫머리나 끝에서〗 그 점에서, 거기서; 그때: *There* she paused. 거기서 그녀는 이야기를 멈췄다/*There* you misunderstand me. 그 점에서 자넨 나를 오해하고 있네/You have me ~! 이거 두 손 들었다.
3 〖be ~의 형식으로〗 있다, 존재하다: Your mother will always *be* right ~ when you need her. 어머니는 네가 필요할 때면 언제나 의지가 된다.
4 〖주의를 촉구하는 강조 표현〗 저(것) 봐, 자아 (저기)《다음의 B와 어순이 같지만 언제나 강세가 온다는 점에서 구별됨. 또 보통, 주어가 명사일 때 동사와의 사이에서 도치가 되며, 대명사일 때엔 도치가 되지 않음》: *There* goes the last bus! 저 봐 막차가 떠난다/*There* goes the dinner bell! 자 식사 종이 울린다/*There* they come. 이(것) 봐 그들이 온다/*There's* [ðέərz] the girl singing hymns again! 저것 봐, 소녀가 또 성가를 부르고 있다/*There's* gratitude for you! 자아 이것이 감사의 표시일세/*There* it is! 이거다, 있다.
Are you ~? (통화가 중단되었을 때 등) 여보세요. ***be all ~*** ① 〖흔히 부정 · 의문문에서〗《구어》 정신이 말짱하다, 제정신이다: I do*n't* think she's *all* ~. 그녀의 머리가 어떻게 된 것 같다. ② 방심하지 않다, 빈틈이 없다. ***get ~*** ⇨ GET[1] ***have been ~*** (***before***) 《속어》 경험하여 다 알고 있다. ***here and ~*** ⇨ HERE. ***over ~*** ⇨ OVER. ***then and ~*** = ***~ and then*** ⇨ THEN. ***~ again*** = then AGAIN. ***~ and back*** 왕복으로: It took us four days to get ~ *and back*. 그곳에 다녀오는 데 나흘 걸렸다. ***There he goes!*** 저런, 그가 그런 일을 해〔말을 해〕. ***There it is.*** ① ⇨ 4. ② 《구어》 (안되었지만) 일이 그렇군요. ***~ or thereabouts*** 대체로 그쯤〔근처〕《금액 · 정도 · 장소 따위》. ***There we are.*** 《구어》 =There you are. ***There you are***〔***go***〕***!*** ① 자 봐(라), 자 어때 (됐지): You have only to turn the switch, and ~ *you are!* 그저 스위치를 넣기만 하면 돼, 자 됐다〔자 움직이기 시작했다〕《비교: Here you are. 옜습니다. Here we are. 자아 여기다; 다 왔다》. ② 자 어서(집으세요; 드세요). ③ 〖흔히 but, still 따위의 뒤에서〗《구어》 자 어때 맞았지〔내 말대로지〕. ④ 《구어》 진상은 그렇단다《할 수 없다》.
— *n.* 거기, 저기(that place). **1** 〖전치사의 목적어로서〗: from here *to* ~ 여기서 거기까지/live *near* ~ 그 근처에 살다/We agreed up *to* ~. 그 점까지는 동의하였다. **2** 〖타동사의 목적어로서〗: We *left* ~ yesterday. 우리는 어제 거기를 떠났다.
— *int.* **1** 〖승리 · 만족 · 반항 등을 나타내어〗 자(봐라), 거봐, 저봐: *There!* It's done. 어이구, 끝났다/*There!* Didn't I tell you so? =*There!* It's just as I told you. 거봐, 내가 뭐라고 했지〔그러기에 뭐라든〕/Hello ~! 여러분 안녕하십니까《방송의 시작 따위에 하는 인사》. **2** 〖위로 · 격려 · 동정 · 단념 따위를 나타내어〗 자자, 그래그래, 좋아좋아: *There!* ~! Don't worry! 자 자, 걱정마. **3** 〖곤혹 · 비통함을 나타내어〗 저런, 아: *There!* You've waked the baby! 저런, 아기를 깨워 놓았구나. ***So ~!*** 거봐, 자 어때. ***~ again*** (설명을 덧붙여서) 그리고 또.

B ≪허사로서의 용법≫ [ðər, ðɛər] (is와의 간약형 ***there's*** [-z]) *pron.* **1** 〖there is 〔are〕의 형태로 존재를 나타내어〗 …이 있다; (일이) 일어나다; (소리가) 나다: *There's* someone at the door. 문에 누군가 있다/*There* [ðər] *was* nobody there [ðɛ́ər]. 거기엔 아무도 없었다《끝의 there는 *ad.*》/*There'll be* a hot meal ready. 따끈한 식사가 마련되어 있을 겁니다/*There was* a rattling sound inside. 속에서 덜걱덜걱 소리가 났다/*There's* a bed, a table, and two chairs in this room. 이 방에는 침대 하나, 탁자 하나, 의자 둘이 있다《문법상 be 동사는 뒤에 오는 주어의 수와 일치하나, 구어에서는 there is 가 고정된 형식처럼 쓰일 때가 많음》/What more *is* ~ to say? 이 이상 더 말할 것이 무엇 있는가/*There was* a breeze stirring the trees. 산들바람이 나무를 가볍게 흔들고 있었다/*There's* someone (who) wants to see you. 당신을 만나고자 하는 사람이 있습니다《구어에서는 흔히 who가 생략될 때도 있음》/That's all ~ *is* to it. 얘긴 그걸로 다야《all (the…) 따위는 흔히 관계대명사 that을 쓰지 않고 직접 there is 〔was〕…의 절(節)과 결합됨》.

[NOTE] (1) 간약형 there's는 특히 is를 강조하든가 또는 Yes, *there is*. 나 That's all *there is* to it. 처럼 위치 관계로부터 자연히 is에 강세가 요구될 때에는 쓰이지 않음.
(2) there is, there are 따위는 주로 소개하는 데 쓰이므로, 다음에는 부정(不定)명사(부정관사+단수명사, some+명사, 관사가 없는 복수명사, 수사+복수명사 따위)가 오는 것이 보통이지만, 이미 화제에 오른 것을 다시 꼽아 말할 때에는 정명사(定名詞)(the, my 따위+명사)가 사용된다: I have many things to take care of: *There are my* children in the first place, *there is the* occasional shopping of course, and *there is the* answering for my husband of part of the numerous letters addressed to him. 돌봐야 할 일이 많다. 첫째 아이들이 있고, 때로는 물론 쇼핑을 가야 하고, 거기다가 남편에게 밀어닥치는 편지 답장의 일부를 대필하는 일도 있다.

2 〖there+존재·출현 따위의 동사+주어〗 …이 …하다, …이 일어나다: Once ~ *lived* 〔*There* once *lived*〕 a kind-hearted farmer. 옛날에 마음씨 착한 한 농부가 살고 있었다 / *There* never arose any problem. 아무 문제도 일어나지 않았다《didn't를 쓸 수는 없음》/ *There appeared* to be no one in the house. 집엔 아무도 없는 것 같았다 / *There* came into the room a beautiful lady. 아름다운 숙녀가 방에 들어왔다《비교: A beautiful lady came into the room. 에 비해, 특히 주어에 상대방의 주의를 끄는 표현임》/ *There* began 〔occurred〕 a riot. 폭동이 시작되었다〔일어났다〕/ *There* stands a church on the hill. 언덕 위에 교회가 서 있다.
There are (book)***s and*** (book)***s.*** (책)이 산더미처럼 있다; (책)도 여러 가지가 있다. ***There is no doing ...*** 《구어》 …할 수는 없다(=One cannot do): *There is no* know*ing* what he will do. 그 사람이 무슨 일을 저지를지 모른다(=It is impossible to know...). ***There is that.*** 그건 고마운 일이다, 그건 그렇다. ***There's a good fellow*** 〔***boy, girl***〕***!*** 〖명령형 뒤에서〗 착하지, 부탁해《상대가 꼭 어린애는 아님》. ***There's ... for you.*** 〖감정을 담아서〗 그거라는 것이지요《for you는 예전의 심성여격(心性與格)임》.

고(故)로, 따라서; 그 결과(로서), 그로 말미암아: I think, ~ I am. 나는 생각한다, 그러므로 나는 존재한다《Descartes의 말》/ He ran out of money, and (~) had to look for a job. 돈이 떨어져 일자리를 찾아야 했다. 「터.
thère·fróm *ad.* 《고어》 거기서부터, 그 다음부
◇**thère·ín** 《문어》 *ad.* 그 속에; 거기에; 그 점에서: *Therein* lies our problem. 거기에 우리들의 문제가 있다.
thère·in·áfter *ad.* 〖법률〗 후문(後文)에, 이하에. 「에.
thère·in·befóre *ad.* 〖법률〗 전문(前文)에, 위
there·in·to [ðɛəríntu:, ⌐-⌐] *ad.* 《고어》 그 속에, 그 속으로. 「shall의 간약형.
there'll [강 ðɛərl, 약 ðərl] there will, there
ther·e·min [θérəmin] *n.* 테레민《일종의 전자 악기; 러시아의 발명가 Leo Theremin의 이름에서》.
thère·óf *ad.* 《고어》 그것에 관하여; 그것을; 그것의; 거기서부터; 그 원인으로: Sufficient unto the day is the evil ~. 한날 괴로움은 그 날에 족하니라《마태복음 VI: 34》. 「후 즉시.
thère·ón *ad.* 《고어》 게다가(thereupon); 그
there're [ðɛərə, ðerə] there are 의 간약형.
***there's** [강 ðɛərz, 약 ðərz] there is 또는 there has의 간약형. 「이름(Teresa)》.
The·re·sa [təríːsə, -zə/-zə] *n.* 테레사《여자
thère·thróugh *ad.* 그것을 통해서; 그 결과, 그 때문에. 「다가, 다시, 또.
thère·tó *ad.* 《고어》 거기〔그것〕에; 거기로; 게
thère·to·fóre *ad.* 그 이전에, 그때까지.
thère·únder [ðɛ̀ərʌ́ndər] *ad.* 그 밑에; 거기에 따라서; …이하로. 「THERETO.
there·un·to [ðɛ̀ərʌntúː, ⌐⌐-] *ad.* 《고어》 =
◇**thère·upón** *ad.* 그래서, 그런 까닭에; 그 후 즉시; 게다가, 그 결과.
◇**thère·wíth** *ad.* 《문어》 그와 함께, 그것으로써; 《고어》 그래서; 즉시; 게다가.
thère·with·ál *ad.* 그래서, 그와 더불어; 게다가; 즉시, 또; 이어서. 「(cure-all).
the·ri·ac [θíəriæ̀k] *n.* =THERIACA; 만병통치약
the·ri·a·ca [θəráiəkə] *n.* [U] 테리아카《짐승에 물렸을 때 쓰는 벌꿀을 섞어 만든 항독제(抗毒劑)》.
the·ri·an·throp·ic [θìəriænθrápik/-rɔ́p-] *a.* (모습이) 반인반수(半人半獸)의; 반인반수신(神) 숭배의. ㊖ **the·ri·an·thro·pism** [θìəriǽnθrəpìzəm] *n.* 반인반수신 숭배.
the·rio·mor·phic [θìəriəmɔ́ːrfik] *a.* (신이) 짐승의 모습을 한.
therm [θəːrm] *n.* 〖물리〗 섬《열량 단위》.
therm- [θəːrm] =THERMO-.
therm. thermometer.
ther·mae [θə́ːrmiː] *n. pl.* 《L.》 **1** (특히 옛 그리스·로마의) 공중 목욕탕. **2** 온천.
ther·mal [θə́ːrməl] *a.* 열의, 열량의, 온도의; 뜨거운, 더운; 온천의, 따뜻한; (내의 등) 보온성이 좋은: ~ diffusion 열확산 / ⇨ BRITISH THERMAL UNIT. — *n.* 상승 온난 기류. ㊖ **~·ly** *ad.*
thérmal bárrier 〖항공·로켓〗 초고속에 대한 고열 한계, 열장벽(heat barrier).
thérmal bréeder 〖물리〗 열중성자 증식로(增殖爐). 「ity).
thérmal capácity 〖물리〗 열용량(heat capac-
thérmal conductívity 〖물리〗 열전도율(熱傳導率)(specific thermal conductivity).
thérmal effíciency 〖열역학〗 열효율.
thérmal equilíbrium 〖물리〗 열평형.
thérmal ímaging 열 이미징《열을 감지하여 상을 찍는 기술》.
thér·mal·ing *n.* 〖글라이더〗 서멀링《열상승 기류를 이용하는 활상(滑翔)》. 「중성자화하다.
thér·mal·ize *vt.* 〖물리〗 (중성자를 감속시켜) 열
thérmal néutron 〖물리〗 열중성자.
thérmal pollútion (원자력 발전소의 폐수 따위에 의한) 열 오염〔공해〕.
thérmal pówer generàtion 화력 발전.
thérmal pówer stàtion 화력 발전소.
thérmal prínter 〖컴퓨터〗 열전사 프린터《전류를 통하면 그 열로 발색(發色)하는 소자로 구성된 head를 감열지에 대고 인쇄함》.
thérmal reáctor 〖물리〗 열중성자 증식로.
thérmal shóck 〖물리〗 열충격《물체에 가해진 급격한 온도 변화》.
thérmal spríng 온천《그 지방의 평균 기온보다 수온이 높음; hot spring은 이보다 더 높음》.
thérmal tránsfer prìnting 열전사(熱轉寫) 인쇄(법)《고체 컬러 잉크를 발열 저항체로 가열하여 보통 종이에 기록하는 방법》.
thérmal ùnit 열량 단위.
ther·man·ti·dote [θəːrmǽntədòut] *n.* (인도의) 냉방 장치《일종의 환기통》.
therme [θəːrm] *n.* 〖물리〗 =THERM.

ther·mel [θə́ːrmel] *n.* 열전기 온도계.

therm·es·the·sia [θə̀ːrmesθíːʒiə, -ziə] *n.* 〖생리〗 온각(溫覺), 온도 감각.

ther·mic [θə́ːrmik] *a.* 열의, 열에 의한; 열량의: ~ fever 열사병. ㊕ **-mi·cal·ly** *ad.*

Ther·mi·dor [θə́ːrmədɔ̀ːr] *n.* 《F.》 열월(熱月), 테르미도르《프랑스 혁명력의 제11월: 7월 19일-8월 17일》.

therm·i·on [θə́ːrmàiən, -màiɑn, -miən/-miən] *n.* 〖물리〗 열전자(熱電子), 열이온.

therm·i·on·ic [θə̀ːrmiɑ́nik, -mai-/-miɔ́n-] *a.* 열전자의, 열이온의: a ~ tube 〔valve〕 열이온관.

thermiónic cúrrent 〖물리〗 열전자 전류.

thèrm·i·ón·ics *n. pl.* 《단수취급》 〖물리〗 열이온학, 열전자학.

ther·mis·tor [θərmístər, θə́rmistər] *n.* 서미스터《온도가 오르면 전기 저항이 감소되는 반도체 회로 소자(素子)》. [◀ *therm*al+res*istor*]

Ther·mit [θə́ːrmit] *n.* 테르밋《thermite의 상표명》.

ther·mite [θə́ːrmait] *n.* 테르밋《금속 알루미늄과 산화제2철의 잔 분말의 혼합물; 용접용》.

ther·mo- [θə́ːrmou, -mə] '열'의 뜻의 결합사《모음 앞에서는 therm-》: *thermo*chemistry.

thèrmo·barómeter *n.* 열(熱)기압계; 온도기압계.

thèrmo·chémistry *n.* Ⓤ 열화학.

ther·mo·cline [θə́ːrməklàin] *n.* (호소(湖沼)의 수온이 급격히 변하는) 변온층(變溫層), (수온) 약층(躍層).

thèrmo·coagulátion *n.* 〖의학〗 (조직의) 열응고(법).

thérmo·còuple *n.* 〖물리〗 열전대(熱電對), 열전쌍(雙), 열전지.

ther·mo·dur·ic [θə̀ːrmədjúərik/-djúər-] *a.* 〖세균〗 (미생물이) 고온에 견디는, 내열성의: ~ microorganisms 내열성 미생물.

thèrmo·dynámic, -ical *a.* 열역학의; 열동력을 사용하는. ㊕ **-ically** *ad.*

thermodynámic equilíbrium 열역학 평형(平衡).

thèrmo·dynámics *n. pl.* 《단수취급》 열역학.

thermodynámic témperature 〖물리〗 열역학적 온도.

thèrmo·eléctric, -trical *a.* 열전기의: ~ current 열전류(熱電流). ㊕ **-trically** *ad.*

thermoeléctric effèct 〖물리〗 열전 효과.

thèrmo·electrícity *n.* Ⓤ 열전기.

thermoeléctric thermómeter 열전(熱電)온도계.

thermoelectromotive fórce 〖물리〗 열기전력(熱起電力).

thèrmo·eléctron *n.* 〖물리〗 열전자(熱電子).

thèrmo·élement *n.* 열전소자(熱電素子).

thérmo·fòrm *n.* Ⓤ (플라스틱의) 열성형(熱成形). ── *vt.* (플라스틱 따위를) 열성형하다.

thèrmo·génesis *n.* (동물체 내의 생리 작용에 의한) 열발생.

thèrmo·génic, -genétic *a.* 열발생의; 열을 내는, 《특히》 산열(產熱)(성)의.

ther·mog·e·nous [θərmɑ́dʒənəs/-mɔ́dʒ-] *a.* =THERMOGENIC.

thérmo·gràm *n.* (자기(自記) 온도계에 의한) 온도 기록도; 〖의학〗 열상(熱像); (열 중량 분석에 의한) 열중량 변화의 기록.

thérmo·gràph *n.* 자기(自記) 온도계; 〖의학〗 온도 기록계.

ther·mog·ra·phy [θərmɑ́grəfi/-mɔ́g-] *n.* 〖인쇄〗 융기〔돋을〕인쇄; 〖의학〗 온도 기록(법), 서모그래피. ㊕ **-pher** *n.*

ther·mo·ha·line [θə̀ːrməhéilain, -hǽl-] *a.* 열염(熱塩)의《해양에서 온도와 염분에 의한 작용에 관한》.

thèrmo·jét *n.* 〖항공〗 서모제트《분류(噴流) 추진 엔진》.

thèrmo·júnction *n.* 〖물리〗 (열전쌍(熱電雙)의) 열전 접점(熱電接点).

thèrmo·lábile *a.* 〖생화학〗 열불안정(성)의. ㊕ **-labílity** *n.*

ther·mol·o·gy [θərmɑ́lədʒi/-mɔ́l-] *n.* 열학(熱學).

thèrmo·luminéscence *n.* Ⓤ 〖물리〗 열(熱)루미네슨스, 열발광(熱發光). ㊕ **-cent** *a.*

thermoluminéscent 〔**thermoluminéscence**〕 **dàting** 〖고고학〗 열(熱)루미네슨스 연대 측정법.

ther·mol·y·sin [θərmɑ́ləsən/-mɔ́l-] *n.* 〖생화학〗 서몰리신《호열성(好熱性) 세균에서 얻어지는 단백질 분해 효소》.

ther·mol·y·sis [θərmɑ́ləsis/-mɔ́l-] *n.* Ⓤ 〖생리〗 열방산; 〖화학〗 열분해.

thèrmo·magnétic *a.* 열자기(熱磁氣)의.

thèrmo·mágnetism *n.* Ⓤ 열자기(熱磁氣).

⁑ther·mom·e·ter [θərmɑ́mətər/-mɔ́m-] *n.* 온도계, 한란계; 체온계(clinical ~): a Centigrade 〔Fahrenheit〕 ~ 섭〔화〕씨 온도계/The ~ registers 〔reads, records, stands at〕 30°C. 온도계는 30°C를 가리키고 있다/a maximum 〔minimum〕 ~ 최고〔최저〕 온도계. ㊕ **ther·mo·met·ric, -ri·cal** [θə̀ːrməmétrik], [-əl] *a.* 온도계의, 온도계로 측정한. **-ri·cal·ly** *ad.*

ther·mom·e·try [θərmɑ́mətri/-mɔ́m-] *n.* Ⓤ 검온(檢溫); 온도 측정(법).

thèrmo·núclear *a.* 열핵(熱核)의, 원자핵 융합 반응의: a ~ bomb 열핵〔수소〕 폭탄/a ~ explosion 열핵폭발/a ~ reaction 열핵반응/a ~ warhead 열원자핵 탄두.

thèrmo·periodícity *n.* 〖생물〗 온도 주기성(周期性)《외부 온도의 주기적 변화에, 특히 식물이 적절히 대응하는 일》(=**thèrmo·périodism**). ㊕ **thèrmo·periódic** *a.*

thérmo·phìle *n.* 고온에서 성장하는 유기체(물), 호열성(好熱性) 생물〔세균〕.

thérmo·pìle *n.* 〖물리〗 열전기(熱電氣)더미, 열전퇴(熱電堆).

thèrmo·plástic *a.* 열가소성(熱可塑性)의. ── *n.* 열가소성 물질.

Ther·mop·y·lae [θərmɑ́pəli/-mɔ́p-] *n.* 테르모필레《B.C. 480년 스파르타군이 페르시아군에게 대패한 그리스의 산길》.

thèrmo·recéptor *n.* 〖생리〗 온도 수용기(受容器)《온도의 변화에 따라 자극을 받아들이는 감각기관》.

thérmo·règulate *vi., vt.* (…의) 체온을 조절하다.

thèrmo·regulátion *n.* (사람·동물의) 체온조절.

thèrmo·régulator *n.* 온도 조절기, 서모스탯.

thèrmo·régulatory *a.* 체온 조절(성)의.

thèrmo·rémanent *a.* 〖물리〗 열잔류의. ㊕ **-nence** *n.*

ther·mos [θə́ːrməs] *n.* 보온병(=∠ **flàsk** 〔**jùg**〕); (T-) 그 상표명.

thérmos bòttle 보온병; 《CB속어》 액체 운반용 트럭, 탱크 로리(lorry).

thérmo·scòpe *n.* 온도 측정기, 측온기(測溫器). ㊕ **thèrmo·scópic, -ical** *a.*

thérmo·sèt *a.* 열경화성의. ── *n.* 열경화성 물질〔플라스틱〕.

thérmo·sètting *a.* 열경화성(熱硬化性)의. OPP *thermoplastic*. ¶ ~ resin 열경화성 수지(樹脂). ── *n.* Ⓤ 열경화(성).

ther·mo·si·phon [θə̀ːrməsáifən] *n.* 열사이폰《태양열 온수기의 구조》.

thérmo·sphère *n.* (the ~) 열권(熱圈), 온도권《지상 80 km 이상》. ㊕ **thèrmo·sphéric** *a.*

thèrmo·stáble *a.* 〖생화학〗 내열(성)의, 열안정의. ㊕ **-stabílity** *n.*

thérmo·stàt *n.* 서모스탯, 온도 조절 장치. ㊕ **thèrmo·státic** *a.* 온도 조절 장치의. **-ically** *ad.* 온도 조절 장치에 의하여.

thèrmo·státics *n. pl.* 〖단수취급〗〖물리〗 열평형학(熱平衡學).

thèrmo·táxis *n.* 〖생물〗 주열성(走熱性); 〖생리〗 체온 조절. ㊕ **-tác·tic, -táx·ic** *a.*

thèrmo·thérapy *n.* 열요법(熱療法).

ther·mot·ro·pism [θəːrmátrəpizəm/-mɔ́t-] *n.* 〖생물〗 온도 굴성, 굴열성(屈熱性). ㊕ **ther-motrop·ic** [θə̀ːrmətrápik/-trɔ́p-] *a.*

the·roid [θíərɔid] *a.* 짐승 같은, 수성(獸性)의.

the·ro·pod [θíərəpàd/-pɔ̀d] *n.* 〖고생물〗 수각룡(獸脚龍)《육식성으로 뒷다리 보행》.

the·sau·rus [θisɔ́ːrəs] (*pl.* **~·es, -ri** [-rai]) *n.* (동의어·반의어 등의) 사전; 보고(寶庫); 지식의 보고, 백과사전; 〖컴퓨터〗 시소러스《정보 검색 등을 위한 용어 사전》.

†**these** [ðiːz] *a.* 〖this의 복수형; 지시 형용사〗 이것들의: *These* new shoes of mine fit quite well. 이 새 신은 발에 꼭 맞는다 / He has been studying archeology ~ thirty years. 그는 지금까지 30년간 고고학을 연구하고 있다. 《★ these thirty years는 약간 구식이며, for the last 〔past〕 thirty years가 보통임》. **— *pron.*** 〖지시대명사〗 이것들〔이 사람들〕: *These* are the wrong size. 이것들은 사이즈가 안 맞는다. **(*in*)** **~ *days*** 요즈음(은), 최근. ***one of ~ days*** 일간.

The·seus [θíːsiəs, -sjuːs] *n.* 〖그리스신화〗 테세우스《Attica의 영웅, 인신우두(人身牛頭)의 괴물 Minotaur를 퇴치함》.

°**the·sis** [θíːsis] (*pl.* **-ses** [-siːz]) *n.* **1** 논제, 주제; (작문 따위의) 제목; 〖논리〗 정립(定立), (논증되어야 할) 명제; (Hegel의 변증법의) 정(正), 테제. cf. antithesis, synthesis. **2** 논문, 작문; 졸업 논문, 학위 논문: submit a ~ 논문을 제출하다. **3** 〖음악〗 (지휘봉을 내리그으며 지시하는) 센박(拍). **4** 〖운율〗 약음부(弱音部); (현대시의) 강성부(強聲部). OPP *arsis*.

Thes·pi·an [θéspiən] *a.* Thespis의; 비극의; 비극적인; 극적인. **— *n.*** (비극) 배우.

Thes·pis [θéspis] *n.* 테스피스《기원전 6세기의 그리스의 전설적 비극시인》.

Thess. Thessalonians.

Thes·sa·li·an [θeséiliən] *a.* 테살리아(Thessaly)(사람)의. **— *n.*** 테살리아 사람; Ⓤ 테살리아 말.

Thes·sa·lo·ni·ans [θèsəlóuniənz] *n. pl.* 〖단수취급〗〖성서〗 데살로니가전서〔후서〕《신약성서의》. **— *a.*** 테살로니키(사람)의.

Thes·sa·ly [θésəli] *n.* 테살리아《그리스의 중동부의 에게해에 임한 지방》.

the·ta [θéitə, θíː-] *n.* 그리스 알파벳의 여덟째 글자《Θ, θ; 영어의 th에 해당》.

théta pinch 〖물리〗 세타 조이기《핵융합 제어를 위한 플라스마의 압축·가열의 한 방식》.

théta rhythm =THETA WAVE.

théta wave 〖의학〗 세타파(波), θ파《4-7 Hz의 뇌파(腦波)》.

thet·ic, -i·cal [θétik, θíːtik], [-əl] *a.* 독단적〔단정적, 명령적〕으로 말한. ㊕ **-i·cal·ly** *ad.*

The·tis [θíːtis/θét-] *n.* 〖그리스신화〗 테티스《Nereids의 한 사람으로 Peleus와의 사이에 Achilles를 낳음》.

the·ur·gy [θíːəːrdʒi] *n.* **1** 기적, 신기(神技). **2** (이집트의 신(新)플라톤학파의) 마법, 마술. ㊕ **-gist** *n.* 마법사. **-gic, -gi·cal** [θiəːrdʒik], [-əl] *a.* 마법의. **-gi·cal·ly** *ad.*

thews [θjuːz] *n. pl.* 근육; 근력, 체력; 기력.

†**they** [강 ðei, 《특히 모음 앞》 약 ðe] *pron. pl.* 〖인칭대명사 he, she, it의 복수꼴; 어형 변화는 주격 **they;** 소유격 **their;** 목적격 **them;** 소유대명사 **theirs**〗 **1** 그들; 그들은〔이〕; 그것들, 그것들은〔이〕: It is ~. 그것은 그들이다(《구어》 It's them.). **2** 〖관계대명사 who, that의 선행사〗 …하는 사람들: *They* do least who talk most. 말이 많은 사람은 실행이 적다. ★ 오늘날에는 They who… 대신에 Those who…가 보통임. **3** 〖막연하게〗 (세상) 사람들(people); 《구어》 관계자들, 당국자: *They* sell dear at that shop. 저 가게는 비싸다 / *They* say (that)…. 《수동형 =It is said (that)….》 …이라는 이야기〔소문〕이다, …라고들 한다. **4** 《구어》 〖부정의 단수(대)명사를 받아〗 =he or she: Nobody ever admits that ~ are to blame. 아무도 자기가 나쁘다고 말하는 사람은 없다. ★ 이 용법에 반대하는 사람도 있음.

they'd [ðeid] they had 〔would〕의 간약형.

they'll [ðeil] they will 〔shall〕의 간약형.

they're [ðéər, 약 ðər] they are의 간약형.

they've [ðeiv] they have의 간약형.

THF tetrahydrofuran.

thi- [θai], **thi·o-** [θáiou, θáiə] '황(sulfur)'의 뜻의 결합사.

T.H.I., THI temperature-humidity index.

thi·a·ben·da·zole [θàiəbéndəzòul] *n.* 〖약학〗 티아벤다졸《회충 구제(驅除) 따위에 씀》.

thi·am·i·nase [θaiǽmənèis, -nèiz, θáiəm-] *n.* 〖생화학〗 티아미나아제《티아민 분해 효소》.

thi·a·mine, -min [θáiəmin, -mìːn], [-min] *n.* Ⓤ 〖생화학〗 티아민.

thi·a·zide [θáiəzàid, -zid] *n.* 〖약학〗 티아지드, 티아자이드《특히 고혈압 환자용의 이뇨제》.

thi·a·zole [θáiəzòul] *n.* 〖화학〗 티아졸《피리딘(pyridine) 냄새가 나는 무색의 휘발성 액체; 그 유도체》.

Thi·bet [tibét] *n.* =TIBET.

Thi·bet·an [tibétən] *a.*, *n.* =TIBETAN.

thick [θik] *a.* **1** 두꺼운; 두께가 …인: a ~ slice of bread 두꺼운 빵조각 / ice three inches ~, 3인치 두께의 얼음. **2** 굵은, 똥똥한: a ~ line 〔rod〕 굵은 선〔장대〕/ a ~ pipe 굵은 관. SYN. ⇨ FAT. **3** (액체 따위가) 진한, 걸쭉한; (냇물이) 흐린; (안개 등이) 짙은; (날씨가) 흐린, 안개〔연기〕가 자욱한; (비·눈이) 심하게 내리는: ~ soup 걸쭉한 수프 / ~ fog 짙은 안개 / The weather is still ~. 아직 안개가 걷히지 않았다 / a ~ day 안개가 자욱한 날 / Blood is ~*er* than water. 《속담》 피는 물보다 진하다. **4** (밤·어둠이) 깊은, 짙은, 쥐죽은 듯 고요한. **5** 빽빽한, 우거진; 털이 많은: ~ hair 숱이 많은 머리칼 / a ~ forest 울창한 숲. SYN. ⇨ DENSE. **6** (목소리가) 쉰, 불명확한, 탁한: a ~ voice 쉰〔탁한〕 목소리. **7** 혼잡한, 밀집한, 많은, 끊임없는; (…로) 가득한 《*with*》: in the ~*est* part of the crowd 사람들이 가장 붐비는 곳에 / a field ~ *with* flowers 온통 꽃이 핀 들 / The air was ~ *with* dust. 대기(大氣)는 먼지로 자욱했다. OPP *thin*. **8** 우둔한; 미련한, 둔한. cf. dense. ¶ be ~ of hearing 귀가 어둡다. **9** 《구어》 친밀한 《*with*》: They are very ~ together. 그들은 매우 친한 사이이다 / John is very ~ *with* Tom now. 존은 톰과 지금은 매우 좋은 사이이다. **10** 《구어》 너무 지독한, 견딜 수 없는: It's rather ~. 그건 너무 심하다.

(*as*) ~ *as two short planks* 《구어》 머리가 아주 나쁜. ***a ~ ear*** 《속어》 맞아서 부어오른 귀; 거절, 딱지: get *a* ~ *ear* (맞아서) 귀가 부어오르다 / give a person *a* ~ *ear* 아무를 귀가 붓도록 때리다. ***be rather* 〔*too, a bit*〕 ~** 《구어》 견딜 수 없다, 너무 지독하다: Three weeks of heavy rain *is a bit* ~. 3주간이나 비가 계속 퍼부어 넌더리가 난다. ***have a ~ head*** 머리가 나쁘다. ***lay it on ~*** ⇨ LAY[1]. (bullets) **~ *as hail*** 빗발치는 (총탄). **~ *on the ground*** ⇨ GROUND[1]. **~ *stuff*** 《미CB속어》 안개. ***with honors ~ upon*** (one)

넘치는 영광을 (한몸)에 받고.

— *n*. **1** (the ~) **a** 가장 굵은〔두꺼운〕 부분; 가장 짙은 부분; 울창한 숲: the ~ of a handle 자루의 굵은 부분/the ~ of the thumb 엄지손가락의 바닥. **b** 사람이 가장 많이 모이는 곳: the ~ of the town 거리의 가장 번화한 곳. **c** 한창때; (활동이) 가장 심한 곳, 한가운데《*of*》: in the ~ of the fight 가장 치열하게 싸울 때. **2** 《속어》 바보, 얼간이. **3** 《영속어》 코코아(cocoa). ***through ~ and thin*** 시종여일하게; 온갖 고난을 무릅쓰고, 물불을 가리지 않고.

— *ad*. **1** 두껍게, 걸게; 빽빽하게, 짙게: The snow lay ~ upon the glacier. 빙하에는 눈이 두껍게 쌓여 있었다/The roses grew ~ along the path. 장미가 작은 길을 따라 밀생해 있었다. **2** 술하게, 빈번히; 심하게: The heart beats ~. 가슴이 두근거린다. **3** 쉰〔탁한〕 목소리로.

thíck-and-thín [-ənd-] *a*. 물불을 가리지 않는, 신명을 바친, 변함없는. cf. through THICK and thin.

*__thick·en__ [θíkən] *vt*., *vi*. **1** 두껍게〔굵게, 진하게〕 하다〔되다〕: ~*ed* oil 농화유(濃化油)(stand oil). **2** 빽빽하게〔짙게〕 하다〔되다〕; 무성하게 하다, 무성해지다. **3** 강하게 하다, 강해지다, 심하게 하다, 심해지다; 늘(리)다, 보태(지)다. **4** 흐리게 하다, 흐려지다; 복잡하게 하다〔되다〕; 불명료하게 하다〔되다〕: The plot ~*s*. 이야기가 점점 복잡해진다. **5** (천의) 올을 촘촘하게 하다, 올이 촘촘해지다. ㊞ **~·er** *n*. 진하게 하는 것; 농축 장치.

thíck·en·ing *n*. **1** Ⓤ 두껍게〔굵게〕 하기; 두꺼워짐; 굵어짐; 두꺼워진〔굵어진〕 부분; 농화(濃化); 조밀화(稠密化); (피륙에) 풀 먹이기. **2** 농후(濃厚) 재료, 농후제(劑).

*__thick·et__ [θíkit] *n*. 수풀, 덤불, 총림, 잡목 숲; 복잡하게 얽힌 것.

thíck-film intégrated cìrcuit 〖전자〗 후막(厚膜) 집적 회로《집적 회로의 도체(導體)·저항 따위를 수 μm 내지 수십 μm의 후막으로 형성한 것》.

thíck·hèad *n*. 바보, 얼간이.

thíck·hèaded [-id] *a*. 머리가 나쁜, 어리석은, 둔한. ㊞ **~·ly** *ad*. **~·ness** *n*.

thick·ish [θíkiʃ] *a*. 약간 두꺼운〔짙은〕.

°__thíck·ly__ *ad*. =THICK.

thíck-nécked [-t] *a*. 목이 굵은.

*__thick·ness__ [θíknis] *n*. **1** Ⓤ 두께; 두꺼움; 굵음; 굵기; 짙음, 농후; 농도; 조밀; 무성, 밀생(密生). **2** Ⓤ 불명료; 혼탁; 우둔. **3** Ⓒ 가장 두꺼운〔굵은〕 부분. **4** Ⓤ 빈번. **5** Ⓒ (일정한 두께를 가진 물건의) 한 장. **—** *vt*. 적당한 두께로 다듬다〔마무르다〕.

thicko [θíkou] *n*. 《속어》 바보, 머리가 둔한 사람.

thíck·sét *a*. **1** 땅딸막한, 굵고 짧은. **2** 울창한, 무성한, 조밀한; 올이 촘촘한. **—** [∠∠] *n*. 수풀; 빽빽하게 심은〔무성한〕 산울타리; 두꺼운 무명의 일종.

thíck-skínned *a*. 가죽이〔피부가〕 두꺼운; 둔감한, 둔한; 뻔뻔스러운.

thíck-skúlled *a*. 두개골이 두꺼운; 우둔한 (thickheaded).

thíck-wítted [-id] *a*. 머리가 둔한, 어리석은 (stupid).

__thief__ [θiːf] (*pl*. ***thieves* [θiːvz]) *n*. 도둑, 도적, 좀도둑; 절도범《사람》.

> SYN. **thief** 폭력에 의하지 않고 몰래 행하는 도둑. **robber** 남의 소유물을 빼앗아가는 강도, 폭력을 쓰는 경우가 많으나 안 쓰는 경우도 있음. **burglar, house breaker** 남의 집·건물에 불법으로 침입하는 강도를 뜻함.

¶ Set a ~ to catch a ~. 《속담》 도둑은 도둑이 잡게 해라, 동류(同類)의 사람끼리는 서로 사정을 잘 안다. (***as***) ***thick as thieves*** 떨어질 수 없는 사이인, 대단히 친밀한. ***honor among thieves*** 도둑들 간의 의리.

thíef·tàker *n*. 〖영국사〗 포리(捕吏).

thieve [θiːv] *vt*., *vi*. 훔치다; 도둑질하다.

thíeve·less *a*. 《Sc.》 냉담한; 기운 없는, 의지가 약한.

thiev·ery [θíːvəri] *n*. Ⓤ,Ⓒ 도둑질; Ⓒ 《고어》 「장물(臟物).

thieves [θiːvz] THIEF의 복수.

thíeves' Látin 도둑들의 변말〔은어〕.

thiev·ish [θíːviʃ] *a*. 도벽이 있는, 손버릇이 나쁜; 도둑〔절도〕의; 도둑 같은, 남몰래 하는. ㊞ **~·ly** *ad*. **~·ness** *n*.

*__thigh__ [θai] *n*. **1** 넓적다리; =THIGHBONE. **2** 〖곤충〗 퇴절(腿節).

thígh·bòne *n*. 〖해부〗 대퇴골.

thígh bòot (무릎 위까지 오는) 긴 부츠.

thígh-slàpper *n*. 《구어》 굉장히 재미있는 이야기〔농담, 사건, 화제〕.

thig·mo·tax·is [θìgmətǽksis] *n*. 〖생물〗 접촉주성(接觸走性), 주촉성(走觸性).

thig·mot·ro·pism [θìgmátrəpìzəm/-mɔ́t-] *n*. 〖식물〗 굴촉성(屈觸性). ㊞ **thig·mo·trop·ic** [θìgmətrápik, -tróup-/-trɔ́p-] *a*.

thill [θil] *n*. (수레의) 채, 끌채. ㊞ **∠·er** *n*. 끌채에 맨 말, 뒷말(wheeler).

thim·ble [θímbəl] *n*. **1** 골무《재봉용》. **2** 〖기계〗 끼우는 고리; 〖해사〗 쇠고리《마찰방지용》.

thimble 1

thímble·bèrry *n*. 나무딸기의 일종《미국 원산》.

thím·ble·ful [-fùl] *n*. (술 따위의) 극소량.

thímble·rìg *n*. Ⓤ 종지 요술《골무 모양의 종지 세 개를 엎어 놓고 콩 또는 구슬이 어느 종지 밑에 들어 있나를 알아맞히게 함》; (남을 속이려는) 흉계, 사기 행위. **—** (***-gg-***) *vi*., *vt*. 종지 요술을 하다; 속이다. ㊞ **-rìg·ger** *n*.

thímble·wìt *n*. 《미》 얼간이, 반편이.

Thim·bu, Thim·phu [θimbúː, ∠-], [θimpúː, ∠-] *n*. 팀부《Bhutan의 수도》.

thi·mer·o·sal [θaimə́ːrəsæ̀l, -mér-] *n*. 〖약학〗 티메로살《결정성 분말; 주로 살균 소독용》.

__thin__ [θin] (*-nn-***) *a*. **1** 얇은, 두껍지 않은: a ~ sheet of paper 얇은 종이. **2** 가는, 굵지 않은. opp. *fat*. ¶ ~ thread 〔chain〕 가는 실〔사슬〕. **3** 홀쭉한, 야윈, 마른: Girls like looking ~. 소녀들은 호리호리해 보이기를 좋아한다.

> SYN. **thin** 가장 일반적인 말. **slender** 기품 있고 보기에 아름다움. 사람이나 동물에 쓰임. **slim** '호리호리하고 날씬한'의 뜻이 있음. **lean** 지방질이 적음을 강조함.

4 드문드문한, 성긴, 조밀(稠密)하지 않은(opp. *dense*); 입장자가 많지 않은: The population is ~. 인구가 희박하다/~ hair 성긴 머리칼/a ~ house 관객이 적은 극장/The audience was ~. 관람객이 드문드문했다. **5** (액체·기체 등이) 희박한, 묽은, 엷은, 진하지 않은: ~ air 희박한 공기/~ soup 묽은 수프/~ beer 싱거운 맥주/~ colors 엷은 색. **6** 빈약한, (색채·광선이) 희미한. (음성이) 힘없는, 적은, 가냘픈; 활기 없는《시장 따위》: a ~ voice 성량이 적은 소리/~ winter sunshine 희미한 겨울 햇볕. opp. *thick*. **7** 내용이 빈약한, 천박한, 하찮은; 박약한《논거》; 《미속어》 (팀이) 유력한 선수가 없는: a ~ excuse 빤히 들여다보이는 변명/~ argument 설득력이 부족한 의논/a ~ story 재미없는 이야

기. **8** (식탁 따위가) 변변치 않은; (땅이) 메마른; 《미속어》 호주머니가 비어 있는. **9** 〖사진〗 (음화·양화가) 명암이 뚜렷하지 못한, 희미한. **10** 《구어》 불유쾌한, 싫은. (**as**) **~** 〔**lean**〕 **as a rake** 〔**lath, stick**〕 (사람이) 깡마른. ***have a ~ time*** (***of it***) 《속어》 언짢은 일을 당하다. ***out of ~ air*** ⇨AIR. ***That is too ~.*** 《속어》 거짓말이〔속이〕 빤히 들여다보인다. ***~ on the ground*** ⇨GROUND[1]. ***vanish*** 〔***melt***〕 ***into ~ air*** ⇨AIR. ***wear ~*** ⇨WEAR[1].

— *ad.* =THINLY.

— *n.* (the ~) 얇은〔가는〕 부분《*of*》; 《미속어》 10센트(dime).

— (**-nn-**) *vt.* 《~+목/+목+전+명/+목+부》 가늘게 하다; 엷게〔희박하게〕 하다; 성기게 하다, 적게 하다; 약하게 하다: ~ wine *with* water 포도주에 물을 타서 묽게 하다/He ~*ned out* the flowers. 그는 꽃을 솎았다/The disease ~*ned down* the population of the city. 그 질병 때문에 도시의 인구가 줄었다. — *vi.* 《~/+부》 가늘어지다; 야위다; 약해지다; 엷게〔희박하게〕 되다; 성기어지다, 적어지다《*away; down; out; off*》: His hair is ~*ning* (*out*). 머리 숱이 적어지고 있다 / The crowd ~*ned away*. 군중은 점점 적어져 갔다/one's face ~*s down* 얼굴이 야위다.

thín cát 《구어》 재산도 권력도 없는 사람.

thín·clàd *n.* (육상 경기의) 트랙 선수.

◇**thine** [ðain] *pron.* 《시어·고어》 **1** 〖thou의 소유대명사〗 너의 것, 그대의 것. **2** 〖모음 또는 h로 시작되는 명사 앞에서〗 너의, 그대의.

thín fílm 〖전자〗 박막(薄膜).

thín-film íntegrated círcuit 〖전자〗 박막(薄膜) 집적 회로.

thín film transístor ⇨TFT.

†**thing**[1] [θiŋ] *n.* **1** 것, 물건, 물체: A book is a ~. 책은 물체다/What are those ~*s* on the table? 책상 위에 있는 것들은 뭐냐/A ~ of beauty is a joy for ever. 아름다운 것은 영원한 기쁨이다《Keats의 시에서》.

2 생물, 동물, 사람, 여자, 아이, 놈, 《구어》 녀석《애정·칭찬·경멸 따위를 나타냄》: a living ~ 생물/She's a sweet little ~. 그녀는 귀여운 아이다/They're no great ~*s*. 놈들은 대단치 않다.

3 의류; (*pl.*) 소지품, 휴대품, 신변에 쓰는 물건; 가재 도구, 용구, 기구: Bring your swimming ~*s* with you. 수영복 등을 가지고 오시오/I haven't a ~ for the winter. 겨울에 입을 것이 없다 / Have you packed your ~*s* for the journey? 여행 중에 쓸 물건들을 챙겼나/tea ~*s* 차 도구.

4 (*pl.*) 〖법률〗 재산, 물건: ~*s* personal 〔real〕 동〔부동〕산.

5 (*pl.*) 풍물, 문물: ~*s* Korean 〔foreign〕 한국〔외국〕의 문물.

6 a (무형의) 일, 것, 사항; 행위: spiritual ~*s* 정신적 사물/He spoke of many ~*s*. 그는 여러 가지 일을 이야기했다/What is the best ~ to do? 지금 해야 할 가장 좋은 일이 무엇인가. **b** 생각, 의견, 관념: say the right ~ 적절한 말을 하다/What put such a strange ~*s* into your head? 어째서 그런 이상한 생각을 하는가. **c** 《구어》 문제, 화제: the politics ~ 정치 문제/this segregation ~ 이 인종 차별 문제/many ~*s* to attend to 유의해야 할 여러 가지 문제들.

7 (*pl.*) 사정, 형편, 사태, 경기: *Things* are getting worse. 사태가 악화되어 가고 있다/take ~*s* easy 〔as they are〕 사태를 낙관하다〔있는 그대로 받아들이다〕/How are ~*s* going? 형편이 〔경기가〕 어떻습니까.

8 (the ~) 지당한 일, 해야 할 일, 중요한 일, 안성맞춤의 것, 용인되는 것, 필요한 일; 유행하는 것; 정상적인 건강 상태: It is just the ~. 바라던 바로 그것이다, 그것이야말로 안성맞춤이다/The (great) ~ is to make a start. 중요한 것은 시작〔착수〕하는 것이다/The ~ now is to get well. 지금 할 일은 병(病)을 고치는 일이다/The rock'n'roll was then the ~. 로큰롤이 당시의 유행이었다.

9 작품, 곡: a little ~ of mine 졸작.

10 《구어》 병적인〔이상한〕 공포, 강한 편견; 강박관념, 혐오감; (어떤 것에 대한) 특별한 감정.

11 《구어》 마음에 드는 일, 취미: History is my ~. 역사는 내 마음에 드는 과목이다.

above all ~s ⇨ABOVE. ***and another ~*** 그 위에, 더욱이(moreover). ***... and ~s*** 《구어》 …등. ***a near ~*** 위기일발. ***as ~s are*** 지금 형편으로는. ***as ~s go*** 지금 상태로는; 세상 통례로서. ***a ~ or two*** 《구어》 (일반적으로·상대방에) 알려지지 않은 사실, 중요한 것, 지혜; (상대방과 비교해서) (상당히) 많은 것. ***be all ~s to all men*** (아무가) 누구에게나 마음에 들도록 행동하다. ***be no great ~s*** 《속어》 대단한 건 아니다. ***be on to a good ~*** 《구어》 유리한 〔즐거운〕 일을 찾아내다. ***do great ~s*** 엄청난 짓을 하다. ***do*** one***'s own ~*** 《미속어》 자기 좋아하는 일을 하다. (***Do***) ***take off your ~s.*** (어서) 외투 같은 것을 벗으시오. ***do that*** (***small***) ***~*** 《구어》 (앞의 말에 따라) 그대로 행동하다. ***do the decent*** 〔***handsome,*** etc.〕 ***~ by*** …을 친절히〔관대하게〕 대하다. ***do ~s to*** …에 많은 영향을 끼치다, …을 훌륭하게 하다. ***for one ~...*** (***, for another***—) (이유를 들어) 한 가지는 … (또 한 가지는—), 첫째로는…(다음으로는—): *For one* ~ I haven't the money, *for another* I'm busy. 첫째로는 그 돈도 없고 또 바쁘기도 하다. ***get a ~ going*** 《속어》 잘 되어 가다〔해 나가다〕. ***get a ~ out of ...*** 〖부정으로〗 …의 정보를 얻다, …을 감상할 줄 알다: He can't *get a* ~ *out of* opera. 오페라 좋은 줄을 모른다. ***have*** 〔***get***〕 ***a ~ about*** 《구어》 …에 대해 특별한 감정〔편견, 공포심〕을 갖고 있다, …에 몹시 사로잡혀 있다: He *has a* ~ *about* cat. 그는 고양이 공포증이 있다. ***How are*** 〔***How's***〕 ***~s?*** 《구어》 안녕하십니까(How are you?). ***It's a good ~*** (you are here 〔he doesn't know〕). 《구어》 (네가 여기 있어서〔그가 알지 못해〕) 다행이다. (***just***) ***one of those ~s*** 《구어》 어쩔 수 없는〔피할 수 없는〕 것. ***know*** 〔***be up to***〕 ***a ~ or two*** 《구어》 …에 대해 잘 알고 있다; 빈틈이 없다, 익숙하다. ***learn a ~ or two*** 뭘 좀 알다〔배우다〕. ***look quite the ~*** (몸 따위) 아주 상태가 좋아 보이다. ***make a good*** 〔***poor***〕 ***~*** (***out***) ***of*** 《구어》 …로 크게 벌다〔손해 보다〕, …로 이익을〔손해를〕 보다. ***make a ~ of*** 〔***about***〕 ***...*** 《구어》 …을 중대시하다, 문제 삼다, …에 대해서 법석을 떨다. ***not a ~*** 전혀 …하지 않다. (I am) ***not quite the ~*** (today). (오늘은) 컨디션〔기분〕이 좋지 않다. ***of all ~s*** 놀랍게도, 하필이면. ***one ~ ... another***— (…와 —와는) 별개다〔다르다〕: It is *one* ~ to know, and it is *another* to teach. 아는 것과 가르치는 것은 다르다. ***Poor ~!*** 가엾어라. ***see*** 〔***hear***〕 ***~s*** 〖보통 진행형〗 환각(幻覺)을 경험하다, 허깨비를 보다, 헛듣다. ***show*** a person ***a ~ or two*** 아무에게 뭘 좀 가르치다. ***take ~s easy*** 〔***as they are***〕 사물을 낙관하다〔있는 그대로 생각하다〕. ***taking one ~ with another*** 이것저것 생각해 보고. ***talk of one ~ or another*** 잡담하다. ***tell*** a person ***a ~ or two*** 아무에게 잔소리를 하다. ***the best*** 〔***greatest***〕 ***~ since sliced bread*** 《미속어》 매우 뛰어난 사람〔것〕. ***the done ~*** 올

바른 행동, 바른 예의범절. ***the good ~s of life*** 이 세상의 좋은 것, 인생에 행복을 가져다 주는 것. ***the latest ~ in*** (ties) 최신 유행의 (넥타이). ***the very ~*** 안성맞춤인 것. ***~s and stuff*** 《미속어》 말쑥한 복장으로; 기지가 넘쳐. ***~s that go bump in the night*** 밤중에 나는〔일어나는〕 묘한 소리〔일〕. ***think ~s over*** 사물을 숙고하다. ***with one ~ and another*** 《구어》 이런 일 저런 일로, 이런저런 이유로. ***work ~s*** 《속어》 잘 해내다. ***Worse*** 〔***Stranger***〕 ***~s happen*** (***at sea***). 이보다 더한 일도 많다, 이보다 불행한 일도 허다하다《사람을 격려할 때》.

thing[2] *n.* (스칸디나비아 제국의) 의회, 법정.

thìng-in-itsélf (*pl.* ***things-in-themsélves***) *n.* 〖칸트철학〗 물자체(物自體).

thíng·ism *n.* (문학·예술에서의) 사물주의.

thíng·ness *n.* (사물의) 객관적 실재성〔사물성(性)〕.

thing·um·bob [θíŋəmbàb/-bɔ̀b], **thing·a·ma·bob** [θíŋəməbàb/-bɔ̀b], **-a·ma·jig** [-əmədʒìg], **-a·my** [-əmi], **-um·a·bob** [-əməbàb/-bɔ̀b], **-um·a·jig** [-əmədʒìg], **-um·my** [-əmi] *n.* 《구어》 거 뭐라던가 하는 것〔사람〕: Mr. ~ 아무개 씨.

thingy [θíŋi] *n.* (*pl.* ***-ies***) 《우스개》 이름을 모르는〔잊은〕 것, 무엇이라고 하는 것. **—** *a.* 물건의, 물질의, 물질적인; 실제적인, 현실적인.

†**think** [θiŋk] (*p., pp.* ***thought*** [θɔːt]) *vt.* **1** 《+(*that*)절》 …라고 여기다, …라고 생각하다, …라고 믿다: He ~s (*that*) everyone likes him. 그는 누구나 자기를 좋아한다고 생각하고 있다/I don't ~ (*that*) it's true. 사실이 아니겠지.

> NOTE (1) 구어에서는 that은 생략되는 일이 많음. 읽을 때는 필요하면 that 뒤가 아니라 앞에서 끊음. (2) I *think* (*that*) it is *not* true. 는 적극적 부정으로서 의례상 좋지 않다 하여 보통 I *don't think* (*that*) it is true. 가 잘 쓰임.

2 《+*wh.*절》 생각하다, 상상하다: *Think how* delighted he will be. 그가 얼마나 기뻐할지 생각해 보시오/I can't ~ *how* he managed without money. 그가 돈 한푼 없이 어떻게 지냈는지 알 수 없다/*What* do you ~ has happened? 무엇이 일어났다고 생각하나/*Who* do you ~ did it? 너는 그것을 누가 했다고 생각하느냐. ★ 의문사가 문두에 나오는 문장에서 do you *think*는 의문사 바로 뒤에 옴.

3 《~+목/+*wh. to* do》 생각하다, 생각나다; 〖동족 목적어를 사용하여〗 마음에 그리다〔품다〕, 상상하다: Don't ~ such unjust things of your friend. 친구의 일을 그렇게 나쁘게 생각하지 마라/~ dark *thoughts* 나쁜 마음을 품다/He could not ~ *how to* do it. 그는 그것을 어떻게 해야 하는지 생각나지 않았다/He was ~*ing what to* do next. 그는 다음에 무엇을 할 것인가를 생각하고 있었다.

4 《+목+(*to be*) 보/+목+*to* do/+목+전+명》 …을 ―로 생각하다, …이 ―라고 여기다〔믿다〕; …을 ―로 간주(看做)하다〔보다〕: Do you ~ it likely? 그것이 사실일 거라고〔있을 법하다고〕 생각하십니까/He ~s himself a great man. 그는 자신을 위대한 사람이라고 여긴다/We all *thought* him (*to be*) an honest man. 우리는 모두 그가 정직한 인물이라고 생각했다/They were *thought to* have died. 그들이 이미 사망한 것으로 생각하고 있었다/He *thought* it *beneath* him to do such a thing. 그는 그런 일을 한다는 것은 체면 문제라고 생각했다.

5 《+목+전+명/+(*that*) 절/+*to* do》 기대하다; 꾀하다, 예상하다, 예기하다, 기도(企圖)하다, …할 작정이다: ~ harm *to* a person 아무를 해치려고 하다/Little did she ~ 〔She little *thought*〕 *that* she would become the Princess of Wales. 그녀는 자기가 (영국의) 왕세자비가 되리라고는 꿈에도 생각지 않았다/He ~s *to* deceive us. 그는 우리를 속이려 하고 있다/He *thought to* have fled and yet stood still. 그는 도망치려고도 생각했으나 그대로 머물러 있었다. ★ "thought+to+완료형 부정사"는 생각한 일, 꾀한 일이 '불가능했거나, 실행하지 않았음'을 의미함.

6 《+목+부/+목+보/+목+전+명》 생각 따위를 해서 …을 잊다《*away*》; 〖~ oneself〗 생각에 빠져 …이 되다《*into*》: You can't ~ *away* your trouble. 뭘 생각한다고 해서 걱정거리를 잊을 수는 없다/He will ~ him*self* silly. 그는 이것저것 너무 생각하다 바보처럼 멍청해질 거야/She *thought* her*self into* madness. 너무 생각해서 머리가 돌았다.

— *vi.* 《~/+전+명》 **1** 생각하다, 사색하다, 궁리하다; 생각해 내다; 숙고(熟考)하다: Learn to ~ clearly. 정연하게 생각하는 것을 배워라/Let me ~ a moment. 잠깐 생각하게 해 주시오《대답하기 전에 쓰는 말》/~ and ~ 곰곰이 생각하다/~ hard 골똘히 생각하다/~ in English 영어로 생각하다/I'm ~*ing about* my childhood days. 어렸을 적의 일을 생각하고 있다. (⇨ 관용구 think about, think of, think on 〔upon〕, think over).

> SYN. **think** act(행동하다)의 반의어로 아래의 모든 어의를 포함하는 가장 일반적인 말. **consider** 사전에 잘 생각하다, 고려하다. *vt.*로서 많이 쓰임: *consider* the feelings of others 남의 기분을 고려하다. **suppose** 가정하여 생각해 보다, 아마 …일 것으로 생각하다: I don't *suppose* I shall be back until next Sunday. 나는 다음 일요일까지 못 돌아오리라고 생각한다. **conceive** 어떤 것의 개념을 마음에 그리다 → 스스로 납득할 수 있는 의견으로서 …라 생각하다. think, believe의 딱딱한 표현으로 쓰임: I *conceive* that you are entirely right. 당신이 전적으로 옳다고 생각합니다. **meditate** 여러 가지 면에서 깊이 생각하다, 묵상하다: *meditate* one's past life and over the future 지나온 일, 앞으로의 일을 생각하다. **reflect** 과거의 일을 이것저것 생각하다: *reflect upon* one's virtues and faults 자기의 장점, 단점을 이리저리 반성하다. **deliberate** 결단을 내리기에 앞서 신중히 검토하다: *deliberate* a question 문제를 검토하다. **speculate on** 비현실적인 것, 미래의 가능성 따위를 생각해 보다: *speculate on* the possibility of life on Mars 화성에 생물이 존재할 가능성에 대해 여러 가지로 추측하다.

2 예상하다, 예기하다; 판단하다, 평가하다《*of*》: It may happen when you least ~. 그것은 생각지도 않을 때 일어날지도 모른다. ◇ thought *n.*
come to ~ of ⇨ COME. ***I don't ~.*** 《속어》 그래, 내 참 원《빈정대는 말을 한 다음에》: You're a fine man, I *don't* ~. 그래 당신이 훌륭한 사람이야, 내 참 원. ***I should ~*** (***not***). 《구어》 (상대방의 말을 받아) (당연히) 그렇겠지《not은 상대방의 말이 부정문일 때》. ***I thought as much.*** 그럴 거라고 생각했네, 예상했던 대로다, 아니나 다를까. ***Just ~!*** =***Only ~!*** =(***Just*** 〔***To***〕) ***~ of it!*** 좀 생각해 봐요. ***let me ~*** 글쎄, 가만 있자(생각 좀 해 보고). ***~ about*** ① (계획 따위가 실행 가능한지 어떤지) 고려하다: I'm ~*ing about* moving to the country. 시골로 이사할 것을 생각하고 있

다 / I'll ~ *about* it. 어디 생각해 보지요《종종 정중한 사절》. ② …에 대하여 생각하다; 회상하다: What are you ~*ing about*? 너는 무엇을 생각하고 있느냐. ~ ***again*** 다시 생각하다, 재고하다. ~ ***ahead*** 앞일을 생각하다, (…의 일을) 미리 생각하다《*to*》. ~ ***(all) the less*** 〔***more***〕 ***of*** …을 (더욱) 낮추어〔높이〕 평가하다, …을 경시〔중요시〕하다. ~ ***aloud*** (생각하던 것을) 말해 버리다; (무의식 중에) 혼잣말하다. ~ ***back to*** 생각해 내다, 상기하다. ~ ***badly of*** =~ ill of. ~ ***better of*** ① 재고해서 그만두다; 다시 생각하다: What a foolish idea! I hope you'll ~ *better of* it. 참 어리석은 생각이군. 다시 생각해 주기 바란다. ② …의 인식을 새롭게 하다, 다시 보다; 더 훌륭하다고 생각하다: Now I ~ *better of* you. 자넬 다시 보아야 하겠네《잘못 알고 있었어》. ~ ***fit*** 〔***good, proper, right***〕 ***to*** do …하는 편이 좋다고 생각하다: If our teacher ~*s fit* 〔*proper*〕 *to* join the club, I'll do so. 선생님이 클럽 가입을 좋다고 생각하신다면 그렇게 하겠다. ~ ***for*** …이 아닌가 생각하다, …을 예기하다. ~ ***for*** one***self*** 혼자서 생각하다, 자기 멋대로 판단하다; 자주적인 생각을 가지다, 자주성이 있다. ~ ***from*** …와 의견이 맞지 않다. ~ ***highly of*** …을 높이 평가하다, …을 중요시하다, 소중히 하다; …을 존경하다. ~ ***ill of*** …을 나쁘게 생각하다, …을 좋게 생각지 않다. ~ ***lightly*** 〔***meanly, poorly***〕 ***of*** …을 얕보다, …을 경멸하다. ~ ***little*** 〔***nothing***〕 ***of*** do***ing*** (…하는 것을) 대수롭지 않게 여기다〔경멸하다〕: He ~*s nothing of* walk*ing* thirty miles. 그는 30 마일 걷는 것쯤 예사로 여긴다. ~ ***much of*** =~ highly of: They didn't ~ *much of* my new novel. 그들은 내 신간 소설을 대단치 않게 여겼다. ~ ***no end of*** …을 한없이 존경하다, …을 높이 평가하다: He ~*s no end of* himself. 그는 자신을 대단한 사람으로 생각하고 있다. ~ ***no harm*** 나쁘다고는 생각지 않다: The child *thought no harm* in doing it. 아이는 나쁘다고 생각지 않고 그렇게 한 것이다. ~ ***nothing of*** ⇨ NOTHING. ***Think nothing of it.*** 천만의 말씀이오, 조금도 걱정 마십시오《인사·사과를 받았을 때 응답으로》. ~ ***of*** ① …에 마음을 쓰다, …에 관심을 보이다; 숙고하다: *Think of* those poor children. 그 가엾은 애들에게 관심을 보이시오 / You shouldn't ~ only *of* yourself. 자기 일만 생각하면 안 된다. ② …을 상상하다: Just ~ *of* the cost! 그 비용만이라도 상상해 보시오. ③ 생각나다: I can't ~ *of* his name. 그의 이름이 생각나지 않는다. ④ …을 생각해 내다: I can't ~ *of* the right word. 적절한 말이 떠오르지 않는다. ⑤ …을 제안하다: Who first *thought of* the idea? 누가 최초에 그 생각을 제안했느냐 / Can you ~ *of* a good place for a weekend holiday? 주말 휴일을 보낼 좋은 장소를 가르쳐 주시겠습니까. ⑥ …을 (…이라고) 생각하다, 간주하다《*as*》: ~ *of* oneself as a poet 자신을 시인이라고 생각하다. ⑦ 〖보통 부정구문으로〗 …을 예상〔몽상〕하다: In those days a welfare state had *not* been *thought of*. 당시에는 복지 국가 따위 생각지도 못했었다. ~ ***of doing*** ① …할까 생각하다(~ *to* do): I am *thinking of* learn*ing* English. 영어를 배울까 생각하고 있다. ② 〖부정구문으로〗 …할 것을 예기하다: I did*n't* ~ *of* com*ing* back alive. 살아서 돌아오리라고는 예기치 않았다. ~ ***on*** one***'s feet*** 재빨리 생각하다, 즉석에서 결단을 내리다. ~ ***on*** 〔***upon***〕 =~ of. ~ ***out*** 잘 생각하다; 생각해 내다, 안출하다; 숙고하여 해결하다: We've got to ~ *out* a plan. 계획을 생각해 내야 한다 / That wants ~*ing out*. 그것은 숙고를 요한다. ~ ***out loud*** =~ aloud. ~ ***over*** (…에 대해서) 다시 생각하다, (…을) 숙고하다, (…을) 검토하다: *Think over* what I've said. 내가 한 말을 잘 생각해라 / ~ a matter *over* 어떤 일을 숙고하다. ~ ***sense*** 분별있는 생각을 하다. cf. TALK sense. ~ ***so*** 동감이다. ~ ***through*** 끝까지 생각하다, 충분히 생각하다: ~ the problems *through* 문제가 해결될 때까지 충분히 생각하다. ~ ***to*** do =~ of (do)ing. ~ ***too meanly of*** one***self*** 지나치게 겸손하다. ~ ***to*** one***self*** 마음속으로 생각하다, 마음속으로 중얼거리다, 혼잣말하다. ~ ***twice*** 재고하다; 잘 생각해 보다: *Think twice* before sending in your resignation. 사표를 내기 전에 다시 한번 잘 생각해 보아라. ~ ***up*** 《구어》 (구실·계획 따위를) 생각해 내다; 《구어》 발견하다. ~ ***well of*** …을 좋게 생각하다. ~ ***with*** a person 아무와 같은 의견을 갖다. ***To*** ~ ***of it!*** 그것을 생각하면 (견딜 수가 없다). ***To*** ~ ***that…!*** …라니(놀랍다, 슬프다, 송구스럽다): *To* ~ *that* he's single! 그가 독신이라니 (놀랍다). ***what*** 〔***who***〕 do ***you*** ~? 그게 뭐〔누구〕라고 생각하니《뜻밖의 말을 꺼낼 때》.

— *n.* 《구어》 일고(一考)(하기), 안(案): have a ~ about it 그것에 대해 생각하다 / have a hard ~ =~ hard / If you think I'm going to help you again, you've got another ~ coming. 내가 또 도와줄 거라고 생각한다면 아주 그릇된 생각이야.

— *a.* 《구어》 사고(思考)의, 사고에 관한; 생각하게 하는: a ~ book.

thínk·a·ble *a.* 생각할 수 있는, 있을 법한; 믿을 수 있는. ㊞ **-bly** *ad.* ~**·ness** *n.*

thínk-bòx *n.* 《속어》 두뇌, 머리.

°**thínk·er** *n.* 사상가, 사색가.

thínk fàctory 《구어》 =THINK TANK.

thínk-ìn *n.* 《구어》 회의, 토론회, 심포지움.

***thínk·ing** [θíŋkiŋ] *a.* 생각하는, 사고하는; 생각할 힘이 있는, 사리를 제대로 분별할 줄 아는; 생각이 깊은, 분별 있는: all ~ men 분별 있는 사람은 모두 / a ~ reed 생각하는 갈대《인간; Pascal의 말》. — *n.* 생각(하기), 사고, 사색; 의견, 견해; 사상: He is of my way of ~. 그는 나와 같은 생각이다 / to my ~ 내 생각으로는.

thínk·ing·ly *ad.* 잘 생각하여; 궁리 끝에.

thínking pàrt 〖연극〗 대사가 없는 역(役).

thínk pìece 〖신문〗 (정치·경제 분야) 논설 기사, 시사 해설; (신문의) 해설 기사; 《속어》 두뇌.

thínk tànk 《구어》 **1** 싱크 탱크, 두뇌 집단; 종합 연구소《각 분야의 전문가로 구성된 종합 연구 조직》. **2** 《미속어》 두뇌. ㊞ **thínk tànker** 싱크 탱크의 일원.

°**thín·ly** *ad.* 얇게, 가늘게; 희박하게; 드문드문; 여위어서; 약하게, 빈약하게: ~ populated 인구가 적은. — *n.* 《미속어》 트랙 경기의 선수, 러너.

thin·ner [θínər] *n.* 엷게 하는 것〔사람〕; 시너, (페인트 등의) 희석제, 용제(溶劑).

thín·ness *n.* Ⓤ 희박; 가늚; 야윔; 빈약; 박약.

thín·nish *a.* 좀 얇은, 약간 가는〔드문드문한〕, 조금 약한〔야윈〕.

thín-skínned *a.* 가죽이〔피부가〕 얇은; 민감「한; 성마른.

thi·o- [θáiou, θáiə], **thi-** [θai] '황'이란 뜻의 결합사: *Thio*kol, *thi*amin.

thio·acétic ácid 〖화학〗 티오아세트산.

thío ácid 〖화학〗 티오산(酸)《산소 원자의 일부 또는 전부가 황원자에 치환된 산》.

thìo·cýanate *n.* 〖화학〗 티오시안산염(酸塩)〔에스테르〕(=**thìo·cýanide**). 「일종《상표명》.

Thi·o·kol [θáiəkɔ̀ːl, -kɑ̀l/-kɔ̀l] *n.* 인조 고무의

thi·ol [θáiɔːl, -ɑl/-ɔl] *n.* 〖화학〗 티올(mercaptan). ㊞ **thi·ol·ic** [θaiɑ́lik/-ɔ́l-] *a.*

thi·on·ic [θaiánik/-ɔ́n-] *a.* 황의, 티온산의.
thi·o·nyl [θáiənil] *n.* 〖화학〗 티오닐《SO로 나타내는 2가(價)의 기(基)》.
thi·o·pén·tal (sódium) [θàiəpéntəl(-), -tæl(-), -tɔl(-)] 티오펜탈(나트륨)《마취제》.
thi·o·pen·tone [θàiəpéntoun] *n.* 《영》 = THIOPENTAL SODIUM.
thi·o·rid·a·zine [θàiərídəzìːn, -zin] *n.* 〖약학〗 티오리다진《강력한 정신 안정제》.
thìo·súlfate *n.* Ⓤ 티오황산염; =SODIUM THIOSULFATE.
thìo·sulfúric ácid 〖화학〗 티오황산.
thìo·úracil *n.* 〖약학〗 티오우라실《항갑상선약》.
thi·ram [θáiræm] *n.* 〖약학〗 티람《살균약 · 종자 소독약》.
†**third** [θəːrd] *a.* **1** 제 3 의; 세(번)째의: ~ party risks 〖보험〗 제 3 자 위험 / *Third* time does the trick. =*Third* time is lucky 〔pays for all〕. 《속담》 세 번째는 성공한다. **2** 3분의 1의《생략: 3rd, 3d》. **—** *n.* **1** 제 3, 셋째; 세 번째(의 것, 의 인물), 3 위, 3 등; 제 3 호; 제 3 부; 제 3 세: Henry the *Third* 헨리 3 세《Henry III 라고도 씀》. **2** (달의) 3 일, 초사흗날. **3** 3 분의 1: one ~ / two ~s of a book 책의 3 분의 2. **4** (*pl.*) 〖법률〗 망부(亡夫)의 유산의 3 분의 1《미망인의 몫》. **5** (각도 · 시간의) 1 초의 60 분의 1. **6** 〖야구〗 3 루. **7** 〖음악〗 셋째 음, 3 도 음정, 제 3 도. **8** (*pl.*) 〖상업〗 3 등〔3 급〕품. **9** (자동차의) 제 3 단 기어. **10** 《미속어》 가혹한 신문(~ degree). **—** *ad.* 셋째로, 세 번째로; 3 등으로: travel ~, 3 등으로 여행하다.
thírd àge (the ~) 제 3 연대, 노년기(期).
thírd báse 〖야구〗 3 루.
thírd báseman 〖야구〗 3 루수.
thírd-bést *a.* 세 번째로 좋은, 3 류〔등〕의; 3 번수의, 제 3 위의.
thírd cláss (제) 3 급; 삼류; (열차 · 배 따위의) 3 등; 《미 · Can.》 〖우편〗 제 3 종《중량 16 oz. 이하의 상품이나 광고 인쇄물 따위의 요금이 싼 별납 우편》.
thírd-cláss *a.* 3 등의; 3 급의; 삼류의, 하등의; 제 3 종의《우편 따위》: ~ matter 〔mail〕 제 3 종 우편물. **—** *ad.* 3 등으로《여행하다 따위》; 제 3 종(우편)으로.
Thírd Dày 화요일《퀘이커교도의 용어》.
thírd degrée (보통 the ~) (경찰의) 고문, 가혹한 신문.
thírd-degrée *a.* (특히 죄상(罪狀)이나 화상(火傷) 등이) 제 3 급〔도〕의; 고문의: ~ murder 3 급 살인《모살(謀殺)》/ ~ arson 제 3 급 방화죄 / the ~ squad 《미》 (경찰의) 고문반(班). **—** *vt.* 가혹한 신문〔고문〕을 하다.
thírd-degrèe búrn 〖의학〗 제 3 도 화상〔열상〕《괴사성(壞死性) 화상으로 가장 중증》.
thírd diménsion 제 3 차원; 두께, 깊이; 입체성; 현실성, 박진성, 생기(生氣). ㊍ **thírd-diménsional** *a.*
thírd estáte (the ~, 종종 the T- E-) 제 3 계급《특히 프랑스 혁명 전의 귀족 · 성직자 외의 일반 대중》.
thírd éye 〖생물〗 송과안(松果眼), 두정안(頭頂眼); (초능력자가 갖는) 제 3 의 눈; 직감, 직관, 직각(直覺), 투시력, 심안(心眼).
thírd éyelid =NICTITATING MEMBRANE.
thírd fínger 무명지, 약손가락.
thírd fórce 제 3 세력; 중립국.
thírd-generátion *a.* 제 3 세대의; 집적 회로를 사용하는 「컴퓨터의.
thírd·hánd *a.* (정보 따위가) 두 사람의 매개자를 거쳐 입수된; (고서 따위가) 두 사람의 소유자를 거친; 중고의《특히 상태가 나쁜》; 재(再)중고품 장사를 하는.
thírd hóuse 《미》 〖의회〗 제 3 원(院)《로비스트 등 원외(院外) 단체의 속칭》.
thírd kíngdom (the ~) 〖생물〗 (동물계 · 식물계도 아닌) 제 3 생물계《원생(原生) 생물을 이름》.
thírd-lével càrrier 《미》 소도시 사이의 단거리 구간 운항을 하는 항공사.
thírd-lìne fórcing 〖상업〗 강제로 끼워 팔기.
thírd·ly *ad.* 셋째로, 세 번째로.
thírd mán 〖크리켓〗 제 3 수《3 주문(柱門)에서 비스듬히 후방에 서 있는 야수(野手)》.
thírd márket (the ~) 〖증권〗 제 3 시장《상장주의 장외 거래 시장》.
thírd párty (the ~) 제 3 정당; 〖법률〗 제삼자; 〖컴퓨터〗 소프트웨어나 주변 장치 따위 제조자.
thírd-párty credibílity 〖광고〗 제삼자에 의한 신뢰성 증명《이해관계 없는 제삼자의 호의적 발언으로 얻어지는 개인 · 상품 · 단체 따위의 신뢰》.
thírd pérson (the ~) 제삼자; 〖문법〗 3 인칭; (T- P-) 〖신학〗 (삼위일체의) 성령.
thírd ráil 〖철도〗 제 3 레일《송전용(送電用)》; 《미속어》 독한 술; 《미속어》 매수에 안 넘어가는 사람.
thírd-ráte *a.* 3 등의, 3 급의; 3 류의, 열등한, 하등의. ㊍ **thírd-ráter** *n.*
thírd réading 〖의회〗 제 3 독회《영국에서는 보고 심의를 거친 의안, 미국에서는 제 2 독회를 거친 의안에 대해서 함》.
Thírd Réich (the ~) (Hitler 치하의) 제 3 제국(1933-45).
Thírd Repúblic (the ~) 〖프랑스사〗 제 3 공화정《1870 - 1940; 제 2 제정 붕괴로부터 독일에 점령될 때까지 계속된 정체》.
thírd sácker 《야구속어》 3 루수.
thírd séx (the ~) 제 3 의 성, 동성애(자).
thírd stréam 재즈풍의 클래식 음악. ㊍ **thírd-stréam** *a.*
thírd véntricle 〖해부〗 제 3 뇌실(腦室).
Thírd Wáve (the ~) 제 3 의 물결《미국의 Alvin Toffler가 동명(同名)의 저서에서 논한 말로, 전자 공학의 발전에 의한 고도 기술 시대》.
Thírd Wáy 제 3 의 길《극우도 극좌도 아닌 중도적인 정치 노선》.
thírd whéel 《미속어》 무용지물, 두통거리《사람》.
Thírd Wórld **1** (the ~) 제 3 세계《특히 아프리카 · 아시아 등지의 개발도상국》. **2** 〚집합적〛 (문화 · 사회에서의) 소수 그룹, (소득 · 교육 수준이 낮은) 약자. ㊍ **Thírd Wórlder** 제 3 세계국 사람.
*__thirst__ [θəːrst] *n.* Ⓤ (또는 a ~) **1** 갈증, 목마름: quench 〔relieve, satisfy〕 one's ~ 갈증을 풀다. **2** 《구어》 갈망, 열망《*after; for; of; to* do》: He has a ~ *for* adventure. 그는 모험을 갈망한다 / satisfy one's ~ *to* know the truth 진리 탐구의 갈망을 만족시키다 / the ~ *for* knowledge 지식욕. **3** 《속어》 한잔 생각, 술을 마시고 싶은 기분: I have a ~. 《구어》 한잔 하고 싶다. **—** *vi.* **1** 《~ /+전+명》 갈망하다, 강한 희망을 갖다《*after; for*》: ~ *for* revenge 복수를 갈망하다. **2** 《고어》 목이 마르다. ㊍ **∠·er** *n.* 갈망하는 사람: a ~*er* after knowledge 지식을 갈구하는 사람. **∠·ful** [-fəl] *a.* =THIRSTY. **∠·less** *a.* 목이 마르지 않은; 술을 마시지 않는; 욕망이 없는.
thírst quèncher 갈증을 푸는 것, 음료.
†**thirsty** [θə́ːrsti] (*thirst·i·er; -i·est*) *a.* **1** 목마른; 술을 마시고 싶어하는, 술을 좋아하는: a ~ soul 술꾼. **2** 갈망하는, 절망하는《*for*》. ⓒⓕ hungry. ¶ ~ *for* knowledge 지식에 굶주리고 있는. **3** (토지 따위가) 마른, 건조한: a ~ season 건조기. **4** 《구어》 (일 · 음식 따위가) 갈증나게 하는, 목이 마르게 하는: ~ food 갈증나게 하는 음식

물. ㊞ **thírst·i·ly** *ad.* **-i·ness** *n.*

†**thir·teen** [θə̀ːrtíːn] *a.* 13의, 13개의, 13세의: the ~ superstition, 13을 불길한 숫자로 여기는 미신. **—** *n.* **1** 13. **2** 13의 기호(13, xiii, XIII). **3** 13세; 13달러〔파운드, 센트, 펜스〕: a boy of ~ 13세 소년. **—** *pron.* 13개, 13인.

***thir·teenth** [θə̀ːrtíːnθ] *a.*, *n.* 제13(의), 13번째(의); 13분의 1(의); (달의) 13일《생략: 13th》.

***thir·ti·eth** [θə́ːrtiiθ] *a.*, *n.* 제30(의), 30번째(의); 30분의 1(의); (달의) 30일《생략: 30th》.

†**thir·ty** [θə́ːrti] *a.* 30의, 30개〔인〕의; 30세의. **—** *n.* **1** 30; 30개〔인〕; 30세; 30의 기호《XXX》. **2** 〚테니스〛 2점을 얻기. **3** 《미》 끝, 완료《신문 원고 따위에서 보통 30이라고 씀; ⇨30-DASH》; 《미속어》 안녕(good-by). **4** (*pl.*) (나이) 30대; 30년대: during the *thirties* 30년대의 사이《1930-39년 사이 등》/ a man in his *thirties* 30대 사람. **5** 〚광고〛 (라디오·텔레비전의) 30초짜리 광고. ㊞ **~·fóld** *a.*, *ad* 30배의〔로〕.

30-dàsh *n.* 〚신문·인쇄〛 —30—, —XXX—, —O—의 기호《기자가 원고 끝에 써서 기사가 끝났음을 나타냄》.

thírty-éight *n.* 38구경 권총《흔히 38이라 적음》.

38th Párallel (the ~) 38도선《광복 후 한국전쟁 전까지 한국을 남북으로 가르고 있던 군사분계선》.

thírty·ish *a.* 대략 30세의; 30살 돼 보이는, 「30세가량의.

Thírty-nìne Árticles (the ~) 영국 국교의 39개 신조《성직에 오를 적에 이에 동의한다는 뜻을 표명함》.

thírty-sécond nòte 〚음악〛 32분음표(《영》 demi-semiquaver).

thírty-sécond rèst 〚음악〛 32분쉼표.

thírty·sòmething *n.* 30대(代); 30대의 사람. **—** *a.* 30대의.

thírty-thrée *n.* 33회전판《33 1/3 회전의 음반; 보통 33이라고 씀》.

thir·ty-two·mo [θə̀ːrtitúːmou] (*pl.* **~s**) *n.* 32절판(의 책)《생략: 32mo, 32°》.

Thírty Yéars' Wár (the ~) 30년전쟁《주로 독일 국내에서 행해진 신구교도 간의 종교 전쟁; 1618-48》.

†**this** [ðis] (*pl.* ***these*** [ðiːz]) *pron.* 〚지시대명사〛 **1** 이것, 이 물건〔사람, 일〕《that보다 자기에게 가까운 것을 가리킴》: What's ~? 이것은 무엇이냐 / What are *these?* 이것들은 무엇이냐 / I don't like ~ at all. 나는 이것을 전혀 좋아하지 않는다 / Answer me ~. 여기에 대답해 / *This* is Mr. Han. 이분이 한씨입니다. ★ 이 경우에 *He* is Mr. Han. 이라고는 안 함. **2** 〚that과 연관시켜서〛 이쪽, 후자(the latter): Of the two methods, ~ seems to be better than that. 두 가지 방법 중에서 이쪽이 저쪽보다 나을 듯하다. ⓒⓕ that. **3** 지금, 바로 지금 《종종 *after, before, by* 따위를 수반하여 숙어적으로》: *This* is the 21st century. 지금은 21세기다 / What day is ~? 오늘은 무슨 요일이냐 / *This* is 2001. 금년은 2001년이다 / *after* 〔*before, by*〕 ~ ⇨아래의 관용구. **4** 여기, 이곳(~ place): *This* is a school, not a park. 이곳은 학교지 공원이 아니다 / Get out of ~. 여기서 나가라. **5** (전화·무선에서) 여기, 나; 거기, 당신: *This* is (Mr.) Smith (speaking). (나는) 스미스입니다 / *This* is Radio X. 여기는 X 방송국입니다. **6** 지금 말한 것; 다음 말할 것; 이러한 것: *This* is widely known. 이상 말한 것은 주지의 사실이다 / The question is ~, that.... 문제는 이렇다, 즉.... ***after*** **~** 이후는. ***at*** **~** ① 여기에서. ② 이것을 보고〔듣고〕. ***before*** **~** 지금까지. ***by*** **~** 지금쯤은; 지금까지에: They ought to be here *by* ~. 지금쯤엔 여기에 와 있어야 한다. ***It was*** Miss Helen **~ *and*** Miss Helen ***that.*** 첫째에도 미스 헬렌 둘째에도 미스 헬렌, 곧 미스 헬렌 판이었다. ***like*** **~** 이처럼, 이런 식으로. ***long before*** **~** 이보다 훨씬 전에. ***on*** 〔***upon***〕 **~** 그러고 나서; 거기에서: *On* ~, we separated. 그러고 나서 우리는 헤어졌다. ***put*** **~ *and that together*** 이것저것 종합해서 생각하다. **~ *and*** 〔***or***〕 ***that*** 이것저것, 여러 가지. ***This is how it is.*** 실은 이렇습니다《설명하기 전에 하는 말》. ***This is it.*** ① 바로 그겁니다, 그점이 중요합니다. ② 오래 기다리셨습니다. ***~, that, and the other*** 이것저것 잡다한 것, 가지각색의 것. ***What's all*** **~*?*** 도대체 이것은 어떻게 된 거냐; 뭔데 이 야단이냐. ***with*** **~** 이렇게 말하면서: *With* ~, he left the room. 이렇게 말하면서 그는 방을 나갔다.

— *a.* **1** 이: Look at ~ box 〔*these* boxes〕. 이〔이들〕 상자를 보라 / (Come) ~ way, please. 자아, 이리로 오십시오 / I haven't seen him ~ 〔*these*〕 two weeks. 지난 2주 동안 그를 보지 못했다. **2** 지금의, 현재의; 오늘〔금주, 이번〕의: (all) ~ week 금주 (내내) / (all) ~ year 금년〔올해〕 (내내) / ~ morning 〔afternoon, evening〕 오늘 아침〔오후, 저녁〕 / on the 29th (of) ~ month 이 달 29일에.

> NOTE (1) this와 소유격을 함께 써서 your *these* children 이라고는 아니함. *these* children of yours; *this* new pen of mine과 같이 바꾸어야 함. (2) 시간을 나타내는 명사와 함께 this가 쓰일 때는, 명사가 복수라도 these와 함께 this도 쓰임: *this* 〔*these*〕 ten minutes이 10분간. *this* 〔*these*〕 two weeks 이 2주일《참고: *this* many a day 오늘까지의 긴 기간》.

for **~ *once*** =***for*** **~ *time*** 이번만은: I will explain *for* ~ *once*. 내가 이번만은 설명을 해주겠다. ***these days*** 요즘. ***these*** (five) ***years*** 〔***months, weeks, days***〕 요 (5) 년〔개월, 주, 일〕 동안. **~ *... and*** 〔***or***〕 ***that*** =**~ *and*** 〔***or***〕 ***that ...*** 이… 저…, 여러(가지의) …: He went to ~ doctor *and that*. 이 의사 저 의사 찾아다녔다. **~ *day*** 오늘. **~ *here*** 《속어》 ① 이곳(this place): *This* here ain't no Wyoming. 여기는 와이오밍이 아닙니다요. ② 이것(this thing): *This here* is a pretty dress. 이건 예쁜 옷이다. **~ *time*** 이번(만)은.

— *ad.* 《구어》 이렇게, 이만큼: It was about ~ high. 그것은 이 정도의 높이였다 / ~ early 이렇게 일찍 / ~ far 여기까지 / I didn't think it would be ~ hard. 이렇게 어려우리라고는 생각도 못했다. **~ *much*** 이만큼, 이 정도까지: Can you spare me ~ *much?* 이만큼 가져도 좋습니까 / I know ~ *much*, that he is not liked by them. 내가 아는 바는 그들이 그를 좋아하지 않고 있다는 정도다.

This·be [θízbi] *n.* 〚그리스신화〛 티스베《Pyramus와 사랑한 바빌론의 소녀; Thisbe가 사자에게 잡아 먹힌 줄 알고 자살한 Pyramus를 따라 자살함》.

this·ness [ðísnis] *n.* Ⓤ 〚철학〛 개성 원리(haecceity).

°**this·tle** [θísəl] *n.* 〚식물〛 엉겅퀴《스코틀랜드의 국화》. ***grasp the*** **~ *firmly***

thistle

용기를 내어 난국에 대처하다. 「유》 가벼운 것.
thístle·dòwn *n.* Ⓤ 엉겅퀴의 관모(冠毛); 《비
this·tly [θísəli] *a.* 엉겅퀴가 무성한; 엉겅퀴 같은; 가시가 있는, 찌르는.
thís-wórldly *a.* 세상사에 관심〔집착〕이 강한, 세속적인. opp *otherworldly*. ㊞ **-liness** *n.*
°**thith·er** [θíðər, ðíð-/ðíð-] *ad.* 저쪽에, 저쪽으로; 그쪽에. opp *hither*. — *a.* 저쪽의, 저편의.
thith·er·to [θìðərtúː, ðìð-, ⌐-⌐/ðìðətúː-] *ad.* (과거에 있어서) 그때까지(는).
thith·er·ward(s) [θíðərwərd(z), ðíð-/ðíð-] *ad.* 저쪽으로, 그쪽으로(thither).
thix·ot·ro·py [θiksátrəpi/-sɔ́t-] *n.* 〖화학〗 틱소트로피《(겔의) 요변성(搖變性)》.
THM trihalomethane(트리할로메탄).
Th.M., ThM Master of Theology. **THNQ** thank you《이메일·문자 메시지에서》.
tho, tho' [ðou] *conj., ad.* =THOUGH.
Tho. 〖성서〗 Thomas.
thole[1] [θoul] 《방언》 *vt.* 견디다, (고통 등을) 참다; 받다; …의 여지가 있다, 허락하다.
thole[2] *n.* (뱃전의) 놋좆; (일반적으로) 못, 마개.
thóle·pìn *n.* (뱃전의) 놋좆(thole[2]).
tho·loid [θóulɔid] *n.* 톨로이데, 종상(鐘狀) 화산. [◀《Gr.》 *tholos*+《E.》 *-oid*]
tho·los [θóulas, -lous/-lɔs] (*pl.* **-loi** [-lɔi]) *n.* **1** (고전 건축의) 원형 건축물. **2** 미케네 양식의 지하 납골당(納骨堂).
Thom·as [táməs/tɔ́m-] *n.* **1** 토머스《남자 이름》. **2** 〖성서〗 도마《예수의 12사도의 한 사람; 요한복음 XX: 24-29》. **3 Augustus** ~ 토머스《미국의 극작가·저널리스트·배우; 1857-1934》. **4 D(onald) M(ichael)** ~ 토머스《영국의 소설가; 1935- 》. **5 Dylan (Marlais)** ~ 토머스《웨일즈 태생의 영국 시인·작가; 1914-53》. **6 Edith Matilda** ~ 토머스《미국의 시인; 1854-1925》. **7 Martha Carey** ~ 토머스《미국의 교육가·여권 옹호자; 1857-1935》. **8 (Philip) Edward** ~ 토머스《영국의 시인·비평가; 1878-1917》. **9 R(onald) S(tuart)** ~ 토머스《영국의 시인·성직자; 1913-2000》. **10 William Isaac** ~ 토머스《미국의 사회학자; 1863-1947》. **11** 영국군 사병(=⌐ **Átkins**).
Thómas Aquínas ⇨AQUINAS.
Thómas Cùp 토머스 컵《남자 세계 배드민턴 선수권의 우승배》.
Tho·mism [tóumizəm] *n.* Ⓤ Thomas Aquinas의 신학·철학설. ㊞ **-mist** *n., a.* **Tho·mís·tic** *a.*
Thómp·son séedless [támpsən-/tɔ́m-] 〖원예〗 (미국 캘리포니아산(産)의) 씨 없는 포도《건포도용》. 「동 소총(Tommy gun).
Thómpson (submachíne gùn) 톰슨식 자
thong [θɔːŋ, θaŋ/θɔŋ] *n.* 끈, 가죽끈〔채찍〕; 《Austral.》 고무 슬리퍼(flip-flop). — *vt.* …에 가죽끈을 달다; 가죽끈으로 때리다.
Thor [θɔːr] *n.* **1** 소어《남자 이름》. **2** 〖북유럽신화〗 토르《천둥·전쟁·농업을 맡은 뇌신(雷神)》. **3** 《미》 지대지 중거리 탄도 미사일.
tho·ra·cal, tho·rac·ic [θɔ́ːrəkəl], [θɔːrǽsik] *a.* 가슴의, 흉부의. ㊞ **-i·cal·ly** *ad.*
thorácic dúct 〖해부〗 흉관(胸管), 가슴관(管).
tho·ra·cot·o·my [θɔ̀ːrəkátəmi/-kɔ́t-] *n.* 〖외과〗 개흉(술)(開胸(術)).
tho·rax [θɔ́ːræks] (*pl.* **~·es, -ra·ces** [-rəsìːz]) *n.* **1** 〖해부·동물〗 가슴, 흉곽, 흉강(胸腔); (곤충의) 흉부. **2** (옛 그리스의) 흉갑, 갑옷.
Tho·reau [θəróu, θɔ́ːrou] *n.* **Henry David** ~ 소로《미국의 사상가·저술가; 1817-62》.
tho·ria [θɔ́ːriə] *n.* 〖화학〗 산화토륨(thorium oxide).
tho·ri·a·nite [θɔ́ːriənàit] *n.* Ⓤ 토리아나이트《방사능을 가진 광석》.
tho·rite [θɔ́ːrait] *n.* Ⓤ 토라이트, 토륨석(石).
tho·ri·um [θɔ́ːriəm] *n.* Ⓤ 〖화학〗 토륨《방사성 금속 원소; 기호 Th; 번호 90》.
thórium óxide 〔**dióxide**〕 〖화학〗 (이)산화토륨(=**thó·ria**).
thórium sèries 〖화학〗 토륨 계열.
*__thorn__ [θɔːrn] *n.* **1** (식물의) 가시; (동물의) 가시털, 극모(棘毛): There's no rose without a ~. =Roses have ~*s*. 《속담》 장미에는 가시가 있다《늘 좋은 일만 있는 것은 아니다》. **2** (hawthorn, whitethorn 따위의) 가시나무, 《특히》 산사나무; 그 재목. **3** 고통〔근심〕의 원인. **4** 고대 영어의 Þ(=th). ***a ~ in one's side*** 〔***flesh***〕 〖성서〗 옆구리〔육체〕의 가시《사사기(士師記) II: 3; 고린도후서 XII: 7》; 고통〔근심〕의 원인. ***be*** 〔***sit, stand, walk***〕 ***on*** 〔***upon***〕 ***~s*** 늘 불안에 떨다. ***the crown of ~s*** 〖성서〗 가시 면류관《부당한 위해·고난의 뜻, 요한 복음 XIX: 2, 5》. — *vt.* 가시로 찌르다, 괴롭히다. ㊞ **⌐·less** *ad.* **⌐·lìke** *a.*
thórn àpple 〖식물〗 산사나무 열매; 흰독말풀류. 「일종.
thórn·bàck *n.* 〖어류〗 홍어; 〖동물〗 거미게의
thórn·bùsh *n.* 가시나무, 가시덤불.
Thorn·dike [θɔ́ːrndàik] *n.* **Edward Lee** ~ 손다이크《미국의 심리학자·사전 편찬가; 1874-1949》.
thorned *a.* 가시가 있는〔많은〕.
thórn trèe 〖식물〗 가시가 있는 나무《hawthorn, honey locust 따위》.
°**thorny** [θɔ́ːrni] (***thorn·i·er; -i·est***) *a.* **1** 가시가 많은; 가시 같은. **2** 고통스러운; 곤란한: tread a ~ path 가시밭길을 걷다. ㊞ **thórn·i·ly** *ad.* **-i·ness** *n.* 「어》 = THOROUGH.
thoro [θə́ːrou, θʌ́r-/θʌ́rə] *a., ad., prep.* 《구
tho·ron [θɔ́ːran/-rɔn] *n.* Ⓤ 〖화학〗 토론《radon의 방사성 동위 원소; 기호 Tn》.
__thor·ough__ [θə́ːrou, θʌ́r-, -rə/θʌ́rə] *a.* **1** 철저한, 충분한, 완벽한, 완전한: give a room ~ cleaning 방을 아주 깨끗이 청소하다 / a ~ reform 〔investigation〕 철저한 개혁〔수사〕. **2** 면밀한, 자상하게 구석구석까지 미치는, 빈틈없는: a ~ worker 양심적으로 일하는 사람 / Be ~ in your work. 일은 철저하게 하라 / His knowledge is extensive and ~. 그의 지식은 넓고 면밀하다. **3** 마음속으로부터의, 더할 나위 없는, 전적인: a ~ actor 더할 나위 없는 배우 / a ~ rascal 철저한 악당. — *ad.* **1** 아주, 전적으로, 참으로: a ~ great man 아주 위대한 사람. **2** 《고어》 =THROUGH. — *n.* (흔히 T-) 철저한 정책〔행동〕, 《특히》 철저한 탄압 정치; (T-) 〖영국사〗 전단〔무단〕 정책《Charles 1세 때 Strafford 백작과 Laud 대주교가 행한》. — *prep.* 《고어·시어》 =THROUGH. ㊞ *~·ly *ad.* 완전히, 충분히, 철저히, 속속들이, 깡그리. **~·ness** *n.*
thórough bàss [-bèis] 〖음악〗 통주(通奏) 저음(법), 숫자부(數字付)〔약호부(略號付)〕 저음, 저음부 약호법; 《속용》 화성학(和聲學).
°**thórough·brèd** *n.* 순종의 동물; 순종의 말; (T-) 서러브레드(의 말); 출신이 좋은 사람, 기품〔교양〕 있는 사람; 최고급 차《따위》. — *a.* 순종의; 출신이 좋은; 혈기 왕성한, 기운찬; 기품〔교양〕 있는; 우수한, 일류의; 잘 훈련된, 노련한; (자동차 따위가) 일류의, 고급의.
°**thórough·fàre** [-fɛ̀ər] *n.* **1** 통로, 가로; 주요 도로, 공도: a busy ~ 사람의 통행이 많은 가로. **2** Ⓤ,Ⓒ 왕래, 통행, 통과: No ~. 통행금지《게시》. **3** (배가 통하는) 하천, 수로.
thórough·gòing *a.* 철저한, 완전한, 충분한, 순전한, 전적인.

thórough·pàced [-t] *a.* **1** (말이) 모든 보조를 훈련받은. **2** (사람이) 완전히 훈련된; 완전한, 전적인: a ~ villain 대악인(大惡人). ㊍ **~·ness** *n.* 완전, 충분; 철저성.

thórough·wòrt *n.* 『식물』=BONESET.

thorp(e) [θɔːrp] *n.* 《고어》 마을, 부락.

Thos. Thomas.

†**those** [ðouz] 『지시대명사; that의 복수형』 *pron.* **1** 그것들, 그 사람들, 그 사물들: These are better than ~. 이것들이 그것들보다 낫다. **2** 『the+복수명사의 반복 대신』: The pencils in this box are just as good as ~ in the other. 이 상자의 연필은 다른 상자의 연필에 못지않게 좋다. **3** 사람들: *Those* (who were) present were all surprised at this. 참석했던 사람들은 모두 이에 놀랐다 / There are ~ who say so. 그렇게 말하는 사람들도 있다.

— *a.* 『지시형용사』 **1** 그것들의, 저, 그: ~ students 그 학생들 / (in) ~ days 그 당시는. ㊀ (in) THESE days. ★ 관련 사항 ⇨THAT. **2** 『관계사 따위와 함께』: *Those* (of our) pupils *who* won were given prizes. (우리 학교 학생들 중에) 이긴 학생들은 상을 탔다 / This is one of ~ stories *which* 〔*that*〕 are known all over the world. 이것은 온 세계에 알려져 있는 얘기 중의 하나이다.

◇**thou**[1] [ðau] (*pl.* ***you*** [juː], ***ye*** [jiː]) *pron.* 『인칭대명사 2인칭·단수·주격; 소유격 **thy** [ðai], **thine** [ðain]; 목적격 **thee** [ðiː]; 소유대명사 **thine**』 《고어·시어》 너(는), 그대(는), 당신(은).

NOTE 현재는 종교《특히 신에게 기도드릴 때》·시·방언·고아(古雅)한 글·퀘이커 교도 간 등에만 한정되며, 일반적으로는 you를 씀. 주어 thou에 수반되는 동사는 are가 art, have가 hast로 되는 외에는 어미에 -st, -est를 붙여서 특별한 꼴을 취함: ~ art 〔canst, couldst, goest, hadst, hast, walkedst, walkest, wast, wentest, shalt, wilt, wouldst, etc.〕.

— *vi., vt.* (…을) ~라고 부르다: Don't ~ me. I'm not a Quaker. '그대'라고 부르지 마라. 나는 퀘이커 교도가 아니다.

thou[2] [θau] (*pl.* **~s**) *n.* Ⓒ 《속어》 1,000(개), 1,000 달러〔파운드, 원〕《따위》; 1,000 분의 1인치. [◂ *thou*sand(th)]

thou. thousand.

‡though ⇨《아래》 THOUGH.

†**thought**[1] [θɔːt] *n.* **1** Ⓤ,Ⓒ 생각하기, 사색, 사고: after much 〔serious〕 ~ 숙고한 뒤에, 곰곰 생각한 뒤에 / at the ~ of …을 생각하면 / at this ~ 이렇게 생각하면 / He spends hours in ~. 그는 사색에 몇 시간이나 보낸다. **2** Ⓤ,Ⓒ 사려, 배려, 고려: Boys act without ~. 소년은 아무 생각 없이 행동한다 / She takes no ~ for her appearance. 그녀는 옷차림에 신경을 쓰지 않는다 / Thank you for your kind ~. 친절히 배려해 주셔서 감사합니다. **3** Ⓤ 사고력, 지력, 판단(력), 추리력, 상상력: be endowed with ~ 사고 능력을 갖추고 있다 / beauty beyond ~ 상상도 못할 아름다움. **4** (*pl.*) 생각, 의견, 견해: Let me have your ~*s* on the matter. 그 문제에 대한 의견을 들려주시오 / He always keeps his ~*s* to himself. 그는 자기 생각을 결코 남에게 이야기하지 않는다. SYN. ⇨IDEA. **5** Ⓒ 떠오르는 생각, 착상: a happy 〔striking〕 ~ 묘안 / at first ~ 언뜻 생각하기에는. **6** Ⓤ,Ⓒ 예상, 의도, 작정: I had no ~ of seeing you here. 여기서 만나뵈리라곤 조금도 예상하지 못했습니다 / He had no ~ of hurting your feelings. 그는 네 감정을 상하게 하려는 의도는 전혀 없었다 / have some ~*s* of doing …할 생각이 있다. **7** Ⓤ 사상, 사조: modern ~ in child education 현대의 아동(兒童) 교육 사상 / Greek 〔Eastern〕

though

이것은 양보의 부사절을 이끄는 종속 접속사이며, although와 아울러 in spite of the fact that(…이라는 사실에도 불구하고)를 중심 뜻으로 하고 있으나, although와는 달리 however의 뜻의 부사절로서도 쓰인다. tho'나 tho로 쓸 때도 있다.

양보의 종속 접속사 또는 그 상당구에는 이 밖에 while, (even) if, whether...or, no matter what 〔how, etc.〕 따위가 있다. 또 though와는 구문이 반대지만 '그러나'라는 비슷한 뜻을 갖는 등위 접속사 but, yet, 부사 still 따위를 though와 관련시켜 생각해 볼 필요가 있다.

though [ðou] *conj.* **1 a** 『종종 even ~ 꼴로』 …이긴 하지만, …이지만, …이나; 하긴 …(이기는) 하지만. (⇨ALTHOUGH): *Though* I live near the sea, I am not a good swimmer. 바다 근처에 살고 있지만 헤엄을 잘 못 친다 / She had to take care of her younger brothers, *even* ~ she was only ten. 그녀는 겨우 열 살이었지만 남동생들을 돌봐야만 했다 / *Though* (he was) very tired, he went on work. 그는 몹시 피곤했지만 일을 계속했다《주어가 주절의 주어와 같을 때는 주어+be동사는 흔히 생략함》/ Millionaire ~ 〔as〕 he was, he is stingy. 그는 백만장자지만 인색하다《보어를 강조하기 위해 앞에 내세운 형식; 관사가 생략됨에 주의》/ *Though* he slay me, yet I will follow him. 설령 그가 나를 죽인다 해도 나는 그를 따라가겠다《Though…, yet 형식은 문어》. **b** 『추가·보충적으로 주절 뒤에서』 하긴 …이지만: I have no doubt our team will win, ~ no one thinks so. 우리 팀이 틀림없이 이긴다, 하긴 아무도 그렇게 생각하지 않지만. **c** 『등위 접속사적으로 쓰여』: …이지만: a stern ~ fair teacher 엄하지만 공정한 교사 / an expensive ~ effective means 효과적이긴 하지만 돈이 드는 수단(≒an effective *but* expensive means).

2 『종종 even ~ 꼴로』 비록 …(한다) 하더라도 〔할지라도〕: It is worth attempting *even* ~ we fail. 비록 실패한다 할지라도 해볼 만한 가치는 있다 / *Though* we fail, we shall not regret. 실패하더라도 후회는 하지 않을 것이다. ★ even if 에 가깝지만 문어적임.

as* ~** 마치 …처럼: She looks *as* ~ she were ill. 그녀는 마치 환자(와) 같은 얼굴이다. ★ as if 와 같이 주로 가정법 과거(완료)형에 쓰임. ***What ~...? (비록) …한다 하더라도 그것이 어떻단 말인가: *What* ~ we fail? 실패한들 어때〔상관 있나〕.

— *ad.* 《구어》 『문장 끝 또는 속에 와서』 그러나, 그래도(however, nevertheless): It takes a lot of time and trouble. It pays, ~. 그건 대단한 시간과 수고가 든다. 그래도 수지는 맞지 / I wish you had told me, ~. 그렇더라도 나에게 말을 했으면 좋았을 것을 / After a while, ~, she heard the same voice calling her. 그러나 잠시 후에 그녀는 자기를 부르는 똑같은 목소리를 들었다.

～ 그리스(동양) 사상. **8** (a ～) 〖부사적으로〗《구어》 조금, 약간(a little): Please be a ～ more careful. 더 좀 조심해 주십시오/The color is a ～ too dark. 이 색깔은 좀 지나치게 어둡다. ◇think *v*. ***A penny for your ～s.*** 《속어》 뭘 그리 멍하니 생각하고 있느냐. ***at*** 〔***like, upon, with***〕 ***a ～*** =(***as***) ***quick as ～*** 단숨에; 즉시. ***be in*** a person***'s ～*** 아무의 머릿속에 있다, 고려되고 있다: Your opinions *are* always *in my ～*. 나는 네 의견을 항상 염두에 두고 있다. ***be lost in ～*** 생각에 잠겨 있다. ***collect*** one***'s ～s*** 자기의 생각을 종합하다. ***Don't give it another ～.*** 《미구어》 (무례한 행동을 용서할 때) 그 일은 깨끗이 잊어버리게. ***employ*** one***'s ～ upon*** …에 마음을 쓰다. ***give a*** (***passing***) ***～ to*** =***bestow a ～ on*** …을 (대강) 생각하다, 일고(一考)하다. ***give ～ to*** one***'s clothes*** 의복에 관해서 생각하다, 의복에 유의하다〔신경을 쓰다〕. ***on second ～***(***s***) 다시 생각한 결과, 다시 생각하여. ***take ～*** 걱정하다, 배려하다, 마음에 두다《*for*》: *Take* no *～ for* the future. 장래의 일은 조금도 걱정 마라. ***without a moment's ～*** 즉석에서. ***without ～*** 분별〔생각〕 없이. ***with the ～ of*** doing …하려고 생각하여: go to Paris *with the ～* of becoming an artist 화가가 될 생각으로 파리에 가다.

thought[2] [θɔːt] THINK의 과거·과거분사.

thóught contròl 사상 통제.

thóught disòrder 〖정신의학〗 사고(思考) 장애.

thóught·ed [-id] *a*. 〖보통 복합어로〗 …한 생각이 있는, 생각이 …한: deep-～ 깊은 생각의.

thóught expèriment 〖물리〗 사고(思考) 실험《어떤 가설을 연구하려고 행하는 가상 실험》.

*****thought·ful** [θɔ́ːtfəl] *a*. **1** 생각이 깊은, 신중한; 상상이 풍부한: a ～ person. **2** 주의 깊은: become ～ about one's words 발언에 주의하게 되다. **3** 인정〔동정심〕 있는, 친절한: a ～ gift 정성 어린 선물/be ～ *of* others 남에 대한 배려가〔인정이〕 깊다/It is ～ *of* him *to* write to my father. 우리 아버지에게 편지를 보내다니 그는 마음 씀씀이 곰살갑다. SYN. ⇨ KIND[2]. **4** 생각에 잠기는: look ～ for a moment and go away 잠깐 생각에 잠기는 듯하더니 곧 떠나다. ㊞ **～·ly** *ad*. 생각이 깊게, 사려 깊게; 인정〔동정심〕 있게, 친절하게. **～·ness** *n*.

°**thóught·less** *a*. **1** 생각이 없는, 분별없는: a ～ young fellow 분별없는 젊은이. **2** 부주의〔경솔〕한, 생각이 못 미친: be ～ *of* one's health 자기의 건강에 주의하지 않다. **3** 인정〔동정심〕이 없는, 자기 멋대로의: a ～ action/～ words 인정 없는 말. **4** 《드물게》 생각하는 능력이 없는, 머리가 둔한. **5** 생각을 않는. ㊞ **～·ly** ad. **～·ness** *n*.

thóught-óut *a*. 깊이〔잘〕 생각한, 주도한.

thóught-pàttern *n*. 사고〔발상〕방식.

thóught photògraphy 〖초심리〗 염사(念寫)《관념이나 꿈을 사진으로 찍는 일》.

thóught polìce 사상 경찰.

thóught-provòking *a*. 생각하게 하는; 시사하는 바가 많은; 자극적인.

thóught·rèad *vt*. 표정으로〔텔레파시로〕 …의 마음을 읽다〔알다〕. ㊞ **～·er** *n*. 독심술(讀心術)을 하는 사람(mind reader). **～·ing** *n*. 독심술.

thóught refòrm 사상 개조.

thóught transfèrence 직각(直覺)적 사고 전달, 이심전심, 《특히》 =TELEPATHY.

thóught wàve 심파(心波)《사상과 감응 파동》.

thóught·wày *n*. (특정 집단·시대·문화에 따라 다른) 사고방식.

†**thou·sand** [θáuzənd] *a*. **1** 1,000의; 1,000개〔사람〕의. **2** 수천의, 다수의, 무수의, 여러 번의: (a) ～ and one 무수한/a ～ times easier 천배나〔비교가 안 될 만큼〕 쉬운/A ～ thanks 〔pardons, apologies〕. 대단히 감사합니다〔죄송합니다〕. **—** (*pl*. **～s** [-z]) *n*. **1** 1,000(의 기호); 1,000 개〔사람〕.

> NOTE (1) 1,000은 보통 a thousand. 강조·정확을 기하기 위해서는 one thousand. (2) hundred, dozen의 경우와 같이 thousand 앞에 a 또는 숫자가 올 때는 s를 안 붙임: fifty *thousand* 5만. a hundred *thousand* 10만.

2 (*pl*.) 1,000 이상 100만 미만의 수; (종종 *pl*.) 수천, 다수, 무수; 여러 번: many ～*s* of times 몇 천 번이고/～*s* of books 몇 천의〔무수한〕 책. ***a ～ to one*** ① 거의 절대적인. ② 천에 하나의 가망도 없는, 거의 절망적인. ***by the ～***(***s***)***,*** 1,000의 단위로, 수천이나 되게: Bricks are sold *by the ～*. 벽돌은 1,000개 단위로 매매된다. ***hundreds*** 〔***tens***〕 ***of ～s of*** ① 〖원뜻〗 몇 십만〔몇 만〕(의). ② 다수(의), 방대한 수(의). ***in ～s*** 몇 천이나 되어. ***Never*** 〔***Not***〕 ***in a ～ years*** 《구어》 결코 …없다〔않다〕. ***one in a ～*** 천에 하나 《절세의 미인·영웅 따위》. ***ten ～*** ① 1만(의). ② 무수한: *ten ～* roses in the sun 햇빛을 받은 무수한 장미. ***The Thousand and One Nights*** 천일야화(千一夜話). ***～s and*** 〔***upon***〕 ***～s*** (***of***) 다수(의), 방대한 수(의).

㊞ **～·fòld** *a*., *ad*. 1,000배의〔로〕. ***～th** [θáuzəndθ, -zəntθ] *a*., *n*. 1,000 번째(의); 1,000분의 1(의).

Thóusand Ísland dréssing 사우전드 아일랜드 드레싱《파슬리·피클·삶은 달걀·케첩 등을 마요네즈로 버무린 드레싱》.

thóusand-légger *n*. 〖동물〗 노래기.

thóusand-miler *n*. 짙은 감색 작업 셔츠〔복〕《철도 작업원이 입음》.

thóusand(')s dìgit (아라비아 숫자 표기에 있어서) 천의 자리의 숫자《6,541에 있어서 6》.

thóusand(')s plàce (아라비아 숫자 표기에 있어서) 천의 자리.

thp 〖해사〗 thrust horsepower(추력(推力) 마력). **thr.** through.

Thra·ce, Thra·cia [θréis], [θréiʃə, -ʃjə] *n*. 트라키아《발칸 반도 동부에 있던 고대 국가》.

Thra·cian [θréiʃən] *a*. 트라키아(사람〔말〕)의. **—** *n*. 트라키아 사람〔말〕.

thrall [θrɔːl] *n*. 노예《*of; to*》; Ⓤ 속박, 속박된 몸: He is (a) ～ *to* drink. 그는 술에 빠져 있다. ***in ～*** 노예의 몸으로. ***in ～ to*** …에 속박되어; …에 사로잡혀서. **—** *a*. 《고어》 노예가 된; 붙잡힌, 속박된. **—** *vt*. 《고어》 노예로 만들다. ㊞ **thrál(l)·dom** [-dəm] *n*. Ⓤ 노예의 신분〔처지〕; 속박.

°**thrash** [θræʃ] *vt*. **1** 때리다, (몽둥이·회초리 따위로) 때려눕히다, 채찍질하다; (경기에서 상대를) 패배시키다: The home team ～*ed* the visiting team. 홈 팀이 방문 팀을 패배시켰다. **2** =THRESH. **3** 〖해사〗 (배를) 파도를 헤치고〔바람을 거슬러〕 나아가게 하다. **—** *vi*. **1** =THRESH. **2** 《～/+부/+전+명》 심하게 움직이다, 몸부림치다, 뒹굴다《*about*》: ～ *about* in bed with pain 아파서 침대에서 몸부림치다/The wind made the branches ～ *against* the windows. 바람에 흔들리어 나뭇가지가 창문을 두드렸다. **3** 〖해사〗 (배가) 파도를 헤치고〔바람을 거슬러〕 나아가다. **4** 《미속어》 헛수고를 하다. ***～ out*** 〔***over***〕 (문제 등을) 철저하게 논의하다〔검토하다〕; 논의 끝에(답·결론)에 이르다; (계획을) 정성을 다해 훌륭하게 세우다. ***～ the life out of*** 《구어》 …를 때려죽이다〔때려눕히다〕.

— *n*. Ⓤ **1** 때리기; 패배시킴, 이김. **2** 〖수영〗 (크

롤 따위의) 물장구질. **3** 탈곡. **4** 《영구어》 (호화로운) 파티(《미》 bust, blast).

㊕ **∠·er** *n*. 채찍질하는 사람; =THRESHER; 지빠귀 비슷한 앵무새의 일종《북아메리카산》. **∠·ing** *n*. 탈곡; 매질: a ~*ing* floor 탈곡장.

thrásh mètal 〖음악〗 스래시 메탈《heavy metal에 punk rock의 폭력적이고 과격한 메시지를 담은 록 음악의 한 형식》.

thra·son·i·cal [θreisánikəl/-sɔ́n-] *a*. 자랑하는, 자만하는, 허풍 떠는, 떠벌리는. ㊕ **-i·cal·ly** *ad*.

thraw [θrɔː, θrɑː] 《Sc.》 *vt*. 비틀다; 가로지르다, 방해하다. **—** *vi*. 비틀리다; 맞지 않다, 어긋나다. **—** *n*. 비틀림; 마음이 언짢음, 노여움.

thra·wart [θrɑ́ːwərt] 《Sc.》 *a*. 고집이 센, 완고한; 비틀어진, 뒤틀린, 비뚤어진.

thrawn [θrɔːn, θrɑːn] 《Sc.》 *a*. 비틀어진, 굽은; 성질이 비뚤어진. ㊕ **∠·ly** *ad*.

⁑**thread** [θred] *n*. **1** Ⓤ,Ⓒ 실, 바느질실, 꼰 실; 《미》 무명실; 《영》 삼실. ★ 관사 없이 집합명사로 쓰이는 일이 많음: use black ~ 검정 실을 쓰다/sew with ~ 실로 꿰매다/a spool of ~ 실패에 감은 한 꾸리의 실/a needle and ~ 실 꿴 바늘《단수취급》.

> **SYN.** **thread** 무명·명주 따위의 꼰 실. **string** thread 보다 굵고 rope보다 가는 실. **yarn** 직물용의 실.

2 Ⓒ (금속·유리 따위의) 가는 줄, 섬조(纖條); (동식물이 만드는) 실, 섬유: the ~*s* of a spider web 거미줄/Glass may be spun into long and minute ~*s*. 유리는 길고 가는 실로 뽑을 수 있다. **3** 실 모양의 것; 줄; 세류(細流); (광석의) 가느다란 맥: a ~ *of* light 한 줄기의 빛/a little ~ *of* unfrozen water 얼지 않은 작은 시내/A ~ *of* white smoke climbed up the sky. 한 줄기의 흰 연기가 하늘로 피어올랐다. **4** 《비유》 (이야기 등의) 줄거리, 맥락; 실마리: lose 〔miss〕 the ~ *of* (이야기 따위)의 줄거리가 끊어지다/take up 〔resume〕 the ~ *of* a story 이야기의 실마리를 잇다. **5** 가냘픈 의지. **6** 나사(螺絲), 나사산, 나삿니. **7** (the ~, one's ~) 명줄, 인간의 수명: the ~ *of* life 목숨. **8** (*pl*.) 《속어》 옷, 의복. ***be worn to a ~*** (옷 따위가) 너덜너덜 해어져 있다. ***cut*** a person***'s mortal ~*** 아무의 목숨을 끊다, 죽이다. ***gather up the ~s*** (따로따로 취급한 문제·부분 따위를) 종합하다. ***hang by*** 〔***on, upon***〕 ***a ~*** ⇨ HANG. ***have not a dry ~ on*** one 함빡 젖다. ***pick*** 〔***take, gather***〕 ***up the ~s*** 《구어》 (중단했던 일·생활·이야기 따위)를 다시 시작하다《*of*》. ***put a ~ through*** one***'s needle*** 바늘에 실을 꿰다. ***set of ~s*** 《미속어》 (새 스타일의) 옷. ***~ and thrum*** 모조리, 전부; 옥석혼효(玉石混淆).

— *vt*. **1** (바늘·재봉틀 따위에) 실을 꿰다: ~ a needle. **2** 《+목+전+명》 …에 꿰다《*with*》: ~ a pipe *with* wire 파이프에 철사를 꿰다. **3** 《+목+전+명》 (필름 등을) (카메라 등에) 장착하다 《*up; into; onto*》. **4** 실에 꿰다, (실로) 잇다: ~ pearls. **5** 《~+목/+목+전+명》 〖one's way 로〗 누비듯이 지나가다, …의 사이를 헤치고 나아가다: She ~*ed her way through* the crowd. 그녀는 군중 속을 헤치고 나아갔다. **6** 《~+목/+목+전+명》 …을 섞어 짜다; …에 줄을 내다: a tapestry ~*ed with* gold 금실을 섞어서 짠 벽걸이/dark hair ~*ed with* silver 백발이 섞인 검은 머리. **7** (…의) 한 끝에서 다른 끝에까지 미치다, 내뚫다. **8** …에 나삿니를 내다. **—** *vi*. **1** 《+전+명》 누비듯이 지나가다, 빠져〔헤치고〕 나아가다: ~ *through* a narrow passage 좁은 통로를 빠져나가다. **2** 〖요리〗 (끈끈한 것이) 실처럼 늘어지다. **3** (길·냇물 등이) 꼬불꼬불 나아가다. **~ *out*** (길을) 더듬어 가다.

㊕ **∠·less** *a*. 실〔나사산, 줄기〕 없는; (이야기 따위) 줄거리다운 줄거리가 없는. **∠·like** *a*. 실 같은; 호리호리한, 홀쭉한.

°**thréad·bàre** *a*. **1** (옷 따위가 미어져) 실이 드러나 보이는, 입어서 떨어진, 오래 입은: a ~ overcoat. **2** 누더기를 입은; 초라한; 내용이 빈약한. **3** 진부한, 케케묵은: a ~ argument 진부한 논의. ㊕ **~·ness** *n*.

thread·ed [θrédid] *a*. 실을 꿴, 실(모양으)로 장식한: ~ beads.

thréad·er *n*. 실 꿰는 기구; 〖기계〗 나사 깎는 기계.

thréad làce 아마사(亞麻絲)로 짠 레이스.

thréad màrk 실올 무늬《지폐의 위조를 막기 위해 착색한 섬유를 지폐 속에 넣은 실무늬》.

thréad-nèedle *n*. Ⓤ 어린이 놀이의 일종.

Thrèad·néedle Strèet 스레드니들 가(街) 《London의 은행가》: the Old Lady of ~ 잉글랜드 은행의 별칭.

thréad pàper 실 다발을 싸는 얇은 종이; 야위고 껑충한 사람: (as) thin as ~ 앙상한.

thréad·wòrm *n*. 선충(線蟲), 《특히》 요충(蟯蟲).

thready [θrédi] (***thread·i·er; -i·est***) *a*. 실의, 실 같은, 실 모양의; 섬유(질)의; (액체 따위가) 끈적끈적한, 실처럼 늘어지는; 가냘픈, (맥박이) 약한. ㊕ **thréad·i·ness** *n*.

⁑**threat** [θret] *n*. **1** 으름, 위협, 협박: utter ~*s* of violence 폭력을 쓰겠다고 으르다/make a ~ 으르다, 협박하다. **2** (…의) 우려《*of*》, 징조: There was a ~ *of* rain. 비가 올 것 같았다. **3** 《경기속어》 (위협을 주는) 강적. **—** *vt*., *vi*. 《고어·방언》=THREATEN.

⁑**threat·en** [θrétn] *vt*. **1** 《+목+전+명》 협박하다, 으르다, 으르대다: ~ an employee *with* dismissal 종업원을 해고시킨다고 으르다. **2** 《~+목/+*to* do/+*that* 절》 …하겠다고 으르대다: They ~*ed* retaliation. 그들은 복수하겠다고 을렀다/He ~*ed to* ruin my life. 그는 나의 인생을 망쳐 놓겠다고 위협했다/He ~*ed that* he would make it public. 그는 그것을 공개하겠다고 으르댔다.

> **SYN.** **threaten** menace 보다 뜻이 강하며, 사람이나 물건에 쓰임. **intimidate** 협박으로 상대의 언동을 속박함. **menace** threaten 보다 문어적이며, 해칠 가능성을 강조함.

3 《~+목/+목+전+명》 (위해·위협 등이) …을 위협하다, …에 임박해 있다; (…로) 위협을 주다《*with*》: Bankruptcy ~*s* the company. =The company is ~*ed with* bankruptcy. 회사는 도산의 위기에 처해 있다. **4** 《~+목/+*to* do》 (재해·위험 따위의) 징후를 보이다; …의 우려가 있음을 보여 주다: The clouds ~*ed* rain. 비가 올 것 같은 구름이었다/The new scheme ~*s to* be an expensive undertaking. 새 계획은 대단히 많은 돈이 들게 될 것 같다. **—** *vi*. **1** 협박하다. **2** (…에) 위협이 되다. **3** (나쁜 일이) 일어날 것 같다, (위협 따위가) 임박하다: You've got to know that danger ~*s*. 위험이 임박해 있음을 알아야 한다. ㊕ **~·er** *n*. 협박자.

thréat·ened *a*. (야생 동식물이) 멸종 위기에 있는, 멸종될지 모르는.

thréat·en·ing *a*. 협박하는; 위협한, 협악한; (날씨 등의) 찌푸린: ~ clouds 한바탕 비를 뿌릴 것 같은 구름/a ~ letter 〔note〕 협박장/a ~ call 협박 전화. ㊕ **~·ly** *ad*.

†**three** [θriː] *a*. 3의, 3개〔인〕의: the *Three* Wise Men 〖성서〗 동방의 3 박사(the Magi)/ *Three* times two is six. 3 곱하기 2는 6. ***a***

man of ~ letters 도둑놈《도둑을 라틴어로 fur라 함에서》. ***give*** a person ~ ***times*** ~ 아무에게 만세 삼창을 3번 반복하다. ~ ***parts,*** 4분의 3; 거의. **—** *n*. **1** 3, 3개, 3인. **2** 3시; 3세; 3달러〔파운드 등〕. **3** 3의 기호; 카드〔주사위〕의 3끗; (*pl.*) 3번 사이즈의 것. **4** 〖스케이트〗 (빙상에 그리는) 3자형. **5** 3개〔인〕의 한 조. **6** (the T–) 《미항공속어》 DC-3 형기. ***One in Three*** = ***the Three in One*** 삼위일체(the Trinity); 《비유》 3개 한 벌〔세트〕.

thrée-àrm protráctor = STATION POINTER.

thrée-bágger *n*. 《야구속어》 = THREE-BASE HIT.

thrée-bàll (**mátch**) 〖골프〗 스리볼 매치《세 플레이어가 각자 자기 공을 써서 함께 라운드하 「는》.

thrée-bàse hít 〖야구〗 3루타.

thrée-còlor *a*. 3색의; 〖인쇄〗 3색판의; 〖사진〗 3색 사진법의: ~ printing 3색판.

thrée-color photógraphy 〔**prócess**〕 삼색〔천연색〕 사진법.

thrée-córnered *a*. 삼각(형)의; 삼각관계의; (경기 따위에서) 삼파전의; 귀찮은, 심술궂은: a ~ fight 삼파전/a ~ relation 삼각관계.

thrée-D́, 3-D *n*. Ⓤ, *a*. 삼차원(의), 입체(의); 입체 효과; 입체 영화: ~ TV 입체〔삼차원〕 텔레비전. [◂ *three-d*imensional]

thrée-dày evént 〖마술(馬術)〗 3일 경기《제 1일에는 마장 마술(dressage), 제 2일에는 크로스컨트리(cross-country), 제 3일에는 장애물 뛰어넘기(show jumping)를 겨루는 3일 연속 종합 마술 경기》.

thrée-dày méasles 〖의학〗 풍진(風疹) (rubella).

thrée-dày wéek 주(週) 3일 근무.

thrée-décker *n*. **1** 3층 갑판선《각 갑판에 대포를 갖춘 옛 범선의 군함》. **2** 3단의 설교단; 3단으로 주름 잡은 스커트. **3** (소설 따위의) 3부작. **4** 빵 세 조각을 겹친 샌드위치. **5** 《비유》 큰〔중요한〕 사람〔것〕.

thrée-diménsional *a*. 3차원의, 입체의; 입체 사진의; 〖군사〗 육해공 3 방향으로부터의: ~ movies 입체 영화.

Thrée Estátes (the ~) (중세 유럽의) 세 신분《성직자·귀족·평민》; 《영》 상원의 고위 성직 의원(Lords Spiritual)과 귀족 의원(Lords Temporal)과 하원 의원(Commons)의 세 계급.

thrée·fòld *a*., *ad*. 3배의〔로〕, 세 겹의〔으로〕.

thrée-fóur (**tìme**) 〖음악〗 4분의 3 박자(three-quarter time).

thrée-gáited [-id] *a*. (말이) walk, trot, canter를 훈련받은.

thrée-hálfpence, -ha'pence *n*. 《영》 1펜스 반《생략: 1 $^1/_2$ d.》. ⓒⓕ halfpenny.

thrée-hánd(**ed**) [-(id)] *a*. 손이 세 개의; 셋이 하는《카드놀이 따위》.

3HO [θríːéitʃóu] *n*. 3HO 교단(教團)《북아메리카에서 시작된 시크교의 일파》. [◂ *H*appy, *H*ealthy, *H*oly *O*rganization]

thrée húndred hítter 〖야구〗 3할 타자.

thrée-làne *a*. (도로가) 3차선의.

thrée-légged *a*. 다리가 셋인, 3각의: a ~ race, 2인 3각 경주.

thrée-lètter mán 《미속어》 계집애 같은 사내, 호모.

thrée-line whíp 〖영의회〗 긴급 등원(登院) 명령《긴급함을 강조하기 위해 밑줄을 셋 그은 데서》; (표결 때의) 당론에 따르라는 지시.

3 M [θríːém] 미국의 가정용·공업용 접착제, 테이프, 자기 테이프 등의 제조 회사; 그 상표명. [◂ *M*innesota *M*ining & *M*anufacturing Co.]

thrée-martìni lúnch 《미》 (업무상 교제비로 먹는) 호화 점심.

thrée-máster *n*. 〖해사〗 세대박이 배, 《특히》 스쿠너(schooner).

Thrée Mìle Ísland 스리마일 섬《Pennsylvania 주 Susquehanna 강에 있는 섬; 1979년 이곳의 원자력 발전소 사고로 원자력 발전 반대 운동이 일어났음; 생략: TMI》.

thrée-mìle límit 〖국제법〗 (해안에서 3해리 이내의) 영해폭.

Thrée Nonnúclear Prínciples 비핵(非核) 3원칙《핵무기를 '갖지도 않고, 만들지도 않고, 들여오지도 않는다'라는 일본의 기본 방침》.

thrée-pàir *a*., *n*. 《영고어》 4층의 (방).

thrée-pàrt *a*. 3부의, 3부로 된.

three-peat [θríːpìːt, ⌐⌐] *n*. (스포츠의) 3연승(連勝), 3연패(連覇). **—** *vt*., *vi*. (…에) 3연승〔연패〕하다.

three·pence [θrépəns, θríp-] *n*. 《영》 구(舊) 3펜스 (동화).

three·pen·ny [θrépəni, θríp-] *a*. 3펜스의; 보잘것없는, 값싼.

thréepenny bìt 〔**pìece**〕 구(舊) 3펜스 동화.

thrée-percént *a*. 3%의; 3푼 이자가 붙는. **—** *n*. (the ~s) 3푼 이자부 공채〔채권〕; 《영》 3푼 이자부 정리 공채.

thrée-phàse [⌐⌐] *a*. 〖전기〗 3상(相)의: a ~ motor.

thrée-píece *a*., *n*. 〖복식〗 셋갖춤〔스리피스〕《남자: a suit of jacket, vest, pair of trousers; 여자: an ensemble of coat, skirt, blouse 따위》의 (옷); 3점이 한 세트인 (가구 등).

thrée-plý *a*., *n*. 세 겹(의); 석 장 붙임의 (판자); (밧줄을) 세 가닥으로 꼰 (것).

thrée·pòinter *n*. 《군대속어》 = THREE-POINT LANDING; 절대 정확한 것.

thrée-pòint lánding 〖항공〗 삼점(三點) 착륙《세 개의 바퀴가 동시에 지상에 닿는 이상적 착륙법》; 만족스러운 결과.

thrée-point túrn 《영》 3점 방향 전환《전진·후퇴·전진으로 좁은 곳에서 차를 돌리는》.

thrée-quárter bínding 〖제본〗 등가죽이 표지의 4분의 3을 덮은 장정(裝幀).

thrée-quárter-bóund *a*. 4분의 3가죽 장정의.

thrée-quárter(**s**) *a*. **1** 4분의 3의. **2** (초상화·사진의) 칠분신(七分身)의《무릎 위까지》; 얼굴의 4분의 3이 보이는; (코트 따위가) 보통 기장의 $^3/_4$인, 칠분(길이)의: ~ sleeves 칠분 소매. **—** *n*. **1** 칠분신의 초상화〔사진〕. **2** 〖럭비〗 스리쿼터백(= **thrée-quárter báck**)《halfback과 fullback 사이에 위치하며 주력이 되는 공격자》. ***to the extent of*** ~ 거의.

thrée-quárter tìme 〖음악〗 4분의 3박자(拍子)(three-four).

thrée-rìng(**ed**) **círcus** **1** 〖서커스〗 세 장소〔링〕에서 동시에 하는 연기. **2** 《비유》 아찔한 것; 대활극.

thrée R's (the ~) 읽기·쓰기·산수《기초 학과; *r*eading, w*r*iting, and a*r*ithmetic》; (각 영역의) 기본적인 기술.

thrée·scóre *n*., *a*. 60 (의), 60세(의): ~ and ten 〖성서〗 70세《인간의 수명》.

thrée-séater *n*. 3인승(의 자전거·자동차·비행기 따위).

thrée·some *n*., *a*. 3인조(의); 3인의 (게임), 셋이 하는 (경기); 〖골프〗 스리섬《한 사람 대 두 사람의 경기》.

thrée-squáre *a*. (줄·송곳 등이) 단면이 정삼각형인: a ~ file 삼각 줄.

thrée stàr 별 셋의《프랑스의 고급 브랜디 표시》.

thrée-stríkes làw 삼진(振) 아웃 법《일부의 주(州)에서 중죄를 세 번 범하면 자동적으로 종신형이 되는 법》.

thrée-twò (**béer**) 《미구어》 알코올 농도 3.2%의 맥주《주(州)에 따라 미성년자에게 판매가 허용되고 있음》.

thrée únities (the ~) =DRAMATIC UNITIES.

thrée-válued *a.* 〖철학〗 삼가(三價)의: ~ logic 삼가 논리《진(眞)·위(僞)의 두 가치 이외에 제 3 의 가치를 인정함》.

thrée vówels 《속어》 차용 증서《IOU에서》.

thrée-wày *a.* 세 가지 모양의(으로 작용하는), 3 종의; 3 방향의; 3 자 간의.

thrée-way búlb 밝기를 3 단으로 바꾸는 전구, 3 단 코일 전구.

thrée-whéeler *n.* 삼륜차; 사이드카.

Thrée Wìse Mén (the ~) 세 동방 박사.

threm·ma·tol·o·gy [θrèmətáləd3i/-tɔ́l-] *n.* [U] 동식물 육성학, 사육학.

thre·net·ic, -i·cal [θrinétik], [-əl] *a.* 비탄의, 비운의, 비가(悲歌)의, 애도의.

thre·node, thre·no·dy [θríːnoud, θrén-], [θrénədi] *n.* 비가(悲歌), 애가; 《특히》 만가(挽歌); 애도사. [파] **thre·nod·ic** [θrinádik/-nɔ́d-] *a.* 비가의, 애가의. **thren·o·dist** [θrénədist] *n.* 비가(만가) 작자.

thre·o·nine [θríːəniːn, -nin] *n.* [U] 〖생화학〗 트레오닌《필수 아미노산의 일종》.

thresh [θreʃ] *vt., vi.* (곡식을) 도리깨질하다; 타작(탈곡)하다; (사안을) 철저히 검토하다《*over*》; (몽둥이 따위로) 때리다(thrash); (고열 따위로) 뒹굴다《*about*》. ~ **out** =THRASH out. **—** *n.* 탈곡; 〖수영〗 물장구질(thrash). [파] **∠·er** *n.* 타작하는 사람; 타작기, 탈곡기; 〖어류〗 환도상어 (=**thrésher shàrk**)《고래를 공격함》.

thréshing flòor 탈곡장.

thréshing machìne 탈곡기.

thresh·old** [θréʃhould] *n.* **1** 문지방, 문간, 입구. **2** 《비유》 발단, 시초, 출발점: those at the ~ of a career 실사회로 처음 나가는 사람들《졸업생 따위》. **3** 한계, 경계, 《특히》 활주로의 맨 끝; 〖심리·생물〗 역(閾)《자극에 대해 반응이 시작되는 분계점》, 역치(閾値): the ~ of consciousness 식역(識閾)/the ~ of sensation (stimulus) 감각(자극)역. **4** 《영》 물가 상승분 지급 협약. **5** 〖컴퓨터〗 임계값《p, q, r …을 각각 논리식으로 할 때, 그들 중 n개가 참이면 결과가 참, n개 이하가 참이면 결과가 거짓이 되는 성질의 논리 연산자》. ***cross* a person*'s* ~** 아무네 문지방을 넘다, 아무의 집에 들어가다. ***lay* one*'s sins* (*offenses*) *at* another person*'s* ~** 남에게 죄를 씌우다. ***on* (*upon*) *the* ~ *of 바야흐로(이제 막) …하려고 하여; …의 시초에(at the ~ of): be *on the* ~ *of* an important discovery 중요한 발견의 실마리를 잡다/young men stepping *upon the* ~ *of* manhood 성인의 문턱에 선 젊은이들.

thréshold agréement 〖경제〗 임금의 물가 슬라이드제(制) 협정, 임금의 물가 연동제 협정.

thréshold fréquency 〖물리〗 한계(문턱) 진동수, 한계 주파수.

thréshold swítch 〖전자〗 한계 스위치《전압 따위가 어떤 한계치를 넘으면 작동함》.

Thréshold Tést Bán Trèaty (군사 목적의) 지하 핵폭발 실험 제한 조약.

thréshold vòltage 〖전자〗 역치(閾値) 전압《이 전압 이상에서 작동을 시작하는 반도체 소자나 회로의 입력 전압》.

threw [θruː] THROW의 과거.

°**thrice** [θrais] *ad.* **1** 3 회, 세 번; 3 배로.

> [NOTE] (1) thrice는 다음 구 외는 드묾: twice or thrice 《고어》 두세 번. (2) thrice는 형태는 twice와 같되 다음과 같은 경우에는 three times가 보통이며 thrice는 문어: This book is *three times* as thick as that. 이 책의 두께는 저 책의 세 배다.

2 몇 번이고; 대단히, 매우: ~-blessed(-favored) 매우 축복받은.

°**thrift** [θrift] *n.* [U] **1** 검약, 검소. **2** =THRIFT INSTITUTION. **3** (식물의) 번성; 번영; 행운. **4** [C] 〖식물〗 아르메리아.

thríft accòunt 《미》 =SAVINGS ACCOUNT.

thríft ìndustry =THRIFT INSTITUTION.

thríft institùtion 《미》 저축 기관《mutual savings bank, savings and loan association, credit union의 총칭》.

thríft·less *a.* 절약하지 않는, 돈을 헤피 쓰는, 저축심이 없는, 낭비하는; 사치스러운. [파] **~·ly** *ad.* **~·ness** *n.*

thríft shòp (**stòre**) 《미》 중고품 할인 상점, 《특히》 중고품 자선시(바자).

thrifty** [θrífti] (thrift·i·er; -i·est***) *a.* **1** 검소한, 절약하는, 알뜰한, 저축심이 있는: a ~ wife 검소한 아내. **2** 무성한, 잘 자라는; 번영하는. [파] **thríft·i·ly** *ad.* **-i·ness** *n.*

thrill** [θril] *n.* **1** 스릴, 부르르 떨림, 전율: a ~ of joy 자릿자릿한 기쁨/feel a pleasant ~ go through one 기쁨에 (몸이) 짜릿해지다/a story full of ~*s* 스릴이 넘치는 이야기. **2** 떠는 목소리, (목소리의) 떨림. **3** 〖의학〗 (청진기에 들리는) 이상 진음(震音); 동계(動悸), 맥박. **4** =THRILLER. ***Big ~! 《속어》 거참 감격스럽군, 별것 아니군, 시시해《상대의 말만큼 감격스럽지 않은 일에 대하여 씀》. ***~s and spills*** 《구어》 성공(실패)에 수반하는 스릴, 부침(浮沈)의 스릴감.

— *vt.* **1** 《~+[목]/+[목]+[전]+[명]》 몸이 떨리게 하다, 오싹하게 하다; …의 피가 끓게 하다, 감격시키다: His words ~*ed* the audience. 그의 얘기는 청중을 깊이 감동시켰다/The story ~*ed* him *with* horror. 그 이야기는 그를 공포로 오싹하게 했다. **2** (목청 따위를) 떨리게 하다. **—** *vi.* 《~/+[전]+[명]》 **1** 오싹하다, 자릿자릿하다; 감동하다; 감격하다: We ~*ed at* the good news. 우리는 희소식을 듣고 감격했다. **2** 몸에 스며들다, (몸에) 전해 퍼지다: Fear ~*ed through* my veins. 무서움이 온몸을 휩쓸었다. **3** 떨리다: His voice ~*ed with* terror (joy). 그의 목소리는 공포(기쁨에) 떨렸다. ***be ~ed to bits*** 《구어》 몹시 흥분(기뻐)하고 있다.

[파] **∠·er** *n.* 오싹하게 하는 사람(것); 《구어》 스릴러, 스릴 있는 소설(영화, 극).

thríll·ing *a.* **1** 오싹하게 하는, 머리끝이 곤두서는 (것 같은): a ~ experience 스릴 만점의 체험. **2** 감격적인, 피가 끓는 (것 같은): a ~ romance 두근거리게 하는 로맨스. **3** 떨리는. [파] **~·ly** *ad.* **~·ness** *n.*

thrip·pence [θrípəns] *n.* =THREEPENCE.

thrips [θrips] (*pl.* ~) *n.* 삽주벌레《식물의 해충》.

thrive** [θraiv] (throve*** [θrouv], **~*d; thriv·en*** [θrívən], **~*d***) *vi.* 《~/+[전]+[명]》 **1** 번창하다, 번영하다; 성공하다; 부자가 되다; 행운에 젖다: Bank business is *thriving*. 은행업은 번창하고 있다/Industry rarely ~*s under* government control. 정부의 통제하에서 산업은 좀처럼 발전하지 못한다/~ *in* trade 장사가 잘 되다. **2** 잘 자라다, 성장하다, 무성하다《*on*》: Children ~ *on* fresh air and good food. 아이들은 신선한 공기와 좋은 음식으로 잘 자란다. [파] **thrív·er** *n.*

thriv·en [θrívən] THRIVE의 과거분사.

thriv·ing [θráiviŋ] *a.* 번영하는, 번화한, 점점 커 가는, 왕성하게 성장하는: ~ business 호황(好況) 사업. [파] **~·ly** *ad.*

thro', thro [θruː] *prep., ad., a.* 《고어》 =THROUGH.

***throat** [θrout] *n.* **1** 목(구멍), 인후; 숨통, 기관

(windpipe), 식도(食道): have a sore ~ 목이 아프다 / have 〔with〕 a lump in one's ~ 목구멍이 막히다〔막혀〕, 감정이 복받쳐 목이 메다〔메어〕. **2** 목청, 목소리: clear one's ~ (말을 시작하기 전에) 헛기침하다. **3** 목구멍 모양의 것〔부분〕; (기물의) 주둥이, 목; 좁은 통로; 〚공학〛 (난로의) 노구(爐口); 협류(峽流): the ~ of a chimney 굴뚝의 아귀. **4** 테니스 라켓의 목. ***at the top of*** one***'s*** ~ 목청껏. ***be at each other's*** ~***s*** 서로 몹시 싸우고〔대립되어〕 있다. ***cut one another's*** 〔***each other's***〕 ~***s*** 맹렬하게 싸우다; 《구어》 같이 망할 짓을 하다. ***cut*** 〔***slit***〕 one***'s*** (***own***) ~ 《구어》 목을 찌르다; 자살하다; 자멸을 초래하다. ***cut*** a person***'s*** ~ 아무를 배반하는 짓을 하다. ***cut the*** ~ ***of*** …을 죽이다〔파멸시키다〕. ***full to the*** ~ 목구멍까지 차도록 배불리. ***give*** a person ***the lie in*** his ~ ⇨ LIE². ***have*** (***got***) 〔***hold***〕 ***the game by the*** ~ 《Austral. 속어》 (사태를) 파악하다, 완전히 지배하다. ***jump down*** a person***'s*** ~ 아무에게 몹시 화내다; 《구어》 아무를 찍소리 못하게 하다. ***lie in*** one***'s*** ~ ⇨ LIE². ***pour*** 〔***send***〕 ***down*** one***'s*** ~ 마시다. ***spring at the*** ~ ***of*** 달려들어 …의 목을 조르려고 하다. ***stick in*** one***'s*** ~ 〔***gullet***〕 (뼈 따위가) 목구멍에 걸리다; (말 따위가) 여간해서 안 나오다; (제안 등) 받아들이기 어렵다, 마음에 들지 않다. ***take*** 〔***seize***〕 a person ***by the*** ~ 아무의 목을 조르다〔잡다〕. ***thrust*** 〔***cram, force, push, ram, shove***〕 ***down*** a person***'s*** ~ 《구어》 (생각·의견 등을) 아무에게 강요하다.
— *vt.* **1** 〚건축〛 …에 홈을 파다〔내다〕. **2** 《고어》 낮은〔목쉰〕 소리로 말하다. 「목이 …한.

thróat·ed [-id] *a.* 《복합어》 …한 목을 가진,
thróat·làtch, -làsh *n.* (말 굴레의) 목띠.
thróat mìcrophone 목에 대는 마이크로폰 《후두의 소리를 직접 전달함》.
throaty [θróuti] (***throat·i·er***; ***-i·est***) *a.* 후음(喉音)의; 목쉰 소리의, 목속에서 나오듯이 낮은 소리의; (특히 소·개 따위가) 목이 축 늘어진. ㊕ **thróat·i·ly** *ad.* **-i·ness** *n.*
*__throb__ [θrab/θrɔb] *n.* 동계(動悸), 고동; 맥박; 율동적인 진동; 감동, 흥분: the ~ of an engine 엔진의 진동. — (***-bb-***) *vi.* **1** 《~/+전+명》 가슴이 고동치다, 두근거리다, 맥박치다《*with*》; 떨다, 율동적으로 진동하다: My heart is ~*bing* heavily. 내 심장은 몹시 두근거리고 있다 / Her temples ~*bed with* rage. 그녀의 관자놀이는 노여움으로 파르르 떨렸다 / cease to ~ 죽다. **2** 《~/+전+명》 감동하다, 흥분하다: He ~*bed at* the sight. 그는 그 광경에 감동했다. **3** 진동하다; (기선 등이) 엔진 소리를 내며 나아가다. **4** (머리·상처가) 욱신욱신 쑤시다. **5** 《+전+명》 약동하다, 넘쳐 있다《*with*》: The city is ~*bing with* activity. 그 도시는 활기에 넘쳐 있다. ㊕ **thrób·ber** *n.* **thrób·bing·ly** *ad.*
throe [θrou] *n.* (보통 *pl.*) 격통, 고민; (*pl.*) 진통, 산고(産苦); (*pl.*) 단말마의 고통; (*pl.*) 과도기〔시련기〕의 혼란〔갈등〕. ***in the*** ~***s of*** (문제·일 등)에 필사적으로 달라붙어; …이 한창일 때: *in the* ~*s of* a revolution 혁명이 한창일 때에.
— *vi.* 몹시 괴로워하다, 고민하다.
Throg·mór·ton Strèet [θragmɔ́ːrtən-/θrɔg-] **1** 스로그모턴 가(街)《런던의 증권 거래소 소재지》. **2** 영국 증권 시장, 증권업계. ⓒⓕ Wall Street, Lombard Street.
throm·bin [θrámbin/θrɔ́m-] *n.* 〚생화학〛 트롬빈《응혈 작용을 하는 핏속의 효소》.
throm·boc·la·sis [θrambákləsis/θrɔmbɔ́k-] *n.* 〚의학〛 =THROMBOLYSIS.
throm·bo·cyte [θrámbəsàit/θrɔ́m-] *n.* 〚해부〛 혈소판(血小板). ㊕ **thròm·bo·cýt·ic** [-sít-] *a.*
throm·bo·cy·to·pe·nia [θràmbousàitəpíːniə/θrɔ̀m-] *n.* 〚의학〛 혈소판 감소(증).
throm·bo·em·bo·lism [θràmbəémbəlìzəm/θrɔ̀m-] *n.* 〚의학〛 혈전 색전증(血栓塞栓症). ㊕ **-em·ból·ic** *a.*
throm·bo·ki·nase [θràmbəkáineis/θrɔ̀m-] *n.* 〚생화학〛 트롬보키나아제(thromboplastin).
throm·bol·y·sis [θrambáləsis/θrɔmbɔ́l-] *n.* 〚의학〛 혈전(血栓) 용해(thromboclasis). ㊕ **thròm·bo·lýt·ic** [-lítik] *a.*
throm·bo·phle·bi·tis [θràmbouflibáitis] *n.* 〚의학〛 혈전성 정맥염.
thròmbo·plástic *a.* 〚생화학〛 혈액 응고를 일으키는〔촉진시키는〕; 트롬보플라스틴의〔같은〕. ㊕ **-plástically** *ad.*
throm·bo·plas·tin [θràmbəplǽstin/θrɔ̀m-] *n.* 〚생화학〛 트롬보플라스틴《혈액 응고 촉진제》.
throm·bose [θrámbouz/θrɔ́m-] *vi.*, *vt.* 〚의학〛 혈전증(血栓症)에 걸리다〔게 하다〕.
throm·bo·sis [θrambóusis/θrɔm-] *n.* Ⓤ 〚의학〛 혈전증. ㊕ **-bot·ic** [-bátik/-bɔ́tik] *a.*
throm·bos·the·nin [θrambásθənin/θrɔmbɔ́s-] *n.* 〚생화학〛 트롬보스테닌《혈소판(血小板)의 수축 단백》.
throm·box·ane [θrambáksein/θrɔmbɔ́k-] *n.* 〚생화학〛 트롬복산《혈소판을 응고시켜 혈관의 수축을 촉진하는 호르몬 비슷한 물질》.
throm·bus [θrámbəs/θrɔ́m-] (*pl.* ***-bi*** [-bai]) *n.* 〚의학〛 혈전. [《Gr.》 =lump, blood clot]
*__throne__ [θroun] *n.* **1** 왕좌, 옥좌. **2** (the ~) 왕위, 제위; 제권, 왕권; 군주: orders from the ~ 왕의 명령, 칙명. **3** 교황 성좌; 감독〔주교〕의 자리. **4** (*pl.*) 좌품(座品)천사《9 천사 중의 제3위》. **5** 선수권(championship). **6** 《속어》 변소. ***ascend*** 〔***come to, mount, sit on***〕 ***the*** ~ 즉위하다. ***the speech from the*** ~ 《영》 의회 개원〔폐원〕식의 칙어. — *vt.* 왕위에 앉히다, 즉위시키다; …에게 왕의 권능을 주다. — *vi.* 왕위에 앉다; 왕의 권능을 쥐다. ㊕ **~·less** *a.*
thróne ròom 왕좌가 있는 공식 알현〔회견〕실.
*__throng__ [θrɔːŋ, θraŋ/θrɔŋ] *n.* **1** 군중, 사람들이 많이 모임, 혼잡: The streets were filled with ~*s of* people. 거리는 군중들로 혼잡했다 / a vulgar ~ 일반 대중. **2** 다수, 여럿. **3** 《주로 Sc.》 (일 따위의) 중압(重壓), 다망. ***a*** ~ ***of*** =~***s of*** 방대한 수의, 허다한.
— *vi.* 《~/+전+명/+*to* do》 떼 지어 모이다, 밀려〔모여〕들다: ~ *into* a room 방 안으로 우르르 들어가다 / ~ *to* see a play 연극을 보러 밀려들다. — *vt.* 《~+목/+목+전+명》 …에 모여들다, 밀려들다, 쇄도하다; …을 (…로) 충만시키다, 하나 가득히 하다《*with*》: The crowd ~*ed* its way out of the room. 사람들이 우르르 방에서 나왔다 / Her room was ~*ed with* photographs. 그녀 방에는 온통 사진이 붙어 있었다. ~ ***on*** one***'s mind*** (온갖 일이) 심중을 오가다.
thros·tle [θráslə/θrɔ́səl] *n.* 《영》 **1** 〚조류〛 노래지빠귀. **2** 소모(梳毛) 방적 기계의 일종.
throt·tle [θrátl/θrɔ́tl] *n.* **1** 〚기계〛 =THROTTLE VALVE, THROTTLE LEVER. **2** 《드물게》 목, 목구멍; 기관(氣管). ***at full*** ~ =***with the*** ~ ***against the stop*** 전속력으로. ***bend the*** ~ 《미속어》 차를 빨리 몰다. ***close*** 〔***open***〕 ***the*** ~ 속력을 낮추다〔올리다〕. — *vt.* …의 목을 조르다, 질식시키다, 교살하다; 누르다, 억압하다; 〚기계〛 (증기 따위의) 흐름을 막다〔조절하다〕; (차·발전 등)의 속도를 떨어뜨리다《*back; down*》; (로켓 엔진)의 추력(推力)을 변화시키다. — *vi.* 질식하다; 감속하다《*back; down*》.

사용도가 잦은 전치사 겸 부사로서 thru로 쓸 때도 있다. 부사용법 중 I am *through*. 처럼 술어적인 것은 형용사로서도 분류되는데, 여기서는 편의상 부사로 하고 형용사는 a *through* train 과 같은 부가어적(附加語的) 용법에만 국한시켰다. 후자는 복합어의 제 1 요소로서의 성격이 강하다.

through [θruː] *prep.* **1** 〖통과·통로·관통〗 **a** …을 통하여(지나서, 빠져), …을 꿰뚫어: see ~ a glass 유리를 통해서 보다 / hammer 〔drive〕 a nail ~ a board 판자에 못을 쳐(서) 박다 / march ~ a town 읍을 행진하다 / push one's way ~ the crowd 군중(속)을 헤치고〔헤집고〕 나아가다 / The River Thames flows ~ London. 템스 강은 런던을 관류(貫流)한다. **b** (문·경로 따위)를 통하여, …에서: go out ~ the door 문으로 나가다 / She got into the house ~ the window. 그녀는 창문을 통해 집 안으로 들어갔다. **c** (소음 따위) 속에서(도), (지진 따위)에도 불구하고: The building stood ~ the earthquake. 그 빌딩은 지진에도 무너지지 않았다. **d** (신호 따위)를 무시하고: He went ~ a stop sign without stopping. 그는 일단 정지의 표지를 무시하여 서지 않고 통과했다. **e** (마음 따위)를 꿰뚫어: An idea flashed ~ her mind. 어떤 생각이 문뜩 그녀의 머릿속을 스쳤다. **f** (의회 따위)를 통과하여; (남의 관리 따위)를 벗어나, 떠나: The new tax bill finally got ~ Congress. 신세제 법안은 드디어 의회를 통과하였다.
2 〖장소〗 **a** 여기저기(를), 도처에〔를〕, 온 …을 〔에〕: travel ~ China 중국 각지를 여행하다 / stroll ~ the streets of a city 도시의 거리를 이리저리 누비다. **b** …사이를 (여기저기): The monkeys swung ~ the branches of the trees. 원숭이들이 나뭇가지 사이를 이리저리 뛰며 오갔다.
3 〖처음부터 끝까지〗 《강조형은 all 〔right〕 ~》 **a** 〖때·시간·기간〗 …의 처음부터 끝까지; …중 (내내), …동안 (줄곧): We camped there ~ the summer. 우리는 여름 내내 거기에서 야영을 하였다 / She lived in the house *all* ~ her life. 그녀는 한평생 내내 그 집에서 살았다. **b** 《미》 (…에서) …까지 (포함시켜): The fair will be open (from) Monday ~ Friday. 장은 월요일에서 금요일까지 선다.

> NOTE from A to 〔till, until〕 B에서는 B가 포함되는지 어떤지 애매하나, through에서는 B도 포함함. 이 뜻으로 《영》에서는 보통 from A to B inclusive 또는 from A to and inclusive B를 씀.

4 〖과정·경험·종료 따위〗 **a** …을 끝마쳐, …을 벗어나〔넘기어, 헤어나〕; …을 거쳐〔겪어, 치러〕: pass ~ adversity 역경을 벗어나다〔넘기다〕 / go ~ an operation 수술을 받다 / I am halfway ~ the book. 그 책을 반 읽었다 / Is she ~ college yet? 그녀는 이미 대학을 졸업했나요. **b** …을 다 써 버려: He went 〔got〕 ~ a fortune in a year. 그는 한 해에 거금을 탕진했다.
5 〖수단·매체〗 …에 의하여, …을 통하여, …으로; …덕택으로: I've got the information ~ my friend. 친구를 통해서 그 정보를 얻었다 / He spoke ~ an interpreter 〔a microphone〕. 그는 통역을〔마이크를〕 통하여 이야기했다.
6 〖원인·이유〗 …으로 인하여, …때문에: run away ~ fear 무서워져서 도망치다 / I got lost ~ not knowing the way. 길을 몰라서 길을 잃고 헤맸다 / He got injured ~ his own carelessness. 그는 자기 부주의로 부상했다.
— *ad.* 《be 동사와 결합한 경우에는 형용사로 볼 수도 있음》 **1** 통하여, 통과하여, 지나서; 꿰뚫어: They opened the gate and the procession passed ~. 그들이 문을 열자 행렬이 통과했다 / The arrow pierced it ~. 화살은 그것을 꿰뚫었다 / Let me ~. 지나가게 해 주세요.
2 처음부터 끝까지; (장소·표 따위가 갈아타지 않고) 직행하는《*to*》: read a book ~ 책을 통독하다 / This train goes ~ *to* London. 이 열차는 런던까지 직행한다 / Get tickets ~ *to* Boston. 보스턴까지의 직행표를 사 주게.
3 〖때·시간〗 …동안 죽〔내내, 계속하여〕: I slept the whole night ~. 밤새 내처 잤다 / She cried all the night ~. 그녀는 밤새 울었다.
4 아주, 완전히, 철저하게: be wet 〔soaked〕 ~ 흠뻑 젖다 / Carry your plans ~. 네 계획을 완수〔수행〕하여라 / The apple was rotten right ~. 그 사과는 속까지 폭 썩었다.
5 a (잘, 순조롭게) 끝나, 마치어: I'll be ~ in a few minutes. 조금 있으면 끝납니다 / He got ~ this year. 그는 금년 (시험에) 합격했다. **b** (…이) 끝나, (…을) 끝내; (…와의) 관계가 끊어져, (…을) 끊고《*with*》: Are you ~ *with* the work? 일을 끝냈습니까《*with*는 생략할 수도 있음》 / I'm ~ *with* Jane. 제인과의 관계가 끊어졌다 / He is ~ *with* alcohol. 그는 술을 끊었다. **c** (…을) 마치어《*doing*》: I'll be ~ talk*ing* to him in a minute. 그와의 이야기는 곧 끝난다.
6 (사람이) 못쓰게 되어, 끝장이 나서, 틀리어: She's ~ financially. 그녀는 파산했다 / As a boxer he is ~. 권투 선수로서 그는 끝장이다.
7 지름이, 직경이(across): The tree is five feet ~. 그 나무는 지름이 5 피트는 된다.
8 a 《미》 전화가 끝나: I'm ~. 통화 끝났습니다; 끊습니다 / Are you ~? 통화가 끝났습니까《교환원의 말》. **b** 《영》 (…에게) 전화가 통하여, 연결되어《*to*》: Could you put me ~ *to* the manager? — You are ~ now. 지배인에게 연결 부탁합니다 — 자 연결됐습니다.
go ~ with ... ⇨ GO. ***~ and ~*** 완전히; 철저히, 철두철미, 어디까지나: He's a gentleman ~ *and* ~. 그는 철두철미한 신사다 / The policeman looked me ~ *and* ~. 경관은 나를 뚫어지게 보았다.
— *a.* **1** (열차 따위가) 직행의; (차표 따위가) 갈아타지 않고 직행하는: a ~ ticket 〔passenger〕 직행 차표〔여객〕 / a ~ train to Paris 파리 직행 열차. **2** (도로 따위가) 빠져나갈 수 있는, 관통한, 직통의: a ~ road 직통 도로 / No ~ road = No THOROUGHFARE.

thrót·tle·a·ble *a.* (로켓 엔진이) 추력을 바꿀 수 있는.
thróttle·hòld *n.* 통제, 억압, (신문사 따위의) 탄압《*on*》.
thróttle lèver 〖기계〗 스로틀 레버.
thróttle vàlve 〖기계〗 스로틀 밸브《통로의 단면적을 변화시켜 그 곳을 지나는 액체의 양을 조절하는 식의 판(瓣)》.
†**through** ⇨ 《위》 THROUGH.
thróugh bridge 하로교(下路橋)《트러스나 아치 사이에 통로를 만든 다리》.
thróugh-compósed *a.* 〖음악〗 연작의《가곡》《시의 각 절(節)에 서로 다른 새로운 선율을 붙인》.
thróugh-dèck crùiser (영국의) 경중량(輕

重量) 원자력 항공모함.

thróugh·ly *ad.* 《고어》 =THOROUGHLY.

thróugh-òther 《Sc.》 *a.* 칠칠맞지 못한, 난잡한, 혼란스러운. **—** *ad.* 뒤범벅으로, 난잡하게, 혼란스럽게.

‡**through·out** [θru:áut] *prep.* **1** 〖시간〗 …을 통하여, …동안 죽: ~ one's life 일생을 통하여 / ~ the day 종일 / ~ the night 밤새 / ~ the winter 겨우내. **2** 〖장소〗 …의 전체에 걸쳐서, …의 도처에, …에 널리: ~ the country 전국 방방곡곡에, 전국에. **—** *ad.* **1** 처음부터 끝까지, 줄곧, 내내, 시종, 최후까지, 철두철미: He remained loyal ~. 그는 처음부터 끝까지 충성을 다했다. **2** 도처에, 어디든지, 전체: The laboratory is painted white ~. 연구소는 어디고 없이 희게 칠해져 있다. **3** 모든 점에서, 무엇이든: Follow my plan ~. 전적으로 내 계획에 따라라.

thróugh·pùt *n.* 처리량《(1) 일정 시간 내에 가공되는 원료의 양. (2) 〖컴퓨터〗 일정 시간 내에 처리되는 일의 양》.

thróugh stòne 〖건축〗 온물림돌《벽 앞면에서 뒷면까지 벽 두께에 걸쳐지는 돌》.

thróugh strèet 우선(優先) 도로《교차점에서 다른 도로의 교통에 우선하는 도로》. cf. stop street.

thróugh tràffic 통과 교통《고속도로 본선(本線)상의 교통 따위》.

thróugh·wày *n.* =THRUWAY; THROUGH STREET.

throve [θrouv] THRIVE의 과거.

†**throw** [θrou] (***threw*** [θru:]; ***thrown*** [θroun]) *vt.* **1** 《+목+전+명/+목+목/+목+부》 (내) 던지다, 던져 주다; 팽개치다: Don't ~ stones *at* my dog! 우리 개에게 돌을 던지지 마라 / ~ a bone *to* a dog 개에게 뼈다귀를 던져 주다 / Please ~ me that book. 그 책을 이리 던져 주시오 / He *threw up* the coin and caught it. 그는 동전을 위로 던졌다가는 받았다 / The drunken man was *thrown out*. 주정뱅이가 (가게 밖으로) 내쫓겼다.

> SYN. **throw** 가장 일반적인 말로 '힘있게 던지다'의 뜻. 보통 방향을 나타내는 말과 함께 쓰임. **toss** 가볍게 또는 겨냥하지 않고 던지다. **cast** throw보다 예스럽고 고상한 말. 주사위·투망·낚싯줄·투표 따위에 쓰이는 이외에는 주로 비유적 용법에 한정됨: *cast* off all restraint 모든 속박을 팽개치다. **pitch, hurl** 조준해서 힘차게 빨리 던지다. **fling** 힘이 들어 있지만 그 때문에 도리어 겨냥이 부정확한 때가 많음: He *flung* the mirror on the floor. 그는 거울을 마루에 팽개쳤다.

2 내동댕이치다; 떨구어 버리다: He *threw* the other wrestler. 그는 상대 레슬러를 메어쳤다 / She was *thrown* by her horse. 그녀는 말에서 떨어졌다.
3 a 《+목+부/+목+전+명》 (손·발을) 힘있게 움직이다, 펄떡펄떡 움직이다; 〖~ oneself〗 몸을 던지다: *Throw* your chest *out*. 가슴을 펴라 / *Throw* your head *back*. 얼굴을 들어라 / She *threw* her arms *around* her husband's neck. 그녀는 남편의 목을 껴안았다. **b** 《+목+전+명》〖~ oneself〗 의지하다, 호소하다《*on*》: She *threw* her*self on* the judge's mercy. 그녀는 재판관의 자비심에 호소했다.
4 《~+목/+목+전+명/+목+부》 (옷 따위를) 급히 입다, 걸쳐 입다; 벗어던지다《*on; off; over; round*》: Snakes ~ their skins. 뱀은 허물을 벗는다 / He threw *on* 〔*off*〕 his bathrobe. 그는 욕의(浴衣)를 입었다〔벗어던졌다〕 / ~ a scarf *over* one's shoulders 어깨에 스카프를 걸치다.
5 발사하다, 뿜어내다: A pump ~*s* water. 펌프는 물을 뿜어낸다 / ~ a missile 미사일을 발사하다.
6 《+목+전+명》 (어느 위치로) 움직이다, 이동하다, 배치하다, 파견〔투입〕하다: ~ a regiment *across* a river, 1개 연대를 강 건너로 투입하다 / ~ a bridge *across* a river 강에 다리를 놓다.
7 《+목+보/+목+전+명》 (어떤 상태·위치·관계로) 되게 하다, 던지다, 빠뜨리다; 〖~ oneself〗 (일 따위에) 열중하다《*into*》: ~ a door open 문을 갑자기 열다 / ~ a meeting *into* confusion 회합을 혼란에 빠뜨리다 / He *threw* him*self* whole heartedly *into* the work. 그는 정성껏 그 일에 열중했다.
8 a 《~+목/+목+전+명》《비유》 (빛·그림자·시선·질문 따위를) 던지다, 퍼붓다, 향하게 하다, 놓다: The trees *threw* long shadows in the moonlight. 나무들이 달빛 아래 그림자를 길게 드리우고 있었다 / She *threw* a seductive look *at* him. 그녀는 그에게 유혹의 시선을 던졌다. **b** 《+목+전+명》 (의심을) 두다; (한 방을) 먹이다; (적을) 공격하다; (음식에) 달려들다: Many people *threw* doubt *on* the value of his invention. 많은 사람이 그의 발명품의 진가를 의심했다 / He *threw* a punch *on* me. 그는 나를 한 방 먹였다.
9 (목소리를) 크게 내다, (목소리를) 엉뚱한 데서 내다《복화술(腹話術)에서》.
10 (가축이 새끼를) 낳다.
11 녹로에 걸어서 오지그릇 따위의 모양을 뜨다.
12 (생사(生絲)를) 꼬다.
13 《구어》 (파티 등을) 개최하다, 열다: ~ a cocktail party 칵테일 파티를 열다.
14 《+목+전+명》 (심하게) 들이받다; (암초에 배를) 얹히게 하다: The ship was *thrown on* the rock. 배는 바위에 좌초했다.
15 《+목+전+명》 (기계 장치의) 각부를 연결하다, 연결을 끊다; (스위치의 손잡이 따위를) 움직이다《연결·차단하기 위해》: ~ a machine *out of* gear 기계의 기어를 풀어 동력의 전달을 끊다.
16 닦아세우다, 맹렬히 공박하다.
17 《구어》 (경기·경주서) 일부러〔짬짜미로〕 지다: ~ a game 게임을 지다.
18 《구어》 …을 깜짝 놀라게 하다; 당황하게 하다; …을 혼란시키다(confuse).
19 (표를) 던지다; (주사위·카드 등을) 던져서 끗수가 나오게 하다: ~ a vote 투표하다.
— *vi.* **1** 던지다, 팽개치다; 발사하다. **2** 주사위를 던지다. **3** (가축이) 새끼를 낳다.
~ *about* 〔***around***〕 《*vt.*+부》 ① 뿌리다, 던져 흩뜨리다; 낭비하다: ~ one's money *about* 〔*around*〕 on …에 돈을 헤피 쓰다. ② 휘두르다. **—** 《*vi.*+부》 ③ 〖해사〗 서둘러 방향을 바꾸다. **~ *a fit*** ⇨ FIT². **~ *a fuck*** 〔***a bop, a boff***〕 ***into*** a person 《미비어》 아무와 육체관계를 갖다. **~ *a scare into*** a person 《미》 아무를 깜짝 놀라게 하다. **~ *aside*** 버리다; 돌보지 않다: ~ *aside* one's friend 친구를 돌보지 않다. **~ *away*** ① (물건을) 내다 버리다; 〖카드놀이〗 (패를) 버리다; (…에 돈·일생 등을) 허비하다《*on*》. ② (…에게 충고·친절 등이) 허사이다《*on*》; (충고·친절 따위를) 헛되이하다《*on*》: The advice was *thrown away on* him. 그에 대한 충고는 허사였다. ③ (기회·제의를) 날려 버리다, 잃다: ~ *away* one's chance. **~ *back*** 《*vt.*+부》 ① 되던지다; 반사하다. ② (적 등을) 격퇴하다, …의 전진을 저지하다, 지연시키다; 원상태로 되돌리다: ~ *back* one's recovery 회복을 지연시키다. **—** 《*vi.*+부》 ③ (생물이) 격세 유전하다《*to*》. **~** a person ***back at ...*** 《구어》 아무에게 (좋지 않은 일)을 생각나게 하다. **~** a person ***back***

on ... 〖보통 수동태〗 아무를 (부득이) …에 의지케 하다, 의존시키다. ~ ***bouquets at*** ... 《미속어》 …을 칭찬하다. ~ ***by*** 버리다. ~ ***down*** 넘어뜨리다; 던져서 떨어뜨리다, 내던지다; 《미》 퇴짜 놓다. ~ ***down on*** a person 《미속어》 아무에게 총을 겨누다. ~ ***down*** one***'s arms*** 무기를 버리다, 항복하다. ~ ***for large stakes*** 노름을 크게 하다. ~ ***good money after bad*** ⇨ MONEY. ~ ***in*** 《*vt.*+[부]》 ① 던져 넣다, 주입하다; 〖경기〗 스로잉하다: The window ~*s* the light *in*. 창문으로 빛이 들어온다. ② (말을) 넣다, 삽입하다. ③ 《구어》 덤으로 주다: We'll ~ *in* another copy. 1부 더 덤으로 드립니다. ④ 〖카드놀이〗 (손의 패를) 흘리다, 버리다. ⑤ 《구어》 (일 따위를) 그만두다. ⑥ (클러치를) 밟다; 〖인쇄〗 해판하다. —— 《*vi.*+[부]》 ⑦ 《구어》 친구가 되다, 한패에 끼다《*with*》. ~ ***in*** (one***'s lot***) ***with*** 《미》 …와 운명을 함께 하다. ~ ***... in one's mind*** …을 마음에 담아 두다. ~ ***in*** 〔***up***〕 ***the sponge*** ⇨ SPONGE. ~ ***in the towel*** ⇨ TOWEL. ~ ***into*** (어느 상태)에 빠뜨리다, …에 투신하다. ~ ***... into relief*** …을 눈에 띄게 하다, 두드러지게 하다. ~ ***... into shape*** 형체를 만들다; 정리하다. ~ ***it up against*** 〔***at, to***〕 a person 《속어》 아무에게 잔소리하다. ~ ***off*** 《*vt.*+[부]》 ① 떨쳐 버리다. ② (옷·습관 등을) 벗어던지다; (구속 따위를) 떨쳐 버리다. ③ 관계를 끊다. ④ (시 따위를) 즉석에서 짓다, 단숨에 짓다, 휘갈겨 쓰다. ⑤ 〖인쇄〗 찍어 내다. ⑥ (추적자 따위를) 떼어 버리다, 귀찮은 사람〔것〕을 떨쳐 버리다. ⑦ 넣다. ⑧ (감기 따위를) 고치다: ~ *off* one's illness. ⑨ (익살 따위를) 부리다, 지껄여 대다: ~ *off* a pun 익살을 지껄여 대다. —— 《*vi.*+[부]》 ⑩ 사냥을 시작하다, (사냥개가) 뛰어나가다, 짖기 시작하다. ⑪ 욕을 하다, 중상하다《*on*》. ⑫ 《Austral. 구어》 (…을) 비웃다《*at*》. ~ a person ***off*** his ***guard*** (아무를) 방심케 하다. ~ ***on*** ① ⇨ *vt.* 4. ② (사냥개에게) 짐승의 뒤를 쫓게 하다. ~ ***open*** (문 따위를) 열어 젖히다; 공개하다, 개방하다《*to*》. ~ ***open*** one***'s door to*** …을 빈객으로 맞다, 환영하다. ~ ***out*** ① 내던지다; 버리다, 처분하다. ② (싹 따위를) 트게 하다, 발아시키다. ③ 내쫓다. ④ (빛·열 따위를) 발하다, 발산하다, 방사하다. ⑤ 내키어 증축하다. ⑥ 거부〔폐기〕하다, (생각 등을) 버리다, (의안을) 부결하다. ⑦ 암시를 주다, 넌지시 말하다: ~ *out* a hint 힌트를 주다. ⑧ (안·생각 등을) 끄집어내다, 제안하다. ⑨ (훼방하여 말하는 사람을) 당황케 하다, 망설이게 하다; 혼란시키다: ~ *out* one's calculations 계산을 잘못하게 하다. ⑩ 〖야구〗 (타자·주자를) 송구하여 죽이다. ⑪ (척후를) 내다. ⑫ (가슴을) 펴다. ⑬ (클러치를) 떼다. ~ ***out of work*** 실직시키다. ~ ***over*** (약속 따위를) 파기하다; 저버리다; 거부하다: ~ *over* a friend 친구를 저버리다. ~ ***overboard*** 배 밖으로 내던지다; 귀찮은 것을 떨쳐 버리다; =~ over. ~ one***self at*** (***the head of***) ***a man*** (여성이) …의 마음〔관심〕을 끌려고 하다. ~ one***self down*** 벌렁 드러눕다; 몸을 내던지다. ~ one***self into*** …에 기꺼이 몸을 던지다; …에 열심히 종사하다. ~ one***self on*** (사람·온정 등)에 의지하다; (아무)를 공격하다; (음식)을 기세 좋게 먹기 시작하다. ~ one***'s eyes*** 흘끗 보다《*at*》. ~ ***... sideways*** 충격을 주다, 나쁜 영향을 주다. ~ one***'s soul*** 〔***heart, efforts***〕 ***into*** …에 전력을 다하다. ~ ***stones at*** …을 비난하다. ~ one***'s weight around*** 〔***about***〕 권력을 휘두르다. ~ ***the book at*** …에게 가장 중한 벌을 가하다. ~ ***the bull*** 《미, Can. 속어》 잡담하다, 먹다, 허풍 떨다. ~ ***together*** ① (사람들을) 우연히 만나게 하다: Chance *threw* us *together*. 우리는 이상한 인연으로 서로 만나게 되었다. ② (작품 따위를) 그러모으다. ~ ***up*** ① 던져올리다. ② (창문을) 밀어올리다. ③ 사직하다; 포기하다: ~ *up* a plan 계획을 중지하다. ④ 《구어》 토하다: ~ *up* one's dinner. ⑤ 두드러지게〔눈에 띄게〕 하다. ⑥ 급히 서둘러 짓다, 급조하다: ~ *up* a hut. ⑦ (새가) 새 깃털이 나다. ⑧ (실수를) 집요하게 지적하다, 비평하다《*to*》. ~ ***up*** one***'s accounts*** 토하다, 게워 내다.

—— *n.* **1** 던짐, 던지기: a straight ~ 직구/a ~ of the hammer 해머던지기. **2** (탄환 따위의) 발사. **3** 투사(投射) 거리; 던져서 닿는 거리; 사정. **4** 낚싯줄 던지기. **5** 주사위를 던짐; 던져 나온 주사위의 끗수; 굴릴 차례; 모험, 운을 시험함, 내기: He lost two dollars on a ~ of dice. 그는 주사위던지기에서 2달러를 잃었다/It's your ~. 이번은 네 차례다/It was my last ~. 나의 마지막 찬스였다. **6** 어깨걸이, 스카프; 《미》 가벼운 모포. **7** 〖기계〗 행정(行程), 동정(動程); 크랭크축과 편심륜과의 거리. **8** 〖요업〗 녹로, 선반(旋盤). **9** 〖지학〗 (단층의) 낙차(落差). **10** (a ~) 《미구어》 하나, 한 잔, 1회: at $ 5 a ~ 한 개〔1회〕 5달러로. ***at*** 〔***within***〕 ***a stone's*** ~ 돌을 던지면 닿을 거리에, 가까운 곳에.

thrów·awày *n.* **1** 광고 전단; 아무렇지 않게 말한 대사〔말〕. **2** 《미속어》 할인 티켓; 삼류 잡지. —— *a.* 쓰고 버리는.

thrów·bàck *n.* **1** 되던지기; 후퇴, 역전(逆轉); 〖영화〗 =FLASHBACK. **2** (생물의) 격세유전(隔世遺傳)(한 것).

thrów-dòwn *n.* **1** 거절(refusal). **2 a** (레슬링 등의) 폴(fall). **b** 《속어》 패배(defeat). **3** 〖축구〗 스로다운《심판이 공을 양 팀 사이에 떨어뜨려 게임을 재개시키는 일》.

thrów·er *n.* **1** 던지는 사람〔것〕. **2** 발사기. **3** (생사(生絲)의) 실 꼬는 직공. **4** (도기를 만드는) 녹로공(工).

thrów-ìn *n.* 《속어》 덤, 개평; 〖경기〗 스로인.

thrów-mòney *n.* 《미속어》 잔돈.

thrown [θroun] THROW의 과거분사. —— *a.* (생사를) 꼰: ~ silk 꼰 명주실.

thrów-òff *n.* [U] (사냥·경주 등의) 개시; 출발: at the first ~ 처음부터, 당초에.

thrów-òut *n.* 내팽개쳐진 사람〔것〕, 불합격품; 《미속어》 부상을 가장한 거지.

thrów pìllow 장식용 쿠션(cushion)《의자·소파 따위에 놓는 작은 쿠션》.

thrów rùg 《미》 =SCATTER RUG. 「공.

throw·ster [θróustər] *n.* (생사의) 실 꼬는 직

thrów wèight (핵미사일의) 투사(投射) 중량.

thru [θruː] *prep., ad., a.* 《미》 =THROUGH. ⇨ 해설 (B) 철자 *n*항.

thrum[1] [θrʌm] *n.* **1** (방직기에서 직물을 끊어낼 때에 남는) 실나부랭이. **2** (*pl.*) 실보무라지; (보통 *pl.*) 〖해사〗 스럼, 밧줄 나부랭이. **3** 실의 술. —— (*-mm-*) *vt.* 술을 달다; 실보무라지로 덮다; 〖해사〗 마찰 방지용으로 범포(帆布)에 스럼을 꿰매 붙이다.

thrum[2] (*-mm-*) *vi., vt.* (하프 따위를 단조롭게) 퉁기다, 타다《*on*》; (탁자 따위를) 똑똑 두드리다. —— *n.* 손톱으로 타기; 똑똑 두드리는 소리.

thrum·my [θrʌ́mi] (*-mi·er; -mi·est*) *a.* 실보무라지로 만든; 보풀이 일어난.

thrù-óut *ad., prep.* 《미》 =THROUGHOUT.

thrup·pence [θrʌ́pəns] *n.* =THREEPENCE.

thrú·pùt *n.* =THROUGHPUT; 《미속어》 해결 도중인 문제의 상태, 그때그때의 상황.

◇**thrush**[1] [θrʌʃ] *n.* 〖조류〗 티티새, 개똥지빠귀; 《미속어》 여성 유행가수. [파] **~·like** *a.*

thrush[2] *n.* [U] 〖의학〗 아구창(鵝口瘡); =SPRUE[2];

〖수의〗 제차부란(蹄叉腐爛).

*__thrust__ [θrʌst] (*p., pp.* ***thrust***) *vt.* **1** 《~+목/+목+부/+목+전+명》 밀다; 밀어내다《*out*》, 밀어넣다《*in*》: ~ the chair *forward* 의자를 앞으로 밀어내다 / He ~ his fist *before* my face. 그는 주먹을 내 얼굴 앞에 내밀었다 / ~ one's hands *into* one's pockets 양손을 주머니에 지르다. SYN. ⇨PUSH. **2** 《~+목/+목+전+명/+목+부》 찌르다: ~ a knife *into* an apple 칼을 사과에 푹 박다 / The sword ~ him *through*. 검이 그를 꿰뚫었다. **3** 《+목+전+명》《비유》 강제로 안기다〔시키다〕: ~ a person *into* a high position 아무를 억지로 높은 지위에 앉히다. **4** 《(+목+전+명/+목+부)》〖~ oneself〗 주제넘게 나서다, 억지로 끼어들다《*into*》; 〖~ oneself〗 헤치고 나아가다: He ~ him*self* rudely *into* the conversation. 그는 버릇없이 이야기에 끼어들었다 / She always ~*s* her*self forward*. 그녀는 언제나 중뿔나게 나선다 / He would ~ him*self into* her presence. 그는 그녀의 면전에 나서려 들었다. **5** (뿌리·가지 따위를) 쫙 펴다: The tree ~*s* its branches high. 나무는 가지를 높게 뻗고 있다. — *vi.* **1** 밀다, 찌르다. **2** 《+전+명》 (찌르려고) 덤벼들다《*at*》: ~ *at* a person with a spear 창으로 찌르려고 덤벼들다. **3** 《+전+명/+부》 밀어젖히고 나아가다《*through; into; past*》; 헤치고 들어가다《*in*》: He ~ *past* me in a rude way. 그는 난폭하게 나를 밀어젖히고 지나갔다 / He ~ *in between* them. 그는 그들 사이를 뚫고 들어갔다.
be ~ into fame 갑자기 유명해지다. ***~ aside*** 밀어젖히다. ***~ back*** 되찌르다, 찔러 되돌리다. ***~ home*** (단도 등을) 급소에 찌르다. ***~ in a word*** 옆에서 말참견하다. ***~ on*** 급히 입다. ***~*** a thing ***on*** 〔***upon***〕 무엇을 …에게 억지로 떠맡기다; …에게 강매하다. ***~*** a person ***out*** 아무를 내쫓다. ***~ one's way*** 뚫고〔밀고〕 나가다.
— *n.* **1** 밀기: with one ~ 한 번 밀어서. **2** 찌르기: a home ~ 명줄〔급소〕 찌르기. **3** 공격; 〖군사〗 돌격: a big ~ from the air 대공습. **4** 혹평, 날카로운 비꼼: a shrewd ~ (비평·공격 따위의) 예봉(銳鋒). **5** 〖항공·기계〗 추력(推力). **6** 〖광산〗 갱도 천장의 낙반. **7** 〖지학〗 스러스트, 충상(衝上)(단층). **8** 요점, 진의(眞意), 취지. ***give a ~*** 일격(一擊)을 가하다. ***make a ~*** 푹 찌르다.

thrúst chàmber (로켓의) 연소실.

thrust·er, thrust·or [θrʌ́stər] *n.* 미는〔찌르는〕 사람; (여우 사냥에서) 무턱대고 선두에 나서는 사냥꾼; 중뿔난 사람; 〖항공·우주〗 반동 추진 엔진《분사의 반작용으로 전진하는 힘을 얻는 엔진》.

thrúst fàult 〖지학〗 충상(衝上)단층.

thrust·ful [θrʌ́stfəl] *a.* 《영》 억지센, 공격적인, 적극적인. ㊎ **~·ness** *n.*

thrúst hòe 괭이의 일종(scuffle hoe).

thrúst·ing *a.* 자기 주장이 강한; 공격적인; 무모한; 몹시 뽐내는.

thrúst revèrser 〖항공〗 역(逆)추력 장치.

thrúst stàge 앞으로 돌출한 무대.

thrúst véctor còntrol 〖로켓〗 추력(推力) 방향 제어《생략: TVC》.

thrú·way *n.* 《미》 고속도로.

Thu., Thur. Thursday.

Thu·cyd·i·des [θuːsídədìːz] *n.* 투키디데스《그리스의 역사가; 460?–400? B.C.》.

Thucýdides sỳndrome 투키디데스 증후군《감기에서 시작하여 합병증으로 발전, 심한 경우 죽기까지 하는 신종병》.

thud [θʌd] *n.* 퍽, 털썩, 쿵《소리》; 쾅하고 침; 《미속어》 (비행기의) 추락; 《미군대속어》 F-105 선더치프(Thunderchief) 제트 전투기. — (***-dd-***) *vi.* 털썩 떨어지다; 쿵 울리다. — *vt.* 탁하고 치다, …에 탁하고 부딪치다.

thug [θʌg] *n.* **1** (또는 T-) (옛 인도의) 종교적 암살단원. **2** 자객, 살인 청부업자; 흉악범, 흉한(凶漢). ㊎ **∠·gish** *a.* **∠·gism** *n.* 「강도.

thug·gee [θʌ́gi, -ˊ] *n.* Ⓤ thug에 의한 살인

thug·gery [θʌ́gəri] *n.* Ⓤ **1** =THUGGEE. **2** 잔인한 살인강도.

Thu·le [θjúːliː] *n.* 고대인이 세계의 북쪽 끝에 있다고 믿었던 나라; 극북의 땅; 세상 끝(ultima ~); (때로 t-) 원대한 목표.

thu·li·um [θjúːliəm] *n.* Ⓤ 〖화학〗 툴륨《희토류 원소; 기호 Tm; 번호 69》.

⁑thumb [θʌm] *n.* **1** 엄지손가락; 장갑의 엄지손가락. **2** 〖건축〗 엄지손가락 모양의 돌기물(ovolo). **3** 《미속어》 마리화나 담배. ***a golden*** 〔***millet's***〕 ***~ =a ~ of gold*** 금이 열리는 나무; 달러 박스. ***a ~ in*** one***'s eye*** 《미속어》 괴로움의 원인. ***a ~ in the public eye*** 모욕(侮辱). ***be all ~s*** 손재주가 없다: His fingers *are* 〔He *is*〕 *all ~s*. ***bite*** one***'s ~ at*** …을 도발적으로 모욕하다. ***bite*** one***'s ~s*** 화가 나서 엄지손가락을 깨물다. ***by (a) rule of ~*** 눈대중으로; 실용적인 방법으로, 경험으로. ***count*** (one***'s***) ***~s*** 《미속어》 (무료한) 시간을 보내다. ***get*** one***'s ~ out of*** a person***'s mouth*** 아무(의 마수)로부터 도망치다. ***have ten ~s*** =be all ~*s*. ***hold*** one***'s ~ out*** 차를 세워 달라고 신호하다. ***on the ~*** 《속어》 히치하이크하여. ***stick*** 〔***stand***〕 ***out like a sore ~*** 《구어》 매우 두드러지다, 눈에 띄다, 눈에 가시다. ***~s down*** 거부〔불만〕의 신호: turn ~*s down* 〔give the ~*s down*〕 *on* a plan 계획에 반대하다. ***Thumbs down!*** 《구어》 안돼, 돼먹지 않았어. ***~s up*** 동의〔만족〕의 표현〔신호〕: give a person the ~*s up on* his new design 아무의 새로운 기획에 찬성하다. ***Thumbs up!*** 《구어》 좋아; 잘했어. ***twirl*** 〔***twiddle***〕 one***'s ~s*** 양손의 네 손가락을 끼고 좌우 엄지손가락을 빙빙 돌리다《무료해 하다》; 편둥편둥 놀다. ***under the ~ of*** a person =***under*** a person***'s ~*** 아무가 시키는 대로 하여, 아무의 지배〔세력〕 아래 놓여: She gets her husband *under her* ~. 그는 아내가 하라는 대로 한다.
— *vt.* **1** …을 엄지손가락으로 만지다; 서투르게 다루다: ~ a piano 피아노를 서투르게 치다. **2** (책을) 자꾸 들춰서 더럽히다〔손상시키다〕; 반복해서 읽다: The book was badly ~*ed*. 책은 몹시 낡아 있었다. **3** (책 따위를 잠깐 들여다보고) 후딱 넘기다《*through*》: ~ a magazine 잡지를 엄지손가락으로 훌훌 넘기다. **4** 《~+목/+목+전+명》 (행선지를 손가락질하여 지나가는 차를) 거저 타다〔태워 달라고 신호하다〕(hitchhike): She ~*ed* her way *to* Chicago. 그녀는 시카고까지 히치하이크했다. — *vi.* **1** (책장을) 넘기다, 훑어보다《*through*》: He went to the shelf, took down a book, ~*ed through* it quickly, and choose another. 그는 서가에 가서 책 한 권을 내려 급히 훑어보고는 다른 것을 골랐다. **2** 편승(便乘)을 부탁하다, 편승하다, 히치하이크하다(hitchhike). ***~ a ride*** 〔《영》 ***a lift***〕 엄지손가락을 쳐들어 편승을 하다. ***~*** one***'s nose at*** ⇨NOSE(관용구).

thúmb·hòle *n.* 엄지손가락을 넣는 구멍; 관악기의 엄지손가락용 스톱. 「색인.

thúmb ìndex 〖제본〗 (특히 사전 따위의) 반달

thúmb·màrk *n.* 무인(拇印); (페이지에 찍힌) 엄지손가락 자국.

thúmb·nàil *n.* 엄지손톱; (손톱같이) 작은 것. — *a.* 극히 작은〔짧은〕, 간결한: a ~ sketch 간략한 스케치, 촌묘(寸描); 약력. — *vt.* 간략하게

그리다; 약기(略記)〔약술(略述)〕하다.

thúmb nùt 〖기계〗 나비나사.

thúmb piàno (엄지)손가락 피아노《mbira 등과 같은 아프리카 기원의 소형 악기》.

thúmb pòt 작은 화분.

thúmb·prìnt *n.* 엄지손가락의 지문, 무인(拇印); 《비유》 (마음에 새겨진) 각인(刻印), 인격.

thúmb·scrèw *n.* **1** 〖기계〗 나비나사. **2** 엄지손가락을 죄는 기구《옛 고문 도구》.

thúmbs-dòwn *n.* 거절, 불찬성, 비난. opp *thumbs-up.*

thúmb·stàll *n.* (가죽) 골무.

thúmb·sùcker *n.* 《미속어》 (정치 기자가 쓰는, 종종 사견(私見)을 섞은) 분석 기사.

thúmb-sùcking *n.* 엄지손가락 빨기.

thúmbs-ùp *n.* 승인, 찬성, 격려.

thúmb·tàck 《미》 *n.* 압(押)핀(《영》 drawing pin). — *vt.* 압핀으로 고정시키다.

Thummim ⇨ URIM AND THUMMIM.

thump** [θʌmp] *n.* **1** 탁, 쿵(소리): fall with a ~ 탁 쓰러〔떨어〕지다. **2** (특히 주먹으로) 탁 치기: give a ~ 탁 치다. **3** 〖전자〗 전화 회로의 방해음(품). **4** (*pl.*) 〘단수취급〙 〖수의〗 (새끼 돼지의) 딸꾹질. — *vt.* **1** 《~+목/+목+전+명/+목+보》 (탁) 치다, 때리다: ~ a table *with* one's fist 주먹으로 테이블을 치다 / She ~*ed* the cushion flat. 쿠션을 펑펑 쳐서 납작하게 만들었다. **2** …에 쿵 부딪치다: The shutters ~*ed* the wall in the wind. 덧문이 바람 때문에 벽에 쾅 부딪혔다. **3** 심하게 때려눕히다, 때리다; (…에게) 대승하다. **4** 《~+목/+목+부/+목+전+명》 (피아노를) 쾅쾅 치다; (곡을) 쾅쾅 연주하다(*out*): ~ the keys of the piano / ~ *out* a tune *on* the piano. — *vi.* **1** 《~/+전+명》 (탁)치다〔부딪치다, 때리다, 넘어지다〕: They began to ~ one another. 그들은 서로 주먹다짐을 하기 시작했다 / The drunk ~*ed against* a lamppost. 주정꾼이 가로등 기둥에 탁하고 부딪혔다. **2** 《+전+명》 쿵쾅거리며 걷다: ~ *down* the stony street 자갈길을 발소리를 내며 걷다. **3** 《~/+부》 (심장이) 두근두근 뛰다: Her heart was ~*ing* (*away*). 그녀의 가슴은 두근거리고 있었다. **4** 강력하게 지지〔변호, 선전〕하다. ***~ the 〔***a***〕 ***cushion*** 〔***the pulpit***〕 (설교자가 역설하기 위해) 설교단을 탕 두드리다.

thúmp·er *n.* thump 하는 사람〔것〕; 강타; 《구어》 거대한 사람〔물건〕; 《특히》 터무니없는 거짓말; 월면기진(月面起震) 장치.

thúmp·ing *a.* **1** 탁하고 치는. **2** 《구어》 거대한; 놀랄 만한; 터무니없는《거짓말 따위》: a ~ majority 〔victory〕 압도적 다수〔승리〕. — *ad.* 엄청나게, 뛰어나게, 대단히. ㊫ **~·ly** *ad.*

‡**thun·der** [θʌ́ndər] *n.* **1** Ⓤ 우레, 천둥; 《시어》 벼락: The ~ crashes and rumbles. 천둥이 우르릉 쾅쾅 울린다 / The ~ rolls. 천둥이 울린다. **2** 진동, 우레 같은 소리: ~*s* of applause 우레와 같은 박수갈채 / ~*s* of guns 대포의 울림. **3** (보통 *pl.*) 위협; 호통, 노호; 비난, 탄핵; 열변. ***By ~!*** =***Thunder!*** 이런, 제기랄, 빌어먹을. ***look like*** 〔***as black as***〕 ***~*** 몹시 화가 난 모양이다. ***steal*** 〔***run away with***〕 a person***'s ~*** 아무의 고안〔방법〕을 도용하다, 아무의 특기를 가로채다. ***the*** 〔***in***〕 ***~*** 〘의문사를 강조하여〙 대체: *Who the* 〔*in*〕 ~ are you? 도대체 넌 누구냐. ***the ~s of the Church*** 교회의 격노《파문 따위》. ***~ and lightning*** 천둥과 번갯불; 비난, 공격, 욕. — *vi.* **1** 〘it을 주어로 해서〙 천둥 치다: *It* ~*ed* last night. **2** 《+전+명》 큰 소리를 내다; 큰 소리를 내며 이동하다〔가다, 나아가다, 지나다〕: ~ *at* the door 문을 쾅쾅 두드리다. **3** 《+전+명》 몹시 비난하다, 공격하다, 탄핵하다《*against*》; 호통치다《*at*》: The reformers ~*ed against* the policy. 개혁자들은 그 정책을 탄핵했다. — *vt.* **1** 소리 지르다, 큰 소리로 말하다《*out*》: ~ a reply 큰 소리로 대답하다. **2** 《~+목/+목+부》 (큰 소리를 내며) …을 치다, 발사하다: ~ a drum 북을 세차게 치다 / ~ *out* a salute of twenty-one guns. 21 발의 예포를 쏘다. ***come ~ing on*** …을 별안간 습격하다, 일거에 궤멸시키다: The depression *came* ~*ing on* his real estate. 돌연한 공황으로 그의 부동산은 날아갔다.

thúnder-and-líghtning [-ən-] *a.* (색깔이) 야한; (옷이) 대조적인 색깔의.

thun·der·a·tion [θʌ̀ndəréiʃən] *n.* 〘의문사를 강조〙 도대체, 대관절. — *int.* 제기랄.

thúnder·bìrd *n.* **1** 뇌신조(雷神鳥)《북아메리카 인디언이 천둥을 일으킨다고 믿었던 큰 새》. **2** (T-) 〖군사〗 영국제 이동식 지대공 유도탄.

thúnder·bòat *n.* (모터보트 경주에서 배기량) 무제한급의 수상 활주정(艇).

°**thúnder·bòlt** *n.* 천둥번개, 벼락, 낙뢰(落雷); 협박; 노호(怒號); 기습, 뜻밖의 일〔사건〕; 무서운 일, 파괴적인 것; 벼락 같은 행동을 하는 사람: This information was a ~ to her. 이 소식은 그녀에게는 청천벽력이었다.

thúnder-bòx 《영속어》 *n.* (지면의 구멍 위에 설치하는) 상자꼴 변기; 휴대 변기.

thúnder·clàp *n.* **1** (급격한) 천둥소리. **2** 청천벽력 (같은 사건).

thúnder·clòud *n.* 뇌운(雷雲); 《비유》 암운(暗雲), 위협을 느끼게 하는 것.

thún·der·er [-rər] *n.* 호통 치는〔고함치는〕 사람; (the T-) 뇌신(雷神)(Jupiter, Zeus); (the T-) 《영우스개》 영국의 신문 *The Times*의 별명.

thúnder·hèad *n.* 쌘비구름, 소나기구름, 적란운.

thún·der·ing [-riŋ] *a.* 천둥 치는; 우렛소리같이 울리는; 큰 소리를 내는〔내며 나아가는〕; 《구어》 굉장한, 엄청난. — *ad.* 《구어》 굉장히, 몹시. — *n.* 천둥. ㊫ **~·ly** *ad.*

thún·der·less *a.* 천둥을 동반하지 않는.

thúnder lìzard 〖고생물〗 뇌룡(雷龍)(brontosaur).

thun·der·ous [θʌ́ndərəs] *a.* 천둥 치게 하는, 천둥 칠 듯한; 우레 같은, 우레같이 울려퍼지는; 매우 불길한. ㊫ **~·ly** *ad.*

thúnder·shòwer *n.* 천둥을 수반한 소나기, 뇌우(雷雨).

thúnder·squàll *n.* Ⓤ 천둥 치며 오는 스콜.

thúnder·stòne *n.* 뇌석(雷石)《번개의 화살이라 믿었던 고대의 석기·화석·운석》.

***thun·der·storm** [θʌ́ndərstɔ̀ːrm] *n.* 천둥을 수반한 일시적 폭풍우, (심한) 뇌우(雷雨).

thúnder·strìcken, -strùck *a.* 벼락 맞은 (것 같은), 벼락이 떨어진; 깜짝 놀란.

thúnder·strìke *vt.* 깜짝 놀라게 하다.

thúnder·stròke *n.* 낙뢰(落雷).

thun·dery [θʌ́ndəri] *a.* 천둥 같은; 천둥 치는, 천둥 칠 듯한; 험악한; 불온한, 불길한.

thu·ri·ble [θúərəbəl] *n.* 〖가톨릭〗 향로(香爐)(censer).

thu·ri·fer [θúərəfər] *n.* 〖가톨릭〗 (미사 때) 향로를 드는 복사(服事).

thu·rif·er·ous [θjuəríførəs/θjuər-] *a.* 유향(乳香)이 나는.

thu·ri·fi·ca·tion [θjùərəfikéiʃən/θjùər-] *n.* 향을 피움, 분향(焚香).

Thur(s). Thursday.

†**Thurs·day** [θə́ːrzdei, -di] *n.* 목요일《생략: Thur., Thurs.》: next 〔last〕 ~ =on ~ next 〔last〕 다음〔지난〕 목요일에.

Thúrs·days *ad.* 《미》 목요일마다, 목요일에는 언제나.

Thur·ston [θə́ːrstən] *n.* 서스턴《남자 이름》.

thus [ðʌs] *ad.* **1** 이렇게, 이런 식으로: He spoke ~. 그는 이렇게 말했다 / ~ and so《미》 = ~ and ~ 이러이러하게, 여사여사하게. **2** 따라서, 그래서, 그런 까닭에, 그러므로: It ~ appears that .... 따라서 …라고 생각된다 / It is late, and ~ you must go. 늦었으니 돌아가시오. **3** 〖형용사·부사를 수식하여〗 이만큼, 이 정도까지: Why ~ sad? 왜 이다지도 슬픈가 / ~ far 여태〔여기〕까지는(so far)《보통 완료형과 함께 쓰임》/ *Thus* much is certain. 이것만은 확실하다. ★ thus는 숙어를 포함하여 대부분의 경우에 so로 바꿀 수가 있으나 일반적으로 thus는 문어적(文語的)으로 쓰임. ㊞ **∠·ly** *ad.*《구어》 =thus. **∠·ness** *n.*《구어》 이러함: Why this ~*ness*? 왜 이 모양일까.

thwack [θwæk] *n.* (무거운〔납작한, 막대기 같은〕 것으로) 찰싹 때리기, 강타. **—** *vt.* 찰싹 때리다, 강타하다, 두들기다. ㊞ **∠·er** *n.*

thwart [θwɔːrt] *vt.* **1** (사람·계획·목적 등을) 훼방 놓다, 방해하다, 반대하다; 좌절시키다, 꺾다: ~ a person's plans (허점을 찔러서) 아무의 계획을 망쳐 놓다 / He has been ~*ed* in his ambition. 그의 야심은 좌절되었다. **2**《고어》 가로지르다. **—** *vi.* 반대〔충돌〕하다. **—** *a.* **1** 가로누운, 가로지른; 횡단하는: the stars' ~ motion 천공을 가로지르는 별의 운행. **2** 불리한, 형편이 나쁜;《고어》 심술궂은, 고집이 센, 다루기 힘든: the ~ wind 맞바람. **—** *prep., ad.*《고어》 =ATHWART. **—** *n.* (노잡이가 앉는) 보트의 널빤지〔가로장〕. ㊞ **∠·(ed·)ly** [-(id)li] *ad.* **∠·er** *n.*

thwárt·shìp [-ʃìp] *a.* 〖해사〗 배를 가로질러 뱃전에서 뱃전에 이르는.

thwárt·shìps [-ʃìps] *ad.* =ATHWARTSHIPS.

thwárt·wìse [-wàiz] *ad., a.* 가로지르는〔지르듯이〕; 교차하는〔하듯이〕.

T.H.W.M. Trinity (House) High Water Mark.

thx. thanks《이메일·문자 메시지에서》.

thy [ðai] *pron.* 〖thou의 소유격; 모음 또는 h 음으로 시작되는 말 앞에서는 thine〗《고어·시어》 너의, 그대의: for ~ sake 그대를 위해서.

thy·la·cine [θáiləsàin, -sin] *n.* 〖동물〗 =TASMANIAN WOLF.

thyme [taim] *n.* Ⓤ 타임《꿀풀과의 백리향속(百里香屬) 식물; 정원용, 잎·줄기는 향신료》.

thy·mec·to·my [θaiméktəmi] *n.* 〖의학〗 흉선(胸腺)적출(술).

thym·ey [táimi] *a.* =THYMY.

thy·mic¹ [táimik, θáim-/táim-] *a.* thyme의〔에서 추출한〕.

thy·mic² [θáimik] *a.* 〖해부〗 흉선(thymus)의.

thy·mi·dine [θáimədiːn] *n.* 〖생화학〗 티미딘《DNA 구성 성분의 하나; thymine과 deoxyribose로 이루어지는 nucleoside》.

thy·mine [θáimiːn, -min] *n.* 〖생화학〗 티민《DNA를 구성하는 염기(塩基)의 하나; 기호 T》.

thy·mo·cyte [θáiməsàit] *n.* 〖해부〗 흉선세포(胸腺細胞).

thy·mol [θáimoul, -mɔːl/-mɔl] *n.* Ⓤ 〖화학〗 티몰《강력 방부제》.

thy·mo·sin [θáiməsin] *n.* 〖생리〗 티모신《T 세포의 증식과 관계가 있다고 생각되는 흉선(胸腺) 분비 호르몬》.

thy·mus [θáiməs] (*pl.* **-mi** [-mai], **~·es**) *n.* 〖해부〗 흉선(胸腺), 가슴샘(=∠ **glànd**).

thymy [táimi, θáimi/taimi] (***thym·i·er; -i·est***) *a.* thyme이 무성한〔의 향기가 나는〕.

thyr- [θaiər], **thy·ro-** [θáiərou, -rə] '갑상샘' 이란 뜻의 결합사.

thy·ra·tron [θáiərətràn/-trɔ̀n] *n.* 〖전자〗 사이러트론《열음극 방전관》.

thy·ris·tor [θaiərístər] *n.* 〖전자〗 사이리스터《반도체 소자(素子)》.

thỳro·calcitónin *n.* 〖생화학〗 티로칼시토닌《갑상샘에서 분비되는 칼시토닌》.

thỳro·glóbulin *n.* 〖생화학〗 티로글로불린《척추동물의 갑상샘에 존재하는 요오드 단백질》.

thy·roid [θáiərɔid] 〖해부〗 *a.* 갑상샘의, 갑상연골의; 갑상샘 기능 이상(異狀)의. **—** *n.* 갑상샘(=∠ **glànd**); 갑상샘 동맥〔정맥, 신경〕; 갑상 연골(=∠ **cártilage**); 갑상샘제(劑).

thy·roid·ec·to·my [θàiərɔidéktəmi] *n.* 〖의학〗 갑상샘 적출〔절제〕(술).

thy·roid·i·tis [θàiərɔidáitis] *n.* 〖의학〗 갑상샘염.

thýroid-stìmulating hòrmone 〖생화학〗 =THYROTROPIN《생략: TSH》.

thỳro·toxicósis *n.* 〖의학〗 갑상샘 중독(증), 갑상샘 (기능) 항진(증).

thy·ro·troph·ic [θàiərətráfik, -tróuf-/-trɔ́f-] *a.* 갑상샘을 자극하는, 갑상샘 자극성(性)의(= **thỳ·ro·tróp·ic**).

thy·ro·tro·pin, -phin [θàiərətróupin, θaiərátrə-/θàiərətróup-], [-fən] *n.* 〖생화학〗 갑상샘 자극 호르몬.

thyrotrópin-relèasing hòrmone 〔**fàc·tor**〕 〖생화학〗 갑상샘 자극 호르몬 방출 호르몬《생략: TRH, TRF》.

thy·rox·in, -ine [θaiəráksi(ː)n/-rɔ́k-] *n.* Ⓤ 〖생화학〗 티록신《갑상샘 호르몬의 하나》.

thyrse [θəːrs] *n.* 〖식물〗 밀추꽃차례(thyrsus).

thyr·sus [θə́ːrsəs] (*pl.* **-si** [-sai]) *n.* 〖그리스 신화〗 Bacchus의 지팡이; 〖식물〗 밀추(密錐)꽃차례.

thy·self [ðaisélf] *pron.* 〖thou, thee의 재귀·강조형〗《고어·시어》 너 자신, 그대 자신.

ti [tiː] *n.* 〖음악〗 시, 나음(si)《장음계의 제 7 음》.

TI Texas Instruments. **Ti** 〖화학〗 titanium.

TIA transient ischemic attack.

Ti·a·mat [tjáːmaːt] *n.* 티아마트《바빌로니아의 여신》.

Tián·an·men mássacre, Tién- [tjáːnàːn-mén-], [tién-] (the ~) 톈안먼(天安門) 광장의 학살《1989 년 6 월 4 일 톈안먼 광장에 모여 민주화를 요구하던 학생·시민을 중국 정부가 무력으로 진압한 사건》.

Tiánanmen Squáre, Tién- (베이징(北京)의) 톈안먼(天安門) 광장. ⓒⓕ Tiananmen massacre.

Tian·jin, Tien·tsin [tjàːndʒín], [tiéntsín, tín-] *n.* 톈진(天津)《중국 허베이(河北)성의 도시》.

ti·a·ra [tiǽrə, -áːrə, -έərə/-áːrə] *n.* **1** 로마 교황의 삼중관(三重冠); (the ~) 로마 교황직, 로마 교황의 교권. **2** (여자용) 보석 박은 관. **3** 옛 페르시아 사람의 두건〔관〕. ㊞ **ti·ár·aed, ~'d** *a.* ~를 쓴.

tiara 2

Ti·ber [táibər] *n.* (the ~) (로마의) 테베레 강《이탈리아명 Tevere》.

Ti·be·ri·us [taibíəriəs/-riəs] *n.* 티베리우스《로마 제 2 대 황제; 42 B.C.–A.D. 37》.

Ti·bet, Thi·bet [tibét] *n.* 티베트《수도는 라사(Lhasa)》.

Ti·bet·an [tibétən] *a.* 티베트(사람)의. **—** *n.* 티베트 사람; Ⓤ 티베트 말.

tib·ia [tíbiə] (*pl.* **-i·ae** [tíbiìː], **~s**) *n.* 〖해부〗 경골(脛骨), 정강이뼈; 〖곤충〗 경절(脛節); 〖음악〗 옛 피리의 일종. ㊞ **tíb·i·al** *a.* 경골의.

tic [tik] *n.* 《F.》 〖의학〗 틱; (특히 안면 근육의) 발작적 경련; 안면 신경통: a nervous ~.

ti·cal [tikɑ́:l, -kɔ́:l, tí:kəl] *n.* 티칼((1) 타이의 옛 형량(衡量)(약 14.2 그램). (2) 타이의 옛 은화. (3) 타이의 옛 화폐 단위: =BAHT).

tic dou·lou·reux [-dù:lərú:] (F.) 〖의학〗 삼차(三叉) 신경통, 동통(疼痛)(성) 틱.

tick**[1] [tik] *n.* **1** (시계 등의) 똑딱똑딱 소리. **2** (점·꺾자(✓) 따위 점검이나 대조필의) 표시. **3** 《구어》 순간, 일순간: half a ~ =just a moment / I'm coming in a ~ 〔two ~s〕. 곧 갑니다. **4** 술래잡기(tag). ***Just a ~* 〔*moment, second*〕*! 잠깐 기다리십시오. ***to* 〔*on*〕 *the ~*** 《영》 (시간적으로) 정확히, 꼭.
— *vi.* **1** 《~/+부》 (시계 따위가) 똑딱거리다; 똑딱똑딱하며 지나가다《*away; by*》: As the hours *~ed away,* we waited anxiously for news. 시간이 지남에 따라 우리는 초조히 소식을 기다렸다. **2** (어떤 기계 장치처럼) 움직이다, 기능을 하다, 행동하다. — *vt.* **1** 《~+목/+목+부》 (시간을) 똑딱똑딱 소리내어 가리키다, (미터를) 찰칵 소리내며 가리키다; 똑딱똑딱 소리내며 알리다〔보내다〕: The clock *~ed* the seconds. 시계는 똑딱똑딱 초를 가리켰다 / The telegraph *~ed out* a message. 전신기는 똑딱거리며 전신을 쳐냈다. **2** 《+목+부》 …에 (점검·대조필 등의) 표시를 하다; 체크하다《*off*》: ~ *off* items in a list 표의 항목을 체크하다. ***~ away the time* 〔*the minutes*〕** ① (시계가) 똑딱거리며 시간을 가리키다. ② 시간을 보내다. ***~ off*** ① 술술〔정확히〕 예를 들다〔말하다〕. ② ⇨ *vt.* 2. ③ 《구어》 …을 나무라다, …을 꾸짖다: get *~ed off* 꾸중 듣다 / give a person a good *~ing off* 아무를 몹시 꾸짖다. ④ (미터가 요금 등을) 알리다; (사람 등을) 확인하다, 구분하다. ⑤ 《미속어》 성나게 하다. ***~ out*** (수신기가 통신을) 똑똑 쳐내다. ***~ over*** 《영》 (엔진이) 천천히 돌다〔움직이다〕; (일이) 늦어지다, (활동이) 무디어지다; (일이) 순조로이 되어 가다. ***what makes ...* ~** 《구어》(사람·세상을) 움직이게〔활동하게〕 하는 동기〔이유, 사정〕.

tick[2] 《구어》 *n.* Ⓤ 신용 거래〔대부〕, 외상 (매출); 계산(서). ***give ~*** 외상으로 팔다. ***go* 〔*get*〕 (*on*) ~** 외상으로 사다. ***on* 〔*upon*〕 ~** 신용으로, 외상으로. — *vi., vt.* 외상으로 팔다〔사다〕.

tick[3] *n.* 이불잇, 베갯잇; 《구어》 (줄무늬 리넨 따위의) 이불잇감(ticking).

tick[4] *n.* 〖곤충〗 진드기: ~ fever 진드기열(熱). ***(as) full as a ~*** 《속어》 잔뜩 취하여.

tíck·bìrd *n.* 〖조류〗 진드기를 먹는 찌르레깃과의 「새.

ticked [-t] *a.* (개·새 따위가) 반점이 있는 (flecked); (모발이) 두 가지 이상의 색깔로 얼룩진〔구분된〕.

tíck·er [tíkər] *n.* 똑딱거리는 물건; 시계추; (전신의) 수신기; 증권 시세 표시기; 《속어》 시계, 패종; 《속어》 심장.

tícker tàpe **1** ticker에서 자동적으로 나오는 수신용 테이프. **2** (환영을 위해 빌딩 창문 등에서 던지는) 색종이 테이프: get a ~ welcome 테이프가 던져지는 환영을 받다.

tícker-tàpe paràde (미국 뉴욕 시의 전통적인) 색종이 테이프가 뿌려지는 퍼레이드.

****tick·et** [tíkit] *n.* **1** 표, 권(券), 입장〔승차〕권: Admission by ~ only. 표 지참자에 한해서 입장 가 / a one-way 〔《영》 single〕 ~ 외길〔편도〕 표 / a round-trip 〔《영》 return〕 ~ 왕복표 / a through ~ 직행표 / a circular ~ 순회권 / an excursion ~ 할인(단체) 유람권 / a commutation 〔《영》 season〕 ~ 정기권. **2** (크기·용량·품질·정가 등을 나타내는) 게시표, 정가표, 정찰(正札); (창에 내붙인) 셋집〔임대〕 광고; 전당표: a price ~ 정가표. **3** (교통 위반자에 대한) 호출장, 빨간〔위반〕 딱지. **4** 자격 증명서, 고급 선원〔비행사〕의 자격 증명서, 면허증; 《영속어》 명함. **5** 전표; (군대의) 급료 지급 전표; 《군대속어》 제대 명령; 《속어》 (가)출옥 허가증: get one's ~ 제대가 되다. **6** 《미》 (정당의) 공천 후보자 (명단); 《미》 정견, 주의: a straight 〔mixed, scratch〕 ~ 《미》 전(全) 공천〔혼합, 일부 삭제의〕 후보자 명단 / run on the Republican ~ 공화당의 공천 후보자로 출마하다 / The whole Republican ~ was returned. 공화당 후보는 전원 당선되었다. **7** (the ~) 적당한 것, 정당〔당연〕한 일, 정말인 것; (the ~) 《구어》 진짜, 안성맞춤의 일: That's (just) the ~. 바로 그거다, 안성맞춤이다 / That's not quite the ~. 그다지 적절하지 않다. ***~ of leave*** 《영》 가출옥 허가장. ***vote a ~*** 《미》 어떤 정당의 공천 후보자에게 투표하다. ***vote the straight ~*** 정당의 정책에 따라서 투표하다. ***What's the ~?*** 《속어》 어떻게 하면 좋은가. ***work* one's *~*** 《군대속어》 (꾀병을 부려) 제대되다. ***write* one's *own ~*** (스스로) 장차의 계획을 세우다; 바라는 대로의 직업(등)을 고르다.
— *vt.* **1** 《미》 …에게 표를 발행하다〔팔다〕; …에 교통〔주차〕 위반의 딱지를 붙이다. **2** 《~+목/+목+*as* 보》 …에 표〔딱지〕를 붙이다, (상품에) 정찰을 달다: ~ a person *as* a boaster 아무에게 허풍선이라는 딱지를 붙이다. **3** 《+목+전+명》 (특정 목적·지위 등에) 지명하다《*for*》: He is *~ed for* the post. 그 지위에 지명되었다.

tícket àgency 각종 표〔입장권〕 취급소〔판매 「소〕.

tícket àgent 입장권〔승차권〕 판매인.

tícket bàrrier 《영》 개표구(改票口).

tícket collèctor 집표〔검표, 개표〕원.

tícket dày (런던 증권 거래소에서) 전표 회부일 《현물 인도의 전날, 결제 처리 기간의 제2일째》.

tícket nìght (2류 출연자를 위한) 자선 흥행 《몇 명의 출연자에게 각자가 판 표의 매수에 따라 수입을 분배》. 「booking office).

tícket òffice 《미》 출찰구(出札口), 매표소(《영》

tícket-of-léave (*pl.* ***tíckets-***) *n.* 《영》 (예전의) 가출옥 허가(증): a ~ man 가출옥자.

tícket pùnch 개찰용 펀치.

tícket scàlper 《미속어》 암표상.

tícket tòut 《영》 암표상(scalper).

tick·et·y-boo [tìkitibú:] *a.* 《영구어》 더할 나위없는, 순조로운.

tíck fèver 〖의학〗 열; 〖수의〗 진드기열(熱)《진드기가 매개하는 열병의 총칭; Texas fever》.

tíck·ing[1] *n.* 짤깍짤깍하는 소리; (새·짐승 등의) 2색(이상)의 줄무늬. 「위).

tíck·ing[2] *n.* Ⓤ 이불잇, 베갯잇(아마포·면포 따

ticking óff 질책, 주의.

***tick·le** [tíkəl] *vt.* **1** 《~+목/+목+전+명》 간질이다: ~ a person *under* the arms 겨드랑이 밑을 간질이다. **2** 《~+목/+목+부》 따끔거리게 하다; 자극하다, 고무하다: The new blanket ~*s* me. 새 담요가 따끔거린다 / ~ *up* the crazy minds of the multitude 대중의 광기(狂氣)를 자극하다. **3** 《~+목/+목+전+명》 기쁘게 하다, 즐겁게 하다, 만족시키다, 웃기다: I was greatly *~d at* the idea. 그 착상이 재미나서 견딜 수 없었다. **4** 가볍게 움직이다. **5** (물고기 등을) 손으로 잡다. — *vi.* **1** 간지럽다: My nose ~*s.* 코가 근질근질하다. **2** (자극물 따위로) 근질거리다: Pepper ~*s* if it gets into the nose. 후추가 코에 들어가면 근질거린다. ***be ~d pink* 〔*to death*〕** 포복절도하다; 《구어》 대단히 기쁘다. ***~ a person in the palm* =*~ the palm of* a person** 아무에게 뇌물(팁)을 주다. ***~ into* 〔*out of*〕** 옴질옴질 …에 밀어넣다〔…에서 밀어내다〕: ~ one's toes *into* one's slippers 발가락을 옴질옴질 움직여서 슬리퍼를 신다 / ~ a nut *out of*

the shell 껍질에서 열매를 발라내다. ~ *a person's fancy* 아무를 웃기다. ~ *a person's vanity* 허영심을 만족시키다. ~ *the ivories* 《우스개》 피아노를 치다. ~ *the peter* 《Austral.·N. Zeal. 속어》 현금 상자〔금고〕에서 훔치다, 횡령〔착복〕하다. ~ *the pickle* 《속어》 (남자가) 자위행위를〔마스터베이션을〕 하다. ~ *the public fancy* 세인의 기호에 맞다, 인기에 편승하다.
— *n.* **1** 간지럼; 간지러운 느낌, 근질근질함: give a ~ 간질이다 / have ~*s* 〔a ~〕 in ... …이 근질근질하다. **2** 즐겁게 하는 것: The dinner was a ~ of the palate. 디너는 맛이 좋았다. **3** 《Can.》 좁은 해협.

tick·ler [tíklər] *n.* 간질이는 사람〔것〕; 부추기는 사람; 《구어》 어려운 문제〔사건〕; 《미》 수첩, 비망록; 각서; 〖미회계〗 (은행 등의) 단식(單式) 메모장(帳); 〖통신〗 티클러〔재생〕 코일(= ∠ còil); 《미속어》 콧수염.

tick·lish, tick·ly [tíkliʃ], [tíkli] *a.* 간지럼 타는; (배가) 흔들리는, 뒤집히기 쉬운, 불안정한 (unsteady); (날씨 등이) 변하기 쉬운; (문제 따위가) 다루기 어려운; 성마른, 신경질의. [파] **tíck·lish·ly** *ad.* **tíck·lish·ness** *n.*

tíck·òver *n.* 《영》 (엔진의) 헛돌기(idling).

tíck·sèed *n.* 〖식물〗 **1** 씨가 옷에 붙는 식물의 총칭. **2** 기생초.

tic(k)·tac(k) [tíktæ̀k] *n.* **1** (시계의) 똑딱똑딱 소리; 《소아어》 시계. **2** 심장의 고동, 동계(動悸). **3** (장난용의) 소리 내는 장치. **4** 《영속어》 (경마에서) 돈을 건 사람끼리 하는 비밀 신호. — *vi.* 똑딱똑딱 소리를 내다.

tìc(k)-tac(k)-tóe *n.* [U] 삼목(三目) 놓기 (《영》 noughts-and-crosses)《한 사람은 동그라미를, 또 한 사람은 열십자를 각각 놓아 가는 오목(五目) 비슷한 놀이》.

tic(k)·toc(k) [tíktɑ̀k/-tɔ̀k] *n.* (특히 큰 시계의) 똑딱똑딱 (소리). — *vi.* 똑딱 소리를 내다.

tick·y-tacky [tíkitæ̀ki] 《미》 *n.* [U] 흔히 있는 싸구려 재료《주로 건축용의》; 멋없는 단조로운 획일성《단지의 가옥 따위》. — *a.* 초라한, (주택이) 싸구려 재료로 지은, 획일적인: a ~ house 싸구려 건재(建材)로 지은 집.

TID, t.i.d. 〖처방〗 *ter in die* 《L.》 (=three times a day).

tid·al [táidl] *a.* 조수의, 조수 같은; 조수의 작용에 의한; 간만이 있는; 밀물 때 출범〔입항〕하는; 주기적으로 변동하는: a ~ harbor 조항(潮港) 《만조 때만 사용 가능한》 / a ~ steamer 만조 때 출항하는 기선 / a ~ train (tidal steamer와 연락하는) 임항(臨港) 열차. [파] **~·ly** *ad.*

tídal àir 〔**brèath**〕 〖의학〗 (호흡할 때의) 1회 배기〔호흡〕량.

tídal bàsin 조수 독(dock).

tídal cùrrent 조류(潮流).

tídal dàtum 조위(潮位) 기준면(面).

tídal ènergy 조력(潮力), 조석(潮汐) 에너지.

tídal flòw (사람·자동차의) 시간에 따라 바뀌는 흐름.

tídal fríction 〖해양〗 조석(潮汐) 마찰《조류와 해저 사이의 마찰 현상》.

tídal pòwer generátion 〖전기〗 조력(潮力) 발전《조수의 간만의 차를 이용한 발전》.

tídal pówer plànt 조력(潮力) 발전소.

tídal ríver 감조 하천(感潮河川).

tídal wàve 1 해일, 고조(高潮). **2** 만조, 밀물. **3** 《비유》 인심의 대동요, 격동.

tid·bit [tídbìt] 《미》 *n.* 맛있는 가벼운 음식, 한 입의 진미(珍味), 작은 조각(titbit); 재미있는 뉴스〔화제〕, 토픽 뉴스, 토막 기사.

tid·dle·dy·winks, tid·dly·winks [tídldiwìŋks], [tídliwìŋks] *n. pl.* 〖단수취급〗 작은 원반을 튕겨서 종지 속에 넣는 유희.

tid·dler [tídlər] 《영》 *n.* 《소아어》 작은 물고기, 《특히》 가시고기(stickleback); 《구어》 젖먹이, 꼬마; 《구어》 아주 작은 물건.

tid·dly, -dley [tídli] 《구어》 *a.* 《영》 아주 작은; 거나하게 취한; 〖해군〗 정연한, 정장한.

tide[1] [taid] *n.* **1** 조수, 조류, 조석(潮汐): ⇨ EBB 〔LOW〕 TIDE / FLOOD 〔HIGH〕 TIDE / SPRING 〔NEAP〕 TIDE / The ship departed on the ~. 배는 밀물을 타고 떠났다 / The ~ is in 〔out, down〕. 지금 밀물〔썰물〕이다 / The ~ is on the flow 〔on the ebb〕. =The ~ is making 〔ebbing〕. 조수가 들어오고〔나가고〕 있다. **2** 흥망, 영고(榮枯), 성쇠(rise and fall): a full ~ of pleasure 환락의 절정. **3** 그 시대의 풍조, 시세, 경향, (때의) 형세: go with the ~ 시류에 따르다. **4** 《고어》 기운(氣運), 호기(好機). **5** 〖복합어·속담 이외에는 《고어》〗 계절, 때; (교회의) 축제(祝祭), …절(節): noon*tide* 한낮 / spring*tide* 봄 / Christmas*tide* 크리스마스 계절 / Time and ~ wait for no man. 《속담》 세월은 사람을 기다려 주지 않는다. *save the* ~ 조수(潮水)가 있는 동안에 입항〔출항〕하다; 호기를 놓치지 않다. *take fortune at the* ~ =*take the* ~ *at the flood* 호기에 편승하다. *the* ~ *turns* 형세가 일변하다: *The* ~ *turned* against 〔to〕 him. 형세는 그에게 불리〔유리〕해졌다. *the turn of the* ~ 조수가 바뀌는 때; 형세 일변. *turn the* ~ 형세를 일변시키다. *work double* ~*s* 주야로〔전력을 다해〕 일하다.
— *vi.* 밀물처럼 밀어닥치다; 조류를 타고 가다〔흐르다〕. — *vt.* 조류를 타게 하다; 조류에 태워〔실어〕 나르다. ~ *over* (곤란 따위를) 헤쳐나가다, 이겨내다, 극복하다(overcome); (돈·일 따위가) …에게 어려움을 이겨내게〔헤어나게〕 하다: ~ *over* hard times 어려운 시기〔불경기〕를 극복하다 / ~ a person *over* a crisis 아무가 위기를 헤어나게 하다 / Will the money ~ you *over* until you get your wages? 너는 급료를 탈 때까지 이 돈으로 꾸려갈 수 있겠느냐. ~ *one's way* 조류를 타고 나아가다.

tide[2] *vi.* 《고어》 일어나다, 생기다.

tíde-bòund *a.* 〖해사〗 (배가) 썰물로 인하여 움직이지 못하는.

tíde gàge 〔**règister**〕 검조기(檢潮器).

tíde gàte (밀물 때는 열리고 썰물 때는 자동적으로 닫히는) 조문(潮門).

tíde·lànd *n.* 간석지, 개펄; (*pl.*) 영해(領海) 안의 해저.

tíde·less *a.* 조수의 간만이 없는.

tíde·lìne *n.* 《영》 =TIDEMARK.

tíde lòck 조갑(潮閘)《조수의 간만에 따라 항구·독 따위의 수면을 조절하는 수문》.

tíde·màrk *n.* **1** (조수의 간만을 표시하는) 조석점(潮汐點); 조(수)표(潮(水)標); 《영구어》 (욕조의) 수위(水位)의 흔적; 최고 도달점. **2** 수준점〔선〕, 기준점〔선〕.

tíde mìll 조력(潮力)에 의한 물레방앗간; 조수를 배출하는 물레방아〔수차(水車)〕.

tíde·pòol *vi.* 조수 웅덩이에서 자연 관찰을 하다.

tíde ràce 강한 조류; 조로(潮路).

tíde·rìp *n.* (조류의 충돌로 생기는) 거센 파도, 격조(激潮).

tíde tàble 조수의 간만표, 조석(潮汐)표.

tíde·wàiter *n.* (옛날의) 승선 세관 감시원; 《비유》 기회주의자.

tíde·wàter *n.* **1** [U] 조수의 영향을 받는 강의 물; 만조 때 해안을 덮는 물. **2** 《미》 (조수의 영향을 받는 하천이 많은) 낮은 연안지대《특히 남부의》; (T-) 미국 버지니아 주 동부 지방.

tíde wàve 조석파(潮汐波), 조파(潮波).

tíde·wày [-wèi] *n.* 조로(潮路); 조류; (하천의) 조수의 영향을 받는 부분.

°**ti·dings** [táidiŋz] *n. pl.* **1** 〖단수취급〗 《문어》 통지, 기별, 소식: glad 〔sad, evil〕 ~ 희소식〔비

보, 홍보〕. **2** 《고어》 사건.

tid·ol·o·gy [taidálədʒi/-dɔ́l-] *n.* Ⓤ 조석학(潮汐學).

ti·dy [táidi] (**-di·er**; **-di·est**) *a.* **1** 말쑥한, 단정한; 말끔히 정돈된; (생각 따위가) 정연한; (옷차림 따위가) 산뜻한, 청초한; 깨끗한 것을 좋아하는: a ~ room 〔desk〕 잘 정돈된 방〔책상〕/a ~ boy 산뜻한 차림의 소년. SYN. ⇨NEAT. **2** 《구어》 (양·정도가) 꽤 많은, 상당한: a ~ income 상당한 수입. **3** 《구어》 알맞은, 적절〔적정〕한; 꽤 좋은, 만족스러운(fairly good): a ~ solution 만족스러운 해결책/a ~ chap 꽤 좋은 녀석. **4** 포동포동한, 건강해 보이는. ***cost a ~ penny*** 큰돈이 들다. **—** *vt.* 《~+목/+목+부》 정돈하다, 말끔하게 치우다, 깨끗하게 하다《*up*》: ~ (*up*) a room 방을 치우다. **—** *vi.* 《~/+부》 치우다《*up*》: ~ *up* after dinner 저녁 설거지를 하다. ***~ away*** (책·서류·옷 따위를) 정리〔정돈〕하다, 치우다. ***~ out*** (불필요한 것을 치워서 서랍 따위를) 깨끗이〔정돈〕하다. ***~ (up) oneself*** 옷차림을 단정히 하다. **—** *n.* **1** (수채의 작은 구멍이 뚫린) 찌꺼기통; 자질구레한 것을 넣는 자루〔그릇〕: a hair ~ 빗살에 묻어나오는 털을 담는 그릇. **2** 《미》 (의자·소파용) 커버. 파 **tí·di·ly** *ad.* **-di·ness** *n.* Ⓤ

tie [tai] (*p., pp.* **~d**; **tý·ing**) *vt.* **1** 《~+목/+목+부/+목+전+명》 (끈·새끼로) 묶다, 매다, 잇다; 매어서〔묶어서〕 만들다 《*up; together*》: ~ *up* a package 소포를 묶다/~ a person's hands 〔feet〕 (*together*) 아무의 두 손〔두 발〕을 묶다/*Tie* the horse *to* a tree. 말을 나무에 매어 두시오/~ a wreath 〔fly〕 화환을 〔제물낚시를〕 묶어서 만들다.

> SYN. **tie** 실·끈 따위로 매다. **bind** 띠 따위로 꽉 매다. **fasten** 매거나 핀으로 달거나 아교로 붙이거나 하여 고착시키다.

2 《~+목/+목+전+명/+목+부》 (끈·넥타이·리본 따위를) 매다; 매어서 몸에 달다: ~ one's shoes 구두끈을 매다/~ a necktie 넥타이를 매다/~ a knot 매듭을 짓다/~ the ribbon *in* a bow 리본을 나비매듭으로 하다/She ~*d* her apron. 그녀는 앞치마를 둘렀다/She ~*d* a bonnet *on*. 그녀는 모자를 쓰고 끈을 맸다. **3** 《~+목/+목+부/+목+*to* do/+목+전+명》 구속〔속박〕하다; 의무를 지우다; …의 사용을 제한하다: I am now ~*d up*. 나는 지금 바빠서 딴 일을 할 수 없다/~ a person *to* do something 아무에게 어떤 일을 하도록 의무를 지우다/He is ~*d to* the job. 그는 일에 얽매여 있다. **4** 결합하다, 잇다; 들보로〔가로장으로〕 잇다: ~ two power systems 두 개의 송전 계통을 연결하다. **5** 《구어》 결혼시키다. **6** 《미》 (철도에) 침목을 깔다. **7** 《~+목/+목+전+명》 〖경기〗 …와 동점이 되다, …와 타이를 이루다《*at; in*》: Harvard ~*d* Yale. 하버드 대학과 예일 대학은 동점이 되었다/My dog ~*d* yours *in* the race. 그 경주에서 우리 개가 너의 개와 동점이 되었다. **8** 〖음악〗 (음표를 붙임줄로) 연결하다. **9** 《속어》 …에 필적하다, 능가하다.

— *vi.* **1** 《~/+부》 매이다, 묶이다: The rope won't ~ *well*. 이 밧줄은 잘 매어지지 않는다/Does this sash ~ in front or at the back? 이 띠는 앞에서 맵니까 아니면 뒤에서 맵니까. **2** 《~/+전+명》 〖경기〗 동점이〔타이가〕 되다; 비기다《*with*》: The two teams ~*d*. 양팀은 동점이 되었다/I ~*d with* him in the last game. 나는 마지막 게임에서 그와 타이가 되었다. **3** 《미구어》 관련되다《*to*》; 《미구어》 (…을) 의지하다〔믿다〕《*to*》. **4** (개가) 냄새를 더듬어 가다.

be much ~d 바빠서 잠시도 짬이 없다. ***be ~d to time*** 정각까지 가지〔마치지〕 않으면 안 되다; 시간에 얽매여 있다. ***fit to be ~d*** 《구어》 몹시 화를 내어. ***~ a can to*** 〔***on***〕 《영》 …을 해고하다, …을 그만두다. ***~ (...) back*** …을 움직이지 않게 끈으로 고정시키다. ***~d beam*** =TIE BEAM. ***~d garage*** 《영》 (한 회사의) 전용차고. ***~ down*** ① 꼭 묶다, 매다: ~ a branch *down* 가지를 묶다. ② 구속〔속박〕하다; 제한하다, 의무를 지우다《*to*》: ~ a person *down to* a contract 아무에게 계약 의무를 지우다. ***~ in*** 《*vt.*+부》 ① …와 연결시키다; 조화시키다, 적합하게 하다《*with; to*》. **—** 《*vi.*+부》 ② (…에) 연결되다; 조화되다; 일치하다《*with; to*》. ***~ into*** ① 《속어》 …을 몹시 나무라다, 질책하다; …을 혹평하다. ② (일 따위)에 적극적으로 착수하다; …을 게걸스럽게 먹다. ③ (공)을 세게 쳐서 멀리 날리다, (피처의 공)을 보기 좋게 때리다. ④ 입수하다, (사냥물)을 포획하다. ***~ it off*** 《미속어》 (일 따위를) 중도에서 일단락짓다; 방치해 두다. ***~ it up*** 《미속어》 일을 만족하게 마치다, 문제를 해결하다. ***~ off*** ① 삼가다, 피하다. ② (혈관 등을) 묶다. ③ 《미속어》 침묵하다. ***~ on*** (끈 따위로) 동여매다; 《미속어》 먹다. ***~ one on*** 《미속어》 술을 억병으로 마시다. ***~ the knot*** ⇨KNOT. ***~ to*** 《미구어》 …에게 의지하다, …을 믿다〔신뢰하다〕; …와 제휴하다; …에 애착을 느끼다: I want something to ~ *to*. 뭣인가 의지할 데가 있으면 싶다. ***~ together*** 《*vt.*+부》 ① (…을) 함께 묶다. ② (이야기 따위의) 앞뒤를 맞추다. **—** 《*vi.*+부》 ③ (이야기의) 앞뒤가 맞는다, 내용이 일치하다. ***~ up*** 《*vt.*+부》 ① 단단히 묶다, 포장하다; (배를) 정박시키다. ② (상처를) 붕대로 감다. ③ 방해하다, (영업을) 정지시키다; (교통을) 두절시키다; (전화를) 독점 사용하다: All the traffic was ~*d up* by the snow storm. 눈보라로 모든 교통이 두절되었다. ④ 구속하다; 〖보통 수동태〗 꼼짝 못하게 하다; 바쁘게 하다; (…에) 종사〔전념〕하게 하다: She *was* ~*d up* in (a) conference and unable to meet me. 그녀는 회의 때문에 바빠서 나를 만나지 못했다. ⑤ (기업 등을) 연합〔제휴〕시키다《*with*》; 연결시키다, 짜게 하다. ⑥ (재산 따위를) 임의로 처분할 수 없게 하다; (자본 등을) 고정시키다. ⑦ 《구어》 결혼시키다. ⑧ 《미속어》 녹아웃시키다. **—**《*vi.*+부》 ⑨ 연합〔제휴〕하다. ⑩ 긴밀한 관계를 맺다, 결혼하다. ⑪ (배가) 정박하다. ***~ a person (up) in*** 〔***into***〕 ***knots*** 아무를 몹시 당황〔걱정〕하게 하다.

— *n.* **1** (물건을 묶기 위한) 끈, 새끼. **2** 매어서 사용하는 것; 넥타이; 작은 모피 목도리; 《미》 끈이 달린 바닥이 얇은 단화. **3** (장식) 매듭: a dress with many ~s around the waist 허리 둘레에 장식 매듭이 많이 달린 드레스. **4** (*pl.*) 연분; 인연, 기반, 의리: matrimonial ~s 부부의 연분/the ~s of friendship 우정의 유대. **5** 속박, 거추장스러운〔귀찮은〕 것, 무거운 짐: be bound by the ~s of habit 습관에 얽매이다. **6** 동점, 호각(互角), 동수 득표, 무승부, 비기기; 《영》 비긴 후의 재시합; 승자 진출 시합: The game ended in a ~ 2-2. 경기 결과는 2 대 2 로 비겼다/The ~ will be played off on Saturday. 무승부의 재시합은 토요일에 열린다/a cup ~ 우승배 쟁탈전. **7** 〖건축〗 이음나무; 〖공학〗 버팀목; 《미》 침목(《영》 sleeper); 〖음악〗 붙임줄, 타이(⌒, ⌣). ***count ~s*** =***hit the ~*** 《미속어》 선로(線路)를 걷다. ***play*** 〔***shoot***〕 ***off a*** 〔***the***〕 ***~*** 결승 시합을 하다. ***the ~s of blood*** 혈연.

파 **∠·less** *a.*

tíe·bàck *n.* (커튼을 한쪽으로 몰아붙여서 매는) 장식끈; (*pl.*) 그 커튼.

tíe bèam 〖건축〗 이음보, 지붕들보.
tíe·brèak(er) *n.* 〖경기〗 동점 결승전, 연장전; 동점 때 결말을 짓는 일《승부차기 · 제비뽑기 등》.
tíe-brèaking *a.* 〖경기〗 균형을 깨는: a ～ two-run homer 균형을 깨는 투런 홈런.
tíe clàsp 〔**clìp, bàr**〕 넥타이에 꽂는 금속제의 「장신구.
tied [taid] *a.* 《영》 (상점이) 특정 회사의 상품만을 파는, 특약의; (국가 간의 융자가) 조건이 붙는.
tíed cóttage 《영》 사택(社宅).
tíed hóuse 《영》 **1** (어떤 특정 회사의 술만 파는) 특약 술집〔선술집〕. cf. free house. **2** =TIED COTTAGE.
tíed lòan 타이드 론《조건부 융자》.
tíe-dòwn *n.* 고정 용구, 고정시키는 끈; 묶음, 장치, 설치.
tíe-dỳe *n.* Ⓤ 홀치기염색; Ⓒ 홀치기염색한 옷〔천〕. **—** *vt., vi.* 홀치기염색하다.
tíe-ìn *a.* 《미》 딴 것과 끼워 파는. **—** *n.* **1** 함께 끼워 팔기〔파는 상품〕(=**～ sàle**). **2** 관련, 관계, (비밀한) 결합〔관계〕; 연결 장치.
tíe lìne 〖전화〗 (PBX 방식에서 내선(內線)의) 연락선; 〖전기 · 교통〗 연락선, 접속선.
Tientsin ⇨ TIANJIN.
tíe-òn *a.* 매어 놓은; (끈으로) 동여매는.
tíe·pìn *n.* 넥타이핀(stickpin).
◇**tier**[1] [tiər] *n.* **1** (상하로 나란히 있는) 줄, 단, 층(row, range); (계단식 관람석 등의) 한 단〔줄〕: a classroom in ～*s* 계단식 교실/be arranged in ～*s* 층층으로 줄지어 있다. **2** 《미》 (지도상에서 서로 인접되어 있는) 일련의 주〔군(郡) 따위〕: a ～ of counties 일련의 여러 군. **3** 계급(class); 《Austral.》 산맥: the lower ～ of society 사회의 하층 계급. **—** *vt., vi.* 층층이 겹쳐 쌓다〔쌓이다〕.
ti·er[2] [táiər] *n.* 매는 사람〔것〕; 《미》 (어린애의) 「두렁이〔앞치마〕.
tierce [tiərs] *n.* 티어스《옛날의 용량 단위; 약 35갤런》, 1 티어스들이 통; 〖펜싱〗 제 3 의 자세; 〖음악〗 제 3 음, 3 도 (음정); (종종 T-) 〖기독교〗 제 3 시(의 예배)《오전 9 시》, 3 시과(時課)(=terce); 〖카드놀이〗 3 매 연속. **～ *and quart*** 펜싱(의 연습).
tier·cel [tíərsəl] *n.* =TERCEL.
tiered [tiərd] *a.* 층을 이루고 있는, 계단식으로 된: a ～ skirt 티어 스커트.
tíered párking lòt 《미》 주차용 빌딩.
Tier·ra del Fue·go [tiérədèlfwéigou] 티에라델푸에고《남아메리카 남단의 군도; 아르헨티나와 칠레가 공동 통치》.
tiers état [*F.* tjɛːʀzeta] 《F.》 〖역사〗 제 3 계급, 평민, 서민.
tíe sìlk 타이실크《넥타이 · 블라우스 따위에 쓰는 부드럽고 탄성(彈性)이 큰 견직물》.
tíe tàck =TIEPIN.
tíe-ùp *n.* **1** 《미》 정체, 막힘(stoppage). **2** 《미》 (파업 · 악천후 · 사고 등에 의한 교통 · 업무 등의) 불통, 마비, 휴업; 교통 정체. **3** 《구어》 제휴, 협력; (범죄 따위와) 결합, 관련: a technical ～ 기술 제휴. **4** (보트의) 계류장(繫留場); 《미방언》 외양간.
tiff[1] [tif] 《Ind.》 *vi.* =TIFFIN.
tiff[2] *n.* 사소한 말다툼, (애인 · 친구 간의) 승강이; 기분이 언짢음. **—** *vi.* 말다툼하다; 기분을 상하다, 불끈하다.
tiff[3] *n.* 《드물게》 (약한) 술; 술 한 잔.
TIFF 〖컴퓨터〗 tagged image file format (태그 화상 파일 형식).
tif·fa·ny [tífəni] *n.* Ⓤ 사(紗)붙이의 일종.
tif·fin [tífin] 《Ind.》 *n.* Ⓤ 티핀, 점심(lunch). **—** *vi., vt.* 점심을 먹다; …에게 점심을 내다.
tig [tig] *n.* 술래잡기(tag[2]); 《영구어》 싸움.
⁑ti·ger [táigər] *n.* **1** 범, 호랑이. ★ 암컷은 tigress, 새끼는 cub, whelp. **2** 포악한〔호랑이 같은, 잔인한〕 사람; 맹렬한 활동가. **3** 《영구어》 (경기 등의) 강적. opp. *rabbit.* **4** 《영》 소년 마부. **5** 《미》 (만세 삼창 후의) 덧부르는 만세《Tiger! 라고 외침》. **6** 《미속어》 (포커에서) 최저의 수; =FARO. **7** (the ～) 호랑이 같은 사나운 성질. ***a red*** **～** =COUGAR. ***buck*** 〔***fight***〕 ***the*** **～** 《미속어》 faro를 하다, (faro나 roulette에서) 물주와 승부하다. ***have a*** **～** ***by the tail*** 《미》 예상 밖의 곤경에 빠지다. ***park a*** **～** 《영속어》 게우다, 토하다. ***put a*** **～** ***in*** a person***'s tank*** 아무에게 에너지를〔정력을〕 주다. ***ride the*** 〔***a***〕 **～** 위험한 짓을 하다. ***work like a*** **～** 맹렬히 일하다. ㊞ **～·lìke** *a.*
tíger bèetle 〖곤충〗 가뢰.
tíger càt 〖동물〗 살쾡이; (집에서 기르는) 얼룩 「고양이.
tíger ecònomy 호랑이 경제《한국 · 싱가포르 등 아시아 작은 국가들의 성공적인 경제》.
tíger·èye, tíger's-èye *n.* Ⓤ 〖광물〗 호안석(虎眼石).
ti·ger·ish [táigəriʃ] *a.* 호랑이 같은; 사나운, 잔인한. ㊞ **～·ly** *ad.* **～·ness** *n.*
tíger lìly 〖식물〗 참나리.
tíger mosquìto 외줄모기《뎅기(dengue)열 등을 매개하는 아시아산 대형 모기》.
tíger mòth 〖곤충〗 불나방.
tíger·wòod *n.* Ⓤ 호랑이 반점무늬의 목재.
⁑tight [tait] *a.* **1** 단단한, 단단히 맨, 탄탄한, 단단해서 움직이지〔풀리지〕 않는: a ～ knot 단단한 매듭/a ～ drawer 빡빡해서 열리지 않는 서랍. **2** (줄 따위가) 팽팽히 켕긴, 바짝 죈: a ～ belt. **3** 《비유》 (미소 등이) 굳은, 딱딱한: a ～ smile 딱딱한 웃음. **4** (관리 · 단속 등이) 엄한, 엄격한: She kept ～ control over the children. 그녀는 아이들을 엄격히 통제했다. **5** 빈틈없는; (피륙이) 톡톡〔쫀쫀〕한; 물이〔공기가〕 새지 않는. cf. water*tight*, air*tight*. ¶ a ～ cask 물이 새지 않는 통/a ～ weave 톡톡하게 짜기/The boat is ～. 이 보트는 물이 새지 않는다. **6** (옷 · 신발 따위가) 갑갑한, 몸에 꼭 맞는, 꼭 끼는〔째는〕; (가슴의 느낌 따위가) 답답한, 꽉 죄는 듯한: a ～ boot 〔coat〕 꼭 끼는 신〔저고리〕/a ～ skirt 꼭 끼는 스커트/a ～ feeling 답답한 느낌. **7** (포대 · 예정 등이) 꽉 찬: a ～ schedule 꽉 차 있는 예정/a ～ bale 꽉 찬 포대. **8** (입장 따위가) 어찌〔꼼짝〕할 수 없는, 곤란한, 빠져나오기〔타개하기〕 어려운. **9** 돈이 딸리는, (금융이) 핍박한; 이익이 신통치 않은: Money is ～. 돈 사정이 좋지 않다. **10** 《구어》 노랑이의, 인색한; 《구어》 성실한, 신용할 수 있는, 굳은: He is ～ about money. 그는 돈에 대해서 인색하다. **11** 《구어》 (경기 따위가) 접전의, 막상막하의: a ～ game 팽팽한 경기. **12** 《구어》 술취한(drunk). **13** 〖상업〗 (상품이) 품귀한, (시장이) 수요에 비해 공급이 적은; (거래가) 이익이 없는. **14** 〖저널리즘〗 기사가 남아돌아가는. **15** 《방언》 깔끔한, 간결한; 아담한, 예쁘장한, 맵시있는: a ～ little girl 예쁘장한 소녀. **16** 《방언》 솜씨 좋은, 유능한; 《속어》 친밀한, 우호적인. ***be in a*** **～** ***place*** 〔***corner, spot, situation***〕 진퇴유곡〔궁지〕에 빠지다, 꼼짝달싹할 수 없다. ***get*** **～** 술 취하다. ***keep a*** **～** ***rein*** 〔***hand***〕 ***on*** …을 엄격히 다루다〔바짝 다잡이하다〕. ***perform on the*** **～** ***rope*** (곡예사가) 줄타기하다. ***run a*** **～** ***board*** 《미속어》 방송 시간을 최대한으로 쓰다. ***up*** **～** =UPTIGHT.
— *ad.* **1** 단단히, 굳게; 꼭, 꽉; 밀접해서: Hold it ～. 꼭 붙들고 있어라, 꼭 누르고 있거라/The door was shut ～. 문이 꼭 잠겨 있었다. **2** 아담하게. **3** 푹《자는 모양》: sleep ～. ***sit*** **～** ① (말의) 안장에 정좌하다. ② 현위치에 멈춰 서다, 꼼짝하지 않다, 사태를 정관하다; 《구어》 때를 기다리다. ③ 주장〔방침〕을 굽히지 않다, 끈덕지게 버티다〔고집하다〕.

— *n*. **1** (*pl*.) (무용·체조용의) 타이츠; ((영)) 스타킹, 팬티 스타킹; (옛날 궁중에서 입던) 다리에 꼭 붙는 남자용 바지. **2** ((미속어)) 궁지, 곤경; 좁고 답답한 장소. **3** (럭비의) 스크럼. **4** 시간이 꽉 찬 방송 프로.
[파] **∽·ly** *ad*. 단단히, 꼭, 굳게. **∽·ness** *n*. 견고, 죄임; 긴장; 갑갑함; 금융 핍박.

-tight [tàit] *suf*. '…이 통하지 않는, …이 새지 않는, …을 막는' 이란 뜻: air*tight*, water*tight*.

tíght buílding sỳndrome 기밀(氣密) 빌딩 증후군((빌딩의 환기 불량으로 인한 갖가지 신체적 부조(不調) 증상)).

tíght córner =TIGHT SQUEEZE.

***tight·en** [táitn] *vt*. ((~+[목]/+[목]+[부])) (바짝) 죄다, 팽팽하게 치다, 단단하게 하다; (경제적으로) 어렵게 만들다; (통제·규칙을) 엄하게 하다, 강화하다((*up*)): ~ a screw a little more 나사를 좀더 죄다 / ~ a rope 줄을 팽팽하게 치다 / ~ *up* rules 규칙을 엄하게 하다. **—** *vi*. 죄이다, 팽팽하게 되다, 단단해지다; 핍박하다; (규칙·사람이) 엄해지다: The market ~*s*. (금융) 시장이 핍박하다. ~ one's **belt** ⇨ BELT. ~ one's **face** ((미속어)) (십대들끼리) 입을 다물다; 조용히 하다.
[파] ~·**er** *n*.

tíght énd 〖미식축구〗 타이트 엔드((태클에서 2 야드 이내의 공격 엔드)).

tíght-físted [-id] *a*. 인색한; 검소한: be ~ *with* money. [파] ~·**ness** *n*. 「어 갑갑한.

tíght·fítting *a*. (옷이) 꼭 맞는, 꼭 끼는; 꼭 끼

tíght-knít *a*. (올을) 쫀쫀〔조밀〕하게 짠; 정연하게 조직된, (계획이) 빈틈없는, (조직이) 긴밀한.

tíght-láced [-t] *a*. **1** 꼭 끼는 코르셋을 한. **2** (예절에) 엄격한, 융통성 없는.

tíght-lípped [-t] *a*. 입을 꼭 다문; 말수가 적은; 입이 무거운.

tíght móney 1 금융 긴축; 금융 핍박: ~ policy 금융 긴축 정책. **2** =HARD MONEY.

tíght-móney pólicy 금융 긴축 정책.

tíght-móuthed [-ðd, -θt/-ðd] *a*. =TIGHT-LIPPED; CLOSE-MOUTHED.

tíght·ròpe *n*. (줄타기용의) 팽팽하게 맨 줄: a ~ walker 〔dancer〕 줄타기 곡예사.

***tights** [taits] *n*. *pl*. =TIGHT *n*. **1**.

tíght shìp 선원과 고급 장교〔장성〕 상호 간에 빈틈없이 통제가 이루어지고 있는 배〔군함〕; ((구어)) 빈틈없이 조직되어 효율적으로 활동하고 있는 조직〔회사 따위〕. 「a ~ 궁지에 몰려.

tíght spót ((구어)) 난처한 입장, 어려운 상황: in

tíght squéeze ((구어)) 궁지, 난관, 애로: in a ~ (재정 등이) 궁지에 빠져.

tíght·wàd *n*. ((속어)) 구두쇠, 노랑이.

tíght·wìre *n*. 줄타기용 끈.

ti·glon [táiglən] *n*. =TIGON. [◀ *tiger*+*lion*]

ti·gon [táigən] *n*. 타이곤((수범과 암사자와의 튀기)). [◀ *tiger*+*lion*]

Ti·gre [tigréi] *n*. **1** 티그레((아프리카 동부의 옛 왕국; 현재는 에티오피아 북부의 한 주; 주도 Aduwa)). **2** 티그레어. **3** 티그레족((에티오피아 북부에 사는 Tigrinya 어를 말하는 유목민)).

ti·gress [táigris] *n*. 암범; 잔인한 여자.

Ti·gris [táigris] *n*. (the ~) (메소포타미아의) 티그리스 강.

ti·grish [táigriʃ] *a*. =TIGERISH.

T.I.H. Their Imperial Highness.

Ti·juá·na táxi [tìːəwáːnə-] ((CB속어)) 순찰차.

tike [taik] *n*. =TYKE.

tik·ka [tíkə] *n*. [U,C] 티카((잘게 자른 고기나 야채를 향신료로 조미하여 꼬챙이에 꿰어 구운 인디언 요리)).

til, teel [ti(ː)l], [tiːl] *n*. 〖식물〗 참깨(sesame); 참기름(=∽ òil).

'til [til] *prep*., *conj*. =UNTIL.

ti·la·pia [tiláːpiə, -léi-] *n*. 〖어류〗 틸라피아((아프리카 동부·남부 원산의 양식어)). 「경마차.

til·bury [tílbèri, -bəri/-bəri] *n*. 지붕 없는 2 륜

til·de [tíldə] *n*. ((Sp.)) **1** 스페인어 등의 n자 위에 붙이는 발음 부호((*señor*의 ˜)). **2** 반복을 피하기 위한 생략 기호((~)).

****tile** [tail] *n*. **1** (화장) 타일; 기와: a ceramic ~ 사기 타일 / a roof(ing) ~ 지붕 기와 / a plain ~ 평기와. **2** (하수·배수의) 토관(土管); 공동(空洞) 벽돌. **3** (마작의) 패. **4** ((구어)) 실크해트. ***be* (*out*) *on the* ~*s*** ((속어)) 방탕하다. ***have a* ~ *loose*** ((속어)) 좀 돌았다. **—** *vt*. **1** 타일을 붙이다; 기와를 이다; …에 토관을 부설하다. **2** (비밀 결사의 집회 등에) 망꾼을 배치하다; (회의 등을) 비밀로 하다; (아무에게) 비밀을 지키게 하다.

til·er [táilər] *n*. 기와〔타일〕장이〔제조공(工)〕; (Freemason의) 집회소 망꾼. [파] **~y** [-əri] *n*. 기와 공장, 타일 제조소.

til·ing [táiliŋ] *n*. 기와 이기; 타일 붙이기〔공사〕; 〖집합적〗 기와〔타일〕류(類); 기와지붕, 타일면(面).

†**till**[1] [til] *prep*. **1** 〖시간적〗 …까지: ~ dawn 새벽까지 / from morning ~ night 아침부터 밤까지 / ~ after dark 일몰 후까지 / Goodby ~ tomorrow. 내일까지 안녕.

> [SYN] **till** 계속의 뜻을 갖고 있으므로 wait, stay 그 밖에 계속을 나타내는 동사 뒤에 쓰임. **by** 완료 시기를 나타냄: I shall be back *by* six. 나는 여섯 시까지 돌아오겠다. 완료와 함께 쓰임: He must have come *by* this. 그는 지금쯤 와 있을 것이 틀림없다. **before** 보통 개시 또는 종지를 나타내는 동사 뒤에서 쓰임: He started *before* I came. 내가 오기 전에 그는 출발하였다. The rain will stop *before* it gets dark. 어두워지기 전에 비는 멎을 것이다.

2 〖부정어와 함께〗 …까지 …않다; …에 이르러 …하다: I had *not* eaten anything ~ late in the afternoon. 오후 늦게까지 나는 아무것도 안 먹었다 / It was *not* ~ evening that we got the news. 우리는 저녁이 되어서야 겨우 그 소식을 받았다. **3** 경(頃), …가까이: ~ evening 저녁 무렵, 저녁 때 가까이. **4** …분 전: ten minutes ~ six, 6 시 10 분 전. ~ ***the cows come home*** 오랫동안.

— *conj*. **1** 〖시간적〗 …할 때까지: He waited ~ I returned. 그는 내가 돌아올 때까지 기다렸다 / Wait ~ called for. 부를 때까지 기다리시오 / Walk straight ahead ~ you come to a bus stop. 버스 정류장이 나올 때까지 곧장 걸어가시오. **2** 〖부정어와 함께〗 …할 때까지 (…않다); …하여 비로소 …하다: I wo*n't* start ~ he returns. 그가 돌아올 때까지 나는 출발하지 않겠다 / People do *not* know the value of health ~ they lose it. 사람들은 건강을 잃고서야 비로소 그 가치를 안다. **3** 〖정도·결과를 나타내어〗 …할 정도까지, …하여 드디어: The girl ran ~ she was out of breath. 소녀는 숨이 찰 때까지 달렸다. [cf.] until, since.

> [NOTE] (1) 종종 till의 뒤에 at last, finally 등이 쓰임. (2) until 쪽이 더 강조적이어서, 절이나 구가 주문(主文)에 선행할 때, 결과를 나타낼 때, 때의 계속을 강조할 때 등에 많이 쓰임.

till[2] *vt*., *vi*. 갈다, 경작하다(cultivate).

> [SYN] **till** 사람이 토지를 경작할 때 씀. cultivate 처럼 비유적인 뜻은 없음. **cultivate** 경작

하는 뜻 외에 비유적으로 교양으로 학예 따위를 몸에 익힌다는 뜻도 있음. **plough** 가래로 땅을 갊.

till[3] n. 돈궤, 카운터의 돈서랍. ***have*** **one's** ***fingers*** 〔***hand***〕 ***in the*** ~ 《구어》 가게의 돈에 손을 대다〔을 착복하다〕.
till[4] n. 〖지학〗 빙력토(氷礫土).
tíll·a·ble a. 경작에 알맞은.
tíll·age n. Ⓤ 경작지; 농작물.
til·lands·ia [tilǽndziə] n. 〖식물〗 틸란지어《아나나스과 식물의 총칭; (아)열대 남아메리카산》.
tíll·er[1] n. 경작자, 농부; 경운기.
tíll·er[2] n. 〖선박〗 키의 손잡이; 〖일반적〗 조종 장치. ***at the*** ~ 키를 잡고, 지휘하여.
tíll·er[3] n., vi. 새싹〔새 가지, 움〕(이 나다).
tíller·man [-mən] (pl. ***-men*** [-mən, -mèn]) n. 배를 조종하는 사람, 조타수(steersman).
Til·lie, -ly [tíli] n. 틸리《여자 이름; Matilda의 애칭》.
till·ite [tílait] n. 표력암(漂礫岩)《뭉치어 굳어진 표력토(漂礫土)》.
°**tilt**[1] [tilt] n. **1** 기울기, 경사(slant), 물매; 《비유》 편향(偏向), 경사; 사면(斜面): Give it a ~. 그것을 기울여라/on the ~ 기울어져서. **2** (창으로) 찌르기; 마상 창시합; 보트·통나무 따위를 타고 장대로 상대를 물속으로 밀어 떨어뜨리는 경기. **3** 경기, 시합. **4** 공격; 논쟁, 토론. **5** =TILT HAMMER. **6** (얼음 위에서 구멍을 뚫고 하는 낚시에서) 낚시찌의 일종. **(*at*) *full*** ~ 전속력으로, 쏜살같이, 전력을 내어. ***at*** ~ =ATILT. ***come*** 〔***run***〕 ***full*** ~ ***against*** …에 전속력으로 부닥치다. ***have a*** ~ ***at*** 〔***against***〕 …을 공격하다; …을 논박하다. ***have a*** ~ ***to*** (left) (왼쪽)으로 기울다. ***run full*** ~ ***into*** 〔***at***〕 …에 맹렬한 기세로〔정면으로〕 부닥치다.
── vi. **1** 《~/+부/+전+명》 기울다, 경사지다 《*up*》; 《비유》 편향하다: The desk is apt to ~ *over*. 그 책상은 잘 기운다/a tree ~*ing to* the south 남쪽으로 기울어진 나무. **2** 창으로 찌르다 《*at*》, 마상 창시합을 하다. **3** 《~/+전+명》 공격〔돌진〕하다; 항의하다, 비난〔풍자〕하다《*against; at*》; 논쟁하다《*with*》: ~ *at* wrongs 부정을 따지다. **4** (카메라가) 상하로 움직이다〔기울다〕. ── vt. **1** 《~+목/+목+부/+목+전+명》 **a** (물건·목을) 기울이다: ~ one's hat 모자를 비스듬히 쓰다/~ a chair *back* against the wall 의자를 벽에 기대어 놓다/She ~*ed* her head *to* one side. 그녀는 머리를 한쪽으로 기울였다. **b** (물건을) 뒤집다; (그릇·짐차 등을) 기울여 속〔짐〕을 비우다《*out; up*》: ~ *out* coal (그릇을 기울여) 석탄을 비우다. **2** 《~+목/+목+전+명》 (창을) 쑥 내밀다, (창으로) 찌르다: ~ a lance/~ a person *out of* his saddle (창으로) 찔러 아무를 말에서 떨어뜨리다. **3** (말·글로) 공격하다; …와 논쟁하다, 논박하다. **4** (카메라를) 상하로 움직이다〔기울이다〕. **5** tilt hammer로 두드리다. ~ ***at windmills*** ⇨ WINDMILL. ~ ***over*** 기울다, 전복하다.
㊞ ~**·er** n.
tilt[2] n. (마차·배 따위의) 포장, 차양, 차일.
── vt. …을 천막으로 가리다, …에 차일을 치다.
tilth [tilθ] n. Ⓤ 경작(지); (토지의) 경작 상태 (tillage); (정신 등의) 함양; (토양·작토의) 경작 적성.
tílt hàmmer 대장간의 동력 망치.
tílt·mèter n. 경사계《지구 표면의 기울기 측정용》.
tílt-ròtor n. 〖항공〗 틸트로터《주익(主翼) 양끝에 장치한 엔진과 프로펠러를 아래위로 회전시켜 수직 이륙이나 고속 전진 비행을 할 수 있는 비행기》.

tílt·tòp a. (외다리 탁자의) 위판을 수직으로 눕힐 수 있는《쓰지 않을 때》: a ~ table.
tílt·yàrd n. (중세의) 마상 창시합장.
Tim [tim] n. 팀《남자 이름; Timothy의 애칭》.
TIM Travel Information Manual. **Tim.** 〖성서〗 Timothy.
tim·bal, tim·bul [tímbəl] n. **1** =KETTLEDRUM. **2** 〖곤충〗 (매미 따위의) 진동막.
tim·bale [tímbəl, tæmbɑ́:l] n. 《F.》 팀벌《다진 닭고기·새우 따위에 달걀·크림을 섞어 틀에 넣어 구운 요리》.
tim·ber**[1] [tímbər] n. **1** Ⓤ 재목, 목재, 용재, 큰 각재; 《영》 판재(《미》 lumber): a log of ~ 통나무/seasoned ~ 말린 목재. **2** 〔집합적〕 (목재가 되는) 수목, 입목(立木); 삼림(지): standing ~ 입목/cut down 〔fell〕 ~ 벌채하다/The fire destroyed thousands of acres of ~. 산불로 수천 에이커의 삼림이 탔다. **3** Ⓒ 대들보, 가로장; 〖선박〗 늑재(肋材); 선재(船材). **4** 〖승마〗 Ⓤ 목조 장애물《울타리·문 따위》. **5** 《크리켓속어》 =TIMBER YARD. **6** 성격, 인품, 인물, 소질: a man of real presidential ~ 진정한 회장감. **7** Ⓤ,Ⓒ 재료, 소재. **8** 《속어》 다리(leg). **9** 《미속어》 거지. (Shiver***) ***my*** ~***s !*** 《해사속어》 넨장, 젠장, 빌어먹을, 제기랄. ── vt. **1** 《+목+부》 재목으로 받치다〔짜 맞추다, 덮다, 짓다〕: ~ *up* a roof 재목으로 지붕을 이다. **2** …에 재목을 공급하다. ── vi. 나무 벌채에 종사하다; 버팀목을 대다. ── *int*. 나무 쓰러진다《벌채 때의 위험 신호》.
tim·ber[2] n. 〖상업〗 모피 한 묶음《40 장》.
tím·bered a. 목재를 쓴, 목조의; 수목으로 덮인, 수목이 울창한; 구조가 …재(材)인, 체격이 …한.
tímber-fràme, -fràmed a. 목골조(木骨造)의.
tímber·hèad n. 〖해사〗 늑재(肋材)의 상단; 늑재의 연장부《뱃전에서 위로 내민 부분》.
tímber-hèaded [-id] a. 《속어》 어리석은, 아둔한.
tímber hìtch 〖해사〗 옭매듭《원재(圓材)에 밧줄을 매는 방법》.
tím·ber·ing [-riŋ] n. Ⓤ 〔집합적〕 목재, 용재; =TIMBERWORK.
tímber·jàck n. 나무꾼, 벌목꾼(logger).
tímber·lànd n. 《미》 삼림지.
tímber lìne (고산·극지의) 수목 한계선.
tímber mìll (건축용 목재의) 제재소.
tímber tòe(s) 《구어》 나무 의족(을 한 사람).
tímber wòlf 〖동물〗 (북아메리카산) 이리.
tímber·wòrk n. Ⓤ 나무로 짜기; (pl.) 제재소, 재목 공장.
tímber yàrd 《영》 재목 두는 곳, 목재 저장소 (《미》 lumberyard); 《크리켓속어》 삼주문.
tim·bre [tǽmbər, tím-] n. 《F.》 Ⓤ 음색, 소리맵시; 음질《미국에서는 timber 라고도 씀》.
tim·brel [tímbrəl] n. =TAMBOURINE.
Tim·buk·tu, -buc·too [tìmbʌktú:, -ˊ-ˋ/ˋ-ˊ] n. **1** 통북투《Africa 서부, Mali 중부에 있는 도시》. **2** 멀리 떨어진 곳, 원격지.
timbul ⇨ TIMBAL.
Time [taim] n. 타임《미국의 3 대 뉴스 주간지의 하나; 1923 년에 창간》.
†**time** [taim] n. **1** 〔관사 없이〕 Ⓤ (과거·현재·미래로 계속되는) 시간, 때; 시일, 세월, 시간의 경과: The world exists in space and ~. 세계는 공간적 시간적으로 존재한다/*Time* is money. 《속담》 시간은 돈이다/*Time* flies. 《속담》 세월은 유수와 같다/*Time* will show who is right. 때가 지나면 누가 옳은지 알게 될 것이다/*Time* and tide wait for no man. 《속담》 세월은 사람을 기다리지 않는다. ★ 세월의 뜻으로는 의인화하여 (old) Father Time 이라고 하는

경우도 있음.
2 〘관사 없이 또는 no, any, much, not much, little, a lot of, one's 따위가 붙는 수가 있음〙 Ⓤ (소요) 시간, 쓸 수 있는 시간, 틈, 여가: That will take ~. 그것을 하는 데는 시간이 걸릴 것이다/It's ~ *for* me *to* go to bed. 이제 잘 시간이다/have *not much* 〔have *no*〕 ~ *for* reading 독서할 시간이 별로〔전혀〕 없다/spend *a lot of* ~ (in) getting ready 준비에 많은 시간이 걸리다/if I had ~ 시간〔틈〕이 있다면/There is no ~ to lose. 일각의 여유도 없다.
3 〘a, some이 붙어서〙 Ⓤ 기간, 동안, 잠시: in *a* short ~ 이윽고/after *a* ~ 잠시 후에/for *a* long 〔considerable, short〕 ~ 오랜〔상당히 긴, 잠시〕 동안/I had *a* ~ to see your intention. 내가 네 의향을 아는 데는 시간이 조금 걸렸다/It was *some* ~ before he turned up. 잠시 후에 그가 나타났다.
4 (the ~) Ⓤ (한정된) 시간, 기간, 기일: We've got to finish the work within the ~. 정해진 시간 내에 일을 끝내지 않으면 안 된다/They were laughing all the ~. 그들은 내내 웃고 있었다.
5 Ⓒ,Ⓤ (때의 한 점인) 시각, 시간; 기일; 때, 시절, 계절; …한 때, …할 때《*at; by; around;* (*at*) *about*》: What ~ is it (now)? (지금) 몇 시냐《★ What's the ~?, Can you tell me the ~? 이라고 할 때가 있음. 또 《미》에서는 Have you got the ~? =What ~ do you have? 라고도 함》/fix a ~ for a call 방문 시간을 정하다/It is lunch ~. 점심시간이다/*at* blossom ~ 꽃필 적에/*at* 〔*around*〕 Christmas ~ 크리스마스 때에〔무렵에〕/*at* the ~ you're speaking of 네가 말을 하는 시각에/*by* the ~ we reached home 집에 도착했을 때까지는/every ~ I think of it 내가 그것을 생각할 때마다.

> SYN. **time** 시각을 나타냄. **o'clock** 'of the clock'의 뜻: It is one *o'clock*. 한 시입니다. **hour** 시간의 단위·시각 또는 정해진 시의 뜻.

6 Ⓒ,Ⓤ 시기, 기회, 때, 순번, 차례(turn): next ~ 다음 기회/watch one's ~ 기회를 엿보다/another ~ 다른 때/There is a ~ and a place for everything. 《속담》 모든 일에는 시기와 장소가 있다《종종, 지금은 적당한 시기가 아니란 뜻》.
7 Ⓒ (종종 *pl.*) (지낸) 시간; 경험《혼났던 일, 유쾌했던 기억 따위》: have a good 〔a nice, a lovely, quite a〕 ~ (of it) 즐거운 한때를 보내다/have a hard ~ (of it) 혼나다.
8 Ⓒ (종종 *pl.*) 시대, 연대, (the ~) 현대: ancient 〔medieval, modern〕 ~*s* 고대〔중세, 현대〕/in the ~s of the Stuarts =in Stuart ~*s* 스튜어트 왕조 시대에/the noted people of the ~ 당대의 명사들.
9 (*pl.*) 시대의 추세(趨勢), 경기(景氣): keep up 〔pace〕 with the ~*s* 시세에 따르다, 시세에 보조를 맞추다/good ~*s* 호경기.
10 Ⓤ 일생, 평생, 생존 중, (아무가) 활약하는 시대: The house will last my ~. 이 집은 내 평생 쓸 수 있을 것이다.
11 Ⓒ (몇) 번, 회; 배, 곱: ten ~*s* a day 하루에 10회/five ~*s* as big (as ...) (…의) 5배의 크기로/3 ~*s* 6 is 18. 3×6=18/This is the fifth ~. 이번으로 다섯 번째다/There's always a next ~. 《속담》 반드시 또 다음 기회가 있는 법이다.
12 Ⓤ (머슴살이 등의) 연기(年期), 근무 시간; 임금: straight ~ 고정급/ask for one's ~ 급료 지급을 요구하다.
13 Ⓤ 죽을 때, 임종; 분만기; 형기, 《미》 강제 노동 기간: His ~ has come. 그가 죽을 때가 다가왔다/Her ~ is near. 머잖아 아이를 낳는다.
14 Ⓤ 〖경기〗 시작!, 중지!, 그만!; 타임, 소요 시간: He ran the mile in record ~. 그는 1마일을 신기록으로 달렸다.
15 Ⓤ 〖음악〗 박자; 속도: waltz ~ 왈츠의 템포.
16 Ⓤ 표준시: Greenwich ~ 그리니치 표준시/summer ~ 서머 타임, 일광 절약 시간/solar ~ 태양시.
17 Ⓤ 〖문법〗 시제(tense).
18 〖군사〗 보조; 보행 속도; (운전·일 따위의) 속도: double 〔quick, slow〕 ~ 구보〔빠른 걸음, 보통 걸음〕/at double-quick ~ 대단히 빨리, 급히.
against **~** 시간을 다투어, 전속력으로; 기록을 깨기 위해; 《미구어》 (제한된 시간이 될 때까지) 시간을 벌기 위해: work *against* ~ 시간을 다투어 일하다/run *against* ~ 기록을 깨기 위해 달리다/talk *against* ~ 시간을 벌기 위해 이야기하다. ***ahead of*** 〔***born before***〕 **one's ~**(***s***) 너무 시대에 앞서서 이해받지 못하는. ***ahead of*** **~** 약속 시간보다 빠르게: arrive a little *ahead of* ~. ***all in good*** **~** 때를 기다리노라면, 때가 오면. ***all the*** **~** ① 그간 줄곧. ② 언제나, 아무 때라도: He's a businessman *all the* ~. 그는 언제나 철저한 실업가다. ***as*** **~*s go*** 《구어》 지금 형세로는, 세상 형편상. ***at all*** **~*s*** 언제든지. ***at any*** **~** 언제 어느 때, 언제든지. ***at a*** **~** 한꺼번에; 동시에. ***at no*** **~** 한 번도 …없다〔…하지 않다〕. ***at odd*** **~*s*** 이따금, 틈틈이. ***at one*** **~** ① 한때는, 일찍이: *At one* ~ I used to go fishing on weekends. 나는 한때는 주말에 낚시질을 가곤 했다. ② 동시에. ***at other*** **~*s*** 평소에는, 다른 때는. ***at the best of*** **~*s*** 상태가 제일 좋은 때에: The road is none too smooth even at *the best of* ~*s*. 제일 좋은 때라도 그 길은 울퉁불퉁하다. ***at the same*** **~** ① 동시에. ② 하지만 (however). ***at this*** **~** ***of*** (***the***) ***day*** 이맘때에, 이제야; 이렇게 늦게〔빨리〕. ***at this*** **~** ***of*** (***the***) ***year*** 매년 이맘때에. ***at*** (your) **~** ***of life*** (너)의 나이 때에(는). ***at*** **~*s*** 때때로. ***beat*** **a person's ~** 《속어》 아무의 연인에게 손대다〔을 가로채다〕; 경쟁 상대를 이기다. ***beat*** **~** 박자를 맞추다. ***before*** **one's ~** ① 달이 안 차서《태어나다》. ② 천명을 다하지 못하고. ③ 시대에 앞서서. ***behind*** 〔***ahead of***〕 ***the*** **~*s*** 시대에 뒤져서〔보다 앞서서〕. ***behind*** **~** ① (정각보다) 늦어서, 지각하여: The train is ten minutes *behind* ~. 기차는 10분 늦었다. ② (지불이) 늦어서, 밀려서: He's always *behind* ~ *with* his payments. 그는 언제나 지불이 늦다. ***between*** **~*s*** ① 때때로. ② 틈틈이. ***by this*** **~** ① 지금쯤은. ② 이때까지. ***call*** **~** (심판이) 타임을 부르다. ***come to*** **~** 《미속어》 지다. ***do*** **~** 《속어》 형기를 치르다. ***find*** **~** 여가가 있다《*to* do》: *Find* ~ *to* do it. 짬을 내 해라. ***for a*** **~** 일시, 잠시; 임시로; 당분간(은). ***for*** (***the***) **~** ***being*** =***for the*** **~** 당분간. ***from*** **~** ***to*** **~** 때때로. ***gain*** **~** ① (시계가) 빠르다. ② 시간을 벌다; 여유를 얻다; 수고를 덜다. ***get*** **one's ~** 《미속어》 해고당하다. ***give*** **~** 유예하다. ***half the*** **~** ① 절반의 시간: I could have done it in *half the* ~. 나라면 그 반의 시간으로 할 수 있었을 텐데. ② 그 태반은, 거의 언제나: He says he works hard, but he's day-dreaming *half the* ~. 그는 열심히 일한다지만 실제는 거의 언제나 멍하니 있을 뿐이다. ***hard*** **~*s*** 불경기. ***have a bad*** **~** (***of it***) 혼나다. ***have a ...*** **~** **do*ing*** …하는 데 애를 먹다: I *had* quite *a* ~ persuad*ing* him to stop smoking. 나는 그가

담배를 끊게 하는 데 꽤 애를 먹었다. ***Have I*** **~** (***to ...***, ***for ...***)? …할 시간이 있는가, …에 댈 수 있겠나. ***have no*** **~** ***for*** a person 《구어》 아무를 싫어하다(dislike). ***have no*** **~** ***to spare*** 바쁘다, 잠시도 틈이 없다. ***have*** **oneself** ***a*** **~** (…을 하며) 즐겁게 지내다. ***have the*** **~** (…할) 시간이 있다; (시계로) 지금 몇 시인가 안다. ***have*** **~** (***hanging***) ***on*** **one's** ***hands*** 시간이 남아 주체를 못하다, 할 일이 없다. ***how many*** **~s** 몇 번, 몇 회. ***how much*** **~** 얼마만큼의 시간. ***How's the*** **~?** 시간은 어떻습니까; 지금 몇 시입니까《다음 예정을 염두에 두고 말함》. ***improve*** **one's ~** 시간을 이용하다. ***in bad*** **~** ① 때를 어겨서. ② 늦어서. ***in due*** **~** 머지않아, 곧. ***in good*** **~** ① 마침 좋은 때에; 시기가 오면. ② 바로; 곧. ***in*** (***less than***) ***no*** **~** (***at all***) 곧, 즉시. ***in slow*** **~** 느린 속도로. ***in*** **one's** ***own good*** **~** 형편이 좋은 때에. ***in*** **one's** ***own*** **~** 여가에. ***in*** **one's ~** 살아 있을 동안에; 태어나서부터 지금까지; 젊었을 때는; (어떤 특정한 기간을 가리켜) …의 때에는: Mr. A was the principal of the school *in my* ~. 내가 젊었을 때 A씨가 그 학교의 교장이었다. ***in*** **~** ① 때를 맞춰: He will be there *in* ~. 그는 늦지 않게 거기 도착할 것이다/be *in* ~ *for* the train 기차 시간에 대다(⇨just in ~ for). opp *late*. ② 머지않아, 조만간: *In* ~ he'll see what is right. 머지않아 그는 무엇이 옳은가 알게 될 것이다. ③ 가락을〔박자를〕 맞추어《*with*》. ④ 〖의문사를 강조해〗 대체: *Why in* ~ don't you come? 대체 왜 안 오는 거야. ***in true*** **~** 옳은 가락으로. ***It's*** (***high***) **~** (+동사 과거형) …할 때다: *It's* ~ we were going. 이제 떠날 때가 되었다/*It's* ~ you learned to behave yourself. 이제 철든 행동을 할 나이다. ***just in*** **~** ***for*** 〔***to*** do〕 …에〔하는 데〕 시간을 겨우 대어: be *just in* ~ *for* the meeting 모임 시간에 겨우 대어 가다/I was out of the room *just in* ~ *to* see the airplane explode. 마침 방을 나올 때 비행기가 폭발하는 것을 봤다. ***keep good*** 〔***bad***〕 **~** (시계가) 잘 맞다〔안 맞다〕. ***kill*** **~** 시간을 보내다, 심심풀이하다. ***less than*** 〔***next to***〕 ***no*** **~** 아주 얼마 안 되는 시간. ***lose no*** **~** 잠시도 지체하지 않다, 꾸물거리지 않다: *lose no* ~ in beginning work 즉각 일을 시작하다. ***lose*** **~** ① 시계가 늦다. ② 시간을 낭비하다, 꾸물거리다. ***make a*** **~** 《미속어》 야단법석 떨다. ***make good*** 〔***poor***〕 **~** (일·속도가) 빠르다〔느리다〕. ***make*** **~** ① (늦은 것을 만회하려고) 빨리 나가다, 서두르다: You'll really have to *make* ~ not to miss the last train. 서두르지 않으면 막차를 놓치겠다. ② …의 속도로 나아가다〔운전하다, 날다, 여행하다〕. ***make*** **~** ***to*** do 이리저리 변통해서 …하다. ***make*** **~** ***with ...*** 《미속어》 …와 데이트하다, (여자에게) 구애하다. ***many a*** **~** (***and oft***) 《문어》 =***many*** **~s** 여러 번; 종종. ***mark*** **~** 제자리 걸음하다, 꾸물거리다. ***near her*** **~** 해산(解産)이 가까워져서. ***no*** **~** 《구어》 매우 짧은 시간(에), 곧. ***Now is your*** **~**. 지금이 찬스〔기회〕다. ***of all*** **~s** 고금(古今)을 통해, 고금의. ***of the*** **~** 당시의; 《특히》 그 시절의. ***one*** 〔***two***〕 ***at a*** **~** 한 번에 하나〔둘〕씩, 따로따로: Hand them to me *two at a* ~. 한 번에 두 개(個)씩 주시오. ***one*** **~** ***with another*** 전후 합하여. ***on*** **one's** ***own*** **~** (근무 시간 외의) 한가한 시간에; 임금 지불 없이. ***on*** **~** ① 시간대로, 시간을 어기지 않고: The train came in *on* ~. 열차는 정각에 들어왔다. ② 후불로, 분할불로: buy a bed *on* ~ 침대를 월부로 사다. ***out of*** **~** ① 박자가 틀리는. ② 제철이 아닌. ③ 늦어서. ***play away*** **one's ~** 시간을 놀며 보내다. ***pressed for*** **~** 시간에 쫓겨서. ***see the*** **~** ***when*** …을 겪다, …일을 당하다. ***some*** **~** ***or other*** 언젠가는. **one's** **~** ***of life*** 나이: You must be careful at *your* ~ *of life*. ***take*** **one's ~** 천천히 하다. ***take*** **~** (일이) 시간이 걸리다, 시일을 요하다. ***take*** **~** ***in*** **doing** 시간을 들여〔신중하게〕 …하다. ***take*** **~** ***out*** 〔***off***〕 (일하는 시간 중에) 잠시 쉬다, 짬을 내다. ***take*** **~** ***to*** do =take ~ in doing. ***tell*** **~** ① (시계가) 시각을 알리다. ② 시간을 말하다, 시계를 볼 줄 알다. ***the*** **~** ***of day*** ① (시계가 가리키는) 시각: He asked me what is *the* ~ *of day*. 그는 지금 몇 시냐고 나에게 물었다. ② 현대, 현재. ③ 낮 한때. ④ 《구어》 〖보통 부정구문으로〗 최소한의 관심: Sue would*n't* give Helen *the* ~ *of day*. 수는 헬렌에게 최소한의 관심조차 보이지 않았다. ⑤ 아침 저녁의 인사: pass *the* ~ *of day* 아침 저녁의 인사를 하다. ⑥ 실정, 진상; 정세, 사태: It depends on *the* ~ *of day*. 그때의 형편에 달렸다. ***the*** **~** ***of*** **one's** ***life*** 《구어》 매우 즐거운 때. ***This is no*** **~** ***for*** (weeping). (울고) 있을 때가 아니다. ***Those were*** **~s!** 생각하면 참 통쾌한 시대였다. **~** ***after*** **~** =**~** ***and*** (**~**) ***again*** 몇 번이고, 재삼재사. **~** ***enough*** 아직 이른《*for* it; *to* do》. (Your) **~** ***has come.*** (너의) 최후가 왔다. (My) **~** ***is drawing near.*** (나의) 위기가〔죽음이〕 다가오고 있다. ***Time is up.*** 이제 시간이 다 됐다. **~** ***off*** 〔《미》 ***out***〕 일이 없는 시간, (활동의) 일시적 중단. **~** ***on*** **one's** ***hand*** 지루한〔남아서 주체 못하는〕 시간. **~** ***out of mind*** 예로부터. **~s** ***out of*** 〔***without***〕 ***number*** 몇 번이고, 여러 번. ***Time was when ....*** 《고어·문어》 …한 시대가 있었다, 이전에는 …한 일이 있었다. ***Time will tell*** (if...). (…인지 어떤지) 때가 오면 알 것이다. ***to*** **~** 예정된 시간표대로; 시간이 한정된: write *to* ~ 기한부의 원고를 쓰다/The buses on this route seldom run *to* ~. 이 노선의 버스는 예정된 시간을 무시하고 제멋대로 운행된다. ***up to*** **~** 《영》 제시간대로. ***What a*** **~** ***you have been!*** 꽤 시간이 걸렸군. ***what*** **~** 《시어》 =WHEN, WHILE (*conj.*). ***when*** **~** ***presses*** 급할 때는. ***with*** **~** 때가 지남에 따라, 머지않아.

— *vt.* **1** 《~+목/+목+부/+목+*to* do》 …의 시기를 정하다, 때를 잘 맞추어 …하다, 시기에 맞추다: He ~*d* his journey so that he arrived before dark. 그는 어둡기 전에 도착하도록 여행일정을 짰다/The remark was *well* ~*d*. 그 발언은 시기적으로 알맞았다/You should ~ your visit *to* fit his convenience. 그의 형편에 맞추어 봐서 방문하는 것이 좋겠다. **2** 《~+목/+목+*to* do》 …의 시간을 (지)정하다: The train is ~*d to* leave at 7:30. 열차는 7시 반에 출발하게 돼 있다. **3** …의 시간을 확인하다: according to a telegram ~*d* at 9 p.m. 오후 9시 발신으로 확인된 전보에 의하면. **4** (경주 따위의) 시간을 재다〔기록하다〕. **5** 《~+목/+목+전+명》 (시계 등을) 맞추다: *Time* your watch *with* mine. 당신 시계를 내 시계에 맞추시오. **6** 《~+목/+목+전+명》 …의 박자에 맞추다; (속도·시간 등을) 조절하다《*to*》: ~ one's steps *to* the music 음악에 맞추어 스텝을 밟다/~ the speed of a machine 기계의 운전 속도를 조절하다/~ exposure correctly 노출 시간을 정확히 조절하다.
— *vi.* 《+전+명》 박자를 맞추다; 박자가 맞다; 조화하다: steps *timing with* music 음악과 박자가 맞는 스텝.
— *a.* **1** 시간의. **2** 시한 장치가 붙은. **3** 〖상업〗 정기의; 장기 결제의; 분할불의, 연체 지불의.

tíme and a hálf 〔**a quárter, etc.**〕 (시간외 노동에 대한) 50%〔25% 등〕 추가 수당:

receive 〔get〕 ~ for overtime work 시간외 근무에 대해 5할의 추가 수당을 받다.

tíme and mótion stùdy 시간 동작 연구《시간과 작업 능률의 상관 조사》.

tíme bàll 표시구(標時球), 보시구(報時球)《옛날에 측후소에서 일정한 시각(미국은 정오, 영국은 오후 1시)을 알리기 위해서 장대 끝에서 떨어뜨렸음》.

tíme bàrgain 『상업』 정기 거래〔매매〕.

tíme bàse 『전자』 (목표 거리를 나타내는) 시간축(軸).

tíme bèlt =TIME ZONE.

tíme bìll 1 『상업』 정기불 약속 어음. **2** 《영》 = TIMETABLE.

tíme-bìnding *n.* [U] 경험과 기록을 다음 세대로 이어가는 인간의특성.

tíme bòmb 시한폭탄; (후일의) 위험을 내포한 정세.

tíme bòok 근무〔작업〕 시간 기록부; =TIMETABLE.

tíme càpsule 타임캡슐《장래 발굴될 것을 예상하고 현재의 기물·기록 등을 넣어 땅속에 묻는 용기》.

tíme·càrd *n.* 타임카드, 근무〔작업〕 시간 기록표; 열차 시간표.

tíme chàrt 비교 시간표《세계 각지의 표준시를 나타내는 표》; (어떤 시대에 관한) 대조 연표.

tíme chárter 정기 용선(傭船) (계약).

tíme clòck 시간 기록계, 타임리코더.

tíme còde 타임코드《편집할 때 편리하도록 디지털 방식으로 시간을 기록해 두는 비디오〔오디오〕테이프상의 트랙》.

tíme cònstant 『컴퓨터』 시상수(時常數)《응답속도를 특정짓는 상수》.

tíme-consùming *a.* 시간이 걸리는, 시간을 낭비하는.

timed *a.* 일정 시각〔시간 후〕에 작동〔발생〕하도록 장치한; 때가 마침 …한: an ill-~ arrival 좋지 못한 때의 도착.

tíme depòsit 정기 예금.

tíme dìfference 시차(時差).

tíme dilàtion 〔**dilatàtion**〕 『물리』 (상대성 원리에 의한 고속도 물체의) 시간 팽창.

tíme dìscount 『상업』 (어음의) 기한 할인.

tíme dràft 시한부 환어음.

tímed-reléase *a.* 『화학·약학』 지속성의 (sustained-release)《약제나 비료가 서서히 활성 성분을 방출하여 지속적인 효과를 나타냄을 이름》.

tíme-expìred *a.* 병역〔복역〕 기간 만기의, 만기 제대의: ~ soldiers 만기 제대 군인.

tíme expòsure 『사진』 (순간 노출에 대하여, 1초〔1/2 초〕를 넘는) 타임 노출(에 의한 사진).

tíme fàctor 시간적 요인〔제약〕.

tíme fràme (특정 상황에서 하나의 일 등에 요하는) 시기, (대략적인) 기간, (시간의) 틀.

time·ful [táimfəl] *a.* 시기가 좋은, 시기에 알맞은.

tíme fùse 시한 신관(信管).

tíme·hònored *a.* 옛날부터의; 전통 있는, 유서 깊은.

tíme immemórial *n.* **1** (기록·사람의 기억에도 없는) 아득한 옛날, 태고: from ~ 태곳적부터. **2** 『영법률』 초기억적 시대《Richard 1세 치세(1189년) 이전》. **—** *ad.* 태곳적부터.

tíme·kèeper *n.* **1** 타임키퍼, (경기·작업 따위의) 시간 기록원. **2** 시계: a good 〔bad〕 ~ 시간이 정확〔부정확〕한 시계. **3** 박자를 맞추는 사람. [파] **tíme·kèeping** *n.* 계시(計時).

tíme kìller 심심풀이로 시간을 보내는 사람; 심심풀이가 되는 것, 소일거리.

tíme-làg *n.* (두 관련된 일의) 시간적 차, 시차.

tíme-làpse *a.* 저속도 촬영의.

tíme·less *a.* 처음도 끝도 없는, 초(超)시간적인, 영원한; 특정 시간에 제한받지 않는, 부정기의; 《고어》 때 아닌, 시기상조의, 계제 나쁜. [파] ~·ly *ad.* ~·ness *n.*

tíme lìmit 제한 시간, 기한, 시한.

tíme lìne (어떤 시대에 관한) 역사〔대조〕 연표(年表) (time chart).

tíme·lìne *n.* 우주 비행 중의 스케줄.

tíme lòan 기한부 대출.

tíme lòck (시간이 돼야 열리는 은행 금고실 등의) 시한 자물쇠.

***time·ly** [táimli] (*-li·er; -li·est*) *a.* 타임리, 적시의, 때에 알맞은, 때맞춘(seasonable). [opp] *untimely, mistimed.* ¶ a ~ hit 『야구』 적시(안)타 / a ~ warning 적시의 경고. **—** *ad.* 알맞게, 적당한 때에, 때를 만나서. [파] **tíme·li·ness** *n.*

tíme machìne 타임머신《과거나 미래를 여행하기 위한 상상의 기계》.

tíme mòney 기한부 대출금(time loan).

tíme-mótion stùdy =TIME AND MOTION STUDY.

tíme nòte 약속 어음.

tíme-òff *n.* 일을 쉰 시간 (수).

tíme-of-flíght *a.* 비행 시간형의, 비행 시간 계측식의《진공 분석관을 이용한 분자의 질량 분석을 행하는 기구에 관해 말함》.

time·ous [táiməs] *a.* 《Sc.》 **1** 이른(early). **2** =TIMELY.

tíme-óut *n.* **1** 『경기』 타임아웃. **2** 〖보통 time out〗 (작업 중의) 중간 휴식(⇨take TIME out).

tíme·pìece *n.* 시계; =CHRONOMETER.

tíme pòlicy 『해상보험』 기간 보험; 정기 보험 증서.

tíme·pròof *a.* 내구성(耐久性)이 있는, 소용없게 되지 않는, 낡지 않는.

tim·er [táimər] *n.* =TIMEKEEPER; 스톱워치; 시간제 노동자; (내연 기관의) 자동 점화 장치; 타임 스위치, 타이머; (자동차의) 시속계; 『컴퓨터』 타이머《시간 간격 측정을 위한 장치·프로그램》. *old* ~ 《미》 고참.

tíme ràte (보통 *pl.*) 『경제』 **1** 시간 임률(賃率), 시간급. **2** 시간대별(帶別) 방송 요율; 기한부 환시세.

tíme recòrder =TIME CLOCK.

tíme-reflèction sýmmetry 『물리』 시간 역전〔반전〕의 대칭(성).

tíme-relèase *a.* = TIMED-RELEASE.

tíme revèrsal 『물리』 시간 반전(反轉)《시간의 진행이 반대가 되어도 같은 법칙이 지배한다는 원리》.

tíme revèrsal invarìance 『물리』 시간 반전(反轉) 불변성.

Times [taimz] *n.* (The ~) 타임스《(1) 영국의 신문 이름, 별칭 '런던 타임스'; 1785년 창간. (2) *The New York Times*; 1851년 창간》. *write to The* ~ 타임스지에 기고하여 세상에 호소하다.

tíme·sàver *n.* 시간을 절약하는 것.

tíme·sàving *a.* 시간 절약의.

tíme scàle 시간의 척도.

tíme sèries 『통계』 시계열(時系列).

tíme-séries anàlysis 『마케팅』 시계열(時系列) 분석.

tíme·sèrver *n.* 시류(時流)에 편승하는 사람, 사대주의자; 기회주의자.

tíme·sèrving *a., n.* 기회〔사대〕주의적인 (행동); 무절조(한).

tíme-shàre *vi.* (시스템·프로그램이) 시분할(時分割)하다. **—** *vt.* (컴퓨터·프로그램을) 시분할 방식으로 사용하다. **—** *n.* 《미》 휴가 시설의 공동 소유〔임차〕.

tíme-shàring *n.* **1** 『컴퓨터』 시분할《한 대의 컴퓨터를 동시에 몇 대의 단말기(端末機)로 사용하는 방식》: ~ system 시간 나눠 쓰기〔시분할〕 체계. **2** 《미》 〖종종 형용사적〗 (휴가용 임대 주택의) 공동 이용 계약.

tíme shèet 출퇴근 시간 기록 용지; 작업별 소요시간 기록 용지; (급여 계산용) 개인별 취로 시간 집계 용지.

tíme sìgnal (라디오·텔레비전의) 시보(時報).

tíme sìgnature 『음악』 박자표.

tíme spàce =SPACE-TIME.
tíme·spàn *n.* Ⓒ (일정) 시간, 기간.
tíme spìrit 시대정신.
tímes sìgn 곱셈기호(×).
Tímes Squáre 타임스 스퀘어《New York 시의 중심부에 있는 광장, 부근에는 극장이 많음》.
tímes tàble 《구어》 구구표(九九表), 곱셈 구구표(multiplication table).
tíme stàmp 타임스탬프《편지·문서 발송·접수 일시를 기록》. ⓜ **tíme-stàmp** *vt.*
tíme stùdy =TIME AND MOTION STUDY.
tíme swìtch 〖전기〗 (자동적으로 작동하는) 타임스위치, 시한(時限) 스위치.
tíme-symmètric *a.* 〖물리〗 시간 대칭의《팽창과 수축을 번갈아 반복하는 진동 우주(振動宇宙) 모델에 대해 이름》.
‡time·ta·ble [táimtèibl] *n.* (학교·열차·비행기 따위의) 시간표; (계획·행사 따위의) 예정표. ***on*** ~ 시간표대로. **—** *vt.* 《영》 (…의) 예정표를 짜다.
tíme-tèsted [-id] *a.* 오랜 사용〔경험〕으로 보증이 된.
tíme tràvel (SF의) 시간 여행.
tíme trìal 타임트라이얼《개별 스타트로 개인마다 타임을 재는 레이스》.
tíme-trìp *vi.* 향수에 젖다.
tíme utìlity 〖마케팅〗 시간 효용《구입자가 요구하는 상태로 함으로써 제품에 부가되는 가치》.
Tíme Wárner 타임 워너(사)《*Time, People* 등의 잡지를 발행하며, TV·출판도 행함; 1995년 TBS도 매수》.
tíme wàrp 〖물리〗 시간 왜곡《시간의 변칙적인 「흐름·정지」》.
tíme·wòrk *n.* 시간급(給) 작업. ⓒⓕ piecework. ⓜ **~·er** *n.* 시간제 노동자.
tíme·wòrn *a.* 오래되어 손상된, 낡아 빠진; 케케묵은, 고래의; 진부한.
tíme zòne 표준 시간대(帶)《동일 표준시를 쓰는 「지대」》.
tim·id** [tímid] (~·er; ~·est***) *a.* 겁 많은, 두려워하는, 소심한, 마음이 약한; 겁에 질린.

> SYN. **timid** 소심하며 적극성이 없는. **timorous** 극단적으로 timid한. 전전긍긍하고 있는: *timorous* as a mouse 쥐처럼 겁이 많은. **cowardly** 겁이 많아 비겁한 태도를 취하는: The *cowardly* man deserted his comrades in battle. 그 겁쟁이는 싸움터에서 전우를 버리고 도망쳤다.

ⓜ **◇~·ly** *ad.* **~·ness** *n.*
***ti·mid·i·ty** [timídəti] *n.* Ⓤ 겁, 소심, 수줍음.
tim·ing [táimiŋ] *n.* 타이밍《경기·극 등에서 가장 좋은 순간을 포착하기, 또는 속도를 조절하기》; (스톱워치에 의한) 시간 측정.
ti·moc·ra·cy [taimάkrəsi/-mɔ́k-] *n.* 금권 정치; 명예 지상(至上) 정치. ⓜ **ti·mo·crat·ic, -i·cal** [tàiməkrǽtik], [-əl] *a.*
Ti·mor [tíːmɔːr, -⌐/⌐-] *n.* 티모르 섬.
Ti·mo·rese [tìːmɔːríːz, -ríːs/-ríːz] *a.* 티모르(인)의. **—** *n.* (*pl* ~) 티모르인, 티모르 섬 사람.
tim·or·ous [tímərəs] *a.* 마음이 약한, 소심한, 겁 많은, 벌벌 떠는. SYN. ⇨TIMID. ⓜ **~·ly** *ad.* **~·ness** *n.*
Tim·o·thy [tíməθi] *n.* **1** 티머시《남자 이름; 애칭 Tim》. **2** 〖성서〗 디모데(성(聖) Paul의 제자); 디모데서(書)《신약성서의 한 편》.
tim·o·thy *n.* 〖식물〗 큰조아재비《목초》.
Ti·mour, -mur [timúər] *n.* 티무르《아시아의 서쪽 절반을 정복하여 대제국을 건설한 몽고의 왕; 1336?-1405》.
tim·pa·ni [tímpəni] (*sing.* ***-no*** [-nòu]) *n. pl.* 〖종종 단수취급〗 〖악기〗 팀파니. ⓜ **-nist** [-nist] *n.* 팀파니 연주자.
‡tin [tin] *n.* **1** Ⓤ 주석《금속 원소; 기호 Sn; 번호 50》: coated with ~ 주석으로 도금한 / a cry of ~ 주석을 구부릴 때 나는 소리. **2** Ⓤ 양철(tinplate). **3** Ⓒ 주석 그릇; 양철 깡통〔냄비〕: a ~ for biscuits 비스킷 깡통. **4** Ⓒ 《영》 통조림(《미》 can); 깡통 하나 가득, 한 깡통: eat a whole ~ of sardines 정어리 한 깡통을 다 먹다. **5** Ⓤ 《속어》 현금, 돈. **6** Ⓒ 《미속어》 경관의 배지; 경관, 형사. ***kick the*** ~ 잔해를 살살이 뒤지다.
— (***-nn-***) *vt.* **1** …에 주석〔양철〕을 입히다. **2** 《영》 통조림으로 하다(《미》 can). **—** *a.* 주석〔양철〕제의; 싸구려의.
TIN [tin] taxpayer identification number (납세자 인식 번호).
TINA [tíːnə] *n.* 《구어》 티나 《영국의 전(前) 수상 Margaret Thatcher의 별명》. [◂ *there is no alternative*]
tin·a·mou [tínəmùː] *n.* 〖조류〗 메추라기 비슷한 새《라틴아메리카산(産)》.
tinc. tincture.
tin·cal, tin·kal [tíŋkaːl, -kɔːl/-kəl] *n.* Ⓤ 천연 붕사(硼砂).
tín cán **1** (통조림) 깡통. **2** 《미해군속어》 (낡은) 구축함; 수중 폭뢰.
tín ców 통조림〔깡통〕 우유.
tinct [tiŋkt] 《시어》 *n.* Ⓤ,Ⓒ 색, 색조; 염료, 물감. **—** *a.* 착색한, 물들인.
tinc·to·ri·al [tiŋktɔ́ːriəl] *a.* 색의; 물들인; 염색〔착색〕의. ⓜ **~·ly** *ad.*
◇tinc·ture [tíŋktʃər] *n.* **1** 색, 색조; (…한) 기(미), 티, 약간 …한 점; (교양 따위의) 겉바름《*of*》: a ~ *of* red 〔blue〕 붉은〔푸른〕 기미. **2** 냄새《*of*》: a ~ *of* tobacco 담배 냄새. **3** 〖문장(紋章)〗 (문장(紋章)을 구성하는) 채색·금속·모피 따위의 총칭. **4** Ⓤ 〖약학〗 팅크(제): ~ of iodine 요오드팅크. **—** *vt.* 착색하다, 물들이다; 풍미가〔맛이〕 나게 하다, (…의) 기미〔냄새〕를 띠게 하다《*with*》.
tin·dal [tíndl] *n.* (인도 사람) 수부장(水夫長).
tin·der [tíndər] *n.* Ⓤ 부싯깃, 불이 잘 붙는 물건. ***burn like*** ~ 맹렬히 불타다.
tínder·bòx *n.* 부싯깃 통; 타기 쉬운 물건; 《비유》 성마른 사람, (분쟁의) 불씨.
tínder-drỳ *a.* 바싹 마른.
tin·dery [tíndəri] *a.* 부싯깃 같은; 타기 쉬운, 불붙기 쉬운; 격하기 쉬운.
tín disèase =TIN PEST.
tine[1] [tain] *n.* (빗의) 살, (사슴뿔·포크 따위의) 가지.
tine[2] (*p., pp.* ***~d, tint*** [tint]; ***tín·ing***) 《주로 Sc.》 *vt.* 잃다(lose). **—** *vi.* 사라지다, 없어지다, 죽다(die).
ⓜ **tín·e·al** *a.*
tin·ea [tíniə] *n.* 〖병리〗 백선(白癬)(ringworm).
tínea crú·ris [-krúəris] 〖병리〗 =JOCK ITCH.
tín éar 《미구어》 음치; 《속어》 재즈 음악 등을 이해하지 못하는 사람; =CAULIFLOWER EAR: have a ~ 음치이다.
(-)tined *a.* 가지가〔살이〕 있는: a four-~ fork.
tín físh 《미해군속어》 어뢰(torpedo).
tín fòil (초콜릿·담배 등을 싸는) 은종이.
tín·fòil *vt.* …에 주석 도금을 하다; 은종이로 싸다.
ting [tiŋ] *n., v.* =TINKLE.
ting-a-ling [tíŋəlìŋ] *n.* Ⓤ 방울 소리; 딸랑딸랑, 따르릉. [imit.]
***tinge** [tindʒ] *n.* 엷은 색조; 기미, …기, …티《*of*》: a ~ *of* red 붉은 빛을 엷게 띤 색조.
— (*p., pp.* ***tinged*** [-d]; ***tíng(e)·ing*** [-dʒiŋ]) *vt.* 《~+목/+목+전+명》 엷게 물들이다, 착색하다《*with*》; 가미하다, 기미를 띠게 하다; 변질시키다, 조금 바꾸다: ~ ... *with* blue …에 남빛을 띠게 하다 / Her memory was ~*d with* sorrow. 그녀의 추억은 비애를 띤 것이었다.

tín gláze 주석을 원료로 한 유약〔잿물〕《산화주석을 원료로 함》.

°**tin·gle** [tíŋgəl] *n.* 따끔거림, 쑤심; 설렘, 흥분. **—** *vi.* 《~/+전+명》 따끔따끔 아프다, 얼얼하다, 쑤시다; (귀 따위가) 왱왱 울리다; 설레다, 흥분하다, 안절부절못하다; 진동하다《*with*》: My cheek ~*d from* 〔*with*〕 the slap. 손바닥으로 한 대 맞은 뺨이 얼얼했다. **—** *vt.* 《~+목/+목+전+명》 따끔거리게〔얼얼하게〕 하다; 설레게 하다, 흥분시키다; (벨을) 따르릉 울리다: ~ a person *with* excitement 아무를 흥분으로 가슴 설레게 하다. ㊞ **~r** *n.*

tín gód 실력도 없이 뽐내는 사람, 굴퉁이, 빛 좋은 개살구; 우상.

tín hát 《구어》 헬멧, 철모, 안전모; 《해사속어》 술주정뱅이. 「(사람).

tín·hòrn *a., n.* 《미속어》 보잘것없는〔허풍 떠는〕

tink·er [tíŋkər] *n.* **1** (떠돌이) 땜장이; 만물 수선인; 서투른 수선인, 서투른 장색〔직공〕. **2** 서투른 수선, 만지작거림. **3** 《구어》 곤란한 아이; 〖어류〗 새끼 고등어. **4** 《Sc.·Ir.》 부랑자, 집시. ***don't care a ~'s damn*** 〔***curse***〕 조금도 개의치 않다. ***have a ~ at*** …을 만지작거리다. **—** *vi.* **1** 땜장이 노릇을 하다. **2** 《~/+부/+전+명》 서투르게 수선하다《*at*》; 어설프게 만지다《*at; with; away*》; 헛수고하다, 시시한 일로 땀을 빼다: ~ (*away*) *at* 〔*with*〕 a broken machine 망그러진 기계를 어설프게 만지작거리다. **—** *vt.* 《~+목/+목+전+명/+목+부》 …을 수선하다; …을 서투르게 수선하다《*up*》: ~ an old car *into* shape 낡은 차를 고쳐 형체를 갖추다/~ *up* a broken radio 망그러진 라디오를 임시로 고치다. ㊞ **~·er** *n.* 땜장이, 만지작거리는 사람. **~·ly** *a.* 땜장이 같은; 엉터리의, 서툰.

tín kìcker 항공 사고 조사원.

°**tin·kle** [tíŋkəl] *n.* 딸랑딸랑〔따르릉〕(하는 소리); 《구어》 전화를 걺; 《소아어》 쉬《오줌》. ***give*** a person ***a ~*** 아무에게 전화하다. **—** *vi.* 《~/+전+명》 딸랑딸랑〔따르릉〕 울다: The sheep's bells ~*d through* the hills. 양의 방울 소리가 산 사이로 울려 퍼졌다. **—** *vt.* 《~+목/+목+부》 딸랑딸랑〔따르릉〕 울리다, 딸랑딸랑 울려서 알리다: The clock was *tinkling out* the hour of nine. 시계가 따르릉 울려 아홉 시를 알리고 있었다. ㊞ **~r** *n.* 딸랑딸랑〔따르릉〕 울리는 사람〔것〕; 《구어》 작은 방울; 《영방언》 =TINKER.

tínkle-bòx *n.* 《미속어》 피아노.

tin·kling [tíŋkliŋ] *n., a.* 딸랑딸랑 (울리는).

tín líz·zie [-lízi] 《미속어》 소형 싸구려 자동차, 털털이 자동차〔비행기〕.

tín·man [-mən] (*pl.* ***-men*** [-mən]) *n.* =TINSMITH; 《영》 통조림 업자〔직공〕. 「濫) 땜납.

tínman's sòlder (판금용(板金用)의) 저온(低

tinned *a.* 주석 도금을 한; 《영》 통조림으로 한

tínned ców =TIN COW. ⌊(《미》 canned).

tín·ner *n.* =TINSMITH; 주석 광부.

tin·ni·tus [tináitəs, tíni-] *n.* 〖의학〗 Ⓤ 귀울림, 이명(耳鳴).

tin·ny [tíni] (***-ni·er; -ni·est***) *a.* 주석의; 주석이 많은; 주석 비슷한, 주석 같은 음색의; 주석〔양철, 깡통〕 냄새가 나는; 알맹이 없는; 튼튼하지 않은; 《속어》 부자의. ㊞ **-ni·ly** *ad.* **-ni·ness** *n.*

tín òpener 《영》 깡통따개(《미》 can opener).

tin-pan, -pan·ny [tínpæ̀n], [tínpǽni] *a.* 양철을 두드리는 것 같은 소리를 내는, 시끄러운, 귀아픈.

Tín Pàn Álley (특히 New York 시 등의) 팝 뮤직 관계인들이 모이는 지역; 〘집합적〙 가요곡 작곡가·출판업자들, 가요계.

tín párachute 〖경영〗 틴 파라슈트《피(被)매수 기업의 전 종업원에 대한 매수 회사의 금전적 보상 보증》. 「가루가 되는 일.

tín pèst 〔**plàgue**〕 흰 주석이 저온에서 회색

tín plàte *n.* Ⓤ 양철(판), 주석 도금을 한 것.

tín-plàte *vt.* (철판 등)에 주석 도금을 하다.

tin-pot [tínpàt/-pɔ̀t] *a.* 값싼, 열등한; 다라운,

tín pyrítes 〖광물〗 황석광(黃錫鑛). ⌊무가치한.

tin·sel [tínsəl] *n.* Ⓤ (장식용의) 번쩍번쩍하는 금속 조각; 번쩍번쩍하는 것, 야한 것; 반짝이《금실〔은실〕을 넣어서 짠 직물》; 번드르르하고 값싼 물건, 허식. **—** *a.* 번쩍거리는; 야한, 값싸고 번드르르한. **—** (***-l-,*** 《영》 ***-ll-***) *vt.* 금〔은, 동〕박(箔)으로 장식하다; 번드르르하게 꾸미다. ㊞ **~·ly** *a.*

tín·seled *a.* 《속어》 위조〔변조〕한, 모조의《수표 따위》.

tínsel tèeth 금속제 치열 교정기를 붙인 치아〔사람〕. 「속칭》.

Tínsel Tówn 번쩍거리는 도시《Hollywood의

tín shéars (판금용의) 양철용 가위(snips).

tín·smith *n.* 양철〔주석〕장이, 양철공.

tín sóldier (양철로 만든) 장난감 병정; 병정놀이하는 사람.

tín·stòne *n.* Ⓤ 〖광물〗 주석 광석.

°**tint** [tint] *n.* **1** 엷은 빛깔, 담색; 흰색 바림《흰색을 가해서 되는 같은 색의 변화색》. **2** 색의 농담; 색채의 배합, 색조: in all ~*s* of red 진하고 연한 가지가지 붉은빛으로/green of 〔with〕 a blue ~ 청색이 도는 초록빛/autumnal ~*s* 가을빛, 단풍. **3** 〖조각〗 선바림《평행선으로 음영을 나타내기》; 〖인쇄〗 (삽화용) 담색 배경: crossed 〔ruled〕 ~ 교차〔평행〕선 음영(陰影). **4** 성질; 기미. **5** 머리 염색제. **—** *vt.* **1** 《~+목/+목+전+명/+목+보》 …에 (엷게) 색을 칠하다: paper ~*ed with* cream 크림색을 띤 종이/cheeks ~*ed with* rouge 연지를 바른 볼/~ silk green 비단을 초록색으로 염색하다. **2** …에 一의 기미를 띠게 하다.

tín·tàck *n.* 《영》 주석 도금의 압정(押釘).

tínt·er *n.* 색칠〔염색〕하는 사람〔것〕; 색유리; 《속어》 천연색 환등 슬라이드.

T-intersèction *n.* 《미》 T자형 삼거리.

tin·tin·nab·u·lar [tìntənǽbjələr], **-lary** [-lèri/-ləri], **-lous** [-ləs] *a.* 방울의, 방울 같은, 딸랑딸랑 울리는.

tin·tin·nab·u·la·tion [tìntənæ̀bjəléiʃən] *n.* Ⓤ 딸랑딸랑〔따르릉〕 울리는 소리.

tin·tin·nab·u·lum [tìntənǽbjələm] (*pl.* ***-la*** [-lə]) *n.* 작은 방울.

Tint·om·e·ter [tintámətər/-tɔ́m-] *n.* 색조계(色調計)《임의의 색조를 표준 색조와 비교하기 위한 정밀 장치; 상표명》.

tínt tòol 음영선(陰影線) 조각도〔칼〕.

tín·tỳpe *n.* =FERROTYPE.

tín·wàre *n.* Ⓤ 양철〔주석〕 제품. 「념식》.

tín wédding 석혼식(錫婚式)《결혼 10주년 기

tín·wòrk *n.* Ⓤ 주석〔생철〕 세공; 주석〔생철〕 제품; (*pl.*) 〘단·복수취급〙 주석〔생철〕 공장.

⁑**ti·ny** [táini] (***ti·ni·er; -ni·est***) *a.* 작은, 조그마한: little ~ =~ little 《구어》 아주 작은. **—** *n.* 《주로 영》 조그마한 아이, 유아. ㊞ **tí·ni·ly** *ad.* **-ni·ness** *n.*

tíny BÁSIC 〖컴퓨터〗 컴퓨터 언어의 일종《BASIC 기능을 축소 간략화하여 메모리 용량이 적어도 쓸 수 있게 한 것》.

-tion [ʃən] *suf.* '행위·상태·결과'란 뜻의 명사를 만듦(-ion): condi*tion*.

Tio Ta·co [tí:outá:kou] (*pl.* **~s**) 《미속어·경멸》 백인 사회에 융화된 멕시코계 미국인.

-tious [ʃəs] *suf.* '…가 있는, …을 가진'이란 뜻으로, -tion으로 끝나는 명사에서 형용사를 만듦:

ambi*tious*.

∗∗**tip**[1] [tip] *n*. **1** 끝, 첨단: the ~ of one's nose 코끝/asparagus ~s 아스파라거스의 (연한) 끝. **2** 첨단에 대는〔씌우는〕 것〔쇠붙이〕, 금(金)고리; (구두의) 앞닫이, 콧등 가죽; 물미, 칼집 끝; (장식용의) 모피〔깃털〕의 끝; (낚싯대의) 첨단부; (비행기의) 날개 끝(wing ~); (프로펠러의) 끝; (담배의) 필터: a ~ for an alpenstock 등산용 지팡이 물미. **3** 꼭대기, 정상, 정점: a mountain ~ 산꼭대기. **4** 도금용 브러시; 〖제본〗 끼워 넣은 별장(=~-ìn). ***from ~ to ~*** (날개 따위의) 끝에서 끝까지. ***have*** a thing ***at the ~s of*** one's ***fingers*** 〔***at*** one's ***finger ~s***〕 …에 정통〔환〕하다. ***on*** 〔***at***〕 ***the ~ of*** one's 〔***the***〕 ***tongue*** ⇨TONGUE. ***to the ~s of*** one's ***fingers*** 모조리, 철두철미. ***walk on the ~s of*** one's ***toes*** 발끝으로 걷다. [cf] tiptoe.

— (**-pp-**) *vt*. **1** 《~+[목]/+[목]+[전]+[명]》 …에 끝을 달다〔붙이다〕; …의 끄트머리에 씌우다; …의 끝을 장식하다, (모피)의 털끝을 물들이다《보기좋게 하기 위하여》; …의 끝〔선단〕을 이루다: a filter-~*ped* cigarette 필터 담배/a church spire ~*ped with* a weathercock 꼭대기에 바람개비가 달려 있는 교회의 뾰족탑. **2** …의 끝을 자르다: ~ raspberries 나무딸기의 꼭지를 따다. **3** 〖제본〗 (간지를) 끼우고 끝을 풀로 붙이다《*in*》.

∗**tip**[2] (**-pp-**) *vt*. **1** 《~+[목]/+[목]+[부]》 기울이다《*up*》; 뒤집어엎다, 쓰러뜨리다《*over; up*》: ~ a table 테이블을 기울이다/~ *over* 〔*up*〕 a pot 단지를 뒤집어엎다. **2** 《~+[목]/+[목]+[부]/+[목]+[전]+[명]》 《영》 (뒤엎어 내용물을) 비우다; (쓰레기를) 버리다《*off; out; up*》: ~ (*out*) rubbish 쓰레기를 비우다/He ~*ped* the water *out of* the bucket *into* the ditch. 그는 양동이의 물을 도랑에 버렸다. **3** 《+[목]+[전]+[명]》 (인사하기 위해 모자에) 가볍게 손을 대다: He ~*ped* his hat *to* me. 그는 모자를 살짝 들어 나에게 인사했다. — *vi*. 《~/+[부]/+[전]+[명]》 기울다; 뒤집히다: The table ~*ped up*. 테이블이 기울어졌다〔쓰러졌다〕/The car ~*ped into* the ditch. 차가 뒤집혀 도랑에 빠졌다. ***~ off*** ① …을 기울여 비우다〔버리다〕. ② …을 마셔 버리다. ***~ over*** 뒤집어엎다; 《미속어》 (은행 등을) 습격하다, …에서 약탈하다, (경관이) 급습하다.

— *n*. [U] 기울기, 기울이기; 경사; 뒤집어엎기; 《영》 쓰레기 버리는 곳.

∗**tip**[3] *n*. **1** 팁, 행하, 사례금: give a ~ to a servant 하인에게 팁을 주다. **2** (노름·경마·시세 따위의) 비밀 정보, 내보(內報); (유익한) 조언; 예상: a ~ for the Derby 더비 경마의 예상/the straight ~ on the race 경마에 관한 믿을 만한 조언〔비밀 정보〕/The police had a ~ that they were plotting a riot. 경찰은 그들이 폭동을 계획하고 있다는 정보를 입수하였다. **3** 비결, 묘책: a ~ for baking crispy biscuits 바삭바삭한 비스킷을 굽는 비결. **4** 《미속어》 불러 모은 구경꾼들; (손님 따위를) 불러들이는 문구. **5** 《미비어》 성교; 《미속어》 매력적인 아가씨. ***give*** 〔***get***〕 ***the ~ to*** do …하라고 남모르게 알리다〔통지를 받다〕. ***poke a ~*** 《미속어》 사람을 불러 모으기 위해 공짜로 보여 주다〔물건을 주다〕.

— (**-pp-**) *vt*. **1** 《~+[목]/+[목]+[목]/+[목]+[전]+[명]》 …에게 팁을 주다; 팁으로서 주다: ~ the porter 5,000 won 짐꾼에게 5,000원의 팁을 주다/He ~*ped* the servant *into* telling the secret. 그는 하인에게 팁을 주어 비밀을 이야기하게 했다. **2** 《~+[목]/+[목]+*to* do》 《구어》 …에게 살짝 알리다, …에게 비밀 정보를 제공하다, (비밀·음모 따위를) 누설하다, (…가 —할 것을) 예상하다: ~ the winner (레이스 전(前)에) 이길 말의 이름을 알리다/He ~*ped* the horse *to* win the race. 그는 그 말이 레이스에서 이길 것을 예상했다. **3** 《+[목]+[목]》 주다, 전하다(give); (노래·이야기 따위를) 하다: ~ a person a song 아무에게 노래를 들려주다. **4** 《미속어》 …에게 부정(不貞)을 저지르다; 《미비어》 …와 성교하다. — *vi*. **1** 팁을 주다. **2** 《미속어》 부정(不貞)을 행하다; 《미비어》 성교하다. ***~ off*** 《구어》 ① (아무)에게 비밀 정보를 제공하다, 몰래 알리다, 내보하다. ② …에게 경고하다. ***~ up*** 《미구어》 밀고하다, 배반하다.

tip[4] *n*. 가볍게 침〔스침〕; 〖야구·크리켓〗 팁; 《감탄사적》 펑, 탁, 철컥《가볍게 치는〔스치는〕 소리》. — (**-pp-**) *vt*. 가볍게 치다〔스치다〕, 〖야구·크리켓〗 팁하다. — *vi*. =TIPTOE.

típ-and-rún [-ənd-] *n*. [U], *a*. 〖크리켓〗 타봉에 공이 닿자마자 타자가 뛰기; 공에 맞자마자 뛰는; (공격·전술 따위가) 전격적인: ~ tactics 전격 작전/a ~ raid 기습.

típ·càrt *n*. 차체의 후부를 기울여 짐을 떨어뜨리는 차, 덤프차. [cf] dumpcart.

típ·càt *n*. [U] 자치기《양끝이 뾰족한 나뭇조각을 막대기로 공중에 쳐올리는 아이들의 놀이》; 그 나뭇조각(cat).

tip·ee [tipíː, ⌐ˊ] *n*. 티피《증권 시장 가격의 내보(內報)를 얻는 사람》.

tipi ⇨TEPEE.

típ-ìn *n*. 〖농구〗 =TAP-IN.

típ-òff *n*. 《구어》 비밀 정보; 경고; (시세·경마 따위의) 예상.

típ·òff *n*. 〖농구〗 점프볼로 경기를 시작함.

tip·per [típər] *n*. **1** 팁을 주는 사람. **2** 내보자(內報者). **3** 끝을 붙이는 사람. **4** 쓰레기 치는 인부; 덤프차.

típper trùck 〔**lòrry**〕 덤프차.

tip·pet [típit] *n*. **1** (여성의) 스카프 따위의 길게 늘어진 부분. **2** (재판관 등의) 어깨걸이.

tipp·ex [típèks] *vt*. 《영》 수정액으로 지우다《*out*》.

tip·ple[1] [típəl] *vt*., *vi*. (술을) 늘 마시다, 술에 절어 살다. — *n*. [U] 술, 독한 술. [파] **~r**[1] *n*. 술꾼, 술고래.

tippet 2

tip·ple[2] *n*. (차를 기울여 짐을 부리는) 장치; 그렇게 하는 장소, 《특히》 석탄 선별장. — *vt*., *vi*. 《N.Eng.》 뒤집히다, 뒤집다; 《속어》 (비가) 세차게 내리다. [파] **~r**[2] *n*. 석탄 선별 작업원.

tip·py [típi] (**-pi·er; -pi·est**) *a*. 《구어》 엎어지기〔기울기〕 쉬운, 불안정한.

típpy-tòe *n*., *vi*., *a*., *ad*. 《구어》 =TIPTOE.

típ shèet 업계지(業界紙); (시세·경마 따위의) 예상표.

tip·si·fy [típsəfài] *vt*. 《구어》 취하게 하다.

típ·stàff (*pl*. **~s, -stàves**) *n*. 끝에 쇠가 달린 지팡이; 그것을 휴대한 옛날의 집달리·순경.

tip·ster [típstər] *n*. 《구어》 (경마·시세 따위의) 예상가, 정보 전문가〔제공자〕.

típ·stòck *n*. 개머리판의 끝부분《왼손으로 받치는 부분》.

tip·sy [típsi] (**-si·er; -si·est**) *a*. 술 취한; 비틀거리는; (건물이) 기울어진: a ~ lurch 비틀걸음, 갈지자걸음. [파] **-si·ly** *ad*. **-si·ness** *n*.

típsy càke 포도주에 적신 스펀지케이크.

típ-tìlted [-id] *a*. (코 따위가) 위로 향한, 들창코의.

∗**tip·toe** [típtòu] *n*. 발끝. ***on ~*** ① 발끝으로; 발소리를 죽이고: walk *on* ~ 발소리를 죽이고 걷

다. ② 크게 기대하여: be *on* ~ of expectation for …을 학수고대하다. ③ 신이 나서, 흥분해서, 열심히: be *on* ~ with excitement 대단히 흥분하고 있다. — *a.* **1** 발끝으로 선, 살금살금 걷는; 조심스러운. **2** 발돋움하는, 야심적인; 의기양양한, 흥분한; 크게 기대하고 있는. — *ad.* 발끝으로, 살금살금 걸어; 살그머니 조심스레; 크게 기대하여. — *vi.* 《~/+전+명》 발끝으로 걷다 《*about; into*》; 발돋움하다: She ~*d out of* 〔*into*〕 the room. 그녀는 발끝으로 조용히 방에서 걸어나왔다〔으로 걸어들어갔다〕.

típ·tòp *n.* Ⓤ 절정, 최고; 《구어》 최상품; 《영구어》 사회의 최고 계급. ***at the ~ of** one's* ***profession*** 한창 번성하여, 장사가 번창하여. — *a.* 최고의; 《구어》 극상의, 일류의. — *ad.* 《구어》 나무랄 데 없이, 더할 나위 없이 (perfectly). ⓜ **típ·tòpper** *n.* 《구어》 톱클래스의 사람〔것〕.

típ trùck =TIPPER TRUCK.

típ-up séat (극장 따위의) 등받이를 세웠다 접었다 하는 의자.

TIR 《F.》 *Transport International Routier* 《=international road transport (국제 도로 수송)》.

ti·rade [táireid, -ˊ/-ˊ] *n.* **1** 긴 연설, (비난·공격 등의) 장광설, 격론. **2** (시 따위의) 단일 테마만을 다룬 1 절; 〖음악〗 (바로크 음악에서) 장식음의 일종.

ti·rail·leur [*F.* tirajœːʀ] *n.* 《F.》 저격병.

tire**[1] [taiər] *vt.* 《~+목/+목+부/+목+전+명》 피로하게 하다; 싫증나게〔물리게〕 하다: The long lecture ~*d* the audience. 긴 강연은 청중을 싫증나게 했다/I walked so fast that I ~*d* her *out*. 내가 너무 빨리 걸었기 때문에 그녀는 지쳐 버렸다/He ~*d* us *with* his long congratulations. 그는 긴 축사로 우리를 싫증나게 했다. — *vi.* 《~/+전+명》 **1** 피로하다, 피로해지다, 지치다《*with*》: He soon ~*s* (*with* study). 그는 곧 (공부에) 지친다. ★ 이 의미로는 보통 get 〔be〕 tired를 씀. **2** 물리다, 싫증나다 《*of*》: She never ~*s of* talking. 그녀는 지칠 줄 모르고 이야기한다/I shall never ~ *of* your company. 너하고 같이라면 언제까지라도 싫증이 안 난다. ~ ***down (사냥감이) 지칠 때까지 몰다. ~ ***for*** 《Sc.》 …을 기다리다 지치다. ~ ***out*** =~ ***to death*** 녹초가 되게 만들다: I'm ~*d out*. 기진맥진했다. — *n.* 《영구어》 피로(fatigue).

‡**tire**[2], 《영》 **tyre** [taiər] *n.* 타이어, 바퀴: a pneumatic ~ (공기가 든) 고무타이어. — *vt.* …에 타이어를 끼우다.

tire[3] *n.* (여자의) 머리쓰개, 머리 장식; 《고어》 옷, 의상. — *vt.* 꾸미다; 《고어》 차려입다.

tíre chàin 타이어체인.

†**tired**[1] [taiərd] (***more tired, tired·er; most tired, tired·est***) *a.* **1** 〔보통 서술적〕 피로한, 지친: I'm ~. 지쳤다, 피곤하다/I'm ~ *from* 〔*by, with*〕 work 〔walking〕. 일로〔걸어서〕 피곤하다.

> SYN. **tired** 가장 일반적인 말. 체력 또는 정신력의 상당 부분을 소모한 상태를 말함. **exhausted** 보통 끈기를 요하는 긴 노력으로 정력을 소모한 상태: *exhausted* after a hard run 맹렬히 뛰어서 녹초가 된. **fatigued** 휴식과 수면을 요할 정도로 정력을 소모한 상태: feel rather pleasantly *fatigued* 알맞게 피로해서 오히려 기분 좋다. **weary** 점차 힘을 소모시키는 노력·긴장을 오래 계속한 결과 피로해진 상태: *weary* of struggling against misfortunes 이제 불행과 싸우는 데 지쳐서.

2 a 〔서술적〕 물린, 싫증난《*of*》: I'm ~ *of* boiled eggs. 삶은 달걀에 물렸다. **b** 《구어》 참을 수 없는; 정나미가 떨어진. **3** (물건이) 낡은, 진부한: a ~ hat 낡은 모자. ***make*** a person ~ 아무를 넌더리나게 하다, 성가시게 굴다; 지루하게 하다. ***sick and ~ of*** …에 아주 진저리가〔싫증이〕나서. ***Tired Tim***(*othy*) '게으름뱅이'의 별명. ⓜ **ˊ·ly** *ad.* **ˊ·ness** *n.*

tired[2] *a.* (…의) 타이어를 끼운: rubber-~ 고무타이어를 끼운.

tíre gàge 타이어 게이지《공기압을 잼》.

tíre·kìcker *n.* 《미속어》 (물건을 사지 않고) 보기만 하며 다니는 사람.

°**tíre·less**[1] *a.* 지칠 줄 모르는; 싫증내지 않는, 정력적인, 꾸준한. ⓜ **~·ly** *ad.* **~·ness** *n.*

tíre·lèss[2] *a.* 타이어가 없는.

Ti·re·si·as [tairíːsiəs/-æ̀s] *n.* 〖그리스신화〗 테이레시아스《Thebes의 장님 예언자》.

tire·some** [táiərsəm] *a.* **1** 지치는; 지루한, 싫증이 오는: a ~ speech 지루한 연설. **2** 성가신, 귀찮은, 속상한: a ~ child 성가신 아이/It was very ~ *of* John 〔John was ~〕 not *to* come till so late. 그렇게 늦게까지 오지 않았다니 존도 참 지겨운 녀석이다. ***How ~! (I have left my watch behind.) 에이 속상해(시계를 두고 왔어). ⓜ **~·ly** *ad.* **~·ness** *n.*

tíre·wòman (*pl.* ***-wòmen***) *n.* 《고어》 (귀부인의) 시녀; (극단의) 의상 담당원《여자》.

tir·ing [táiəriŋ] *a.* 지치게 하는; 지루한.

tíring-ròom *n.* (극장의) 의상실, 분장실.

tiro ⇨ TYRO.

Ti·rol etc. [tiróul, tai-, táiroul/tiróul, tírəl] =TYROL, etc.

Ti·ros [táiərous] *n.* 미국의 초기 기상 관측 위성의 하나. [◂ *T*elevision and *I*nfra-*R*ed *O*bservation *S*atellite]

tir·ri·vee [tə́ːrəviː] *n.* 《Sc.》 감정의 격발; 격「동, 동요.

'tis [tiz] 《고어·시어》 it is의 간약형.

ti·sane [tizǽn, -záːn] *n.* (예전엔 보리, 지금엔 말린 잎·꽃으로 만드는) 약즙.

tish [tiʃ] *vt.* 《미속어》 …에 박엽지(tissue paper)를 채우다; (큰 돈뭉치처럼 보이려고) 박엽지 뭉치를 현찰로 싸다; 《비유》 부풀리다.

Tish·ri [tíʃri, -rei] *n.* 티슈리《유대력의 제 1 월; 그레고리력의 9-10 월에 해당》. cf. Jewish calendar.

***tis·sue** [tíʃuː] *n.* **1** Ⓤ,Ⓒ 직물《특히 얇은 명주 따위》, 사(紗); (한 장의) 얇은 천〔거즈〕. **2** Ⓤ,Ⓒ (세포) 조직: muscular 〔nervous〕 ~ 근육〔신경〕 조직. **3** Ⓒ (어리석은 짓, 거짓말 따위의) 뒤범벅, 투성이《*of*》: a ~ *of* lies 〔falsehoods〕 거짓말의 연속. **4** Ⓤ 얇은 화장지; 종이 손수건; =TISSUE PAPER. **5** Ⓤ 〖사진〗 카본 인화지; 《미속어》 (복사지에 의한) 복사. — *vt.* 화장지로 닦다.

tíssue cùlture 〖생물〗 조직 배양; 배양한 조직.

tíssue flùid 〖생리〗 조직액.

tíssue pàper 박엽지(薄葉紙), 티슈페이퍼.

tíssue plasmínogen áctivator 〖생화학〗 (사람의) 조직 플라스미노겐 활성화 인자《혈액에 소량 함유되어 있는 항(抗)응혈괴(塊) 효소; 심근경색으로 인한 관상 동맥 혈전 용해에 사용함; 생략: TPA》.

tíssue tỳping 이식(移植) 조직 적합 검사.

tis·su·lar [tíʃələr] *a.* 〖생물〗 생체 조직의: ~ grafts 조직 이식.

tit[1] [tit] *n.* 박새류(類)의 새; 《고어》 조랑말, 야윈 말; 《고어》 처녀; 품행 나쁜 여자; (외양·복장 등이) 미끈한 사람.

tit[2] *n.* **1** =TIT FOR TAT 1. **2** 《폐어》 경타(輕打).

tit[3] *n.* 《구어》 젖꼭지(teat); (*pl.*) 《속어》 젖통; 《속어》 조작 단추. ***get on*** a person**'s *~s*** 《구어》 아무의 신경을 건드리다, 짜증나게 하다.

How are your ~s? 《미속어》 안녕하십니까《여성에 대해 버릇없는〔스스럼없는〕 인사》. *look an absolute* ~ 《속어》 어쩔 도리 없는 바보 같다. *with ~s on* 《미속어》 ① 분명히. ② 기꺼이, 곧.

Tit. Titus. **tit.** title.

Ti·tan [táitn] *n.* **1** 【그리스신화】 티탄《Uranus(하늘)와 Gaea(땅)와의 아들; Atlas, Prometheus 등》; 《시어》 태양신. **2** (t-) 거인, 명사; 대가; 영향력 등이 있는 사람. **3** 【천문】 토성의 제6위성《최대임》. **4** 미국의 대륙간 탄도탄(ICBM)의 하나. *the weary* ~ 지친 Atlas 신; 노대국(老大國)《영국 따위》.

ti·tan·ate [táitənèit] *n.* Ⓒ,Ⓤ 【화학】 티탄산염.

títan cràne (자동) 대형 기중기.

Ti·tan·ess [táitənis] *n.* **1** 【그리스신화】 티탄의 여신. **2** (t-) 여장부, 몸집이 큰 여자.

Ti·ta·nia [titéiniə, tai-/titá:-, tai-] *n.* 요정나라의 여왕《Oberon의 왕후》; 【천문】 천왕성의 제3위성.

ti·ta·nia [taitéiniə] *n.* **1** 티타니아《인공 금홍석(rutile); 보석으로 쓰임》. **2** =TITANIUM DIOXIDE.

Ti·tan·ic [taitǽnik] *a.* 타이탄의〔같은〕; (t-) 거대한, 힘센. SYN. ⇨ GIGANTIC. ── *n.* (the ~) 타이타닉호《1912년 Newfoundland 남쪽에서 침몰한 영국 호화 여객선》. ㊊ **ti·tán·i·cal·ly** *ad.*

ti·tan·ic [taitǽnik, ti-] *a.* 【화학】 티탄의: ~ acid 티탄산(酸).

ti·ta·nif·er·ous [tàitənífərəs] *a.* 티탄을 함유하는〔생성하는〕.

ti·tan·ism [táitənìzəm] *n.* (종종 T-) (전통·질서 등에 대한) 반항심.

ti·ta·ni·um [taitéiniəm] *n.* 【화학】 Ⓤ 티탄, 티타늄《금속 원소; 기호 Ti; 번호 22》.

titánium dióxide 【화학】 2산화 티탄.

titánium whíte 티탄백(白)《광택이 있는 흰 안료·그림물감》.

ti·tan·o·saur [taitǽnəsɔ̀:r, táitənə-] *n.* 티타노사우루스《초식성 공룡》.

ti·tan·ous [taitǽnəs, ti-] *a.* 【화학】 (3가(價)의) 티탄의.

tít·bit *n.* =TIDBIT.

ti·ter, 《영》 **ti·tre** [táitər, tí:-] *n.* Ⓤ 【화학】 **1** 적정량(滴定量), 역가(力價). **2** 적정 농도.

tit·fer [títfər] *n.* 《주로 영속어》 모자(hat).

tít for tát 1 되갚음(으로), 되받아 침, 보복, 욕에는 욕. **2** 《운율속어》 (챙 달린) 모자.

tith·a·ble [táiðəbəl] *a.* 십일조가 붙는.

tithe [taið] *n.* (종종 *pl.*) 십일조; 10분의 1 교구세(教區稅); 10분의 1; 작은 부분; 조금: I cannot remember a ~ of it. 조금도 생각이 나지 않는다. ── *vt.* (사람·재산 따위)에 십일조를 부과하다; …의 십일조를 바치다. ── *vi.* 십일조를 바치다. ㊊ **títh·er** *n.* tithe를 바치는〔거두는〕 사람.

títhe bàrn 십일조 곡식을 저장하는 광.

tith·ing [táiðiŋ] *n.* Ⓤ 십일조 과세; Ⓒ 【영고법률】 10호반(戶班)《10호를 한 반으로 한 (지방) 행정 단위》.

Ti·tho·nus [tiθóunəs] *n.* 【그리스신화】 새벽의 여신 Eos의 애인《늙어서 매미가 됨》.

Ti·tian [tíʃən] *n.* 티치아노《이탈리아의 베네치아파 화가(1490?-1576); 이탈리아명 Tiziano Vecellio》. ㊊ **∼·ésque** *a.* 금갈색의.

ti·tian (종종 T-) *n.* 금갈색(머리의 사람). ── *a.* 「금갈색의.

tit·il·late [títəlèit] *vt.* 간질이다; 흥을 돋우다. ㊊ **-làt·er** *n.* **tìt·il·lá·tion** *n.* Ⓤ 간질임; 간지러움; 기분 좋은 자극, 감흥. **tít·il·là·tive** *a.* 간질이는; 흥을 돋우는.

tit·i·vate, tit·ti- [títəvèit] *vt., vi.* 《구어》 (외출 전에 잠깐) 몸치장하다, 맵시 내다. ㊊ **tìt·i·vá·tion** *n.* Ⓤ

tit·lark [títlɑ̀:rk] *n.* 【조류】 밭종다리류(類).

****ti·tle** [táitl] *n.* **1 a** 표제, 제목; (흔히 *pl.*) 【영화·TV】 자막, 타이틀, =CREDIT TITLES; 제명(題名), 책 이름; =TITLE PAGE; 【제본】 등의 책명을 표기한 부분; 책, 출판물; 《폐어》 명(銘): the ~ of a poem 〔book〕 시〔책〕 제목. **b** 【법률】 (법령·소송의) 표제; (법령·법률 문서 등의) 편, 장. **2** Ⓤ,Ⓒ 직함《칭호·관직명·학위·작위·경칭 등 포함; Lord, Prince, Professor, Dr., General, Sir, Mr., Miss, Esquire 등》: a man of ~ 직함이 있는 사람, 귀족. **3** Ⓤ,Ⓒ (정당한) 권리, 주장할 수 있는 자격《*to* do; *to; in; of*》; 【법률】 토지 재산의 소유권; (부동산) 권리 증서: You have no ~ *to* ask *for* our support. 너에게는 우리들의 원조를 요구할 자격이 없다 / one's ~ *to* a house 가옥 소유권 / the ~ *to* the throne 왕위에 오를 권리. **4** 금의 순도《carat로 나타냄》. **5** 【교회】 성직 (취임) 자격; (추기경이 명의상 주임 사제로 되어 있는) 로마 교구의 성당. **6** 【스포츠】 선수권, 타이틀: defend 〔lose〕 one's ~ 선수권을 방어〔상실〕하다. ── *a.* 표제의; 선수권이 걸린.
── *vt.* **1** 《~+목/+목+보》 …에 표제를 달다, …라고 이름을 붙이다(entitle): a book ~*d* "Life" '인생'이라는 제목의 책. **2** 《+목+보》 …에 직함을〔칭호·작위를〕 주다; 칭호로〔경칭으로〕 부르다: Their sovereign ~*d* himself King of the Franks. 그들의 지배자는 자기 스스로를 프랑크의 왕이라고 칭했다. **3** 【영화】 (필름에) 설명 자막을 넣다.
㊊ **∼·less** *a.*

títle bàr 【컴퓨터】 제목 표시줄.

títle càtalog(ue) 서명(書名) 목록.

tí·tled *a.* 직함이〔작위가〕 있는: a ~ lady.

títle dèed 【법률】 (부동산) 권리 증서.

títle·hòlder *n.* 선수권 보유자; 칭호 소유자.

títle insùrance 【보험】 부동산 물권 보험.

títle mùsic 타이틀 뮤직《TV 프로나 영화가 시작될 때 타이틀과 함께 흘러나오는 음악》.

títle pàge (책의) 속표지.

títle párt 주제 역(役)(name part)《*Hamlet* 극의 Hamlet 역 등》.

títle pìece (단편집·가곡집 등의) 표제작; (책의 표지나 등에 붙이는) 책제목 가죽 라벨.

ti·tler [táitlər] *n.* 【영화】 타이틀 촬영 장치; 타이틀을 쓰는 사람.

títle róle (극·오페라 등의) 주제 역《주인공이름이 작품명인 작품의 주인공》.

títle tràck (앨범의) 타이틀곡(曲).

ti·tling [táitliŋ] *n.* (책 등에) 금박으로 제목을 박기; 그 글자.

ti·tlist [táitlist] *n.* =TITLEHOLDER.

tit·man [títmən] (*pl.* **-men** [-mən]) *n.* 한배 돼지 중의 가장 작은 것.

tit·mouse [títmàus] (*pl.* **-mice**) *n.* 【조류】 박새과의 작은 새.

Ti·to [tí:tou] *n.* **Marshal** ~ 티토《전 유고슬라비아 정치가; 대통령; 1892-1980》. ㊊ **∼·ism** *n.* 티토주의《전 유고슬라비아의 국가 주의적 공산주의》. **∼·ist** *n., a.* 티토주의자(의).

ti·trant [táitrənt] *n.* Ⓤ 【화학】 적정제(滴定劑).

ti·trate [táitreit] *vt.* 【화학】 적정(滴定)하다. ㊊ **ti·tra·tion** [taitréiʃən] *n.* Ⓤ 【화학】 적정.

ti·tri·met·ric [tàitrəmétrik] *a.* 【화학】 적정(滴定)(법)의〔에 의한〕. ㊊ **-ri·cal·ly** *ad.*

tits [tits] *a.* 《미속어》 굉장한, 최고의.

títs-and-áss [-ənd-] *a.* 《미비어》 누드 사진의.

tít shòw 《영속어》 젖가슴 쇼.

tit-tat-toe [tìttættóu] *n.* =TICKTACKTOE.

tit·ter [títər] *n.* Ⓤ 킥킥 웃음, 소리를 죽여 웃음. ── *vi.* 킥킥거리다, 소리를 죽이고 웃다.

tittivate ⇨ TITIVATE.

tit·tle [títl] *n.* **1** 조금, 미량, 티끌만큼. **2** 글자

위의 작은 점(i의 점 따위). ***not one jot or one* ~** 일점 일획이라도 …아니한《마태복음 V: 18》. ***to a* ~** 틀림없이, 정확히.

títtle·bàt [-bæ̀t] *n.* =STICKLEBACK.

títtle-tàttle *n., vi.* Ⓤ 객쩍은 이야기(를 하다), 잡담(하다)(gossip).

tit·tup [títəp] *n.* 뛰놀기, 뛰어다니기; (말의) 단축 갤럽; 똑똑《하이힐 소리》. **—(*-p-*, 《영》 *-pp-*)** *vi.* 뛰놀다, 뛰어다니다《*about*; *along*》; (말·기수가) 단축 갤럽을 하다; 《영해사속어》 (술 마시기 위해) 동전을 던져 내기를 하다. ㊔ **~·py** [-i] *a.* 뛰어다니는.

tit·ty [títi] *n.* 젖꼭지; 《비어》 유방.

tít·ty-bòo [-bùː] *n.* 《미속어》 말괄량이; 불량소녀; (마약 중독·불법 매춘(賣春) 등으로 구속된) 젊은 여죄수.

tit·u·ba·tion [tìtʃəbéiʃən] *n.* Ⓤ 〖의학〗 (신경 장애에 의한) 비틀걸음.

tit·u·lar [títʃələr] *a.* **1** 이름뿐인, 유명무실한: a ~ sovereign 명의뿐인 주권자. **2** 자격이 있는. **3** 직함의(이 있는), 위계(位階)의(가 있는): a ~ rank 작위. **4** 표제의, 제목의: ~ character (소설 등의) 주제 인물. **5** 〖가톨릭〗 성인(聖人)의 이름을 따온: ⇨ TITULAR SAINT. **— *n.*** 명의(직함)뿐인 사람; 직함이(위계가) 있는 사람; 이름의 유래가 된 사람(것). ㊔ **~·ly** *ad.* 명의만; 표제상.

títular bíshop 〖가톨릭〗 (교구를 갖지 않은) 명의 주교.

títular hèad 명색뿐인 지배자(명예 회장, 사장).

títular sáint 이름의 유래가 된 성인.

tit·u·lary [títʃəlèri, -tju-/-ləri] *a., n.* 《고어》 =TITULAR.

Ti·tus [táitəs] *n.* 〖성서〗 디도《사도 Paul의 친구》; 디도서(書)《신약성서 중의 한 편》.

Tiv [tiv] (*pl.* **~, ~s**) *n.* 티브족(族)《나이지리아 남동부의 Benue 주에 삶》; 티브어(語).

tizz, tiz·zy [tiz], [tízi] *n.* Ⓤ 《속어》 (사소한 일에 대한) 흥분, 불안.

T.J., t.j. [tìːdʒéi] *n.* =TALK JOCKEY.

T́-jùnction *n.* T자형 삼거리; (파이프 따위의) T자형 접합부.

TKO, T.K.O. technical knockout. **Tl** 〖화학〗 thallium. **TL, T.L.** 〖보험〗 total loss (전손(全損)). **T/L** 〖상업〗 time loan. **TLC, T.L.C., t.l.c.** tender loving care. **T.L.O., t.l.o.** 〖보험〗 total loss only. **TLP** transient lunar phenomena (일시적 월면 현상).

T́ lỳmphocyte 〖면역〗 =T CELL.

TM teaching machine; theme music(테마 음악); toastmaster; trademark; traffic manager; transcendental meditation. **T.M.** technical manual(기술 편람); 〖군사〗 trench mortar; true mean. **Tm** 〖화학〗 thulium.

T́-màn [-mæ̀n] (*pl.* ***-mèn*** [-mèn]) *n.* 《미구어》 (재무부의) 탈세 감시관(treasury man).

TMD theater missile defense 전역(戰域) 미사일 방위《미사일 발사를 위성으로 탐지하여 고공·저공의 2 단계에서 그 탄두를 파괴함》.

TMer [tìːémər] *n.* 《미》 초월 명상법(transcendental meditation)의 신봉자(실천자).

tme·sis [*t*míːsis] *n.* 〖문법〗 분어법(分語法)《복합어 사이에 다른 낱말을 넣어 분리하기: *be* thou *ware* < *beware*》.

TMO telegraph money order(전신환). **TMT** technology, media, and telecommunication. **TMV** tobacco mosaic virus. **Tn** 〖화학〗 thoron. **tn.** ton; train. **TNF** Theater Nuclear Forces; tumor necrosis factor. **tnpk.** turnpike. **TNT, T.N.T.** trinitrotoluene. **TNW** theater (tactical) nuclear weapon. **TO, T.O.** table of organization (인원 편성표); Telegraph Office; turn over(다음 면 참조, 뒷면을 보라. ⓒⓕ P.T.O.).

†**to** ⇨《p. 2613》 TO.

°**toad** [toud] *n.* **1** 두꺼비. **2** 징그러운 놈, 경멸할 인물, 어리석은 녀석, 무가치한 것. ***a* ~ *under the harrow*** 늘 압박(박해)받고 있는 사람. ***eat a person's* ~*s*** 아무에게 아첨하다. ㊔ **∠·ish** *a.* **∠·like** *a.*

tóad·èater *n.* 아첨쟁이, 알랑쇠.

tóad·èating *n.* Ⓤ 아첨.

tóad·fish (*pl.* **~, ~·es**) *n.* 아귀과(科)의 물고기.

tóad·flàx *n.* 해란초속(屬)의 식물.

tóad-in-the-hòle *n.* Ⓤ 《영》 밀가루·달걀·우유 반죽을 입혀서 구운 쇠고기 요리.

tóad·stòne *n.* Ⓤ 두꺼비 몸속에 생긴다고 믿었던 돌《옛날 부적으로 썼음》.

tóad·stòol *n.* 독버섯의 하나.

toady [tóudi] *n.* 알랑쇠, 아첨꾼; 《Austral.구어》 =TOADFISH. **— *vt., vi.*** (…에게) 아첨하다; 알랑거리다《(*up*) *to*》. ㊔ **~·ish** *a.* 아첨하는, 비굴한, 사대주의적인. **~·ism** *n.* Ⓤ 아첨, 아부, 사대주의.

tó-and-fró [-ən-] *a.* 이리저리(앞뒤로) 움직이는, 서로 오고 가는; 동요하는. **—** (*pl.* **~s**) *n.* 이리저리 움직임, 동요; 입씨름, 논쟁, 응수.

⁑**toast**[1] [toust] *n.* Ⓤ,Ⓒ 토스트, 구운 빵: buttered (dry) ~ 버터를 바른(안 바른) 토스트/two slices of ~ 토스트 두 조각/a poached egg on ~ 수란(水卵)을 얹은 토스트. ***as warm as* (*a*) ~** (불에 쬐어) 따끈따끈한, 따뜻한. ***have a person on* ~** 아무를 마음대로 휘두르다. **~ *and water*** [tóustnwɔ́ːtər, -wɑ́tər] 《고어》 구운 빵을 담근 더운 물《환자용》. **— *vt.*** **1** 누르스름하게 굽다. **2** 〖~ *oneself*〗 불에 쬐어 따뜻이 하다: ~ one*self* before the fire 불을 쬐다. **— *vi.*** **1** 누르스름하게 구워지다. **2** 불에 쬐다: This bread ~s well. 이 빵은 알맞게 구워진다.

toast[2] *n.* **1** 축배를 받는 사람, 평판이 자자한 미인; 축배의 대상이 되는 것(일). **2** 축배; 축배의 말: drink a ~ to …을 위해 건배하다. SYN. ⇨ SPEECH. **— *vt., vi.*** …을 위해 축배를 들다, 건배하다.

tóast·ed [-id] *a.* 《미구어》 몹시 취한.

tóast·er[1] *n.* 토스터, 빵 굽는 사람(기구).

tóast·er[2] *n.* **1** 축배를 드는 사람. **2** =TOASTMASTER.

tóaster òven 오븐 겸용 토스터.

toast·ie [tóusti] *n.* 《영구어》 살짝 구운 샌드위치.

tóasting fòrk 빵 굽는 기다란 포크.

tóast lìst 식탁 연설자 명단.

tóast·màster (*fem.* ***-mis·tress***) *n.* 축배의 말을 하는 사람, 축배 제창자; (연회의) 사회자.

tóast ràck 토스트를 세워 놓는 기구.

toasty [tóusti] (***toast·i·er; -i·est***) *a.* 알맞게 구워진; (방 따위가) 훈훈하게 따뜻해진. **— *n.*** =TOASTIE.

TOB takeover bid. **Tob.** Tobias; Tobit.

⁑**to·bac·co** [təbǽkou] (*pl.* **~(*e*)*s***) *n.* Ⓤ (종류를 말할 때에는 Ⓒ) 담배, 살담배; Ⓤ,Ⓒ 〖식물〗 담배(=∠ **plànt**); Ⓤ 흡연: swear off ~ 맹세코 담배를 끊다.

tobácco bròwn 누르스름한 갈색.

tobácco bùdworm =CORN EARWORM.

tobácco hórnworm 〖곤충〗 담배 등 가짓과 식물의 해충인 박각싯과 나방의 유충.

tobácco júice 담배 때문에 갈색이 된 침.

tobácco mosàic 〖식물·병리〗 (가짓과 식물을 괴사시키는) 담배 모자이크병.

tobácco mosàic vìrus 담배 모자이크 바이러스《생략: TMV》.

to·bac·co·nist [təbǽkənist] *n.* 담배 장수.

to·bac·co·phobe [təbǽkoufòub] *n.* 혐연가(嫌煙家), 혐연권(嫌煙權) 운동가(지지자).

tobácco pìpe 곰통대, 파이프.

주로 전치사로서 쓰이지만 '닫히어'의 뜻의 부사로서의 용법도 있다. 전치사로는 A 일반적 용법과 B 부정사와의 결합이 있다. 전치사 to의 근본 뜻(특히 A'1 b)은 우리말의 '까지' '로'의 뜻에 극히 가까우며 그림에서 볼 수 있는 바와 같이 운동(상태의 추이)이 도달점이나 결과 · 한계를 갖는 점에 특징이 있다.

to → 도달점 한계 결과
for → ● 목적 지향

to [《문장 또는 절의 끝》 tu:, 《자음 앞》 tə, 《모음 앞》 tu] *prep.* **A** ≪일반적 용법≫ **1** 〘방향〙 **a** 〘단순한 방향〙 …쪽으로〔에〕; …로; …을 향하여: turn *to* the right 오른쪽으로 돌다 / point *to* the door 문(쪽)을 가리키다 / with one's back *to* the fire 등을 불 쪽으로 돌리고 / The park is *to* the north of Paris. 공원은 파리 북쪽에 있다 《비교: The park is *in* the north of Paris. 공원은 파리 북부(안)에 있다》. **b** 〘도착의 뜻이 함축된 방향〙 …까지, …로〔에〕: *go to* the office 회사에 출근하다 / a trip *to* the moon 달에 가는 여행 / He fell *to* the ground. 그는 땅에 쓰러졌다. **c** 《비유》 …쪽으로, …경향에: He has little tendency *to* laziness. 그가 나태해질 경향은 거의 없다.

NOTE **to, toward, for**의 차이: He ran *to* 〔*toward, for*〕 the door. 그는 방문 쪽으로 달려갔다. to는 방향의 뜻에 더하여 도어에 도달했음을 암시함. toward는 방향을 나타내어 '문 쪽으로', for는 목표를 나타내어 '문을 향하여'를 암시함.

2 〘행위 · 동작 · 작용의 대상〙 **a** …에(게), …로; …에 대하여: appeal *to* public opinion 여론에 호소하다 / I'd like to talk *to* you. 당신과 이야기를 하고 싶습니다 / Listen *to* me. 내가 하는 말을 들어주시오 / No one did any harm *to* him. 아무도 그에게 해를 가하지 않았다 / There can be no answer *to* this problem. 이 문제에 대해서는 아무래도 대책이 없다. **b** 〘뒤에 오는 간접목적어의 앞에서〙 …에게: I gave it *to* her. 그것을 그녀에게 주었다(=《드물게》 I gave her it.) / He sent the book *to* me. 그는 나에게 책을 보냈다 《비교: He sent me the book.》. **c** 〘명사 · 형용사 · 동사의 적용 방향을 보여〙 …에(게) 있어, …에게: You are everything *to* me. 당신은 제게 (있어서) 없어서는 안될 존재예요 / *To* me this seems silly. 이건 나에게는 어리석게 여겨진다 / His purpose was unknown *to* me. 나로서는 그의 목적을 알 수 없었다.

3 〘변화의 방향〙 …하게, …(으)로: He rose *to* fame. 그는 유명해졌다 / bring it *to* a stop 그것을 멈추게〔서게, 못 하게〕 하다 / The total came *to* $50. 총계 50 달러가 되었다 / Things went from bad *to* worse. 사태는 더욱 악화되었다.

4 〘한계; 종종 up to〙 **a** 〘도달점을 나타내어서〙 …까지, …에 이르기까지: from beginning *to* end 처음부터 끝까지 / count (up) *to* sixty, 60까지 세다 / count from one *to* fifty 하나에서 쉰〔50〕까지 세다 / all wet *to* the skin 흠뻑 젖어 / fight *to* a 〔the last〕 man 최후의 1인까지 싸우다. **b** 〘때 · 시간의 한계〙 …까지(until); (…분) 전(《미》 of, before): from Monday *to* Friday 월요일부터 금요일까지 《흔히 Friday까지 포함되지만, 포함의 뜻을 좀더 확실히 하기 위하여 종종 《영》 from… *to*… inclusive, 《미》에서는 (from)… through …의 형식을 취함》 / We work from nine *to* five. 우리는 9시부터 5시까지 일한다 《단순히 '5시까지 일하다'는 'work *to* five'가 아니라 work until 〔till〕 five》 / I'll stay here *to* the end of this month. 이달 말까지 여기 머무르겠다 / It's an hour *to* dinner. 저녁식사까지 한 시간(은) 있다 / It's five (minutes) *to* six. 여섯 시 5분 전이다(=《구어》 It's five fifty-five.).

5 〘정도 · 범위〙 …에(이르기)까지: *to* a degree 다소 / *to* some extent 어느 정도까지 / *to* the minute, 1분도 틀리지 않고 / tear a letter *to* pieces 편지를 갈가리 찢다 / *to* the best of my belief 〔knowledge〕 내가 믿기로는〔아는 한〕 / I enjoyed *to* the full. 실컷 즐겼다.

6 〘목적〙 …을 위하여, …하러: sit down *to* dinner 저녁식사를 위해(서) 자리에 앉다 / He came *to* my rescue. 그는 나를 구하러 왔다 / Here's *to* your health! 자네의 건강을 위하여 축배! ★ 유익을 뜻하는 '…을 위해'는 for: Wine is good *for* the health. 포도주는 건강에 좋다.

7 〘결과 · 효과〙 **a** 〘흔히 to a person's에 감정을 나타내는 명사가 와서〙 …하게도, …한 것은: much *to* the delight of the children 아이들이 무척 좋아한 것은 / *to* my surprise 〔joy, sorrow〕 놀랍〔기쁘, 슬프〕게도. **b** …하게 되기까지, 그 결과…: be starved *to* death 굶어 죽다 / be moved *to* tears 감동하여 울다 / sing a baby *to* sleep 노래를 불러 아기를 잠재우다. **c** 〘결과 · 효과를 나타내는 구를 이끌어〙: *to* one's cost 결국 손해를 입고 / *to* no purpose 헛되이 / *to* the point 〔purpose〕 적절히.

8 〘접촉 · 결합 · 부착〙 …에, …위에; …에 붙이어: put one's ear *to* the door 문에 귀를 갖다 대다 / apply paint *to* the wall 벽에 페인트를 칠하다 / stick 〔hold〕 *to* one's opinion 자기 의견을 고집〔고수〕하다 / They live next door *to* us. 그들은 우리 이웃에 살고 있다.

9 **a** 〘부가 · 부속 · 소속〙 …에 딸린(속한), …의; …에 더하여: the key *to* 〔for〕 the door 문 열쇠 / a room *to* oneself 자기 전용의 방 / the U.S. ambassador *to* Korea 주한 미국 대사 / Add 23 to 42. 42에 23을 더해라. **b** 〘관계〙 …의, …에게: brother *to* the King 왕의 아우 / They have no right *to* the use of the land. 그들에게 그 땅을 사용할 권리가 없다.

10 **a** 〘적합 · 일치〙 …에 맞추어(서), …에 맞아; …대로(의): made *to* order 주문에 따라 만든, 맞춤의 / correspond *to*… …에〔과〕 일치하다, 부합하다 / It is not *to* my liking. 이것은 내 취향에 맞지 않는다 / The picture is true *to* life. 이 그림은 실물 그대로다. **b** 〘호응〙 …에 답하여, …에 응하여: The dog came *to* my whistle. 휘파람을 불자 개가 왔다. **c** 〘수반(隨伴)〙 …에 맞추어, …에 따라: dance *to* (the accompaniment of) the music 음악에 따라 춤추다.

11 〘구성〙 …에 포함되어, …을 구성하여: 25 *to* the box 한 상자에 25개(씩) / 100 cents *to* the dollar, 1 달러는 100 센트.

12 **a** 〘비교 · 대조〙 …에 비해, …보다: This is nothing *to* what you've done. 이것은 당신이 한 것에 비하면 아무것도 아니오 / My car is inferior〔superior〕 *to* yours. 내 차는 자네 차보다 못하다〔낫다〕 / He is second *to* none in popularity. 그는 인기로는 누구에게도 못지않다. **b** 〘대비〙 …에 대하여, …대(對); 매(每) …에, …당: Reading is *to* the mind what food is *to* the body. 독서의 정신에 대한 관계는 음식의 몸에 대한 관계와 같다 / Two is *to* four as three is *to* six. 2 : 4=3 : 6 / The score was nine *to* five. 득점은 9 대 5 였다.

13 〖대향(對向)·대립〗 …와 서로 마주 대하여; …에 대하여: sit face *to* face 서로 마주 대하여 앉다/stand back *to* back 서로 등을 맞대고 서다/fight hand *to* hand 백병전을 벌이다/be perpendicular *to* the floor 바닥에 (대해서) 수직이다/be averse *to* working 일하기를 싫어하다.
14 《고어》〖자격〗 …로(서) (as, for): take her 〔a woman〕 *to* wife 그녀〔여자〕를 아내로 맞이하다.
15 《방언》〖장소〗 …에(서)(at): He lives *to* John's. 존씨 집에 살고 있다.
B ≪부정사를 이끌어서≫

NOTE (1) 이 용법의 to는 본디 전치사이지만, 현재에 와서는 'to+동사의 원형'으로 부정사를 보이는 기호처럼 되었음. (2) 부정형은 부정어(not, never 따위)를 to의 바로 앞에 가져옴: Try *not to* be late. 늦지 않도록 해라. (3) 부정사의 되풀이를 피하여 to 만을 쓸 경우가 있음: I went there because I wanted *to*. 가고 싶었기에 거기(로) 갔다. 단, be 동사일 때에는, be를 생략하지 않는 것이 보통: The examination was easier than I imagined it *to* be. (4) 의미상의 주어는 for…을 to 바로 앞에 가져옴: I am glad *for* you *to* join us. 네가 참가해 주어 반갑다. (5) 감각동사(feel, hear, notice, see, watch 따위)나 사역동사(let, make, have 따위)의 목적격 보어로 될 때는 to를 붙이지 않음. 다만, 수동인 때에는 to가 필요: I saw him *come* in. → He was seen *to* come in.

1 〖명사적 용법〗 …하는 것, …하기. **a** 〖주어로서〗: *To* steal is a crime. 도둑질은 범죄이다/It is foolish *to* read such a book. 그런 책을 읽는 것은 바보 같은 짓이다. **b** 〖목적어로〗: I like *to* read. 나는 독서(하기)를 좋아한다/I began *to* think so. 나는 그렇게 생각하기 시작했다. **c** 〖보어로서〗: The best way is (for you) *to* make efforts. (네게) 최선의 방법은 노력하는 일이다.
2 〖형용사적 용법〗 **a** 〖앞의 명사를 수식하여〗 …(해야)할, …하는, …하기 위한《관계대명사로 대체 기능》: a house *to* let 셋집/Give me something *to* eat. 뭐 먹을 것(을) 좀 주시오(=Give me something (which) I can eat.)/He was the first *to* come. 그 사람이 첫 번째로 왔다(=He was the first who came.). **b** 〖앞의 명사와 동격적으로〗 …한다는, …하는, …할: a plan *to* go hiking 하이킹 갈 계획/There is no need *to* be in a hurry. 서두를 필요는 없다.
3 〖부사적 용법〗 **a** 〖목적〗 …하기 위해, …하도록: We eat *to* live. 우리는 살기 위하여 먹는다/The policeman blew his whistle (in order) *to* stop the car. 경관은 차를 세우기 위해 호각을 불었다. ★ '…하지 않기 위해'는 not to do 보다도 so as 〔in order〕 not to do, so that… will not do가 더 일반적임: I got up early *so as not to* be late for the train. 열차 시간에 늦지 않도록 일찍 일어났다. **b** 〖원인·이유·판단의 근거〗 …하니, …하다니: I'm glad *to* see you. 당신을 만나 뵙게 되어 기쁩니다/She must be a fool *to* say so. 그런 말을 하다니 그 여자는 바보임에 틀림없다. **c** 〖정도의 기준〗: You are not old enough *to* go to school. 너는 아직 학교에 갈 나이가 아니다/The stone was too heavy for me *to* lift. 그 돌은 너무 무거워서 나로서는 들어올릴 수가 없었다 (=The stone was so heavy that I could not lift it.). **d** 〖적응 범위를 한정하여〗 …하기에, …하는 데: He is free *to* go there. 그는 자유로이 그곳에 갈 수 있다/I'm ready *to* help them. 곧 그들을 도와줄 생각이다. **e** 〖결과〗 …하게 되기까지; …해 보니: He grew up *to* be a great man. 그는 자라서 위대한 사람이 되었다/He awoke *to* find himself in a strange room. 깨어 보니 그는 낯선 방에 있었다/He lived *to* be eighty. 그는 여든 살까지 살았다. **f** 〖독립부사구〗 …하면: *To* hear you sing, people might take you for a girl. 네가 노래하는 것을 들으면 사람들은 너를 계집애로 잘못 알지도 모른다/*To* tell the truth, I don't like it. 사실을 말하면 나는 그것이 마음에 안 든다.
4 〖그 밖의 용법〗 **a** 〖의문사+*to* do〗 …야 좋을지〔할지〕: I don't know what *to* do. 어떻게 해야 좋을지 모르겠다. **b** 〖연결사로서〗: He seems *to* be 〔have been〕 innocent. 그는 결백한〔결백했던〕것 같다. **c** 〖be+*to* do로〗: He *is to* attend. 그는 참석하기로 되어 있다〔그 사람을 참석시키겠다〕《shall에 가까운 형태임》. **d** 〖+목+*to* do로〗: I promised him *to* come. 나는 그에게 올 것을 약속했다《come의 의미상의 주어는 I, him은 간접목적어임》/I'll ask him *to* help me. 그에게 도와달라고 부탁하겠다.
— [tuː] *ad.* 《be 동사와 결합한 때에는 형용사로 볼 수도 있음》 **1** 본디 상태〔위치〕로, 제자리에; (문 따위가) 닫히어; 멈추어; 제정신이 들어, 의식을 차리어: draw the curtains *to* 커튼을 치다/Shut the door *to*. 문을 꼭 닫아라/bring a ship *to* 배를 멈추게 하다/He came *to*. 그는 제정신이 들었다〔의식을 차렸다〕《'제정신이 들게 하다'는 bring him *to*》. **2** 활동을〔일 따위를〕 시작하고, 착수하고: We turned *to* gladly. 기꺼이 일에 착수하였다/We sat down for lunch and fell *to*. 우리는 점심을 먹기 위해 자리에 앉아 식사를 시작했다. **3 a** 《미》 앞쪽에〔으로〕: He wore his cap wrong side *to*. 그는 모자를 뒤쪽을 앞으로 하여 쓰고 있었다. **b** 〚해사〛 (뱃머리를) 바람 부는 쪽으로 향하여〔돌리어〕(forward). ★ on, up 따위로 이루어지는 구동사와는 달리, *to*는 목적어 앞에 나올 수 없음: push the door *to* (×push *to* the door). **4** 가까이: I saw him close *to*. 바로 코앞에서 그를 보았다. **5** 부착되어; (말이) 마차에 매어져: I ordered the horses *to*. 말을 마차에 매라고 일렀다.
to and fro 여기저기(에), 이리저리(로), 왔다갔다: He was walking *to and fro* in the room. 그는 방안을 왔다갔다 하고 있었다.

tobácco pòuch 담배 쌈지《주로 살담배용》.
Tobácco Róad 가난하고 초라한 지역.
tobácco stòpper 스토퍼《파이프에 담배를 채우는 기구》.
To·ba·go [təbéigou] *n.* 토바고 섬《서인도 제도 남서부의 섬; Trinidad and Tobago의 일부》. ㊕ **To·ba·go·ni·an** [tòubəgóuniən, -njən] *n.*
to-be [təbíː] *a.* 〖복합어로서〗 미래의, …이 되려고 하는: a bride-*to-be* 미래의 신부. — *n.* (the ~) 미래.
To·bi·as [təbáiəs] *n.* **1** 토바이어스《남자 이름》. **2** =TOBIT.
To·bit [tóubit] *n.* 〚성서〛 토비트서(書)《경외서(Apocrypha)의 한 책》.
°**to·bog·gan** [təbɑ́gən/-bɔ́g-] *n.* **1** 터보건《바닥이 평평한 썰매의 일종》. **2** (물가·운세 따위의) 급락. — *vi.* 터보건으로 미끄럼 타고 내려

toboggan 1

가다; (시세가) 폭락하다, (운수가) 갑자기 기울다. ㊞ ~·er, ~·ist n.

tobóggan slìde 〔**chùte**〕 터보건 활강장.

to·bra·my·cin [tòubrəmáisn/-sin] n. 〖약학〗 토브라마이신《그람음성(Gram-negative) 세균에 의한 감염증 치료에 쓰이는 항생 물질》.

to·by [tóubi] n. (종종 T-) 땅딸보 노인 모양의 맥주컵(=∠ jùg); 《미속어》 가느다란 막치 여송연.

tóby còllar 《영》 폭이 넓고 주름진 칼라《여자·어린이용》.

TOC table of contents; 《영》 train operating company.

toc·ca·ta [təkáːtə] n. 《It.》 〖음악〗 토카타《건반 악기를 위한 화려하고 급속한 연주를 주로 하는 전주곡》.

To·char·i·an [toukέəriən, -káːr-/tɔ-] n. Ⓤ 토하라 말《중앙 아시아에서 비교적 최근에 발견되었음》; Ⓒ 토하라 사람《기원 100년경에 절멸》. ── a. 토하라 말〔사람〕의.

toch·er [táxər/tɔ́xər] n. 《Sc.》 신부 지참물〔금〕(dowry). ── vt. …에게 지참물〔금〕을 주다.

to·co, to·ko [tóukou] (pl. ~s) n. 《영속어》 징계, 처벌. ***catch*** 〔***give***〕 ~ 벌 받다〔주다〕.

to·col·o·gy, to·kol·o·gy [toukáləd͡ʒi/-kɔ́l-] n. Ⓤ 산과학(産科學). ㊞ **-gist** n.

to·coph·er·ol [toukáfəròul, -ràl/-kɔ́fərɔ̀l] n. Ⓤ 〖생화학〗 토코페롤《비타민 E의 본체》.

toc·sin [táksin/tɔ́k-] n. 경종 (소리), 경보.

tod[1] [tad/tɔd] n. 《Sc.》 여우; 교활한 사람.

tod[2] 《영고어》 n. 덤불; (옛날) 양털의 중량 단위 《약 13 kg》.

tod[3] n. 〔다음 관용구〕 ***on*** one's ~ 《영속어》 홀로.

TOD 〖항공〗 take-off distance(이륙 활주 거리).

†**to·day, to-day** [tədéi] 《- 이 들어간 철자는 구식이나, 영국에서는 많이 쓰임》 n., ad. **1** 오늘: I'll do it ~. 오늘 중에 하겠다. **2** 현재〔현대, 오늘날〕(에는): the world of ~ 오늘의 세계 / *Today* you seldom see airships. 오늘날 비행선은 좀처럼 볼 수 없다. ★ this day는 today 보다 뜻을 더욱 강조한 것. ***Here*** ~ (***and***) ***gone tomorrow.*** ⇨ HERE (관용구).

tod·dle [tádl/tɔ́dl] vi. **1** 아장아장 걷다. **2** (~/+副/+전+명) 어정거리다, 거닐다《*round; to*》; 출발하다: I ~*d round to* my friend's house. 산책 삼아 친구 집에 놀러 갔다. ── n. 아장아장 걷기; 《구어》 아장아장 걷는 아이.

tód·dler n. 아장아장 걷는 사람, 《특히》 걸음마 타는 유아; 〔형용사적〕 유아용의. ㊞ ~·**hòod** n.

tod·dy [tádi/tɔ́di] n. **1** Ⓤ,Ⓒ 위스키·럼 따위에 더운 물을 타고 설탕 등을 넣은 음료. **2** Ⓤ 야자즙; 야자술.

to-dó (pl. ~s) n. 《구어》 법석, 소동(ado).

⁑**toe** [tou] n. **1** (사람의) 발가락(ⓒⓕ finger); 발끝; 편자의 앞끝; (척추동물의) 발가락; (윤충(輪蟲) 등의) 발가락; 《구어》 발(foot): a big 〔great〕 ~ 엄지발가락 / a little ~ 새끼발가락 / the light fantastic ~ 《우스개》 춤. **2** 발가락을 닮은〔에 해당되는〕 부분: **a** (신·양말의) 발끝 부분(ⓒⓕ heel[1]); 편자 앞부분 밑에 박는 쇳조각. **b** 부벽(扶壁) 등의 토대의 돌출부; 도구의 하단〔선단〕; 〖골프·하키〗 토《헤드의 끝》; 〖기계〗 축종(軸踵); (둑·벼랑의) 기부(基部), 언저리; 〖철도〗 전철기의 끝; 철차(轍叉)의 끝. ***be on*** one's ~***s*** 원기왕성〔분주〕하게 지내고 있다, 정력이 있다; 조심〔대비〕하고 있다. ***dig*** one's ~***s in*** ⇨ HEEL[1]. ***from top*** 〔***tip***〕 ***to*** ~ 머리끝에서 발끝까지; 철두철미. ***keep*** a person ***on*** his ~***s*** 아무에게 방심하지 않도록 하다; 신중히 도스르게 하다. ***kiss the pope's*** ~ 교황의 오른발 샌들의 십자가에 키스하다《알현 시의 의례》. ***stub*** one's ~ 곱디며 발부리를 다치다; 실수를 하다. ~***s up*** 죽어서. ~ ***to*** ~ 서로 마주 보고. ***tread*** 〔***step***〕 ***on*** a person's ~***s*** ⇨ TREAD. ***turn*** one's ~***s in*** 〔***out***〕 안짱〔발장〕다리로 걷다〔서다〕. ***turn up*** one's ~***s*** (***to the daisies***) 《구어·우스개》 거꾸러지다, 죽다. ── vt. **1** 발끝으로 건드리다〔차다〕: ~ a football. **2** …에 앞부리를 대다; …의 앞부리를 수선하다. **3** 〖목공〗 (못을) 비스듬히 박다. **4** 〖골프〗 토《클럽의 끝》로 치다. ── vi. **1** (~+副) 발끝으로 걷다; (무용에서) 발끝을 가볍게 디디다: ~ *out* 〔*in*〕 발장〔안짱〕다리로 서다〔걷다〕. **2** 발끝을 돌리다〔가지런히 하다〕. ~ ***the line*** 〔***mark, scratch***〕 ① (경주에서) 발끝을 출발선에 나란히 하다. ② 규칙〔명령, 교조 등〕에 따르다. ③ 책임을 지다; 의무를 다하다.

toea [tóiə] (pl. ~, ~s) n. 파푸아뉴기니의 화폐 단위 (=1/100 kina).

tóe·càp n. (구두의) 앞닫이.

tóe cràck (말발굽의) 갈라진 틈; 〖공학〗 토 균열.

toed a. 발가락이 있는; 〔복합어로〕 …의 발가락〔발끝〕이 있는; 〖목공〗 (못을) 비스듬히 박은.

tóe dànce (발레 따위의) 토댄스.

tóe-dànce vi. 토댄스를 추다.

toe·dul·ly [tóudəli] ad. =TOTALLY.

TOEFL [tóufl] Test(ing) of English as a Foreign Language《미국에의 대학 유학생에게 실시되는 영어 학력 테스트; 상표명》.

tóe hòld **1** 〖등산〗 발끝 디딜 홈. **2** 《비유》 발판. **3** 〖레슬링〗 상대방의 발을 비트는 수.

TOEIC Test of English for International Communication(토익; 국제 커뮤니케이션 영어 능력 테스트)《상표명》.

tóe-ìn n. 토인《자동차 앞바퀴를 약간 안쪽으로 향하게 하는 일; 직진성(直進性)이 향상되며 타이어 마모가 감소됨》.

tóe·less a. 발가락이 없는; (구두의) 앞닫이가 없는.

tóe·nàil n. 발톱; 〖건축〗 비스듬히 박은 못; 〖인쇄〗 《속어》(둥근) 괄호. ── vt. …에 못을 비스듬히 박다.

tóe·pìece n. =TOECAP.

tóe·plàte n. 구두 앞창의 징《발끝이 닳지 않도록 해주는 쇠장식물》.

tóe-ràg n. 《영속어》 걸인; 부랑자; 아주 싫은 녀석.

tóe·shòe n. pl. 토댄스용 신.

tóe sòck 엄지발가락이 갈라진 양말.

tóe-to-tóe a., ad. 서로 주먹다짐하는〔하여〕, 접근전의〔에서〕, 직접 대결하는〔하여〕: go ~ with …와 서로 주먹다짐하다〔직접 대결하다〕.

toff [taf, tɔf] 《영속어》 n. 명사(名士); 멋쟁이; (the ~s) 상류 사회.

tof·fee, tof·fy [tɔ́ːfi, táfi/tɔ́fi] n. 태피(taffy)《설탕·버터 따위로 만든 과자》. ***can't do for*** ~ 《영구어》 …을 전혀 못하다. ㊞ ~**d** a.

tóffee-nòse n. 《영속어》 오만한 녀석, 자만자.

Tof·fler [táflər/tɔ́f-] n. **Alvin** ~ 토플러《미국의 문명 비평가·미래학자; 1928- 》.

toft [tɔːft, taft/tɔft] n. 〖영법률〗 가옥과 택지(homestead); 《영방언》 작은 언덕(hillock).

to·fu [tóufuː] n. Ⓤ 두부(bean curd).

tog [tag/tɔg] 《구어》 n. **1** 상의. **2** (보통 pl.) 옷, (특정 용도의) 의복과 부속품: golf ~s 골프복. ── (-gg-) vt., vi. (훌륭한) 옷으로 차려입다《*out*; *up*》: get (oneself) ~*ged up* (예복 등을) 몸에 걸치다《*in*》.

to·ga [tóugə] (pl. ~s, -gae [-d͡ʒiː, -giː]) n. **1** 토가《고대 로마 시민의 겉옷》. **2** 직복(職服), 제복; 《미》 상원 의원의 직〔지위〕: a judge's ~ 재판관 법복.

toga 1

[파] ~'d, ~ed *a.* ~를 입은.

to·gate [tóugeit] *a.* toga를 입은; 위엄 있는.

†**to·geth·er** [təgéðər] *ad.* **1** 함께, 같이, 동반해서: They were standing ~. 그들은 나란히 서 있었다/Are they living ~? 그들은 같이 살고 있느냐《암암리에 부부인가를 물음》. **2** 〖동사와 함께 동사의 동작의 결과를 나타냄〗 합쳐져서, 이어져서, 모여져서, 함께 되어서: The cars came ~ with a crash. 차와 차가 쾅하고 부딪쳤다/nail the boards ~ and make a crate 널빤지를 못질해서 나무 상자를 만들다. **3** 〖명사 뒤에서〗 계속하여, 중단 없이; 통틀어, 모두: He worked for hours 〔weeks〕 ~. 그는 몇 시간〔주간〕이나 계속 일했다/This one costs more than all the others ~. 이것은 다른 것을 다 합친 것보다 비싸다. **4** 동시에: You cannot have both ~. 두 개를 동시에 가질 수는 없다/All his troubles seemed to come ~. 모든 재난이 일시에 덮쳐 온 것 같았다. **5** 협력〔협조〕하여: We are ~ in the enterprise. 우리는 협력해서 사업을 하고 있다. **6** 서로 …하여: fight ~ 서로 싸우다/confer ~ 서로 의논하다, 협의하다. ***all*** **~** ① 다 함께. ② 전부, 합계: We are nine *all* ~./There are 200 books *all* ~. ★ in all 보다 구어적. ***belong*** **~** (합쳐서) 전체를 이루다, 동체이다. ***bring*** **~** ⇨ BRING. ***call*** **~** 불러모으다. ***come*** **~** 함께 되다, 부딪치다; 동시에 생기다. ***get it all*** **~** 건전하고 착실한 생활 태도를 취하다; (압력 밑에서) 냉정을 유지하다; (여성의) 몸매가 날씬하다. ***get*** **~** ⇨ GET[1]. ***look*** **~** 구분이 안 되다, 아주 비슷하다. ***pull*** **oneself ~** ⇨ PULL. **~ *with*** …와 함께, …와 더불어; …도 또한《with의 강조형》. [cf] ALONG with.

— 《미속어》 *a.* 착실한; 멋있는; 실수 없는.

[파] **~·ness** *n.* 침착, 착실; (가족의) 단란; 종합, 통일.

tog·gery [tágəri/tɔ́g-] *n.* [U] 《구어》 의류; 《특히》 제복, 군복; 《영》 양복점.

tog·gle [tágl/tɔ́gl] *n.* **1** 〖해사〗 비녀장《밧줄 고리에 꿴》. **2** =TOGGLE JOINT. **3** (스포츠웨어 따위에서 앞자락을 여미는) 장식용 막대 모양의 단추. **4** 〖컴퓨터〗 똑딱, 토글《on과 off처럼 두 상태를 가진 장치》. — *vt.* 비녀장을 끼우다, 비녀장으로 고정시키다; 《해커속어》 (비트의 값을) 바꾸다, 0 에서 1 로〔1 에서 0 으로〕 하다.

tóggle jòint 〖기계〗 토글 장치《힘을 확대하여 전달하는 링크 장치》.

tóggle kèy 〖컴퓨터〗 토글 키.

tóggle switch 〖전기·컴퓨터〗 토글스위치.

To·go [tóugou] *n.* 토고《서아프리카의 공화국; 수도 Lomé》.

To·go·land [tóugoulæ̀nd] *n.* 토골랜드《서부는 Ghana 공화국, 동부는 Togo 공화국》.

To·go·lese [tòugəlíːz, -s, -gou-/-líːz] *a.* 토고(인)의. — (*pl.* ~) *n.* 토고인.

togue [toug] (*pl.* **~s,** 〖집합적〗 ~) *n.* 《Can.》 =LAKE TROUT.

toil**[1] [tɔil] *n.* **1** 힘드는 일, 수고, 노고, 고생, 신고: after long ~ 오랜 힘든 일 끝에, 오랜 수고 끝에/Many a ~ we must bear. 많은 고생을 참지 않으면 안 된다. **2** 《고어》 전투, 투쟁, 싸움. — *vi.* **1** 《~/+[전]+[명]/+[부]》 수고하다, 고생하다, 애써〔힘써〕 일하다: ~ strenuously 분투노력하다/~ *at* a task 일을 꾸준히 하다/~ *for* livelihood 땀 흘리어 생활비를 벌다/He ~*ed on* till he was past eighty. 80 고개를 넘을 때까지 계속 일했다. **2** 《~+[부]/+[전]+[명]》 애써 나아가다: ~ *along* 계속 애쓰며 나아가다/~ *up* a steep hill 험한 언덕을 애써 올라가다. — *vt.* 애써서 성취하다《*out*》. ◇ toilful, toilsome *a.* **~ *away =**~ *and moil*** 힘껏〔열심히〕 일하다.

[파] **~·er** *n.* 임금 노동자; 고생하는 사람.

toil[2] *n.* **1** (보통 *pl.*) 사냥감을 잡는 망; (*pl.*) 덫, 함정. **2** (*pl.*) 구속〔속박〕하는 것〔힘〕. ***in the ~s*** 올가미에 걸려; 매혹되어.

「〔면포(綿布)〕.

toile [twɑːl] *n.* 《F.》 [U] 엷은〔투명한〕 리넨 천

toile de Jouy [*F.* twaldəʒwi] 《F.》 단색 무늬의 실내 장식용 천.

‡**toi·let** [tɔ́ilit] *n.* **1** 화장실, 세면소, 변소; 변기. **2** 화장《목욕·머리 쪽짓기도 포함하는 몸단장》; 《고어》 성장; 옷맵시; 복장, 의상, 옷. **3** 화장 도구 일습《거울·빗·솔 등》; 《고어》 화장대. **4** (분만·수술 후의) 세척. ***at*** **one's ~** 화장 중인; 몸차림하고 있는: be busy *at her* ~. ***make*** 〔***do***〕 **one's ~** 《드물게》 화장하다, 몸단장하다. — *a.* 화장(용)의; 변기용의. — *vi.* 화장하다; (유아가 스스로) 용변을 보다. — *vt.* …에게 화장을 시키다; (유아에게) 용변을 보게 하다.

tóilet bàg (여행용) 세면도구 주머니.

tóilet bòwl 변기.

tóilet clòth 〔**còver**〕 화장대〔경대〕 보.

tóilet pàper 〔**tìssue**〕 뒤지, 휴지.

tóilet pòwder (목욕 후에 쓰는) 화장분.

tóilet ròll 두루마리 화장지.

tóilet ròom 세면실; 《미》 (변소가 붙은) 화장실, 욕실.

「면 화장품류.

toi·let·ry [tɔ́ilitri] (*pl.* **-ries**) *n.* (보통 *pl.*) 세

tóilet sèat (변기의) 앉는 자리.

tóilet sèt =DRESSER SET; 세면 용기 일습.

tóilet sòap 화장비누.

tóilet tàble 화장대.

toi·lette [twɑːlét, tɔilét/twaː-] *n.* 《F.》 화장, 몸단장; 의상, 옷.

tóilet tràining (어린이의) 용변 교육.

tóilet vìnegar 손 씻는 물에 타는 향수 식초.

tóilet wàter 화장수.

toil·ful [tɔ́ilfəl] *a.* 힘든, 고된, 고생스러운.

tóil·less *a.* 힘들지 않은, 편한.

toil·some [tɔ́ilsəm] *a.* =TOILFUL.

tóil·wòrn *a.* 일하여 지친; 고생하여 수척해진.

to·ing and fro·ing [túːiŋənfróuiŋ] (*pl.* ***tó-ings and fró·ings***) 《구어》 바쁘게 왔다갔다 함, 법석, 왕래. [cf] TO and fro.

to·ka·mak, to·ko- [tóukəmæ̀k, ták-/tóuk-, tɔ́k-] *n.* 《Russ.》 〖물리〗 토카막《핵융합용 고온 플라스마 발생 장치》.

To·kay [toukéi] *n.* [U] 토케이《헝가리 토커이 (Tokay) 지방산(産) 포도주》; 토케이 포도《알이 굵고 닮》; 캘리포니아산(産) 백포도주.

toke [touk] *n.* **1** 《영속어》 음식물; 《특히》 (한 사람분의) 빵. **2** 《미속어》 마리화나 담배의 한 모금. — *vt.* 《미속어》 (마리화나 담배를) 피우다.

to·ken** [tóukən] *n.* **1 a** 표, 징후, 나타남; 상징; 〖언어〗 토큰《type에 대하여 개개의 사례》; 〖성서〗 징조《시편 CXXXV: 9》. [SYN.] ⇨ SIGN. **b** 특징, 특색. **c** 전체를 엿보이는 일부분; 증거로 하는〔증명하는〕 것, 변말; 《고어》 신호. **2 a** 기념품〔물〕; 선물: He gave Mary a ring as a ~. 그는 메리에게 기념물로서 반지를 주었다. **b** 기장, 배지. **3** (사적인) 대용 경화(硬貨); 토큰《버스 승차권 따위》; (놀이 기계 등에 쓰이는) 메탈, 칩; 상품권; =BOOK TOKEN. **4** 이름뿐인 것; 이름뿐인 성원(成員), 《특히》 이름뿐인 고용인. **5** 〖컴퓨터〗 징표《(1) 원시 프로그램 중의 최소 문법 단위. (2) LAN의 토큰 패싱 방식에 있어 제어의 목적으로 ring상의 통신로를 따라 수수되는 frame》. ***by the same **~** =***by this*** 〔***that***〕 **~** ① 그 증거로는. ② 이것으로 보면, 그것으로 생각났지만. ③ 마찬가지로; 게다가. ***in*** 〔***as a***〕 **~ *of*** …의 표시로서, …의 증거로서: *in* ~ *of* gratitude 감사의 표

시로서. ***more by*** ~ 《고어》 더 한층, 점점 더.
— *a.* **1** 증거로서 주어진〔행해진〕; 내입금(內入金)으로서의; 실물 대용으로서의: a ~ ring 약혼반지. **2** 형식뿐인, 명목(상)의: a ~ resistance 명목상의 저항 / ~ import 〖상업〗 명목 수입《장차 본격적으로 수입할 뜻을 내포한 소액의 수입》. [파] **~·less** *a.*

to·ken·ism [tóukənìzəm] *n.* [U] 명목상의 인종 차별 폐지; 명목상의 시책.

tóken móney 명목 화폐《보조 화폐 · 지폐 따위》; 사주(私鑄) 화폐, 대용 화폐.

tóken páyment (차용금 변제의) 내입금(內入金); 〖경제〗 (채권국에 대한) 일부 지불.

tóken ríng nètwork 〖컴퓨터〗 토큰링 네트워크《토큰 전달 방식을 이용하는 링 형태의 근거리 통신망》.

tóken stríke (형식뿐인) 경고적인 스트라이크.

tóken vóte 〖영의회〗 (추가 예산 변경의 여지를 남기는) 가지출(假支出) 결의.

To·khar·i·an [toukέəriən, -kɑ́:r-/tɔ-] *n., a.* =TOCHARIAN.

toko ⇨ TOCO.

tokology ⇨ TOCOLOGY.

To·kyo [tóukiou] *n.* 도쿄《일본의 수도》. [파] **To·kyo·ite** [tóukiouàit] *n.* 도쿄도민(都民).

tol. tolerance.

to·la [tóulɑ:, -lə] *n.* 인도의 중량 단위《11.6638 g》.

tol·ar [tɑ́lɑ:r] *n.* 톨라르《슬로베니아의 화폐 단위; =100 stotins》.

to·laz·o·line [toulǽzəlì:n, -lin] *n.* 〖약학〗 톨라졸린《말초 혈관 확장제》.

tolbooth ⇨ TOLLBOOTH.

tol·bu·ta·mide [tɑlbjú:təmàid/tɔl-] *n.* 〖약학〗 톨부타미드《내복용 당뇨병 치료제》.

told [tould] TELL의 과거 · 과거분사.

tole[1] ⇨ TOLL[3].

tole[2] [toul] *n.* 톨《분(盆) · 상자 제조용의 채색된 금속판; 그 제품》.

To·le·do [təlí:dou/təléidou] *n.* **1** 털리도《미국 Ohio 주의 도시》. **2** (*pl.* **~s**) 스페인 Toledo 산(產)의 칼《잘 벼린 것으로 유명》.

***tol·er·a·ble** [tɑ́lərəbəl/tɔ́l-] *a.* **1** 참을 수 있는. **2** 웬만한, 꽤 좋은. **3** 《구어》 꽤 건강한. [파] ◇**-bly** *ad.* **~·ness** *n.* **tòl·er·a·bíl·i·ty** *n.*

◇**tol·er·ance** [tɑ́ləәns/tɔ́l-] *n.* [U] **1** 관용; 아량, 포용력, 도량《*for, of, toward*》: She doesn't have much ~ *for* fools. 그녀는 어리석은 사람들에게 그리 관대하지 못하다. **2** 〖의학〗 내성(耐性), 내약력(耐藥力); 〖기계 · 조폐〗 공차(公差); 오차 허용도; 〖식품〗 (식품 중의 살충제의) 잔류 허용 한계량. **3** 참음, 인내(력). **4** 〖생태〗 (생물의 환경에 대한) 내성(耐性). **5** 〖컴퓨터〗 허용 한계 《기준값으로 그에 대해 허용되는 한계값과의 차》.

> [SYN.] **tolerance** 자기로서는 찬성하기 어려우나 남의 권리로서 인정하기. 남의 사상 · 의견 따위에 대해서 쓰이는 일이 많음. **toleration** tolerance 와 거의 같으나 남의 행동에 대해서 쓰이는 일이 많음. **generosity** 남에게 자진해서 주려는 넓은 마음: an institute erected through the *generosity* of various individuals 여러 개인의 관대한 자비로 건립된 협회. **magnanimity** 인간의 크기를 보이는 도량, 도량이 넓음. 주로 고위층의 사람에게 쓰임. **liberality** generosity 와 비슷하며 '아까워하지 않는 관대함'을 나타내는 동시에 '사물에 구애되지 않는 자유스러운 사상에서 오는 관대함'도 나타냄.

tólerance lìmits 〖통계〗 공차(公差)〔오차〕 허용 한도.

◇**tol·er·ant** [tɑ́lərənt/tɔ́l-] *a.* **1** 관대한, 아량 있는《*of*》; 묵인하는《*of*》: be ~ *of* mistakes 잘못을 묵인하다. **2** 〖의학〗 내약(耐藥)〔항독(抗毒)〕력이 있는. [파] **~·ly** *ad.*

tólerant socíety =PERMISSIVE SOCIETY.

***tol·er·ate** [tɑ́lərèit/tɔ́l-] *vt.* **1** 관대히 다루다, 너그럽게 보아주다, 묵인하다. **2** 참다, 견디다. [SYN.] ⇨ BEAR. **3** 〖의학〗 …에 대해 내성(耐性)〔내약(耐藥)성〕이 있다. [파] **-à·tive** *a.* **-à·tor** *n.*

◇**tòl·er·á·tion** *n.* [U] 관용, 묵인; 신앙의 자유; 이설(異說)〔이교(異教)〕 묵인; 〖식품〗 =TOLERANCE. [SYN.] ⇨ TOLERANCE. [파] **~·ism** *n.* **~·ist** *n.*

Tolerátion Àct (the ~) 〖영국사〗 관용령(寬容令)《1689 년, 명예혁명 중에 제정된, 비국교도에게 조건부로 신앙의 자유를 인정한 법률》.

tol·i·dine [tɑ́lədì:n, -din/tɔ́l-] *n.* 〖화학〗 톨리딘《벤지딘계(系) 물감의 중간체》.

toll**[1] [toul] *n.* **1** 통행세, (다리 · 유료 도로의) 통행료, 나룻배 삯; (시장 따위의) 사용료, 시장세, 텃세; (항만의) 하역료; (철도 · 운하의) 운임; 사용료 징수권. **2** 《영고어》 방앗간의 빻는 삯(으로서 떼어내는 곡물). **3** 《미》 장거리 전화료. **4** (세금처럼 뜯기는) 대가, 희생; 희생자《특히 교통사고의》: a death ~ 사망자 수 / take a heavy ~ *of* lives (사고 따위가) 많은 사망자를 내다 / The ~ *of* dead and missing was very high. 사망자와 실종자 수가 매우 많았다. ***take a 〔***its***〕 ~ (…에게) 큰 피해를〔타격을〕 주다, 희생자를 내다《*of; on*》: The gas explosion *took its* ~ *of* 〔*on*〕 the passersby. 가스 폭발로 행인들이 많은 피해를 입었다. — *vt.* (물건)의 일부를 요금으로서 받다; (물건을) 요금으로서 징수하다; …에게 사용료를〔요금을〕 과하다. — *vi.* ~을 취하다.

***toll**[2] *vt.* **1** (만종 · 조종 등을) 울리다《천천히 규칙적으로》. **2** 《~+[목]/+[목]+[부]/+[목]+[전]+[명]》 (시계 · 종 따위를) 울려서 알리다〔불러모으다〕: ~ a person's death 종을 울려서 아무의 죽음을 알리다 / ~ *in* people 종을 울려 사람을 교회에 모으다 / ~ people *out of* church 종을 울려 사람들을 교회에서 해산시키다. — *vi.* 종을 울리다; (종이) 느린 가락으로 울리다. — *n.* (느린 간격으로 울리는) 종소리; 종을 울리기.

toll[3], **tole** [toul] *vt.* (사냥감 · 물고기를) 유인하다, (모이 · 미끼를) 뿌리다; (가축을) 이끌다. — *vi.* 권유 · 지도에 따르다.

toll·age [tóulidʒ] *n.* [U] 사용료, 통행료; 그 징수〔지급〕.

tóll bàr (통행세 징수를 위해 설치한) 차단봉(遮斷棒), 차단 게이트.

tól(l)·bòoth *n.* (유료 도로의) 통행세 징수소; 《Sc.》 교도소; 구치소.

tóll brìdge 유료 다리.

tóll càll 《미》 시외 전화; 《영》 (이전의) 근거리 시외 통화. [cf.] trunk call.

tóll collèctor (통행) 요금 징수원〔기(器)〕.

tóll·er[1] *n.* (통행) 요금 징수원〔기〕.

tóll·er[2] *n.* 종 치는 사람; 종.

tol·ley [tɑ́li/tɔ́li] *n.* 구슬치기의 구슬.

tóll-frée *a.* 《미》 무료 장거리 전화의《기업의 선전 · 공공 서비스 등에서 요금이 수화자(受話者) 부담인》.

tóll·gàte *n.* 통행료 징수소《도로의》.

tóll·hòuse *n.* (유료 도로〔교량〕의) 요금 징수소.

tóllhouse cóoky 《미》 초콜릿과 땅콩이 든 쿠키.

tólling dòg 오리 몰이를 하는 작은 사냥개.

tóll·kèeper *n.* 통행료 징수인.

tóll lìne 장거리 전화선.

tóll·man [-mən] (*pl.* **-men** [-mən, -mèn]) *n.* =TOLLKEEPER.

tóll plàza 《미》 (도로의) 통행세 징수소가 늘어선 구간.

tóll ròad 유료 도로.

tóll thòrough 〖영법률〗 (도로 · 다리 따위의) 통행세〔요금〕.

tóll tràverse 〖영법률〗 사유지 통행세.
tóll·wày *n.* =TOLL ROAD.
tol·ly [táli/tɔ́li] *n.* 《영속어》 양초(candle).
Tol·stoi, -stoy [tóulstɔi, tál-/tɔ́l-] *n.* **Leo Nikolaevich** ~ 톨스토이《러시아의 소설가 · 사상가; 1828–1910》. ㊞ **~·an** *a.*, *n.* **~·ism** *n.*
Tol·tec [tóultek, tál-/tɔ́l-] *n.* 톨텍 사람《10 세기경 중앙 Mexico에서 번영했던 인디언》.
tol·u·ate [táljuèit/tɔ́l-] *n.* 〖화학〗 톨루엔산염〔에스테르〕.
to·lú (bálsam) [təlú:(-)] 톨루발삼《남아메리카산(産) 수지(樹脂); 향료 · 의약용》.
tol·u·ene [táljuì:n/tɔ́l-] *n.* 〖화학〗 톨루엔《방향족(芳香族) 화합물로 염료 · 화약의 원료》.
to·lu·ic [təlú:ik, táljuik/tɔ̀ljú:-] *a.* 톨루엔산(酸)의: ~ acid 톨루엔산.
tol·u·ide [táljəàid/tɔ́l-], **-id** [-əd], **to·lu·i·dide** [təlú:ədàid] *n.* 〖화학〗 톨루이드《톨루이딘에서 유도된 일가(一價)의 원자단》.
to·lu·i·dine [təlú:ədì:n, -din/tɔljù:-] *n.* 〖화학〗 톨루이딘《벤젠의 메틸아미노 유도체; 물감 제조, 약품 공업용》.
tolúidine blúe 〖화학〗 톨루이딘 블루《흑색 분말의 핵(核) 염색용》.
tol·u·ol [táljuòul, -ɔ:l/tɔ́ljuɔ̀l] *n.* 〖화학〗 톨루올《상품화된 toluene; 염료 · 화약의 원료》. 「한.
tol·yl [tálil/tɔ́l-] *a.* 〖화학〗 톨릴기(基)를 함유
tólyl gròup 〔**ràdical**〕 〖화학〗 톨릴기《toluene 에서 유도되는 1 가의 기》.
Tom [tam/tɔm] *n.* **1** 톰《Thomas의 애칭》. **2** 《미구어》 백인에게 굽실거리는 흑인. ***Blind*** **~** 술래잡기. **~ *and Jerry*** 《미》 럼술에 달걀이나 우유 등을 섞은 것. **~, *Dick, and*** 〔***or***〕 ***Harry*** 〖종종 every 〔any〕 다음에서〗 《보통 경멸》 너 나 할 것 없이, 어중이떠중이《이에 대하여 돈푼 있는 사람들을 Brown, Jones, and Robinson 이라고 함》. **—** (***-mm-***) *vi.* 〖때로 t-, 종종 ~ it〗 《미구어》 (흑인이) 백인에게 비굴하게 굴다〔굽실거리다〕.
tom *n.* 동물의 수컷, 《특히》 수고양이, 수칠면조; 큰 종. **—** *a.* 수컷의.
tom·a·hawk [tám-əhɔ̀:k/tɔ́m-] *n.* **1** 전부(戰斧), (북아메리카 원주민의) 도끼. **2** (T-) 토마호크《미해군의 순항 미사일》. ***bury*** 〔***lay***〕 ***the*** ~ ⇨ BURY. ***dig up*** 〔***raise, take up***〕 ***the*** ~ 싸움을 시작하다. **—** *vt.* **1** 도끼로 찍다〔죽이다〕. **2** (책 · 저자 등을) 혹평하다. **3** 《Austral.속어》 (양)털을 거칠게 깎아 상처 내다. ㊞ **~·er** *n.*

tomahawk 1

tom·al·ley [tǽmæli/tɔm-] *n.* 〖요리〗 lobster 의 간(肝)《삶으면 녹색이 됨; 진미(珍味)》.
to·man [təmá:n] *n.* 페르시아의 금화.
***to·ma·to** [təméitou, -má:-/-má:-] (*pl.* **~es**) *n.* **1** 토마토: ~ juice 토마토 주스. **2** 《미속어》 (매력적인) 여자, 소녀; 매춘부; 3 류 복서. ㊞ **~·ey** [-toui] *a.*
tomáto àspic 〖요리〗 토마토 아스픽《토마토 주스가 든 젤리》.
tomáto càn 《미》 경찰관 배지(badge).
tomáto càtsup 〔**càtchup**〕 토마토케첩.
***tomb** [tu:m] *n.* **1** 무덤, 뫼, 묘(墓); 묘표(墓標), 묘비: the *Tomb* of the Unknown Soldier 무명용사의 무덤《무명의 전몰자에 대한 존경의 상징》. SYN. ⇨ GRAVE[1]. **2** (the ~) 죽음. **—** *vt.* 《드물게》 파묻다, 매장하다. ㊞ **∠·less** *a.* **∠·like** *a.*
tom·bac, -bak, -back [támbæk/tɔ́m-] *n.* Ⓤ 톰백《구리와 아연의 합금; 값싼 장식품용》.
tom·bo·la [támbələ/tɔ́m-] *n.* 《영》 (축제일 등에 행하는) 일종의 복권.
tom·bo·lo [támbəlòu/tɔ́m-] (*pl.* **~s**) *n.* 〖지학〗 톰볼로《섬과 육지를 잇는 사주(砂洲)》.
tom·boy [támbɔ̀i/tɔ́m-] *n.* 말괄량이. ㊞ **~·ish** *a.* **~·ish·ly** *ad.* **~·ness** *n.*
°**tomb·stone** [tú:mstòun] *n.* 묘석, 묘비; '묘비' 광고《국제 채권의 발행 광고; 모두가 묘비처럼 똑같은 형식을 취한 데서》.
tómbstone lòans 《미속어》 사망한 사람의 이름을 이용한 은행 차입.
tómbstone vòtes 《미속어》 사망한 사람의 이름을 이용한 부정 투표.
tóm·càt *n.* 수고양이; 《미속어》 여자 꽁무니를 따라다니는 남자; (T-) 《미》 톰캣, 함재 전투기《F 14 의 애칭》. **—** (***-tt-***) *vi.* 《미속어》 여자 꽁무니를 따라다니다, 여자를 찾아 밤에 어슬렁대다《*around*》.
tom·cod [támkàd/tɔ́mkɔ̀d] *n.* 〖어류〗 작은 대구 비슷한 물고기.
Tóm Cól·lins [-kálinz/-kɔ́l-] 진(gin)에 레몬즙 · 설탕 · 탄산수를 섞은 음료.
tome [toum] *n.* (내용이 방대한 책의) 한 권; 큰 책, 학술서.
-tome [tòum] '자른 조각, 절개도(刀)〔기구(器具)〕, 절제기(器)' 란 뜻의 명사를 만드는 결합사.
to·men·tose, -tous [təméntous, tóumәntòus], [-təs] *a.* 〖곤충 · 식물〗 솜털로 덮인.
to·men·tum [təméntəm] (*pl.* ***-ta*** [-tə]) *n.* 〖식물〗 솜털; 〖해부〗 유막(柔膜) · 연뇌막(軟腦膜)의 미세 혈관망(網).
Tóm Fóol 바보《경멸적인 별명》.
tóm·fóol *n.* 바보, 멍텅구리; (T-) 어릿광대. **—** *a.* 어리석은; 분별없는. **—** *vi.* 어리석은〔허튼〕짓하다. ㊞ **tòm·fóolery** *n.* Ⓤ,Ⓒ 바보짓, 허튼짓; 시시한 것. **tòm·fóolish** *a.*
tóm·gìrl *n.* =TOMBOY.
Tom·ism [támizəm/tɔ́-] *n.* =UNCLE TOMISM.
Tom·my, -mie [támi/tɔ́mi] *n.* 토미《Thomas 의 애칭》.
tom·my *n.* **1** (보통 T-) 《영》 =TOMMY ATKINS; 《미속어》 =TOMBOY. **2 a** 〖기계〗 나사 돌리개; 스패너; 자루 달린 너트 돌리개(= ∠ **bàr**). **b** =TOMMY GUN; 기관총 사수. **3** 《영》 노동자가 휴대하는 도시락; 임금 대신 주는 흑빵〔음식〕; 빵 덩어리; 현물 급여(제)(truck system); =TOMMY SHOP. **4** 《미속어》 토마토. ***soft*** ~ 〖해사〗 말랑말랑한 빵, 갓 구운 빵.
Tómmy Átkins 영국 육군의 (백인) 병사.
Tómmy Còoker (소형) 간이 석유난로.
tómmy gùn 톰슨(Thompson)식 기관총; 경(輕)기관총.
tómmy-gùn *vt.* tommy gun으로 쏘다.
tómmy·ròt *n.* Ⓤ 《구어》 허튼소리, 난센스.
tómmy shòp 《영》 (공장 내의) 식료품 매점; 「빵가게.
tóm·nòddy *n.* 바보, 얼간이.
Tóm o'Béd·lam [-əbédləm/tɔ́m-] 광인; 미친 체하는 거지.
to·mo·gram [tóuməgræm] *n.* 〖의학〗 (뢴트겐에 의한) 단층 사진.
to·mo·graph [tóuməgræf, -grɑ̀:f] *n.* 〖의학〗 단층 사진 촬영 장치. ㊞ **tò·mo·gráph·ic** *a.*
to·mog·ra·phy [təmágrəfi/-mɔ́g-] *n.* Ⓤ 단층 촬영(법).
†**to·mor·row, to-mor·row** [təmɔ́:rou, -már-/-mɔ́r-] *n.*, *ad.* 내일, 명일(cf. today); (가까운) 장래: *Tomorrow* is 〔will be〕 Monday. 내일은 월요일이다 / I'm leaving ~. 내일 떠날 예정

이다 / ~'s newspaper 내일 신문 / the world of ~ 내일의 세계 / *Tomorrow* never comes. 《격언》 내일은 결코 오지 않는다; 오늘 할 일을 내일로 미루지 마라. ***like there's no*** ~ 《속어》 내일 따위는 없다는 듯이, 장래 일 따위는 전혀 생각지 않고, 자제하지 않고(먹다 등). ***the day after*** ~ 모레. ~ ***come never*** 결코 오지 않는 날('내일' 은 미래를 지칭). ~ ***morning*** 〔***afternoon, night***〕 내일 아침〔오후, 밤〕. ~ ***week*** 내주〔다음 주〕의 내일.

tompion ⇨ TAMPION.

Tóm Sáwyer 톰 소여 《Mark Twain, *The Adventure of Tom Sawyer* (1876)의 주인공》.

Tóm Shów 《미》 Uncle Tom's Cabin 극《순회극》.

Tóm Thúmb (동화의) 난쟁이; 작은 사람〔식물, 동물〕.

Tóm Tíddler's gròund 1 아이들의 땅뺏기 놀이. **2** 《속어》 **a** 쉬이 물건을 얻을 수 있는 땅, 노다지판. **b** (영유를 에워싼) 계쟁지(係爭地).

tom·tit [támtìt/tɔ́m-] *n.* 《영》 곤줄박이류(類); 《일반적》 작은 새.

tom-tom [támtàm/tɔ́mtɔ̀m] *n.* 톰톰《인도 등의 큰 북; 개량형이 재즈에 쓰임》; 둥둥《북소리》. **—** *vi.* 둥둥 소리를 내다; 북소리로 신호하다. **—** *vt.* (리듬을) 둥둥 소리로 내다.

tom-toms

-to·my [təmi] '분단; 《외과》 절제(切除), 절개(술)(切開(術))' 이란 뜻의 결합사: ana*tomy*.

ton[1] [tʌn] *n.* **1 a** 〔중량단위〕 톤《1 ton = 20 hundredweight》; 영톤, 적재톤(long 〔gross〕 ~, shipping ~)《1 ton = 2240 lbs. ≒ 1016.1 kg》; 미톤, 소(小)톤(short 〔net〕 ~)《1 ton = 2000 lbs. ≒ 907.2 kg》; 미터톤(metric ~) 《1 ton = 1000 kg》; 〔용적단위〕 용적톤(measurement 〔freight〕 ~) 《석재(石材)는 16 세제곱 피트, 나무는 40 세제곱 피트, 소금은 42 bushels 따위》. **b** (선박의 크기·적재(積載) 능력의 단위) 톤; 총(總)톤(gross ~, register ~) 《1 ton = 100 세제곱 피트》; 순(純)톤(net ~)《총톤에서 화물·여객의 적재에 이용할 수 없는 방의 용적을 제외한 것》; 용적톤(순(純)톤 산출용); 중량톤(deadweight ~)《 1 ton = 35 세제곱 피트, 2240 lbs; 화물선용》; 배수톤(displacement ~) 《1ton = 35 세제곱 피트, 2240 lbs; 군함용》. **c** 공조(空調)톤《매시 12,000 btu》. **2** (*pl.*) 《구어》 큰 무게; 다수, 다량《*of*》: ~s 〔a ~〕 *of* books 아주 많은 책. **3** (the 〔a〕 ~) 《속어》 시속 100 마일의 속도; (크리켓 등의) 100점; 《영》 100 파운드《돈의》.

ton[2] [tɔːŋ] *n.* 《F.》 유행. ***in the*** ~ 유행하여.

ton·al [tóunl] *a.* 음조의, 음색의; 색조의. ㊕ **~·ly** *ad.* 음조상; 음색〔색조〕의 점에서.

to·nal·i·ty [tounǽləti] *n.* 《음악》 조성(調性) (OPP. *atonality*); 주조(主調); 《회화》 색조.

tó-nàme [túː-] *n.* 《Sc.》 (주로 동성 동명인을 구별하기 위한) 첨가명, 별명.

ton·do [tándou/tɔ́n-] (*pl.* **-di** [-diː]) *n.* 《It.》 《미술》 원형의 회화.

tone [toun] *n.* **1** Ⓒ 음질, 음색, 음조, 울림: the sweet ~(*s*) of a violin 바이올린의 감미로운 울림. SYN. ⇨ SOUND. **2** Ⓒ 어조, 말씨; 《비유》 논조: in an angry ~ 화난 어조로 / The letter had a friendly ~. 편지는 우호적인 어조로 씌어져 있었다 / the ~ of the Press 신문의 논조. **3** Ⓒ 색조, 배색; 명암: a carpet in three ~s of brown 갈색의 세 가지 농담(濃淡)으로 짠 양탄자. **4** Ⓒ 기풍, 풍조, 분위기, 낌새; 품격; 경기《*of*》: The ~ *of* the school is excellent. 이 학교의 교풍은 훌륭하다 / Give a ~ *of* elegance to your room. 고상한 분위기가 풍기도록 방을 가꿔라 / the ~ *of* a market 시황. **5** Ⓤ (정신의) 정상적인 상태: His mind has recovered its ~. 그는 정상적인 마음 상태를 되찾았다. **6** Ⓒ 《음악》 악음(樂音); 전(全)음정(step); (단조로운) 독경(讀經)투; 기음(基音); 《음성》 (음의) 고저, 억양; 음조. cf. stress. ¶ a high 〔mid, low〕 ~ 고〔중, 저〕음. **7** Ⓤ 《생리》 (신체·기관·조직의) 활동할 수 있는 〔정상적인〕 상태, (근육 따위의) 긴장(상태); (자극에 대한) 정상적인 감수성. **8** 《전기》 가청음(可聽音). **9** 《컴퓨터》 톤《(1) 그래픽 아트·컴퓨터 그래픽에서의 명도(明度). (2) 오디오에서 특정 주파수의 소리·신호》. ***heart ~s*** 《의학》 심음(心音). ***in a*** ~ 일치하여. ***take a high*** ~ 큰소리치다. ***the four ~s*** (중국어의) 사성(四聲).

— *vt.* **1** …에 가락〔억양〕을 붙이다, …에 색조를 띠게 하다; …의 가락을〔색조를〕 바꾸다〔부드럽게 하다〕: Fear ~*d* his voice. 공포 때문에 목소리가 달라져 있었다 / ~ a landscape 풍경화의 색조를 조절하다 / Old age has ~*d* his headiness. 나이가 그의 괄괄함을 누그러지게 했다. **2** 음을 고르다, 조율하다. **3** …에 가락을 붙여서 말하다〔부르다, 읽다〕: ~ one's prayer 가락을 붙여서 기도 드리다. **—** *vi.* **1** 가락을〔색조를〕 띠다. **2** 색이 바래다: The wall paper will not ~ readily. 벽지는 이내 바래지는 않을 것이다. **3** 《+[부]/+[전]+[명]》 조화하다《*with*》: This hat ~*s* (*in*) well *with* the dress. 이 모자는 옷과 (색이) 잘 어울린다. ~ ***down*** 《*vt.*+[부]》 ① (색조, 어세 따위의) 가락을 떨어뜨리다; (감정 따위를) 누그러뜨리다: ~ *down* the radio 라디오의 음량을 낮추다 / You'd better ~ *down* some of your harsh statements. 거친 표현 몇 군데는 부드럽게 하는 것이 좋겠다. **—** 《*vi.*+[부]》 ② 가락이 누그러지다, 조용히 가라앉다: *Tone down.* 조금 소리를 낮춰라 / The excitement ~*d down.* 흥분이 가라앉았다. ~ (***in***) ***with*** …와 조화하다(⇨ *vi.* 3). ~ ***up*** 《*vt.*+[부]》 ① 높이다; 강하게 하다: ~ *up* the radio 라디오의 음량을 높이다 / Exercise ~*s up* the muscles. 운동은 근육을 강하게 한다. **—** 《*vi.*+[부]》 ② 높아지다; 강해지다.

tóne àccent = PITCH ACCENT.

tóne àrm (레코드플레이어의) (톤)암.

tóne clùster 《음악》 톤 클러스터《어떤 음정 안의 다량의 음이 동시에 내는 음향》.

tóne còlor 음색, 소리의 맵시; 풍격(風格).

tóne contròl 음색(음질) 조절 (장치).

toned [tound] *a.* 〔종종 복합어로〕 (…한) tone 을 지닌〔특색으로 하는〕; (종이가) 엷은 색이 있는: shrill-~.

tóne-dèaf *a.* 《의학》 음치의.

tóne dèafness 《의학》 음치.

tóne dìaling 음성 다이얼 방식《푸시 버튼을 눌러 고저가 다른 음성의 조합을 전자적으로 발생시키는 전화번호 호출 시스템》.

tóned páper 엷은(크림)색의 종이.

tóne lànguage 《언어》 음조〔성조(聲調)〕 언어《중국어 따위에서 말의 뜻을 음조의 변화에 의해서 구별하는》.

tóne·less *a.* 음조가〔색조가·억양이〕 없는, 단조로운. ㊕ **~·ly** *ad.* **~·ness** *n.*

ton·eme [tóuniːm] *n.* 《음성》 음조소(音調素)《보통 동일한 음조로 취급되는 일단의 비슷한 음조》. cf. phoneme.

tóne pòem 《음악》 음시(音詩), 교향시.

ton·er [tóunər] *n.* **1** 가락을 조정하는 사람

〔것〕; 페인트의 색·질을 검사하는 사람. **2** 〖사진〗 조색액(調色液); (전자 복사의) 현상채(材); 토너《무기 안료를 포함하지 않는 유기 안료로 딴 안료의 조색에 쓰임》. 「음열의」.

tóne ròw 〔**sèries**〕 〖음악〗 음렬(音列)《12 음

to·net·ic [tounétik] *a.* 음조〔성조〕의; 억양의; 음조〔성조〕 언어의. ㊞ **-cal·ly** *ad.* 「학(音調學).

to·net·ics [tounétiks] *n. pl.* 《단수취급》 음조

to·nette [tounét] *n.* 토넷《소형의 종적(從笛)》.

ton·ey [tóuni] *a.*, *n.* =TONY.

tong[1] [tɔːŋ, taŋ/tɔŋ] *n.* 《Chin.》(중국의) 당(黨), 조합, 결사; 《중국인의》 비밀 결사; 《미속어》 학생 사교 클럽 하우스.

tong[2] *vt.*, *vi.* tongs로 집다〔그러모으다, 조작하다, 처리하다〕; tongs를 쓰다.

Ton·ga [táŋgə/tɔ́ŋ-] *n.* 통가 왕국《남태평양에 있는 독립국; 수도 Nukualofa》. 「2 륜마차.

ton·ga *n.* 《Hind.》 인도의 2 인승〔4 인승〕 소형

Tong·king [tàŋkíŋ/tɔ̀ŋ-] *n.* =TONKIN.

◇**tongs** [tɔːŋz, taŋz/tɔ́ŋz] *n. pl.* 《단·복수취급》 (a pair of ~) 집게; 부젓가락, 도가니 집게; (미장원의) 컬(curl)용 인두. ***would not touch with a pair of*** ~ 만지기조차 싫다, 질색하다.

*****tongue** [tʌŋ] *n.* **1 a** ⓒⓤ 혀; (동물의 식용) 혓바닥 (고기), 텅; 〖동물〗 =RADULA; (벌 따위의) 주둥이: boil an ox-~ 소의 혓바닥 고기를 삶다/ham and ~ sandwiches 햄과 혓바닥 고기〔텅〕의 샌드위치. **b** (식사 후의 개운치 않은) 뒷맛. **2 a** (말하는) 혀, 입; 언어 능력: His ~ failed him. 그는 아무 말도 할 수 없었다. **b** 말, 발언, 담화; 지껄임; 변설; 말씨, 말투, 음성, 말하는 투; (*pl.*) 종교적 흥분에 의한 방언, 사람을 도취케 하는 웅변: a long ~ 장광설, 수다/a gentle ~ 부드러운 말씨/watch 〔mind〕 one's ~ 말에 조심하다. **c** 언어, 국어; 외국어, 《특히》 고전어; 방언;어떤 국어의 국민: one's mother ~ 모국어/all ~*s* 〖성서〗 모든 민족/a ~ not understanded of the people 《고어》 이국어, 외국어. **d** 《미속어》 변호사. **3** 혀 모양의 물건; 종의 불알; 구두혀; 관악기의 혀〔청〕; 저울의 바늘; 〖건축〗 은촉; 수레의 채; (브로치·혁대·장식 따위의) 핀; (자물쇠의) 날름쇠, 청; 〖철도〗 전철기(轉轍器)의 첨단; (널름거리는) 불길; 갑(岬), 곶: a ~ of land. ***bite* one's ~ *off*** 《구어》 《흔히 could have bitten ... 등의 가정법으로》 실언을 후회하다, 말하고 나서 후회하다. ***coated*** 〔***dirty, furred***〕 ~ 〖의학〗 (병의 징후로 혀에 끼는) 백태(白苔). ***find* one's ~** (깜짝 놀란 다음에) 겨우 말문이 열리다. ⓞⓟⓟ *lose one's tongue*. ***get* one's ~ (*a*)*round*** 《종종 부정문》 (어려운 낱말·이름 등을) 바르게 발음〔말〕하다. ***give*** 〔***throw***〕 ~ (사냥개가) 짖다; (아무가) 부르다, 아우성을 치다; 입 밖에 내다. ***have a ready*** 〔***fluent***〕 ~ 구변(口辯)이 좋다. ***have a spiteful*** 〔***venomous, bitter***〕 ~ 입이 걸다. ***have a well-oiled*** ~ 수다쟁이다. ***hold* one's ~** 입을 다물다, 침묵(沈默)을 지키다. ***keep a civil*** ~ (***in* one's *head***) 《보통 명령형》 말씨를 조심하다, 공손(恭遜)한 말씨를 쓰다. ***keep a quiet*** 〔***still***〕 ~ 《보통 명령형》 침묵하다, 말을 삼가다. ***keep* one's ~ *off*** …에 말참견을 않다. ***lay* ~ *to*** …을 입 밖에 내다, 표현하다. ***lose* one's ~** (부끄러움 따위로) 말을 못 하다. ***on*** 〔***at***〕 ***the tip of* one's** 〔***the***〕 ~ 말이 목구멍까지 나와: I have it *on the tip of my* ~, but can't exactly recall it. 그 말이 혀끝에서 뱅뱅 돌 뿐 정확히 생각이 안 납니다. ***on the ~s of men*** 사람들의 입에 올라, 소문이 나서. ***put out* one's ~** (진찰할 때 또는 경멸하여) 혀를 내밀다. ***set ~s wagging*** 소문을 불러일으키다. ***stick*** 〔***put***〕 one***'s ~ in* one*'s cheek*** 혀끝으로 볼을 부풀리다《비꼼·경멸(輕蔑)의 표정(表情)》. ***tie* a person*'s* ~** 아무를 입막음하다. **~*s wag*** 사람들이 쑥덕거리다. ***wag* one*'s* ~** 쉴새 없이 지껄여 대다. ***with* one*'s* ~ *hanging out*** 목이 말라; 《비유》 갈망하여. ***with* one*'s* ~ *in* one*'s cheek*** =(***with***) ~ ***in cheek*** 본심과는 반대로; 놀림조로, 느물거리는 투로: have 〔speak with〕 one's ~ in one's cheek 반 놀림투로 말하다.

— (***tóngu·ing***) *vi.* **1** 혀로 음정을 조정하면서 〔끊으면서〕 악기를 불다. **2** (입심 좋게) 지껄여 대다. **3** 《+㊐》 돌출해 있다: The land ~*s out*. 육지가 바다에 돌출해 있다. **4** 핥다. **—** *vt.* **1** (악기를) 혀로 음조를 조정하면서 불다. **2** …에 혀를 대다. **3** …에 혀 모양의 것을 대다〔붙이다〕; 〖건축〗 …에 은촉을 만들다. **4** 《고어》 …에게 지껄이다; 꾸짖다, 욕지거리하다.

㊞ **~·less** *a.* 혀가 없는; 잠자코 있는; 벙어리의. **~·like** *a.*

tóngue-and-gróove jòint [-ən-] 〖건축〗 은촉이음(=**tóngue and gróove**).

tongued *a.* 혀가 있는; 《복합어로》 말투(혀)가 …의: silver-~ 웅변의.

tóngue deprèssor 〔**blàde**〕 (의사의) 혀누르는 기구, 압설자(壓舌子).

tóngue·fish *n.* 혀넙치 (비슷한 물고기).

tóngue-in-chèek *a.* 놀림조의, 성실치 않은.

tóngue-làsh *vt.*, *vi.* 야단치다. ㊞ **~·ing** *n.* ⓤ 욕설, 비난.

tóngue·tìe *n.* 혀가 짧음, 혀짤배기. **—** *vt.* 혀가 돌지 않게 하다, 말을 못하게 하다.

tóngue-tìed *a.* **1** 혀가 짧은. **2** 말없는, 뚱한. **3** (부끄러움·당황 따위로) 말을 못 하는; 잠자코 있는.

tóngue twìster 혀가 잘 안 도는〔어려운 말 빨리 말하기 놀이의〕 어구《보기: She sells sea shells on the seashore.》. 「좋아하는.

tonguey [tʌ́ŋi] *a.* 《구어》 잘 지껄이는, 말하기

To·ni [tóuni] *n.* 토니《여자 이름; Antonia, Antoinette의 애칭》.

◇**ton·ic** [tánik/tɔ́n-] *a.* **1** 튼튼하게 하는《약제 따위》; 원기를 돋우는: ~ medicine 〔wine〕 강장제〔주〕. **2** 〖의학〗 강직〔긴장, 지속〕성의. **3** 〖음악〗 으뜸음의; 〖음성〗 음조(音調)의; 강세가 있는: Chinese is a ~ language. 중국어는 음조 언어이다. **—** *n.* **1 a** 강장제: a hair ~ 양모제(養毛劑). **b** 활기를 돋우는 것《찬사·벌 등》《*for*》: Your presence was a real ~ *for* our team. 당신이 나와 주신 것이 우리 팀에 큰 힘이 되었습니다. **2** 〖음악〗 으뜸음, 바탕음. **3** 〖음성〗 강세음. **4** =QUININE WATER.

tónic áccent 〖음성〗 강세; 음조, 강세 악센트.

to·nic·i·ty [tounísəti] *n.* ⓤ **1** 음조. **2** (심신의) 건강, 강장(強壯). **3** (근육의) 탄력성, 긴장 상태. 「수용》, 계명 창법.

tónic sol-fá 토닉솔파 기보법(記譜法)《성악 교

tónic spásm 〖의학〗 긴장성 경련.

tónic wàter 탄산수(quinine water).

to·ni·fy [tánəfài, tóu-/tɔ́n-] *vt.* 유행시키다; 강화하다(tone up).

†**to·night, to-night** [tənáit] *n.*, *ad.* 오늘밤(에). ⓒⓕ today. ¶ ~'s radio news.

ton·ing [tóuniŋ] *n.* 가락을 맞추기, 조율(調律); 〖사진〗 조색(調色); 도금.

ton·ite[1] [tóunait] *n.* 면화약(綿火藥)의 일종.

to·nite[2] [tənáit] *n.*, *ad.* =TONIGHT.

tonk [taŋk/tɔŋk] *n.* 《미속어》 =HONKY-TONK; 《Austral.속어》 여자 같은 사내, 호모.

tón·ka bèan [táŋkə-/tɔ́ŋ-] 〖식물〗 통카 콩 《열대 아메리카산(產); 향료 원료》.

Ton·kin, Ton·king [tànkín, tàŋ-/tɔ̀n-, tɔ̀ŋ-], [tànkíŋ, tàŋ-/tɔ́n-] *n.* **1** 통킹《베트남 북부의 주요 지역》. **2** (t-) 통킹 참대《스키 지팡이·낚싯대용》.

ton·let [tánlit] *n.* (중세 갑옷의) 쇠 스커트.

tón-míle *n.* 톤마일《톤수와 마일수와의 곱으로서 철도·항공기 따위의 일정 기간 중의 수송량을 나타냄》.

tonn. tonnage.

ton·nage [tánidʒ] *n.* Ⓤ **1** (선박의) 용적 톤수. Ⓒⓕ ton¹. ¶ ⇨ GROSS 〔NET〕 TONNAGE. **2** (한 나라의 상선 등의) 총톤수; (철도 등의) 수송(총)톤수; (광산 등의) 생산 (총)톤수. **3** (배·뱃짐에 과하는) 톤세(稅). **4** (the ~) 〖복합어〗 선박.

tonne [tʌn] *n.* =METRIC TON《생략: t.》.

ton·neau [tʌnóu/tɔ́nou] (*pl.* **~s, ~x** [-z]) *n.* 《F.》 자동차 뒷좌석 부분(이 있는 차); (오픈카의) 덮개.

(-)ton·ner [(-)tánər] *n.* 톤(급)의 배.

T-Ó nòise 이륙 소음치(騷音値).

to·nom·e·ter [tounámətər/-nɔ́m-] *n.* 토노미터, 음(音) 진동 측정기; 〖의학〗 혈압계; 안압계(眼壓計); 〖물리〗 증기(蒸氣) 압력계.

ton·o·plast [tánəplæ̀st, tóun-/tɔ́n-] *n.* 〖식물〗 액포막(液胞膜)

ton·sil [tánsil/tɔ́n-] *n.* 〖해부〗 편도선. ㊞ 「**~·lar** [-lər] *a.*

ton·sil·lec·to·my [tànsəléktəmi/tɔ̀n-] *n.* 〖의학〗 편도선 절제술. 「편도선염.

ton·sil·li·tis [tànsəláitis/tɔ̀n-] *n.* Ⓤ 〖의학〗

ton·so·ri·al [tansɔ́:riəl/tɔn-] *a.* 이발(사)의: a ~ artist 〔parlor〕 이발사〔관〕.

ton·sure [tánʃər/tɔ́n-] *n.* 삭발; 머리를 민 부분; 〖기독교〗 삭발식《성직에 들어가는 사람이 두정부(頭頂部)를 미는》; (삭발한 것 같은) 탈모부(脫毛部). **—** *vt.* …의 머리를 밀다, 삭발식을 거행하다.

tonsure

ton·tine [tánti:n, -ˊ/tɔ́nti:n, -ˊ] *n.* Ⓤ 톤틴식 연금법《가입자가 죽을 때마다 남은 가입자의 배당이 늚; 17세기 나폴리의 은행가 Tonti가 파리에서 시작함》; 톤틴식 연금 총액; 《집합적》 톤틴식 연금 출자자.

tón-úp *a.* 《영구어》 시속 100마일로 오토바이를 모는, 폭주족의: ~ boys. **—** *n.* 폭주족.

to·nus [tóunəs] *n.* Ⓤ (근육 조직의) 긴장(도).

To·ny [tóuni] *n.* **1** 토니《Anthony의 애칭》. **2** (*pl.* **~s**) 토니상(=ˊ **Awàrd**)《미국 극단의 아카데미상》.

to·ny [tóuni] (**-ni·er; -ni·est**) *a.* 《미구어》 멋진, 고상한; 사치스러운, 유행의; 상류 사회의; (말씨·태도 등이) 교만스러운. **—** *n.* 유명〔저명〕인.

†**too** ⇨ 《p. 2622》 TOO.

too·dle-oo [tù:dlú:] *int.* 《영구어》 안녕, 미안합니다.

took [tuk] TAKE의 과거.

⁑**tool** [tu:l] *n.* **1** 도구, 공구, 연장: gardener's 〔joiner's, mason's, smith's〕 ~*s* 정원사〔소목, 석공, 대장장이〕의 도구〔연장〕/ a broad ~ 날이 넓은 끌 / an edged ~ 날붙이 / A bad workman (always) blames his ~*s*. 《속담》 서투른 숙수가 안반만 나무란다. ★ 보통 손으로 쓰는 것을 말하며, 동력을 쓰는 것은 machine 〔power〕 tool 이라 함.

> SYN. **tool** 손을 놀려서 쓰는 도구. 비유적으로도 쓰이며, 또는 손과 비슷한 구실을 하는 공작 기계: carpenter's *tools* 목수 연장. **appliance** 전력을 쓰는 기구. **implement** 가장 광범위한 뜻을 지니며, 주로 농업·사냥에 사용하는 용구, 용품: The quill pen was an early *implement* of communication. 깃펜은 초기의 통신 도구였다. **instrument** 과학·음악 따위의 기계, 기구(器具): a surgeon's *instruments* 외과의의 기구. a stringed *instrument* 현악기. **utensil** 집에서 일상적으로 쓰는 (살림) 도구: kitchen *utensils* 부엌 세간.

2 장사 도구(~ of one's trade): A scholar's books are ~*s*. 학자의 책은 직업 밑천이다. **3** (대패·송곳·선반(旋盤) 따위의) 날 부분; (*pl.*) 《속어》 나이프·포크·스푼류(類); 공작 기계(machine ~). **4** (목적을 위한) 수단, 방편; 앞잡이, 끄나풀《*of*》: He is a ~ *of* the party boss. 그는 당수의 앞잡이다. **5** 〖제본〗 압형기(押型器). **6** 《비어》 음경; 《속어》 소매치기; 《미속어》 공부만 파고듦〔드는 학생〕. **7** 〖컴퓨터〗 도구《software 개발을 위한 프로그램》. ***be a* ~ *in* a person's *hand*** 아무의 앞잡이로 쓰이다. ***down* ~*s*** =***throw down*** one's ~*s* 《영》 일을 그만두다, 파업하다. ***make a* ~ *of*** a person 아무를 앞잡이로 쓰다.

— *vt.* **1** 《+목/+목+부》 도구로 만들다〔꾸미다〕; (표지 따위에) 압형(押型) 장식을 하다; (돌을) 정으로 다듬다; (공장)에 양산(量產)을 위한 공작 기계를 설비하다《*up*》: ~ a metal rod (선반으로) 금속 막대를 깎다〔마무르다〕/ ~ *up* a factory 공장에 기계를 설비하다. **2** 《+목+부/+목+전+명》 《구어》 (마차·차 따위)를 몰다; 《구어》 탈것으로 나르다: Let me ~ you *down to* your home. 집까지 태워다 주마. **—** *vi.* **1** 《+부》 도구로 세공하다; (공장이) 공작 기계를 설비하고 양산 체제를 갖추다, 툴링하다《*up*》: manufacturers ~*ing up* for production 생산을 위해 설비를 갖추고 있는 제조업자들. **2** 《+부/+전+명》 《구어》 (마차·차로) 가다; 《구어》 걸어 돌아다니다; 차를 몰고 다니다《*along; about around*》: ~ *along* 마차로 달리다 / ~ *around* 이리저리 드라이브하다 / ~ *along* the freeway 차를 타고 고속도로를 달리다. ㊞ **ˊ·er** *n.* ~하는 사람〔것〕; 석공의 큰 정.

tóol·bàg *n.* 연장 주머니.

tóol bàr 〖컴퓨터〗 툴바《자주 사용하는 기능을 시각적인 버튼으로 이용할 수 있도록 한 것을 한 곳에 모아 놓은 것》.

tóol·bòx *n.* 연장통; 《미속어》 (철도의) 작은 역.

tóoled úp 《영속어》 무기를 가진, 무장한; 《영속어》 주거 침입용의 도구를 가진.

tóol engineèr(ing) 장비〔생산 설비 공학《생산에 필요한 프로세스, 각종 도구나 다이스형, 지그 등의 설계, 제조 및 생산 과정의 제어 등을 연구》.

tóol·hèad *n.* 〖기계〗 툴헤드《공구를 원하는 위치로 이동시키는 기계의 한 부분》.

tóol·hòlder *n.* (선반의) 날〔바이트〕 고정기(器)〔장치〕; 공구 받침〔대〕(=**tóol pòst, tóol rèst**).

tóol·hòuse *n.* 공구실(=**tóolshèd**).

tóol·ing *n.* Ⓤ 연장으로 세공〔마무리〕하기; (나무·돌·가죽 따위에 베푸는) 장식새김; (한 공장의) 공작 기계 기구 일습; Ⓒ 〖제본〗 (표지의) 압형(押型). ***a blind*** 〔***gold, gilt***〕 **~** 민〔금박〕 압형.

tóol·kìt *n.* 〖컴퓨터〗 툴키트《프로그래머가 특정 머신이나 응용에 쓸 프로그램 작성에 사용할 수 있는 프로그램 또는 루틴의 세트》.

tóol·màker *n.* 도구〔공구〕 제작자. 「독(자).

tóol pùsher 《속어》 유정(油井)의 굴착 작업 감

tóol·ròom *n.* (공장의) 공구실.

tóol shèd 연장 헛간.

tóol sùbject 〖교육〗 도구 교과〔방편 과목〕《사회과학 따위의 연구나 실생활의 한 수단으로서의 외국어·통계학 따위》. Ⓒⓕ content subject.

toom [tu:m] *a.* 《Sc.》 내용이 없는, 텅 빈. 「니.

toon [tu:n] *n.* 〖식물〗 인도 참죽나무; 인도 마호가

too

늘 부사로 쓰이며 말뜻을 대별하면 A '그 위에', '…도 (또한)' (in addition, also); B '너무나' (excessively)로 된다. 이 중 구문상으로 특히 문제가 되는 것은 A의 '…도 (또한)'과 B의 3, 4에서 기술한 too…to (do) '너무 …해서 — 못하다'이다. 후자의 주요 용법은 다시 둘로 크게 나뉜다. 즉, a baby too young to walk 와 같이 too…로 서술 또는 꾸며진 주체가 to (do)에 대해서 의미상의 주어의 관계에 있는《*a baby* walks》것과, a book *too* difficult (for me) *to* read 와 같이 목적어의 관계에 있는《I read 〔one reads〕 *a book*》것이 그것이다.

too [tuː] *ad.* **A** 《보통 문장 끝에 오며 문장 전체를 수식함》 **1** 〖긍정문에서〗 …도 (또한) (also); 그 위에, 게다가(in addition): young, clever, and rich ~ 젊고 현명하며 게다가 유복한 / He is coming ~. 그도 옵니다 / Bill is ready. — I am ~. 빌은 준비가 돼 있다. — 나도 다《I'm ~. 라고는 안 함. I'm ready ~. 라고는 할 수 있음》/ I like opera. — I do ~. 〔《구어》 Me ~.〕 나는 오페라를 좋아해 — 나도 그래(=So do I.) / There was frost on the grass this morning; in May ~! 오늘 아침 풀밭에 서리가 내려 있었다. 그것도 5월달에.

NOTE (1) 구어에서는 강세의 위치에 따라서 의미가 달라짐: Bén teaches skating ~. 는 '벤도 스케이트를 가르친다' (=Ben ~ teaches skating.)란 뜻이고, skáting 일 때는 '스케이트도', téaches는 '가르치는 일도 하다'의 뜻이 됨.
(2) 긍정문에서는 too를, 부정문에서는 either를 쓰는데, 부정문보다 앞에 오거나 권유를 나타내는 의문문에서는 예외임: I, ~, did*n't* read the book. 나도 그 책을 읽지 않았다(=I did*n't* read the book, *either*.) / Wo*n't* you come, ~? 자네도 오지 않겠나.
SYN. **too** 문미(文尾)나 관계되는 말 뒤에 쓰임. **also** too보다 형식적인 말. 문장 끝에 쓰는 일은 드묾. **either** 부정문의 문장 끝에 쓰임. **as well** as well as 이하의 종속절이 생략된 것으로 문장 끝에 쓰임.

2 《미구어》 〖부정적 발언을 반박하여〗 그런데, 실은(indeed), (그래도) 틀림없이: You do*n't* look like twins. — We are ~. 너희들은 쌍둥이 같지가 않구나 — 아니, 정말 쌍둥이입니다 / I do*n't* go there often. — You do ~. 나는 그곳에 잘 가지 않는다 — (무슨 소릴) 자주 가는 주제에.
B 《형용사·부사를 수식》 **1** 너무(나)…; 지나치게 …하여, 필요 이상으로: eat ~ much 너무 먹다 / You cannot be ~ diligent. 아무리 부지런해도 지나치지는 않는다 / I have taken three ~ many. 세 개나 더 집었다 / There are far (ˣmuch) ~ many people here. 여긴 사람이 너무 많다.
2 〖too… for — 의 형태로〗 …에게는〔하기에는〕 너무나 (지나쳐): ~ beautiful *for* words 말로 형용하기에는 너무 아름다운 / This jacket is ~ big *for* me. 이 상의는 내게는 너무 크다 / It's much 〔far〕 ~ cold *for* swimming. 헤엄치기엔 너무 춥다 / It is ~ hot a day *for* work. 오늘은 일을 하기엔 너무 덥다.

NOTE 맨 끝 예문에서와 같은 **too**+형용사+명사는 (1) 흔히 「too+형용사+a+Ⓒ 명사」의 어순을 취하지만 … a ~ hot day 로 하는 때도 있음. (2) 복수 또는 Ⓤ 명사를 수식하는 형용사 앞에서는 too를 쓸 수 없음: ˣtoo hot days / ˣtoo hot weather. 단, much, little 따위의 양수사(量數詞)와는 함께 써도 무방함: ~ much time / ~ little money.

3 〖too… (for —) to (do)의 형태로〗 너무 …하여 (—가) …할 수 없다; (—가) …하기에는 너무 …하다《for — 는 부정사 to (do)의 의미상의 주어》: The report is ~ good to be true. 소문이 너무 좋아서 믿어지지 않는다 / He was ~ much frightened 〔~ tired〕 to speak. 너무 놀라서〔지쳐서〕 말도 할 수 없었다《과거분사에는 too much가 붙는 것이 원칙이나, tired 처럼 형용사화한 것의 앞에는 too가 직접 옴》/ This stone is ~ heavy *for* me *to* lift. 이 돌은 너무 무거워서 들어올릴 수가 없다(=This stone is so heavy that I cannot lift it.).
4 《구어》 〖때로 only ~〗 대단히, 매우, 무척, 너무나(very); 〖부정문에서〗 그다지, 그리(…하지 않다); 《Austral.》 〖응답에 쓰이어〗 정말, 아주: It's ~ kind of you. 친절에 정말 감사드립니다 / He was really ~ good to me. 그는 나에게 매우 다정했다 / I do*n't* like it ~ much. 그다지 마음에 들지 않는다 / He was *only* ~ glad to come with you. 그는 당신과 함께 올 수가 있어 무척 기뻐하고 있었다 / She's kind. — *Too* right, she is. 그 여자는 친절하다 — 정말이지 그렇다. ***all ~ …*** 《구어》 〖때에 관해서〗 정말이지〔유감스럽게도〕 너무 …하다: The party ended *all* ~ soon. 파티는 정말이지〔어이없게도〕 너무 일찍 끝났다《only too … 보다는 유감의 뜻이 적음》. ***but ~*** 유감스럽지만《사실이다》. ***cannot … ~*** — ① 아무리 …해도 지나치단 법은 없다〔오히려 부족할 정도다〕: I *cannot* thank you ~ much. 아무리 감사해도 오히려 부족합니다. ② 《구어》 그다지 — 하게 …할 수는 없다: He *can't* run ~ fast. 그는 그다지 빨리 뛸 수가 없다. ***none ~ …*** 조금도 …하지 않은, …하기(는)커녕 —: I was *none* ~ early for the meeting. 회합에 조금도 일찍 가지 않았다. ***only ~*** ⇨ ONLY. ***quite ~*** = ~ too. ***~ bad*** 《구어》 딱한, 유감인, 운이 나쁜: That's ~ *bad*. 그거 안됐군요《동정》; 그거 난처한데《당황》/ It's ~ *bad* you can't come. 네가 올 수 없어 유감이다 / It's ~ *bad* you are always late. 자네가 늘 지각을 해서 곤란하네《비난》. ***~ much*** (***of a good thing***) ① 《구어》 너무(심)하다, 너무 지독하다, 못 견디다: This is ~ *much* (for me). 이거 견딜 수 없다. ② 《미속어》 〖종종 감탄사적으로〗 멋지다, 훌륭하다. ③ 〖흔히 for one과 함께〗 (…에게는) 힘에 겨운〔벅찬〕 것: The book is ~ *much* (for me). 그 책은 (나에게는) 벅차다. ***~ too*** ① 〖too의 강조〗 너무나: this ~ *too* solid flesh 너무나도 단단한 이 육체. ② 《구어》 무척 훌륭한: This is ~ *too*. 이거 정말 훌륭〔근사〕하군.

toot[1] [tuːt] *n.* 뚜우뚜우, 삐익삐익《경적·나팔·피리 따위의 소리》. **— *vt.*** 불다, (나팔·피리 따위를) 뚜우뚜우〔삐익삐익〕 울리다. **— *vi.*** 나팔을〔피리를〕 불다; 뚜우뚜우〔삐익삐익〕 울리다; (산새·아이 등이) 울다. **~ one's *own horn*** ⇨ BLOW[1] one's own trumpet. **~ *the ringer*** 〔***ding-dong***〕 《미속어》 현관의 벨을 울리다. ㊞ **~·er** *n.*
toot[2] *n.* 《미속어》 마시며 떠듦, 주연; 도취: on a ~ 마시며 떠들고.
toot[3] *n.* 《Austral.속어》 변소(lavatory).
toot[4] *n.* 《미속어》 코카인(흡입). **— *vt.*** (코카인을) 흡입하다.

†**tooth** [tu:θ] (*pl.* ***teeth*** [ti:θ]) *n.* **1** 이; (*pl.*) 의치(義齒), 틀니(denture): have a ~ out (치과에서) 이를 뽑다 / a decayed ~ 충치 / a false 〔an artificial〕 ~ 틀니, 의치 / a milk ~ 젖니. **2** 이 모양의 것《빗살, 줄, 포크 따위의 아귀, 톱니 따위》; 〖동물·식물〗 이 모양의 돌기. **3** 취미, 기호《*for*》: have a ~ *for* …을 좋아하다. **4** (보통 *pl.*) 대항, 반항; 맹위, 위력: the sharp *teeth* of the wind 살을 에는 듯한 바람 / can endure the ~ of time 때가 지나도 변하지 않다. **5** 껄끄러운 지면(紙面), 결: The ~ of the paper catches crayon well. 종이의 결이 거칠어서 크레용을 칠하기 좋다. **6** 《해사속어》 (*pl.*) 배의 대포. ***armed*** 〔***dressed***〕 ***to the teeth*** 빈틈없이 무장〔성장(盛裝)〕하고. ***as scarce as hen's teeth*** 《Austral.구어》 (매우) 부족한, 수효가 극단으로 적은: No matter which city you are in, taxis are always *as scarce as hen's teeth* on a rainy day. 비가 오면 어떤 도시에서건 잡을 수 있는 택시의 숫자는 극히 적어진다. ***between the teeth*** 목소리를 죽이고. ***by*** 〔***with***〕 ***the skin of*** one***'s teeth*** ⇨ SKIN. ***cast*** 〔***fling, throw***〕 ***… in*** a person***'s teeth*** 〔***face***〕 (과실(過失) 따위를 구실로) 아무를 책망하다; (도전장·조소하는 말 따위를) 아무에게 보내다. ***chop*** one***'s teeth*** 《속어》 쓸데없는 말을 지껄이다. ***cut a*** ~ 이가 나다. ***cut*** one***'s teeth on*** …을 어릴 적부터 익히다; …로 첫 경험을 쌓다. ***draw*** a person***'s teeth*** 아무의 불평〔고민〕의 원인을 제거하다; 아무를 휘어잡다. ***get*** 〔***sink***〕 one***'s teeth into*** …에 달려들어 물다(bite); …에 전념〔몰두〕하다: After dinner, John *got* his *teeth into* the algebra lesson. 점심 후 존은 기하 공부에 몰두했다. ***give teeth to*** =***put teeth in*** 〔***into***〕 …을 강화하다, (법률 따위를) 시행하다. ***have all*** one***'s own teeth*** 의치가 하나도 없다. ***have a*** ~ ***for*** ⇨ *n.* 3. ***have teeth in*** (it) (조약 따위가) 엄중한 조항을 포함하다, 엄하다. ***in spite of*** a person***'s teeth*** 아무의 반대를 무릅쓰고. ***in the*** 〔a person***'s***〕 ***teeth*** 맞대놓고, 공공연히. ***in the teeth of*** …에도 불구하고; …을 무릅쓰고; …의 면전에서: He maintained his stand *in the teeth of* public opinion. 여론에 굽히지 않고 자기의 주장을 견지했다. ***lie in*** 〔***through***〕 one***'s teeth*** ⇨ LIE². ***long in the*** ~ 늙어서. ***pull*** a person***'s teeth*** (아무의) 무기를 빼앗다, 무력하게 하다. ***put teeth in*** 〔***into***〕 …의 효력을 강화하다, 효과를 높이다. ***set*** 〔***clench***〕 one***'s teeth*** 이를 악물다; 굳게 결심하다. ***set*** 〔***put***〕 one***'s*** 〔***the***〕 ***teeth on edge*** 역겹게 하다; 불쾌감을 갖게 하다. ***show*** one***'s teeth*** ⇨ SHOW. ***take*** 〔***get, have***〕 ***the bit between*** 〔***in***〕 ***the*** 〔one***'s***〕 ***teeth*** ⇨ BIT². ***the crown*** 〔***root, fang***〕 ***of a*** ~ 치관(齒冠)〔이촉〕. ~ ***and nail*** 〔***claw***〕 필사적으로, 온 힘을 다하여, 맹렬히《싸우다 따위》. ***to the teeth*** 충분히, 완전히.

— *vt.* **1** …에 이를 달다〔내다〕, …의 날을 세우다, 깔쭉깔쭉하게〔껄끄럽게〕 하다: ~ a saw. **2** …을 물다. **3** 맞물리다: ~ two gears 두 개의 톱니바퀴를 맞물리다. — *vi.* **1** 물다. **2** (톱니바퀴 따위가) 맞물다《*into*》.

***tooth·ache** [tú:θèik] *n.* [C,U] 치통: have a ~ 이가 아프다.

***tooth·brush** [tú:θbrʌ̀ʃ] *n.* 칫솔.

tóoth·brùshing *n.* 칫솔질.

tóoth·còmb *n.* 《영》 참빗; =FINETOOTH COMB.

tóoth decày 충치(蟲齒)(=**déntal cáries**).

toothed [tu:θt, tu:ðd/tú:θt] *a.* 이가 있는; 톱니 모양의; 〖복합어로〗 이가 …인: buck-~ 뻐드렁니의.

tóoth extràction 발치술(拔齒術).

tóoth fàiry (the ~) 이의 요정《어린이가 빠진 이를 베개 밑에 두면 밤에 와서 돈과 바꿔 간다고 함》. 「한 모금.

tooth·ful [tú:θfùl] *n.* 《속어》 (브랜디 따위의)

tooth·ing [tú:θiŋ, tú:ð-/tú:θ-] *n.* **1** 이를 붙이기, 날을 세우기. **2** (톱니의) 맞물림; (톱니바퀴의) 이. **3** (건물의) 증축용의 돌출 부분, 이은 부분.

tóoth·less *a.* **1** 이가 없는〔나지 않은, 빠진〕. **2** (톱 등의) 이가 빠진. **3** 강력함〔예리함〕이 없는; 효과 없는, 헛된.

tooth·let [tú:θlit] *n.* 작은 이(모양의 돌기).

tóoth·pàste *n.* [U] 크림 치약.

tóoth·pìck *n.* 이쑤시개; 《미속어》 호리호리한 사람; 《속어》 주머니칼.

tóoth pòwder 가루 치약, 치분.

tooth·some [tú:θsəm] *a.* **1** 맛있는, 맛 좋은. **2** 유쾌한, 만족스러운. **3** (성적) 매력이 있는. [파] ~·**ly** *ad.* ~·**ness** *n.* 「일종; 미나리냉이.

tóoth·wòrt *n.* 〖식물〗 유럽산(産)의 개종용의

toothy [tú:θi, tú:ði/-θi] (***tooth·i·er, -i·est***) *a.* **1** 많은〔큰〕 이가 있는; 뻐드렁니의, 이를 드러낸: a ~ grin 이를 드러내고 씩 웃음. **2** (종이가) 껄끄러운. **3** 맛있는. **4** 위력 있는, 유효한.

too·tle [tú:tl] *vi.* (피리 따위를) 가볍게 불다, 계속해서 불다; (새가) 짹짹 지저귀다; 객담을 늘어놓다; 《영구어》 터벅터벅〔천천히〕 가다; 《영》 떠나다, 철수하다《*off*》. — *n.* 피리를 붊, 그 소리, 삐이삐이; 짹짹; [U] 쓸데없는 소리, 졸문(拙文).

too-too [tú:tú:] *a., ad.* 지나친, 대단한〔히〕, 극단적인〔으로〕, 몹시, 뽐낸, 같잖은〔게〕.

toots [tuts] *n.* 《미구어》 아가씨, 색시, 여보(dear) 《친밀·장난으로 부르는 호칭》.

toot·sie¹ [tútsi] *n.* 《미구어》 =TOOTS; 《미속어》 파티걸, 《특히》 매춘부. 「(foot).

toot·sy, toot·sie² [tútsi] *n.* 《소아어·구어》 발

toot·sy-woot·sy [tútsiwútsi] *n.* **1** 《소아어·구어》 =TOOTSY. **2** 《미구어》 =TOOTS.

†**top**¹ [tɑp/tɔp] *n.* **1** (보통 the ~) 톱, 정상, 꼭대기, 절정, 끝《*of*》: the ~ *of* a mountain 산꼭대기 / the ~ *of* a tree 나무 끝, 우듬지.

2 (the ~s) 《구어》 (능력·인기 등에서) 최고, 최고의 인물〔물건〕: As a friend she's the ~*s*. 친구로서 그녀는 최고이다.

3 (보통 the ~) 상석, 상좌; (가로 따위의) 끝: take the ~ of the table ⇨ 관용구 / the ~ of the street 거리의 끝.

4 a 최고〔최상〕위, 수석: come at 〔to〕 the ~ 수석을 하다. **b** (종종 the ~s) 최고위〔수석〕의 사람〔물건〕; (*pl.*) 《영속어》 상류인, 귀족: He is (the) ~*s* in mathematics. 수학에서는 그가 톱이다.

5 한창때, 최성기, 절정, (능력·힘의) 최고점, 극도, 극치: the ~ of the morning 아침의 제일 기분 좋은 때 / at the ~ of (one's) speed 전속력으로 / shout at the ~ of one's voice 〔lungs〕 목청껏 외치다.

6 윗면, 표면; (자동차 따위의) 지붕, (*pl.*) 열차의 지붕; 포장; (깡통 따위의) 뚜껑, 마개; (장화〔승마용·사냥용 구두〕의) 윗부분; (*pl.*) =TOP BOOTS; 책의 상변(上邊)〔윗부분〕; 페이지의 위쪽, 상단; (보석의) 관부(冠部)(crown); (종종 *pl.*) (투피스·파자마 따위의) 윗도리: the ~ of a table 테이블의 윗면 / a hard ~ 금속 지붕의 자동차 / remove the ~ of the bottle 병 마개를 따다 / the gilt ~ (책의) 길트톱.

7 (바다·육지의) 표면: the ~ of the ground 지면, 지표.

8 (보통 *pl.*) (무·당근 따위의) 땅 위로 나온 부분, 어린 잎; (재목이 안 되는) 잔가지.

9 앞머리카락; (투구 따위의) 앞에 꽂는 장식, 털술; (특히 1 파운드 반의) 섬유 다발.
10 〖해사〗 =TOPSAIL; (종종 the ~s) 장루(檣樓); (전함 등의) 전투 장루.
11 (*pl.*) 겉만 도금한 단추.
12 《폐어》 귀고리의 귓불에 거는 부분. ★ 장식 구슬은 drop.
13 〖야구〗 (한 회의) 초(初). [opp] *bottom*.
14 (*pl.*) 〖카드놀이〗 수중의 최고점의 패.
15 〔the big ~으로〕 서커스의 큰 천막.
16 〖자동차〗 변속기의 상단〔톱〕 기어.
17 최초; 최초의 부분, 시작: the ~ of the year 연초(年初).
18 《미속어》 유방(乳房).
19 〖골프〗 공의 위쪽을 침; 위쪽 타격으로 인한 공의 회전 운동; 〖당구〗 밀어치기.
20 〖화학〗 (증류할 때) 화합물 중 가장 휘발성이 강한 성분.
blow** one's* ~ ⇨ BLOW¹. ***come on** ~ **of (비용·병 따위가) 더하다; …에 더 계속하다. ***come out*** (***at the***) ~ 첫째가〔1 번이〕 되다. ***come to the*** ~ 나타나다; 빼어나다, 유명하게 되다, 성공하다. ***from*** ~ ***to bottom*** 〔***toe, tail***〕 ⇨ TOE. ***in*** 〔***into***〕 ~ (***gear***) 톱기어로〔에〕, 최고 속도로. ***off*** one's ~ 정신이 돌아; 흥분하여. ***off the*** ~ 《속어》 총수입에서. ***off*** 〔***out of***〕 ***the*** ~ ***of*** one's ***head*** 준비 없이, 즉석에서. ***on*** (***the***) ~ (***of***) (…의) 위에; (…에) 더하여, 게다가 (또), (…) 외에; (…의) 위에 (태워); (…의) 바로 가까이에: *on* ~ *of* everything 게다가 또 / *on* ~ *of* the stair 계단의 상부에. ***on*** ~ (***of***) (상대보다) 우위에 서서, (…을) 숙지하여; 성공하여; 건강히: get 〔be〕 *on* ~ *of* …을 지배하다, (일)을 처리하다; (일이) …에게 벅차다, …을 괴롭히다 / keep 〔stay〕 *on* ~ *of* …보다 계속 우위에 서다, …을 계속 압박하다; (일 따위를) 잘 처리해 나가다; (정보에) 통하고 있다 / come out *on* ~ 승리를〔성공을〕 거두다 / Stay *on* ~! 늘 건강하시도록. ***on*** ~ ***of the world*** 《구어》 득의〔만족〕의 절정에 있어, 최고의 기분으로, 쾌활하여: feel (as if one is sitting) *on* ~ *of the world* 하늘에라도 오를 듯한 기분이다. ***over the*** ~ 〖군사〗 참호에서 공세로 바꾸어; 최종적〔결정적〕 상태로; 과도히; 목표〔규정〕 이상으로: go *over the* ~ 참호에서 나와 공격으로 전환하다; 《구어》 (어리석을 정도로) 대담한 일을 하다, 과장되게 행동하다〔말하다〕, 지나치다; 목표 이상의 성과를 올리다. ***reach*** 〔***get to***〕 ***the*** ~ ***of the tree*** 〔***ladder***〕 제일인자가 되다. ***take it from the*** ~ 《구어》 〔종종 명령형〕 (대사·연기·연주 따위를) 처음부터 시키다〔되풀이하다〕. ***take the*** ~ ***of the table*** ① 상석에 앉다, 좌상이 되다. ② 사회 보다. ***the*** ~ ***and bottom of it*** 《구어》 일의 전부, 그뿐인 일; 《구어》 그 설명(이 되는 것). ***the*** ~ ***of the market*** 최고 가격. ***the*** ~ ***of the milk*** 《구어》 (프로 중의) 제일 재미있는 것; 백미(白眉). (***The***) ~ ***of the morning*** (***to you***). 《Ir.》 안녕하십니까 《아침 인사》. ***the*** ~ ***of the tide*** 만조; 형편이 가장 좋은 때. ~ ***and tail*** 전체, 전부; 실질; 결국; 온통, 전혀. ~ ***and topgallant*** 〖해사〗 돛을 전부 펴고; 전속력으로. ~ ***or tail*** 〔부정문〕 전혀: I can*not* make ~ *or tail* of it. 그것을 도무지 알 수 없다. ~***s and bottoms*** 양극단; 《미속어》 안표가 있는 부정 주사위. ~ ***to bottom*** ① 거꾸로. ② 완전히. ***to the*** ~ ***of*** one's ***bent*** =BENT. ***up*** ~ 《구어》 머리 쪽〔속〕에서, 마음으로.
— *a.* 최고의, 첫째의, 가장 위의(uppermost); 수석의; 일류의, 주요한; (기어가) 톱인: the ~ stair 최상단 / on the ~ shelf 제일 윗 선반에 / ~ price(s) 최고 가격 / the ~ rung 사닥다리의 최상단; 수위, 중요한 지위. ***at*** ~ ***speed*** 전속력으로.
— (*-pp-*) *vt.* **1** 《+목+전+명》 …의 정상〔표면〕을 덮다《*with*》; …에 씌우다; …에 씌우고〔에 올려놓고〕 마무르다: a church ~*ped by* 〔*with*〕 a steeple 뾰족탑이 있는 교회 / *Top* each chop *with* an orange slice and a lemon wedge. 썬 고깃점 위에 각기 귤 조각과 쐐기 모양으로 자른 레몬을 얹어라. **2** …의 꼭대기에 이르다; …의 정상에 있다; …의 수석을 차지하다; …의 선두에 서다: ~ a hill 언덕 꼭대기에 닿다 / He ~*s* the list. 그는 필두이다. **3** 《~+목/+목+전+명》 …보다 크다〔높다〕; …이상이다: He ~*s* his father *by* a head. 그는 아버지보다 머리 하나만큼 크다 / He ~*s* six feet. 키가 6 피트 이상이다. **4** …의 위에 오르다: The sun ~*ped* the horizon. 태양이 수평선 위에 떠올랐다. **5** 뛰어넘다: ~ a fence 울타리를 뛰어넘다. **6** …을 능가하다, 넘다, 초과하다; …보다 낫다: ~ one's expectation 예상을 넘다 / ~ everything of the kind 같은 종류의 모든 물건을 능가하다. **7** (식물 따위의) 꼭대기를 자르다, 순을 치다: ~ a tree. **8** 〖골프·테니스〗 (공의) 위쪽을 치다: ~ a ball. **9** 〖해사〗 (활대의) 한쪽 끝을 올리다. **10** 〖화학〗 (휘발성 물질을) 증류하여 제거하다; (원유를) 상압(常壓) 증류 장치에 넣다. **11** 《+목+전+명》 (땅에) 시비(施肥)하다(top-dress)《*with*》: ~ a field *with* manure 밭에 비료를 주다. **12** 《속어》 목졸라 죽이다; 죽이다: ~ oneself (목매어) 자살하다. **13** 〖염색〗 …의 마지막 염색을 하다. — *vi.* 꼭대기에 오르다; 탁월(卓越)하다, 우뚝〔높이〕 솟다; 공의 위쪽을 치다; 끝나다《*off; out; up*》.
~ ***off*** 마무르다, …로 끝내다《*with*》; 《미》 …의 낙성을 축하하다; (탱크의) 꼭대기까지 가솔린을 채우다. ~ ***out*** 《*vi.*+부》 ① (수량 따위가) 최고치〔액〕에 달하다; 빌딩 완성을 축하하다. — 《*vt.*+부》 ② (석조 건축) 꼭대기를 마무르다, (빌딩)의 골조(骨組)를 완성하다; (…의) 낙성을 축하하다; …을 완성하다; 평평하게 하다. ~ one's ***part*** 최고의 연기를 하다; 《비유》 역할을 훌륭히 해내다. ~ ***up*** 《영》 (액체 등을) 가득 부어 넣다; …의 잔을 채우다; 《영》 (탱크·배터리 등)에 …을 보급〔충전〕하다《*with*》; 마무리하다. ***to*** ~ ***it all*** 더욱이, 게다가 (또).

***top²** *n.* **1** 팽이: spin a ~ 팽이를 돌리다 / sleep as sound as 〔like〕 a ~ 푹 자다 / The ~ sleeps. 도는 팽이가 선 듯이 되다. **2** 《속어》 《호칭》 친구, 대장: an old ~ 《속어》 동무.

top- [táp/tɔ́p] =TOPO-. 「국가의 군주.

to·parch [tóupɑːrk, táp-/tóup-/tɔ́p-] *n.* 소

to·par·chy [tóupɑːrki, táp-/tóup-/tɔ́p-] *n.* (몇 개 도시로 이루어지는 정도의) 작은 국가.

to·paz [tóupæz] *n.* 〖광물〗 토파즈, 황옥(黃玉); 〖조류〗 벌새의 일종: true 〔precious〕 ~ (보석으로서의) 황옥 / false 〔common〕 ~ 노란 수정(水晶), 황수정. 「두색〕 석류석(石).

to·paz·o·lite [toupǽzəlàit] *n.* 황색〔녹색, 연

tópaz quàrtz 황수정(黃水晶)(citrine).

tóp banána 《속어》 (악극단·희극의) 주연 배우; (그룹·조직의) 제 1 인자, 우두머리, 가장 중요한 인물.

tóp bílling 주연 배우 이름을 실은 연극 광고지의 최상부; 대대적인 광고〔선전, 취급〕《따위》.

tóp bòots (일종의) 장화, 승마 구두《무릎까지 오며 위쪽에는 보통 밝은 빛깔의 가죽을 씀》.

tóp-bràcket *a.* =TOP-DRAWER.

tóp bráss (the ~) 〔집합적〕 《구어》 고급 장교들〔간부들〕, 고관들. 「윗부분.

tóp·càp *n.* 〖기계〗 저널 박스(journal box)의

tóp-càp (*-pp-*) *vt.* (재생 고무 따위로) 타이어

의 표면을 갈아 대다.
tóp-cláss *a.* 최고의, 톱클래스의.
tóp·còat *n.* **1** 톱코트, 토퍼, 가벼운 외투. **2** (페인트 따위의) 마무리 칠, (페인트 · 사진의) 보호막.
tóp còpy 원본(原本)《복사본에 대하여》.
tóp cross 〖유전〗 톱 교잡(交雜), 품종 계통 간 교잡《잡종 강세 이용법의 일종》.
tóp dóg 《구어》 승자, 우세한 쪽(OPP. *underdog*); 중요 인물, 두목, 우두머리.
tóp-dòg *a.* 톱의, 최고의; 가장 중요한.
tóp dóllar 《구어》 (지불할 수 있는) 최고 한도액: pay ~ for the antique jewelry 그 골동품 보석에 최고 금액을 지불하다.
tóp-dówn *a.* 말단까지 조직화된, 통제가 잘되어 있는; 상의하달 방식의; 《구어》 모든 것을 커버하는, 포괄적인; (논리 전개 등이) 전체적인 구성에서 출발하여 세부에 이르는 방식의; 〖컴퓨터〗 하향식《구조적 계층을 위에서 아래로 구성해 가는 방법》의. cf. bottom-up.
tóp-down devélopment 〖컴퓨터〗 하향식 개발《소프트웨어를 설계 개발할 때 프로그램이 직선적으로 진행되는 방식을 취하며 가기문(go to statement)을 쓰지 않음》.
tóp-down prócessing 〖컴퓨터〗 하향식 처리《정보의 전체적인 구조를 처리의 대상으로 하며, 점차적으로 세부에 이르는 처리 방식》.
tóp-down prògramming 〖컴퓨터〗 하향식 프로그래밍 기법《상위 모듈에서 시작하여 점차 하위 모듈로 개발해 가는 프로그래밍 기법》.
tóp dráwer 맨 윗서랍; (사회 · 권위 등의) 최상층, 최고위: be 〔come〕 out of the ~ 상류 계급 출신이다.
tóp-dráwer *a.* (계급 · 중요성 따위가) 최고(급)의, 최상층의, 가장 중요한. cf. top-notch.
tóp-drèss *vt.* (밭에) 비료를 주다, 추비(追肥)하다; (도로 따위에) 자갈〔쇄석(碎石)〕을 깔다.
tóp-drèssing *n.* 추비, 시비(施肥); (도로 따위에) 자갈〔쇄석(碎石)〕깔기; 《비유》 피상적인 처리, 겉(꾸미기).
tope[1] [toup] *n.* (둥근 지붕의) 불탑.
tope[2] *n.* 작은 상어의 일종.
tope[3] *n.* 《Ind.》《특히》 망고의 숲.
tope[4] *vt., vi.* 《고어 · 시어》 (상습적으로) 술을 많이 마시다.
to·pee, to·pi [toupíː, ⌐-/tóupi(ː)] *n.* (인도의) 토피《sola 나무 심으로 만든 가벼운 헬멧》.
top·er [tóupər] *n.* 술고래, 모주꾼.
tóp flíght 최우수, 최고급, 최고위.
tóp·flíght *a.* 최고의, 일류의(first-rate). 㷃 ~·er *n.*
Tóp 40 [-fɔ́ːrti] (the ~) 톱포티《일정 기간 중의 베스트셀러 레코드 40종》.
tóp-fréezer refrígerator (상부에 냉동실이 있는) 냉장고.
tóp frùit 《영》 =TREE FRUIT.
top·ful, -full [tápfúl/tɔ́p-] *a.* 《드물게》 가장자리까지 꽉 찬(brimful), 넘칠 정도의.
tòp·gállant *n.* 〖해사〗 (횡범선(橫帆船)에서) 밑에서 세 번째 돛대; 《비유》 정상, 최고(지)점. ── *a.* 밑에서 세 번째 돛대의; 《비유》 최고(급)〔최상〕의.
tóp géar 《영》〖기계〗 (자동차의) 톱 기어.
tóp gún 《구어》 제 1 인자, 최유력자.
tóp·hàmper *n.* 〖해사〗 중간 돛대 이상에 있는 돛 · 삭구; 〖일반적〗 필요 없는 방해물.
tóp hàt 실크해트. ***put the ~ on ...*** 《구어》 (계획 따위)를 망치다.
tóp-hát *a.* 《구어》 최상층의, 톱의.
tóp-hèavy *a.* 머리가 큰; 불안정한; 우선 배당할 채권(債券)이 과다한; 자본이 과대한.
To·phet [tóufit, -fet/-fet] *n.* 〖성서〗 도벳《옛날에 산 제물로 어린아이를 불태우던 Jerusalem 근처의 땅; 열왕기하 XXIII: 10》; 지옥, 초열(焦熱)지옥.
tóp-hóle *a.* 《영구어》 일류의, 최고의(first-rate).
to·phus [tóufəs] (*pl.* ***-phi*** [-fai]) *n.* 〖의학〗 통풍 결절(痛風結節); 근류(筋瘤), 결절종(腫).
to·pi [tóupi] *n.* =PITH HELMET.
to·pi·ary [tóupièri/-əri] *a., n.* (기하학적인) 장식 무늬로 가지를 친 (산울타리, 나무, 정원); 장식적 전정법(剪定法).
top·ic [tápik/tɔ́p-] *n.* **1** 화제, 토픽, 논제, 제목, 이야깃거리; 주제; 표제: current ~*s* 오늘의 화제. SYN. ⇨SUBJECT. **2** 〖논리 · 수사학〗 대체론(大體論); 총론. **3** 일반 법칙〔규범〕, 원리, 원칙.
top·i·cal [tápikəl/tɔ́p-] *a.* 화제의; 제목의, 논제의, 원칙적인; 총론적〔개괄적〕인; 시사 문제의; 국부적인; 〖의학〗 국소(局所)의; 장소의: a ~ allusion 시사 문제에로의 언급. ── *n.* 뉴스 영화. 㷃 ~·ly *ad.*
top·i·cal·i·ty [tàpikǽləti/tɔ̀p-] *n.* 일시적인 관심사; 주제별 배열.
tóp·i·cal·ìze *vt.* 〖언어〗 주제화〔화제화〕하다; (어느 글의) 주제로 도입하다; 주제로 제시하다. 㷃 **tòp·i·cal·i·zá·tion** *n.*
tópic séntence 주제문《전문(全文)의 요지를 서술한 글》.
tóp kìck 《미속어》〖육군〗 선임 부사관, 상사(first sergeant); 《미속어》 지도자, 권력자, 보스(boss); 권위자. ★ topkick 으로도 씀.
tóp·knòt *n.* **1** 새의 도가머리, 볏. **2** (머리 따위의) 다발; 상투; 《구어》 머리. **3** (여자 머리의) 나비 매듭의 리본.
tóp lántern 〔**líght**〕 〖해사〗 장루등(檣樓燈).
tóp·less *a.* **1** 상부가 없는, (수영복이) 흉부를 드러낸, 토플리스의; 토플리스를 입은. **2** (아주 높아서) 정상이 보이지 않는, 매우 높은《산 따위》. ── *n.* (*pl.* ~***es***) 토플리스의 웨이트리스〔댄서〕; 토플리스의 옷〔수영복〕.
tópless ràdio 《미》 라디오 프로그램의 섹스 상담.
tóp-lével *a.* 최고(급)〔수뇌〕의; 가장 중요한.
tóp·líne *a.* 가장 중요한, 톱레벨의.
tóp·líner *n.* 제일인자; 유명한 배우, 명배우.
tóp·lófty *a.* 《구어》 거만한, 뽐내는, 멸시하는.
tóp·man [-mən] (*pl.* ***-men*** [-mən, -mèn]) *n.* =TOP SAWYER; TOPSMAN; 〖해사〗 장루원(檣樓員).
tóp mánagement (the ~) (기업의) 최고 관리(管理)〔직능〕; 최고 간부《사장 · 중역 등》.
top·mast [tápmæ̀st, 《해사》 -məst/tɔ́pmàːst, 《해사》 -məst] *n.* 〖해사〗 톱마스트, 중간 돛대.
tóp mílk 〖축산〗 (용기 상층부에 떠 있는) 지방분이 많은 우유.
tóp·mìnnow *n.* 〖어류〗 =KILLIFISH.
top·most [tápmòust, -məst/tɔ́p-] *a.* 최고〔최상〕의, 절정의.
tóp·nòtch *n.* 《미구어》 (도달할 수 있는) 최고도〔점〕: a machine in the ~ of perfection 최고로 완벽한 기계.
tóp-nótch *a.* 《미구어》 일류〔최고〕의 (first-rate): a ~ show. 㷃 ~·er *n.*
top·o- [tápou, -pə/tɔ́p-] '장소, 위치, 국소(局所)'의 뜻의 결합사《모음 앞에서는 top-》: *topology*.
tòp·o·cen·tric [tàpəséntrik/tɔ̀p-] *a.* 한 지점(地點)의, 한 지점에서 측정〔관찰〕한 (것 같은), 한 지점을 원점으로 한, 한 지점 중심의.
tóp-of-the-líne *a.* 최고급품의; 최신예의.
topog. topographical; topography.
top·o·graph [tápəgræ̀f, -gràːf/tɔ́p-] *n.* 물체 표면의 정밀 사진.
to·pog·ra·pher, -phist [təpágrəfər/-pɔ́g-], [-fist] *n.* 지지(地誌)학자, 풍토기(風土記) 작자; 지형학자; 지형도 작성자.

top·o·graph·ic, -i·cal [tὰpəgrǽfik/tɔ̀p-], [-əl] *a.* topography의; (시 · 그림 따위) 특정 지역의 예술적 표현의, 지지적(地誌的)인: a *topographic* map 지형도, 지세도. ㊞ **-i·cal·ly** *ad.*

to·pog·ra·phy [təpágrəfi/-pɔ́g-] *n.* **1** Ⓤ 지형도 작성, 지형학; 지형 측량〔조사〕. **2** Ⓒ 지지(地誌)(학), (한 지역의) 지세(도), 지형. **3** Ⓤ (물품 따위의) 지방 분포 상태; (물체 등의) 형태학. **4** 〖해부 · 동물〗 국소(局所) 해부학〔도〕.

top·o·log·i·cal [tὰpəládʒikəl/tɔ̀pəlɔ́dʒ-] *a.* topology의; 〖수학〗 위상적(位相的)인.

topológical psychólogy 〖심리〗 위상(位相) 심리학《개인 · 그룹의 행위를 생활 공간 내의 위상 관계에서 설명하는》.

topológical spáce 〖수학〗 위상 공간.

to·pol·o·gy [təpálədʒi/-pɔ́l-] *n.* Ⓤ 지형학; 지지(地誌)〔풍토기(風土記)〕 연구; 〖수학〗 위상(位相), 위상 수학〔기하학〕; 〖해부〗 국소(局所) 해부학; 〖심리〗 위상 심리학.

top·on·o·mas·tic [tὰpənəmǽstik/tɔ̀p-] *a.* 지명(地名)의.

top·o·nym [tápənìm/tɔ́p-] *n.* 지명; 지명에서 유래한 이름.

top·o·nym·ic, -i·cal [tὰpənímik/tɔ̀p-], [-əl] *a.* toponym의; toponymy의.

to·pon·y·my, -pon·o·my [təpánəmi/-pɔ́n-] *n.* (어떤 지방의) 지명 (유래) 연구; 〖해부〗 (신체의) 국소(局所) 이름, 국소 명명법.

to·pos [tóupɑs/tɔ́pɔs] (*pl.* ***-poi*** [-pɔi]) *n.* 〖수사학〗 토포스《상용되는 주제 · 개념 · 표현》.

top·per [tápər/tɔ́p-] *n.* **1** 상층〔위쪽〕의 것, 상층. **2** 〖상업〗 (과일 따위를 잘 보이게 하려고) 위에 쌓아 놓은 것〔상등품〕. **3** 《구어》 =TOP HAT; (여성용의) 토퍼(topcoat). **4** 《영속어》 우량품; 뛰어난 인물. **5** 《미구어》 사장, 회장; 중역; 보스.

top·ping [tápiŋ/tɔ́p-] *a.* 우뚝 치솟은; (지위 따위가) 높은; 《영구어》 뛰어난, 일류의, 최고의; 《미구어》 뻐기는. **—** *n.* **1** 상부 제거; 우듬지 치기; 〖석유〗 상압 증류; 제거된 상부. **2** 꼭대기에 얹힌 것; 상부, 꼭대기, 정부(頂部)의 장식; 도가머리; 《우스개》 머리. **3** 《미구어》 (*pl.*) 〖요리〗 요리 위에 곁들인 것; 소스; 식후의 과자; 〖건축〗 (콘크리트 위에 바르는) 모르타르의 마무리 칠.

tópping óut 건축물의 1층 부분을 완성시키는 일《상량식(上樑式)에 해당》: celebrate the ~ 상량식을 거행하다.

top·ple [tápəl/tɔ́pəl] *vi.* **1** (〈~/+副〉) 비틀거리다, (푹) 쓰러지다, 와해하다, 흔들리다《*down; over*》: The pile of logs ~*d down* 〔*over*〕. 통나무 더미가 무너졌다. **2** 떨어질 듯이 걸려 있다, (쓰러질 듯이) 앞으로 기울다. **—** *vt.* (〈~+目/+目+前+名〉) 쓰러뜨리다; 들리게 하다; 전복시키다: The coup d'état ~*d* the dictator from his position. 쿠데타에 의해 그 독재자는 그 지위에서 쫓겨났다.

tóp quàrk 〖물리〗 톱쿼크《양성자(陽性子)의 13배 질량을 갖는 쿼크》.

tòp-ráted *a.* 제일 인기 있는; 최고급의.

tóp-rànking *a.* 《미구어》 최고급의; 일류의; 고위의.

tóp róund 소 넓적다리살(round)의 안쪽 부분. ㊎ bottom round.

TOPS [tɑps/tɔps] thermoelectric outer planet spacecraft(열전기식 외행성 탐색 우주선).

tops [tɑps/tɔps] *n.* ⇨TOP¹ 4 b.

top·sail [tápsèil, 《해사》 -səl/tɔ́psəl] *n.* 〖해사〗 톱세일, 중간 돛대의 돛.

tóp sáwyer 1 pit saw를 위에서 켜는 사람. ㊎ pit sawyer. **2** 《구어》 윗자리에 서는 사람, 지위가 위인 사람, 상사, 중요 인물.

tóp sécret 1급 비밀, 극비.

tóp-sécret *a.* (서류 따위가) 극비의, 1급 비밀의. ㊎ classified.

tóp-sélling *a.* 《구어》 =BEST-SELLING.

tóp sérgeant 《미군대속어》 고참 상사.

tóp·sìde *n.* **1** (보통 *pl.*) 〖해사〗 건현(乾舷)《흘수선 위의 현측(舷側)》; (군함의) 상갑판. **2** 위쪽, 상위(上位). **3** 고급 간부, 지도층, 최고 권위. **—** *ad.* (종종 ~s) 건현〔상갑판〕에서〔으로〕; 높은 장소에; 지상에; 권위 있는〔높은〕 지위에. **—** *a.* 상갑판의; 《구어》 톱클래스의.

tóp·sìder *n.* (조직의) 상층부 사람, 고관; 상갑판 · 함교(艦橋) 담당 장교〔승무원〕; (T-) 톱사이더《부드러운 천 · 가죽 신; 굽이 낮고 푹신한 고무창으로 됨; 상표명》.

tóps·man [-mən] (*pl.* ***-men*** [-mən, -men]) *n.* 《영》 교수형 집행인(hangman).

tóp·smèlt (*pl.* **~s,** ~) *n.* 〖어류〗 색줄멸《북아메리카 태평양 연안산(産); 식용》.

tóp·sòil *n., vt.* 상층토, 표토(表土)(를 덮다).

tóp·spìn *n.* 〖구기〗 톱스핀《공의 진행 방향으로 회전하도록 공 위를 때려서 주는 스핀》.

tóp·stìtch *vt.* (의류의) 이음매를 따라 솔기를 넣다.

tóp stóry 맨 위층; 《미속어》 (the ~) 대가리, 머리.

top·sy-tur·vy [tápsitə́ːrvi/tɔ́p-] *ad.* 거꾸로, 뒤집히어, 뒤죽박죽으로; 혼란되어: The room was all ~. 방안은 온통 뒤죽박죽이었다. **—** *a.* 거꾸로 된, 뒤죽박죽의; 혼란한: the ~ values of the younger generation 젊은 세대의 전도된 가치관. **—** *n.* Ⓤ 뒤집힘, 전도; 뒤죽박죽, 혼란. **—** *vt.* 거꾸로 하다; 엉망진창을 만들다. ㊞ **~·dom** [-dəm] *n.* 거꾸로임, 전도; 혼란; 도착(倒錯)된 세계. **-túr·vi·ly** *ad.* **-túr·vi·ness** *n.*

tóp tén 톱 텐《(1) 영국에서 주간 베스트셀러인 10종의 레코드 음반. (2) (the T- T-) FBI가 체포에 가장 힘을 쏟고 있는 10명의 리스트》.

tóp tùrn 〖서핑〗 톱턴《파도 상부에서 턴하는 기법》.

tóp-ùp *n.* (소요량을 채우기 위한) 추가, 보충, 보급.

tóp·wòrk *vt.* 〖원예〗 가지에 접목(椄木)하다.

toque [touk] *n.* **1 a** 양태가 없이 머리에 꼭 끼는 여성용 모자. **b** 양태가 좁고 꼭대기 부분에 주름이 잡힌 여성 모자. **2** 원숭이의 일종《머리털이 모자 모양임》.

toques

tor [tɔːr] *n.* 울퉁불퉁한 바위산; 바위가 울퉁불퉁한 험한 산꼭대기.

-tor [tər] *suf.* '…하는 사람'의 뜻. ㊎ -or¹.

To·ra(h) [tɔ́ːrə] (*pl.* ***-roth*** [-rouθ], **~s**) *n.* 〖유대교〗 율법; (the ~) 구약성서 권두의 5편; (t-) 〖유대교〗 가르침, 규율.

to·ran, to·ra·na [tɔ́ːrən], [tɔ́ːrənə] *n.* 《Sans.》 (인도 등의) 절의 산문(山門).

torc [tɔːrk] *n.* =TORQUE².

torch** [tɔːrtʃ] *n.* **1** 횃불; 호롱등, 간데라; 《영》 회중전등(《미》 flashlight). **2** 《비유》 빛이 되는 것《지식 · 문화 · 자유 등》: the ~ of learning 학문의 빛. **3** 발염(發炎) 남포, 토치램프《납땜에 씀》. **4** 《미》 방화광(狂)〔범〕; 《미속어》 권총, 피스톨; 《미속어》 엽궐련. ***carry a* 〔*the*〕 *~ for 《속어》 …에게 연정의 불길을 태우다《특히 짝사랑》; …을 위해 충성을 다하다, 운동을 하다. ***hand on the ~*** 지식의 빛〔전통〕을 후세에 전하다. ***put … to the ~*** …에 불을 붙이다, …을 태우다. ***the ~***

of Hymen 사랑의 불길. — *vt.* ~로 태우다〔비추다〕; 《미속어》 방화하다.

tórch·bèarer *n.* 횃불 드는 사람; 계몽가, (정치·사회 운동 따위의) 지도자; 문화의 선구자.

tor·chère [tɔːrʃέər] *n.* 《F.》 다리가 긴 촛대; 간접 조명 플로어 램프(=**tórch·ier(e)** [tɔ́ːrtʃiər]).

tórch·fishing *n.* 밤에 횃불을 써서 물고기를 잡음.

tórch·light *n.* Ⓤ 횃불(의 빛): a ~ procession 횃불 행렬.

tor·chon [tɔ́ːrʃɑn/-ʃən, -ʃɔn] *n.* 《F.》 접시 닦는 행주; 거친 레이스의 일종(=~ **láce**).

tórch ràce 〖고대그리스〗 횃불 릴레이 경주.

tórch rèlay 성화(聖火) 릴레이《올림픽 경기 때 위의》.

tórch sìnger torch song의 가수.

tórch sòng 짝사랑〔비련 등〕을 다룬 감상적인 노래.

tórch·wòod *n.* Ⓤ 횃불용 나무.

tore [tɔːr] TEAR²의 과거.

tor·e·a·dor [tɔ́ːriədɔ̀ːr/tɔ́r-] *n.* 《Sp.》 기마 투우사《오늘날 투우 용어로는 《폐어》》. cf. matador, picador.

tóreador pànts 투우복 모양의 여자용 바지.

to·re·ro [tərέərou] (*pl.* **~s**) *n.* 《Sp.》 (특히 척살역(刺殺役)의) 투우사.

to·reu·tic [tərúːtik] *a.* 금속 세공〔돋을새김〕의.

to·réu·tics *n. pl.* 〖단수취급〗 금속 세공(술), 조금(彫金)(술).

to·ri [tɔ́ːrai] TORUS의 복수.

tor·ic [tɔ́ːrik, tɑ́r-/tɔ́r-] *a.* torus의〔와 같은〕; 〖광학〗 원환체(圓環體)의: a ~ lens (안경의) 원환체 렌즈.

***tor·ment** [tɔ́ːrment] *n.* **1** Ⓤ 고통, 고뇌: be in ~ 고통 받고 있다. **2** 《고어》 Ⓒ 고문; 고문 도구. **3** Ⓒ 골칫거리《사람·물건》《*to*》: He's real ~ *to* me. 그는 나에게 정말 귀찮은 존재다.

— [-´] *vt.* 《~+목/+목+전+명》 **1** 괴롭히다; 《드물게》 고문하다: problems that ~ men's hearts and warp men's lives 사람의 마음을 괴롭히고 사람의 삶을 왜곡시키는 귀찮은 것들/be ~*ed with* violent headaches 심한 두통으로 괴로워하다/~ a person *with* harsh noises 귀따가운 소리로 아무를 괴롭히다.

> SYN. **torment** 장기간에 걸쳐 끈덕지게 괴롭히다. **torture** 몸부림칠 만한 고통을 주다, 고문하다: trees *tortured* by storms 폭풍우로 지지러져 시달리는 나무. **rack** 주로 정신에 과도한 긴장을 주다: *rack* one's brains 머리를 짜다. **afflict** 괴롭히다. 병이 육체에 고통을 줄 때도 쓰이나 주로 정신적으로 괴롭히다: the strife between Emperors and Popes which *afflicted* the Middle Ages 중세 유럽을 괴롭힌 황제와 교황의 싸움.

2 …의 뜻을 억지로 그릇 새기다.

tor·men·til [tɔ́ːrmentìl, -mən-/-mən-] *n.* 〖식물〗 양지꽃류(類).

tór·ment·ing·ly *ad.* 괴로울 정도로, 뇌쇄(惱殺)하려는 듯이.

tor·men·tor, -ment·er [tɔːrméntər, ´--/ --´] (*fem.* **-tress** [-tris]) *n.* 괴롭히는 사람〔것〕; 〖해사〗 (요리사용의) 긴 포크; 〖영화〗 (토키 촬영용) 반향(反響) 방지 스크린; 〖연극〗 무대의 양옆 칸막이 막.

torn [tɔːrn] TEAR²의 과거분사.

°**tor·na·do** [tɔːrnéidou] (*pl.* **~(e)s**) *n.* **1** 〖기상〗 토네이도《미국 Missisipi 강 유역 및 서부 아프리카에 일어나는 맹렬한 선풍(旋風)》. **2** (갈채 따위의) 폭풍, 우레, (비난·탄환 따위의) 빗발침《*of*》; (감정의) 격발; (T-) 〖군사〗 영국·옛 서독·이탈리아 공동 개발의 다목적 전투기. 파 **tor·nad·ic** [tɔːrnǽdik, -néidik] *a.* 회오리바람의, 선풍 같은.

to·roid [tɔ́ːrɔid] *n.* 〖기하〗 원뿔곡선 회전면.

to·roi·dal [tɔːrɔ́idl, ´--/-´-] *a.* 〖기하〗 도넛(doughnut)형의, toroid 의. 파 **~·ly** *ad.*

To·ron·to [tərántou/-rɔ́n-] *n.* 토론토《캐나다 Ontario 주의 주도》. 파 **To·ron·tó·ni·an** *a., n.*

to·rose, to·rous [tɔ́ːrous, -´], [-rəs] *a.* 〖동물〗 혹 모양의 돌기가 있는 표면의; 〖식물〗 염주 모양의 마디가 있는.

tor·pe·do [tɔːrpíːdou] (*pl.* **~es** [-z]) *n.* **1** 어뢰(魚雷), 수뢰; 공중 어뢰, 공뢰: ⇨ AERIAL TORPEDO. **2** 〖미철도〗 신호 뇌관《경보용》; (유정(油井)에서 기름이 잘 나오도록 하는) 발파; 딱총《부딪쳐서 폭발시킴》. **3** 〖어류〗 시끈가오리(=~ **fish**). **4** 《속어》 갱, 살인 청부업자. — *vt.* 어뢰〔수뢰, 공뢰〕로 파괴하다, 뇌격(雷擊)하다; (…에) 수뢰를 부설하다; (유정(油井)에) 발파 장치를 하다; (정책·제도 따위를) 무력하게 만들다. — *vi.* 어뢰로 배를 공격〔파괴, 격침〕하다.

torpédo bòat 어뢰〔수뢰〕정.

torpédo-bòat destròyer 대(對)어뢰정용 구축함.

torpédo bòmber 〔**càrrier, plàne**〕 뇌격기(雷擊機).

tórpedo jùice 《미속어》 (조제(粗製)의) 자가제(自家製) 알코올 음료.

torpédo nèt(ting) 수뢰〔어뢰〕 방어망.

torpédo tùbe 어뢰 발사관(發射管).

tor·pex [tɔ́ːrpeks] *n.* (종종 T-) Ⓤ 토펙스《폭뢰(爆雷)용의 고성능 폭약》. [◂ *tor*pedo+*explo*sive]

tor·pid [tɔ́ːrpid] (**~·er; ~·est**) *a.* 움직이지 않는, 마비된, 무감각한; 둔한, 느린, 활기 없는; 동면 중인. — *n.* (T-s) Oxford 대학 춘계 보트레이스《원래는 2 군 선수에 의한》. cf. lent. 파 **~·ly** *ad.* **~·ness** *n.* **tor·píd·i·ty** *n.* Ⓤ

tor·pi·fy, -pe- [tɔ́ːrpəfài] *vi., vt.* 마비되다〔시키다〕, 무감각〔둔〕하게 되다〔만들다〕.

tor·por [tɔ́ːrpər] *n.* Ⓤ 마비, 무감각; 활발하지 못함, 지둔; 휴면: in ~ 동면〔혼수〕 상태로〔에서〕.

tor·por·if·ic [tɔ̀ːrpərífik] *a.* 지둔하게 하는, 마비성의.

tor·quate [tɔ́ːrkwət, -kweit] *a.* torques가 있는.

torque¹ [tɔːrk] *n.* Ⓤ 〖기계〗 토크; 〖물리〗 토크; 〖일반적〗 회전시키는〔비트는〕 힘, 염력(捻力).

torque² *n.* Ⓒ 목걸이(torc)《옛 갈리아 사람의 목 장식》.

tórque convèrter 〖기계〗 토크 컨버터《유체(流體) 변속기의 하나》.

Tor·que·ma·da [tɔ̀ːrkəmɑ́ːdə] *n.* **1** **Tomas de** ~ 토르케마다《스페인의 종교 재판소 초대 장관; 10,220 명을 화형에 처하고 유대인을 박해함; 1420–98》. **2** 《비유》 박해자.

tor·ques [tɔ́ːrkwiːz] *n.* 〖동물〗 (목둘레에) 고리 모양으로 빛깔이 변한 부분.

torr [tɔːr] *n.* 〖물리〗 토르《저압(低壓) 기체의 압력 단위: =1 수은주밀리미터, 곧 1/760 기압》.

tor·re·fac·tion [tɔ̀ːrəfǽkʃən, tɑ̀r-/tɔ̀r-] *n.* 말림, 그슬림.

tor·re·fy [tɔ́ːrəfài, tɑ́r-/tɔ́r-] *vt.* 불에 말리다; (광석 따위를) 배소(焙燒)하다.

tor·rent** [tɔ́ːrənt, tɑ́r-/tɔ́r-] *n.* **1** 급류, 여울: mountain ~*s* 산골짝 계곡의 급류. **2** (*pl.*) 억수: ~*s of* rain 억수 같은 비. **3** (질문·욕 따위의) 연발; (감정 따위의) 분출《*of*》: a ~ *of* abuse 〔eloquence〕 마구 퍼붓는 욕설〔청산유수 같은 변설〕. ***in* ~*s 빗발치듯이, 폭포수처럼: The rain came *in* ~*s*. 비가 억수같이 쏟아졌다. ***stem the* ~** 저항하다, 저지하다.

tor·ren·tial [tɔːrénʃəl, tə-/tə-, tɔ-] *a.* 급류의〔같은〕; 격렬한, 급속한, 기세가 맹렬한, 압도적인: a ~ rain 호우. 파 **~·ly** *ad.*

Tor·ri·cel·li [tɔ̀ːrətʃéli/tɔ̀r-] *n.* **Evangelista** ~ 토리첼리《이탈리아의 물리학자 · 수학자; 기압계의 원리를 발견함; 1608-47》. ㊀ **~·an** *a.* 토리첼리의.

Torricéllian expériment 〖물리〗 토리첼리의 실험《기압계의 원리를 나타내는 수은관의 실험》.

Torricéllian vácuum 〖물리〗 토리첼리의 진공.

°**tor·rid** [tɔ́ːrid, tár-/tɔ́r-] *a.* **1** (햇볕에) 탄, 뙤약볕〔염열(炎熱)〕에 드러낸; 바짝 마른: a ~ desert 불타듯 뜨거운 사막. **2** (기후 따위가) 타는 듯이 뜨거운, 염열의: ~ heat 염열, 작열(灼熱). **3** 열정적인, 열렬한: a ~ love letter 열렬한〔뜨거운〕 연애편지. Ⓒf. frigid. ㊀ **~·ly** *ad.* **~·ness** *n.* **tor·ríd·i·ty** [-əti] *n.* Ⓤ 염열.

tórrid tíme 아주 어려운 시기《주로 신문 용어》.

tórrid zòne (the ~, 종종 the T- Z-) 열대 (the tropics).

tor·ri·fy [tɔ́ːrəfài, tár-/tɔ́r-] *vt.* =TORREFY.

tor·sel [tɔ́ːrsəl] *n.* 〖건축〗 들보받이.

tor·si [tɔ́ːrsiː] TORSO의 복수.

tor·sion [tɔ́ːrʃən] *n.* Ⓤ 비틂, 비틀림; 〖수학〗 염률(捻率), 비틀림 율; 〖기계〗 비트는 힘, 염력(捻力); 〖의학〗 염전(捻轉). ㊀ **~·al** [-əl] *a.* 비트는, 비틀림의.

tórsion bàlance 〖기계〗 비틀림 저울《비틀림을 이용해서 미소한 힘을 잼》.

tórsion bàr 토션 바《비틀림에 대해 복원력을 가진, 스프링용 봉(棒)》.

torsk [tɔːrsk] (*pl.* **~s,** 〔집합적〕 ~) *n.* 〖어류〗 대구(cod)의 일종《북대서양산(產)》.

tor·so [tɔ́ːrsou] (*pl.* **~s, -si** [-siː]) *n.* 《It.》 토르소《머리 · 팔다리가 없는 나체 조상(彫像)》; (인체의) 몸통(trunk); 《비유》 미완성 작품.

tórso mùrder 토막 살인 (사건).

tort [tɔːrt] *n.* 〖법률〗 (피해자에게 배상 청구권이 생기게 되는) 불법 행위.

torte [tɔːrt] (*pl.* **tor·ten** [*Ger.* tɔ́rtən], **~s**) *n.* 밀가루에 달걀 · 설탕 · 호두 따위를 넣어 만든 과자.

tort·fea·sor [tɔ́ːrtfiːzər, -zɔːr, ⌐⌐-] *n.* 〖법률〗 「불법 행위자(=**tórt-féa·sor**).

tor·ti·col·lis [tɔ̀ːrtəkális/-kɔ́l-] *n.* Ⓤ 〖의학〗 사경(斜頸)(wryneck).

tor·tile [tɔ́ːrtil, -tail/-tail] *a.* 비〔뒤〕틀린, 소용돌이 모양의; 〖식물〗 비비 꼬인.

tor·til·la [tɔːrtíːə] *n.* 《Sp.》 토르티야《멕시코 요리의 taco 따위에 쓰는 옥수수〔밀〕가루를 반죽하여 둥글고 얇게 구운 빵》.

tortílla chíps tortilla 조각을 기름에 튀긴 것.

tor·tious [tɔ́ːrʃəs] *a.* 〖법률〗 불법 행위(tort)의.

°**tor·toise** [tɔ́ːrtəs] *n.* **1** (육상 · 민물 종류의) 거북. Ⓒf. turtle[1]. **2** 〖고대로마〗 =TESTUDO. **3** 동작이 느린 사람〔것〕.

Tórtoise and the Háre (the ~) '토끼와 거북'《이솝 우화; 교훈은 Slow and steady wins the race.》.

tórtoise·shèll *n.* Ⓤ 대모(玳瑁)〔거북〕 등딱지, 귀갑(龜甲). **—** *a.* 대모 등딱지의〔로 만든〕. 「레.

tórtoiseshell bútterfly 〖곤충〗 남생이잎벌

tórtoiseshell cát 〖동물〗 삼색털얼룩고양이.

tórtoiseshell túrtle 〖동물〗 대모(玳瑁).

tor·to·ni [tɔːrtóuni] *n.* 버찌 · 아몬드가 든 아이스크림.

tor·tu·os·i·ty [tɔ̀ːrtʃuásəti/-ɔ́s-] *n.* Ⓤ,Ⓒ 꼬부라짐, 비〔뒤〕틀림; 곡절; 에두름; 부정(不正).

tor·tu·ous [tɔ́ːrtʃuəs] *a.* (길 · 흐름 따위의) 구불구불한; 비틀린, 뒤틀린, 비꼬인; (말을) 에두르는, 뒤대는; 부정한, 불성실한. ㊀ **~·ly** *ad.* **~·ness** *n.*

tor·ture** [tɔ́ːrtʃər] *n.* **1** Ⓤ 고문: instruments of ~ 형구(刑具), 고문구(具). **2** Ⓒ 심한 고통, 고뇌, 고민: suffer ~ from toothache 이앓이로 고통을 받다. ***in **~** 시달림을 받아. ***put*** a person ***to*** (***the***) **~** …를 고문하다.

— *vt.* **1** 고문하다: ~ a man to make him confess his crime 고문하여 죄를 자백시키다. **2** 〔종종 수동태로〕 몹시 고통을 주다, 괴롭히다《*with; by*》: My arm ~*s* me. 팔이 아프다 / *be* ~*d with* anxiety 불안에 떨다. SYN. ⇨ TORMENT. **3** 《~+목/+목+전+명》 (나무 따위를) 억지로 비틀다, 구부리다《*into; out of*》: the trees ~*d* by the wind 바람에 휜 나무 / Winds have ~*d* the branches of the trees *into* strange shapes. 바람으로 나뭇가지들이 이상한 모양으로 뒤틀리었다. **4** 《~+목/+목+전+명》 견강부회하다, 곱새기다《*into*》: He ~*d* the text for proof of his point. 그는 자기 주장을 증명하려고 원문을 곡해했다 / He ~*d* my words *into* admission of fault. 그는 내가 과실을 인정한 것처럼 내 말을 곡해했다.

㊀ **-tur·a·ble** [-tʃərəbəl] *a.* **-tur·er** [-tʃərər] *n.* 고문하는 사람. **-tur·ous** [-tʃərəs] *a.* 고문의, 괴로운; 일그러진, 구불구불한.

tor·u·la [tɔ́ːrjələ, tár-/tɔ́r-] (*pl.* **-lae** [-liː], **~s**) *n.* 〖식물〗 토룰라《효모균의 일종》.

to·rus [tɔ́ːrəs] (*pl.* **-ri** [-rai]) *n.* 〖식물〗 꽃턱, 화탁(花托); 〖해부〗 (근육의) 융기(隆起); 〖건축〗 (두리기둥 밑의) 큰 쇠시리; 〖수학〗 토러스, 원환체(圓環體)〔면(面)〕.

°**To·ry** [tɔ́ːri] *n.* **1** 〖영국사〗 토리당원, 왕당원; (the Tories) 토리당. Ⓒf. Whig. **2** 〖미국사〗 영국파《독립 전쟁 당시 영국에 가담한 자》; (종종 t-) 보수주의자. **—** *a.* 왕당〔토리당〕(원)의; (종종 t-) 보수주의자의.

-to·ry [tɔ̀ːri, təri/təri] *suf.* =-ORY.

To·ry·ism [tɔ́ːriìzəm] *n.* Ⓤ (종종 t-) 왕당〔보수주의.

Tóry Pàrty (the ~) 토리당《영국의 보수당》.

Tos·ca [táskə/tɔ́s-] *n.* 토스카《Puccini의 가극; 그 주인공; 인기 가수》.

Tos·ca·ni·ni [tàskəníːni/tɔ̀s-] *n.* **Arturo** ~ 토스카니니《이탈리아 태생의 미국 관현악 지휘자; 1867-1957》.

tosh [taʃ/tɔʃ] *n.* **1** Ⓤ 《영속어》 허튼〔객쩍은〕 소리; 〖크리켓 · 테니스〗 완구(緩球), 느린 서브. **2** 《영구어》 당신, 자네, 여보세요《이름을 모르는 사람에 대한 호칭》.

tosh·er [táʃər/tɔ́ʃ-] *n.* 《영속어》 (대학의) 학료 (college) 소속이 아닌 학생.

****toss** [tɔːs, tas/tɔs] (*p., pp.* **~ed** [-t], 《고어 · 시어》 ***tost*** [-t]) *vt.* **1** 《~+목/+목+부/+목+목/+목+전+명》 (가볍게 · 아무렇게나) 던지다, (공을) 토스하다; 급히 던져 올리다: ~ a ball 공을 토스하다 / ~ a question 질문을 던지다 / be ~*ed into* the fray 난투에 휘말리다 / The horse ~*ed* its rider. 말이 탄 사람을 내동댕이쳤다 / ~ *away* 〔*down, off*〕 a thing 물건을 내던져 버리다 / ~ a dog a bone = ~ a bone *to* a dog 개에게 뼈다귀를 던져 주다. SYN. ⇨ THROW. **2** 《~+목/+목+부》 (머리 따위를) 갑자기 쳐들다, 뒤로 젖히다《*up*》《경멸 · 초조 따위로》: She ~*ed* her head (back) disdainfully. 그녀는 경멸하는 듯 머리를 빨딱 잦혔다. **3** 《~+목/+목+부》 (배 따위를) 흔들다, 들까불다《*about*》; 마음을 뒤흔들다; 〔~ oneself〕 몸을 이리저리 움직이다: The ship was ~*ed* by (the) 〔in the〕 waves. 배는 파도에 들까불렸다 / be ~*ed* by envy 질투로 마음이 뒤흔들리다 / be ~*ed about* in the storms of life 거센 세파에 시달리다 / He ~*ed* him*self about* in the bed. 그는 침상에서 자면서 몸을 뒤척거렸다. **4** 말참

견하다; 가볍게 논〔검토〕하다. **5** 〖요리〗 버무리다, 뒤섞다: ~*ed* green salads 잘 버무린 야채 샐러드. **6** 《~+目/+目+副/+目+前+名/+*wh.*+*to* do/+*wh.* 節》 (승부·어떤 결정 따위를) 동전을 던져서 정하다《*up; for*》: ~ (*up*) a coin (앞이냐 뒤냐를 보려고) 동전을 던져 올리다/~ *up whether to* go or not 갈지 말지를 동전을 던져 정하다/I will ~ you *for* the chair. 너와 돈던지기를 해서 누가 의자에 앉을지 정하자/Let's ~ *up who* plays first. 누가 먼저 할지 돈던지기로 정하자. **7** 남김없이 다 마시다, 단숨에 들이켜다. **8** (광석을) 흔들어 가려내다. **9** 《미속어》 (마약의 유무를 살피기 위해) …의 옷 위로 만져 보다. **10** 《구어》 (파티 따위를) 열다. **—** *vi.* **1** 《~/+副/+前+名》 뒹굴다, 뒤치락거리다《*about*》: ~ *about in* one's sleep 자면서 몸을 뒤치다. **2** 《+前+名》 침착성 없이〔성급하게, 떠들썩하게〕 움직이다; (경멸·초조·분노 따위로) 퉁명스럽게 굴다; 홱하고 기운차게〔급히〕 가다: ~ *out of* the room 총알처럼 방에서 뛰쳐나가다. **3** 《~/+前+名》 (배 따위가 상하·전후·좌우로) 흔들리다, (몹시) 들까불다: ~*ing* banners 펄럭이는 기들/Our ship ~*ed* perilously *in* the stormy sea. 우리 배는 폭풍우에 까불려 당장에라도 침몰할 것 같았다. **4 a** 《~/+副/+前+名/+*to* do》 동전 던지기를 하다; 동전 던지기로 정하다《*up; for*》: Who's to try first?—Let's ~ (*up*). 누가 먼저 해볼래—동전을 던져 정하자/~ (*up*) *for* the seat 그 자리에 앉는 것을 동전을 던져 정하다/~(*up*) *to* decide who goes first 누가 제일 먼저 갈 것인지 동전을 던져 정하다. **b** 던지다, 토스를 하다. ***~ aside* 〔*away*〕** 내던지다, 버리고 가다. ***~ hay about*** 꼴을 뒤집다. ***~ in*** ① (개평으로) 얹다, 첨가하다. ② (말을) 끼워 넣다. ***~*** a person ***in a blanket*** 담요 위에 눕혀 헹가래치다. ***~ it in*** 《미속어》 실패〔패배〕를 인정하다, 항복하다, 단념하다. ***~ oars*** 보트의 노를 세워 경례하다. ***~ off*** ① 흔들어 떨어뜨리다. ② 단숨에 다 마시다: ~ *off* a cocktail before dinner 식사 전에 칵테일을 단숨에 들이켜다. ③ (손)쉽게〔단숨에〕 해치우다: ~ *off* a newspaper article 신문 기사를 단숨에 써 버리다. ④ (충고 따위를) 무시하다. ⑤ 《비어》 수음하다; 사정하다. ***~ out*** (불필요한 것을) 버리다; (…을 받기를) 거부하다; 내쫓다; 〖야구〗 =THROW out. ***~ up*** 《*vt.*+副》 ① …을 던져 올리다. ② ⇨ *vt.* 2. ③ ⇨ *vt.* 6. cf. HEAD(s) or tail(s). ④ (음식 등을) 급히 조리하다. ⑤ 《구어》 토하다. **—** 《*vi.*+副》 ⑥ ⇨ *vi.* 4 a.

— *n.* **1** ~하는 동작; ~하기; 머리를 쳐듦(⇨ *vt.* 2); 내동이쳐짐: ⇨ FULL TOSS/with a contemptuous ~ of one's head …를 업신여기는 듯이 머리를 쳐들고. **2** 흔들림, 혼란, 동요, 흥분: be in a great ~. **3** 동전던지기, 던진〔던져서 닿는〕 거리: within the ~ of a ball 공을 던지면 닿는 거리에, 아주 가까이. **4** 《미속어》 (옷 위로 하는) 신체검사. ***argue the ~*** 《영》 일단 이루어진 결정을 집요하게 반론하다. ***take a ~*** 낙마하다. ***~ and catch*** 《미》 =PITCH-AND-TOSS. ***win* 〔*lose*〕 *the ~*** 동전던지기에서 이기다〔지다〕; 잘되어 가다〔안 되다〕.

㊞ **∠·er** *n.*

tóss bòmbing 〖공군〗 토스 폭격(법) 《항공기의 안전을 위해 저공으로 목표물에 접근했다가 급상승하면서 폭탄을 투하》.

tóssed sálad 〖요리〗 토스트 샐러드《드레싱을 치고 버무린 샐러드》.

tóss-òff *n.* 《비어》 자위, 마스터베이션.

tóss·pòt *n.* 술고래, 모주꾼(drunkard).

tóss·ùp *n.* **1** (승부를 가리는) 동전던지기. **2** 《구어》 반반의 가망성(even chance): It's quite a ~ whether he'll come or not. 그가 올지 안 올지 잘라 말할 수 없다. ***win the ~*** 동전던지기에서 이기다.

tost [tɔːst, tast/tɔst] 《고어·시어》 TOSS의 과거·과거분사.

tot[1] [tat/tɔt] *n.* 어린아이, 꼬마; 소량(少量); 《영구어》 한 모금, (술 따위의) 한 잔, 〔일반적〕 미량(量): a tiny ~ 꼬마.

tot[2] *n.* 덧셈(의 답); 합계. **—** (**-tt-**) *vt., vi.* …을 더하다, 합계하다《*up*》; (수·비용 따위가) 합계 …이 되다《*up* to…》.

tot[3] *n.* 《영속어》 쓰레기에서 회수한 뼈〔귀중품〕.

tot. total. **T.O.T., TOT** time on target. **TOT** tip of the tongue(말이 혀끝에서 돎).

‡to·tal [tóutl] *a.* **1** 전체의(whole), 합계의, 총계의: the ~ amount expended 지출 총계/a continent with a ~ population of more than 200 million 총인구 2억이 넘는 대륙. **2** 완전한, 전적인, 절대적인: a ~ failure 완패/~ indifference 전적인 무관심/a ~ loss 〖보험〗 전손(全損). **3** 총력적인: a ~ war 총력전. **4** 전체주의적인: a ~ state 전체주의 국가. ◇ totality *n.* **—** *ad.* 《구어》 =TOTALLY.

— *n.* **1** 합계, 총계, 총액, 총수, 총량: the grand ~ 합계, 총계《특히 '소계'에 대한》/in ~ 합계하여, 전부/a ~ of 5,000 people 전부 5,000명의 사람. **2** 《미속어》 차의 잔해.

— (**-l-**, 《영》 **-ll-**) *vt.* **1** 《~+目/+目+副》 합계하다, 합치다: He ~*ed* (*up*) that column of figures. 그는 그 난의 숫자를 합계했다. **2** 합계 …이 되다〔…이다〕: The casualties ~*ed* 150. 사상자는 합계 150명이었다. **3** 《미속어》 분쇄하다, (사고 따위로 차를) 완전히 파괴하다; 《미속어》 죽이다. **—** *vi.* **1** 《+副/+前+名》 합계 …이 되다《*to; up to*》: The visitors ~*ed* (*up*) *to* 350. 방문자는 총수 350명이었다. **2** 《미속어》 분쇄되다; 엉망진창이 되다.

tótal ábstinence 절대 금주.

tótal áudience (잡지의) 총독자 수《구독자 수에 회람 독자를 포함시킨 수》.

tótal demánd 총수요.

tótal eclípse 〖천문〗 개기식(皆旣蝕). cf. partial eclipse.

tótal envíronment (관객을 포함하는) 환경 예술〔연극〕.

tótal fertílity ràte 총출산율《출산 가능 연령 여성 1인당 출산한 아기 수》.

tótal fóotball 전원 공수형(全員攻守型) 축구.

tótal fréeze 완전 동결.

tótal héat 〖열역학〗 총열량(enthalpy).

tótal intérnal refléction 〖광학〗 전반사(全反射).

to·tal·ism [tóutəlisəm] *n.* 전체주의(全體主義)(totalitarianism). ㊞ **-ist** *n.*

◇to·tal·i·tar·i·an [toutæ̀litέəriən] *a.* 전체주의의; 일국일당(一國一黨)주의의: a ~ state 전체주의 국가/adopt ~ measures 전체주의 정책을 채택하다. **—** *n.* 전체주의자. ㊞ **~·ism** *n.* Ⓤ 전체주의.

to·tal·i·ty [toutǽləti] *n.* 완전함〔한 상태〕, 전체성; 전체; 총계, 총액; 〖천문〗 개기식(皆旣蝕)(의 시간). ***in ~*** 전체로; 모두; 완전히.

to·tal·i·za·tor, to·tal·i·zer [tóutəlizèitər/-laiz-], [tóutəlàizər] *n.* 〖경마〗 총액 계산기; 경마에 건 비율 계산기(pari-mutuel machine).

to·tal·ize [tóutəlàiz] *vt.* 합계하다, 합하다(add up); 요약하다; 총력화하다: ~*d* war 국가 총력전. **—** *vi.* 경마에 건 비율 계산기를 쓰다. ㊞ **tò·tal·i·zá·tion** *n.*

***to·tal·ly** [tóutəli] *ad.* 완전히, 모조리, 전혀.

tótal márket potèntial (마케팅에서 어떤 상품·서비스의) 기대되는 최대 판매액.

tótal paréntеral nutrítion 〖의학〗 종합 비경구(非經口) 영양 (수액(輸液))《생략; TPN》.
tótal quálity contròl 〖경영〗 종합적 품질 관리《기업의 전 부문 · 전 계층이 제품과 서비스 품질 수준 유지에 책임진다는 경영 철학; 생략: TQC》.
tótal quálity mànagement 〖경영〗 종합적 품질 관리(total quality control)《생략: TQM》.
tótal recáll (사소한 일까지도 상기할 수 있는) 완전 기억 (능력).
tótal sýstem 〖컴퓨터〗 종합 시스템《서로 관련되는 체계를 모아서 하나의 체계로 만드는 개념》.
tótal théater (the ~) 토털 연극《모든 표현 수단을 활용함》.
tótal utílity 〖경제〗 (상품 · 서비스 등의) 총〔전부〕효용.
tote[1] [tout] 《구어》 *vt.* 나르다; 짊어지다: ~ a gun 총을 메다. **—** *n.* 나르기; 나르는 것, 짐; = TOTE BAG.
tote[2] *n.* 《구어》〖경마〗 = TOTALIZATOR. **—** *vt.* 합계하다, 합치다《흔히 *up*》.
tóte bàg 여성용 대형 핸드백(tote).
tóte bòard 《구어》 (경마장 등에서) 배당금 따위를 보여 주는 전광(電光) 표시판.
to·tem [tóutəm] *n.* 토템《북아메리카 원주민 등이 가족 · 종족의 상징으로 숭배하는 자연물 · 동물》; 토템상(像).
to·tem·ic [toutémik] *a.* 토템(신앙)의.
tó·tem·ìsm *n.* Ⓤ 토템 신앙〔숭배〕; 토템 제도.
tó·tem·ist *n.* 토템 제도 사회에 속하는 사람; 토템제〔신앙〕 연구가〔숭배자〕. ㊎ **tò·tem·ís·tic** [-ístik] *a.* = TOTEMIC.
tótem pòle 〔**pòst**〕 토템폴《북아메리카 원주민이 집 앞에 세우는, 토템상(像)을 그리거나 조각한 기둥》; 계급 조직〔제도〕. ***a high*** 〔***low***〕 ***man on the totem pole*** 《미속어》 권력이 있는〔없는〕 사람, 중요한〔하지 않은〕 인물.
tóte ròad (비(非)포장) 물자 수송로.
toth·er, t'oth·er [tʌ́ðər] *pron.*, *a.* 《방언》 또 하나의(것〔사람〕), 다른 (것)(the other): tell ~ from which 《우스개》 분간하다, 구별하다.
to·ti·dem ver·bis [tátədèm-və́:rbis/tɔ́t-] 《L.》 바로 그대로, 바로 그런 말로.
to·ties quo·ti·es [tóutièis-kwóutièis] 《L.》 그때마다, 재삼재사(再三再四).
to·tip·o·ten·cy [toutípətənsi] *n.* 〖생물〗 분화 전능성(分化全能性)《생물의 일부 조직이나 세포가 완전한 개체를 형성〔재생〕하는 능력》.
to·ti·po·tent [toutípətənt] *a.* 〖생물〗 전능성(全能性)을 갖는, 분화 전능의.
tót lòt 유아용 놀이터.
to·to [tóutou] ⇨ IN TOTO.
toto cae·lo [⌐sí:lou] 《L.》 하늘 넓이만큼; 대폭적으로; 아주, 극도로.
Tót·ten·ham púdding [tátənəm-/tɔ́t-] 《영》 돼지의 농축 사료《부업 찌끼로 만듦》.
°**tot·ter**[1] [tátər/tɔ́tər] *vi.* **1** 《~/+전+명》 비트적거리다, 비틀〔비슬〕거리다: She ~*ed* and fell forward. 그녀는 비틀거리다가 앞으로 쓰러졌다/He ~*ed out of* the room. 그는 비틀거리면서 방에서 나왔다. **2** (건물 따위가) 기우뚱거리다; 《비유》 (국가 · 제도 따위가) 위기에 놓이다. **—** *n.* 비틀거림, 뒤뚱거림, 기우뚱거림, 흔들거림. ㊎ **~·ing·ly** [-riŋli] *ad.* **~y** [-ri] *a.* 비틀거리는, 흔들〔기우뚱〕거리는, 불안정한.
tot·ter[2] *n.* 《영속어》 넝마주이.
tót·ting-ùp *n.* 합계; 《영》 교통 위반 점수 누계.
tot·ty, -tie [táti/tɔ́-] *n.* 《영경멸》 화냥년, 갈보 같은 년.
tou·can [tú:kæn, -kɑ:n, -⌐/tú:kən] *n.* 〖조류〗 큰부리새《열대 아메리카산》; (the T-) 〖천문〗 큰부리새자리(=**Tu·cána**).
†**touch** [tʌtʃ] *vt.* **1** (무엇이) …에 닿다, 접촉하다: Your sleeve is ~*ing* the butter. 네 소매가 버터에 닿고 있다.
2 《~+목/+목+전+명》 (사람이) …에 (손 · 손가락 따위를) 대다, …을 만지다: Don't ~ the exhibits. 진열품에 손대지 마시오/Can you ~ the top of the door? 문 꼭대기에 손이 닿느냐/I ~*ed* her *on* the shoulder. 그녀의 어깨에 손을 댔다/He ~*ed* the ceiling *with* a stick. 막대기로 천정을 건드렸다.
3 《+목+전+명》 어루만지다, 《특히》 치료를 위해 손으로 만지다(ⓒⓕ king's evil); 〖의학〗 촉진(觸診)하다: ~ a person *for* the king's evil 연주창을 고치기 위해 아무에게 손을 대다.
4 …에 인접하다; …와 경계를 접하다, …에 연하다: A part of the road ~*ed* the river. 길의 일부는 강에 연해 있었다.
5 〖수학〗 …에 접하다, …의 접선〔접평면〕이 되다.
6 …에 달하다, …에 이르다, …에 미치다: ~ 6 feet, 6 피트에 달하다/The thermometer ~*ed* 40°C yesterday. 온도계는 어제 섭씨 40 도에 달했다.
7 〔주로 부정문〕 …에 비견하다, …와 겨루다, …에 필적하다: There's *nothing* that can ~ this. 이에 필적하는〔견줄 수 있는〕 것은 아무것도 없다.
8 《~+목/+목+전+명》 …에 가볍게 힘을 주다〔치다, 때리다〕, (벨 따위를) 누르다: ~ the bell 초인종을 누르다/~ the keys of a piano 피아노 건반을 가볍게 두드리다/~ a horse *with* a whip 말에게 가볍게 채찍을 가하다.
9 《고어》 (악기를) 타다, 켜다, 연주하다.
10 (물질적으로) …에 영향을 주다; 해치다, 손상하다, 다치다, 망치다: The flowers were ~*ed* by the frost. 꽃이 서리를 맞았다.
11 …에 관계하다, …의 관심사이다, …에게 중대하다: The matter ~*es* your interests. 그 문제는 너의 이해(利害)에 관계가 있다.
12 〔주로 부정문〕 (음식물에) 입을 대다; (사업 따위에) 손을 대다; …에 간섭하다; (…에게) 난폭한 짓을 하다; (시험 문제 따위에) 손을 대다: He *hardly* ~*ed* his dinner. 식사에는 거의 입을 대지 않았다/He *never* ~*es* wine 〔tobacco〕. 그는 절대로 술을〔담배를〕 안 마신다〔피운다〕/I refused to ~ the affair. 이 일에 관여하기를 거절했다/I *never* ~*ed* my younger brothers. 동생들을 거칠게 다루지 않았다/I did*n't* ~ the history paper. 역사 문제에는 손을 대지 않았다.
13 …의 마음을 움직이다, 감동시키다; 성나게 하다, 욱하게 만들다: The story ~*ed* us. 그 이야기는 우리를 감동시켰다/You ~ me there. 그런 말은 내 신경을 건드린다/I was ~*ed* by their friendship. 그들의 우정에 감동받았다/His abuse does not ~ me. 그의 욕이 나에게는 아무렇지도 않다.
14 《+목+전+명/+목+부》 (무엇을 딴 것에) 접촉시키다, 붙이다《*to*》; (럭비 따위) 터치다운하다; (두 개의 물건을) 서로 스치게 하다, 접촉하다《*together*》: ~ a match *to* one's cigar 엽궐련에 성냥을 그어 대다/~ two wires *together* 두 개의 전선을 접촉시키다.
15 (붓 · 연필로) 상세히〔가볍게〕 그리다; (그림 · 문장에) 가필하다; 수정하다《*up*》.
16 《+목+전+명》 …에 색조를 띠게 하다, …에 —한 기운을 띠게 하다《*with*》: a gray dress ~*ed with* blue 약간 청색을 띤 회색 옷.
17 《+목+전+명》《속어》 (지싯거려 돈을) 뜯어내다, 훔치다; …에게 조르다, …에게서 꾸다《*for*》: He ~*ed* me *for* five dollars. 그는 나에게서 5 달러를 옭아내었다〔빌렸다〕.

18 〖해사〗 (배가) 기항하다, (육지에) 닿다: ~ port 기항하다.
19 (금·은을) 시금석으로 테스트하다(⇨touchstone); (금속)에 순도 검정인(印)을 찍다.
20 《~+목/+목+전+명》〖보통 과거분사〗 약간 미치게[돌게] 하다: be *~ed in* one's head 정신이 좀 돌다.
21 …에 관해 가볍게 언급하다, …을 논하다.
22 〔주로 부정문〕 …에 작용하다: *Nothing* will ~ these stains. 무엇을 써도 이 얼룩은 없어지지 않는다.

— *vi.* **1** (손을) 대다, 닿다, 만지다, 접촉하다: Their hands *~ed.* 그들의 손이 서로 닿았다. **2** (두 물체가) 서로 닿다, 상접(相接)하다; 〖수학〗 접하다: The two estates ~. 두 땅은 서로 접해 있다. **3** 〖의학〗 촉진하다; (손으로) 쓰다듬다. **4** …촉감이 있다. cf. feel. ¶ This cloth *~es* rough. 이 옷감은 까슬까슬하다. **5** 《+전+명》 접근하다, 일보 전까지 오다《*at; to; on, upon*》: His remarks ~ *on* blasphemy. 그가 하는 말은 신에 대한 불경에 가깝다. **6** 《+전+명》 〖해사〗 기항하다 《*at*》: ~ *at* a port 기항하다. **7** 《+전+명》 (문제를) 간단히 다루다, 언급하다 《*on, upon*》: He just *~ed on* [*upon*] that question. 그는 그 문제에 관해 조금 언급했을 뿐이었다. **8** 《속어》 돈을 훔치다. **9** (병사들이) 밀집하다. **10** 〖해사〗 (돛이) 바람을 받아 펄럭이다.

as ~ing …에 관하여(⇨touching). ***~ and go*** ① 《폐어》 가볍게 논하고 나서 딴 것을 언급하다. ② 〖해사〗 바다 밑을 스치며 나아가다. ③ 간신히 성공하다. ◇ touch-and-go *a.* ***~ a*** (***raw***) ***nerve*** 약점을[급소를] 들먹이다. ***~ a tender spot*** [***a sore point***] 《시어》 (아무의) 약점을[아픈 데를] 찌르다. ***~ base with*** ⇨ BASE. ***~ down*** 〖미식축구·럭비〗 터치다운하다; 〖항공〗 착륙하다《*at*》; (배가) 접안(接岸)하다; (회오리바람이) (내려와) 지상에 달하다. ***~ a person for*** 《속어》 ⇨*vt.* 17. ***~ home*** =***~ a person to the quick*** (아무의) 아픈 데를 건드리다, 감정을 상하게 하다. ***~ in*** (그림에서 선 따위를) 가필(加筆)하다. ***~ it off to the nines*** 훌륭히 하다. ***~ lucky*** 《영구어》 행운을 잡다. ***~ off*** ① 발화(發火)[폭발]시키다; 발포[발사]하다. ② …의 발단이 되다, 큰 일을 유발하다: The arrest of some leaders *~ed off* the student riots. 몇몇 지도자 검거가 학생 폭동을 유발했다. ③ (릴레이 경주에서) 다음 주자에 손을 터치하여 달리게 하다, (배턴) 터치하다. ④ (특징을) 정확[교묘]하게 나타내다. ⑤ (아무를) 꼭뒤지르다. ***~ on*** [***upon***] ① ⇨*vi.* 7. ② …에 관계하다. ***~ out*** 〖야구〗 터치아웃시키다. ***~ pitch*** 더러운 것에 손대다; 나쁜 친구와 사귀다; 나쁜 일에 관여하다. ***~ one's hat to*** a person 모자에 손을 대고 아무에게 인사하다. ***~ success*** 마침내 성공하다. ***~ the spot*** 효과적이다, 효능이 있다; 바라던 것을 찾아내다: A glass of iced coke *~es the spot* on a hot day. 냉콜라 한 컵은 더운 날에 제격이다. ***~ up*** ① (사진 따위를) 수정하다, 가필하다; 마무리하다. ② …에게 가벼운 자극을 주다; (말 따위에) 가볍게 채찍을 가하다. ③ (기억을) 상기시키다. ④ 《영속어》 (설득하려고 이성)의 몸을 어루만지다, 애무하다; 《미속어》 감언으로 돈을 우려내다. ***wouldn't ~... with a forty-foot pole*** …하고는 관계를 갖고 싶지 않다, …은 꼴도 보기 싫다.

— *n.* **1** 접촉, 만지기, 스치기; 가볍게 때리기[누르기]: give a person a ~ 아무를 건드리다[만지다] / The slightest ~ will break a soap bubble. 살짝 닿기만 해도 비눗방울은 터진다. **2** Ⓤ 교섭, 연락, 교제, 접촉; 편지 왕래; 이해; 공감: close ~ 친밀한 관계. **3** Ⓤ 촉각, 감촉, 촉감: the cold ~ of marble 대리석의 차가운 감촉. **4** 〖음악〗 탄주(彈奏)법, 터치; 건반의 탄주감: a light ~ 가벼운 터치 / a piano with a stiff ~ 건반이 뻑뻑한 피아노. **5** 필치, 일필(一筆): a novel with poetic *~es* 시적인 필치로 쓰여진 소설. **6** 가필(加筆); 마무리: add a few finishing *~es* 마지막 마무리를 하다. **7** 수법, …류(流), 솜씨; 특색, 특징, 특성; 요령: the Nelson ~ (난국에 대처하는) 넬슨류의 수법 / personal ~ 개인의 방식[수법] / the ~ of a master 거장(巨匠)의 특징[솜씨] / This room needs a woman's ~. 이 방에는 여자 손이 가야 한다. **8** 기운, …기; 조금《*of*》; 약간의 차: a ~ *of* frost in the air 공기 속의 한랭한 기운 / by a mere ~ 근소한 차로, 겨우《이기다 따위》 / a ~ *of* irony 약간의 빈정댐. **9** (병의) 기미, 가벼운 이상《*of*》: have a light ~ *of* rheumatism 류머티즘기가 있다 / a ~ *of* the sun 가벼운 일사병, 더위 먹음. **10** 《고어》 시금석; 시험, (판단의) 기준; (금은 따위의 순도(純度) 시험필의) 각인(刻印); 〖물리〗 강편(鋼片)(의) 접촉 자화(磁化). **11** 〖구기〗 터치《터치라인 바깥쪽》. **12** 《속어》 (돈을) 졸라댐, 차용, 빚; 절취. **13** 〖의학〗 촉진. **14** (위기일발의) 고비를 넘김. **15** 술래잡기. **16** 가벼운 언급, 암시. **17** (돈을 요구하는 대상으로서의) 사람: ⇨ SOFT TOUCH. ***a near ~*** 구사일생. ***at a ~*** 약간 닿기만 해도. ***a ~ of nature*** 자연의 감정(感情); 인정(미). ***characteristic ~*** (이야기 따위의) 특징, 버릇. ***come in ~ with*** …와 접촉하다, …와 교제하다. ***get in ~ with*** …와 연락하다, 접촉하다. ***in ~*** 〖축구〗 터치가 되어, 경기가 중단되어. ***in ~ of*** =***within ~ of*** …(의) 가까이에. ***in ~ with*** …와 접촉[교제]하여; …와 화합하여. ***keep in ~ with*** …와 접촉[연락]을 유지하다; …와 기맥을 통하다; (시세 따위에) 뒤지지 않다. ***lose one's ~*** 기량이[솜씨가] 떨어지다. ***lose ~ with*** …와의 접촉[연락]이 끊어지다; (시세 따위)에 뒤지다: I've *lost ~ with* her. 그녀와의 연락이 끊겼다. ***make a ~*** 돈을 조르다. ***out of ~ with*** …와 멀어져서: be *out of ~ with* the political situation 정치 정세에 어둡다. ***put*** a person ***in ~ with ...*** 아무에게 …와서 연락하게 하다, 접촉시키다. ***put the finishing*** [***final***] ***~es to ...*** (이야기·요리의 준비 따위의) 마무리를 하다. ***put the ~ on*** …에게서 돈을 빌리려고 하다. ***put*** [***bring***] ***... to the ~*** …이 진짜인지 아닌지를 시험해 보다. ***royal ~*** 연주창 환자를 왕이 손으로 만짐(⇨*vt.* 3)《그러면 낫는다고 생각했음》. cf. scrofula. ***set in ~ with...*** 《속어》 …에 접촉하다. ***to the ~*** 촉감이, 만져 보니.

㊞ **~·a·ble** *a.* 만질[감촉할] 수 있는; 감동 시킬 수 있는.

tóuch and gó 재빨리 이동하는 움직임, 민활한 동작; 일촉즉발의[불안정한] 정세; 아슬아슬한 위기 탈출.

tóuch-and-gó [-ən-] *a.* **1** 아슬아슬한, 위태로운(risky), 불안(不安)한: a ~ business 위험한 줄타기(같은 일) / a highly ~ situation 일촉즉발의 상황. **2** 급히 서둘러 행한, 개략의; 눈부시게 변하는, 변덕스러운: ~ sketches 대략적인 스케치.

tóuch·bàck *n.* 〖미식축구〗 터치백《공이 골라인을 넘어서 데드(dead)가 되었을 때의 판정》.

tóuch dàncing 터치 댄싱(body dancing)《왈츠·탱고 따위와 같이 상대방을 껴안고 추는 춤》.

tóuch·dòwn *n.* **1** 〖미식축구〗 터치다운; 그 득점. cf. touch. **2** 〖럭비〗 상대가 찬 공을 자기편의 인골에서 땅에 댐. **3** 〖항공〗 (단시간의) 착륙.

tou·ché [tuːʃéi] *int.* 《F.》 〖펜싱〗 투셰《찔렀다는 선고》; (토론회 등에서) 내가 졌다!

touched [-t] *a.* 감동된; 《구어》 정신이 좀 돈: We thought she was a bit ~. 우리는 그녀가 좀 돈 것으로 생각했다.

tóuch·er *n.* 만지는 사람〔물건〕; 《영속어》 위기일발. ***a near*** ~ 《영속어》 위기일발. **(*as*)** ***near as a*** ~ 《속어》 조금만 더 했으면, 하마터면, 거의.

tóuch fóotball 터치 풋볼《미식축구의 일종》.

tóuch·hòle *n.* 화구(火口)《구식 총포(銃砲)의 점화구》.

◇**tóuch·ing** *a.* 감동시키는; 애처로운(pathetic), 가여운. **—** *prep.* (종종 as ~) 《고어·문어》 …에 관하여(concerning). ㊎ **~·ly** *ad.* 비장하게, 애처롭게. **~·ness** *n.*

tóuch-in-góal *n.* 〖럭비〗 본진(in-goal)의 측선(側線) 밖.

tóuch jùdge 〖럭비〗 선심(線審), 터치 저지.

tóuch-làst *n.* 술래잡기.

tóuch·lìne *n.* 〖럭비·축구〗 측선, 터치라인.

tóuch-me-nòt (*pl.* ***-nòts***) *n.* **1** 〖식물〗 봉선화류(類). **2** 《고어》 낭창(狼瘡)(lupus); 첫인상이 고약한 사람, 《특히》 쌀쌀한 여자.

tóuch nèedle 〖금속가공〗 시금침(試金針).

tóuch pàd〔pànel〕 =TOUCH TABLET.

tóuch pàper (꽃불 따위의) 도화지(導火紙)(saltpeter paper).

tóuch scrèen 〖컴퓨터〗 접촉식 화면《손가락으로 만지면 컴퓨터에 입력이 되는 표시 장치 화면》.

tóuch-sénsitive *a.* 손가락 따위를 대면 감응하는.

tóuch·stòne *n.* Ⓤ (금의 순도를 판정하는) 시금석; 표준, 기준; 사람〔물건〕의 진가를 시험하는 방법; 시험.

tóuch sỳstem 키를 보지 않고 치는 바른 타자기 치기. Ⓒf. hunt and peck.

tóuch tàblet 〖컴퓨터〗 터치 태블릿《슬레이트 모양의 고형(固形) 입력 장치로, 컴퓨터 스크린에서 그래픽·이미지를 생성 또는 수정하기 위해 그 부분을 손가락 또는 펜을 움직여 지시하기》.

Tóuch-Tòne *n.* 누름단추식 전화기《상표명》. **—** *a.* (touch-tone) (전화기 따위가) 누름단추식(式)〔푸시 버튼식〕의.

tóuch-tỳpe *vi.* (키를 보지 않고) 타자기를 치다. ㊎ **-tỳpist** *n.*

tóuch-ùp *n.* (사진·그림 등의) 가필, 수정(retouch), 마감 손질, 터치업.

tóuch·wòod *n.* Ⓤ **1** 부싯깃. **2** 술래잡기의 일종.

touchy [tʌ́tʃi] (***touch·i·er; -i·est***) *a.* 성마른(irritable); 성미 까다로운; 과민한; 다루기 힘든; 위험한; 타기 쉬운, (약품 등이) 폭발성의: a ~ issue 골치 아픈 문제. ㊎ **tóuch·i·ly** *ad.* **-i·ness** *n.*

tóuchy-fée·ly [-fí:li] *ad.* 《구어·영》 (집단 정신 요법에서) 피부 접촉 중심의, 피부 접촉을 특징으로 하는(=**tóuchie-féelie**).

⁑**tough** [tʌf] *a.* **1** 강인한, 구부려도 부러지지 않는, 단단한; 질긴. Ⓒf. tender. ¶ Leather is ~. 가죽은 질기다 / ~ meat 질긴 고기. **2** 튼튼한, 병에 걸리지 않는; 끈질긴, 불굴의: a ~ worker 피로를 모르는 일꾼. **3** 끈기 있는, 점착력이 있는: ~ clay 찰흙. **4** 곤란한, 고된, 고달픈; 다루기 힘든, 집요한: a ~ enemy 강적 / a ~ work 곤란한 일 / a ~ customer 《구어》 다루기 힘든 상대〔사나이〕. **5** 《구어》 불쾌한, 지독한, 참혹한: a ~ experience 지독한 경험 / ~ luck 악운(bad luck) / have a ~ time (of it) 혼나다. **6** (싸움 등이) 맹렬한, 격렬한, 치열한: a ~ contest. **7** 믿기 어려운: a ~ story. **8** (범인 따위가) 흉악한, 무법의. **9** 강압적인, 강경한: a ~ policy 강압 정책. **10** 《미속어》 훌륭한, 아주 좋은. ◇ toughen *v.* **(*as*)** ~ ***as nails*** (사람이) 완강한; 냉혹한, 비정한. **(*as*)** ~ ***as old boots*** 《구어》 매우 참을성 있는〔강인한, 비정한〕; (고기 따위가) 아주 질긴. ***get*** ~ ***with*** a person 아무에게 강경하게〔엄하게〕 굴다. ***Things are*** ~. 세상은 각박한 것이다. ***Tough!*** 《속어》 설마, 믿어지지 않는 소리다.

— *ad.* 《구어》 완강히, 강경히, 난폭하게: talk ~ 강경하게 이야기하다 / hang ~ 계속 강경히 나가다.

— *n.* tough한 사람; 악한, 불량배, 깡패(ruffian). Ⓒf. rough.

— *vt.* 《미구어》 (곤란을) 참고 견디다《*out*》.

㊎ **∠·ly** *ad.* **∠·ness** *n.* 강인함; 〖공학〗 인성(靭性).

tóugh búck 《미속어》 고된 일(로 번 돈).

tóugh cát 《미속어》 (개성이 강하여) 여자에게 인기 있는 남자.

tóugh cóokie 《미속어》 자신만만하고 늠름한 사람.

tough·en [tʌ́fən] *vt., vi.* tough하게 하다〔해지다〕. ㊎ **~·er** *n.*

tóugh gúy **1** 《구어》 강인한 남자, 완력이 센 남자. **2** 《미속어》 깡패, 불량배.

tough·ie, toughy [tʌ́fi] *n.* 《미구어》 **1** 다부진 사람, 불량배, 난폭한 사나이, 무법자. **2** 난문제, 어려운 정세, 난국. **3** 저속한 책·영화 따위.

tough·ish [tʌ́fiʃ] *a.* 조금 터프(tough)한.

tóugh lóve (친구나 가족의 마약 중독 치료를 위해) 엄격한 태도를 취하는 일; 사랑의 매.

Tóugh·man tòurnament [-mæ̀n-] 주먹에 자신 있는 자가 자유로이 참가해 상금을 노리고 벌이는 복싱 토너먼트.

tóugh-mínded [-id] *a.* 현실적인, 감상적이 아닌; 강건한, 굳센, 마음이 굳건한. ㊎ **~·ly** *ad.* **~·ness** *n.*

tóugh slédding 《구어》 곤란한 시기〔때〕.

tóugh spót 《구어》 곤란한 위치.

tóugh-tálk *vt.* 강하게 발언하다; 고자세로 말하다.

Tou·louse [tu:lú:z] *n.* 툴루즈《프랑스 남서부의 도시》.

tou·pee [tu:péi/∠-] *n.* 《F.》 (남자용) 가발《대머리용》, 다리(Ⓒf. transformation); (가발의) 장식털.

⁑**tour** [tuər] *n.* **1** 관광 여행, 만유(漫遊), 유람 여행: go on a ~ 관광 여행을 떠나다 / a European〔foreign〕 ~ 유럽〔외국〕 여행 / a motor〔motoring〕 ~ 자동차 여행 / a wedding ~ 신혼여행 / a ~ of inspection 시찰 여행 / ⇨ GRAND TOUR. **2** 짧은 여행, 소풍. **3** 일순(一巡), (짧은 거리를) 한 바퀴 돌기〔돎〕: make a ~ through a big factory 큰 공장을 한 바퀴 돌다. **4** (극단의) 순회공연: actors on ~ 순회공연 중의 배우들 / a ~ of the country =a provincial ~ 지방 순회공연. **5** 〖주로 군사〗 (한 근무지에서의) 근무〔재임〕 기간(~ of duty)《보통 2-4 년간》; (공장 따위에서의) 교대(shift): two ~s a day 하루 2 교대. ***knight's*** ~ 기사(騎士)의 순력; 〖체스〗 나이트가 장기판을 한바퀴 돌기. ***lecture*** ~ 설명 안내를 해주는 견학. ***make a*** ~ ***of*** 〔**(*a*)*round, in, through***〕 (Europe) (유럽)을 한 바퀴 돌다〔일주하다〕. ***on*** ~ 여행 중에; 순회공연하여: He is *on* ~ in Europe. 그는 유럽을 여행 중이다.

— *vt., vi.* **1** 주유〔만유, 관광〕 여행을 하다: Last year they ~*ed* Europe. 작년에 그들은 유럽을 여행했다. **2** …의 안을 걸어 돌아다니다: ~ the museum 박물관을 한 바퀴 돌다. **3** (배우가) 순회공연하다. **4** (차가) 느린 속력으로 달리다.

tour·bil·lion, -bil·lon [tuərbíljən] *n.* 회오리바람; (기체·액체의) 소용돌이; 빙빙 돌며 하늘로 오르는 불꽃〔봉화〕.

tour de force [tùərdəfɔ́:rs] 《F.》 힘으로 하

는 재주, 절묘한 기술, 묘기, 역작, 대걸작; 돋보이기는 하나 잔솜씨로 처리한 것뿐인 기술[작품].

Tóur de Fránce 투르 드 프랑스((프랑스의 프로 자전거 로드 경주; 매년 여름 프랑스의 약 4,000 km코스를 약 3주간 일주함)).

tour·er [túərər] *n.* tour하는 이[것]; =TOURING CAR.

Tou·réttе('s) sỳndrome [**disèase**] [tuərét(s)-] 〖의학〗 투렛 증후군[병]((반향 언어증(echolalia)이나 외언증(猥言症)(coprolalia)을 수반하는 운동 실조증(失調症))).

tóuring càr 많은 인원·짐을 수용할 수 있는 장거리 운행용 자동차; (1920년대에 유행한, 5-6인승) 포장형 관광용 자동차(phaeton); (스포츠카와 구별하여) 투도어 세단.

tour·ism [túərizəm] *n.* Ⓤ 관광 여행; 관광 사업; 〖집합적〗 관광객.

‡**tour·ist** [túərist] *n.* **1** (관광) 여행자, 관광객; 순회[원정] 중의 스포츠 선수. **2** =TOURIST CLASS. **3** ((미속어)) 좋은 봉; 일에 무성의한 사람. **—** *a.* 여행자의[를 위한]; tourist class의: a ~ party 관광단 / a ~ city 관광 도시 / the ~ industry 관광 산업. **—** *ad.* (항공기·기선의) 투어리스트 클래스로. **—** *vi., vt.* 관광 여행을 하다[으로 방문하다].

tou·ris·ta [tuərí:stə] *n.* =TURISTA.

tóurist attràction 관광 명소, 관광 여행자를 끌어들일 수 있는 장소(행사).

tóurist càrd 여행자 카드((passport나 visa대신 발행)).

tóurist clàss (항공기·기선 따위의) 투어리스트클래스((가장 싼 등급)). ⓒⓕ cabin class.

tóurist còurt =MOTEL.

tour·iste [tuərí:st] *n.* ((Can.속어)) (여행자가 캐나다의 프랑스어권(圈)에서 걸리는) 설사. ⓒⓕ turista.

tóurist hòme ((미)) (관광객을 상대로) 보통 하룻밤만 방을 내주는 개인집, 민박 숙소(((영)) guest house).

tour·is·tic [tuərístik] *a.* (관광) 여행의; 관광객의. ㊞ **-ti·cal·ly** *ad.*

tóurist (**informátion**) **òffice** 여행[관광] 안내소.

tóurist slèeper ((미)) 2등 침대차((Pullman에 대해서)).

tóurist tìcket 관광표, 유람표[권].

tóurist tràp 관광객에게 바가지 씌우는 가게[시설, 명승지 등].

tour·isty [túəristi] ((구어·경멸)) *a.* (장소·호텔 등이) 관광지화(化)한; 관광객풍[용(用)]의, 관광객에게 인기 있는.

tour·ma·line, -lin [túərməlin, -li:n], [-lin] *n.* Ⓤ,Ⓒ 〖광물〗 전기석(電氣石).

°**tour·na·ment** [túərnəmənt, tə́:r-/túən-, tɔ́:n-] *n.* **1** 경기 대회, 선수권 대회; 승자 진출전, 토너먼트. **2** (두 패로 나뉘는) 마상(馬上) 시합((중세 기사의)).

tour·nay [tuərnéi/ˊ-] *n.* Ⓤ 일종의 가구 장식용 모직물.

tour·ne·dos [túərnədòu, ˋ-ˊ/ˊ-ˋ] (*pl.* ~) *n.* ((F.)) 투르네도((소의 필레(filet)살의 가운데 부분을 쓴 스테이크)).

tour·ney [túərni, tə́:r-/túəni, tɔ́:-] *n.* =TOURNAMENT. **—** *vi.* 마상[무술] 시합에 참가하다. ㊞ ~**·er** *n.*

tour·ni·quet [tə́:rnikit, túər-/túənikèi, tɔ́:n-] *n.* 〖의학〗 지혈기[대](止血器[帶]), 교압기(絞壓器), 구혈대(驅血帶), 압박대.

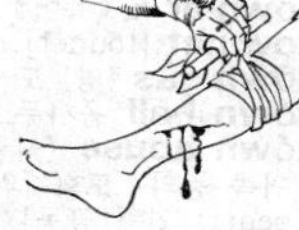
tourniquet

tour·nure [túərnjuər, -ˊ] *n.* ((F.)) 〖복식〗 =BUSTLE[2]; 윤곽, 곡선미; (여자 옷의) 히프.

tóur òperator 패키지 투어 전문 여행업자.

tou·sle [táuzəl] *vt.* 거칠게 다루다, …와 드잡이하다; (머리를) 헝클어뜨리다: ~*d* hair 헝클어진 머리. **—** *n.* 헝클어진 머리; Ⓤ,Ⓒ 난잡, 어수선함.

tousy [táuzi] (***tous·i·er, -i·est***) *a.* ((Sc.)) 흐트러진, 털이 많은; 임시변통의.

tout [taut] ((구어)) *vi.* **1** ((~/+전+명)) 손님을 끌다; 강매하다, 성가시도록 권유하다((*for*)): ~ *for* orders 귀찮게 주문을 권유하다. **2** ((영)) (경마 말·마굿간 등의) 상태를 염탐하다((*round*)), 정보를 제공하다. **—** *vt.* …에게 끈덕지게 권하다, 졸라 대다; 극구 칭찬[선전]하다; ((영)) (경마말 등의) 정보를 염탐[제공]하다; …을 화제로 삼다; …을 말하다; (…이라고) 칭하다((*as*)); 망보다. ~ ***about*** [***around***] ((구어)) (수상쩍은 물건·생각 등을) 여기저기 팔아넘기려 하다. **—** *n.* (여관 따위의) 유객꾼; ((N.Ir.속어)) 밀고자, 첩보원; (경마의) 예상가; 도둑의 망꾼. ***keep*** (***the***) ~ ((구어)) 망보다. ㊞ ˊ**·er** *n.*

tout à fait [*F.* tutafɛ] ((F.)) 아주, 완전히, 몽땅.

tout court [*F.* tuku:ʀ] ((F.)) 간단히, 약하여.

tout en·sem·ble [*F.* tu:tɑ̃sɑ̃:bl] ((F.)) (예술 작품 등의) 전체적 효과; 전체, 전부.

tou·zle [táuzəl] *vt., n.* =TOUSLE.

to·va·rish, -rich [touvɑ́:riʃ] *n.* ((Russ.)) 동지; 친구, 동포(=**továrishch**).

TOW [tou] *n.* 〖군사〗 토 미사일(=ˊ **mìssile**) ((대(對)전차 미사일의 일종)). [◂ *t*ube-launched, *o*ptically tracked, *w*ire-guided]

°**tow**[1] [tou] *vt.* ((~+목/+목+전+명/+목+부)) 끌다, (배·자동차를) 밧줄[사슬]로 끌다, 견인하다; (어린애·개 따위를) 끌고 가다((*away; along*)): The wrecked auto was ~*ed to* the nearest garage. 고장난 차는 가장 가까운 자동차 정비 공장으로 견인되었다 / ~ a ship *into* port 항구로 배를 예인하다 / Illegally parked cars will be ~*ed away*. 불법 주차 차량들은 견인차에 끌려가게 될 것이다. ◇ towage *n.* **—** *n.* **1** Ⓒ,Ⓤ 밧줄로 끌기[에 끌려가기], 견인(牽引); 예항(曳航). **2** 예인선; =SKI TOW; 끄는 밧줄[사슬 따위]; 끌려 가는 배. ***in*** [***under***] ~ …에 끌려서((*of; by*)). ***take*** [***have***] ***in*** [***on***] ~ 밧줄로 끌다, (배를) 예인하다, 예항하다; 지배하다; 거느리다; (아무를) 맡다, 돌봐주다: *have* a number of admirers *in* ~ 많은 추종자를 거느리고 있다 / He was *taken in* ~ by his aunt. 그는 숙모에게 맡겨졌다.

tow[2] *n., a.* 삼[아마] 부스러기(의); 담황색 머리카락(의).

tow·age [tóuidʒ] *n.* Ⓤ 배끌(리)기, 예선; 배 끄는 삯, 예선[견인(牽引)]료.

†**to·ward** [tɔ:rd, təwɔ́:rd/təwɔ́:d] *prep.* **1** 〖위치·방향〗 …쪽으로, …로 향하여, …에 면하여, …의 쪽을 향하여: go ~ the river 강 쪽으로 가다 / walk ~ the hill 언덕을 향해 걷다 / turn ~ home (발길을 돌려서) 귀로에 오르다 / The house faces ~ the south. 그 집은 남향이다. **2** 〖경향〗 …의 편으로, …을 향하여: be drawn ~ new ideas 새 사상에 끌리다 / tend ~ the other extreme 정반대의 극단으로 향하다 / drift ~ war 점점 전쟁 쪽으로 기울다. **3** 〖시간적·수량적 접근〗 …가까이, …경[무렵, 쯤]: ~ noon [evening] 정오[저녁] 가까이[무렵] / ~ the end of the century 그 세기도 끝날 무렵이 되어서 / He is ~ fifty. 그는 50세에 가깝다. **4** 〖목적·기여·준비〗 …을 위해서, …의 일조(一助)로; …을 생각하여: do much ~ it 그것을 위하여 크게 진력하다 / save money ~ the children's education [one's old age] 아이들의 교육비를 위하여[자기의 노후를 생각하여] 저금하다 /

Toward a Science of Translating 번역학 서설. **5** 〘관계〙 …에 대하여, …에 관하여: his attitude ~ us 우리에 대한 그의 태도 / cruelty ~ a lady 여성 학대 / feel kindly ~ a person 아무에 대하여 호의를 갖다. ***Here's* ~ *you.*** 너의 건강을 빈다《축배의 말》.

— [tɔːrd, tóuəd] *a.* **1** 《드물게》 형편〔계제〕 좋은: a ~ coincidence 행운의 우연한 일치. **2** 《드물게》 곧 일어나려고 하는, 진행되고 있는; 임박〔박두〕한: I went to see what was ~. 무슨 일이 일어났나 보러 갔다 / There is a wedding ~. 곧 혼례가 있다. **3** 《폐어》 전도유망한; 《폐어》 온순한: a ~ youth 유망한 청년.

to·ward·ly [tɔ́ːrdli/tóuəd-] 《고어》 *a.* 가망성 있는; 형편 좋은; 적절한; 싹싹한, 온순한, 친절한. **—** *ad.* 전도유망하게; 온순하게. ㊔ **-li·ness** *n.*

to·wards [tɔːrdz, təwɔ́ːrdz/təwɔ́ːdz] *prep.* =TOWARD. ★ 《영》에서는 산문체 · 구어체에서 towards가 보통임.

tów·awày *n., a.* (주차 위반 차량의) 견인 (철거)(의).

tówaway zòne 주차 위반 차량 견인 (철거) 구역《위반차는 레커차로 강제로 끌어감》.

tów·bàr *n.* 견인봉(棒)《자동차 견인용 철봉》. **—** *vt.* (자동차를) 견인봉으로 잡아 끌다.

tów·bòat *n.* 끄는 배, 예인선(tugboat).

tów càr 〔**trùck**〕 《미》 구난차(救難車) 〔트럭〕, 레커차(wrecker).

⁑tow·el [táuəl] *n.* 타월, 세수수건: a bath ~ 목욕 수건 / a dish ~ 행주 / ⇨ ROLLER TOWEL. ***throw*** 〔***toss***〕 ***in the*** ~ 〖권투〗 (패배의 자인으로서) 타월을 던지다; 《비유》 패배를 인정하다, 항복하다. **—** (*-l-*, 《영》 *-ll-*) *vt.* **1** 《~+목/+목+보》 타월로 닦다〔훔치다〕: ~ one's face 얼굴을 타월로 닦다 / ~ oneself dry 몸을 잘 닦다. **2** 《영속어》 후려 패다. **—** *vi.* 타월을 사용하다. ~ ***away at*** one***'s face*** 타월로 얼굴을 싹싹 문지르다〔닦다〕. ~ ***off*** (목욕 후에) 몸을 닦다, 말리다.

tow·el·ette [tàuəlét] *n.* 작은 종이 손수건《흔히 적셔서 밀봉한 봉지에 넣은》.

tówel hòrse 〔**ràck, ràil**〕 타월걸이.

tów·el·ing, 《영》 **-el·ling** *n.* Ⓤ 타월 천; 타월로 닦기; 《영속어》 매질.

⁑tow·er[1] [táuər] *n.* **1** 탑, 망루: a bell ~ 종루(鐘樓) / a clock ~ 시계탑 / a keep ~ 본성(本城)의 망루. **2** (공장 설비 등의) 탑; 고압선용 철탑; 철도 신호소: a water ~ 급수탑. **3** 고층 건물(~ block): new ~*s* in the downtown 도심지의 새 빌딩들. **4** 요새, 성채, 탑 모양의 감옥; 안전한 장소; 옹호자; 〖역사〗 (바퀴 달린) 공성(攻城)탑. **5** (다친 새가) 직선으로 솟아오르기. ***a*** ~ ***of ivory*** =***an ivory*** ~ 상아탑. ***a*** ~ ***of strength*** 크게 의지가 되는 사람, 간성, 옹호자. ***the Tower*** (***of London***) 런던탑. ~ ***and town*** 《시어》 인가가 있는 곳, 도시.

— *vi.* **1** 《~+전+명/+부》 우뚝 솟다《*above; over; up*》: ~ *against* the sky 공중에 우뚝 솟다 / a spire ~*ing up to* the heavens 하늘 높이 치솟은 뾰족탑. **2** 《+전+명》 《비유》 (한층, 우뚝) 뛰어나다《*above; over*》: He ~*ed above* his contemporaries in intellect. 그는 지적으로 동시대의 사람들보다 훨씬 뛰어났었다. **3** (매가) 높이 날다; (다친 새가) 일직선으로 높이 솟아오르다. ~ ***head and shoulder*** 빼어나다. ㊔ **~ed** *a.* 탑이 있는.

tow·er[2] [tóuər] *n.* tow[1]하는 사람〔것〕.

tówer blòck 고층 빌딩.

Tówer Brídge ((the) ~) 타워브리지《런던 Thames강의 개폐교(開閉橋); 1894년 준공》.

tówer cráne 〖기계〗 타워 크레인, 탑 기중기.

tow·er·ing [táuəriŋ] *a.* 높이 솟은(lofty); 크고 높은《야심 따위》; 격렬한《분노 따위》, 맹렬한; 높이 올라가는: a ~ peak, buildings, etc. / a ~ fly ball 대비구(大飛球) / a man of ~ ambitions 큰 야심을 품은 사람. ㊔ **~·ly** *ad.*

Tówer of Bábel (the ~) 바벨탑(Babel 2); 비현실적〔실행 불가능한〕 계획.

Tówer Rècords 타워 레코드《미국의 CD, 카세트 판매 체인점》.

tow·ery [táuəri] *a.* 탑이 있는〔많은〕; 높이 솟은.

tów·hèad *n.* 머리카락이 삼빛〔담황색〕인 사람; (강의) 사주(砂洲). ㊔ **~·ed** [-id] *a.* 머리가 삼빛인.

tow·hee [táuhiː, tóuhiː-] *n.* 피리새류《북아메리카산(産)》.

tówing nèt (플랑크톤 따위의 표본 채집용) 예망(曳網)(townet).

tówing pàth =TOWPATH.

tów·lìne *n.* 끄는 밧줄〔쇠사슬〕, 견인삭(索).

†town [taun] *n.* **1** 읍《village보다 크고 city의 공칭이 없는 것》; (the ~) 도회지《country와 대조해서》: a ~ marshal 《미》 (읍의) 경찰서장 / ⇨ MARKET TOWN / leave the ~ for the country. **2** 〘관사 없이〙 수도; (종종 T-) 《영》 《특히》 런던; 살고 있는 도시, 근처의 도시: be 〔live〕 in ~ 시내에 있다〔살고 있다〕. **3** 시내의 지구; 《특히》 상가; 지방의 중심지: live up ~ 주택 지대에 살다 / go to 〔into〕 ~ to do some shopping 시내로 물건 사러 가다. **4** (the ~) 〘집합적〙 시민, 읍민: The whole ~ knows of it. 읍내 사람치고 그걸 모르는 사람은 없다 / It's the talk of the ~. 온 읍내에서 화젯거리다. **5** 〖역사〗 성시(城市). **6** 《영방언》 촌, 촌락. ***a man about*** ~ 유흥장에 드나들며 놀고 지내는 건달, 한량. ***a man of the*** ~ 건달, 바람둥이. ***a woman*** 〔***girl***〕 ***of the*** ~ 밤거리의 여인, 매춘부. ***blow*** ~ 《속어》 달아나다. ***camp*** (***up***) ***on the*** ~ 도회지의 멋진 생활을 하게 되다; 매춘부가〔도둑이〕 되다. ***carry a*** ~ 도시를 공략하다. ***come to*** ~ 상경하다; 나타나다, 등장하다. ***do the*** ~ 읍내로 놀러 가다; 읍내를 구경하고 다니다. ***go to*** ~ 읍으로 가다; 《구어》 마음껏〔철저히, 척척, 의욕적으로〕 하다; 크게 돈을 쓰다 《*on; over*》, 흥청거리다; 《속어》 훌륭히 하다, 성공하다; 《Austral.구어》 발끈하다. ***in*** ~ 상경〔재경〕하여. ***on the*** ~ ① 읍의 부조를 받고. ② 《속어》 (극장 · 나이트클럽 따위에 가서) 흥청거리며. ***out of*** ~ 도시를 떠나; 《미속어》 옥중에서. ***paint the*** ~ (***red***) ⇨ PAINT. ***skip*** ~ 《구어》 서둘러 읍을 빠져나가다, 도망치다. ***the only game in*** ~ 《속어》 (본의는 아니지만) 선택의 여지가 없는 형편.

tówn càr 타운카《운전석과 뒷자리를 유리문으로 칸막이한 자동차》.

tówn céntre 《영》 도시의 중심지, 중심가.

tówn clérk 읍〔시〕사무소 서기.

tówn cóuncil 읍〔시〕의회.

tówn cóuncil(l)or 읍의회〔시의회〕 의원《생략: TC》.

tówn críer 〖역사〗 포고 사항을 알리고 다니던 고을의 관원.

town·ee [tauníː] *n.* 읍의 주민, 같은 읍 사람(townsman); 《경멸》 대학 도시의 (학생 나이 또래의) 주민; 《경멸》 도시 사람.

tówn·er *n.* 《속어》 도회지 사람.

tow·net [tóunèt] *n.* =TOWING NET.

tówn gàs 《영》 도시 가스.

tówn háll 읍사무소, 시청; 시공회당. ⓒⓕ city hall.

tówn hòuse (시골에 country house를 가진 귀족 등의) 도회지의 또 다른 저택(ⓒⓕ country seat); 연립〔공동〕 주택《한 벽으로 연결된 2-3층의 주택》; 《영》 =TOWN HALL.

town·ie [táuni] *n.* 《미구어》 =TOWNEE.

town·i·fy [táunəfài] *vt.* 도시풍으로 하다; 도

시화하다.
town·ish [táuniʃ] *a.* 도시 같은, 도시풍의.
town·let [táunlit] *n.* 작은 도시〔읍〕.
tówn mánager (읍의회에서 임명한) 읍정(邑政) 사무관, 읍장.
tówn màyor (시〔읍〕의회 선출의) 시장, 읍장.
tówn méeting 1 시민 대회. **2** 《미》 시〔읍〕 대표자회.
tówn plánning 도시 계획(city planning).
tówn·scàpe *n.* 도시 풍경(화(畫)); 도시 경관(景觀); Ⓤ 도시 조경법(造景法).
tówns·fòlk *n. pl.* =TOWNSPEOPLE.
town·ship [táunʃip] *n.* 《미·Can.》 군구(郡區)《county의 일부》; 〖영국사〗 읍구《parish 속의 한 소구획; 이(里) 정도에 해당》; 《S.Afr.》 옛 인종 차별에 의한 흑인 거주구; 《미》 타운십《정부의 측량 단위로 6마일 사방의 땅을 이름(36 sections)》.
tówn·sìte *n.* 도시 계획 지역.
tówns·man [-mən] (*pl.* **-men** [-mən]; *fem.* **-wòman,** *fem. pl.* **-wòmen**) *n.* 도회지 사람; 읍민, 같은 읍내 사람.
tówns·pèople *n. pl.* 도시 사람; (the ~) (특정한 도시의) 시민, 읍민.
tówn tàlk 읍내의 소문; 동네〔거리〕의 화제, 가십거리.
town·ward [táunwərd] *a., ad.* 도시〔읍〕 쪽으로 향한〔향하여〕.
tówn·wèar *n.* Ⓤ 외출복; 평상복.
towny [táuni] *n.* 《미구어》 =TOWNEE.
tów·pàth *n.* (강·운하 연안의) 배 끄는 길(towing path).
tów·ròpe *n.* =TOWLINE.
tow·ser [táuzər] *n.* 몸집이 큰 개; 덩치가 크고 억센 사람, 《특히》 억척스럽게 일하는 사람.
tów trùck =WRECKER 2.
towy [tóui] *a.* **1** 삼〔아마〕 부스러기의〔같은〕. **2** 담황색 머리카락의.
tox·a·phene [táksəfìːn-/tɔ́k-] *n.* 〖약학〗 톡사펜《살충제·살서(殺鼠)제》.
tox·e·mia, 《영》 **tox·ae·mia** [taksíːmiə/tɔk-] *n.* Ⓤ 〖의학〗 독혈증; 임신 중독증. ⓟ **-mic** [-mik] *a.*
tox·ic [táksik/tɔ́k-] *a.* 독(성)의; 유독한; 중독(성)의: ~ smoke 독(毒)가스 / ~ epilepsy 중독성 간질병 / ~ anemia 중독성 빈혈증.
tox·ic- [táksik/tɔ́k-] '독, 중독'이란 뜻의 결합사.
tox·i·cant [táksikənt/tɔ́k-] *a., n.* 유독한 (물건); 독물, 독약, 독성 물질.
tox·i·ca·tion [tàksikéiʃən/tɔ̀k-] *n.* Ⓤ 중독(中毒).
tox·ic·i·ty [taksísəti/tɔk-] *n.* Ⓤ (유)독성.
tox·i·co- [tàksikou, -kə/tɔ̀k-] '독, 중독의' 라는 뜻의 결합사: toxicity, toxicology.
tox·i·co·gen·ic [tàksikoudʒénik/tɔ̀k-] *a.* 독물 발생의; 독물로 형성된.
tox·i·coid [táksikɔ̀id/tɔ́ksi-] *n.* (환경·인체를 오염시키는) 독성〔화학〕 물질.
tox·i·col·o·gy [tàksikálədʒi/tɔ̀ksikɔ́l-] *n.* Ⓤ 독물학(毒物學). ⓟ **-gist** *n.* 독물학자. **tox·i·co·log·ic, -i·cal** [tàksikəládʒik/tɔ̀ksikəlɔ́dʒ-], [-əl] *a.* 독물(毒物)학(상)의; 독소(毒素)의. **-i·cal·ly** *ad.*
tox·i·co·sis [tàksikóusis/tɔ̀ksi-] (*pl.* **-ses** [-siːz]) *n.* 〖의학〗 중독(증).
tóxic shóck sỳndrome 〖의학〗 독소 충격 증후군《여성의 삽입식 생리대 '탐폰' 사용시 높은 흡수성 때문에 고열·설사·혈압 강하 등을 일으키는 증상》.
tóxic wáste 유독 산업 폐기물.
tox·i·gen·ic [tàksidʒénik/tɔ̀k-] *a.* 〖의학〗 독소를 생성하는, 독소 발생의.
tox·in [táksin/tɔ́k-] *n.* 독소(毒素).
tóxin-antitóxin *n.* 〖면역〗 독소 항독소 혼합 용액《디프테리아 면역 접종용》.
tox·i·pho·bia [tàksəfóubiə/tɔ̀k-] *n.* 〖심리〗 독물 공포증.

tox·o·ca·ri·a·sis [tàksəkəráiəsis/tɔ̀k-] *n.* 〖의학〗 톡소카라증(症)《개 따위의 장(腸)에 기생(寄生)하는 Toxocara 회충에 의한 감염증》.
tox·oid [táksɔid/tɔ́k-] *n.* 〖의학〗 변성 독소, 톡소이드《화학적 처리 또는 물리적 수단에 의하여 무독화(無毒化)된 독소; 항체의 산출을 촉진하여 특수한 면역을 얻기 위해 씀》.
tox·oph·i·lite [taksáfəlàit/tɔksɔ́f-] *n.* 궁술(弓術)(애호)가, 궁술의 명수. ── *a.* 궁술(가)의.
tox·o·plas·ma [tàksəplǽzmə/tɔ̀k-] (*pl.* **-ma·ta** [-mətə], **~s**) *n.* 톡소플라스마《포유류의 세포 내 기생충》. ⓟ **-plás·mic** *a.*
tox·o·plas·mo·sis [tàksouplæzmóusis/tɔ̀ksou-] (*pl.* **-ses** [-siːz]) *n.* 〖수의·의학〗 톡소플라스마증(症)《사산(死産)·유산·기형·시력 장애를 일으킴》.
⁑**toy** [tɔi] *n.* **1** 장난감, 완구. **2** 쓸모없는 것; 하찮은 것〔사람〕. **3** 《비유》 노리개 감의 사람; 정부. **4** (동류의 것보다) 소형의 것; (동물의) 소형종, 특히 소형 개. **5** 토이 모자《술이 어깨까지 드리우며 머리에 꼭 맞는 여성의》. **6** 토이 곡(曲)《16-17세기 virginal 음악용의 가벼운 곡》. ***make a ~ of*** …을 가지고 놀다; 장난하다: He *makes a ~ of* his car. 그는 차를 장난감으로 삼고 있다. ── *vi.* 《+전+명》 **1** 장난하다, 가지고 놀다; 우롱하다 《*with*》: He *~ed with* the idea of surprising her with a present. 그는 선물로 그녀를 깜짝 놀라게 하려는 생각으로 혼자 즐거워했다 / She was *~ing with* her rings. 그녀는 반지를 만지작거리고 있었다. **2** (…을 갖고) 놀다《*with*》: He *~ed with* his lead soldiers all morning. 아침내 납으로 된 장난감 병정을 갖고 놀았다. **3** 새롱거리다, 농탕치다《*with*》. ── *a.* 장난감의〔같은〕; 모형의; 소형의: a ~ drama 인형극.
tóy·bòy *n.* 《속어》 (젊은) 제비족《연상의 여인의 애인이 되어 사는 젊은이; boy toy 라고도 함》.
tóy dóg (애완용의) 작은 개.
tóy·man [-mən] (*pl.* **-men** [-mən]) *n.* 장난감 상인, 완구 제조인.
tóy Mánchester 토이 맨체스터《체중 12 파운드 이하의 귀가 선 Manchester terrier》.
Toyn·bee [tɔ́inbi] *n.* **Arnold Joseph ~** 토인비《영국의 역사가; 1889-1975》.
to·yon [tóiɑn, tóujən/tɔ́iɔn, tóujən] *n.* 〖식물〗 (북아메리카 태평양 연안산(産)의) 붉은 열매를 맺는 상록수.
tóy póodle 토이 푸들《몸 높이 25cm 이하의 작은 푸들; 애완견》.
tóy·shòp *n.* 장난감 가게, 완구점.
tóy·tòwn *a.* 《영》 조그만, 사소한.
TP 〖군사〗 target practice (연습탄, 훈련탄).
tp. telephone; township; troop. **t.p.** title page. **TPA** Taxpayer Privacy Act; tissue plasminogen activator. **TPI** 〖컴퓨터〗 tracks per inch. **tpk(e)** turnpike. **TPM** ticketed point mileage. **TPN** 〖의학·약학〗 total parenteral nutrition(종합 비경구(非經口) 영양 수액(輸液)). **tpr.** trooper. **TPS** 〖우주〗 thermal protection system(내열(耐熱) 시스템; 우주선 표면의 내열 타일). **TQC** total quality control(종합적 품질 관리). **TQM** total quality management.
t quàrk 〖물리〗 =TOP QUARK.
T.R. 〖해사〗 tons registered (등록 톤). **T-R, T.R.** transmit-receive. **Tr** 〖화학〗 terbium. **Tr.** Treasurer; Troop; Trust(ee). **tr.** trace; train; transactions; transitive; translate(d); translator; transport(ation); transpose; treasurer(s); 〖음악〗 trill.

tra- [trə] *pref.* =TRANS-: *tra*dition.
tra·be·at·ed, -ate [tréibièitid], [-ət, -èit] *a.* 〚건축〛 상인방(lintel)식 구조의. ㊐ **trà·be·á·tion** *n.*
tra·bec·u·la [trəbékjələ] (*pl.* **-lae** [-lìː]) *n.* 〚해부·동물〛 트라베큘라《생물체 내의 조직을 지탱하고 있는 섬유성의 작은 기둥 모양의 구조》.
trace[1] [treis] *vt.* **1** 《~+목/+목+전+명/+목+부》 …의 자국을 밟다〔쫓아가다〕, 추적하다 《*out*》, …의 행방을 찾아내다 《*to*》: ~ deer 사슴을 추적하다 / The criminal was ~*d to* Chicago. 범인은 시카고까지 추적당했다 / ~ a person *out* 아무를 찾아내다. **2** 《+목+전+명/+목+부》 …의 출처를〔유래를, 기원을〕 조사하다, 더듬어 올라가 (원인을) 조사하다《*back*》: ~ the history of a nation 민족의 역사를 밝히다 / ~ an evil *to* its source 악의 근원을 캐다 / ~ one's family *back* 족보를 더듬어 올라가 조사하다. **3** 《+목+전+명》 …의 흔적을 발견하다, (조사에 의해서) 알다: ~ one's ancestry *to* the Pilgrim Fathers 선조를 조사하여 필그림 파더스였음을 알다. **4** (길을) 따라가다: ~ a track 오솔길을 따라가다. **5** 《~+목/+목+부》 (선을) 긋다, (윤곽·지도 따위를) 그리다, …의 도면을 그리다; 계획하다, 획책하다 《*out*》: He ~*d* (*out*) a copy from the original. 그는 원본에서 사본을 (몽땅) 베껴 썼다 / ~ *out* the plan of a house 가옥의 도면을 그리다. **6** (정성 들여) 쓰다. **7** 투사하다, 복사하다, 베끼다(copy). **8** …에 도안을〔무늬를〕 그려 넣다: a ~*d* window (고딕 건축 따위의) 선 무늬로 장식된 창문. **9** (자동 기록기가) 기록하다. **10** 〚컴퓨터〛 (프로그램을) 뒤쫓다, 추적하다. ── *vi.* 《+부/+전+명》 거슬러 올라가다, 유래를 더듬다: The rumor was ~*d back to* him. 그 소문을 낸 장본인이 그라는 것이 밝혀졌다. **~ *around*** (본 따위를 종이에 눌러 생긴 윤곽의) 가선을 그리다. **~ *out*** ① ⇨ *vt.* 5. ② (흔적을) 찾아내다. **~ *over*** 복사하다. **~ *up*** 거슬러 올라가다; 추구(追究)하다.
── *n.* **1** (부정 구문 외에는 흔히 *pl.*) 발자국, 바퀴자국, 쟁기 자국《따위》: the ~*s* of ski in the snow 눈 위에 남은 스키 자국. **2** (부정구문 외에는 흔히 *pl.*) 자취, 흔적; 영향, 결과: ~*s* of an ancient civilization 옛 문명의 자취. **3** 기운, 기색, 조금《*of*》: a mere ~ *of* a smile 엷은 미소 / He did not betray a ~ *of* fear. 조금도 두려워하는 기색을 보이지 않았다. **4** 선(線), 도형; (군사 시설 등의) 배치도, 겨냥도. **5** 자동 기록 장치의 기록. **6** 〚컴퓨터〛 트레이스, 추적《(1) 프로그램의 실행 상황을 자세히 추적함. (2) 추적 정보. (3) 추적하는 프로그램(tracer)》. (***hot***) ***on the ~s of*** …에 바싹 뒤따라 붙어, …을 추적 중. ***lose*** (***all***) **~ *of*** …의 발자취를 (완전히) 놓치다; …의 거처를 (전혀) 모르게 되다. (disappear) ***without*** (***a***) **~** 흔적〔자취〕도 없이 (사라지다).
trace[2] *n.* (마소가 수레를 끌기 위한) 끄는 줄. ***in the ~s*** 끄는 줄에 매이어; 《비유》 일상의 일에 종사하여. ***kick*** 〔***jump***〕 ***over the ~*(*s*)** (말이) 말을 듣지 않다; 《비유》 (사람이) 반항하(게 되)다, 속박〔구속〕을 벗어나다〔거부하다〕.
tráce·a·ble *a.* trace[1] 할 수 있는. ㊐ **tràce·a·bíl·i·ty** *n.*
tráce èlement 〚생화학〛 미량(微量) 원소.
tráce fòssil 생흔(生痕) 화석, 흔적(痕迹) 화석《동물의 존재나 행동을 나타내는 발자취·기어간 자국·살던 동굴이나 집·배설물 따위의 화석》.
tráce·less *a.* 자국〔흔적〕이 없는.
trác·er *n.* **1** 추적자(者). **2** 모사자(模寫者), 등사공. **3** 줄 긋는 펜, 철필; 사도기(寫圖器), 투사기. **4** 분실물 수색계원; 《미》 분실 우편물〔화물〕 수색 조회장(照會狀). **5** 〚군사〛 =TRACER BULLET. **6** 〚물리·화학·의학〛 추적자(子), 트레이서《물질의 행방·변화를 추적하는 데 쓰는 방사성 동위 원소》. **7** 〚컴퓨터〛 =TRACE[1] *n.* 6.
trácer bùllet 예광탄.
trac·er·ied [tréisərid] *a.* tracery가 있는; 그물무늬가 있는.
trac·ery [tréisəri] *n.* Ⓒ,Ⓤ 〚건축〛 트레이서리, 장식창 격자(格子), 창 장식, 그물 무늬 (세공).

tracery

tra·chea [tréikiə/trəkíːə] (*pl.* **~s, -cheae** [tréikiìː, trəkíːiː]) *n.* 〚해부〛 기관(氣管), 호흡관; 〚식물〛 도관(導管), 《특히》 나선문관(螺旋紋管). ㊐ **-che·al** [-l] *a.*
tra·che·ary [tréikièri/-kiəri] *a.* 〚동물〛 기관(氣管)으로 호흡하는; 〚식물〛 도관의〔을 이루는〕.
tra·che·ate [tréikièit, -ət/trəkíːət] *a.*, *n.* 〚동물〛 기관을 가진 (절지동물).
tra·che·id [tréikiid] *n.* 〚식물〛 가도관(假導管), 헛물관(管).
tra·che·i·tis [trèikiáitis] *n.* Ⓤ 〚의학〛 기관염(氣管炎).
tra·che·o- [tréikiou, -kiə/tréikiou, -kiə, træk-] '기관(氣管), 도관(導管)'의 뜻의 결합사.
tràcheo·brónchial *a.* 〚해부〛 기관과 기관지의.
tra·che·ot·o·my [trèikiátəmi/trækiɔ́t-] *n.* Ⓤ 〚의학〛 기관(氣管) 절개(술).
tracheótomy tùbe 〚의학〛 기관 절개관《기관 절개술 중에 기도(氣道) 역할을 하는 관》.
tra·cho·ma [trəkóumə] *n.* Ⓤ 〚의학〛 트라코마, 과립성 결막염. ㊐ **tra·chom·a·tous** [trəkámətəs, -kóu-/-kɔ́m-] *a.*
tra·chyte [tréikait, trǽk-] *n.* 〚암석〛 조면암(粗面岩)《화강암의 일종》.
tra·chyt·ic [trəkítik] *a.* 조면암(岩) 모양의.
trac·ing [tréisiŋ] *n.* Ⓤ **1** 투사, 복사; 등사물. **2** 추적; 근원캐기, 소원(溯源), 천착(穿鑿). **3** 자동 기록 장치의 기록《지진계의 그래프 따위》.
trácing clòth 〔**lìnen**〕 투사포(布).
trácing pàper 트레이싱 페이퍼, 투사지; 복사지.
track[1] [træk] *n.* **1** 지나간 자국, 흔적; 바퀴자국; (사냥개가 좇는 짐승의) 냄새 자국; (*pl.*) 발자국: the ~*s* of a rabbit 토끼의 발자국 / leave one's ~*s* 발자국을 남기다. **2** 통로, 밟아 다져져 생긴 길, 소로: a ~ through the forest 숲 속 오솔길. **3** (인생의) 행로, 진로; 상도(常道); 방식: the beaten ~ 정해진 방식; 상도(常道), 관례. **4 a** 진로, 항로: the ~ of a comet 혜성의 진로 / the ~ of the storm 폭풍의 진로. **b** 〚항공〛 항적(航跡)《미사일·항공기 등의 비행 코스의 지표면에 대한 투영(投影)》. **5** 증거; 단서: get on the ~ of …의 실마리를 잡다. **6** 《미》 선로, 궤도: a single 〔double〕 ~ 단선〔복선〕. **7** (경마의) 주로(走路), 경주로, 트랙(opp. *field*); (필드 경기에 대하여) 트랙 경기: ⇨ INSIDE TRACK. **8** (자동차 따위의) 양쪽 바퀴의 간격, 윤거(輪距); 《미》 (철도의) 궤간(軌間). **9** 〚기계〛 무한 궤도; (타이어의) 접지면(tread). **10** =SOUND TRACK; (자기(磁氣) 테이프의) 음대(音帶); (레코드의) 홈(band). **11** 《미속어》 (*pl.*) (팔·발의) 주사를 계속 놓은 자리. **12** 〚컴퓨터〛 트랙《디스크·테이프 등의 기억 매체의 표면에 자료를 기록하는 통로; 매체의 이동에 따라 일정한 위치에서 head가 판독〔기입〕할 수 있음》. **13** 〚미교육〛 능력별〔적성별〕 편성 코스(cf. tracking). ***clear the ~*** 길을 트다; 〖명령〗 비켜. ***cover*** (***up***) ***one's ~s*** (부정

행위 등의) 증거를 감추다; 종적을 감추다; 자기의 의도 (따위)를 숨기다. ***drop*** a person ***in*** his ~ 《미속어》 (아무를) 일격에 쓰러뜨리다〔죽이다〕. ***follow in*** a person***'s*** ~***s*** ⇨ FOLLOW. ***have a one-***~ 〔***single-***~〕 ***mind*** 언제나 같은 생각을 하다, 융통성이 없다. ***have the inside*** ~ 트랙 안쪽을 달리다; 《구어》 유리한 입장에 있다. ***in*** one***'s*** ~***s*** 《구어》 즉석에서; 즉시. ***in the*** ~ ***of*** …의 예에 따라서; …의 도중에; …을 쫓아가서. ***keep*** ~ ***of*** …의 진로를 좇다, …을 놓치지 않고 따라가다; …의〔와의〕 소식〔접촉〕을 끊어지지 않도록 하다; …의 계산을 해 두다; …을 기억하고 있다. ***leave*** 〔***jump***〕 ***the*** ~ ⇨ JUMP. ***lose*** ~ ***of*** …의 소식이 끊어지다; …을 놓치다; …의 계산을 잊다; …의 일을 잊어버리다. ***make*** 〔***take***〕 ~***s*** 《구어》 ① 서두르다, 급히 출발하다〔가다, 도망치다〕. ② 쫓아가다, …을 향해 나아가다《*for*》: *make* ~*s for* the store before closing time 문 닫을 시간이 되기 전에 급히 가게로 달려가다. ③ 쑥쑥 나가다. ***off*** one***'s*** ~ 《미속어》 정신이 돌아서. ***off the beaten*** ~ ⇨ BEATEN. ***off the*** ~ ① 탈선하여; 본제(本題)를 벗어나서; 잘못〔헛〕짚어, 예상이 빗나가, 문제 밖으로 벗어나서. ② (사냥개가) 짐승의 냄새 자국을 잃고. ***on the right*** 〔***wrong***〕 ~ (생각·의도·해석 따위가) 타당하여〔그릇되어〕. ***on the*** ~ ① 추적하여, 단서를 잡아서《*of*》. ② 궤도에 올라. ***on the wrong*** 〔***right***〕 ***side of the*** ~***s*** 가난〔유복〕한 신분의〔에서〕; 밑〔위〕의 계층에서. ***put*** (a policeman) ***on*** a person***'s*** ~ (경찰로 하여금) 아무의 뒤를 밟게 하다. ***throw ... off the*** ~ (추적자를) 따돌리다.

— *vt.* **1** 《~+목/+목+전+명/+목+부》 …의 뒤를 쫓다, 추적하다《*down*》; 탐지하다《*out*》: ~ a bear 곰을 추적하다/~ a lion *to* its lair 사자를 숨은 곳까지 추적하다/The police ~*ed down* the criminal. 경찰은 범인을 막다른 곳까지 추적하여 체포했다. **2** (길을) 가다; (사막 등을) 횡단〔종단〕하다. **3** 《~+목/+목+부/+목+전+명》 《미》 (마루에) 발자국을 내다; (진흙·눈 따위를) 발에 묻혀 오다: Don't ~ *up* the new rug. 새 융단을 더럽히지 마라/~ mud *into* the house 집 안으로 진흙을 묻혀 들이다. **4** 《미》 …에 선로를 깔다〔길을 내다〕. **5** (바퀴 자국을) 따르다. **6** (배를) 끌다(tow). **7** 《미》 (학급을) 능력〔적성〕별로 편성하다. — *vi.* **1** 추적하다; (바늘이) 레코드의 홈을 따라가다; 예상대로의〔바른〕 코스를 가다; (양쪽 바퀴가) 일정 간격을 유지하다, 궤도에 맞다; 《미》 궤간이 …이다. **2** 걸어다니다《*around; about*》; 발자국을 남기다; 《미》 가다, 나아가다. **3** 〖영화·TV〗 (카메라맨이) 이동하며 촬영하다. ~ ***down*** ① ⇨ *vt.* 1. ② (추적 등으로) 찾아내다, 밝혀내다. ~ ***out*** ⇨ *vt.* 1.

track[2] *vt.* (둑 따위에서 배를) 밧줄로 끌다. — *vi.* (배가) 밧줄로 끌려가다.

track·age [trǽkidʒ] *n.* **1** 《미》 〔집합적〕 철도 선로; 궤도 부설; 《미》 (다른 회사의) 선로 사용권 (=∠ **right**), 선로 사용료(=∠ **charge**). **2** =TOWAGE.

tráck and fíeld 〔집합적〕 육상 경기.

tráck bàll 〖컴퓨터〗 트랙 볼《공(ball)을 손가락으로 회전시켜 화면상의 cursor를 이동시키는 위치 지시 장치》.

tráck dénsity 〖컴퓨터〗 트랙 밀도《트랙에 대하여 수직 방향으로 셈한 단위 길이당의 트랙 수》.

tracked [-t] *a.* 무한 궤도의.

tráck·er[1] *n.* **1** 추적자; 경찰견, 사냥감을 쫓는 사냥꾼〔개〕; 이동 목표의 경로를 포착하는 기계(의 조작원). **2** 〖음악〗 (오르간의) 트래커《키의 움직임을 공기판(瓣)으로 전달하는 나무 막대기》.

tráck·er[2] *n.* 배끄는 인부, 끄는 배.

trácker dòg (경찰 따위의) 추적견(犬) (=**tráck-hòund**).

tráck evènt 트랙 종목〔경기〕《러닝·허들 따위》. opp *field event.*

tráck·ing *n.* U,C **1** 〖영화〗 촬영 중 카메라의 전후 이동; 그 효과. **2** 〖우주〗 (레이더에 의한 로켓·미사일) 추적. **3** 〖미교육〗 능력별〔적성별〕 학급 편성(《영》 streaming). **4** 전축의 바늘이 레코드의 홈을 따라가는 일.

trácking shòt 〖영화·TV〗 이동 촬영 (장면).

trácking stàtion (인공위성·우주선 따위의) 추적소, 관측소.

trácking sỳstem =TRACK SYSTEM.

tráck·làyer *n.* 《미》 선로 부설공〔기계〕, 보선원(《영》 platelayer); 무한 궤도차.

tráck·làying *a.* 선로 부설용의; (차가) 무한 궤도식의. — *n.* U 선로 부설.

track·le·ment [trǽkəlmənt] *n.* 일품 음식물; (특히 고기와 함께 내는) 젤리(jelly).

tráck·less *a.* 길 없는; 발자국이 없는; 자취를 남기지 않은; 무궤도의.

tráckless trólley (무궤도) 트롤리 버스.

tráck lìght 트랙 라이트《track lighting에 사용되는 전등》.

tráck lìghting 트랙 조명《전등 설비를 이동하여 설치할 수 있도록, 전기가 통한 대상(帶狀) 금속편(片)을 사용한 것》.

tráck·man [-mən] (*pl.* ***-men*** [-mən, -mèn]) *n.* 《미》 보선공(保線工); =TRACKWALKER; 트랙 경기의 주자(走者).

tráck mèet 《미》 육상 경기 대회.

tráck·mìle *n.* (철도 선로의) 1마일.

tráck rècord **1** 트랙 경기의 성적. **2** (회사의) 현재까지의 업적, 실적.

tráck ròd (자동차의) 앞바퀴 연결봉(棒).

tráck shòe (육상 선수의) 운동화〔스파이크〕; (궤도차의) 브레이크 장치.

trácks per ínch 〖컴퓨터〗 인치당 트랙 수《플로피 디스크 등의 트랙 밀도를 나타내는 단위》.

tráck sùit 운동선수의 보온복.

tráck sỳstem 〖미교육〗 능력별〔적성별〕 학급 편성 방식.

tráck·wàlker *n.* 〖미철도〗 선로 순시원.

tráck·wày *n.* 밟아 다져진 길; (옛날의) 도로.

°**tract**[1] [trækt] *n.* **1** (지면·하늘·바다 등의) 넓이; 넓은 지면, 토지; 지역; 지방《*of*》: a vast ~ *of* ocean 〔land〕 광대한 대양〔토지〕/a wooded ~ 삼림 지대/large ~*s* for settlement 광대한 이주지. **2** 《영고어》 시간, 기간: a long ~ of time 장기간. **3** 〖의학·해부〗 관(管), 도(道), 계통; (신경 섬유의) 다발, 삭(索): the digestive ~ 소화관. **4** (종종 T-) 〖가톨릭〗 영송(詠誦).

tract[2] *n.* (소)논문, (특히 종교·정치 관계의) 팸플릿, 소책자. ◇ tractate *n.* ***Tracts for the Times*** 1833–41년, Oxford movement라고 불리는 종교 운동 기간 중에 발간되었던 논문집《Newman, Keble, Froude 등이 집필자; 당시의 latitudinarianism에 반대하여 원시 그리스도교·가톨릭의 부활을 창도했음》.

trac·ta·ble [trǽktəbəl] *a.* 유순한, 온순한; 다루기 쉬운, 세공하기 쉬운. ㊞ **-bly** *ad.* **tràc·ta·bíl·i·ty** *n.* U

Trac·tar·i·an [træktέəriən] *a.* Oxford 운동의. cf. Oxford movement. — *n.* Oxford 운동 주의자〔주창자, 논문 집필자〕. cf. tract². ㊞ ~**·ism** *n.* U Oxford 운동.

trac·tate [trǽkteit] *n.* 논문; 소책자.

tráct hòuse 트랙트 하우스《한곳에 세워진 같은 형태의 주택의 하나》.

trac·tile [trǽktil, -tail/-tail] *a.* 신축성 있는.

trac·til·i·ty [træktíləti] *n.* U 신장성(伸張性), 연성(延性).

trac·tion [trǽkʃən] *n.* U 끌기, 견인(력); 〔집

합적》 견인차, 《미》 전차; (차 바퀴의 선로에 대한) 정지(靜止) 마찰; 〖생리〗 (근육의) 수축; 공공 수송 업무; 《비유》 끄는 힘, 매력, 영향력: electric 〔steam〕 ~ 전기〔증기〕 견인/an electric ~ company 전철 회사. ㊕ **~·al** [-əl] *a.*

tráction èngine 견인차《중량차용의》.

tráction whèel (기관차의) 동륜(動輪).

trac·tive [trǽktiv] *a.* 끄는, 견인하는.

****trac·tor** [trǽktər] *n.* **1** 트랙터, 견인(자동)차: a farm ~ 경작용 트랙터. **2** 〖항공〗 견인식 비행기. **3** 끄는 사람〔물건〕.

tráctor·càde *n.* (농민의 시위·항의 행동으로서의) 트랙터 행진〔데모〕.

tráctor-tráiler *n.* 견인 트레일러.

tráct socìety 종교 서적 보급회.

Tra·cy [tréisi] *n.* 트레이시. **1** 여자 이름《Teresa의 애칭》. **2** 남자 이름.

trad [træd] 《영구어》 *a.* =TRADITIONAL. **—** *n.* 트래드(=∠ **jàzz**)《1950 년대에 리바이벌된 1920–30 년대의 영국 재즈》.

trad. tradition(al).

****trade** [treid] *n.* **1 a** Ⓤ 매매, 상업, 장사, 거래, 무역, 교역; (commerce에 대하여) 소매업. Ⓒⓕ business. ¶ home 〔domestic〕 ~ 국내 거래/foreign ~ 외국 무역/⇨ FREE TRADE/*Trade* was good last year. 작년은 거래가 활발했었다/get into ~ 장사를〔사업을〕 시작하다. **b** (미개인과의) 교역품. **c** 《미》 (물물)교환(exchange); 〖야구〗 (선수의) 트레이드.

> SYN. **trade** '장사, 무역'의 가장 일반적인 말. **commerce** 규모가 큰 상업. **traffic** 현재는 부정을 암시하는 거래에 쓰임.

2 직업(Ⓒⓕ occupation); 직(職), 《특히》 손일: He is a mason by ~. 그의 직업은 석공이다/furniture ~ 가구업/Every man for his own ~. =Everyone to his ~. 《속담》 사람은 제각기 장기가 있는 법/Two of a ~ never 〔seldom〕 agree. 《속담》 장삿샘이 시앗샘. SYN. ⇨ WORK. **3** (the ~) 〔집합적〕 동업자, 업계; (the ~) 소매업자; 《영구어》 주류 판매를 허가받은 식당 주인들: the tourist ~ 관광업/the automobile ~ 자동차 업자/discount to the ~ 동업자 할인. **4** 〔집합적〕 고객, 거래처: The store has a lot of ~. 그 가게에는 손님이 많다. **5** 《미》 (정치상의) 거래, (정당 간의) 타협, 담합. **6** (the ~s) 무역풍(~ wind). **~ *balance*** =BALANCE of ~. ***be good*** 〔***bad***〕 ***for*** **~** 살 마음이 나게 하다〔나지 않게 하다〕. ***be in*** **~** 장사(를) 하다. ***carry on*** 〔***follow***〕 ***a*** **~** 직업에 종사하다, 장사를 하다. ***do a busy*** **~** =***drive*** 〔***do, make***〕 ***a roaring*** **~** 장사가 번창하다. ***protective*** **~** 보호 무역.

— *vi.* **1** 《~/+전+명》 장사하다, 매매하다《*in*》; 거래〔무역〕하다《*with*》: ~ *in* rice 쌀 장사를 하다/~ *with* Great Britain 영국과 무역하다. **2** 무역 여행을 하다《*to; from*》. **3** 《+전+명》 (배가) 화물을 운송하다, 다니다《*to*》: The ship ~*s between* London and Lisbon. 그 배는 런던과 리스본 사이를 물품을 싣고 다닌다. **4** 《+전+명》 물건을 사다: She ~*s at* my shop when she is in town. 그녀는 시내에 나오면 우리 가게에서 물건을 산다. **5** (증권 따위가 …의 값으로) 팔리다. **6** 《+전+명》 (지위·사면 따위를) 돈을 받고 팔다《*in*》; (정당 따위가) 뒷거래하다: ~ *in* benefices 성직을 돈 받고 팔다/~ *in* favors 《비유》 호의를 (나쁘게) 이용하다. **7** 《+전+명》 교환하다, 바꾸다: If he doesn't like it, I will ~ *with* him. 그가 그것을 안 좋아한다면 내 것과 교환하겠소.

— *vt.* **1** (물품을) 매매하다, 교역하다, 거래하다. **2** 《+목+부》 팔아 버리다《*away; off*》: ~ *off* 〔*away*〕 one's furniture 가구를 팔아 버리다. **3** 《~+목/+목+전+명》 서로 교환하다: ~ seats *with* a person 아무와 자리를 바꾸다/They were standing in the middle of the yard *trading* insults. 그들은 광장 한가운데 서서 서로 욕설을 주고받고 있었다. **4** 《+목+부/+목+전+명》 교환으로 주다《*off*》; (선수를) 다른 팀에 보내다; 교환하다《*for*》: John was ~*d* to the Yankees *for* James. 존은 제임스와 교환으로 양키스에 이적되었다.

~ *away* 팔아 버리다; 《영》 교환하여 처분하다. **~ *down*** 《구어》 보다 싼 물건을 매매하다; (대금의 차액을 중고차 등으로 주고) 더 싼 물건을 사다. **~ *in*** …을 웃돈을 얹어 주고 신품과 바꾸다《*for*》: ~ *in* a used car for a new model. **~ *off*** ① 교환하다. ② 처분하다; 팔아 버리다. ③ (욕·구타를) 주고받다. ④ (도구 등을) 번갈아 쓰다. ⑤ (지위를) 교체하다. **~ *on*** 〔***upon***〕 …을 이용〔악용〕하다, …에 편승하다, …의 허점을 이용하다: ~ *on* her ignorance 그녀의 무지를 이용하다/He ~*s on* his past reputation. 자기의 과거 명성을 이용하고 있다. **~ *up*** 고급품으로 바꾸어 사다; (차액을 중고차 등으로 주고) 고급품을 사다.

tráde accèptance 〖상업〗 수출 인수 어음.

tráde àdvertising 산업 광고《일반 대중이 아닌 업계가 대상인》.

tráde agrèement (국제) 무역 협정; 〖노동〗 =COLLECTIVE AGREEMENT.

tráde associàtion 동업 조합, 동업자 단체.

tráde bàrrier 무역 장벽.

tráde bill 무역 어음, 상업 어음, 환어음.

Tráde Bòard 임금국《1909 년에 설립된 영국의 노사 및 공익 대표 3 자로 이루어진 노동 위원회》.

tráde bòok 일반용〔대중용〕 책; =TRADE EDITION.

tráde càrd 《영》 =BUSINESS CARD.

tráde·cràft *n.* (산업 스파이 등의) 스파이 활동에 필요한 지식〔기술〕.

tráde cỳcle 《영》 경기 순환(《미》 business cycle).

tráde dèficit 무역 수지의 적자.

tráde dìscount 〖상업〗 (동)업자 간의 할인.

tráde dòllar 무역 달러《동양 무역을 위해 1873 년부터 1885 년까지 미국에서 발행된, 표준 달러보다 조금 은(銀)을 많이 함유한 달러 화폐》.

tràded óption 〖증권〗 유통 옵션, 상장 옵션 《거래소에서 늘 매매할 수 있는 옵션》.

tráde edìtion 시중판(版), 보급판. Ⓒⓕ text edition.

tráde fàir (산업〔무역〕) 견본시(市)〔박람회〕.

tráde gàp 무역 불균형, (한 나라의) 무역 결손, 수입 초과액.

tráde-ìn *n.*, *a.* 물건 값 대신으로 주는 물품(의); 신품 대금의 일부로 내는 중고품(의): ~ price 신품 대금의 일부로 내놓는 물품의 가격.

tráde jòurnal 업계 잡지, 업계지(誌).

tráde lànguage 통상어(通商語)《pidgin 따위, 주로 비즈니스(business)에서 쓰이는 혼성(混成) 공통어》.

tráde-làst *n.* 《미구어》 제 3 자의 칭찬〔찬사, 호평〕《자기에 대한 누군가의 찬사를 들려주면, 그 대가로 상대에게 들려주는; 생략: T.L.》.

tráde magazíne 업계지《특정 업계나 전문적 직업인 상대의 잡지》.

tráde·màrk *n.* (등록) 상표; 사람〔사물〕을 상징하는 특징〔특성, 습성〕, 트레이드마크. **—** *vt.* …에 상표를 달다; …의 상표를〔상품명을〕 등록하다.

tráde nàme 상표〔상품〕명; 상호, 옥호, 가호(家號).

tráde-òff *n.* (특히 타협을 위한) 교환, 거래; (바람직하게 하기 위한 양자의) 균형.

tráde pàper 업계 신문, 업계지(紙).

tráde paperback 대형(大型) 페이퍼백(책). cf. mass-market paperback.

tráde plàte 미등록 자동차의 임시 번호판((판매 업자가 사용하는)).

tráde prèss =TRADE MAGAZINE.

tráde prìce 도매 가격, 업자 간의 가격.

***trad·er** [tréidər] *n.* **1** 상인, 무역업자. **2** 상선, 무역선. **3** 〖증권〗((미)) 트레이더((자기 계산으로 증권 매매를 하는 업자; 자기 계산의 시세에 의하여 단기 매매하는 증권업자)). 「이 강함)).

tráde reciprócity (통상) 상호주의((보복의 뜻

tráde rèference 신용 조회처; 신용 조회.

tráde ròute 통상(通商)(항)로.

tráde schòol 직업〔실업 고등〕학교.

tráde sécret 기업 비밀.

trádes·fòlk *n. pl.* =TRADESPEOPLE.

tráde shòw (관계자에게 만 보이는) 시사회.

trades·man** [tréidzmən] (*pl.* ***-men [-mən]) *n.* **1** 소매 상인; 점원. **2** 손일하는 사람, 장인(匠人); 배달원. 「(계급 · 가족).

trádes·pèople *n.* (소매) 상인; ((영)) 소매상

trádes únion ((영)) =TRADE UNION.

Trádes Union Cóngress (the ~) ((영)) 노동조합 회의((생략: TUC, T.U.C.)).

tráde súrplus 무역 수지 흑자.

trádes·wòman (*pl.* ***-wòmen***) *n.* **1** 여자 소매 상인; 여점원. **2** 손일하는 여자.

tráde únion 노동조합(((미)) labor union), ((특히)) 직능별(別) 조합(craft union).

tráde únionism 노동조합주의; 〖집합적〗 노동조합.

tráde únionist 노동조합원, 노동조합주의자.

tráde wìnd (종종 the ~s) 무역풍.

trad·ing [tréidiŋ] *n.* **1** 상거래, 무역. **2** Ⓤ ((미)) (정당 간 따위의) 타협, 담합. **—** *a.* 상거래〔무역〕하는; 통상용의: a ~ company 〔concern〕 무역 회사, 상사.

tráding càrd ((미)) 트레이딩 카드((유명인의 사진이 인쇄된 카드로, 모으기도 하고 교환도 함)).

tráding estàte ((영)) (도시 계획에 의한) 산업

tráding pàrtner 거래처, 무역 상대국. 「지구.

tráding pòst (미개지 주민과의) 교역소; 〖증권〗 거래 포스트(post).

tráding stàmp 1 상품 교환권, 경품권((몇 장씩 모아서 경품과 교환함)). **2** ((CB속어)) 돈(money).

****tra·di·tion** [trədíʃən] *n.* Ⓒ,Ⓤ **1** 전설; 구비(口碑), 구전, 전승(傳承): The stories of Robin Hood are based mainly on ~(*s*). 로빈후드의 이야기는 주로 구전에 근거를 두고 있다. **2** 전통, 관습, 인습: keep up the family ~ 가문의 전통을 유지하다 / It is a ~ in my family for the youngest son to live with the parents. 막내 아들이 양친을 모시고 사는 것이 우리 집안의 전통이다. **3** 〖종교〗 경외(經外) 전설, 성전(聖傳)((Moses에서 이어받아 전해 내려온 이야기; 예수와 그 제자들로부터 전해 내려온 교훈)). **4** 〖법률〗 (정식의 재산) 인도, 교부(交付). ***become one's own*** ~ 전통에 집착하다. ***be handed down by*** ~ 말로 전해 내려오다: a story *handed down by* (popular) ~ (민간) 전승에 의해 전해 내려온 이야기. ***by*** ~ 전통적으로; 구전(口傳)에 의하여. ***Tradition runs*** 〔***says***〕 ***that ….*** …라고 전해지고 있다. ***true to*** ~ 전설대로, 전통에 어긋남이 없이. ㊞ **~·ist** *n.* 전통주의자(traditionalist); 전승에 정통한〔을 전하는〕 사람, 전승 연구〔기록〕자. **~·less** *a.*

***tra·di·tion·al** [trədíʃənəl] *a.* **1** 전통의, 전통적인; 관습의, 인습의: a ~ dance 전통 무용. **2** 전설의, 전승의〔에 의한〕. **3** (재즈가) 전통적인((1900–20 년경의 New Orleans에서 연주된 양식의)). ㊞ °~·ly *ad.*

tra·dí·tion·al·ism *n.* Ⓤ 인습 고수; 〖종교〗 전통주의. ㊞ **-ist** *n.* 전통주의자.

tra·dí·tion·al·ìze *vt.* 전통에 따르게 하다; …에게 전통을 가르치다〔지키게 하다〕.

tra·di·tion·ary [trədíʃənèri/-nəri] *a.* =TRADITIONAL.

trad·i·tor [trǽdətər] (*pl.* ***-to·res*** [trӕdətɔ́:ri:z], **~s**) *n.* 〖역사〗 (로마의 박해에 의한 초기 그리스도교의) 배교자(背教者), 개종자.

tra·duce [trədjú:s/-djú:s] *vt.* 비방〔중상〕하다; (법률 따위를) 비웃다, 우롱하다. ㊞ **~·ment** *n.* Ⓤ 중상, 험담. **-dúc·er** *n.*

tra·du·cian [trədjú:ʃən/-djú:-] *n.* 〖신학〗 영혼 유전론자. ㊞ **~·ism** *n.* Ⓤ 영혼 유전설((영혼도 육체와 같이 부모한테서 물려받는다는 설)). cf. creationism. **~·ist** *n.*

Tra·fal·gar [trəfǽlgər] *n.* (Cape ~) 트라팔가르 곶((스페인 남서의 곶; 그곳에서 Nelson이 1805 년 10 월 스페인 · 프랑스 연합 함대를 격파했음)).

Trafálgar Squáre 트래펄가 광장((런던의 중심; Nelson 기념비가 있음)).

****traf·fic** [trǽfik] *n.* Ⓤ **1 a** 교통(량), (사람 · 차의) 왕래, 사람의 통행: ~ regulations 교통 규칙 / ~ violation 교통 (규칙) 위반 / ~ volume 교통량 / heavy ~ 극심한 교통량 / block the ~ 교통을 방해하다 / control 〔regulate〕 ~ 교통을 정리〔규제〕하다 / The ~ was entirely crippled for the day. 교통은 그날 하루 완전히 마비되었다. **b** (전화의) 통화량; (전보의) 취급량: telephone ~. **2** 운수, 수송(량), 수송물. **3** 장사, 매매, (종종 부정한) 거래, 교역, 무역((*in*)): ~ *in* slaves 노예 매매 / the ~ *in* votes 투표의 부정 거래. SYN. ⇨TRADE. **4** (의견 등의) 교환: ~ *in* ideas 의견 교환. **5** 교섭; 관계((*with*)): have no ~ *with* a person 아무와 왕래〔교제〕가 없다. **6** 〖컴퓨터〗 교통량((전산망에서 상호 전송되는 정보의 흐름 또는 그 양)). ***be open to*** 〔***for***〕 ~ 개통하다. ***human*** ~ 인신매매(⇨3). ***Safety Traffic Week*** 교통 안전 주간. ***the ~ will bear*** 현상황이 허락하다: spend more than *the ~ will bear* 현상황이 허락지 않을 만큼 돈을 많이 쓰다. **—** (*p., pp.* ***-ficked*** [-t]; ***-fick·ing*** [-iŋ]) *vi.* **1** ((+전+명)) 장사하다, (특히 부정한) 매매를〔거래를, 무역을〕 하다: ~ *in* goods 상품을 매매하다 / ~ *with* the natives for opium 현지인과 아편 거래를 하다. **2** ((+전+명)) 교섭을 갖다, 교제하다: I refuse to ~ *with* such a liar. 이런 거짓말쟁이와의 교제는 딱 질색이다. **3** 돌아다니다. **—** *vt.* 장사하다, 거래하다; 교환하다; ((비유)) 희생하다, (명예 등을) 팔다((*away; for* gain)); 지나가다, 왕래하다.

traf·fic·a·ble [trǽfikəbəl] *a.* (물자 등이) 상거래에 적합한, 시장성이 있는; (길 등이) 자유로 왕래〔통행〕할 수 있는.

traf·fi·ca·tor [trǽfəkèitər] *n.* ((영)) (자동차의) 방향 지시기. [◂ *traffic indicator*]

tráffic blòck ((영)) =TRAFFIC JAM.

tráffic càlming (학교 주변이나 주택가에서) 자동차가 속력을 내지 못하도록 도로 구조를 만드는 일.

tráffic-càst *n.* 도로 (교통) 정보 방송. ㊞ **~·er** *n.* 도로 (교통) 정보 아나운서.

tráffic cìrcle ((미)) 환상(環狀) 교차로, 로터리.

tráffic còne 콘((도로 (보수) 공사 구간 등에 설치하는 원뿔 모양의 표지)).

tráffic contról sìgnal 교통 신호(등).
tráffic contról sỳstem 〚컴퓨터〛 교통량 제어 시스템《차량 주행이 구역(block) 신호에 따라 제어되는 체계》.
tráffic còp 《미구어》 교통순경.
tráffic còurt 교통 위반 즉결 재판소.
tráffic engineèer 교통 공학 전문가.
tráffic engineèring 교통 공학.
tráffic ìndicator 《영》 =TRAFFICATOR.
tráffic ìsland 교통섬《보행자를 보호하기 위하여 차선 사이에 설치한 안전지대》. [cf] safety zone.
tráffic jàm 교통 체증〔마비〕.
traf·fick·er [trǽfikər] *n.* **1** 거래업자; (특히 악덕) 상인, 부정 거래업자. **2** (뒷구멍으로) 교섭을 하는 사람; 음모가(家) (schemer). **3** 마약 거래상(drug dealer).
tráffic lìght (교차점의) 교통 신호등.
tráffic mànager (운수 회사의) 수송부〔여객부〕장; (기업의) 업무 촉진 담당 이사.
tráffic offènse 교통 위반.
tráffic pàttern (비행기가 이착륙 때 지시받는) 지정 비행 코스.
tráffic retùrns (정기적인) 운수 보고.
tráffic ríght (항공사의 유상) 운송권.
tráffic sìgn 교통 표지.
tráffic sìgnal 교통 신호(등).
tráffic tìcket 교통 위반 딱지.
tráffic wàrden 《영》 교통 지도원《주차 위반 단속, 아동 교통 지도 등을 하는 경찰 보조자》.
tráffic·wày *n.* 도로 용지; 차도; =HIGHWAY.
trag. tragedy; tragic.
trag·a·canth [trǽgəkæ̀nθ, trǽdʒ-] *n.* [U] 트래거캔스 고무《Astragalus의 수액; 제약·염색용》.
tra·ge·di·an [trədʒíːdiən] *n.* 비극 배우; 비극 작가.
tra·ge·di·enne [trədʒìːdién] *n.* 비극 여배우.
⁑**trag·e·dy** [trǽdʒədi] *n.* **1** [U,C] 비극(적인 사건); 비극적인 이야기. [opp] *comedy.* ¶ a ~ king 〔queen〕 비극 배우〔여배우〕/The ~ of it! 이 무슨 비극인가. **2** 비극의 창작〔연출〕; (극·문학·인생 등의) 비극적 요소.
*__trag·ic__ [trǽdʒik] *a.* **1** 비극의(↔[opp] *comic*), 비극적인: a ~ actor 〔poet〕 비극 배우〔시인〕. **2** 비참한, 비통한: a ~ death. **—** *n.* (the ~) 비극적 요소〔표현〕.
trag·i·cal [trǽdʒikəl] *a.* =TRAGIC. ⓟ **~·ly** *ad.* 비극적으로, 비참하게. **~·ness** *n.*
trágic fláw 〚문예〛 비극적 약점《비극 주인공의 성격적 결함》.
trágic írony 비극적 아이러니(dramatic irony).
trag·i·com·e·dy [træ̀dʒikámədi/-dʒikɔ́m-] *n.* [U,C] 희비극《비유적으로도 씀》.
trag·i·com·ic, -i·cal [træ̀dʒikámik/-kɔ́m-], [-kəl] *a.* 희비극적인. ⓟ **-i·cal·ly** *ad.*
trag·o·pan [trǽgəpæ̀n] *n.* 〚조류〛 수계류(綬鷄類)《아시아산(產)의 꿩류의 새》.
tra·gus [tréigəs] (*pl.* ***-gi*** [-dʒai]) *n.* 〚해부〛 이주(耳珠)《외이공(外耳孔) 앞에 있는 작은 돌기》; 이모(耳毛).
tra·hi·son des clercs [*F.* tʀaizɔ̃deklɛːʀ] 《F.》 지식인의 배신, 지적(知的) 변절.
⁑**trail** [treil] *vt.* **1** 《~+[목]/+[목]+[전]+[명]/+[목]+[부]》 (질질) 끌다, (질질) 끌며 가다(☞ [SYN.] ⇨ PULL); (연기·구름 따위를) 꼬리를 끌게 하다: ~ one's skirt 스커트를 질질 끌(며 가)다/~ a toy cart *by* 〔*on*〕 a piece of string 장난감 자동차를 끈으로 질질 끌다/He *~ed along* his wounded leg. 그는 다친 다리를 질질 끌며 걸었다. **2** 《~+[목]/+[목]+[전]+[명]》 …의 뒤를 밟다, 추적하다: ~ a wild animal 야수를 뒤쫓다/~ a person *to* his house 집까지 아무의 뒤를 쫓아가다. **3** 《구어》 (경주 따위에서) …의 뒤를 달리다; (가축을) 쫓다, (긴 열을 지어) …의 뒤에서 따라가다. **4** (연설 등을) 길게 끌다《*out*》; 길게 끌어 발음하다. **5** 《미》 (풀 따위를) 밟아서 길을 내다. **6** 〚군사〛 세워총 하다. **7** 〚야구〛 …에 지고 있다, …의 뒤를 쫓다. **8** (영화·TV 프로그램 등을) 예고편으로 선전하다. **—** *vi.* **1** 《+[부]/+[전]+[명]》 (질질) 끌리다; (머리카락이) 늘어지다: Her long skirt was *~ing along* 〔*on* the floor〕. 그녀의 긴 스커트가 질질 끌렸다〔마루에 질질 끌렸다〕. **2** 《+[전]+[명]》 (덩굴이) 붙어서 뻗어 가다: vines *~ing over* the walls 벽 위로 뻗어 가는 덩굴. **3** 《+[전]+[명]》 꼬리를 끌다; (구름·안개 등이) 길게 뻗치다: Smoke *~ed from* the chimney. 연기가 굴뚝에서 길게 피어 올랐다. **4** 《+[부]/+[전]+[명]》 발을 질질 끌며 가다, 천천히 나아가다: The tired children *~ed along behind* their father. 지친 아이들은 아버지 뒤에서 발을 질질 끌며 걸었다. **5** 《+[부]/+[전]+[명]》 (소리 따위가) 점차 사라지다〔약해지다〕《*away; off*》: Her voice *~ed away* 〔*off*〕 *into* silence. 그녀의 목소리는 점점 작아지면서 스러졌다. **6** 추적하다, 뒤를 밟다; (개가) 냄새 자국을 쫓다. **7** (시합에서) 지고 있다. ***Trail arms!*** 〚군사〛 세워총《구령》. **~ *in*** 들어가다〔오다〕. **~ *on*** (지겨운 시간·행사 등이) 오래 끌다. **~ *one's coat*** ⇨ COAT.
— *n.* **1** 뒤로 길게 늘어진 것; (혜성 따위의) 꼬리; (구름·연기 따위의) 길게 뻗침《*of*》; (사람·차 따위의) 줄, 열《*of*》; 긴 옷자락; 늘어뜨린 머리카락; (땅을) 뻗어 가는 가지〔덩굴〕; 후릿그물(~ net): a ~ *of* smoke 길게 뻗은 연기/vapor ~*s* 비행기구름. **2** 자국, 발자국, 지나간 흔적, 밟은 자국, 질질 끌린 자국; 선적(船跡), 항적(航跡); (짐승의) 냄새 자국; (수색의) 실마리, 형적: a ~ of destruction 파괴의 자취/The wounded criminal left a ~ of blood. 상처 입은 범인은 핏자국을 점점이 남겼다. **3** (황야나 미개지의) 오솔길. [SYN.] ⇨ ROAD. **4** (재해·불행 등의) 여파, 후유증. **5** 세워총(의 자세). **6** (포가의) 가미(架尾). ***at*** (***the***) **~** 세워총의 자세로. ***camp on the ~ of*** 《미》 …을 끈질기게 뒤쫓다〔추적하다〕. ***get on the ~ of*** …의 실마리를 잡다〔포착하다〕. ***hit the ~*** 《속어》 여행을 떠나다; 떠나가다. ***in ~*** 일렬 종대로. ***off the ~*** (사냥개가) 냄새 자국을 잃고, 쫓다가 놓치어; 길을 잃어: put pursuers *off the ~* 추적자를 따돌리다. ***on the ~*** (***of …***) (…을) 추적하여. ***take up the ~*** 추적하다.
tráil·able *a.* =TRAILERABLE.
tráil bìke 트레일 바이크《험로(險路)용 소형 오토바이》.
tráil·blàzer *n.* 새 길을 만드는 사람; 개척자, 선구자. ⓟ **-blàzing** *a.* 선구적인.
tráil bòss 《미서부》 소몰이꾼의 책임자.
tráil·brèaker *n.* =TRAILBLAZER.
°**tráil·er** *n.* **1** (땅 위로) 끄는 사람〔것〕; 추적자. **2** 트레일러, (자동차 따위의) 부수차(附隨車); (자동차로 끄는) 이동 주택〔사무소, 실험소〕. **3** 〚영화〛 예고편. **4** 만초(蔓草). **5** 〚기계〛 (기관차 등의) 종륜(從輪)(=**tráiling whèel**). **6** 〚컴퓨터〛 트레일러, 후미《파일의 맨 끝에 기록되는 것; 파일의 끝 표시와 내용을 요약한 정보 포함》.
tráil·er·a·ble [-rəbəl] *a.* 트레일러로 이동〔운반〕할 수 있는.
tráiler càmp 〔**còurt, pàrk**〕 (삼림(森林)공원 등의) house trailer 주차 지정 구역.
tráiler còach 《미》 (자동차가 끄는) 이동식 가옥.
tráiler hòuse 〔**hòme**〕 《미》 (자동차로 견인되는) 이동 주택(mobile home).
tráil·er·ist [-rist] *n.* 이동 주택으로 여행하는 사람; =TRAILERITE.

trail·er·ite [tréiləràit] *n.* 이동 주택의 주민(거주자); =TRAILERIST.
tráiler pàrk 이동 주택 지정 주차 구역.
tráiler pùmp (트레일러에 실은) 이동 소방 펌프.
tráiler·shìp *n.* 트레일러선(船)《트럭·트레일러·승용차 따위를 나르는》.
tráiler tràsh 《미경멸》 trailer park의 주민.
tráiler trùck 《미》 트레일러트럭.
tráil·hèad *n.* 자취(흔적)의 기점(起點).
tráiling arbútus 〖식물〗 (북아메리카산(產)) 철쭉과 식물의 일종.
tráiling èdge 〖항공〗 날개의 뒷전.
tráil mix =GORP.
tráil nèt (배로 끄는) 후릿그물.
†**train** [trein] *n.* **1** 열차, 기차, 전동차《2량 이상 연결되어 달리는 것》: a local (an accommodation) ~ 보통 열차 / an express ~ 급행열차 / a passenger (a freight, 《영》 goods) ~ 여객(화물) 열차 / a down (an up) ~ 하행(상행) 열차 / a through ~ 직행 열차 / take the 9 a.m. ~ for Washington 오전 9시발 워싱턴행 열차를 타다 / travel (go) by ~ 열차로 여행하다(가다) / get into (out of) a ~ =get on (off) a ~ 열차를 타다(내리다). **2** (사람·동물·차 따위의) 열, 행렬《*of*》: a ~ *of* covered wagons 포장마차의 행렬 / a funeral ~ 장례 행렬. **3** 연속, 연관; (사고의) 맥락《*of*》: a ~ *of* events 일련의 사건 / a ~ *of* thought 생각의 맥락. **4** 뒤에 끌리는 것; 옷자락; (별똥별·새 따위의) 꼬리. **5** 종자, 수행원, 일행: the king and his ~ 왕과 그 수행원. **6** (포(砲)의) 가미(架尾), 차미(車尾); 불씨, 도화선. **7** 《문어》 [U] 차례, 순서, 절차; 정돈: put things *in* ~ 일의 절차를 갖추다. **8** 〖군사〗 병참 부대. ***in* (*good*) ~** 준비가 잘 갖추어져: All is now *in* (*good*) ~. 만반의 준비가 갖추어졌다. ***in its* ~** 그에 잇따라. ***in the* ~ *of*** …에 잇따라, …의 결과로서. ***miss* (*catch*) one's ~** 열차를 놓치다(시간에 대다). ***pull a* ~** 《미속어》 (여자가) 상대를 차례차례 바꿔 가며 섹스를 하다. ***put on a special* ~** 임시 열차를 마련(배차)하다. ***take* (*a*) ~** 기차를 타다. ***take* ~ *to*** …에 기차로 가다.
— *vt.* **1** 《~+[목]/+[목]+[부]/+[목]+*to* do/+[목]+*as* [보]/+[목]+[전]+[명]/+[목]+*wh. to* do》 가르치다, 교육하다《*up; over*》; 훈련하다, 양성하다《*for*》: ~ *up* one's child 아이를 가르치다 / ~ *up* a person *to* good habits 아무에게 좋은 습관을 가르치다 / ~ a dog *to* obey 개를 말 잘 듣도록 훈련하다 / ~ a person *as* (*for; to* be) a doctor 아무를 의사로 양성하다 / I've ~*ed* myself *for* this type of work. 이런 유의 일에는 익숙해 있다 / ~ a person *how to* operate a machine 아무에게 기계 작동법을 가르치다. [SYN.] ⇨ TEACH. **2** 《~+[목]/+[목]+[전]+[명]》 …의 몸을 단련시키다; 길들이다: ~ a long-distance runner 장거리 선수를 양성하다 / ~ a person *for* a marathon 마라톤에 대비하여 아무를 트레이닝하다. **3** 《~+[목]/+[목]+[부]/+[목]+[전]+[명]》 〖원예〗 (나뭇가지 따위를) 취미에 맞는 모양으로 가꾸다《*over; up*》, 정지(整枝)하다: ~ one's hair / ~ (*up*) vines *over* the gate 대문 위로 포도나무를 뻗어오르게 하다. **4** 《~+[목]/+[목]+[전]+[명]》 (망원경·카메라·포 따위를) 돌리다, 가늠(조준)하다《*on, upon*》: ~ a cannon *upon* a fort 대포를 요새 쪽으로 돌리다. **5** 열차로 (여행을) 하다. **6** 《드물게》 (무거운 것을) 끌다 (draw). **7** 《영고어》 꾀다; 유혹하다, 부추기다《*away; from*》. **8** 《구어》 (유아·개 따위에) 용변법을 가르치다([cf.] toilet training).
— *vi.* **1** 《~/+[전]+[명]/+*to* do》 연습하다, 실습하다; 훈련하다(을 받다), 교육하다(을 받다): ~ *for* a contest 경기 연습을 하다 / She is ~*ing as* a nurse. 그녀는 간호사로서 교육을 받고 있다 / ~ *to* be a doctor 의사가 되기 위해 교육받다. **2** 《~/+[전]+[명]》 몸을 조절하다: He ~*s on* (a diet of) beefsteak and fruits. 그는 비프스테이크와 과일로 몸을 조절하고 있다. **3** 《~/+[전]+[명]》 기차로 여행하다: We ~*ed to* Boston. 우리는 보스턴까지 기차로 갔다. **4** (옷자락 등이) 질질 끌리다, (가지 등이) 기다. **5** 《미》 사이좋게 지내다, 손을 잡다, 제휴하다《*with*》.
~ *down* 몸을 단련해 체중을 줄이다. **~ *fine*** 엄격히 훈련하다. **~ *it*** 《구어》 기차로 가다. **~ *off*** 지쳐서(식이법에 못 견뎌) 몸 조절 훈련에서 벗어나다; (탄알이) 빗나가다; (단련해 체중을) 줄이다: ~ *off* fat 운동을 해서 지방(군살)을 빼다. **~ *on*** 연습해서 기량이 늘다.
[파] **∠·a·ble** *a.* 훈련(교육)할 수 있는.
tráin·bànd *n.* 〖역사〗 시민군(市民軍)《16-18세기 영국·미국에서 결성된》.
tráin·bèarer *n.* (의식 등에서) 옷자락을 드는 사람; 〖조류〗 긴꼬리벌새《남아메리카산》.
tráin càse (**bòx**) (여행용) 세면도구 주머니.
tráin dispàtcher 《미》 (철도의) 열차 발착계원, 조차(操車)계원.
tráined núrse =GRADUATE NURSE.
train·ee [treiníː] *n.* 연습생; (직업) 훈련생; 〖미군사〗 신병; 훈련 중의 동물. [파] **~·ship** *n.*
***train·er** [tréinər] *n.* 훈련자, 코치, 길들이는 사람; 조마사, 조교사(調教師); (경기 등의) 지도자, 트레이너; 《영》 (*pl.*) 트레이닝 슈즈, 스니커(sneaker); 연습용 기구; 〖미해군〗 조준수(照準手); 〖항공〗 (비행사) 연습기; 민병대원. 「페리.
tráin fèrry (열차를 실은 채 건너는) 연락선, 열차
****train·ing** [tréiniŋ] *n.* [U] **1** 훈련, 트레이닝, 단련, 교련, 조교(調教), 연습; 양성: ~ for teachers 교사의 양성. **2** (경기의) 컨디션. **3** 〖원예〗 가꾸기, 다듬기, 정지(整枝), 가지고르기. ***be in* (*under*) *the* ~** 연습이 되어 있다(있지 않다). ***be in* (*out of*) ~** 연습 중이다(아니다); 컨디션이 좋다(나쁘다). ***go into* ~** 연습을 시작하다《*for*》.
tráining àid =TEACHING AID.
tráining càmp (운동선수의) 합숙 훈련소.
tráining cèntre 《영》 (경찰 등 특수 직업 종사자의) 훈련 센터.
tráining còllege 《영》 =TEACHERS COLLEGE.
tráining pànts (유아의) 용변 연습용 속 팬츠《기저귀가 필요 없게 된 것》.
tráining schòol **1** (직업·기술) 훈련(양성)소: a ~ for nurses 간호사 양성소. **2** 소년원.
tráining sèat (유아용) 연습용 변기.
tráining shìp 연습함(선).
tráining shòe 《영》 =SNEAKER 2.
tráining tàble 규정식을 먹는 식탁(식당)《컨디션 조절 중의 스포츠 선수가》.
tráining whèels (유아(幼兒)용 자전거의) 보조 바퀴. 「(승객).
tráin·lòad *n.* 〖철도〗 적재량, 1열차분의 화물
tráin·man [-mən, -mæ̀n] (*pl.* **-men** [-mən, -mèn]) *n.* 《미》 열차 승무원《제동수·신호수》.
tráin·màster *n.* 《미》 (예전의) 짐마차 대장; 열차장(長).
tráin òil 고래기름(whale oil); 어유(魚油).
tráin sèt (장난감) 열차 세트.
tráin·sìck *a.* 기차 멀미가 난.
tráin sìckness 기차 멀미.
tráin·spòtting *n.* [U] 《영》 기관차의 형식이나 번호를 기록하기(알아맞히기). [파] **-spòtter** *n.*
traipse, trapes [treips] 《구어·방언》 *vi.* 정처 없이 걷다, 어슬렁거리다, 배회하다《*across; along;*

away, etc.)); (바삐) 심부름다니다((*about*)); (치맛자락 등이) 끌리다. —*vt.* …을 도보로 가다. —*n.* 어슬렁거리기, 싸다니기; 칠칠맞지 못한 여자(slattern).

***trait** [treit/trei, treit] *n.* **1** 특색, 특성, 특징, 버릇; 얼굴 생김새, 모습: English ~*s* 영국 국민성/culture ~*s* 문화 특성. **2** ((드물게)) 붓글씨 솜씨, 일필(一筆). **3** ((드물게)) …기(미), 기운, 조금((*of*)): a ~ *of* humor 유머기, 익살기.

trai·tor** [tréitər] *n.* 배반자, 반역자((*to*)); 역적: a ~ *to* the nation 매국노/turn ~ *to* …을 배반하다. ***the Traitor's Gate 역적문(門)((옛날 국사범을 가두었던 런던탑의 Thames 강 쪽의 문)).

[파] **~·ship** *n.*

trai·tor·ous [tréitərəs] *a.* 배반하는, 불충한; 딴마음 있는; 반역(죄)의. [파] **~·ly** *ad.* **~·ness** *n.*

trai·tress [tréitris] *n.* TRAITOR의 여성형.

tra·ject [trədʒékt] *vt.* (빛 등을) 투과시키다, 전도하다(transmit); (강 등을) 건너다, 넘다. [파] **tra·jéc·tion** *n.*

tra·jec·to·ry [trədʒéktəri] *n.* **1** (투사물·로켓·천체 등이 그리는) 곡선, 호(弧), 탄도, 궤도, 궤적, 비상(飛翔) 경로. **2** 〖기하〗 궤도((위상 공간에 있어서 어떤 성질을 지닌 점의 운동 경로)). **3** 〔일반적〕 지나온 경로, 역정(歷程).

tra-la, -la-la [trɑːlɑ́ː], [-ləlɑ́ː] *int.* 트랄 라((기쁨, 즐거움을 나타내는 소리)).

tram**[1] [træm] *n.* **1** ((영)) 시가(市街) 전차(((미)) streetcar, trolley car); 궤도 전차. **2** 광차, 석탄 운반차. **3** (*pl.*) ((영)) 전차 궤도; =TRAMROAD. ***by ~ 전차로. —(*-mm-*) *vi.*, *vt.* 전차로 가다〔운반하다〕.

tram[2] *n.* [U] 견직물의 씨실, 외가닥 명주실(=∠ **silk**).

tram[3] *n.* 〖기계〗 =TRAMMEL; 정확한 위치〔조정〕. —(*-mm-*) *vt.* …을 바르게 조정하다.

trám·càr *n.* ((영)) **1** 시가 전차(tram): ~ stop 전차 정류장. **2** 광차(tram).

trám·lìne ((영)) *n.* 시가 전차 궤도; (*pl.*) ((구어)) (테니스 코트의) 측선.

tram·mel [trǽməl] *n.* **1** 차꼬, 말의 족쇄. **2** (보통 *pl.*) 구속, 속박, 장애물((습관·예의 등의)): the ~*s* of custom 인습의 속박. **3** (새·물고기 등을 잡는) 그물, ((특히)) 3중 자망(刺網)(=∠ **nèt**). **4** (*pl.*) 타원 컴퍼스; 〖기계〗 조정기. **5** 화덕 위에 냄비를 매다는 두루돌이 쇠고리. —(*-l-*, ((영)) *-ll-*) *vt.* 구속〔방해〕하다; 그물로 잡다((*up*)).

tram·mie [trǽmi] *n.* ((Austral. 구어)) 시가 전차(tram) 운전사〔차장〕.

tra·mon·tane [trəmɑ́ntein, trǽməntèin/trəmɔ́ntein] *a.* 산 너머의; 알프스 저편〔북쪽〕의; (이탈리아 입장에서 보아) 이방(異邦)의, 야만적인. —*n.* 산 너머의 사람; 외국인, 야만인.

tramp** [træmp] *vi.* **1** ((~/+[부]/+[전]+[명])) 짓밟다((*on*, *upon*)); 쿵쿵거리며 걷다((*about*)): I heard him ~*ing about* overhead. 머리 위에서 그가 쿵쿵거리며 걷는 소리가 들렸다/~ *on* a person's toes 아무의 발을 세게 밟다. **2** ((~/+[부]/+[전]+[명])) 터벅터벅 걷다, 걸어다니다; 방랑하다; 도보 여행하다: ~ all the way 줄곧 걸어가다/I've ~*ed up* and *down* all day looking for you. 너를 찾느라고 하루 종일 여기저기 돌아다녔다/We ~*ed through* the Lake District. 우리는 호수 지방을 걸어서 여행했다. **3** 부정기 화물선으로 항해하다. —*vt.* **1** ((~+[목]/+[목]+[전]+[명])) …을 쿵쿵거리며 걷다; 짓밟다: ~ grapes *for* wine 포도주를 담그기 위해 포도를 밟아 으깨다. **2** 도보 여행하다; 도보로 가다: ~ the fields 들을 거닐다. ***~ down 짓밟다. ***~ it*** 걸어가다: I missed my bus and had to ~ *it*. 버스를 놓쳐 걸어가야 했다.

—*n.* **1** 짓밟음; 짓밟는 소리((*of*)): the ~ *of* marching soldiers 행군하는 병사들의 무거운 걸음걸이. **2** 방랑자, 뜨내기, 룸펜. **3** 터벅터벅 걷기, 도보 여행, 하이킹; 방랑 생활: take a long ~ 먼 길을 도보로 가다. **4** 구두창의 스파이크〔징〕. **5** 부정기 화물선(~ steamer): an ocean ~ 외양(外洋) 부정기 화물선. **6** ((속어)) 음탕한 여자; 매춘부. ***look like a ~*** 추레한 몸가짐을 하고 있다. ***on the ~*** 방랑하여; (구직차) 떠돌아다니는.

[파] **∠·er** *n.* 도보 여행자, 터벅터벅 걷는 사람; 떠돌이; 부정기선.

trám pìnch ((영)) 트램 핀치((노면 전차의 궤도가 길 쪽으로 다가선 구간〔정류장〕 등)).

tram·ple** [trǽmpəl] *vt.* **1** ((~+[목]/+[목]+[부]/+[목]+[전]+[명])) 짓밟다; 밟아 뭉개다: ~ *out* a fire 불을 밟아 끄다/The elephant ~*d* him *to* death. 코끼리가 그를 밟아 죽였다/Don't ~ (*down*) the flowers in the garden. 뜰의 꽃을 밟아 뭉개지 마라. **2** ((~+[목]/+[목]+[부])) (감정 따위를) 짓밟다, 무시하다, (사용인 등을) 유린하다: ~ law and order 법과 질서를 파괴하다/~ *down* all resistance 모든 저항을 억누르다. —*vi.* **1** ((~/+[전]+[명])) 쿵쿵거리며 걷다; (…을) 짓밟다, 밟아 망치다: ~ *on* a flower bed 꽃밭을 밟아 망가뜨리다. **2** ((+[전]+[명])) ((비유)) (감정·정의 따위를) 짓밟다, 유린하다, 학대하다((*on*, *upon; over*)): ~ *on* law and justice 법과 정의를 무시하다. ***~ under 〔***down***〕 ***foot*** ① 마구 짓밟다: ~ an insect *under foot* 곤충을 짓밟다. ② 무시하다, 업신여기다: ~ the law *under foot* 법을 짓밟다〔무시하다〕. —*n.* 쿵쿵거리며 걸음〔걷는 소리〕, 짓밟음; 짓밟는 소리. [파] **-pler** *n.* ~하는 사람.

tram·po·line [træ̀mpəlíːn, ∠-∸/trǽmpəlin, -lìːn] *n.* **1** 트램펄린((쇠틀 안에 스프링을 단 조크의 탄성을 이용하는 도약용 운동구)). **2** ((CB속어)) 침대. [파] **tràm·po·lín·er, -lín·ist** *n.*

tràm·po·lín·ing [∠-∸-] *n.* 트램펄린((트램펄린을 쓰는 도약 회전기(技))).

trámp stèamer 부정기(不定期) 화물선.

trám·ròad *n.* (광산 따위의) 궤도, 광차도(道).

trám·wày *n.* ((영)) =TRAMLINE; 광차 선로; (케이블카의) 삭도.

trance [træns, trɑːns/trɑːns] *n.* **1** 몽환(夢幻)의 경지, 황홀; 열중; 망연(茫然)자실. **2** 〖의학〗 혼수상태, 인사불성. ***fall into a ~*** 황홀해지다; 실신하다. —*vt.* ((시어)) 황홀하게 하다; 좋아서 어쩔 줄 모르게 하다. [파] **∠·like** *a.*

tranche [*F.* trɑ̃ːʃ] *n.* ((F.)) 박편; 〖금융〗 트랑쉐((분할 발행되는 증권〔융자〕의 일부분)); (수입의) 일부분, (분할 지불의) 일회분.

trank [træŋk] *n.* ((미구어)) =TANQUILIZER.

tran·ny, -nie [trǽni] *n.* ((영구어)) 트랜지스터 라디오.

tran·quil** [trǽŋkwil] (more ~, ~·(l)er; most ~, ~·(l)est***) *a.* 조용한, 평온한, (마음·바다 따위가) 차분한, 편안한, 평화로운: a ~ sea 고요한 바다/a ~ life 〔mind〕 평온한 생활〔마음〕. [파] **~·ly** *ad.* **~·ness** *n.*

Tran·quil·ite [trǽŋkwəlàit] *n.* 〖광물〗 아폴로 11호가 달의 '고요의 바다'에서 채취해 온 광물((티탄·철·마그네슘의 혼합물)).

°**tran·quil·(l)i·ty** [træŋkwíləti] *n.* [U] 평정, 평온, 평안, 침착. ***the Sea of Tranquility*** 〖천문〗 (달의) 고요의 바다.

tranquíl(l)ity tank 정신 안정 탱크((암실 내의 부유 탱크에 온수를 채운 탱크; 그 속에 잠기어 스트레스를 해소할 수 있음)).

trán·quil·(l)ìze *vt.*, *vi.* 잠잠하게 하다〔되다〕,

진정시키다; 조용해지다. [파] **tràn·quil·(l)i·zá·tion** *n.* [U] 잠잠하게 함, 진정, 평온.

trán·quil·(l)iz·er *n.* 진정시키는 사람(것); 『약학』 트랭퀼라이저, 진정제, 신경 안정제.

trans- [træns, trænz/træns, trænz, trɑːns, trɑːnz] *pref.* **1** '횡단, 관통'이란 뜻. [opp] *cis*–.¶ *trans*atlantic; *trans*fix. **2** '초월'이란 뜻: *trans*cend. **3** '변화, 이전'이란 뜻: *trans*form; *tran*fat(트랜스〔이전〕 지방). **4** '건너편'이란 뜻: *trans*pontine.

trans. transaction(s); transfer(red); transformer; transit; transitive; translated; translation; translator; transport; transportation; transpose; transverse.

°**trans·act** [trænsǽkt, trænz-/trænz-] *vt.* 《~+[목]/+[목]+[전]+[명]》 (사무 등을) 집행하다, (안건 등을) 처리하다: He ~*s* business *with* a large number of stores. 그는 많은 상점과 거래하고 있다. **—** *vi.* 사무를 보다; 《드물게》 거래〔교섭〕하다; 관계하다《*with*》. [파] **-ác·tor** *n.* 처리자; 거래인.

「드 계열.

trans·áctinide sèries 『화학』 초(超)악티니

°**trans·ac·tion** [trænsǽkʃən, trænz-/trænz-] *n.* **1** (업무) 처리, 취급《*of*》; 거래: the ~ *of* business 사무 처리 / cash ~*s* 현금 거래. **2** (*pl.*) 의사록, 회보, 보고서. **3** 『법률』 화해, 시담(示談). **4** (종종 *pl.*) 계약, 상거래(액). **5** 『컴퓨터』 트랜색션, 처리《생략: TA》. **6** 『심리』 (교류 분석에서의) 교류(交流).

trans·ác·tion·al análysis [trænsǽkʃənəl-, trænz-/trænz-] 교류 분석《생략: TA》.

transáction file 『컴퓨터』 트랜색션 파일《자료 처리에서 가변적인 자료를 처리하는 파일》. [cf.] master file.

trans·ác·tive críticism [trænsǽktiv-, trænz-/trænz-] 『문학』 교류 비평.

trans·al·pine [trænsǽlpain, -pin, trænz-/trænz-] *a.* 알프스 저편의《보통 이탈리아 쪽에서 보아》. **—** *n.* 알프스 저편의 사람.

Trans-Am [trǽnzæ̀m] 《구어》 *a.* **1** =TRANS-AMERICAN. **2** 아마존 횡단의(=**tràns-Ámazon**). **—** *n.* **1** (상표 등에서) 아메리카 횡단. **2** 아마존 횡단 도로.

tràns-Américan *a.* 아메리카 횡단의. ★ 구어 · 상표명은 Trans-Am.

trans·áminase *n.* 『생화학』 트랜스아미나아제, 아미노기(基) 전이(轉移) 효소.

tràns·atlántic *a.* 대서양 횡단의; 대서양 건너편의《유럽에서 보아; 때로는 그 반대》; (유럽에서 보아) 미국의. **—** *n.* 대서양 건너편에 사는 사람; 대서양 항로 정기선.

trans·áxle *n.* 『기계 · 자동차』 트랜스액슬《전치(前置)기관 · 전륜(前輪) 구동차 등에 쓰이는 동력 전달 장치로, 변속 장치와 구동축(軸)이 일체임》.

trans·bús *n.* 《미》 노인 · 신체장애자를 위해 개량한 대형 버스. [cf.] kneeling bus.

trans·ca·lent [trænskéilənt] *a.* 열을 잘 전도하는, 열 양도성(良導性)의. [파] **-len·cy** *n.*

Tràns·caucásia *n.* 트랜스코카시아《Caucasus 산맥의 남쪽 카스피해와 흑해 사이 지역》.

trans·ceiv·er [trænsíːvər] *n.* 휴대용 소형 무선 전화기, 트랜스시버《근거리용》. [◂ *trans*mitter+rec*eiver*]

tran·scend [trænsénd] *vt., vi.* (경험 · 이해력 등의 범위 · 한계를) 넘다; (우주 · 물질적 존재 따위를) 초월〔초절(超絶)〕하다; 능가하다, …보다 낫다.

tran·scend·ent [trænséndənt] *a.* 뛰어난, 탁월한; 보통 경험의 범위를 넘은; 풀기 어려운, 불분명한; 『스콜라철학』 초월적인; 『칸트철학』 초절적(超絶的)인; 『신학』 (신이) 물질계를 초월한; 초월적인. [cf.] immanent. **—** *n.* **1** 탁월한 사람〔물건〕, 초절물(超絶物). **2** 『철학』 선험적인 것. **3** 『수학』 초월 함수. [파] **-ence, -en·cy** [-əns], [-i] *n.* [U] 초월, 탁월; (신의) 초월성. **~·ly** *ad.*

tran·scen·den·tal [trænsendéntl, -sən-] *a.* **1** 『철학』 초월적인; 『칸트철학』 (transcendent와 구별해) 선험적인. [opp] *empirical.* ¶ ~ cognition 〔object〕 선험적 인식〔객관〕. **2** 탁월한, 뛰어난; 보통의 경험 범위를 넘은. **3** 초자연적인, 초절적인; 인지(人智)가 미치지 못하는; 『수학』 (함수가) 초월한. **4** 난해한, 모호한, 막연한. **5** 이상주의적인, 관념(론)적인, 고원(高遠)한. **—** *n.* 인지가 미치지 못하는 것; 보편적 개념; 『스콜라철학』 초월적인 것《진 · 선 · 미 따위》; 『수학』 초월수. [파] **~·ly** *ad.*

tràn·scen·dén·tal·ìsm *n.* [U] **1** 『철학』 (칸트의) 선험론(先驗論); (Emerson 등의) 초절(超絶)주의. **2** 초절적인 성질〔성격, 상태〕. **3** 공상적 이상주의; 고상한〔이상주의적인, 공상적인〕 생각〔말〕. [파] **-ist** *n.* 『철학』 선험론〔초절론〕자.

tràn·scen·dén·tal·ize *vt.* 우월〔초월〕케 하다; 이상화하다, 이상주의적으로 처리〔표현〕하다.

transcendéntal meditátion 초월 명상. **1** 고대 힌두교 문헌에 의거하여 마음의 평안을 목적으로 mantra를 외며 행하는 일상적 명상법《생략: TM》. **2** (T- M-) Maharsi Mahesi Yogi가 1958년 인도의 Bombay에서 시작한 종교 운동.

tràns·continéntal *a.* 대륙 횡단의; 대륙 저쪽의: a ~ railroad 대륙 횡단 철도. [파] **~·ly** *ad.*

tran·scribe [trænskráib] *vt.* **1** 베끼다, 복사하다; (속기 · 외국 문자 따위를) 다른 글자로 옮겨 쓰다, 전사(轉寫)하다; (견문 따위를) 문자화하다. **2** (소리를) 음성〔음소(音素)〕 기호로 나타내다; 번역하다; 『방송』 녹음〔녹화〕 (방송)하다. **3** 『음악』 편곡하다; 『생화학』 (유전 정보를) 전사하다. ◇ transcription *n.* [파] **-scríb·er** *n.* 필사생, 등사자; 편곡자; 전사기(機).

tran·script [trǽnskript] *n.* **1** 베낀 것; 사본, 등본(謄本); (연설 등의) 필기록; 복사, 전사(轉寫); (학교의) 성적 증명서; 번역한 것. **2** (생활 체험 등의) 예술적 표현〔재현〕; 『생화학』 DNA로부터 전령(傳令) RNA에 전사(轉寫)된 유전 정보.

tran·scrip·tase [trænskrípteis, -teiz] *n.* 『생화학』 전사 효소(轉寫酵素)《DNA를 본으로 하여 RNA를 합성하는 효소》.

tran·scrip·tion [trænskrípʃən] *n.* **1** [U] 필사(筆寫), 전사; [C] 베낀 것, 사본, 등본. **2** [C,U] 『음악』 편곡, 녹음, (텔레비전의) 녹화, 재방송용 필름; 녹음〔녹화〕 방송; 『유전』 전사(轉寫)《DNA에서 전령 RNA가 만들어지는 과정》. ◇ transcribe *v.* ***phonetic*** **~** 음성 표기. [파] **~·al** *a.* **~·al·ly** *ad.* **~·ist** *n.*

「〔녹화〕 재생기.

transcríption machìne 녹음〔녹화〕기, 녹음

tran·scrip·tive [trænskríptiv] *a.* 써서 베낀; 모방적인(imitative). [파] **~·ly** *ad.*

tràns·cúltural *a.* 2개 (이상)의 문화에 걸친〔미치는〕, 다른 문화 간의.

trans·cur·rent [trænskə́ːrənt, -kʌ́r-/trænzkʌ́r-] *a.* 가로 건너는, 횡단하는, 옆으로 뻗는.

trans·der·mal [tænsdə́ːrməl] *a.* 『의학』 경피적(經皮的)인《피부에 붙이거나 바르는 약에 쓰임》.

trans·duce [trænsdjúːs, trænz-/trænzdjúːs] *vt.* (에너지나 메시지를) 변환(變換)하다; 『생물』 (유전자 등을) 형질(形質) 도입하다.

trans·dúcer *n.* 『전기』 (에너지) 변환기(變換器); 『해사』 송수파기(送受波機).

trans·duc·tant [trænsdʌ́ktənt, trænz-] *n.* 『생물』 형질 도입주(導入株).

trans·duc·tion [trænsdʌ́kʃən, trænz-] *n.*

Ⓤ **1** (에너지 등의) 변환. **2** 〖생물〗 (세균의) 형질 도입(形質導入). ㊕ **~·al** *a.*

trans·éarth *a.* 〖우주〗 (우주선이) 지구로 향한.

tran·sect [trænsékt] *vt.* 가로로 절개하다; 횡단하다. ㊕ **-séc·tion** *n.* Ⓤ 횡단; Ⓒ 횡단면.

tran·sept [trǽnsept] *n.* 〖건축〗 트랜셉트, (십자형) 교회당 좌우 익부(翼部), 수랑(袖廊).

transept

Trans-Eúrope Expréss 유럽 횡단 급행열차《생략: TEE》.

transf. transfer; transferred.

trans·fec·tion [trænsfékʃən] *n.* 〖생화학〗 트랜스펙션(분리된 핵산의 세포에의 감염; 완전한 바이러스가 복제됨). ㊕ **trans·féct** *vt.*

trans·fer [trænsfə́ːr, ←́/trǽnsfəː] (-rr-) *vt.* **1 《~+목/+목+전+명》 옮기다, 이동〔운반〕하다; 전임〔전속, 전학〕시키다《*from; to*》: He hurriedly ~*red* his attention elsewhere. 그는 급히 주의를 다른 곳으로 돌렸다 / ~ a book *from* a table *to* a shelf 책을 책상에서 선반〔책꽂이〕에 옮기다 / He has been ~*red from* the branch office *to* the head office. 그는 지사에서 본사로 전임되었다. **2** 《+목+전+명》 (재산·권리를) 양도하다, 명의 변경하다: ~ property *to* a person. **3** 《+목+전+명》 (애정 등을) 옮기다; (책임 등을) 전가하다: He ~*red* the blame *from* his shoulders *to* mine. 그는 그 죄를 내게 전가했다. **4** 《+목+전+명》(…로) 바꾸다, 변화〔변형〕시키다《*into*》: His pride gradually had been ~*red into* mere vanity. 그의 자긍심은 차츰차츰 바뀌어 단순한 허영심으로 변해 버렸다. **5** (사상·정보 따위를) 전하다, 전승하다. **6** (원도(原圖) 따위를) 전사하다, (벽화를) 모사하다. **7** (프로 선수를) 이적하다, trade하다. ― *vi.* **1** 《~/+전+명》 옮아가다, 이동하다《*from; to*》; 전임〔전학, 전과(轉科)〕하다: He has ~*red to* the London branch. 그는 런던 출장소로 전임했다. **2** 《+전+명》 (탈것을) 갈아타다《*from; to*》: I took the streetcar and ~*red to* the subway. 노면 전차를 타고 가서 지하철로 갈아탔다 / I ~*red from* one bus *to* another. 나는 버스를 타고 가다 다른 버스로 갈아탔다. **3** 소속 클럽을 바꾸다, 이적(移籍)하다.

― [trǽnsfər] *n.* **1** 이동, 이전; 운반. **2** Ⓤ (재산·권리 등의) 양도; Ⓒ 양도 증서. **3** 전사(화(畫)). **4** 갈아타기, 갈아타는 지점; 갈아타는 표 (~ ticket). **5** 〖상업〗 환(換), 대체(對替): a ~ slip 대체 전표 / ⇨ TELEGRAPHIC TRANSFER / the P.O. Savings *Transfer* Account 우편 저금 대체 계좌. **6** Ⓤ (증권 따위의) 명의 변경. **7** 융통. **8** (다른 대학·부서·부대로의) 이적(자)(移籍(者)), 전임〔전속〕(자). **9** 〖철도〗 이송점(移送點). **10** 〖유전〗 (유전자의) 전이(轉移). **11** 〖컴퓨터〗 전송, 이동《정보를 어느 장치로부터 다른 장치로 옮기기》.

㊕ **~·al** [-fə́ːrəl] *n.*

trans·fér·a·ble [-rəbəl] *a.* 옮길〔전사할〕 수 있는; 양도할 수 있는. ㊕ **trans·fèr·a·bíl·i·ty** *n.*

transférable vóte 이양표(移讓票)《비례 대표제의 득표 수에서 기준표를 초과하여 타 후보에 이양할 수 있는 표》.

tránsfer àgent (주식의) 명의 개서(改書) 대리인. 「리인.

trans·fer·ase [trǽnsfərèis, -èiz] *n.* 〖생화학〗 전이 효소(轉移酵素); 전달 효소.

tránsfer bòok (증권·재산 등의) 명의 변경 대장. 「대장.

tránsfer cèll 〖식물〗 전이(轉移) 세포《특수화한 식물 세포의 일종》.

tránsfer còmpany 《미》 (단거리) 중계 통운 회사. 「운 회사.

tránsfer dàys (Bank of England에서 공채 등의) 명의 변경일.

trans·fer·ee [trænsfəríː] *n.* 양수인(讓受人), 양도 받은 사람; 전임〔전속, 전학〕자.

trans·fer·ence [trænsfə́ːrəns, trǽnsfər-/trǽnsfər-] *n.* Ⓤ 이전, 옮김; 이동, 전송(轉送); 양도; 전사(轉寫); 전임, 전근; 〖정신의학〗 (감정) 전이. ㊕ **-fer·en·tial** [trænsfərénʃəl] *a.*

tránsfer fáctor 〖생화학〗 이입(移入)〔전달〕 인자(因子).

tránsfer fèe (직업 선수 등의) 이적료.

tránsfer ìnk (석판 인쇄 등의) 전사 잉크.

tránsfer lìst (축구의) 이적 가능한 선수 명부.

tránsfer machìne 트랜스퍼 머신《일관 작업용 자동 공작 설비》.

tránsfer òrbit 〖우주〗 이행(移行) 궤도《우주선의 행성 간 비행으로, 출발한 행성과 목적한 행성의 양쪽 궤도에 접하는 타원 궤도》.

tránsfer pàper 전사지; 복사지.

trànsfer pàssenger (공항 등에서의) 환승객.

tránsfer pàyment (보통 *pl.*) 이전 지급《생활 보조비처럼 정부가 지급하는 소득의 재배분》.

tránsfer prìcing 〖경제〗 이전(移轉) 가격 조작.

transférred chárge càll 《영》 =COLLECT CALL.

trans·fér·(r)er, -fér·or [-rər] *n.* transfer 하는 사람〔물건〕; (보통 -feror) 〖법률〗 (재산·권리 등의) 양도인.

trans·fer·rin [trænsférin] *n.* 〖생화학〗 트랜스페린《음식물의 철분을 간장·비장·골수에 전달하는 혈장(血漿) 당(糖)단백질》. 「tRNA》.

tránsfer RNÁ 〖생화학〗 운반 RNA《생략: tRNA》.

tránsfer stùdent 《미》 (대학의) 편입생.

tránsfer tàble 〖미철도〗 천차대(遷車臺).

tránsfer tìcket 환승권.

trans·fig·u·ra·tion [trænsfigjəréiʃən] *n.* Ⓤ,Ⓒ 변형, 변모, 변신; (the T-) 〖성서〗 (산 위에서의 예수의) 현성용(顯聖容)《마태복음 XVII: 2》; (the T-) 현성용 축일《8월 6일》.

trans·fig·ure [trænsfígjər/-gə] *vt.* 형상〔모양〕을 바꾸다; 거룩하게 하다, 신화(神化)하다, 미화(美化)〔이상화(理想化)〕하다.

trans·fínite *a.* 유한을 넘는; 〖수학〗 초한(超限)의. ― *n.* 〖수학〗 초한수(超限數)(=← **nùmber**).

trans·fix [trænsfíks] *vt.* **1** 《~+목/+목+전+명》 찌르다, 꿰뚫다; 선 채로 그 자리에서 꼼짝 못하게 하다: ~ a bird *with* an arrow 화살로 새를 쏘아 맞히다 / He was ~*ed at* its sight. 그는 그 광경을 보고 꼼짝 못하고서 있었다. **2** (뾰족한 것·공포 등으로) 고정시키다, 못박다.

trans·fix·ion [trænsfíkʃən] *n.* Ⓤ 꿰뚫음, 관통; 꼼짝 못하게 하기; 〖의학〗 천관(穿貫)절단.

*__trans·form__ [trænsfɔ́ːrm] *vt.* 《~+목/+목+전+명》 **1** (외형을) 변형시키다《*into*》: Joy ~*ed* her face. 기쁨으로 인해 그녀의 얼굴 표정이 바뀌었다 / A silkworm is ~*ed into* a cocoon. 누에가 고치로 된다. **2** 바꾸다《성질·기능·구조 등을》; …을 다른 물질로 바꾸다: Wealth has ~*ed* his character. 부(富)가 그의 성격을 일변시켰다 / ~ a criminal *into* a decent member of society 범죄자를 훌륭한 사회인으로 개조하다. SYN. ⇨ CHANGE. **3** 〖수학·언어〗 변환〔변형〕하다. **4** 〖전기〗 변압하다; (전류의) 직류·교류 방식을 바꾸다. **5** 《+목+전+명》 〖물리〗 (에너지를) 변환하다: Heat is ~*ed into* energy. 열은 에너지로 바뀐다. **6** 〖생물〗 (세포

를) 형질 변환하다. 7 『컴퓨터』 변환하다《지정된 규칙에 따라 뜻을 현저히 바꾸지 않고 정보의 모양을 바꾸는 일》. — *vi.* 《+전+명》《드물게》 변형하다, 바뀌다, 변질하다《*into*》: A caterpillar ~*s into* a butterfly or a moth. 모충(毛蟲)은 나비나 나방이 된다.
— [⌐–] *n.* 『수학』 변환(치); 『언어』 변형 규칙, 변형체. ◇ transformation *n.*
㊞ **~·a·ble** *a.*

◇**trans·for·ma·tion** [trӕ̀nsfərméiʃən] *n.* **1** C,U 변형, 변화, 변질: an economic ~ 경제적 변화. **2** U 『동물』 (특히 곤충의) 탈바꿈, 변태; 『생물』 형질 전환《유전 교잡(交雜)의 한 형태》. **3** C,U 『물리』 변환. **4** U 『수학·언어』 변환, 변형. **5** C 『전기』 변류, 변압. **6** C 《드물게》 (여자의) 다리, 가발. **7** U 『화학』 (화합물의) 성분 치환. **8** C,U 『광물』 (다형(多形) 광물간의) (상호) 전이(轉移). **9** 『연극』 =TRANSFORMATION SCENE. **10** 『컴퓨터』 변환. ㊞ **~·al** *a.* 변형의.

transformátional dráma 『연극』 변형극《배우가 때로 무생물로도 변형하는 비현실극의 하나》.

transformátional (génerative) grámmar 『언어』 변형 (생성) 문법.

tràns·for·má·tion·al·ìsm *n.* 『언어』 변형문법 이론. ㊞ **-ist** *n.*

transformátion scène 『영연극』 (연극 특히 무언극 중의) 빨리 변하는 장면.

trans·for·ma·tive [trӕnsfɔ́:rmətiv] *a.* 변형시킬 힘〔경향〕이 있는.

◇**trans·fórm·er** *n.* 변화시키는 사람〔것〕; 『전기』 변압기, 트랜스: a step-down 〔step-up〕 ~ 체강(遞降)〔체승〕 변압기.

tránsform fáult 『지학』 변환 단층.

trans·fuse [trӕnsfjú:z] *vt.* (액체를) 옮겨 따르다〔붓다〕; (액체 등을) 스며들게 하다; 《비유》 (사상 등을) 불어넣다; 『의학』 수혈하다; (식염수 등을) 주사하다. ㊞ **-fús·i·ble, -fús·a·ble** *a.*

trans·fu·sion [trӕnsfjú:ʒən] *n.* C,U 옮겨 붓기, 주입(注入); 침투; 『의학』 혈관 주사, 수혈: receive a blood ~ 수혈을 받다. ㊞ **~·al** *a.* **~·ist** *n.* 수혈학자〔전문 의사〕.

trans·génder(ed) *a.* 트랜스젠더의《transsexual, transvestite 등에 관해서 말함》.

trans·gen·ic [trӕnsdʒénik, trӕnz-/trӕnz-] *a.* 이식 유전자의〔에 대한〕: a ~ animal 유전자 도입 동물.

tràns·glóbal *a.* (원정(遠征)·사업·네트워크 따위가) 세계에 걸친, 전 세계적인.

◇**trans·gress** [trӕnsgrés, trӕnz-/trӕnz-] *vt.* (법률·계율 등을) 어기다, 범하다; (한계를) 넘다. — *vi.* 법을 어기다《*against*》; 한계〔경계〕를 넘어서다〔뻗다, 퍼지다〕. ㊞ ◇**-grés·sion** [-gréʃən] *n.* C,U 위반, 파계(破戒); 『지학』 (육지로의) 해진(海進), 해침(海浸). **-grés·sor** [-grésər] *n.* 위반자, 범칙자; (특히 종교·도덕상의) 죄인.

trans·gres·sive [trӕnsgrésiv, trӕnz-/trӕnz-] *a.* 『생물』 초월하는; 《고어》 법률을〔계율 등을〕 위반〔범〕하기 쉬운: ~ segregation 『생물』 초월 분리. ㊞ **~·ly** *ad.*

tran·ship [trӕnʃíp] (*-pp-*) *vt., vi.* =TRANSSHIP.

tràns·históric al *a.* 역사를 초월하는; 역사나 연대(학)의 제약을 안 받는.

trans·hu·mance [trӕnshjú:məns, trӕnz-/trӕnshjú:-] *n.* U 이동 방목《저지(低地)와 고지 간을 계절에 따라 왕래하는 사육자와 가축의》.

tran·sience, -sien·cy [trǽnʃəns, -ʒəns, -ziəns/-ziəns], [-si] *n.* U 일시적인 것, 덧없음, 무상(無常); 이전〔유동〕성.

◇**tran·sient** [trǽnʃənt, -ʒənt, -ziənt] *a.* **1** 일시적인(passing); 순간적인; 변하기 쉬운, 덧없는, 무상한: ~ affairs of this life 덧없는 인생. **2** 일시 머무르는《손님 등》. **3** 『음악』 지남음적인; 『철학』 초월하는: a ~ chord 〔note〕 『음악』 지남음. — *n.* 일시적인 사물〔사람〕; 단기 체류객, 떠돌이 노동자; 『조류』 나그네새; 『전기』 과도 현상〔전류〕. OPP *resident.* ㊞ **~·ly** *ad.*

tránsient ischémic attáck 『의학』 일과성(一過性) 뇌허혈(腦虛血) 발작《생략: TIA》.

tránsient prógram 『컴퓨터』 비상주(非常住) 프로그램.

tran·sil·i·ent [trӕnsíliənt, -ljənt] *a.* (어떤 것〔상태〕에서 다른 것으로〔상태로〕) 갑자기 뛰어 옮기는. ㊞ **-ence** *n.* 돌연변이〔변화〕.

tràns·illúminate *vt.* …에 빛을 통과시키다; 『의학』 (몸의 일부에) 강한 광선을 투과시키다.

tràns·illuminátion *n.* U,C 『의학』 투사(透寫) 진단(법)《진단하기 위하여 기관(器官)에 센 광선을 통하기》, 투시(법).

trans·i·re [trӕnsáiəri] *n.* 《영》 (세관 발행의) 연안 운송 허가증.

***tran·sis·tor** [trӕnzístər] *n.* 『전자』 트랜지스터; 《구어》 트랜지스터 라디오(=⌐ **rádio**). ㊞ **~·ize** [-təràiz] *vt.* 트랜지스터화(化)하다. [◂ *trans*fer+re*sistor*]

◇**tran·sit** [trǽnsit, -zit] *n.* **1** U 통과, 통행; 횡단; 운송; 변천. **2** 통로, 운송로; 《미》 공공 여객 운송 (기관의 노선·탈것). **3** U 『천문』 (천체의) 자오선 통과, 망원경 시야 통과; (소 천체의) 다른 천체면 통과. **4** 『측량』 트랜싯, 전경의(轉鏡儀)(=⌐ **còmpass**). **5** (전자(電子)의) 주향(走向). **6** (T-) 《미》 (국방부의) 항행 위성. ***in*** ~ 통과〔수송, 이동〕 중; 단기 체재의. — *vt., vi.* 횡단하다; 『천문』 (자오선·천체면 등을) 통과하다; 이동시키다, 나르다.

tránsit càmp (난민·군대를 위한) 일시 체재 캠프.

tránsit cìrcle (천체 관측용) 자오환(環).

tránsit dùty (화물의) 통과세.

tránsit ìnstrument (천체 관측용) 자오의(子午儀); (측량용) 전경의, 트랜싯.

◇**tran·si·tion** [trӕnzíʃən, -síʃən] *n.* C,U **1** 변이(變移), 변천, 추이; 과도기(=⌐ **pèriod**). **2** 『음악』 일시적 조바꿈; 이행부, 추이. **3** 『미술』 (양식상의) 변화, 추이. **4** 『생물』 염기 전위(塩基轉位)《동일 염기 간의 치환에 의한 DNA 또는 RNA 에 있어서의 유전적 돌연변이》. **5** 『물리』 전이(轉移), 천이(遷移). ***Late Transition English*** (근대 영어로의) 후(後)과도기 영어.

tran·si·tion·al [trӕnzíʃənəl, -síʃ-] *a.* 변하는 시기의, 과도적인: a ~ government 과도 정부. ㊞ **~·ly** *ad.*

tran·si·tion·ary [trӕnzíʃənèri, -síʃ-/-nəri] *a.* =TRANSITIONAL.

transítion èlement 〔**mètal**〕 『화학』 전이(轉移) 원소〔금속〕.

transítion pòint 『물리』 전이점(點)《물질이 어떤 상태에서 다른 상태로 옮기는》; 『화학』 전이점(transition temperature).

transítion tèmperature 『화학』 전이 온도.

tran·si·tive [trǽnsətiv, -zə-] *a.* **1** 『문법』 타동(사)의. OPP *intransitive.* ¶ a ~ verb 타동사 《생략: vt., v.t.》. **2** 이행하는; 중간적인, 과도적인. — *n.* 타동사(=⌐ **vérb**)《생략: trans., transit.》. ㊞ **~·ly** *ad.* 타동(사)적으로. **~·ness** *n.*

tran·si·tiv·i·ty [trӕ̀nsətívəti, -zə-] *n.* U 『문법』 타동성; 이행성(移行性).

tránsit lòunge (공항의) 환승〔통과〕객 대기실.

tran·si·to·ry [trǽnsətɔ̀:ri, -zə-/-təri] *a.* 일시적인, 덧없는, 무상한. ㊞ **-tò·ri·ly** *ad.* **-ri·ness** *n.*

tránsitory áction 이동 소송《사건 발생지와 관계없이 어떤 법원에나 제기할 수 있는 소송》.

tránsit vìsa 통과 사증.
trànsit without vísa 무사증(無査證) 통과《생략: TWOV》.
transl. translated; translation(s); translator.
‡trans·late [trænsléit, trænz-, ´-/-´] *vt.* **1** 《~+[목]/+[목]+[전]+[명]》 …을 번역하다: ~ an English book *into* Korean 영어 책을 한국 말로 번역하다/an article ~*d from* the French 프랑스 말을 번역한 기사(記事). **2** 《+[목]+*as* [보]/+[목]+*to* do》 (행동·말 따위를) (…로) 해석하다, 설명하다: I ~ this *as* a protest. 이를 항의로 나는 해석한다/I ~*d* his gestures *to* mean approval. 그의 몸짓은 승인을 나타내는 것으로 해석하였다. **3** 환언하다, 쉬운 말로 다시 표현하다《*into*》: ~ unfamiliar terms *into* everyday words 귀에 선 말을 일상어로 고쳐 말하다. **4** 《~+[목]/+[목]+[전]+[명]》 (다른 형식으로) 옮기다, 고치다, 바꾸다: ~ promises 〔emotion〕 *into* actions 약속〔감동〕을 행동으로 옮기다. **5** 옮기다, 나르다, 이동시키다; 〖교회〗 (bishop을) 전임시키다; (성인·순교자 등의 유체(遺體)·유품을) 옮기다; 〖성서〗 (산 채로) 승천시키다. **6** 〖의학〗 (병원체를) 옮기다. **7** 〖통신〗 (전신을) 중계하다. **8** 변형〔변질〕시키다; 《영》 (헌옷 등을) 고쳐 만들다. **9** 《고어》 황홀하게 하다. **10** 〖기계〗 (물체를) 직동(直動)시키다. **11** 〖생화학〗 (유전 정보를) 번역하다. **12** 〖수학〗 (함수를) 좌표축과 평행하게 이동시키다, 병진(竝進)시키다. **13** 〖컴퓨터〗 (프로그램·자료·부호 등을) (딴 언어로) 번역하다. ◇ translation *n.* **—** *vi.* **1** 번역하다. **2** 《+[부]/+[전]+[명]》 번역할 수 있다: This book ~*s well.* 이 책은 번역하기 쉽다/This verse can't ~ *into* Korean. 이 시는 국역하기 어렵다. ***a translating machine*** 번역기(계). ***Kindly*** **~.** 더 분명히 말하세요. [파] **-lát·a·ble** *a.*
‡trans·la·tion [trænsléiʃən, trænz-] *n.* **1** [U] 번역, 통역: errors in ~ 오역/read Milton in ~ 밀턴의 작품을 번역서로 읽다/literal 〔close〕 ~ 직역, 축어역/⇨ MACHINE TRANSLATION. **2** [C] 번역문, 번역서《*of*》: Chapman's ~ *of* Homer 채프먼 역(譯) 호머. **3** [U] 해석, 설명, 환언. **4** [U] 변질, 변용, 변형, 변환. **5** [U] 〖통신〗 자동 중계; 〖수학·기계〗 병진(竝進); 〖수학〗 평행 이동. **6** [U] 옮김, 〖물리〗 물체의 이행, 병진 운동. **7** [C] 〖교회〗 주교(bishop)의 전임(轉任); 〖성서〗 (산 채로의) 승천. **8** 〖로마법·Sc. 법〗 재산 양도; 유산 상속인 변경. **9** 〖유전〗 (유전 정보의) 번역. **10** 〖컴퓨터〗 번역《⑴ 언어 또는 프로그램을 다른 표현으로 바꿈. ⑵ 화면상의 영상의 모양을 수평·수직 방향으로 이동시킴》. ◇ translate *v.* ***make*** 〔***do***〕 ***a ~ into*** (English) (영어)로 번역하다. [파] **~·al** *a.*
trans·la·tive [trænsléitiv, trænz-, ´--/-´-] *a.* (장소·임자 등을) 옮아 가는, 이전하는; 번역의; 〖로마법·Sc. 법〗 재산 양도의.
trans·la·tor [trænsléitər, trænz-, ´--/-´-] *n.* **1** 역자, 번역자; 통역; 번역기. **2** 〖통신〗 자동 중계기; 〖기계〗 병진기(竝進器). **3** 《영속어》 수리인《헌 구두·우산·옷 등의》; (*pl.*) 수리한 헌 구두 《따위》. **4** 〖컴퓨터〗 번역기《어느 프로그래밍 언어로 쓰인 프로그램을 딴 언어로 변환하는 프로그램》.
trans·lit·er·ate [trænslítərèit, trænz-/trænz-] *vt.* (타국어 문자로) 음역(音譯)하다, 자역(字譯)하다《*into*》. [파] **trans·lìt·er·á·tion** *n.* [C,U] 자역; 음역. **trans·lít·er·à·tor** [-ər] *n.* 자역〔음역〕자.
trans·lo·cate [trænslóukeit, trænz-, ´-´/trǽnzloukéit] *vt.* …의 장소〔위치〕를 바꾸다, 전위시키다; (식물이 녹말·단백질 등을) 전류(轉流)시키다. [파] **tràns·lo·cá·tion** *n.* [U] 이동, 전치(轉置); 〖식물〗 전류(轉流); 〖유전〗 (염색체의) 전좌(轉座).
trans·lu·cent [trænslú:sənt, trænz-/trænz-] *a.* **1** 반투명의(=**trans·lú·cid**): a ~ body 반투명체. **2** 《드물게》 투명한; 거짓〔속임〕이 없는. [파] **~·ly** *ad.* **-cence, -cen·cy** *n.*
trans·lu·nar [trǽnslù:nər, trænz-, -´-] *a.* =TRANSLUNARY; (우주선의 궤도·엔진 점화 등이) 달로 향하는.
trans·lu·na·ry [trǽnslu:nèri, trǽnz-/træns-lú:nəri, trænz-] *a.* 달 저편의, 천상(天上)의; 《비유》 비현실적인, 환상적인.
trans·ma·rine [trænsməri:n, trænz-/trænz-] *a.* 해외의, 바다 저편의; 바다를 건너는.
trans·mémbrane *a.* 〖생물〗 (막전위(膜電位)·이온(ion)·가스의 운반이) 막을 통과하는, 막을 통하여 발생하는; 〖물리·화학〗 막 내외의.
trans·mi·grant [trænsmáigrənt, trænz-/trænz-] *a.* 이주하는. **—** *n.* 이주자; 《특히》 이주하는 도중에 어떤 나라를 통과하는 사람.
trans·mi·grate [trænsmáigreit, trænz-/trǽnzmaigréit] *vi.* 이주〔이동〕하다; (영혼이) 윤회(輪廻)하다, 환생(幻生)하다. **—** *vt.* 이주시키다, …을 전생시키다. [파] **tràns·mi·grá·tion** *n.* 이주; 환생, 윤회(輪廻). **trans·mí·gra·tor** [-ər] *n.*
trans·mis·si·ble [trænsmísəbəl, trænz-/trænz-] *a.* 전할 수 있는; 유전성의; 전염성의: a ~ disease 전염병. [파] **trans·mìs·si·bíl·i·ty** *n.* [U]
trans·mis·sion [trænsmíʃən, trænz-/trænz-] *n.* [U] **1** 송달, 회송; 전달; 양도; 매개, 전염. **2** 〖생물〗 유전; 〖물리〗 전도(傳導), 투과; 〖통신〗 전송, 송신; 전신(문). **3** 〖기계〗 전동(傳動) (장치), (특히 자동차의) 변속기〔장치〕, 트랜스미션 (gearbox): a ~ gear 전동〔변속〕 장치. **4** 〖컴퓨터〗 전송《음성 영상 신호, 메시지 등의 정보를 케이블이나 전자파로 보내는 일》. ◇ transmit *v.*
transmíssion dènsity 〖광학〗 투과 농도.
transmíssion eléctron mìcroscope 〖광학〗 투과형(透過型) 전자 현미경. [cf.] scanning electron microscope.
transmíssion fàctor 〖물리〗 투과 인자.
transmíssion lìne 〖전기〗 전송(傳送) 선로 《송전선, 통신선》.
transmíssion lòss 〖전기〗 송전 손실.
transmíssion 〔**tránsfer**〕 **ràte** 〖컴퓨터〗 (데이터의) 전송률.
transmíssion spèed 〖컴퓨터〗 전송 속도.
trans·mis·sive [trænsmísiv, trænz-/trænz-] *a.* 보내〔전해〕지는; 보내는, 전하는; 유전되는.
trans·mis·siv·i·ty [trænsmisívəti, trænz-/trænz-] *n.* 〖물리〗 투과율.
trans·mis·som·e·ter [trǽnsmisámətər, trænz-/trænzmisɔ́m-] *n.* (대기의) 투과율계(計), 시정률(視程率).
◇trans·mit [trænsmít, trænz-/trænz-] (**-tt-**) *vt.* **1** (화물 등을) 보내다, 발송하다. **2** 《~+[목]/+[목]+[전]+[명]》(지식·보도 따위를) 전하다, 전파〔보급〕시키다: ~ news *by* wire 뉴스를 전보로 알리다. **3** (빛·열 따위를) 전도하다, (빛을) 투과시키다: Iron ~*s* electricity. 쇠는 전기를 전도한다. **4** 《+[목]+[전]+[명]》 (재산 따위를) 전해 물리다, 전하다; (성질 등을) 유전하다; 후세에 전하다 《*to*》: ~ a title *to* one's descendants 작위를 자손에게 물리다. **5** 《~+[목]/+[목]+[전]+[명]》 (병을) 옮기다, 전염시키다: ~ a disease *to* others. **6** 《+[목]+[전]+[명]》 …을 전달하다: be ~*ted from* mouth *to* mouth 입에서 입으로 전해지다. **7** 〖기계〗 전동(轉動)하다; (신호를) 발신하다; (프로를) 방송하다. **8** 〖컴퓨터〗 (정보를)

전송하다. — *vi.* 〖법률〗 자손에게 전해지다; 〖통신〗 신호를 보내다. ◇ transmission *n.* ㊞ **~·tal** [-l] *n.* = TRANSMISSION.

trans·mit·tance [trænsmítəns, trænz-/trænz-] *n.* =TRANSMISSION; 〖물리〗 투과율〔도〕. ㊞ **-tan·cy** *n.*

◦**trans·mit·ter** [trænsmítər, trænz-/trænz-] *n.* **1** 송달자; 전달자; 양도자; 유전자, 유전체; 전도체. **2** (전화의) 송화기; 〖통신〗 송신기〔장치〕, 발신기(OPP *receiver*); 〖생리〗 =NEUROTRANSMITTER.

transmítting sèt 송신기.

trans·mo·dal·i·ty [trӕnsmoudǽləti, trӕnz-/trӕnz-] *n.* 종합 수송《도로·철도·해로 등에 의한 각종 수송 방식을 조합한》.

trans·mog·ri·fy [trænsmágrəfài, trænz-/trænzmɔ́g-] *vt.* 《우스개》 변형시키다《특히 마법 등으로》, 우스꽝스러운 형상이 되게 하다. ㊞ **trans·mòg·ri·fi·cá·tion** [-fikéiʃən] *n.*

trans·mu·ta·tion [trӕnsmju:téiʃən, trӕnz-/trӕnz-] *n.* U,C **1** 변형, 변용(變容), 변성, 변질, 변화; 한 원소의 딴 원소로의 변환; 〖연금술〗 변성(變成)《비금속을 귀금속으로 변화시키기》; 〖생물〗 변이(變移), 변종; 진화. **2** 〖법률〗 소유권의 양도〔이전〕; 〖물리〗 (핵종(核種)의) 변환; 〖수학〗 (도형〔입체〕의) 변환. ㊞ **~·al** *a.* **~·ist** *n.*

trans·mu·ta·tive [trænsmjú:tətiv, trænz-/trænz-] *a.* 변형〔변용〕하는, 변질〔변성〕의.

trans·mute [trænsmjú:t, trænz-/trænz-] *vt.* 《+목+전+명》 변형〔변질, 변화〕시키다; 〖연금술〗 (비(卑)금속을 금·은으로) 바꾸다. — *vi.* 변형하다, 변질하다. SYN. ⇨ CHANGE. ㊞ **-mút·a·ble** *a.* **-a·bly** *ad.* **-mút·er** *n.*

trans·nátional *a.* 초국적(超國籍)의, 국경〔민족〕을 초월한. — *n.* =MULTINATIONAL.

trans·nátural *a.* 자연을 초월한, 초자연의.

tràns·oceánic *a.* 해외의, 대양 건너편의; 대양 횡단의: ~ operations 도양(渡洋) 작전.

tran·som [trǽnsəm] *n.* **1** 가로대; (십자가 따위의) 가로 막대. **2** 〖건축〗 **a** 중간틀, 민홈대, 트랜섬《교창 아래의 상인방》. **b** 《미》 (문 위쪽의) 광창(光窓) (=∠ window). **3** 〖선박〗 고물보. ***over the*** **~** 의뢰〔사전의 결정〕 없이, 자기 멋대로.

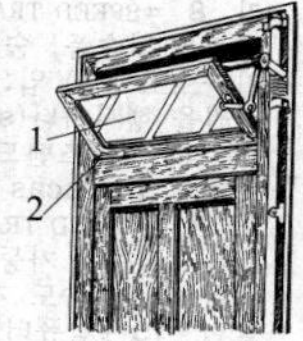

1. transom window
2. transom 2a

tran·son·ic [trӕnsánik/-sɔ́n-] *a.* 음속에 가까운; 〖물리〗 천음속(遷音速)의 (transsonic)《음속의 0.8배-1.4배 정도》.

transp. transparent; transport; transportation.

tràns·pacífic *a.* 태평양 횡단의; 태평양 건너편의.

trans·pa·dane [trǽnspədèin, trænspéidein] *a.* (로마에서 보아) Po강 북쪽의.

trans·par·ence [trænspέərəns, -pǽr-] *n.* 투명(성).

trans·par·en·cy [trænspέərənsi/-pǽr-, -pέər-] *n.* U 투명(성); 〖사진〗 투명도; 명료, 간명; C 투명화(畫)〔문자〕; (컬러 사진의) 슬라이드; (사기그릇의) 투명 무늬. ***his*** 〔***your***〕 ***Transparency*** 《우스개》 각하.

⁑**trans·par·ent** [trænspέərənt, -pǽr-] *a.* **1** 투명한; 〖물리〗 투명한《방사(放射)〔입자〕가 통과하는》. OPP *opaque*. ¶ ~ ice 살얼음 / ~ colors 투명 그림 물감 / ~ soap 투명 비누. **2** (천이) 비쳐 보이는. **3** 명료한; 평이한《문제 등》. **4** 솔직한, 공명한《성격·생애 등》. **5** 빤히 들여다보이는《변명 등》. ㊞ **~·ly** *ad.* **~·ness** *n.*

trans·par·ent·ize [trænspέərəntàiz, -pǽr-] *vt.* 투명하게 하다.

trans·péptidase *n.* 〖생화학〗 트랜스펩티다아제《아미노기 등의 전이 효소》.

tràns·pérsonal *a.* 개인의 한계〔이해(利害)〕를 초월한.

transpérsonal psychólogy 초(超)개인 심리학《다층의 의식 상태를 가정, 특히 초감각적 지각을 중시하는 정신 요법의 하나》.

tran·spic·u·ous [trænspíkjuəs] *a.* 투명한; 명료한. ㊞ **~·ly** *ad.*

trans·pierce [trænspíərs] *vt.* 꿰뚫다, 관통하다.

tran·spi·ra·tion [trӕnspəréiʃən] *n.* U,C 증발(물), 발산(물), 땀; 〖식물〗 김내기, 증산(蒸散); (비밀의) 누설, (애정의) 발로.

◦**tran·spire** [trӕnspáiər] *vi.* **1** 증발〔발산〕하다; 배출하다. **2** 〘It ~ that 절 로〙(일이) 드러나다, 밝혀지다; (비밀이) 새다: *It ~d that* the King was dead. 왕의 죽음이 널리 알려졌다. **3** 《구어》 (일이) 일어나다, 발생하다. — *vt.* 증발시키다, (기체를) 발산시키다; (액체를) 배출하다.

◦**trans·plant** [trænsplǽnt, -plá:nt/-plá:nt] *vt.* 《~+목/+목+전+명》 **1** 옮겨 심다: ~ flowers *to* a garden 뜰에 화초를 이식하다. **2** (새·짐승 등을) 다른 땅에 옮기다, 이주시키다; 식민(植民)하다《*from; to*》: ~ one's family *to* America 가족을 미국으로 이주시키다. **3** 〖의학〗 (기관·조직 따위를) 이식하다: ~ one twin's kidney *to* the other 쌍둥이 한 사람의 신장을 다른 쌍둥이에게 이식하다. — *vi.* 이주하다; 〖식물〗 이식에 견디다. — [∠-] *n.* 이식(된 식물, 기관 등); 이주(자): a heart 〔an organ〕 ~ 심장〔장기〕 이식. ㊞ **~·er** *n.* 이식기(機). **tràns·plan·tá·tion** *n.* 이식 (수술).

trans·plànt·a·bíl·i·ty *n.* 〖의학〗 (조직의) 이식 가능성.

trans·plant·ate [trænsplǽnteit, -plá:nt-/-plá:nt-] *n.* 이식 조직〔편(片)〕, 기관.

Trans·po [trǽnspòu, ∠-] *n.* 트랜스포, 국제교통 박람회. [◂ *transportation* + *exposition*]

trans·pólar *a.* 남극〔북극〕을 넘는, 극지 횡단의.

tran·spon·der [trænspándər/-spɔ́n-] *n.* 트랜스폰더《외부 신호에 자동적으로 신호를 되보내는 라디오 또는 레이더 송수신기》.

trans·pon·tine [trænspántin, -tain/trænzpɔ́ntain] *a.* 다리 건너〔저편〕의; (특히 런던) Thames 강 남쪽 기슭의; Thames 강 남안 지역 극장에서 인기 있던 멜로드라마 같은: a ~ drama 통속 신파극.

⁑**trans·port** [trænspɔ́:rt] *vt.* **1** 《~+목/+목+전+명》 수송하다, 운반하다《*from; to*》: ~ goods 화물을 운송하다 / The products were ~*ed from* the factory to the station. 제품은 공장에서 역으로 운반되었다 / I felt ~*ed to* a different age. 나는 다른 시대로 옮겨진 것 같은 느낌이었다. SYN. ⇨ CARRY. **2** 〘보통 수동태〙 황홀하게 만들다: *be ~ed with* joy 기쁨에 도취되다. **3** 〖역사〗 유형에 처하다, 추방하다; 《폐어》 저승으로 보내다(kill). ◇ transportation *n.* — [∠-] *n.* **1** U 수송, 운송《*of*》: the ~ *of* medical supplies by air 의료품 공수. **2** 수송선〔차, 열차〕, 수송기, 수송 기구. **3** (보통 *pl.*) 황홀, 도취, 열중: ~*s of* joy. **4** 〖역사〗 귀양간 사람, 유형수. ***be in ~s*** 도취되어 있다. ***in a ~ of rage*** 미칠 듯이 성이 나서. ㊞ **trans·pórt·a·ble** *a., n.* 가지고 다닐〔운송할〕 수 있는 (것). **trans·pòrt·a·bíl·i·ty** *n.*

⁑**trans·por·ta·tion** [trӕnspərtéiʃən/-pɔ:t-] *n.* U **1** 운송, 수송; 《미》 교통〔수송〕기관; 《미》 수송〔운수〕업: a means of ~ 운수 기관. **2** 《미》 운임, 교통비, 여비. **3** C 수송〔여행〕 허가증, (차)표. **4** U,C 〖역사〗 유형, 추방. ◇ transport *v.*

transport café [⌐- ⌐-] 《영》 (장거리 트럭 운전사 등이 이용하는) 드라이브인〔간이〕 식당.

trans·pórt·er *n.* 운송(업)자; 운반기〔장치〕; 대형 트럭.

transpórter brìdge 운반교(橋)《트롤리에서 드리운 대(臺)에 사람·차를 나르는 장치》.

Tránsport Hóuse 《영》 노동당 본부 건물.

tránsport pìlot 《미》 수송기(機)의 공인 조종사.

tránsport plàne 군수송기.

tránsport shìp 수송선.

transpósable élement 〚생화학〛 전이(轉移) 인자《염색체 안에서 움직이는 DNA의 구분》.

trans·pos·al [trænspóuzəl] *n.* =TRANSPOSITION.

trans·pose [trænspóuz] *vt.* **1** …의 위치〔순서〕를 바꾸어 놓다; 〚수학〛 이항하다; 〚문법〛 (문자·낱말을) 바꾸어 놓다; 바꾸어 말하다〔쓰다〕, 번역하다. **2** 〚음악〛 조옮김하다; (전신·전화 회선을) 교차시키다《잡음 혼입을 막고자》. **—** *vi.* 〚음악〛 조옮김하다. **—** *n.* 〚수학〛 전치(轉置) 행렬; =TRANSPOSITION.

transpósing ìnstrument 〚음악〛 조옮김 악기《원악보를 조옮김해 연주하는 악기; 조옮김 장치가 있는 악기》.

trans·po·si·tion [træ̀nspəzíʃən] *n.* Ⓤ,Ⓒ 치환(置換), 전위(轉位); 〚수학〛 이항(移項); 〚수학〛 호환(互換); 〚문법〛 (문자·낱말의) 전치(轉置); 〚음악〛 조옮김; 〚통신〛 교차(交差).

transposítion cìpher 〚군사〛 전치(轉置)(식(式)) 암호(법)《평문(平文)의 문자 순서를 계통적으로 바꾼 암호문〔법〕》.

trans·pos·i·tive [trænspázətiv/-pɔ́z-] *a.* 치환〔전환〕할 수 있는.

trans·po·son [trænspóuzɑn/-zɔn] *n.* 〚유전〛 트랜스포존《전이(轉移) 인자의 하나; DNA의 단위 영역에서 같거나 다른 DNA에 전위하는 단위》.

trans·put·er [trænspjú:tər] *n.* 〚전자〛 트랜스퓨터《32 bit 마이크로프로세서에 상당하는 마이크로칩》. [◂ *trans*ister+com*puter*]

trans·rácial *a.* 다른 인종 간의, 인종을 초월한.

trans·séxual *n.* 성도착자; 성전환자. **—** *a.* 성전환의; 성도착자의. ㊕ **~·ìsm** *n.* Ⓤ 성전환.

trans·shíp (*-pp-*) *vt., vi.* (승객·화물을) 다른 배〔열차, 트럭〕에 옮겨 싣다; 다른 배〔차〕에 옮겨 타다. ㊕ **~·ment** *n.* Ⓤ

Tràns-Sibérian Ráilroad (the ~) 시베리아 횡단 철도《약 6,500 km; 건설은 1891-1916》.

trans·sónic *a.* =TRANSONIC.

tran·stage [trænstéidʒ] *n.* 〚우주〛 다단식(多段式) 로켓의 제 3 단〔최종단〕.

tran·sub·stan·tial [træ̀nsəbstǽnʃəl] *a.* **1** 변질된; 변질될 수 있는. **2** 초(超)〔비(非)〕물질적인. ㊕ **~·ly** *ad.*

tran·sub·stan·ti·ate [træ̀nsəbstǽnʃièit] *vt.* 변질시키다; 〚신학〛 성(聖)변화를 이루다《빵과 포도주를 예수의 피와 살로 변화시키다》. ㊕ **tràn·sub·stàn·ti·á·tion** *n.*

tran·su·date [trǽnsudèit] *n.* 삼출물(滲出物)〔액(液)〕.

tran·su·da·tion [træ̀nsudéiʃən/-sjú-] *n.* Ⓤ 스며 나옴; Ⓒ 삼출물(滲出物).

tran·sude [trænsú:d/-sjú:d] *vi., vt.* 스며 나오다〔나오게 하다〕, 침투하다〔시키다〕. ㊕ **tran·sú·da·to·ry** [trænsú:dətɔ̀:ri/-sjú:dətəri] *a.*

tràns·uránic *a.* 〚물리·화학〛 초우라늄의: the ~ elements 초우라늄 원소. **—** *n.* 초우라늄 원소.

tràns·uránium *a.* =TRANSURANIC.

Trans·vaal [trænsvá:l, trænz-/trǽnzvɑ:l] *n.* (the ~) 트란스발《남아프리카 공화국 동북부의 한 주; 세계 제 1 의 금(金) 산출지; 생략: Tvl.》. ㊕ **~·er** *n.*

tràns·valuátion *n.* 재평가, 가격 변경.

trans·válue *vt.* 다른 가치 기준으로 평가하다, 재평가하다.

trans·ver·sal [trænsvə́:rsəl, trænz-/trænz-] *a.* =TRANSVERSE; 〚수학〛 (선이 복수의 선을) 횡단하는. **—** *n.* 〚수학〛 횡단선. ㊕ **~·ly** *ad.*

trans·verse [trænsvə́:rs, trænz-, ⌐-/træn-zvə́:s] *n.* **1** 가로지르는 것; 교차하는 것. **2** (공원 등의) 횡단 도로. **3** 〚수학〛 (타원 등의) 가로축(軸)(=~ **áxis**). **4** 〚해부〛 횡근(橫筋). **—** *a.* 가로의, 횡단하는; 가로로 작용하는; (플루트가) 가로로 불게 된; 〚수학〛 가로축〔교축(交軸)〕의: ~ waves 〚물리〛 (전자파 등의) 횡파(橫波)《진행 방향에 수직으로 진동하는 파동》/ a ~ section 횡단면. ㊕ **~·ly** *ad.*

tránsverse prócess 〚해부〛 (척추의) 횡돌기(橫突起).

transvérse vibrátion 〚물리〛 횡(橫)진동.

trans·ves·tism, -ves·ti·tism [trænsvés-tizəm, trænz-/trænz-], [-véstətìzəm] *n.* Ⓤ 〚심리〛 복장 도착(服裝倒錯)《이성의 옷을 입고 싶어하는 경향》. ㊕ **-vés·tist** *n.*

trans·ves·tite [trænsvéstait, trænz-/trænz-] *n.* 이성의 복장을 입는 성도착자.

‡trap[1] [træp] *n.* **1** (특히 용수철 식의) 올가미, 함정; 덫, …잡는 기구: a fly ~ 파리 잡는 기구 / a mouse ~ 쥐덫. **2** 《비유》 함정, 계략; 매복(ambush): be caught in a ~ 함정〔술책〕에 빠지다〔걸리다〕. **3** 트랩, 방취(防臭) U 자관(管)《배수의 일부를 괴게 하여 하수도의 상승 가스를 방지함》; (물·증기의) 배출〔제거〕 장치; (광갱의) 통풍구; 〚야구〛 글러브의 엄지와 인지 사이에 쳐 놓은 가죽끈. **4** =TRAP DOOR; 개머리판의 구멍《총의 부속품을 넣음》. **5** 《영》 2 륜 경마차. **6** (옷 따위의) ㄱ 자꼴로 찢어진 자리. **7** 〚사격〛 표적(標的) 사출기; (trapball에서) 공을 던져 올리는 목제 기구; =TRAPBALL; TRAPSHOOTING; (개 경기에서) 출발 지점에서 그레이하운드를 대기시키는 우리. **8** =SPEED TRAP. **9** 《미구어》 (배·차 속의) 금제품〔밀수품〕 숨기는 데. **10** 《속어》 (특히 발음 기관으로서의) 입: shut one's ~ 입 다물다, 묵비권을 행사하다(shut one's mouth). **11** (*pl.*) 〚음악〛 (재즈밴드의) 타악기류(類)《cymbal, drum, maracas 등》. **12** 《영》 경관, 탐정. **13** 〚골프〛 =SAND TRAP; 〚미식축구〛 =MOUSETRAP; (*pl.*) (경주용 자동차의 속력을 재는 전자 계시 장치를 갖춘) 속도 계측 코스. **14** 《미속어》 나이트클럽. **15** 〚컴퓨터〛 트랩《연산 시의 overflow나 특권 명령의 월권 사용 등을 할 때 생기는 interruption》. ***be caught in*** **one's *own*** **~** =***fall*** 〔***walk***〕 ***into*** **one's *own*** **~** 자기가 파 놓은 함정에 빠지다, 자승자박이 되다. ***be up to*** **~** 여간 아니다, 교활하다. ***set*** 〔***lay***〕 ***a*** **~** ***for*** …에게 올가미를 씌우다; …에 덫을 놓다. ***understand*** 〔***know***〕 **~** 빈틈없다.

— (*-pp-*) *vt.* **1** 《~+목/+목+전+명》 …을 덫으로 잡다, 덫을 놓다; 《비유》 (아무를) 함정에 빠뜨리다, 속이다; 곤궁한 처지로 몰다: ~ a fox 여우를 덫으로 잡다 / He was ~*ped in* a burning house. 그는 불타고 있는 집 속에 갇혔다 / She ~*ped* him *into* marriage by pretending she was pregnant. 그녀는 임신했다고 속여서 그와 결혼했다. **2** (배수관 따위에) 방취판(瓣)〔U자관〕을 설치하다. **3** (가스·물·에너지 등을) (이용하기 위해) 끌어들이다; 분리〔추출〕하다, 증류하다: The solar panels on the roof ~ heat. 옥상의 태양 전지판은 열을 받아들인다. **4** (장소에) 올가미를 장치하다. **5** (배수관 등에) 트랩을 설치하다. **6** (역유입하는 취기 등을) 방취판으로 막다; (물건이 흐름·햇빛 등을) 막다: Muck ~*ped* the water in the gutter. 쓰레기로 배수구 물이 막혔

다. **7** 〖사격〗 (사출기로) clay pigeon을 날리다. **8** (극장에) 들무대를 설치하다. **9** (구기에서) 공을 쇼트바운드로 잡다〔막다〕; 〖야구〗 주자를 견제구로 터치아웃시키다. **—** *vi.* **1** 《(+전+명)》 덫을〔올가미를〕 놓다《*for*》: ~ *for* a beaver 비버잡이 덫을 놓다. **2** (특히 털가죽을 얻으려고) 덫〔올가미〕 사냥을 하다. **3** 〖사격〗 표적 사출기를 사용하다. **4** (가스 · 증기 등이) 관(管)〔파이프〕 속에 갇히다.

trap[2] *n.* 〖광물〗 트랩《암흑색의 화성암의 총칭》; 〖지학〗 트랩《천연가스 · 석유 등을 모이게 하는 지질 구조》.

trap[3] *n.* (*pl.*) 《Sc.》 발판, (다락방으로 올라가는) 사닥다리.

trap[4] *n.* (*pl.*) 《구어》 휴대품, 짐; 세간. **—** (*-pp-*) *vt.* …에 장식을 달다; 성장(盛裝)시키다.

tráp·bàll *n.* Ⓤ 공놀이의 일종《trap으로 쏘아 올린 공을 방망이로 날리는》; 그 공.

tráp càr (적화량이 적은) 경(輕)화차.

tráp-cèllar *n.* 《영》 무대 마루 밑.

tráp dóor (지붕 · 마루 · 무대 등의) 뚜껑문, 함정문, 들창; 〖광산〗 통풍문.

tráp-dòor spíder 〖동물〗 문짝거미.

trapes ⇨ TRAIPSE.

tra·peze [træpíːz, trə-/trə-] *n.* 그네《체조 · 곡예용》; 요트 등에서 그것을 잡고 몸을 밖으로 내미는 밧줄《요트가 경사졌을 때》; 〖복식〗 어깨에서 옷자락으로 퍼져 내린 낙낙한 드레스(=∠ **drèss**).

tra·pez·ist [træpíːzist, trə-/trə-] *n.* (서커스의) 그네 곡예사(=**trapéze àrtist**).

tra·pe·zi·um [trəpíːziəm] (*pl.* **~s, -zia** [-ziə]) 〖수학〗 *n.* 《미》 부등변 사각형; 《영》 사다리꼴.

trap·e·zoid [trǽpəzɔ̀id] 〖수학〗 *n.*, *a.* 《미》 (사다리꼴의); 《영》 부등변 사각형(의).

tráp·nèst *n.* 〖양계〗 들어가면 못 나오게 문에 경첩이 달린 닭장《산란 수 측정용》. **—** *vt.* (각 닭의) 산란 수를 ~로 측정하다.

°**tráp·per** *n.* 덫을 놓는 사람; 《특히》 모피를 얻기 위해 덫 사냥을 하는 사냥꾼(a fur ~); 〖광산〗 통풍구 개폐 담당자.

°**tráp·pings** *n. pl.* (장식적인) 의상; 장식(구), 치장; 예복; (때로 trapping) 말장식, 장식적인 말옷〔마구(馬具)〕.

Trap·pist [trǽpist] *a.*, *n.* 〖가톨릭〗 트라피스트회《1664 년 프랑스의 La Trappe에 창립》의 (수사(修士)).

Trap·pist·ine [trǽpistiːn, -tàin] *n.* 트라피스트회의 수녀; (t-) Ⓤ 트라피스틴 술《달콤한 리큐어 술》.

trap·py [trǽpi] (*-pi·er; -pi·est*) *a.* 함정이 있는; 마음 놓을 수 없는; (말이) 발을 높이 드는.

tráp·ròck *n.* =TRAP[2].

tráp·shòoter *n.* clay pigeon 〔트랩〕 사격자.

tráp·shòoting *n.* Ⓤ clay pigeon〔트랩〕 사격.

tra·pun·to [trəpúntou] (*pl.* **~s**) *n.* 〖양재〗 트라푼토《디자인의 윤곽을 러닝 스티치(running stitch)한 다음, 내부에 솜을 채워 넣어 돋을새김처럼 입체감을 갖게 한 퀼팅(quilting)》.

*__trash__ [træʃ] *n.* Ⓤ **1** 쓰레기, 폐물; 부러진 부스러기, 지저깨비, 잡동사니, 꺾어낸〔따낸〕 가지〔잎, 줄기 따위〕; 사탕수수의 압착한 찌꺼기《연료》. **2** 객담; 졸작(拙作); 《집합적》 인간쓰레기(cf. white ~). **3** 《속어》 닥치는 대로의 파괴 행위. **4** 〖컴퓨터〗 (파일 삭제용의) 휴지통(형 아이콘). **—** *vt.* (나무 따위에서) 군 잎이나 가지를 쳐 버리다; 쓰레기 취급을 하다; 《속어》 …을 무차별 파괴하다; 《미속어》 (사람을) 개 패듯하다; 〖컴퓨터〗 (기억 내용을) 삭제하다, 지워 버리다; 《미속어》 (남을) 업신여기다(goof), 놀리다. **—** *vi.* 《속어》 때려부수다; 쓰레기를 뒤지다; 길에 버려진 가구를 주워 오다.

trásh bàg 쓰레기봉투〔자루〕.

trásh càn 〔**bìn**〕 《미》 쓰레기통(《영》 dustbin).

trásh compàctor 《미》 (부엌용의) 쓰레기 압축기.

trásh·er *n.* 《속어》 닥치는 대로 파괴 행위를 하는 자; 《미속어》 버려진 가구(家具)를 주워 오는 사람.

trásh fish 기름을 짜거나 사료로나 쓸 바닷물고기; 잡어(雜魚)《목적한 고기가 아니어서 버리는》.

trash·for·ma·tion [træ̀ʃfɔːrméiʃən] *n.* 버려진 쓸모없는 잡동사니로 유용한 예술적 작품을 만들어내기.

trásh ìce 얼음물, 빙수.

trásh·man [-mæ̀n, -mən] (*pl.* **-men** [-mèn, -mən]) *n.* 《미》 (트럭을 이용하는) 폐품〔쓰레기〕 수집인.

trásh tàlk 〔**tàlking**〕 (상대의 기를 죽이기 위한) 비웃는 말, 도발적인 모욕, 험담, 독설.

trashy [trǽʃi] (***trash·i·er; -i·est***) *a.* 쓰레기의, 찌끼 같은; 쓸모없는; 《미》 (밭 따위가) 먼저 작물의 마른 잎 · 줄기로 뒤덮인; 《미속어》 야한. ⓜ **trásh·i·ly** *ad.* **-i·ness** *n.*

trass [træs] *n.* 화산토(火山土)《수경(水硬) 시멘트 재료》.

trat·to·ria [trɑ̀ːtəríːə/træ̀tə-] (*pl.* ***-ri·as, -rie*** [-ríːei]) *n.* 《It.》 (이탈리아풍의) 작은 음식점.

trau·ma [tráumə, trɔ́ː-] (*pl.* ***-ma·ta*** [-mətə], **~s**) *n.* 〖의학〗 외상(성 증상); 〖정신의학〗 정신적 외상, 마음의 상처, 쇼크.

trau·mat·ic [trəmǽtik, trɔː-, trau-/trɔː-, trau] *a.* 외상(外傷)의; 외상 치료(용)의; 정신적 쇼크의; 상처 깊은, 잊지 못할: a ~ experience. **—** *n.* 외상약(外傷藥). ⓜ **-i·cal·ly** *ad.*

trau·ma·tism [tráumətizəm, trɔ́ː-] *n.* 〖의학〗 외상성 전신 장애; 외상(trauma).

trau·ma·tize [tráumətàiz, trɔ́ː-] *vt.* …에 외상을 입히다, 상처 입히다; 마음에 충격을 주다. ⓜ **tràu·ma·ti·zá·tion** *n.*

trav. traveler; travels.

°**trav·ail** [trəvéil, trǽveil/trǽveil] *n.* Ⓤ 산고(產苦), 진통; 고생, 노고; 곤란; (흔히 *pl.*) 노작(勞作). ***in*** **~** 진통으로 괴로워하여, 산기가 있어. **—** *vi.* 산기가 돌다, 진통을 겪다; 열심히〔악착같이〕 일하다. **—** *vt.* 《고어》 괴롭히다.

__trav·el__ [trǽvəl] (*-l-*, 《영》 *-ll-*) *vi.* **1 《~/+부/+전+명》 (멀리 또는 외국에) 여행하다; (탈것으로) 다니다: ~ *abroad* 해외 여행을 하다/~ *to* a foreign country 외국으로 여행하다/He's ~*ing in* Africa. 그는 아프리카 여행 중이다/She has ~*ed* all *over* Europe. 그녀는 온 유럽을 여행하고 돌아왔다/~ to work by car 차로 통근하다/~ by land 〔air〕 육로〔공로〕로 여행하다. **2** 《~/+전+명》 이동하다, 나아가다; 걷다, 달리다; (빛 · 소리 등이) 전해지다; (기억 · 시선 등이) 연해 옮겨지다《*over* a scene, topic》: Light ~*s* faster than sound. 빛은 소리보다 빠르다/News ~*ed from* mouth *to* mouth. 소식은 입에서 입으로 전해졌다/His eyes ~*ed over* the landscape. 그는 경치를 죽 둘러보았다. **3** 《+전+명》 팔면서 돌아다니다, 외판원으로〔주문받으러〕 다니다《*in; for*》: He ~*s for* a large firm. 그는 큰 회사의 외판원이다/~ *in* electrical appliances 가전 제품을 팔러 다니다. **4** 《+전+명》 《구어》 교제가 있다, 사귀고 있다《*with; in*》: He ~*s in* 〔*with*〕 a wealthy crowd. 그는 부자 패들과 사귀고 있다. **5** 《미구어》 빨리 움직이다, 급히 걷다: Keep ~*ing!* 달려라. **6** 《+전+명》 (기계의 일부가 일정 범위를) 움직이다, 회전하다: The crankpin ~*s in* a circular path. 크랭크핀이 회전 운동을 한다. **7** 〖농구〗 공을 가지고 걷다(walk). **8** (짐승이) 풀을 먹으며 가다〔이동하다〕; (짐승이) 돌아다니다. **9**

《구어》 (상하기 쉬운 물건 · 생선 · 식품 등이) 운송〔이동〕에 변질하지 않고 견디다. — *vt.* **1** (나라 · 길 등을) 지나 여행하다, 통과하다, (어느 일정 거리를) 답파하다. **2** (구역을) 외판원으로서 돌다. **3** 《구어》 (가축 따위를) 몰다, 이동시키다; (목재를) 강물에 띄워 나르다.
~ ***along*** 《속어》 걷다; 총총걸음으로 걷다. ~ ***for pleasure*** 만유(漫遊)하다. ~ ***it*** (도보) 여행을 하다. ~ ***out of the record*** (이야기가) 빗나가다〔탈선하다〕. ~ ***the road*** 노상강도질을 하다.
— *n.* **1** [U] 여행; (*pl.*) (장거리 · 외국) 여행: foreign ~ 해외 여행, 외유 / start on one's ~*s* 여행을 떠나다. [SYN.] ⇨ JOURNEY. **2** (*pl.*) 여행담, 여행기: *Gulliver's Travels* 걸리버 여행기. **3** 통근, 통학; 인마의 왕래, 교통량: an increase in ~ on the expressway 고속도로의 교통량 증대. **4** (별 · 빛 · 소리 등의) 움직임, 운동, 진행: the ~ of blood 혈액 순환. **5** (기계의) 왕복 운동, 행정(行程): the ~ of the piston 피스톤의 왕복 운동. ~***s in the blue*** 명상; 백일몽, 방심.

trável advìsory 《미》 정부가 발행하는 해외 여행자에 대한 경고《특정 국가나 지역이 미국인에게 위험함을 경고하는 일》. 「소〔대리점〕.

trável àgency 〔**bùreau**〕 여행사, 여행 안내

trável àgent 여행 안내업자, 여행사 직원.

trav·el·a·tor, 《영》 **-el·la-** [trǽvəlèitər] *n.* 《영》 (평면적으로) 움직이는 보도(步道).

trável càrd 《영》 (버스나 열차를 이용할 수 있는) 교통 카드.

tráv·eled, 《영》 **-elled** *a.* **1** 여행에 익숙한; 견문이 넓은. **2** 여행자가 이용하는: a much~ road 많은 여행자가 다니는 도로. **3** 〖지학〗 (돌 등이) 이동하는; 표적(漂積)한: ~ soils 운적토(運積土).

⁑trav·el·er, 《영》 **-el·ler** [trǽvələr] *n.* **1** 여행자, 여객; 여행에 익숙한 사람: a born ~ 타고난 여행가. **2** 주문 맡는 사람, 외판〔외무〕원: a commercial ~ 지방 순회 외판원. **3** 〖기계〗 크레인, 기중기, =TRAVELING CRANE; 〖해사〗 활환(滑環)《밧줄 · 활대 따위를 따라 미끄러지는 쇠고리》. **4** 〖연극〗 (양쪽에서 잡아당기는) 옆으로 열리는 막(([cf.] drop curtain). ~***'s tales*** 믿을 수 없는 이야기, 허풍. ***play*** 〔***tip***〕 ***the*** ~ ***upon*** a person = ***tip*** a person ***the*** ~ 아무를 속이다; 아무에게 허풍을 떨다.

Trávelers Áid 《미》 (자원봉사자에 의한 공항 등의) 여행자 원조 협회.

tráveler(')s chèck 〔《영》 **chèque**〕 트래블러스 체크, 여행자 수표.

tráveler's-jòy *n.* 참으아리속(屬)의 덩굴성 식물《유럽 및 북아프리카 원산》.

trável ìndustry 관광 산업.

tráv·el·ing, 《영》 **-el·ling** *a.* **1** 여행(용)의; 여행하는: ~ expenses 여비 / a ~ bag 여행 가방 ([cf.] trunk). **2** 순회 영업하는. **3** (기계가 일정 행정을) 이동하는. — *n.* [U] **1** 여행, 순업(巡業). **2** 이동.

tráveling càse 여행용 슈트케이스.

tráveling clòck (케이스에 든) 여행용 시계.

tráveling cràne 주행(走行) 크레인〔기중기〕.

tráveling fèllowship 연구 여행 장학금.

tráveling líbrary 순회 문고〔도서관〕.

tráveling péople (때로 T- P-) 집시(Gypsies); 옮겨 다니며 생활하는 사람들.

tráveling sálesman 순회 판매원, 외판원.

tráveling wáve 〖물리〗 진행파(波).

tráveling-wáve túbe 〖전자〗 진행파관(管)《마이크로파(波)를 증폭하는 진공관》.

trav·e·log(ue) [trǽvəlɔ̀ːg, -lɑ̀g/-lɔ̀g] *n.* 여행담《슬라이드 · 영화 등을 이용하는》; 관광 영화.

trável shòt 〖영화〗 (이동차에서 이동하는 피사체를 촬영하는) 이동 촬영.

trável sìckness (탈것에 의한) 멀미; 《영》 여행지에서의 식중독(으로 인한 설사).

trável-sòiled *a.* 여행으로 더러워진. 「진〕.

trável-stàined *a.* 여행으로 꾀죄죄한〔더러워

trável stèamer 여행자용 증기다리미.

trável tràiler 여행용 이동 주택.

trável-wòrn *a.* 여행에 지친; 여행으로 해진 《옷 · 가방 따위》.

tra·vers·a·ble [trəvə́ːrsəbəl, trǽvəː-] *a.* 횡단할〔넘을〕 수 있는, 통과할 수 있는; 〖법률〗 부인〔항변〕할 수 있는〔해야 할〕.

***trav·erse** [trǽvəːrs, trəvə́ːrs] *vt.* **1** 가로지르다, 횡단〔통과, 관통〕하다《비유적으로도》: the highway *traversing* the desert 사막을 가로지르는 하이웨이 / A bridge ~*s* the rivulet. 다리가 개울에 놓여 있다 / thoughts which ~*d* my mind 마음에 떠오른 갖가지 생각 / a country ~*d* with mountains 여러 산맥이 가로지르고 있는 지방. **2** …의 여기저기를 걷다, 구석구석을 걷다: The policeman ~*d* his beat. 그 경관은 순찰 구역을 한 바퀴 돌았다. **3** 주의 깊게〔전면적으로, 자세히〕 고찰〔음미〕하다: ~ a subject. **4** 〖측량〗 트래버스법(法)으로 측량하다. **5** …에 반대하다, 방해하다: ~ a project 〔a person's design〕 계획〔아무의 구상〕을 방해하다. **6** (법정에서) 부인〔반박〕하다: ~ an indictment 기소장을 부인하다. **7** (겨냥하기 위해 포구(砲口)를) 선회시키다. **8** (비탈 · 산 등을) 지그재그로 오르다〔내리다〕: ~ a slope. **9** (재목을) 가로로 대패질하다. **10** 〖해사〗 (돛대의 활대를) 용골에 평행하게 하다. — *vi.* **1** 가로질러 가다, 횡단하다. **2** (총포 등이) 회전하다; 좌우로〔여기저기〕 이동하다. **3** 〖측량〗 트래버스법으로 재다. **4** (절벽 등을) Z 자형으로 올라가다〔내려가다〕. **5** 〖권투〗 좌우로 움직이다. **6** (말이) 옆으로 가다. **7** 〖펜싱〗 상대방의 검을 누르면서 자기 검을 전진시키다.
— *n.* **1** 횡단, 통과; 횡단 거리. **2** 가로지르고 있는 것; 가로대, 가로장, (가로 방향의) 칸막이《커튼 · 난간 · 격자 따위》; 〖기계〗 횡(橫)이동; 〖측량〗 트래버스, 다각선(多角線), 트래버스 측량(으로 측량한 토지). **3** 방해(물), 장애. **4** 〖법률〗 (상대방의 주장에 대한) 부인, 반박. **5** 〖등산〗 트래버스《급사면 · 암벽을 다른 루트를 찾아 옆으로 이동하기; 또 그 급사면 · 암벽》; 〖해사〗 지그재그 침로. **6** (참호 등의) 방호물; (성의) 횡장(橫墻). **7** (대포 따위의) 선회; 〖기계〗 (선반의) 옆으로의 운동. **8** (측량용) 측선. **9** (교회 · 빌딩의) 긴 복도. **10** (말의) 옆으로의 걸음. **11** 〖펜싱〗 반격 동작.
— *a.* 횡단하는, 가로의; 가로지르는.
— *ad.* 《폐어》 비스듬히, 가로질러.
[파] **tra·vérs·er** *n.* 가로질러 가는 사람〔물건〕; 〖법률〗 부인〔거부〕자; 〖철도〗 천차(遷車)대.

tráverse júry =TRIAL 〔PETIT〕 JURY.

tráverse ròd 〔**tràck**〕 (개폐용 도르래 장치가 달린) 금속제 커튼 레일.

tráverse tàble 〖해사〗 방위표, 경위표(經緯表); 〖철도〗 =TRANSFER TABLE.

tráversing brìdge 교체(橋體)가 수평으로 물러나 항로를 여는 가동교(可動橋).

trav·er·tine, -tin [trǽvəːrtìːn, -tin], [-tin] *n.* [U] 〖광물〗 온천〔용천(湧泉)〕 침전물; 석회화(石灰華)《건축용》.

trav·es·ty [trǽvəsti] *n.* 작풍(作風)을 흉내 내면서 원작을 익살맞게 고친 것; 졸렬한 모조품〔작품〕; [C,U] (이성(異性) 차림의) 변장. — *vt.* 변장시키다; …의 travesty를 만들다; 익살맞은 모방으로 조롱하다, 농으로 돌리다.

tra·vois [trəvɔ́i] (*pl.* ~ [-z], ~***es*** [-z]) *n.*

(북아메리카 평원 지방 인디언의) 2개의 막대기를 틀로 엮어 개·말에게 끌게 하는 운반용구(썰매).
Trav·o·la·tor [trǽvəlèitər] *n.* [U] 트래벌레이터(움직이는 보도(步道); 상표명).
trawl [trɔ:l] *n.* 트롤망(網), 저인망(底引網); 《미》 주낙(~ line). **—** *vi., vt.* 트롤 어업을 하다; 《미》 주낙으로 (물고기를) 잡다. [파] **~·er** *n.* 트롤선(船)(어부). **~·ing** *n.* [U] 트롤 어업.
tráwl-bóat *n.* 트롤선.
tráwler·man [-mèn, -mən] *n.* 트롤 어업을 하는 사람.
tráwl lìne 《미》 주낙.
tráwl·nèt *n.* 트롤망, 저인망.
tray [trei] *n.* **1** 식판, 쟁반; 음식 접시; 거기에 담은 것; 한 접시(의 양)《*of*》: a developing ~ 『사진』 현상 접시/an ash ~ 재떨이/a ~ *of* food 식판에 가득 담은 음식. **2** 책상 위의 사무 서류 정리함; (트렁크·장롱 따위의) 칸막이한 작은 상자.
tráy àgriculture 『농업』 수경법(水耕法)(hydroponics).
tray·ful [tréifùl] *n.* 식판(쟁반) 가득한 양《*of*》.
treach [tretʃ] *a.* 《속어》 멋있는, 아주 근사한.
treach·er·ous [trétʃərəs] *a.* **1** 불충(不忠)한, (언동이) 불성실한, 배반하는《*to*》: He was ~ *to* his friends. 그는 친구를 배반했다. **2** 믿을 수 없는, 방심할 수 없는; (안전한 것 같으면서도) 위험한, 발판·토대가 불안정한: ~ ice 견고한 것 같지만 깨지기 쉬운 얼음/~ weather 믿을 수 없는 날씨. ◇ treachery *n.* [파] **~·ly** *ad.* **~·ness** *n.*
treach·ery [trétʃəri] *n.* [U] 배반, 반역; 변절; [C] 반역(불신) 행위. ◇ treacherous *a.*
trea·cle [trí:kəl] *n.* [U] 《영》 당밀(糖蜜) (molasses); 《비유》 달콤하면서 역겨운 것(음성, 태도 등); 《폐어》 해독제, 특효약(요법). [파] **-cly** [-i] *a.* 당밀 같은; 당밀처럼 단; 달콤한《말 따위》.
tread [tred] (**trod** [trɑd/trɔd], 《고어》 **trode** [troud]; **trod·den** [trɑ́dn/trɔ́dn], **trod**) *vt.* **1** (길·장소 따위를) 밟다, 걷다, 가다, 지나다; (댄스의) 스텝을 밟다, 춤추다: ~ a perilous path 위험한 길을 가다(걷다). [SYN.] ⇨WALK. **2** 《~+[목]/+[목]+[부]/+[목]+[전]+[명]》 짓밟다, 밟아 으깨다; (길·구덩이 따위를) 밟아서 만들다《*out*》; 《영》 (진흙 따위를) 묻혀 오다(《미》 track): ~ grapes (포도주를 만들기 위하여) 포도를 밟아 으깨다/~ a fire *out* 불을 밟아 끄다/~ a path *through* the snow 눈을 밟아 길을 내다/~ mud *into* a carpet 흙 묻은 신으로 카펫을 더럽히다. **3** 《~+[목]/+[목]+[부]》 유린하다, (감정)을 억누르다; 억압(제압, 박멸)하다《*down*》: ~ the rules underfoot 규칙을 무시하다/~ *down* the masses 대중을 억압하다/~ *down* one's sad feelings 슬픔을 억누르다. **4** (수새가) …와 붙다, 교접하다. **—** *vi.* **1** 걷다, 가다(walk): Fools rush in where angels fear to ~. 《속담》 하룻강아지 범 무서운 줄 모른다. **2** 《+[전]+[명]》 밟다, (잘못해서) 짓밟다, 밟아 뭉개다《*on, upon*》: She was afraid he would ~ *on* her feet. 그녀는 그에게 발을 밟히지 않을까 걱정했다. **3** (수새가) 교미하다(copulate)《*with*》.
~ *a fine line between* …사이의 위태로운 줄타기를 하다. **~ (*as*) *on eggs*** =EGG[1]. **~ *in*** 땅속에 밟아 넣다. **~ *in* a person*'s steps*** 아무를 본받다; 아무의 전철을 밟다. **~ *lightly*** 사뿐 걷다; (어려운 문제를) 신중히 다루다. **~ *on air*** 마음이 들뜨다, 기뻐 어쩔 줄 모르다. **~ *on* a person*'s corns* (*toes*)** 아무를 성나게 하다; 아무의 권리를 침해하다. **~ *on* one*'s own tail*** (아무를 치려다) 도리어 자신이 상처 입다. **~ *on the heels of*** …의 바로 뒤를 따르다. **~ *out*** ⇨*vt.* 2; (불을) 밟아 끄다; 진압(박멸)하다; (포도즙 등을) 밟아서 짜다; 밟아서 탈곡하다. **~ *the boards* (*stage*)** 배우로서 무대를 밟다, 무대에 서다. **~ *the deck*** 선원이 되다. **~ *the ground*** 걷다, 산책하다. **~ *the paths of exile*** 망명하다; 세상과 등지다. **~ *this earth*** 살아 있다. **~ *under foot*** 짓밟다, 밟아 뭉개다; 《비유》 압박하다; 경멸하다. **~ *warily*** 신중히 행동하다. **~ *water*** 선헤엄을 치다(★ 이 경우의 과거형은 보통 treaded).

— *n.* **1** 밟음; 발걸음, 걸음걸이, 보행; 밟는 소리, 발소리: walk with a heavy (stealthy) ~ 무거운 발걸음으로(살금살금) 걷다/an airy ~ 경쾌한 발걸음. **2** (계단의) 디딤판; (사닥다리의) 가로장. **3** 타이어의 접지면, 트레드; (타이어의) 트레드에 새겨진 무늬; (타이어의) 트레드 두께. **4** (자동차·항공기의) 좌우 양바퀴 사이의 폭(나비), 윤거(輪距). **5** (신바닥·발바닥의) 접지부(接地部)(의 모양); 밟은 자국, 족적, 바큇자국; (썰매의) 활주면. **6** =CATERPILLAR TREAD. **7** 『철도』 레일의 윗면《바퀴가 닿는》. **8** 『생물』 알의 배점(胚點), 난핵(卵核). **9** 『해사』 용골(龍骨)의 길이; 『축성(築城)』 흉벽(胸壁) 배후의 발판. **10** 『수의』 제관섭상(蹄冠躡傷)《발굽 위를 다른 발로 밟아서 생기는 상처》.
tréad·bòard *n.* (계단 따위의) 디딤판.
tréa·dle [trédl] *n.* **1** 발판, 디딤판, 페달. **2** (알의) 알끈(chalaza). **—** *vi., vt.* 디딤판(페달)을 밟다(밟아 움직이(게 하)다).
tréad·mìll *n.* **1** 밟아 돌리는 바퀴《옛 감옥에서 죄수에게 징벌로 밟게 한》; (다람쥐 따위가 돌리는) 쳇바퀴. **2** 단조로운(따분한) 일, (일·생활 등의) 단조로운 반복. **3** 회전식 벨트 위를 달리는 운동 기구.
tréad·whèel *n.* (양수용) 무자위《밟아 돌리는》; 쳇바퀴.
treas. treasurer; treasury.
trea·son [trí:zən] *n.* [U] **1** 반역(죄), 모반, 국사범: high ~ 대역죄. **2** 배신, 배반.
tréa·son·a·ble, trea·son·ous [trí:zənəs] *a.* 반역의; 불충한, 반역심이 있는.
tréason fèlony 『영법률』 국사범(國事犯), (중죄(重罪)에 해당하는) 반역죄.
treas·ure [tréʒər] *n.* **1** [C,U] 보배, 재보, 금은, 보물, 귀중품《집합적 또는 개별적인》; 비장품; 재화, 재산, 부(富): The pirates buried their ~. 해적은 그들의 재보를 파묻었다/art ~*s* 귀중한 미술품. **2** 《구어》 소중한 것, 다시없는 것(사람); 사랑하는 자식; 아끼는 사람: My ~! 나의 가장 사랑하는 사람이여/Our cook is a perfect ~. 우리 요리사는 아주 훌륭하다. ***cost* (*spend*) *blood and* ~** 생명과 재산을 요하다(허비하다).
— *vt.* 《~+[목]/+[목]+[부]》 **1** (안전·장래를 위하여) 비축해 두다, (귀중품을) 비장하다《*up*》; 소중히 하다: *Treasure* friendship. 우정을 소중히 해라/~ *up* money and jewels 돈과 보석을 모으다. **2** (교훈 등을) 마음에 새기다《*up*》, 명기하다: ~ those beautiful days in one's memory 그 아름다웠던 나날을 잊지 않다/~ *up* in one's heart the recollection of old times 옛날의 추억을 마음에 새기다.
tréasure hòuse 보물 창고; 《비유》 지식의 보고.
tréasure hùnt 보물찾기; 보물찾기 놀이.
Tréasure Ìsland 보물섬《R. L. Stevenson의 모험 소설》.
treas·ur·er [tréʒərər] *n.* **1** 회계원, 출납관(원), 회계 담당자: the *Treasurer* of the Household 《영》 왕실 회계국 장관/the *Treasurer* of the United States 미국 재무부 출납국장. **2** 보물(금고) 관리자. [파] **~·shìp** *n.* [U] ~의 직.
Tréasure Stàte (the ~) 미국 Montana 주의 속칭.
tréasure-tròve *n.* 『법률』 매장물《소유주 불명의 금은 등 고가의 발굴물》; 『일반적』 귀중한 발굴〔수집〕물; 귀중한 발견.

*__treas·ury__ [tréʒəri] *n.* **1** 보고《재보를 보관하는 건물·방·상자 등》; (국가·지방 자치 단체·기업·기타 각종 단체의) 금고(에 보관된 자금·재원). **2** 기금, 자금. **3** (the T–) (영국 등지의) 재무부; (미국의) 재무부; 재무부의 청사〔관리들〕. **4** (지식 등의) 보고(寶庫), 박식한 사람; (특히, 책 이름으로) 보전(寶典); 명시문집《*of*》: The book is a ~ *of* information. 이 책은 지식의 보고다 / *The Golden Treasury* (*of the Best Songs and Lyrical Poems*) 영시 보전(英詩寶典)《F. T. Palgrave 편찬》. **5** (Treasuries) 재무부 채권. ***the First Lord of the Treasury*** 《영》국가 재정 위원장《보통 수상이 겸임》. ***the Secretary of the Treasury*** 《미》 재무 장관.

Tréasury Bènch (the ~) 《영》 (하원의) 각료석(閣僚席). cf. front bench.

Tréasury bìll 《영》 재무부 채권; 《미》 재무부 단기 채권《할인채》.

Tréasury Bòard 《영》 국가 재정 위원회.

Tréasury bònd (때로 t–) 《미》 (재무부 발행) 장기 채권《만기 10년 이상의 이자부 국채》.

tréasury certìficate 《미》 재무부 증권, 재무부 채무 증서.

Tréasury Depàrtment (the ~) 《미》 재무부 《정식으로는 the Department of the Treasury》.

tréasury lòrd 《영》 국가 재정 위원회 위원.

tréasury nòte **1** 《영》 법정 지폐《1 파운드 또는 10실링; 지금은 Bank of England note 가 이것을 대신》. **2** 《미》 재무부 중기(中期) 채권.

tréasury stòck 《미》 금고주(金庫株), 사내주(社內株), 자기 주식.

tréasury wàrrant 국고 지급〔수납〕 명령서.

⁑__treat__ [tri:t] *vt.* **1** 《+목+부/+목+전+명/+목+*as* 보》 (사람·짐승을) 다루다, 대우하다: He ~*ed* me *badly*. 그는 나를 몹시 구박했다 / They ~*ed* him *with* respect. 그들은 그를 존경심을 갖고 대우했다 / Don't ~ me *as* a child. 나를 어린애 취급하지 마라. **2** 《+목+*as* 보》 (…으로) 간주〔생각〕하다: ~ it *as* a joke 그것을 농담으로 간주하다. **3** 논하다; (문학·미술 따위에서) 다루다, 표현하다: This article ~*s* the problem thoroughly. 이 기사는 그 문제를 철저히 다루고 있다. **4** 《~+목/+목+전+명》 치료하다: I had my decayed teeth ~*ed*. 나는 충치를 치료 받았다 / The doctor ~*ed* him *for* pneumonia. 의사는 그의 폐렴을 치료해 주었다 / They ~*ed* me *with* a new drug. 나는 신약(新藥)으로 치료 받았다. **5** 《+목+전+명》 (화학적으로) 처리하다; (약을) 바르다: ~ a substance *with* (an) acid 어떤 물질을 산으로 처리하다 / ~ dry leather *with* grease 마른 가죽에 그리스를 바르다. **6** 《~+목/+목+전+명》 대접하다; …에게 음식을 대접하다, …에게 한턱내다《*to*》; (매수하려고 선거인)에게 향응하다: I will ~ you all. 모두에게 한턱내겠다 / He ~*ed* me *to* an ice cream. 그는 나에게 아이스크림을 대접했다 / He ~*ed* us *to* the dirtiest words. 그는 우리에게 더없이〔가장〕 더러운 말로 응대(應待)했다. **—** *vi.* **1** 《+전+명》 (글·담화로) 다루다, 논하다, 언급하다《*of*》: The book ~*s of* the progress of medicine. 그 책은 의학의 진보를 다루고 있다. **2** 《+전+명》 교섭하다, 거래〔흥정〕하다 《*for; with*》: ~ *with* the enemy *for* peace 적과 화평 교섭을 하다. **3** 한턱내다, 음식을 대접하다: Is it my turn to ~? 내가 한턱낼 차례인가. **~ one*****self to*** (큰마음 먹고) …을 즐기다, …을 사다: I ~*ed* my*self to* the best room in the hotel. 큰마음 먹고 그 호텔에서 제일 좋은 방에 들었다. **~ *well*** 후대하다; 논지가 좋다.

— *n.* **1** 한턱, 한턱냄〔낼 차례〕: Of course this is my ~. 물론 이건 내가 내는 거야 / ⇨ DUTCH TREAT. **2** 큰 기쁨, 예기치 않은 멋진 경험; 특별한 즐거움: It is a ~ to see you. 만나 뵙게 되어 매우 기쁩니다. **3** 위안회: a school ~ 학교의 위안회《교외 소풍, 운동회 등》. ***a fair ~*** 《영속어》〔부사적〕 만족하게, 더없이. ***be* a person's ~** 아무가 (한턱)내는 것이다: This is to *be my* ~. 이것은 내가 내기로 하지. ***stand ~*** 한턱내다 《*for*》. ㊞ **∠·er** *n.*

tréat·a·ble *a.* (특히 병 따위가) 치료할 수 있는. ㊞ **trèat·a·bíl·i·ty** *n.*

°**trea·tise** [trí:tis] *n.* (학술) 논문, 보고서《*on*》: a ~ *on* chemistry 화학에 관한 논문.

⁑**treat·ment** [trí:tmənt] *n.* U,C **1** 취급; 대우. **2** 처리(법): the problem of sewage ~ 오수(汚水) 처리 문제. **3** 다루는 법, 논법. **4** 치료; 치료법〔약〕《*for*》: a new ~ *for* cancer 암의 새 요법 / be under (medical) ~ 치료 중이다. **5** 〖영화〗 (동작·카메라 앵글 따위의 장면 변화 방식을 추가해서 써넣은) 대본, 시나리오. ***give the silent ~*** 묵살하다, 무시하다.

*__trea·ty__ [trí:ti] *n.* **1** 조약, 협정, 맹약; 조약 문서: a peace 〔commercial〕 ~ 평화〔통상〕 조약 / a nuclear non-proliferation ~ 핵확산 방지 조약. **2** (개인 간의) 약정, 약속; U 협상, 교섭. ***be in ~ with*** …와 교섭 중이다.

Tréaty of Versáilles (the ~) 베르사유 조약.

tréaty pòrt 〖역사〗 (중국 등지의 유럽에 대한) 조약항, (조약에 의한) 개항장, 무역항.

°**tre·ble** [trébəl] *a.* **1** 3배〔겹, 중〕의, 3단의, 세 부분으로〔요소로〕 되는, 세 가지의 (용도가 있는). cf. single, double. ¶ ~ figures 세 자리 숫자 / ~ gear, 3단 기어. **2** 〖음악〗 최고음부의; 드높은. **3** 〖녹음·방송〗 고음(역)의. **—** *n.* 세 부분으로〔요소로〕 구성된 것, 3배, 3중(重); 세 겹의 물건; 세곱의 수〔양, 가치〕의 물건; 《영》 (darts에서) 표적 중앙의 좁은 두 원의 사이(를 맞히기), 그 3점 득점; 〖음악〗 최고음역(의 악기, 가수), 소프라노 (가수); (피아노의) 오른손용 고음 파트; 높은 (목)소리; 〖경마〗 (같은 말에 의한) 3연승; 〖녹음·방송〗 고음(역), 트레블. **—** *vt., vi.* 3배로 하다; 3배가 되다. ㊞ **-bly** *ad.* 3배〔중, 겹, 열〕로; 고음으로.

tréble cléf 〖음악〗 사음자리표, 높은음자리표.

Tre·blin·ka [trəblíŋkə] *n.* 트레블린카《폴란드 Warsaw 부근에 있었던 나치의 수용소》.

treb·u·chet [trébjuʃèt, ˌ-ˌ-ˊ/ˊ-ˌ-] *n.* (중세의 성문 파괴용) 투석기(投石機); (극히 적은 양을 재는) 작은 천칭《화학 실험용》.

tre·buck·et [trí:bʌkit] *n.* 투석기(trebuchet).

tre·cen·to [treitʃéntou] (*pl.* **~s**) *n.* (종종 T–) (이탈리아 예술의) 14세기(풍). cf. quattrocento. [《It.》 *mille trecento*, a thousand three hundred] ㊞ **tre·cén·tist** [-tist] *n.* (종종 T–) 14세기 이탈리아의 문학자〔미술가〕.

tre·chom·e·ter [trekámətər/-kɔ́m-] *n.* (자동차 따위의) 주행 거리(走行距離) 기록계(odometer).

†**tree** [tri:] *n.* **1** 나무, 수목(樹木), 교목(喬木)《낮은 것은 관목인 shrub》; (꽃 열매와 구별하여) 나무, 줄기 부분. cf. bush. ¶ an apple 〔a banana,

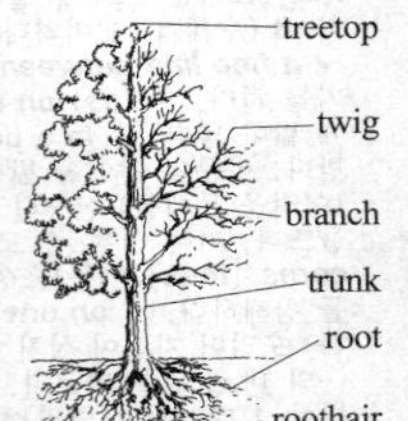

tree 1

a rose] ~ 사과[바나나, 장미] 나무. **2** 목제 물건[기둥, 말뚝, 대들보]; 십자가; 《고어》 교수대. [cf.] axletree, clothes tree, rooftree, whippletree. ¶ a boot [shoe] ~ 구두[신]골. **3** 나무 모양의 것; 계도(系圖), 계보; 혈통: the family ~ 가계(家系)(도). **4** 크리스마스트리. **5** 〖컴퓨터〗 나무꼴《나무처럼 편성된 정보 구조》. ***as ~s walking*** 희미하게, 또렷지 않게. ***A ~ is known by its fruit.*** 〖성서〗 나무는 그 실과에 의해 알려진다《사람은 말보다 행동에 의해 평가된다; 마태복음 XII: 33》. ***at the top of the ~*** 최고[지도자]의 지위에. ***bark up the wrong ~*** ⇨ BARK. ***be up a ~*** 《구어》 진퇴양난에 빠지다, 궁지에 몰려 있다. ***grow on ~s*** 《비유》 손쉽게 (얼마든지) 손에 들어오다. ***in the dry ~*** 역경에서, 불행하여. ***out of one's ~*** 《속어》 미쳐서, 짝없이 어리석게. ***see the ~s and not the forest*** 나무만 보고 수풀을 못 보다; 말절에 구애되어 전체를 못 보다. ***the ~ of Buddha*** 보리수. ***the ~ of knowledge*** (***of good and evil***) 〖성서〗 지혜의 나무《창세기 II: 9》. ***the ~ of liberty*** 자유의 나무《자유 획득 기념으로 광장 등지에 심는 나무》. ***the ~ of life*** 〖성서〗 생명의 나무《창세기 II: 9》. ***~ of heaven*** 가(假)죽나무(ailanthus).
— *vt.* **1** (동물 · 사람을) 나무 위로 좇아 버리다; 《비유 · 구어》 궁지에 몰아넣다. **2** (신을) 신골에 끼우다. — *vi.* 나무 위로 좇겨 올라가다.
[파] **∠·less** *a.* **∠·lìke** *a.*

trée cálf (나뭇결무늬의) 제본용 송아지 가죽.
trée crèeper 〖조류〗 나무발바리.
treed *a.* 나무가 심겨[나] 있는; 나무로 좇겨 올라간; 《비유》 궁지에 몰린; 신골로 형태를 조절한.
trée dìagram (문법 등의) 수형도(樹形圖).
trée-dòzer *n.* 벌채용 불도저.
trée fàrm (목재 생산을 목적으로 하는) 시업임지(施業林地); 묘목 육성장.
trée fèrn 〖식물〗 목생(木生) 양치류.
trée fròg [**tòad**] 〖동물〗 청개구리.
trée frùit 《미》 (사과 · 복숭아 등) 교목(喬木)에 열리는 과일(《영》 top fruit).
trée hòuse 나무 위의 오두막《주거 · 아이들 놀이터》.
trée hùgger 《미속어》 〖정치〗 의회 로비 활동을 하는 환경 보호 운동가. 「디 녹지대.
trée làwn (차도와 보도 사이의) 나무가 있는 잔
trée lìne = TIMBER LINE.
trée-lìned *a.* 한 줄로 나무를 심은, 가로수의.
trée mòuse 나무 위에서 사는 쥐《특히 아프리카의》.
tré·en [tríːən] (*pl.* ~) *n.* (보통 *pl.*) (오래된) 목제 가정용품《접시 · 대접 따위》; 목제 가정용품 제작 기술. — *a.* 목제의.
trée·nàil, tre- *n.* 나무못.
tréen·wàre *n.* 목제 가정용품, 목기(treen).
trée pèony 〖식물〗 모란. 「의 속칭.
Trée Plànters Státe (the ~) Nebraska 주
trée rìng = ANNUAL RING.
trée shrèw 나무두더지《식충(食蟲) 포유동물》.
trée sùrgeon 수목 외과(外科) 전문가.
trée sùrgery 수목 외과술(外科術).
trée tomàto 〖식물〗 토마토나무(의 열매)《열대 아메리카 원산; 가짓과(科)》.
◇**trée·tòp** *n.* 우듬지, 나무의 꼭대기.
tref, treff [tref] *n.* 《미속어》 (불법 거래를 위한) 비밀 회합.
tre·foil [tríːfɔil, tréf-] *n.* 〖식물〗 토끼풀속(屬)의 식물; 잔개자리《콩과》; 〖건축〗 세잎 쇠시리, 삼판(三瓣); 〖문장(紋章)〗 세잎문(紋). [파] **~ed** *a.* 〖건축〗 세잎 장식이 있는.
trek [trek] (*-kk-*) *vi., vt.* **1** (소가) 짐수레를 끌다; 《S.Afr.》 (달구지로) 여행[이주(移住)]하다; 느릿느릿[고난을 견디며] 여행하다[이주(移住)의 길을 가다]. **2** 〔일반적〕 여행하다; 《구어》 걸어서 가다, 전진하다; 《속어》 물러나다. — *n.* 《S.Afr.》 달구지 여행; (달구지) 여행의 하루 행정(行程); 《특히》 이주자의 대이동; 〔일반적〕 여행(의 하룻길), 《특히》 고난에 찬 여행; 《구어》 (걸어가는) 짧은 여행. [파] **∠·ker** *n.*
Trek·kie [tréki] *n.* (때로 t-) 트레키(= **Trék·ker**)《TV연재물 *Star Trek* 팬(1966-69)》.
trel·lis [trélis] *n.* **1** (보통, 목제의) 마름모[네모] 격자(格子)(세공). **2** 격자 울타리; (포도 · 덩굴장미 등이 오르는) 격자 구조물. **3** 격자 구조의 정자. — *vt.* 격자를 달다; 격자 울타리로 두르다; 시렁으로 버티다. [파] **~ed** [-t] *a.* ~가 있는[로 받쳐진].

trellis 2

tréllis·wòrk *n.* = LATTICEWORK.
trem·a·tode [trémətòud, tríː-] *n.* 〖동물〗 흡충(吸蟲). — *a.* 흡충강(綱)(Trematoda)의.
trem·blant [trémblənt] *a.* 용수철 장치로 진동하는.
trem·ble** [trémbəl] *vi.* **1** 《~/+[전]+[명]》 떨다, 전율하다, 와들와들 떨다《*with; from; at*》; (건물 · 땅이) 진동하다; (나무 · 잎 · 빛 등이) 흔들리다; (목소리가) 떨리다: Hear and ~! 자 듣고 놀라지 마 / His voice ~*d with* anger. 그의 목소리는 노기로 떨렸다 / His hands ~ *from* drinking too much. 그는 술을 너무 많이 마셔서 손을 떤다 / She ~*d at* the sight. 그녀는 그 광경을 보고 부들부들 떨었다. [SYN.] ⇨ SHAKE. **2** 《~/+*to* do/+[전]+[명]》 《비유》 몹시 불안해 하다, 조바심하다《*at; for; to* do》: ~ *at* the thought of [*to* think] …을 생각하면 오싹해진다 / ~ *for* his safety 그의 안부를 염려하다. — *vt.* **1** 떨게 하다. **2** 떨리는 목소리로 말하다《*out*》: ~ *out* prayers 떨리는 목소리로 기도를 올리다. ***~ in one's shoes 걱정으로 몸을 떨다. ***~ in*** [***on***] ***the balance*** (생명 · 운명이) 위기에 놓이다; 미결정이다.
— *n.* **1** 떨림, 몸을 떪, 전율; 진동(震動). **2** (*pl.*) 〔단수취급〕 **a** 〖수의〗 진전(震顫)《특히, 마소의 떠는 병》. **b** 〖의학〗 = MILK SICKNESS. ***(all) in*** [***of***] ***a ~*** = ***on*** [***upon***] ***the ~*** 《구어》 전신을 떨며; 벌벌 떨며.
[파] **-bler** *n.* 떠는 사람[것]; (벨 등의) 진동판; 《미속어》 다른 죄수를 겁내는 죄수.
trem·bling [trémbəliŋ] *n.* [U] 떨기, 전율; 〖의학 · 수의〗 = TREMBLES. — *a.* 떠는, 전율하는.
[파] **~·ly** *ad.*
trémbling póplar 사시나무. 「전율하는.
trem·bly [trémbəli] (*-bli·er; -bli·est*) *a.* 떠는,
***tre·men·dous** [triméndəs] *a.* **1** 무서운, 굉장한, 무시무시한: a ~ explosion 무시무시한 폭발 / a ~ fact 가공할 만한 사실. **2** (차이 따위가) 엄청난, 어이없는: a ~ talker 굉장한 수다쟁이. **3** 《구어》 거대한; 굉장한 양의. **4** 《구어》 멋진, 대단한, 비범한. [파] ◇**~·ly** *ad.* **~·ness** *n.*
trem·o·lite [tréməlàit] *n.* 〖광물〗 투각섬석(透角閃石)《각섬석의 일종; 바늘 모양 또는 섬유 모양의 결정체》. [파] **trem·o·lit·ic** [trèməlítik] *a.*
trem·o·lo [tréməlòu] (*pl.* **~s**) *n.* 《It.》 〖음악〗 트레몰로; (풍금의) 트레몰로 장치.
trem·or [trémər, tríː-] *n.* **1** 전율, 떨림; 겁; 떨리는 목소리; 미동(微動); 진동; 〖의학〗 진전

(震顫). **2** 불안감(의 원인); 오싹해지는 홍분〔공포〕. ◇ tremulous, tremulant. *a.* **—** *vi.* 떨다; 불안해하다; 흥분으로〔공포로〕 떨다.

trem·u·lant [trémjələnt] *a.* =TREMULOUS.

trem·u·lous [trémjələs] *a.* 떠는, 전율하는; 겁 많은; 망설이며 동요하는; (필적 등이) 떨린, 떨리는 손으로 쓴; 신경질적인, 몹시 민감한《*to*》. ◇ tremor *n.* [파] **~·ly** *ad.* **~·ness** *n.*

trenail ⇨ TREENAIL.

***trench** [trentʃ] *n.* 트렌치, 도랑, 해자, 호(壕); 〖지학〗 해구(海溝); 〖군사〗 참호, (*pl.*) 참호 진지: mount the *~es* 참호 근무를 하다 / open the *~es* 참호를 파기 시작하다 / a cover ~ 엄호(掩壕) / a fire ~ 산병호(散兵壕) / search the *~es* (유산탄으로) 참호를 공격하다. **—** *vt.* (홈 등을) 새기다; 도랑을 파다〔내다〕; (논밭을) 파헤치다, 갈다; 〖군사〗 (거점을) 참호로 지키다〔두르다〕. **—** *vi.* **1** 〖군사〗 참호를 파다《*down; along*》. **2** 《+[전]+[명]》 (권리 · 토지 따위를) 침해하다, 잠식하다《*on, upon*》; …에 접근하다, …에 가깝다《*on, upon*》: Visitors *~ed upon* my spare time. 손님이 와서 여가를 빼앗겼다 / Your remarks are *~ing on* nonsense. 네 말은 잠꼬대 같다. [파] **~ed** [-t] *a.* ~가 있는; 배수구가 있는; 참호로 방비된.

trench·ant [tréntʃənt] *a.* **1** (말 따위가) 통렬한, 신랄한, 찌르는 듯한. **2** (정책 등이) 강력한, 철저한; (의견 · 논의 등이) 명쾌한, 설득력 있는, 유효한. **3** (무늬 · 윤곽 등이) 명확한, 뚜렷한. **4** 《고어》 (날붙이 등이) 예리한. [파] **~·ly** *ad.* **-an·cy** [-ənsi] *n.* [U] 날카로움, 예리함; 통렬함.

trénch còat 참호용 방수 외투; 트렌치코트《벨트가 달린 레인코트》.

trénch dìgger 〖기계〗 도랑 파는 기계〔굴착기〕.

trénch·er[1] *n.* 참호를 파는 사람; 참호병.

◇**trénch·er**[2] *n.* **1** 큰 나무접시; 목판《식탁에서 빵을 썰어 도르는》. **2** 《고어》 음식; 식사. **3** 〔형용사적〕 나무접시의; 식사의; 《고어》 기생충 같은, 비굴하게 아첨하는. **4** =TRENCHER CAP. ***lick the ~*** 아첨하다, 아양 떨다.

tréncher càp (대학의) 사각모자. 「냥개》.

tréncher-féd *a.* 《영》 사냥꾼이 손수 기른《사

tréncher·man [-mən] (*pl.* ***-men*** [-mən, -mèn]) *n.* 대식가; 《고어》 식객: a good 〔poor〕 ~ 대〔소〕식가.

trénch fèver 〖의학〗 참호열(熱).

trénch fòot 〖의학〗 참호족(足)《참호 안의 습기와 한기로 일어나는 동상 비슷한 발병》.

trénch gùn 〔**mòrtar**〕 박격포, 곡사포.

trénch knìfe 양날의 단검《백병전용》.

trénch mòuth 〖의학〗 (참호성) 구강염.

trénch wárfare 참호전《양군이 (반영구적인) 참호를 이용하는 전투》.

***trend** [trend] *n.* **1** 방향; 《비유》 경향, 동향, 추세; 시대 풍조, 유행의 양식〔형〕: set a ~ 유행을 창출〔결정〕하다. **2** (길 · 강 · 해안선 따위의) 방향, 기울기. **—** *vi.* **1** 《+[부]/+[전]+[명]》 (특정한 방향으로) 향하다, 기울다: The wind is *~ing east* 〔*toward* the east〕. 바람은 동쪽으로 불고 있다. **2** 《+[전]+[명]》 《비유》 (사태 · 여론 따위가 특정 방향으로) 기울다, 향하다《*toward*》. [cf.] tend[1]. ¶ Things are *~ing toward* reactionism. 인심이 차츰 복고주의로 쏠리고 있다.

trend·i·fy [tréndəfài] *vt.* 《경멸》 시대의 풍조〔유행〕에 맞추다. 「선.

trénd lìne (주가의 가격 변동을 나타내는) 추세

trénd·sètter *n.* 유행을 선도하는〔만드는〕 사람〔것〕. [파] **-sètting** *a.*

trendy [tréndi] (***trend·i·er; -i·est***) *a.* 《종종 경멸》 최신 유행의; 유행을 따르는. **—** *n.* 유행의 첨단을 걷는 사람. [파] **trénd·i·ly** *ad.* **-i·ness** *n.*

tren·tal [tréntl] *n.* 〖가톨릭〗 30 일간의 위령(慰靈) 미사.

trente-(et-)qua·rante [trá:nt-(ei-)kərá:nt] *n.* 《F.》 =ROUGE ET NOIR.

tre·pan[1] [tripǽn] *n.* 〖외과〗 천공기(穿孔機), 천두기(穿頭器); 〖광산〗 수갱 개착기(竪坑開鑿機). **—** (***-nn-***) *vt.* 〖외과〗 천공하다; 수갱 개착기로 구멍을 파다〔뚫다〕.

tre·pan[2] (***-nn-***) 《고어》 *vt.* 함정에 빠뜨리다; 속이다, 꾀다, 유인하다《*into; from*》. **—** *n.* 함정; 사기꾼, 속이는 사람; 책략가. 「(술); 천두(술).

trep·a·na·tion [trèpənéiʃən] *n.* 〖외과〗 천공

tre·pang [tripǽŋ] *n.* 〖동물〗 해삼.

tre·phine [trifáin, -fí:n] *n.*, *vt.* 〖외과〗 관상(冠狀)톱《자루 달린 둥근 톱》(로 수술하다), 천공(하다).

trep·i·da·tion [trèpədéiʃən] *n.* [U] 공포, 전율; 당황; 걱정, 불안; (손발의) 떨림.

trep·o·ne·ma [trèpəní:mə] (*pl.* ***~s, -ma·ta*** [-mətə]) *n.* 〖세균〗 트레포네마《매독균류》.

trep·o·ne·ma·to·sis [trèpənì:mətóusis] *n.* 〖병리〗 트레포네마병(病)〔증(症)〕.

***tres·pass** [tréspəs, -pæs/-pəs] *vi.* **1** 《~/+[전]+[명]》 〖법률〗 (남의 토지 · 권리 따위에) 침입하다, 침해하다《*on, upon*》: ~ *upon* a person's land 〔privacy〕 아무의 땅〔사생활〕을 침해하다. **2** 《+[전]+[명]》 끼어들다, 방해〔훼방〕하다《*on, upon*》: He is always *~ing on* my time. 그 사람 때문에 항상 내 시간을 빼앗긴다. **3** 《+[전]+[명]》 (남의 호의를 기화로) 염치없이 굴다: I shall ~ *on* your hospitality. 호의를 염치없이 받겠습니다. **4** 《고어 · 문어》 죄를 범하다《*against*》: ~ *against* the law 법을 어기다.

May I ~ on you for (that book)? 미안하지만 (그 책)을 좀 집어 주겠소. ***No ~ing!*** 《게시》 출입금지. ~ ***on*** a person***'s preserves*** 아무의 영역을 침범하다; 주제넘게 나서다.

— [tréspəs] *n.* **1** [C,U] (남의 시간 · 사생활 등에의) 침입, 침해, 간섭; 〖법률〗 (타인의 권리 · 토지 · 재산 등에 대한) 침해; 침해 소송《*on, upon*》: commit a ~ 불법 침입하다. **2** [C,U] 폐(弊), 누(累); 방해《*on, upon*》: make a ~ *on* a person's time 아무의 시간을 방해하다. **3** [C] 《문어》 범죄; (종교 · 도덕상의) 죄: Forgive us our *~es.* 우리의 죄를 용서하소서.

[파] **~·er** *n.* 불법 침입자, 침해자; 위반자.

tress [tres] *n.* (여자의) 긴 머리털 한 다발, 땋은 머리; (*pl.*) 삼단 같은〔치렁치렁한, 숱 많은〕 머리. **—** *vt.* 〔보통 과거분사로〕 (머리를) 땋다. [파] **~ed** [-t] *a.* …으로 머리를 땋은; …머리의: a golden-*~ed* maiden 금발의 소녀.

tres·tle, tres·sel [trésəl] *n.* 가대(架臺), 버팀다리; 〖토목〗 트레슬, 구각(構脚).

tréstle brìdge 〖토목〗 구각교(構脚橋).

tréstle tàble 가대식 식탁《2-3 개의 trestles 위에 판을 얹은》. 「頭縱材); 시렁 가래.

tréstle·trèe *n.* (보통 *pl.*) 〖해사〗 장두종재(檣

tréstle·wòrk *n.* [U] 〖토목〗 (다리의) 구각(構脚) 구조《교각(橋脚) 등의 조립》.

tret [tret] *n.* 《고어》 〖상업〗 감손(減損)을 요량하고 덤으로 첨가한 양.

trews [tru:z] *n. pl.* (스코틀랜드의 병사가 입는) 격자무늬의 통 좁은 모직 바지.

trey [trei] *n.* (주사위 · 카드의) 3(점); 《미속어》 3 달러 어치의 코카인.

TRF thyrotropin-releasing factor. **T.R.H.** Their Royal Highnesses. 「의 결합사.

tri- [trai] '3 의, 3 배의, 3 중의, 세 겹의' 이란 뜻

tri·a·ble [tráiəbəl] *a.* 〖법률〗 공판에 부칠 수

있는, 재판해야 할; 《드물게》 시험할 수 있는.
tri·ac [tráiæk] *n.* 『전자』 트라이액《교류 전력용 게이트 제어식 반도체 스위치》.
tri·ac·e·tate [traiǽsətèit] *n.* Ⓤ 『화학』 **1** 트리아세테이트《한 분자 속에 3 아세트산기(基)를 함유하는 화합물》. **2** 트리아세테이트 섬유(=∠ fiber).
tri·ad [tráiæd, -əd] *n.* **1** 세 개 한 벌, 3 인조, 세폭 한 짝; 『사회』 3자 관계(cf. dyad). **2** 『음악』 3화음, 3 화현(和絃). **3** 『화학』 3가(價) 원소. **4** 3부작, 삼제가(三題歌)《Wales 중세 문학의》. **5** (때로 T-) (마약 거래 등을 하는) 중국인 비밀 결사; 『미군사』 3원 전략 핵전력《지상 발사 탄도탄, 잠수함 발사 탄도탄, 장거리 폭격기로 이루어지는 전략 핵억지력》.
tri·age [triɑ́:ʒ, tráiidʒ] *n.* **1** 《영》 최하 등급의 커피 열매. **2** 《영》 (시장으로 보낼 농작물의) 선별 절차. **3** (치료 우선 순위에 의거한) 부상자의 분류. **4** (긴급성·유효성에 의해 한정된) 자원의 선별적 분배.
‡tri·al [tráiəl] *n.* C,U **1** 『법률』 공판, 재판, 심리: go to ~ 재판에 회부되다 / a preliminary ~ 예심 / the first ~ 제1심 / a criminal ~ 형사 재판. **2** 시도, 시험; 시용, 시운전: ~ boring 시굴(試掘) / a ~ order 시험 주문.

> SYN. **trial** '시도·시험'의 일반적인 말로 대상이 광범위함. **experiment** 미래를 지향하는, 또는 새 사실을 발견키 위한 시도. **test** 일정한 조건에서의 검사·시험, 또 이미 행한 각종 시도의 결론을 내리기 위한 최종적 검사.

3 시련, 고난, 재난: Life is full of little ~*s*. 인생에는 작은 시련이 많다 / the hour of ~ 시련의 때. **4** 골칫거리, 귀찮은 사람《*to*》: The boy is a ~ *to* his teachers. 그 애는 선생들의 골칫거리다. **5** Ⓤ 예선 (경기) (~ match). ◇try *v.*
bring a person ***to*** ~ =***put*** a person ***on*** (***his***) ~ 아무를 공판에 부치다, 고발〔검거〕하다. ***by way of*** ~ 시험 삼아. ***give*** (a thing 〔a person〕) ***a*** ~ (무엇을〔아무를〕) 시험 삼아 써 보다. ***have*** 〔***make***〕 ***a*** ~ ***of*** (strength) ***with*** (a new car) (새 차)의 (강도(強度)) 시험을 하다. ***on*** ~ 재판을 받고; 시험을 치르고; 시험적으로; 시험 결과로. ***put to*** ~ 시험(적으로 사용)하다. ***run a*** ~ 시운전하다. ***stand*** 〔***take***〕 ***one's*** ~ 재판〔심판〕을 받다. ~ ***and error*** 시행착오. ~ ***by battle*** 〔***combat***〕 『영국사』 결투 재판《결투에 의해 승자를 정당하다고 인정; 1819년 폐지》. ~ ***by jury*** 배심 재판〔심리〕. ~***s and tribulations*** 시련, 간난신고(艱難辛苦), 고난.
tríal bálance 『부기』 시산표(試算表).
tríal ballóon 관측 기구; (여론의 반응을 보기 위한) 예비적 타진(*ballon d'essai*). 「court.
tríal cóurt 『법률』 예심 법정. cf. appellate
tríal éights (보트 레이스 출장(出場) 선수 결정을 위한) 두 팀의 선발 후보 크루(crew).
tríal exàminer 『법률』 행정 심사관.
tríal hòrse 《구어》 연습 상대《중대 시합 전의 상대역》.
tríal jùdge 『법률』 예심 판사.
tríal jùry 『법률』 심리 배심(陪審), 소(小)배심 (petit jury). cf. grand jury.
tríal làwyer 《미》 법정 변호사《corporation lawyer 에 대한 말》.
tríal márriage (기간을 정하고 하는) 시험 결혼《companionate marriage와는 달리 법률상의 절차를 밟음》.
tri·a·logue [tráiəlɔ̀:g, -lɑ̀g/-lɔ̀g] *n.* 3자 회담, 3 인극, 세 사람이 등장하는 장면. 「험.
tríal rún 〔**tríp**〕 시운전, 시승(試乘); 시행, 실
tríal separátion (이혼 여부를 결정하기 전에 기한을 정해 놓고 행하는) 시험적 별거.

‡tri·an·gle [tráiæ̀ŋgəl] *n.* **1** 『수학』 삼각형; 삼각형의 물건; 삼각자. **2** 『음악』 트라이앵글《타악기의 일종》; 삼각 우표. **3** 3인조, 《특히》 삼각관계(의 남녀). **4** 『해사』 삼각(三脚) 기중기. **5** (the T-) 『천문』 삼각자리; (*pl.*) 삼극(三戟) 형틀《옛날 영국 군대의 형틀》. ◇ triangular *a.* ***a red*** ~ 적색 삼각형《Y.M.C.A.의 표장》. ***a right-*** 〔***an acute-, an obtuse-***〕 ***angled*** ~ 직〔예, 둔〕각 삼각형. ***a*** ~ ***of forces*** 『역학』 힘의 삼각형.
°tri·an·gu·lar [traiǽŋgjələr] *a.* **1** 삼각형의. **2** 3자 간의《다툼 따위》; 3국 간의《조약 따위》; 삼각 관계의: a ~ situation 삼각관계 / a ~ love affair 남녀의 삼각관계 / a ~ treaty 3국 조약 / a ~ trade 삼각 무역. ㊞ ~**·ly** *ad.* **tri·àn·gu·lár·i·ty** [-lǽrəti] *n.* Ⓤ 삼각형임.
triángular cómpass 3각 컴퍼스.
tri·an·gu·late [traiǽŋgjəlèit] *vt.* 삼각(형)으로 나누다〔하다〕; 삼각 측량을 하다. ── [-lət, lèit] *a.* 삼각형의; 삼각형으로 된; 삼각무늬가 있는. ㊞ ~**·ly** *ad.* **tri·àn·gu·lá·tion** *n.* Ⓤ 삼각 측량; 삼각망(網); 『수학』 삼각형 분할.
tri·ar·chy [tráiɑ:rki] *n.* Ⓤ 삼두(三頭) 정치; Ⓒ 삼두 정치의 나라.
Tri·as·sic [traiǽsik] *a.* 『지학』 트라이아스기(紀)의. ── *n.* (the ~) 트라이아스기(=**Tri·as** [tráiəs]). 「《triathlon 선수》.
tri·ath·lete [traiǽθli:t] *n.* 트라이애슬리트
tri·ath·lon [traiǽθlən] *n.* 3종 경기, 트라이애슬론《하루에 장거리 수영·자전거 경주·마라톤 세 가지를 이어 하는》.
tri·át·ic stáy [traiǽtik-] 『해사』 두 돛대 사이를 이은 밧줄; 수평 지삭(支索).
trib. tribal; tribune; tributary.
trib·ade [tríbəd] *n.* 여성 동성애자《특히 남자역의》. 「성애.
trib·a·dism [tríbədìzəm] *n.* Ⓤ 여성 간의 동
°trib·al [tráibəl] *a.* 부족의, 종족의. ㊞ ~**·ly** *ad.*
trib·al·ism [tráibəlizəm] *n.* Ⓤ 부족 제도〔조직〕; 부족 중심주의; 부족의 특징; 부족 근성, 동족 의식. ㊞ **-ist** *n.*
trib·al·ize [tráibəlaiz] *vt.* 부족화(部族化)하다, 부족을 기초로 연합하다, 부족애(愛)를 고취하다. 「基)의.
tri·ba·sic [traibéisik] *a.* 『화학』 삼염기(三塩
‡tribe [traib] *n.* **1** 부족, 종족, …족; 야만족. cf. race². ¶ the Arab 〔Mongol〕 ~*s* 아랍〔몽고〕족 / the Indian ~*s* of America 아메리칸 인디언. **2** 『동물·식물』 족(族), 유(類): the dog 〔rose〕 ~ 개〔장미〕족. **3** 《우스개·경멸》 (대)가족, 일족; 《종종 경멸》 패, 동아리, 직업 동료《*of*》: the ~ *of* politicians 정상배 족속 / the ~ *of* players (직업) 선수들 / the scribbling ~ 《우스개》 문인들. **4** (*pl.*) 다수: ~*s* of children 많은 아이들. **5** 『역사』 (옛 이스라엘의) 12지족(支族)의 하나; (옛 로마의) 3부족의 하나. ***the lost*** ~***s*** 아시리아(Assyria)의 포로가 된 채 돌아오지 않은 이스라엘의 10지족. ***the ten*** ~***s*** 이스라엘의 지족 중 Judah와 Benjamin을 제외한 10족. ***the*** ~***s of Israel*** 이스라엘의 12지족(支族).
tríbes·man [-mən] (*pl.* ***-men*** [-mən]) *n.* 부족〔종족〕의 일원. 「住民), 토민(土民).
tríbes·pèople *n. pl.* 부족〔종족〕민, 선주민(先
tri·bo·e·lec·tric·i·ty [tràibouilèktrísəti] *n.* Ⓤ 『물리』 마찰 전기.
tri·bol·o·gy [traibɑ́lədʒi, tri-/-bɔ́l-] *n.* Ⓤ 마찰학, 마찰 공학.
tri·bo·lu·mi·nes·cence [tràiboulù:mənésəns] *n.* Ⓤ 『물리』 마찰 발광(發光). 「계(計).
tri·bom·e·ter [traibɑ́mətər/-bɔ́m-] *n.* 마찰

tri·brach [tráibræk, tríb-] *n.* 〖운율〗 3 단격(短格), 단단단격(短短短格)《⏑ ⏑ ⏑》. 「롭히다.

trib·u·late [tríbjəlèit] *vt.* 억압〔박해〕하다, 괴

◇**trib·u·la·tion** [trìbjəléiʃən] *n.* U,C 고난, 고생, 시련; 재난: Life is full of ~*s.* 인생은 시련으로 가득 차 있다.

◇**tri·bu·nal** [traibjú:nl, tri-] *n.* **1** 재판소, 법정; 재정(裁定) 위원회, 심판 위원회. ★ 정규 사법 체계 밖에서 사법적 기능을 행사하는 기관에 쓰이는 일이 많음: the Hague *Tribunal* 헤이그 국제 사법 재판소. **2** (the ~) 판사석, 법관석. **3** 《비유》 여론의 비판, 심판(*of*): before the ~ *of* public opinion 여론의 비판을 받고. [◂ tribune]

trib·u·nary [tríbjunèri/-nəri] *a.* 호민관(護民官)의.

trib·u·nate [tríbjənət, -nèit/tríbjunit] *n.* U,C 호민관(護民官)의 직〔임기〕; 《집합적》 호민관.

◇**trib·une**[1] [tríbju:n, -´/-´] *n.* **1** 〖고대로마〗 호민관《평민에서 선출》; 군단 사령관《6 명이 번갈아 지휘권을 잡음》. **2** 민권 옹호자, 민중 지도자《*the Tribune*처럼 신문 이름으로도 쓰임》. ㊞ **~·ship** [-ʃip] *n.* ~의 직〔임무, 임기〕.

trib·une[2] *n.* 단(壇), 연단《특히 프랑스 하원의》; (교회의) 설교단, 주교좌(座); 〖고대로마〗 법관석.

Trib·u·nite [tríbjənàit] *n.* 영국 노동당 내의 극좌파.

◇**trib·u·ta·ry** [tríbjətèri/-təri] *a.* **1** 공물을 바치는; 종속하는《나라 따위》. **2** 공헌〔기여〕하는, 돕는, 지원하는. **3** 지류(支流)의《*to*》: a stream ~ *to* the Ohio 오하이오 강 지류. **—** *n.* 공물을 바치는 사람; (종)속국; (강의) 지류.

*****trib·ute** [tríbju:t] *n.* **1** U,C 공물, 조세; 과도한 세〔관세, 부과금, 임대료〕, 터무니없는 징수금; 납공〔납세〕 의무: pay ~ to a ruler 통치자에게 공물을 바치다. **2** C,U 찬사, 칭찬〔감사, 존경〕을 나타내는 말〔행위, 선물, 표시〕: a ~ *of* praise 찬사. **3** …의 가치를 〔유효성을〕 입증하는 것, 증거《*to*》: It is a ~ *to* his good sense that .... …임은 그의 양식의 증거이다. **4** U (광부에 대한) 현물 지급, 배당: work on ~ 〔on the ~ system〕 배당제로 일하다. ***a ~ of a tear*** 조의를 표하는 눈물. ***a ~ of fortune*** 운명의 장난. ***floral ~s*** 꽃 선물; 공화(供花), 조화(弔花). ***lay ... under ~*** …에 공물을 바치게 하다. ***pay a*** (***high***) ***~ to*** a person 아무를 칭찬하다, …에게 경의를 표하다. ***pay a ~ to the memory of*** …에게 조사(弔辭)를 하다, 고인의 …을 기리다.

tríbute bànd 트리뷰트 밴드《유명 팝 그룹을 모방한 밴드》.

Tri·cap [tráikæp] *n.* 〖미육군〗 3 종 통합 사단《전차 · 기계화 경보병대 · 이동 공중 원호대(援護隊)를 일체화한 사단; 1971년 발족》. [◂ *Tri*ple-*capable*]

trí·càr *n.* 《영》 삼륜(자동)차.

tri·car·box·yl·ic [traikà:*r*baksílik/-bɔk-] *a.* 〖화학〗 분자 내에 3개의 카르복실기(基)를 가진.

trice[1] [trais] *vt.* 〖해사〗 (밧줄로) 달아〔끌어〕 올리다; 달아〔끌어〕 올려서 묶다《*up*》.

trice[2] *n.* 순간. ***in a ~*** 순식간에, 곧.

tri·cen·ten·ary [tràisenténəri/-tí:n-] *a., n.* =TERCENTENARY.

tri·cen·ten·ni·al [tràisenténiəl] *a.* 3 백년(간)의. **—** *n.* 3 백년(기념 · 제).

tri·ceps [tráiseps] *n., a.* 〖해부〗 삼두근(三頭筋)(의). cf. biceps.

tri·cer·a·tops [traisérətàps/-tɔ̀ps] *n.* 트리케라톱스《중생대의 공룡의 하나》.

trich- [trik, traik], **trich·o-** [tríkou, -kə, tráikou] '모발, 섬조(纖條)'의 뜻의 결합사.

tri·chi·a·sis [trikáiəsis] *n.* U 〖의학〗 첩모 난생증(睫毛亂生症); 모뇨증(毛尿症)《오줌 속에 털 모양의 섬유가 발생하는》.

tri·chi·na [trikáinə] (*pl.* **-nae** [-ni:]) *n.* 〖동물〗 선모충(旋毛蟲)《사람 · 돼지 따위에 기생》.

trich·i·nop·o·ly [trìtʃənápəli/-nɔ́p-] *n.* 인도산 여송연의 일종《생략: trichi.》.

trich·i·no·sis [trìkənóusis] *n.* U 〖의학〗 선모충병(旋毛蟲病). ㊞ **trìch·i·nót·ic, trích·i·nous** [-nátik/-nɔ́t-], [-nəs] *a.* 선모충병의; 선모충병에 걸린. 「물.

tri·chlo·ride [traiklɔ́:raid] *n.* 〖화학〗 3 염화

tri·chlo·ro·eth·yl·ene [traiklɔ̀:rouéθəlì:n] *n.* 〖화학〗 트리클로로에틸렌《무색 유독 액체; 드라이클리닝 용제나 금속 유지 제거에 쓰임》.

tri·chlo·ro·phe·nox·y·a·cé·tic ácid [traiklɔ̀:roufənàksiəsí:tik-/-nɔ̀k-] 트리클로로페녹시아세트산(2, 4, 5-T).

trich·o·gyne [tríkədʒàin, -dʒin] *n.* 〖식물 · 세균〗 수정모(受精毛), 수정사(絲). ㊞ **trìch·o·gyni·al** [trìkədʒíniəl], **trìch·o·gýn·ic** *a.*

trich·oid [tríkɔid] *a.* 모발 모양의.

tri·chol·o·gy [trikálədʒi/-kɔ́l-] *n.* U 모발학(毛髮學). ㊞ **-gist** *n.* 모발학자; 《미속어》 미용〔이용〕 전문가〔대가〕《광고 용어》.

tri·chome [tríkoum, tráik-] *n.* 〖식물〗 (식물 외피에 생기는) 모상체(毛狀體).

trich·o·mo·ni·a·sis [trìkəmənáiəsis] (*pl.* **-ses** [-si:z]) *n.* 〖의학 · 수의〗 트리코모나스증(症), 질염(膣炎).

trich·o·my·cin [trìkəmáisn/-sin] *n.* U 트리코마이신《트리코모나스에 효험 있는 항생제》.

tri·chord [tráikɔ:*r*d] *n.* 3 현(絃) 악기; 3 현금(琴)《lyre, lute 따위》. **—** *a.* 3 현의.

tri·cho·sis [trikóusis] (*pl.* **-ses** [-si:z]) *n.* 〖의학〗 이소(異所) 발모(증), 《특히》 다모증.

tri·cho·the·cene [tràikəθí:sin, trik-] *n.* 〖의학〗 트리코테센《진균류에 의해 생기는 독소》.

tri·chot·o·mous [traikátəməs/-kɔ́t-] *a.* 셋으로 나누는, 셋으로 나누어진, 삼차(三叉)의. ㊞ **~·ly** *ad.*

tri·chot·o·my [traikátəmi/-kɔ́t-] *n.* U 삼분법, 《특히》 〖논리〗 삼분법(三分法); 〖신학〗 삼상법(三相法)《인간의 성(性)을 육(肉) · 심(心) · 영(靈)으로 나눔》.

-tri·chous [trikəs] '…한 털이 있는'의 뜻의 결합사. 「性)의.

tri·chro·ic [traikróuik] *a.* 〖결정〗 삼색성(三色

tri·chro·ism [tráikrouìzəm] *n.* U 〖결정〗 삼색성《다른 세 방향에서 보면 세 종류의 다른 색이 나타나는 성질》.

tri·chro·mat [tráikroumæt, -´-] *n.* 〖안과〗 삼색자(三色者), 삼색형 색(감)각자(三色型色(感)覺者)《정상》.

tri·chro·mat·ic [tràikroumǽtik, -krə-] *a.* 3 원색(原色)(사용)의; 3 색판(版)의; 〖사진〗 3 색의; (눈 따위가) 3 색형 색각(色覺)의: ~ photography, 3 색 사진(술).

tri·chro·ma·tism [traikróumətìzəm] *n.* U 3 색임, 3 색 사용; 〖안과〗 3 색형(型) 색각(色覺)《3 원색의 판별이 가능함》.

tri·chrome [tráikroum, -´] *a.* 3 색의.

tri-city [tráisíti, ´´-] *n., a.* (경제적으로 밀접한) 인접 3 도시(의).

⁑**trick** [trik] *n.* **1** 묘기(妙技), 재주, 곡예; 요술, 기술(奇術): a juggler's ~ 요술 / teach one's dog several ~*s* 개에게 재주를 몇 가지 가르치다. **2** 비결, 요령《*of*》: the ~ *of* making pies 파이 만드는 비결 / He knows all the ~*s of* the trade. 장사의 온갖 수법을 알고 있다. **3** 책략, 계

교, 속임수; 《속어》 범죄 행위; 〖영화〗 트릭: He got the money from me by a ~. 그는 내게서 돈을 사취했다/She used it as a ~ *to* avoid paying. 그녀는 그것을 지불을 회피하기 위한 책략으로 사용했다. **4** 장난, 농담: He is at his ~*s* again. 또 그 장난이다/the ~ of fortune 운명의 장난. **5** 환각, 착각《*of*》: a ~ *of* senses 의식의 착각. **6** 〖카드놀이〗 한 판(에 얻는 득점), 한 판에 돌리는 패《보통 4매》, 유력한 패. **7** 버릇, 특징《*of*》: a horse with the ~ *of* shying 잘 놀라는 버릇이 있는 말/a ~ *of* scratching one's head 머리를 긁적이는 버릇. **8** (키잡이·운전사의) 1회 교대 근무 시간《보통 2시간》: the night ~ 야근. **9** 《미구어》 소녀; 아이: a cute little ~ 아주 귀여운 소녀. **10** 〖문장(紋章)〗 선화(線畫)《색채 없는》: in ~ 선화로. **11** 《미》 하찮은 장식, 장난감; (*pl.*) 장신구류. **12** 《미속어》 형기; 출장; 《속어》 매춘부의 한탕 일, 그 손님. ***cycling*** 〔***riding***〕 ~ 자전거〔말〕 타기의 곡예. ***do the*** ~ 《구어》 (사물이) 소기(所期)의 목적을 달성시키다, 목적을 달성하다, (약 따위가) 효험(效驗)이 있다: A plier and a wire *do the* ~. 펜치와 철사만 있으면 일은 된다. ***How's*** ~***s?*** 《속어》 잘 있나, 경기는 어때. ***know a*** ~ ***or two*** 보통내기가 아니다. ***know a*** ~ ***worth two of that*** 그것보다 훨씬 좋은 방법을 알고 있다. ***not*** 〔***never***〕 ***miss a*** ~ ⇨ MISS². ***play*** 〔***serve***〕 ***a*** ~ ***on*** 〔***upon***〕 …에게 장난을 하다; …을 속이다. ***take*** 〔***stand***〕 one***'s*** ~ (***at the wheel***) 〖해사〗 키잡이 당직을 하다. ~***s of the memory*** 어렴풋한 기억, 기억의 착오. ***turn the*** ~ 《구어》 목적을 달성하다, 잘 해내다. ***use*** ~***s*** 잔재주를 부리다.

— *vt.* **1** 《~+목/+목+전+명》 속이다; 속여서 빼앗다; 속여서 …하게 하다: I found I had been ~*ed*. 나는 속았음을 깨달았다/They ~*ed* him *into* approval of their fraud. 그들은 그를 속여서 자기들의 협잡에 찬성케 했다/The boy was ~*ed out of* all his money. 그 소년은 속아서 돈을 모두 빼앗겼다. **2** …의 예상을 뒤엎다; …의 기대에 어긋나다. **3** 〖문장(紋章)〗 선화(線畫)로 그리다. **4** 《+목+부》 장식〔치장〕하다《*out; up*》: She ~*ed* herself *up* for the party. 그녀는 파티를 위해 치장을 하였다. — *vi.* **1** 요술 부리다. **2** 《+전+명》 장난치다《*with*》: Don't ~ *with* love. 장난 삼아 사랑하는 건 좋지 않다. **3** 속이다.

— *a.* 민첩한 솜씨〔곡예〕의, 묘기의; 고장이 생기기 쉬운; (관절이) 경직되는, 갑자기 탈이 나는: ~ shooting 재빠른 사격.

㊕ **⌐·er** *n.* **⌐·less** *a.*

tríck cỳclist 자전거 곡예사; 《영속어》 정신과 의사(psychiatrist).

trick·ery [tríkəri] *n.* Ⓤ,Ⓒ 속임수, 사기, 야바위; 책략.

trick·ish [tríkiʃ] *a.* (조금) 교활한, 책략을 쓰「는.

°**trick·le** [tríkəl] *vi.* **1** 《~/+전+명》 똑똑 듣다〔떨어지다〕; 졸졸 흐르다《*down; out; along*》: Water ~*d down* his raincoat. 물이 그의 레인코트에서 똑똑 떨어졌다. **2** 《+부/+전+명》 (비밀 따위가) 조금씩 새다, 드문드문〔조금씩, 천천히〕 오다〔가다〕《*away; out; in*》: The information ~*d out*. 그 정보는 조금씩 전하여졌다/The workers were *trickling out of* the building. 노동자가 삼삼오오 건물에서 나왔다. — *vt.* 똑똑 떨어뜨리다; 졸졸 흐르게 하다; 조금씩 이동시키다. — *n.* **1** 점적(點滴); (졸졸 흐르는) 실개울, 세류(細流). **2** 소량(少量): Investment and food aid so far amount to a ~. 지금까지 투자와 식량 원조는 적은 양이다.

tríckle chàrge (전지의) 세류(細流) 충전.

tríckle chàrger 〖전기〗 세류(細流) 충전기.

tríckle-dòwn *a.* 《미》 트리클다운 이론의〔에 의한〕.

tríckle-down thèory 《미》 〖경제〗 트리클다운 이론, 통화 침투설《정부 투자 따위를 대기업 성장에 기울이면 간접적으로 중소기업과 소비자에게 침투되어 경제 효과가 커진다는 경제 이론》.

tríckle irrigàtion (가느다란 호스로 간헐적으로 행하는) 점적 관수(點滴灌水), 세류(細流) 관개.

trick·let [tríklit] *n.* 실개천, 작은 내.

tríck·ly (***-li·er; -li·est***) *a.* 똑똑 떨어지는, 졸졸 흐르는; 드문드문한.

tríck or tréat 《미》 '과자를 안 주면 장난칠 테야'《만성절(Halloween)날 밤 어린이들이 이웃집을 찾아가 'trick or treat!' 라고 을러대어 과자를 얻어먹는 행사》.

tríck-or-tréat *vi.* '과자를 안 주면 장난칠 테야' 놀이를 하다〔에 참가하다〕. ㊕ ~**·er** *n.*

trick·ster [tríkstər] *n.* 사기꾼, 협잡꾼; 책략가; 트릭스터《원시 민족의 민화·신화에 등장하는 인물·동물로서 흔히 문화 영웅과 겹치기도 함; 장난·사술 등으로 질서를 일시 파괴함》.

trick·sy [tríksi] (***-si·er; -si·est***) *a.* 장난 좋아하는; 처리하기 힘든, 애쓰는; 《고어》 교활한, 믿지 못할; 《고어》 화려하게 치장한; 《고어》 변덕스러운. ㊕ **tricks·i·ly** *ad.* **-i·ness** *n.*

tríck·tràck *n.* =TRICTRAC.

tríck wìg 털이 뻗친 가발.

tricky [tríki] (***trick·i·er; -i·est***) *a.* 속이는, 교활한, 방심할 수 없는; 솜씨를 필요로 하는《일 따위》, 다루기 힘든; 교묘한; (자물쇠·무릎 관절 따위가) 가끔 갑자기 고장〔탈〕이 나는. ㊕ **tríck·i·ly** *ad.* **-i·ness** *n.*

tri·clin·ic [traiklínik] *a.* 〖결정〗 삼사(三斜)의, 삼사정계(三斜晶系)의: ~ system 삼사정계.

tri·clin·i·um [traiklíniəm] (*pl.* ***-ia*** [-iə]) *n.* 《고대로마》 3면에 누울 수 있는 긴 안락의자가 달린 식탁; 그것이 있는 식당.

tric·o·lette [trìkəlét] *n.* Ⓤ 트리콜레트《비단·레이온의 여성복용 메리야스》.

tri·col·or [tráikʌ̀lər/tríkələr, tráikʌ̀lə] *a.* 3색의; 3색기의, 프랑스의. — *n.* 3색기《특히 프랑스 국기》. ㊕ ~**ed** *a.* 3색의.

tri·co·lore [trikəlɔ́ːr] *a.* 《F.》 〖복식〗 트리콜로르, 3색의《특히, 적색·백색·청색의 배색》.

tri·corn(e) [tráikɔ̀ːrn] *a.* 세 개의 모난 돌기가 있는《모자 따위》. — *n.* **1** 삼각 모자, 배 모양의 모자. **2** (상상 속의) 삼각수(三角獸).

tricorne 1

trí·còrnered *a.* 삼각의(three-cornered).

tri·cot [tríkou, tráikət] *n.* 《F.》 Ⓤ 손으로 짠 편물; (기계로 짠) 그 모조품; 트리코, 골지게 짠 피륙의 일종.

tric·o·tine [trì(ː)kətíːn] *n.* Ⓤ 능직(綾織) 메리야스 천.

tric·trac [tríktræ̀k] *n.* 트릭트랙《backgammon의 일종》.

tri·cus·pid [traikʌ́spid] *a.* 세 개의 뾰족한 끝이 있는; 〖해부〗 삼첨판(三尖瓣)의. — *n.* 삼첨구조의 것, 삼교두(三咬頭)〔삼돌기〕의 치아; 〖해부〗 (심장의) 삼첨판(=⌐ **válve**).

tri·cus·pi·date [traikʌ́spədèit] *a.* 3개의 첨두(尖頭)〔첨단, 첨판(尖瓣)〕이 있는.

tri·cy·cle [tráisəkəl, -sì-] *n.* 세발자전거; 삼륜차, 삼륜 오토바이; 삼륜 의자 수레. — *vi.* ~를 타다. ㊕ **trí·cy·cler, -clist** *n.*

tri·cy·clic [traisáiklik, -sík-] *a.* 〖화학〗 삼환

(三環)의. — *n*. 삼환계 항울약(抗鬱藥)(=∠ **antidepréssant**).

tri·dac·tyl, -ty·lous [traidǽktil], [-tiləs] *a*. 〖동물〗 세 손가락〔발가락〕의.

tri·dai·ly [traidéili] *a*. 하루 3회의; 사흘에 1회의.

tri·dent [tráidnt] *n*. **1** 〖그리스신화·로마신화〗 삼지창《바다의 신 Neptune (그리스 신화에서는 Poseidon)이 가진》; 세 갈래진 작살. **2** 제해권. **3** 〖수학〗 삼차곡선(三叉曲線). **4** (T-) 《미》 트라이던트《(1) 핵미사일을 탑재한 원자력 잠수함. (2) 트라이던트 미사일》. — *a*. 삼차(三叉)의, 3개의 치아〔돌기, 첨두(尖頭)〕가 있는.

tri·den·tate [traidénteit] *a*. 이가 셋 있는; 세 갈래 진, 삼차(三叉)의.

Tri·den·tine [traidéntain, -tiːn, -tin] *a*. 이탈리아 트렌토(Trento)《이탈리아 북동부 아디제강(Adige江) 골짜기에 있는 옛 도시》의; 트리엔트 공의회(公議會)(1545-63)의: ~ Theology 트리엔트 공의회에서 정한 가톨릭 신학. — *n*. 트리엔트 공의회의 신앙고백을 믿는 정통 가톨릭교도.

tri·di·men·sion·al [tràidiménʃənəl] *a*. 삼차원의; 입체의. cf. 3-D. ㊋ **trì·di·men·sion·ál·i·ty** *n*. 3차원.

trid·u·um [trídʒuəm, -djə-/-dju-] *n*. 3일간; 〖가톨릭〗 (성인 축일 전에 하는) 3일 묵상〔묵도〕.

trid·y·mite [trídəmàit] *n*. 〖광물〗 인규석(鱗珪石).

tried [traid] TRY의 과거·과거분사. — *a*. 시험필(畢)의; 믿을 만한, 확실한, 틀림없는; 고난〔시련〕을 견뎌낸: a ~ friend 믿음직한 친구. ***old and*** **~** 완전히 신용할 수 있는.

tríed-and-trúe [-n-] *a*. 유효성이 증명된, 신뢰할 수 있는.

tri·ene [tráiiːn] *n*. 〖화학〗 트리엔《2중 결합을 셋 가진 탄화수소》.

tri·en·ni·al [traiéniəl] *a*. 3년간 계속하는; 3년마다의; 〖식물〗 3년생의. — *n*. 3년마다의 축제〔행사〕; 3년제(祭); 〖가톨릭〗 3년마다 행하는 죽은 사람을 위한 미사; 〖영국교회〗 주교가 행하는 3년마다의 관구 방문; 〖식물〗 3년생 식물; 3년마다 출판되는 간행물. cf. annual, biennial. ㊋ **~·ly** *ad*. 3년마다.

tri·en·ni·um [traiéniəm] (*pl.* **~s, -en·nia** [-éniə]) *n*. 3년의 기간, 3년간.

tri·er [tráiər] *n*. **1** try하는 사람〔것〕; 시험관〔자〕; (식품 등의) 검사원; 시험용 표본의 추출 기구; 재판관. **2** 〖법률〗 배심원 기피 심판관(trior). **3** 참을성 있게 노력하는 사람, 항상 최선을 다하는 사람.

tri·er·arch [tráiərɑ̀ːrk] *n*. (고대 그리스의) 3단노 배(trireme)의 사령관; (아테네의) 3단노 배 건조〔의장, 유지〕 의무를 진 시민.

Tri·este [triést] *n*. **1** 트리에스테《이탈리아 북동부에 있는 항구 도시》. **2 the Free Territory of ~** 트리에스테 자유 지구《아드리아 해 북부의 한 지역; 1947년 유엔 관리 아래 있다가 1954년 트리에스테 시가 북지구는 이탈리아령으로, 남지구는 유고슬라비아령으로 됨》. **3 the Gulf of ~** 트리에스테 만《아드리아 해 북단의 만; 너비 32 km》. **4** 트리에스테 호《Jacques Picard와 부친 Auguste가 건조한 bathyscaphe(심해 잠수정); Mariana 해구에서 10,917 m까지 잠수함 (1960년)》.

tri·fec·ta [tràifèktə] *n*. 〖경마〗 3연승 단식(三連勝單式)(《미》 triple); (jai alai 도박의) 3연승식(의 내기).

trif·fid [trífid] *n*. (SF의) 트리피드《식물 괴수(怪獸)》.

tri·fid [tráifid] *a*. 〖동물·식물〗 삼심렬(三深裂)의, 삼렬(三裂)의, (스푼 등의) 끝이 세 갈래 진.

tri·fle** [tráifəl] *n*. **1** 하찮은 것〔일〕: waste time on ~*s* 하찮은 일에 시간을 낭비하다. **2** 소량, 약간; 푼돈; 〚**a ~** 꼴로 부사적〛 조금: It cost me a ~. 공짜나 다름없었다/a ~ sad 좀 슬픈/ He seems a ~ angry. 화가 좀 난 것 같다. **3** 《주로 영》 C,U 포도주에다 적신 스펀지케이크에 거품크림을 바른 과자. **4** U 백랍(白鑞)의 일종(pewter); (*pl.*) 백랍 제품. **5** 가벼운 작품, 소품. ***a ~ too ... 좀〔다소〕 지나치게 …하다: This dress is *a ~ too* short. 이 옷은 좀 짧다. ***not stick at ~s*** 하찮은 일에 구애받지 않다.

— *vi*. **1** 《+전+명》 (손에) 가지고 놀다, 만지작거리다《*with*》: ~ *with* a pen 펜을 가지고 장난하다/Don't ~ *with* your food, either eat it or leave it. 먹든가 말든가 할 일이지 음식을 깨지락거리지는 마라. **2** 《+전+명》 가벼이 다루다, 소홀히 다루다, 우습게 보다《*with*》: It's wrong of you to ~ *with* a girl's affection. 처녀의 순정을 농락하는 것은 나쁘다/He's not a man to be ~*d with*. 그는 우습게 볼 수 없는 사람이다. **3** 희롱하다, 실없는 소리를 하다, 농담하다. **4** 시간을 헛되이 보내다, 빈둥거리다. — *vt*. 《+목+부》 (시간·돈 등을) 낭비하다《*away*》: ~ *away* money 돈을 낭비하다.

㊋ **~r** *n*. ~을 하는〔말하는〕 사람; 시간을 낭비하는 사람, 게으름뱅이.

***tri·fling** [tráifəliŋ] *a*. **1** 하찮은, 시시한: a ~ matter 사소한 일. **2** 약간의, 소량의: a ~ sum 소액. **3** 경박한, 진실〔진지〕하지 못한: ~ talk 농담. cf. petty, trivial. **4** 《미방언》 게으름뱅이의, 쓸모없는. — *n*. 시시한 농담; 시간 낭비, 무익한 행동. ㊋ **~·ly** *ad*. **~·ness** *n*.

tri·flu·o·per·a·zine [traiflùːəpérəzìːn] *n*. 〖약학〗 트리플루오페라진《정신 안정제》.

tri·flu·ra·lin [traiflúərəlin] *n*. 〖농약〗 트리플루랄린《비선택성 제초제》.

tri·fo·cal [traifóukəl] *a*. 3중 초점의. — *n*. 3중 초점 렌즈; (*pl.*) 3중 초점 안경《근거리·중거리·원거리용》.

tri·fo·li·ate [traifóulièit] *a*. 〖식물〗 삼엽(三葉)의; =TRIFOLIOLATE; 〖건축〗 삼엽 쇠시리의.

trifóliate órange 〖식물〗 탱자나무.

tri·fo·li·o·late [traifóuliəlèit] *a*. 〖식물〗 세 소엽(小葉)이 있는, 삼출엽(三出葉)의.

tri·fo·li·um [traifóuliəm] *n*. 〖식물〗 달구지풀속(屬)의 총칭.

tri·fo·ri·um [traifɔ́ːriəm] (*pl.* **-ria** [-riə]) *n*. 〖건축〗 교회의 신자석 및 성가대석 측벽(側壁)의 아치와 지붕 사이 부분.

tri·form [tráifɔ̀ːrm], **trí·formed** *a*. 세 가지 모양〔성질〕의; 3부(部)로 된.

tri·fur·cate [traifə́ːrkət, tráifər-/tráifəːkət] *a*. 세 가닥진, 세 갈래 진. — [traifə́ːrkeit, ∠-∠/∠-∠] *vi.*, *vt*. 세 갈래로 갈라지다〔가르다〕, 삼분(三分)되다〔하다〕.

trig[1] [trig] (**∠·ger; ∠·gest**) 《영》 *a*. 말쑥한, 멋진, 튼튼한, 건강한; 성실한. — (**-gg-**) *vt*. 꾸미다, 모양내다《*out; up*》.

trig[2] (**-gg-**) *vt*. 《방언》 (바퀴·통 등이 구르지 않도록) 멈추개로〔받침으로〕 괴다〔멈추다〕《*up*》. — *vi*. 바퀴 멈추개 구실을 하다. — *n*. (차의) 바퀴 멈추개, 구르지 않도록 괴는 물건《쐐기 따위》.

trig[3] *n*. U 《학생구어》 =TRIGONOMETRY.

trig. trigonometric(al); trigonometry.

trig·a·mist [trígəmist] *n*. 삼중혼자(三重婚者); 세 번 결혼한 사람. cf. bigamist.

trig·a·mous [trígəməs] *a*. 일부 삼처(一夫三妻)〔일처 삼부〕의; 세 번 결혼한; 〖식물〗 수꽃·암꽃·양성화(兩性花)의 세 가지 꽃이 있는.

trig·a·my [trígəmi] *n*. 일부 삼처(一夫三妻), 일처 삼부; 세 번의 결혼; 삼중혼(三重婚). cf. bigamy, digamy, monogamy.

tri·gem·i·nal [traidʒémənl] *n.*, *a.* 삼차(三叉) 신경(의). ~ ***nerve*** 삼차 신경. ~ ***neuralgia*** 삼차 신경통.

tri·gem·i·nus [traidʒémənəs] (*pl.* **-i·ni** [-nài]) *n.* 〖해부〗 =TRIGEMINAL.

*__trig·ger__ [trígər] *n.* **1** (총의) 방아쇠; =HAIR TRIGGER: pull 〔press〕 the ~ at 〔on〕 …을 겨냥하여 방아쇠를 당기다, …을 쏘다. **2** 제동기, 제륜(制輪) 장치. **3** (연쇄 반응 · 생리 현상 · 일련의 사건 등을 유발하는) 계기, 유인, 자극. **4** 〖전자〗 트리거《플립플롭(flipflop) 회로를 펄스에 의해 가동시키는 일; 그 펄스》. **5** 〖어류〗 =TRIGGERFISH. **6** 〖컴퓨터〗 방아쇠《기계나 프로그램이 자동적으로 동작을 개시하도록 하는 것》. ***have one's finger on the*** ~ (군 작전 등을) 완전히 장악하고 있다. ***in the drawing of a*** ~ 즉시. ***quick on the*** ~ 사격이 빠른; 재빠른, 빈틈없는; 성급한. **—** *vt.* **1** …의 방아쇠를 당기다, 발사하다; …에 폭발을 일으키게 하다. **2** 《~+目/+目+副》 (일련의 사건 · 반응 등을) 일으키다, 유발〔촉발〕하다, …의 계기가 되다《*off*》: Their protest ~*ed* a mass demonstration. 그들의 항의가 대중 데모의 계기가 되었다 / That ~*ed off* a revolution. 그것이 계기가 되어 혁명이 일어났다. **—** *vi.* 방아쇠를 당기다. **—** *a.* 방아쇠의〔같은 작용을 하는〕. ㊕ **~ed** *a.* (…한) 방아쇠가 있는.

trígger finger 오른손 집게손가락.

trígger·fish *n.* 〖어류〗 파랑쥐치류에 속하는 열대어의 일종.

trígger-hàppy *a.* 《구어》 권총 쏘기 좋아하는; 「호전적〔공격적〕인.

trígger·man [-mən, -mæ̀n] (*pl.* **-men** [-mən, -mèn]) 《구어》 *n.* 살인 청부업자; (갱의) 신변 경호자, 보디가드.

trígger prìcing 미국의 국내 산업 보호 수단으로 쓰이는 기준 가격《이 가격 이하로 수입되면 덤핑 조사 대상이 됨》.

trígger sỳstem (미사일 탄두의) 기폭 장치.

tri·glot [tráiglɑ̀t/-glɔ̀t] *a.*, *n.* 세 나라 말〔세 가지 언어〕로 쓴〔인쇄된, 취급된〕 (책〔판(版)〕). cf. bilingual.

tri·glyc·er·ide [traiglísəràid, -rid] *n.* 〖생화학 · 화학〗 트리글리세리드《글리세린 3개의 수산기가 지방산과 결합한 에스테르》.

tri·glyph [tráiglif] *n.* 〖건축〗 트리글리프《도리스식 건축에서 세 줄기 세로홈 장식》.

tri·go [trí:gou] (*pl.* **~s**) *n.* 《미남부》 밀(밭).

tri·gon [tráigɑn/-gɔn] *n.* (옛 그리스의) 삼각금(琴); 〖점성〗 =TRINE; TRIPLICITY; 《고어》 삼각형.

trigon. trigonometric(al); trigonometry.

trig·o·nal [trígənl] *a.* 삼각(형)의; trigon의; 〖결정〗 삼방정계(三方晶系)의; 〖생물〗 =TRIGONOUS. ㊕ **~·ly** *ad.*

tri·go·neu·tic [tràigənjú:tik/-njú:-] *a.* 〖곤충〗 3세대성(性)의《1년에 3세대가 생기는》.

trig·o·nom·e·ter [trìgənɑ́mətər/-nɔ́m-] *n.* 직각삼각계(計)《계기》; 삼각법 학자; 삼각 측량자.

trig·o·no·met·ric, -ri·cal [trìgənəmétrik], [-əl] *a.* 삼각법의〔에 의한〕. ㊕ **-ri·cal·ly** *ad.*

trigonométric fúnction 〖수학〗 삼각함수, 원함수(=**círcular fúnction**).

trig·o·nom·e·try [trìgənɑ́mətri/-nɔ́m-] *n.* Ⓤ 〖수학〗 삼각법.

trig·o·nous [trígənəs] *a.* 〖생물〗 3개의 각이 있는, (절단면이) 삼각(형)의.

tri·gram [tráigræm] *n.* 삼자명(三字銘); 삼선형(三線形); 삼중(음)자(trigraph); 괘(卦)《8괘의 하나》.

tri·graph [tráigræf, -grɑ̀:f] *n.* 삼자 일음(三字一音), 삼중음자(三重音字)《Sap*ph*ic, *sch*ism 등의 이탤릭체부》; 삼중자(三重字)《연속된 3 문자의 집합체; the 따위》. ㊕ **trì·gráph·ic** *a.*

tri·halo·meth·ane [traihæ̀louméθein] *n.* 트리할로메탄《정수(淨水) 약품인 염소가 유기물질과의 반응 과정에서 생성하는 발암성 유기물질; 생략: THM》.

tri·he·dral [traihí:drəl] *a.* 〖수학〗 3면(面)이 있는; 3면체의. **—** *n.* 3면체.

tri·he·dron [traihí:drən] (*pl.* **~s, -ra** [-rə]) *n.* 〖수학〗 삼면체.

tri·hy·brid [traiháibrid] *n.* 〖유전〗 3 유전자 잡종.

tri·hy·drate [traiháidreit] *n.* 〖화학〗 3 수화물(水化物). ㊕ **-drat·ed** *a.*

tri·hy·dric [traiháidrik] *a.* 〖화학〗 =TRIHYDROXY.

tri·hy·droxy [trɑ̀ihaidrɑ́ksi/-drɔ́k-] *a.* 〖화학〗 한 분자 중에 3개의 수산기를 가진, 3 수산기의.

tri·i·o·do·thy·ro·nine [trɑ̀iaiòudouθáiərəni:n, -aiɑ̀d-/-aiòud-] *n.* 〖생화학〗 트리요오드티로닌《갑상샘 호르몬의 일종》.

tri·jet [tráidʒèt] *a.*, *n.* 제트 엔진이 셋 있는(비행기).

trike [traik] *n.*, *vi.* 《구어》 삼륜차, 세발자전거(를 타다). cf. bike.

tri·la·bi·ate [trailéibiət, -bièit] *a.* 〖식물〗 3순(脣)의.

tri·lam·i·nar [trailǽmənər] *a.* 3층의.

tri·lat·er·al [trailǽtərəl] *a.* 세 변(邊)이 있는; 3자 간의. **—** *n.* 삼각형, 삼변형. ㊕ **~·ly** *ad.*

tri·lát·er·al·ìsm *n.* 삼자 상호 협력 (정책)《공업화가 앞선 북아메리카 · 서유럽 및 일본의》. ㊕ **-ist** *n.*

tri·lat·er·a·tion [trailæ̀təréiʃən] *n.* 삼변(三邊) 측량(술).

tril·by [trílbi] *n.* 트릴비 (=~ **hát**)《챙이 좁은 중절모》; (*pl.*) 《속어》 발(feet).

tri·lem·ma [trailémə] *n.* **1** 삼자 택일의 궁지. cf. dilemma. **2** 〖경제〗 트릴레마《불황 · 인플레 · 에너지 위기에 의한 3중고》. **3** 〖논리〗 삼자택일, 삼도(三刀) 논법《불리한 입장이 예상되는》.

tri-lev·el [tráilévəl] *a.* 3단계의; 3층 건물의. **—** *n.* 3단계.

tri·line·ar [trailíniər] *a.* 세 개의 선(線)의〔으로 둘러싸인〕.

tri·lin·gual [trailíŋgwəl] *a.* 세 나라 말의, 세 나라 말을 쓰는. cf. bilingual. ㊕ **~·ly** *ad.*

tri·lit·er·al [trailítərəl] *a.*, *n.* 3자(의); 3자로〔3 자음으로〕 된 (단어, 어근): ~ languages, 3자음 국어《셈 어족》.

tri·lít·er·al·ìsm *n.* 〖언어〗 3자음식; 3자어근식《셈 어족》.

tri·lith, tri·li·thon [tráiliθ], [trailíθɑn, tráiləθɑ́n/trailíθɔn, tráiliθɔ̀n, -θɔ̀n] *n.* 〖고고학〗 삼석탑(三石塔)《직립한 두 돌 위에 한 돌을 얹은 거석 기념물》.

°**trill**[1] [tril] *n.* **1** 떨리는 목소리; 〖음악〗 트릴, 떤음《기호 *tr.*, *tr*》; 〖음악〗 =VIBRATO. **2** (새의) 지저귐. **3** 〖음성〗 전동음(顫動音)《기호 [R]》. **—** *vt.*, *vi.* **1** 떨리는 목소리로 말하다〔노래하다〕, 트릴로 연주하다. **2** 트릴로 노래하듯 지저귀다. **3** 〖음성〗 (r를) 전동음으로 발음하다.

trill[2] *vi.* 회전하다; (액체가) 졸졸 흐르다. **—** *vt.* 졸졸 흘려보내다.

tril·lion [tríljən] (*pl.* **~s,** 수사 다음에서는 ~) *n.*, *a.* 《미》 1조(兆)(의)《10^{12}》; 《영 · 독 · 프》 100만조(의)《10^{18}》; 《강조》 무수(無數)(한).

tril·li·um [tríliəm] *n.* 〖식물〗 연령초속(草屬)의 식물.

tri·lo·bate, -bat·ed, tri·lobed [trailóubeit, tráiləbèit], [-beitid], [tráilòubd] *a.* 〖식물〗 (잎이) 세 갈래 진.

tri·lo·bite [tráiləbàit] *n.* 〖고생물〗 삼엽충.

tri·loc·u·lar [trailɑ́kjələr/-lɔ́k-] *a.* 〖식물〗 (씨방이) 3실(室)의.

tril·o·gy [trílədʒi] *n.* (극 · 가극 · 소설 등의) 3부작, 3부극, 3부곡; 〖고대그리스〗 (Dionysus의 제전에 상연된) 3부작 비극; 3개 한 벌.

__trim__ [trim] (-mm-*) *vt.* **1** …을 정돈하다, 손질하다; (잔디·산울타리 등을) 치다, 깎아 다듬다, …의 끝을 자르다〔깎다〕: ~ a hedge 산울타리의 가지를 치다 / ~ one's beard 턱수염을 가지런히 깎다 / ~ one's nails 손톱〔발톱〕을 깎다. **2 a** 《+[목]+[부] / +[목]+[전]+[명]》 잘라내다, 없애다《*away*; *off*》: ~ *away* the edges of a picture 사진 가장자리를 잘라내다 / ~ *off* loose threads 실보푸라기를 잘라〔뜯어〕내다 / ~ excess fat *from* meat 식육에서 여분의 기름을 떼어내다. **b** 《+[목] / +[목]+[부]》 (예산·인원을) 삭감하다: close its overseas branches to ~ (*down*) costs 경비 절감을 위해 해외 지점들을 폐쇄하다. **3** 《~+[목] / +[목]+[전]+[명]》 장식하다: ~ a Christmas tree 크리스마스 트리를 장식하다 / ~ a dress *with* lace 드레스에 레이스를 달아서 꾸미다. **4** 보기 좋게 늘어놓다, 환하게 꾸미다, 치장하다. **5** (의견·견해에) 변경을 가하다, 바꾸다. **6** 〖목공〗 (재목의) 모서리를 후리다, 대패질해서 마무르다. **7** 〖해사〗 (화물을 정리하여 선체의) 균형을 잡다; (화물을) 선창에 쌓다. **8** (돛을) (바람을 잘 받도록) 조절하다. **9** 《고어》 (배를) 의장(艤裝)하다. **10** 〖항공〗 (기체를) 수평으로 유지하다. **11** 《구어》 꾸짖다, 책(망)하다, 매질하다; 벌하다. **12** 《구어》 무찌르다, 완패시키다; 속이다, …을 속여서 돈을 우려내다. — *vi.* **1** 《~ / +[전]+[명]》 기회주의적 태도를〔중립 정책을〕 취하다: He is always ~*ming between* two parties. 그는 언제나 두 당파의 어느 쪽에도 가담하지 않는 입장을 취하고 있다. **2** 〖해사〗 (배가) 균형이 잡히다; 돛을〔활대를〕 바람 부는 방향으로〔진로로〕 조절하다: The boat ~*s* well. 배가 균형이 잘 잡힌다.

get* one*'s hair* ~*med 머리를 깎(게 하)다. ~ ***by*** 〔***on***〕 ***a wind*** 〖해사〗 되도록 바람 부는 쪽으로 항행하다. ~ ***by the bow*** 〔***stern***〕 〖해사〗 이물〔고물〕을 숙이다. ~ ***in*** 목재를 다듬어 맞추다. ~ one***'s course*** 배의 돛을 조절하며 나아가다. ~ one***self up*** 몸치장을 하다. ~ ***a person's jacket*** 《구어》 아무를 때리다. ~ ***up*** 잘라서 잘 다듬다: ~ *up* one's beard.

— *n.* [U] **1** 정돈; 정돈된 상태, 정비, 채비, 준비; 몸차림: in one's traveling ~ 여행 차림을 하고. **2** (몸 따위의) 컨디션, 상태, 기분. **3** 꾸밈, 장식(재료); 《미》 =WINDOW DRESSING. **4** [C] 깎기, (가지 등을) 치기, 손질, 컷; 깎아 손질한 것; 〖영화〗 컷한 필름. **5** [U,C] 〖해사〗 (배의) 균형, 트림, 평형 상태; (바람 방향·진로에 맞추기 위한) 돛의 조절; 잠수함의 부력; 〖항공〗 (비행기의) 자세. **6** 〖건축〗 (건물의) 내부의 목조부; (자동차 따위의) 내장(內裝)《장식품·손잡이·핸들 등》; (차체의) 외장(外裝). **7** 《폐어》 성격. **8** 《미속어》 완패시킴. ***be in no*** ~ ***for*** (몸 상태가) …하게 되어 있지 않다. ***get into*** ~ (***for***) (…할) 몸 상태가 되다. ***give*** a person ***a*** ~ 《속어》 이발사가 머리를 이발해 주다. ***in fighting*** 〔***sailing***〕 ~ 전투〔출범〕 준비를 갖추어. ***into*** ~ 적절한〔정돈〕 상태에〔로〕. ***in*** ~ =***in good*** 〔***proper***〕 ~ 잘 정돈되어; (몸의) 컨디션이 좋아; 〖해사〗 균형이 잘 잡혀. ***out of*** ~ 정돈 안 되어; 상태가 나빠; 〖해사〗 배가 한쪽이 무거워.

— (*∠·mer*; *∠·mest*) *a.* **1** 말쑥한, 깔끔한; 손질이 잘된. [SYN.] ⇨ NEAT. **2** 좋은 상태인. **3** (몸의) 상태가 좋은. **4** (몸이) 홀쭉한, 군살 없는. **5** 《고어》(배 등이) 의장을 갖춘. **6** 《폐어》 훌륭한.

— *ad.* 〖흔히 복합어로〗 정연〔말쑥〕하게(trimly): *trim*-kept 손질이 잘된.

[파] **∠·ly** *ad.* **∠·ness** *n.* [U]

tri·ma·ran [tráimərӕn] *n.* 고속 3동선(胴船).

tri·mer [tráimər] *n.* 〖화학〗 삼합체(三合體).

tri·mes·ter [traiméstər, ∠--] *n.* 3개월; (3학기제의) 1학기.

tri·mes·tral, -tri·al [traiméstrəl], [-triəl] *a.* 3개월간의; 3개월마다의.

trim·e·ter [trímətər] 〖운율〗 *n.* 삼보격(三步格) (의 시행(詩行)). — *a.* 삼보격의; 〖결정〗 사방 정계(斜方晶系)의.

tri·meth·o·prim [traiméθəprim] *n.* 〖약학〗 트리메토프림《살균약·항말라리아약》.

tri·met·ric, -ri·cal [traimétrik], [-əl] *a.* 〖운율〗 삼보격(三步格)의.

tri·met·ro·gon [traimétrəgàn/-gɔ̀n] *n.* (항공사진에서) 삼각점 부감(俯瞰) 촬영법《세 개의 카메라로 세 방향을 동시 촬영함》.

trim·mer [trímər] *n.* **1** 정돈하는 사람〔도구〕; 장식하는 사람; 깎는〔자르는, 손질하는〕 사람. **2** 기회주의자. **3** 〖건축〗 장선받이 보; 틀장선. **4** 베어 자르는 기구《가위·칼 등》. **5** 《구어》 꾸짖는 사람; 《영구어》 만만찮은 사람〔것〕. **6** 짐을 정리하는 사람〔기계〕. **7** 낚시찌《pike 낚시질의》. **8** 〖전기〗 트리머《미(微)조정용 가변 소자〔콘덴서〕》.

trim·ming [trímiŋ] *n.* [U,C] **1** 정돈, 말끔하게 함, 다듬질. **2** 깎아 다듬기, 손질. **3** (*pl.*) 트리밍, (옷·모자 등에 붙이는) 장식; (말의) 수식. **4** (*pl.*) 《구어》 부속물, 곁들인 음식, (요리의) 고명. **5** 《구어》 꾸지람; 매질. **6** (*pl.*) 깎아 다듬은 것; 가윗밥. **7** 형세 관망; 《미구어》 대패, 참패. **8** 〖사진〗 트리밍. **9** 〖건축〗 틀짜기. **10** 《구어》 협잡, 사기.

tri·month·ly [traimʌ́nθli] *a.* 3개월마다.

tri·mo·tor [tráimòutər] *n.* 〖항공〗 3발기.

trím sìze (책의) 재단 치수.

trím tàb 〖항공〗 트림 태브《승강타·보조익·방향타 등의 주조종익 뒤끝에 붙어 있는 작은 날개》 (=**trímming tàb**).

Trin. Trinity.

tri·nal, tri·na·ry [tráinl], [tráinəri] *a.* 3의; 3배〔3겹, 3중〕의; 3부로 된.

trine [train] *a.* 세 배〔세 겹, 3층〕의, 3중의; 〖점성〗 3분의 1 대좌(對座)의, 순운(順運)의. — *n.* 세 개 한 벌, 셋으로 된 것, 세 개 한 쌍; 〖점성〗 3분의 1 대좌; 〖기독교〗 (T-) 삼위일체.

trin·gle [tríŋgəl] *n.* 〖건축〗 가늘고 긴 모난 쇠시리.

Trin·i·dad [trínədӕd] *n.* 트리니다드《서인도 제도에 있는 섬》.

Trínidad and Tobágo 트리니다드토바고《서인도 제도에 있는 영연방 내의 독립국; 수도는 Port-of-Spain》.

Trin·i·tar·i·an [trìnətέəriən] *a.* 〖기독교〗 삼위일체(설)의; 삼위일체를 믿는; (t-) 3개 부분〔면〕이 있는, 3개 한 벌을〔3인조를〕 형성하는. — *n.* 삼위일체 교리를 믿는 사람. [파] **~·ism** *n.* [U] 삼위일체설〔신앙〕.

tri·ni·tro- [trainàitrou, -trə] 〖화학〗 '분자 중에 3개의 니트로기(基)가 있는' 이란 뜻의 결합사.

trinìtro·bénzen *n.* 〖화학〗 트리니트로벤젠《작약(炸藥); 생략: TNB》.

trinìtro·tóluene, -tóluol *n.* [U] 트리니트로톨루엔《강력 폭약; 생략: TNT, T.N.T.》.

Trin·i·ty [trínəti] *n.* **1** (the ~) 〖기독교〗 삼위일체《성부·성자·성령을 일체로 봄》. **2** =TRINITY SUNDAY, TRINITY TERM 2. **3** 〖미술〗 삼위일체의 상징. **4** (t-) 3인조; 3부분으로 된 것〔조〕.

Trínity Bréthren 《영》 Trinity House의 회원.

Trínity Cóllege 케임브리지 대학의 학료(學寮)의 하나; 옥스퍼드 대학의 학료의 하나; Dublin에 있는 아일랜드 최고(最古)의 대학.

Trínity Hóuse 《영》 도선사(導船士) 협회.

Trínity sítting =TRINITY TERM 2.

Trínity Súnday 삼위일체의 축일《Whitsunday 다음의 일요일》.

Trínity tèrm 《영》 **1** 대학의 제 3학기《4월 중순

부터 6 월말까지》. **2** (법정의) 트리니티 개정기(開廷期)《(1) 5월 22일부터 6월 12일까지의 옛 상급 재판소 개정기. (2) 6월 9일부터 7월 31일까지의 영국 고등법원 개정기(Trinity sitting)》.

trin·ket [tríŋkit] *n.* (값싼 보석·반지 따위) 자질구레한 장신구(裝身具); 시시한 것.

trin·oc·u·lar [trìnákjələr/-nɔ́k-] *a.* 3안 현미경의《2개의 접안렌즈 외에 사진 촬영용의 렌즈를 갖춘》.

tri·no·mi·al [trainóumiəl] *a.* 삼항(三項)(식)의; 〖동물·식물〗 삼명법(三名法)《속(屬)·종(種)·아종(亞種)을 표시하는》의. **—** *n.* 〖수학〗 3항식; 〖동물·식물〗 삼명법에 의한 명명(命名). ㊕ **~·ly** *ad.* **~·ism** *n.* Ⓤ 〖동물·식물〗 삼명법.

tri·nom·i·nal [trainámənl/-nɔ́m-] *a.* =TRINOMIAL.

tri·nu·cle·o·tide [trainjú:kliətàid/-njú:-] *n.* 〖생화학〗 트리뉴클레오티드(codon).

*__trio__ [trí:ou] (*pl.* ***tri·os*** [-z]) *n.* **1** 〖음악〗 트리오, 삼중주(곡, 단(團)); 삼중창(곡, 단); 행진곡 등의 중간부. **2** 3인조, 세 개 한 벌〔쌍〕, 세 폭짜리.

tri·ode [tráioud] *n., a.* 3극 진공관(의).

tri·o·let [trì:əléi, tráiəlit/trí:əlèt] *n.* 〖운율〗 트리올레, 2운각(韻脚) 8행(行)의 시《ab, aa, abab로 압운(押韻)하고, 제1행을 제4행과 제7행에서, 제2행을 제8행에서 반복함》.

Tri·o·nes [traióuni:z] *n. pl.* 〖천문〗 북두칠성(Charles's Wain).

tri·or [tráiər] *n.* 〖법률〗 =TRIER 2.

tri·ox·ide [traiáksaid/-ɔ́k-] *n.* 〖화학〗 3산화물(酸化物).

TRIP [trip] *a.* 고강도 강연성(強延性) 특수강의. [◂ *t*ransformation-*i*nduced *p*lasticity]

†**trip** [trip] *n.* **1** (짧은) 여행, 출장 여행; 소풍; 유람; (짧은) 배편 여행《*to*》: a weekend ~ 주말의 짧은 여행 / take a ~ *to* Hawaii 하와이로 (관광) 여행하다 / ⇨ RETURN TRIP. SYN. ⇨ JOURNEY. **2** 출장; (용건·일 따위로) 찾아감, 통근, 통학: his daily ~ *to* the bank 은행으로의 매일 통근. **3** 곱드러짐, 헛디딤, 실족(失足): a ~ over a step 실족. **4** 곱드러지게 함; 만죽〔발을〕 걸(어 넘어뜨리)기; 뒷다리 잡기. **5** 실수, 실책, 과실, 실언: a ~ of the tongue 실언. **6** 경쾌한 발걸음: the ~ of children's feet 어린이들의 경쾌한 걸음걸이. **7** 〖기계〗 벗기는〔끄르는〕 장치. **8** (어선의) 한 항해(의 어획량). **9** 《미속어》 체포, 구류, 《특히》 구류〔금고〕형; 형기(刑期). **10** 〖해사〗 뱃머리를 바람이 불어 오는 쪽으로 돌리고 나아가는 거리. **11** 《구어》 (마약·LSD에 의한) 환각(기간); 자극적인 체험. **12** 《구어》 체험, 사는 방식, 상황, 세계; (일시적인) 열중, 도취. ***a round ~*** 일주 여행, 주항(周航); 《미》 왕복 여행. ***make a ~*** 여행하다; 과실을 범하다. ***take a fishing ~*** 《야구속어》 3진하다(take a drink).

— (***-pp-***) *vi.* **1** 《~/+전+명》 곱드러지다, 헛디디다, 발이 걸려 넘어지다《*on; over*》: Be careful not to ~. 발이 걸려 넘어지지 않도록 조심해라 / ~ *over* the root of a tree 나무뿌리에 걸려 곱드러지다. **2** 《~/+부/+전+명》 과실을 저지르다; 실책을 하다: I have never known him to ~ *up* even in details. 아무리 사소한 문제에서조차도 그가 실수하는 것을 본 적이 없다 / I ~*ped up on* the mathematic problem. 나는 그 수학 문제에서 틀렸다. **3** 말이 막히다, 말을 더듬다, 잘못 말하다: My tongue ~*ped.* 말이 잘못 나왔다. **4** 《~/+전+명》 경쾌한 발걸음으로 걷다〔춤추다〕: She came ~*ping down* the garden path. 그녀는 정원 오솔길을 발걸음도 가볍게 걸어왔다. **5** 《드물게》 여행하다. cf. travel. **6** 〖기계〗 (사람이) 운전하다, (기계가) 작동하다. **7** 《+부》 《속어》 (LSD 등에 의한) 환각을 경험하다《*out*》. **—** *vt.* **1** 《~+목/+목+부》 곱드러지게 하다, 걸려서 넘어지게 하다; …을 딴죽걸다《*up*》: The wrestler ~*ped* (*up*) his opponent. 레슬러는 상대방을 다리를 걸어서 넘어뜨렸다. **2** 《~+목/+목+부》 실패케 하다; 잘못 말하게 하다; …의 잘못〔약점〕을 찾다, …의 뒷다리를 잡다《*up*》: The clever lawyer ~*ped* the witness. 능갈친 변호사는 증인의 모순을 찔렀다 / He was ~*ped up* by artful questions. 그는 교묘한 심문에 엉터리없는 말을 해 버렸다. **3** 〖기계〗 …의 회전막이〔멈추개〕를 벗기다, (기계·장치를) 시동시키다. **4** 〖해사〗(닻을) 감아 올리다; (활대를) 수직으로 하다. **5** (나무의) 톱자리에 쐐기를 찔러 넘어뜨리다. **6** 《드물게》 경쾌하게 춤추다; …의 위에서 춤추다. ***catch*** a person ***~ping*** 아무의 뒷다리를 잡다; 약점을 잡다. ***go ~ping*** 척척 진행되다. ***~ it*** 잠시 여행을 하다. ***~ it on the light fantastic toe*** 경쾌하게 춤추다. ***~ out*** 《*vi.*+부》 ① (회로가) 끊어지다; (기계가) 멈추다. **—** 《*vt.*+부》 ② (회로를) 끊다; (기계를) 멈추다. ***~ped out*** 《속어》 (마약이나 술에 취했을 때처럼) 말이 혼란한, 지리멸렬한, 뭐가 뭔지 알 수 없는.

tri·pack [tráipæ̀k] *n.* 〖사진〗 트라이팩《감색성이 다른 3가지 필름을 겹친 컬러 필름》.

trip·a·ra [trípərə] *n.* 세쌍둥이를 낳은 여자.

tri·part·ed [traipá:rtid] *a.* 3부분으로 나누어진〔갈라진〕.

tri·par·tite [traipá:rtait] *a.* 3조의, 3부로 나누어진; 〖법률〗 3자 간의; 3자 구성의; 〖식물〗 삼심렬(三深裂)의《잎》; (같은 문서) 세 통의, 세 통으로 작성한. cf. bipartite. ¶ a ~ treaty 삼국조약. ㊕ **~·ly** *ad.*

tri·par·ti·tion [tràipa:rtíʃən, -pər-] *n.* Ⓤ 3분할, 3분; (3분할에 의한) 3분의 1의 취득.

tripe [traip] *n.* **1** Ⓤ,Ⓒ 반추 동물(특히 소)의 위(胃)《식용(食用)으로서의》; (보통 *pl.*) 《비어》 내장, 창자. **2** Ⓤ 《구어》 하찮은〔변변찮은〕 것; 졸작; 허튼소리. **3** 《미속어》 (행상인이 진열 케이스를 얹는) 3각대.

tri·ped·al [tráipèdl, trípidl] *a.* 발이 셋인, 3각의.

trípe·man [-mən] (*pl.* ***-men*** [-mən]) *n.* 소의 양(胖) 행상인.

tri·per·son·al·i·ty [tràipə:rsənǽləti] *n.* (종종 T-) (신의) 삼위격성(三位格性).

tríp-hàmmer *n.* 〖기계〗 스프링해머. **—** *a.* 스프링해머와 같은, 잇따른, 숨 돌릴 사이도 없는.

tri·pha·sic [traiféisik] *n.* 〖약학〗 트리페이식《경구 피임약의 하나》.

tri·phen·yl·meth·ane [traifènəlméθein, -fi:n-] *n.* 〖화학〗 트리페닐메탄《염료의 원료》.

tri·phib·i·an [traifíbiən] *a.* **1** 육·해·공 어느 싸움에도 강한〔적합한〕. **2** (비행기가) 지상·수상·빙설상(氷雪上)에서 발진할 수 있는. **3** =TRIPHIBIOUS 1. **—** *n.* (육·해·공 어느 전투에도 적합한) 사령관〔비행기〕. cf. amphibian.

tri·phib·i·ous [traifíbiəs] *a.* **1** 삼군 공동 작전의. **2** =TRIPHIBIAN 1.

tri·phos·phate [traifásfeit/-fɔ́s-] *n.* 〖화학〗 3인산염.

tri·phos·pho·pýr·i·dine núcleotide [traifɑ̀sfoupírədi:n-, -din/-fɔ̀s-] 〖생화학〗 트리포스포피리딘 뉴클레오티드《생략: TPN》.

triph·thong [trífθɔ:ŋ, -θaŋ/θɔŋ] *n.* 3중모음《예컨대 power에서의 [auər], fire에서의 [aiər] 등의 단음절적인 발음》; =TRIGRAPH.

tri·plane [tráiplèin] *n.* 삼엽(三葉)(비행)기.

*__tri·ple__ [trípəl] *a.* **1** 3배〔3중〕의, 세 겹의, 세 부분으로 된. **2** 〖국제법〗 삼자 간의. **—** *n.* 3배의 수〔양〕; 세 개 한 벌〔조〕; 〖미경마〗 3연승 단식;

〚야구〛 3루타; (~s) 〖단·복수취급〗 7개의 종을 사용하는 조바꿈 명종법(鳴鐘法). ⓒⓕ single, double. **—** *vt., vi.* 3배로〔3중으로〕 하다〔되다〕. 세 겹으로 하다〔되다〕; 〚야구〛 3루타를 치다.

tríple Á 트리플 A. **1** 〚군사〛 대공 화기; 《군대속어》 고사포병, 고사 특과(부대) 《AAA(Anti-Aircraft Artillery)의 약식 호칭》. **2** 미국 자동차 협회(American Automobile Association).

tríple-Á *a.* 금융상 최고위의, AAA의.

Tríple Allíance (the ~) 삼국 동맹《특히 1882년 독일·오스트리아·이탈리아 간의》.

tríple áxel 〚피겨스케이트〛 3회전 반 점프.

tríple bónd 〚화학〛 3중 결합.

tríple-chéck *vt.* 3중으로 체크하다, 세 번 확인하다: check, recheck and ~ 재삼재사 확인하다, 매우 신중하게 확인하다.

tríple cóunterpoint 〚음악〛 3중 대위법.

tríple crówn 로마 교황의 삼중관(三重冠); (T-C-) 〚야구·경마〛 삼관왕(三冠王), 트리플 크라운.

tríple-décker *n.* =THREE-DECKER.

tríple-dígit *a.* (특히 백분율의 숫자가) 세 자리의: ~ inflation 인플레이션율이 100% 이상인 인플레이션.

Tríple Enténte (the ~) 삼국 협상《1907년 영국·프랑스·러시아 간의》.

tríple-expánsion èngine 〚기계〛 (증기 기관의) 3단 팽창 엔진.

tríple-héader *n.* 〚스포츠〛 같은 날 같은 장소에서 연속 3경기를 하는 일.

tríple júmp 〚스포츠〛 (the ~) 3단〔세단〕뛰기 (hop, step〔skip〕, and jump).

tríple-nérved *a.* 〚식물〛 3엽맥의.

tríple pláy 〚야구〛 3중살(重殺), 트리플 플레이.

tríple póint 〚물리〛 3중점(重點)《기상(氣相)·액상(液相)·고상(固相)의 평형점》.

tríple-spáce *vt., vi.* 행간에 2행분의 스페이스를 띄우고 (…을) 타이프하다.

trip·let [tríplit] *n.* 세 개 한 벌〔조〕(가 되는 것); 세 통(通); 〚운율〛 삼행연구(三行聯句); 〚음악〛 셋잇단음표; 석 장으로 된 렌즈; 세쌍둥이 중의 하나; (*pl.*) 세쌍둥이; (*pl.*) (카드놀이의) 동점인 석 장의 패; 3인승 자전거; 〚선박〛 (닻고리에 접하는) 삼쇄환(三鎖環); 〚유전〛 =CODON.

tríple thréat 세 분야에 고루 능숙한 사람; 〚미식축구〛 차기·패스·달리기에 고루 능숙한 선수.

tríple tìme 〚음악〛 3박자.

tríple whàmmy 《미속어》 삼중(三重)의 장애「곤란, 위험」.

trip·lex [trípleks, trái-/tríp-] *a.* **1** 3겹〔3배, 3중〕의: ~ glass, 3중 유리《두 유리 사이에 투명 플라스틱을 끼운 것》. **2** 3층 건물의. **—** *n.* 셋 한 벌〔조〕; 〚음악〛 3박자; 《미》 3층 건물; 《미》 아래위 3층의 방으로 한 세대분을 이루는 아파트; (T-) 〚상표〛 트리플렉스(=**Tríplex glàss**)《3중 유리》.

trip·li·cate [tríplikət, -ləkèit] *a.* 3배〔중〕의, 세 겹의; 세제곱의; 세 개〔폭〕 한 벌의; 세 통의. ⓒⓕ duplicate. ¶ a ~ certificate 세 통 작성의 증명서 / ~ ratio 〚수학〛 세제곱비. **—** *n.* 세 개〔폭〕 한 벌 중의 하나; 세 통 중의 하나; (*pl.*) 셋 한 조〔벌〕: a document drawn up in ~ 세 통으로 작성되어 있는 서류. **—** [trípləkèit] *vt.* 3배로〔3겹으로〕 하다; 세 통 작성하다.

trìp·li·cá·tion *n.* **1** 3배〔3중〕으로 한 것; 3통 작성 (문서). **2** 〚법률〛 (종교 재판에서) 피고의 두 번째 답변; (로마법의) 원고의 세 번째 답변.

tri·plic·i·ty [triplísəti] *n.* ⓊⒸ 3배임, 3겹〔중〕임; Ⓒ 세 폭짜리, 셋 한 벌〔조〕; 〚점성〛 삼궁(三宮)(trigon)《12궁 중의》.

trip·loid [tríplɔid] *a., n.* 〚생물〛 (염색체가) 삼배수(三倍數)(의), 삼배체(三倍體)(의). ⓟ **tríp·loi·dy** *n.* 3배체성(性).

tri·ply [trípli] *ad.* 3배로, 3중〔겹〕으로.

tri·pod [tráipɑd/-pɔd] *n.* 삼각대, 세 다리 걸상〔탁자〕《따위》; 〚사진〛 삼각가(架); 세발솥; (옛 그리스의 신탁을 받는) Delphi의 청동(靑銅) 제단; 그 모형품《Pythian 경기의 상으로 준 것》. ***the ~ of life*** =***the vital ~*** 심장·폐 및 뇌. **—** *a.* 3각(脚)의: a ~ race, 2인 3각.

trip·o·dal [trípədl, tráipədl/trípədl] *a.* tripod의〔모양의〕; 발이 셋 있는; (뼈가) 3개의 돌기가 있는.

tri·pod·ic [traipɑ́dik/-pɔ́d-] *a.* 3각(脚)의.

trip·o·dy [trípədi] *n.* 〚운율〛 3보구(步句).

tri·po·lar [trài póulər] *a.* 3극(極)의.

Trip·o·li [trípəli] *n.* 트리폴리《(1) 레바논의 도시. (2) 리비아의 수도》.

trip·o·li [trípəli] *n.* Ⓤ 〚광물〛 판상(板狀) 규조토《규조·방산충 등의 유해로 됨》.

Tri·pol·i·tan [tripɑ́lətn/-pɔ́l-] *a., n.* 트리폴리의 (주민).

tri·pos [tráipɑs/-pɔs] *n.* (Cambridge 대학의) 우등 졸업 시험; 그 합격자 명부.

tripped óut 《속어》 마약에 도취된; 매우 즐거운, 굉장한.

tríp·per *n.* **1** 《영·종종경멸》 (당일치기의 근거리) 여행자, 소풍객. **2** 발에 걸려 넘어지(게 하)는 사람; 딴죽 걸어 넘어뜨리는 사람. **3** 경쾌하게 걷는〔춤추는〕 사람. **4** 〚기계〛 트리퍼《(1) 톱니바퀴를 한 코씩 넘기는 장치. (2) 통과하는 열차에 따라 신호기나 전철기 등을 작동시키는 장치》. **5** 《속어》 환각제 사용자.

trip·pery [trípəri] *a.* 《영》 (당일치기) 여행자가 많이 들르는.

tríp·ping *a.* 걸려 넘어지게 하는; 경쾌하게 걷는〔움직이는〕, 발걸음이 가벼운. **—** *n.* 〚미식축구〛 트리핑《발로 상대를 거는 부정한 블록》; 《미마약속어》 환각 증상의 지속. ⓟ **~·ly** *ad.* 경쾌하게, 발걸음을 가벼이.

trip·py [trípi] *a.* 《미·Can. 속어》 (마약 따위로) 멍해진, 황홀해진. ⓟ **tríp·pi·ness** *n.*

trip·tane [tríptein] *n.* 〚화학〛 트립탄《앤티노크성이 높아 항공기 연료로 쓰임》.

trip·tych [tríptik] *n.* 석 장 연속된 것, 세 폭짜리《그림·조각 따위》; 3부작.

trip·tyque [triptíːk] *n.* (세관이 발행하는) 자동차 입국 허가증.

tríp·wire *n.* ⓊⒸ (지뢰 따위 폭발물 등의) 인계(引掛) 철선.

tri·que·trous [traikwíːtrəs, -kwét-] *a.* 3각의, 3개의 철각(凸角)이 있는; (줄기 등의) 단면이 3각형인.

tri·reme [tráiriːm] *n.* 〚고대그리스·로마〛 3단 노의 군선(軍船). ⓒⓕ quadrireme, quinquereme.

tris- [tris] *pref.* '3배, 3중'이란 뜻.

tri·sac·cha·ride [traisǽkəràid, -rid] *n.* 〚화학〛 삼당류(三糖類).

tri·sect [traisékt, ˊ-/-ˊ] *vt.* 삼분하다, 셋으로 자르다; 〚수학〛 3등분하다. ⓟ **-séc·tion** *n.* Ⓤ 삼분(三分); 〚수학〛 3등분.

tri·serv·ice [traisə́ːrvis] *a.* 육해공 3군의: the ~ operation, 3군 합동 작전.

tri·shaw [tráiʃɔː] *n.* (동남아 여러 나라의) 승객용 삼륜자전거. [◂ *tri-*+*rikshaw*]

tris·kai·dek·a·pho·bia [trìskaidèkəfóubiə] *n.* 13 공포증.

tri·skel·i·on [triskéliàn, -liən, trai-/-liɔ̀n] (*pl.* ***-ia*** [-ə], **~s**) *n.* 세 다리〔팔, 가지〕가 세 가닥으로 벌린 삼각(三脚) 무늬.

tris·mus [trízməs, trís-/tríz-] *n.* 〚의학〛 =LOCKJAW.

tris·octahédron *n.* 〚수학〛 24면체.

tri·so·di·um [traisóudiəm] *a.* 〚화학〛 한 분자 중에 3개의 나트륨 원자를 함유한, 3나트륨의.

trisódium phósphate 〚화학〛 인산 3나트륨.

tri·so·mic [traisóumik] *a.* 3 염색체성의.

tri·so·my [tráisoumi] *n.* 『생물』 3 염색체성 《사람에게 있는 23 쌍의 염색체 중 하나가 더 있는 염색체 이상; 21번째 염색체가 하나 더 많으면 다운증후군에 걸리기 쉬움》.

Tris·tan [trístən, -tæn] *n.* 트리스탄《남자 이름》.

tri-state [tráistèit] *a.* 3 개 주(州)에 걸치는.

triste [*F.* tʀist] *a.* 《F.》 슬픈; 우울한.

tris·te·za [tristéizə] *n.* **1** 감귤류의 바이러스병의 일종《잎이 시들고 뿌리가 썩음》. **2** =TEXAS FEVER.

trist·ful [trístfəl] *a.* 《고어》 슬픈, 음침한.

Tris·tram [trístrəm] *n.* 트리스트럼. **1** 남자 이름《애칭 Tris》. **2** (아서왕 전설에서) 원탁의 기사의 한 사람《Tristan 이라고도 함》(cf. Iseult).

tri·syl·lab·ic [tràisilǽbik, trìs-] *a.* 3 음절(音節)의. ㊕ **-i·cal·ly** *ad.*

tri·syl·la·ble [tráisìləbəl, traisíl-, trisíl-] *n.* 3 음절어(音節語). cf. monosyllable, disyllable.

trit. triturate.

trit- [trait], **tri·to-** [tráitou, -tə] '3 번째의, 「제 3 의」란 뜻의 결합사.

tri·tag·o·nist [traitǽgənist] *n.* 『고대그리스연극』 제 3 역. cf. protagonist; deuteragonist.

trit·an·ope [tráitənòup, trít-] *n.* 『안과』 제삼색맹(第三色盲) 환자, 청황색맹 환자.

trit·an·o·pia [tràitənóupiə, trìt-] *n.* 『안과』 제삼색맹, 청황색맹. ㊕ **-op·ic** [-nápik/-nɔ́p-] *a.*

trite [trait] (*trít·er; trít·est*) *a.* 흔해 빠진, 진부한, 케케묵은. ㊕ **∠·ly** *ad.* **∠·ness** *n.*

tri·the·ism [tráiθiːìzəm] *n.* Ⓤ 『신학』 삼위이체설(三位異體說), 삼신론(三神論). ㊕ **-ist** *n.* 『신학』 삼위이체론자, 삼신론자.

trit·i·um [trítiəm, tríʃiəm/-tiəm] *n.* Ⓤ 『화학』 트리튬, 3중 수소《수소의 동위 원소; 기호 T, ^{3}H, H^3》.

Tri·ton [tráitn] *n.* **1** 『그리스신화』 트리톤《반인반어(半人半魚)의 해신(海神)》. **2** (t-) 『동물』 영원(蠑螈)(newt, eft). **3** (t-) 『패류』 소라고둥 (=**tríton shèll**). **4** 『천문』 해왕성의 제1위성. ***a*** ~ ***among*** [***of***] ***the minnows*** 군계일학(群鷄一鶴).

Triton 1

tri·ton [tráitan/-tɔn] *n.* 『화학·물리』 3 중수소(tritium)의 원자핵, 트리톤.

tri·tone [tráitòun] *n.* 『음악』 3 온음《3 개의 온음으로 이루어져 있는 음정; 증(增) 4 도》.

trit·u·rate [trítʃərèit] *vt.* 가루로 만들다, 빻다, 찧다; 『생리』 씹다, 저작(咀嚼)하다. **—** *n.* 분쇄한 것; 가루약. ㊕ **trit·u·rá·tion** *n.* Ⓤ 바수기; 빻기; 『생리』 저작; (유당(乳糖)을 가한) 가루약. **trít·u·rà·tor** [-ər] *n.* 바수는〔빻는〕 사람; 분쇄기, 유발, 막자사발.

‡tri·umph [tráiəmf, -ʌmf] *n.* **1** Ⓒ 승리 《*over*》: win a ~ *over* one's enemy 적을 누르고 승리를 거두다 / the ~ of right *over* might 힘에 대한 정의의 승리.

> **SYN.** **triumph** 결정적 승리에서 오는 승자의 기쁨, 의기양양한 모습이 시사됨. 또한 비유적인 사용도 많음: the *triumph* of science 과학의 개가〔빛나는 업적〕. **victory** 싸움에서의 승리. 그에 잇따른 지배를 암시하는 수도 많음. **conquest** 정복. 상대의 저항, 싸움의 곤란이 시사됨.

2 Ⓒ 대성공; 성공한 예, 개가, 업적, 위업: the ~*s* of modern science 현대 과학의 수많은 업적 / This is a ~ of architecture. 이것은 건축술의 극치이다. **3** Ⓤ 승리감, 성공의 기쁨, 의기양양한 표정, 환희: a shout of ~ 승리의 환성 / ~ in his eyes 그의 눈에 나타난 의기양양한 기색. **4** 『고대로마』 개선식. ◇ triumphant *a.* ***in*** ~ 의기양양하여. **—** *vi.* **1** 《~/+전+명》 승리를 거두다, 이기다, 이겨내다《*over*》: ~ *over* difficulties 곤란을 극복하다. **2** 《~/+전+명》 의기양양해 하다: ~ *over* a defeated enemy 패한 적에게 의기양양한 태도를 보이다. **3** 『고대로마』 개선식을 올리다. ㊕ **~·er** *n.*

°tri·um·phal [traiʌ́mfəl] *a.* **1** 개선식의; 개선의: a ~ car (고대 로마의) 개선차(車) / a ~ crown (고대 로마에서) 개선 장군에게 주던 월계관 / a ~ hymn 개선 찬미가(Sanctus). **2** 승리를 축하하는; 승리의《노래 따위》.

triúmphal árch 개선문; (초기 교회의) 본당의 성직자〔합창대〕석(choir)과 회중석(會衆席)(nare) 사이의 큰 아치.

trí·um·phal·ìsm *n.* 『종교』 승리주의《특정의 교리가 다른 종교의 교리보다 우수하다는 주장》. ㊕ **-ist** *n.*

***tri·um·phant** [traiʌ́mfənt] *a.* **1** 승리를 거둔, 성공한: a ~ shout 승리의 함성 / a ~ general 개선장군. **2** 의기양양한. ㊕ **~·ly** *ad.* 의기양양하게〔하여〕.

tri·um·vir [traiʌ́mvər] (*pl.* **~s, -vi·ri** [-vəràì]) *n.* 『고대로마』 3 집정관(執政官)의 한 사람; 『일반적』 3 인 위원회〔지배자 집단, 권력자 집단〕의 한 사람.

tri·um·vi·rate [traiʌ́mvərət, -rèit/-rət] *n.* **1** Ⓤ 『고대로마』 삼두(三頭) 정치; 삼인 집정의 직〔임기〕. **2** (지배층의) 3 인조, 삼인 동맹.

tri·une [tráijuːn] *a.* (종종 T-) 삼위일체의. **—** *n.* =TRIAD; (the T-) =TRINITY. ㊕ **tri·u·ni·ty** [traijúːnəti] *n.* 3 개 한 벌, 3 인조, 삼면성(三面性), 3 중성, 삼위일체(trinity).

tri·va·lent [traivéilənt, trívəl-] *a.* 『화학』 3 가(價)의; 『생물』 3 가의《염색체》. **—** *n.* 『생물』 삼가 염색체. ㊕ **-lence, -len·cy** *n.* Ⓤ 『화학』 3 가(價).

triv·et [trívit] *n.* 철제 삼각대(三脚臺); 삼발이. (***as***) ***right as a*** ~ 《구어》 만사 순조로운, 매우 건강하여, 극히 좋은.

triv·ia [tríviə] *n. pl.* **1** TRIVIUM의 복수. **2** 『때로 단수취급』 하찮은〔사소한〕 것〔일〕.

***triv·i·al** [tríviəl] *a.* **1** 하찮은, 대단치 않은: a ~ offense 하찮은 죄, 경범죄 / a ~ loss 작은 손실 / ~ objections against a proposal 제안에 대한 하찮은 반대 의견 / ~ expenses 적은 비용. **2** 평범한, 일상의, 사소한: ~ affairs 〔matters〕 일상의 사소한 일 / the ~ round of daily life 평범한 일상생활. **3** (사람이) 경박한, 천박한: Don't marry that ~ young man, please. 저런 하찮은 풋내기와는 결혼하지 마세요. **4** 『동물·식물』 (학명이 아닌) 통칭의; 종(種)의: a ~ name 〔term〕 (생물의) 통속명; 종명(種名). ㊕ **~·ly** *ad.* **~·ness** *n.*

trív·i·al·ìsm *n.* =TRIVIALITY.

trív·i·al·ist *n.* 잡학자(雜學者).

triv·i·al·i·ty [trìviǽləti] *n.* **1** Ⓤ 하찮음, 평범. **2** Ⓒ 시시한〔평범한〕 것〔일, 생각, 작품〕.

trív·i·al·ìze *vt.* 하찮게 하다, 평범화하다. ㊕ **triv·i·al·i·zá·tion** *n.*

Trívial Pursúit 퀴즈 형식의 쌍륙 비슷한 게임 「《상표명》.

triv·i·um [tríviəm] (*pl.* ***-ia*** [-iə]) *n.* (중세 학교의) 삼학(三學), 삼과(三科)《문법·논리·수사학》. cf. quadrivium.

tri·week·ly [traiwíːkli] *a., ad.* 3 주(週)마다, 3 주에 한 번(의); 1 주 3 회(의). **—** *n.* 1 주 3 회

〔3 주 1 회〕의 출판물.

-trix [triks] *suf.* **1** 남성 -tor에 대한 여성형을 만듦: avia*trix*, execu*trix*. cf. -tor. **2** 〖수학〗 '선·점·면'의 뜻: genera*trix*.

TRM trademark. **tRNA** [tìːàːrènéi, ⌐⌐⌐] transfer RNA. **TRO** temporary restraining order (일시적 금지 명령).

tro·car, tro·char [tróukaːr] *n.* 〖의학〗 투관침(套管針)《cannula에 달린 바늘》.

tro·cha·ic [troukéiik] 〖운율〗 *a.* 강약격(強弱格)의; 장단(長短)격의. — *n.* (*pl.*) 강약격〔장단격〕의 시.

tro·chal [tróukəl] *a.* 〖동물〗 윤상(輪狀)의.

tro·chan·ter [troukǽntər] *n.* 〖해부·동물〗 전자(轉子)《대퇴골 상부의 돌기》; 〖곤충〗 전절(轉節)《발의 제 2 관절》.

tro·che [tróuki/tróuʃ] *n.* 〖약학〗 알약, 정제(錠劑), 트로키(제)《약을 설탕과 섞어 굳힌 것》.

tro·chee [tróukiː] *n.* 〖운율〗 (영시(英詩)의) 강약격(格)《⌐×》; (고전시의) 장단격《—◡》.

troch·i·lus [trákələs/trɔ́k-] (*pl.* **-li** [-lài]) *n.* **1** 〖조류〗 개똥지빠귀; 악어새(crocodile bird)《악어 입 안의 벌레를 먹음》; 벌새(humming-bird). **2** 〖건축〗 =SCOTIA.

troch·lea [trákliə/trɔ́k-] (*pl.* **-le·ae** [-liìː]) *n.* 〖해부·동물〗 활차(滑車), 연골륜(軟骨輪).

troch·le·ar [trákliər/trɔ́k-] *a.* 〖해부〗 활차(신경)의, 연골륜의; 〖식물〗 활차 모양의. — *n.* = TROCHLEAR NERVE.

tróchlear nèrve 〖해부〗 활차 신경.

tro·choid [tróukɔid] *n.* 〖수학〗 트로코이드; 〖해부〗 차축(車軸) 관절(=⌐ **jóint**); 〖패류〗 소라류(類). — *a.* 수레바퀴 모양의, 바퀴 모양으로 움직이는; 원뿔꼴의, 팽이 모양의. ⊞ **tro·choi·dal** [troukɔ́idl] *a.*

tro·chom·e·ter [troukámətər] *n.* (차의) 주행 거리계.

trod [trad/trɔd] TREAD의 과거·과거분사.

trod·den [trádn/trɔ́dn] TREAD의 과거분사.

trof·fer [tráfər, trɔ́ːf-/trɔ́f-] *n.* 천장의 우묵한 곳《조명 따위를 끼워 넣는》.

trog·lo·bi·ont [tràgləbáiant/trɔ̀gləbáiɔnt] *n.* 〖동물〗 진(眞)동굴성 동물《눈·몸의 색소를 잃고 감각기가 발달됨》. 「BIONT.

trog·lo·bite [trágləbàit/trɔ́g-] *n.* =TROGLO-

trog·lo·dyte [trágləd̀ait/trɔ́g-] *n.* (선사 시대 서유럽의) 혈거인(穴居人); 《비유》 은자(隱者); 〖동물〗 유인원(類人猿); 〖조류〗 굴뚝새.

tro·gon [tróugan/-gən] *n.* 〖조류〗 트로곤《깃털이 아름다운 열대·아열대산의 새; 두 발가락은 앞을, 나머지 두 발가락은 뒤를 향한 것이 특징》.

troi·ka [trɔ́ikə] *n.* 《Russ.》 트로이카《러시아의 3 두마차·썰매》; 3 두제; 3 인조.

troil·ism [trɔ́ilizəm] *n.* 셋이서 하는 성교.

Troi·lus [trɔ́iləs, tróuə-] *n.* 〖그리스신화〗 트로일로스《트로이의 Priam왕의 아들; 중세의 이야기에서는 Cressida의 애인》.

◇**Tro·jan** [tróudʒən] *a.* 트로이의; 트로이 사람의. — *n.* 트로이 사람; 용사, 분투가. ***like a*** ~ 용감하게; 부지런하게, 열심히.

Trójan Hórse (the ~) **1** 트로이의 목마. **2** 파괴〔선전〕 공작(단·원).

Trójan Wár (the ~) 트로이 전쟁《Homer 작의 시 *Iliad*의 주제》.

troll[1] [troul] *n.* **1** 돌림노래. **2** 견지낚시질; 견지낚시용 제물낚시(가 달린 낚싯줄); 회전. — *vt.* **1** 돌림노래하다; 명랑하게〔낭랑하게〕 노래하다; 노래하여 칭찬하다; 낭랑한 목소리로〔빠르게〕 이야기하다〔읊다〕. **2** 견지낚시를 하다. **3** (공·주사위를) 굴리다. — *vi.* **1** 명랑하게 노래하다〔연주하다〕; 《영구어》 어정거리다, 산책하다. **2** 《+전+명》 (제물낚시로) 견지낚시질하다: ~ *for* bass 농어를 제물낚시질하다. **3** 《~/+전+명》 섹스 구하려고 찾다《*for*》; 《속어》 (동성애자가) 섹스 상대를 찾아다니다: ~*ing for* extra labor 잉여 노동자를 찾아다니다. **4** 회전하다.

troll[2] *n.* 〖북유럽신화〗 (동굴·야산에 사는) 거인; 장난꾸러기 난쟁이.

◇**trol·ley** [tráli/trɔ́li] (*pl.* **~s**) *n.* **1** 《영》 손수레, 광차(鑛車). **2** 고가 수송 활차(高架輸送滑車). **3** 〖전기〗 촉륜(觸輪)《전차의 폴 끝에 달려 있어 가공선(架空線)에 접하는》, 트롤리; 《미》 =TROLLEY CAR; 《영》 TROLLEY BUS. ***slip*** 〔***be off***〕 ***one's*** ~ 《미속어》 머리가 돌다. — (**-leyed**) *vt., vi.* ~로 운반하다〔를 타고 가다〕.

trólley bùs 트롤리 버스, 무궤도 버스.

trólley càr 《미》 (트롤리식의) 시내 전차.

trólley lìne 〔**ròad**〕 시내 전차〔트롤리 버스〕 운행 노선〔계통〕.

trólley·man [-mən] (*pl.* **-men** [-mən, -mèn]) *n.* 《미》 (시내) 전차의 승무원《운전사·차장》.

trólley pòle (전차·트롤리 버스의) 트롤리폴.

trólley whèel 촉륜(觸輪)(trolley).

trólley wìre (전차의) 가공선.

trol·lop [tráləp/trɔ́l-] *n.* 치신머리없는 여자; 매춘부. ⊞ **~y** *a.*

trol·ly [tráli/trɔ́li] (*pl.* **-lies**) *n.* =TROLLEY. — (**-lied**) *vt., vi.* =TROLLEY. 「(trousers).

trol·ly·bobs [trálibàbz/trɔ́libɔ̀bz] *n. pl.* 바지

trom·be·nik [trɑ́mbənìk] *n.* 《미속어》 **1** 자만하는 사람, 허풍선이. **2** 게으름뱅이; 쓸모없는 사람; 인간쓰레기.

trom·bi·di·a·sis, -o·sis [tràmbədáiəsis], [-daióusis] *n.* 〖수의〗 진드기의 일종인 chigger로 인한 병.

trom·bone [trambóun, ⌐⌐/trəmbóun] *n.* 〖악기〗 트롬본《저음의 큰 나팔》. ⊞ **-bón·ist** *n.* 트롬본 주자.

trom·mel [tráməl/trɔ́m-] *n.* 〖광산〗 (선광용) 회전식 원통의 체; 《S.Afr.구어》 트렁크.

tro·mom·e·ter [troumámətər/-mɔ́m-] *n.* 미진계(微震計).

tromp [tramp/trɔ́mp] *vt.* =TRAMP; 때리다; 때려눕히다, 완패시키다. 「(落水送風機).

trompe [tramp/trɔmp] *n.* 〖야금〗 낙수 송풍기

trompe l'oeil [trɔ́ːmpléi, -lɔ́i/trɔ̃mplɔ́i; *F.* trɔ̃ːplœj] 〖미술〗 트롱프뢰유《(1) 속임 그림; 실물과 매우 흡사하게 묘사한 그림 (기법), 그로 인한 착각〔효과〕. (2) 실내 장식에서의 그 응용》.

-tron [tran/trən] '진공관, 전자관, 미소 입자를 처리하는 장치, 소립자(素粒子)'란 뜻의 결합사: magne*tron*, posi*tron*.

⁑**troop** [truːp] *n.* **1** 대(隊), 떼, 무리《*of*》: a shock ~ 돌격대 / a ~ *of* schoolchildren 한 떼의 초등학생 / a ~ *of* deer 한 떼의 사슴. **2** (보통 *pl.*) 군대, 병력: regular 〔land〕 ~*s* 상비〔지상〕군. ★ 60 troops는 '병력 60 명'의 뜻. **3** 〖군사〗 기병 중대. **4** (보이 스카우트의) 분대《최소 5 명》; (걸 스카우트의) 단(團)《8-32 명으로 구성됨》. **5** (극단 등의) 일단(一團). **6** (*pl.*) 《미속어》 〔집합적〕 (선거 후보자 등의) 운동원. **7** (the ~) 《영군대속어》 자기《I, me의 대용》. ***get one's*** ~ 기병 중대장으로 승진하다.

— *vi.* 《+부/+전+명》 **1** 떼 지어 모이다, 모이다《*up; together*》: The employees ~*ed together around* the gate of the works. 종업원들은 공장 문 주위에 모여들었다. **2** 한 무리가 되어 나아가다; 떼 지어〔우르르〕 몰려오다〔가다〕《*along; past; away; off; in; out*》: The students ~*ed into* the classroom. 학생들은 우르르 교실로 들어왔다. **3** (무리가) 가다; 떠나다

《*off; away*》: The audience began to ~ *away* 〔*off*〕. 청중이 우르르 떠나가기 시작했다. **4** 《옛투》 교제하다《*with*》. **—** *vt.* (기병대를) 중대로 편성하다; (군대를) 수송하다; 《영군대속어》 (군인을) 군기 위반으로 상관에 보고하다. ~ ***the colour***(***s***) 《영》 군기 분열식을 행하다.

tróop càrrier 병원(兵員) 수송기〔차, 선〕.

°**tróop·er** *n.* 기병; 《미》 기마경관, 기동 경찰대원; 《미》 낙하산병; 《미구어》 (주(州)경찰의) 경관; 기병 말(=**tróop·hòrse**); 《주로 영》 (군대) 수송선. ***swear like a*** ~ 호되게 욕설을 퍼붓다.

tróop·shìp *n.* (군대) 수송선(transport).

trop- [trɑp/trɔp], **trop·o-** [trápou, -pə, tróup-/trɔ́p-] '회전, 변화, 굴성(屈性)'이란 뜻의 결합사《모음 앞에서는 trop-》.

trop. tropic(al).

tro·pae·o·lum [troupí:ələm] (*pl.* **~s, -la** [-lə]) *n.* 【식물】 한련속(屬)의 식물.

trope [troup] *n.* 【수사학】 말의 수사(修辭); 비유적 용법; 수사 어구; 【가톨릭】 미사에 삽입한 수식 문구.

-trope [tròup] '회전하는〔한〕, 회전, …에 대한 친화성(親和性), 회전·반사·굴절하는 장치'란 뜻의 결합사: thauma*trope*.

troph- [trɑf, trɔ:f/trɔf], **troph·o-** [tráfou, -fə, tróuf-/trɔ́f-] '영양(營養)'이란 뜻의 결합사《모음 앞에서는 troph-》.

troph·ic [tráfik, tróuf-/trɔ́f-] *a.* 영양의, 영양에 관한.

-troph·ic [tráfik, tróuf-/trɔ́f-] **1** '…한 영양에 관한〔을 특징으로 하는〕, …한 영양을 필요로 하는〔활용하는〕'이란 뜻의 형용사를 만드는 결합사. **2** =-TROPIC.

tróphic lével 【생태】 영양 단계(營養段階)《생태계에서 생물의 역할에 의한 분류; 생산자·소비자·분해자(分解者) 따위》.

tro·phied [tróufid] *a.* 기념〔전리〕품으로 장식한.

troph·o·blast [tráfəblæ̀st, tróuf-/trɔ́f-] *n.* 【발생】 영양아층(營養芽層), 영양막(膜).

troph·o·plasm [tráfəplæ̀zəm, tróuf-/trɔ́f-] *n.* [U] (세포의) 영양 원형질(原形質).

***tro·phy** [tróufi] *n.* **1** 전리품, 전승 기념품〔물〕; 노획품. **2** (경기 등의) 트로피, 상품, 우승배. **3** 〔일반적〕 승리〔용기, 수완 따위〕를 증명하는 것. **4** (고대 그리스·로마의) 전승 기념비. **—** *vt.* ~로 칭송〔장식〕하다, …에게 ~를 수여하다. **—** *a.* 〔한정적〕 격조 높은, 쟁쟁한.

-tro·phy [trəfi] '영양, 발육'이란 뜻의 결합사: eu*trophy*.

°**trop·ic¹** [trápik/trɔ́p-] *n.* **1** 회귀선; 하지〔동지〕선. **2** (the ~s, 종종 the T-s) 열대 (지방). **3** 열렬: the ~*s* of one's soul 열렬한 기백. ***the Tropic of Cancer*** 〔***Capricorn***〕 북〔남〕회귀선. **—** *a.* 열대(지방)의.

trop·ic² [tróupik, tráp-/trɔ́p-] *a.* 【생물】 **1** (호르몬이 선(腺)의 활동을) 자극하는, 유발하는. **2** 주성(走性)의. [cf] tropism.

-trop·ic [trápik, tróup-/trɔ́p-] '…의 자극에 따라 회전하는, 향(向) …성(性)의'란 뜻의 형용사를 만드는 결합사: helio*tropic*.

***trop·i·cal¹** [trápikəl/trɔ́p-] *a.* **1** 열대(지방)의, 열대산의: ~ plants 열대 식물. **2** 열대성의; 몹시 더운: ~ climates 열대성 기후. **3** 열정적인, 격렬한. **—** *n.* 열대어; 열대용〔여름용〕 옷감. [파] **~·ly** *ad.*

trop·i·cal² *a.* 【수사학】 비유의, trope의.

trópical aquárium 열대 수족관.

trópical cýclone 열대 저기압《hurricane이나 typhoon으로 발달함》.

trópical físh 열대어.

tróp·i·cal·ìze *vt.* 열대 지방에서 사용하기에 알맞게 하다. [opp] winterize.

trópical níght 열대야《기온 25°C 이상인 밤; 영·미에서는 열대의 밤이란 일반적인 뜻》.

trópical ráin fòrest 열대 (다)우림.

trópical stórm 열대 폭풍우《풍력 17.2-24.5 m/s》.

trópical yéar 【천문】 태양년, 회귀년《365 일 5 시간 48 분 45.5 초》.

Trópical Zóne (the ~) 열대.

trópic bìrd 【조류】 열대조《바닷새》.

tro·pine [tróupi(:)n] *n.* 【화학】 트로핀《유독한 결정성 알칼로이드》.

tro·pism [tróupizəm] *n.* [U,C] 【생물】 (자극에 대한) 향성(向性), 주성(走性); 【식물】 굴성(屈性); (바이러스의) 친화성; (주의·사물에 대한) 지지(支持). [파] **tro·pis·tic** [troupístik] *a.*

-tro·pism [trəpìzəm, tróupizəm] '…에서의 굴성〔향성(向性), 친화성〕'이란 뜻의 결합사: helio*tropism*.

tro·pol·o·gy [troupálədʒi/-pɔ́l-] *n.* [U] 비유를 씀; [C] 성서의 비유적 해석. [파] **tro·po·log·ic** [tràpəládʒik, tròup-/trɔ̀pəlɔ́dʒ-], **-lóg·i·cal** *a.* **-cal·ly** *ad.*

tro·po·nin [tróupənin, tráp-/trɔ́p-] *n.* 【생화학】 트로포닌《근육의 수축을 조절하는 단백질》.

trop·o·pause [tróupəpɔ̀:z, tráp-/trɔ́p-] *n.* (the ~) 【기상】 대류권 계면(界面)《성층권과 대류권 사이의 경계면》. [cf] troposphere.

trop·o·scat·ter [trápəskæ̀tər/trɔ́p-] *n.* [U] 【통신】 대류권 산란(對流圈散亂)(=**tropospheric scátter**).

trop·o·sphere [trápəsfìər, tróup-/trɔ́p-] *n.* 【기상】 대류권(對流圈)《지구 표면에서 약 10-20 km 높이에 있는 대기층》. [cf] stratosphere. [파] **tròp·o·sphér·ic** [-sférik] *a.*

-tro·pous [trəpəs] '…한 모양으로 회전한〔구부러진〕, …에의 굴성을 나타내는'이란 뜻의 형용사를 만드는 결합사.

trop·po¹ [trápou/trɔ́p-] *ad.* 《It.》 【음악】 지나치게, 트로포.

trop·po² *n.* 《Austral. 속어》 열대 기후로 머리가 이상해진.

-tro·py [trəpi] '…한 모양으로 회전한〔굽은〕 상태, …에의 굴성을 나타내고 있는 상태'란 뜻의 결합사: allo*tropy*.

trot** [trɑt/trɔt] (**-tt-**) *vi.* **1** (말 따위가) 속보로 가다, 구보하다. **2** 《~/+[부]》 속보로 걷다, 빨리 걷다; 총총걸음 치다《*along; away; off*》: Well, I must be ~*ting off* home. 이젠 빨리 집에 돌아가야지/*Trot away!* 빨리 없어져라. **3** 《구어》 (걸어)가다. **—** *vt.* **1** …에게 속보로 달리게 하다, 구보하게 하다. **2** 빨리 가게〔달리게〕 하다: A bad news ~*ted* him back home. 그는 흉보를 듣고 집에 달려 돌아왔다. **3** 《+[목]+[전]+[명]》 (어린애 등을 무릎 위에 올려놓고) 어르다, 흔들다: ~ a child *on* one's knee. **4** 《+[목]+[부]/+[목]+[전]+[명]》 데리고 다니다, 안내하다; 걸어다니게 하여 (어떤 상태에) 이르게 하다《*round; to*》: ~ a person *round* 아무를 안내하며 돌아다니다/~ a person *to* death 아무를 걸어다니게 하여 녹초가 되게 하다. ~ ***about 법석대며 돌아다니다. ~ ***in double harness*** 《구어》 ① 협력하여〔사이좋게〕 해나가다. ② (부부가) 금실 좋게 지내다. ~ a person ***off*** his ***leg*** =RUN¹ a person off his feet 〔legs〕. ~ ***out*** 《구어》 ① (말을) 끌어내어 자랑스럽게 그 발걸음을 보이다. ② (물품 따위를) 내어 보이다; (지식 따위를) 자랑삼아 보이다: ~ *out* scraps of French 알고 있는 약간의 불어를 자랑해 보이다. ③ (여자를) 데리고 다니다. ④ 우롱하다. ~ one***self off*** 《구어》 잠시 (볼일 보러〔산책하러〕) 나가다.

— *n.* **1** (보통 a ~) (말의) 속보, 포족(跑足). [cf] gallop, canter, walk. **2** 총총걸음, 빠른 걸

음. **3** (일 때문에) 바삐 쫓아다니기, 뛰어다니기. **4** 트로트 스텝, 그 춤. **5** ⦅미속어⦆ (어학) 자습서, 번역서. ⓒⓕ crib, pony. **6** ⦅구어⦆ 아장아장 걷는 어린애; ⦅경멸⦆ 노파; ⦅속어⦆ 매춘부. **7** 〚낚시〛 주낙(trotline). **8** (the ~s) 〘단 · 복수취급〙 ⦅속어⦆ 설사(함). ***at a*** ~ 속보로. ***go at a steady*** ~ 일정한 속보로 나아가다; 일을 착실히 진행시키다. ***go for a*** ~ 말을 타고 (산책)나가다. ***have the ~s*** =***be on the*** ~ ⦅속어⦆ 설사하고 있다. ***keep*** a person ***on the*** ~ 아무를 쉴 새 없이 혹사하다. ***on the*** ~ ① 쉴 새 없이 움직여, 언제나 바쁜; ⦅속어⦆ 도주 중이어서. ② 내리: 5 days 〔races〕 *on the* ~ 닷새〔다섯 경주〕를 내리.

troth [trɔːθ, trouθ] *n.* Ⓤ ⦅고어⦆ 충실, 성실; 약속; 약혼. ***by*** 〔***upon***〕 ***my*** ~ 맹세코, 단연코. ***in*** ~ ⦅고어⦆ 실로, 참으로. ***plight one's*** ~ 언약하다; 부부의 약속을 하다. **—** *vt.* ⦅고어⦆ 약속하다; 약혼하다.

trót·lìne *n.* 〚낚시〛 주낙(setline) ⦅주(州)에 따라 금지됨⦆.

Trot(s) [trat(s)/trɔt(s)] (*pl.* ***Trots***) *n.* 트로츠키파.

Trot·sky, -ki [trátski/trɔ́ts-] *n.* **Leon** ~ 트로츠키⦅러시아의 혁명 지도자; 1879-1940⦆. ㊞ **~·ìsm** *n.* Ⓤ 트로츠키주의. **~·ist** *n.* **~·ite** [-àit] *n., a.* 트로츠키파(의).

trot·ter [trátər/trɔ́tər] *n.* 속보(速步) 훈련을 받은 말, 속보의 말; 늘 뛰어 돌아다니는 사람, 정력적인 활동가; (보통 *pl.*) 양 · 돼지 따위의 족(足)⦅식용⦆; ⦅우스개⦆ (사람의) 발.

trot·ting [trátiŋ/trɔ́t-] *n.* =TROTTING RACE.

trótting ràce (계가(繫駕)) 속보 경마(harness racing).

trot·toir [tratwáːr/trɔ́twaː] *n.* ⦅F.⦆ 인도(人道), 보도.

tro·tyl [tróuti(ː)l] *n.* =TRINITROTOLUENE.

trou [trau] *n.* ⦅미속어⦆ 바지(trousers).

trou·ba·dour [trúːbədɔ̀ːr, -dùər/-dùə, -dɔ̀ː] *n.* ⦅F.⦆ 11-13 세기에 남부 프랑스 · 북부 이탈리아 등지에서 활약하던 서정(抒情) 시인(ⓒⓕ trouvère); 〘일반적〙 음유 시인.

***trou·ble** [trʌ́bəl] *n.* **1** Ⓤ,Ⓒ 고생, 근심, 걱정, 고민: Her heart is full of ~. 그녀의 마음은 근심으로 가득 차 있다/He has been through much ~ 〔has had many ~s〕. 그는 온갖 고생을 겪었다. **2** Ⓒ 두통〔고생〕거리, 성가신 놈: I hate to be a ~ to you. 너의 골칫거리가 되고 싶진 않다. **3** Ⓤ 수고, 노고, 폐: That's too much ~. 몹시 성가신데/Did you have much ~ *in* finding my house? 저의 집을 찾는 데 힘들었습니까. **4** Ⓒ,Ⓤ 시끄러운 일, 불화, 사건, 트러블; 분쟁, 동란: family ~s 가정불화/labor ~(s) 노동 쟁의/*Troubles* never come singly. ⦅속담⦆ 화불단행(禍不單行). **5** Ⓒ 고장: an engine ~ 엔진의 고장. **6** Ⓤ,Ⓒ 병: liver ~ 간장병/mental ~ 정신병. ◇ troublesome *a.*
ask 〔***look***〕 ***for*** ~ 사서 고생을 하다, 경솔한 짓을 하다: It's *asking for* ~ to associate with criminals. 범죄자와 사귀는 것은 스스로 고생을 자초하는 것이나 다름없다. ***be at*** 〔***go to***〕 ***the*** ~ ***of*** do***ing*** 일부러 …을 하다. ***be more*** ~ ***than a cartload of monkeys*** ⦅구어 · 우스개⦆ 매우 성가시다〔번거롭다〕. ***drown*** one***'s ~s*** 술로 시름을 풀다. ***for*** (***all***) one***'s*** ~ ⦅미구어⦆ 고생〔노력〕한 보람 없이. ***get into*** ~ (일이) 성가시게 되다; 분란〔말썽〕을 일으키다; ⦅구어⦆ (미혼 여성이) 임신하다. ***get*** a person ***into*** ~ 아무를 분규〔말썽〕에 끌어넣다; ⦅구어⦆ (미혼 여성을) 임신시키다. ***get out of*** ~ 벌을 모면하다; 곤란에서 벗어나다, 구출되다. ***give*** a person ~ 아무에게 수고〔폐〕를 끼치다: I beg you will not *give* yourself any ~. 염려하지 마십시오. ***have*** ~ ***to*** do …하는 데 몹시 힘이 들다, 힘들여서 …을 하다. ***have*** ~ ***with*** (병으로) 곤란 받다; (아무와) 분규가 일다: I am *having* ~ *with* my teeth. 이를 앓고 있다. ***in*** ~ ① 곤경에. ② 검거〔처벌〕되어. ③ 분란〔말썽〕을 일으켜. ④ ⦅구어⦆ (미혼 여성이) 임신하여. ⑤ 고장 나서. ***make*** ~ 소란〔말썽〕을 일으키다; 세상을 시끄럽게 하다: ***meet*** ~ ***halfway*** 쓸데없는 걱정을 하다. ***no*** ~ (***at all***) 조금도 어려운〔귀찮은〕 일은 없다: It would be *no* ~ (*at all*) to help you. 도와드리는 것쯤은 아무것도 아닙니다/*No* ~ (*at all*). 천만에요; 쉬운 일이오; 아무것도 아니오⦅귀찮게 여기는 상대에 대해서도 쓸 수 있음⦆. ***put*** a person ***to*** ~ 아무에게 폐를 끼치다, 성가시게 하다. ***take the*** ~ ***to*** do 노고를 아끼지 않고 …하다. ***take*** ~ 수고하다; 노고를 아끼지 않다. ***The*** ~ ***is that ....*** 난처하게도 …이다. ***Too much*** ~. =That's too much ~. ⇨3. ***What is the*** ~***?*** 왜 그래; 무슨 일이 생겼나; 어디 아픈가.
— *vt.* **1** ⦅~+목/+목+전+명⦆ 괴롭히다, 난처하게 하다, 걱정시키다: What ~s me is that .... 내가 고민하고 있는 것은 …이다/He was ~*d about* his son 〔*by* the news〕. 자식 일로 〔그 소식을 듣고〕 걱정했다. **2** …에게 폐〔수고〕를 끼치다, …을 번거롭게 하다: I am sorry to ~ you, ... 폐를 끼쳐 죄송합니다만. **3** ⦅~+목/+목+전+명⦆ (병 등이) 고통을 주다; 괴롭히다: be ~*d with* 〔*by*〕 a nasty cough 악성 기침으로 고생(을 당)하다. **4** ⦅+목+전+명/+목+*to* do⦆ …에게 폐가 됨을 돌보지 않고 간청하다: May I ~ you *for* a match? 성냥 좀 얻을 수 있을까요/May I ~ you *to* pass the salt? 죄송하지만 소금 좀 집어 주시겠습니까. **5** 교란하다, 어지럽히다, 파란을 일으키다: The wind ~*d* the waters. 바람이 바다에 파도를 일으켰다.
— *vi.* **1** ⦅+전+명⦆ 걱정하다⦅*over*⦆: ~ *over* trifles 사소한〔하찮은〕 일을 염려하다. **2** ⦅~/+*to* do⦆ 〘주로 의문 · 부정형으로〙 수고하다; 일부러〔애써〕 …하다: Oh, do*n't* ~, thanks. 아, 걱정 마십시오, 괜찮습니다/Do*n't* ~ *to* meet me at the airport. 수고스럽게 공항까지 마중나올 건 없습니다. ~ one***self about*** 〔***over***〕 …에 관계하다; …을 걱정하다: She no longer ~*d* her*self over* her daughter's marriage. 그녀는 더이상 딸의 결혼 문제로 고민하지 않았다. ~ one***self to*** do ***...*** 노고를 아끼지 않고 …하다: Don't ~ your*self to* make coffee just for me. 저 때문에 일부러 커피를 끓이지는 마십시오.
㊞ **tróu·bler** *n.* **-bling·ly** *ad.*

tróu·bled *a.* **1** 난처한, 당황한, 걱정스러운⦅얼굴 따위⦆: a ~ expression 불안한 표정. **2** 거친, 떠들썩한⦅바다 · 세상 등⦆. ㊞ **~·ly** *ad.* **~·ness** *n.*

tróubled wáters 거친 바다〔파도〕; 혼란 상태. ***fish in*** ~ 혼란을 틈타서 한몫 보다; ⦅옛투⦆ 성가신 일에 관련되다.

tróuble-frèe *a.* 문제가 생기지 않는, 고장 없는.

tróuble·màker *n.* 말썽꾸러기.

tróuble·pròof *a.* 고장 없는.

tróuble·shòot (~***·ed, -shòt***) *vi.* troubleshooter로서 일하다〔조정하다〕; 〚컴퓨터〛 고장 수리하다⦅프로그램의 오류나 기계의 고장 원인을 찾다⦆. **—** *vt.* 수리〔조정〕인으로 조사〔처리〕하다. ㊞ **~·ing** *n.* 고장의 발견 수리; 분쟁 해결, 조정.

tróuble·shòoter *n.* **1** (기계) 수리원. **2** 분쟁 해결자〔조정자〕.

***trou·ble·some** [trʌ́bəlsəm] *a.* 골치 아픈, 귀찮은; 다루기 힘든. ◇ trouble *n.* ㊞ **~·ly** *ad.* **~·ness** *n.*

tróuble spòt (국제 관계 등의) 분쟁 지역; (기계 따위의) 고장이 잘 나는 부위; 문제점.

trou·blous [trʌ́bləs] *a.* 《고어·문어》 (바다·바람이) 거친, 소란한, 어수선한; =TROUBLESOME: ~ times 난세(亂世).

trou-de-loup [trùːdəlúː] (*pl.* ***trous-*** [—]) *n.* 《F.》〖군사〗 함정《끝이 뾰족한 말뚝을 박은》.

°**trough** [trɔːf, trɑf/trɔf] *n.* **1** (단면이 V자형의 긴) 구유, 물통, 여물통. **2** 구유 모양의 그릇〔용기〕; (조제·사진 현상용) 물통; (빵 따위의) 반죽 그릇. **3** 홈통; 물받이, 《특히》 낙수받이; 〖전기〗 전조(電槽); 〖광산〗 (광석을 씻는) 홈통; 〖인쇄〗 석판석 연마용 물통; 수반(水盤). **4** (놀과 놀 사이의) 골(cf. crest); 계곡; 〖기상〗 기압골; 〖경제〗 (경기의) 저점(底點)(opp. *peak*); (그래프 곡선의) 골: ~ of the sea 두 놀 사이의 물골. **5** (지표의 좁은) 요지(凹地); 〖해양〗 주상 해분(舟狀海盆).

trounce [trauns] *vt.* 호되게 패주다; 혼내주다; 《구어》 깎아내리다, 참패시키다. ㊞ **tróunc·er** *n.*

troupe [truːp] *n.* (배우·곡예사 등의) 일단(一團), 한 패. **—** *vi.* 《미》 (단원으로서) 순회공연하다. ㊞ **tróup·er** *n.* 흥행단 따위의 일원, 극단원; 노련한〔중견〕 배우; 의지가 되는 동료.

trou·ser [tráuzər] *a.* 양복바지(용)의: a ~ pocket 바지 호주머니(★ 양쪽 호주머니는 ~(*s*) pockets) / a ~ stretcher 바지 주름을 펴는 기구. ㊞ **~ed** *a.* 바지를 입은; 늘 바지를 입는. **~·ing** *n.* Ⓤ 바지감.

trou·sers [tráuzərz] *n. pl.* (남자의) 바지; (중근동 지방 남녀의) 헐렁바지. ★ 수를 셀 때는 a pair 〔three pairs〕 of ~ 라 하고, 바지 한쪽 가랑이를 말할 때는 trouser. ***wear the*** ~ ⇨ WEAR[1]. ***with one's*** ~ 〔***pants***〕 ***down*** 《속어》 의표를 찔리어, 당혹〔당황〕하여. ***work one's*** ~ ***to the bone*** 《구어》 맹렬히 일하다.

tróuser sùit 《영》 =PANTSUIT.

trous·seau [trúːsou, -´] (*pl.* **~x** [-z], **~s**) *n.* 혼수 옷가지, 혼숫감.

*__trout__ [traut] (*pl.* **~s,** 〖집합적〗 **~**) *n.* 〖어류〗 송어; (old ~) 《영구어》 지겨운 여자〔할망구〕; 《미속어》 =COLD FISH. **—** *vi.* 송어를 잡다.

tróut-còlored *a.* (말이) 갈색 바탕에 흰 털이 섞인.

trout·let, trout·ling [tráutlit], [-liŋ] *n.* 〖어류〗 (1년 미만의) 새끼 송어.

trouty [tráuti] *a.* 송어가 많은; 송어가 많이 있을 듯한.

trou·vaille [*F.* tʀuːváːj] *n.* 《F.》 횡재(물).

trou·vère [truːvɛ́ər; *F.* tʀuvɛːʀ] *n.* 《F.》 트루베르《11-14세기경 북부 프랑스의 음유 시인》. cf. troubadour.

trou·veur [truːvə́ːr] *n.* 《F.》 =TROUVÈRE.

trove [trouv] *n.* 수집물, 발견(물); 《구어》 =TREASURE-TROVE.

tro·ver [tróuvər] 〖법률〗 *n.* 횡령물 회복 소송; (발견 등으로 인한) 동산의 취득.

trow [trou] *vi., vt.* 《고어》 믿다, 생각하다; 〖의문문에 붙여서〗 …일까.

trow·el [tráuəl] *n.* **1** (미장이 등의) 흙손. **2** 모종삽. ***lay it on with a*** ~ ⇨ LAY[1]. **—** (**-l-,** 《영》 **-ll-**) *vt.* 흙손으로 바르다〔쉬다〕; 모종삽으로 파다.

trowels

Troy [trɔi] *n.* 트로이《소아시아의 옛 도시》.

troy *a.* 트로이형(衡)으로 표시한〔잰〕. **—** *n.* =TROY WEIGHT.

tróy wèight 금형(金衡), 트로이형《금·은·보석 무게를 다는 형량(衡量); 12 온스가 1 파운드》.

trp 〖군사〗 troop. **TRRL** Transport and Road Research Laboratory. **trs** 〖인쇄〗 transpose(정판); trustees. **trsd.** transferred; transposed.

tru·an·cy [trúːənsi] *n.* Ⓤ,Ⓒ 태만, 무단결석.

tru·ant [trúːənt] *n.* 게으름쟁이, 꾀부리는 사람; 무단결석자《특히 학생》. ***play*** ~ (***from ...***) (학교·근무처를) 무단결석하다, 농땡이 부리다. **—** *a.* 게으름 피우는, 무단결석하는; 빈들빈들 노는, 게으른. ***be*** ~ ***from*** (studies)(공부)를 게을리하다. **—** *vi.* 뻰들거리다, 무단결석하다.

trúant òfficer =ATTENDANCE OFFICER.

°**truce** [truːs] *n.* Ⓒ,Ⓤ 정전〔휴전〕 (협정), 쉼, 휴지, 일시적 중지: a flag of ~ 휴전의 백기 / conclude a ~ with …와 정전 협정을 맺다. ***A*** ~ ***to*** 〔***with***〕 (jesting)***!*** 《고어》 (농담은) 이제 그만둬. ***the Truce of God*** 하느님의 휴전《중세에 교회가 명한 일시적 사투(私鬪)〔전투〕의 중지》. **—** *vi.* 휴전하다. **—** *vt.* 휴전(협정)에 의해서 중지하다. ㊞ **∠·less** *a.* 휴전의 가망이 없는; 끝없이 전투가 계속되는.

tru·cial [trúːʃəl] *a.* 휴전 협정에 관계되는《특히 1835년 영국 정부와 아랍 수장국과 교환된 것에 대하여 일컬음》.

Trúcial Omán United Arab Emirates의 구칭(舊稱).

†**truck**[1] [trʌk] *n.* **1** 트럭, 화물 자동차. cf. lorry. **2** 《영》 (철도의) 무개 화차. **3** (2바퀴) 손수레, (3〔4〕 바퀴) 운반차, 광차. **4** 차대(車臺), 보기차(bogie). **5** 깃대〔돛대〕 꼭대기의 나무 관(冠). **6** 지르박 스텝. **—** *a.* 트럭(용)의. **—** *vt.* 트럭〔화차〕에 싣다; 트럭으로〔화차로〕 운반하다; 《미구어》 운반하다: ~ the fruits to the market 과일을 트럭으로 시장에 운반하다. **—** *vi.* **1** 트럭으로 물건을 나르다; 트럭을 운전하다: sustain one's family by ~*ing* 트럭 운전을 해서 가족을 부양하다. **2** 지르박 스텝을 밟다. **3** 《미속어》 전진하다; 멋대로 살다.

truck[2] *n.* **1** Ⓤ 교환, 교역, 물물 교환; 《구어》 거래, 교제, 관계. **2** 교역품; 소화물. **3** =TRUCK SYSTEM. **4** 《미》 시장에 낼 야채(garden ~). **5** 작고 하찮은 물건, 잡품; 《구어》 잡동사니; 《구어》 허튼소리, 잠꼬대. ***have*** 〔***want***〕 ***no*** ~ ***with*** …와 거래하지 않다; …와 교제〔관계〕하지 않다. ***stand no*** ~ 타협 따위에 응하지 않다. **—** *vt.* **1** 《~+목/+목+전+명》 …을 (물물) 교환하다, 교역하다, 거래하다(*for*): ~ a thing *for* another 어떤 물건을 다른 물건과 교환하다. **2** 《드물게》 도붓장사하다, 행상하다. **—** *vi.* **1** 《~/+전+명》 (물물) 교환하다, 교역하다: ~ *with* a person for a thing 아무와 어떤 물건을 거래하다. **2** (내밀한) 거래를 하다.

Trúck Àcts (the ~) 《영》 (임금의) 현물 지급 금지령.

truck·age[1] [trʌ́kidʒ] *n.* Ⓤ 트럭 운송(료).

truck·age[2] *n.* Ⓤ 《드물게》 교환, 교역.

trúck càp 《미》 트럭 캡《캠프할 수 있게 무개 트럭의 짐받이에 설치하는 나무·알루미늄제 덮개》.

trúck·drìver 《미》 *n.* 트럭 운전수; 《속어》 =AMPHETAMINE.

truck·er[1] [trʌ́kər] *n.* 트럭 운전사〔운송업자〕.

truck·er[2] *n.* 교역자; 《Sc.》 행상인; 《미》 =TRUCK FARMER.

trúck fàrm 〔**gàrden**〕 《미》 시판용 채소 재배 농원(《영》 market garden).

trúck fàrmer 《미》 시판용 야채 재배업자.

trúck·ing[1] 《미》 *n.* Ⓤ 트럭 운송; 지르박 스텝: ~ company 운송 회사.

trúck·ing[2] *n.* Ⓤ 교역, 거래; 《미》 시판용 야채 재배.

trúcking shòt 〖영화·TV〗 dolly에서 찍은 신(scene).

truck·le [trʌ́kəl] *n.* **1** =TRUCKLE BED. **2** 작은

바퀴, 각륜(脚輪); 도르래, 활차. **3** 《영방언》 원통형의 소형 치즈. **—** *vi.* 굴종하다, 굽실거리다《*to; for*》; 《고어》 롤러로〔각륜으로〕 움직이다. ⓜ **trúck·ler** *n.*

trúckle bèd 바퀴 달린 침대(trundle bed)《낮에는 큰 침대 밑에 밀어 넣어 둠》.

truck·line [trʌ́klàin] *n.* 트럭 화물 수송로.

truck·ling [trʌ́kliŋ] *a.* 알랑거리는, 굽실굽실하는. ⓜ **~·ly** *ad.*

trúck·lòad *n.* 트럭 1 대분의 화물《생략: T.L., TL》; (할인 요금을 적용받기 위한, 화물의) 트럭 한 대분의 최저 중량.

trúck·man [-mən] (*pl.* **-men** [-mən, -mèn]) *n.* **1** 《미》 트럭 운전사〔운송업자〕. **2** (소방서의) 사다리차 대원.

trúck shòp 〔**stòre**〕 노동자가 물품 상환권으로 지불하는 가게.

trúck stòp 《미》 (고속도로변의) 트럭 서비스 구역《식당·주유소·수리소가 있음》.

trúck sỳstem (임금의) 현물 지급제.

trúck tràctor 트럭 트랙터《화물 트레일러를 끄는 차량》.

trúck tràiler 화물 트레일러《트럭이 끄는 운반「차》.

truc·u·lent [trʌ́kjələnt, trú:-/trʌ́k-] *a.* 공격〔호전〕적인; (어린이 등이) 반항적인; 모질고 사나운; 가혹한; (비평 등이) 신랄한; 잔인한; 파괴력〔살상력〕이 있는. ⓜ **-lence, -len·cy** *n.* Ⓤ **~·ly** *ad.*

°**trudge** [trʌdʒ] *vi.* 《~/+전+명》 무거운 발걸음으로 걷다, 터벅터벅 걷다: He ~*d* wearily along the path. 그는 오솔길을 맥없이 터벅터벅 걸어갔다. **—** *vt.* …을 터벅터벅〔무거운 발걸음으로〕 걷다: He ~*d* the deserted road for hours. 그는 사람 하나 없는 길을 여러 시간 터벅터벅 걸었다. SYN. ⇨ WALK. **—** *n.* 무거운 걸음, 터벅터벅 걷기.

trudg·en [trʌ́dʒən] *n.* Ⓤ 〖수영〗 양손으로 번갈아 물을 끌어당겨 치는 헤엄(=**∠ stròke**).

Tru·dy [trú:di] *n.* 트루디《여자 이름; Gertrud의 애칭》.

†**true** [tru:] *a.* **1** 정말의, 진실한, 사실과 틀리지 않는. OPP *false.* ¶ a ~ story 실화 / Is that ~? 정말〔참말〕입니까 / That is only too ~. 섭섭하지만 그것은 사실이다. **2** 해당되는〔하는〕《*of*》: It is ~ *of* education, too. 그것은 교육에 관해서도 마찬가지다. **3** 가짜가 아닌, 진짜의, 순수한, 진정한; 〖생물〗 전형적인: ~ gold 순금 / a ~ collie 순종 콜리 / The frog is not a ~ reptile. 개구리는 순수한 파충류가 아니다 / ~ friendship 진정한 우정. SYN. ⇨ REAL. **4** 성실한, 충실한《*to*》; 《고어》 거짓말 안 하는, 정직한, 올바른: Be ~ *to* your word. 약속을 지켜라. **5** 정확한, 틀림없는: a ~ copy 정확한 복사 / a ~ pair of scales 정확한 천칭(天秤) / as ~ as I'm alive 틀림없이, 정말로. **6** (실물) 그대로의, 박진한《*to*》: ~ *to* life 〔nature, the original〕 실물 그대로의〔박진한, 원문에 충실한〕. **7** 정당한, 적법의: a ~ heir to the property 재산의 정당한 상속인. **8** (목소리 따위가) 음조에 맞는; (기구·바퀴 따위가) 올바른 위치에 있는, 이상 없는; 자극(磁極)이 아닌 지축을 따라 정한; 보정 후의, 진(眞)의: His voice is ~. 그의 목소리는 가락에 맞는다 / Is the wheel ~? 바퀴는 잘 끼워져 있느냐. **9** (바람 등이) 변함없는, 일정한. ◇ truth *n.*

as ~ as steel 〔***flint, touch***〕 신용할 수 있는. ***bring in a ~ bill*** 기소하기로 결정하다. ***come ~*** 사실로 되다; (예언 등이) 적중하다: His dream has *come* ~. 그의 꿈이 실현되었다. ***hold ~*** 여전히 사실이다, (…에 대해 규칙·말 따위가) 들어맞다, 유효하다《*of; for*》. (***It is***) ~ ***that ..., but*** __ 과연 …은 사실이지만 (그러나) —: *It is* ~ *that* 〔*True*〕 he did his best, *but* on this occasion he was careless. 그가 최선을 다한 것은 사실이지만 이번 경우에는 그가 경솔했다〔부주의했다〕. ***prove ~*** 진실임이 판명되다; 들어맞다. ***so ... it isn't ~*** 《주로 영구어》 믿을 수 없을 만큼 …. ***Too ~!*** =***How ~!*** 《구어》 〖강한 동의〗 과연 (그렇소). ***~ to form*** ⇨ FORM. ***~ to oneself*** 자기 본성에 어긋나지 않는, 분수에 넘치는 짓을 안 하는; 본분을 발휘하여; 자기에게 충실한. ***~ to one's name*** 이름에 어긋나지 않는. ***~ to time*** 〔***schedule***〕 시간대로. ***~ to type*** 전형적인; 순종의《생물》; 상투적인 방법으로.

— *ad.* 참으로, 올바르게; 순종으로서: Tell me ~. 정직하게 말해 주시오 / aim ~ 똑바로 겨누다. ***breed ~*** 순종을 기르다, 조상의 형질을 옮게 전하다. ***come ~*** (식물이) 변종이 되지 않고 순종의 자손을 만들다.

— *vt.* 《+목+부》 (도구·엔진 등을) 바로 맞추다, 조정하다《*up*》: ~ *up* an engine cylinder 엔진 실린더를 바르게 조정〔정비〕하다.

— *n.* Ⓤ **1** (the ~) 진실임; 진리; 실재: the ~, the good, and the beautiful 진선미. **2** 올바른 상태; 정확함. **3** 〖컴퓨터〗 참《논리식의 값으로서의 참》. ***in*** 〔***out of***〕 (***the***) ~ 정확〔부정확〕하여, 맞아〔어긋나〕.

ⓜ **∠·ness** *n.* Ⓤ 참다움; 순수; 충실, 성실; 확실; 정확(성).

trúe béaring 진방위(眞方位).

trúe belíever 신자(信者), 믿는 사람; (특히 종교적·정치적) 광신자, 열광자.

trúe bíll 〖미법률·영국사〗 원안 적정《대배심원이 기소장 안(案)을 적정하다고 인정했을 경우 그 뒷면에 기록하는 문구》, (대배심원의) 공소 인정서; 《비유》 거짓 없는 주장: find a ~ (대배심이) 기소장을 시인하다《공판에 돌리다》.

trúe blúe 바래지 않는 남빛 물감; (주의(主義)에) 성실〔충실〕한 사람; 《영》 신념을 굽히지 않는 보수주의자〔장로교회파 신도〕.

trúe-blúe *a.* (주의 따위에) 충실한, 신념을 굽히지 않는, 타협하지 않는; 바래지 않는 남빛의.

trúe·bórn *a.* 적출(嫡出)의; 순수한; 출생이 정당한.

trúe·bréd *a.* 순종의; 뱀뱀이가 있는, 교양 있게「기른.

trúe·brèed *n.* 순종, 우량종.

trúe búg 〖곤충〗 반시류〔매미목〕의 곤충(bug).

trúe cóurse 〖해사〗진침로(眞針路). 「제 등》.

trúe-fálse tèst 진위(眞僞)형 시험법《○× 문

trúe flý 〖곤충〗 파리(fly). 「n.

trúe·héarted [-id] *a.* 성실〔충실〕한. ⓜ **~·ness**

trúe-lífe *a.* 실생활의, 현실의.

trúe·lòve *n.* 진실한 사랑; 연인; 〖식물〗 연령초속(年齡草屬)의 식물.

trúelove 〔**trúe lóver's**〕 **knòt** (애정의 표시로서의) 나비매듭(love knot); 두 밧줄의 끝을 맞매는 법의 하나(=**físherman's knót**).

trúe nórth 진북(眞北).

trúe·pènny *n.* 《고어》 의리가 두터운 사람.

trúe 〔**stérnal**〕 **rìb** 〖해부〗 (흉골에 연결된) 진늑골(眞肋骨). 「에 의한) 태양시.

trúe tíme 〖천문〗 진태양시(眞太陽時), (해시계

trúe wínd 〖해사〗참바람《지상의 고정 지점에서 본 바람》. cf. apparent wind.

Truf·faut [tru:fóu; *F.* tʀyfo] *n.* **François ~** 트뤼포《프랑스의 영화 감독; 누벨바그(nouvelle vague)의 대표자; 1932–84》.

truf·fle [trʌ́fəl, trú:fəl/trʌ́fəl] *n.* Ⓤ 〖식물〗 송로(松露)의 일종《버섯의 일종으로 조미용》; 트러플, 트뤼프 《구형(球形)의 초콜릿 과자의 일종》. ⓜ **~d** *a.* 송로가 든; 송로로 맛을 낸.

trug [trʌg, trug/trʌg] *n.* 《영》 나무로 만든 우유 냄비; 나무 바구니《정원용》.
tru·ism [trú:izəm] *n.* 자명한 이치, 뻔[명명백백]한 일; 판에 박힌[진부한] 문구.
trull [trʌl] *n.* 창부(娼婦).
tru·ly [trú:li] *ad.* **1** 참으로, 진실로: She ~ believed that…. …라고 진실로 믿었다. **2** 올바르게; 확실히; 정확히: Tell me ~. 사실대로 말해 다오. **3** 진심으로, 정말로; 《고어》 충실히, 성실히: I am ~ grateful. 진심으로 감사합니다. **4** 〘문장 전체를 수식하여〙 사실을 말하자면, 사실은: *Truly*, I was surprised. 사실인즉 깜짝 놀랐다. **5** 정당히; 진정히; 적법으로. ***It is ~ said that ….*** …이라 함은 당연하다. ***Yours ~,*** =***Truly yours,*** 총총, 여불비《편지의 맺는 말》.
Tru·man [trú:mən] *n.* **Harry S.** ~ 트루먼《미국 제33대 대통령; 1884-1972》.
Trúman Dòctrine (the ~) 트루먼 독트린[선언]《1947년 선언》.
trump[1] [trʌmp] *n.* **1** (카드놀이의) 으뜸패; (종종 *pl.*) 으뜸패의 한 벌. [cf.] playing card. **2** 《비유》 비결, 최후[필승]의 수단. **3** 《구어》 믿음직스러운 사람, 호남아. ***All his cards are ~s.*** 그는 무엇이든 척척 해낸다. ***hold all the ~s*** 압도적으로 유리한 입장에 있다. ***hold some ~s*** 아직 으뜸패를 갖고 있다; 마지막 수단이 남아 있다. ***play a ~*** (갑자기 새 정보·상황을 내보여) 우위에 서다. ***put*** a person ***to*** his ***~s*** 아무에게 으뜸패를 내게 하다; 아무를 궁지에 몰아넣다. ***turn* [*come*] *up ~s*** (일이) 예상 외로 잘돼 가다; 행운을 만나다; (곤란할 때 뜻밖에) 친절히[선선히] 대접하다. **—** *vt., vi.* 으뜸패로 따다[이기다]; 으뜸패를 내놓다[치다]; 마지막 수단을 쓰다. **~ *up*** (이야기·구실 따위를) 꾸며 내다, 조작하다, 날조하다; 《고어》 증거로 삼다.
trump[2] 《고어·시어》 *n.* 나팔; 나팔 소리: the last ~ 〘성서〙 최후의 날의 나팔, 최후의 심판일. **—** *vt., vi.* 나팔을 불다, 나팔로 알리다.
trúmp càrd 으뜸패; 비법: play one's ~ 으뜸패를 내다; 비장의 수를 쓰다.
trúmped-úp [trʌ́mpt-] *a.* 날조된.
trump·ery [trʌ́mpəri] *n.* [C,U] 겉만 번드르르한 물건, 굴퉁이, 야하고 값싼 물건, 하찮은 물건; 허튼소리, 잠꼬대. **—** *a.* 겉만 번드르르한; 하찮은, 시시한; 천박한《의견 등》.
trum·pet [trʌ́mpit] *n.* **1** 〘악기〙 트럼펫, 나팔. **2** 〘음악〙 (오르간의) 음전의 하나. **3** (축음기·라디오 등의) 나팔 모양의 확성기; 보청기. **4** 나팔 모양의 것; 나팔 (같은) 소리《코끼리의 울음소리 등》. **5** 트럼펫 주자, 나팔수. **6** (*pl.*) 〘식물〙 낭상엽(囊狀葉)식물. ***blow** one's **own ~*** 제자랑하다, 자화자찬하다.
— *vi.* **1** 나팔을 불다. **2** (코끼리가) 나팔 같은 소리를 내다. **—** *vt.* **1** 《~+[목]/+[목]+[부]》 나팔로 알리다: He ~*ed out* the order. 그는 그 명령을 나팔을 불어 널리 알렸다. **2** 알리며 돌아다니다, 떠벌리다; 널리 알리다, 과시하다: She's always ~*ing* the cleverness of her son. 그녀는 언제나 아들의 똑똑함을 자랑하고 다닌다 / ~(*forth*) a person's fame 아무의 명성을 널리 알리다.
trúmpet càll 1 트럼펫 취주; 소집[집합] 나팔. **2** 《비유》 긴급[비상] 행동의 요청.
trúmpet crèeper [**flòwer, vìne**] 〘식물〙 능소화(凌霄花)나무《미국산》.
trúm·pet·er *n.* **1** 트럼펫 주자; 큰 소리로[널리] 알리는 사람; 《비유》 나팔 부는 사람, 떠버리; 칭찬[대변]하는 사람. **2** 〘조류〙 두루미류《남아메리카산》; 백조의 일종(=**∠ swàn**)《북아메리카산》; 집비둘기의 일종; 〘어류〙 벤자리 비슷한 식용어의 일종《뉴질랜드 주변산(産)》; 〘어류〙 큰가시고기의 총칭. ***be** one's **own ~*** 제자랑하다.

trúmpet·lìke *a.* (모양·소리 따위가) 트럼펫 비슷한.
trúmpet lìly 〘식물〙 나팔나리, 백향나리.
trúmpet màjor 〘군사〙 (기병 연대의) 나팔 장(長); (악단의) 수석 트럼펫 주자.
trúmpet shèll 〘패류〙 소라고둥.
trun·cal [trʌ́ŋkəl] *a.* 줄기의; 동체의.
trun·cate [trʌ́ŋkeit] *vt.* (원뿔 또는 나무 따위의) 꼭대기를[끝을] 자르다; (긴 인용구 등을) 잘라 줄이다; (보석·유리 등을) 모서리를 잘라서 면(面)을 만들다; 〘수학〙 끝수를 버리다; 〘컴퓨터〙 끊다《일련의 문자·숫자의 시작·끝을 생략하다》. **—** *a.* =TRUNCATED; 〘식물〙 (잎이) 끝잘린 꼴의; 〘조류〙 (깃이) 끝잘린 꼴의; 〘패류〙 (고둥의) 첨정(尖頂)이 없는.
trún·cat·ed [-id] *a.* 끝을 자른; 자른 꼴의; 〘수학〙 사절두(斜截頭)의; 〘결정〙 결릉(缺稜)의, 절두의; (문장 등) 생략된, 잘라 줄인, (시구가) 결절(缺節)인; 〘생물〙 =TRUNCATE: a ~ cone 〘수학〙 원뿔대 / a ~ pyramid 〘수학〙 각뿔대.
trun·cá·tion *n.* [U] 끝을 자름; truncated 함; 〘컴퓨터〙 끊음, 끊기.
trun·cheon [trʌ́ntʃən] *n.* **1** (순경 등의) 곤봉, 경찰봉. **2** (권위의 표시로 들고 다니는) 직장(職杖), 지휘봉. **3** 《고어》 곤봉. **—** *vt.* 《고어》 곤봉으로 때리다.
trun·dle [trʌ́ndl] *n.* **1** 작은 바퀴[롤러]; (침대 따위의) 각륜(脚輪); =TRUCKLE BED; 《드물게》 각륜으로 움직이는 운반차[탈것]. **2** (작은 바퀴로) 구르기[구르는 소리].
— *vt.* **1** 《~+[목]/+[목]+[전]+[명]/+[목]+[부]》 (공·바퀴·수레 등을) 굴리다, 회전시키다; (손수레 등을) 밀고 가다《*along; down*》: She ~*d* the wheelbarrow *down* the garden. 그녀는 외바퀴 손수레를 밀고 정원으로 내려갔다. **2** (마차·짐수레 등으로) …을 나르다: The farmer ~*d* his produce to market in a rickety wagon. 농부는 작물을 덜거덕거리는 짐마차에 싣고 시장으로 날랐다. **3** 〘크리켓〙 (공을) 던지다. **4** 《고어》 (손에 잡고) 휘두르다. **5** 좇아 버리다, 해고하다. **—** *vi.* **1** (공·바퀴·차 따위가) 구르다; (마차 등이) 달리다. **2** (사람이) 마차[자동차]로 가다[여행하다]. **3** 구르는 듯한 발걸음으로 걷다[가다]. **4** 〘크리켓〙 투구하다; 〘기상〙 (기단이) 이동하다.
[파] **trún·dler** *n.*
trúndle bèd =TRUCKLE BED.
trunk [trʌŋk] *n.* **1** (나무의) 줄기, 수간(樹幹). [cf.] branch, top[1], root. **2** 몸통, 동체(부분). [cf.] head, limb[1]. **3** 본체, 중앙 부분; 《비유》 주요[중요] 부분: The ~ of the plan remained the same. 계획의 주요 부분은 변경되지 않았다. **4** 트렁크, 여행 가방《suitcase 보다 대형이며 견고한 것》.

> [SYN.] **trunk** 여행용 큰 가방. **portmanteau** 직사각형 여행 가방. **suitcase** 의상 가방. 우리가 흔히 말하는 트렁크는 이에 해당함. **briefcase** (가죽제) 서류 가방. **traveling bag** 가장 총괄적인 말.

5 《미》 자동차의 짐칸, 트렁크(《영》 boot). **6** (철도·인공 수로·강 따위의) 간선(幹線), 본선, 주류(主流): the Gyeongbu ~ line 경부 간선. **7** (전화 중앙 교환국 간의) 중계 회선; (컴퓨터 등의) 정보 전달용 전자 회로; (*pl.*) 《영》 장거리 전화: Operator, give me ~*s*. 교환수, 장거리 전화를 부탁합니다. **8** 〘의학〙 대동맥[정맥]; 굵은 신경. **9** (코끼리의) 코. **10** 홈통; 통풍관, 관(管), (배의 적하(積荷)·통풍 따위의 목적으로 갑판을

뚫어 만든) 세로 구멍. **11** 〖선박〗 갑판 위에 돌출한 선실 부분. **12** (*pl.*) 트렁크스《남자용 운동〔수영〕 팬츠》. **13** 〖건축〗 기둥줄기, 주신(柱身). **14** 〖기계〗 통형(筒形) 피스톤. ***live in** one's* **~s** 여장을 풀지 않은 채로 있다; 비좁은 곳에서 살다.
— *a.* 구간(軀幹)의, 나무줄기의; 주요한; 간선의; 상자〔트렁크〕의〔같은〕; 화물 수납용의; 통형의; 통이 있는; 수로〔통로〕의 흐름을 이용하는〔조절하는〕.
— *vt.* (광석을) 선별 홈통으로 고르다.

trúnk cábin 〖해사〗 트렁크 캐빈《요트 따위의 갑판 위에 솟아 있는 선실》.

trúnk càll 《영》 장거리 전화(《미》 long-distance call).

trúnk càrrier 《미》 주요〔대형〕 항공사.

trunked [trʌŋkt] *a.* (…한) 줄기를〔몸통을〕 가진; (동물이) 긴 코를 가진.

trúnk·fish *n.* 〖어류〗 거북복(boxfish).

trunk·ful [trʌ́ŋkfùl] (*pl.* **~s, trunks·ful**) *n.* 트렁크로 가득함; 다량, 다수.

trúnk hòse (16-17 세기의) 넓적다리까지 내려온 헐렁한 짧은 바지.

1. trunk hose
2. canions
trunk hose

trun·king [trʌ́ŋkiŋ] *n.* 〖통신〗 전신 중계 회선; (전선 따위를 감싸는) 플라스틱제 외피; 환승기용 도관(導管); (트럭에 의한) 화물 장거리 수송.

trúnk lìne (철도 따위의) 간선; 장거리 직통 간선; (수도·가스 등의) 공급 간선, 본관; (두 전화국을 잇는) 중계선.

trúnk nàil 트렁크못《트렁크 등의 장식으로 쓰이는 대갈못》.

trúnk pìston 〖기계〗 통형(筒形)〔트렁크〕 피스톤.

trúnk ròad 간선 도로.

trúnk ròute (도로·철도의) (장거리) 간선.

trun·nion [trʌ́njən] *n.* (대포의) 포이(砲耳); 〖기계〗 이축(耳軸).

Tru·ro [trúərou] *n.* 트루로《잉글랜드 남서부 Cornwall 주의 주도(州都)》.

truss [trʌs] *n.* 다발, 꾸러미, 곤포; 탈장대(脫腸帶); 〖선박〗 아래 활대 중앙부를 돛대에 고정시키는 쇠붙이; 〖건축〗 형구(桁構); 〖식물〗 (꽃·과실의) 송이; 《영》 짚의 36 파운드 다발. **—** *vt.* 《~+목/+목+부》 **1** …을 다발 짓다, (머리카락을) 묶다; (아무의) 두 팔을 몸통에 묶어 매다 《*up*》: ~ hay 건초를 다발 짓다 / The policeman ~*ed up* the robber. 경관이 도둑을 포박했다. **2** (요리하기 전에 새의) 날개와 다리를 몸통에 꼬챙이로 꿰다, (날개를) 묶다. **3** 《고어》 (옷을) 단정하게 꼭 조여 입다. **4** (지붕·교량 따위를) 트러스로 떠받치다〔강화하다〕. **5** (매 따위가 새를) 움켜잡다.

trúss brìdge 트러스교(橋), 결구교(結構橋).

trust [trʌst] *n.* **1 a** Ⓤ 신뢰, 신용, 신임《*in*》; 강한 기대, 확신《*in*》: my ~ in him 그에 대한 나의 신임. SYN. ⇨ BELIEF. **b** Ⓒ 신용〔신뢰〕할 수 있는 사람 〔물건〕; 의지하는 사람〔것〕: God is our ~. 우리는 하느님에게 모든 것을 맡긴다. **c** Ⓤ 《고어》 신뢰성, 충실함, 의지가 됨, 기대, 소망 《*in; that*》: I have a ~ *that* he will come home safely. 나는 그가 무사히 귀가하리라고 기대하고 있다. **2** Ⓤ,Ⓒ (신뢰·위탁에 대한) 책임, 의무: breach of ~ 배임(죄) / a position of ~ 책임 있는 지위 / fulfill one's ~ 책임을 다하다. **3 a** Ⓤ 위탁, 보관, 보호; 〖법률〗 신탁. **b** Ⓒ 위탁물, 맡은 물건, 피보호자; 〖법률〗 신탁 재산〔물건〕: ⇨ INVESTMENT TRUST. **c** 수탁자〔단체〕; Ⓤ 수탁자의 권리. **4** Ⓒ 〖경제〗 트러스트, 기업 합동. **5** 고문단(brain ~)《대통령 등을 보좌하는 학자 그룹》. **6** Ⓤ 〖상업〗 외상 (판매), 신용 (대부). ***have* 〔*place, put*〕 ~ *in*** …을 신뢰하다: She doesn't *place* much ~ *in* his promises. 그녀는 그의 약속을 그리 크게 믿고 있지 않다. ***hold ... in* ~** …을 보관하고 있다. ***in* ~** 위탁된 상태로, 보호〔감독〕하에 놓여: She left money to her uncle to keep *in* ~ for her child. 아이의 보호를 위하여 돈을 숙부에게 위탁하였다. ***on* ~** ① 외상으로: buy 〔sell〕 things *on* ~ 외상으로 물건을 사다〔팔다〕. ② 신용하고, 그대로 믿고: take... *on* ~ …의 말을 그대로 믿다. ***take a* ~ *on* oneself** 책임을 떠맡다.
— *vt.* **1** 신뢰하다, 신용〔신임〕하다: He is not a man to be ~*ed*. 그는 신용할 수 있는 사람이 아니다. SYN. ⇨ RELY. **2** 《+목+*to* do / +목+전+명》 안심하고 …시켜 두다; 능히 …하리라 생각하다: You may ~ him *to* do the work well. 그는 그 일을 잘 할 것이니 걱정 마세요 / I can't ~ it *out of* my hands. 손 가까이 두지 않으면 안심이 되지 않는다. **3** 《+*to* do / +(*that*) 절》 기대하다, 희망하다, (…이라면 좋겠다고) 생각하다: I ~ *to* hear better news. 더 좋은 소식을 듣고 싶다 / I ~ (*that*) you're in good health. =You're quite well, I ~. 몸 건강하시길 빕니다. **4** 《+목+전+명》 위탁하다, 맡기다《*to*》; …에 위탁하다, …에게 맡기다《*with*》: I ~ my affairs *to* my solicitors. =I ~ my solicitors *with* my affairs. 소송 사무는 일체 변호사에게 맡기고 있다. **5** 《+목+전+명》 …에게 털어놓다 《*with*》: ~ a person *with* a secret 아무에게 비밀을 털어놓다. **6** 《~+목/+목+전+명》 …에게 외상 판매〔신용 대부〕하다: I wonder whether my tailor ~*s* me. 양복점에서 외상으로 양복을 지어 줄는지 / ~ a person *for* a camera 아무에게 카메라를 외상으로 팔다. **—** *vi.* **1** 《+전+명/+전+명+*to* do》 믿다, 신뢰하다《*in*》: ~ *in* God 하느님을〔하느님의 은혜를〕 믿다 / I ~ *in* you *to* arrive on time. 시간에 맞춰 도착하리라고 믿는다. **2** 《+전+명》 (운수·기억 등에) 의존〔의지〕하다, 기대하다《*to*》: Don't ~ *to* chance 운에 기대를 걸지 마라 / You ~ *to* your memory too much. 너는 너무 지나치게 기억에 의존한다《메모를 하여라》. **3** 《~/+전+명》 기대하다《*for*》: I ~ *for* further inquiry. 좀더 조사가 있을 것으로 기대합니다. **4** 외상으로 팔다.
㊞ **∠·a·ble** *a.* **∠·a·bíl·i·ty** *n.* **∠·er** *n.*

trúst accòunt 〖은행〗 신탁 계정(計定); 〖법률〗 신탁 재산.

trúst·bùster *n.* 《미》 트러스트〔기업 합동〕 해소를 꾀하는 사람; (미국 연방 정부의) 반(反)트러스트법 위반 단속관.

trúst-bùsting *n.* 《미》 트러스트 해소 공소(公訴), 반트러스트의 정치 운동.

trúst còmpany 신탁 회사〔은행〕.

trúst dèed 〖법률〗 담보 신탁 증서.

trústed dòmain 〖컴퓨터〗 트러스트된 도메인《트러스팅 도메인에 있는 자원을 액세스하고자 하는 사용자들의 사용자 계정을 담고 있는 도메인》.

trust·ee [trʌstíː] *n.* 〖법률〗 피신탁인, 수탁자; 보관인, 보관 위원, 관재인; (대학 등의) 평의원, 이사; 신탁 통치 국가; 〖미법률〗 제 3 채무자: a ~ in bankruptcy 파산 관재인(管財人) / the Public *Trustee* 《영》 공인 수탁자. **—** *vt.* (재산을) 수탁자〔관재인〕의 손에 넘기다. ㊞ **~·ship** *n.* Ⓤ 수탁자의 직무〔권능〕; (유엔) 신탁 통치 (지역): the *Trusteeship* Council (유엔) 신탁 통치 이사회《생략: TC》.

trustée invèstment 《영》 (신탁 재산에 대한) 수탁 기관 투자.

trustée pròcess 〖미법률〗 제 3 채무자에 대한

채권 압류.

Trústee Sávings Bànk 《영》 (정부 출자에 의한) 신탁 저축 은행《생략: TSB》.

trust·ful [trʌ́stfəl] *a.* 믿는, 신뢰하는. ㊥ **~·ly** *ad.* **~·ness** *n.*

trúst fùnd 신탁 자금〔기금, 재산〕.

trust·i·fy [trʌ́stəfài] *vt., vi.* 〖경제〗 트러스트화하다. ㊥ **trùst·i·fi·cá·tion** *n.* Ⓤ

trúst·ing *a.* 믿는, (신뢰하여) 사람을 의심치 않는, 신용하는(confiding, trustful): a ~ child 의심할 줄 모르는 아이. ㊥ **~·ly** *ad.* 믿고, 안심하고. **~·ness** *n.*

trústing dòmain 〖컴퓨터〗 트러스팅 도메인《트러스트된 도메인의 사용자와 같이 공유할 자원이 있는 도메인》.

trúst ìnstrument 〖법률〗 신탁 증서.

trúst·less *a.* 신용 없는, 신뢰할 수 없는, 불신의.

trus·tor [trʌ́stər, trʌstɔ́ːr] *n.* 《고어》 〖법률〗 신탁 설정자, 위탁자.

trúst tèrritory (유엔) 신탁 통치 지역.

***trust·wor·thy** [trʌ́stwə̀ːrði] *a.* 신용〔신뢰〕할 수 있는, 확실한, 믿을 수 있는. ㊥ **-wòrth·i·ly** *ad.* **-wòrth·i·ness** *n.*

°**trusty** [trʌ́sti] (***trust·i·er; -i·est***) *a.* 믿을 만한, 신뢰할 수 있는, 충실한. **—***n.* 신뢰할 만한 사람; 모범수(囚). ㊥ **trúst·i·ly** *ad.* **-i·ness** *n.*

‡**truth** [truːθ] (*pl.* **~s** [truːðz, -θs]) *n.* **1** Ⓤ,Ⓒ 진리(眞理), 참: God's ~ 절대적인 진리 / a universal ~ 보편적 진리 / Christian ~ 기독교의 진리. **2** Ⓤ 진실성, 진실임: There's no shadow of ~ in what he says. 그의 말에는 눈곱만큼의 진실도 없다 / I doubt the ~ of it. 그 진위를 의심한다 / *Truth* is 〔lies〕 at the bottom of the decanter. 술취하면 본심을 말하는 법이다. **3** Ⓒ,Ⓤ 사실, 진실, 진상: The ~ is that.... 사실은 …(이라는 것)이다 / *Truth* is stranger than fiction. 사실은 소설보다 기이하다 / *Truth* will out. 《속담》 진실은 드러나게 마련이다. **4** Ⓤ 성실, 실직(實直), 정직: You may depend on his ~. 그의 성실에 의존해도〔성실을 믿어도〕 좋다. **5** Ⓤ (기준이 되는 것과의) 일치; 《영》 (기계의) 정확성, 정밀성: ~ to nature 〔life〕 박진성, 사실성(寫實性). **6** (T-) 신(神). ***in*** **~** 참으로, 사실은. ***of a*** **~** 《고어》 실은, 확실히. ***out of*** **~** 어긋나서, 정확지 않아: The wheel is *out of* ~. 차바퀴가 잘 끼워지지 않았다. ***tell the*** **~** ***and shame the devil*** 〖종종 명령형〗 과감히 진실을 말하다. ***tell*** a person ***the whole*** **~** 아무에게 사실을 전부 말하다. ***to tell*** 〔***speak***〕 ***the*** **~** = **~** ***to tell*** 실은, 사실을 말하자면.

trúth drùg =TRUTH SERUM.

°**truth·ful** [trúːθfəl] *a.* 정직한; 진실한, 올바른, 정말의; (예술 표현 등이) 현실〔실물〕 그대로의. SYN. ⇨ SINCERE. ㊥ **~·ly** *ad.* **~·ness** *n.*

trúth-fùnction *n.* 〖논리〗 진리 함수.

trúth·less *a.* 부정직한, 믿음성이 적은; 허위의. ㊥ **~·ness** *n.*

trúth sèrum 자백약《신경증 환자·범죄자 등의 억압된 감정·생각 등을 드러내게 하는 최면약》.

trúth sèt 〖수학·논리〗 진리 집합.

trúth tàble 〖논리〗 진리치표(眞理値表).

trúth-vàlue *n.* 〖논리〗 진리치(眞理値).

†**try** [trai] (*p., pp.* ***tried; trý·ing***) *vt.* **1** 《~+목/+-*ing*》 해보다, 시도하다; (가능한지 어떤지) …해보다《do*ing*》: ~ an experiment 실험하여 보다 / He *tried* writ*ing*. 그는 글쓰기를 해보았다.

> NOTE try doing은 '시험 삼아 해보다' '실제로 …해보다', try to do는 '…해보려고 시도하다' '…하려고 노력하다《아직 하고 있지는 않다》'의 뜻: She *tried to* write in pencil. 그녀는 연필로 써 보려고 했다. ⇨ *vi.* 2.
>
> SYN. **try** 가장 일반적인 말. attempt 보다 평이하고 관용적임. **attempt** try 보다 형식적인 말. 더 대담한 시험을 시사함: He *attempted* to deceive me. 그는 불손하게도 나를 속이려고 (시도)했다. **endeavor** 노력의 뜻이 강함. 성공의 가능성이 적을 때는 try를 씀. **essay** 구어에서는 거의 안 쓰는 격식을 차린 말. try, attempt에는 실패의 가능성이 풍기지만, essay에서는 계획을 실현하기 위해 밟는 절차에 역점이 있음: *essay* to assist a friend 친구를 도우려고 하다.

2 《~+목/+목+전+명/+*wh.* 절》 시험하다, …의 성질〔컨디션, 풍미, 가치, 효과, 강도, 능력, 기량, 상태 등〕을 시험해 보다, 조사해 보다: ~ the brake 브레이크를 점검하다 / ~ a dish 요리를 맛보다 / ~ a door 문을 (자물쇠가 걸려 있는지) 열어 보다 / *Try* your aunt. She might lend you the money. 아주머니께 기대해 봐. 그 돈을 빌려 주실지도 모르니 / ~ a person *for* a job 아무가 일에 적임인지 시험해 보다 / *Try how* far you can throw the ball. 얼마나 멀리까지 공을 던질 수 있는지 해봐라. SYN. ⇨ TEST.

3 《~+목/+목+전+명》 〖법률〗 재판에 부치다, (사건을) 심리〔심문〕하다, (아무를) 재판하다; 《미》 (변호사가 법정에서 사건을) 조사하다, (변호사가) …의 재판을 담당하다: ~ a person *for* murder 〔theft〕 아무를 살인〔절도〕죄로 심리하다 / ~ the accused *for* his life 피고인을 사형죄로 심문하다 / He was *tried* and found guilty. 재판에 회부되어 유죄가 되었다 / Which judge will ~ the case? 어느 재판관이 이 사건을 심리할 것인가.

4 《~+목/+목+전+명》 시련을 겪게 하다, 고생하게〔혹독한 일을 당하게〕 하다, 괴롭히다, 혹사하다: My patience was severely *tried*. 울화통 터지는 것을 간신히 참았다 / Don't ~ your eyes *with* that small print. 그런 작은 활자를 보아 눈을 혹사하지 마라.

5 《+목+부》 (기름 등을) 짜내다, 짜다; 정제하다; (광석에서 금속을) 제련하다: ~ *out* chicken fat for crackling 겉거죽이 바삭바삭하게 되도록 닭의 기름을 짜내다.

6 《+목+부》 〖목공〗 (긴 대패로) 마무리하다 《*up*》: ~ *up* a desk 대패로 책상을 마무리하다.

7 《드물게》 …의 선악을〔흑백을, 진위를〕 분명히 하다, (조사하여) …으로 결말〔해결〕짓다《*out*》: They *tried* the dispute in a duel. 그들은 결투로 싸움의 결말을 지었다.

—*vi.* **1** 시험해 보다: I don't think I can do it, but I'll ~. 할 수 있을 것 같지는 않지만 해보겠소. **2** 《~/+전+명/+*to* do》 (…하도록) 노력하다〔힘쓰다〕《*for*》: ~ *for* a scholarship 장학금을 타려고 노력하다 / *Try to* behave better. 좀더 점잖게 행동하도록 노력해라.

> NOTE (1) 구어에서는 다음과 같이 'try and+부정사'의 꼴이 쓰임. 다만 이 꼴은 부정형(否定形)이 드물며, 과거형으로는 쓰이지 않음: *Try and* behave better. 힘써서 행실을 더 점잖게 하도록 해라 / Do ~ *and* be honest. 정직하도록 노력하여라.
> (2) try to do의 경우는 *vt.*로 보는 견해도 있음.

Do **~** ***more.*** (술·과자 등을 권할 때) 자 더 드시지요. **~** ***back*** ① (뒤로 돌아가서) 다시 한번 해보다. ② (개 따위가) (냄새를) 찾아서 돌아가다. ③ (이야기 따위가)(…로) 돌아가다《*to*》. ④

〖해사〗(밧줄을) 늦추어 풀어내다. ~ **for** ① …을 구하다; …을 지원하다: ~ *for* a position 직업을 구하다〔지원하다〕. ② …에 도달하려 하다. ~ ***it on*** 《구어》 (…에 대해) 대담히〔뻔뻔스레〕 행동하다, 나쁜 일을 시험 삼아 해보다; (남을) 속이려고 들다《*with*》: It's no use ~*ing it on with* me. 나를 속이려고 해봤자 소용없다. ~ **on** ① (몸에 맞는지 옷·모자·신발 등을) 입어 보다〔써 보다, 신어 보다〕: ~ a new coat *on* 새 코트를 입어 보다 / *Try* it *on*. 그것을 입어 보아라. ② (좋지 않은 짓을) …에게 (시험 삼아) 해보다: Don't ~ it *on* him. 그에게 그런 짓을 해보아서는 안 된다. ~ **out** 《*vt*.+副》 ① (착상·계획 따위를) 철저히 해보다; (기계·지원자 등을) 엄밀히 시험하다: The idea seems good but it needs to be *tried out*. 좋은 착상인 듯하나 실지로 시험해 볼 필요가 있다. ② (새로운 가곡·제품 따위의) 효과를 테스트해 보다, 시용(試用)시키다. ③ ⇨ *vt*. 5. ── 《*vi*.+副》 ④ 《미》 (선수·배우 등이) …의 적임자를 정하는 선발 심사에 참가하다〔시험을 치르다〕《*for*》: He *tried out for* the swimming team. 그는 수영 팀 선발 심사에 참가했다. ~ **over** 복습하다; 〖연극〗 예행연습을 하다. ~ one***'s best*** 〔***hardest***〕 전력을 다하다. ~ one***'s weight*** 체중을 달아 보다.

── *n*. **1** 시험(해 보기), 시도, 노력: He had three *tries* and failed each time. 그는 세 번 시도했으나 모두 실패했다. **2** 〖럭비〗 트라이. ***give it a*** ~ 시험해 보다, 써 보다. ***have a*** ~ ***at*** 〔***for***〕 …을 해보다. ***make a*** ~ ***for*** (a prize) (상)을 타려고 노력하다. ***score a*** ~ 〖럭비〗 트라이를 얻다〔올리다〕. ***the old college*** ~ 성실한 노력.

trý for póint 〖미식축구〗 트라이 포 포인트《터치다운 뒤에 주어지는 추가 득점의 기회》.

‡try·ing [tráiiŋ] *a*. 견디기 어려운, 괴로운, 고된(painful); 화나는; 성미 까다로운; 발칙한(provoking): in ~ circumstances 곤경에 처하여 / be ~ to the health 몸에 나쁘다. ㊞ ~**·ly** *ad*. ~**·ness** *n*.

trýing plàne 마무리대패《목수의 연장》.

trý-òn *n*. 《구어》 **1** (속이려는) 시도. **2** (가봉한 옷을) 입어 보기, 가봉.

trý·òut *n*. 《구어》 **1** 예선 (경기), (스포츠의) 적격〔실력〕 시험, 시험해 보기, 적성 검사. **2** 〖연극〗 시험 흥행, 인기 탐색. **3** 실험적 실시〔사용〕.

try·pan·o·some, try·pa·no·so·ma [tripǽnəsòum, trípən-], [tripæ̀nəsóumə, trípən-] *n*. 트리파노소마《편모충(鞭毛蟲)의 일종; 혈액 내에 기생하며, 수면병의 병원충》.

try·pan·o·so·mi·a·sis [tripæ̀nəsoumáiəsis, trìpən-] *n*. 〖병리〗 트리파노소마증(症)〔병〕《수면병·가축의 nagana병 따위》.

trý-pòt *n*. 〖포경〗 고래기름 정제기(精製器).

tryp·sin [trípsin] *n*. Ⓤ 〖생화학〗 트립신《췌액(膵液) 중의 소화 효소》. ㊞ **trýp·tic** *a*.

tryp·to·phan, -phane [tríptəfæ̀n], [-fèin] *n*. Ⓤ 〖생화학〗 트립토판《동물의 생육에 필요한 아미노산의 일종》.

try·sail [tráisèil, 《해사》 -səl] *n*. 〖선박〗 돛대 뒤쪽의 보조적인 작은 세로돛.

trý squàre (목수용) 곱자, 곡척(曲尺).

tryst [trist, traist] 《고어·문어》 *n*. (애인 등과의) 만날 약속; 약속한 회합, 데이트; 밀회〔회합〕 장소; 《Sc.》 정기적으로 열리는 장. ***keep*** 〔***break***〕 (***a***) ~ 만날 약속을 지키다〔어기다〕. ── *vi*. 회합 약속을 하다〔지키다〕. ── *vt*. (아무와) 만날 약속을 하다; (남녀가) 밀회하다; (회합 시간·장소를) 정하다. ㊞ **∠·er** *n*.

trýsting plàce 회합〔밀회〕 장소.

trý·wòrks (*pl*. ~) *n*. 고래기름 정제소〔노(爐)〕.

TS tool shed; top secret; tough shit 《미속어》 (빌어먹을 놈); tub-sized; type-script. **ts, t.s.** 〖물리〗 tensile strength.

tsar [zɑːr, tsɑːr] *n*. =CZAR.

Tsa·ri·na [zɑːríːnə, tsɑː-] *n*. =CZARINA.

TSB 《영》 Trustee Savings Bank. **TSCA** 《미》 Toxic Substances Control Act (독성 물질 규제법).

Tschaikovsky ⇨ TCHAIKOVSKY.

tset·se [tsétsi, tsíːt-, tét-/tétsi, tsétsi] *n*. 〖곤충〗 체체파리(=∠ **flỳ**)《가축의 전염병·수면병을 매개하는 아프리카 중남부의 집파리의 일종》.

T / Sgt, T. Sgt. Technical Sergeant. **TSH** thyroid-stimulating hormone(갑상선 자극 호르몬). **T.S.H.** Their Serene Highnesses.

T́-shìrt *n*. T셔츠. ㊞ ~**·ed** *a*. ~를 입은.

tsim·mes [tsímis] *n*. Ⓤ,Ⓒ 대소동(大騷動).

tsk [tisk, ɿ] *int*. 쯧《혀 차는 소리; 불승인·비난의 뜻》. ── *vi*. 쯧쯧 혀를 차다. ★ [ɿ] 의 발음은 tut¹ 참조. [imit.]

TSO 〖항공〗 time since overhaul(오버홀 이후의 사용 시간). **T.S.O.** town suboffice.

tsor·is, tsour·is, tsur·is, tzu·ris [tsúərɪs, tsə́ːr-] *n*. Ⓤ 괴로움, 고난, (계속되는) 불행.

tsp. teaspoon(s); teaspoonful(s).

T́ squàre T 자.

TSR 〖컴퓨터〗 Terminate and stay resident 《일단 주기억 장치에 오르면 계속 남아 있어 수시로 호출할 수 있는 프로그램》.

TSS time-sharing system(시분할(時分割) 시스템) 《대형 컴퓨터에 많은 단말 장치를 접속해 몇 가지 일을 동시에 처리하게 된 시스템》.

T́-stràp *n*. T자형 가죽 구두끈(이 달린 숙녀화).

tsu·na·mi [tsunɑ́ːmiː] (*pl*. ~**s**, ~) *n*. 해일 (tidal wave). [◂《Jap.》 *tsu*(=a harbor) + *nami*(=a wave)]

t.s.v.p. 《F.》 *Tournez, s'il vous plaît* (=please turn over). **TT** teetotal(ler). **T.T.** 《영》 telegraphic transfer; teletypewriter; tuberculin-tested. **TTB** telegraphic transfer buying rate(전신환 매수시세). **TTBT** Threshold Test Ban Treaty(지하 핵실험 제한 조약)《1975년 미소 양국 간에 조인; 150 kt 이상의 방출 에너지를 갖는 지하 핵실험을 금지한 것》.

t́-tést *n*. 〖통계〗 t 검정《표준 편차(偏差)를 모를 때, 정규 모집단(母集團)의 평균치에 대하여 행하는》.

TTFN 〖컴퓨터〗 Ta Ta For Now 《전자 우편이나 채팅에서 사용하는 "그럼 안녕"의 뜻》.

T́-tìme *n*. (유도탄·로켓 따위의) 발사 예정 시각. [◂ *takeoff time*]

TTL through-the-lens; to take leave; 〖전자〗 transistor transistor logic(트랜지스터 트랜지스터 논리). **TTS** telegraphic transfer selling rate(전신환 매각 시세); Teletypesetter; teletypesetting. **TTY** teletypewriter. **T.U.** toxic unit; Trade Union; Training Unit; transmission unit. **Tu.** Tuesday.

Tuamótu Archipélago [tùːəmóutuː-] (the ~) 투아모투 제도《남태평양에 있는 프랑스령 폴리네시아의 군도》.

tu·an [tuɑ́ːn] *n*. 말레이인이 쓰는 경칭《sir, master에 상당》.

***tub** [tʌb] *n*. **1** 통, 물통: Every ~ must 〔Let every ~〕 stand on its own bottom. 《속담》 사

람은 누구나 제힘으로 살아야 한다. **2** 통 하나 가득, 한 통의 분량: a ~ of water. **3** 목욕통, 욕조(bathtub). **4** 《구어》 목욕, 입욕(入浴): have 〔take〕 a (hot) ~ 목욕하다. **5** 통 모양의 용기: a ~ for washing clothes 빨래통. **6** 《경멸》 볼품 없고 느린 배; 헌 배; 연습용 보트. **7** 〖광산〗 (광석을 실어 올리는) 통〔두레박〕, 광차(鑛車). **8** 《미속어》 맥주컵《용량 16 온스》. **9** 《속어》 뚱뚱보. ***in the ~*** 《미속어》 파산하여. ***throw out a ~ to the whale*** 《비유》 (닥친 위험을 피하고자) 남의 눈을 속이다.
— (**-bb-**) *vt.* 통에 넣다〔저장하다〕; (식물을) 통에 심다; 통 속에서 씻다; 초심자 연습용 보트로 지도하다; 〖광산〗 (곧은바닥에) 통 모양의 틀을 짜다: ~ oneself 미역 감다, 목욕하다. — *vi.* 목욕하다; 《미구어》 (천 따위가) 세탁〔세척〕이 잘 되다; 초심자 연습용 보트로 연습하다.
㊞ **∠·ber** *n.* 통 만드는 사람; 통을 써서 일하는 사람; ~ 하는 사람. **∠·bing** *n.* Ⓤ 통 만들기; 보트 연습; 〖광산〗 (곧은바닥에 방수를 위한) 통 모양의 틀.

tu·ba [tjúːbə/tjúː-] (*pl.* **~s, -bae** [-biː]) *n.* 〖악기〗 튜바《최저음의 대형 금관 악기》; 풍금의 음전(音栓)의 일종.

tub·al [tjúːbəl/tjúː-] *a.* 관(모양)의; 〖해부·동물〗 수란관의, 기관지의: ~ pregnancy 수란관 임신. — *n.* 수란관.

Tu·bal-cain [tjúːbəlkèin/tjúː-] *n.* 〖성서〗 두발가인《쇠붙이를 다루는 장인(匠人)의 조상; 창세기 IV: 22》.

túbal ligátion 수란관 결찰《불임 수술》.

tub·bish [tʌ́biʃ] *a.* 통 모양의, 통통하게 살찐.

tub·by [tʌ́bi] (**-bi·er; -bi·est**) *a.* 통 모양의; 땅딸막한, 뚱뚱한(corpulent); 빈 통을 두드리는 것 같은 소리의, 둔한 음을 내는《악기》. ㊞ **túb·bi·ly** *ad.* **túb·bi·ness** *n.*

túb chàir 등이 반원형이고 팔걸이가 넓은 안락의자.

túb dòor 욕조에 단 미닫이《욕실 안의 욕조와 다른 부분을 칸막이함》.

∗tube [tjuːb/tjuːb] *n.* **1** (금속·유리·고무 따위의) 관(管), 통; (관악기의) 관, 몸통: boiler ~*s* 보일러 관 / optic ~*s* 망원경 / a test ~ 시험관 / a tin ~ 주석관(管), 튜브 용기 / a torpedo ~ 어뢰 발사관. **2** (그림물감·치약 등의) 튜브; (타이어의) 튜브: a ~ of toothpaste. **3** (지하철의) 터널, 지하도; 《영》 (런던 등지의) 지하철(《미》 subway): a ~ station 《영》 지하철역. **4** 〖전기〗 진공관; 브라운관; (보통 the ~) 《미구어》 텔레비전. **5** 〖식물〗 관, 통 모양의 부분; 〖해부·동물〗 관, 관상 기관: bronchial ~*s* 기관지. **6** 〖서핑〗 =CURL. **7** (여성의) 꼭 끼는 옷《스커트 따위》. ***go down the ~(s)*** 《미속어》 (권력자 등이) 실각하다; (일의 효력이) 무효가 되다, 수포로 돌아가다. ***shoot the ~*** 〔***curl***〕 〖서핑〗 넘실거리는 파도 속으로 들어가다. — *vt.* **1** …에 관을 달다. **2** 튜브〔관〕에 넣다. **3** 관 모양으로 하다. — *vi.* 《영구어》 지하철로 가다. **~ *it*** 《영구어》 지하철로 가다; 《미속어》 낙제하다. ㊞ **∠·less** *a.* 튜브〔관〕 없는: a ~*less* tire 튜브리스 타이어. **∠·like** *a.*

tu·bec·to·my [tjuːbéktəmi/tjuː-] *n.* 〖의학〗 수란관 절제(술).

tubed [tjúːbd/tjúːbd] *a.* 튜브가〔관이〕 있는〔달린〕; (말이) 금속제 호흡관을 삽입한; 《미속어》 (술·마약에) 취한.

túbe drèss 〖복식〗 직선적 실루엣의 통 모양의 드레스.

túbe fòot (극피(棘皮)동물의) 관족(管足).

túbe nùcleus 〖식물〗 화분관핵(花粉管核).

tu·ber[1] [tjúːbər/tjúː-] *n.* 〖식물〗 괴경(塊莖)《감자 따위》; 〖해부〗 돌기, 결절; 〖식물〗 서양송로(松露).

tu·ber[2] *n.* 관을 만드는 사람〔물건〕; 배관공.

tu·ber·cle [tjúːbərkəl/tjúː-] *n.* 〖식물〗 소괴경(小塊莖); 〖해부〗 소류(小瘤), 작은 혹; 〖의학〗 결절, 결핵 결절. ㊞ **~d** *a.* 결절이 생긴〔있는〕.

túbercle bacìllus 결핵균《생략: T.B.》.

tu·ber·cu·lar [tjubə́ːrkjələr/tju-] *a.* 소류(小瘤)가 있는, 작은 혹 같은; 결절(結節)의; 결핵(성)의; 《비유》 불건전한, 병적인: ~ finances 불건전 재정. — *n.* 결핵 환자. ㊞ **~·ly** *ad.*

tu·ber·cu·la·tion [tjubə̀ːrkjəléiʃən/tju-] *n.* Ⓤ 결절 형성; 결핵 형성.

tu·ber·cu·lin [tjubə́ːrkjəlin/tju-] *n.* Ⓤ 투베르쿨린《독일 사람 코흐(Koch)가 개발한 결핵 진단·검사용 주사액》: a ~ test 〔reaction〕 투베르쿨린 검사〔반응〕.

tu·ber·cu·lin·ize, -cu·lize [tjubə́ːrkjələnàiz/tju-], [-kjəlàiz] *vt.* …을 결핵에 걸리게 하다, 결핵성으로 만들다; 투베르쿨린 접종을 하다.

tubérculin tèst 투베르쿨린 검사.

tubérculin-tèsted [-id] *a.* 투베르쿨린 반응 음성의 소에서 짜낸《우유》.

°tu·ber·cu·lo·sis [tjubə̀ːrkjəlóusis/tju-] (*pl.* **-ses** [-siːz]) *n.* Ⓤ,Ⓒ 〖의학〗 결핵(병)《생략: T.B., TB》, 《특히》 폐결핵(pulmonary ~).

tu·ber·cu·lous [tjubə́ːrkjələs/tju-] *a.* 결절이 있는, 결절 모양의; 결핵에 걸린, 결핵(성)의.

túbe rìding 〖서핑〗 튜브 라이딩《파도가 무너질 때 생기는 튜브 속을 타는 테크닉》.

tu·ber·ose[1] [tjúːbəròus/tjúː-] *a.* 괴경(塊莖)이 있는; 괴경 모양의; 〖해부〗 결절이 있는.

tu·be·rose[2] [tjúːbəròuz/tjúː-] *n.* 〖식물〗 월하향(月下香)《멕시코 원산》.

tu·ber·os·i·ty [tjùːbərásəti/trúːbərɔ́s-] *n.* Ⓤ 〖해부·식물〗 괴경〔결절〕 상태; 괴경〔결절〕 모양; 결절성(性); (뼈의) 융기; 조면(粗面).

tu·ber·ous [tjúːbərəs/tjúː-] *a.* =TUBEROSE[1].

túberous róot (달리아 따위의) 괴근(塊根).

túbe sòck 뒤축이 없고 신축성이 풍부한 양말.

túbe tòp 〖복식〗 튜브 톱《어깨끈 없이 상반신에 입는 복대식 옷》.

túbe tràin 《영》 지하철 열차.

túbe wèll 관(管) 우물, 관정(管井)《약한 지반에 철관을 박아 만든 우물》.

túbe·wòrm *n.* 〖동물〗 관서충(管棲蟲)《석회질이나 키틴질의 관을 만들어, 그 안에서 생활하는 해산(海産) 동물의 총칭》.

tub·ing [tjúːbiŋ/tjúː-] *n.* Ⓤ 관(管) 공사, 배관(配管); 관의 제작〔설치〕; 관(管) 조직; 관(管) 재료; 〖집합적〗 관류(管類); 관의 한 토막; 튜빙《타이어 튜브를 타고 눈 위를 미끄러지는 경기》.

tub·ist [tjúːbəst] *n.* 튜바 주자(奏者).

túb màt 욕조 (안에 까는) 매트.

túb-of-gúts *n.* =TUB OF LARD.

túb of lárd 《미속어》 뚱뚱보.

tubs [tʌbz] *n. pl.* (보통 the ~) 증기욕탕, 터키탕《동성애자가 상대와 밀회 장소로 이용함》.

túb-thùmper *n.* 테이블을 치며 열변을 토하는 사람; 《미》 보도관, 대변인.

túb-thùmping 《구어》 *n., a.* Ⓤ 열변(의), 대연설(의); 《미》 과대 선전.

tu·bu·lar [tjúːbjələr/tjúː-] *a.* 관(管)의, 관상(管狀) 조직의; 파이프식의; 관 모양의, 관으로 된; 관이 달린〔있는〕; 〖생리·의학〗 (호흡음이) 기관(氣管)음인; 《미속어》 멋진, 최고의: a ~ boiler 관식(管式)보일러 / ~ furniture 파이프식 가구 / a ~ railway 지하 철도. ㊞ **~·ly** *ad.*

tu·bu·late [tjúːbjələt, -lèit/tjúː-] *a.* 관으로 된, 관〔통(筒)〕 모양의. — [tjúːbjəlèit/tjúː-] *vt.* 관〔통〕 모양으로 하다; 관을 달다.

tu·bule [tjúːbjuːl/tjúː-] *n.* 작은 관, 가느다란

관; 〖해부〗 세관(細管).

tu·bu·lin [tjúːbjəlin/-tjúː-] *n.* 〖생화학〗 튜불린 《세포질 내의 미소 세관(細管)을 구성하는 단백질》.

tu·bu·lous [tjúːbjələs/tjúː-] *a.* 관이 있는, 세관으로 된, 관 모양의; 〖식물〗 관상화가 있는: a ~ boiler 수관식 보일러.

T.U.C., TUC 《영》 Trades Union Congress.

***tuck**[1] [tʌk] *n.* **1** (옷의) 단, 주름겹단, 접어 올려 시친 단: make 〔put in, take out〕 a ~ in a dress 〔the sleeve of a shirt〕 드레스〔셔츠 소매〕에 주름을 잡다. **2** Ⓤ 《영속어》 음식; 과자. **3** 〖선박〗 고물 돌출부의 아래쪽. **4** 〖수영〗 턱《구부린 무릎을 양팔로 껴안는 다이빙형(型)》.
— *vt.* **1** 《+목+부/+목+전+명》 …을 (좁은 곳·안전한 곳 등에) 챙겨 넣다〔숨기다〕《*up; away; in(to); under*》: *Tuck* the money *into* your wallet. 그 돈을 지갑에 챙겨 넣어라 / His house was ~*ed away* deep *in* the woods. 그의 집은 깊은 숲속에 세워져 있다. **2** 《+목+전+명》 (다리를) 구부려서 당기다; (머리 따위를) 움츠리다, 묻다《*in*》: The bird ~*ed* its head *under* its wing. 새는 날개 밑에 머리를 파묻었다 / ~ one's knees *under* one's chin 턱을 무릎 위에 괴다. **3** 《+목+부/+목+전+명》 (냅킨·셔츠·담요 따위)의 끝을 밀어〔찔러〕 넣다《*in; up; under*》: *Tuck in* your blouse. 블라우스 자락을 속에 밀어 넣어라 / *Tuck* the edge of the sheet *under* the mattress. 시트 끝을 매트리스 밑으로 찔러 넣어라. **4** 《+목+부/+목+전+명》 (아이·환자)에게 시트·담요 따위를 꼭 덮어 주다, (침구 따위로) 감싸다《*up*》: ~ the child *up in* bed 아이에게 이불을 덮어 주다. **5** 《+목+부》 (옷자락 등)을 걷어〔치켜〕 올리다《*up*》: She ~*ed up* her skirt and waded across the stream. 그녀는 치맛자락을 치켜들고 개울을 건넜다 / He ~*ed up* his shirt-sleeves. 그는 셔츠 소매를 걷어 올렸다. **6** (옷을) 호아 올리다, 시쳐 넣다, 접어 올려 호다《*up; in*》. **7** (물고기를) 큰 그물에서 산대〔사내끼〕로 건져내다. **8** 《+목+부》 《속어》 마시다, 먹어 치우다《*in; away*》: ~ *away* both steak and chicken 스테이크와 치킨을 모두 먹어 치우다. **9** 《고어》 교수형에 처하다《*up*》.
— *vi.* **1** 호아 올리다, 시쳐 넣다, 접어 호다, 주름을 잡다; 주름지다, 줄어들다. **2** 《+전+명》 《속어》 배불리〔게걸스럽게〕 먹다《*in; into*》: ~ *into* a pie 파이를 게걸스럽게 먹다.
~ ***away*** ① ⇨ *vt.* 1. ② (돈 따위를) 모아 두다; 《구어》 배불리 먹다〔마시다〕. ~ ***on*** 《속어》 (비싼 값을) 부르다: They did ~ it *on*. 값을 터무니없이 비싸게 불렀다. ~ one***self up in*** (bed) (이불)을 뒤집어쓰다. ~ one***'s tail*** 창피를 당하다. ~ ***up*** 《고어》 (죄인을) 교수형에 처하다.

tuck[2] *n.* 《Sc.》 북(치는) 소리; 《고어》 나팔 취주(吹奏). — *vt.* (북을) 두드리다.

tuck[3] *n.* 《미구어》 힘, 원기, 정력: take the ~ out of a person 아무의 정력을 없애다.

tuck[4] *n.* 《미》 =TUXEDO.

tuck·a·hoe [tʌ́kəhòu] *n.* **1** 〖식물〗 **a** 아메리칸 인디언이 식용으로 하는 토란과(科)의 식물. **b** 〖식물〗 복령(茯苓)(Indian bread). **2** (T-) 터커호《특히 Blue Ridge 산맥 이동(以東)에 사는 Virginia 주 사람의 속칭》.

tucked [-t] *a.* (옷자락 따위를) 찔러 넣은, 걷어 올린; 호아 주름을 잡은; 《구어》 (좁은 곳에) 가둔; 좁고 답답한. ~ ***up*** 《영속어》 교도소에 갇힌; 사기당한, 걸려든.

túck·er *n.* tuck[1]을 하는 사람〔것〕; (옷의 단을) 호아 올리는 사람; (재봉틀의) 주름 잡는 장치; (17-18 세기 여성 복장의) 깃 장식; =CHEMISETTE; 《Austral. 속어》 음식; 《구어》 의상(bib and ~). ***earn*** 〔***make***〕 one***'s*** ~ 《Austral. 속어》 간신히 먹고 입을 정도로 벌다. one***'s best bib and*** ~ 차림옷, 나들이옷. — *vt.* 《미구어》 피로하게〔지치게〕 하다《*out*》: be ~*ed out* 몹시 지치다.

túcker-bàg, -bòx *n.* 《Austral. 속어》 (오지(奧地) 여행자용의) 식량 휴대 주머니.

túck-shòp *n.* 《영속어》 과자 가게《특히 학교(근처)의》.

tude [tjuːd/tjúːd] *n.* 《속어》 =ATTITUDE; 《특히》 못된〔부정적인, 방자한〕 태도.

-tude [tjùːd/tjùːd] *suf.* 〖주로 라틴 계통의 형용사에 붙여〗 '성질, 상태' 란 뜻의 명사를 만듦: attitude.

Tu·dor [tjúːdər/tjúː-] *a., n.* 영국의 튜더 왕가〔왕조〕의 (사람); 〖건축〗 튜더 양식(의). ***the*** ~***s*** =***the House of*** ~ 튜더 왕가(1485-1603).

Tues., Tue. Tuesday.

†**Tues·day** [tjúːzdei, -di/tjúːz-] *n.* 화요일《생략: Tue., Tues.》. — *ad.* 《구어》 화요일에(on ~).

Túes·days *ad.* 화요일마다, 화요일에는 언제나 (on ~).

tu·fa [tjúːfə/tjúː-] *n.* Ⓤ 〖광물〗 석회화(石灰華)《용천(湧泉) 침전물》; =TUFF[1].

tuff[1] [tʌf] *n.* Ⓤ,Ⓒ 〖광물〗 응회암(凝灰岩).

tuff[2] *a.* 《속어》 빼어난, 대단한.

°**tuft** [tʌft] *n.* **1** (머리칼·깃털·실 따위의) 술, 타래《*of*》: a ~ *of* feathers 더부룩한 깃털 뭉치. **2** (풀이나 나무의) 덤불, 수풀; 작은 산〔언덕〕. **3** (방석 등의) 장식 술(을 펜 단추). **4** 〖해부〗 모세혈관속(束). **5** 《원래》 (Oxford 또는 Cambridge 대학의) 귀족 학생(의 모자 장식 술); 《고어》 황제수염. — *vt.* …에 술을 달다〔로 장식하다〕; (이불 등에) 일정 간격으로 장식 술을 꿰매 붙이다. — *vi.* 술로 되다, 총생하다. ㉥ **∠·ed** [-id] *a.* 술이 있는, 술로 장식한; 술 모양의; 총생(叢生)한.

túft·hùnter *n.* 권문(權門)에 아첨하는 사람; 아첨꾼, 속물.

túft·hùnting *n., a.* 아첨꾼(의).

tufty [tʌ́fti] (***tuft·i·er; -i·est***) *a.* 술의; 술이 많은; 총생(叢生)의. ㉥ **túft·i·ly** *ad.*

Tu Fu [duːfuː/tuː-] *n.* 두보(杜甫)《중국 당(唐) 대의 시인; 712-770》.

tug** [tʌg] (-gg-***) *vt.* **1** 《~+목/+목+부/+목+전+명》 당기다, (세게) 잡아당기다: ~ a rope 로프를 세게 당기다 / I managed to ~ my dog *home*. 가까스로 개를 집까지 끌고 왔다 / She ~*ged* her husband *away from* the bar. 그녀는 남편을 술집에서 억지로 끌어냈다 / ~ a car *out of* the mire 진창에서 차를 끌어내다. SYN. ⇨ PULL. **2** 《+목+부》 《비유》 (억지로 관계없는 이야기 따위를) 끄집어내다: ~ a story *in* 관계없는 이야기를 억지로 화제에 올리다. **3** (배를) 끌다, 예인선으로 끌다: ~ a boat. — *vi.* **1** 《~/+전+명》 (힘껏) 당기다, 잡아당기다《*at*》: Don't ~ so hard. It will break. 그렇게 세게 잡아당기지 마라. 끊어질라 / ~ *at* a person's sleeve 아무의 옷소매를 잡아당기다. **2** (열심히) 노력하다; 분투하다; 다투다: I've been ~*ging* to buy the house. 그 집을 사기 위해 열심히 일해 왔다. **3** 버쩍버쩍 나아가다〔걷다〕《*away; down; up*》. ~ ***at the*** 〔***an***〕 ***oar*** (갤리(galley) 배의 노예가 되어) 노를 젓다; 뼈 빠지게 일하다.
— *n.* **1** 세게 당김; 잡아당김: I felt a ~ at my sleeve. 누군가가 소매를 잡아당기는 것을 느꼈다. **2** 벅찬 노력, 분투; 투쟁, 치열한 다툼: the ~ of young minds in a seminar 세미나에서의 청년들의 분분한 의견 충돌. **3** 경쟁. **4** 잡아당기는 (밧)줄; (마구의) 끄는 가죽. **5** 예인선(tugboat); (글라이더) 예항기. ***give a*** ~ (홱) 잡아당기다《*at*》: *give a* ~ *at* the bell 초인종의 줄〔설렁줄〕을 홱 잡아당기다 / The naughty boy

gave his sister's hair *a* ~. 짓궂은 사내 아이가 자기 누나의 머리카락을 잡아당겼다. ***have a great*** ~ ***to*** do 〔***at*** do***ing***〕 …에 고생하다, …하기에 수고하다: I *had a great* ~ *to* persuade him. 그를 설득하기에 몹시 힘이 들었다.

túg·bòat *n.* 예인선, 터그보트. 「신문 용어」.

túg of lóve 《영》 (아이의) 양육권 다툼《주로

túg-of-wár (*pl.* ***túgs-of-wár***) *n.* **1** 줄다리기(경쟁). **2** (패권을 둘러싼) 심한 다툼; 주도권 싸움; 결전, 격전.

tu·grik, tu·ghrik, tu·khrik [tú:grik] (*pl.* **~s, *tugrik***) *n.* 몽골의 화폐 단위《100 mongo에 상당》.

Tui·ler·ies [twí:ləriz/-ləri] *n.* 《F.》 튈르리 궁전《파리에 있었던 궁전; 1871 년 소실》.

°**tu·i·tion** [tju:íʃən/tju:-] *n.* Ⓤ 교수, 수업; 수업료(= ∠ **fèe**): private 〔postal〕 ~ 개인〔통신〕 교수. ㊕ **~·al, ~·ary** [-əl], [-èri/-əri] *a.* 교수(용)의; 수업료의.

tu·la·re·mia, -rae- [tù:lərí:miə] *n.* Ⓤ 〖수의〗 야토병(野兎病)《페스트 비슷한 설치류의 전염병으로, 사람·가축에게도 감염됨》.

***tu·lip** [tjú:lip/tjú:-] *n.* 튤립; 그 꽃〔구근〕.

túlip trèe 목련과의 나무(《미》 poplar 2).

túlip·wòod *n.* Ⓤ tulip tree의 목재《주로, 가구 제작용》. 「베일 따위에 씀」.

tulle [tu:l/tju:l] *n.* Ⓤ 튈《그물 모양의 얇은 명주;

tul·war [tʌ́lwɑ:r, -∠] *n.* (북부 인도 원주민의) 구부러진 칼, 만도(彎刀).

tum [tʌm] *n.* 딩, 댕, 둥둥《밴조·드럼 따위의 소리》. **—** (**-mm-**) *vi.* 딩〔댕〕하고 소리 내다. [imit.]

***tum·ble** [tʌ́mbəl] *vi.* **1** 《~/+㊏/+㊎+㊐》 엎드러지다, 넘어지다《*off; over*》; 굴러떨어지다, 전락하다《*down*》: In her hurry she ~*d over*. 그녀는 서두르다가 넘어졌다 / ~ *down* the stairs 〔*off* a horse〕 계단〔말〕에서 굴러떨어지다. **2** 《+㊏/+㊎+㊐》 굴러다니다, 몸부림치며 뒹굴다; 자면서 몸을 뒤치다《*about*》: The puppies ~*d about on* the floor. 강아지들이 마룻바닥에서 뒹굴었다. **3** (가격 따위가) 폭락하다; 갑자기 떨어지다. **4** (권세가(家) 따위가) 몰락하다, 실각하다. **5** 《~/+㊏/+㊎+㊐》 (건물 따위가) 무너지다, 붕괴 직전이다: The old building ~*d down upon* the intruders. 그 낡은 건물이 침입자들 머리 위로 무너졌다. **6** 《+㊏/+㊎+㊐》 뒹굴다시피〔급하게〕 …하다: *Tumble up*. 서둘러라 / I was so tired that I threw my clothes off and ~*d into* bed. 몹시 피곤하여 옷을 벗어 던지고는 급히 잠자리에 기어들었다 / ~ *out of* a bus 버스에서 앞을 다투어 뛰어내리다. **7** 공중제비하다, 재주넘다. **8** 《+㊎+㊐》 《구어》 갑자기 생각이 미치다, 이해하다, 깨닫다《*to*》: At last he ~*d to* what I was hinting at. 그는 마침내 나의 암시를 알아차렸다. **9** 우연히 만나다, 맞닥뜨리다《*into; upon*》: ~ *into* war 전쟁에 휘말려들다. **10** 《속어》 성교하다. **—** *vt.* **1** 《~+㊍/+㊍+㊏》 굴리다, 넘어뜨리다, 뒤집어엎다《*down; over*》: The wrestler ~*d* the opponent. 씨름꾼은 상대자를 넘어뜨렸다 / ~ *over* a barrel 통을 굴리다. **2** 《~+㊍/+㊍+㊎+㊐》 내던지다, 내팽개치다: The acci- dent ~*d* them all *out of* the bus. 사고 때문에 그들은 모두 버스 밖으로 나가떨어졌다. **3** 《~+㊍/+㊍+㊎+㊐》 혼란시키다, 뒤범벅을 만들다, 엉클어뜨리다: ~ a bed 잠자리를 흩뜨려 놓다 / ~ clothes *into* a box 상자에 옷을 마구 쑤셔 넣다. **4** tumbling barrel에 넣어 닦다〔건조시키다〕.

~ ***along*** 굴러가듯 달리다. ~ ***and toss*** (from pain) (아파서) 몸부림치며 뒹굴다. ~ ***home*** 〖선박〗 뱃전이 안쪽으로 휘어 굽다. ~ ***in*** ① =~ home. ② 〖목공〗 (나뭇 조각을) 끼워 맞추다. ③ 《구어》 잠자리에 기어들다. ~ ***on*** (a thing) (무엇)을 짓밟다. ~ ***over*** ① ⇨ *vi.* 1. ② 뒤집어엎다; (말이 등에 탄 사람을) 내동댕이치다. ~ ***to*** 《영》 …에 적응하다. ~ ***up*** 구르듯이〔허둥지둥〕 뛰어올라가다.

— *n.* **1** 엎드러짐, 넘어짐, 뒹굶, 전락, 전도(轉倒); 붕괴, 파괴; 실각, 패배, 몰락; (주가 따위의) 폭락, 하락. **2** (곡예의) 공중제비, 재주넘기(somersault). **3** 혼란, 뒤범벅; 어지러이 쌓인 더미. **4** 《속어》 성교. ***all in a*** ~ 아주 뒤범벅이 되어: Things are *all in a* ~. 사태는 아주 뒤범벅이 되어 있다〔혼란의 극을 이루고 있다〕. ***get a*** ~ 《구어》 관심을〔호의를〕 끌다, 기회가 주어지다. ***give a*** ~ 《구어》 관심을〔호의를〕 보이다, 기회를 주다. ***have a*** (slight) ~ (살짝) 넘어지다: I *had a* nasty ~. 몹시 심하게 넘어졌다.

túmble·bùg *n.* 〖곤충〗 쇠똥구리.

túmble-dòwn *a.* (건물 따위가) 찌부러질 듯한, 황폐한: What a ~ shack you live in! 이렇게 다 무너져 가는 집에 살고 있다니.

túmble drìer = TUMBLER DRIER.

túmble-drý *vt., vi.* 회전식 건조기로 말리다.

túmble hòme 〖선박〗 텀블홈《배의 현측(舷側)이 상갑판 가까이에서 안쪽으로 만곡돼 있는 것》.

°**tum·bler** [tʌ́mbələr] *n.* **1** (굽·손잡이가 없는) 컵, 텀블러; 그 컵 한 잔. **2** 뒹구는 사람; 공중제비를 하는 사람, 곡예사; 오뚝이《장난감》; 공중제비하는 비둘기. **3** (총의) 공이치기 용수철; (자물쇠의) 날름쇠; 〖기계〗 전동(轉動) 장치의 가동부(可動部); 〖전기〗 = TUMBLER SWITCH. **4** = TUMBLER DRIER; TUMBLING BARREL. ㊕ **~·ful** [-fùl] *n.* 큰 컵 한 잔의 분량.

túmbler drìer (세탁물의) 회전식 건조기.

túmbler gèar 〖기계〗 텀블러 기어《공작 기계에 쓰이는 속도 변환 기구》.

túmbler swìtch 텀블러 스위치《손잡이를 상하로 작동시켜 개폐(開閉)함》.

túmble·wèed *n.* 〖식물〗 회전초《가을바람에 쓰러지는 명아주·엉겅퀴 따위의 잡초》.

tum·bling [tʌ́mbəliŋ] *n.* Ⓤ,Ⓒ tumble함; 〖체조〗 텀블링. 「의 연마나 혼합에 씀」.

túmbling bàrrel 〔**bòx**〕 회전통(回轉筒)《재료

tum·brel, -bril [tʌ́mbrəl], [-bril] *n.* (짐칸을 뒤로 기울여 짐을 풀게 된) 농장용 짐수레《특히 비료차》; 〖군사〗 2륜의 탄약·병기 운반차; (프랑스 혁명 시대의) 사형수 호송차; 〖역사〗 징벌구, 《특히》 = CUCKING STOOL.

tu·me·fa·cient [tjù:məféiʃənt/tjù:-] *a.* 부어오른, 종창성(腫脹性)의; 부어오르게 하는(swelling).

tu·me·fac·tion [tjù:məfǽkʃən/tjù:-] *n.* Ⓤ 부어오름; Ⓒ 종창(腫脹), 종기.

tu·me·fy [tjú:məfài/tjú:-] *vt.* 부어오르게 하다, 종창(腫脹)시키다, 붓게 하다. **—** *vi.* 붓다; 우쭐해지다, 오만해지다.

Tu·men [tú:mʌ́n] *n.* (the ~) 두만강.

tu·mesce [tju:més/tju:-] *vi., vt.* (성기가) 발기하다; …을 발기시키다.

tu·mes·cent [tju:mésnt/tju:-] *a.* 부어오르는, 종창성(腫脹性)의; 발기한; 과장된; 정서가 풍부한, 사상이 충실한. ㊕ **-cence** [-sns] *n.* Ⓤ 팽창, 비대; 통화 팽창; 성행위 전의 홍분 상태; 팽창〔비대〕한 부분, 부풂.

tu·mid [tjú:mid/tjú:-] *a.* 부어오른; 융기한; 과장된《표현 따위》. ㊕ **~·ly** *ad.* **~·ness** *n.*

tu·mid·i·ty [tju:mídəti/tjú:-] *n.* Ⓤ 부어오름, 종창(腫脹); 과장.

tum·my [tʌ́mi] *n.* 《소아어·구어》 배.

túmmy·àche *n.* 《구어》 배앓이, 복통(stomachache).

túmmy bùtton 《구어》 배꼽(navel).

tu·mor, -mour [tjúːmər/tjúː-] *n.* 종창(腫脹), 종기; 〖의학〗 종양(腫瘍); 돌출부: a fatty ~ 지방종(脂肪腫) / a benign 〔malignant〕 ~ 양성〔악성〕 종양. ㊞ **~·al** *a.* **~·like** *a.*

tu·mor·i·gen·e·sis [tjùːməridʒénəsis/tjùː-] *n.* 〖의학〗 종양 형성, 종양 발생.

tu·mor·i·gen·ic [tjùːməridʒénik/tjùː-] *a.* 종양을 생기게 하는, 《특히》 발암성(發癌性)의. ㊞ **-ge·nic·i·ty** [-dʒənísəti] *n.*

túmor necròsis fàctor 〖약학〗 종양 괴사(壞死) 인자《림프구의 일종이 분비하는 생리 활성 물질; 생략: TNF》.

tu·mor·ous [tjúːmərəs/tjúː-] *a.* 종양의〔같은〕, 종양 모양의; 《폐어》 부어오른; 《비유》 과장된.

tump [tʌmp] *n.* 《방언》 낮은 산, 작은 언덕, 흙무더기; (풀 따위가) 우거진 곳, 숲.

tum·tum [tʌ́mtʌ̀m] *n.* 딩동, 팅팅《현악기 따위의 소리》. ⓒⓕ tum.

*__tu·mult__ [tjúːməlt/tjúːmʌlt] *n.* Ⓤ,Ⓒ **1** 법석, 소동, 떠들썩함; 소음; 폭동: Presently the ~ died down. 이윽고 소동은 가라앉았다. **2** 격정, (마음의) 산란, 흥분; (색채·물건 등의) 뒤섞임, 긁어모은 것: in a ~ of grief 비탄에 젖어, 깊은 슬픔에 잠겨.

tu·mul·tu·ary [tjuːmʌ́ltʃuèri/tjuːmʌ́ltjuəri] *a.* 혼란된; 훈련되어 있지 않은, 규율〔질서〕 없는, 오합지졸의《군대 등》: =TUMULTUOUS.

°**tu·mul·tu·ous** [tjuːmʌ́ltʃuəs/tjuː-] *a.* 떠들썩한, 소란스러운; 사나운, 거친; 소동을 일으키는; (마음이) 동요한, 격앙된: ~ passions 폭풍과 같은 격정 / a ~ meeting 〔crowd〕 소란스러운 회합〔군중〕. ㊞ **~·ly** *ad.* **~·ness** *n.*

tu·mu·lus [tjúːmjələs/tjúː-] (*pl.* **~·es, -li** [-lài]) *n.* 뫼, 무덤, 《특히》 봉분; 고분(mound).

tun [tʌn] *n.* 큰 통, 큰 술통; (양조용으로 쓰는) 발효(醱酵)통; (술 따위의) 용량 단위《252 갤런》. — (*-nn-*) *vt.* (술을) 큰 통에 넣다〔저장하다〕.

tu·na[1] [tjúːnə/tjúː-] (*pl.* ~(**s**)) *n.* Ⓒ,Ⓤ 〖어류〗 다랑어, 참치(의 살). 「일종; 그 식용 열매.

tu·na[2] *n.* 〖식물〗 (멕시코 원산의) 부채선인장의

tun·a·ble, tune- [tjúːnəbəl/tjúːn-] *a.* 가락을 맞출 수 있는, 좋은 가락을〔음조를〕 낼 수 있는; 조율〔조정(調整)〕할 수 있는; 《고어》 가락이 맞는, 선율적인. ㊞ **~·ness** *n.* **-bly** *ad.*

túnable làser 〖물리〗 파장 가변(可變) 레이저.

tun·dra [tʌ́ndrə, tún-/tʌ́n-] *n.* (북시베리아 등의) 툰드라, 동토대(凍土帶).

‡**tune** [tjuːn/tjúːn] *n.* **1** Ⓒ,Ⓤ 곡, 곡조, 멜로디; 가곡; 주(主)선율; 분명한 선율: whistle a popular ~ 휘파람으로 유행가를 부르다 / a ~ difficult to remember 외기 어려운 곡조. **2** Ⓤ (노래·음률의) 올바른 가락, 장단: He can't sing in ~. 그의 노래는 가락이 안 맞는다. **3** Ⓤ 조화, 어우러짐, 일치. **4** Ⓤ 〖통신〗 동조(同調). **5** 음의 고저, 억양, 성조(聲調). **6** 《고어》 Ⓤ 음질, 음색, 음조. **7** 《고어》 Ⓤ (마음의) 상태, 기분(*for*): I am not *in* ~ *for* a talk. 말할 기분이 아니다. ***call the*** ~ 일을 결정하다, 좌우하다. ***carry a*** ~ 정확히 노래하다, 가락이 틀리지 않다. ***change one's*** ~ (이를테면 오만에서 겸손으로) (싹) 가락〔논조, 태도, 생각〕을 바꾸다. ***in*** ~ ① 가락이 맞아서, 조화하여《*with*》. ② 협조하여, 사이좋게《*with*》. ***keep in*** ~ ***with*** …와 가락을 맞추다, …와 사이좋게 하다. ***out of*** ~ ① 가락이 안 맞아: The piano is *out of* ~. 이 피아노는 음률이 틀린다. ② 사이가 나쁜; 협조하지 않고: A person *out of* ~ *with* his surroundings is unhappy. 이웃과 어울리지 못하는 사람은 불행하다. ***put*** **~*s to …*** …에 가락을 붙이다. ***sing another*** 〔***a different***〕 ~ =change one's ~. ***Stay in*** ~. 〖방송〗 스위치를 끄지〔다른 채널로 돌리지〕 마십시오. ***to some*** ~ 상당히. ***to the*** ~ ***of*** ($ 500) 거금 (500 달러). ***turn a*** ~ 《구어》 한 곡 부르다〔연주하다〕.

— *vt.* **1** 《~+목/+목+부》 …의 가락을 맞추다; (악기를) 조율하다, 조음하다 《*up*》: ~ a piano 피아노를 조율하다 / The musician is *tuning up* his fiddle. 연주자가 바이올린의 음을 조율하고 있다. **2** 《+목+전+명》 〖통신〗 (회로를) 동조시키다, …에 파장을 맞추다: ~ a television set *to* a local channel 텔레비전을 지방국에 맞추다. **3** 《+목+전+명》 적합하게 하다; 조정〔조절〕하다; 일치〔조화〕시키다:~ one's views *to* those of one's colleagues 동료들의 의견에 자기 의견을 맞추다. **4** 《고어·시어》 노래하다, 뜯다, 불다, 연주〔취주〕하다. — *vi.* **1** 《~/+부》 악기를 조율하다《*up*》: The orchestra were *tuning up* when we entered the concert hall. 콘서트홀에 들어갔을 때 관현악단은 음을 맞추고〔연습을 하고〕 있었다. **2** 《+전+명》 음악적인 음을 발하다; 가락이 맞다, 조화하다《*to; with*》; (수신기의) 다이얼〔채널〕을 돌려 동조시키다.
~ ***down*** …의 음량을 낮추다. ~ ***in*** 《*vt.*+부》 ① (라디오·TV의) 다이얼〔채널〕을 …에 맞추다《*to*》: My favorite program was ~*d in*. 내가 좋아하는 프로그램은 채널이 맞춰져 있다. ② 《구어》 〖보통 수동태〗 …에게 (…의 감정·생각 등을) 알게 하다, 통하게 하다《*to*》. — 《*vi.*+부》 ③ 수신기를 (방송국·프로에) 동조시키다《*to*》: ~ *in to* the weather report 일기 예보에 다이얼을 맞추다. ④ 《구어》 (…의 감정 등에) 이해를 보이다, 통하다《*to; on*》. ~ ***off*** 〖라디오〗 도중에 끊다. ~ ***out*** 《*vt.*+부》 ① (수신기의 다이얼을 조정하여 잡음·신호 등이) 안 들리게 하다. ② 《구어》 남의 일에 신경〔마음〕을 안 쓰다, 무시하다: ~ *out* his complaining 그의 불평을 무시하다. — 《*vi.*+부》 ③ 다이얼〔채널〕을 다른 곳으로 돌리다. ④ 신경을 안 쓰다, 관심이 없다. ~ ***up*** 《*vt.*+부》 ① ⇨ *vt.* 1. ② …의 음량을 올리다. ③ (기계 따위의 상태를) 조정하다: ~ *up* the motor of a car 차의 엔진을 조정〔튠업〕하다. — 《*vi.*+부》 ④ ⇨ *vi.* 1. ⑤ 《구어》 노래〔연주〕하기 시작하다; 울기 시작하다; 능률이 오르기 시작하다: Spring birds begin *to* ~ *up*. 봄 새가 지저귀기 시작한다. ⑥ (운동 경기를) 연습하다.
㊞ **túne·a·ble** *a.* ⇨ TUNABLE.

túned círcuit 〖전자〗 동조 회로.

túned-ín *a.* 《구어》 새로운 감각에 통한, 새로운 것을 좋아하는.

°**tune·ful** [tjúːnfəl/tjúːn-] *a.* 음조가 좋은, 선율이 아름다운, 음악적인, 좋은 소리를 내는. ㊞ **~·ly** *ad.* **~·ness** *n.*

túne·less *a.* 음조가 맞지 않는, 난조(亂調)의; 운율이 고르지 않은; 소리가 안 나는《악기 따위》. ㊞ **~·ly** *ad.*

túne·òut *n.* 《미구어》 〖방송〗 시청자로 하여금 프로를 안 듣게 만드는 요소. — *vi.* (방송의) 시청을 그만두다, 다이얼을 딴 데로 돌리다.

tún·er *n.* 조율사(調律師), 음조를 맞추는 사람; 정조기(整調器); 〖전자〗 동조기(同調器), (하이파이 시스템의) 튜너. 「가.

túne·smìth *n.* 《미구어》 (특히 대중음악의) 작곡

túne-ùp *n.* (철저한) 엔진 조정; (시합 전의) 준비 연습; 예행연습.

tung [tʌŋ] *n.* =TUNG TREE.

Tung·a·lloy [tʌ́ŋælɔ̀i] *n.* 텅갈로이《탄화텅스텐

과 코발트의 합금; 다이아몬드 다음으로 단단하며 공작용 기구 재료로 쓰임; 상표명》.

túng òil 동유(桐油)《페인트·인쇄 잉크 원료》.

tung·state [tʌ́ŋsteit] *n.* 〖화학〗 텅스텐산염.

tung·sten [tʌ́ŋstən] *n.* [U] 〖화학〗 텅스텐《금속 원소; 기호 W; 번호 74》: a ~ (filament) lamp 텅스텐 전구. ★ 보통 이 말 대신 wolfram을 씀. [파] **tung·sten·ic** [tʌŋsténik] *a.*

túngsten cárbide 텅스텐 카바이드《텅스텐과 탄소의 초(超)경도 합금》.

túngsten stéel 텅스텐강(鋼).

tung·stic, tung·stous [tʌ́ŋstik], [tʌ́ŋstəs] *a.* 〖화학〗 텅스텐의; 5〔6〕가(價)의 텅스텐을 함유한.

túngstic ácid 텅스텐산(酸).

túng trèe 〖식물〗 유동(油桐).

Tun·gus, -guz [tuŋgúːz/túŋgus] (*pl.* ~, ~·*es*) *n.* [C,U] 퉁구스족〔어〕.

Tun·gu·sic [tuŋgúːzik/-gúsik] *n.* [U], *a.* 〖언어〗 퉁구스 어군(의); 퉁구스족(언어)의.

◇**tu·nic** [tjúːnik/tjúː-] *n.* **1** 튜닉《(1) 짧은 오버스커트. (2) 스커트 등과 함께 입는 긴 여성용 상의. (3) 튜닉 비슷한 운동복》. **2** 튜니카《고대 그리스·로마 사람의 소매가 짧고 무릎까지 내려오는 겉옷》. **3** 《영》 (군인·경관 등의) 웃옷의 일종; 진찰 가운; =TUNICLE. **4** 〖식물〗 외피(外皮), 종피(種皮), 씨껍질; 〖해부〗 피막(被膜), 막(膜).

1(2) 2
tunics

tu·ni·ca [tjúːnikə/tjúː-] (*pl.* **-cae** [-siː]) *n.* 〖해부·동물〗 (기관·조직의) 표면을 덮는 막(膜); 〖식물〗 (종자·구근 따위의 얇은) 외피(外皮)《총칭》.

tu·ni·cate [tjúːnikət, -kèit/tjúː-] *a.* 피막〔피낭(被囊)〕이 있는; 〖식물〗 외피가〔씨껍질이〕 있는.

tu·ni·cle [tjúːnikəl/tjúː-] *n.* 〖가톨릭〗 튜니클《주교가 제복 밑에 입는 얇은 명주옷》.

tun·ing [tjúːniŋ/tjúː-] *n.* [U] **1** 조율, (무전기의) 파장 조정. **2** 〖전자〗 동조(同調): a ~ circuit 〖전자〗 동조 회로. **3** 〖컴퓨터〗 조정《사용자 컴퓨터 환경을 최적화하기 위한 시스템 조정》.

túning capácitor 〔**condènser**〕 〖전기〗 동조 콘덴서.

túning còil 〖전자〗 동조 코일.

túning fòrk 〖음악〗 소리굽쇠, 음차(音叉).

túning hàmmer 〔**wrènch**〕 (피아노의) 조율용 나사돌리개.

túning kèy (피아노 따위의) 조율 키.

túning pèg 〔**pìn**〕 (현악기의) 줄감개; (피아노의) 조율용 핀.

túning pìpe =PITCH PIPE, 《특히》 현악기 조율용 율관.

Tu·nis [tjúːnis/tjúː-] *n.* 튀니스《Tunisia의 수도》.

Tu·ni·sia [tjuːníːʒə, -ʃə, -níʒə/tjuːníziə, -siə] *n.* 튀니지《북아프리카의 공화국; 수도 Tunis》.

Tu·ni·sian [tjuːníːʒən] *n.* 튀니지〔튀니스〕 사람. ─*a.* 튀니지〔튀니스〕(사람)의, 튀니지 문화의.

tun·nel [tʌ́nl] *n.* **1** 터널, 굴; 지하도. **2** (광산의) 갱도(坑道). **3** (동물이 사는) 굴. **4** 〖항공〗 풍동(風洞); 〖서핑〗 =CURL. **5** 《고어》 (굴뚝의) 연도(煙道). ─ (**-l-**, 《영》 **-ll-**) *vt.* 《~+[목]/+[목]+[전]+[명]》 (…에〔의 밑에〕) 터널을 파다; (통로로서) 터널〔굴〕을 파다; 터널을〔갱도를〕 파고 나아가다《*through*; *into*》: ~ a mountain 산에 터널을 파다 / ~ one's way *through* 〔*into*〕… 터널을 파고 …을 빠져 나가다〔…의 속으로 들어가다〕. ─ *vi.* 《~/+[전]+[명]》 터널을 만들다〔사용하다〕; 터널을 파 나아가다; 〖물리〗 (입자가) 퍼텐셜 장벽을 통과하다; 《미속어》 잠복하다: ~ *through* 〔*into*〕 a hill 산을 뚫어 터널을 파다 / a train ~*ing through* a hill 산속 터널을 통과하고 있는 기차. [파] ~·(**l**)**er** *n.* ~·**like** *a.*

túnnel dìode 〖전자〗 터널 다이오드《터널 효과를 이용한 다이오드》.

túnnel effèct 〖물리〗 터널 효과.

túnnel nèt 원추형 어망〔조망〕.

túnnel of lóve (유원지에서) 애인끼리 자동차나 보트를 타고 들어가는 캄캄한 터널.

túnnel vàult 〖건축〗 =BARREL VAULT.

túnnel vísion 〖안과〗 터널시(視)《시야 협착의 일종》; 시야가 좁음, 협량.

túnnel-vísioned *a.* 시야가 매우 좁은.

tun·ny [tʌ́ni] (*pl.* **-nies,** ~) *n.* 〖어류〗 다랑어. [cf] tuna[1].

tuny [tjúːni/tjúːni] (**tun·i·er; -i·est**) *a.* 가락이 잘 맞는, 음색이 아름다운, 선율적인.

tup [tʌp] *n.* **1** 《영》 숫양(羊). **2** 〖기계〗 동력 망치의 타면(打面). ─ (**-pp-**) *vt.* 《영》 (숫양이) 교미하다.

Tu·pac Ama·rú [tuːpáːk ɑːmáːruː] 투팍 아마루. **1** 잉카 최후의 황제《스페인 토벌대에 잡혀 처형됨; ?-1572》. **2** 스페인 식민지 페루에서 일어난 대규모 인디오 반란(1780-81)의 주모자《본명은 José Gabriel Condorcanqui; 한때 세력을 떨쳤으나 사로잡혀 처형됨; 1742?-81》.

tu·pe·lo [tjúːpəlòu/tjúː-] (*pl.* ~**s**) *n.* 〖식물〗 층층나뭇과(科) 큰 나무《북아메리카산》; [U] 그 목재.

tup·pence [tʌ́pəns] *n.* 《영》 =TWOPENCE.

Tup·per·ware [tʌ́pərwɛ̀ər] *n.* 터퍼웨어《플라스틱제 식품 보존 용기; 상표명》.

tuque [tjuːk/tjuːk] *n.* 《Can.》 끝이 뾰족한 털모자.

tu quo·que [tjúː-kwóukwi, -kwei/tjúː-] 《L.》 (비난 등에 대하여 '너도 마찬가지다(you too)'라고 하는) 반박: a ~ reply 말대꾸.

Tu·ra·ni·an [tjuréiniən/tju-] *n.* [U], *a.* 우랄 알타이 어족〔어계(語系)민족〕(의).

◇**tur·ban** [tə́ːrbən] *n.* **1** 터번《이슬람교도 남자가 머리에 감는 두건》; 터번식 모자. **2** (현대 여성·어린애의) 챙이 없는 모자의 일종. [파] ~**ed** *a.* 터번을 감은.

turban 1

tur·bary [tə́ːrbəri] *n.* [U,C] 토탄 채굴장; 〖영법률〗 토탄 채굴권.

tur·bid [tə́ːrbid] *a.* **1** 흐린, 혼탁한, 흙탕물의; 짙은 《구름·연기 따위》, 농밀한. **2** 어지러운, 혼란된. [파] ~·**ly** *ad.* ~·**ness** *n.*

tur·bi·dim·e·ter [tə̀ːrbədímətər] *n.* 비탁계(比濁計); =NEPHELOMETER.

tur·bi·dite [tə́ːrbədàit] *n.* 〖지학〗 혼탁류에 의하여 운반된 깊은 바다의 퇴적물.

tur·bid·i·ty [təːrbídəti] *n.* [U] 혼탁; 혼란(상태); (혼)탁도.

turbídity cùrrent 〖지학〗 탁도류(濁度流), 저탁류(底濁流).

tur·bi·nal [tə́ːrbənl] *a.* 〖해부〗 비갑개(鼻甲介)의; =TURBINATE. ─ *n.* 〖해부〗 비갑개(=∠ **bóne**).

tur·bi·nate [tə́ːrbənət, -nèit] *a.* 팽이 모양의, 거꿀원추형(圓錐形)의; 나선〔소라, 소용돌이〕 모양의; 팽이처럼 도는; 〖해부〗 비갑개(鼻甲介)의. ─ *n.* 소용돌이 패각; 〖해부〗 비갑개. [파] **tùr·bi·ná·tion** *n.* 거꿀원추형; 소용돌이《모양》.

tur·bine [tə́ːrbin, -bain] *n.* 〖기계〗 터빈: a steam ~ 증기 터빈.

tur·bit [tə́ːrbit] *n.* 《조류》 비둘기의 일종.
tur·bo [tə́ːrbou] *n.* = TURBINE; 터보(turbocharger; turbosupercharger).
tur·bo- [tə́ːrbou, -bə] 'turbine(에 의해 운전되는)' 의 뜻의 결합사: *turbo*generator.
túrbo·càr *n.* 가스 터빈 자동차.
túrbo·chàrge *vt.* (엔진을) turbocharger로 과급(過給)하다.
túrbo·chàrger *n.* 《기계》 배기(排氣) 터빈 과급기《내연 기관의 배기로 구동되는 터빈에 의해 회전되는 원심식 공기 압축기; 이것에 의해 실린더에 압축 공기가 보내짐》.
túrbo·còpter *n.* 터보헬리콥터.
tùrbo·eléctric *a.* 터빈 발전(發電)의, 터보 전기의.
túrbo·fàn *n.* 터보 송풍기《보일러의 통풍 장치》; 《항공》 터보팬 엔진(= ∠ **èngine**)《터보제트 엔진의 일종》, 터보팬기(機).
túrbo·gènerator *n.* 터빈 발전기.
túrbo·jèt *n.* 《항공》 터보제트기; = TURBOJET ENGINE.
túrbojet èngine 터빈식 분사 추진 엔진, 터보제트 엔진.
túrbo·lìner *n.* 터빈 열차《가스 터빈 엔진을 동력으로 하는 고속 열차》.
túrbo·pàuse *n.* 《기상》 난류권 계면(亂流圈界面).
túrbo·pròp *n.* 《항공》 터보프롭〔프로펠러〕 엔진「기(機)).
túrboprop èngine 터보프롭 엔진(= **túrbo-propèller** 〔**túrboprop-jet**〕 **èngine**).
túrbo·pùmp *n.* 터보 펌프《추진제를 공급》.
tùrbo·rámjet èngine 《항공》 터보램제트 엔진《터보제트 엔진에 램제트 엔진의 성질을 구비시켜 고공·고속 효율을 높임》.
túrbo·shàft *n.* 《기계》 터보샤프트《전동 장치가 붙은 가스 터빈 엔진》.
tùrbo·súpercharger *n.* 터보 과급기(過給器), 배기 구동 과급기《혼합 가스의 압송(壓送)으로 엔진의 출력을 높이는 장치》.
tur·bot [tə́ːrbət] (*pl.* ~, ~**s**) *n.* 《어류》 가자미류(類); = TRIGGERFISH.
tur·bo·train [tə́ːrbətrèin] *n.* 터빈 열차.
tur·bu·lence, -len·cy [tə́ːrbjələns], [-i] *n.* Ⓤ **1** (바람·물결 등의) 거칠게 몰아침, 거칢; (사회·정치적인) 소란, 동란(disturbance). **2** 《물리》 교란(攪亂) 운동, 교류(攪流), 난류(亂流) 상태. **3** 《기상》 (대기의) 난류(亂流).
◇**tur·bu·lent** [tə́ːrbjələnt] *a.* 몹시 거친, 사나운《바람·파도 따위》; 떠들썩한, 소란스러운; 광포한, 난폭한; 소동〔혼란〕을 일으키는, 불온한. ㊞ ~·**ly** *ad.* 몹시 거칠게.
túrbulent flów 《기상·물리》 난류(亂流).
Tur·co [tə́ːrkou] (*pl.* ~) *n.* 《종종 경멸》 (프랑스 군에 속하는) 알제리 경보병(輕步兵).
Tur·co- [tə́ːrkou, -kə] '터키' 의 뜻의 결합사: *Turco*phil.
Tur·co·man [tə́ːrkəmən] (*pl.* ~**s**) *n.* = TURKOMAN.
Tur·co·phil [tə́ːrkəfil] *a., n.* 터키를 좋아하는 (사람). ㊞ ~·**ism** *n.* Ⓤ 친(親)터키주의.
Tur·co·phobe [tə́ːrkəfòub] *a., n.* 터키를 싫어하는 (사람).
turd [təːrd] *n.* Ⓤ,Ⓒ 《비어》 똥; Ⓒ 똥 같은 놈.
tu·reen [tjuríːn/tə-] *n.* (수프 따위를 담는) 뚜껑 달린 움푹한 그릇.

tureen

turf** [təːrf] (*pl.* ~**s,** 《드물게》 **turves** [təːrvz]) *n.* **1** Ⓤ 〔집합적〕 잔디; Ⓒ 뗏장: make a lawn by laying ~ 잔디를 심어서 잔디밭을 만들다. **2** Ⓤ,Ⓒ 이토(泥土); 토탄(土炭). **3** (the ~) 경마(계(界)); 경마장. **4** 《미속어》 **a** (폭력배의) 영역; (형사등의) 담당 구역. **b** (거주하여) 잘 아는 지역; 홈그라운드; 《주로 구어》 (자기의) 전문 영역. **5** 《미재즈속어》 보도, 거리. ***on the ~ 경마를 생업으로 하여; 《속어》 매춘하여; 《속어》 무일푼으로. **—** *vt.* **1** 잔디로 덮다, …에 잔디를 심다; 매장하다(bury). **2** (토탄을) 파일구다. **3** 《+목+부/+목+전+명》 《영구어》 (사람·물건을) 내쫓다, 내던지다 《*out; from*》: He was ~*ed out* from leadership of the group. 그는 그룹 지도자의 자리에서 쫓겨났다 / *Turf* the dog *out of* the room. 개를 방에서 내쫓아라. **4** 《미병원속어》 (환자를 다른 병원 등으로) 보내다. **—** *vi.* 뗏장을 모으다.
túrf accòuntant 《영》 (사설) 마권(馬券)업자(bookmaker).
túrf·bòund *a.* 잔디로 뒤덮인, 잔디를 꽉 심은.
túrf·gràss *n.* 잔디 풀.
turf·ite [tə́ːrfait] *n.* 경마광(狂).
túrf·man [-mən] (*pl.* **-men** [-mən, -mèn]) *n.* = TURFITE; 경주말 마주〔조련사〕.
túrf·ski *n.* 터프스키《바닥에 롤러가 달린 잔디 스키》.
turfy [tə́ːrfi] (**turf·i·er; -i·est**) *a.* **1** 잔디가 많은; 잔디로 덮인; 잔디 같은. **2** 토탄이 많은; 토탄질의. **3** 경마(장)의. ㊞ **túrf·i·ness** *n.*
Tur·ge·nev, -niev [təːrgénjəf, -géin-] *n.* **Ivan Sergeevich** ~ 투르게네프《러시아의 소설가; 1818–83》.
tur·ges·cent [təːrdʒésənt] *a.* 부어오르는; 종창성(腫脹性)의; 과장적인. ㊞ **-cence, -cen·cy** [-səns], [-i] *n.* Ⓤ 《의학》 부어오름, 종창; 《비유》 과장.
tur·gid [tə́ːrdʒid] *a.* 부은, 부어오른; 《비유》 과장된, 허풍을 떠는. ㊞ ~·**ly** *ad.* ~·**ness** *n.*
tur·gid·i·ty [təːrdʒídəti] *n.* Ⓤ **1** 부어오름, 부풀기, 팽창. **2** (문체 따위의) 과장(誇張), 과대(誇大)(bombast).
Tu·rin [tjúərin, ‐́‐/tjuərín] *n.* 튜린, 토리노(= **To·ri·no** [*It.* toríːno])《이탈리아 북서부의 상공업 도시》.
Tú·ring machìne [tjúəriŋ-/tjúər-] 튜링 머신《무한대로 정보를 저장하고 절대 고장이 안 난다는 가상의 컴퓨터》.
Túring tèst 튜링 테스트《기계가 생각하고 있는지를 판정하는 테스트》.
tu·ri·on [tjúəriàn/tjúəriən] *n.* 《식물》 (지하경에서 나온) 비늘눈이 붙어서 자란 어린줄기.
tu·ris·ta [tuəríːstə] *n.* 투리스타《외국 여행자의 설사》, 《특히》 = MONTEZUMA'S REVENGE.
◇**Turk** [təːrk] *n.* **1** 터키족 사람, 터키 사람; 《고어》 오스만 제국 사람; (특히 터키의) 이슬람교도. **2** Ⓤ 터키(산) 말, 터키 말 혈통의 아라비아 말. **3** 난폭자, 잔인한 사람, 무법자: a young 〔little〕 ~ 말썽꾸러기, 개구쟁이. **4** 《미속어》 남색가. ***the Grand*** 〔***Great***〕 ~ (제정 시대의) 터키 황제. ***turn*** 〔***become***〕 ~ 이슬람교도가 되다; 악당이 되다.
Turk. Turkey; Turkish.
Tur·ke·stan [tə̀ːrkəstǽn, -stáːn] *n.* 투르키스탄《중앙아시아의 광대한 지방》.
◇**Tur·key** [tə́ːrki] *n.* 터키《중동의 공화국; 수도 Ankara》.
tur·key** [tə́ːrki] (*pl.* ~(**s**)) *n.* **1** 《조류》 칠면조; Ⓤ 칠면조 고기, 《미속어》 값싼 고기 요리. **2** 《미속어》 (연극·영화의) 실패작; 《미속어》 쓸모없는 사람〔것〕, 무용지인, 바보, 겁쟁이; 《미속어》 약한 마약. **3** 《볼링》 터키《스트라이크가 3개 연속》. ***a ~ ***on a string*** 《미속어》 쉽게 남이 하라는 대로 하는 사람. ***have a*** ~ ***on*** one's ***back*** 《미속어》 마약에 인이 박이다. ***not say*** (***pea-***)~ 《미속어》 이렇다 저렇다 통 대답〔말〕이 없다. ***proud as a lame*** ~ 매우 겸손한. ***say*** ~ 상냥하게 말하

다: You never once *said* ~ to me. 너는 나에게 한 번도 상냥하게 말한 적이 없다. ***talk*** (***cold***) **~** 《미구어》 현실적〔사무적〕으로 말을 나누다, 솔직히 서로 말하다. ***walk*** **~** 《구어》 ① 거드름 피우며 걷다. ② (배가) 전후좌우로 흔들리다.

túrkey bùzzard =TURKEY VULTURE.

Túrkey cárpet 터키 융단.

túrkey-còck *n.* 수칠면조; 《비유》 우쭐대는 자, 자랑꾼: turn as red as a ~ (화내든가 해서) 얼굴이 빨개지다.

túrkey còrn 〖식물〗 캐나다금낭화.

Túrkey lèather 《영》 터키 가죽《털을 뽑기 전에 기름으로 무두질한 것》.

Túrkey réd 터키 레드《(1) alizarin으로 면직물을 염색했을 때의 빨간색. (2) =ALIZARIN. (3) 붉은 산화철 안료》; 터키 레드로 염색한 면직물.

túrkey shòot 움직이는 표적을 쏘는 라이플 사격회《칠면조가 상품》; 《미속어》 손쉬운 것, 전투기에 의한 적기의 유효 공격.

Túrkey stòne 터키석(石)(turquoise)《보석》; 숫돌의 일종.

túrkey tròt 무용의 일종《둘씩 짝지어 둥글게 원을 이루어 춤》.

túrkey vùlture 독수리의 일종《미(美)남부 · 중앙아메리카산》.

Turk·ic [tə́ːrkik] *n.*, *a.* 튀르크어(군)(의).

◇**Turk·ish** [tə́ːrkiʃ] *a.* 터키의; 터키 사람〔말〕의; 튀르크어(군)의. **—** *n.* Ⓤ 터키어.

Túrkish báth 터키식 목욕; (보통 *pl.*) 증기 목욕탕〔사우나〕.

Túrkish cárpet 〔**rúg**〕 터키 융단.

Túrkish cóffee 터키 커피《가루 커피를 오래 끓이고 시럽으로 단맛을 낸 진한 커피》.

Túrkish delíght 〔**páste**〕 터키 눈깔사탕, 껌 모양의 드롭스.

Túrkish Émpire (the ~) 터키 제국(Ottoman Empire).

Túrkish póund 터키 파운드《생략: £T》.

Túrkish tobácco 터키 담배.

Túrkish tówel 보풀이 긴 타월《목욕용》.

Túrk·ism *n.* 터키 문화, 터키풍.

Tur·ki·stan [tə̀ːrkəstǽn, -stáːn] *n.* =TURKESTAN.

Turk·man [tə́ːrkmən] (*pl.* ***-men*** [-mən, -mèn]) *n.* 투르크멘 사람(Turkoman). ㊞ **Turk·me·ni·an** [təːrkmíːniən] *a.* 투르크멘 사람의.

Turk·men [tə́ːrkmen, -mən] *n.* =TURKOMAN 2.

Turk·men·i·stan [tə̀ːrkmenəstǽn, -stáːn] *n.* 투르크메니스탄《독립국가 연합의 한 가맹국; 이란 · 카스피해 · 아프가니스탄에 둘려 있음》.

Tur·ko·man [tə́ːrkəmən] (*pl.* **~*s***) *n.* **1** 투르크멘 사람《투르크메니스탄 · 이란 등지에 삶》. **2** Ⓤ 투르크멘 말《투르크메니스탄의 공용어》.

Túrkoman cárpet 〔**rúg**〕 투르크멘 융단.

Túrk's-càp lìly 백합의 일종.

Túrk's-hèad *n.* 〖해사〗 터번 모양의 장식 매듭《밧줄 · 둥근 기둥 따위에 가는 밧줄로 감아 만드는 장식 또는 실용적 매듭》; (천장을 쓰는) 자루가 긴 비.

tur·mer·ic [tə́ːrmərik] *n.* 〖식물〗 심황《인도산》; 심황 뿌리의 가루《물감 · 건위제 · 조미료》.

túrmeric pàper 〖화학〗 황색 시험지, 강황지(薑黃紙)《알칼리성 시험지》.

◇**tur·moil** [tə́ːrmɔil] *n.* Ⓤ,Ⓒ 소란, 소동, 혼란(tumult); 분투; 《폐어》 몹시 피곤한 노동.

†**turn** [təːrn] *vt.* **1** 《~+목/+목+부》 돌리다, 회전시키다: ~ a wheel 차바퀴를 돌리다 / ~ a key 〔handle〕 열쇠를〔핸들을〕 돌리다 / *Turn* your head *around* and look back. 고개를 돌려 뒤를 돌아보라.

2 《~+목/+목+부》 (스위치 · 고동 · 마개를) 틀다; (조명 · 라디오 · 가스 · 수도 따위를) 켜다, 틀다《*on*》; 잠그다, 끄다《*off*》: ~ the tap 〔water〕 *on* 〔*off*〕 고동〔물〕을 틀다〔잠그다〕 / *Turn* the gas *on* 〔*off*〕. 가스를 트시오〔잠그시오〕 / *Turn* the lights *on* 〔*off*〕. 등불을 켜시오〔끄시오〕 / ~ the lights *low* 불빛을 낮추다.

3 돌다, (모퉁이를) 돌아가다, …의 측면으로 우회하다: The car ~*ed* the corner. 차는 모퉁이를 돌았다 / ~ an enemy's flank 적의 측면을 우회하다.

4 (연령 · 시각 등을) 넘다, 지나다: He has not yet ~*ed* sixty. 아직 60 세 미만이다 / It has just ~*ed* five. 지금 막 5 시가 지났다.

5 《~+목/+목+부》 감아〔걷어〕 올리다; (책장을) 넘기다; 접다, 구부리다; 파헤치다; (날을) 무디게 하다: The cold wind made him ~ his collar *up*. 바람이 차서 그는 옷깃을 세웠다 / ~ (*over*) the pages 책장을 넘기다 / ~ the sheet back 시트를 개다 / ~ back the corner of the page 페이지의 한쪽 구석을 접다 / ~ the edge of a blade 칼의 날을 무디게 하다.

6 (옷을) 뒤집다, (뒤집어) 고치다: have an old overcoat ~*ed* 헌 외투를 뒤집어 고치게 하다.

7 《~+목/+목+부》 뒤엎다, 거꾸로 하다, 전도하다: ~ a hand 손바닥을 뒤집다 / ~ a cake on a gridiron 석쇠 위에서 과자를 뒤집다 / ~ an hourglass 모래시계를 거꾸로 하다 / ~ a cassette tape (*over*) 카세트 테이프를 뒤집다.

8 (다른 그릇에) 거꾸로 기울여 붓다: ~ oil from the pan into a can 기름을 프라이팬에서 깡통으로 붓다.

9 《+목+전+명》 (눈 · 얼굴 · 등 등을) …으로 돌리다《*to*; *on*, *upon*》; (어떤 방향으로) 향하게 하다, …을 향해 나아가게 하다(direct)《*to*; *toward*; *on*》; 적대하게 하다《*against*》: *Turn* the steering wheel *to* the right. 핸들을 오른쪽으로 틀어라 / He ~*ed* the hands of his watch *to* 3 o'clock. 그는 시곗바늘을 3 시로 돌렸다 / He ~*ed* his back *to* the audience. 청중에 등을 돌렸다《to 대신 on을 쓰면 악의 · 반발 · 무시 따위로 등을 돌리는 뜻이 됨: ~ one's back *on* a friend 친구를 짐짓 무시하다》 / He ~*ed* suspicious eyes *upon* her. 그는 그녀에게 의심의 눈길을 돌렸다 / ~ the car *toward* downtown 중심가 쪽으로 차를 돌리다 / He ~*ed* all his friends *against* her. 그는 친구들을 모조리 그녀의 적으로 돌게 하였다.

10 《+목+전+명》 (어떤 용도 · 목적으로) 쓰다, 충당하다, 돌려 대다, (…의) 대상으로 만들다, 이용하다《*to*》: ~ a thing *to* good use 〔account〕 물건을 선용〔이용〕하다 / She ~*ed* his remarks *to* ridicule. 그녀는 그의 말을 웃음거리로 삼았다 / He ~*ed* the room *to* a great many uses. 그 방을 여러 가지 용도로 이용하였다.

11 《~+목/+목+부/+목+전+명》 (타격 · 탄환 따위를) 빗나가게 하다; (사람의 마음 따위를) 딴 데로 돌리다, 변화시키다: ~ the blow 주먹을 피하다 / ~ the conversation *away from* oneself 자기 자신의 일에서 화제를 딴 데로 돌리다 / Nothing will ~ him *from* his purpose. 아무것도 그를 그의 목적에서 돌리지는 못할 것이다 / I ~*ed* her *to* 〔*toward*〕 progressive ideas. 나는 그녀가 진보적 생각을 갖도록 했다.

12 《~+목/+목+부/+목+전+명》 쫓아 버리다, 쫓아내다: ~ a mob 폭도를 몰아내다 / She never ~*s* (*away*) a beggar *from* her door. 그녀는 결코 거지를 문간에서 쫓아 버리지 않는다 / He ~*ed* his son adrift *in* the world. 자기 아들을 세상의 거센 풍파 속으로 밀어냈다.

13 《~+목/+목+전+명/+목+보》 (성질 · 외관 따위를) (…으로) 변화시키다, (…으로) 만들다〔바꾸다〕, 변질〔변색〕시키다: Warm weather has ~*ed* the milk. 더워서 우유가 변질하였다 / ~ cream *into* butter 크림을 버터로 만들다 / Worry ~*ed* his hair gray. 걱정한 나머지 그의 머리가 세었다.

14 (머리를) 돌게 만들다, 혼란시키다, (마음을) 뒤집히게 하다: Success has ~*ed* his head. 성공하자 머리가 돌았다 / Her mind was ~*ed* by grief. 그녀의 마음은 슬픔으로 뒤집혔다.

15 …의 관절이 삐다〔접질리다〕: ~ one's ankle 발목을 삐다.

16 《+목+전+명》 (돈 따위로) 바꾸다, 교환하다 《*into*》: ~ one's check *into* cash 수표를 현금으로 바꾸다.

17 《+목+전+명》 번역하다; 바꾸어 말하다 《*into*》: Can you ~ this passage *into* Greek? 이글을 그리스어로 번역할 수 있느냐.

18 (자금·상품을) 회전시키다; (주를) 처분하다 《딴 주를 사기 위해》; (이익을) 올리다: He ~*s* his capital two or three times in a year. 그는 1년에 2-3회 씩 자금을 회전시킨다 / ~ a quick 〔fair〕 profit 신속〔정당〕하게 돈을 벌다.

19 《+목+부》 (이것저것) 생각하다, 숙고하다 《*over*》: She ~*ed* the plan *over* in her mind. 곰곰 그 계획을 검토했다.

20 녹로로〔선반으로〕 깎다〔만들다〕; 매끈하게 만들다; 둥그스름히 하다: ~ a candlestick out of brass 놋쇠로 촛대를 만들다.

21 모양 좋게 만들다, (표현을) 멋있게 하다: a well-~*ed* phrase 명구(名句).

22 (공중제비 등을) 몸을 회전시켜서 하다, (재주를) 넘다: ~ a somersault 공중제비를 하다.

23 구역질나게 하다(upset): His filthy smile ~*s* my stomach. 그의 야비한 미소를 보면 구역질이 난다.

— *vi.* **1** 《~/+전+명》 (축(軸) 또는 물체의 주위를) 돌다, 회전하다(rotate), 선회하다(whirl around): ~ *on* one's heel(s) 발뒤꿈치로 돌다 / A wheel ~*s on* its axis. 바퀴는 축을 중심으로 회전한다 / The earth ~*s round* the sun. 지구는 태양의 주위를 돈다 / The tap will not ~. 꼭지는 아무리 해도 돌지 않는다.

2 《~/+부/+전+명》 몸의 방향을 바꾸다, (잠자리에서) 몸을 뒤치다《*over*》, 뒤치락거리다: ~ *on* one's side while sleeping 자면서 몸을 뒤치락거리다 / I ~*ed over* in my bed. 나는 침대에서 몸을 뒤쳤다 / He tossed and ~*ed* all night. 밤새도록 잠자리에서 몸을 뒤치락거렸다.

3 《~/+전+명》 (가는) 방향을 바꾸다《*to*》, (배가) 진로를 바꾸다; (모퉁이를) 돌다, 구부러지다: ~ *to* the left 왼쪽으로 방향을 바꾸다 / ~ and go back 방향을 바꿔 제자리로 돌아가다 / ~ left *down* a side street 왼쪽 골목길로 들어가다 / The lane ~*ed to* the left hand *toward* the river. 작은 길은 왼쪽의 강 방향으로 구부러져 있다.

> SYN. **turn** 가장 일반적인 말로 원형을 그리면서 돌다. 1회전 아닌 경우에도 씀. **revolve, rotate** 주위를 돈다는 뜻은 둘 다 거의 같지만, rotate는 축을 중심으로 회전할 때만 쓰임. 두 말 모두 계절 등이 회귀·순환하는 뜻을 가짐: The moon *revolves* around the earth. 달은 지구의 둘레를 돈다. The earth *rotates* 〔*revolves*〕 on its axis. 지구는 지축을 중심으로 자전한다. **spin** 급히 돌다: The skater *spun* on the ice. 스케이터는 얼음 위에서 빙글빙글 돌았다.

4 《~/+전+명》 눈(길)을 돌리다〔보내다〕; 뒤돌아보다, 얼굴을 돌리다: everywhere the eyes ~ 눈길이 가는 곳에는 어디에나 / All faces ~*ed towards* him as he rose. 그가 일어나니 모두 그를 향해 얼굴을 돌렸다 / All my hopes ~*ed to* my younger son. 나의 모든 희망은 나의 둘째 아들에게 향해졌다 / Please ~ *to* page 30. 책 30쪽을 펼치시오 / He ~*ed* when I called him. 불렀더니 그는 이쪽을 돌아보았다.

5 《~/+전+명/+부》 (마음·문제 따위가) 향하다, 향해 가다(move on), 관심〔생각〕을 향하게 하다《*to; towards*》; 주의를〔생각·관심 등을〕 다른 데로 돌리다, 옮기다《*away; from*》: He ~*ed back to* his work. 그는 자기의 일로 되돌아갔다 / She ~*ed to* music. 그녀는 음악에 뜻을 두었다 / Let us now ~ *from* the poem *to* the author's career. 자 그러면 시보다는 작자의 경력으로 화제를 옮깁시다.

6 《+전+명》 의지하다, 도움을 구하다《*for*》; (사전 등을) 참조하다《*to*》: He ~*ed to* me *for* help 〔advice〕. 그는 나에게 도움을〔충고를〕 구했다 / ~ *to* God 하느님께 기도하다 / ~ *to* a dictionary.

7 《~+전+명/+보》 (성질·외관 따위가) 변(화)하다, 변전(變轉)하다《*to; into*》; 〖관사 없는 명사를 보어로 수반하여〗 (변하여) …이 되다, …으로 전직하다; (종교적으로) 생활 방식을 바꾸다, 개종하다; 변절하다: Dusk was ~*ing into* night. 황혼이 저물어 가고 있었다 / Love can ~ *to* hate. 사랑이 미움으로 변할 수 있다 / The rain ~*ed to* sleet. 비는 진눈깨비로 변했다 / The weather ~*ed* fine. 날씨가 활짝 개었다 / He ~*ed* pale at the news. 그는 그 소식을 듣고 얼굴이 창백해졌다 / a businessman ~*ed* poet 시인이 된 실업가 / ~ Christian 〔politician〕 기독교인이〔정치가가〕 되다 / His hair ~*ed* white in a night. 하룻밤 사이에 그의 머리는 백발이 되었다 / When young, he ~*ed to* Christianity. 젊을 때 그는 기독교로 개종하였다 / ~ *from* one's party 자기의 당을 배반하다 / All will revolt from me, and ~ *to* him. 모두가 나를 배반하고 그에게 붙을 것이다.

8 《+보》 (우유 등이) 시어지다, 산패(酸敗)하다: The milk ~*ed* sour. 우유가 시어졌다.

9 (나뭇잎이) 단풍들다, 변색하다: The leaves are beginning to ~. 나뭇잎이 단풍들기 시작하고 있다.

10 (페이지가) 말리다, (의복 따위가) 걷어지다, (칼날이) 젖혀지다, 무디어지다.

11 《~/+전+명》 (운수·형세 따위가) 역전하다, 크게 바뀌다; (조수가 밀물·썰물 등으로) 바뀌다; 되돌아오다〔가다〕: The luck ~*ed*. 행운이 역전했다 / The tide has ~*ed*. 조수가 바뀌었다 / It's time to ~ now. 이제 돌아갈 때다 / Things are ~*ing for* the worse 〔better〕. 사태가 악화〔호전〕되고 있다.

12 《~/+전+명》 (저항·공격하려고) 자세를 취하다, 정색하다, 반격〔적대, 반항〕하다《*against; on*》: He ~*ed against* his friends. 그는 친구들에게 등을 돌렸다 / The dog ~*ed on* its owner. 그 개는 갑자기 자기 주인에게 달려들었다 / A 〔Even a〕 worm will ~. 《속담》 ⇨ WORM.

13 《+전+명》 **a** …여하에 달려 있다, (…에) 의하다《*on, upon*》: The question ~*s on* this point. 그 문제는 이 점 여하에 달렸다 / Everything ~*s on* your answer. 만사는 너의 대답 여하에 달려 있다. **b** 오로지〔한결같이〕 (…을) 중심으로 하다, 주로 (…에) 관계가 있다(relate principally) 《*about; around; on, upon*》: The drama ~*s* entirely *on* the revolt of the angels. 그 극은 시종 천사들의 반역을 중심으로 하여 전개된다.

14 현기증이 나다, (머리가) 이상해지다, 구역질

나다: My head ~*s*. 머리가 어찔어찔하다/His head has ~*ed* with his troubles. 고민거리로 머리가 혼란해졌다/His stomach ~*ed* at the thought of eating octopus. 그는 낙지를 먹는다는 생각만 해도 메스꺼웠다.
15 선반을 돌리다; (녹로〔선반〕 세공이) 완성되다, …로 갈리어지다.
16 (상품이) 회전되다, 판매〔유통〕되다: This merchandise will ~ easily. 이 상품은 팔기가 쉽다〔회전이 잘 된다〕.
not know where* 〔*which way*〕 *to* ~** 어찌할 바를 모르다. **~ *about 빙 돌다〔돌리다〕, 되돌아보다; 방향(方向) 전환하다 〔시키다〕, 〖군사〗 '뒤로 돌아'를 하다〔시키다〕. **~ *a complete circle*** 완전히 한 바퀴 돌다. **~ *against*** 《*vt*.+전》 ① ⇨ *vt*. 9. ② (사람·동물을) …에 습격하게 하다. ── 《*vi*.+전》 ③ ⇨ *vi*. 12. ④ 불리하게 되다, 습격하다. **~ *and rend*** (친구를) 매도하다. **~ *around*** 《*vt*.+부》 ① 회전시키다. ② ⇨ *vt*. 1. ③ 《미》 (나쁜 상황을) 호전시키다. ④ 일변시키다. ⑤ …으로 의견〔방침〕 따위를 바꾸게 하다, 변절시키다. ── 《*vi*.+부》 ⑥ 회전하다: The earth ~*s around* from west to east. 지구는 서쪽에서 동쪽으로 돈다. ⑦ (반대쪽으로) 방향을 바꾸다. ⑧ (경제 상황 등이) 호전되다. ⑨ 일변하다. ⑩ …으로 의견〔방침〕 따위를 바꾸다, 변절하다. **~ *aside*** ① 길을 잘못 들다. ② 얼굴을 돌리다, 외면하다; 옆을 보다. ③ 슬쩍 받아넘기다, 비키다; (분노를) 가라앉히다: That will ~ *aside* his temper. 그것으로 그의 신경질도 가라앉을 것이다. **~ *away*** 《*vi*.+부》 ① 외면하다, 돌보지 않다《*from*》; 떠나다: She ~*ed away from* him in embarrassment. 그녀는 당황하여 그에게서 얼굴을 돌렸다. ── 《*vt*.+부》 ② ⇨ *vt*. 11. ③ ⇨ *vt*. 12. ④ (재해 따위를) 피하다; 돌보지 않다. **~ *back*** 《*vt*.+부》 ① 되돌아가게 하다; (적 따위를) 되쫓다; 저지하다; (물건을) 되돌리다, 반품하다. ② (시계를) 늦추다: ~ the clock *back*. ③ 되접다, 되접어서 꾸미다. ── 《*vi*.+부》 ④ 되돌아가다〔오다〕. ⑤ 멈추다, 물러서다. ⑥ 《비유》 제자리로 돌아가다. **~ *down*** 《*vt*.+부》 ① 접다, 개다: ~ *down* one's coat collar 저고리의 깃을 접다/~ *down* the bedclothes 이부자리를 개키다. ② (카드를) 엎어놓다, 밑을 향하게 놓다: ~ *down* a playing card. ③ (제안·후보자 등을) 거절〔각하(却下)〕하다: His claims were ~*ed down* flat. 그의 요구는 단호히 거절당했다. ④ (등불·가스 따위의) 심지를 내리다, 불을 작게 하다; (라디오 등의) 소리를 작게 하다: ~ *down* the lights 불을 어둡게 하다. ⑤ 꼬불꼬불 들어가다: ~ *down* a narrow road 좁은 길로 들어서다. ── 《*vi*.+부》 ⑥ 되접어지다. ⑦ 내려가다. ⑧ (시황(市況)·경기 등이) 하강하다. **~ *forth*** 쫓아내다, 추방하다. **~ *from*…** (사는 방식·연구 등을) 버리다, 그만두다. **~ *in*** 《*vt*.+부》 ① (발가락 따위를) 안쪽으로 굽히다. ② 안에 넣다, 몰아넣다: To make a cube you first ~ the corners of the paper *in*. (종이를 접어) 입방체를 만들려면 먼저 종이 모서리를 안으로 접어 넣어야 한다. ③ (비료 따위를) 땅속에 갈아 넣다. ④ 돌려주다〔보내다〕: You must ~ *in* your uniform when you leave the team. 팀을 떠날 때는 유니폼〔제복〕을 돌려주어야 한다. ⑤ 《미》 (서류·사표 등을) 제출하다, 건네다: ~ *in* one's resignation 사표를 내다. ⑥ 접어 구부리다, 접다, 개다. ⑦ (경찰에) 인도하다, 밀고하다; 달성하다, 기록하다. ⑧ 《구어》 (계획 따위를) 그만두다. ── 《*vi*.+부》 ⑨ (병이) 내공하다. ⑩ 《구어》 잠자리에 들다: He ~*ed in* at 11 last night. 그는 어젯밤 11 시에 잤다. ⑪ 잠깐 들르다: ~ *in* at a bar 바에 들르다. ⑫ (발 따위가) 안으로 굽다: His toes ~ *in*. **~ *in on*** 〔*upon*〕 ***oneself*** 내향적이 되다, 들어박히다, 은둔하다; (나라 등이) 고립주의적으로 되다. **~ *a person in on*** 〔*upon*〕 ***himself*** (경험 따위가) 내향적이 되게 하다. **~ *inside out*** (안팎을) 뒤집다, 뒤집히다. **~ *into*** (거리·가게 따위로) 들어가다; (성질·형태 따위가) …이 되다, 변하다, 변질〔변모〕하다. ***Turn it in!*** 《영속어》 이제 그만둬. **~ *it on*** 《영속어》 (축구팀 등이) 묘기를 훌륭히 해보이다. **~ *off*** 《*vt*.+부》 ① 《영》 쫓아 버리다; 해고하다: The maid was ~*ed off* for carelessness. 그 가정부는 조심성이 없어 쫓겨났다. ② ⇨ *vt*. 2. ③ 화제를 돌리다, 전환시키다: She ~*ed* it *off* as a joke. 그녀는 그것을 농담으로서 흘려버렸다. ④ 만들어 내다, 생산하다; (일 따위를) 하다. ⑤ 《미속어》 (…장소)에서 잘 훔쳐내다. ⑥ 《구어》 …에게 (…에 대한) 흥미를 잃게 하다, 싫증나게 하다: Jazz 〔He〕 ~*s* me *off*. 재즈〔그〕가 싫다. ⑦ 처분하다, 팔다. ⑧ 교수형에 처하다. ⑨ 선반으로 깎다〔만들다〕. ── 《*vi*.+부》 ⑩ (간선 도로에서) 샛길로 들어서다; (길이) 갈라지다: Is this where we ~ 〔our road ~*s*〕 *off* for Mokpo? 여기가 목포로 가는 갈림길인가. ⑪ 《구어》 흥미를 잃다; 《속어》 듣기를 그만두다. ⑫ 《영》 나빠지다, 상하다; …이 되다(become). **~ *on*** 《*vt*.+부》 ① ⇨ *vt*. 2. ② 《속어》 시작하게 하다《*to*》: ~ *on* (a person) *to* work. ③ 《속어》 마약을 먹여 기분 좋게 취하게 하다. ④ 《구어》 기분 좋게〔성적으로〕 흥분시키다, 도연(陶然)〔열중〕케 하다; 《속어》 …에게 마약 맛을 들이게 하다, …에게 (새로운 경험·가치 등을) 가르치다《*to*》. ⑤ 《구어》 (표정·기색·눈물 등을) 갑자기〔저도 모르게〕 나타내다. ── 《*vi*.+부》 ⑥ (호스·조소 등을) …에게 돌리다. ⑦ ⇨ *vi*. 12. ⑧ ⇨ *vi*. 13. ⑨ …을 중심으로〔주제로〕 하다. **~ *out*** 《*vt*.+부》 ① (가스를) 잠그다, (전등을) 끄다: Please ~ *out* the lights before you go to bed. 자기 전에 불을 끄세요. ② (용기에 든 것을) 비우다; 뒤엎다; 폭로하다: ~ *out* all the drawers in one's desk 책상 서랍을 전부 비우다. ③ 쫓아내다〔버리다〕; 해고하다; 몰아내다; (가축을) 밖으로 내다: ~ *out* a tenant 세든 사람을 쫓아내다. ④ 만들어내다, 생산〔제조〕하다: The factory ~*s out* 100,000 cars a month. 이 공장은 한 달에 10만대의 자동차를 생산한다. ⑤ 〖흔히 수동태〗 성장(盛裝)시키다: She *was* elegantly ~*ed* out. 그녀는 우아하게 성장하고 있었다. ⑥ 《구어》 (침대에서) 일어나 오게 하다. ⑦ 〖군사〗 (위병을) 집합시키다, 정렬시키다. ⑧ 《비유》 (사람을) 양성하다, 배출하다. ⑨ (발가락 등을) 밖으로 향하게 하다. ── 《*vi*.+부》 ⑩ (발가락·발 따위가) 바깥쪽으로 향하다: His toes ~ *out*. ⑪ 《구어》 밖으로 나가다, (선거 따위에) 나가다, (모임에) 모이다, 나가다《*for*》: The whole village ~*ed out* to welcome us. 온 동네가 나와 우리를 환영해 주었다. ⑫ 출동하다, 〖군사〗 (위병이) 집합하다. ⑬ 결국 …임이 판명되다(prove); 〖보통 부사(구)를 수반하여〗 (사태 따위가) …로 되어 가다, 끝나다: Everything ~*ed out* well 〔satisfactorily〕. 만사가 잘〔만족하게〕 되었다/The day ~*ed out* wet. 그 날은 비로 끝났다/The rumor has ~*ed out* (to be) false. 소문은 거짓말임이 판명되었다/As it ~*ed out*, the rumor was false. 결국, 그 소문은 낭설이었다. ⑭ 《미속어》 남자와 차례로 교섭을 가지다. **~ *a person out of*** 아무를 …에서 쫓아내다: ~ a person *out of* his office 면직시키다. **~ *over*** 《*vi*.+부》 ① ⇨ *vi*. 2. ② 뒤집히다, 전복하다: The boat ~*ed over*. 배가 뒤집혔다. ③ (엔진이) 걸리다, 시동하다. ④ (속

이) 메슥하다; (심장이) 뛰다. ⑤〚보통 진행형〛 (일 따위가) 순조로이 되고 있다. ⑥ 사직〔전직〕하다; (다음 사람에게) 교대하다《*to*》: He *~ed over to* the night crew. 그는 야근조(組)와 교대했다. ⑦ (공장 등이 다른 생산 태세로) 전환하다《*to*》. ⑧ (TV의) 채널을 바꾸다. ⑨ (…까지) 책장을 넘기다《*to*》. ⑩ (상품이) 회전하다. ⑪《속어》 마약을 끊다; 《영속어》 급습〔수색〕하다. ── 《*vt.*+副》 ⑫ ⇨ *vt.* 19. ⑬ …의 방향을 바꾸게 하다; 몸을 뒤치게 하다. ⑭ …을 뒤집다, 넘어뜨리다; 파 뒤집다, 갈아엎다; 책장을 넘기며 읽다; (서류·옷 등을) 뒤집고 조사하다〔찾다〕. ⑮ (재산 등을) 양도하다; (경찰·책임자 등에게) 인도하다; (아이·제자 등을) 맡기다; (권한 등을) 위임하다《*to*》. ⑯ (엔진 등을) 시동시키다: He *~ed over* the car motor. 그는 차 엔진을 걸었다. ⑰《구어》 (…의) 기분을 상케 하다, 구역질나게 하다. ⑱〚상업〛 (상품을) 매매하다, 회전시키다; (어떤 액수의) 거래가〔매상이〕 있다; (자본·자금을) 운용하다: He *~s over* about $10,000 every month. 매월 약 만 달러의 매상을 올린다. ⑲ (설비를) …로 전용하다. ⑳〚인쇄〛 행〔면〕에서 다음 행〔면〕으로 옮기다. ㉑《미》〚경기〛 (공을) 상대측에 빼앗기다. ㉒《주로 영속어》 (장소를) 약탈하다; (…을) 등치다; (가택을) 급습하여 수색하다. *~ **round*** ① =~ around. ②〚해사〛 (기항하여 일을 마친 후) (배에) 다음 출항 준비를 시키다. ③ 적대하다《*on*》. *~ **round and*** do《구어》 (기가 막히게도) 식은 죽 먹듯이〔예사로〕 … 하다. *~ one's **hand to*** …에 착수하다, …을 시작하다, …에 손을 대다. *~ **to*** ① ⇨ *vi.* 6. ② …에 손을 대다〔착수하다〕. ★ to 이하의 명사가 생략되는 수가 많음: It's time we *turned to* (our work). 이젠 일에 착수해야 할 시간이다. ③ …에 문의하다; …을 조사〔참조〕하다. *~ **up*** 《*vt.*+副》 ① (본체 쪽으로) 접다, 구부리다; 접어서 (옷)기장을 줄이다; 뒤집다; 위로 향하게〔젖히게〕 하다; (얼굴을) 돌리게 만들다; 《영구어》 진저리나게 하다. ② (패를) 뒤집다; …의 겉이 위가 되게 놓다. ③ (램프·가스 따위를) 밝게〔세게〕 하다, (라디오)소리를 크게 하다; …의 속도에 이르다, …마력까지 올리다: ~ *up* one's lamp 등잔의 심지를 돋우다. ④ 파뒤집다, 발굴(發掘)하다; 발견하다: The ploughman *~ed up* an ancient pitcher. 농부가 고대의 주전자를 파냈다. ⑤《영》 조사하다, 참조하다; 《속어》 석방하다; 포기하다; 《미속어》 경찰에 인도하다, 통보하다. ⑥〚해사〛 (수평선상에) 출현시키다; (선원을) 갑판에 모으다. ⑦〚흔히 명령형; ~ it 〔that〕 up로서〛《구어》 (싫은 언동(言動)을) 그만두다. ──《*vi.*+副》 ⑧ 모습을 나타내다, (불쑥) 오다; (물건이) 우연히 나타나다〔발견되다〕: My lost book hasn't *~ed up* yet. 분실한 책이 아직 나오지 않는다. ⑨ 위로 굽다〔향하다〕; (시황·경기 등이) 상승하다; 〚해사〛 지그재그형으로 나가다; (…임이) 판명되다, 알다: wait for something to ~ *up* 기회를 엿보다. *~ **upside down*** ① ⇨ *vt.* 7. ② 혼란시키다. *~ **up** one's **nose at*** ⇨ NOSE.

── *n.* **1 a** 회전, 돌림, 돌아감; 선회, 회전 운동; (댄스의) 턴; (스키의) 회전; 〚피겨〛 A, B, C, D의 회전 활주《*of*》: a ~ of a handle 〔dial〕 핸들〔다이얼〕을 돌림 / take a short ~ 〚항공·자동차〛 급선회하다. **b** 감음, 감는〔꼬는〕 식; (로프·실 따위의) 한 사리(의 길이), (소용돌이의) 휘돎, (코일의) 감김. **c** 선반(旋盤); 소형의 걸쇠 (latch). **2 a** 굽음, 변환, 방향 전환; 빗나감, 일탈; 〚군사〛 우회, 방향 전환; 〚음악〛 돈꾸밈음; 〚경기〛 턴, 반환: make a ~ to the left 좌회전하다. **b** 굽은 곳, 모퉁이, (강 따위의) 만곡부; 〚골프〛 코스의 중앙부; 둥그스름한 모양, 굽음새: sudden *~s* in the road 도로의 급한 커브. **c** 바뀌는 때, 전환점: the ~ of life 갱년기 / at the ~ of the century 세기의 변환기〔초두〕에, 《특히》 20세기 초두에. **3 a** 뒤집음; (카드 따위를) 넘김, 엎음; 〚인쇄〛 복자(伏字). **b** (병 따위의) 발작; 《속어》 메스꺼움, 현기증; 《구어》 놀람, 쇼크, 충격: get quite a ~ 몹시 질겁하다. **4** (사정 따위의) 변화, 일변, 역전; 전기(轉機)《*of*》; 《드물게》 전화(轉化), 변경; 되어감, 경향(trend); (새로운) 견해〔사고방식〕: His illness took a favorable 〔bad〕 ~. 그의 병은 차차 나아지고 〔악화되고〕 있다 / take an interesting ~ 재미있게 되다. **5** 순번, 차례, 기회; 〚카드놀이〛 faro의 마지막 석 장의 순서: in one's ~ 자기 차례가 되어, 갈마들어, …도 또 / Wait (until it is) your ~. 너의 순번까지 기다려라 / It's your ~ *to* row. 이번에는 네가 저을 차례다. **6 a** 한 바탕의 일; 동작; 산책, 드라이브, 한 바퀴 돎; (직공의) 교대 시간〔근무〕: I'll take a few *~s* round the deck before I go to bed. 자기 전에 갑판을 좀 돌아보겠다 / take a ~ at the oars 노젓기를 한바탕하다. **b** (경기·내기 등의) 한 번 승부; 《영》 연예 프로〔상연물〕의 일장(一場)〔한 판〕; 연예인: a star ~ at the circus 서커스에서의 인기 프로. **7 a**〚good, bad 등의 수식어와 함께〛 (좋은〔나쁜〕) 행위, 처사: do a person a *good* 〔an *ill*, a *bad*〕 ~ (아무에게) 친절히 하다 〔가혹한 처사를 하다〕. **b** 보복, 앙갚음: repay it with a bad ~ 앙갚음하다. **8 a** 성향, 성질; 능력, 특수한 재능, 기질《*for*, *of*》: a boy with a mechanical ~ 기계를 만지는 재능이 있는 아이 / a cheerful ~ (*of* mind) 명랑한 기질 / have a ~ *for* music 음악에 재능이 있다. **b** 형(型), 모양; 주형, 성형틀《*of*》: the ~ *of* one's neck 목의 형태〔모양〕. **c** 말의 표현(법), 문체(文體), 말(투)《*of*》: a happy ~ *of* expression 교묘한 표현 (방법). **9** (특정한) 목적, 필요, 요구, 요망; 급할 때: I think this book will serve my ~. 이 책으로써 족하리라고 생각한다. **10** 형세, 동향, 형편, 경향; (*pl.*) 월경. **11**〚상업〛 (수지·거래의) 한 구분, (자본의) 회전(율); 〚증권〛 (거래의) 왕래; 이윤 차액.

at every ~ 바뀔 때〔바뀌는 곳〕마다, 도처에; 언제나, 예외 없이: We met with kindness *at every ~*. 우리는 가는 데마다 친절한 대접을 받았다. ***a ~ of the screw*** 나사의 회전; 《비유》 압력(을 가함), 죄어침. ***by ~s*** 번갈아; 차례로: They laughed and cried *by ~s*. 그들은 웃었다 울었다 하였다. ***call the ~*** 〚카드놀이〛 (faro에서) 마지막 석 장 패를 차례로 알아맞히다; 결과를 바르게 알아맞히다〔예언하다〕; 지휘하다; =call the TUNE. ***give*** a person (***quite***) ***a ~*** 아무를 질겁하게 하다. ***in the ~ of a hand*** 손바닥 뒤집듯이; 금방. ***in ~*** 번갈아; 차례차례; 《문어》 다음에는, …도 또한: I was scolded *in* my ~. 이번에는 내가 꾸중들었다. ***My ~ will come.*** 이제는 내 차례다. ***on the ~*** 바뀌기 시작하여, 바뀌는 고비에: The tide is *on the ~*. 물때가 되었다 / The milk is *on the ~*. 《구어》 우유가 상하기 시작한다. ***out of ~*** ① 순서 없이; 순번이 뒤바뀌어. ② 무분별하게: talk 〔speak〕 *out of ~* 경솔히 말하다. ***Right*** 〔***Left, About***〕 ***~!*** 우향우〔좌향좌, 뒤로돌아〕. ***serve*** a person's ***~*** 충족시키다; 소용이 되다, 이바지하다: ⇨ *n.* 9. ***take a ~ for the better*** 〔***worse***〕 차차 나아지다〔악화되다〕. ***take it in ~(s) to*** do 교대로 … 하다. ***take ~s*** 교대로 하다, 서로 교대하다《*at; about; in; with; to* do》: They *took ~s* (*at*) driv*ing* the car. 교대로 차를 운전했다. ***to a ~*** (특히 요리가) 나무랄 데 없이, 꼭 알맞게《조리되

어)): done *to a* ~ (요리가) 꼭 알맞게 익은〔구워진〕. ~ (***and*** ~) ***about*** (둘 또는 여럿이) 번갈아. ㊞ ~·a·ble *a.*

túrn·abòut *n.* **1** 회전, 선회; 방향 전환(turnaround); (사상 따위의) 전향; 변절; 변절〔배신〕자; 자면서 뒤치기. **2** 보복, 앙갚음, 대갚음. **3** 회전목마. **4** 안팎으로 입을 수 있는 옷; 여자아이가 사내아이를 부르는 (댄스)파티.

túrn-abòut-fáce *n.* 180도 전환(turnabout).

túrn and bánk ìndicator 〖공학〗 선회(旋回) 경사계.

túrn·aròund *n.* **1** 전회, 선회; (진로·방침·정세 등의) 180도 전환, 전향. **2** (자동차 도로상의) 차 돌리는 장소. **3** Ⓒ,Ⓤ (탈것의) 되짚어갈 준비 (소요 시간)((화물·승객의 탑재·정비 등의)); (처리를 위한) 소요 시간(~ time); (탈것의) 분해 검사〔수리〕; (다음 발사를 위한) 우주선 발사대의 정비 및 부스터 로켓의 부착.

túrnaround tíme **1** 〖컴퓨터〗 반환 시간((의뢰된 일(job)이 처리되어 그 결과가 되돌려 나오기까지의 경과 시간)). **2** 왕복 소요 시간.

túrn·bùckle *n.* 〖기계·항공〗 턴버클; 죔쇠.

túrn bùtton (문·창문 따위의) 잠금장치.

túrn·càp *n.* (굴뚝 꼭대기의) 회전식 불똥마개.

túrn·còat *n.* 배반자, 변절자. 「(栓) 담당자.

túrn·còck *n.* (수도 따위의) 고동; 수도 급수전

túrn·dòwn *a., n.* **1** 접어 젖힌, 접은 깃 (의): a ~ bed 접침대. **2** 배척, 거절; 각하.

turned *a.* **1** 돌린. **2** 역전〔전도〕된, 거꾸로 된: ~ letters 거꾸로 된 활자; 복자(伏字). **3** ((복합어로)) 맵시가 …한, 모양이 …한, 말솜씨가 …한: a well-~ ankle 모양이 고운 발목.

túrned cómma 〖인쇄〗 역(逆)콤마((')).

túrned-ón *a.* ((속어)) **1** 유행에 민감한; 멋 부린, 맵시 있는. **2** (성적으로) 흥분한; (마약으로) 기분이 좋아진.

túrned périod 〖인쇄〗 역(逆)종지부((˙)).

túrn·er[1] *n.* **1** 뒤집는〔돌리는〕 사람. **2** 선반공(旋盤工), 녹로공(轆轤工). **3** 뒤집개((요리 기구)).

túrn·er[2] *n.* **1** 공중제비하는 사람. **2** ((미)) 체조협회원. **3** ((미속어)) 독일인, 독일계 사람.

Túrner Bróadcasting Sỳstem (the ~) 터너 브로드캐스팅 시스템(사)((미국의 TV 방송회사)).

Túr·ner's sỳndrome [tə́ːrnərz-] 〖의학〗 터너 증후군, (여자) 성선(性腺) 발육 장애 증후군.

turn·ery [tə́ːrnəri] *n.* Ⓤ 선반〔녹로〕 세공〔기술〕; Ⓒ 선반 공장; 선반〔녹로〕 제품.

túrn ìndicator (자동차의) 방향 지시기; 방향 지시등(= ~ **lìght**).

turn·ing [tə́ːrniŋ] *n.* Ⓤ,Ⓒ 회전, 선회; 전향; Ⓒ 굴곡; 구부러지는 곳, 모퉁이, 분기점, 갈랫길; 선반〔녹로〕 세공; (*pl.*) (선반 작업에서) 깎은 부스러기; Ⓤ (문학 작품 따위의) 형성, 구성.

túrning chìsel 선삭용(旋削用) 끌〔정〕((선반 공작 마무리용)).

túrning cìrcle (차의) 최소 회전 반경이 그리는 원; 〖수산·해운〗 선회권.

túrning pòint **1** 전환〔변환〕점, 전기(轉機), 위기, 고비: the ~ of a disease 병의 고비. **2** 〖지학〗 전향점; 〖농업〗 이기점(移機點)((생략: TP)).

túrning ràdius ((미)) (자동차 따위의) 최소 회전 반경.

tur·nip [tə́ːrnip] *n.* **1** 〖식물〗 순무(의 뿌리). **2** ((속어)) 대형 은딱지 회중시계. **3** ((속어)) 바보, 쓰레기; 단조로운 일.

túrnip tòps 〔**grèens**〕 순무의 어린잎((식용)).

tur·nipy [tə́ːrnipi] *a.* (맛·형태 따위가) 순무 같은; 기운〔생기〕 없는.

turn·key [tə́ːrnkìː] *n.* 옥지기, 교도관(jailer). —*a.* (건설·플랜트 수출 계약 등에서) 완성품 인도〔턴키〕 방식의.

túrnkey sỳstem 〖컴퓨터〗 턴키 시스템((하드·소프트웨어 등이 구비된 운전 가능 상태에서 고객에게 팔리는, 일반적으로 특정 용도용 전산기 시스템)).

túrn·òff *n.* Ⓤ **1** TURN off 하기. **2** 옆길; (간선 도로의) 분기점, 지선 도로; (고속도로의) 램프웨이; 대피로. **3** 완성품. **4** 시장에서 거래된 가축의 수〔중량〕. **5** ((미속어)) 흥미를 잃게 하는 것.

túrn·òn *n.* ((속어)) (환각제 등에 의한) 도취 (상태); 흥분〔자극〕시키는 것.

túrn·òut *n.* **1** **a** TURN out함; 집합, 동원, 소집; 〖보통 수식어를 수반하여〗 (구경·행렬 따위에) 나온 사람들, (집회의) 출석자 (수), 회중; 투표(자) 수; ((영)) 동맹 파업(자): There was a good ~ at the welcome party. 환영회에는 꽤 많은 참석자가 있었다. **b** (a ~) 생산액, 산출고: a large ~ 대량의 산출고. **2** (말·마구·말구종을 포함한) 마차. **3** 〖철도〗 대피선(線); (고속도로의) 차 대피소; (도로 따위의) 분기점; (철도의) 분기 기구. **4** 의상; 준비, 채비. **5** 청소, 정돈 작업; ((미속어)) 체포된 자의 방면(放免). **6** 〖발레〗 턴아웃((두 발꿈치를 등맞춤한 자세)).

túrn·òver *n.* Ⓤ,Ⓒ **1** TURN over함; 회전, 반전, 전복, 재편성: ~ rate 〖공학〗 대사(代謝) 회전 속도/~ ratio of capital 〖상업〗 자본 회전율. **2** 반대쪽으로의 이동, 방향 전환, 전향, 변절; 〖정치〗 (타당에의) 표의 이동; (기업 등의 일정 기간의) 노동 이동(률); 〖구기〗 (실수·반칙 등에 의한) 공보유권의 이전; ((미속어)) 석방 전야. **3** 접어 젖히기; 접어 젖힌 것; 이중 파이; ((영)) 다음 면에 계속되는 신문 기사. **4** 일기(一期)의 총매상고, 거래액; (상품·자금의) 회전(율); 〖증권〗 거래 총액(*of*): make a profit of $350 on a ~ *of* $7000 총거래액 7000달러에 대해 350달러의 이익을 올리다. —*a.* 반전하는; 접어 젖힌((칼라 따위)).

turn·pike [tə́ːrnpàik] *n.* ((미)) 유료 고속도로; (옛날의) 유료 도로(tollroad); 통행료 징수소(tollgate); 〖역사〗 턴파이크(((1) 적의 진입을 막는 못 박은 회전 틀. (2) 통행세 징수문)); ((Sc.)) 나선 계단.

túrn·plàte *n.* 〖영철도〗 =TURNTABLE 1.

túrn·ròund *n.* **1** 반환점. **2** 안팎으로 입을 수 있는 옷. **3** ((영)) =TURNAROUND.

túrn·screw *n.* 나사돌리개.

túrn sìgnal (**lìght**) 방향 지시등.

túrn·sòle [-sòul] *n.* 〖식물〗 향일성(向日性) 식물((해바라기·헬리오트로프 따위)); Ⓤ 그것에서 채취한 보랏빛 물감〔안료〕.

túrn·spit *n.* Ⓤ 고기 굽는 꼬챙이를 돌리는 사람; 〖동물〗 (몸통이 길고 다리가 짧은) 턴스피트종(種)의 개; 고기 굽는 회전 꼬챙이.

túrn·stìle *n.* (한 사람씩 드나들게 되어 있는) 십자형 회전식 문: a ~ antenna 수평 십자형 안테나.

turnstile

túrn·stòne *n.* 〖조류〗 꼬까물떼새.

túrn·tàble *n.* **1** 〖철도〗 전차대(轉車臺)((기관차 따위의 방향을 전환하는)). **2** (레코드플레이어의) 턴테이블, 회전반. **3** (라디오 방송용) 녹음 재생기; ((미)) =LAZY SUSAN.

túrntable làdder ((영)) =AERIAL LADDER.

túrn·ùp *n.* **1** TURN up 하는〔된〕 것; (깃·소매의) 접어 붙인 부분; (종종 *pl.*) ((영)) (바지의) 접

어 올린 단(《미》 cuff). **2** 《영구어》 싸움; 소동, 소란. **3** 《영구어》 뜻밖의 일, 이례적인 일. **—** *a.* 접어 올린; 들창코의. 「협회.

turn·ver·ein [tə́:rnvəràin, túərn-] *n.* 체조

tu·ro·phile [tjúərəfàil/tjúər-] *n.* 치즈(cheese) 좋아하는 사람, 치즈통(通).

tur·pen·tine [tə́:rpəntàin] *n.* Ⓤ 테레빈, 송진(松津)《소나뭇과 나무에서 채취한 수지(樹脂)》; 테레빈유(油)(=∼ òil). ***talk* ∼** 《속어》 그림을 논하다. **—** *vt.* 테레빈유를 바르다; (소나무에서) 테레빈을 채취하다. 「주의 속칭.

Túrpentine Státe (the ∼) North Carolina

tur·peth [tə́:rpiθ] *n.* 〖식물〗 할라파(jalap)(의 뿌리)《동인도산; 그 뿌리는 설사약》.

tur·pi·tude [tə́:rpətjù:d/-tjù:d] *n.* Ⓤ 간악, 비열(한 행위), 배덕(背德).

turps [tə:rps] *n. pl.* 〔단수취급〕《구어》 테레빈유(油)(turpentine).

tur·quoise [tə́:rkwɔiz/-kwɔiz, -kwɑ:z] *n.* Ⓤ,Ⓒ 〖광물〗 터키석(石); 청록색(=∼ **blue**).

°**tur·ret** [tə́:rit, tʌ́rit/tʌ́rit] *n.* **1** 〖건축〗 (본 건물에 붙인) 작은 탑; 〖역사〗 (중세의) 성(城) 공격용 이동 운제(雲梯); 〖군사〗 (탱크·군함 따위의) 포탑, (폭격기 등의) 돌출 총좌(銃座). **2** (텔레비전 카메라 따위의 회전식) 렌즈 교환 장치, 터릿; 선반의 터릿. 「포탑이 있는.

túr·ret·ed [-id] *a.* 작은 탑이 있는; 탑 모양의;

túrret·hèad *n.* (선반의) 터릿대(臺).

túrret làthe 〖기계〗 터릿 선반(旋盤).

***tur·tle**[1] [tə́:rtl] (*pl.* **∼s, ∼**) *n.* **1** 《특히》 바다거북; Ⓤ 바다거북의 수프, (수프용의) 거북 살. **2** =TURTLENECK; 〖해사〗 터틀《spinnaker를 넣는 앞 갑판에 고정된 지퍼 달린 주머니》; 《미속어》 현금 수송차. **3** 〖컴퓨터〗 터틀《LOGO의 그래픽스에서 '펜을 쥐고' 화면 위를 움직여 도형을 그리는 삼각형》. ***turn* ∼** (배·자동차 따위가) 뒤집히다; 《미속어》 어쩔 도리 없다; 《미속어》 겁먹다; 〖서핑〗 (위험한 파도를 넘겨보내기 위해) 보드 위에 누워 손발로 보드를 잡고 뒤집힌 자세를 취하다. **—** *vi.* (직업으로서) 바다거북을 잡다. ㊞ **túr·tling** *n.* 거북〔바다거북〕잡기 (작업).

tur·tle[2] *n.* =TURTLEDOVE.

túrtle·bàck *n.* 귀갑(龜甲); 〖해사〗 귀갑 갑판《격랑에 견딜 수 있는》.

túrtle·dòve *n.* 〖조류〗 호도애《암수가 사이좋기로 유명》; 연인. 「래픽스.

túrtle gràphics 〖컴퓨터〗 (LOGO의) 터틀 그

túrtle·hèad *n.* 〖식물〗 현삼속(屬) 식물의 일종《북아메리카산》.

túrtle·nèck *n.* 터틀넥, 목 부분이 자라목처럼 된 것〔셔츠·스웨터〕.

túrtle shèll 귀갑.

turves 《드물게》 TURF의 복수.

Tus·can [tʌ́skən] *a.* Tuscany《이탈리아 중서부 지방》의; 〖건축〗 토스카나식(式)(기둥 양식)의. **—** *n.* 토스카나 사람; Ⓤ 토스카나어(語)《표준 이탈리아 문어》.

Tus·ca·ny [tʌ́skəni] *n.* 토스카나(《It.》 **Tos·ca·na** [touskɑ́:nə])《이탈리아 중부의 주〔지방〕》.

Tus·ca·ro·ra [tʌ̀skərɔ́:rə] (*pl.* **∼(s)**) *n.* 투스카로라족《북아메리카 인디언 Iroquois의 한 지족(支族)》; Ⓤ 투스카로라어(語).

tush[1] [tʌʃ] *int., n.* 《영에서는 고어》 체《초조·경멸 따위를 나타냄》. **—** *vi.* 쳇 하고 소리 내다.

tush[2] *n.* (말 따위의) 송곳니; =TUSK. ㊞ **∼ed** [-t] *a.* 엄니가 있는.

tush[3] *n.* 《미속어》 황갈색 살갗의 흑인, 흑백 혼혈아. **—** *a.* 호전적인, 위험한; 상류의, 유복한.

tush·ery [tʌ́ʃəri] *n.* (tush[1] 따위의 고어(古語)를 쓴) 점잔 뺀〔내용이 없는〕 고문체.

°**tusk** [tʌsk] *n.* **1** (코끼리 따위의) 엄니. **2** 뻐드렁니·엄니 같은 것, 뾰족한 끝. **—** *vt.* 엄니로 찌르다〔파다, 상처를 내다〕.

Tus·ke·gee [tʌskí:gi] (*pl.* **∼, ∼s**) *n.* **1** 터스키기족《Alabama주 동부에 있었던 Muskogean 족계의 인디언》. **2** 터스키기《Alabama주 동부의 시; 유명한 흑인 학교 Tuskegee University의 소재지》. 「위」.

túsk·er *n.* 큰 엄니가 있는 코끼리〔산돼지〕《따

tus·sah, tus·sore, tus·sur [tʌ́sə], [tʌ́sɔ:r], [tʌ́sər] *n.* **1** 〖곤충〗 작잠(柞蠶), 산누에. **2** Ⓤ 산누에 실〔명주〕(∼ **silk**).

tus·sal [tʌ́səl] *a.* 〖의학〗 기침의.

Tus·saud's [tusóuz, tə-/tú:sou] *n.* **Madame** ∼ (London의) 터소 납인형관(蠟人形館).

tus·sis [tʌ́sis] *n.* 《L.》 〖의학〗 기침.

tus·sive [tʌ́siv] *a.* 〖의학〗 기침의〔같은〕; 기침에 기인하는, 기침성의.

tus·sle [tʌ́səl] *n.* 격투, 투쟁; 논쟁; 난투, 고전. **—** *vt., vi.* (…와) 격투하다, 싸우다.

tus·sock [tʌ́sək] *n.* **1** 덤불, 풀숲, 총생(叢生); 풀뿌리로 굳혀진 소택지 속의 작은 둔덕. **2** 더부룩한 털. **3** =TUSSOCK MOTH. ㊞ **∼ed** [-t], **∼y** *a.* (풀이) 밀생하고 있는; (털이) 많은, 더부룩한.

tússock gràss 총생(叢生) 초본, 《특히》 터속 그래스《남아메리카산 볏과의 목초》.

tússock mòth 〖곤충〗 독나방《독나방과(科) 나방의 총칭》.

tut[1] [tʌt, ɬ] *int.* 〔보통 Tut, tut! 라고 반복〕 쯧, 체《초조·경멸·비난을 나타내는 소리》. ★ [ɬ]는 치경(齒莖)에서 혀를 차는 소리임. **—** *n.* 쯧 하고 혀 차는 소리, 혀 차기. **—** [tʌt] (**-tt-**) *vi.* 쯧 하고 혀를 차다.

tut[2] [tʌt] *n.* 《영》 〖광산〗 일의 수행량. ⓒⓕ tutwork. ¶ by (the) ∼ =upon ∼ (지불이) 작업량 기준의 능률급으로. **—** (**-tt-**) *vi.* 삯일하다.

Tut·ankh·a·men [tù:tɑ:ŋkɑ́:mən/-təŋkɑ́:men] *n.* 투탕카멘《기원전 14세기의 이집트 왕》. 「는 사람, 학생.

tu·tee [tju:tí:/tju:-] *n.* tutor의 지도를 받고 있

tu·te·lage [tjú:təlidʒ/tjú:-] *n.* Ⓤ 보호, 보호감독, 후견; 교육, 지도; 보호〔지도〕 받기; 신탁통치; 영향, 감화.

tu·te·lar, -lary [tjú:tələr/tjú:-], [-lèri/-ləri] *a.* 수호〔보호, 감독, 후견〕하는; 수호자〔보호자, 감독자, 후견인〕의〔인〕: a ∼ god 수호신/a ∼ saint 〔angel〕 수호성인〔천사〕. **—** *n.* 수호자, 수호신.

***tu·tor** [tjú:tər/tjú:-] (*fem.* **∼·ess** [tjú:təris/tjú:-]) *n.* **1 a** 가정교사(ⓒⓕ governess); 튜터《영국 대학의 개별 지도 교수; 미국 대학의 강사, instructor의 아래》; (학교에는 적이 없는) 수험 지도 교사. **b** 《영》 교본: a guitar ∼. **2** 〖법률〗 (연소자의) 후견인(後見人); 보호자. **—** *vt.* **1** 《+목+전+명》 …에게 ∼로서 가르치다〔지도하다〕; 후견〔보호, 감독, 지도〕하다, …을 돌보다: ∼ a boy *in* mathematics 소년에게 수학을 가르치다. **2** 버릇〔길〕들이다, 훈련〔훈육〕하다. **3** 《∼+목/+목+*to* do/+목+*to be* 보》 〔∼ oneself 또는 수동태〕 (정열 등을) 억제하다: ∼ one's passions 정욕(情慾)을 누르다/∼ one*self to* endure one's misfortune 불행을 견디어 낼 수 있도록 자기 훈련을 하다/∼ one*self to be* patient 자제하다, 날뛰는 마음을 누르다. **4** 깨우쳐 주다, 타이르다. **—** *vi.* 《∼/+전+명》 ∼로서의 일을 하다, 《특히》 가정교사를 하다; 개인 교수를 받다(*in*): have to ∼ *in* Latin in order to pass (시험에) 합격하기

위해 라틴어 개인 교수를 받아야만 하다. [파] ~·age [-təridʒ] n. [U] 가정〔개별 지도〕교사의 지위〔직무〕; (가정교사의) 사례금, 개인 교수료.
tu·to·ri·al [tjuːtɔ́ːriəl/tjuː-] a. tutor의〔에 의한〕: ~ functions 개인 교사의 직무. **—** n. **1** (대학에서 tutor에 의한) 개별 지도 시간〔학급〕; (tutor에 의한) 개별 지도. **2** 《미》 지도서. **3** 〖컴퓨터〗 지침서《(1) 컴퓨터 단말에서 사용자에게 제공되는 프로그램화한 지도. (2) 취급 설명서》.
tutórial prògram 〖컴퓨터〗 지침 프로그램《사용법·새로운 기능 등을 파악할 수 있게 만든 프로그램》.
tutórial sỳstem 〖교육〗 (특히 대학의) 개인〔개별〕 지도제.
tu·tor·ship [tjúːtərʃìp] n. [U] =TUTORAGE.
Tut·si [túːtsi] (pl. ~**s**, 〖집합적〗 ~) n. 투치족(의 한 사람)《르완다 및 부룬디에 사는 장신의 민족; 주로 목축민》 (=**Túsi, Tússi**).
tut·ti [túːti/túti] 《It.》 〖음악〗 a. 전악원(全樂員)의. **—** n. (전원의) 총창(總唱), 총주(總奏)(악구).
tut·ti-frut·ti [túːtifrúːti] n. 저민 여러 가지 과일을 넣어서 만든 과자 또는 아이스크림.
tut-tut [tʌ́ttʌ́t, ɬ ɬ] int., n., vi. =TUT¹.
tut·ty [tʌ́ti] n. [U] 불순(不純)한 산화아연(酸化亞鉛)《마분(磨粉)용》.
tu·tu [túːtuː] n. 《F.》 발레용의 짧은 스커트, 「튀튀.
tút·wòrk [tʌ́t-] n. 《영》 〖광산〗 (작업량에 따라 지급받는) 삯일(piecework).
Tu·va·lu [túːvəlùː, tuːvάːluː/tùːvəlúː] n. 투발루《태평양 중남부의 섬나라; 1978년 영국 식민지로부터 독립; 수도는 Funafuti》.
tu-whit tu-whoo [tuhwít-tuhwúː/tuwít-tuwúː] 부엉부엉《올빼미의 우는 소리》 (울다). [imit.]
tux [tʌks] n. 《미구어》 =TUXEDO.
tux·e·do [tʌksíːdou] (pl. ~(**e**)**s**) n. 《미》 턱시도(《영》 dinner jacket)《남자의 약식 야회복》; 《속어》 구속복.
tu·yère, -yere [twiːjέər, tuː-, twíər/twíːεə, twáiə] n. 《F.》 〖야금〗 (용광로의) 풍구(風口).
†**TV** [tíːvíː] (pl. ~**s**, ~**'s**) n. 텔레비전 (수상기): watch ~ 텔레비전을 보다〔시청하다〕.
TV terminal velocity. **TV, Tv, tv** transvestite. **TVA** Tennessee Valley Authority.
TVC 〖우주〗 thrust vector control (추력(推力) 방향 제어).
TV́ dìnner 《미》 텔레비전 식품《은종이에 싼 냉동식품; 가열해서 먹음》.
TVEI 《영》 Technical and Vocational Educational Initiative (기술 직업 교육 계획).
TV́ evángelist =TELEVANGELIST.
TV-14 〖TV〗 14세 미만은 부적당.
TV-G 〖TV〗 일반용(general).
Tvl. Transvaal.
TV-MA 〖TV〗 성인(mature audience)용.
TV́ mònitor 텔레비전 모니터.
TVP [tìːvìːpíː] n. 식물성 단백질(textured vegetable protein)의 상표명.
TV-PG 〖TV〗 부모의 지도(parental guidance)가 바람직함. 「도.
TV́-Q n. (TV의) 프로그램 인지(認知)도·호감
TV-Y 〖TV〗 유아를 포함한 어린이(young)용.
TV-Y7(**-FV**) 〖TV〗 7세 이상용(공상적 폭력(fantasy violence) 장면이 있음).
twa, twae [twɑː, twɔː], [twɑː, twiː] n.
TWA Trans World Airlines. 「《Sc.》 =TWO.
twad·dle [twάdl/twɔ́dl] n. [U] 실없는 소리, 허튼소리; 객설을 농하는 자. **—** vi. 실없는 소리를 하다, 객담을 늘어놓다.
Twain [twein] ⇨ MARK TWAIN.
twain n., a. 《고어·시어》 둘(의), 두 사람(의), 쌍(의), 짝(의). ***in*** ~ 두 동강이로(자르다 등).
◇**twang** [twæŋ] n. 현(絃) 소리, 팅〔윙〕 하고 울리는 소리; 콧소리, 비음(鼻音); 《방언》 (심신의) 격통, 쑤심. **—** vi. **1** 현을 퉁겨 팅 하고 울리다〔소리 내다〕; (화살이) 핑 하고 나가다; (근육 등이) 아픔〔긴장〕으로 경련을 일으키다. **2** 콧소리로 말하다, (음성이) 콧소리를 내다. **—** vt. (악기의) 현을 뜯어 소리 내다, 뜯다; (활의) 시위를 당기다; 콧소리로 말하다.
Twán·kay téa [twǽŋkei-, -kiː] 툰시차(屯溪茶)《중국 안후이(安徽) 성 툰시(屯溪) 산(産) 녹차》.
'twas [twʌz, twɑz] it was의 간약형.
twat [twɑːt/twæt, twɔt] n. 《비어》 여자의 음부(vagina), (특히 섹스 대상으로서의) 여자, 성교; 《속어》 놈, 등신; 《속어》 엉덩이(buttocks).
tweak [twiːk] n. 비틀기; 꼬집기, 홱 잡아당기기; (마음의) 동요. **—** vt. 비틀다, 꼬집(어 잡아당기)다; 홱 잡아당기다; 《속어》 (자동차 레이스에서 자동차 엔진을) 최고 성능을 발휘할 수 있도록 조정·개조하다; 《해커속어》 …을 미(微)조정하다. [파] ∠·**er** n. 《영속어》 고무줄 새총.
twee [twiː] a. 《영구어》 매우 귀여운, 귀엽게 차려입은; 기품을 가장하는, 새침 떠는.
◇**tweed** [twiːd] n. [U] 트위드《스카치 나사(羅紗)의 일종》; (pl.) 트위드 옷.
twee·dle [twíːdl] n. 깽깽《바이올린 소리》. **—** vi. (가수·새·바이올린·피리 등이) 강약 변화가 풍부한 소리를 내다; 악기를 만지다. **—** vt. 음악으로 꾀다; 달콤한 말로 꾀다.
twee·dle·dum and twee·dle·dee [twiːdldʌ́məntwìːdldíː] 구별할 수 없을 만큼 서로 닮은 두 사람〔개, 벌〕, 꼭 닮음.
tweedy [twíːdi] (**tweed·i·er, -i·est**) a. 트위드의〔같은〕; 트위드를 즐겨 입는; 마음을 터놓은, 싹싹한.
tweeked [twiːkt] a. 《미속어》 몹시 취한.
'tween [twiːn] prep., ad. 《시어》 =BETWEEN.
'twéen dèck (때로 ~s) 〖해사〗 중갑판(中甲板).
tween·er [twíːnər] n. 〖야구〗 2명의 외야수의 중간에 떨어지는 안타.
tweeny [twíːni] n. 《영구어》 허드렛일하는 하녀(betweenmaid).
tweet [twiːt] vi. (작은 새가) 짹짹〔삑삑〕 울다. **—** n. 지저귀는 소리, 짹짹, 삑삑; 녹음 재생 장치 등에서 나는 높은 소리. [imit.] [파] ∠·**er** n. 〖전기〗 고음용(高音用) 확성기. [cf.] woofer.
twéeter-wóofer n. 트위터우퍼《고음과 저음 양용 스피커》.
tweeze [twiːz] vt. 족집게로〔핀셋으로〕 뽑다〔꺼내다〕《out》.
tweez·ers [twíːzərz] n. pl. 핀셋, 족집게: a pair of ~ 족집게 하나.
†**twelfth** [twelfθ] a. 열 두째의《생략: 12th》; 12분의 1의. **—** n. 제12; (달의) 12일; 12분의 1; 〖음악〗 제12음, 12도 음정; (the ~) 《영》 8월 12일《뇌조(雷鳥) 사냥 해금일》. [파] ∠·**ly** ad.
twélfth càke Twelfth Night의 축하 과자.
Twélfth Dáy 주현절(Epiphany)《크리스마스로부터 12일째 되는 1월 6일》.
twélfth mán (크리켓의) 후보 선수.
Twélfth Níght **1** 주현절(主顯節)《1월 6일》의 전야. **2** 주현절(날) 밤.
Twélfth·tìde =TWELFTH DAY.
†**twelve** [twelv] a. 12의; 12개〔사람〕의. **—** n. **1** 12; 열 두 사람〔개, 시, 살〕. **2** 12의 기호. **3** (pl.) 12절판; 사륙(四六)판. **4** (the T-) 예수의 12사도(=the Twelve Apostles). ***in ~s*** 사륙판의〔으로〕. ***strike ~ the first time*** 〔***all at***

once] 처음부터 전 능력을 발휘하다. ㊎ ∼·fòld *a.*, *ad.* 12 의 부분으로 이루어진; 12배의(로).
twélve·mò, 12 mo [-mòu] (*pl.* ∼*s*) *n.* = DUODECIMO.
twélve·mònth *n.*, *ad.* 12 개월, 1 년: this day ∼ 내년(작년)의 오늘 / He has been here a ∼. 온 지 1 년이 된다.
twélve·pènny *a.* 구(舊) 1 실링 값의.
twélvepenny náil 3 1/4 인치 길이의 못.
Twélve Tábles (the ∼) 12 표법(表法)(동판법(銅板法))《로마법 초기의 12 조문; 451-450 B.C. 제정》.
twélve-tóne, -nóte *a.* 〖음악〗 12 음(조직)의: ∼ music, 12 음 음악.
twen·ti·eth [twéntiiθ, twʌ́n-/twén-] *a.* 제 20 의; 20 분의 1 의. ── *n.* 제 20; 스무 번째의 것(사람); 20 분의 1; (달의) 20 일: five ∼*s*, 20 분의 5.
twen·ty [twénti, twʌ́n-/twén-] *a.* **1** 20 의, 20 개(사람)의. **2** 다수의: ∼ and ∼ 다수의. ∼ ***times,*** 20 회; 몇 번이고. ── *n.* **1** 20; 20 개(사람); 20 개 한 벌의 것. **2** 20 의 기호. **3** (one's twenties) (연령의) 20 대; (the twenties) (세기의) 20 년대; (성적의) 20 점대; (온도계의) 20 도대; (번지의) 20 번대: a woman in her *twenties*, 20 대 여성 / I'm just out of *my twenties*. 20 대를 갓 지났소 / She was in *her* early (middle, late) *twenties*. 20 대 초반(중반, 종반)이었다 / That was in the (late) *twenties*. 그것은 20 년대(말)의 일이었다. **4** 《구어》 20 파운드(달러) 지폐. **5** 《CB속어》 위치 (location). ㊎ ∼·**fòld** *a.*, *ad.* 20 배의(로).
twénty-fírst 《영》 21 번째 생일(축하)《흔히 성인이 된 것을 축하하는 파티를 엶》.
twénty-fíve *n.* 25; 〖럭비 · 하키〗 25 야드라인(내)《골에서》; 《속어》 LSD.
24 hòur clóck [twéntifɔ̀ːr-] 24시간 표시 시계《철도의 시각 표시 따위》.
twen·ty-four·mo, 24 mo [twéntifɔ́ːr-mou] (*pl.* ∼*s*) *n.* 〖인쇄〗 24 절판(의 책).
20-gàuge *n.* 20번(산탄총, 산탄)《직경 615/1000 인치》.
twen·ty·mo, 20 mo [twéntimòu, twʌ́n-/twén-] (*pl.* ∼*s*) *n.* 〖인쇄〗 20 절판(의 책).
twénty-óne *n.* Ⓤ 〖카드놀이〗 21 (blackjack)《최고의 끗수》.
twénty-twénty, 20/20 *a.* 〖안과〗 시력(視力) 정상의: ∼ vision.
twénty-twó *n.* 22; 22 구경 라이플(권총), 투투; 그에 쓰는 총알.
'twere [twəːr, 약 twər] 《시어 · 방언》 it were 의 간약형.
twerp [twəːrp] *n.* 《구어》 너절한 놈.
twi- [twái] *pref.* '2, 2 중, 2 배, 두 번'의 뜻: *twi*bill.
T.W.I. training (of supervisors) within industry(기업내 (감독자) 훈련).
twi·bil(l) [twáibil] *n.* **1** 《영》 곡괭이《양날의》. **2** 《고어》 쌍날 전부(戰斧).
twice [twais] *ad.* 2 회, 두 번; 2 배로: *Twice* three is six. 3×2=6 / I phoned him ∼. 그에게 재차 전화 걸었다 / I have ∼ *as much as* you. 너의 2 배나 갖고 있다. ***be*** ∼ ***the man*** he was 두 배나(몰라보게) 건강해지다. ***in*** ∼ 두 번에 걸쳐서: I did it *in* ∼. ***think*** ∼ ⇨ THINK. ∼ ***as*** (old, strong) ***as*** …보다 갑절이나 (나이 먹은, 센).
twíce-bórn *a.* 두 번 태어난, 화신(化身)의; (정신적으로) 거듭 태어난.
twíce-láid *a.* (로프가) 다시 꼰, 재생한; 남은 것(파치, 써서 낡은 것)으로 만든.
twíc·er *n.* **1** 두 번 반복하는 사람, 두 가지 일을 하는 사람. **2** 《영 · 경멸》 식자 겸 인쇄공. **3** 《미속어》 악한, 사기꾼; 《속어》 전과 2 범인 자.
twíce-tóld *a.* 두 번(몇 번이고) 말한(가르친); (이야기 등이) 고리타분한.
twid·dle [twídl] *vt.* 회전시키다, 빙빙 돌리다; 만지작거리다; 《해커속어》 (프로그램에) 작은 변경을 주다. ── *vi.* 빙빙 돌다; 만지작거리다, 가지고 놀다《*with; at*》; 가볍게 계속 상하로 움직이다; 《미속어》 지껄이다. ∼ one***'s thumbs*** ⇨ THUMB (관용구). ── *n.* 빙빙 돌리기, 친친 감긴 표시(기호); 《해커속어》 '∼' 기호의 속칭; (프로그램 등의) 작은 변경.
twig¹ [twig] *n.* **1** 잔가지, 가는 가지. SYN. ⇨ BRANCH. **2** 〖해부〗 (혈관 · 신경의) 지맥; 〖전기〗 지선(支線). **3** 점(占)대. ── (*-gg-*) *vt.* 《미속어》 벌하다. ㊎ **twigged** *a.* (…한) 잔가지가 있는.
twíg·gy *a.* 잔가지의(같은); 연약한, 섬세한; 잔가지가 많은.
twig² (*-gg-*) 《구어》 *vt.*, *vi.* 발견하다, 깨닫다; 알다, 이해하다, 인정하다.
twi·light [twáilàit] *n.* Ⓤ **1** (해뜨기 전 · 해질 무렵의) 박명(薄明), 땅거미, 황혼: The ∼ came on. 땅거미가 지기 시작하였다.

> SYN. **twilight** 일몰 후의 어스름. 원래 two light의 뜻으로 밝음과 어둠 중간의 light를 말함. **dusk** twilight 보다 어둡고, darkness에 가까움. **dark** 사물을 보기에 필요한 빛이 없음. **nightfall** 황혼. **dawn** 새벽, 여명(daybreak). 비유적으로도 씀.

2 황혼 때, 저물녘; (때로) 새벽녘: take a walk in the ∼ 저물녘에 산책하다. **3** 《비유》 (전성기 전후의) 여명기(쇠퇴기): the ∼ of Christianity 원시 그리스도교 시대 / the ∼ of life 인생의 황혼. **4** (의식 따위의) 몽롱한 상태. ***the Twilights of the Gods*** 〖북유럽신화〗 신들의 황혼《신들과 거인족 간의 최종적 결전의 결과로서 오는 세계의 종말》. ── *a.* 박명의(같은); 〖동물〗 = CREPUSCULAR. ¶ the ∼ hour 황혼기 / the ∼ ages 역사의 여명기. ***the*** (***a***) ∼ ***world*** 《아어》 불투명한(어두운) 세계. ── *vt.* 희미하게 비추다, 희미하게 하다.
twílight ìndustry 사양(斜陽) 산업. 「상태.
twílight slèep (무통 분만 따위의) 반(半)마취
twílight stàte 〖의학〗 몽롱한 상태.
twílight zòne **1** 빛이 닿는 바닷속 가장 깊은 층. **2** 어느 쪽에도 속하지 않는 영역, 중간대(帶); (도시의) 노후(老朽) 지구. **3** 환상과 비현실의 세계
twi·lit [twáilit] *a.* 희미하게 밝은, 어슴푸레한; 불분명한, 똑똑하지 않은.
twill [twil] *n.* Ⓤ 능직(綾織)(= ∼ **wèave**), 능직물. ── *vt.* 〔보통 과거분사꼴〕 능직으로 짜다.
'twill [twil] 《시어 · 방언》 it will의 간약형.
twilled *a.* 능직의.
T.W.I.M.C. To whom it may concern.
twin [twin] *n.* **1** 쌍둥이의 한 사람; (*pl.*) 쌍생아: one of the ∼*s* 쌍둥이의 한쪽. **2** 꼭 닮은 사람(것)의 한쪽; 한 쌍의 한쪽; (*pl.*) 한쌍. **3** 〖결정〗 쌍정(雙晶)(= ∼ **crỳstal**). **4** (the T-s) 〖천문〗 쌍둥이자리, 쌍둥이궁(Gemini).
── *a.* 〔한정적〕 **1** 쌍둥이의: ∼ brothers (sisters) 쌍둥이 형제(자매) / ∼ pier 쌍둥이식 부두. **2** 〖동물 · 식물〗 쌍생(雙生)의; 한 쌍의; 꼭 닮은: a steamer with ∼ propellers 한 쌍의 스크루를 가진 기선. **3** 〖결정〗 쌍정의: ∼ deformation 쌍정 변형. ***be*** ∼ ***brother to*** …에(는 으레) 따르는 것이다: Idleness *is* ∼ *brother to* poverty. 게으름에는 가난이 따르기 마련이다.
── (*-nn-*) *vt.* **1** 쌍둥이를 낳다(배다); 한 쌍으로

하다. **2** ⟪+목+전+명⟫ 〖수동태로〗 자매 도시로 하다, …와 쌍을 이루다⟪*with*⟫: Daegu in Korea *is ~ned with* Milan in Italy. 한국의 대구와 이탈리아의 밀라노는 자매 도시 관계를 맺고 있다. **3** 〖결정〗 쌍정으로 하다. **—** *vi.* **1** 쌍둥이를 낳다; ⟪고어⟫ 쌍둥이로 태어나다. **2** ⟪폐어⟫ 한 쌍이 되다⟪*with*⟫. **3** 〖결정〗 쌍정을 이루다.

twín béd 트윈 베드⟪쌍을 이루는 두 싱글 베드의 한 쪽⟫.

twín bíll ⟪미구어⟫ 〖야구〗 DOUBLE HEADER; 〖영화〗 =DOUBLE FEATURE.

twín·bòrn *a.* 쌍둥이의.

Twín Bròthers 〔**Brèthren**〕 (the ~) 〖천문〗 쌍둥이자리(The Twin); 〖그리스신화〗 =DIOSCURI.

twín-cám èngine 〖자동차〗 트윈캠 엔진⟪고회전에 의해 성능을 높인⟫.

Twín Cíties (the ~) (미국 Mississippi 강을 끼고 있는) St. Paul 과 Minneapolis 의 두 도시.

twín dóuble (경마 등에서의) 4 연식(連式) 내기⟪1-4착을 맞춤⟫.

°**twine** [twain] *n.* Ⓤ,Ⓒ **1** 끈 실; 삼실; 바느질 실. **2** 꼬아〔짜〕 합친 것, 감긴 것〔부분〕; 물건에 감기는 넝쿨〔가지, 줄기〕. **3** 꼬아〔짜〕 합침, 사리어 감김; 헝클어짐, 뒤얽힘, 혼란, 분규. **—** *vt.* **1** (실을) 꼬다, 비비 꼬다. **2** ⟪~+목/+목+전+명⟫ (화환 · 직물 따위를) 엮다, 짜다; 엮어서 장식하다: ~ a wreath 화환을 만들다/~ flowers *into* a wreath 꽃을 엮어서 화환을 만들다. **3** ⟪+목+부/+목+전+명⟫ (덩굴 · 실 등을) 얽히게 하다, 감기게 하다⟪*round; about*⟫: ~ a cord *around* a branch 가지에 새끼를 감다/She ~*d* her arms *round* 〔*around*〕 me. 그녀는 두 팔로 나를 껴안았다/They walked along the beach with their arms ~*d together*. 그들은 서로 팔을 끼고 해안을 산책했다. **—** *vi.* ⟪~/+전+명⟫ **1** 얽히다, 감기다⟪*around; about*⟫: The vine ~*d around* the tree. 포도덩굴이 그 나무에 감겨 있었다. **2** (뱀 · 강 등이) 꼬불꼬불 구부러지다, 구불거리다.

twín-éngine(d) *a.* (비행기가) 쌍발의.

twin·er [twáinər] *n.* 꼬는 사람〔것, 기계〕; 감기는 것, (식물의) 덩굴; 감겨 올라가는 식물⟪나팔꽃 따위⟫.

twín·flòwer *n.* 〖식물〗 린네풀.

°**twinge** [twindʒ] *n.* **1** 쑤시는 듯한 아픔, 동통, 자통(刺痛), 격통⟪*of*⟫: a ~ *of* rheumatism 쿡쿡 쑤시는 류머티즘. **2** (양심의) 가책, 회한⟪*of*⟫: a ~ *of* conscience 양심의 가책. **—** *vt., vi.* 쑤시듯 아프게 하다; 쑤시듯이 아프다, 쑤시다; ⟪방언⟫ 꼬집다, 획 잡아당기다.

twí-nìght [twái-] *a.* 〖야구〗 늦은 오후부터 야간에 걸쳐서 하는 더블헤더의. ㊈ **~·er** *n.* ⟪구어⟫ 저녁때부터 밤에 걸친 더블헤더.

twín·jèt *n.* 쌍발 제트기.

twink[1] [twiŋk] *n., vi.* =TWINKLE; WINK. ¶ in a ~ 눈 깜짝할 사이에.

twink[2] *n.* ⟪미속어⟫ 젊고 성적 매력 있는 자⟪여자⟫, 짜릿해 오는 젊은이〔여자아이〕, 발랄하고 귀여운 십대; 호모; 얼간이.

twink·ie [twíŋki] *n.* ⟪미속어⟫ 얼간이, 멍청이.

twín kílling ⟪야구속어⟫ 병살.

***twin·kle** [twíŋkəl] *vi.* **1** 반짝반짝 빛나다, 반짝이다: stars that ~ in the sky 하늘에 반짝이는 별. **2** ⟪드물게⟫ (춤추는 발 등이) 경쾌히 움직이다; (기 등이) 펄럭이다; (나비 등이) 펄펄 날다. **3** ⟪~/+전+명⟫ (흥미 · 기쁨 따위로 눈이) 빛나다, 눈을 깜박이다: Her eyes ~*d with* mischief. 그녀의 눈은 장난기로 빛났다. **—** *n.* **1** 반짝임, 번뜩임, 섬광, 깜박임: the ~ of the stars 〔of a distant light〕 별의 반짝임〔먼 불빛의 깜박임〕. **2** 경쾌한 운동, 어른거림. **3** (생기 있

는) 눈빛: a ~ of amusement in one's eyes 희희낙락한 눈빛. **4** 순간. ***in a ~ =in the ~ of an eye*** 눈 깜짝할 사이에. ***when you were just*** 〔***no more than***〕 ***a ~ in your father's eye*** ⟪구어 · 종종 우스개⟫ (네가 태어나기) 훨씬 전에, 아주 옛날에.

twin·kling [twíŋkəliŋ] *a.* 반짝반짝하는, 빛나는, 번쩍이는⟪별 · 창끝 따위⟫. **—** *n.* Ⓤ 반짝임; Ⓤ,Ⓒ 깜박거림; 순간; (발 따위의) 경쾌한 움직임: with a ~ in one's eyes 눈을 깜박이면서. ***in a ~ =in the ~ of an eye*** 〔***a bedpost,*** ⟪우스개⟫ ***a teacup***〕 눈 깜박할 사이에, 순식간에.

twín-lèns *a.* 〖사진〗 2 안(眼)의, 쌍안 렌즈의: a ~ reflex camera, 2 안 리플렉스 카메라.

twín-mótored *a.* =TWIN-ENGINE(D).

twinned *a.* 쌍생(雙生)의; 결합한, 짝을 이룬; 〖결정〗 쌍정(雙晶)의.

twin·ning [twíniŋ] *n.* **1** 쌍둥이를 낳음. **2** (두 사람 · 둘을) 짝지음, 결합시킴, 결합. **3** 〖결정〗 쌍정화(雙晶化).

twín páradox 〖물리〗 쌍둥이 역설(逆說).

twín-plate pròcess 〖공학〗 판유리의 양면을 동시에 갈고 연마하는 공정.

twín róom twin bed가 있는 (호텔의) 객실.

twín-scréw *a.* 〖해사〗 (서로 반대쪽으로 도는) 두 개의 스크루를 갖춘.

twín sèt ⟪영⟫ cardigan 과 pullover 의 앙상블 「여성용」.

twin·ship [twínʃip] *n.* 쌍둥이 관계〔상태〕; 밀접한 관계임; 근사〔유사〕(성).

twín-sìze *a.* ⟪미⟫ (침대가) 트윈 사이즈의⟪39×75 인치⟫. ⓒⓕ king-size.

twín tówn 자매 도시.

twín-tráck *a.* 두 방식〔입장 · 조건 · 부분〕으로 된.

twín-tùb *n., a.* 두 개의 드럼이 있는 (세탁기) ⟪세탁용과 탈수용의 두 드럼이 있는⟫.

°**twirl** [twəːrl] *vt.* **1** 빙빙 돌리다, 회전하다, 휘두르다: ~ a cane 지팡이를 빙빙 휘두르다. **2** ⟪~+목/+목+부⟫ 비비 꼬다, 비틀다: ~ one's mustache (*up*) 콧수염을 배배 꼬다. **3** 〖야구〗 (공을) 던지다(pitch). **—** *vi.* **1** 빙빙 돌다, 획 방향을 바꾸다⟪*around; about*⟫; 몸을 뒤척이다. **2** 〖야구〗 투구를 하다. **—** *n.* 회전, 빙빙 돎, 선회; 코일 꼴〔나선형〕의 것; 소용돌이 꼴, 장식 글씨체; ⟪속어⟫ 결쇠. ㊈ **∠·er** *n.* **1** ⟪미구어⟫ 투수(pitcher). **2** 배턴걸(baton twirler)⟪고적대의 선두에서 지휘봉을 돌리면서 나아가는 소녀⟫. **∠·y** *a.*

twirp [twəːrp] *n.* =TWERP.

***twist** [twist] *vt.* **1** ⟪~+목/+목+부⟫ 뒤틀다, 비틀(어 돌리)다: ~ a wet cloth 젖은 천을 쥐어짜다/He ~*ed* his body *around* to look back. 그는 뒤돌아보려고 몸을 틀었다. **2** 비틀어서 모양을 만들다; 비틀어서 (…) 모양으로 하다⟪*into*⟫. **3** ⟪~+목/+목+부/+목+전+명⟫ 짜다, 엮다; 꼬다, 꼬아서 (…으로) 만들다⟪*into*⟫: ~ cotton 무명실을 꼬다/~ threads *together* to make (a) string 실을 꼬아 줄을 만들다/~ flowers *into* a wreath 꽃을 엮어 화환을 만들다. **4** ⟪+목+전+명⟫ 얽히게 하다, 휘감다, 감아 붙이다: ~ a shawl *around* the neck 목에 숄을 두르다. **5** ⟪~+목/+목+전+명⟫ 비틀어 구부리다, 구부려 붙이다; (얼굴을) 찡그리다: her face ~*ed with* pain 고통으로 일그러진 그녀의 얼굴. **6** 삐다, 접질리다: He fell and ~*ed* his ankle. 그는 넘어져서 발목을 삐었다. **7** ⟪+목+부/+목+전+명⟫ …을 비틀어 떼다, 비틀어 꺾다⟪*off; out of*⟫: ~ *off* a jar cap 병뚜껑을 비틀어 따다/~ a bag *out of* a woman's hand 여자의 손에서 백을 잡아채다. **8** ⟪~+목/+목+전+명⟫ …의 뜻을 억지로 붙이다, 왜곡하다,

곡해하다: ~ a person's words 아무의 말을 곡해하다 / He tried to ~ my words *into* an admission of error. 그는 내 말을 억지로 갖다 붙여 잘못을 인정하게 하려고 했다. **9** (공을) 틀어〔깎아〕 치다《야구·당구 등에서》. **10** 《+목+전+명》 누비며 나아가다. **11** 《+목+전+명》 회전〔선회〕시키다; …의 방향을 바꾸게 하다: ~ one's chair *toward* a window 창 쪽으로 의자를 돌리다. **12** 《보통 과거분사꼴로》 (마음을) 비뚤어지게 하다. **13** 《미구어》 (생명 보험 계약을) 부정 수단으로 다른 보험 회사 계약으로 바꾸게 하다; 《영구어》 속이다. **—** *vi.* **1** 뒤틀리다, (비)꼬이다. **2** 얽히다, 휘감기다, 감기어 붙다: My shoestrings *~ed*. 내 구두끈이 얽혔다. **3** 구부러지다, 빗나가다, 어긋나다. **4** 《+부/+전+명》 나선상으로 돌다〔감다, 굽다, 올라가다〕《*up; upward*》; (길·내 등이) (…을) 굽이쳐 가다, 사행(蛇行)하다《*around*》; 누비며 가다《*through; along*》: The smoke from his pipe *~ed upward*. 그의 담배 파이프에서 나선 모양으로 연기가 피어올랐다 / The winds *~ed along* the ground. 바람이 소용돌이치며 대지를 지나갔다. **5** 《~/+부/+전+명》 몸을 뒤틀다〔꼬다〕《*round; around*》: 몸부림쳐서 (…에서) 떠나다《*out of; off*》. 몸부림치다: She *~ed* (*around*) to see the procession. 그녀는 행진을 보려고 몸을 틀었다 / The girl *~ed out of* the man's arms and escaped. 소녀는 몸부림쳐서 그 남자의 팔에서 빠져나와 도망쳤다 / The patient *~ed about* in pain. 환자는 고통으로 인해 몸을 뒤틀었다. **6** 부정행위를 하다. **7** 〖댄스〗 트위스트를 추다.

~ and turn (길 등이) 구불구불하다; (고통 따위로) 몸부림치다, 자꾸 몸을 뒤척이다. ***~ off*** ① ⇨ *vt.* 7. ② 비틀어 끊다: ~ *off* the end of a piece of wire 철사 끝을 비틀어 끊다. ***~ a person round one's*** (***little***) ***finger*** = ***turn, ~, and wind*** a person 아무를 마음대로〔턱으로〕 부리다. ***~ a person's arm*** ⇨ ARM[1]. ***~ one's way through*** 〔***along***〕 (the crowd) (군중) 사이를 누비고 가다. ***~ one's wrist*** 손목을 비틀다. ***~ the lion's tail*** ⇨ LION. ***~ the tails of*** ⇨ TAIL[1]. ***~ up*** (종이 따위를) 나사 모양으로 말다.

— *n.* **1** 비틂; 한 번 비틀기〔꼬기〕: give a ~ to the rope 밧줄을 비틀다. **2** C,U 실로 꼰 밧줄; (실 따위의) 꼬임, 꼰 것: a rope full of *~s* 비꼬인 밧줄 / drops in a ~ of paper 포장지의 양 끝을 비틀어 싼 사탕〔드롭스〕. **3** U,C 꼬인 담배; 꼬인 빵: a ~ of bread. **4** 버릇; 기벽(奇癖), 묘한 성격: He has a criminal ~ in him. 그에게는 범죄자의 성격이 있다. **5** C,U 회전, 선회; 나선상의 운동〔만곡, 곡선〕; C (야구·당구의) 커브, 틀어치기; C (도로 따위의) 굴곡. **6** U 《영구어》 (왕성한) 식욕; U,C 《영속어》 혼합 음료, 혼합주: gin ~ 브랜디와 진의 혼합주. **7** U,C 〖항공〗 (기류(氣流)의) 꼬임; 〖물리〗 꼬임각(角), 꼬임률(率). **8** (the ~) 〖댄스〗 트위스트. **9** (사건·사태의) 예기치 않은 진전, 뜻밖의 전개. **10** 《속어》 (젊은) 여자, 《특히》 방정치 못한 여자. **11** (얼굴 등의) 찡그림; (발목 등의) 삠. **12** 《영구어》 사기. **13** 특별한 요령〔비결〕. **14** 다른 수〔방법〕. **15** 〖수영〗 몸을 뒤트는 다이빙. (***after many***) ***~s and turns*** 우여곡절(을 거쳐). ***a ~ in one's tongue*** 혀 꼬부라짐, 혀짤배기소리. ***give a new ~*** 신기축(新機軸)을 열다. ***give a ~*** = ***give ~s*** 비틀다. ***round the ~*** 《영구어》 = round the BEND[1].

㊞ **~·ed** [-id] *a.* 비틀린, 꼬인; (마음이) 꼬부라진, 미친; 《미속어》 마약으로 황홀해진, 술에 취한.

twíst drìll 〖기계〗 타래송곳, 트위스트 드릴.

twíst·er *n.* **1** (새끼 따위를) 꼬는 사람, 실 꼬는 기계. **2** 곱새기는〔왜곡하는〕 사람. **3** 부정직한 사람, 믿을 수 없는 사람. **4** 〖구기〗 틀어 치는 공, 곡구(曲球). **5** 어려운 일〔문제〕; 발음하기 어려운 말(tongue ~). **6** 《미》 선풍, 회오리바람. **7** 트위스트를 추는 사람. **8** 《미속어》 (경찰의) 단속.

twíst grìp 트위스트 그립《오토바이 따위의 액셀〔기어〕 조작용 회전 핸들 손잡이》.

twíst·ing *n.* 〖보험〗 (왜곡된 권유에 의한) 생명 보험의 부당한 (바꿔치기) 계약; 〖섬유공학〗 가연(加撚): a ~ machine 연사기(撚絲機).

twíst-relèase *a.* 비틀어 여는, 비틀어 내용물을 꺼내는.

twíst wáveguide 〖전자〗 꼬임 도파관(導波管).

twisty [twísti] (***twist·i·er; -i·est***) *a.* **1** 꼬불꼬불한. **2** 정직하지 않은, 사곡(邪曲)한, 교활한.

twit[1] [twit] (*-tt-*) *vt.* 《~+목/+목+전+명》 야유하다, 비웃다, 조롱하다; 책망하다, 꾸짖다: ~ a person *with* 〔*about*〕 his carelessness 아무의 부주의를 조롱하다. **—** *n.* 힐책, 힐문; 조롱.

twit[2] *n.* 《영구어》 바보.

twit[3] *n.* 신경의 항진, 안달.

◇**twitch** [twitʃ] *vt.* 《~+목/+목+전+명》 홱 잡아당기다; 잡아채다《*out of; from; off*》; 씰룩씰룩 움직이다, 경련시키다; …에게 고통을 주다: ~ a curtain aside 커튼을 옆으로 잡아당기다 / ~ a person *by* the sleeve 아무의 소매를 잡아당기다 / She *~ed* the letter *out of* my hand. 그녀는 내 손에서 편지를 홱 잡아챘다. **—** *vi.* **1** (근육 따위가) 씰룩거리다. **2** 《+전+명》 와락 잡아당기다《*at*》: ~ *at* her skirt. **—** *n.* (근육 따위의) 경련, 씰룩거림; 갑작스러운 격통; 홱 잡아당김; 〖수의〗 코 비트는 기구《수술 중에 말이 날뛰지 못하게 함》; 〖생리〗 연축(攣縮): a *~ing* curve 연축 곡선. ***all of a ~*** 《구어》 벌벌 떨려, 겁이 나. ***at a ~*** 곧, 금세. ㊞ **~·er** *n.*

twitchy [twítʃi] (***twitch·i·er; -i·est***) *a.* 안달이 난, 들뜬, 침착하지 못한. ㊞ **twítch·i·ly** *ad.*

twite [twait] *n.* 〖조류〗 홍방울새의 일종《유럽산》.

Twit·ter [twítər] *n.* 트위터《미국 소셜 네트워크 사이트의 하나》.

◇**twit·ter** [twítər] *vi.* **1** (새가) 지저귀다, 찍찍〔짹짹〕 울다. **2** 《+부/+전+명》 재잘재잘 지껄이다《*on; about*》: ~ *on about* trifles 하찮은 일들을 마구 지껄여 대다. **3** 킥킥 웃다. **4** 마음이 들떠서 침착하지 못하다, 흥분하여 가슴이 두근거리다, 떨다. **—** *vt.* 지저귀듯이 이야기하다. **—** *n.* **1** 지저귐: the ~ of sparrows. **2** 《구어》 가슴 설레임; 떨림. **3** 킥킥 (웃는) 웃음. (***all***) ***in*** 〔***of***〕 ***a ~*** 흥분하여, 침착하지 못하여. [imit.]

twit·tery [twítəri] *a.* 잘 재잘거리는; 떨리는; 몸을 떠는; 신경질적인.

twixt [twikst] *prep.* 《시어·방언》 = BETWIXT.

twiz·zle [twízəl] *v.* 《영》 = TWIRL.

†**two** [tuː] (*pl.* ***~s***) *n.*, *a.* 2(의), 2개(의), 두 사람(의); 한 쌍; 2의 기호; 두 살; 두 점. ***by*** 〔***in***〕 ***~s and threes*** 두세 사람씩, 삼삼오오 (떼를 지어서). ***come*** 〔***break***〕 ***in ~***, 2분하다, 분열하다. ***cut in ~*** 둘로 나누다, 절단하다. ***in a day or ~*** 2, 3일간〔중〕에, 하루나 이틀 사이에. ***in ~*** 둘로. ***in ~ ~s*** 《영구어》 즉시, 순식간에. ***in ~ ticks*** 〔***shakes***〕 《영구어》 곧, 당장, 갑자기. ***live ~ lives*** 이중생활을 하다. ***put ~ and ~ together*** (추론하여) 올바른 결론을 내다; 이것저것 종합해서 생각해 보다. ***That makes ~ of us.*** 《구어》 그것은 나 자신에 대해서도 말할 수 있다, 나도 마찬가지다〔그렇게 생각한다〕. ***~ and*** 〔***by***〕 ***~*** 둘〔두 사람〕씩. ***Two and ~ makes four.*** 2+2=4(는 자명한 이치). ***~ a penny*** ⇨ PENNY.

Two can play at that game. 그쪽에서 그러하면 이쪽에도 생각이 있다, 두고 보자. ***Two's company, three's none.*** 두 사람이면 좋은 짝이 되지만 세 사람이면 마음이 맞지 않아 갈라서게 된다.

2-A, II-A [tú:éi] *n.* (미국의 선발 징병 분류에서) 2-A《농업 종사자·학생이 아닌 자로서 직업에 의해 징병 연기된 자(의 구분)》.

twó-a-dáy *n.* 하루에 2번 상연되는 쇼.

twó-address instrúction 〖컴퓨터〗 2번지 명령《2개의 연산수 address가 지정되는 명령》.

twó-bágger *n.* 〖야구〗 2루타.

twó-ball fóursome 〖골프〗 2인 1조가 되어 넷이서 하는 매치 플레이.

twó-base hít 〖야구〗 =TWO-BAGGER.

twó-bèat *a.* 〖음악〗 투비트의《재즈에서 2박과 4박에 악센트를 둠》.

twó-bìt *a.* 《미구어》 25센트의; 싸구려의, 가치 없는.

twó bíts 《미구어》 25센트; 소액; 시시한 것.

twó-by-fòur [-bai-, -bə-] *a.* 세로 가로가 2인치〔피트〕와 4인치〔피트〕의; 《미구어》 작은, 좁은, 하찮은; 《미구어》 시야가 좁은, 협량의. **—** *n.* 두께 2인치 폭 4인치의 재목.

2-C, II-C [tú:sí:] *n.* (미국의 선발 징병 분류에서) 2-C《징병이 연기된 농업 종사자》.

twó-caréer *a.* 부부가 본격적인 직업을 갖고 있는.

twó cénts 《미구어》 시시한 것; (one's ~ (worth)) 의견, 견해: feel like ~ 창피한 생각이 들다. ***put*** 〔***get***〕 ***in*** one***'s*** **~** (***worth***) 주장하다, 의견을 말하다.

twó cúltures (the ~) 인문·사회 과학과 자연 과학.

twó-cỳcle *a.* 〖기계〗 (내연 기관의) 2사이클의.

twó-décker *n.* =DOUBLE-DECKER.

twó-dígit *a.* 2자리의(double-digit).

twó-diménsional *a.* 2차원의; 평면적인, 깊이 없는: ~ array 〖컴퓨터〗 2차원 배열《행렬에 대응하는 집합체; 보통 2개의 첨자(添字)를 써서 인용함》.

twó-éarner còuple 맞벌이 부부〔가정〕.

twó-édged *a.* 양날의; (이론 따위가) 2개의 뜻을 가진, 애매한.

twó-fàced [-t] *a.* 두 얼굴〔2면〕을 가진; 표리부동한, 일구이언의, 거짓으로 가득 찬, 위선적인; 두 가지 뜻으로 받아들여지는, 뜻이 애매한. 㽼 **-fác·ed·ly** [-sid-, -t-] *ad.*

two·fer [tú:fər] 《미구어》 *n.* 싸구려 상품, 염가품, 《특히》 2개 5센트의 여송연; 한 장분의 요금으로 2인분의 표를 살 수 있는 우대권. **—** *a.* 하나로 둘을 겸하는.

twó-físted [-id] *a.* **1** 두 주먹을 움켜쥔; 양주먹을 쓸 수 있는. **2** 《미구어》 힘센, 정력적인; 소박하고 남성미 있는 내용으로 팔리게 한《소설 따위》; 《영》 손재주가 무딘.

°**twó·fòld** *a.*, *ad.* 2중의〔으로〕, 두배의〔로〕; 2개의 부분〔면〕을 가진.

twó-for-òne *a.* 표리〔이자(二者)〕 일체의.

twó-fóur *a.* 〖음악〗 4분의 2박자의.

2, 4-D [tù:fɔ̀:rdí:] *n.* =DICHLOROPHENOXYACETIC ACID《제초제》.

2, 4, 5-T [tù:fɔ̀:rfàivtí:] *n.* =TRICHLOROPHENOXYACETIC ACID《제초제》.

twó-generátion fàmily 핵가족(nuclear family).

twó-hánded [-id] *a.* 양손이 있는; 양손으로 다루는; 〖테니스〗 양손으로 치는; 2인용의; 둘이서 행하는《게임 따위》; 양손잡이의. 㽼 **~·ness** *n.*

twó-hánder *n.* 2인 연극《두 명의 배우가 연기하는 연극》.

two i/c [-áisí:] 《영속어》 부사령관(second in command).

twó-íncome fàmily 맞벌이 부부; 두 사람이 버는 가정.

twó-légged [-id] *a.* 다리가 두 개인.

twó-level stórage 〖컴퓨터〗 2단계 기억 장치.

twó-líne(d) *a.* 〖인쇄〗 (활자가) 배형(倍型)의.

twó-másted [-id] *a.* 돛대가 둘 있는.

twó·máster *n.* 2대박이(배).

twó mínute òffense 〖미식축구〗 경기 종반에 나머지 시간을 고려에 넣고 행하는 공격.

twó-nàme páper 복명(複名) 어음.

twó·ness *n.* Ⓤ **1** 둘임, 둘로 갈라져 있음. **2** 이중성, 이원성.

twó on óne 〖미식축구〗 적과 이쪽이 2대 1로 플레이하는 상태.

twó-out-of-fíve còde 〖컴퓨터〗 5중 2코드.

twó páirs 〖포커〗 투페어.

twó-pàrt *a.* 〖음악〗 2부의: ~ time (measure) 2박자.

twó-pàrty sýstem 〖정치〗 2대 정당 제도.

twó-páycheck *a.* 두 사람이 버는; 수입원이 둘 있는; 맞벌이하는.

°**two·pence** [tʌ́pəns] (*pl.* **~, -penc·es**) *n.* 《영》 2펜스(은화); 시시한 일; 〖부정문 중에서 부사적으로〗 조금도. ***do not care* ~** 조금도 상관〔개의〕치 않다. **~ *colored*** 값싸고 얼룩덜룩한.

°**two·pen·ny** [tʌ́pəni] *a.* 2펜스의; 《구어》 보잘것없는, 싸구려의. **—** *n.* Ⓤ,Ⓒ 2펜스(의 화폐); 적은 양; Ⓤ 옛날 맥주의 일종; Ⓒ 《속어》 머리: Tuck in your ~ ! 《속어》 머리 숙여《등넘기 놀이에서》/ not give 〔care〕 a ~ damn 《구어》 조금도 개의치 않다.

twópenny-hálfpenny *a.* 2펜스 반의; 하찮은.

twópenny náil 길이 1인치의 못.

twó-pháse *a.* 〖전기〗 2상(相)의.

twó-píece *a.* 두 부분으로 된, 《특히》 (옷이) 투피스의. **—** *n.* 투피스 옷〔수영복〕(=**twó-pí ecer**).

twó-píece cán 2부재(部材) 깡통《밑과 동체가 한 부재이고 여기에 뚜껑을 접합시킨》.

twó-plý *a.* **1** 두 겹의, 두 겹으로 짠; 2장 겹친. **2** (실 따위가) 두 가닥의, 두 가닥으로 짠.

twó-pòwer *a.* 두 나라(사이)의.

twó-ròwed bárley 맥주보리.

2-S, II-S [tú:és] *n.* (미국의 선발 징병 분류에서) 2-S《학생으로서 징병이 연기된 자》.

twó's cómplement 〖수학·컴퓨터〗 2의 보수.

twó-séater *n.* (자동차·비행기 따위의) 2인승.

twó-shòt *n.* 《미방송속어》 배우가 2명인 장면.

Twó Sícilies (the ~) 양(兩)시칠리아 왕국《남이탈리아와 Sicily 섬을 국토로 함; 1861년 이탈리아 왕국에 통합》.

twó-síded [-id] *a.* **1** 두 면〔변〕의; 양면이 있는; 양자 간의, 쌍무적인. **2** 두 마음이〔표리가〕 있는, 표리부동의; (종이의) 앞뒤가 따로따로의 색〔촉감〕인.

twó-sided tést 〖통계〗 양측 검정(=**two-tail(ed) tést**).

two·some [tú:səm] *a.* 한 쌍의, 두 사람의, 둘이서 하는. **—** *n.* 2인조, 한 쌍; 두 사람이 하는 놀이〔경기, 댄스〕; 〖골프〗 두 사람이 하는 경기(single).

twó-spéed *a.* 〖기계〗 2단 변속의.

twó-spòt *n.* 하찮은 사람〔물건〕, 《특히》 카드의 2의 패; 《미속어》 2달러 (지폐).

twó-stèp *n.* Ⓤ 투스텝《사교댄스의 일종》; 그 곡. **—** *vi.* 투스텝을 추다.

twó-stríper *n.* 〖미해군〗 =LIEUTENANT.

twó-stròke *a.* 2행정(行程) 사이클(엔진)의. **—** *n.* 2행정 사이클 엔진(을 단 탈것).

twó-stròke cýcle 〖기계〗 (내연 기관의) 2행정 사이클.

twot [twat/twɔt] *n.* 《비어》 =TWAT.

Twó Thòusand Guíneas (the ~) 《영》 투사우전드 기니《나릅《4살》 말로 Newmarket에서 행하는 경마》. ⓒⓕ classic races.

twó-tíer *a.* (마루 등이) 2단으로 된; (가격 구조 등이) 2중의: a ~ wedding cake 2단 결혼

케이크.

twó-tìme *vt.* 《속어》 (남편·아내·애인을) 배반하다, 속이다. **—** *vi.* 남을 속이다; 배신행위를 하다. ㊞ **twó-tìmer** *n.* 배반자, 부정(不貞)한 사람. **twó-tìming** *a.*

twó-time lóser 《속어》 전과 2범의 사람, 재범자; 두 번 이혼〔파산〕한 사람.

twó-tóne(d) *a.* 투톤 컬러의, 두 색(色)을 배합한.

twó-tóngued *a.* 두말하는, 속이는.

twó-twó *n.* 《영》 (우등 학위의) 2급 하위.

'twould [twud] 《시어·방언》 it would의 간약형.

twó-úp *n.* 《미》 동전 2개를 던져 양쪽 다 앞면 또는 뒷면인가를 거는 내기.

twó-úp twó-dówn 《영구어》 투업 투다운《2층에 침실 2개, 1층에 거실겸 응접실이 2개 있는 2층 건물》.

TWOV transit without visa.

twó-vàlued *a.* 〖철학〗 (진(眞)·위(僞)) 2가(價)의. ⓒⓕ three-valued.

twó-wáy *a.* **1** 두 길의, 양면 교통의. **2** 두 방향의; 두 용도의; 상호적인. **3** 송수신 양용의: a ~ radio. **4** 두 사람이 하는, 두 사람 사이의. **5** 뒤집어서도 쓸 수 있는.

twó-wáy cáble sỳstem 〖전자〗 양방향 케이블 시스템《송수신 양쪽에서 서로 정보를 주고받을 수 있는》.

twó-wáy cáble tèlevision 〖전자〗 양방향 유선 텔레비전《수신 측도 영상·음성·정보를 되보낼 수 있음》.

twó-way mírror 투웨이 미러《앞에서 보면 거울, 뒤에서는 투명한 유리》.

twó-way stréet 양방향 도로; 쌍무적〔호혜적〕인 상황〔관계〕.

2WD two-wheel drive (2 륜구동).

twó-whéeler *n.* 2륜마차; 자전거; 《CB속어》 오토바이.

twó-wìnged flý 〖고충〗 쌍시류(雙翅類)의 각종 곤충.

twp. township. **TWX** teletypewriter exchange 「(텔렉스).

twy·er [twáiər] *n.* =TUYÈRE.

TX 〖미우편〗 Texas.

-ty[1] [ti] *suf.* '십(10)의 배수'란 뜻: twen*ty*.

-ty[2] [ti] *suf.* 라틴계의 형용사에서 그 성질·상태를 나타내는 명사를 만듦《*-ity, -ety*로 되는 경우가 많음》: subtle*ty*, facili*ty*.

Ty·burn [táibə:rn] *n.* 〖영국사〗 런던의 사형장.

Týburn tìppet 《영》 교수(絞首) 밧줄.

Týburn trèe 《영》 교수대.

Ty·che [táiki] *n.* 〖그리스신화〗 티케《운명의 여신; 로마 신화에서는 Fortuna》.

Ty·cho [táikou] *n.* 〖천문〗 티코《월면(月面) 제3사분면의 크레이터》.

ty·coon [taikú:n] *n.* 《Jap.》 (종종 T-) 다이쿤(大君)《일본 막부(幕府)의 쇼군(將軍)에 대한 당시 외국인의 호칭》; 《구어》 실업계〔정계〕의 거물.

tye, tie [tai] *n.* 〖해사〗 타이《활대를 오르내리는 사슬》.

ty·ing [táiiŋ] TIE의 현재분사. **—** *n.* 매듭; 매기.

tyke, tike [taik] *n.* 똥개, 들개; 《주로 Sc.》 촌뜨기; 《구어》 아이, 《특히》 개구쟁이.

tyle [tail] *vt.* (회의 등을) 극비에 부치다; (비밀결사 회원)에게 비밀을 맹세시키다(tile).

ty·lec·to·my [tailéktəmi] *n.* 〖의학〗 국소부(局小部) 절제(술)(lumpectomy).

Ty·le·nol [táilənɔ̀:l, -nɑ̀l/-nɔ̀l] *n.* 〖약학〗 타이레놀《비(非)피린(pyrine)계 진통 해열제인 아세트아미노펜의 상표명》.

tyl·er [táilər] *n.* (비밀 결사) 집회소의 문지기「(tiler).

ty·lo·pod [táiləpɑ̀d/-pɔ̀d] *n., a.* 〖동물〗 핵각류(核脚類)〔아목〕(=Tylopoda)의 (동물)《낙타·야마 등》. ㊞ **ty·lop·o·dous** [tailɑ́pədəs/-lɔ́p-] *a.*

ty·lo·sin [táiləsin] *n.* Ⓤ 〖약학〗 타일로신《항생물질의 일종》.

ty·lo·sis [tailóusis] (*pl.* **-ses** [-si:z]) *n.* **1** Ⓤ 〖의학〗 비후(肥厚)(화), 변지(胼胝) 형성. **2** 〖식물〗 타일로시스《물관부에 있는 전충(塡充) 세포군》.

tym·bal [tímbəl] *n.* =TIMBAL.

tym·pan [tímpən] *n.* **1** 〖인쇄〗 압지(壓紙)틀《인쇄면에 압력을 균등하게 하는 틀》. **2** =TYMPANIC MEMBRANE. **3** 〖건축〗 =TYMPANUM.

tym·pa·ni [tímpəni] (*sing.* **-no** [-nou]) *n. pl.* =TIMPANI.

tym·pan·ic [timpǽnik] *a.* 북의 (가죽 같은); 〖해부〗 고막의; 고실(鼓室)의; 중이(中耳)의.

tympánic cávity 〖해부·동물〗 고실(鼓室).

tympánic mémbrane 〖해부·동물〗 고막.

tym·pa·nist [tímpənist] *n.* =TIMPANIST.

tym·pa·ni·tes [tìmpənáiti:z] *n.* Ⓤ 〖의학〗 고창(鼓脹), 복부창만(腹部脹滿).

tym·pa·ni·tis [tìmpənáitis] *n.* Ⓤ 〖의학〗 고실염(鼓室炎).

tym·pa·num [tímpənəm] (*pl.* **~s, -na** [-nə]) *n.* **1** 〖해부〗 고막; 고실(鼓室), 중이(中耳). **2** 〖건축〗 팀파눔《박공(膊栱) 따위의 삼각면(三角面)의 부분 또는 홍예머리에서 문미(門楣) 상부의 반원면의 부분》; 《미》 (전화기의) 진동판. **3** 북; 북 가죽. **4** (양수(揚水)용) 고형 수차(鼓形水車).

tym·pa·ny [tímpəni] *n.* Ⓤ,Ⓒ **1** =TYMPANITES. **2** 《고어》 과장, 자만, 거만.

Tyn·dale [tíndl] *n.* **William** ~ 틴들《영국의 종교 개혁자·성서 번역자; 1492?-1536》.

Týn·dall effèct [tíndl-] 〖물리〗 틴들 효과《많은 입자가 산재한 매질(媒質) 속으로 빛을 통하면 통로가 산란광(散亂光)으로 빛나 보이는 현상》.

tyn·dall·om·e·ter [tìndlɑ́mətər/-lɔ́m-] *n.* 틴들로미터《틴들 효과를 이용하여 부유 분진(浮遊粉塵)을 측정하는 계기》.

tyne [tain] *n.* =TINE.

Týne and Wéar [táinən*d*wíər] 타인 위어《잉글랜드 북동부의 주; 주도(州都)는 Newcastle upon Tyne; 1974년 신설》.

typ. typographer; typographic(al); typography.

typ·al [táipəl] *a.* type의; 유형으로서의, 전형적인.

:type [taip] *n.* **1 a** 형(型), 타입, 유형《*of*》: a new ~ *of* car=a car of a new ~신형차/men of this ~ 이 형(型)의 사나이들/whisky of the Scotch ~=《구어》 Scotch ~ whisky 스카치 타입의 위스키/Her beauty is of the Italian ~. 그녀는 이탈리아형의 미인이다/This ~ *of* book is popular. 지금은 이런 종류의 책이 호평을 받는다. **b** Ⓒ,Ⓤ 전형, 모범, 견본, 표본; 《구어》 …한 타입의 사람《*of*》: a perfect ~ *of* English gentleman 영국 신사의 전형, 전형적인 영국 신사/You're not the banker ~. 자네는 은행가 타입이 아니야. **c** 〖생물〗 형, 유형, =TYPE GENUS, TYPE SPECIES, TYPE SPECIMEN; 〖생리〗 병형(病型), 균형(菌型); 혈액형; 〖축산〗 체형(體型); 〖화학〗 기형(基型). **d** 〖언어〗 타입《token을 형마다 뭉뚱그린 것; 같은 어구는 몇 번 쓰여도 1어(語)로 함; (ⓒⓕ token)》. **e** 〖논리〗 형. **2 a** 상징, 표상; 〖신학〗 예징(豫徵)《특히 후세의 것의 전조로서의 구약성서 중의 사건〔인물〕》. **b** (경화·메달의) 의장, 무늬. **c** 《드물게》 (분명히 그것으로 아는) 특징. **3** 〖인쇄〗 Ⓒ,Ⓤ 활자, 자체; 인쇄한 문자; 인쇄물: The words emphasized are in italic ~. 강조된 말은 이탤릭체로 되어 있다. **4** 《영속어》 =TYPEWRITER. **5** 〖컴퓨터〗 형, 타입《(1) 데이터의 형. (2) DOS 등의 OS에서 파일의 내용을 화면에 나타나게 하는 명령》. ◇ typical *a.* typify *v.* ***in*** **~** 활자로 조판되어〔된〕. ***set*** **~** 활자로 조판하다. ***wooden*** **~** 목판.

— *vt.* **1** 타이프라이터로 치다: ~ a letter 편지를 타자하다. **2** …의 형(型)을 조사〔분류〕하다; 〖연극〗 =TYPECAST: ~ a person's blood 아무의 혈액형을 검출하다. **3** 《드물게》 대표하다, …의 전형을 이루다; 상징하다, 예표(豫表)하다. **—** *vi.* 타이프라이터를 치다: She ~s well. **~ ... *in*** 〔***into ...***〕 (본문·여백 등에) (어구 등을) 타이프하여 넣다〔삽입하다〕. **~ *out*** (처음부터〔필기한 글 따위로부터〕) 타이프를 치다; (불필요한 글자 등을) (위에 글자를) 타이프하여 말소하다. **~ *up*** (손으로 쓴 것을) 타이프하여 정서하다; 타이프하여 준비하다.

-type [tàip] '형(型), 식(式), 판(版)' 이란 뜻의 결합사: anti*type*.

Týpe Á A형 행동 양식(의 사람)《경쟁심이 강하고 성마르며 긴장형인 사람; 관상동맥계 병을 일으키기 쉬움》.

týpe appròval 형식 승인〔증명〕, 형식 검정 합격《제품이 규정된 방법대로 제조되었음을 확인하는 공식 승인》.

Týpe B̀ B형 행동 양식(의 사람)《A형과 반대로 유유자적하고 느긋함》. 「프바.

týpe·bàr *n.* (타이프라이터의) 활자막대, 타이

týpe·càse *n.* 활자 케이스.

týpe·càst (*p., pp.* ~) *vt.* (배우의 키·체격·목소리 따위에 맞춰서) …의 역할을 정하다.

týpe-càst (*p., pp.* ~) *vt.* (활자를) 새로 주조

týpe Ć vírus =C-TYPE VIRUS. 「하다.

týpe declarátion 〖컴퓨터〗 형(型)선언.

týpe·fàce *n.* 활자의 자면(字面); 인쇄면; (활자) 서체, 체.

týpe fòunder 활자 주조공〔주조업자〕.

týpe fòunding 활자 주조.

týpe fòundry 활자 주조소.

týpe gènus 〖생물〗 기준〔모식(模式)〕속(屬)《과·아과(亞科)의 명명의 기초가 된 속》.

týpe locàlity 〖생물〗 모식 산지(模式産地)《기준 표본의 야생지》. 「금》.

týpe mètal 활자 합금《납·안티몬·주석의 합

týpe I érror [-wʌ́n-] 〖통계〗 제 1 종 과오《귀무(歸無) 가설이 옳은데 기각하는 일》.

týpe·script *n.* 타이프라이터로 친 문서〔원고〕. **—** *a.* 타이프로 친.

týpe·sèt *vt.* (기사 따위를) 활자로 짜다, 식자하다. **—** *a.* 활자로 짠. 「chine.

týpe·sètter *n.* 식자공; =TYPESETTING ma-

týpe·sètting *n.* Ⓤ, *a.* 식자(의): a ~ machine 활자 주식기(鑄植機).

týpe sìte 〖고고학〗 표준 유적.

týpe spècies 〖생물〗 (생물 분류·명명의) 기준〔모식(模式)〕종(種). 「본.

týpe spècimen 〖생물〗 (종의) 기준〔모식〕 표

týpe T̀ T형 인간《스릴을 좋아하는 형》.

týpe thèory 〖화학〗 기형설(基型說).

týpe II érror [-túː-] 〖통계〗 제 2 종 과오《귀무(歸無) 가설이 그릇되었는데도 수용하는 일》.

týpe whèel 활자차《원통 표면에 활자를 양각한 것으로, 특정 종류의 타자기나 전보에 쓰임》.

týpe·write (***-wrote; -writ·ten***) *vt.* 타자기로 치다, 타이프하다. ★ 현재는 type가 보통.

****type·writ·er** [táipràitər] *n.* **1** 타이프라이터, 타자기. **2** 《고어》 =TYPIST. **3** Ⓤ 〖인쇄〗 타이프라이터 자체(字體). **4** 《속어》 기관총.

týpe·wrìting *n.* Ⓤ 타이프라이터를 치기; 타자술(術); Ⓤ,Ⓒ 타이프라이터 인쇄물.

týpe·wrìtten TYPEWRITE의 과거분사. **—** *a.* 타이프라이터로 친. 「**-lit·ic** [-lítik] *a.*

typh·li·tis [tifláitis] *n.* 〖의학〗 맹장염. ㊞

typh·lol·o·gy [tiflálədʒi/-lɔ́l-] *n.* 맹목학(盲目學), 실명(失明)학. 「스에 걸리게 하는.

ty·pho·gen·ic [tàifədʒénik] *a.* 〖의학〗 티푸

°ty·phoid [táifɔid] 〖의학〗 *a.* (장)티푸스성(性)의: a ~ bacillus 장티푸스균 / ~ fever 장티푸스. **—** *n.* Ⓤ 장티푸스. ㊞ **ty·phoi·dal** [taifɔ́idl] *a.* 「사람.

Týphoid Máry 《경멸》 주위에 해악을 끼치는

ty·phoi·din [taifɔ́idin] *n.* 〖의학〗 티포이딘《장티푸스 감염 검사에서 피부 반응을 보기 위한 티푸스균액》.

ty·pho·ma·lar·i·al [tàifouməlέəriəl] *a.* 〖의학〗 티푸스성 말라리아의.

Ty·phon [táifɑn/-fɔn] *n.* 티폰《(1) 〖그리스신화〗 어깨에는 용의 머리가 100 개 나고 무릎 밑은 몸을 서린 독사의 형체를 한 괴물로 Typhoeus 라고도 함. (2) 이집트 신화의 Set 에 대한 그리스어 명》.

ty·phon *n.* 타이폰《압축 공기 등에 의하는 진동판 신호 경적(警笛)》.

ty·phon·ic [taifánik/-fɔ́n-] *a.* 태풍(성)의.

***ty·phoon** [taifúːn] *n.* (특히 남중국해의) 태풍. ⓒⓕ cyclone, hurricane. SYN. ⇨ STORM.

ty·phous [táifəs] *a.* 〖의학〗 발진티푸스(성)의.

ty·phus [táifəs] *n.* Ⓤ 〖의학〗 발진(發疹)티푸스(=∠ **féver**).

typ·ic [táipik] *a.* =TYPICAL.

****typ·i·cal** [típikəl] *a.* **1** 전형적인, 모범적인, 대표적인, 표본이 되는: a ~ gentleman 전형적인 신사. **2** 특유의, 특징적《*of*》: This action is ~ *of* him. 이러한 행동은 그가 함 직한 일이다. **3** 상징적인. ◇ type *n.* ***be ~ of*** …을 대표하다; …을 표상(表象)하다. ㊞ **°~·ly** *ad.* 전형적〔상징적〕으로; 전형적인 예〔경우〕로는, 일반적으로는, 대략. **~·ness** *n.* **typ·i·cal·i·ty** [tìpəkǽləti] *n.*

typ·i·fi·ca·tion [tìpəfikéiʃən] *n.* Ⓤ,Ⓒ 전형(이 됨); 모식(模式), 기형(基型); 특징 표시; 상징; 예표(豫表); 전조.

°typ·i·fy [típəfài] *vt.* 대표하다, 전형이 되다, 상징하다; 특질을 나타내다; 유형화하다; 〖신학〗 예표(豫表)하다. 「로 침.

typ·ing [táipiŋ] *n.* Ⓤ 타자기 사용법; 타이프

týping pàper 타자 용지.

týping pòol (사무실 내의) 타이피스트 집단.

***typ·ist** [táipist] *n.* 타이피스트, 타자수.

ty·po [táipou] (*pl.* ~**s**) 《구어》 *n.* 인쇄〔식자〕공; 오식(誤植). 「ogy.

ty·po- [táipou, -pə] *pref.* type의 뜻: *typol-*

typo., typog. typographer; typographic(al); typography.

ty·pog·ra·pher [taipágrəfər/-pɔ́g-] *n.* 인쇄〔식자〕공; 인쇄인; 타이포그래퍼《활자 서체 짜기·레이아웃 등의 전문가》.

ty·po·graph·ic, -i·cal [tàipəgrǽfik], [-əl] *a.* (활판) 인쇄(상)의; 인쇄술의: *typographic* design 인쇄 디자인. ㊞ **-i·cal·ly** *ad.*

ty·pog·ra·phy [taipágrəfi/-pɔ́g-] *n.* Ⓤ 활판 인쇄, 활판술; 조판; 인쇄의 체재, 타이포그래피.

ty·po·log·ic, -i·cal [tàipəládʒik/-lɔ́dʒ-], [-əl] *a.* typology의; 활자(types)의. ㊞ **-i·cal·ly** *ad.*

ty·pol·o·gy [taipálədʒi/-pɔ́l-] *n.* Ⓤ **1** 〖신학〗 예표론(豫表論), 표식론(標式論); 〖철학·언어〗 유형학(類型學). **2** 인쇄학, 활자학. **3** 〖고고학〗 형식론(型式論). ㊞ **-gist** *n.*

ty·po·script [táipəskrìpt] *n.* =TYPESCRIPT.

typp [tip] *n.* 〖섬유〗 팁《실의 굵기의 단위: 무게 1 파운드가 1,000 야드의 몇 배인가를 나타냄》.

typw. typewriter; typewritten.

typy, typ·ey [táipi] (***typ·i·er; -i·est***) *a.* 전형적인, 《특히》 (가축 등) 체형이 우수한.

Tyr, Tyrr [tiər, tjuər] *n.* 〖북유럽신화〗 티르

《Odin의 아들로 전쟁과 승리의 신》.

°**ty·ran·ni·cal, -nic** [tirǽnikəl, tai-], [-nik] *a.* 폭군의, 폭군 같은; 압제적인, 전제적인, 포악한. ◇ tyranny *n.* ㊞ **-ni·cal·ly** *ad.*

ty·ran·ni·cide [tirǽnəsàid, tai-] *n.* Ⓤ 폭군 살해; Ⓒ 폭군 살해자. ㊞ **ty·ràn·ni·cí·dal** *a.*

tyr·an·nize [tírənàiz] *vi., vt.* 학정을 행하다, 압제하다, 학대하다《*over*》.

ty·ran·no·saur [tirǽnəsɔ̀ːr, tai-] *n.* 〖고생물〗 폭군용, 티라노사우루스《육생(陸生) 동물 중 최대의 육식 공룡(恐龍)》.

ty·ran·no·sau·rus [tirӕ̀nəsɔ́ːrəs, tai-] *n.* 〖고생물〗 =TYRANNOSAUR; (T-) 티라노사우루스 속.

tyr·an·nous [tírənəs] *a.* 전제 군주적인, 횡포한; 폭위를 떨치는, (더위 · 추위 등의) 가혹한. ㊞ ~·**ly** *ad.* ~·**ness** *n.*

*__tyr·an·ny__ [tírəni] *n.* **1** Ⓒ,Ⓤ 포학, 학대; 포학 행위. **2** Ⓤ 폭정, 전제 정치. **3** Ⓤ 〖그리스사〗 참주(僭主) 정치. ◇ tyrannical *a.*

*__ty·rant__ [táiərənt] *n.* **1** 폭군, 압제자; 전제 군주. **2** 〖그리스사〗 참주(僭主). ***The Thirty Tyrants,*** 30 참주《기원전 404 년부터 403 년까지 Athens를 지배한 독재적 집정관들》.

týrant flýcatcher 〔**bìrd**〕 〖조류〗 타이런트조(鳥)《미국산 참새류》.

Tyre [taiər] *n.* 튀로스《옛 페니키아의 항구 도시》.

tyre ⇨ TIRE².

Tyr·i·an [tíriən] *a.* Tyre(시민)의; Tyrian purple의. — *n.* Tyre 사람.

Týrian púrple 〔**dýe**〕 자줏빛이 도는 진홍색(眞紅色) (물감).

ty·ro, ti- [táiərou] (*pl.* ~**s** [-z]) *n.* 초학자, 초심자, 신참자.

Tyr·ol [tiróul, tai-, táiroul/tírəl, tiróul] *n.* (the ~) 티롤《알프스 산맥 중의 한 지방; 서부 오스트리아와 북부 이탈리아에 걸쳐 있음》. ㊞ **Ty·ro·lese** [tìrəlíːz, -s, tàir-/tìr-] *a., n.*

Ty·ro·le·an, Ty·ro·li·an [tiróuliən, tai-/ti-] *a.* **1** 티롤(주민)의. **2** (모자가) 펠트제(製)로 앞이 좁고 깃털이 달린. — *n.* 티롤의 주민.

Ty·rone [tairóun] *n.* 티론《북아일랜드 서부의 주》.

ty·ro·si·nase [táiərousinèis, -nèiz, tír-] *n.* 〖생화학〗 티로시나아제《동식물 조직에 존재하며, tyrosine을 melanin으로 변환하는 반응을 촉매하는 효소》.

ty·ro·sine [táiərəsìːn, -sin, tírə-] *n.* 〖생화학〗 티로신《대사(代謝)에 중요한 phenol성(性) *α*- 아미노산》.

Tyr·rhene, Tyr·rhe·ni·an [tiríːn], [tiríːniən] *a., n.* =ETRUSCAN.

tythe [taið] *n., vt., vi.* 《영》 =TITHE.

Tzar, Tsar [zɑːr, tsɑːr] *n.* =CZAR.

Tzar·e·vitch [záːrəvitʃ, tsáː-] *n.* =CZAREVITCH.

Tzar·i·na [zɑːríːnə, tsɑː-] *n.* =CZARINA.

tzét·ze (**flỳ**) [tsétsi-, tsíːt-/tsét-] =TSETSE (FLY).

Tzi·gane, -ga·ny [tsigáːn], [-gáːni] *n., a.* 헝가리계(系) 집시(의).

tzim·mes [tsímis] *n.* 〖요리〗 치메스《홍당무 · 감자 · 말린 자두 · 고기 등을 섞어 끓인 스튜》; 《미속어》 소동, 법석.

tzitzit(h), tzitzis ⇨ ZIZITH.

tzuris ⇨ TSORIS.

U

U, u [juː] (*pl.* **U's, *Us*, u's, *us*** [-z]) **1** 유《영어 알파벳의 스물한째 글자》: *U* for Uncle, Uncle의 U《국제 통신 통화 용어; 지금은 Uniform을 흔히 씀》. **2** U자 모양의 것: a *U*-tube, U 자관(管). **3** 제 21 번째(의 것)《J를 뺄 때는 20번째》; (학업 성적 등에서) U 평점(unsatisfactory).

U [juː] 《구어》 *a.* (특히 영국의) 상류 사회〔계급〕의 〔에 어울리는〕(opp *non-U*); 《영》 일반 영화(universal)(《미》 G)의. **—** *n.* 상류 사회 (사람). **—** *pron.* =YOU: IO*U*, I.O.*U*. (=I owe you) 약식 차용 증서/Keys made while *U* wait. 기다리는 동안에 열쇠가 됩니다《게시》.

U 〖화학〗 uranium. **U.** Union(ist); 〖영영화〗 Universal (대중 상대); University. **u.** uncle; *und*《G.》(=and); upper. **UA** 〖국제 항공 약칭〗 United Airlines. **UAAC** 《미》 Un-American Activities Committee(비미(非美) 활동 (조사) 위원회). **UAE** United Arab Emirates. **UAM** underwater-to-air missile (수중 대공(水中對空) 미사일). **UAR, U.A.R.** United Arab Republic. **U.A.T.P.** Universal Air Travel Plan (항공권 신용 판매 제도). **U.A.W.** United Auto(mobile) Workers (전미국 자동차 노동조합).

ub·ble-gub·ble [ʌ́blgʌ́bl] *n.* 《미속어》 횡설수설, 잠꼬대.

Über·mensch [G. ýːbɐmɛnʃ] (*pl.* **~·en** [-ən]) *n.* 《G.》 (Nietzsche 철학의) 초인(superman).

UB 40 [júːbìːfɔ́ːrti] *n.* 《영》 (Department of Employment가 발행하는) 실업 등록증, 실업자 카드; (등록된) 실업자.

ubi·e·ty [juːbáiəti] *n.* Ⓤ 일정한 장소에 있음; 소재; 위치.

Ubiq·ui·tar·i·an, ubiq- [juːbìkwətɛ́əriən] *a.* 〖신학〗 (특히 루터가 창도한) 그리스도 편재론의. **—** *n.* 그리스도 편재론자. ㊕ **~·ism** *n.* Ⓤ 그리스도 편재론; 그리스도 무소부재론.

ubiq·ui·tous [juːbíkwətəs] *a.* (동시에) 도처에 있는, 편재하는(omnipresent); 《우스개》 여기저기 모습을 나타내는. ㊕ **~·ly** *ad.* **~·ness** *n.*

ubiq·ui·ty [juːbíkwəti] *n.* Ⓤ,Ⓒ (동시에) 도처에 있음, 편재; (U-) Ⓤ 〖신학〗 예수의 편재; 《우스개》 여기저기 나타남, 자주 만남: the ~ of the king 〖영법률〗 (재판관을 대표로 하는) 국왕의 편재.

ubi su·pra [júːbai-súːprə] 《L.》 상술한 곳에 《서적의 참조 표시; 생략: u.s.》.

Ú-bòat *n.* U 보트《제 1 차 · 제 2 차 세계 대전 중에 활약한 독일의 잠수함》.

Ú bòlt U(자형) 볼트.

U.C. Upper Canada; Under Construction. **u.c.** 〖인쇄〗 upper case (대문자 활자 케이스). **UCC, U.C.C.** Universal Copyright Convention. **UCCA, U.C.C.A.** [ʌ́kə] 《영》 Universities Central Council on Admissions (입학에 관한 대학 중앙 평의회). **UCLA, U.C.L.A.** University of California at Los Angeles. **UCS** Union of Concerned Scientists. **UDA, U.D.A.** Ulster Defence Association(얼스터 방위 연맹).

UDAG [júːdæg] *n.* 《미》 도시 개발 조성 계획. [◂ *U*rban *D*evelopment *A*ction *G*rant]

udal [júːdl] *n.* 〖법률〗 (토지의) 자유 보유권《봉건제 전에 북유럽에서 널리 행하여진 세습적인 토지 보유 형태》.

UDC, U.D.C. Union of Democratic Control; Universal Decimal Classification (국제 십진(十進) 분류법); 《영》 Urban District Council (예전의 준자치 도시 위원회).

ud·der [ʌ́dər] *n.* (소 · 염소 따위의 많은 젖꼭지가 달린) 젖통. ㊕ **~ed** *a.* **~·less** *a.* 젖통이 없는; 《비유》 어미 없는.

UDF unducted fan engine(덕트 없는 팬 엔진; 제트 엔진의 한 종류); *Union pour la Démocratie française* 《F.》 (프랑스 민주 연합); 〖S.Afr.〗 United Democratic Front(통일 민주 전선). **UDI, U.D.I.** unilateral declaration of independence(일방적 독립 선언).

udom·e·ter [juːdámətər/-dɔ́m-] *n.* 우량계 (rain gauge).

U.D.T. underwater demolition team; United Dominions Trust. **UEFA** [juːéifə] Union of European Football Association(유럽 축구 연맹). **U.F.(C.), UF(C)** United Free Church (of Scotland).

UFO, ufo [jùːèfóu, júːfou] (*pl.* **~s, ~'s**) *n.* 미확인 비행 물체, 《특히》 비행 접시(flying saucer). [◂ *u*nidentified *f*lying *o*bject]

ufol·o·gy, UFOl·o·gy [juːfálədʒi/-fɔ́l-] *n.* 미확인 비행 물체(UFO) 연구. ㊕ **-gist** *n.* **ufo·log·i·cal** [jùːfəládʒikəl/-lɔ́dʒ-] *a.*

UFT, U.F.T. United Federation of Teachers (전미 교원 연맹). **UFTAA** Universal Federation of Travel Agents' Association (여행업자 협회 세계 연맹)《1966년 창설》. **UFW** United Farm Workers of America (전미 농업 노동자 동맹).

Ugan·da [juːgǽndə, uːgáːndaː/juːgǽndə] *n.* 우간다《아프리카 중동부의 한 공화국; 수도 Kampala》. ㊕ **~n** *a., n.*

UGC, U.G.C. 《영》 University Grants Committee(대학 조성 위원회).

ugh [uːx, ʌx, ʌ, u, ʌg] *int.* 우, 와, 오《혐오 · 경멸 · 공포 따위를 나타냄》.

ug·li [ʌ́gli] (*pl.* **~s, ~es**) *n.* 《영》 =TANGELO.

ug·li·fy [ʌ́gləfài] *vt., vi.* (겉모습 따위) 추하게 하다〔되다〕, 흉하게 하다〔되다〕; (아름다움 따위를) 망쳐 놓다, (아름다움 따위가) 망쳐지다. ㊕ **ùg·li·fi·cá·tion** *n.*

ug·ly [ʌ́gli] (**-li·er; -li·est**) *a.* **1** 추한, 보기 싫은, 못생긴; 모양이 보기 흉한, 꼴사나운: an ~ design 보기 흉한 디자인/~ surroundings 지저분한 환경. **2** 추악한, 사악한; 지긋지긋한: an ~ crime 추악한 범죄(犯罪).

> SYN. **ugly** 추악하여 불쾌감을 갖게 하는. 외관뿐만 아니라 혐오감을 일으키는 사상(事象) 전반에 씀: an *ugly* story 추악한 이야기. **hideous** 섬뜩한, 소름끼치는. ugly의 강한 뜻: a *hideous* monster 소름 끼치는 괴물. **unsightly** 아름다워야 할 것이 보기 흉하게 되어 있는. 소유자 등의 부주의 · 태만이 시사되는

경우가 많음: *unsightly* disorder 보기 흉한 혼잡(混雜). **ill-favored** 아름답지 않은, 못생긴. ugly 만큼 추악하지는 않음: an *ill-favored* child 못생긴 아이. **homely** 미끈하지 않은, 촌스러운. ugly의 완곡어로도 씀: a *homely* girl 미끈하게 생기지 못한 여자.

3 험악한, 불온한: The situation is ~. 사태는 험악하다/The sky looks ~. 하늘이 잔뜩 찌푸리고 있다. **4** 위험한, 사나운: an ~ sea (파도가) 사나운 바다. **5** 싫은, 귀찮은: an ~ task 싫은 일. **6** 《구어》 심술궂은; 홍분한, 화가 난, 싸우려고 하는, 성을 잘 내는. (***as***) ~ ***as sin*** 추악한. **—** *n.* 추한 것; 추남, 추녀; 《영》 (19세기에 유행한) 여성모의 챙. ㊞ **úg·li·ly** *ad.* **-li·ness** *n.*

úgly Américan (종종 U- A-) 추한 미국인《현지인이나 그 문화에 무신경한 건방진 해외 거주 미국인; 미국의 E. Burdick와 W. J. Lederer 공저(1958)의 책명에서》.

úgly-béautiful *a.* 추하면서도 아름다운.

úgly cústomer 귀찮은 녀석, 어찌할 도리가 없는 인간.

úgly dúckling 미운 오리 새끼《집안 식구에게 바보 취급을 받다가 나중에 훌륭하게 되는 아이; Andersen의 동화에서》.

Ugri·an [júːgriən] *n.*, *a.* (헝가리·시베리아 서쪽에 사는) 우그리아 사람〔말〕(의).

Ugric [júːgrik] *a.* 우그리아어(파)의; 우그리아족의. **—** *n.* Ⓤ 우그리아어.

UGT, ugt. urgent.

uh [ʌ, ʌŋ] *int.* **1** =HUH. **2** =ER; UR.

U.H. upper half. **UHF, U.H.F., uhf** 〖전기·컴퓨터〗 ultrahigh frequency(극초단파).

uh-huh *int.* **1** [ʌhʌ́, ʌŋhʌ́ŋ] 응, 음, 허《찬성·동의·감사 따위의 감정을 나타냄》. **2** [ʌ́ŋʌ̀ŋ] 아니, 응《부정을 나타냄》.

uh·lan [úːlɑːn, júːlən] *n.* (제1차 세계 대전 전(前)의 독일·오스트리아의) 창기병(槍騎兵), 중기병(重騎兵).

uh·oh [ʌ́òu] *int.* 이런, 저런, 아뿔싸《잘못이나 실수를 했을 때 내는 소리》.

UHT ultra heat tested(초고온 처리된)《장기 보존용 우유의》.

uh-uh [ʌŋʌ́ŋ, ˊˏ, ˊˋ] *int.* 아니《부정》.

uhu·ru [uːhúːruː] *n.* 민족 독립, 자유《아프리카 민족주의자의 구호; 스와힐리어에서》.

UI unemployment insurance. **U.I.C.C.** 《F.》 Union internationale contre le cancer(국제대암(對癌) 연합).

Ui·g(h)ur [wíːguər] *n.*, *a.* 위구르족《터키계의 부족》(의); 위구르 사람〔말〕(의).

uin·ta(h)·ite [juːíntəàit] *n.* 원타석(石) 《Utah 주 산출의 천연 아스팔트; 안료(顔料)·니스의 재료》.

uit·land·er [áitlæ̀ndər, ɔ́it-, éit-/éit-] *n.* 《D.》 (*or* U-) 《S.Afr.》 외국인.

uja·máa village [ùːdʒɑːmɑ́ː-] (때로 U- v-) (탄자니아의) 우자마 마을《대통령 Nyerere에 의해 도입된 공동체 조직의 마을》.

U.K. United Kingdom (of Great Britain and Northern Ireland). **U.K.A.** United Kingdom Alliance (연합 왕국 금주 동맹). **UKAEA, U.K.A.E.A.** United Kingdom Atomic Energy Authority (영국 원자력 공사).

ukase [juːkéis, -kéiz, ˊ-/juːkéiz] *n.* (제정 러시아의) 칙령(勅令); (절대적인) 법령, 포고.

uke [juːk] *n.* 《구어》 =UKULELE.

uke·le·le [jùːkəléili] *n.* =UKULELE.

UK gárage 영국 댄스 음악의 일종.

Ukr. Ukraine.

Ukraine [juːkréin, -kráin, júːkrein/juːkréin] *n.* (the ~) 우크라이나《수도는 Kiev》.

Ukrain·i·an [juːkréiniən, -kráin-/-kréin-] *a.* 우크라이나의, 우크라이나 사람〔말〕의. **—** *n.* 우크라이나 사람; Ⓤ 우크라이나 말.

uku·le·le [jùːkəléili] *n.* 우쿨렐레《하와이의 4현악기》.

ukulele

UL, U.L. Underwriters' Laboratories(보험업자 연구소).

ula·ma, ule·ma [úːləmɑ̀ː] (*pl.* ~(**s**)) *n.* 울라마《특히 터키의 이슬람교 신학자〔법학자(단)〕》.

Ulan Ba·tor [úːlɑːnbɑ́ːtɔːr] 울란바토르《몽골 공화국의 수도》.

-u·lar [julər] *suf.* '(작은) …의, …비슷한'이란 뜻: tub*ular*.

ULCC [jùːélsìːsíː] *n.* 초대형 유조선《용량 40만톤 이상의》. [◂ *u*ltra *l*arge *c*rude *c*arrier]

ul·cer [ʌ́lsər] *n.* 〖의학〗 궤양; 종기; 《비유》 숙폐(宿弊), 병폐, 도덕적 부패(의 근원).

ul·cer·ate [ʌ́lsərèit] *vi.* 궤양이 생기다; 《비유》 (도덕적으로) 부패하다. **—** *vt.* 궤양을 생기게 하다; 《비유》 (도덕적으로) 부패시키다.

ùl·cer·á·tion *n.* Ⓤ 궤양, 궤양화〔형성〕; 궤양 상태.

ul·cer·a·tive [ʌ́lsərèitiv, -rət-] *a.* 궤양(형성)의.

úlcerative colítis 〖의학〗 궤양성 대장염.

ul·cer·o·gen·ic [ʌ̀lsəroudʒénik] *a.* 궤양 유발의.

ul·cer·ous [ʌ́lsərəs] *a.* 궤양성〔상태〕의; 궤양에 걸린; 《비유》 부패한; (마음이) 미어지듯이 아픈(festering). ㊞ ~·**ly** *ad.* ~·**ness** *n.*

-ule [ˊjuːl] *suf.* '작은 것'이란 뜻: glob*ule*, gran*ule*.

ulema ⇨ ULAMA.

-u·lent [julənt] *suf.* '…이 풍부한'이란 뜻: fraud*ulent*, truc*ulent*, turb*ulent*.

ul·lage [ʌ́lidʒ] *n.* Ⓤ 부족량, 누손(漏損)량《통·병 따위에 담긴 액체의 누출·증발로 인해 생기는》; (용기에) 남은 술; 《속어》 찌꺼기, 하찮은 녀석들. ***on*** ~ (통 따위에) 가득 채우지 않고.

úllage ròcket 〖항공〗 얼리지 로켓《주엔진 점화 전에 탱크 후부에 추진약을 흘려 보내기 위해 가속(加速)을 주는 소형 로켓》.

ul·mic [ʌ́lmik] *a.* 〖화학〗 울민의.

ul·min [ʌ́lmin] *n.* Ⓤ 〖화학〗 울민《느릅나무 또는 썩은 흙 속의 갈색 무정형 물질》.

ULMS underwater long-range missile system (수중 발사 장거리 미사일 시스템); underwater launched missile system(수중 발사 미사일 시스템).

ul·na [ʌ́lnə] (*pl.* **-nae** [-niː], ~**s**) *n.* 〖해부〗 척골(尺骨). ㊞ **ul·nar** [ʌ́lnər] *a.*

ulot·ri·chous [juːlɑ́trikəs/-lɔ́t-] *a.* 양털 같은 털을 가진, 고수머리(인종)의.

-u·lous [jələs] *suf.* '…의 경향이 있는, 다소 …한'이란 뜻: cred*ulous*, trem*ulous*.

ul·pan [úːlpɑːn] (*pl.* ***ul·pa·nim*** [ùːlpɑːníːm]) *n.* (이스라엘 이주자를 대상으로 한) 히브리어(語) 집중 학습 시설〔학교〕.

Ul·ri·ca, -ka [ʌ́lrəkə] *n.* 여자 이름.

ULSI 〖전자〗 ultra large-scale integration(초초(超超) LSI, 극초대규모 집적 회로).

Ul·ster [ʌ́lstər] *n.* **1** 얼스터《(1) 아일랜드 북부의 한 주(州)의 옛 이름. (2) 아일랜드 공화국 북부

지방. (3)《구어》 북아일랜드》. **2** (u-) 얼스터 외투《천이 두텁고 품이 낙낙한 긴 외투》. ㊞ **~·man** [-mən], **~·ite** [-ràit] *n.* 얼스터 사람.

ulster 2

Úlster Defénce Assocìation (the ~) 얼스터 방위 협회《북아일랜드 프로테스탄트의 준(準)군사 조직; 생략: UDA》.

ult. ultimate(ly); ultimo: your letter of the 10th *ult.*(=ultimo) 지난달 10일부의 너의 편지.

ul·te·ri·or [ʌltíəriər] *a.* **1** (표면에) 나타나지 않는, 숨은, (마음)속의: an ~ motive 숨은 동기, 저의(底意) / have an ~ object in view 딴 속셈이 있다. **2** 저쪽의, 저쪽 멀리의. **3** 뒤에 오는, 앞으로의, 장래의《계획 등》. ㊞ **~·ly** *ad.* 마음속으로; 저 멀리; 장차.

ul·ti·ma [ʌ́ltəmə] *a.* 《L.》 최후의; 가장 먼. ── *n.* 〖문법〗 최후의 음절, 미음절(尾音節).

ul·ti·ma·cy [ʌ́ltəməsi] *n.* 최후, 궁극; 근본 원리(ultimate).

「담판; 최후 수단, 무력.

ul·ti·ma ra·tio [ʌ́ltəmə-réiʃiòu] 《L.》 최후의

ultima ratio re·gum [-ríːgəm] 《L.》 (=the final argument of kings) 왕의 최후의 논의《최후 수단으로서의 무력 행사, 곧 전쟁》.

***ul·ti·mate** [ʌ́ltəmət] *a.* **1** 최후의, 마지막의, 궁극의: the ~ end of life 인생의 궁극 목적. SYN. ⇨LAST. **2** 최종〔결정〕적인: the ~ weapon 궁극 무기《수소 폭탄·미사일 따위》. **3** 더 이상 분석할 수 없는, 근본적인, 본원적인: ~ truths 〔principles〕 기본적 진리〔원칙〕/ the ~ cause 〖철학〗 제 1〔근본〕 원리. **4** 가장 먼: to the ~ ends of the world 세계의 끝까지. ── *n.* 최후의 것, 궁극점; 최후의 수단; 최종 결과, 결론; 근본 원리: the ~ *in* fashion 유행의 첨단. ── *vt.* 끝까지 밀고 나가다〔추진하다〕, 끝내다, 완성시키다. ── *vi.* (…으로) 끝나다(result)《*in*》. ㊞ **°~·ly** *ad.* 최후로, 결국, 마침내; 궁극적으로. **~·ness** *n.*

últimate análysis 〖화학〗 원소 분석.

últimate constítuent 〖언어〗 종극 구성 요소《그 이상 세분할 수 없는 요소》.

últimate lóad 〖항공〗 종극 하중(終極荷重).

últimate párticle 소립자(elementary particle).

últimate stréngth 〖공학〗 극한 강도(強度)《어떤 물체가 파괴되기까지의 최대 하중(荷重)》.

última Thúle (the ~) 《L.》 세계의 끝, 최북단(最北端); 극한, 극점; 아득한 목표〔이상〕.

ul·ti·ma·tism [ʌ́ltəmətìzəm] *n.* 비타협적 태도, 강경 자세, 과격론. ㊞ **ùl·ti·ma·tís·tic** *a.*

°**ul·ti·ma·tum** [ʌ̀ltəméitəm] (*pl.* **~s, -ta** [-tə]) *n.* 최후의 말〔제언, 조건〕; 최후 통첩; 궁극의 결론; 근본 원리.

ul·ti·mo [ʌ́ltəmòu] *a.* 《L.》 지난달의《보통 ult. 로 생략》. cf. proximo, instant. ¶ the 5th ~ 지난 달 5일.

ul·ti·mo·gen·i·ture [ʌ̀ltəmoudʒénətʃər] *n.* 〖법률〗 말자(末子) 상속(제도)(cf. primogeniture); =BOROUGH-ENGLISH.

ul·ti·sol [ʌ́ltəsɔ̀ːl, -sɑ̀l/-sɔ̀l] *n.* 〖토양〗 얼티졸《열대·온대 습지의 오래된 표층에서 볼 수 있는 풍화된 황적색 토양》.

ul·tra [ʌ́ltrə] *a.* 과도한, 과격한, 극단의; 《속어》〔부사적〕 실로, 매우. ── *n.* 과격론자, 급진론자; (유행 등의) 최첨단을 걷는 사람.

ul·tra- [ʌ́ltrə] *pref.* '극단으로, 초(超)…, 과(過)…, 한외(限外)…' 따위의 뜻.

ùltra·básic *a.* (암석이) 초염기성(超塩基性)의.

ùltra·céntrifuge *n.*, *vt.* 초원심(超遠心) 분리기(에 걸다).

últra·chìp *n.* 〖전자〗 울트라칩《ULSI를 담은 실리콘 소편(小片)》.

「무균의.

ùltra·cléan *a.* 초청정(超淸淨)한, 《특히》 완전

ùltra·cóld *a.* 극저온의.

「의 (사람).

ùltra·consérvative *a.*, *n.* 극단적인 보수주의

ùltra·crítical *a.* 혹평의.

ul·tra·di·an [ʌltréidiən] *a.* 〖생물〗 (생물 활동의 리듬이) 24 시간보다 짧은 주기로 변동하는, 1일 1 회를 넘어 반복하는, 초일(超日)의.

ultra·eleméntary párticle 〖물리〗 소립자의 구성 입자, 초소립자.

「초첨단적인.

ùltra·fáshionable *a.* 극단으로 유행을 좇는,

ùltra·fást *a.* 초고속의.

Ul·tra·fax [ʌ́ltrəfæ̀ks] *n.* 초고속 복사 전송 방식〔장치〕《상표명》.

ul·tra·fiche [ʌ́ltrəfìːʃ] *n.* 초(超)마이크로피시《원본을 90 분의 1 이하로 축소한 microfiche》.

ùltra·fílter *n.* (콜로이드 용액 여과용) 한외 여과막〔기〕(限外濾過膜〔器〕). ── *vt.* 한외 여과기로 여과하다.

ùltra·fíltrate *n.* 〖물리·화학〗 한외(限外) 여과액.

ùltra·filtrátion *n.* 〖물리·화학〗 한외 여과.

ultra·fíne párticles 초미립자.

「(도)의.

ùltra·hígh *a.* 매우 높은, 초고(超高)…, 최고

últrahigh fréquency 〖전기〗 극초단파《생략: U.H.F., u.h.f.》.

úl·tra·ìsm *n.* Ⓤ 과격주의; 극단〔과격〕론; 과격한 의견〔행위〕. ㊞ **-ist** *n.*, *a.* 극단〔과격〕주의자(의). **ùl·tra·ís·tic** *a.*

ùltra·léft *a.* 극좌(파)의. ── *n.* (the ~) 극좌, 극좌파〔진영〕. ㊞ **~·ist** *n.*, *a.*

ùltra·líberal *a.*, *n.* 급진적 자유주의의 (사람).

ultra·líght pláne 초경량 비행기《스포츠용 1인승 비행기》.

ùltra·maríne *a.* 해외의, 바다 저쪽의; 군청색(群青色)의. ── *n.* Ⓤ 군청색(의 채료), 농청색(濃青色), 울트라마린.

ùltra·mícrobalance *n.* 〖화학〗 초미량(超微量) 저울《1 microgram의 100 분의 1 이하까지 중량을 측정할 수 있는》.

ùltra·microcompúter *n.* 극초소형 컴퓨터.

ùltra·mícrofiche *n.* =ULTRAFICHE.

ùltra·micrómeter *n.* 초측미계(超測微計).

ùltra·mícroscope *n.* 한외(限外)〔암시야(暗視野)〕 현미경. ㊞ **-microscópic, -microscópical** *a.* 한외〔암시야〕 현미경의; 극히 미소한.

ùltra·micróscopy *n.* 한외(限外) 현미경법(에 의한 연구), 암시야(暗視野) 현미경법.

ùltra·mícrotome *n.* 전자 현미경용 초박편(超薄片) 절단기.

「적〕인 (사람).

ùltra·mílitant *a.*, *n.* 극단적으로 호전적〔전투

ùltra·míniature *a.* 초소형(超小型)의(subminiature).

「**~·ist** *n.*

ùltra·módern *a.* 초현대적인. ㊞ **~·ism** *n.* Ⓤ

ul·tra·mon·tane [ʌ̀ltrəmɑntéin/-mɔntéin] *a.* **1** 산〔알프스〕 저쪽의(OPP *cismontane*); 알프스 남쪽의, 이탈리아의; 《고어》 알프스 북쪽의(tramontane). **2** (때로 U-) 교황권 지상주의의. OPP *Gallican.* ── *n.* 알프스 이남 사람; 《고어》 알프스 북쪽 사람; (때로 U-) 교황권 지상주의자.

ul·tra·mon·ta·nism [ʌ̀ltrəmɑ́ntənìzəm/-mɔ́n-] *n.* Ⓤ (때로 U-) 교황권 지상주의. ㊞ **-nist** *n.*

ul·tra·mun·dane [ʌ̀ltrəmʌndéin, -mʌ́ndein] *a.* 세계 밖의; 태양계 밖의; 이 세상 밖의.

ùltra·nátional *a.* 초국가주의〔국수주의〕적인. ㊞ **~·ism** *n.* Ⓤ 초국가〔국수〕주의. **~·ist** *a.*, *n.*

ùltra·púre *a.* 극히 순수한, 초고순도(超高純度)의. ㊞ **~·ly** *ad.*

ùltra·réd *a.* =INFRARED《통속적인 용어》.

ùltra·ríght *a.* 극우(極右)(파)의. — *n.* (the ~) 극우, 극우파〔진영〕. ㊞ **~·ist** *n., a.*

ùltra·sécret *a.* 극비의.

ùltra·shórt *a.* 극단적으로 짧은; 〖물리〗 초단파의《파장이 10 m 이하의》: ~ wave 초단파.

ùltra·sónic *n., a.* 초음파(의)(supersonic). ㊞ **-sónically** *ad.*

ùltra·sónics *n. pl.* 〔단수취급〕 초음파학(supersonics).

ùltra·sónogram *n.* 〖의학〗 초음파 검사도(圖).

ùltra·sónograph *n.* 〖의학〗 초음파 검사 장치.

ùltra·sonógraphy *n.* 〖의학〗 초음파 진단〔검사〕(법). ㊞ **-sonográphic** *a.*

ul·tra·so·nol·o·gist [ʌ̀ltrəsənɑ́lədʒist/-nɔ́l-] *n.* 〖의학〗 초단파 검사 기사.

ùltra·sophísticated [-id] *a.* 매우 정밀한, 초정교의《기기》.

últra·sòund *n.* Ⓤ 〖물리〗 초음파, 초가청음; 〖의학〗 초음파 진단(법): ~ image 초음파 영상.

últrasound cardiógraphy 〖의학〗 초음파 심장 검사(법).

últrasound ìmaging 〖의학〗 초음파 화상(畫像)진단.

últrasound kèyboard (타자기의) 초음파 키보드.

últra·strùcture *n.* 〖생물〗 (원형질의) 초미세(超微細) 구조.

ùltra·thín *a.* 극박(極薄)의《손목 시계 따위》.

ùltra·trópical *a.* 열대권 밖의; 열대보다 더운.

◇**ùltra·víolet** *a.* 〖물리〗 자외(선)의: ~ rays 자외선. — *n.* 자외선《생략: UV》. ⓒⓕ infrared.

ultravíolet astrónomy 〖천문〗 자외선 천문학.

ultravíolet filter 〖사진〗 자외선 흡수 필터. ★ UV filter 라고도 함.

ultravíolet líght 자외선, 자외선 복사.

ultravíolet mícroscope 자외선 현미경.

ul·tra vi·res [ʌ̀ltrə-váiəri:z] 《L.》 〖법률〗 권한을 넘어서; 월권의.

ùltra·vírus *n.* 〖세균〗 초여과성(超濾過性) 병원체.

ul·u·lant [ʌ́ljələnt, jú:l-/jú:l-] *a.* 짖는; 부엉부엉 우는; 울부짖는.

ul·u·late [ʌ́ljəlèit, jú:l-/jú:l-] *vi.* (개 따위가) 짖다; (부엉이 따위가) 부엉부엉 울다, 큰 소리로 울다. ㊞ **ùl·u·lá·tion** *n.* 짖는 소리; 우는 소리; Ⓤ 포효(咆哮); 호읍(號泣).

Ulu·ru [ú:lurù:] *n.* 울루루《오스트레일리아의 Northern Territory 에 있는 세계 최대의 통바위(Ayers [ɛərz] Rock)를 원주민이 부르는 이름》.

Ulys·ses [ju:lísi:z/ju:lísi:z, ∸∸∸] *n.* **1** 〖그리스 신화〗 율리시스《Ithaca 의 왕; Homer 의 시 *Odyssey* 의 주인공; Odysseus 의 라틴명》. **2** 1990 년 우주 왕복선 '디스커버리' 호에서 발사된 태양 관측선《5 년간 태양 주위를 돌며 관측》.

um [ʌm, ʌŋ, əm, əŋ] *int.* 응, 아니《주저·의심 등을 나타냄》. — *vi.* 〔다음 관용구로〕 **~ *and ah*** 망설이다, 머뭇거리다(vacillate).

um·bel [ʌ́mbəl] *n.* 〖식물〗 산형(繖形)화서〔꽃차례〕.

um·bel·lal [ʌ́mbələl], **um·bel·lar** [ʌ́mbələr], **um·bel·late** [ʌ́mbələt, -lèit] *a.* 〖식물〗 산형화(서)의, 산형꽃차례의.

um·bel·lif·er·ous [ʌ̀mbəlífərəs] *a.* 〖식물〗 산형화가 피는; 미나릿과의.

um·bel·lule [ʌ́mbəljù:l, ʌmbélju:l] *n.* 〖식물〗 작은 산형화(繖形花).

um·ber [ʌ́mbər] *n.* Ⓤ 엄버《암갈색의 천연 안료(顔料)》; 암〔황〕갈색, 밤색, 적갈색《채료》; (교통 신호의) 황색; Ⓒ 《방언》 그늘. ***raw*** ~ 황갈색《채료》. — *a.* ~의. — *vt.* ~로 칠하다.

um·bil·i·cal [ʌmbílikəl] *a.* 배꼽의; 배꼽 가까이의; 배꼽 모양의; 밀접〔긴밀〕한; 중앙의; 《드물게》 모계(母系)의. — *n.* **1** 〖우주〗 =UMBILICAL CORD 2. **2** 연결하는 것, 연결물.

umbílical córd **1** 탯줄. **2** 〖우주〗 생명줄, 공급선(線)《(1) 발사 전의 로켓·우주선에 전기·냉각수 등을 공급함. (2) 우주선 밖의 비행사에 대한 공기 보급·통신용.》. **3** (잠수부의) 생명줄, 연락용 줄.

umbílical hérnia 〖병리〗 배꼽 헤르니아《배꼽 부분에서 내장이 튀어나오는》.

um·bil·i·cate [ʌmbílikət, -kèit] *a.* **1** 배꼽이 있는. **2** 배꼽 모양의, 가운데가 움폭한.

um·bil·i·cus [ʌmbílikəs, ʌ̀mbəlái-] (*pl.* ***-ci*** [-sài], **~·*es***) *n.* 〖해부〗 배꼽; 〖식물〗 종제(種臍); 〖동물〗 (소라의) 제공(臍孔); 〖수학〗 제점(臍點); 〖고대로마〗 권축(卷軸)의 장식; (문제의) 핵심.

úm·ble píe [ʌ́mbəl-] 《고어》 =HUMBLE PIE.

um·bles [ʌ́mbəlz] *n. pl.* 사슴 내장《식용》.

um·bo [ʌ́mbou] (*pl.* ***-bo·nes*** [ʌmbóuni:z], **~*s***) *n.* **1** 방패 중앙의 장식 돌기. **2** 〖동물〗 (쌍패류(雙貝類)의) 각정(殼頂)부; 〖해부〗 고막제(鼓膜臍)부; 〖식물〗 (균산(菌傘)의) 중심 돌기. **3** 〔일반적〕 돌기물(突起物).

um·bra [ʌ́mbrə] (*pl.* ***-brae*** [-bri:]) *n.* **1** 그림자; 《드물게》 망령, 유령. **2** 〖천문〗 본(本)그림자《일식·월식 때의 지구·달의 그림자》. ⓒⓕ penumbra. **3** (태양 흑점의) 중앙 암흑부. **4** 〖고대로마〗 동반자《초대객이 데리고 오는 불청객》. ㊞ **úm·bral** *a.*

um·brage [ʌ́mbridʒ] *n.* Ⓤ 불쾌, 노여움; 《고어·시어》 음영(陰影); (그늘을 이루는) 무성한 잎. ***give ~ to*** a person 아무에게 역겨움을 느끼게 하다. ***take ~ at*** …을 불쾌히 여기다, …에 성내다.

um·bra·geous [ʌmbréidʒəs] *a.* **1** 그늘을 만드는, 무성한《수목 따위》, 그늘이 많은. **2** 노염을 잘 타는, 의심이 많은, 성마른. ㊞ **~·ly** *ad.* **~·ness** *n.*

⁑**um·brel·la** [ʌmbrélə] *n.* **1** 우산, 박쥐 우산. **2** 양산《보통 sunshade 또는 parasol 이라고 함》. **3** 《비유》 (정당·재계 따위의) 산하, 보호: under the Conservative ~ 보수당 산하에. **4** 〖동물〗 해파리의 갓; 삿갓조개(~ shell). **5** 〖군사〗 공중 호위(전투)기(대); (적기에 대한) 탄막(彈幕). **6** 핵우산. — *a.* 우산의〔같은〕; 포괄적인. — *vt.* 우산으로 가리다〔보호하다〕, …의 우산이 되다.

umbrélla bìrd 〖조류〗 미식조(尾飾鳥)의 일종.

umbrélla lèaf 〖식물〗 매자나뭇과의 일종.

umbrélla organizàtion (산하에 많은 소속 단체를 거느린) 상부 단체〔기구〕.

umbrélla pàlm 〖식물〗 야자과 식물의 일종《솔로몬 제도 원산》.

umbrélla pìne 〖식물〗 (일본 특산의) 소나뭇과 교목의 일종.

umbrélla shèll 〖패류〗 삿갓조개.

umbrélla stànd 우산꽂이.

umbrélla tàlks 포괄 교섭〔협상, 회담〕.

umbrélla tènt 엄브렐라 텐트《한 개의 지주(支柱)에서 방사상으로 뻗은 금속 프레임이 달린 소형 텐트》.

umbrélla trèe 〖식물〗 목련속(屬)의 일종《북아메리카산》; 〖원예〗 〔일반적〕 우산 모양의 나무, 우산 모양으로 손질한 나무. 「프리카산》.

um·brette [ʌmbrét] *n.* 〖조류〗 백로의 일종《아프리카산》.

Um·bria [ʌ́mbriə] *n.* 움브리아《(1) 이탈리아 중부의 주. (2) 고대 움브리아 사람이 거주하던 이탈리아 반도 중부·북부 지방》.

Um·bri·an [ʌ́mbriən] *a., n.* 움브리아(사람〔말〕)의; Ⓒ 움브리아 사람; Ⓤ 움브리아말.

Úmbrian schóol (the ~) 움브리아 화파(畫派)《Perugino, Raphael 등의 일파》.

um·brif·er·ous [ʌmbrífərəs] *a.* 그늘을 이루는, 투영(投影)하는.

um-hum [ḿmm̩] *int.* 응(응)《긍정·이해·흥미 등을 나타냄》.

umi·a(c)k, -ac, oo·mi- [ú:miæk] *n.* 나무 뼈대에 바다표범 가죽을 씌워서 만든 에스키모의 배. cf. kayak.

um·laut [úmlaut] 〖언어〗 *n.* 《G.》 U **1** 움라우트, 모음 변이(變異), 곡음(曲音)《후속(後續) 음절의 i, j의 영향에 의한 모음 변화; 보기: 《G.》 Mann, Männer; 《E.》 man, men》. cf. mutation. **2** (움라우트에 의해 생긴) 변모음《보기: ä [e, ɛ], ö [ø], ü [y]》; 움라우트 기호《¨》. **—** *vt.* 움라우트로 음을 변화시키다; …에 움라우트 기호를 붙이다.

umm [m:] *int.* =UM.

um·ma(h) [ʌ́mə] *n.* 〖이슬람교〗 움마, 이슬람 공동체《코란을 축으로 하여 이슬람교를 실천하기 위한 집단》.

ump [ʌmp] *n., vt., vi.* 《속어》 =UMPIRE.

umph [əm, əmf] *int.* =HUMPH.

um·pir·age [ʌ́mpaiəridʒ] *n.* U 중재인〔심판원〕의 지위〔권위〕; C 중재인〔심판자〕의 판정.

‡**um·pire** [ʌ́mpaiər] *n.* 심판(자), 중재자; 〖법률〗 재정인(裁定人); (경기의) 심판원, 엄파이어; 〖미식축구〗 부심: a ball 〔field〕 ~ 〖야구〗 구심〔누심(壘審)〕. **—** *vt.* (경기·논쟁 따위를) 심판하다; 중재하다. **—** *vi.* 《~/+전+명》 (경기·논쟁 따위에서) 심판원〔재결자〕의 일을 보다: ~ *for* the league 리그의 심판을 보다. ㊕ **~·ship** [-ʃìp] *n.* U ~의 직.

ump·teen, um·teen [ʌ́mptì:n], [ʌ́m-] *a.* 《구어》 다수의. ㊕ **~th** *a.* 《구어》 몇 번째인지 모를 만큼의.

ump·ty [ʌ́mpti] *a.* 《구어》 =UMPTEEN; 〖종종 복합어로〗 이러이러한(such and such); 좀 몸이 좋지 않아: the ~-fifth regiment 제 몇 십오 연대.

ump·ty-umpth [ʌ́mptiʌ́mpθ] *a.* 《미구어》 =「UMPTEENTH.

umpy [ʌ́mpi] *n.* 《Austral.구어》 =UMPIRE.

UMT universal military training(일반 국민 군사 교련). **UMW, U.M.W.** United Mine Workers of America (전미 광산 노동자 조합).

un, 'un [ən] *pron.* 《구어·방언》 =ONE: That's a good *'un.* 말 한번 잘하네《재담·거짓말 등에》/ He's a tough *'un.* 만만치 않은 놈이야.

UN, U.N. [jú:én] United Nations.

un- [ʌ̀n, ʌ́n] *pref.* **1** 형용사(동사의 분사형을 포함함) 및 부사에 붙여서 '부정(否定)'의 뜻을 나타냄. **2** 동사에 붙여서 그 반대의 동작을 나타냄: *un*bend. **3** 명사에 붙여서 그 명사가 나타내는 성질·상태를 '제거'하는 뜻을 나타내는 동사를 만듦: *un*man.

> NOTE 이 사전에서는 위 **1**의 용법 중, 다음 5 항목에 해당하는 것 이외는 때때로 생략하였으므로, 이 사전에서 찾을 수 없는 낱말은 un-을 뺀 원낱말의 단순한 '부정'을 나타내는 것으로 보아도 좋음: (1) 단순한 '부정'이 아니고 '반대'의 뜻을 나타내는 말: *un*friendly. (2) un-을 붙이지 않고는 흔히 쓰이지 않는 말: *un*speakable. (3) 부정할 경우에는 특별한 의미가 더해지는 것: *un*advised; 또 원낱말의 의미 중 제한된 뜻만이 부정으로 되는 것: *un*easy. (4) 빈번히 쓰여서 이 사전의 선정 어휘에 들어갈 만한 낱말: *un*kind. (5) 특히 주의를 요하는 낱말: *un*moral.

UNA, U.N.A. United Nations Association.

ùn·abáshed [-t] *a.* 얼굴을 붉히지 않는, 뻔뻔스러운; 겁내지 않는, 태연한. ㊕ **ùn·abáshedly** [-idli] *ad.*

ùn·abáted [-id] *a.* 줄지 않은, 감퇴되지 않은, 약해지지 않은. ㊕ **~·ly** *ad.*

ùn·abbréviated [-id] *a.* 생략하지 않은.

‡**un·a·ble** [ʌ̀néibəl] *a.* **1** 〖보어로서 쓰임〗 …할 수 없는《*to* do》. opp *able.* ¶I am ~ *to* walk. 걷을 수 없다(=I cannot walk.). **2** 자격〔능력〕이 없는; 연약한; 무력한. ◇ inability *n.*

> SYN. **unable** 어떤 일이 일시적으로 될 수 없는 상태: be *unable* to go to a dance 댄스파티에 갈 수 없다. **incapable** 언제나 할 능력이 없는 상태: be *incapable* of appreciating music 음악을 감상할 능력이 없다.

úna bòat [jú:nə-] 《영》 작은 외대박이(catboat).

ùn·abrídged *a.* 생략하지 않은, 완전한, 완비된: an ~ text. **—** *n.* 《미》 (발췌하지 않은) 대사전.

ùn·absórbent *a.* 흡수하지 않는, 비흡수성의.

ùn·académic *a.* 학구적〔학문적〕이 아닌; 형식을 차리지 않는, 인습적(因襲的)이 아닌.

un·ac·cent·ed [ʌ̀nǽksentid, ʌ̀næksént-/-æksént-] *a.* 강세가 없는, 억양이 없는, 악센트가 없는; (그림 따위가) 두드러진 데가 없는.

ùn·accéptable *a.* 받아들이기 어려운; 용납하기 어려운; 마음에 안 드는. ㊕ **-bly** *ad.* **ùn·acceptabílity** *n.*

ùnaccómmodated [-id] *a.* 적응하지 않은; (필요한) 설비〔편의〕가 없는.

ùn·accómmodating *a.* 양보하지 않는; 순종하지 않는; 불친절한; 불만스러운.

ùn·accómpanied *a.* 동행자가 없는, (…이) 따르지 않는《*by; with*》; 〖음악〗 무반주의.

ùn·accómplished [-t] *a.* 성취되지 않은, 미완성의; 재주없는, 무능한.

°**ùn·accóuntable** *a.* **1** 설명할 수 없는, 까닭을 알 수 없는, 이상한. **2** 책임이 없는, (변명의) 책임을 지지 않는《*for*》: He is ~ *for* the mistakes. 그 잘못에 대하여 그에게는 책임이 없다. ㊕ **-bly** *ad.* **~·ness** *n.*

ùn·accóunted-fòr [-əkáuntid-] *a.* 설명되지 않은; 원인 불명의.

ùn·accrédited [-id] *a.* 신임〔신뢰〕받지 않은, 신임장을 받지 않은.

°**ùn·accústomed** *a.* **1** (…에) 익숙지 않은, 숙달되지 않은《*to; to* do*ing*》: I am ~ *to* public speaking. 사람들 앞에서 말하는 데 익숙하지 않다 / I'm ~ *to* cook*ing* for myself. 자취(自炊)에 익숙지 않다. **2** 관례가 아닌; 보통이 아닌; 진기한, 별난. ㊕ **~·ly** *ad.* **~·ness** *n.*

ùn·acknówledged *a.* 인정되지 않은, 불승인의, 응답〔대답〕이 없는.

una cor·da [ú:nəkɔ́:rdə] 〖음악〗 (피아노 연주 때의 지시로) 우나코르다의〔로〕, 약음 페달(soft pedal)을 밟는〔고〕《생략: u.c.》.

ùn·acquáinted [-id] *a.* 모르는, 낯선, 면식이 없는; 사정에 어두운, 경험이 없는, 생소한《*with*》. ㊕ **~·ness** *n.*

ùn·adáptable *a.* 적응〔적합〕할 수 없는, 맞출 수 없는, 융통성이 없는.

ùn·addréssed [-t] *a.* 말을 걸어오지 않은; (수신인의) 주소 성명이 없는《편지 따위》.

ùn·adjústed [-id] *a.* 정산〔조정〕이 끝나지 않은, 아직 순응되어 있지 않은.

ùn·adópted [-id] *a.* 채용되지 않은; 양자로 삼지 않은; 《영》 《특히》 (신설 도로가) 지방 당국이 관리하도록 인계되지 않은, 공도(公道)가 아닌.

ùn·adórned *a.* 꾸밈이 없는, 있는 그대로의, 간소한; 꾸며져 있지 않은.

ùn·adúlterated [-id] *a.* 섞인 것이 없는, 다른 것이 섞이지 않은; 순수한, 진짜의. ㊕ **~·ly** *ad.*

ùn·advénturous *a.* 모험심 없는, 대담하지 않「은; 안전 무사한.

ùn·advísable *a.* 충고를〔조언을〕 받아들이지 않는; 권할 수 없는, 적당치 않은; 좋은 계책이 못 되는.
ùn·advísed *a.* **1** 분별없는, 경솔한. **2** 충고를 받아들이지 않은. ㊞ **-vísedly** *ad.* **-edness** *n.*
ùn·aesthétic, -es- *a.* 미적(美的)이 아닌; 악취미의, 불쾌한.
°**un·affécted** [-id] *a.* **1** 젠체하지 않는; 태깔나지 않는, 있는 그대로의, 꾸밈없는; 마음으로부터의, 진실한. **2** 변화를 받지 않은, 변하지 않은; 영향을 받지 않은, 움직여지지 않은《*by*》: The house was ~ *by* the strong wind. 그 집은 강풍에도 끄떡없었다. ㊞ **~·ly** *ad.* **~·ness** *n.*
ùn·affíliated [-id] *a.* 연계가 없는; 동아리에 못 끼는; 양자가 되어 있지 않은; (정객 등이) 무파벌인.
ùn·afráid *a.* 두려워〔무서워〕하지 않는, 놀라지 않는《*of*》.
°**un·áided** [-id] *a.* 도움이 없는, 독립의, 독력의: He did it ~. 혼자 힘으로 했다 / with the ~ eyes 육안으로.
un·áired *a.* 환기를 하지 않은, 눅눅한.
unak·ite [júːnəkàit] *n.* 〖광물〗 우나카이트《화강암의 일종으로 주렴 따위를 만드는 보석》.
un·álienable *a.* =INALIENABLE.
ùn·alígned *a.* 가맹〔연합〕되어 있지 않은, 비동맹의.
ùn·allówable *a.* 허락〔허용, 승인〕할 수 없는.
ùn·allóyed *a.* **1** 합금이 아닌, 섞인 것이 없는, 순수한. **2** 진실한《감정 등》.
un·álterable *a.* 변경할 수 없는, 불변(不變)의. ㊞ **-bly** *ad.* **~·ness** *n.* **un·alterabílity** *n.*
un·áltered *a.* 변하지 않은, 불변의, 여전한.
ùn·ambíguous *a.* 모호하지 않은, 명백한. ㊞ **~·ly** *ad.* **~·ness** *n.*
ùn·ambítious *a.* 공명심이 없는, 야심이 없는; 눈에 띄지 않는, 수수한. ㊞ **~·ly** *ad.* **~·ness** *n.*
ùn·ambívalent *a.* 상반되는 의견〔감정〕을 갖지 않은, 명확한, 간명한.
ùn-Américan *a.* (가치관·주의 등이) 미국식이 아닌, 반(反)미국적인. ㊞ **~·ìsm** *n.* Ⓤ
ùn-Américanize *vt.* 비미국화(非美國化)하다; 미군에 의한 방어를 지역 국가에 넘기다.
un·ámiable *a.* 무뚝뚝한, 사귀기 힘든; 불친절한.
unan. unanimous.
un·ánchor *vt., vi.* 발묘(拔錨)하다.
ùn·anéled *a.* 《고어》 종부 성사(終傅聖事)(extreme unction)를 받지 않은.
ùn·anésthetized *a.* (수술할 때) 마취시키지 않은.
una·nim·i·ty [jùːnənímәti] *n.* Ⓤ 전원이의 없음, 동의, 합의, 만장일치. ***with*** ~ 이의 없이.
***unan·i·mous** [juːnǽnəməs] *a.* **1** 만장〔전원〕일치의, 이의 없는: a ~ vote 전원 일치의 표결 / with ~ applause 만장의 박수갈채로. **2** 합의의, 동의(同意)의: be ~ *for* reform 개혁에 대하여 같은 의견이다〔모두 찬성이다〕/ The meeting was ~ *in* protest*ing* against the policy. 회합에서는 그 정책에 항의하기로 합의를 보았다 / They were ~ *that* the report should be approved. 그들은 그 보고를 승인하기로 동의했다. ㊞ °**~·ly** *ad.* **~·ness** *n.*
ùn·annóunced [-t] *a.* 공표되지 않은; 미리 알리지 않은: enter ~ (방문객 등이) 안내도 받지 않고 들어오다 / arrive ~ 예고 없이 오다.
un·ánswerable *a.* 대답〔답변〕할 수 없는; 반박할 수 없는, 다툴 여지가 없는, 결정적인; 책임 없는《*for*》. ㊞ **-bly** *ad.*
un·ánswered *a.* 대답 없는; 반박되지 않은, 반론이 없는; 보답되지 않은: ~ love 짝사랑.
ùn·antícipated [-id] *a.* 예기치 않은, 뜻밖의, 예측하지 못한. ㊞ **~·ly** *ad.*
ùn·apologétic *a.* 변명하지 않는, 사죄〔사과〕도 하지 않는. ㊞ **-ically** *ad.*
ùn·appéalable *a.* 상소할 수 없는, (판결이) 종심(終審)의.
ùn·appéaling *a.* 호소력〔매력〕이 없는.
ùn·appéasable *a.* 가라앉힐〔완화시킬〕 수 없는, 진정시킬 수 없는, 억누를 수 없는, 채울〔만족시킬〕 수 없는. ㊞ **-bly** *ad.*
un·áppetizing *a.* 식욕을 돋우지 않는; 매력 없는. ㊞ **~·ly** *ad.*
ùn·appréciated [-id] *a.* 감상되지 않는; 진가를 인정받지 못하는; (호의를) 고맙게 여기지 않는, 감사받지 못하는.
ùn·apprehénded [-id] *a.* 이해되지 않은; 체포되지 않은.
ùn·appróachable *a.* 접근하기 어려운(inaccessible), 먼; (태도 따위가) 쌀쌀한, 가까이하기 어려운; 따를 수 없는, 무비(無比)의; 무적의. ㊞ **-bly** *ad.* **~·ness** *n.*
ùn·appròpriated [-id] *a.* (특정인이나 회사 등에) 전유되지 않은; (기금 등이) 특수 용도로 충당되어 있지 않은.
ùn·appróved *a.* 인정〔승인〕되지 않은.
un·ápt *a.* **1** 어울리지 않는, 부적당한《*for*》. **2** 둔한, 꾸물거리는, 서투른《*to* do; *at*》. **3** (…에) 익숙지 않은, …할 마음이 없는《*to* do》. ㊞ **~·ly** *ad.* **~·ness** *n.*
un·árgued *a.* 논의〔토론〕되지 않은; 이의 없는, 의심의 여지가 없는.
un·árm *vt.* 무기를 빼앗다, 무장을 해제하다(disarm); 무력하게 하다《*of*》. **—** *vi.* 무기를 버리다, 군비를 축소하다.
°**un·ármed** *a.* 무기를 가지지 않은, 무장하지 않은, 맨손의; 〖동물·식물〗 (뿔·가시·발톱 등의) 방호 기관(防護器官)이 없는; (폭탄 따위가) 불발 상태로 된.
un·ármored *a.* 비무장의; 장갑(裝甲)하지 않은《군함》.
un·ártful *a.* 교활하지 않은; 솔직한, 있는 그대로의; 서투른. ㊞ **~·ly** *ad.*
ùn·artículated [-id] *a.* 논리가 서 있지 않은, (생각·감정 표현 등이) 분명치 않은. ㊞ **~·ly** *ad.*
ùn·artifícial *a.* 인공적〔인위적〕이 아닌; 자연의, 단순한. ㊞ **~·ly** *ad.*
ùn·artístic *a.* 비예술적인. ㊞ **-tically** *ad.*
una·ry [júːnəri] *a.* 단일체의, 단일 요소로 된(monadic); 〖수학〗 1진법의.
únary operàtion 〖수학·컴퓨터〗 단항 연산《하나의 operand 에 대한 연산》.
únary òperator 〖컴퓨터〗 단항 연산자《하나의 연산수를 대상으로 하는 연산자》.
unasgd. unassigned.
ùn·ashámed *a.* 부끄러워하지 않는, 부끄러움을 모르는, 뻔뻔스러운, 파렴치한, 후안무치의. ***be*** ~ ***of*** do*ing* 〔***to*** do〕 …함을 부끄러워하지 않다. ㊞ **~·ly** *ad.* **~·ness** *n.*
un·ásked [-t] *a.* 부탁〔요구〕받지 않은《*for*》; 초대받지 않은.
ùn·aspíring *a.* 향상심〔공명심〕이 없는, 겸손한(modest).
ùn·assáilable *a.* 공격할 틈이 없는, 난공불락의; 논쟁〔비판〕의 여지가 없는, 논파할 수 없는; 부정할 수 없는, 불멸의. ㊞ **-bly** *ad.* **~·ness** *n.*
ùn·assígned *a.* 할당〔배당〕되지 않은.
ùn·assísted [-id] *a.* =UNAIDED.
ùn·as·suáge·a·ble *a.* 완화할 수 없는, 가라앉히기 힘든.
ùn·assúming *a.* 젠체하지 않는, 겸손한, 젠체하고 나서지 않는, 주제넘지 않은. ㊞ **~·ly** *ad.* **~·ness** *n.*
ùn·attáched [-t] *a.* **1** 떨어져 있는; 무소속의, 중립의. **2** 약혼〔결혼〕하지 않은. **3** 〖군사〗 (장교 등이) 소속 부대가 없는, 명령 대기의. **4** 〖영대학〗 (대

학에 적(籍)이 있지만) 특정한 학료(學寮)(college)에 속해 있지 않은. **5** 〖법률〗 압류되지 않은.

ùn·attáinable *a.* 도달하기〔얻기〕 어려운. ㊕ **-bly** *ad.* **~·ness** *n.*

ùn·attémpted [-id] *a.* 기도〔시도〕된 적이 없는, 해본 일이 없는.

ùn·atténded [-id] *a.* 시중꾼을 거느리지 않은, 수행원이 없는; 동반〔수반〕하지 않은 《*with; by*》; 보살핌을 받지 않은, 내버려둔《*to*》; 치료를 받지 않은, 붕대를 감지 않은《*to*》.

ùn·attráctive *a.* 남의 눈을 끌지 않는, 아름답지 못한, 애교가 없는; 흥미가 없는, 매력 없는, 시시한. ㊕ **~·ly** *ad.* **~·ness** *n.*

ùn·attríbutable *a.* (정보 등이) 출처가 모호한, 확인할 수 없는.

ùn·authéntic, -tical *a.* 출처 불명의, 신용할 수 없는; 진짜가 아닌.

un·áuthorized *a.* 월권의, 권한 외의, 독단의; 공인〔승인, 인정〕되지 않은.

ùn·aváilable *a.* 입수할 수 없는; 사람을 만날 수 없는, 부재중인; 이용할 수 없는, 무효의. ㊕ **-bly** *ad.* **~·ness** *n.*

unaváilable énergy 〖물리〗 무효 에너지.

ùn·aváiling *a.* 무익한, 무용의; 무효의; 헛된. ㊕ **~·ly** *ad.* **~·ness** *n.*

ùn·avóidable *a.* 피할〔어쩔〕 수 없는; 〖법률〗 무효로 할 수 없는. ㊕ **-bly** *ad.* **~·ness** *n.*

°**un·a·ware** [ʌ̀nəwέər] *a.* 《서술형용사》 **1** 눈치채지 못하는, 알지 못하는, 모르는《*of; that*》: be ~ of any change 어떤 변화도 눈치 못채다 / I was ~ *that* he had any complaints. 그가 어떤 불평이 있음을 나는 몰랐다. **2** 《드물게》 부주의한, 방심하는. **—** *ad.* =UNAWARES. ㊕ **~·ly** *ad.* **~·ness** *n.*

°**ùn·awáres** *ad.* 뜻밖에, 불의(不意)에; 눈치채지 못하고, 모르는 새에, 무심히. ***at*** **~** 불의에, 뜻밖에. ***take*** 〔***catch***〕 a person **~** 아무를 불시에 습격하다. **~ *to*** …에 눈치채이지 않고.

un·áwed *a.* 두려워하지 않는, 태연한.

un·bácked [-t] *a.* 지지자〔후원자〕가 없는; 거는 사람이 없는《경마 따위》; (말이) 사람을 태워 본 적이 없는, 타서 길들이지 않은; 등받이가 없는《의자》.

un·báked [-t] *a.* 굽지 않은, 요리하지 않은; 《고어》 미숙한, 발육 불충분한.

un·bálance *vt.* 불균형하게 하다, 어울리지 않게 하다; …의 평형을 깨뜨리다, 혼란하게 하다. **—** *n.* Ⓤ 불균형, 불평형.

un·bálanced [-t] *a.* 균형이 잡히지 않은, 어울리지 않는, 불안정한, 이상이 있는, 흔들리는《마음 따위》, 이성을 잃은; 〖상업〗 미결산의, 미청산의: ~ accounts 미결산 계정.

un·bánk *vt.* (강)의 제방을 허물다; (묻은 불)을 쑤석거리다.

un·báptized *a.* 세례를 받지 않은; 기독교도가 「아닌; 세속적인.

un·bár (*-rr-*) *vt.* …의 가로장을 떼다; …의 빗장을 빼다; …을 열다, 개방하다.

un·báted [-id] *a.* =UNABATED; 《고어》 무디게 하지 않은, 끝을 둥글게 하지 않은《칼 따위》.

***un·bear·a·ble** [ʌnbέərəbəl] *a.* 참을 수 없는, 견딜 수 없는: ~ sorrow 견딜 수 없는 슬픔 / This heat is quite ~ *to* me. 이런 더위에는 정말 견딜 수 없다. ㊕ **-bly** *ad.* **~·ness** *n.*

un·béatable *a.* 패배시킬 수 없는, 맞겨룰 수 없는; 탁월한. ㊕ **-bly** *ad.*

un·béaten *a.* 져본 일이 없는, 불패의, (기록 등이) 깨지지 않은; 매맞지 않은; 사람이 다닌 일이 없는, 인적 미답의.

°**ùn·becóming** *a.* **1** 어울리지 않는, 부적당한, 격에 맞지 않는《*to; for; of*》: His conduct was ~ *for* a lawyer. 그의 행위는 변호사에게 걸맞지 않았다. **2** (옷 따위가) 맞지 않는, 보기 흉한, 점잖지 못한, 버릇없는, 무례한. ㊕ **~·ly** *ad.* **~·ness** *n.*

un·béd *vt.* (초목을) 묘상(苗床)에서 뽑다, 다른 「곳으로 옮기다.

un·be·known, -knownst [ʌ̀nbinóun], [-nóunst] *a.* 미지의, 알려지지 않은: ~ *to* a person 아무가 모르는 사이에, 아무에게 눈치채이지 않고. ★ 부사적으로도 씀.

un·belíef *n.* Ⓤ 불신, 의혹; 불신앙.

°**ùn·belíevable** *a.* 믿을 수 없는, 거짓말 같은. ㊕ **-bly** *ad.*

ùn·belíever *n.* 신앙이 없는 사람; 이교도; 회의 「가(懷疑家).

ùn·belíeving *a.* 믿으려 하지 않는《특히 천계(天啓)를》; 의심 많은, 회의적인. ㊕ **~·ly** *ad.*

un·bélt *vt.* (…의) 띠를 끄르다〔풀다〕; 띠를 끌러 …을 풀다.

un·bénd (*p., pp.* ***-bent, ~·ed***) *vt.* **1** (굽은 것을) 곧게 하다, 펴다. **2** (긴장을) 누그러지게〔풀리게〕 하다; (몸 등을) 쉬게 하다; 〖해사〗 (돛대에서 돛을) 끄르다, (밧줄 등을) 느슨하게 하다, (매듭을) 풀다. **—** *vi.* **1** 펴지다. **2** 누그러지다, 심신의 긴장을 풀다(relax). ㊕ **~·a·ble** *a.*

un·bénding *a.* **1** 굽지 않는, 단단한; 꺾이지 않는, 불굴의《정신 등》; 고집센, 완고한. **2** 마음 편하게 하는, 기분풀이의. **—** *n.* Ⓤ 마음〔몸〕을 편하게 함. ㊕ **~·ly** *ad.* **~·ness** *n.*

un·bént UNBEND의 과거·과거분사. **—** *a.* 굽지 않은, 곧은; 굴복하지 않은; 자연 그대로 자란《가지》.

ùn·beséeming *a.* 어울리지 않는, 걸맞지 않는.

un·bías(s)ed [-t] *a.* 선입관〔편견〕이 없는, 공평한; 〖통계〗 무편향(無偏向)의《어떤 값을 추정하기 위한 변량(變量)의 평균치가 그 값과 일치하는》. ㊕ **~·ness** *n.*

un·bíblical *a.* 성경에 반하는〔의거하지 않는〕, 「비(非)성서적인.

un·bídden, un·bíd *a.* 명령〔지시〕받지 않은, 자발적인; 초대받지 않은《손님 따위》.

un·bínd (*p., pp.* ***-bound***) *vt.* (밧줄·매듭 따위를) 풀다, 끄르다; 해방하다, 석방하다; (책 묶음을) 풀다.

un·bítted [-id] *a.* 재갈을 물리지 않은; 구속되 「지 않은.

un·bítter *a.* 독기〔악의〕가 없는.

un·blámable *a.* 나무랄〔비난할〕 데가 없는, 결백한. 「않은.

un·bléached [-t] *a.* 바래지 않은, 표백하지

un·blémished [-t] *a.* 흠이 없는, 결점〔오점〕이 없는, 결백한. 「한.

ùn·bléncheed [-t] *a.* 까딱도 하지 않는, 태연

un·bléssed, un·blést [-blést] *a.* 축복받지 못한, 은혜를 받지 못한; 저주받은; 비참한; 정화(淨化)되지 않은, 신성하지 않은.

un·blínking *a.* 눈을 깜박이지 않는; 눈하나 깜짝 않는, 동하지 않는, 태연한. ㊕ **~·ly** *ad.*

un·blóoded [-id] *a.* (말 따위가) 순종이 아닌, 잡종인; =UNBLOODIED.

un·blóodied *a.* 피가 묻지 않은: an ~ dagger at the scene of the crime 범죄 현장에 있던 피 묻지 않은 단도.

un·blúshing *a.* 얼굴을 붉히지 않는, 뻔뻔스러운, 염치없는. ㊕ **~·ly** *ad.*

un·bódied *a.* 육체를 떠난; 실체가 없는, 무형 「의, 정신적인.

un·bólt *vt.* 빗장을 벗기다.

un·bólted[1] [-id] *a.* 빗장이 벗겨진.

un·bólted[2] *a.* 체질하지 않은, 거친.

un·bónnet *vi.* 모자를 벗고 절하다《*to* a person》. **—** *vt.* (아무에게) 모자를 벗게 하다. ㊕ **~·ed** [-id] *a.* 모자를 안 쓴.

un·bórn *a.* 아직 태어나지 않은, 태내에 있는; 후대의, 후세의, 미래의.

un·bórrowed *a.* 모방하지 않은, 독창적인.

un·bósom *vt.* (속마음·비밀 따위를) 털어놓다, 밝히다《*to*》. **—** *vi.* 의중(意中)을 밝히다. ~ one***self to*** a person 아무에게 속마음을 밝히다, 고백하다.

un·bóund UNBIND의 과거, 과거분사. **—** *a.* (속박에서) 풀린, 해방된, 자유의; 제본되지 않은《책》, 묶이지 않은.

un·bóunded [-id] *a.* 한정되지 않은《*by*》; 무한한; 무제한의; 억제할 수 없는. [파] **~·ly** *ad.* **~·ness** *n.*

un·bówed [-báud] *a.* (무릎 따위가) 굽지 않은; 굴복하지 않은, 자유로운.

un·bráce *vt.* 풀다, 늦추다, 느슨하게 하다; 긴장을 풀다, 누그러뜨리다, 약하게 하다, 약화하다.

un·bráid *vt.* (꼬인 것을) 풀다, 끄르다.

un·bréakable *a.* 깨뜨릴〔꺾을, 부서뜨릴〕 수 없는; (말이) 길들이기 어려운. [파] **-bly** *ad.* **~·ness** *n.*

un·bréd *a.* 교육받지 않은, 무학의; (소나 말이) 새끼를 낳은 적이 없는, 미(未)교배의; 《폐어》 버릇없이 자란.

un·bréech *vt.* 바지를 벗기다.

un·bréeched [-t] *a.* (아직) 바지를 입지 않고 있는.

un·brídgeable *a.* 다리를 놓을 수 없는.

un·brídle *vt.* (말)에서 굴레〔고삐〕를 벗기다; 《비유》 구속에서 풀다, 해방하다, 자유롭게 하다: ~ the tongue 지껄이기〔말하기〕 시작하다.

un·brídled *a.* 재갈을 물리지 않은, 고삐를 매지 않은; 《비유》 구속이 없는, 억제할 수 없는; 방일(放逸)한, 난폭한.

°**un·bróken** *a.* **1** 파손되지 않은, 완전한. **2** 방해되지 않은, 계속되는, 중단되지 않은: ~ fine weather 계속되는 좋은 날씨. **3** 길들여지지 않은《말 따위》; 꺾이지 않은. **4** 위반되지 않은《법률 따위》. **5** 깨지지 않은《기록 따위》. **6** 대오가 흐트러지지 않은. **7** 미개간의. [파] **~·ly** *ad.* **~·ness** *n.*

un·búckle *vt.* …의 죔쇠를〔버클을〕 끄르다; (칼 등의) 죔쇠를 풀어 끄르다.

un·búdging *a.* 움직이지 않는, 불굴〔부동〕의. [파] **~·ly** *ad.*

un·búild *vt., vi.* (건조물을) 헐다, 파괴하다.

un·búndle *vi., vt.* (흔히 일괄 판매되는 상품·서비스)에 개별로 가격을 매기다; (일괄 정보로부터) 개개의 것을 끄집어내다. [파] **-dling** *n.*

un·búrden *vt.* …의 짐을 부리다; …에게서 (짐을) 내리다《*of*》; (기분을) 편하게 하다, (마음의) 무거운 짐을 덜다. **~ one*self*** 〔***one's mind***〕 ***to*** a person 아무에게 속마음을 털어놓다.

un·búried *a.* **1** 아직 매장되지 않은. **2** (무덤에서) 발굴된.

un·búry *vt.* 무덤에서 파내다, 발굴하다; 《비유》 폭로하다.

un·búsinesslike *a.* 사무적이 아닌, 비조직적인, 비능률적인; 사업 목적〔방침〕에 관심이 없는.

un·bútton *vt., vi.* (…의) 단추를 끄르다; (장갑차 따위)의 뚜껑을 열다; 《비유》 시원히 털어놓다. [파] **~ed** *a.*

UNC, U.N.C. United Nations Charter 〔Congress〕; United Nations Command.

un·cáge *vt.* 새장〔우리〕에서 내놓다, 해방하다.

un·cálled *a.* 초대받지 않은; 부탁받지 않은. ~ ***for*** 〖서술적〗 불필요한; 주제넘은; 이유〔근거〕 없는.

uncálled-fòr *a.* 불필요한, 쓸데〔버릇〕없는, 지나친, 주제넘은, 참견하는; 까닭〔이유〕 없는.

un·cánny (*-ni·er; -ni·est*) *a.* **1** 엄청난, 무시무시해서 기분 나쁜; 섬뜩한; 초인적〔초자연적〕인. **2** 괴기(怪奇)한, 신비스러운. **3** 《Sc.》 험드는, 엄격한, 위험한. [파] **-cánnily** *ad.* **-niness** *n.*

ùn·canónical *a.* **1** 교회법에 의하지 않은: ~ hours 기도 시간 외《결혼식 거행이 허용 안 됨》. **2** 정전(正典)에 속하지 않은: ~ books 위경(僞經), 경외서(經外書)(Apocrypha). [파] **~·ly** *ad.*

un·cáp (*-pp-*) *vi., vt.* 모자를 벗(기)다; 마개를 뽑다; (경의로) 탈모하다; 분명히 하다, 폭로하다.

un·cáred-fòr *a.* 남에게 호감을 못 받는; 돌보는 사람이 없는, 돌보지 않는; 황폐한.

un·cáring *a.* 부주의한, 멍한.

un·cáse *vt.* **1** 상자〔용기〕에서 꺼내다, 펼치다: ~ the colors (군기를) 휘날리다. **2** 발표하다, 알리다. **3** 《고어》 …의 옷을 벗기다.

un·cástrated [-id] *a.* 삭제되어 있지 않은, 완전한.

un·cáused *a.* 원인이 없는; 자존(自存)하는; 영원한.

UNCDF United Nations Capital Development Fund(유엔 자본 개발 기금).

un·céasing *a.* 끊임없는, 부단한, 간단없는. [파] **~·ly** *ad.*

UNCED United Nations Conference on Environment and Development(유엔 환경 개발 회의).

ùn·ceremónious *a.* 격식을 차리지 않는, 마음을 터놓은, 허물없는; 버릇없는, 예의없는; 경솔한, 갑작스러운, 돌연한. [파] **~·ly** *ad.* **~·ness** *n.*

‡**un·cer·tain** [ʌnsə́ːrtn] *a.* **1** (시기·수량 등이) 불명확한, 분명치 않은, 확인할 수 없는, 미정의: a woman of ~ age 나이가 분명치 않은 여인《특히 중년 여성에 대하여》/The date of her birth is ~. 그녀의 생년월일은 분명치 않다. **2** 확실히 모르는, 단언할 수 없는; (…에 대해) 확신〔자신〕이 없는《*of; about; as to*》: He was ~ *of* success. 성공의 확신을 못 가졌었다/I am quite ~ *as to* his movements. 그의 행동에 대해서는 전혀 모르겠다/We're all ~ (*about*) *how* he's going to solve the problem. 그가 그 문제를 어떻게 해결할지 우리 모두 궁금하다/I'm ~ (*about*) *what to* do next. 다음엔 무엇을 해야 좋을지 모르겠다. ★ wh-절이〔구가〕 올 때에는 종종 전치사가 생략됨.

> [SYN] **uncertain** (실체·추세 따위를) 확실히 알 수 없는, 불확실한. 사람이 확신이 없을 경우도 씀: The time of his arrival is *uncertain*. 그의 도착 시간은 불분명하다. **dubious** 가치·진실성이 불확실한. 사람을 주어로 할 수도 있음: a *dubious* friend 불확실한〔신뢰할 수 없는〕 친구. I am *dubious* about the plan. 그 계획에 대해 반신반의이다. **insecure** 불안정한, 위태로운, 믿을 것이 못 되는: an *insecure* promise 불확실한〔믿을 것이 못 되는〕 약속. **precarious** 위태로운, 언제 잃을지 모르는: *precarious* means of existence 불안한 생활 (수단).

3 변덕스러운, 믿을 수 없는; (기후 등이) 변하기 쉬운, 일정치 않은: a person of ~ opinions 의견이 변하기 쉬운 사람/~ weather 변덕스러운 날씨. ***in no ~ terms*** 분명하게, 딱 잘라서《말하다》. [파] °**~·ly** *ad.* **~·ness** *n.*

*__un·cer·tain·ty__ [ʌnsə́ːrtnti] *n.* [U] **1** 반신반의《*as to*》; 불확정, 불확실, 부정(不定); 변하기 쉬움; 믿을 수 없음. **2** 불명; [C] 확실히 알 수 없는 일〔물건〕; 〖경제〗 불확실성. ***be above all ~*** 절대 안심이다.

uncértainty prìnciple 〖물리〗 불확정성 원리.

UNCF United Negro College Fund.

un·cháin *vt.* …을 사슬에서 풀어 주다, 속박을 풀다, 해방하다.

un·chállenged *a.* 문제가 되지 않는, 논쟁되지 않는《문제 따위》; 도전을 받지 않는. ***go ~*** (진술 따위) 문제되지 않고 통과하다.

un·cháncy 《Sc.》 *a.* 불운한; 때를 못 잡은; 위험한.
un·chángeable *a.* 변하지 않는, 일정불변의, 안정된. ㊕ **-bly** *ad.* ~**·ness** *n.*
°**un·chánged** *a.* 불변의, 변하지 않는, 본래 그대로의.
un·chánging *a.* 변하지 않는, 불변의, 언제나 일정한. ㊕ ~**·ly** *ad.* ~**·ness** *n.*
un·cháperoned *a.* 샤프롱(chaperon)이 없는.
ùn·characterístic *a.* 특징〔특성, 특색〕이 없는; 독특하지 않은. ㊕ **-tically** *ad.*
un·chárged *a.* 짐을 싣지 않은; 탄환을 재지 않은; 충전하지 않은; 죄를 짓지 않은, 고소당하지 않은.
un·cháritable *a.* 무자비한, 무정한; 용서 없는. ㊕ **-bly** *ad.* ~**·ness** *n.*
un·chármed *a.* 〚물리〛 (quark가) charm(성질)을 지니지 않은; charm 입자가 아닌.
un·chárted [-id] *a.* 해도〔지도〕에 실려 있지 않은; 미지의: an ~ island 해도에 없는 섬.
un·chártered *a.* 특허를 받지 않은, 무면허〔무인가〕의, 공인되지 않은; 불법의.
un·cháste *a.* 행실이 나쁜, 부정(不貞)한; 음탕한; 천한, 상스러운, 야비한《취미 따위》. ㊕ ~**·ly** *ad.* ~**·ness** *n.* **un·chástity** *n.* Ⓤ
un·chástened *a.* 시련을 받지 않은; 세련되지 않은.
un·chécked [-t] *a.* 저지〔억제〕되지 않은; 검사받지 않은, 맞추어 보지 않은.
unchécked bággage 기내 휴대 수화물.
un·chrístian *a.* 기독교도가 아닌, 이교(異教)의; 기독교 정신에 반하는, 비기독교적인; 《구어》 미개의, 야만적인, 난폭한, 천한. ㊕ ~**·ly** *ad.*
un·chúrch *vt.* 교인의 자격을 빼앗다, 파문하다; …에게서 교회의 특권을〔지위를〕 빼앗다.
un·ci·al [ʌ́nʃiəl/-siəl] *n.* 언셜 자체(字體)《기원 3-8 세기에 그리스·라틴어의 필사(筆寫)에 쓰여졌고, 지금은 대문자보다 둥근 맛이 있는 옛 자체》; 언셜 글자체의 사본. ―*a.* 언셜 자체의; 12 진법의. ㊕ ~**·ly** *ad.*
un·ci·form [ʌ́nsəfɔ̀ːrm] *a.* 〚동물·해부〛 갈고리 모양의. ―*n.* 〚해부〛 구상골(鉤狀骨).
únciform pròcess 〚해부〛 (특히 손목뼈의 일부를 이루는 유구골(有鉤骨)의) 갈고리 모양의 돌기(突起).
un·ci·nal [ʌ́nsənl] *a.* =UNCINATE.
un·ci·nate, -nat·ed [ʌ́nsənət, -nèit], [-nèitid] *a.* 〚해부·동물·식물〛 갈고리 모양의.
UNCIO United Nations Conference on International Organization(유엔 국제 기관 회의).
un·círcumcised *a.* 할례(割禮)를 받지 않은, 유대인이 아닌, 이방인의; 《비유》 이교(異教)〔이단〕의, 순수하지 않은.
ùn·circumcísion *n.* Ⓤ 할례를 받지 않음, 무할례(無割禮); 할례 거부; (the ~) 〚성서〛 〘집합적〙 이방인(the Gentiles).
un·cívil *a.* 버릇없는, 무례한, 난폭한《말씨 등》; 야만적인, 미개한. ㊕ ~**·ly** *ad.* ~**·ness** *n.*
un·cívilized *a.* 미개한, 야만의. ㊕ ~**·ly** *ad.*
un·clád *a.* 옷을 입지 않은, 벌거숭이의.
un·cláimed *a.* 요구되지 않는, 요구자가 없는, 주인이 불명한《화물 따위》.
un·clásp *vt.* 죔쇠를 벗기다; (쥐었던 손 등을) 놓다, 펴다. ―*vi.* 죔쇠가 벗겨지다; (쥐었던 손 등이) 펴지다, 풀리다.
un·clássifiable *a.* 분류할 수 없는. ㊕ ~**·ness** *n.*
un·clássified *a.* 분류〔구분〕하지 않은; 기밀 취급을 받지 않은, 비밀이 아닌《문서》; (도로가) 등급 번호가 붙지 않은, 지방 자치 단체 관할의.
†**un·cle** [ʌ́ŋkəl] *n.* **1** 아저씨, 백부, 숙부; 외삼촌; 고모부, 이모부. ⓒⓕ aunt. ¶ an ~ on one's father's 〔mother's〕 side 친〔외〕삼촌. **2** 《구어》 〘친밀어로서〙 (남의) 아저씨《방송국의 아나운서, 미국에서는 흑인 노복(老僕) 등》. **3** 《속어》 전당포 주인. **4** (U-) =UNCLE SAM; 《미속어》 연방 정부의 수사관, 《특히》 마약 G 맨. **5** (U-) 《원래》 U 를 나타내던 통신 용어《지금은 Uniform 이 보통》. ***come the ~ over*** 점잖게 …을 꾸짖다. ***cry*** 〔***say***〕 ~ 《미구어》 졌다고 말하다, 항복하다. ***I'll be a monkey's ~!*** 《구어》 깜짝 놀랐는걸. ***play ~ to*** …을 후원〔응원〕하다. ***talk like a Dutch ~*** 몹시 꾸짖다. ***your ~*** 《우스개》 나, 이 아저씨. ―*vt.* 아저씨라고 부르다, 아저씨 취급을 하다: Don't ~ me. 나를 아저씨니 뭐니 부르지 마라.
un·cléan *a.* **1** 불결한, 더럽혀진; 순결하지 않은, 부정(不貞)한; 외설한; 〚종교〛 부정(不淨)한. **2** 불명확한, 분명치 않은. ***the ~ spirit*** 〚성서〛 악마, 악령. ㊕ ~**·ness** *n.*
un·cléanly[1] [-klénli] *a.* 불결한, 음란한, 부정(不貞)한. ㊕ **-li·ness** *n.*
un·cléanly[2] [-klíːnli] *ad.* 불결하게.
un·cléar *a.* 불분명한, 명백하지 않은, 모호한, 막연한.
un·cléared *a.* 장애가 제거되지 않은; 벌목되지 않은.
úncle-in-làw (*pl.* ***úncles-***) *n.* 이모부, 고모부; 시삼촌, 처삼촌.
un·clénch *vt.* 억지로〔비집어〕 열다; (억지로) 벌리다; (쥐었던) 손을 풀다. ―*vi.* (쥔) 손이 느슨해지다.
Úncle Sám **1** 미국 (정부); 전형적인 미국 사람《첫 글자 U.S. 로써 만든 말임》. ⓒⓕ John Bull. **2** 《미속어》 연방 정부의 수사관.

Uncle Sam 1

Úncle Súgar 《미속어》 연방 수사국(FBI).
Úncle Tóm 톰 아저씨《H. B. Stowe 작 *Uncle Tom's Cabin* 의 주인공》; 《미·경멸》 백인에게 굴종적인 흑인. ㊕ **Úncle Tómism** (흑인의) 백인 영합(迎合)주의.
Úncle-Tóm (***-mm-***) *vi.* (흑인이) 백인에게 비굴한 태도를 취하다.
Úncle Tómahawk 《미속어》 백인 사회·문화에 영합한 아메리칸 인디언.
un·clóak *vt.* 외투를 벗기다; (가면을) 벗기다, 폭로하다. ―*vi.* 외투를 벗다.
un·clóg (***-gg-***) *vt.* 방해〔장애〕를 제거하다.
un·clóse *vt., vi.* 열(리)다; 나타내다, 나타나다; 드러나다, 드러내다.
un·clósed *a.* 열려 있는, 열린 채로의; 완결되지 않은.
un·clóthe *vt.* 옷을 빼앗다, 옷을 벗기다; 발가벗기다; 덮개를 떼어 버리다〔벗기다〕; 드러내다, 털어놓다.
un·clóuded [-id] *a.* 구름 없는, 갠; (마음 등이) 밝은, 맑은, 명랑한. ㊕ ~**·ly** *ad.*
un·clúttered *a.* 흐트러져 있지 않은, 혼란되어 있지 않은, 정돈된.
un·co [ʌ́ŋkou] 《Sc.》 *a.* 낯선, 안면이 없는; 이상한, 기분 나쁜; 주목할 만한, 현저한, 커다란. ―(*pl.* ~***s***) *n.* (*pl.*) 뉴스, 진문(珍聞), 기별; 낯선〔안면 없는〕 사람. ―*ad.* 대단히, 극히: the ~ guid 〘보통 반어적〙 각별히 근엄한 신사들. ★ guid [gøːd, gyːd, gid] *a.* 《Sc.》 =GOOD.
un·cóil *vt., vi.* (감긴 것을) 풀다; 풀리다: The snake slowly ~*ed.* 뱀이 천천히 사리를 풀었다.
un·cóined *a.* (화폐로) 주조되지 않은; 위조가 아닌, 진짜의; 천연의.
un·cólored *a.* 채색하지 않은; 꾸밈〔과장〕 없는, 있는 그대로의《*by*》.

un·cómbed *a.* 빗질하지 않은, 헝클어진.

un-come-at-a·ble [ʌ̀nkʌmǽtəbəl] *a.* 《구어》 얻기 힘드는; 도달하기〔가까이하기〕 어려운.

un·cómely *a.* 아름답지 못한, 못생긴; 꼴불견의, 어울리지 않는; 예절 없는.

‡**un·com·fort·a·ble** [ʌnkʌ́mfərtəbəl] *a.* **1** (사람·물건이) 불유쾌한, 기분이 언짢은, 거북한: I am ~. 나는 불쾌하다〔거북하다〕/an ~ chair 편안치 못한 의자. **2** 귀찮은, 곤란한: an ~ situation 성가신 상황. ㊞ **-bly** *ad.* **~·ness** *n.*

ùn·commércial *a.* 상업에 종사하지 않는, 장사에 관계없는; 상업 도덕〔정신〕에 반하는; 채산이 맞지 않는; 비영리적인.

ùn·commítted [-id] *a.* 미수의; 언질〔서약〕에 얽매이지 않은, 의무를 지지 않은《*to*》; 중립의, 당파심 없는; (법안 등을) 위원회에 회부하지 않은; (교도소·정신 병원 등에) 감금되어있지 않은; 〖군사〗 미(未)투입의: an ~ crime 미수죄.

‡**un·com·mon** [ʌnkɑ́mən/-kɔ́m-] *a.* 흔하지 않은, 보기 드문, 진귀한, 보통이 아닌, 비범한: an ~ case (보기) 드문 경우/a surliness ~ *to* 〔*among*〕 the good-natured villagers 착한 시골 사람들에게서는〔사이에서는〕 찾아보기 힘든 퉁명스러운 태도. **—** *ad.* 《고어·방언·구어》 =uncommonly. ㊞ °**~·ly** *ad.* 드물게; 진귀하게; 대단히, 매우: not ~*ly* 흔히. **~·ness** *n.*

ùn·commúnicative *a.* 속을 터놓지 않는, 좀처럼 말하지 않는, 잘 어울리지 않는; 말 없는.

ùn·compláining *a.* 불평을 말하지 않는; 참을성이 많은. ㊞ **~·ly** *ad.* **~·ness** *n.*

un·cómplicated [-id] *a.* 다른 것〔일〕과 얽히지 않은; 〖의학〗 합병증을 수반하지 않은; 단순한.

ùn·comprehénding *a.* 이해 못한, 이해력이 부족한. ㊞ **~·ly** *ad.*

ùn·cómpromising *a.* 양보〔타협〕하지 않는; 강경한, 완고한. ㊞ **~·ly** *ad.* **~·ness** *n.*

ùn·concérn *n.* Ⓤ 태연, 무관심, 냉담.

ùn·concérned *a.* **1** 걱정〔근심〕하지 않는; 태연한, 무사태평한《*about*》. **2** 관계치 않는, 상관없는《*in*》; 관심을 가지지 않는, 개의치 않는《*with; at*》. ㊞ **-cérnedly** *ad.* **-edness** *n.*

ùn·condítional *a.* 무조건의, 무제한의, 절대적인; 〖심리〗 =UNCONDITIONED: ~ surrender 무조건 항복. ㊞ **~·ly** *ad.* **~·ness** *n.*

uncondítional brànch 〖컴퓨터〗 무조건 분기《다음에 행할 명령의 주소〔번지〕를 무조건 변경하고 싶을 때 쓰이는 명령》.

uncondítional jùmp 〖컴퓨터〗 무조건 점프《항상 지정된 주소〔번지〕로 제어를 옮기는 동작의 명령 부호》.

ùn·condítioned *a.* 무조건의, 절대적인; 본능적인; 〖철학〗 무제약의; 〖심리〗 무조건의《반사 등》, 무조건 반응을 일으키는《자극》. ㊞ **~·ness** *n.*

uncondítioned respónse 〖심리〗 무조건 반사〔반응〕(=**uncondítioned réflex**).

ùn·confírmed *a.* **1** 확인되지 않은, 확증이 없는: an ~ report 미확인 보도. **2** 〖교회〗 견신례(의 안수)를 받지 않은.

ùn·confórmable *a.* 적합하지 않은, 일치하지 않는(not consistent); 《특히》 〖영국사〗 영국 국교회에 따르지 않는; 〖지학〗 부정합(不整合)의. ㊞ **-bly** *ad.* **~·ness** *n.*

ùn·confórmity *n.* Ⓤ **1** 《고어》 불일치, 부적합. **2** 〖지학〗 (지층의) 부정합(不整合).

ùn·congénial *a.* 마음〔기호〕에 맞지 않는; 적합지 않은. ㊞ **~·ly** *ad.*

ùn·connécted [-id] *a.* 연속되지 않는, 분리〔독립〕한; 관계없는; 연고가 없는; 조리가 맞지 않는; 산만한. ㊞ **~·ly** *ad.* **~·ness** *n.*

°**un·cónquerable** *a.* 정복할〔억누를〕 수 없는; 극복할 수 없는. ㊞ **-bly** *ad.* **~·ness** *n.*

un·cónquered *a.* 정복되지 않은.

un·cónscionable *a.* 불합리한, 부조리의, 터무니없는; 〖법률〗 부당한; 비양심적인: an ~ bargain 부당 계약〔거래〕. ㊞ **-bly** *ad.* **~·ness** *n.*

‡**un·con·scious** [ʌnkɑ́nʃəs/-kɔ́n-] *a.* **1** 무의식의, 부지중의: ~ humor 무심코 한 유머/~ neglect 본의 아닌 태만〔무시〕. **2** 모르는, 깨닫지〔알아채지〕 못하는《*of*》: be ~ *of* danger 〔*having* done wrong〕 위험〔실수한 것〕을 깨닫지 못하다. **3** 의식 불명의, 인사불성의: drink oneself ~ 과음해서 제정신을 잃다. **4** 의식〔자각, 지각〕이 없는, 비정(非情)의. **—** *n.* (the ~) 무의식(적인 심리). ㊞ °**~·ly** *ad.* 무의식적으로, 부지중에. **~·ness** *n.* 무의식; 의식 불명, 인사불성.

un·cónsecrated [-id] *a.* 성화(聖化)되지 않은; 성별(聖別)되지 않은.

ùn·consídered *a.* 고려되지 않은; 고려할 가치가 없는; 깊이 생각지 않은, 경솔한, 무분별한.

ùn·constitútional *a.* 비입헌적인, 헌법에 위배되는, 위헌의. ㊞ **~·ly** *ad.* **ùn·constitutionálity** *n.* Ⓤ 헌법 위반, 비합헌성, 위헌(성).

unconstitútional stríke 위반 스트라이크《고용자와 조합 간에 합의가 이루어진 때 강행하는》.

ùn·constráined *a.* 구속받지 않는, 강제되지 않는, 자유로운; 강제에 의하지 않은, 자발적인, 거북하지 않은, 거침없는, 자연스러운. ㊞ **-stráinedly** [-nidli] *ad.*

ùn·constráint *n.* Ⓤ 구속없음; 수의(隨意), 자유.

ùn·constrúcted [-id] *a.* (옷이) 심이나 패드를 안 넣어 형태를 갖추지 않은.

un·contáinable *a.* 억누를 수 없는.

ùn·contáminated [-id] *a.* 오점 없는; 오염되지 않은.

ùn·contésted [-id] *a.* 겨룰 사람이 없는, 무경쟁의; 명백한, 논쟁의 여지가 없는.

*****un·con·trol·la·ble** [ʌ̀nkəntróuləbəl] *a.* 제어할 수 없는, 억제하기 어려운, 어쩔 수 없는. ㊞ **-bly** *ad.* **~·ness** *n.*

ùn·contrólled *a.* 억제〔통제〕되지 않은, 방치된, 자유스러운. ㊞ **-trólledly** [-lidli] *ad.*

ùn·controvérsial *a.* 논쟁이 안 되는.

ùn·convéntional *a.* 관습에 의하지 않은, 인습에 얽매이지 않은, (태도·복장 따위가) 판에 박히지 않은, 약식의, 자유로운; 비재래식의: ~ weapons 비재래식 무기. ㊞ **~·ly** *ad.* **ùn·conventionálity** *n.* Ⓤ 비(非)인습적인 일〔행위〕; 독창성.

unconvéntional wárfare 비정규전《게릴라 전술 또는 파괴 활동에 의하여 적지 내에서 수행하는》.

ùn·convérted [-id] *a.* **1** 변(화)하지 않은. **2** 개종(改宗)하지 않은, 아직 이교도인; 회개하지 않은; 전향하지 않은.

ùn·convértible *a.* 바꿀 수 없는; 태환〔교환〕할 수 없는, 불환(不換)의《지폐 따위》. ㊞ **-bly** *ad.*

ùn·convínced [-t] *a.* 설득되지 않은, 납득하지 않은.

ùn·convíncing *a.* 납득시킬 수 없는, 설득력이 없는, 의문이 있는. ㊞ **~·ly** *ad.* **~·ness** *n.*

un·cóoked [-t] *a.* 요리하지 않은, 날것의.

un·cóol *a.* 《속어》 자신 없는, 몹시 감정적인; 품위없는, 무무한; 당황한; (동료의 방식을) 알지 못하고 있는.

un·córd *vt.* (끈·줄 등을) 풀다, 끄르다; (활의) 시위를 벗기다.

un·córk *vt.* 코르크를 뽑다, 마개를 빼다; 《비유》 (감정 따위를) 드러내다, 입 밖에 내다, 토로하다; 힘차게 날리다.

ùn·corréctable *a.* 회복〔복원〕할 수 없는, 돌

이길 수 없는. [파] **-bly** *ad.*
ùn·corrúpted [-id] *a.* 부패〔타락〕하지 않은; 매수되지 않은; 청렴한.
ùn·corrúptible *a.* 쉽게 부패하지 않는, 타락시키기 어려운, 매수하기 어려운(incorruptible).
un·cóuntable *a.* **1** 무수한. **2** 셀 수 없는, 계산할 수 없는: an ~ noun 불가산 명사. **—** *n.* 〖문법〗 셀 수 없는〔불가산〕 명사《보기: health, water 따위; ⇨《부록》 COUNTABLE》.
un·cóunted [-id] *a.* 세지 않은; 무수한, 많은.
un·cóuple *vt.* …의 연결을 풀다《*from*》; (개의) 붙들어 맨 가죽끈을 풀다, 분리시키다. **—** *vi.* 풀리다; 떨어지다. 「**~·ly** *ad.*
un·cóurteous *a.* 예의를 모르는, 버릇없는. [파]
un·cóurtly *a.* 궁정 예절에 익숙지 못한; 거친, 조야한, 우아하지 못한, 야비한. [파] **-liness** *n.*
un·couth [ʌnkúːθ] *a.* **1** 메부수수한, 거칠고 천한《사람·행위 등》; 거친, 난폭한, 세련되지 않은《말버릇 따위》. **2** 인적이 드문, 황량한《땅 따위》; 《고어》 미지의, 이상한, 낯선《광경 따위》; 《폐어》 야릇한, 기괴한. [파] **~·ly** *ad.* **~·ness** *n.*
un·cóvenanted [-id] *a.* 계약〔서약, 특히 신약(神約)〕에 의하지 않은, 계약에 얽매이지 않는. ***the ~ mercies of God*** 신약에 의하지 않은 하느님의 은혜《그리스도를 모르는 사람에게까지 미치는 하느님 은혜》.
°**un·cóver** *vt.* **1** 폭로하다, 적발하다, 밝히다: ~ a plot 음모를 폭로하다. **2** …의 덮개를 벗기다〔뚜껑을 열다〕: ~ a box. **3** 〖~ oneself〗 쓴 것을〔모자를〕 벗다. **4** 〖군사〗 (군대를) 적의 포화〔시야(視野)〕에 노출하다; 원호를 그만두다, 무방비 상태에 두다. **5** (여우를 숨은 곳에서) 몰이해 내다. **—** *vi.* **1** 뚜껑을〔덮개를〕 떼내다〔벗기다〕. **2** (경의를 표하여) 모자를 벗다, 탈모하다. [파] **~ed** *a.* **1** 덮개를 씌우지 않은; 모자를 쓰지 않은; 드러내어 놓은, 노출된: *~ed* legs. **2** 보험에 들지 않은, (연금 따위의) 적용을 받지 않는; 담보가 없는; 선생이 없는《학급》.
uncóvered lòan 〖경제〗 무담보 채권.
ùn·creáted [-id] *a.* 자존(自存)하는; 아직 창조되지 않은; 존재하지 않은.
ùn·crédited [-id] *a.* 신뢰받지 못하는; 인정되지 않은; (작가·협력자로서) 이름이 올라 있지 않은.
un·crítical *a.* 판단력〔비판력〕이 없는, 맹종하는. [파] **~·ly** *ad.*
un·cróss *vt.* …의 교차(交叉)를 풀다: ~ one's arms 〔legs〕 팔짱을〔책상다리를〕 풀다.
un·cróssed [-t] *a.* (십자로) 교차하지 않은; 횡선을 긋지 않은《수표》, 방해받지 않은.
un·crówn *vt.* …의 왕위〔왕좌〕를 빼앗다. [파] **~ed** *a.* **1** 아직 대관식을 안 올린; 정식 (여)왕이 아닌; (정식 (여)왕이 아니면서) 왕권을 행사하는. **2** 무관(無冠)의: the *~ed* king 〔queen〕 (of …) (패거리 내에서의) 두목, 제왕〔여왕〕.
un·crúshable *a.* **1** (천 등이) 주름이 지지 않는. **2** 《문어》 (사람·의지 등이) 꺾이지 않는.
UNCSTD United Nations Conference on Science and Technology for Development.
UNCTAD [ʌ́ŋktæd] United Nations Conference on Trade and Development.
unc·tion [ʌ́ŋkʃən] *n.* [U] **1** 주유(注油), 도유(塗油)《종교적 축성(祝聖) 또는 의료에서의》. [cf.] extreme unction. **2** 바르는 기름, 연고; 《비유》 마음을 위안하는 것, 기쁘게 하는 것; 감언: that flattering ~ 사람을 녹이는 저 유약(油藥)〔감언〕《Shakespeare의 작품 *Hamlet*에서》. **3** (종교적·정신적인) 열정, 감격; 감동적인 어조〔태도〕. **4** 거짓 감격, 겉으로만의 열정〔감동〕.
unc·tu·ous [ʌ́ŋktʃuəs] *a.* **1** 기름 같은, 유질(油質)의; 기름기가 도는; 매끄러운, 반드러운. **2** 상냥한, (사람을) 살살 녹이는; 열심인 체하는, 자못 감동한 듯한. [파] **~·ly** *ad.* **~·ness** *n.*
un·cúltivated [-id] *a.* **1** 아직 경작되지 않은, 미개간의. **2** (천재 등이) 교육〔훈련〕에 의하지 않은, 타고난. **3** 교양이 없는, 무무한; 미개한.
un·cúltured *a.* 개간되어 있지 않은; 교양 없는.
un·cúred *a.* 치료되지 않은, 아직 낫지 않은; 저장〔가공〕 처리되지 않은, 소금절이하지 않은, 말리지 않은.
UNCURK United Nations Commission for Unification and Rehabilitation of Korea (국제 연합 한국 통일 부흥 위원단)《1973년 해체》.
un·cúrl *vt.* (머리카락 따위의) 곱슬곱슬한 것을 펴다, 똑바로 하다. **—** *vi.* 펴지다, 똑바로 되다.
un·cút *a.* 자르지 않은; 아직 갈지 않은《보석 따위》; 〖제본〗 도련하지 않은; 생략〔삭제, 컷〕하지 않은; (책·영화 등) 삭제〔생략, 단축〕하지 않은; 《미속어》 (마약이) 섞은 것이 없는, 순수한. [cf.] unopened.
un·dámaged *a.* 손해를 입지 않은, 완전한.
un·dámped [-t] *a.* 의기소침하지 않은; 〖물리·전기〗 (진동이) 불감쇠(不減衰)의.
un·dáted [-id] *a.* 날짜 표시가 없는, 기일을 정하지 않은; 별다른 사건이 없는.
°**un·dáunted** [-id] *a.* 불굴(不屈)의, 서슴지 않는, 기가 꺾이지 않는, 겁내지 않는, 용감한. [파] **~·ly** *ad.* **~·ness** *n.*
UNDC United Nations Disarmament Commission(유엔 군축 위원회).
un·dé, un·dée [ʌndéi] *a.* 《F.》 〖문장〗 물결 모양의(wavy). 「11각형.
un·dec·a·gon [ʌndékəgɑ̀n/-gən, -gɔ̀n] *n.*
ùn·decéive *vt.* 미망(迷妄)을 깨우쳐 주다, (잘못을) 깨닫게 하다《*of*》: be *~d* 비로소 깨닫다.
ùn·decidabílity *n.* 〖수학·논리〗 결정 불가능성, 논증 불능.
ùn·decíded [-id] *a.* 미결의, 미정의; 어떻게 될지 모르는《날씨 따위》; 우유부단한, 결단을 못 내리는; (모양 따위가) 분명치 않은, 희미한: an ~ character 우유부단한 사람. [파] **~·ly** *ad.* **~·ness** *n.*
ùn·decláred *a.* 과세 신고를 하지 않은; 선언〔선전포고〕하지 않은.
ùn·decompósed *a.* (화학 물질이) 분해되지 않은; 썩지 않은. 「敗)의.
ùn·deféated [-id] *a.* 진 일이 없는; 불패(不
ùn·defénded [-id] *a.* 방비가 없는; 옹호〔변호〕되지 않은; 변호인이 없는《죄인 등》; (고소 등이) 항변이 없는. 「한; 순수한.
ùn·defíled *a.* 더럽혀지지 않은, 깨끗한, 결백
ùn·defínable *a.* =INDEFINABLE.
ùn·defíned *a.* 확정되지 않은, 확실하지 않은, 막연한《경계선 따위》; 정의를 내리지 않은; 〖컴퓨터〗 미정의《변수나 배열 요소 그밖의 형식이 정의되어 있지 않은》.
ùn·deléte *n.* 〖컴퓨터〗 삭제 취소《삭제 정보 부활 기능》. **—** *vt.* (일단 삭제한 정보를) 되살리다.
ùn·delívered *a.* 석방되지 않은; 배달〔송달, 인계〕되지 않은; 입 밖에 내지 않은: an ~ prisoner 〔letter, speech〕 석방〔배달, 발표〕되지 않은 죄수〔편지, 연설〕.
ùn·democrátic *a.* 비민주적인. [파] **-ically** *ad.*
ùn·demónstrative *a.* 감정(등)을 나타내지 않는, 내색하지 않는, 조심스러운; 내성적인. [파] **~·ly** *ad.* **~·ness** *n.*
ùn·deníable *a.* 부인〔부정〕할 수 없는, 명백한; 흠잡을 데 없는, 더할 나위 없는; 우수한. [파] **-bly** *ad.*

ùn·denomináttional *a.* 비종파적인《교육 따위》.
ùn·depéndable *a.* 의지〔신뢰〕할 수 없는. ⊞ └-bly *ad.*
†**under** ⇨《아래》UNDER.
un·der- [ʌ̀ndər, ´-] *pref.* 명사·형용사·동사·부사 따위에 붙여서 '아래의〔에〕, 열등한, 차위(次位)의; 보다 조금〔작게, 싸게〕; 불충분하게' 따위의 뜻을 나타냄.
ùnder·abúndant *a.* 충분히 풍부하지 않은.
ùnder·achíeve *vi.* 〖수학〗 지능 지수 이하의 성적을 얻다. ⊞ ~·**ment** *n.*
ùnder·achíever *n.* =NONACHIEVER.
ùnder·áct *vt., vi.* 연기(演技)가 불충분하다; (일부러) 소극적으로 연기하다. OPP. *overact.*
ùnder·áctive *a.* 이상하게 활발치 않은. ⊞ -**activity** *n.*
ùnder·áge[1] *a.* 미성년의, 성년에 달하지 않은.
un·der·age[2] [ʌ́ndəridʒ] *n.* 부족(액)(shortage).
únder·àrm *a.* **1** 겨드랑이 밑의《솔기 따위》; 겨드랑이에 끼는《가방 따위》: an ~ handbag. **2** 〖당구〗 =UNDERHAND. — *ad.* =UNDERHAND. —*n.* 겨드랑이 밑; (옷의) 소매 아래쪽.
ùnder·ármed *a.* 군비(軍備)가 불충분한. 「점.
únder·bèlly *n.* 하복부; 방비가 허술한 지역; 약

under

under 는 over '…의 위에' 에 대하여 '…의 밑에' 를 뜻하며, 본래 물리적인 위치를 나타내지만 비유적으로도 쓰인다. 동의어인 beneath, below, underneath 따위에 비하여 뜻이 훨씬 넓어서, 밑에 있는 것이 떨어져 있든 붙어 있든 상관없으며, 또 among, within, in 과 같은 뜻으로 쓰일 경우도 있다. 기능상으로는 주로 전치사이지만, 부사로도 쓰이는 '전치사적 부사' (prepositional adverb)의 하나이다.

un·der [ʌ́ndər] *prep.* **1** 〖위치〗 **a** …의 (바로) 아래에, …의 밑에; …기슭에: a village ~ the hill 산기슭의 마을 / ~ the bridge 다리 밑에 《*below* the bridge 는 흔히 '다리의 하류(下流)에' 의 뜻》/ The cat is ~ the table. 고양이가 테이블 밑에 있다 / He got out from ~ the car. 그는 차(車) 밑에서 나왔다. **b** …의 안〔속〕에; 안쪽에, …에 덮이어, …속에 묻히어〔잠기어〕: inject ~ the skin 피하(皮下)에 주사를 놓다 / a field ~ grass 풀로 덮인 밭 / hide one's face ~ the blanket 담요 속에 얼굴을 숨기다 / Wear a sweater ~ 〔《문어》 beneath〕 the jacket. 상의(上衣) 속에 스웨터를 입어라. SYN. ⇨ BELOW.
2 〖수량·때·나이 따위〗 …미만인〔의〕(less than): children ~ 16 years of age. 16 세 미만의 어린이들 / We'll be there in ~ an hour. 1 시간 이내에 거기에 도착할 것입니다 / Any income ~ $5,000 a year will not be taxed. 연수입 5천 달러 미만은 면세이다 / *Under* 50 people were present. 출석자는 50 명도 안 되었다《under 50 는 below 〔less than〕 50 와 같은 뜻으로 50 은 제외됨》. cf. over. *prep.*
3 〖지위·가치 따위〗 …보다 아래에〔의〕, …(보다) 밑에〔의〕, …보다 하급의; …만 못한: A captain is ~ a major. 대위는 소령보다 위계가 아래다 / At least ten boys were ~ Bob in the test result. 적어도 10 명은 테스트 성적이 보브보다 나빴다.
4 〖상태〗 **a** (작업·고려·주목 따위)를 받고; …중에〔의〕: ~ discussion 〔examination, consideration, investigation〕 토론〔시험, 고려, 수사〕 중(에) / land ~ the plow =land ~ cultivation 〔tillage〕 경지(耕地) / The road is ~ repair. 그 도로는 보수 중이다(=… is being repaired). **b** (지배·감독·지도 따위)의 …밑〔아래〕에; (보호·영향 따위)를 받아: ~ the impression of 〔that〕 …이라는 인상을 받아〔받고〕/ ~ the influence of alcohol 술기운으로 / Spain ~ (the rule of) Franco 프랑코 (장군) 지배하의 스페인 / ~ the authority of the law 법의 권위 아래, 법의 이름으로 / study ~ Prof. Schultz 슐츠 교수 지도 밑에서 연구하다. **c** (치료·공격 따위)를 받아: ~ fire 포화 세례를 받아 / go 〔be〕 ~ the knife 수술을 받다 / ~ (medical) treatment for ulcers 궤양(潰瘍) 치료를 받고. **d** (조건·사정(事情)) 아래〔하〕에: ~ present conditions 현황으로는 / ~ a delusion 〔misapprehension〕 잘못 생각하여〔오해하여〕/ ~ these circumstances 이러한 사정에서.
5 〖압박·구속〗 **a** (짐·부담·압박 따위)의 중압(重壓) 밑〔하〕에; …을 지고; …때문에, …으로: march ~ a heavy load 무거운 짐을 지고 나아가다 / groan ~ oppression 압정에 신음하다 / The bridge would give way ~ heavy traffic. 다리는 교통량이 많으면 무너질 것이다. **b** (형벌·시련 따위)를 받아, …을 당하여: ~ torture 고문을 당하여 / ~ sentence of death 사형 선고를 받고. **c** (의무·책임·맹세·구속 따위) 아래〔하〕에: ~ arrest 구속되어 / ~ one's signature 서명하에〔하고서〕/ give evidence ~ oath 선서하에 증언하다 / Every player is ~ (an) obligation to keep the rules. 선수는 모두 규칙을 지킬 의무가 있다.
6 a 〖가장(假裝)·빙자〗 (위장·구실) 아래〔하〕에, …이라는 이름으로, …의 형태를 취하여: ~ pretense of ignorance 무지(無知)를 가장하여 / ~ the mask of friendship 우정의 탈〔가면〕을 쓰고 / escape ~ cover of darkness 어둠을 틈타 달아나다 / publish works ~ a pen name 펜네임으로 작품을 발표하다. **b** 〖행위·판단의 기준을 보여〗 …에 의거하여, …에 따라서: ~ the law 법에 따라서 / ~ Article 32, 제 32 조에 의해서.
7 〖분류·구분〗 …에 속하여, …(항목) 속에: See ~ "People." '주민' 의 항 참조 / Species fall ~ genera. 종(種)은 속(屬)의 밑에 든다 / Whales come ~ (the heading of) mammals. 고래는 포유동물에 속한다. ***down*** **~** ⇨ DOWN. ***go*** **~** ⇨ GO. ***the*** **~-**(tens) (열 살) 미만의 아이들.
— *ad.* **1** 밑에〔으로〕, 아래에〔로〕; 물속에: The number is made up as ~. 그 계수의 내용은 아래와 같음 / The ship went ~. 배는 가라앉았다 / How long can you stay ~? 얼마나 물속에 있을 수 있나.
2 …미만인; (지위·신분이) 하위(下位)에〔로〕: children of eighteen or ~, 18 세 내지 그 이하의 아이들.
3 억압〔억제〕되어, 지배되어: bring 〔get〕 the fire ~ 화재를 진압하다 / keep one's feelings ~ 자신의 감정을 억누르다.
— (***un·der·most*** [-mòust]) *a.* 〖종종 복합어로〗 **1** 아래〔밑〕의, 하부의; 보다 적은, 부족한; 하위의; 열등한: the ~ jaw 아래턱 / the ~ 〔lower〕 lip 아랫입술 / ~ layers 밑층 / an ~ tenant 전차인(轉借人).
2 〖서술적〗 (남에게) 지배되어; (약 따위의) 작용을 받아.

ùnder·bíd (~; ~·*den*, ~; ~·*ding*) *vt.* …보다 싼값을 매기다, (남보다) 싸게 입찰하다, 싸게 제공하다; 〖카드놀이〗 가지고 있는 패의 끗수보다 낮게 비드하다. ── *n.* 지나치게 싼 입찰; 〖카드놀이〗 좀 낮춰하는 비드(bid). ㊞ ~·**der** *n.*

únder·bìte *n.* 〖치과〗 전치(前齒) 반대교합(咬合).

únder·bòdice *n.* (여성용) 속적삼(underwaist).

únder·bòdy *n.* (the ~) (기체(機體)·차체의) 하부; (선체의) 물속에 잠긴 부분; (짐승의) 복부.

ùnder·bóss *n.* 《미속어》 (마피아의) 부(副)두목.

ùnder·bóught UNDERBUY 의 과거·과거분사.

ùnder·bréd *a.* 본데없이 자란, 버릇없는, 상스러운; (말·개 등이) 순종이 아닌.

únder·brùsh, -bùsh *n.* Ⓤ 《미》 (큰 나무 밑에 자라는) 관목(灌木), 총림(叢林); 덤불.

ùnder·búdgeted [-id] *a.* 예산 부족의.

ùnder·búy (*p., pp.* **-bought**) *vt.* 제값〔부르는 값〕보다 싸게 사다, 경쟁자보다 싸게 사다; (물건을) 양이 좀 모자라게 사다. ── *vi.* 필요한 양보다 적게 사다.

ùnder·cápitalize *vt., vi.* (기업)에 자본을 충분히 대지 않다.

únder·càrriage *n.* (자동차 등의) 차대(車臺); (비행기의) 착륙 장치.

únder·càrt *n.* 《영》 (비행기의) 착륙 장치(undercarriage).

únder·càst *n.* 〖광산〗 (광산 밑의) 통풍도(通風道); 비행기 밑에 퍼지는 구름. ── [ˋ-ˊ] *vt.* (배우에게) 단역을 주다; (연극·영화에) 2 류 배우를 배역하다.

únder·cèllar *n.* 지하 2 층(subbasement).

ùnder·cháracterize *vt.* (소설·연극 등)의 등장 인물의 성격 묘사가 부족하다; (음악)의 주제를 충분히 전개 못하다. ㊞ **ùnder·characterizátion** *n.*

ùnder·chárge *vt.* 제값보다 싸게 청구하다; (포에) 불충분하게 장약(裝藥)하다; (축전지에) 과소 충전을 하다. ── [ˊ-ˋ] *n.* 정당한 대금 이하의 청구; 장약〔충전〕 불충분, 약장약(弱裝藥).

únder·clàss *n.* 사회의 저변, 최하층. ── *a.* 하급생의.

ùnder·cláss·man [-mən] (*pl.* **-men** [-mən]) *n.* 《미》 대학〔고교〕의 하급생《1·2 년생》. ⓒⓕ upperclassman.

únder·clày *n.* Ⓤ (석탄의) 하반(下盤) 점토.

únder·clèrk *n.* 부(副)서기, 사무관보(補); 수습 점원〔사원〕.

únder·clìff *n.* 〖지학〗 부애(副崖)《상부의 절벽으로부터 낙하한 암석·토사에 의하여 생긴 2 차적인 절벽》.

ùnder·clóthed *a.* 옷을 얇게〔적게〕 입은.

únder·clòthes *n. pl.* 속옷, 내의(underwear).

únder·clòthing *n.* Ⓤ =UNDERCLOTHES.

ùnder·clúb *vi.* 〖골프〗 (거리에 비해서) 힘이 약한 작은 클럽을 쓰다.

únder·còat *n.* 다른 웃옷 속에 입는 웃옷; (개 따위의 긴 털 밑의) 짧은 털, 속털; =UNDERCOATING. ── *vt.* 밑칠을 하다; 《미》 (자동차)에 방수(防銹) 밑칠을 하다.

únder·còating *n.* 밑칠《겉칠하기 전의》; 《미》 자동차 하부의 밑칠, 그 방수(防銹) 도료.

ùnder·cólored *a.* 색이 부족한; 동물의 짧은 털빛의.

ùnder·cómpensate *vt.* 공정한 액수보다 적은 보상을 하다. ㊞ **-compensátion** *n.*

ùnder·consúmption *n.* 과소 소비《과잉 생산을 소비면에서 말한 것》.

ùnder·cóol *vt., vi.* 불충분하게 냉각하다; =SUPERCOOL.

ùnder·cóunt *vt., n.* 실제보다 적게 세다〔세기〕.

ùnder·còver [ˋ-ˊ-] *a.* 비밀로 한, 내밀(內密)한; 스파이 활동〔비밀 조사〕에 종사하고 있는.

undercover ágent 〔**mán**〕 비밀〔함정〕 수사원, 첩자; 산업 스파이.

únder·cròft *n.* (교회 따위의) 둥근 천장으로 된 지하실.

únder·cròssing *n.* =UNDERPASS.

únder·cùrrent *n.* Ⓒ (해류 따위의) 저류(底流), 하층의 수류, 암류(暗流); Ⓤ 《비유》 내면적 의향, 저의(底意).

únder·cùt *n.* **1** Ⓤ 《영》 소의 허리살(tenderloin)《허리 아래쪽의 좋은 살코기》. **2** 《미》 방향내기《나무를 잘라 넘길 때 쓰러질 방향으로 낸 도끼 자국》. **3** 〖골프〗 공이 역회전하도록 쳐올리기; 〖테니스〗 밑에서 쳐올리기. ── [ˋ-ˊ] (*p., pp.* ~; ~·**ting**) *vt., vi.* **1** 하부를 잘라버리다〔도려내다〕. **2** 남보다 싼 값으로 팔다; (경쟁자)보다 싼 임금으로 일하다. **3** (충격·효력 등을) 약화하다, 꺾다. **4** 〖골프〗 공을 역회전시켜 쳐올리다; 〖테니스〗 밑에서 위로 쳐서 커트하다.

ùnder·devéloped [-t] *a.* 발달〔발육〕이 불충분한; 〖사진〗 현상(現像) 부족의; 저개발의《undeveloped 보다 좀더 진보한 상태를 이름》. ⓒⓕ backward, developing. ¶ ~ areas 저개발 지역 / an ~ country 개발 도상국, 저개발국.

ùnder·devélopment *n.* Ⓤ 현상 부족; 저개발; 발육 부전.

ùnder·divísion *a.* (저학년 대학생이) 아직 전문 과정으로 갈리지 않은.

ùnder·dó (**-did; -done**) *vt., vi.* (고기 따위를) 설익히다, 설굽다; 설익다; (일 따위를) 불충분하게 하다.

únder·dòg *n.* 싸움에 진 개; (보통 the ~) (생존 경쟁 따위의) 패배자, 낙오자; (보통 the ~) (사회적 부정·박해 등에 의한) 희생자, 약자(ⓞⓟⓟ *overdog, top dog*). ㊞ **únder·dògger** *n.* 패자〔이길 것 같지 않은 사람〕의 지지자.

ùnder·dóne UNDERDO의 과거분사.
── *a.* 충분히 돼 있지 않은; 설구운, 설익은.

ùnder·dráin *vt.* 암거(暗渠)로 배수하다. ── [ˊ-ˋ] *n.* 암거. ㊞ ~·**age** *n.* Ⓤ (농지·목장 등의) 암거 배수.

ùnder·dráw (**-drew; -drawn**) *vt.* …밑에 선을 긋다; (지붕·천장)에 회칠하다〔널을 대다〕; …의 부적절한 묘사를 하다.

únder·dràwers *n. pl.* 《미》 속바지, 팬츠.

únder·dráwing *n.* Ⓤ 밑그림, 소묘(素描).

ùnder·dréss *vi., vt.* (평소보다) 간소한 복장을 하(게 하)다. ── [ˊ-ˋ] *n.* 속옷; (장식이 달린) 페티코트, 속치마.

ùnder·emplóyed *a.* 능력·기술을 충분히 살리지 않은, 불완전 고용〔취업〕의, 상시 고용이 아닌. ── *n.* (the ~) 불완전 취업자.

ùnder·emplóyment *n.* Ⓤ 불완전 고용〔취업〕.

ùnder·éstimate *vt., vi.* 싸게 어림하다, 실제보다 낮게〔적게〕 어림하다, 과소평가〔판단〕하다; 얕보다. ── *n.* 싼 견적〔어림〕, 과소평가; 경시. ㊞ **ùnder·estimátion** *n.* =underestimate.

ùnder·expóse *vt.* 〖사진〗 노출을 부족하게 하다; 〖보통 수동태〗 불충분하게 선전하다. ㊞ **-expósure** *n.* Ⓤ,Ⓒ 노출 부족; 선전 부족.

ùnder·féd UNDERFEED 의 과거·과거분사.
── *a.* 영양 부족의.

ùnder·féed (*p., pp.* **-fed**) *vt.* **1** …에게 충분한 음식〔영양〕을 주지 않다. **2** [ˊ-ˋ] (난로 등에) 아래쪽에서 연료를 공급하다. ── *vi.* 감식(減食)하다.

únder·fèlt *n.* 양탄자 밑에 까는 펠트 천.

ùnder·fínanced [-t] *a.* 자금〔재원〕 부족의.

ùnder·fíred *a.* (벽돌·도자기 등이) 덜 구워진, 소성 부족의; (솥 따위가) 아래서 불을 때(게 돼 있)는, 하입식(下入式)의.

únder·flòor *a.* 밑에 장치하는 형식의《난방 등》.

únder·flòw *n.* 저류, 암류(暗流)(undercurrent); 〚컴퓨터〛 언더플로《산술 연산(演算) 결과의 절댓값이 표현 가능한 최솟값보다 작아짐》.
ùnder·fóot *ad.* 발밑에, 땅에; 짓밟아서; 《비유》 굴종시켜; 방해가 되어, 거치적거려. — *a.* 발밑의; 《비유》 거치적거리는; 짓밟힌.
únder·fùnd *vt.* (사업·계획 등에) 충분한 자금을 공급하지 못하다. 「에 있는) 솜털.
únder·fùr *n.* (수달·비버 따위 짐승의 긴 털 밑
únder·gàrment *n.* 속옷.
ùnder·gírd *vt.* …의 밑을 단단히 묶다; 《비유》 뒷받침하다, 떠받치다.
únder·glàze *a.* (도자기가) 유약을 바르기 전의. — *n.* 밑그림.
__un·der·go__ [ʌ̀ndərgóu] (-went* [-wént]; *-gone* [-gɔ́:n/-gɔ́n]) *vt.* **1** (영향·변화·조처·검사 따위를) 받다, 입다; (시련 등을) 경험하다, 겪다, 당하다: ~ a complete change 아주 일변하다 / ~ a loss 손해를 보다 / ~ surgery 〔an operation〕 수술을 받다. **2** 견디다, 참다. ⓒⓕ suffer. ¶ ~ all sorts of hardships 온갖 곤란을 겪다. 「과거분사.
un·der·gone [ʌ̀ndərgɔ́:n/-gɔ́n] UNDERGO의
únder·gràd *n.* 《구어》 =UNDERGRADUATE; 《미속어》 학부의 과목.
*__un·der·grad·u·ate__ [ʌ̀ndərgrǽdʒuət, -èit/-dʒu-, -dju-] *n.* 대학 학부 재학생, 대학생《졸업생·대학원생·연구원 따위와 구별해서》; 신출내기, 풋내기. — *a.* 대학생의. ㊞ **~·ship** *n.* Ⓤ 대학생의 신분〔지위〕.
un·der·grad·u·ette [ʌ̀ndərgrǽdʒuèt, ˌ-ˌ-ˌ-ˊ/ˌ-ˌ-ˌ-ˊ] *n.* 《영구어·우스개》 여자 대학생.
*__un·der·ground__ [ʌ́ndərgràund] *a.* **1** 지하의, 지하에 있는, 지하에서의: an ~ passage 지하도 / an ~ cellar 지하(저장)실. **2** 숨은, 비밀의, 잠행적인; 지하 조직의, 반체제의, 전위적인, 실험적인: an ~ movement 지하 운동 / the ~ government 지하 정부. — *n.* **1** 지하; 지하도(道); (종종 the ~) 《영》 지하철(의 차량)(《미》 subway). **2** (the ~) 〚정치〛 지하 조직, 지하 운동; 반체제, 전위, 급진. — [ˌ-ˊ] *ad.* 지하에(서); 비밀히, 몰래; 잠행적으로: go ~ 지하로 잠입하다〔숨다〕. — [ˌ-ˊ, ˊ-ˌ] *vt.* 매설(埋設)하다. ㊞ **ùnder·gròunder** *n.* 땅 밑에서 일하는 사람; 지하철 이용자; 전위 운동가.
únderground ecónomy 지하 경제 (활동).
únderground fílm 〔**móvie**〕 전위영화.
únderground ráilroad **1** =UNDERGROUND RAILWAY. **2** (the U- R-) 〚미국사〛 남부에서 북부나 캐나다로 탈출하는 노예를 도와주던 비밀 조직〔방법〕. **3** 도망병·징병 기피자 원조의 지하 조직.
únderground ráilway 《영》 지하철(地下鐵)(subway); (the U- R-) =UNDERGROUND RAILROAD. 「성한.
ùnder·grówn *a.* 발육이 불충분한; 잡초가 무
únder·gròwth *n.* Ⓤ (큰 나무 밑의) 관목, 총림; 덤불; Ⓤ,Ⓒ 긴 양털 밑에 나는 품질 좋은 짧은 털; Ⓤ 발육〔성장〕 불충분.
únder·hànd *a.* **1** 〚크리켓·테니스〛 치던지는, 치켜 치는. **2** 비밀의; 뒤가 구린, 음험한, 비열한. — *ad.* **1** 〚크리켓·테니스〛 치던져, 치켜 쳐. **2** 내밀(內密)히, 몰래, 음험한 수단으로.
ùnder·hánded [-id] *a.* 비밀리의, 불공정한; 일손이 부족한. — *ad.* =UNDERHAND. ㊞ **~·ly** *ad.* **~·ness** *n.*
ùnder·hóused *a.* 주택 부족의《지역》; 주택이 비좁고 불편한《가정》.
ùnder·húng *a.* (아래턱이) 위턱보다 내민; 〚건축〛 (미닫이 등이) 레일로 움직이는; =UNDERSLUNG.

ùnder·insúrance *n.* 일부 보험《보험 금액이 보험가액보다 적은 보험》.
ùn·derívéd *a.* 파생된 것이 아닌, (공리(公理) 등이) 기본적인.
únder·jàw *n.* 아래턱. 「열세.
únder·kìll *n.* 적을 격파할 힘의 결여, 전력 부족,
ùnder·láid UNDERLAY[1]의 과거·과거분사.
ùnder·láin UNDERLIE의 과거분사.
ùnder·láp (*-pp-*) *vt.* …의 밑에 일부 삐어져 나오다, (위의 것) 밑에 부분적으로 겹치다.
un·der·lay[1] [ʌ̀ndərléi] (*p., pp.* *-laid* [-léid]) *vt.* **1** 《+목+전+명》 밑에 놓다〔깔다〕: ~ the Pacific *with* a cable 태평양에 해저 전선을 부설하다. **2** 〚인쇄〛 밑받침을 대다, 밑을 받치다. — *vi.* (광맥이) 경사지다. — [ˊ-ˌ] *n.* 〚인쇄〛 (활자의 높낮이를 고르게 하기 위해) 까는 물건, 받침, 밑에 대는 물건; (마루청·카펫 등의) 밑깔개 《절연(絶緣)·방음용 따위》; 경사진 수직 광맥; 저류(底流), 암류(暗流).
un·der·lay[2] UNDERLIE의 과거.
únder·làyer *n.* 하층; 기초. 「(underlay).
ùnder·láyment *n.* 마루청〔카펫〕의 밑깔개
únder·lèase *n.* =SUBLEASE. — [ˌ-ˊ] *vt.* =SUBLEASE.
ùnder·lét (*p., pp.* *-let; -let·ting*) *vt.* 싼값으로 빌려주다; (빌려온 것을) 다시 빌려주다, 전대(轉貸)하다(sublet).
°**un·der·lie** (*-lay; -lain; -ly·ing*) *vt.* **1** …의 밑에 있다〔가로놓이다〕: Shale ~s coal. 이판암은 석탄 밑에 있다. **2** 《비유》 …의 기초가 되다, …의 근저에 있다. **3** 〚법률〛 (권리·담보 등이) …에 우선하다; 〚문법〛 (파생어)의 어근이 되다.
‡**un·der·line** [ʌ̀ndərláin] *vt.* **1** …의 밑에 선을 긋다. **2** 《~+목/+*that* 절》 강조하다, 뒷받침하다: ~ the importance of welfare 복지의 중요성을 강조하다 / She ~*d that* he was in the wrong. 그녀는 그가 잘못이라고 강력히 말했다. **3** 예고하다. — [ˊ-ˌ] *n.* **1** 밑줄, 하선. **2** (프로그램 밑에 기재한) 다음 흥행의 예고; 삽화〔사진〕 밑의 설명 (문구).
únder·lìnen *n.* (얇은 천의) 속옷, 셔츠.
un·der·ling [ʌ́ndərliŋ] *n.* 《경멸》 아랫사람, 부하, 졸때기, 졸개.
únder·lìp *n.* 아랫입술(lower lip).
ùnder·lýing *a.* 밑에 있는; 기초가 되는, 근원적인(fundamental); 〚법률〛 제1의, 우선하는(prior)《권리·담보 따위》.
únderlying ássets 〚경제〛 기본 자산《옵션 행사 시 매수·매도 대상이 되는 특정 자산》.
ùnder·mánned *a.* 인원(人員)이 부족한, 손이 모자라는(short-handed, understaffed); 승무원 부족의.
ùnder·mátched [-t] *a.* 신분이 낮은 사람과 결혼한; 어울리지 않는.
ùnder·méaning *n.* 숨겨진 의미, 함축.
ùnder·méntioned *a.* 하기(下記)의, 아래에 언급한, 이하에 쓴.
°**un·der·mine** [ʌ́ndərmàin, ˌ-ˊ/ˌ-ˊ] *vt.* **1** …의 밑을 파다, …의 밑에 갱도를 파다: ~ a wall 성벽 아래에 갱도를 파다. **2** …의 토대를〔근본을〕 침식하다. **3** (명성 따위를) 음험한 수단으로 훼손하다, 몰래 손상시키다. **4** (건강 등을) 서서히 해치다.
únder·mìner *n.* undermine 하는 사람; (비밀 지령을 수행하는) 암약자, 습격자; 〚군사〛 공병대
únder·mòst *a., ad.* 최하〔최저〕의〔에〕. 「원.
*__un·der·neath__ [ʌ̀ndərní:θ, -ní:ð/-ní:θ] *prep.* **1** …의 아래에〔를, 의〕(under, beneath): the river flowing ~ the bridge 다리 밑을 흐르는 강 / a cellar ~ the house 지하 저장고. **2** …의 지배하에. **3** …에 숨어서, …의 모습으로. —

ad. 아래에, 밑에, 하부에; 낮게. — a. 낮은, 아래의: an ~ room 아래층 방. — n. 아래쪽, 바닥; 하부, 바닥면(面).

ùnder·nóurish vt. 영양을 충분히 주지 않다. ㉻ ~ed [-t] a. 영양 부족의. ~·ment n. Ⓤ 영양 부족.

ùnder·nutrítion n. 영양 부족, 저(低)영양.

ùnder·óccupied a. 넓이에 비해 거주자가 적은《집 따위》; 충분한 일거리가 없는《사람》.

ùnder·páid UNDERPAY의 과거·과거분사. — a. 박봉의.

únder·pàinting n. 밑칠; (특히 캔버스에 대강의 공간·색조·형체를 나타내는) 바탕칠.

únder·pànts n. pl. 속바지, (짧은 또는 긴) 팬츠(drawers).

únder·pàrt n. Ⓤ 하부; (새·동물의) 복부; (항공기의) 동체(胴體) 하부; 부차적〔보좌적〕 지위〔역할〕.

únder·pàss n. 지하도(undercrossing)《특히 철도·도로 밑을 입체로 교차하는》.

ùnder·páy (p., pp. -paid) vt. 임금·급료를 충분히 지불하지 않다, 저임금을 지불하다. ㉻ ~-ment n. 불충분한 임금·급여 지급.

ùnder·perfórm vt., vi. (…을) 다른 것〔평균, 기대〕만큼 잘 못하다; 잘 안 되다〔작용치 못하다〕. ㉻ -perfórmance n.

ùnder·pín (-nn-) vt. (건물 등)의 약한 토대를 갈다〔보강하다〕, …의 밑에 버팀을 대다; 지지하다(support), 응원하다.

únder·pìnning n. 받침; 토대, 지주, 지지물; 지지, 응원; (pl.)《구어》(특히 여성의) 속옷, 내의; (pl.)《구어》 다리(legs).

ùnder·pláy vt. 〖카드놀이〗 끗수 높은 패를 갖고도 낮은 패를 내다; (역(役)·장면을) 소극적으로〔두드러지지 않게〕 연기하다; 신중히 다루다. — vi. 〖카드놀이〗 ~하다; 소극적으로〔두드러지지 않게〕 연기하다, 소극적 연기로 효과를 거두다. — [ˊ-ˋ] n. 〖카드놀이〗 ~하기; 눈에 띄지 않는 연기〔작용, 행위〕.

únder·plòt n. (소설·연극 따위의) 삽화(挿話), 곁줄거리; 밀계(密計), 기계(奇計).

ùnder·pópulated [-id] a. 인구가 적은, 과소(過疏)한.

ùnder·populátion n. 인구 부족, 과소(過疏).

ùnder·prepáred a. 준비가 불충분한, 준비 부족의.

ùnder·príce vt. …에 표준 이하의 값을 매기다; (경쟁 상대)보다 싸게 팔다.

ùnder·prívileged a. (남보다) 특권이 적은, (사회적·경제적으로) 혜택을 받지 못하는《사람들 따위》. ★ poor의 완곡한 표현. — n. (the ~) 혜택을 받지 못하는 사람들.

ùnder·prodúce vt. …을 과소 생산하다, …의 생산이 (목표·수요보다) 부족하다.

ùnder·prodúction n. Ⓤ 생산 부족, 저(低)생산. OPP overproduction.

ùnder·prodúctive a. 충분한 생산을 할 수 없는, 생산성이 낮은. ㉻ ùnder·productívity n.

ùnder·próof a. (알코올 함유량이) 표준 강도 이하인《생략: u.p.》.

ùnder·próp vt. …에 지주(支柱)를 받치다, 밑에서 받치다; 《비유》 지지〔지원〕하다(support).

ùnder·quóte vt. (상품의 값을) 시세보다 싸게 부르다; 남보다 싼값을 매기다.

ùnder·rán UNDERRUN의 과거.

ùnder·ráte vt. 헐하게 어림치다, 낮게〔과소〕 평가하다(undervalue); 얕보다, 경시하다(underestimate). OPP overrate.

ùnder·reáct vi. 소극적〔미온적〕인 반응을 보이다. ㉻ ùnder·reáction n. 「고하다.

ùnder·repórt vt. (수입 따위를) 너무 적게 보

ùnder·represénted [-id] a. 불충분하게 표시된, 적은 비율로 대표된.

ùnder·resóurce vt. (…에 대한) 자금을 부족하게 하다; (…에) 빈약한 설비를 제공하다.

ùnder·rípe a. 미숙한, 설익은.

ùnder·rún (-ran; -run; -run·ning) vt. 밑을 지나다〔달리다, 빠져나가다〕; 〖해사〗 (배 밖의 밧줄·그물 등의 조사를 위해) 보트로 밑을 지나다. — vi. 저류(底流)로서 흐르다. — n. 저류; (목재 따위의) 견적과 실제 생산량과의 차, 부족량.

ùnder·sáturated [-id] a. 불포화(不飽和)의.

ùnder·score [(vt.) ˋ-ˊ; (n.) ˊ-ˋ] vt., n. =UNDERLINE; 〖영화·연극〗 배경 음악.

únder·sèa a. 해중의, 해저의: an ~ boat 잠수함/~ resources 해저 자원. — [ˋ-ˊ] ad. 바닷속〔해저〕에(서). ㉻ ùnder·séas ad. = UNDERSEA.

únder·sèal 《영》 n. 밑칠(《미》 undercoating). — vt. …에 밑칠을 하다.

ùnder·sécretary n. 차관(次官): a parliamentary 〔a permanent〕 ~ 《영》 정무(政務)〔사무〕 차관. ㉻ ~·ship n. Ⓤ 차관의 직〔임기〕.

ùnder·séll (p., pp. -sold) vt. (남)보다도 싼값으로 팔다; (상품)을 시장 가격보다도 싸게 팔다, 투매하다. ㉻ ~·er n.

únder·sènse n. 잠재의식; 숨은 뜻.

únder·sèrvant n. 잔심부름꾼.

ùnder·sérved a. 서비스 부족의.

únder·sèt n. 하층류(流), 저류, 암류(暗流); 〖광산〗 낮은 광맥. — [ˋ-ˊ] vt. =UNDERPIN; …의 밑에 놓다, 밑에서 받치다.

ùnder·séxed [-t] a. 성욕이 약한.

ùnder·shèriff n. sheriff의 대리(代理).

ùnder·shìrt n. 속셔츠, 내의. SYN. ⇨ SHIRT.

ùnder·shóot (p., pp. -shot) vt. (목표·과녁)에 미치지 못하다; 〖항공〗 (비행기가) 활주로에 못 미쳐 착지〔착륙〕하다. — vi. 과녁에 미치지 못하게 쏘다; 〖항공〗 활주로에 못 미쳐 착지하다.

ùnder·shòrts n. pl. 《미》 (남자용) 팬츠.

ùnder·shòt a. 하사(下射)(식)의《물레방아》; 아래턱이 쑥 나온《개 따위》. OPP overshot. ¶ an ~ wheel 하사식 물레방아.

únder·shrùb n. 작은 관목(灌木).

ùnder·sìde n. 하면(下面), 아래쪽, 밑바닥; 《비유》 이면, 내면, 좋지 않은 면. 「명하다.

ùnder·sígn vt. …의 아래에 기명하다, 끝에 서

ùnder·sígned a. 아래에 기명한. — [ˊ-ˋ] n. (the ~) 문서의 서명자《단수 또는 복수》: I, the ~ 소생, 서명자(는).

únder·síze n. 보통보다 작음, 소형(dwarfish); 사하분(篩下分)《부서진 광석 등의 특정한 체를 통과한 부분》. — [ˋ-ˊ] a. =UNDERSIZED.

ùnder·sízed a. 보통보다 작은, 소형의.

únder·skìrt n. =PETTICOAT 1. 「는 소매》.

únder·slèeve n. 아랫소매《소매 밑에 따로 대

ùnder·slúng a. (자동차의 프레임 따위가) 차축(車軸) 밑에 달린; 중심(重心)이 낮은; 아래턱이 나온. 「속 흙(subsoil).

únder·sòil n. Ⓤ 심토(心土), 하층토(下層土),

ùnder·sóld UNDERSELL의 과거·과거분사.

únder·sòng n. 반창가(伴唱歌); 《고어》 (반주로서의) 후렴; 《비유》 숨은 뜻, 저의(底意).

ùnder·spénd vt. (어떤 액수)보다 돈을 적게 쓰다, 지출이 …을 넘지 않다. — vi. 보통보다〔자력(資力)에 비해〕 적은 돈밖에 쓰지 않다. OPP overspend.

únder·spìn n. (구기에서 공의) 역회전.

ùnder·stáffed [-t] a. 인원이 부족되는, 손이 모자라는.

†**un·der·stand** [ʌ̀ndərstǽnd] (**-stood** [-stúd]; **-stood,** 《고어》 **-stand·ed**) *vt.* **1** 《~+목/+*wh. to* do/+*wh.* 절/(+목)+-*ing*》 (뜻·원인·성질·내용 등을) 이해하다, 알아듣다, 터득하다; (기술·학문·법률 등에) 정통하다: ~ English 영어를 이해하다《'알아듣다'의 뜻에 가까움》/~ figures 〔a problem〕 계산을〔문제를〕 이해하다/~ fully the significance of …의 의의를 충분히 이해하다/~ *how to* deal with the matter 그 문제를 다루는 법을 알고 있다/I cannot ~ *why* he deserted his wife. =I cannot ~ him 〔his〕 desert*ing* his wife. 왜 그가 부인을 버렸는지 알 수 없다/Now, ~ me. 자 잘 들어《경고》.

> SYN. **understand** 가장 일반적인 말임. 지적 이해뿐만 아니라 감정적 이해·경험적 이해 따위도 포함함: You will like him better when you come to *understand* him better. 당신은 그를 이해할수록 그가 좋아질 것이오. **comprehend** 주로 '지적 이해'에 한정됨. 또 '결론적 이해'라기보다는 '현상 또는 사실의 인식'인 경우가 많음: *comprehend* the problem 문제의 실체를 이해하다. **appreciate** 표면상으로는 일견 보이지 않는 가치·실체 따위를 올바르게 이해·인식하다: *appreciate* the danger of a situation 사태의 위급함을 인식하다.

2 …의 말을 알아듣다: Please ~ me, I absolutely refuse. 내 말을 오해 마시오, 나는 단호히 거절하는 바이오.
3 《~+목/+목+전+명/+*that* 절/+목+*to* do/+목+*as* 보》 …의 뜻으로 해석하다, 추측하다, 미루어 알다; …을 들어서 알고 있다: as we ~ it 우리들이 생각하는 바로는/What do you ~ *by* these words of his? 그의 이런 말을 무슨 뜻으로 해석하느냐/We ~ *that* he is returning from abroad next week. 그는 내주에 외국에서 돌아온다네/Am I to ~ *that* your refusal is final? 자네의 거절은 결정적인가/I ~ him *to* be satisfied. 물론 그는 만족한다고 생각한다/Do I ~ (you *to* say) *that*…? …이라는 말인가/She *understood* his silence *as* refusal. 그녀는 그의 침묵을 거절로 받아들였다.
4 〖종종 수동태〗 마음속으로 보충하다, (말을) 보충하여 해석하다; 생략하다: He ~*s* this word in its legal sense. 그는 이 말을 법적 의미로 해석하고 있다/The verb may *be* expressed or *understood*. 그 동사는 넣어도 생략해도 좋다.
— *vi.* **1** 알다, 이해력이 있다, 지력이 있다: He professes to ~. 그는 아는 체한다. **2** 들어서 알고 있다; (…라고) 생각하고 있다: The situation is better, so I ~. 국면은 호전되었다고 듣고 있다/You are, I ~, out of employment. 자넨 실업(失業) 중이라지.
give** a person **to ~ that … 아무에게 …라고 말하다〔알리다〕: I was *given to* ~ *that* you were coming. 당신이 오신다고 들었습니다. ***It is understood that …*** …은 물론이다, 말할 나위〔것〕도 없다. ***make** one**self understood*** 자기의 말〔생각〕을 남에게 이해시키다, 의사를 남에게 통하다: Can you *make* your*self understood* in French? 당신은 프랑스 말로 의사소통이 됩니까. **~ *one another*** 〔***each other***〕 서로 이해하다, 의사가 소통하다; 결탁하고 있다, 공모하다, 기맥을 통하다.

un·der·stand·a·ble [ʌ̀ndərstǽndəbəl] *a.* 이해할 수 있는. ㊀ **-bly** *ad.* 이해할 수 있게. **ùn·der·stànd·a·bíl·i·ty** [-əbíləti] *n.*

‡**un·der·stand·ing** [ʌ̀ndərstǽndiŋ] *n.* **1** U (*or* an ~) 이해; 깨달음, 납득; 지식, 식별; 이해력, 지력(知力), 예지; 사려, 분별; 〖철학〗 오성(悟性); (개인적인) 견해, 해석: He has some 〔a good〕 ~ *of* finance. 재정을 조금은〔잘〕 알고 있다/He has an excellent ~. 그는 이해력이 탁월하다/sharp 〔slow〕 in ~ 이해가 빠른〔더딘〕/a person of 〔without〕 ~ 이해력〔분별〕이 있는〔없는〕 사람/It is my ~ *that*… …이라는 것이 내 생각이다. **2** 의사 소통, (의견·감정 따위의) 일치, 화합. **3** 합의, 협정, 협약; 결정, 약정; (비공식적인) 결혼 약속: a tacit ~ 묵계, 묵낙(默諾)/We have an ~ *that* it will be held in strict confidence. 우리는 그것을 극비에 붙이기로 합의했다. **4** (*pl.*) 《영속어·우스개》 발(feet), 다리(legs); 신발(shoes). ***come to*** 〔***reach, arrive at***〕 **~ *about … with*** — …에 대해서 —와 의사가 통(通)하다〔양해가 성립되다〕. ***have*** 〔***keep***〕 ***a good ~ with*** …와 의사가〔기맥이〕 상통하고 있다. ***human ~*** 인지(人知). ***on the ~ that …*** …한 조건으로. ***with*** 〔***on***〕 ***this ~*** 이것을 양해하고, 이 조건으로.
— *a.* 사려 분별이 있는, 이해가 빠른; 《고어》 총명한: with an ~ smile 이해하고 있는 듯한 미소를 지으며〔띠고〕.
㊀ **~·ly** *ad.* **~·ness** *n.*

ùnder·státe *vt.* 삼가서 말하다, (수 따위를) 적게 말하다; 줄잡아 말하다. ㊀ **~·ment** *n.* U 줄잡아 말함; C 줄잡아 하는 말〔표현〕. OPP *overstatement.*

únder·stèer *n.* 언더스티어《핸들을 꺾은 각도에 비하여 차체의 선회 반경이 커지는 조종 특성》. OPP *oversteer.* **—** [∽-∠] *vi.* (차가) 언더스티어이다〔하다〕.

ùnder·stóck *vt.* (농장 따위)에 가축을 충분히 넣지 않다; (상점 따위)에 물품을 충분히 들여놓지 않다. **—** [∠-∽] *n.* (접목의) 밑나무, 대목(臺木); 공급 부족, 물품 부족.

un·der·stood [ʌ̀ndərstúd] UNDERSTAND 의 과거·과거분사. **—** *a.* 충분히 이해된, 미리 알려진, 알고 있는; 협정〔동의〕된; 암묵(暗默)의.

únder·stràpper *n.* 《경멸》 =UNDERLING.

únder·stràtum (*pl.* **-ta, ~s**) *n.* 하층(下層).

ùnder·stréngth *a.* 병력이 부족한, 정원 미달의, 힘〔강도, 농도〕 부족의.

únder·strùcture *n.* 기초 (공사), 토대(base); 《비유》 기초(basis), 근저.

únder·stùdy *vt.* 대역 연습을 하다; …의 임시 대역을 하다. **—** *vi.* 대역을 하도록 아무의 역을 연습하다; 대리를 하다. **—** *n.* 임시 대역 배우; 필요에 따라 대역을〔대리를〕 하도록 훈련된 사람.

ùnder·subscríbed *a.* 응모〔신청, 구독〕자가 적은.

ùnder·supplý *n.* U 공급 부족, 불충분한 양. **—** *vt.* 불충분하게 공급하다.

únder·sùrface *n.* 하면(下面), 저면(底面). **—** *a.* 수중의, 지중의.

‡**un·der·take** [ʌ̀ndərtéik] (**-took** [-túk]; **-tak·en** [-téikən]) *vt.* **1** 떠맡다, …의 책임을 지다: He *undertook* a responsible post. 그는 책임 있는 지위(地位)를 떠맡았다. **2** 《~+목/+*to* do/+*that* 절》 (…할) 의무를 지다, 약속하다; 보증하다, 책임지고 말하다, 장담(壯談)하다, 단언하다(affirm): He *undertook to* do the work. 일을 하겠다고 약속했다/The husband ~*s to* love his wife. 남편이란 아내를 사랑할 의무가 있다/I'll ~ *that* you shall be no loser by it. 그것으로 자네가 손해보지 않으리라는 것은 내가 장담하겠네. **3** 맡아서 돌보다: Who ~*s* the patient? 누가 환자의 간호를 맡나. **4** 기도하다, 착수하다, …에 손대다: ~ an enterprise 사업을 착수하다/~ a journey 여행을 떠나다. **5**

《고어》 (아무)와 싸우다. — *vi.* **1** 《고어》 떠맡다; 증인이 되다, 보증하다《*for*》. **2** 《미》 장의사를 경영하다.

un·der·tak·en [ʌ̀ndərtéikən] UNDERTAKE의 과거분사.

◇**un·der·tak·er** [ʌ̀ndərtéikər] *n.* **1** 인수인; 도급인; 기획자, 기업(사업)가. **2** [ˊ-ˋ-] 장의사 업자(《미》 mortician).

*__un·der·tak·ing__ [ʌ̀ndərtéikiŋ] *n.* **1** 사업, 기업(enterprise): It's quite an ~. 그것은 꽤 큰 사업이다. **2** (일·책임의) 인수; (떠맡은) 일. **3** 약속, 보증(guarantee): I gave him an ~ *to* pay 〔*that* I would pay〕 the money back within a year. 그 돈은 1년 내에 갚겠다고 그에게 약속했다/on the ~ *that* ... …라는 약속〔조건〕으로. **4** [ˊ-ˋ-] Ⓤ 장의사업(業).

ùnder·táx *vt.* 과소하게 과세하다. ㊎ **-taxátion** *n.*

únder·tènant *n.* 전차인(轉借人). ㊎ **-tènancy** *n.* 전차(轉借).

únder-the-cóunter *a.* 비밀 거래의, 암거래의; 불법의, 법률 위반의: ~ payments (탈세 등을 위한) 내밀한 지급. — *ad.* (암시장 따위에서) 비밀로〔불법으로〕 (거래되어).

únder-the-táble *a.* 비밀〔부정〕 거래되는.

únder·thìngs *n. pl.* 《구어》 여자 속옷류.

únder·tìnt *n.* 연해진 색조, 엷은 색, 담색(淡色).

◇**únder·tòne** *n.* **1** 저음(低音); 엷은 빛깔; 작은 목소리: talk in ~*s* 〔in an ~〕 작은 소리로 말하다. **2** 잠재적 성질〔요소〕; 숨겨진 감정〔기분〕, 저류(底流); 시장의 기조(基調): There was an ~ *of* bitterness in his words. 그의 말에는 빈정대는 투가 숨어 있었다.

un·der·took [ʌ̀ndərtúk] UNDERTAKE의 과거.

únder·tòw *n.* 해안에서 되물러가는 물결; 표면의 흐름과는 반대의 강한 저류.

ùnder·útilize *vt.* 충분히 이용〔활용〕을 다하지 못하다: ~ natural resources 천연자원을 충분히 활용하지 않다. ㊎ **-utilizátion** *n.*

ùnder·válue *vt.* 싸게 견적하다, 과소평가하다; 얕보다, 경시하다. ㊎ **ùnder·valuátion** *n.* Ⓤ 싸게 견적함, 과소평가(OPP. *overvaluation*); 얕봄, 경시.

únder·vèst *n.* 소매 없는 속셔츠, 내의(under-shirt).

únder·wàist *n.* 《미》 속적삼; 어린애의 속옷.

únder·wáter *a.* **1** 물속의〔에서 쓰는〕: ~ technology 해중〔수중〕 공학〔기술〕. **2** 흘수선(吃水線) 밑의. — *ad.* 물속에서. — *n.* 수면 밑(의 물); (*pl.*) (바다 따위의) 깊이.

underwáter archeólogy 수중 고고학(水中考古學).

únder·wáy *a.* (배가) 항해 중인; (계획 따위가) 진행 중인. ★ The plan is well *under way.* (계획은 꽤 진행되고 있다)처럼 보어로는 두 낱말로 하는 일도 많음.

◇**únder·wèar** *n.* Ⓤ 내의, 속옷. SYN. ⇨ SHIRT.

únder·wèight *n.* Ⓤ,Ⓒ 중량 부족; Ⓒ 표준 중량 이하의 사람〔것〕. — [ˊ-ˊ] *a.* 중량 부족의.

un·der·went [ʌ̀ndərwént] UNDERGO의 과거.

un·der·whelm [ʌ̀ndərhwélm] *vt.* 《우스개》 …을 감동시키지 않다, 실망시키다.

únder·wìng *n.* (나방 따위의) 뒷날개; 뒷날개에 줄무늬가 있는 종류의 나방.

únder·wìre *n.* 언더와이어《젖가슴 모양을 유지하기 위해 브래지어의 컵 밑에 꿰매넣은 철사》.

únder·wòod *n.* 큰 나무 밑의 잔 나무, 총림(叢林); 덤불(underbrush).

ùnder·wórk (~*ed* [-t], 《고어》 *-wrought*) *vt.* (기계 등을) 충분히 가동시키지 않다; …보다 싼 임금으로 일하다. — *vi.* 충분히 일하지 않다; 몸을 아끼다; 시세보다 싼 임금으로 일하다. — [ˊ-ˋ] *n.* **1** Ⓤ 하청 일; 잡일; 날림 일. **2** 기초 구조; 토대 (공사).

◇**únder·wòrld** *n.* (the ~) **1** 지하계(界), 저승, 황천. **2** 대척지(對蹠地)(antipodes). **3** 사회의 최하층; 암흑가: keep in touch with the ~ 암흑가와 접촉을 갖다/a notorious ~ character 악명 높은 암흑가의 인물. **4** 《고어》 하계《천계에 대하여》, 지상(地上), 이승. ㊎ **~·ling** *n.* 《미구어》 암흑가의 주민, 폭력단원.

un·der·write [ʌ̀ndəráit, ˊ-ˋ] (*-wrote* [-róut, ˊ-ˋ]; *-writ·ten* [-rítn, ˊ-ˋ-]) *vt.* **1** 《보통 과거분사》 …의 아래〔말미〕에 쓰다; …에 서명하다. **2** 보험을 계약하다, …의 보험을 인수하다《특히 해상 보험 따위를》. **3** 【상업】 (회사 발행의 새 주식·사채 등을) 일괄 인수하다. **4** …의 비용 부담을 떠맡다. — *vi.* 아래〔말미〕에 쓰다; (해상) 보험업을 경영하다. ㊎ **ún·der·wrìt·er** *n.* 보증인; 보험업자, 《특히》 해상 보험업자; (주식·공채 등의) 인수업자, 증권 인수인. **ún·der·wrìt·ing** *n.* 보험업, 《특히》 해상 보험업; 증권의 인수.

Únderwriters' Làboratories 《미》 상품의 안전성 테스트를 실시하여 합격 상품에 인정증을 주는 단체《생략: UL》.

un·der·writ·ten [ʌ̀ndərítn, ˊ-ˋ-] UNDERWRITE의 과거분사.

un·der·wrote [ʌ̀ndəróut, ˊ-ˋ] UNDERWRITE의 과거.

ùn·descénded [-id] *a.* 내려가지 않은; 【의학】 (고환(睾丸)이) 정류(停留)하고 있는.

ùn·desérved *a.* 받을 가치가〔자격이〕 없는, 과분한, 분외의, 부당한. ㊎ **ùn·desérvedly** [-vidli] *ad.*

ùn·desérving *a.* 받을 가치 없는; …할 가치가 없는(unworthy)《*of*》.

un·désignated [-id] *a.* 지정되지 않은.

ùn·de·signed [ʌ̀ndizáind] *a.* 고의가 아닌, 계획적이 아닌, 무심코 한, 우연의. ㊎ **ùn·de·sígn·ed·ly** [-nidli] *ad.*

ùn·desígning *a.* 이기적인 마음이 없는, 아무 의도〔야심〕도 없는, 정직한(sincere). ㊎ **~·ly** *ad.*

*__un·de·sir·a·ble__ [ʌ̀ndizáiərəbəl] *a.* 바람직하지 않은, 탐탁지 못한, 달갑지 않은, 불쾌한. — *n.* 탐탁지 않은 사람〔물건〕. ㊎ **-bly** *ad.* **~·ness** *n.* **ùn·de·sir·a·bíl·i·ty** *n.*

ùn·desíred *a.* 바라지〔원하지〕 않은.

ùn·destróyable *a.* 파괴할 수 없는, 불멸의.

ùn·detécted [-id] *a.* 발견되지 않은, 간파되지 않은, 들키지 않은.

ùn·detérmined *a.* 미결〔미정〕의, 미확인의; 우유부단한; 불명료한.

ùn·detérred *a.* 저지〔만류〕당하지 않은; (실패 등에) 꺾이지 않은.

ùn·devéloped [-t] *a.* 발달하지 못한, 미발달의; 미개발의《땅·지역·나라 따위》. cf. underdeveloped.

un·déviating *a.* 정도(正道)를 벗어나지 않는, 옆길로 벗어나지 않는, 탈선하지 않는; 【군사】 편차나지 않는《포탄 따위가 탄도에서》, 적확한. ㊎ **~·ly** *ad.*

ùn·devóut *a.* 신앙심〔믿음〕이 없는.

un·díagnosed *a.* 진단 미확정의.

un·did [ʌndíd] UNDO의 과거.

un·dies [ʌ́ndiz] *n. pl.* 《구어》 (특히 여성·어린이용) 속옷류(類), 내의류.

ùn·differéntiated [-id] *a.* 차별받지 않는; 분화(分化)되지 않은; 특성이 없는; 획일적인.

ùn·digésted [-id] *a.* 소화되지 않은; 미소화의; 충분히 이해되지 않은; 미동화(未同化)의, 미분화(未分化)의.

ùn·dígnified *a.* 품위가 없는, 위엄이 없는.

ùn·dilúted [-id] *a.* 묽게 하지 않은, 물을 타지 않은. ㊎ **ùn·dilútion** *n.* Ⓤ,Ⓒ 불희석(不稀釋).

ùn·dimínished [-t] *a.* (힘·질 따위가) 줄지 않은, 쇠퇴〔저하〕되지 않은.

un·dine [ʌndíːn, ⌐-] *n.* 물의 여정(女精). ⓒⓕ gnome¹, salamander, sylph.
ùn·diplomátic *a.* 외교적 수완이 없는, 교섭이 서툰. ⓟ **-ically** *ad.*
ùn·dirécted [-id] *a.* 지시가 없는, 지도자가 없는, 목표가 불명한; 수취인의 주소 성명이 없는 《편지 따위》.
ùn·discérning *a.* 분간할 수 없는, 분별없는; 잘 깨닫지 못하는, 둔감한. ⓟ **~·ly** *ad.*
ùn·dischárged *a.* 발사되지 않은; (짐이) 내려지지 않은; 미불(未拂)된.
un·dísciplined *a.* 훈련이 없는, 수련이 부족한; 수양이 없는, 미숙한; 규율이 없는, 군기(軍紀)가 없는.
ùn·disclósed *a.* 나타나지 않은, 폭로〔발표〕되지 않은, 비밀에 부쳐진(hidden): an ~ place 모처(某處).
ùn·discóvered *a.* 발견되지 않은, 찾아내지 못한; 미지의.
ùn·discríminating *a.* 식별〔구별〕하지 않는, 무차별한, 동등한; 식별〔감상〕력이 없는, 민감하지 않은. ⓟ **~·ly** *ad.*
ùn·disguísed *a.* 변장하지 않은, 가면을 쓰지 않은; 공공연한, 숨김없는, 있는 그대로의. ⓟ **-guísedly** [-zidli] *ad.*
ùn·dismáyed *a.* 겁내지 않는, 태연한; 낙담하지〔기가 꺾이지〕 않은.
ùn·dispósed *a.* 좋아하지 않는, 마음이 내키지 않는《*to* do》; 미(未)처리의, 용도가 정해지지 않은, 할당되지 않은, 처분〔매각〕되지 않은.
ùn·dispúted [-id] *a.* 의심할 것 없는, 이의 없는, 확실한; 당연한. ⓟ **~·ly** *ad.*
undispúted wórld chámpion 〖권투〗 WBA 와 WBC 쌍방이 인정하는 세계 챔피언.
ùn·dissóciated [-id] *a.* 〖화학〗 해리(解離)되지 않은.
ùn·dissólved *a.* 용해〔융해, 분해〕되지 않은, 해산〔해소〕되지 않은.
ùn·distínguishable *a.* 구별〔분간〕할 수 없는.
ùn·distínguished [-t] *a.* 구별되지 않은; 구별할 수 없는; 두드러지지 않은; 유명하지 않은; 평범한, 보통의.
ùn·distórted [-id] *a.* (화상(畫像) 등이) 원작을 닮은; (스테레오 음 등이) 변질되지 않은, 생음에 충실한.
undistríbuted míddle 〖논리〗 부주연(不周延)의 중(中)개념《타당한 추론이 아닌 삼단 논법상의 오류》.
undistríbuted prófits 〖회계〗 미분배 이익(금), 내부〔사내〕 유보.
ùn·distúrbed *a.* **1** 방해받지 않은, 흔들리지 않은, 조용한. **2** 마음이 편한, 평정을 잃지 않은, 가라앉은. ⓟ **-túrbedly** [-bidli] *ad.* **-edness** *n.*
ùn·divíded [-id] *a.* 가르지〔나뉘지〕 않은, 분할되지 않은; 끊임없는, 연속된; 완전한; 집중된: ~ attention 전념(專念).
undivíded prófits 미처분 이익.
⁑**un·do** [ʌndúː] (**-did** [-díd]; **-done** [-dʌ́n]) *vt.* **1** (일단 해버린 것을) 원상태로 돌리다, 원상태대로 하다, 취소하다: What's done cannot be *undone.* 《속담》 엎지른 물은 다시 주워담을 수 없다 / ~ the past 과거를 되돌리다 / ~ a match 파혼하다 / He has *undone* the good work of his predecessor. 그는 전임자가 해놓은 일을 망쳐 놓았다. **2** (아무를) 파멸시키다, 영락시키다; (아무)의 명예를〔희망을〕 망쳐 버리다; 멸하다, 잡쳐 놓다; 꾀어서 (여성)의 정조를 빼앗다; (아무)를 당황하게 하다: His extravagance will ~ him some day. 그렇게 사치를 하니 얼마 안 가서 파산하고 말거야. **3** (매듭 따위를) 풀다, 늦추다; (단추 따위를) 끄르다, 풀다; (옷 따위를) 벗기다: ~ a parcel 꾸러미를 풀다 / ~ a button 단추를 끄르다. **4** 《고어》 (수수께끼 따위를) 풀다. ― *vi.* 열리다, 풀리다. ― *n.* 〖컴퓨터〗 무르기《바로 전에 수행한 조작을 취소하는 명령; 또, 그 기능》. ⓟ **~·a·ble** *a.* 실행할 수 없는; 원상으로 되돌릴 수 있는, 취소할 수 있는. **~·er** *n.* 취소하는 사람; 파멸로 이끄는 사람; 난봉꾼; 여는〔푸는〕 사람.
un·dóck *vt.* (배를) 선거(船渠)에서 내보내다; 도킹한 우주선을 분리시키다. ― *vi.* (배가) 선거에서 나가다.
ùn·dócumented [-id] *a.* 문서로 증명되지 않은, 증거 자료가 없는, 《미》 정식 서류가 없는, 사증을 갖고 있지 않은: an ~ person 《미》 밀입국자《미국 법무부 이민 귀화국 용어》.
UNDOF United Nations Disengagement Observer Force (유엔 병력 철군(撤軍) 감시군).
ùn·dogmátic *a.* 독단적이 아닌, 교의〔교리〕에 얽매이지 않는. ⓟ **-ically** *ad.*
un·dóing *n.* Ⓤ **1** 원상 복구, 취소. **2** (소포 등을) 풀기. **3** 파멸〔타락〕(시키기); 파멸의 원인.
ùn·doméstic *a.* 가사와 관계없는; 가사에 등한한, 비가정적인; 국내의 것이 아닌, 국산이 아닌.
ùn·domésticated [-id] *a.* (사람이) 가정 생활에 익숙지 않은, 가정적이 아닌; (동물이) 길들여지지 않은, 사람에게 길들지 않은.
⁑**un·done¹** [ʌndʌ́n] UNDO 의 과거분사.
― *a.* **1** 풀어진, 끌러진, 벗겨진, 늦춰진. **2** 파멸한; 영락(零落)한; 당혹한: I am ~! 나는 이제 틀렸다〔망했다〕. **3** 원래대로의. ***come*** **~** 풀어지다; 실패하다, 파멸하다.
un·done² *a.* 대처되지 않은; 하지 않은, 다 되지 않은, 미완성의. ***remain*** **~** 미완성인 채로 있다. [◂un+done]
°**un·dóubted** [-id] *a.* 의심할 여지가 없는, 틀림없는, 확실한. ⓒⓕ doubtless.
***un·doubt·ed·ly** [ʌndáutidli] *ad.* 틀림없이, 확실히: That's ~ wrong. 그것은 확실히 틀렸다.
un·dóubting *a.* 의심하지 않는, 의문을 갖지 않는, 확신 있는. ⓟ **~·ly** *ad.*
UNDP United Nations Development Program(유엔 개발 계획).
un·dráined *a.* 배수되지 않은.
un·drápe *vt.* …의 옷을 벗기다, 가리개를 제거하다.
un·dráw (**-drew; -drawn**) *vt.* (커튼 따위를) 당겨서 열다.
un·dréamed-of, un·dréamt-of *a.* 생각지도 않은, 전혀 뜻밖의, 의외의.
***un·dress¹** [ʌndrés] *vt.* **1** …의 옷을 벗기다; 〖~ oneself〗 옷을 벗다: ~ a child and put him to bed 어린애를 옷을 벗겨 재우다. **2** …의 장식을 떼어 버리다. **3** …의 붕대를 떼다. **4** (아무의 과거 따위를) 들춰내다. ― *vi.* 옷을 벗다.
un·dress² *n.* **1** 약복(略服), 통상복, 평복. **2** 〖군사〗 통상 군복(~ uniform). **3** (거의) 전라(全裸). ― *a.* 평복의; 약식의; (태도가) 꾸밈없는.
un·dréssed [-t] *a.* **1** 옷을 벗은, 발가벗은; 잠옷 바람의. **2** (상처에) 붕대를 감지 않은, 치료를 하지 않은. **3** 〖요리〗 소스〔양념 따위〕를 치지 않은, 요리하지 않은. **4** 손질하지〔가꾸지〕 않은 《머리·말·땅·나무 따위》; 무두질하지 않은.
undréss ùniform 〖군사〗 (공식적이 아닐 때 착용하는) 보통 군장(軍裝), 약식 군장, 약장(略裝).
un·dréw UNDRAW 의 과거.
un·drínkable *a.* 마실 수 없는, 마시기에 적당치 않은.
UNDRO United Nations Disaster Relief Organization.
und so wei·ter [untzouváitər] 《G.》 …따위 (and so forth)《생략: usw》.
°**un·dúe** *a.* **1** 어울리지 않는, 지나친, 과도한. **2** 심한, 대단한. **3** 부당한, 불법의: ~ use of

power 권력의 부당 행사. **4** 기한이 되지 않은, 지불 기한 미달의.

undúe ínfluence 〖법률〗 부당 압박〔위압〕.

un·du·lant [ʌ́ndʒələnt, -djə-/-dju-] *a.* 파도치는, 물결 모양의. 「cel losis).

úndulant féver 〖의학〗 파상열(波狀熱)(bru-

◊**un·du·late** [ʌ́ndʒəlèit, -djə-/-dju-] *vi.* (수면 등에) 물결이 일다; 파동 치다, (땅이) 기복하다, 굽이치다. **—** *vt.* 파동시키다, 굽이치게 하다, 물결을 일으키다. **—** [-lət] *a.* 파상의, 물결 모양의. ⓟ **-lat·ed** [-lèitid] *a.* =UNDULATE. **~·ly** *ad.*

ùn·du·lá·tion *n.* Ⓤ 파동, 굽이침; Ⓒ 기복(起伏); Ⓤ 〖물리〗 파동, 진동; 음파, 광파(光波); 〖약학〗 (높이가 완전히 같지 않은 음을 동시에 낼 때의) 맥(脈)놀이; 〖의학〗 동계(動悸); 〖골프〗 그린 표면에 만든 기복.

un·du·la·to·ry [ʌ́ndʒələtɔ̀:ri, -djə-/-djulətəri] *a.* 파동 치는, 기복이 있는, 굽이치는; 물결 모양의. ***the ~ theory (of light)*** 〖물리〗 (빛의) 파동설(說).

un·du·la·tus [ʌ̀ndʒuléitəs, -dju:-/-dju-] *n.* 〖기상〗 파도구름 (billow cloud). 「불법으로.

◊**un·dú·ly** *ad.* 과도하게, 심하게; 부(적)당하게,

un·dú·ti·ful *a.* 순종치 않는, 불효의, 불충실한; 의무 관념이 없는. ⓟ **~·ly** *ad.* **~·ness** *n.*

un·dý·ing *a.* 죽지 않는, 불멸의, 불후의; 그치지 않는, 영원한.

un·éarned *a.* 노력하지 않고 얻은, 저절로 굴러들어온《수입 따위》; 상대팀의 에러에 의한; 미수(未收)의; 부(적)당한: ~ runs 〖야구〗 적실(敵失)에 의한 득점. 「income.

únearned íncome 불로 소득. Ⓒf. earned

únearned íncrement 〖경제〗 (토지의) 자연적인 가치 증가.

únearned rún 〖야구〗 수비진의 실책으로 빼앗긴 득점. Ⓒf. earned run.

un·éarth *vt.* **1** (땅 속에서) 발굴하다, 파내다. **2** (여우 따위를) 굴에서 몰아내다. **3** 《비유》 발견하다; (음모 따위를) 밝혀내다, 폭로하다, 적발하다.

◊**un·éarth·ly** *a.* 이 세상 것이라고는 생각되지 않는; 비현세〔초자연〕적인; 섬뜩한, 쭈뼛해지는; 《구어》 터무니없는, 보통이 아닌, (시간 따위가) 엄청나게 틀린. ⓟ **-li·ness** *n.* Ⓤ

un·éase *n.* 불안, 걱정, 곤혹, 불쾌.

◊**un·eas·i·ly** [ʌní:zəli] *ad.* 불안하게, 걱정스레; 불쾌하게; 거북하게.

un·eas·i·ness [ʌní:zinis] *n.* Ⓤ **1** 불안, 걱정, 근심, 불쾌: be under some ~ *at* …에 약간 불쾌〔불안〕감을 느끼고 있다 / cause 〔give〕 a person ~ 아무를 불쾌〔불안〕하게 하다. **2** 거북함; 딱딱함.

un·easy [ʌní:zi] (*-eas·i·er; -i·est***)** *a.* **1** 불안한, 꺼림칙한, 걱정되는, 뒤숭숭한: have an ~ feeling 불안한 마음을 갖다 / He felt ~ *about* the future. 그는 장래가 걱정스러웠다. **2** (몸이) 거북한, 불편한, 불쾌한: be ~ in a new suit 새 옷을 입어 거북하다. **3** 딱딱한, 어색한, 부자연스러운, 불안정한《태도 따위》: give an ~ laugh 어색한 웃음을 웃다. **4** 간단하지 않은, 어려운. ***grow ~ at*** …한 일로 걱정이 되기 시작하다: We *grew* ~ *at* their long absence. 그들의 장기 결석이 걱정스러워졌다. ***have an ~ conscience*** 양심의 가책을 느끼다. ***pass*** 〔***have***〕 ***an ~ night*** 불안한 밤을 새우다; 잘 자지 못하다. **—** *ad.* =UNEASILY.

un·éat·able *a.* 먹을 수 없는, 식용에 부적합한.

un·éat·en *a.* 먹지 않은, 먹다 남은.

ùn·eco·nóm·ic, -i·cal *a.* 경제 법칙〔원칙〕에 맞지 않는; 비경제적인, 비절약적〔비검약적〕인, 비싸게 치인. ⓟ **-i·cal·ly** *ad.*

un·éd·i·fy·ing *a.* 비계발(非啓發)적인. 「行)의.

un·éd·it·ed [-id] *a.* 편집되지 않은, 미간행(未刊

un·éd·u·cat·ed [-id] *a.* 교육받지 못한, 무학의, 무지의: ~ handwriting. 「엔 긴급군).

UNEF United Nations Emergency Forces(유

ùn·eléc·tri·fied *a.* 전화(電化)되지 않은, 전력이 공급되지 않은.

ùn·emó·tion·al *a.* 감정적〔정서적〕이 아닌, 감정에 움직이지 않는, 이지적인. ⓟ **~·ly** *ad.*

ùn·em·plóy·able *a.* (노령 따위로) 고용할 수 없는. **—** *n.* 고용 불능자. ⓟ **ùn·em·ploy·abíl·i·ty** *n.*

***un·em·ployed** [ʌ̀nemplɔ́id] *a.* **1** 일이 없는, 실직한. **2** 쓰이지 않는, 이용〔활용〕되고 있지 않는《도구 · 방법 따위》; 잠자고〔놀려 두고〕 있는《자본 따위》: ~ capital 유휴 자본. **3** 한가한, 여가가 있는. **4** (the ~) 《명사적; 복수취급》 실업자.

****un·em·ploy·ment** [ʌ̀nemplɔ́imənt] *n.* Ⓤ 실업, 실직; 실업 상태.

unemplóyment bènefit 실업 수당.

unemplóyment compensàtion 《미》 (주(州) 정부 등에 의한) 실업 (보상) 수당.

unemplóyment insùrance 실업 보험.

unemplóyment ràte 실업률.

ùn·en·cúm·bered *a.* 방해가 없는; (저당 · 부채 따위의) 부담이 없는.

◊**un·énd·ing** *a.* 끝이 없는; 끊임〔간단〕없는; 무궁한, 영원한. ⓟ **~·ly** *ad.*

ùn·en·dówed *a.* (…을) 부여받지 않은《*with*》, 기부금〔기본금〕이 없는; 천부의 재능이 없는.

ùn·en·dúr·able *a.* 견딜〔참을〕 수 없는. ⓟ **-bly** *ad.* **~·ness** *n.*

ùn·en·gáged *a.* 약속이 없는; 약혼하지 않은; (볼)일 없는, 한가한; 고용되지 않은.

ùn·en·gág·ing *a.* 마음을 끌지 않는, 매력이 없는.

ùn-Éng·lish *a.* 영국식이 아닌; 영국인답지 않은; 영어답지 않은. 「리(事理)를 모르는.

ùn·en·líght·ened *a.* 계몽되지 않은, 미개한, 사

ùn·en·thúsed *a.* 열의가 없는. 「샘나지 않는.

un·én·vi·able *a.* 부럽지 않은, 부러워할 것 없는,

un·én·vied *a.* 남이 부러워할 것이 없는.

un·én·vi·ous *a.* 부러워하지 않는, 시새우지 않는. ⓟ **~·ly** *ad.*

UNEP [jú:nep] *n.* 유엔 환경(環境) 계획 기구《환경 보호 목적의 유엔 기구의 하나》. [◂ *U*nited *N*ations *E*nvironment *P*rogram]

◊**un·équal** *a.* **1** 같지 않은, 동등하지 않은, 부동(不同)의, 고르지 못한, 균등하지 않은: an ~ pulse 부정맥(不整脈). **2** 불공평한, 불평등한, 균형이 안 맞는: an ~ contest 대등하지 못한 싸움. **3** 한결같지 않은, 균질(均質)이 아닌. **4** (…에) 불충분한, 부적당한, 적임이 아닌, 감당 못하는《*to*》: He is ~ *to* the task. 그는 그 일을 감당 못한다 / He's ~ *to* dealing with the problem. 그는 그 문제를 해결할 능력이 부족하다. ⓟ **~·ly** *ad.* 같지 않게; 고르지 않게, 불공평하게. **~·ness** *n.*

ùn·équaled, 《영》 **-qualled** *a.* 필적하는〔견줄〕 것이 없는, 무적의, 무비(無比)의, 월등하게 좋은.

ùn·equív·o·cal *a.* 모호하지 않은, 명료(明瞭)한; 솔직한. ⓟ **~·ly** *ad.*

un·érr·ing *a.* 잘못이 없는, 과실이 없는; 적중하는; 틀림없는, 확실한, 아주 바른. ⓟ **~·ly** *ad.* **~·ness** *n.*

UNESCO, Unes·co [ju:néskou] *n.* 유네스코, 국제 연합 교육 과학 문화 기구. [◂ *U*nited *N*ations *E*ducational, *S*cientific and *C*ultural *O*rganization]

ùn·es·sén·tial *a.* 본질적이 아닌; 중요하지 않은; 없어도 좋은. **—** *n.* 본질적이 아닌 것; 중요하지 않은 것.

ùn·estáblished [-t] *a.* 확립〔설립, 제정〕되지 않은; (작가 따위가) 신인인; (교회가) 국교로 인정되지 않은, 비국교회(非國教會)의; 《영》 상임〔(常任)이 아닌.

unesthetic ⇨ UNAESTHETIC.

un·éthical *a.* 비윤리적인, 파렴치한. ㊔ **~·ly** *ad.*

ùn-Européan *a.* 유럽적〔풍〕이 아닌, 비유럽적「인, 비서구의.

°**un·éven** *a.* **1** 평탄하지 않은, 울퉁불퉁한: an ~ surface 〔road〕 울퉁불퉁한 표면〔도로〕. **2** 한결같지 않은, 균일치 않은; 질이 고르지 못한: of ~ temper 〔disposition〕 성미가 변덕스러운. **3** 걸맞지 않는, 균형이 맞지 않는; 대항할 수 없는, 승산이 없는《경쟁 따위》. **4** 둘로 나눌 수 없는, 홀수의(odd): ~ numbers 홀수. ㊔ **~·ly** *ad.* **~·ness** *n.*

unéven (párallel) bàrs (the ~) 2단 평행봉《여자 체조 경기 종목〔용구〕》.

ùn·evéntful *a.* 사건이 없는, 평온무사한《해·생애 등》, 평범한. ㊔ **~·ly** *ad.*

ùn·exácting *a.* 엄하지 않은, 수월한, 편한, 강요적이 아닌; 잔소리하지 않는. ㊔ **~·ly** *ad.*

ùn·exággerated [-id] *a.* 과장되지 않은.

ùn·exámpled *a.* 유례〔전례〕 없는; 비길 데 없는, 무비(無比)의.

ùn·excéptionable *a.* 나무랄 데 없는, 더할 나위 없는, 완전한. ㊔ **-bly** *ad.* **~·ness** *n.*

ùn·excéptional *a.* 예외〔이례(異例)〕가 아닌, 보통의; 예외를 인정하지 않는. ㊔ **~·ly** *ad.* 예외없이, 모두.

ùn·exháusted [-id] *a.* 아직 없어지지 않은; 아직 다 쓰지 않은; 무진장의; 아직 지치지 않은.

ùn·exháustible *a.* =INEXHAUSTIBLE.

***un·ex·pect·ed** [ʌ̀nikspéktid] *a.* 예기치 않은, 의외의, 뜻밖의, 돌연한; (the ~) 〖명사적; 단수취급〗 돌발 사건. SYN. ⇨ SUDDEN. ㊔ °**~·ly** *ad.* **~·ness** *n.*

unexpécted pròfit 잠재적 초과 이윤.

ùn·expéndable *a.* 불가결의, 중요한; 다 써버릴 수 없는; 소비〔지출〕할 수 없는.

ùn·expérienced [-t] *a.* (실제) 경험이 없는.

ùn·expláinable *a.* 설명할 수 없는, 묘한. ㊔ **-bly** *ad.* 「불명(不明)한.

ùn·expláined *a.* 설명이 없는, 해명되지 않은,

ùn·explóded [-id] *a.* 폭발되지 않은; 아직 발사되지 않은(undischarged); 논파(論破)되지 않은《학설 따위》.

ùn·explóited [-id] *a.* 이용〔개발〕되지 않은.

ùn·explóred *a.* 탐험〔탐사, 답사, 조사〕되지 않은, 미답의. 「(tacit).

ùn·expréssed [-t] *a.* 표현되지 않은; 암묵의

ùn·expréssive *a.* 표현력이 모자라는, 충분히 뜻을 전할 수 없는.

un·éxpurgàted [-id] *a.* (검열에서 서적의 내용이) 삭제되지 않은, 삭제 없이 출판한.

ùn·extínguished [-t] *a.* 꺼지지〔소멸되지〕〔않은.

UNF United Nations Forces (유엔군).

un·fáded [-id] *a.* 색이 바래지 않은.

un·fáding *a.* 퇴색하지 않는; 시들지 않는; 쇠퇴하지 않는. ㊔ **~·ly** *ad.*

°**un·fáiling** *a.* 다함이 없는, 무한한; 끊임없는; 신뢰할 만한; 틀림없는, 확실한: be ~ *in* one's duty 의무를 충실히 수행하다. ㊔ **~·ly** *ad.* 꼭, 틀림없이, 확실히. **~·ness** *n.*

***un·fair** [ʌnfέər] *a.* **1** 공정치 못한, 공명정대하지 못한, 부정한, 부정직한: an ~ means 부정 수단 / It was ~ *of* her 〔She was ~〕 *to* praise only one of the children. 그 애들 중 하나만을 칭찬하다니 그 여자도 불공정하다. SYN. ⇨ UNJUST. **2** 부당한, 불공평한, 편파적인: an ~ advantage 부당 이익 / ~ dismissal 부당 해고. ㊔ **~·ly** *ad.* **~·ness** *n.*

unfáir competítion 불공정 경쟁.

unfáir lábor pràctice 부당 노동 행위.

únfair práctice **1** =UNFAIR COMPETITION. **2** 부정 상관행(商慣行).

unfáir tràde 불공정 거래.

un·fáith *n.* 불신, 불신임; 비〔반〕종교적 신념.

°**un·fáithful** *a.* **1** 성실하지 않은, 부실한; 착실하지 않은, 부정(不貞)한《*to*》: an ~ wife 부정한 아내 / be ~ *to* one's word 약속을 지키지 않다. **2** 부정확한《번역 따위》. ㊔ **~·ly** *ad.*

un·fáltering *a.* 비틀거리지〔흔들리지〕 않는, 확고한; 주저하지 않는, 단호한. ㊔ **~·ly** *ad.*

°**ùn·famíliar** *a.* **1** 생소한, 낯익지 않은, 낯선, 안면이 없는: His face does not seem ~ *to* me. 그의 얼굴은 처음 보는 것 같지가 않다. **2** (사람이) 익숙지 못한, 잘 모르는, 통달하지 못한, 경험이 없는《*with*》: I am ~ *with* Latin. 라틴 말은 잘 모른다. ㊔ **~·ly** *ad.* **ùn·familiárity** *n.* Ⓤ

un·fáshionable *a.* 유행하지 않는, 유행에 뒤떨어진〔무관심한〕, 낡은, 멋없는; 유행을 좇지 않는; 평판이 좋지 않은.

°**un·fásten** *vt., vi.* 늦추다, 벗기다, 풀다; 헐거워지다, 벗어지다, 풀리다.

un·fáthered *a.* 아버지에게 인지받지 못한, 비적출의, 사생아의; 《비유》 출처〔작자·창설자 따위〕가 불분명한; 아버지 없는.

un·fátherly *a.* 아버지답지 않은.

un·fáthomable *a.* 잴 수 없는, 깊이를 헤아릴 수 없는〔알 수 없는〕; 불가해한(inexplicable). ㊔ **-bly** *ad.* **~·ness** *n.*

un·fáthomed *a.* (바다 등이) 깊이를 알 수 없는; (문제 등이) 헤아릴〔이해할〕 수 없는.

un·fa·vor·a·ble,** 《영》 **-vour-** [ʌnféivərəbəl] *a.* **1** 형편이 나쁜, 불리한, 거슬리는《*to; for*》: ~ weather *for* a trip 여행하기에 좋지 않은 날씨 / The conditions were ~ *to* our plan. 상황은 우리 계획에 불리했다. **2** 바람직하지 못한, 불길한; 호의가 없는. **3** 반대(의견)의, 불찬성을 나타내는; (무역 수지가) 수입 초과인. **4** 《고어》 (얼굴이) 못생긴. ***the ~ balance of trade 무역 역조, 수입 초과. ㊔ **-bly** *ad.* **~·ness** *n.*

un·fázed *a.* 동하지 않는, 당황하지 않는; 기가 꺾이지 않는: He was ~ by his previous failures. 그는 이제까지의 실패에도 낙심치 않았다.

un·féaring *a.* 두려움 없는, 두려움을 모르는, 주저하지 않는. 「**~·ness** *n.*

un·féasible *a.* 실행할 수 없는. ㊔ **-bly** *ad.*

un·féderated [-id] *a.* 동맹〔연합〕하지 않은.

un·féeling *a.* 느낌이 없는(insensible); 무정한, 냉혹한(cruel). ㊔ **~·ly** *ad.*

un·feigned [ʌnféind] *a.* 거짓 없는, 진실한, 성실한(sincere), 있는 그대로의. ㊔ **un·féignedly** [-nidli] *ad.*

un·félt *a.* 느낌이 없는, 느낄 수 없는.

un·féminine *a.* 여자답지〔연약하지, 부드럽지〕 않은, 여성적이 아닌. 「가 없는, 무방비의.

un·fénced [-t] *a.* 울〔담, 울타리〕 없는; 수비

ùn·fértilized *a.* 수정시키지 않은.

un·fétter *vt.* **1** 차꼬를 풀다. **2** 《~+목/+목+전+명》 석방하다, 자유롭게 하다: ~ a prisoner 죄수를 석방하다 / ~ one's mind *from* prejudice 마음에서 편견을 없애다. **3** 늦추다, 편하게 하다. ㊔ **~ed** *a.* 차꼬가 풀린; 속박〔구속〕을 받지 않는, 자유로운.

un·fílial *a.* 자식답지 않은, 자식으로서의 도리를 다하지 않는, 불효의. ㊔ **~·ly** *ad.*

un·fílled *a.* 차지 않은, 빈; 충전(充塡)되지 않은.

°**un·fínished** [-t] *a.* **1** 미완성의, 다 되지 않은; (페인트 등의) 마무리를〔겉칠을〕 다 하지 않은.

2 세련되지 않은, 건목만 친. ***the Unfinished Symphony*** '미완성 교향곡'《Schubert의 교향곡 제8번; 1822년 작곡》. 「사항〔사무〕.
unfínished búsiness (회의 등에서의) 미결
◇**un·fít** *a.* **1** 부적당한, 적임(適任)이 아닌 (unqualified), 어울리지 않는《*for*》: This land is ~ *for* farming. 이 땅은 농사 짓기에 부적당하다/He's ~ *to* be a teacher. 그는 교사 되기에는 적격이 아니다. **2** 건강하지 않은, 불건전한. **—** (*-tt-*) *vt.* 《+[목]+[전]+[명]》 부적당하게 하다, 어울리지〔맞지〕 않게 하다, 자격을 잃게 하다《*for*》: He's ~*ted for* (an) academic life. 그는 학구적인 생활에는 어울리지 않는다. [파] **~·ly** *ad.* **~·ness** *n.*
un·fítted [-id] *a.* 부적당한, 적임이 아닌, 맞지 않은; 적응되지 않은; 비품이 갖추어지지 않은, 설비가 없는.
un·fítting *a.* 부적당한, 어울리지 않는(unbecoming). [파] **~·ly** *ad.*
un·fíx *vt.* **1** 풀다, 끄르다, 벗기다, 빼다, 떼다, 늦추다: *Unfix* bayonets! 〖군사〗 빼어 칼《구령》. **2** (마음 등을) 흔들리게 하다. [파] **~ed** [-t] *a.* **1** 벗겨진, 늦춰진. **2** 고정되지 않은, 흔들리는; 분명치 않은.
un·flágging *a.* 쇠하지 않는, 불요불굴의, 지칠 줄 모르는. [파] **~·ly** *ad.*
un·fláppable *a.* 《구어》 움직이지 않는, 침착한. [파] **-bly** *ad.* **un·flàppabílity** *n.*
ùn·fláttering *a.* 아첨하지 않는; 있는 그대로를 보이는, 노골적인〔으로 말하는〕. [파] **~·ly** *ad.*
un·flédged *a.* 아직 깃털이 다 나지 않은; 젖내 나는, 미숙한. [opp] *fullfledged.*
un·fléshly *a.* 육욕적〔현세적〕이 아닌, 정신적인.
un·flínching *a.* 굽히지 않는, 움츠리지 않는, 위축되지 않는, 단호한(firm). [파] **~·ly** *ad.*
un·fócus(s)ed [-t] *a.* 초점이 맞지 않은; 분명한 목적〔방향〕이 부족한.
◇**un·fold**[1] [ʌnfóuld] *vt.* **1** (접어 갠 것, 잎, 봉오리 따위를) 펼치다, 펴다: ~ one's arms 팔을 벌리다. **2** 〖~ oneself〗 (이야기·사태 따위가) 전개되다: The story gradually ~*ed* its*elf.* 이야기가 서서히 전개되었다. **3** 《~+[목]/+[목]+[전]+[명]》 (의중·생각 등을) 나타내다, 표명하다, 털어놓다; 말하다, 설명하다《*to*》: ~ one's thoughts/He ~*ed* his plan *to* me. 그는 계획을 내게 털어놓았다. **—** *vi.* **1** (잎·봉오리 따위가) 열리다, 벌어지다; 펴지다; (풍경이) 펼쳐지다, 전개되다. **2** (진상이) 드러나다, 밝혀지다.
un·fold[2] *vt.* (양 따위를) 우리에서 내놓다.
unfólding hóuse 조립식 주택. 「연스러운.
un·fórced [-t] *a.* 강제적이 아닌, 자발적인; 자
ùn·foreséeable *a.* 예지〔예견〕할 수 없는. [파] **-bly** *ad.* **~·ness** *n.* 「연의, 의외의.
◇**ùn·foreséen** *a.* 생각지 않은, 뜻하지 않은, 우
◇**ùn·forgéttable** *a.* 잊을 수 없는, (언제까지나) 기억에 남는(memorable). [파] **-bly** *ad.* **ùn·for·gettabílity** *n.*
ùn·forgívable *a.* 용서할 수 없는.
ùn·forgíving *a.* 용서하지 않는, 용서 없는; 깊이 앙심먹은.
un·fórmed *a.* 아직 형체를 이루지 않은, 정형(定形)이 없는(shapeless); 미발달의; 미숙한; 아직 만들어지지 않은, 태어나지 않은; 〖생물〗 =UNORGANIZED.
ùn·forthcóming *a.* 박정(薄情)한, 불친절한.
⁑**un·for·tu·nate** [ʌnfɔ́ːrtʃənit] *a.* **1** 불운한, 불행한: What an ~ situation! 이 무슨 불행한 사태인가/He was ~ *in* los*ing* his property. 그는 불행하게도 재산을 잃었다/She was ~ *to* lose her husband. 그녀는 불행하게도 남편을 여의었다. **2** 유감스러운, 한심스러운: an ~ personality 한심스러운 인물. **3** 성공 못한, 잘못된: an ~ choice 잘못된 선택. **—** *n.* (보통 *pl.*) 불행한〔불운한〕 사람; 사회적 낙오자《죄수·매춘부 등》. [파] ⁑**~·ly** *ad.* 불행하게; 운 나쁘게, 공교롭게. [SYN] ⇨ UNHAPPILY. **~·ness** *n.*
un·fóunded [-id] *a.* 이유〔근거〕가 없는, 사실무근의(groundless): ~ hopes 헛기대/an ~ rumor 헛소문. [파] **~·ly** *ad.*
UNFPA United Nations Fund for Population Activities(유엔 인구 기금).
un·frámed *a.* (그림 등이) 액자에 들어 있지 않은; 《구어》 컨디션이 좋지 않은.
unfránked invéstment íncome 《영》 세금 공제 전의 배당 소득.
un·fréeze *vt.* 녹이다; 〖경제〗 (자금 등의) 동결을 풀다, …의 제한을〔통제를〕 해제하다, 자유화하다. **—** *vi.* (얼음 등이) 녹다.
un·fréquent *a.* 희귀한, 드문(infrequent). [파] **~·ly** *ad.*
un·fréquented [-id] *a.* 인적이 드문; 사람의 왕래가 적은, 좀처럼 사람이 드나들지 않는.
un·fríended [-id] *a.* 벗〔자기편〕이 없는; 의지할 곳 없는. [파] **~·ness** *n.*
◇**un·fríendly** (*-li·er; -li·est*) *a.* **1** 불친절한(unkind), 박정(薄情)한, 우정이 없는: an ~ waitress 불친절한 여급/It was ~ *of* you not *to* help her. 그녀를 도와 주지 않다니 너도 박정하구나. **2** 적의가 있는(hostile). **3** (기후 등이) 나쁜, 형편이 나쁜, 불리한(unfavorable). **—** *ad.* 《드물게》 비우호적으로, 불친절하게; 악의를 갖고. [파] **-liness** *n.*
unfríendly sùitor (매수 대상이 된 기업이 저항하는) 적대적 기업 매수 신청 당사자.
un·fróck *vt.* …의 제의(祭衣)를 벗기다; …에게서 성직〔특권〕을 박탈하다; (직업·집단 등에서) 제명하다.
un·frózen *a.* 얼지 않은; 〖경제〗 동결되지 않은.
un·frúitful *a.* 효과가 없는, 보람 없는, 헛된《노력 따위》; 열매를 맺지 않는; 불모의; 새끼를 낳지 않는《동물 따위》.
ùn·fulfílled *a.* 다하지 못한, 이행되지 않은; 실현〔성취〕하지 못한.
un·fúnded [-id] *a.* 〖상업〗 일시 차입의, (공채가) 단기의(floating), 자금〔재원〕이 없는.
unfúnded débt 일시 차입금.
un·fúnny *a.* 우습지 않은, 재미 없는.
un·fúrl *vt., vi.* (돛·우산 따위를) 펴다(spread); (기 따위를) 올리다, 바람에 펄럭이게 하다; 펴지다, 오르다, 펄럭이다.
un·fúrnished [-t] *a.* **1** 가구가 비치되어 있지 않은, 비품이 없는. **2** 설비〔비치〕되어 있지 않은, (…이) 딸리지 않은《*with*》.
un·fússy *a.* 대범한, 마음 편한; 까다롭지 않은; 검소한. 「엔 총회).
UNGA United Nations General Assembly(유
un·gáinly (*-li·er; -li·est*) *a.* 보기 흉한, 볼품없는(clumsy), 몰골스러운, 어색한; 다루기 힘든. [파] **-li·ness** *n.* 「대로의.
un·gárbled *a.* 왜곡되지 않은, 정확한, 사실 그
un·génerous *a.* 도량이 좁은; 인색한, 다랍게 아끼는; 비열한. [파] **~·ly** *ad.* **ùn·generósity** *n.*
un·géntle *a.* 가문(家門)이 좋지 않은(lowborn); 상스러운, 거친(rough).
un·géntlemanly *a.* 신사답지 못한; 천박한, 야비한. [파] **-li·ness** *n.*
un·get-at-a·ble [ʌ̀ngetǽtəbəl] *a.* 쉽게 도달하기 어려운, 가까이하기 어려운.
un·gírd (*p., pp.* **~·ed, -girt**) *vt.* (…의) 띠를 끄르다; 띠를 끌러 늦추다; …에 대한 죔을 풀다.
un·gírt *a.* 띠를 늦춘, 띠를 매지 않은; 규율이〔통

제가〕 느슨해진, 해이해진.
un·glázed *a.* 유약(釉藥)을 칠하지 않은, 잿물을 입히지 않고 구운; 유리를 끼우지 않은《창》, 창유리가 없는《방》.
un·glúe *vt.* (우표 따위를) 접착제를 녹여 떼다; (집착한 것에서) 떼어 놓다.
un·glúed *a.* 잡아뗀; 《미속어》 격노한; 이성을 잃은; 《미속어》 미친. ***come* 〔*get*〕 ~** 《미구어》 (산산이) 허물어지다; 《미속어》 흥분하여 냉정을 잃다, 격노하여 이성을 잃다.
un·gódly (*-li·er; -li·est*) *a.* 신앙심 없는, 신을 섬기지 않는(impious); 사악한, 죄 많은(sinful); 천한; 《구어》 지독한, 격렬한, 터무니없는: at an ~ hour 당치도 않은 시간에. **—** *n.* (the ~) 사악한 사람들. **—** *ad.* 《구어》 지독하게, 심하게; 《고어》 불경한 방법으로. [파] **-li·ness** *n.*
un·góvernable *a.* 제어할 수 없는, 처치 곤란한, 제멋대로의, 방종한. [파] **-bly** *ad.*
un·góverned *a.* 제어되지 않은, 방임된, 미친 듯이 날뛰는.
un·gráceful *a.* 우아하지 않은, 천한, 예의가 없는, 버릇없는; 보기 흉한, 볼품없는. [파] **~·ly** *ad.* **~·ness** *n.*
un·grácious *a.* 공손치 않은, 불친절한, 무례한(rude); 무뚝뚝한, 붙임성이 없는; 상냥하지 않은; 불유쾌한(unpleasant), 탐탁지 않은. [파] **~·ly** *ad.* **~·ness** *n.*
un·gráded [-id] *a.* **1** 등급을 매기지 않은. **2** (길이) 수평이 아닌, 물매가 뜨지 않은. **3** 담임을 맡지 않은《선생》.
ungráded schóol 《미》 무학년제 초등학교《한 교사가 한 교실에서 모든 학년의 학생들을 가르치는 시골 학교》.
ùn·grammátical *a.* 문법에 맞지 않는, 비문법적인.
◇**un·gráteful** *a.* **1** 은혜를 모르는, 감사할 줄 모르는: It's ~ *of* you 〔You're ~〕 to say that about him. 그에 관해 그렇게 말하다니 너도 은혜를 모르는구나. **2** (일이) 일한 보람이 없는, 헛수고의; 달갑지 않은, 불유쾌한. [파] **~·ly** *ad.* **~·ness** *n.*
un·gréen *a.* 환경 보존에 대한 의식이〔배려가, 관심이〕 없는, 환경에 유해한.
un·gróunded [-id] *a.* 근거 없는, 사실 무근의; 기초적 지식이 없는, 무지한; 〖전기〗 접지(接地)되지 않은.
un·grúdging *a.* 아끼지 않는, 활수한(generous); 자진해서 하는, 마음 속에서 우러나오는. [파] **~·ly** *ad.*
un·gual [ʌ́ŋgwəl] *a.* 손톱〔발톱, 발굽〕의〔같은〕; 손톱〔발톱, 발굽〕이 있는.
◇**un·guárded** [-id] *a.* 부주의한, 방심하고 있는, 마음 놓고 있는; 방어가 없는; (카드의 패, 체스의 말 등이) 먹힐 듯한. ***in an ~ moment*** 방심한 찰나에. [파] **~·ly** *ad.*
un·guent [ʌ́ŋgwənt] *n.* [U] 고약, 연고. [파] **ún·guen·tàry** [-tèri/-təri] *a.* 연고의〔같은〕.
un·guic·u·late [ʌŋgwíkjələt, -lèit] *a.* 발톱〔발굽〕이 있는; 유제류(有蹄類)의, 유조류(有爪類)의. **—** *n.* 유제류, 유조류의 포유동물.
un·guíded [-id] *a.* 유도되지 않은, 안내가 없는: an ~ tour / an ~ missile.
un·gui·form [ʌ́ŋgwifɔ̀ːrm] *a.* 발톱〔발굽〕 모양의.
un·guis [ʌ́ŋgwis] (*pl.* ***-gues*** [-gwiːz]) *n.* **1** 〖동물〗 발톱, 발굽. **2** 〖식물〗 발톱 모양의 꽃받침.
un·gu·la [ʌ́ŋgjələ] (*pl.* ***-lae*** [-liː]) *n.* = UNGUIS 2; 〖수학〗 제상체(蹄狀體). [파] **un·gu·lar** [ʌ́ŋgjələr] *a.*
un·gu·late [ʌ́ŋgjələt, -lèit] 〖동물〗 *a.* 발굽 모양의; 발굽이 있는; 유제류의. **—** *n.* 유제 동물.
un·gu·li·grade [ʌ́ŋgjələgrèid] *a.* 〖동물〗 (말·소 따위) 제행성(蹄行性)의.
un·háir *vt.* (모피)의 거친 털을 제거하다. **—** *vi.* 털이 빠지다, 탈모하다.
un·hállow *vt.* 《고어》 더럽히다, …의 신성을 더럽히다, 모독하다(profane).
un·hállowed *a.* 축성(祝聖)되지 않은; 신성치 않은, 더럽혀진, 부정(不淨)한, 죄가 많은.
un·hámpered *a.* 족쇄(足鎖)를 채우지 않은, 제약〔통제〕받지 않은; (전망 따위가) 방해하는 것이 없는.
un·hánd *vt.* …을 손에서 놓다; …에서 손을 떼다.
un·hándled *a.* (말이) 길들지 않은.
un·hándsome *a.* 잘생기지 않은, 못난(ugly); 어울리지 않는, 부적당한, 본데없는, 버릇없는; 협량(狹量)한; 돈을 아끼는, 인색한. [파] **~·ly** *ad.*
un·hándy (*-hand·i·er; -i·est*) *a.* 서투른, 손재주가 없는; 간편하지 못한, 다루기 거북한, 불편한.
un·hánged *a.* 교수형에 처해지지 않은.
◇**un·háppily** *ad.* **1** 불행〔불운〕하게; 비참〔따분〕하게.

> [SYN.] **unhappily** 마음이 불행할 때 쓰임. **unfortunately** 외적인 불행에 쓰임.

2 불행하게도, 유감스럽게도, 운수 사납게도, 공교롭게도. **3** 적절하지 못하게, 서투르게.
⁑**un·hap·py** [ʌnhǽpi] (*-hap·pi·er; -pi·est*) *a.* **1** 불행한, 불운한; 비참한; 슬픈, 우울한, 불만인: She was ~ *at* the thought of the misery in the slums. 빈민가의 비참함을 생각하니 그녀는 슬펐다 / I'm ~ *about* letting her go alone. 그녀를 혼자 나가게 한 것이 걱정된다 / He was ~ *to* see the misery of his family. 그는 자기 가족의 비참한 모습을 보고 슬펐다 / The boss is very ~ *that* you were late. 상사는 네가 늦은 것을 몹시 못마땅하게 여긴다. **2** 계제가 나쁜, 공교로운. **3** 부적당한, 적절치 않은, 졸렬한《말씨 따위》. [파] **ùn·háppiness** *n.* [U]
un·hármed *a.* 해를 입지 않은, 부상하지〔손상되지〕 않은; 무사한, 무고한.
un·hárness *vt.* 마구(馬具)를 풀다, (말에서) 마구를 끄르다; 갑옷을 벗기다, 무장을 해제시키다(disarm).
UNHCR (the Office of the) United Nations High Commissioner for Refugees.
un·héalthful *a.* 건강에 좋지 않은, 몸에 해로운, 비위생적인.
***un·healthy** [ʌnhélθi] (*-health·i·er; -i·est*) *a.* **1** 건강하지 못한, 병든. **2** 건강에 좋지 않은, 유해한《토지·풍토 따위》. **3** (도덕적·정신적으로) 불건전한. [파] **ùn·héalthily** *ad.* **-iness** *n.*
◇**un·héard** *a.* 들리지 않는; 경청(傾聽)해〔들어〕주지 않는; 아직 알려지지 않은: go ~ 들어 주지 않다, 무시되다.
◇**unhéard-òf** *a.* 전례가 없는, 전대미문의, 미증유의(unprecedented).
un·héeded [-id] *a.* 주의를 끌지 못하는, 무시된, 돌보지 않는, 주목받지 못하는.
un·héedful *a.* 《고어》 정신차리지 못하는, 부주의한. [파] **~·ly** *ad.*
un·héeding *a.* 주의를 기울이지 않는, 부주의한(*of*). [파] **~·ly** *ad.*
un·hélpful *a.* 도움이 되지 않는, 소용이 안 되는. [파] **~·ly** *ad.*
un·hémmed *a.* 가장자리를 두르지 않은, 테두리 없는.
un·héralded [-id] *a.* 전달〔보고, 예고〕되지 않은, 무명의; 의외의, 예상 밖의.
un·hésitating *a.* 주저〔우물쭈물〕하지 않는, 민활한. [파] **~·ly** *ad.*
un·híndered *a.* 방해〔제약〕받지 않은.
un·hínge *vt.* 돌쩌귀를 벗기다; 떼어 놓다(de-

tach); (마음 따위를) 어지럽히다, 흔들리게 하다, 혼란시키다. ㊎ ~·ment n.

un·híp(ped) [-(t)] a. 《미속어》 =UNCOOL.

ùn·históric, -ical a. 역사적이 아닌, 사실(史實)에 어긋난.

un·hítch vt. (매어 둔 말 따위를) 풀다, 풀어 놓아주다.

◇**un·hóly** (*-li·er; -li·est*) a. 신성하지 않은, 부정(不淨)한(profane); 신앙심이 없는, 사악한(wicked); 《구어》 지독한, 무서운: at an ~ hour 뜻하지 않은 시간에. ㊎ **-hó·li·ness** n.

un·hónored a. 존경받지 못하는; (어음이) 인수되지 않는, 부도(不渡)가 된.

un·hóok vt. 갈고리에서 벗기다; (옷 따위의) 호크단추를 끄르다〔끄르고 벗다〕. **—** vi. 갈고리〔호크단추〕가 벗겨지다.

un·hóped(-fòr) [-t] a. 예기치 않은, 바라지도 않은, 의외의, 뜻밖의.

un·hórse vt. 말에서 떨어뜨리다, 낙마시키다; (지위 따위에서) 내쫓다, 실각시키다; 《드물게》 (마차 따위)에서 말을 풀다.

un·hóuse vt. …의 집을 빼앗다, 집에서 내쫓다; 집이 없게 만들다.

un·húlled a. 껍질을〔꼬투리를〕 제거하지 않은: ~ rice 벼.

un·húman a. 인간의 것이 아닌, 인간 같지 않은; 초인적인; 《드물게》 잔인한(inhuman).

un·húrried [-id] a. 서두르지 않은, 신중한. ㊎ **~·ly** ad.

◇**un·húrt** a. 해를 입지 않은, 손해보지 않은; 부상당하지 않은, 다치지 않은.

un·hygíenic a. 비위생적인.

uni [júːni] n. 《Austral. 구어》 대학(university).

uni- [júːni] '일(一), 단(單)'이란 뜻의 결합사: *uni*verse.

Uni·at, -ate [júːniæ̀t], [-ət, -èit] n. 동방 귀일(歸一) 가톨릭교도(《교황의 수위권(首位權)을 인정하면서 그리스 정교 고유의 의식·관습을 지킴》). ***the Uniate churches*** 동방 귀일(歸一) 가톨릭교회.

「단경(單莖)의.

ùni·áxial a. 〖동물·식물·결정〗 단축(單軸)의,

uni·cam·er·al [jùːnikǽmərəl] a. 일원(一院)(제)의, 단원(單院)의《의회를 이름》: the ~ legislature 일원 제도. ㊎ **~·ly** ad.

úni·càst n. 〖컴퓨터〗 유니캐스트《인터넷에서 특정한 수신인으로의 송신》.

UNICE 《F.》 *Union des Industries de la Communauté Européenne*(유럽 (공동체) 산업 연맹).

UNICEF, Uni·cef [júːnəsèf] United Nations Children's Fund(유니세프, 유엔 아동 기금; 구칭은 *U*nited *N*ations *I*nternational *C*hildren's *E*mergency *F*und).

ùni·céllular a. 〖생물〗 단세포의: a ~ animal 단세포 동물.

unic·i·ty [juːnísəti] n. 단일성; 독자성.

Úni·còde n. 〖컴퓨터〗 유니코드《퍼스널 컴퓨터로 데이터 교환을 원활히 하기 위해 만든 세계 문자 코드 체계》.

ùni·cólor a. 단색의.

úni·còrn n. **1** 일각수(一角獸)《말 비슷하며 이마에 뿔이 하나 있는 전설적인 동물》. **2** 〖성서〗 외뿔의 들소 《신명기 XXXIII:17》; 〖문장(紋章)〗 일각수. **3** (the U-) 〖천문〗 외뿔소자리 (Monoceros).

unicorn 1

ùni·cúspid a. 첨단(尖端)이 하나뿐인.

úni·cỳcle n. (곡예사 등이 타는) 외발 자전거.

unicycle

ùn·idéaed, -idéa'd a. 독창성〔상상력, 아이디어〕 없는, 우둔한.

un·idéntifiable a. 확인할 수 없는, 정체를 알 수 없는; 신원 미상의.

ùn·idéntified a. 확인되지 않은, 미확인의, 정체 불명의.

unidéntified flýing óbject 미확인 비행물체 《flying saucer 따위; 생략: UFO》.

ùni·diménsional a. 1 차원의.

ùn·idiomátic a. 관용 어법에 어긋나는.

ùni·diréctional a. 단일 방향(성)의; 〖전기〗 단향성(單向性)의: a ~ microphone 단일 지향성 마이크로폰. ㊎ **~·ly** ad.

unidiréctional bùs 〖컴퓨터〗 단 방향 버스《자료의 전송 방향이 단일 방향으로 된 버스》.

UNIDO [juːníːdou] United Nations Industrial Development Organization(유엔공업개발기구).

ùni·factórial a. 〖유전〗 단일 유전자의, 1 인자성(因子性)의.

「수 있는.

uni·fi·a·ble [júːnəfàiəbəl] a. 통일〔단일화〕할

uni·fi·ca·tion [jùːnəfikéiʃən] n. Ⓤ 통일, 단일화; 통합.

Unificátion Chùrch (the ~) 통일 교회, 세계 기독교 통일 신령 협회. ⓒⓕ Moonie.

「이론.

únified fíeld thèory 〖물리〗 통일장(統一場)

UNIFIL [júːnəfil] n. 유엔 레바논 잠정 주둔군. [*U*nited *N*ations *I*nterim *F*orces *i*n *L*ebanon]

uni·flor·ous [jùːnəflɔ́ːrəs] a. 〖식물〗 홑꽃〔단판화(單瓣花)〕의, 홑꽃이 있는.

「이 있는.

ùni·fóliate a. 〖식물〗 홑잎〔단엽(單葉)〕의, 홑잎

†**uni·form** [júːnəfɔ̀ːrm] a. **1** 동일한, 동형(同形·同型)의, 같은《형상·빛깔 따위》. ⓄⓅⓅ *multiform*. ¶ vases of ~ size and shape 크기와 모양이 같은 꽃병 / a building ~ *with* its neighbors in design 주위의 건물과 디자인이 같은 건물. **2** 동일 표준의, 획일적인: a ~ wage 획일적인 임금. **3** (시간·장소에 따라) 변화하지 않는, 일정 불변의: ~ acceleration 등(等)가속도 / ~ motion 등가속 운동 / to be kept at a ~ temperature 일정한 온도에서 보존할 것. **4** 균등한, 균질의, 균일한, 한결같은, 고른: a man of ~ disposition 변덕스럽지 않은 사람. **5** (어떤 집단에) 특유〔독특〕한. **—** n. **1** Ⓤ,Ⓒ (군인·경관·간호사 등의) 제복, 군복, 관복; (운동선수의) 유니폼: an undress ~ 약복(略服); 통상 군복. **2** (the ~) 군인. **3** (U-) 글자 u를 나타내는 통신 용어. ***in full-dress*** ~ 〖군사〗 예복을 입고. ***in*** 〔***out of***〕 ~ 군복〔평복〕으로. **—** vt. **1** 한결같게 하다. **2** …에게 제복을 입히다. ㊎ **~ed** a. (항시) 제복〔군복〕을 입은. ◇**~·ly** ad. **~·ness** n.

Úniform Códe of Mílitary Jústice (the ~) 〖미군사〗 통일 군사 재판법.

úniform delívered prícing 〖마케팅〗 획일 수송 가격《수송비가 판매자 부담인 경우에 활용》.

uni·form·i·tar·i·an [jùːnəfɔ̀ːrmətέəriən] a. 〖지학〗 균일설(均一說)의. **—** n. 균일론자. ㊎ **~·ism** n. Ⓤ 균일설《지질의 변화는 부단한 균일적인 작용력에 의한다는 설》.

*__uni·form·i·ty__ [jùːnəfɔ́ːrməti] n. Ⓤ 한결같음, 획일, 일치, 일률; 균등, 변화가 없음, 단조. ⓈⓎⓃ ⇒UNITY. ***the Act of Uniformity*** 〖영국사〗 (영국 국교회의 기도 방식) 통일령.

°**uni·fy** [júːnəfài] *vt.* 하나로 하다, 통합하다; 통일하다, 일매지게 하다, 단일화하다. [파] **úni·fi·er** [-ər] *n.* ~하는 사람〔물건〕.
ùni·láteral *a.* 한쪽〔면·편〕만의; (주차가) 도로의 한쪽에만 국한된; 단독의; 『법률』 편무적(片務的)인; 단독적인, 일방적인. [cf.] bilateral. ¶ a ~ contract 편무 계약. ~ ***declaration of independence*** 일방적 독립 선언《종주국의 동의 없는; 생략: UDI》. [파] **~·ism** *n.* 일방적 군비 폐기론〔군축론〕. **~·ist** *n.* **~·ly** *ad.*
uniláteral monòpoly 일방 독점.
ùni·línear *a.* 단선적(單線的)인《전개·발전》.
ùni·língual *a.* 한 언어만을 쓰는《사람·책》.
ùni·líteral *a.* 단일 문자의, 한 글자로 이루어진.
ùn·illúminated [-id] *a.* **1** 조명이 없는, 어두운. **2** 계몽〔계발〕되지 않은, 몽매한.
úni·lòck *a.* 유니록식의《서랍 등이 한 곳을 잠그면 전체가 잠가지는》.
ùn·imáginable *a.* 상상〔생각, 생각조차〕 할 수 없는(inconceivable). [파] **-bly** *ad.* **~·ness** *n.*
ùn·imáginative *a.* 상상력이 없는, 시적이 아닌. [파] **~·ly** *ad.*
uni·mog [júːnəmàg/-mɔ̀g] *n.* (미국의 도시에서 쓰이는 흡인식) 도로 청소차.
ùni·molécular *a.* 『화학』 단(單)분자의(monomolecular): ~ reactions 단분자 반응.
ùn·impáired *a.* 손상되지 않은; (가치·양 따위가) 줄지 않은. 「침착한.
ùn·impássioned *a.* 흥분하지 않은, 냉정한,
ùn·impéachable *a.* 나무랄 데 없는(irreproachable), 더할 나위 없는; 과실이 없는; 죄가 없는. [파] **-bly** *ad.*
ùn·impéded [-id] *a.* 방해받지 않(고 있)는.
ùn·impórtance *n.* [U] 중요하지 않음, 대수롭지 않음(triviality).
***un·im·por·tant** [ʌ̀nimpɔ́ːrtənt] *a.* 중요하지 않은, 대수롭지 않은, 하찮은. [파] **~·ly** *ad.*
ùn·impósing *a.* 당당하지 못한, 관록이 없는《풍채 등》, 눈에 띄지 않는.
ùn·impréssed *a.* 각인〔압인〕되지 않은, 감명을 주지 않는, 중요하다고 여겨지지 않는.
ùn·impréssive *a.* 인상적이 아닌, 강한 감동을 주지 않는.
ùn·impróved *a.* 개선되지 않은; 경작되지 않은; (기회·자원 등이) 활용되지 않은; 건강이 좋아지지 않은; 세련되지 않은, 품종이 개량되지 않은.
ùn·incórporated [-id] *a.* 합병되지 않은; 법인 조직이 아닌.
ùn·infécted [-id] *a.* (병 따위에) 감염되지 않은; (사상 등에) 감화되지 않은, 물들지 않은.
ùn·inflámmable *a.* 타지 않는, 불연성의; 냉정한.
un·ínfluenced [-t] *a.* 영향을 받지 않은, 감화되지 않은, 공평한, 편견이 없는. 「*ad.*
ùn·infórmative *a.* 정보 가치가 없는. [파] **~·ly**
ùn·infórmed *a.* 알려지지 않은, 정보를 받지 못한《*of*》; 지식이 없는, 무학의. 「부적당한.
ùn·inhábitable *a.* 살〔거주할〕 수 없는, 주거에
ùn·inhábited [-id] *a.* 사람이 살지 않는, 무인의, 주민이 없는《섬 따위》.
ùn·inhíbited [-id] *a.* 금지되지 않은, 제약받지 않은, 솔직한, 노골적인, 떠들썩한. [파] **~·ly** *ad.* **~·ness** *n.*
ùn·inítiate *a.* =UNINITIATED. 「는, 풋내기의.
ùn·inítiated [-id] *a.* 충분한 경험〔지식〕이 없
un·ínjured *a.* 손상되지 않은, 상해를 입지 않은.
ùn·inspíred *a.* 영감을 받지 않은, 독창적이 아닌; 활력이 없는, 지루한; 감격이 없는.
ùn·instáll *vt., vi.* 『컴퓨터』 언인스톨하다《설치된 소프트웨어를 삭제하여 완전히 원래 상태로 되돌리다》. 「을〕 받지 않은.
ùn·instrúcted [-id] *a.* 무지한; 지시를〔훈령
ùn·insúred *a.* 보험에 들지 않은.
ùn·intélligent *a.* 무지한; 지력(知力)이 없는, 우둔한. [파] **~·ly** *ad.*
ùn·intélligible *a.* 이해하기 어려운, 난해한, 뜻〔영문〕을 알 수 없는, 분명치 않은. [파] **-bly** *ad.*
ùn·inténded [-id] *a.* 의도한 것이 아닌, 고의가 아닌.
ùn·inténtional *a.* 고의가 아닌, 무심코 한, 우연한. [파] **~·ly** *ad.*
un·ínterest *n.* 무관계; 무관심.
un·ínterested [-id] *a.* **1** 이해 관계가 없는, 관계가 없는, 공평한. **2** 흥미를 느끼지 않는, 무관심한(indifferent)《*in*》.
***un·in·ter·est·ing** [ʌníntərəstiŋ] *a.* 시시한, 흥미〔재미〕가 없는, 지루한(dull). [파] **~·ly** *ad.* **~·ness** *n.*
°**ùn·interrúpted** [-id] *a.* 끊임〔간단〕없는, 연속된, 부단한. [파] **~·ly** *ad.*
ùni·núcleate, -núclear *a.* 『생물』 (세포 등이) 단일핵(核)의〔을 갖는〕.
ùn·invíted [-id] *a.* **1** 초대받지 않은: an ~ guest 불청객. **2** 주제넘은, 괜한.
ùn·invíting *a.* 사람의 마음을 끌지 않는; 매력이 없는(unattractive); 마음이 내키지 않는, 싫은. [파] **~·ly** *ad.*
****un·ion** [júːnjən] *n.* **1** [U] 결합(combination), 합일, 합동, 병합, 합체, 융합: ~ of two towns *into* one 두 마을의 병합. [SYN.] ⇨UNITY. **2** [U] 일치, 단결, 화합: spiritual ~ 정신적 결합/*Union* is 〔gives〕 strength. 《격언》 단결은 힘이다. **3** [C] 혼인, 결혼; 성교: a happy ~ 행복한 결혼/an illicit ~ 간통, 불륜 관계. **4** [C] 조합, 동맹, 협회; 노동 조합(trade ~): a ~ leader 조합 지도자/a craft ~ 직업별〔직능〕 조합《산업별 조합(industrial union)에 대하는》/a labor ~ 《미》 노동 조합. **5** [C] (보통 U-) 학생 클럽; 학생회관(student ~). **6** (the U-) 연합 국가, 연방; (the U-) 아메리카 합중국: the President's address to the *Union* 미국민에 대한 대통령의 연설. **7** [C] (국가의 정치적) 병합, 연합, 합방; (the U-) England와 Scotland의 연합《1707》, Great Britain과 Ireland의 연합《1801》; (the U-) =UNITED KINGDOM. **8** (남북전쟁 당시의) 연방 정부를 지지한 북부의 제주(諸州): the *Union* Army 북군. **9** 연합 표상(表象)《미국 국기에서는 연방의 주의 수를 나타낸 별; 영국 국기에서는 잉글랜드·스코틀랜드·아일랜드를 나타낸 세 개의 십자》; 연방 국기, 《특히》 영국 국기(Union Jack). **10** [C] 『영국사』 구빈구(救貧區) 연합《빈민 구제법을 시행하기 위한 교구들의 연합체》; (그 연합체가 운영하는) 구빈원(院)(=∠ **hòuse,** ∠ **wòrkhouse**); (신교 제파(新敎諸派)의) 연합 교회(=∠ **chùrch**). **11** [U] 『의학』 유합(癒合), 유착. **12** 『기계』 접합관(管). **13** 『수학』 합집합(合集合), 합병 집합. **14** [U,C] 교직(交織)(물); 혼방사. **15** 『화학』 화합물. **16** 『컴퓨터』 합집합《(1) 프로그래밍에서 각종 변수가 사용할 수 있는 구조. (2) 집합 이론에서 양쪽 집합의 모든 요소를 포함하고 있는 것과 같은 두 집합의 최소의 결합》. ***the Union of Soviet Socialist Republics*** 소비에트 사회주의 공화국 연방《Soviet Union의 공식 명칭; 1991년 해체됨; 생략: U.S.S.R., USSR》. ~ ***by*** (***the***) ***first*** 〔***second***〕 ***intention*** 직접〔간접〕 유합(癒合)《화농하지 않고〔화농 후에〕 상처가 아무는 일》. ~ ***down*** 연합 표상 부분을 아래로 하여, 기를 거꾸로 달고《조난 신호》: an ensign hoisted 〔a flag flown〕 ~ *down* 『해사』 조난 신호로 거꾸로 달아

맨 기. *in* ~ 공동으로; 협조하여: live *in* perfect ~ 화목하게 같이 살다.

— *a.* **1** (노동) 조합의, 조합을 다루는. **2** 이종(異種) 요소의 결합으로 이루어진. **3** 교직〔혼방〕의. ***strictly*** ~ 《스윙속어》 (센티멘털하여) 시시한, 낡은(corny).

únion bùster 1 (회사에 고용되어 폭력 · 협박을 써서) 파업을 와해시키는 자. **2** (조합의 해체〔약체화〕를 꾀하는) 노동조합 파괴자.

únion càrd (노동조합의) 조합원증.

únion càtalog (여러 도서관 장서의) 종합〔통합〕 목록.

únion dìstrict 《미》 합동 학구.

Union Flàg (the ~) 영국 국기(Union Jack).

ún·ion·ìsm *n.* Ⓤ 노동조합주의; 아일랜드 통일주의; (U-) 《영》 연합주의, 통일주의《Great Britain과 전(全) Ireland의 연합 통일을 도모한 정책》; (U-) 〖미국사〗 (남북 전쟁 당시의) 연방주의.

ún·ion·ist *n.* **1** 노동조합원; 노동조합주의자. **2** 연합론자; (U-) 〖미국사〗 (남북 전쟁 당시의) 연방 합동주의자《남북의 분리에 반대한》; (U-) 〖영국사〗 통일당원; 연합론자《아일랜드 자치안에 반대한》. **3** (종교상의) 통일주의자《특히 신교 각파의 통일을 주장하는》.

un·ion·is·tic [jùːnjənístik] *a.* union의; unionist의.

un·ion·ize[1] [júːnjənàiz] *vt.* 통일하다; 노동조합화하다; 노동조합에 가입시키다. — *vi.* 노동조합에 가입하다, 노동조합을 결성하다. ㊇ **ùn·ion·i·zá·tion** *n.* Ⓤ 통일화; 노동조합으로의 조직화; 노동조합에 가입시킴.

un·i·on·ize[2] [ʌnáiənàiz] *vt.* 〖화학〗 탈(脫)이온화하다.

un·íonized *a.* 〖화학〗 이온화하지 않은.

Union Jàck (the ~) 유니언잭(Union Flag) 《1801년 잉글랜드의 St. George's cross, 스코틀랜드의 St. Andrew's cross, 아일랜드의 St. Patrick's cross의 3개 십자가를 합쳐 만든 영국 국기》.

St. George's cross

St. Andrew's cross

St. Patrick's cross

Union Jack

Union Jack

únion lìst (도서관의) 정기 간행물 리스트《ABC 순의 카탈로그》.

únion schòol 《미》 합동 학교《union district가 관리하는 초등 학교 · 중학교》.

únion shòp 유니언숍《고용주의 비조합원 고용이 가능하나 일정 기간 내에 조합에 가입시킬 것을 조건으로 하는 사업장》. ⓒⓕ open 〔closed〕 shop.

únion stàtion 합동역《둘 이상의 철도 · 버스 회사가 공동으로 사용하는 역》.

únion sùit 《미》 아래위가 한데 붙은 내의(《영》 combinations).

union suit

ùni·paréntal *a.* 〖생물〗 단위생식(單爲生殖)의(parthenogenetic). ㊇ ~·**ly** *ad.*

unip·ar·ous [juːnípərəs] *a.* 〖동물〗 한 번에 한 새끼를〔일란(一卵)을〕 낳는; (여성이) 1회 경산(經產)인; 〖식물〗 홑꽃자루〔단화경(單花梗)〕의.

uni·par·tite [jùːnipáːrtait] *a.* 부분으로 나뉘어지지 않는.

uni·ped [júːnəpèd] *a.* 발이 하나뿐인.

ùni·plánar *a.* 단일 평면상의, 단일 평면에 한정된: ~ motion 평면 운동.

uni·pod [júːnəpɑ̀d/-pɔ̀d] *n.* 일각(一脚)식 의자〔테이블〕; (카메라용의) 일각(一脚). ⓒⓕ tripod.

ùni·pólar *a.* 〖전기〗 단극(單極)〔단축(單軸)〕의; 〖생물〗 (신경 세포 따위가) 단극의. ㊇ **ùni·polárity** *n.* 단극 체제.

ùni·poténtial *a.* **1** 〖전기〗 동일 전위(電位)를 가진. **2** 〖생물〗 (세포가) 단분화능(單分化能)의 《한 종류 · 조직으로만 분화되는 능력》.

‡unique [juːníːk] *a.* **1** 유일(무이)한, 하나밖에 없는(sole). SYN. ⇨ ONLY, SINGLE. **2** 유(類)가 없는, 독특한. **3** 《구어》 진기한; 《구어》 굉장한.

> NOTE 엄밀히는 비교가 허용되지 않는 말이지만, 구어에서는 흔히 more, most, very, rather 따위로 수식되며, 때로는 uniquer, uniquest의 형태로도 씀: a most ~ experience 아주 불가사의한 경험.

— *n.* 유일한〔유가 없는〕 사람〔것, 일〕.

㊇ ~·**ly** *ad.* ~·**ness** *n.*

ùni·rámous *a.* 〖식물〗 단지(單枝)의.

ùn·irrádiated [-id] *a.* 방사선의 조사(照射)(치료)를 받지 않은.

úni·sèx *a.* (복장 따위가) 남녀 공통〔공용〕의; 남녀의 구별이 안 가는: ~ clothing / a ~ look 남녀의 구별이 안 가는 외견. — *n.* Ⓤ (복장 · 머리형 등에서) 남녀 구별이 안 가는〔을 하지 않는〕 상태; (일 따위에서) 성적(性的) 차별이 없음.

úni·sèxed [-t] *a.* 남녀의 구별이 안 가는.

ùni·séxual *a.* 〖생물〗 단성(單性)의; 암수 딴몸의, 자웅 이체의: a ~ flower 단성화(花). ㊇ ~·**ly** *ad.* **ùni·sexuálity** *n.* 남녀 무차별의 모양〔외견〕; 〖생물〗 단성.

UNISIST, Uni·sist [júːnəsìst] *n.* 유엔 정부간 과학 기술 정보 시스템. [◂ *U*nited *N*ations *I*ntergovernmental *S*ystem of *I*nformation in *S*cience and *T*echnology]

un·ísolated [-id] *a.* 떨어져〔고립되어〕 있지 않은.

°uni·son [júːnəsən, -zən] *n.* Ⓤ 조화(harmony), 화합, 일치; 동조, 동의, 찬성; 〖음악〗 제창; 〖음악〗 동음(同音), 화음, 해음(諧音); 화현(和絃). ***in*** ~ 제창〔동음〕으로; 일제히, 일치하여《행동하다 따위》: sing 〔recite〕 *in* ~ 제창하다, 일제히 낭창(朗唱)하다. — *a.* 〖음악〗 동음의, 같은 높이의.

unis·o·nant, unis·o·nous [juːnísənənt], [juːnísənəs] *a.* 동음의, 동조의, 동률의, 가락이 맞은; 일치하는.

únison stríng 〖음악〗 (피아노 등의) 동음현(同音弦).

‡unit [júːnit] *n.* **1** 단위, 구성〔편성〕 단위: an administrative ~ 행정 단위 / a monetary ~ 화폐 단위 / a ~ price 단가 / The family is a ~ of society. 가족은 사회의 구성 단위이다. **2** 단일체, 한 개, 한 사람, 일단. **3** 〖군사〗 (보급) 단위, 부대: a mechanized ~ 기계화 부대 / a tactical ~ 전술 단위. **4** 〖수학〗 '1'의 수, 단위. **5** 〖물리〗 (계량 · 측정의) 단위: the c.g.s. system of ~*s* 시지에스 단위계(系)《센티미터 · 그램 · 초 단위법》. **6** 〖약학〗 (약 · 항원(抗原) 따위의) 단위(량). **7** 〖미교육〗 (학과목의) 단위, 학점; (교재의) 단원. **8** (기계 · 장치의) 구성 부분; (특정 기능을 가진) 장치〔설비, 기구〕 한 세트: a kitchen ~ 부엌 설비 한 세트. **9** 〖컴퓨터〗 장치《(1) 기억 매체의 독립 단위. (2) 다른 기능의 단위와 연결되

어서 체계의 일부를 구성하는 요소》: an input 〔output〕 ~ (컴퓨터 등의) 입력〔출력〕 장치. ***be a ~*** 《미》 일치하다. **—** *a.* 단위의, 단위를 구성하는: ~ furniture 유닛식 가구.

Unit. Unitarian; Unitarianism.

UNITA, Uni·ta [júːnətɑ̀ː/juːníːtə] *n.* 앙골라 완전 독립 민족 동맹《사회주의 정권에 대항하는 게릴라 조직》. [《Port.》 *U*niano *N*acional para a *I*ndependencia *T*otal de *A*ngola]

unit·a·ble [juːnáitəbəl] *a.* 결합〔연합, 합동〕할 수 있는.

unit·age [júːnitidʒ] *n.* (비타민 등의) 단위량의 규정; 단위량.

UNITAR United Nations Institute for Training and Research(유엔 훈련 조사 연구소)《국제 협력 활동을 위한 공무원의 훈련 기관》.

Uni·tar·i·an [jùːnətέəriən] *n.* **1** 유니테리언교도《삼위일체를 인정하지 않음》. **2** (보통 u-) 일신론자; 유일교(唯一敎)신자《이슬람교도 따위》; (u-) 단일 정부주의자, 중앙 집권론자. **—** *a.* 유니테리언교의; (u-) =UNITARY; (u-) 중앙 집권제(지지)의. ㊞ **~·ism** *n.* Ⓤ 유니테리언파의 교의; (u-) 단일제, 중앙 집권제. 「성 (이론).

uni·tar·i·ty [jùːnətǽrəti] *n.* 〖물리·수학〗 단일

uni·tary [júːnətèri/-təri] *a.* 한 개의, 단일의, 귀일하는; 단위의, 단위로 사용하는; 〖수학〗 일원(一元)의; 〖철학〗 일원론의; 중앙 집권제의: ~ method 〖수학〗 귀일법(歸一法).

únitary táx 《미》 합산 과세《일부 주에서, 주 안의 사업체에 대해 주외(州外)〔국외〕의 계열회사 전체의 소득을 합산·과세하는 일》.

únit cèll 〖결정〗 단위 격자. 「칙의》.

únit cháracter 〖생물〗 단위 형질《Mendel 법

únit còst 단위 원가.

únit-dóse pàckaging 1회 복용량 구분 포장.

‡unite [juːnáit] *vt.* **1** 《~+목/+목+전+명》 결합하다, 하나로 묶다, 합하다, 접합하다; 합병하다 《*to*; *with*》: ~ neighboring villages 인접 마을들을 합병하다 / ~ one country *to* another 한 나라를 딴 나라에 병합하다 / This town was ~*d with* the neighboring larger town. 이 읍은 더 큰 인근 읍에 합병되었다. SYN. ⇨JOIN. **2** 《~+목/+목+전+명》 (사회적·가족적 관계로) 맺다, 결혼시키다; (정신적으로) 결합하다: the common interests that ~ these two States 이 두 나라(의 유대 관계)를 맺어 주는 공동 이해 / ~ one's son *to* a suitable wife 아들을 마땅한 색시에게 장가들이다. **3** 《~+목/+목+전+명》 (성질·재능 따위를) 아울러 갖추다, 겸비하다: She ~*s* beauty and 〔*with*〕 intelligence. 그녀는 미모와 지성〔재색(才色)〕을 겸비하고 있다.
— *vi.* **1** 《~/+전+명/+*to* do》 하나〔일체〕가 되다, 결합하다, 연합하다, 합병하다《*with*》: England and Scotland ~*d* in 1707. 잉글랜드와 스코틀랜드는 1707년 합병했다 / Oil will not ~ *with* water. 기름과 물은 서로 겉돈다 / Silver and gold ~ *to* form electrum. 호박금은 은과 금을 합금하여 만든다. **2** 《~/+전+명/+*to* do》 (행동·의견 따위가) 일치하다, 협력하다, 결속하다: ~ *against* a common enemy 공동의 적에 대(항)하여 협력해서 싸우다 / Let us ~ *in* fight*ing* 〔*to* fight〕 poverty and disease. 빈곤과 질병에 맞서 결속합시다. **3** 《고어》 결혼하다. ◇ union, unity *n.* **~ *together*** 결합〔연합, 합병〕하다.

unit·ed** [juːnáitid] *a.* **1** 하나가 된, 결합된, 맺어진: *United* we stand, divided we fall. 《격언》 뭉치면 살고 분열하면 죽는다. **2** 합병한, 연합한. **3** (정신적으로) 화합한, 일심동체의, 일치한: a ~ family 화목한 가족. **4** 제휴한, 단결된: ~ efforts 공동의 노력. ***break into a ~ laugh 일제히 웃음을 터뜨리다. ***in one ~ body*** 일체가 되어. ***present a ~ front*** 공동 전선을 펴다, 일치단결해서 대처하다. ㊞ **~·ly** *ad.* **~·ness** *n.*

Uníted Árab Emírates (the ~) 아랍 에미리트 연방《페르시아만(灣)에 면한 공화국; 수도 Abu Dhabi; 생략: UAE》.

Uníted Árab Repúblic (the ~) 통일 아랍 공화국《the Arab Republic of Egypt의 전 이름》.

Uníted Áutomobile Wórkers (the ~) 전미국 자동차 노동조합(=**Uníted Áuto Wórkers**). ★ 정식명은 United Automobile, Aerospace and Agricultural Implement Workers of America(미국 자동차·항공기·농기구 합동 노동조합).

Uníted Bréthren (the ~) 〖종교〗 모라비아교(敎)(회원). cf. Moravian.

Uníted Fárm Wòrkers (of América) (the ~) (미국) 농장 노동자 조합《생략: UFW(A)》.

uníted frónt **1** 연합〔공동〕 전선. **2** =POPULAR FRONT.

‡Uníted Kíngdom (the ~) 연합 왕국《대브리튼과 북아일랜드를 합친 왕국; 공식 명칭은 the United Kingdom of Great Britain and Northern Ireland; 수도는 London; 생략: U.K.》.

‡Uníted Nátions (the ~) 〖보통 단수취급〗 국제 연합《생략: UN, U.N.》. 「장.

Uníted Nátions Chàrter (the ~) 유엔 헌

Uníted Nátions Chíldren's Fùnd (the ~) ⇨UNICEF. 「《생략: UNC》.

Uníted Nátions Commánd 유엔군 사령부

Uníted Nátions Dày 유엔데이《UN창설 기념일; 10월24일》.

Uníted Nátions Hígh Commíssioner for Refugées (the Office of the ~) 유엔 난민 고등 판무관 (사무소) 《1951년 발족한 유엔 기구; 생략: UNHCR》.

Uníted Nátions Péacekeeping Fórces (the ~) 국제 연합 평화 유지군.

Uníted Nátions Secúrity Cóuncil (the ~) 유엔 안전 보장 이사회《생략: UNSC》.

Uníted Préss Internátional (the ~) 유피아이 통신사(⇨UPI).

†Uníted Státes (of América) (the ~) 〖단·복수취급〗 아메리카 합중국《생략: the States, America, U.S., U.S.A., USA》.

Uníted Státes Tráde Represèntative (the ~) 미국 통상 대표《대통령 직속의 행정 기관인 미국 통상 대표부를 통할하는 각료로 대사와 동격》, 미국 통상 대표부.

Uníted Wáy (of América) (the ~) 미국의 자선 단체《1918년 설립; 생략: UWA》. 「어.

úni·tèrm *n.* (문헌 색인의 기술에 쓰이는) 단일

únit fàctor 〖생물〗 (유전상의) 단일 인자.

únit·hòlder *n.* unit trust의 투자자〔수익자〕.

uni·tive [júːnətiv] *a.* 결합력이 있는; 결합적인.

unit·ize [júːnətàiz] *vt.* 결합하다; 단위로 나누다.

únit pàcking =UNIT-DOSE PACKAGING.

únit prìce 단가; (부가 비용이 포함된) 세트 요금.

únit prícing 단위 가격 표시.

únit pròcess 단위 공정.

únit rúle 〖미정치〗 단위(선출)제《민주당 전당 대회 등에서 어떤 주의 대의원 전체는 그들의 과반수가 지지하는 후보자에게 전부 투표한 것으로 보는 규정》. 「대량 수송함》.

únit tràin 고정 편성의 화물 열차《단일 상품을

únit trùst 《영》 유닛형 투자 신탁; 계약형 투자 신탁 회사.

únit vòlume 〖수학〗 단위 체적.

***uni·ty** [júːnəti] *n.* **1** Ⓤ 통일(성), 제일(齊一)

(성); 불변성, 일관성: cial ~ 민족적 통일/ The story lacks ~. 이야기는 일관성이 없다.

SYN. **unity** divers (다양성)의 반대말이며, 통일되고 조화로 태를 표시함: family unity 가족적 융 and *unity* in variety 변화 속에 통일 하다. **union** division(분할)의 반대말 열합 및 결합한 것을 나타냄. 주로 사 끼리의 결합에 쓰임: trade union 직 조합. **uniformity** irregularity(정(不整))의 반대말이며, 성질·형 크기·정도 따위가 똑같거나 균일한 . *uniformity* of style 스타일의 一樣性)).

, 협조, 화합: the family ~ 일 national ~ 거국일치. **3** Ⓒ 개 **2** 체: a person regarded as a ~ 체로서의 사람. **4** Ⓤ 단일(성), 유일 the ~ of the self 자아의 단일성/ ltiplicity 하나와 다수. **5** 〖수학〗 1(이 **6** 〖법률〗 (부동산의) 공동 보유, 공유. 예술 작품에서의) 전체적인 종합, 통일 e unities (of time, place, and 〖연극〗 =DRAMATIC UNITIES. **8** (U-) 일 禮派)《20세기 미국의 종교 운동으로 건강 성을 지향함》. ***at*** 〔***in***〕 **~** 일치하여, 사이좋 live *in* ~ 사이좋게 살다/The bad are never *at* ~ with one another. 악인은 결코 서로 화합하지 않는다.

Univ. Universalist; University. **univ.** universal; universally; university.

UNIVAC [júːnivæ̀k] *n.* 컴퓨터의 일종《상표명》. [◂ *Univ*ersal *A*utomatic *C*omputer]

uni·va·lent [jùːnəvéilənt, juːnívə-] *a.* 〖화학〗 일가(一價)의; 〖유전〗 (염색체가) 일가인. **—** *n.* 〖유전〗 일가 염색체. ㊞ **-lence, -len·cy** *n.*

úni·vàlve 〖동물〗 *a.* 단판(單瓣)의, 단각(單殼)의. **—** *n.* 단각 연체 동물, 《특히》 복족류(腹足類).

uni·ver·sal [jùːnəvə́ːrsəl] *a.* **1** 우주의, 우주적인, 만물에 관한〔을 포함하는〕: ~ gravitation 〖물리〗 만유인력. **2** 전세계의, 만국(萬國)의, 전인류의, 만인(공통)의: ~ brotherhood 사해동포(정신)/~ salvation 전 인류의 구제. **3** 보편적인, 일반적인: ~ rules 일반 법칙.

SYN. **universal** 개체·개인에게 예외 없이 모든 경우에 들어맞는: an *universal* practice among primitive people 원시인들 사이의 보편적인 풍습. **general** 대부분의 경우 개체·개인에게 해당되는: as a *general* rule 대개는, 대체적으로.

4 세상 일반의, 누구나가 다 (행)하는: a ~ practice 널리 행하여지고 있는 관습/receive ~ applause 세상에서 널리 호평을 받다. **5** 광범위한, 다방면의, 만능의; 박식(博識)의: a book of ~ information 여러 가지 지식을 총망라한 책/a ~ maid 잡역부(婦)/a ~ genius 만능의 천재. **6** 〖기계〗 만능의, 자재(自在)의. **7** 〖논리〗 전칭(全稱)의. **8** 〖법률〗 포괄적인, 일반의.

— *n.* **1** (the ~) (특정한 것의) 전체, 전반. **2** 보편적〔일반적〕인 것; 〖논리〗 전칭 명제; 〖철학〗 일반 개념, 보편. **3** (전인류 또는 특정 사회 성원에 공통하는) 보편적 특성; (문화에서의) 보편적 경향〔행동 양식〕; 〖철학〗 형이상학적 실체.

univérsal affírmative 〔**affirmátion**〕 〖논리〗 전체〔전칭〕 긍정.

univérsal ágent 총대리인〔점〕.

univérsal bánking sỳstem 겸업 은행 제도《일반 은행의 기본 업무 중에 증권 업무가 포함되는 독일·프랑스·스위스 등의 은행 업무 제도》.

univérsal bóard 〖컴퓨터〗 범용기판(汎用基板)《배선용 인쇄 패턴이 같은 모양이며 일반 기성 제품 모양의 인쇄 기판》.

univérsal cómpass 만능〔자재〕 컴퍼스.

univérsal coórdinated tìme 〖천문〗 국제 표준시.

Univérsal Cópyright Convèntion (the ~) 국제 저작권(著作權) 협정《1955년 발효; 생략: U.C.C.》.

Univérsal Declarátion of Húman Ríghts 「(the ~) 세계 인권 선언.

univérsal dónor O형(型) 혈액(의 사람).

ùni·vér·sal·ìsm *n.* Ⓤ 보편적인 것; 보편성; 〖사회〗 보편〔전반〕주의; 박식, 해박; (또는 U-) 〖신학〗 보편 구제설《만인은 결국 구제된다는 설》.

ùni·vér·sal·ist *n.* 보편〔전반〕주의자; (U-) 유니버설리스트《18세기에 미국에서 일어난 기독교 일파의 신자; 보편 구제설을 믿음》; 만능〔박식〕인 사람. 「universalism의.

ùni·vèr·sal·ís·tic *a.* 전체〔전반〕의; 보편적인;

uni·ver·sal·i·ty [jùːnəvəːrsǽləti] *n.* Ⓤ **1** 보편(타당)성, 일반성. **2** 보급, 유포. **3** (지식 따위의) 다방면성; 만능. 「시키다.

ùni·vér·sal·ìze *vt.* 일반화〔보편화〕하다, 보급

univérsal jóint 〔**cóu-pling**〕 〖기계〗 자재(自在) 이음.

univérsal lánguage 세계(공통)어《에스페란토 따위》.

°**ùni·vér·sal·ly** *ad.* 보편적〔일반적〕으로, 널리; 도처에(everywhere); 〖논리〗 전칭적(全稱的)으로.

universal joints

univérsal máil bòx 유니버설 메일 박스《전자 메일의 자동 음성 메시지 방식》.

univérsal négative 〖논리〗 전체〔전칭〕 부정.

univérsal pártnership 공동 조합.

Univérsal Póstal Ùnion (the ~) 만국 우편 연합《생략: UPU》.

Univérsal Próduct Còde 《미》 통일 상품 코드《슈퍼마켓 등에서 상품의 가격·종별 등을 전자 판독하기 위한 상품 코드; 생략: UPC》. cf. bar code.

univérsal proposítion 〖논리〗 전칭 명제.

univérsal recípient 〖의학〗 (혈액형이 AB형인) 만능 수혈자(의 혈액); (혈액형의) AB형.

univérsal sét 〖수학〗 전체 집합.

univérsal súffrage 보통 선거권.

Univérsal tìme 〖천문〗 세계시(時)《생략: UT》.

univérsal tìme coórdinated 협정 세계시(時)《1982년부터 실시; 생략: UTC》.

uni·verse [júːnəvə̀ːrs] *n.* **1** (the ~) 우주. cf. cosmos. **2** (the ~) 만유(萬有), 만물, 삼라만상. **3** (the ~) (전) 세계, 전 인류: The whole ~ knows it. 세상에서 그걸 모르는 사람은 없다. **4** (the ~) 은하계(우주); (은하계에 필적하는) 성운(星雲). **5** 분야, 영역. **6** 〖통계〗 모집단. **7** 다수, 대량. ***the ~ of discourse*** 〖논리〗 논의 영계(領界)《어떤 개념과 그 부정에 따라 포괄되는 범위를 일컬음》.

Uni·ver·si·ade [jùːnəvə́ːrsiæ̀d] *n.* 유니버시아드《국제 학생 경기 대회》.

uni·ver·si·ty [jùːnəvə́ːrsəti] *n.* **1** 대학(교)《종합 대학; 미국에서는 대학원이 설치되어 있는 대학》. cf. college. ¶ My son is at (a 〔the〕) ~. 아들은 대학 재학 중이다/Where do you go to ~? =Which ~ do you go to? 어느 대학에 다니느냐《go to ~는 주로 《영》, go to the ~는 주로 《미》, 또 《미》에서는 go to college를 쓰는 경

향이 많음)). **2** 〔집합적〕 대학생; 대학 당국. **3** 대학 선수단, 대학 팀. **—** *a*. 대학의〔에 관계있는〕: a ~ professor 〔student〕 대학교수〔대학생〕/a ~ man 대학 출신자; 대학생.

univérsity cóllege **1** 대학 부속 단과 대학. **2** ((영)) 학위 수여 자격이 없는 대학. **3** (U- C-) Oxford 대학의 단과 대학의 하나((1249년 창설; 생략: U.C.)); London 대학의 단과 대학의 하나((1827년 창설; 생략: U.C.L.)).

univérsity exténsion ⇨ EXTENSION.

Univérsity of the Áir 방송 대학.

univ·o·cal [ju:nívəkəl, jù:nivóu-/jù:nivóu-] *a*. **1** 단조로운 목소리로 말하는; 한 뜻밖에 없는 ((말)); 뜻이 명료한. **2** 〖음악〗 동음(unison)을 갖는, 제주(齊奏)〔제창〕의. **—** *n*. 일의어(一義語).

UNIX, Unix [jú:niks] *n*. 〖컴퓨터〗 유닉스((미국 벨 연구소가 개발한 중형 컴퓨터용〔미니 컴퓨터용〕 운영 체제(OS); 최근에는 개인용·범용(汎用) 컴퓨터에도 보급됨)).

un·jóin *vt*. 결합을 풀다, 가르다.

un·jóint *vt*. 매듭을 풀다, 이은 데를 끄르다〔떼다〕; ((비유)) 분열시키다, 불화하게 하다.

*__un·just__ [ʌndʒʌ́st] *a*. 부정한, 불의〔불법〕의, 부조리한; 불공평한, 부당한: ~ enrichment 부당 이득/It was ~ *of* them 〔They were ~〕 not *to* hear my side of the story. 그들이 내 쪽 이야기를 듣지 않은 것은 불공평했다. ***the just and the ~*** (옳거나 그르거나) 모든 사람들.

> [SYN] **unjust** 아랫말들 중의 어느 것으로 인하여 공정치 못한. **unfair** 불공평한, 공명정대하지 못한. **partial** 편파적인. **prejudiced, biased** 편견에 사로잡힌. **inequitable** 공평한 정신에 위배되는, 좀 딱딱한 말: *inequitable* taxation 불평등한 과세.

[파] ◦~·ly *ad*. ~·ness *n*.

un·jústifiable *a*. 도리에 맞지 않는, 정당하다고 인정할 수 없는, 변명할 수 없는. [파] **-bly** *ad*. ~·ness *n*.

un·jústified *a*. 바르지〔정당하지〕 않은; 〖신학〗 의롭다고 인정되지 않는, 죄가 되는; 〖인쇄〗 행말(行末)을 가지런히 맞추지 않는.

un·kempt [ʌnkémpt] *a*. 단정하지 못한, 난잡한((복장 따위)); 세련되지 못한, 거친((말씨 등)); 빗질하지 않은, 텁수룩한((머리 따위)).

un·kénnel (*-l-*, ((영)) *-ll-*) *vt*. (개를) 개집에서 놓아주다; (여우 등을) 굴에서 몰아내다; ((비유)) 적발하다, 폭로하다.

un·képt *a*. 유지〔보존〕되지 않는; (규칙 등이) 지켜지지 않는, 무시되고 있는.

__un·kind__ [ʌnkáind] *a*. **1 불친절한, 몰인정한, 동정심이 없는, 매정한, 고약한: He was ~ *to* me. 그는 나한테 불친절했다/It's very ~ *of* you 〔You're very ~〕 *to* say that. 그런 말을 하다니 너도 참 매정하다. **2** (기후 등이) 지독한; ((방언)) 경작에 맞지 않은 ((토양)): The weather proved ~. 날씨는 나빴다. [파] ~·**ness** *n*. [U,C]

un·kíndly (*-li·er; -li·est*) *ad*., *a*. 불친절하게〔한〕; 몰인정하게〔한〕; (기후 따위가) 지독한; (토질 등이 경작에) 부적당한: look ~ at 〔on〕 …에게 무서운 얼굴을 하다/take it ~ 나쁘게 받아들이다. [파] **-liness** *n*.

un·knít (*p*., *pp*. ~, ~·*ted*; ~·*ting*) *vt*. (매듭 따위를) 끄르다; (뜨개질한 것을) 풀다; (주름잡힌 것을) 펴다: ~ one's forehead 찌푸린 이맛살을 펴다. **—** *vi*. 풀리다. 「풀다.

un·knót (*-tt-*) *vt*. …의 매듭을 풀다, (매듭을)

un·knówable *a*. 알 수 없는; 〖철학〗 불가지(不可知)의. **—** *n*. (the U-) 〖철학〗 불가지물(物), 절대, 제1 원인. [파] -l… *ad*. ~·**ness** *n*.

un·knówing *a*. 모르… 알아채지 못하는((*of*)); 무지한; 알려지지 않은 …known)((*to*)); (the ~) 〔명사적; 복수취급〕 …는 사람들. [파] ~·**ly** *ad*. 모르고.

__un·known__ [ʌnnóun] *a* …려지지 않은, 진기한, 미지의: an ~ plac… 의 장소/His purpose was ~ *to* us. 그…은 우리에게 알려지지 않았다/He did it … 그는 나에게 알리지 않고 그것을 했다. … 없는, 헤아릴 수 없는, 이루 다 셀 수 없… th 막대한 부(富). **3 〖수학〗 미지의: … tity 미지수. ~ ***to fame*** 무명의: a ma… **—** *n*. (the ~) 세상에 알려지지 않… 무명인; 미지의 것〔상태, 세계〕; 〖수… The ~ is always mysterious and … 미지의 것은 언제나 신비롭고 흥미… venture into the ~ 미지의 세계에 … ***the Great Unknown*** 위대한 무명 작가… 알려지기 전까지의 Sir Walter Scott)).

Únknown Sóldier 〔((영)) **Wárrior**〕 … ~) 무명 용사((1차 대전 등에서 전사한 무…名) 용사를 대표하여 모셔진 1명의 병사; 미… Arlington 국립 묘지에, 영국은 Westmins… Abbey에 묘가 있음)).

UNKRA United Nations Korean Reconstruction Agency (유엔 한국 부흥 기관) ((1973년 폐지)).

un·lábeled *a*. 라벨이〔상표가〕 붙어 있지 않은; 분류되어 있지 않은.

un·lábored *a*. (토지가) 경작되지 않은; 노력없이 얻은, 노력의 흔적을 느낄 수 없는, 자연스러운.

un·láce *vt*. (구두·코르셋 등의) 끈을 풀다〔늦추다〕; (끈을 풀어) 옷을 느슨히 하다.

un·láde *vt*. (배 등에서) 짐을 부리다. **—** *vi*. 짐을 부리다.

un·ládylike *a*. 숙녀답지 않은, 귀부인에게 있을 수 없는, 품위 없는.

un·láid UNLAY의 과거·과거분사. **—** *a*. **1** 놓이지〔부설되어 있지〕 않은; 매장해 있지 않은. **2** 비치는 무늬가 없는((종이)); 꼬여 있지 않은((새끼 따위)). **3** 진정되지 않은, 갈피를 못 잡는. **4** 식사가 준비되어 있지 않은((식탁)).

ùn·laménted [-id] *a*. 슬프게 여겨지지 않는; 슬퍼하는〔한탄하는〕 자 없는.

un·látch *vt*. …의 걸쇠〔쥠쇠〕를 벗기다, 열다. **—** *vi*. (문이) 열리다, 걸쇠〔쥠쇠〕가 벗겨지다.

◦**un·láwful** *a*. 불법의, 비합법적인; 사생(아)의. [파] ~·**ly** *ad*. ~·**ness** *n*.

unláwful assémbly 〖영법률〗 불법집회.

un·láy (*p*., *pp*. *-laid* [-léid]) *vt*. 〖해사〗 (밧줄 등의) 꼬인 것을 바로잡다〔풀다〕. **—** *vi*. 꼬인 것이 풀리다.

un·léaded [-lédid] *a*. 납(성분)을 제거한; 납을 첨가하지 않은, 무연의; 〖인쇄〗 인테르를 끼우지 않은: ~ gasoline 무연 가솔린.

un·léarn (*p*., *pp*. ~*ed*, ~*t*) *vt*. (배운 것을) 잊다; 염두에서 없애다; …한 버릇을 버리다; 고쳐 배우다. **—** *vi*. 지식〔습관〕을 버리다.

un·learn·ed[1] [ʌnlə́:rnid] *a*. 무식한, 교육을 받지 못한; …에 숙달〔통효(通曉)〕하지 못한((*in*)); 배우지 못한 사람들의. [파] ~·**ly** *ad*.

un·learned[2] [ʌnlə́:rnd, -t] UNLEARN의 과거·과거분사. **—** *a*. 배운 것이 아닌; 배우지 않고 알고 있는.

un·léarnt UNLEARN의 과거·과거분사.

un·léased *a*. 임대계약이 체결되지 않은.

un·léash *vt*. **1** …의 가죽끈〔포박〕을 풀다, …을 해방하다; (매인 개를) 풀어놓다. **2** …을 억제함〔제어함〕을 그치다, 속박을〔제어를〕 풀다; (분노 따위를) …에게 폭발하다《on, upon; against》.

un·léavened *a.* 이스트를 넣지 않은; 《비유》 변화를〔영향을〕 받지 않은.

un·less ⇨ 《아래》 UNLESS.

un·léttered *a.* 배우지 못한, 무학의, 문맹의; 글자가 씌어 있지 않은.

un·lével *a.* 평평하지 않은. **—** *vt.* 울퉁불퉁하게 「하다.

un·líb, un·líberated [-id] *a.* (여성 등이) 해방되지 않은, (사회 역할이) 종속적〔수동적〕인.

un·lícensed [-t] *a.* 무면허의, 감찰이 없는; 방종한; 무법의: ~ driving 무면허 운전.

un·lícked [-t] 《고어》 *a.* 모양이 다듬어지지 않은, 몰골스러운; 예의 없는; 아직 끝내지 못한《일 따위》; 아직 지지 않은, 불패의《게임 따위》: an ~ cub 모양 없는 새끼곰《곰은 새끼를 핥아서 모양을 내준다고 함》; 버릇없는 젊은이.

un·líghted [-id] *a.* 불을 켜지 않은, 어두운.

un·like [ʌnláik] *a.* **1** 닮지〔같지〕 않은, 다른: ~ signs 【수학】 상이한 부호《+와 −》/ The two sisters are ~ in disposition. 그 두 자매는 기질이 다르다. **2** 《고어·방언》 있음직하지 않은 (unlikely). **—** *prep.* **1** …을 닮지 않고; …와 달라서: The picture is quite ~ him. 그 사진은 그와 전혀 닮은 데가 없다 / *Unlike* his father, he was no sissy. 아버지와 달리 그는 뱅충이는 아니었다. **2** …답지 않게, …에게 어울리지 않게: It is ~ him to be late. 시간에 늦다니 그 사람답지 않다. **—** *n.* 닮지 않은 사람〔것〕. ⓟ **~·ness** *n.* U,C

un·like·ly [ʌnláikli] (*-li·er; -li·est*) *a.* **1** 있음직하지 않은, 정말 같지 않은(improbable): an ~ tale 수상쩍은〔믿기 어려운〕 이야기 / He is ~ *to* come. 그는 올 것 같지가 않다 / It's most ~ that he should have written such a letter. 설마 그가 이런 편지를 썼으랴. **2** 가망 없는, 성공할 것 같지 않은: an ~ enterprise 잘될 것 같지 않은〔전망이 흐린〕 기획. **3** 마음에 들지 않는, 바람직하지 않은: ~ companions 좋지 않은〔불량스러운〕 한 패. ***in the ~ event of* (*that*)…** 만일 …할 경우에는. **—** *ad.* 있을 것 같지 않게. ⓟ **-li·hòod, -liness** *n.* 있을 법하지 않음《of》; 가망 없음.

un·límber *vt.* (포의) 앞수레를 떼다; …의 (작동) 준비를 갖추다. **—** *vi.* 발포〔활동 개시〕 준비를 하다.

un·lim·it·ed [ʌnlímitid] *a.* **1** 한없는, 끝없는, 광대한. **2** 무제한의; 무조건의: an ~ war 무제한 전쟁《전투 수단에 제한을 두지 않는 전쟁》(cf. limited war). **3** 무한한, 특례가 없는: ~ liability 【상업】 무한 책임 / ~ company 무한 책임 회사. ⓟ **~·ly** *ad.* 무한히. **~·ness** *n.*

un·líned[1] *a.* 안을 대지 않은. 「따위》.

un·líned[2] *a.* 선(線)이 없는, 주름이 없는《얼굴

un·línk *vt.* (사슬 따위)의 고리를 빼다; 풀다. **—** *vi.* 풀리다, 떨어지다. 「하지 않은《유전자》.

un·línked [-t] *a.* 【생물】 동일 연쇄군(群)에 속

un·líquidated [-id] *a.* 청산〔결제〕되지 않은; 청산이 끝나지 않은.

un·lísted [-id] *a.* (전화번호부 따위에) 실려 있지 않은; 【증권】 비상장(非上場)의: ~ stock 비상장주(株).

un·lít *a.* 불이 켜지지 않은; 점화되지 않은.

un·live [ʌnlív] *vt.* 본래대로 되돌리다, (과거를) 청산하다, 나중 행위로 보상하다.

unlíved-in *a.* 사람이 살지 않는, 거주자가 없는.

un·load [ʌnlóud] *vt.* **1** 《~+목/+목+전+명》 (배·차 따위에서) 짐을 부리다; (실은 짐·무거운 짐을) 내리다《from》: Have you ~*ed* the car? 차에서 짐을 부렸니 / ~ cargoes *from* a ship 배에서 짐을 부리다. **2** 《~+목/+목+전+명》 (근심 등을) 덜다, 털어놓다; (일 따위를) 떠맡기다《on, onto》: ~ one's heart's great burden 마음속의 무거운 짐을 덜다 / He ~*ed* all that work *on* me. 그는 그 일 전부를 내게 떠맡겼다. **3** (총에서) 총알을 빼내다: ~ a gun. **4** 【상업】 (소유 주식을) (대량) 매각하다, 처분하다. **—** *vi.* 짐을 내리다〔풀다〕.

un·lock [ʌnlák/-lɔ́k] *vt.* **1** (문 따위의) 자물쇠를 열다: ~ a door. **2** (꼭 닫힌 것을) 열다. **3** 《비유》 (마음·비밀을) 털어놓다, 누설하다. **4** 《비유》 …의 둑을 터뜨리다, 넘치게 하다. **—** *vi.* 자물쇠가 풀리다, 열리다. ⓟ **-locked** *a.*

un·lóoked-for *a.* 예기치〔뜻하지〕 않은(unexpected), 뜻밖의, 의외의.

un·lóose, -lóosen *vt.* 풀다, 늦추다; 풀어놓다(release), 해방하다.

un·lóvable *a.* 귀엽지 않은, 애교가 없는; 곰살궂지 못한. ⓟ **~·ness** *n.*

unless

주로 조건의 부사절을 이끄는 종속접속사로서 쓰이며 '…이 아니면' (if _ not …), '…하지 않는 한' (except on the condition that) 따위의 뜻으로 사용된다. 구문은 if와 거의 같으며, 그 거느리는 부사절에는 직설법과 가정법이 쓰이지만, 특히 전자의 사용도가 높다.

un·less [ənlés, ʌn-] *conj.* **1** 〖부정의 조건을 나타내어〗 …하지 않으면, …하지 않는 한, …한 경우 외에는: I'll be there at six, ~ the train is late. 열차가 늦지 않으면 6시에 그 곳에 가게 될 것이다 / He works late at night ~ (he's) too tired. 그는 지나치게 피곤하지 않으면 밤늦게까지 일한다《★ unless가 이끄는 부사절의 동사가 be이고 그 주어가 주절의 주어와 일치할 때 주어와 be는 생략할 수 있음》 / Never a day passes ~ some traffic accidents occur. 교통사고가 몇 건 일어나지 않는 날은 하루도 없다.

NOTE (1) 보통 unless 대신 if…not을 써서 바꿔 말할 수 있으나, unless가 이끄는 절에서 가정법을 쓰는 것은 예스러운 용법이며 현재에는 직설법이 보통임: I will go ~ it rains. =I will go *if* it does *not* rain. 비가 안 오면 가겠다《unless it rain이라고는 하지 않음》.

(2) if, when 따위의 경우와 마찬가지로 부사절 중에서는 미래(완료)시제 대신 현재(완료)시제를 씀: *Unless* he *has done* the work to my satisfaction, I shall not pay for it. 내가 만족할 만큼 일을 해놓지 않았으면 돈을 안 주겠다.

2 〖주절 뒤에서; 추가적으로〗 하긴 …이 아닐〔…하지 않을〕 때의 이야기지만: How much did that cost you? *Unless* you prefer not to say. 그건 얼마 주셨나요. 말하고 싶지 않으시다면 안 해도 좋습니다만. ***~ and until*** =UNTIL.

— *prep.* …을 제외하고, …외엔(except): *Unless* disaster, nothing will result. 재난 이외에는 아무 일도 일어나지 않을 것이다 / Nothing, ~ a miracle, could save him. 기적이라도 없는 한 그는 살아날 수 없을 게다 / Nothing, ~ an echo, was heard. 메아리 이외에는 아무 소리도 들리지 않았다.

un·lóvely *a.* 사랑스럽지 않은, 예쁘지 않은, 추한; 불쾌한(unpleasant). [파] **-lóveliness** *n.*

‡**un·lucky** [ʌnlʌ́ki] (**-luck·i·er; -i·est**) *a.* **1** 불운한, 불행한, 운이 없는. **2** 불길한, 재수 없는: an ~ day / ~ thirteen 불길한 13. **3** 잘되지 않은, 성공하지 못한: be ~ *in* love 실연하다 / I'm ~ *at* cards. 트럼프가 잘 안 된다. **4** 공교로운, 계제가 나쁜: in an ~ hour 공교롭게도, 좋지 않은 계제에. [파] **ùn·lúckily** *ad.* 불운〔불행〕하게도, 계제 나쁘게, 공교롭게도. **ùn·lúckiness** *n.* 불운, 불행.

un·máde UNMAKE의 과거 · 과거분사. **—** *a.* 만들어지지〔정돈되지〕 않은; (매 사냥의 매가) 훈련되어 있지 않은(unmanned).

un·máke (*p., pp.* **-made**) *vt.* 부수다, 파괴하다(destroy); 말소하다; 변질〔변심〕시키다; 폐하다(annul); 해임〔추방〕하다, 격하시키다.

un·málleable *a.* **1** 두드려 늘이기 힘든, 전성(展性)이 없는. **2** 순응성이 없는, 완고한.

un·mán [-mǽn] (**-nn-**) *vt.* 남자다움을 잃게〔연약하게〕 하다; 기가 꺾이게 하다; (배에서) 승무원을 배치 해제하다; 거세하다.

un·mánageable *a.* 다루기 힘든; 제어〔어거〕하기 어려운, 힘에 겨운. [파] **-bly** *ad.* **~·ness** *n.*

un·mánly (**-li·er; -li·est**) *a.* 남자답지 않은, 계집애 같은; 비겁한, 겁이 많은(cowardly), 나약한. [파] **-liness** *n.*

un·mánned *a.* **1** 사람이 타지 않은; (인공위성 등이) 무인의, 무인 조종의: an ~ spaceship 무인 우주선 / an ~ automatic wicket 무인 자동 개찰구 / an ~ submersible 무인 잠수정〔장치〕. **2** 사는 사람이 없는; 거세된; 《고어》 (매가) 훈련되어 있지 않은.

un·mánnered *a.* 예의 없는, 버릇없는, 무뚝뚝한; 솔직한, 아무런 티가 없는.

un·mánnerly *ad., a.* 버릇없게〔없는〕, 예의 없게〔없는〕, 무무(貿貿)하게〔한〕.

un·márked [-t] *a.* 표시〔표지〕가 없는, 주(注)가〔정정(訂正)이〕 없는; 채점하지 않은; 눈에 띄지 않는; 상처가 없는; 특색이 없는《*by*》; 〖언어〗 무표(無標)의(([opp] *marked*).

unmárked cár 《미》 마크〔표지〕 없는 순찰차.

***un·mar·ried** [ʌnmǽrid] *a.* 미혼의, 독신의.

un·másk *vi., vt.* 가면을 벗다〔벗기다〕; 《비유》 정체를 나타내다, 폭로하다; 〖군사〗 발포하여 (포의) 위치를 나타내다.

un·mátchable *a.* 필적하기 어려운, 대항할 수 없는.

un·mátched [-t] *a.* =UNMATCHABLE; 균형이 잡히지 않는, 어울리지 않는.

ùn·matérial *a.* 비물질적인, 실체가 없는, 무형의. [파] **~·ly** *ad.*

un·méaning *a.* 무의미한(meaningless), 부질없는; 멍한, 생기가 없는, 무표정한《얼굴》.

un·méant *a.* 본의〔고의〕 아닌.

un·méasurable *a.* 잴 수 없는; 헤아릴 수 없는; 과도한, 끝없는.

un·méasured *a.* 잴 수 없는; 측정되지 않은; 끝없는, 무한한; 과도한(excessive), 터무니없는; (시가) 운율이 없는.

un·méet *a.* 《고어 · 문어》 어울리지 않는, 부적당한《*for; to* do》. [파] **~·ly** *ad.* **~·ness** *n.*

ùn·melódious *a.* 비(非)선율적인, 비음악적인, 귀에 거슬리는.

un·mémorable *a.* 기억할 가치가 없는, 평범한.

un·méntionable *a.* (너무 충격적이거나 난처하여) 언급할 수 없는(unspeakable); 말 하기에는 부적절한. **—** *n.* (흔히 the ~) 말하기를 꺼리는 것〔사람〕; (*pl.*) 《고어 · 우스개》 속옷(underwears); (*pl.*) 《고어》 바지.

un·mérciful *a.* 무자비〔무정, 잔혹〕한; 과대한, 엄청난. [파] **~·ly** *ad.*

un·mérited [-id] *a.* 공 없이 얻은, 과분한(undeserved); 부당한, 불법의. 「불로소득인.

un·mériting *a.* (…할) 가치가 없는, 대단찮은,

un·mét *a.* (요구 · 목표 등이) 채워지지 않은.

un·míndful *a.* 무심한, 부주의한, 무관심한(regardless)《*of; that*》. [파] **~·ly** *ad.*

un·míss·able *a.* (표적에서) 벗어날 수 없는; (영화 · TV 프로그램이) 보지 않을 수 없는, 놓칠 수 없는; 필견(必見)의.

◇**ùn·mistákable** *a.* 명백한, 틀림없는, 의심의 여지가 없는; 오해의 우려가 없는. [파] **-bly** *ad.*

un·mítigated [-id] *a.* 누그러지지 않은, 경감되지 않은; 순전한, 완전한: an ~ lie 새빨간 거짓말 / an ~ villain 영락없는 악당. [파] **~·ly** *ad.* **~·ness** *n.* 「않은, 순수한.

un·míxed [-t], **-míxt** *a.* (다른 것이) 섞이지

un·módified *a.* 변경되지 않은; 〖문법〗 한정〔수식〕되지 않은.

un·móld *vt.* …의 모양을 부수다, 변형하다; 틀에서 떼어 내다. [파] **~·able** *a.*

un·molested [-id] *a.* 방해되지〔시달리지〕 않은, 괴로움을 겪지 않은; 평온한.

un·móor 〖해사〗 *vt.* …의 닻을 올리다, 매었던 밧줄을 끄르다; 외닻으로 정박하다《쌍닻 정박 때 한쪽 닻을 올리고》. **—** *vi.* 닻을 올리다.

un·móral *a.* 초도덕적인(amoral); 도덕과 관계가 없는(nonmoral). [cf.] immoral. [파] **~·ly** *ad.*

un·mótivated [-id] *a.* 이렇다 할 동기 없는.

un·móunted [-id] *a.* 말 타지 않은; 대지(臺紙)에 붙이지 않은; 포가(砲架)에 얹혀 있지 않은.

un·móvable *a.* 움직이기 어려운, 부동(不動)의.

un·móved *a.* 확고한《결심 따위》; 마음이 흔들리지 않는, 냉정한, 태연한; (위치 · 지위가) 변동되지 않은.

unmóved móver =PRIME MOVER. 3.

un·móving *a.* 운동 정지의(motionless), 부동의, 정지의(still); 마음을 움직이지 못하는.

un·múffle *vt., vi.* (…에서) 덮개〔소음기, 스카프〕를 벗기다.

un·músical *a.* 비음악적인, 가락에 맞지 않는; 음악을 모르는, 음악적 소양이 없는; 귀에 거슬리는, 불쾌한. [파] **~·ly** *ad.* **~·ness** *n.*

un·múzzle *vt.* (개 등의) 부리망을 벗기다; 《비유》 속박을 풀다; 언론의 자유를 주다.

un·náil *vt.* …에서 못을 뽑다.

un·námed *a.* **1** 이름 없는, 무명의. **2** 이름이 공표되지 않는, 이름을 숨긴: a man who shall go ~ 이름은 대지 않았으나 어떤 사람. **3** 지명되지 않은. 「에 속하지 않는.

un·nátional *a.* 특정한 한 나라(의 문화적 특질)

un·nat·u·ral** [ʌnnǽtʃərəl] *a.* **1** 부자연한, 자연 법칙에 반하는. **2** 이상한, 변태적인, 기괴한. **3** 일부러 꾸민 듯한, 짐짓 뻔, 무리한. **4** 자연 감정〔인도〕에 어긋나는, 몰인정한; 잔혹한, 사악한; 육친(肉親)의 애정이 없는. ***die an ~ death 변사하다, 비명에 죽다. [파] **~·ly** *ad.* **~·ness** *n.*

un·náturalize *vt.* …로부터〔의〕 시민권을 박탈하다; 《고어》 …의 자연성을 없애다, 부자연스럽게 하다〔만들다〕.

‡**un·nec·es·sary** [ʌnnésəsèri/-səri] *a.* 불필요한, 쓸데없는, 무용의; 무익한(useless). **—** *n.* (보통 *pl.*) 《드물게》 불필요한 것, 군것. [파]

◇**un·nec·es·sar·i·ly** [ʌnnèsəsérəli, ʌnnésəsè-] *ad.* 불필요하게, 헛되이.

un·néighborly *a.* 이웃답지 않은, 이웃과 사귀지 않는, 붙임성이 없는.

un·nérve *vt.* (아무의) 용기를〔기력을, 결단력을, 확신을〕 잃게 하다, 무기력화하다; 기겁을 하게 하다, 허둥대게 하다.

un·nóted [-id] *a.* 주의를 끌지 않는; 보잘것없는, 하찮은. 「하지 않은.
un·nóticeable *a.* 남의 눈을 끌지 않는; 중요
◇**un·nóticed** [-t] *a.* 주목되지 않는, 주의를 끌지 않는, 무시된, 남의 눈에 띄지 않는; 알아채이지 않는(unobserved). ***pass*** ~ 간과되다, 눈치채이지〔눈에 띄지〕 않고 넘어가다.
un·númbered *a.* 헤아리지 않은; 헤아릴 수 없는, 무수한; (도로·페이지 따위가) 번호가 붙어 있지 않은.
UNO, U.N.O., Uno [júːnou] 국제 연합 기구. [◂ *U*nited *N*ations *O*rganization]
ùn·objéctionable *a.* 반대할 수 없는, 이의가 없는, 흠잡을 데 없는(acceptable); 어련무던한.
ùn·obsérvant *a.* 부주의한; (규칙·관례 따위를) 지키지 않는(*of*).
ùn·obsérved *a.* 관찰〔주의〕되지 않은; 지켜지지 않는(규칙 따위).
UŃ obsèrver (정식 의석을 갖지 않고 참고인으로서 회의에 출석하는) 유엔 옵서버.
ùn·obsérving *a.* 부주의한, 무관심한.
ùn·obtáinable *a.* 얻기 어려운.
ùn·obtrúsive *a.* 주제넘지 않은, 중뿔나지 않는(modest), 겸손한, 삼가는; 남의 눈에 띄지 않는. ㊀ ~·**ly** *ad.* ~·**ness** *n.*
UNOCAL [júːnoukæ̀l] 미국의 대 종합 석유 회사. [◂ *U*nion *O*il *Co.* of *Cal*ifornia]
◇**un·óccupied** *a.* **1** (집·토지 따위가) 임자 없는, 사람이 살고 있지 않는: ~ ground 공한지(空閑地). **2** 점거되지 않은. **3** 일을 하고 있지 않는(disengaged), 할 일이 없는, 한가한: in my ~ hours =when I am ~ 한가한 때에.
ùn·offénding *a.* 해〔죄〕가 없는; 남의 마음에 거슬리지 않는.
ùn·offícial *a.* 비공식적인; 공인되지 않은(기록 따위), (파업이) 조합 승인을 얻지 않은; (약품이) 무허가인: an ~ strike 비공인 파업. ㊀ ~·**ly** *ad.*
ùn·ópened *a.* 열려 있지 않은; (일반이 사용토록) 개방되어 있지 않은; 개봉되지 않은; 페이지가 아직 잘려 있지 않은(책). cf. uncut.
ùn·oppósed *a.* 반대가 없는, 저항하는 자가 없는, 경쟁이 없는.
un·órganized *a.* 조직되어 있지 않은, 미조직〔편성〕의; 노동조합에 가입하지 않은, 조직이 없는(노동자 등); 공식 정부를 갖지 않은; 〚화학〛 무기(無機)의(inorganic), 무성형(無成形)의.
unórganized férment =ENZYME.
ùn·oríginal *a.* 독창적이 아닌, 모방의; 본래의 것이 아닌; 파생의. ㊀ ~·**ly** *ad.*
un·órthodox *a.* 정통이 아닌; 이단(異端)의.
ùn·ostentátious *a.* 허세부리지 않는, 젠체하지 않는; 검소한, 수수한, 드러나지 않는. ㊀ ~·**ly** *ad.* 「않은.
un·ówned *a.* 소유자가〔주인이〕 없는; 인정되지
◇**un·páck** *vt.* (꾸러미·짐을) 풀다, 끄르다; (속에 든 것을) 꺼내다; …에서 꾸러미를〔짐을〕 부리다; 〚컴퓨터〛 언팩하다(압축(pack)한 데이터를 원형으로 돌림); (비유) (마음속을) 털어놓다; 해독하다. ── *vi.* 꾸러미를〔짐을〕 풀다. 「않은.
un·páged *a.* (책이) 페이지 수가 매겨져 있지
*__un·paid__ [ʌnpéid] *a.* 지급되지 않은(빚 따위), 미납의; 지급받지 않은; 무급의; 명예직의; 무보수의. ***the*** (***great***) ~ 〔복수취급〕 (영) 명예〔치안〕 판사들.
unpáid-fòr *a.* 미불(未拂)의.
un·pálatable *a.* 입에 맞지 않는, 맛없는; 불쾌한, 싫은. ㊀ -**bly** *ad.*
◇**un·páralleled** *a.* 비할〔견줄〕 데 없는, 무비(無比)의; 전대미문의, 미증유의.
un·párdonable *a.* 용서할 수 없는: the ~ sin 용서할 수 없는 죄; 성령을 더럽히는 죄. ㊀ -**bly** *ad.*
ùn·paréntal *a.* 어버이답지 않은, 어버이로서 부끄러운. ㊀ ~·**ly** *ad.*
ùn·parliaméntary *a.* 국회법에 어긋나는〔의하지 않은〕, 국회 내에서 허용되지 않는: ~ language 무례한 말.
un·pásteurized *a.* 저온 살균되어 있지 않은.
un·pátented [-id] *a.* 전매 특허를 받지〔얻지〕 않은.
ùn·patriótic *a.* 비애국적인, 애국심이 없는. ㊀ -**ically** [-əli] *ad.* 「않은.
un·páved *a.* 포석(鋪石)을 깔지 않은, 포장되지
un·pég (-*gg*-) *vt.* …에서 못을〔말뚝을, 마개를〕 뽑다; (물가·임금 등)의 통제를 풀다.
un·pén (-*nn*-) *vt.* 우리〔유치장〕에서 풀어주다.
un·péople *vt.* …의 주민을 없애다〔절멸시키다〕(depopulate); 무인지경으로 만들다. ── *n.* 개성을 잃은 사람들. ㊀ ~**d** *a.* 주민이 없는, 무인의. 「안 띈, 들키지 않은.
ùn·percéived *a.* 눈치채이지 않은, 남의 눈에
ùn·perpléxed [-t] *a.* 당혹하지 않은; 복잡하지 않은, 간단 명료한.
ùn·pérson *n.* (정치적·사상적 이유로) 실각한 〔좌천된〕 사람, 과거의 사람. ── *vt.* 좌천하다.
ùn·persuásive *a.* 설득할 수 없는, 설득력 없는, 설득이 서툰. ㊀ ~·**ly** *ad.* ~·**ness** *n.*
ùn·pertúrbed *a.* 흐트러지지 않은(undisturbed), 평정(平靜)을 잃지 않은, 침착한(calm).
ùn·philosóphic, -ical *a.* 철리(哲理)에 반한; 철학적인 통찰〔식견〕이 없는. ㊀ -**ically** *ad.*
un·píck *vt.* (솔기·자수·옷 등을) 실을 빼어 풀다; (자물쇠·문을) 비틀어열다.
un·píle *vt.* (쌓인 것을) 하나씩 하나씩 치우다.
un·pín (-*nn*-) *vt.* …의 핀을 뽑아 늦추다〔벗기다, 열다〕; (문의) 빗장을 빼다, 고정 못을 빼다; 〚체스〛 (상대 말을) 움직이게 하다.
un·pítied *a.* 가엾게 여기는 사람이 없는; 동정을 받지 못하는.
un·pláced [-t] *a.* 배치〔정치(定置)〕되지 않은, 일정한 지위를〔직장 등을〕 갖지 않은; 〚경마〛 등외의, 3등 안에 들지 않는. 「를) 풀다.
un·pláit *vt.* …의 주름을 펴다; (땋은 머리 따위
un·plánned *a.* 계획되지 않은; 예기치 못한.
un·pláyable *a.* play할 수 없는; 연주할 수 없는; (크리켓·테니스 등에서) 공을 받을 수 없는.
*__un·pleas·ant__ [ʌnpléznt] *a.* 불쾌한, 기분 나쁜, 싫은; 심술궂은, 불친절한(*to; with*): He's very ~ *to* his employees. 그는 자기 종업원들에게 몹시 불친절하다. ㊀ ~·**ly** *ad.*
un·pléasantness *n.* Ⓤ 불쾌(감); Ⓒ 불쾌한 일〔사건·경험·관계〕; Ⓤ 오해; Ⓒ 불화, 다툼: the late ~ 전번〔요전의〕 전쟁/have a slight ~ *with* …와 사이가 조금 나쁘다.
un·pléased *a.* 기뻐하지 않는, 불쾌한: ~ eyes 불만스러운 눈초리.
un·pléasing *a.* 만족을 주지 않는; 불유쾌한, 싫은(disagreeable), 재미없는. ㊀ ~·**ly** *ad.*
un·pléasure *n.* 불쾌(함).
un·plúg (-*gg*-) *vt.* …의 마개를 뽑다; …에서 장애물을 제거하다; 〚전기〛 플러그를 뽑다.
un·plúmbed *a.* 측연(測鉛)으로 잴 수 없는; 깊이를 모르는; (건물에) 수도·가스·하수관 설비가 없는.
ùn·poétic, -ical *a.* 시적이 아닌, 범속한, 산문적인(prosaic). ㊀ -**ically** *ad.*
un·pólished [-t] *a.* 닦지 않은, 광택이 없는; 잘 다듬어지지 않은; 세련되지 않은, 때를 벗지 못한; 무무(貿貿)한: ~ rice 현미.
ùn·polítical *a.* 건전한 정치 이념에 들어맞지 않는; =APOLITICAL; NONPOLITICAL.

un·pólled *a.* 선거인으로서 등록되지 않은; 투표하지 않은; (투표가) 아직 기록되지 않은; (여론 조사에서) 대상 밖의; 잘리지 않은, 베어지지 않은.

*__un·pop·u·lar__ [ʌnpápjələr/-pɔ́p-] *a.* 인망이 없는, 인기가 없는; 평판이 나쁜, 유행하지 않는: make oneself ~ *with* everybody 누구에게나 인기가 없다. ㊕ ~·ly *ad.* **ùnpopulárity** *n.* Ⓤ 평판이 나쁨, 인기가 없음.

un·práctical *a.* =IMPRACTICAL; (아무가) 실제적인 기능이 없는, 실무적이 아닌. ㊕ ~·ly *ad.* ~·ness *n.*

un·prácticed, 《영》 **-tised** [-t] *a.* 실제에 쓰이지 않는; 연습을 쌓지 않은《*in*》; 미경험의; 미숙한《*in*》; 실행되지 않은.

°**un·précedented** [-id] *a.* 선례〔전례〕가 없는, 미증유의, 공전(空前)의; 신기한(novel), 새로운. ㊕ ~·ly *ad.*

ùn·predíctable *a.* 예언〔예측〕할 수 없는. ── *n.* 예언〔예측〕할 수 없음. ㊕ -bly *ad.* **ùn·predictabílity** *n.*

un·préjudiced [-t] *a.* 편견이 없는, 선입관이 없는, 편파적이 아닌, 공평한(impartial); 《고어》 침해받지 않은《권리 등》.

ùn·preméditated [-id] *a.* 미리 계획되지 않은, 고의〔계획〕적이 아닌; 우연한: ~ homicide 과실 치사(죄).

ùn·prepáred *a.* **1** 준비가 없는, 즉석의; 준비〔각오〕가 되어 있지 않은《*for*》: an ~ speech 즉석 연설. **2** 예고없이 발생하는, 불의의: catch a person ~ 아무의 허를 찌르다.

ùn·prepossésssing *a.* 호감을 주지 못하는, 곰살궂지 않은, 불쾌한(unpleasing).

ùn·preséntable *a.* 남 앞에 내놓지 못하는, 떳떳하지 못한; 볼품없는, 보기 흉한.

ùn·presúmptuous *a.* 중뿔나지 않은, 오만하지 않은, 겸손한.

ùn·preténding *a.* 허세부리지 않는, 젠체하지 않는, 겸손한, 삼가는. ㊕ ~·ly *ad.* ~·ness *n.*

ùn·preténtious *a.* =UNPRETENDING. ㊕ ~·ly *ad.* ~·ness *n.*

un·príced [-t] *a.* 값이 안 매겨진, 상금이 붙지 않은; 《시어》 값을 따질 수 없는, 귀중한.

un·prímed *a.* 꽉 채우지 않은; 준비되어 있지 않은.

un·príncely *a.* prince 답지 않은.

un·príncipled *a.* 주의(主義)가 없는, 절조가 없는; 부도덕한; 파렴치한, 방종한. ㊕ ~·ness *n.*

un·príntable *a.* (문장 · 그림 등이) 인쇄하기에 적당치 않은《외설 따위로》.

un·prívileged *a.* 특권이 없는; 빈곤한, 최하층의; 기본적 인권이 부여되지 않은.

ùn·problemátic *a.* 문제없는.

un·prócessed [-t] *a.* 처리〔가공〕되지 않은.

ùn·prodúctive *a.* 비생산적인; 산출물이 없는, 불모의; (…을) 생산하지 않는《*of*》; 수익이 없는 (unprofitable); 결과가 헛된. ㊕ ~·ly *ad.* ~·ness *n.*

ùn·proféssional *a.* 전문가가 아닌, 본직이 아닌, 비직업적인; 전문 밖의; 직업상의 윤리〔습관〕에 어긋나는; 미숙한.

°**un·prófitable** *a.* 이익 없는, 수지 안 맞는, 손해되는; 무익한, 헛된, 불리한. ~ ***servants*** 맡은 것 이외의 일은 하지 않는 사람들《누가복음 XVII: 10》. ㊕ -bly *ad.* ~·ness *n.*

ùn·progréssive *a.* 진보적이 아닌, 후퇴적인.

un·prómising *a.* 가망〔장래성〕이 없는, 유망하지 않은. ㊕ ~·ly *ad.*

un·prómpted [-id] *a.* 자발적인.

ùn·pronóunceable *a.* 발음할 수 없는, 발음하기 어려운.

ùn·pronóunced [-t] *a.* 발음되지 않는; 무음의, 무언의.

un·próp *vt.* …에서 지주(支柱)를〔지원(支援)을〕 없애다.

ùn·propítious *a.* 계제가 좋지 않은, 불길〔불운〕한. ㊕ ~·ly *ad.* ~·ness *n.*

ùn·propórtionate *a.* =DISPROPORTIONATE.

ùn·protécted [-id] *a.* 보호(자)가 없는; 무방비의; 장갑(裝甲)되어 있지 않은; 관세 보호를 받지 않는《산업 따위》.

un·próved *a.* 증명〔입증〕되지 않은(=un-próven).

ùn·províded [-id] *a.* 지급〔공급, 장비〕되지 않은《*with*》; (생활필수품 등이) 부족한《*of*》; 마음가짐이〔준비가〕 되어 있지 않은《*for*》; 불의의. ~ ***for*** (미망인 · 어린이 등이) (남편 · 부모에 의해) 비축된 돈이 없는; 수입이 없는, 곤궁한〔하여〕.

ùn·provóked [-t] *a.* 자극〔도발〕되지 않은; 정당한 이유가〔동기가, 유인이〕 없는, 까닭이 없는.

un·públished [-t] *a.* **1** 공개되어 있지 않은, 숨은. **2** 미출판〔미간행〕의: an ~ work (저작권법에서) 미공표 저작물.

un·púnctual *a.* 시간〔기일〕을 지키지 않는, 규칙 바르지 않은, 차근하지 못한. ㊕ ~·ly *ad.*

un·púnished [-t] *a.* 벌받지 않은, 처벌되지 않은, 형벌을 면한.

un·púrged *a.* 정(淨)하게 되지 않은; 숙청〔추방〕되지 않은.

ùn·putdównable *a.* 《구어》 (책이) 재미있어 읽기를 그만둘 수 없는, 몰두케 하는.

un·quáiling *a.* 두려워하지 않는, 기가 꺾이지 않는, 불굴의.

un·quálified *a.* **1** 자격이 없는, 무자격의; 적임이 아닌. **2** 솔직한, 기탄없는; 무제한의, 무조건의, 절대적인; 《구어》 순전한, 철저한: an ~ liar 지독한 거짓말쟁이. ㊕ ~·ly *ad.* ~·ness *n.*

un·quántifiable *a.* 수량화할 수 없는, 계량할 수 없는.

un·quénchable *a.* 끌 수 없는; 막을 수 없는, (욕망 따위를) 누를 수 없는.

°**un·quéstionable** *a.* 의심할 바 없는, 논의할 여지 없는, 확실한; 나무랄〔흠잡을〕 데 없는. ㊕ -bly *ad.* ~·ness *n.*

un·quéstioned *a.* 문제되지 않는, 의심되지 않는(undoubted); 조사〔심문〕받지 않는; 의문의 여지가 없는.

un·quéstioning *a.* 질문하지 않는; 의심하지 않는; 주저하지 않는; 절대적인, 무조건의.

un·quíet *a.* 동요하는, 불온한; 침착하지 못한, 설레는, 불안한; 《고어》 떠들썩한. ㊕ ~·ly *ad.* ~·ness *n.*

un·quótable *a.* 인용할 수 없는; 인용 가치가 없는.

un·quóte *vi.* 인용을 끝내다《다음 같은 독립용법이 보통》: Mr. Smith said quote I will not run for governor ~. 스미스씨는 '나는 지사에 입후보하지 않는다' 라고 말했다.

un·ráted [-id] *a.* 평가되지 않은, 등급이 정해지지 않은.

°**un·rável** (*-l-,* 《영》 *-ll-*) *vt.* (엉클어진 실, 짠 것 등을) 풀다; 해명하다; 해결하다. ── *vi.* 풀어지다; 해명되다, 명백해지다.

un·réad [-réd] *a.* 읽혀지지 않는《책 따위》; 책을 읽지 않은, 무식한, 문맹의《*in*》.

un·réadable *a.* **1** 읽어서 재미없는. **2** 읽을 가치가 없는. **3** 판독하기 어려운; 뜻이 불명료한. ㊕ -bly *ad.* ~·ness *n.*

un·réady *a.* 준비가 없는(unprepared); 즉석 판단〔응답〕을 할 수 없는, 빨리 머리가 돌지 않는, 냉정치 않은; 우물쭈물한. ㊕ **un·réadiness** *n.*

°**un·réal** *a.* 실재하지 않는, 가공의, 비현실적인; 진실이 아닌; 《미속어》 믿을 수 없을 정도로 멋진; 《미속어》 놀라울 정도로 심한. ㊕ ~·ly *ad.*

ùn·realístic *a.* 비현실적〔사실적〕인. ㊕ -tically *ad.*

ùn·reálity *n.* Ⓤ 비(非)현실(성); Ⓒ 실재하지 않는 것, 허구; 비실제적 성격.
un·réalizable *a.* 이해〔인식〕할 수 없는, 실현할 수 없는; 현금으로 바꿀 수 없는.
un·réalized *a.* 실현〔달성〕되지 않은; 의식〔인식·이해〕되지 않은, 알려지지 않은; 판매해서 미회수의《이익》: ~ profit =PAPER PROFIT.
un·réason *n.* 불합리, 부조리; 광기(狂氣), 무질서, 혼란. ― *vt.* …를 미치게 하다.
***un·rea·son·a·ble** [ʌnríːzənəbəl] *a.* **1** 비합리적〔비현실적〕인; 이치에 맞지 않는. **2** 이성을 좇지 않는; 무분별한; 변덕스러운, 상궤를 벗어난. **3** (값 따위가) 터무니없는, 부당한. ㊞ **-bly** *ad.* **~·ness** *n.*
unréasonable behávior 〖법률〗 (파혼의 원인이 되는) 배우자의 행위.
un·réasoned *a.* 이치에 닿지 않은, 불합리한.
un·réasoning *a.* 이성적으로 생각하지 않는; 도리를 모르는, 생각이 없는; 불합리한; 터무니없는. ㊞ **~·ly** *ad.*
ùn·rebúked [-t] *a.* 견책〔징계〕되지 않은.
ùn·recálled *a.* 소환〔철회〕되지 않은.
ùn·recéptive *a.* 감수성〔감응성〕이 약한, 수용적이 아닌.
ùn·recíprocated [-id] *a.* (연애 등이) 이루어지지 않는, 짝사랑의; 교환되지 않은.
ùn·récognizable *a.* 인지〔승인〕할 수 없는. ㊞ **-bly** *ad.*
un·récognized *a.* 인식〔승인〕되지 않은, 인정받지 못한.
ùn·reconstrúcted [-id] *a.* 개조〔개축〕되지 않은; 머리를 개조할 수 없는, 낡은 사상의; 〖미국사〗 (남부 제주(諸州)가 남북 전쟁 후) 합중국 재편입을 받아들이지 않는.
ùn·recórded [-id] *a.* 등록되어 있지 않은, 기록에 실리지 않은.
ùn·redéemable *a.* 되살 수 없는; 상환〔구제〕할 수 없는. ㊞ **-bly** *ad.*
ùn·redéemed *a.* 완화되지 않은; 회수〔상환〕되지 않은.
un·réel *vt.* (얼레에 감은 것을) 풀다; 펴다; 펼치다. ― *vi.* (감긴 것이) 풀리다; 펼쳐지다.
un·réeve *vt.* 〖해사〗 (밧줄을) 도르래에서 빼내다. ― *vi.* 빠지다, 빼내다.
UNREF United Nations Refugee (Emergency) Fund (유엔 난민 (긴급) 기금).
ùn·refíned *a.* (말·행동이) 세련되지 않은, 촌스러운; (광석 따위가) 정제〔정련〕되지 않은.
ùn·refléctеd [-id] *a.* 깊이 생각하지 않은 《*on*》; (빛 등이) 반사되지 않은, 직접 보이는.
ùn·reflécting *a.* 반성하지 않는,무분별한, 지각없는; (빛을) 반사하지 않는. ㊞ **~·ly** *ad.*
ùn·refléctive *a.* (행동 등이) 지각없는, 무분별한.
ùn·refórmed *a.* 개혁〔개정〕되지 않는, (죄인 등이) 교정(矯正)되지 않는; 종교 개혁의 영향을 받지 않는.
ùn·regárded [-id] *a.* 주의되지 않는, 돌보아지지 않는, 무시된. ㊞ **~·ly** *ad.*
un·regénerate, -génerated *a., n.* (정신적으로) 갱생하지 않는 (사람); 죄 많은 (사람); 낡은 사상의 (사람), 완고한 (사람). ㊞ **~·ly** *ad.*
un·régistered *a.* 등록〔등기〕되지 않은; 등기우편이 아닌; (가축 따위의) 혈통 증명이 없는.
un·régulated [-id] *a.* 통제〔규제〕받지 않는, 방임된; 무질서한.
ùn·rehéarsed [-t] *a.* 연습〔리허설〕을 하지 않은; 준비〔계획〕되지 않은.
ùn·reláted [-id] *a.* 친족〔혈연〕이 아닌; 관계없는; 말할 수 없는.
ùn·reláxed [-t] *a.* 늦춰지지 않은, 팽팽한; 긴장(緊張)한.
ùn·relénting *a.* 용서〔가차〕 없는, 엄한, 무자비한; (속도 등이) 꾸준한. ㊞ **~·ly** *ad.*
ùn·relíable *a.* 신뢰할 수 없는, 의지할 수 없는, 믿어지지 않는. ㊞ **-bly** *ad.* **ùn·reliabílity** *n.* Ⓤ
ùn·relíeved *a.* 구제〔경감, 완화〕되지 않은; 변화〔명암(明暗)〕 없는, 단조로운.
ùn·relígious *a.* 종교와 관계 없는, 비종교적인; =IRRELIGIOUS.
ùn·remémbered *a.* 기억되지 않은, 잊혀진.
ùn·remítted [-id] *a.* 사면〔경감〕되지 않은 《죄·부채》; 부단한, 꾸준한.
ùn·remítting *a.* 간단없는, 끊임〔그칠 새〕 없는; 끈질긴. ㊞ **~·ly** *ad.*
ùn·remúnerative *a.* 보수가〔수익이〕 없는〔적은〕.
ùn·repáir *n.* Ⓤ 파손〔미수리〕 상태, 황폐.
ùn·repéaled *a.* 폐지되지 않은, 여전히 유효한.
ùn·repéntance *n.* =IMPENITENCE.
ùn·repéntant *a.* 회개하지 않는; 완고한, 고집센.
ùn·repíning *a.* 불평하지 않는.
ùn·replénished [-t] *a.* 보충〔보전〕되지 않은.
ùn·representátive *a.* 비전형적인; 대표하지 않는《*of*》.
ùn·represséd [-t] *a.* 억압〔억제〕되지 않은.
ùn·repríeved *a.* 집행이 유예되지 않은.
ùn·repróved *a.* 비난받지 않은, 꾸짖을 수 없는, 비난할 데가 없는.
ùn·requíted [-id] *a.* 보답이 없는; 보수를 받지 않는; 앙갚음을 당하지 않는, 일방적인: ~ love 〔affection〕 짝사랑/an ~ labor 무료 봉사.
ùn·resérve *n.* 거리낌〔기탄〕 없음, 솔직.
ùn·resérved *a.* **1** 거리낌 없는, 숨김없는, 솔직한. **2** 제한이 없는, 무조건의, 충분한, 전적인. **3** 보류〔예약〕되지 않은《좌석 따위》. ㊞ **-sérvedly** *ad.* 기탄〔거리낌〕없이.
ùn·resólved *a.* 결말이 지어지지 않은, 미해결의; 결심이 서지 않은, 의견이 정해지지 않은; (음이) 해조(諧調)로 바뀌지 않은, 불협화인 채로의; 성분으로 분해되지 않는.
ùn·respónsive *a.* 반응이 느린, 둔감한; 동정심이 없는.
◇**un·rést** *n.* Ⓤ (특히 사회적인) 불안, 불온; 걱정: social ~ 사회 불안.
ùn·restráined *a.* 억제되지 않은, 무제한의, 제멋대로의, 자유로운. ㊞ **-stráinedly** *ad.*
ùn·restráint *n.* Ⓤ 무구속(無拘束), 무제한, 방종, 자제가 없음.
ùn·restrícted [-id] *a.* 제한〔구속〕 없는, 자유로운.
ùn·reténtive *a.* 보존력〔기억력〕이 좋지 않은. ㊞ **~·ness** *n.*
ùn·retrácted [-id] *a.* 움츠러들지 않는, 수축되지 않은; 취소〔철회〕되지 않은.
ùn·revóked [-t] *a.* 취소〔폐지〕되지 않은.
ùn·rewárded [-id] *a.* 보수〔보답〕 없는, 무보수의.
un·ríddle *vt.* (수수께끼 등을) 풀다, 해명하다.
un·ríg (*-gg-*) *vt.* 〖해사〗 (배에서) 삭구(索具)를 떼어 내다; …의 장비를 풀다; 《영방언》…에게 옷을 벗도록 하다, 벌거벗기다.
un·ríghteous *a.* 불의(不義)의, 죄가 많은, 사악한; 부정한, 공정하지 않은, 부당한, 그릇된. ― *n.* (the ~) 《집합적》 마음이 바르지 않은 도배(徒輩). ㊞ **~·ly** *ad.* **~·ness** *n.*
un·ríp (*-pp-*) *vt.* 절개하다, 잘라 버리다, 쪼개다, 가르다; 《드물게》 폭로〔발표〕하다, 밝히다.
un·rípe *a.* 익지 않은, 생것의; 시기상조의; 나이가 덜 찬, 젊은.
un·rívaled, 《영》 **-valled** *a.* 경쟁자가 없는, 필적할 만한 사람이 없는, 무적의, 비할 데 없는.
un·róadwòrthy *a.* (차가) 도로에 접합하지 않은.
un·róbe *vt.* …의 옷〔관복〕을 벗기다. ― *vi.* 옷을 벗다.
◇**un·róll** *vt.* **1** (말〔감은〕 것을) 풀다, 펴다, 펼치다. **2** (펼쳐서) 보이다, 전개하다. ― *vi.* **1** (만

〔감은〕 것이) 풀리다, 펴지다. **2** (풍경 따위가) 전개되다, 펼쳐지다.

un·róof *vt.* …의 지붕을 벗기다. 「절하다.

un·róot *vt.* …의 뿌리를 뽑다, 뿌리째 뽑다, 근

un·róund *vt.* 〖음성〗 입술을 둥글게 하지 않고 발음하다. **—** *a.* =UNROUNDED.

un·róunded [-id] *a.* 〖음성〗 입술을 둥글게 하지 않고 발음한.

UNRRA [ʌ́nrə] United Nations Relief and Rehabilitation Administration(유엔 구제 부흥 사업국, 운라).

ùn·rúffled *a.* (마음·수면이) 어지럽지 않은, 혼란스럽지 않은; 조용한, 냉정한; 주름이 잡히지 않은. 「paper.

un·rúled *a.* 지배당하지 않는; 괘선이 없는: ~

◇**un·ru·ly** [ʌnrúːli] (*-ru·li·er; -li·est*) *a.* 감당할 수 없는, 사나운, 무법의, 제멋대로 구는, 제어하기 어려운: the ~ member ⇨MEMBER. ㊞ **ùn-rú·li·ness** *n.*

UNRWA [ʌ́nrə] United Nations Relief and Works Agency(국제 연합 팔레스타인 난민 구제 사업 기구). **uns.** unsymmetrical.

un·sáddle *vt.* (말 따위의) 안장을 벗기다; 안장에서 떨어뜨리다, 낙마시키다 **—** *vi.* 말에서 안장을 벗기다. 「수 없는.

un·sáfe *a.* 안전하지 않은, 불안한, 위험한; 믿을

un·sáid UNSAY의 과거·과거분사. **—** *a.* 말하지 않은, 입 밖에 내지 않은: Better leave it ~. 말하지 않고 가만두는 것이 좋다.

un·sál(e)able *a.* 팔 것이 아닌; 팔리지 않는, 팔림새가 나쁜.

un·sálted [-id] *a.* 소금에 절이지 않은; 소금기 없는; 담수의. 「불결한.

un·sánitary *a.* 비위생적인, 건강에 좋지 않은;

un·sátiable *a.* =INSATIABLE. 「지 않은.

un·sátiated [-id] *a.* 만족스럽지 못한, 성에 차

***ùn·sat·is·fác·to·ry** *a.* 마음에 차지 않는, 만족스럽지 못한, 불충분한(inadequate). ㊞ **-rily** *ad.*

un·sátisfied *a.* 불만족의.

un·sátisfying *a.* 만족시키지 못하는, 만족〔충족〕감을 주지 않는, 마음에 차지 않는.

un·sáturated [-id] *a.* 포화되지 않은; 〖화학〗 불포화의: an ~ compound 〖화학〗 불포화 화합 「물.

un·sáved *a.* 구제할 수 없는.

un·sávory, 《영》 **-voury** *a.* **1** 고약한 냄새가 나는; 맛없는, 맛이 좋지 않은. **2** 불쾌한, 재미없는. **3** (도덕적으로) 불미스러운. 「회)하다.

un·sáy (*p., pp. -said*) *vt.* (한 말을) 취소〔철

UNSC United Nations Security Council. ★비공식적으로 [ʌ́nsk]로 발음함.

un·scálable *a.* (담·산 따위가) 오를 수 없는: an ~ fence 오를 수 없는 담. 「겨내다).

un·scále *vt.* …에서 비늘을〔물때를〕 벗기다〔벗

un·scáled *a.* (산 따위가) 미등정인, 처녀봉인.

un·scáred *a.* 위협당하지〔두려워하지〕 않는.

un·scáthed *a.* 상처가 없는, 다치지 않은; 상처를 입지 않은《마음 따위》. 「정 밖의, 임시의.

un·schéduled *a.* 예정〔계획, 일정〕에 없는, 예

un·schólarly *a.* 학문〔학식〕이 없는, 학자답지 않은, 학문적이 아닌.

un·schóoled *a.* 정식 교육〔훈련〕을 받지 않은; 교육〔훈련〕으로 얻은 것이 아닌, 타고난, 자연스러운.

ùn·scientífic *a.* 비과학적인, 비학술적인; 과학적 지식에 어두운. ㊞ **-ically** *ad.*

un·scóured *a.* 문질러 닦이지 않은; 씻겨 흘러내리지 않은.

un·scrámble *vt.* (혼합체를) 원래 요소로 분해하다, (흐트러진 것을) 제대로 해놓다, 정돈하다; (암호를) 해독하다.

un·scréw *vt.* …의 나사를 빼다〔느슨하게 하다〕; …의 나사를 돌려서 빼다; 나사를 느슨하게 하여 벗기다; (병 따위의) 뚜껑을 돌려서 빼다. **—** *vi.* 나사가 빠지다〔느슨해지다〕.

un·scrípted [-id] *a.* (방송 대사가) 대본에 없는, 즉흥의.

◇**un·scrúpulous** *a.* 예사로 나쁜 짓을 하는, 부도덕한, 파렴치한, 악랄한; 무절조한. ㊞ **~·ly** *ad.* **~·ness** *n.*

un·séal *vt.* 개봉하다; 열다; (입을) 열게 하다, (생각 등을) 털어놓다.

un·séaled *a.* 압인되지 않은; 봉인이 돼 있지 않은; 밀폐〔밀봉〕되지 않은, 개봉의; 확증〔확인〕되지 않은, 미확정의.

un·séam *vt.* …의 솔기를 풀다, 풀다, 잡아 찢다.

un·séarchable *a.* 찾아낼〔탐구할〕 수 없는; 헤아릴 수 없는, 숨은, 신비스러운. ㊞ **-bly** *ad.*

un·séasonable *a.* 철 아닌, 계절에 맞지 않는, 불순한《기후 등》; 시기가 나쁜, 계제 나쁜, 그 자리에 어울리지 않는. ㊞ **-bly** *ad.* **~·ness** *n.*

ùn·séasoned *a.* (음식이) 양념을 하지 않은; (재목이) 잘 마르지 않은; 미숙한, 미경험의.

un·séat *vt.* 말등에서 떨어뜨리다; 자리에서 내쫓다; (의원의) 의석을 빼앗다, 낙선시키다; 실격시키다; 퇴직시키다. ㊞ **~·ed** [-id] *a.* 좌석 (설비) 없는; 의석이 없는; 낙마한; 사람이 살지 않는, 무인의.

un·séaworthy *a.* 항해에 견디지 못하는《배 따위》, 내항(耐航)력이 없는. ㊞ **-worthiness** *n.*

un·séconded [-id] *a.* 시중드는 이 없는, 지지를 받지 못한.

un·secúred *a.* 불안전〔불확실〕한; 보증이 없는, 무담보의; (문 등이) 꼭 닫히지〔잠기지〕 않은.

un·séeded [-id] *a.* **1** 씨앗이 뿌려지지 않은, 종자가 아닌. **2** (특히 경기의 토너먼트에서) 노시드의, 시드되어 있지 않은. 「하지 않는.

un·séeing *a.* 보고 있지 않는; 《특히》 보려고

un·séemly (*-li·er; -li·est*) *a.* 모양이 흉한, 어울리지 않는, 꼴사나운; 부적당한, 계제 나쁜, 때〔장소〕에 맞지 않는. **—** *ad.* 꼴사납게, 보기 흉하게; 부적당하게. ㊞ **-liness** *n.*

◇**un·séen** *a.* **1** (사람에게) 보이지 않는; (눈에) 안 보이는. **2** (과제·악보 등) 처음 보는〔대하는〕; (사전을 찾지 않고) 즉석에서 하는: an ~ translation 즉석 번역. **—** *n.* **1** (the ~) 보이지 않는 것. **2** (the ~) 영계(靈界). **3** 《영》 즉석 번역 과제.

un·ségregated [-id] *a.* (흑인이) 차별 대우를 안 받는; 인종 차별이 없는.

ùn·selfcónscious *a.* 자기를 의식하지 않는; 남의 눈을 개의치 않는. ㊞ **~·ly** *ad.*

***un·self·ish** [ʌnsélfiʃ] *a.* 이기적이 아닌, 욕심〔사심〕이 없는: from ~ motives 이기적이 아닌 동기에서. ㊞ **~·ly** *ad.* **~·ness** *n.*

un·séll (*p., pp. -sold*) *vt.* (…의) 진실성을〔가치를〕 믿지 않도록 설득하다, 찬동하지 말도록 권하다. 「무익한, 무용의.

un·sérviceable *a.* 쓸모없는, 실용이 안 되는,

un·séttle *vt.* 어지럽히다, 동요시키다; 불안하게 하다, …의 마음을 어지럽히다, 침착성을 잃게 하다: ~ one's opinions 의견을 흔들리게 하다. **—** *vi.* 동요하다, 평정을 잃다.

***un·set·tled** [ʌnsétld] *a.* **1** (날씨 따위가) 변하기 쉬운, 일정치 않은; 동요하는, 흔들리는《의견 따위》; (상태 따위가) 불안정한, 혼란된. **2** 지불이 다 되지 않은, 미결제의. **3** 결심이 서지 않은; 미정의; 미해결의《문제 따위》. **4** 거소(居所)가 일정치 않은, 정주자(定住者)가 없는《섬 따위》.

un·séttling *a.* 마음을 산란하게 하는, 동요시키는, 소란하게 만드는. ㊞ **~·ly** *ad.*

un·séw *vt.* …의 실밥을 뽑다; 풀다.

un·séx *vt.* 성적 불능으로 하다; 거세하다; …의 난소(卵巢)를 제거하다; 《특히》 (여자의) 여자다움을 없애다; 남성화하다.

un·séxed [-t] *a.* (병아리가) 암수 선별이 안 된; 성적 불능이 된.

un·sháckle *vt.* …의 차꼬를 벗기다, 속박에서 풀다; 석방하다, 자유의 몸으로 하다. ㊕ **~d** *a.*

un·shákable *a.* 흔들 수 없는, 부동의.

un·sháken *a.* 흔들리지 않는, 동요하지 않는; 끄떡도 하지 않는, 확고한 《결심 따위》.

un·sháped [-t] *a.* 형태가 이루어지지 않은, 완성되지 않은; 기형의, 「못생긴.

un·shápely *a.* 보기 흉한, 몰골스러운; 추한;

un·shápen *a.* =UNSHAPED.

un·sháved *a.* 면도하지 않은, 깎이지 않은.

un·shéathe *vt.* (칼 따위를) 칼집에서 뽑다, 빼내다. ~ ***the sword*** 칼을 뽑다; 《비유》 선전(宣戰)하다, 개전(開戰)하다.

un·shéll *vt.* …의 껍질을 벗기다.

un·shéltered *a.* 덮여 있지 않은, 노출된; 보호되지 않은; 살 집이 없는.

un·shíp (*-pp-*) *vt.* (뱃짐을) 배에서 부리다, 양륙하다; (승객 등을) 하선시키다; 〖해사〗 (노·선구(船具) 등을) 떼어 내다; 《구어》 …을 제거하다(get rid of). ── *vi.* 양륙되다; 하선하다; 제거되다.

un·shírted [-id] *a.* 《구어》 〖흔히 ~ hell 꼴로〗 겉꾸미지 않는, 노골적인: give a person ~ *hell* 아무를 호통치다 / raise ~ *hell* 되게 화내다, 대단한 소동을 일으키다.

un·shód *a.* 신발을 신지 않은, 맨발의; (말이) 편자를 박지 않은.

un·shórn *a.* (머리·수염 등이) 가위로 다듬어지지 않은, 깎지 않은; (논밭이) 수확이 되어 있지 않은; 줄여져 있지 않은. 「㊕ **~·ly** *ad.*

un·shrínking *a.* 위축되지 않는, 단호〔당당〕한.

un·síght *a.* 보지〔조사하지〕 않은: buy a car ~, unseen 보지도 살피지도 않고 차를 사다. ── *vt.* 보이지 않게 하다.

un·síghted [-id] *a.* 보이지 않는; (총이) 가늠자가 없는; 가늠자를 쓰지 않고 겨눈; 〖야구〗 (심판이) 안 보이는 위치에 있는.

un·síghtly (*-li·er; -li·est*) *a.* 추한, 모양 없는, 꼴불견의, 꼴사나운, 눈에 거슬리는. ㊕ **-liness** *n.*

un·sígned *a.* 서명 없는.

◇**un·skílled** *a.* 숙련〔숙달〕되지 않은, 미숙한, 서투른《*in*》; 숙련을 요하지 않는: He is ~ *in* carpentry. 그는 목수일이 서툴다.

únskilled lábor 비숙련 노동(자).

un·skíllful, 《영》 **-skíl-** *a.* 서투른, 솜씨없는, 어줍은(clumsy). ㊕ **~·ly** *ad.* **~·ness** *n.*

un·skímmed *a.* (우유가) 유지(乳脂)를 제거하지 않은.

ùn·sláked [-t] *a.* (석회가) 소화(消和)되지 않은, (갈증 등이) 풀리지 않은, (분노가) 식지 않은: ~ lime 생(生)석회.

un·slíng (*p., pp.* ***-slung***) *vt.* (어깨에 멘 총 따위를) (풀어) 내리다; 〖해사〗 (활 대·짐 따위의) 매단 밧줄을 풀다, 매단 밧줄에서 내리다.

un·smíling *a.* 웃지 않는; 엄한, 불친절한.

un·smóked [-t] *a.* 훈제가 아닌, 불에 그을리지 않은; (담배가) 아직 피운 것이 아닌.

un·snáp (*-pp-*) *vt.* …의 스냅을 풀고 벗다; 끄르다, 열다.

un·snárl *vt.* …의 엉클어진 것을 풀다, 끄르다.

ùn·sociabílity *n.* Ⓤ 교제를 싫어함, 교제가 서투름, 무뚝뚝함; Ⓒ 무뚝뚝한 행동〔성격〕.

un·sóciable *a.* 교제를 싫어하는, 비사교적인; 내성적인, 무뚝뚝한.

un·sócial *a.* **1** 반사회적인. **2** =UNSOCIABLE.

unsócial hours 《영》 (사교가 희생되는) 통상 근무 시간 외의 노동 시간: work ~ 시간 외 근무를 하다.

un·sóiled *a.* 더럽혀지지 않은, 청결한.

un·sóld *a.* 팔리지 않는, 팔다 남은.

un·sólder *vt.* …의 납땜을 벗기다; (납땜한 것을) 떼다, 분리하다.

ùn·solícited [-id] *a.* 탄원〔간청〕되지 않은, 청탁받지 않은《*for*》; 구혼받지 않은; 부탁받지도 않은, 자발적인; 필요치 않은.

un·sólved *a.* 해결되지 않은, 미해결의.

ùn·sophísticated [-id] *a.* 반드럽지 않은, 소박한, 순진한, 천진난만한; 순수한, 진짜의. ㊕ **~·ly** *ad.* **~·ness** *n.* 「하지〕 않은.

un·sóught *a.* 찾지〔구하지〕 않은, 원하지〔부탁

un·sóund *a.* **1** 건전〔건강〕치 못한; 상한; 부패한. **2** 근거 불충분한; 불합리한, 불확실한, 믿을 수 없는. **3** 견고하지 않은; 신용이 없는《회사 등》. **4** 얕은《잠》. ***of ~ mind*** 정신이 온전치 않은, 정신 이상의. ㊕ **~·ly** *ad.*

un·sóurced [-t] *a.* 믿을 수 없는 소식통의.

un·spáring *a.* 용서 없는, 엄한《*of* others》; 아끼지 않는, 손이 큰, 후한, 활수한, 인색하지 않은《*in; of*》: be ~ *of* 〔*in*〕 praise 칭찬을 아끼지 않다 / give with ~ hand 아낌없이 주다. ㊕ **~·ly** *ad.* 용서 없이; 아낌없이, 후하게. 「SAY.

un·spéak (***-spoke; -spoken***) *vt.* 《폐어》 =UN-

◇**un·spéakable** *a.* 이루 말할 수 없는, 말로 다 할 수 없는《기쁨·손실 따위》; 언어도단의, 입에 담기도 싫은〔무서운〕, 몹시 나쁜; 발음할 수 없는. ㊕ **-bly** *ad.* 말할 수 없이. **~·ness** *n.*

un·spécified *a.* 특히 지정하지 않은, 특기〔명기, 열기〕하지 않은. 「범한.

un·spectácular *a.* 돋보이지 않는, 진부한, 평

un·spéll (*p., pp.* ***~ed, -spelt***) *vt.* …의 주문(呪文)〔마력〕을 풀다.

un·spént *a.* 소비〔소모〕되지 않은.

un·sphére *vt.* (행성 따위를) 궤도에서 벗어나게 하다; 범위에서 제외하다. 「적인.

un·spíritual *a.* 정신적이 아닌, 현세적인, 물질

un·spóiled, -spóilt *a.* (가치·아름다움 등이) 손상되지 않은; 어함을 받지 않은.

un·spóke UNSPEAK의 과거.

un·spóken UNSPEAK의 과거분사. ── *a.* **1** 암암리의, 이심전심의, 언외(言外)의. **2** 〖~ to 의 꼴로〗 말을 거는 사람이 없는, 상대해 주는 사람이 없는. **3** 묵묵한, 입밖에 내지 않은, 말 없는, 말수 적은. 「영화계 용어.

un·spóol *vt., vi.* (영화를) 상영〔영사〕하다. ★

un·spórtsmanlike *a.* 운동 정신에 반(反)한, 스포츠맨〔수렵가〕답지 않은; 불공평한, 염치없는.

un·spótted [-id] *a.* 반점〔오점〕이 없는; 《비유》 흠이 없는; 결백〔순결〕한.

◇**un·stáble** *a.* **1** 불안정한, 흔들거리는. **2** 변하기 쉬운, 움직이기 쉬운; 침착하지 않은. **3** 〖물리·화학〗 (화합물이) 분해하기 쉬운, 불안정한: an ~ nuclide 〖물리〗 불안정 핵종. ㊕ **-bly** *ad.* **~·ness** *n.*

unstáble equilíbrium 〖물리〗 불안정 평형.

unstáble oscillátion 〖항공〗 불안정 진동.

un·stáined *a.* 더러움〔얼룩〕이 없는; 오점〔결점〕이 없는. 「표〕되지 않은.

un·státed [-id] *a.* 말하여지지 않은, 설명〔발

un·stéady (***-stead·i·er; -i·est***) *a.* **1** 불안정한; 건들거리는, 견고하지 않은: ~ *on* one's legs 다리가 휘청거려, (취해서) 비틀거려. **2** 변하기 쉬운, 미덥지 못한; 동요하는《시세 따위》. **3** 소행〔몸가짐〕이 나쁜. ~ ***of purpose*** 마음이 잘 변하는, 의지가 약한. ── *vt.* 불안정하게 하다. ㊕ **-stéadily** *ad.* **-stéadiness** *n.* 「그러뜨리다.

un·stéel *vt.* …의 무장을 해제하다, (마음을) 누

un·stép (*-pp-*) *vt.* 〖해사〗 (돛대를) 장좌(檣座)에서 떼어 내다.
un·stíck (*p., pp.* ***-stuck***) *vt.* (붙어 있는 것을) 잡아떼다; 《구어》 (비행기를) 이륙시키다.
un·stínted [-id] *a.* 무제한의; 내놓기를 아까워하지 않는, 인색하지 않은, 풍부한.
un·stínting *a.* 무제한으로 주어진, 무조건의. ㊄ **~·ly** *ad.* 「기를 뜯다.
un·stítch *vt.* (꿰맨 것을) 뜯다, (옷 따위)의 솔
un·stóp (*-pp-*) *vt.* …에서 마개를 뽑다, 뚜껑을 열다; …에서 장애를 없애다; (풍금의) 음전(音栓)을 열다. 「지)할 수 없는.
un·stóppable *a.* 멈출〔막을〕 수 없는, 제지(억
un·stráined *a.* 거르지〔밭지〕 않은, 걸러서 가려내지 않은; 긴장하지 않은, 무리가 없는, 자연스러운.
un·stráp (*-pp-*) *vt.* …의 가죽끈을 끄르다〔풀다〕.
un·strátified *a.* 층(모양)으로 되어 있지 않은, 〖지학〗 무성층(無成層)의.
un·stréssed [-t] *a.* 강조하지 않은; 강세〔악센트〕가 없는, 강하게 발음하지 않는.
un·stríkable *a.* 파업 대상이 안 되는.
un·stríng (*p., pp.* ***-strung***) *vt.* (현악기 등의) 현(絃)을 풀다〔늦추다〕; (구슬 등을) 실에서 뽑아내다; …의 긴장을 풀다, 느슨하게 하다; (신경을) 약하게 하다, (마음·머리를) 혼란시키다.
un·strúctured *a.* (사회가) 체계적으로 조직되지 않은; (사람이) 사회적 기능 체계에 속하지 않는; 통일되지 않은; 정식 자격을 그리 필요로 하지 않는.
un·strúng UNSTRING의 과거·과거분사. **—** *a.* (현(絃) 따위가) 느슨한; (신경〔기력〕이) 약해진, 해이해진, 신경질인.
un·stúck *vt., vi.* UNSTICK의 과거·과거분사. **—** *a.* 접착이 떨어진, 풀린; 혼란된; 무질서〔지리멸렬〕의 상태가 된. ***come*** **~** ① (붙었던 것이) 떨어지다. ② 《구어》 (사람·계획이) 실패하다, 실수하다, 망쳐지다.
un·stúdied [-id] *a.* 배우지 않고〔자연히〕 알게 된〔터득한〕; 배우지 않은, (전문적) 지식〔기능〕이 없는《*in*》; 꾸밈〔무리가〕 없는, 자연스러운 《문체 따위》. 「수 없는.
ùn·subdúed *a.* 진압〔정복〕되지 않은; 억누를
ùn·subscríbe *vi., vt.* 〖컴퓨터〗 (인터넷 메일링 리스트에) 구독 취소를 하다〔시키다〕.
ùn·substántial *a.* **1** 실체가 없는; 견고하지 않은, 약한《건물 따위》; 알맹이가〔실질이〕 없는, 허울만의, 빈약한, 가벼운, 모양〔이름〕뿐인: an ~ meal 요기도 안 되는 식사. **2** 비현실적인, 공상적인, 꿈같은. ㊄ **~·ly** *ad.* **ùn·substàntiálity** *n.* Ⓤ
ùn·substántiated [-id] *a.* 증거가 서 있지 않은, 근거 없는.
◇**ùn·succéssful** *a.* 성공하지 못한, 잘되지 않은, 실패한, 불운의: The attempt was ~. 그 기도는 성공하지 못했다. ㊄ **~·ly** *ad.* **~·ness** *n.*
ún·sùit *n.* 일광욕용 원피스.
un·súitable *a.* 부적당한, 적임이 아닌, 적합하지 않은, 어울리지 않는《*for; to*》. ㊄ **-bly** *ad.* **~·ness** *n.* **ùn·suitabílity** *n.* Ⓤ
un·súited [-id] *a.* 적합하지 않은, 부적당한《*for; to*》; 어울리지 않는, 맞지 않는, 상충(相衝)되는. 「백한.
un·súllied *a.* 더럽혀지지 않은, 오점이 없는, 결
un·súng *a.* 시가(詩歌)로 읊어지지 않는; (시가에 의하여) 찬미되지 않는; 무명의.
un·súnned *a.* 햇빛이 비치지 않는; 일반에게 공개되지 않는.
ùn·suppórtable *a.* 지탱〔지지, 옹호〕할 수 없는; 견딜 수 없는《*to*》, 참을 수 없는.
ùn·suppórted [-id] *a.* 받쳐지지 않은, 지지를 못 받은, 입증되지 않은: an ~ hypothesis.
ùn·súre *a.* 확신이 없는, 불확실한; 불안정한; 신용할 수 없는.
ùn·surmóuntable *a.* =INSURMOUNTABLE.
ùn·surpássed [-t] *a.* 능가할 자 없는, 탁월한.
ùn·surprísing *a.* 놀라울 정도가 아닌, 의외가 아닌. ㊄ **~·ly** *ad.*
ùn·suscéptible *a.* 민감하지 못한, 불감성의, (…에) 물들지 않는《*to*》.
ùn·suspécted [-id] *a.* 의심〔혐의〕받지 않은; 생각지도 않은, 있을 성싶지 않은. ㊄ **~·ly** *ad.*
ùn·suspécting *a.* 의심하지 않는, 수상히 여기지 않는, 신용하는. ㊄ **~·ly** *ad.*
ùn·suspícious *a.* 의심하지 않는, 수상히 여기지 않는; 의심스럽지 않은, 수상하지 않은. ㊄ **~·ly** *ad.* **~·ness** *n.*
ùn·sustáinable *a.* 떠받칠 수 없는, 유지〔지지〕할 수 없는, 입증할 수 없는. 「다〔풀다〕.
un·swáthe *vt.* …에서 감은 천을〔붕대를〕 벗기
un·swéar (*-swore; -sworn*) *vt.* 《고어》 (맹세한 것)을 취소하다〔어기다〕.
un·swéetened *a.* 단맛이 없는, 달게 하지 않은; 아름답게 다듬지 않은《가락 등》.
un·swépt *a.* 털지〔쓸리지〕 않은, 일소되지 않은.
un·swérving *a.* 빗나가지〔벗어나지〕 않는; 갈팡질팡하지 않는, 부동의, 확고한.
ùn·syllábic *a.* 음절을 이루지 않는.
ùn·symmétrical *a.* 비대칭적인; 균형이 잡히지 않은, 불균제의.
ùn·sympathétic *a.* 동정〔이해〕심이 없는, 매정한; 공명하지〔성미가 맞지〕 않는. ㊄ **-ically** *ad.*
ùn·systemátic *a.* 비체계〔비계통, 비조직〕적인. ㊄ **-ically** *ad.*
un·táck *vt.* …의 tack¹을 뽑다.
un·táinted [-id] *a.* 때묻지〔더럽혀지지〕 않은, 오염되어 있지 않은, 오점〔흠〕이 없는.
un·támable *a.* 길들일 수 없는. ㊄ **~·ness** *n.* **-bly** *ad.*
un·támed *a.* 길들지〔훈련되지〕 않은, 야성의, 거친; 억제〔제어〕되지 않은.
un·tángle *vt.* …의 엉킨 것을 풀다, 끄르다; (분규·불화 등을) 해결하다.
un·tánned *a.* (짐승의 가죽이) 무두질되지 않은; (피부가) 볕에 타지 않은.
un·tápped [-t] *a.* (통의) 마개가 열리지 않은, 사용되지 않은; (자원 등이) 이용〔개발〕되지 않은, 미개발의. 「없는.
un·tárnished [-t] *a.* 변색하지 않은; 더럼이
un·táught *a.* 교육을 받지 못한, 무식〔무지〕한; 배우지 않고 (자연히) 터득한.
un·táxed [-t] *a.* 비과세의; 부담이 없는.
UNTC United Nations Trusteeship Council (유엔 신탁 통치 이사회).
un·téach *vt.* (배운 것)을 잊게 하다; (이미 배운 것)의 반대를〔잘못을〕 가르치다, …의 기만성을 알려 주다. 「않는. ㊄ **~·ness** *n.*
un·téachable *a.* 가르치기 어려운, 말을 듣지
un·témpered *a.* (금속이) 제련되지 않은; 완화되지〔누그러지지, 조절되지〕 않은.
un·ténable *a.* 지킬 수 없는, 유지〔지지, 옹호〕할 수 없는; 거주〔점유〕할 수 없는《토지 따위》. ㊄ **-bly** *ad.*
un·ténantable *a.* (토지·집이) 세놓기〔세내기〕에 부적합한; 살 수 없는.
un·ténanted [-id] *a.* (토지·집이) 임대〔임차〕되어 있지 않은; 비어 있는.
un·ténded [-id] *a.* 시중〔간호〕받지 않은, 돌보는 사람 없는, 등한시된(neglected). 「않은.
un·ténted [-id] *a.* 탐사되지 않은; 치료하지
un·ténured *a.* (재산·지위가) 보유〔소유〕되어

있지 않은, 점유되지 않은; (대학교수직이) 종신 재직권(在職權)이 없는, 종신적 지위가 아닌.

Un·ter·mensch [úntərmenʃ] (*pl.* ***-menschen*** [-ʃən]) *n.* 《G.》 인간 이하의 것, 열등 인간.

ùn·téther *vt.* (동물을) 매인 줄〔사슬〕을 풀어놓아 주다. [파] **~ed** *a.*

un·thánkful *a.* 고마워〔감사〕하지 않는(ungrateful) 《*to* a person, *for* a thing》; (명령 등이) 고맙지 않은, 달갑지 않은. [파] **~·ly** *ad.* **~·ness** *n.*

un·thátch *vt.* (지붕의) 이엉을 벗기다.

un·thínk (*p., pp.* ***-thought***) *vi.* 생각을 걷어치우〔바꾸〕다; 고쳐 생각하다. **—** *vt.* 더 생각지 않다; …에 대한 생각을 바꾸다, 고쳐 생각하다.

◇**un·thínkable** *a.* 생각〔상상〕할 수 없는; 터무니없는; 있을 법하지도 않은; 고려할 가치 없는, 문제가 안 되는. **—** *n.* (보통 *pl.*) 생각할 수 없는 일. [파] **-bly** *ad.*

un·thínking *a.* 생각이 없는, 조심하지 않는, 사려〔지각〕 없는; 경솔한; 얼빠진. [파] **~·ly** *ad.* **~·ness** *n.*

un·thóught UNTHINK의 과거·과거분사.

un·thóughtful *a.* 생각이 깊지 못한, 부주의한. [파] **~·ness** *n.*

unthóught(-òf) *a.* 생각한 적이 없는; 뜻하지 않은, 의외의: an *unthought-of* happiness 뜻밖의 행복.

un·thréad *vt.* (바늘 따위의) 실을 빼다, …의 이음매를〔엉킨 것을〕 풀다; (미로(迷路) 따위를) 빠져나오다, 헤어나다; (수수께끼 따위를) 풀다, 해결하다.

un·thríft *n.* [U] 비경제, 낭비; [C] 낭비가, 난봉꾼.

un·thrífty *a.* 비경제적인, 낭비하는, 헤프게 쓰는, 사치스러운.

un·thróne *vt.* 왕좌에서 물러나게 하다(dethrone); 폐하다, 제거하다. [파] **~·ment** *n.*

un·ti·dy** [ʌntáidi] (-di·er; -di·est***) *a.* 말끔하지 않은, 단정치 못한, 게으른; 흐트러진, 너저분한, 어수선한, 난잡한. [파] **-di·ly** *ad.* **-di·ness** *n.*

◇**un·tíe** (*p., pp.* ***-tied; -ty·ing***) *vt.* **1** 《~+[목]/+[목]+[전]+[명]》 (매듭을) 풀다, 끄르다: ~ a knot 〔package, tie〕 매듭을〔소포를, 넥타이를〕 풀다/~ a dog *from* a fence 울에 매 둔 개를 풀어놓다. **2** 《+[목]+[전]+[명]》 …의 속박을 풀다, 해방하다, 자유롭게 하다: ~ a person *from* bondage 아무를 속박에서 해방하다. **3** (곤란 따위를) 해결하다: ~ riddles 수수께끼를 풀다. **—** *vi.* 풀리다.

un·tíed *a.* 묶이지 않은; 제한되지 않은.

untíed lóan 〖금융〗 불구속 융자《자금을 빌려주는 사람이 빌리는 사람에게 그 용도에 대하여 어떤 조건도 제시하지 않는》.

†**un·til** [əntíl] *prep.* **1** 〖때의 계속〗 …까지, …이 되기까지, …에 이르기까지 줄곧: I shall wait ~ five o'clock. 5시까지 기다리겠습니다/Goodby ~ tomorrow! 그러면 내일 또 (봅시다). **2** 〖부정어와 함께〗 …까지 …않다, …에 이르러(서) 비로소(…하다): He did *not* go ~ morning. 아침까지 출발하지 않았다/*Not* ~ yesterday did I know the fact. 어제서야 비로소 그 사실을 알았다.

— *conj.* **1** 〖때의 계속의 뜻으로〗 …할 때까지, …까지: I shall stay here ~ I have finished the work. 일을 끝낼 때까지 여기 있겠다/He read ~ his guests arrived. 그는 손님이 오기까지 책을 읽고 있었다/*Until* we meet again. 다시 만날 때까지. **2** 〖내리 번역하여〗 …하여 결국, …하고 그리고《종종 until 앞에 콤마가 오며, 또 그 직후에 at last가 오는 일이 있음》: He ran on and on ~ he was completely tired out. 그는 계속 달려서 드디어 녹초가 되었다. **3** 〖부정어를 수반하여〗 …까지 …않다, …이 되어 비로소(…하다): It was *not* ~ I came to Korea that

I learned Chinese characters. 한국에 와서 처음 한자를 배우게 됐다/He did*n't* start to read ~ he was ten years old. 그는 열 살이 되어 비로소 책을 읽기 시작했다. ***unless and ~*** 《시어》 =until.

> [NOTE] (1) **until**과 **till**의 차이 until은 문장의 앞이나 긴 clause 앞에 쓰며, till은 명사나 짧은 clause 앞에 오는 경향이 있음.
> (2) **until, till**과 **by, before**와의 차이 by는 '…까지'의 뜻으로 기한을 나타내며, before는 '…이전에, …하기 전에'의 뜻으로 till, until과 같이 계속의 뜻은 없음: Can you finish your work *by* tomorrow? 내일까지 일을 끝낼 수 있겠습니까. Think well *before* you decide. 결정하기 전에 잘 생각해라.

un·tílled *a.* 경작되지 않은, 미경작의.

◇**un·tímely** *a.* 때가〔철이〕 아닌《서리 따위》, 불시의; 시기상조의, 미숙한; 시기를 얻지 못한〔놓친〕, 계제가 나쁜: die an ~ death 요절하다. **—** *ad.* 때아닌 때에; 계제가 나쁘게; 실기하여. [파] **-li·ness** *n.*

un·tímeous *a.* 《Sc.》 =UNTIMELY.

un·tíring *a.* 지치지 않는, 끈기 있는, 꾸준한, 불굴의. [파] **~·ly** *ad.*

un·títled *a.* 칭호〔직함, 작위〕가 없는; 표제가 없는, (작품명이) 무제(無題)의; 권리가 없는.

◇**un·to** [《모음 앞》 ʌ́ntu, 《자음 앞》 ʌ́ntə, 《문장 끝》 ʌ́ntuː] *prep.* 《고어·시어》 **1** …에, …쪽에: Verily I say ~ you. 진실로 진실로 너희에게 이르노니《요한복음 I:51》. **2** …까지: The soldier was faithful ~ death. 그 병사는 최후까지 충성을 다했다. ★ to와 같지만, 부정사 to의 대용은 안 됨.

ùn·togéther *a.* 《미속어》 혼란한, 산란한, 머리가 돈; 세파에 익숙지 못한, 당황한; 낡아빠진.

un·told [ʌntóuld] *a.* **1** 언급되어 있지〔이야기가 되어 있지〕 않은. **2** 밝혀지지 않은, 비밀로 되어 있는. **3** 말로 다할 수 없는; 셀 수 없는, 무수한, 막대한《재산 등》.

un·tómb *vt.* 무덤에서 파내다; 파헤치다.

un·tóoth *vt.* …의 이를 뽑다.

ùn·touchabílity *n.* [U] 손댈 수 없음; (인도의) 불가촉천민(不可觸賤民).

un·tóuchable *a.* 만질 수 없는, 실체가 없는; 손을 대서는 안 되는; 만지기도 더러운; 손이 닿지 않는; 《비유》 비판〔제어〕할 수 없는, 의심할 수 없는; 견줄 자 없는. **—** *n.* **1** (종종 U-) 불가촉천민(不可觸賤民)《인도 최하층 계급의 사람》 [cf.] pariah, scheduled castes; 〖일반적〗 (사회가) 따돌린 사람. **2** (정직·근면에서) 비난의 여지가 없는 사람. **3** 다루기 귀찮은 것〔생각〕.

un·tóuched [-t] *a.* **1** 손대지 않은, 만지지 않은, 본래대로의. **2** 손상되지 않은; 재해를 입지 않은, 영향을 받지 않은. **3** 언급〔논급〕되지 않은 《*on*》; (음식이) 입을 대지 않은. **4** 마음이 움직이지 않은, 감동되지 않은, 냉정한. [파] **~·ness** *n.*

un·tóward *a.* 운이 나쁜; 귀찮은, 성가신, 다루기 힘든; 고집이 센, 빙퉁그러진; 부적합한; 《고어》 추한, 못생긴.

un·tráceable *a.* 추적할 수 없는; 찾아낼 수 없는; 투사(透寫)할 수 없는.

un·trácked [-t] *a.* **1** 발자국〔인적〕이 없는; 추적〔탐색〕되지 않는. **2** 《구어》 (처음엔 저조하다가) 제실력을 되찾은.

UN Tráde and Devélopment Bòard 유엔 무역 개발 이사회《생략: TDB》.

un·tráined *a.* 훈련되지 않은, 연습을 쌓지 않은; 훈련〔지식, 경험〕이 없음을 나타내는.

un·trámmeled, 《영》 **-melled** *a.* 차꼬를 채

우지 않은; 제한을 받지 않은, 방해〔구속〕받지 않은; 자유로운.

un·tráveled, 《영》 **-elled** *a.* 여행한 일〔경험〕이 없는, 견문이 좁은; 인적이 끊어진, 여행자가 찾지 않는.

un·tráversed [-t] *a.* 횡단〔방해〕되지 않은, 《특히》 여행자의 발길이 닿지 않는, 인적미답의.

un·tréad (*-trod; -trod·den, -trod*) *vt.* (온 길을) 되돌아가다.

un·tréatable *a.* 다룰 수 없는, 대처할 수 없는; (병이) 치료 불가능한, 고칠 수 없는.

un·tréated [-id] *a.* (물건이) (소독·살균·방부 등의) 처리가 되어 있지 않은, 미처리〔미처치〕의; (사람이) 치료를 아직 받고 있지 않은.

un·tríed *a.* 해보지 않은, 아직 실험〔시험〕해 보지 않은; 확인되지 않은; 〖법률〗 미심리의, 공판에 회부 안 된: leave nothing ~ 온갖 일을 다 해보다.

un·trímmed *a.* 정돈이 되어 있지 않은, 베어다듬지 않은; 〖제본〗 도련치지 않은. 「未踏)의.

un·tród(den) *a.* 밟히지 않은; 인적미답(人跡

un·tróubled *a.* 마음을 어지럽히지 않은; 조용한(calm), 침착한. ㊎ **~·ness** *n.*

◇**un·trúe** *a.* **1** 진실이 아닌, 허위의, 거짓의: an ~ statement 허위 진술. **2** 불성실한, 충실하지 않은; 부정(不貞)〔불실〕한《*to*》: be ~ *to* one's principles 자기 주의에 불충실하다. **3** (치수 따위가) 부정확한《*to*》; 표준〔표본, 치수〕에 맞지 않는《*to*》; 부정(不正)한《*to*》: He was ~ *to* type when he said that. 그런 말을 한 것은 그답지 않았다. ㊎ **-trú·ly** *ad.* **~·ness** *n.*

un·trúss *vt.* (다발 따위를) 풀다; 해방하다; (옷 따위를) 벗기다. ── *vi.* 옷을〔바지를〕 벗다.

un·trústworthy *a.* 신뢰할 〔믿을〕 수 없는.

un·trúth (*pl.* **~s**) *n.* Ⓤ 진실이 아님, 허위; Ⓒ 거짓말, 거짓; 《고어》 Ⓤ 불충실, 불실, 부정(不貞).

un·trúthful *a.* 진실〔정말〕이 아닌, 거짓의; 성실하지 못한, 불성실한, 거짓말하는. ㊎ **~·ly** *ad.* **~·ness** *n.*

un·túck *vt.* …의 주름〔단〕을 풀다, 걷어 올린 것을 내리다. 「않은.

un·túned *a.* 가락을 맞추지 않은, 가락이 맞지

un·túrned *a.* 돌려지지 않은, 뒤집혀지지 않은; 선반 가공을 하지 않은: leave no STONE ~.

un·tútored *a.* **1** 정식 교육〔훈련〕을 받지 않은; 조야한; 소박한. **2** 교육〔훈련〕에 의하지 않고 자연히 갖춘, 선천적인.

un·twíne *vt., vi.* =UNTWIST.

un·twíst *vt., vi.* 꼬인 것을 풀다, 끄르다; 꼬인〔비틀린〕 것이 풀리다.

un·týpical *a.* 대표적〔전형적〕이 아닌; 보통이 아닌, 언제나와 다른. ㊎ **~·ly** *ad.* 「되는.

un·úsable *a.* 사용할 수 없는; 소용〔도움〕이 안

un·úsed [ʌnjúːzd] *a.* **1** 쓰지 않는, 사용하지 않는《물건·방 따위》. **2** 쓴 적이 없는, 신품인. **3** [-júːst; 《to가 오면》 -júːstə] 익숙지 않은, 경험이 없는, 손에 익지 않은《*to*》: hands ~ *to* toil 노동에 익숙지 않은 손.

un·úseful *a.* =USELESS.

⁑**un·u·su·al** [ʌnjúːʒuəl, -ʒwəl] *a.* **1** 이상한, 보통이 아닌, 여느 때와 다른. SYN. ⇨ EXTRAORDINARY. **2** 유별난, 색다른, 진기한, 생소한: an ~ hobby. ㊎ **~·ness** *n.*

***un·u·su·al·ly** [ʌnjúːʒuəli, -ʒwəli] *ad.* **1** 전에 없이, 평소와는 달리; 이상하게, 보통과는 달리. **2** 《구어》 몹시, 현저하게, 대단히. **3** 괴상하게.

un·útterable *a.* 말로 표현할 수 없는; 철저한, 순전한, 말도 안되는; 《드물게》 발음할 수 없는. ㊎ **-bly** *ad.* 「묵의.

un·úttered *a.* 말로 표명되지 않은; 무언의, 암

un·válued *a.* 중요시〔존중〕되지 않는, 경시된; 미평가〔미감정〕의.

un·várnished [-t] *a.* 니스를 칠하지 않은; 《비유》 꾸밈이 없는, 있는 그대로의, 솔직〔소박〕한.

un·várying *a.* 불변의, 한결같은, 일정한. ㊎ **~·ly** *ad.*

◇**un·véil** *vt., vi.* **1** 베일을〔덮개를〕 벗(기)다; 제막식을 행하다: ~ a statue 동상의 제막식을 거행하다. **2** 《비유》 정체를 드러내다, 가면을 벗다; (비밀 따위를) 밝히다, 털어놓다. *an ~ing ceremony* 제막식.

un·véntilàted [-id] *a.* 환기(換氣)되지 않은; (문제 따위가) 공개적으로 토론되지 않은; (의견이) 표명되지 않은.

un·vérifiable *a.* 증명〔입증〕할 수 없는.

un·vérified *a.* 증명〔입증〕되지 않은.

un·vérsed [-t] *a.* 통달〔숙달〕하지 못한, …에 밝지 못한《*in*》.

un·véxed [-t] *a.* 화나지〔초조하지〕 않은, 냉정한, 침착한; 조용한(calm). 「**bílity** *n.*

un·víable *a.* 성장〔발전〕할 수 없는. ㊎ **un·via-**

un·vóiced [-t] *a.* 목소리로 내지 않은, 말하지 않은; 〖음성〗 무성(음)의, 무성화(無聲化)한. cf. voiceless.

un·vóuched [-t] *a.* 증명〔보증〕되지 않은《*for*》.

un·wáged *a.* 《영》 **1** 무임금의, 직업이 없는. **2** (the ~) 〖명사적〗 실업자들.

un·wánted [-id] *a.* 볼일이 없는, 한가한; 불필요한, 있으나 마나한, 쓸모없는; (성격 따위가) 바람직하지 못한, 결점이 있는. 「불의(不意)의.

un·wárned *a.* 경고받지 않은, 예고되지 않은,

un·wárrantable *a.* 정당하다고 인정할 수 없는, 변호할 수 없는; 부당한, 무법의.

un·wárranted [-id] *a.* **1** 보증되지 않은, 보증이 없는. **2** 공인되지 않은, 부당한.

◇**un·wáry** (*-war·i·er; -i·est*) *a.* 부주의한, 조심하지 않는, 방심하는; 경솔한. ㊎ **-wárily** *ad.* **-wári·ness** *n.*

un·wáshed [-t] *a.* **1** 씻지〔빨지〕 않은; 불결한, 더러운. **2** 하층민의, 서민의, 무지한. ── *n.* (the (great) ~) 《경멸》 하층민, 하층 사회.

un·wátermarked [-t] *a.* 은화(隱畫)가 없는 《우표 따위》.

un·wávering *a.* 동요하지 않는; 확고한, 의연(毅然)한. ㊎ **~·ly** *ad.* 「않은.

un·wéaned *a.* 이유(離乳)되지 않은, 젖을 떼지

◇**un·wéaried** *a.* 지치지 않은; 지칠 줄 모르는; 끈기 있는, 근면한. ㊎ **~·ly** *ad.* **~·ness** *n.*

un·wéathered *a.* 풍화(風化)의〔풍우를 맞은〕 흔적이 안 보이는.

un·wéave (*-wove; -woven, -wove*) *vt.* (실·피륙 따위를) 풀다, 풀리게 하다.

un·wéd, -wédded *a.* 미혼의(unmarried), 독신의: an ~ mother 미혼모. 「라는, 경솔한.

un·wéighed *a.* 무게를 달지 않은; 생각이 모자

un·wéight *vt., vi.* …에서 무게를 빼다〔줄이다〕, 체중을 옮겨 (스키 따위)에 얹힌 힘을 빼다.

◇**un·wélcome** *a.* 원치 않는, 달갑지 않은, 역겨운, 언짢은, 맞이하기 싫은《손님 등》: an ~ guest 달갑지 않은 손님 / Since my presence seems ~ *to* you, I shall leave! 내가 있는 것이 거북하신 것 같으니 떠나겠습니다.

un·wéll *a.* 불쾌한, 기분이 좋지 않은, 찌뿌드드한; 《완곡어》 생리 중인.

un·wépt *a.* 울어〔슬퍼해, 애도해〕 주지 않는; 《드물게》 나오지 않는《눈물》.

un·wét *a.* 젖지 않은, (특히 눈에) 눈물이 없는.

un·whólesome *a.* **1** (육체〔정신, 도덕〕적으로) 불건전한; 건강에 좋지 않은《공기·방 등》, 몸에 해로운; 부패한《음식 따위》. **2** 병자 같은《안색 따위》. **3** 불건전한, 유해한《문학 등》. ㊎ **~·ly** *ad.*

un·wíeldy (*-wield·i·er; -i·est*) *a.* 다루기 힘든〔버거운〕; 비실제적인; 《드물게》 모양이 없는; 거대한. ㊥ **-wíeldily** *ad.* **-wíeldiness** *n.*

un·wílled *a.* 의도적이 아닌, 고의가 아닌.

un·will·ing** [ʌnwíliŋ] *a.* 내키지 않는, 마지못해 하는, 본의가 아닌; 반항적인, 말을 듣지 않는: be ~ *to* go 가고 싶어하지 않다 / He was ~ *for* his poems *to* be published. 그는 자기 시가 출판되는 것을 좋아하지 않았다. ***willing or ~ 좋든 싫든 간에. ㊥ ◇~·**ly** *ad.* ~·**ness** *n.*

un·wínd [-wáind] (*p., pp.* ***-wound***) *vt.* (감은 것을) 풀다; (엉킨 것을) 풀다; …의 긴장을 풀게 하다; (혼란·분규 등을) 해결하다. — *vi.* (감은 것이) 풀리다; 긴장이 풀리다.

un·wind·ase [ʌnwáindeis, -deiz] *n.* 〖유전〗 언와인드 효소(酵素)(unwinding protein) 《DNA의 복제 전에 DNA의 나선상 구조를 풀어 DNA의 주형(鑄型)을 교정하는》.

unwínding prótein 〖유전〗 언와인드 단백질(unwindase).

un·wínking *a.* 눈을 깜박이지 않는; 방심하지 않는. ㊥ ~·**ly** *ad.*

un·wínnable *a.* 이길 수 없는, (성 따위가) 난공불락의.

un·wísdom *n.* Ⓤ 무지, 우둔; Ⓒ 어리석은 언행, 경거(輕擧).

un·wíse *a.* 지각〔분별〕 없는, 지혜가 없는, 어리석은, 천박한; 상책이 아닌. ㊥ ~·**ly** *ad.* ~·**ness** *n.*

un·wíshed(-fòr) *a.* 원하지〔바라지〕 않는.

un·wít *vt.* 발광하게 하다, 미치게 만들다(derange).

un·wítting *a.* 모르는, 의식하지 않은, 부지불식간의, 생각나지 않는. ㊥ ~·**ly** *ad.* 뜻하지 않게, 부지중에. ~·**ness** *n.*

un·wómanly *a.* 여자답지 않은, 여자로서 있을 수 없는, 남자 같은.

◇**un·wónted** [-id] *a.* 이례적인, 드문, 특이한; 《고어》 익숙지 않은. ㊥ ~·**ly** *ad.* ~·**ness** *n.*

un·wóoed *a.* 구혼〔구애〕받지 못하는.

un·wórkable *a.* 실행〔실시, 사용〕 불가능한, 쓸모없는; 가공〔세공〕하기 어려운.

un·wórldly *a.* 세속을 떠난, 탈속적인, 명리(名利)를 떠난; 정신〔심령〕계의, 천상(天上)의; 세속에 물들지 않은, 소박한. ㊥ **-liness** *n.*

un·wórn *a.* 닳지〔손상되지〕 않은, 입어 낡지 않은; (정신·감각 등이) 청신한; (옷이) 입(어보)지 않은, 새로운.

***un·wor·thy** [ʌnwə́ːrði] (*-thi·er; -thi·est*) *a.* **1** (도덕적으로) 가치 없는, 존경할 가치가 없는, 하찮것없는, 하찮은, 비열한: an ~ person 보잘것없는 사람. **2** 지위·명예 따위에 맞지 않는. **3** …을 할 가치가 없는, …에 부족한《*of*》; …로서 부끄러운, …에 알맞지 않은, …에 어울리지 않는《*of*》: an ~ son 자식이라기에는 부끄러운 아들 / ~ *of* praise 칭찬받을 만하지 않은 / Such a conduct is ~ *of* a gentleman. 그런 짓은 신사답지 못하다 / I feel ~ *of* receiving the prize. 나는 그 상을 받을 만한 자격이 없다고 생각한다. — *n.* 가치〔쓸모〕 없는 인간. ㊥ **un·wórthily** *ad.* **un·wórthiness** *n.*

un·wóund [-wáund] *a.* 감긴 것이 풀린; (나사를) 감지 않은.

un·wóve UNWEAVE의 과거·과거분사.

un·wóven UNWEAVE의 과거분사. — *a.* 짜지 않은.

un·wráp (*-pp-*) *vt.* …의 포장을 풀다, (꾸러미 따위를) 끄르다, 열다; (감은 것을) 펴다; 명백히 하다. — *vi.* (포장·꾸러미가) 풀리다, 열리다.

un·wréathe *vt.* (감긴 것을) 풀다, (꼬인 것을) 풀다.

un·wrínkle *vt.* 주름을 펴다, 반반하게 하다. — *vi.* 주름이 펴지다, 반반해지다.

un·wrítten *a.* 씌어 있지 않은, 기록해 두지 않은; 구두〔구전〕의, 구비(口碑)에 의한; 불문의; 백지인 채로의《페이지 따위》.

unwrítten constitútion 불문(不文)헌법. ★ 영국의 헌법이 이에 해당.

unwrítten láw **1** 관습법, 불문법(common law). ⓒⓕ statute. **2** (the ~) 불문율《특히 정조 유린 등에 대한 보복 행위를 어느 정도 정당화하는 원칙》.

un·wróught *a.* 마무리하지 않은; 제작〔제조〕되지 않은; (금속 등이) 가공〔세공〕되지 않은; 채굴하지 않은; 미개발의.

un·yíelding *a.* 굽히지〔양보하지〕 않는, 단호한, 고집이 센; 유연성〔탄력〕이 없는, 단단한, 굳은. ㊥ ~·**ly** *ad.* ~·**ness** *n.*

un·yóke *vt.* (소 따위의) 멍에를 벗기다, 해방하다; 풀어놓다, 분리하다. — *vi.* 《고어》 마소(따위)의 멍에를 풀다; 일을 그만두다.

un·zíp (*-pp-*) *vt.* (…의) 지퍼(zipper)를 열다; 《미속어》 (방어를) 쳐부수다, (저항을) 물리치다; 《미속어》 (일을) 해결하다, (문제를) 풀다. — *vi.* 지퍼가 열리다.

un·zípped [-t] *a.* 《미속어》 =UNGLUED; 우편번호(zip code)를 쓰지 않은.

U. of S. Afr. Union of South Africa.

†**up** ⇨《p. 2732》 UP.

U.P., u.p. [júːpíː] *ad.* 《속어》 망쳐서(up) 《*with*》: It's all *U. P.* with him. ⇨ ALL up.

up- [ʌp] *pref.* up의 뜻: **1** 부사적 용법으로 동사 (특히 그 과거분사) 및 동명사에 붙임《주로 고어·문어》: *up*lifted, *up*bringing. **2** 전치사적 용법으로 부사·형용사·명사를 만듦: *up*stream. **3** 형용사적 용법: *up*land.

UP, U.P. 〖교회〗 United Presbyterian(연합 장로파); 《미》 United Press. **UP, up., u.p.** underproof ((술이) 표준 강도 이하). **up.** upper.

ùp·ánchor *vi.* 닻을 올리다; 〖명령형〗 《속어》 떠나가다.

úp and (a) dówner 《영구어》 격렬한 언쟁, 소동, 대판 싸움, 분쟁.

úp-and-cóming [-ənd-] *a.* 기민한, 정력적인, 활동적인, 진취적인; 유망한; 신진의. ㊥ **-cómer** *n.* 정력가; 전도유망한 자.

úp-and-dówn [-ən-] *a.* **1** 오르내리는, 기복이〔고저가〕 있는; 《비유》 성쇠가 있는 《운명 따위》. **2** 《미》 경사가 가파른, 수직의. **3** 《미》 단호한, 명확한, 순전한; 《영》 =ROUGH-AND-TUMBLE: an ~ lie 새빨간 거짓말. — *n.* 《미속어》 (아래위로) 쓱 훑어봄(=**úp and dówn**).

úp-and-óver [-ənd-] *a.* (문이) 들어 올려져 수평으로 열리는.

úp-and-rúnning *a.* 당장 실행 가능한, 현재 진행 중인.

úp-and-úp [-ənd-] *n.* 〔다음 관용구로〕 ***on the*** ~ 《구어》 정직하게, 정당〔성실〕하게; 순조롭게; 《구어》 잘되어, 번영하여, 진보〔성공〕하여: Business is *on the* ~. 장사는 잘돼 간다.

Upan·i·shad, -sad [uːpǽniʃæ̀d, uːpɑ́ːniʃɑ̀ːd / -pʌ́niʃəd, -pǽn-] *n.* 《Sans.》 우파니샤드《옛 인도의 철학서》.

upas [júːpəs] *n.* **1** 〖식물〗 우파스나무(=∠ **trèe**) 《열대 아시아산》. **2** Ⓤ 우파스 독《1에서 채취한 독액; 독화살에 쓰임》. **3** Ⓤ 《비유》 독; 해독, 악영향.

úp·bèat *n.* **1** 〖음악〗 **a** 여린박. **b** 여린박을 나타내는 지휘자의 동작; 《미속어》 곡의 잘 알려진 1절. **2** (경기(景氣) 등의) 상승 경향. — *a.* 오름세의; 낙관적인, 명랑한, 오락적인, 경쾌한.

ùp·bláze *vi.* 타오르다.

ùp·bórne *a.* 들어 올려진; 받쳐진.

úp·bóund *a.* 북쪽으로〔대도시, 상류로〕 향하는〔통하는〕.

úp-bòw *n.* 〖음악〗 (현악기 운궁법(運弓法)에서)

up

up(↔down)의 중심적 말뜻은 go *up* (the hill), live half a mile *up* (the river)에서 볼 수 있듯이 '(…을) 올라가' '(…의) 좀더 위쪽으로〔에, 에서〕'이며, 아래에서 위로 향하는 방향·이동의 뜻을 내포하고 있다. 이런 점에서 '위'를 나타내는 above, on, over 따위와 다른 특징이 있다. 이러한 내포된 뜻을 유지하면서 공간적 위치 관계에서 출발하여 광범위한 비유적 표현에 쓰인다. 특히 중요한 전치사적 부사(prepositional adverb)로서 get *up*, take *up* 따위 각종 동사와 결합하여 많은 숙어동사를 만든다. 본항의 부사 중 The sun is *up*., What's *up*?, It's *up* to you. 따위 보어의 위치에 있는 up는 흔히 형용사로서 분류되지만 여기서는 편의상 부사로 했고, 형용사는 an *up* train 따위에서와 같이 부가어적인 경우에 한했다.

up [ʌp] *ad.* (비교 없음) 《be 동사와 결합 시는 형용사로 볼 수도 있음》 OPP. *down*. **1** 〔방향〕 **a** (낮은 위치에서) 위(쪽으)로, 위에, 올라가: look *up* 올려다보다/put *up* a flag 기를 올리다/pull one's socks *up* 양말을 끌어올리다/lift one's head *up* 머리를 (쳐)들다/take *up* a book 책을 집어들다/Hands *up*! 손들엇; 손을 들어 주십시오/*Up* you come! 올라오너라/Show her *up*. 그녀를 위로〔2층으로〕 안내하시오. **b** (물속에서) 수면으로, 지상에: come *up* to the surface (of the water) 수면에 떠오르다/The whale came *up* out of the water. 고래가 물속에서 나왔다. **c** 〔종종 be의 보어로 쓰이어〕 몸을 일으켜, (자리에서) 일어나; 서서, 곧추 서서: stand *up* 일어서다/be 〔stay〕 *up* all night 밤새도록 (자지 않고) 일어나 있다/Get *up*! 일어나, 일어서/Kate, are you *up*? 케이트, 일어나 있습니까/*Up* with you, you lazy boy! 일어서, 이 게으름뱅이야!/*Up* (with) the workers! 근로자여 일어나라〔궐기하라〕. **d** (먹은 것을) 토하여, 게워: bring one's lunch *up* 점심 먹은 것을 게우다. **e** 〔be의 보어로 쓰이어〕 올라가: The flag is *up*. 기가 올라가 있다/The blinds are all *up*. 블라인드는 전부 걷어 올려져 있다. **f** 〔종종 be의 보어로 쓰이어〕 (건물이) 세워져: put *up* a house 집을 짓다/Part of the building is *up*. 그 건물의 일부는 이미 세워져 있다.

2 〔위치〕 높은 곳에(서), 위쪽에(서): The boy is *up* in the tree. 아이는 나무 위에 올라가 있다/The office is *up* on the top floor. 사무소는 제일 위층에 있다/Put it *up* there on the rack. 그것을 저 그물선반 위에 놔두어라.

3 〔종종 be의 보어로 쓰이어〕 (천체가) 하늘에 떠올라: The moon rose *up* over the horizon. 달이 지평선 위에 떠올랐다/The sun is *up*. 해가 떠올랐다.

4 a 《구어》 (일·문제 등이) 일어나; (사람이) 나타나: What's *up*? 무슨 일인가, 어떻게 된 거야/Is anything *up*? 무슨 일이 있는가/She showed *up* at last. 그녀는 마침내 나타났다. **b** (의논·화제 등에) 올라: bring *up* the subject 그 화제(話題)를 꺼내다/The matter came *up* for discussion again. 그 문제는 다시 논의〔의제〕에 올랐다. **c** (범죄 따위로) 고소되어 《*for*》; 판사〔법정〕 앞에: The unprecedented case was brought *up* before the Supreme Court. 그 전대미문의 사건은 대법원에까지 넘어왔다.

5 〔주로 전치사와 결합하여〕 **a** (특정한 장소·말하는 이가 있는) 쪽으로, …로(을) 향하여, 접근하여; …까지, …로: A stranger came *up* to me. 낯선 사람이 나에게로 왔다/I'll be *up* at your place by ten. 열 시까지 댁으로 가겠습니다/Bring him *up* to my house. 그를 내 집에 데려오시오. **b** 《영》 (수도·대학 등을) 향해 《대학은 주로 Oxford, Cambridge를 가리킴》; 상경하여〔중에〕: be *up* at 〔to〕 Oxford 옥스퍼드 대학에 재학 중이다〔진학하다〕/go *up* to town 〔London〕 읍〔런던〕으로 나가다/go *up* from the country 시골에서 상경하다.

6 a 《미》 (지도상의) 북(쪽)으로; 《영》 (지방에서) 중심지로; (상업 지역에서) 주택 지역으로: as far *up* as Alaska 북쪽은 알래스카까지/take the train from Brighton *up* to London 《영》 브라이턴에서 런던행(行) 열차를 타다/We went *up* North. 《미》 우리는 북부로 갔다/*Up* in the north they live warmed by the fire. 북녘(지방)에서는 사람들이 난롯불로 온기를 취하며 산다. **b** 고지(高地)로, (연안에서) 내륙으로〔에〕; (강의) 상류에; 〖해사〗 바람 불어오는 쪽으로: sail *up* 배로 강을 거슬러 오르다/follow a stream *up* to its source 개울을 거슬러 올라 수원(水源)에 이르다.

7 a (지위·가치·정도 따위가) 올라가, 높아져; 커져, 자라(서): bring *up* a child 어린애를 기르다/go 〔come〕 *up* in the world 출세하다/move *up* in a firm 회사에서 승진〔출세〕하다/He is *up* at the head of his class. 그는 반의 톱이다. **b** 〔종종 be의 보어로 쓰이어〕 (물가 따위가) 올라, 높아져; (양이) 불어(나); (속도·음성·음량·온도 따위를) 더 크게, 더 올려〔높여〕: speed *up* 속도를 올리다/speak *up* 목소리를 높이다/turn the radio *up* 라디오의 볼륨을 높이다/Prices are *up*. 물가가 올라 있다/The river is *up*. 강물이 불어났다/The tide is *up*. 밀물이다/The temperature is *up* 2 degrees today. 오늘은 온도가 2도 높다/pump *up* a tire 타이어에 바람을 넣다/Hurry *up*! 서둘러라. **c** (…에서) —까지, (…부터) 이후에 걸쳐: from childhood *up* 어린 시절부터 죽〔현재까지〕/from sixpence *up*, 6펜스 이상/from his youth *up* to his old age 그의 청년 시절부터 노년에 이르기까지. **d** 〔be (well 〔《미》 way〕) up으로〕 《구어》 (…에) 정통하여, 잘 알고 《*in; on*》: She *is* (*well*) *up in* French literature. 그녀는 불문학에 밝다/Prof. Kim *is well up on* Oriental art. 김교수는 동양 미술에 조예가 깊다.

8 〔종종 be의 보어로〕 **a** 세〔기운〕차게; 활발하게; 시동을 걸어; 흥분하여: cheer *up* 기운을 내다/stir *up* trouble 분쟁〔말썽〕을 일으키다/pluck *up* (one's) courage 용기를 내다/start *up* the engine 엔진에 시동을 걸다/His temper is *up*. 그는 잔뜩 화가〔성이〕나 있다/Blow the fire *up*. 불어서 불기운을 세게 해라/All the village was *up*. 온 마을이 발칵 뒤집혔다. **b** 《문어》 (싸우려고) 분발하여: The team is *up* for the game. 팀은 경기를 앞두고 정신 무장이 돼 있다.

9 a 〔종결·완성·충만 따위를 나타내는 강조어로서 동사와 함께〕 완전히, 모두; (모두) 다 …하다: eat *up* 다 먹(어 버리)다/pay *up* (빚을) 모두 갚다/clean *up* the room 방을 깨끗이 치우다/Finish it *up* now! 지금 그것을 모두 끝내어라/The house burned *up*. 집이 전소(全燒)됐다/He pumped *up* the tires. 그는 타이어에 공기를 가득 채워 넣었다/⇨ DRESS up, END up, WRITE up. **b** 〔be의 보어로 쓰이어〕 (시간이) 다 되어, 끝나; (사람이) 이젠 글러, 잘못되어: Time's *up*. 시간이 다 됐다/It's all *up* 〔《속어》 U.P. [jú:pí:]〕

(with him). (그는) 이제 글렀다〔틀렸다〕, 끝장이다/When *is* your leave *up*? 자네(의) 휴가는 언제 끝나는가/Parliament *is up*. 의회가 폐회되었다. **c** 〖합체를 나타내는 동사와 함께〗 전부, 모두, 함께; 한데 모아〔합쳐〕; 겹쳐 쌓아(서): add *up* figures 숫자를 합계하다/collect 〔gather〕 *up* fallen apples 떨어진 사과를 한데 모으다/tally *up* the voting 투표 수를 집계하다. **d** 〖분할을 나타내는 동사와 함께〗 뿔뿔이 된 상태로; 잘게, 토막토막, 조각조각: tear *up* the newspaper 신문지를 갈가리 찢어발기다/The meeting broke *up*. 회의는 산회(散會)했다/The bomb blew *up*. 폭탄이 폭발했다. **e** 〖접합·부착·폐쇄 등을 나타내는 동사와 함께〗 단단히 (고정한〔막은, 결합된〕 상태로), 꽉 채워: nail *up* a door 문에 못을 지르다/pack *up* one's things 짐을 꾸리다/stop *up* a hole 구멍을 막다/tie *up* the parcel with string 소포를 끈으로 단단히 묶다.

10 〖동사와 결합하여〗 **a** 무활동〔정지, 중지〕 상태로; 죽치어: be laid *up* with a cold 감기로 누워 있다/The car pulled *up*. 차가 멈추었다. **b** 따로 떼어, 저축〔저장〕하여; 보관하여: store *up* food for the winter 겨울에 대비하여 식량을 저장하다/save *up* money to buy a car 차를 사기 위해 돈을 저축하다.

11 〖도달〗 (수준 따위에) 달하여, 미치어, 따라붙어; 뒤지지 않게: catch *up* 따라잡다/keep *up* with the times 시대에 뒤지지 않고 따라가다.

12 〖be의 보어로 쓰이어〗 《영》 (도로가) 공사 중에: The road is *up*. 그 도로는 보수 중이다/"Road *Up*" 《게시》 도로 공사 중《흔히, 통행 금지》.

13 〖경기〗 **a** (…점) 이기어, (상대에게·경기에서) 리드하여《*on*; *in*》: Our football team is two goals *up*. 우리 축구팀이 2점 리드하고 있다. **b** 《미》 (득점은 쌍방이) 각기: The score is 2 *up*. 스코어는 2 대 2 다.

14 〖야구〗 (타자가) 타석에〔으로〕; (팀이) 공격 중에: two hits three times *up*, 3타석 2안타/You're *up* next. 다음 타석은 자네다/Who is coming *up* next? 다음 타순은 누군가.

be not up to much (가치가) 대단치 않다. ***be up against*** (difficulties 〔obstacles〕) (어려움〔장애〕)에 직면하여〔부닥쳐〕 있다, 궁지에 빠져 있다. ***be up against it*** 《미》 (경제적으로) 궁핍해 있다. ***be up and about*** 〔***around***〕 (환자가) 자리를 털고 일어나 있다; (건강해져서) 활동하다: She *is* now *up and about* again. 그녀는 이제 전처럼 다시 건강해져 있다. ***be up and coming*** 〔***doing***〕 《미》 활동적〔적극적〕이다, 크게 활약하고 있다: You must *be up and doing*. 자넨 크게 활동해야 한다. cf. up-and-coming. ***be up over with*** …은 끝장이다〔다 틀렸다〕. ***be*** (***well***) ***up in*** 〔***on***〕 ⇨ 7 d. ***It's all up*** (***with***) ⇨ 9 b. ***up and down*** ① 왔다갔다, 여기저기: look for it *up and down* 여기저기 그것을 찾다(⇨ *prep.* up and down). ② 아래위로: The float bobbed *up and down* on the water. (낚시)찌는 물에 떴다 잠겼다 했다. ***up close*** 《구어》 바로 곁에(서), 접근하여. ***up for...*** ① …의 후보로 올라, 입후보하여: His name is *up for* election. 선거의 후보로서 그의 이름이 나와 있다. ② (재판을 위해) 출정(出廷)하여; (시험 따위를) 받고. ③ (팔려고) 내놓아져: The house was *up for* sale 〔auction〕. 그 집은 팔려고〔경매에〕 내놓았다. ***up on ...*** ① ⇨ 7 d, 13 a. ② 《미》 (내기돈이 말·경기 따위)에 걸려. ③ 《구어》 …보다 나아져, 이상이 되어. ***up there*** 저 높은 곳에; 천국에; (단순히) 저쪽에(서). ***up till*** = TILL, UNTIL. ***up to...*** ① 〖시간·공간적으로〗 (최고) …까지, …에 이르기까지: count *up to* ten, 10까지 세다/*up to* this time 〔now〕 이때까지, 지금까지/*Up to* four passengers may ride in a taxi. 택시에는 네 사람까지(는) 탈 수 있다/⇨ up to the 〔one's〕 EARS, up to the 〔one's〕 NECK, up to DATE, up to the MINUTE. ② 〖흔히 부정·의문문에서〗 …와 나란히, …에 필적하여〔맞먹어〕 《up with ... 라고도 함》; (기대 따위)에 부응하여〔미치어〕; 〖부정적〗 …만 못하여: keep *up to* her 그 여자에 뒤지지 않고 따라가다/Was the film *up to* your expectations? 그 영화는 기대했던 것만큼 좋았습니까/He is *not up to* his father as a scholar. 학자로서 그는 자기 아버지만 못하다. ③ 〖흔히 부정문에서〗 (일 따위)를 (감당)할 수 있어, …에 견디어: He is *not up to* his job. 그는 그 일을 (감당)할 수 없다. ④ (좋지 않은 일)에 종사하고, (못된) 일을 꾀하고〔꾸미고〕: What's he *up to*? 그는 무엇을 하고 있나/He's *up to* no good. 그는 못된 짓을 꾀하고 있다. ⑤ 《구어》 (아무)의 의무〔책임〕인, (아무)가 해야 할, …에게 맡겨져〔달려〕: It's *up to* you (to decide). (결정은) 자네에게 달렸다/The final choice is *up to* you. 최후의 선택은 자네에게 달려 있네. ⑥ (계략 따위)를 깨닫고〔알아채고〕, …을 잘 알고: I was *up to* her tricks. 그녀의 계략〔수법〕을 잘 알고 있었다. ***up to a thing or two*** 빈틈없는, 약삭빠른(shrewd). ***up with ...*** ① …에 따라붙어, …와 동등하여. ② ⇨ 1 c. ***Up yours.*** 《속어》 〖혐오·반항 따위를 나타내어〗 그따위 알게 뭐야, 염병할, 빌어먹을, 제기랄.

— *prep.* **1** (낮은 위치·지위 따위에서) …을 올라가, …을 올라간 곳에; …의 높은 쪽으로〔에〕: climb *up* a ladder 사닥다리를 올라가다/live halfway *up* the mountain 산 중턱에 살고 있다/My room is *up* the stairs. 내 방은 위층에 있다/He is well *up* the social ladder. 그의 사회적 지위는 매우 높다. SYN. ⇨ ON.

2 (어떤 방향을 향하여) …을 따라〔끼고〕(along); (말하는 이로부터) …의 위〔저〕쪽에〔으로〕: walk *up* the street 〔road, land〕 길을 따라서 가다/He lives *up* the street. 그는 이 거리의 위쪽에 살고 있다.

3 (강 따위의) 상류로〔에〕, 수원〔안쪽〕으로: be *up* (the) river 강 상류에 있다/advance *up* the corridor 복도를 안쪽으로 나가다.

4 (어느 지역의) 내부〔오지〕로〔에〕; (해안에서) 내륙으로〔에〕; …의 북(부)에〔으로〕: travel *up* (the) country 오지로〔내륙으로〕 여행하다/live a few miles *up* the coast 해안에서 수마일 내륙에 살다.

5 (바람·흐름 등을) 거슬러, …의 반대 방향에: go *up* the wind 바람을 거슬러 나가다/row *up* the current 흐름을 거슬러 저어가다.

6 (무대) 뒤쪽〔안쪽〕에(서). ***up and down*** …을 왔다갔다, 이리저리: walk *up and down* the station platform 플랫폼을 왔다갔다 하다(⇨ *ad.* up and down).

— *a.* 위로 향하는, 올라가는, 상행(上行)의; 《해커속어》 움직이고 있는: on the *up* grade 치받이에〔의〕; 개선〔개량〕 쪽을 향하여/an *up* train 상행 열차/the *up* line (철도의) 상행선/The system is *up*. 컴퓨터는 작동하고 있다.

— *n.* **1** Ⓒ 상승, 오르막, 치받이; 오르막의 사람; 상행〔북상(北上)하는〕 열차〔전동차, 버스〕. **2** (the ~) (타구(打球)가 바운드하여) 튀어오르는 상태: hit a ball on the *up* 튀어오르는 공을 치다. **3** 《미속어》 각성제.

on the up (***and up***) ① 《미구어》 정직한, 신뢰할 수 있는, 공정한. ② 《영구어》 (사업·회사 등이) 순조로워; 호조를 보여. ***ups and downs*** ① (길 따위의) 오르내림, 기복(起伏): a house full of

ups and downs 작은 층계 따위가 많은 집/farmland full of *ups and downs* 기복이 많은 농지. ② 변동, 부침(浮沈), 영고성쇠(榮枯盛衰): the *ups and downs* of fate 〔life〕 운명〔인생〕의 부침.
— (*-pp-*) *vi.* **1** 《구어》〖보통 ~ and+동사의 꼴로〗 갑자기 …하기 시작하다〔하다〕: He *~ped and* said. 갑자기 그는 입을 열었다. ★ 이 뜻으로 up은 종종 무변화로 3인칭 단수 현재형으로도 쓰임: He *up and* left. 그는 갑자기 떠나갔다. **2** 〖종종 권고·명령·격려로〗 일어나다, 서다: *Up,* men, and fight. 병사들이여, 일어나 싸워라. **3** (무기·팔 따위를) 쳐들다, 휘두르다. **4** 《미속어》 각성제를 복용〔주사〕하다. — *vt.* **1** 들어〔끌어〕올리다. **2** (노임·가격 따위를) 올리다; (생산 따위를) 늘리다.

활을 위로 밀어 올리기. ★ 악보에 V로 표시됨.

°**up·braid** [ʌpbréid] *vt.* 《~+목/+목+전+명》 **1** 신랄하게 비판〔비난, 질책〕하다《*for; with*》: ~ a person *with* his ingratitude 〔*for* being ungrateful〕 아무의 배은(背恩)을 비난하다. **2** (일이) …을 비난하는 것이 되다. **3** 《고어》 (아무)에게 욕지기나게 하다. — *vi.* 《고어》 비판하다. ㊞ **~·er** *n.*

up·bráiding *a.* 비난〔책망〕하는 (듯한). — *n.* Ⓤ 질책, 비난, 비판. ㊞ **~·ly** *ad.*

up·brínging *n.* Ⓤ (유년기의) 양육, 교육, 가정교육.

up·buíld (*p., pp.* ***-built***) *vt.* 설립하다; 쌓아올리다; 발전시키다, 개량하다.

UPC, U.P.C. Universal Product Code.

úp·càst *a.* 올려 던진; 치뜬《눈 따위》. — *n.* Ⓤ 올려 던지기; Ⓒ 올려 던진 물건; 〖광산〗 배기갱(排氣坑). — [ˊˋ] *vt.* 올려 던지다.

úp·chàrge *n.* 추가〔할증〕 요금.

úp·chùck *vi., vt.* 《구어》 토하다, 게우다. — *n.* 토함.

úp·còming *a.* 다가오는, 이윽고 나타날〔공개될〕(forthcoming).

ùp·convért *vt.* 〖전자〗 (입력 신호 따위를) upconverter로 변환하다.

ùp·convérter *n.* 〖전자〗 업컨버터《입력 신호의 주파수를 높여서 출력하는 변환기》.

úp·còuntry *n.* (the ~) 내륙, 오지(奧地). — *a.* 내지〔오지〕의; 《경멸》 시골티 나는, 순진한. — *ad.* 내륙으로〔에〕, 오지로〔에〕.

úp·cùrve *n.* 상승 곡선.

up·dáte *vt.* (책이나 숫자를) 새롭게 하다, 최신의 것으로 하다(bring up to date); 〖컴퓨터〗 갱신하다《절차를 따라 최신 정보를 사용하여 기본 파일을 수정하다》. — *n.* [ʌ́pdèit] Ⓤ,Ⓒ 새롭게 하기, 경신; 최신 정보; 〖컴퓨터〗 (데이터의) 갱신; 최신 정보. — *a.* 《미속어》 최신의, 첨단을 걷는.

ùp·dó *n.* 머리를 모아 위로 올리는 스타일. ★ upswept hairdo라고도 함.

úp·dràft *n.* 기류〔가스〕의 상승(운동), 상향 통풍.

up·énd *vt.* (나무통 등을) 세우다, 일으켜 세우다; 뒤집다, 거꾸로 하다〔놓다〕; 《구어》 충격을 주다, 깜짝 놀래다; 《구어》 완패시키다. — *vi.* 서다.

úp-from-the-ránks *a.* 낮은 신분〔지위〕에서 출세한.

úp·frònt *a.* 《구어》 솔직한; 맨 앞줄의; 중요한; (기업 등의) 관리 부문의; 눈에 띄는; 선행 투자의, 선불의.

up·gáther *vt.* (정보 등을) 모으다, 수집하다.

úp·gràde *n.* 《미》 오르막, 치받이; 증가, 향상, 상승; 〖컴퓨터〗 업그레이드《제품의 품질·성능 등이 좋아짐》. ***on the*** **~** 오르막에; 잘되어, 향상〔상승〕하고 있는, 개선되어. — [ˊˋ] *a., ad.* 《미》 치받이의〔에〕. — [ˋˊ, ˊˋ] *vt.* **1** (직원 등을) 승격시키다; 더 한층 숙련을 요하는 일을 담당시키다. **2** (제품의) 질을 높이다; (가축의) 품종을 개량하다. **3** 〖상업〗 (하급품을) 상급품으로 취급하다《비싼 값을 매기기 위해》.

úp·gròwth *n.* Ⓤ 성장, 발육, 발달; Ⓒ 성장〔발육〕물.

°**up·heav·al** [ʌphíːvəl] *n.* **1** 들어올림; 〖지학〗 융기. **2** 《비유》 (사회 등의) 대변동, 동란, 격변.

up·heave [ʌphíːv] (*p., pp.* ***~d, -hove*** [-hóuv]) *vt.* **1** 들어〔밀어〕올리다, 상승〔융기〕시키다. **2** 극단으로 혼란시키다. — *vi.* 치오르다; 상승〔융기〕하다(rise).

up·held [ʌphéld] UPHOLD의 과거·과거분사.

°**up·hill** [ʌ́phil] *a.* **1** 오르막의, 올라가는, 치받이의《길 따위》; 높은 곳에 있는; 높은 쪽의: The road is ~ all the way. 길은 내내 오르막이다. **2** 《비유》 힘드는, 어려운: an ~ work 힘이 드는 일. — *ad.* 치받이를 올라, 고개 위로, 언덕 위로. — [ˊˋ] *n.* 치받이, 오르막(길).

up·hold** [ʌphóuld] (*p., pp.* ***-held [-héld]) *vt.* **1** (떠)받치다, (들어)올리다: ~ one's eyes 쳐다〔올려다〕보다. **2** 지지〔시인, 변호〕하다; 《영》 유지〔관리〕하다; 《Sc.》 단언하다: I cannot ~ such conduct. 그런 행위는 시인할 수 없다. SYN. ⇨ SUPPORT. **3** (결정·판결 따위를) 확인하다, 확정하다. ㊞ **~·er** *n.* **1** 지지자, 옹호자; 지지물, 받침(대). **2** 〖동업조합 명칭으로〗 =UPHOLSTERER.

up·hol·ster [ʌphóulstər] *vt.* **1** (집·방 등을) 커튼·양탄자·가구 따위로 꾸미다; …에 가구를 비치하다. **2** (의자·침대 등에) 속을 넣어 천을 씌우다, 덮개를〔스프링을〕 대다.

up·hól·ster·er [-rər] *n.* 실내 장식업자; (의자류의) 천갈이업자.

uphólsterer bée 〖곤충〗 가위벌.

up·hol·stery [ʌphóulstəri] *n.* Ⓤ **1** 〖집합적〗 가구《의자·융단·커튼 따위》; 실내 장식품《특히 벽걸이·의자 커버·의자에 대는 천 따위의 직물 및 그것으로 만든 방석·소파 따위》. **2** 실내 장식업; 의자류의 천갈이업.

UPI 〖컴퓨터〗 universal peripheral interface (범용(汎用) 주변(周邊) 인터페이스). **UPI, U.P.I.** United Press International.

Up·john [ʌ́pdʒàn/-dʒɔ̀n] *n.* **1 Richard ~** 업존(1802-78); 그 아들 **Richard Michell ~** (1828-1903)《공히 영국 태생의 미국 건축가》. **2** 업존사《미국의 제약 회사(The ~ Co.); 1995년 스웨덴의 Pharmacia와 합병하여 Pharmacia-Upjohn Co.를 이룸》.

úp·kèep *n.* Ⓤ 유지; (토지·가옥·자동차 따위의) 유지비.

***up·land** [ʌ́plənd, -lǽnd/-lənd] *n.* 고지, 산지, 대지(臺地). — *a.* 고지에 있는, 산지〔대지〕의. ㊞ **~·er** *n.*

úpland cótton 〖식물〗 육지면(綿)《아메리카 원산의 단(短)섬유 면화》.

up·líft *vt.* **1** (…의 의기를) 앙양하다; (사회적·도덕적·지적으로) 향상시키다. **2** 올리다, 들어올리다; 소리 지르다. — [ˊˋ] *n.* **1** 올림, 들어올림. **2** 〖지학〗 융기(隆起). **3** 향상《지위 또는 도덕적인》; 향상 운동; (정신의) 앙양. **4** 브래지어.

up·lífted [-id] *a.* 올려진; (지적·정신적으로) 향상된.

úp·lìght(er) *n.* 업라이트《바닥에서 천장을 향해 비추는 조명》.

úp·lìnk *n.* 〖통신〗 업링크《지상에서 우주선〔위성〕으로의 정보의 전송》. — [ˋˊ] *vt.* (정보를) 지상에서 우주선〔위성〕으로 전송하다, 업링크하다.

úp·lòad 〖컴퓨터〗 *n.* 업로드《소프트웨어·정보 등을 소형 컴퓨터에서 대형 컴퓨터로 전송함》. — *vt.* 업로드하다.

up·man·ship [ʌ́pmənʃìp] *n.* =ONE-UPMANSHIP.

úp-márket ⟪영⟫ *a.* (상품 등) 고급품 시장〔고소득층〕용의, 고급이며 고가인. **—** *ad.* 고급품 시장으로, 고급품 분야로. **—** *vi., vt.* 고급품 시장으로 매출〔진출〕하다.

úp·mòst *a.* =UPPERMOST.

úp nórth 〔**Nórth**〕 북쪽에(서); ⟪미⟫ 〖일반적〗 북부 여러 주에(서).

‡up·on [əpán, əpən/əpɔ́n] *prep.* =ON.

> NOTE **upon** 과 **on** 의 용법 (1) on 의 편이 대체로 구어조. (2) 동사에 뒤따를 경우 upon 은 특히 문장 끝에 쓰이는 일이 많음: There was not a chair to sit *upon*. 앉을 의자 하나 없었다. (3) 관용구에서는 관용상의 용법에 따라 on 또는 upon 중 한 가지에 한정됨: Depend *upon* it, he will come. 틀림없이, 그는 온다 / once *upon* a time 옛날에 / *upon* my word 맹세코. 예외: *upon* 〔*on*〕 the whole 대체로.

úp-or-dówn vóte (선거의) 부동표.

úp-or-óut *n.* 〖미경제〗 업오어아웃⟪일정 연한 내에 승진하거나 아니면 그 기업 또는 조직에서 나가야 한다는 일부 기업에서의 불문율⟫.

‡up·per [ʌ́pər] 〖up 의 비교급〗 *a.* **1** 위쪽의, (둘 중) 위편의, 상부의; (비교적) 높은(위쪽의): the ~ currents of air 상층 기류 / the ~ stories 위층 / the ~ lip 윗입술. **2** ((목)소리가) 높은: the ~ keyboard 오른편 고음부의 건반. **3** (지위 따위가) 상위의, 상급의: ~ freshmen ⟪미⟫ 제 2 학기의 1 학년생. **4** 상류의, 고지의, 오지의, 벽지의, 내륙의: the ~ Nile 나일강의 상류. **5** 북부의: ~ New York State 뉴욕 주의 북부. **6** (문에서) 안쪽의: the ~ end of the table 식탁의 맨 안쪽 자리⟪주인석⟫. **7** (U-) 〖지학〗 후기의, 신(新)…: the *Upper* Devonian 후기 데번기(紀). **8** 위에 입는. ***in the ~ air*** 하늘 높이, 상공에.
— *n.* **1** (보통 *pl.*) 구두의 갑피⟪바닥을 제외한 윗부분의 총칭⟫; (*pl.*) ⟪미⟫ 천으로 된 각반. **2** (선실 · 침대차의) 상단 침대. **3** (*pl.*) 〖때로 단수 취급〗 최고질의 재목. **4** 윗니(의 의치). **5** (허리보다 위에 입는) 옷. **6** ⟪구어⟫ 각성제; ⟪속어⟫ 자극적인〔신나게 하는〕 경험〔사람, 일〕. ***be*** (***down***) ***on*** one***'s ~s*** ⟪구어⟫ 구두창이 닳아 버리다; 신세가 초라해지다, 가난하다.

úpper áir 〖기상〗 상층 대기(大氣).

úpper árm 상박(上膊), 상완(上腕).

úpper átmosphere 〖기상〗 초고층 대기.

úpper-bràcket *a.* (랭킹이) 상위의: ~ taxpayers 고액 납세자.

Úpper Cánada 원래 영령 캐나다의 한 주⟪지금의 Ontario 주의 남부⟫.

úpper cáse 〖인쇄〗 대문자 활자 상자. OPP *lower case*. ¶ in ~ 대문자로.

úpper·cáse *a.* 〖인쇄〗 대문자 활자 상자의; 대문자의⟪생략: u.c.⟫ (cf. capital). **—** *vt.* 대문자로 인쇄하다, (소문자를) 대문자로 바꾸다. **—** *n.* 대문자(활자).

úpper chámber (the ~) =UPPER HOUSE.

úpper círcle 어퍼 서클⟪극장 등의 2 층 정면석 위의 상층석⟫.

úpper-cláss *a.* 상류 사회〔계급〕의, 상류 계급 특유의; ⟪미⟫ (대학 · 고교의) 상급의⟪학생⟫.

úpper·cláss·man [-mən] (*pl.* ***-men*** [-mən]) *n.* ⟪미⟫ (대학 · 고교의) 상급생⟪junior 또는 senior⟫. cf. underclassman.

úpper·cláss·wòman (*pl.* ***-wòmen***) *n.* ⟪미⟫ (대학 · 고교의) 상급 여학생.

úpper crúst 1 (파이 · 빵 따위의) 겉껍질. **2** (the ~) ⟪구어⟫ 상류 사회, 귀족 계급; ⟪속어⟫ 머리. ***thin in the ~*** ⟪속어⟫ 머리가 좀 돈〔이상해진〕.

úpper·crúster *n.* ⟪구어⟫ 최상류 계층의 사람.

úpper·cùt 〖권투〗 *n.* 어퍼컷. **—** (*p., pp.* ***~; ~·ting***) *vt., vi.* 어퍼컷으로 치다.

úpper déck 〖해사〗 상갑판; ⟪속어⟫ (특히 여성의) 유방.

úpper·dóg *n.* =TOP DOG.

úpper hánd (the ~) 우세, 지배: get 〔gain, have〕 the ~ of …보다 우세하다, …에 이기다; …을 (억)누르다.

úpper hóuse 1 (the ~, 종종 the U- H-) 상원. OPP *lower house*. **2** (the U- H-) 〖영국교회〗 성직자 회의의 주교들.

úpper jáw 위턱.

úpper léather (구두의) 갑피.

úpper mìddle cláss 상위 중류 계급⟪middle class 의 상층 사회 계급; 의사 · 변호사 · 대학교수 · 회사 중역 · 고급 공무원 등의 전문직⟫.

***up·per·most** [ʌ́pərmòust] *a.* 최상〔최고〕의, 가장 위의; 최우위의; 맨 먼저 마음에 떠오르는: one's ~ thoughts 맨 먼저 떠오른 생각. **—** *ad.* 최상으로, 최고로; 최초에, 맨 먼저.

úpper régions 하늘.

úpper schòol (특히 사립 중학교의) 상급 학년.

úpper stóry 〔⟪영⟫ **stórey**〕 **1** 2 층, 위층. **2** ⟪속어⟫ 머리, 두뇌.

úpper·téndom *n.* 상류 계급〔사회〕.

úpper tén (**thóusand**) (the ~) ⟪영⟫ 최상류 사회에 속하는 사람들, 귀족 계급.

Úpper Vól·ta [-váltə/-vɔ́l-] Burkina Faso 의 구칭⟪1984 년 개칭⟫. 「⟪속어⟫ 두뇌, 지력.

úpper wórks 〖해사〗 건현(乾舷), 상부 구조;

úpper·wòrld *n.* (the ~) 착실한 사람들(의 세계)⟪underworld 에 대한⟫.

úp·phàse *n.* (경제 · 장사의) 호황기, 상승기.

up·pish [ʌ́piʃ] ⟪구어⟫ *a.* =UPPITY; (장소가) 약간 높은. ㊞ **~·ly** *ad.* **~·ness** *n.*

up·pi·ty [ʌ́pəti] *a.* ⟪구어⟫ 뽐내는, 도도한, 건방진; ⟪미⟫ 완고한. ㊞ **~·ness** *n.* [? up + -*ity*]

Upp·sa·la, Up- [ʌ́psɑːlə, -sə-] *n.* 웁살라⟪스웨덴 남동부의 학원 도시⟫.

úp quárk 〖물리〗 업쿼크(u quark)⟪가설상의 소립자 구성 요소의 1 종⟫.

ùp·ráise *vt.* **1** (들어)올리다. **2** 원기를 돋우다, 격려하다(cheer). **3** 〖지학〗 융기시키다.

ùp·ráte *vt.* …의 율을 올리다; …의 출력〔효력〕을 불리다, 품질을 올리다, 개량하다.

ùp·réar *vt.* 올리다, 일으키다; 세우다; 높이다; 길러내다.

‡up·right [ʌ́pràit, -ˊ] *a.* **1** 직립한, 똑바로〔곧추〕선, 수직의: an ~ post 수직 기둥 / She is past 70, yet ~ in her carriage. 그녀는 70 세가 넘었는데도 아직 자세는 꼿꼿하다.

> SYN. **upright** 부정을 싫어하는, 유혹에 타협하지 않는. 의지의 강직함을 나타냄. **honest** 남과의 교제에서 속이거나, 불공평하게 다루거나 하지 않는. **just** upright 와 비슷하나 판단의 올바름을 강조함. 신(神)의 뜻 · 도덕에 어긋나지 않는. **honorable** 자기의 명예 · 자랑을 위해 부정한 짓은 하지 않는, 신뢰할 수 있는.

2 (정신적으로) 곧은, 청렴(강직)한, 정직한: an ~ man 고결한 사람 / He is ~ in his business dealings. 그는 (상)거래에서 속임수를 안 쓴다.
— *n.* U,C 수직〔직립〕 상태, 곧은 물건; 건축물의 직립 재목; =UPRIGHT PIANO; (보통 *pl.*) (의자 등 가구의) 직립부; (*pl.*) 〖미식축구〗 골포스트. ***out of ~*** 기울어진, 수직이 아닌. **—** *ad.* 똑바로, 곧추서서, 직립하여: stand 〔hold oneself〕 ~ 직립하다 / set a post ~ 기둥을 똑바로 세우다. **—** *vt.* 직립시키다, 수직으로 하다. ㊞ **~·ly** *ad.* 똑바로; 정직하게. **~·ness** *n.*

úpright piáno 수형(竪型) 피아노, 업라이트 피아노. cf. grand piano.

up·rise [ʌpráiz] (**-rose** [-róuz]; **-ris·en** [-rízən]) *vi.* **1** (태양이) 떠오르다; 올라가다; 오르막이 되다; 출현하다. **2** 일어서다; 기상하다; 오르다(ascend); 증대하다, 높아지다; 발생하다; 반란을 일으키다; 소생하다. **3** (소리가) 커지다; (양이) 늘다. **—** *n.* 해돋이; 상승, 오름; 오르막; 출세; 출현, 발달. ㊞ **úp·rìs·er** *n.*

up·ris·en [ʌprízən] UPRISE의 과거분사.

°**up·ris·ing** [ʌ́pràiziŋ, -ˊ-] *n.* Ⓤ《미·고어》 일어남, 기립, 기상, 상승; Ⓒ (지역적인) 반란(revolt), 폭동;《미·고어》 오르막.

úp·ríver *a., ad.* 강의 상류의〔로〕; 수원(水源)으로 향하는. **—** *n.* 상류〔수원(水源), 원류(源流)〕 지역〔지대〕.

*__up·roar__ [ʌ́prɔ̀ːr] *n.* 소란, 소동; 소음: in (an) ~ 큰 법석을 떨어.

up·roar·i·ous [ʌprɔ́ːriəs] *a.* 소란한, 시끄러운; 크게 웃기는: an ~ comedy. ㊞ **~·ly** *ad.* **~·ness** *n.*

up·rock [ʌ́pràk] *n.* 〖브레이크댄스〗 업록《격투풍의 춤》. ㊞ **~·er** *n.*

°**up·róot** *vt.* **1** 뿌리째 뽑다(root up). **2**《비유》 (악습을) 근절〔절멸〕시키다. **3**《~+목/+목+전+명》 (정든 땅·집 따위에서) 몰아내다《*from*》: pathetic exiles ~*ed from* their homelands 고국에서 쫓겨난 가련한 망명자들. **—** *vi.* 절멸하다; 정든 땅을 떠나 생활을 바꾸다.

up·rose [ʌpróuz] UPRISE의 과거.

up·rouse [ʌpráuz] *vt.* 일으키다, …을 눈뜨게 하다, 각성시키다.

úp·rùsh *n.* (가스·물 따위의) 분출, 급격한 상승; (특히 잠재의식으로부터 감정의) 고조; 급증.

UPS Underground Press Syndicate; United Parcel Service; uninterrupted power supply (정전 대비용) 보조 전원.

úp·scàle *a.*《미》(경제적으로) 풍부한, 높은 수입이 있는, 고소득층에 속하는.

‡**up·set** [ʌpsét] (*p., pp.* **~; ~·ting**) *vt.* **1** 뒤집어엎다, 전복시키다; 뒤엎어서 흘리다: Don't ~ the boat. 보트를 뒤엎지 마라/The cat has ~ its saucer of milk. 고양이가 우유 접시를 뒤엎었다. **2** (계획 따위를) 엉망으로 만들다, 망쳐 버리다, 실패시키다; …의 몸을 해치다, 배탈 나게 하다: ~ one's stomach by eating too much/ ~ the enemy's plans 적의 작전 계획을 와해시키다. **3** (예상을 뒤엎고 강적을) 타도하다(overthrow). **4**《~+목/+전+명》 당황케 하다; 걱정시키다; 엉망으로 만들다: ~ a person's mind 아무를 당황케 하다/She is easily ~. 그녀는 어지간한 일에도 동요를 일으키곤 한다/Don't ~ yourself *about* it. 그것은 걱정하지 마라. **5** 〖기계〗 (가열한 쇠막대기 등을) 망치로 두들기거나 압력을 가해서 뭉뚝하게 하다. **6** (바퀴의 쇠테를) 짧게 하다《빼었다 다시 끼울 때》. **~ the** 〔a person**'s**〕 **applecart** ⇨ APPLECART. **—** *vi.* 뒤집히다, 전복하다.

— [ˊ-] *n.* **1** Ⓒ,Ⓤ 전복, 전도(轉倒), 뒤집힘; 전락. **2** 혼란 (상태), 고장, 탈: have a stomach ~ 배탈이 나다. **3** (마음의) 동요, 쇼크: She has had a terrible ~. 그녀는 심한 정신적 쇼크를 받았다. **4** 불화, 싸움: I have had a bit of an ~ with my father. 나는 아버지와 조금 다투었다. **5** (시합·선거 따위에서 강적의) 뜻밖의 패배. **6** 〖기계〗 팽경(膨徑) 스웨이지(swage)〔금속틀〕; 끝을 단압(鍛壓)해서 뭉뚝하게 한 금속 막대.

— [-ˊ] *a.* **1** 뒤집힌, 전도한; 맞고 쓰러진, 패한; (위 따위) 탈이 난: have an ~ stomach 배탈이 나다. **2** 혼란한, 당황한, 걱정한: be emotionally ~ 마음이 산란하다/Don't get ~ *over* 〔*about*〕 the thoughtless remarks of others. 남이 생각없이 하는 말에 당황하지 마라/She was ~ *that* her husband had not come back. 그녀는 남편이 돌아오지 않아서 걱정했다. **3**《고어》 수직으로 세워진.

úpset prìce 〖상업〗 (경매 개시 때의) 최저 가격; 최저 판매〔경매〕 가격.

up·sétter *n.* 뒤집어엎는〔혼란시키는〕 사람; 〖기계〗 단압기(鍛壓機).

up·sétting *a.* 소란을 일으키는, 엉망으로 만드는. **—** *n.* 〖기계〗 압축 성형; (단압(鍛壓)에 의한) 팽경(膨徑).

úp·shìft *n., vi.* 고속 기어로 바꿈〔바꾸다〕.

°**úp·shòt** *n.* (the ~) (최후의) 결과, 종국, 결말; 결론, 요지, 귀결《*of* a matter》: What was the ~ *of* it all? 그 결말은 어떻게 났느냐. ***in the ~*** 결국.

*__up·side__ [ʌ́psàid] *n.* 상부, 윗면, 위쪽; (물가 따위의) 상승 경향; 상행선(上行線) 플랫폼. **~ *down*** 거꾸로, 뒤집혀; 난잡하게, 혼란되어, 엉망으로. ***turn …* ~** (물건을 찾거나 하다가 장소를) 엉망으로 만들다.

úpside-dówn *a.* 거꾸로 된, 전도된; 엉망이 된, 혼란된.

úp·sídes *ad.*《영구어》 피장파장으로, 호각으로(even). ***get*** 〔***be***〕 **~ *with*** …와 피장파장이 되다; …에게 역습하다, …에게 복수하다.

up·si·lon [júːpsəlàn, ʌ́p-/juːpsáilən] *n.* 그리스어 알파벳의 스무째 글자《γ, υ; 로마자의 u 또는 y에 해당》; 〖원자〗 입실론《beryllium 원자핵과 고에너지 양성자(proton)를 충돌시켜 만드는 극히 무거운 수명이 짧은 소립자》.

úpsilon pàrticle 〖물리〗 입실론 입자(粒子), γ 입자《핵자(核子)의 약 10배의 질량을 갖는 중간자》. 「향상.

up·skill·ing [ʌ́pskìliŋ/ˊˊ-] *n.* 숙련도(熟鍊度)

úp·slòpe *n.* 오르막 비탈(uphill). **—** *ad.* 비탈 오르막 쪽으로.

úp-Sòuth *a.*《미속어》 (남부와 마찬가지로 인종차별을 하는 곳으로서의) 북부의.

up·spríng (**-sprang, -sprung; -sprung**) *vi.* 뛰어오르다; 발생〔출현〕하다; 마음에 떠오르다.

úp·stáge *a., ad.* 무대 안쪽의〔으로, 에서〕;《구어》 거만한, 뻐기는, 젠체하는. **~ *and county***《영》 (짐짓) 신사인 체하는. **—** *vt.* 무대 안쪽에 있어서 (다른 배우를) 불리한 입장에 놓이게 하다《관객에게 등을 보이기 때문에》;《비유》…의 인기를 가로채다;《구어》 깔보다, 거만하게 굴다, 냉대하다: The dog ~*d* the human actors. 개가 배우들보다 더 인기를 끌었다.

úp·stáir *a.* =UPSTAIRS.

‡**up·stairs** [ʌ́pstɛ́ərz] *ad.* **1** 2층에〔으로, 에서〕; 위층에〔으로, 에서〕: go 〔walk〕 ~, 2층〔위층〕으로 가다/sleep ~, 2층에서 자다. **2** 한층 높은 지위에;《구어》 공중에;《군대속어》 (비행기가) 상공〔고공〕에: move ~ 출세하다. **3**《미속어》 머릿속은: She is all vacant ~. 머리가 텅 비어 있다. **4**《항공속어》 고공에〔으로, 에서〕. ***kick* a person ~** ⇨ KICK[1]. **—** *a.* 2층의, 위층의: an ~ room 위층 방. **—** *n. pl.* 〔단·복수취급〕 위층, 2층; 〔집합적〕《영구어》 (특히 대저택의) 주인;《미속어》 머리, 두뇌.

ùp·stánding *a.* 곧은 성격의, 정직한; 솔직한; (자세가) 늘씬한; 곧게 선. ***Be* ~.** (법정에서) 기립《판사의 입퇴정(入退廷) 때의 구령》.

úp·stárt *n.* 어정뱅이, 벼락부자, 졸부(猝富); 건방진 놈. **—** *a.* 벼락출세한; 건방진; 최근에 나타난. **—** [-ˊ] *vi.* 갑자기 일어서다; 갑자기 나타나다. **—** *vt.* 갑자기 일어서게 하다.

úp·stàte 《미》 *a.*, *ad.* (주(州)의) 대도시에서 먼〔멀리〕, 해안에서 먼〔멀리〕, 북쪽의〔에, 에서〕. ― *n.* 《특히》 New York 주의 북부 지방; (주(州) 내의) 벽촌. ㊥ **úp·státer** *n.* ~의 사람.

up·stép (*-pp-*) *vt.* …을 증진하다.

◇**up·stream** *ad.* 상류로〔에〕, 흐름을 거슬러 올라가; 산유(産油) 단계에. ― *a.* 상류로 향하는, 흐름을 거슬러 올라가는; 상류에 있는; 산유 단계인. ― *n.* (석유 산업의) 상류 부문《downstream에 대하여 석유 채굴 부문》.

úp·stròke *n.* (자획의) 위쪽으로 그은 획〔필체〕; (피스톤의) 상승 운동〔행정〕.

up·súrge *vi.* (파도·감정 등이) 끓어오르다; (범죄 등이) 높아지다, 늘다. ― [ˊ-] *n.* 끓어오름; 높아짐; 증가, 증대; 급증.

úp·swèep *n.* 위쪽으로 (향해) 쓰다듬기〔솔질하기〕; 아래턱의 위쪽으로의 굽음; 가파른 치받이; 올린〔업스타일〕 머리《위로 빗어 올린 머리형》; (활동의) 활발화〔증대〕. ― [-ˊ] *vt.* 쓸어〔빗어〕 올리다; (머리를) 업스타일로 하다. ― *vi.* 위를 향해 경사지다, 위를 향하다.

úp·swèpt *a.* 위로 휜〔굽은〕; 위로 굽게 빗어 올린〔솔질한〕《머리털 따위》.

úp·swìng *n.* 상승, 향상, 약진, 발전. ― [-ˊ] (*p.*, *pp.* ***-swung***) *vi.* 위로 흔들리다; 향상하다(improve).

up·sy-dai·sy [ʌ́psidéizi] *int.* 영차《어린애를 안아올릴 때 쓰는 말》; (특히 어린아이가 넘어지거나 했을 때 격려하여) 옳지 (일어나 보렴).

úp·tàke *n.* Ⓤ 이해(력); (생체(生體)로의) 흡수, 섭취; 들어올림; Ⓒ 〖기계〗(빨아올리는) 통풍관(通風管), 연도(煙道): quick on 〔in, at〕 the ~ 이해가 빠른 / slow on the ~ 이해가 더딘.

up·téar [-tέər] *vt.* 뿌리째 뽑다, 갈기갈기 찢다, 토막내다.

úp-tèmpo (*pl.* ***~s, -pi***) *n.* 빠른 템포.

úp·thròw *n.* (지면 등의) 융기; 〖지학〗 역단층 낙차(逆斷層落差), 충상(衝上) 단층 낙차. ― (***-threw; -thrown***) *vi.* 위로 던지다, 밀어 올리다.

úp·thrùst *n.* Ⓤ 밀어 올림; 〖지학〗 지각의 융기.

úp·tìck *n.* (수요·공급의) 증대, 상향; (사업·경기·금리의) 상승 경향; 〖증권〗 전회의 매매 성립가보다 높은 거래.

úp-tíght, úp·tíght *a.* **1** 《구어》 초조해 하는, 불안한; 성이 난; 완고한; (재정적으로) 궁지에 빠진. **2** 《미속어》 (곡 등이) 잘 알려진; 잘 알고〔진행되고〕 있는; (복장이) 매디슨가(街)〔아이비리그〕 스타일인〔의〕; 멋진, 훌륭한.

up·tílt *vt.* 위로 기울이다(tilt up).

úp·tìme *n.* (컴퓨터 등이 유효하게 기능을 발휘하는) 내용(耐用) 시간; 가동 시간.

⁑**up-to-date** [ʌ́ptədéit] *a.* **1** 최신의, 최근의, 현대〔최신〕식의, 현대적인, 첨단적인: the most ~ style 최근의 유행형. **2** 현재까지의: an ~ report. ㊥ **~·ly** *ad.* **~·ness** *n.*

úp-to-the-mínute *a.* 극히 최근〔최신〕의 정보를〔사실을〕 도입한; 극히 최근의, 최신식의.

úp-to-the-sécond *a.* 극히 최근의, 극히 최신의: ~ information 최신 정보.

úp·tówn *ad.* 높은 지대에〔로〕; 《미》 주택 지구에〔로〕: go 〔live〕 ~. ― *n.* 높은 지대; 《미》 주택지(구). ― *a.* 높은 지대의; 《미》 주택 지구의. **opp.** *downtown.* ㊥ **~·er** *n.*

úp·trènd *n.* 〖경제〗 (시세 등의) 상승 경향.

◇**up·turn** [ʌptə́ːrn] *vt.* 위로 젖히다; 뒤집다; 혼란에 빠뜨리다; 파헤치다. ― [ˊ-] *n.* 상승, 호전; 전복; (사회의) 격동, (대)혼란.

up·túrned *a.* 위로 향한 《눈 따위》; 뒤집힌; 파헤쳐진; 끝이 구부러진.

UPU, U.P.U. Universal Postal Union(만국우편 연합).

up·válue *vt.* (달러 따위의) 평가를 절상하다. ㊥ **ùp·valuátion** *n.*

uPVC unplasticized polyvinyl chloride (비가소화(非可塑化) 폴리 염화 비닐).

⁑**up·ward** [ʌ́pwərd] *a.* **1** 위로〔위쪽으로〕 향한: cast an ~ glance 칩떠보다. **2** 상승의; 향상하는: Prices continued their ~ movement. 물가는 계속 올랐다. ― *ad.* **1** 위를 향해서, 위쪽으로: fly ~ 높이 날아오르다. **2** 대도시〔수원(水源), 오지〕 쪽으로. **3** 보다 높은 지위〔계급, 신분, 나이〕로: young lawyers moving ~ 승진하는 젊은 법관들. **4** (정도·수량 등이) …이상: fifty years and ~, 50세 이상. **5** …이래〔이후〕: from one's school days ~ 학창 시절부터 죽. **6** (특히 몸의) 윗부분〔상반신〕에서: from the waist ~ 허리 위로. ***... and*** 〔***or***〕 **~(*s*)** …또는 그 이상. **~(*s*) *of*** …보다 많이(more than); 거의〔약〕…: He earns ~ *of* a thousand dollars a month. ㊥ **~·ly** *ad.* **~·ness** *n.*

úpwardly móbile (사회적·경제적 지위의) 향상 지향〔경향〕의.

úpward mobílity 《미》 〖사회〗 상향적 사회 이동.

úp·wards *ad.* =UPWARD.

up·wélling *n.* 〖생태〗 용승(湧昇)《영양염(塩)이 많은 심해수(深海水) 등의》.

úp·wínd [-wínd] *a.*, *ad.* 바람을 안은〔안고〕. ― [ˊ-] *n.* 역풍; 사면(斜面)을 불어 오르는 바람.

ú quàrk =UP QUARK.

ur [ʌː, əː] *int.* =ER.

Ur- [úər, ə́ːr] (종종 ur-) '원시의, 초기의, 원형의'란 뜻의 결합사: *ur*text 원문, 원본.

Ur 〖화학〗 uranium.

ura·cil [júərəsil] *n.* 〖생화학〗 우라실《RNA를 구성하는 pyrimidine 염기; 기호 U》.

uraemia ⇨ UREMIA. ㊥ **uráe·mic** [-mik] *a.* =UREMIC.

urae·us [juəríːəs] *n.* (고대 이집트에서 최고 권력의 표상으로 왕관에 붙인) 뱀 모양의 휘장(徽章).

uraeus

Ural [júərəl] *a.* 우랄 산맥〔강〕의. ― *n.* 우랄 지방; (the ~) 우랄 강. ***the ~ Mountains*** =***the ~s*** 우랄 산맥.

Úral-Altáic *a.* 우랄알타이(Ural-Altai) 지방(주민)의; 우랄알타이어족(語族)의. cf. Altaic. ― *n.* Ⓤ 우랄알타이어족(語族)의.

Ura·li·an [juəréiliən] *a.* 우랄(산맥)의; 우랄어족.

Ura·nia [juəréiniə, -njə] *n.* **1** 유레이니아《여자 이름》. **2** 〖그리스신화〗 우라니아《천문(天文)의 여신; Nine Muses의 하나》; Aphrodite 〔Venus〕의 별명. **3** (u-) 〖화학〗 산화 우라늄.

Urania 2

uran·ic [juərǽnik] *a.* 하늘의, 천문학상(上)의; 〖화학〗 우라늄의, 우라늄을 함유한.

ura·ni·um [juəréiniəm] *n.* Ⓤ 우라늄《방사성 금속 원소; 기호 U, Ur; 번호 92》: a ~ pile 우라늄 원자로 / ~ deposit 우라늄 광상 / concentrated 〔enriched〕 ~ 농축 우라늄 / natural ~ 천연 우라늄 / ~ fission 우라늄 핵분열.

uránium hèxa·flúoride 〖화학〗 6플루오르화 우라늄《농축 우라늄 제조용》.

uránium 238 [-tùːθəːrtiéit] 〖화학〗 우라늄 238《우라늄 동위체의 하나; 핵연료 플루토늄

239의 제조 원료가 됨; 기호 ^{238}U, U^{238}》.
uránium 235 [-tùːθəːrtifáiv] 〖화학〗 우라늄 235(actinouranium)《우라늄 동위체의 하나; 저속 중성자의 조사에 의해 급속한 핵분열을 일으켜 핵에너지원으로 이용됨; 기호 ^{235}U, U^{235}》.
ura·nog·ra·phy [jùərənágrəfi/-nɔ́g-] *n.* Ⓤ 천체학, 항성(恒星) 도표학. ㊎ **-pher** *n.* **ùra·no·gráph·ic, -i·cal** *a.*
ura·nol·o·gy [jùərənálədʒi/-nɔ́l-] *n.* Ⓤ 천문학, 천체학; 천체지(誌). ㊎ **-gist** *n.*
ura·nom·e·try [jùərənámətri/-nɔ́m-] *n.* Ⓤ 천체 측량; Ⓒ 천체도, 항성(恒星) 위치도.
Ura·nus [júərənəs, juəréinəs] *n.* 〖그리스신화〗 우라노스신《Gaea(지구)의 남편》; 〖천문〗 천왕성(星).
urb [əːrb] *n.* (교외 구역에 대하여) 시가지 (구역), 도시, 읍. [◂ *urb*an, sub*urb*]
***ur·ban** [ə́ːrbən] *a.* 도시의, 도회지에 있는; 도회에 사는; 도회풍의. [opp] *rural*.
úrban anthropólogy 도시 인류학.
úrban archeólogy 도시 고고학.
úrban blúes 〔단·복수취급〕 어번블루스《보통, 밴드를 수반한 리드미컬하고 화려한 블루스》.
úrban desígn 〖건축〗 도시 설계《도시 계획을 바탕으로, 도시 생활에 필요한 물리적 공간을 형태화하는 설계 행위》.
Úrban Devélopment Corporàtion 《영》 도시 개발 공사《생략: UDC》.
ur·bane [əːrbéin] *a.* 도회풍의; 예의 있는, 점잖은; 세련된(refined), 품위 있는. ㊎ **~·ly** *ad.* **~·ness** *n.*
「라 혁명론자.
úrban guerrílla 도시 게릴라(대원), 도시 게릴
úrban hómesteading 《미》 도시 정주(定住) 장려 (정책)《도시의 황폐화 방지를 위한 연방 정부의 정책》. ㊎ **úrban hómesteader** 도시 재(再) 정주자.
úr·ban·ìsm *n.* **1** 도시 생활(학), 도회풍. **2** 도시화, 도시 계획. **3** (인구의) 도시 집중. ㊎ **-ist** *n.* 도시 계획 전문가.
ur·ban·ite [əːrbənàit] *n.* 도회 사람.
ur·ban·i·ty [əːrbǽnəti] *n.* Ⓤ 도회풍; 품위 있음, 세련, 우아; (*pl.*) 예의 있는 행동; 도시 생활: He lacked the *urbanities*. 그는 예의가 없었다.
úr·ban·ìze *vt.* 도회화(化)하다; 도회풍으로 하다; …의 도회로의 이주를 권하다; 《드물게》 우아하게 하다. ㊎ **ùr·ban·i·zá·tion** *n.*
úrban légend 도시 괴담《도시 사회의 풍속을, 말하는 이의 먼 친지에게 일어난 일처럼 말하는 놀라운 이야기》.
úrban mýth 도시 신화《현대 도시 생활에 관련 지어 전해지는 이상한 이야기나 괴담》.
ur·ban·ol·o·gy [ə̀rbənálədʒi/-nɔ́l-] *n.* 도시학, 도시 문제 연구. ㊎ **-gist** *n.* Ⓤ 도시학자, 도시 문제 전문가.
úrban óre (재생 원료로서의) 폐기물.
úrban renéwal 〔**redevélopment**〕 《미》 도시 재개발.
úrban sociólogy 도시 사회학.
úrban spráwl 스프롤 현상《도시의 불규칙하고 무계획한 교외(郊外)로의 발전》.
úrban wárfare 시가전.
úrban wárrior 도시의 전투원《(1) 정치적 이념을 위해 도시에서 투쟁하는 사람. (2) 도시에서 전투하는 사람》.
ur·bia [ə́ːrbiə] *n.* Ⓤ 〔집합적〕 도시.
「파괴.
ur·bi·cide [ə́ːrbəsàid] *n.* 도시(환경〔경관〕)의
ur·bi·cul·ture [ə́ːrbəkʌ̀ltʃər] *n.* Ⓤ 도시 생활 특유의 생활 관습〔문제들〕, 도시 문화.
ur·chin [ə́ːrtʃin] *n.* 장난꾸러기, 개구쟁이; 《일반적》 아이, 소년; 〖동물〗 성게(sea urchin); 《고어·방언》 고슴도치; 《폐어》 꼬마 귀신.
úrchin cùt (여성 머리의) 쇼트커트.
Ur·du [úərduː, -ˊ, ə́ːr-, əːrˊ] *n.* Ⓤ 우르두 말《Hindustani 말의 한 어족으로, 주로 인도 이슬람교도 간에 쓰임》.
-ure [*juər*, *ər*] *suf.* 동사에 붙여서 그 '동작, 상태, 성질《보기: censure, pleasure, culture》; 결과《보기: creature》; 집합체《보기: legislature》 따위' 를 나타내는 명사를 만듦.
urea [juəríːə, júəriə] *n.* Ⓤ 〖화학〗 요소(尿素).
úrea-formáldehyde rèsin 〖화학〗 요소 포름알데히드 수지.
ure·al [juəríːəl, júəri-] *a.* 요소의〔를 함유한〕.
ure·ase [júərièis, -èiz] *n.* Ⓤ 〖생화학〗 우레아제《요소 분해 효소》.
ure·mia, urae- [juəríːmiə] *n.* 〖의학〗 요독증(尿毒症). ㊎ **-mic** [-mik] *a.* 요독증의〔에 걸린〕.
ure·ter [juəríːtər] *n.* 〖해부〗 요관(尿管), 수뇨관(輸尿管). ㊎ **uré·ter·al, ure·ter·ic** [-tərəl], [jùəritérik] *a.*
ure·ter·ot·o·my [juəriːtərɔ́təmi] *n.* 〖의학〗 요관 절개(尿管切開)(술).
ure·thane, -than [júərəθèin], [-θæ̀n] *n.* Ⓤ 〖화학〗 우레탄《주로 최면제용》: ~ foam.
ure·thra [juəríːθrə] (*pl.* **-thrae** [-θriː], **~s**) *n.* 〖해부〗 요도(尿道). ㊎ **-thral** *a.*
ure·thri·tis [jùərəθráitis] *n.* Ⓤ 요도염.
ure·thro·scope [juəríːθrəskòup] *n.* 〖의학〗 요도경(鏡).
ure·thros·co·py [jùərəθráskəpi/-θrɔ́s-] *n.* Ⓤ 요도 검사《요도경에 의한》.
「촉진〔이뇨〕의.
uret·ic [juərétik] *a.* 〖의학〗 오줌의, 《특히》 배뇨
****urge** [əːrdʒ] *vt.* **1** 《~+목/+목+전+명/+목+부》 죄치다, 재촉하다, 노력하게 하다: ~ a person *to* greater efforts 아무를 격려해서 한층 더 노력하게 하다 / She ~*d* herself *on* in spite of her weariness. 그녀는 피로하였으나 자신을 다그쳐 나갔다.

> [SYN] **urge** 꾸물거리고 있을 여유가 별로 없음을 시사하여 행동의 의욕을 일으키게 하다: the American tendency to *urge* youngsters to early independence 젊은 이들을 일찍 독립하도록 촉구하는 미국 사회의 경향. **exhort** 권고나 설득으로써 촉구하다: *exhort* a person to enter college 대학에 가도록 강권하다. **persuade, induce** exhort 한 결과 상대방이 설득되어 행동을 취한 경우에 씀. 권고하여 …하게 하다: I was *persuaded* to abandon the attempt. 나는 설득되어 그 기도를 포기했다. **press** 재촉의 집요함과 강제성이 강조됨. 조르다. **goad, prod** 별로 할 마음이 없는 사람을 들볶듯이 몰아대다. **spur, drive** 어느 정도 의욕이 있는 사람을 더욱 자극하여 몰아대다.

2 《~+목/+목+부/+목+전+명》 (말 따위를) 몰아대다: ~ a horse *on* 〔*into* a canter〕 말을 몰아대다 〔죄치어 느린 구보로 달리게 하다〕. **3** 《~+목/+목+부》 (일을) 강력히 추진하다; (…을) 부지런히〔세게〕 움직이다: ~ the cause *along* 운동을 강력히 추진하다 / ~ *on* 〔*forward*〕 one's work 일을 힘차게 추진하다. **4** 《~+목/+목+전+명/+*that* 절》 주장하다, 강조하다: ~ the necessity *for* immediate action 즉각 행동으로 옮길 필요성을 역설하다 / ~ *on* 〔*upon*〕 a person the fruitlessness of a petition 탄원해도 소용이 없다고 아무에게 역설하다 / He ~*d that* we (should) accept the offer. 우리는 그 제의를 받아들여야 한다고 그는 주장하였다. **5** 《+목+전+명/+목+*to* do》 설복〔설득〕하다, 열

심히 권하다: ~ a person *to* greater caution 더욱 조심하도록 아무에게 권고하다 / My mother ~*d* me *to* study law. 어머니는 나에게 법률 공부를 하도록 강권하였다. **6** (진행·활동 등을) 재촉하다, 서두르게 하다: ~ the growth of … 의 성장을 촉진하다. **7** 《+목+*to do*/+목+전+명》 (…하도록) 촉구하다, 강제하다; 《문어·고어》 자극하다, 도발하다: ~ a person *to* obey 〔*into* obey*ing*〕 the rule 아무에게 규칙을 지키라고 엄명하다 / ~ silence 침묵을 강요하다. — *vi.* **1** 주장〔요구, 반대 의견 등〕을 역설하다: ~ against the adoption of an amendment 수정안의 채택에 반대하다. **2** 자극〔추진력〕으로 작용하다. ~ **one's way** 길을 서두르다. — *n.* 몰아침, 역설함; 몰아치는 힘, (강한) 충동: a sexual ~ 성적 충동 / He has 〔feels〕 an ~ *to* travel. 여행하고 싶은 마음이 간절하다. ◇ urgent *a.*

ur·gen·cy [ə́ːrdʒənsi] *n.* Ⓤ **1** 긴급, 절박, 화급: a problem of great ~ 긴급한 문제 / considering the ~ of the case 사건의 긴급성을 고려해서. **2** (*pl.*) 긴급한 일〔필요〕. **3** 《영》 (의회에서의) 긴급 안건이라는 결의: The ~ was declared. 긴급 안건으로 의결되었다. **4** 한결같은 주장, 역설, 집요: the ~ of a suitor 구혼자의 집요함. ◇urgent *a.*

ur·gent [ə́ːrdʒənt] *a.* **1** 긴급한, 절박한, 매우 위급한: the ~ motion 긴급 동의 / an ~ telegram 지급 전보 / on ~ business 급한 일로 / He is in ~ need of money. 그는 돈이 시급히 필요하다. **2** 재치는, 재촉하는, 졸라 대는, 강요하는: He was ~ *in* his demands. 그는 집요하게 요구했다 / He was ~ *with* me *for* 〔*to*〕 further particulars. 그는 좀더 자세히 이야기해 달라고 내게 졸라 댔다. [◂urge] ㊕ **~·ly** *ad.* 긴급히, 다급하여; 억지로.

urg·er [ə́ːrdʒər] *n.* 몰아 대는 것〔사람〕; 《Austral. 속어》 (경마의) 예상가.

ur·gi·cen·ter [ə́ːrdʒəsèntər] *n.* 《구어》 =EMERGICENTER. [◂*urgent*+*center*〔*surgicenter*〕]

-ur·gy [ərdʒi, əːrdʒi] '…의 취급법, …의 조작 기술'의 뜻의 결합사.

U.R.I. upper respiratory infection(상기도(上氣道) 감염).

Uri·ah [juəráiə] *n.* **1** 유라이어《남자 이름》. **2** 『성서』 우리아(∽ **the Híttite**)《다윗에게 모살(謀殺)된 Bathsheba의 남편》.

uric [júərik] *a.* 오줌의, 오줌에서 채취한: ~ acid 『화학』 요산(尿酸).

Uri·el [júəriəl] *n.* 『성서』 우리엘《7대 천사의 하나》.

Urim and Thum·mim [júərimənd*θ*ʌ́mim] (종종 u- and t-) 『성서』 우림과 둠밈《재판을 행하는 유대의 사제가 신탁(神託)을 받기 위하여 가슴받이 속에 넣었던 것으로, 보석 또는 금속으로 추정됨; 출애굽기 XXVIII:30》.

urin- [júərən], **uri·no-** [júərənou, -nə] '오줌, 요도, 요소'란 뜻의 결합사.

uri·nal [júərənl] *n.* 소변기《환자 또는 검사용》; 소변소.

uri·nal·y·sis, ura- [jùərənǽləsis] (*pl.* **-ses** [-sìːz]) *n.* 『의학』 오줌 분석, 검뇨(檢尿).

uri·nary [júərənèri] *a.* 오줌의, 비뇨(기)의: the ~ organs 비뇨기 / ~ diseases 비뇨기병. — *n.* 소변소; 똥구덩이.

úrinary bládder 『해부·동물』 방광(膀胱).

úrinary cálculus 『의학』 요(결)석(尿(結)石).

úrinary tràct 『해부』 요로(尿路).

úrinary túbule 『해부』 요세관(尿細管)(=**uri·níf·er·ous túbule**).

uri·nate [júərənèit] *vi.* 소변보다, 방뇨하다. — *vt.* 오줌으로 적시다; (피 따위를) 오줌으로〔과 함께〕 배출하다. ㊕ **ùri·ná·tion** *n.* Ⓤ 배뇨(排尿)(작용).

urine [júərin] *n.* Ⓤ 소변, 오줌: pass 〔discharge〕 (one's) ~ 소변을 보다, 방뇨하다.

uri·no·gen·i·tal [jùərənoudʒénətl] *a.* 비뇨 생식기의.

uri·nom·e·ter [jùərənɑ́mətər/-nɔ́m-] *n.* 요(尿)비중계. ㊕ **ùri·no·mét·ric** *a.*

URL 『컴퓨터』 uniform resource locator《인터넷상의 정보 모임인 사이트에는 반드시 주소가 있는데, 그 주소에 데이터 전송 순서명을 붙인 것》.

urn [əːrn] *n.* **1 a** 납골(納骨)〔유골〕 단지. **b** 항아리, 단지. **c** 무덤, 묘. **2** (꼭지 달린) 커피 끓이는 기구.

1a 1b

urns

uro- [júərou, -rə] '오줌'이란 뜻의 결합사《모음 앞에서는 보통 ur-》.

uro·chrome [júərəkròum] *n.* 『생화학』 우로크롬《동물 오줌의 황색 성분》.

uro·dele [júərədìːl] 『동물』 *n.* 유미목(有尾目)의 양생류(兩生類)《도롱뇽 따위》. — *a.* 유미목의.

uro·gen·i·tal [jùəroudʒénətl] *a.* 비뇨 생식기의: ~ system 비뇨 생식(기)계.

uro·lag·nia [jùəroulǽgniə] *n.* 『정신의학』 유롤라그니아《오줌 또는 배뇨를 보고 흥분을 느끼는 성욕도착증》.

ùro·lithíasis *n.* 『병리』 요석증(尿石症), 요로결석증(尿路結石症).

urol·o·gy [juərɑ́lədʒi/-rɔ́l-] *n.* Ⓤ 비뇨기학, 비뇨과학. ㊕ **-gist** *n.* **ùro·lóg·ic, -i·cal** *a.*

uros·co·py [juərɑ́skəpi/-rɔ́s-] *n.* 『의학』 (진단을 위한) 요(尿)검사, 요분석, 검뇨(檢尿).

Ur·sa [ə́ːrsə] *n.* 여자 이름. [L.=(she-)bear]

Úrsa Májor (*gen.* ***Ur·sae Ma·jor·is*** [ə́ːrsiː mədʒɔ́ːris]) 『천문』 큰곰자리(the Great Bear) 《북두칠성을 포함하여 북쪽 하늘에서 가장 두드러진 별자리; 생략: UMa》.

Úrsa Mínor 『천문』 작은곰자리(the Little Bear).

ur·sine [ə́ːrsain, -sin/-sain] *a.* 곰의, 곰류(類)의; 곰 비슷한; 『동물』 강모(剛毛)에 덮인.

Ur·su·la [ə́ːrsələ, -sju-/-sju-] *n.* **1** 여자 이름. **2 St.** ~ 우르술라《영국의 전설적 순교자》.

Ur·su·line [ə́ːrsəlin, -làin/-sjulàin] *n.* 『가톨릭』 우르술라회의 수녀《병자 간호와 소녀 교육을 위해 1535년 창설》. — *a.* 우르술라회의.

ur·ti·ca·ceous [əːrtəkéiʃəs] *a.* 『식물』 쐐기풀과(科)(Urticaceae)의.

ur·ti·cant [ə́ːrtikənt] *a.* (쐐기풀에 찔린 것처럼) 따끔따끔한, 부어서 가려운.

ur·ti·car·ia [əːrtəkέəriə] *n.* Ⓤ 『의학』 두드러기.

ur·ti·cate [ə́ːrtəkèit] *vt.* 쐐기풀(같은 것으)로 찌르다, 쐐기풀로 치다.

ùr·ti·cá·tion *n.* Ⓤ (쐐기풀로) 찌름, 따끔거리는 감각.

Uru·guay [júərəgwèi, -wài/-gwài] *n.* 우루과이《남아메리카 남동부의 공화국, 수도 Montevideo; 생략: Uru.》. ㊕ **~·an** [-ən] *n., a.* 우루과이 사람(의).

Úruguay Róund 우루과이 라운드《1986년 우루과이에서 개최된 GATT 각료 회의에서 선언된 15개 분야의 다자간 무역 협상》.

us [ʌs, 약 əs, s] *pron.* 《we의 목적격》 **1** 우리들을〔에게〕: Will you come with *us*? 우리와 함께 가시지 않겠습니까 / Why didn't you tell *us*? 왜 우리에게 말하지 않았던가 / How much longer are you going to keep *us* waiting?

도대체 얼마나 우리를 기다리게 할 작정인가요. **2** ⟪고어·문어⟫ =OURSELVES. **3** (군왕·신문·논설 따위에서) 과인을〔오인(吾人)을, 나를〕〔에게〕. cf. we. **4** ⟪영방언·속어⟫ =ME, to ME: Give *us* a penny. 한 푼 주세요. **5** 〖동명사 앞에서〗⟪구어⟫=OUR: He didn't say anything against *us* buying it. 그는 우리가 그것을 사는 일에 아무런 반대도 하지 않았다. ***Let us ...*** ① …하자⟪구어에서는 보통 [lets] 라고 발음하고, Let's 로 씀⟫: *Let us* consider the problem from a different angle. 그 문제를 다른 각도에서 검토해 보자/ *Let's* go. 가자, 출발하자. ② 우리들〔에게〕 …하게 해 달라: *Let us* go. (다른 사람이 아니라) 우리를 가게 해 달라; (우리들을) 보내〔놓아〕 달라.

US, U.S. United States (of America); United Service; Under Secretary. **US** United States highway(미국 간선 도로)⟪도로 번호를 붙여 씀: *US* 66⟫. **US, U/S, u/s** unserviceable; useless. **USA, U.S.A.** Union of South Africa; United States Army; United States of America.

ùs·a·bíl·i·ty *n.* Ⓤ 사용할 수 있음, 유용성.

us·a·ble [jú:zəbəl] *a.* 사용할 수 있는, 사용 가능한; 쓰기에 편리한, 쓸모 있는. ㊀ **~·ness** *n.* **-bly** *ad.*

U.S.A.E.C. United States Atomic Energy Commission(미국 원자력 위원회). **USAF, U.S.A.F.** United States Air Force. **USAFE** United States Air Force in Europe(재유럽 미 공군). **USAFI** United States Armed Forces Institute(미군 교육 기관).

us·age** [jú:sidʒ, -zidʒ] *n.* **1** Ⓤ 용법, 쓰임새, 사용(법), 취급(법), 사용량; 처우, 대우: Such delicate instruments will not stand rough ~. 이런 정교한 기계는 함부로 다루면 망가진다/ He complained of ill ~ at their hands. 그는 그들한테서 받는 대우가 나쁘다고 불평했다. **2** Ⓒ,Ⓤ 관습, 관례, 습관: keep an old ~ alive 낡은 관습을 지키다. **3** Ⓤ,Ⓒ (언어의) 관용(법), 어법: Fowler's Dictionary of Modern English *Usage* 파울러편 현대 영어 관용 사전. ***annual ~ 연간 사용량. ***by*** ~ 관례상, 관례로서. ***come into*** 〔***go out of***〕 ~ 쓰이게 되다〔쓰이지 않게 되다〕. ***under rough*** ~ 난폭하게 다루면〔다루어져〕.

us·age·as·ter [jú:sidʒæ̀stər] *n.* 자칭 어법의 권위, 자칭 어법학자.

USAir [jú:èsέər] *n.* 유에스에어(사)⟪미국의 민간 항공 회사⟫.

us·ance [jú:zəns] *n.* **1** 〖상업〗 (관례에 의한) 외국 환어음 지급 유예 기간. **2** 〖상업〗 유전스, 기한부 어음. **3** ⟪고어⟫ 관례, 관습. **4** ⟪고어⟫ 이자; 이익.

USAR United States Army Reserves(미육군 예비 부대). **USASI** United States of America Standards Institute (미국 규격 협회)⟪구칭 ASA⟫. **USC, U.S.C.** United States Code; United States of Columbia. **USCAB** United States Civil Aeronautics Board (미국 민간 항공 위원회). **USCG, U.S.C.G.** United States Coast Guard(미국 연안 경비대).

U.S. Cóurt of Appéals 미국 연방 고등 법원⟪연방 지방 법원의 판결에 대한 공소·항고, 행정 기관의 결정에 대한 불복 신청을 심리하는 법원⟫.

USD United States dollar(s). **USDA** United States Department of Agriculture (미국 농무부).

U.S. Dístrict Cóurt 미국 연방 지방 법원⟪연방법에 의한 민사·형사의 1심을 심리하는 법원⟫.

†**use** [ju:s] *n.* Ⓤ **1** 사용, 행사, 이용(법); (식품 등의) 소비: learn the proper ~ *of* an instrument 도구의 적절한 사용법을 익히다/a typewriter for ~ in office 사무(실)용 타자기. **2** 사용 능력, 사용의 자유, 사용권; 사용의 필요〔기회, 경우〕; 〖법률〗 (토지 등의) 향유(권): He has lost the ~ *of* his eyes. 그는 눈을 못 쓰게 되었다/Will you give me the ~ *of* your library? 당신의 서재를 써도 좋습니까. **3** Ⓒ,Ⓤ 용도, 사용 목적; 효용, 소용, 유용: This tool has several ~*s*. 이 도구에는 몇 가지 용도가 있다/I wonder if we can find a ~ *for* the box. 이 상자를 어디에다 쓸 수 없을까/We have no further ~ *for* the gadget. 이 기계는 이제 소용없다. **4** 쓸모, 이익, 이득: It is no ~ crying over spilt milk. ⟪속담⟫ 한번 엎지른 물은 다시 주워 담지 못한다/What's the ~ *of* talking? 말해 봤자 무슨 소용이 있으랴/There's no ~ (*in*) talk*ing*. 말해도 아무 소용없다. **5** 습관, 관습, 관용, 관행: *Use* is (a) second nature. ⟪격언⟫ 습관은 제2의 천성/*Use* makes perfect. ⟪속담⟫ 배우기보다 익혀라/Once a ~, for ever a custom. ⟪속담⟫ 버릇은 천성이 된다. **6** 〖교회〗 각 교회·감독 관구에 특유한 의식: the Anglican 〔Roman〕 ~ 영국〔가톨릭〕 교회의 의식. **7** 〖법률〗 (신탁·토지 따위의) 용익〔수익〕권. ***be*** (***of***) ***no*** ~ 쓸모없다, 무익하다: It's *no* ~ talking 〔to talk〕. =It's *of no* ~ to talk. 말해도 소용없다. ***bring ... into*** ~ …을 쓰기 시작하다. ***come*** 〔***go***〕 ***into*** ~ 활용케 되다. ***fall*** 〔***go, get***〕 ***out of*** ~ 쓰이지 않게 되다. ***for the*** ~ ***of*** …의 요구에 따라, …용(用)으로. ***have no*** ~ ***for*** …의 필요가 없다, …은 소용이 없다; ⟪비유⟫ …은 싫다, …은 못 참겠다, …의 진가를 인정 않다, …을 상대 않다: I *have no* ~ *for* his services. 그의 도움을 받을 필요는 없다/I *have no* ~ *for* new ideas. 신기축(新機軸)은 싫다. ***have the*** ~ ***of*** …의 습관이 있다. ***in*** 〔***out of***〕 ~ 쓰이고 〔쓰이지 않고〕; 행해지고〔폐지되어〕. ***make*** ~ ***of*** …을 사용〔이용〕하다: *make* bad 〔good〕 ~ *of* …을 악용〔이용〕하다/*make* free ~ *of* oneself 자유롭게 행동하다. ***of*** ~ 유용한, 쓸모 있는: It is *of* great ~. 그것은 대단히 쓸모가 있다. ***put ... to*** ~ …을 쓰다, 이용하다: *put* it *to* (a) good ~ 그것을 크게 이용하다. ~ ***and wont*** 관습, 관례. ***with*** ~ 늘 사용하여, 사용함에 따라서: The car clutch grew looser *with* ~. 늘 쓰기 때문에 차의 클러치가 헐거워졌다.

— [ju:z] *vt.* **1** (~+目/+目+前+名/+目+*to* do/+目+*as* 補) 쓰다, 사용〔이용〕하다; (권총 등을) 들이대다⟪*on*⟫; 소비하다; 습관적으로 쓰다〔마시다, 피우다〕: ~ tobacco 담배를 피우다/May I ~ your telephone? 전화 좀 써도 좋습니까/Tell me how to ~ a saw. 톱의 사용법을 가르쳐 주십시오/~ care 〔diligence, economy〕 조심〔공부, 절약〕하다/She never ~*s* sugar *in* her coffee. 그녀는 절대로 커피에 설탕을 넣지 않는다/Gravel is often ~*d for* mak*ing* roads. 자갈은 도로를 만드는 데 흔히 쓰인다/Don't ~ a knife *to* cut bread. 빵을 자르는 데 나이프를 쓰지 마라/~ newspapers *as* kindling 신문지를 불쏘시개로 쓰다. ★ 물질·정신 기능 양쪽에 다 씀.

SYN. **use** 가장 일반적인 말. 목적어가 사람인 경우에는 '이용하다' '혹사하다' 라는 나쁜 뜻이 됨: *use* a jack to raise a car 자동차를 들어올리는 데 잭을 쓰다. I hate being *used* by her. 그녀에게 이용당하기 싫다. **employ** 특정 목적을 위하여 기술적으로 가장 효과 있다고 생각되는 방법으로 사용하다. 목적어가 사람인 경우에는 '고용하다': The author *employs* the dialect to enhance the rustic mood of the novel. 저자는 소설의 전원적 정서를 높이기 위해 사투리를 쓰고 있다. **utilize** 이용하다. 반드시 최적의 것이 쓰이는 것은 아님. 사람이 목적어가 되는 일은 거의 없음: *utilize* the means at hand 손쉬운 수단을 쓰다.

2 《+목+부/+목+전+명》 (아무를) 대우하다, 다루다: She ~*d* her friend *well* 〔*ill*〕. 친구를 친절히〔언짢게〕 대했다 / How is the world *using* you? 《속어》 요즘 어떻습니까 / He ~*d* me *like* a dog. 나를 개처럼 취급했다. **3** (남을) 이기적 목적에 이용하다, 이용해 먹다: They are *using* your good will. 그들은 너의 선의를 이용하고 있다. **4** 〘could 〔can〕 ~로〙《구어》 …을 얻을 수 있으면 좋겠다, 필요하다: I *could* ~ a good meal. 맛있는 식사를 해보고 싶다 / *Can* you ~ some extra money? 여분으로 돈이 필요하나. **~ *up*** 다 써 버리다; 지치게 하다; 공격하다, 해치우다: Don't ~ *up* your energy in fruitless efforts. 효과 없는 노력에 정력을 소모하지 마라 / I feel ~*d up*. 이젠 글렀다 / The oil is all ~*d up*. 석유가 다 떨어졌다.

use·a·ble [júːzəbəl] *a.* =USABLE.

úse-bỳ dàte [júːzbài-] (포장 식품 따위의) 사용 유효 날짜. cf. best-before date.

used¹ [juːst, 《to의 앞》 juːs*t*] *a.* 〘술어적 형식으로〙 …에 익숙하여《*to*》: We are ~ *to* drudgery. 우리는 힘든 일에 익숙해져 있다 / He was ~ *to* sleeping late. 그는 늦잠자는 버릇이 있었다 / You'll soon get ~ *to* his way of bullying. 그의 위협적인 태도에 곧 익숙해질 것이다. ★ He was ~ *to* sit up late.처럼 used 뒤에 부정사를 쓰는 경우는 드묾.

SYN. **be used to**는 **be accustomed to**보다도 관용적. **make it a rule to**는 습관적인 행위를 강조함.
NOTE (1) 다음의 차이점에 주의: These men *are used* [juːst] *to* paint*ing* big pictures. 이들은 큰 그림을 그리는 일에 익숙해져 있다. These brushes *are used* [juːzd] *to* paint big pictures. 이 붓들은 큰 그림을 그리는 데 쓰인다.
(2) used (*a.*) 앞에는 be, get, become 등의 동사가 옴. 다음의 *vi.* 에서는 오지 않음.

— *vi.* 《+*to* do》 …하는 것이 예사였다, 늘 …했다, …하는 버릇〔습관〕이 있었다; 원래는〔이전에는, 옛날에는〕 …했었다: We live in town now, but we ~ *to* live in the country. 지금은 도회지에 살고 있지만 원래는 시골에 살았다 / He works harder than he ~ *to*. 그는 그 전보다 열심히 일한다 / The bell ~ always *to* ring at one. 전에는 언제나 한 시에 벨이 울렸다 / It ~ *to* be said that.... …라는 말을 늘 들어왔다 / There ~ *to* be owls in the wood. 이 숲에는 (전에) 올빼미가 있었다.

NOTE (1) 부정: use(d)n't [júːsnt, (to의 앞) júːsn*t*].
(2) 부정문 및 의문문에서는 did를 쓰는 꼴과 쓰지 않는 꼴의 두 모양이 쓰이고 있다: He ~*n't* 〔*didn't use*(*d*)〕 *to* answer. 그는 언제나 대답하지 않았다 / What ~ he 〔*did* he *use*(*d*)〕 *to* say? 언제나 무어라고 하셨습니까 / Brown ~ *to* live in Paris. — Oh, *did* he 〔~ he〕? 브라운은 파리에 살았었습니다. — 아 그랬습니까 / He ~ *to* live in Paris, ~*n't* he 〔*didn't* he〕? 파리에 살지 않았었습니까.
SYN. **used to** 과거의 상습적 동작 및 과거에서의 영속적 상태를 나타냄. **would** 과거의 반복적 동작을 나타내며 상습적 · 영속적 색채가 약하기 때문에 often, sometimes 따위의 부사와 함께 잘 쓰임.

used² [juːzd] *a.* 써서 낡은, 중고의; 다 쓴; 지친: ~ books 헌책, 고본 / a ~ car 중고차.

úse dìstrict 용도 지역《도시에서 행정상의 목적을 위하여 지정된 지역》.

used·n't [júːsnt] used not의 단축형.

used-to-be [júːsttəbìː] *n.* 《미구어》 =HAS-BEEN.

used-up [júːzdʌ́p] 《구어》 *a.* 써서 낡아버린, 넝마처럼 된; 기진한.

use·ful [júːsfəl] *a.* **1** 쓸모 있는, 유용한, 유익한, 편리한: a ~ dictionary *for* students 학생에게 유용한 사전 / a book very ~ *to* me 나에게 아주 유용한 책 / Computers are ~ *in* process*ing* data. 컴퓨터는 데이터 처리에 유용하다. **2** 《구어》 매우 훌륭한〔유능한〕: a ~ member of the team 팀의 유능한 멤버. ***be ~ with*** 〔*at*〕 … 을 잘하다: He *is* pretty ~ *with* his fists 〔at sums〕. 꽤 권투를〔계산을〕 잘 한다. ***come in ~*** 쓸모 있게 되다: Don't throw that away; it will *come in* ~ someday. 그것을 버리지 마라, 언젠가 쓸모 있게 될 것이다. ***make oneself ~*** (남의) 도움이 되다, (남을) 돕다, 협력하다: *make* one*self* generally ~ 여러 가지로 도움이 되어 주다〔돕다〕. — *n.* 《Austral. 구어》 막일꾼. 파 **~·ly** *ad.* **~·ness** *n.* U 쓸모 있음, 유용성.

úseful lóad 〖항공〗 적재량.

úse immùnity [júːs-] 〖법률〗 증언 사용 면책(免責)《증언자 자신에게 불리한 증언을 증거로서 사용하지 않아도 되는》.

use·less [júːslis] *a.* **1** 쓸모〔소용〕없는, 무익한, 헛된; 아무 짝에도 쓸데없는: It's ~ to argue with them. 그들과 논의해 봤자 소용이 없다. SYN. ⇨ VAIN. **2** 《구어》 서투른, 무능한: He's ~ *at* golf 〔ski*ing*〕. 그는 골프〔스키〕가 서툴다. **3** 《고대속어》 몸이 편찮은, 기운이 없는: I am feeling ~. 몸의 컨디션이 좋지 않다; 몸이 찌뿌드드하다. 파 **~·ly** *ad.* 무익하게, 쓸데없이, 소용없이, 헛되이. **~·ness** *n.* U 무익, 무용.

USENET, Usenet [júːsnet, júːz-] *n.* 〖컴퓨터〗 유즈넷《UNIX 시스템의 컴퓨터를 연결하는 국제적인 네트워크》.

use·n't [júːsn*t*] =USEDN'T.

us·er [júːzər] *n.* **1** 〘종종 복합어로〙 사용자, 소비자: an end ~ 실수요자. **2** 〖법률〗 (권리의) 계속적 행사〔향수〕. **3** 술〔마약〕 상용자(常用者). **4** 〖컴퓨터〗 (컴퓨터의) 사용자.

úser bàse 〖상업〗 (특정 상품 · 서비스의) 사용자 수; (인터넷 따위의) 가입자 수.

úser-defínable *a.* 〖컴퓨터〗 사용자 정의(定義) 가능한《키의 기능 등을 사용자가 정의할 수 있는》.

úser-defíned fúnction 〖컴퓨터〗 사용자 정의 함수.

úser-defíned wórd 〖컴퓨터〗 사용자 정의 단어.

úser-fríendly *a.* 〖컴퓨터〗 (시스템이) 사용하기 쉬운. 파 **-fríendliness** *n.*

úser guìde 사용 안내서.

úser identificàtion 〖컴퓨터〗 사용자 식별 기호.

úser ìnterface 〖컴퓨터〗 사용자 인터페이스《사용자가 컴퓨터와 대화하기 위한 기호나 명령 체계; 넓게는 대화를 위한 하드〔소프트〕웨어》.

úser ìnterface secúrity 〖컴퓨터〗 사용자 인터페이스 보안《컴퓨터 시스템에 접근이 허용된 사람의 신원을 운영 체제가 확인한 뒤 시스템의 프

로그램과 데이터에 접근할 수 있게 한 기능》.

úser mèmory 〖컴퓨터〗 사용자 메모리《사용자가 임의로 데이터를 판독·기록할 수 있는 중앙 처리 장치의 기억 영역》.

úser·nàme *n.* 사용자 이름《컴퓨터를 사용하는 개인의 식별용 이름》.

úser('s) fèe (쓰레기 수거, 소방 등 공공서비스의) 수익자(受益者) 부담금.

úser('s) gròup 〖컴퓨터〗 사용자 그룹《특정 기종의 컴퓨터 또는 동일 프로그램을 사용하는 사람들로 구성된 그룹》. 「(노동부 고용국).

USES 《미》 United States Employment Service

úse tàx 《미》 이용세(稅)《다른 주에서 들어온 물건에 대한 주세(州稅)》.

usf. 《G.》 *und so fort* (=and so on). **USGS** United States Geological Survey(미국 지질조사소).

ush [ʌʃ] *vi.* 《미속어》 usher로서 일하다.

USHA 《미》 United States Housing Authority.

Ú-shàped [-t] *a.* U자 꼴의, U형(形)의.

*__ush·er__ [ʌ́ʃər] *n.* **1** 안내인, 접수원, 문지기, 수위. **2** (법정의) 정리(廷吏). **3** (교회·극장 등의) 좌석 안내원; 《고어》 (고귀한 사람의) 선도원; 《미》 (결혼식장에서 내빈) 안내원. **4** 《영고어》 《경멸》 조교사(助敎師). **5** (영국 왕실의) 의전관(儀典官) (gentleman-usher). **—** *vt.* 《~+목/+목+부/+목+전+명》 안내하다, 전갈하다, 선도(先導)하다《*in*; *out*; *into*》: ~ *in* 〔*out*〕 a person 아무를 안내해 들이다〔보내다〕/ The maidservant ~*ed* me *into* the drawing room. 하녀가 나를 객실로 안내했다. **—** *vi.* 안내역을 맡다. ~ ***in*** ① ⇨ *vt.* ② 《문어》 예고하다, …의 도착을 알리다: the song of birds that ~*s in* the dawn 새벽을 알리는 새들의 노랫소리. 파 **~·shìp** *n.* Ⓤ ~의 역할〔지위〕.

ush·er·ette [ʌ̀ʃərét] *n.* (극장 등의) 안내양.

USI United Service Institution. **USIA, U.S.I.A.** United States Information Agency (미국 해외 정보국). **USICA** United States International Communication Agency(미국 국제 교류청(=ICA)). **USIS, U.S.I.S.** United States Information Service(미국 (대사관의) 공보원). **USITC** United States International Trade Commission(미국 국제 무역 위원회)《1916년 창설한 정부 기관》. **USLTA, U.S.L.T.A.** United States Lawn Tennis Association (미국 테니스 협회). **USM, U.S.M.** underwater-to-surface missile. **U.S.M.** United States Mail 〔Marines, Mint〕. **U.S.M.A., USMA** United States Military Academy. **USMC, U.S.M.C.** United States Marine Corps. **USN, U.S.N.** United States Navy. **U.S.N.A., USNA** United States National Army; United States Naval Academy. **USNG, U.S.N.G.** United States National Guard.

ús·nic ácid [ʌ́snik-] 〖생화학〗 우스닌산 ($C_{18}H_{16}O_7$)《항생 물질로 쓰이는 황색 결정; 지의류(地衣類) 속에 함유되어 있음》.

USO, U.S.O. United Service Organizations (미군 위문 협회).

U.S. Ópen (the ~) 전미 오픈. **1** 골프의 세계 4대 토너먼트《1895년에 시작하여 매년 6월 미국 각지에서 개최됨》. **2** 테니스의 세계 4대 선수권의 하나《1881년(여성은 1887년)부터 매해 개최되고 있으며, 오픈이 된 것은 1968년; 현재는 New York 시의 Flushing Meadow-Corona Park 에서 행해지고 있음》.

USP 〖상업〗 unique selling proposition〔point〕.

U.S.P., U.S. Pharm. United States Pharmacopoeia (미국 약전). **U.S.P.S., USPS** United States Postal Service (미국 우정(郵政) 공사). 「스키.

us·que·baugh [ʌ́skwibɔ̀ː] *n.* 《Sc.·Ir.》 위

USR, U.S.R. United States Reserves (미국 예비군). **U.S.R.C.** United States Reserve Corps. **U.S.S.** United States Senate (미국 상원); United States ship 〔steamer, steamship〕; United States Standard. **USSR, U.S.S.R.** Union of Soviet Socialist Republics.

Us·su·ri [usúəri] *n.* (the ~) 우수리 강《중국 동북 지구와 러시아 극동 지방의 국경을 이루며 북류하여 Amur 강에 흘러듦; 길이 805km》.

USTC United States Tariff Commission (미국 관세 위원회). **USTR** United States Trade Representative(미국 통상 대표(부)). **USTS** United States Travel Service(미국 관광국).

usu. usual; usually.

‡**usu·al** [júːʒuəl, -ʒwəl] *a.* 보통의, 통상의, 일상의, 평소의, 평범한, 흔히 있는: Tea is the ~ drink of English people. 홍차는 영국 사람의 일상 음료이다 / It is not ~ *for* shops *to* open on Sundays. 가게가 일요일에 문을 여는 일은 드문 일이다. SYN. ⇨ COMMON. ***as is ~ with*** … 이 언제나 하듯이, …에게는 언제나 있는 일이지만: *As is ~ with* picnickers, they left a lot of litter behind them. 소풍객들에게 언제나 있는 일이지만, 쓰레기를 잔뜩 흩뜨려 놓고 갔다. ***as per ~*** 《구어·우스개》 =***as*** (***is***) ~ 여느 때처럼, 평소와 같이: He was late *as* ~. 여느 때처럼 그는 늦었다. ***than*** (***is***) ~ 평소보다: He came earlier *than* ~. 그는 평소보다 일찍 왔다.
— *n.* (one's ~) 《구어》 평소의 건강 상태. ***out of ~*** 보통이 아닌, 드문. ***the*** 〔***one's***〕 ~ (***thing***) 《구어》 늘 같은 것〔일, 말〕, 예의 그것《술, 음식 등》, 월경: A glass of whisky is *my* ~. 위스키 한 잔이 내 적량이다.

†**usu·al·ly** [júːʒuəli, -ʒwəli] *ad.* 보통, 통례적으로, 일반적으로, 평소(에는): What do you ~ do on Sundays? 일요일에는 보통 무엇을 합니까 / more than ~ 보통〔평소, 예년〕보다(는). ≒always(⇨ ALWAYS 4 NOTE (1)).

usu·fruct [júːzjəfrʌ̀kt, -sjə-/-sju-] 〖로마법〗 *n.* Ⓤ 용익권(用益權), 사용권; (일반적으로) 이용권. **—** *vt.* (토지 등)의 용익권을 행사〔향유〕하다. 파 **usu·fruc·tu·ary** [jùːzjəfrʌ́ktʃuèri, -sjə-/-sjufrʌ́ktjuəri] 〖로마법률〗 *a.*, *n.* 용익권의(소유자). 「용의자.

úsual suspéct 사건 직후 제일 먼저 소환되는

usu·rer [júːʒərər] *n.* 고리대금업자; 《폐어》 대금업자(moneylender).

usu·ri·ous [juːʒúəriəs/-zjúər-] *a.* 고리의 받는, 고리대금의. 파 **~·ly** *ad.*

°**usurp** [juːsə́rp, -zə́ːrp/-zə́ːp] *vt.* (권력·지위 등을) 빼앗다, 찬탈하다, 강탈〔횡령〕하다. **—** *vi.* 《+전+명》 범하다, 침해하다(encroach)《*upon*, *on*》: ~ *on* 〔*upon*〕 a person's right 아무의 권리를 침해하다. 파 **~·er** *n.*

usur·pa·tion [jùːsərpéiʃən, -zər-/-zəː-] *n.* Ⓤ,Ⓒ 권리 침해, 찬탈, 횡령, 강탈.

usu·ry [júːʒəri] *n.* Ⓤ 고리대금《행위》; (법정 이율을 넘는) 터무니없는 고리, 폭리; 《고어》 고리대금업; 《고어·비유》 이자. ***with ~*** 《비유》 이자를 붙여서.

U.S.V., USV United States Volunteers.

usw, u.s.w. 《G.》 *und so weiter* (=and so forth). **USW, usw** 〖통신〗 ULTRASHORT wave.

ÚS Wést 미국의 지방 전신·전화 공사의 하나.

USX [jùːèséks] *n.* 유에스엑스(사)(~ Corp.)

《미국 최대의 철강 회사; 1901 년 설립; 1986 년 US Steel 을 흡수, 현재의 사명이 됨》.

ut[1] [ʌt, uːt] *n.* 《L.》 〖음악〗 (8 도 음정의) 제 1 음, 으뜸음《지금의 solmization의 do》.

ut[2] [ʌt] *a.* 《미속어》 철저한. [◂ *utter*(1)y]

UT 〖미우편〗 Utah. **Ut.** Utah. **ut** urinary tract; user test; utility. **UT, U.T., u.t.** Universal time.

Utah [júːtɔː, -tɑː] *n.* 유타《미국 서부의 주; 생략: Ut.》. ㊎ **~·an** [-ən] *a., n.* 유타 주의(사람).

UTC universal time coordinated. **Utd** United.

ut dic·tum [ʌt-díktəm] 《L.》 (=as directed) 〖의학〗 처방의 지시에 따라《생략: ut dict.》.

Ute [juːt, júːti] *n.* 미국 Utah, Colorado 따위의 주(州)에 사는 아메리카 원주민.

ute [juːt] *n.* 《Austral. 구어》 소형 트럭(utility (truck)).

◇**uten·sil** [juːténsəl] *n.* **1** 가정용품, 부엌살림, 기구, 도구(implement, tool); 교회용 기구: farming ~*s* 농기구/kitchen ~*s* 부엌세간/writing ~*s* 필기용구/~*s* of war 무기. **2** 유용한 사람; 남에게 이용당하는 사람. SYN. ⇨TOOL.

uter·al·gia [jùːtərǽldʒiə] *n.* 〖의학〗 자궁통(痛).

uter·ine [júːtərin, -ràin/-ràin] *a.* **1** 〖해부〗 자궁의, 자궁 안에 생기는. **2** 이부 동모(異父同母)의; 어머니 쪽의: ~ brothers 이부〔씨 다른〕 형제.

uter·i·tis [jùːtəráitis] *n.* 〖의학〗 자궁염(炎).

uter·us [júːtərəs] (*pl.* ***-ri*** [-rài]) *n.* 〖해부〗 자궁(womb).

Uti·ca [júːtikə] *n.* 우티카《북아프리카 Carthage 북서에 있던 옛 도시》.

util·i·tar·i·an [juːtìlətέəriən] *a.* 공리적인, 실리적〔실용적〕인; 실용성만을 중히 여기는; 공리주의의. **—** *n.* 공리론자, 공리주의자.

utìl·i·tár·i·an·ìsm *n.* **1** Ⓤ 〖철학〗 공리설, 공리주의《최대 다수의 최대 행복을 목적으로 하는 J. Bentham 및 J.S. Mill의 학설》. **2** 공리적 성격〔정신, 성질〕.

util·i·ty** [juːtíləti] *n.* **1** Ⓤ 쓸모가 있음(usefulness), 유용, 유익; 실용, 실익(實益), 실리(實利). **2** (보통 *pl.*) 실용품, 유용물. **3** Ⓒ (수도·전기·가스·교통기관 등의) 공익 사업(설비〔시설〕); 공익 기업(public ~); (*pl.*) 공익 기업주(株): ⇨PUBLIC UTILITY. **4** Ⓤ 〖경제〗 효용; 〖철학·윤리·미술〗 공리(성); 최대 다수의 최대 행복: ⇨ MARGINAL UTILITY. **5** Ⓤ 〖연극〗 =UTILITY MAN; 《Austral.》 소형 트럭(~ truck). **6** 〖컴퓨터〗 유틸리티《프로그램 작성에 유용한 각종 소프트웨어》. ***of no **~** 쓸모가 없는, 무익한. **—** *a.* **1** 실용적인, 실용 본위의《가구·의류 따위》: a ~ model 실용 신안품/~ furniture 실용 본위의 가구/the ~ factor (설비 등의) 이용률, 효율. **2** 만능의; 실익용의《가축 등》; 《미》 (쇠고기 따위가) 최하급의, 보통의: a ~ truck 만능 트럭/~ meat. **3** 《주로 미》 공공 사업(주(株))의.

utílity màn 〖연극〗 최하급의 배우, 단역(端役); 〖스포츠〗 유틸리티맨《만능 보결 선수(utility player)》; 《미》 〖일반적〗 무엇이나 할 수 있는 사람; 여러 가지 작업에 익숙한 숙련공.

utílity plàyer 〖스포츠〗 =UTILITY MAN.

utílity pòle 전신주.

utílity prògram 〖컴퓨터〗 유틸리티 프로그램《정보의 분류, 파일의 복사와 같은 사용 빈도가 높은 표준적인 기능을 행하기 위한 프로그램》.

utílity ròom 다용도실(室)《냉난방 기구·청소기 등을 두고 세탁도 할 수 있는 곳》.

utílity vèhicle 다용도차(車).

utilizátion mànagement 유틸리제이션 매니지먼트《생산성의 분석·개선을 위한 효율 경영 관리 기술》.

***uti·lize** [júːtəlàiz] *vt.* 《~+目/+目+前+名》 활용하다, 소용되게 하다: ~ leftovers *in* cooking (먹다) 남은 것을 요리에 이용하다/The water is ~*d for* producing electric power. 그 물은 전력 생산에 이용된다. SYN. ⇨USE. ㊎ **-lìz·a·ble** *a.* ◇**ùti·li·zá·tion** *n.* Ⓤ 이용.

ut in·fra [*L.* ʌt-ínfrɑː] 《L.》 (=as below) 아래와 같이《생략: u.i.》.

uti pos·si·de·tis [júːtai-pɑ̀sədíːtis/-pɔ̀s-] 《L.》 (=as you possess) 〖로마법〗 점유(占有) 보호 명령; 〖국제법〗 점유물 보류의 원칙.

UTLAS University of Toronto Library Automation System 《도서관 업무의 자동화를 권하기 위한 도서 목록의 데이터 뱅크》.

ut·most** [ʌ́tmòust] 〔out의 최상급〕 *a.* **1** 최대한도의, 최고도의, 극도의, 극단의: in the ~ danger 극도로 위험한 상태에/of the ~ importance 극히 중요한. **2** 가장 먼, 맨 끝의; 최후의: to the ~ ends of the earth 지구의 끝까지. **—** *n.* (흔히 the ~, one's ~) (능력·노력 따위의) 최대한도, 최고도, 극한, 극도; (the ~) 《미속어》 최고〔최상〕의 것: He did *his* ~ to finish on time. 시간에 대어 마치기 위해 온 힘을 기울였다. ***at (***the***) **~** 기껏해야. ***get the ~ out of*** …을 최대한 활용하다. ***to the ~*** 극도로, 극력; …이 닿는 한《*of*》: enjoy oneself *to the* ~ 한껏 즐기다/*to the* ~ *of* one's power 힘이 닿는 한.

***Uto·pia** [juːtóupiə] *n.* 유토피아《Sir Thomas More 작의 *Utopia* 중에 묘사된 이상국》; (보통 u-) 이상향(理想鄕), 이상적인 나라; (보통 u-) 공상적〔이상적〕 사회 체제, 공상적 사회 개량 계획.

Uto·pi·an [juːtóupiən] *a.* (보통 u-) 유토피아의, 유토피아 같은; 이상향의; 공상적 사회주의의; 공상적〔몽상적〕인. **—** *n.* 유토피아〔이상향〕의 주민; (보통 u-) 공상적 사회 개혁론자, 몽상가. ㊎ **~·ìsm** *n.* Ⓤ (보통 u-) 유토피아적 이상주의; 〖집합적〗 공상적 사회 개혁안, 유토피아적〔공상적〕 이념〔이론〕.

utópian sócialism 공상적 사회주의. cf. scientific socialism.

Utrecht [júːtrekt] *n.* 위트레흐트《네덜란드 중부의 도시》.

utri·cle [júːtrikəl] *n.* 소낭(小囊), 소포(小胞); 〖식물〗 포과(胞果); 〖동물〗 기포(氣胞); 〖해부〗 전립선낭(前立腺囊); (내이(內耳)의) 난형낭(卵形囊). ㊎ **utric·u·lar** [juːtríkjələr] *a.* 소낭〔소포〕상(狀)의; 소낭의〔이 있는〕, 기포의〔가 있는〕.

ut su·pra [ʌt-súːprə/-sjúː-] 《L.》 (=as above) 위와 같이《생략: ut sup.》.

Ut·tar Pra·desh [útərprədéʃ, -déiʃ] 우타르 프라데시《인도 북부의 주; 주도는 Lucknow》.

***ut·ter**[1] [ʌ́tər] *a.* **1** 전적인, 완전한, 철저한: an ~ stranger 생판 모르는 사람/an ~ fool 지독한 바보/~ darkness 칠흑 같은 어둠. **2** 무조건의, 절대적인, 단호한《거절 등》: an ~ refusal. **3** 순전한. ★ 보통 좋지 않은 뜻의 낱말과 결합함.

***ut·ter**[2] *vt.* **1** (목소리·말 따위를) 내다, 입밖에 내다, 발음하다: ~ a groan 〔sigh〕 신음 소리를 내다〔한숨을 쉬다〕. **2** (말 또는 글로) 발언하다, 말하다, 말로 나타내다, 털어놓다: ~ one's thoughts 〔feelings, joy〕 생각〔느낌, 기쁨〕을 말하다. **3** 유포하다, 퍼뜨리다, 공표하다: ~ a libel 남을 중상하는 글을 공표하다. **4** (위조지폐 등을) 유통시키다, 사용하다. **5** (소리를) 발하다, 내다; 《드물게》 (비밀 등을) 누설하다. **—** *vi.* 말하다; (금구(禁句) 등이) 입에 오르게 되다, 언급되다. ◇utterance[1] *n.* ㊎ **~·a·ble** [-rəbəl] *a.* 발언〔발음〕할 수 있는; 말로 나타낼 수 있는. **~·er** [-rər] *n.* 발언〔발음〕하는 사람; (지폐의) 위조 행사자.

◇**ut·ter·ance**[1] [ʌ́tərəns] *n.* Ⓤ **1** 말함, 발언, 발성; 말하는 능력, 발표력; 말씨, 어조, 발음; (짐

승의) 울음소리; 〖언어〗 발화(發話): defective ~ 발음 불완전. **2** Ⓒ (입 밖에 낸) 말; 언설(言說): his pulpit ~s 그의 설교. **3** 유통시킴. ◇utter² *v.* ***a man of good*** ~ 구변이 좋은 사람. ***give*** ~ ***to*** …을 말로 나타내다; 입 밖에 내다.

ut·ter·ance² 《고어·시어》 *n.* Ⓤ 최후, 극한; 죽음. ***to the*** ~ 최후의 순간까지, 죽을 때까지.

út·ter·ing [-riŋ] *n.* 〖법률〗 위조 통화 사용죄, (사기 목적의) 위조 문서 행사죄.

***ut·ter·ly** [ʌ́tərli] *ad.* 아주, 전혀, 완전히.

útter·mòst *a.* 가장 멀리 떨어진, 가장 끝의; 최대한도의, 극도의(utmost): the ~ stars 가장 먼 별. ── *n.* (흔히 the ~, one's ~) =UTMOST.

Ú-tùbe *n.* U 자관(字管).

Ú-tùrn *n.* **1** 유턴: No ~s. 유턴 금지《게시》. **2** 《비유》 (정책 등의) 180° 전환: make an economic ~ 경제 정책을 일변하다. ── *vi.* 유턴하다.

UUCP, uucp 〖컴퓨터〗 UNIX-to-UNIX Copy Program 〔Protocol〕 (UNIX 간 복사 프로그램 〔프로토콜〕).

UUM 〖군사〗 underwater-to-underwater missile. **UV** 〖물리〗 ultrahigh vacuum(초고진공). **UV, U.V.** ultraviolet; under voltage. **UV-A, UVA** ultraviolet-A (장파장 자외선) 《파장 320-400 nm》.

Ú-vàlue *n.* U 값《단열재나 건축 재료의 열전도량 표시값; U 값이 낮을수록 단열성이 좋음》. [◀ British thermal *u*nit]

UV-B, UVB ultraviolet-B (중파장 자외선) 《파장(波長) 290-320 nm; 피부 홍반 생성의 주원인이 됨》. **UV-C, UVC** ultraviolet-C (단파장 자외선) 《파장 290 nm이하; 대기에 흡수되어 지표에 도달하지 않음》. **UVF** Ulster Volunteer Force. **UVM** 《미》 universal vender mark(통일 벤더 마크) 《백화점 업계가 종래 UPC의 10자리 표시로는 불충분하다 하여 개발한 상품 코드》.

uvu·la [júːvjələ] (*pl.* **~s, -lae** [-liː]) *n.* 〖해부〗 현옹수(懸壅垂), 목젖. ㊕ **úvu·lar** [-lər] *a., n.* 목젖의; 〖음성〗 연구개의; 연구개음.

U/W, u/w 〖상업〗 underwriter.

ux·o·ri·al [ʌksɔ́ːriəl, ʌgz-/ʌksɔ́ːr-] *a.* 아내의, 아내다운.

ux·o·ri·cide [ʌksɔ́ːrəsàid, ʌgz-/ʌksɔ́ːr-] *n.* Ⓤ,Ⓒ 아내 살해(범인). ㊕ **ux·òr·i·cíd·al** *a.*

ux·o·ri·ous [ʌksɔ́ːriəs, ʌgz-/ʌksɔ́ːr-] *a.* 아내에게 무른, 애처가인. ㊕ **~·ly** *ad.* **~·ness** *n.*

Uz·beg, Uz·bek [úzbeg, ʌ́z-, uzbég], [-bek] *n.* 우즈베크 사람《중앙 아시아의 우즈베키스탄에 사는 터키 민족》; Ⓤ 우즈베크 말.

Uz·bek·i·stan [uzbékistæ̀n, -stàːn, ʌz-/uzbèkistáːn, ʌz-] *n.* 우즈베키스탄《독립 국가 연합(CIS) 가맹 공화국의 하나; 수도는 Tashkent》.

Uzi [júːzi] *n.* 우지 단기관총《이스라엘제의 고성능 기관총》. [◀ (Israel) Uziel Gal《설계자명》]

Uz·zi·ah [əzáiə] *n.* 〖성서〗 웃시야《유대 최성기의 왕; 제사장도 아니면서 향을 피우려다가 문둥병에 걸림; 783?-742? B.C.》.

V

V, v [viː] (*pl.* **V's, Vs, v's, vs** [-z]) **1** 브이《영어 알파벳의 스물두째 글자》. **2** V자형(의 것); 제 22번째(의 것)《J를 빼면 21번째》; 로마 숫자의 5; 《미구어》 5달러 지폐: IV=4 / VI=6 / XV =15.

V 〖물리〗 (전위·위치 에너지양 기호) V; 〖광학〗 (시감 효율(視感效率)의 기호) V; 〖화학〗 vanadium; vector; victory; 〖전기〗 volt. **v** velocity; volt. **V.** Venerable; Vicar; Vice; Victoria; Viscount; Volunteer. **v.** valve; 《D.》 *van;* 〖수학〗 vector; vein; velocity; verb; verse; version; versus; very; vicar; vice-; *vide* 《L.》(=see); village; vocative; voice; volt; voltage; volume; *von* 《G.》 (=of).

va [vɑː] 《It.》 〖음악〗 계속하라, 계속해서 …하라 《지휘 용어》. ***va piano*** 계속 약하게.

VA 〖미우편〗 Virginia; visual aid. **VA, V.A.** Veterans Administration; Vicar Apostolic; Vice-Admiral; (Order of) Victoria and Albert(빅토리아 앨버트 훈장). **Va.** Virginia; 〖악기〗 viola. **v.a.** value analysis(가치 분석); verb active; verbal adjective; *vixit annos* 《L.》(=lived... years). **VAB** vehicle assembly building(우주 왕복선 조립 공장).

vac [væk] *n.* 《영구어》 **1** 휴가(vacation). **2** 진공 청소기(vacuum cleaner).

***va·can·cy** [véikənsi] *n.* **1** [U] 공허, 빔, 공간: look into ~ 허공을 응시하다. **2** 틈, 사이, 간격; 〖결정〗 빈 자리《결정 구조 중 있어야 할 원자가 빠진 곳》. **3** 공석, 결원, 공백: fill (up) a ~ 결원을 보충하다. **4** 공터, 빈방, 빈집: "No *Vacancies*" "빈방 없음"《호텔의 표찰》. **5** [U] 방심 (상태), 마음의 공허〔허탈〕; 《드물게》 무위: His face wore a look of utter ~. 그의 얼굴엔 공허한 빛이 드리워 있었다. **6** [U] 《고어》 틈, 여가.

vácancy decontról 《미》 빈집 집세 통제 해제《아파트 등이 비면 주인이 임대료를 자유로 정할 수 있게 한 법규》.

***vá·cant** [véikənt] *a.* **1** 공허한, 빈: ~ space 아무 것도 없는 공간.

> SYN. **vacant** 본래 있어야 할 것〔사람〕이 없는. 따라서 원래 꽉 차 있어야 할 시간이 비어서 한가로운 경우, 생각하고 있어야 할 머리 등이 멍해진 경우에도 이 낱말을 사용함: a *vacant* house 빈집. a *vacant* look 멍청한 표정. **empty** vacant와 거의 같은 뜻이나, '본래 있어야 할'이라는 느낌은 없이 다만 비어 있는 사실만을 나타냄: an *empty* box 빈 상자. **void** vacant와 뜻이 흡사하지만 외부로부터 채워질 공허라기보다는 본래 내부로부터 채워져야 할 것이 없는 경우라는 어감을 가짐. 보다 공허함, 허무함, 공허의 영속성이 강조됨: *void* head 텅 빈 머리(≒a *vacant* head 멍청한 머리). **blank** (책이나 페이지 따위가) 아무것도 씌어 있지 않은 상태. 비유적으로 '무표정한'이란 뜻으로도 쓰임.

2 (토지·집·방 따위가) 비어 있는, 사는 사람이 없는, 세든 사람이 없는: Do you have a room ~? (호텔 따위에서) 빈방 있습니까. **3** (자리가) 비어 있는, 공석 중인, 결원으로 된: a ~ seat 공석 / a ~ job 공석 중인 일자리 / the situations ~ columns (신문의) 구인 광고란. **4** (시간이) 한가한, 무위한, 틈이 있는: Keep a day next week ~ if you can. 가능하면 내주 하루 틈을 내십시오. **5** (마음·머리가) 멍청한, 비어 있는, 맥빠진: with a ~ stare 〔look〕 멍청한 눈을 하고서. **6** …이 없는(devoid)《*of*》: be ~ *of* business 일이 없다. ***fall*** ~ 자리가 비다.
㊉ **~·ly** *ad.* 멍청하게, 멍하니. **~·ness** *n.*

vácant lòt 공지, 빈터.

vácant posséssion 〖영법률〗 선주(先住) 점유자가 없는 가옥의 소유권; 즉시 입주〔소유, 등기〕 가능《광고문》.

va·cate [véikeit, -ˊ/vəkéit, vei-] *vt.* **1** 《~+[목]/+[목]+[전]+[명]》 비게 하다, 공허하게 하다; 퇴거하다, 떠나가다, (집 따위를) 비우다: ~ a house 집을 비우다 / ~ one's mind *of* worries 걱정거리를 없애다. **2** 물러나다, (직 따위를) 사퇴하다, 공석으로 하다. **3** 〖군사〗 철퇴시키다; 〖법률〗 무효로 하다, (계약 등을) 취소하다. ── *vi.* 비우다; 공석으로 하다; 《미구어》 휴가를 얻다; 떠나가다. ㊉ **vá·cat·a·ble** *a.*

****va·ca·tion** [veikéiʃən, və-] *n.* **1** 휴가《학기말이나 회사 따위의》; (법정의) 휴정기: the Christmas 〔Easter, Whitsun〕 ~ 크리스마스〔부활절, 성령 강림절〕 휴가 / the summer ~ (학교의) 여름 방학 / the ~ school 하기 강습회, 하계 학교. SYN. ⇨HOLIDAY. **2** 휴가 여행《특히 피서·피한 따위의》: return from ~ 휴가 여행에서 돌아오다 / be away on ~ 휴가로 여행 중이다. **3** 《미속어》 징역〔금고〕형. **4** [U] (집 등의) 명도, 물러나가기. **5** 사직, 사임, 퇴관(退官). **6** [U] 공석 (기간). ***take a*** ~ 휴가를 얻다〔보내다〕: *take a* day's ~ 하루의 휴가를 얻다. ── *vi.* 《~/+[전]+[명]》《미》 휴가를 얻다, 휴가를 보내다: He *~ed in* Maine last summer. 작년 여름 그는 휴가를 메인 주에서 보냈다. ***go ~ing*** 휴가로 놀러가다. ㊉ **~·al** [-ʃənəl] *a.* **~·er, ~·ist** *n.* 《미》 휴가 여행자〔관광객〕, (휴일의) 유람객, 피서객.

vacátion·lànd *n.* 《미》 휴가자가 많이 찾는 곳《유원지·사적·관광지 등》.

vac·ci·nal [væksənl] *a.* 백신〔접종, 종두(種痘)〕의〔에 의한〕.

vac·ci·nate [væksənèit] *vt.* 《~+[목]/+[목]+[전]+[명]》 …에게 예방 접종을 하다, …에게 백신 주사를 놓다; 《특히》 …에 종두하다: be ~*d* *against* typhus 티푸스 예방 주사를 맞다. ── *vi.* 백신〔예방〕 주사를 놓다. ── [-nèit, -nət] *n.* 예방 접종을〔종두를〕 맞은 사람.

°**vàc·ci·ná·tion** *n.* [C,U] 종두(種痘); 백신 주사, 예방 접종; 우두 자국: ~ *against* typhoid fever 장티푸스 예방 주사. ㊉ **~·ist** *n.* 종두론자, 종두 찬성론자.

vac·ci·na·tor [væksənèitər] *n.* 종두의(種痘醫); 접종도(接種刀)〔침〕.

vac·cine [væksíːn, ˊ-/væksi(ː)n] *a.* 우두의; 종두의; 백신의: ~ lymph 〔virus〕 두묘(痘苗) / a ~ farm 두묘 제조소. ── *n.* 우두종, 두묘; 백신.

vac·ci·nee [væksəníː] *n.* 백신 주사〔종두〕를 맞은 사람.

vaccíne pòint 〖의학〗 접종침.

vac·cin·ia [væksíniə] *n.* Ⓤ 〖의학〗 우두. ㊕ **-i·al** *a.*
vac·ci·ni·za·tion [væksənizéiʃən/-naiz-] *n.* Ⓤ 〖의학〗 종두화(化), 반복 종두.
vac·il·lant [vǽsələnt] *a.* =VACILLATING.
◇**vac·il·late** [vǽsəlèit] *vi.* 망설이다, 생각이 흔들리다, 머뭇거리다; 흔들거리다. ㊕ **-là·tor** *n.*
vác·il·làt·ing *a.* 망설이는, 우유부단한; 진동〔동요〕하는. ㊕ **~·ly** *ad.* 망설여.
vàc·il·lá·tion *n.* Ⓤ,Ⓒ **1** 흔들림, 동요. **2** (마음·생각 등의) 동요, 우유부단.
vac·il·la·to·ry [vǽsələtɔ̀:ri/-təri] *a.* =VACILLATING.
vac·ua [vǽkjuə, -kjə] VACUUM의 복수.
va·cu·i·ty [vækjú:əti, və-] *n.* Ⓤ **1** 공허, 텅 빔; 진공; 빈 곳. **2** 마음의 공허, 방심, 멍청함; 얼빠짐; 허무. **3** (보통 *pl.*) 하찮은 일〔말〕.
vac·u·o·lar [vækjuóulər, vǽkjələr] *a.* vacuole의〔이 있는〕.
vac·u·o·late, -lat·ed [vǽkjuələt, -lèit], [-lèitid] *a.* 〖생물〗 공포(空胞)의, 공포가 있는.
vac·u·ole [vǽkjuòul] 〖생물〗 *n.* 액포(液胞); 소강(小腔).
vac·u·ous [vǽkjuəs] *a.* **1** 빈, 공허한. **2** 마음이 공허한; 멍청한; 바보 같은, 얼빠진. **3** 일이 없는, 아무 일도 하지 않고 있는; 무위의. ㊕ **~·ly** *ad.* 무위로. **~·ness** *n.*
vac·u·um** [vǽkjuəm/-kjuəm] (*pl.* **~s, *vac·ua [vǽkjuə]) *n.* **1** 진공, 진공도(度): produce a ~ 진공을 이루다〔만들다〕/a ~ advance system 〖기계〗 진공진각(進角) 장치. **2** 공허, 공백. ⓄⓅⓅ *plenum.* ¶His death left a ~ in the political world. 그의 사망으로 정계에는 공백기가 생겼다. **3** =VACUUM CLEANER. ***feel a ~ in the lower regions*** 《우스개》 시장기를 느끼다. ***Nature abhors a ~.*** 자연은 진공 상태를 싫어한다《고대인의 사상》. ─*a.* 진공의: a ~ fan 진공 선풍기/a ~ bulb 진공관. ─*vt.* 《~+목/+목+부》 진공 청소기로 청소하다: ~ rugs (진공 청소기로) 융단을 청소하다/~ a room (*out*) 방을 진공 청소기로 (말끔히) 청소하다.
vácuum árc remèlting 〖금속〗 진공 아크 재(再)용해법.
vácuum aspiràtion 〖의학〗 진공 흡인(법〔술〕)《임신 10-12 주에 적용되는 인공 유산법의 하나》.
vácuum bòttle 〔**flàsk**〕 보온병.
vácuum bràke 진공 제동기.
vácuum-cléan *vt., vi.* 진공〔전기〕 청소기로 청소하다.
vácuum clèaner 전기〔진공〕 청소기(vacuum sweeper); (여러 가지) 흡인 장치.
vácuum distillàtion 〖화학〗 진공 증류.
vácuum filtràtion 〖화학〗 진공 여과(법).
vácuum fòrming 진공 (플라스틱) 성형.
vácuum gàuge 진공계(計).
vácuum indúction fùrnace 〖야금〗 진공 유도로(爐)《전자 유도로 생기는 와전류를 이용》.
vác·u·um·ìze *vt.* 진공화하다, 진공 장치로 청소〔건조, 포장〕하다.
vácuum jùg 보온병.
vácuum mèlting 〖야금〗 진공 용해(법).
vácuum-métallize *vt.* 진공 증착(蒸着)하다.
vácuum-pácked [-t] *a.* 진공 포장의.
vácuum pàn 진공(眞空)솥《압력을 줄여 비등점을 낮춰서 증발 농축시킴》.
vácuum pùmp 진공〔배기〕 펌프.
vácuum swèeper 전기〔진공〕 청소기.
vácuum tùbe 〔《영》 **vàlve**〕 진공관.
vácuum-tube vóltmeter 〖전자〗 진공관 전압계.
V.A.D. Voluntary Aid Detachment.
vad 〖통신〗 value-added and data (부가 가치 데이터 서비스 통신망).
va·de me·cum [véidi-mí:kəm, vá:di-méi-] (*pl.* **~s**) 필휴(必携), 편람, 핸드북; 항상 휴대하는 것. [F. < L. =go with me]
V. Adm., VADM. Vice Admiral.
va·dose [véidous] *a.* 〖지학〗 (지하수 등이) 지하수면(water table)보다 위에 있는.
vae vic·tis [ví:-víktis] 《L.》 (=woe to the vanquished) 패자는 비참하도다.
***vag·a·bond** [vǽgəbɑ̀nd/-bɔ̀nd] *n.* **1** 부랑자, 방랑자. ⓒⓕ hobo, tramp, vagrant. **2** 무뢰한, 깡패. ─*a.* 부랑〔방랑〕하는; 방랑성의; 무뢰한의, 부랑자의. ─*vi.* 방랑하다, 유랑하다. ㊕ **~·ish** *a.* **~·ism** *n.* Ⓤ 방랑성〔벽〕.
vag·a·bond·age [vǽgəbɑ̀ndidʒ/-bɔ̀nd-] *n.* Ⓤ 방랑 (생활); 방랑성, 방랑벽; 《집합적》 방랑자: live in ~ 방랑 생활을 하다.
vág·a·bond·ìze *vi.* = VAGABOND.
va·gal [véigəl] *a.* 〖해부〗 미주(迷走) 신경의〔에 의한〕. ㊕ **~·ly** *ad.*
va·gar·i·ous [vəgέəriəs] *a.* 상도(常道)를 벗어난, 엉뚱한, 기발한, 변덕스러운. ㊕ **~·ly** *ad.*
va·gary [vəgέəri, véigəri/véigəri] *n.* (종종 *pl.*) 기발한 행동, 엉뚱한 짓, 기행(奇行); 변덕, 일시적인 기분; (사물의) 예상 밖의 변전, (운명 등의) 장난: the *vagaries* of fashion 변덕스러운 유행.
va·gi [véidʒai, -gai] VAGUS의 복수.
vag·ile [vǽdʒəl, -dʒail/-dʒail] *a.* 〖생물〗 자유롭게 움직이는, 이동성의. ㊕ **va·gil·i·ty** [vədʒíləti, væ-] *n.*
va·gi·na [vədʒáinə] (*pl.* **~s, *-nae*** [-ni:]) *n.* 《L.》 칼집; 〖해부〗 질(膣); 〖식물〗 엽초(葉鞘). ㊕ **va·gi·nal** [vǽdʒənəl/vədʒái-] *a.*
váginal móund 치구(恥丘).
vag·i·nate, -nat·ed [vǽdʒənət, -nèit], [-nèitid] *a.* 〖식물〗 엽초(葉鞘)가 있는; 엽초 모양의.
vag·i·nis·mus [vædʒənízməs] *n.* 〖병리〗 (국소 지각 과민에 의한) 질경련(膣痙攣).
vag·i·ni·tis [vædʒənáitis] *n.* Ⓤ 〖의학〗 질염(膣炎).
vàgino·mycósis *n.* 〖병리〗 질(膣)기생균병.
va·got·o·my [veigɑ́təmi/-gɔ́t-] *n.* 〖의학〗 미주(迷走) 신경 절단(술). ㊕ **-mìzed** *a.*
va·go·to·nia [vèigətóuniə] *n.* 〖의학〗 미주 신경 긴장증. ㊕ **và·go·tón·ic** *a.*
va·gran·cy [véigrənsi] *n.* Ⓤ 표랑(漂浪), 방랑, 유랑; 부랑죄; 《집합적》 방랑자; 일정치 않음, 종작없음, 변덕.
◇**va·grant** [véigrənt] *a.* **1** 방랑하는, 헤매는, 떠도는, 방랑성의: the ~ tribes of the desert 사막의 유랑민. **2** (식물이 여기저기) 만연하는. **3** 방향이 일정치 않은, 여기저기 움직이는; (생각 등이) 종잡을 수 없는, 변덕스러운, 불안정한. ─*n.* 방랑자, 부랑자. ㊕ **~·ly** *ad.* **~·ness** *n.*
va·grom [véigrəm] *a.* 《고어》 = VAGRANT.
****vague** [veig] *a.* **1** 어렴풋한, 막연한, 애매한: make a ~ answer 애매한 대답을 하다/I haven't the ~*st* idea what to do. 어찌해야 좋을지 전혀 막연하기만 하다/a ~ rumor 막연한 소문. ⓈⓎⓃ ⇨OBSCURE. **2** 말〔생각〕 등이 분명치 않은《*about; on*》: He seemed ~ *about* his future plans. 그는 장래의 계획에 대하여 막연한 것 같았다/He is being ~ *about* his motives for leaving the country. 그는 그 나라를 떠나는 동기에 대해서 말을 얼버무리고 있다. **3** (빛깔·모양 등이) 희미한, 흐리멍덩한, 모호한: a ~ moon 희미한 달/Everything looks ~ in the fog. 안개 속에서 모든 것이 희미하게 보인다. **4** (표정 따위가) 멍청한, 넋나간, 건성의. ㊕ ◇**∠·ly** *ad.* **∠·ness** *n.*
va·gus [véigəs] (*pl.* ***-gi*** [-dʒai, -gai]) *n.* 〖해부〗 미주(迷走) 신경(= ∠ **nérve**).

vail[1] [veil] 《고어》 *vt*. (모자 따위를) 벗다《항복·경례의 표시로》; (고개를) 숙이다, 떨어뜨리다. **—** *vi*. 모자 따위를 벗다; 머리를 숙이다.

vail[2] 《고어》 *vt*., *vi*. =AVAIL. **—** *n*. 팁, 행하; 부수입(tip, gratuity).

⁑**vain** [vein] *a*. **1** 헛된, 보람 없는, 무익한, 쓸데없는: ~ efforts 헛수고 / It is ~ to try. 해 보았자 소용없다.

> SYN. **vain** 어느 정도 노력과 시도를 해보았으나 소기의 목적을 이루지 못한. 이 이상 계속해도 쓸데없는: It is *vain* to keep on hoping. 이 이상 계속 희망을 가져 본들 소용없다. **useless** 상황이 나쁘기 때문에, 또는 본질적인 결함 때문에 실행해 봐도 헛된: It is *useless* to try to reason with him. 이치를 따져서 설득하려 해도 소용없다. **futile** vain 의 강조형으로서 무엇 하나 성과 없는 (사실을 처음부터 알고 있는). '어리석은' 이라는 어감이 있음. **ineffectual** 방식이 틀렸으므로 해봐도 효과 없는: an *ineffectual* way of persuading him 그를 설득하기엔 효과 없는 방법.

2 공허한, 하찮은, 시시한, 허울〔허식〕만의: a ~ boast 허세 부리기 / in the ~ hope of success 성공에 대한 헛된 희망을 품고. **3** 허영심이 강한, 자만하는, 우쭐대는: be as ~ as (a peacock) (공작)같이 매우 허영심이 강하다 / It's ~ *of* you *to* say so. 네가 그런 말을 하다니 자만하고 있구나. ***be ~ of* 〔*about*〕** …을 자랑하다: She *is* ~ *about* her clothes. 그녀는 옷이 자랑이다 / He *is* not ~ *of* himself. 그는 자만하지 않는다. ***in ~*** ① 무위(無爲)로, 무익하게, 헛되이: He did it(, but) *in* ~. 그것을 하였으나 허사였다. ② 경솔하게, 함부로: take 〔use〕 the name of God *in* ~ 하느님의 이름을 남용하다.
㊥ ***∠·ly** [-li] *ad*. **1** 헛되이, 쓸데없이. **2** 자만하여, 젠체하여. **∠·ness** *n*. Ⓤ **1** 무익, 헛됨, 무효. **2** 《드물게》 자만, 허영.

vàin·glórious *a*. 자부심〔허영심〕이 강한. ㊥ **~·ly** *ad*. **~·ness** *n*.

vàin·glóry *n*. Ⓤ 자만, 자부; 허영, 허세; 허식.

vair [vɛər] *n*. 〖역사〗 (중세 귀족이 옷에 단) 다람쥐 모피; 〖문장(紋章)〗 모피 무늬.

Vais·ya [váisjə, -ʃjə] *n*. 바이샤《인도 4 성(姓)의 제 3 계급, 평민》. cf. caste.

Val [væl] *n*. 《미속어》 밸리 걸(Valley girl).

val. valentine; valuation; value(d).

val·ance [vǽləns] *n*. (침대·설교단 따위 주위의) 드리운 천〔휘장〕; (창문 위쪽의) 장식 커튼.

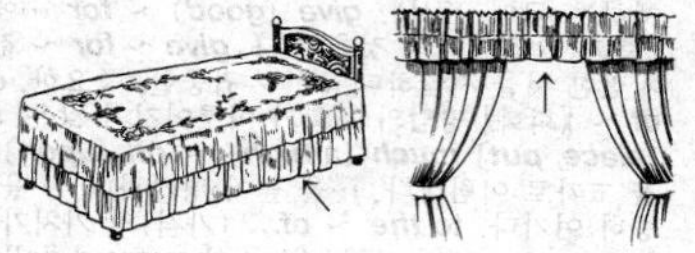
valances

Val·déz Prìnciples [vældíːz-] 《미》 밸디즈 원칙《환경 보전을 위해 기업 활동을 감독하는》.

◇**vale** [veil] *n*. **1** 《시어》 골짜기, 계곡. **2** 현세, 뜬세상, 속세. ***the ~ of years*** 노경, 늘그막. ***this ~ of tears* 〔*misery, woe*〕** 이 눈물〔불행, 비애〕의 골짜기《현세》.

va·le [váːlei, véili] *int*. 《L.》 그럼, 안녕히. **—** *n*. 작별; 작별 인사. cf. ave.

val·e·dic·tion [vælədíkʃən] *n*. Ⓤ,Ⓒ 고별; 고별사; =VALEDICTORY.

val·e·dic·to·ri·an [vælədiktɔ́ːriən] *n*. 《미》 (졸업식에서) 고별사를 읽는 학생.

val·e·dic·to·ry [vælədíktəri] *a*. 고별의. **—** *n*. 고별 연설, 고별사; 《미》 졸업생 대표의 고별사〔연설〕.

va·lence[1] [véiləns] *n*. 〖화학〗 원자가; 〖생물〗 (항원 등의 반응·결합하는) 결합가; 〖심리〗 유의(誘意)〔유발〕성《남과 서로 반응하거나 영향을 주고받는 사람〔사물〕의 포용력》.

val·ence[2] [vǽləns] *n*. =VALANCE.

válence bànd 〖물리〗 가전자대(價電子帶)《반도체·절연체 등 결정의 에너지대(帶) 중 전자가 충만한 에너지대》.

válence bònd 〖화학〗 원자가 결합.

válence elèctron 〖화학〗 원자가 전자(電子).

Va·len·cia [vəlénʃiə, -siə] *n*. **1** 발렌시아《스페인의 도시 및 주의 이름》. **2** (보통 *pl*.) 양털과 명주〔무명〕의 교직 나사. **3** (*pl*.) 발렌시아산(産) 편도(扁桃)〔건포도〕.

Va·len·ci·ennes [vəlènsiénz/vælənsién] *n*. 발랑시엔 레이스(=∠ **làce**)《프랑스〔벨기에〕 산(産) 고급 레이스》.

va·len·cy [véilənsi] *n*. =VALENCE[1]; 〖언어〗 결합가《동사 등이 문장 구성상 의무적으로 필요로 하는 요소의 수》.

Val·en·tine [vǽləntàin] *n*. 밸런타인. **1** 남자 이름. **2 Saint** ~ 성 발렌티누스《3 세기 로마의 기독교 순교자》. cf. Saint Valentine's Day. **3** (v-) **a** 성밸런타인 축일에 택한 애인; 연인, 애인. **b** 성밸런타인 축일에 이성에게 보내는 카드·편지·선물 《따위》. **c** 《미속어》(성적 불량한 종업원에 대한) 경고서, 해고 통지.

Válentine('s) dày =SAINT VALENTINE'S DAY.

Va·le·ria [vəlíəriə] *n*. 발레리아《여자 이름》.

va·le·ri·an [vəlíəriən] *n*. 〖식물〗 쥐오줌풀; Ⓤ 〖약학〗 그 뿌리에서 채취한 진정제.

va·ler·ic [vəlérik] *a*. 쥐오줌풀의.

valéric ácid 〖화학〗 발레르산(酸).

Va·lé·ry [væləríː, vǽləri/vǽləri; *F*. valeʀi] *n*. **Paul** (**Ambroise**) ~ 발레리《프랑스의 시인·철학자; 1871-1945》.

val·et [væléi, vǽlit/vǽlit] *n*. 시종, 근시(近侍)《시중드는 남자》, 종자(從者); (호텔 등의) 보이; 옷걸이. **—** *vt*., *vi*. (…에게) 시종으로서 시중들다. ㊥ **~·less** *a*.

va·let de cham·bre [*F*. valɛdəʃɑ̃ːbʀ] (*pl*. ***va·lets-***) 종자(從者), (귀인의) 시중드는 사람.

válet pàrking (레스토랑 따위의) 대리 주차 서비스. ㊥ **válet·pàrk** *vt*.

val·e·tu·di·nar·i·an [vælətjùːdənɛ́əriən/-tjùː-] *a*. 병약한, 허약한; 건강〔병〕에 지나치게 신경 쓰는; 건강 회복에 노력하는. **—** *n*. 병약자; 건강〔병〕에 지나치게 신경 쓰는 사람; 건강한 노인. ㊥ **~·ism** *n*. Ⓤ 병약, 허약; 건강〔신병〕에 너무 신경을 씀.

val·e·tu·di·nary [vælətjúːdənèri/-tjùːdinəri] *a*., *n*. =VALETUDINARIAN.

val·gus [vǽlgəs] *n*. 외반족(外反足); 외반슬(外反膝). opp. *varus*. **—** *a*. =KNOCK-KNEED.

Val·hal·la, Val·hall [vælhǽlə], [vælhǽl] *n*. 〖북유럽신화〗 발할라《Odin 신의 전당(殿堂); Valkyrie들에 의하여 전사자의 영혼이 향연을 받는 장소》; 국가적인 영웅을 모시는 기념당(記念堂).

val·ian·cy, -iance [vǽljənsi], [-ljəns] *n*. 「Ⓤ 용감, 용기.

◇**val·iant** [vǽljənt] *a*. **1** 용감한, 씩씩한, 영웅적인: a ~ soldier 〔deed〕 용감한 병사〔행위〕. **2** 《방언》 힘센, 건장한. **3** 훌륭한, 우수한, 가치있는. ◇ valor, valiancy *n*. ㊥ ◇**~·ly** *ad*. **~·ness** *n*.

***val·id** [vǽlid] *a*. **1** 근거가 확실한, 확실한, 정당

한; 효과적인; 들어맞는: a ~ reason 정당한 이유. **2** 〖법률〗 유효한(OPP. *void*); 〖논리〗 타당한; 〖생물〗 (생물 분류의 원칙에서 보아) 타당한, 유효한《분류군》; 《고어》 강건한, 건전한. ㊞ **~·ly** *ad.* **~·ness** *n.*

val·i·date [vǽlədèit] *vt.* (법률상) 유효하게 하다; 정당함을 인정하다, 확인하다; 비준하다: ~ a treaty 조약을 비준하다. ㊞ **vàl·i·dá·tion** *n.* Ⓤ

◇**va·lid·i·ty** [vəlídəti] *n.* Ⓤ 정당성, 타당성; 〖법률〗 합법성, 유효성, 효력: the term of ~ 유효 기간.

val·ine [vǽli(ː)n, véi-] *n.* 〖생화학〗 발린《단백질의 분해로 생기는 아미노산》.

val·in·o·my·cin [vælinoumáisn/-sin] *n.* 〖약학〗 발리노마이신《polypeptide형 항생 물질의 하나》.

va·lise [vəlíːs/-líːz] *n.* 《미》 여행용 손가방; 〖군사〗 잡낭. [F. < It.]

Val·i·um [vǽliəm] *n.* 발륨《정신 안정제 diazepam 제제의 상표명》.

Val·kyr [vǽlkiər, vǽlkər] *n.* =VALKYRIE.

Val·kyr·ie [vælkíəri, vǽlkəri] *n.* 〖북유럽신화〗 발키리《Odin 신의 12 신녀의 하나; 전사자의 영혼을 Valhalla 에 안내해 시중든다고 함》.

val·la [vǽlə] VALLUM 의 복수.

Vál làce 발랑시엔 레이스(Valenciennes).

val·la·tion [væléiʃən] *n.* 누벽(壘壁), 보루(堡壘); Ⓤ 축성술(築城術).

val·lec·u·la [vəlékjələ] (*pl.* **-lae** [-lìː]) *n.* 〖해부·식물〗 구(溝), 와(窩).

val·ley [vǽli] *n.* **1** 골짜기, 계곡. cf. dale, vale. **2** (큰 강의) 유역(流域); 계곡과 같은 분지: the Mississippi ~ 미시시피 강 유역. **3** 골짜기 모양(의 것); 〖건축〗 (지붕의) 골. **4** (경기(景氣) 등의) 저미기(低迷期); 공포에 찬 시기〔상황, 장소〕: the peak of inflation and the ~ of depression 인플레이션의 절정과 디플레이션의 최하점. ***the ~ of the dolls*** (진정제·흥분제 등의) 약물에 대한 과도한 의존, 극도의 정신 불안정 상태. ***the ~ of the shadow of death*** 〖성서〗 죽음의 음침한 골짜기; 큰 고난(의 시기)《시편 XXIII: 4》. ㊞ **~·like** *a.*

Válley bòy 《미》 밸리 보이《Valley girl 의 상대》.

válley fèver 〖의학〗 =COCCIDIOIDOMYCOSIS 《California 주의 San Joaquin Valley 에서 유행(1935–40)》.

Válley gìrl (때로 V- G-, v- g-) 《미》 밸리 걸《독특한 말투로 풍속적 상징이 된 10 대 소녀》.

válley glàcier 〖지학〗 곡빙하(谷氷河).

válley wìnd [-wìnd] (낮 동안에 부는) 골바람, 곡풍(谷風).

val·lum [vǽləm] (*pl.* **-la** [-lə], **~s**) *n.* 〖고대 로마〗 목책을 두른 보루.

va·lo·nia [vəlóuniə] *n.* 일종의 떡갈나무 열매의 깍정이《잉크 원료·염색용》.

◇**val·or,** 《영》 **-our** [vǽlər] *n.* Ⓤ 《시어·문어·우스개》(특히 싸움터에서의) 용기, 강용(剛勇), 용맹. ◇ valiant, valorous *a.*

val·or·ize [vǽləràiz] *vt., vi.* 가격을 정하다; 물가를 안정시키다. ㊞ **vàl·or·i·zá·tion** *n.* 물가 안정책.

val·or·ous [vǽlərəs] *a.* 용감한, 용맹한, 씩씩한. ㊞ **~·ly** *ad.* **~·ness** *n.*

val·pro·ate [vælpróueit] *n.* 〖약학〗 발프로《간질의 발작에 유효한 항(抗)경련약》.

Val·sál·va (manèuver) [vælsǽlvə(-)] 발살바 법《입과 코를 막고 숨을 내쉬는 이관통기법(耳管通氣法)》.

valse [F. vals] *n.* 《F.》 =WALTZ.

Val·speak [vǽlspiːk] *n.* 밸어(語)《Valley girl 의 용어와 말하는 품》.

val·u·a·ble [vǽljuəbəl] *a.* **1** 귀중한, 귀한, 소중한, 유용한: ~ advice 유익한 조언〔충고〕/ ~ friend 귀한 친구 / This book will be very ~ *to* you 〔*for* study*ing* English〕. 이 책은 너에게〔영어 공부에〕 아주 유용할 것이다.

> SYN. **valuable** 가치가 있는. 주로 금전적인 가치, 또는 가령 금전으로 환산한 경우의 추정적인 가치를 말함: a *valuable* watch 값비싼 시계. **precious** 희귀하여 또는 그 자체가 귀중하기 때문에 가치 있는: a *precious* stone 보석. *precious* memory 귀중한 추억. **priceless, invaluable** 매우 가치가 있어 값을 매길 수 없는.

2 값비싼: a ~ painting. **3** 금전적 가치가 있는: ~ papers 유가 증권. **4** 평가할 수 있는: goods not ~ in money 돈으로 따질 수 없는 물건. ― *n.* (보통 *pl.*) 귀중품《보석·귀금속 등》. ㊞ **-bly** *ad.* **~·ness** *n.*

váluable considerátion 〖법률〗 대가(對價).

val·u·ate [vǽljuèit] *vt.* 평가〔견적, 사정(査定)〕하다. ㊞ **-à·tor** *n.*

◇**vàl·u·á·tion** *n.* Ⓤ **1** 평가, 값을 매김, 가치 판단; Ⓒ 사정 가격: accept 〔take〕 a person at his own ~ 아무의 가치를 본인이 말한 대로 곧이듣다. **2** 가치 (평가). ***put*** 〔***set***〕 ***too high a ~ on*** …을 과대평가하다.

val·ue [vǽljuː] *n.* Ⓤ,Ⓒ **1** 가치, 유용성, 진가, 쓸모, 고마움: the ~ of education 교육의 유용성. SYN. ⇨ WORTH. **2** 평가: He places a ~ on his furniture. 그는 자기의 가구를 값있는 것이라고 생각하고 있다. **3** 가격, 값, 경제〔교환〕 가치: buy a thing for more than its ~ 값 이상의 돈을 주고 사다 / The ~ of won changes every day. 원화의 (외화에 대한) 가치는 매일 변동한다. SYN. ⇨ PRICE. **4** 가격에 합당한 물건, 대가(물)(對價(物)): get the ~ of one's money 돈을 지급한 만큼의 대가를〔물건을〕 얻다. **5** 뜻밖에 찾아낸 진귀한 물건, 값싸게 손에 넣은 물건. **6** (*pl.*) (인생에 있어서의) 가치 기준: moral ~*s* 도덕상의 가치 기준. **7** (어구 등의) 진의, 의의(意義), 참뜻 : the ~ of a symbol 기호의 뜻. **8** 〖수학〗 값: the ~ of x, x 의 값. **9** 〖음악〗 음표가 나타내는 길이, 시간적인 가치; 〖회화〗 명암(도)(明暗(度)); 〖음성〗 (문자가 나타내는) 음가(音價); 〖화학〗 …가(價)《어떤 화학적 척도로 잰 값》; 〖생물〗 (분류상의) 등급. ***be of great*** 〔***no, little***〕 ***~*** 가치가 크다〔없다, 거의 없다〕. (***for***) ***~ received*** 〖상업〗 대금 수령, 수령 금액《어음에 기재하는 금액 표시》. ***give*** (***good***) ***~ for*** …에게 (충분한) 값어치의 것을 주다. ***give ~ for ~*** 값어치만한 것을 지급하다. ***of ~*** 귀중한, 중요한. ***out of ~*** 〖회화〗 명암의 조화가 이루어지지 않은. ***set*** 〔***place, put***〕 ***much*** 〔***a high***〕 ***~ on*** 〔***upon***〕 …을 고가로 어림잡다, …을 높이 평가하다, …을 소중히 여기다. ***to the ~ of...*** (가격)의 가치가 있는: a prize *to the ~ of* ten thousand dollars 가격 1 만 달러 상당의 상. ***~ for money*** 금액에 걸맞는 가치(있는 것), 돈에 상응하는 것.

― *vt.* **1** 《~+목/+목+전+명》 평가하다, 값을 치다: They ~*d* the jewel *at* five thousand dollars. 그들은 그 보석을 5 천 달러로 평가했다. **2** 《~+목/+목+*as* 보/+목+전+명》 《비유》 보다, 생각하다, 평가하다: How do you ~ her *as* a secretary? 그녀를 비서로서 어떻게 생각하고 있는가 / He ~*s* health *above* wealth. 그는 건강을 부 이상으로 생각한다. **3** 존중하다, 소중히 하다: I ~ your opinion. **~ one*self for*** (자기가 한 일 따위)를 자만하다. **~ one*self on*** 〔***upon***〕 …을 뽐내다, …에 우쭐해지다.

válue-ádded [-id] *n.* 〖경제〗 부가 가치. — *a.* 부가 가치의(에 관한).
válue-added cómmon càrrier 〖통신〗 부가 가치 통신업자《통신 회선을 빌려서 이에 컴퓨터를 접속하여 데이터 전송을 하는 재판(再販) 업자》. 「통신망《생략: VAN》.
válue-ádded nètwork 〖컴퓨터〗 부가가치
válue-àdded remárketer 〖컴퓨터〗 =VALUE-ADDED RESELLER. 「재판(再販)업자.
válue-àdded reséller 〖컴퓨터〗 부가 가치
válue-ádded tàx 부가 가치세《생략: VAT》.
válue anàlysis (생산비 절감을 위한) 가치 분석《생략: VA》.
válue chàin 〖경영〗 가치 연쇄도(連鎖圖)《회사 전 상품의 원가 및 생산 전 단계를 계통적으로 나타낸 관리 도표》.
vál·ued *a.* **1** 귀중한, 소중한; 존중되는, 값진, 존귀한. **2** 평가된. **3** 〖복합어〗 …의 가치가 있는: two-~ logic 이가(二價) 논리.
válue dàte 어음 결제일, 이자 기산일, 발효일.
válued pòlicy 〖보험〗 정액 보험 증권.
válue engineéring 가치 공학《제품을 최소 비용으로 제조하는 방법을 얻기 위한 설계 · 제조 공정의 분석; 생략: VE》.
válue·frée *a.* 가치 판단을 하지 않는, 가치에 사로잡히지 않는, 공평(객관)적인, 주관을 개입시키지 않는.
válue jùdgment (주관적인) 가치 판단.
vál·ue·less *a.* 가치가(값이) 없는, 하찮은. cf. invaluable. ㊞ **~·ness** *n.*
vál·u·er *n.* Ⓒ 평가자, 《영》 가격 사정인; 《미》 삼림(森林) 답사자. 「치; 외화(外貨).
va·lu·ta [vəlúːtə] *n.* Ⓤ 《It.》 화폐 (교환) 가
val·vate [vǽlveit] *a.* **1** 판(瓣)이 있는; 판으로 여는, 판의 구실을 하는. **2** 〖식물〗 판 모양의, 겹치지 않고 맞닿은.
***valve** [vælv] *n.* **1** 〖기계〗 판(瓣), 밸브: ⇨ SAFETY VALVE / THERMIONIC VALVE. **2** (수문 따위의) 막이판. **3** 〖의학 · 동물〗 판, 판막(瓣膜). **4** 〖식물〗 (꼬투리, 포(苞), 깍지의) 한 조각; 〖동물〗 (조개)껍데기, 조가비. **5** 《영》 진공관, 전자관: a six-~ set, 6구 라디오 / a ~ set 《주로 영》 진공관 수신기 / a ~ detector 진공관 검파기. **6** 〖음악〗 (관악기의) 판(瓣). **7** 《고어》 (여닫이문 · 접는 문의) 문짝. — *vt., vi.* …에 판을 달다; 판으로 조절하다. ㊞ **~d** *a.* **∠·less** *a.* **∠·lìke** *a.*
válve gèar 〖기계〗 (왕복 엔진기관 등의) 밸브
valve·let [vǽlvlit] *n.* =VALVULE. 「장치.
val·vu·lar [vǽlvjələr] *a.* 판(瓣)의; 심장 판막(瓣膜)의; 판 모양의; 판이 달린; 판으로 작용하는: ~ disease of the heart 심장 판막증《생략: V.D.H.》.
válvular insuffíciency 〖병리〗 심장 판막 부전《판막의 폐쇄 이상으로 혈액을 역류시키는》.
val·vule [vǽlvjuːl] *n.* 작은 판. 「염.
val·vu·li·tis [vælvjəláitis] *n.* Ⓤ (심장) 판막
val·vu·lot·o·my [vælvjəlátəmi/-lɔ́t-] *n.* 〖의학〗 판막 절개(술).
vam·brace [vǽmbreis] *n.* 〖역사〗 팔뚝 호구(護具). ㊞ **~d** *a.* 팔뚝 호구를 댄.
va·moose, va·mose [væmúːs/və-], [-móus] *vi., vt.* 《미속어》 급히 떠나다, 급히 달아나다, 도망치다(decamp).
vamp[1] [væmp] *n.* 구두의 앞닫이《갑피의 앞부분》; 헌것을 새것처럼 보이기 위해서 덧댄 조각, 낡은 것을 감추기 위해서 덧댄 천; 날조; 〖음악〗 즉석 반주. — *vt.* (구두에) 새 앞닫이를 대다(붙여서 수선하다); 조각을 대다, 새것처럼 보이게 하다, 꾸미다《*up*》; 《비유》 날조해 내다《*up*》; 〖음악〗 (반주를) 즉석에서 하다. — *vi.* 〖음악〗 즉석 반주를 하다.
vamp[2] *n.* 요부; 바람난 계집. — *vt., vi.* 유혹하다, 사내를 호리다; 요부역(役)을 하다. [◂ *vampire*]
vamp·er [vǽmpər] *n.* 신기료 장수, 구두 수선공; (피아노의) 즉석 반주자.
vam·pire [vǽmpaiər] *n.* **1** 흡혈귀. **2** 사람의 고혈 착취자. **3** =VAMP[2]. **4** 〖동물〗 (남아메리카의) 흡혈박쥐(=∠ **bát**). **5** 〖연극〗 무대의 용수철식 함정문《재빨리 출몰하기 위한》.
vam·pir·ic [væmpírik] *a.* 흡혈귀의(같은).
vam·pir·ism [vǽmpaiərìzəm, -pər-/-paiər-] *n.* Ⓤ **1** 흡혈귀(의 존재)를 믿기. cf. vampire 1. **2** 흡혈귀의 소행; 남의 고혈을 빠는 착취; 남자 호리기.
vamp·ish [vǽmpiʃ] *a.* 요부형의.
***van**[1] [væn] *n.* **1 a** (배달용) 대형 유개 화물 자동차. **b** 소형 유개 화물 자동차, 경화물 승용차. **2**

Van[1] 1 a, b

《영》 **a** (철도의) 수하물차; 유개화차. **b** (상인의 경화물 운반용) 소형 마차(트럭). **c** (집시 · 연예인의) 포장마차. **3** 밴《화물실에 거주용 설비를 설치한 왜건 차(~ conversion)》. **4** (옛날의) 대형 포장마차. — (*-nn-*) *vt.* (짐을) 차에 싣다; 차로 운반하다. — *vi.* 밴으로 가다, 밴으로 캠프 여행하다. [◂cara*van*]
°**van**[2] *n.* 〖군사〗 선봉, 선진(先陣), 전위; 《비유》 선두, 선구, 선도자. ***in the ~ of*** …의 선두에 서서, …의 선구자로서. ***lead the ~ of*** …의 선두에 서다. [◂ *van*guard]
van[3] *n.* 《영고어 · 영방언》 키, (겨를 날리는) 풍구; 《고어 · 시어》 날개; 〖광산〗 선광용(選鑛用) 삽. — (*-nn-*) *vt.* 선광하다. [< fan[1]]
van[4] *n.* 《영구어》 〖테니스〗 =ADVANTAGE.
van[5] *prep.* 《D.》 of, from 의 뜻으로 인명에 흔히 쓰임. ★ 원래는 출생지를 나타냄.
VAN value-added network (부가 가치 통신망).
van·a·date, va·na·di·ate [vǽnədèit], [vənéidièit] *n.* 〖화학〗 바나듐산염(에스테르).
va·nad·ic [vənǽdik, -néid-] *a.* 〖화학〗 (특히 3가(價) 또는 5가의) 바나듐을 함유한.
vanádic ácid 〖화학〗 바나듐산.
va·na·di·um [vənéidiəm] *n.* Ⓤ 〖화학〗 바나듐《금속 원소; 기호 V; 번호 23》.
vanádium pentóxide 〖화학〗 5산화 바나듐《유리의 자외선 흡수용 첨가물 또는 사진 현상약으로 사용》.
vanádium stéel 바나듐강(鋼).
van·a·dous [vǽnədəs] *a.* 〖화학〗 (특히 2가(價) 또는 3가의) 바나듐을 함유한.
Van Al·len [vænǽlən] **James Alfred** ~ 밴앨런《미국의 물리학자; 1914- 》.
Van Állen (radiátion) bèlt 〖물리〗 밴앨런(방사)대《지구를 둘러싼 방사능대》.
van·co·my·cin [væ̀ŋkəmáisn, væn-/-sin] *n.* Ⓤ 반코마이신《스피로헤타에 듣는 항생 물질》.

ván convèrsion 화물실에 거주용 설비를 설치한 왜건차《단순히 van 이라고도 함》.

Van·cou·ver [vænkúːvər] *n.* 밴쿠버《(1) 캐나다 British Columbia 주 남서안 앞의 섬. (2) British Columbia 주 남서부의 항구 도시》.

V. & A., V and A 《영》 Victoria and Albert Museum.

Van·dal [vǽndl] *n.* 반달 사람《5세기에 로마를 휩쓴 게르만의 한 민족》; (v–) 문화·예술의 파괴자. **—** *a.* =VANDALIC.

Van·dal·ic [vændǽlik] *a.* 반달 사람의; (*or* v–) 문화·예술을 파괴하는, 야만적인.

Van·dal·ism [vǽndəlìzəm] *n.* Ⓤ 반달 사람 기질〔풍습〕; (v–) 문화·예술의 파괴; 만풍, 만행. ㊞ **vàn·dal·ís·tic, ván·dal·ish** *a.*

van·dal·ize [vǽndəlàiz] *vt.* (예술·문화·공공 시설 등을) 파괴하다.

Ván de Gràaff génerator [vǽndəgræ̀f-/-grɑ̀ːf-] 밴더그래프 발전기《고(高)전압 정전(靜電) 발전기》.

van der Waals [vǽndərwɑ̀ːlz] **Johannes Diederik ~** 판데르 발스《네덜란드의 물리학자(1837–1923); Nobel 물리학상(1910)》.

van der Wáals equàtion 〖물리〗 판데르 발스 방정식《실재 기체에 관한 경험적인 상태식》.

van der Wáals fórces 〖물리〗 판데르 발스 힘《분자 사이에 작용하는 인력》.

Van·dyke [vændáik] *n.* **1** (*or* Van Dyck) Sir **Anthony ~** 반다이크《플랑드르의 화가; 1599–1641》. **2** ~의 그림. **3** (*or* v–) =VANDYKE BEARD; VANDYKE COLLAR; 톱니 모양의 자락《레이스의 가장자리 따위에 붙인》. **—** *a.* ~의; ~풍의. **—** *vt.* (v–) …에 깊은 톱니꼴 자락을 달다.

Vandýke béard 반다이크 수염《끝이 뾰족한 짧은 턱수염》.

Vandýke brówn 고동색 (그림물감).

Vandýke cóllar (톱니 모양의 가장자리가 있는 폭이 넓은) 반다이크 칼라.

Vandyke collar

°**vane** [vein] *n.* **1** 바람개비, 풍신기(風信旗). **2** (풍차·추진기·터빈 따위의) 날개; 〖측량〗 (사분의(四分儀) 따위의) 시준판(視準板); (새 깃털의) 깃가지(web). ㊞ **~d** *a.* ~이 있는. **∠·less** *a.*

va·nes·sa [vənésə] *n.* 〖곤충〗 큰멋쟁이나비속(屬)(V–)의 나비.

vang [væŋ] *n.* 〖해사〗 사형 지삭(斜桁支索)《사형(gaff)의 끝을 고정 위치로 유지하기 위하여 양현(兩舷)과 연결한 버팀줄》.

van Gogh ⇨ GOGH.

van·guard [vǽngɑ̀ːrd] *n.* 〖군사〗 전위, 선봉; 〖집합적〗 선도자, 선구; 선도적 지위; (V–) 미국의 인공위성 발사용 3단계 로켓의 일종: be in the ~ of …의 진두〔선두〕에 서다, …의 선구자가 되다. ㊞ **ván·guard·ism** *n.* **~·ist** *n.*

vánguard pàrty (정치 운동의 최선봉에 선) 전위 정당.

°**va·nil·la** [vənílə] *n.* **1 a** 〖식물〗 바닐라. **b** 바닐라빈(=∠ **bèan** 〔**pòd**〕)《바닐라의 열매》. **c** 바닐라(에센스)(=∠ **èxtract**)《바닐라 열매에서 채취한 향료》: three ~ ice creams 바닐라 아이스크림 3개. **2** 《미속어》 근거 없는 이야기, 거짓말, 〖감탄사적〗 《우스개》 설마, 거짓말이겠지. **3** 〖컴퓨터〗 《속어》 보통 기종, 표준 기종. **4** 《속어》 성적(性的) 취향이 정상인 사람; 《흑인속어》 백인(여자). **—** *a.* 흔한, 평범한, 보통의.

va·nil·lic [vənílik] *a.* 바닐라의〔에서 딴〕; 〖화학〗 바닐린의〔에서 얻을 수 있는〕.

van·il·lin [vənílin, vǽnəl-] *n.* Ⓤ 바닐린《바닐라에서 뽑은 향료》.

‡**van·ish** [vǽniʃ] *vi.* **1** 《~/+부/+전+명》 사라지다, 자취를 감추다(disappear); 희미해지다; 없어지다《*from; out of; into*》: ~ *away* like smoke 연기처럼 사라지다 / The last traces of the daylight ~*ed from* the sky. 마지막 햇살이 하늘에서 사라졌다 / With a bow he ~*ed into* his room. 그는 꾸벅 절을 하고 방으로 사라졌다. SYN. ⇨ DISAPPEAR. **2** 〖수학〗 영의 값을 취하다, 영이 되다. **—** *vt.* …의 모습을 감추다〔없애다〕, 보이지 않게 하다: ~ a coin in the palm 손바닥의 동전을 없어지게 하다. **—** *n.* 〖음성〗 소음(消音)《[ou] [ei] 의 [u] [i] 와 같은 음》. ㊞ **~·er** *n.*

ván·ish·ing *a., n.* 사라지는 (일). ㊞ **~·ly** *ad.*

vánishing crèam 배니싱크림《화장 크림》.

vánishing lìne 〖회화〗 소멸선(消滅線).

vánishing pòint 1 〖회화〗 (투시화법에서) 소점(消點). **2** 《비유》 물건이 다하는 최후의 한 점, 소멸점.

vanishing point 1

ván·ish·ment *n.* Ⓤ 소실, 소멸.

van·i·to·ry [vǽnətɔ̀ːri/-təri] *n.* 거울 달린 세면대. [◂ *vani*ty + lava*tory*]

***van·i·ty** [vǽnəti] *n.* **1** Ⓤ 덧없음, 무상함; 허무; 공허, 헛됨, 무익: the ~ of wealth 부(富)의 허무함 / *Vanity* of *vanities*; all is ~. 〖성서〗 헛되고 헛되다, 세상만사 헛되다《전도서 I: 2》. **2** 무익한〔헛된〕 일〔행위〕, 보잘것없는 일: the *vanities* of life 인생의 헛된 일들. **3** Ⓤ 허영(심), 허식: harmless ~ 악의 없는 허영심 / tickle one's ~ 허영심을 돋우다; 자기만족을 시키다. SYN. ⇨ PRIDE. **4** 자만하고 있는 것, 허영의 근원: One of her *vanities* was that she was pretty. 그녀의 자랑거리의 하나는 예쁘다는 것이었다. **5** Ⓒ 유행의 장식품〔방물〕; 조그마한 장신구; (여성의) 콤팩트; =VANITY BAG 〔CASE, BOX〕; 경대. ◇vain *a.*

vánity bàg 〔**càse, bòx**〕 휴대용 화장품〔도구〕 상자, 핸드백.

Vánity Fáir 1 허영의 (시)장《Bunyan 작 *Pilgrim's Progress* 속의 시장의 이름; Thackeray 의 소설의 제목》. **2** (종종 v– f–) 허영에 찬 속세; 상류 사회.

vánity gàllery 세 놓는 화랑.

vánity mìrror 작은 거울《특히 자동차 안 따위의》.

vánity plàte (자동차의) 장식된 번호판.

vánity prèss 〔**pùblisher**〕 자비 출판 전문 출판사.

vánity sùrgery 미용(성형)외과.

vánity tàble 화장대.

ván lìne 《미》 (대형 유개 화물 자동차를 사용하는) 장거리 이삿짐 운송 회사.

van·ner [vǽnər] *n.* 《미·Can》 유개 트럭(van^1)을 타는〔소유하고 있는〕 사람; van 으로 캠프 여행하는 사람.

van·nette [vænét] *n.* 〖군사〗 소형 밴(van^1).

ván·pòol *n., vi.* 통근 시간의 van^1 의 공동 이용(에 참가하다).

°**van·quish** [vǽŋkwiʃ, vǽn-/vǽŋ-] *vt.* …에게 이기다, 정복하다; (감정 등을) 극복하다. ㊞ **~·a·ble** *a.* **~·er** *n.* 승리자, 정복자. **~·ment** *n.*

van·tage [vǽntidʒ, vɑ́ːn-/vɑ́ːn-] *n.* Ⓤ **1** 우월, 유리한 지위〔상태〕; 《고어》 이익: a position of ~ 유리한 지위〔위치〕. **2** 〖테니스〗 =ADVANTAGE. ***have*** a person ***at*** (***a***) **~** 아무보다 유리한 지위

에 서다. ***have*** 〔***take***〕 ***the enemy at*** ~ 적을 기습하다. ***to*** 〔***for***〕 ***the*** ~ 《폐어》 나아가서, 그 위에.
vántage grỏund 유리〔호적(好適)〕한 위치〔입장, 조건〕; 지리(地利). 「얻은 포인트.
vántage-ín *n.* 〖테니스〗 deuce 후 server 가
vántage-óut *n.* 〖테니스〗 deuce 후 receiver 가 얻은 포인트. 「점(視點).
vántage pòint =VANTAGE GROUND; 견해, 시
van't Hóff's láw [vɑ:nthɔ́:fs-, vænt-/-hɔ́fs-] 〖화학〗 반트 호프의 법칙《온도를 높이어 반응이 흡열(吸熱)적이면 화학 평형은 그 방향으로 진행한다는 이론》.
Va·nu·a·tu [vɑ̀:nuɑ́:tu:/væn-] *n.* 바누아투 《태평양 남서부의 New Hebrides 가 1980 년 독립하여 성립된 공화국; 수도 Port Vila》.
van·ward [vǽnwərd] *a.* 선두로의, 전방으로의; 선두의. **—** *ad.* 선두로, 전방으로.
vap·id [vǽpid] (*~·er; ~·est*) *a.* 맛이 없는, 김빠진《맥주 따위》; 활기〔흥미〕가 없는, 지루한. ***run*** ~ 맥빠지다. [파] **~·ly** *ad.* 활기 없게; 지루하게. **~·ness** *n.* **va·pid·i·ty** [væpídəti] *n.*
*** va·por,** 《영》 **-pour** [véipər] *n.* **1** [U] 증기, 수증기, 김, 증발 기체《연무 · 아지랑이 · 안개 · 연기 따위》: emit ~ 증기를 내다. **2** [C] 공상, 망상, 허황된 생각. **3** 《고어》 덧없는 환상; 허세. **4** (the ~s) 《고어》 침울, 우울증. **—** *vt.* 《+[목]+[부]》 …을 발산케 하다, 증기로 만들다: ~ *away* a heated fluid 가열한 액체를 증발시키다. **—** *vi.* **1** 《+[부]》 증발하다《*away*》: ~ *up* 〔*out*〕 증발하다. **2** 허세부리다, 허풍떨다. ~ ***forth high-flown fancies*** 어처구니없는 기염을 토하다. [파] **~·a·ble** [-rəbəl] *a.* **~·er** *n.* 허풍선이. **~·less** *a.* **~·like** *a.* **~·y** *a.* =VAPOROUS.
vápor bàrrier 〖건축〗 방습층《외부의 습기 투과를 막고 단열재를 보호하는》.
vápor bàth 증기탕, 한증.
vápor dènsity 〖물리〗 (수소 등에 대한 상대값으로 나타내는) 증기〔수증기〕 밀도.
vápor éngine 〖기계〗 증기 기관《특히 작동 유체(流體)가 수증기 이외의 것》.
va·por·if·ic [vèipərífik] *a.* 증발하는.
va·por·im·e·ter [vèipərímətər] *n.* 증기계(蒸氣計)《압력과 양을 잼》.
vá·por·ing [-riŋ] *n.* 증발(함); (종종 *pl.*) 호언장담; 허풍. **—** *a.* 증발하는; 허세 부리는; 《고어》 우울증의, 침울한. [파] **~·ly** *ad.*
va·por·ish [véipəriʃ] *a.* 증기 같은; 증기가 많은; 우울증의. [파] **~·ness** *n.*
và·por·i·zá·tion *n.* [U] 증발 (작용), 기(체)화; 〖의학〗 흡입(법), 증기 요법.
vá·por·ize [-ràiz] *vt.* 증발시키다, 기화시키다; 희박하게 하다. **—** *vi.* 증발하다, 기화하다; 자랑스레 말하다. [파] **-iz·a·ble** *a.* 「기.
vá·por·ìz·er *n.* 증발기, 기화기, 분무기; 흡입
vápor lòck 〖기관〗 김잠금《증기 발생으로 연료 공급 장치 · 브레이크 장치 등에 생기는 고장》.
va·por·ous [véipərəs] *a.* **1** 증기가 많은; 안개낀; 증기 같은. **2** 공허한, 덧없는; 공상적인. **3** 《고어》 우울증의. [파] **~·ly** *ad.* **~·ness, va·por·ós·i·ty** [-rɑ́s-/-rɔ́s-] *n.*
vápor prèssure 증기압(력).
vápor tènsion 증기압; 포화〔최고〕 증기압.
vápor tràil 비행기 구름.
vápor·wàre *n.* 《속어》 〖컴퓨터〗 베이퍼웨어 《발표는 되었으나 상품화되지 못한 소프트〔하드〕웨어》. 「OUS.
va·pory, 《영》 **-pour-** [véipəri] *a.* =VAPOR-
vapour ⇨VAPOR.
va·que·ro [vɑ:kɛ́ərou] (*pl.* **~s**) *n.* 《Sp.》 (중앙아메리카 · 멕시코 등의) 가축 상인, 목(축)자, 소치는 목동, 카우보이.

var[1] [vɑ:r] *n.* 〖전기〗 바《무효 전력의 단위》. [◂ *volt*-*a*mpere *r*eactive]
var[2], **VAR** *n.* 부가 가치 재판(附加價值再販) 업자《컴퓨터 업계에서 기본 제품에 부가 가치를 첨가하여 재판매하는 업자》. [◂ *v*alue-*a*dded *r*eseller]
VAR 〖항공〗 visual-aural (radio) range. **var.** variable; variant; variation; variety; variometer; various.
va·rac·tor [vərǽktər/vɛ́əræt-] *n.* 〖전자〗 버랙터, 가변(可變) 용량 다이오드. [◂ *var*ying+re*actor*]
Va·ra·na·si [vərɑ́:nəsi] *n.* 바라나시《인도 북부 Uttar Pradesh 남동부에 있는 힌두교 성지》.
Va·ran·gi·an [vərǽndʒiən] *n., a.* 바랑고이족《북유럽계의 방랑적 부족; 9 세기에 러시아에 정착하여 한때 왕조를 세웠음》(의).
Varángian Guárd 11-12 세기경 바랑고이족으로 조직한 동로마 황제의 친위대.
var·ec(h) [vǽrek] *n.* [U] 해초; 해조(海藻); 해초의 재《요오드화(化) 칼륨의 원료》.
var·ia [vɛ́əriə] *n. pl.* =MISCELLANY, 《특히》 잡문집. 「물〗 변이성.
vàr·i·a·bíl·i·ty *n.* [U] 변하기 쉬움, 변화성; 〖생
° **var·i·a·ble** [vɛ́əriəbəl] *a.* **1** 변하기 쉬운, 일정치 않은, 변덕스러운: ~ capital 〖경제〗 유동 자본 / ~ winds 방향이 늘 바뀌는 바람 / ~ temper 변덕스런 성격 / Prices are ~ according to the exchanges. 물가는 환시세에 따라(서) 변동한다. **2** 변화무쌍한: Nature is infinitely ~. 자연은 변화무궁하다. **3** (임의로) 변경할 수 있는, 가변성의: a ~ period of three to five days 때에 따라 3일 내지 5일에 걸치는 기간. **4** 〖천문〗 (별이) 변광(變光)하는; 〖생물〗 변이(變異)하는; 〖수학〗 가변(可變)의, 부정(不定)의: ~ quantities 〖수학〗 변량 / ~ species 〖생물〗 변이종(變異種). **—** *n.* **1** 변화하는 것, 변하기 쉬운 것. **2** 〖수학 · 컴퓨터〗 변수(變數)《주어진 범위의 임의의 값을 취할 수 있는 양 또는 함수》. [OPP] *constant.* **3** 〖천문〗 변광성(變光星); 〖해사〗 변풍(變風); (the ~s) (대양의) 변풍대(帶)《북동 무역풍과 남동 무역풍과의 사이》. **4** (초등학교 · 중학교) 임의 과목. [파] **~·ness** *n.* **-bly** *ad.*
váriable annúity 변동 연금《기금의 투자 대상을 주식으로 하고 급부액을 경제 정세에 맞춘 것》.
váriable búdget 〖경제〗 (기업의) 변동 예산, 탄력성 예산.
váriable cóst 〖경제〗 변동비, 변동 원가《생산량과 관련하여 변동하는 비용》. 「퇴.
váriable geómetry 〖항공〗 (날개의) 가변 후
váriable ínterest ràte 〖경제〗 변동 금리.
váriable-léngth rècord 〖컴퓨터〗 가변(可變) 길이 레코드《레코드 길이가 일정치 않은 형식의 레코드》.
váriable lífe insùrance 〖보험〗 변동제 생명보험《액면 보험액을 주가 지수 등과 연동시켜서 경제 정세에 적합토록 한 것》.
váriable-pítch *a.* 〖항공 · 해사〗 (프로펠러가) 가변 피치의: a ~ propeller 가변 피치 프로펠러.
váriable ràte 변동 레이트.
váriable ráte mòrtgage 〖미금융〗 변동 저당 증권《이율이 금융 시장 금리의 움직임에 따라 변동함; 생략: VRM》. [cf] graduated payment mortgage.
váriable stár 〖천문〗 변광성(變光星). 「(설계).
váriable swéep 〖항공〗 (날개의) 가변 후퇴각
váriable-swéep wíng 〖항공〗 가변 후퇴익.
váriable tíme fùze =PROXIMITY FUZE.
Váriable Zòne (the ~) 온대(溫帶).

va·ria lec·tio [vέəriə-lékʃiòu] 《L.》 (=variant reading) (사본 등의) 이문(異文).

var·i·ance [vέəriəns] *n.* **1** 변화, 변동, 변천. **2** Ⓤ 상위, 불일치. **3** 불화, 알력, 적대. **4** Ⓤ 〚법률〛 주장과 증거와의 다름. **5** 〚통계·수학〛 분산. **6** 《미》 (건축·토지 개발 등의) 특례적 인가. ***at* ~ (*with* ...)** (…와) 불화하여〔틀어져〕; 일치하지 않는, 모순되어. ***set ... at* ~** …을 이간하다.

var·i·ant [vέəriənt] *a.* **1** 다른, 상이한, 부동(不同)의《*from*》. **2** 가지가지의. **3** 《폐어》 변하기 쉬운, 부정(不定)의. **—** *n.* 변체, 변형, 별형; (사본의) 이문(異文); (철자·발음의) 이형(異形); 전화(轉化); 〚생물〛 변이체, 이형; 〚통계〛 =VARIATE.

váriant CJD 〚의학〛 변종 CJD, 변종 크로이츠펠트야코프병(Creutzfeldt-Jacob Disease).

var·i·ate [vέəriət] *n.* 〚통계〛 변량(變量); = VARIANT.

var·i·a·tion** [vὲəriéiʃən] *n.* **1** Ⓤ,Ⓒ 변화(change), 변동, 변이(變異): an agreeable ~ in weather 기후의 기분좋은 변화 / be liable to ~ 변하기 쉽다. **2** 변화의 양〔정도〕: a ~ of ten feet in height 높이로 10피트의 변화량. **3** 변형물, 이체(異體): Lawn tennis is a ~ of tennis. 론 테니스는 테니스의 일종이다. **4** 〚음악〛 변주(곡); 〚발레〛 (특히 파드되(pas de deux)에서) 혼자 추는 춤: ~*s* on a theme by Mozart 모차르트의 테마에 의한 변주곡. **5** Ⓤ 〚생물〛 변이; 변종. ⓒⓕ mutation. **6** Ⓤ 〚천문〛 변차(變差), (달의) 2균차(均差); 〚물리〛 편차; Ⓒ 〚수학〛 변분(變分). **7** 〚문법〛 어미변화. **~*s on the theme of …의 여러 가지 변종. ㊞ **~·al** [-əl] *a.* **~·al·ly** *ad.* **vár·i·à·tive** [-rièitiv, -ətiv] *a.*

var·i·cel·la [væ̀rəsélə] *n.* Ⓤ 〚의학〛 수두(水痘) (chickenpox). ㊞ **-cél·lar** *a.* **vàr·i·cél·loid** *a.* 수두 모양의.

varicélla zóster vìrus 〚세균〛 수두 대상 포진(水痘帶狀泡疹) 바이러스.

var·i·co·cele [vǽrəkousìːl] *n.* 〚의학〛 정맥절류(靜脈節瘤); 정삭(精索) 정맥류(瘤).

var·i·col·ored, 《영》 **-oured** [vέərikʌ̀lərd] *a.* 잡색의, 가지각색의.

var·i·cose [vǽrəkòus] *a.* 〚의학〛 정맥노장(靜脈怒張)의, 정맥류의. ㊞ **~·ness** *n.*

váricose véins 〚의학〛 (특히 다리의) 정맥류.

var·i·co·sis [væ̀rəkóusis] *n.* 〚의학〛 정맥류증(靜脈瘤症), 정맥노장.

var·i·cos·i·ty [væ̀rəkásəti/-kɔ́s-] *n.* Ⓤ 〚의학〛 정맥류 (종창).

°**var·ied** [vέərid] *a.* **1** 가지가지의, 가지각색의: the ~ phases of life 가지각색의 세태(世態). **2** 변화 있는, 다채로운, 자주 변하는: a ~ life 파란 많은 일생. **3** 변한, 변경을 가한. **4** 잡색의, 얼룩덜룩한. ㊞ **~·ly** *ad.* 여러 가지로; 변화가 많이. **~·ness** *n.*

var·i·e·gate [vέəriəgèit] *vt.* 잡색으로 하다, 얼룩덜룩하게 하다; …에 변화를 주다.

vár·i·e·gàt·ed [-id] *a.* 잡색의, 얼룩덜룩한; 변화가 많은, 다채로운; 고르지 못한.

vàr·i·e·gá·tion *n.* Ⓤ 착색, 채색; 잡색, 얼루기; 다양성〔화〕.

va·ri·e·tal [vəráiətl] *a.* 〚생물〛 변종의.

va·ri·e·tist [vəráiətist] *n.* (성미·욕구 등이) 표준에서 벗어난 사람.

⁑**va·ri·e·ty** [vəráiəti] *n.* **1** Ⓤ 변화, 다양(성): a life full of ~ 변화가 많은 생활 / unity in ~ 다양한 가운데의 통일. **2** Ⓤ 상이, 불일치: the ~ of tastes 가지각색의 취미(의 상이). **3** Ⓒ 가지각색의 것, 잡다한 것, 주워모은 것, 잡동사니; Ⓤ =VARIETY SHOW: owing to a ~ *of* causes 여러 가지 원인에 의해서 / This book covers a wide ~ *of* topics. 이 책은 널리 여러 가지 화제를 다루고 있다. **4** Ⓒ 종류, 이종(異種); 〚생물〛 변종《subspecies 아래의 구분》; 〚농업·축산〛 품종; 〚언어〛 변체, 변형: rare *varieties* of Jubilee stamps, 50년제(祭) 기념우표의 진종(珍種) / roses of every ~ 온갖 품종의 장미 / a new ~ *of* rose 장미의 신종《of 뒤의 명사는 보통 단수형으로 무관사》. ***for* ~*'s sake*** =***for the sake of* ~** 변화를 구하여, 단조로움을 피하기 위하여.

varíety mèat 《미》 잡육(雜肉)《내장·혓바닥 따위》; 잡육 가공품.

varíety shòw 〔**entertàinment**〕 버라이어티 쇼. ⓒⓕ vaudeville.

varíety stòre 〔**shòp**〕 《미》 잡화상〔점〕.

varíety thèater 〔**hòuse**〕 버라이어티 쇼 극장, 연예관.

var·i·fo·cal [vέərəfòukəl] *a.* (렌즈가) 가변(可變) 초점의. **—** *n.* (*pl.*) 원근 겸용〔가변 초점〕 안경.

var·i·form [vέərəfɔ̀ːrm] *a.* 가지가지의 모양이 있는, 모양이 다른. ㊞ **~·ly** *ad.*

var·i·o·cou·pler [vὲəriouкʌ́plər] *n.* 〚전기〛 가변 결합기.

va·ri·o·la [vəráiələ] *n.* Ⓤ 〚의학〛 두창(痘瘡), 천연두(smallpox).

va·ri·o·lar [vəráiələr] *a.* 천연두의.

var·i·o·late [vέəriəlèit, -lət] 〚의학〛 *a.* 마맛자국이 있는. **—** *vt.* …에게 천연두 바이러스를 접종하다. ㊞ **vàr·i·o·lá·tion** *n.* Ⓤ 종두.

var·i·o·lite [vέəriəlàit] *n.* 구과(球顆)현무암, 곰보쳇돌, 구세.

var·i·o·loid [vέəriəlɔ̀id] 〚의학〛 *a.* 유사 천연두의, 가두(假痘)의. **—** *n.* 가두.

va·ri·o·lous [vəráiələs] *a.* 천연두〔두창〕의〔에 걸린〕; 마맛자국이 있는.

var·i·o·mat·ic [vὲəriəmǽtik] *a.* 벨트 구동 자동 변속의. [◂ *vari*able+auto*matic*]

var·i·om·e·ter [vὲəriámətər/-ɔ́m-] *n.* = DECLINOMETER; 〚전기〛 (라디오 등의 동조용(同調用)) 바리오미터; 자기(磁氣) 변화〔편차〕계(計); 〚항공〛 승강계《승강 속도 측정용》.

var·i·o·rum [vὲəriɔ́ːrəm] *a.* 여러 대가(大家)의 주(註)가 있는, 집주(集註)의. **—** *n.* 집주판(集註版)(=∠ **edítion**).

⁑**var·i·ous** [vέəriəs] *a.* **1** 가지가지의, 여러 가지의, 가지각색의: for ~ reasons 여러 가지 이유로 / There were ~ questions he wanted to ask. 그가 물어보고 싶었던 갖가지 질문이 있었다. ⓈⓎⓃ ⇨ DIFFERENT. **2** 여러 방면의, 변화가 많은. ⓒⓕ monotonous. ¶ a man of ~ talent 다재다능한 사람 / The story is lively and ~. 이야기는 생기와 변화에 넘쳐 있다. **3** 각 (개)인의: refund to the ~ club members 각 클럽 회원에게 (회비 따위를) 되돌려 주다 / The leaders maintained their ~ opinions. 지도자들은 각기 자기 의견을 주장했다. **4** 《대명사적 용법; 복수취급》 몇 사람, 수명, 몇 개《*of*》: I asked ~ *of* them. 그들 중 몇 사람에게 물었다. ㊞ °**~·ly** *ad.* **~·ness** *n.* 다양성, 변화.

var·i·sized [vέərəsàizd] *a.* 갖가지 크기〔사이즈〕의.

va·ris·tor [værístər, və-] *n.* 〚전자〛 배리스터《반도체 저항 소자》.

var·i·type [vέəritàip] *vi., vt.* Varityper 를 쓰다〔로 조판하다〕. ㊞ **-tỳp·ist** *n.*

Var·i·typ·er [vέəritàipər] *n.* 활자를 바꾸어 낄 수 있는 타자기의 일종《상표명》.

var·ix [vέəriks] (*pl.* ***var·i·ces*** [vέərəsìːz, vǽrə-]) *n.* 〚의학〛 정맥류(靜脈瘤); 〚동물〛 (소라 등의) 나사층.

var. lect. *varia lectio.*

var·let [váːrlit] *n.* 〚역사〛 (기사(騎士) 등의) 종복, 수종(隨從); 머슴; 《고어·우스개》 악한, 무뢰한.

var·mint, -ment [vɑ́ːrmint] *n.* **1** 《방언》 =VERMIN; 해로워서 위험시되는 야수〔야조〕; 《특히》 여우. **2** 불량배; 《방언》 비열한 놈, 녀석: You little ~! 《우스개》 이 개구쟁이 녀석아.

var·na [vɑ́ːrnə] *n.* 《Sans.》 (=class) 바르나, 카스트(caste).

*__var·nish__ [vɑ́ːrniʃ] *n.* [U] **1** 〔종류를 말할 때는 [C]〕 니스; 유약(釉藥); 광택면《니스칠 또는 천연의》; 《영》 =NAIL POLISH. **2** 겉만의 광택 (gloss), 겉치레; 속임, (결점 등의) 눈가림. **3** 《미속어》 직통 열차. ***put a ~ on*** …을 분식(粉飾)하다, 교묘히 꾸미다. **—** *vt.* **1** 《~+[목]/+[목]+[부]》 …에 니스를 칠하다: ~ *over* a table 테이블에 골고루 니스를 칠하다. **2** 《~+[목]/+[목]+[부]/+[목]+[전]+[명]》 …에 광을 내다; …의 겉을 꾸미다, 눈가림하다《*up; over*》: ~ a lie *with* an innocent look 거짓말하고 순진한 체 시치미 떼다. **3** 《영》 …에 매니큐어액을 바르다. [파] **~·er** *n.* **~y** *a.* 니스의, 광택을 지닌: ~*y* smell/~*y* appearance.

várnishing dày 그림 전람회 개최 전날《출품한 그림에 가필·니스칠이 허용되는 날》.

várnish trèe 옻나무.

va·room [vərúː(ː)m] *n., vi.* =VROOM.

var·sal [vɑ́ːrsəl] *a.* 《영구어》 =UNIVERSAL.

var·si·ty [vɑ́ːrsəti] *n.* 《영구어》 대학《특히 스포츠 관계에 씀》; 《미》 대학〔학교〕의 대표 팀. **—** *a.* 대학〔학교〕 대표의: a ~ team. [◂ *university*]

var·so·vi·a·na, -vi·enne [vɑ̀ːrsouvjɑ́ːnə], [-vien] *n.* 바르소비아나《마주르카를 본뜬 무도; 그 곡》.

Var·u·na [vɔ́ːrunə, vɑ́ːr-/vǽr-] *n.* 〖인도신화〗 바루나《사법(司法)의 신》.

var·us [vέərəs] *n.* [U] 내반족(內反足); 내반슬(膝). [opp] *valgus*.

várved clày [vɑ́ːrvd-] 〖지학〗 호상(縞狀)점토, 빙호(氷縞)점토.

*__vary__ [vέəri] *vt.* **1** …에 변화를 주다〔가하다〕, 다양하게 하다: ~ one's style of writing 체를 여러 가지로 바꿔 가며 쓰다/a program that is *varied* enough to avoid monotony 단조로움을 피한 다양성 있는 프로그램. **2** 변경하다, 수정하다, 바꾸다(change): ~ speed 속력을 바꾸다/~ the position of a thing 물건의 위치를 바꾸다/~ the rules 규칙을 수정하다. **3** 〖음악〗 변주곡으로 하다. **—** *vi.* **1** 《~/+[전]+[명]》 변화하다, 변하다, 바뀌다: The temperature *varies* hour by hour. 기온은 시시각각으로 변한다/colors ~*ing with* every change of light 빛의 변화에 따라 바뀌는 색깔. [SYN.] ⇨ CHANGE. **2** 《+[전]+[명]》 가지각색이다, 다르다: ~ *in* price 값이 다르다/The translation *varies* a little *from* the origin. 그 번역은 원문과 좀 다르다. **3** 《+[전]+[명]》 벗어나다, 일탈하다《*from*》: ~ *from* the law 법칙에서 벗어나다. **4** 〖생물〗 변이(變異)하다; 〖수학〗 변하다: ~ directly 〔inversely〕 as… 〖수학〗 …에 정비례〔반비례〕하여 변화하다. [파] **~·ing** *a.* **1** 가지각색의: statements of ~*ing* degrees of accuracy 정확도가 각기 다른 진술. **2** 색깔이 변화하는: ⇨ a VARYING HARE. **~·ing·ly** *ad.*

várying hàre 〖동물〗 변색토끼《겨울에 털이 희어지는》.

vas [væs] (*pl.* ***va·sa*** [véisə]) *n.* 《L.》 〖해부·동물·식물〗 맥관(脈管), 도관(導管)(vessel, duct).

vas- [véiz, véis, vǽs/véiz, véis], **vas·o-** [vǽsou, -sə, véizou, -zə/véizou, -zə] '맥관(脈管), 혈관, 수정관; 혈관 운동의' 란 뜻의 결합사: *vaso*constrictor.

va·sal [véisəl] *a.* 맥관의, 도관의.

VASCAR, Vas·car [vǽskɑːr] *n.* 바스카《자동차의 속도 위반 단속용 계속(計速) 장치; 상표명》. [◂ *V*isual *A*verage *S*peed *C*omputer *A*nd *R*ecorder]

vas·cu·lar [vǽskjələr] 〖해부·생물〗 *a.* 관〔도관, 맥관, 혈관 등〕의; 혈기왕성한, 정열적인. [파] **~·ly** *ad.*

váscular búndle 〖식물〗 관다발, 유관속(維管束).

vas·cu·lar·i·ty [væ̀skjəlǽrəti] *n.* [U] 맥관〔혈관〕질; 혈기.

vas·cu·lar·i·za·tion [væ̀skjələrizéiʃən/-raiz-] *n.* 맥관화(脈管化), 혈관화; 〖의학〗 (특히 각막 내의) 혈관 신생(新生).

váscular plánt 관다발 식물.

váscular sỳstem 〖식물〗 관다발계(系); 〖동물〗 맥관계(系).

váscular tíssue 〖식물〗 관다발 조직.

vas·cu·la·ture [vǽskjələtʃùər] *n.* 〖해부〗 맥관(脈管) 구조.

vas·cu·li·tis [væ̀skjəláitis] (*pl.* ***-lit·i·des*** [-lítədiːz]) *n.* 〖의학〗 맥관염, 혈관염(angiitis).

vas·cu·lum [vǽskjələm] (*pl.* ***-la*** [lə], **~s**) *n.* **1** 식물 채집용 상자〔통〕. **2** 〖식물〗 =ASCIDIUM.

vas de·fe·rens [vǽs-défərènz] (*pl.* ***va·sa de·fe·ren·tia*** [véisə-dèfərénʃiə]) 《L.》 수정관(輸精管).

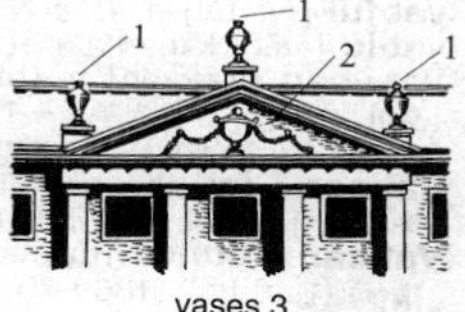

vases 3

1. vases 2. pediment

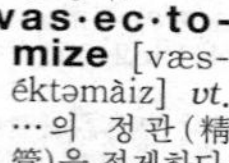

*__vase__ [veis, veiz, vɑːz/vɑːz] *n.* **1** 꽃병(flower ~). **2** 항아리, 병, 단지《장식용》. **3** 〖건축〗 병 모양 장식.

vas·ec·to·mize [væséktəmàiz] *vt.* …의 정관(精管)을 절제하다.

vas·ec·to·my [væséktəmi] *n.* [U] 정관 절제(술).

Vas·e·line [vǽsəlìːn, ⌐-⌐] *n.* [U] 〖화학〗 바셀린《상표명》. **—** *vt.* (v-) …에 바셀린을 바르다.

váse pàinting (특히 고대 그리스의) 꽃병에 그린 그림.

vàso·áctive *a.* 〖의학〗 혈관 작용(성)의: ~ agent 혈관 작용약.

vàso·constríction *n.* 〖의학〗 혈관 수축.

vàso·constríctive *a.* 혈관을 수축시키는, 혈관 수축(성)의.

vàso·constríctor *n.* 〖의학〗 혈관 수축 신경〔약〕. **—** *a.* 혈관을 수축시키는.

vàso·dilatátion, -dilátion *n.* 〖의학〗 혈관 확장.

vàso·dilátor *a.* 혈관을 확장시키는. **—** *n.* 혈관 확장약, 혈관 확장 신경.

vàso·ligátion *n.* 〖의학〗 정관 결찰(結紮)술. [파] **-li·gate** [-láigeit] *vt.* 수정관 결찰 수술을 하다.

vàso·mótor *a.* 〖생리〗 혈관의 신축을 맡아보는; 혈관 운동(신경)의.

vas·o·pres·sin [væ̀souprésn/vèizouprésin] *n.* 〖생화학〗 바소프레신《신경성 뇌하수체 호르몬의 일종; 혈압 상승·항이뇨 작용이 있음》.

váso·prèssor 〖생화학·약학〗 *n.* 승압(昇壓)약〔제〕. **—** *a.* 승압의, 혈관 수축의.

váso·spàsm *n.* 혈관 경련《혈관이 돌연 수축하여 혈류량이 저하되는 상태》.

vas·sal [vǽsəl] *n.* 〖역사〗 봉신(封臣)《봉건 군주에게서 영지를 받은 제후(諸侯)·배신(陪臣)》, 가신(家臣), 부하; 종자(從者), 수하, 노예: a great 〔rear〕 ~ 직신(直臣)〔배신(陪臣)〕. **—** *a.* 가신의〔같은〕; 예속하는; 노예적인: a ~ state 속국.

vas·sal·age [vǽsəlidʒ] *n.* [U] 〖역사〗 가신(家臣)의 신분; 주종(主從) 제도; 충근(忠勤)(의 서

약); 예속; 〔집합적〕 가신; 가신의 보유지, 봉토. *in* ~ *to* …을 섬기어; …에 지배되어.

vast [væst, vɑːst/vɑːst] *a.* **1** 광대한, 거대한; 방대〔막대〕한《수·양·금액 등》: a ~ plain 광대한 평야/a ~ expanse of ocean 광막한 대양(大洋)/a scheme of ~ scope 웅대한 규모의 계획/a ~ accumulation of knowledge 방대한 지식의 축적/a ~ sum of money 거액의 돈. SYN. ⇨BROAD. **2** 《구어》 대단한, 비상한: with ~ exactness 대단히 정확하게. ***of*** ~ ***importance*** 매우 중요한. — *n.* (the ~) 《구어·시어》 광막함: the ~ of heaven 광막한 하늘. ㊞ **∠·ly** *ad.* 광대하게, 광막하게; 《구어》 매우, 굉장히. **∠·ness** *n.*

vas·ti·tude [vǽstətjùːd, vɑ́ːs-/vɑ́ːstitjùːd] *n.* Ⓤ 광대(함)(vastness), 끝없음; 광막한 공간.

vasty [vǽsti, vɑ́ːst/vɑ́ːsti] *a.* 《고어·시어》 광대〔거대〕한.

vat [væt] *n.* (양조·염색용 따위의) 큰 통. — (*-tt-*) *vt.* 큰 통에 넣다; 큰 통 안에서 처리하다 〔숙성시키다〕.

VAT value-added tax. **Vat.** Vatican.

vát dỳe 〔**còlor**〕 환원(還元)염료.

vat·ful [vǽtfùl] *n.* 큰 통 가득.

vat·ic [vǽtik] *a.* 예언자의〔같은〕, 예언적인. ㊞ **vát·i·cal** *a.*

Vat·i·can [vǽtikən] *n.* (the ~) 바티칸 궁전, 로마 교황청; 교황 정부: ~ I〔II〕 제 1〔2〕회 바티칸 공의회(⇨VATICAN COUNCIL).

Vátican Cíty (the ~) 바티칸 시국《교황 지배하의 로마 시내의 독립 국가, 1929 년 설립》.

Vátican Cóuncil (the ~) 바티칸 공의회(公議會)《(1) 제 1 회 (1869-70): 교황의 무류 교의(無謬敎義)를 결정함. (2) 제 2 회(1962-65): 교회의 현대화를 토의함》.

Vát·i·can·ìsm *n.* Ⓤ 교황 무류설(無謬說)〔절대권설〕. ㊞ **-ist** *n.*

Vat·i·can·ol·o·gist [vætikənɑ́lədʒist/-nɔ́l-] *n.* 바티칸〔로마 교황청〕 연구자〔전문가〕.

va·tic·i·nal [vətísənl] *a.* 예언의, 예언적인.

va·tic·i·nate [vətísənèit] *vt., vi.* 예언하다. ㊞ **-nà·tor** [-ər] *n.* Ⓤ 예언자(prophet).

vat·ì·ci·ná·tion *n.* Ⓤ,Ⓒ 예언하는 일; 예언.

vat·man [vǽtmæn] *n.* 《영구어》 부가가치세 (VAT) 징수과.

Vaud [vou; *F.* vo] *n.* 보《스위스 서부의 주; 주도 Lausanne》.

vau·de·ville [vɔ́ːdəvil, vóud-] *n.* Ⓤ 보드빌《노래·춤·만담·곡예 등을 섞은 쇼(cf. variety show); 노래와 춤을 섞은 경(輕)희가극; 풍자적인 유행가》.

vau·de·vil·lian [vɔːdəvíljən, voud-] *n.* 보드빌 배우; 보드빌 대본 작가. — *a.* 보드빌의.

Vau·dois[1] [voudwɑ́ː] (*pl.* ~) *n.* 보(Vaud)의 주민; 보 어(語)《프랑스어의 방언》. — *a.* 보의.

Vau·dois[2] *n. pl.* 〔단수취급〕 =WALDENSES.

vault[1] [vɔːlt] *n.* **1** 둥근 천장, 아치형 천장. **2** 둥근 천장이 있는 방〔장소, 복도〕. **3** 둥근 천장 비슷한 것; 푸른 하늘, 창공(the ~ of heaven). **4** 지하(저장)실; 금고실; 지하 납골소; 지하 감옥: a wine ~ 포도주 지하 저장고. **5** 〖해부〗 원개(圓蓋): the cranial ~ 두개관(頭蓋冠). — *vt.* **1** 둥근 천장 모양으로 덮다: The elm trees ~*ed* the street. **2** 둥근 천장형으로 만들다: ~ a roof 〔ceiling〕. — *vi.* 둥근 천장처럼 만곡하다. ㊞ **∠·y**[1] *a.* (수목 등이) 둥근 천장꼴로 덮은.

vault[2] *vi.* 《~/+전+명》 (막대기·손 따위를 짚고) 도약하다; 《비유》 비약하다: ~ *over* a ditch 도랑을 뛰어넘다/USA ~*ed to* the position of world leadership. 미국은 일약 세계의 지도국이 되었다. — *vt.* (문·도랑 따위를) 뛰어넘다. — *n.* 뜀, 도약; 〖체조〗 도마(跳馬); 〖승마〗 등약(騰躍)(curvet): ⇨POLE VAULT. ㊞ **∠·er** *n.* 도약자.

váult·ed [-id] *a.* 둥근 천장의〔이 있는〕; 아치형의.

váult·ing[1] *n.* Ⓤ 〖건축〗 둥근 천장 공사, 둥근 천장의 건축물; 〔집합적〕 둥근 천장.

váult·ing[2] *a.* 뛰는, 뛰어넘는; 도약용의; 분에 넘치는《야심 따위》. — *n.* Ⓤ 뜀, 도약; 장대높이뛰기. ㊞ **~·ly** *ad.*

váulting hòrse (안마 비슷한) 뜀틀《체조 경기용》.

váult lìght =PAVEMENT LIGHT.

vaulty[2] [vɔ́ːlti] *a.* vault[1] 를 닮은, 아치형의.

vaunt [vɔːnt, vɑːnt/vɔːnt] *vi.* 자랑하다, 뽐내다《*of; over*》; 허풍 떨다. — *vt.* 자랑하다. — *n.* Ⓤ,Ⓒ 자랑, 허풍, 큰소리. ***make a*** ~ ***of*** 자랑〔자만〕하다. ㊞ **∠·er** *n.*

váunt-còurier *n.* 《고어·시어》 =AVANT-COURIER.

váunt·ed [-id] *a.* 과시되어 있는, 자랑의.

váunt·ing *a.* 자랑하는, 뻐기는. ㊞ **~·ly** *ad.*

vaunty [vɔ́ːnti, vɑ́ːnti/vɔ́ːnti] *a.* 《Sc.》 자랑의, 뽐낸, 자만한.

v. aux(**il**). verb auxiliary. **vb.** verb(al).

V́-bòmb *n.* 로켓 폭탄《2 차 대전 중 독일이 사용; V 는 독어의 Vergeltung (=vengeance)의 머리 글자》(⇨V-1, V-2).

V. C. Vice-Chairman; Vice-Chancellor; Vice-Consul; Victoria Cross; Vietcong; Voluntary Corps.

V́-chìp *n.* V 칩《TV·컴퓨터에 설치하여 폭력·섹스 등 아이들에게 보이고 싶지 않은 프로그램 수신을 자동으로 막는 소자》.

v-CJD [víːsìːdʒèidíː] *n.* =VARIANT CJD.

VCP videocassette player. **VCR** videocassette recorder (카세트 녹화기). **Vd** 〖화학〗 vanadium. **VD., V.D.** venereal disease.

V́-Dày *n.* 전승 기념일. cf. V-E Day, V-J Day. [◂ *Victory Day*]

v. dep. verb deponent(이상(異相) 동사)《그리스·라틴어 문법에서 수동태이면서 능동의 뜻이 있는 것》. **V. D. H.** valvular disease of the heart. **V.D.M.** *Verbi Dei Minister* 《L.》 (=Preacher of God's Word). **VDP** 〖전자〗 video display processor (화상 표시용(畫像表示用) 프로세서)《LSI 칩》. **VDR** video disc recorder.

V.D.T., VDT 〖컴퓨터〗 video 〔주로 《영》 visual〕 display terminal(영상 표시 단말기).

VDT sỳndrome 〖컴퓨터〗 브이디티 증후군《장시간 컴퓨터 앞에서 작업을 수행하는 전문 프로그래머들에게 발생하는 직업병으로 피로, 눈의 자극으로 인한 충혈 또는 어깨, 팔, 목 등과 같은 부위의 경직 현상》.

VDU 〖컴퓨터〗 video 〔visual〕 display unit.

've [əv] 《구어》 I, we, you, they 에 따르는 have 의 간약형《I've; you've 따위》.

VE value engineering; Victory in Europe.

veal [viːl] *n.* Ⓤ 송아지 고기《식용》. cf. calf[1].

véal·er *n.* 《미·Austral.》 (식육용) 송아지.

vealy [víːli] *a.* 송아지 (고기) 같은; 미숙한, 유치한.

vec·tion [vékʃən] *n.* Ⓤ 〖의학〗 병원체 전염.

vec·tor [véktər] *n.* Ⓒ **1** 〖수학·물리〗 벡터, 방향량(方向量). cf. scalar. **2** 〖천문〗 =RADIUS VECTOR. **3** 〖의학〗 (병균의) 매개 동물; 〖유전〗 담체(擔體)《목적하는 유전자를 숙주 세포에 나르는 플라스미드(plasmid)》; 수분(受粉)을 매개하는 곤충〔동물〕; 영향력, 충동. **4** 〖항공〗 (무전에 의한) 유도(誘導); (비행기의) 진로, 방향. **5** 〖컴퓨터〗 벡터《화상의 표현 요소로서의 방향을 지닌 선》. — *vt.* 〖항공〗 무전 유도를 하다; 방향을 바꾸다. ㊞ **vec·to·ri·al** [vektɔ́ːriəl] *a.* **-tó·ri·al·ly** *ad.*

vec·tor·car·di·o·gram [vèktərkɑ́ːrdiəgræ̀m] *n.* 벡터 심전도(心電圖).

véctor spàce 〖수학·물리〗 벡터 공간.

vec·ture [véktʃər] *n.* (탈것의 요금 지불에 쓰이는) 대용 경화(硬貨).

Ve·da [véidə, víː-] (*pl.* **~, ~s**) *n.* 《Sans.》 (the ~(s)) 베다(吠陀)《옛 인도의 성전(聖典)》. ㊞ **Ve·da·ic** [vidéiik] *a., n.* 베다의; Ⓤ 베다 범어(梵語), 초기 산스크리트. **~·ism** *n.*

Ve·dan·ta [vidɑ́ːntə, -dǽn-] *n.* 베단타 철학《범신론적 관념론적 일원론으로, 인도 철학 주파》.

V-E Dày, VE dày 유럽 전승 기념일《1945 년 5 월 8 일》. [◂ Victory in *E*urope *Day*]

ve·dette [vidét] *n.* 〖군사〗 (예전의) 전초 기병; 초계정(哨戒艇); (예능계의) 유명인.

Ve·dic [véidik, víː-] *a., n.* =VEDAIC.

vee [viː] *n.* V 자(꼴의 물건); 《미구어》 5 달러 「지폐.

vee·jay [víːdʒèi] *n.* 《구어》 =VIDEO JOCKEY.

veep [viːp] *n.* 《미구어》 =VICE-PRESIDENT.

veer [viər] *vi.* 《~/+부/+전+명》 **1** (바람의) 방향이 바뀌다, 《특히》 우선회로 바람이 방향을 바꾸다. OPP *back*[1]. ¶The wind *~ed round to* the west. 바람 방향이 서쪽으로 바뀌었다. **2** 〖해사〗 (배가) 바람 불어가는 쪽으로 돌다. **3** (의견·감정 등이) 바뀌다, 전향하다《*about; round*》. ― *vt.* 〖해사〗 (배를) 바람 불어가는 쪽으로 돌리다; (닻줄 따위를) 풀어 주다《*away; out*》; 〖일반적〗 …의 방향〔방침〕을 바꾸다. *~ and haul* ① (밧줄 등을) 늦추었다 켕겼다 하다; 《비유》 솜씨 있게 처리하다. ② (풍향이) 번갈아 바뀌다. ― *n.* 방향 전환; 전향; 〖미식축구〗 비어《T포메이션을 쓴 공격측 option play》.

vee·ry [víəri] *n.* 〖조류〗 개똥지빠귀의 일종《북 「아메리카산》.

veg [vedʒ] (*pl.* ~) *n.* 《영구어》 야채 (요리). ― *vi.* 〔다음 관용구로〕 *~ out* 《속어》 (초목처럼) 단조로운 생활을 하다, 무위로 지내다(vegetate). [◂ vegetable]

veg. vegetable(s).

Ve·ga [víːgə, véi-] *n.* 〖천문〗 베가, 직녀성《거문고자리의 1 등성》.

veg·an [védʒən/víːgən] *n., a.* 철저한 채식주의자(의). [◂ *veg*etarian] ㊞ **~·ism** *n.* **~·ist** *n.*

veg·e·bur·ger [védʒəbə̀ːrgər] *n.* 야채 햄버 「거〔샌드위치〕.

†**veg·e·ta·ble** [védʒətəbəl] *n.* **1** 야채, 푸성귀. **2** 식물. **3** 활기가 없는 사람. **4** 식물인간. *become a mere ~* 《비유》 비활동적이 되다, 심신이 활발치 못하게 되다. *green ~s* 푸성귀; 신선한 야채 요리. *live on ~s* 채식하다, 소(素)하다. ― *a.* **1** 야채의; 식물(성)의; 식물에서 얻은, 식물에 관한: ~ fat 식물성 지방 / a ~ diet 채식 / ~ soup 야채 수프 / ~ life 식물의 생명; 〖집합적〗 식물(plants). **2** 단조로운, 하잘것없는: live a ~ existence 단조로운 생활을 하다.

végetable bùtter 식물성 버터; =AVOCADO.

végetable gàrden 채소밭, 채원.

végetable ìvory 식물 상아《대용 상아; 남아메리카산 상아야자 열매의 배유(胚乳)》.

végetable kìngdom (the ~) 식물계.

végetable màrrow 서양호박의 일종.

végetable òil 식물성 유지.

végetable òyster 〖식물〗 선모(salsify).

végetable sìlk 판야과(科) 나무의 종피(種皮)에서 채취하는 섬유.

végetable spònge 수세미《접시 닦기용》.

végetable tàllow 식물성 지방《초·비누 등의 「원료》.

végetable wàx 목랍(木蠟).

veg·e·ta·blize [védʒətəbəlàiz] *vt.* 식물화시키다, 식물질적으로 되게 하다. ― *vi.* (단조로운) 생활을 지내다, 무위로 지내다.

veg·e·ta·bly [védʒətəbəli] *ad.* 식물처럼, 비활동적으로, 침체하여, 단조롭게, 무위로.

veg·e·tal [védʒətl] *a.* 식물(성)의; 〖생물〗 생장(生長)의, 생장에 관한, 생물 작용의. ― *n.* 《고어》 식물, 야채.

végetal fúnctions (the ~) 식물성 기능《영양·순환·생장 작용 따위》.

végetal póle 〖동물〗 식물극(極)《난세포 중 뒤에 주로 소화관 등 식물성 기관을 형성하는》. cf. animal pole.

veg·e·tar·i·an [vèdʒətɛ́əriən] *a.* 채식주의(자)의; 야채만의. ― *n.* 채식(주의)자; 〖동물〗 초식 동물(herbivore). ㊞ **~·ism** *n.* Ⓤ 채식주의.

veg·e·tate [védʒətèit] *vi.* **1** 식물처럼 생장〔증식〕하다; 무성하게 나다; 〖의학〗 (사마귀 등이) 증식하다. **2** 초목과 다름없는 생활을 하다, 무위로 지내다. **3** (땅이) 식물을 생성시키다. ― *vt.* (땅에) 식물을 생장케 하다.

vég·e·tàt·ed *a.* 식물이 생육하고 있는, 초목이 「있는.

°**vèg·e·tá·tion** *n.* Ⓤ **1** 〖집합적〗 식물, 초목; 한 지방(특유)의 식물. **2** (식물의) 생장, 발육; 식물적 기능. **3** 무위도식하는 생활, 사회〔지적(知的) 활동〕에서 동떨어진 생활. **4** 〖의학〗 증식(증), 우종(疣腫)《병적 조직의 버섯 모양의 증식》. ㊞ **~·al** [-əl] *a.* **~·al·ly** *ad.*

végetation scíence 식생학(植生學), 식물 「군락학.

veg·e·ta·tive [védʒətèitiv/-tət-] *a.* **1 a** 생장하는, 생장력이 있는: a ~ stage 생장기. **b** (생식 기능에 대하여) 생장〔영양〕 기능에 관한; 식물을 생장시키는 힘이 있는; 〖생물〗 (생식이) 무성〔영양〕의: ~ organs 영양 기관. **c** 식물성의, 자율 신경의: ~ neurosis 식물 신경증〔노이로제〕, 자율 신경증. **2** 식물적인〔단조로운〕 생활의: a ~ life 무위도식. ㊞ **~·ly** *ad.* **~·ness** *n.*

veg·gie, veg·ie, veg·gy [védʒi] 《미구어》 *a.* 채식주의(자)의. ― *n.* 채식주의자; (*pl.*) 야채(vegetable).

véggie bùrger (야채와 콩으로 만든) 야채 버 「거.

°**ve·he·mence, -men·cy** [víːəməns], [-i] *n.* Ⓤ 격렬, 맹렬함; 힘; 열심, 열정.

*__ve·he·ment__ [víːəmənt] *a.* **1** 격렬한, 맹렬한, 힘껏의. **2** 열심인, 열렬한, 간절한, 열성적인. ㊞ **~·ly** *ad.*

‡**ve·hi·cle** [víːikəl, víːhi-/víːi-] *n.* **1** (사람·물건의) 수송 수단, 탈것《자동차·열차·선박·항공기·우주선 등》, 〖우주〗 (탑재물 이외의) 로켓 본체: space ~s 우주선. **2** 매개물, 전달 수단〔방법〕《*of; for*》; (은유의) 매체《은유의 주어(主語)가 비유되는 것 또는 개념》: Language is the ~ of thought. 언어는 사상의 전달 수단이다. **3** 특정 배우의 능력을 훌륭히 나타낸 연극〔영화〕. **4** 〖의학〗 부형약(賦形藥)《약을 복용하기 쉽게 하는 첨가물》; 〖회화〗 전색제(展色劑).

véhicle cùrrency 국제 거래 통화.

véhicle-free prómenade 보행자만 다니는 「길.

véhicle lìcence 《영》 자동차 검사증.

ve·hic·u·lar [viːhíkjələr] *a.* 탈것의, 차의; 탈것에 의한; 탈것이 되는; 매개(媒介)〔전달〕하는: ~ deaths 교통〔차량〕 사고사 / ~ recording units 이동식 녹음설비.

vehícular lánguage 〖언어〗 (언어가 다른 종족 간의) 매개어《흔히 '공통어'라 함》.

V-éight, V-8 *n.* V 형 8 기통 엔진. ― *n.* V 형 8 기통 엔진; 그런 엔진의 자동차.

*__veil__ [veil] *n.* **1** 베일, 면사포; (수녀가 쓰는) 베일; (the ~) 수녀 생활. **2** 덮개, 씌우개, 장막, 포장, 휘장; 〖사진〗 가벼운 흐림; 목소리의 쉼: the ~ of mystery 신비의 베일. **3** 구실, 가면, 핑계《*of*》. **4** 〖동물·식물〗 막(膜)(velum). *beyond* 〔*behind, within*〕 *the ~* 저세상에, 저승에. *draw* 〔*throw, cast*〕 *a ~ over* …을 감추

다, …에 대해 입을 다물다. ***drop*** 〔***raise***〕 ***a*** ~ 베일을 내리다〔걷어올리다〕. ***lift the*** ~ 베일을 벗기다, 진상을 밝히다. ***pass the*** ~ 죽다. ***take the*** ~ 수녀가 되다. ***under the*** ~ ***of*** …의 그늘에 숨어서, …을 빙자하여, …라는 미명 아래. — *vt.* **1** …에 베일을 씌우다, 베일로 가리다: ~ one's face. **2** 〖일반적〗 덮다, 숨기다, 감추다: be ~*ed* in mystery (진상 따위가) 신비에 싸이다. — *vi.* 베일을 쓰다: Arabic women ~ in the presence of men. 아랍 여자들은 남자 앞에서 베일을 쓴다. [파] **∠·less** *a.*

veiled *a.* **1** 베일로 가린. **2** 베일에 싸인, 숨겨진; 분명치 않은: ~ threats 은근한 협박 / a fact ~ from public knowledge 세상에 숨기고 있는 사실. [파] **veil·ed·ly** [véilidli] *ad.*

véil·ing *n.* [U] 베일로 가림; 베일; 베일용 천.

vein [vein] *n.* **1 a 〖해부〗 정맥(靜脈), 심줄(([cf.] artery); 《속어》 혈관. **b** 〖식물〗 잎맥(脈); 〖동물〗 (곤충의) 시맥(翅脈); 〖지학·광물〗 맥, 암맥, 광맥; 지하수(맥); 갈라진 틈, 금; (대리석의) 돌결; 나뭇결. **2 a** 기질, 성질, 특질: a poetic ~ 시인 기질. **b** (일시적인) 기분, 마음의 상태: a ~ *of* cruelty 냉혹함 / say in a humorous ~ 반농담조로 말하다. **3** 《미속어》 (모던 재즈 연주에 쓰는) 베이스(double bass). [SYN.] ⇨MOOD. ***in*** (***the***) ~ ***for*** do***ing*** …할 기분이 나(서), …마음이 내켜: I am not *in* (*the*) ~ *for* work 〔read*ing*〕. 일〔독서〕할 마음이 없다. — *vt.* …에 맥(과 같은 줄)을 넣다; (…의 위를) (정)맥처럼 뻗치다. [파] **∠·al** *a.* **∠·less** *a.* **∠·like** *a.*

veined *a.* 줄〔맥〕이 있는, 잎맥이 있는; 나뭇결이 있는.

véin·ing *n.* [U] 맥〔줄〕무늬, 맥 배열; 맥 형성.

vein·let [véinlit] *n.* [U] 소맥(小脈); 〖식물〗 (잎의) 세맥(細脈).

vein·ous [véinəs] *a.* 정맥이 두드러진〔많은〕 《손 따위》; 정맥(혈)의, 정맥성의.

véin·stòne *n.* 〖광물〗 맥석(脈石)(gangue).

vein·ule, -u·let [véinjuːl], [-njəlit] *n.* =VEINLET; VENULE.

veiny [véini] (***vein·i·er; -i·est***) *a.* 정맥이 드러나 보이는〔있는〕; 힘줄이 많은《손 따위》; 줄무늬가 있는.

vel. vellum; velocity.

Ve·la [víːlə] *n.* 〖천문〗 (남쪽 하늘의) 돛자리.

vela VELUM의 복수.

ve·la·men [vəléimən/-men] (*pl.* ***-lam·i·na*** [-lǽmənə]) *n.* 〖해부〗 막(膜), 피막(被膜); =VELUM; 〖식물〗 근피(根被)《기근(氣根)을 덮는 코르크질(cork 質)의 표피(表皮)》.

ve·lar [víːlər] *a.* 막의, 개막(蓋膜)의; 〖음성〗 연구개(음)의. — *n.* 연구개(자)음《[k, g] 등》.

ve·lar·i·um [vəléəriəm] (*pl.* ***-ia*** [-riə]) *n.* 〖고대로마〗 지붕 없는 극장의 차일, 천막; 〖동물〗 (등해파리 따위의) 의연막(擬緣膜).

ve·lar·ize [víːləràiz] *vt.* 〖음성〗 연구개음화하다.

Ve·láz·quez, -lás- [vəláːskeis, -kəs/ vilǽskwiz] *n.* **Diego Rodríguez de Silva y** ~ 벨라스케스《스페인 화가; 1599-1660》.

Vel·cro [vélkrou] *n.* (단추·지퍼 대용의) 나일론제(製) 접착천《거친 면끼리 부착함; 상표명》.

veld, veldt [velt, felt] *n.* [U,C] (남아프리카) 초원.

veld·schoen, -skoen [véltskùːn, félt-] (*pl.* ~, ~*s*) *n.* 생가죽제 구두《못을 안 쓰고 기워 만듦》.

vel·i·ta·tion [vèlətéiʃən] *n.* 승강이; 논쟁.

vel·le·i·ty [vəlíːəti] *n.* 가냘픈 욕망; 〖철학〗 불완전 의욕《행동을 수반하지 않은 단순한 욕망》.

vel·li·cate [véləkèit] *vi., vt.* 씰룩거리다; 경련이 일다〔을 일으키게 하다〕(twitch). [파] **vèl·li·cá·tion** *n.* [U] (특히 안면의) 경련. **vél·li·cà·tive** *a.*

vel·lum [véləm] *n.* [U] (송아지·새끼양 가죽의) 고급 피지(皮紙); 피지 문서; =VELLUM PAPER.

véllum pàper 모조 피지.

vel·lumy [véləmi] *a.* 송아지 가죽 피지 모양의.

ve·lo·ce [*F.* velóːtʃe] *a., ad.* 《It.》 〖음악〗 빠른 템포의〔로〕, 빠른, 빨리, 벨로체의〔로〕.

vel·o·cim·e·ter [vìːlousímətər, vèl-] *n.* 속도계.

ve·loc·i·pede [vəlásəpìːd/-lɔ́s-] *n.* 발로 땅을 차서 나아가는 옛날 2륜차〔3륜차〕; 《드물게》 어린이용 3륜차; 〖철도〗 (구형의) 보선(保線)용 수동(手動) 3륜차(=∠ càr).

ve·loc·i·rap·tor [vəlɑ̀sərǽptər] *n.* 〖고대생물〗 (백악기 후기의) 2족(足) 보행 육식 공룡.

°**ve·loc·i·ty** [vəlásəti/-lɔ́s-] *n.* [U] **1** 속력, 빠르기. [cf.] speed. ¶ fly with the ~ of a bird 새의 속도로 날다. **2** 〖물리〗 속도; (동작·사건 추이의) 빠르기; (자금 등의) 회전율; 〖야구〗 (공의) 강속: accelerated ~ 가속도 / initial 〔muzzle〕 ~ (포탄 따위의) 초속(初速) / uniform 〔variable〕 ~ 등〔가변〕속도 / the ~ of light 〖물리〗 광속도, 빛의 속도 / ~ of money 〔circulation〕 화폐의 유통 속도.

velócity ràtio 〖공업〗 속도비(比)《기계의 각 부분의 속도와 구동(驅動) 부분의 속도비》.

ve·lo·drome [víːlədròum, vél-] *n.* 벨로드롬 《경사진 트랙이 있는 자전거 경주장》.

ve·lour(s) [vəlúər] (*pl.* ***-lours***) *n.* [U,C] 벨루어, 플러시천(plush)《명주·양모·무명의 교직(交織) 벨벳의 일종》; 벨루어 모자(=**velóur hàt**).

ve·lum [víːləm] (*pl.* ***-la*** [-lə]) *n.* 〖해부〗 개막(蓋膜); 연구개; 〖식물〗 균막(菌膜); 〖동물〗 면반(面盤); (해파리류의) 연막(緣膜).

ve·lure [vəlúər] *n.* [U] 벨벳류(類); 벨벳 브러시《실크해트용》. — *vt.* 벨벳 브러시로 솔질하여 매끈하게 하다.

ve·lu·ti·nous [vəlúːtənəs] *a.* 〖동물·식물〗 (표면이) 벨벳 모양의 (보드라운 털이 있는).

vel·ver·et [vélvərət] *n.* [U,C] 거친 면비로드.

vel·vet [vélvit] *n.* [U,C] **1** 벨벳, 우단: cotton ~ 면비로드 / terry ~ 보풀을 자르지 않은 벨벳 / silk ~ 비단〔본견〕 벨벳. **2** 벨벳 비슷한 것〔면(面)〕《복숭아 껍질·솜털이 난 뺨 따위》; (돌·나무 줄기 따위에 난) 이끼: the ~ of the lawn. **3** 녹용(鹿茸). **4** [U] 《구어》 괜찮은 지위; 《속어》 (예상 이상의) 이익, (도박·투기 등의) 엄청난 수입, 〖일반적〗 돈. (***as***) ***smooth as*** ~ (벨벳처럼) 아주 매끈매끈한. ***be*** 〔***stand***〕 ***on*** ~ 《구어》 유리한 지위에 있다; 《속어》 (도박 등에서) 이전에 딴 돈으로 승부를 겨루고 있다. ***to the*** ~ 〖상업〗 대변(貸邊)에. — *a.* 벨벳제(製)의; 벨벳 같은, 손의 감촉(感觸)이 좋은; 조용한《발 소리 따위》: a ~ tread 조용한 발소리 / ⇨VELVET PAW / ~ pile 벨벳천. [파] **~ed** [-id] *a.* **~·like** *a.*

vélvet ànt 〖곤충〗 구멍을 파는 나나니벌의 일종.

vélvet bèan 1년생 콩의 일종《미국 남부산; 사료용》.

vel·vet·een [vèlvətíːn] *n.* [U] 면비로드; (*pl.*) 면비로드의 옷〔바지〕; (*pl.*) 〖단수취급〗 《영》 사냥터지기. — *a.* 면비로드제의.

vélvet glóve 벨벳 장갑; 《비유》 표면만 유순함. ***an*** 〔***the***〕 ***iron hand in a*** 〔***the***〕 ~ 외유내강. ***handle with*** ~***s*** (단호한 의지를 감추고) 부드럽게 다루다.

vél·vet·ing *n.* 〖집합적〗 벨벳 제품.

vélvet páw 고양이 발《온화함을 가장하나 실은 잔인함》.

vélvet revolútion 비로드 혁명《1989년 12월에 평화적으로 달성된 체코슬로바키아 민주화》.

vélvet spònge 해면(海綿)《서인도 제도산》.

vel·vety [vélviti] *a.* **1** 벨벳 같은, (촉감이) 부

드러운: a ~ voice (벨벳 같은 느낌의) 부드러운 목소리. 2 맛이 순한, 입에 당기는((술 등)): a ~ Scotch 방순(芳醇)한 스카치 위스키.

Ven. Venerable; Venice.

ve·na ca·va [víːnə-kéivə] (*pl.* ***ve·nae ca·vae*** [víːniː-kéiviː]) 〖해부〗 대정맥. [((L.)) =hollow vein] ㊕ **véna cával** *a.*

ve·nal [víːnl] *a.* 돈으로 얻을 수 있는, 돈으로 좌우되는, 돈 위주의, 매수할 수 있는; 타락한. ㊕ **~·ly** *ad.* **ve·nal·i·ty** [viːnǽləti] *n.*

ve·nat·ic, -i·cal [viːnǽtik], [-əl] *a.* 사냥의, 사냥을 좋아하는.

ve·na·tion [viːnéiʃən] *n.* U 엽맥〔시맥(翅脈)〕의 배열 ((pinnate(새깃 모양의 잎맥), parallel(평행선 잎맥), palmate (손바닥 모양의 잎맥)); 〖집합적〗 엽맥, 시맥. ㊕ **~·al** *a.*

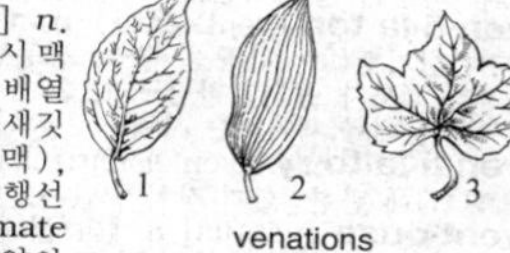

venations
1. pinnate 2. parallel 3. palmate

vend [vend] *vt.* 팔다, 판매〔행상〕하다; 자동판매기로 팔다; 〖법률〗(소유물을〔토지를〕) 매각(처분)하다; ((드물게)) 공언하다. ── *vi.* 팔리다; 장사를 하다. ㊕ **∠·a·ble** *a.* =VENDIBLE.

ven·dace [véndis, -deis] (*pl.* **~, *-dac·es***) *n.* 흰송어(whitefish).

ven·dange [*F.* vɑ̃dɑ̃ːʒ] *n.* ((F.)) 포도의 수확(vintage).

vend·ee [vendíː] *n.* 〖법률〗 매주(買主), 매수인.

°**vénd·er** *n.* =VENDOR. ⌊opp. *vendor*.

ven·det·ta [vendétə] *n.* 피의 복수(blood feud); (Corsica, Sicily 섬 등에서의) 살상에 기인하여 대대(代代)로 이어지는 원수 갚음, 복수; 〖일반적〗 뿌리깊은 반목, 숙원(宿怨).

ven·deuse [*F.* vɑ̃døːz] *n.* (양장점의) 여점원.

vènd·i·bíl·i·ty *n.* U 팔림, 시장 가치.

vénd·i·ble *a.* 판매 가능한, 팔리는; ((드물게)) 돈으로 좌우되는. ── *n.* (*pl.*) 판매 가능품; 매물(賣物). ㊕ **-bly** *ad.* ⌈cf. slot machine.

vénding machìne 자동 판매기(automat).

ven·di·tion [vendíʃən] *n.* U 판매, 매각.

°**ven·dor** [véndər, vendɔ́ːr/véndə, -dɔː] *n.* **1** 파는 사람, 〖법률〗 매각인(賣却人). opp. *vendee.* **2** 행상인, 노점 상인. **3** =VENDING MACHINE.

ven·due [vendjúː/véndjuː] *n.* ((미)) 공매, 경매: at (a) ~ =by ~ 공매로.

ve·neer [vəníər] *n.* **1** U,C (합판용의) 박판(薄板), (베니어) 단판(單板). ★ '베니어 합판'의 합쳐진 켜의 한 장 한 장을 veneer 라고 하며, 우리가 보통 '베니어판'이라고 하는 것은 실은 plywood임. **2** 미장 (덧)붙임((목조 위에 붙인 미장벽돌 등)). **3** ((비유)) 겉치장, 허식. ── *vt.* **1** …에 상질(上質)의 박판을 붙이다, (나무·돌 따위)에 미장 (덧)붙임을 하다; (박판을) 붙여서 합판으로 만들다. **2** ((비유)) …의 겉을 꾸미다. ㊕ **~·er** *n.*

ve·néer·ing [-riŋ] *n.* U 미장 (덧)붙임(재)((미장합판(붙임) 등)); 미장 (덧)붙임면; ((비유)) 겉치장.

ven·e·nate [vénənèit] *vt.* …에 독물(毒物)을 주입하다. ── *vi.* 독물을 투여하다. ⌈毒)한.

ven·e·nous [vénənəs] *a.* ((드물게)) 유독(有

°**ven·er·a·ble** [vénərəbəl] *a.* **1** (나이·인격·지위로 보아) 존경할 만한, 훌륭한, 덕망 있는. **2** 장엄한, 고색창연하여 숭엄한; 유서 깊은. **3** …부주교님((영국 국교에서의 존칭; 생략: Ven.)); 가경자(可敬者)((가톨릭 교회에서 시복(諡福) 과정에 있는 사람에 대한 존칭)). **4** 오래된. ㊕ **-bly** *ad.* **~·ness** *n.* **vèn·er·a·bíl·i·ty** *n.* U

°**ven·er·ate** [vénərèit] *vt.* 존경하다; 공경하다, 받들어 모시다. ㊕ **vén·er·à·tor** [-ər] *n.*

vèn·e·rá·tion *n.* U 존경, 숭앙; 숭배; 존경심, 경의(敬意). ***hold*** a person ***in*** **~** 아무를 존경〔숭배〕하다. ***in* ~ *of ...*** …을 존경〔숭배〕하여.

ve·ne·re·al [vəníəriəl] *a.* 성적 쾌락의; 정욕〔색정〕의; 성욕을 자극하는; 성교에서 오는; 성병에 걸린; 성병 치료의: a ~ patient 성병 환자 / a ~ remedy 성병 치료약 / ~ desire 성욕. ㊕ **~·ly** *ad.*

venéreal diséase 성병((생략: V. D.)).

ve·ne·re·ol·o·gy [vənìəriɑ́lədʒi/-ɔ́l-] *n.* U 성병학. ㊕ **-gist** *n.* 성병과(科) 의사.

ven·ery[1] [vénəri] ((고어)) *n.* U 성교(性交), 성욕을 채움; 호색.

ven·ery[2] *n.* ((고어)) 수렵, 사냥, 사냥감.

ven·e·sec·tion [vènəsékʃən] *n.* U 〖의학〗 정맥 절개; 방혈(放血), 사혈(瀉血)(법)(phlebotomy).

Venet. Venetian.

Ve·ne·tian [vəníːʃən] *a.* 베네치아(사람)의, 베네치아풍(風)〔식〕의. ── *n.* 베네치아 사람; 배게 짠 광택 있는 능직(=∠ **clóth**)((옷감·안감용)); (v-) =VENETIAN BLIND.

venétian blìnd 베니션 블라인드((끈으로 올리고 내리기와 채광 조절을 하는 발)).

Venétian blúe =COBALT BLUE.

Venétian cárpet 베니션 융단((복도 등에 깖)).

Venétian chálk 〖양재〗 초크.

Venétian dóor (종종 v-) (옆 문이 두 개 있는) 베네치아식 문. ⌈릇((고급품)).

Venétian gláss (때로 v-) 베네치아산 유리그

Venétian láce 손으로 뜬 레이스의 일종.

Venétian mást 특별 행사 때에 세우는 얼룩덜룩한 무늬로 색칠한 장식용 기둥.

Venétian péarl (때로 v-) 모조 진주.

Venétian réd 적색 안료의 일종; 암등적색(暗橙赤色).

Venétian shútter 3 단식 덧문.

Venétian wíndow (두 개의 옆창이 있는) 베네치아식 창.

Ven·e·zue·la [vènəzwéilə] *n.* 베네수엘라((남아메리카 북부의 공화국; 수도 Caracas)). ㊕ **-lan** *n., a.* 베네수엘라인〔문화〕(의).

*__ven·geance__ [véndʒəns] *n.* U,C 복수, 원수 갚기, 앙갚음: carry out one's ~ 복수를 하다. ◇avenge, revenge *v.* ***exact a* ~ *from*** a person ***for...*** 아무에게 …의 복수를 하다. ***take a bloody* ~ *on*** …에게 피의 복수를 하다, …을 죽여 앙갚음하다. ***take*** 〔***inflict, wreak***〕 **~ *on*** 〔***upon***〕 a person ***for*** (a thing) 아무에게 (어떤 일)의 복수를 하다. ***with a* ~** 심하게, 거칠게; 몹시, 극단으로, 대단히; 문자 그대로, 바로.

venge·ful [véndʒfəl] *a.* 복수심에 불타는〔이 있는〕; 집념이 강한. ㊕ **~·ly** *ad.* **~·ness** *n.*

ve·ni·al [víːniəl, -njəl] *a.* (죄·과실 따위가) 용서할 수 있는, 가벼운, 경미한. ㊕ **~·ly** *ad.*

ve·ni·al·i·ty [vìːniǽləti] *n.* U 용서할 수 있음; =VENIAL SIN. ⌈sin.

vénial sín 〖가톨릭〗 소죄(小罪). cf. mortal

Ven·ice [vénis] *n.* 베니스((베네치아의 영어명; 이탈리아 동북부의 항구 도시)). [((It.)) Venezia]

ven·in [vénin, víːn-] *n.* 〖생화학〗 베닌((뱀독에 함유된 유독 물질의 총칭)).

véni·pùncture, véne- [vénə-, víːnə-] *n.* 〖의학〗(특히 피하 주사에 의한) 정맥 천자(穿刺).

ve·ni·re fa·ci·as [vináiəri-féiʃiæs] ((L.)) 〖법률〗 배심원 소집장((배심원 소집을 담당 관리에게 명하는)); 〖영법률〗 출두 영장, 소환장.

ve·ni·re·man [vináiərimən] (*pl.* ***-men*** [-mən]) *n.* 〖법률〗 (venire facias 로 소집된) 배

심원; 배심원 후보자.

ven·i·son [vénəsən, -zən] *n.* Ⓤ 사슴고기; (사냥에서 잡은) 새·짐승의 고기.

Ve·ni·te [vináiti] *n.* ⟪L.⟫ 시편 제 95 편 및 96 편⟪아침 기도의 송가로 부름⟫; 그 악곡.

ve·ni., vi·di., vi·ci [ví:nai-váidai-váisai, véni:-ví:di:-ví:tʃi:] ⟪L.⟫ 왔노라, 보았노라, 이겼노라(I came, I saw, I conquered)⟪Caesar가 로마의 친구에게 승리를 전한 말⟫.

Vénn dìagram [vén-] 〖수학·논리〗 벤 도식(圖式)⟪원(圓)으로 집합과 명제 사이의 이론적인 관계를 나타내는 도식⟫. 「영(造影)〔촬영〕(법).

ve·nog·ra·phy [vi:nágrəfi/-nɔ́g-] *n.* 정맥 조

°**ven·om** [vénəm] *n.* **1** Ⓤ,Ⓒ (독사 따위의) 독액; ⟪고어⟫ 독, 독물: a ~ fang〔gland〕 독아(毒牙)〔독선〕. **2** Ⓤ ⟪비유⟫ 악의, 원한; 독설, 비방. **—** *vt.* ⟪고어⟫ …에 독을 넣다.

°**ven·om·ous** [vénəməs] *a.* **1** 독이 있는; 독액을 분비하는, 독선이 있는; 유독의, 유해한. **2** ⟪비유⟫ 악의에 찬, 원한을 품고 있는. ㊎ **~·ly** *ad.* **~·ness** *n.*

ve·nos·i·ty [vinásəti/-nɔ́s-] *n.* Ⓤ 정맥〔엽맥〕이 많음; 〖생리〗 정맥 울혈.

ve·nous, ve·nose [ví:nəs], [ví:nous] *a.* 정맥의〔에 있는〕; 맥이〔줄기가〕 있는; 나뭇결〔돌결〕이 있는; 〖식물〗 엽맥이 많은; 〖생리〗 정맥성(性)의: *venous* blood 정맥혈. ◇ vein *n.* ㊎ **~·ly** *ad.* **~·ness** *n.*

°**vent** [vent] *n.* **1** (공기·액체 따위를 뺐다 넣었다 하는) 구멍, 아가리, 새는 구멍. **2** (통 따위의) 공기구멍; 배기〔환기〕용의 작은 창; 연기 빼는 구멍. **3** (관악기의) 지공(指孔); (자동차의) 삼각창(窓)(~ window); (새·벌레·어류 따위의) 항문; (대포의) 화문. **4** 배출구, 출구; 벗어나는 힘〔기회〕; (감정 따위의) 발로, 표출. **5** (수달·비버 가) 호흡을 위해 수면으로 떠오름. ***find* (*a*) ~ *for*** …의 배출구를 찾아내다. ***find*** 〔***make***〕 ***a* ~ *in*** …에 배출구를 찾다〔만들다〕, 나타나다. ***give* ~ *to*** (노여움 따위를) 터뜨리다, …을 나타내다〔발산시키다〕. ***take* ~** 새다. **—** *vt.* **1** …에 구멍을〔배출구를〕 내다, …에 샐〔뺄〕 구멍을 만들다; (통에) 구멍을 뚫다; (증기·액체 등을) 배출하다, 토해내다. **2** ⟪~+목/+목+전+명⟫ (감정 등을) 드러내다, 발하다, (남에게) (분노 따위를) 터뜨려대다⟪*on*⟫; (감정을) 발산해 …한 기분을 풀다: He ~*ed* his ill humor *on* his wife. 그는 불쾌한 나머지 아내에게 화풀이를 하였다. **3** ⟪~ oneself⟫ 배출구를 찾다, 새다; 배출구를 찾아 숨을 돌리다; (…이 되어) 나타나다⟪*in*⟫: His anger ~*ed* it*self in* curses. 그는 화가 나 욕설을 퍼부었다. **—** *vi.* **1** (수달 따위가 호흡하기 위해) 수면에 얼굴을 내밀다. **2** (액체·공기 따위가) 나갈 곳을 찾아내다, 새어 나오다. ㊎ **∠·less** *a.*

vent·age [véntidʒ] *n.* (공기·가스·액체 등이) 나가는〔새는〕 구멍; (감정의) 배출구; (관악기의) 지공(指孔).

ven·ter[1] [véntər] *n.* 〖해부·동물〗 복부(腹部); (근육·뼈 따위의) 불룩한 부분; 〖법률〗 모(母), 배: his two sons by another ~ 배다른 두 아들. ***in* ~** 〖법률〗 태내에 있는.

ven·ter[2] *n.* 생각을〔감정, 노염, 슬픔 따위를〕 밖으로 나타내는 사람. 「(孔), 채광창.

vént·hòle *n.* (공기·연기 등의) 배출구, 통기공

ven·ti·duct [véntədʌ̀kt] *n.* 통풍관(通風管).

ven·til [véntl] *n.* (관악기·오르간의) 활전(活栓), 피스톤.

°**ven·ti·late** [véntəlèit] *vt.* **1** (방 등에) 공기를 유통시키다, 환기하다. **2** 신선한 공기로 정화하다〔원기를 돋구다〕. **3** 통풍 설비를 하다; 환기 구멍을 내다; (혈액)에 산소를 공급하다. **4** 자유롭게 토의하다, 의제에 올리다; (문제 등을) 공표하다. **5** (의견·불만 등을) 표명하다.

vén·ti·làt·ing *a.* 환기〔통풍〕의: a ~ shaft (광산의) 환기갱(坑).

*__ven·ti·la·tion__ [vèntəléiʃən] *n.* Ⓤ **1** 통풍, 공기의 유통, 환기(법); 통풍〔환기〕 장치(의 설치): a ~ fan 환기용 선풍기. **2** 논의, 자유 토의, 검토; 여론에 물음. **3** 감정의 표출, 발로(expression). **4** 〖생리〗 환기⟪특히, 폐와 외기(外氣)·폐포(肺胞)와 혈액 간의 가스 교환⟫.

ven·ti·la·tive [véntəlèitiv] *a.* 통풍의, 환기의; 바람이 잘 통하는.

ven·ti·la·tor [véntəlèitər] *n.* **1** 통풍기, 송풍기; 환기팬(fan); 통풍 구멍, 통풍관, 환기통, 환기창, (모자 등의) 바람구멍. **2** 여론에 호소하기 위해 문제를 제기하는 사람.

ven·ti·la·to·ry [véntələtɔ̀:ri/-lèitəri] *a.* 통기〔환기〕에 관한; 환기 장치가 있는.

vent·ouse [véntus] *n.* 〖의학〗 (분만시 아기의 머리에 대어 출산을 돕는 컵 모양의) 흡반(吸盤).

vént-pèg *n.* (통 따위의) 공기구멍의 마개.

vént pìpe 배기관, 통기관.

vént-plùg *n.* =VENT-PEG.

ven·tral [véntrəl] *a.* 〖해부·동물〗 배의, 복부의, 복면의(OPP. *dorsal*); 〖식물〗 내면의, (화판(花瓣) 따위) 하면의. **—** *n.* 〖어류〗 복부; 배지느러미.

véntral fín 〖어류〗 배지느러미, 꼬리지느러미; 〖항공〗 벤트럴핀⟪비행기 동체 후부 하면에 있는 기체 방향 및 안정 유지 조정 장치⟫.

ven·tri- [véntri], **ven·tro-** [véntrou, -trə] '배, 복(腹)'의 뜻의 결합사.

ven·tri·cle [véntrikəl] *n.* 〖해부〗 (뇌수·후두 따위의) 공동(空洞), 실(室), 뇌실(腦室); (심장의) 심실(心室).

ven·tri·cose, -cous [véntrikòus], [-kəs] *a.* 배가 나온; 불룩한; 〖식물·동물〗 한쪽으로 튀어나온. 「의, 심실의; 비대한.

ven·tric·u·lar [ventríkjələr] *a.* 〖해부〗 실(室)

ventrícular fibrillátion 〖병리〗 심실 세동(細動)⟪맥박의 촉지 불능, 혈압 저하 등의 현상이 나타남⟫.

ven·tric·u·lus [ventríkjələs] (*pl.* **-li** [-lài, -li:]) *n.* 〖해부〗 소화 기관, 위(胃); (새의) 모래주머니 사낭(砂囊); =VENTRICLE.

ven·tri·lo·qui·al [vèntrəlóukwiəl] *a.* 복화(술)(腹話(術))의, 복화술을 쓰는. ㊎ **~·ly** *ad.*

ven·tril·o·quism, -quy [ventríləkwìzəm], [-kwi] *n.* Ⓤ 복화(술). ㊎ **-quist** *n.* 복화술사(師). **-quize** [-kwàiz] *vi., vt.* 복화술로 이야기하다. 「나온, 대식(大食)의.

ven·trip·o·tent [ventrípətənt] *a.* 배가 튀어

*__ven·ture__ [véntʃər] *vi.* **1** ⟪+부/+전+명⟫ 위험을 무릅쓰고 가다, 감히 가다: ~ too *near* the edge of a cliff 감히 벼랑 바로 끝 가까이까지 다가가다/They ~*d out on* the stormy sea to rescue the shipwrecked people. 난파자들을 구조하기 위하여 위험을 무릅쓰고 폭풍이 몰아치는 바다로 나갔다. **2** ⟪+전+명⟫ 위험을 무릅쓰고 해보다⟪*on, upon*⟫: ~ *on* an opinion 과감히 의견을 진술하다. SYN. ⇨DARE. **—** *vt.* **1** ⟪~+목/+목+전+명⟫ (생명·재산 등을) 위험에 내맡기다, 걸다, 내걸다(risk)⟪*on, upon; in; for*⟫: ~ all one's money *on* a throw of dice 가지고 있는 모든 돈을 단 한 번의 주사위 놀이에 걸다/~ one's fortune *in* speculation 재산을 투기에 내걸다/They ~*d* their lives for the cause. 그들은 주의를 위해 신명을 내걸었다. **2** ⟪~+목/+*to* do⟫ 위험을 무릅쓰고 …하다, 과감히 …해보다, 감행하다(brave): ~ a flight in a storm 폭

풍우 속에서 비행을 감행하다 / I can't ~ a step forward. 무서워 한 발짝도 내디딜 수 없다 / No one ~*d to* object to the plan. 아무도 용기 있게 그 안에 반대하려는 사람은 없었다 / Nothing ~, nothing have. 《속담》 호랑이 굴에 가야 호랑이 새끼를 잡는다. **3** (의견 따위)를 과감히 말하다: ~ an opinion 〔an objection〕 과감하게 의견을 말하다 〔반대를 주장하다〕.
— *n.* **1** U,C 모험, 모험적 사업. **2** C 투기 (사업), 사행: a lucky ~ 들어맞은 투기. **3** 투기의 대상물《배·선하(船荷)·상품 등》; 건 물건〔돈〕. **4** 《고어》 위험; 《폐어》 (예측할 수 없는) 운, 우연. ***at a*** ~ 운에 맡기고, 모험적으로; 되는대로, 엉터리로. ***ready for any*** ~ 어떤 위험이라도 불사하는.

vénture bùsiness 〖경제〗 (고도의 전문 지식을 활용한) 모험적 기업.

vénture càpital 〖경제〗 벤처 캐피털, 위험 부담 자본, 모험 자본(equity capital, risk capital).

vénture càpitalist 〖경제〗 모험 투자가.

vénture cùlture 적극적이고 모험을 좋아하는 기질의 풍토.

vén·tur·er [-rər] *n.* 모험가; 투기꾼; (특히 16-17세기의) 무역 상인.

Vénture Scòut 《영》 (보이스카우트의) 연장(年長) 소년단원《16-20세》.

ven·ture·some [véntʃərsəm] *a.* 모험적인; 대담한, 무모한, 모험을 좋아하는. ㊕ **~·ly** *ad.* 모험적으로, 대담하게. **~·ness** *n.*

ven·tú·ri (tùbe) [ventúəri(-)] (때로 V-) 〖물리〗 벤투리관(管)《압력차를 이용하여 유속계(流速計)·기화기(氣化器) 따위에 쓰임》.

ven·tur·ous [véntʃərəs] *a.* 모험을 좋아하는, 대담〔무모〕한, 모험적인; 위태로운, 위험한. ㊕ **~·ly** *ad.* **~·ness** *n.*

vént wìndow (자동차의) 삼각창(vent).

ven·ue [vénju:] *n.* **1** 〖법률〗 범행지(地); 소송 원인 발생지; 재판지《공판을 위해 배심원이 소집되는 장소》; 재판 관할구의 표시, 공판지(公判地) 지시. **2** 행위〔사건〕의 현장; 《구어》 (경기·회의 등의) 개최(지정)지; (토론의) 입장, 논거. ***change the*** ~ 재판지를 바꾸다《공정한 재판을 위해서》.

ven·ule [vénju:l] *n.* 〖해부〗 소(小)〔세(細)〕 정맥; 〖곤충〗 소시맥(小翅脈); 〖식물〗 소엽맥.

°**Ve·nus** [ví:nəs] *n.* **1** 〖로마신화〗 비너스《사랑과 미의 여신; 〖그리스신화〗 Aphrodite에 상당》. **2** 절세의 미인. **3** 성애(性愛), 색정. **4** 〖천문〗 금성, 태백성《개밥바라기(Hesperus), 샛별(Lucifer)로서 나타남; 무관사》. cf. planet. **5** 〖패류〗 베네리 다이속(屬). ***the Mount of*** ~ ① 불두덩, 치구(恥丘). ② 〖수상〗 금성구(丘)《엄지손가락 밑의 부푼 부분; 애정을 나타냄》. ***the*** ~ ***of Milo*** 밀로의 비너스《Milo는 그리스어 Milos(밀로스 섬)의 이탈리아어명》. ㊕ **Ve·nu·si·an** [vənjú:siən, -ʃiən] *a., n.* 금성의; 금성인(人).

vénus ob·sér·va [-əbsə́:rvə] (성교 체위의) 「정상위(正常位).

Vénus's-flówer-bàsket *n.* 〖동물〗 해로동혈(偕老同穴)《해면의 일종》.

Vénus's-flýtrap, Vénus(') flýtrap *n.* 〖식물〗 파리지옥풀. 「사리.

Vénus's-háir, Vénus·háir *n.* 〖식물〗 봉작고

Vénus's-slípper *n.* =LADY'S-SLIPPER.

Ver. Version. **ver.** verse(s); version. **VERA** vision electronic recording apparatus(텔레비전의 프로그램 수록 장치).

ve·ra·cious [vəréiʃəs] *a.* 진실을 말하는, 성실한, 정직한; (이야기가) 진실한, 정말인. ㊕ **~·ly** *ad.* **~·ness** *n.*

ve·rac·i·ty [vərǽsəti] *n.* U 진실을 말함, 정직, 성실; 진실임, 진실성; 정확(도); 진상.

***ve·ran·da(h)** [vərǽndə] *n.* 〖건축〗 (보통, 지붕이 달린) 베란다, 툇마루(《미》 porch). ㊕ **~ed** *a.* 베란다가 있는 〔달려 있는〕.

veranda

ver·a·trine [vérətrì:n, -trin] *n.* 〖화학〗 베라트린《sabadilla의 종자에서 채취하는 유독성 알칼로이드 혼합체; 이전에는 신경통·류머티즘 치료제》.

‡**verb** [və:rb] *n.* 〖문법〗 동사《생략: v., vb.》: an auxiliary ~ 조동사 / a causative 〔factitive〕 ~ 사역동사 / a dative ~ 여격동사 / a finite ~ 정형동사 / an intransitive 〔a transitive〕 ~ 자〔타〕동사 / a reflexive ~ 재귀동사 / a strong 〔weak〕 ~ 강〔약〕변화 동사 / a regular 〔an irregular〕 ~ 규칙〔불규칙〕 동사 / a substantive 〔copulative〕 ~ 존재〔계사〕 동사. ㊕ **~·less** *a.*

°**ver·bal** [və́:rbəl] *a.* **1** 말의, 말에 나타낸, 말에 관한, 어구〔용어상〕의: a ~ test 언어 적성 검사 / ~ mistakes 어구의 잘못 / ~ criticism 어구 비평 / a ~ concordance 요어(要語) 색인 / ~ communication 말에 의한 전달. **2** 구두〔구술〕의; 말뿐인, 행동이 따르지 않는: ~ evidence 증언 / a ~ protest 항변 / a ~ contract 구두 계약 / a ~ message 전언, 전갈. **3** (번역 등이) 축어(逐語)적인, 문자대로의: a ~ translation 축어역. **4** 〖문법〗 동사의, 동사적인. — *n.* **1** 〖문법〗 준(準)동사(꼴)《부정사·분사·동명사 따위》. **2** 《영》 진술, (특히 경찰에서의) 자백. — *vt.* 《영속어》 …에게 자백시키다.

vérbal ádjective 〖문법〗 (동사에서 파생한) 동사적 형용사. 「verb).

vérbal auxíliary 〖문법〗 조동사(auxiliary

vérbal ímage 〖심리〗 언어 심상(心象).

vér·bal·ism *n.* U **1** 언어적 표현; 어구의 사용〔선택〕. **2** 자구에 구애됨, 자의(字義)를 캠; 어구 비평. **3** 형식적인 문구. ㊕ **-ist** *n.* 어구 사용의 숙달자; 어구 비평가; 자구를 천착하는 사람.

ver·bal·i·ty [və:rbǽləti] (*pl.* **-ties**) *n.* 말이 많음〔장황함〕(wordiness); 말에 의한 표현; 〖문법〗 동사의 성격〔성질〕.

vér·bal·ìze *vt.* **1** 말로 나타내다. **2** 동사적으로 쓰다; 동사화하다. — *vi.* 어구가 장황해지다, 말이 너무 많다; 말로 표현하다. ㊕ **vèr·bal·i·zá·tion** *n.* **vér·bal·ìz·er** *n.* 말로 나타내는 사람; 말이 많은 사람. 「로서.

vér·bal·ly *ad.* 말로, 구두로; 축어적으로; 동사

vérbal nóte 구술서; 〖외교〗 무서명 각서, 구두 통첩. 「infinitive.

vérbal nóun 〖문법〗 동사적 명사. cf. gerund,

ver·ba·tim [və:rbéitim] *a., ad.* 축어적(으로), 말대로(의): a ~ translation 축어역. — *n.* 축어적 보고.

ver·be·na [və:rbí:nə] *n.* C 〖식물〗 마편초속(屬)의 식물, 《특히》 버베나.

ver·bi·age [və́:rbiidʒ] *n.* U 군말이 많음, 말이 많음, 용장(冗長); 용어(用語), 말씨.

ver·bi·cide [və́:rbəsàid] *n.* U,C 《우스개》 말의 뜻을 (의도적으로) 왜곡하는 일〔사람〕.

ver·bid [və́:rbid] *n.* 〖문법〗 준동사(형) (verbal).

verb·i·fy [və́:rbəfài] *vt.* 〖문법〗 (명사를) 동사화하다, 동사적으로 쓰다. ㊕ **vèrb·i·fi·cá·tion** *n.*

ver·big·er·a·tion [və:rbidʒəréiʃən] *n.* 〖병리〗 말반복증《의미 없는 말이나 문장을 반복하는 행위; 정신 분열증·치매에서 흔히 보임》.

ver·bose [vəːrbóus] *a.* 말이 많은, 다변의, 용장(冗長)한, 용만(冗漫)한, 장황한. [파] **~·ly** *ad.* **~·ness** *n.* **ver·bos·i·ty** [vəːrbásəti/ -bɔ́s-] *n.* [U]

ver·bo·ten [vərbóutn] *a.* 《G.》 (법률에 의해) 「금지된.

vérb phràse 〖문법〗 동사구.

ver·bum sat sa·pi·en·ti [vɔ́ːrbəm-sæt-sæpiéntai] 《L.》 (=a word (is) enough to the wise) 현자(賢者)에게는 한마디면 충분하다, 다언 무용(無用)《생략: *verb. sap.*》.

ver·dan·cy [vɔ́ːrdnsi] *n.* [U] **1** 푸릇푸릇함, 신록. **2** 미숙, 초심, 순진.

°**ver·dant** [vɔ́ːrdnt] *a.* **1** 푸릇푸릇한, 푸른 잎이 무성한, 신록의. **2** 순진한, 경험 없는, 미숙한. [파] **~·ly** *ad.*

vérdant grèen 담녹색, 신록.

vérd antìque [vɔ́ːrd-] 〖광물〗 녹색 사문석(蛇紋石); (청동기 등의) 녹청, 푸른 녹.

Verde [vəːrd] *n.* **Cape ~** 베르데 곶《아프리카 대륙 서쪽 끝의 갑(岬)》.

ver·der·er, -or [vɔ́ːrdərər] *n.* (중세 영국의) 왕실 산림의 관리관. [파] **~·shìp** *n.*

Ver·di [vɛ́ərdi] *n.* **Giuseppe ~** 베르디《이탈리아의 가곡 작곡가; 1813-1901》.

ver·dict** [vɔ́ːrdikt] *n.* **1** 〖법률〗 (배심원의) 평결, 답신(答申): a general 〔special〕 ~ 일반〔특별〕 평결/a ~ for the plaintiff 원고 승소의 평결. **2** 판단, 의견, 결정: What is your ~ on the coffee? 그 커피(의 풍미)는 어떻습니까. ***bring in 〔***return***〕 ***a ~ of*** (guilty 〔not guilty〕) (유죄 〔무죄〕)의 평결〔답신〕을 하다. ***pass*** **one's** ~ ***upon*** …에 판단을 내리다〔소견을 말하다〕.

ver·di·gris [vɔ́ːrdəgriːs, -gris] *n.* [U] 녹청(綠青), 푸른 녹.

ver·di·ter [vɔ́ːrditər] *n.* 녹청색의 그림물감 《탄산구리의 청색〔녹색〕의 안료》.

ver·dure [vɔ́ːrdʒər] *n.* [U] (초목의) 푸르름, 신록; 푸릇푸릇한 초목; 신선함, 생기.

ver·dur·ous [vɔ́ːrdʒərəs] *a.* 푸릇푸릇한, 신록의; 신록에 덮인, 푸른 잎이 무성한. [파] **~·ness** *n.*

Ver·ein [vəráin] *n.* 《G.》 연맹, 동맹, 조합; 회, 「협회.

°**verge**[1] [vəːrdʒ] *n.* **1** 가, 가장자리, 모서리; 《영》 (잔디가 난) 도로변, 화단의 가장자리. **2** (the ~) 끝; 경계, 한계. [cf.] brink, edge. **3** 경계 내의 지역, 범위; 특별 관할구; 〖영국사〗 궁정 장관의 관구. **4** 권장(權杖), 권표(權標)《고관의 행렬 따위에 받드는》. **5** 〖건축〗 합각머리; (시계 등의) 축, 굴대. **6** 《시어》 수평선, 지평선. ***on the ~ of*** (…살)이 되려고 하여; (파멸 등에) 직면하여, 바야흐로 …하려고 하여; 직전에(서): be *on the* ~ *of* ruin 〔war〕 파멸〔전쟁〕 직전에 있다.

— *vi.* 《+[전]+[명]》 **1** 가에 있다; (…에) 접하다, 인접〔근접〕하다《*on, upon*》: Our property ~*s on* theirs. 우리의 땅은 그들의 땅과 경계를 접하고 있다. **2** (어떤 상태·성질 등에) 다가가다, (이제 막) …이 되려 하다, 거의 (…와) 같다《*on, upon*》: The American eagle is *verging on* extinction. 흰머리수리는 멸종 직전에 있다. — *vt.* …의 경계를 이루다, 경계가 되다: a hedge *verging* the lane 작은 길을 경계 짓고 있는 생울타리.

verge[2] *vi.* (해가) 지다(sink); (…에) 기울다; 향하다《*toward*》; (어떤 상태로) 바뀌어 가다 《*into*》: ~ *to* a close 끝장이 가까워지다/~ *toward* old age 점점 노령이 되다.

ver·gence [vɔ́ːrdʒəns] *n.* 〖의학〗 양안 전도(兩眼轉導), 이접(離接) 운동《두 안구(眼球)의 비공동성 운동》.

vérg·er *n.* **1** 《영》 (성당·대학 따위의) 권표(權標) 받드는 사람. **2** 교회당 접대원〔안내인〕(usher).

Ver·gil, Vir- [vɔ́ːrdʒil] *n.* **1** 버질《남자 이름》. **2** 《L.》 **Publius Vergilius Maro** 베르길리우스《고대 로마의 시인; 70-19 B.C.》. [cf.] Aeneid. [파] **Ver·gil·i·an** [vəːrdʒíliən] *a.* ~풍의.

ver·glas [vɛərglάː] *n.* [U] 《F.》 〖등산〗 베르글라《바위에 붙은 얇은 얼음》.

ve·rid·ic [vərídik] *a.* =VERIDICAL.

ve·rid·i·cal [vərídikəl] *a.* 속이지 않는, 정직한, 진실한《보통 비꼬아서》; 몽상이 아닌, 현실의. [파] **~·ly** *ad.* **ve·rìd·i·cál·i·ty** [-kǽləti] *n.* 진실(성).

ver·i·est [vériist] *a.* 〔very의 최상급〕《영에서는 고어》 순전한, 정말의, 더할 나위 없는(utmost): the ~ nonsense 순전한 진짜 난센스/the ~ rascal 아주 못된 망나니/The ~ baby could do it. 갓난애라도 그것을 하려면 할 수 있다.

vèr·i·fi·a·bíl·i·ty *n.* [U] 실증할 수 있음. 「원리.

verifiabílity prìnciple 〖논리〗 검증 가능성의

ver·i·fi·a·ble [vérəfàiəbəl] *a.* 입증〔증명〕할 수 있는, 증언할 수 있는. [파] **-bly** *ad.* **~·ness** *n.*

ver·i·fi·ca·tion [vèrəfikéiʃən] *n.* [U] **1** 확인, 조회; 입증, 증명; 실증, (특히 군비(軍備) 관리 협정 준수 확인을 위한) 검증. **2** 증거, 근거. **3** 확언. **4** 비준(批准). **5** 〖법률〗 (진술·탄원·변론에 붙이는) 진술이 진실하다는 확언. [파] **~·al** *a.*

ver·i·fi·er [vérəfàiər] *n.* 입증자, 증명자; 검정기(檢定器)《가스계량기 따위》; 〖컴퓨터〗 검증기.

°**ver·i·fy** [vérəfài] *vt.* **1** (증거·증언 등으로) …이 진실임을 증명〔입증, 실증, 확증〕하다. **2** 《~+[목]/+*that* [절]/+*wh.* [절]》 (조사·비교 등으로) …이 진실〔정확〕함을 확인하다: We have *verified that* he's entitled to the estate. 그가 그 유산을 승계할 권리가 있다는 것을 확인했다/You must ~ *whether* he's competent for the work. 그가 그 일의 적임자인지 어떤지 확인해야 한다. **3** 〖법률〗 **a** (주장을) 입증〔확증〕하다. **b** (진술의) 진실성을 증명〔선언〕하다. **4** 〖컴퓨터〗 검증하다.

ver·i·ly [vérəli] *ad.* 《고어》 참으로, 진실로.

ver·i·sim·i·lar [vèrəsímələr] *a.* 진실〔정말〕 같은, 그럴싸한, 있을 법한. [파] **~·ly** *ad.*

ver·i·si·mil·i·tude [vèrəsimílətjùːd/-tjùːd] *n.* [U] 정말〔진실〕 같음, 있을 법함, 박진(迫眞)(성); [C] 정말 같은 이야기·일《따위》.

ver·ism [víərizəm] *n.* [U] 베리즘《특히 오페라·가극 등에서의 현실(취재)주의》. [파] **vér·ist** *a., n.* **ve·rís·tic** *a.* 「스모(verism).

ve·ris·mo [verízmou] (*pl.* **~s**) *n.* 《It.》 베리

ver·i·ta·ble [vérətəbəl] *a.* 진실의, 틀림없는, 참된, 진정한. [파] **-bly** *ad.* **~·ness** *n.*

ve·ri·tas [véritæs, -tὰːs] *n.* 《L.》 진리(truth): lux et ~ 빛과 진리《예일 대학의 슬로건》.

vér·i·té [F. veRite] *n.* 《F.》 〖영화〗 진실〔현실〕 묘사 수법.

°**ver·i·ty** [vérəti] *n.* [U] 참, 진실(성); [C] 진실의 진술; 사실, 진리: the eternal *verities* 영원한 진리. ***in all*** ~ 《고어》 참으로, 진실로《맹세의 말》. ***of a*** ~ 《고어》 참으로, 정말로.

ver·juice [vɔ́ːrdʒùːs] *n.* [U] 신 과즙; 성미 까다로움, 뿌루퉁한 태도. — *a.* 산미가 강한 과즙의, 신(sour); (기질·표정 따위가) 심술사나운, 띠까다로운, 찡그린. — *vt.* 시큼하게 하다. [파] **~d** [-t] *a.*

ver·meil [vɔ́ːrmil, -meil/-meil] *n.* [U] 《시어》 주홍, 주색(朱色); 금 도금한 은·청동·구리; 〖광물〗 주황색 석류석. — *a.* 주색의, 선홍색의.

ver·mi- [vɔ́ːrmi-, -mə-] '벌레, 충(蟲)'이란 뜻의 결합사.

ver·mi·cel·li [və̀:rmiːtʃéli, -séli] *n.* Ⓤ 《It.》 베르미첼리《spaghetti 보다 가는 국수류》.
ver·mi·cid·al [və̀:rməsáidəl] *a.* 구충의.
ver·mi·cide [və́rməsàid] *n.* 구충제; 살충제.
ver·mic·u·lar [və:rmíkjələr] *a.* 연충(蠕蟲)의; 연충 비슷한; 연동(蠕動)하는; 구불구불한, 벌레 먹은 자국 같은; 벌레 먹은.
ver·mic·u·late [vərmíkjəlèit] *vt.* …에 벌레 먹은 모양의 세공을 하다. ── [-lət, -lèit] *a.* 벌레먹은(모양의 장식의); (생각 등이) 복잡한, 뒤얽힌. ㊞ **ver·mìc·u·lá·tion** *n.* Ⓤ (장(腸) 따위의) 연동(蠕動); 벌레 먹은 상태〔모양〕; Ⓤ,Ⓒ 〖건축〗 벌레 먹은 모양의 세공〔장식〕.
ver·mic·u·lite [vərmíkjəlàit] *n.* Ⓤ 〖광물〗 질석(蛭石)《풍화한 흑운모》. 「양식.
ver·mi·cul·ture [və́:rməkʌ̀ltʃər] *n.* 지렁이
ver·mi·form [və́:rməfɔ̀:rm] *a.* 연충(蠕蟲) 모양의. 「기. ⓒⓕ caecum.
vérmiform appéndix 〖해부〗 충양(蟲樣)돌
ver·mi·fuge [və́:rməfjù:dʒ] 〖의학〗 *n.* 구충제. ── *a.* 구충(제)의.
ver·mi·grade [və́:rməgrèid] *a.* 벌레처럼 움직이는, 구불구불 나아가는.
◇**ver·mil·ion, -mil·lion** [vərmíljən] *n.* Ⓤ 주홍, 진사(辰砂); 주색(朱色) (안료). ── *a.* 주홍의, 주색의, 주홍 칠한. ── *vt.* 주홍으로 물들이다〔칠하다〕.
◇**ver·min** [və́:rmin] *n.* Ⓤ〔집합적; 복수취급〕 **1** 해로운 작은 동물《쥐·족제비 등》; 해충《벼룩·빈대·이·바퀴·모기 따위》; 기생충; 해조《매·올빼미 따위》. **2** 사회의 해충, 악당, 망나니: street ~ 거리의 건달.
ver·mi·nate [və́:rmənèit] *vi.* 해충이〔벼룩이, 이가, 빈대가〕 꾀다; 《고어》 해충이 생기다.
vèr·mi·ná·tion *n.* 해충 발생; 〖의학〗 기생충병.
ver·mi·no·sis [və̀:rmənóusis] *n.* 〖의학〗 기생충병.
ver·min·ous [və́:rmənəs] *a.* **1** 해충이〔벼룩이, 이가, 빈대가〕 꾄〔생긴〕; 불결한; 해충에 의한; 해충의〔같은〕. **2** 해독을 끼치는, 비열한, 싫은. ㊞ **~·ly** *ad.* **~·ness** *n.*
ver·miv·o·rous [və:rmívərəs] *a.* 벌레를 먹는, 식충의.
Ver·mont [və:rmánt/-mɔ́nt] *n.* 버몬트 주《미국 북동부의 주; 생략: Verm., Vt., VT》. ㊞ **~·er** *n.* 버몬트 주 사람.
ver·mouth, -muth [vərmú:θ/və́:məθ] *n.* Ⓤ 베르무트《백 포도주에 향초 등으로 가미한 술》.
ver·nac·u·lar [vərnǽkjələr] *n.* Ⓒ 제 나라말, 국어; 지방어, 사투리, 방언; 일상어; (어떤 직업의) 전문어; 은어; (동식물의) 통속명; 《영우스개》 저속한 말, 욕지거리: in the ~ 제 나라말로, 지방말로; 욕지거리로/the ~ of the stage 연극 용어. ── *a.* 제 나라의, 본국의, 지방의《말·어법 따위》; 지방 말로 쓴, 방언을 쓴; 지방〔시대, 집단〕 (특유)의《말·병·건축 양식·미술·공예 따위》; 풍토(병)의; (동식물 이름이 학명이 아닌) 통속명의: the ~ languages of India 인도의 여러 지방어/a ~ paper 자국어〔지방어〕 신문/a ~ disease 〖의학〗 풍토병/the ~ name 〖생물〗 속명/a ~ dictionary 방언 사전. ㊞ **~·ly** *ad.* **~·ìsm** *n.* Ⓤ 자국어〔지방어〕 어법〔사용〕; 자국어〔지방어〕(로 된 표현).
ver·nác·u·lar·ìze [-ràiz] *vt.* …을 자국어화(自國語化)〔지방어화〕하다; 구어〔지방어〕로 표현하다.
vernácular náme 〖생물〗 지방명, 속명(俗名) (popular name)《학명이 아닌 동·식물명》.
ver·nal [və́:rnl] *a.* **1** 봄의, 봄 같은; 봄에 나는, 봄에 피는《꽃 따위》. **2** 청춘의, 젊은. ㊞ **~·ly** *ad.*
vérnal équinox 〔**póint**〕 (the ~) 춘분(점).
vér·nal·ìze *vt.* (식물을) 춘화(春化) 처리하다, 인공적으로 발육을 촉진하다. ㊞ **vèr·nal·i·zá·tion** *n.*
ver·na·tion [vərnéiʃən] *n.* Ⓤ 〖식물〗 아형(芽型)《싹 속의 엽아(葉芽)의 배열 상태》.
Vér·ner's láw [və́rnərz-] 〖언어〗 베르너의 법칙《덴마크의 K. A. Verner 가 Grimm's law 를 수정한 인도유럽어 간의 자음 법칙》.
ver·ni·cle [və́:rnikəl] *n.* =SUDARIUM 1.
ver·ni·er [və́:rniər] *n.* 아들자, 부척(副尺), 버니어(=∠ **scàle**); 〖우주〗 보조 엔진, 궤도 수정〔자세 제어〕 분사 장치(=∠ **éngine** 〔**rócket**〕).
vérnier cáliper 〔**micrómeter**〕 〖기계〗 버니어캘리퍼스, 노기스.
ver·nis·sage [və̀:rnəsá:ʒ; *F.* vɛʀnisa:ʒ] *n.* **1** 미술 전람회 개최 전일. **2** 전람회 개최 전에 출품자를 위해 화랑에서 개최하는 리셉션. 「도시」.
Ve·ro·na [vəróunə] *n.* 베로나《이탈리아 북부의
Ver·o·nal [vérənl] *n.* Ⓤ 베로날《진통·수면제; 상표명》. ⓒⓕ barbital.
Ver·o·nese [vèrəní:z, -ní:s/-ní:z] (*pl.* ~) *n.* Verona 사람. ── *a.* Verona 의.
ve·ron·i·ca [vəránikə/-rɔ́n-] *n.* **1** 〖식물〗 현삼과의 식물《개불알풀류(類)》. **2** (때로 V-) 베로니카의 성백(聖帛)《형장으로 끌려가는 예수의 얼굴을 성녀 Veronica 가 닦으니 예수의 얼굴 모습이 남았다는 천》, 그 안면상, 〔일반적〕 예수의 얼굴을 그린 천조각. ⓒⓕ sudarium 1. **3** (V-) 베로니카《여자 이름》. **4** 〖투우〗 베로니카《정지한 채 케이프를 천천히 흔들어 소를 다루는 재주》.
ver·ru·ca [vərú:kə, ve-] (*pl.* **-cae** [-rú:si:]) *n.* 〖의학〗 무사마귀(wart); 〖동물·식물〗 사마귀 모양의 돌기.
ver·ru·cose [vérəkòus, vərú:kous/verú:-kous] *a.* 〖생태·의학〗 사마귀 모양의, 사마귀 모양 돌기로 뒤덮인.
vers. 〖수학〗 versed sine.
Ver·sailles [vɛərsái, vər-] *n.* 베르사유《파리 서남쪽의 도시》.
ver·sant[1] [və́:rsənt] *n.* 산〔산맥〕의 한쪽 사면; (한 지방 전체의) 경사.
versant[2] *a.* 관심을〔흥미를〕 갖고 있는, 경험이 있는, 훈련을 받은; 숙지하고 있는, 친밀한.
◇**ver·sa·tile** [və́:rsətl/-tàil] *a.* **1** 재주가 많은, 다예(多藝)한, 다능의, 융통성 있는, 다방면의: a ~ writer 다예다재한 작가. **2** 《드물게》 (감정·기질 등이) 변하기 쉬운, 변덕스러운. **3** 용등이 자유자재인, 용도가 넓은. **4** 방향이 자유로이 바뀌는《안테나 등》. **5** 〖동물〗 가전성(可轉性)의; 〖식물〗 꽃밥의 중앙 부근에 꽃실이 붙어 자유로이 흔들리는. ㊞ **~·ly** *ad.* **~·ness** *n.* **ver·sa·til·i·ty** [və̀:rsətíləti] *n.* Ⓤ 다예다재(多才); 변통(變通)이 자재로움; 변덕. 「사교시(社交詩).
vers de so·cie·té [vɛ́ərdəsòusiətéi] 《F.》
verse**[1] [və:rs] *n.* **1** 운문, 시(詩). ⓒⓕ prose. ¶ express in ~ 시로 짓다. ★ poetry 에 비해서 내용보다 시형(詩形)을 문제로 함. **2** 시의 한 행(行), 시구: quote a ~ 시의 한 행을 인용하다. **3** 시의 마디〔절(節)〕, 연(聯)(stanza)《refrain 이나 chorus 에 대한》. **4** 한 편의 시, 시편(詩編): a long ~ 장시. **5** 시형(詩形), 시격(詩格): free ~ 자유시/blank ~ 무운시/elegiac ~ 애가(哀歌). **6** (성서의) 절. ⓒⓕ chapter. **7** (성가의) 독창부. ***give chapter and ~ for (인용구 따위의) 출처를 밝히다. ***put*** 〔***turn***〕 (one's thought) ***into ~s*** (생각을) 시로 짓다. ── *vt.* 시로 표현하다〔짓다〕. ── *vi.* 시를 짓다.
verse[2] *vt.* …에 정통〔숙달〕하다《*in*》.
◇**versed** [-t] *a.* 숙달한, 정통한, 조예가 깊은

(acquainted)《*in*》: He is well ~ *in* history. 그는 역사에 정통해 있다.

vérsed síne 〚수학〛 (삼각법의) 버스트사인《1−cos θ 때의 각 θ; 생략: vers.》.

verse·let [və́ːrslit] *n.* Ⓤ 단시(短詩).

vérse·mònger, -màker *n.* 엉터리 시인.

vérse-speaking chóir 시(詩)의 슈프레히코어단(團)〔합창단〕.

vers·et [və́ːrsit] *n.* (특히 성서에서 따온) 단시(短詩); 〚음악〛 (미사 때 연주하는) 오르간용 소곡(小曲); 《고어》 =VERSICLE.

ver·si·cle [və́ːrsikəl] *n.* 단시(短詩); 〚교회〛 창화(唱和)의 단구《사회자〔집전자〕를 따라 부름》.

ver·si·col·or(ed) [və́ːrsikʌ̀lər(d)] *a.* 잡색의, 얼룩색의; (광선에 의해) 색이 여러 가지로 변하는, 양색(兩色)의, 무지개빛의.

ver·sic·u·lar [vəːrsíkjələr] *a.* 단시(短詩) 모양의, 단시로 되는; (창화(唱和)용의) 단구(短句)의; 시구(詩句)의, (성서의) 절(節)의.

ver·si·fi·ca·tion [vəːrsəfikéiʃən] *n.* Ⓤ 작시(법), 시작(詩作); (산문 작품의) 운문화(化); 시형(詩形).

ver·si·fi·er [və́ːrsəfàiər] *n.* Ⓒ 작시자; 산문(散文)을 시로 고치는 사람; 엉터리 시인(poetaster).

ver·si·fy [və́ːrsəfài] *vi.* 시를 짓다. **—** *vt.* 시로 짓다〔말하다〕; (산문을) 시로 고치다.

***ver·sion** [və́ːrʒən, -ʃən] *n.* **1** 번역; 번역문〔서〕; (소설 등의) 각색, 번안(飜案); 편곡; (성서의) 역(譯): a simplified ~ *of* Shakespeare 셰익스피어 요약판. **2** …화(化): a film ~ *of* a novel 소설의 영화화. **3** 변형, 이형(異形), …판(版): a modern ~ *of* the ancient superstition 예로부터 있는 미신의 현대판. **4** (개인적 또는 특수한 입장에서의) 해석, 의견, 소견, 설명: What is your ~ *of* the affair? 그 사건에 대해서 어떻게 생각하시오. **5** 〚의학〛 (자궁 기타 기관의) 경사; (태아의) 전위법(轉位法). **6** 〚컴퓨터〛 버전, 판(版)《소프트웨어 등의 개량의 횟수에 관계한 수》: ~ up 버전업《소프트웨어·하드웨어의 결점 수정·기능 강화 따위》. ㊕ **~·al** [-əl] *a.*

vérsion nùmber 〚컴퓨터〛 버전 번호《소프트웨어 개발업자들이 자신이 개발한 소프트웨어의 각 단계를 구분하기 위하여 붙인 번호》.

vers li·bre [vɛərlíːbrə] (*pl.* **~s** [—]) 《F.》 자유시(free verse).

vers-li·brist [vɛərlíːbrist], **-li·briste** [-libríːst] *n.* 자유시 작자.

ver·so [və́ːrsou] (*pl.* **~s**) *n.* **1** (펼친 책의) 왼쪽 페이지, 뒤 페이지. opp *recto.* **2** (화폐·메달 등의) 이면(裏面). opp *obverse.*

verst, verste [vəːrst] *n.* 베르스타, 노리(露里)《러시아의 옛 이정(里程), 약 1,067 m》.

°**ver·sus** [və́ːrsəs] *prep.* 《L.》 (=against) **1** (소송·경기 등에서) …대(對)《생략: *v., vs.*》: Smith ~ Jones 〚법률〛 존스 대 스미스 사건 / plaintiff ~ defendant 원고 대 피고. **2** …와 대비하여(in contrast with).

vert[1] [vəːrt] *n.* Ⓤ 〚영국사〛 삼림 중의 초목《사슴이 숨는 곳》; 〚영법률〛 입목 벌채권; 산림 중의 방목권; 〚문장(紋章)〛 녹색(綠色).

vert[2] 《영구어》 *vi.* 개종하다《영국 국교에서 가톨릭 따위로》; 전향하다. **—** *n.* 개종자; 배교자(背敎者); 개심자; 전향자.

ver·te·bra [və́ːrtəbrə] (*pl.* **-brae** [-briː], **~s**) *n.* 〚해부〛 척추골, 추골(椎骨); (the ~e) 척주, 척추, 등뼈(spine).

ver·te·bral [və́ːrtəbrəl] 〚해부·동물〛 *a.* 척추골(脊椎骨)의, 척추의〔에 관한〕; 등뼈로 된, 척추골을 가진. ㊕ **~·ly** *ad.*

vértebral cólumn 척주, 등뼈.

Ver·te·bra·ta [vəːrtəbréitə, -bráː-/-bráː-] *n. pl.* (the ~) 〚동물〛 척추동물문(門).

ver·te·brate [və́ːrtəbrət, -rèit] *n.* 척추동물(vertebrate animal). **—** *a.* **1** 척추〔등뼈〕가 있는; 척추동물문(門)에 속하는〔관한〕, 척추동물 특유의. **2** 정연하게 구성〔조직〕된. ㊕ **-bràt·ed** [-brèitid] *a.* **vèr·te·brá·tion** *n.* Ⓤ 척추 구성; 견고함, 긴밀함.

ver·tex [və́ːrteks] (*pl.* **~·es, -ti·ces** [-təsìːz]) *n.* Ⓒ 정점, 절정; 〚해부〛 두정(頭頂); 〚천문〛 천정(天頂)(zenith); 〚수학〛 정점.

****ver·ti·cal** [və́ːrtikəl] *a.* **1** 수직의, 연직의, 곧추선, 세로의. cf. horizontal. ¶ a ~ motion 상하운동 / a ~ turn 〚항공〛 수직 선회. **2** 정점〔절정〕의; 꼭대기의. **3** 〚경제〛 (관련 산업 부문을) 세로로 연결한, 종단적(縱斷的)인. **4** 수직으로 촬영한 항공 사진의; 〚식물〛 (잎이) 직립의; 〚생물〛 축(軸) 방향의; 〚해부〛 두정(頭頂)의. **—** *n.* (the ~) 수직선〔면, 권〕; 〚건축〛 (트러스의) 수직재(材). ***out of the*** **~** 수직으로부터 벗어나. ㊕ °**~·ly** *ad.* **~·ness** *n.*

vértical ángle 정각(頂角), 맞꼭지각.

vértical círcle 〚천문〛 고도권(圈), 수직권, 방위권; 〚측량〛 연직(鉛直) 눈금반(盤).

vértical combinátion 〚경제〛 수직(적) 결합.

vértical divéstiture 〚경제〛 수직 박탈《기업 활동을 법에 의해 특정 단계로 국한시킴》.

vértical envélopment 〚군사〛 입체〔수직〕 포위《공정 부대에 의한》; 입체 포위 작전《지상 기동 부대 지원 아래 실시되는 공정 부대의 공격》.

vértical féed 〚컴퓨터〛 수직 피드《프린터 기기 등의 프린트 위치를 행방향(수직)으로 이동하는 것》.

vértical fíle 세로꼴 서류 정리함(函).

vértical fín **1** (물고기의) 세로지느러미《꼬리·등·뒷지느러미 따위》. **2** 〚항공〛 수직 안정판〔미익(尾翼)〕.

vértical integrátion 〔**mérger**〕 〚경제〛 수직적 통합《일련의 생산 공정에 있는 기업 간의 통합》. cf. horizontal integration.

vértical internátional specializátion 〚경제〛 수직적 국제 분업《선진국은 공업 제품을, 개발 도상국은 1차산품을 생산하여 교환하는 식의》.

ver·ti·cal·i·ty [vəːrtikǽləti] *n.* Ⓤ 수직(성), 수직 상태.

vértically integráted 〚경제〛 수직 통합형의.

vértical márketing sỳstem 〚마케팅〛 수직적 마케팅 시스템《유통 계열화의 한 형태》.

vértical mobílity 〚사회〛 수직 이동《사회적 수준이 다른 지위·신분으로의 이동이나 문화의 보급》. cf. horizontal mobility.

vértical príce-fixing 〚경제〛 수직적 가격 유지《메이커가 제품 가격을 정하고 그 값 이하로는 팔지 않을 것을 소매점과 계약해 제품의 가격 유지를 꾀하는 일》.

vértical proliferátion 수직적 증대《핵 보유국들의 핵무기 보유량의 증대》.

vértical publicátion 전문 잡지.

vértical stábilizer 〚항공〛 수직 안정판.

vértical tákeoff 〚항공〛 수직 이륙(의).

vértical thínking 수직 사고《상식에 의거한 논리적인 사고법》.

vértical únion 《미》 산업별 노동조합.

ver·ti·ces [və́ːrtəsìːz] VERTEX의 복수.

ver·ti·cil [və́ːrtəsil] *n.* 〚동물·식물〛 윤생체(輪生體), 환생체(環生體).

ver·tic·il·late [vərtísələt, -lèit, vəːrtəsíleit, -lət] *a.* 〚동물·식물〛 윤생의, 환생의.

ver·tig·i·nous [vəːrtídʒənəs] *a.* 빙빙 도는;

어지러운(dizzy), 눈이 빙빙 도는 듯한; 변덕스러운, 변하기 쉬운. ㊣ **~·ly** *ad.* **~·ness** *n.*

ver·ti·go [vә́:rtigòu] (*pl.* **~es, -tig·i·nes** [vә:rtídʒәnì:z]) *n.* Ⓤ,Ⓒ 〖의학〗 현기(眩氣), 어지러움; (정신적) 혼란; (동물의) 선회(병).

ver·ti·port [vә́:rtәpɔ̀:rt] *n.* 수직 이착륙기용 비행장. [◂ *vertical*+*airport*]

ver·ti·sol [vә́:rtәsɔ̀:l, -sɑ̀l/-sɔ̀l] *n.* 〖토양〗 버티졸《습윤 기후와 건조 기후가 번갈아 나타나는 지역에서의 점토질 토양》.

ver·tu [vәrtú:] *n.* =VIRTU.

ver·vain [vә́:rvein] *n.* 〖식물〗 마편초속(屬)의 다년초의 총칭; 《특히》 마편초.

verve [vә:rv] *n.* Ⓤ (예술 작품에서의) 열정, 기백; 〖일반적〗 힘, 활기, 정력; 《고어》 재능.

ver·vet [vә́:rvit] *n.* 〖동물〗 버빗《동남부 아프리카산(產)의 긴꼬리원숭이의 일종》.

†**very** ⇨《아래》 VERY.

véry hìgh fréquency 초단파《30-300 메가헤르츠; 생략: V.H.F., VHF, v.h.f., vhf》.

véry lárge scàle integrátion 〖전자〗 초고밀도 집적 회로《생략: VLSI》.

Véry lìghts 베리 신호광《Very pistol에서 발사하는 색채 섬광; 고안자는 미해군 장교 Edward W. Very; 1847-1910》.

véry lów-dènsity lipoprótein 〖생화학〗 초저밀도 리포 단백질《생략: VLDL》.

véry lòw fréquency 초장파《3-30 킬로 헤르츠; 생략: V.L.F., VLF, v.l.f., vlf》.

véry lòw témperature 〖물리〗 극저온(極低溫)《절대 영도(-273.15℃)에 가까운 온도》.

Véry pìstol 베리 신호 권총. ⓒⓕ Very lights.

Véry Réverend (the ~) ⇨ REVEREND.

Véry sìgnal 베리 신호《Very lights에 의한 야간용 신호》.

ves. vessel; vestry.

VESA [ví:sә] Video Electronics Standards Association《비디오 규격 따위를 책정하는 제조업자의 단체》.

Ve·sac [vésæk] *n.* 베색제(祭)《부처의 탄생·대오(大悟)·입적을 기리는 남방 불교의 축제》.

ve·si·ca [vәsáikә, vésikә/vésikә] (*pl.* **-cae** [-si:]) *n.* 〖해부〗 낭(囊), 《특히》 방광(膀胱); 포(胞); (물고기의) 부레; 〖식물〗 소낭(小囊), 소포(小胞); =VESICA PISCIS.

ves·i·cal [vésikәl] *a.* 〖해부〗 낭의, 《특히》 방광의: a ~ calculus 방광 결석(結石).

very

본래 true 〔truly〕의 뜻이었으나, 지금은 주로 강조의 부사와 강조의 부가어 전용의 형용사(다름 아닌 : this *very* man 바로 이 사람)로서 쓰인다. 부사로서는 일반 부사와는 달라서 동사를 수식하지 않고 오로지 형용사·부사만을 수식한다.

very [véri] *ad.* **1** 대단히, 매우, 몹시, 무척《exceedingly, extremely, highly가 보다 뜻이 강함》. **a** 〖원급의 형용사·부사를 꾸며〗: This tool is ~ *useful*. 이 연장은 매우 쓸모가 있다/She worked ~ *hard*. 그녀는 매우 열심히 일했다/He is ~ *fond of* baseball. 그는 야구를 무척 좋아한다. **b** 〖형용사화한 현재분사를 꾸며〗: a ~ *amusing* story 대단히 재미있는 이야기/a ~ *interesting* book 매우 재미있는 책. **c** 〖형용사화한 과거분사를 꾸며〗: a ~ *complicated* problem 몹시 복잡한 문제/She's ~ *tired*. 그 여자는 몹시 지쳐 있다.

NOTE (1) 비교급 앞에서는 very 대신 (very) much, far 따위를 씀《최상급의 경우에는 ⇨ 2 a》: *very* good→*much* better/He is *much* older than I (am). 그는 나보다 나이가 꽤 위다. (2) 아직 완전히 형용사화하지 않은 과거분사 앞에서는 very를 쓰지 않고 much 또는 very much를 사용함: I was (*very*) *much* disappointed. (기대에 어긋나서) 크게 실망했다. 그러나 서술적으로 쓰이어 감정이나 심리의 상태를 나타내는 amused, excited, pleased, surprised, worried 따위나 물건의 상태를 나타내는 changed, damaged 따위는 (very) much보다 very로 수식을 할 때가 많음: I was ~ *surprised* at the news. 그 소식에 무척 놀랐다. (3) 강조하기 위해 very를 반복하기도 하며, veryvery라고 한 단어로 쓰기도 함: Nancy is ~, ~ attractive. 낸시는 정말이지 매력적이다.

SYN. **very** 형용사·부사를 수식함. **much** 과거분사를 수식함. 또 비교급에도 쓰임: It is *much* better. 그쪽〔그것〕이 훨씬 좋다. **so** 구어로서, 여성이나 아이들이 즐겨 씀.

2 a 〖최상급, first, last, next, own 따위 한정어 앞에서〗 정말(이지), 실로, 확실히, 바로: the ~ *best* quality 최고의 품질/You are the ~ *first* person I've met today. 당신은 바로 내가 오늘 처음으로 만난 사람입니다/They arrived there the ~ *next* day. 그들은 바로 그 이튿날 그 곳에 도착했다/You can keep this for your ~ *own*. 이것을 아주 네 것으로 생각하고 가져도 좋다. **b** 〖same, opposite, reverse 따위처럼 '동일' 또는 '반대'를 나타내는 말을 강조하여〗 바로, 아주: He asked me the ~ *same* question as you had (asked). 그는 너와 바로 (똑)같은 질문을 했다.

3 〖부정문에서〗 **a** 그다지, 〔그리〕 (…않다): This is *not* ~ good. 이것은 그다지 좋지 않다/I am *not* a ~ good tennis player. 난 테니스는 그다지 잘 못한다/Do you like fishing?—No, *not* ~. 낚시를 좋아하십니까—아뇨, 그다지. **b** 〖정반대의 뜻을 완곡하게 표현하여〗 전혀〔조금도〕; (…않다): I'm *not* feeling ~ well. 기분이 영 좋지 않다.

Very fine! 훌륭하다, 멋지다; 〖종종 반어적으로〗 훌륭하기도 해라. ***Very good.*** 좋습니다, 알았습니다. ***Very well.*** 좋아, 알았어《마지못한 승낙》: *Very well*, doctor, I'll give up smoking. 알겠어요 선생님, 담배를 끊죠/Oh, ~ *well*, if you insist. 그렇게 우긴다면 할 수 없지.

— *a.* **1** 〖this, that, the, one's 또는 소유격 인칭대명사의 뒤에 와서 명사를 강조하여〗 바로 …의〔한〕; …만 해도; …까지도, …조차: on *that* ~ day 바로 그날(에)/*this* ~ brother of mine 다름 아닌 바로 이 형〔아우〕/He was *the* ~ man for the job. 그는 이 일에 아주 적격인 인물이었다/*Your* ~ presence will be enough. 당신이 계셔 준다는 것만으로도 충분합니다/*The* ~ stones cry out. 귀신〔목석〕도 운다. SYN. ⇨ SAME.

2 (**ver·i·er; ver·i·est**) 《문어》 참된, 정말의; 실제의, 순전한: He has proved a ~ rogue. 그 사람은 결국 진짜 악당임을 보여 주었다/He could not stay there for ~ shame. 그는 정말이지 부끄러워서 거기 있을 수가 없었다/God is a ~ spirit. 신은 참된 영(靈)이다.

ves·i·cant [vésikənt] *n.* 〖의학〗 발포제(發疱劑); 〖군사〗 미란성 독가스. ― *a.* 〖의학〗 수포(水疱)가 생기는; 발포(發疱)시키는.

vesíca písˑcis [-písis] 양끝이 반타원형 장식 《흔히 예수의 표장(標章)으로서 쓰였음》; 그런 모양의 후광.

ves·i·cate [vésəkèit] *vt., vi.* 〖의학〗 수포(水疱)를 생기게 하다, 수포가 생기다. 「진(疹).

vès·i·cá·tion *n.* U,C 〖의학〗 발포(發疱); 발포

ves·i·ca·to·ry [vésikətɔ̀:ri/-keitəri] *n., a.* =VESICANT.

ves·i·cle [vésikəl] *n.* 소낭(小囊), 소포(小胞); 〖의학〗 작은 수포(水疱); 〖식물·해부〗 소공포(小空胞), 액포(液胞), 기포(氣胞); 〖지학〗 (화산암 등의) 기공(氣孔).

ves·i·co- [vésikou, -kə] '방광'이란 뜻의 결합사: *vesico*ureteral. 「과」 방광절개(술).

ves·i·cot·o·my [vèsəkátəmi/-kɔ́t-] *n.* 〖외

ve·sic·u·lar [vəsíkjələr] *a.* 소포(小胞)의, 소포가〔기공이〕 있는, 소포로 된; 소포〔소낭(小囊)〕 모양의; 〖의학〗 (폐의) 소포〔기포〕의. ㊞ **~·ly** *ad.* **ve·sìc·u·lár·i·ty** [-lǽr-] *n.*

vesícular stomatítis 〖수의〗 (말·돼지 등의) 수포성(水疱性) 구내염(口內炎).

ve·sic·u·late [visíkjələt, -lèit] *a.* 소낭(小囊)이 있는〔으로 덮인〕; 소낭성〔소포성〕의. ― [-lèit] *vi., vt.* (…에) 소낭이〔소포가〕 생기(게 하)다. ㊞ **ve·sìc·u·lá·tion** *n.*

ves·per [véspər] *n.* **1** 《고어·시어》 초저녁, 저녁, 밤; (V–) 개밥바라기, 어둠별. **2** 저녁 기도의 종(=⁓ **bèll**); (*or* V–) (*pl.*) 저녁 기도, 만과(晩課) (evensong), 저녁 기도 시간. ― *a.* 저녁의; 저녁 기도의.

ves·per·al [véspərəl] *n.* 〖기독교〗 **1** 만가집(晩歌集). **2** (제대포(祭臺布) 위에 덮는) 먼지막이 커버. ― *a.* 《드물게》 저녁의, 해질녘의; 〖동물〗 박모성(薄暮性)의.

ves·pers [véspərz] *n.* (종종 V–) 〖가톨릭〗 (성무일과의 정시과 제 6 에 해당하는) 저녁 기도〔예배〕, 만도(晩禱).

ves·per·tine [véspərtin, -tàin/-tàin] *a.* 저녁의, 해질녘의; 〖식물〗 저녁에 피는《꽃》; 〖동물〗 저녁에 날아다니는〔활동하는〕; 〖천문〗 해질 때 사라지는《별》.

ves·pi·ary [véspièri/-piəri] *n.* 말벌의 집; (말벌 집 속의) 말벌의 떼.

ves·pine [véspain, -pin] *a.* 말벌의〔같은〕.

Ves·puc·ci [vespjú:tʃi/-pú:-] *n.* **Amerigo ~** 베스푸치《이탈리아의 상인·항해가; 1451–1512》.

ves·sel [vésəl] *n.* **1** 용기(容器), 그릇《통·단지·대접·주발·잔·접시 따위》. **2** 배《특히 보통 보트보다도 큰 것》; 항공기: a merchant ~ 상선. **3** 〖성서〗 사람, 그릇《인간을 어떤 정신적 특질을 담는 그릇으로 보고》. **4** 〖해부·식물〗 도관(導管), 맥관(脈管), 관(管); 혈관: a blood ~ 혈관. ***a chosen*** **~** 〖성서〗 선택된 그릇〔사람〕《사도행전 IX: 15》. ***a weak*** **~** 약한 그릇, 의지할〔믿을〕 수 없는 사람. ㊞ **vés·sel(l)ed** *a.* **~·fùl** *n.*

vest [vest] *n.* **1** 조끼(《영》 waistcoat). **2** 《영》 속옷, 셔츠. **3** 《영》 메리야스 셔츠《여성·유아용》. **4** (여성복의) V 자형 앞장식. **5** 구명 동의(救命胴衣), 방탄 조끼. **6** 《고어》 의복, 옷, 낙낙한 겉옷; 성직복(聖職服), 제복(祭服). ***play it close to the*** **~** 《구어》 불필요한 위험을 피하다.
― *vt.* **1** 《+目+전+명》 (권리를) 주다, 수여〔부여〕하다; 〖법률〗 소유권〔행사권〕을 귀속시키다 《*in; with*》: In Korea authority is *~ed in* the people. 한국에서는 주권이 국민에게 있다 / President is *~ed with* plenary powers. 대통령에게는 전권이 부여되어 있다. **2** 옷을 입히다, 차려입히다《특히 제복을》. ― *vi.* **1** 《+전+명》 (권리·재산 따위가) 속하다, 귀속하다《*in*》. **2** 옷을 입다, 《특히》 제복(祭服)을 입다. ***~ed in possession*** 점유가 확정된.
㊞ **⁓·less** *a.*

Ves·ta [véstə] *n.* **1** 베스타《여자 이름》. **2** 〖로마신화〗 베스타《벽난로와 불의 여신》. **3** 〖천문〗 (화성과 목성 중간의) 작은 행성 중의 하나. **4** (v–) 밀랍 성냥, 짧은 성냥의 일종.

ves·tal [véstl] *a.* **1** Vesta 여신의; vestal virgin 의〔같은〕, 신녀(神女)의, 수녀의. **2** 처녀의, 순결한. ― *n.* =VESTAL VIRGIN. ㊞ **~·ly** *ad.*

véstal vírgin Vesta 여신을 섬긴 처녀《영원한 순결을 맹세하고 여신 제단의 꺼지지 않는 성화(聖火)(vestal fire)를 지킨 6 명의 처녀 중 한 사람》; 《비유》 처녀; 수녀(nun).

vést·ed [-id] *a.* 〖법률〗 기정〔기득〕의, 부여된 《권리·재산 등》; 《특히》 제의(祭衣)를 입은.

vésted ínterest **1** 기득(이)권, 확정적 권리 (vested right); 기득권자; (경제·사회·정치적으로) 현존 체제에서 받는 수익〔혜택〕. **2** (피고용자의) 연금 수령권(受領權). **3** (*pl.*) 현존 체제의 수익 계층〔단체〕《국가 경제를 조종하는 기업가(그룹) 따위》.

vésted ríght 〖법률〗 기득권, 확정적 권리.

vest·ee [vestí:] *n.* (여성복의) 앞장식.

ves·ti·ary [véstièri/-tiəri] *a.* 의복의; 제의(祭衣)〔제복(祭服)〕의. ― *n.* 의류 보관실〔상자〕; 의복; 《특히》 제의〔제복〕 한 벌.

ves·tib·u·lar [vestíbjələr] *a.* 현관의, 문간방의; (객차의) 양끝 승강구의; 〖해부〗 전정(前庭)〔전실(前室)〕의.

ves·ti·bule [véstəbjù:l] *n.* **1** 현관, 문간방, 현관의 객실. **2** (교회 등의) 차 대는 곳; 다가가는 방법, …으로의 길《*to*》. **3** 〖미철도〗 (객차의 양끝에 있는) 승강구 또는 차량 사이의 통로. **4** 〖해부〗 전정(前庭), (특히 내이(內耳)의) 미로(迷路) 전정. **5** 《미속어·우스개》 궁둥이. ***the ~ of the ear*** 〖해부〗 내이전정(內耳前庭). ― *vt.* 《미》 (열차에) 연결 복도를 접속시키다.

ves·ti·bu·lec·to·my [vèstəbju:léktəmi] *n.* 〖의학〗 전정(前庭) 절제(술).

véstibule làtch 서양식 현관문의 자물쇠 장치 《밖에서는 열쇠로, 안에서는 손잡이만 돌려도 열리는》.

véstibule schòol 《미》 (공장의) 신입 공원(사원) 양성소〔훈련소〕, 연수원. 「하는 열차.

véstibule tràin 《미》 각 객차의 복도가 서로 통

ves·tige [véstidʒ] *n.* **1** 자취, 흔적, 남은 자취, 형적, 표적: These superstitions are *~s of* an ancient religion. 이런 미신은 고대 종교의 자취이다. **2** 《고어·시어》 (짐승의) 자귀, 냄새 흔적. **3** 〖생물〗 흔적 기관. **4** 《보통 부정어를 수반하여》 아주 조금: *without* a *~ of* clothing 실오리 하나 걸치지 않고, 알몸뚱이로 / *not* a *~ of* evidence 증거라고는 아무것도 없는.

ves·tig·i·al [vestídʒiəl] *a.* 흔적의, 남은 자취〔모습〕의; 〖생물〗 퇴화한. ㊞ **~·ly** *ad.*

vést·ing *n.* 양복 조끼의 천; (정년 전 퇴직자의) 연금 수령권 (부여).

vésting dày (권리·재산 따위의) 귀속 확정일.

ves·ti·ture [véstətʃùər, -tʃər/-tʃə] *n.* 수여, 부여; 의복, 의류; (의복처럼 겉을 덮은) 비늘, 털 《따위》.

vést·ment *n.* **1** 옷, 의복, 의상. **2** 정복, 예복; (*pl.*) 의류. **3** 〖교회〗 (성직자·성가대원이 입는) 제의(祭衣), 가운. **4** 제대포(祭臺布). ㊞ **vest·mén·tal** *a.*

vést-pòcket *a.* 《미》 회중용의, 아주 소형의

《책 · 카메라 따위》; 아주 소규모의: a ~ park (시내에 있는) 작은 공원/a ~ edition of a book 어떤 책의 포켓판.

vést-pocket lísting 부동산업자가 나온 물건을 업자간의 공개 시스템에 내놓지 않고 자기 손에 쥐고 있는 일.

◦**ves·try** [véstri] *n.* **1** (교회의) 제의실(祭衣室), 제구실(祭具室). **2** 교회 부속실《사무실 · 기도실 · 주일 학교 따위로 씀》. **3** 〖영국교회〗 교구회(敎區會); 교구민 대표자회, 특별 교구회; 〖미성공회〗 교구 위원회. [파] **vés·tral** *a.*

véstry-clèrk *n.* 《영》 교구회 서기.

véstry·man [-mən] (*pl.* **-men** [-mən]) *n.* 교구민 대표자, 교구 위원.

ves·ture [véstʃər] *n.* [U,C] 《고어 · 문어》 옷, 의복, 의류; (옷처럼) 감싸는 것, 가리개, (논문 등의) 체재(體裁); 〖법률〗 토지에서 나는 것《수목은 제외; 농작물 · 목초 따위》. **—** *vt.* 《고어 · 문어》 …에게 옷을 입히다, 가리다, 덮다.

ves·tur·er [véstʃərər] *n.* (교회의) 제복(祭服)〔성구실(聖具室)〕 담당원.

Ve·su·vi·an [vəsúːviən] *a.* 베수비오 화산의〔같은〕; 화산의, 화산성의. **—** *n.* (v-) (여송연 · 파이프용의) 내풍(耐風) 성냥; [U] 〖광물〗 =VESUVIANITE.

ve·su·vi·an·ite [vəsúːviənàit] *n.* 〖광물〗 베수비어스석(石)《Vesuvius 화산에 많은 갈색 또는 녹색의 돌; idocrase 라고도 함》.

Ve·su·vi·us [vəsúːviəs] *n.* **Mount ~** 베수비오 산《이탈리아 나폴리만 동쪽의 활화산》.

vet[1] [vet] 《구어》 *n.* 수의(獸醫)(사)《veterinarian의 간약형》. **—** (**-tt-**) *vt.* (동물을) 진료하다; 《우스개》 (사람을) 진찰〔치료〕하다; (상세히) 조사〔검사, 심사〕하다. **—** *vi.* 수의사 노릇〔일〕을 하다.

vet[2] *n., a.* 《미구어》 =VETERAN.

Vet., vet. veteran; veterinarian; veterinary.

vetch [vetʃ] *n.* 〖식물〗 살갈퀴《잠두속》.

vetch·ling [vétʃliŋ] *n.* 〖식물〗 연리초.

veter. veterinarian; veterinary.

***vet·er·an** [vétərən] *n.* **1** 고참병, 노병(老兵); 《미》 퇴역〔재향〕 군인(《영》 ex-serviceman). **2** 노련가, 베테랑, 경험이 많은 사람. **—** *a.* **1** 전투 경력을 쌓은: ~ troops 역전의 정예 부대. **2** 노련한, 숙련된, 많은 경험을 쌓은: a ~ politician/~ steadiness 노련한 사람의 견실함. **3** 《미》 퇴역 군인의; 장기에 걸친(prolonged); 오래 사용한: ~ service 장기 근속.

vét·er·an·ìze *vt., vi.* 《미》 노련하게 하다; (사병으로) 재입대하다.

Véterans Administràtion (the ~) 《미》 재향 군인 보훈국《생략: VA, V.A.》.

Véterans(') Dày 《미 · Can.》 재향 군인의 날《11월 11일》. [cf] Armistice Day.

Véterans of Fóreign Wárs 《미》 해외 전쟁 복원병 협회《1899년 설립; 생략: VFW》.

véterans' préference 《미》 (특히 공무원 시험에서) 제대〔퇴역〕 군인 우대 조치.

vet·er·i·nar·i·an [vètərənέəriən] *n.* 수의사.

vet·er·i·nary [vétərənèri/-nəri] *a.* 가축병 치료의, 수의(학)의: a ~ hospital 가축 병원/~ medicine 〔science〕 수의학/a ~ school 〔college〕 수의 학교. **—** *n.* 수의사.

véterinary súrgeon 《영》 =VETERINARIAN.

◦**ve·to** [víːtou] (*pl.* **~es**) *n.* **1** [U] (대통령 · 지사 · 상원 등이나 또는 U.N. 안보 이사회 상임 이사국의) 거부권: exercise the power 〔right〕 of ~ over …에 거부권을 행사하다. **2** [U,C] 거부(권 행사), 부재가(不裁可). **3** [C] 《미》 (대통령의) 거부 통고서〔교서〕. **4** [U,C] 금지(권), 금제(禁制). ***put* 〔*set*〕 *a ~ on* 〔*upon*〕** …을 거부〔엄금〕하다. **—** *vt.* **1** (의안 등을) 부인〔거부〕하다. **2** (행위 따위를) 금지하다, 금제하다. [파] **~·er** *n.* 거부(권 행사)자; 금지자.

véto pòwer 거부권. 「에 대항할 수 있는.

véto-pròof *a.* (법안 · 의회 따위) 거부권 행사

vex** [veks] *vt.* **1** 《~+[목]/+[목]+[전]+[명]》 (주로 자질구레한 일로) 짜증나게 하다, 애타게 하다, 귀찮게〔성가시게〕 굴다; 화나게 하다: ~ oneself 애타다, 짜증나다, 화나다/~ a person *with* foolish questions 어리석은 질문으로 아무를 귀찮게 하다/Her continuous chatter ~*es* me. 그녀의 연방 지껄여대는 데는 질색이다. **2** …의 마음을 산란케 하다; 괴롭히다, 고통을 주다; 학대하다: Don't ~ the cat. 고양이를 괴롭히지 마라. **3** 《시어》 (바다 등을) 소란하게 하다, 격랑이 일게 하다(stir up, agitate): winds that ~ the sea 바다에 격랑이 일게 하는 바람/the wind ~*ing* the giant trees 거목을 뒤흔드는 바람. **4** (오랫동안) 논의〔격론〕하다: a ~*ed* point 논쟁점. ***be ~ed at …에 화내다, …을 분하게 여기다, …으로 속태우다; …으로 난처하다. ***be ~ed with*** a person ***for…*** 아무가 …한 것을 화내다. [파] **∠·er** *n.*

◦**vex·a·tion** [vekséiʃən] *n.* [U] **1** 애탐, 애태움, 화냄: cause a person ~ 아무를 화나게 하다/I always find ~ in my work. 항상 일이 잘 되지 않아 안달하게 된다. **2** 괴로움, 고민; (종종 *pl.*) 고민거리, 고뇌〔고통, 불안〕의 원인: That boy is a ~ to me. 저 아이는 나의 두통거리다/All is vanity and ~ of spirit. 다 헛되어 바람을 잡으려는 것이로다《전도서 I: 14》. ***in ~ of spirit* 〔*mind*〕** 속이 상하여, 마음이 아파서.

vex·a·tious [vekséiʃəs] *a.* 귀찮은, 성가신, 약오르는, 부아가 나는; 곤란한, 난처한; 〖법률〗 소송 남용의; 평온치 않은, 소란한, 파란 많은: a ~ suit 〔action〕 〖법률〗 남소(濫訴). [파] **~·ly** *ad.* **~·ness** *n.*

vexed [-t] *a.* 속타는, 초조한; 성난; 곤란한, 난처한, 말썽 있는, 결말 나지 않은: a ~ question 분쟁 중인 문제, 난문제. [파] **vex·ed·ly** [véksidli, vékst-] *ad.* **véx·ed·ness** *n.*

vex·il·lar [veksílər] *a.* =VEXILLARY.

vex·il·lary [véksəlèri/-ləri] *a.* 〖고대로마〗 군기(軍旗)의; 〖식물〗 기판(旗瓣)의; (새깃털의) 깃가지의. **—** *n.* 고참병; 기수(旗手).

vex·il·lol·o·gy [vèksəlάlədʒiː/-lɔ́l-] *n.* 기학(旗學)《기의 의장(意匠) · 역사 등의 연구》.

vex·il·lum [veksíləm] (*pl.* **-il·la** [-sílə]) *n.* 〖고대로마〗 (고대 로마의) 군기, 그 군기하(下)의 부대; 〖식물〗 기판(旗瓣); (새깃털의) 깃가지.

vex·ing [véksiŋ] *a.* 짜증나게 구는, 애태우는, 부아가 나는; 성가신, 귀찮은(troublesome): How ~! 아이 속상해.

VF video frequency; voice frequency. **v.f.** very fair 〔fine〕; visual field. **VFD** Volunteer Fire Department. **VFO** 〖전자〗 variable frequency oscillator(가변 주파수 발진기(發振器)).

V-formàtion *n.* (나는 새 · 비행기의) V자 대형(隊形).

VFR 〖항공〗 visual flight rules(유시계(有視界) 비행 규칙). **VFW, V.F.W.** 《미》 Veterans of Foreign Wars (미국 해외 종군 군인회). **VG** videoterminal glasses (비디오 터미널에 붙인 색유리). **VG, vg, v.g.** very good; *verbi gratia* 《L.》 (=for example). **V.G.** Vicar-General.

VGA 〖컴퓨터〗 Video Graphics Array (비디오 그래픽 어레이).

VGA chìps video graphics array chips.

V gène 〖유전〗 V 유전자《면역 globulin의 가변(可變) 부분을 지배하는 유전자》.

VHDL 〚생화학〛 very high density lipoprotein (초고밀도 리포 단백질). **VHF, V.H.F., vhf, v.h.f.** very high frequency(초단파).

VHF márker bèacon 〚항공〛 VHF 마커《계기 착륙 시스템(ILS) 장치의 일부; 착륙 진입 중인 항공기에 활주로 끝에서의 위치를 알리기 위해 부채꼴 극초단파를 보내는 무선 위치 표지》.

VHLL 〚컴퓨터〛 very high level language(초고급 언어). **VHS** Video Home System《비디오카세트의 한 규격; 상표명》. **VHSIC** very high speed integrated circuit(초고속 집적 회로). **V.I.** Vancouver Island; Virgin Islands; volume indicator. **Vi** 〚화학〛 virginium. **v.i., vi.** verb intransitive; *vide infra* 《L.》 (=see below).

*__via__ [váiə, víːə] *prep.* 《L.》 **1** …경유로, …을 거쳐(by way of): ~ the Panama Canal 파나마 운하를 경유하여. **2** …을 매개로 하여(through the medium of); 《미구어》 …에 의하여(by means of); (아무를) 통하여: ~ air mail 《미》 항공편으로(《영》 by air mail).

vi·a·ble [váiəbəl] *a.* **1** (계획 따위가) 실행 가능한, 실용적인: a ~ alternative 실행 가능한 대안. **2** (나라·경제가) 성장〔발전〕할 수 있는. **3** (태아·신생아 등이) 살아갈 수 있는, 생명력 있는; (신체 상황이) 생육할 수 있는. **4** 〚생물〛 생육할 수 있는. **5** (사물이) 뚜렷한; 박진(迫眞)한; (지성·상상력·감각 등을) 자극하는. ㊞ **vì·a·bíl·i·ty** *n.* Ⓤ 생존 능력, (특히 태아·신생아의) 생육력; (실행) 가능성. **-bly** *ad.*

via do·lo·ro·sa [váiə-dɑ̀lərόusə, -dòul-/-dɔ̀l-] 《L.》 **1** (V- D-) 비아 돌로로사《예수가 십자가를 지고 처형지 Golgotha까지 걸어간 길》. **2** 슬픔의 길, 쓰라린 경험의 연속.

vi·a·duct [váiədʌ̀kt] *n.* Ⓒ (골짜기·고속도로 등에 가설한) 구름다리, 고가교(高架橋), 고가 도로〔철교〕.

viaduct

Vi·ag·ra [vaiǽgrə, vi-] *n.* 비아그라《구연산(酸) 실데나필제제(製劑)(sildenafil citrate); 남성 발기 불능 치료약; 상표명》.

vi·al [váiəl] *n.* 유리병, 물약병. ***pour out the ~s of*** (one's) ***wrath upon*** 〔***on***〕 …에게 복수하다《계시록 XVI: 1》; 《구어》 …에게 분풀이하다. ── (***-l-***, 《영》 ***-ll-***) *vt.* …을 유리병에 넣다〔넣어 보존하다〕.

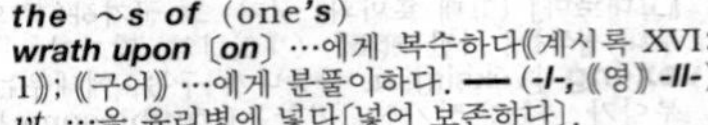

Via Lac·tea [váiə-lǽktiə, víːə-] 《L.》 은하(Milky Way).

via me·dia [-míːdiə] 《L.》 중도(中道), 중용(中庸).

vi·and [váiənd] *n.* 식품; (*pl.*) 음식, 양식; 《특히》 고급 요리.

vi·át·i·cal séttlement [vaiǽtikəl-] 〚보험〛 생전(生前) 양도, 말기 환금(換金)《말기 환자의 생명 보험 증권을 할인 매각하여 그 대금을 환자의 의료비로 쓰는 것》.

vi·at·i·cum [vaiǽtikəm] *n.* 여비, 여행용 급여(물); 여행용 양식; 〚가톨릭〛 노자 성체(路資聖體)《임종 때 영(領)하는 성체》; 이동 제단(祭壇).

vibe [vaib] *n.* (보통 *pl.*) 《구어》 분위기, 모양, 기분, 느낌: have good 〔bad〕 ~s about ... …에 대하여 좋은〔나쁜〕 인상〔느낌〕을 갖다. ── *vt.* …에 영향을 주다, (감정 등을) 발산시키다. ── *vi.* (사람이) 영향을 잘 받다, 마음이 맞다. ~ ***on*** …에 공감하다, …임을 알다.

vibes [vaibz] *n. pl.* **1** 〔복수취급〕 《구어》 = VIBRATION 4. **2** 〔단·복수취급〕 《구어》 = VIBRAPHONE. ㊞ **víb·ist** *n.* vibraphone 주자.

vib·gyor [víbgjɔːr] *n.* 무지개의 일곱 가지 색을 기억하기 위한 말. [◂ *v*iolet, *i*ndigo, *b*lue, *g*reen, *y*ellow, *o*range, and *r*ed]

vi·bra·harp [váibrəhɑ̀ːrp] *n.* 《미》 = VIBRAPHONE. ㊞ **~·ist** *n.*

vi·brant [váibrənt] *a.* **1** 떠는, 진동하는; (소리가) 울려퍼지는. **2** 활력이 넘치는, 고동〔맥동〕치는; (사람이) 활발한, 기운찬; 생기 넘치는. **3** (일 등이) 자극적인, 강렬한. **4** …에 반응하기 쉬운, 민감한. **5** 〚음성〛 유성의. ── *n.* 〚음성〛 유성음. ㊞ **~·ly** *ad.* **ví·bran·cy** *n.* 진동〔반향〕(성).

vi·bra·phone [váibrəfòun] *n.* 비브라폰《전기 공명(共鳴) 장치가 붙은 철금(鐵琴)》. ㊞ **ví·bra·phòn·ist** *n.* ~ 연주가.

*__vi·brate__ [váibreit/-́] *vi.* **1** 진동하다, (진자(振子)같이) 흔들리다. **2** (가늘게) 떨다, 진동하다. **3** (소리가) 울리다; (목소리가) 떨리다: the sound of a bell *vibrating* in one's ears 귀에 울리는 종소리. **4** 《+전+명》 감동하다, (흥분하여) 떨다: My heart ~*d to* the rousing music. 그 감동적인 음악에 가슴이 설렜다. **5** 《+전+명》 (마음이) 혼미해지다, 갈피를 잡지 못하다《*between*》: ~ *between* art and religion 예술과 종교 사이에서 갈피를 잡지 못하다. ── *vt.* **1** 진동시키다, 흔들다. **2** (가늘게) 떨게 하다: ~ one's vocal cords 성대를 진동시키다. **3** (진자가) 흔들어 가리키다〔나타내다〕: A pendulum ~*s* seconds. **4** (소리·빛을) 진동으로 발하다. **5** 감동시키다. ◇ vibration *n.*

víbrated cóncrete 〚건축〛 진동식 콘크리트《다져 넣을 때 진동시켜 강도를 높인 것》.

vi·bra·tile [váibrətil, -tàil/-tàil] *a.* 진동하는, 진동성의; 진동시킬 수 있는. ㊞ **vì·bra·tíl·i·ty** *n.* 진동(성).

◇**vi·bra·tion** [vaibréiʃən] *n.* Ⓤ,Ⓒ **1** 진동(振動); 진동(震動); 동요; (진자의) 흔들림(oscillation). **2** 떨림, 전율. **3** 마음의 동요, 불안, 미망(迷妄). **4** (*pl.*) 《구어》 (상대방의 생각이나 주위 환경에서 받는) 느낌, 분위기; (사람·사물에서 발산된다고 느껴지는) 정신적 전파, 감정적 반응 작용: get good 〔hostile〕 ~*s* from …에게서 호감이 가는 분위기〔적의〕를 느끼다. ◇ vibrate *v.* ***amplitude of*** ~ 〚물리〛 진폭. ***forced*** 〔***free***〕 ~ 〚물리〛 강제〔자유〕 진동. ㊞ **~·al** [-ʃənəl] *a.* **~·less** *a.*

vibrátion-pròof *a.* 진동 방지의, 진동에 견디는.

vi·bra·tive [váibrətiv, -breit-/vaibréit-] *a.* = VIBRATORY.

vi·bra·to [vibrɑ́ːtou] (*pl.* ~**s**) *n.* 《It.》 〚음악〛 비브라토《떨어서 내는 소리·음성》.

vi·bra·tor [váibreitər/-́-] *n.* 진동하는〔시키는〕 사람〔물건〕; 〚전기〛 진동기; 〚인쇄〛 (잉크를 이기는) 진동롤러; 전기 안마기.

vi·bra·to·ry [váibrətɔ̀ːri/-təri] *a.* 떠는; 진동을 일으키는; 진동성의.

vib·rio [víbriòu] (*pl.* ***-ri·òs***) *n.* 〚세균〛 비브리오속(屬)의 각종 세균《콜레라균을 포함》.

vib·ri·o·ci·dal [vìbriousáidəl] *a.* 비브리오균을 죽이는, 살(殺)비브리오균의.

vib·ri·o·sis [vìbrióusis] *n.* 〚수의〛 (소·양의 교미에 의해 감염되는) 비브리오병.

vi·bro- [váibrou, -brə] '진동'의 뜻의 결합사: *vibro*massage.

vi·bro·graph [váibrəgræ̀f, -grɑ̀ːf] *n.* 〚물리〛 진동(기록)계(=**vi·bróm·e·ter**).

vi·bron·ic [vaibrɑ́nik/-brɔ́n-] *a.* 〚물리〛 전자(電子) 진동의, 전자 상태와 진동 상태가 결합된.

vi·bro·scope [váibrəskòup] *n.* 진동계.
Vi·bro·seis [váibrousàiz] *n.* 바이브로사이즈《석유·천연가스의 매장량을 탐사하는 시스템; 상표명》.
vi·bur·num [vaibə́ːrnəm] *n.* 〖식물〗 가막살나무속(屬)의 식물; 그 껍질《약용》.
Vic [vik] *n.* 빅《남자 이름; Victor 의 애칭》.
vic *n.* 〖영공군〗 V 자형 편대 (비행).
Vic. Victoria; Victorian. **vic.** vicar(age).
◇**vic·ar** [víkər] *n.* **1** 〖영국교회〗 교구 목사《교구세를 받는 rector 와는 달리 봉급만을 받음》. **2** 《미》 (감독 교회의) 회당(會堂) 목사, 전도 목사. **3** 〖가톨릭〗 대목(代牧); 대리(자). ***a cardinal*** ~ 〖가톨릭〗 대목, (이전에는) 교황 대리. ***a*** ~ ***of Bray*** [brei] 변절자, 기회주의자. ***the Vicar of Christ*** 〖가톨릭〗 교황. ㊕ **~·ship** *n.* Ⓤ ~의 직〔지위, 임기〕.
vic·ar·age [víkəridʒ] *n.* vicar 의 주택, 목사관; Ⓤ vicar 의 직〔지위〕; vicar 의 봉급.
vícar apostólic 〖가톨릭〗 교황 대리 (대)주교; 대목 교구장(代牧敎區長).
vícar chóral (*pl.* ***vicars c-***) 〖영국교회〗 (대성당의) 성가 조수《기도서의 일부를 노래함》.
vícar fo·ráne [-fɔːréin, -fou-] (*pl.* ***vícars f-***) 〖가톨릭〗 주교 대리《한 지방의》.
vícar-géneral (*pl.* ***vícars-***) *n.* 〖영국교회〗 (대)주교 대리; 〖가톨릭〗 총대리.
vi·car·i·al [vaikέəriəl, vi-] *a.* vicar의 (역할을 하는); 대리의.
vi·car·i·ance [vaikέəriəns, vi-] *n.* 〖생태〗 분단(分斷) 분포《지각의 변동에 의하여 동일종의 생물 분포가 분리되는 일》.
vi·cár·i·ant *a.* 〖생태〗 분단 분포의〔를 나타내는〕, 이소적(異所的) 불연속화의. ── *n.* 자매종(種), 동포종
vi·car·i·ate [vaikέəriət, -rièit, vi-] *n.* **1** Ⓤ vicar 의 직〔권한〕. **2** vicar 의 관할 구역.
vi·car·i·ous [vaikέəriəs, vi-] *a.* **1** 대리의; 대리를 하는: ~ authority 대리 직권. **2** 대신하는. **3** (아무의) 몸이 되어 느끼는; 〖의학〗 대상(代償)의: ~ hemorrhage 〖의학〗 대상 출혈《정상 출혈 부위 이외의 부위로부터의 출혈》/ ~ satisfaction 스스로 할 수 없는 것을 남에게 시키고 만족하는 것. ***the*** ~ ***sacrifice*** 〔***sufferings***〕 ***of Christ*** 〖기독교〗 죄인을 대신한 예수의 희생〔수난〕. ㊕ **~·ly** *ad.* 대리로(서). **~·ness** *n.*
vice**[1] [vais] *n.* **1** Ⓤ 악덕, 악, 사악, 부도덕. SYN. ⇨ SIN. **2** Ⓤ 악덕 행위, 비행; Ⓒ 악습, 악폐, 나쁜 버릇. OPP. *virtue.* ¶ Her one small ~ was smoking. 그녀의 한 가지 사소한 나쁜 버릇은 담배 피우는 것이었다. **3** (인격·문체·제도·조직 따위의) 결함, 결점, 약점, 불비점. **4** 성적 부도덕, 《특히》 매춘(賣春). **5** 《폐어》 육체적 결함, 병: a constitutional ~ 체질상의 결함. **6** (말(horse) 따위의) 나쁜 버릇. **7** (the V-) 〖역사〗 영국의 교훈극(morality play)의 악역(惡役) ◇ vicious *a.* ***have a ~ ***of*** ***doing*** …하는 나쁜 버릇이 있다. ㊕ **∠-less** *a.* 악덕〔결함〕이 없는.
vice[2] 《영》 =VISE.
vice[3] *n.* 《구어》 부회장, 부총장《따위》; 대리(자). ── *a.* 대리의; 부(副)의, 차석의.
vi·ce[4] [váisi] *prep.* 《L.》 …의 대신으로, …의 대리로서(in place of).
vice- [váis, vàis] *pref.* 관직을 나타내는 명사에 붙어서 '부(副), 대리, 차(次)'의 뜻.
více ádmiral 해군 중장. ㊕ **více ádmiralty** 해군 중장의 직〔지위, 임기〕.
více-ádmiralty còurt 《영》 식민지 해사(海事) 재판소.
více-cháirman [-mən] (*pl.* ***-men*** [-mən]) *n.* 부회장, 부위원장, 부의장. ㊕ **~·ship** *n.* Ⓤ ~의 직〔지위, 임기〕.
více-chámberlain *n.* 《영》 부시종(副侍從), 부관.
více-cháncellor *n.* 대학 부총장; 부〔대리〕대법관; 장관 대리, 차관. ㊕ **~·shìp** *n.* Ⓤ ~의 직〔지위, 임기〕.
více-cónsul *n.* 부영사. ㊕ **~·ship** *n.* Ⓤ 부영사의 직〔지위, 임기〕. **více-cónsular** *a.* **více-cónsulate** *n.* Ⓤ =~ship; Ⓒ 부영사관(館).
vice·ge·ral [vàisdʒíərəl] *a.* 대관(代官)(직)의; 대리(인)의, 대리직의.
vice·ge·ren·cy [vaisdʒíərənsi/-dʒér-] *n.* Ⓤ,Ⓒ 대리인의 직〔지위, 관할 구역〕.
vice·ge·rent [vaisdʒíərənt/-dʒér-] *a.* 대리인의; 대리 권한을 행사하는. ── *n.* 대리인, 대리자. ***God's*** ~ 로마 교황.
více-góvernor *n.* 부총독; 부지사. ㊕ **~·ship** *n.* Ⓤ ~의 직〔임기〕.
více-húnter *n.* 《미》 하층 사회 연구자.
více-kìng *n.* 부왕(副王), 태수.
více-lìke *a.* =VISE-LIKE.
více-mínister *n.* 차관.
vi·cen·ni·al [vaiséniəl] *a.* 20 년(간)의; 20 년마다의, 20 년에 한 번의.
více òfficer 《속어》 매춘 담당 경관.
Vice-Pres. Vice-President.
◇**více-président** *n.* 부통령; (보통 V- P-) 미국 부통령; 부총재; 부회장; 부사장; 부총장. ㊕ **-dency** *n.* Ⓤ ~의 직〔임기〕. **-presidéntial** *a.*
více-príncipal *n.* 부교장.
vìce·régal *a.* viceroy 의.
více-régent *a.* 부섭정(副攝政)의. ── *n.* 부섭정. ㊕ **-régency** *n.* Ⓤ ~의 직〔지위, 임기〕.
více·rèine [-rèin] *n.* 부왕비(副王妃), 총독 부인; 여성 viceroy.
více rìng (불법적인) 매춘 조직.
◇**vice·roy** [váisrɔi] *n.* 부왕(副王); 총독, 태수.
vice·roy·al·ty, vice·roy·ship [vàisrɔ́iəlti, ⌐⌐-/⌐∠-], [váisrɔiʃip] *n.* Ⓤ viceroy 의 직위〔직권, 임기〕; Ⓒ viceroy 의 지배 지역.
více squàd (경찰의) 풍속 범죄 단속반.
vi·ce ver·sa [váisə-vəːrsə] 《L.》 반대로, 거꾸로; 〖생략문으로서〗 역(逆)도 또한 같음《생략: v. v.》: call black white and ~ 흑을 백이라 하고 백을 흑이라고 말하다 / Good environmental policies are good economic policies and ~. 좋은 환경 정책은 좋은 경제 정책이며, 역으로 좋은 경제 정책은 좋은 환경 정책이다.
Vi·chy [víʃiː/víːʃi] *n.* **1** 비시《제 2 차 대전 중 비시 정부의 임시 수도(1940-44)였던 프랑스 중부의 도시》. **2** =VICHY WATER. ㊕ **~·ite** [-àit] *n.* 비시 정부 지지자〔각료〕.
vi·chys·soise [vìʃiswáːz] *n.* Ⓤ 《F.》 감자·양파 따위가 든 크림수프.
Víchy wàter 비시수(水)《(1) 프랑스의 비시산(産)의 광천(鑛泉) 발포(發泡) 음료. (2) 이와 비슷한 미네랄워터》.
vic·i·nage [vísənidʒ] *n.* Ⓤ 근처, 인근; 가까움; 차지(借地) 공동 사용권; Ⓒ 이웃 사람들.
vic·i·nal [vísənl] *a.* 인근의, 근접한; (도로가) 한 지방만의(local); 〖결정〗 미사면(微斜面)의.
◇**vi·cin·i·ty** [visínəti] *n.* Ⓤ **1** 가까움, 근접(*to*): No one was aware of his ~ *to* her. 아무도 그가 그녀 가까이 있는 것을 알아차리지 못했다. **2** 가까운 곳, 부근: towns in near ~ 근접 도시 / the ~ of 50, 약 50. ***in the*** ~ ***of*** …의 부근에〔의〕. ***in this*** 〔***that***〕 ~ 이〔그〕 근처에.
***vi·cious** [víʃəs] *a.* **1** 사악한, 악덕한; 타락한: a ~ person 악인 / ~ practices 악습. **2** 악의 있는, 심술궂은: ~ remarks 악의 있는 말 / a ~

look 심술궂은 얼굴 표정. **3** 버릇 나쁜, 길들지 않은《말 따위》: a ~ horse 버릇 나쁜 말. **4** 나쁜, 결점 있는, 옳지 않은: a ~ pronunciation 틀린 발음. **5** 타락시키는, 헛되게 하는: The experience had a ~ effect on her. 그 경험은 그녀에게 나쁜 영향을 끼쳤다. **6**《구어》(폭풍·아픔 등이) 맹렬한, 심한: a ~ headache 심한 두통. **7**《폐어》(공기·물 등이) 탁한, 오염된. **8**《미속어》굉장히 좋은, 멋진, 최고의. ◇vice *n.* ㊞ **~·ly** *ad.* 도덕에 반하여, 부정하게, 《특히》심술궂게; 몹시《때리다·아프다》. **~·ness** *n.*

vícious círcle 〔**cýcle**〕 **1** 〖경제·의학〗 악순환: ~ of poverty 빈곤의 악순환. **2** 〖논리〗 순환논법.

vícious spíral 〖경제〗 (임금 상승과 물가 앙등의 경우와 같은) 악순환: ~ of wages and prices.

◇**vi·cis·si·tude** [visísətjù:d/-tjù:d] *n.* Ⓒ 변화, 변천; Ⓤ《고어·시어》순환, 교체; (*pl.*) 흥망, 성쇠: the ~*s* of life 인생의 부침(浮沈). ㊞ **vi·cìs·si·tú·di·nary, -tú·di·nous** [-dənèri/-nəri], [-nəs] *a.* 변천하는, 변화무쌍한; 성쇠가 있는.

Vick [vik] *n.* 빅《남자 이름; Victor의 애칭》.

Vicky [víki] *n.* 비키《여자 이름; Victoria의 애칭》.

vi·comte [*F.* vikɔ̃:t] (*pl.* **~s**) *n.* 《F.》 =VISCOUNT.

Vict. Victoria; Victorian.

vic·tim** [víktim] *n.* **1** 희생(자), 피해자, 조난자 《*of; to*》; 속는 사람, 만만한 사람, 봉(dupe): an easy ~ 봉/a ~ *of* circumstance 환경의 희생자《처해 있는 환경의 영향을 받은 범죄자·부랑아 등》/the ~*s of* war 전쟁 희생자(war ~s). **2** 〖종교〗 희생, 산 제물. ***become 〔***be made***〕 ***the ~ of*** =***fall a*** 〔***the***〕 ***~ to*** …의 희생이 되다. ㊞ **~·hòod** *n.* **~·less** *a.* 희생자〔피해자〕가 없는: a ~*less* crime 희생자 없는 범죄《매춘·도박 등》.

vic·tim·ize [víktəmàiz] *vt.* 희생시키다, 희생으로 바치다; 속이다; 고통을 주다, 괴롭히다. ㊞ **-ìz·er** *n.* **vìc·tim·i·zá·tion** *n.* Ⓤ

vic·tim·ol·o·gy [vìktəmáləd͡ʒi/-mɔ́l-] *n.* Ⓤ 피해자학(學)《범죄에서의 피해자 역할의 연구》. ㊞ **-gist** *n.*

Vic·tor [víktər] *n.* 빅터《남자 이름; 애칭 Vic, Vick》.

◇**vic·tor** (*fem.* ***vic·tress*** [-tris]) *n.* **1** 승리자, 전승자, 정복자. **2** (V-) 문자 V를 나타내는 통신용어. **—** *a.* 승리(자)의: a ~ nation 전승국.

Vic·to·ria [viktɔ́:riə] *n.* 빅토리아. **1** 여자 이름. **2** 영국의 여왕(1819-1901). **3** 오스트레일리아 동남부의 주. **4** 영국의 직할 식민지였던 옛 Hong Kong의 수도. **5** (v-) 2인승 4륜 마차의 일종. **6** 승리의 여신상(像). **7** (v-) 〖식물〗 수련과의 일종《남아메리카산(産)》. ***Lake ~*** 빅토리아호《아프리카 중부에 있는 세계 제2의 큰 호수》.

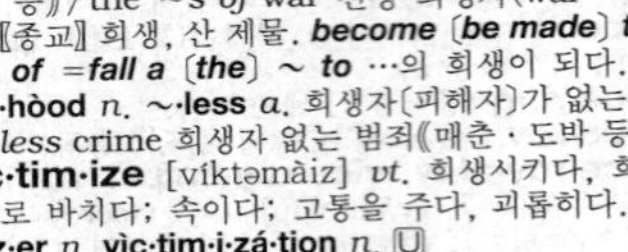

victoria 5

Victória Cróss 빅토리아 십자 훈장《Victoria 여왕이 제정; 수훈을 세운 군인에게 수여함; 생략: V.C.》; 그 훈장 소지자.

Victória Dày 빅토리아 데이《캐나다의 법정 휴일; 5월 25일 직전의 월요일》.

Victória Fálls (the ~) 빅토리아 폭포.

Victória Lànd 남극 대륙의 Ross Sea에 임(臨)하는〔의 서안〕 지역.

◇**Vic·to·ri·an** [viktɔ́:riən] *a.* **1** 빅토리아 여왕(시대)의; Victoria 왕조풍의, (사람·생각 따위가) 융통성이 없는, 위선적이고 예스러운: the ~ Age 빅토리아 왕조 시대(1837-1901). **2** (건축·가구·실내 장식 등이) 빅토리아조(朝) 양식의《정교하고 호화로운 장식과 중량감이 있음》, 구식의. **3** 빅토리아주(州)의. ***the*** (***Royal***) ***~ Order*** 빅토리아 훈장《Victoria 여왕이 제정; 보통 국왕에 대하여 큰 공이 있는 자에게 수여됨; 생략: V.O.》. **—** *n.* Victoria 여왕 시대의 사람《특히 문학자》. ㊞ **~·ìsm** *n.* Ⓤ 빅토리아 왕조풍.

Vic·to·ri·ana [viktɔ̀:riǽnə, -á:nə/-á:nə] *n.* 빅토리아조(풍)의 물건〔장식품〕; 빅토리아조 물품의 컬렉션; 빅토리아조에 관한 자료.

vic·to·rine [vìktərí:n/ㅗ-ㅗ] *n.* 여성용 모피숄의 일종.

***vic·to·ri·ous** [viktɔ́:riəs] *a.* **1** 승리를 거둔, 이긴: a ~ army 승리군/Our troops were ~ *over* the enemy 〔*in* the battle〕. 우리 군대가 적을〔전쟁에서〕 이겼다. **2** 승리의, 전승의. **3** 이겨서 의기양양한. ㊞ **~·ly** *ad.* **~·ness** *n.*

víctor lu·dó·rum [-ludɔ́:rum] 《L.》 (경기에서) 최고 수훈(殊勳) 선수(victor in games).

⁑**vic·to·ry** [víktəri] *n.* Ⓤ,Ⓒ **1** 승리, 전승, 승전 《*over*》. SYN. ⇨ TRIUMPH. OPP. *defeat.* **2** 극복, 정복《*over*》: a ~ *over* difficulty 고난의 극복. **3** (V-) 〖로마신화〗 승리의 여신. ***gain*** 〔***get, win***〕 ***a*** 〔***the***〕 ***~ over*** …에게 이기다. ***~ over oneself*** 〔***one's lower self***〕 극기(克己).

víctory gàrden 《미》 (제2차 세계 대전 중의) 가정 채소밭.

Víctory Mèdal 《미》 전승 기념 훈장《제1·2차 대전의 종군자에게 수여》.

víctory ríbbon 《미》 Victory Medal의 약장(略章).

víctory ròll (전투기가 적기의 격추 등을 축하하는) 회전 비행.

vic·tress [víktris] *n.* 《드물게》 여성 승리자.

Vic·tro·la [viktróulə] *n.* 빅터 회사제 축음기 《상표명》; (v-) 축음기의 구칭.

◇**vict·ual** [vítl] *n.* (보통 *pl.*) 음식, 양식. **—** (***-l-,*** 《영》 ***-ll-***) *vt., vi.* …에게 식량을 공급하다〔사들이다〕; …에 식량을 싣다; 《고어》 음식을 먹다.

vict·ual·age [vítlid͡ʒ] *n.* 음식, 양식.

víct·ual·er, 《영》 **-ual·ler** *n.* 식료품 공급자《함선·군대 따위에의》; 《영》 음식점 주인, 술집 주인; 식량 운송선; 《영》 주류 판매가 허가된 음식점〔여관〕 주인(licensed victualler).

víct·ual·ing, 《영》 **-ual·ling** *n.* Ⓤ 식량 적재〔공급〕.

víctualling bìll 《영》 선용(船用) 식량 적재 신고서.

víctualling nòte 〖영해군〗 수병 식사 전표.

víctualling yàrd 〖영해군〗 군수부 창고.

vi·cu·gna, vi·cu·ña [vaikjú:nə, vi-/vikjú:nə] *n.* 《Sp.》 〖동물〗 비쿠냐《남아메리카산(産) 야생의 야마》; Ⓤ 그 털로 짠 나사(羅紗).

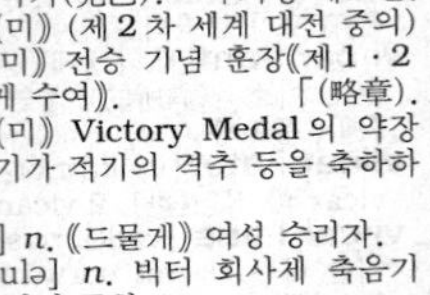

vicugna

vid [vid] *n., a.* 《구어》 비디오(의).

vid. *vide* 《L.》 (=see).

Vi·da [ví:də, vái-] *n.* 여자 이름《Davida의 애칭》.

Vi·dal Sas·soon [vidá:lsəsú:n] 비달사순《미국제의 hair care 제품; 상표명》.

vid·ar·a·bine [vidǽrəbàin] *n.* 〖약학〗 비다라빈《급성 각결막염이나 상피 각화증(上皮角化症) 치료에 쓰이는 아데닌의 아라비노스 유도체》.

vi·de [váidi, víːdiː] *v.* 《L.》 보라, 참조하라《생략: v. 또는 vid.》: ~ 〔*v.*〕 p. 30, 30 쪽〔페이지〕 참조.
víde án·te [-ǽnti] 《L.》 앞을 보라(=see before).
víde ín·fra [-ínfrə] 《L.》 아래를 보라(=see below).
vi·del·i·cet [vidéləsit/-díːlisèt] *ad.* 《L.》 즉, 바꿔 말하면. ★ viz. 라 약하고 namely 라고 읽음.
*__vid·eo__ [vídiòu] (*pl.* ***víd·e·òs***) *n.* 《미》 〖TV〗 (음성에 대해) 영상, 비디오; 《구어》 =VIDEOTAPE; 《구어》 텔레비전; (상품으로서) 비디오화된 것. ── *a.* 텔레비전 수상기의; 텔레비전의, 영상의; 비디오카세트의; 텔레비전 영상 송신〔수신〕(용)의.
Vídeo adàpter 〖컴퓨터〗 비디오 어댑터(= **vídeo contròller**).
vídeo arcáde 비디오게임 코너〔센터〕(game arcade).
vídeo àrt 비디오 아트〔예술〕. [파] **~·ist**
vídeo·càmera *n.* 비디오카메라《비디오테이프 화상을 촬영하기 위한 카메라》.
vídeo càrrier 〖전자〗 영상 반송파(搬送波).
vídeo càrtridge =VIDEOCASSETTE.
vídeo·cassètte *n.* 비디오테이프가 들어 있는 카세트.
vídeocassette recòrder 비디오카세트 녹화기《생략: VCR》.
vídeo·càst *n.* [U,C] 텔레비전 방송.
vídeo·cònference *n.* 영상〔화상〕 회의《텔레비전으로 원격지를 연결하여 하는 회의》. [파] **-enc·ing** *n.*
vídeo·dìsc, -dìsk *n.* 비디오디스크《레코드 모양의 원반에 화상과 음성을 기록한 것》.
vídeodisc recòrder 비디오디스크 리코더《비디오디스크를 써서 영상의 기록·재생·소거를 행하는 전자 장치》.
vídeo displày términal 〖컴퓨터〗 영상 표시 단말기《생략: V.D.T.》.
vídeo frèquency 〖TV〗 영상 주파수.
vídeo gàme 영상 놀이.
vídeo-gáme sùrgery 비디오 게임 수술(arthroscopic surgery)《환부에서 보내온 영상을 모니터로 보면서 하는 수술; 관절 수술 등에 이용함》.
vid·e·o·gen·ic [vìdioudʒénik] *a.* =TELEGENIC.
vídeo·gràm *n.* 비디오그램《비디오테이프〔디스크〕에 녹화된 영상 내용〔제품〕》.
vid·e·og·ra·pher [vìdiágrəfər/-ɔ́g-] *n.* = VIDEO ARTIST.
vìdeo·gráphic *a.* videography의; 〖컴퓨터〗 videographics의.
vìdeo·gráphics *n. pl.* 〘단·복수취급〙 〖컴퓨터〗 비디오그래픽스《동화(動畫)의 생성·표시법; 또는 그 영상》.
vid·e·og·ra·phy [vìdiágrəfi/-ɔ́g-] *n.* 비디오 카메라 촬영(술).
vid·e·o·ize [vídiouàiz] *vt.* 텔레비전으로 방영할 수 있게 하다, 비디오화하다.
video jòckey 〔**jòck**〕 비디오자키《TV의 음악 비디오 프로그램에서 비디오를 틀면서 갖가지 화제를 곁들여 이야기하는 진행자》.
vídeo·lànd *n.* (매스컴으로서의) 텔레비전(산업)(계).
vid·e·o·log·ist [vìdiouládʒist/-lɔ́dʒ-] *n.* 텔레비전 회사; 텔레비전광(狂)〔팬〕.
vid·e·o·ma·nia [vídioumèiniə] *n.* 비디오광.
vídeo mònitor 〖TV〗 영상 화면기.
vídeo mùsic 〖음악〗 비디오 뮤직《비디오에 의한 영상과 환경 음악을 짜맞춘 새 음악 개념》.
vídeo nàsty 《구어》 지저분한〔저속한, 선정적인〕 비디오.
vídeo·nòvel *n.* 텔레비전 영화의 내용을 사진과 함께 수록한 책.
vídeo on demánd 〖컴퓨터〗 주문형 비디오《컴퓨터 또는 TV를 사용하여 중앙의 비디오 서비스 센터에서 통신망으로 사용자가 원하는 영화를 가정에서 감상할 수 있도록 하는 통신 서비스; 생략: VOD》.
vid·e·o·phile [vídiəfàil] *n.* 텔레비전 애호가.
vídeo·phòne *n.* 텔레비전 전화, 비디오 전화.
vídeo pìracy 해적판 비디오테이프 제작.
vídeo pìrate 비디오 저작권 침해자.
vídeo·plàyer *n.* 비디오테이프 재생 장치.
Vídeo·Plùs *n.* 비디오플러스《비디오로 프로그램의 녹화 예약을 하기 위한 숫자에 의한 예약 시스템; 상표명》.
Vídeo RÀM 〖컴퓨터〗 비디오 램《(1) 화면 표시 내용을 유지하기 위한 RAM. (2) 그런 목적에 쓰이는 두 장치에서 동시에 access할 수 있는 형의 RAM》.
vídeo-recòrd *vt.* 《영》 =VIDEOTAPE.
vídeo recòrder 비디오테이프식 녹화기.
vídeo recòrding 브라운관의 영상을 필름에 찍어 만든 영화.
vídeo respónse sỳstem 화상(畫像)응답 시스템《생략: VRS》.
vídeo sìgnal 〖TV〗 영상 신호.
vídeo·tàpe *n.* 비디오테이프; 비디오테이프 녹화. ── *vt.* 비디오테이프에 녹화하다.
vídeotape recòrder 비디오테이프 녹화 장치《생략: VTR》.
vídeo·tàpping *n.* 비디오 도시청(盜視聽)《비디오 카메라에 의한》.
vìdeo·télephone *n.* =VIDEOPHONE.
vid·e·o·tex, -text [vídioutèks], [-tèkst] *n.* 〖컴퓨터〗 비디오 텍스《전화망을 통하여 개인용 컴퓨터나 텔레비전 화면에 정보를 전송시키는 체계; 방송 전파나 전화선을 이용한 가입자 정보 검색 시스템》.
video vé·ri·té 〔**ve·ri·te**〕 [⌐vèritéi] 비디오 베리테《텔레비전의 다큐멘터리 프로》.
víde póst [-póust] 《L.》 뒤를 보라(=see after).
víde sú·pra [-súːprə] 《L.》 위를 보라(=see above).
vi·dette [vidét] *n.* =VEDETTE.
vid·game [vídgéim] *n.* =VIDEO GAME.
vid·i·con [vídikàn/-kɔ̀n] *n.* 〖TV〗 비디콘《광전도(光傳導) 효과를 이용한 저속형 촬상관(撮像管)》.
Vid·i·font [vídəfànt/-fɔ̀nt] *n.* 비디폰트《키보드 조작에 의하여 글씨나 숫자를 텔레비전 화면에 나타내는 전자 장치; 상표명》.
vi·di·mus [vídəməs, vái-] (*pl.* **~·es**) *n.* (장부·서류 따위의) 정식 검사; 검사필 서류.
vid·i·ot [vídiət] *n.* 《미속어》 텔레비전광(狂). [◂ *video idiot*]
vid·kid [vídkìd] *n.* 《미속어》 비디오 게임에 빠진 아이, 텔레비전을 너무 보는 아이.
vi·du·i·ty [vidjúːəti/-djúː-] *n.* [U] 과부살이.
°**vie** [vai] (*p.*, *pp.* ***vied; vý·ing***) *vi.* 《+[전]+[명]》 경쟁하다, 겨루다, 다투다《*in; with*》: ~ *with* another *for* power 권력을 잡으려고 남과 다투다 / ~ *in* beauty 미를 겨루다 / They all ~*d in* try*ing* to win her favor. 그들은 모두 앞다퉈 그녀의 환심을 사려고 했다.
Vi·en·na [viénə] *n.* 빈《오스트리아의 수도; 독일어명 Wien》; (종종 v-) 비엔나 빵(=⌐ **lóaf**)《35cm 정도의 여송연 모양의 흰 빵》; =VIENNA SAUSAGE.
Viénna sáusage 비엔나소시지(wiener-wurst).
Vi·en·nese [vìːəníːz, -níːs/vìəníːz] *a.* 빈(사람)의; 빈식의. ── (*pl.* ~) *n.* 빈 사람.
Vien·tiane [vjentjáːn] *n.* 비엔티안《Laos의 수도》.
Vi·et [viːét, vjet] *n.*, *a.* 《미구어》 =VIETNAM; VIETNAMESE.
vi et ar·mis [vái-et-áːrmis] 《L.》 〖법률〗 폭력에 의하여, 무력에 의하여(by force).
Vi·et·cong, Vi·et Cong [vìetkáŋ, -kɔ́ːŋ/

-kɔ́:ŋ, vjèt-] *n.* 베트콩《남베트남 민족 해방 전선》. [◂ *Viet* Nam *Cong* San]

Vi·et·minh, Viet Minh [viètmín, vjèt-] *n.* 베트남 독립 동맹; 베트남 공산 운동 지지자.

Vi·et·nam, Vi·et-Nam, Viet Nam [vìetnɑ́:m, vjèt-, -nǽm] *n.* 베트남《Socialist Republic of Vietnam; 수도 Hanoi》.

Vi·et·nam·ese, -Nam·ese [vìetnɑ:mí:z, vjèt-] (*pl.* ~) *a.*, *n.* 베트남(공화국)의; 베트남 사람; Ⓤ 베트남어.

Vi·èt·nam·i·zá·tion *n.* Ⓤ (베트남 전쟁의) 베트남화.

Vi·et·nam·ize [viétnəmàiz, vjét-] *vt.* 베트남화하다.

Vietnám Wár (the ~) 베트남 전쟁(1954-75).

Vi·et·vet [víetvèt, vjét-] *n.* 베트남 전쟁 참전병. [◂ *Viet*nam+*vet*eran]

⁑**view** [vju:] *n.* **1** Ⓒ (널찍한) 전망, 조망(眺望): a room with a nice ~ 전망이 좋은 방. SYN. ⇨SIGHT. **2** Ⓒ 광경, 경치, 풍경: the Alpine ~s 알프스의 경치.

> SYN. **view** '경치, 광경'을 뜻하는 가장 일반적인 말: a fine *view* of the surrounding country 주위를 둘러싼 전원의 아름다운 경치. **sight** 관찰자의 관심을 끈 광경: It was a sad *sight*. 그것은 가슴 아픈 광경이었다. **scene** 미적인 통일을 가진, 또는 극적인 의미를 가진 상징적인 경치, 장면: The sunrise was a beautiful *scene*. 일출은 아름다운 광경이었다. **prospect** 조망이 좋은 곳에서 멀리 내다본 경치: the *prospect* from the hill 언덕에서의 전망. **vista** 양쪽에 집·나무들이 늘어서 있는 경우의 전망: the pleasant *vista* of the boulevard 가로수가 있는 거리의 산뜻한 전망. **perspective** 어떤 한 점에서 본 원근 화법적인 전망.

3 Ⓒ 풍경화(사진). **4** Ⓤ 시야, 시계, 시선: ⇨FIELD OF VIEW / be exposed to ~ 모습을 드러내다. **5** Ⓤ 시력, 보는 힘. **6** Ⓤ 일견(一見), 일람(一覽), 보기, 바라보기: I recognized her at first ~. 첫눈에 그녀임을 알았다. **7** Ⓒ 관람, 구경; 관찰, 시찰, 조사, 검토; 〖법률〗 실지 검증: a close ~ *of* details 상세한 점까지 행하는 검토 / ⇨PRIVATE VIEW. **8** Ⓒ 견해, 의견; 사물을 보는 태도〔방식〕: ⇨POINT OF VIEW / my ~ *of* the world situation 세계 정세에 관한 나의 견해 / What are your ~s *on* his proposal? 그의 제안에 대해 어떻게 생각하느냐 / They persisted in the ~ *that* the earth was flat. 그들은 지구가 평평하다는 의견을 고집했다. SYN. ⇨OPINION. **9** Ⓒ 목적, 계획, 의도, 기도; 기대, 가망: with no ~ in mind 아무런 의도〔기대〕도 없이 / meet a person's ~s 아무의 의향에 부응하다 / I have a ~ *to* bettering my living conditions. 생활 상태를 개선할 가망이 있다. **10** Ⓒ 개관(概觀), 개념, 개설: a ~ *of* German literature. **11** 〖컴퓨터〗 보임《데이터베이스 체계에서 체계 내의 논리 구조와는 다른, 정보 참조를 위한 가상 구조》.

do 〔***take***〕 ***some ~s of*** …의 경치를 그리다〔사진 찍다〕. ***fall in with a*** **person's** ~ 아무와 견해가 일치하다. ***have ~s on*** 〔***upon***〕 …에 착안〔주목〕하다, …을 노리다. ***in the long*** 〔***short***〕 ~ 장기〔단기〕적으로 보면. ***in*** ~ ① 보여, 실현될 듯하여: not a person *in* ~ 사람 하나 보이지 않는. ② 고려 중(인), 목표로 하여; 기대〔희망〕하여: a project *in* ~ 기도하고 있는 계획 / with … *in* ~ …을 명심하여, …을 목표로 하여. ***in ~ of*** ① …로부터〔이〕 보이는 곳에: come *in* ~ *of* …부터〔이〕 보이는 곳에 오다 / stand *in* full ~ *of* the crowd 군중으로부터 환히 보이는 곳에 서다. ② …을 고려하여, …에 비추어: *in* ~ *of* the fact that… …이라는 사실을 생각하면. ③ …을 예상하여. ④ …할 생각으로. ⑤ …때문에, …이므로. ***keep*** 〔***have***〕 a thing ***in*** ~ 물건을 보이는 곳에 놓다, 물건에서 눈을 떼지 않다; 마음〔기억〕에 새겨 두다, 유의하다; 목적으로〔목표로〕 하다; …을 기대하다〔믿다〕. ***leave out of*** ~ 문제시하지 않다, 고려에 넣지 않다. ***lost to*** ~ 보이지 않게 되어: He was *lost to* ~ among the trees. 그의 모습은 나무에 가려 보이지 않게 되었다. ***on*** (***the***) ~ ***of*** …을 관찰하여. ***on*** ~ 공개〔전시〕중(인); 상영 중으로: Some Picassos are now *on* ~ in Seoul. 피카소의 그림 몇 점이 서울에서 전시 중이다. ***out of*** ~ 보이지 않는 곳에(서): go *out of* ~ 보이지 않게 되다. ***take a ~ of*** …을 관찰〔시찰〕하다, …을 검분(檢分)하다: *take a* general ~ *of* …을 개관하다 / *take a* grave ~ *of* …을 중대시하다 / *take a* dim ~ *of* …을 비관적으로 보다, …에 불찬성하다. ***take*** (***the***) ***long*** 〔***short***〕 ***~s*** 선견지명이 있다〔없다〕; 장래를 내다보다〔근시안적이다〕. ***to the*** ~ 공공연히, 내놓고. ***with a ~ to*** …을 예상〔기대〕하여; …을 노리고. ***with a ~ to*** do***ing*** 〔《속어》 do〕 …하기 위하여, …을 바라고; …에 관하여; …을 예상하여. ***with the*** 〔***a***〕 ***~ of*** do***ing*** …할 목적으로, …할 작정으로. ***with this*** 〔***that***〕 ~ 이〔그〕 목적으로, 이〔그〕 때문에.

— *vt.* **1** 바라보다, 보다: ~ the landscape 풍경을 바라보다 / ~ a movie 영화를 보다. **2** 조사하다, 시찰하다, 관찰하다; 〖법률〗 검증〔검시(檢屍)〕하다: ~ records 기록을 조사하다 / ~ the body (배심원이) 검시하다. **3** 《+목+전+명/+목+*as* 보/+목+부》 간주하다, 판단하다, 고찰하다: He ~s the matter *in* a different light. 그는 그 일에 관해서 견해가 다르다 / ~ a minor setback *as* a disaster 작은 실패를 재난으로 보다 / The plan was ~*ed* favorably. 계획은 평판이 좋았다. **4** 《구어》 (텔레비전을) 보다, 시청하다. **5** 〖사냥〗 (사냥감을) 찾아내다. — *vi.* 검시하다; 텔레비전을 보다. ***an order to*** ~ (가옥 따위의) 임검(臨檢) 허가.

㊞ **∠·a·ble** *a.* **1** 보이는; 조사할 수 있는. **2** (텔레비전 등이) 볼 가치 있는.

víew càmera 〖사진〗 뷰카메라《렌즈 교환·초점 맞춤 기능 등을 갖춘 대형 카메라》.

víew·dàta *n.* =VIDEOTEX.

°**view·er** [vjú:ər] *n.* 보는 사람; 구경꾼; 검사관, 감독(관); 〖사진〗 뷰어《슬라이드 따위의 (확대) 투시 장치》; 〖TV〗 시청자; 《구어》 접안 렌즈, 파인더: ~ response (TV의) 시청자 반응.

view·er·ship [vjú:ərʃip] *n.* (텔레비전 프로의) 시청자(수〔층〕), 시청률.

víew·finder *n.* 〖사진〗 파인더.

víew·gràph *n.* (TV 화상 회의 등에서 쓰이는 데이터나 도표 따위의) 슬라이드.

víew hallóo 〔**halló, hallóa**〕 〖사냥〗 나왔다《여우를 보고 소리치는 고함》.

view·ing *n.* **1** (풍경·전시물 등을) 봄; 《특히》 (조문자(弔問者)의) 고인과의 대면. **2** 텔레비전을 봄; 《집합적》 텔레비전 프로.

view·less *a.* 눈이 보이지 않는, 장님의; 전망이 좋지 않은; 의견이 없는; 선견지명이 없는; 《시어·문어》 보이지 않는. ㊞ **~·ly** *ad.*

víew·phòne *n.* =VIDEOTELEPHONE.

*__view·point__ [vjú:pɔ̀int] *n.* **1** 견해, 견지, 관점 (point of view). **2** 관찰하는〔보이는〕 지점: sketch a mountain from the ~ of a forest 삼림이 보이는 곳에서 산을 사생하다. ***from the ~ of*** …의 견지에서(는).

víew·pòrt *n.* 〖컴퓨터〗 뷰포트《화면상의 화상

표시 영역; 좌표축에 평행한 4변형으로 경계가 지어짐》.

víew wíndow =PICTURE WINDOW.

viewy [vjúːi] (*view·i·er; -i·est*) 《구어》 *a.* 공상적인, 야릇한, 별난; 눈에 띄는, 혼란(焜爛)한, 화려한. [파] **víew·i·ness** *n.*

VIFF, viff [vif] *n.* 《공군속어》 수직이륙기가 제트 엔진의 추진 방향을 바꾸어 비행 방향을 바꾸는 기술. **—** *vi.* (수직이륙기가) 급히 방향을 바꾸다. [◂ *v*ectoring *i*n *f*orward *f*light]

vi·ges·i·mal [vaidʒésəməl] *a.* 제 20 의, 20 번째의; 20 분의 1 의; 20 진법(進法)의.

°**vig·il** [vídʒəl] *n.* **1** [U] 철야, 불침번; 밤샘; 경야(經夜). **2** 〖종교〗 철야기도, (단식을 하는) 축일 전야; (때때로 *pl.*) (축일 전야의) 기도. ***keep*** **~** 불침번을 서다; (병간호 따위로) 밤새우다, 밤샘을 하다 《*over; beside*》: *keep* ~ *over* 〔*beside*〕 a sick child 밤새워 병구완하다.

vig·i·lance [vídʒələns] *n.* [U] 조심, 경계; 불침번 서기; 〖의학〗 불면증. ◇ vigilant *a.*

vígilance commíttee 《미》 자경단(自警團).

°**vig·i·lant** [vídʒələnt] *a.* 자지 않고 지키는, 부단히 경계하고 있는; 방심하지 않는, 주의 깊은. [파] **~·ly** *ad.* **~·ness** *n.*

vig·i·lan·te [vìdʒəlǽnti] *n.* 《미》 자경단원: ~ corps 자경단.

vig·i·lan·tism [vìdʒəlǽntizəm, vídʒələntìzəm/vìdʒilǽntizəm] *n.* [U] 《미》 자경단(自警團) 제도; 자경(주의 · 행위). [파] **-tist** *a.*

vígil lìght 〔**càndle**〕 등명(燈明)《신자가 성자상(聖者像) 앞에 켜 놓는 촛불》.

vi·gnette [vinjét] *n.* **1** 당초문(唐草紋), 《특히》 책의 속표지 · 장(章) 머리나 맨 끝의 장식 무늬. **2** 비네트《배경을 흐리게 한 상반신의 사진 · 초상화》. **3** (책 속의 작고 아름다운) 삽화. **4** 소품문(小品文), 《특히》 간결한 인물 묘사. **5** (연극 · 영화 속의) 짧은 사건〔장면〕. **—** *vt.* (그림 · 사진을) 바림으로 하다; 당초문으로 꾸미다.

vi·gnet·ter [vinjétər] *n.* =VIGNETTIST; 〖사진〗 비네트 사진 인화 장치.

vi·gnet·tist [vinjétist] *n.* 비네트 사진 제작자, 비네트 화가; 소품문(小品文) 작가.

vig·or,** 《영》 **vig·our** [vígər] *n.* [U] **1** 활기, 정력, 체력, 활력: have great ~ 원기 왕성하다 / the ~ of a plant 식물의 생장력. **2** 힘, 생기, 기운, 강도(强度), 세기: the ~ of her denial 그녀의 격렬한 거절. **3** 〖법률〗 구속력, 유효성: the ~ of a law 법률의 구속력. ***be in full **~** 정력이 왕성하다. ***in*** **~** 활기에 넘쳐서; 〖법률〗 (법률이) 유효하여. ***with*** **~** 힘있게, 힘차게. [파] **~·less** *a.*

vig·or·ish [vígəriʃ] 《미속어》 *n.* 마권(馬券) 영업자(bookie); 도박장에 내는 요금; 고리대금업자에게 내는 이자; (불법 수익의) 배당.

vig·o·ro [vígəròu] *n.* 《Austral.》 비고로《크리켓과 야구의 요소를 결합시킨 여성 스포츠; 한 팀 12 명씩》.

vi·go·ro·so [vìgəróusou] *ad., a.* 《It.》 〖음악〗 힘차게〔찬〕, 기운차게〔찬〕.

***vig·or·ous** [vígərəs] *a.* **1** 정력 왕성한, 원기 왕성한, 활발한, 박력 있는, 강건한: ~ in body and in mind 심신이 모두 강건한 / a ~ plant 무럭무럭 자라는 식물. [SYN.] ⇨STRONG. **2** 강력한; 강경한, 단호한: ~ enforcement of a law 법률의 단호한 시행. [파] **~·ly** *ad.* **~·ness** *n.*

vi·ha·ra [vihάːrə] *n.* 《Sans.》 〖불교〗 절, 승방, 정사(精舍).

°**Vi·king** [váikiŋ] *n.* (또는 v-) **1** 바이킹, 북유럽 해적《8-11 세기경 유럽 해안을 노략질한 북유럽 사람》. **2** (v-) 해적. **3** 《구어》 스칸디나비아 사람. **4** 바이킹《미국의 무인 화성 탐사기》.

vil. village.

vi·la·yet [vìːlαːjét/vilάːjet] *n.* 《Turk.》 (옛 터키 제국의) 주(州)《생략: vila.》. [cf.] sanjak.

***vile** [vail] *a.* **1** 비열한, 야비한, 천한, 수치스러운: the ~ practice of bribery 수치스러운 뇌물 습관 / ~ language 천한 말씨. **2** (감각적으로) 혐오할 만한, 싫은, 지긋지긋한: a ~ smell 비위가 상하는 (고약한) 냄새. **3** 시시한, 하찮은; 《고어》 무가치한: the ~ chores of the kitchen 부엌의 허드렛일. **4** 심한, 나쁜, 지독한: What ~ weather! 지독한 날씨군. [파] **∠·ly** *ad.* **∠·ness** *n.*

vil·i·fi·ca·tion [vìləfikéiʃən] *n.* [U,C] 비방, 욕설; 중상, 비난.

vil·i·fy [víləfài] *vt.* 비방〔중상〕하다, …을 헐뜯다, 욕하다. [파] **-fi·er** *n.*

vil·i·pend [víləpènd] 《고어 · 문어》 *vt.* 업신여기다, 깔보다; 헐뜯다.

***vil·la** [vílə] *n.* 별장; (교외 · 해안의) 별저(別邸); 《영》 교외 주택《두 채가 붙은》; (V-s) (주소명의 일부로) …주택; (고대 로마의) 장원(莊園).

vil·la·dom [víləḍəm] *n.* 《영》 **1** 〔집합적〕 별장. **2** (교외의) 주택 지대; 교외 주민의 사회.

†**vil·lage** [vílidʒ] *n.* **1** 마을, 촌락《hamlet 보다 크고 town 보다 작음》: a farm ~ 농촌 / a fishing ~ 어촌. **2** 〔집합적〕 마을 사람. **3** (새 · 동물의) 군락(群落). **4** (V-) =《미》 GREENWICH VILLAGE.

víllage cóllege 《영》 몇 개 마을 연합의 교육 · 레크리에이션 센터.

víllage commúnity 〖경제〗 (고대의) 촌락 공동체.

víllage gréen (마을 중심부의) 공공 녹지.

víllage ídiot 《경멸》 촌놈, 얼간이.

°**vil·lag·er** [vílidʒər] *n.* 마을 사람; 시골 사람. **—** *a.* 《동아프리카》 발달이 뒤진, 소박한, 문맹의.

vil·lage·ry [vílidʒəri] *n.* 촌락, 마을(villages).

Víllage Vòice (the ~) 빌리지 보이스《뉴욕시에서 발행되는 주간지; 1955 년 창간》.

vil·lag·i·za·tion [vìlidʒizéiʃən/-dʒaiz-] *n.* (아시아 · 아프리카에서의) 토지의 마을 소유화.

vil·lain** [vílən] *n.* **1** 악인, 악한. **2** (극 · 소설 따위의) 악역; 원흉; 《우스개》 놈, 이 자식; 《영경찰속어》 범인. **3** 《고어》 시골뜨기. **4** =VILLEIN. ***the ~ of the piece 《종종 우스개》 (문제를 일으킨) 장본인, 원흉. ***You little ~!*** 요녀석. **—** *a.* 비천한; 태생이 천한.

vil·la(i)n·age [vílənidʒ] *n.* =VILLEINAGE.

vil·lain·ess [vílənis] VILLAIN 의 여성형.

°**vil·lain·ous** [vílənəs] *a.* 악한 같은, 악당의; 악랄한; 비열한, 상스러운; 매우 야비한, 지독한, 고약한. [파] **~·ly** *ad.* **~·ness** *n.*

°**vil·lainy** [víləni] *n.* [C] 나쁜 짓, 악행; [U] 극악, 악랄, 무뢰함; =VILLEINAGE.

vil·la·nelle [vìlənél] *n.* 《F.》 〖시학〗 19 행 2 운체 시.

vil·lat·ic [vilǽtik] *a.* 별장의; 촌의; 전원의.

-ville [vil] **1** 'town, city'의 뜻의 결합사. **2** 《구어 · 경멸》 '특정한 상태〔장소〕'의 뜻의 결합사.

vil·leg·gia·tu·ra [vilèdʒətúərə/-dʒiətúərə, -dʒə-] *n.* 《It.》 시골에서 휴일을 보냄, 휴일의 시골 생활; (그것에 적합한) 휴양지.

vil·lein [vílən, -ein] *n.* 〖역사〗 농노(農奴)《반(半)자유민》.

vil·len·age, vil·lein- [vílənidʒ] *n.* [U] (봉건시대의) 농노의 신분〔지위〕; 농노의 토지 보유 (조건).

vil·li [vílai] VILLUS 의 복수.

vil·li·form [víləfɔ̀ːrm] *a.* 융모상(絨毛狀)의; 비로드의 보풀과 같은; 솔의 털과 같은.

vil·li·no [vilíːnou] (*pl.* ***-ni*** [-niː]) *n.* (시골의) 작은 별장.

vil·los·i·ty [vilάsəti/-lɔ́s-] *n.* 융모(絨毛)가 많음〔많은 부분〕, 융모 조직; =VILLUS.

vil·lous, vil·lose [víləs], [vílous] *a.* 융모

(絨毛) 같은; 융모[긴 연모(軟毛)]가 있는.

vil·lus [víləs] (*pl.* ***vil·li*** [-lai]) *n.* 『해부』 융모(絨毛); (*pl.*) 『식물』 긴 연모(軟毛); 『동물』 유연한 돌기.

Vil·ni·us [vílniəs] *n.* 빌뉴스《리투아니아 공화국의 수도》.

VIM[1] [vim] *n.* (고층 건물의) 고속 우편물[서류] 배달 장치. [◂ *V*ertical *I*mproved *M*ail]

VIM[2] 『금속』 vacuum induction melting.

vim [vim] *n.* Ⓤ 《구어》 정력, 생기, 활기.

vi·min·e·ous [vimíniəs] *a.* 『식물』 가늘고 긴 작은 가지의[와 같은]; 가늘고 긴 작은 가지가 나는[로 엮은].

v. imp. verb impersonal.

VIN vehicle identification number (자동차 등록 번호).

vin [*F.* vɛ̃] (*pl.* **~s** [—]) *n.* 《F.》 =WINE.

vin- [vín, váin], **vin·i-** [víni, váini, -nə] '포도주'의 뜻의 결합사.

vi·na [víːnɑː] *n.* 인도 현악기의 일종《보통 4현》.

vi·na·ceous [vainéiʃəs] *a.* 포도(주)의, 포도(주) 같은; 포도주 빛깔의.

vin·ai·grette [vìnəgrét/-nei-] *n.* (코로 들이쉬는) 각성제 약병; =VINAIGRETTE SAUCE. **—** *a.* (요리가) 비네그레트 소스로 무친[를 친].

vinaigrétte sàuce 비네그레트 소스《초·기름·향신료 따위로 만든 드레싱; 샐러드·냉야채용》.

vi·nal[1] [váinl] *a.* 포도주의.

vi·nal[2] [váinæl] *n.* 바이날《폴리비닐 알코올을 원료로 하는 합성 섬유 비닐론》. [◂ poly*v*i*n*yl *al*cohol]

vin blanc [*F.* vɛ̃blɑ̃] 《F.》 백포도주(white wine).

vin·blas·tine [vinblǽstiːn] *n.* 『생화학』 빈블라스틴《식물에서 추출하는 항종양성(抗腫瘍性) 알칼로이드》.

Vin·cent [vínsənt] *n.* 빈센트《남자 이름》.

Víncent's angína 『의학』 궤양성 위막성(僞膜性) 앙기나, 뱅상 구협염(口峽炎)《예전에 trench mouth 라고도 했음》.

Víncent's inféction 『의학』 뱅상 감염《호흡도(道)·입에 궤양이 생김》.

Vin·ci [víntʃi] *n.* =DA VINCI.

vin·ci·ble [vínsəbəl] *a.* 이길 수 있는, 정복[극복]할 수 있는: ~ ignorance 『신학』 가피적(可避的) 무지《문책당함》.

vin·cris·tine [vinkrístiːn] *n.* Ⓤ 『생화학』 빈크리스틴《백혈병 치료용 알칼로이드》.

vin·cu·lum [víŋkjələm] (*pl.* ***-la*** [-lə], **~s**) *n.* 연결, 유대(紐帶); 『수학』 괄선(括線).

vin·da·loo [vìndəlúː] *n.* 강한 향신료를 넣은 인도의 카레 요리.

vin·di·ca·ble [víndikəbəl] *a.* 변호[변명]할 수 있는; 입증할 수 있는. ㊞ **vìn·di·ca·bíl·i·ty** *n.*

◇**vin·di·cate** [víndəkèit] *vt.* **1** 《~+목/+목+전+명》 …의 정당함[진실임]을 입증하다; 변호하다; 옹호하다, 지키다; …의 혐의를 풀다, 사실이 아님을 밝히다: ~ one's statement 자기 진술의 정당함을 증명하다 / ~ oneself 변명하다, 해명하다 / ~ a person *from* a charge 비난에 대하여 아무를 변호하다. **2** (권리 등을) 주장하다, 요구하다. **3** 《고어》 …의 원수를 갚다; 《폐어》 자유로 하다, 해방하다. ㊞ **vín·di·cà·tor** [víndəkèitər] *n.*

vìn·di·cá·tion *n.* Ⓤ,Ⓒ **1** 변호, 옹호: in ~ of …을 옹호하여. **2** 입증, 정당화; (비난·오명 등에 대한) 변명, 해명.

vin·dic·a·tive [vindíkətiv, víndikèi-] *a.* 변호[옹호]하는; 변명하는.

vin·di·ca·to·ry [víndikətɔ̀ːri/-kèitəri] *a.* **1** 변명[변호]의. **2** 징벌의, 제재적인.

vin·dic·tive [vindíktiv] *a.* 복수심이 있는, 원한을 품은, 앙심 깊은; 징벌의: a ~ action 보복적 행위. ㊞ **~·ly** *ad.* **~·ness** *n.*

vindíctive dámages =PUNITIVE DAMAGES.

vine** [vain] *n.* **1** 덩굴, 덩굴풀, 덩굴식물: rose ~s 《미》 덩굴장미 / a climbing [trailing] ~ 위로[옆으로] 뻗는 덩굴. **2** 포도나무(grapevine). **3** (the ~) 《미속어》 포도주. **4** 《미속어》 옷, (특히 남자 옷의) 셋 갖춤. ***die [***wither***] ***on the*** **~** 열매를 맺지 못하고 끝나다, 실패하다. ***dwell under one's*** (***own***) **~** ***and fig tree*** 내 집에서 편안히 살다《열왕기상 IV: 25》. **—** *vi.* 덩굴이 뻗다, 덩굴 모양으로 뻗다[자라다].

víne bòrer 포도나무(의 고갱이나 뿌리)에 구멍을 뚫는 각종 해충.

víne·drèsser *n.* 포도원의 일꾼.

víne frùit 덩굴식물의 과실, 《특히》 포도.

***vin·e·gar** [vínigər] *n.* Ⓤ **1** (식)초; 『약학』 아세트산 약제《묽은 아세트산으로 녹인 약액》: ⇨AROMATIC VINEGAR. **2** 찡그린 얼굴, 지르퉁함, 비뚤어진 성질[말]. **3** 《미구어》 정력, 기운. **—** *vt.* …에 식초를 섞다[치다]; 찌무룩하게 하다.

vínegar èel 초산 벌레, 식초 벌레(=**vínegar wòrm**)《묵은 식초 따위에 생기는 작은 선충(線蟲)》.

vínegar flỳ 『곤충』 초파리.

vin·e·gar·ish [vínigəriʃ] *a.* 조금 신, 식초 같은; 성미가 까다로운; 신랄한, 짓궂은.

vin·e·gar·roon [vìnigərúːn] *n.* 『동물』 큰 전갈《미국 남부·멕시코산; 식초 같은 냄새를 풍김》.

vínegar trèe [**plànt**] 『식물』 거망옻나무의 일종《강한 신맛이 나는 장과(漿果)가 열리는 sumac》.

vin·e·gary [vínigəri] *a.* **1** 식초 같은; 신. **2** 성미 까다로운, 심술궂은; 성마른.

vin·ery [váinəri] *n.* 포도원; 포도 온실; 《집합적》 덩굴 식물.

◇**vine·yard** [vínjərd] *n.* 포도원[밭]; 일터《특히 정신적인》, 활동 범위. ㊞ **~·ist** *n.* 포도원 경영자. **~·ing** *n.*

vingt-et-un [*F.* vɛ̃teœ̃] *n.* Ⓤ 《F.》 『카드놀이』 =TWENTY-ONE.

vini- ⇨VIN-.

vi·nic [váinik, vín-] *a.* 포도주의, 포도주에서 채취한.

vin·i·cul·tur·al [vìnəkʌ́ltʃərəl] *a.* 포도 재배의.

vin·i·cul·ture [vínəkʌ̀ltʃər] *n.* Ⓤ (포도주를 담그기 위한) 포도 재배 (연구); 포도주 담그는 법. ㊞ **vìn·i·cúl·tur·ist** *n.*

vi·nif·er·ous [vainífərəs] *a.* 포도주의 생산에 알맞은, 포도가 재배되는.

vin·i·fi·ca·tion [vìnəfikéiʃən] *n.* 포도주 양조.

vin·i·fy [vínəfài] *vt.* …으로 포도주를[와인을] 빚다. **—** *vi.* 와인을 양조하다; 발효하다.

vi·no [víːnou] (*pl.* **~s**) *n.* 《It.·Sp.》 포도주《Chianti 따위》; 싸구려 포도주.

vin·om·e·ter [vinámətər, vai-/-nɔ́m-] *n.* 포도주 주정계(酒精計).

vin or·di·naire [*F.* vɛ̃ɔʀdinɛːʀ] 《F.》 보통 포도주《식사 때의》.

vi·nos·i·ty [vainásəti/-nɔ́s-] *n.* Ⓤ 포도주의 질[빛, 냄새, 맛]; 포도주를 좋아함.

vi·nous [váinəs] *a.* 포도주의; 포도주의 성질[맛, 빛깔]을 가진; 포도주에 취한.

Vín·son Massíf [vínsən-] 빈슨(마시프)산《남극 대륙 최고봉; 높이 5,140m》.

vint[1] [vint] *vt.* (포도주를) 만들다. [◂ *vint*age]

vint[2] *n.* 카드놀이의 일종(Russian whist).

◇**vin·tage** [víntidʒ] *n.* **1** Ⓤ 포도 수확(기); 포도 수확량《일기(一期)의》, 포도주 생산량. **2** Ⓒ =VINTAGE WINE; 포도주. **3** Ⓤ,Ⓒ (어떤 해의) 생산품; 형; 제조 연도, 제작 연대《자동차 등의》: an automobile of the ~ *of* 2000, 2000 년형의 자동차. **4** 수명, 노령. **5** 『경제』 빈티지《자본 스톡의 평균 연수》. **—** *a.* **1** 포도 따기[포도주 빚기]의; (포도주가) 특정 연도 및 상표의. **2** 최량기의; 최고의[로 된]; 오래되고 가치 있는, 낡은, 유

서 있는; 《영》 (자동차가) 1917-30년에 제조된, 빈티지기(期)의, (경주차가) 10년 이상 전의. **3** 낡아빠진, 시대에 뒤진. **—** *vt.* (포도주용으로) (포도를) 따다; (이름 있는 포도주를) 빚다. ㊕ **vín·tag·er** *n.* 포도 수확자; 포도주 양조자.

víntage cár 《영》 1917-30년에 제조된 구형의 고급차. 「멋이나 유행).

víntage chìc 〖복장〗 빈티지풍《헌 옷으로 내는

víntage féstival 포도 수확 축제.

víntage wíne 빈티지 와인《(명산지에서 풍작의 해에 양조한) 상표 및 연호(年號)가 붙은 고급 포도주》.

víntage yéar **1** vintage wine이 양조된 해. **2** 《비유》 대성공의 해, 크게 수지맞는 해.

vint·ner [víntnər] *n.* 포도주 상인〔양조인〕.

viny [váini] *a.* 포도〔덩굴〕나무의; 포도〔덩굴〕나무 같은; 포도〔덩굴〕나무가 많은.

vi·nyl [váinəl] *n.* 〖화학〗 비닐(기(基)). **—** *a.* 비닐기를 함유한. ㊕ **vi·nyl·ic** [vainílik] *a.*

vínyl ácetate 〖화학〗 비닐 아세테이트, 아세트산(酸) 비닐.

vìnyl·acétylene *n.* 〖화학〗 비닐아세틸렌.

vínyl álcohol 〖화학〗 비닐 알코올.

vínyl chlóride 〖화학〗 염화 비닐.

vínyl gròup 〔**ràdical**〕 〖화학〗 비닐기(基).

vínyl-guárded [-id] *a.* (바인더의 링크 등이) 비닐로 씌워진〔보호된〕.

vi·nyl·i·dene [vainílədì:n] *n.* Ⓤ 〖화학〗 비닐리덴(기(基))(=∠ **ràdical** 〔**gròup**〕). **—** *a.* 비닐리덴을 함유하는.

vinýlidene chlóride 〖화학〗 염화 비닐리덴.

Vi·nyl·ite [váinəlàit] *n.* 비닐라이트《합성 수지의 일종; 상표명》. 「(基劑)로 한 플라스틱》.

vínyl plástic 비닐 플라스틱《비닐 수지를 기제

vínyl résin 〖화학〗 비닐 수지.

Vin·yon [vínjɑn/-jɔn] *n.* 비니온《합성 섬유로 어망·옷감 따위의 원료가 됨; 상표명》.

vi·ol [váiəl] *n.* 비올《중세의 현악기; 현대 violin 류의 전신》. 「자 이름; 애칭 Vi》.

Vi·o·la [váiələ, ví:-, vaióu-] *n.* 바이올라《여

vi·o·la[1] [vióulə] *n.* 비올라《violin과 cello의 중간 크기의 현악기》; 비올라 연주자.

vi·o·la[2] [váiələ, vaióu-] *n.* 〖식물〗 제비꽃속(屬)의 식물. [L. =violet]

vi·o·la·ble [váiələbəl] *a.* 범할 수 있는, 깨뜨릴 수 있는, 더럽힐 수 있는. ㊕ **-bly** *ad.* **~·ness** *n.* **vì·o·la·bíl·i·ty** *n.* Ⓤ

viola da brac·cio [vióulədəbrá:tʃou] (*pl.* ***viólas da brác·cio*** [vióulei-]) viol 류의 차중음(次中音) 악기. [It. =viol for the arm]

viola da gam·ba [-gá:mbə] (*pl.* ***viólas da gám·ba*** [vióulei-]) 비올라다감바《viol 류의 저음 악기; cello의 전신》. [It. =viol for the leg]

*__vi·o·late__ [váiəlèit] *vt.* **1** (법률·맹세·약속·양심 따위를) 어기다: ~ a law 법률을 위반하다. **2** (신성을) 더럽히다, 모독하다: ~ a temple 성전의 신성함을 모독하다. **3** 어지럽히다, 방해하다, 침해하다: ~ a person's privacy 아무의 사적인 자유를 침해하다. **4** (여자에게) 폭행을 가하다(rape). **5** 화나게 하다, 자극하다. **—** *a.* [-lət] 《고어·시어》 침해〔모독〕당한. ◇ violation *n.*

◇**vì·o·lá·tion** *n.* Ⓤ,Ⓒ **1** 위반, 위배. **2** 방해; 침해 《*of*》: (a) ~ *of* human rights 인권 침해. **3** 모독; 폭행, 강간. **4** 〖스포츠〗 바이얼레이션《보통 foul보다 가벼운 반칙》. ◇ violate *v.* ***a traffic*** ~ 교통 (규칙) 위반. ***in*** ~ ***of*** …을 위반하여. ㊕ **~·al** *a.* 「깨뜨리는; 더럽히는.

vi·o·la·tive [váiəlèitiv] *a.* 침해하는; 범하는,

vi·o·la·tor [váiəlèitər] *n.* 위반자, 위배자, 방해자; 침해자; 모독자; 능욕자.

‡**vi·o·lence** [váiələns] *n.* Ⓤ **1** (자연 현상·사람의 행동·감정 등의) 격렬함, 맹렬함: the ~ of a storm 〔an earthquake, a collision〕 폭풍〔지진, 충돌〕의 맹위〔격렬함〕/ the ~ of passion 감정의 열렬함. **2** 폭력, 난폭; 폭행, 강간 : crimes of ~ 폭행죄. **3** 모독, 불경. **4** (의미의) 곡해; (자구의) 개찬(改竄), 고침; 불일치, 충돌. ***do*** ~ ***to*** …에게 폭행을 가하다; (감정 따위)를 해치다; …에 위반하다; …의 사실〔뜻〕을 곡해〔왜곡〕하다. ***offer*** ~ ***to*** …을 습격하다, …에게 폭행을 가하다. ***use*** 〔***resort to***〕 ~ 폭력을 쓰다. ***with*** ~ 난폭하게; 맹렬히.

‡**vi·o·lent** [váiələnt] *a.* **1** (자연 현상·사람의 행동·감정 따위가) 격렬한, 맹렬한: a ~ attack 격렬한 공격 / at ~ speed 맹렬한 속력으로 / a ~ passion 〔dislike〕 격렬한 정열〔증오〕/ in a ~ temper 격노하여. SYN. ⇨ WILD. **2** 극단적인, 비상한; (느낌이) 강력한, 심한: a ~ contrast 극단적인 대조 / ~ colors (느낌이) 강렬한 색채 / ~ pain 격통(激痛). **3** 광포한, 폭력적인: become ~ after an insult 모욕을 받고 광포해지다. **4** (죽음이) 폭력〔사고〕에 의한: a ~ death 변사, 사고사. **5** (해석이) 무리한, 억지인: a ~ interpretation. ***lay*** ~ ***hands on*** …에게 폭행을 가하다; …을 폭력으로 붙잡다; …을 죽이다. ***resort to*** ~ ***means*** 폭력〔완력〕에 호소하다. ㊕ *~·ly *ad.* 세차게, 맹렬하게, 격렬하게; 몹시.

víolent presúmption 〖법률〗 결정적 추정.

víolent stórm 〖해사·기상〗 폭풍(storm).

vi·o·les·cent [vàiəlésnt] *a.* 보랏빛이 도는.

Vi·o·let [váiəlit] *n.* 바이올렛《여자 이름; Viola의 애칭; 애칭 Vi》.

‡**vi·o·let** [váiəlit] *n.* **1** 〖식물〗 바이올렛《제비꽃(속(屬)의 식물)》. **2** Ⓤ 보랏빛. **3** 《구어》 몹시 신경질적〔내성적〕인 사람. **—** *a.* 보라색의. ***the March*** 〔***English, sweet***〕 ~ 〖식물〗 향(香)제비꽃. ***the tricolored*** ~ 〖식물〗 팬지(pansy).

víolet ràу 〖물리〗 보랏빛 광선, 자선《스펙트럼 가운데 가장 짧은 광선》; 《속어》 자외선(ultraviolet rays).

víolet wòod 자단(紫檀)(=**kíng·wòod**).

†**vi·o·lin** [vàiəlín] *n.* **1** 바이올린, 바이올린 계통의 악기《viola, cello 등》: play the ~ 바이올린을 켜다. **2** 바이올린 연주자. ***play first*** ~ 앞장서다, 지도적 역할을 하다. ***the first*** 〔***second***〕 ~ (오케스트라의) 제 1〔제 2〕 바이올린 (연주자).

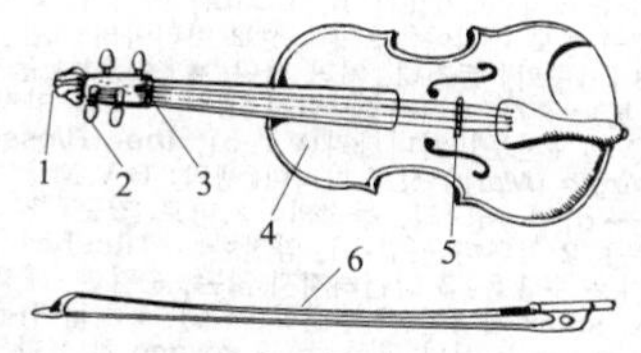

violin 1

1. scroll 2. peg 3. fingerboard
4. sounding board 5. bridge 6. bow

◇**vì·o·lín·ist** *n.* 바이올린 연주자, 바이올리니스트, 제금가(提琴家). cf. fiddler.

vi·o·list[1] [vióulist] *n.* viola 연주자.

vi·ol·ist[2] [váiəlist] *n.* viol 연주자.

vi·o·lon·cel·lo [vì:ələntʃélou, vài-/vài-] (*pl.* **~s**) *n.* 〖악기〗 =CELLO. ㊕ **-cel·list** [-tʃélist] *n.* =CELLIST.

vi·o·lo·ne [vì:əlóunei/váiəlòun] *n.* 『악기』 비올로네《바이올린류(類)의 최저음 현악기; contrabass의 전신》.

vi·o·my·cin [vàiəmáisn/-sin] *n.* Ⓤ 『약학』 바이오마이신《결핵 따위에 유효한 항생 물질》.

vi·os·ter·ol [vaiástərɔ̀:l, -ràl/-ɔ́stərɔ̀l] *n.* Ⓤ 『약학』 비오스테롤, 비타민 D_2.

VIP, V. I. P. [ví:àipí:, vip] (*pl.* **~s**) *n.* 《구어》 요인, 거물, 귀빈. ★ [vip]로 읽으면 경멸의 느낌이 있어 피함. [◂ *v*ery *i*mportant *p*erson]

vi·per [váipər] *n.* **1** 『동물』 북살무사; 《일반적》 독사. **2** 독사 같은 놈, 심지 나쁜〔속 검은〕 사람. **3** 《미속어》 마약〔《특히》 마리화나〕 중독자; 마약 판매인. ***cherish*** 〔***nourish***, ***warm***〕 ***a*** **~** ***in*** one's ***bosom*** =warm a SNAKE in one's bosom.

vi·per·ine [váipərin, -ràin/-ràin] *a.* 북살무사〔독사〕의〔같은〕; 악의에 찬.

vi·per·ish [váipəriʃ] *a.* =VIPEROUS.

vi·per·ous [váipərəs] *a.* 독사 같은, 독이 있는; 심지가 나쁜, 속 검은. ⓟ **~·ly** *ad.*

vi·ra·go [virá:gou, -réi-] (*pl.* **~(e)s**) *n.* 잔소리가 많은〔으드등거리는〕 여자(shrew), 표독스러운 계집(vixen); 《고어》 여장부.

vi·ral [váiərəl] *a.* 바이러스성(性)의, 바이러스가 원인인: a ~ infection 바이러스 감염 / ~ hepatitis 바이러스성 간염. ⓟ **~·ly** *ad.*

víral lóad (혈액 중의) 바이러스 수.

Vi·ra·zole [váiərəzòul] *n.* 비라졸《항(抗)바이러스병약 ribavirin 의 상표명》. 「2 운시(韻詩).

vir·e·lay, -lai [vírəlèi] *n.* 고대 프랑스의 1 절

vire·ment [váiəmənt; *F.* viʀmɑ̃] *n.* 《F.》 『상업』 대체(對替), 어음 교환; (자금의) 유용, 비목(費目) 변경. 「증(血症).

vi·re·mia [vaiərí:miə] *n.* 『병리』 바이러스 혈

vir·eo [víriòu] (*pl.* ***vír·e·òs***) *n.* 『조류』 때까치 비슷한 작은 새《북 · 라틴 아메리카산(産)》.

vi·res [váiəri:z] VIS 의 복수.

vi·res·cence [vairésns, vi-/vi-] *n.* Ⓤ 『식물』 녹색화(化); 녹색, 초록색.

vi·res·cent [vairésnt, vi-/vi-] *a.* 연두색의, 녹색을 띤; 『식물』 녹변(綠變)한. 「고 기름한.

vir·gate[1] [və́:rgət, -geit] *a.* 막대기 같은, 가늘

vir·gate[2] *n.* 『영국사』 버게이트《지적(地積) 단위; 1/4 hide, 30 acres》. [《L.》 =a rod's measurement]

Virgil ⇨ VERGIL.

Vir·gil·i·an [vərdʒíliən] *a.* =VERGILIAN.

vir·gin** [və́:rdʒin] *n.* **1** 처녀, 아가씨. **2** (the V-) 성모 마리아; (a V-) 성모 마리아의 그림〔상〕. **3** 『가톨릭』 동정녀, 처녀 성인. **4** 《드물게》 동정남(男), 총각. **5** 『곤충』 단성 생식 곤충의 암컷. **6** (V-) 『천문』 처녀자리(Virgo). ***the (***Blessed***) ***Virgin*** (***Mary***) 성모 마리아《생략: B.V.M.》.

— *a.* **1** 처녀의, 동정의; 처녀로 있는〔를 지키는〕. **2** 처녀다운〔같은〕, 얌전한: ~ flushes 처녀다운 수줍음. **3** 더럽혀지지 않은, 순결한, 깨끗한: ~ snow 처녀설(雪), 신설(新雪). **4** 처음 겪은: a ~ speech 처녀 연설 / a ~ voyage 처녀 항해. **5** 경험이 없는, 무지한(*to*): a team ~ *to* harness 마구를 채운 적이 없는 (몇 필의) 말. **6** 사용한 일이 없는, 미개척의: a ~ blade 아직 피로 더럽혀지지 않은 칼 / ~ clay (아직 굽지 않은) 생질흙 / a ~ forest 처녀림, 원시림 / a ~ peak (탐험되지 않은) 처녀봉 / ~ soil 처녀지, 미개간지. **7** 혼합물이 없는, 순수한: ~ gold 순금. **8** 『동물』 미수정(未受精)의; 『광물』 (원소가) 자연에 순수한 형태로 존재하는; 『야금』 광석에서 정련한; (올리브유 등이) 처음으로 짜서 얻어진.

vir·gin·al[1] [və́:rdʒənl] *a.* **1** 처녀의, 처녀〔아가씨〕다운: ~ bloom 처녀의 한창때. **2** 순결한, 무구한. **3** 『동물』 미수정(未受精)의. ⓟ **~·ly** *ad.* **~·ness** *n.*

vir·gin·al[2] *n.* 『악기』 (종종 (a pair of) ~s) 버지널《16-17 세기에 쓰던 하프시코드류(類)의 건반 악기》; 《속어》 하프시코드. ⓟ **~·ist** *n.* [《L.》 =of a virgin]

vírginal generátion 『생물』 단위(單爲) 생식.

vírginal mémbrane 『해부』 처녀막(hymen).

vírgin bírth (종종 V- B-) 『신학』 성모 마리아의 처녀 수태(설); 『동물』 단위(單爲) 생식.

vírgin cóke 《미속어》 Coca-Cola 에 체리 향의 시럽을 넣은 음료.

vírgin cómb 꿀을 저장하기 위해 단 한 번 사용하고 유충을 위해서는 사용하지 않는 벌집, 처녀봉방(蜂房).

vírgin hóney virgin comb 에서 채취한 꿀, 벌집에서 자연히 흘러나오는 (어린 벌의) 꿀, 새 꿀.

vir·gin·hood [və́:rdʒinhùd] *n.* =VIRGINITY.

Vir·gin·ia [vərdʒínjə, -niə] *n.* **1** 버지니아《여자 이름》. **2** 버지니아《미국 동부의 주(州); 별명 the old Dominion; 생략: Va., VA》. **3** 그 주산(州產)의 담배.

Virgínia cówslip 〔**blúebells**〕 『식물』 갯지치속(屬)의 다년초《북아메리카 원산; 보통 원예식물》.

Virgínia créeper 『식물』 아메리카담쟁이덩굴의 일종(American ivy)《북아메리카산(產)》.

Virgínia déer 『동물』 (북아메리카산(產)의) 흰꼬리사슴(=**whíte-tàiled déer**).

vir·gin·ia·my·cin [vərdʒìnjəmáisn/-sin] *n.* 『약학』 버지니아마이신《방선균(放線菌) *Streptomyces virginiae* 에서 얻는 항생 물질》.

Vir·gin·ian [vərdʒínjən, -iən] *a., n.* 버지니아 주의 (사람).

Virgínia réel 《미》 포크댄스의 일종《남녀가 두 줄로 마주 서서 춤》; 그 음악.

vir·gin·i·bus pu·er·is·que [vərdʒínəbəs-pjùərískwi] 《L.》 (=for girls and boys) 소년 소녀〔젊은이〕들을 위해〔에 적합한〕.

Vírgin Íslands (the ~) 버진아일랜드《서인도제도 북동부, 소(小)앤틸리스 섬 북부에 있음; 생략: VI》.

vir·gin·i·ty [vərdʒínəti] *n.* Ⓤ 처녀임, 처녀성, 동정(童貞); 순결; 신선함; 《특히》 (여성의) 미혼〔독신〕 생활. 「《francium 의 구칭》.

vir·gin·i·um [vərdʒíniəm] *n.* 『화학』 버지늄

Vírgin Máry (the ~) 성모〔동정녀〕 마리아.

vírgin médium 『컴퓨터』 (데이터가 전혀 기록되어 있지 않은) 미사용 매체.

Vírgin Móther (the ~) =VIRGIN MARY.

Vírgin Quéen **1** (the ~) 영국 여왕 Elizabeth 1 세의 별칭. **2** (v- q-) 『곤충』 미수정의 여왕벌.

vírgin's-bów·er [-báuər] *n.* 『식물』 참으아리속(屬)의 식물.

vírgin wóol 버진 울《(재생 양털에 대해) 새 양털》; (실 · 천으로 만들기 전의) 미가공 양모, 원모(原毛).

Vir·go [və́:rgou] *n.* 『천문』 처녀자리(the Virgin), (12 궁의) 처녀궁; (*pl.* **~s**) 처녀자리 태생의 사람(=**Vír·goan**).

vírgo in·tác·ta [-intǽktə] 『법률』 (처녀막이 있는) 완전한 처녀. 「모양의.

vir·gu·late [və́:rgjələt, -lèit] *a.* 『식물』 막대기

vir·gule [və́:rgju:l] *n.* 『인쇄』 (어느 쪽 말을 취해도 좋음을 나타내는) 사선《보기: and / or 의 /》.

vi·ri·cide, -ru- [váiərəsàid] *n.* 『약학』 살(殺)바이러스제(劑).

vir·id [vírid] *a.* 신록의, 싱싱한 초록색의.

vir·i·des·cent [vìrədésnt] *a.* **1** 담녹색의, 녹색을 띤〔이 도는〕. **2** 싱싱한, 신선한; 활기 있는,

생기가 넘치는. **3** 녹색으로 변하는. ㊥ **-dés·cence** *n.* Ⓤ

vi·rid·i·an [vərídiən] *n.* 비리디언《청록색 안료; 그 빛》. ── *a.* 청록색의.

vi·rid·i·ty [vərídəti] *n.* Ⓤ (특히 풀·잎의) 녹색, 초록, 청록; 젊음, 싱싱함; 미경험, 미숙.

vir·ile [vírəl/-rail] *a.* 사나이의, 남성의, 성년 남자의; 남자로서 한창때의; 생식력 있는; 사내다운, 씩씩한, 힘찬, 웅건한: the ~ age 남자의 한창 나이/the ~ member 《고어》 남근(penis). ㊥ **~·ly** *ad.*

vir·i·les·cent [vìrəlésnt] *a.* (늙은 암컷 동물이) 웅성화(雄性化)〔남성화〕하는. ㊥ **-lés·cence** [-səns] *n.*

vir·i·lism [vírəlìzəm] *n.* Ⓤ 〖의학〗 남성화증《(1) 여자의 남성화; 수염·저음 따위. (2) 수컷〔남성〕에 있어서 조숙한 2차 성징(性徵)의 발달》.

vi·ril·i·ty [viríləti] *n.* Ⓤ 사내다움; (남자가) 한창때임; 생식력, 정력; 힘참《문체 등의》.

vir·i·li·za·tion [vìrəlizéiʃən/-lai-] *n.* 〖의학〗 남성화(化).

vi·ri·on [váiəriàn/-ɔ̀n] *n.* 비리온《바이러스의 최소 단위; 핵산 분자와 단백질 분자로 됨》.

vi·ro·gene [váiərədʒìːn] *n.* 〖생화학〗 바이러스 유전자《특히 정상 세포 속에 발암성 바이러스를 만들어 내는 유전자》.

vi·roid [váiərɔid] *n.* 〖생물〗 바이로이드《바이러스보다 작은 RNA 병원체로서 여러 가지 식물병의 원인이 됨》.

vi·rol·o·gy [vaiərálədʒi/-rɔ́l-] *n.* Ⓤ 바이러스학(學). ⓒⓕ virus. ㊥ **vì·ro·lóg·i·cal, -ic** *a.* **-ical·ly** *ad.* **-gist** *n.*

vi·rol·y·sin [vaiəráləsin/-rɔ́l-] *n.* 〖생화학〗 비롤리신《세포막을 파괴하는 효소》.

vi·rose [váiərous] *a.* 독성이 있는, 유독한; 악취가 나는.

vi·ro·sis [vaiəróusis] (*pl.* **-ses** [-siːz]) *n.* 바이러스 감염〔병〕.

vir·tu [vəːrtúː] *n.* Ⓤ (골동·미술품류의) 가치, 골동적 가치; 〖복수취급·집합적〗 훌륭한 미술품〔골동품〕; Ⓤ 미술 취미, 골동 애호. ***articles* 〔*objects*〕 *of* ~** 골동품, 미술품.

°**vir·tu·al** [və́ːrtʃuəl] *a.* **1** (명목상이 아니라) 실제상의, 실질적인, 사실상의: a ~ defeat 사실상의 패배/a ~ promise (형식은 어떻든) 사실상의 약속/the ~ ruler of a country 국가의 실제 지배자. **2** 〖물리〗 (변천에 있어서) 직접 검출〔검증〕할 수 없는, 가(假)의; 가상의; 〖컴퓨터〗 가상의〔을 쓰는〕; 〖광학〗 허상(虛像)의(ⓞⓟⓟ *real*). **3** 〖원자〗 (입자가) 실재하는; (단시간에 소멸되어 확인이 어려우나) 입자가 실재함은 확실한. **4** 《고어》 실효 있는.

vírtual áddress 〖컴퓨터〗 가상 번지《가상 기억에 있어서의 기억 장소의 번지》.

vírtual corporátion 버추얼 코퍼레이션《어떤 프로젝트를 위해 여러 회사에서 유능한 직원을 모아 만든 임시 회사》.

vírtual displácement 〖물리〗 가상(假想) 변위.

vírtual fócus 〖광학〗 허초점(虛焦點).

vírtual ímage 〖물리〗 허상(虛像).

vir·tu·al·i·ty [və̀ːrtʃuǽləti] *n.* Ⓤ (명목상은 그렇지 않으나) 사실상〔실질상〕 그러함, 실질, 실제; 본질.

***vir·tu·al·ly** [və́ːrtʃuəli] *ad.* 사실상, 실질적으로: The work was ~ finished.

vírtual mémory 〖컴퓨터〗 = VIRTUAL STORAGE.

vírtual pàrticle 〖물리〗 가상(假想) 입자.

vírtual reálity 가상 현실《컴퓨터 시뮬레이션으로 만드는 가상 환경 속에 있는 듯한 의사(擬似)적 체험》.

vírtual stórage 〖컴퓨터〗 가상 기억 장치.

****vir·tue** [və́ːrtʃuː] *n.* **1** Ⓤ 미덕, 덕, 덕행, 선행. ⓞⓟⓟ *vice*[1]. ¶ ⇨ CARDINAL VIRTUES/a man of ~ 미덕 있는 사람/*Virtue* is its own reward. 《속담》 덕행은 스스로 보답을 받는다. **2** Ⓒ (어떤 특수한) 덕, 미점, 미덕: Kindness is a ~. 친절은 하나의 미덕이다. **3** Ⓤ 정조. **4** Ⓒ 장점, 가치: count the ~*s* of the car 자동차의 우수한 점을 열거하다. ⓈⓎⓃ. ⇨ WORTH. **5** Ⓤ 효력, 효능, 힘: There is little ~ in that medicine. 그 약은 거의 효력이 없다. **6** (*pl.*) 역품(力品) 천사《천사의 제5계급》. ***by* 〔*in*〕 ~ *of*** …(의 효력)에 의해, …의 힘으로, …의 덕택으로. ***make a* ~ *of necessity*** ⇨ NECESSITY(관용구). ***of easy* ~** (여자가) 정조가 헤픈: a woman *of easy* ~ 바람둥이 여자. ㊥ **~·less** *a.*

vir·tu·os·ic [və̀ːrtʃuásik/-ɔ́s-] *a.* virtuoso 의〔같은〕.

vir·tu·os·i·ty [və̀ːrtʃuásəti/-ɔ́s-] *n.* Ⓤ 예술상의 묘기, 기교《특히 음악의》; 《드물게》 미술 취미, 골동 애호, 감정안(鑑定眼), 감식력; 《집합적》 미술 애호가, 골동에 정통한 사람.

vir·tu·o·so [və̀ːrtʃuóusou, -zou] (*pl.* **~s, -si** [-siː, -ziː]) *n.* 예술의 거장, 《특히》 음악의 대가; 미술〔골동품〕에 정통한 사람, 미술품 감정가〔수집가〕. ── *a.* 대가〔명인〕의 (특유한) (virtuosic) (= **vir·tu·óse**).

***vir·tu·ous** [və́ːrtʃuəs] *a.* **1** 덕이 높은, 덕행이 있는, 고결한: lead a ~ life 고결한 생애를 보내다. **2** 정숙한, 절개 있는: a ~ young woman. **3** 《고어》 효력이 있는, 효험이 있는 《약》. **4** 《때로 경멸》 고결한 체하는, 거드름 피우는. ㊥ **~·ly** *ad.* **~·ness** *n.*

vírtuous círcle 〔cýcle〕 선(善)순환《좋은 결과가 반복되는 것; vicious circle 에 대응해서 생긴 조어》.

virucide ⇨ VIRICIDE.

vir·u·lence, -len·cy [vírjələns], [-si] *n.* Ⓤ 유독, 해독, 독성; 적의, 악의; 신랄함.

vir·u·lent [vírjələnt] *a.* 유독(有毒)한; 악의가 있는, 적의에 찬; 〖의학〗 악성의, 전염성이 강한. ㊥ **~·ly** *ad.*

vírulent phäge 〖생물〗 독성 파지《세균에 감염되어도 새끼 파지를 생성하면서 세균 세포를 용해하는 바이러스》.

vir·u·lif·er·ous [vìrjəlífərəs] *a.* 병원체를 갖는〔전파하는〕.

***vir·us** [váiərəs] *n.* **1** 〖의학〗 바이러스, 여과성(濾過性) 병원체; 바이러스(성) 질환; 병균. **2** (도덕상·정신상의) 해독. **3** (두묘(痘苗) 등의) 균, 두균(痘菌). **4** 〖컴퓨터〗 전산균, 바이러스《컴퓨터 시스템에 침입하여 파일이나 데이터를 파괴하는 프로그램》.

vírus disèase 바이러스(성) 질환.

vi·ru·stat·ic [vàiərəstǽtik] *a.* 바이러스 (번식) 억제성(性)의.

vírus wàrfare 세균전.

vírus X̀ 바이러스 엑스《정체가 확실치 않은 바이러스 병독》; 바이러스 엑스병(= ~ **disèase**).

vis [vis] (*pl.* **vi·res** [váiəriːz]) *n.* 《L.》 힘(force).

Vis. Viscount; Viscountess. **vis.** visibility; visual.

vi·sa [víːzə] *n.* (여권 따위의) 사증(査證), 비자; 배서(背書): an entry 〔exit〕 ~ 입국〔출국〕 비자/a transit ~ 통과 비자/apply for a ~ *for* the United States 미국으로의 비자를 신청하다. ── (**~ed, ~'d; ~·ing**) *vt.* …에 이서〔배서〕하다; …을 사증하다.

Vísa (Cárd) 미국의 대표적인 크레디트 카드의 하나.

vis·age [vízidʒ] *n.* **1** 얼굴, 얼굴 모습, 용모: a smiling ~. **2** 양상, 모양. ㊥ **~d** *a.* 《복합어로》 …한 얼굴의: stern-~*d* 위엄 있는 얼굴의.

vi·sa·giste [vìːzɑːʒíːst; *F.* vizaʒist] *n.* 《F.》 〖연극〗 분장사, 메이크업 담당자.

visard ⇨ VIZARD.
vis-à-vis [vìːzəvíː] (*pl.* ~ [-z]) *n.* ⟪F.⟫ 마주 보고 있는 사람[물건]; ⟪특히⟫ (춤의) 상대역, (사교장에서의) 파트너; 〚역사〛 마주 앉아 타는 마차; 2인용의 S자형 의자(tête-à-tête). **—** *a.* 마주보고 있는. **—** *ad.* 마주 보고, 상대해서⟪*to; with*⟫. **—** *prep.* …와 마주 보고; …에 비하여, …와 비교하여(in comparison with).
Visc. Viscount; Viscountess.
vis·ca·cha, -che [viskáːtʃə], [-tʃi] *n.* =VIZCACHA.
vis·cer- [vísər], **vis·cer·i-** [vísərə], **vis·cer·o-** [vísərou] '내장(內臟)의' 라는 뜻의 결합사⟪모음 앞에서는 viscer-⟫.
vis·cera [vísərə] (*sing.* ***vis·cus*** [vískəs]) *n. pl.* 내장; ⟪속어⟫ 창자.
vis·cer·al [vísərəl] *a.* **1** 내장의, (병이) 내장을 침범하는: the ~ cavity 복강(腹腔). **2** 마음속에서 느끼는; 본능적[비이성적]인; 속악한, 노골적인. ㊊ **~·ly** *ad.*
vísceral léarning 내장 학습⟪체내의 불수의(不隨意) 기관 작용을 자유로이 제어할 수 있게 되는 것⟫.
vísceral nérve 〚해부〛 내장 신경(sympathetic nerve).
vis·cer·o·ton·ic [vìsərətánik/-tɔ́n-] *a.* 〚심리〛 내장형의⟪비만형에 흔한, 대범하고 사교적인 기질⟫. Ⓒⓕ somatotonic.
vis·cer·o·trop·ic [vìsərətrápik/-trɔ́p-] *a.* 〚세균〛 내장향성(內臟向性)의.
vis·cid [vísid] *a.* 끈적이는, 끈끈한, 점질(粘質)의; 점착성의. ㊊ **~·ly** *ad.* **~·ness** *n.* **vis·cid·i·ty** [visídəti] *n.* Ⓤ
vis·co·e·las·tic [vìskouilǽstik] *a.* 〚물리〛 점성과 탄성을 함께 지닌. ㊊ **vìs·co·e·las·tíc·i·ty** *n.* 점탄성(粘彈性).
vis·com·e·ter [viskámətər/-kɔ́m-] *n.* 점도계(計).
vis·cose [vískous] *n.* Ⓤ 〚화학〛 비스코스⟪인조견사 · 셀로판 따위의 원료⟫. **—** *a.* **1** 점착하는, 끈적이는. **2** 비스코스의[를 함유한, 로 만든].
vis·co·sim·e·ter [vìskousímətər] *n.* = VISCOMETER.
vis·cos·i·ty [viskásəti/-kɔ́s-] *n.* Ⓤ 점질(粘質); 〚물리〛 점성(粘性), 점성도(度), 점성 계수(係數)(coefficient of ~).
viscósity ìndex (자동차 · 기계의) 점도 지수(粘度指數)⟪온도 변화와 윤활유의 점도 상관 관계를 수치로 나타내는⟫.
*__vis·count__ [váikàunt] *n.* 자작(子爵)⟪영국에서는 백작(earl)의 맏아들에 대한 경칭⟫; 〚역사〛 백작 대리; 〚영국사〛 =SHERIFF. ㊊ **~·cy**, **~·ship** [-si], [-ʃìp] *n.* 자작의 지위[신분]. **~·ess** [-is] *n.* 자작 부인, 자작 미망인; 여(女)자작. **~y** *n.* =viscountcy; 〚역사〛 자작 영토.
vis·cous [vískəs] *a.* 들러붙는, 끈적이는; 〚물리〛 점성(粘性)의. ㊊ **~·ly** *ad.* **~·ness** *n.*
Visct. Viscount; Viscountess.
vis·cus [vískəs] (*pl.* ***vís·cera***) *n.* 내장(viscera).
vise [vais] *n.* 〚기계〛 바이스: grip … in a ~ 바이스로 …을 잡다[죄다]. (***as***) ***firm as a ~*** 바이스처럼 확고히[한]. **—** *vt.* 〚기계〛 바이스로 죄다; …을 힘껏 누르다[죄다].
vi·sé [víːzei, -⌐/⌐-] *n., vt.* (**~d, ~'d**) ⟪F.⟫ =VISA.
víse-lìke *a.* 바이스 같은; 단단히 죄는: in a ~ grip 단단히 잡아.
Vish·nu [víʃnuː] *n.* 〚힌두교〛 비슈누⟪3 대 신(神)의 하나⟫. Ⓒⓕ Brahma, Siva.
vis·i·bíl·i·ty *n.* **1** Ⓤ 눈에 보임, 볼 수 있음, 쉽게[잘] 보임; 알아볼 수 있음. **2** 〚광학〛 선명도(鮮明度), 가시도(可視度); 〚기상 · 해사〛 시계(視界), 시도(視度), 시정(視程); 광달(光達) 거리: high [low] ~ 고[저]시정. ◇ visible *a.*
visibílity mèter 시정계(視程計)⟪대기 중에서 가시거리를 측정하는 기구의 총칭⟫.
*__vis·i·ble__ [vízəbəl] *a.* **1** (눈에) 보이는: ~ stars 눈에 보이는 별 / ~ exports and imports (유형적) 상품의 수출입⟪관광 수입에 대하여⟫ / ~ means 유형적 재산 / Those stars are hardly ~ *to* the naked eye. 그 별들은 육안으로는 거의 볼 수 없다. **2** 명백한, 분명한, 역연한: serve no ~ purpose 명백한[현실의] 목적에는 소용[쓸모]없다. **3** 뚜렷한, 두드러진: a ~ necktie 눈에 잘 띄는 넥타이. **4** 면회할 수 있는: Is he ~? 만나 뵐 수 있을까요. **5** 현재 눈에 보이는, 손에 들어오는, 실제의, 현존의: the total of ~ wheat as of date 현재 수확이 확실한 밀의 총량. **6** (기계 따위에서 내부를) 볼 수 있게 만든. **7** (사람 · 일이) 자주 뉴스에 나오는, 활동이 두드러진. OPP. *invisible.* ◇ visibility *n.* **—** *n.* 눈에 보이는 것; 유형 품목, 제품; (the ~) 물질 (세계), 현세. ㊊ **-bly** *ad.* 눈에 보이게, 뚜렷이. **~·ness** *n.*
vísible bálance 〚경제〛 무역 수지(balance of trade).
vísible chúrch (the ~) 〚신학〛 현세의 교회(church visible).
vísible horízon (the ~) 가시 지평(可視地平)(apparent horizon), 시수평(視水平).
vísible Négro ⟪미⟫ 흑인 손님을 끌기 위해 고용한 흑인.
vísible radiátion 〚물리〛 가시(可視) 방사⟪가시 영역의 전자파 · 빛⟫.
vísible spéctrum 〚물리〛 가시(可視) 스펙트럼⟪3800-7600 Å의 가시 광선 파장 범위의⟫.
vísible spéech 시화법(視話法)⟪음성 기호의 체계⟫.
vísible supplý (농산물의) 출하량, 유형 공급량.
Vis·i·goth [vízəgɑ̀θ/-gɔ̀θ] *n.* 서(西)고트 족⟪4세기 후반부터 로마 제국에 침입한 일족⟫; ⟪비유⟫ 야성적인 남자, 늠름한 사나이. ㊊ **Vis·i·góth·ic** [-gɑ́θik/-gɔ́θ-] *a.*
vis in·er·ti·ae [vis-inə́ːrʃiiː] ⟪L.⟫ 〚물리〛 관성[타성]의 힘, 관성력, 타력(惰力).
__vi·sion__ [víʒən] *n.* **1 Ⓤ 시력, 시각: the organ of ~ 시각 기관 / the range of ~ 시계 / the distance of ~ 시거(視距) / a field of ~ 시계, 시야(視野). SYN. ⇨ SIGHT. **2** Ⓤ (보이지 않는 것을 마음속에 그리는) 상상력, 선견(先見), 통찰력: a poet of great ~ 풍부한 상상력을 지닌 시인. **3** Ⓒ (마음속에 그린) 광경, 환상, 꿈, 상상도, 미래도: Have you ever had ~*s of* great wealth ? 큰 부자가 되었을 경우를 상상해 본 적이 있는가 / I had ~*s of* her walk*ing* in the snowstorm. 그녀가 눈보라 속을 걷고 있는 모습을 머리에 그려 보았다. **4** Ⓒ 환상, 환영, 곡두, 환상적인 입장; 〚영화〛 환상의 장면⟪상상 · 회상 등⟫: see ~*s* 환상[환영]을 보다 / It appeared to me in a ~. 그것은 환상으로 나타났다. **5** Ⓒ 보이는 것, 눈에 띄는 것, 광경; (TV의) 영상. **6** Ⓒ 매우 아름다운 모습[광경, 여성]: She was a ~ in that dress. 저 옷을 입은 그녀는 매우 아름다웠다. **7** Ⓒ 한눈, 일견(一見): catch a ~ of the summit 산정을 흘끗 보다. **8** Ⓒ 〚수사학〛 현사법(現寫法). ***beyond*** one***'s ~*** 눈에 보이지 않는. ***come within*** [***go out of***] ***one's ~*** 보이다[보이지 않게 되다].
— *vt., vi.* 환상으로 보다[보이다], 꿈에 보다[나타나다]. ㊊ **~·less** *a.* 시력이 없는; 통찰력이[상상력이, 포부가] 없는.
vi·sion·al [víʒənəl] *a.* 환상의, 환상으로 본; 환상적인, 몽상적인, 가공의; 시각의. ㊊ **~·ly** *ad.*
◇**vi·sion·ary** [víʒənèri/-nəri] *a.* 환영(幻影)의; 환상의; 몽상적인; 실제적이 아닌, 가공의, 공중

누각의《계획 따위》; 상상력〔통찰력〕이 있는. ―*n.* 공상〔몽상〕가; 환상을 좇는 사람.

ví·sioned *a.* 환상으로 나타난, 환영(幻影)에 의한; 상상력〔통찰력〕이 풍부한.

vísion-mìx *vi.* 〖TV·영화〗 복수의 카메라를 써서 영상을 구성하다.

†**vis·it** [vízit] *vt.* **1** (사교·용건·관광 등을 위해) 방문하다; (…의) 집에 머물다, 구경하러 가다: ~ one's uncle for a week 1 주일 동안 아저씨 댁에 머무르다 / ~ a library 도서관에 가다《이용하기 위하여》/ ~ New York 뉴욕에 구경하러 가다〔오다〕.

> [SYN.] **visit** 사람 또는 장소를 방문하다. 얼마 동안 체류하는 것이 보통이나 장기간이 되는 경우도 있음: *visit* one's relative for a week, 1 주일간 친척집에 머물다. **call** 잠깐 방문하다, 들르다, 문전 방문 따위. 방문하는 것이 사람이면 *on*, 집이면 *at*: *call at* a person's house. **see** 아무를 만나다. 우리말의 (아무를) '찾아보다'는 실제로 위의 두 단어보다 see를 쓰는 경우가 보통: I've got to *see* my lawyer at his office this afternoon. 나는 오늘 오후 나의 변호사를 사무실로 만나러 가야 한다. **meet** 우연히 또는 약속에 의해 사람을 만나다. 방문의 뜻은 없음.

2 시찰〔순시〕하다; 위문하다, 왕진하다: The doctor is out *~ing* his patients. 의사 선생님은 왕진 중이십니다. **3** 《~+[목]/+[목]+[전]+[명]》 (재해 따위가) 덮치다, 엄습하다, 닥치다: The valley was *~ed* by a drought. 골짜기는 한해(旱害)를 입었다. **4** (생각 따위가) 떠오르다: *~ed* by a strange notion 기묘한 생각이 떠올라서. **5** 《+[목]+[전]+[명]》《고어》 (사람·죄를) 벌하다, (고통·벌을) 주다《*on, upon*》: ~ him *with* sorrows 그에게 슬픔을 안겨 주다 / ~ one's indignation *on* 〔*upon*〕 a person 아무에게 분노를 터뜨리다. ―*vi.* **1** 《~/+[전]+[명]》 방문하다, (손님으로) 체류하다 〔머무르다〕《*with* a person; *in* 〔*at*〕 a place》: She often *~s* here in autumn. 그녀는 가을에 여기 자주 온다 / ~ *at* a new hotel 새 호텔에 묵다. **2** 《~/+[부]/+[전]+[명]》《미구어》 이야기〔잡담〕하다 《*with*》: Let's sit here and ~ (*together*) for a while. 여기 앉아 잠시 이야기하자 / ~ *with* a person *over* the telephone 아무와 전화로 이야기하다. **3** 《폐어》 시찰〔순시, 임검〕하다. **~ *with a return in kind*** 같은 것을 갖고〔같은 수단으로〕 대갚음하다.

―*n.* **1** 방문; 구경, 견학; 문병; 참예; (손님으로서의) 체류: go on a ~ *to* a friend 친구를 방문하다. **2** 시찰; 왕진; (환자의) 병원다니기: one's daily ~ *to* a dentist 매일 치과에 가기. **3** 《미구어》 잡담, 이야기: a ~ *with* a friend 친구와의 이런저런 이야기 / have a ~ *on* the telephone 전화로 이야기하다. ***a flying*** 〔***lightning***〕 ~ 서둘러 떠나는 여행. ***a ~ of civility*** 〔***respect***〕 의례상의 방문. ***on a*** ~ (…을) 방문〔구경〕 중《*to*》. ***on a ~ with*** …쪽에 체류 중. ***pay*** 〔***make, give***〕 a person 〔place〕 ***a*** ~ = ***pay*** 〔***make, give***〕 ***a ~ to*** …을 방문〔순회, 구경〕하다, …을 문병하다. ***receive a ~ from*** …로부터 방문을 받다. ***return a*** ~ 답례로 방문하다. ***the right of*** ~ = the right of VISITATION.

vís·it·a·ble *a.* 방문〔참관〕할 수 있는; 구경할 만한; 손님 받기에 알맞은; 시찰을 받아들여야 할.

vis·it·ant [vízitənt] *n.* (특히 지체가 높은) 방문자〔객〕, 손님; 관광객; 순례자; 망령《영계(靈界)에서 내방한》; 〖조류〗 철새(visitor); (V-) the Nuns of the VISITATION의 수녀. ―*a.* 《고어·시어》 방문하는, 내방하는.

vis·i·ta·tion [vìzətéiʃən] *n.* **1** [U] 방문, 문병. **2** [C] 공식 방문, 순찰, 순시, 임검; 선박 임검. **3** [C] 천벌《불행·천재 등》; 재해, 고난. **4** 《구어》 밑 질긴 체류. **5** (the V-) 〖가톨릭〗 성모 방문 축일《7월 2일; 성모 마리아가 세례 요한의 어머니 Elizabeth를 방문한 기념일》. **6** (동물·새의) 때아닌 집단적 도래. ***a ~ of God*** 〔***Providence***〕 신이 내리는 벌, 하늘의 노여움. ***the Nuns of the Visitation*** = ***the Order of the Visitation of the Blessed Virgin Mary*** 〔***Our Lady***〕 〖가톨릭〗 (성모) 방문 동정회(童貞會)《빈민·병자의 위문 및 여성 교육을 위한 수녀회》. ***the right of*** ~ 〖국제법〗 (선박의) 임검권. ***the ~ of the sick*** 목사의 병든 교구인 방문; 〖영국교회〗 환자 방문의 기도. [파] **~·al** *a.*

visitátion ríghts 〘복수취급〙 〖법률〗 방문권《이혼·별거 시 한쪽 부모가 다른 한쪽 부모 밑에 있는 아이를 방문하러 가는》.

vis·it·a·to·ri·al [vìzitətɔ́:riəl] *a.* 방문의, 순시〔순찰〕(자)의; 임검권이 있는.

vís·it·ing *n.* [U] 방문; 순시, 시찰. ―*a.* 방문하는, 방문의, 문병하는; 순회의, 순시하는, 임검의: a ~ housekeeper 파출부. ***have a ~ acquaintance with*** …와 서로 왕래할 만큼 친한 사이다.

vísiting bòok 방문부, 방문처 명부; 내빈 명부.

vísiting càrd 명함(《미》 calling card).

vísiting dày 면회일, 접객일.

vísiting fíreman 《미구어》 (후대하지 않으면 안 되는) 귀한 손님, 중요한 귀빈; (도시에서 돈을 뿌리는) 시골 사람, 돈 잘 쓰는 관광객.

vísiting hòurs (병원의) 환자 면회 시간. 「원.

vísiting núrse 순회〔방문〕 간호사, 순회 보건

vísiting proféssor (다른 대학에서 온) 초빙 교수, 객원 교수.

vísiting téacher (초등 학교의) 가정 순회 교사《병상의 장기 결석 아동 등을 담당하는》.

⁑**vis·i·tor** [vízitər] *n.* **1** 방문자, 내객; 손님, 체류 손님; 관광객: I had no *~s* all day. 온 종일 손님 한 사람 없었다 / summer *~s* at the hotel 호텔의 여름 피서객 / *~s to* a city for a convention 도시에 온 회의 참석자들.

> [SYN.] **visitor** 사람 또는 어떤 장소에의 방문객. 얼마간 체류함이 보통이나, 장기간이 되는 경우도 있음: a *visitor* at our neighbor's house 이웃의 방문객 / a *visitor* in San Francisco 샌프란시스코 방문객. **caller** 짧은, 주로 정식의 방문객: The *caller* merely left his card. 방문객은 명함만을 놓고 갔다. **guest** 초대되어 환대받는 손님. 여관·하숙 따위에서도 체류객을 guest라 부르는 경우가 많음. **client** 변호사·의사·건축가처럼 지적인 직업을 가진 사람에게서 전문적 도움을 얻고자 하는 의뢰인으로서의 손님. **customer** 상점의 고객.

2 시찰자, 순시관; 《영》 (대학의) 감찰원. **3** (대학의) 청강생. **4** 〖스포츠〗 (*pl.*) 원정 팀. **5** 〖조류〗 철새. 「광 안내소.

vísitor cénter **1** = INTERPRETIVE CENTER. **2** 관

vis·i·to·ri·al [vìzətɔ́:riəl] *a.* = VISITATORIAL.

vísitors' bòok (여관의) 숙박(자 명)부; (내객의) 방명록.

vísitors' pàssport 관광용 패스포트《특정국 단기 방문이 가능한 유효 기간 1 년의 패스포트》.

vis·i·tress [vízitris] *n.* 《고어》 VISITOR의 여성형; (특히 시찰·사회 복지 활동을 하는) 여성 방문자. 「력.

vis ma·jor [vis-méidʒər] 《L.》 〖법률〗 불가항

vis me·di·ca·trix na·tu·rae [vís-mèdikéitriks-nətjúəri:/-tjúə-] 《L.》 자연의 치유력.

vi·sor [váizər] *n.*, *vt.* 〖역사〗 (투구의) 면갑(面甲)(으로 덮다); (모자의) 챙; 복면(을 쓰다), 마스크; ＝SUN VISOR; 변장.

visors

vis·ta [vístə] *n.* **1** 길게 내다보이는 경치《거리 · 가로수 길 등을 길이로 내다본》. SYN. ⇨ VIEW. **2** (장래의) 전망, 예상; 추억: the dim ~s of one's childhood 유년 시대의 희미한 추억.
VISTA [vístə] Volunteers in Service to America(미국 빈곤 지구 봉사 활동).
vísta dòme (열차의) 전망대.
vis·taed, vis·ta'd [vístəd] *a.* (…의) 조망이 트인, 전망이 좋은; (과거 · 미래를) 마음속에 그리는.
Vísta Vìsion 〖영화〗 비스타 비전《와이드스크린 방식의 일종; 상표명》.
vis·u·al [víʒuəl] *a.* **1** 시각의; 보는, 보기 위한; 눈에 보이는; 광학상의: a ~ image 시각 심상(心像) / the ~ nerve 시신경 / the ~ organ 시각 기관 / ~ signaling 〖해사〗 시각 통신 / a ~ show 〖방송〗 공개 방송. **2** 눈에 보이는 듯한, 선명한. **—** *n.* **1** (보통 *pl.*) **a** (영화 · TV 따위의) 영상 부분. **b** (설명 · 선전용의) 시각에 호소하는 것《사진, 영화, 도표 등》. **2** (소재의 갖가지 배치 방법을 보이는) 광고 레이아웃의 초안. **3** 가시(可視) 요소.
vísual acúity 시력(視力).
vísual áids 〖교육〗 시각 교육 기재《영화 · 슬라이드 영사(기) · 괘도 따위》.
vísual ángle 시각(視角).
vísual árts (the ~) 시각 예술.
vísual-áural (rádio) ránge 〖항공〗 가시가청(可視可聽)식 (무선) 레인지《계기 표시와 신호음에 따라 침로를 보임; 생략: VAR》.
vísual bínary 〔**dóuble**〕 〖천문〗 실시쌍성(實視雙星).
vísual cápture 〖심리〗 시각 포착《공간 파악 등에 있어서의 다른 감각에 대한 시각 정보의 우위》.
vísual córtex 시각령(視覺領)《시신경으로부터 흥분을 받아들이는 대뇌피질의 부분》.
vísual displáy 〖컴퓨터〗 영상 표시.
vísual displáy tèrminal 〖컴퓨터〗 ＝VIDEO DISPLAY TERMINAL.
vísual displáy ùnit 〖컴퓨터〗 영상 표시 장치《생략: VDU》(＝**vídeo displáy ùnit**).
vísual educátion 〔**instrúction**〕 (visual aid를 이용하는) 시각 교육.
vísual fíeld 시야(field of vision).
vísual flíght 유시계(有視界) 비행.
vísual flíght rùles 〖항공〗 유시계(有視界) 비행 규칙《생략: VFR》.
vísual ínstrument 시각 악기《스크린 위에 채색 무늬를 만들어 내는 전자 건반 악기》.
vis·u·al·i·ty [vìʒuǽləti] *n.* ＝VISIBILITY; 심상(心象).
vìs·u·al·i·zá·tion *n.* Ⓤ (눈에) 보이게 함, 가시화(可視化), 《특히》 생생하게 마음에 그림, 구상화; 시각 표상(表象); Ⓒ 심상(心象); 〖의학〗 절개하여 기관을 노출시킴, 명시화(明視化), 투시.
◇**vís·u·al·ìze** *vt.* **1** 《~+目/+-*ing*/+目+-*ing*/+*wh*. 절/+目+*as* 보》 보이게 하다, 《특히》 마음에 떠오르게 하다, 생생하게 마음에 그리다, 상상하다; 예지하다: I can ~ his anguish. 그의 고뇌를 상상할 수 있다 / I can't ~ liv*ing* anywhere else. 다른 곳에서 산다는 것은 상상할 수도 없다 / She ~*d* an angel com*ing* from heaven. 그녀는 천사가 하늘에서 내려오는 것을 상상해 보았다 / Can you ~ *what* it will be like to live in the 21st century? 21세기에 산다는 것이 어떠할지 상상할 수 있느냐 / I had ~*d* you *as* a young man. 당신을 청년일 것이라고 생각했었습니다. **2** 〖의학〗 (기관을) 절개하여 노출시키다, 명시화하다, 엑스선으로 투시하다. **—** *vi.* 사물을 생생하게 마음속에 그리다; 구상화(具象化)하다. 파 **-iz·er** *n.* 마음에 생생하게 그리는 사람; 〖심리〗 시각형(視覺型)인 사람.
vísual líteracy 시각 판단〔판별〕 능력.
vís·u·al·ly *ad.* 시각적으로; (눈에) 보이도록.
vísually hándicapped 시력〔시각〕 장애의; (the ~) 《집합적》 시각 장애인.
vísual mágnitude 〖천문〗 안시(眼視) 등급.
vísual meteorológical condítion 〖항공〗 유시계(有視界) 기상 상태《생략: VMC》.
vísual póint (광학 기기를 사용할 때의) 시점(視點), 눈의 위치.
vísual pollútion 시각 공해《광고 · 건물 · 낙서 등으로 인한 미관 파괴》.
vísual púrple 〖생화학〗 시홍(視紅).
vísual ránge 〖항공〗 시계(視界); 〖기상〗 시정(視程)(visibility). 「간 시각에 관한.
vis·u·o·spa·tial [vìʒuouspéiʃəl] *a.* 〖심리〗 공
vis vi·tae, vis vi·ta·lis [vís-váiti:], [-vái-təlis] 《L.》 〖생리〗 생활력.
vis vi·va [vís-váivə] (*pl.* ***víres ví·vae*** [váiəri:z-váivi:]) 《L.》 〖물리〗 활력, 일의 능력 《옛날 용어》.
vi·ta [váitə, ví:-; *L.* wí:ta] (*pl.* **~e** [váiti:, ví:tai; *L.* wí:taɛ]) *n.* 《L.》 (＝life) 《미》 간단한 이력서, 약력.
vi·tal [váitl] *a.* **1** 생명의, 생명 유지에 필요한, 생명의 원천을 이룬: ~ energies 〔power(s)〕 생명력, 활력(活力) / ~ process 생명 과정 / the heart, brain, and other ~ organs 심장, 뇌, 기타 생명의 중요한 기관. **2** 생생한, 생기가 넘치는: a ~ personality 정력적인 인물. **3** 치명적인, 《비유》 생사에 관한: a ~ wound 치명상 / a ~ part 〔spot〕 급소 / a ~ question 사활 문제 / a ~ error 결정적인 잘못. **4** 절대로 필요한, 지극히 중요한《*to*; *for*》: conditions ~ *to* national security 국가 안전에 불가결한 조건. ◇ vitality *n.* ***of ~ importance*** 지극히 중요한. **—** *n.* **1** (*pl.*) 생명 유지에 필요한 기관들《특히 심장 · 폐 · 뇌 · 장 따위》. **2** (*pl.*) 중추 요부(要部), 급소, 핵심: tear the ~*s* out of a subject 문제의 핵심을 파악하다. 파 **~·ly** [-təli] *ad.* 치명적으로, 극히 중대하게, 긴요하게; 진실로, 참으로. **~·ness** *n.*
vítal capácity 〖생리〗 폐활량(肺活量)(breathing capacity). 「VITAL.
vítal fórce 생명력, 활력, 생명의 근원; ＝ÉLAN
vítal índex 인구 지수《어느 시점에서의 출생의 사망에 대한 비율》.
ví·tal·ism *n.* Ⓤ 〖철학 · 생리〗 활력론(論), 생기(生氣)론《mechanism에 대해》. 파 **-ist** *n.* 활력론자. **vì·tal·ís·tic** *a.*
vi·tal·i·ty [vaitǽləti] *n.* Ⓤ **1** 생명력, 활력, 체력, 생활력; (종자의) 발아력(發芽力). **2** 활기, 생기, 원기: a style devoid of ~ 생기가 없는 문체. **3** 지속력, 존속력. ◇ vital *a.*

ví·tal·ìze *vt.* 활력을 부여하다, 생명을 주다, 생기를 주다, 고무하다; 원기를 북돋우다. [파] **vi·tal·i·zá·tion** *n.* **-iz·er** *n.*
Vi·tal·li·um [vaitǽliəm] *n.* 바이탈륨(코발트·크롬·몰리브덴의 합금; 치과·외과용; 상표명).
vítal príncìple =VITAL FORCE.
vítal sígns 생명 징후(맥박·호흡·체온; 여기에 혈압을 추가한 것).
vítal spárk (the ~) (구어) (예술 작품의) 생기, 박력.
vítal stáining [생물] 생체(生體) 염색.
vítal statístics 인구 동태 통계(사망·결혼·출생 등의 통계); (구어) 여성의 버스트·웨이스트·히프의 치수.
vi·ta·mer [váitəmər] *n.* [생화학] 비타머(비타민 작용을 나타내는 물질의 총칭).
vi·ta·min, -mine [váitəmin/vít-, váit-] *n.* 비타민(생물의 정상적인 생리 활동에 필요한 유기화합물): ~ *A*, 비타민 A(시각·상피 세포·발육에 관계되는 지용성(脂溶性) 비타민). ★ 현재까지 발견된 것으로는 A, B, C, D, E, F, H, K, L, M, P, U 등 종류가 많음. [파] **vì·ta·mín·ic** [-mínik] *a.*
vítamin B̀ còmplex [생화학] 비타민 B 복합체(B complex).
vítamin C [생화학] 비타민 C(항(抗)괴혈병 인자로 발견된 수용성 비타민; 신선한 야채에 있음).
vítamin D [생화학] 비타민 D(생선류의 간장·난황(卵黃) 등에 함유된 항구루병(抗佝僂病)의 지용성(脂溶性) 비타민).
vítamin E [생화학] 비타민 E(식물성 유지에 다량 포함된 지용성 비타민, 결핍증은 불임증·근육위축증 따위).
ví·ta·min·ìze *vt.* (음식 따위에) 비타민을 보충하여 강화하다, 활기를 불어넣다. [파] **vì·ta·min·i·zá·tion** *n.*
vítamin K [생화학] 비타민 K(항(抗)출혈 작용을 가진 지용성 비타민).
vi·ta·min·ol·o·gy [vàitəminálədʒi/vìtəminɔ́l-, vàit-] *n.* [U] 비타민학(學).
vi·ta·mi·no·sis [vàitəminóusis/vìt-, vàit-] *n.* [U] [의학] 비타민 결핍증.
Vi·ta·phone [váitəfòun] *n.* [U] 바이터폰(초기 유성 영화의 녹음·재생의 한 방식; 녹음판을 사용; 상표명).
vi·ta·scope [váitəskòup] *n.* (초기 영화의) 영사기.
vite [viːt] *ad.* [음악] 활발[씩씩]하게, 빠르게.
vi·tel·lin [vitéli(ː)n, vai-/-lain, -lin] *n.* [U] [생화학] 난황소(卵黃素).
vi·tel·line [vitéli(ː)n, vai-/-lain, -lin] *a.* 노른자의, 난황의, 노랑색의: ~ membrane [생물] 난(卵)세포막, 난황(卵黃)막.
vi·tel·lo·gen·e·sis [vitèloudʒénəsis, vai-] *n.* [발생] 난황(卵黃) 형성.
vi·tel·lus [vitéləs, vai-] (*pl.* **~·es, -li** [-lai]) *n.* [U] 노른자, 난황(yolk).
vit·i- [vítə] '포도'의 뜻의 결합사.
vi·ti·ate [víʃièit] *vt.* **1** …의 가치를 떨어뜨리다, 손상하다, 해치다, 망치다. **2** 나쁘게 하다, 타락시키다; 더럽히다, (공기를) 오염시키다. **3** 무효로 하다: ~ a contract 계약을 무효로 하다. [파] **vì·ti·á·tion** *n.* [U] **ví·ti·à·tor** [-tər] *n.*
vit·i·cul·ture [vítəkʌ̀ltʃər] *n.* [U] 포도재배(학[술, 연구]). [파] **vit·i·cúl·tur·al** [-kʌ́ltʃərəl] *a.* **vit·i·cúl·tur·er, vìt·i·cúl·tur·ist** *n.* 포도 재배가.
vit·i·li·go [vìtəláigou, -líː-] (*pl.* **~s**) *n.* [의학] 백반(白斑).
vitr- [vítr], **vit·ro-** [vítrə] '유리(glass)'의 뜻의 결합사(모음 앞에서는 vitr-).
vit·rec·to·my [vitréktəmi] *n.* [의학] 유리체(體) 절제(술).
vit·re·ous [vítriəs] *a.* 유리(질)의; 유리 같은; 유리로 된. [파] **~·ly** *ad.* **~·ness** *n.*
vítreous bódy [해부] (눈알의) 유리체.
vítreous electrícity 유리 전기(positive electricity)(비단과 유리를 마찰해 발생시킴).
vítreous enámel 법랑(琺瑯)(porcelain enamel).
vítreous húmor [해부] (눈알의) 유리체액(體液).
vi·tres·cent [vitrésnt] *a.* 유리질로 되는, 유리화(化)하는. [파] **-cence** *n.* [U] 유리질화(化).
vit·ri- [vítri] '유리'의 뜻의 결합사.
vit·ric [vítrik] *a.* 유리질의; 유리 모양의.
vít·rics *n. pl.* 〖단수취급〗 **1** 유리 제조술[학]. **2** 〖집합적〗 유리류(類), 유리 제품.
vit·ri·fac·tion [vìtrəfǽkʃən] *n.* =VITRIFICATION.
vit·ri·fi·ca·tion [vìtrəfikéiʃən] *n.* [U] 유리(질)화(化), 투화(透化); [C] 유리화한 것.
vit·ri·form [vítrəfɔ̀ːrm] *a.* 유리 모양의.
vit·ri·fy [vítrəfài] *vt.* 유리(모양으)로 하다[바꾸다]. ―― *vi.* 유리 모양으로 되다. [파] **-fi·a·ble** [-əbəl] *a.* 유리화할 수 있는.
vit·rine [vitríːn] *n.* 유리 장식장(진열용).
vit·ri·ol [vítriəl] *n.* [U] **1** [화학] 황산(염); 반류(礬類); =oil of ~: ⇨ BLUE [COPPER, GREEN, WHITE] VITRIOL. **2** 신랄한 말[비평], 통렬한 비꼼. ***dip** one's **pen in*** ~ 독필을 휘두르다. [cf.] gall[1]. ***oil of*** ~ 진한 황산. ***put plenty of*** ~ ***in a speech*** 연설에 신랄한 말을 많이 쓰다. ***throw*** ~ ***over*** [***at***] …의 얼굴에 황산을 뿌리다. ―― (**-l-,** (영) **-ll-**) *vt.* 황산으로 처리하다, (특히) (묽은) 황산에 담그다. [파] **vìt·ri·ól·ic** [-álik/-ɔ́l-] *a.* 황산(염)의[같은], 신랄한, 통렬한.
vít·ri·ol·ize *vt.* 황산(염)화하다, 황산으로 태우다, 황산을 끼얹다. [파] **vìt·ri·ol·i·zá·tion** *n.*
vitro ⇨ IN VITRO.
vit·ta [vítə] (*pl.* **vit·tae** [vítiː], **~s**) *n.* [식물] 유관(油管); [동물] 색(色)띠, 세로줄 무늬. [파] **vit·tate** [víteit] *a.* 유관이[세로줄 무늬가] 있는.
vit·tle [vítl] *n., vt., vi.* (고어·방언·구어) = VICTUAL.
vit·u·line [vítʃulàin, -lin/-tju-] *a.* 송아지의[같은]; 송아지 고기의[같은].
vi·tu·per·ate [vaitjúːpərèit, vi-/-tjúː-] *vt., vi.* 꾸짖다; 호통치다; 나무라다. [파] **-à·tor** *n.*
vi·tù·per·á·tion *n.* [U] 욕, 매도, 질책, 혹평.
vi·tu·per·a·tive [vaitjúːpərətiv, -rèit-, vi-/-tjúː-] *a.* 욕(설)하는, 독설을 퍼붓는; 꾸짖는. [파] **~·ly** *ad.*
vi·va [váivə] *n.* (영구어) =VIVA VOCE. ―― (**~ed, ~'d**) *vt.* =VIVA-VOCE.
vi·va [víːvə] (It.) *int.* 만세. ―― *n.* 만세 소리; (*pl.*) 환성.
vi·va·ce [vivάːtʃei/-tʃi] *ad., a.* (It.) [음악] 활발하게; 활발한.
°**vi·va·cious** [vivéiʃəs, vai-] *a.* 쾌활한, 활발한, 명랑한; [식물] 다년생의; (고어) 오래 사는: a ~ girl 발랄한 소녀. [파] **~·ly** *ad.* **~·ness** *n.*
°**vi·vac·i·ty** [vivǽsəti, vai-] *n.* [U] 쾌활, 활발, 발랄, 명랑.
vi·van·dière [F. vivɑ̃djɛːʀ] *n.* (F.) (옛 프랑스 군대 등의) 종군 여(女)상인.
vi·var·i·um [vaivέəriəm, vi-] (*pl.* **~s, -ia** [-riə]) *n.* (자연적 서식 환경으로 꾸민) 동물 사육장; 자연 동물[식물]원.
vi·vat [vàivæt, víː-] (L.) *int.* (=Long live...!) 만세. ―― *n.* (만세의) 환성.
vi·vat re·gi·na [-ridʒáinə] (L.) 여왕 만세.
vi·vat rex [-réks] (L.) 국왕 만세.
vi·va vo·ce [váivə-vóusi] (L.) 구두(口頭)로[의]; 구두[구술] 시험.
vi·va-vo·ce [vàivəvóusi] (영) *a.* 구두(口頭)

의: a ~ examination 구두시험. — *vt.* …에게 구두시험을 하다. 「라리아 원충.

vi·vax [váivæks] *n.* 〚의학〛 삼일열(三日熱) 말

vívax malária 〚의학〛 삼일열 말라리아(tertian).

vive [vi:v] *int.* 《F.》 만세: *Vive* la France [-ləfrɑ̃:s]! 프랑스 만세.

vive le roi [*F.* vi:vləʀwɑ] 《F.》 국왕 만세.

vi·ver·rine [vaivérain, -rin, vi-/-rain] *a.*, *n.* 〚동물〛 사향고양잇과의 (동물).

vi·vers [ví:vərz] *n. pl.* 《Sc.》 음식, 식량.

vives [vaivz] *n.* Ⓤ 〚수의〛 망아지의 이하선염(耳下腺炎).

viv·i- [vívi] '살아 있는, 생체의' 란 뜻의 결합사.

Viv·i·an [víviən] *n.* **1** 비비안《남자 또는 여자 이름》. **2** (아서왕 전설의) 여자 마법사《Merlin 의 애인; the Lady of the Lake 라고도 함》.

‡**viv·id** [vívid] *a.* **1** 생생한, 생기〔활기〕에 찬, 활발한, 발랄한, 원기 왕성한: a ~ imagination 왕성한 상상력. **2** (빛 · 색이) 선명한, 밝은, 강렬한. opp *dull.* ¶ a ~ reflection in water 선명하게 비친 물속의 그림자. **3** (묘사 · 인상 · 기억 따위가) 명확한, 똑똑한, 눈에 보이는 듯한: a ~ description (실물과) 아주 비슷한 묘사 / a ~ recollection 눈에 선한 추억 / ~ in one's memory 기억에 생생한. ㊎ °**~·ly** *ad.* **~·ness** *n.* 「로서》.

Viv·i·en [víviən] *n.* =VIVIAN《주로 여자 이름으

vi·vif·ic [vaivífik] *a.* 활기〔생기〕를 주는.

viv·i·fy [vívəfài] *vt.* …에 생기를〔생명을〕 주다; 생동〔싱싱〕하게 하다, …에 활기를 띠게 하다, 격려하다. ㊎ **vìv·i·fi·cá·tion** [-fikéiʃən] *n.* Ⓤ **vív·i·fi·er** *n.* 「생(胎生)동물.

vi·vip·a·ra [vaivípərə, vi-] *n. pl.* 〚동물〛 태

vi·vi·par·i·ty [vìvəpǽrəti, vài-/vìv-] *n.* Ⓤ 〚동물 · 식물〛 태생(胎生).

vi·vip·a·rous [vaivípərəs, vi-] *a.* 태생(胎生)의; 〚식물〛 모체 발아의: ~ seeds 태생 종자. ㊎ **~·ly** *ad.* **~·ness** *n.*

viv·i·sect [vívəsèkt, ˌ--ˊ] *vt.*, *vi.* (동물을) 산 채로 해부하다; 생체 해부를 하다. ㊎ **vív·i·sèc·tor** [-ər] *n.* 생체 해부자.

vìvi·séction *n.* U,C 생체 해부; 《비유》 가혹한 비평, 엄한 신문. ㊎ **~·al** *a.* **~·ally** *ad.* **~·ist** *n.* 생체 해부(론)자.

vix·en [víksən] *n.* 암여우(opp *fox*); 말많은〔심술궂은〕 여자. ㊎ **~·ish** *a.* **~·ish·ly** *ad.* **~·ly** *a.*

Vi·yel·la [vaiélə] *n.* 비엘라《양모와 면 혼방의 부드러운 천; 상표명》.

◇**viz., viz** *videlicet* 《L.》 즉《보통 namely [néimli] 라고 읽음》. 「면; 겉보임.

viz·ard, vis·ard [vízərd] *n.* 면(面), 가면, 복

viz·ca·cha [viskɑ́:tʃə] *n.* 〚동물〛 비스카차 (Visacacha, viscache)《친칠라 비슷한 남아메리카산의 각종 설치(齧齒) 동물》.

vi·zier, vi·zir [vizíər, vízjər/vizíə] *n.* 《Ar.》 고관《이슬람국, 특히 옛 터키 제국의》, 장관: ⇨GRAND VIZIER. ㊎ **~·i·al** [vizíəriəl] *a.*

vi·zor [váizər] *n.*, *vt.* =VISOR.

VJ [ví:dʒèi] *n.* =VIDEO JOCKEY.

V-J Dày (제 2 차 세계 대전의) 대일(對日) 전승 기념일《1945 년 8 월 14 일, 또는 9 월 2 일; 영국은 8 월 15 일》. [◂ Victory over 〔in〕 Japan Day]

VL Vulgar Latin. **v. l.** (*pl.* ***vv. ll.***) *varia lectio* 《L.》(=variant reading). **VLA** 〚천문〛 Very Large Array《미국 국립 천문대의 대형 간섭계형 전파 망원경의 하나》.

Vlach [vlɑ:k, vlæk] *n.* 왈라키아(Walachia) 사람.

Vla·di·vos·tok [vlæ̀divɑ́stɑk/-vɔ́stɔk] *n.* 블라디보스토크《시베리아 남동쪽의 항구》.

VLBI 〚천문〛 very long baseline interferometry (초장기선(超長基線) 간섭계에 의한 관측). **VLCC** very large crude carrier《30 만 톤급 이상의 초대형 유조선》. **VLDL** 〚생화학〛 very low density lipoprotein (초저밀도 리포 단백질).

vlei [flei, flai] *n.* **1** 《S.Afr.》 우기에 호수가 되는 저지(低地). **2** 《미북부》 늪(marsh).

vléi·gròund *n.* 《S.Afr.》 (수초(水草)가 무성한) 늪, 습지.

VLF, V.L.F., vlf, v.l.f. very low frequency. **V.L.R.** very long range. **VLSI** 〚컴퓨터〛 very large scale integration(초고밀도 집적회로).

V-màil *n.* Ⓤ V 우편《제 2 차 세계 대전 중 해외의 미군 장병에게 보내는 우편물을 마이크로필름에 담아 발송한 것》. [◂ Victory *mail*]

VMC visual meteorological condition. **V.M.D.** *Veterinariae Medicinae Doctor* 《L.》 (=Doctor of Veterinary Medicine). **v.n.** verb neuter(자동사). **VNA** Vietnam News Agency ((국영) 베트남 통신). **V.N.A.** Visiting Nurse Association.

V nèck (옷의) V 형 깃.

V-nècked [-t] *a.* V 형 깃의.

vo. *verso* 《L.》 (=left-hand page). **V.O.** verbal order; Victorian Order; very old 《위스키 따위에 씀》; voice-over. **VOA** Voice of America; Volunteers of America. **voc.** vocational; vocative. **vocab.** vocabulary.

vo·ca·ble [vóukəbəl] *n.* 낱말, 단어《특히 뜻보다 음이나 문자의 구성으로 본》; 모음(vowel). — *a.* 발음〔이야기〕할 수 있는. ㊎ **-bly** *ad.*

vo·cab·u·lar [voukǽbjələr] *a.* 어(語)〔어구〕의, 말의〔에 관한〕.

‡**vo·cab·u·lary** [voukǽbjəlèri/-ləri] *n.* **1** Ⓤ (*or* a ~) 어휘; 용어 수〔범위〕《한 언어 · 한 개인 또는 어떤 직업 · 계급 따위의 사람들이 쓰고 있는》: ~ control 어휘 통제 / His French ~ is limited. 그의 프랑스어 어휘는 한정되어 있다 / have a large 〔wide〕 ~ of English 영어 어휘가 풍부하다. **2** U,C 어휘표, 단어표, 단어집: the ~ at the end of each lesson 각 과목 끝에 붙어 있는 단어집. **3** (예술 등의) 표현 형식〔수단〕: Dancing is but a part of her ~ of expression. 댄스는 그녀의 표현 수단의 일부에 불과하다. ***exhaust*** one***'s*** **~** 자기가 아는 한의 말을 다 쓰다. 「표제어.

vocábulary èntry 사전에 수록된 말; 사전의

◇**vo·cal** [vóukəl] *a.* **1** 목소리의, 음성의〔에 관한〕; 목소리를 내는: a ~ communication 구두(口頭) 전달 / the ~ organs 발성 기관. **2** 《구어》 잔소리가 심한, 시끄러운; 의견을 말하는: Public opinion has become ~ *about* the question. 그 문제에 관해 여론이 시끄러워졌다. **3** 소리를 내는; (악기 · 수목 · 시냇물 등이) 소리를 내는, 울리는: forests ~ *with* the songs of many birds 새들의 지저귀는 소리로 북적거리는 숲. **4** 〚음성〛 유성음의; 모음의. **5** 〚음악〛 성악의. cf. instrumental. ¶ ~ technique 성악상의 기법 / a ~ group 합창대 / ~ music 성악 / a ~ performer 가수 / a ~ solo 독창. — *n.* **1** 〚음성〛 유성음(有聲音); 모음. **2** (종종 *pl.*) (재즈 · 팝뮤직의) 보컬(연기), 가창(歌唱); 성악곡. **3** 〚가톨릭〛 (교회 회의 등의) 선거권자. ***give with the ~s*** 《미속어》 노래를 부르다. ***step on the ~*** 〚방송〛 (아나운서가) 음성 녹음 부분에 겹쳐서〔비져나와서〕 말하다. ㊎ **~·ly** *ad.* 구두로, 목소리를 내어; 분명히 의견을 말하여. **~·ness** *n.*

vócal chìnk 〚해부〛 성문(聲門)(glottis).

vócal còrds 〔**chòrds, lìgaments**〕 성대.

vo·cal·ic [voukǽlik] *a.* 모음(성)의; 모음을 포함하는; 모음이 많은; 모음 변화를 하는. **—** *n.* 〖음성〗 음절의 핵(核). ㊕ **-i·cal·ly** *ad.*
vo·cal·ise [vòukəlíːz] *n.* 〖음악〗 가사 · 계명(階名)이 아닌 모음을 쓰는 발성 연습; 그 곡.
vó·cal·ìsm *n.* Ⓤ 목소리의 사용, 발성; 발성법; 가창법(歌唱法); 〖음성〗 모음; 모음 조직. ㊕ **-ist** *n.* Ⓤ (재즈 밴드 등의) 성악가, (유행) 가수.
vo·cal·i·ty [voukǽləti] *n.* 발성 능력이 있음, 발성; 〖음성〗 모음성(母音性).
vò·cal·i·zá·tion *n.* Ⓤ 발성(하는 모양), 발성법; 〖음악〗 유성음화(有聲音化), 모음화, 모음 부호 사용.
vó·cal·ize *vt.* 목소리로 내다, 발음하다; 〖음성〗 유성음으로 하다, 모음화하다; …에 모음 부호를 붙이다《히브리 말 등에》. **—** *vi.* 목소리를 내다, 말하다, 읊조리다, 소리치다; 홍얼거리다《특히 노래의 곡조만을》.
vócal tráct 〖언어〗 성도(聲道).
vo·ca·tion** [voukéiʃən] *n.* **1** Ⓒ 직업, 생업, 장사, 일. ㊎ avocation. **2** Ⓤ 〖신학〗 신의 부르심, 신명(神命)(에 의한 종교적 생활). **3** Ⓤ 천직, 사명감. **4** Ⓤ (특정 직업에 대한) 적성, 재능, 소질: He has little 〔no〕 ~ *to* 〔*for*〕 literature. 그에게는 문학에 대한 소질이 별로〔전혀〕 없다. ***feel no ~ for (일을) 하고 싶은 마음이 없다. ***find*** one***'s ~*** (여러 가지 일을 거쳐) 천직을 찾아내다.
vo·ca·tion·al [voukéiʃənəl] *a.* 직업의, 직업상의; 직업에 이바지하는: a ~ aptitude 직업 적성/a ~ test 직업 적성 검사/~ training 직업 훈련/~ diseases 직업병. ㊕ **~·ly** *ad.*
vocátional ágriculture 《미》 (고등학교 교과목으로서) 농업.
vocátional educátion 직업 교육.
vocátional guídance 취업〔직업〕 지도.
vocátional schòol 직업〔실무〕 학교. 「의.
vo·cá·tion·al·ìsm *n.* 직업〔실무〕 교육 중시주
voc·a·tive [vákətiv/vɔ́k-] 〖문법〗 *a.* 호격(呼格)의, 부르는: the ~ case 호격. **—** *n.* 호격; 부르는 말. ㊕ **~·ly** *ad.*
vo·ces [vóusiːz] VOX의 복수.
vo·cif·er·ance [vousífərəns] *n.* 시끄러움, 떠들썩함; 노호(怒號).
vo·cif·er·ant [vousífərənt] *a., n.* 큰 소리를 내는 (사람), 소리치는 (사람).
vo·cif·er·ate [vousífərèit] *vi., vt.* 큰 소리를 내다, 고함치다, 소리지르다: He ~*d* "Get away." '나가' 라고 그는 소리쳤다. ㊕ **vo·cìf·er·á·tion** *n.* Ⓤ 고함침, 소리지름, 시끄러움. **vo·cíf·er·à·tor** [-tər] *n.*
vo·cif·er·ous [vousífərəs] *a.* 큰 소리로 외치는, 소란한, 시끄러운. ㊕ **~·ly** *ad.* **~·ness** *n.*
vo·cod·er [vóukòudər] *n.* 보코더《전기적 음성 분석 합성 장치》. [◂ *voice coder*]
vo·coid [vóukɔid] *n.* 〖음성〗 음성학적 모음.
vod·ka [vádkə/vɔ́d-] *n.* 《Russ.》 Ⓤ 보드카《러시아산 화주(火酒)》. 「CATION.
vo-ed [vóuèd] *n.* 《미구어》 =VOCATIONAL EDU-
voet·sek, -sak [vútsek, fút-], [-sæk] *int.* 《S.Afr.속어》 쉿쉿!《동물을 쫓는 소리》.
voets·toots, -toets [vútstuts, fút-] *a., ad.* 《S.Afr.》 상품의 품질에 대하여 판매주는 책임을 지지 않는다는 조건의〔으로〕.
◊**vogue** [voug] *n.* Ⓒ,Ⓤ **1** 유행, 성행. ㊎ fashion, rage. ¶a mere passing ~ 그저 일시적인 유행/Long hair is (all) the ~ *for* students. 학생들 간에는 긴 머리가 (대)유행이다. **2** 인기, 호평. ***bring*** a thing ***into ~*** 무엇을 유행시키다. ***come into ~*** 유행하기 시작하다. ***give ~ to*** …을 유행시키다. ***have a great ~*** 크게 인기를 모으다. ***have a short ~*** 단기간 유행하다〔인기를 얻다〕. ***in ~*** 유행하여. ***out of ~*** 유행이 지나〔스러져〕, 인기를 잃어. **—** *a.* 유행하는: a ~ word 유행어.
voguey [vóugi] *a.* 《구어》 유행하는.
vogu·ish [vóugiʃ] *a.* 유행하는, 스마트한; 갑자기 인기를 얻은, 일시적 유행의. ㊕ **~·ness** *n.*
†**voice** [vɔis] *n.* **1** Ⓤ,Ⓒ 목소리《비유적으로도 쓰임》; Ⓒ (어떤) 음성: the ~ *of* conscience 양심의 소리/the ~ *of* the wind 바람 소리/a deep ~ 저력 있는 목소리, 힘찬 저음/a chest ~ 흉성(胸聲)《낮은 소리》/a head ~ 두성(頭聲)《딱딱하고 높은 소리》/a veiled ~ 목쉰 소리/a shrill ~ 새된 소리/~ current 〖전기〗 음성 전류/in a loud ~ 높은 목소리로/in a hushed ~ 속삭이는〔낮은〕 목소리로/The ~ *of* the people is the ~ *of* God. 《속담》 국민의 소리는 신의 소리; 민심은 천심이다. ㊎ vox populi vox Dei. **2** Ⓤ (사상 · 감정 등의) 발언, 표현: Anger gave him ~. 그는 화가 나서 입을 열었다/find ~ to one's joy 기쁨을 말로 표현하다. **3** Ⓤ 의견(의 발표): My ~ is for peace. 평화에 찬성(이다)/His ~ was for compromise. 그의 의견은 타협에 찬성이었다. **4** Ⓤ,Ⓒ 발언권, 투표권: I have no ~ *in* this matter. 이 일에 관해서는 발언권이 없다. **5** Ⓒ 발표 기관; 대변자. **6** 〖문법〗 태(態). ⇨《부록》 VOICE. **7** Ⓤ 〖음성〗 유성음. ㊀ *breath.* **8** Ⓤ,Ⓒ 성악 소리, 음성의 사용법, 발성법, 성조(聲調); 성부(聲部); 가수: have a ~ 성악에 알맞은 목소리를 갖고 있다/the greatest ~ of the day 오늘의 최고 가수/male 〔female, mixed〕 ~*s* 남〔여, 혼〕성. **9** Ⓤ (피아노 · 오르간 따위의) 음색의 미묘한 조정. ***be in good*** 〔***bad, poor***〕 ***~*** =***be in*** 〔***out of***〕 ***~*** 목소리가 잘〔안〕 나오다. ***clear*** one***'s ~*** =clear one's THROAT. ***count on*** a person***'s ~*** 아무의 성원을 받다. ***find*** one***'s ~*** 음성이 나오다; 입 밖에 내어〔용단을 내어〕 말하다: She *found her ~* to express herself. 그녀는 생각을 입 밖에 내어 말했다. ***find ~ in song*** 생각을 노래에 싣다. ***general*** 〔***popular, public***〕 ***~*** 여론. ***give ~ to*** …을 입 밖에 내다, …을 토로하다, …을 표명하다: He *gave ~ to* his opinion. 그는 자기의 의견을 말했다. ***have a ~ in*** …에 발언권〔투표권〕이 있다. ***lift up*** one***'s ~*** 소리내다, 말하다, 노래하다; 외치다; 항의하다, 불평하다. ***lose*** one***'s ~*** 목소리가 나오지 않게 되다, 노래할 수 없게 되다. one***'s ~ breaks*** ① (소년이) 변성(기)에 들다. ② 울먹이는 소리가 되다. ***raise*** one***'s ~*** 소리내다, 말하다; 목소리를 높이다; 거칠게 말하다; 이의를 제기하다, 불만을 나타내다. ***recover*** one***'s ~*** 말을 할 수 있게 되다. ***speak under*** one***'s ~*** 낮은 소리로 말하다. ***the*** 〔***a***〕 ***still small ~*** 〖성서〗 세미한 소리《양심의 소리; 열왕기상 XIX: 12》. ***with one ~*** 이구동성으로, 만장일치로.
— *vt.* **1** 목소리로 내다, 말로 나타내다〔표현하다〕: ~ one's discontent 불평을 말하다. **2** 〖음악〗 (풍금 따위를) 조율하다; (악보에) 성부를 기입하다. **3** 〖음성〗 유성(음)화하다.
vóice-áctivated [-id] *a.* 음성 기동(起動)의《자동 장치 따위》: ~ typewriter 음성 타이프라이터《손으로 키보드를 치는 대신 음성으로 입력하는》.
vóice annotàtion 〖컴퓨터〗 스크린상의 문면(文面)에 음성 입력으로 논평이나 정정(訂正) 등을 가하는 것.
vóice bòx 〖해부〗 후두(喉頭)(larynx).
vóice còil 〖전기〗 (스피커의) 음성 코일.
vóice-contròlled *a.* (타이프라이터 · 휠체어 등이) 음성으로 제어할 수 있는.
(-)voiced [-t] *a.* 목소리로 낸; …소리의; 유성음의: sweet-~/~ sounds 유성음.

vóice frèquency 〚통신〛 음성 주파《300-3,000Hz; 생략: VF》.
voice·ful [vɔ́isfəl] *a.* 성량이 있는; 높은 소리의, 소리가 잘 퍼지는. ㊞ **~·ness** *n.*
vóice ìnput 〚컴퓨터〛 음성 입력《음성(명령)에 의한 컴퓨터 조작》.
vóice lèading 〚음악〛 (다성 음악에서) 성부(聲部) 진행.
voice·less [vɔ́islis] *a.* 목소리가 없는; 무언의; 벙어리의; 실성(失聲)(증)의; 〚음성〛 무성음의; 발언권〔투표권〕이 없는: ~ sounds 무성음 / ~ consonants 무성 자음.

> SYN. **voiceless** '무성(無聲)의'란 뜻의 가장 일반적인 말. **mute** '무음(無音)'의 어감이 강함. **dumb** 가장 어감이 강함.

㊞ **~·ly** *ad.* **~·ness** *n.*
vóice lìneup 범죄의 목격자가 용의자의 음성 녹음 테이프를 듣고 범인을 가려내는 방식.
vóice màil 보이스 메일《음성을 녹음해 두었다가 필요한 이에게 들려주는 전자 장치》.
Vóice of América 미국의 소리《미국 정부의 대외 선전 방송; 생략: VOA》.
vóice-òver *n.* Ⓤ,Ⓒ 〚TV · 영화〛 (화면에 나타나지 않는) 해설 소리; (말 없는 화면 속 인물의) 심중을 말하는 소리.
vóice pàrt 〚음악〛 (악곡의) 성부(聲部).
vóice pìpe 〔**tùbe**〕 =SPEAKING TUBE.
vóice·prìnt *n.* 성문(聲紋). ㊞ **~·er** *n.* 성문 표시 장치. **~·ing** *n.* 성문 감정법.
vóice procèssor 〚컴퓨터〛 음성 프로세서.
voic·er [vɔ́isər] *n.* 〚음악〛 (특히 파이프오르간의) 조율사.
voíce recognítion 〚컴퓨터〛 음성 인식《음성을 컴퓨터가 처리 가능한 것으로 인식함; 그 기술》.
vóice recognítion equìpment 음성 인식 기기(機器)《음성에 반응해 움직이는 기계의 총칭》.
vóice respònse 〚컴퓨터〛 음성 응답《일정한 입력 신호에 대해, 미리 녹음되어 있는 음성으로 응답하는 장치》.
vóice sýnthesizing bòard 음성 합성 장치.
vóice vòte 발성 투표《투표에 의하지 않고 찬반의 소리를 듣고 결정하는 의결법》.
vóic·ing *n.* Ⓤ 발성; 유성(음)화.
*__void__ [vɔid] *a.* **1** 빈, 공허한. ⓒⓕ empty. ¶ ~ hours 빈〔한가한〕 시간 / a ~ space 공간; 〚물리〛 진공. SYN. ⇨VACANT. **2** (직위 따위가) 공석인, 자리가 빈: fall ~ 결원이 되다. **3** 없는, 결핍한〔된〕《*of*》: ~ *of* malice 악의 없는. **4** 〚법률〛 무효의(OPP *valid*): a ~ contract 무효가 된 계약. **5** 무익한. **—** *n.* **1** (the ~) 공허, 진공, 공간: gaze into the ~ 허공을 응시하다. **2** 공허한 느낌, 마음의 쓸쓸함, 허전한 느낌: the aching ~ in one's heart 쓰라린 공허감. **3** Ⓤ (지위 따위의) 결원, (자리가) 빔; (물질 사이의) 틈: fill the ~ 빈 자리를 보충하다. **—** *vt.* **1** 무효로 하다; 취소하다. **2** 방출하다, 배설하다: ~ excrement 배설하다. **3** 《+목+전+명》 (방 · 그릇 · 장소 등을) 비우다, 텅 비게 하다: ~ a chamber *of* occupants 방에서 사람들을 내쫓다. **4** 《고어》 (집 따위를) 떠나다; 명도하다. **—** *vi.* 오줌 누다. ㊞ **∠·er** *n.* **∠·ly** *ad.* **∠·ness** *n.*
vóid·a·ble *a.* 비울 수 있는; 〚법률〛 무효로 할 수 있는. ㊞ **~·ness** *n.*
void·ance [vɔ́idəns] *n.* Ⓤ **1** 텅 비게 함; 비움; 배설, 방출. **2** 〚종교〛 (성직(聖職)에서의) 추방; (성직의) 공석. **3** 〚법률〛 무효로 함, 취소.
vóid·ed [-id] *a.* 틈〔구멍〕이 있는; 〚법률〛 무효로 된, 취소된; 〚문장(紋章)〛 윤곽만 남기고 가운데를 잘라낸.
voi·là [vwɑːlɑ́ː] *int.* 《F.》 자 봐, 보란 말이야, 어때《성공 · 만족 등을 나타냄》.
voile [vɔil] *n.* 《F.》 Ⓤ 보일《사(紗)붙이》.
voir dire [vwɑ́ːrdíər; *F.* vwaːrdiːr] *n.* 《F.》 〚법률〛 예비 심문 (선서).
voi·ture [vwɑːtjúər/-tjúə] *n.* 《F.》 마차의 일종; 무개 자동차의 일종.
voi·tur·ette [vwɑ̀ːtjərét] *n.* 《F.》 소형 자동차.
vol. volcano; volume; volunteer.
Vo·lans [vóulænz] *n.* 〚천문〛 날치자리.
vo·lant [vóulənt] *a.* 〚동물〛 나는, 날 수 있는; 《문어》 재빠른, 민첩한; 〚문장(紋章)〛 나는 모습의.
vo·lan·te [voulɑ́ːntei/vɔlǽnti] *a.*, *ad.* 《It.》 〚음악〛 볼란테, 나는 듯이 가볍게.
Vo·la·pük [*G.* volapýːk] *n.* Ⓤ 볼라퓌크《1879년경 독일의 J. M. Schleyer가 창시한 국제어》.
vo·lar[1] [vóulər] *a.* 〚해부〛 손바닥의, 발바닥의.
vo·lar[2] *a.* 비행(용)의, 비행에 의한.
VOLAR volunteer army.
vol·a·tile [vɑ́lətil/vɔ́lətàil] *a.* **1** 휘발성의; 폭발하기 쉬운《물질》. **2** (사람 · 성질 등이) 격하기 쉬운; (정세 등이) 폭발 직전의. **3** 변하기 쉬운; 변덕스러운, 경박한; 쾌활한; 민활한. **4** (가격 · 가치 등이) 심하게〔끊임없이〕 변동하는. **5** 순간의, 덧없는. **6** 〚컴퓨터〛 (기억이) 휘발성의《전원을 끄면 데이터가 소실되는》: ~ memory 휘발성 기억 장치 / ~ storage 휘발성 기억 장치. **—** *n.* 유익(有翼) 동물, 새; 휘발성 물질. ㊞ **~·ness** *n.* **vòl·a·tíl·i·ty** [-tíləti] *n.* Ⓤ ~임; 휘발성; 휘발도.
vólatile òil 휘발성 기름, 《특히》 정유(精油).
vólatile sàlt 〚화학〛 탄산 암모늄; 탄산 암모니아수(水).
vol·a·til·ize [vɑ́lətəlàiz/vɔ́l-] *vt.*, *vi.* 휘발시키다〔하다〕, 발산시키다〔하다〕. ㊞ **vòl·a·til·i·zá·tion** *n.* Ⓤ 휘발.
vol·a·tize [vɑ́lətàiz/vɔ́l-] *vt.*, *vi.* =VOLATILIZE.
vol-au-vent [*F.* vɔlovɑ̃] *n.* 《F.》 볼로방 《고기 · 생선 따위를 크림에 조린 파이의 일종》.
°__vol·can·ic__ [vɑlkǽnik/vɔl-] *a.* **1** 화산의; 화산성의; 화산 작용에 의한, 화성(火成)의; 화산이 있는〔많은〕: a ~ eruption 분화 / ~ activity 화산 활동 / a ~ country 화산이 많은 나라. **2** 폭발성의, 격렬한: a ~ character 불 같은 성격. ◇volcano *n.* ㊞ **-i·cal·ly** *ad.* 화산처럼; 격렬〔맹렬〕하게.
volcánic ásh 〔**áshes**〕 화산재.
volcánic bómb 화산탄(火山彈).
volcánic cóne 〚지학〛 화산 원뿔.
volcánic dúst 화산진(塵)《미세한 화산재로, 공중을 떠돌아 기상에 영향을 미침》.
volcánic gláss 〚광물〛 흑요석(黑曜石).
vol·ca·nic·i·ty [vɑ̀lkənísəti/vɔ̀l-] *n.* = VOLCANISM.
vol·can·i·clas·tic [vɑlkæ̀niklǽstik/vɔl-] 〚지학〛 *a.* 화산 쇄설물로 된. **—** *n.* 화산 쇄설암.
volcánic róck 화산암.
volcánic túff 응회암(凝灰岩)(tuff).
vol·can·ism [vɑ́lkənìzəm/vɔ́l-] *n.* Ⓤ 화산 작용〔활동, 현상〕.
vol·can·ist [vɑ́lkənist/vɔ́l-] *n.* 화산학자; 암석 화성론자(火成論者), 화산론자(plutonist).
vol·can·ize [vɑ́lkənàiz/vɔ́l-] *vt.* …에 화산열을 작용시키다. ㊞ **vòl·can·i·zá·tion** *n.*
__vol·ca·no__ [vɑlkéinou/vɔl-] (*pl.* ~(*e*)*s*) *n.* **1 화산; (화산 같은) 폭발력이 있는 것; 분화구: an active 〔a dormant, an extinct〕 ~ 활〔휴, 사〕화산 / a submarine ~ 해저 화산. **2** 《비유》 곧 폭발할 것 같은 감정〔사태〕.
vol·ca·no·gen·ic [vɑ̀lkənədʒénik/vɔ̀l-] *a.*

화산 기원(起源)의.

vol·ca·nol·o·gy [vɑ̀lkənɑ́lədʒi/vɔ̀lkənɔ́l-] *n.* Ⓤ 화산학. ㊞ **-gist** *n.* **-no·log·ic, -i·cal** [-nəlɑ́dʒik/-lɔ́dʒ-], [-əl] *a.*

vole[1] [voul] *n.* 『동물』 들쥐류.

vole[2] *n.* 『카드놀이』 전승(全勝). ***go the*** ~ 운을 하늘에 걸고 승부를 겨루다; 여러 가지 일을 차례로 시험해 보다.

Vol·ga [vɑ́lgə/vɔ́l-] *n.* (the ~) 볼가 강《카스피 해로 흘러드는 러시아의 강》.

Vol·go·grad [vɑ́lgəgræ̀d/vɔ́l-] *n.* 볼고그라드《러시아 연방 남부의 도시; 구칭 Stalingrad》.

vol·i·tant [vɑ́lətənt/vɔ́l-] *a.* 『동물』 나는, 비상(飛翔)하는; 돌아다니는, 활발한.

vol·i·ta·tion [vɑ̀lətéiʃən/vɔ̀l-] *n.* 비행; 나는 힘. ㊞ **~·al** *a.*

vo·li·tion [voulíʃən] *n.* Ⓤ,Ⓒ 의지, 의지력; 결의, 결단력; 의지 작용, 의욕. ***of* 〔*by*〕 *one's own*** ~ 자진해서, 자기의 자유의사로. ㊞ **~·al** [-ʃənəl] *a.* 의지의; 의지에 의한; 의지를 가진: ~*al* power 의지력. **~·al·ly** *ad.* **~·ary** [-ʃənèri/-əri] *a.* =~al. **~·less** *a.*

vol·i·tive [vɑ́lətiv/vɔ́l-] *a.* 의지의, 의지에서 나오는; 『문법』 의지를 나타내는: ~ faculty 의지력.

Volks·lied [fɔ́ːlkslìːt/fɔ́lks-] *n.* 《G.》 민요(folksong), 속요.

Volks·wa·gen [vóukswæ̀gən/vɔ́lks-; *G.* fɔ́lksvaːgən] *n.* 《G.》 폴크스바겐《독일의 자동차 회사; 동사제(製)의 대중용 소형차; 생략: VW; 상표명》.

°**vol·ley** [vɑ́li/vɔ́li] *n.* **1** 일제 사격: a ~ *of* small arms fire 소총의 일제 사격 **2** (질문·욕설 등의) 연발; 『구기』 발리《공이 땅에 닿기 전에 치거나 또는 차보내는 것》; 『크리켓』 발리《공을 바운드시키지 않고 삼주문(三柱門) 위에 닿도록 던지기》: a ~ *of* questions 빗발치는 질문/hit 〔kick〕 a ball on the ~ 공을 발리로 치다〔차다〕. **3** 『광산』 (폭약의) 일제 폭발. **—** *vt.* **1** (화살·탄환 등을) 일제히 발사하다. **2** (질문 따위를) 연발하다, 잇따라 퍼붓다; 『구기』 (공을) 발리로 되치다〔되차다〕. **—** *vi.* **1** 《+전+명》 일제히 발사하다: ~ *at* the enemy 적에게 일제 사격을 가하다. **2** 일제히 발사되다; 매우 빨리 날다〔움직이다〕. **3** 『구기』 발리를 하다. **4** 일제히 높은 소리를 내다. ㊞ **~·er** *n.*

***vol·ley·ball** [vɑ́libɔ̀ːl/vɔ́l-] *n.* 『구기』 **1** Ⓤ 배구. **2** 배구공. ㊞ **~·er** *n.* 배구 선수.

Vol·met [vɑ́lmət/vɔ́l-] *n.* 『항공』 볼멧 방송《비행 중인 항공기에 무선으로 알려 주는 공항 주변의 기상 정보》.

vol·plane [vɑ́lplèin/vɔ́l-] *n.*, *vi.* 『항공』 (엔진을 멈추고) 공중 활주(하다); 『음악·음성』 =GLIDE.

vols. volumes.

Vol·sci [vɑ́lsai, -si, -ʃi/vɔ́lskiː, -sai] *n. pl.* (the ~) 볼스키족(族)《기원전 이탈리아 남부의 Latium에 살던 고대 민족》.

Vól·stead Àct [vɑ́lsted-/vɔ́l-] (the ~) 《미》 금주법《제안자인 하원 의원의 이름에서; 1933 년 폐지》.

Vol·stead·ism [vɑ́lstedìzəm/vɔ́l-] *n.* Ⓤ 주류 판매 금지주의; 금주 (운동).

Vol·sun·ga Sa·ga [vɑ́lsuŋgəsɑ́ːgə/vɔ́l-] 볼숭가 전설《13 세기 아이슬란드의 Volsung 일가를 중심으로 한 전설집》.

volt[1] [voult] *n.* 『마술』 윤승(輪乘), 회전(回轉); 『펜싱』 (찌름을 피하는) 재빠른 몸의 동작. **—** *vi.* 윤승하다; 찌름을 재빨리 피하다.

***volt**[2] *n.* 『전기』 볼트《생략: V, v.》.

vol·ta [vóultə, vɑ́l-/vɔ́l-] (*pl.* **-te** [-tei]) *n.* 《It.》 『음악』 회(回), 번, 볼타: due *volte* 두 번, 2회/una ~ 한 번, 1회.

volt·age [vóultidʒ] *n.* Ⓤ 『전기』 전압, 전압량, 볼트 수《생략: V》.

vóltage divìder 『전기』 분압기(分壓器).

vóltage règulator 『전기』 전압 조정기《생략: VR》.

vol·ta·ic [vɑltéiik/vɔl-] *a.* 동(動)전기의(galvanic); 전류의.

voltáic báttery 볼타 전지《voltaic cell 을 몇 개 연결한 것》.

voltáic céll 볼타 전지(galvanic cell)《두 전극과 전해액으로 된》.

voltáic electrícity 『전기』 볼타 전류, 평류 전기.

voltáic píle 『전기』 볼타 전퇴(電堆).

Vol·taire [voultέər, vɑl-/vɔ́ltɛə, -ˊ] *n.* 볼테르《프랑스의 철학자·문학자; 본명은 François Marie Arouet; 1694-1778》. ㊞ **Vol·tair·e·an, -i·an** [voultέəriən, vɑl-/vəl-] *a.*, *n.* 볼테르(풍)의; 종교적 회의(懷疑)주의자.

vol·ta·ism [vóultəìzəm, vɑ́l-/vɔ́l-] *n.* =GALVANISM 1.

vol·tam·e·ter [vɑltǽmətər, voul-/vɔl-] *n.* 『전기』 전해 전량계(電解電量計)《전류계의 일종; 전기 분해에 의하여 전류의 세기를 측정하는 계기》, 볼타계, 볼타미터.

vólt-ámmeter *n.* 전압 전류계.

vólt-ámpere *n.* 『전기』 볼트암페어《전력량 측정의 단위; 생략: va.》.

volte [voult/vɔlt] *n.* =VOLT[1].

volte-face [vɑ́ltfɑ́ːs, vóult-/vɔ́lt-] *n.* 《F.》 방향 전환, 회전; (의견·태도의) 표변, 전향.

vol·ti su·bi·to [vɔ́ːltisúːbitòu/vɔ́l-] 『음악』 급히 (악보) 페이지를 넘겨라《생략: V.S.》.

vólt·mèter *n.* 『전기』 전압계.

°**vol·u·ble** [vɑ́ljəbəl/vɔ́l-] *a.* **1** 혀가 잘 도는, 말 잘하는, 수다스러운, 능변인, 유창한《사람·혀·말 등》. **2** 돌기 쉬운, 회전성의; 변하기 쉬운. **3** 『식물』 감겨 드는, 휘감기는. ㊞ **-bly** *ad.* **~-ness** *n.* **vòl·u·bíl·i·ty** *n.* Ⓤ (변설·문장의) 유창.

⁑vol·ume [vɑ́lju(ː)m/vɔ́l-] *n.* **1** 책, 서적. **2** (책의) 권(卷)《생략: v., vol(s).》: *Vol.* 1, 제 1 권/a novel in three ~*s* 〔3 *vols.*〕, 3 권으로 된 소설. **3** 『역사』 두루마리《파피루스·양피지 등의》. **4** Ⓤ 용적, 부피, 체적, 크기. **5** Ⓤ 양, 분량: the ~ of traffic 교통량. **6** 대량, 다량, 많음: a ~ *of* smoke 〔vapor〕 자욱하게 올라가는 연기〔수증기〕. **7** Ⓤ 음량, 볼륨; (소리 따위의) 크기: Increase 〔Decrease〕 the ~. 볼륨을 올려라〔낮추어라〕; 《미속어》 더 큰 〔작은〕 소리로 (말하여라)/the ~ of sound 음량/a voice of great 〔little〕 ~ 성량이 풍부한〔적은〕 목소리. **8** 『상업』 거래량, 거래액. **9** 『컴퓨터』 볼륨《파일의 기록을 위한 1 개의 매체; 독립적으로 번지가 붙여진 기록 영역의 단위》. ***by*** ~ 무게로, 달아서, 부피로《by count '개수(個數)로'에 대하여》: sell *by* ~ 무게로〔달아서〕 팔다. ***gather*** ~ 증대하다, 정도를 넘다, 양이 늘다. ***in*** ~ 대량〔다량〕으로: It snowed *in* ~. 눈이 많이 왔다. ***speak* 〔*express, tell*〕 ~*s*** ① 의미심장하다. ② 충분히 표현하다, 증명하고 남음이 있다《*for*》: It *speaks* ~*s for* his courage. 그것은 그의 용기를 충분히 증명하고 남음이 있다.

— *a.* 상품을 대량으로 취급하는, 대량 판매의.

㊞ ~**d** *a.* **1** 〔복합어를 만듦〕 …권(卷)으로 된: a three-~*d* work, 3 권으로 된 저작(품). **2** (연기 따위가) 자욱하게 소용돌이치는〔오르는〕. **3** 분량이 많은, 부피가 나가는.

vólume contròl (라디오 따위의) 음량 조절(스위치).

vol·u·me·nom·e·ter [vɑ̀ljumənɑ́mitər/vɔ̀ljuminɔ́m-] *n.* Ⓤ 용적 비중계; 배수 용적계(排水容積計).

vólume resistìvity 『전기』 부피 저항률.

vólume retàiler 양판점(量販店), 대량 판매점.
vo·lu·me·ter [vəlú:mətər, váljumì:tər/vɔljú:mi-] *n.* 부피계, 용적계; 배수(排水) 용적계.
vol·u·met·ric, -ri·cal [vàljəmétrik/vɔ̀l-], [-əl] *a.* 부피〔용적〕 측정의. ㊉ **-ri·cal·ly** *ad.*
volumétric análysis 〖화학〗 부피 분석, 가스 용량 분석. 「〔부피〕 측정.
vo·lu·me·try [vəlú:mətri/vɔljú:-] *n.* Ⓤ 용량
vólume ùnit 〖전기〗 음량 단위《말·음악 등의 음량을 재는 단위; 생략: VU》.
vólume ùnit méter 〖오디오〗 VU미터《음성이나 음악에 대응하는 전기 신호의 강약을 측정하는 기기(機器)》.
vo·lu·mi·nal [vəlú:mənl] *a.* 용적〔부피〕의.
◇**vo·lu·mi·nous** [vəlú:mənəs] *a.* **1** 권수가 많은, 여러 권으로 된; 저서가 많은, 다작(多作)의. **2** 많은, 방대한, 풍부한. **3** 용적이 큰, 부피가 큰; 넉넉한《옷 따위》. **4** 다변의, 장광설(長廣舌)의. ㊉ **~·ly** *ad.* **~·ness** *n.* **vo·lù·mi·nós·i·ty** [-mənásəti/-nɔ́s-] *n.*
vol·un·ta·rism [váləntərìzəm/vɔ́l-] *n.* Ⓤ **1** (종교·교육·병역 따위의) 임의제, 자유 지원제; 〖철학〗 주의설(主意說). **2** 《미》 시민의 자발적인 노력, 봉사 활동으로 공공·복지 시설을 유지한다는 사고. ㊉ **-rist** *n.* **vòl·un·ta·rís·tic** *a.*
⁑**vol·un·tary** [váləntèri/vɔ́ləntəri] *a.* **1** 자발적인, 지원의, 임의의: a ~ contribution 자발적인 기부/~ workers 자진해서 일하는 사람들/a ~ appearance 임의 출두/a ~ confession 임의 자백, 자공(自供). SYN. ⇨ SPONTANEOUS. **2** (독지가의) 기부로 경영되는: ~ churches 〔hospitals〕 임의 기부제 교회〔병원〕. **3** 자유 의지를 가진: Man is a ~ agent. 인간은 자유 행위자다. **4** 고의의〔적인〕, 계획적인. OPP. *accidental.* ¶ ~ manslaughter 고의적인 살인/~ murder 모살(謀殺)/~ waste 소유주가 부동산에 가하는 고의적인 손해. **5** 〖생리〗 수의(隨意)의〔적인〕. **6** 〖법률〗 임의의; 무상의. OPP. *compulsory.* ― *n.* **1** 자발적 행동〔기부〕. **2** =VOLUNTEER. **3** 〖음악〗 (교회에서 예배의 전후 또는 도중에 행하는) 오르간 독주. ㊉ ◇**-tàr·i·ly** *ad.* 자유 의사로, 자발적으로, 임의로. **-tàr·i·ness** *n.*
Vóluntary Áid Detàchment 《영》 구급 간호 봉사대《생략: V.A.D.》.
vóluntary associátion (공통된 이해·목적을 가지는 개인들이 결성한) 임의(任意)단체; 《특히》(법적 조직이 아닌) 임의 사업 단체〔조합〕.
vóluntary cháin 자유 연쇄점.
vóluntary convéyance 〔**disposítion**〕 〖법률〗 임의〔무상〕 양도. 「제.
vóluntary èxport restráint 수출 자율 규
vól·un·tary·ìsm *n.* Ⓤ **1** 임의 기부 제도《종교·학교 등의》. **2** 자유 지원병 제도. ㊉ **-ist** *n.*
vóluntary múscle 수의근(隨意筋).
vóluntary restráint agrèement (수출) 자율 규제 협정《생략: VRA》.
vóluntary schòol 《영》 임의 기부제 학교.
Vóluntary Sérvice Overséas 《영》 (개발도상국에 보내는) 해외 협력 봉사단《생략: VSO》.
vóluntary simplícity 자발적 검소《최소한의 소비와 환경에 대한 책임을 특징으로 함; 물질주의 거부의 철학〔생활 방식〕》.
*****vol·un·teer** [vàləntíər/vɔ̀l-] *n.* **1** 지원자, 자원 봉사자, 유지, 독지가; 〖군사〗 지원병, 의용병; 〖법률〗 임의 행위자; 무상 취득자: One ~ is worth two pressed men. 《속담》 지원병 한 사람은 징집병 두 사람보다 낫다/Are there any ~*s for* this work? 이 일을 자원해서 할 사람이 있느냐. **2** 자생(自生) 식물. **3** (V-) 미국 Tennessee 주의 주민《속칭》.
― *a.* **1** ~의〔에 의한〕, 자발적인: a ~ corps 의용군/a ~ police 자경단(自警團). **2** 〖식물〗 자생의: a ~ plant 〔wheat〕 자생 식물〔밀〕.
― *vi.* **1** 《+전+명》 자진하여 하다, 지원하다: ~ *in* an undertaking 자진하여 일을 맡다. **2** 《+전+명》 지원병〔의용병〕이 되다: ~ *for* service 병역을 지원하다. **3** (식물이) 자생하다. ― *vt.* 《~+목/+*to* do》 자진하여 맡다〔제공하다〕, 자발적으로 나서다: ~ an explanation 〔a remark〕 자진하여 설명하다〔말하다〕/~ *to* help others 딴 사람을 돕기를 자청하다.
voluntéer 〔**vóluntary**〕 **ármy** 의용군《생략: VOLAR》. 「런티어 활동.
vòl·un·téer·ism [-rizəm] *n.* 자유 지원제, 볼
Voluntéers of América 미국 의용군《구세군 비슷한 종교적 사회 사업 단체; 생략: VOA》.
Voluntéer Státe (the ~) 미국 Tennessee 주의 속칭.
vo·lup·tu·ary [vəlʌ́ptʃuèri/-əri] *a., n.* 주색(酒色)〔쾌락〕에 빠지는 (사람).
◇**vo·lup·tu·ous** [vəlʌ́ptʃuəs] *a.* **1** 육욕에 빠지는, 주색에 빠지는: lead a ~ life 방탕 생활을 하다. **2** 육욕을 자극하는; 육감적인, 도발적인; 요염한, 관능적인. ㊉ **~·ly** *ad.* **~·ness** *n.* **vo·lùp·tu·ós·i·ty** [-ásəti/-ɔ́s-] *n.*
vo·lute [vəlú:t] *n.* 〖건축〗 소용돌이《특히 이오니아 및 코린트식 기둥 머리 장식의》; 〖패류〗 고둥류. ― *a.* 소용돌이 모양의, 소용돌이 장식이 있는.
vo·lút·ed [-id] *a.* 소용돌이 꼴의, 나선상의; 나선상의 홈이 있는; 〖건축〗 소용돌이가 있는.
volúte sprìng 〖기계〗 용수철.
vo·lu·tion [vəlú:ʃən] *n.* Ⓤ,Ⓒ 와형(渦形), 소용돌이; (조개의) 나환(螺環); 선회, 회전.
vol·va [válvə/vɔ́l-] *n.* 〖식물〗 (버섯의) 덮개막.
Vol·vo [válvou/vɔ́l-] (*pl.* **~s**) *n.* 볼보《스웨덴 볼보 회사제 자동차》.
Vólvo's prodúction sỳstem 볼보 방식《벨트 컨베이어가 아닌 전동식 대차(臺車)를 써서 작업자의 작업 속도에 따라 자주적으로 대차를 움직여 조립하는 방식; 1974 년에 스웨덴의 Volvo 사가 첫 시도함》.
vol·vox [válvaks/vɔ́lvɔks] *n.* 〖동물〗 볼복스《편모충류(鞭毛蟲類)에 속하는 원생(原生)동물의 일종》. 「항 밀리암페어계(計)》.
VOM 〖전기〗 volt-ohm-milliammeter (전압 저
vo·mer [vóumər] *n.* 〖해부〗 (코의) 서골(鋤骨).
◇**vom·it** [vámit/vɔ́m-] *vi.* **1** 《~/+부》 토하다, 게우다《*forth; out; up*》. **2** 《~/+부/+전+명》 (굴뚝·화산 등이) 뿜어 내다, (연기·용암 등이) 분출하다: Black oil ~*ed out of* the well. 까만 기름이 유정에서 분출했다. ― *vt.* 《~+목/+목+부》 **1** 토하다, 게우다: ~ (*up*) what one has eaten 먹은 것을 토하다. **2** (연기 따위를) 뿜어내다; 분출하다, (욕설 따위를) 퍼붓다, 발사하다; 《미속어》 퇴학시키다; 《고어》 (토제(吐劑)로) 토하게 하다: ~ lava 용암을 분출하다/~ *forth* 〔*out*〕 smoke 연기를 토해 내다. ― *n.* Ⓤ,Ⓒ 구토(물), 게운 것; (토한 것처럼) 싫은 것〔사람〕; 분출; 토제. ㊉ **~·er** *n.*
vóm·it·ing *n.* Ⓤ 〖의학〗 구토(emesis).
vom·i·tive [vámitiv/vɔ́m-] *a.* =VOMITORY.
vóm·i·to (**négro**) [vámətòu(-)/vɔ́m-] 〖의학〗 (황열병 환자의) 검은 구토물.
vom·i·to·ri·um [vàmətɔ́:riəm/vɔ̀m-] (*pl.* **-ria** [-riə]) *n.* (고대 로마의) 원형 경기장(競技場) 출입구(vomitory).
vom·i·to·ry [vámətɔ̀:ri/vɔ́mitəri] *a.* 토하게 하는, 구토의. ― *n.* 방출구(放出口); 객석의 밑을 빠져 다니는 출입구《원형 극장·구장(球場) 따위의》; 토해 내는 사람〔것〕; 《폐어》 토제(吐劑).

vom·i·tous [vámətəs/vɔ́m-] *a.* 구역질나게 하는, 싫은.
vom·i·tu·ri·tion [vàmətʃəríʃən/vɔ̀m-] *n.* Ⓤ 〖의학〗 빈회(頻回) 구토, 구역질; 헛구역.「한 것.
vom·i·tus [vámətəs/vɔ́m-] *n.* 〖의학〗 구토; 토
von [fan/fɔn, 약 fən] *prep.* 《G.》 of, from의 뜻《귀족 가명의 앞에 씀》: Fürst(=Prince) ~ Bismarck 비스마르크 공(公).
von Braun [vanbráun/vɔn-] *n.* **Wernher** ~ 폰 브라운《독일 태생의 미국 로켓 과학자; 1912-77》.
V-óne, V-1 *n.* 보복 무기 제 1 호《독일이 제 2 차 대전 중 사용한 장거리 로켓 폭탄》.
Von Néumann compùter [vannɔimaːn-, -mən-/vɔn-] 〖컴퓨터〗 폰 노이만형 컴퓨터《헝가리 태생의 미국 수학자 Von Neumann이 제안한 기본 구성을 지닌 컴퓨터; 현재 대개 이 형임》.
von Wíl·le·brand's disèase [fɔːnvílə-brɑːnts-] 〖의학〗 빌레브란트병《(혈관) 혈우병》.
voo·doo [vúːduː] (*pl.* **~s**) *n.* Ⓤ 부두교(敎)《미국 남부 및 서인도 제도의 흑인 사이에 행해지는 원시 종교》; Ⓒ 무술(巫術)〔주술, 마술〕사; 주술; 주물(呪物). **—** *a.* 무술(사)의; 주술의; 부두교적인. **—** *vt.* 마술을 걸다.
vóo·doo·ìsm *n.* Ⓤ 부두교(의 마술). ㊞ **-ist** *n.* 부두교 신자〔마술사〕. **vòo·doo·ís·tic** *a.*
VOP valued as in original policy 〖보험〗 (협정 보험 가격은 원(原)증권대로). **VOR** very-high-frequency omnirange(초단파 전(全) 방향식 무선 표지(標識)).
vo·ra·cious [vɔːréiʃəs, və-/və-] *a.* **1** 게걸스레 먹는, 대식(大食)하는, 폭식하는. **2** 탐욕스러운, 물릴 줄 모르는: a ~ appetite 물릴 줄 모르는 식욕/a ~ reader 만족을 모르는 독서가. ㊞ **~·ly** *ad.* **~·ness** *n.*
vo·rac·i·ty [vɔːrǽsəti, və-/və-] *n.* Ⓤ 폭식, 대식(大食); 탐욕.
Vor·la·ge [G. fóɐlàːgə] *n.* 《G.》 〖스키〗 전경(前傾) 자세《내리받이의 활강(滑降) 자세》.
-vo·rous [vərəs] '…을 먹이로 하는'이란 뜻의 결합사: carni*vorous*, herbi*vorous*.
vor·tex [vɔ́ːrteks] (*pl.* **~·es, -ti·ces** [-təsìːz]) *n.* **1** 소용돌이, 화방수; 회오리바람: a ~ ring (담배 연기 등의) 와륜(渦輪). **2** (전쟁·논쟁 따위의) 소용돌이: in the ~ of war 전란의 소용돌이 속에. **3** 〖물리〗 와동(渦動).
vor·ti·cal [vɔ́ːrtikəl] *a.* 소용돌이치는, 소용돌이 같은, 회오리치는, 선회하는. ㊞ **~·ly** *ad.*
vor·ti·cel·la [vɔ̀ːrtəsélə] (*pl.* **-cel·lae** [-séliː]) *n.* 〖곤충〗 종벌레.
vor·ti·ces [vɔ́ːrtəsìːz] VORTEX의 복수.
vor·ti·cism [vɔ́ːrtəsìzəm] *n.* Ⓤ 〖회화〗 소용돌이주의《소용돌이로 그림을 구성하는 미래파(futurism)의 일파》; (데카르트 등의 우주 물질의) 와동설(渦動說). ㊞ **-cist** *n.* 소용돌이파의 화가; 와동설론자.
vor·tic·i·ty [vɔːrtísəti] *n.* 〖물리〗 소용돌이도(度)《유체의 소용돌이 운동의 세기와 그 축 방향을 나타내는 벡터》; (유체의) 소용돌이 운동 상태.
vor·ti·cose [vɔ́ːrtikòus] *a.* =VORTICAL.
vor·tig·i·nous [vɔːrtídʒənəs] *a.* 《고어》 소용돌이치는(vortical).
Vos·tok [vástak/vɔ́stɔk] *n.* 《Russ.》 (=east) 보스토크《옛 소련의 최초의 유인 위성선》.
vós·tro accóunt [vástrou-/vɔ́s-] 〖금융〗 (영국 은행의 외국 은행에 대한) 귀점계정(Your account); (일반적) 상대방 계정《외국에 있는 은행이 당점에 개설하고 있는 국내 통화 예금계정》.
vot·a·ble [vóutəbəl] *a.* 투표할 수 있는, 투표권이 있는; 투표로 결정할 수 있는.
vo·ta·ress [vóutəris] VOTARY의 여성형.
vo·ta·rist [vóutərist] *n.* =VOTARY.
vo·ta·ry [vóutəri] (*fem.* ***vo·ta·ress*** [-ris]) *n.* 신자, 독신자; (이상·주의 등의) 열성적인 지지자, 신봉자, 숭배자, 애호가, 심취자《*of*》: a ~ of golf 골프광.
⁑vote [vout] *n.* **1** 투표, 표결, 투표수: an open 〔a secret〕 ~ 기명〔무기명〕 투표/a plural ~ 〔*voting*〕 복수 투표〔투표제〕/a popular ~ 일반〔국민〕 투표/a spoilt ~ 무효표/a ~ of confidence 〔nonconfidence, censure〕 신임〔불신임〕 투표/poll a large 〔heavy〕 ~ 크게 득표하다/count the ~*s* 표수를 세다/pass by a majority of ~*s* 과반수로 통과하다/canvass for ~*s* 표모으기 운동을 하다/propose a ~ of thanks to a person 아무에 대한 감사 결의를 제안하다《박수 등으로 감사를 나타내도록 청중에게 제의하는》/one man one ~, 1인 1표(주의)/5 ~*s* in favor and 50 against 찬성 5표 반대 50표. ★ 투표 행위·투표 방식·득표수·총투표수 등을 포함함. **2** 〖집합적〗 …표, 지지; 선거인: the floating ~ 부동〔유동〕표/the farm ~ 농민표/lose the Negro ~ 흑인표를 잃다. **3** (종종 the ~) 투표권, 선거권, 참정권; (the ~) 의결권: Today women have the ~. 오늘날에는 여성은 선거권을 갖고 있다. **4** 《영》 결의 사항, 의결액(額): give the ~*s* the authority of law 결의 사항을 법제화하다/the ~ for defence expenditure 방위비 의결액. **5** (V-) 《영》 하원 일지, 의사록. **6** 《고어》 투표자, 유권자.
cast a* ~** 한 표를 던지다《*for; against*》. ***come* 〔*go, proceed*〕 *to the* ~** 표결에 부쳐지다. ***get out a* 〔*the*〕 ~** 《미》 예상 득표 획득에 성공하다. ***give* 〔*record*〕 *one's* ~ *to …에게 투표하다. ***have* ~*s* 〔*the* ~〕** 선거권을 갖다. ***in* 〔*by*〕 *a voice* ~** 《미》 만장일치(의 투표)로. ***pass the* ~** 의결하다. ***put*** (a question 〔bill〕) ***to the* ~** (문제를〔의안을〕) 표결에 부치다. ***take a* ~ *on*** …에 대하여 표결하다.
— *vi.* 《~/+보/+전+명》 **1** 투표하다《*for; in favor of; against; on*》: the right to ~ 투표〔선거〕권/~ *for* 〔*against*〕 the candidate 그 후보자에 대해 찬성〔반대〕 투표를 하다/*Vote* Republican. (=*Vote for* the Republican party.) 공화당에 투표하세요. **2** 자기 의견을 표명하다; 제안하다《*for*》: I ~ *for* stopping. 그만두는 게 어떻겠나. **—** *vt.* **1** 《~+목/+목+목/+목+전+명/+*to* do/+*that* 절》 투표하여 결정하다, 가결〔표결〕하다: ~ an appropriation 국고의 특별 지출을 가결하다/Congress ~*d* the President emergency powers 〔emergency powers *to* the President〕. 의회는 대통령에게 비상대권을 부여하기로 가결했다/We have ~*d to* establish〔*that* we (should) establish〕 dramatic clubs. 우리는 연극부를 만들기로 가결했다. **2** …에 투표하다; 투표해 선출하다: ~ the Republican ticket 공화당 지지표를 던지다/*Vote* Thatcher. 대처에게 투표하세요. **3** 《+목+보》 (세상 사람들이) …이라고 인정하다, 간주하다: The measure was ~*d* a failure. 그 방책은 실패라고 인정되었다. **4** 《+*that* 절》 《구어》 제의〔제안〕하다: I ~ (*that*) we (should) go to the theater tonight. 오늘 저녁 극장에 갑시다(=Let us go…).
~ *down* 부결하다 : The measure was ~*d down*, eight to one. 그 안은 8대 1로 부결됐다. **~ *in*** (아무를) 선출하다: He was ~*d in* by a majority of 100 against 60. 그는 100 대

60의 다수로 선출됐다. ~ **off** (아무를) 투표로 그만두게 하다. ~ a person **out** (**of** ...) 아무를 투표에 의해(…으로부터) 추방하다. ~ **... through** (의안 등)을 투표로 통과시키다, 가결하다. ~ **with** one**'s feet** 《구어》 출석〔퇴장〕함으로써 의사 표시를 하다, 《특히》 퇴장하여 반대 의사를 표시하다. ㊔ **~·a·ble** *a.* =VOTABLE.

vo-tech [vóutèk] *a.* 《구어》 (교과목으로서) 기술(과)의(vocational-technical).

vóte-gètter *n.* 《구어》 선거에서 표를 잘 모으는 사람, 인기 있는 후보자.

vóte·less *a.* 투표권〔선거권〕이 없는.

*__vot·er__ [vóutər] *n.* 투표자, 선거인; 유권자.

vót·ing *n.* Ⓤ 투표(권 행사), 선거: a ~ district 선거구.

vóting àge 선거권 취득 연령, 투표 연령.

vóting bòoth 《미》 (투표장의) 기표소(《영》 polling booth).

vóting machìne (자동식) 투표 계산기.

vóting pàper (특히 영국 의회에서 쓰는) 투표 용지(ballot).

Vóting Ríghts Àct 《미》 투표권법《흑인 및 소수 민족의 선거권 보장을 목적으로 함》.

vóting stòck 〖경제〗 의결권주(議決權株).

vo·tive [vóutiv] *a.* (맹세를 지키기 위해) 봉납한, 봉헌의; 기원을 드린, 서원(誓願)의: a ~ picture 〔tablet〕 봉헌도(圖)〔봉납 액자〕/a ~ pilgrimage 순례. ㊔ **~·ly** *ad.* **~·ness** *n.*

vo·tress [vóutris] *n.* 《고어》 =VOTARESS.

VO_2 máx 최대 산소 유효량(=**VO2max, VO2 max**)《일정 시간 내에 사람이 이용할 수 있는 최대 산소량》. [◂ *max*imum *v*olume of *o*xygen]

vou. voucher.

vouch [vautʃ] *vi.* 《+전+명》 보증하다, 증인이 되다《*for*》; 단언하다《*for*》: ~ *for* a person's honesty 아무의 정직함을 보증하다/~ *for* the truth of a person's story …의 말이 사실임을 보증하다. **—** *vt.* 보증〔증언〕하다, …의 보증인이 되다; 입증하다; 증거 서류를 검토하여 (거래를) 인증하다, (지급)의 필요를 입증하다; (아무를) 보증인으로 소환하다; 《고어》 (사례·서적을) 예증으로 제시하다, 인증하다; 《고어》 단언〔확언〕하다.

vouch·ee [vautʃíː] *n.* 피보증인.

vóuch·er *n.* 증인, 보증인, 증명자; 증거물; 증서; 영수증〔서〕, (거래) 증빙(서); (현금 대용의) 상환권, 상품권(coupon); 할인권: a hotel ~ 숙박권/a gift ~《영》 상품권/⇨LUNCHEON VOUCHER. **—** *vt.* 증명하다; 〖상업〗 …에 대한 거래 증표를 만들다.

vóucher plàn 《미》 교육 바우처 계획〔제〕《사립 학교의 수업료 대신에 공적인 지불 증서를 적용할 수 있는 제도》.

vóucher sỳstem 〖상업〗 증빙식 제도; 〖미교육〗=VOUCHER PLAN.

vouch·safe [vautʃséif] *vt.* 《~+목/+목+목/+*to* do》 허용하다, 주다, 내리다; …해주시다: He ~*d* a reply. 그분은 대답을 해주셨다/*Vouchsafe* me a visit. 왕림해 주시기를 바랍니다/He ~*d to* attend the party. 그분이 파티에 참석해 주셨다. ㊔ **~·ment** *n.* 허락함, 허용.

vouge [vuːʒ] *n.* 〖영국사〗 도끼 비슷하고 자루가 긴 무기.

vous·soir [vuːswáːr] *n.* Ⓤ,Ⓒ (F.) 〖건축〗 홍예돌《아치용 쐐기 모양의 돌》.

*__vow__ [vau] *n.* **1** 맹세, 서약: make a ~ of secrecy 〔*to* give up smoking〕 비밀을 누설하지 않을 것〔금연〕을 맹세하다/Jenny and I recited the marriage ~*s*. 제니와 나는 결혼 서약을 낭독하였다. SYN. ⇨PROMISE. **2** (수도 생활에 들어가는, 또는 계율을 지키는) 서원(誓願): baptismal ~*s* 세례 시의 서약/monastic ~*s* 수도 서원《청빈·동결(童潔)·순명 등을 맹세함》. **be under a ~ to** do …할 것을 맹세하고 있다, 기원하고 있다. **take ~s** 종교단의 일원이 되다, 수도 생활에 들어가다. **the ~ of silence** (마피아의) 침묵의 서약《붙들려도 입을 열지 않는다는》.

— *vt.* **1** 《~+목/+*that* 절/+*to* do》 맹세하다, 서약하다: ~ revenge 복수를 맹세하다/~ *to* work harder 더욱 열심히 일할 것을 맹세하다/They ~*ed that* they would fight against the invaders. 그들은 침략자와 싸우겠다고 맹세했다. **2** 《+목+전+명》 신에 맹세하고 바치다, 헌신하다: ~ oneself *to* the service of God 신에게 일생을 바칠 것을 서약하다. **3** 《+*to* do/+*that* 절》 …이라고 언명〔단언〕하다: He ~*ed* (*that*) he would 〔He ~*ed to*〕 take the matter to court. 그는 그 문제를 재판에 부치겠다고 단언했다. **—** *vi.* (신에게) 맹세하다; 《고어》 언명〔단언〕하다. **~ and declare** 《고어》 (맹세하여) 단언하다.

㊔ **~·er** *n.* 맹세하는 사람, 서약자. **~·less** *a.*

*__vow·el__ [váuəl] *n., a.* 모음(의); 모음 글자, 모음자(母音字). OPP. *consonant*. **the Great Vowel Shift** 모음 대추이(大推移)《중세 영어에서 근대 영어로의 발전 과정에서, 일반적으로 장(長)모음이 협모음화(狹母音化)하여, 다시 이중모음화된 현상: name [náːmə] → [neːm] [neim]》.

㊔ **vów·elled** *a.* 모음이 있는. **~·less** *a.* 모음이 없는. **~·ly** *a.* 모음이 많은.

vówel gradátion 〖언어〗 =ABLAUT.

vówel hármony 〖언어〗 모음 조화《핀란드말·헝가리말·터키말 등의》.

vów·el·ìze *vt.* 〖언어〗 모음 부호를 붙이다《히브리말·속기 문자 등에》; (자음을) 모음화하다.

㊔ **vòw·el·i·zá·tion** *n.* 모음화.

vówel·lìke *a.* 모음적인, (자음이) 음절 형성적인《bottle [bátl/bɔ́tl]의 l 따위》.

vówel mutátion 〖언어〗 =UMLAUT.

vówel pòint 모음 부호《히브리말 등에서 모음을 표시하는 점》.

vówel rhỳme 〖운율〗 모음운(韻).

vówel sòund 〖음성〗 모음.

vówel sỳstem 〖음성〗 (한 언어·어족의) 모음 조직.

Vox [vaks/vɔks] *n.* 《CB속어》 교신(交信)의 전환이 음성으로 작동 제어되는 장치.

vox (*pl.* **vo·ces** [vóusiːz]) *n.* 《L.》 목소리, 음성; 말.

vóx bár·ba·ra [-báːrbərə] (학술 용어 등에 쓰이고 있는) 신조(新造) 라틴어.

vóx hu·má·na [-hjuːméinə, -máː-/-máː-] 인간의 목소리; 〖음악〗 (오르간의) 인성 음전(人聲音栓).

vóx póp [-páp/-pɔ́p] 《구어》 (라디오·텔레비전 등에 수록되는) 거리〔시민〕의 소리.

vóx pó·pu·li [-pápjəlài/-pɔ́p-] 민성(民聲), 여론《생략: vox pop.》.

vóx pópuli, vóx Déi [-váks-díːai, -déii/-vɔ́ks-] 《L.》 백성의 소리는 하느님의 소리.

__voy·age__ [vɔ́iidʒ] *n.* **1 항해, 항행, 《특히》 긴 배 여행: a ~ round the world 세계 일주 항해/a rough ~ 난항/make a ~ 항해하다. SYN. ⇨JOURNEY. **2** 하늘의 여행《비행기에 의한》; 우주 여행. **3** (보통 *pl.*) 여행기, 《특히》 항해기: the ~*s of* Marco Polo. **4** 〔일반적〕 여행. **go on a ~** 항해길에 나서다. **on the ~** 항해 중. **—** *vi., vt.* **1** 항해하다, 배로 여행하다, 항행하다. **2** (비행기로) 하늘 여행을 하다. ㊔ **~·a·ble** *a.* 항행〔항해〕할 수 있는.

vóyage chárter (계약에 의한 임대) 항해 용선(傭船).

vóyage pòlicy 항해 보험 증권.

voy·ag·er [vɔ́iidʒər] *n.* 항해자, 항행자; 모험적 항해자; 여행자; (V–) 〚우주〛 보이저《미국의 목성·토성 탐사 위성》.

vo·ya·geur [vwɑ̀:jɑ:ʒə́:r] *n.* 《F.》 캐나다·미국 북서부에서 모피 회사에 고용되어 인원·물자 수송에 종사하던 선원; 캐나다의 뱃사공.

voy·eur [vwɑ:jə́:r/vwaiə́:] *n.* 《F.》 (성적으로) 엿보는〔훔쳐보는〕 취미를 가진 사람. ㊕ **~·ism** *n.* 훔쳐〔들여다〕보는 취미, 관음증(觀淫症); 훔쳐보는 행위. **~·is·tic** [vwɑ̀:jəríst ik/vwàiə:-] *a.* 훔쳐보는 취미의, 관음증의.

VP verb phrase. **V.P., V. Pres.** Vice President. **v.p.** variable pitch; various places; verb passive.

V́-párticle *n.* 〚물리〛 V 입자(粒子)《V 자 모양의 비적(飛跡)을 나타내는 입자로 K 중간자 따위》.

VPF 〚우주〛 vertical processing facility(수직형 정비탑). **VPL** visible panty line《의복의 겉으로 드러난 여성의 팬티선(線)》. **VR** vicar rural; virtual reality (가상 현실(감)); vocal resonance; voltage regulator (전압 조정기); voltage relay. **V. R.** *Victoria Regina* 《L.》 (= Queen Victoria). **v.r., v.refl.** verb reflexive. **VRA** voluntary restraint agreement(자율(自律) 규제 협정).

vrai·sem·blance [F. vʀɛsɑ̃blɑ̃:s] *n.* 《F.》 정말 같음, 그럴듯함, 진실인 듯함.

VRC 〚컴퓨터〛 vertical redundancy check (수직 중복 검사). **V.R.D.** 《영》 Volunteer Reserve Decoration. **v. refl.** verb reflexive. **V. Rev.** Very Reverend. **VRML** 〚컴퓨터〛 virtual reality modeling language(가상 현실 모델 언어)《인터넷 www 상에서 가상 공간을 실현하기 위한 기술 언어》.

vroom [vru(:)m] *n.* 부릉부릉《엔진 소리》. — *vi.* 부릉부릉 소리를 내다. 「(Mrs.).

vro(u)w [vrau] *n.* 《D.》 아내; 여자; …부인

VRS video response system. **vs.** verse; versus 《L.》 (=against). **V. S.** Veterinary Surgeon. **v.s.** *vide supra* 《L.》 (=see above). **VSB** vestigial side band(잔류 측파대(側波帶)). **VSBC** 〚컴퓨터〛 very small business computer (업무용 초소형 컴퓨터).

V́-shàped [-t] *a.* V 자형〔모양〕의, V 자형 단면(斷面)의.

V́ sìgn 승리의 손가락 표시《손등을 바깥쪽으로 향하게 하면 경멸의 표시》.

V́-six, V-6 *n.* V 형 6 기통 엔진(의 차). — *a.* (엔진이) V 형 6 기통의.

V.S.O. very superior 〔special〕 old《브랜디의 특급; 보통 12–17 년 저장》; 《영》 Voluntary Service Overseas. **V.S.O.P.** very superior 〔special〕 old pale 《브랜디의 특상급; 보통 18–25 년 저장; cf. V.V.S.O.P》. **vss.** verses; versions.

V/STOL, VSTOL [ví:stɔ̀(:)l, -stòul, -stɑ̀l] *n.* 〚항공〛 V/STOL기《VTOL기와 STOL기의 총칭》. [◂ *v*ertical *s*hort *t*ake*o*ff and *l*anding]

VT variable time. **V.T.** vacuum tube; voice tube. **Vt.** 〚미우편〛 Vermont. **vt., v.t.** verb transitive. **V-T** 《영》 video tape. 「*fuze*]

V́T fùze =PROXIMITY FUZE. [◂ *v*ariable *t*ime

VTO 〚항공〛 vertical takeoff(수직 이륙).

VTOL [ví:tɔ̀:l] *n.* 〚항공〛 수직 이착륙기, VTOL 기. [◂ *v*ertical *t*ake*o*ff and *l*anding]

VTOL·port [-pɔ̀:rt] *n.* 〚항공〛 VTOL 기 이착륙장(vertiport).

VTP videotape player. **VTR** videotape recording 〔recorder〕(비디오테이프 녹화〔녹화기〕).

V́-twélve, V-12 *n.* V 형 12 기통〔V12〕 엔진; V12 엔진의 차. — *a.* (엔진이) V 형 12 기통의.

V́-twó, V-2 *n.* V-2 호《보복 무기 제 2 호; 제 2 차 세계 대전 중 V-1 다음으로 독일이 사용한 로켓 폭탄》.

V́-tỳpe èngine V 형 엔진《기통을 두 줄로 V 자 형으로 배치한 자동차 등의 엔진》.

VU, V.U. volume unit.

Vul·can [vʌ́lkən] *n.* 〚로마신화〛 불카누스《불과 대장장이의 신》. ~ ***powder*** 폭약의 일종.

Vul·ca·ni·an [vʌlkéiniən] *a.* **1** Vulcan 신의; 철공〔대장장이〕의. **2** (v–) 벌컨식(式) 분화의.

Vul·can·ic [vʌlkǽnik] *a.* =VULCANIAN.

vul·ca·nist [vʌ́lkənist] *n.* 암석 화성론자(火成論者).

vul·can·ite [vʌ́lkənàit] *n.* Ⓤ 경질(硬質)고무, 에보나이트. 「黃物).

vul·can·i·zate [vʌ́lkənizèit] *n.* Ⓤ 가황물(加

vul·can·ize [vʌ́lkənàiz] *vt.* (고무를) 고온도에서 가황 처리〔경화(硬化)〕하다, 가황(加黃)하다; 열(熱)과 화학 약품으로 녹여서 수선하다《고무·타이어 따위를》. ㊕ **-ìz·a·ble** *a.* **-ìz·er** *n.* 가황 처리를 행하는 사람; 가황 장치. **vùl·can·i·zá·tion** *n.* 가황.

vúl·can·ìzed *a.* 가황(처리)한; 《미속어》 취한: ~ rubber 가황 고무.

vúlcanized fíber 벌커나이즈드 파이버《종이나 천을 염화아연으로 경화시킨 것; 전기 절연물 따위에 씀》.

vul·can·ol·o·gy [vʌ̀lkənɑ́lədʒi/-nɔ́l-] *n.* =VOLCANOLOGY. ㊕ **-gist** *n.*

Vul(g). Vulgate. **vulg.** vulgar; vulgarly.

vul·gar** [vʌ́lgər] *a.* **1** 저속한, (교양·취미 따위가) 야비한, 속된, 비천한; 대중의, 서민의: a ~ mind 저속한 마음(을 가진 사람) / ~ words 비어(卑語) / a ~ fellow 저속한 사내, 속물. **2** 통속적인, 세속의, 일반적으로 유포된: the ~ opinion of the day 오늘날의 통속적인 견해 / ~ errors 일반에게 잘못 인식되어 있는 일 / ~ superstitions 세속의 미신. **3** (종종 V–) (언어가) 대중이 사용하는, 자국의: the ~ tongue 〔speech〕 (옛날 특히 라틴말에 대하여) 제 나라 말; 대중이 쓰는 말. **4** 평범한, 바뀐 보람이 없는: a ~ death 평범한 죽음 / the ~ course of events 사건의 정해진 진전. ***the ~ (***herd***) 일반 백성, 서민, 하층 계급. — *n.* 《고어》 평민, 서민; 《폐어》 제 나라 말. ㊕ **~·ly** *ad.* **~·ness** *n.*

vúlgar éra (the ~) =CHRISTIAN ERA.

vúlgar fráction =COMMON FRACTION.

vul·gar·i·an [vʌlgɛ́əriən] *n.* 속물, 속인; 《특히》 상스러운 어정뱅이.

vúl·gar·ìsm *n.* Ⓤ 야비(vulgarity); 문법적으로 파격적인 어법〔표현〕; Ⓒ 상말, 야비한〔외설한〕 말.

vul·gar·i·ty [vʌlgǽrəti] *n.* Ⓤ 속악, 야비, 비속성(卑俗性); (종종 *pl.*) 무례한 언동.

vúl·gar·ize *vt.* 보급시키다, 평이하게 하다; 속화하다, 속악하게 하다, 상스럽게 하다. ㊕ **vùl·gar·i·zá·tion** *n.* Ⓤ

Vúlgar Látin 통속 라틴말《classical Latin 에 대하여 일반 대중이 사용한 라틴말》.

vul·gate [vʌ́lgeit, -gət] *n.* **1** (the V–) 불가타 성서《4 세기에 된 라틴어역 성서》. **2** 유포본(流布本); 표준적인 해석, 통설; (the ~) 통속적인 말, 일상어; (the ~) (표준어가 아닌) 비속한 말. — *a.* (V–) 불가타 성서의; 일반적으로 통용〔유포〕되고 있는.

vul·gus [vʌ́lgəs] *n.* **1** (the ~) 평민, 서민. **2** (*pl.* **~·es**) 《영학생속어》 라틴말 또는 그리스말의 시작 과제집(詩作課題集).

vul·ner·a·ble [vʌ́lnərəbəl] *a.* 상처를 입기 쉬운; 비난〔공격〕받기 쉬운, 약점이 있는; (유혹·설득 따위에) 약한; 〖카드놀이〗 브리지에서 세 판 중에 한 판을 이기고 있는: be ~ *to* criticism 비판받기 쉽다. ㊞ **-bly** *ad.* **~·ness** *n.* **vùl·ner·a·bíl·i·ty** *n.* Ⓤ 상하기 쉬움; 비난〔공격〕받기 쉬움, 약점, 취약성(脆弱性).

vúlnerable spécies (동식물의) 감소종(種), 요주의 종(種). ★ 특히 threatened species, endangered species 의 순으로 절멸의 우려가 많아짐.

vul·ner·ary [vʌ́lnərèri/-rəri] *a.* 상처를 고치는 데 쓰는, 상처에 바르는. **—** *n.* Ⓤ 외상(外傷)약, 상처 치료법.

vul·pe·cide, -pi- [vʌ́lpəsàid] *n.* 《영》 Ⓤ (사냥개를 쓰지 않는) 여우 죽이기; Ⓒ 그렇게 여우를 죽이는 사람, 여우 사살자.

Vul·pec·u·la [vʌlpékjələ] *n.* 〖천문〗 여우자리 《생략: Vul》.

vul·pec·u·lar [vʌlpékjələr] *a.* =VULPINE.

vul·pine [vʌ́lpain] *a.* 여우의, 여우 같은; 간교한, 교활한(cunning).

vul·pi·nite [vʌ́lpənàit] *n.* Ⓤ 석고옥(石膏玉) 《장식용》.

°**vul·ture** [vʌ́ltʃər] *n.* **1** 〖조류〗 독수리; 콘도르. **2** 《비유》 탐욕스러운 사람, 욕심쟁이: ~ capitalist 《경멸》 모험 자본가. ㊞ **~-like** *a.* =VULTURINE.

vulture 1

vúlture fùnd 〖금융〗 벌처 펀드 《이용하지 않는 건물, 비어 있는 건물, 말썽이 있는 부동산을 헐값으로 매입하여, 운영·관리의 개선에 의하여 부동산 가격을 높일 목적으로 투자하는》.

vul·tur·ine, vul·tur·ous [vʌ́ltʃəràin], [vʌ́ltʃərəs] *a.* 독수리 같은; 탐욕스러운.

vul·va [vʌ́lvə] (*pl.* **-vae** [-viː], **~s**) *n.* 〖해부〗 외음(外陰), 보지, 음문(陰門). ㊞ **~l, ~r** [-vəl], [-vər] *a.*

vul·vate [vʌ́lveit, -vət] *a.* 음문〔외음(外陰)〕의, 음문〔외음〕과 같은.

vul·vi·form [vʌ́lvəfɔ̀ːrm] *a.* 〖식물·해부〗 음문〔외음〕과 같은 모양의.

vul·vi·tis [vʌlváitis] *n.* 〖의학〗 (여성의) 외음염(外陰炎).

vul·vo·vag·i·ni·tis [vʌ̀lvouvæ̀dʒənáitis] *n.* 〖의학〗 외음부 질염(膣炎).

vum [vʌm] (**-mm-**) *vi.* 《미방언》 맹세하다(vow).

vup [vʌp] *n.* 《속어》 중요하지 않은 사람(very unimportant person). ⓒⓕ VIP.

Vu·zak [vjúːzæk] *n.* 계속 변화하는 만화경 같은 전자 영상을 스크린에 비추는 시스템 《공항·철도역 대합실에 주로 설치》. ⓒⓕ Muzak.

vv. verbs; verses; violins; volumes. **v.v.** vice versa. **VVA** 《미》 Vietnam Veterans of America (베트남 전쟁 참전 재향 군인). **vv. ll.** *variae lectiones* 《L.》 (=variant readings). **V.V.S.O.P.** very very superior old pale 《보통 25-40년 저장한 브랜디; ⓒⓕ V.S.O., V.S.O.P.》. **VW** Volkswagen. **V.W.** Very Worshipful.

VX [vìːéks] *n.* VX 가스(=∠ **gàs**) 《피부·폐를 통하여 흡수되는 미군의 고치사성(高致死性) 가스》.

v.y. 〖서지(書誌)〗 various years.

Vy·cor [váikɔːr] *n.* 바이코어 《내열성이 우수한 고규산(高珪酸) 유리; 상표명》.

vy·ing [váiiŋ] VIE 의 현재분사. **—** *a.* 다투는, 경쟁하는, 겨루는 《with》. ㊞ **~·ly** *ad.* 겨루어, 다투어.

Vy·shin·sky, Vi- [viʃínski] *n.* **Andrei Yanuarievich** ~ 비신스키 《옛 소련의 법률가·정치가; 외상(1949-53); 1883-1954》.

Vyv·yan [vívjən] *n.* 비비언. **1** 남자 이름. **2** 여자 이름.

W

W, w [dʌ́bljuː, -lju] (*pl.* **W's, *Ws*, w's, *ws*** [-z]) **1** 더블유《영어 알파벳의 스물셋째 글자》. **2** W자 모양(의 것); 제23번째(의 것)(J를 빼면 22번째). ★ W는 UU의 겹자로 된 것으로 12세기경부터 일반화됨.

W 〖전기〗 watt(s); west; western; 〖화학〗 wolfram《G.》(=tungsten). **W.** Wales; Wednesday; Welsh; withdrawn; withdrew; women's (size). **W., w.** warden; warehouse; west; western. **w.** 〖전기〗 watt(s); week(s); weight; wide; width; wife; with; won; 〖물리〗 work. **₩** won. **W/** 〖상업〗 with.

Wa [wɑː] (*pl.* **~s** (《집합적》 ~)) *n.* 와족(의 한 사람)《미얀마 북동부에서 중국 윈난(雲南)성에 사는 농경 민족; 20세기 중반까지 사람 사냥의 습속이 있었음》; Ⓤ 와족의 언어《Mon-Khmer 어족의 하나》.

WA 〖미우편〗 Washington. **W.A.** West Africa; Western Australia; 〖해상보험〗 with average 분손(分損) 담보. **W.A.A.** 《미》 War Assets Administration.

Waac [wæk] *n.* 《영》 WAAC의 대원.

WAAC [wæk] 《영》 Women's Army Auxiliary Corps((1차 대전 때의) 육군 여자 보조 부대) 《ATS의 전신》; 《미》 Women's Auxiliary Army Corps《WAC의 전신》.

Waaf [wæf] *n.* 《영》 WAAF의 대원.

WAAF [wæf] 《영》 Women's Auxiliary Air Force(공군 여자 보조 부대)《현재는 WRAF》.

Waals ⇨ VAN DER WAALS.

wab·bit [wǽbit] *a.* 《Sc.》 피로한, 지친.

wabble ⇨ WOBBLE.

Wac [wæk] *n.* 《미》 WAC의 대원.

WAC [wæk] 《미》 Women's Army Corps(육군 여성 부대).

wack [wæk] *n.* 《미속어》 이상한〔묘한〕 녀석. ***off* one's ~** 《속어》 미친, 머리가 돈. **— *a.*** **1** 아주 나쁜, 지독한. **2** 극단적인, 극심한.

wacke [wǽkə] *n.* 〖암석〗 왜커《점토기질 사암(粘土基質砂岩)》.

wacko [wǽkou] *a.*, (*pl.* **~s**) *n.* 《미속어》 = WACKY.

wacky [wǽki] (***wack·i·er; -i·est***) *a.*, *n.* 《속어》 괴짜(인), 이상한 (놈), 괴팍스러운 (놈), 엉뚱한 (놈). ㊕ **wáck·i·ly** *ad.* **-i·ness** *n.*

WACL World Anti-Communist League.

Wa·co [wéikou] *n.* 웨이코《미국 Texas 주 중부의 도시; 목화 재배 중심지》.

wad[1] [wɑd/wɔd] *n.* **1** (건초·삼 부스러기·껌·종이 등 부드러운 것을 둥글린) 뭉치, 다발: a ~ of chewing gum 〔tobacco〕 껌〔씹는 담배〕 한 덩이. **2** 채워〔메워〕 넣는 물건, 속 넣는 솜, 패킹; 〖총기〗 총〔탄약〕의 화약 마개《총구 장전식 총의 화약이 약실에 고정하도록 채워 넣는 솜 뭉치 따위》; 《영속어》 롤빵, 샌드위치. **3** 지폐 뭉치; 서류 다발; 《영방언》 (건초·짚 등의) 작은 다발. **4** (종종 *pl.*) 다량, (상당한) 돈, 대금. ***blow* one's ~** 《속어》 가진 돈을 다 날리다. ***shoot* one's ~** 《미속어》 가진 돈을 다 날리다; 생각하고 있는 것을 다 지껄이다; 끝내 버리다, (성교에서) 사정하다. **— (*-dd-*)** *vt.* 《~+목/+목+부/+목+전+명》 (작은 덩이로) 뭉치다; (충전물을) 채워 넣다, 틀어막다; 솜을 넣다; (총에) 알마개를 틀어넣다; (탄환·화약을) 재다; (구멍을) 충전물로 막다: a ~*ded* dressing gown 솜을 둔 실내복 / ~ one's ears 귀를 틀어막다 / ~ *up* a piece of paper and throw it away 종이를 뭉쳐서 던지다 / He is ~*ded with* conceit. 그는 자만심(自慢心)을 갖고 있다.

wad[2] *n.* Ⓤ 망간흙〔토(土)〕.

wad·a·ble [wéidəbəl] *a.* (강 따위를) 걸어서 건널 수 있는.

wad·ding [wɑ́diŋ/wɔ́d-] *n.* Ⓤ,Ⓒ **1** 채우는 물건; Ⓤ 옷 솜. **2** (총포의) 충전물 재료.

wad·dle [wɑ́dl/wɔ́dl] *vi.* 비척비척〔비틀비틀, 어기적어기적〕 걷다: ~ into port (배가) 뒤뚱거리며 입항하다. **— *n.*** Ⓤ (종종 a ~) 비틀걸음, 어기적어기적 걸음: with a ~ 비척〔어기적〕거리며. ㊕ **-dler** *n.* **-dling·ly** *ad.*

wad·dy[1] [wɑ́di/wɔ́di] *n.* 곤봉《오스트레일리아 원주민의 무기》; 나무 막대, 지팡이, 나무못, 말뚝. **— *vt.*** ~로 공격하다〔때리다, 죽이다〕.

wad·dy[2] *n.* 《미서부》 카우보이.

wade** [weid] *vi.* 《+전+명》 **1** (강 따위를) 걸어서 건너다, 도섭(徒涉)하다: ~ *across* a river 강을 걸어서 건너다. **2** (진창·눈길·모래밭·풀숲 따위를) 힘들여 걷다, 간신히 지나다《*across; into; through*》: ~ *through* the mud 진흙탕 속을 걷다 / ~ *into* the crowd 군중 속을 헤쳐 나아가다. **3** 《비유》 힘들여〔애써서〕 나아가다《*through*》: ~ *through* a dull book 재미없는 책을 겨우 다 읽다 / ~ *through* slaughter 〔blood〕 to the throne 유혈 참극을 벌인 끝에 왕위에 오르다. **4** 《구어》 힘차게 달려들다, 맹렬히 공격하다〔일하다〕《*in; into*》. **— *vt. 걸어서 건너다, 힘들여 지나가다. **~ *in*** 얕은 여울로 들어서다; 《구어》 의욕적으로 참가하다; 간섭하다; 《구어》 세차게 공격하다; (~ *in* ...) = ~ *into*... ①, ②. **~ *into*...** 《구어》 ① (일 등) 힘차게 착수하다. ② 맹공격하다; …와 싸우다. ③ ⇨*vi.* 2. **— *n.*** **1** (흔히 a ~) (물 따위의 속을) 걸어서 건넘; 애쓰며 나아감. **2** 여울.

Wáde(-Gíles) sỳstem [wéid(dʒáilz)-] 웨이드식(式)《중국어의 로마자 표기법의 하나; Sir Thomas F. Wade(1818-95)가 고안하고, H.A. Giles(?-1935)가 중영 사전에 사용》.

wad·er [wéidər] *n.* (여울 따위를) 걸어서 건너는 사람; 〖조류〗 =WADING BIRD; (*pl.*) 《영》 (낚시할 때 신는) 방수 장화; (가슴까지 오는) 방수복.

wadge [wadʒ/wɔdʒ] 《영구어》 *n.* 다발, 덩이; 케이크 한 조각.

wa·di, wa·dy [wɑ́di/wɔ́di] *n.* 〖지학〗 와디《아라비아·시리아 등의 우기(雨期) 이외에는 물이 없는 강, 내》; 오아시스.

wáding bìrd 〖조류〗 섭금류(涉禽類)의 새.

wáding pòol (공원 등지의) 어린이 물놀이터.

wad·mal, -mol, -mel [wɑ́dməl/wɔ́d-] *n.* 조모(粗毛) 직물《영국의 여러 섬과 Scandinavia에서 보호·방한에 쓰이는》.

WADS Wide Area Data Service(광역 데이터 전송(傳送) 서비스). **W.A.E., w.a.e.** when actually employed.

Waf [wæf] *n.* 《미》 WAF의 대원.

WAF [wæf] 《미》 Women in the (United States) Air Force(공군 여자 부대). **w.a.f.**

〚상업〛 with all faults(손상 보증 없음).

◇**wa·fer** [wéifər] *n.* **1** 웨이퍼《살짝 구운 과자의 일종》. **2** 〚의학〛 cachet제(劑)(=∠ **càp·sule**)《약을 넣거나 싸서 먹기 위한 보조제》. cf. cachet. ¶ ~ paper (sheet) 오블라토. **3** 〚가톨릭〛 성체, 제병(祭餠). **4** 얇고 납작한 것; 봉함지; 봉함풀, 풀종이: (as) thin as a ~ 몹시 얇은. **5** 〚전자·컴퓨터〛 회로판《집적 회로의 기판(基板)이 되는 실리콘 등의 박편(薄片)》. ── *vt.* 봉함풀〔봉함지〕로 봉하다, 풀종이로 붙이다; (건초 따위를) 얇게 눌러 굳히다; 〚전자〛 (실리콘 막대 따위를) 웨이퍼로 만들다. 파 **~·like, wá·fery** [-fəri] *a.* 웨이퍼 모양의; 얇은.

wáfer-thín *a.* 매우 얇은; 《비유》 근소한 차이의: a ~ victory.

waff [wæf, wɑːf] 《Sc.》 *vt., vi.* 흔들리게 하다; 펄럭이다. ── *n.* 진동, 펄럭임; 확 풍기는 냄새; 한 번 휙 불기; 한 번 보기; 유령.

waf·fle[1] [wáfəl/wɔ́fəl] *n.* 와플《밀가루·달걀·우유를 섞어 말랑하게 구운 케이크》. ── *a.* 격자 무늬의(=**wáf·fled**).

waf·fle[2] 《구어》 *vt., vi.* (…에 대해) 애매〔모호〕하게 말하다〔쓰다〕《*on; about*》. ── *n.* 애매〔모호〕한 말, 어정쩡한 말.

waf·fle[3] 《영》 *vi.* 미련하게〔목적 없이〕 말하다; 말을 질질 끌다; 쓸데없는 이야기로 시간을 헛되이 보내다《*on*》. ── *n.* 《구어》 알맹이 없는 말, 쓸데없는 말, 지껄이는 소리.

wáffle ìron 와플 굽는 틀.

wáffle stòmpers 《미속어》 (투박한 모양의) 하이킹 구두.

waf·fling [wáfəliŋ/wɔ́fəl-] *a.* 《구어》 모호한, 엉거주춤한.

W. Afr. West Africa(n).

◇**waft** [wæft, wɑːft/wɑːft] *vt.* 《~+목/+목+부/+목+전+명》 (물체·소리·냄새 따위를) 부동(浮動)시키다, 감돌게 하다; 가볍게 나르〔보내〕다: ~ a kiss 키스를 던지다/The aroma of coffee *was* ~*ed in.* 커피 향기가 풍겨 왔다/The breeze ~*ed* the sound of music *to* us. 산들바람을 타고 음악 소리가 들려왔다. ── *vi.* 《+전+명/+부》 부동하다, 떠돌다; 키스를 던지다: Songs of birds ~*ed on* the breeze *from* the woods. 미풍을 타고 새의 지저귐이 숲에서 들려왔다/The smell ~*ed off.* 냄새가 흩어져 사라졌다. ── *n.* **1** U.C 풍기는〔떠도는〕 향기; C 한바탕 부는 바람; 바람을 타고 오는 소리. **2** (연기·김 따위의) 한 번 일기; 한순간의 느낌: a ~ of joy 한순간의 기쁨. **3** 흔들림, 펄럭임; 손짓; (새의) 날개치기. **4** 〚해사〛 (흔히 매어 놓은) 신호기(旗)(에 의한 신호), 풍향용 기: make a ~ 신호로 기를 올리다.

waft·age [wǽftidʒ, wǽft-/wɑ́ːft-] *n.* 부동(浮動), 떠돎, 부유(浮遊), 이동. 「기의) 날개.

wáft·er *n.* 불어 보내는 사람〔것〕, 《특히》 (송풍

waf·ture [wɑ́ːftʃər, wǽf-/wɑ́ːf-] *n.* 흔들리는〔떠도는〕 운동〔동작〕; 바람〔해류〕에 떠도는 것.

__wag__ [wæg] (-gg-*) *vt.* **1** (꼬리 따위를) 흔들어 움직이다, 흔들다: The dog ~*ged* his tail. 개가 꼬리를 흔들었다. **2** (수다 등으로) (혀·턱을) 연방 움직이다. **3** (손가락을) 흔들다《비난·경멸의 동작》; (머리를) 흔들거리다: ~ an admonitory finger at her 그녀에게 손가락을 흔들어 경고하다. **4** 《영속어》 학교를 빼먹다, 일 등을 게을리하다. ── *vi.* **1** (몹시) 흔들리다, 요동하다; (개 따위가) 꼬리를 흔들다. **2** (혀가) 나불거리다, 계속 움직이다: The scandal caused tongues to ~. 그 추문을 사람들은 이야깃거리로 삼았다. **3** 어정어정〔비틀비틀〕 걷다(waddle). **4** 《고어》 유랑하다, 여행하다; 《고어》 출발하다, 가버리다《*to*》. **5** (머리·손가락을 흔들어) 신호하다. **6** 《고어》 (시세 따위가) 자꾸 변하다《*on; along*》: How ~*s* the world (with you)? 경기는 어떻습니까/Let the world ~. 《속담》 (세상이야) 될 대로 되라지. **7** 《영학생속어》 꾀부려 학교를 빼먹다. ***So*** 〔***This is the way***〕 ***the world ~s.*** 이런 것이 세상이란 거야. ***The tail ~ging the dog.*** ⇨ TAIL[1]. ***~ it*** 《영속어》 꾀를 부려 학교를 빼먹다. ~ ***one's chin*** 〔***tongue, jaws***〕 ⇨ TONGUE. ~ ***one's finger at*** …을 향해 (코끝에서) 손가락을 까닥거리다《비난·경멸의 동작》. ~ ***one's head*** 머리를 흔들다《조롱·재미있어 할 때의 동작》. ── *n.* **1** (머리·꼬리 따위를) 흔듦, 요동하게 함: give a ~ 흔들다. **2** 익살꾸러기, 까불이; 재치있는 사람, 재사(才士). **3** 《영속어》 게으름뱅이. ***play*** (***the***) ~ 《영속어》 꾀부려 학교를 빼먹다, 게으름 피우다.

*__wage__ [weidʒ] *n.* **1** (보통 *pl.*) 임금, 급료, 삯《주로 시간급·일급·주급 따위》: He takes his ~*s* home to his wife. 그는 급료를 집에 있는 아내에게 내놓는다/living ~*s* 생활에 필요한 최저 임금/real 〔nominal〕 ~*s* 실질〔명목〕 임금.

> SYN. **wages** 정신보다 육체 노동에 대한 하루 또는 한 주일의 임금. **salary** 능력이나 훈련을 필요로 하는 직업에 대한, wages보다 긴 기간의 보수. **pay** 가장 일반적인데, 특히 군인에게 지급하는 급료.

2 (보통 *pl.*) 〚단·복수취급〛 (죄의) 응보, 보상: The ~*s* of sin is death. 〚성서〛 죄의 값은 죽음이다《로마서 VI: 23》.
── *vt.* **1** 《~+목/+목+전+명》 (전쟁 따위를) 수행하다, 하다《*against; on*》: ~ the peace 평화를 유지하다/~ a campaign (선거) 운동에 종사하다/Doctors are *waging* (a) war *against* cancer. 의사들은 암퇴치를 위해 노력하고 있다. **2** 《영방언》 고용하다; (도박 따위에) 걸다, 전당잡히다.

wáge clàim 임금 인상 요구.

wáge differèntial 임금 격차.

wáge drìft 〚경제〛 임금 드리프트《전국의 평균 임금률을 웃도는 개별 기업 등의 임금 상승 경향》.

wáge èarner 임금 노동자(wageworker).

wáge-éarning *a.* 돈이 되는〔을 받는〕: his ~ ability 그의 돈을 버는 능력.

wáge frèeze 임금 동결: a one-year ~.

wáge hìke 〔**ràise**〕 임금 인상. 「(能率給).

wáge incèntive (생산성 향상을 위한) 능률급

wáge·less *a.* 무급의, 무보수의.

wáge lèvel 임금 수준.

wáge pàcket 《영》 급료 봉투(《미》 pay envelope); 급료, 임금. 「금표.

wáge pàttern 동일 산업내〔지역내〕의 모델 임

wáge-pùsh inflàtion 〚경제〛 임금 상승에 의한 코스트 인플레이션, 임금 인플레이션.

wa·ger [wéidʒər] *n.* 노름, 내기; 내기에 건 것〔돈〕; 내기를 하는 사람; 내기의 대상: lay 〔make〕 a ~ 내기를 하다《*on*》. ── *vt.* 《~+목/+목+목/+목+전+명/+*that* 절》 (내기에) 걸다; 보증하다: ~ a person one dollar 아무에게 1달러 걸다/I'll ~ my watch *against* your flute. 네가 피리를 걸면 난 시계를 걸겠다/I ~ *that* they shall win. 꼭 그들이 이길걸. ── *vi.* 걸다《*on*》. 파 **~·er** *n.* 내기하는 사람, 도박사(bettor).

wáge ràte (일급·시간급 따위의) 임금 베이스. cf. minimum wage.

wáge restràint 임금 요구 자제(自制).

wáger of báttle 〚영국사〛 결투 재판.

wáge scàle 〚노동〛 임금표; (한 사용자가 지불하는) 임금의 폭.

wáge(s) còuncil 《영》 임금 심의회《노사간 대표에 의한》.

wáge(s)-fùnd *n.* 〖경제〗 (공공 단체의) 임금 자본, 임금 기금. 「하는).
wáge slàve 임금의 노예(《생활을 임금에만 의존
wáge stòp 《영》 사회 보험 급부 제한 지급 정책(《취업 시의 통상 임금 이하로 억제하는》).
wáge-stòp *vt.* (실업자에게) 사회 보험 급부 제한 지급정책을 적용하다.
wáge·wòrker *n.* 《미》 =WAGE EARNER.
wáge·wòrking *a.*, *n.* [U] 임금 노동(의).
wag·gery [wǽgəri] *n.* [U] 우스꽝스러움, [C] 익살, 장난.
wag·gish [wǽgiʃ] *a.* 익살맞은, 우스꽝스러운, 장난치는, 장난 좋아하는. [파] **~·ly** *ad.* **~·ness** *n.*
wag·gle [wǽgəl] *vi.*, *vt.* 흔들리다, 흔들다 (wag); 엉덩이〔허리〕를 흔들며 걷다. **—** *n.* 흔들기; 〖골프〗 왜글(《공을 치기 전에 공 위에서 골프채를 앞뒤로 흔드는 동작》).
wag·gly [wǽgli] *a.* 꼬불꼬불 구부러진, 흔드는; 비틀거리는.
◇**waggon** ⇨ WAGON.
Wag·ner [*G.* vá:gnər] *n.* **Richard ~** 바그너(《독일의 작곡가; 1813-83》).
Wag·ne·ri·an [vɑ:gníəriən] *a.* Wagner(풍)의. **—** *n.* Wagner 숭배자, Wagner 풍의 작곡자.
⁑wag·on, 《영》 **wag·gon** [wǽgən] *n.* **1** (각종) 4륜차, 왜건; 짐마차(《네 바퀴로 보통 2필 이상의 말이 끄는》); 장난감 4륜차〔손수레〕. [cf.] carriage.

> [SYN.] **wagon** 운송 회사 등에서 쓰는 수송〔배달〕용 차의 총칭. **cart** 흔히 농업에 쓰는 2륜차. **lorry** 무거운 짐을 나르는 화물차.

2 (바퀴 달린) 식기대(dinner wagon); 〖연극〗 (장면의 전환을 신속하게 하기 위해, 주요 장치를 고정시킨) 대차(臺車). **3** (the W-) 〖천문〗 =CHARLES'S WAIN. **4** 배달용 트럭; =STATION WAGON; 《미속어》 자동차. **5** 《미》 (노상의) 물건〔음식〕 파는 수레〔차〕: a hot dog ~ 핫도그를 파는 수레〔차〕. **6** (the ~) 《미구어》 죄수 호송차 (police ~). **7** 《미속어》 전함(戰艦). **8** 〖영철도〗 무개(無蓋)화차, 화차; 〖광산〗 광차(鑛車). ***fix*** a person**'s** (***little red***) **~** 《미구어》 아무를 혼내주다, 아이의 엉덩이를 때리다; 《미구어》 앙갚음으로 아무를 상해하다; 아무의(성공을) 방해하다, 아무를 죽이다. ***hitch*** one**'s ~ *to a star*** 〔***the stars***〕 큰 희망을 품다; 자기 힘 이상의 큰 힘〔남의 성공〕을 이용하다. ***jump*** 〔***climb, get, hop***〕 ***on*** 〔***aboard***〕 ***the ~*** 《구어》 = jump on the BANDWAGON. ***off the*** (***water***) **~** 《속어》 끊었던 술〔마약〕을 다시 시작하여. ***on the*** (***water***) **~** 《속어》 금주하여, 술을 끊고(on the water cart). **—** *vi.* 《+[전]+[명]》 ~으로 여행〔수송〕하다: ~ *up* the hill 짐마차로 언덕을 오르다. **—** *vt.* …을 ~으로 운반하다.
wágon bòss wagon train 의 대장.
wág·on·er *n.* 짐마차꾼; (the W-) 〖천문〗 마차부자리(Auriga); 북두칠성(Charles's Wain).
wag·on·ette [wæ̀gənét] *n.* (6-8인승 4륜의) 유람 마차의 일종.
wa·gon-lit [*F.* vagɔ̃li] (*pl.* ***wag·ons-lits*** [—], **~s** [—]) *n.* (유럽 대륙 철도의) 침대차.
wágon·lòad *n.* wagon 한 대분의 짐.
wágon màster wagon 에 의한 화물 수송대장.
wágon sòldier 《미군속어》 야전병, 야전 포병.
wágon tràin 《미》 (서부 개척 시대의) 포장 마차대(隊); 대형 마차 수송대.
wág·tàil *n.* 〖조류〗 할미새(《총칭》).
Wa(h)·ha·bi, -bee [wəhá:bi, wɑ:-] *n.* 와하브파(派)(《18세기에 일어난 이슬람교의 복고주의적인 교파; 코란과 Sunna를 엄수함》).
Wa(h)·ha·bism [wəhá:bizəm, wɑ:-] *n.* 〖이슬람〗 와하브주의(《Koran 의 교의 엄수(주의)》).
Wa(h)·ha·bite [wəhá:bait, wɑ:-] *n.*, *a.* 와하브파 신도(의), 와하브주의(의).
wa·hi·ne [wɑ:hí:ni, -nei] *n.* 하와이(의 젊은) 여인, 아내; 《속어》 여성 서퍼(surfer).
wa·hoo[1] [wɑ:hú:, ⌐⌐] (*pl.* **~s**) *n.* 〖식물〗 화살나무의 일종(burning bush).
wa·hoo[2] (*pl.* **~s**) *n.* 《미속어》 짐승 같은 놈, 촌놈, 등신.
wa·hoo[3] *int.* 《미서부》 근사하다, 신난다, 해냈어, 잘했어.
waif[1] [weif] *n.* **1** 방랑자〔아〕; 집 없는 사람〔동물〕. **2** 소유주 불명의 습득물; 표착물. ***~s and strays*** 부랑아들, 돌아갈 데 없는 동물들; 그러모은 것; 잡동사니. 「(waft).
waif[2] *n.* 〖해사〗 신호기; (매단) 깃발로 하는 신호
Wai·ki·ki [wáikikì:, ⌐⌐⌐] *n.* 와이키키(《하와이 Honolulu 의 해변 휴양지》).
***wail** [weil] *vi.* 《~/+[전]+[명]》 **1** 소리 내어 울다, 울부짖다: A child is ~*ing for* his mother. 어린애가 어머니를 찾아 울어대고 있다. [SYN.] ⇨ WEEP. **2** 비탄하다(《*over; for*》): ~ *over* one's misfortunes 재난을 비탄하다. **3** (바람이) 구슬픈 소리를 내다: The wind ~*ed around* the hut. 오두막 주위로 바람이 구슬프게 불었다. **4** 〖재즈〗 절묘하게 연주하다; 《속어》 감정을 절묘히 토로하다. **5** 《미속어》 후닥닥 떠나가다, 도망치다. **—** *vt.* 비탄하다, 슬퍼하여 울다. **—** *n.* **1** 울부짖음, 울부짖는 소리. **2** 비탄, 통곡. **3** (바람 따위의) 구슬픈 소리. [cf.] lament, moan. [파] **⌐·er** *n.* **⌐·ing·ly** *ad.*
wail·ful [wéilfəl] *a.* 비탄하는, 애절한, 구슬픈. [파] **~·ly** *ad.*
Wáiling Wáll 1 (the ~) (예루살렘의) 통곡의 벽(=**Wéstern Wáll**). **2** (w- w-) 마음의 괴로움〔슬픔〕을 푸는 곳.
wail·some [wéilsəm] *a.* 울부짖는; 비탄하는.
wain [wein] *n.* **1** 농장용 짐마차; 《고어·시어》 전차(chariot). **2** (the W-) 〖천문〗 북두칠성 (Charles's Wain).
wain·scot [wéinskət, -skɑt, -skout/-skət] *n.* 〖건축〗 [U.C] **1** (실내의) 벽판, 징두리널, 그 재료. **2** 양질의 오크재(材). **—** (*-t-*, 《영》 *-tt-*) *vt.* 《~+[목]/+[목]+[전]+[명]》 (방·현관 따위의) 벽에 벽판〔징두리널〕을 대다(《*in*》): a room ~*ed in* oak 오크로 벽판을 댄 방. [파] **~·ing,** 《영》 **-scot·ting** *n.* [U] 벽판〔징두리널〕 재료; 벽판 대기; 〔집합적〕 벽판, 징두리널.

wainscot 1

wáin·wrìght *n.* 짐마차 제조인〔수리인〕.
WAIS [weis] 〖컴퓨터〗 Wide Area Information Servers (광역 정보 서버)(《인터넷상에서 분산하고 있는 다양한 분야의 데이터베이스를 검색하기 위한 시스템》).
⁑waist [weist] *n.* **1** 허리; 허리의 잘록한 곳, 잔허리; 허리의 둘레(치수): She has no ~. 그녀는 절구통이다. **2** (여성복의) 몸통; 《미》 (여성·어린이의) 블라우스. **3** (현악기 따위의) 가운데의 잘록한 곳. **4** 〖해사〗 중앙부 상갑판; 〖항공〗 (비행기, 특히 폭격기의) 동체 중앙부. [파] **⌐·less** *a.*
wáist·bànd *n.* (스커트·바지 따위의) 마루폭, 말기; 허리띠, 허리끈.
wáist bèlt 혁대, 허리띠〔끈〕, 밴드.
wáist·clòth *n.* 허리 두르개(loincloth); 〖해사〗 (*pl.*) 중앙부 상갑판 장식 천.
◇**wáist·còat** *n.* 《영》 (남자용의) 조끼(《《미》 vest).

㊕ ~·ed *a.* 조끼를 입은. ~·ing *n.* Ⓤ 조끼감.

wáist-déep *a., ad.* 깊이가 허리까지 닿는[닿게]. 「한 허리의.

wáist·ed [-id] *a.* 허리 모양을 한; 〖복합어〗 …

wáist·er *n.* (포경선 등의) 중앙부 상갑판원《신출내기 또는 늙은 선원》.

wáist-hígh *a., ad.* 허리 높이의[로].

wáist·lìne *n.* 허리의 잘록한 곳; 허리의 굵기; 〖양재〗 허리통, 웨이스트라인.

†**wait** [weit] *vi.* **1** 《~/+전+명/+전+명+*to* do/+*to* do》 기다리다, 대기하다, 만나려고 기다리다《*for*》, 기대하다《*for; to* do》: Please ~ a minute. 잠시 기다려 주시오/Let's ~ *for* him [his recovery]. 그를[그의 회복을] 기다리자/We ~*ed for* you *to* come. 자네가 오는 것을 기다리고 있었네/I ~*ed to* see what would become of him. 그가 어떻게 되는지 확인하려고 기다렸다/Everything comes to those who ~. 《속담》 기다리노라면 볕들 날 있다/Time and tide ~ for no man. ⇨TIME. **2** 《+전+명》 (물건이) 준비되어 있다[갖추어져 있다]: Dinner is ~*ing for* us. 저녁 식사가 준비되어 있다. **3** 〖종종 can [cannot] ~로〗 잠시 미뤄지다[내버려둬지다]: That *can* ~. 그것은 잠시 미룰 수 있다[서둘 필요가 없다]/It will have to ~. 그것이 실현되려면 얼마간 시간이 걸릴 것이다. **4** 《~/+전+명》 (식탁에서) 시중들다, 심부름하다《*at; on, upon*》; (아무를) 시중들다, 모시다, 섬기다《*on, upon*》: She will ~ (*on*) [《영》 *at*] table. 그녀가 식사 시중을 들 것이다. **5** 《영》 주차[정차]하다: No *Waiting*. 《영》 주[정]차 금지.

— *vt.* **1** 《~+목/+목+부》 (기회·신호·차례·형편 등을) 기다리다, 대기하다: ~ one's turn 차례를 기다리다/~ *out* a storm 폭풍이 잘 때까지 기다리다. **2** 《~+목/+목+전+명》 《구어》 (식사 따위를) 늦추다, 미루다: Don't ~ dinner *for* me. 나 때문에 식사를 미루지 말게. **3** 《미》 식사 시중을 들다: He ~*s* table. 그가 식사 시중을 든다. ***Just you* ~!** 두고 보자. **~ *and see*** 일이 돌아가는 것을 관망하다, 서두르지 않고 추세[귀추]를 보다. **~ *around*** [《영》 ***about***] (부근을) 서성거리며 초조하게 기다리다. **~ *behind*** (남이 가버린) 뒤에 남다. **~ *for it*** 〖명령형〗 《영구어》 서두르지 말고 들어봐; 기다려, 때가 올 때까지 꼼짝마라[입 다물어]. **~ *on*** [***upon***] ① …을 모시다[받들다]; …의 (식사) 시중을 들다: She ~*ed on* her children hand and foot. 그녀는 아이들을 정성껏 돌보았다/Are you ~*ed on?* 누군가에게 주문을 하셨습니까《점원이 손님에게 하는 말》. ② …을 방문하다, 문안드리다. ③ (결과로서) …에 수반되다. ④ 《고어》 …을 호위하다; …을 모시고 가다. **~ *out*** …동안 가만히 있다; 〖야구〗 (사구(四球)를 얻으려고) (투수의) 투구를 그냥 보내다, 기다리다. **~ *a person's convenience*** [***orders***] (아무의) 형편[명령]을 기다리다. **~ *up*** 《구어》 자지 않고 (아무를) 기다리다《*for; to* do》; (뒤좇아 오는 것을) 멈춰서 기다리다《*for*》. ***You* ~!** 어디 두고 보자.

— *n.* **1** 기다리기, 대기; 기다리는 시간; Ⓤ 숨어서 기다리기: have a long ~ 오래 기다리다. **2** (the ~s) 《영》 성탄절날 밤에 찬송가를 부르며 이 집 저 집 돌아다니는 찬양대; 그 찬송가. **3** 〖컴퓨터〗 대기. ***lie in*** [***lay***] **~** (…을) 숨어서 기다리다《*for*》.

wáit-a-bìt *n.* (가시 따위가 있어) 사람의 통행을 방해하는 식물.

wáit-and-sée [-ən-] *a.* 일이 돼 가는 형편을 보는: a ~ attitude 정관(靜觀)하는[기다리는] 자세[태도].

‡**wait·er** [wéitər] *n.* **1** (호텔·음식점 따위의) 사환, 웨이터, 보이. **2** (요리 따위를 나르는) 사환용 쟁반(tray, salver). **3** 《미》 (가정의) (잔)심부름꾼. **4** 기다리는 사람.

wáit·ing *n.* Ⓤ **1** 기다리기, 대기; 기다리는 동안; 《영》 (자동차의) 정차: No parking or ~. 주정차 금지《게시》. **2** 시중 듦. **3** =LADY[LORD]-IN-WAITING. ***in* ~** 모시고, 섬기고; 준비가 되어. — *a.* 기다리는; 시중드는, 섬기는: ~ time 〖컴퓨터〗 대기 시간. ㊕ **~·ly** *ad.*

wáiting gàme 대기 전술: play a ~ 대기 전술을 쓰다, 상황이 좋아지기를 기다리다.

wáiting lìst 후보자 명단, 보결인 명부: He is on the ~. 그는 차례를 기다리고 있다.

wáiting màid [**wòman**] 시녀, 몸종.

wáiting màn 종자, 하인; 시종(valet).

wáiting pèriod (결혼 허가와 결혼식 중간의) 대기 기간; (노동 쟁의의) 냉각 기간; 보험금 지급 대기 기간.

wáiting ròom (역·병원 등의) 대합실.

wáiting stàff =WAIT STAFF.

wait·list [wéitlìst] *vt.* waiting list에 올리다.

wáit·pèrson *n.* (호텔 따위의) 사환.

‡**wait·ress** [wéitris] *n.* **1** (호텔·음식점 따위의) 웨이트리스, 여급. **2** 《미》 (가정의) 심부름꾼, 잔심부름하는 여자. — *vi.* 웨이트리스로 일하다.

wai·tron [wéitrən] *n.* 사환.

wáit stàff 〖단·복수취급〗 《미》 급사(給仕), 접대 직원, 웨이터, 웨이트리스《집합적》.

waive [weiv] *vt.* **1** (권리·요구 따위를) 포기하다, 철회하다. **2** 《~+목/+목+전+명》 우선 보류하다, 미루어 놓다, 연기하다. **3** (규칙 등을) 적용하지 않다; (언동 등을) 삼가다; 생략하다: ~ formalities 정식 절차를 생략하다. **4** (손짓해서) 가게 하다, (아무를) 쫓아 버리다, (생각 따위를) 털어 버리다; (장물(贓物)을) 버리다.

wáiv·er *n.* **1** Ⓤ 〖법률〗 (권리의) 포기, 기권; Ⓒ 기권 증서. **2** 《미》 (프로 야구에서의) 공개 이적.

‡**wake**[1] [weik] (~*d* [-t], ***woke*** [wouk]; ~***d, wok·en*** [wóukən], 《드물게》 ***woke; wak·ing***) *vi.* **1** 《~/+부/+전+명/+*to* do》 잠깨다, 일어나다《*up*》: *Wake up!* 일어나; 《구어》 조용히 해/What time do you usually ~ (*up*)? 보통 몇 시에 일어나니/Has the baby ~*d* [*woken*] yet? 아기가 벌써 깼느냐/Suddenly he *woke from* sleep. 갑자기 그는 잠에서 깨어났다/He *woke to* find himself on a bench. 그는 깨어보니 벤치에서 자고 있었다.

> SYN. **wake, awake** 는 자동사로서 쓰이는 일이 많으며, **waken, awaken** 은 타동사로서 쓰이는 일이 많음. awake 와 awaken 은 둘 다 비유적으로 쓰이는 격식차린 말. **rouse** 는 자동사. **arouse** 는 타동사로서 모두 비유적으로 쓰임.

2 〖주로 현재분사〗 깨어[눈을 뜨고] 있다; 《방언》 (~d) 철야[밤샘]하다; 《고어·방언》 불침번을 서다: *waking* or sleeping 자나 깨나/Worries kept me *waking* all night. 걱정거리로 밤새 한잠도 못 잤다. **3** 《~/+부/+전+명》 《비유》 (정신적으로) 눈뜨다, 깨닫다, 각성하다《*up; to*》: ~ *to* the true situation 실제 상황을 인식하다/~ *up to* one's duties 자기 의무를 깨닫다. **4** 《~/+전+명》 되살아나다《*into* life》, 활발하게 되다: Nature ~*s* in spring. 대자연은 봄에 소생한다/~ *into* life 소생하다.

— *vt.* **1** 《~+목/+목+부》 …의 눈을 뜨게 하다, 깨우다《*up*》: Don't ~ her now. 그녀를 지금 깨우지 마라/The telephone *woke* me *out* of a deep sleep. 전화 소리에 깊은 잠에서 깼다/*Wake* me *up* at six o'clock. 여섯 시에 깨워다

오. 2 《~+목/+목+부/+목+전+명》 (정신적으로) 눈뜨게 하다, 깨닫게 하다, 분발시키다《*up*》; (기억·노염·의심 따위를) 불러일으키다, 야기시키다: We've got to ~ him *up from* his laziness. 그에게 게으름을 피우지 말고 분발하도록 해야 한다 / He *woke* his audience *to* the need for concerted action. 그는 청중을 일깨워 협력의 필요성을 깨닫게 했다. 3 소생시키다, 부활시키다. 4 《문어》 …의 정적을 깨뜨리다, 떠들썩하게 하다. 5 《Ir.·방언》 밤샘하다; 《고어·방언》 …의 불침번을 서다. ~ ***the echoes*** 메아리치다.
— *n.* 1 (특히 종교·제식상의) 철야; 《영》 (헌당식(獻堂式) 따위의) 전야제; 그 잔치. 2 《Ir.》 경야, 밤샘. 3 (*pl.*) (잉글랜드 북부 공업 도시 노동자의) 연 1 회의 1-2 주의 휴일.
㊞ **wák·er** *n.*

wake[2] *n.* 배 지나간 자국, (수면의) 항적(航跡); 지나간 자국. ***in the ~ of*** …의 자국을 좇아서; …을 본떠서; …에 계속해서; …의 결과로서: Miseries follow *in the ~ of* a war. 전쟁 뒤끝은 비참하다. ***take ~*** 다른 배의 항적을 따르다.

wáke-bòarding *n.* 웨이크보딩《수상 스키의 스키 대신 보드를 타는 수상 스포츠》.

Wake·field [wéikfìːld] *n.* 잉글랜드 West Yorkshire 주의 주도(州都).

◇**wake·ful** [wéikfəl] *a.* 잠 못 이루는, 불면의, 잘 깨는, 자지 않는, 불침번의; 방심하지 않는. ㊞ **~·ly** *ad.* **~·ness** *n.*

Wáke Ìsland (남태평양의) 웨이크 섬《미국령》.

wáke·less *a.* (잠이) 깊은, 편안한.

*__wak·en__ [wéikən] *vi.* 《~/+전+명》 눈을 뜨다, 잠이 깨다《*up*》; 일어나다; 자각하다, 깨닫다《*to*》: ~ *from* sleep 잠에서 깨다. — *vt.* 《~+목/+목+부/+목+전+명》 일으키다, 깨우다; (정신적으로) 눈뜨게 하다, 각성시키다, 고무하다《*up*(*to*)》: ~ the reader's interest 독자의 흥미를 불러일으키다 / I was ~*ed* (*up*) *to* the stern realities of life. 나는 엄연한 현실을 깨달았다. SYN. ⇨ WAKE[1]. ㊞ **~·er** *n.* 《고어》 각성자.

wák·en·ing *n.* 눈뜸, 깸(awakening).

wake·rife [wéikràif] *a.* 《Sc.》 조심성 많은, 빈틈없는; =WAKEFUL. ㊞ **~·ness** *n.*

wáke-ròbin *n.* 【식물】 《영》 =ARUM; 《영》 유럽 원산의 난(蘭)의 일종; 《미》 천남성; 《미》 연령초(trillium).

wáke sùrfing 모터보트의 항적(航跡)에서 생기는 파도를 타기.

wáke tùrbulence 【항공】 큰돌이 난류, 후방난기류《대형 항공기가 통과한 뒤에 생기는 난기류》.

wáke-ùp *n.* 《미구어》 【조류】 =FLICKER[2]; 《미속어》 형기의 마지막 날; 《Austral.구어》 조심스러운(현명한) 사람. ***be a ~ to...*** 《Austral.구어》 …에 조심하고 있다. — *a.* 잠을 깨우는: Request a ~ call at the front desk. 프런트에 아침에 깨우는 전화를 부탁해 두게. ***send a ~ call to*** …에게 긴급 주의를 촉구하다.

wáke-up càll (호텔 따위의) 모닝콜; 《비유》 경각심을 불러일으키는 것.

wak·ey [wéiki] *int.* 《영구어·우스개》 일어나라(wake up!).

wak·ing [wéikiŋ] *a.* 깨어나 있는, 일어나 있는. ***in one's ~ hours*** 깨어 있을 때에. ***~ dream*** 백일몽(daydream).

Waks·man [wǽksmən] *n.* **Selman Abraham ~** 왁스먼《러시아 태생의 미국 세균학자, 스트렙토마이신 발견으로 Nobel 생리 의학상 수상(1952); 1888-1973》.

WAL. Western Airlines.

Wal·den·ses [wɔːldénsiːz, wɑl-/wɔ(ː)l-] *n. pl.* 발도파《12 세기에 프랑스인 Peter Waldo가 창시한 기독교의 일파》. ㊞ **-si·an** [-siən] *a., n.* 발도파의; 발도파 교도.

Wald·heim [wɔ́ːldhàim; *G.* válthaim] *n.* **Kurt ~** 발트하임《유엔 사무 총장(1972-81), 오스트리아 대통령(1986-92); 1918- 》.

Wál·dorf sálad [wɔ́ːldɔːrf-] 【요리】 주사위 모양으로 자른 사과, 호두, 셀러리에 마요네즈를 버무린 샐러드.

wale[1] [weil] *n.* 채찍 자국(의 부르튼 곳); (직물의) 골(ridge); Ⓤ 직물, 피륙; 【토목】 (해자·도랑 따위의) 보강용 횡가목(橫架木); 【선박】 (목조선의) 외부 요판(腰板); 《고어》 =GUNWALE. — *vt.* …에 채찍 자국을 내다; 골지게 짜다.

wale[2] 《Sc.》 *n.* 선택; 최상의 것. — *vt.* 선택하다. — *a.* 최상의.

wále knòt 새끼올이 풀리지 않게 끝을 매는 매듭(wall knot).

Wal·er [wéilər] *n.* Australia산의 승마용 말.

*__Wales__ [weilz] *n.* 웨일스 (지방)《Great Britain의 남서부》.

Wa·łę·sa [vəwénsə] *n.* **Lech ~** 바웬사《폴란드 대통령(1990-1995); 1983년 노벨 평화상 수상; 1943- 》.

Wal·hal·la [wælhǽlə, væl-, wɑːlhɑ́ːlə, vɑːl-] *n.* =VALHALLA.

wal·ing [wéiliŋ] *n.* 【토목】 (해자·도랑 등의) 보강용 횡가목(재(材)).

†**walk** [wɔːk] *vi.* 1 《~/+부/+전+명》 걷다; 걸어가다; (말이) 보통 걸음으로 걷다(cf. trot, canter, gallop): The baby is beginning to ~. 어린아이가 걷기 시작한다 / Don't ~ when the light is amber. 황색 신호일 때 가면(건너면) 안 된다 / ~ *across* (길 따위를) 가로지르다 / ~ *about* (걸어) 돌아다니다; 산책하다 / ~ *in* 들어가다 / I sometimes ~ *to* school, but usually go by bus. 나는 때로는 걸어서 학교에 가지만 보통 버스로 다닌다.

> SYN. **walk** run(달리다)에 상대되는 가장 일반적인 말. **stride** 큰 걸음으로 걷다. **plod** 터벅터벅 힘없이 걷다. **tread** 땅을 힘줘 밟듯이 걷다. **pace** 똑같은 보폭으로 걷다: *pace* up and down lost in thought 생각에 잠겨 왔다 갔다 하다. **trudge** 지친 몸을 채찍질하면서 부지런히 걷다. **saunter, stroll, ramble** 목적 없이 어슬렁어슬렁 걷다, 산책하다.

2 《~/+전+명》 산책하다, 헤매다; (우주 비행사가) 우주 유영을 하다; 워크춤을 추다(⇨ *n.* 11); (유령이) 나오다: The ghost will ~ tonight. 오늘밤 유령이 나올 것이다 / I would ~ *along* the riverside. 나는 강변을 자주 산책하곤 하였다. 3 (배가) 나가다, (물건이) 걷듯이 움직이다, (탐사기가) 천체를 천천히 주회(周回)하다; 《영속어》 (소지품 등이) 없어지다. 4 (건축물 등이) 걷고 있듯이 이어져(서) 있다, 걸쳐 있다; 【야구】 (타자가) 4 구를 얻어 1루에 나가다; 【농구】 트래블링하다(travel). 5 《~/+전+명》 《고어》 처신하다; 처세하다: ~ *in* the part of propriety 옳은 길을 걷다 / ~ *in* sorrow 슬프게 나날을 보내다. 6 보조를 맞추다, 협조하다; 《미속어》 (특히 앙상블에서) 재즈를 (잘) 연주하다. 7 《미속어》 혐의가 벗겨지다, 《미속어》 교도소를 나오다.
— *vt.* 1 …을 걷다, …을 걸어가다; 걸어서 돌아보다(측정하다): ~ the deck (선장이) 갑판을 돌아보다 / ~ the tightrope 줄타기를 하다 / The policeman was ~*ing* his beat. 경찰관은 담당 구역을 순찰하고 있었다. 2 《~+목/+목+부/+목+전+명》 (사람을) 걸어서 따라가다, 동행하다: I will ~ you *home*. 내가 당신을 댁까지 바래다 드리지요 / Now, I'll ~ you *to* the station. 자, 역까지 (동행해서) 바래다 드리겠습니다. 3 《~+목/+목+부/+목+전+명》 (말 따

위를) 걸리다; (말·자전거 따위를) 끌고〔밀고〕 가다: ~ one's bicycle *up* a slope 자전거를 밀고 언덕을 오르다/We ~*ed* our horses *down to* the stream. 우리는 말을 개천으로 몰고 갔다. **4** 《~+목/+목+부/+목+전+명》 (강제적으로) 데리고 가다, 몰아 가다; (무거운 물건을 좌우로 번갈아 움직여 가거나 하여) 조금씩 움직이다〔나르다〕; (아무를) 안내하고 다니다: The policeman ~*ed* him *off*〔*away*〕. 경찰관은 그를 끌고 갔다/He ~*ed* his trunk *up to* the porch. 그는 무거운 트렁크를 조금씩 움직여 현관까지 날랐다. **5** 〖야구〗 (투수가 타자를) 4구로 '걸리다'. **6** 《+목+부/+목+전+명》 걷게 하다, 걷게 하여 …시키다, (시간을) 걸어서 보내다《*away*》: We ~*ed* the afternoon *away* along the wharf. 우리는 선창가를 거닐며 오후 시간을 보냈다/He ~*ed* me *to* exhaustion. 그는 나를 걷게 하여 녹초를 만들었다. **7** …와 걷기 시합을 하다: I think nobody could ~ him. 걷기 시합에서 그를 당할 사람은 없을 게다. **8** 〖해사〗 캡스턴(capstan)을 돌려 (닻을) 감아올리다; 《영속어》 멋대로 가져가다.

~ ***abroad*** (질병(疾病)·범죄 등이) 만연(蔓延)하다. ~ ***all over*** a person 《구어》 =~ over a person. ~ ***around*** 다각적으로 검토하다, 신중히 다루다; 꼭뒤(를) 지르다; 《미속어》 댄스를 하다. ~ ***away*** (아무를 내버려두고) 떠나다. ~ ***away from*** ① …에서 도망치다; (책임·어려운 일 따위를) 피하다. ② …을 쉽게 앞지르다. ③ (사고 등에서) 상처 하나 없이 살아나다: He ~*ed away from* the wrecked car without a scratch. 그는 상처 하나 없이 사고 차에서 빠져 나왔다. ~ ***away with*** ① …와 함께 걸어서 떠나다. ② …을 무심코 들고 가다; …을 가지고 도망치다. ③ (상품 등을) 따다, 쉬이 이기다: He expects to ~ *away with* the nomination. 그는 쉽사리 임명될 걸로 기대한다. ~ ***by faith*** 신앙 생활을 하다. ~ ***down*** (독(毒) 따위)를 걸어서 없애다; (동행자를) 걷게 해 지치게 하다; …에게 걷기에서 이기다; 《미서부》 (야생마를) 달려서 지치게 하여 잡다: ~ meal *down* 소화를 돕기 위해 산책하다. ~ ***heavy*** 《미속어》 난사람이다, 난 체하다. ~ ***into*** ① …에 들어가다〔부딪다〕. ② (일자리)를 쉽게 얻다. ③ (함정 등)에 빠지다, 만나다. ④ 《구어》 …을 마음껏 먹다〔마시다〕. ⑤ 《구어》 격렬하게 대들다〔때리다, 꾸짖다〕. ⑥ (돈을) 간단히 써 버리다. ~ ***it*** (탈것을 타지 않고) 걷다; 낙승하다. ~ ***off*** (갑자기) 떠나가다; 떠나가게 하다; (죄인 등을) 끌고 가다(⇨ *vt*. 4); (노여움·두통 따위를) 걸어서 가라앉히다; (체중을) 걸어서 줄이다, (걸으면서) 감량하다: ~ *off* one's headache 걸어서 두통을 낫게 하다. ~ a person ***off*** his ***legs***〔***feet***〕 아무를 걸려서 피곤하게 하다. ~ ***off with*** …을 갖고 달아나다, …을 착복하다; (경기에) 낙승하다: ~ *off with* the show ⇨ SHOW. ~ ***on*** 계속 걷다; (연극·영화 따위에서) 단역을 맡다. ~ ***on air*** ⇨ AIR. ~ ***out*** 나다니다; (병사가) 허가를 받고 외출하다; 갑자기 떠나가다; (항의하고) 퇴장〔결석〕하다; 파업하다. ~ ***out of ...*** ① …에서 걸어서 나가다. ② …에서 느닷없이 사라지다〔자리를 뜨다〕: ~ *out of* the committee meeting 느닷없이 위원회 자리를 뜨다. ~ ***out on*** 《구어》 …을 버리다 (desert): ~ *out on* one's wife and children 처자를 버리다. ~ ***out with*** 《영》 (이성)과 교제하다, (여자)를 구슬리다. ~ ***over*** a person 〖종종 walk all over ... 로〗 《구어》 ① (경기자가) 아무를 일축하다, 아무에게 낙승하다. ② 아무에게 모질게 대하다, 아무를 적당히 구슬려 다루다, 아무를 깔아뭉개다: She ~*s* (*all*) *over* her husband. 그녀는 남편을 깔아뭉개고 있다. ~ ***round*** (…을) 우회(迂廻)하다; 간단히 이기다. ~ one***'s chalks*** 《속어》 (잠자코) 떠나다. ~ ***soft*** 《미속어》 삼가서 행동하다. ~ ***Spanish*** ① 《미속어》 발끝으로 걷도록 강요당하다; 조심해서 걷다. ② 목 자르다, 파면하다〔되다〕. ~ ***tall*** 가슴을 펴고 걷다, 스스로 긍지를 갖다. ~ ***the boards*** 무대에 서다; 배우가 되다. ~ ***the chalk***〔***line***〕 규정대로 행하다; 적절히 행동하다; 복종하다《수병들이 갑판 위의 줄친 선을 따라, 술 취하지 않았음을 증명하기 위하여 걷도록 한 데서》. ~ ***the hospital***(***s***)〔***the wards***〕 (의학생이) 병원에서 실습하다. ~ ***the plank*** ⇨ PLANK. ~ ***the streets*** (거리에서) 손님을 끌다, 매춘(賣春)하다. ~ ***through*** 〖연극〗 첫 리허설을 하다; 대본을 대충 읽다; (자기 역을) 적당히 하다. ~ ***through life***〔***the world***〕 처세하다. ~ ***up*** 걸어서 오르다〔가다〕; (…에) 성큼성큼 다가서다《*to*》. ***Walk up!*** 어서 오십쇼《문지기의 외치는 소리》. ~ ***wide*** 《미속어》 조심하다. ~ ***with God*** 고결하게 살다, 바르게 살다.

— *n*. **1** 걷기; 산책, 소풍; 우주 유영(space ~): go for a ~ 산책하러 나서다/take a person for a ~ 아무를 산책하는 데 데리고 나가다/We had a pleasant ~ across the fields. 우리는 유쾌하게 들판을 산책했다/a morning ~ 아침 산책. **2** 걸음걸이; 보통 걸음: We recognized you by your ~. 걸음걸이로 넌 줄 알았다/go at a ~ (말이) 보통 걸음으로 걷다. **3** 보행 거리; 보행 시간: The school is five minutes' ~ from my house. 학교는 나의 집에서 걸어서 5분 걸리는 곳〔거리〕에 있다/a long ~ (from here) 여기서부터 걷기에는 먼 거리. **4** 보도, 샛길, 산책길: dispose of the snow on the ~ 보도의 눈을 치우다/my favorite ~ in the park 공원에서 내가 좋아하는 산책길. **5** 처세, 세상 살아가기; 직업: an honest ~ 정직한 처세〔행동〕. **6** 〖야구〗 4구가 되어 1루로 나가기(a base on balls). **7** (가축 등의) 사육장; (가축 등을) 가둔 장소; (사냥개·투계(鬪鷄) 따위의) 훈련장: a poultry ~ 양계장. **8** 행동 범위, 활동 영역; 《영》 (상인·우편 배달원 등의) 담당 구역; 《영》 (산림관의) 산림(山林) 감독 구역. **9** 경보(競步); 자선 크로스컨트리 경보(charity〔sponsored〕 ~). **10** 로프 제조소(ropewalk); 줄을 지어 심는 식림, 그 심는 간격; 《영》 (커피 등의) 농장. **11** (W-) 워크《여럿이 한 줄로 서서 걷는 듯한 스텝으로 추는 디스코 춤》. **12** 천체를 도는 탐사기의 완만한 비행. ***in a*** ~ 쉽게《이기다 따위》: win *in a* ~ (…에) 낙승하다. ***take a*** ~ 산책 나가다; 나가다; 손을 끊다; 대립하는 당의 후보를 지원하다. (***the***) ***cock of the*** ~ (으스대는) 두목〔상사〕. ~ ***of life*** (사회적·경제적) 지위; 직업: persons from every ~〔all ~*s*〕 *of life* 모든 직업〔지위, 계층〕의 사람들. ***within an easy*** ~ ***of*** …에서 쉬이 걸어갈 수 있는 곳에.

㊞ **∠·a·ble** *a*. 걷기에 적합한《옷·신·길 따위》; 걸어서 갈 수 있는《거리》.

wálk·abòut *n*. 도보 여행; (오스트레일리아 원주민의 일시적인) 숲속의 떠돌이 생활; 《영》 (왕족 등이) 거리를 걸어다니며 서민과 접하는 일, 비공식 시찰: go on a ~ 비공식 시찰을 나가다.

wálk·aròund *n*. 《미속어》 곡마단의 피에로가 링 주위를 돌며 하는 판에 박은 우스갯짓.

walk·a·thon [wɔ́:kəθàn/-θɔ̀n] *n*. (내구력을 겨루는) 장거리 경보; 장거리 보행〔행진〕《정치적 시위·스포츠 등》.

wálk·awày *n*. 〖경기〗 우승자가 큰 차를 낸 경주; 쉽게 이길 수 있는 승부〔경기, 경쟁〕, 낙승(樂勝); 쉬이 성취되는 일; (감시 소홀을 틈타) 행렬에서 이탈·도망하는 죄수〔환자〕; 《미속어》 (특히

표를 산) 손님이 잊고 간 거스름돈; 《미속어》 매표자가 거스름을 속여서 번 돈.

wálk-behìnd *a.* 밀면서 걷는, 인간이 뒤에서 따라가는《움직이는 기계 등에 대해 말함》.

wálk-dòwn *n.* 노면보다 낮은 가게〔아파트〕; 《미구어》 (서부극 등에서) 주인공과 악역이 대결차 천천히 다가감. 「리.

Wálk·er, wálk·er[1] *int.* 《영속어》 설마, 미친 소

◇**wálk·er**[2] *n.* **1** 보행자. **2** 산책하는 사람, 산책좋아하는 사람; 행상인; 경보(競步) 선수; 독자적인 행동을 하는 사람. **3** 〖조류〗 (날거나 헤엄치지 않고) 걷는 새. **4** 보행(보조)기(go-cart)《유아·불구자 따위의》; (*pl.*) 보행용의 구두, 산책화; (*pl.*) =WALKING SHORTS. **5** 《연극속어》 엑스트라, '통행인'; 《속어》 (조합의 협정에 따라 출연하지 않을 때에도 급료를 받는) 정규직의 음악가. **6** 수행원《요인·거물급 인사의 부인이 공식 장소에 나갈 때 동반하는 용모 단정한 남자》.

walk·ie-look·ie [wɔ́:kilúki] *n.* 휴대용 텔레비전 카메라.

walk·ies [wɔ́:kiz] *n.* 《구어》 산책(walk) 《특히 어린이·개에게 쓰임》: Let's go ~! 자 산책하자.

walk·ie-talk·ie, walk·y-talky [wɔ́:kitɔ́:ki] *n.* 워키토키, 휴대용 무선 전화기.

wálk-ìn *a.* **1** 사람이 서서 드나들 수 있는 크기의《냉장고 등》; (공동의 복도를 거치지 않고) 직접 방으로 들어갈 수 있는《아파트 등》. **2** 예약 없이 오는〔들여보내는〕. **3** 쉬운: ~ victory 낙승. **—** *n.* 서서 들어설 수 있는 크기의 것《대형 냉장고, 냉장실, 반침 등》; ~식 아파트; 훌쩍 찾아오는 방문자; 지원자; (선거의) 쾌승. 「층 아파트.

wálk-in apàrtment (출입문이 따로 있는) 단

◇**wálk·ing** *n.* Ⓤ **1** 걷기, 보행; 산책; 경보. **2** 걸음걸이. **3** (보행을 위한) 도로 상태: The ~ is slippery. 이 길은 미끄럽다. **—** *a.* 걷는; 보행(자)용의; 걸으면서 조작하는; 걸어다닐 수 있는《병》; 걷듯이 움직이는; (기계가) 이동하는.

wálking-aróund mòney 《미속어》 유흥비.

wálking báss [-béis] 〖음악〗 워킹 베이스《피아노에 의한 블루스의 베이스 리듬》. 「桿).

wálking bèam 〖기계〗 (엔진의) 진동간(振動

wálking chàir (유아용) 보행기.

wálking délegate (노동조합의) 순회 (교섭) 위원, 직장위원《직장을 방문하여 협약 실시 상황 등을 조사하는 노동조합 임원》.

wálking díctionary 〔**encyclopédia**〕 살아 있는 사전; 박식한 사람.

wálking drèss (실용적인) 외출복; 산책복.

wálking fèrn 〖식물〗 =WALKING LEAF.

wálking gèntleman 〔**làdy**〕 (연기보다도) 용모나 풍채로 한몫 보는 배우〔여배우〕.

wálking lèaf 〖식물〗 거미일엽초속(屬)의 각종 양치식물(walking fern); 〖곤충〗 가랑잎벌레 (leaf insect).

wálking machìne 걷는 기계《장착자(裝着者)의 팔다리 역할을 하도록 만든 기계》.

wálking-ón pàrt =WALKING PART.

wálking òrders 《구어》 =WALKING PAPERS.

wálking pàpers 《구어》 면직; 해고 (통지); 《미속어》 (애인이나 친구에게) 차이기. 「(walkon).

wálking pàrt 〖연극〗 (대사가 없는) 단역

wálking pneumónia 〖의학〗 미코플라스마 폐렴《미코플라스마의 일종인 *Mycoplasma pneumoniae*를 병원체로 하는 폐렴; 기침·발열·신체적 불쾌감 등의 증상으로 보통 2주 정도면 쾌유됨》.

wálking shòrts =BERMUDA SHORTS.

wálking stàff (보행용) 지팡이.

wálking stìck 지팡이; 단장; 〖곤충〗 대벌레.

wálking tìcket 《구어》 =WALKING PAPERS.

wálking tòur 도보 여행, 소풍.

wálking-wóunded [-id] *a.* 보행 가능한〔침상에서 움직일 수 있을〕 정도의 상처를 입은.

Walk·man [wɔ́:kmən, -mæ̀n] *n.* 워크맨《Sony사제(社製)의 휴대용 스테레오 카세트테이프 플레이어; 상표명》.

wálk-òff *n.* 떠나감; (항의 표시로서의) 퇴장 (walkout); 이별(의 정표).

wálk-òn *n.* 〖연극〗 단역(端役), 통행인 역(役) (walking part)《대사 없이 무대를 거닐기만 하는 역》. **—** *a.* 단역의; (비행기편의) 좌석 예약이 출발 직전에 행해지는, 무(無)예약제의.

wálk·òut *n.* 파업, 스트라이크; 항의 퇴장; 장기 결석; 물건을 사지 않고 나가는 손님.

wálk·òver 《구어》 *n.* (다른 경주마가 없어) 코스를 보통 걸음으로 돌아 이기기; (상대가 열등한 경우의 일방적인) 독주; 낙승; 쉽게 이길 수 있는 상대. ***have a*** ~ 쉽게 이기다.

wálk-thròugh *n.* **1** 연극의 첫 리허설에서 대충 하는 연습. **2** 카메라 없이 하는 텔레비전 리허설. **3** 단역. **4** 보행자를 위한 터널.

wálk-ùp *a.*, *n.* 《미》 엘리베이터가 없는 (아파트·건물); (건물) 밖에서 일을 볼 수 있는: the ~ window of a bank 은행의 점외(店外) 창구.

wálk·wày *n.* 보도, 인도, 산책길; 현관에서 길까지의 통로; (공장 안의) 통로.

Wal·kyr·ie [wɑ:lkíəri, -káiəri, vɑ:l-, wɑ́:lkiəri/ vælkíəri, vǽlkiə-] *n.* =VALKYRIE.

†**wall**[1] [wɔ:l] *n.* **1** 벽, 담, 담장, 외벽, 내벽; (the W-) 전의 BERLIN WALL; (the W-) =the WAILING WALL: a stone 〔brick〕 ~ 돌담〔벽돌담〕/ a partition 〔party〕 ~ 칸막이벽 / a blank ~ 창·문이 없는 벽 / the ~*s* of a boiler 보일러 내벽 / *Walls* have ears. 《속담》 벽에도 귀가 있다, 밤말은 쥐가 듣고 낮말은 새가 듣는다. **2** (보통 *pl.*) 방벽, 성벽: town ~*s* 도시의 성곽 / the Great Wall (of China) 만리장성. **3** 벽 같은 것《산·파도 따위》; 높이 솟은 것: a mountain ~ 깎아지른 듯한 산맥. **4** 장애: the tariff ~ 관세장벽 / break down the ~ of inferiority complex 열등 콤플렉스의 장벽을 무너뜨리다. **5** 제방, 둑; (도로의) 집(에 가까운) 쪽, 벽 쪽《걷기 쉬운 쪽》. **6** 〖광물〗 =WALL ROCK; 거의 수직인 암벽(岩壁). **7** (종종 *pl.*) (기관(器官)·용기 등의) 내벽: the stomach ~*s* 위벽(胃壁) / the ~*s* of chest 흉벽(胸壁). ***climb the*** ~ 《미구어》 열화같이 화나다. ***drive*** 〔***push, thrust***〕 a person ***to the*** ~ 아무를 궁지에 몰아넣다. ***give*** a person ***the*** ~ 아무에게 길을 양보하다; 좋은 길을 터주다. ***go over the*** ~ 탈옥하다; (갇힌 생활에서) 빠져나가다. ***go to the*** ~ 궁지에 빠지다; 지다; 밀려나다; 굴복하다; (사업 등에) 실패하다: The weakest *goes to the* ~. 약한 자는 진다. ***hang by the*** ~ 쓰이지 않고 있다, 버려져 있다. ***jump*** 〔***leap***〕 ***over the*** ~ 교회를〔교단을〕 떠나다. ***knock*** 〔***bang, beat, hit, run, bash***〕 ***one's head against*** 〔***into***〕 ***a*** (***brick*** 〔***stone***〕) ~ 〔***a post***〕 불가능한 일을 시도하다, 헛수고하다. ***off the*** ~ 《미속어》 엉뚱한, 정신이 돈. ***see into*** 〔***through***〕 ***a brick*** ~ 예리한 통찰력이 있다. ***take the*** ~ ***of*** a person 아무에게 길을 양보하지 않다; 아무보다 유리한 입장에 서다. ***turn*** one***'s face to the*** ~ 얼굴을 벽으로 향하다《임종이 다가옴을 의식한 사람에게 말함》. ***up against a*** (***blank*** 〔***brick, stone,*** etc.〕) ~ 곤란한 상황 속에서; 벽에 부딪혀. ***up the*** ~ 《구어》 횡설수설하여; 몹시 골이 나; 확 달아올라: go 〔be, climb, crawl〕 *up the* ~ 발끈 화를 내다 / drive 〔send〕 a person *up the* ~ 아무를 머리끝까지 화나게 하다〔난감하게 하다〕. ***within four*** ~***s*** 방안에;

몰래, 내밀(內密)히: The matter must be kept *within four* ~*s*. 이 일은 비밀로 하여 주십시오. **—** *vt.* **1** 《~+[목]/+[목]+[부]/+[목]+[전]+[명]》 벽〔담〕으로 에워싸다〔차단하다, 칸막다, 경계 짓다〕《*in; off; from*》: ~ (*in*) a garden 정원을 담으로 에워싸다 / The study has *been* ~*ed off from* the living room. 서재는 거실과 격리되어 있다. **2** 《+[목]+[부]》 (입구 등을) 벽으로 막다〔메우다〕《*up; in*》: The window had been ~*ed up*. 창은 벽이 되어 있었다. **3** 《+[목]+[부]/+[목]+[전]+[명]》 (…속에) 가두다, 감금하다《*up; in*》: ~ a person (*up*) *in* a dungeon 아무를 토굴 감옥에 가두다. **4** (방의) 벽을 (…로) 덮다《*with*》. ~ ***... in*** 〔종종 수동태〕 ⇨ *vt.* 1, 2, 3; (사람을) 묻히게 하다, (…의) 활동장을 빼앗다.

— *a.* 벽〔담〕의; 벽쪽의; 벽에 건; 벽〔담〕에 붙어 사는.

㊕ **∠·less** *a.* **∠·like** *a.* 담〔벽〕 같은.

wall[2] *vt.* 《미》 (눈알을) 굴리다. **—** *vi.* (눈이) 크게 움직이다.

wal·la·by [wáləbi/wɔ́l-] (*pl.* ***-bies,*** 〔집합적〕 ~) *n.* 〔동물〕 왈라비《작은 캥거루》, 그 모피; (*pl.*) 《구어》 오스트레일리아 원주민. ***on the*** ~ (***track***) 《Austral. 속어》 사냥감을 찾아 덤불 속을 지나, 먹을 것〔일〕을 찾아 돌아다녀.

Wal·lace [wális, wɔ́:l-/wɔ́l-] *n.* 월리스《남자 이름》

Wal·lace·ism [wálisìzəm, wɔ́:l-/wɔ́l-] *n.* 월리스주의《인종 차별 정책의 계속, 남부 여러 주의 권리 옹호를 주장한 Alabama 주지사 George C. Wallace(1919-98)의 정책》; 월리스적 언사.

Wállace's líne 〔생물지리〕 월리스선(線)《A.R. Wallace가 제창한 아시아 구와 오스트레일리아 구를 나누는 생물지리학상의 가상 경계선》.

Wal·la·chia [wɑléikiə/wɔl-] *n.* 발라키아 (=**Wa·la·chia**)《유럽 남동부의 옛 공국; 1861년 Moldavia와 통합하여 루마니아가 됨; 수도 Bucharest》.

wal·lah, -la [wá:la:, -lə/wɔ́lə] *n.* 《Ind.》 …인(人), …자(者): a book ~ 책방 주인 / competition ~ (인도에서) 경쟁 시험을 거쳐 등용된 관리.

wal·la·roo [wɑ̀lərú:/wɔ̀l-] (*pl.* ~(*s*)) *n.* 〔동물〕 왈라루《큰 캥거루(euro)》.

wáll-attàchment effèct 유체가 만곡면을 흐를 때 표면에 흡착하는 경향(=**Coánda effèct**).

wáll·bànger *n.* 《미》 보드카와〔진과〕 오렌지 주스의 칵테일.

wáll bàrs 《미》 (체조용의) 늑목(肋木).

wáll·bòard *n.* [U] 펄프·플라스틱·석고 따위의 벽·천장 재료; [C] 《특히》 인조 벽판, 텍스.

wáll clòud 〔기상〕 =EYEWALL.

wáll·còvering *n.* [U] 벽지.

wáll crèeper 〔조류〕 (유럽·남아시아의) 나무발바리의 일종.

walled *a.* 벽이 있는, (성)벽으로 둘러싸인, 방어진을 구축한.

wálled pláin 〔천문〕 (월면의) 벽(壁) 평원.

wal·let [wálit, wɔ́:l-/wɔ́l-] *n.* **1** 지갑. **2** (가죽으로 만든) 작은 주머니. **3** 《고어》 (나그네·순례자·거지 등의) 전대(纏帶), 바랑.

wáll·èye *n.* (사시(斜視) 따위로) 각막이 커진 눈; 외(外)사시; (각막의 혼탁 따위로) 부옇게 흐린 눈; 《미》 눈알이 큰 물고기.

wáll·èyed *a.* 각막이 부옇게 된, 각막이 커진 눈의; 외사시의; 《미》 눈알이 큰 《물고기》; 《미》 (공포·분노 등으로) 눈을 크게 뜬; 《미속어》 취한.

wáll·flòwer *n.* 〔식물〕 계란풀《겨잣과의 관상용 식물》; 《구어》 '벽의 꽃'《무도회 따위에서 상대가 없어 벽에 기대어 있는 젊은 여자》; 《구어》 인기 없는 여자.

wáll frùit 담·울타리 따위에 기대게 하여 보호해서 익히는 과실《배 따위》.

wáll gàme 월 게임《코트내의 벽에 공을 치거나 던지거나 하는 게임; squash 따위; Eton 학교에서 행함》.

wáll hànging 장식용 벽걸이 천.

wáll·ing *n.* 벽 만들기; 벽 만드는 재료; 《집합적》 벽.

wáll knòt =WALE KNOT.

wáll nèwspaper 벽신문, 대자보(大字報).

Wáll of Déath (the ~) 죽음의 벽《커다란 원통의 안쪽 벽을 오토바이로 달리는 구경거리》.

Wal·loon [walú:n/wɔl-] *n.*, *a.* 왈론 사람《벨기에 남부의 인종》(의); [U] 왈론 말(의).

wal·lop [wáləp/wɔ́l-] *vt.* 《구어》 패다, 강타하다; 《구어》 철저히 해치우다, …에 대승하다. **—** *vi.* 《구어·방언》 들먹들먹 움직이다, 허둥대다, 뒤뚱뒤뚱 걷다; 《폐어》 질구(疾驅)하다; 떠들썩하게 돌아다니다; 《구어·방언》 부글부글 끓어오르다. **—** *n.* 《구어》 몹시 때리기, 펀치, 강타(력); 쇼크; 《구어》 호소력, 박력; 《방언·구어》 꼴사나운 움직임; 《구어》 흥분, 스릴; [U] 《미속어》 음주; 《영속어》 맥주; 〔야구〕 안타. ***go*** (***down***) ~ 《구어·방언》 털썩 쓰러지다.

wállop·er *n.* 《구어》 wallop하는 사람〔것〕; 《방언》 터무니없이 큰 것; 《Austral. 속어》 경관.

wállop·ing 《구어》 *a.* 육중한, 커다란; 아주 훌륭한: a ~ lie 터무니없는 거짓말. **—** *n.* [U,C] 펀치, 때림, 강타; 완패.

°**wal·low** [wálou/wɔ́l-] *vi.* **1** 《~/+[전]+[명]》 뒹굴다《진창·모래·물속에서》: ~ *in* the dust 먼지 구덩이에서 뒹굴다. **2** 《+[전]+[명]》 탐닉하다, (주색 따위에) 빠지다《*in*》: ~ *in* luxury 〔vice〕 사치〔나쁜 일〕에 빠지다. **3** 허우적거리며 나아가다, 간신히 나아가다. **4** (연기 따위가) 뭉게뭉게 나다. **5** 《+[전]+[명]》 남아돌 만큼 있다《*in*》: ~ *in* money 돈이 무척 많다. **6** 밀어닥치다, 소용돌이치다. **—** *n.* 뒹굶; 물소 따위가 뒹구는 수렁; [U] 주색〔나쁜 일〕에 빠지기, 타락.

wáll pàinting 벽화, 《특히》 =FRESCO.

wáll·pàper *n.* [U] 벽지. **—** *vt.* (벽·천장·방)에 벽지를 바르다.

wállpaper mùsic 《영》 (식당·백화점 등에서 은은히 흐르는) 무드 음악(background music).

wáll pàss 〔축구〕 월패스, 원투 패스《삼각 패스의 일종》.

wáll plùg 〔**sòcket**〕 (벽면의) 콘센트.

wáll·pòster *n.* 벽신문, 대자보(wall newspaper)《중국의》.

wall rock 〔광물〕 벽암(壁岩), 모암(母岩).

Wáll Strèet 월가(街), 월 스트리트《뉴욕 시의 증권 거래소가 있는 미국 금융계의 중심지》; 미국 금융 시장〔금융계, 재계〕. ㊕ **~·er** *n.* 월가(街)〔월 스트리트〕의 증권 중개인.

Wáll Strèet Jóurnal (the ~) 월 스트리트 저널《뉴욕 시 Dow Jones사에서 발행되는 경제 전문 일간지》.

wáll sỳstem 월시스템《벽에 붙박이 또는 붙여 만든 수납용의 시스템 가구》.

wáll tènt (사방에 수직 벽면이 있는) 집 모양의 천막.

wáll-to-wáll *a.* 마루 전체를 덮는《깔개》; (장소·시간대를) 꽉 채운〔메운〕, 내리 계속하는; 《구어》 어디에서나 (할 수) 있는〔일어나는〕.

wáll ùnit 벽에 세워 두는 가구《책장 따위》.

wal·ly[1] [wéili] 《Sc.고어》 *a.* 훌륭한, 멋진; 튼튼한; 강대한; 대규모의. **—** *n.* (장난감 같은) 시시한 것; 보잘것없는 싸구려.

wal·ly[2] [wáli/wɔ́li] *n.* 《속어》 바보, 멍청이.

wal·ly·drai·gle [wéilidrèigəl, wál-/wéil-, wɔ́l-], **-ly·drag** [-dræ̀g, -drɑ̀:g] *n.* 《Sc.》 연약한〔발육 부전의〕 동물〔사람〕; 칠칠치 못한 여자, 쓸모없는 자.

Wal-Mart [wɔ́:lmɑ̀:rt] *n.* 미국의 대형 할인 연쇄 백화점 회사.

°**wal·nut** [wɔ́:lnʌ̀t, -nət] *n.* **1** 〔식물〕 호두나무 (=**∠ trèe**); 그 열매; [U] 그 목재: over the ~*s* and the wine (식후에) 호두를 먹고 술을 마시

며, 식후에 환담을 나누는 자리에서. **2** Ⓤ 호두색.

Wal·pole [wɔ́ːlpòul, wál-/wɔ́ːl-] *n.* 월폴. **1 Horace** ~ 영국의 저술가(1717-97). **2 Hugh** ~ 영국의 소설가(1884-1941).

Wal·púr·gis Níght [*G.* vɑːlpúərgis-/væl-] (the ~) 발푸르기스의 밤《4월 30일 밤; 이날 밤 마녀들이 모여 마음껏 환락을 누린다 함》; 악몽 같은 일〔사태〕.

wal·rus [wɔ́ːlrəs, wál-/wɔ́(ː)l-] (*pl.* **~·es,** 〔집합적〕 ~) *n.* 〖동물〗 바다코끼리, 해상(海象).

walrus

wálrus mustáche 팔자 콧수염.

Wált Dísney Prodúctions 월트 디즈니 프로덕션《미국의 영화 제작·배급 및 유원지 경영 등을 행하는 레저 산업 회사》.

Wal·ter [wɔ́ːltər] *n.* 월터《남자 이름; 애칭 「Walt, Wat」》.

Wálter Mítty 《미》 터무니없는 공상에 빠지는 소심자〔인물〕《James Thurber(1894-1961)의 단편 *The Secret Life of Walter Mitty* 의 주인공에서》.

Wal·ton [wɔ́ːltn] *n.* 월튼. **1 Ernest Thomas Sinton** ~ 아일랜드의 물리학자(1903-95)《Nobel 물리학상 수상(1951)》. **2 Izaak** ~ 영국의 수필가·전기 작가(1593-1683)《'조어대전(釣魚大全)' 저술》. **3** Sir **William** (**Turner**) ~ 영국의 작곡가(1902-83). ㊞ **Wal·tó·ni·an** *a.*

°**waltz** [wɔːlts/wɔːls, wɔːlts] *n.* 왈츠《춤, 그 곡》, 원무곡; 《미속어》 1 라운드의 복싱; 《미속어》 쉬움, 식은 죽 먹기. **—** *vi.* 왈츠를 추다; 춤추는 듯한 걸음걸이로 걷다; 덩실거리며 춤추다《*in; out; round*》; 《속어》 기민하게 움직이다; 《미속어》 (권투 선수가) 춤추듯 가벼운 동작으로 싸우다; 쉽게 빠져나가다〔나아가다〕《*through*》; 《미구어》 뻔뻔스레 다가가다《*up*》. **—** *vt.* 왈츠에서 (파트너를) 리드하다, (아무와) 왈츠를 추다; 끌 듯이 데리고 가다〔나르다〕. **~ *into*** 공격〔비난〕하다, 야단치다. **~ *off with*** 《구어》 경쟁자를 쉽게 물리치고 (상을) 획득하다; (아무를) 유괴하다. ㊞ **∠·er** *n.* 왈츠 추는 사람.

wam·ble [wámbəl, wáml, wǽm-/wɔ́m-] 《방언》 *vi.* 메스껍다; (뱃속이) 끄르륵거리다; 불안정하게 걷다; 몸을 꼬다. **—** *n.* 위(胃)의 탈〔끄르륵거림〕, 메스꺼움; 불안정한 걸음걸이, 비틀거림.

wame [weim] *n.* 《Sc.》 배(belly), 자궁.

wam·pee [wɑmpíː, wɔːm-/wɔm-] 〖식물〗 *n.* 중국·인도 원산의 운향과(芸香科) 과수《하와이에서 재배》; 그 열매.

wam·pum [wámpəm, wɔ́ːm-/wɔ́m-] *n.* 조가비 염주《옛날 북아메리카 원주민이 화폐 또는 장식으로 사용함》; Ⓤ 《미속어》 금전, 돈.

wa·mus [wɔ́ːməs, wám-/wɔ́(ː)m-] *n.* cardigan에 벨트를 단 모양으로 감이 튼튼한 작업용 재킷.

°**wan** [wɑn/wɔn] (**wán·ner; -nest**) *a.* **1** 창백한, 파랗게 질린, 희미한. cf. pale¹. **2** 병약한, 힘없는. **3** 희미한《별·불빛 따위》. **4** 효험 없는, 쓸데없는. **5** 《고어》 음침한, 회색의. ㊞ **∠·ly** *ad.*

WAN, wan [wæn] *n.* 〖컴퓨터〗 광역 네트워크, 광역 통신망. [◂ *w*ide *a*rea *n*etwork]

°**wand** [wɑnd/wɔnd] *n.* 막대기, 장대; (마술사의) 지팡이; 권표《직권을 표시하는 관장(官杖)》; 《구어》 지휘봉; 《속어》 (활의) 과녁판. ***wave* one's** 〔***a***〕 (***magic***) **~** 마법의 지팡이를 한 번 흔들다, (마법을 쓰듯) 일이 뚯대로 되다.

＊wan·der [wándər/wɔ́n-] *vi.* 《~/+副/+전+명》 **1** 헤매다, (걸어서) 돌아다니다, 어슬렁거리다, 방랑〔유랑〕하다《*about; over*》. cf. roam. ¶ ~ *about* 어슬렁어슬렁 돌아다니다 / ~ (all) *over* the world 온 세계를 방랑하다. **2** 훌쩍 가다〔오다〕: He ~*ed in* to see me this morning. 오늘 아침 그는 나를 만나러 훌쩍 찾아왔다 / I ~*ed out of* the room to the garden. 나는 실내에서 훌쩍 정원으로 나가 보았다. **3** (옆으로) 빗나가다, 길을 잃다《*out; off; from*》; (이야기가) 옆길로 빗나가다, 빗나가다《*from; off*》; 나쁜 길로 빠지다: ~ *off* the track 길을 잃다〔잘못 들다〕 / ~ *from* proper conduct 정도를 벗어나다 / Don't ~ *from* the subject 〔point〕. 주제에서 이야기를 빗나가게 하지 마라. **4** (마음이) 종잡을 수 없게 이리저리 변하다; (열 따위로) 헛소리를 하다,(정신이) 오락가락하다, (생각 따위가) 산만해지다: His wits are ~*ing*. 그의 정신이 이상하다 / My mind 〔thoughts〕 ~***ed back to*** my boyhood days. 나의 마음은 소년 시절로 되돌아갔다. **5** (강·언덕 등이) 구불구불 흐르다〔뻗다〕. **—** *vt.* 《~+목/+목+부》 돌아다니다, 헤매다, …을 방황하다, 방랑하다: ~ the world (*through*). **—** *n.* 유랑, 방랑, 어슬렁어슬렁 걸어다님. ㊞ °**~·er** *n.* ~(*vi.* 1-3)하는 사람.

wán·der·ing [-dəriŋ] *a.* **1** 헤매는; 방랑하는; 굽이쳐 흐르는《강 따위》; 옆길로 새는. **2** 두서없는, 종잡을 수 없는; 〖의학〗 유주(遊走)하는; 〖식물〗 긴 포복(匍匐) 가지를 가진. **—** *n.* (종종 *pl.*) 산책, 방랑; (상궤) 일탈, 탈선; 혼란한 생각〔말〕. ㊞ **~·ly** *ad.* 방랑하여, 헤매어.

Wándering Jéw 1 (the ~) 방랑하는 유대인《형장으로 끌려가는 예수를 모욕했기 때문에, 영원히 방랑할 벌을 받았다는》; (w- J-) 유랑인. **2** 〖식물〗 (w- J-) 자주닭의장풀.

Wan·der·jahr [*G.* vándərjaːr] (*pl.* **-jah·re** [*G.* -jaːrə]) *n.* 《G.》 여행〔방랑〕기간; 편력(遍歷) 시대《견습을 마친 도제(徒弟)가 솜씨를 닦는 1년》.

wan·der·lust [wándərlʌ̀st/wɔ́n-] *n.* 《G.》 Ⓤ 여행열(熱), 방랑벽(癖).

wan·der·oo [wɑ̀ndərúː/wɔ̀n-] (*pl.* **~s**) *n.* 〖동물〗 원더루《검정원숭이; 스리랑카산》; 인도원숭이.

wánder plùg 〖전기〗 (어떤 소켓에도 맞는) 만능 플러그.

wánd rèader 완드 리더(바코드(bar code)를 읽어 내는 전자 펜〔스틱〕).

°**wane** [wein] *vi.* **1** (달이) 이지러지다. opp. *wax*². **2** 작아지다; 적어지다, 약해지다, 쇠약해지다, 감퇴하다; 끝이 가까워지다: His influence has ~*d*. 그의 세력은 약해졌다 / Summer is *waning*. 여름이 끝나고 있다. ***wax and* ~** ⇨ WAX². **—** *n.* Ⓤ (달의) 이지러짐; 쇠미, 감퇴; 원목의 껍질이나 둥근 면이 남아 있는 각재(角材)〔판재(板材)〕. ***on*** 〔***in***〕 ***the* ~** (달이) 이지러지기 시작하여; 쇠퇴하기〔기울기〕 시작하여. ***waning moon*** 하현(下弦)달.

wan(·e)y [wéini] (**wan·i·er; -i·est**) *a.* (달 등이) 이지러지는, 이우는; 쇠퇴해진; wane이 있는《각재·판재(板材) 따위》.

wan·gle [wǽŋgəl] 《구어》 *vt.* 《~+목/+목+전+명》 **1** 책략으로 손에 넣다, 교묘히 우려내다; (말을) 꾸미다, 꾸며대다, (서류 따위를) 속이다; 구슬러 …시키다: ~ ten pounds *out of* a person 아무에게서 10파운드 우려내다. **2** 흔들다; (몸을 꿈틀거리듯 하며) 그럭저럭 나아가다; 그럭저럭 용케 벗어나게 하다. **—** *vi.* 빠져나가다《*from*》; 임시변통의 방편을 쓰다, 술책을 부리다, 잔재주를 부리다. **—** *n.* (책략·음모 따위로) 용케 손에 넣음; 교활한 책략.

wan·i·gan, wan·ni-, wan·gan [wánigən/wɔ́n-], [wǽŋgən] *n.* 《미·Can.》 (차에 달거나 뗏목 위에 올려놓고 쓰는) 이동식 오두막〔보

급품 상자); (재목 벌채 현장에서 쓰는) 이동식 간이 사옥(사무실 · 피난처로).

wan·ion [wánjən/wɔ́n-] *n.* 《고어》 천벌(curse); 보복, 복수(vengeance). ***A*** (***wild***) ~ ***on*** a person! =***With a*** ~ ***to*** a person! 저주받아라. ***with a*** (***wild***) ~ =***in a*** ~ 맹세코, 절대로; 지독히, 격렬하게.

wank, whank [wæŋk] *n.*, *vi.* 《비어》 자위(를 하다)《*off*》. ⓜ **∠·er** *n.* 《비어》 수음자; 《속어》 호사가, 변변치 않은 자, 싫은 녀석.

Wán·kel éngine [wáːŋkəl-, wǽŋ-] 〖기계〗 방켈 엔진《피스톤이 삼각형 모양이고 경량화된 로터리 엔진》.

wan·kle [wǽŋkəl] *a.* 《영방언》 **1** 불안정한, 동요하는. **2** 약한, 병에 잘 걸리는.

wan·na [wɔ́ːnə, wánə/wɔ́nə] 〘발음철자〙 want to; want a.

wan·na·be, -bee [wánəbìː/wɔ́n-] *n.* 《미구어》 극성 팬, 열광 팬《동경하는 사람과 같이 되고 싶어하는 사람; 인기 가수 등에 심취하여 무엇이든 그들을 모방함》; …의 숭배자〔심취자〕.

wan·nish [wániʃ/wɔ́n-] *a.* 좀 창백한.

†**want** [wɑnt, wɔːnt/wɔnt] *vt.* **1 a** 탐내다, …을 원하다, 갖고〔손에 넣고〕 싶다: We ~ a small house. 우리는 조그만 집을 원한다/I ~ a car. 나는 차를 갖고 싶다/He ~*s* everything he sees. 그는 보는 것은 무엇이나 탐낸다/What do you ~? 무엇을 원하느냐, 무슨 볼일이냐. **b** (아무에게) 볼일이 있다; (아무를) 볼일이 있어 찾고 있다: Tell him I ~ him. 그에게 용무가 있다고 말해 주게/You are ~*ed* on the phone. 당신에게 전화가 왔습니다/He is ~*ed* by the police. 그는 지명 수배 중에 있다. **2** 《+*to* do/+目+*to* do/+目+*done*/+目+*-ing*/+目+보/+*that* 절》 …하고 싶다; (아무가) …해 줄 것을 바라다, …해 주었으면 하다: I ~ *to* go there 〔*to* be rich〕. 나는 거기에 가고〔부자가 되고〕 싶다/I ~ you *to* do it at once 〔*to* be happy〕. 나는 자네가 그것을 곧 해 주기〔행복해지기〕를 바라네/What do you ~ me *to* do? 내가 무엇을 해 주기를 바라는가/I ~ it *done* at once. 그것을 곧 해 주기 바란다/I don't ~ those children ill-treated. 나는 그 아이들이 학대받는 걸 바라지 않는다/I don't ~ women meddl*ing* in my affairs. 나의 일에 여자들이 관여하는 것을 바라지 않는다/I ~ everything ready by five o'clock. 5 시까지 만반의 준비가 되어 있기를 바란다/He ~*ed that* everybody should be present. 그는 모두 출석해 줄 것을 바라고 있었다《비표준적인 표현》. SYN. ⇨ WISH. **3** 《~+目/+*-ing*》 …이 필요하다, 필요로 하다(need): Children ~ plenty of sleep. 어린이에게는 충분한 수면이 필요하다/My shoes ~ mend*ing*. 내 구두는 수선할 필요가 있다. **4** 《+*to* do》 《구어》 …하지 않으면 안 되다, …하는 편이 좋다(ought, must): You ~ *to* see a doctor at once. 곧 의사에게 진찰받도록 하여라/You don't ~ *to* be rude. 무례해서는 안 된다. **5** 《~+目/+目+전+명》 **a** 없다, 빠져 있다; …이 모자라다, …이 부족하다: a statue ~*ing* the head 목 없는 상/He ~*s* judgment. 그는 판단력이 부족하다. **b** 《+目+전+명》〘it를 주어로 하여〙 (길이가) 부족하다, 모자라다《*of*》; (시간이) …까지 아직 있다《*to; of; till; until*》: *It* ~*s* 2 inches *of* 3 feet. 그것은 3 피트에서 2 인치 모자란다/*It* ~*s* five minutes *to* 〔*of*〕 noon. 정오 5 분 전이다/*It* still ~*s* an hour *until* 〔*till*〕 lunch. 점심까지는 아직 1 시간이나 남아 있다. SYN. ⇨ LACK.

— *vi.* 《~/+전+명》 **1** 바라다, 원하다: We can stay home if you ~. 원하신다면 우리는 집에 있어도 좋습니다. **2** 《~/+전+명》 없다, 부족하다, 모자라다《*in; for*》: The leader ~*ed for* judgment. 그 지도자는 판단력이 부족하였다. **3** (…을) 필요로 하다《*for*》: If you ~ *for* anything, let him know. 무엇이든 필요한 것이 있으면 그에게 알려라. **4** 생활이 군색스럽다, 옹색하다: She would never allow her parents to ~. 그녀는 부모가 궁색한 것을 버려두지 않을 것이다/Waste not, ~ not. 《속담》 낭비하지 않으면 옹색할 것도 없다. **5** 《구어 · Sc.》〘in, to 등을 나타내는 부사와 함께〙 가고〔나가고, 들어가고〕 싶어하다《따위》: The dog ~*s in* 〔*out*〕. 개가 들어가고〔밖으로 나가고〕 싶어한다. **~ *in*** 《구어》 ⇨ *vi.* 5; 《구어》 (사업 등에) 끼고 싶어하다. **~ *off*** 《구어》 나가고 싶어하다. **~ *out*** 《미구어》 …에서 나가고 싶어하다; (동업자로부터) 몸을 빼려고 하다; (불쾌한 일을) 피하려고 하다.

— *n.* Ⓤ **1** 필요, 소용: the ~ of a real friend 진실한 친구의 필요. **2** (보통 *pl.*) 필요물: supply the ~*s* of one's neighbors 인근 사람들의 필수물을 공급하다. **3** Ⓒ 원하는 것; 욕구, 욕망: a longfelt ~ 오랫동안 필요시되던 것〔일〕/satisfy a ~ of nature (용변 따위) 자연적 욕구를 충족시키다. **4** 《문어》 결핍, 부족《*of*》: plants dying for ~ *of* rain 비 부족으로 말라가는 식물/~ *of* imagination 상상력의 결여. **5** 《문어》 가난, 곤궁: live in ~ 가난한 생활을 하다/be reduced to ~ 가난에 빠져 있다/*Want* is the mother of industry. 《격언》 빈궁은 근면의 어머니. ***for*** **~ *of*** …의 결핍 때문에(⇨ *n.* 4). ***from*** **~ *of*** …의 결핍에서, …이 원인으로: die *from* ~ *of* food 식량 부족으로 죽다. (be) ***in*** **~ *of*** …이 없어서 곤란받고 (있다), …을 필요로 (하다): The house is *in* ~ *of* repair. 그 집은 수리할 필요가 있다.

ⓜ **∠·a·ble** *a.* 바람직한; 매력적인.

wánt àd 《미구어》 (신문의) 모집〔구직, 분실〕 광고; 《구어》 3 행 광고(란).

want·age [wántidʒ, wɔ́ːnt-/wɔ́nt-] *n.* 〖상업〗 부족량(액); 부족(shortage).

wánt·ed [-id] WANT의 과거 · 과거분사. — *a.* **1** 〖광고〗 …을 구함, …모집, 채용코자 함: *Wanted* a tutor. 가정교사 구함/Help 〔Situation〕 wanted 구인〔구직〕《광고 · 게시》. **2** 지명 수배된 (사람의): the ~ list 지명 수배 리스트. **3** 여보세요《가게에서 점원을 부르는 말》.

wánted mán (경찰의) 지명 수배자.

***want·ing** [wántiŋ, wɔ́ːnt-/wɔ́nt-] *a.* **1** 빠져 있는; …이 없는: There is something ~. 무언가 빠져 있다/a coat with buttons ~ 단추가 없는 웃옷. **2** 부족한《*in*》; 목표〔표준〕 따위에 이르지 못한: She is ~ *in* judgment 〔politeness〕. 그녀는 판단력이〔예의가〕 부족하다. **3** 《고어》 (사람이) 제힘을 다 발휘하지 않는; 역량 부족인; 《방언》 지혜가 모자라는: He is not ~ *to* himself. 그는 자기 능력을 다 발휘하고 있다. — *prep.* …이 없는(without); …이 모자라는(minus): a book ~ a cover 표지가 없는 책/a pound ~ two shillings, 2 실링이 부족한 1 파운드/a month ~ three days, 3 일 모자라는 한 달.

wánt·less *a.* **1** 부족함이 없는, 부자유함이 없는. **2** 욕심이 없는; 탐나는 것이 없는.

wánt lìst 원하는 물건의 (목록)표, (업자 간에 배포되는) 희망 품목표.

°**wan·ton** [wántən/wɔ́n-] *a.* **1 a** 터무니없는, 무리한, 이유 없는, 무엄한; 분방한. **b** 무자비한, 잔인한, 악의로 하는. **2** 변덕스러운, 제멋대로의; 《시어》 들떠 떠드는, 까부는, 장난이 심한《아이 등》. **3** 바람난, 음탕한, 부정(不貞)한, 외설한. **4**

무질서하게 우거진, 무성한. **—** *n.* 바람둥이, ⦅특히⦆ 음란한 여자, 화냥년; 장난꾸러기. ***play the* ~** 희롱거리다. **—** *vi.* 뛰어돌아다니다, 들떠 날뛰다; (이성과) 새롱거리다⦅*with*⦆; 멋대로 못된〔잔인한〕 짓을 하다; 방자〔방종〕하게 지내다; 무성하게 자라다. **—** *vt.* ⦅+목+부⦆ 낭비하다⦅*away*⦆: ~ money *away* 돈을 낭비하다. ㊕ **~·ly** *ad.* 제멋대로; 변덕스럽게; 장난치며; 바람이 나서. **~·ness** *n.*

WAP White Australia Policy; 〖컴퓨터〗 wireless application protocol; work analysis program (작업 분석 계획).

wap·en·take [wάpəntèik, wǽp-/wɔ́p-, wǽp-] *n.* 〖영국사〗 작은 읍, 작은 구⦅county 의 작은 구분⦆.

wap·i·ti [wάpəti/wɔ́p-] (*pl.* **~s,** ⦅집합적⦆ **~**) *n.* 〖동물〗 큰사슴(elk)⦅북아메리카산⦆.

†**war** [wɔːr] *n.* **1** Ⓤ,Ⓒ 전쟁, 싸움, 교전 상태⦅주로 국가 사이의⦆: make 〔wage〕 ~ on …에 전쟁을 걸다, (…와) 전쟁을 시작하다〔하다〕/a ~ to end ~ 전쟁을 없애기 위한 전쟁⦅제 1 차 대전 때의 연합군의 슬로건⦆/World *War* II, 제 2 차 세계 대전⦅II 는 two 로 읽음⦆/⇨ COLD 〔HOT〕 WAR/a civil ~ 내전/a TOTAL ~/*War* often breaks out without warning. 전쟁은 경고 없이 발발한다. **2** Ⓤ 군사(軍事); 병법, 전략; 육군; ⦅고어⦆ 전투: the art of ~ 전술, 병법. **3** Ⓒ 다툼, 불화, 투쟁(conflict): a ~ of words 설전(舌戰), 논쟁/the ~ *against* cancer 암과의 싸움. **4** Ⓤ 적의, 불화 상태. ***a declaration of* ~** 선전 포고. ***all-out* ~** 총력전, 전면 전쟁. ***an act of* ~** (국제법상의) 전쟁 행위. ***a tug of* ~** 줄다리기. ***a* ~ *of nerves*** 심리전, 신경전. ***a* ~ *of the elements*** 폭풍우; 천지의 대이변. ***be at* ~** 교전 중이다; 불화하다⦅*with*⦆. ***carry on* ~ *against*** …와 싸우다. ***carry the* ~ *into the enemy's camp*** 〔***country***〕 공세로 전환하다; ⦅비유⦆ 같은 불평 따위로 상대방을 역습하다. ***declare* ~ *against*** 〔***on, upon***〕 …에 선전을 포고하다. ***drift into* ~** 개전하기에 이르다. ***go to the* ~*s*** ⦅고어⦆ 출정하다. ***go to* ~** 개전하다; 무력에 호소하다 ⦅*against; with*⦆; 출정하다. ***have a good* ~** ⦅구어⦆ 전장에서〔전시에〕 마음껏 활약하다. ***have been in the* ~*s*** ⦅구어·우스개⦆ 상처투성이다, 싸운 흔적이 있다. ***the trade*** 〔***profession***〕 ***of* ~** 군직(軍職). ***the War between the States*** ⦅미⦆ 남북 전쟁⦅특히 남군에서 본 호칭⦆. ***the War of*** (***American***) ***Independence*** 〖역사〗 미국 독립 전쟁⦅영국에서의 호칭⦆. ***the War Secretary*** ⦅영⦆ 육군 장관.

— (**-rr-**) *vi.* ⦅~/+전+명⦆ 싸우다; 다투다 ⦅*with; against*⦆: ~*ring* creeds 서로 대립하는 주의/~ *against* social evils 사회악과 싸우다.

War. Warwick(shire). **war.** ⦅Sc.⦆ warrant.

wa·ra·gi [wάːrɑːgi] *n.* 우간다인이 마시는 바나나 술.

Wár and Péace 전쟁과 평화⦅러시아 작가 Leo Tolstoy 의 장편 소설; 유럽 문학의 최고 걸작의 하나⦆.

wár bàby 전시에 태어난 아기; ⦅특히⦆ 전쟁 사생아; 전쟁의 산물; (특히, 전쟁 경기를 탄) 군수품〔산업〕; 전쟁 때문에 폭등하는 유가 증권.

wár·bìrd *n.* 군용기 (탑승자).

°**war·ble**[1] [wɔ́ːrbəl] *vi., vt.* **1** (새가) 지저귀다. **2** 목소리를 떨며 노래하다; ⦅미⦆ 요들을 부르다. **3** (물이) 졸졸 흐르다. **4** (전자 장치가) 떠는 소리를 내다. **—** *n.* 지저귐; 떨리는 목소리; 노래. ㊕ **wár·bling** *n., a.*

war·ble[2] *n.* (말등의) 안장 때문에 생긴 혹; 〖수의〗 (쇠파리에 쐬어) 가축의 등에 생긴 종기; 〖곤충〗 쇠파리의 유충. ㊕ **~d** *a.*

wárble flỳ 〖곤충〗 쇠파리.

wár·bler *n.* 지저귀는 새; 목청을 떨며 노래하는 사람; 가수; 〖통신〗 무선 전화에서 반송(搬送) 주파수를 바꾸는 장치.

wár·bònnet *n.* (아메리칸 인디언의 예장용) 전투모.

warbonnet

wár brìde 전쟁 신부⦅출정하는 군인의 신부; 점령군의 현지처⦆.

warby [wɔ́ːrbi] (***warb·i·er, -i·est***) *a.* ⦅Austral. 속어⦆ 꾀죄죄한, 초라한, (머리가) 더부룩한. **—** *n.* 꾀죄죄한 사람〔물건〕.

wár chèst 군자금(軍資金), 운동〔활동〕 자금; 전시(戰時) 구제 자금.

wár clòuds 전운(戰雲).

wár clùb **1** (아메리칸 인디언이 쓰던) 전투용 곤봉. **2** ⦅속어⦆ 야구의 배트.

Wár Cóllege ⦅미⦆ 육군〔해군〕 대학교.

wár correspòndent 종군 기자.

wár còuncil ⦅미⦆ 비상 회의⦅군 수뇌의 작전 회의⦆.

wár crìme (보통 ~s) 전쟁 범죄.

wár crìminal 전쟁 범죄인, 전범.

wár crỳ **1** (공격·돌격 때의) 함성. **2** (정당의) 슬로건, 선전 구호.

ward** [wɔːrd] *n.* **1** Ⓤ 보호; 감독, 감시; 억류, 연금: a child in ~ 보호〔후견〕받고 있는 아이. **2** ⦅집합적⦆ 보호〔감독〕자들. **3** 〖법률〗 피보호자; 피후견인(=~ **of cóurt**)⦅미성년자·금치산자 등⦆; 피감시자. **4** (교도소의) 감방; (구빈원 따위의) 수용소; (모르몬교의) 지방 분회. **5 a** 병실, 병동: ⇨ CASUAL WARD/an isolation ~ 격리실〔병동〕. **b** (성·요새의) 안뜰. **6** 구(區)⦅도시의 행정 구획⦆. ⓒⓕ district. **7** Ⓤ 〖펜싱〗 방어; 방어구(具). **8** (*pl.*) (열쇠 따위의) 홈; 돌기. ***be in* ~ *to a person 아무의 후견을 받고 있다. ***be under* ~** 감금〔연금〕되어 있다. ***put*** a person ***in* ~** 아무를 감금하다.

— *vt.* **1** 받아넘기다, 비키다, 격퇴하다⦅*off*⦆; 막다, 피하다⦅*off*⦆; 병동에 수용하다: They had no warm clothes or food to ~ *off* the bitter cold. 그들에게는 모진 추위를 막을 의복도 음식도 없었다/~ a patient 환자를 병동에 수용하다. **2** ⦅고어⦆ 지키다, 보호하다; 후견하다.

-ward [wərd] *suf.* '…쪽의〔으로〕' 라는 뜻의 형용사·부사를 만듦: bed*ward* 침대 쪽의〔으로〕. ★ 보통 -ward 는 형용사·부사에, -wards 는 부사에만 쓰이나, 미국에서는 부사에도 주로 -ward 를 씀.

wár dàmage 전화(戰禍), 전재(戰災).

wár dànce (원시 민족의) 출진〔전승〕의 춤.

wár dèbt 전채(戰債).

°**war·den**[1] [wɔ́ːrdn] *n.* **1** 관리자, 감독자, 감시원; ⦅영⦆ =AIR-RAID WARDEN; ⦅미⦆ 교도소장. **2** ⦅영⦆ (학교장·병원장·사감 등 조직의) 장, 이사, 임원; ⦅영⦆ (항만·시장 따위의) 장관, 소장. **3** (W-) ⦅영⦆ 총감, 총독; (주 자치읍·마을 따위의) 수장(首長), 지사; 〖역사〗 섭정. **4** 교회 위원(churchwarden); ⦅고어⦆ 문지기. **—** *vi.* (수렵구(狩獵區) 감독관으로서) 감독 보호하다. ㊕ **~·shìp** *n.* Ⓤ ~의 직〔지위, 임기〕.

war·den[2] *n.* ⦅영⦆ 배(pear)⦅요리용⦆.

war·den·ry [wɔ́ːrdnri] *n.* Ⓤ,Ⓒ ⦅미⦆ warden[1] 의 직〔지위, 관할 구역〕.

Wár Depàrtment (the ~) ⦅미⦆ 육군성(the Department of War)⦅1789-1947; 현재는 the Department of the Army로, the Department of Defense 소속⦆.

wárd·er¹ (*fem.* ***wárd·ress***) *n.* 지키는 사람, 감시인, 수위; 《영》 (교도소의) 교도관(官); 〚항공〛 감시원. ⓜ **~·shìp** *n.* 「지휘봉.
wárd·er² *n.* 〚역사〛 (왕 · 사령관의) 권장(權杖),
wárd hèeler 《미구어》 보스(boss)의 앞잡이가 되어 투표 등을 부탁하며 다니는 사람, 정계 보스의 지방 운동원.
wárd màid (병원의) 잡역부, 청소부.
Wárd·our Strèet [wɔ́ːrdər-] 런던의 거리 이름《옛날에는 골동품상, 지금은 영화관이 많음》: ~ English 의고체(擬古體) 영어.
*__ward·robe__ [wɔ́ːrdroub] *n.* **1 a** 옷〔양복〕장; =WARDROBE TRUNK. **b** 옷 넣는 반침〔벽장〕; (특히 극장의) 의상실. **2** 〔집합적〕 (갖고 있는) 의류, 무대 의상; (왕실 따위의) 의상계(係)〔부(部)〕: my spring ~ 나의 봄옷. ***have a large ~*** 옷을 많이 갖고 있다.

wardrobe 1a

wárdrobe bèd 장롱 겸용(兼用) 접는 침대.
wárdrobe càse 의상 가방《옷을 옷걸이에 건 채 운반할 수 있는》.
wárdrobe dèaler 헌옷 장수. 「《남성》.
wárdrobe màster (극장 · 극단의) 의상 담당
wárdrobe mìstress (극장 · 극단의) 의상 담당《여성》. 「용》.
wárdrobe trùnk 의상용 대형 트렁크《옷장 겸
wárd·ròom *n.* 〚해사〛 (군함의) 상급 사관실; 〔집합적〕 상급 사관. ⓒⓕ gun room.
-wards [wərdz] *suf.* 《영》 '…쪽으로'의 뜻: down*wards*, sky*wards*. ⇨-WARD.
ward·ship [wɔ́ːrdʃip] *n.* Ⓤ 후견받는 미성년자〔피후견인〕의 신분〔지위〕; 후견, 보호, 감독. ***be under the ~ of*** …의 보호를 받고 있다. ***have the ~ of*** …을 후견〔보호〕하고 있다.
wárd sìster 《영》 병동(病棟) 간호사.
◇**ware**¹ [wɛər] *n.* **1** (*pl.*) 상품, 판매품. ⓒⓕ goods, merchandise. **2** Ⓤ 〔보통 집합적, 복합어〕 세공품, 기물(器物), 공작품; …제품: earthen*ware* 도자기 / hard*ware* 철물 / silver*ware* 은제품 / table*ware* 식탁 용품. **3** Ⓤ 〔집합적〕 (생산지명을 붙여서) 도(자)기(pottery): delft ~ 델프트산 도자기. ***praise one's own ~s*** 자화자찬하다.
ware² *a.* 《고어》 조심성 있는, 방심하지 않는; 약은, 빈틈없는; 눈치채고 있는(aware)《*of*》. ── *vt.* 〔보통 명령형〕 주의〔조심〕하다; 삼가다: *Ware* the hound! (사냥에서) 개 조심 / *Ware* the bottle. 술을 삼가라, 너무 마시지 마라.
wár èffort 전쟁 (수행) 지원, (전시의) 거국 총동원 (체제).
*__ware·house__ [wɛ́ərhàus] *n.* **1** 창고, 저장소. **2** 《영》 도매 상점, 큰 가게; 《미》 '인간 창고' 《정신병자 · 노인 · 빈민 등을 가둬 두는 대형 공공시설》. ── [-hàuz, -hàus] *vt.* 창고에 넣다; 보세 창고에 맡기다; 《미》 '인간 창고'에 쓸어 넣다.
wárehouse·man [-mən] (*pl.* ***-men*** [-mən, -mèn]) *n.* 창고업자, 창고계원; 《영》 도매 상인.
wárehouse pàrty 웨어하우스파티《커다란 창고 따위에서 하는 대규모 디스코 파티》.
wárehouse recèipt 《미》 창고 증권.
wáre·ròom *n.* 상품 전시실, 상점, 가게(앞).
◇**war·fare** [wɔ́ːrfɛ̀ər] *n.* Ⓤ 전투 (행위), 교전 (상태); 전쟁(war); 싸움: chemical 〔guerrilla〕 ~ 화학〔게릴라〕전 / economic ~ 경제 전쟁.
war·fa·rin [wɔ́ːrfərin] *n.* 〚화학〛 와파린《혈액 응고 저지제; 쥐약 · 의약용》.
wár·fìghting *n.* 전투; 미사일 전쟁.
wár fòoting (군대 · 조직 따위의) 전시 편제; 임전 태세.
wár gàme =KRIEGSPIEL; 도상(圖上) 작전; (종종 *pl.*) 대항〔기동〕 연습; 〚컴퓨터〛 전쟁놀이.
wár-gàme *vi.* 도상 작전 연습을 하다; 기동 훈련을 하다; (장난감을 가지고) 전쟁놀이하다. ── *vt.* war game 을 하다.
wár gràve 전몰자의 묘(墓). 「(의원).
wár hàwk 주전론자(jingo); 매파(派)의 사람
wár·hèad *n.* (어뢰 · 미사일 등의) 탄두.
wár-hòrse *n.* 군마; (종종 old ~) 《구어》 노병; (정계 따위의) 노련가(veteran), 베테랑; 《구어》 (자주 상연하여) 식상이 된 작품《극 · 곡 따위》.
war·i·ness [wɛ́ərinis] *n.* 신중함. ◇ wary *a.*
Warks. Warwickshire.
wár·lèss *a.* 전쟁 없는.
◇**wár·lìke** *a.* **1** 전쟁의, 군사의, 병사의, 무사의. **2** 호전적인, 도전적인. **3** 전쟁이 될 것 같은.
wár lòan 《영》 전시 공채.
wár·lòck *n.* 마술사; 요술쟁이; 점쟁이.
wár·lòrd *n.* 《문어》 장군, 군사령관; (특정 지역의 통치권을 가진) 군 지도자, 군벌(軍閥), (특히 중국 군벌 시대의) 독군(督軍), 독판(督辦).
†**warm** [wɔːrm] *a.* **1** 따뜻한, 온난한; 더운: ~ climate 〔countries, weather, days〕 따뜻한 기후〔나라, 날씨, 날〕 / ~ water 더운 물 / a ~ sweater 따스한 스웨터. **2** (몸이) 화끈거리는, 더워지는: ~ exercise 몸이 더워지는 운동 / be ~ from walking 걸어서 몸이 화끈거리다 / You are ~. (이마에 손을 대거나 하면서) 열이 있군. **3** (마음씨가) 다정스러운, 마음에서 우러나는, 애정이 있는, 진심이 담긴: a ~ welcome 따뜻한 환영 / a ~ heart 다정한 마음 / ~ thanks 마음에서 우러나는 감사. **4** 열렬한, 열심인: ~ interest 뜨거운 관심 / He gave me a ~ support. 그는 나를 열렬히 지지해 주었다. **5** 열광적인, 흥분한; 활발한, 격렬한: a ~ debate 〔dispute〕 격론 / a ~ temper 발끈하는 급한 성미. **6** 따뜻한 색의: ~ colors. **7** 《영구어》 유복한, 주머니가 두둑한. **8** (냄새 따위가) 강한; 〚사냥〛 (짐승 냄새 · 자국이) 생생한: a ~ scent. **9** 도발적인, 선정적인: ~ descriptions 선정적인 기사〔묘사〕. **10** 《구어》 (숨바꼭질에서) 숨은 사람 쪽으로 가까이 간; (퀴즈 따위에서) 정답에 가까워진, 맞출 것 같은. **11** 《구어》 힘이 드는, 괴로운; 《구어》 불쾌한, 기분 나쁜; 《구어》 위험한: a ~ corner 격전지. **12** 《영고어 · 구어》 안락한, 유복한. ***get ~*** ① 따뜻해지다; 더워지다: Come near the fire and *get* ~. 불가에 와서 불을 쬐어라. ② 열중하다. ③ 찾고 있는 것에 접근하다. ***grow ~*** 흥분하다. ***keep a place ~*** 잠시 그 자리〔역(役)〕에 있어 주다. ***keep ~*** 식지 않도록 하다. ***make it*** 〔***a place, things***〕 (***too***) ***~ for*** a person 아무를 배겨낼 수 없게 하다, (약점을 기화로) 호되게 혼내주다. ***~ with*** 《속어》 더운 물 · 설탕이 든 브랜디 《~ with sugar의 생략; ⓒⓕ COLD without》. ***~ with wine*** 얼근하게 취하여.
── *vt.* **1** 《~+목/+목+부/+목+전+명》 **a** 따뜻하게 하다, 녹이다《*up*》: ~ (*up*) a room 〔one's hand〕 방〔손〕을 따뜻하게 하다 / Please ~ (*up*) this milk. 이 우유를 데워 주시오. **b** 《~ oneself로》 몸을 녹이다: ~ one*self* at the stove 난로에 몸을 녹이다. **2** …의 마음을 따뜻하게 하다, 부드럽게 하다, 힘을 내게 하다: The sight of the children ~*s* my heart. 아이들을 보니 마음이 너그러워진다. **3** 흥분시키다, 열중하게 하다《*up*》; 격노케 하다: The wine soon ~*ed* the company. 술이 들어가니까 자리는 대번에 활기가 돌았다. **4** 《속어》 때리다, 채찍질하다.

—— *vi.* **1** 《~/+副》 따뜻해지다, 데워지다: The milk is ~*ing up* on the stove. 우유가 난로 위에서 데워지고 있다. **2** 《~/+副/+전+명》 홍분하다, 열중하다《*up; to*》; 활기 띠다, 생기(生氣)가 넘치다《*up; to*》: She ~*ed* (*up*) as she spoke. 그녀는 이야기하는 동안에 홍분하였다/He ~*ed to* his work. 그는 일에 열중하였다. **3** 《~/+副/+전+명》 공감을〔호의를〕 가지다《*to; toward*》: I ~*ed* (*up*) *to* the room at once. 나는 이내 그 방이 마음에 들었다/Soon her heart will ~ *toward* him. 그녀는 곧 그에게 마음이 이끌리기 시작할 것이다. **~ *over*** 《미》 다시 데우다; 《비유》 (의장(意匠) 따위를) 조금만 고쳐 만들다〔재탕하다〕. **~ *a person's blood*** 아무를 훈훈하게〔홍분하게〕 하다. **~ *a person's jacket*** 《속어》 아무를 후려갈기다, 때리다. **~ *the bench*** (선수가) 벤치만 지키고 있다, 후보로 대기하다. **~ *up*** 《*vt.*+副》 ① …을 데우다: Will you ~ *up* this milk? 이 우유를 데워 주시렵니까/I'll ~ *up* the bed for you.(부부 사이에서 먼저 잠자리에 들어) 따뜻하게 하다; 《완곡어》 먼저 잘게요. ② (식은 음식 등을) 다시 데우다. ③ (아무를 …에) 열중〔홍분〕하게 하다《*to; toward*》. ④ (파티 따위의) 흥을 돋우다. ⑤ (막이 오르기 전에 관객 등의) 무드를 조성하다. ⑥ (엔진·차 따위를) 웜업하다. ⑦ 〖경기〗 (아무를) 준비 운동하게 하다, 워밍업하게 하다. ——《*vi.*+副》 ⑧ (물건이) 따뜻해지다. ⑨ 다시 데우다. ⑩ 열중하기 시작하다, 동정적이 되다. ⑪ (파티 따위가) 흥겨워지다. ⑫ (엔진 따위가) 충분히 열을 받다. ⑬ 〖경기〗 (가벼운) 준비 운동을 하다, 워밍업을 하다.

—— *n.* **1** (보통 a ~) 따뜻하게 하기; 데우기, 따뜻해지기: Come near the fire and have a ~. 불 가에 와서 불을 쬐어라/have 〔give it〕 another ~ 다시 한 번 따뜻해지다〔따뜻하게 하다〕. **2** 따뜻함, 온기(溫氣); (the ~) 따뜻한 곳; (입어서) 따뜻한 것.

wár machìne (일국의) 군대, 병력.

wárm-blóoded [-id] *a.* 〖동물〗 온혈의, 상온(常溫)의; 《비유》 열혈의, 피끓는, 열렬한 (ardent). ㊕ **~·ly** *ad.* **~·ness** *n.*

wárm bòdy 《구어·경멸》 (단순 작업밖에 못하는) 무능 노동자; 《미군대속어》 병사.

wárm bòot 〖컴퓨터〗 웜부트《시스템에 문제가 생겼을 때 전원을 끄지 않고 다시 부팅시키는 일》.

wárm·dòwn *n.* Ⓒ (운동 후의) 정리 운동.

wármed-óver *a.* 《미》 다시 데운; 《비유》 (작품 따위가) 재탕인, 조금만 고친, 신선미가 없는, 진부한.

wármed-úp *a.* =WARMED-OVER.

wár memòrial (전몰자를 추도하는) 전쟁 기념비〔일〕; 전몰자 기념비.

wárm·er *n.* 따뜻하게 하는 사람〔물건〕; 온열기, 온열〔가열〕 장치: a foot ~ 족온기(足溫器).

wárm frònt 〖기상〗 온난 전선. [opp] *cold front*.

wárm fùzzy 《미속어》 칭찬〔위로〕의 말; 좋은 기분, 그리운 마음.

wárm-héarted *a.* 마음씨가 따뜻한, 온정적인, 친절한. ㊕ **~·ly** *ad.* **~·ness** *n.*

wárm·ing *n.* **1** Ⓤ 따뜻하게 하기, 따뜻해지기, 가온(加溫). **2** 《속어》 채찍질, 때리기: get a (good) ~ (몹시) 매맞다.

wárming pàn **1** 탕파(湯婆); 난상기(暖床器) 《철제의 각로》. **2** (본인 취임까지의) 임시 대리인, 대역.

wárming-úp *a.* (운동 전의) 준비 운동의, 워밍업의, 워밍업용의.

warm·ish [wɔ́ːrmiʃ] *a.* 좀 따스한.

***warm·ly** [wɔ́ːrmli] *ad.* **1** 따뜻이. **2** 다정〔친절〕하게. **3** 열심〔열렬〕히; 홍분하여, 격하여.

wár·mònger *n.* 전쟁 도발자, 전쟁광(狂), 주전론자. ㊕ **~·ing** *n., a.* 전쟁 도발(의).

wárm sèctor 〖기상〗 난역(暖域).

wárm spòt (피부의) 온점(溫點).

wàrm stárt 〖컴퓨터〗 =WARM BOOT.

***warmth** [wɔːrmθ] *n.* Ⓤ **1** 따뜻함; 온기, 따뜻한 기운: vital ~ 체온/the ~ of the fire 불의 따뜻한 기운. **2** 온정, 동정(심): These orphans must be treated with ~. 이 고아들은 따뜻이 보살펴 주어야 한다. **3** 열심, 열렬, 홍분, 격정, 열정. **4** (색의) 따스한 느낌, 체온. ***with* ~** 홍분하여; 감격하여: speak *with* some ~ 약간 홍분하여 이야기하다.

wárm-ùp *n.* **1** 경기 개시 전의 준비 운동, 워밍업; (엔진 따위의) 난기(暖機): go through a ~ 워밍업하다. **2** 홍분.

wárm wórk 몸이 더워지는 일; 힘드는〔위험한〕 일; 격돌, 고전(苦戰).

****warn** [wɔːrn] *vt.* **1** 《+목+전+명/+목+*that* 절》 경고하다; 경고하여 피하게〔조심하게〕 하다: He ~*ed* me *of* their terrible plot. 그들에게 무서운 음모가 있음을 그는 나에게 알려 주었다/They were ~*ed that* fuel was running out. 그들은 연료가 다 되어 간다는 경고를 받았다. [SYN.] ⇨ ADVISE. **2** 《~+목/+목+전+명/+목+*to* do》 …을 경계시키다《*against*》; …에게 훈계하다, …에게 권하다《*against* do*ing*, *not to* do; *to* do》: ~ a careless driver 부주의한 운전자에게 조심시키다/I ~*ed* her *not to* go 〔*against* go*ing*〕. 그녀에게 가지 말라고 주의를 주었다/They were ~*ed to* be punctual. 시간을 지키도록 훈계받았다. **3** 《+목+전+명/+목+*to* do》 (경찰 따위에) 알리다, 통고하다《*of*》: ~ tenant *out of* a house 세든 사람에게 집의 인도를 통고하다/~ a person *to* appear in court 법정에 출두하도록 통고하다. —— *vi.* 《~/+전+명》 경고하다, 경보를 울리다: ~ *of* danger 위험을 경고하다. **~ *away*** 경고하여 가까이 하지 못하게 하다〔떠나게 하다〕. **~ *off*** 《*vt.*+副》 ① (사람들에게) 가까이 하지 말라고 경고하다: I waved my arms to ~ them *off*. 나는 손을 흔들어 위험하니 가까이 하지 말라고 그들에게 알렸다. ——《*vt.*+전》 ② (사람들에게) …에 가까이 가지 말라고〔떨어져 있으라고〕 경고하다: He ~*ed* us *off* the gate. 그는 우리더러 문에 가까이 오지 말라고 경고했다.

wár neuròsis (전시 병사의) 전쟁 신경증.

warn·ing** [wɔ́ːrniŋ] *n.* Ⓤ **1** 경고, 경계, 주의; 훈계; Ⓒ 경보; 교훈: without ~ =without giving a ~ 경고〔예고〕 없이, 갑자기/He paid no attention to my ~*s*. 그는 나의 경고를 무시했다/There have been gale ~*s* to shipping on the sea. 해상 선박에는 폭풍 경보가 내려졌다/Let this be a ~ to you. 이것을 교훈으로 삼아라. **2** 예고, 통고(notice): at a moment's ~ 즉시로/ give a month's ~, 1개월 전에 해고를〔사직을〕 예고하다《고용주·사용인이》. **3** Ⓒ 점호, 소집; 소집 신호. **4** Ⓒ 조짐, 징후. ¶a storm ~ 폭풍우의 전조. ***strike a note of* ~** (against***) (…에) 경종을 울리다. ***take* ~** ① 경계하다. ② 교훈으로〔훈계로〕 삼다〔여기다〕: You should *take* ~ from what happened to me. 내 신상에 일어난 일을 교훈으로 삼아라.

—— *a.* 경고의, 경계의; 훈계의, 교훈적인; 〖동물〗 경계색의: He gave me a ~ look. 그는 나에게 경고의 눈짓을 하였다.

㊕ **~·ly** *ad.* 경고〔경계〕하여, 경고적으로.

wárning bèll 경종, 신호종.

wárning colorátion 〖동물〗 경계색.

wárning mèssage 〖컴퓨터〗 경고 메시지《오류 가능성이 있는 상태를 경고하는》.

wárning nèt (방공(防空)) 경보망.
wárning tràck 〔**pàth**〕 『야구』 경계선(警戒線)〔로(路)〕, 경고선〔로〕《외야수에게 외야의 펜스가 가까움을 알리는》.
wár nòse (어뢰 따위의) 탄두《신관(信管)을 단 「부분」》; =WARHEAD.
Wár on Wánt 빈곤과의 투쟁《국제적 빈민 구제를 지향하는 영국의 자선 단체》.
wár òrphan 전쟁고아.
warp [wɔːrp] *vt.* **1** (목재 등을) 휘게 하다, 뒤틀다, 구부리다. **2** (마음·판단 따위를) 왜곡시키다; 비꼬이게〔편벽되게〕 하다, 빙퉁그러지게 하다; (바른길·경로에서) 빗나가게 하다, 일탈시키다. **3** 『해사』 (배를) 밧줄로 끌다. **4** 『농업』 (토지에) 개흙을 비료로 주다. **—** *vi.* 뒤틀리다, 휘다, 뒤둥그러지다; 비뚤어지다, 앵돌아지다; 『해사』 배를 밧줄로 끌어 이동시키다. **—** *n.* **1 a** (the ~) 날실. ⓒⓕ woof. **b** 토대, 기초, 본질. **2** 휨, 비뚤어짐, (목재 따위가) 뒤틀림; 마음이 비꼬임, 빙퉁그러짐. **3** 『해사』 (배를 끄는) 밧줄. **4** Ⓤ 『농업』 (메마른 밭의 비료가 되는) 개흙; 『지학』 충적토(沖積土). ~ ***and woof*** 기본적 요소, 근본, 기초(foundation, base): the ~ *and woof* of language 언어의 기본 조직. ㊍ **∠·age** *n.*
wár pàint 1 아메리칸 인디언이 출진할 때 얼굴·몸에 칠하는 그림물감. **2** 《구어》 성장(盛裝); 여성의 화장품.
wár·pàth *n.* (북아메리칸 인디언의) 출정의 길, 정도(征途); 적대 행위, 적개심. ***on the*** **~** 싸우러 가려고; 불같이 노하여, 싸울 기세로.
wár pènsion 전상자〔전몰자 유족〕 연금.
wár·plàne *n.* 군용기; 전투기.
wár pòet (20 세기 세계 대전을 노래한) 전쟁 시「인.
wár pòwer 전쟁 수행 능력, 전력; (~s) (행정부의) 비상 대권.
Wár Pòwers Àct 《미》 전쟁 권한법《대통령의 전쟁 권한에 제약을 가한 것; 1973년 제정》.
*__war·rant__ [wɔ́ːrənt, wár-/wɔ́r-] *n.* **1** Ⓤ 근거; 정당한〔충분한〕 이유; 권능(authority): without ~ 정당한 이유 없이, 까닭 없이/We have every ~ *for* believing him. 우리가 그를 믿을 이유는 충분히 있다. **2** Ⓒ 보증(이 되는 것); 가망: His presence is a ~ of his sincerity. 그의 출석은 그의 성실함을 증명하고 있다. **3** 보증서; 영장《구속 영장·가택 수색 영장 등》: a search ~ 가택 수색 영장/a ~ of arrest 체포 영장/a ~ of attachment 압류 영장. **4** 허가증, 증서: a death ~ 사망 증명(서). **5** 《영》 『상업』 창고(倉庫) 증권; 배당금 지급 증서. **6** 『군사』 준사관 임명 사령.
— *vt.* 《~+목/+목+(*to be*)보/+(*that*)절》 보증하다; 보장하다; 정당화하다: ~ quality/This cloth is ~*ed* (*to be*) pure wool. 이 천은 보증(절차를 필한) 순모(純毛)이다/I ~ *that* it shall be done. 꼭 하겠다/~ a person an honest man 아무가 정직함을 보장하다. ***I ('ll)*** **~** ***(you)***. 《보통 삽입구》 확실히. **~*ed rate of growth*** 적정 성장률. ㊍ **~·less** *a.*
wár·rant·a·ble *a.* 보증〔보장〕할 수 있는, 시인될 수 있는, 정당한. ㊍ **-bly** *ad.* **~·ness** *n.*
wárrant càrd (경찰관 등의) 신분증.
war·ran·tee [wɔ̀ːrəntíː, wàr-/wɔ̀r-] *n.* 『법률』 피보증인, 피담보인.
wár·rant·er *n.* =WARRANTOR.
wárrant òfficer 『미군사·미연안경비대』 하급 준위, 『영군사』 준위.
war·ran·tor [wɔ́ːrəntɔ̀ːr, -tər, wár-/wɔ́r-] *n.* 『법률』 보증인, 담보인.
war·ran·ty [wɔ́ːrənti, wár-/wɔ́r-] *n.* Ⓒ 『법률』 담보; (품질·안정성 등의) 보증(서); 영장, 명령서; Ⓤ (정당한) 근거〔이유〕: This car is still under ~. 이 차는 아직 보증 기간 중에 있다.
wárranty dèed 『법률』 (토지 양도의) 하자(瑕疵) 담보 증서.
war·ren [wɔ́ːrən, wár-/wɔ́r-] *n.* 양토장(養兎場); 토끼의 군서지(群棲地); 많은 사람이 거주하는 건물, 복작거리는 곳, 과밀 지역〔건물〕; 미로(迷路), 미궁(迷宮); 『영법률』 야생 조수 사육 특허지(에서의 수렵 특권). 「양토장 주인.
wár·ren·er *n.* 야생 조수 사육 특허지의 관리인;
wárrenty dèed 『법률』 하자(瑕疵) 담보 증서.
war·ring [wɔ́ːriŋ] *a.* 서로 싸우는; 적대하는; 양립하지 않는《의견·신조 따위》. **—** *n.* 전쟁의 수행, 교전.
◇**war·ri·or** [wɔ́ːriər, -rjər, wár-/wɔ́riə] *n.* 《문어》 전사(戰士), 무인; 역전의 용사; (정계 따위의) 투사: 《영》 the Unknown Warrior 무명 용사. **—** *a.* 상무(尙武)의, 무인〔전사〕다운, 전투적인.
wár rìsk insùrance 《미》 (군인을 위한) 정부의 전쟁 상해 보험; 전시 보험.
wár ròom 『군사』 (전장의) 작전 본부실; (시민 단체·회사 따위의) 작전실, 전략 회의실.
War·saw [wɔ́ːrsɔː] *n.* 바르샤바《Poland 의 수도; 폴란드어로는 Warszawa》. ***the ~ Treaty Organization*** 바르샤바 조약 기구《1991년 해체》.
◇**war·ship** [wɔ́ːrʃìp] *n.* 군함, 전함(war vessel).
Wárs of the Róses (the ~) 『영국사』 장미 「전쟁(1455-85).
wár sòng 군가.
wart [wɔːrt] *n.* 사마귀; (나무줄기의) 혹, 옹두리. ***paint*** a person ***with*** his **~s** 아무의 모습을 있는 그대로 그리다. **~*s and all*** 결점도 있는 그대로 숨기지 않고, 남김없이 전부.
wart·hog [wɔ́ːrt-hɔ̀ːg, -hàg/-hɔ̀g] *n.* 『동물』 혹멧돼지《아프리카산》.

warthog

*__war·time__ [wɔ́ːr-tàim] *n.* Ⓤ, *a.* 전시(의). ⓞⓟⓟ *peacetime.*
wár-tòrn *a.* 전쟁으로 파괴된〔피폐한〕.
warty [wɔ́ːrti] (***wart·i·er; -i·est***) *a.* 무사마귀가 있는; 무사마귀 투성이의; 무사마귀 같은.
wár vèssel 전함, 군함(warship).
wár-wèary *a.* 전쟁으로 피폐한; 더는 못 쓰게 된《군용기》.
wár whòop (아메리카 인디언 등의) 함성(war 「cry).
War·wick [wɔ́ːrik, wár-/wɔ́r-] *n.* 워릭《잉글랜드 Warwickshire 주의 주도(州都)》.
War·wick·shire [wɔ́ːrikʃìər, -ʃər, wár-/wɔ́r-] *n.* 워릭셔《영국 중부의 주; 생략: War.》.
wár wìdow 전쟁 미망인.
wár wòrk 전시 노역(勞役).
wár·wòrn *a.* 전쟁에 지친, 전쟁으로 황폐한.
◇**wary** [wέəri] (***war·i·er; -i·est***) *a.* 경계하는, 주의 깊은, 신중한(*of*); (관찰 등이) 방심하지 않는, 용의주도한. ⓒⓕ cautious. ㊍ **wár·i·ly** *ad.*
wár zòne 교전 지대, 《특히》 전쟁 수역《중립국의 권리가 교전국에 의해 존중되지 않는 공해상의 교전 해역》.
†**was** [wʌz, wɑz/wɔz; 약 wəz] BE 의 제 1·3 인칭 단수·직설법 과거.
†**wash** [wɑʃ, wɔːʃ/wɔʃ] *vt.* **1 a** 《~+목/+목+보》 씻다; …의 얼굴〔손, 발〕을 씻다; 빨다, 세탁하다: ~ one's face 얼굴을 씻다/The mother is ~*ing* the baby. 어머니는 아기의 손발을 씻기고 있다/~ windows 〔clothes〕 clean 창〔옷〕을 깨끗이 닦다〔세탁하다〕. **b** 《~ oneself로》 몸을

〔의 일부를〕 씻다. 2 《+목+부/+목+전+명》 씻어내다《off; away; out》; 《비유》 깨끗이 하다, 결백하게 하다: ~ dirty marks *off* 더러운 때를 씻어내다/Prayer will ~ *away* your sins. 기도하면 죄가 씻어질 것이다/*Wash* the dust *off* your face. 얼굴의 먼지를 씻어라.

SYN. **wash** 물 따위의 액체를 사용하여 씻어내다, 씻어버리다. **cleanse** 세척제 따위를 사용하여 더러운 것을 없애다: *cleanse* a partition wall 칸막이 벽의 얼룩을 없애다. **purge** 내부의 얼룩·때·이물(異物)을 제거[일소]하다. 몸·마음을 깨끗이 하다: *purge* one's sins with prayer 기도로 자기의 죄를 씻다. **clean** 깨끗이 하다, 정하게 하다. 결과가 깨끗하면 좋은 것으로 그 수단은 문제시하지 않음: an air *cleaner* 공기 청정기(清淨器).

3 《~+목/+목+전+명》 **a** (파도 따위가) 밀려오다, (해안을) 씻다; 침식하다: The waves ~ the foot of the cliffs. 파도가 밀려와서 절벽 밑에 철썩거리고 있다/The sea had ~*ed* a channel. 바닷물의 침식으로 수로가 생겨났다. **b** 〖종종 수동태로 쓰임〗 물에 적시다, 축축하게 적시다《*by; with*》: The cliff *is* ~*ed* by the sea. 그 절벽은 바닷물에 씻기고 있다. **4** 《+목+부》 (물결·흐름이) 떠내려 보내다, 씻어 내리다, 휩쓸어 가다《*off; out; away*》; (물을 마셔 목구멍으로) 넘기다《*down*》: The bridge was ~*ed away* by the flood. 다리가 홍수로 인해 떠내려갔다/I ~*ed down* the crusty bread with a cup of water. 한 컵의 물을 마시며 그 단단한 빵을 (목구멍으로) 넘겼다. **5** 《+목+전+명》 …에 엷게 입히다[칠하다]《*with*》; …에 엷게 도금하다: ~ a desk *with* varnish 책상에 니스를 엷게 칠하다/~ brass *with* gold 놋쇠에 엷게 금도금을 하다. **6** 〖광산〗 세광(洗鑛)하다. **7** 〖화학〗 (기체를) 액체에 통과시키다《가용(可溶) 물질을 제거하기 위해》. **8** (세제 따위가) …을 씻을 수 있다: This powder soap won't ~ wool. 이 가루비누로는 모직물을 빨 수 없다. **9** 《구어》 (부적격하여) 제거하다. **10** …에 빛을 쬐다. **11** (커피 등을) 휘젓다.
— *vi.* **1** 얼굴(과 손)을 씻다; 목욕하다; 《완곡어》 변소에 가다: ~ before one's meal 식사 전에 손과 얼굴을 씻다. **2** 세탁하다: Monday is the day we ~. 월요일은 세탁일이다. **3** 《~/+부》 세탁이 잘 되다, 빨아도 줄지 않다[색이 날지 않다]: This clothes *won't* ~ (*well*). 이 천은 세탁이 (잘) 안된다. **4** 《구어·비유》 〖부정구문〗 (이론·충성심 등이) 검증[시련]에 견디다, (말·변명 등이) …에게 통용되다, 받아들여지다: The story *won't* ~ with me. 그런 말은 내겐 안 통한다. **5** 《+부/+전+명》 (파도가) 철썩철썩 밀려오다《*over; against*》: Great waves ~*ed over* (the deck) 〔*againt* the cliff〕. 파도가 (갑판) 위로[절벽으로] 밀려왔다. **6** 《~/+부》 (빗물 따위로) 밀려 내려가다, 침식되다: The bridge ~*ed out*. 다리가 떠내려갔다. **7** 《+전+명》 세광(洗鑛)하다: ~ *for* gold 세광(洗鑛)해서 금을 얻다.
be ~ed ashore 해변[강변]에 밀어올려지다, 표착하다. ***~ down*** ① (호스 따위로) 씻어 내리다: ~ *down* a car 세차하다. ② (물 따위로 음식을) 넘기다. ③ (파도 따위가) 쓸어가 버리다. ***~ for a living*** 세탁업을 하다. ***~ out*** 《*vt.*+부》 ① …의 때를 씻어내다. ② (병 따위)의 속을 씻다, (입을) 가시다, 양치질하다. ③ (제방·다리 등을) 휩쓸어 가다《비 따위가》. ④ 〖흔히 수동태〗 (큰비 등이)(경기 따위를) 중지케 하다, '유산시키다'; (계획 등을) 엉망이 되게 하다; 낙제시키다. ⑤ 《구어》 〖be, feel, look, seem의 보어로서 과거분사 꼴로〗 지쳐 버리게 하다: I feel ~*ed out*. 지쳐 버리고 말았다. ⑥ (굴욕을) 잊어버리다; 《미속어》 배척하다, 버리다; 《미속어》 죽이다, 죽게 하다. **—** 《*vi.*+부》 ⑦ (빨아서) 빛이 바래다, 《비유》 소모하다; 씻겨 내려가다. ⑧ 《미속어》 낙오[실패, 낙제]하다; 〖미공군〗 비행 훈련에 실격하다. ***~ up*** 《*vi.*+부》 ① 《미》 얼굴이나 손을 씻다. ② 《영》 (식후의) 접시[식기]닦이를 하다: My father is ~*ing up*. 아버지가 식후의 설거지를 하고 계시다. **—** 《*vt.*+부》 ③ 《영》 (식기를) 씻다; 씻어서 치우다. ④ (파도 따위가) …을 바닷가에 밀어올리다: His body was ~*ed up* two days later. 그의 시체는 이틀후 바닷가에 밀어올려졌다. ⑤ (일·결혼 따위를) 망치게 하다; (사람을) 기진맥진하게 하다; 절망에 빠지게 하다.
— *n.* **1** U,C (the ~) 세탁; (보통 a ~) 씻기, 세정: have a good ~ (손·얼굴을) 잘 씻다. **2** 〖집합적〗 세탁물; (the ~) 세탁소: hang out the ~ on the line 빨래를 널다/I have a large ~ today. 오늘은 빨래가 많다. **3** (the ~) 파도의 밀어닥침, 그 소리; 밀어닥치는 파도. **4** (the ~) 침전물; 흐르는 물에 운반되는 토사. **5** 얕은 여울, 소택지(沼澤地); 홍수로 침수된 저지(低地). **6** U (강물 등에 의한) 침식; C 물이 흘러 생긴 도랑. **7** C,U 〖보통 복합어〗 세(척)제; 화장수; 〖의학〗 세정액, 희석액: a mouth ~/an eye ~. **8** 물기가 많은[멀건] 음식물: This soup is a mere ~. 이 수프는 몹시 멀겋다. **9** U,C 설거지한 물; 설거지 찌꺼기. **10** 《미구어》 위스키 뒤끝에 마시는 물[탄산수, 맥주]. **11** U 엷게 입힌 도금; C 엷은 칠; 애벌칠의 도료《페인트 등의》: white ~ 백색 도료, 플라스터. **12** U 세광(洗鑛) 원료. **13** (the ~) (배가 지나간 뒤의) 물결, 흰 파도; (비행기가 날 때의) 공기의 유동. **14** 〖미증권〗 = WASH SALE. ***come out in the ~*** (창피스러운 일 따위가) 알려지게 되다, 드러나다; 잘되다, 좋은 결과를 얻게 되다. ***give a thing a ~*** 물건을 씻다: *Give* it *a* good ~. 그것을 깨끗이 씻어라. ***hang out the ~*** 《야구속어》 라인 드라이브를 치다. ***stand ~*** 세탁이 잘되다.
— *a.* 《미》 =WASHABLE.

Wash. Washington (State).

°**wásh·a·ble** *a.* 세탁할 수 있는, 세탁이 되는; (색 따위가) 빨아도 날지 않는.

wásh-and-wéar [-ən-] *a.* 빨아서 (다리지 않고) 곧 입을 수 있는.

wásh·bàsin *n.* 세면기, 세면대.

wásh·bòard *n.* **1** 빨래판. **2** 〖건축〗 걸레받이《굽도리 보호를 위해 댄 판자》. **3** 〖선박〗 (뱃전의) 파도 막는 판자. **4** 〖악기〗 워시보드《금속 빨래판을 손톱으로 튀기는》. **5** (유리 따위의) 파도꼴 겉면; 울퉁불퉁한 길.

wásh·bòiler *n.* 세탁용 대형 보일러[가마솥].

wásh bòttle 〖화학〗 세척병(洗滌甁)《누르면 세척용 물이 나옴》.

wásh·bòwl *n.* =WASHBASIN.

wásh·clòth *n.* 《미》 세수[목욕용] 수건(facecloth); 《영》 행주.

wásh·dày *n.* (가정의) 세탁일(日). 「채(화).

wásh dràwing 단색(單色) 담채(淡彩)풍의 수

wáshed-óut [-t-] *a.* 빨아서 바랜, 퇴색한; 색이 엷은; 몹시 지친, 기운 없는(worn-out); (바위 따위가) 침식된; 《구어》 창백한(wan): be 〔look〕 ~ 피곤하여 몹시 지쳐 있다[보이다].

wáshed-úp *a.* 깨끗이 씻은; 《구어》 지친; 《구어》 볼일이 끝난, 못쓰게 된, 완전히 실패한; 〖흔히 washed up〗 인연이 끊긴.

wásh·er *n.* **1** 세탁기; 세척기; 세광기. **2** 씻는[빨래하는] 사람. **3** 〖기계〗 (볼트의) 똬리쇠. **4** 《미속어》 술집; 《영속어》 동전; 《Austral.》 세수수건.

wásher-drỳer *n.* 탈수기가 딸린 세탁기.
wásher·man [-mən] (*pl.* **-men** [-mən, -mèn]) *n.* 세탁인, 세탁업자(laundryman).
wásher·wòman (*pl.* **-wòmen**) *n.* (직업적인) 세탁부(laundress).
Wash·e·te·ria [wɑ̀ʃətíəriə, wɔ̀:ʃ-/wɔ̀ʃ-] *n.* 워시테리아(《세탁기; 상표명》); (w-) 《영·미남부》 셀프서비스의 세탁소; 《영》 셀프서비스의 세차장.
wásh gòods 세탁이 잘되는 직물〔옷〕.
wásh·hànd *a.* 《영》 손 씻는, 세면용의.
wáshhand básin 《영》 =WASHBASIN.
wáshhand stànd 《영》 =WASHSTAND.
wásh·hòuse *n.* 세탁소(laundry).
◇**wásh·ing** *n.* U,C **1** 빨기, 씻기, 세탁. **2** 《집합적》 세탁물(《주로 의류》). **3** (*pl.*) 세탁에 쓴 물〔액체〕; 세척액; 씻겨 나온 것. **4** 침전물. **5** (때로 *pl.*) 세광하여 채취한 사금. **6** (은 따위를) 엷게 입히기, 도금; (주식의) 공매도(空賣渡). ***Get on with the ~.*** 《속어》 (빈둥대지 말고) 열심히 일해라. **—** *a.* 세탁용의; 빨래가 잘되는.
wáshing bòttle =WASH BOTTLE.
wáshing dày =WASHDAY.
wáshing lìne 《영》 =CLOTHES LINE.
wáshing machìne 세탁기.
wáshing pòwder 분말 (합성)세제, 가루비누.
wáshing sòda 세탁용 소다.
wáshing stànd =WASHSTAND.
***Wash·ing·ton** [wɑ́ʃiŋtən, wɔ́:ʃ-/wɔ́ʃ-] *n.* **1** 워싱턴(시)(《미국의 수도》). ★ Washington 주와 구별하기 위해 보통 Washington, D.C.라 함. **2** 미국 정부. **3** 워싱턴 주(=the ~ State)(《주도: Olympia; 생략: Wash., WA》). **4 George ~** 워싱턴(《미국 초대 대통령; 1732-99》).
Wash·ing·to·ni·an [wɑ̀ʃiŋtóuniən, wɔ̀:ʃ-/wɔ̀ʃ-] *a.* 워싱턴(주민)의, 워싱턴 주〔시〕(출신)의. **—** *n.* 워싱턴 주민(州民)〔시민〕.
Wash·ing·to·nol·o·gist [wɑ̀ʃiŋtənɑ́lədʒist, wɔ̀:ʃ-/wɔ̀ʃiŋtənɔ́l-] *n.* 워싱턴〔미국 정부〕 연구가〔전문가〕.
Wáshington píe 파이의 일종(《잼 또는 크림을 넣음》).
Wáshington Póst (The ~) 워싱턴 포스트(《Washington, D.C.에서 발행되는 조간 신문》).
Wáshington's Bírthday 워싱턴 탄생 기념일(《미국의 많은 주에서 법정 공휴일》).
Wáshington Státe (the ~) 워싱턴 주(州)(《특히 Washington, D.C.와 구별하여; 생략: Wash., WA》).
wáshing-úp *n.* 《영》 설거지.
wáshing-ùp lìquid 《영》 =DISHWASHING LIQUID.
wáshing-up machìne 《영》 접시 닦는 기계(dishwasher).
wásh·lànd *n.* 주기적으로 침수되는 토지.
wásh-lèather *n.* (섀미(chamois) 가죽 같은) 유피(柔皮); 그 모조품.
wásh·òut *n.* **1** U (폭우로 인한 도로·교량의) 유실; C 그 결과로 인해 붕괴〔침식〕된 곳. **2** 《의학》 U (장(腸)·방광의) 세척. **3** 《구어》 대실패, 기대에 어긋남. **4** 《구어》 실패자, 낙오자, 낙제생, 《미공군》 비행 훈련의 실격자; 《구어》 무능자. **5** 《철도》 긴급 정차 신호.
wásh·ràck *n.* 세차장(washstand).
wásh·ràg *n.* 《미》 세수수건(wash-cloth).
wásh·ròom 《미》 *n.* 세면소, 화장실; (염색 공장의) 세척장.
wásh sàle 《미》 (시장의 경기 좋음을 가장하기 위한) 증권의 위장 매매.
wásh·stànd *n.* 세면대; (배수관 등이 있는) 가설된 세면기; 세차장.
wásh·tùb *n.* 세탁용 대야, 빨래통.
wásh·ùp *n.* 씻음, 씻는 곳; 세면(장); 세광(洗鑛)(장).
wásh·wòman (*pl.* **-wòmen**) *n.* =WASHERWOMAN.
washy [wɑ́ʃi, wɔ́:ʃi/wɔ́ʃi] (***wash·i·er; -i·est***) *a.* **1** 물기가 많은, 묽은, 물을 탄. **2** 엷은, 연한 《색 따위》. **3** (말·생각·사람 등이) (우물우물하여) 분명치 못한; (마소가) 땀을 쉬이 흘리는. ⊞ **wásh·i·ly** *ad.* **-i·ness** *n.*
†**wasn't** [wʌ́znt, wɑ́z-/wɔ́z-] was not의 간약형.
WASP[1] [wɑsp/wɔsp] *n.* 《미》 육군 항공대 여자 조종사 대원(《Women's Air Force Service Pilots 의 대원(隊員); 1944년 해산》).
WASP[2], **Wasp** (*pl.* **~s, *WASP's***) *n.* 《미》 《종종 경멸》 와스프(《앵글로색슨계 백인 신교도; 미국의 지배적인 특권 계급을 형성》). [◂ *White Anglo-Saxon Protestant*] ⊞ **Wásp·dom** *n.* 와스프의 특징〔신조, 생활 태도〕. **Wásp·ish** *a.* **Wáspy** *a.*
◇**wasp** [wɑsp/wɔsp] *n.* **1** 《곤충》 장수말벌, 나나니벌. **2** 《비유》 성 잘 내는〔까다로운〕 사람. **3** 찌르는 것, 자극하는 것, 성나게 하는 것. ⊞ **∠·lìke** *a.*

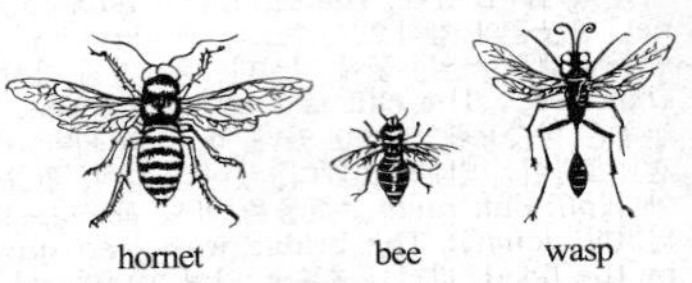

hornet bee wasp

wasp·ish [wɑ́spiʃ/wɔ́sp-] *a.* (특히 행동이) 말벌 같은; (사소한 무례에) 곧 화내는, 성마른; (말·태도 등이) 쏘는 듯한, 비꼬는, 짓궂은; 홀쭉한 몸매의. ⊞ **~·ly** *ad.* **~·ness** *n.*
wásp wàist (여자의) 가는〔잘록한〕 허리.
wásp-wàisted [-id] *a.* 허리가 가는.
was·sail [wɑ́səl, -seil, wǽs-/wɔ́seil] *n.* 축배의 인사; U 《고어·문어》 주연(酒宴), 축하연; (향료가 든) 잔칫술. **—** *vi.* 주연에 나가다〔참석하다〕; 축배를 들다. **—** *vt.* …의 건강을 위하여 축배를 들다. **—** *int.* (건강을 위하여) 축배! ⊞ **~·er** *n.* 주연 참가자.
Was·ser·mann [wɑ́:sərmən] *n.* **August von ~** 바서만(《매독 검사법을 발견한 독일의 의사·세균학자; 1866-1925》).
Wássermann reàction 《의학》 (매독의) 바서만 반응.
Wássermann tèst 《의학》 (매독의) 바서만 (반응) 실험.
wast [wɑst/wɔst; 약 wəst] 《고어》 BE의 2인칭 단수·직설법 과거(《주어가 thou일 때》).
wast·age [wéistidʒ] *n.* **1** U 소모, 손모(損耗); 낭비. **2** U 소모액〔량〕. **3** U,C 폐물, 폐품.
‡**waste** [weist] *vt.* **1** 《~+目/+目+前+名/+目+-*ing*》 헛되이 하다, 낭비하다. SYN. ⇨SPEND. ¶ ~ (one's) money 돈을 허비하다 / Don't ~ food. 음식물을 낭비하지 마라 / ~ time *on* 〔*over;* (*in*) do*ing*〕 trifles 쓸데없는 일에 시간을 낭비하다. **2** (좋은 기회 따위를) 놓치다: ~ a good opportunity. **3** 황폐케 하다: a country ~*d* by war 전란으로 황폐된 나라. **4** 《~+目/+目+前+名》 약화시키다, 쇠약하게 하다, 소모시키다: get ~*d* from 〔by〕 disease 병으로 쇠약해지다 / He is ~*d into* a shadow. 쇠약해져서 뼈만 남았다. **5** 《법률》 (가옥 등을) 손상〔훼손〕하다. **6** 《미속어》 늘씬하게 패주다, 꼼짝 못하게 해치우다, 죽이다. **—** *vi.* **1** 《~/+副》 쇠약해지다; 약화되다, 소모하다: He ~*d* from disease. 그는 병으로 쇠약해졌다 / She's *wasting away.* 그녀는 쇠약해지고 있다. **2** 낭비되다, 헛되이 되다: Don't let your talent ~. 재능을 헛되게 하지 마라. **3** 《드물게》 (때가) 지나다. **~ one's *breath* 〔*words*〕** 쓸데없는 말을 하다.

— *n.* Ⓤ **1** Ⓤ,Ⓒ 낭비, 허비: It's (a) ~ of time to argue further. 이 이상 토론하는 것은 시간의 낭비다 / Haste makes ~. 《속담》 서두르면 무리가 생긴다, 급할수록 침착하라. **2** (종종 *pl.*) 폐물, 쓰레기, (산업) 폐기물, 찌꺼기 솜〔털〕; 〖광산〗 폐석; 쓰레기, 구정물; 무용지물, 여분; (*pl.*) 배설물: a box for the ~ 쓰레기통. **3** Ⓒ 황무지, 불모(不毛)의 땅; 사막; 광막한 지역〔수면〕: the *Wastes* of the Sahara 사하라 사막 / a ~ of waters 광막한 바다. **4** (전쟁·화재 등에 의한) 황폐(지); 폐허; 〖법률〗 (토지·건물의) 훼손. **5** 쇠퇴, 쇠약, 소모. ***run* 〔*go*〕 *to* ~** 폐물이〔헛되이〕 되다; 낭비되(고 있)다.

— *a.* **1** 폐물의, 쓸모없는; 내버려진: ~ gas 배기 가스. **2** 나머지의, 여분의. **3** 《비유》 이렇다 할 것 없는, 불모의《시대》. **4** 폐물의; 배설물의; 폐기물 처리용의: a ~ basket 쓰레기통. **5** 황폐한, 불모의, 경작되지 않은, 황량한, 인기척 없는: ~ ground 황폐한 땅 / lie ~ (땅이 경작되지 않고) 놀고 있다; 황폐해져 있다 / lay ~ (토지·나라를) 황폐케 하다.

㊞ **~·ness** *n.* 황폐; 불모.

wáste·bàsket *n.* 《미》 휴지통(wastepaper basket).

wáste·bìn *n.* 쓰레기통.

wáste bòok 《영》 일기장(daybook).

wáste circulátion (신문·잡지의) 무효 부수 《배포된 것 중 광고 효과가 없었던 부수》.

wást·ed [-id] *a.* **1** 황폐한; 쇠약한; 소용이 안 된, 헛된《노력》. **2** 《미속어》 (특히 전쟁에서) 살해된, 죽은; (정신적·육체적으로) 지쳐 있는; 마약〔알코올〕에 취한, 마약 중독의; 《미속어》 무일푼인; 《고어》 지나가 버린.

wáste dispòsal 폐기 처분, 폐물 처리.

***waste·ful** [wéistfəl] *a.* **1** 낭비하는; 사치스러운. **2** 헛된, 허비의, 비경제적인. **3** 황폐시키는, 파괴적인. ㊞ **~·ly** *ad.* 헛되이; 사치스레. **~·ness** *n.*

wáste hèat 폐열, 여열(餘熱).

wáste ìndustry 산업 폐기물 처리업.

wáste·lànd *n.* Ⓒ,Ⓤ (미개간의) 황무지, 불모의 땅; (정신적·정서적·문화적으로) 불모의〔황폐한〕 지역〔시대, 생활 등〕.

wáste·less *a.* 무진장한, 다 쓸 수 없는.

wáste·pàper *n.* 휴지, 헌 종이; (보통 waste paper) 〖제본〗 면지(end paper).

wástepaper básket 〔《영》 **bín**〕 =WASTEBASKET.

wáste pìpe 배수관.

waste·plex [wéistplèks] *n.* 폐기물 재(再)순환 처리 시설. [◂*waste*+com*plex*]

wáste pròduct (생산 과정에서 나오는) 폐기물; (몸의) 노폐〔배설〕물.

wást·er *n.* 낭비자; 《구어》 불량자, 변변치 못한 사람; 파괴자; (제품의) 흠 있는 물건, 파치; 《미속어》 살인자, 총.

wáste trèatment =WASTE DISPOSAL.

wáste ùnit 쓰레기 처리 공장(waste disposal plant).

wáste wàter (공장) 폐수, 폐액, 하수: ~ treating 폐수 처리.

wást·ing *a.* 황폐하게 하는, 파괴적인; 소모성의, 소모시키는. — *n.* 낭비; 소모; 소진. ㊞ **~·ly** *ad.*

wásting ásset 〖회계〗 소모(성) 자산, 감모(減耗)〔감손〕 자산《광산 따위》.

wásting diséase 〖의학·수의〗 소모성 질환 「《결핵 따위》.

wast·rel [wéistrəl] *n.* 낭비자; 지질맞은 사람; 집 없는 아이, 부랑아; (제품의) 파물, 파치.

wat [wɑːt/wɔt, wɑːt] *n.* (타이나 캄보디아의) 불교 사원.

†**watch** [watʃ/wɔtʃ] *vt.* **1** 《~+목/+목+*do*/+목+-*ing*/+*wh.*절》 지켜보다, 주시하다; 관전〔구경〕하다: ~ TV 〔baseball, a game〕 텔레비전을〔야구를, 시합을〕 보다 / ~ the shadow of a cloud *pass* 〔*passing*〕 over the water 수면을 구름의 그림자가 지나는〔지나가고 있는〕 것을 지켜보다 / *Watch what* he is doing. 그 사람이 하는 것을 잘 보아라. SYN. ⇨SEE. **2** (적 따위를) 망보다, 경계하다; 감시하다: I did not know that I was being ~*ed*. 나 자신이 감시당하고 있는 줄 몰랐다. **3** (가축·물건 따위를) 지키다; (아무의) 간호를 하다, 돌보다: Please ~ this luggage while I am away. 내가 없는 동안 이 짐을 봐주시오. **4** (식사 등)에 마음 쓰다, 주의하다: *Watch* your drinking. 술은 조심해서 마십시오. **5** (기회 따위를) 기다리다, 엿보다: ~ one's opportunity. **6** 《~ oneself》 (품위를 떨어뜨리지 않도록 또는 병 따위에 걸리지 않도록) 자중〔조심〕하다. — *vi.* **1** 《~/+전+명》 지켜보다, 주의하여 보다, 주시〔관찰〕하다; 구경〔방관〕하다: *Watch for* a signal. 신호를 지켜봐라 / I ~*ed* as he walked away. 그가 물러가는 것을 주의해서 보았다. **2** 《~/+전+명》 망보다, 조심하다, 경계하다《*for*》: He ~*ed for* thieves. 도둑을 망보고 있었다. **3** 《~/+전+명》 대기하다, 출현에 주의하다《*for*》: The doctor told her to ~ *for* symptoms of measles. 의사는 그녀에게 홍역의 징후가 나타나는가 주의하라고 말했다. **4** 《~/+전+명》 불침번을 서다, 잠자지 않고 간호하다《*at; by; beside*》: She ~*ed beside* the sickbed. 그녀는 병상 곁에서 뜬눈으로 간병했다. ***bear ~ing*** ① 주목할 가치가 있다; 장래성이 있다. ② 경계를 요하다, 방심할 수 없다. ***Watch it!*** 주의〔조심〕해! 위험해! **~ *out*** 조심하다, 경계하다《*for*》. **~ *out for*** …을 망보다, 감시하다, 경계하다: ~ *out for* speeding cars 속도 위반 차량을 감시하다. **~ *over…*** (…의 건강·복지 등을) 지켜보다, 지키다, …을 돌보아주다. **~ *a person's dust*** 〔***smoke***〕 《미속어》 아무가 후닥닥 해치우는 것을 보다. **~ *one's time*** 시기를 엿보다.

— *n.* **1** Ⓤ 조심, 경계, 주의; Ⓤ,Ⓒ 망보기, 감시. **2** 손목시계, 회중시계《탁상시계인 clock에 대하여》: a wrist ~ 손목시계. **3** Ⓤ 《옛투》 불침번; 밤샘(wake); 자지 않는 기간. **4** 〖역사〗〖집합적〗 파수꾼, 망보는 사람; 야경꾼. cf. watchman. ¶ place a ~ 파수꾼을 두다. **5** 〖역사〗 밤을 4 구분한 것의 하나, (*pl.*) 야간. **6** 〖해사〗 4 시간 교대의 당직〔근무〕. ***beat the ~*** 야경 돌다. ***be off ~*** 비번이다. ***be on the ~ for*** …을 조심하고 있다; 대기하고 있다: He *is on the ~ for* his father. 그는 부친이 오는 것을 기다리고 있다. ***be on ~*** 당직이다. ***in the ~es of the night*** 밤에 안 자고 있을 때에. ***keep*** (***a good***) **~** 망을 (잘) 보다. ***keep ~ for the enemy*** 〔***over the house***〕 적을 망보다〔집을 지키다〕. ***pass as*** 〔***like***〕 ***a ~ in the night*** 곧 잊혀져 버리다. **~ *and ward*** 〖역사〗 끊일 새 없이 지킴, 밤낮 없는 감시. **~ *and ~*** 〖해사〗 반현(半舷) 당직《4 시간 교대 당직》.

-watch [wɑ̀tʃ/wɔ̀tʃ] '감시, 모니터, 관찰'의 뜻의 결합사.

wátch·able *a. n.* 볼 가치가 있는 (것), 보아서 즐거운 (것), 보아서 도움이 되는 (것); 명백한〔간파되는〕 (것).

wátch·bànd *n.* 손목시계줄.

wátch bòx 망보는 막사; 초소.

wátch·càse *n.* 회중〔팔목〕시계의 딱지.

wátch chàin 회중시계의 쇠사슬줄.

Wátch Committee 《영》 (옛날 시(市)의회의) 공안 위원회.

wátch·crỳ *n.* =WATCHWORD.

wátch crỳstal 《미》 손목〔회중〕시계의 유리.

wátch·dòg *n.* 집 지키는 개; 감시인; 〖형용사적〗 감시의: a ~ committee 감시 위원회. — *vt.*

…의 번견(番犬) 노릇을 하다.
◇**wátch·er** *n.* 지키는 사람; 망꾼, 당직자; (야간 당직) 간호사; 주시자, 관측자,《국명 따위의 뒤에 써서》…(문제) 전문가;《미》선거 참관인《투표소의》: industry ~ 산업 문제 연구가.
wátch fìre 횃불, 모닥불《야경 또는 신호용》.
*__watch·ful__ [wátʃfəl/wɔ́tʃ-] *a.* 조심스러운, 주의 깊은, 방심하지 않는, 경계하는《*against; for; of*》. ㊞ ~·**ly** *ad.* ~·**ness** *n.* 신중, 경계.
wátch glàss =WATCH CRYSTAL;〖화학〗시계접시《비커 뚜껑이나 소량의 물질을 다루는 데 씀》.
wátch guàrd 회중시계의 쇠줄〔끈〕.
wátch hànd 손목〔회중〕시계의 바늘.
wátch·hòuse *n.* 파수막, 초소.
wátching brìef〖영법률〗소송 경계(警戒) 의뢰(서)《소송 당사자가 아닌 제 3 자가 그 소송에 대하여 변호사에게 특별 주의를 부탁하는 의뢰서》.
wátch kèy (구식 회중시계의) 태엽감개.
wátch·lìst *n.* 경계〔감시〕사항 일람표.
wátch·màker *n.* 시계 제조인〔수리인〕.
wátch·màking *n.* Ⓤ 시계 제조〔수리〕(업).
wátch·man [-mən] (*pl.* **-men** [-mən, -mèn]) *n.* (건물 등의) 야경(夜警), 경비원;〖역사〗순라군.
wátch mèeting 제야(除夜)의 예배〔집회〕.
wátch nìght =WATCH MEETING; (W- N-) 제석(除夕), 선달 그믐날 밤.
wátch òfficer (군함의) 당직 사관; (상선의) 당직 항해사.
wátch òil 시계〔기계〕유(油).
wátch·òut *n.* 주의 깊게 망을 보는 것, 경계 (lookout).
wátch pòcket 회중시계용 주머니《조끼 · 바지 등의》.
wátch·stràp *n.* 손목시계줄〔밴드〕.
wátch·tòwer *n.* 망루, 감시탑;《비유》관점, 견지;《고어》등대.
wátch·wòman *n.* (*pl.* **-wòmen**) 여성 경비원〔감시인〕.
◇**wátch·wòrd** *n.* (정당 따위의) 표어, 슬로건; (보초병 등이 쓰는) 암호.
†**wa·ter** [wɔ́ːtər, wát-/wɔ́ːt-] *n.* Ⓤ **1** 물: cold ~ 냉수(冷水) / boiling ~ 끓는 물 / whisky and ~ 물탄 위스키. **2** (종종 *pl.*) 넘칠 듯한 많은 물, 바다, 호수, 강, 유수, 파도, 조수; (*pl.*) 홍수: Still ~*s* run deep.《속담》잔잔한 물이 깊다《잘난 사람은 재주를 자랑하지 않는다》. **3** (*pl.*)《문어》바다: cross the ~*s* 바다를 건너다 / rough ~*s* 거친 바다. **4** (*pl.*) 근해, 영해; 수역, 해역: in Korean ~*s* 한국 근해에서. **5**〖복합어로〗…수; 화장수;《고어》증류주: soda ~ 탄산수. **6** 수위, 수심; 흘수(吃水): a ship drawing 20 feet ~ 흘수 20 피트의 배 / ⇨ HIGH 〔LOW〕 WATER. **7 a** Ⓤ,Ⓒ 분비물, 눈물, 땀, 오줌, 침: hold one's ~ 소변을 참다. **b** (보통 the ~(s)) 양수(羊水). **8** 물약, 용액; (종종 the ~s) 광천수, 온천: drink 〔take〕 the ~s (탕치 치료를 받는 사람이) 광천수를 마시다 / ⇨ LAVENDER WATER. **9** Ⓒ (금속 · 직물의) 물결무늬. **10** (보석 특히 다이아몬드의) 품질;〖일반적〗품질, 등급: ⇨ FIRST WATER. **11**〖경제〗(주식의) 물타기《실질 자산을 수반하지 않는 주식의 증발(增發)에 의한》. **12** Ⓒ 수채화.
above* (*the*) ~** (경제적) 위기를 면하여. ***be in deep* ~(*s*)** 매우 어려운 처지에 빠지다〔빠져 있다〕. ***break* ~** 물 위로 떠오르다《물고기 · 잠수함 · 닻 등이》; (평영할 때) 발로 물을 차다; (임산부가) 파수(破水)하다. ***by* ~** 수로로, 배로. ⓒⓕ by land, by air. ***Come on in, the ~'s fine. 《구어》물이 좋은데, 자네도 들어오게《수영에서의 권유》;《비유》(이 일〔활동〕이 꽤 좋으니) 자네도 꼭 참여하게. ⓒⓕ COME on in. ***cut off* a person's ~** =turn off a person's ~. ***fish in muddy ~s*** ⇨ FISH[1] *v.* ***fish in troubled ~s*** ⇨ TROUBLED WATERS. ***fresh* ~** 민물, 담수. ***get into hot* ~** ⇨ HOT. ***go over the* ~** 물을 건너다; 유배되다. ***hard* 〔*soft*〕 ~** 경수〔연수〕. ***hold* ~** ① 물이 새지 않다. ②〖흔히 부정문〗(이론 따위가) 정연하다: That accusation won't *hold* ~. 그 비난은 조리가 닿지 않는다. ***in hot* ~** (자기의 부주의 따위로) 곤란하여. ***in low* ~** 돈에 궁색하여; 불경기로. ***in rough* ~*s*** 괴로워서, 곤경에(처하여). ***in smooth* ~(*s*)** 순조롭게, 난국을 극복하여. ***like* ~** 물 쓰듯, 아낌없이. ***make* 〔*pass*〕 ~**《완곡어》소변을 보다. ***muddy* 〔*stir*〕 *the* ~(*s*)** 혼란시키다, 파문을 던지다. ***on the* ~** 해상〔수상〕에. ***take* (*the*) ~** 물속에 들어가 헤엄치다, 물속으로 뛰어들다; (배가) 진수(進水)하다; (비행기가) 착수(着水)하다;《미서부》도망치다. ***take* ~** (물새가) 물로 들어가다; (배가) (풍랑으로) 물을 뒤집어쓰다; (배에) 물이 새다;《미속어》녹초가 되다, 항복하다. ***test the* ~(*s*)** 탐색하다, 떠보다, 동태를〔반응을〕살피다: *test the* ~*s* about the possibility of pursuing sanctions 제재(制裁)의 가능성을 모색하다. ***the* ~*s of forgetfulness*** 망각의 강(Lethe); 죽음. ***throw* 〔*pour, dash*〕 *cold* ~ *on* 〔*over*〕** ⇨ COLD. ***tread* ~** ⇨ TREAD. ***turn off* a person's ~**《미속어》아무의 (자랑) 이야기의 허리를 꺾다, 아무의 계획〔목적 달성〕을 망치다. ***under* ~** 물속에; 침수하여. **~ *of constitution***〖화학〗구조수(構造水). **~ *of crystallization***〖화학〗결정수. **~ *of hydration***〖화학〗수화수(水和水). **~ *of life***〖교회〗생명수《영원한 생명을 주는 물》. **~ *under the bridge* 〔*over the dam*〕** 지나가 버린 일, 되돌릴 수 없는 일. ***written* 〔*writ*〕 *in* 〔*on*〕 ~** (명성 따위가) 덧없는; (업적 등이) 곧 잊혀지는.
—*vt.* **1** …에 물을 끼얹다〔뿌리다〕; 적시다; (식물에) 물을 주다; (토지를) 관개하다: ~ the lawn 〔the street〕 잔디〔가로〕에 물을 뿌리다 / a well-~*ed* land 관개가 잘된 토지. **2**《~+㊄/+㊄+㊆》…에 물을 공급하다; (동물에) 물을 먹이다; (엔진에) 물을 넣다: ~ a horse 말에게 물을 먹이다 / This city is *well* ~*ed*. 이 도시는 급수가 충분하다. **3**《~+㊄/+㊄+㊆》물로 묽게 하다, 물을 타다《*down*》;《비유》(표현 따위를) 약하게 하다: The milk seems to have been ~*ed* (*down*). 이 우유는 물을 탄 것 같다. **4**〖보통 과거분사꼴〗(주단 · 금속 따위에) 물결 무늬를 넣다: ~*ed* silk 물결 무늬 있는 견직. **5**〖경제〗(주식의) 물타기를 하다《자산이 증가하지 않았는데 주식의 발행을 늘리다》. **—***vi.* **1** 눈물이 나다; 침을 흘리다; 소변을 보다; 분비액이 나오다: The smoke makes my eyes ~. 연기 때문에 눈에서 눈물이 나온다. **2** (동물이) 물을 마시다. **3** (엔진 · 배 따위가) 급수되다. ***make* a person's *mouth* ~** 아무로 하여금 군침을 흘리게 하다, 욕심을 일으키게 하다; 부러워하게 하다. **~ *at the mouth*** (기대하며) 침을 흘리다; 부러워하다. **~ *down*** ① 물을 타다. ②《비유》적당히 조절하여 말하다; …의 효력을 약화하다: ~ *down* an expression 표현을 약하게 하다.
wa·ter·age [wɔ́ːtəridʒ, wát-/wɔ́ːt-] *n.* (화물의) 수상(水上) 수송; 그 요금.
wáter bàck《미》(난로 등의 뒷부분에 설치된) 물 데우는〔끓이는〕탱크〔파이프〕.
wáter bàg 물주머니; (가축의) 양수막(羊水膜); 낙타의 봉소위(蜂巢胃)(reticulum).
wáter bàiliff《영》(밀어(密漁) 등의) 수상〔하천〕단속관;〖역사〗(영국 세관의) 선박 검사관.
wáter bàlance〖생물〗(체내 수분의 흡수량과 배수량의) 수분 평형.
wáter ballèt 수중(水中) 발레,《특히》=SYNCHRONIZED SWIMMING.
wáter bàth 중탕(重湯) 냄비(bain-marie); (증기식 목욕과 구별하여) 목욕.

Wáter Bèarer (the ~) 〖천문〗 물병자리 (Aquarius). 「양〔암석층〕.
wáter bèd (환자용의) 물침대; 수분이 많은 토
wáter bèetle 〖곤충〗 말선두리 《따위》.
wáter bìrd 물새.
wáter bìrth 수중 분만, 수중 출산《분만의 후반에 산모의 몸을 온수에 담그는 분만법》.
wáter bìscuit 밀가루·물·버터로 만드는 크래커 비슷한 비스킷.
wáter blìster (피부의) 물집.
wáter bòa 〖동물〗 =ANACONDA.
wáter bòat 급수선.
wáter bòiler reàctor 〖원자력〗 비등수형(沸騰水型) 원자로《경수로의 일종》. 「위》.
wáter bòmb 물폭탄《물을 넣은 종이 봉지 따
wáter·bòrne *a.* 물 위에 뜨는; 수상 수송의; (전염병이) 음료수 매개의, 수인성(水因性)의.
wáter bòttle 물병; 《영》 수통.
wáter bòy (노동자·운동 선수 따위에) 음료수 공급자; 《미속어》 보비위꾼, (상급자를 위한) 잡일 담당원.
wáter bràsh 가슴앓이(heartburn). 「카산》.
wáter·bùck *n.* 〖동물〗 큰영양《남·중앙아프리
wáter bùffalo **1** 〖동물〗 물소. **2** 《미속어》 수륙 양용 수송 전차(戰車).
wáter bùg 수생(水生) 곤충, 물가에 사는 곤충.
Wa·ter·bu·ry [wɔ́:tərbèri, -bəri, wát-/wɔ́:təbəri] *n.* 미제(美製)의 싸구려 시계《산지(産地) 이름에서》.

water buffalo 1

wáter-bùs *n.* 수상 버스; 나룻배.
wáter bùtt 빗물통; (변소 등의) 거름통.
wáter cànnon 방수포(放水砲)《데모대 해산용 방수차(放水車)의》. 「용》.
wáter cànnon trùck 물대포 차《데모대 해산
wáter càrriage 수상 수송; (유수(流水)에 의한) 하수 처리; 수상 수송 기관〔시설〕.
wáter càrrier 수상(水上) 수송자〔수송업자〕; 물을 운반하는 사람〔동물〕; 송수용 용기〔물통, 관, 수로〕; 비구름; (the W- C-) 〖천문〗 =WATER BEARER.
wáter càrt 물 운반차; 살수차: be on the ~ 《영속어》 금주(禁酒)하고 있다(be on the water wagon).
wáter chèstnut 〖식물〗 마름《수생초; 과실은 식용》 (=**wáter càltrop**).
wáter chùte 워터 슈트《배를 세차게 물 위로 미끄러져 내리게 하는 경사로, 또 그 놀이》.
wáter clòck 물시계. 「세식 변기.
wáter clòset (수세식) 변소《생략: W.C.》; 수
wáter·còlor *n.* 그림물감; 수채화(법). ㊞ **~ed** *a.* 수채의; 청색의. **~ist** *n.* 수채화가. 「化》.
wáter convèrsion (바닷물의) 담수화(淡水
wáter-còol *vt.* 〖기계〗 (엔진 따위를) 물로 냉각시키다. ㊞ **~ed** *a.* 〖기계〗 수랭식의.
wáter còolant (원자로의) 냉각수.
wáter còoler 음료수 냉각기, 냉수기; 냉수 탱
wáter còoling 물에 의한 냉각. 「크.
wáter·còurse *n.* 물의 흐름, 강; (어느 시기만 물이 흐르는) 강 바닥; 운하, 수로; 〖법률〗 유수권
wáter cràcker =WATER BISCUIT. 「(流水權).
wáter·cràft *n.* Ⓤ 수상(水上) 기술《배의 조종, 수영 따위》; 〔집합적〕 선박.
°**wa·ter·cress** [wɔ́:tərkrès, wát-/wɔ́:t-] *n.* 〖식물〗 양갓냉이《샐러드용》.
wáter cùlture 〖농업〗 수경(水耕)(법).
wáter cùre 〖의학〗 수료법(水療法)(hydropathy); 《구어》 단시간에 물 먹이는 고문(拷問).
wáter·cỳcle *n.* 수상 자전거《페달식 보트》.
wáter divìner 점지팡이(divining rod)로 (지하) 수맥(水脈)을 찾는 사람.
wáter dòg 물에 익숙한 개, 물새 사냥개; 수달(otter); 《구어》 노련한 선원, 헤엄 잘 치는〔좋아하는〕 사람. 「금주가.
wáter-drìnker *n.* 광천을 마시는 사람; 《특히》
wáter·dròp *n.* 물방울, 빗방울; 눈물방울.
wá·tered *a.* **1** 물을 뿌린; 관개(灌漑)된. **2** (견직·금속 등에) 물결무늬가 있는. **3** 물로 묽게 한; 〖경제〗 (자본 따위를) 물타기한: ~ stock 〖증권〗 물탄 주식《자산 규모를 과대 평가해서 발행된》.
wátered-dówn *a.* 물을 탄, 묽어진.
wátered sílk 물결 주름 무늬 명주.
wá·ter·er *n.* 물 주는〔뿌리는〕 사람; 물 뿌리는 장치; 음료수 보급하는 사람; (가축 등에의) 급수기.
***wa·ter·fall** [wɔ́:tərfɔ̀:l, wát-/wɔ́:t-] *n.* 폭포; (매지 않은 긴) 여자의 머리 모습; 《비유》 (폭포처럼) 쇄도하는〔늘어진〕 것: a ~ of words.
wáter-fàst *a.* 물을 통과시키지 않는; (물감 따위가) 물에 색이 날지 않는.
wáter·finder *n.* 수맥〔광맥〕을 찾는 사람; 수맥을 찾는 점쟁이(water diviner)《점지팡이로》.
wáter flàg 〖식물〗 창포, 붓꽃.
wáter flèa 〖동물〗 물벼룩.
wáter·flòod 〖석유〗 *vi.*, *vt.* (증산(增産)·2 차 회수(回收)를 위하여) (유층(油層)에) 물을 압입(壓入)하다. **—** *n.* 수공(水攻)(법). ㊞ **~·ing** *n.*
wáter flòw 수류(水流); (단위 시간당의) 유수량(流水量). 「fly).
wáter flỳ 물가를 날아다니는 곤충, 강도래(stone
wáter fòuntain 분수식의 물 마시는 곳; 냉수기(water cooler); 음료수 공급 장치.
wáter·fòwl *n.* 〔집합적〕 물새.
wáter·fòwler *n.* 물새 사냥꾼.
wáter·fòwling *n.* 물새 사냥.
wáter·frònt *n.* 강가〔바닷가〕의 토지; 해안의 거리, 해안 지구; 부두, 선창. ***cover the*** ~ (…에 대하여) 빠짐없이 논하다《*on*》.
wáter gàp 〖지학〗 수극(水隙)《횡곡(橫谷)의 일종; 주향 산릉(走向山稜)을 횡단하는 협곡 등》.
wáter gàrden 연못이나 개천을 곁들인 정원; 수생 식물원.
wáter gàs 〖화학〗 수성(연료) 가스.
Wáter·gàte *n.* **1** 워터게이트 사건(1972) 《Washington, D.C.에 있는 민주당 전국 위원회 본부에 침입 도청한 사건, 이 결과로 1974 년 Nixon 대통령 사임》. **2** 《널리》 정치적 부정 행위; 실추(失墜) (를 일으키는 사태).
wáter gàte 수문(floodgate).
wáter gàuge 수위계(水位計)《탱크 따위의 수면의 높이를 표시하는 유리관》.
wáter glàss **1** 큰 컵; 수반(水盤)《꽃을 꽂아 두는 원예용의》. **2** (물속을 들여다보는) 물안경. **3** (옛날의) 물시계. **4** 물유리《규산나트륨 용액; 접착제·비누의 배합제 또는 달걀의 보존용》.
wáter grùel 묽은 죽, 미음.
wáter guárd 수상 경찰관; (밀수를 단속하는) 수상 감시 세관원.
wáter gùn 물딱총(water pistol).
wáter hàmmer 수격(水擊)《관(管) 안의 물의 흐름을 갑자기 막았을 때의 충격; 그 소리》.
wáter-hàmmer *vi.* (물·관(管)이) 수격(水擊)을 일으키다.
wáter hàul 헛된 노력, 헛수고.
wáter hàzard 〖골프〗 워터 해저드《코스 안에 장애 지역으로 설정된 못이나 개천》.
wáter hèater (가정용) 온수기; 물 끓이는 장치.
wáter hèn 〖조류〗 쇠물닭; 《미》 검둥오리.

wáter hòle (야생 동물이 물 마시러 오는) 물웅덩이; 못; (사막 등의) 샘; 빙면(氷面)의 구멍; ((미속어)) = WATERING HOLE; ((CB속어)) (트럭 운전사의) 휴게소; 〖통신〗 잡음이 비교적 적은 무선 주파대.

wáter ìce ((영)) 과즙 · 설탕을 넣어 얼린 과자, 셔벗(sherbet); (물이 언) 얼음.

wáter-ínch *n.* 수(水)인치((최소 압력으로 직경 1인치의 구멍에서 24시간 흘러나오는 물의 양; 약 500세제곱 피트)).

wá·ter·ing [-riŋ] *n.* Ⓤ,Ⓒ 급수, 살수; (비단 · 금속 등의) 물결무늬. — *a.* 살수용〔급수용〕의; 온천〔광천〕의; 해수욕장의.

wátering càn 물뿌리개, 조로.

wátering càrt 살수차.

wátering hòle ((미속어)) 사교장(watering place) ((특히 나이트클럽 · 라운지 등)); ((구어)) 물놀이할 수 있는 행락지.

wátering plàce **1** ((영)) 온천장, 해수욕장, 해안 · 호반의 행락지. **2** (동물의) 물 마시는 곳. **3** (대상(隊商) · 배 따위의) 물 보급지; = WATERING HOLE.

wátering pòt 〔**càn**〕 물뿌리개, 살수기.

wa·ter·ish [wɔ́ːtəriʃ, wát-/wɔ́ːt-] *a.* 물 같은; (빛 · 색 등이) 엷은; 물이 섞인, 싱거운, 물을 탄; 수분이〔습기가〕 많은. ㊎ **~·ness** *n.*

wáter jàcket 〖기계〗 물 재킷((기계의 과열 냉각용 장치)); (기관총의) 냉수통, 수투(水套).

wáter jùmp (장애물 경마의) 물웅덩이.

wáter jùnket ((영)) 〖조류〗 도요새의 일종 (sandpiper).

wá·ter·less *a.* 건조한, 마른; 물이 필요 없는 ((요리)); 공랭식의((엔진)). ㊎ **~·ly** *ad.* **~·ness** *n.*

wáterless cóoker 무수(無水)냄비; = PRESSURE COOKER.

wáter lèvel 수위(水位); (수평) 수준기(水準器); 흘수선.

wáter lìly 〖식물〗 수련(pond lily).

wáter lìne 〖해사〗 (흘)수선; 해안선; 지하수면; 수위; 송수관; (종이의) 내비치는 선.

wáter·lòg *vt.* (배를) 침수시켜 항행 불능케 하다; 물이 배어서 (목재가) 물에 뜨지 않게 하다; (토지를) 물에 잠기게 하다. — *vi.* 침수되어 흠뻑 젖다〔움직임이 둔해지다〕.

wáter·lògged *a.* 물이 밴((재목 따위)); (배가) 침수된, 물에 잠긴; ((비유)) 수렁〔곤경〕에 빠진.

Wa·ter·loo [wɔ́ːtərlùː, wát-, ⌐-⌐/wɔ̀ːtəlúː] *n.* **1** 워털루((벨기에 중부의 마을; 1815년 나폴레옹 1세가 영국 · 프러시아 연합군에 대패)). **2** (때로 w-) **a** 대패배, 참패. **b** 파멸〔패배〕의 원인. ***meet one's ~*** 일패도지(一敗塗地)하다, 참패당하다.

wáter màin 급수〔수도〕 본관(本管).

wáter·man [-mən] (*pl.* ***-men*** [-mən, -mèn]) *n.* 뱃사공; 노 젓는 사람; 수산업으로 생계를 잇는 사람; 물의 요정; 인어; 급수〔살수〕 업무 종업원; (탄갱 · 광산의) 배수원(排水員). ㊎ **~·shìp** *n.* Ⓤ ~의 직무〔기능〕; 노 젓는 솜씨.

wáter·màrk *n.* 수위표(水位標); (종이의) 내비치는 무늬. — *vt.* …에 내비치는 무늬를 넣다.

wáter mèadow 강의 범람으로 비옥해진 목초지〔저지〕.

wáter·mèlon *n.* 〖식물〗 수박.

wáter mèter 수량계, 수도 미터.

wáter mìll 물방앗간; (물방아에 의한) 제분소.

wáter mòccasin 〖동물〗 독사((북아메리카 남부산)); ((흔히)) 물뱀(water snake)((무독)).

wáter mònkey (동양 열대 지방의) 증발 작용에 의해 음료수를 식히는 질그릇.

wáter mòtor 수력 발동기, 수력 기관((수력 터빈 따위)).

wáter nỳmph 물의 요정(naiad); 인어; 〖식물〗 수련.

wáter òak 〖식물〗 북아메리카 남동부산(産)의 습지성 떡갈나무.

wáter on the knée 〖의학〗 무릎관절 수종(水腫).

wáter òuzel 〖조류〗 물까마귀((유럽산)).

wáter òx 물소(water buffalo).

wáter pàint 수성 도료.

wáter pàrting ((미)) 분수계(分水界)(divide).

wáter pèpper 〖식물〗 여뀌류.

wáter pìck = WATER TOOTHPICK; (W- P-) 그 상표명.

wáter pìll 이뇨제(diuretic).

wáter pìpe 송수관, 배수관; 수연통(水煙筒).

wáter pìstol 물딱총(water gun).

wáter plàne 〖선박〗 (흘수면에 접하는) 수선면(水線面); 수상(비행)기.

wáter plànt 수초(水草).

wáter plùg 소화전(fireplug).

wáter pollùtion 수질 오염.

wáter pòlo 〖경기〗 수구(水球).

wáter pòwer 수력; = WATER PRIVILEGE.

wáter prìvilege (특히 동력원(源)으로서의 물에 관한) 용수 사용권, 수리권(水利權).

***wa·ter·proof** [wɔ́ːtərprùːf, wát-/wɔ́ːt-] *a.* 방수의; 물이 새지 않는. — *n.* ((영)) 방수복, 레인코트; Ⓤ 방수포. — *vt.* (천 따위를) 방수 처리〔가공〕하다. ㊎ **~·ness** *n.* **~·er** *n.* 방수 처리공〔자〕; 방수제. **~·ing** *n.* Ⓤ 방수 재료〔가공, 처리〕.

wáter pùlse 이나 잇사이를 세척하기 위한 분사수(噴射水).

wáter ràce (공업용) 수로(水路).

wáter ràil 〖조류〗 흰눈썹뜸부기.

wáter ràm 자동 양수기(hydraulic ram).

wáter ràt 〖동물〗 물쥐; ((속어)) (해안 따위의) 부랑자, 좀도둑; ((구어)) 수상 스포츠 애호가.

wáter ràte 〔**rènt**〕 수도 요금.

wáter-repéllent *a.* (완전 방수는 아니지만) 물을 튀기는〔튀기게 만든〕.

wáter-resìstant *a.* 방수의, 물이 스며들지 않는, 내수(耐水)(성)의.

wáter rìght 용수(用水)권, 수리권(水利權).

wáter sàpphire 〖광물〗 근청석(菫青石)((보석으로도 쓰임)).

wáter·scàpe *n.* 물가의 풍경; 물이 있는 경치.

wáter scòrpion 〖곤충〗 장구애비.

wáter·shèd *n.* 분수령(divide, ((미)) water parting); 유역; 분기점, 중대한 시기: a ~ event 획기적인 사건.

wáter·shòot *n.* 배수관; 홈통.

wáter·sìde *n.* (the ~) 물가; 수변.

wáter skì 수상 스키((용구)).

wáter-skì (*p., pp.* ***-ski'd, -skied***) *vi.* 수상 스키를 하다. ㊎ **~·er** *n.* **~·ing** *n.*

wáter·skìn *n.* 물을 담는 가죽 부대.

wáter·slìde *n.* Ⓒ (풀장의) 미끄럼틀((특히 물이 흐르는)).

wáter snàke **1** 〖동물〗 물뱀((독이 없음)). **2** (the W- S-) 〖천문〗 물뱀자리.

wáter-sòak *vt.* 물에 잠그다〔담그다〕. — *vi.* 흠뻑 젖다.

wáter sòftener 연수제(軟水劑); 정수기(淨水器).

wáter-sòluble *a.* 수용성의, 물에 녹는: ~ vitamins.

wáter spàniel 워터스패니얼((오리 사냥개)).

wáter·splàsh *n.* 얕은 여울; 물(웅덩이)에 잠긴 도로(의 부분).

wáter·spòrt *n.* 수상 스포츠((수영 · 수상 스키 · 윈드서핑 따위)); (~s) 〖단수 · 복수취급〗 ((속어)) 요욕(尿浴), 워터플레이((서로에게 방뇨(放尿)하거나 오줌을 마시는 등의 가학성(加虐性) · 피학성(被虐性)의 변태적 놀이)).

wáter·spòut *n.* 방수관〔구〕; 〖기상〗 바다 회오리, 물기둥; 억수 같은 비.

wáter sprìte 물의 요정(water nymph).

wáter·stòne *n.* (물을 사용하는 보통의) 숫돌.

wáter strìder 〖곤충〗 소금쟁잇과 곤충의 총칭.
wáter supplỳ 상수도; 급수(법); 급수(량).
wáter sỳstem (하천의) 수계(水系); =WATER SUPPLY. 「수면.
wáter tàble 〖건축〗 빗물 돌림띠《외벽의》; 지하
wáter tànk 물탱크, 물통. 「하는 모터보트》.
wáter tàxi 수상 택시《요금을 받고 승객을 운반
wáter·tìght *a.* 방수의; 물이 새지 않는; (이론 등이) 견실한, 빈틈없는, (말·문장 등이) 정연한: a ~ compartment (배의) 방수 구획(실). ⊕ ~·ness *n.* 「세척기.
wáter tòothpick 물 분사(噴射)를 이용한 구강
wáter tòrture 물 고문.
wáter tòwer 급수탑; 소방용 방수(放水) 장치《고층 건물용》. 「의) 물 처리.
wáter trèatment (여과·연수화(軟水化) 등
wáter tùbe 수관(水管).
wáter vàpor 수증기.
wáter vòle 〖동물〗 물쥐의 일종.
wáter wàgon 급수차; 살수차(water cart). ***on the*** ~ ⇨ WAGON.
wáter-wàshed [-t] *a.* (바다) 파도에 씻긴.
wáter wàve 파도; 워터 웨이브《머리카락을 로션으로 적시고 세트하여 드라이어로 마무리하는 파마의 일종》.
wáter·wàve *vt.* (머리카락을) 워터 웨이브로 하다. ⊕ ~**d** *a.* 「배수구.
°**wáter·wày** *n.* **1** 수로; 항로; 운하. **2** (갑판의)
wáter·wèed *n.* (각종의) 수초(水草).
wáter whèel 수차; 양수차.
wáter·whìte *a.* 무색투명한.
wáter wìngs (수영 연습용으로 양겨드랑이에 끼는) 날개꼴 부낭.
wáter wìtch **1** 물속에 사는 마녀. **2** 점지팡이로 지하 수맥을 찾는 사람. **3** (각종의) 물 탐지기 (=**wáter wìtcher**). **4** 〖조류〗 **a** 논병아리(dabchick). **b** 《영방언》 바다제비.
wáter wìtching (점지팡이로 하는) 수맥 탐사.
wáter·wòrks *n. pl.* 《단·복수취급》 급수 시설; 급수소; 상수도; 분수; 《속어》 눈물; 《영구어》 비뇨기. ***turn on the*** ~ 《속어》 울다. 「멸된.
wáter·wòrn *a.* (바위 등이) 물의 작용으로 마
wa·tery** [wɔ́ːtəri, wát- / wɔ́ːt-] (-ter·i·er; -i·est***) *a.* **1** 물의; 물기 많은, 묽은; 물속의. **2** 축축한, 비가 올 듯한《달·하늘 따위》: a ~ sky 비가 올 듯한 하늘. **3** 눈물어린《눈 따위》: ~ eyes. **4** 물을 너무 탄, 맛없는《술·수프 따위》; 연한, 엷은《색 따위》: ~ blue 연한 청색, 옥색. **5** 《비유》 약한, 힘없는, 맥빠진 《문장 따위》. ⊕ **wá·ter·i·ly** *ad.* **-i·ness** *n.*
WATS [wats/wɔts] *n.* 《미》 와츠《월정 정액(定額) 요금으로 몇 번이라도 장거리 통화를 할 수 있는 전화 계약》. [◂ *W*ide *A*rea *T*elecommunications *S*ervice]
Watt [wat/wɔt] *n.* **James** ~ 와트《스코틀랜드의 발명가; 1736-1819》.
°**watt** [wat/wɔt] *n.* 〖전기〗 와트《전력(일률)의 단위; 생략: W, w》. ⊕ ∠·**age** [-idʒ] *n.* Ⓤ 와트수. 「rent).
wátt cùrrent 〖전기〗 와트 전류(active cur-
wátt-hòur *n.* 와트시(時) 《1시간 1와트에 해당하는 에너지 단위; 생략: Wh》.
wat·tle [wátl/wɔ́tl] *n.* **1** 욋가지; 욋가지로 엮은 울타리(벽, 지붕); (벽의) 외(椳); 《영방언》 잔가지; 지팡이. **2 a** (닭·칠면조 등의) 육수(肉垂). **b** (도마뱀류의) 목주머니. **c** 《속어》 (사람의) 목에 늘어진 살. **d** (물고기의) 촉수(觸鬚), 수염(barbel). **3** 〖식물〗 아카시아의 일종《오스트레일리아산》. ~ ***and daub*** (***dab***) 〖건축〗 초벽. ─ *a.* 오리로 엮어 만든; 욋가지의. ─ *vt.* 욋가지(오리)로 엮어 만들다《울타리·벽 따위를》; 엮어 겯다. ⊕ ~**d** *a.* 오리(욋가지)로 엮어 만든; ~이 있는.

wattle 2a

wátt·mèter *n.* 전력계.
Wa·tu·si, Wa·tut·si [wɑːtúːsi], [wɑtúːtsi/wətútsi] *n.* **1** (*pl.* ~, ~**s**) 와투시 족(族). **2** (w-) 와투시 춤. ─ *vi.* 와투시 춤을 추다.
waul [wɔːl] *vi.* (고양이처럼) 앵앵 울다. ─ *n.* 앵앵(우는 소리).
W. Aust. Western Australia.
Wave [weiv] *n.* 《미》 WAVES의 대원(隊員).
wave** [weiv] *n.* **1** 파도, 물결, 파문. **2** 파도와 같은 움직임; 요동, 굽이침. **3** 〖물리〗 파(波), 파동《열·빛·소리 등의》; 〖기상〗 파; 〖지학〗 파랑: a cold ~ 한파. **4** (감동·상황·상태 등의) 물결, 고조: a ~ of depression 불경기의 물결 / a ~ of enthusiasm 열광의 고조. **5** 손을 흔드는 신호: with a ~ of hand 손을 흔들어. **6** (그래프상의) 곡선, 기복. **7** (머리카락 등의) 물결 모양, 퍼머넌트 웨이브: She has a natural ~ in her hair. 그녀의 머리털은 곱슬머리다. **8** (the ~(s)) 《고어·시어》 물, (강·호수의) 물, 바다: rule the ~*s* 해양을 지배하다. **9** 파도처럼 밀려옴(오는 것); 연쇄적 파급; 이동(이주)하는 동물(사람)의 떼(물결); 인구의 급증; 진격하는 군대(비행기): golden ~*s* of grain 곡식의 황금 물결. **10** 〖컴퓨터〗 파《물리량이 시간에 따라서 주기를 형성, 변하는 것》. **11** 〖브레이크댄스〗 웨이브《몸속을 파도가 지나가듯이 보이게 하는 춤》. ***attack in ~s 〖군사〗 파상 공격을 가하다; 차례차례 공격을 가하다. ***make ~s*** 《구어》 풍파를 일으키다.
─ *vi.* **1** 《~/+전+명》 파도(물결)치다, 파동(기복)하다: The road ~*d along* the river. 그 길은 강을 따라 굴곡을 이루고 있었다. **2** 《~/+전+명》 (기·가지 등이) 흔들리다: The flags are *waving in* the breeze. 깃발이 미풍에 나부끼고 있다. **3** 《~/+전+명》 (머리털 따위가) 물결 모양을 이루다: She had her hair *waving* beautifully (*in* beautiful curves). 머리칼이 아름답게 물결치고 있었다. **4** 《+전+명》 손을 흔들다; (손·손수건 따위를) 흔들어 신호(인사)하다: He ~*d to* me in farewell. 안녕하고 그는 나에게 손을 흔들었다. **5** 《+전+명/+*to* do》 (…을 하라고) 손을 흔들다, 손을 흔들어 신호하다《*to; at*》: He ~*d at* the driver *to* stop. 그는 운전 기사에게 손을 흔들어 멈추라고 신호했다.
─ *vt.* **1** 《~+목/+목+부/+목+전+명》 흔들어 움직이다; 흔들다, 휘두르다: ~ one's arms (*about*) 팔을 (빙빙) 휘두르다 / He ~*d* the stick *at* them. 그들을 향해 단장을 휘둘렀다. **2** 《~+목/+목+목/+목+전+명/+목+부/+목+*to* do》 손을(기 따위를) 흔들어 …신호(인사)하다: ~ a farewell (*to* a person) / I ~*d* him a farewell. / The officer looked at my identification card and then ~*d* me *on*. 경찰관은 내 신분증을 보자 손을 흔들어 가도 좋다고 신호했다 / He ~*d* me *to* sit down. 그는 손을 흔들어 내게 앉으라고 신호했다. **3** 물결 모양으로 하다; …에 웨이브를 하다: She had her hair ~*d*. 그녀는 머리를 웨이브하였다.
~ ***aside*** (아무에게) 신호하여 비켜서게 하다(침묵게 하다), 신호하여 (물건을) 비키게 하다; (반대 등을) 물리치다, 가벼이 일축하다. ~ ***away*** (***off***) 손 따위를 흔들어 쫓아버리다, 거절하다: ~ *away* a hawker 행상인을 손짓으로 필요 없다고 거절하다. ~ ***down*** (차를) 손을 흔들어 세우다.

wáve bànd 〚통신〛 주파대(帶). 「들리는.
wáved *a.* 물결 모양의, 기복이 있는, 앞뒤로 흔
wáve frònt 〚물리〛 파면(波面)〔선〕; 물마루.
wáve·guìde *n.* 〚통신〛 도파관(導波管).
wáve·lèngth *n.* 〚물리〛 파장《기호 λ》; 《구어·비유》 사고방식. ***on the same ~ as*** 《구어》 …와 같은 파장으로; …와 의기투합하여〔같은 생각으로〕.
wáve·less *a.* 파도가 없는, 파동〔기복〕이 없는; 조용한. [파] **~·ly** *ad.*
wave·let [wéivlit] *n.* 작은 파도, 잔물결; (머리털의) 작은 웨이브.
wáve·lìke *a.* 파도와〔파동과〕 같은. 「기계》.
wáve machìne 웨이브 머신《파랑을 일으키는
wáve mechànics 〚물리〛 파동 역학.
wáve·mèter *n.* 〚통신〛 파장계.
wáve mòtion 〚물리〛 파동. 「수》.
wáve nùmber 〚물리〛 파수(波數)《파장의 역
wáve of the fúture 금후의 동향.
***wa·ver** [wéivər] *vi.* **1** 흔들리다; (불길 등이) 너울〔가물〕거리다; (목소리가) 떨리다: The flames *~ed.* 불길이 너울거렸다. **2** 《+[전]+[명]》 망설이다, 주저하다: ~ *in* belief 〔*in* one's resolution〕 신념〔결심〕이 흔들리다. **3** 《~/+[전]+[명]》 동요하다, 들뜨다, 혼란해지다: He felt his courage ~. 그는 용기가 꺾임을 느꼈다 / The front line *~ed under* fire. 최전선은 포화를 받고 동요되었다. **—** *n.* 동요, 망설임; 흔들림, 진동. [파] **~·er** *n.* **~·ing·ly** [-vəriŋli] *ad.* 동요되어, 흔들려서; 주춤거려, 주저하여.
wa·very [wéivəri] *a.* 흔들리는; 주저하는.
WAVES, Waves [weivz] 《미》 Women Accepted for Volunteer Emergency Service (해군 여자 예비 부대).
wáve sòund 〚컴퓨터〛 웨이브 사운드《Microsoft 사와 IBM이 공동으로 개발한 음성 데이터 기록 방식》.
wáve·táble *n.* 〚컴퓨터〛 웨이브테이블《실제 악기 소리 따위를 녹음하여 디지털화(化)한 데이터를 수록한 파일 · ROM 따위》.
wáve thèory 〚물리〛 (빛의) 파동 이론; 〚언어〛
wáve tràin 〚물리〛 파열(波列). 「파동설(說).
wáve tràp 〚통신〛 웨이브 트랩《특정 주파수의 혼신을 제거하기 위한 공명 회로》.
°**wavy** [wéivi] (*wav·i·er; -i·est*) *a.* 파도치는; 물결 이는〔같은〕, 기복 있는, 굽이치는; 〚식물〛 물결꼴의 (가장자리가 있는); 웨이브가 된; 흔들리는, 불안정한, 동요하는. [파] **wáv·i·ly** *ad.* **-i·ness** *n.*
Wávy Návy (the ~) 《영구어》 해군 의용 예비대.
wa-wa, wah-wah [wá:wà:] *n.* **1** 와우와우《트럼펫의 앞을 약음기로 여닫으며 내는 파상음》; 와우와우 장치《전기 기타에 붙이는, 와우와우 음을 내는 전자 장치》. **2** 《Can. 서해안속어》 언어, 말. **—** *vi.* 《Can. 서해안속어》 말하다. [imit.]
WAWF World Association of World Federalists(세계 연방주의자 세계 협회).
wawl [wɔ:l] *vi.* =WAUL.
‡**wax**[1] [wæks] *n.* [U] **1** 밀초; 밀랍(蜜蠟) (beeswax). **2** 밀 모양의 것; 봉랍(封蠟); 구두를 꿰매는 실에 바르는 밀. **3** 귀지(earwax). **4** (마루의) 윤내는 약, 왁스; [C,U] 《구어》 레코드 (취입). **5** [C] 남의 뜻대로 움직이는〔되는〕 사람〔물건〕; be (like) ~ in the hands of 완전히 …의 마음〔뜻〕대로 되다 / mold a person like ~ 아무를 자기 뜻대로의 인간으로 만들다〔행동시키다〕. ***put on*** ~ 레코드에 취입하다. ***vegetable*** ~ 목랍(木蠟). **—** *vt.* **1** …에 밀을 바르다〔입히다〕; 밀로 닦다. **2** 《구어》 (레코드에) 취입하다. **3** 《미구어》 (경기 · 작전에서) 결정적으로 이기다; 《속어》 때려눕히다, 죽이다. [파] **~·er** *n.* **~·like** *a.*
wax[2] (*~ed; ~ed,* 《고어》 **~·en** [wǽksən]) *vi.* **1** 커지다; 증대하다. **2** (해가) 길어지다; (달이) 차다. [opp] *wane.* **3** 《+[보]》 …상태로 되다: ~ fat 살찌다 / ~ merry 명랑해지다. ~ ***and wane*** (달이) 찼다 이울었다 하다; 성쇠하다. **—** *n.* (달의) 참; 〖보통 on the ~〗 증대, 성장, 번영.
wax[3] *n.* 《영구어》 불끈함, 욱함, 불뚱이. ***get into a ~*** 불끈하다, 노하다. ***put*** a person ***in a ~*** 아무를 불끈 성나게 하다.
wáx bèan 《미》 강낭콩의 일종. 「=SNOWBERRY.
wáx·bèrry *n.* 〚식물〛 **1** =WAX MYRTLE. **2**
wáx·bìll *n.* 〚조류〛 단풍새의 일종.
wáx chàndler 양초 제조〔판매〕인.
wáx clòth 왁스를 입힌 방수천, (바닥에 까는) 리놀륨류.
wáx dòll 납인형; 《비유》 표정 없는 미인.
wáxed jácket 《영》 왁스 처리한 방수 재킷.
wáxed pàper =WAX PAPER.
°**wax·en**[1] [wǽksən] *a.* **1** 밀처럼 말랑말랑한; 납빛의, 창백한《얼굴 등》. **2** 밀로 만든; 밀을 먹인.
wax·en[2] 《고어》 WAX[2]의 과거분사.
wáx·ing *n.* 납(蠟)을 바르기; 왁스로 닦기; (왁스를 써서 하는) 제모(除毛), 탈모(脫毛); 《구어》 레코드 (취입); 《미속어》 때림, 구타.
wáx lìght 작은 초(taper).
wáx musèum 납인형관(蠟人形館).
wáx mỳrtle 〚식물〛 소귀나무《북아메리카산》.
wáx pàinting 납화법《달군 쇠로 밀랍을 녹여 붙이는》.
wáx pàlm 〚식물〛 남아메리카산 야자의 일종《가지와 잎에서 납(蠟)을 채취》.
wáx pàper 《미》 밀 먹인 종이, 파라핀 종이.
wáx trèe 〚식물〛 거망옻나무류.
wáx·wìng *n.* 〚조류〛 여샛과의 새.
wáx·wòrk *n.* 납(蠟)세공품〔인형〕; (*pl.*) 〖단수 취급〗 밀랍인형〔세공품〕 진열관; (*pl.*) 《미속어》 (정치적 만찬에 초대된) 귀빈.
waxy[1] [wǽksi] (*wax·i·er; -i·est*) *a.* 납(蠟)〔밀〕 같은; 납빛의, 창백한; 밀을 입힌; 〚의학〛 납상 변성(蠟狀變性)에 걸린《간장(肝臟) 등》. [파] **wáx·i·ly** *ad.* **-i·ness** *n.*
waxy[2] (*wax·i·er; -i·est*) *a.* 《영속어》 불끈한, 성난: get ~ 불끈해지다.
†**way**[1] [wei] *n.* **1** 길, 도로, 통로, 진로. [SYN.] ⇨ROAD. ¶Please tell me the ~ *to* the station. 역으로 가는 길을 가르쳐 주시오 / There's no ~ through. 통로가 없다 / Don't stand in the ~. 진로를 막지 마라, 방해하지 마라 / Clear the ~. 길을 열어라.
2 노정, 거리: go a long ~ 먼 길을 가다.
3 [U] 진행, 진보, 진척; 전진; 서슬, 타성; 〚법률〛 통행권: Our carriage did not make any ~. 우리들의 마차는 조금도 나아가지 않았다 / on the 〔my〕 ~ home 귀로에 / He is on the ~ *to* success. 그는 성공의 도상에 있다.
4 방향; 구역, 부근; 《비유》 방면: They went different *~s.* 그들은 각기 다른 방향으로 갔다 / Look both *~s.* (길의) 양쪽을 보아라 / Come this ~, please. 자 이쪽으로 오십시오 / Which ~ are you going? 어디로 가십니까 / from Dakota ~ 다코타(주(州)) 부근에서 / He lives somewhere Mapo ~. 그는 마포 어딘가에 살고 있다 / Iron is used in many *~s.* 쇠는 여러 방면에 쓰인다.
5 (특정한) 방식; 수단, 방법; 행동; 방침: This is not the ~ *to* win your people's love. 이런 방법으로는 친구들의 사랑을 받을 수 없다 / to my ~ *of* think*ing* 내 생각으로는 / in the same ~ 같은 방식으로. [SYN.] ⇨METHOD.
6 (종종 *pl.*) 습관, 풍습, 버릇; 풍, 식, 언제나 하는〔특유한〕 식〔방식〕: So, that's his ~. 그럼 그

것이 그의 방식이군/He has a ~ *of* wav*ing* his hand. 그는 독특하게 손을 흔드는 버릇이 있다/the American ~ *of* liv*ing* 〔life〕 미국적인 생활 (양식). ★ "the way+절"에 관하여는 ⇨ 다음의 관용구 the ~ (that) ....
7 …점, 사항: He's a clever man in some ~*s*. 어떤 점에서 빈틈없는 사나이다.
8 Ⓤ (사람의) 경험〔주의력, 지식, 행동〕의 범위: Such things never came (in) my ~. 그런 일은 아직껏 경험한 적이 없다.
9 《구어》 장사, 직업: in the retail ~ 소매상으로.
10 《구어》 형편, 상태; 《영구어》 동요〔흥분〕 상태: Things are in a bad ~. 사정은 좋지 않다, 불경기이다/be in a (great) ~ (몹시) 흥분해 있다.
11 (배의) 속도; 항행: gather 〔lose〕 ~ 속도를 내다〔늦추다〕.
12 (*pl.*) 진수대, 선대(船臺).
across the ~ 길 건너편에. ***all the*** ~ ① 내내, 멀리(서): *all the* ~ from Canada to Mexico 멀리 캐나다에서 멕시코까지. ② 《미》 (…에서 …까지) 여러 가지로: The cost is estimated *all the* ~ from $100 to $150. 비용은 100달러에서 150달러까지 여러 가지로 어림쳐져 있다. ***a long*** ~ ***off*** 먼, (…을) 멀리 떨어져서: Canada is *a long* ~ *off*. 캐나다는 꽤 멀리 있다/be *a long* ~ *off* perfection 완성에 이르기엔 아직도 멀다. ***any*** ~ 어느 쪽이든지, 여하튼(anyway). ***at the least*** ~(***s***) 적어도. ***be nothing out of the*** ~ 흔하다; 색다른 것이 없다. ***be set in*** one***'s*** ~***s*** (생각이) 굳어 있다. ***both*** ~***s*** 왕복 모두; 양쪽에; 〖영경마〗 =EACH WAY. ***by a long*** ~ 〔보통 부정문으로〕 훨씬 …(이 아닌): He is not as capable as his elder brother *by a long* ~. 그는 형보다 능력이 훨씬 뒤진다. ***by the*** ~ ① 〔화제를 바꿀 때〕 그런데, 여담이지만: *By the* ~, have you seen him yet? 그런데, 벌써 그를 만났습니까/But this is *by the* ~. 그러나 이것은 여담입니다. ② (길의) 도중에서. ***by*** ~ ***of*** ① …의 대신으로, …할 셈으로: say something *by* ~ *of* apology 사과할 셈으로 무엇인가 말하다. ② …할 목적으로〔의도로〕: make inquiries *by* ~ *of* learning the facts of the case 사건의 진상을 알기 위하여 조사하다. ③ 〔동명사를 수반하여〕 《영》 …라고 일컫고〔일컬어져〕(있다), …한 것으로〔하다고〕 알려져 (있다): She is *by* ~ *of being* a professional pianist. 그녀는 지금 직업적 피아니스트로 통하고 있다. ④ …을 경유하여: *by* ~ *of* Hongkong 홍콩을 거쳐. ***cannot fight*** 〔《영》 ***punch***〕 one***'s*** ~ ***out of a paper bag*** 《구어》 유약(柔弱)하다. ***clear the*** ~ ***for*** … 으로의 길을 열다, …을 쉽게 하다. ***come a long*** ~ ⇨ COME¹. ***come*** a person***'s*** ~ …의 수중에 떨어지다, 손에 들어오다; …에게 내리다〔일어나다〕; 《구어》 (일이) 잘 되어가다. ***each*** ~ 〖영경마〗 우승과 입상 양쪽에, 복승식(複勝式)으로 《걸다》. ***find*** one***'s*** ~ ⇨ FIND. ***find*** one***'s*** ~ ***about*** (지리에 밝아) 스스로 어디라도 갈 수 있다. ***get in*** a person***'s*** ~ 아무의 (행동·목적)을 방해하다. ***get in the*** ~ 방해되다. ***get out of the*** ~ 피하다, 비키다. ***get*** (...) ***out of the*** ~ (방해되지 않도록) 치우다; 제거하다, 처분하다. ***get*** 〔***have***〕 one***'s*** (***own***) ~ 하고 싶은 것을 해내다, 하고 싶은 대로 하다. ***get under*** ~ ① 나아가기 시작하다, 출발하다. ② 실행에 옮기다: *get* a plan *under* ~ 계획을 실행하다. ***give*** ~ ① 무너지다; 꺾이다; 물러나다; 지다; (길을) 양보하다《*to*》; (마음이) 꺾이다. ② 비탄에 젖다; (감정 등에) 지다, 참다 못해 …하다《*to*》: *give* ~ *to* tears 〔anger〕 울음을〔화를〕 터뜨리다. ③ (값이) 떨어지다. ④ (노 젓는 사람이) 힘을 내어 젓다. ***go a good*** 〔***long, great***〕 ~ ① 멀리까지 가다. ② (물건·돈 따위가) 오래가다, 쓸모가 있다. ③ (사람·회사 따위가) 출세하다, 성공하다. ④ 도움이 되다; 효과가 있다. ***go all the*** ~ 완료하다; 전면적으로 일치하다〔지원하다, 의기(意氣)가 투합하다〕; 《구어·완곡어》 성교하다. ***go out of*** one***'s*** 〔***the***〕 ~ 각별히 노력하다, 일부러〔고의로〕 …하다: He *went out of his* ~ to find the house for us. 그는 일부러 그 집을 찾아 주었다. ***go*** a person***'s*** ~ 《구어》 아무를 따라가다, (일이) 아무에게 유리하게 진행되다. ***go*** one***'s*** ~(***s***) 떠나다, 출발하다. ***go the*** ~ ***of*** …와 같은 길을 걷다〔취급을 받다〕, …의 전철을 밟다. ***go the*** ~ ***of all good things*** 멸망할 운명에 있다. ***go the*** ~ ***of all the earth*** 〔***all flesh, all living, nature***〕 〖성서〗 죽다《여호수아 XXIII: 14》. ***have a*** ~ ***with*** a person 아무를 잘 다루다; …의 비위를 맞추는 법을 알고 있다: He *has a* ~ *with* girls. 여자 다루는 법을 알고 있다. ***have*** 〔***get***〕 one***'s*** (***own***) ~ 마음대로〔멋대로〕 하다. ***have the*** ~ ***about one*** 독자적인 것〔풍격, 격식 등〕을 갖추고 있다. ***have*** ~ ***on*** (배가) 나아가고 있다. ***in a bad*** ~ (건강·재정·사업 등이) 위험한 상태로. ***in a big*** 〔***great***〕 ~ 《구어》 대대적으로《장사하다》, 호화로이《지내다》. ***in a fair*** 〔***good***〕 ~ ***of doing*** 〔***to*** do〕 …할 것 같은, 유망한: He is *in a fair* ~ *of* becom*ing* president. 그는 사장이 될 것 같다. ***in a kind*** 〔***sort***〕 ***of*** ~ 《구어》 다소, 얼마간. ***in a large*** 〔***small***〕 ~ 대〔소〕규모로, 거창〔조촐〕하게: live *in a small* ~. ***in a*** 〔***one***〕 ~ 보기에 따라서는; 어느 정도, 다소. ***in more*** ~***s than one*** 여러 가지 의미로. ***in no*** ~ 결코〔조금도〕 …않다. ***in one*** ~ ***or another*** 어떻게라도 해서. ***in some*** ~ 어떻게든 해서. ***in some*** ~***s*** 여러 가지 점에서. ***in*** one***'s*** (***own***) ~ ① 〔보통 부정문에서〕 특기여서, 전문으로: Music is *not in my* ~. 음악은 전문 밖이다. ② 그 나름대로, 꽤: He is benevolent and humane *in his* ~. 그는 그런대로 인정미가 있다. ***in*** one***'s*** ~ 전도에. ***in the old*** ~***s*** 옛 식으로, 종전대로. ***in the*** 〔a person***'s***〕 ~ 방해가 되어. ***in the*** ~ ***of*** ① …에 대하여, …으로서: What have we *in the* ~ *of* food? 먹을 것으로는 무엇이 있나. ② …에 유리한〔…이 가능한〕 지위에: I'll put you *in the* ~ *of* making money. 네게 돈벌이를 시켜 주마. ③ …의 버릇이 있어: He is *in the* ~ *of* reading in bed. 그는 누워서 책 읽는 버릇이 있다. ***in this*** ~ 이렇게 하여. ***in*** ~ ***of ...*** 〖해사〗 …의 근처에. ***keep out of the*** ~ 피하다. ***keep*** one***'s*** ~ 길을 잃지 않다, 똑바로 길을 따라가다. ***know*** one***'s*** ~ ***around*** 〔《영》 ***about***〕 《구어》 …의 지리에 밝다; …에 정통하다, (일 따위의) 요령을 알다. ***lead the*** ~ 안내하다; 이끌다, 모범을 보이다, 솔선〔지도〕하다; 맨 앞을 가다. ***look the other*** ~ 눈〔시선〕을 돌리다, 외면하다, 무시하다, 몽따다. ***lose*** one***'s*** 〔***the***〕 ~ 길을 잃다. ***lose*** ~ 〖해사〗 (배가) 속력을 잃다. ***make*** 〔***pay***〕 ***its*** ~ (기업 따위가 돈을) 벌다. ***make*** one***'s*** (***own***) ~ (애써) 나아가다, 가다《*across; along; back; through*, etc.》; 번창〔번영〕하다, 출세하다: *make* one's ~ *through* the crowd. ***make the best of*** one***'s*** ~ 될 수 있는 대로 빨리 가다. ***make*** ~ ① 나아가다, 진보하다, 출세하다: *make* much 〔little〕 ~ 진척되다〔되지 않다〕. ② 길을 비키다〔양보하다〕《*for*》: All traffic has to *make* ~ *for* a fire engine. 소방차를 위해서 모든 차는 길을 비켜야 한다. ***not know which*** ~ ***to turn*** 〔***jump***〕 어찌할 바를 모르다. ***no*** ~ 조금도 …않다; 《구어》 (요구·제안 따위에 대하여) (그건) 안된다, 싫다(no). ***one*** ~ ***and another*** 이것저

것으로. ***one ~ or another*** 이럭저럭; 어떻게 해서든지《하다 따위》: I'll do it *one ~ or another*. ***one ~ or the other*** 어떻게 해서든지; 어떤 쪽이든지. ***only ~ to go*** (the ~)《미구어》최선책. ***on the*** 〔one's〕 ~ ① 도중에, 진행하여, 떠나서: *on his* 〔*the*〕 ~ to office 사무실로 가는 도중에/(Be) *on your* ~! 가버려, 나가. ② (해결·목적에) 가까워져서《*to*》, 일어나려 하여: He is well *on his* ~ *to* recovery. 그는 점점 회복되고 있다. ③ (아기가) 태어나려고 배 속에 있어. ***on the ~ down*** 내리막길에 들어. ***on the*** 〔***one's***〕 ***~ out*** 쇠퇴하기 시작하여; 사멸하기 시작하여; 퇴직하려고. ***out of*** one***'s*** ~ 불가능이어서; 사람 다니는 길에서 벗어나. ***out of the*** ~ ① 방해가 안되는 곳에; …이 미치지 못하는 곳에, …을 피해서〔비켜서〕: Keep it *out of* harm's ~. 그것을 안전한 곳에 두어라. ② 길에서 벗어나, 길을 잘못 들어, 외진〔인가에서 떨어진〕 곳에. ③ 상규(常規)를 벗어나, 색다른, 경탄할 만한; 터무니없는; 그릇된, 부적당한: He did nothing *out of the* ~. 그는 별로 이상한 짓은 하지 않았다. ***over the*** ~ 길 건너에: His house is *over the* ~. ***pass*** 〔***happen, fall,*** etc.〕 a person***'s*** ~ 아무의 수중에 들어가다, 아무에게 일어나다〔덮치다〕. ***pave the ~ for*** ⇨ PAVE. ***put*** a person ***in the ~ of*** ... =***put*** ... (***in***) a person***'s*** ~ 아무에게 …의 기회를 주다. ***put*** a person ***out of the*** ~ (방해자를) 해치우다, 죽이다, 감옥에 넣다. ***put*** one***self out of the ~ to*** do …을 위해 애쓰다. ***right of*** ~ 통행권(通行權). ***see*** one***'s*** ~ (***clear***) ***to*** do 〔do***ing***〕 …할 수 있을 성싶게 여기다; …하고 싶어하다: I couldn't *see my ~ clear to* spend*ing* so much money. 그런 큰돈을 쓸 엄두가 나지 않았다. ***send ...*** a person***'s*** ~ 아무에게 주다. ***set in*** one***'s ~s*** (나이 탓으로, 자기 방식·생각 등에) 집착하여. ***some*** ~ 잠시. ***stand in the ~ of*** …의 훼방을 놓다. ***stop the*** ~ 진행을 방해하다. ***take*** one***'s own*** ~ 자기 생각대로 하다. ***take*** one***'s*** ~《시어》여행을 하다. ***take the easy*** 〔***quick, simplest,*** etc.〕 ***~ out*** (***of ...***)《구어》(곤경 따위에서의) 안이한〔신속한, 가장 간단한 따위〕 해결책을 취하다. ***that*** ~ 저리로; 그런 식으로; 《구어》 사랑〔반〕해서, (물건을) 매우 좋아하여《*about*》; 《미속어》 임신하여: They are *that* ~. 서로 뜨거운 사이이다/I'm *that* ~ *about* coffee. 커피를 매우 좋아한다. ***the good old ~s*** 옛날 양식; 그리운 옛날 풍습. ***the other ~ about*** 〔***around***〕 반대로, 거꾸로. ***the parting of the ~s*** 결단의 갈림길. ***the Way of the Cross*** 십자가의 길《그리스도가 십자가를 지고 Calvary 언덕으로 향하는 모습을 상기하며 드리는 행진 기도》. ***the ~ of the world*** 관례; 관례에 따라 정당화된 행위. ***the*** ~ (***that***)... ①〖명사절을 이끌어〗 ─이 …하는 식〔버릇〕: I don't like *the* ~ he laughs. 그의 웃는 꼴이 마음에 안 든다/*The* ~ you talk reminds me of your father. 자네 이야기하는 걸 들으니 자네 아버지 생각이 나네. ②〖부사절을 이끌어서〗 **a** ─이 …하는 식〔것〕을 따라서, ─이 …하는 식으로(는): They will fail *the* ~ others did. 다른 사람이 실패한 것처럼 그들도 실패할 것이다/You won't be liked *the* ~ you talk to others. 그런 말투로는 사람들에게 호감을 얻지 못할 것이다. **b** ─이 …하는 것〔수법〕으로 판단하건대: *The* ~ they proposed the problem, we can assume that none of them are thinking of changing their mind. 그들의 문제 제시 방식으로 판단하건대 한 사람도 그들의 생각을 바꿀 마음이 없는 걸로 봐도 좋다. ★ (1) that 은 생략되는 경우가 많음. (2) 용법 ①은 the way in which 와, ②는 in 〔from〕 the way in which 와 같음. 즉 that(=in which)은 관계부사적으로 쓰인 관계대명사이며, 그 선행사 the way가 ①에서는 보통명사로서, ②에서는 '부사적 목적격' 명사로서의 기능을 갖고 있음. ***this ~ and that*** 여기저기로, 왔다갔다 하며, 이리저리. ***under*** ~ 진행 중에; 〖해사〗 항해 중에: We have several plans *under* ~. 우리는 여러 가지 계획을 진행 중이다. ***want*** one***'s own*** ~ 생각한 대로 하고 싶어하다. ***Way enough!*** 〖해사〗 노젓기 그만. ***~s and means*** 수단, 방법; 재원; (정부의) 세입 재원: the *Ways and Means* Committee (미하원) 세입(歲入)위원회. ***~ the wind blows*** 나아가게 될 방향; 형편; 귀추. ***Way to go!*** 그거다, 가라, 힘내라《응원 소리》. ***work*** one***'s*** ~ ⇨ WORK.

way², 'way [wei] *ad.*《구어》〖부사·전치사를 강조하여〗 아득히, 멀리; 저쪽으로; 훨씬: Go ~. 저리 가거라/~ too long 너무 긴/~ down the road 이 길을 쭉 가면 그 곳에. ★ 길게 강조하여 발음되는 경우가 많음. ***from ~ back*** 옛날부터; 장기간(의). ***~ above*** 훨씬 위에, 훨씬 거슬러 올라가, 먼 옛날. ***~ ahead*** 훨씬 앞에〔앞으로〕. ***~ behind*** 훨씬 늦어서〔뒤에〕. ***~ over*** 훨씬 멀리. ***~ up*** 훨씬 높이.

wáy-ahéad *a.*《구어》=WAY-OUT.

wáy·bìll *n.* 승객 명부; 화물 송장〔상환증〕《생략: W.B., W/B》; (여행자를 위해 마련한) 여행 일정.

way·far·er [wéifɛ̀ərər] *n.* (특히 도보) 여행자; (여관·호텔의) 단기 숙박객.

way·far·ing [wéifɛ̀əriŋ] *n., a.* Ⓤ (특히 도보) 여행(하는), 여행 중(의).

wáy·gòing《Sc.》*a.* 사라지는, 나가는; 〖법률〗 기간 후에 수확하는《농작물》. ── *n.* 출발.

wáy ín (극장 등의) 입구(entrance).

wáy·lày (*p., pp.* ***-laid***) *vt.* 매복하다, 요격하다; (길목에서) (사람을) 불러 세우다.

wáy·lèave *n.* 〖법률〗 (남의 토지를 통과하는) 통행권; 그 통행권료(=∠ **rènt**).

wáy·less *a.* 길이〔통로가〕 없는, 다닌 흔적이 없는.

wáy·màrk *n.* 길잡이, 도표(道標).

Wayne [wein] *n.* 웨인. **1** 남자 이름. **2 Anthony** ~ 미국 독립 전쟁시의 장군(1745-96). **3 John** (Marion Michael Morrison) ~ 미국의 영화 배우(1907-79). **4** 미국 Michigan 주 남동부 Detroit 서쪽의 도시.

wáy óut (궁지 따위에서의) 탈출구〔법〕; (문제의) 해결책; 《영》 (극장 등의) 출구(exit).

wáy-óut *a.*《구어》(스타일·기술 등이) 첨단을 걷는, 전위〔급진〕적인, 특이한, 색다른; 이국〔신비, 경이〕적인; 《미속어》 (재즈 연주가가) 즉흥연주에 몰입한; 《미속어》 비몽사몽간의, 마약으로 멍해진. ㊕ **~·ness** *n.*

wáy pòint 중간 지점; =WAY STATION.

-ways [wèiz] *suf.* '방향, 위치, 상태'를 표시하는 부사를 만듦. cf. -wise. ¶ length*ways*.

ᐤ**wáy·sìde** *n., a.* 길가(의), 노변(의). ***fall*** 〔***drop***〕 ***by the*** ~《종종 완곡어》 중도에서 단념하다, (부정 따위를 해서) 낙오하다. ***go by the*** ~ 보류되다.

wáy stàtion《미》 중간역, 급행열차가 통과하는 작은 역.

wáy-stòp *n.* (버스 등의) 정류장; (도중의) 휴게소.

wáy tràin《미》(각 역마다 정차하는) 보통〔완행〕 열차.

ᐤ**way·ward** [wéiwərd] *a.* **1** 제멋대로 하는; 고집 센. **2** 변덕스러운; 흔들리는, 일정치 않은《방침·방향 따위》. SYN. ⇨ WILLFUL. ㊕ **~·ly** *ad.* **~·ness** *n.*

way-wise [wéiwàiz] *a.*《미》(말 따위가) 길〔경주로〕에 익숙한; 《방언》 노련한, 경험이 많은.

wáy·wòrn *a.* 여행에 지친, 여행으로 야윈: a

~ traveler.

wayz·goose [wéizgùːs] *n.* 《영》 (여름에 하는) 인쇄 공장의 1년에 한 번의 위안회〔위안 여행〕.

wa·zoo [wǽzuː] *n.* 《미속어》 궁둥이, 엉덩이. ***up*** 〔***out***〕 ***the*** **~** 《미속어》 엄청나게 많이.

WB water ballast; weather bureau; World Bank. **W.B., W/B, w.b., w/b** 〚상업〛 waybill. **w.b.** warehouse book; 〚해사〛 water ballast; westbound. **Wb** 〚전기〛 weber(s). **WBA** World Boxing Association (세계 권투 연맹). **WBC** World Boxing Council (세계 권투 평의회). **W. B. C.** 〚생리〛 white blood cells. **WBF, WBFP** wood-burning fireplace. **WbN** west by north (서미북(西微北)). **WbS** west by south (서미남(西微南)). **W.B.S.** World Broadcasting System (세계 방송망). **W.C.** water closet; West Central; without charge. **W.C.A.** Women's Christian Association. **WCC, W.C.C.** War Crimes Commission; World Council of Churches(세계 교회 협의회). **W. C. P.** World Council of Peace(세계 평화 평의회). **WCRP** World Conference on Religion and Peace(세계 종교인 평화 회의); World Climate Research Program(세계 기후 연구 계획). **W. C. T. U.** Women's Christian Temperance Union. **W.D.** War Department (육군성《이전의》). **wd.** ward; wood; word; would. **W.D.A.** War Damage Act. **W.D.C.** War Damage Contribution.

†**we** [wiː; 약 wi] *pron.* 〔소유격 ***our,*** 목적격 ***us,*** 소유대명사 ***ours***〕 **1** 〔인칭대명사 1인칭 복수 · 주격〕 우리가〔는〕: *We* are seven in our family. 우리는 식구가 일곱이다 / *We* have had few fine days this week. 금주는 갠 날이 드물었다.

> NOTE 수동태 대신에 막연히 일반 사람을 가리키는 형식적 주어로서 we를 써 능동태로 나타낼 때가 있음: We make books of paper. 책은 종이로 만든다(Books are made of paper.) / *We* speak Korean in Korea. 한국에서는 한국어를 말한다(Korean is spoken in Korea.). 비교: *They* speak English in England. 영국에서는 영어를 말한다.

2 오인(吾人)은, 나는, 우리들은《신문의 논설 따위에서는 필자가 공적 입장에서 I 대신에 씀》. **3** 짐(朕)(은)《공식 문서 따위에 쓰는 군주의 자칭》. **4** 너는, 너희들은《비꼬거나 아이 · 환자 등을 격려 · 위로할 때》: Aren't *we* getting a little impudent? (자네) 좀 건방진 것 같지 않아 / How are *we* (feeling) this morning? 오늘 아침은 좀 어때요.

†**weak** [wiːk] *a.* **1** 약한, 무력한, 연약한, 박약한. OPP *strong.* ¶ be ~ by nature 날 때부터 (몸이) 약하다 / a ~ character 약한 성격(의 사람) / a ~ team 약한 팀 / a ~ defense 약한 수비 / ~ in the legs 다리가 약한 / a ~ point 〔side, spot〕 (성격 · 입장 등의) 약점 / The ~*est* goes to the wall. 《속담》 우승열패; 약육강식.

> SYN. **weak** 가장 일반적인 말. **feeble** weak와 거의 비슷하나, 애처로움 · 빈약함이 더 첨가됨. 연약한: a *feeble* voice 가냘픈 목소리. a *feeble* light 어슴푸레한 빛. **infirm** 튼튼하지 못한. 주로 노령이나 병으로 인한 약한 몸을 뜻함. 정신의 나약함에도 쓰임: be *infirm* of purpose 우유부단하다. **frail** 부서지기 쉬운, 취약한, 건강을 해치기 쉬운 신체에도 씀. **fragile** frail보다 더 한층 취약한 상태로서, 취급에 세심한 주의를 하지 않으면 쉬 망가지는 물건 · 신체에 쓰임.

2 (머리가) 둔한, (상상력 등이) 모자라는; 결단력이 없는, 우유부단한, 의지력이 약한; 서투른, 열등한: ~ in German 독일어가 서툴러서 / a ~ mind 우둔한 지력(의 사람). **3** 불충분한; 증거가 박약한, 설득력이 없는; 가냘픈, 희미한; (문체 · 표현 등이) 힘〔박력〕이 없는. **4** (차 등이) 묽은, 희박한; (소맥(분)이) 글루텐이 적은, 끈기가 적은; (혼합기가) 무른; 〚화학〛 (산 · 염기가) 약(弱)인《이온 농도가 낮은》; 〚사진〛 (음화가) 콘트라스트가 약한. **5** 〚경제〛 (주식 · 물가가) 떨어질 듯한, 저조한. **6** 〚문법〛 약변화의; 〚음성〛 악센트 없는. (***as***) **~** ***as a kitten*** 연약한, 체력이 쇠한.

wéak bóson 〚물리〛 위크 보손《유럽 합동 원자핵 실험소에서 발견한 소립자》.

⁑**weak·en** [wíːkən] *vt.* **1** 약하게 하다, 약화시키다: ~*ed* eyesight 약해진 시력. **2** (음료를) 묽게 하다. **—** *vi.* **1** 약해지다. **2** 우유부단해지다, (생각이) 흔들리다; 굴하다. ㊞ **~·er** *n.*

wéaker bréthren (그룹 중) 남에게 뒤지는 자들, 주쳇덩어리.

wéaker séx (the ~) 《완곡어 · 경멸 · 우스 「개」 여성(women).

wéaker véssel (the ~) 〚성서〛 연약한 그릇, 여성《베드로전서 III: 7》.

wéak·fish (*pl.* ***-fish·es,*** 〔집합적〕 ***-fish***) *n.* 민어과의 식용어《미국의 대서양 연안산(產)》.

wéak fórce 〚물리〛 약한 상호 작용(weak interaction), 약력.

wéak-héaded [-id] *a.* 머리가 둔한, 저능의; 마음 약한, 우유부단한; 쉬 취하는. ㊞ **~·ly** *ad.*

wéak·héarted [-id] *a.* 용기가 없는, (마음이) 나약한. ㊞ **~·ly** *ad.*

wéak interáction 〚물리〛 (소립자 사이에 작용하는) 약한 상호 작용. cf. strong interaction.

weak·ish [wíːkiʃ] *a.* 좀 약한. 「단력이 없는.

wéak-knéed *a.* **1** 무릎이 약한. **2** 나약한; 결

°**wéak·ling** [wíːkliŋ] *n.* 약한 사람〔동물〕, 병약자; 약골. **—** *a.* 약한.

°**wéak·ly** (***-li·er; -li·est***) *a.* 약한, 가냘픈; 병약한. **—** *ad.* 약하게, 가냘프게. ㊞ **-li·ness** *n.*

wéak-mínded [-id] *a.* 저능한; 마음이 약한. ㊞ **~·ly** *ad.* **~·ness** *n.*

***weak·ness** [wíːknis] *n.* U **1** 약함, 가냘픔; 허약. **2** 우유부단, 심약. **3** (근거의) 박약. **4** C 약점, 결점: Everyone has his little ~. 사람은 누구나 약간의 결점은 있는 법이다. **5** (a ~) 못 견디게 좋아하는 것; (좋아서 못 견딜 정도의) 애호, 기호《*for*》: He has *a* ~ *for* sweets. 단것이라면 사족을 못 쓴다. **6** 저능, 우둔함.

wéak·òn *n.* 〚물리〛 (소립자 사이의) 약한 상호 작용을 매개한다는 가설 입자, 약(弱)입자.

wéak sìde 〚미식축구〛 위크사이드《공격 라인의 좌우 어느 쪽에, 배치한 인원수가 적은 약한 사이드》. 「을 필요로 하는 자, 무능자.

wéak síster 《미구어》 (한 그룹 가운데서) 도움

wéak-spírited [-id] *a.* 마음 약한, 겁 많은.

wéak-to-the-wáll *a.* 약육강식의, 우승열패의: ~ kind of society 약육강식형(型)의 사회.

wéak-wílled *a.* 의지가 약한, 생각이 흔들리는.

weal[1] [wiːl] *n.* U 《문어》 복리, 번영, 행복, 안녕: the public ~ 공공의 복리. ***in*** **~** ***and*** 〔***or***〕 ***woe*** 화복(禍福) 어느 경우에도.

weal[2] *n., vt.* =WALE.

weald [wiːld] *n.* **1** 광야; 삼림 지대. **2** (the W-) 윌드 지방 《남부 잉글랜드 Kent, East Sussex, Surrey, Hampshire 지방의 총칭》.

wéald clày 〚지학〛 윌드 점토《wealden 층 상위의 점토 · 사암 · 석회암 등으로 이루어진 점토질》.

weald·en [wíːldən] *a.* 윌든 지방의 (지질을 닮은). **—** *n.* 〚지학〛 윌든, 윌드층《윌드 지방에 전형적인 하부 백악기의 육성(陸成)층》.

wealth [welθ] *n.* Ⓤ **1** 부(富), 재산(riches): a man of ~ 재산가 / gather 〔attain to〕 ~ 부를 쌓다. **2** 부유; 〖집합적〗 부자, 부유층: a man born to ~ 유복한 집안에 태어난 사람. **3** (a 〔the〕 ~) 풍부, 다량: a ~ *of* learning 풍부한 학식. **4** 자원: natural ~ 천연자원. **5** 《폐어》 행복, 복리, 번영.

wéalth·fàre *n.* 《미》 (세금면에서) 법인 · 자산가의 우대.

wéalth tàx 부유세.

wealthy [wélθi] (*wealth·i·er; -i·est*) *a.* **1** 넉넉한, 유복한: the ~ 유복한 사람들. SYN. ⇨ RICH. **2** 풍부한: ~ *in* insight 통찰력이 풍부한. ㊕ **wéalth·i·ly** *ad.* **-i·ness** *n.*

wean [wiːn] *vt.* **1** 《~+목/+목+전+명》 젖을 떼다, 이유(離乳)시키다: ~ a baby from the mother 〔breast〕 아기를 젖 떼게 하다. **2** 《+목+전+명》 (나쁜 버릇 따위를) 버리게 하다, 단념시키다《*from; off*》: ~ oneself *from* a bad habit 악습을 근절하다. [OE *wenian* to accustom]

wéan·er *n.* **1** 이유시키는 사람〔것〕; 《특히》 (가축용) 이유 기구(離乳器具). **2** 갓 젖을 뗀 새끼 짐승〔송아지, 새끼돼지〕; 《Austral.》 갓 젖을 뗀 새끼양.

wean·ling [wiːnliŋ] *n.* 젖 뗀 아이〔동물〕. ── *a.* 막 젖 뗀; 갓 이유한 유아〔새끼 짐승〕의.

weap·on [wépən] *n.* **1** 무기, 병기, 흉기. SYN. ⇨ ARM². **2** 공격〔방어〕 수단; 〖동물〗 (발톱 · 뿔 · 엄니 등의) 공격〔방어〕 기관; 《속어》 음경: His best ~ is silence. 그의 최대 무기는 침묵이다 / woman's ~ 여자의 무기《눈물; Shakespeare 작(作) *King Lear* 에서》. ── *vt.* 무장하다. ㊕ **~ed** *a.* 무기를 지닌. **~·less** *a.*

weap·on·eer [wèpəníər] *n.* (핵)무기 설계〔개발, 제작〕자; 핵폭탄 발사 준비원. ㊕ **~·ing** *n.* (핵)무기 개발.

weap·on·ry [wépənri] *n.* 〖집합적〗 무기류; Ⓤ 무기 제조, 군비 개발; 조병학(造兵學).

wear¹ [wεər] (**wore** [wɔːr]; **worn** [wɔːrn]; **wear·ing** [wέəriŋ]) *vt.* **1 a** 입고〔신고, 쓰고〕 있다, 몸에 지니고 있다, 띠고 있다; …의 (상징하는) 지위에 있다, (직함(職銜)을) 갖다; (배가 기(旗)를) 내걸다: He generally ~*s* a dark suit 〔brown shoes〕. 그는 보통 검은 옷을 입고 있다 〔갈색 구두를 신고 있다〕 / He ~*s* spectacles 〔a wristwatch, a pistol〕. 그는 안경을 쓰고 있다 〔손목시계를 차고 있다, 권총을 차고 있다〕 / She never ~*s* green. 그녀는 녹색 옷은 절대로 입지 않는다 / This is a style that is much *worn* now. 이것이 지금 유행하고 있는 복장이다. **b** 《~+목/+목+보》 (수염 등을) 기르고 있다; (향수를) 바르고 있다; (표정 · 태도 등에) 나타내다; …인 체하다: ~ a smile 미소를 띠고 있다 / He ~*s* a mustache. 그는 콧수염을 기르고 있다 / ~ one's hair long 〔short〕 머리를 길게〔짧게〕 하고 있다. **c** (기억 · 마음에) 간직하고 있다; 《영구어》 용인하다, 관대하게 봐주다: ~ ... in one's heart (사람 · 주의 등)에 몸을 바치고 있다. **2 a** 《~+목/+목+부/+목+전+명/+목+보》 닳게 하다, 써서 낡게 하다: His clothes were *worn out*. 그의 옷은 낡아서 해졌다 / ~ one's shoes *into* holes 신을 구멍이 뻥뻥 뚫어지도록 신다 / His socks were *worn* thin at his heels. 양말이 뒤꿈치가 닳아서 얇아졌다. **b** 《~+목/+목+부/+목+전+명》 지치게 하다, 약하게 하다; (아무를) 서서히 …하게 하다: Running *wore* me *out*. 너무 뛰어 지쳤다 / be *worn with* age 노령으로 쇠약해지다. **c** 《+목+부》 (시간을) 천천히〔질질 끌며〕 보내다《*away; out*》. **3** 《~+목/+목+전+명》 (구멍 · 길 · 도랑 따위를) 뚫다, 내다: Walking *wore* a hole *in* my shoe. 많이 걸어서 구두에 구멍이 뚫렸다.

── *vi.* **1** 《~/+부》 (물건 따위가) 오랜 사용에 견디다, 오래가다; 쓸모가 있다: This coat has *worn well* 〔*badly*〕. 이 웃옷은 꽤 오래 입었다 〔오래 입지 못했다〕. **2** 《+부/+전+명/+보》 닳아 해지다, 낡아지다, 닳아서 …이 되다: My jacket has *worn to* shreds. 내 상의는 오래 입어 너덜너덜해졌다 / ⇨ ~ off, ~ thin. **3** 《+부/+전+명》 (때가) 서서히 지나다; 점점 경과하다: The day ~*s toward* its close. 하루가 저물어 간다 / It became hotter as the day *wore on*. 시간이 지남에 따라 더워졌다 / as winter *wore away* 겨울이 지나감에 따라. **4** 지치다; 쇠약해지다.

~ *away* ① 닳아 없애다〔없어지다〕. ② (시간이) 지나다; (시간을) 보내다. **~ *down*** 《*vt.*+부》 ① 닳아 없어지게 하다, 마멸시키다, 오래 써서 낡게 하다. ② (일 따위가) 피로를 느끼게 하다, 기진맥진하게 하다. ③ …의 힘을 약화시키다, (기세 따위를) 꺾다, 누르다: ~ *down* the enemy's resistance 적의 저항을 누르다. ── 《*vi*+부》 ④ 닳아서 없어지다, 마멸하다; 점차 없어지다. **~ *off*** 《*vt.*+부》 ① 닳아 없어지게 하다, 마멸시키다, 오래 써서 낡게 하다. ── 《*vi*+부》 ② (일 따위가) 피로를 느끼게 하다, 기진맥진하게 하다. ③ (약기운 · 고통 · 인상 따위가) 약해지다〔가라앉다, 점점 사라지다〕: The effect of the drug is ~*ing off*. 약기운이 사라져 가고 있다. **~ *on*** 《*vi.*+부》 (시간 따위가) 점점 가다, 경과하다. ── 《*vi*+전》 (아무의 신경을) 건드리다, 애타게〔초조하게〕 하다. **~ *out*** 닳아 없어지게 하다, 다 써버리다, 써서 낡게 하다; (구멍 따위를) 뚫다; (인내 등) 다하게 하다; 끄다, 닦아내다; 견디어 내다; 견디다(outlast); 지쳐버리게 하다; 물리게 하다; (시간을) 보내다, 허비하다; 닳다, 닳아 없어지다, 마멸하다; (인내 따위를) 다하다. **~ *one's years* 〔*age*〕 *well*** 나이에 비해 젊어 뵈다, 언제까지나 젊다. **~ *the pants* 〔*the breeches, the trousers*〕** 《구어》 (여자가) 남편을 깔아뭉개다. **~ *thin*** *vi.* ① 닳아서〔오래 써서〕 엷어지다: The soles of my shoes have *worn thin*. 내 구두창은 닳아서 엷어졌다. ② (인내〔참는 것〕 따위가) 한계점에 이르다: My patience is ~*ing thin*. 더는 못 참고 울화통이 터질 지경이다. ③ (이야기 따위가 되풀이되어) 산뜻한 맛을 잃다; (감흥 따위가) 점점 사라지다. ── *vt.* ④ 〖종종 수동태로 쓰임〗 (물건을) 써서 닳아 없어지게 하다: My gloves *are worn thin* at the fingertips. 내 장갑은 손끝이 닳아서 엷어졌다. **~ *through*** 《*vi*+전》 ① 닳아서 구멍이 나다. ② (시간이 따분하게) 흘러가다. ── 《*vt.*+부》 ③ (시간을) 이럭저럭 보내다. **~ *well*** 오래가다; (아무가) 늙지 않다.

── *n.* Ⓤ **1** 착용, 입기: clothing for summer 〔everyday〕 ~ 여름옷〔평상복〕 / in ~ (옷 따위가) 유행 중인 / have ... in ~ …을 입고 있다. **2** 의류, 옷, …복(服): children's ~ 아동복. **3** 닳아 해짐, 써서 낡게 하기, 입어 해뜨리기: The rug shows (signs of) ~. 융단이 닳아 해지기 시작했다. **4** 오래 견딤〔감〕, 내구성〔력〕: There is still much 〔not much〕 ~ (left) in these shoes. 이 구두는 아직 신을 만하다〔다됐다〕. **5** 유행; 유행복. ***be the worse for*** **~** 입어서 몹시 낡았다. **~ *and tear*** 소모, 닳아 없어짐, 마멸.

wear² [wεər] (**wore** [wɔːr]; **worn** [wɔːrn], 《영》 **wore**) *vt., vi.* 〖해사〗 (배를〔가〕) 바람을 등지게 돌리다〔돌다〕.

wear³ [wiər] *n.* =WEIR.

wear·a·ble [wέərəbəl] *a.* 착용할 수 있는, 착용에 적합한. ── *n.* (보통 *pl.*) 의복.

wear·er [wέərər] *n.* 착용자, 휴대자, 사용자;

닳아 없애는 것.

wea·ri·ful [wíərifəl] *a.* 싫증 나게 하는, 지루한, 지치게 하는, 지친; 피로하게 하는; 피로한. ㊐ **~·ly** *ad.* **~·ness** *n.*

wéa·ri·less *a.* 싫증 나지 않는, 지치지 않는. ㊐ **~·ly** *ad.*

wear·ing [wέəriŋ] *a.* **1** 입도록 지어진, 입을 수 있는: ~ apparel 의복, 옷. **2** 피곤하게 하는; 진저리 나게 하는. **3** 닳게 하는. ㊐ **~·ly** *ad.*

wéaring còurse 자동차 도로의 표면.

°**wea·ri·some** [wíərisəm] *a.* 피곤하게 하는, 진저리 나게 하는; 싫증〔넌더리〕 나는, 지루한 (tiresome). ㊐ **~·ly** *ad.* **~·ness** *n.*

wéar·pròof [wέər-] *a.* 내구성이 있는, 닳지 않는.

***wea·ry** [wíəri] (**-ri·er; -ri·est**) *a.* **1** 피로한, 지쳐 있는; 녹초가 된《*with*》: ~ legs 피로한 다리/a ~ brain 피로한 두뇌/I was ~ *with* walking. 걸어서 지쳐 있었다. SYN. ⇨ TIRED. **2** 싫증나는, 따분한, 진저리 나는《*of*》: I'm never ~ *of* (doing) the job. 그 일은 정말 싫증이 안 난다/grow ~ *of* life 인생이 싫증 나다/~ *of* excuses 변명 듣기에 지쳐서. **3** (일 등이) 사람을 지치게 하는: a ~ wait 지루한 대기 시간.

— (*p., pp.* **wea·ried** [-d]; **~·ing**) *vt.* 《~+목/+목+전+명/+목+부》 **1** 지치게 하다: The strenuous exercise *wearied* me. 심한 운동으로 지쳤다/I got *wearied with* climbing. 등산으로 지쳤다/~ *out* a person's patience 아무를 울화통 터지게 하다. **2** 싫증〔진저리〕 나게 하다; 지루하게 하다: My wife always *wearies* me *with* her complains. 아내는 불평을 하여 나를 항상 진저리 나게 한다. — *vi.* 《+전+명》 **1** 피로하다; 싫증 나다; 싫어지다《*of*》: ~ *of* living all alone 혼자 사는 게 싫어지다. **2** 간절히 바라다, 동경하다《*for; to* do》; (없는 것을) 몹시 쓸쓸히 여기다《*for*》: He is ~*ing for* home. 그는 고향을 그리워하고 있다. ~ **out** ① 녹초가 되게〔넌더리 나게〕 하다. ② 지루하게 보내다.

— *n.* (the wearies) 《미속어》 침울한 기분.

㊐ °**-ri·ly** *ad.* 지루하게, 피곤하여; 싫증 나서. **-ri·ness** *n.* 피로; 권태, 지루함.

wea·sand, -zand [wí:zənd] *n.* 식도(食道); 《고어》 기관(氣管), 목구멍.

°**wea·sel** [wí:zəl] (*pl.* **~s,** ~) *n.* **1** 족제비. **2** 교활한 사람. **3** (무한궤도가 달린) 설상차(雪上車); 수륙 양용차. **4** 《미속어》 밀고자. **5** (보통 W-) South Carolina 주 사람의 속칭. ***catch a ~ asleep*** 약빠른 사람을 속이다. — *vi.* 《미구어》 말을 흐리다; 《구어》 (의무 따위를) 회피하다《*out*》; 《속어》 밀고하다. ㊐ **~·ing** *n., a.* 《미구어》 말을〔태도를〕 얼버무리는 (일).

wéasel-fàced [-t] *a.* (족제비처럼) 하관이 빤 얼굴을 한.

wéasel-wòrded [-id] *a.* 일부러 애매한 말투를 쓴.

wéasel wòrds 모호한 말.

†**weath·er** [wéðər] *n.* Ⓤ **1** 일기, 기후, 기상, 날씨. cf. climate. ¶in fine 〔wet〕 ~ 맑은〔비 오는〕 날씨에는/What is the ~ like? 날씨가 어떤가/The ~ was fine during the holidays. 휴가 동안 날씨가 좋았다. **2** (종종 the ~) 거친 날씨, 비바람: be exposed to the ~ 비바람에 노출되다. **3** (운명 · 인사의) 변천, 사태; 풍화(風化). ***above the ~*** ① 〖항공〗 (고공이 날씨에 좌우되지 않는) 온화한 영역인. ② 《구어》 (이제) 건강 상태가 나쁘지 않은; (이제) 취해 있지 않은. ***dance and sing all ~s*** 시세에 순응하다, 형세를 살피다. ***drive with the ~*** 풍파를 따라 표류하다. ***go into the ~*** 풍우를 무릅쓰고 나가다. ***in all ~s*** 어떤 날씨에도; 《비유》 역경에서도 순경에서도. ***in the ~*** 옥외에서, 비바람에 노출되어. ***keep the ~*** 〖해사〗 바람 불어오는 쪽에 있다〔쪽으로 가다〕. ***make bad*** 〔***good***〕 ~ 〖해사〗 폭풍을〔좋은 날씨를〕 만나다. ***make heavy ~*** (***of*** 〔***out of***〕) 〖해사〗 (배가) 크게 흔들리다; 재난을 만나다; (작은 일을) 너무 과장하여 생각하다. ***make*** (***it***) ***fair ~*** 아첨하다. ***under stress of ~*** 나쁜 날씨 때문에; 폭풍우 탓으로. ***under the ~*** 《구어》 기분이 언짢아, 몸 상태가 좋지 않아; 《속어》 돈에 궁하여; 《속어》 술에 취하여, 얼근한 기분으로. ***~ permitting*** 날씨만 좋으면.

— *a.* **1** 〖해사〗 바람 불어오는 쪽의, 바람을 안은: the ~ bow 〔beam〕 바람 부는 쪽을 향한 이물〔배 옆구리〕. **2** 비바람을 맞는. ***keep one's ~ eye open*** 《구어》 감시하고 있다; 경계하고 있다.

— *vt.* **1** 비바람에 맞히다; 바깥 공기에 쐬다; 말리다: ~ wood 목재를 외기에 쐬다. **2** 〔보통 수동태로 쓰임〕 (외기에 쐬어) 풍화〔탈색〕시키다: rocks have *been ~ed* by wind and rain 비바람으로 풍화된 바위. **3** (재난 · 역경 따위를) 뚫고 나아가다: ~ a financial crisis 재정 위기를 헤어나다. **4** 〖해사〗 …의 바람을 거슬러 나아가다〔지나다〕: The ship *~ed* the cape. 배는 곶의 바람길에 들어섰다. **5** …을 경사지게 하다《물이 잘 흘러내리게》. — *vi.* (외기에 쐬이어) 색이 날다; 풍화하다《*away*》; 비바람에 견디다《*out*》. ~ ***a point*** 바람을 향하여 나아가다; 난국을 뚫고 나아가다. ~ ***a storm*** 폭풍우를 뚫고 나아가다; 《비유》 어려움을 뚫고 나아가다. ~ ***in*** 악천후로 오도 가도 못하게 되다, (비행기 · 공항 등을) 악천후로 사용을 정지시키다. ~ ***out*** 악천후로 구내 진입을 금하다〔막다, 중지하다〕. ~ ***through*** 뚫고 나아가다; 헤쳐 나아가다.

weath·er·a·bil·i·ty [wèðərəbíləti] *n.* 풍우〔풍화〕에 견디는 힘; 내후성(耐候性).

wéather ballòon 기상 관측 기구.

wéather-bèaten *a.* 비바람에 시달린〔바랜〕; 단련된; 햇볕에 탄《얼굴 따위》.

wéather·bòard *n.* 〖건축〗 비막이 판자, 미늘판; 〖해사〗 바람 불어오는 쪽의 뱃전; 물막이판; 《Austral.》 (벽 전체가) 미늘판으로 된 집(=**~ hòuse**) — *vt., vi.* (…에) 미늘판을 대다.

wéather·bòarding *n.* 〔집합적〕 미늘 판자.

wéather-bòund *a.* 비바람에 출항 못하는〔출항이 지연된〕《배 · 비행기 따위》.

wéather bòx 웨더 박스《습도 변화에 따라 남녀 인형이 나왔다 들어갔다 하는 청우계》.

wéather brèeder 폭풍우 전의 잔잔한 날씨.

Wéather Bùreau (the ~) 《미》 기상국 《National Weather Service의 구칭; 생략: W.B.》.

wéather-bùrned *a.* 햇볕과 바람에 그은.

wéather càst 일기 예보. ㊐ **~·er** *n.* 일기 예보자, 기상 통보관.

wéather chàrt 일기도(weather map).

°**wéather·còck** *n.* **1** 바람개비, 풍향계《지붕 위에 설치하는 수탉 모양의》. **2** 《비유》 변덕쟁이. — *vt.* …에 풍향계를 달다. — *vi.* (비행기 · 미사일이) 풍향성(風向性)이 있다.

weathercock 1

wéather·condìtion *vt.* 모든 날씨에 견딜 수 있게 하다, 전천후에 적합하게 하다.

wéather còntact 〔**cròss**〕 〖전기〗 우천으로 생기는 합선〔쇼트〕.

wéather dèck 〖해사〗 노천 갑판.

wéather èye 천기(天氣) 관측안〔력〕; 부단한

경계〔조심〕; 기상 관측 장치, 기상 위성.
wéather fòrecast 일기 예보.
wéather fòrecaster = WEATHERMAN.
wéather gàuge 〚해사〛 바람 불어오는 쪽의 위치; 유리한 입장: have 〔get, keep〕 the ~ of 〔on〕 …보다 유리한 지위를 차지하다.
wéather gìrl 《미》 여성 일기 예보자.
wéather·glàss *n.* 청우계(計) (barometer).
wéather hòuse = WEATHER BOX.
wéath·er·ing [-riŋ] *n.* Ⓤ 〚지학〛 풍화 (작용); 〚건축〛 배수(排水) 물매, 물내림.
wéath·er·ìze [-ràiz] *vt.* (집 등을 단열재 따위의 사용으로) 내(耐)기후 구조로 하다, …에 내후성(耐候性)을 갖게 하다.
wéath·er·ly *a.* 〚해사〛 (배가) 바람을 거슬러 갈 수 있는. ⊞ **-li·ness** *n.*
wéather·màn [-mæ̀n] (*pl.* **-mèn** [-mèn]) *n.* 《구어》 일기 예보자, 예보관, 기상대 직원; (W-) 《미》 (1960 년대의) 과격파의 일원.
wéather màp 일기도(weather chart).
wéather·pèrson *n.* 일기 예보원, 기상 통보관; 기상학자.
wéather·pròof *a.* 비바람에 견디는. ― *vt.* 비바람에 견디게 하다, 전천후형으로 하다.
wéather repòrt 기상 통보《예보를 포함함》.
wéather sàtellite 기상 위성.
wéather shìp 기상 관측선《해상에 정치됨》.
wéather sìde 〚해사〛 바람받는 현(舷).
wéather-stàined *a.* 비바람에 바랜.
wéather stàtion 측후소, 기상 관측소.
wéather strìp 틈마개《창·문 따위의 틈새에 끼워 비바람을 막는 나무나 고무 조각》, 문풍지.
wéather-strìp (*-pp-*) *vt.* …의 틈을 막다; …에 weather strip 을 대다.
wéather strìpping = WEATHER STRIP; 《집합적》 틈마개 재료.
wéather·tìght *a.* 비바람에 견디는〔을 들이지 않는〕.
wéather vàne = WEATHERCOCK.
wéather·wìndow *n.* (어떤 목적을 위하여) 알맞은 날씨가 계속되는 기간〔시간대〕.
wéather-wìse *a.* 일기를 잘 맞히는; 여론 등의 동향을 잘 예측하는.
wéather·wòrn *a.* 비바람에 상한.
***weave**[1] [wiːv] (**wove** [wouv], 《드물게》 **weaved; wov·en** [wóuvən], **wove**) *vt.* **1** (직물·바구니 따위를) 짜다, 뜨다, 엮다, 겯다, 치다; (거미가 집을) 얽다: ~ a rug 〔a basket, a cobweb〕. **2** 《~+목/+목+전+명》 (실·대나무·등 따위의 재료를) 엮다, 짜다《*into*》: ~ thread *into* cloth 실을 짜서 천을 만들다 / ~ flowers *into* a garland 꽃을 엮어서 화환을 만들다. **3** 《+목/+목+전+명》 (이야기·계획 따위를) 만들어 내다; …을 (…로) 엮다《*into*》: ~ a plan 계획을 완성하다 / ~ three stories *into* a novel 세 이야기를 하나의 소설로 만들다. **4** 《+목+전+명》 (생각 등을) 짜넣다《*in; into*》: ~ one's own ideas *into* a report 보고서에 자기 자신의 견해를 반영하다. **5** 《+목+부/+목+전+명》 《~ one's way로》 사이를 헤집듯 (몸 따위를) 나아가게 하다: I was drunkenly *weaving my way* home 〔*through* the crowd〕. 술에 취해 나는 비틀거리며 집을 향해 〔사람들 속을 누비며〕 걷고 있었다.
― *vi.* **1** 천을〔베를〕 짜다, 짜지다. **2** 《+전+명》 감기다, 엉키다: creepers *weaving round* the trees 나무에 감기어 있는 덩굴 식물. **3** 《+전+명》 누비듯이 나아가다, 차선을 자주 바꾸어 달리다; 《공군속어》 (지그재그 비행 따위로) 적의 포화·탐조등 따위의 사이를 누비듯 빠져나가다: The road ~*s through* the valleys. 길은 골짜기를 누비듯이 지나고 있다. **4** 조립되다. ***get weaving*** 《영구어》 《명령형》 지체 없이〔활기 있게〕 착수하다. ~ ***all pieces on the same loom*** 모두 같은 방법으로 행하다. ~ ***out*** …을 생각해 내다; 만들어 내다, 짜맞추다.
― *n.* Ⓤ 짜는〔뜨는〕 법; 짠〔뜬〕 것, 《특히》 직물, 직포: plain 〔twill〕 ~ 평직〔능직〕. [OE *wefan*; cf. 《G.》 *weben*]
weave[2] *vi.* 비틀비틀하다, 좌우로 흔들리다, 〚권투〛 위빙하다. ― *vt.* 《고어》 (배·선객)에게 손을 흔들어 신호를 보내다. [ME *waive* < ON *veifa* to wave]
°**wéav·er** *n.* **1** (베)짜는 사람, 직공(織工). **2** 〚조류〛 피리새류(類)(= **wéaver·bìrd**); 〚곤충〛 물맴이(whirligig).
wéaver's knòt 〔**hìtch**〕 〚해사〛 (두 밧줄을 잇는) 위버스 매듭(sheet bend).
weazand ⇨ WEASAND.
wea·zen [wíːzən] *a.* = WIZEN.
***web** [web] *n.* **1** 피륙, 직물; 한 베틀분의 천; 한 필의 천. **2 a** 거미집(cobweb). **b** 거미집 모양의 것, …망(network); 《미구어》 (TV·라디오의) 방송망: a ~ of expressways 고속도로망. **3** 뒤얽혀 있는 것; 계획적으로 꾸민 것, 함정: a ~ of lies 거짓말투성이인 말. **4 a** 〚해부〛 섬유, 막; (물새 따위의) 물갈퀴; 〚조류〛 깃가지들. **b** 〚기계〛 웹; 크랭크의 암(arm); 〚건축〛 (둥근 천장의) rib 와 rib 사이의 곡면부(曲面部). **5** 엷은 금속판; (톱·칼 등의) 날. **6** (페르시아 융단 등의) 귀, 두터운 가선. **7** 〚인쇄〛 두루마리 종이. **8** 〚컴퓨터〛 World Wide Web. ― (**-bb-**) *vt.* 거미줄같이 치다; 함정에 빠뜨리다: ~ intelligence agencies 첩보 기관을 거미줄같이 치다. ⊞ **~bed** *a.* 거미줄을 친, 거미줄 모양으로 만든; 물갈퀴가 있는.
wéb·bing *n.* 띠; 가장자리 띠, (깔개 따위의) 두꺼운 가장자리; 물갈퀴의 막; (야구 글러브의 손가락을 잇는) 가죽끈.
Wéb bròwser 〚컴퓨터〛 웹 브라우저《인터넷에서 웹(world wide web) 정보를 검색하는 데 사용되는 프로그램》.
web·by [wébi] *a.* 물갈퀴의〔같은〕; = WEBBED.
web·cam [wébkæ̀m] *n.* 〚컴퓨터〛 웹 카메라《이미지를 웹 사이트를 통해 제공할 수 있도록 컴퓨터에 연결된 비디오카메라》.
wéb·càst *n.* 〚인터넷〛 **1** WWW 에 올림, (인터넷을 통한) 방송. **2** 웹캐스트《인터넷에서 사용자가 적극적으로 액세스하지 않아도 등록된 특정 사이트의 갱신 정보 따위를 보내주는 시스템》.
We·ber [véibər] *n.* 베버. **1 Ernst Heinrich ~** 독일의 생리학자(1795-1878). **2 Max ~** 독일의 경제·사회학자(1864-1920). **3 Wilhelm Eduard ~** 독일의 물리학자(1804-91). ⊞ **We·be·ri·an** [veibíəriən] *a.* Max Weber의 사회경제 이론에 관한.
we·ber [wébər, véi-] *n.* 〚물리〛 웨버《자기력선속의 실용 단위; 생략: Wb》. [◂ W.E. Weber]
Wéber's láw 〚심리〛 베버의 법칙《감각 강도의 판별역(閾)과 배경의 자극 강도(強度)와의 비(比)는 일정함》. [◂ E. H. Weber]
wéb·fòot (*pl.* **-fèet**) *n.* **1** 물갈퀴가 있는 발; 물갈퀴발이 있는 동물. **2** (W-) 《우스개》 미국 Oregon 주 사람의 별칭《습지가 많은 데서》. ⊞ **wéb·fóot·ed** [-id] *a.* 발에 물갈퀴가 있는.
Wébfoot Státe (the ~) Oregon 주의 속칭.
wéb·lìke *a.* 거미집〔물갈퀴〕 같은.
Web·lish [wébliʃ] *n.* 〚컴퓨터〛 웹리시《약식으로 쓰는 인터넷 영어; 대문자를 쓰지 않으며 약어가 많음》.
wéb·lòg 〚컴퓨터〛 웹로그《주로 새로운 정보를 추가하는 웹 사이트》.
wéb·màster *n.* 〚컴퓨터〛 웹마스터《WWW

(World Wide Web) 사이트를 유지하고 업그레이드하는 총괄 책임자).
wéb mèmber 〚토지·건축〛 복부재(腹部材), 「복재(腹材).
wéb òffset 〚인쇄〛 두루마리 종이 오프셋(인쇄).
wéb pàge 〚컴퓨터〛 웹 페이지《웹에서는 HTML이라는 언어를 사용해 작성된 문서를 통해 정보를 교환하는데, 이때 정보 교환을 위해 HTML로 작성된 문서》.
wéb prèss 〚인쇄〛 두루마리 종이 (윤전) 인쇄기.
wéb rìng 〚컴퓨터〛 웹 링《링크로 연결된 웹 사이트 그룹》.
wéb séarch èngine 〚컴퓨터〛 웹 검색 엔진《인터넷에 존재하는 정보의 위치를 데이터베이스로 구축하여 사용자들이 원하는 정보의 위치를 알려주는 웹 사이트》.
Wéb sérver 〚컴퓨터〛 웹 서버《인터넷에서 웹(World Wide Web)서비스를 제공할 수 있는 환경을 구축하기 위해 사용되는 소프트웨어》.
wéb sìte 〚컴퓨터〛 웹 사이트《웹 서버를 사용해 웹 서비스를 제공할 수 있도록 구축된 호스트》.
Web·ster [wébstər] *n.* 웹스터. **1 Daniel** ~ 미국의 정치가·웅변가(1782-1852). **2 Noah** ~ 미국의 사전 편찬가·저술가(1758-1843). ㊞ **Web·ste·ri·an** [webstíəriən] *a.* D. Webster의; N. Webster(사전)의.
web·ster·ite [wébstəràit] *n.* 〚광물〛 =ALUMINITE.
wéb-tóed *a.* =WEB-FOOTED.
wéb tràffic 〚컴퓨터〛 웹 트래픽《특정 웹 사이트의방문자 수》.
wéb·wòrk *n.* 망상(網狀) 조직, …망.
wéb·wòrm *n.* 거미집 모양의 집을 짓는 나비·나방의 유충.
web·zine [wébzì:n, ˊ-ˋ] *n.* 〚컴퓨터〛 웹진《www상의 전자 잡지》. [◂World wide *web*+maga*zine*]
WECPNL weighted equivalent continuous perceived noise level(가중 등가(加重等價) 감각 소음 기준; 항공기 소음의 국제적 평가 단위).
*__wed__ [wed] (ˊ·*ded*; ˊ·*ded*, 《드물게》 ~; ˊ·*ding*) *vt.* **1 a** …와 결혼하다; (남자가) …을 아내로 맞다; (여자가) …에게 출가하다. **b** 《~+목/+목+전+명》 (목사·부모가) 결혼시키다, (딸을) …에게 시집보내다《*to*》: He ~*ded* his daughter *to* a teacher. **2** 《~+목/+목+전+명》 (사물을) …와 융합〔통합, 합체〕하다《*to*; *with*》: a novel that ~*s* style and content 문체와 내용이 조화된 소설/~ utility *with* beauty 실용과 미를 결합시키다. **3** 《+목+전+명》 〔주로 수동태〕 헌신〔고집〕하다: He is ~*ded* to scientific research. 그는 과학 연구에 몰두하고 있다. **—** *vi.* **1** 결혼하다. **2** (단단히) 맺어지다《*with*》.
‡**we'd** [wi:d] we had 〔would, should〕의 간약형.
Wed. Wednesday.
°**wed·ded** [wédid] *a.* 결혼한, 결혼의; 맺어진, 결합한, 집착한: a ~ pair 부부/a man ~ to a cause 한 주장을 고집하는 사람.
‡**wed·ding** [wédiŋ] *n.* Ⓤ,Ⓒ **1** 혼례, 결혼식. SYN. ⇨ MARRIAGE. **2** …혼식《금혼식 따위》; 결혼기념일: the diamond 〔golden, silver〕 ~ 다이아몬드〔금, 은〕혼식《결혼 후 각각 60 (또는 75), 50, 25 주년에 행함》. **3** (특히 이질분자 등의) 융합: a perfect ~ of conservatism and liberalism 보수주의와 자유주의의 완전한 융합.
wédding annivèrsary 결혼기념일: a tenth ~ 결혼 10 주년 기념일.
wédding bànd =WEDDING RING.
wédding bèlls (교회의) 결혼 축하 종. ***hear*** ~ 누군가 곧 결혼할 것이라고 생각하다.
wédding brèakfast 결혼 피로연《결혼식 후 신혼 여행 출발 전에 신부집에서 행하였음》.
wédding càke 웨딩 케이크.
wédding càrd 결혼 피로(안내)장.
wédding dày 결혼식 날; 결혼기념일.
wédding drèss (신부의) 웨딩드레스.
wédding gàrment 혼례 예복; 〚성서〛 연석(宴席)에의 참가 자격《마태복음 XXII:11》.
wédding màrch 결혼 행진곡.
wédding nìght 신혼 첫날밤.
wédding recèption 결혼 피로연.
wédding rìng 결혼반지.
we·del [véidəl] *vi.* 〚스키〛 베델른으로 활강하다. ㊞ ~·**ing** *n.* =WEDELN.
we·deln [véidəln] *n.* Ⓤ 〚스키〛 베델른《스키를 나란히 하고 잘게 턴을 연속해 가는 활강》. **—** *vi.* =WEDEL. [《G.》 =to wag (the tail)]
*__wedge__ [wedʒ] *n.* **1** 쐐기: drive a ~ into a log 통나무에 쐐기를 박다. **2** 쐐기 모양의 것; V 자형; 〚골프〛 웨지《쳐올리기용의 아이언 클럽》: a ~ of pie 쐐기꼴로 자른 파이/The seats were disposed in ~*s*. 좌석은 V자형으로 배열되어 있었다. **3** 사이를 떼는 것, 분열〔분리〕의 원인; (중대사 따위의) 발단, 실마리. **4** 〚기상〛 쐐기 모양의 고기압권; 〚군사〛 쐐기 모양〔설형〕의 대형(隊形); 〚미식축구〛 웨지《킥오프 때 리시브 측 블로커가 자기편 볼캐리어의 진로를 만드는 인벽(人壁)》. **5** 《속어》 =LSD. ***drive a ~ between*** (문제 따위가 양자 사이를) 이간시키다. ***knock out the ~s*** 《속어》 남을 곤경에 빠뜨리고 방관하다. ***the thin end*** 〔***edge***〕 ***of the*** ~ 중대한 일이 되는 작은 실마리: drive in 〔get in, insert〕 *the thin edge of the* ~ 일견 아무 것도 아니나 중대한 결과를 초래하다.

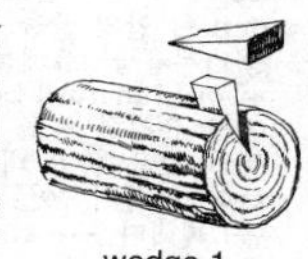
wedge 1

— *vt.* **1** 《+목+전+명/+목+부》 **a** 끼어들게 하다, 밀어넣다《*in*》: be ~*d in between* two stout men 뚱뚱한 두 사람 사이에 꼭 끼이다. **b** 〔~ oneself로〕 억지로 끼어들다: He ~*d* him*self in* 〔*into*〕 the queue. 그는 줄 속으로 억지로 끼어들었다. **2** 《~+목/+목+보/+목+부》 쐐기로 고정하다, …에 쐐기를 박다: ~ a door open 문이 닫히지 않게 받쳐 놓다/⇨ ~ up. **3** 쐐기로 쪼개다. ~ ***away*** 밀어내다〔제치다〕. ~ ***off*** 밀어내어 떨어지게 하다. ~ ***one's way*** 밀어제치며 나아가다, 헤치고 들어가다. ~ ***up*** 쐐기로 꽉 죄다〔고정시키다〕: The table is unsteady and must be ~*d up*. 이 테이블은 흔들려서 무엇을 괴지 않으면 안된다.
㊞ ˊ·**lìke** *a.*
wédge-bùster *n.* 〚미식축구〛 웨지버스터《킥오프 때 wedge를 파괴하려고 돌진하는 킥오프 측 선수》.
wedged *a.* 쐐기꼴의.
wédge héel 쐐기꼴 힐《굽이 높고 바닥이 평평한 창〔굽〕》; 쐐기꼴 힐의 여성 구두.
wédge-shàped [-t] *a.* 쐐기 모양의, V자 꼴의.
wédge·wìse *ad.* 쐐기(V자)꼴로.
Wedg·ie [wédʒi] *n.* 《미구어》 쐐기꼴 힐(wedge heel)이 달린 여자 구두《상표명》.
Wedg·wood [wédʒwùd] *n.* **1** 웨지우드 도자기(=ˊ **wàre**)《영국의 도공(陶工) Josiah Wedgwood(1730-95)가 시작함; 상표명》. **2** 엷은〔잿빛 어린〕 청색(=ˊ **blúe**). 「의〔같은〕.
wedgy [wédʒi] (*wedg·i·er*; *-i·est*) *a.* 쐐기꼴
wéd·lòck *n.* Ⓤ 결혼 생활, 혼인. ***born in*** (***lawful***) ~ 적출(嫡出)의. ***born out of*** ~ 서출(庶出)의.
†**Wednes·day** [wénzdei, -di] *n.* 수요일《생략: W., Wed.》. ***Good*** 〔***Holy***〕 ~ 성수요일《부활절

전》. 「(on ~).

Wédnes·days *ad.* 수요일마다〔에는 언제나〕

wee [wiː] (**wé·er; wé·est**) *a.* 《소아어·방언》 작은, 조그마한; (시각이) 매우 이른: in the ~ hours of the morning 한밤중에《오전 1 시에서 3 시경까지》. ***a ~ bit*** 아주 조금. **—** *n.* 《Sc.》 (a ~) 아주 조금, 잠깐: bide a ~ 잠깐 기다리다.

‡**weed**[1] [wiːd] *n.* **1** 잡초; 해초(seaweed): Ill ~s grow apace. 《속담》 잡초가 쉬이 자란다. **2** (the ~) 《구어》 엽(葉)궐련; 궐련, 담배. **3** 《구어》 = MARIJUANA. **4** 호리호리한 말〔사람〕; 동물의 열등종. **5** (the ~s) 《미속어》 부랑자들의 집합소. ***run to ~s*** (뜰 안 따위가) 잡초로 덮이다. ***the soothing*** 〔***Indian, fragrant***〕 ~ 담배. **—** *vt.* **1** …에서 잡초를 뽑다, 김매다: ~ the garden 뜰 안의 풀을 뜯다. **2** 《+목+부/+목+전+명》 (무용물·유해물 등을) 치우다, 제거하다《*out*》: ~ *out* harmful books *from* the library 도서관에서 유해한 책을 없애다 / ~ *out* the herd (열등한 것을 솎아 내어) 동물의 무리를 정선(精選)하다. **3** 《미속어》 건네주다; (훔친 지갑에서 돈을) 빼내다. **—** *vi.* 잡초를 뽑다, 제초하다; 방해꾼을 제거하다. ㊥ **∠·er** *n.* 풀 뽑는 사람; 제초기.

weed[2] *n.* **1** (*pl.*) 미망인의 상복(widow's ~s). **2** (모자·팔에 다는) 상장(喪章).

wéed·ed [-id] *a.* 제초한, 풀을 뽑은; 잡초로 우거진.

wéed-gròwn *a.* 잡초가 우거진. 「icide).

weed·i·cide [wíːdəsàid] *n.* 제초제(劑) (herb-

wéed·kìller *n.* =WEEDICIDE.

wéed·kìlling *n.* 제초(除草).

weedy [wíːdi] (**weed·i·er; -i·est**) *a.* **1** 잡초투성이의; 잡초 같은, (잡초처럼) 빨리 자라는. **2** (사람·동물이) 껑충한, 마른, 가냘픈.

wee-juns [wíːdʒənz] *n. pl.* 위전《moccasin 풍의 구두》.

†**week** [wiːk] *n.* **1** 주《Sunday에서 시작하여 Saturday에서 끝남》: What day of the ~ is it? =What is the day of the ~? 오늘은 무슨 요일이냐 / the news of the ~ 주간 뉴스 / Wages are paid by the ~. 주급제이다. **2** (요일에 관계없이) 7 일간, 1 주간: a ~'s journey, 1 주간의 여행. **3** 일정한 날〔축일〕부터 시작하는 1 주간(週間): the ~ of the 18th, 18 일부터 1 주간 / Easter ~ 부활절로 시작하는 1 주일. **4** (W-) … 주간: Fire Prevention *Week* 화재 예방 주간. **5** (일요일〔토·일요일〕 이외의) 평일(平日), 취업〔등교〕일: He works a 40-hour ~. 주 40 시간(노동)제로 일한다. ***at ~'s end*** 주말에. ***a ~ about*** 격주로. ***a ~ from now*** 다음〔내〕주의 오늘. ***a ~ of Sundays*** =***a ~ of ~s*** 7 주간; 《구어》 (진절머리 나도록) 긴 동안. ***knock*** 〔***send***〕 a person ***into the middle of next ~*** 《구어》 아무를 완전히 때려누이다, 냅다 휘갈기다, 쫓아 버리다. ***~ after*** 〔***by***〕 ~ 매주마다. ***~ in*** (,) ***~ out*** (오는) 매주마다. **—** *ad.* 《영》 다음 주; 지난주: Sunday ~ 다음 주〔지난주〕의 일요일. ***this day ~*** 다음〔지난〕주의 오늘. ***today*** 〔***yesterday, tomorrow***〕 ~ 다음〔지난〕주의 오늘〔어제, 내일〕.

‡**week·day** [wíːkdèi] *n.* 주일, 평일《일요일 또는 토요일 이외의 요일》. **—** *a.* 평일의.

wéek·dàys *ad.* 주일〔평일〕에(는).

‡**week·end** [wíːkènd, ∠∠] *n.* 주말《토요일 오후〔금요일 밤〕부터 월요일 아침까지》; 주말 휴가; 주말 파티; 〖형용사적〗 주말의: a long ~ 주말과 그 전후의 1-2 일간. ***look like a wet ~*** 풀이〔기가〕 죽어 있다. ***make a ~ of it*** 《구어》 주말을 외출〔오락 따위〕로 지내다. **—** *vi.* 《~/+전+명》 주말을 지내다《*at*》: We used to ~ *at* Brighton. 우리는 언제나 주말을 브라이튼에서 지냈다. ㊥ **~·er** *n.* 주말여행자; 주말 체류객; =WEEKEND BAG; 《Austral.》 주말용 작은 별장.

wéekend bàg 〔**càse**〕 소형 여행 가방.

wéekend hábit 《속어》 습관성·중독성 있는 마약을 이따금 복용함.

wéek·ènds *ad.* 주말마다, 주말에는: go fishing ~ 주말마다 낚시질 가다.

wéekend wàrrior 《미속어》 주말 전사, 예비병《주말에 훈련받으므로》; 때때로 매춘하는 여자.

wéek·lòng *a., ad.* 일주일간에 걸친〔걸쳐서〕.

‡**week·ly** [wíːkli] *a.* **1** 매주의, 주 1 회의; 1 주간(분)의: ~ pay 주급(週給). **2** 주간의: a ~ magazine. **—** *ad.* 매주, 1 주 1 회: be paid ~ 주급이다. **—** *n.* 주간지〔신문, 잡지〕, 주보.

wéek·nìght *n.* 주일(週日)〔평일〕 밤.

ween [wiːn] *vt., vi.* 《고어·시어》 생각하다, 믿다《*that*》《보통 삽입구 I ween 으로 쓰임》; 기대하다, 예기하다《*to do*》.

wee·nie, -ney, wei·nie, wie·nie [wíːni] *n.* **1** 《구어》 =FRANKFURTER; 《비어》 (축 처진〔조그마한〕) '연장'. **2** 《미속어》 뜻밖의 난점, 함정; 《미속어》 손해를 봄, 불이익을 당함; 《미속어》 싫은 녀석, 바보. 「주 조그만.

wee·ny [wíːni] (**-ni·er; -ni·est**) *a.* 《구어》 아

wéeny·bòp·per [-bàpər/-bɔ̀p-] *n.* 《구어》 팝뮤직 팬인 소녀《teenybopper 보다어림》.

‡**weep** [wiːp] (*p., pp.* ***wept*** [wept]) *vi.* **1** 《~/+전+명+*to do*》 눈물을 흘리다, 울다, 비탄〔슬퍼〕하다《*for; over*》: ~ *at* a sad news 비보를 듣고 울다 / ~ *with* pain 고통 때문에 울다 / ~ *over* his child's death 아이의 죽음을 비탄하다 / ~ *for* joy 기뻐서 울다 / She *wept to* hear the sad tale. 그 슬픈 이야기를 듣고 울었다.

> SYN. **weep** 눈물을 흘리는 것에 주안을 둠. 따라서 찬 물컵에 물방울이 맺히는 것도 weep 임. **cry** 소리를 내는 것이 주가 되나, 실제로는 소리가 나지 않더라도 소리를 참아 가며 울 때 역시 cry가 쓰임. **sob** 훌쩍훌쩍 울다, 흐느껴 울다, 목메어 울다: *sob* into one's handkerchief 손수건을 얼굴에 대고 흐느껴 울다. **wail** 대성통곡하다, 절망적으로 (소리 높이) 몹시 울다. **whimper** 아이나 강아지가 남의 동정을 바라고 킹킹거리며 울다.

2 물방울을〔이〕 떨어뜨리다〔듣다〕: Concrete walls ~ in hot weather. 더울 때 콘크리트 벽은 물기가 밴다. **3** (나무가) 축 처지다, 가지를 늘어뜨리다.

— *vt.* **1** (눈물을) 흘리다: ~ bitter tears 애통의 눈물을 흘리다. **2** (…에) 눈물을 흘리다, (…을) 한탄하며 슬퍼하다: ~ one's sad fate 자기의 슬픈 운명을 한탄하다. **3** 《+목+보/+목+전+명》 〖~ oneself로〗 울어서 (…의 상태가) 되다: The boy *wept* him*self to* sleep. 소년은 울다가 잠이 들었다. **4** (물기 따위를) 스며 나오게 하다, (물방울을) 떨어뜨리다. ***~ away*** (세월을) 울며 보내다; 울며 지내다. ***~ out*** 울며 말하다. ***~ one's heart*** 〔***eyes***〕 ***out*** (슬피 울어서) 눈을 붓게 하다, 가슴이 메어 터질듯이 울어 대다.

— *n.* 울기; (물기 따위를) 스며 나오게 하기.

wéep·er *n.* **1** 우는 사람; (장례식에 고용되어 우는) 곡꾼. **2** 상장(喪章); (과부용) 검은 베일; (*pl.*) (과부용) 흰 끝동. **3** 《미속어》 눈물을 자아내게 하는 연예물, (노래 등의) 실연(失戀)에 관한 것. **4** (*pl.*) 긴 구레나룻; 〖동물〗 =CAPUCHIN. **5** =WEEP HOLE.

wéep hòle 물구멍《옹벽 등의 물 빼는 구멍》.

weep·ie [wíːpi] *n.* 《구어》 (극·영화 등의) 눈물을 자아내게 하는 것.

wéep·ing *a.* **1** 눈물을 흘리는, 우는. **2** 빗물을

떨어뜨리는, 물방울이 듣는. **3** (가지 따위가) 늘어진. **—** *n.* 울; 삼출(滲出); 늘어짐. ㊞ **~·ly** *ad.*

Wéeping Cróss 울음의 십자가《참회자가 기도를 올리는 길가의 십자가》. ***return*** 〔***come home***〕 ***by*** ~ 자기 행위를 뉘우치다; 슬픈 일을 당하다, 실패하다.

wéeping éczema 〖의학〗 삼출성 습진.

wéeping wíllow 〖식물〗 수양버들.

weeps *n. pl.* 《미속어》 눈물: put on the ~ 울다.

weepy [wíːpi] (***weep·i·er; -i·est***) *a.* 《구어》 눈물 어린, 눈물 잘 흘리는; 새는, 스며 나오는; 《영구어》 눈물을 짜내는《이야기·영화 따위》. **—** *n.* 《구어》 =WEEPIE.

wee·ver [wíːvər] *n.* 〖어류〗 눈동미리류(類) 《유럽산》.

wee·vil [wíːvəl] *n.* 바구밋과의 곤충. ㊞ **~(·l)y** *a.* 바구미가 뀐.

wee-wee [wíːwìː] *n.*, *vi.* 《소아어》 쉬(하다).

w.e.f. with EFFECT from.

weft[1] [weft] *n.* **1** (피륙의) 씨실(woof). opp *warp.* **2** 《문어》 직물.

weft[2] *n.* 〖해사〗 신호깃발(로 보내는 신호)(waft).

Wehr·macht [véərmɑːkt] *n.* 《G.》 (제 2 차 세계 대전 전 및 대전 중의) 독일군.

weigh [wei] *vt.* **1** 《~+목/+목+전+명》 …의 무게를 달다; 〖~ oneself로〗 체중을 달다: ~ potatoes 감자의 무게를 달다 / ~ one*self* (*in* 〔*on*〕 the scales) (저울로) 체중을 달다 / ~ a stone *in* one's hand 손으로 돌의 무게를 가늠하다. **2** 《~+목/+목+부/+목+전+명》 숙고하다, 고찰하다; 평가하다; 비교 고량(考量)하다: *Weigh* your words *in* speaking. 말을 신중히 골라서 해라 / ~ the present *against* the past 현재를 과거와 비교 고찰하다. SYN. ⇨ CONSIDER. **3** …을 (…로) 무겁게 하다《*with*》; …에 무게를 가하다: We ~*ed* the drapes to make them hang properly. 커튼이 고르게 드리워지도록 무게를 주었다. **4** 〖해사〗 (닻을) 올리다: ~ anchor 닻을 올리다, 출항(出港) (준비를) 하다.

— *vi.* **1** 무게를 재다: When did you ~ last? 지난번에는 언제 체중을 쟀느냐. **2** 《+보》 무게가 …이다〔나가다〕, …(만큼) 무겁다: How much does the baggage ~? 화물의 무게는 얼마죠 / It ~*s* 10 pounds. 그것은 무게가 10 파운드이다 / It ~*s* heavy 〔light, little, nothing〕. 그것은 무겁다〔가볍다〕. **3** 숙고하다: ~ well before decision 잘 생각한 후 결정하다. **4** 《~/+전+명》 중요시되다, (…에게) 중요하다《*with*》: a point that ~*s with* me 나에게는 중요한 점. **5** 《+전+명/+보》 (일이) 무거워 부담이 되다; 압박하다 《*on, upon*》: The problem ~*s* heavily 〔heavy〕 *upon* me. 그 문제는 나에게 큰 부담을 준다. **6** 〖해사〗 닻을 올리다, 출범(出帆)하다. ◇ weight *n.*

~ ***against*** …에게 불리하게 작용하다. ~ ***down*** (무게로) 내리누르다, 힘주어 구부리다〔누르다〕《*with; by*》; 〖보통 수동태〗 압박〔억압〕하다, 침울케 하다《*with*》; (장식 따위로) 갑갑하게 하다: He tried to run, but the bags ~*ed* him *down* too much. 그는 뛰려고 했으나 그러기에는 가방들이 너무 무거웠다 / *be* ~*ed down with* worries 걱정으로 마음이 울적하다. ~ ***in*** ① (소지품을) 계량하다, 계량받다. ② (권투 선수 등이) 시합 당일 체중 검사를 받다; (경마 기수가) 경주 후에 체중 검사를 받다: ~ *in* at 135 pounds 검량에서 135 파운드이다. ③ 《구어》 (싸움·논쟁에) 끼어들다, 간섭하다. ~ ***into*** 《속어》 공격하다. ~ ***in with*** 《구어》 …을 꺼내 놓다, …을 제출하다: ~ *in with* new offers 새로운 제안을 내놓다. ~ ***out*** ① 무게를 달다, 달아서 나누다: ~ *out* sugar for a cake 케이크를 만들기 위하여 설탕을 달아서 덜다 / The butcher ~*ed out* two pounds of beef. 푸줏간 주인은 쇠고기를 2 파운드 달아 주었다. ② (경마 기수가) 경주 전에 체중 검사를 받다. ~ one***'s words*** ⇨ WORD. ~ ***the thumb*** 《미》 (엄지손가락으로 저울을 내려서) 근량을 속이다. ~ ***up*** ① 한쪽의 무게로 인해 튀어 오르다. ② 비교 고량(考量)하다; 헤아리다; …을 평가하다. ~ ***with*** (아무)에게 있어서 중요하다: evidence that does not ~ *with* the judges 판사들에게 있어서 그다지 중요하지 않은 증거.

— *n.* 무게를 달기, 검량(檢量).

㊞ **~·a·ble** *a.* 검량할 수 있는.

wéigh·bèam *n.* 큰 대저울.

wéigh·brìdge *n.* 대형 앉은뱅이저울, 계량대(臺)《가축·차량 등의 무게를 다는》.

wéigh·er *n.* 무게를 다는 사람; 계량기.

wéigh·hòuse *n.* 화물 계량소.

wéigh-ìn *n.* 기수(騎手)의 레이스 직후의 계량; 권투 선수의 경기 전의 계량; (여객기 탑승 전의) 휴대품의 계량; 〔일반적〕 계량, 검량.

wéighing machìne 계량기(機)《특히 대형으로 복잡한 기구의》.

wéigh·lòck *n.* 계량 수문《운하 통행세 징수를 위해 배의 톤수를 계량하는》.

wéigh·màster *n.* 검량관(官)〔인〕.

wéigh stàtion (간선 도로변의) 과적 차량 검문소.

weight [weit] *n.* **1 a** U 무게, 중량, 체중; 비만: over 〔under〕 ~ 무게가 초과〔부족〕하여 / put on ~ (사람이) 살찌다 / You and I are (of) the same ~. 너와 나는 체중이 같다. **b** U 〖물리〗 무게《질량과 중력 가속도의 곱; 기호 W》. **2** U,C 어떤 중량의 것〔분량〕; 분동(分銅); 형량 단위; 형법(衡法); 《속어》 마리화나〔헤로인〕 1 온스: ~*s* and measures 도량형(度量衡). **3 a** 무거운 물건, 지지르는 것; 추, 문진(文鎭), 서진; (경기용의) 포환, (역도의) 웨이트. **b** 부담, 무거운 짐, 중압, 압박: the ~ of responsibility 〔cares〕 책임〔걱정〕의 무거운 짐. **4 a** U 중요함, 중요성, 값어치; 세력, 영향력; 《비유》 비중: an argument of great ~ 중요한 논의(論議). **b** 〖통계〗 가중치(加重値). **5 a** 〖경기〗 웨이트《권투·역도·레슬링 등의 선수 체중에 의한 등급》. **b** 〖경마〗 부담 중량《출장(出場) 말에 요구되는 중량; 파운드로 표시》. **c** (활의) 세기《파운드로 표시》. **6** 〖인쇄〗 웨이트《활자 선(線)의 굵기〔농도〕》; (특정 용도〔계절〕용의) 옷 무게〔두께〕: a suit of summer ~ 여름철 옷. ◇ weigh *v.* ***by*** ~ 저울눈으로; 중량으로. ***carry*** ~ ⇨ CARRY. ***gain*** 〔***lose***〕 ~ 체중이 늘다〔줄다〕. ***get*** 〔***take***〕 ***the*** ~ ***off*** one***'s feet*** 〔***legs***〕 《구어》 〖종종 명령형〗 앉다, 편히 앉다《임산부, 장애자(障礙者), 오래 서 있는 이들에 대해 씀》. ***give short*** ~ 저울눈을 속이다. ***give*** ~ ***to*** (주장·가능성 등을) 강화하다. ***gross*** ~ 총중량; 용기를 포함한 무게. ***have*** ~ ***with*** …에 있어서 중요하다: The matter *has* great ~ *with* me. 그 사항은 내게 있어서 중요하다. ***net*** ~ 정미 중량. ***pull*** one***'s*** ~ 체중을 이용하여 노를 젓다; 역할을 다하다. one***'s*** ~ ***in*** 〔***of***〕 ***gold*** 〔***silver***〕 그만한 무게의 금〔은〕: He is worth to her *his* ~ *in gold.* 그는 그녀에게 있어 같은 무게의 금만큼의 가치가 있다. ***swing*** one***'s*** ~ 영향력을 행사하다. ***throw*** 〔***chuck***〕 one***'s*** ~ ***around*** 〔***about***〕 ⇨ THROW. ***under the*** ~ ***of*** …의 무게로〔중요성으로〕 인해; …의 중압(重壓)을 받고〔하에〕.

— *vt.* **1** 《~+목/+목+전+명》 …에 무게를 가하다, 무겁게 하다; …에 적재하다: ~ a model ship *with* lead at the bottom 모형 배의 바닥에 납을 달아서 안정을 얻게 하다. **2** …에 (핸디캡으로) 중량을 과하다; …에 무거운 것을 지게 하다; 불리한 경우를 당하게 하다. **3** 《+목+부/+

목+전+명》…에게 과중한 부담을 지우다; (아무를) …로 괴롭히다, 압박하다: be ~*ed down with* many cares 여러 가지 걱정거리로 괴로움을 당하다. **4** (직물 따위에) 광물질을 섞어 무겁게 하다: ~*ed* silk. **5** (통계에) 가중치(加重値)를 더하다. **6** …을 손가늠하다, 조작하다.
㉺ **∠·ed** [-id] *a.* 무거워지게 된; 무거운 짐을 진; 〖통계〗 가중된; 출신구 인구 비례로 대표권을 행사하는. 「(加重) 평균.
wéighted áverage 〔**méan**〕 〖통계〗 가중
wéight·ing *n.* 무게를 줌; 내리지르는 것; (때때로 a ~) 《영》 급여에 없는 수당, 《특히》 지역 수당(=∠ **allòwance**).
wéight·less *a.* (거의) 중량이 없는; 무중력의. ㉺ **~·ly** *ad.* **~·ness** *n.*
wéight lìfter 역도 선수.
wéight lìfting 〖경기〗 역도. 「지기 경기자.
wéight màn (투해머·투원반·투포환 등) 던
wéight tràining 웨이트 트레이닝《역기·아령 등을 이용한 훈련》.
wéight wàtcher 체중에 신경을 쓰는 사람; (*pl.*) 《CB 속어》 적재량 계량소 (직원).
Wéight Wátchers 웨이트 워처스《다이어트 법을 보급하는 미국 Weight Watchers International Inc. 및 그 연관 다이어트 교실 따위에서 쓰는 상표명》.
°**weighty** [wéiti] (***weight·i·er; -i·est***) *a.* **1** (매우) 무거운, 무게 있는, 벅찬, 견디기 어려운. **2** (문제 따위가) 중요한, 중대한, 쉽지 않은. **3** (인물 등이) 세력 있는, 유력한, (논거 따위가) 설득력 있는. ㉺ **wéight·i·ly** *a.* **-i·ness** *n.*
Wéil's disèase [váilz-, wáilz-] *n.* 〖의학〗 바일병《황달 출혈성 렙토스피라증》. [◄ A. Weil (1848-1916) 독일 의사] 「《독일의 도시》.
Wei·mar [váimaːr, wái-/vái-] *n.* 바이마르
Wéimar Constitútion (the ~)(1919년 제정된 독일 공화국의) 바이마르 헌법.
Wéimar Repúblic (the ~) 바이마르 공화국 (1919-33)《Hitler 출현으로 제3제국이 됨》.
Wein·berg [wáinbərg] *n.* **Steven ~** 와인버그《1933- ; 미국의 물리학자; 노벨 물리학상 (1979)》.
Wein·berg-Sa·lam thèory 〔**mòdel**〕 [wáinbəːrgsáːlaːm-] 〖물리〗 와인버그 살람 이론〔모형〕 《약한 상호 작용과 전자(電磁) 상호 작용의 통일 이론〔모형〕》. [◄ Steven *Weinberg* (1933-) 미국의 물리학자, Abdus *Salam* (1926-1996) 파키스탄의 물리학자]
weiner ⇨ WIENER.
weinie ⇨ WEENIE.
weir [wiər] *n.* 둑《물레방아용》; 어살.
°**weird** [wiərd] *a.* **1** 수상한, 불가사의한, 이 세상 것이 아닌; 섬뜩한, 무시무시한. ⓒⓕ uncanny. **2** 《구어》 기묘한, 이상한. **3** 《고어》 운명의. ***~ and wonderful*** 《구어》 불가사의한, 경탄할 만한. ── *n.* **1** Ⓤ,Ⓒ 《고어·Sc.》 운명, 《특히》 불운. **2** (보통 W-) 운명의 여신(Fates)의 하나. **3** 예언자. **4** 전조, 예언. ㉺ **∠·ly** *ad.* **∠·ness** *n.*
weirdo [wíərdou] 《미구어》 (*pl.* **~s**) *n.* 기인, 괴짜《특히 긴 수염을 기른 젊은이》; (특히 위험·광포한) 정신병자; 별난 것〔책·영화〕. ── *a.* 기묘한, 별난. 「Fates).
Wéird Sísters (the ~) 운명의 3여신(the
weirdy, weird·ie [wíərdi] (*pl.* ***weird·ies***) *n.*, *a.* 《미구어》 =WEIRDO.
Weis·mann·ism [váismənìzəm] *n.* 〖생물〗 바이스만설(說)《후천 형질의 유전을 부정함》.
we·ka [wéikə, wíː-] *n.* 〖조류〗 반날개뜸부기 《날개가 퇴화한 흰눈썹뜸부기의 일종》.
Welch [weltʃ/welʃ] *a.* =WELSH.
welch ⇨ WELSH.
welch·er ⇨ WELSHER.
†**wel·come** [wélkəm] *int.* 〖종종 부사 또는 to와 함께〗 어서 오십시오, 참 잘 오셨습니다: *Welcome home* 〔*back*〕! 잘 다녀오셨습니까 / *Welcome aboard*! 승차〔탑승을, 승선을〕 환영합니다 / *Welcome to* Seoul! 서울에 오신 것을 환영합니다.
── *n.* **1** 환영, 환대; 환영의 인사: He received 〔had〕 a warm ~. 그는 따뜻한 환영을 받았다. **2** 자유로이 행사〔향유〕할 수 있는 특권. ***bid*** a person **~** =***say* ~ *to*** a person 아무를 환영〔환대〕하다. ***give*** a person ***a warm* ~** 아무를 따뜻이 맞이하다; 〖반어적〗 아무에게 강력히 저항하다. ***wear out*** one***'s* ~** 너무 여러 번 찾아가서 〔오래 머물러〕 눈총받다.
── (*p., pp.* **~*d***) *vt.* 《~+목/+목+전+명》 환영하다, 기꺼이 맞이하다〔받아들이다〕: The actors were ~*d* by large crowds. 배우들은 군중의 환영을 받았다 / ~ criticism 기꺼이 비평을 받아들이다 / I ~ you *to* my home. 왕림을 환영합니다. SYN. ⇨ RECEIVE.
── *a.* **1** 환영받는, 기꺼이 받아들여지는, 고마운, 좋은: a ~ guest 환영받는〔오기를 바라는〕 손님 / (as) ~ as flowers in May 《구어》 대환영으로 / (as) ~ as snow in harvest =UNWELCOME. **2** 자유로 해도 좋은《*to*》; 마음대로 …해도 좋은; 《반어적》 마음〔멋〕대로 …할 테면 해라 (내가 알 바 아니다)《*to* a thing; *to* do》: You are ~ *to* any book in the library. 도서실의 책을 어떤 것이든 마음대로 읽으십시오 / You are ~ *to* have a copy. 마음대로 한 권 가져가십시오 / He is ~ *to* say what he likes. 그에게 마음대로 지껄이게 놔두어라. ***and* ~** 《종종 우스개》 그래도 좋다, 기꺼이: You may use it *and* ~. 그것을 써도 좋다. ***make*** a person **~** 아무를 따뜻이 대접하다: His family *made* me ~. 그의 가족은 나를 따뜻이 대해〔대접해〕 주었다. (***You are***) **~.** 어서 오십시오; 《미》 ("Thank you."에 대하여) 천만의 말씀을.
㉺ **~·ly** *ad.* **~·ness** *n.* **wél·com·er** *n.*
wélcome màt (현관의) 매트(doormat); 《구어·비유》 환영. ***put*** 〔***roll***〕 ***out the*** 〔***one's***〕 **~** 대환영하다《*for*》.
wélcome wàgon 《미》 **1** 신참자 환영차《새로 그 지역에 전입된 사람에게 그 지방의 정보·토산품·선물 따위를 운반하는 차》. **2** (종종 W- W-) 신참자 환영인〔단〕. **3** (특히 강요하는 듯한) 환영.
weld[1] [weld] *vt.* 용접하다, 밀착〔접착〕시키다; 《비유》 결합시키다, 합치다. ── *vi.* 용접되다; 밀착되다. ── *n.* Ⓤ,Ⓒ 용접, 밀착; 용접점; 접착(부분). ㉺ **∠·a·ble** *a.* **∼·a·bíl·i·ty** *n.* 용접성. **∠·er, wél·dor** *n.* 용접공〔기〕.
weld[2] *n.* 〖식물〗 목서초속(木犀草屬)의 일종; Ⓤ 그것에서 빼낸 노랑 물감.
wéld·ing *n.* Ⓤ 용접.
wéld·ment *n.* Ⓤ 용접, 단접(鍛接); Ⓒ 용접물.
***wel·fare** [wélfɛ̀ər] *n.* Ⓤ **1** 복지, 후생: child ~ 아동 복지. **2** 복지 사업; (the ~) 《영구어》 사회 복지〔후생〕 기관《집합적·개별적으로》. ***on* ~** 《미》 복지 원조〔생활 보호〕를 받아. ── *a.* (사회) 복지의; 복지 원조를 받는: a WELFARE MOTHER.
wélfare bùm 생활 보호를 받으며 빈둥빈둥 사는 식충이. 「소 등》.
wélfare cènter 복지 사업〔사무〕소《건강 상담
wélfare económics 후생 경제학.
wélfare fùnd 복리 (후생) 기금《요양 중인 피고용자에게 지급하는》.
wélfare hotél 복지 (사업에 의한) 숙박소.
wélfare mòther 《미》 생활 보호를 받는 모자 가정의 모친.

wélfare stàte 복지 국가.
wélfare stàtism 복지 국가주의.
wélfare to wórk (종종 W- to W-) 복지에서 노동으로(의 정책)《노동이 가능하면서도 생활 보조를 받고 있는 실업자에게 일감을 갖도록 추진하는 정책; 직업 훈련 · 고용주 원조 따위》.
wélfare wòrk 구제〔복지〕 사업.
wélfare wòrker 복지 사업가. 「n., a.
wél·fàr·ism [-rizəm] n. 복지 국가 정책. ㊕ **-ist**
wel·kin [wélkin] n. 《고어 · 시어》 창공, 하늘.
*__well__[1] [wel] n. **1** 우물; (유전 따위의) 정(井): an oil ~ 유정(油井)/an artesian ~ (지하수의 압력으로 물이 솟아오르는) 깊이 판 우물. **2** 샘; 광천; (pl.) 광천(보양)지; 《비유》 근원, 원천: a ~ *of* information 지식의 샘, 만물박사. **3** 우물 모양의 것〔장소〕; 둘러싸인〔사방이 막힌〕 깊은 공간; (층계의) 뚫린 공간; (각 층을 뚫고 통한) 통풍〔채광〕용 세로 구멍; (승강기가 오르내리는) 통로; 〖군사〗 (지뢰의) 정갱(井坑); (책상의 만년필용) 잉크병. **4** 〖해사〗 배 밑바닥에 괸 물을 퍼올리는 두레박이 왕복하는 통〔관〕; (어선의) 잡은 고기를 두는 활어조(活魚槽). **5** (법정의) 변호인석; (층계식 회의장 등 밑부분의) 연단 있는 곳, 연단 앞. **6** 〖물리〗 (우물처럼 깊은) 퍼텐셜의 골. ― *vi.* 《+㊊/+㊌+㊎》 솟아나오다, 분출하다《*up; out; forth*》; 넘치다《*over*》; (생각 등) 치밀어 오르다《*up*》: Tears ~*ed up* in his eyes. 그의 눈에서 눈물이 넘쳐흘렀다/I felt indignation ~*ing up* in me. 분노가 치밀어 오름을 느꼈다. ― *vt.* 분출시키다《*out*》.
†**well**[2] ⇨ 《p. 2822》 WELL[2].
*__we'll__ [wiːl] we shall 〔will〕의 간약형.
well·a·day [wélədéi] *int.* 《고어 · 우스개》 아 슬픈지고(wellaway).
wéll-adjústed [-id] a. 잘 순응하는; 〖심리〗 정신적〔정서적〕으로 안정된.
wéll-ádvertised a. 요란히 선전되고 있는.
wéll-advísed a. 사려 있는, 분별 있는, 신중한.
wéll-affécted [-id] a. 호의를〔호감을〕 갖고 있는《*to; toward*》; 충실한.
wéll-appóinted [-id] a. 설비가 갖추어진, 잘 정비된; (탐험대 따위가) 완전 장비된. 「좋은.
wéll-atténded [-id] a. (회합 등에) 출석률이
well·a·way [wèləwéi] 《고어 · 우스개》 *int.* 아아《비탄을 나타냄》. ― *n.* 한탄; 애도의 말〔시, 노래, 곡〕.
wéll-bálanced [-t] a. 균형이 잡힌; 걸맞은; 제정신의; 상식 있는.
wéll-beháved a. 행실〔품행〕 좋은.
°**wéll-béing** n. Ⓤ 복지, 안녕, 행복(welfare). opp *ill-being*.
wéll-belóved a., n. 매우 사랑받는 (사람).
wéll-bórn a. 태생〔가문〕이 좋은.
°**wéll-bréd** a. 본데 있게 자란, 행실이 좋은〔얌전한〕, 점잖은; 종자가 좋은《말 따위》. 「한.
wéll-bròught-úp a. 가정교육을 잘 받은, 얌전
wéll-búilt a. (건물이) 튼튼한; 《구어》 (사람이) 체격이 좋은. 「적절한.
wéll-chósen a. (특히 어구 따위가) 정선된;
wéll-condítioned a. 건강한; 행실이 바른, 선량한, 인품이 좋은. 「이 방정한.
wéll-condúcted [-id] a. 행실이 바른, 품행
wéll-connécted [-id] a. 좋은〔훌륭한〕 친척이 있는, 문벌이 좋은.
wéll-contént, -ténted [-id] a. 매우 만족한, 마음껏 즐긴.
wéll-cóvered a. 《구어》 약간 살찐 듯한.
wéll·cùt a. (옷을) 잘 지은.
wéll dèck 〖해사〗 웰 갑판《고물루(樓)와 이물루(樓) 사이의 갑판》.
wéll-defíned a. (정의(定義)가) 분명한, 명확한.
wéll-desígned a. 잘 설계〔계획〕된.
wéll-devéloped [-t] a. 잘 발달한《몸 · 몸매》; 충분히 다듬은《안(案)》.
wéll-diréctéd [-id] a. 바르게 방향 지어진〔지도받은〕. 「따른.
wéll-dísciplined a. 잘 훈련된; 규율〔규범〕을
wéll-dispósed a. **1** 마음씨 고운. **2** 호의를 가진, 친절한. **3** 깔끔히 정렬해 놓은.
wéll-dócumented [-id] a. 문서로〔기록으로〕 충분히 입증되는〔뒷받침되는〕.
wéll-dóer n. 《고어》 선행자, 덕행가. opp *evil-doer*. 「면한.
wéll-dóing n. Ⓤ 선행, 덕행. ― a. 친절한; 근
wéll-dóne a. **1** 바르게〔능숙히, 잘〕 수행〔처리〕된. **2** (고기가) 잘 익은, 충분히 조리된. opp *underdone*. 「옷을 입은.
wéll-dréssed [-t] a. 옷맵시가 단정한; 좋은
wéll-éarned a. 제힘으로 얻은; (보답 따위가) 당연한: a ~ punishment 자업자득.
wéll-éducated [-id] a. 충분한 교육을 받은; 교양 있는.
wéll-endówed a. 《속어》 (재능 · 자질을) 타고난, 훌륭하게 발육한; 남근이〔유방이〕 큰.
Welles [welz] n. (**George**) **Orson** ~ 웰스《미국의 배우 · 감독 · 영화 제작자; 1915–85》.
wéll-estáblished [-t] a. 기초가 튼튼한; 안정된, 확립〔정착〕한《습관 · 어법 따위》.
wéll-fávored a. 미모의, 잘생긴, 핸섬(handsome)한.
wéll-féd a. 영양이 좋은; 살찐.
wéll-fítted [-id] a. 꼭 맞는.
wéll-fíxed [-t] 《구어》 a. 유복한(well-to-do); 《구어》 안전한, 확실한. 「㊕ **~·ness** n.
wéll-fórmed a. 모양이 좋은; 〖문법〗 적격의.
wéll-fóund a. = WELL-APPOINTED.
wéll-fóunded [-id] a. 근거가 충분한, (충분한) 이유가 있는.
wéll-gróomed a. 몸차림이 깔끔한; (동물 따위가) 손질이 잘된.
wéll-gróunded [-id] a. 충분한 기초 훈련을 받은; = WELL-FOUNDED.
wéll-grówn a. 발육이 좋은.
wéll-hándled a. 관리를 잘 하는; (상품이) 여러 손을 거친; 신중히〔솜씨 있게〕 다루어진.
wéll·hèad n. **1** 수원(水源), 우물이 있는 곳; 《비유》 원천(源泉). **2** 우물에 씌운 지붕.
wéllhead prìce (석유 · 천연가스의) 생산 현지 가격《수송비 · 저장비가 포함되지 않으며 막 생산한 단계의 가격》.
wéll-héeled a. 《구어》 부유한.
wéll-húng a. **1** (커튼이) 잘 드리워진; (스커트가) 보기 좋게 자리잡은. **2** 《비어》 (여성이) 가슴이 풍만한; (남성이) 성기가 큰.
well·ie [wéli] n. 《영》 = WELLINGTON 2. ***give it some*** ~ 《구어》 더 힘을 쓰다.
wéll-infórmed a. 정보에 밝은, 잘 알고 있는; 박식한, 견문이 넓은. opp *ill-informed*. ¶ ~ quarters 소식통.
Wel·ling·ton [wéliŋtən] n. **1** **Arthur Wellesley** ~ 웰링턴《영국의 장군 · 정치가; 1769–1852》. **2** (*or* w-; 보통 pl.) 《속어》 (무릎까지 오는) 장화의 일종(= ⌐ **bóot**). **3** New Zealand 의 수도.
wéll-inténtioned a. (결과는 여하간에) 선의의, 선의에서 나온, 선의로 행한.
wéll-júdged a. 판단이 옳은〔알맞은〕, 적절한.
wéll-képt a. 손질이 잘된, 잘 간수〔관리〕된.
wéll-knít a. (체력이) 튼튼한, 째인; 체제가〔조직이〕 잘 짜여진; 이로(理路) 정연한.
*__well-known__ [wélnóun] a. **1** 유명한, 이름이 통하는, 잘 알려진; 주지의: a ~ painter. **2** 잘

용법은 대별하여, '잘, 능숙히, 충분히'의 뜻의 부사와, '건강한, 좋은, 적당한'의 뜻의 형용사 및 '그런데, 어머' 따위의 뜻인 감탄사의 세 가지가 된다. 다만, 형용사는 거의 서술적 용법에 국한되므로 이 뜻으로의 대표적인 새김말은 오히려 '건강하게' 따위가 타당하다: He is 〔will get〕 *well*. 그는 건강하다〔건강해질 것이다〕.

well [wel] (***bet·ter*** [bétər]; ***best*** [best]) *ad.* **1** 〖동사를 수식하여〗 **a** 잘, 만족히, 더할 나위 없이; 훌륭하게(OPP *ill*, *badly*): dine 〔work〕 ~ 잘 먹다〔일하다〕 / The children behaved ~. 아이들은 의젓하게 행동했다 / Everything is going ~. 모든 것〔일〕이 잘 돼가고 있다. **b** 능숙하게, 잘《흔히 문장 끝에 옴; OPP *badly*》: He speaks English ~. 그는 영어를 잘한다 / She plays the piano very ~. 피아노를 아주 잘 친다 / *Well* done! 잘했다. **c** 잘, 충분히, 완전히 (thoroughly): wash one's hands ~ 손을 잘 씻다 / Think ~ before you act. 행동하기 전에 잘 생각하여라. **d** 잘, 적절히, 알맞게, 바로: That is ~ said! (그 말씀이) 맞습니다, 바로 그렇습니다 / *Well* met! 《고어》 잘 만났다! / The house is ~ situated. 그 집은 좋은 곳에 위치해 있다. **e** 호의적으로, 친절히, 잘, 후하게: Treat her ~. 그녀를 잘 대(우)해 주어라 / Everyone thinks 〔speaks〕 ~ of him. 모두 그를 좋게 생각한다〔말한다〕. **f** 잘, 유복하게: live ~ 잘살다 / He's doing rather ~ for himself. 그는 (돈을 벌어) 꽤 잘살고 있다. **g** 침착하게, 평정(平靜)〔담담〕하게: He took the joke ~. 그는 담담하게 그 농지거리를 한귀로 흘렸다.
2 a 〖부사(구)를 수식〗 꽤, 상당히, 훨씬: He was ~ *over* thirty 〔~ *into* his thirties, ~ *on* in his thirties〕. 그는 30이 훨씬 넘었었다 / He was leaning ~ back in his chair. 그는 의자에 등을 푹 대고 있었다 / Her assets amounted to ~ *over* $1 billion. 그 여자의 재산은 좋이 10억 달러 이상은 되었다. **b** 〖able, aware, worth 따위의 서술 형용사를 수식〗 상당히, 충분히: She was ~ *aware* of the danger. 그녀는 그 위험을 잘 알고 있었다 / This book is ~ *worth* reading. 이 책은 읽을 가치가 충분히 있다.
as **~** ① 더욱이, 또한, 게다가, 그 위에: He gave me advice, and money *as* ~. 그는 나에게 조언을 해준 외에 돈도 주었다. ② 〖종종 just와 더불어〗 …하는 편〔것〕이 좋다: It would be *as* ~ to explain. 설명하는 것〔편〕이 (무엇보다) 좋을 테지 / It would be *just as* ~ for you to write 〔if you wrote〕 to her. 자네가 그녀에게 편지를 보내는 것이 제일 좋을 게다. ③ 똑같이 잘: He can speak Chinese *as* ~. 그는 중국어를 (…와) 똑같이 잘 할 수 있다《as well as의 뒤의 as 이하가 생략된 형; ①의 뜻으로 '그는 중국어도 할 수 있다'의 의미가 될 때도 있음》. ***as* ~ *as* ...** ① …와 마찬가지로〔같을 정도로〕 잘: Can he play golf? — Yes, he can *as* ~ *as* you. 그는 골프를 칠 줄 아는가 — 네, 당신과 같을 정도로 잘 칩니다. ② …와 동시에; …와 마찬가지로; …뿐만 아니라 — 도, …은 물론: He gave me money *as* ~ *as* advice. 그는 조언뿐만 아니라 돈도 주었다.

> NOTE (1) A as well as B 에서는 A 쪽에 중점이 두어지며 동사는 A 의 인칭·수에 일치시키는 것이 원칙임: I *as* ~ *as* he am diligent. 그와 마찬가지로 나도 부지런하다. (2) 때로는 A 와 B 가 의미상 대등한 비중으로 병치(倂置)될 때가 있음: In theory *as* ~ *as* in practice, the idea was unsound. 이론적으로도 실제면으로도 그 생각은 온당치가 않았다.

be* ~ *off 유복하다, 잘산다. ***be* ~ *on in life*** 상당한 나이이다. ***be* ~ *up in*** (English) (영어)에 능숙하다. ***cannot*** 〔***could not***〕 **~ do ...** (당연한 일이지만) 도저히 …할 수 없다《이 could not 은 가정법 과거형으로서 cannot 보다 완곡한 표현이며 또한 보통 과거형으로도 사용될 수가 있음》: I *can't* 〔*couldn't*〕 very ~ refuse. 도저히 거절할 수는 없다. ***come off* ~** (아무가) 행운이다, 운이 좋다; (일이) 잘돼 가다. ***could just as* ~ do ...** 하는 편이 낫다: You *could just as* ~ have apologized then and there. 자넨 그 자리에서 사죄했어야 좋았다. ***do oneself* ~** = ***live* ~** 호화롭게 살다. ***do* ~** ① 잘돼 가다, 성공하다. ② 〖진행형으로〗 건강이 회복되다, 점차 좋아지다. ***do* ~ *by ...*** (아무)를 우대하다. ***do* ~ *out of ...*** 《구어》 …에서 이익을 올리다: He *did* ~ *out of* the sale of his car. 그는 자기 차를 팔아 꽤 이익을 남겼다. ***do* ~ *to* do** …하는 것〔편〕이 좋다〔현명하다〕: You would *do* ~ *to* say nothing about it. 그 일에 관해 침묵하는 것이 좋다《You shouldn't say anything about it. 가 더 구어적임》 / It was ~ *done* of you *to* come. 잘 와 주셨습니다. ***get on* ~ *with ...*** (아무)와 사이좋게 지내다. ***just as* ~** ① (운이) 아주 좋다: It's *just as* ~ I met you. 너를 만날 수 있어 좋았다. ② 〖대답에 쓰이어〗 지장〔상관〕이 없어, 그것으로 괜찮아: I'm sorry, I don't have a pen. — A pencil will do *just as* ~. 미안하지만 펜이 없습니다 — 연필이라도 괜찮습니다. ***keep* ~ *with ...*** = STAND well with. ***may* ~ do** ① …하는 것도 당연하다: She *may* ~ be surprised. 그녀가 놀라는 것도 당연하다 / He *may* ~ think so. 그가 그렇게 생각하는 것도 당연하다. ② …일지도 모른다; (충분히) …할 것 같다: It *may* ~ be true. 그건 정말일지도 모른다. ***might as* ~ do** ① …하는 편〔것〕이 낫다; …하는 것이나 같다〔마찬가지다〕: You *might as* ~ go out. 외출하는 것이 낫다. ② 〖가벼운 명령〗 …해라, …해도 괜찮겠지. ③ 〖동사를 생략하여〗 글쎄; 그것도 괜찮(겠)지《그다지 열의가 없는 대답》: Shall we start? — *Might as* ~. 떠날까 — 글쎄(다). ***might just as* ~ do** …해도 좋다〔나쁘지 않다〕: You *might just as* ~ wait till Friday. 금요일까지 기다려도 좋지 않습니까《may as well 보다도 정중한 말씨》 / You *might just as* ~ leave now. 이젠 떠나도 좋소. ***might*** 〔***may***〕 (***just***) ***as* ~ ... *as*** — — 하느니 차라리 …하는 편이 낫다, — 하는 것은 …하는 거나 매한가지다: One *might as* ~ throw money away *as* spend it in betting. 내기에 돈을 거느니 차라리 그냥 내다버리는 게 낫겠다. ***pretty* ~** ① 거의, 거지반(almost): The homework is *pretty* ~ finished. 숙제는 거의 끝났다. ② (환자 따위가) 꽤 좋아〔건강하게〕; (일 따위가) 꽤 잘: How's he doing? — Oh, (he's doing) *pretty* ~. 그는 어떻습니까 — 오, 꽤 순조롭습니다. ***stand* ~ *with*** ⇨ STAND. **~ *and truly*** 《영구어》 완전히, 아주: She was ~ *and truly* exhausted. 아주 녹초가 돼 있었다. **~ *away*** 《영》 ① 진행〔진척〕하여: We're ~ *away*. 잘 진척되어 있다. ② 《속어》 취(醉)하기 시작하여, 얼큰하여. **~ *off*** ⇨ be ~ off. **~ *out of ...*** ① (…에서) 충분히 떨어져(서): Stand ~ *out of* the way. (방해가 되지 않도록) 충분히 떨어져 있어라. ② 《구어》 (불행·사건 따위를) 용케 (모)면하

여: You're ~ *out of* the trouble. 그 분쟁(紛爭)에서 벗어나게 되어 다행이군. **~ up in** 〔**on**〕**...** 《구어》 …을 잘 알고 있는, …에 통해있는.

— (**bet·ter; best**) *a.* **1** 건강한. **a** 〘보통 서술적〙 건강하여, 튼튼하여《이러한 뜻으로는 최상급을 쓰는 일은 드묾》. OPP *ill.* ¶ You don't look ~. 안색이 좋지 않군요/She is ~ enough. 그녀는 무척 건강하다/How are you? — Quite ~, thank you, and you? 건강이 어떻습니까 — 덕분에. 고맙습니다, 당신은요/He is getting *better*. 그는 차츰 나아 간다, 차도가 있다. SYN. ⇨ HEALTHY. **b** 〘드물게 부가적으로〙《미》 건강한: a ~ man 건강한 사람/The ~ (people) are impatient of the sick. 건강한 사람은 병자를 보면 안쓰러워한다. ★ 이 경우 well의 반의어(反義語)는 보통 sick: a *sick* person 환자.

2 〘서술적〙 (형편이) 좋은; 만족하여, 잘되어; 운이 좋아: all being ~ 만사 순조로우면〔뜻대로 되면〕/I am very ~ where I am. 나는 지금의 위치에 만족하고 있다/All is ~ with us. 저희들은 잘 있습니다/All's ~ that ends ~. 《속담》 끝이 좋으면 만사가 다 좋다/It was ~ for you that nobody saw you. 네가 아무 눈에도 띄지 않은 것은 다행이었다.

3 타당한, 적당한; 바람직한: It would be ~ to do it at once. 곧 하는 게 좋다/It is not ~ to anger him. 그를 성나게 하는 것은 좋지 않다/It is ~ that you came. 네가 와주어서 좋다.

all very* ~** ⇨ ALL. (all***) **~ *and good*** 《구어》 좋다; 할 수 없다《비꼬는 또는 마지못한 승인·동의를 나타냄》: That's *all* ~ *and good*, but I don't have the money. 그것도 좋지만 내게는 그 돈이 없다. ***It may be as* ~ *to*** do …하는 것도 좋다〔나쁘지는 않다〕: *It may be as* ~ *to* explain. 설명하는 것도 좋다.

— *int.* **1** 〘놀라움〙 이것 참〔원〕, 원 이거: *Well*, ~, it's a small world we live in! 이거 원, 세상이란 정말 좁은 것이로군. **2** 〘망설임〙 그런데, 글쎄(요): Can you do that? — *Well*, I'm afraid not. 할 수 있어요 — 글쎄요, 아무래도 못할 것 같군요. **3** 〘안도·망설임·이야기의 계속 등〙 그런데, (자) 이제; 이제는, 우선: *Well*, I'm through now. 자 (이제) 끝났다/*Well*, as I was saying, Tom and I happened to be in 〔on〕 the same train. 그런데 앞서도 말했습니다만 톰과 나는 공교롭게도 한 차에 타고 있었어요. **4** 〘정세의 확인: if-절 따위의 뒤를 받아〙 그러면, 그때엔, 그건: What? It doesn't work? *Well*, (then,) let's try another plan. 뭐? 잘 되지 않는다고? 그럼 달리 해 봅시다/If nobody comes, ~, it's all the better. 만일 아무도 안 온다면 그건 더더욱 좋지 않은가.

— *n.* Ⓤ 좋음, 만족함; 건강, 행복.

Let* ~ *alone. = ***Leave* ~ *enough alone.*** ⇨ ALONE. ***wish*** a person **~** 아무의 행복을 빌다: I *wish* him ~. 그의 행복〔성공〕을 빈다.

알고 있는, 친밀한: a ~ face.

wéll-líned *a.* (지갑에) 돈이 두둑한.

wéll-lóoking *a.* =GOOD-LOOKING.

wéll-máde *a.* (몸이) 균형잡힌; (세공품이) 잘 만들어진; (소설·극이) 구성이 잘된.

wéll-mánnered *a.* 예절 바른; 점잖은, 공손한.

wéll-márked [-t] *a.* 뚜렷이 식별되는, 눈에 띄는, 두드러진.

wéll-mátched [-t] *a.* 조화된, 걸맞은, 어울리는《부부 따위》; 맞수의《대결》. 「호인인.

wéll-méaning *a.* 선의〔호의〕의, 선의로 행한;

wéll-méant *a.* =WELL-INTENTIONED. 「탄.

wéll-móunted [-id] *a.* 좋은〔훌륭한〕 말을

wéll·ness *n.* 건강, 호조.

wéll-nígh *ad.* 《문어》 거의.

wéll-óff *a.* 〘주로 서술적〙 유복한, …이 풍요한; 순경(順境)에 있는. OPP *badly-off.*

wéll-óiled *a.* **1** 순조로이 진행되는; (표현이) 간살스러운. **2** 《속어》 취한, 취기가 돌아 수다스러운.

wéll-órdered *a.* 질서정연한.

wéll-páid *a.* 급료〔보수〕가 좋은.

wéll-páying *a.* 좋은급료를 주는, 급료가 좋은.

wéll-pláced [-t] *a.* 정확히 겨냥한; 좋은 지위에 있는; 적당한 장소에 설치한; 믿을 수 있는《정보원(源)》.

wéll pòint 〖토목〗 웰 포인트《집수관(集水管)의 구멍 뚫린 하단부; 땅에 박고 지하수를 빨아냄》.

wéll-pólished [-t] *a.* 잘 닦여진; 세련된.

wéll-presérved *a.* 잘 보존된; 새것처럼 보이는; (연령에 비해) 젊은.

wéll-propórtioned *a.* 균형이 잘 잡힌.

wéll-réad [-réd] *a.* 많이 읽은; 박식〔박학〕한 《*in; on*》.

wéll-recéived *a.* 호응〔평판〕이 좋은.

wéll-regárded [-id] *a.* 존경받는.

wéll-régulated [-id] *a.* 잘 정비된, 잘 규제된, 규칙이 잘 선.

wéll-repúted [-id] *a.* 평판이 좋은.

wéll-róunded [-id] *a.* 균형이 잡혀 완벽한, 다방면의; 다재다능한; 잘 발달한, 풍만한.

Wells [welz] *n.* **Herbert George ~** 웰스《영국의 저술가; 1866–1946》.

wéll-séeming *a.* 겉보기가 좋은.

wéll-sét *a.* (골격 따위가) 잘 짜인; 균형잡힌.

wéll-sèt-úp *a.* (몸이) 튼튼하고 실팍한, 잘 균 ⌊형잡힌.

wéll sìnker 우물 파는 사람.

wéll-spént *a.* 뜻있게 쓰인, 유효하게 써진.

wéll-spóken *a.* 말씨가 세련된〔고상한〕; 표현이 적절한; 《영》 표준 발음을 쓰는.

wéll·sprìng *n.* 수원(水源); 《비유》 (마르지 않는) 원천(源泉). 「한, 포동포동한.

wéll-stácked [-t] *a.* 《속어》 (여성이) 풍만

wéll-stòcked [-t] *a.* 재고가 풍부한.

wéll-súited [-id] *a.* 적절한; 편리한《*to*》.

wéll swèep 두레박틀.

wéll-táken *a.* 근거가 확실한, 정당한. 「있는.

wéll-thóught-òf *a.* 평판이 좋은, 존경받고

wéll-thòught-óut *a.* 면밀한, 충분히 다듬어낸.

wéll·thúmbed *a.* (책장 등이) 손자국이〔손때가〕 묻은. 「〔기회〕가 좋은.

wéll-tímed *a.* 때를 잘 맞춘, 시의적절한, 시기

***well-to-do** [wéltədúː] *a.* 유복한, 편한〔넉넉한〕 살림의; (the ~) 〘집합적〙 부유층. SYN. ⇨ RICH. 「많은.

wéll-tráveled *a.* 여행 경험이 많은; 교통량이

wéll-tríed *a.* 많은 시련을 겪은, 잘 음미된.

wéll-tródden *a.* (길 따위가) 잘 다져진; 사람 통행이 많은. 「가) 미끈한.

wéll-túrned *a.* 교묘하게 표현한; (체격 따위

wéll-uphólstered *a.* 《구어》 (사람이) 살찐.

wéll-vérsed [-t] *a.* 숙달한, 정통한《*in; on*》.

wéll-wìsh *n.* 호의(好意).

wéll-wísher *n.* 남의 행복을 비는 사람, 호의를 보이는 사람; (주의 따위의) 지지자; 독지가, 유지.

㊞ **wéll-wíshing** *a., n.* 성공〔행복〕을 비는 (일〔인사〕).

wéll-wòman *a.* 건강 지향의 여성을 위한: a ~ clinic 여성 건강 클리닉.

wéll-wórn *a.* 써서 낡은; 낡아빠진, 진부한; (훈장 등이) 바르게 착용된.

wel·ly, -lie [wéli] (*pl.* ***wellies***) *n.* **1** 《영구어》 =WELLINGTON 2. **2** 《영속어》 세게 차는 것, 킥;

《영속어》 가속, 힘. **—** *vt.* 《영속어》 세게 차다.

◇**Welsh** [welʃ, weltʃ] *a.* Wales의; 웨일스 사람〔말〕의. **—** *n.* **1** [U] 웨일스 말. **2** (the ~) 〖집합적〗 웨일스 사람.

welsh, welch [welʃ, weltʃ/welʃ] 《속어》 *vi.* **1** 도박 빚을 안 갚고 속이다《*on*》. **2** 약속을 어기다《*on*》. [파] **∠·er** *n.* 《속어》 사기꾼, 협잡꾼.

Wélsh córgi 웰시 코기(corgi)《웨일스산의 다리가 짧고 몸통이 긴 개》.

Wélsh·man [-mən] (*pl.* **-men** [-mən, -mèn]) *n.* 웨일스 사람.

Wélsh mútton 웨일스 양고기.

Wélsh rábbit〔**rárebit**〕 녹인 치즈《맥주를 섞기도 함》를 토스트 또는 비스킷에 부은 요리.

Wélsh·wòman (*pl.* **-wòmen**) *n.* 웨일스 여자.

welt [welt] *n.* **1** 대다리《구두창에서 갑피를 대고 맞꿰매는 가죽테》. **2** 변두리〔가장자리〕 장식. **3** 매〔채찍〕 자국; 강타, 일격. **—** *vt.* **1** (구두에) 대다리를 대다. **2** 가장자리 장식을 붙이다. **3** 《구어》 채찍 자국을 내다; 때리다.

Welt·an·schau·ung [G. véltanʃauuŋ] *n.* 《G.》 세계관(world view), 인생관, 사회관.

Welt·bild [G. véltbilt] *n.* 세계관, 인생관, 사회관.

wel·ter[1] [wéltər] *vi.* **1** (파도 · 바다가) 넘실거리다, 놀치다. **2** (사람 · 짐승이) 뒹굴뒹굴 구르다, 이리저리 뒹굴다《*about*》, 몸부림치다. **3** (특히 피 따위의) 투성이가 되다, 적셔 있다. **4** 깊이〔크게〕 빠져들다, 몰입하다《*in*》. **5** (많은 사람 · 물건이) 혼란하다. **6** 《방언》 비틀비틀 걷다, 어정거리다. **7** (배가 파도에 휩쓸려) 옆질하다. **8** (강이) 흐르다. **—** *n.* **1** 어수선하게 한덩어리가 된 것〔상태〕; 혼란 (상태), 뒤죽박죽임, 뒤범벅. **2** (바다 · 파도 · 바람 등의) 넘실거림, 휘몰아침; 이리저리 뒹굶.

wel·ter[2] *n.* **1** 평균 체중 이상의 기수, 웰터급 복서(welterweight); 특별 중량《28 파운드》을 진 (장애) 경마(=∠ **ràce**). **2** 《구어》 강타, 강한 펀치; 유별나게 무거운〔큰〕 것〔사람〕.

wélter·wèight *n.* **1** 〖경마〗 평균 체중 이상의 기수; 핸디캡으로서 말에 지우는 중량물《장애물 경마 따위에서》. **2** 〖권투 · 레슬링〗 웰터급 (선수). [cf] boxing weights, wrestling.

Welt·po·li·tik [G. véltpoliti:k] *n.* 《G.》 세계 정책.

Welt·schmerz [G. véltʃmɛrts] *n.* 비관적 세계관, 염세; 감상적 비관론.

Wém·bley (Stádium) [wémbli(-)] 웸블리 스타디움《런던의 대형 축구 경기장》.

wen[1] [wen] *n.* **1** 〖의학〗 피지성(皮脂性) 낭포(囊胞), 혹. **2** 《비유》 이상(異狀)적으로 비대해진 도시; (the (Great) W-) 런던 시의 별명.

wen[2] *n.* 웬(고대 · 중세 영어에 사용된 룬(runic) 문자의 '*p*'; 후에 w 로 바뀜》.

wench [wentʃ] *n.* **1** 계집아이, 《특히》 촌색시; 하녀. **2** 《고어》 매춘부.

Wend [wend] *n.* 벤드족《슬라브족에 속하며 지금은 독일 Saxony 지방에 삶》.

wend (*p., pp.* **~·ed,** 《고어》 **went**) *vt.* 〖다음 관용구에만 쓰임〗 ~ one**'s way** (천천히) 가다. **—** *vi.* 《고어》 행차하다, 가다. ★ 이것의 옛 과거형 went가 go의 과거형이 되었음.

Wend·ish, Wend·ic [wéndiʃ], [-dik] *n.* [U], *a.* 벤드어〔족〕(의).

Wen·dy [wéndi] *n.* 웬디. **1** 여자 이름. **2** *Peter Pan*에 등장하는 3 남매의 장녀.

Wéndy hòuse 《영》 (안에 들어가 노는) 아이들〔장난감〕 집.

Wens·ley·dale [wénzlidèil] *n.* 웬즐리데일 《(1) 잉글랜드 Yorkshire 산(産) 치즈의 일종. (2) Yorkshire 원산의 뿔 없는 양》.

went [went] GO의 과거. [cf] wend.

wen·tle·trap [wéntltræ̀p] *n.* 〖패류〗 실꾸리고둥.

wept [wept] WEEP의 과거 · 과거분사.

†**were** [wə:r, 약 wər] BE의 과거《직설법 복수(2인칭에서는 단수에도) · 가정법 단수 및 복수》: The children ~ hungry. 아이들은 배가 고팠다 / If he ~ present, we could ask him. 그가 출석해 있다면 물을 수 있을 텐데. ***as it*** ~ 말하자면. ***if it*** ~ ***not for*** = ~ ***it not for*** …이 없다면, …의 도움이 아니면: *Were it not for* water, nothing could live. 물이 없다면, 아무것도 살 수 없을 것이다. ~ ***to*** ⇨ BE 6.

⁑**we're** [wiər] we are 의 간약형.

⁑**were·n't** [wə:rnt, wə́:rənt/wə:nt] were not 의 간약형.

wer(e)·wolf [wɛ́ərwùlf, wíər-, wə́:r-/wíə-, wɛ́ə-] (*pl.* **-wolves** [-wùlvz]) *n.* 〖전설〗 이리가 된 인간, 늑대 인간; (늑대처럼) 잔인한 사람.

Wer·ner [wə́:rnər, vɛ́ər-] *n.* 베르너. **1 Abraham Gottlob** ~ 독일의 지질학자(1749–1817). **2 Alfred** ~ 스위스의 화학자《노벨 화학상 수상(1913); 1866–1919》.

Wérner's sýndrome 〖의학〗 베르너 증후군 《조로증의 일종; 백발, 당뇨병, 백내장 등을 일으킴》. [◂C. *Werner* 20 세기 독일 의사]

wert [wə:rt, 약 wərt] 《고어》 〖주어 thou의 경우〗 BE의 2 인칭 · 단수 · 직설법 및 가정법 과거. [cf] wast, art².

wes·kit [wéskit] *n.* 조끼(vest)《특히 여성용의》.

Wes·ley [wésli, wéz-] *n.* **John** ~ 웨슬리《영국의 신학자 · 종교가로 감리교파(Methodism)의 창시자; 1703–91》.

Wes·ley·an [wésliən, wéz-] *a., n.* 웨슬리교파〔주의〕의 (교도). [파] **~·ìsm** *n.* [U] 웨슬리교〔주의〕.

Wes·sex [wésiks] *n.* 웨섹스《중세 잉글랜드 남부에 있었던 앵글로색슨 왕국》.

Wes·si [wési] *n.* 구(舊) 서독 사람.

†**west** [west] *n.* [U] **1** (보통 the ~) 서(西), 서쪽, 서방: in the ~ of …의 서부에 / on the ~ of …의 서쪽에〔서쪽과 접하여〕 / to the ~ of … 의 서쪽을 향하여. **2 a** (보통 the W-) 서부 지방〔지역〕: the *West* of Australia 오스트레일리아의 서부. **b** (the W-) 서양《동양에 대하여》; 서유럽, '서방측'《공산 국가에 대하여》; 〖역사〗 서로마 제국. **c** (the W-) 《미》 (미국의) 서부 《Mississippi 강 서쪽을 가리키며, 동부(the East)에 대하여 씀》. **3 a** (교회당의) 서(쪽). [cf] east. **b** (종종 W-) (브리지 따위에서) 서쪽 자리의 사람. [cf] south. **4** 《시어》 서풍(西風). ~ ***by north*** 서미북《서에서 11°15′ 북으로 기울음: 생략: WbN》. ~ ***by south*** 서미남《서에서 11°15′ 남으로 기울음; 생략: WbS》.

— *a.* **1** 서쪽의〔으로의, 에서 오는〕: a ~ gate 서쪽으로 향한 문, 서문 / *West* Africa 아프리카 서부. **2** 서양의, 서양풍〔식〕의. **3** (W-) 《미》 서부의.

— *ad.* 서쪽에〔으로, 에서〕: due ~ 진서(眞西)로 / The village is 〔lies〕 10 miles ~ of town. 그 마을은 읍의 서쪽 10 마일 지점에 있다. ***go*** ~ 서쪽으로 가다; 미국으로 가다; (go W-) 《미》 서부로 가다; 《구어》 죽다; 쓸모없게 되다, 못 쓰게 되다, 쇠하다《사업 따위가》; (돈 따위가) 없어지다. ***lie east and*** ~ 동서로 가로놓이다.

West., west. western.

wést·abòut *ad.* 서쪽으로.

Wést Bánk (the ~) 요르단 강 서안 지구 《1967 년 이스라엘이 점령》. [파] **Wést Bánker** 그곳 주민.

Wést Berlín 서베를린《1990 년 10 월 동 · 서독 통일로 East Berlin과 함께 하나의 Berlin으로 통합됨》.

wést·bòund *a.* 서쪽으로 가는〔향하는, 도는〕《생략: w.b.》.
Wést Céntral (the ~) 서부 중앙구(區)《London의 우편구(區)의 하나; 생략: W.C.》.
Wést Cóast (the ~) (미국의) 태평양 연안.
Wést Cóuntry (the ~) 《영》 서부 지방.
wést-cóuntry *a.* 《영》 서부 지방의〔에서 온〕.
Wést Énd (the ~) 《영》 웨스트 엔드《런던의 서부 지역; 대저택·큰 상점·극장 따위가 많음》.
wést·er *vi.* 서쪽으로 가다〔향하다〕; (천체가) 서쪽으로 나아가다〔기울다〕. **—** *n.* 서풍, 《특히》 서쪽에서 불어오는 강풍〔폭풍〕.
wést·er·ing [-riŋ] *a.* 서쪽으로 향하는, 서쪽으로 기운《해 따위》.
°**wést·er·ly** *a.* 서쪽에의; 서쪽에서 오는. **—** *ad.* 서쪽에〔으로〕; 서쪽에서. **—** *n.* 서풍; (*pl.*) 편서풍.
‡**west·ern** [wéstərn] *a.* **1** 서쪽의〔으로부터의, 에서의, 에 있는〕: a ~ course 〔route〕 서쪽으로 도는 항로〔노선〕. **2** (W-) 서양의, 구미의, 서방측의: *Western* science 서양의 과학. **3** (종종 W-) 《미》 서부 지방의: the *Western* States 《미》 서부 제주(諸州). **4** (W-) 서방 교회의. **—** *n.* **1** 서부 사람; 서쪽 나라 사람. **2** 서양인. **3** (종종 W-) 《미》 서부극; 서부 음악.
Wéstern Austrália 웨스턴오스트레일리아《오스트레일리아 서부의, 인도양에 면한 주》.
Wéstern blót 〖유전〗 웨스턴법(法)(Western method) 《추출 혼합액에서 특정 단백질을 검출하는 방법; AIDS 바이러스의 단백질 검출 등에 쓰임》.
Wéstern Chúrch (the ~) 서방 교회, 로마 가톨릭교회.
Wéstern Émpire (the ~) = WESTERN ROMAN EMPIRE.
°**wést·ern·er** *n.* 서부 지방 사람, (W-) 《미》 서부 (제주(諸州)) 사람; 서양인; 서양의 사상·생활을 신봉하는 사람; (W-) 서방측 정책〔사상〕의 지지자; 서유럽인《슬라브족을 제외한 유럽인》.
Wéstern Européan Union (the ~) 서유럽 연합《1948 년에 체결된 영국·프랑스·Benelux 3국 간의 군사 동맹; 1955 년 이후 옛 서독·이탈리아도 가맹》.
Wéstern Frónt (the ~) 서부 전선《제 1 차 세계 대전 때의 독일의 서쪽 전선》.
Wéstern Hémisphere (the ~) 서반구.
Wéstern Ísles (the ~) 웨스턴아일스《스코틀랜드 북서쪽의 여러 섬; 1975 년에 새 주가 됨》.
wést·ern·ìsm *n.* (보통 W-) (특히 미국의) 서부 지방 특유의 어법〔화법, 발음〕; 서유럽인적인 특징; 서양의 사상〔제도〕; 서양 기술〔전통〕 신봉.
wèst·ern·i·zá·tion *n.* Ⓤ 서유럽화.
wést·ern·ìze *vt.* (사고방식·생활 양식 등을) 서양식으로〔서유럽화〕하다.
wéstern lóok 〖복식〗 웨스턴 룩《미국 서부의 카우보이 복색을 모방한 것》.
wéstern médicine 서양 의료. ⓒⓕ alternative medicine.
wéstern·mòst *a.* 가장 서쪽의, 서단(西端)의.
wéstern ómelet 양파·햄 따위를 넣은 오믈렛.
Wéstern róll 〖높이뛰기〗 웨스턴 롤《바에서 먼 쪽의 다리를 먼저 올려, 몸을 바와 평행이 되게 하여 뛰어넘음》.
Wéstern Róman Émpire (the ~) 〖역사〗 서로마 제국(395-476).
Wéstern Samóa 서사모아《남태평양 사모아 제도에 있는 나라; 1997년 사모아로 바뀜.
wéstern sándwich 웨스턴 샌드위치《western omelet을 끼운 샌드위치》.
wéstern·stýle *a.* (때로 W-) 서양풍의, 양식의: a ~ hotel 서양식 호텔.
Wést Germánic 〖언어〗 서부 게르만어《High German, Low German, English, Frisian, Dutch 따위》.
Wést Gérmany 서부 독일《독일 연방 공화국(Federal Republic of Germany)의 통칭; 수도 Bonn; 1990 년 10 월 East Germany를 흡수하여 통일 독일 탄생》.
Wést Glamórgan 웨스트글러모건《1974 년에 신설된 웨일스 남동부의 주》.
Wèst Híghland whíte térrier 웨스트 하이랜드 화이트 테리어《스코틀랜드 산의 소형 테리어(개)》.
Wést Índian 서인도 제도의 (사람).
Wést Índies (the ~) 서인도 제도.
wést·ing *n.* Ⓤ 〖해사〗 서항(西航)〔편서(偏西) 항행〕 거리; 서행, 서진(西進).
Wést·ing·house Eléctric [wéstiŋhaus-] 웨스팅하우스 일렉트릭(사)《미국의 종합 전기 기기 제조 회사; 1886 년 설립; 생략: WH》.
Wést Iri·án [-íəriɑ̀:n] 서이리안《New Guinea 섬 서부에 있는 인도네시아의 주》.
Wést Iri·an·ése [-ìəriəní:z] 서이리안의 주민.
Westm. Westminster; Westmorland.
wést·màrk *n.* = DEUTSCHE MARK.
Wést Mídlands 웨스트미들랜즈《잉글랜드 중부의 주(州); 1974 년 신설; 주도는 Birmingham》.
West·min·ster [wéstmìnstər] *n.* **1** 웨스트민스터《런던의 한 구역》. **2** = WESTMINSTER ABBEY. **3** 영국 국회 의사당; 의회 정치. ***at*** **~** 《영》 의회에서.
Wéstminster Ábbey 웨스트민스터 성당《런던에 있으며, 국가적 공훈이 있는 사람의 장지》; (이 성당에 모실 만한) 명예로운 죽음.

Westminster Abbey

Wéstminster Cathédral 영국 가톨릭 교의 대본당(大本堂).
Wéstminster Schóol 웨스트민스터에 있는 public school.
West·mor·land [wéstmɔ̀:rlənd/wéstmələnd] *n.* 웨스트모얼랜드《잉글랜드 북서부의 옛 주; 지금은 Cumbria 주의 일부》.
wést·mòst *a.* = WESTERNMOST.
wést-nòrth·wést *n.* (the ~) Ⓤ 서북서. **—** *a., ad.* 서북서의〔로, 에서〕.
Wést Póint 《미》 웨스트포인트《New York 주에 있는 미육군 사관학교 (소재지)》. ⓟ **~·er** 미육군 사관학교 생도〔출신자〕.
West·po·li·tik [véstpoulitì:k] *n.* 《G.》 서방〔서유럽〕 정책《동유럽 공산 국가가 서유럽 여러 나라와 외교 통상 관계를 정상화하려는 정책》.
Wést Sáxon 웨스트색슨 왕국의 주민; (고대 영어의) 웨스트색슨 방언.
Wést Síde (the ~) 웨스트사이드《미국 New York시 Manhattan 섬 남부의 지구》.
Wést Síde Stòry '웨스트사이드 스토리'. **1** 뮤지컬 극본 *Romeo and Juliet* 의 줄거리를 현대화한 Arthur Laurents의 각본《1957 년 초연》. **2** R. Wise 감독에 N. Wood, G. Chakiris 주연의 미국의 뮤지컬 영화《1961》.
wést-sòuth·wést *n.* (the ~) Ⓤ 서남서. **—** *a., ad.* 서남서의〔로, 에서〕.
Wést Sússex 웨스트서섹스《잉글랜드 남부의 주; 1974 년 Sussex에서 분할; 주도는 Chich-

ester》.

Wést Virgínia 웨스트버지니아《미국 동부의 주; 생략: W. Va.》. ㊎ **~n** *a., n.* 웨스트버지니아 주의 (사람).

*__west·ward__ [wéstwərd] *a.* 서쪽으로 향하는; 서부의. **—** *ad.* 서부로, 서쪽으로. **—** *n.* (the ~) 서방, 서부 지방; 서쪽 나라. ㊎ **~·ly** *ad., a.* 서쪽으로(의), 서쪽에서(의).

west·wards [wéstwərdz] *ad.* =WESTWARD.

Wést Wíng (the ~) 웨스트윙《미국 대통령 집무실이 있는 백악관 서쪽 부분》.

Wést Yórkshire 웨스트요크셔《잉글랜드 북부의 주; 1974 년 신설; 주도는 Wakefield》.

__wet__ [wet] (*-tt-*) *a.* **1 젖은, 축축한; (천연가스가) 습성의; (아기가) 오줌을 싼. OPP *dry.* ¶ ~ eyes 눈물 젖은〔어린〕 눈 / ~ hands 젖은 손 / I got dripping ~. 함빡 젖었다. **2** 비 내리는, 비의; 비 올 듯한; 비가 잘 오는: a ~ day 비 오는 날 / a ~ sky 비올 듯한 하늘 / We have had too much ~ weather this summer. 이번 여름은 비가 너무 왔다 / the ~ season 우기 / a ~ region 다우(多雨) 지대. **3** (페인트 등을) 갓 칠한: *Wet* Paint! 《게시》 페인트〔칠〕 주의. **4** 《미》 주류 판매를 인정하는 《주 따위》; 금주법에 반대하는: a ~ State 비금주 주(州). **5** (알코올·시럽 등에) 절인; 〖화학〗 습식(濕式)의. **6** 《속어》 거나한, 술 좋아하는: have a ~ night 밤새 마시다. **7** 《영구어》 나약한, 감상적인; 《영속어》 틀려먹은, 얼간이의; 《Austral. 속어》 화난, 짜증 난. ***all*** **~** 《속어》 전혀 잘못 생각한, 틀린. **~ *behind the ears*** 《구어》 미숙한. **~ *through*** **=~ *to the skin*** 함빡 젖어.

— *n.* Ⓤ **1** 물; 액체. **2** 습기, 물기. **3** (the ~) 우천, 비, 비내림: walk in the ~ 빗속을 걷다 / Come in out of the ~. 비 맞지 말고 들어오시오. **4** 《미》 (주류 판매를 인정하는) 반금주론자; 《영속어》 바보, 얼간이. **5** 《영속어》 술; 음주. **6** (the ~) 젖은 곳, 진창. ***drop*** **a person *in the ~ and sticky*** 《속어》 아무를 곤경에 빠뜨리다.

— (*p., pp.* **~, ∠·ted; ∠·ting**) *vt., vi.* 〖과거·과거분사의 wet는 주로 《미》〗 **1** 축이다, 적시다; 젖다, 축축해지다; …에 오줌을 싸다.

> SYN. **wet** '적시다'의 일반적인 말. **drench** 물방울이 맺혀 떨어질 정도로 적시다. 함빡 적시다: A heavy rain *drenched* the clothes. 퍼붓는 비로 옷이 함빡 젖었다. **saturate** 이 이상 더 흡수할 수 없을 정도로 적시다: *saturate* a sponge 스펀지를 흠뻑 물에 적시다. **soak** 물에 담그다, 적시다: *soak* beans before cooking 콩을 요리하기 전에 물에 넣어 불리다.

2 술을 마시어 축하하다〔마시고 행하다〕. **~ *a bargain*** 술좌석에서 계약을 맺다. **~ *down*** 물을 뿌려 축이다. **~ *out*** (직물 원료를) 물에 담그다. **~** one***'s*** 〔***the***〕 ***bed*** (아이가) 자리에 오줌을 싸다. **~** one***'s whistle*** 〔***goozle, throat***〕 《구어》 술을 마시다.

㊎ **∠·ly** *ad.* **∠·ting** *n.*

we·ta [wéitə] *n.* New Zealand산(産) 대형 꼽등잇과(科)의 곤충.

wét·bàck *n.* 《미구어》 (특히 Rio Grande 강을 헤엄쳐서) 미국으로 밀입국하는 멕시코인.

wét bár 수도 설비가 돼 있는 카운터.

wét bàrgain 주석(酒席)에서 맺어지는 계약.

wét blánket (불 끌 때 쓰는) 젖은 담요; 《구어》 흥〔트집〕을 들추는〔잡는〕 사람, 낙심시키는 사람〔일〕, 흥을 깨는 사람〔일〕.

wét-blánket *vt.* …의 흥을 깨다.

wét bób 《영속어》 보트를 좋아하는 학생《Eton 교에서》.

wét bùlb (온도계의) 습구(濕球); =WET-BULB THERMOMETER.

wét-bùlb thermómeter 습구 온도계.

wét cèll 습전지.

wét dòck 습선거(濕船渠)《배의 수위를 일정하게 유지하기 위해 수문을 닫는 독》.

wét-dóg shàkes 《속어》 마약이나 알코올을 끊을 때 몹시 떠는 일.

wét dréam 몽정(夢精).

wét físh 물좋은 생선.

wét flỳ 물속에 가라앉혀서 낚는 제물낚시.

wét gòods 《미》 주류(酒類).

weth·er [wéðər] *n.* 불깐 숫양(羊).

wét láb 〔**labóratory**〕 해중(海中) 실험실.

wét·lànd *n.* (보통 *pl.*) 습지대.

wét léasing 승무원·기관사 기타의 완비된 항공기의 임대. 「리).

wét lóok (천·가죽·플라스틱 따위의) 광택(처

wét·ness *n.* 축축함, 젖어 있음; 강우(降雨).

wét·nòse *n.* 《속어》 풋내기, 촌놈.

wét nùrse 유모. OPP *dry nurse.*

wét-nùrse *vt.* …의 유모가 되다, …의 유모가 되어 젖을 먹이다; …을 과보호하다.

wét pàck 찜질(요법).

wét plàte 〖사진〗 습판(濕板).

wét pléurisy 〖의학〗 습성 늑막염.

wét ròt 물에 젖어 썩음, 습식(濕蝕).

wét sùit (잠수용) 고무 옷.

wét·ta·ble *a.* 적실 수 있는; 〖화학〗 (습윤제의 첨가 따위로) 젖기 쉽게 된, 가용성(可溶性)이 된. ㊎ **wèt·ta·bíl·i·ty** *n.* 습윤성〔도〕. 「AGENT.

wét·ter *n.* 적시는 사람, 침윤 작업공; =WETTING

wét thúmb 어류〔수서 동물〕 사육 재능.

wét·ting(-óut) àgent 〖화학〗 습윤제(濕潤劑), 전착제(展着劑)(spreader).

wet·tish [wétiʃ] *a.* 축축한, 눅눅한.

wét·wàre *n.* (컴퓨터의 소프트웨어를 고안해 내는) 인간의 두뇌; 《해커속어》 컴퓨터 인간.

wét wàsh 〔집합적〕 젖은 빨래.

WEU, W.E.U. Western European Union.

**__we've__ [wiːv, wiv] we have의 간약형.

wey [wei] *n.* 《영》 옛날 무게의 단위《물건에 따라 다름; 양털로는 182 파운드》.

WF [dʌ́bljuːéf] *n.* 《미》 (성적 평가의) WF《소정 기간이 지난 다음, 도중에 학과 이수를 중지한 학생에게 교사가 매기는 불합격점; cf. WP》. [◂ *w*ithdrawn *f*ailing]

wf, w.f. 〖인쇄〗 wrong font(활자 틀림)《교정 용어》. **WFP** World Food Program(세계 식량 계획)《사무국 Rome》. **WFTU, W.F.T.U.** World Federation of Trade Unions. **wg.** wing. **W.G., w.g.** weight guaranteed; water gauge; wire gauge. **Wg. Cdr.** Wing Commander(공군 중령). **W. Ger.** West Germanic; West Germany. **wgt., wt.** weight. **WH, wh, Wh, whr** 〖전기〗 watt-hour(s). **wh, wh.** white. **wh.** which.

◇**whack** [*h*wæk/wæk] *vt.* **1** 《구어》 (지팡이 따위로) 철썩 때리다, 세게 치다; 《영구어》 패배시키다. **2** 《속어》 …을 나누다, 몫으로 나누다 《때로 *up*》. **3** 《속어》 쳐서 끊다; 감하다; (마약의 양을) 줄이다. **—** *vi.* 《구어》 철썩 치다《*at*》. **~ *off*** 《*vt.*+부》 ① (…을) 잘라 버리다. **—** 《*vi.*+부》 ② 《미속어·비어》 자위 행위를 하다. **~ *out*** 《속어》 기운차게 만들어 내다〔행하다 따위〕; 《미속어》 죽이다; 《미속어》 도박으로 빈털터리가 되다. **~ *up*** 《속어》 늘리다, (…의 속도를) 빠르게 하다.

— *n.* **1** 《구어》 철썩〔세게〕 치기; 〖야구〗 안타, 히트. **2** 《속어》 기도, 시도(try, attempt), 기회;

《속어》 한번, 일회, 단번(의 동작·경우): borrow fifty dollars all at one ~ 한목에 50달러를 빌리다. **3** 《속어》 몫, 분배. **4** Ⓤ 《미속어》 (좋은) 상태, 형편(condition). **5** 《영속어》 자기 부담. ***at a* 〔*one*〕 ~** 《구어》 단숨에, 재빨리. ***get* 〔*have, take*〕 one's ~ *of*** 《속어》 …의 몫을 받다, …을 한번 맛보다. ***have* 〔*take*〕 *a* ~ *at*** 《속어》 …을 시도하다〔하여 보다〕. ***in* ~** 《미속어》 정상(상태)에서. ***on* ~** 《해사속어》 최소한의 식료품을 지급받고. ***out of* ~** 《미구어》 상태가 나빠.

whacked [-t] *a.* 《영구어》 몹시 지친, 노그라진(*from*); 《속어》 곤드레가 된.

whácked-óut *a.* 《속어》 =WHACKED; WACKY.

wháck·er *n.* 《구어》 **1** 때리는 사람. **2** (같은 종류 중) 큰 놈(사람·물건); 허풍. **3** 가축 떼를 모는 사람. **4** 철도 차량 검사원.

whácking *a.* 《구어》 거창한, 굉장히 큰. **—** *ad.* 《구어》 굉장히. **—** *n.* 철썩〔세게〕치기, 강타.

whacko [*h*wǽkou/wǽk-] (*pl.* **~s**) *n.* 《미속어》 괴짜, 이인(異人). **—** *a.* 《영속어》 굉장한 (splendid).

whacky [*h*wǽki/wǽki] *a.* 《미속어》 =WACKY.

whácky Wíllies 《속어》 환성을 지르거나 휘파람을 불며 박수갈채하는 관객.

⁑whale¹ [*h*weil/weil] *n.* **1** 〖동물〗 고래. **2** 《속어》 탐욕스러운〔열심인, 썩 잘하는〕 사람(*at; for; on*); 《속어》 거대한 사람〔것〕, 뚱뚱한 사람; (W-) 《미군대속어》 고래(공중 급유(給油)의 모기(母機)로 쓰인 A-3형 전투기의 별명): a ~ *on* reading 굉장한 독서가/a ~ *at* tennis 테니스의 명수. **3** (the W-) 〖천문〗 고래자리(Cetus). ***a* ~ *of a* …** 《구어》 굉장한…, 대단한…: *a* ~ *of a* difference 〔scholar〕 대단한 차이〔학자〕. ***It is very like a* ~.** 암 그렇고말고요, 네 말씀하신 그대로고말고요(모순된 상대방 이야기에 비꼬는 말). **—** *vi.* 고래잡이에 종사하다.

whale² 《미구어》 *vt.* 매질하다; 때리다; 강타하다; 패배시키다. **—** *vi.* 기세 좋게 해치우다 (*away; at*).

whále·bàck *n.* 〖미국사〗 귀갑(龜甲) 갑판 화물선(파도를 덮어써도 물이 곧 흘러내리게 되어 있음); 귀갑 갑판; 고래등 모양의 것.

whále-bàcked [-t] *a.* 귀갑 모양으로 볼록한, 고래등 같은. 「《원래는 포경용》.

whále·bòat *n.* (앞뒤가 뾰족한) 구명용 보트

whále·bòne *n.* Ⓤ 고래수염(baleen); Ⓒ 그 세공품: a ~ whale (참고래·큰고래 따위) 수염이 많은 고래.

whále càlf 새끼 고래.

whále càtcher 〔**chàser**〕 포경선.

whále fin 고래수염(baleen).

whále fishery 고래잡이, 포경(捕鯨) 어업 (=**whále fishing**); 포경장(場).

whále lìne 〔**ròpe**〕 작살 밧줄.

whále·man [-mən] (*pl.* **-men** [-mən, -mèn]) *n.* 고래잡이 (선원); 포경선.

whále òil 고래 기름.

whál·er *n.* 고래잡이(사람); 포경선.

whal·ery [*h*wéiləri/wéil-] *n.* 포경업; 고래 가공 공장, 고래 가공선.

whále shàrk 〖어류〗 고래상어(길이 18m, 몸무게 수십 톤으로 어류 중 최대). 「경.

whal·ing¹ [*h*wéiliŋ/wéil-] *n.* Ⓤ 고래잡이, 포

whal·ing² *a., ad.* 《구어》 =WHACKING.

wháling gùn 포경포, 작살 발사포.

wháling màster 포경선 선장.

wháling shìp 포경선.

wham [*h*wæm/wæm] *n.* 강한 타격; 충격; 쾅(소리). **—** (**-mm-**) *vt., vi.* 후려갈기다, 쾅 치다. **—** *ad.* 별안간에.

whám-bám〔**-báng**〕 *ad.* 거칠게, 난폭하게. **—** *a.* 거친, 난폭한, 소란한, 굉장한, 강렬한.

wham·my [*h*wǽmi/wǽmi] *n.* 《미속어》 **1** (길흉을 가져오게 하는) 주문; 불운, 재수없는 것(jinx); 흉안(凶眼)(evil eye)(이 눈으로 노려보면 재앙이 온다고 함). **2** 강한 힘〔타격〕, 《특히》 치명적〔결정적〕인 일격. ***put a* 〔*the*〕 ~ *on*** ① (아무를) 인사불성으로〔못 움직이게〕 만들다, (물건을) 못쓰게 만들다. ② (아무를) 압도하다, (계획 등을) 각하하다. ③ (아무)의 불운을 염원하다; …의 운을 나쁘게 하다, …을 탈잡다.

whang [*h*wæŋ/wæŋ] 《구어》 *vt.* 강타하다(beat, whack), 뻥〔찰싹, 탕〕 때리다. **—** *vi.* 뻥〔찰싹, 탕〕 하고 울리다〔울려 퍼지다〕; 강타하다(*away; at*); 기세 좋게 공격하다〔덤비다〕(*away; at*). **—** *n.* 뻥〔찰싹, 탕〕 때림; 그 소리; 《비어》 음경.

whang·(h)ee [*h*wæŋgíː/wæŋ-] *n.* 왕대·솜대류의 대(중국산); 그것으로 만든 지팡이〔승마용 채찍〕.

whap [*h*wɑp, hwæp/wɔp] *vt., vi., n.* =WHOP.

whap-o [wǽpou] *ad.* 갑자기, 확.

wha·re [*h*wɑ́rei, fɑ́r-/wɔ́ri] *n.* 《N. Zeal.》 (마오리(Maori)인의) 오두막집; (양털을 깎아 넣어 두는) 가옥(假屋).

wharf** [*h*wɔːrf/wɔːf] (*pl.* **~s, *wharves [-vz]) *n.* 부두, 선창(pier). ⓒⓕ pier. **—** *vt.* (배를) 부두에 매다; (짐을) 선창에 풀다; …에 부두를 설비하다. **—** *vi.* 부두에 닿다.

wharf·age [*h*wɔ́ːrfidʒ/wɔ́ːf-] *n.* **1** Ⓤ 부두 사용(료); 계선료. **2** 〔집합적〕 부두 (시설).

wharf·ie [*h*wɔ́ːrfi/wɔ́ːfi] *n.* 《Austral.·N. Zeal. 속어》 항만 노동자. 「관리인.

wharf·in·ger [*h*wɔ́ːrfindʒər/wɔ́ːf-] *n.* 부두

whárf·màster *n.* =WHARFINGER.

whárf ràt 시궁쥐(brown rat); 《속어》 부두의 거지〔부랑자〕.

whárf·sìde *n., a.* 부두 주위(의).

wharves [*h*wɔːrvz/wɔːvz] WHARF 의 복수.

†what ⇨(p. 2828) WHAT.

what·cha·ma·call·it [*h*wʌ́tʃəməkɔ̀ːlit, *h*wɑ̀tʃ-/wɔ̀tʃ-] *n.* 《구어》 =WHAT-DO-YOU-CALL-IT. [◂what you may call it] 「did 의 간약형.

what'd [*h*wʌ́tid, *h*wɑ́t-, *h*wʌ́d/wɔ́tid] what

whát-do-you-càll-it 〔**-them, -her, -him**〕 *n.* 무어라 하는 것〔사람〕(이름을 모르거나 잊었거나 쓰기 싫을 때 씀).

what·e'er [*h*wʌtέər, *h*wɑt-/wɔt-] *pron., a.* 《시어》 =WHATEVER.

⁑what·ev·er [*h*wʌtévər, *h*wɑt-, *h*wət-/wɔt-] *pron.* 〔ever 에 의한 what 의 강조〕 **1** 〔명사절을 인도〕 …하는〔…인〕 것은 무엇이든(anything that…): Do ~ you like. 좋을 대로 해라/*Whatever* he does matters little. 그가 무엇을 하든 간에 별 문제 안 된다. **2** 〔부사절을 인도〕 무엇을〔무엇이〕 …하든지〔이든지〕: *Whatever* you do, do it well. 무엇을 하든지 훌륭히 해라. **3** 〔의문사〕 《구어》 도대체 무엇을〔무엇이〕(what ever, what in the world): *Whatever* do you mean? 도대체 무슨 뜻이냐. ***or* ~** 또는 무엇이든 유사한 것: rook or raven *or* ~ 띠까마귀나 갈가마귀나 무엇이든 그러한 것.

— *a.* 〔관계사: 양보를 나타냄〕 **1** 〔명사절을 인도〕 …하는 모든, …하는 어떤 —도: *Whatever* orders he gives are obeyed. 그가 내리는 어떤 명령도 잘 지켜진다. **2** 〔부사절을 이끎〕 어떤 …이라도(no matter what): *Whatever* results may follow, I'll try again. 어떤 결과가 되든, 다시 해 볼 것이다. **3** 〔no, any 따위가 있는 부정적인 문장 중에서〕 조금의 …도 (없는): There is *no* doubt ~. 전연 의심할 여지가 없다/Is there *any* chance ~? 얼마간의 가망성은 있느냐.

품사상으로는 주로 대명사와 형용사로 나뉘지만, 뜻과 구문의 유사성에서는 which, when 따위와 거의 같게 의문사·관계사의 두 가지 면으로 갈리며, 이 낱말의 운용상 이러한 구별이 한층 중요한 요소가 된다. 따라서 다른 일반적 말과는 달리 우선 의문사·관계사로 대별해 놓고 품사는 각각 그 내부에서 분류했다. 이렇게 하는 것이 전체 설명이 상호 유기적으로 되기 때문이다.

what [*h*wʌt, *h*wɑt, 약 *h*wət/wɔt, 약 wət] **A** 《의문사》 *pron.* 〖의문대명사〗 **1** 무엇, 어떤 것〔일〕; 무슨(일) **a** 〖주어·보어·목적어로서〗: *What* happened? 무슨 일이 일어났는가 / *What* made you think (that) he was honest? 어찌해서 자넨 그가 정직하다고 생각했나 / *What* is this? 이것은 무엇인가 / *What* has become of him? 그는 어떻게 되었습니까 / *What* do you mean (by that)? (그건) 무슨 뜻인가 / *What* are you looking for? 무얼 찾고 있습니까《For ~ are you looking? 은 딱딱한 표현》/ *What* do you think of this picture? 이 그림을 어찌 생각하십니까《이때 How ...? 라고는 하지를 않음》. **b** 〖간접의문의 절이나 +to do의 형태로〗: Do you know ~ this is? 이것이 무엇인지 아십니까 / Tell me ~ has happened. 무슨 일이 있었는지 말해 주시오 / I don't know ~ *to* do. 어찌해야 좋을지 모르겠다. **c** 〖흔히 문장 끝에서; 되묻는 의문문〗《흔히 올림조가 되며, 상대방에 대한 놀라움·확인 따위에 쓰임》: Here comes the teacher. —*What*? 선생님이시다 —뭐라고《《속어》으로는 You *what*? 라고도 하지만, I beg your pardon? (↗)이 보통임》/ You told him ~? 그에게 뭐라고 말했다고《흔히 '엉뚱한 소리를 했구나'의 뜻》/ I've been writing a letter. —Writing ~? (↗) 편지를 쓰고 있었어. —무엇을 쓰고 있었다고 / Open the bottle with this ring. —With ~? 병을 이 반지로 따게. —무엇으로. ★ 두 개 이상의 의문사를 쓸 수도 있음: *Who* did *what*? 누가 어떻게 했다고.

2 a 얼마, 얼마나〔쯤〕: What is the price (of this camera)? (이 카메라의) 값은 얼마인가 / *What* (=How much) are the charges? 요금은 얼마인가 / *What* is the population of Busan? 부산의 인구는 얼마쯤〔나〕 됩니까 / *What* is your age 〔weight, height〕? 나이〔몸무게, 키〕가 몇 살입니까〔얼마나 됩니까〕. **b** 〖직업 따위를 물어〗 무엇하는 사람, 어떤 사람: *What* is he? 그는 무엇하는 사람인가《직업을 묻는 말인데, 상대에게 *What* are you? 라고 묻는 것은 실례이므로 *What* do you do?, *What's* your occupation? 따위를 사용함》.

3 〖감탄문에 쓰이어〗 정말이지 많이, 얼마나: *What* it must cost! 정말이지 엄청난 돈이 들기도 하는군 / *What* wouldn't I do for a drink! 술을 한잔 하라면 무엇이든 하겠건만; 한잔 했으면.

— *a.* 〖의문형용사〗 **1 a** 무슨, 어떤, 《구어》 어느 (which); 얼마만큼의: *What* day (of the week) is this? = 《구어》 *What* is today? 오늘은 무슨 요일인가 / *What* time is it? 몇 시입니까 / *What* size is your hat? (*What* is the size of your hat?) 네 모자(의) 사이즈는 얼마나 되는가 / *What* fruit do you like best? 어떤 과일을 가장 좋아하는가. ★ 대체로 what는 부정수(不定數) 중의 '무엇'을 묻고, which는 일정수 중에서의 선택을 물음. **b** 〖간접의문의 절을 이끌어〗 무슨, 어떤, 얼마만큼의: I don't know ~ plans she has. 그녀가 어떤 계획을 가졌는지 나는 모른다 / I didn't know ~ clothes I should wear 〔~ clothes to wear〕. 어떤 옷을 입어야 좋을지 몰랐다.

2 〖감탄문에 쓰이어; 다음이 셀 수 있는 단수명사이면 a, an 을 사이에 두고 결합됨〗 정말이지, 얼마나: *What* nonsense! 이 얼마나 어이없는 일인가 / *What a* man! 허 그 사람 참《어이없을 때, 감탄할 때》/ *What a* pity! 참 가련도 하다, 정말〔참〕 안됐다 / *What a* beautiful day (it is)! 날씨 참 좋기도 하다(=How beautiful this day is!) / *What a* nice car 〔*What* nice cars〕 you have! 정말이지 좋은 차를 갖고 계시군요. ★ (1) 주어·동사의 어순은 평서문과 같음. (2) 이런 구문에서는 종종 주어와 술어동사를 생략함.

— *ad.* 〖의문부사〗 어떻게, 얼마만큼, 얼마나, 어떤 점에서: *What* does it matter? 그것이 어쨌다는 건가, 아무래도 상관이 없지 않은가 / *What* does it profit him? 그것이 그에게 무슨 이득이 되는가 / *What* do I care? (그런 것) 상관없다.

I know ~. 《구어》 좋은 생각이 있다. ***I will tell you ~.*** 실은 이렇다; 좋은 수를 말씀드리지; 그럼 이렇게 하지. ***What about*** 〔***of***〕***...?*** ① 〖상대에게 권유하여〗 …하는 게〔…은〕 어떤가: *What about* bed? 이제 자는 게 어떤가 / But ~ *about* her? 그럼 그녀는 어떤가 / *What about* a walk 〔*about* walking home〕? 산책을 하는 게〔집까지 걷는 게〕 어떤가. ② …은 어떻게 되는가, …은 어떻게 되어 있나: *What about* me? 나(의 경우)는 어떻게 되나 / *What about* your homework? 숙제는 어떻게 되었느냐. ③ 〖비난을 나타내어〗 …은 어찌 되었나: *What about* your manners! 예절은 어디 갔지. ***What*** (***did you say***)***?*** 뭐(라고)《되물음; 보통 올림조》. ***What do you do?*** 하시는 일은 (무엇입니까), 무슨 일을 하십니까. ***What do you mean?*** 말씀하시는 뜻은, 그건 무슨 뜻입니까. ***What do you say to ...?*** …이 어떨까요, …은 어떤가요, …하시지 않으렵니까; …에 관한 의견은 어떠신지요: *What do you say to* a walk in the park 〔*to* walking home〕? 공원을 산책하는 게〔집까지 걷는 게〕 어떨까. ***What do you think?*** ① 어떻게 생각하나(≒How do you think?). ② 무엇이라고 생각하나: What do you want? —*What do you think* (I want)? 무얼 원하나 —뭐라고 생각해. ***What do you think of*** 〔***about***〕 (his house 〔idea〕)? (그의 집〔생각〕)을 어떻게 생각하는가. ***~-d'ye-call-him*** 〔***-her, -it, -them***〕 뭐라고 하는 사람, 아무개씨, 어떤 분, 뭐라는 것. ***What ever ...?*** 도대체 무슨 …인가: *What ever* happened? 대체 무슨 일이 일어났나. ***~ for*** ① 무엇 때문에, 어째서. ② 《구어》 후려갈김, 질책, 비난: I gave him ~ *for*. 혼내 주었다. ***What*** (***...***) ***for?*** ① 무슨 목적으로, 왜, 무엇 때문에(why): Take him? *What for?* 그를 데리고 간다고? 뭣 때문에 / *What* did you do that *for?* 어째서〔무엇 때문에〕 그런 일을 했나. ② (물건이) 무슨 목적에 쓰이어: *What's* this gadget *for?* 이 기구는 무엇에 쓰이는 것인가요. ***~ have you*** 《미속어》 =***and*** 〔***or***〕 ***~ not*** =《구어》 ***and I don't know ~*** (***else*** 〔***all***〕) (열거한 뒤에) 그 밖에 그런 따위의 것〔여러 가지〕, …따위, 등등: novels, short stories, plays, *and ~ not* 〔*~ have you*〕 장편소설, 단편 소설, 희곡 따위. ***What if ...?*** …라면〔하면〕 어찌될 것인가; (설사) …한다 하더라도 어쨌단 말인가, …한들 상관없지 않은가: *What if* we should fail? 만일 실패하면 어찌하지; 설사 실패하더라도 상관〔관계〕없지 않은가. ***What is it all about?*** 대체 (문제가 돼 있는 건) 무엇인가. ***What is that to you?*** 그것이 네게 무슨 상관이 있는가; 그것을 알아 무엇하는가. ***What... like?***

어떠한 사람〔것, 일〕인, (상태·형편이) 어떠하여: *What*'s the new principal *like?* 새 교장 선생님은 어떤 분인가/*What*'s it *like* going there alone? 그곳에 혼자 가는 것이 기분상 어떠하십니까〔어땠습니까〕. ***What next?*** (어처구니없는 일이지만) 다음은 어떻게 나올 건가; 놀랍군, 어이없군, 발칙〔괘씸〕하군. **~ *not*** 《구어》 그 밖의 유사한 것들, 등등. ***What of it?*** 《구어》 그것이 어쨌단 말인가, 상관없지 않은가. ***~'s his*** 〔***her, their***〕 ***name*** 《구어》 뭐라고〔던가〕 하는 남자〔여자, 사람들〕: Jane's gone out with *~'s his name.* 제인은 그 뭐라고 하는 남자와 함께 나갔다. ***~'s it*** =***~'s its name*** 《구어》 그 뭐라고〔뭐라던가〕 하는 것《이름이 생각나지 않는 기구 등에 이름》: I bought a *~'s it.* 그 뭐라던가 하는 것을 샀다. ***What's new?*** 《구어》 무어 색다른 일 없는가, 어떻게 지내나《종종 How are you?/How are you doing? 을 대신하는 인사말의 표현으로 쓰임》. ***What's o'clock?*** 《영》 몇 신가. ***~'s*** 〔***~ was***〕 ~ 무엇이 무엇인지; 《구어》 진상《흔히 know, see, find out의 목적어로 쓰임》. ***What though ...?*** 설사 …더라도 무슨 상관이 있는가: *What though* we are poor? 가난한들 상관이 없지 않은가. ***What will people say?*** 세상 사람들이 무엇이라(고) 할 것인가. **~ *with*** (A) ***and*** (***~ with***) (B) =**~ *between*** (A) ***and*** (B), A다 B다 하여, A하거나 B하거나 하여《A, B는 명사·동명사이며, 흔히 좋지 않은 사태의 원인 둘 이상을 이끎》: *What with* school and (*~ with*) work to earn my living, I had little time to play. 한편으론 학업이다, 한편으론 생계를 위한 일이다 하여 놀 틈은 거의 없었다. **~ *with one thing and another*** 이것저것으로. ***What would I not give to*** do? … 을 위해서라면 무슨 희생인들 아끼겠는가.

— ***int.*** **1** 〖보통 의문문에서 놀라움·노여움·곤혹스러움 따위를 나타내어〗 뭐라고, 저런, 어머나: *What,* no salt? 저런, 소금이 없다고/*What!* Not really? 뭐라고, 설마. **2** 〖수량을 말할 때 뜸을 들여서〗 저, 에: There are ~—about four hundred million English speakers in the world. 세계적으로 영어 사용 인구는, 에, 4억 정도 된다.

B 《관계사》 *pron.* 〖관계대명사〗 **1** 〖선행사를 포함하여〗 〖단·복수취급〗 **a** …하는 것〔일〕 (that which, the thing(s) that, *etc.*): *What* he says is true. 그가 하는 말은 사실이다/*What* we need most is books. 가장 필요한 것은 책이다《what 절+be+주격보어의 꼴일 때는 그 주격보어가 복수라도 원칙적으로는 단수로 받음》/He is not ~ he was. 그는 이제 이전의 그가 아니다/Things are not ~ they seem. 사물은 겉보기와는 다른 법이다/He always does ~ he believes is right. 그는 항상 자기가 옳다고 믿는 것을 한다《what은 is의 주어》/He pointed to ~ looked like a bird. 그는 새처럼 보이는 것을 가리켰다.

b …하는 것은 무엇이나〔무엇이든〕《보통 다음 구로서》: Do ~ you please. 하고 싶은 것이면 무엇이든 하여라(=Do anything you like.)/Come ~ may 〔will〕, I will not break my word. 무슨〔어떤〕 일이 있어도 약속은 깨지 않겠다(=《구어》 No matter ~ happens...). **2** 〖삽입절을 이끌어〗 (더욱) …한 것은: The house is too old, and, ~ is more, it is too expensive. 그 집은 너무 낡았다. 게다가 값도 너무 비싸다/Bill is a fine athlete; ~ is more important, he is a good musician. 빌은 훌륭한 운동 선수이지만, 더욱 중요한 것은 그가 뛰어난 음악가라는 사실이다《what is를 생략 more important 로만 해도 좋음》.

— *a.* 〖관계형용사〗 (…하는) …은 무엇이든, (…할) 만큼의《이 용법에서는 '얼마 안 되지만 전부'란 뜻이 함축되어 있으며, 구체적으로 what little 〔few〕 …라고 표현할 때도 있음》: I gave him ~ comfort I could. 그를 위로하기 위하여 내가 할 수 있는 일은 다했다/Lend me ~ money 〔men〕 you can. 될 수 있는 만큼의 돈〔일손〕 좀 빌려 주시오/I'll lend you ~ *few* books I have on the subject. 그 문제에 관해 제가 갖고 있는 책이 많지는 않지만 무엇이건 빌려드리죠/We gave him ~ *little* we had. 얼마 안 되지만 있는 것은 모두 주었다.

be the matter ~ it may 무슨〔어떤〕 일이든. ***but ~...*** 〖부정구문에서〗 …하지 않는: *Not* a day *but* ~ it rains. 비 오지 않는 날이 없다. ★ but what 는 but, but that 와 같은 뜻·용법이지만, 더 구어적임. ***for ~ I care*** =for ANYTHING I care. ***for ~ I know*** =for ANYTHING I know. ***for ~ it is worth*** (진위(眞僞) 여부는 확실치 않지만) 그건 그렇다 치고: *For ~ it's worth,* Joe told me that quite the opposite was true. 사실인지 어떤지는 모르겠으나 조의 말로는 그 반대가 맞다는 것이다. ***have*** (***got***) ***~ it takes*** 《구어》 (어떤 목적 달성에) 필요한 재능〔자질〕을 갖고 있다. ***I know not ~...*** (알지 못할) 어떤 …: Following *I knew not ~* impulse, I ran out of the room. 무언지 모를 충동에 이끌려 나는 방에서 뛰쳐나왔다. ***or ~*** 〖흔히 부정·조건문에서〗 아니면 그 밖에 무엇인가: I don't know whether I've offended her, *or ~*. 그녀의 기분을 해쳤는지, 아니면 그 밖의 무슨 이유가 있는지 잘 모르겠다. ***That's ~ it is.*** 《구어》 그런 이유 때문이죠《자신이 말한 이유가 타당함을 강조》. ***~ is called ...*** =***~ we*** 〔***you***〕 ***call ...*** 소위, 이른바…. (***and***) ***~ is more*** ⇨MORE. **~** (A) ***is to*** (B), A의 B에 대한 것과 같이: Reading *is to* the mind ~ food *is to* the body. 독서의 정신에 대한 관계는 음식의 육체에 대한 관계와 같다. ***~ you may call it*** 《구어》 뭐라고〔뭐라던가〕 하는 것《작은 것에 쓰임》.

whát-fòr *n.* Ⓤ **1** 벌, 매질. **2** 《구어》 질책, 징벌.

whát-íf *n.* (만일에 과거의 사건이 이렇다면 현재 어떻게 되었을까 하는) 가정(의 문제); 만약이라는 문제.

what-is-it, what·sis [*h*wʌtízit, *h*wɑt-/wɔt-], [*h*wʌ́tsiz, *h*wɑ́t-/wɔ́ts-] *n.* Ⓤ 《구어》 그 뭔가, 뭐라는 (사람·물건). ★ 이름을 잊었거나 모르거나 쓰고 싶지 않을 때 등에 대용하는 말.

***what'll** [*h*wʌ́tl, *h*wɑ́tl/wɔ́tl] what will 〔shall〕의 간약형.

whát·man [-mən] *n.* 와트만지(紙)(~ paper) 《그림·사진·판화용》.

whát·ness *n.* 무엇인가라는 것; 본질(quiddity).

whát·nòt *n.* (장식품 등을 얹어 놓는) 장식 선반; Ⓤ 이것저것, 여러 가지 물건; 정체 모를 놈〔것〕.

***what's** [*h*wʌts, *h*wɑts, 약 *h*wəts/wɔts] what is, what has의 간약형.

what·ser·name [*h*wɑ́tsərnèim], **whát's-her-nàme** *pron.* 《구어》 뭐라는 여자《이름을 모를 때》.

what·sis·name [*h*wʌ́tsiznèim, *h*wɑ́ts-/wɔ́ts-], **whát's-his-nàme** *pron.* 《구어》 뭐라는 남자《이름을 모를 때》.

whát·so *pron., a.* 《고어》 =WHATSOEVER.

what·so·e'er [*h*wʌ̀tsouέər, *h*wɑ̀t-/wɔ̀t-] *pron., a.* 《시어》 =WHATSOEVER.

whàt·so·éver *pron., a.* 〖강조어〗 =WHATEVER.

what've [*h*wʌ́təv, *h*wɑ́t-/wɔ́t-] what have의 간약형.

whaup [*h*wɑːp, *h*wɔːp/wɔːp] (*pl.* **~, ~s**) *n.*

《Sc.》〖조류〗 마도요(curlew).

wheal¹ [*h*wiːl/wiːl] *n.* 부스럼; 매를 맞아 부르튼 자리, 채찍 자국《wale 의 사투리》; 벌레 물린 자국. ― *vt.* 매를 때려 부르트게 하다.

wheal² *n.* 《방언》 (잉글랜드 Cornwall 에서) (주석) 광산.

wheat [*h*wiːt/wiːt] *n.* [U] 〖식물〗 밀, 소맥([cf.] barley, oats, rye); (*pl.*) 《미속어》 =WHEAT CAKES: (as) good as ~ 《미구어》 아주 좋은. ***separate* (*the*) *~ from* (*the*) *chaff* ⇨ SEPARATE. [파] *~·less a.*

whéat bèlt 〖지리〗 밀 산출 지대.

whéat brèad 정백(精白) 밀가루와 껍질째 빻은 밀가루를 섞어 만든 빵《그 어느 한쪽 것만으로 만든 빵과 구별하여》.

whéat càke 밀가루로 만든 핫케이크류(類).

whéat·èar *n.* 밀 이삭; 〖조류〗 검은딱새류(類)의 우는 새《유럽산(產)》.

wheat·en [*h*wíːtn/wíːtn] *a.* 밀의; 밀로 만든.

whéat gèrm 맥아(麥芽).

whéat·gràss *n.* [U] 〖식물〗 갯보리류(couch grass).

whéat·lànd *n.* 밀 생산(적(適))지.

whéat·mèal *n.* [U] 《영》 (기울을 뽑지 않은) 통째로 빻은 밀가루.

whéat rùst 〖식물〗 밀의 녹병(수병(銹病)); 그 병균.

Whéat·stòne('s) brìdge [*h*wíːtstòun(z)-] 〖전기〗 휘트스톤 브리지《전기 저항 측정기》.

whéat·wòrm *n.* 밀 따위의 줄기에 기생하는 선충(線蟲).

whee¹ [*h*wiː/wiː] *int.* 와아, 야아《기쁨·흥분 따위를 나타냄》. ― *vt.* (보통 ~ up) 《미속어》 광희(狂喜)케 하다, 흥분시키다.

whee² *n.* 《속어》 오줌(urine); 쉬.

whee·dle [*h*wíːdl/wíːdl] *vt., vi.* 《~/+[목]+[전]+[명]》 감언이설로 유혹하다, 속여서 …시키다《*into*》; 감언이설로 속이다〔빼앗다〕《*from; out of*》: ~ money *out of*〔*from*〕 a person 감언이설로 아무에게서 돈을 후리다. [파] **~r** [-ər] *n.* **-dl·ing·ly** *ad.*

wheel [*h*wiːl/wiːl] *n.* **1** 수레바퀴; (*pl.*) 《미속어》 자동차: a toothed ~ 톱니바퀴. **2** 바퀴 달린〔비슷한〕 기구〔기계〕; 물레바퀴(spinning ~); 녹로(轆轤); 회전 불꽃; 〖역사〗 (사람을 찢어 죽이는 데 쓰는) 형거(刑車). **3** (자동차의) 핸들, (배의) 타륜(舵輪)(steering ~). **4** 《미구어》 자전거, 삼륜차: ride a ~ 자전거를 타다. **5** 회전하는 움직임; 회전; 윤전; 선회; 〖군사〗 선회 운동; (노래의) 후렴, 반복구(refrain): the ~*s* of gulls 갈매기의 선회. **6** (보통 *pl.*) 중추 기구(中樞機構), 원동력, 추진력: the ~*s* of progress 진보의 원동력/the ~*s* of government 정부 기구/the ~*s* of life 인체 여러 기관의 작용. **7** (보통 *pl.*) 기계; 기계류. **8** (보통 big ~) 세력가; 거물: a big political ~ 정계의 거물. **9** 둥근 도형〔무늬〕. **10** (극장 따위의) 흥업 계통; (스포츠의) 리그.
at the next turn of the* ~** 이번에 운이 닿으면. ***a turn of the* ~** 운명의 변전. ***be at 〔***behind***〕 ***the* ~** 키를 잡다; 지배력을 갖다. ***break a butterfly on a*** 〔***the***〕 **~** =***break*** 〔***crush***〕 ***a fly on the* ~** 아무것도 아닌 일에 크게 애쓰다, 우도할계(牛刀割鷄). ***break*** a person ***on the* ~** 아무를 거열(車裂)형에 처하다. ***go*** 〔***run***〕 ***on*** (***oiled***) **~*s*** 순순〔원활〕히 진행되다. ***grease*** 〔***oil***〕 ***the* ~** 차에 기름을 치다; 일을 원활히 진행시키다. ***on* ~*s*** ① 바퀴 달린; 차에 (타고), 차로 (운반되는): a barber *on* ~*s* 이동〔순회〕 이발사. ② 순조롭게, 슬슬. ③ 《미속어》 확실히, 단연. ***put a spoke in*** a person***'s* ~** ⇨ SPOKE¹. ***put*** 〔***set***〕 one***'s shoulder to* ~** ⇨ SHOULDER. ***set*** 〔***put***〕 (***the***) **~*s in motion*** =***start the* ~*s turning*** 일을 실행으로 옮기다, 행동으로 나가다. ***suck* ~*s*** 《속어》 〖경륜〗 (공기 저항을 줄이기 위해) 앞 자전거에 바싹 붙이다. ***take the* ~** 핸들〔타륜〕을 잡다; 지배권을 잡다. ***the man at the* ~** 타수(舵手); 자동차 운전사; 책임 있는 위치의 사람. (***the***) **~*s are in motion*** =(***the***) **~*s start turning*** 일이 실행에 옮겨지다. **~ *of life*** ① =ZOETROPE. ②(the ~) 〖불교〗 윤회(輪廻). **~*s within* ~*s*** 복잡한 동기〔기구〕; 얽히고설킨 사정.
― *vt.* **1** 《~+[목]/+[목]+[전]+[명]/+[목]+[부]》 수레〔차〕로 나르다: The rubbish is ~*ed out to* the dump. 쓰레기는 차로 쓰레기장에 운반된다. **2** …에 바퀴〔차〕를 달다. **3** 《~+[목]/+[목]+[전]+[명]/+[목]+[부]》 (수레〔차〕를) 움직이다, 밀다, 끌다, 운전하다《특히 고속으로》; 《미》 (전력 등을) 보내다; 《영속어》 데려〔가져〕오다: ~ a cart 손수레를 밀다/~ a truck *along* the freeway 고속도로를 트럭으로 달리다/~ *out* a bicycle 자전거를 밀고 가다. **4** 《~+[목]/+[목]+[부]》 회전시키다(rotate), 선회시키다, …의 방향을 바꾸다: ~ a horse *about* 말의 진로를 바꾸다. **5** 빙글 뒤집다; (군대 등을) 선회시키다; (도자기를) 녹로(轆轤)로 만들다. ― *vi.* **1** 《~/+[부]/+[전]+[명]》 선회하다: The gulls ~*ed round over* the sea. 갈매기들이 바다 위에서 선회하였다. **2** 《~/+[부]》 방향을 바꾸다《*about; around*》: He ~*ed around* in his chair. 그는 의자에 앉은 채 몸을 빙 돌렸다. **3** 《+[부]》 의견〔태도〕의 방향을 전환하다《*about; around*》: The senator suddenly ~*ed about* for the bill. 상원 의원은 갑자기 그 법안에 찬성하는 태도를 나타냈다. **4** 《~/+[전]+[명]/+[부]》 차로 가다; 자전거〔삼륜차〕를 타다; (차가) 미끄러지듯 달리다; 원활하게 진행되다《*along*》: A car is ~*ing along* the street. 차가 거리를 달리고 있다/The truck ~*ed off*. 트럭이 가버렸다.
~ *in* 〔***into***〕 (바퀴 달린 대·침대 등(에 실은 것)을) 밀고 들어가다; (아무를) 초치하다. **~(*ing*) *and deal*(*ing*)** 《미속어》 (장사·정치 등에서) 요령 있게 공작함, 재치 있는 솜씨를 발휘함; 부정한 책략, 책모.
[파] *~·less a.* *~·like a.*

whéel and áxle 윤축(輪軸), 축바퀴《단일 기계(simple machine)의 일종》.

whéel ànimal 〔**animàlcule**〕 〖동물〗 =ROTIFER.

whéel·bàrrow *n., vt.* 외바퀴 손수레(로 운반하다): (as) drunk as ~ 《속어》 몹시 취해서.

wheelbarrow

whéel·bàse *n.* [U,C] 축거(軸距), 차축 거리《자동차의 앞뒤 차축 간의 거리》.

whéel·chàir *n.* (환자나 장애인용의) 바퀴 달린 의자, 휠체어.

whéel clàmp 바퀴 멈춤쇠〔죔쇠〕《주차 위반차의 바퀴에 채워서 차를 움직이지 못하게 하는 기구》.

whéel-clàmp *vt.* (차에) 바퀴 멈춤쇠를 채우다.

(-)whéeled *a.* 바퀴 달린; …바퀴의: four-~.

whéel·er *n.* 짐수레꾼; 바퀴 만드는 사람; (마차의) 뒷말([opp.] *leader*); …륜차.

whéeler-déaler, whéeler and déaler 《미속어》 *n.* 활동가, 수완가; 책략가. ― *vi.* 솜씨를 발휘하다, 빈틈없는 사업을 하다.

whéel hòrse (네 필이 끄는 마차의) 뒷말(wheeler); 《미구어》 충실한 노력자.

whéel·hòuse *n.* [C] 〖해사〗 조타실(操舵室)(pilot house).

wheel·ie [*h*wíːli/wíːli] *n.* (자전거 · 오토바이를) 뒷바퀴만으로 달리는 곡예.
whéel·ing *n.* **1** 차로 운반하기. **2** 자전거 타기. **3** Ⓤ (차의 진행 상태로 본) 노면의 상태. **4** 윤전, 회전.
whéeling and déaling ⇨ WHEEL(관용구).
whéel lòck 윤수(輪燧) 격발 장치《작은 쇠바퀴와 부싯돌의 마찰로 발화되는》; 윤수총.
whéel·man [-mən] (*pl.* ***-men*** [-mən, -mèn]) *n.* 〖해사〗 (조)타수; 《구어》 자전거를 타는 사람; 《미속어》 자동차 특히 도주차의 운전사. 「물레.
whéel of fórtune (the ~) (운명의 여신의)
whéel òre 차골광(車骨鑛). 「곳.
whéel·ràce *n.* (수차용 수로의) 수차가 설치된
whéels·man [-mən] (*pl.* ***-men*** [-mən, -mèn]) *n.* 《미》 〖해사〗 (조)타수.
whéel·spìn *n.* 차바퀴의 헛돎.
whéel stàtic 〖통신〗 차륜 공전(車輪空電)《차바퀴의 회전으로 발생하는 정(靜)전기에 의해 자동차 안의 라디오에 생기는 잡음》.
whéel-thròwn *a.* 도공의 녹로〔물레〕로 만든: ~ pottery 물레〔녹로〕로 만든 도자기〔토기〕.
whéel wìndow 둥근 창.
whéel·wòrk *n.* 〖기계〗 톱니바퀴 장치.
whéel·wright *n.* 수레바퀴 제조인, 수레 목수.
wheen [*h*wiːn/wiːn] *a.* 《Sc.》 근소한; 소수의(few): a ~ books 몇 권의 책. **—** *n.* 상당한 수〔양〕(의) 《*of*》: for quite a ~ of years 꽤 오랜 세월에 걸쳐서.
wheep [*h*wiːp] *n.* 《미속어》 작은 컵 한 잔의 맥주; 독주를 마신 직후에 입가심으로 마시는 맥주.
wheesht [*h*wiːʃt] *int.* 《Sc.》 쉿, 조용히.
wheeze [*h*wiːz/wiːz] *vi.* (천식 따위로) 씨근거리다. **—** *vt.* 《+목+부》 숨을 헐떡이며 말하다 《*out*》: ~ *out* words 헐떡이며 말하다. **—** *n.* Ⓤ,Ⓒ 숨을 헐떡이는 소리; 《속어》 (희극 배우의) 삽입 대사, 맞장구; 《속어》 농담, 재담; 《속어》 방편, 책략, 명안. ㊞ **whéez·er** *n.* **whéez·ing·ly** *ad.*
wheezy [*h*wíːzi/wíːzi] (***wheez·i·er; -i·est***) *a.* 씨근거리는, 헐떡거리는; 《속어》 진부한. ㊞ **whéez·i·ly** *ad.* **-i·ness** *n.*
whelk[1] [*h*welk/welk] *n.* 〖패류〗 쇠고둥《식용》.
whelk[2] *n.* 뾰루지, 여드름(pimple).
whelm [*h*welm/welm] *vt.* 압도하다; (파도가) 삼키다; =SUBMERGE; 《영방언》 (접시 따위를) 엎다: *~ed in* sorrow 비탄에 잠겨서. **—** *vi.* 덮다, 가라앉히다.
°**whelp** [*h*welp/welp] *n.* **1** 강아지. ⓒⓕ cub, dog. **2** (사자 · 범 등의) 새끼. **3** 《경멸》 개구쟁이, 변변치 못한 아이, 불량아, 《우스개》 꼬마; (W-) Tennessee 주 사람《속칭》. **4** (흔히 *pl.*) 〖해사〗 자아틀의 허리 이랑; sprocket의 이. **—** *vi.*, *vt.* (짐승이) 새끼를 낳다, 《경멸》 (여자가) 아이를 낳다; 《비유》 (나쁜 일을) 일으키다, 시작하다.
†**when** ⇨ 《p. 2832》 WHEN. 「WHEREAS.
when·ás *conj.* 《고어》 =WHEN; AS; WHILE;
*****whence** [*h*wens/wens] *ad.*, *conj.* **1** 〖의문사〗 **a** 어디서. ⓞⓟⓟ *whither*. ¶ *Whence* are you? 어디서 왔는가. **b** 어찌하여, 왜: *Whence* comes it that...? 어째서 …이 되는가. **2** 〖관계사〗 **a** …하는: the source ~ these evils spring 이러한 모든 악이 생기는 근원. **b** (…하는) 거기서부터; (…하는〔한〕) 그곳에: Return ~ you came. 온 곳으로 돌아가라. **3** 〖앞 문장을 받아서〗 그러므로(and thence), 그리하여: There was no reply, ~ I inferred that they had gone. 대답이 없어서 그들이 가버렸다고 생각했다.
— *pron.* **1** 〖의문사〗 어디《기원을 물음》: From ~ is he? 그는 어디 출신인가. **2** 〖관계사〗 (…하는) 그곳: the source from ~ it springs 그것이 발생하는 바의 근원.
— *n.* Ⓤ 나온 곳, 근원, 유래: We know neither our ~ nor our whither. 우리는 어디서 와서 어디로 가는지 모른다.
whènce·so·éver *ad.*, *conj.* 《문어》 어디서부터 …하든지, 무엇에서부터라도, 어째서든지. ★ whence의 강조형.
when·e'er [*h*wenέər, *h*wən-/wen-] *ad.*, *conj.* 《시어》 = WHENEVER.
******when·ev·er** [*h*wènévər, *h*wən-/wèn-] *ad.*, *conj.* **1** 〖관계사〗 …할 때에는 언제든지(at whatever time...); …할 때마다(every time that ...); 언제 …하더라도(no matter when ...): *Whenever* I am in trouble, I consult him. 곤경에 빠져 있을 때 나는 언제나 그에게 의논한다/Let me know ~ you come. 오실 때는 언제든지 알려 주세요. **2** 〖의문사〗 《구어》 도대체 언제(when ever): *Whenever* will it be over? 도대체 언제라야 끝날 것인가/*Whenever* will you learn? 도대체 언제라야 알 터인가.
whén ìssued 〖증권〗 발행일 거래.
when's [*h*wenz/wenz] when is, when has의 간약형.
whèn·so·éver *ad.*, *conj.* 〖강조어〗 =WHEN-EVER.
†**where** ⇨ 《p. 2833》 WHERE.
°**whére·abouts** *ad.* **1** 〖의문사〗 어디(쯤)에: *Whereabouts* did you find it? 어디쯤에서 그것을 발견하였느냐. **2** 〖관계사〗 …하는 곳〔장소〕: I don't know ~ he lives. 나는 그가 어디 사는지 모른다. **—** *n.* 〖단 · 복수취급〗 있는 곳, 소재; 행방: I don't know the ~ of her house. 나는 그녀의 집이 어디쯤에 있는지 모른다/The ~ of the suspect is 〔are〕 still unknown. 용의자의 행방은 아직도 모른다. ★ 드물게 whereabout라고도 함.
where·áfter *ad.* 《문어》 그 (이)후.
*****where·as** [*h*wεərǽz] *conj.* **1** …임에 반하여 (while on the other hand ...): Some students like mathematics, ~ others do not. 수학을 좋아하는 학생이 있는 데 반하여 싫어하는 학생도 있다. **2** …인 까닭에, …라는 사실에서 보면(in view of the fact that ...)《법률이나 조약문 따위에 쓰임》: *Whereas* the defendant is so contrite .... 피고가 그렇게 뉘우치고 있는 까닭에…. **—** *n.* (본론 전의) 서두(序頭), 단서(但書); 〖법률〗 전문(前文)(preamble).
where·át *ad.* 《문어》 **1** 〖의문사〗 무엇에 대하여〔관하여〕. **2** 〖관계사〗 그것에 대하여(in reference to which): the things ~ you are displeased 자네 마음에 들지 않는 점.
°**where·bý** *ad.* 《문어》 **1** 〖의문사〗 무엇에 의하여(by what), 어떻게 하여(how): *Whereby* can we know the truth? 어떻게 하여 그 진실을 알 수 있겠는가. **2** 〖관계사〗 (그것에 의해) …하는(by which): He thought of a plan ~ he might escape. 도망칠 수 있을 듯한 계획을 생각해냈다.
where'd [*h*wεərd/wεəd] where did의 간약형.
wher·e'er [*h*wὲərέər/wεər-] *ad.* 《시어》 =WHEREVER.
°**whére·fòre** *ad.* **1** 〖의문사〗 무엇 때문에, 왜(why): *Wherefore* did you go? 너는 무슨 목적으로 갔느냐. **2** 〖관계사〗 그러므로: We ran out of water, ~ we surrendered. 우리는 물이 떨어졌다. 그래서 항복했다. **—** *n.* (보통 *pl.*) 원인, 이유(reason): Never mind the whys and ~s of it. 그 이유나 원인은 개의치 마라/Every why has a ~. 《속담》 모든 일에는 이유가 있다.
where·fróm *ad.* 《문어》 **1** 〖의문사〗 어디〔어느

의문사·접속사·관계사의 순서로 대별하고, 품사별은 그 하위에 두어 말뜻·구문의 유사 사항·예문의 근접을 시도했다. 종속접속사(從屬接續詞) when '…할 때'는 관계사의 선행사 생략의 특례라고도 할 수 있는데, where의 경우와 같이 독립된 접속사로서의 중요성을 지닌다.

관계부사의 제한용법 C의 1에서는, where의 경우와 같이, 선행사와 관계절 중의 동사와의 관계 여하로 when과 that〔which〕와의 선택이 일어난다: Spring is the time *when* school begins in Korea./Spring is the time *that*〔*which*〕 I like best. 즉 '봄에 시작된다'/'봄을 좋아한다'. 관계부사의 비제한적 용법(非制限的用法) C의 2에서는 특정의 어구를 선행사로 할 경우(I arrived about *noon*, *when* people usually have a break.)와, 앞의 구 전체를 선행사로 할 경우(I *stood up*, *when* the door opened.)가 있는데, 후자는 '…할 때'라는 종위접속사와 병행하여 등위접속사(等位接續詞)로 발전하여서, 대개 '…하자 그 때'라고 새길 수 있으나, 전자에서는 이 보기에서처럼 그것이 곤란할 경우도 있다.

when [*h*wen, 약 *h*wən/wen, 약 wən] **A** 《의문사》 *ad.* 〖의문부사〗 **1** 언제; 어떤 때에. **a** 〖단순구문에서〗: *When* does school begin? 수업은 언제 시작되는가(《What time …? '몇 시에 …하는가' 보다도 뜻이 넓음》)/*When* will they come? 그들은 언제 올 것인가/*When* did she get married? 그녀는 언제 결혼했나요(《이때 when을 현재완료형과 함께 써서 *When* has she got married?로 하면 잘못》)/*When* have you been there? (이제까지) 거기에 언제 (몇 번쯤) 간 적이 있습니까(《이처럼 같은 경험의 되풀이에 대해서 물을 때엔, when을 동사 be의 현재완료형 have been과 함께 쓸 수 있음》). **b** 〖부정사와 함께, 또는 절 속에서〗: It is undecided ~ *to* start〔~ we should start〕. 언제 떠날 것인지는 정해져 있지 않다/I don't know ~ she will begin next time. 그녀가 다음엔 언제 시작할는지 모르겠다(《I don't know ~ she begins …는 불가함》)/*When* do you think it happened? 그것이 언제 일어났다고 생각하십니까.

2 어떤 때에, 어느 경우에: *When* do you use the plural form? 어느 경우에 복수꼴을 쓰느냐?

3 어느 정도에서, 얼마쯤에서: *When* shall I stop pouring. 얼마쯤에서 그만 따를까요.

Say ~. 적당할 때 말씀하세요(《손님에게 차 따위를 따를 때》). ★ Say *when* to stop. 따위의 생략임. 대답으로 Now., That's enough., Thank you. 또는 When. 이라고도 함.

— *pron.* 〖의문대명사; 전치사 뒤에 쓰이어〗 언제(what time): Until ~ will you stay there? 언제까지 거기 머무를 건가/Since ~ has he been away? 언제부터 집에 없나요.

— *n.* (the ~) (문제의) 때, 시기(time): Tell me the ~ and (the) where of the meeting. 그 모임이 있는 시간과 장소를 말씀해 주시오.

B 《종속접속사》(《at the time, at which 따위에 상당》) *conj.* **1 a** …할 때에, …하니〔하자, 하면〕: *When* it rains, she usually stays inside. 비가 올 때엔〔오면〕 그 여자는 대개 집에 있다/*When* (he was) a boy, he was very naughty. 그는 소년시절에 무척 장난이 심했다(《문어에서는 when이 이끄는 종속절의 주어가 주절의 주어와 같을 때 종속절의 주어와 be 동사는 생략하기도 함》)/He was out ~ we called. 찾아가니까 그는 집에 없었다/*When* you finish the letter, be sure there are no mistakes. 편지를 다 썼으면 틀림이 없나 확인해라/I'll come ~ I have had lunch. 점심을 다 마치고 가겠습니다. **b** 〖흔히 현재시제의 문장에서〗 …할 때는 언제나(when-ever): It is very cold ~ it snows. 눈이 올 때는 언제나 몹시 춥다/He is impatient ~ he is kept waiting. 기다려야 할 때면 안달이 난다/She blushes ~ you praise her. 그녀는 칭찬받으면 언제나 얼굴을 붉힌다. **c** (…하는데) 그때(《주절을 진행형 또는 과거완료형으로 나타낼 때에 쓰임》): I *was* stand*ing* there lost in thought ~ I was called from behind. 생각에 잠겨 그 곳에 서 있는데 뒤에서 부르는 소리가 들려왔다. **d** …한 뒤〔…하면〕 곧: Stop writing ~ the bell rings. 벨이 울리면 곧 쓰기를 멈춰라.

> NOTE a의 마지막 두 보기에서처럼 접속사로서의 when이 이끄는 부사절에서는 미래에 관한 것에도 will, shall을 쓰지 않음. 이 점 다음 의문부사의 경우와 다름: *When* they *will* come, is the question. 따라서 과거에서 본 미래에는 would 없는 과거형을 씀: He promised to give us a speech *when* we *met* next. (← He said, "I will give you a speech *when* we *meet* next.") 그는 이 다음 번 모임을 가질 때 연설을 해 주겠다고 약속했다.

2 〖형용사절로서 바로 앞 명사를 수식하여〗 …할〔한〕 때의: He soon fell asleep and dreamed of his home ~ he was a boy. 그는 이내 잠들어 어린 시절의 고향 꿈을 꾸었다/I can imagine his astonishment ~ she asked him to marry her. 그녀가 그에게 결혼해 달라고 했을 때의 그의 놀람을 상상할 수 있다.

3 …하면 (if): Liberty is useless ~ it does not lead to action. 자유란 행동으로 옮겨지지 않으면 소용이 없다.

4 〖주절과 상반하는 내용의 부사절을 이끌어〗 …하는데, …한〔인〕데도(though): I have only three dishes ~ I need five. 접시 다섯이 필요한데 셋밖에 없다/He works ~ he might rest. 그는 쉬어야 할 때에도 일을 한다.

5 …하므로, …을 생각하면(since, considering that): I cannot go ~ I haven't been invited. 초청되지 않았으므로 나는 갈 수 없다.

C 《관계사》 *ad.* 〖관계부사〗(《때에 관한 선행사와 결합하여서, at which, in which, on which, during which 따위에 상당; where와 대비》) **1** 〖제한적 용법〗 …하는〔한, 할〕 때: There was a time ~ prices were almost constant. 물가가 거의 불변이었던 시절이 있었다/The day (~) we arrived was a holiday. 우리가 도착한 날은 휴일이었다/It snowed heavily (in) the morning (~) he was born. 그가 태어난 아침엔 많은 눈이 왔다(《선행사의 전치사가 생략되기도 함》)/The time will come ~ you will regret it. 그 일을 후회할 때가 올 것이다. ★ when은 종종 생략되는데 선행사와 떨어져 있으면 when을 생략할 수 없음.

2 〖비제한적 용법〗 (…하자) 그 때(and then) (《(1) 흔히 when 앞에 콤마가 옴. (2) 접속사에 가까움》): I was about to leave the store, ~ a boy spoke to me. 가게를 나가려고 하는데 한 소년이 나에게 말을 걸어왔다/He stayed there till Sunday, ~ he started for Boston. 그는 일요일까지 거기에 머무르고 그 다음 보스턴으로 출발하였다.

3 〖선행사를 포함한 명사절을 이끌어〗 …할 때:

That is ~ he lived there. 그건〔그런 일이 있었던 것은〕 그가 거기 살고 있었던 무렵의 일이다《the period 〔time〕의 생략》/ Night is ~ most people go to bed. 밤은 대부분의 사람들이 잘 때이다.

—*pron.* 〖관계대명사; 전치사 뒤에서 비제한적 용법으로〗 그리고 그 때: They left on Monday, since ~ we have heard nothing. 그들은 월요일에 떠났는데 그 후 아무 소식이 없다 / We came a week ago, since ~ the weather has been fine. 우리 일주일 전에 왔는데 그때부터 계속 날씨가 좋았다.

where

의문사 · 종속접속사 · 관계사의 셋으로 대별하고, 품사별로 뜻 · 구문의 유사 사항 · 유사 예문을 한데 모았다. 종속접속사로서의 where는 관계사의 선행사 생략의 일종으로도 볼 수 있는데, 《특히》 문장 첫머리에 올 때 이러한 독립된 접속사로서의 성격이 두드러진다: *Where* there is a will, there is a way. 관계사의 제한적 용법에서는 다음 차이에 주의할 것: This is the place *where* we play. 여기가 우리들이 노는 곳이다 / This is the place *that* we chose. 이곳이 우리가 고른 장소다. 즉 우리말에서는 구문이 같은 데 비하여, 영어에서는 선행사와 관계절 속의 동사와의 관계 여하로 where와 that (또는 which)를 가려 쓰게 된다.

where [*h*wɛər/wɛə] **A** 《의문사》 *ad.* 〖의문부사〗 **1** 어디에, 어디서〔로〕. **a** 〖단순구문에서〗 *Where* are you? 자네는 어디 있는가; 자네 이름은 어디 나와 있는가《명부 따위에서》/ *Where* is your hat? 네 모자는 어디 있나 / *Where* am I? 여기가 어디지《병원 따위에서 의식을 되찾았을 때 따위》/ *Where* are we? 여기가 어디죠《예컨대 열차 속에서 상대방에게 물을 때》/ *Where* in Seoul does he live? 그는 서울 어디에 살고 있는가 / *Where* are you going? 어디로 가는가《이런 물음은 친한 사이 이외에 쓰면 실례임》. **b** 〖부정사와 함께, 또는 절 속에서〗 Tell me ~ *to* go. 어디로 가야 할지 가르쳐 주시오 / Ask him ~ *to* put the books. 책을 어디 두어야 할지 그에게 물어봐라 / I wonder ~ he lives. 그 사람은 어디 살고 있는 것일까 / *Where* they went does not matter. 그들이 어디로 갔는가는 문제가 되지 않는다 / *Where* did you say you bought it? 그걸 어디서 샀다고 했나요.
2 어떤 점에서: *Where* is he to blame? 어떤 점에서 그는 비난받아야 하나 / Will you tell me ~ I am wrong? 어떤 점이 잘못됐는지 말해 주시오.
3 어떤 입장〔사태〕에〔로〕: *Where* shall we be if we fail? 실패하면 우린 어떻게 될까 / I wonder ~ this trouble will lead. 이 문제는 어떤 사태로 진전될지 모르겠다.
—*pron.* 〖의문대명사〗 《전치사의 목적어로서》 어디, 어떤 곳; 어떤 점: *Where* are you *from*? =*Where* do you come *from*? 출신지는〔고향은〕 어디십니까 / *Where* are you going *to*? 어디 가나요《to 없는 것이 표준적임》. ***Where away?*** 〖해사〗 어느 방향인가《망보는 사람이 발견한 물체 · 배 · 육지 등에 관해서》. ***Where from?*** 어디서 오셨습니까. ***Where to?*** 어디로 가시죠; 어디로 모실까요《흔히 택시 기사 등이 손님에게 묻는 말》.
—*n.* (the ~) (문제의) 장소《*of*》: the when and (the) ~ *of* the accident 그 사고가 일어난 시간과 장소.
B 《종속접속사》 *conj.* **1 a** …하는 곳에〔곳으로〕: Stop ~ the road branches off. 갈림길에서 멈추어라 / We camped ~ there was enough water. 물이 충분한 곳에(서) 야영했다 / *Where* there is a will, there is a way. 《격언》 뜻이 있는 곳에 길이 있다《정신일도 하사불성(精神一到何事不成)》. **b** …하는 곳은 어디라도(wherever): I'll go ~ you go. 당신이 가는 곳이면 어디라도 함께 가겠습니다.
2 …할 때〔경우〕에: The meaning of a new word is given ~ (it is) necessary. 새로 나온 낱말의 뜻은 필요한 경우에는 보여 주었다 / *Where* there is tyranny and fear, nothing is created. 폭정과 공포 정치가 행해지는 경우에는 아무것도 창조되지 않는다.
3 〖대조 · 범위〗 …한데(whereas; while); …하는 한은(so far as): They are submissive ~ they used to be openly hostile. 이전에 그들은 공공연히 적대적이었는데 지금은 유순하다 / *Where* money is concerned, she's as hard as nails. 돈에 관한 한 그녀는 매우 비정하다.
C 《관계사》 *ad.* 《선행사는 장소 · 경우를 나타내는 명사; when과 대비》 〖관계부사〗 **1** 〖제한적 용법〗 …한(바의)《in 〔at, on〕 which로 바꿔 쓸 수 있음》: This is the house ~ she was born. 여기가〔이곳이〕 그녀가 태어난 집이다 / There are many cases ~ such a principle is not practicable. 그러한 원칙이 실행 불가능한 경우도 많다.
2 〖비제한적 용법〗 《흔히 앞에 콤마가 옴》 그러자〔그리고〕 거기서〔로〕(and there); 왜냐하면 거기서는(because there): He went to Paris, ~ he first met her. 그는 파리로 가서 거기서 처음으로 그녀를 만났다(=..., *and there* he __) / We like this city, ~ we spent most of our childhood. 우리들은 어린 시절의 대부분을 이 도시에서 보냈으므로 이 도시를 좋아한다.
3 〖선행사를 포함하여〗 …하는 장소(the place where), …한 점(the point where)《명사절을 이끎》: This is ~ we live. 이곳이 우리가 사는 곳이다 / He came out from ~ he was hiding. 그는 숨었던 곳에서 나왔다 / That's ~ we disagree. 그 점이 우리 의견이 맞지 않는 점이다 / That's ~ you are wrong. 그것이 자네가 잘못된 점이야.
—*pron.* 〖관계대명사〗 《전치사를 수반하여》 …하는〔한〕 바의(which): the office (*where*) he works at 그가 일하고 있는 사무실 / This is the place ~ he comes *from*. 여기가 그의 출신지이다. ★ 이 where는 기능상 which에 맞먹는 것이지만 보통 선행사 또는 관계사를 생략함: This is *where* he comes from. =This is the place he comes from. ***Where have you been?*** 《구어》 그런 것도 몰라. ***Where have you been all my life?*** 《구어》 도대체 당신은 어디 있다 이제 나타난 거요《흔히 연인을 칭찬할 때 쓰는 말》. **~ one *is at*** 아무의 참다운 지위〔상태, 성질〕. **~ one *is coming from*** ⇨ COME. **~ *it's* (*all*) *at*** 《미속어》 활동의 중심, 핵심; 《특히》 가장 재미있는〔훌륭한, 중요한, 유행의〕 것〔장소〕: Baseball's ~ *it's at*. (스포츠를 아는 사람에겐) 야구가 제일이다. **~ one *lives*** 《미속어》 가장 본질적인 곳에서, 마음속 깊은 곳에서.

쪽]에서. **2** 〖관계사〗 거기에서(from which).

°**where·ín** *ad.* 《문어》 **1** 〖의문사〗 어디에, 어떤 점에서. **2** 〖관계사〗 그 중에, 그곳에, 그 점에서(in which): a period ~ he took no part in the conference 그가 회의에 참가하지 않았던 기간 / the bed ~ I sleep.

whère·in·so·éver *ad.* 〖강조어〗 =WHEREIN.

whère·ínto *ad.* 《고어》 **1** 〖의문사〗 무엇 속으로, 무엇에. **2** 〖관계사〗 그 속으로(into which).

where'll [*h*wɛərl/wɛəl] where will 〔shall〕의 간약형.

°**whère·óf** *ad.* **1** 〖의문사〗 《문어》 무엇의, 무엇에 관하여; 누구의; 《고어》 무엇을 가지고. **2** 〖관계사〗 《문어》 그것의, 그것에 관하여; 그 사람의; 《고어》 그것을 가지고.

°**where·ón** *ad.* 《고어》 **1** 〖의문사〗 무엇의 위에, 누구에게. **2** 〖관계사〗 그 위에(on which).

where're [*h*wέərər, *h*wέər/wέər-] where are 의 간약형.

where's [*h*wɛərz/wɛəz] where is 〔has〕의 간약형: *Where's* he gone?

where·so·e'er [*h*wɛ̀ərsouέər/wɛə-] *ad.* 《시어》 =WHERESOEVER.

whère·so·éver *ad.* 〖강조어〗 =WHEREVER.

where·thróugh *ad.* 《고어》 〖관계사〗 그것을 통하여 …하는(through which); 그(것) 때문에, 그러므로.

whère·tó *ad.* 《문어》 **1** 〖의문사〗 무엇에, 어디로; 무엇 때문에. **2** 〖관계사〗 그것에, 그곳으로, 그것에 대하여.

whère·únder *ad.* **1** 〖의문사〗 무엇 밑에. **2** 〖관계사〗 그 밑에서〔으로〕.

whère·untíl *ad.* 《방언》 =WHERETO.

whère·únto *ad.* 《고어》 =WHERETO.

°**whère·upón** *ad.* **1** 《고어》 〖의문사〗 =WHEREON. **2** 〖관계사〗 **a** 그래서, 그 때문에, 그 결과, 그 후에. **b** 그 위에, 게다가.

where've [*h*wɛərv, *h*wέərəv/wɛəv] where have의 간약형.

wher·ev·er [*h*wɛərévər/wɛər-] *ad.* **1** 〖관계사〗 어디든지 …하는 곳에〔곳에서〕: He was liked ~ he went. 그는 가는 곳마다 호감을 받았다. **2** 〖관계사: 양보의 부사절을 인도함〗 어디서〔어디에서, 어디로〕 …하여도: *Wherever* he is, he must be found. 어디에 가 있든지 그를 찾아내지 않으면 안 된다. **3** 〖의문사〗 《구어》 대체 어디에〔에서, 로〕 《의문사 where 의 강조형》: *Wherever* did you put it? 대체 어디에 두었지.

°**where·wíth** *ad.* **1** 〖의문사〗 《고어》 무엇을 가지고, 무엇으로. **2** 〖관계사〗 그것을 가지고, 그것으로. **—** *pron.* 〖부정사를 수반하여〗 그것에 의하여 … 하는 것: He had not ~ *to* feed himself. 먹을 것이 없었다. **—** *n.* 《드물게》 =WHEREWITHAL.

where·with·al [*h*wέərwiðɔ̀:l, -wiθ-/wέəwið-] *n.* (the ~) (필요한) 자금, 수단, 돈. **—** *ad.* 《고어》 =WHEREWITH.

wher·ry [*h*wéri/wéri] *n.* (하천용의) 보트, 나룻배; 《미》 1인승 스컬《경조용》; 《영》 평저(平底) 짐배, 거룻배.

whérry·man [-mən] *n.* 《영》 거룻뱃사공.

°**whet** [*h*wet/wet] (**-tt-**) *vt.* **1** (칼 따위를) 갈다. **2** (식욕 따위를) 자극하다, 돋우다. **—** *n.* **1** 갊, 연마(硏磨). **2** 자극(물); 식욕을 돋우는 물건《특히 술 따위》. **3** 《방언》 잠시 동안; 한차례의 일.

wheth·er [*h*wéðər/wéð-] *conj.* **1** 〖명사절을 인도〗 …인지 어떤지(를, 는): I'm not sure ~ (*or* not) I can do it. 할 수 있을지 없을지 자신이 없다 / It is not certain ~ he will come (*or* not). 그가 올지 안 올지 확실치 않다 / He asked ~ I liked it. 내가 그것을 좋아하는지 안하는지를 그가 물었다 / I don't know ~ he is glad *or* sorry. 그가 기뻐하는지 슬퍼하는지 알 수 없다. **2** 〖양보를 나타내는 부사절을 인도〗 …이든지 (아니든지), …이든지 …이든지 (여하간에): *Whether* you like it *or* not, you must do it. 좋아하든 싫어하든, 그것을 하지 않으면 안 된다 / *Whether* sick *or* well, he is always cheerful. 아플 때나 건강할 때나 그는 항상 명랑하다. **~ *or no* 〔*not*〕** 어느 쪽이든, 하여간; …인지 어떤지: Well, I'll come, ~ *or no*. 좋소, 하여간 가겠소. **—** *pron.* 《고어》 (둘 중의) 어느 하나.

whét·stòne *n.* 숫돌; 자극물, 흥분제; 격려자; 타산지석(他山之石).

whet·ter [*h*wétər/wét-] *n.* 칼 가는 사람; 자극물.

whew [*h*wju:] *int.* 어휴! 《놀라움·당황을 나타냄》. **—** *n.* 휘파람 같은 소리, 퓨〔휘〕하는 소리.

whey [*h*wei/wei] *n.* Ⓤ 유장(乳漿). ⓒⓕ curd.

whéy·fàce *n.* (겁에 질리거나 병 때문에) 창백한 얼굴(의 사람).

whf. wharf.

†**which** ⇨ 《p. 2835》 WHICH.

which·ev·er [*h*witʃévər/witʃ-] *pron.* **1** 〖부정관계사: 명사절을 인도〗 …하는 어느 것〔쪽〕이든(지) (any one that …): Take ~ you want. 어느 것이든 네가 원하는 것을 가져라. **2** 〖관계사: 양보를 나타내는 부사절을 이끌어(서)〗 어느 것〔쪽〕을〔이〕 …하든(지)(no matter which …): *Whichever* you choose, make sure that it is a good one. 어느 것을 (선)택하든 좋은 것인지를 확인해라. **3** 〖의문사〗 대체 어느 것〔쪽〕을〔이〕: *Whichever* do you want? 대체 어느 것을 원하느냐.

— *a.* **1** 〖관계사: 명사절을 인도〗 …하는 어느, 어느 쪽이든 …한(any — that …). ⓒⓕ whatever. ¶ Take ~ picture you like. 네가 원하는 사진을 어느 것이든 가져라. **2** 〖관계사: 양보를 나타내는 부사절을 인도하여〗 어느(쪽이) — 을 … 하여도(no matter which …): *Whichever* side wins, it will not concern me. 어느 쪽이 이기든 나에게는 관계없는 일이다. **3** 〖의문사〗 대체 어느(쪽의) …: *Whichever* Johnson do you mean? 대체 어느 존슨 말이죠.

which·so·éver *pron., a.* 〖강조어〗 《고어》 = WHICHEVER.

whick·er [*h*wíkər/wík-] *vi.* 낄낄 웃다; (말이) 울다. **—** *n.* 낄낄대는 웃음; (말의) 울음(소리).

whid·ah [*h*wídə/wídə] *n.* 〚조류〛 천인조(天人鳥)의 일종(whydah)《서부 아프리카산(産)의 카나리아만한 크기의 새, 수컷은 꼬리가 길》.

whiff[1] [*h*wif/wif] *n.* **1** (바람 등의) 한번 붊; 확 풍기는 향기; 훅 내뿜는 담배 연기: take a ~ or two 담배를 한두 모금 빨다. **2** (담배의) 한 모금; 궐련, 작은 여송연. **3** 《영》 outrigger가 달린 경주용 경(輕)보트. **4** 《구어》 (골프의) 헛침, 〚야구〛 삼진. **5** 가벼운 화풀이; (산탄(散彈)의) 발사. **—** *vt., vi.* 훅〔가볍게〕 불다; 불어 보내다; 냄새를〔가〕 확 풍기다; 《구어》 〚야구〛 …에게 삼진을 먹이다〔먹다〕.

whiff[2] *n.* 〚어류〛 가자미의 일종.

whiff[3] *vi.* 주낙질하다, 낚시질하다.

whif·fet [*h*wífit/wíf-] *n.* 《미》 **1** 강아지; 《구어》 하찮은 사람, 풋내기. **2** 가볍게 한 번 불기.

whif·fle [*h*wífəl] *vi.* (바람이) 살랑거리다; (잎 따위가) 흔들리다; 생각 등이 여러 갈래로 바뀌다, 동요되다; 적당히〔무책임하게〕 말하다. **—** *vt.* 가볍게 불다; 불어 없애다; (바람이 배의) 진로를 이리저리 바꾸다; (생각 등을) 동요시키다. **—** *n.* 한 번 붊, 흔들림; 바람 소리; 하찮은 것. ㊐ **~r** [-ər] *n.* (의견·생각이) 자주 흔들리는 사람; 토론을 얼버무리는 사람.

whíffle·bàll *n.* 휘플볼《구멍을 뚫어 멀리 못 가게 한 플라스틱 공; 원래 골프 연습용》.

where, when 따위와 더불어 의문사와 관계사를 겸한 말 중의 대표적인 것인데, 특히 which는 사물을 받는 의문대명사·관계대명사로서 사람을 받는 who와 상대된다. who보다 격변화의 문제는 적지만 who와 달리 형용사로도 되므로 이 점은 who보다 복잡하며 what와의 공통점이 많다. 따라서 전체를 우선 의문사와 관계사 둘로 대별하고, 품사별로 뜻·구문의 유사 사항과 예문을 한데 모았다.

which [*h*witʃ/witʃ] **A** 《의문사》 *pron.* 〔의문대명사〕 **1 a** 〔문장 첫머리에서 wh 의문문으로〕 어느 것, 어느 쪽 (사람), 어느 사람, (한 무리 중의) 누구《한정된 수의 것으로부터의 선택. 불특정의 것으로부터의 선택은 what임》《주어·보어·목적어로서》: *Which* is your book? 어느 쪽[것]이 자네 책인가/*Which* is the cheaper 〔《구어》 the cheapest〕 of the two? 두 개 가운데 어느 것[쪽]이 쌉니까/ *Which* is taller, he or she? 그와 그녀는 누가 키가 더 큰가《구어에서는 Who is taller, him or her? 가 더 일반적임》/*Which* is your father in this photo? 이 사진에서 너의 아버지는 어느 분이냐/*Which* of these do you want? 이것들 중 어느 쪽을 원합니까/*Which* of the girls were you talking to? 어느 소녀와 이야기하고 있었느냐. **b** 〔간접의문의 절이나+to do의 형태로〕: Say ~ you would like best? 어느 것이 제일 마음에 드는지 말하렴/Tell me ~ *to* do. 어느 것을 해야 하는지 말해다오.
2 〔흔히 문장 끝에서; 되묻는 의문문〕《상대의 말에 대한 놀람·확인에 쓰임》: You chose ~? 어느 쪽을 택했다고.
— *a.* 〔의문형용사〕 **1** 어느, 어떤, 어느 쪽의: *Which* book do you want? 어느 책을 원하느냐/*Which* boy won the prize? 어느 학생이 입상했느냐.
2 〔간접의문의 절이나+to do의 형태로〕: Say ~ book you prefer. 어느 책이 좋은지 말해라/Ask ~ way *to* take? 어느 쪽 길로 가야 할지 물어봐라.
B 《관계사》 *pron.* 〔관계대명사〕 (소유격 ***of which, whose***) 《선행사는 원칙적으로 사물 또는 동물》.
1 〔제한적 용법 1: 전치사가 없는 것〕 **a** 〔주격·목적격〕 …하는[한] (바의)《(1) 주격·목적격 모두 that와 바꿔 쓸 수 있음. (2) 목적격의 경우, 구어에서는 흔히 생략함》: The story (~) I read yesterday was moving. 내가 어제 읽은 소설은 감동적이었다/He is no longer the timid fellow ~ he used to be. 그는 이전의 겁쟁이가 아니다《선행사가 사람 자체가 아니라 지위·성격 따위를 가리키는 경우는 who가 아니라 which 또는 that을 사용함》/The meeting (~ was) held yesterday was a success. 어제 열린 모임은 성황이었다/the room *of* ~ the door is closed =the room the door *of* ~ is closed =the room *whose* door is closed 문이 닫혀 있는 방/a family ~ has lived here for many years 여기에서 여러 해 살아온 가족《선행사가 가족 같은 사람의 집단일 때, 집합체로 보면 which나 that을 쓰고 단수 취급하나, 그 구성 요소로 보면 who를 쓰고 복수 취급》. **b** 〔that (…) which〕: He gave me *that* part of his property ~ he had cherished most. 그는 자기 재산 중에서 가장 소중히 간직하던 부분을 나에게 주었다《이 that은 지시형용사이며 which에서 떨어진 선행사가 part임을 명시함; 복수는 those … which》/*That* must be done ~ can be done. 할 수 있는 일은 해야 한다《이 That은 지시대명사이며 which의 선행사임. 딱딱한 문체이며 현재는 흔히 *What* can be done, must be done.이라고 함》. **c** 〔It is … which의 강조구문으로〕 …하는 것은 《It is … that이 일반적임》: *It is* this typewriter *which* 〔that〕 is broken. 부서져 있는 것은 이 타자기다/*It is* the regulations *which* have to be modified. 수정되어야 할 것은 규칙이다.

> NOTE **which**의 생략 (1) 제한적 용법의 which가 관계절 중에서 목적어 또는 보어로 되어 있는 경우에는 생략할 수가 있음: The story (*which*) I read yesterday was moving./He is no longer the timid fellow (*which*) he used to be. (2) 주격이라도 삽입구 앞의 which가 생략될 때가 있음: I bought a book (*which*) I thought would be of interest to my son. 아들의 흥미를 끌 것으로 생각되는 책을 샀다《I thought 는 삽입구》.

2 〔제한적 용법 2: 전치사+which와 whose〕: I visited the house *in* ~ he was born. 나는 그의 생가(生家)를 방문했다/There was always harmony in the group *of* ~ he was the leader. 그가 지도자로 있던 그룹은 언제나 화기애애했다《the group은 주절에 속함; 다음 예와 비교》/Korea is a country the capital *of* ~ 〔*whose* capital〕 has an enormous population. 한국은 (그) 수도가 방대한 인구를 가진 나라다《the capital은 관계절에 속함; 앞의 보기와 비교》/I need something *with* ~ to write. 무언가 쓸 것이 필요하다《… something (~) I can write *with*.나 관계대명사를 쓰지 않고 … something to write with로 하는 것이 보통임》. ★구어에서는 전치사를 끝에 돌리고 which를 생략하는 경향이 많음: This is the house I lived *in* as a little boy. 이것이 내가 어렸을 때 살던 집이다.
3 〔비제한적 용법; 보통 앞에 콤마가 옴〕 **a** 〔주격·목적격〕 그리고 그것은[을], 그러나[그런데] 그것은[을, 에]: Her clothes, ~ are all made in Paris, are beautiful. 그녀의 옷은 어느 것이나 파리에서 만든 것인데 아름다운 것들이다/I asked him a question, ~ he answered in detail. 그에게 질문을 하자 그는 그 물음에 자세하게 대답했다/He gave us a book, from ~ we obtained valuable information. 그는 우리에게 책 한 권을 주었는데 그책에서 우리는 귀중한 지식을 얻었다. **b** 〔절·문장 전체를 선행사로 하여〕 그리고 그것은, 그리고 그 때문에: Bob answered the phone, ~ made him late for school. 보브는 전화를 받았다, 그 때문에 학교에 지각했다/I give up.—*Which* means you leave it to us. 포기하겠네—그럼 우리에게 맡긴다는 뜻일세 그려/Moreover, ~ you may hardly believe, he committed suicide. 거기다가, 거의 믿지 못할 일이겠지만, 그는 자살해 버렸단 말일세《문어에서는 종종 관계사절이 주절 앞에 나올 때도 있음》. **c** 〔사람을 나타내는 명사·형용사를 선행사로 하여〕 …이지만 그것은[을, 에] 《(1) 절 속의 be 동사의 보어가 됨. (2) 선행사가 명사인 경우는, 사람 그 자체가 아니라 지위·성격·인품·직업 따위를 가리킴》: He is very smart, ~ I am not. 그는 매우 약삭빠르지만 나는 그렇지가 않다/Her face was perfectly serious, ~ in a way perhaps she was. 그녀의 얼굴은 아주 진지했고 내심 얼마쯤은 아마 그러했을 것이다/He looked like a lawyer, ~ he was. 그는 변호사답게 보였으며, 실제

로 변호사였다.

NOTE (1) 비제한적 용법에서 which 는 문맥에 따라서 and 〔because, but, though〕+it 〔they, them〕으로 바꿀 수 있을 때가 많음. (2) 또, 주격·목적격 모두 that 으로 바꿔 쓸 수 없음.

4 《선행사 없이 명사절을 이끌어》 (…하는 것은) 어느 것이든: You may take ~ (of the books) you like. (어느 책이든) 좋아하는 것을 택하렴. ***that ~...*** …하는 바의 것: Which book do you mean?—*That* ~ I spoke to you on the phone about. 어느 책 말인가—자네에게 전화로 말한 그것 말일세《비교: The one ...이 보다 일반적임》/What are you talking about?—*That* ~ I told you about yesterday. 무엇에 관한 말씀을 하시는 겁니까—어제 너에게 이야기한 것 말이다《비교: What I...가 보다 일반적》. ***the ~*** 《고어》 =which. ~ ***is*** ~ 어느 것이 어느 것인지, 누가 누군지: The two sisters are so much alike that you cannot tell ~ *is* ~. 그 두 자매는 너무나도 똑같아서 누가 누군지 모를 정도다. ~ ***is worse*** 더욱 나쁜 것은. ~ ***see*** 그 항을 보라《사전에서》.

— *a*. 〔관계형용사〕 **1** 〔제한적 용법〕 어느 …이나 〔이든〕(whichever): Adopt ~ idea you like. 어느 안이든 마음에 드는 것을 채택하시오/Go ~ way you please, you'll end up here. 어느 길을 가든 결국은 여기에 오게 돼.

2 〔비제한적 용법〕 《문어》 그리고〔했는데〕 그 《이 which 는 다음에 오는 명사보다도 세게 발음됨》: We spent two days in the cave, during ~ time we could eat nothing. 동굴 속에서 이틀을 보냈는데, 그 동안 아무것도 못 먹었다/I said nothing, ~ fact made him angry. 나는 잠자코 있었는데, 그것이 그를 성나게 했다/The doctor told her to take a few day's rest, ~ advice she followed. 의사는 그녀에게 2, 3일 쉬라고 권하여 그녀는 그 충고를 따랐다. ★ 보통은 선행사의 내용을 종합하여 재차 설명하는 명사에 붙여서 사용함.

whíffle·trèe *n*. =WHIPPLETREE.

whif·fy [*h*wífi/wífi] *a*. 《구어》 물컥 냄새나는.

whíf gàme [wíf-] 만약이라는 방식(方式)《만일에 그렇다면 어찌 될 것인가(What if?)라는 사전의 계획을 비교 검토하여 방침을 결정하는 방식》. cf. what-if. [◂ *what if game*]

◇**Whig** [*h*wig/wig] *n*. **1** 〖영국사〗 휘그당원, (the ~s) 휘그당《자유당의 전신; Tory 와 대립》. ★ Tory 는 Eton 교 출신자가 많으나 Whig 는 Harrow 교 출신이 많음. **2** 〖미국사〗 휘그당원《(1) (독립 전쟁 당시의) 독립당원. (2) the Democratic party(민주당)와 대립한 정당의 당원; 1834 년경 결성(結成)》. — *a*. 휘그당(원)의. ㊕ **∠·gery, ∠·gism** [-əri], [-izəm] *n*. Ⓤ 휘그당의 주의, 민권주의.

Whig·gish [*h*wígiʃ/wíg-] *a*. 휘그당의〔같은〕; 민권당의; 민권주의의. ㊕ **~·ly** *ad*. **~·ness** *n*.

†**while** ⇨《p. 2837》 WHILE.

whiles [*h*wailz/wailz] *ad*. 《Sc.》 때때로; 그 동안, 한편. — *conj*. 《고어》 =WHILE.

whi·lom [*h*wáiləm/wái-] *ad*. 《고어》 일찍이, 이전에, 옛날에. — *a*. 이전의, 전의: a ~ friend 옛친구.

whilst [*h*wailst/wailst] *conj*. 《영》 =WHILE; 《고어》 =UNTIL. — *n*. 《고어》 =WHILE.

***whim** [*h*wim/wim] *n*. **1** 잘 변하는 마음, 일시적인 생각, 변덕: take a ~ *for* walking 산책이라도 할 생각이 나다/on a ~ 일시적 기분으로/full of ~s (and fancies) 변덕스러운. **2** 〖광산〗 (말이 돌리는) 자아틀(=∠ **gìn**).

whim·brel [*h*wímbrəl/wím-] *n*. 〖조류〗 중부리도요.

◇**whim·per** [*h*wímpər/wímp-] *vi*. (잉잉) 잦아들듯〔호소하듯, 처량하게〕 울다; 훌쩍이다, 울먹이다, 애처로이 하소연하다《*about; over; for*》; 투덜거리다; (바람·시내 등) 낮고 구슬픈 소리를 내다. — *vt*. 슬픈듯이〔호소하듯〕 말하다. SYN. ⇨WEEP. — *n*. 흐느낌, 훌쩍이는 소리; 애소; 탄원, 불평. ㊕ **~·er** *n*. 훌쩍훌쩍 우는 사람. **~·ing·ly** *ad*. 훌쩍거리며, 킁킁거리며.

◇**whim·si·cal** [*h*wímzikəl/wím-] *a*. 마음이 잘 변하는, 변덕스러운; 별난, 묘한. ㊕ **~·ly** *ad*.

whim·si·cal·i·ty [*h*wìmzəkǽləti/wìm-] *n*. 변덕; 별스러움, 기상(奇想), 기행(奇行).

whim·s(e)y [*h*wímzi/wím-] *n*. 별난 생각; 종작없는 생각, 변덕; 기발한 언동.

whim-wham [*h*wím*h*wæ̀m/wímwæ̀m] *n*. (옷·장식 따위의) 기묘한 것; 변덕; 《고어》 장난감(toy); (the ~s) 《구어》 흥분, 불안, 초조.

whin [*h*win/win] *n*. 〖식물〗 가시금작화.

whín·chàt *n*. 〖조류〗 검은딱새류.

◇**whine** [*h*wain/wain] *vi*. **1** 애처로운 소리로 울다, 흐느껴 울다; (개 따위가) 낑낑거리다. **2** 《~/+전+명》 우는소리를 하다, 푸념하다, 투덜대다《*about*》: ~ *about* being poor 가난을 한탄하다. — *vt*. 애처로운 소리로 울다〔말하다〕《*out*》. — *n*. **1** (아이들의) 보채는 소리; 우는소리; (사이렌·탄환·바람 등의) 날카로운 음향; (개 따위가) 낑낑거리는 소리. **2** 우는소리, 넋두리. ㊕ **whín·er** *n*. **whín·ing·ly** *ad*.

whinge [*h*windʒ/windʒ] *n*., *vi*. 《Austral.·영》 우는소리(를 하다), 호소하듯이 울다(whine); 투덜거리다.

whing·er [*h*wíŋər, *h*wíndʒ-/wíŋ-] *n*. 《Sc.》 단검, 단도.

whin·ny [*h*wíni/wíni] *n*. U,C 히힝《말의 울음소리》. — *vi*., *vt*. (말이) 히힝 울다; 울어서 나타내다〔표시하다〕.

whin·stone [*h*wí:nstòun/wín-] *n*. 〖지학〗 현무암《속칭》; 〔일반적〕 치밀하고 단단하며 거뭇한 암석.

whiny [*h*wáini/wáini] (*whin·i·er; -i·est*) *a*. 불평하는, 투덜대는; 짜증 나는, 언짢은.

***whip** [*h*wip/wip] (*p*., *pp*. **~ped, ~t; ∠-ping**) *vt*. **1** 채찍질하다; 때리다: ~ a horse 말을 채찍질하다/The rain was ~*ping* the windowpanes. 비가 유리창을 몹시 때리고 있었다. **2** 《~+목/+목+부》 편달하다, 격려하다, 자극하다《*on; up*》: ~ *up* a person's patriotism 아무의 애국심을 분기시키다. **3** 《~+목/+목+부/+목+전+명》 채찍질하여 가르치다〔강요하다〕《*into*》; 매질하여 …을 못 하게〔고치게〕 하다: ~ sense *into* 〔~ a fault *out of*〕 a child 아이를 매로 철들게〔잘못을 고치게〕 하다. **4** (크림·달걀 등을) 휘저어 거품이 일게 하다: ~*ped* cream (케이크용) 생크림, 휩트 크림. **5** 《+목+부/+목+전+명》 갑자기 움직이게 하다〔잡아당기다〕; 잡아채다, 움켜잡다《*away; off*》: ~ a person's purse *away* 아무의 지갑을 잡아채다/~ money *into* one's pocket 돈을 재빠르게 호주머니에 쑤셔 넣다. **6** (솔기를) 휘매다, 감치다; (실·끈으로) 칭칭 감다; (밧줄·실 따위를 물건에) 감다. **7** 던질낚시를 하다: ~ a mountain stream 골짜기의 시내에서 던질낚시를 하다. **8** 고패로 끌어올리다. **9** 《구어》 …에게 이기다, 승리하다. — *vi*. **1** 채찍을 사용하다, 매질하다; (비바람이) 휘갈기듯 불다. **2** 《+부/+전+명》 갑자기 움직이다; 휙 달리다, 돌진하다, 뛰어들다〔나

가다]《away; behind; in; into; off; out of》: ~ *behind* the door 문 뒤로 홱 숨다 / ~ *round* the corner 모퉁이를 휙 돌다. **3** 던질낚시를 하다. **~ around** ① 갑자기 되튀다. ② 급히 돌아서다. **~ away** 뿌리치다, 잽싸게 치워 버리다. **~ back** (가지·문 따위가) 되튀어오다. **~ in** (사냥개를) 채찍으로 불러 모으다; (의원에게) 등원(登院)을 독려하다. **~ ... into shape** (어떤 목적을 위해 물건·사람을) 억지로 쓸모 있는 것으로 만들다. **~ off** 《vt.+副》 ① (…을) 재빨리 …하다: ~ *off* one's coat 저고리를 휙 벗어버리다. ② (…을) 서둘러 쓰다. ③ (음식을) 재빨리 먹어 치우다. ④ (…을) 채찍으로 쫓아 버리다; (사냥개를) 채찍으로 흩어지게 하다. ─《vi.+副》 ⑤ 서둘러 떠나다. **~ on** 채찍질해 나아가게 하다; 급히 입다[걸치다]: ~ a horse *on* 채찍질하여 말을 몰다. **~ out** (**of**) (칼·권총 따위를) 갑자기 뽑다; 갑자기 거칠게 말하다;《미속어》 척 경례하다. **~ round** 휙 돌아보다; 권유하다, (모금 등을) 걷으며 다니다《for》. **~ the devil around the stump** ⇨ DEVIL. **~ the dog** 《미해사속어》 일을 태만히 하다. **~ through** 《미속어》 재빨리 척척 (일을) 해치우다. **~ (...) up** 《구어》 …을 재빨리 모으다[계획하다, 준비하다]; …을 (…한 상태까지) 자극하다, 흥분시키다; (반응·감정 등을) 유발하다, 채찍질하며 몰아치다.

─*n.* **1** 채찍. **2** 채찍으로 때리기: The boy wants the ~. 저 아이는 회초리가 필요하다. **3** 〖요리〗 디저트의 일종《크림·달걀 따위를 저어서 거품을 내게 하여 만듦》. **4** (정당의) 부원내 대표(party ~);《영》(원내 대표가 의원에게 내는) 등원 통지서: issue [send] a ~ round 등원 명령을 내다. **5** 〖사냥〗 사냥개 담당자(whipper-in). **6** (특히 4 두마차의) 마부. **7** 끌어올리는 작은 고패; (풍차의) 날개바퀴. **8** 〖전기〗 (휴대용 라디오·자동차 등의) 회초리 모양의 안테나; 〖음악〗 (타악기의) 채. **9** 던질낚시. **10** Ⓤ 탄력성, 유연성. ***a fair crack of the*** **~** ⇨ CRACK. ***crack the*** **~** 채찍을 휘두르다; 《구어》 엄격히 감독하다, 겁을 주다. **~s of ...** 〖단수취급〗 많은…, …을 듬뿍. ***with* ~ *and spur*** 황급히.

whíp·còrd *n.* 채찍 끈, 능직물의 일종; 장선(腸線); 〖식물〗 채찍 같은 해초. ─*a.* (사람·근육 등이) 잔뜩 긴장한.

whíp·cràck *n.* 휙 하는 채찍 소리(를 냄).

whíp cràne 〖해사〗 (하역용) 간이 기중기.

whíp·gìn *n.* 조면기(操綿機).

whíp hànd 채찍을 쥐는 손, 오른손; 유리한 지위, 우위(優位). ***get* [*have*] *the* ~ *of* [*over*]** … 을 좌우[지배]하다.

whíp·làsh *n.* **1** 채찍끝(의 가죽); 강타, 편달(鞭撻), 충격. **2** 채찍 맞은 상처, 목뼈의 골절 (~

while

종속접속사인데 뜻·구문상 when, as 에 가까우며, '…(하는) 동안'을 중심으로 여기에서 '…한데' '…한 데 반하여' 따위의 말뜻이 생기지만, John wrote, *while* I read. (존은 쓰고 나는 읽었다)처럼 뒤에 와서 '그런데 한편으로는'의 뜻이 되면 오히려 등위접속사의 성격을 띠게 된다. 이 밖에 명사·동사가 있으며, 특히 전자는 많은 관용구를 이룬다.

while [*h*wail/wail] *conj.* **1** 〖기간·시점〗 **a** …하는 동안[사이](에); …하는 동안은; …한데; …하면서《'동작이나 상태의 계속되고 있는 때'를 나타내는 부사절을 만듦; while 절 속에서는 진행형이 많이 사용됨》: We slept ~ they watched. 우리들은 그들이 망을 보고 있는 사이에 잠을 잤다 / Strike ~ the iron is hot. 《속담》 쇠뿔도 단김에 빼랬다 / How can I leave them ~ [when] they are in such a trouble? 그들이 저렇게 어려움을 당하고 있거늘 어떻게 그들을 버릴 수 있을까 / You shouldn't speak ~ (you are) eating. 식사 중에는 지껄이는 것이 아니다《주절과 while 절의 주어가 같을 때 while 절의 주어와 be 동사가 흔히 생략됨》. **b** …하는 한(限): *While* there's life, there's hope. 《속담》 목숨이 있는 한 희망이 있다. **2 a** 〖양보의 종속절을 이끌어〗 …라고는 하나, …하면서도, …하지만, …라고(는) 해도(although): *While* he appreciated the honor, he could not accept the position. 명예로운 일이라고 감사하였으나 그 지위를 받아들일 수는 없었다 / *While* I admit that it is difficult, I don't think it impossible. 그 일의 어려움은 인정하지만 불가능하다고는 생각하지 않는다. **b** 〖대조를 나타내어〗 그런데, 한편(으로는): I've read fifty pages, ~ he's read only thirty. 나는 50 페이지 읽었는데 그는 30 페이지밖에 읽지 못하고 있다《이처럼 주절 뒤에 오면 대조의 뜻이 엷어져서 and에 가까워짐》 / *While* you are too young, I am too old. 당신은 너무 어리고 나는 나이를 너무 먹었다 / One sang, another danced, ~ a third played the piano. 하나는 노래하고 하나는 춤을 추고 또 하나는 피아노를 쳤다.

3 그 위에, 게다가(furthermore): The floor was littered with crumbs, ~ books strewed the desk. 바닥에는 빵부스러기가 흩어져 있었고 게다가 책상에는 책들이 어지러이 흩어져 있었다.

─*n.* Ⓤ (흔히 a ~) 동안, 시간; 잠시; 《고어·방언》 (특정한) 때[경우]; (the ~, one's ~) 시간과 노력: a ~ ago 조금 전에 / (for) a (short) ~ 잠시 동안 / It took him *a* ~ to calm down. 마음을 진정시키는 데 잠시 시간이 걸렸다. ***after a*** **~** 잠시[얼마] 후에. ***all the*** **~** ① 그동안 죽[내내]: He stayed at home *all the* ~. 그는 그 동안 내내 집에 있었다. ② 〖접속사적〗 …하는 동안 죽: The students chattered *all the* ~ I was lecturing. 학생들은 내가 강의하는 동안 (내내) 지껄여댔다. ***a long* [*good, great*]** **~** 오랫동안: It happened *a long* ~ ago. 꽤 오래 전의 일이었다 / It takes *a great* ~ to do it. 그것을 하는 데는 상당한 시간이 걸린다. ***at* ~s** 때때로, 이따금. ***a* ~ *back*** 수주간[수개월] 전에(는), 그동안, 앞서. **(*in*) *between* ~s** 때때로, 짬짬이. ***in a* (*little*) ~** 좀[얼마] 있으면, 곧: He will be back *in a little* [*short*] ~. 그는 머지않아 돌아온다. ***make it worth*** **a person*'s*** **~** 그것이 아무가 애쓴 만큼의 보람이 있게 하다, 그것에 대해 아무의 수고에 보답하다, 아무에게 적당한 사례를 하다. ***once in a*** **~** 이따금. ***the*** **~** ① 그 동안에: We rowed the boat and sang *the* ~. 우린 보트를 저으면서 노래를 불렀다. ② 《시어》 …하는 동안(에)(whilst): I suffered *the* ~ you suffered. 당신이 고생하는 동안 나도 고생을 겪었다. ***worth*** **a person*'s* ~** ⇨ WORTH.

─*vt.* 《+目+副》 (시간을) 느긋하게[한가하게, 즐겁게] 보내다《*away*》: We ~*d away* two days. 우리는 이틀이나 하는 일 없이 보냈다 / He ~*d away* his vacation on the beach. 그는 휴가를 바닷가에서 보냈다.

─*prep.* 《고어》 …까지(until): stay ~ next Sunday 내주 일요일까지 머물다.

injury) 《충격 등으로 머리가 심하게 앞뒤로 흔들려 목등뼈 및 주변에 손상을 입는 증상》. ── *vt.* 채찍질하다; 《비유》 혼내 주다.

whíp·less *a.* (국회의원이) 정식으로 탈당한, 당원 신분을 박탈당한.

whipped [-t] *a.* **1** 채찍으로 맞은, 채찍 벌을 받은. **2** (채찍으로 맞은 듯이) 늘어진. **3** (섞어서 저어) 거품을 일게 한: ~ [whip] cream 휩트 크림《생크림을 거품 낸 크림》. **4** 《속어》 지쳐 버린 (pooped, cohipped-up). **5** 《미속어》 술취한; 지배된, 순종하는; 내주장에 치인.

whípped-ùp *a.* 《미속어》 지친, 기진맥진한(= **whípped úp**).

whíp·per *n.* 채찍질하는 사람[물건].

whípper-ín [-rín] (*pl.* ***-pers-ín***) *n.* (국회의) 원내 총무(whip); 〖사냥〗 사냥개 담당자.

whípper·snàpper *n.* 하찮은 인간, 건방진 놈, 애송이.

whip·pet [*h*wípit/wíp-] *n.* 경주용 개의 일종; 〖군사〗 경(輕)전차(=∠ **tànk**)《1차 대전 때 영국군의》.

whíp·ping *n.* **1** Ⓒ 채찍질; Ⓤ 태형. **2** Ⓤ 칭칭 감아 묶음; 묶는 밧줄[실]. **3** Ⓤ 〖요리〗 거품을 일게 하기; 던질낚시질. **4** Ⓤ 갑자기 움직임; Ⓒ 《구어》 패배.

whípping bòy 〖역사〗 왕자의 학우로 왕자를 대신하여 매맞는 소년; 대신 당하는 자, 희생.

whípping crèam 휘핑크림《평균 36%의 유(乳)지방이 든, 거품이 일기에 알맞은 크림》.

whípping pòst 〖역사〗 태형용 기둥.

whípping tòp 팽이.

whip·ple·tree [*h*wípəltrì:/wíp-] *n.* 물추리막대.

whip·poor·will [*h*wípərwil, ∸∸∠/wípuəwil] *n.* 〖조류〗 쏙독새의 무리《북아메리카산》.

whip·py [*h*wípi/wípi] (***-pi·er; -pi·est***) *a.* 채찍과 같은, 탄력이 있는, 부드러운; 《구어》 쾌활한, 팔팔한.

whíp-ròund *n.* 《영》 (친구·회원에게 돌리는) 「기부 권유(장); (자선) 모금.

whíp·sàw *n.* 틀에 낀 긴 톱. ── *vt.* **1** ~로 자르다; 《미》 …에 양면[이중]으로 이기다[격파하다, 벌다], 결탁하여 이기다, (조합이 회사를) 경합시켜 유리하게 이끌다; 《미속어》 대립하는 양쪽에서 뇌물을 받다. **2** 《미속어》 쉽게 이기다; 심하게 때리다; (일 등을) 잽싸게 해치우다. ── *vi.* ~로 켜다; (트레일러·전차 등이 급커브를 돌 때) 갑자기 기울다; (좌우로) 흔들리다; 《미》 경합시키다.

whíp·sàwed *a.* 〖증권〗 (값의 하락 직전에 사서 상승 직전에 팔아) 이중 손해를 본.

whíp·snàke *n.* 꼬리가 (채찍처럼) 가느다란 뱀 《아시아산(產)》.

whíp stàll 〖항공〗 급실속(急失速)《급상승했을 때 갑자기 기수(機首)가 흔들리며 실속하는 일》(하다[시키다]).

whip·ster [*h*wípstər/wíp-] *n.* =WHIPPERSNAPPER; 채찍을 사용하는 사람.

whíp·stìtch *vt.* (가장자리 따위를) 감치다 (overcast). ── *n.* 감쳐 공그르기; 《미구어》 잠시, 순간. (***at***) ***every*** ~ 이따금, 늘.

whíp·stòck *n.* 채찍의 손잡이; 〖석유〗 휩스톡 《유정에 내려서 비트의 굴진(掘進) 방향을 바꾸는데 쓰이는 역(逆)쐐기꼴의 기구》. ── *vi., vt.* 휩스톡을 써서 파다.

whíp·wòrm *n.* 〖동물〗 편충《사람의 장의 기생충》.

whir, whirr [*h*wə:*r*/wə:] *n.* 휙하는 소리; 윙하고 도는 소리. ── (***-rr-***) *vi., vt.* 휙 날다; (모터 따위가[를]) 윙 돌다[돌리다].

whirl** [*h*wə:*r*l/wə:l] *vi.* **1** 《~/+튀/+전+명》 빙빙 돌다, 회전하다; 선회하다, 곡선을 그리며 가다; 급히 방향을 바꾸다[돌아보다]: ~ *round* (나뭇잎 등이) 맴돌며 날다 / The dancers ~*ed around* the floor. 댄서들이 마루를 빙빙 춤추며 돌았다. **2** (머리가) 핑 돌다; 현기증이 나다. **3** 《+전+명》 황급히 걷다[지나다, 진행하다], 질주하다: The truck ~*ed down* the road. 그 트럭은 길을 질주하여 갔다. **4** 생각 따위가 잇따라 떠오르다. ── *vt.* **1** 《~+목/+목+튀》 빙글빙글 돌리다; 선회시키다; 소용돌이치게 하다; 휘젓다; 휙[바지런히] 나르다[보내다]: ~ a top 팽이를 돌리다 / ~ a stick 지팡이를 휘두르다 / The north wind ~*ed* the snowflakes *about.* 북풍에 눈발이 소용돌이쳤다. **2** 《고어》 …에게 현기증을 일으키게 하다; 《폐어》 (표창 등을) 빙빙 돌려서 던지다. **3** 돌아보게 하다, …의 방향을 급히 바꾸게 하다. **4** 《+목+튀/+목+전+명》 (탈것이 사람을) 빨리 나르다[태워 가다]《*away*》: We were ~*ed away* in his car. 그의 차로 재빨리 실려 갔다. ~ ***aloft [***up***] 감아올리다; 회오리쳐 [소용돌이쳐] 오르다.

── *n.* (종종 a ~) **1** 회전; 선회: give the crank a ~ 크랭크를 1회전하다. **2** (사건·회합 등의) 연속《*of*》; 후딱 걸어가기[뛰어가기, 차로 가기]. **3** (a~) (정신의) 혼란, 어지러움: My thoughts are in a ~. 내 정신은 혼란에 빠져 있다. **4** (종종 *pl.*) 빙글빙글 도는 것, 소용돌이; 선풍; 〖식물·동물〗 =WHORL. **5** 《보통 give a ~로》《구어》 시도(해 봄): Let's *give* it *a* ~. 한번 그것을 시도해 보기로 하자.

㊞ **∠·er** *n.* 선회하는 것; 마무리용 녹로(轆轤). **∠·ing·ly** *ad.*

whírl·abòut *n.* **1** 회전, 선회 (작용). **2** =WHIRLIGIG.

whirl·i·gig [*h*wə́:*r*ligig/wə́:l-] *n.* 빙글빙글 도는 장난감《팽이·팔랑개비 따위》; 회전목마; 변덕스러운 사람; 회전 운동; 윤회(輪廻); 변전(變轉); 〖곤충〗 물맴이(=∠ **bèetle**): the ~ of time 운명의 변전.

°**whírl·pòol** *n.* 소용돌이; 혼란, 소동; 감아들이는 힘.

whírlpool báth (물치료법) 와류욕(渦流浴)(의 욕조[장치]), 저쿠지(Jacuzzi)(목욕).

°**whírl·wìnd** *n.* **1** 회오리바람, 선풍. **2** 급격한 행동, 격렬한 감정: a ~ tour 허둥대는 유람 여행. **3** 질서 없는 진전; 파괴적 요인; 성급한 사람. **4** 〖형용사적〗 순식간의, 분주한. ***ride*** (***in***) ***the*** ~ (천사가) 선풍을 다스리다; (사람이) 혁명의 기운을 타다. ── *vi.* 회오리바람처럼 움직이다.

whirly [*h*wə́:*r*li/wə́:li] *a.* 뱅뱅 도는; 소용돌이치는. ── *n.* 작은 회오리바람.

whírly·bìrd *n.* 《구어》 헬리콥터.

whish [*h*wiʃ/wiʃ] *vi.* 쉿[휙] 하고 소리 나다; 쉿하고 움직이다. ── *vt.* 빨리 달리게[움직이게] 하다. ── *n.* Ⓒ,Ⓤ 쉿[휙]하는 소리. [imit.]

whisht [*h*wist, *h*wiʃt/wiʃt] *int., n., a.* =WHIST[1]

whisk [*h*wisk/wisk] *n.* **1** (털·짚·잔가지 등으로 결어 만든) 작은 비, 총채; =WHISK BROOM. **2** (달걀·크림 등의) 거품기(器). **3** (건초·짚·강모·깃털 등의) 다발《*of*》. **4** 텖; (날짐승이 날개·꼬리 등으로) 휙 텖; (고속 열차 등의) 휙 달림. ── *vt.* **1** 《+목+튀/+목+전+명》 (먼지 등을) 털다, 닦다《*away; off*》: ~ flies *away* [*off*] 파리를 쫓다 / ~ crumbs *off* one's coat 저고리에서 빵부스러기를 털다. **2** 《+목+튀/+목+전+명》 휙 채가다[데려가다, 끌어당기다, 치우다] 《*away; off*》: ~ *away* [*off*] a newspaper 신문을 가져가 버리다 / He ~*ed* the money *into* his pocket. 그 돈을 주머니에 휙 집어넣었다. **3** (꼬리·채찍 따위를) (털듯이) 흔들다, 휘두르다. **4** (달걀·크림 따위를) 휘젓다, 거품 내다 (whip). ── *vi.* 《~/+전+명》 휙 움직이다; 휙 사라지다: ~ *out of* sight 급히 사라지다 / ~ *into* a hole (쥐 따위가) 구멍 속으로 재빨리 사

라지다. ~ ***out*** 날쌔게 집어내다.

whísk bròom (자루가 짧은) 솔, (옷·소파 따위의 먼지를 터는) 작은 비.

°**whisk·er** [*h*wískər/wísk-] *n.* **1** (보통 *pl.*) 구레나룻. ⓒⓕ beard, mustache. **2** 《고어》 콧수염; (고양이·범·메기 따위의) 수염; (새의) 부리 주위의 깃털; 《구어》 약간의 거리〔차이〕. **3** (사파이어·금속 등의) 단결정(單結晶), 휘스커. **4** (*pl.*) 《미속어》 털, 볼; 붙인 속눈썹; (~s) 〖단수취급〗 《미구어》 초로의 남성. **5** 《비어》 (성적 대상으로서의) 여자, 창부. ***by a*** ~ 근소한 차로. ***Mr.*** 〔***Uncle***〕 ***Whiskers*** =***the old man with the*** ~***s*** 《미속어》 미국 정부, 미국 정부의 법집행 관리《내국세리(吏)·마약단속반·FBI 수사관 따위》. ㊕ ~**ed** *a.* 구레나룻이 있는.

whiskers 1

*__whis·key, -ky__ [*h*wíski/wís-] (*pl.* ***-keys, -kies***) *n.* **1** 위스키. **2** 위스키 한 잔(a glass of ~): Two ~*s*, please. 위스키 두 잔 주세요. ★ 미국·아일랜드산(産)의 것은 보통 whiskey, 영국·캐나다산(産)은 보통 whisky로 씀. **3** (Whiskey) 문자 W를 나타내는 통신 용어. ── *a.* 위스키의〔로 만든〕.

whískey and sóda 위스키소다, 하이볼.

whis·key·fied, -ki·fied [*h*wískifàid/wís-] *a.* 《우스개》 위스키에 취한.

whískey sóur 1 위스키 사워《위스키에 레몬즙·설탕·소다수 따위를 타고 얼음을 넣어 만든 음료》. **2** 그것을 마시는 술잔.

whísky màc 《영》 위스키 맥《위스키와 진저와인을 섞은 술》.

whis·per [*h*wíspər/wís-] *vi.* **1 《~/+전+명》 속삭이다, 작은 소리로 이야기하다: ~ *to* a person 아무에게 속삭이다. **2** 《~/+전+명》 내밀한 이야기를〔밀담을〕 하다: ~ *against* a person 아무의 험담을 하다; 아무에 대하여 몰래 음모를 꾸미다. **3** (나뭇잎·바람 따위가) 살랑살랑 소리를 내다(rustle): The autumn wind ~*ed* low among the branches. 가을 바람이 나뭇가지를 살랑거리게 했다. ── *vt.* **1** 《~+목/+목+전+명/+전+명+*that* 절/+목+*to* do》 작은 소리로 말하다, …에게 작은 소리로 속삭이다: He ~*ed* his wishes *to* me. 그는 작은 소리로 소원을 내게 말하였다 / He ~*ed* her *to* go out with him. 그는 그녀에게 함께 나가자고 속삭였다 / I ~*ed to* him *that* he might come. 나는 그에게 와도 좋다고 속삭였다. **2** 《~+목/+목+부/+*that* 절》 살그머니 이야기를 퍼뜨리다: The story is being ~*ed about* in the neighborhood. 이 이야기는 인근 사람들 사이에 쉬쉬하며 퍼뜨려지고 있다 / It's ~*ed* 〔It's being ~*ed around*〕 *that* he has cancer. 그가 암에 걸렸다는 소문이다. ~ ***about*** …의 소문을 말하다. ~ ***in*** a person***'s ear*** 아무에게 귀띔하다.

── *n.* **1** 속삭임, 귀엣말: speak in a ~ 〔in ~*s*〕 귀엣말하다, 소근거리다. **2** 소문, 풍설; 고자질, 험담: a ~ of scandal 추문 / There're ~*s* going around 〔round〕 *that* he's going to resign. 그가 사직할 것이라는 소문이 돌고 있다. **3** 졸졸〔와삭와삭하는〕 소리; 〖음성〗 속삭임. **4** 암시, 시사. **5** 미량(微量), 조금: a ~ *of* a perfume 향수의 은은한 냄새. (speak) ***in a stage*** ~ 들어 보라는 듯이 (말하다).

㊕ ~**·er** *n.* 속삭이는 사람, 밀고자.

whís·per·ing [-riŋ] *n.* 속삭임; 소문; 와삭와삭하는 소리. ── *a.* 속삭이는(듯한); 귀엣말의; 와삭와삭하는; (중상적인) 비밀 이야기를 퍼뜨리는. ㊕ ~**·ly** *ad.*

whíspering campàign 《미》 중상 운동《대항 후보자의 중상적 소문을 조직적으로 퍼뜨리는》.

whíspering gàllery 〔**dòme**〕 속삭이는 회랑(回廊)《속삭임 소리도 먼 곳까지 들리도록 한 구조의 회랑》.

whist[1] [*h*wist/wist] 《고어·영방언》 *int.* 쉿, 조용히. ── *n.* Ⓤ 침묵: Hold your ~! 잠자코 있어. ── *a.* 입을 다문, 조용한.

whist[2] *n.* Ⓤ 휘스트《카드놀이의 일종》. ***long*** 〔***short***〕 ~ (휘스트의) 10점〔5점〕 게임.

whis·tle [*h*wísəl/wís-] *n.* **1 휘파람. **2** 호각, 경적, 기적(汽笛): blow a ~ 호루라기를 불다 / When the ~ goes, run! 호루라기 소리가 나면 뛰어라. **3** Ⓤ,Ⓒ (새·바람·탄환 따위의) 피리 비슷한 소리; (휘파람 등에 의한) 신호; 소집, 불러냄: the blackbird's ~ 개똥지빠귀의 지저귀는 소리. **4** 《구어》 목구멍. ***as clean*** 〔***clear, dry***〕 ***as a*** ~ 매우 깨끗〔명백, 건조〕한〔하게〕. ***blow the*** ~ ***on ...*** 〖경기〗 (심판이 선수)에게 호각을 불다〔벌칙을 적용하다〕; 《구어》 …의 활동을 금지시키다; (아무)의 일을 통보〔밀고〕하다; …을 불법이라〔불성실하다〕고 말하다; (일)을 폭로하다. ***not worth the*** ~ 전혀 무익한. ***pay*** 〔***dear***〕 ***for*** one***'s*** ~ 쓸모없는 것을 비싸게 사다; 되게 혼나다. ***play a*** ~ 휘파람으로 노래를 부르다. ***wet*** one***'s*** ~ ⇨ WET.

── *vi.* **1** 《~/+전+명/+전+명+*to* do》 휘파람을 불다; ~을 울리다; ~로 신호하다: ~ *for* one's dog 〔a taxi〕 휘파람을 불어 개〔택시〕를 부르다 / He ~*d to* his dog *to* come back to him. 그는 되돌아오라고 개에게 휘파람을 불었다 / ~ *for* a car *to* stop 호각으로 정차시키다. **2** 《~/+부/+전+명》 삐하고 (호각 소리와 비슷한) 소리를 내다; (새가) 지저귀다: The wind ~*d around* (the house). (집) 주위에 바람이 쌩쌩거렸다 / The bullets ~*d past* my ears. 탄환이 귓전을 팽하고 울리며 지나갔다. **3** 밀고〔고자질〕하다. ── *vt.* **1** 《~+목/+목+부》 휘파람으로 부르다, …에게 휘파람으로 신호하다: ~ a dog *forward* 〔*back*〕 개를 휘파람으로 앞으로 나가게〔되돌아오게〕 하다. **2** 휘파람으로 불다; 쌩하고 날리다: ~ a tune 곡을 휘파람으로 불다. ***can*** 〔***may, will have to***〕 ~ ***for*** 《구어》 …을 구하여도〔바래도〕 헛수고다: I owe him $5, but he *may* ~ *for* it. 그에게 5달러 꾸었지만 갚지 않겠다. ***let*** a person ***go*** ~ 아무에게 단념시키다: This being done, *let* the law *go* ~. 일은 이미 끝나 버렸으니, 법률 따위는 아무래도 좋다. ~ ***... down the wind*** …을 놓아주다, 포기하다; 제멋대로 가게 하다. ~ ***in the dark*** (무서움을 감추려고) 어둠속에서 휘파람 불다; (위험에 직면하여) 침착한 체하다. ~ one***'s life away*** 태평스럽게 일생을 보내다. ~ ***up*** 불러 모으다; 이럭저럭해서 만들어 내다〔손에 넣다〕.

㊕ ~**·a·ble** *a.*

whístle bàit 《미속어》 매력적인 여자.

whístle blòwer 《미속어》 폭로〔중상〕하는 사람, 내부 고발자; 정보 누설자; 밀고자.

whístle-blòwing *n.* 《속어》 고발, 밀고.

whís·tler *n.* 휘파람 부는 사람; 삐 울리는 것; 《미속어》 순찰차; 《미속어》 경찰에 밀고하는 자; 〖조류〗 흰뺨오리, 홍머리오리; 〖동물〗 마멋(marmot)의 일종《북아메리카산》; 〖전기〗 휘슬러《공전(空電)의 저주파 성분에 의한 잡음》; 〖수의〗 천명증(喘鳴症)〔천식〕에 걸린 말.

whístle stòp 1 《미》 (역에서 신호가 있어야만 정거하는) 작은 역(flag stop); 선로 연변의 자그마한 마을. **2** 유세(遊說) 중 작은 도시에서의 첫 인사; 그 때의 연설.

whístle-stòp tóur 단시간에 여러 곳을 다니는 여행.

whis·tling [*h*wísliŋ/wís-] *a.* 휘파람을 부는, 휘파람 같은 (소리를 내는). **—** *n.* 휘파람 (같은 소리); 〖수의〗 (말의) 천명증(喘鳴症).

Whit [*h*wit/wit] *a.* =WHITSUN.

whit *n.* (a ~) 약간, 조금, 미소(微小). ***every*** ~ 어떤 점에서도, 전혀. ***no*** 〔***not a, never a***〕 ~ 조금도 …아니다〔않다〕.

†**white** [*h*wait/wait] *n.* Ⓤ **1** 백(白), 백색; 흰 그림물감, 백색 도료. **2** 흰옷, 흰 천; (*pl.*) 흰 천 제품: a woman (dressed) in ~ 흰옷의 부인. **3** (물건의) 흰 부분; (보통 the ~) (달걀의) 흰자위, (안구의) 흰자위; (the ~) (인쇄의) 여백; (the ~) 《고어》 〖궁술〗 흰 과녁; 과녁의 제일 바깥 테, 거기에 꽂힌 살; 〖당구〗 흰 공. **4** Ⓒ (종종 W-) 백인; 초(超)보수〔반동〕주의자; 왕당원: ⇨ POOR WHITE. **5** Ⓒ 〖곤충〗 배추흰나비류(類). **6** (*pl.*) 〖의학〗 백대하(白帶下). **7** 《구어》 백포도주; 《미속어》 코카인. **8** 결백, 무죄. **9** (돼지 등) 백색 품종. ***in the*** ~ (가구·목재가) 아무 칠도 안 한. **—** *a.* (***whít·er; whít·est***) **1** 흰, 백색의: as ~ as snow 눈처럼 흰/an old man with ~ hair 백발의 노인. **2** (공기·물 따위가) 무색의, 투명한: ⇨ WHITE WINE. **3** 백인의. opp. *colored*. ¶ a ~ school 백인 학교/⇨ WHITE SUPREMACY. **4** 눈으로 덮인: a ~ Christmas 〔winter〕 눈이 있는 크리스마스〔겨울〕. cf. green Christmas. **5** 핏기를 잃은, 창백한: She 〔Her face〕 went ~ *with* fear. 그녀는〔그녀의 얼굴은〕 공포로 창백해졌다. **6** 흰옷의〔을 입은〕: a ~ sister 백의의 수녀. **7** 씌어 있지 않은: a ~ page 공백의 페이지. **8** 결백한, 순수한; 신뢰할 수 있는: He is the ~*st* man I've ever seen. 그처럼 결백한 사람은 만나본 적이 없다. **9** 선의의, 죄 없는: ⇨ WHITE WITCH. **10** 백열(白熱)의, 열렬〔격렬〕한: ~ fury 열화 같은 노여움. **11** 보수적〔반동적〕인; 반공산주의의; 왕당(王黨)의. **12** 행운의, 길한: a ~ day 길일. **13** (커피·홍차가) 밀크를 탄. ***as*** ~ ***as milk*** 〔***chalk***〕 새하얀, 순백의. ***be in*** ~ ***terror*** 〔***rage***〕 공포〔분노〕로 새파래져 있다. ***bleed*** a person ~ 아무를 짜낼 수 있는 데까지 짜내다. ***in the*** ~ (천이) 물들이지 않은 감 그대로; (제품이) 미완성의 상태에(서). ***make*** one***'s name*** ~ ***again*** 오명을 씻다, 설욕하다. ***mark with a*** ~ ***stone*** 대서특필하다.
— *vt.* **1** 《고어》 희게 하다: ⇨ WHITED SEPULCHER. **2** 〖인쇄〗 여백으로 남기다《*out*》: *White out* this line. 이 행은 여백으로 할 것.

whíte agáte 백색의 옥수(玉髓).

whíte alért 백색 방공 경보《경보 해제》. cf. blue alert, red alert, yellow alert.

whíte álloy 〖야금〗 백색 합금(white metal).

whíte amúr 〖어류〗 =GRASS CARP.

whíte ánt 흰개미.

whíte-ànt *vt.* 비밀리에 …의 파괴 공작을 하다 (undermine).

whíte ársenic 〖화학〗 백비(白砒), 삼산화비소 (As_2O_3).

Whíte Austrália pólicy 백호(白濠)주의《유색인의 이민을 허가하지 않는; 생략: WAP》.

whíte bácklash 《미》 (소수 민족 차별 철폐 운동에 대한) 백인의 반발.

whíte·bàit (*pl.* ~) *n.* 〖어류〗 뱅어과(科)의 물고기; 청어 따위의 새끼.

whíte béar 〖동물〗 북극곰; 백곰.

whíte bèard 노인, 늙은이(gray beard).

whíte bélt (유도 따위에서) 흰색 띠(를 맨 사람). cf. black belt, brown belt.

whíte bírch 〖식물〗 자작나무.

whíte (**blóod**) **cèll** 백혈구(leukocyte).

whíte·bòard *n.* **1** 백판(白板)《흰 플라스틱제의 흑판 대용품; 수성 펠트펜 등으로 씀》. **2** 〖전자〗 화이트보드《위에 쓴 내용을 복사해 전화 회선으로 전송하여 단말 TV에 표시할 수 있는 전자판》.

whíte bóok 백서《정부가 발행하는 보고서》.

Whíte·bòy *n.* **1** 〖역사〗 백의(白衣)당원《18세기 아일랜드의, 농지 개혁 등을 주장한 비밀 결사 당원》. **2** (w-) 《고어》 사랑하는 아이, 총아.

whíte bréad 흰빵《정백분(精白粉)으로 만든》. cf. black 〔brown〕 bread.

whíte-brèad *a.* 《미·Can. 구어》. **1** 백인 사회의, 중류의, 전통적인. **2** 단조로운. **3** 《미속어》 재미없는, 하찮은. **—** *n.* 재미없는 사람. 「이 많음」.

whíte brónze 〖야금〗 백색 청동《주석 함유량이 많음》.

whíte·càp *n.* **1** (보통 *pl.*) 물마루, 흰 파도. **2** (W-) 《미》 백모단원(白帽團員)《폭력적인 자칭 경비단원》. **3** 〖조류〗 (딱새 따위) 각종의 머리가 흰 새.

whíte cást íron 백철광(white iron).

whíte cédar 〖식물〗 노송나무속(屬)의 식물《미국 동부 연안의 늪에서 생장함》.

whíte céll 백혈구(white blood cell).

whíte cemént 백색 시멘트.

whíte chócolate 화이트 초콜릿《카카오 성분이 없는 초콜릿 맛이 나는 흰 캔디》.

whíte chìffs of Dóver (the ~) 도버의 흰 해안《도버 해협을 건너면 첫눈에 들어오는 잉글랜드 해안으로 영국의 상징》.

whíte clóver 〖식물〗 흰토끼풀.

whíte cóal (에너지원으로서의) 물, 수력; 전력.

whíte cóffee 《영》 밀크를 탄 커피. opp. *black coffee*.

whíte-cóllar *a.* (복장이 단정한) 사무직 계급의, 샐러리맨의. cf. blue-collar. ¶ a ~ job 샐러리맨적인 직업/a ~ worker 봉급 생활자.

whíte-còllar críme 지능 범죄《사기·횡령·탈세·증수회(贈收賄)·부당 광고 등 화이트 칼라의 직무에 관련된 범죄》.

whíte-còllar críminal 지능 범죄를 범한 자.

Whíte Cóntinent (the ~) 흰 대륙(Antarctica).

whíte córpuscle 백혈구(leukocyte).

whíte crów 흰 까마귀; 극히 진기한 물건.

whít·ed [-id] *a.* 하얗게 (칠)한; 표백한.

whíte dáisy 프랑스 국화(菊花).

whíte dámp 갱내 유독 가스《일산화탄소가 주성분인》.

whíte déath 《구어》 헤로인.

whíted sépulcher 〖성서〗 회칠한 무덤; 위선자《마태복음 XXIII : 27》.

whíte dwárf 〖천문〗 백색 왜성(矮星).

whíte élephant 흰코끼리《인도 등지에서 신성시되는》; (비용·수고만 드는) 성가신 물건, 무용지물.

Whíte Énglish (미국의) 백인 영어. cf. Black English.

whíte énsign 영국 군함기(旗).

whíte fáther 아프리카 파견 선교사《흰옷을 입은 데서》.

whíte féather 겁먹은 증거; 겁쟁이. ***show the*** ~ 우는소리하다, 겁을 집어먹다.

whíte fínger(**s**) 〖의학〗 백랍병(白蠟病).

whíte·fish *n.* 〖어류〗 송어의 일종; 은백색의 물고기《황어 따위》; Ⓤ (특히 대구 따위의) 흰 살.

whíte flág 백기(白旗), 항복기(旗). ***hoist*** 〔***hang out, show, wave***〕 ***the*** ~ 항복하다.

whíte flìght 《속어》 백인 중산층 사람이 도심에서 교외로 빠져나감《다른 인종을 피하려고》.

whíte flóur 정백(精白) 밀가루.

Whíte Fríar (때로 w- f-) Carmel파(派)의 수도사(Carmelite).

whíte fróst 서리. cf. black frost.

whíte fúel (에너지원(源)으로서의) 강물.

whíte gásoline 〔**gás**〕 무연(無鉛) 휘발유.

whíte góld 화이트 골드《금을 함유한 합금의 일종; 금·니켈·구리·아연을 함유하고 platinum 비슷함》; 흰 산물《설탕·목화 따위》.

white gòods 린네르류(類)《시트 따위》; (냉장고·세탁기 등 희게 칠한) 대형 가정용구.
white-háired *a.* 백발의; 흰 털로 덮인; 《구어》 마음에 드는: a ~ boy.
White·hàll *n.* 런던의 중앙 관청가; 영국 정부 (의 정책).
white·hànded [-id] *a.* 손이 흰, (육체) 노동 경험이 없는; 결백한.
white·hèad *n.* 머리와 목이 하얀 새; 〖의학〗 비립종(稗粒腫)(milium). 《구어》 마음에 쏙 드는.
white-héaded [-id] *a.* 백발의; 금발의; 《구어》
white héat (구리·철 등의) 백열; (심신의) 극도의 긴장, (투쟁 등의) 백열 상태.
white hóle 〖천문〗 화이트홀《블랙홀에 빨려 들어간 물질이 방출된다는 가설상의 구멍》.
white hópe 《구어》 크게 기대되는 사람; 흑인 챔피언에 도전하는 백인 복서; 백인 대표. (cap).
white hórse 백마; (보통 *pl.*) 흰 파도(white-cap).
white-hót *a.* 백열(白熱)의《금속 따위》; 열렬한, 흥분한; 《미속어》 지명 수배 중인.
White Hòuse (the ~) 화이트하우스, 백악관《워싱턴의 미국 대통령 관저》; 《구어》 미국 대통령 의 직(職)〔권위, 의견〕; 미국 정부.
white húnter (아프리카의 사파리·수렵 여행에서) 안내인 겸 사냥꾼 역할을 하는 백인.
white informátion (은행 등이 신용 평가가 양호한 개인에 대해서 보유하는) 백색 신용 정보.
white knίght 정치 개혁자, (주의를 위한) 운동가; 《미》 〖경제〗 기업 매수의 위기에 있는 회사를 구제하기 위해 개입하는 제 3 의 기업.
white-knúckle *a.* 《구어》 무서운, 공포를 불러일으키는, 긴장과 불안에 찬.
white lánd 농업 지정지.
white léad [-léd] 〖화학〗 백연(白鉛); 탄산납; 분《화장용》.
white léather 무두질한 흰 가죽(=**whít-lèather** [*h*wít-]).
white líe 악의 없는 거짓말.
white líght 〖물리〗 백색광.
white líghtning 《미속어》 밀주 위스키; =LSD.
white líne 흰 선《특히 노상의》; 〖인쇄〗 공백(空白)의 행(行); 《미속어》 밀매〔자가제〕 위스키.
white-lìpped [-t] *a.* 입술이 하얀; (공포로) 입술이 파래진.
white lìst 화이트리스트, 바람직한 것의 리스트. OPP *black list*.
white-liv·ered [*h*wáitlívərd, ⌐⌐-] *a.* 혈색이 나쁜, 창백한; 겁 많은, 비겁한.
white·ly *ad.* 하얗게 보이도록; 희게; 흰색으로.
white mágic (치료·구제 따위의 선행을 목적으로 하는) 선의의 마술. OPP *black magic*.
white mán 백인; 《구어》 출신이 좋은 사람, 정직한 사람, 청렴결백한 사람.
white màn's búrden (the ~) (유색인의 미개발국을 지도해야 할) 백인의 책무.
white márket (가솔린 배급표 등의) 합법적〔공인〕 시장.
white màtter 〖해부〗 (뇌의) 백질(白質).
white mèat **1** (닭·돼지·토끼 따위의) 흰 고기. cf. red meat. **2** 《속어》 백인 여배우〔여가수〕; 《고어》 유제품(乳製品), 〖일반적〗 낙농 제품. **3** 《미속어》 간단한 일, 쉽게 입수할 수 있는 것.
white métal 백색 합금; 가짜 은.
white móney 《미속어》 출처를 속여서 합법적으로 보이게 한 비합법적 자금.
°**whit·en** [*h*wáitn/wáitn] *vt., vi.* 희게 하다〔되다〕, 표백〔마전〕하다.
°**white·ness** *n.* U **1** 흼, 순백; 창백. **2** 결백.
white nígger 《미속어·비어》 흑인의 시민권을 옹호하는 백인.
white níght 백야; 잠 못 이루는 밤.
White Níle (the ~) 백(白)나일《나일 강의 원류(源流)의 하나》.
whit·en·ing *n.* U 희게 함, 표백; 희게 됨; 호분(胡粉), 백악(白堊).
white nóise 〖물리〗 (모든 가청(可聽) 주파수대를 포함한) 백색 소음, 화이트 노이즈.
white óak 참나무의 일종《북아메리카산(産)》.
white óil 백유(白油)《무미·무색·무취의 광물유; 의학·윤활유용》.
white·òut *n.* 화이트아웃《극지에서 천지가 온통 백색이 되어 방향감이 없어지는 상태》; 심한 눈보라(로 시야가 현저하게 좁아짐).
white pàges (ABC 순으로 된) 전화부; 〖컴퓨터〗 백서《인터넷 사용자들에 대한 기본적인 정보를 제공하는 정보 서비스 또는 이들 정보를 제공하는 데이터베이스》. cf. Yellow Pages.
white páper 백지; 백서《특히 영국 하원 발행의; 미국 정부는 공식으로는 쓰지 않음》: ~ on national defense 국방 백서.
white pépper 백후추《후추씨의 껍질을 벗기고 말린 향신료》.
white phóne 《미속어》 변기. ***talk on*** 〔***to*** (***Ralph on***)〕 ***the big*** ~ =***make a call on the big*** ~ =***call God on the big*** ~ 변기에 토하다.
white píne 스트로부스잣나무《잎이 희읍스름한 북아메리카 동부산(産)》.
white plágue (the ~) 폐결핵; 헤로인 중독.
white póplar 〖식물〗 은백양; =TULIPTREE, 그 재목.
white potàto 감자.
white prímary 〖미국사〗 백인 예선회《남부 지방에서 백인만이 투표하던 민주당의 예비 선거; 1944 년 위헌 판결》.
white ráce (the ~) 백색 인종, 백인종.
white ríbbon 《미》 흰 리본《순결의 표지》.
white ròom 무진실(無塵室), 무균실(clean room).
White Rússia =BYELORUSSIA.
White Rússian **1** =BYELORUSSIAN. **2** 백러시아인; (러시아 내전 때의) 반(反)볼셰비키인, 백계 러시아인.
white sàle 흰 섬유 제품〔여름옷〕의 대매출.
white sàuce 화이트소스《밀가루에 버터·우유를 섞어 만듦》.
white scóurge (the ~) 《영》 폐결핵.
White Séa (the ~) 〖지리〗 백해(白海)《러시아 북서부 북극해에 있음》.
white shéep 믿지 못할 무리 중의 착한 사람.
white shéet (참회자가 입는) 흰옷. ***put on*** 〔***stand in***〕 ***a*** ~ 참회〔회개〕하다.
white sláve 백인 노예; (매춘을 강요당하는) 백인 여성〔소녀〕.
white slávery 강제 매춘; 백인 노예의 매매.
white·smìth *n.* 양철공, 은도금공. cf. blacksmith.
white smóg 광화학(光化學) 스모그.
white spàce 〖인쇄〗 여백; (광고 등에서 시각적 효과를 노린) 여백.
white spírit 〖화학〗 (보통 *pl.*) 백유(白油)《페인트·니스 등의 용제》.
white squàll 〖기상〗 흰스콜《강우를 수반하지 않은 열대 지방의 급진성 폭풍》.
white suprémacy (흑인 등에 대한) 백인 우월론. 파 **white suprémacist**
white téa còmmune 백탕(白湯)공사《중국의 낮은 농업 생산성 등으로 빈곤에 허덕이는 인민공사; 차 대신에 백탕을 마신다는 뜻》.
White Térror (the ~) 〖프랑스사〗 백색 테러《1795년 혁명파에 가한 왕당파의 보복》; 〖일반적〗 백색 테러. cf. Red Terror.
white·thòrn *n.* 〖식물〗 산사(山査)나무(hawthorn).
white·thròat *n.* 참새의 일종《북아메리카산(産)》; 휘파람샛과(科)의 작은 새《유럽산》.
white tíe (연미복용의) 흰 나비넥타이; (남자의) 만찬용 정장, 연미복.
white-tíe *a.* 정장을 필요로 하는 《만찬》.
white trásh 〔집합적〕 《경멸》 (특히 미국 남부의) 가난한 백인(poor white(s)).

whíte·wàll *n.* 측면이 흰 타이어(=∠ **tíre**).
whíte wár 유혈 없는 전쟁《부정한 수단을 써서 하는 경제 전쟁 따위》.
◇**whíte·wàsh** *n.* **1** Ⓤ 흰 도료, 회반죽《벽 따위의 겉에 바르는》; (벽돌 표면에) 생기는 백화(白華); (옛날의 피부 표백) 화장수. **2** 《구어》 추문·실책을 숨기기 위한 겉발림 (수단); 여론 진정용의 공식 보고, 속임수; 《미구어》 영봉, 완봉(完封). — *vt.* **1** 흰 도료를 칠하다. **2** 《구어》 실책을 얼버무리다, 속이다; 《구어》 여론 무마용으로 (의옥(疑獄) 등을) 관청 용어를 써서 교묘히 설명하다. **3** 《미구어》 영패시키다. **4** (파산자에게 재판상의 절차에 따라) 채무를 면제해 주다《수동형으로》. — *vi.* (벽돌이) 백화 현상을 일으키다.
whíte wáter (급류 등의) 희게 부서지는 물; (모랫바닥이 비쳐 보이는) 맑은 바닷물.
whíte·wàter ráfting 급류 래프팅.
whíte wáy 번화가, 불야성.
whíte wédding (순결을 나타내는 흰 신부 의상을 입은) 순백의 결혼식.
whíte·wèed *n.* 흰 꽃이 피는 잡초.
whíte whále 흰돌고래(beluga).
whíte wíne 백포도주.
whíte·wìng *n.* 《미》 (흰 제복을 입은) 사람, 《특히》 도로 청소부.
whíte wítch 사람을 위해 선한 일을 하는 마녀.
whíte·wòod *n.* 백색수(樹)《보리수·참피나무 등》; Ⓤ 흰 목재.
whíte wòrk (리넨 따위) 흰 천에 흰 실로 놓은 자수; (여성의) 속옷.
whitey [*h*wáiti/wáiti] *n.* Ⓤ (종종 W-) 《속어·경멸》 흰둥이, 백인종, 백인 체제〔문화, 사회〕.
◇**whith·er** [*h*wíðər/wíð-] 《시어·문어》 *ad.* **1** 〖의문사〗 **a** 어디로; 어느 방향으로. OPP *whence*. ★ 지금은 보통 where?, where... to? 를 씀. **b** 〖특히 신문·정치 용어〗 어디로 가는가, …의 장래〔전도〕는 (어떻게). **2** 〖관계사〗 (…하는〔한〕) 그 곳에: the village ~ I went 내가 갔던 마을. **3** 〖선행사 없는 관계사〗 어디로든지 …한〔하는〕 곳으로: Go ~ you please. 어디든지 가고 싶은 곳으로 가게. ***no*** ~ 어디에도 …않다. — *n.* 행선지, 목적지.
whìther·soéver *ad.* 《고어·시어》 〖관계사〗 …하는 곳에는 어디든지; 어디로 …하더라도.
whit·ing[1] [*h*wáitiŋ/wáit-] *n.* 호분(胡粉), 백악(白堊) (whitening).
whit·ing[2] (*pl.* **~s,** 〖집합적〗 **~**) *n.* 〖어류〗 대구과(科)의 일종《유럽산(產)》.
whíting pòut 〖어류〗 =BIB. 「스름한.
whit·ish [*h*wáitiʃ/wáit-] *a.* 희끄무레한, 희읍
Whít·ley Cóuncil [*h*wítli-/wít-] 《영》 노사(勞使) 협의회.
whit·low [*h*wítlou/wít-] *n.* Ⓤ 〖의학〗 표저(瘭疽); 〖수의〗 제관염(蹄冠炎).
Whit·man [*h*wítmən/wít-] *n.* **Walt ~** 휘트먼《미국의 시인; 1819-92》.
Whit·mon·day [*h*wítmʌ́ndei, -di/wít-] *n.* Whitsunday 이후 첫째 월요일.
Whit·sun [*h*wítsən/wít-] *a., n.* 성령 강림절(聖靈降臨節)(의).
Whit·sun·day [*h*witsʌ́ndei, -di, -səndèi/witsʌ́ndi] *n.* 성령 강림절(Pentecost)《(1) 부활절 후의 제 7 일요일. (2) 《Sc.》 5월 15일, 4 분기(分期) 지불일의 하나》.
Whit·sun·tide [*h*wítsəntàid/wít-] *n.* 성령 강림절 주간《Whitsunday 로부터 1 주간, 또는 그 1 주간의 처음 3일간》.
whit·tle [*h*wítl/wítl] *vt.* 《~+목/+목+부/+목+전+명》 (나무를) 조금씩 깎다, 베다; 깎아서 어떤 모양을 갖추다; 조금씩 줄이다, 삭감하다 《*down; away*》; 《미속어》 수술하다: He ~*d* the wood *into* a figure. 그는 나무를 깎아 조상(彫像)을 만들었다 / ~ *down* 〔*away*〕 expenses 비용을 삭감하다. — *vi.* 《~/+전+명》 조금씩 깎다〔새기다〕; 고뇌〔초조〕로 몸과 마음이 지치다; 《미속어》 수술하다: He was *whittling at* a stick. 그는 막대기를 깎고 있었다. — *n.* 《고어·영방언》 (고깃간의) 식칼, 큰 나이프.
whit·tling [*h*wítliŋ/wít-] *n.* 깎기〔자르기, 새기기〕, 깎아내기; 지저깨비《톱밥, 대팻밥 따위》.
whity [*h*wáiti/wáiti] (***whit·i·er; -i·est***) *a.* 흰빛을 띤.
◇**whiz**(**z**) [*h*wiz/wiz] *n.* **1** Ⓤ,Ⓒ 윙《총알 따위가 공중을 나는 소리》; 윙 (하고 날기, 달리기). **2** 만족할 협정〔조처〕. **3** 《미속어》 민완가, 명수, 명인 《*at*》; 멋진 것, 괜찮은 놈; 전문 소매치기단의 일원; 원기, 정력: He's a ~ *at* tennis. 그는 테니스의 명수이다. **4** 《미속어》 간단한 필기 시험. — (**-zz-**) *vi.* 《~/+부/+전+명》 **1** 윙 하고 소리나다; 붕 날다〔달리다, 돌다〕: A motorcycle ~*ed past* (him). 오토바이가 (그의 옆을) 윙 하고 지나갔다. **2** 《미속어》 소매치기하다. — *vt.* **1** 윙 소리나게 하다; 붕 날리다, 빙빙 돌리다, 차로 폭주시키다. **2** (지갑을) 소매치기하다.
whíz(**z**)**-bàng** *n.* 윙쾅 (하는 소리); 《군대속어》 소구경 포탄의 일종《날아오는 소리와 터지는 소리가 동시에 들리는 초고속 포탄》; 《구어》 시끄러운 것; 《미속어》 민완가, 멋진 것; 《미속어》 코카인과 모르핀의 혼합물〔주사〕; (유쾌한) 농담.
whíz·zer *n.* 윙 하는 소리를 내는 것; 원심 탈수기; 뛰어난 매력〔재능〕의 소유자; 빈틈없는〔짓궂은〕 책략, 기발한 농담.
whíz(**z**) **kíd** 《구어》 신동; 젊은 수재.
whiz·zy [*h*wízi/wízi] *a.* 최신(식)의, 진보한; 재능 있는, 성공한.
†**who** ⇨(p. 2843) WHO.
WHO World Health Organization.
whoa, wo [*h*wou/wou], [wou] *int.* 워! 《말을 멈추게 할 때 내는 소리》: ~ back 말을 후퇴시키는 소리.
⁑**who'd** [hu:d] who would, who had의 간약형.
who·dun·(**n**)**it** [hù:dʌ́nit] *n.* 《구어》 탐정〔추리〕 소설〔영화, 극〕, 스릴러, 미스터리. [◂Who done it? 《바른 영어로는 Who did it?》]
who·e'er [hu:ɛ́ər] *pron.* 《시어》 =WHOEVER.
⁑**who·ev·er** [hu:évər] (소유격 ***whos·ev·er;*** 목적격 ***whom·ev·er***) *pron.* **1** 〖관계사: 명사절을 인도〗 …하는 누구든지(any person that...): *Whoever* comes will be welcome. 오는 사람은 누구든지 환영한다 / You may invite *whomever* you like. 좋아하는 사람은 누구든 초청해도 좋다. **2** 〖관계사: 양보를 나타내는 부사절을 인도〗 누가 …하더라도〔하여도〕(no matter who): *Whoever* may object, I won't give up. 누가 반대하더라도 단념하지 않겠다 / *Whosever* it is, I mean to have it. 누구의 것인지 모르지만 참말로 나는 그것을 손에 넣고 싶다. **3** 《구어》 〖의문사〗 도대체 누가(who ever): *Whoever* did it? 도대체 누가 그것을 하였는가. **4** 《구어》 (누구라도 좋은) 어떤 (미지의) 사람: Give that to Tom, or Mary, or ~. 그건 톰이나 메리나 누군가에게 주시오.
whol. wholesale.
†**whole** [houl] *a.* **1** (the ~, one's ~) 전부의, 모든: the ~ city 〔world〕 전 시(全市)〔전 세계〕 / eat the ~ pig 돼지 한 마리를 다 먹다 / with one's ~ heart 전심으로. SYN. ⇨ENTIRE. **2** 만〔온〕…, …중 내내: a ~ year 일년 중 내내 / It rained (for) three ~ days. 꼬박 3일 동안 비가 왔다 / We walked (for) the ~ five miles. 우리는 완전히 5마일을 걸었다《the가 붙으면 그

바로 뒤에 whole이 옴》. **3** 완전한, 결하지 않은, 있는 그대로의; 가공하지 않은; 필요한 자질을 다 갖춘: a ~ set of dishes 수를 다 갖춘 접시 한 세트/the ~ truth 완전한〔있는 그대로의〕 진실. SYN. ⇨COMPLETE. **4** 《고어》 건강한, 건전한, 상처 없는: come out of the war with a ~ skin 전쟁에서 상처 하나 없이 돌아오다. **5** (형제 등이) 양친이 같은. **6** (식품이) 정제되지 않은. **7** 〖수학〗

정수(整數)의.

— *ad.* **1** 통째로: swallow 〔cook〕 a chicken ~ 닭을 통째로 삼키다〔요리하다〕. **2** 건강하게: come back ~ 건강하게 돌아오다. ***a ~ lot*** 《구어》 많이, 크게. ***a ~ lot of*** 《구어》 많은: talk *a ~ lot of* nonsense 바보 같은 소리만 하다. ***the***

who

의문대명사 '누구'와 관계대명사 '…(하는 사람)'으로 용법이 대별되어 wh-로 시작되는 전형적인 의문사·관계사인데, 특히 이 말은 양자 모두 격변화가 있으며 구어의 목적격에는 용법에 따라 두 가지 형태가 있다: Ask *whom?*/*Who* did you see?/the man *who* I saw. 관계대명사는 다른 경우와 같이 '제한 용법'과 '비제한 용법'이 있다.

who [huː, 약 hu] (소유격 ***whose*** [huːz]; 목적격 ***whom*** [huːm], 《구어》 ***who(m)***) *pron.* **A** 《의문대명사》 **1** 누구, 어느 사람, 어떤 사람《(1) 주어로 쓰인 때에는 의문문이라도 주어와 동사의 어순은 평서문과 같음. (2) 이름·신분·신원 관계 따위를 물음. what과 비교》 **a** 〖단순한 구문〗: *Who* is this? =*Who's* calling? 누구시죠《전화에서》/*Who* told you so? 누가 네게 그렇게 말했나/*Who* is it?—It's me 〔I〕. 누구요《노크 소리에》—저예요/*Who* are you to order me? 나에게 명령을 하다니 당신 누구요/*Whose* is this? 이것은 누구 것이냐/*Whose* pen did you borrow? 누구의 펜을 빌렸느냐/*Whom* did you call? 누구에게 전화했느냐/To *whom* was the letter addressed? 그 편지는 누구 앞으로 보냈느냐. **b** 〖간접의문의 절에서〗: Tell me ~ he is. 그 사람이 누군지 말씀해 주시오/*Who* shall I say wants to see him 〔her〕? 누구라고 여쭐까요《현관에서 손님을 맞을 때》/*Who* (on earth) does she think she is? (오만한 언동에 격분하여) (대체) 그녀는 자신을 누구라고 생각하고 있단 말인가. **c** 〖되묻는 의문문〗: You said ~? 《올림조》 누구라고 하셨습니까/*Who* went where? 누가 어디로 갔다고.

2 〖whom의 대용〗 《구어》 누구를〔에게〕, 어떤 사람에게〔을〕: *Who(m)* did you meet? 누구를 만났습니까/We must decide *who(m)* to nominate. 누구를 지명할 것인지를 정해야 한다/*Who(m)* do you suppose I got it from? 내가 그것을 누구에게서 얻었다고 생각하나/She's playing tennis.—*Who* with? 그녀는 테니스를 치고 있군—누구와《With *whom*?의 구어적 표현》.

NOTE 구어에서는 who가 목적격 whom 대신에 흔히 쓰이지만, whom을 이끄는 타동사 또는 전치사가 앞에 있을 때에는 구어라도 일반적으로 who를 쓰지 않음: Punish.—Punish *whom*? 벌을 주어라—벌하라고, 누구를. *Who* did you send *to whom*? 누굴 누구에게 보냈나.

B 《관계대명사》 《원칙적으로 선행사는 사람》 [huː, hu, u] **1** 〖제한적 용법〗 **a** 〖일반 선행사와 함께〗 …하는〔한〕 (사람): I have a friend ~ writes well. 문필(文筆)에 능한 친구가 있다/The girl (~ is) singing on the stage is my sister. 무대에서 노래하고 있는 아가씨는 내 누이다/This is the person (*who(m)*) you must know. 이쪽은 틀림없이 당신이 알고 있는 분입니다《목적격 whom은 생략할 수 있으며, 구어에서는 흔히 who로 대용함》/The man with *whom* I went is my uncle. 나와 같이 간 남자는 아저씨다《전치사 뒤의 whom은 생략할 수 없으나, The man I went with is my uncle. 이라고 하면 생략 가능》/I know a girl *whose* mother is a pianist. 어머니가 피아니스트인 소녀를 알고 있다. **b** 〖those, he와 더불어〗: *Those* ~ like sports are generally healthy. 스포츠를 즐기는 사람들은 대개 건강하다/*Those* of us ~ like swimming will all participate. 우리들 중 수영을 좋아하는 자는 모두 참가할 것이다/*He* ~ does it gets the benefit. 그것을 실행하는 사람이 이득을 본다. ★ those who가 보통, he who는 문어 또는 예스러운 투. **c** 〖It is ... who의 강조구문으로〗 …하는 것은: *It is* I ~ am 〔《구어》 *It's* me ~ is〕 to blame. 나쁜 것은 나다.

NOTE 주격 who는 원칙적으로 생략할 수 없으나, 다음과 같은 경우에는 생략할 때가 있음. (1) There is 〔was〕...나 It is 〔was〕...의 뒤에서: There's somebody at the door (*who*) wants to see you. 문 앞에 선생님을 만나 뵙고자 하는 사람이 있습니다. (2) 삽입구 앞에서: They gave attention to the children (*who*) they believed were clever. 그들은 영리하다고 믿고 있는 아이들에게 주목했다.

2 〖비제한적 용법〗 《(1) 보통 앞에 콤마가 옴. (2) 흔히 and he 〔she, they〕의 뜻이 되지만 앞뒤 관계에 따라 and 외에 but, because, though, if 등의 뜻이 될 때도 있음. (3) 목적격 whom도 생략할 수 없음》 그리고〔그러자〕 그 사람(들)은: I talked to a friend, ~ helped me at once. 친구에게 상의(를) 했더니 곧 도와주었다《who≒and he》/Few people could follow the speaker, ~ spoke too quickly. 그 연사의 말을 알아들은 사람은 적었는데, 그건 연설이 너무나도 빨랐기 때문이다《who ≒because he spoke...》/This is Mr. John, ~ 〔*whom*〕 you have heard much about. 이분이 존씨입니다. 말은 많이 들었겠지만/We asked Ted, *whose* father was a historian. 우리는 아버지께서 역사가인 테드에게 물어봤다.

3 〖선행사 없이 명사절을 이끌어〗 《고어》 (…하는) 사람(들), (…하는) 사람은 누구나: *Who* is not for you is against you. 당신에게 찬성하지 않는 사람은 반대하고 있는 것이다/*Whom* the gods love die young. 《격언》 신들의 사랑을 받는 자 일찍 죽는다.

as ~ 《고어》 (…하는) 사람같이, 사람이 (마치…) 하기나 하려는 듯이. ***as ~ should say ...*** 《고어》 …라고 말하기라도 하려는 사람처럼, …라고나 말하려는 듯이. ***know ~'s*** 〔***~ is***〕 ***~*** 누가 누군지 〔어떤 사람인지〕를 알고 있다; (어떤 곳에서) 누가 유력자인지 알고 있다. ***Who goes there?*** 누구야 《보초의 수하(誰何)》. ***Who knows?*** 아무도 모른다; (뭐라 말할 수 없지만) 혹시 누가 알아. ***Who me?*** 나 말입니까《상대가 자신에 대해 말하고 있는지의 여부를 묻는 표현인데 이때 흔히 엄지손가락을 가슴에 댐》.

~ ***ball of wax*** 《미속어》 전체, 일체. ***the ~ lot*** 전부, 남김없이. ***with a ~ skin*** 아무 상처도 입지 않고, 무사하게.
— *n*. **1** 전체, 전부. [opp] *part*. ¶ the ~ *of* one's memory 모든 기억/I spent the ~ *of* that year in India. 그 해 꼬박 1년을 인도에서 보냈다. [SYN.] ⇨ALL. **2** 완전체, 통일체, 완전한 모습: Four quarters make a ~. 4분의 1이 4개 모이면 완전체가 된다. ***as a ~*** 전체로서, 총괄하여: sell the land *as a* ~ 땅을 죄다 팔다. ***in ~*** 전부, 몽땅: *in* ~ or in part 전부 또는 일부. ***on the ~*** 전체로 보아서, 대체로: The food was, *on the* ~, satisfactory. 식사는 대체로 만족할 만했다. ***throughout the ~*** 시종, 처음부터 끝까지.

whóle bínding =FULL BINDING.

whóle blóod (전 성분이 완전 구비된 수혈용의) 완전 혈액; 완전한 부모 자식 관계. [cf.] half blood.

whóle bròther 부모가 같은 형제. [cf.] half brother.

whóle chéese (the ~) 《미속어》 (선수 따위의) 주역, 스타 선수, 유일한 중요 인물.

whóle clóth 〖직물〗 원단(原緞)《가공하지 않은 원료로서의 천》. ***out of ~*** 《미》 전혀 엉터리의, 완전히 날조한: He told a lie *out of* ~. 그는 완전히 꾸며낸 거짓말을 했다.

whóle·còlored *a*. 단색의(concolorous).

whóle·fòod *n*. 《영》 (식품 첨가물·방부제가 들어 있지 않은) 자연식품.

whóle gàle 〖기상〗 노대바람, 전강풍(全強風)《초속 24.5-28.4m》.

whóle·gràin *a*. 《주로 영》 (곡식이 정백하지 않은) 낟알〔알곡〕의.

whóle·héarted *a*. 전심(專心)의, 성심 성의의. [SYN.] ⇨SINCERE. [파] **~·ly** *ad*. **~·ness** *n*.

whóle hóg 《속어》 전체, 완전, 극단: believe 〔accept〕 the ~ 모조리 믿다〔시인하다〕. ***go (the) ~*** 《구어》 ⇨go the whole HOG.

whóle-hóg *a*. 《속어》 철저한, 완전한.

whóle-hógger *n*. 극단론자; 철저한 지지자.

whóle hóliday 만 하루의 휴일, 전(全) 휴일. [cf.] half-holiday. [opp] *cloven-hoofed*.

whóle-hóofed [-t] *a*. 〖동물〗 단제(單蹄)의.

whóle-léngth *a*., *n*. 전장(全長)의, 전신대(全身大)의 (사진〔거울, 초상〕).

whóle lífe insùrance 종신 보험.

whóle mèal (기울을 제거하지 않은) 완전 밀가루.

whóle mílk 전유(全乳).

whóle·ness *n*. [U] **1** 전체, 총체, 모두; 완전, 흠 없음. **2** 〖수학〗 정수성(整數性). **3** 강건(強健).

whóle nòte 《미》 〖음악〗 온음표(《영》 semibreve).

whóle nùmber 〖수학〗 정수; 자연수.

whóle rèst 〖음악〗 온쉼표.

whole·sale** [hóulsèil] *a*. **1** 도매의: the ~ price 도매가격/~ price index 《미》 도매 물가 지수/a ~ merchant 도매상인. **2** 대규모의, 대대적인: make ~ arrests of …을 일망타진하다. **3** 몰밀어서의, 일괄적인, 무차별의: ~ slaughter 대량 무차별 학살. **—** *n*. 도매. [opp] *retail*. ***at 〔《영》 ***by***〕 ***~*** 도매로; 대규모로, 대대적으로; 대강. **—** *ad*. 도매로; 대규모로; 대강. **—** *vt*., *vi*. 도매하다; 대량으로 팔다. [파] **whóle·sàler** *n*. 도매업자.

whóle·scàle *a*. 대규모의; 광범위한.

whóle schméar 〔**schméer, shméar, shméer**〕 (the ~) 《미속어》 전부, 모두, 모조리.

whóle shów (the ~) 《미속어》 스타 (선수); 주목의 대상; 젠체하는 자.

whóle sìster 부모가 같은 자매(姉妹). [cf.] half sister.

***whole·some** [hóulsəm] *a*. **1** 건강에 좋은, 위생적인; 건강해 보이는: ~ food 자양분 있는 식품/a ~ girl 건강해 보이는 소녀. [SYN.] ⇨HEALTHY. **2** 건전한, 유익한: ~ environment 건전한 환경. **3** 신중한, 조심스러운; 안전한. [파] **~·ly** *ad*. **~·ness** *n*.

whóle-sóuled *a*. 헌신적인, 마음에서 우러나는.

whóle stèp 〔**tòne**〕 〖음악〗 온음정.

whóle-whéat *a*. 기울을 제거하지 않은 밀가루의: ~ flour 〔bread〕.

who'll [huːl] who will, who shall의 간약형.

****whol·ly** [hóu*l*li] *ad*. 전혀, 완전히, 전부, 전적으로: Few men are ~ bad. 완전한 악인은 거의 없다. ***not ~*** 전적으로 …(하)지는 않(는)다.

†**whom** [huːm] *pron*. WHO의 목적격.

whom·éver, whòm·so·éver *pron*. WHO(SO)EVER의 목적격.

whomp [*h*wɑmp/wɔmp] *n*. 찰싹, 탕하는 소리: with a ~ 탕하고 (소리내어). **—** *vi*. 찰싹〔탕〕하는 소리를 내다. **—** *vt*. **1** 철썩〔탕하고〕 치다. **2** …을 결정적으로 패배시키다. ***~ up*** (흥미 등을) 불러일으키다; 급히 준비하다〔만들다〕; 《속어》 날조하다.

whóm·so *pron*. whoso 의 목적격.

°**whoop** [hu(ː)p, *h*wu(ː)p/huːp, wuːp] *n*. **1** 야아〔우아〕하는 외침. **2** (올빼미의) 후우후우 우는 소리. **3** (백일해로) 그르렁거리는 소리. **4** 《구어》 조금, 근소: not worth a ~ 아무 가치도 없다/not care a ~ 조금도 개의치 않다. ***a ~ and a holler*** 《미구어》 비교적 가까운 거리; 대소동, 떠들썩한 논의. **—** *vi*. 야아〔우아〕 하고 외치다; (올빼미가) 후우후우 하고 울다; (백일해 기침 뒤에) 그르렁거리다. **—** *vt*. 《~+[목]/+[목]+[부]》 야아〔우아〕 하고 부르다; 야아〔우아〕 하고 외치며 쫓다〔덤벼들다〕: ~ dogs *on* 야아 하고 소리질러 개를 부추기다. ***~ it*** 〔***things***〕 ***up*** 《구어》 야단법석을 떨다; 《미구어》 (…에 대한) 흥미를〔흥분을〕 부추기다, 열의를 돋우다. ★ 《고어》로는 hoop로도 씀.

whoop-de-do(o) [húː(ː)pdidùː, *h*wú(ː)p-/húːp-, wúːp-] 《미구어》 *n*. 큰 소동; 뒤끓는 흥분; 조직적인 사회 행사〔활동〕, 대대적인 선전 행사; 열띤 공개 토론.

whoop·ee [*h*wú(ː)piː/wúpiː] 《구어》 *int*. 우아《기쁨 따위의 외침 소리》. **—** *n*. [U] 우아 하는 외침; (축제 따위의) 잔치 소동, 야단법석. ***make ~*** 야단법석 떨다.

whóopee cùp 〖항공〗 (여객용의) 구토용 주머니.

whóopee cùshion 《미속어》 뿡뿡 쿠션(=**whóopie cùshion**)《누르면 방귀 소리가 나는 고무 주머니; 장난으로 쿠션 밑에 깖》.

whóop·er *n*. 쾌활하게 떠드는 사람, 우우 하고 소리치는 사람; 올빼미 같은 울음소리를 내는 새.

whóoping còugh 〖의학〗 백일해.

whoop·la [húːplɑː, *h*wúːp-/húːp-] *n*. [U] 대소동, 야단법석.

whoops [*h*wu(ː)ps/wu(ː)ps] *int*. 아이고, 이크《곱드러지거나 실족했을 때 등의 말》.

whoosh [*h*wu(ː)ʃ/wu(ː)ʃ] *n*. (공기·물 따위의) 휙〔쉭〕하는 소리. **—** *vi*., *vt*. 휙〔쉭〕하고 움직이다〔움직이게 하다〕. **—** *int*. 휴우《놀람·피로 등을 나타냄》. [imit.]

whoo·sis, who·sis, who·zis [húːzis], **whoo·sy** [húːzi] *n*. 《미구어》 그 뭐라든가 하는 것〔사람〕, 저, 그.

whop, whap [*h*wɑp/wɔp] 《구어》 (**-pp-**) *vt*., *vi*. 찰싹 때리다; 《비유》 (경기 따위에서) …을 완파(完破)하다; 벌떡 넘어지다. **—** *n*. 찰싹 때리기〔때리는 소리〕; 벌떡 넘어짐.

whóp·per, wháp- *n*. **1** 《속어》 때리는 사람. **2** 《구어》 터무니없이 큰 물건; 《구어》 터무니없는 허풍.

whóp·ping, wháp- *a*. 《구어》 터무니없이 큰,

터무니없는 《허풍 등》. **—** *ad.* 터무니없이. **—** *n.* 태형(笞刑), 고문; 패배.

whore [hɔːr, huər/hɔː] *n.* 매춘부, 음탕한 여자, 화냥년; 〖성서〗 타락한〔우상 숭배적인〕 사회. **—** *vi.* 매춘 행위를 하다; 매춘부와 관계하다; 《고어》 우상 숭배의 죄를 범하다. ***go a whoring after*** (strange gods) (우상을) 숭배하다. ㊞ **∼·dom** [-dəm] *n.* Ⓤ 매춘; 매춘부의 사회; 〖성서〗 우상〔사교〕 숭배.

⁑**who're** [húːər] who are의 간약형.

whóre·hòuse *n.* Ⓤ 매음굴(賣淫窟), 청루(青樓).

whóre·màster *n.* =WHOREMONGER.

whóre·mònger *n.* 청루(青樓)에 드는 사내; 밀통하는 사내; 색골(色骨); 뚜쟁이, 포주(pimp).

whore·son [hɔ́ːrsən, húər-/hɔ́ː-] 《고어》 *n.* 사생아(bastard); 《경멸》 놈, 녀석. **—** *a.* 부모를 알 수 없는; 천한, 싫은.

Whórf·i·an hypóthesis [*h*wɔ́ːrfiən-/wɔ́ːf-] 〖언어〗 워프의 가설《모국어가 개인의 세계관을 결정한다는 설》.

whor·ish [hɔ́ːriʃ, húər-/hɔ́ːr-] *a.* 매춘부 같은, 음란한.

whorl [*h*wəːrl, *h*wɔːrl/wəːl] *n.* 〖식물〗 윤생체(輪生體); 〖동물〗 (소라의) 나선(螺旋); 나선의 한 감김; 와상형(渦狀型)의 지문; (포유동물 귀의) 달팽이관 소용돌이, 나선부(部); 물레바퀴. ㊞ **∼ed** *a.* 윤생(輪生)의; 나선형으로 된.

whor·tle·ber·ry [*h*wə́ːrtlbèri/wə́ː-] *n.* 〖식물〗 월귤나무의 일종; 그 열매.

⁑**who's** [huːz] who is, who has 의 간약형.

†**whose** [huːz] *pron.* **1** 〔의문사〕 누구의… 《who의 소유격》; 누구의 것《who의 소유 대명사》: *Whose* coat is that? 저것은 누구의 저고리입니까《소유격》/ *Whose* is this? 이건 누구의 것입니까《소유 대명사》. **2** 〔관계사〕 (그 사람〔물건〕의 — 이) …하는〔…인〕《who 또는 which의 소유격》: There lived a boy ∼ name was John. 그곳에 존이라는 이름의 소년이 살았다/ That is the girl ∼ brother came here yesterday. 저 소녀가 어제 여기에 온 사람의 누이다/ a word ∼ meaning escapes me 나로선 그 뜻을 알 수 없는 말.

whòse·so·éver *pron.* WHOSOEVER의 소유격.

whos·ev·er [huːzévər] *pron.* WHOEVER의 소유격.

whosis, whozis ⇨ WHOOSIS.

who·so [húːsou] *pron.* 《고어》 =WHOEVER.

who·so·e'er [hùːsouέər] *pron.* 《시어》 =WHOSOEVER.

whò·so·éver *pron.* 〔강조어〕 =WHOEVER.

whó's whó **1** Ⓤ 〔집합적〕 유력자들. **2** **a** Ⓒ 〔흔히 단수꼴로〕 명사〔신사〕록, 인명록《*of*》. **b** (W- W-) Ⓤ (책명으로서) …신사록: a ∼ in automotive engineering 자동차업계 인명록.

who've [huːv] who have의 간약형.

Whó was Whó 사망자 명사록.

WHP water horsepower. **whr, whr., Whr, Whr.** watt-hour. **whs(e).** warehouse. **whsle.** wholesale.

whump [*h*wʌmp/wʌmp] *n.*, *v.* =THUMP.

†**why** ⇨ 《p. 2846》 WHY.

whyd·ah [*h*wídə/wídə] *n.* =WHIDAH.

why·dun·it [*h*waidʌ́nit/wai-] *n.* (범죄) 동기의 해명을 중심으로 다룬 추리 소설〔극, 영화〕. ㊎ whodunit. [◂why done it]

Whym·per [*h*wímpər/wím-] *n.* **Edward** ∼ 휨퍼《영국의 등산가 · 목판화가; 1840-1911》.

W.I. West Indian; West Indies. **WI** 〖미우편〗 Wisconsin. **w.i.** 〖증권〗 when issued; wrought iron. **WIA** 〖군사〗 wounded in action(전상(戰傷)).

Wic·ca [wíkə] *n.* 마술〔요술〕 숭배. ㊞ **-can** *a.*, *n.*

◇**wick**[1] [wik] *n.* Ⓤ,Ⓒ (양초 · 램프 따위의) 심지; 〖의학〗 상처 구멍에 쑤셔 넣는 거즈《배농용(排膿用)》. ***dip*** one***'s* ∼** 《속어》 성교하다. ***get on*** a person***'s* ∼** 《영구어》 아무를 짜증 나게 하다.

wick[2] *n.* 마을, 동네, 지구《BAILIWICK 따위의 복합어나 WARWICK 따위의 지명의 일부로 그 이외는 방언》; 《방언》 낙농장.

⁑**wick·ed** [wíkid] *a.* **1** 악한, 사악한; 부정(不正)의, 불의(不義)의; 악의 있는: a ∼ person 악인 / It's ∼ *of* them to say such things. =They're ∼ *to* say such things. 그런 일을 말하다니 그들은 사악하구나. **2** 심술궂은, 장난기 있는: a ∼ smile 〔look〕 짓궂은 미소〔얼굴 모습〕. **3** 몹시 성질이 거친, 위험한: a ∼ horse 성질이 사나워 날뛰는 말. **4** 《구어》 불쾌한, 싫은, 심한: a ∼ task 싫은 일. **5** 《속어》 멋진, 훌륭한. SYN. ⇨ BAD. ***the Wicked Witch of the West*** 《우스개》 사악한 여자《*The Wizard of Oz*의 주인공》. ㊞ ◇**∼·ly** *ad.* ◇**∼·ness** *n.*

wíck·er *n.* (버들 따위의) 흐느적거리는 가는 가지; Ⓤ 고리버들 세공, 가는 가지 세공. **—** *a.* 가는 가지로 엮어 만든, 고리버들 세공의: a ∼ basket 〔chair〕.

wícker·wòrk *n.* Ⓤ 고리버들 세공.

wick·et [wíkit] *n.* **1** 작은 문, 쪽문, 협문(夾門); (극장 따위의) 입구; (역의) 개찰구. **2** (매표구 따위의) 작은 창구. **3** 수문. **4** 《미》 〖크로케〗 활 모양의 작은 문. **5** 〖크리켓〗 삼주문(三柱門), 위킷; 위킷장(場)의 상태; 치는 순서: take a ∼ (투수가) 타자 하나를 아웃시키다 / keep one's ∼ up (타자가) 아웃되지 않고 있다 / two ∼*s* down 타자 둘을 아웃시키고. ***on a bad* 〔*good*〕 ∼** 불리〔유리〕한 입장에서, 열세〔우세〕하여. ***through the* ∼** 《스포츠속어》 (공이) 사타구니 사이로 빠져서.

wícket dòor 〔gàte〕 (대문의) 쪽문.

wícket·kèeper *n.* 〖크리켓〗 삼주문 수비자.

wíck·ing *n.* Ⓤ (초 · 램프 · 석유난로 따위의) 심지, 심지의 재료.

wi(c)k·i·up, wick·y·up [wíkiʌ̀p] *n.* 《미》 (미국 인디언의) 오두막집; 〔일반적〕 오두막.

Wic(k)lif(fe) ⇨ WYCLIF(FE).

wid. widow; widower.

wid·der·shins [wídərʃìnz] *ad.* =WITHERSHINS.

wid·dle [wídl] *vi.* 오줌 누다; 쉬하다. **—** *n.* 오줌, 쉬.

†**wide** [waid] *a.* **1** 폭 넓은; (…만큼) 폭이 있는, 폭이 …인. OPP. *narrow.* ¶a ∼ street 〔river, bed〕 폭이 넓은 거리〔강, 침대〕/ a door three feet ∼, 폭 3 피트인 문. SYN. ⇨ BROAD. **2** 넓은, 광대한: the ∼ ocean 〔world〕 광대한 대양〔세계〕. **3** 광범(위)한, (범위가) 넓은, 해박한, 다방면의: ∼ reading 폭넓은 독서 / have a ∼ variety of subjects to talk about 화제가 풍부하다 / a ∼ circle of readers 넓은 독자층 / a ∼ knowledge of literature 문학에 관한 해박한 지식. **4** 헐렁한, 낙낙한: a ∼ blouse 헐렁한 블라우스. **5** 자유로운, 구속받지 않는, 방종한; 편협치 않은, 편견 없는; 일반적인. **6** 크게 열린: stare with ∼ eyes 눈을 둥그렇게 뜨고 응시하다. **7** (차이 · 간격 등이) 동떨어진: a ∼ difference 큰 차이 / at ∼ intervals 충분히 사이를 두고 / His remark is ∼ *of* the truth. 그의 말은 사실과 거리가 멀다. **8** 〖음성〗 열린음의, 광음(廣音)의. **9** 《미》 (가축 사료가) 저단백인. **10** 《영속어》 약은, 빈틈없는(∼-awake): a ∼ man 빈틈없는 사내. ***give a* ∼ *berth to*** ⇨ BERTH. ***have* one***'s eyes* ∼** 빈틈없이〔약게〕 행동하다. **∼ *of the mark*** 엉뚱한〔하게〕, 과녁을 빗나간〔빗나가서〕.

— *ad.* **1** 널리; 광범위하게. **2** 크게 열어〔뜨고〕;

충분히 (열어서), 완전히: ~ open 크게 열려/open one's eyes ~ 눈을 크게 뜨다/He is ~ awake. 그는 완전히 잠이 깨어 있다; 빈틈이 없다/open the window ~ 창문을 활짝 열다. **3** 엉뚱하게, 빗나가서; 동떨어져: The bullet went ~. 탄환은 빗나갔다/~ apart from each other 서로 몹시 동떨어져(서). ***far and ~*** 널리, 광범위하게: travel *far and* ~ 널리 여행하다. ***have** one's **eyes ~ open*** 정신을 바짝 차리다; 빈틈없다. ***~ of*** …에서 벗어나[빗나가]: speak ~ *of* the mark 엉뚱한 말을 하다.

—*n.* **1** 〖크리켓〗 폭투(暴投), 이로 인해 타자(打者)측에 주어지는 1점. **2** 《고어·시어》 넓은 곳; 〖음성〗 광모음; (the ~) 넓은 이 세상. ***to the ~*** 《구어》 아주, 완전히: broke *to the* ~ 무일푼이 되어, 완전히 신용을 잃고/dead *to the* ~ 정신을 잃고, 멍하여, 푹 잠자고/done 〔whacked〕 *to the* ~ 완전히 지쳐서, 노그라져서.

-wide [wàid] '…의 범위에 걸친, 전(全) …의' 라는 뜻의 결합사: nation*wide*.

why

다른 wh- 의문사들과 마찬가지로 의문부사 '왜'와 관계부사 '…한 이유'로 대별되는데 후자는 제한용법에 국한되며 또 그 선행사는 reason에 한정된다. 그러나 감탄사 '어이구'도 있어 기능어로서의 전체적인 사용도는 상당히 높다. 감탄사는 흔히 글머리에 오며, 의문부사와 위치가 비슷하므로 구별에 주의를 요한다.

의문부사 '왜'에서 *Why* do you think I did it? 《*ad.* A 2의 예문》에서의 뜻의 이중성은 그다지 흔치는 않으나, What do you think? 의 뜻의 이중성 '어떻게 생각하나' '뭐라고 생각하나'의 경우처럼 외견상 같은 구문이면서도 실은 본질적인 차가 있음을 보여 주는 좋은 보기이다.

why [*h*wai/wai] *ad.* **A** 《의문부사》 왜, 어째서 《이유 또는 목적을 물음. 목적을 강조할 때는 What... for?를 씀》. **1** 〖단순한 구문〗: *Why* did you come? — Because I wanted to see you. 왜 왔느냐—널 만나고 싶어서《To see you.라고 대답할 수도 있음》/*Why* doesn't he know? 그는 어째서 모르는가/*Why* (are you) so early? 왜 그렇게 일찍 왔는가/*Why* not let her do as she likes? 왜 그녀가 하고 싶어하는 대로 하게 하지 않는가.

2 〖절 안에서〗 Tell me ~ you refused. 왜 거절했는지 말해다오/I can't explain ~ it's so. 어째서 그런지 설명할 수(가) 없다/*Why* he did it, is a riddle. 그가 왜 그것을 했는지는 수수께끼다/*Why* he divorced her doesn't matter. 그가 왜 그녀와 이혼했는가는 문제가 되지 않는다/*Why* do you think *I did* it? (1) 자넨 내가 왜 그것을 했다고 생각하나《why는 I did it에 걸림》. (2) 너는 왜 내가 그것을 했다고 생각하나《why는 do you think에 걸림》. ★ 문맥이나 상황으로 보아 이해가 가능할 때는 why와 문제의 중심되는 말만이 남을 때가 있음: Come on Friday. — *Why* Friday? 금요일에 오너라—왜 금요일이지/Tell me ~. 왠지 이유를 말해라.

I don't see ~ not. 어째서 그렇지 않은지〔그렇게 해선 안 되는지〕 이유를 알 수(가) 없다: Will he approve? —*I don't see ~ not.* 그는 승낙할까—승낙하지 않으리라고는 생각되지 않아/May I come? —*I don't see ~ not.* 와도 됩니까—좋고말고요. ***Why don't you* (...)*?*** ① 당신은 왜 …하지 않지요《질문》: *Why don't you* like him? 어째서 그가 싫은가. ② 《구어》 …하는 것이 어떤가, …하지 않겠나《권유·제안》: *Why don't you* try? 해보는 게 어떻겠나/*Why don't you* have some wine? —No, thanks. 포도주를 드시는 게 어떻습니까—아뇨, 괜찮습니다《some 대신 any를 쓰면 '왜 포도주를 마시지 않습니까'의 뜻이 됨》. ★ (1) 다른 인칭·수에도 쓰임: *Why don't we* try? 해봅시다. (2) Why don't you?는 문장 끝에 올 수도 있음: Make a lap, ~ *don't you?* 앉는 게 어때. ***Why is it that ...?*** …하는 것은 어째서인가: *Why is it* (*that*) you did it? 그것을 한 것은 무엇 때문이냐. ***Why not* (...)*?*** ① 〖상대의 부정의 말에 반론하여〗 왜 아닌가〔하지 않는가〕: I *can't* come tomorrow. — *Why not?* 내일은 올 수 없습니다—어째서 못 오시죠《비교: Why *so?* 왜 그런가》. ② 왜 그래서는 안 되는가, 그래도 괜찮지 않은가: But that would bother you. —*Why not?* 하지만 그러면 폐를 끼치게 됩니다—왜 그래선 안되나요. ③ 〖권유·제안〗 …은〔…하는 게〕 어떤가, …합시다그려: *Why not* stop here? 여기서 멈추는 것이 어때/If Monday won't do, ~ *not* Tuesday? 월요일이 안된다면 화요일은 어떤가. ④ 〖권유·제안 등에 동의하여〗 응 좋아, 그렇게 하지: Shall we go? — *Why not?*(↘) 갈까요—그렇게 하지/May I join you? — *Why not?* 제가 끼어도 되겠습니까—좋습니다.

B 《관계부사》 **1** 〖제한적 용법〗 …하는 (이유)《reason(s)를 선행사로 하며, why는 종종 생략함》: The reasons ~ they help us are various. 그들이 우리에게 협력하는 이유는 여러 가지 있다/That is the reason ~ we hesitated. 그것이 우리가 망설인 이유다/There is no reason (~) I should be here all by myself. 나만 혼자 여기 있어야 할 이유는 없다. ★ why는 비제한적 용법이 없고, for which reason 따위로 대신함.

2 〖선행사 없이 명사절을 이끌어〗 …한 이유《This 〔That〕 is... 구문에 흔히 쓰임》: He is too tired. *That's* ~ he doesn't come. 그는 너무 지쳤어. 그래서 안 오는 거야/*Why* Ann left was because she was unhappy. 앤이 떠난 것은 즐겁지 않았기 때문이다.

— (*pl.* **~s**) *n.* Ⓒ **1** 《보통 the ~(s) and wherefore(s)》 이유, 까닭: I want to know *the ~s and wherefores* of her objection. 그녀가 반대하는 이유를 알고 싶다. **2** (보통 ~s) '어째서'라는 질문.

—*int.* 〖일반적으로 비교적 낮은 내림조로 말하며, 미국에서도 종종 [wai]가 됨〗 **1** 〖뜻밖의 발견·인식을 나타내어〗 아니, 저런, 어머; 그야, 물론(이지): *Why*, he is through already! 어유, 그는 벌써 끝났네/Will you come? — *Why*, of course. =*Why*, yes. 와 주겠나—물론이지/*Why*, where did you find it? 아니 대체 그걸 어디서 발견했나요. **2** 〖반론·항의를 나타내어〗 뭐라고, 뭐야: *Why*, what's the harm? 뭐야, 그게 어디가 나쁜가. **3** 〖망설임을 나타내거나, 이음말로서〗 에, 저; 글쎄요, 그렇군(요): *Why*, yes, I think I would. 글쎄요, 해도 좋겠군요. **4** 〖*if*-절에 계속되어〗 그럼, 그때엔: *If* you are not interested, ~, we'll find somebody else. 당신이 마음에 없으시다면 딴 사람을 구해야죠 뭐.

Why then 《미구어》 그런데(well): *Why then*(↘), how shall we spend this summer? 그런데 이번 여름은 어떻게 보낼까.

렌즈가) 광각(廣角)의;
wíde-ángle a. [사]팔린; (사진이) 광각 렌
(사진기가) 광각 WIDE-SCREEN: a ~ lens
즈를 사용한; [영
광각 렌즈. [컴퓨터] ⇨WAN.
wíde área 선히 잠이 깬; 정신을 바짝
wíde-aw] n. 챙 넓은 중절모(=∠
「게 1점이 됨》.
차린, 빈 (투수의) 폭구(暴球)《타자에
hàt) 자] 광대역(廣帶域)의: a ~
폭기.
wíde 동체(胴體)의 폭이 넓은, 넓은
wí 따위》.
어》 부정하게 돈을 버는 사람.
1 눈을 크게 뜬; 깜짝 놀란. 2 소
~ belief in the goodness of
나 모두 선한 사람이라고 하는 천
3 잠을 못 이루고 눈이 말똥말똥
. 넓은 시야의《망원경 따위》. 「한.
dli] ad. 1 널리; 먼 곳에: It is ~
… …라는 것은 널리 알려져 있다/
ry ~ read. 그는 독서 범위가 넓다. 2
대단히: differ ~ in opinions 의견이 크게
르다.

wíde·mòuthed [-màuðd, -màuθt] a. 1 주둥이가 넓은: ~ jars 주둥이가 넓은 병. 2 (놀라서) 입을 딱 벌린.

****wid·en** [wáidn] vt., vi. 넓히다, 넓게 되다: ~ one's knowledge 지식을 넓히다/The river ~s at that point. 강은 그 지점에서 넓어진다. [파] **~·er** n.

wíde-ópen a. 1 크게 벌린《눈·입 따위》, 활짝 연《창 따위》; 편견 없는. 2 제한〔차폐 등〕이 전혀 없는; 《미》 (술·도박 등의) 단속이 엄하지 않은 《도시 따위》. 3 공격에 약한, 무방비의; 논의의 여지가 충분히 있는. ***crack*** a thing ~ 《미속어》 어떤 일을 폭로하다. 「넓은.

wíde-ránge a. 광범위하게 유효한, 적용성이

wíde-ránging a. 광범위한.

wíde recéiver 〖미식축구〗 와이드 리시버《공격 라인의 수 야드 바깥쪽에 위치한 리시버》.

wíde-rùled a. (노트 등의) 괘선이 굵은.

wíde-scréen a. 〖영화〗 화면이 넓은, 와이드스크린의.

***wide·spread** [wáidspréd] a. 1 널리 보급되어 있는, 보급된; 만연(蔓延)된. 2 (양팔 따위를) 넓게 펼친, 널찍널찍한. 3 대폭적인, 광범한: ~ revision 대폭적인 개정.

wíde-spréading a. 널찍하게 펼쳐진《평야》; 넓게 퍼져 있는: ~ infection 넓게 퍼진 감염.

widg·eon [wídʒən] n. 〖조류〗 홍머리오리.

widg·er [wídʒər] n. 묘목 이식용 작은 삽.

widg·et [wídʒit] n. 《구어》 (이름을 모르거나 생각나지 않는) 작은 장치, 도구, 부품; (어떤 회사의 대표적 상품이랄 수 있는) 제품.

wid·ish [wáidiʃ] a. 좀 넓은, 널찍한.

****wid·ow** [wídou] n. 1 미망인; 홀어미, 과부; (남편이 골프나 낚시에 빠져 따돌려진) 생과부; =GRASS WIDOW. [cf.] widower. ¶ a fishing 〔golf〕 ~. 2 〖카드놀이〗 돌리고 남은 패; 〖인쇄〗 위도(=∠ **line**)《페이지〔난〕의 위〔아래〕에 있는 짧은 행》. 3 (the ~) 《속어》 샴페인(술). **—***vt.* 미망인으로〔과부로〕 만들다: The war ~*ed* many women. 그 전쟁으로 많은 여인들이 과부가 되었다. [파] **~ed** a. 미망인이〔홀아비가〕 된; 외톨로 남겨진.

wídow bìrd 〔finch〕 =WHIDAH.

°**wid·ow·er** [wídouər] n. 홀아비. [파] **~·hood** [-hùd] n. [U] 홀아비 생활〔신세〕.

wid·ow·hood [wídouhùd] n. [U] 과부 생활〔신세〕. 「婦) 급부.

wídow's bénefit 《영》 국민 보험의 과부(寡

wídow's crúse 〖성서〗 과부의 병(甁)《무진장한 것; 열왕기상 XVII:10-16》.

wídow's mándate 《미》 남편 대신의 임명《임기 도중에 사망한 사람의 공직에 그 부인을 임명하는 것》.

wídow's míte 〖성서〗 과부의 적으나마 정성 어린 헌금《마가복음 XII:41-44》, 빈자(貧者)의 일등(一燈).

wídow's péak 여자의 이마에 있는 V자형의 머리털이 난 가장자리 선《이것이 있으면 일찍 과부가 된다는 미신이 있었음》.

wídow's wàlk 《미》 지붕 위의 노대(露臺).

wídow's wéeds =WEED² 1.

****width** [widθ, witθ] (*pl.* **~s** [-s]) n. [U] 1 폭, 너비, 가로: be three feet in ~ 너비가 3피트 되다〔있다〕. 2 너비가 있음; (마음·지식 따위의) 넓이, 넓음(*of*): ~ *of* mind 〔view〕. 3 [C] 일정한 너비의 직물〔물건〕: three ~*s* of cloth 세 폭의 피륙. ◇ wide a. 「WISE.

width·ways [wídθwèiz, wítθ-] ad. =WIDTH-

width·wìse [-wàiz] ad. 옆으로, 가로 방향으로(latitudinally).

°**wield** [wi:ld] vt. 1 (칼 따위를) 휘두르다; (도구 따위를) 쓰다, 사용하다: ~ a facile pen 건필(健筆)을 휘두르다. 2 《~+[목]/+[목]+[전]+[명]》 《시어》 (나라를) 지배하다, 통어하다; (권력·무력 따위를) 휘두르다, 행사하다; (영향 따위를) 미치다: ~ power 권세를 부리다/~ arms 무력을 휘두르다/~ great influence *upon* …에 큰 영향을 미치다. [파] **∠·er** n. 「루기〕 쉬운, 알맞은.

wieldy [wí:ldi] (***wield·i·er; -i·est***) a. 쓰기〔다

Wien [vi:n] n. 빈. 1 오스트리아의 수도. 2 **Wilhelm** ~ 독일의 물리학자《Nobel 물리학상 수상(1911); 1864-1928》. 「WURST.

wie·ner, wei- [wí:nər] n. [U,C] =WIENER-

wie·ner·wurst [wí:nərwə̀:rst, -wùərst] n. [U,C] 《미》 비엔나소시지《소·돼지고기를 섞어 넣은 가느다란 소시지》. [cf.] frankfurter.

wie·nie [wí:ni] n. 《미구어》 =WIENERWURST.

†**wife** [waif] (*pl.* ***wives*** [waivz]) n. 1 아내, 부인, 처, 마누라. [cf.] husband. 2 《고어·방언》 여자, 부녀자. ***all the world and his ~*** ⇨WORLD. ***give … to ~*** …을 시집보내다. ***man 〔husband〕 and ~*** 부부(夫婦). ***old wives tale*** 어리석은〔허황한〕 이야기〔전설〕. ***take … to ~*** 《고어》 …을 아내로 맞다. [파] **∠·hòod** [-hùd] n. [U] 아내의 지위〔신분〕; 아내다움. **∠·less** a. 아내 없는, 독신의. **∠·like** a. =WIFELY. *ad.* 아내답게.

wífe·ly (***-li·er; -li·est***) a. 처의; 아내다운; 아내에 어울리는. [파] **-li·ness** n.

wífe swàpping 《구어》 부부 교환, 스와핑. 「sy).

wíf·ty [wífti] a. 얼빠진, 바보스러운〔같은〕(dit-

wig** [wig] n. 1 가발; 머리 장식. 2 판사, 재판관《영국의 판사는 법정에서 가발을 씀》. 3 《속어》 (긴) 머리. 4 《미속어》 인텔리; 백인; 전위적 재즈 연주가; 터무니없는〔격식을 깬〕 사람; 가슴 설레는〔자극적인〕 경험. 5 《구어》 질책(叱責). ***flip one's ~ 《미속어》 몹시 노하다〔화내다〕. ***jack*** a

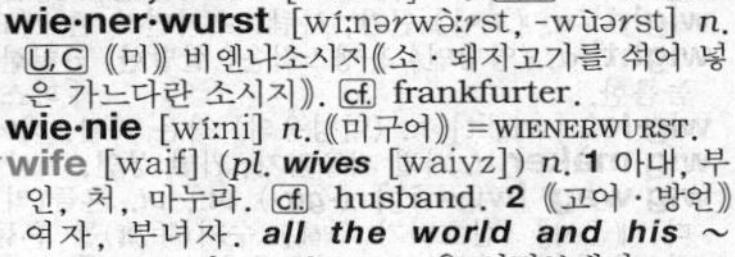

wig 1

1. bob wig 2. back style of bob wig
3. judge's wig 4. barrister's wig

person's ~ 《미속어》 아무의 머리를 잡아당기다. ***lose** one's* ~ 《미속어》 분통을 터뜨리다. ***~s on the green*** 격렬한 언쟁, 드잡이.

— (**-gg-**) *vt.* **1** …에 가발을 씌우다. **2** 《구어》 꾸짖다. **3** 《~+목/+목 +부》 《미속어》 흥분〔도취〕시키다《*out*》; 괴롭히다, 짜증 나게 하다. — *vi.* 《~/+부》 《미속어》 흥분〔열광〕하다, 마약에 취하다《*out*》; 길게 지껄이다, 쿨재즈를 연주하다.

wig·an [wígən] *n.* Ⓤ 캔버스 모양의 무명《의복의 심으로 쓰임》.

wi·geon [wídʒən] *n.* =WIDGEON.

wigged *a.* **1** 가발을 쓴. **2** 《미속어》 (마약 등으로) 기분이 황홀해진《*out*》; …에 열중〔열광〕해 있는, …에 흥분하여《*out; on*》.

wig·ging [wígiŋ] *n.* **1** 《구어》 질책(scolding). **2** 《Austral.》 양의 눈 언저리 털 깎기; (*pl.*) 그 깎아낸 털.

wig·gle [wígəl] *vt.* (뒤)흔들다. — *vi.* 소폭으로 흔들리다, 몸을 뒤틀어 탈출하다《*out*》; 《미속어》 댄스하다. — *n.* 소폭으로 흔들림; 구불구불한〔파동하는〕 선〔움직임〕; 《미속어》 댄스. ***Get a ~ on*** (*you*)! 《미구어》 서둘러라, 빨리 해라. ㊕ **wíg·gler** *n.* 뒤흔드는〔흔들리는〕 사람〔것〕.

wíggle ròom (어떻게라도 해석할 수 있는) 말의 여지.

wíggle sèat (의자에 장치된) 거짓말 탐지기.

wig·gly [wígəli] (**-gli·er; -gli·est**) *a.* 주저하는; 꿈틀거리는; 흔들리는, 파동치는.

wig·gy [wígi] (**-gi·er, -gi·est**) *a.* 《속어》 색다른; 얼빠질 정도로 열중한; 흥분한; 자극적인; 《속어》 (술 · 마약에) 취한; 자제심을 잃은; 《드물게》 몹시 점잔 빼는.

Wight [wait] *n.* **the Isle of ~** 와이트《영국 해협의 섬으로, 잉글랜드의 한 주; 주도 Newport; 생략: I.O.W., IOW》.

wight[1] *n.* 《고어》 인간, 사람; 초자연적 존재《요정 등》; 생물.

wight[2] *a.* 《영방언》 용맹스러운; 활발한, 민첩한, 늠름한.

wig·let [wíglit] *n.* (여성용의) 작은 가발, 헤어피스.

wíg·màker *n.* 가발 제조업자, 가발 상인.

wig·wag [wígwæ̀g] (**-gg-**) *vt., vi.* 흔들(리)다; 〖군사〗 (신호하기 위해) 수기(手旗)를 흔들다; 수기〔등화(燈火)〕로 신호하다. — *n.* Ⓤ 수기〔등화〕에 의한 신호(법); 《미》 수기〔등화〕 통신.

°**wig·wam** [wígwɑm, -wɔːm/-wæm] *n.* **1** (북아메리카 원주민의) 원형의 오두막집. **2** 《미속어》 (정치 집회 따위를 위해 급히 만든) 대회장. **3** (the W-) =TAMMANY HALL.

Wil·bur [wílbər] *n.* 윌버《남자 이름》.

wil·co [wílkou] *int.* 〖통신〗 알았음. [◀ *will comply*]

†**wild** [waild] *a.* **1** 야생의, 자생(自生)의. OPP. *domestic, tame.* ¶ ~ animals 〔plants〕 야생 동물〔식물〕/ ~ roses 야생 장미《찔레나무 등》/ Violets grow ~. 제비꽃은 야생한다. **2** (동물이) 사나운, 길들지 않은: The deer are rather ~. 사슴에게는 여간해서 접근하기 어렵다. **3** 야만의, 미개한: a ~ tribe 야만족. **4** 황량한, 사람이 살고 있지 않는: ~ land 무인(無人)의 땅 / ~ scenery 황량한 경치. **5** (바람 따위가) 거친, 사나운: ~ weather 거친 날씨 / a ~ night 폭풍우의 밤 / ~ times 난세(亂世). **6** (움직임이) 거친, 난폭한: a ~ rush for the ball 공을 향해서 맹렬히 뛰어감. **7** 야단법석 떠는; 방종한, 무궤도한: a ~ party 난잡하게 법석을 떠는 파티 / He was ~ in his youth. 그는 젊었을 때 방탕했다.

SYN. **wild** 격정에 몸을 맡긴 채로 자기 제어를 시도하지 않는: a *wild* boy 다루기 힘든 난폭한 아이 / be *wild* wit… 듯이 기뻐〔노발대발〕하… 와 비슷하지만 그것에 … 부에 주는 충격의 강함 따… 인, 맹렬한: a *violent* col… **reckless** 결과를 염두에 두… 함을 강조함. 무모한: a *reck*… 한 운전사. **impetuous** impet… 력)가 붙은 맹렬한 속도 · 기세를… 적으로 돌진하는 모양을 보여 줌.)

8 열광적인, 흥분한, 열중〔골똘〕한, … 듯한《분노 · 기쁨 · 탄식 따위》: She w… him *for* being late. 그가 늦었으므로 … 발대발했다 / ~ cheers 열광적인 갈채 / … *for* revenge 〔*to* see her, *about* her〕. … 수에〔그녀를 만나보고 싶어서, 그녀가 좋아… 정신이 아니다. **9** (계획 따위가) 난폭한, 무… 미치광이 같은: ~ schemes 〔notions〕 무… 계획〔생각〕/ a ~ wager 무모한 도박꾼〔투기사…〕 **10** 엉터리 같은, 엉뚱한, 빗나간: ~ opinions 엉뚱한 의견 / a ~ guess 터무니없는 억측 / a ~ talk 근거없는 이야기 / a ~ shot 난사(亂射). **11** 흐트러진: ~ hair 〔dress〕. **12** 《구어》 대단한, 멋진, 즐거운. ***go ~*** 미쳐 날뛰다; 몹시 화내다〔기뻐하다〕. ***run ~*** 들에서 키우다, (식물이) 마구 퍼지다; 방종을 극하다; 난폭해지다. ***~ and wooly*** 《미》 거친, 야성적인. ***~ man of the woods*** 《구어》 오랑우탄, 성성이.

— *ad.* **1** 야생 상태로: talk ~ 마구 지껄이다. **2** 난폭〔격렬〕하게, 형편없이, 엉망진창으로: shoot ~ 난사하다.

— *n.* (the ~) 미개한〔자연 그대로의〕 지역 (wilderness); (종종 *pl.*) 광야, 황무지; (the ~) 자연 (상태), 야생. (***out***) ***in the ~s*** 사람 사는 곳에서 멀리 떨어져, 미개지에서.

wíld bóar 멧돼지.

wíld càrd 1 (카드놀이에서) 자유패, 만능패. **2** 예측할 수 없는 사람〔것, 일〕. **3** 〖컴퓨터〗 와일드카드, 두루치기 (문자), 임의 문자 기호(~ character). **4** 〖스포츠〗 주최측 지명 팀〔선수〕.

°**wíld·càt** *n.* **1** 〖동물〗 살쾡이. **2** 《구어 · 비유》 성급〔난폭〕한 사람, 우악스러운 사람. **3** 《미구어》 조차용(操車用) 기관차. **4** (석유 · 가스의) 시굴정(試掘井). **5** 《미》 무모한 계획〔사업〕. — *a.* **1** 《미》 무모한, 위험한, 불건전한《기업 · 경영 따위》. **2** 《미》 활발한, 분방한 《아가씨》. **3** 불법의, 비합법의, 무인가의, 무면허의. **4** 《미》 (열차가) 허가 없이 운행하는, 시각표 외의. **5** (파업이) 본부의 지시 없이 하는. **6** wildcat bank 발행의 《지폐 따위》. — (**-tt-**) *vi., vt.* 미조사 지구에서 석유〔광석을〕 시굴하다; 위험한 사업에 손을 대다.

wíldcat bánk 《미》 (은행법 시행(1863-64) 전에 있던) 무책임하고 신용할 수 없는 은행《함부로 지폐를 발행했음》.

wíldcat stríke 무모한 쟁의《조합의 한 지부가 본부의 통제 없이 멋대로 행하는 쟁의》.

wíld·càtter 《미》 *n.* (석유 따위를 찾아서) 되는 대로 파보는 사람; 무모한 사람; wildcat strike의 참가자.

wíld chìld 《영》 〖신문〗 와일드 차일드《되바라지고 깜찍한 10 대 소녀》.

wíld·cráft *vt.* (약초 · 버섯 따위를) 산야에서 채집하다. — *n.* [-ㅅ] 야생 약초〔버섯〕 채집.

wíld dóg 들개《dingo, dhole 따위》.

wíld dúck 들오리.

Wilde [waild] *n.* **Oscar ~** 와일드《영국의 소설가 · 극작가; 1854-1900》.

wil·de·beest [wíldəbiːst] *n.* =GNU.

wil·der [wíldər] *vt.* 《고어》 길을 잃게 하다, 정신을 헷갈리게 하다, 당황케 하다(bewilder). — *vi.* 길을 잃다, 당황하다, 어리둥절하다. ㊕ **~·ment** *n.*

°**wil·der·ness** [wíldərnis] *n.* **1** 황야, 황무지, 사막, 미개지, 사람이 살지 않는 땅. **2** (정원 가운데의) 황폐하게 내버려둔 곳. **3** (보통 a ~) (수면·공간 따위의) 끝없는 넓이〔연속〕, (황야같이) 광대한 곳《*of*》: a ~ *of* sea 〔waters〕 한없이 넓은 바다. **4** (a ~) (사람·물건 등의) 어수선한 집단〔무리〕, (당혹할 만큼의) 다수〔다량〕《*of*》; 혼란 상태: a ~ houses 어수선하게 죽 늘어서 있는 집들 / a ~ *of* curiosities 무수한 진품. ***a voice* (*crying*) *in the* ~** 〖성서〗 광야에서 외치는 자의 소리《마태복음 III: 3》; 세상에 받아들여지지 않는 도덕가의 외침. ***in the* ~** 고립하여, 중앙에서 떨어져; (정치가가) 실각하여, 야(野)로 내려가.

wílderness àrea (종종 W- A-) 《미》 원생(原生)〔자연〕 환경 보전 지역.

wíld-èyed *a.* 눈이 분노로 이글거리는, 눈이 핏발선; (계획·생각 따위가) 터무니없는, 무모한, 과격한; (아무가) 극단적인 정책을 지지하는: a ~ plan 무모한 계획.

wíld·fire *n.* [U] **1** 옛날 적선(敵船)에 불 지를 때 쓴 소이제(燒夷劑)(Greek fire). **2** [C] 도깨비불. **3** (천둥이 따르지 않는) 마른번개. ***spread* 〔*run*〕 *like* ~** (소문 따위가) 삽시간에 퍼지다.

wíld·flòwer *n.* 야생의 화초; 야생화.

wíld·fòwl *n.* 〖개체 또는 집합적〗 야생조, 들새, 엽조(獵鳥).

wíld góose 기러기; 《영구어》 이상한 놈, 바보.

wíld-góose chàse 헛된 시도〔추구〕.

wíld hórse 야생마.

wíld·ing¹ *n.* 야생 식물, 《특히》 야생 사과나무; 그 열매. **—** *a.* 야생의.

wíld·ing² *n.* (불량 그룹 따위의) 폭력적 습격, 한바탕의 집단 난동〔폭행〕.

wild·ish [wáildiʃ] *a.* 좀 난폭한.

wíld·lànd *n.* 황무지(wasteland, desert).

wíld·lìfe *n., a.* 〖집합적〗 야생(野生) 생물(의).

wíld·lìfer *n.* 야생 생물 보호론자.

wild·ling [wáildliŋ] *n.* 야생 꽃〔식물〕; 야생 동「물.

***wild·ly** [wáildli] *ad.* **1** 격렬하게, 사납게, 심하게, 난폭하게. **2** 야생 상태로.

wíld màn 미개인, 야만인; 난폭한 사내; 과격주의자; 〖동물〗 오랑우탄, 성성이.

wíld mústard 〖식물〗 =CHARLOCK.

°**wild·ness** *n.* [U] 야생; 황폐; 난폭, 무모; [C] 방탕; 황야(wilderness). 「방탕〔난봉〕.

wíld óat 〖식물〗 야생 귀리; (*pl.*) 젊은 시절의

wíld pánsy 〖식물〗 야생 팬지《유럽·아시아산》.

wíld pítch 〖야구〗 (투수의) 폭투. 「의 다년초》.

wíld ríce 〖식물〗 줄, 줄풀《습지에 나는 볏과(科)

wíld róse 〖식물〗 (각종의) 야생 장미, 들장미.

wíld rúbber (야생 고무나무에서 채취되는) 야

wíld sílk =TUSSAH 2. ⌊생 고무.

wíld tráck 〖영화〗 와일드 트랙《영화·텔레비전의 화면과는 다른 소리·해설 따위를 녹음한 사운드트랙》. [파] **wíld-tráck** *a.* (해설 등이) 화면과는 다른. 「*a.*

wíld tỳpe 야생형 (식물·동물). [파] **wíld-tỳpe**

wíld·wàter *n.* 급류, 분류(奔流). 「지방.

Wíld Wést (the ~) (개척 시대의) 미국 서부

Wíld Wést shòw 《미》 개척 시대의 기술〔풍물〕을 보여 주는 구경거리《사나운 말타기·올가미 던지기 등》.

wíld whíte 원숭이마마 바이러스《두창(痘瘡) 바이러스에 가까움》.

wíld·wòod *n.* 자연림.

wile [wail] *n.* (보통 *pl.*) 간계(奸計), 계략; 농간; 교활. **—** *vt.* **1** 《+[목]+[부]/+[목]+[전]+[명]》 속이다, 꾀어들이다《*away; into*》: ~ a person *away* 아무를 꾀어내다 / ~ a person *into* doing 아무를 속여 …하게 하다. **2** 《+[목]+[부]》 (시간 따위를) 지내다, 이럭저럭 보내다《*away*》. ★ while과의 혼동에 의한 오용으로 봄. ¶ ~ *away* the time 이럭저럭 시간을 보내다.

°**wilful** ⇨ WILLFUL.

Wil·helm [wílhelm] *n.* 빌헬름. **1** 남자 이름《William의 독어형》. **2** 독일 황제.

Wil·hel·mi·na [wìləmíːnə, wilhelmíː-] *n.* 빌헬미나《여자 이름; 애칭 Mina》.

Will [wil] *n.* 윌《남자 이름; William 의 애칭》.

†**will¹** ⇨《p. 2850》 WILL¹.

†**will²** [wil] *n.* **1** (the ~) [C] 의지; ((a) ~, much ~) 의지력: the freedom of the ~ 의지의 자유 / have a strong 〔weak〕 ~ 의지가 굳세다〔약하다〕/ Will can conquer habit. 《격언》 의지는 습관을 극복한다. **2** [C] 의도, 뜻, 소원: What is your ~? 너의 소원은 무엇이냐 / God's ~ 하느님의 뜻 / work one's ~ 자기의 뜻〔목적〕을 이루다 / Where there is a ~, there is a way. 《격언》 뜻이 있는 곳에 길이 있다; 정신 일도 하사 불성(精神一到何事不成)이라. **3** (the ~, a ~, one's ~) [C] 결의; 열의: the ~ *to* live 살려고 하는 결의〔의지〕/ work with a ~ 열심히 일하다. **4** [U] (남에 대한) 마음, 태도: good 〔ill〕 ~ 선의〔악의〕. **5** [C] 유언(서): make 〔write, draw up〕 one's ~ 유서를 작성하다.

against* one's ~** 본의 아니게: She was married *against her* ~. 그녀는 본의 아니게 결혼했다. ***at* ~ =*at* one's (*own sweet*) ~** 뜻대로, 마음 내키는 대로: a tenant *at* ~ 〖법률〗 임대인이 예고 없이 언제나 내보낼 수 있는 차지〔차가〕인. ***do the* ~ *of …의 뜻을 따르다. ***have* one's ~** 뜻대로 하다; 소원을 이루다. ***of* one's *own free* ~** 자발적으로; 자유 의지로. ***take the* ~ *for the deed*** (무언가를 해주려고 하는) 마음을〔후의를〕 고맙게 여기다. ***with a* ~** 진지하게; 진심으로. ***with the best* ~ *in the world*** 마음가짐이 아무리 좋아도, 아무리 할 마음이 있어도, 전심전력을 다 하여도.

— *vt.* **1** 《~+[목]/+*to* do/+*that* [절]》 바라다, 원하다, 의도하다; …하려고 생각하다, 결의하다: You cannot achieve success merely by ~*ing* it. 바라기만 해서는 성공하지 못한다 / He ~*ed to* keep awake. 자지 말아야겠다고 결심했다 / God ~*s that* man (should) be happy. 신은 인간이 행복하기를 원하신다. **2** 《+[목]+[전]+[명]/+[목]+*to* do》 의지력으로 (…에게) …하게 하다: He ~*s* himself *into* contentment. 그는 스스로 만족하고 있다 / The hypnotist ~*ed* her *to* do his bidding. 최면술사는 그녀를 자기가 시키는 대로 하게 했다. **3** 《+[목]+[전]+[명]/+[목]+[목]》 (재산 등을) 유언으로 남기다〔주다〕《*to*》: She ~*ed* most of her money *to* the workhouse. 그녀는 유언으로 돈을 거의 모두 구빈원(救貧院)에 기증했다 / He ~*ed* his property away from his natural heir. 그는 상속인 이외의 사람에게 재산을 유증했다 / She ~*ed* me this diamond. 유언으로 이 다이아몬드를 나에게 남겨 주었다. **—** *vi.* 의지를 작용케 하다; 바라다: lose the power to ~ 의지력을 잃다.

wíll·a·ble *a.* 바랄 수가 있는, 의지로 결정할 수 있는. 「관부.

wíll cáll (백화점 따위에서) 고객의 구매 상품 보

wíll-cáll *a.* (백화점 따위에서) 고객이 계약금을 치르고 예약한 상품인〔을 보관하는〕.

wíll còntest 〖법률〗 유언서의 합법성을〔존부를〕 다투는 소송.

(-)willed¹ *a.* 〖흔히 복합어를 이루어〗 (…의) 의지를 가진: strong-~ 강한 의지를 가진.

willed² *a.* **1** 의지에 의해 결정된; 자발적인: a ~ determination not to remember 상기하지

조동사 will의 원래의 뜻은 (to) intend, wish 따위이며, 본동사 will(⇨ 별항 will²)이나 명사의 will '의지' (⇨ will²)와도 어원적으로 관계되어 의지나 바람을 나타내는 것이었다. 그 후 원뜻이 점차 약화되어 오늘에 와서는 전혀 무색의 단순한 미래의 표지로서도 사용되게 되었지만, 지금도 아직 그 원뜻이 남아 있는 경우가 많다. 여기서 will이 갖는 뜻을 원뜻에 가까운 순서로 늘어놓으면 대략: (1) (주어의) 의지: I *will* go. (2) (주어의) 고집: The door *will* not open. (3) (말하는 이의) 의사가 주어에 미침 ⇨ 주어에 대한 명령·권유: You *will* not go out today. (4) (말하는 이의) 추측: That *will* be the postman, I expect. (5) (주어의) 단순미래: Work, or you *will* fail.로 된다. 변화형에는 아래 현대형 외에 다음과 같은 옛 형태가 있다: 2인칭 단수 《고어》 현재 (thou) **wilt** [wilt], 과거 **wouldst** [wudst, wutst], **would·est** [wúdist].

will [wil, 약 wəl, l] (***would*** [wud]; 바로 앞 낱말과의 간약형 ***'ll*** [-l]; will not의 간약형 ***won't*** [wount], would not의 간약형(形) ***wouldn't*** [wúdnt]).

NOTE (1) 구어에서는 보통 'll로 쓰고 [l]로 발음함: I'll [ail], you'll [ju:l]; this'll [ðisl], what'll [wɔtl]. 유성자음 뒤에서는 [əl]로 발음되며, 강조용법 및 문장 첫머리에 올 때는 반드시 will을 씀. (2) will not는 won't [wount]의 간약형을 취함. (3) 단순미래형에는 주어가 2인칭, 3인칭인 경우 보통 will을 씀. I 인칭인 경우 《미》에서는 will을 쓰고 《영》에서는 shall을 쓰나, 《영》에서도 구어에서는 will을 쓰는 추세임.

aux. v. **A** 《1인칭 주어; I 〔we〕 will》 **1** 〖의지미래〗 **a** 〖의향·속셈〗 …할 작정이다, …하겠다: I ~ go there tomorrow. 내일 그리로 가겠습니다 / I ~ give you my address. 내 주소를 가르쳐 드리죠 / OK. I'*ll* do my best. 알았다, 최선을 다할께 / We'*ll* begin soon, *won't* we? 곧 시작합시다. **b** 〖강한 의지·결의〗 …할 테다, 기어코 …할 작정이다: I ~ go, no matter what you say. 네가 무슨 말을 하든 나는 가겠다 / I ~ not be caught again. 다시는 안 잡힐걸 / I ~ never do such a thing again. 두 번 다시 그런 일은 않겠다 / I *won't* stand any nonsense. 사리에 맞지 않는 것은 질색이다. **c** 〖맹세·단언〗 …해도 좋다: I'*ll* bet my bottom dollar. 내 있는 돈 전부를 걸어도 좋다 / I'*ll* be hanged if he does. 그가 한다면 내 목을 내놓아도 좋다.

2 〖단순미래〗 《흔히 미래를 나타내는 부사어구를 수반하여》 …일〔할〕 것이다; …이 되다: I'*ll* be 20 (years old) next year. 내년이면 20살이 됩니다 / *Will* we be in time for the train? 열차 시간에 댈 수 있을까 《의문문에는 《미》에서도 종종 shall을 씀》.

B 《2인칭 주어; you will》 **1** 〖단순미래〗 …할 것이다, …할〔일〕 테죠: You'*ll* feel better if you take this medicine. 이 약을 먹으면 기분이 좋아질거야 / Look out, or you'*ll* be run over. 조심해라, 그렇지 않으면 차에 치인다 / I am afraid you ~ catch cold. 자네가 감기 걸릴까봐 걱정이다 / When ~ you be off? 언제 떠나십니까. ★ 단순미래의 의문문은 Will you do?를 피해서 Will you be doing? / Are you doing?의 형태를 취할 때가 많음: *Will* you be coming? =Are you coming? 오실 겁니까 《Will you come?은 보통 '와 주시겠습니까' 의 뜻》.

2 〖상상·헤아림〗 아마〔필시〕 …일 것이다: You ~ be Mr. Brown, I think. 브라운 선생님이시죠 / You ~ have heard of it. 그것을 들으셨을 것으로 압니다만.

3 〖촉구·설득조의 명령·지시〗 …해라, …하는 거다, …해 주시는 겁니다: You ~ do as I tell you. 내 말대로 하는 거다 《Do as ... 보다 보통 어세가 강함》 / You are a good boy, so you ~ behave yourself. 너는 착한 애니까 얌전하게 구는 거다 / You ~ wait here till I come back. 내가 돌아올 때까지 여기서 기다리는 거다.

NOTE (1) 형태는 평서문이지만 '너는 …하기로 돼 있는 거다' 와 같이 상대의 행위를 아예 정해 놓는 여운을 풍기며, 정중한 것 같으면서도 실은 반대하지 못하게 하는 명령. (2) 드물게 3인칭 주어에서도 쓰임: All boys *will* attend roll-call at 8 o'clock. 《게시》 남학생은 전원 8시 점호에 출석할 것 《All boys are (supposed, requested) to attend.... 의 구문이 보통》.

4 a 〖의지·고집〗 (기어이) …하려고 하다: You ~ have your own way. 네 고집만 부리려 드는구나. **b** 〖상대의 의향을 물어〗 …하시렵〔하실겁〕니까; …하(시)지 않겠습니까: When ~ you be seeing your brother next week? 내주 언제 형님〔동생〕을 만날 예정입니까 / *Will* you go there tomorrow? 내일 거기 가시겠습니까. **c** 〖정중한 요청〗: *Will* you kindly tell me the way to the city hall? 시청으로 가는 길을 가르쳐 주실 수 없겠습니까 / *Will* you pass me the salt? 그 소금을 이리 건네 주시지 않겠습니까. **d** 〖조건문의 if-절 속에서 상대의 호의를 기대하고〗 …해 주다: I shall be glad 〔pleased〕 to go, if you ~ accompany me. 동행해 주신다면 기꺼이 가지요.

C 《3인칭 주어; he 〔she, it, they〕 will》 **1** 〖단순미래〗 **a** …일〔할〕 것이다: The moon ~ rise at eight. 8시에 달이 뜰 것이다 / He 〔She〕 ~ come of age next year. 그〔그녀〕는 내년이면 성년이 된다 / They'*ll* be pleased to see you. 너를 만나면 그들은 기뻐할 거다 / People ~ have forgotten all about it in a month. 한 달만 지나면 그런 건 사람들은 다 잊어버리고 있을 거야. **b** 〖현재의 상상·헤아림〗 …일 것이다: I believe he ~ be an Irishman. 그는 아일랜드 사람이라고 생각한다 / How far is it to the wood? —It ~ be 2 miles, I reckon. 숲까지 얼마나 되나요 —2마일쯤 될 테지. **c** 〖의문문에서 미래의 헤아림〗: *Will* the moon rise soon? 달이 곧 뜰까 / *Will* he miss the train? 그는 열차를 놓칠까.

2 〖의지미래〗 **a** 〖주어의 바람·주장·완고함을 보여〗 …하려고〔하겠다고〕 하다, …라고 우기다, 끝까지 …하다; 〖부정문에서〗 아무리 해도〔도무지〕 …하려고 하지 않다: This boy ~ not work. 이 아이는 공부를 하기 싫어한다 / Let him do what he ~. 그가 원하는 것을 하게 하시오 / I've asked Bill to come, but he *won't*. 빌에게 오라고 청했는데, 그는 오려고 하지 않는다 / The door ~ not open. 문이 (도무지) 열리지 않는다. **b** 〖습관·습성·경향〗 어떻든 …하고 싶어하다〔하다〕, …하는 법이다; 곧잘 …하곤 하다: He'*ll* talk for hours, if you let him. 그는 내버려 두면 몇 시간이라도 지껄인다 / Oil ~ float on water. 기름은 물에 뜨는 법이다 《(1) Oil floats on water. 도 좋지만, will을 쓰면 그 특성을 강조함. (2) 자연 법칙으로 되풀이되는 움직임에는 단순현재를 사용: The sun rises 〔×will rise〕 in the east. 해는 동쪽에서 뜬다》 / Why ~ you arrive late for every class? 너는 어째서 이렇게 늘 수업에 늦게

오는 거지《'늦지 않으면 직성이 풀리지 않는다는 말이냐' 의 기분》.
3 〖가능성·능력〗 (무엇이) …할 수 있다: The back seat ~ hold three passengers. 뒷좌석에는 세 사람이 탈 수 있다/This razor *won't* cut. 이 면도칼은 잘 들지 않는다/*Will* the ice bear? 이 얼음은 밟아도 안전할까.

> NOTE 조건절(**if, unless**)과 **will** (1) 단순미래를 나타내는 경우에는 보통 will을 쓰지 않음: I *will* tell him if he *comes*. 그가 오면 그에게 그렇게 말하지. (2) will이 사용되는 경우에는 주어의 의지·습관·경향 따위의 뜻을 내포함: I *will* be glad if he'*ll* come. 그가 온다면 기쁘겠다/If the door *will* not open, we *will* be at a loss. 문이 열리지 않는다면 우리는 당황할 것이다.
> 간접화법과 **will** 직접화법의 주어에 응하는 will은 간접화법에서 주어가 바뀌었을 때 I 〔we〕 shall 〔will〕; you will; he 〔she, it, they〕 will이 됨: "I *will* do my best." →You say (that) you *will* do your best.; He says (that) he *will* do his best./"You 〔He, They〕 *will* succeed." →He hopes (that) I *shall* 〔*will*〕 succeed 〔you *will* succeed; they *will* succeed〕. 또한 오늘날엔 "I *shall* succeed."도 He hopes he *will* succeed.로 될 때가 많으며, 《미》에서 특히 그런 경향이 강함. 즉 《미》에서는 간접화법에서 모든 인칭에 will을 사용하는 경향이 있음. cf. shall.

…~ do …이면 된다, …로 좋다: That'*ll do*. 그것으로〔이면〕 됐다〔좋다〕/This box ~ *do* for a seat. 이 상자는 걸상으로 쓰기에 알맞다/That *won't do*. 그건〔그것으로는〕 안 된다/Any time ~ *do*. 언제라도〔아무때고〕 좋다.

않겠다는 자발적인 결의. **2** (최면술 따위에서) 남의 의지에 지배된.

wil·lem·ite [wíləmàit] *n.* Ⓤ 〖광물〗 규산 아연광.

wil·let [wílit] (*pl.* ~) *n.* 〖조류〗 도요새류《북아메리카산》.

°**will·ful,** 《영》 **wil·ful** [wílfəl] *a.* **1** 계획적인, 고의의: ~ murder 고의의 살인, 모살. **2** 외고집의, 제멋대로의, 강퍅한: ~ ignorance 외고집에 의한 무지, 완미(頑迷).

> SYN. **willful** 자기 생각대로 하지 않으면 뱃속이 편치 않은, 남의 설득이나 도리를 따르려 하지 않는: a *willful* child 제멋대로만 하려고 하는 아이. **capricious** 변덕스러운, 변덕스러워서 믿을 수 없는: *capricious* girls 변덕스러운 처녀들. **wayward** willful과 capricious의 두 말의 뜻을 함축하고 있는 말이며 변덕스러운 자기의 뜻에만 따르는, 손댈 수 없는 횡포를 나타냄: as *wayward* as Carmen 카르멘처럼 제멋대로의. **disobedient** 말을 듣지 않는, 순종하지 않는. **self-centered** 자기 중심의. 남으로부터의 영향을 받지 않고 자기 일에만 관심이 있는. **selfish** 이기적인. 자기의 이익·쾌락·안전만 생각하는.

㊞ **~·ly** *ad.* **~·ness** *n.*

Wil·liam [wíljəm] *n.* **1** 윌리엄《남자 이름; 애칭 Bill(y), Will(y)》. **2** ~ I 윌리엄 1세(世)(=**∠ the Cónqueror**)《영국왕; 1027-87》. **3** ~ II 윌리엄 2세(=**∠ Rú·fus** [-rú:fəs])《영국왕; 1056-1100》.

Wílliam Téll 빌헬름 텔《스위스 건국의 전설적 영웅》.

wil·lies [wíliz] *n. pl.* (the ~) 《구어》 오싹하는〔겁나는〕 기분, 겁: It gave me the ~. 그것은 나를 오싹하게 했다/get 〔have〕 the ~ 오싹하다.

will·ing [wíliŋ] *a.* **1** 〖서술적〗 기꺼이 …하는, 꺼리지 않는: They were ~ *to* undertake the job. 그들은 기꺼이 그 일을 떠맡았다/Are you ~ *that* he (should) join the team? 그가 팀에 가입하는 것에 이의가 없습니까. **2** 〖한정적〗 자진해서 하는〔행하는〕, 자발적인: a ~ worker 자진해서 일하는 사람/a ~ sacrifice 자진해서 행하는 자기 희생/turn a ~ ear to …을 경청하다. ㊞ ***~·ly** *ad.* 기꺼이, 자진해서. °**~·ness** *n.*

wil·li·waw, wil·ly- [wíliwɔ̀:] *n.* **1** 윌리워《산이 많은 해안 지대로부터 부는, 특히 Magellan 해협의 차가운 돌풍》. **2** 〖일반적〗 돌풍; 대혼란, 격동.

wíll-less *a.* 의지가 없는, 본의 아닌; 유언을 남기지 않은.

will-o'-the-wisp [wìləðəwísp, ╴-╴╴] *n.* **1** 도깨비 불. **2** 〖일반적〗 사람을 홀리는 것〔사람〕; 환영(幻影), 신출귀몰(神出鬼沒)하는 사람.

wil·low**[1] [wílou] *n.* 버드나무《수목·재목》; 버드나무 제품《특히 크리켓의 배트 등》: ⇨ WEEPING WILLOW. ***handle 〔***wield***〕 ***the*** ~ 크리켓을 하다. ***sing*** ~ **=*wear the*** ~ 애인의 죽음을 슬퍼하다《옛날 버드나뭇가지나 고리를 가슴에 달고 그 뜻을 나타냈음》; 실연하다. ㊞ **~·like** *a.*

wil·low[2] *n., vt.* 솜틀(로 틀다). ㊞ **~·er** *n.* 솜틀; 솜트는 사람.

wíllow flỳ 〖곤충〗 강도래(stone fly)의 일종.

wíllow hèrb 〖식물〗 분홍바늘꽃류(類).

wil·low·ish [wílouiʃ] *a.* =WILLOWY.

wíllow pàttern 버들무늬《18세기 영국 도자기에서 볼 수 있는 중국풍의 흰 바탕에 남빛의 디자인》.

wíllow·wàre *n.* 버드나무 무늬가 있는 도자기.

wil·lowy [wíloui] (***-low·i·er; -i·est***) *a.* 버들이 무성한; 버들 같은, 나긋나긋한, 가냘픈; 날씬한.

wíll pòwer 의지력, 정신력, 자제심.

wíll to pówer (니체 철학의) 권력에의 의지; 권력 행사욕.

Wil·ly [wíli] *n.* 윌리. **1** 남자 이름《William의 애칭》. **2** 여자 이름.

wil·ly *n.* 《속어》 페니스.

wil·ly-nil·ly [wíliníli] *ad.* 싫든 좋든 간에, 좋아하든 말든, 다짜고짜로(cf. nill); 닥치는 대로, 마구잡이로; 난잡하게. **—** *a.* 어쩔 수 없는; 망설이는, 우유부단한; 닥치는 대로의, 마구잡이식의. [◂ *will I* 〔*ye, he*〕, *nill I* 〔*ye, he*〕]

wil·ly-wil·ly [-wili] *n.* 《Austral.》 윌리윌리《강한 열대 저기압; 사막의 선풍(旋風)》, 회오리바람.

Wil·ma [wílmə] *n.* 윌마《여자 이름》.

Wílms' tùmor [wílmz-] 〖의학〗 빌름스 종양《태생성 신혼합(腎混合) 종양》.

Wil·son [wílsən] *n.* 윌슨. **1 Woodrow** ~ 미국 제28대 대통령(1856-1924). **2 Harold** ~ 영국의 정치가《수상 역임(1964-70, 1974-76); 1916-95》. **3 Mount** ~ 미국 California 주 남서부의 산《Mount Wilson 천문대가 있음》.

Wílson cỳcle 〖지학〗 윌슨 주기(周期)《지질 연대 중에서 해양이 출현·소실하는 주기》.

Wílson's disèase 〖의학〗 윌슨병《구리 대사(代謝)의 이상으로 간경변·정신 장애 등을 일으키는 유전병》.

wilt[1] [wilt] *aux. v.* 《고어》 WILL[1]의 2인칭 단수《주어 thou의 경우》.

wilt[2] *vi.* (초목 등이) 시들다, 이울다; (사람이) 풀이 죽다; 약해지다. **—** *vt.* 시들게 하다, 이울게 하다; 풀 죽게 하다; 약하게 하다. **—** *n.* Ⓤ 〖식물〗 시듦, 시들어 죽는 병, 위조병(萎凋病), 시들병, 입고병(立枯病)(=**∠ diséase**).

Wil·ton [wíltən] *n.* Ⓤ 고급 융단의 일종(=**∠ cárpet** 〔**rúg**〕)《원래는 영국 Wilton 특산》.

Wilt·shire [wíltʃiər] *n.* 윌트셔《잉글랜드 남부의 주; 생략: Wilts.》.
wily [wáili] (*wil·i·er; -i·est*) *a.* 계략을 쓰는, 잔꾀를 부리는, 꾀바른, 교활한. [◂wile] ㊞ **wíl·i·ly** *ad.* **-i·ness** *n.*
wim·ble [wímbəl] *n.* 송곳; (석공(石工)이 쓰는) 굽은 자루의 드릴; 광산의 흙구덩이에서 흙을 걷어내는 도구; 밧줄을 꼬는 도구. — *vt.* 《고어》 (송곳 따위로) …에 구멍을 뚫다.
Wim·ble·don [wímbəldən] *n.* 윔블던《런던 교외의 도시》; (그곳에서 개최되는) 전 영국 테니스 선수권 대회.
wim·min [wímin] *n. pl.* 여자(women) 《women이나 female을 피하려고 feminist들이 즐겨 쓰는 철자》.
WIMP [wimp] *n.* 〖컴퓨터〗 윔프《컴퓨터를 쓰기 쉽게 하는 일련의 사용자 사이틀〔유저 인터페이스〕》. [◂*W*indows *I*cons *M*ouse *P*ull-Down-Menus; *W*indows, *I*cons, *M*enus, *P*ointing Device]
wimp [wimp] *n.* 《미속어》 무기력한 사람; 적극성 없는 사람; 겁쟁이; 유행에 뒤진 사람.
WIMP 〖물리〗 weakly interacting massive particles.
wímp·ish *a.* 《구어》 연약한, 나약한, 겁쟁이의. ㊞ **~·ness** *n.*
wim·ple [wímpəl] *n.* **1** 두건의 일종《지금은 수녀가 씀》. **2** 《영》 잔물결(ripple); 《Sc.》 (옷의) 주름, 접은 자리(fold); (도로 따위의) 커브(winding). — *vt., vi.* 두건으로 싸다; 주름을 잡다, 주름 잡히다; 잔물결을 일으키다, 잔물결이 일다.

wimple 1

Wim·py [wímpi] *n.* 윔피. **1** Popeye의 친구《언제나 햄버거를 먹고 있음》. **2** 햄버거의 일종《상표명》.
†**win**[1] [win] (*p., pp.* **won** [wʌn]; **wín·ning**) *vt.* **1** (경쟁·경기 따위에서) 이기다: ~ the election 〔a contest〕 선거〔콘테스트〕에 이기다. ★ '상대'를 목적어로 할 때는 beat를 씀: *beat* a team. **2** 《~+목/+목+전+명》 쟁취〔획득〕하다: ~ a prize in a contest 경쟁에 이겨 상을 타다 / Tom *won* $5 *from* his opponent at cards. 톰은 카드놀이에서 상대로부터 5달러를 땄다. **3** 《~+목/+목+목/+목+전+명》 (노력해서) 손에 넣다, 얻다, 확보하다: ~ fame 명예를 얻다 / ~ security 〔a livelihood〕 안전을〔생계를〕 확보하다 / By his discovery he won himself honors 〔honors *for* himself〕. 그는 발견에 의해서 명예를 얻었다. **4** 친구〔결혼 상대〕를 얻다; (적을) 만들다; …의 지지를〔애정을, 결혼 승낙을〕 얻다: ~ a friend 친구를 얻다. **5** 《~+목/+목+부/+목+전+명/+목+*to* do》 (아무를) 설득하다, 설복시키다《*over*》: I *won* him *over* to my side. 그를 설득하여 내 편으로 삼았다 / ~ natives *to* Christianity 원주민을 설득하여 기독교로 개종시키다 / He has *won* her (*over*) *to* consent. 그녀를 설득하여 동의케 했다. **6** (주장 따위를) 남에게 납득시키다: ~ one's point 주장을 세우다. **7** (곤란을 물리치고) …에 도달하다: We *won* the camp by noon. 정오까지 야영지에 도착했다. **8** (광석을) 찾아 파내다, (채굴 설비를) 설치하다, (광산을) 개발하다, (금속을) 추출하다. **9** 《속어》 훔치다(steal).
— *vi.* **1** 《~/+전+명》 이기다, 성공하다; 일착이 되다; 알아맞히다, 바르게 추측하다: Which side *won?* 어느 편이 이겼느냐 / ~ *at* cards 트럼프에서 이기다 / Who did you ~ *against?* 누구와 경쟁해서 이겼느냐. **2** 《+부/+전+명》 나아가다; 닿다, 드디어 다다르다: ~ *home* 〔*to* shore〕 집〔바닷가〕에 닿다. **3** 《+부/+전+명/+보》 (노력하여) 이겨내다, 성공〔완수〕하다, …하게 되다《*across; away; back; down; off; over; through*》: ~ *across* the rapids 급류(急流)를 가로질러 건너다 / ~ *back* to cool sanity 냉정을 되찾다 / ~ free from prejudice 편견에서 벗어나다. **4** 《+전+명》 (차츰차츰) 영향력을 미치다, 끌어당기다《*on, upon*》: The theory *won upon* people by degrees. 그 설(說)은 차츰차츰 세인의 관심을 끌었다. **5** 〖보어를 수반하여〗 (노력하여) …이 되다: ~ free 〔clear, loose〕 자유롭게 되다, (어려움을) 뚫고 나가다.
~ a person ***away from*** …으로부터 아무를 자기편으로 끌어들이다. ~ ***back*** (이겨서) 되찾다. ~ ***by*** (hanging) (교살)을 면하다, 벗어나다. ~ ***hands down*** 낙승하다. ~ ***in a walk*** 〔***breeze***〕 《구어》 쉽게 이기다. ~ ***or lose*** 이기든 지든. ~ ***out*** 〔***through***〕 …을 수행해 내다, (곤란 따위를) 헤쳐 나가다, 성공하다. ~ ***out over...*** 《구어》 …에게 이기다, 낫다. ~ ***over*** 《*vt.*+부》 ① (아무를) 마침내 자기편에 끌어들이다, 설득하다. — 《*vi.*+전》 ② (아무와 경쟁하여) 이기다. ~ a person ***round*** 아무를 자기편으로 끌어들이다. ~ one***'s spurs*** ⇨ SPUR. ~ one***'s way*** 애써서 나아가다; 노력하여 성공하다. ~ ***the day*** (경쟁·토론에서) 이기다, 승리하다; 노력의 결실을 맺다. ***You can't ~ them*** 〔***'em***〕 ***all.*** =(***You***) ~ ***some*** 〔***a few***〕, (***you***) ***lose some*** 〔***a few***〕. 《구어》 다 잘 되라는 법은 없는 거야《실패한 이에게》.
— *n.* **1** 《구어》 승리, 성공: two ~*s* and three defeats, 2승 3패. **2** 《구어》 이득, 이문, 상금. **3** (경마 따위에서의) 일착.
win[2] (*p., pp.* **won** [wʌn], **winned** [wind]; **wín·ning**) *vt.* 《Ir.·Sc.》 (풀·나무 따위를) 말리다, 건조시키다.
°**wince** [wins] *vi.* 《~/+전+명》 주춤하다, 질리다, 움츠리다: I didn't ~ *under* the blow. 맞고도 굴하지 않았다. — *n.* 주춤함, 질림, 움츠림. cf. flinch[1], quail[2].
win·cey, -sey [wínsi], [-zi] *n.* Ⓤ 면모 교직(綿毛交織)의 일종《스커트 따위를 만듦》.
win·cey·ette [wìnsiét] *n.* Ⓤ 《영》 (양면(兩面)에 보풀이 있는) 융(絨)《파자마·속옷·잠옷용》.
winch [wintʃ] *n.* **1** 윈치, 권양기(捲揚機). **2** 굽은 축, 크랭크; (낚시용의) 릴. — *vt.* 《~+목/+목+전+명》 윈치로 감아 올리다: The glider was ~*ed off* the ground. 글라이더는 윈치에 끌려서 이륙했다. ㊞ **∠·er** *n.*

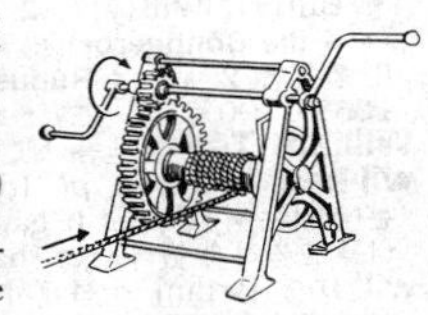
winch 1

Win·chell [wíntʃəl] *n.* 《미속어》 녹음 기사《이어폰을 끼고 라디오 방송을 한 인물의 이름에서》.
Win·ches·ter [wíntʃèstər, -tʃəs-/-tʃis-] *n.* **1** 윈체스터《영국 Hampshire 주의 주도》. **2** 거기에 있는 유명한 public school《1382년 창설; Winchester College가 정식 명칭》. **3** =WINCHESTER RIFLE 《상표명》; 〖일반적〗 라이플 총. **4** 반(半)갤런(들이 병)(=∠ quárt).
Wínchester búshel 윈체스터 부셸《미국 및 옛 영국의 건량(乾量) 단위》.
Wínchester dísk (**drìve**) 〖컴퓨터〗 윈체스터 디스크(드라이브)《헤드와 디스크를 밀봉하여 기록 밀도·용량을 크게 한 고정 자기 디스크 장

치; 흔히 hard disk (drive)와 같은 의미로 씀》.
Wínchester méasures 윈체스터 부셸을 기준으로 한 건량(乾量)·액량(液量) 체계.
Wínchester rífle 윈체스터 총《상표명》.
†**wind**¹ [wind, 《시어》 waind] *n.* **1** Ⓤ,Ⓒ 바람; 강풍; (공기의) 강한 흐름〔움직임〕: a cold 〔gentle〕 ~ 한풍〔미풍〕/a free ~ 순풍/a constant ~ 항풍(恒風)/fair 〔contrary〕 ~*s* 순풍〔역풍〕/a seasonal ~ 계절풍/the ~ of a speeding car 질주하는 자동차가 일으키는 강한 바람/There isn't much ~ today. 오늘은 별로 바람이 없다/The ~ is rising 〔falling〕. 바람이 일고〔자고〕 있다. ★ 형용사를 수반하지 않는 경우는 보통 the *wind*.

SYN. **wind** 일반적인 말. **breeze** 미풍, 산들바람. 가장 상쾌한 바람. **breath** 극히 미약한 바람. 나뭇잎을 약간 흔들 정도의 적은 공기의 이동. **gale** 강풍. 조그마한 폭풍으로서 계절이 바뀔 때 따위에 나뭇잎을 떨어뜨리기도 함. **blast, gust** 한 차례의 강한 바람, 돌풍, 질풍. 물체를 날리기도 함. gust는 다소 가벼운 바람.

2 (the ~) 〚해사〛 바람 불어오는 쪽; (*pl.*) (나침반의) 방위(方位): the ~*s* 사방 (all directions). **3** Ⓤ 바람에 풍겨 오는 냄새: The deer got the ~ *of* the hunter and ran off. 사슴은 사냥꾼 냄새를 맡고 도망쳤다. **4** Ⓤ (무언가의) 예감, 낌새《*of*》. **5** Ⓤ (비밀의) 누설, 소문, 정보; 알맹이 없는 말, 지껄임; 무; 공허; 자만. **6** (전쟁·여론의) 큰〔파괴적인〕 힘; (세상의) 동향, 정세: ~(*s*) of change 변혁으로의 움직임. **7** Ⓤ 위〔장〕 안의 가스; 〚의학〛 (양의) 고창증(鼓脹症); 압축 공기〔가스〕; 《고어·속어》 공기. **8** Ⓤ 숨, 호흡(하는 힘), 호흡 능력, 정상적인 호흡. ㊟ second wind. **9** 관악기(류); (the ~s) 관〔취주〕악기 연주자들. ㊟ string. ¶ brass 〔wood〕 ~*s* 금〔목〕관악기. **10** Ⓤ 허풍, 허세(부림); 놀람, 소동. **11** 《권투속어》 명치. ***against the*** ~ 바람을 안고〔거슬러〕. ***before the*** ~ 바람을 따라서〔등에 지고〕; 순풍에, 순조롭게: run *before the* ~ (배가) 순풍을 받고 달리다. ***between*** ~ ***and water*** 〚해사〛 배의 흘수선(吃水線)에《탄환을 맞으면 배가 침몰하는 부분에》; 《비유》 급소에, 약한〔불안정한〕 입장에. ***break*** 〔***make***〕 ~ 방귀 뀌다. ***by the*** ~ 〚해사〛 되도록 바람을 거슬러. ***cast*** 〔***fling***〕 ***to the*** ~***s*** 사방으로 흩뜨리다, 바람에 날려 버리다; (조심성 따위를) 완전히 버리다. ***catch*** ~ ***of*** …의 낌새를 채다. ***down the*** ~ 바람 불어가는 쪽으로; 바람을 따라, 바람을 등지고. ***feel the*** ~ 곤궁하다, 주머니가 비어 있다. ***find out how*** 〔***which way***〕 ***the*** ~ ***blows*** 〔***lies***〕 =see how 〔which way〕 the wind blows 〔lies〕. ***fling ... to the*** ~***s*** …을 바람에 날려 버리다; (불안감·신중함 따위를) 대담하게 버리다. ***from*** 〔***to***〕 (***all***) ***the*** (***four***) ~***s*** 사방팔방에서〔으로〕. ***gain*** 〔***get, take***〕 ***the*** ~ ***of*** …의 바람받이로 나가다; …보다 유리한 지위를 점(占)하다. ***get*** 〔***recover***〕 one***'s*** ~ 숨을 돌리다. ***get*** one***'s*** ~ ***up*** 《미속어》 분개하다, 울컥하다. ***get*** 〔***have***〕 ***the*** ~ ***up*** 《영구어》 무서워지다, 겁나다, 걱정하다. ***get*** 〔***have***〕 ~ ***of*** …을 냄새 맡다; …의 소문을 탐지해 내다〔듣다〕. ***go like the*** ~ 빨리 가다. ***gone with the*** ~ 바람과 함께 흩어져, 흔적도 없이 사라져. ***go to the*** ~ 완전히 없어지다, 전멸하다. ***hang in the*** ~ 결정되지 않은 상태에 있다; (생사·결과 따위가) 확실치 않다. ***have a good*** 〔***bad***〕 ~ 숨이 오래 계속되다〔되지 못하다〕. ***have in the*** ~ 냄새를 맡아 알아〔탐지해〕내다. ***have*** one***'s*** ~ ***taken*** 명치를 맞고 기절하다. ***have the*** ~ (***of...***) 〚해사〛 (다른 배의) 바람받이에 있다; (…보다) 유리한 위치를 점하다. ***how*** 〔***which way***〕 ***the*** ~ ***blows*** 〔***lies***〕 세상의 추세〔동향〕, 형세. ***in the teeth*** 〔***eye***〕 ***of the*** ~ =***in the*** ~***'s eye*** 정면으로 바람을 향하여; 반대〔방해〕를 무릅쓰고. ***in the*** ~ ① 바람받이에. ② (일이) 일어날 듯한; 몰래 행해지고; (소문이) 퍼져; 미결정으로; 〚해사〛 취하여: hang *in the* ~ 미결정이다. ***into the*** ~ 바람 불어오는 쪽으로. ***keep the*** ~ 〚해사〛 바람을 거슬러 나아가다; (사냥에서) 취적(臭跡)을 잃지 않도록 하다. ***kick the*** ~ 《속어》 교수형에 처해지다. ***like the*** ~ (바람처럼) 빨리: run *like the* ~ 질주하다. ***lose*** one***'s*** ~ 숨을 헐떡이다. ***off the*** ~ 〚해사〛 바람을 등지고, 순풍을 받고. ***on the*** 〔***a***〕 ~ 〚해사〛 거의 정면으로 바람을 거슬러; (소리 따위가) 바람을 타고: Scent is carried *on the* ~. 냄새는 바람을 타고 풍겨온다. ***piss against*** 〔***into***〕 ***the*** ~ 《비어》(시류를 거슬러) 가망 없는 일을 하다. ***put the*** ~ ***up*** a person 《구어》 아무를 깜짝 놀라게 하다, 불안하게 하다. ***raise the*** ~ 《구어》 돈을 마련하다; 소동을 일으키다. ***sail near*** 〔***close to***〕 ***the*** ~ ⇨ SAIL. ***sail with every*** (***shift of***) ~ 어떤 경우에도 자기에게 유리하도록 이끌다. ***see how*** 〔***which way***〕 ***the*** ~ ***blows*** 〔***lies***〕 풍향을 알다; 형세를 알다. ***sound in*** ~ ***and limb*** 매우 건강한. ***split the*** ~ 《속어》 전속력으로 가다〔달리다〕. ***take the*** ~ ***out of*** a person***'s sails*** 〔***the sails of*** a person〕 (아무를) 선수를 쳐서 앞지르다〔패배시키다, 당황케 하다〕, (아무를) 꼭뒤질러 깜짝 놀라게 하다, 기선을 잡다. ***take*** 〔***get***〕 ~ 소문으로 퍼지다. ***The*** ~ ***is in that quarter.*** 사태는 그러한 상황이다. ***throw ... to the*** ~ = fling...to the ~. ***touch the*** ~ 될 수 있는 대로 바람 불어오는 쪽으로 나가다. ***twist in the*** ~ 심한 불안을 느끼다. ***under the*** ~ 〚해사〛 바람이 불어가는 쪽으로, 바람을 받지 않는 쪽으로. ***up*** (***the***) ~ 바람을 거슬러, 바람을 향하여. ~ ***abaft*** 〔***ahead***〕 〚해사〛 정후(正後)〔정수(正首)〕풍. ~***s of change*** 개혁으로의 힘〔경향〕. ***within*** ~ ***of*** … 에게 탐지〔발견〕될 수 있을 만큼 가까이(에). ***with the*** ~ 바람과 함께, 바람 부는 대로.

── *vt.* **1** …을 바람에 쐬다, 통풍하다(air). **2** 냄새를 맡아 알아내다, 탐지해 내다; 낌새를 채다: The hounds ~*ed* the fox. 사냥개는 여우의 냄새를 탐지해 냈다. **3** 숨차게 하다; …에 숨을 쉬게 하다, 숨을 돌리게 하다: She was quite ~*ed* by the climb. 그녀는 등산으로 몹시 숨이 찼다/He rested to ~ his horse. 그는 말이 숨을 돌리게 하기 위해 쉬었다. ── *vi.* (개가) 짐승을 냄새로 찾아내다; 《방언》 숨을 돌리기 위해 멈춰 서다; 한숨 돌리다.

‡**wind**² [waind] (*p.*, *pp.* **wound** [waund], 《드물게》 **wínd·ed** [-id]) *vi.* **1** 《~/+부/+전+명》 (강·길이) 꼬불꼬불 구부러지다, 굽이치다, 굴곡하다: A ship ~*s in* and *out among* the islands. 배 한 척이 섬들 사이로 보일락말락 누비듯 나아간다/a stream ~*ing through* the woods 숲속을 누비면서 흐르는 개천. **2** (판자 등이) 굽다, 휘다: The board wound. 판자가 뒤틀렸다. **3** 《+전+명》 나선상을 이루다〔으로 나가다〕; 감기어 붙다, 휘감기다《*round; about*》: The vine ~*s round* a pole. 덩굴풀이 장대에 감겨 있다. **4** (시계태엽이) 감기다: The watch ~*s* automatically. 이 시계는 자동으로 감긴다. **5** 《+전+명》 교묘하게〔몰래, 에둘러서〕 …하다; 〚해사〛 (배가) 투묘한 채 방향을 바꾸다: ~ *into* power 교묘하게 권력의 자리에 앉다.

── *vt.* **1** 《~+목/+목+부/+목+전+명》 감다, 돌리다; 손잡이를 돌려 올리다〔내리다〕《*up; down*》: ~ a clock 〔crank〕 시계태엽을〔크랭크

를) 감다[돌리다] / ~ *down* [*up*] a window (손잡이를 돌려) (차의) 창을 열다[닫다] / ~ *up* a bucket *from* [*out of*] a well (자아틀을 돌려) 버킷을 우물에서 끌어올리다. **2** 《+[목]+[전]+[명]》 싸다, 휩싸다; 휘감다: ~ a shawl *round* a baby = ~ a baby *in* a shawl 아기를 숄로 감싸다 / ~ one's arms *about* a child = ~ a child *in* one's arms 아이를 끌어안다. **3** 《+[목]+[부] / +[목]+[전]+[명]》 감아서 …으로 하다《*into*》; (감긴 것을) 풀다《*off; from*》: Wool is *wound* (*up*) *into* a ball. 털실을 감아서 공처럼 만들다 / She *wound* the thread *off* the bobbin. 실 타래에서 실을 풀어 옮겨 감았다. **4** 《+[목]+[전]+[명]》 …을 굽이쳐 나아가다; 에둘러[몰래] 들여보내다: The river ~*s* its course *through* the forest. 강은 숲 속을 굽이쳐 흐른다. **5** 〖해사〗 (배를) 반대 방향으로 돌리다.

~ down 《*vt.*+[부]》 ① ⇨*vt.* **1**. ② (사업·활동 따위를) 서서히 마치다[축소하다]. ―《*vi.*+[부]》 ③ (시계태엽이) 풀리다, 느슨해지다, (시계가) 늦어지다. ④ 긴장을 풀다; (활동·운동 등이) 서서히 진정되다; (전쟁 등)의 긴장이 완화되다, 단계적으로 축소되다. ***~ a person round one's fingers*** 아무를 구슬리다, 농락하다. ***~ oneself into*** …의 신임을 얻다, …의 환심을 사다. ***~ one's way into*** = ~ oneself into: He *wound his way into* my affections. 그는 교묘히 환심을 사서 내 애정을 얻어냈다. ***~ up*** 《*vt.*+[부]》 ① ⇨*vt.* **1**. ② (실 따위를 끝까지) 감다, 다 감다. ③ 《구어》 〖보통 수동태〗 …을 긴장시키다, 다조지다; 흥분시키다: He *was* all *wound up* before the game. 그는 경기 전에 완전히 얼어 있었다 / *be wound up* to fury 몹시[잔뜩] 화를 내다. ④ 《구어》 …을 끝으로 하다[끝내다], …에 결말을 짓다, …을 (…로) 끝내다《*with*》: ~ *up* a sales campaign 판매 촉진 운동을 끝내다. ⑤ 《구어》 청산하다; (회사 등을) 폐쇄하다: ~ *up* one's affairs 신변을 정리하다. ―《*vi.*+[부]》 ⑥ 《구어》 〖부사구를 수반〗 (…라는) 처지가 되다; (…라는 것으로) 끝나다; 결국 (…으로) 되다: ~ *up* exhausted 녹초가 되었다. ⑦ 《구어》 (이야기·활동 등을) (…로) 끝맺음하다《*with; by*》. ⑧ 〖야구〗 (투수가) 와인드업하다; (볼링 등의 운동 전에) 어깨를 풀다; 준비하다.

― *n.* **1** [U,C] 곡절; 굴곡; 굽이(침). **2** 한 번 감기; 한 번 돌리기; 자아틀. ***out of ~*** 굽지 않은.

wind³ [waind, wind/waind] (*p., pp.* ***wound*** [waund], 《문어》 ***wínd·ed*** [-id]) *vt.* (피리·나팔 따위를) 불다(blow), 취주하다; 울려서 알리다: ~ a call [horn] 호각[각적]을 불다.

wind·age [windidʒ] *n.* [U,C] 틈새, 유극(遊隙) 《마찰을 적게 하기 위한 강면(腔面)과 포탄과의 틈》; (날아가는 총탄·로켓이 일으키는) 바람; (바람에 의한 발사체의) 편차; 편차 조절; 〖기계〗 풍손(風損), 윈디지《회전물과 공기와의 마찰》; 〖해사〗 선체의 바람에 쐬는 면.

wínd-àided [wind-] *a.* 〖스포츠〗 바람을 등진, 순풍의.

wind àvalanche 〖기상〗 바람 사태.

wínd·bàg [wind-] *n.* **1** 바람[공기] 주머니, 풀무(bellows); 《우스개》 가슴. **2** 《구어》 수다쟁이, 다변가, 가납사니.

wind bànd 취주악대[악단], 《특히》 군악대; (관현악의) 취주[관악]부.

wínd-bèll [wind-] *n.* 풍경(風磬).

wínd·blàst [wind-] *n.* 돌풍; 〖항공〗 윈드블라스트《고속 비행기에서 사출(射出) 좌석으로 탈출한 조종사가 받는 강한 풍압의 영향》.

wínd·blòwn [wind-] *a.* 바람에 날린; (여성의 헤어스타일이) 윈드블로형인《짧게 잘라서 앞이마에 매만져 붙인》.

wínd-bòrne [wind-] *a.* (씨앗·꽃가루 따위가) 바람으로 옮겨지는.

wínd·bòund [wind-] *a.* 〖해사〗 바람에 묶인[갇힌], 바람 때문에 항해할 수 없는.

wínd bòx [wind-] 바람 통《풀무의 바람을 모아 오르간이나 노(爐)에 보냄》; 《미속어》 오르간, 아코디언.

wínd·brèak [wind-] *n.* **1** 바람막이, 방풍 설비[벽]; 방풍림(shelterbelt). **2** (수목이) 바람에 꺾임.

wínd·brèaker [wind-] *n.* 방풍림(防風林), 바람막이; (W-) 스포츠용 잠바《상표명》.

wínd-bròken [wind-] *a.* (말이) 천식에 걸린, 천식의.

wínd·bùrn [wind-] *n.* [U,C] 바람에 의한 피부염; 〖식물〗 바람에 의한 잎[나무 껍질]의 상처. [파] **~ed, ~t** *a.*

wínd·chèater [wind-] *n.* 《영》 =WINDBREAKER.

wínd-chèst [wind-] *n.* 〖음악〗 (오르간의) 바람통.

wínd·chìll [wind-] *n.* 풍속 냉각《기온과 어떤 풍속의 바람의 복합 효과에 의한 신체의 냉각》; 체감 온도, 풍속 냉각 지수(=∠ **index** [**fàctor**]).

wind chìmes [wind-] (몇 개의 유리[금속] 조각을 줄로 매달아 바람에 가벼운 소리를 내게 한) 풍경의 일종.

wind còne (비행장 따위의) 풍향 기드림.

wind dirèction 풍향.

wínd-dòwn [wáind-] *n.* 단계적 축소[진정(鎭靜)].

wind dràg 공기 저항.

wind·ed [windid] *a.* 바람에 쐰, 바람을 통한; 숨을 헐떡이는(out of breath); 〖복합어로〗 호흡이 …인: long-~ 호흡이 긴; 장황한.

wind ègg [wind-] (껍질이 무른) 무정란(無精卵).

wind·er [wáindər] *n.* **1** 감는 사람[물건]; (시계 등의) 태엽을 감는 기구; 실패, 감는 기계, 실 감는 기구, 권사기(捲絲機). **2** 《폐어》(감긴) 덩굴 식물, 덩굴손. **3** 〖건축〗 나선 계단.

Win·der·mere [windərmiər] *n.* (Lake ~) 윈더미어호《잉글랜드 북서부의 Lake District에 있는 잉글랜드 최대의 호수》.

wind eròsion 〖지학〗 풍식(風蝕) (작용).

wínder-ùpper *n.* 《미속어》 한 프로의 마지막에 방송하는 노래[음악].

wínd·fàll [wind-] *n.* 바람에 떨어진 과실; 뜻밖의 습득물, (유산 등의) 예기치 않았던 횡재[행운]; 바람에 쓰러진 나무: ~ loss 〖경제〗 우연[뜻밖의] 손실 / ~ profit(s) 초과[뜻밖의] 이윤, 불로소득 / the ~ profits tax 《미》 초과 이득세.

wínd·fànner [wind-] *n.* 《방언》 =KESTREL.

wind fàrm 풍력 발전 지역.

wínd·flàw [wind-] *n.* 한바탕 부는 바람, 돌풍.

wínd·flòwer [wind-] *n.* 〖식물〗 아네모네.

wínd-fòrce [wind-] *n.* 〖기상〗 (풍력 계급상의) 풍력; 바람의 힘.

wind fùrnace 〖기계〗 풍로(風爐).

wínd·gàll [wind-] *n.* 〖수의〗 (말 등의) 구건 연종(球腱軟腫).

wind gàp [**vàlley**] 〖지학〗 (산등성이에 생긴 브이(V)자형의) 풍극(風隙).

wínd gàuge [wind-] 풍력[풍속]계; (오르간의) 풍압계.

wind hàrp 풍명금(風鳴琴)(aeolian harp).

wind hàzard 풍해(風害)《초고층 빌딩에 부딪친 바람으로 생긴 난기류 때문에 사람이나 집이 쓰러지거나 하는 현상》.

wínd·hòver [wind-] *n.* 《영》 〖조류〗 황조롱이(kestrel).

wind·ing [wáindiŋ] *n.* **1** [U,C] 감기, 감음, 감아들이기, 감아올리기; [U] 〖전기〗 감는 법: a ~ engine 〖기계〗 윈치 엔진. **2** [C] 감은 것, 감은 선(線). **3** [U,C] 구부러짐, 굴곡, 굽이. **4** 꼬불꼬불한 길; (*pl.*) 우여곡절. ***in ~*** (판자 등이) 휘어져, 굽

어. —*a*. **1** 감겨지는, 감겨 있는, 감겨 붙는. **2** 굽이치는, 꼬불꼬불한: a ~ path 꼬불꼬불한 길 / a ~ staircase 나선식 계단. **3** (이야기 등을) 둘러말하는. ㊞ **~·ly** *ad*. **~·ness** *n*.

wínding fràme 실 감는 기계.

wínding shèet 1 (매장을 위하여) 시체를 싸는 흰 천, 수의(壽衣). **2** 촛농.

wínding-úp *n*. Ⓤ 결말; (영업의) 폐쇄, 청산, (회사의) 해산: a ~ sale 점포 정리 판매〔투매〕.

wínd ìnstrument [wínd-] 〚음악〛 관악기, 취주 악기.

wínd·jàmmer [wínd-] *n*. **1** 〚해사〛 돛배(의 사공)《기선 승무원이 멸시하여 사용한 말》. **2** 《미속어》 수다쟁이; 허풍선이; 《속어》 (곡마단의) 관악기 주자, (군대의) 나팔수.

wind·lass [wínd-] *n*. **1** 자아틀; 윈치. **2** 〚해사〛 양묘기(揚錨機). —*vt*. 기계로 감아 올리다.

windlass 1

wíndlass bìtt 〚해사〛 양묘기(揚錨機) 기둥.

wínd·less [wínd-] *a*. **1** 바람 없는, 고요한, 잔잔한. **2** 숨찬. ㊞ **~·ly** *ad*. **~·ness** *n*.

win·dle·straw [wín-dlstrɔ̀ː] *n*. 《Sc·영방언》 길쭉한 건초의 줄기; 줄기가 기다란 풀; 가볍고 약한 것〔사람〕, 키가 크고 여윈〔병약한〕 사람.

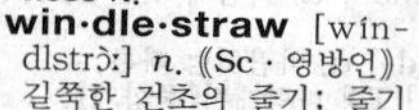

wínd lòading 풍압(風壓).

wínd machìne 〚연극〛 바람 소리 내는 장치.

wínd mèter 풍력계, 풍속계.

◇**wínd·mìll** [wínd-] *n*. **1** (제분소·양수기 따위의) 풍차; 풍차 같은 것; 팔랑개비《장난감》; 〚브레이크댄싱〛 윈드밀, '풍차돌기'《양다리를 벌리고 윗몸을 받침점으로 해서 빙빙 돎》; 〚항공〛 (발전 등을 위해 기체에 돌출시키는 소형의) 풍차 터빈. **2** 《구어》 헬리콥터; 《구어》 프로펠러. ***fight*** 〔***tilt at***〕 **~*s*** 가공의 적과 싸우다《Don Quixote가 거인으로 착각하고 풍차에 도전한 이야기에서 유래》. ***fling*** 〔***throw***〕 ***one's cap over the ~*** 무모한 짓을 하다; 전통에 반항하다. ***have ~s in one's head*** 불가능한 일을 생각하다, 몽상하다.

wínd mòtor (바람을 동력원으로 하는) 풍력 원동기(풍차 따위).

†**win·dow** [wíndou] *n*. **1** 창(문); 창유리; 창틀: an arched ~ 아치 모양의 창 / look out (of) the ~ 창문으로 (밖을) 내다보다 / break the ~ 창유리를 깨다. **2** (가게 앞의) 진열창(show ~): dress up a ~ (가게의) 진열창을 장식하다. **3** (은행 따위의) 창구, 매표구: attend at the ~ 창구의 사무를 보다. **4** 창문 모양의 것; (봉투의) 파라핀 창《수신인의 이름 따위가 보임》; (*pl*.) 《미속어》 안경. **5** 관찰할 기회, 아는 수단, 창구; (레이더나 전파의) 창, 윈도《공중에 레이더의 반사체로 뿌려진, 비행 물체 추적 방해용·레이더 탐지 방해용 금속편 등》: a ~ on the world 바깥 세계를 보는〔아는〕 창《외국어의 인식 등》. **6** (일정한) 영역; 〚천문〛 전파의 창, 전자창(電磁窓) (=**rádio ~**) 《지구 대기에 흡수되지 않는 전자 스펙트럼의 파장대》; 〚우주〛 (우주선이 귀환하기 위해 통과할) (대기의) 창. **7** 시간대(帶); =WEATH-ERWINDOW; 〚우주〛 =LAUNCH WINDOW; 〚정치〛 '창', 한정 시간대: a ~ of vulnerability (적의 습격 등에 대한) 취약성의 창〔무방비 시간대〕. **8** 〚컴퓨터〛 윈도《화면 표시〔디스플레이〕의 화면을 몇으로 나눈 공간; 그 각 창에서 별도의 일을 표시할 수 있음》. ***a blank*** 〔***blind, false***〕 ~ 막힌 창《벽에 만든 창문같이 도도록하게 나오거나 움푹 들어간 부분》. ***have*** 〔***put***〕 ***all one's goods in the*** (***front***) ~ 겉치레뿐이다; 피상적이다. ***in the ~*** 창구에 게시한《광고·주의서 등》; 진열창에 내놓은《상품 등》. ***out*** (***of***) ***the ~*** 《구어》 이미 문제가 되지 않고, 무용으로; 《미속어》 (재산·명성 따위를) (어이없이) 잃고; 《미속어》 (상품이) 진열과 동시에 팔려 버려. ***throw the house out at*** (***the***) ~ 대혼란에 빠뜨리다. —*vt*. …에 창을 내다.
㊞ **~·less** *a*. 창문 없는.

wíndow blìnd (위쪽에 달린 롤러로 올리고 내리고 하는) 창문용 블라인드.

wíndow bòx (내리닫이 창의) 추가 든 홈, 추갑(錘匣); 창가에 놓는 화초 가꾸는 상자.

wíndow clèaning 창 청소, 창닦기(업).

wíndow displày 쇼윈도의 상품 진열.

wíndow-drèss *vt*. …의 체재를 갖추다, …을 겉치레하다.

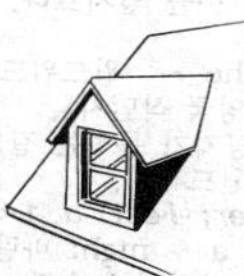
dormer (window)

casement (window)

bow window

bay window

sash window

picture window

oriel (window)

French windows

windows

wíndow drèsser 점두(店頭) 장식업자; 모양 좋게 사실을 조작하는 사람.
wíndow drèssing 1 창문 장식(법), 점두(店頭) 진열법. **2** 《비유》 체면〔겉〕치레, 눈속임; 〖회계〗 사실〔계수〕의 조작, 분식(粉飾) 결산〔회계〕.
wín·dowed *a.* (…의) 창이 있는; 구멍투성이의: a many-~ house 창문이 많은 집.
wíndow ènvelope (주소 성명이 보이는) 파라핀 창 봉투.
wíndow fràme 창(문)틀.
wín·dow·ing *n.* 〖컴퓨터〗 윈도잉《두 개 이상의 서로 다른 데이터를 윈도를 사용하여 동시에 한 화면에 표시하는 것》.
wíndow lèdge =WINDOW SILL.
°**wíndow·pàne** *n.* (끼워 놓은) 창유리; 《속어》 혀 위에서 녹여 먹는 작고 투명한 LSD 정제.
Wín·dows *n.* 〖컴퓨터〗 윈도(Microsoft Windows) 《상표명》.
wíndow sàsh (내리닫이) 창(문)틀.
wíndow sèat 창 밑에 장치된 의자; (탈것의) 창문 쪽 좌석.
wíndow shàde 《미》 =WINDOW BLIND.
wíndow-shòp *vi.* (사지 않고) 진열창(의 상품)을 들여다보며 눈요기만 하면서 다니다. ㊖ **~·per** *n.* 진열창을 들여다보고 눈요기만 하면서 다니는 사람. **~·ping** *n.* Ⓤ 진열창을 들여다보고 눈요기만 하기.
wíndow sìll 창턱, 창받침.
Wíndows 95 〔**98, 2000**〕 윈도 95〔98, 2000〕《Microsoft사가 개발한 컴퓨터 소프트웨어 이름; 초보자도 화면만 보고 쉽게 조작 가능》.
win·dowy [wíndoui] *a.* 창(문)이 많은.
wínd pàrk 풍력 발전 터빈〔풍차〕 설치 구역.
wínd·pìpe [wínd-] *n.* 〖의학〗 기관(氣管), 숨통(trachea).
wind-pol·li·nat·ed [wíndpɑ̀lənèitid/-pɔ̀l-] *a.* 〖식물〗 풍매(風媒)의.
wínd·pròof [wínd-] *a.* (옷 따위가) 방풍(防風)의: a ~ jacket.
wínd pùmp 풍력〔풍차〕 펌프.
wínd·ròde [wínd-] *a.* 〖해사〗 뱃머리를 바람 불어오는 쪽을 향하고 닻을 내리고 있는.
wínd ròse 〖기상〗 풍배도(風配圖), 바람 장미.
wínd·ròw [wínd-] *n.* (말리기 위하여 줄지어 놓은) 꼴풀, 보릿단; (바람에 불려서 몰린) 가랑잎 〔먼지〕의 줄; 둑; 이랑; 산등성이; 윈드로《도로 공사에서 재료를 길가에 쌓아 놓은 이랑》. **—** *vt.* (말리기 위하여) 줄지어 널어놓다.
wínd sàil [wínd-] **1** 〖해사〗 (베로 만든 배의) 송풍통(送風筒). **2** 풍차의 날개, 바람받이.
wínd scàle [wínd-] 풍력 계급. ⓒⓕ Beaufort scale.
wínd·scrèen [wínd-] *n.* 바람막이; 《영》 =WINDSHIELD.
wíndscreen mìrror 《영》 (자동차의) 백미러 (《미》 rearview mirror).
wíndscreen wìper 《영》 (자동차) 앞유리의 와이퍼.
wínd sèction (the ~) (오케스트라의) 관악기부.
wínd shàke 풍렬(風裂)《강풍이 나무에 부딪쳐 생겼다고 여겨지는 목재의 갈라진 틈》.
wínd shèar 1 갑자기 풍향이 바뀌는 돌풍. **2** 〖항공〗 바람 층밀리기《풍향에 대하여 수직 또는 수평 방향의 풍속 변화(율)》.
°**wínd·shìeld** [wínd-] *n.* 《미》 (자동차의) 바람막이〔전면〕 유리(《영》 windscreen).
wíndshield wìper 《미》 (자동차의) 앞유리의 와이퍼(《영》 windscreen wiper).
wínd slèeve 〔**sòck**〕 =WIND CONE.
Wínd·sor [wínzər] *n.* 윈저《런던 서부의 도시; 영국 왕궁 Windsor Castle 소재지》. ***the House*** (***and Family***) ***of*** ~ 영국 윈저 왕가《1917년 이래 현(現)영국 왕실의 칭호》.
Wíndsor cháir 등이 높은 의자의 일종《등을 가느다란 막대기로 만듦》.
Wíndsor knót 윈저 노트《넥타이 매는 방식의 하나; 매듭의 폭이 넓음》.
Wíndsor sóap 윈저 비누《향료가 든 갈색 또는 백색의 화장비누》.
Wíndsor tíe (명주로 만든) 폭 넓은 넥타이.
Wíndsor úniform 《영》 깃과 커프스가 붉은 감색 제복《왕실(Windsor) 사람들이 입는》.
wínd spèed 풍속(風速).
wínd sprìnt 윈드 스프린트《육상 선수 등이 스퍼트 시에 호흡 능력을 높이기 위한 단거리 전력(全力) 반복 질주》.
wínd stìck [wáind-] 〖목공〗 굽이를 재는 자.
wínd·stòrm [wínd-] *n.* (비를 수반하지 않는〔비가 적은〕) 폭풍.
wínd·sùrf [wínd-] *vi.* 윈드서핑을 하다.
wínd·sùrfer [wínd-] *n.* 윈드서핑을 하는 사람; (W-) 윈드서퍼《윈드서핑용 보드; 상표명》.
wínd·sùrfing [wínd-] *n.* Ⓤ 윈드서핑《돛을 단 파도타기 판으로 물 위를 달리는 스포츠》.
wínd-swèpt [wínd-] *a.* 바람에 휘몰린, 바람에 노출된.
wínd-swìft [wínd-] *a.* 바람처럼 빠른.
wínd tèe [wínd-] T형 바람개비《풍향계》.
wínd·thròw *n.* 바람이 나무를 뿌리째 쓰러뜨리는 것; 바람에 쓰러진 나무.
wínd·tìght [wínd-] *a.* 바람이 안 통하는, 외풍이 없는; 밀폐된, 기밀의(airtight).
wínd tùnnel [wínd-] 〖항공〗 풍동(風洞)《기류의 속도를 인공적으로 조절하면서 항공기의 모형, 부품을 시험하는 통 모양의 장치》.
wínd tùrbine 풍력 (발전) 터빈.
wínd·ùp [wáind-] *n.* **1** 결말, 종료; 마무리; (뉴스 방송의) 끝맺는 주요 사항. **2** 〖야구〗 (투수의) 와인드업. **—** *a.* 감아올리는, 《특히》 (장난감 등이) 태엽으로 움직이는.
wínd vàne [wínd-] 〖기상〗 풍향계, 풍향기(旗).
°**wind·ward** [wíndwərd] *ad.* 바람 불어오는 쪽으로, 바람받이로. **—** *a.* 바람받이 쪽의: the ~ side 바람이 불어오는 쪽. **—** *n.* Ⓤ 바람 불어오는 쪽; 바람받이. ⓞⓟⓟ *leeward*. ***get to*** (***the***) ~ ***of*** (해전에서) 바람받이 쪽으로 나가다; …보다 유리한 위치를 점하다; …을 앞지르다. ***keep to*** ~ ***of*** …을 피하고 있다.
Wíndward Íslands (the ~) 윈드워드 제도《서인도 제도 남동부의 옛 영국 식민지》.
wínd·wày [wínd-] *n.* 공기가 통하는 길; 통풍구; 〖음악〗 (오르간 등의) 윈드웨이.
*__windy__[1] [wíndi] (***wind·i·er; -i·est***) *a.* **1** 바람이 센, 바람 있는; 몹시 거친: a ~ night 바람이 센 밤. **2** 바람을 세게 맞는, 바람결에 놓인: a ~ hilltop 바람을 세게 받는 산꼭대기. **3** 공허한, 내용 없는, 허풍떠는; 수다스러운, 다변의: a ~ speaker 수다쟁이; 가납사니. **4** (배 속에) 가스가 차는, 헛배가 부른: ~ food. **5** 《영속어》 깜짝 놀란, 질겁한. **6** 《고어》 바람맞이 쪽의. ***on the*** ~ ***side of*** (the law) (법률)이 미치지 못하는 곳에. ㊖ **wínd·i·ly** *ad.* **wínd·i·ness** *n.*
windy[2] [wáindi] *a.* (도로 · 냇물이) 꼬불꼬불한; 사행(蛇行)하는.
Wíndy Cíty (the ~) Chicago의 속칭.
__wine__ [wain] *n.* Ⓤ **1 포도주: a glass 〔bottle〕 of ~ 포도주 한 잔〔병〕/ sweet 〔dry〕 ~ 단〔씁쓸한〕 맛의 포도주/ green ~ (양조 후 1년 이내의) 새 술/ sound ~ 질이 좋은 포도주/ the ~ of the country 그 고장〔나라〕의 대표적인 술/ Good ~ needs no bush. 《속담》 좋은 술은 간

판이 필요 없다 / In ~ there is truth. 《속담》 취중에 진담이 나온다. **2** 과실주: gooseberry ~ 구즈베리 술. **3** 취하게 하는〔기운을 북돋우는〕 것. **4** Ⓒ 『영대학』 (만찬 후의) 포도주 파티: have a ~ in one's room 자기 방에서 주연을 열다. **5** 포도주색, 검붉은 빛. ***Adam's*** **~** 물. ***in*** **~** 취하여: be brought home *in* ~ 취하여 남이 집에 데리고 오다. ***new*** **~** ***in old bottles*** 낡은 가죽 부대에 담은 새 술《낡은 형식으로는 다룰 수 없는 강력한 주의》. ***take*** **~** ***with*** …와 서로 건강을 축하하여 잔을 들다. **~*, woman, and song*** 술과 여자와 노래《남자의 환락》. **—** *vt., vi.* 포도주를 마시다, 포도주로 대접하다. **~** ***and dine*** a person 아무를 술과 음식으로 잘 대접하다.

wíne-àpple *n.* 포도주 맛이 나는 알이 큰 빨간 사과.

wíne·bàg *n.* (가죽제) 포도주 부대; 《속어》 대주가(winebibber).

wíne bàr 와인 바《주류, 특히 포도주를 파는 레스토랑 안의 바》.

wíne·bìbber *n.* 대주객, 모주꾼.

wíne·bìbbing *n., a.* 호주(豪酒); 호주의.

wíne·bòttle *n.* **1** 포도주 병. **2** =WINESKIN.

wíne·bòwl *n.* **1** (포도주용) 큰 술잔. **2** (the ~) Ⓤ 음주(벽): drown cares in the ~ 술로 시름을 잊다.

wíne bòx (보통 3*l*들이) 종이 팩 와인.

wíne cèllar (지하의) 포도주 저장실; 저장해 둔 포도주; 포도주의 저장(량).

wíne còlor 적포도주 색《검붉은 색》.

wíne-còlored *a.* 포도주색을 한, 검붉은 색의.

wíne còoler 포도주 냉각기.

wíne·cùp *n.* **1** 포도주 잔; (the ~) Ⓤ 음주벽. **2** 『식물』 심홍색을 띤 테가 있는 당아욱의 일종.

wíne gállon 와인 갤런《옛날 영국의 포도주 용량 단위》; 현행의 미국 표준 갤런《231 세제곱 인치에 상당》.

wíne·glàss *n.* 포도주《특히 셰리주》 잔. ⊞ **~·fùl** *n.* 포도주 잔 하나 가득한 양《테이블스푼 4숟갈의 분량》.

wíne·gròwer *n.* 포도 재배 겸 포도주 양조업자.

wíne·gròwing *n.* Ⓤ 포도 재배 겸 포도주 양조(업).

wíne·hòuse *n.* 포도주 전문의 레스토랑〔술집〕(wineshop).

wíne lìst (레스토랑 따위의) 와인 일람표.

wíne pàlm 야자술의 원료가 되는 야자과 식물.

wíne prèss(er) 포도 짜는 기구, 포도즙 짜는 큰 통.

wíne réd 포도줏빛.

win·ery [wáinəri] *n.* 포도주 양조장.

Wine·sap [wáinsæ̀p] *n.* 『원예』 와인샙종 사과《붉고 중간 크기의 겨울〔가을〕 사과; 미국산》.

wíne·shòp *n.* =WINEHOUSE.

wíne·skìn *n.* 포도주용 가죽 부대; 대주가.

wíne tàster 포도주 맛〔품질〕 감정가; 품질 검사용 포도주를 담는 작은 종지.

wíne vàult (아치형 천장의) 포도주 (지하) 저장실; 선술집.

wíne vìnegar 와인으로 만든 식초.

＊wing [wiŋ] *n.* **1** (새·곤충 등의) 날개; (동물의) 날개 모양의 부분《날치의 지느러미 따위》: a dove beating its ~*s* 날개치는 비둘기. **2** (비행기·풍차의) 날개; 살깃. **3** 『식물』 (꽃의) 익판(翼瓣); 익상과(翼狀果)의 깃. **4** 『건축』 물림, 퇴, 날개, 익(翼), 익벽(翼壁); (성의) 익면. **5** (*pl.*) (무대의) 양옆(의 빈 칸). **6** 『군사』 (본대의 좌·우의) 익. **7** 『정치』 (좌익·우익의) 익, 당파, 진영: the left 〔right〕 ~ 좌〔우〕익, 급진〔보수〕파. **8** 『경기』 (축구 등의) 날개; 윙. **9** 《영》 (자동차 따위의) 흙받기(《미》 fender). **10** Ⓤ 비행, 날기(flight). **11** 『공군』 비행단《미국은 보통 둘 이상의 groups, 영국은 3-5 squadrons 로 된 연대》. **12** (*pl.*) 공군 기장(aviation badge)《주로 조종사의》. **13** (동물의) 앞발; 《구어·우스개》 (사람의) 팔, 《야구속어》 (투수의) 투구하는 팔. **14** 『댄스』 한 쪽 발을 재빨리 바깥쪽 및 안쪽으로 미끄러뜨리는 스텝. ***add*** 〔***lend***〕 **~*s to*** …을 빠르게 하다; …을 촉진하다; …에 가속도를 붙이다: Fear *lent* him ~*s*. 그는 무서워서 나는 듯이 뛰었다. ***a touch in the*** **~** 팔 부상. ***a*** **~** ***and a prayer*** 긴급 착륙; 《비유》 (비상사태에서의) 실낱같은 희망. ***be hit under the*** **~** 《속어》 (술) 취해 있다. ***be*** **~** ***heavy*** 《미구어》 (술) 취해 있다. ***clip*** a person***'s*** **~*s*** =***clip*** **~*s of*** a person 아무의 활동력〔세력〕을 꺾다, 마음대로 못하게 하다; 아무에게 시키는 말을 듣게 하다. ***give*** **~(*s*)** ***to*** …을 날 수 있게 만들다. ***His*** **~*s are sprouting.*** 그는 천사처럼 고결한 사람이다. ***in the*** **~*s*** 무대 옆에 숨어서, 대기하고, (눈에 안 띄게) 대비하여. ***on the*** **~** 날아서; 비행 중에; 여행 중에; 활동 중에. ***on the*** **~*s of the wind*** 굉장히 빨리. ***on*** **~*s*** (마음이 들떠서) 가벼운 발걸음으로. ***show the*** **~*s*** 『군사』 (평시에 출동하여) 공군력을 과시하다. ***singe*** one***'s*** **~*s*** 《속어》 (위태로운 일에 관여하여) 큰코다치다, 실패하다, 손해를 보다. ***spread*** 〔***stretch***〕 one***'s*** **~*s*** 《비유》 능력〔수완〕을 충분히 발휘하다. ***sprout*** **~*s*** 《보통 우스개》 착한 행위를 하다; 《속어》 승천하다(die). ***take to itself*** **~*s*** (돈이) (날개 돋친 듯) 날아가 버리다, 없어지다. ***take under*** one***'s*** **~(*s*)** 비호하다; 품어 기르다. ***take*** **~(*s*)** 날아가다; 비약적으로 신장하다, 기세가 더하다; 도망치다, (돈이) 없어지다, (시간이) 눈깜짝할 사이에 지나가다; 기뻐하다, 광희하다. ***try*** one***'s*** **~*s*** 자기 힘을 시험하다. ***under the*** **~** ***of*** a person 〔thing〕 =***under*** a person***'s*** 〔thing***'s***〕 ~ …의 보호 아래: He has been brought up *under his mother's* ~. 그는 모친 슬하에서 자라났다. ***wait in the*** **~*s*** 대기하다, (아무를 대신하려고) 기다리다: While peace is *waiting in the* ~*s*, war has yet to leave the stage. 평화는 대기하고 있으나 전쟁은 아직도 무대에서 사라지지 않고 있다.

— *vt.* **1** 《+목+전+명》 …에 날개를〔깃·돛을〕 달다《*with*》: ~ an arrow *with* feathers 화살에 깃을 달다. **2** 날게 하다, 몰아대다; 신속하게 나가게 하다: Fear ~*ed* my steps. 공포에 사로잡혀 걸음을 재촉했다. **3** 공중을 나르다; (화살 등을) 날리다; (휙) 내보내다〔날리다〕: ~ a word 휙 한마디 내뱉다. **4 a** (새 등의) 날개에 상처 주다, 날개를 무력하게 하다. **b** (남의) 팔에 상처 주다. **5** (새 등을) 쏘아 떨어뜨리다; (비행기 등을) 격추하다. **6** (건물에) 물림·익상물(翼狀物)〔측면 구조물 등〕을 달다. **7** 《구어》 (공 등을) 던지다. **8** 깃(솔)로 깨끗이 하다〔청소하다〕. **9** 《구어》 『연극』 프롬프터에 의지하여 연기하다; 즉흥으로 연기하다. **—** *vi.* 《~/+부/+전+명》 날다: ~ *over* the Alps 알프스 위를 날다 / The year ~*s away*. 세월은 유수(流水)와 같다. **~** ***it*** 《구어》 즉흥적으로 연기하다〔만들다〕; 《미속어》 사라지다.

wíng·bàck *n.* 『미식축구』 윙백; 그 수비 위치《생략: WB》.

wíngback formàtion 『미식축구』 윙백 포메이션《후위(後衛)의 한〔두〕 선수가 자기편 엔드의 바깥 또는 뒤쪽에 위치하여 주로 라인 플레이를 노리는 공격법》.

wíng bàr 『항공』 날개의 횡골(橫骨); 『조류』 (날개의) 횡반(橫斑).

wíng·bèat *n.* (새의) 날갯짓.

wíng bòw 『조류』 어깨깃.

wíng càse 〔**còver**〕 (곤충의) 겉날개, 시초(翅鞘).

wíng chàir 등널 상부 좌우에 기대는 부분이 달려 있는 안락의자.

wíng còllar 야회복용 세운 깃, 윙칼라《앞부분 끝이 접혀 있음》.

wíng commànder 《영》 공군 중령.

wíng còverts 〖조류〗 (새 날개의) 덮깃.
wing·ding [wíŋdiŋ] 《미속어》 *n.* 야단법석, 떠들어댐, 술잔치; (마약의) 발작(적 흥분); 꾀병; 격노; 뱃성; 친목회; 특히 눈에 띄는 것. **—** *a.* 축제 기분인, 떠들썩한, 굉장한.
winged [wiŋd, 《시어》 wíŋid] *a.* **1** 날개 있는; 〔복합어로〕 날개가 …한: strong-~ 날개가 강한 / the ~ air 《시어》 새가 떼 지어 나는 하늘〔공중〕/ the ~ god 날개 달린 신(Mercury). **2** 고속의, 신속한: ~ feet 발이 잰, 걸음이 빠른. **3** 숭고한: ~ thoughts 고원(高遠)한 사상. **4** 날개를 다친; 《구어》 팔을 다친. **5** (말 따위가) 적절한. [파] **~·ly** *ad.* **~·ness** *n.*
wínged hórse (the ~) 날개 있는 말(Pegasus); 《비유》 시가(詩歌); (the W- H-) 〖천문〗 페가수스자리(Pegasus). 「여신상.
Wínged Víctory (the ~) 날개 돋은 승리의
wíng·er *n.* 《영》 (축구 등의) 윙의 선수.
wíng-fòoted [-id] *a.* 《시어》 (발이) 잰, (걸음이) 빠른, 신속한; 〖동물〗 익수(翼手)를 가진.
wíng fórward (축구 등의) 윙포워드.
wíng gàme 《영》 〖집합적〗 엽조(獵鳥). [opp.] *ground game.*
wíng hàlf 〖축구〗 윙하프《좌우의 하프백》.
wínging òut 〖해사〗 선창의 측면으로부터의 짐 싣기.
wíng·less *a.* 날개 없는; 날지 못하는; (시문이) 시취(詩趣)가 없는, 산문적인.
wing·let [wíŋlit] *n.* 작은 날개.
wíng lòad(ing) 〖항공〗 익면 하중(翼面荷重).
wíng màn (편대 비행에서) 윙의 위치를 나는 조종사〔비행기〕; 같은 임무를 띤 동료 비행기(조종사); 〖경기〗 윙의 선수. 「미러.
wíng mìrror 《영》 (자동차의) 펜더미러, 사이드
wíng nùt 〖기계〗 =BUTTERFLY NUT.
wíng·òver *n.* 〖항공〗 급상승 반전(反轉) (비행).
wíng sèction 〖항공〗 익단면(형)(翼斷面(形)),
wíng shèath =WING CASE. 「날개꼴.
wíng shòoting 날려 보낸 새나 클레이 등 나는 것을 표적으로 삼는 사격.
wíng shòt 하늘을 나는 새를〔표적을〕 노리는 사격(을 잘하는 사람).
wíng·spàn *n.* 〖항공〗 날개 길이.
wíng·sprèad *n.* [U] 날개 폭《새·곤충 따위의 펼친 날개의 끝에서 끝까지의 길이》.
wíng·stròke *n.* =WINGBEAT.
wíng tànk 〖항공〗 익내(翼內) (연료) 탱크, 날개 밑〔끝〕 보조 탱크《비행 중에 떨어뜨릴 수 있는
wíng tìp (비행기의) 날개 끝. 「연료 탱크》.
wíng wàlking 윙워킹《날고 있는 비행기 날개 위에서 하는 곡예》. [파] **wíng wàlker**
wíng wàll 〖건축〗 날개 벽.
wingy [wíŋi] (*wing·i·er; -i·est*) *a.* 날개가 있는; 빠른; 날아올라가는; 날개 모양의; 《속어》 우뚝 솟은. **—** *n.* (W-) 《미속어》 외팔이《특히 외팔이 거지의 별명》. 「름》.
Win·i·fred [wínəfrid] *n.* 위니프리드《여자 이
˟wink [wiŋk] *vi.* **1** 눈을 깜박이다(blink). **2** 《~/+[전]+[명]》 윙크〔눈짓〕하다, 눈으로 신호하다 《*at*》: She ~*ed at* me. 그녀는 나에게 윙크했다. **3** (별·빛 따위가) 반짝이다, 번쩍이다: The stars ~*ed*. 별이 반짝였다. **4** 《+[전]+[명]》 보고도 못 본 체하다, 눈감아 주다《*at*》: ~ *at* a person's fault 아무의 과실을 눈감아 주다. **—** *vt.* **1** 눈을 깜박이다: ~ one's eye(s) 눈을 깜박이다. **2** 《+[목]+[전]+[명]/+[목]+[부]》 깜박이어 (눈물·이물을) 제거하다《*away; back*》: ~ dust *out of* one's eye(s) 눈을 깜박여 눈에 든 티를 제거하다 / ~ *away* 〔*back*〕 one's tears 눈을 깜박여 눈물을 감추다. **3** 눈짓하여 알리다〔신호하다〕; 《영》 (라이트 등을) 점멸시키다; (신호를) 빛을 점멸시켜 보내다〔전하다〕: ~ a hint 눈짓하여 알리다. (*as*) ***easy as ~ing*** 매우 손쉬운. ***in the ~ing of an eye*** 순식간에. ***like ~ing*** 《속어》 순식간에, 재빨리; 힘차게, 활발히. **~ *out*** 끝나다; 사라져 버리다, 빛을 잃다.
— *n.* **1** 눈을 깜박임. **2** 눈짓: with a knowing ~ 알았다는 듯이 눈짓하여. **3** (별·빛 따위의) 깜박임, 반짝임, 번쩍임. **4** 순간; 잠깐 사이. **5** (*pl.*) 낮잠: ⇨ FORTY WINKS. ***at a ~ of an eye*** 눈 깜짝할 사이에. ***do not sleep a ~*** =***do not get a ~ of sleep*** 한잠도 안 자다. ***get the ~s*** 눈짓을 받다. ***in a ~*** 순식간에. ***tip*** a person ***the*** 〔***a***〕 **~** 《구어》 아무에게 신호〔경고〕를 보내다, 눈짓하다.
wínked-àt [wíŋkt-] *a.* 간과된, 못 본 체해 준, 눈감아 준.
win·kel [wíŋkəl, víŋ-] *n.* 《S.Afr.》 식품·잡화점; 상점. [파] **~·er** *n.*
wínk·er *n.* **1** 깜박이는〔눈짓하는〕 사람; 깜박이는 것. **2** 《구어》 (자동차의) 방향지시등, 깜박이등. **3** 《미구어·영북부》 눈, 속눈썹; (*pl.*) (말의) 눈가리개(blinkers).
win·kle [wíŋkəl] *n.* 〖패류〗 경단고둥의 일종(periwinkle). **—** *vt.* 《영구어》 도려〔떼어〕내다, (정보 등을) 알아내다《*out; out of*》.
Win·ne·ba·go [wìnəbéigou] (*pl.* **~, ~(e)s**) *n.* 위네바고족《북아메리카의 수(Sioux)족 인디언의 한 종족》; 위네바고족 말.
˟win·ner [wínər] *n.* **1** 승리자, 우승자; (경마의) 이긴 말: Who was the ~? 누가 우승했느냐. **2** 수상자〔작품〕, 입상〔입선〕자: a Nobel Prize ~ 노벨상 수상자. **3** 《구어》 출세〔성공〕할 가망이 있는 사람; 《해커속어》 의외로 좋은 프로그램〔사람, 컴퓨터〕. **4** 〖복합어〗 …벌이하는 사람: a bread-~ 한 가정의 밥벌이꾼.
wínner's cìrcle 〖경마〗 우승마 표창식장(場).
Win·nie [wíni] *n.* 위니. **1** 여자 이름《Winifred의 애칭》. **2** 남자 이름《Winston 의 애칭》.
°win·ning [wíniŋ] *n.* **1** 승리; 성공; 획득, 점령; 점령지, 노획물. **2** (*pl.*) 상금, 상품. **3** 〖광산〗 탄층으로 통하는 갱도, 곧 채굴 가능한 탄층, 광산의 다소 격리된 부분; 정련(精鍊). **—** *a.* **1** 승리를 결정하는, 결승의. **2** 이긴《말·편 따위》: the ~ horse 우승마. **3** 사람의 마음을 끄는, 매력적인: a ~ smile (사람의) 마음을 사로잡는 미소. [파] **~·ly** *ad.* 애교 있게. **~·ness** *n.*
win·ning·est *a.* 《구어》 최다 승리의.
wínning pòst (경마장의) 결승점(의 표주(標柱)): beaten at the ~ 마지막 판에 져.
wínning rún 〖야구〗 결승점. 「*losing streak.*
wínning strèak 〖경기〗 (야구 등의) 연승. [opp.]
Win·ni·peg [wínəpèg] *n.* 위니펙《캐나다 Manitoba 주의 주도》. [파] **-pèg·ger** *n.*
win·now [wínou] *vt.* **1** 《~+[목]/+[목]+[부]/+[목]+[전]+[명]》 (곡물·겨 등을) 까부르다《*away; out; from*》; 키질〔체질〕하다: ~ *away* 〔*out*〕 the chaff *from* the grain 곡물을 까불러 겨를 날려 버리다. **2** 《+[목]+[부]/+[목]+[전]+[명]》 (구하는 것을) 고르다, 골라내다《*out; from*》; 분석·검토하다; (쓸모없는 것을) 제거하다, 떨쳐 버리다《*out*》: ~ (*out*) truth *from* falsehood =~ the false *from* the true 진위를 가리다. **3** 《시어》 날개치다; (바람이 잎·머리카락 따위를) 흩뜨리다. **—** *vi.* 키질하여〔불어〕 가르다; 선별하다; 날개치다. **—** *n.* 까불러 가리는 도구, 키; 키질, 까부르기. [파] **~·er** *n.* 까부르는 사람; 까부르는 기구, 풍구.
wínnowing bàsket 〔**fàn**〕 키.
wínnowing machìne 풍구《농사용》.
wi·no [wáinou] (*pl.* **~s**) *n.* 《속어》 (싸구려)

포도주 애호가, 술꾼; 《미속어》 포도 따는 일꾼.

win·some [wínsəm] (***-som·er; -est***) *a.* 사람의 눈을 끄는, 매력〔애교〕 있는; 쾌활한. ㊀ **~·ly** *ad.* 귀엽게; 쾌활하게. **~·ness** *n.*

Win·ston [wínstən] *n.* 윈스턴《남자 이름; 애칭 Win, Winnie》.

†**win·ter** [wíntər] *n.* **1** Ⓤ,Ⓒ 겨울: a hard ~ 엄동 / in (the) ~ 겨울에 / this ~ 올겨울(에). **2** 한기: a touch of ~ 겨울의 감촉, 으스스한 추위. **3** Ⓤ,Ⓒ 만년; 쇠퇴기; 역경에 있는〔쓸쓸한〕 시기. **4** 《시어》 세, 살; 나이, 춘추: a man of seventy ~*s*, 70 세의 노인. ***the ~ of our discontent*** '우리의 불만인 겨울', 만족스럽지 못한〔쓸쓸한, 역경에 있는, 좀 영락한〕 때. **—** *a.* 겨울(용)의; (과일·야채가) 겨울 저장이 되는; (곡식이) 가을에 파종하는: ~ apples 겨울 사과 / a ~ resort 피한지. **—** *vi.* **1** 《~/+전+명》 겨울을 지내다, 월동하다, 피한하다《*at; in,* etc.》: the ~*ing* team 월동대(隊): ~ *at* Nice 니스에서 겨울을 나다. **2** 동면하다. **—** *vt.* **1** (가축·식물 등을) 월동시키다, 겨울 동안 둘러싸서 잘 보전하다: The cows are ~*ed* in the barn. **2** 얼게 하다, 위축시키다.

wínter bárley 가을보리.

wínter-bèat·en *a.* 《고어》 추위로 상한, 추위에 시달린.

wínter·bèrry *n.* 〖식물〗 겨울에 빨간 장과(漿果)가 열리는 북아메리카산 감탕나무.

wínter·bòurne *n.* 여름에는 물이 마르는 개천.

wínter búd 〖식물〗 겨울눈, 동아(冬芽).

wínter chérry 〖식물〗 꽈리.

wínter cróp 겨울 작물.

wínter·er [-rər] *n.* 겨울철 거주자〔손님〕, 피한객.

wínter fállow 겨울철 휴한지.

wínter·fèed *vt.* (가축에게) 겨울철 사료를 주다; (사료를) 겨울에 가축에게 주다. **—** *vi.* 겨울철에 가축에게 사료를 주다. **—** *n.* 겨울철 사료 《*for*》.

wínter gàrden 동원(冬園)《열대 식물을 심고 유리로 덮은 휴식 장소》.

wínter·grèen *n.* **1** 〖식물〗 (북아메리카산) 철쭉과의 상록수류(類); Ⓤ 그 잎에서 채취한 향유. **2** 《영》 〖식물〗 노루발풀속(屬)의 식물. **3** Ⓤ,Ⓒ 짙은 황록색.

wínter-hàrdy *a.* 〖식물〗 월동〔내한(耐寒)〕성의.

wín·ter·ìze [-ràiz] *vt.* (텐트·무기·자동차 등)에 방한〔부동(不凍)〕 장치를 하다.

wínter-kìll *vt., vi.* 《미》 추위로 시들게〔죽게〕 하다; 추위로 시들다〔죽다〕.

wínter·kìll *n.* 《미》 (겨울에) 얼어〔말라〕 죽음.

wín·ter·less *a.* 겨울이 없는, 겨울을 모르는: ~ weather.

wín·ter·ly *a.* 겨울의; 겨울다운〔같은〕, 쓸쓸한.

Wínter Olýmpic Gámes (the ~) 동계 올림픽 대회(= **Wínter Olýmpics**).

wínter quárters (군대·서커스 등의) 월동 장소, 겨울철 야영지.

wínter slèep 〖동물〗 동면(hibernation).

wínter sólstice (the ~) 동지(冬至)(점). opp. *summer solstice*.

wínter spórts 겨울 스포츠《스키 등의》.

wínter squásh 〖식물〗 겨울 호박《늦은 가을에 익어서 겨울에 먹는 서양 호박》.

wínter·tìde *n.* 《시어》 =WINTERTIME.

wínter·tìme *n.* Ⓤ 겨울(철).

wínter-wèight *a.* (옷이) 아주 두툼한.

wínter whéat 가을밀《가을에 씨를 뿌려서 이듬해 여름에 거두는 밀》.

win·tery [wíntəri] *a.* =WINTRY.

win·tle [wíntl] 《Sc.》 *vi.* 비틀거리다, 흔들리다, 뒹굴다, 구르다. **—** *n.* 비틀거림, 뒹굴기.

win·try [wíntri] (***-tri·er; -tri·est***) *a.* **1** 겨울의〔같은〕; 겨울처럼 추운; 쓸쓸한. **2** 《비유》 쌀쌀한, 냉담한. ㊀ **-tri·ly** *ad.* **-tri·ness** *n.*

wín-wín *a.* 《속어》 (정책 등이) 어느 쪽에서도 비난받지 않을, 무난〔안전〕한; (교섭 등에서) 쌍방에게 다 만족이 가는, 어느 쪽에도 유리한: They are in a ~ situation. 그들은 다 유리한 입장에 서 있다.

winy [wáini] (***win·i·er; -i·est***) *a.* (맛·색 따위가) 포도주와 같은; 포도주에 취한.

winze [winz] *n.* 〖광산〗 사갱정(斜坑井).

WIP, W.I.P. work in process 〔progress〕.

⁑**wipe** [waip] *vt.* **1** 《~+목/+목+부/+목+보/+목+전+명》 닦다, 훔치다; 닦아 없애다, (얼룩을) 빼다《*away; off; out; up*》: *Wipe* your eyes. 눈물을 닦아라; 그만 울어 / *Wipe off* the dust. 먼지를 훔쳐라 / ~ dishes dry 접시를 닦아서 말리다 / *Wipe off* these scribblings *from* the blackboard. = *Wipe* these scribblings *off* the blackboard. 이 칠판의 낙서를 지워라. **2** 《+목+부》 (흔적 없이) 지우다, 일소하다《*out*》: The snow ~*d out* the footprints. 눈으로 발자국이 지워졌다 / ~ *out* injustice 부정을 일소하다. **3** 《+목+부》 장부에서 말소해 버리다《*off*》; 《비유》 (치욕·오명 등을) 씻다: ~ *off* a debt 〔a disgrace〕 빚을〔불명예를〕 청산하다. **4** 《+목+전+명》 (기억·생각 따위를) 씻어 버리다《*from*》: ~ a thought *from* one's mind. **5** 《+목+전+명》 북북 문지르다; …을 칠하다 《*on; over*》: ~ a damp cloth *over* the desk 젖은 천으로 책상을 닦다 / ~ a coating of wax *on* the floor 마루에 왁스를 칠하다. **6** 납땜하다. **7** 《속어》 마구 때리다〔두들기다〕. **—** *vi.* 《+전+명》 《속어》 (칼 따위로 털어 버리듯) 갈기다, 철썩 치다《*at*》: He ~*d at* me with his stick. 지팡이로 나를 후려쳤다. **~ *down*** 구석구석까지 닦다. **~ *it off*** 《미속어》 〖명령형〗 (장난을 그만두고) 제대로 일하라, 착실히 하라; 《미속어》 잊고 용서하다, 물에 흘려 버리다; 《미속어》 앙갚음하다. **~ *off*** (부채 등을) 상각하다, 청산하다; 《미속어》 파괴하다, 말살하다. **~ *out*** 《*vt.*+부》 ① (먼지 따위를) 닦아내다; 내면을 닦다: ~ *out* the bath 욕조 안을 닦다. ② 죽이다: They may ~ him *out*. 그들은 그를 없애 버릴지도 모른다. ③ 일소하다; 파괴하다: The invading army was ~*d out* by a force of patriots. 침략군은 애국자들의 힘으로 소탕됐다. ④ (기억 따위에서) 지워버리다; (빚을) 깨끗이 갚다; 설욕하다. ⑤ 《구어》 (아무를) 빈털터리로 만들다. ⑥ 《속어》 (아무를) 몹시 피곤하게 하다; (아무를) 마약에 취하게 하다. **—** 《*vi.*+부》 ⑦ 《속어》 (서핑·스키·오토바이 등에서) 전복하여 쓰러지다. **~ *a person's eye*** ⇨ EYE. **~ *one's hands*** 〔***lips***〕 ***of*** …에서 손을 떼다, …와 관계를 끊다. **~ *the floor*** 〔***ground***〕 ***with*** ⇨ FLOOR. **~ *up*** 《*vt.*+부》 ① ⇨ *vt.* 1. ② 《영》 (씻은 접시 따위를) 닦다, 깨끗이하다. **—** 《*vi.*+부》 ③ 《영》 (씻은 뒤에) 접시를 닦다. ④ 젖은〔더러운〕 것을 (닦아) 깨끗이하다.
— *n.* **1** 닦음, 훔침; 〖영화·TV〗 와이프《화면을 한쪽에서 지우면서 다음 화면을 나타내는 기법》: give a plate a ~ 접시를 닦다. **2** 《구어》 찰싹 때림. **3** 《속어》 손수건. ***fetch*** 〔***take***〕 ***a ~ at*** a person = ***fetch*** a person ***a ~*** 아무를 찰싹 한 대 먹이다. ***give a ~ over the knuckles*** 사납게 꾸짖다, 주먹으로 갈기다.

wíped óut 《속어》 술취한, 기분이 좋은; 《미속어》 구식의; 《미속어》 지친, 녹초가 된.

wípe·òut 《속어》 *n.* 전멸, 실패, 완패; 결정적 승리; (파도타기·스키·오토바이 등에서) 나가떨어지기; 〖통신〗 다른 전파에 의한 수신 방해.

wíp·er *n.* 닦는〔훔치는〕 사람; 닦는 것《타월 · 스펀지 등》; 《속어》 손수건; 〚전기〛 (저항기 등의) 가동자(可動子); 〚기계〛 와이퍼《cam의 일종》; (차의) 앞 유리 와이퍼; (총포의) 꽂을대; 《미속어》 총잡이, 살인 청부업자.

WIPO, Wi·po [wáipou] *n.* 세계 지적 재산권 기관. [◂ *W*orld *I*ntellectual *P*roperty *O*rganization]

W.I.R. West India Regiment.

⁑**wire** [waiər] *n.* **1** Ⓤ,Ⓒ 철사: copper ~ 동선(銅線) / telephone ~(*s*) 전화선. **2** Ⓤ,Ⓒ 전선: a live ~ 전류가 통하고 있는 전선; 활동가. **3** Ⓤ 전신; Ⓒ 《구어》 전보; (the ~) 《구어》 전화. ⓒⓕ wireless. ¶ a party ~ 공동 가입선 / a private ~ 개인 전용 전화선 / on the ~ 전화로 / send a message by ~ =send a person a ~ 아무에게 전보를 치다 / Here's a ~ for you. 전보예요. **4** Ⓤ 철망; 철사 세공; 와이어로프. **5** (철망) 덫(snare). **6** 결승선; (*pl.*) (망원경 등의) 십자선(cross hairs); (악기의) (금속) 현. **7** 〚제지〛 종이 뜨는 망, 초지망(抄紙網). **8** (*pl.*) 인형을 조종하는 실, 은연한 영향력〔세력〕. **9** 《미속어》 소매치기; 죄수와 외부와의 연락 담당자; (경찰의 손이 뻗쳤다는 등의) 소식, 정보, 충고. **10** 〚컴퓨터〛 와이어《두 지점 연결선; 나선 · 절연 피복선 · 실드선 · 동축 케이블 · 피더선 등이 있음》. ***be* (*all*) *on* ~*s*** 흥분하고〔안절부절못하고〕 있다. ***by* ~** 전신으로; 《구어》 전보로. ***down to the* ~** 최후 순간까지; 《미속어》 자금이 바닥이 나서; 《미》 기한〔마감〕이 다가와. ***get* one's ~*s crossed*** 오해하다. ***give the* ~** 몰래 알리다. ***lay* ~*s for*** 《미구어》 …의 준비를 하다. ***pull* (*the*) ~*s*** 《구어》 뒤에서〔숨어서〕 줄을 잡아당기다; 조종하다. ***put the* ~ *on*** a person 《미속어》 아무를 중상하다, 헐뜯다. ***under the* ~** 《미》 겨우 시간에 대어; 〚경마〛 결승선에 도착하여: get *under the* ~ 가까스로 시간에 대다. **~ *to* ~** 《미속어》 〚경마〛 출발선〔처음〕부터 결승선〔끝〕까지.
— *vi.* 《~/+부/+전+명》 《구어》 타전하다, 전보를 치다《*to*》: Don't write, ~. 편지로 하지 말고 전보를 쳐라 / ~ *back* 회답 전보를 치다 / ~ *to* one's father *for* money 아버지께 돈을 부치라고 전보를 치다. **— *vt.*** **1** 《~+목/+목+부》 철사로 고정시키다〔매다, 감다〕: ~ beads *together* 염주알을 철사로 꿰다. **2** 《~+목/+목+전+명》 …에 전선을 가설하다, 배선하다: ~ a house *for* electricity 집에 전(등)선을 끌다. **3** (철망의) 덫으로 잡다: ~ a bird. **4** 《~+목/+목+목 /+목+전+명 /+목+*to* do /+*that* 절/+목+*that* 절》 《구어》 타전〔전송〕하다; 전보로 통지하다: ~ a birthday greeting 생일 축전을 보내다 / He ~*d* me the result. =He ~*d* the result *to* me. 그는 내게 결과를 전보로 알려 왔다 / Mother ~*d* me *to* come back. 어머니는 내게 집으로 돌아오라는 전보를 보내오셨다 / He ~*d* (me) (*that*) he was coming soon. 그는 곧 돌아오겠다는 전보를 보내왔다. **5** …에 도청용 마이크를 장착하다《특히 셔츠 밑에》.
~ *for* 전보를 쳐서 …을 요청하다. **~ *in*** (…에) 철조망을 둘러치다; 《영구어》 온 힘을 다하다. **~ *into*** 《영속어》 …을 우적우적〔게걸들린 듯이〕 먹다.

wíre àgency 통신사(wire service).

wíre-bòund *a.* 〚제본〛 와이어 제본의《두꺼운 책이 잘 펴지게 함》.

wíre brùsh 와이어 브러시, 쇠솔개《녹 따위를 닦아내는 솔》.

wíre clòth (여과기 등의) 눈이 아주 가는 철망.

wíre cùtter 철사 끊는 직공; (~(s)) (펜치(pinchers) 등의) 철사 끊는 기구.

wired *a.* 유선(有線)의; 철사로 보강한〔묶은〕; 쇠망을 친; =~ up. **~ *up*** 《미속어》 취한, (마약으로) 기분이 고양된; 열광한; 신경이 격앙된.

wíre·dàncer *n.* 줄타기 광대《곡예사》.

wíre·dàncing *n.* 줄타기《곡예》.

wired gláss =WIRE GLASS.

wired rádio 〚라디오〛 유선 방송(《영》 wired wireless).

wíre·dràw (*-drew; -drawn*) *vt.* **1** (금속을) 늘여서 철사로 만들다. **2** 《비유》 길게 늘이다; (의논 따위를) 길게 늘어놓다, …의 의미를 왜곡시키다. ⓟ **~·er** *n.* 철사 만드는 사람. **~·ing** *n.* Ⓤ **1** 신선(伸線) 가공, 철사 제조(업). **2** 〚기계〛 (증기의) 교착(絞搾) 작용; 《비유》 (의논의) 부연(敷衍).

wíre·dràwn WIREDRAW의 과거분사. **— *a.*** 늘여서 철사로 만든, 가늘고 길게 가공된; (의논 · 구별 따위를) 지나치게 부연한, 너무 세밀한.

wíred wíreless 《영》 =WIRED RADIO.

wíre entànglement 철조망.

wíre fràud 전자적 통신 수단을 사용한 사기 행위.

wíre gàuge 와이어 게이지《철사의 굵기 등을 재는 기구; 생략: W.G.》; (철사의) 번수(番手).

wíre gáuze 가는 선의 철망, 쇠그물.

wíre gláss 철망(을 넣은 판)유리《깨져도 파편이 튀지 않음》. ⓒⓕ safety glass.

wíre gràss 〚식물〛 왕바랭이.

wíre-guìded [-id] *a.* (어뢰 따위가) 유선 유도의.

wíre·hàir *n.* 〚동물〛 와이어 헤어《털이 빳빳한 폭스테리어》.

wíre·hàired *a.* (개 등이) 털이 빳빳한.

wíre·hèad *n.* 《컴퓨터속어》 컴퓨터 광(狂).

wíre làth 〚건축〛 와이어 라스《쇠그물의 외(椳)》.

wire·less** [wáiərlis] *a.* 무선의, 무선 전신〔전화〕의; 《영 · 옛투》 라디오의: a ~ telegram 무선 전보 / a ~ enthusiast 〔fan〕 라디오 광〔팬〕 / a ~ license 무선 통신 면허 / a ~ operator 무선 통신사 / a ~ set 무선 전신〔전화〕기; 라디오 수신기 / a ~ station 무선 전신국 / a ~ cabin (배의) 무선 전신실. **— *n. Ⓤ,Ⓒ **1** 무선 전신〔전화〕, 무선 (전보): send a message by ~ 무선으로 송신하다. **2** (무선에 의한) 보도. **3** 《영 · 옛투》 라디오: listen to a concert over the ~ 라디오로 콘서트를 청취하다. **— *vi.*, *vt.*** 무선으로〔라디오로〕 알리다, 타전하다.

wíreless télegraphy 〔**télegraph**〕 무선 전신, 무전.

wíreless télephone 무선 전화.

wíreless télephony 무선 전화(술).

wíre·man [-mən] (*pl.* ***-men*** [-mən, -mèn]) *n.* 전선공; 전기 배선공〔기사〕; 《미》 전화〔전신〕 도청 전문가.

wíre mémory 〚컴퓨터〛 와이어 메모리《자기박막(磁氣薄膜)을 도금한 선을 얽어서 만든 기억 장치》.

wíre nétting 철망.

Wíre·phò·to [wáiərfòutou] *n.* 유선 전송 사진〔장치〕《상표명》. **— *vt.*** (w-) (사진을) 유선 전송하다.

wíre·pùller *n.* (인형극의) 꼭두각시 놀리는 사람; 《구어》 뒤에서 실을 잡아당기는〔조종하는, 책동하는〕 사람, 배후《사람》.

wíre·pùlling *n.* Ⓤ 《구어》 뒤에서 실을 잡아당김, 조종〔책동〕함, 이면공작.

wir·er [wáiərər] *n.* **1** 철사를 감는 사람; =WIREMAN. **2** (사냥감을) 철망 덫으로 잡는 사람.

wíre-recòrd *vt.* 강철선 자기(磁氣) 녹음하다.

wíre recòrder 와이어 리코더《자기(磁氣)녹음기의 일종; 강철선에 녹음함》.

wíre recòrding 강철선 자기(磁氣) 녹음.

wíre ròom (경마의) 마권 영업소; (신문사 · TV국 등의) 전신 수신실.

wíre ròpe 강철 밧줄, 와이어로프.

wíre sèrvice 《미》 (뉴스) 통신사.

wíre síde 종이 뒷면. ⓞⓟⓟ *felt side*.

wíre-stìtched [-t] *a.* 〚제본〛 철사매기의.

wíre·tàp *n.* (전신 · 전화의) 도청 (장치). **—** *vi.* 도청하다; (전화 등)에 도청기를 장치하다. **—** *a.* (전신 · 전화) 도청의[에 의한]. [파] **~·per** *n.* (전신 · 전화의) 도청자; (도청) 정보 제공자. **~·ping** *n.* [U] (전신 · 전화의) 도청.

wíre-to-wíre *a.* (레이스 · 토너먼트 등에서) 처음부터 끝까지의: ~ victory (처음부터 끝까지) 줄곧 1 등을 한 승리.

wíre tràffic (일정 시간 내에 보내오는) 전보 교신량, 통신량.

wíre-wàlker *n.* 줄타기 곡예사.

wíre-wàlking *n.* 줄타기《곡예》.

wíre·wày *n.* 〚전기〛 전선관(管).

wíre whèel 1 (금속 연마용의) 회전식 철사 브러시. **2** (스포츠카 등에 쓰이는) 철사 스포크 바퀴, 와이어 휠.

wíre wóol 《영》 (식기 등을 닦는) 쇠수세미.

wíre·wòrk *n.* 철사[철망] 세공. [파] **~·er** *n.* **1** 철사 세공사. **2** 《구어》 =WIREPULLER.

wíre·wòrm *n.* 〚곤충〛 방아벌렛과의 애벌레.

wíre-wòve *a.* 철망으로 만든; 광택지의《편지지 따위》.

wir·ing [wáiəriŋ] *n.* [U] 배선[가선(架線)](공사); 배선 계통; 공사용 전선; [U] 〚외과 · 박제〛 (뼈의) 철사 접합.

wir·ra [wírə] *int.* 《Ir.》 아아《비탄 · 우려의 소리》.

°**wiry** [wáiəri] (***wir·i·er; -i·est***) *a.* 철사로 만든; 철사 같은, 빳빳한《털》; (체격 따위가) 강단 있는, 강인한. ◇ wire *n.* [파] **wír·i·ly** *ad.* **-i·ness** *n.*

wis [wis] *vi.* 《고어》 알다. ★ I *wis*로서 삽입구로 쓰임.

Wis., Wisc. Wisconsin.

Wis·con·sin [wiskánsən/-kɔ́n-] *n.* 위스콘신《미국 북부의 주(州); 생략: Wis., Wisc.》.

Wisd. 〚성서〛 Wisdom (of Solomon).

⁑**wis·dom** [wízdəm] *n.* [U] **1** 현명함, 지혜, 슬기로움; 분별: He showed great ~ in the act. 그는 정말 총명하게 행동했다/He had the ~ *to* refuse it. 그는 현명하게도 그것을 거절했다. **2** 학문, 지식: the ~ of the ancients 옛사람의 지식[학문]. **3** [C] 금언, 명언. **4** (the ~s) 〚집합적〛 현인: all the wit and ~*s* of the place 그 땅의 모든 재사 현인. ***pour forth*** ~ 명언을 잇따라 말하다. ***the Wisdom of Jesus*** =ECCLESIASTICUS. ***the Wisdom of Solomon*** 솔로몬의 지혜《구약성서 경외서 중의 한 편; 생략: Wisd.》.

Wísdom líterature 지혜 문학, 지혜의 서《(1) 고대 이집트 · 바빌로니아의 처세훈적(處世訓的) 서책. (2) 구약성서에서 지혜 문학적 요소가 강한 서책의 총칭》.

wísdom tòoth 사랑니, 지치(智齒). ***cut*** one'***s wisdom teeth*** 사랑니가 나다; 철들 나이가 되다.

⁑**wise**[1] [waiz] (***wís·er; wís·est***) *a.* **1** 슬기로운, 현명한, 총명한, 사려[분별] 있는; (the ~) 〚명사적; 복수취급〛 현인들: a ~ saw [saying] 금언/You were ~ *to* refuse his offer. =It was ~ *of* you to refuse his offer. 네가 그의 제안을 거절한 것은 현명했다.

> [SYN.] **wise** 지식뿐만 아니라 판단력을 가지고 있는. 예지가 있는: a *wise* advice 분별 있는 충고. **sage** wise와 거의 비슷하나 주로 노인에 대해서 씀. 또 '현명한 체하는'이라는 비꼬는 뜻도 있음: look as *sage* as an owl 잘난 체하다. **sagacious** 명민하고 선견지명이 있는. 또, 사람을 꿰뚫어 보는 힘, 통찰력을 가지고 있는. 영리한: A strategical withdrawal will be *sagacious* here. 여기에서는 전략적 철수가 현명할 것이다. **judicious** 냉정한 판단력을 구사하는. 사물을 처리하는 데 있어서 신중하고 생각이 깊은: *judicious* treatment of a problem 문제의 현명한 취급. **prudent** 장래 일을 생각하여 조심성 있는. 또 실무에 있어서 신중한. 만반의 손을 써서 빈틈이 없는: a *prudent* businessman who never does anything except for a useful end 무엇을 하든 간에 이익을 도모하는 빈틈없는 실업가. **sensible** 양식과 분별이 있는. 지각 있는. 무모하지 않은: *sensible* plans 현명한 계획. **intelligent** 총명한.

2 〚보통 비교급에서〛 (사정 따위에) 정통한: Who will be the *wiser?* 누가 알까 보냐. **3** 박식[박학]의, 박식을 보여 주는: a ~ paper 박인방증(博引傍證)의 논문. **4** 현인 같은; 교활한; 《미속어》 건방진: as ~ as a serpent 뱀처럼 교활한. **5** 《고어》 비법에 통달한. ◇ wisdom *n.*

be [***get***] ~ ***to*** [***on***] 《구어》 …을 알다[알게 되다]: *get* ~ *to* a fraud 속임수를 알아채다, 부정을 깨닫다. ***get*** ~ ① 《구어》 …을 알게 되다, 소식에 정통해지다. ② 《미속어》 건방지게 굴다, 아는 체하다: Don't *get* ~ with me. 내게 건방진 말[짓] 하지 마라. ***none the wiser*** =***no wiser than*** [***as*** ~ ***as***] ***before*** 여전히 모르고: I am *none the wiser* for her explanation. 그녀가 설명을 했지만 조금도 모르겠다. ***put*** a person ~ ***to*** [***on***] 《구어》 아무에게 …을 알리다. ~ ***after the event*** 나중에야 알아차리는: It's easy to be ~ *after the event.* 《속담》 일이 끝난 뒤에 알기는 쉽다; (어리석은 자의) 뒤늦은 깨달음[지혜]. ***with a*** ~ ***shake of the head*** 아는 체 머리를 끄덕이며. ***with nobody the wiser*** =***without anyone's being the wiser*** 아무도 모르게, 드러나지 않게.

— *vt., vi.* 〚다음 관용구로 쓰임〛 ~ ***up*** 《구어》 《*vt.*+[부]》 ① 알리다《*to; about; on*》: I'll ~ him *up* (*to* that). (그 일을) 그에게 알리겠다/He ~*d* me *up that* they were out to get me. 그들이 나를 해치우려고 벼르고 있다는 것을 그가 나에게 가르쳐 주었다. **—** 《*vi.*+[부]》 ② 알다《*to; about; on*》: (You'd) better ~ *up.* (너는) 반성하는 것이 좋다.

wise[2] 《고어》 *n.* 방법, 양식, 식(way); 정도. ★ 주로 다음의 관용구로 쓰임. ***in any*** ~ 아무리 해도, 어떻게 하든. ***in like*** ~ 마찬가지로. (***in***) ***no*** ~ 결코 …아니다[않다]. ***in some*** ~ 이럭저럭; 어딘가. ***on this*** ~ 이와 같이.

wise[3] *vt.* 《주로 Sc.》 이끌어 주다, 충고[설득]하다; 지시에 따르게 하다; …의 방향을 바꾸다.

-wise [wàiz] *suf.* '…와 같이; …방향으로'의 뜻: like*wise*. [cf.] -ways.

wise·acre [wáizèikər] *n.* 짐짓 아는 체하는 사람, 지자(智者)연하는 사람.

wíse·àss *n.* 《미속어》 수재; 건방진 녀석, 잘난 체하는 녀석(=**smárt·àss**).

wíse·cràck *n., vi.* 《구어》 신랄한[재치있는] 말(을 하다), 경구(警句)(를 말하다). [파] **~·er** *n.* 경구가.

wíse gùy 《속어》 거만한 놈, 아는 체하는 놈, 독설가; 《미속어》 경솔한 사내.

***wise·ly** [wáizli] *ad.* 슬기롭게; 현명하게(도); 빈틈없이: You did ~ desist from further action. 거기서 그만둔 것은 현명한 일이었다.

wíse mán 현인; 《고어》 마법사: the *Wise Men* of the East =the MAGI.

wis·en·hei·mer, weis·en- [wáizənhàimər] *n.* 《미구어》 아는 체하는 사람(wiseacre).

wi·sent [ví:zənt] *n.* 《G.》 〚동물〛 =AUROCHS.

wíse·wòman (*pl.* ***-wòmen***) *n.* 현녀(賢女); 《고어》 여자 마법사, 여자 점쟁이; 조산원.

⁑**wish** [wiʃ] *vt.* **1** 《~+[목]/+[목]+[전]+[명]》 바라

다, 원하다: ~ aid 〔money〕 원조를〔돈을〕 바라다 / I will do whatever you ~. 원하는 일이면 무엇이든 다 하겠습니다 / What do you ~ *of* me? 나에게 무엇을 바라나.

> SYN. **wish, want** wish 쪽이 적극적인 소원, want 쪽은 구어적이며 결여(缺如)에서 생기는 소망을 나타내나, 구태여 말하자면 want는 요망이고, wish는 소원이라 할 수 있다. 양자의 차이는 주로 구문상에 나타남. wish 구문은 want 구문을 모두 포함함: I *want* (=*wish*) money. 돈을 원한다, 돈이 필요하다. I *want* (=*wish*) to go home. 귀가하고 싶다. I *want* (=*wish*) you to come. 와주기 바란다. They *want* (=*wish*) me dead. 그들은 내가 죽기를 바라고 있다. 한편, 다음 구문은 want에는 없음: I *wish* I could do so. 그렇게 할 수 있으면 좋겠다만. I *wish* you a Happy New Year. 새해 복많이 받으십시오. **desire** 몹시 욕구하다. 좀 딱딱한 말.

2 ⦅+*to* do / +목+*to* do / +(*that*)절 / +목+(*to be*) 보⦆ …하고 싶다(고 생각하다); (아무에게) …해 주기를 바라다: I ~ *to* master English. 영어에 숙달하고 싶다 / I ~ you *to* come home early. (너에게) 일찍 귀가해 주기를 바란다 / What do you ~ me *to* do? 무엇을 해주랴 / I ~ it (*to be*) repaired. 그것을 수리해 주기 바랍니다 / I ~ myself dead. 죽었으면 좋겠는데 (=I ~ I *were* dead.) / I ~ (*that*) you *would* be quiet. 제발 좀 조용히 해 주십시오. **3** ⦅+(*that*)절⦆ 〔가정법을 수반하여〕 …하면 〔…했으면〕 좋겠다고 여기다⦅사실과 반대되는 사태에 대한 소원⦆: I ~ I *were* rich. 내가 부자라면 좋겠는데 / I ~ (*that*) it *would* not rain. 비가 안 오면 좋겠는데 / I ~ 〔~*ed*〕 I *had* met her. 그녀를 만났으면 좋았을 텐데 하고 생각한다〔생각하였다〕 (=I regret I *did* not meet 〔regretted I *had* not met〕 her.) / I ~ 〔~*ed*〕 my dream *would* come true. 내 꿈이 실현되면 좋겠는데 하고 생각한다〔생각하였다〕. ★ 마지막 2개의 보기처럼 가정법은 주절의 동사 wish의 시제의 영향을 받지 않음. **4** ⦅+목+목 / +목+전+명⦆ (아무의 행복·건강 따위를) 빌다, 원하다; (작별 등의) 인사를 하다: I ~ you success 〔good luck〕. 성공〔행운〕을 빕니다 / He ~*ed* me good-bye 〔farewell〕. 그는 내게 작별 인사를 했다 / ~ a person well 〔ill〕 아무의 행복〔불행〕을 빌다 / He ~*es* well *to* all men. 그는 모두가 행복하기를 빌고 있다. ★ 마지막 2개의 보기에서 well, ill은 목적어. **5** ⦅+목+전+명⦆ 억지로 떠맡기다⦅*on, upon*⦆: ~ a hard job *on* a person.

— *vi.* **1** ⦅~ / +전+명⦆ 원하다, 바라다⦅*for*⦆: He ~*ed for* a new car. 그는 새 자동차를 (갖기를) 원했다. **2** ⦅+전+명⦆ 소원을 빌다, 기원하다, 발원(發願)하다⦅*on, upon*⦆: ~ *on* a falling star 유성(流星)에게 빌다. cf. want, desire, hope.

It is to be ~ed that …이 바람직하다, 바라건대. ***~ … away*** …이 없어졌으면 좋겠다고 생각하다: I ~*ed* him 〔the pain〕 *away*. 그가〔아픔이〕 없어졌으면 좋겠다고 생각했다. **~ a person *joy of*** 아무가 …을〔으로〕 즐기기를 바라다; 〚비꼬아〛 아무가 …으로 고통받기를 바라다. **~ *…on* a person** ⦅보통 부정문·의문문에서⦆ 아무를 …로 괴롭히다.

— *n.* U,C **1** 소원, 소망, 바람: I have no ~ *to* be loved. 사랑받고자 하는 생각은 없다 / He has an earnest ~ *that* he (should) go abroad. 그는 외국에 가기를 간절히 바라고 있다. **2** (*pl.*) 호의, 행복을 비는 마음: Give your wife my best ~*es*. 부인에게 안부 전하여 주십시오. **3** (종종 *pl.*) 의뢰, 요청, 희망: against one's ~*es* 희망에 반하여 / to one's ~*es* 희망대로 / I will attend your ~*es*. 원하시는 대로 하겠습니다 / disregard the ~*es* of others 남의 요청을 무시하다. **4** C 바라는 것, 원하는 것: She got her ~, a piano. 그녀는 바라던 피아노를 손에 넣었다. ***carry out*** 〔***attend to***〕 **a person's *~es*** 아무의 희망에 어그러지지 않다. ***good ~es*** 행복을 비는 마음, 호의. ***with best ~es*** 행복〔성공〕을 빌며⦅편지를 끝맺는 말⦆. ★ with every good wish 라고도 함.

wísh·bòne *n.* **1** (새의 가슴 뼈 앞에있는 Y자 형의) 창사골(暢思骨)⦅새요리를 먹을 때 이 뼈의 양 끝을 둘이서 당겨 긴쪽을 가진 사람은 소원을 이룬다고 함⦆. **2** 〚미식축구〛 T자형 공격 대형에서, full back이 조금 앞으로 나온 대형(=~ **T** [ˊtíː]).

wíshed-fòr [-t-] *a.* 바라던 (대로의).

(-)wísh·er *n.* 희망자, 원〔기원〕하는 사람: a well-~ 남의 행복을 비는 사람.

wish·ful [wíʃfəl] *a.* 원하는, 바라고 있는⦅*to* do⦆; 탐내는 듯한⦅눈짓 따위⦆; 희망에 의거한. 파 **~·ly** *ad.* **~·ness** *n.*

wísh fulfillment 〚심리〛 (꿈·환각 따위에서의) 소원 성취, 소원 실현.

wíshful thínker 희망적 관측자, 낙천가.

wíshful thínking 희망적 관측〔해석〕, 안이한 생각; 〚정신분석〛 소망적 사고; =WISH FULFILLMENT.

wísh·ing *a.* 소원 성취할 힘을 가졌다고 여겨지는.

wíshing bòne =WISHBONE.

wíshing càp (동화의) 요술 모자⦅이것을 쓰면 소원이 성취된다고 함⦆.

wíshing wèll 동전을 던져 넣으면 소망이 이루어진다고 하는 우물.

wísh lìst 갖고 싶은〔조르는〕 물건의 리스트.

wísh-wàsh *n.* U 멀건〔밍밍한〕 음료; 껄렁한 얘기〔글〕.

wish·y-washy [wíʃiwɑ̀ʃi, -wɔ̀ːʃi/-wɔ̀ʃi] *a.* 묽은, 멀건 ⦅수프 따위⦆; 시시한 ⦅이야기 따위⦆; 맥빠진; 하찮은; (성격 등) 유약한, 박력이 없는.

°**wisp** [wisp] *n.* **1** (볏짚 따위의) 작은 단; (머리칼 따위의) 작은 다발: a ~ *of* hair 한줌의 머리카락. **2** 작은 물건, 가느다란 것; 작고 호리호리한 사람: a ~ *of* cloud 한 조각의 구름 / a mere ~ *of* a woman 가냘픈 여자. **3** 얼핏 스치는 표정 ⦅순간적인 미소나 찡그림 따위⦆. **4** ⦅영⦆ (말을 씻는) 짚수세미; (횃불·불쏘시개용) 짚뭉치. **5** 도깨비불(will-o'-the-wisp). **6** 작은 비(whisk broom). 파 **ˊ·ish** *a.*

wispy [wíspi] (***wisp·i·er; -i·est***) *a.* 작게 되는 대로 묶은; 가늘고 연약한 ⦅풀 따위⦆, 희미한, 약간의; (머리 숱 따위가) 성긴; 안개 같은.

Wis·sen·schaft [G. vísnʃaft] *n.* 학문, 과학.

wist [wist] ⦅고어⦆ WIT²의 과거·과거분사: He ~ not. =He did not know.

wis·tar·ia, -te·ria [wistíəriə, -tɛ́ər-], [-tíəriə] *n.* U 〚식물〛 등나무(류).

***wist·ful** [wístfəl] *a.* 탐내는 듯한; 그리워하는, 무엇을 동경하는 듯한; 생각에 잠긴. 파 °**~·ly** *ad.* **~·ness** *n.*

****wit**[1] [wit] *n.* **1** U 기지, 재치, 꾀바름, 위트: an essay full of ~ 기지가 충만한 수필 / ready ~ 재치.

> SYN. **wit** 기지. 남의 의표를 찌르는 단정이나 재치있는 말을 하는 능력. humor에 비해 자기의 지혜를 뽐내는 태도, 인간적인 냉담성이 시사됨. **humor** 유머. 해학적인 맛·우스꽝스러

운 맛(이 있는 표현). wit에 비해 인간의 약점을 선의로 보며 따사로운 인정미를 느끼게 함. **sarcasm** 남에게 상처를 입힐 것을 목적으로 한 신랄한 말. **satire** 어떤 사물을 어리석은, 가소로운 것으로서 표현하는 풍자. 문학《주로 시어·연극》의 한 형식으로도 되어 있음.

2 재치있는 사람, 재사. **3** (종종 *pl.*) 지혜, 이지, 이해력: The little child had not the ~*s to* cry for help. 그 어린애는 소리 질러 도움을 구할 만한 지혜가 없었다. **4** (*pl.*) 제정신: lose one's ~*s* 제정신을 잃다. **5** 《고어》 현인, 지자(智者). ***at* one*'s* ~*'s*** 〔~*s'*〕 ***end*** ⇨END. ***have*** 〔***keep***〕 one***'s*** ~***s about*** one 빈틈이 없다, 방심 않고 두루 정신 쓰다; 침착하다. ***have quick*** 〔***slow***〕 ~***s*** 이해가 빠르다〔더디다〕, 재치가 있다〔없다〕. ***in*** one***'s*** (***right***) ~***s*** 본정신으로. ***live by*** 〔***on***〕 one***'s*** ~***s*** 약빠르게〔슬기롭게〕 처세하다, 잔재주로 이럭저럭 둘러맞추다; 교묘하게 임시변통하다. ***out of*** one***'s*** ~***s*** 제정신을 잃고. ***the five*** ~***s*** 《고어》 오관(senses).

wit² *vt.*, *vi.* 《고어》 알다. ★ 현재(I, he) *wot*, (thou) *wottest*; 과거·과거분사 *wist*; 부정사 *wit*; 현재분사 *witting*. ***to*** ~ 〖주로 법률〗 즉.

***witch** [witʃ] *n.* **1** 마녀, 여자 마법〔마술〕사; 무당. ⓒⓕ wizard. ¶ a white ~ 좋은 일을 하는 마녀. **2** 간악한 노파; 추한 노파. **3** 《구어》 매혹적인 여자, 요부; 《미속어》 젊은 여자. **4** 점(占)막대기로 수맥〔광맥〕을 탐색하는 사람(dowser). — *vt.* **1** …에게 마법을 걸다〔쓰다〕(bewitch); 마법으로 변하게 하다《*into*; *to*》: be ~*ed into* stone 마법에 걸려 돌이 되다. **2** 미혹〔매혹〕하다〔시키다〕. — *a.* 마녀가 쓰는, 마녀의. ㊈ **~·like** *a.*

witch 1

witch- ⇨WYCH-.

witch bàll 〖영국사〗 (창문에 늘어뜨리는) 마녀막이 유리구슬.

°**witch·cràft** *n.* Ⓤ 마법, 요술, 주술; 마력; 매력.

witch dòctor (특히 아프리카 원주민 등의) 마법사, 주술사(呪術師).

witch èlm 〖식물〗 =WYCH ELM.

witch·ery [wítʃəri] *n.* **1** Ⓤ 마법, 요술. **2** 마력, 매력; (*pl.*) 마법의 현현(顯現).

witches' brèw 〔**bròth**〕 (마녀의) 비약(秘藥); 가공할 혼란 (상태).

witches' Sábbath (1년에 한 번 깊은 밤에 여는) 악마의 연회〔주연〕.

witch házel 〖식물〗 조롱나무의 일종(wych-hazel)《북아메리카산(產)》; 그 나무 껍질·잎에서 채취한 약물《외상용(外傷用)》.

witch-hùnt *n.* **1** 마녀 사냥. **2** 정적(政敵)을 중상〔박해〕함; (이단자(異端者)를) 색출하여 박해함. ㊈ **~·er** *n.*

witch·ing *a.* 마력이 있는; 매혹하는. ***the*** ~ ***time of night*** =***the*** ~ ***hour*** 여자 마법사들이 활동하는 시각; 한밤중. — *n.* 마법〔주술〕 행사; 매료. ㊈ **~·ly** *ad.*

witchy [wítʃi] (***witch·i·er***; ***-i·est***) *a.* 마녀의〔와 같은〕, 마녀적인; 마법에 의한〔을 연상하게 하는〕.

wite [wait] *n.* 〖고대영법률〗 (왕 등이 과하는) 벌금, 속죄금, 특권 수여료; 《Sc.》 벌, 질책; 비난. — *vt.* 《Sc.》 책하다, 비난하다.

wit·e·na·ge·mot(e) [wítənəgəmòut/ㅅ-ㅅ-ㅅ] *n.* 〖영국사〗 (앵글로색슨 시대의) 국회, 민회(民會).

†**with** ⇨《p. 2864》 WITH.

with- [wið, wiθ/wið] *pref.* '대하여, 향하여, 떨어져, 역(逆), 반대'의 뜻: *with*stand.

with·al [wiðɔ́:l, wiθ-/wið-] 《고어》 *ad.* 그 위에, 더욱이; 같이; 동시에; 한편으로는; 그래도. — *prep.* …으로써(with)《관계〔의문〕대명사를 목적어로 하고 그보다 뒤에 놓음》: What shall he fill his belly ~? 무엇으로 배를 채울 것인가.

with·draw** [wiðdrɔ́:, wiθ-] (-drew*** [-drú:]; ***-drawn*** [-drɔ́:n]) *vt.* **1** 《~+目/+目+前+名》 (손 따위를) 움츠리다: ~ his hand *from* the hot pot 뜨거운 냄비에서 손을 움츠리다 / ~ the curtain 커튼을 잡아당기다〔열다〕. **2** 《~+目/+目+前+名》 (통화·서적 등을) 회수하다: ~ dirty bank notes *from* use 유통 중인 더러운 지폐를 회수하다. **3** 《~+目/+目+前+名》 거두다, 물러나게 하다, 철수하다; (군대를) 철수시키다; (돈을) 인출하다; (시선 따위를) 딴 데로 돌리다《*from*》: ~ a boy *from* school 소년을 퇴교시키다 / ~ troops *from* a position 군대를 진지에서 철수시키다 / ~ money *from* the bank 은행에서 돈을 찾다. **4** (제의·신청 등을) 철회하다; 취소하다; (소송을) 취하하다: ~ one's resignation 사표를 철회하다 / ~ a promise 약속을 취소하다. **5** 《+目+前+名》 (은혜·특권 등을) 박탈하다《*from*》: ~ privilege *from* a person 아무의 특권을 박탈하다. — *vi.* **1** 《~/+前+名》 물러나다, 퇴출하다《*from*》: After dinner the ladies ~. 만찬 후에 부인들은 물러난다 / ~ *from* a person's presence 아무의 면전에서 물러나다. SYN. ⇨RETIRE. **2** 《~/+前+名》 (군대가) 철수하다, 거두어 물러나다: All the troops *withdrew*. 전군이 철수했다 / ~ *from* a fight 전투에서 철퇴(撤退)하다. **3** 《+前+名》 탈퇴하다, 탈회하다《*from*》: ~ *from* a society 탈회하다 / ~ *from* a league 연맹을 탈퇴하다 / ~ *from* a competition 시합을 기권하다. **4** 《+前+名》 (마약 등의) 사용을 그만두다《*from*》: ~ *from* heroin 헤로인을 끊다. **5** 동의(動議)를〔제안을〕 철회하다. ㊈ **~·er** *n.*

°**with·draw·al** [wiðdrɔ́:əl, wiθ-] *n.* Ⓤ,Ⓒ **1** 움츠러듦; 움츠림; 물러남; 퇴학, 탈퇴. **2** (예금·출자금 등의) 되찾기, 회수. **3** 철수, 철퇴, 철병. **4** 취소, 철회; (소송의) 취하. **5** (약제의) 투여(사용) 중지; 마약 사용 중지로인한 허탈, 금단 증상: ~ symptoms (마약 중독의) 금단 증상《구역질·발한(發汗) 등》.

withdráwing ròom 《고어》 응접실, 객실, 휴게실(drawing room).

°**with·drawn** [wiðdrɔ́:n, wiθ-] WITHDRAW의 과거분사. — *a.* **1** 깊숙이 들어간, 인가에서 떨어진, 인적이 드문. **2** (사람이) 집안에 틀어박힌; 수줍은. **3** 철회한; 회수한. ㊈ **~·ness** *n.*

with·drew [-drú:] WITHDRAW의 과거.

withe [wiθ, wið, waið] (*pl.* **~s** [-θs, -ðz]) *n.* (버들 따위의) 가는 가지; (장작 등을 묶는) 실가지; (충격을 완화하는) 탄력성 있는 손잡이. — *vt.* 실가지로 묶다.

***with·er** [wíðər] *vi.* **1** 《~/+副》 시들다, 이울다, 말라〔시들어〕 죽다《*up*; *away*》: The flowers ~*ed up* 〔*away*〕. 꽃이 시들었다. **2** 《~/+副/+前+名》 쇠퇴하다, 쇠약해지다, 희박해지다《*away*》: Her affections ~*ed*. 그녀의 애정은 식었다 / She could see her beauty ~*ing away*. 그녀는 자신의 아름다움이 시들어 가는 것을 볼 수 있었다 / ~ *into* insignificance 쇠퇴하여 볼품 없게 되다. — *vt.* **1** 《~+目/+目+副》 시들게 하다, 이울게 하다: The heat of the day has ~*ed* (*up*) the grass. 대낮의 열기로 풀이 시들었다. **2** 《+目+前+名》 움츠러들게 하다; 의

전치사 with의 번역어는 거의 '…와, …로, …을 가지고〔가진〕, …에 대하여' 따위로 표현되며, 특히 '…와' 로 새겨질 때가 많다. 아래의 일반적인 새김에서는 말뜻의 구별을 뚜렷이 나타내는 것을 우선했는데 **1** 의 '…에 반대하여' 나, **2** 의 '…와 함께' 나, **4** 의 '…와 일치하여' 나, 실제의 문맥에서는 fight *with* an enemy '적과 싸우다', walk *with* children '어린애들과 걷다', I agree *with* you. '자네와 같은 의견' 과 같이, 모두 '…와' 로 된다. 이러한 현상은 이들 말뜻 사이에 밀접한 관계가 있음을 나타내는 것이며, 같은 동사와의 결합이 다른 말뜻으로 쓰이는 경우도 드물지 않다. 예를 들면 *fight with* an enemy 에서는 뜻 **1** 〖적대(敵對)〗 이지만, Our powerful allies were *fighting with* us.(강력한 동맹군이 우리와 함께 싸우고 있었다)에서는 **2** 〖수반(隨伴)〗의 뜻이 되어 그 구별은 문맥에 따른다.

with [wið, wiθ] *prep.* **A** 《대립 · 수반》 **1** 〖대립 · 적대〗《contend, conflict, argue 그 밖의 유사한 동사 · 명사와 더불어》 …와, …을 상대로; …에 반대하여: struggle ~ an enemy 〔a disease〕 적〔질병〕과 싸우다 / a contest ~ a strong rival 강적과의 승부 / I had a race ~ him. 그와 달리기를 했다.

2 〖수반 · 동반〗 …와 (함께), …와 같이〔더불어〕, …을 데리고; …의 집에(서): tea ~ lemon 레몬티 / live ~ a family 어떤 가정에 동거하다 / talk ~ her 그녀와 이야기하다 / I took my children 〔a camera〕 ~ me. 아이들을 데리고〔카메라를 가지고〕 갔다 / The ball, (together) ~ two rackets, was [ˣwere] lost. 두 개의 라켓과 함께 공이 없어졌다.

3 a 〖소속 · 근무〗 …에게, …의 일원으로, …에 고용되어〔근무하여〕: learn French ~ a good teacher 훌륭한 선생 밑에서 프랑스어를 배우다 / She has been ~ a publishing company (for) three years. 그녀는 출판사에 3년 근무하고 있다 / She is an air hostess ~ KA. 그녀는 대한 항공의 스튜어디스로 일하고 있다. **b** 〖포함〗 …을 포함하여, …을 합하여: It is $10 ~ tax. 그것은 세금을 포함해서 10 달러이다 / *With* the maid, the family numbers nine. 가정부를 합해서 가족은 아홉 사람이다.

4 a 〖일치 · 조화〗 …와 일치되어, …와 같은 의견으로; …에 맞아〔적합, 조화하여〕: Blue does not go ~ green. 파랑과 초록은 서로 맞지 않는다 / I agree 〔disagree〕 ~ you on that point. 그 점에 있어서는 너에게 동의한다〔하지 않는다〕 / That accords ~ what I saw. 그건 내가 본 것과 일치한다. **b** 〖동조 · 협조 · 찬성〗 …에 찬성하고, …에: vote ~ the Liberals 자유당에 투표하다 / Are you ~ us or against us? 《구어》 자넨 우리에게 찬성인가 반대인가. **c** 〖흔히 부정 · 의문문에서〗《be의 보어가 되는 구를 이끎》 (남의) 말을〔이야기를〕 이해할 수 있어: Are you ~ me so far? 이제까지 내가 한 말 알아들으셨습니까 / Sorry I'm *not* ~ you; you are going too fast. 도무지 하시는 말씀을 알아들을 수가 없습니다, 이야기가 너무 빨라서요.

5 a 〖동시 · 같은 정도〗 …와 동시에, …와 같이〔함께, 더불어〕, …(한)에 따라(서): wages that vary ~ skill 기능에 따라 다른 임금 / rise ~ the sun 〔lark〕 해돋이〔종달새〕와 함께 일어나다 / grow wise ~ the age 나이가 듦에 따라 현명해지다 / *With* those words, the philosopher died. 그 말을 남기고 그 철학자는 죽었다 / *With* the development of science, the pace of life grows swift. 과학의 발달에 따라 생활의 템포는 빨라진다. **b** 〖동일 방향〗 …와 같은 방향으로, …을 따라(OPP *against*): row ~ the current (물의) 흐름을 따라 젓다 / go ~ the tide of public opinion 여론의 흐름에 따라가다.

6 〖분리; 특정의 동사에 수반되어〗 …와 떨어져, …을〔에서〕 떠나, …에서: break ~ the party 당을 이탈하다 / part ~ money 돈을 (마지못해) 내주다 / Let us dispense ~ ceremony. 의례적인 것은 그만둡시다.

B 《소유》

7 a 〖소유 · 소지 · 구비〗 …을 가지고 (있는), …이 있는(OPP *without*)《whose, of which를 쓴 관계대명사 절의 대용 표현으로 선호됨》: an animal ~ horns 뿔이 있는 동물 / a child ~ no brothers or sisters 형제도 자매도 없는 아이 / a girl ~ blue eyes 푸른 눈을 가진 소녀 / a can ~ a hole in the bottom 바닥에 구멍이 난 깡통 / She is ~ child. 그녀는 임신하고 있다 / I want a house ~ a large garden. 넓은 뜰이 딸린 집을 원한다. **b** 〖휴대〗 …의 몸에 지니고《on 보다 일반적》: I have no money ~〔on〕 me. 갖고 있는 돈이 없다 / Take an umbrella ~ you. 우산을 가지고 가거라 / He always carries a camera ~ him. 그는 늘 카메라를 지니고 다닌다. **c** …이 있으면, …을 얻어서: *With* her permission, he went out. 그녀의 허가로 그는 나갔다.

8 〖부대(附帶) 상황〗 …한 상태로, …하고, …한 채, …하면서《(1) 보통 with+명사+보어(형용사 · 분사 · 부사어구 · 전치사구 따위)의 형태를 취함. (2) with는 종종 생략되는데 이때 관사 · 소유격 따위도 생략될 때가 있음》: speak ~ a pipe in one's mouth 파이프를 입에 물고(서) 이야기하다 (=speak pipe in mouth) / sit ~ one's eyes closed 눈을 감고 앉다 / He stood ~ his back against the wall. 그는 등을 벽에 기댄 채 서 있었다 / Mary left the kitchen ~ the kettle boiling. 메리는 물이 끓는 주전자를 그대로 놓아둔 채 부엌을 나갔다 / They stood there ~ their hats off 〔on〕. 그들은 모자를 벗고〔쓴 채〕 거기서 있었다 / *With* night coming on, we closed our shop. 밤이 다가와서 가게를 닫았다《with를 생략하면 독립분사구문》.

9 〖양태〗 …으로(써), …하게, …을 가지고《보통 추상명사와 더불어 부사구를 만듦》: ~ ease 수월히(=easily) / work ~ diligence 〔diligently〕 부지런하게 일하다 / He did it ~ confidence. 그는 확신을 가지고 그것을 했다 / She greeted me ~ a smile. 그녀는 미소로써 인사했다 / Treat this ~ care 〔carefully〕. 이것을 조심해서 다루시오 / They listened to us ~ (a) surprising calmness. 그들은 놀라울 만큼 침착하게 우리 이야기를 들었다 / entertain a guest ~ cordial hospitality 손님을 진심으로 기꺼이 환대하다.

10 〖관리 · 위탁〗 **a** (아무)의 손에, …에 맡기어: leave a child ~ a nurse 아이를 유모에게 맡기다 / He entrusted me ~ his car 〔=his car to me〕. 그는 차를 나에게 맡겼다. **b** (책임 · 결정 따위가 아무)에게 달려〔있어〕: It rests ~ you to decide. 결정권은 자네에게 달려 있네 / The responsibility rests ~ 〔on〕 us. 그 책임은 우리에게 있다.

C 《수단 · 재료 · 원인》

11 〖도구 · 수단〗 …으로, …을 사용하여: pay ~ a check 수표로 지급하다 / cut meat ~ a knife 나이프로 고기를 썰다 / light a house ~ electricity 전기로 집을 밝히다/He amuses himself ~ a book. 그는 독서를 즐긴다/I have no money to buy it (~). 그것을 살 돈이 없다《구어에서는 종종 with가 생략됨》/I have nothing to write ~. 글씨를 쓰기 위한 도구가 아무것도 없다《비교: I have nothing to write 〔write about〕. 아무것도 쓸 것이〔쓸 소재, 논제가〕 없다》. SYN. ⇨BY.

12 〚이유·원인〛 …으로 인해, …때문에, …탓으로: eyes dim ~ tears 눈물로 침침해진 눈/faint ~ hunger 굶주림으로 정신을 잃다/tremble ~ fear 공포로〔에〕 떨다/He was down ~ fever. 그는 열로 쓰러졌다/I was silent ~ shame. 창피해서 말도 안 나왔다.

13 a 〚양보; 종종 ~ all로〛 …에도 불구하고, …이 있으면서도: *With all* his wealth, he is still unhappy. 그만한 부(富)를 가졌는데도 그는 여전히 불행하다/*With* the best of intentions, he made a mess of the job. 성심성의로써 했는데도 그는 그 일을 잡쳐 놓았다. **b** 〚제외〛 …한 점을 제외하면, …한 점 외에는: These are very similar, ~ one important difference. 이것들은 한 가지 중요한 점을 제외하면 아주 비슷하다.

14 〚재료·성분·내용물〛 …으로, …을: a truck loaded ~ coal 석탄을 잔뜩 실은 트럭/fill the bottle ~ water 병에 물을 채우다/make a cake ~ eggs 달걀로 케이크를 만들다/provide us ~ milk 우리에게 우유를 공급하다(=provide milk for us)/The road was blocked ~ snow. 도로는 눈으로 막혀 있었다/He is overwhelmed ~ work. 그는 산더미 같은 일에 묻혀 있다/present a friend ~ a new book 친구에게 신간 도서를 증정하다(=present a new book to a friend).

D 《대상·관련》

15 a 〚접속·교섭·결합 등 여러 관계〛 …와, …을, …에: discuss a problem ~ a person 아무와 문제를 논하다/join one end ~ the other 한쪽 끝을 다른 한 끝에 잇다/deal ~ the company 그 회사와 거래를 하다/We are acquainted 〔friendly〕 ~ him. 우리는 그를 잘 알고 있다〔그와 친교가 있다〕/We are always in touch ~ them. 우리는 항상 그들과 연락을 취하고 있다. **b** 〚혼합·혼동〛 …와, …을 가하여〔섞어, 타〕: dilute alcohol ~ water 알코올을 물로〔물을 타서〕 묽게 하다/mix whiskey ~ water 위스키에 물을 타다.

16 〚관련·관계〛 …와; …에 대〔관〕하여; …에 관해서는; …에 있어서; …을: our relationship ~ the neighboring countries 우리나라와 인접 제국(諸國)과의 관계/I have nothing to do ~ that affair 〔group〕. 나는 그 사건과는〔그룹과는〕 관계가 없다/It's all right ~ me. 나에겐 이의(異議)가 없다/The first object ~ him is to rise in the world. 그의 첫째 목표는 출세하는 것이다(=His first object is ....)/What's wrong 〔the matter〕 ~ you? 어찌 된 건가/*With* God nothing is impossible. 신에게 불가능(한 것)이란 없다.

17 〚대상〛 **a** 〚감정·태도의〛 …에 대해서, …에(게): be angry 〔frank, gentle〕 ~ a person 아무에게 성을 내다〔솔직히 하다, 상냥하게 하다〕/Be patient ~ people. 남에게 참을성 있게 굴어라〔화를 내서는 안 된다〕/She is popular ~ 〔among〕 the boys. 그녀는 남자 아이들에게 인기가 있다/They are in love ~ each other. 그들은 서로 사랑하는 사이다. ★ with를 쓰는 그 밖의 형용사: cross, furious, pleased, upset. 한편 kind, polite, rude 따위는 with를 취하지 않음: be kind *to* people. **b** 〚비교·동등의〛 …와: compare the translation ~ the original 번역을 원문과 비교하다/compare him ~ his brother 그를 그의 아우와 〔형과〕 비교하다. **c** 〚종사·연구〛 …을 대상으로, …을: a book dealing ~ overpopulation 과잉 인구에 관한 책/These psychologists are working ~ children. 이 심리학자들은 어린이를 연구하고 있다. **d** 〚방향의 부사 뒤에서 명령문적으로〛 《away, up, down, in, out, off 따위가 옴》 …을: *Down* ~ the dictator! 독재자 타도/*Out* 〔*Away*〕 ~ him! 그를 내쫓아라/*Up* ~ the anchor! 닻을 올려라/*Off* ~ your coat. 코트를 벗으시오.

be* 〔*keep*〕 (*well*) *in* ~** ⇨IN. ***what* ~** (A) ***(and) what* ~** (B) ⇨WHAT (관용구). **~ *all ⇨13 a. **~ *it*** 《속어》 (복장·사상·행동 등이) 시대〔유행〕의 최첨단을 걸어, 최신식인; 그 위에, 게다가(as well); 잘 알고〔이해하고〕. **~ *that*** =THEREUPON. **~ *this*** =HEREUPON.

기소침하게 하다: ~ a person *with* a look 한 번 노려보아 아무를 움츠러들게 하다. **3** (명성·원기 따위를) 쇠퇴케〔쇠약하게〕 하다. **~ *on the vine*** (일·계획 등이) 도중에서 시들다, 소멸하다, 흐지부지되다.

wíth·ered *a.* 이운, 시든; 싱싱함을 잃은.

wíth·er·ing [-riŋ] *a.* 생기를 잃게 하는, 괴멸적인, 압도적인; (눈치·말 따위) 기죽이게 하는; 건조용의.

wíth·er·ite [wíðəràit] *n.* Ⓤ 〖광물〗 독중석(毒重石)《바륨의 원광(原鑛)》.

with·ers [wíðərz] *n. pl.* **1** (주로 말의) 양 어깨 뼈 사이의 융기. **2** 《고어》 감정, 감각: My ~ are unwrung. 난 아프지도 가렵지도 않다. ***wring** a person's* **~** 아무에게 심한 고통을 주다.

with·er·shins [wíðərʃìnz] *ad.* 《Sc.》 태양의 운행과 반대 방향으로, 왼쪽으로 도는; 《폐어》 (보통 때와) 역방향으로.

***with·hold** [wiθhóuld, wið-/wið-] (*p., pp.* **-held** [-héld]) *vt.* 《~+목/+목+전+명》 **1** 주지〔허락하지〕 않고 두다, (승낙 등을) 보류하다: ~ one's payment 〔consent〕 지불〔승낙〕을 보류하다/~ an important fact *from* a person 아무에게 중대한 사실을 알리지 않다. **2** 억누르다, 억제하다, 말리다; 〚~ oneself〛 자제하다: The captain *withheld* his men *from* the attack. 대장은 부하들을 제지하여 공격하지 못하게 했다. **3** (세금 등을) 원천 징수하다, (대여금 중에서 미리 이자를) 공제하다; 《고어》 구류〔감금〕하다.

withhólding tàx 《미》 원천 과세〔징수〕(액).

⁑**with·in** [wiðín, wiθ-/wið-] *prep.* **1** …의 안쪽에〔으로〕, …의 내부에〔로〕: see ~ the body 신체 내부를 보다/~ the fence 울타리 안(쪽)에, 부지(敷地) 안에/keep ~ doors 옥내(屋內)에서 지내다. **2** (기간·거리가) …이내에: ~ two hours, 2시간 이내에/~ a few miles of London 런던에서 수 마일 이내에. **3** …의 범위 안에, …을 할 수 있는 곳에(서): live ~ one's income 수입의 테두리 안에서 살아가다/~ one's power 자기의 힘이 미치는 범위 안에서/~ reach (of the hand) 손 닿는 곳에/~ my reach 나의 손〔힘〕이 미치는 곳에/~ sight of land 뭍이 보이는 곳에. ***keep* ~ *bounds*** 범위를 넘지 않(게 하)다. (be true) **~ *limits*** 어느 정도 (진실이다). **~ *oneself*** ① 마음속으로. ② 온힘을 다하지 않고, 좀 여유를 두고: run ~ one*self* 여유 있게 달리다.

— *ad.* **1** 안에〔으로〕; 안쪽에; 내부〔옥내〕에. OPP *without.* ¶ He went ~. 그는 집〔방〕 안으

로 들어갔다. **2** 마음 속으로: She is pure ~. 그녀는 마음이 깨끗한 사람이다. *~ **and without*** 안에도 밖에도, 안팎이 모두.

— *n*. 내부. ***from*** ~ 내부로부터: The door opens *from* ~. 그 문은 안쪽에서 열린다.

withín·dòors *ad*. 《고어》 =INDOORS.

withín-nàmed *a*. 여기서 말한 바에 의하면.

with-it [wíðit, wíθ-] *a*. 《구어》 현대적인, 진보한, 유행의. [파] **~·ness** *n*.

†**with·out** [wiðáut, wiθ-/wið-] *prep*. **1** …없이, …이 없는, …을 갖지 않고; …이 없어도: a rose ~ a thorn 가시 없는 장미; 고통을 수반하지 않는 쾌락 / He went out ~ a hat. 모자를 쓰지 않고 외출했다 / I can do it ~ your help. 너의 도움 없이도 그것을 할 수 있다 / The situation is bad enough ~ his interference. 그의 방해가 없었어도 사태는 이미 어지간히 악화되었다.
2 〖가정의 뜻을 함축시켜서〗 …없이는, …이 없(었)다면(but for): *Without* your help, I couldn't do anything. 너의 도움이 없다면 아무것도 하지 못 할 것이다.
3 〖동명사를 수반하여〗 (—이) …하지 않고: ~ say*ing* a word 말 한 마디도 없이 / No one can pass in or out ~ be*ing* seen. 눈에 띄지 않고 아무도 출입할 수 없다 / He carried out the plan ~ his parents know*ing* anything about it. 그는 부모님이 아무것도 알지 못하게 그 계획을 실행했다. ★ 마지막 보기에서는 his parents가 동명사 knowing의 '의미상의 주어'.
4 《고어·문어》 …의 밖에(으로); 《고어》 …의 범위를 넘어서.
do* 〔*get*〕 ~** a thing 〔a person〕 …없이 때우다 〔지내다〕: We cannot *do* ~ him. =He cannot be *done* ~. 그가 없이는 해나갈 수 없다; 그는 꼭 필요한 인물이다. ***It goes ~ saying that ... …은 말할 나위도 없다. ***not* 〔*never*〕 ~ do*ing*** — 하면 반드시 …하다: They *never* meet ~ quarrel*ing*. 만나면 반드시 싸운다(⇨ 위의 **3**). ***times ~ number*** 몇 번이고 몇 번이고, 수없이 여러 번. ***~ difficulty*** 쉽게. ***~ doubt*** 확실히. ***~ so much as* do*ing*** …조차 하지 않고; …도 하지 않고.

— *ad*. 《영·문어》 **1** 밖에, 외부에(는); 옥외(屋外)에. [opp] *within*. ¶ stand ~ 문 밖에 서다. **2** 겉으로는; 표면은. **3** 《비표준》 없이.

— *conj*. 《고어·방언》 …이 아니면, …하지 않고서는(unless).

— *n*. 외부; 외면. ***from*** ~ 외부로부터: The door opened *from* ~. 문이 밖으로부터 열렸다.

— *a*. 자금이〔돈이, 물자가〕 없는. 「doors).

withóut·dòors *ad*. 《고어》 옥외에서(out of

wíth-prófits *a*. (보험이) 이익 배당이 보증된.

with·stand** [wiθstǽnd, wið-] (-stood*** [-stúd]) *vt*. **1** …에 저항하다, …에 반항〔거역〕하다: ~ temptation 유혹에 저항하다. **2** (곤란 등에) 잘 견디다, 버티다. **—** *vi*. 《시어》 반항〔저항〕하다; 잘 견디다, 버티다. 〔OE *with* against〕 [파] **~·er** *n*. 반대자, 저항자.

withy [wíði, -θi/-ði] *n*. 〖식물〗 버들, 《특히》 =OSIER; 가늘고 유연한 잔 가지《물건을 동임》; 부드러운 잔 가지로 만든 고리. **—** (***with·i·er; -i·est***) *a*. 버들 같은; 홀쭉한; 유연하고 허리가 센; 순응성(順應性)이 강한.

wít·less *a*. 지혜〔재치〕 없는; 분별이 없는; 어리석은(foolish). [파] **~·ly** *ad*. **~·ness** *n*.

wit·ling [wítliŋ] *n*. 《영》 똑똑한 체하는 사람, 윤똑똑이, 하찮은 재사.

wit·loof [wítlouf] *n*. 〖식물〗 치커리(chicory).

****wit·ness** [wítnis] *n*. **1** 증언: give ~ in a law court 법정에서 증언하다. **2** 증인, 참고인; 목격자: a ~ against 〔for〕 a person 아무에게 불리〔유리〕한 증인 / He's the only ~ *of* 〔*to*〕 the accident. 그가 그 사고의 유일한 목격자이다. **3** (거래·협정의) 입회인: be a ~ of a transaction 어떤 거래의 입회인이 되다. **4** 증거(가 되는 것): The empty cupboard was a ~ *of* 〔*to*〕 his poverty. 빈 찬장이 그가 가난하다는 증거였다. **5** (W-) Jehovah's Witnesses의 회원. ***(as) ~*** 《문어》 그 증거로서는, 이를테면 …을 봐도 안다. ***call* 〔*take*〕 *... to ~*** …에게 증명을 청하다, …를 증인으로 내세우다: I *call* Heaven *to* ~ that ... …이 거짓이 아님은 하늘도 아신다. ***give ~ on behalf of*** a person =***give ~ on*** a person***'s behalf*** 아무를 위해서 증언하다. ***in ~ of*** …의 증거로서. ***with a ~*** 명확히, 확실히, 틀림없이.

— *vt*. **1** 목격하다, 눈앞에 보다: I never ~*ed* a more melancholy sight. 이 이상 슬픈 광경을 본 일이 없다. **2** 《~+[목]/+[목]+[전]+[명]/+*that* [절]》 증언하다; 입증하다; …의 증거가 되다: His composure ~*es* his innocence. 그의 침착한 태도는 그의 무죄를 입증하고 있다 / He ~*ed that* it was the driver's fault. 그는 그것이 운전사의 과실임을 증언했다. **3** …에 입회하다; (증인으로서) …에 서명하다: ~ a document 증인으로서 증서에 서명하다. **—** *vi*. 《~/+[전]+[명]》 증언〔증명, 입증〕하다: ~ *against* 〔*for*〕 an accused person 피고에게 불리〔유리〕한 증언을 하다 / ~ *to* a person's good conduct 아무의 선행을 증언하다 / ~ *to* hav*ing* seen it 그것을 보았다고 증언하다. ***Witness Heaven!*** 《고어》 하느님이시여 굽어살피소서.
[파] **~·a·ble** *a*. **~·er** *n*.

wítness-bòx *n*. 《영》 =WITNESS STAND.

wítness màrk (토지의 경계 측량용) 표지(標識).

wítness stànd 《미》 (법정의) 증인석.

wit·ster [wítstər] *n*. 재인(才人), 재사(才士).

wit·ted [wítid] *a*. 〖흔히 복합어로〗 재지(才智)가〔이해력이〕 …한: keen-~ 두뇌가 명석한.

Wit·ten·berg [wítnbə̀ːrg] *n*. 비텐베르크《독일 동부의 도시, 종교 개혁의 발상지》.

wit·ter [wítər] *vi*., *vt*. 《속어》 하찮은 것을 길게 말하다, 시시한 이야기로 (사람을) 괴롭히다.

wit·ti·cism [wítəsìzəm] *n*. 《보통 경멸》 재치 있는 말; 재담, 익살, 명언; 경구(警句); 《고어》 비웃음, 조롱.

wit·ting [wítiŋ] *a*. 《드물게》 의식하고서〔알고서, 고의〕의. **—** *n*. 《방언》 지식. [파] **~·ly** *ad*.

wit·tol [wítl] *n*. 《고어》 아내의 부정을 묵인하는 남편; 지혜가 부족한 사람, 바보.

wit·ty** [wíti] (-ti·er; -ti·est***) *a*. 재치〔기지〕 있는; 재담을 잘하는. [파] **-ti·ly** *ad*. **-ti·ness** *n*.

wive [waiv] 《고어》 *vi*., *vt*. 아내를 얻다; 장가들게 하다; 아내로 삼다.

wi·vern [wáivərn] *n*. 〖문장(紋章)〗 날개 있는 용.

wives [waivz] WIFE의 복수.

wiz [wiz] *n*. 《구어》 천재, 귀재. 〔◂ *wizard*〕

wiz·ard [wízərd] *n*. **1** (남자) 마법사. [cf.] witch. **2** 요술쟁이, 마술사. **3** 《구어》 비상한 재능을 가진 사람, 귀재(鬼才), 천재, 명인, 명수(名手): a ~ *at* chess 체스의 명인. **4** 《해커속어》 복잡한 프로그램을 다 아는 사람, 유사시에 믿을 수 있는 사람; 보통 이용자에게 금지된 것이 허용된 프로그래머. ***the Welsh Wizard,*** Lloyd George 의 이칭. ***the Wizard of the North,*** Sir Walter Scott의 이칭. **—** *a*. **1** 《고어》 마법사의; 마법의. **2** 《영속어》 훌륭한. [파] **~·ly** *a*. 마법사 같은; 초현실적인, 멋진; 《해커속어》 전문가만 이해〔이용〕할 수 있는.

wiz·ard·ry [wízərdri] *n.* Ⓤ 마법, 마술, 묘기.
wiz·en [wí(:)zən/wízən] *vi.* 시들다. **—** *vt.* 시들게 하다. [OE *wisnian*]
wíz·en(ed), wéa·zen(ed) *a.* 시든, (사람·얼굴 등이) 몹시 여윈.
wkly. weekly. **wk(s).** weak; week(s); work(s). **W/L, w.l.** waterline; wavelength. **W.L.A.** Women's Land Army. **WLM** women's liberation movement. **W. long., w. long.** west longitude. **WLTM** would like to meet (만나보고 싶음)《교제 상대자 모집 광고 용어》. **Wm, Wm.** wattmeter. **Wm.** William. **W/M** weight of measurement. **wmk.** watermark. **WMO** World Meteorological Organization (세계 기상 기구). **W/N** well nourished(영양 양호). **WNW, W.N.W., w.n.w.** west-north-west.
wo[1] [wou] *int.* =WHOA; 《미속어》 와아, 야아.
wo[2] (*pl.* **wos**) *n., int.* 《고어》 =WOE.
W.O., WO wait order; walkover; 《영》 War Office; Warrant Officer; wireless operator. **w/o** walkover; walked over; 〖상업〗 without; write off; written off.
woad [woud] *n.* 〖식물〗 대청(大青), 가는잎대청《유럽산; 미나릿과의 관상식물》; Ⓤ 대청《청색 물감》. ⊕ **∠·ed** [-id] *a.* ~로 물들인.
wo·back [wóubæ̀k] *int.* 뒤로, 우어우어《말에게 하는 소리》.
wob·ble, wab·ble [wábəl/wɔ́bəl] *vi.* 《~/+副/+前+名》 흔들리다, 동요하다, 떨리다; 불안정하다, 믿을 수 없다: Ducks went *wobbling by.* 오리가 뒤뚱거리며 지나갔다/I ~*d in* my opinion. 나는 의견을 확정짓기 어려웠다. **—** *vt.* 흔들리게 하다. **—** *n.* Ⓤ 비틀거림, 흔들림, 동요; Ⓤ,Ⓒ (정정(政情) 따위의) 불안정. ⊕ **~r** *n.* 비틀거리는 사람〔물건〕; 불안정한 사람, 생각〔주관〕이 일정하지 못한 사람. **-bling** *a.* 비틀거리게〔흔들거리게〕 하는.
wóbble bòard 《Austral.》 굽히면 독특한 소리를 내는 섬유판(纖維板)《악기로 사용》.
wóbble pùmp 〖항공〗 보조 수동 연료 펌프.
Wob·bly [wábli/wɔ́b-] (*pl.* **-blies**) *n.* 《구어》 세계 산업 노동조합(IWW)의 조합원; 노조의 조직책.
wób·bly (**-bli·er; -bli·est**) *a.* 흔들리는, 불안정한.
WOC, w.o.c. without compensation.
Wo·den [wóudn] *n.* 앵글로색슨족의 주신(主神)《북유럽 신화의 Odin에 해당함》.
wodge [wadʒ/wɔdʒ] *n.* 《영구어》 (서류 등의) 다발; 덩어리, 한 덩치(lump).
*__woe__ [wou] *n.* **1** Ⓤ 비애, 비통; 고뇌. ⓒⓕ grief, sorrow. **2** (*pl.*) 고통〔괴로움〕의 불씨; 어려움. **—** *int.* 슬프다. ***Woe* (*be*) *to ...!*** =***Woe betide ...!*** …은 화가 미칠진저, …에 화가 있으라. ***Woe to* 〔*is*〕 *me!*** 아아 슬프도다.
wo(e)·be·gone [wóubigɔ̀:n, -gàn/-gɔ̀n] *a.* 슬픔에 잠긴, 수심에 찬.
◇**woe·ful, wo·ful** [wóufəl] *a.* **1** 슬픈; 비참한, 애처로운; 흉한. **2** 《우스개》 심한, 지독한; 변변치 못한. ⊕ **~·ly** [-i] *ad.* **~·ness** *n.*
wog [wag/wɔg] *n.* 《속어》 피부색이 거무스름한 외국인, 아랍인; 아랍어(語).
wok [wak/wɔk] *n.* 중국 냄비. [<Chin. (Canton)]

wok

woke [wouk] WAKE[1]의 과거·《드물게》 과거분사.
wok·en [wóukən] WAKE[1]의 과거분사.
wold [would] *n.* Ⓤ,Ⓒ (불모(不毛)의 넓은) 고원; 원야(原野).
⁑wolf [wulf] (*pl.* **wolves** [wulvz]) *n.* **1** 〖동물〗 이리; 이리 가죽: (as) greedy as a ~ 이리처럼 탐욕스러운/To mention the ~'s name is to see the same. 《속담》 호랑이도 제 말하면 온다. **2** 탐욕스러운〔잔인한〕 사람. **3** 《구어》 여자를 유혹하는 남자, 색마, '늑대'. **4** (피아노·오르간 등의 불완전한 조율로 생기는) 안어울림음. **5** (the ~) 지칠 줄 모르는 식욕, 식탐; 심한 굶주림〔기아〕. **6** (곡물 창고에 해를 입히는) 갑충〔말파리〕의 유충. **7** (the W-) 〖천문〗 이리자리(Lupus). ***a ~ in sheep's clothing*** ⇨ SHEEP. ***cry ~* (*too often*)** 함부로 거짓 경고를 발하다《그 결과 남이 믿지 않게 됨; 이솝 이야기에서》. ***have* 〔*hold*〕 *a ~ by the ears*** 진퇴양난〔궁지〕에 빠지다. ***have a ~ in the stomach*** 몹시 시장기를 느끼다. ***keep the ~ from the door*** 겨우 굶주림을 면하다. ***see* 〔*have seen*〕 *a ~*** 벙어리가 되다. ***the big bad ~*** 위협《사람·물건·일》. ***The ~ is at the door.*** 기아선상에 있다. ***throw ... to the wolves*** …을 태연히 죽게 내버려 두다, 희생시키다. ***wake a sleeping ~*** 자는 범에 코침주다, 긁어 부스럼을 만들다.
— *vt.* 《~+目/+目+副》 게걸스럽게 먹다《*down*》; 탐내다; (남의 애인을) 가로채다: ~ (*down*) one's food 음식을 게걸스럽게 먹다.
— *vi.* 이리 사냥을 하다; 《미속어》 여자를 쫓아 다니다, 이리 근성을 발휘하다.
wólf·bèrry *n.* 〖식물〗 **1** 딸기의 일종《북아메리카 서부산(産); 하얀 열매를 맺는 인동덩굴속(屬)》. **2** 구기자나무.
wólf càll (젊은 여성이 지나갈 때 부는) 휘파람, 「고함.
wólf-chìld *n.* 이리 소년《이리에게 양육된 어린애·소년》.
wólf cùb 새끼이리; 《영》 보이스카우트의 유년부원《8-11세; cub scout의 구칭》.
wólf dòg 이리 사냥에 썼던 사냥개; (이리를 쫓는) 양 지키는 개.
wólf·er *n.* 이리 사냥꾼.
wólf·fish *n.* 〖어류〗 (강한 이를 가지고 있는 탐욕스러운) 베도라치류(類).
Wólff-Pár·kin·son-Whíte sỳndrome [wúlfpá:rkinsənhwáit-] 〖의학〗 볼프파킨슨화이트 증후군《심장 이상 상태의 하나; 심방(心房)에서 심실(心室)로의 흥분 전달이 보통보다 빨라 심전도(心電圖)에 독특한 파형이 나타남; 빈맥(頻脈) 발작을 수반하는 일이 많음; WPW 증후군》.
Wolf·gang [wúlfgæŋ; *G.* vɔ́lfgaŋ] *n.* 볼프강《남자 이름》.
wólf·hòund *n.* 울프하운드《옛날에 이리 사냥에 쓴 사냥개》.
wolf·ish [wúlfiʃ] *a.* 이리 같은; 욕심 많은, 굶주린; 잔인한. ⊕ **~·ly** *ad.* **~·ness** *n.*
wólf pàck 이리 떼; 적의 호위선(船)을 공격하는 잠수함〔전투기〕군(群); 소년 폭력단.
wolf·ram [wúlfrəm, vɔ́:l-/wúl-] *n.* Ⓤ,Ⓒ 〖화학〗 텅스텐(tungsten), 볼프람《기호: W》; =WOLFRAMITE.
wolf·ram·ite [wúlfrəmàit, vɔ́:l-/wúl-] *n.* Ⓤ,Ⓒ 〖광물〗 철망간중석, 볼프람철광《텅스텐 원광》.
wólfs·bàne *n.* 〖식물〗 바꽃속(屬)의 식물.
wólf's-clàw, -fòot *n.* 〖식물〗 석송(石松).
wólf whistle 매력적인 여성을 보고 부는 휘파람.
wol·las·ton·ite [wúləstənàit] *n.* 〖광물〗 규회석(硅灰石).
Wol·sey [wúlzi] *n.* **Thomas ~** 울지《영국의 추기경·정치가; 1475?-1530》.
wol·ver·ine, -ene [wùlvərí:n, ∠-∠/∠-∠] *n.* 〖동물〗 오소리의 무리(carcajou)《북아메리카산(產)》; Ⓤ 그 모피; Ⓒ (W-) 미국 Michigan 주

사람《속칭》.
Wólverine Stàte (the ~) Michigan 주의 속칭.
wolves [wulvz] WOLF의 복수.
†**wom·an** [wúmən] (*pl.* ***wom·en*** [wímin]) *n.* **1** 여자, (성인) 여성, 부인: men, *women* and children 남자 · 여자 · 아이들/a single ~ 독신 여성/She is no longer a girl, but a ~. 그녀는 이미 소녀가 아니고 부인이다/There's a ~ in it. 범죄 이면엔 여자가 있다. **2** 〖관사없이, 단수취급〗 여성《남성에 대한》: *Woman* is not always weaker than man. 여자는 남자보다 반드시 약한 것은 아니다/~'s wit 여자의 지혜《본능적 통찰력》. **3** (the ~) 여성적 감정, 여자다움; (남자의) 여자 같음: It stirred the ~ in her. 그것으로 그녀의 여심(女心)은 눈떴다/There is little of the ~ in her. 여자다운 데가 거의 없다. **4** 여자 같은 사내. **5** 첩, 정부, 애인; (*pl.*) (성교 대상으로서의) 여자(들). **6** 《구어》 청소부, 잡역부; 《고어》 여관(女官), 시녀. **7** 〖형용사적〗 여성의, 여자의(female).
a ~ of the bedchamber 《영》 여왕〔왕녀〕에 딸린 궁녀《a lady of the bedchamber의 하위》. ***a ~ of the house*** (가정) 주부(a lady of the house). ***a ~ of the street(s)*** 매춘부. ***a ~ of the town*** 매춘부. ***a ~ of the world*** 세상 물정에 밝은 여자, 닳고 닳은 여성. ***a ~ with a past*** 과거가 있는 여자. ***born of ~*** 인간으로서〔여자에게서〕 태어난; 인간으로서의. ***make an honest ~ (out) of*** 《종종 우스개》 (관계한 여자와) 정식으로 결혼하다. ***make a ~ of*** 《미》 …을 복종시키다; 여자 일을 시키다. ***old women of both sexes*** (남녀를 막론하고) 잔소리 심한〔성가신〕 사람들. ***play the ~*** 여자처럼 행동하다. ***the little ~*** 《구어》 아내. ***the other ~*** (아내 있는 남자의) 애인, 정부.
— *vt.* **1** (lady라 하지 않고) woman이라고 부르다. **2** …에 여자를 배치하다; (지위 따위를) 여자로 메우다. **3** 《고어》 여자로 하다, 여자다워지게 하다; 울리다.
— *a.* 여자의, 여성의: a ~ driver 여자 운전사/a ~ reporter 여성 기자/a ~ doctor 여자 의사. ★ 복수형은 두 말 다 복수형이 됨: *women* drivers; *women* reporters; *women* doctors.
㊕ **~·less** *a.*
wom·a·naut [wúmənɔ̀:t] *n.* 여성 우주 비행사.
wóman chàser 여자 꽁무니를 쫓아다니는 사내, 탕아.
wom·an·ful·ly [wúmənfəli] *ad.* 여성적으로 끈질기게, 여자다운 의기로.
wóman hàter 여자를 싫어하는 사람(misogynist).
wom·an·hood [wúmənhùd] *n.* Ⓤ 여자임, 여자다움; 〖집합적〗 여성.
wom·an·ish [wúməniʃ] *a.* **1** 여자다운; 여자 같은. **2** 《경멸》 유약(柔弱)〔나약, 연약〕한, 사내답지 못한. cf. mannish. ㊕ **~·ly** *ad.* **~·ness** *n.*
wóman·ist *n.* 《주로 미》 우머니스트《feminist를 바꾸어 쓰는 말》.
wóm·an·ìze *vt.* 여자 같게〔연약하게〕 하다. **—** *vi.* 《구어》 계집질하다. ㊕ **-iz·er** *n.* 《구어》 =WOMAN CHASER.
wóman·kìnd *n.* 〖집합적〗 부인들, 여성, 여자: one's ~ 〔*womenkind*〕 한집안의 여자들.
wóman·lìke *a.* 여자 같은; 여자다운.
wom·an·ly** [wúmənli] (-li·er; -li·est***) *a.* 여자다운; 여성〔부인〕에게 어울리는. **—** *ad.* 《고어》 여성답게. ㊕ **-li·ness** *n.* 여자다움.
wóman of létters 여성 학자; 여류 문학가〔작가〕, 규수 작가.
wóman·pòwer *n.* 여성의 힘〔노동력〕.
wóman's 〔wómen's〕 ríghts 여권.
wóman 〔wómen's〕 súffrage 여성 참정권.
wóman-súffragist *n.* 여성 참정권론자, 여성 선거 운동가.
◇**womb** [wu:m] *n.* **1** 〖해부〗 자궁(uterus); (아이 배는 곳으로서의) 배, 태내(胎內); 내부. **2** (표면에 나타나기 전의) 태동기, (일의) 배태〔발생, 요람〕지. ***from the ~ to the tomb*** 요람에서 무덤까지, 태어나서 죽을 때까지(from the cradle to the grave). ***in the ~ of time*** 장래에 (일어날). ***the fruit of the ~*** ⇨ FRUIT. [OE *wamb* belly, womb; cf. G. *Wamme*] ㊕ **~ed** *a.*
wom·bat [wámbæt/wɔ́m-] *n.* 〖동물〗 웜뱃《오스트레일리아산의 유대(有袋) 동물》.
wómb ènvy 〖정신분석〗 (남성의) 자궁 선망(子宮羨望).
wómb-to-tómb *a.* 《미구어》 태어나서 죽기까지의, 생애의.
wom·en [wímin] WOMAN의 복수.
wómen·fòlk(s) *n.* 〖집합적〗 (집단 · 공동체 · 한집안의) 부인, 여성: his ~ 그의 집 여자들.
wómen·kìnd *n.* =WOMANKIND.
wómen's gròup (사회 운동의) 여성 단체.
Wómen's Ínstitute 《영》 지방 도시 여성회《지방에서의 여성의 생활 향상을 도모함》.
Wómen's Lánd Àrmy 《영》 (제 1 · 2차 세계 대전 때의) 농업 지원 부인회《생략: W.L.A.》.
wómen's líb (종종 W- L-) 《종종 경멸》 우먼리브(women's liberation).
wómen's líbber (종종 W- L-) =WOMEN'S LIBERATIONIST.
wómen's liberátionist 여성 해방 운동가.
wómen's liberátion (mòvement) (종종 W- L- (M-)) 여성 해방 운동.
wómen's mòvement (종종 W- M-) =women's liberation movement.
wómen's ríghts =WOMAN'S RIGHTS.
wómen's ròom 여성 화장실.
wómen's shélter 《미》 (남편 등의 폭력을 막기 위한) 여성 보호 시설.
wómen's stúdies 여성학《여성의 역사적 · 문화적 역할을 연구》.
won[1] [wʌn] WIN의 과거 · 과거분사.
won[2] [wan/wɔn] (*pl.* ~) *n.* 원《한국의 화폐 단위; 기호 ₩, ₩》.
⁑**won·der** [wʌ́ndər] *n.* **1** Ⓤ 불가사의, 경이, 놀라움, 경탄: be filled with ~ 깊이 경탄하다/in ~ 경탄하여/⇨ NINE DAYS' WONDER. **2** 불가사의〔이상〕한 물건〔일〕; 놀랄 만한 물건〔일〕; 기관(奇觀); 기적. cf. marvel. ¶ SEVEN WONDERS OF THE WORLD/The child is a ~. 그 아이는 신동이다/A ~ lasts but nine days. 《속담》 남의 말도 석 달《곧 예사로 여겨지게 되는 일》. **3** 불신(감), 의심, 불안. ***(and) no 〔little, small〕 ~*** 그것은 당연하다, 이상하지 않다. ***a ~ of (a) ...*** 놀랄 만한…. ***for a ~*** 진기하게(도); 이상하게도: You are punctual *for a* ~. 신통하게 시간을 지켰구나. ***in the name of ~*** =《구어》 ***the ~*** 대관절《what, who, how 등과 함께 부사적으로 쓰이어 의문을 강조함》: What *the* ~ 〔*in the name of* ~〕 do you mean? 도대체 무슨 뜻이냐. ***It is a ~ (that) ...*** …은 이상한 일이다. ***(It is) no ~ (that)...*** =***What ~ (that)...?*** …은 당연하다, 놀랄 것 없다. ***(It is) small 〔little〕 ~ (that)...*** …은 그리 이상한 일이 아니다. ***No ~!*** 그렇고말고, 당연하지. ***signs and ~s*** 기적. ***to a ~*** 《고어》 놀랄 만큼. ***to the ~ of*** …을 놀라게 하여. ***work 〔do〕 ~s*** 세상을 놀라게 하다; 크게 성공하다; (약 따위가) 매우 잘듣다.
— *vi.* **1** 《~/+전+명/+*to* do》 놀라다, 경탄하다《*at*》: Can you ~ *at* it? 그것은 극히 당연하지 않으냐/I don't ~ *at* your feel*ing* unhappy. 너의 편찮은 심정은 잘 알겠다/I ~ *at* the

fact that it came safe. 그것이 무사히 도착했다는 것이 놀랍다/I ~*ed to* see you there. 너를 거기서 만나 놀랐다. **2** 《+전+명》 의아하게 여기다, 의심하다《*about*》; 호기심을 갖다, 알고 싶어하다: I was just ~*ing about* that. 아무래도 그것에 대해 이상하다고 생각하고 있던 참이었다. **—** *vt.* **1** 《+(*that*) 절》 …을 이상하게 여기다, …이라니 놀랍다: I ~ (*that*) you were able to escape. 용케 빠져나왔군. **2** 《+*wh.* 절/+*wh. to* do》 …나 아닐까 생각하다, …인가 하고 생각하다: I ~ *who* he is 〔*what* he wants〕. 그는 누구일까〔무엇을 원할까〕/I ~ *how* they achieved it. 어떻게 해서 그것을 성취했을까/I ~ *if* it is true. 참말일까/He ~*ed where* he was. 그는 자신이 어디에 있는 것일까 하고 생각했다/I'm just ~*ing where* 〔*how*〕 *to* spend the holidays. 휴가를 어디서〔어떻게〕 보낼까 생각 중이다.

— *a.* 멋진, 경이의(wonderful); 마력이 있는〔을 나타내는〕.

㊁ **~·er** *n.* **~·less** *a.* 「의 총아.

wónder bòy 사업〔사교〕에 성공한 청년, 시대

wónder chìld 신동. [G. Wunderkind]

wónder drùg 특효약(miracle drug).

†**won·der·ful** [wʌ́ndərfəl] *a.* **1** 이상〔불가사의〕한, 놀랄 만한: a ~ invention 놀랄 만한 발명. **2** 훌륭한, 굉장한: a ~ view 훌륭한 경치.

> SYN. **wonderful** 경이적인 생각을 일으키는. 일반적으로는 '굉장한〔훌륭한〕(admirable)'의 뜻으로 쓰이는 일이 많음. **marvelous** 이상함·기묘함 때문에 놀랄 만한, 기괴한. wonderful에 비해서 나쁜 것에 대한 비꼬는 뜻으로 쓰이는 일이 있음. 기가 막혀서 말도 안 나오는: their *marvelous* hypocrisy 그들의 놀랄 만한 위선. **miraculous** 기적적인, 사람이 하는〔한〕 일로는 생각되지 않는: a *miraculous* memory 귀신 같은 기억력.

㊁ ***~·ly** [-fəli] *ad.* **1** 이상하게(도), 놀랄 만큼. **2** 훌륭〔굉장〕하게. **~·ness** *n.*

won·der·ing [wʌ́ndəriŋ] *a.* 이상한 듯한; 이상〔의아〕하게 생각하는. ㊁ **~·ly** *ad.*

wónder·lànd *n.* Ⓤ 이상한 나라, 동화의 나라; (경치 따위가 좋은) 굉장한 곳.

wón·der·ment *n.* Ⓤ 놀라움, 경탄, 경이; Ⓒ 이상한〔불가사의한〕 것.

wónder mètal 경이의 금속《가볍고 강한 티타늄·지르코늄 등의 금속》.

Wónder Státe (the ~) Arkansas 주의 속칭.

wónder-strìcken, -strùck *a.* 경탄〔감탄〕한, 놀라움에 질린, 아연실색한.

wónder·wòrk *n.* 경이적인 일〔역사(役事)〕; 놀랄 만한 것(wonder). ㊁ **~·er** *n.* 불가능을 가능하게 하는 사람, '요술쟁이'. **~·ing** *a.* 기적을 행하는〔낳는〕.

won·drous [wʌ́ndrəs] 《시어·문어》 *a.* 놀랄 만한, 이상〔불가사의〕한. **—** *ad.* 놀랄 만큼. ㊁ **~·ly** *ad.* **~·ness** *n.*

won·ga [wáŋgə, váŋ-] *n.* 《속어》 돈.

wonk [waŋk/wɔŋk] *n.* 《미속어》 공붓벌레, 일벌레; 바보, 하찮은 사람. **—** *vi.* 공부를 들이파다. **—** *vt.* …에 (자기) 전문 지식만으로 답하다. ㊁ **~·ish** *a.*

wonky [wáŋki/wɔ́ŋki] (***wonk·i·er; -i·est***) *a.* 《영속어》 흔들흔들〔비틀비틀〕하는, 불안정한; 순조롭지 않은; 미덥지 못한; 《미속어》 하찮은, 지루한.

◇**wont** [wɔːnt, wount, wʌnt/wount] *a.* 〖서술적〗 버릇처럼된, 늘 …하는《*to* do》: as he was ~ *to* say 그가 곧잘 말했듯이. **—** *n.* Ⓤ〖단수뿐임〗 상습, 관습: It is his ~ to get up early. 일찍 일어나는 것은 그의 습관이다. **—** *vt.* 《고어》 익숙하게 하다, 습관이 들게 하다. **—** *vi.* 《고어》 …을 예사로 하다, …하는 것이 습관이다: He ~(*s*) *to* do so. 「형.

⁑**won't** [wount, wʌnt/wount] will not 의 간약

wónt·ed [-id] *a.* 〖명사 앞에 사용하여〗 버릇처럼 된, 일상의: with his ~ courtesy 여느 때처럼 정중히. ㊁ **~·ly** *ad.* **~·ness** *n.* 익숙함.

◇**woo** [wuː] *vt., vi.* **1** 《문어》 구애하다, 구혼하다, 사랑을 호소하다. cf. court. **2** (명예·행운·재산 따위를) 추구하다, 구(求)하다. **3** 《+목+전+명/+목+*to* do》 (아무를) 조르다, 설득하다: ~ a person *to* go together 아무에게 함께 가달라고 조르다/~ voters *with* promises of tax reform 세제 개혁을 공약으로 내세워 유권자에게 지지를 부탁하다. **~ *away*** …을 빼앗다. **—** *n.* 〖다음 관용구에서〗 ***pitch* ~** 《미속어》 구애하다, 비위를 맞추다《*at*》.

†**wood**[1] [wud] *n.* **1** Ⓤ 나무, 목재. cf. timber[1], tree. ¶a house made of ~ 목조집. **2** (종종 ~s) 〖단·복수취급〗 숲, 수풀《forest 보다 작고 grove 보다 큼》: There is a ~(*s*) beyond the cattle shed. =There are ~*s* ... 외양간 저쪽에 숲이 있다/go through the ~(*s*) 숲 속을 지나다. ★ '하나의 숲'은 《미》 a woods, 《영》 a wood 또는 woods 〖복수취급〗가 보통임.

> SYN. **wood(s)** 자연의 산림에 식림(植林)한 것. **forest** 자연 그대로의 산림.

3 Ⓤ 땔나무: gather ~. **4** (the ~) (물건의) 목질부; 〖골프〗 우드《헤드가 목제인 채》; (라켓의) 나무테. **5 a** (the ~) 통, 술통: whiskey aged in the ~ 통 속에서 숙성한 위스키. **b** 판목(版木), 목판(木版). **c** 〖음악〗 목관 악기류(類), 〖집합적〗 목관 악기부(部); (the ~s) 목관 악기 주자《전체》. (wine) ***fresh from the* ~** 통에서 갓 나온 (술). ***go to the* ~*s*** 사회적 지위를 잃다, 사회에서 추방되다. ***have the* ~ *on*** 《Austral.구어》 …보다 우위에 서다. (wine) ***in the* ~** 통에 넣은 (술). ***knock* (*on*)** 〔《영》 ***touch***〕 **~** (자랑 등을 한 뒤 복수의 신 Nemesis의 노여움을 풀기 위해) 곁의 목제물을 (똑똑) 두드리다〔만지다〕, 주문을 외다; 〖부사적〗 (이렇게 말해도) 아무 일 없기를, 살피소서, (미래의 일을 말한 뒤) 잘만 되면. ***neck of the* ~*s*** ⇨ NECK[1]. ***not* 〔*fail to*〕 *see the* ~(*s*) *for the trees*** 나무를 보고 숲을 못 보다, 작은 일에 구애되어 큰일을 놓치다. ***out of the* ~(*s*)** 《구어》 숲 속에서 나와; 위기를 모면하여, 곤란을 벗어나; 안전하여. ***put the* ~ *in* (*the hole*)** =***put a bit of* ~ *in it*** 《영속어》 문을 닫다. ***saw* ~** ⇨ SAW[1]. ***take to the* ~*s*** 《미구어》 숲 속으로 달아나다; 관직을 물러나다, 책임을 회피하다.

— *a.* **1** 나무의, 나무로 된; 목재용(用)의: a ~ floor 〔screw〕 판자를 깐 마루〔나무 나사〕. **2** 숲에 사는〔있는〕: ~ birds.

— *vt.* **1** 수목으로 덮다, …에 식목하다. **2** …에 장작을 공급하다. **—** *vi.* 장작을〔목재를〕 싣다; 장작을 모으다《*up*》.

wood[2] *a.* 《고어》 격노(激怒)한; 미친; 난폭한.

wóod àcid =WOOD VINEGAR.

wóod álcohol 메틸알코올, 목정(木精).

wóod anèmone 〖식물〗 아네모네속(屬)의 초본(草本)《유럽산(産) 바람꽃류(類)의 일종》.

wóod·bìne, wóod·bìnd [-bàin], [-bàind] *n.* 〖식물〗 Ⓤ,Ⓒ 인동덩굴속(屬)의 식물(honeysuckle); 《미》 아메리카담쟁이덩굴(Virginia creeper). 「포장용) 나무 벽돌.

wóod blòck 판목; 목판, 목판화; 목편; (도로

wóod-bòring *a.* 목질부에 구멍을 뚫는《곤충》.
wóod-càrver *n.* 목각사(木刻師).
wóod·càrving *n.* 나뭇조각, 목조각, 목각(술)(木刻(術)), 목조(木彫).
wóod·chàt *n.* 〚조류〛 **1** 붉은머리때까치(=∼ shrike)《유럽산(產)》. **2** 《드물게》 아시아산(產) 개똥지빠귀, 《특히》 쇠유리새.
wóod·chòp *n.* 《Austral.·New Zeal.》 통나무 자르기 경쟁.
wóod·chòpper *n.* 나무꾼.
wóod·chùck *n.* **1** 〚동물〛 마멋류(類)(groundhog)《북아메리카산(產)》. **2** 《미속어》 신출내기 운전기사.

woodchuck 1

wóod cóal 목탄; 숯.
wóod·còck (*pl.* **~s,** 〔집합적〕 ~) *n.* 〚조류〛 누른도요.
wóod·cràft *n.* Ⓤ (특히 사냥·야영 따위에 관해서의) 숲에 대한 지식; 삼림학; 목공(술), 목각(木刻)(술).
wóod·cràftsman [-mən] (*pl.* **-men** [-mən]) *n.* 목각사; 목공 기사.
wóod·cùt *n.* 목판(화). ⊞ °**~·ter** *n.* 나무꾼, 초부(樵夫); 목판 조각사(wood engraver). **~·ting** *n.* Ⓤ 목재 벌채; 목판 조각.
°**(-)wóod·ed** [-id] *a.* **1** 나무가 우거진, 숲이 많은. **2** 〔복합어로〕 나무가 …한, 목질의: hard-~ 나무가 단단한.
***wood·en** [wúdn] *a.* **1** 나무로 만든〔된〕: a ~ house 목조 가옥. **2** 생기 없는, 무표정한: a ~ stare 멍청한 눈매. **3** 무뚝뚝한, 어색한, 부자연스러운: a ~ smile 부자연스런 미소. **4** 아둔한. **5** (결혼 등이) 5 주년의: the ~ wedding 목혼식. ⊞ **~·ly** *ad.*
wóod engràver 목각사(木刻師), 목판사(師); 〚곤충〛 나무좀《북아메리카산(產)》.
wóod engràving 목판(술); 목판화.
wóoden·hèad *n.* 《구어》 얼간이, 바보. 「청한.
wóoden-hèaded [-id] *a.* 《구어》 얼빠진, 멍
Wóoden Hórse (the ~) 〚그리스신화〛 큰 목마《옛날 그리스 군이 Troy 군 공략에 썼음》.
wóoden Índian 《미》 나무로 조각한 아메리카 인디언《옛날 여송연 가게의 광고 표지로 썼음》; 《구어》 무표정한 사람(poker face); 《속어》 게으
wóoden lég (목제의) 의족. 「름뱅이.
wóoden spóon 나무 숟갈; (the ~) 시험에서 최하위자; 《영》 최하위상(賞)(booby prize); 〔일반적〕 최하위: get the ~ 꼴찌가 되다, 실패하다.
wóoden·tòp *n.* 《영속어》 (사복 형사에 대하여) 제복 경관, 순경; 근위병; 아둔한 사람.
wóoden wálls (옛날의 연안 방호용) 목조 전함(戰艦).
wóoden·wàre *n.* Ⓤ (통·공기·접시 따위의) 나무그릇.
wóod fiber (특히 제지 원료인) 목질 섬유.
wóod gàs 목(木)가스.
wóod·hènge [-hèndʒ] *n.* 〚고고학〛 우드헨지《영국에서 볼 수 있는 원형 나무 기둥 유적군》.
wóod hỳacinth 〚식물〛 무릇류(類)《종 모양의
wóod ìbis 〚조류〛 검은머리따오기. 「꽃이 핌》.
°**wood·land** [wúdlæ̀nd, -lənd] *n.* Ⓤ 삼림(지대). **—** *a.* 삼림 (지대)의: ~ birds 숲(에 사는) 새. ⊞ **~·er** *n.* 삼림 지대의 주민.
wóod·làrk *n.* 〚조류〛 종다리의 일종《유럽산(產)》.
wóod·less *a.* 재목이 없는; 수목 없는.
wóod·lòre *n.* 숲에 관한 지식.
wóod·lòt *n.* 식림 용지(植林用地).
wóod lòuse 〚동물〛 쥐며느리(sow bug); 〚곤충〛 흰개미(termite).
°**wood·man** [-mən] (*pl.* **-men** [-mən]) *n.* **1** 나무꾼, 초부(樵夫). **2** 숲에 사는 사람. **3** 《영》 산림 보호관, 산림 간수; 장작 장수; 산지기.
wóod·nòte *n.* (보통 *pl.*) 숲의 노랫가락《아름다운 새의 지저귐 따위》.
wóod nỳmph **1** 숲의 요정(dryad). **2** 〚곤충〛 나방의 일종《포도 따위의 해충》. **3** 〚조류〛 벌새《남아메리카산(產)》.
wóod òil 동유(桐油)(tung oil).
wóod pàper 목재 펄프로 만든 종이.
°**wóod·pècker** *n.* 〚조류〛 딱따구리.
wóod pìgeon 〚조류〛 산비둘기(ringdove)《유럽산》; 들비둘기의 일종《북아메리카 서부산(產)》.
wóod·pìle *n.* 장작을〔땔나무를〕 쌓은 더미; 《미속어》 실로폰, 마림바. ***a nigger in the*** ~ ⇨ NIGGER. ***in the*** ~ 몰래 못된 짓을 하고.
wóod pùlp 목재 펄프《제지 원료》.
wóod pùssy 《미방언·구어》 스컹크.
wóod ràt 〚동물〛 숲쥐.
wóod ràỳ 〚식물〛 =XYLEM RAY.
wóod·rùff *n.* 〚식물〛 선갈퀴.
wóod rùsh 〚식물〛 꿩의밥속(屬)의 식물.
wóod·shèd *n.* 목재 헛간, 《특히》 장작 두는 곳; 《미속어》 (라디오 프로를 위한) (맹)연습. **—** *vi.* 《미속어》 (악기를) 연습하다.
wóod shòt 〚골프〛 우드의 클럽으로 친 샷; 〚테니스·배드민턴 따위〛 프레임으로 친 스트로크, 프레임샷.
°**wóods·man** [-mən] (*pl.* **-men** [-mən]) *n.* 숲에 사는 사람; 산림에 밝은 사람《나무꾼·사냥꾼 등》; 《미》 목재 반출 인부(lumberman).
Wóod's métal 우드 합금《녹는점 65-70℃의 가융(可融) 합금의 하나》. 「위한》.
wóod smòke 나무 훈연(燻煙)《훈제를 만들기
wóod sòrrel 〚식물〛 괭이밥류(類).
wóod spìrit (보통 *pl.*) 〚화학〛 메틸알코올; 목정(木精)(wood alcohol); 숲의 요정.
Wood stock [wúdstɑ̀k/-stɔ̀k] *n.* 우드스톡. **1** 미국의 만화 *Peanuts*에 등장하는 Snoopy의 친구인 새. **2** 〔종종 형용사적〕 1969 년 8 월 미국 New York City 교외의 Woodstock 에서 열린 록페스티벌. ⊞ **~·ian** *a.*
wóod sùgar 〚화학〛 목당(木糖)(xylose).
woodsy [wúdzi] (**woods·i·er; -i·est**) *a.* 《미》 숲의, 숲과 같은.
wóod tàr 〚화학〛 목타르《방부제》.
wóod thrùsh 〚조류〛 개똥지빠귀의 일종《북아메리카 동부산(產)》. 「건목치기공.
wóod·tùrner *n.* 갈이대패질을 하는 사람, 목각
wóod tùrning 녹로(轆轤) 세공, 갈이질. 「부제》.
wóod vìnegar 〚화학〛 목초(산)(木醋(酸))《방
wóod·wìnd *n.* 목관 악기류(類); (*pl.*) (오케스트라의) 목관 악기부. **—** *a.* 목관악기의, 목관악기 연주자〔음악〕의.
wóod-wòol *n.* 지저깨비《포장 충전용(充塡用)》.
°**wóod·wòrk** *n.* Ⓤ 목조부《가옥 내부의 문짝·계단 따위》; 목제〔목공〕품; 목재 공예, 목세공(木細工). ***come*** 〔***crawl***〕 ***out of the*** ~ 《구어》 돌연〔갑자기〕 (슬슬) 나타나다, 모습을 보이다. ⊞ **~·er** *n.* 목세공인《소목·대목 따위》; 목공 기계. **~·ing** *n.* Ⓤ, *a.* 목(세)공(의).
wóod·wòrm *n.* 〚곤충〛 나무좀.
°**woody** [wúdi] (**wood·i·er; -i·est**) *a.* **1** 수목〔숲〕이 많은. **2** 나무의, 나무와 비슷한; 목질의: ~ fiber 목질 섬유 / the ~ parts of a plant 식물의 목질부. ⊞ **-i·ness** *n.*
wóod·yàrd *n.* 목재〔장작〕 쌓아 놓는 곳, 목공장.
wóody níghtshade 〚식물〛 배풍등《독풀》.
woo·er [wúːər] *n.* 구혼〔구애〕자.

woof[1] [wu(:)f/wu:f] *n.* **1** Ⓤ 씨, 씨줄(weft). ⓒⓕ warp. **2** 직물, 피륙, 천. **3** (보통 the ~) 본질, 바탕.
woof[2] *n., vi.* (개의〔개가〕) 낮은 신음 소리(를 내다); 웅《재생 장치에서 나는 낮은 소리》(소리를 내다); 《미속어》〖흔히 부정으로〗 바보 같은 소리를 하다. ~ *one's food* 《미구어》 음식을 재빨리 먹다〔처넣다〕.
woof·er [wúfər] *n.* 저음 전용 스피커; 《미속어》 숨소리가 마이크를 통해 들리는 가수. ⓒⓕ tweeter.
woo·ing [wú:iŋ] *n.* 구애(求愛) (courtship).
⁑**wool** [wul] *n.* Ⓤ **1** 양털, 울《산양·알파카의 털도 포함》: all ~ 순모/a sheep out of the ~ 털을 깎인 양. **2** 털실; 모직물(의 옷); =WOOL SPONGE: wear ~ 모직물을 입다. **3** 양털 모양의 것; 《구어》 북슬털, (특히 흑인의) 고수머리, 《우스개》 머리털; (털짐승의) 밑털; (모충(毛蟲)·식물의) 솜털: ⇨ COTTON 〔GLASS, MINERAL, ROCK, STEEL〕 WOOL. ***against the*** ~ 털을 세워서, 역으로, 거꾸로. ***all*** ~ ***and a yard wide*** 《미구어》 나무랄 데 없는, 순수한, 진짜의, 훌륭한. ***dyed in the*** ~ ⇨ DYE. ***go for*** ~ ***and come home shorn*** 혹 떼러 갔다 혹 붙여 오다; 도리어 당하다. ***keep*** one***'s*** ~ ***on*** 《영》 침착〔냉정〕해 있다. ***lose*** one***'s*** ~ 《영구어》 흥분하다, 성내다. ***pull*** 〔***draw***〕 ***the*** ~ ***over*** a person***'s eyes*** 《구어》 아무를 속이다.
wóol còmber 양털을 빗기는 사람; 소모기(梳毛機).
wóol-dýed *a.* =DYED-IN-THE-WOOL.
(-)wooled *a.* 양털이 난 채로의, …한 양털을 가진: a long-~ sheep.
*__wool·en,__ 《주로 영》 **wool·len** [wúlən] *a.* 양털의; 모직물의; 모직의; 방모사(紡毛絲)의: ~ cloth 나사, 모직 옷감/~ yarn 방모사. ── *n.* Ⓤ,Ⓒ 방모사; 담요, 울; Ⓒ (보통 *pl.*) 모직물; 모직의 옷.
Woolf [wulf] *n.* **Virginia** ~ 울프《영국의 여류 소설가; 1882-1941》.
wóol fàt 양모지(羊毛脂), 라놀린.
wóol·fèll *n.* 《폐어》 털이 붙은 채로의 양가죽, 「양털 가죽.
wóol·gàther *vi.* 두서〔종잡을 수〕 없는 공상에 잠기다. ㊕ **~·er** *n.*
wóol·gàthering *n.* Ⓤ (털갈이 철에 풀숲에 붙은) 양털 걷어 모으기; 허황된 공상; 하찮은 일. ── *a.* 방심(한), 멍한, 얼빠진 듯한.
wóol gràder 양털 평가 선별자(選別者).
wóol grèase 양모지(脂)《양털에 붙어 있는 기름》.
wóol·gròwer *n.* (양털을 얻기 위한) 목양업자.
wóol-hàll *n.* 《영》 양모 거래소〔시장〕.
wóol-hàt *n.* 전이 넓은 펠트모(帽); 《미구어》 남부의 소농민. ── *a.* 《미구어》 남부 벽지의.
woollen ⇨ WOOLEN.
wool·ly, 《미》 **wooly** [wúli] (***-li·er; -li·est***) *a.* **1** 양털의; 양모질의: a ~ coat 모직의 상의. **2** 양털 같은, 뭉게뭉게 피어오른, 텁수룩한: ~ hair/a ~ head 《미속어》 흑인/the ~ flock 양떼/~ clouds 뭉게구름. **3** 털이 많은; 〖식물〗 솜털로 덮인, 솜털이 밀생한. **4** (생각이) 선명치 않은, 희미한. **5** (목소리가) 쉰. **6** 거칠고 야만적인, 거친, 파란 많은. ── *n.* **1** 《구어》 모직의 옷; 니트웨어. **2** (보통 *pl.*) 모직의 속옷. **3** 《미서부》 양(羊). **4** (the wool(l)ies) 《미속어》 =WILLIES. ㊕ **-li·ness** *n.*
wóolly áphid 〖곤충〗 솜진디, 《특히》 사과솜진디.
wóolly bèar 1 (각종의) 모충(毛蟲). **2** 《CB속어》 여성 (경찰관).
wóolly-héaded [-id] *a.* 고수머리의; 쓸모없는, 비실용적인.
wóol·man [-mən] (*pl.* ***-men*** [-mən]) *n.* 양모업자〔상인〕.
wóol·màrk *n.* 양에게 찍는 낙인(烙印); (W-) 울마크《상표명》.
wóol·pàck *n.* **1** 양모의 한 짝《한 짝은 보통 240 파운드》. **2** woolpack을 연상케 하는 것, 《특히》 소나기구름.
wóol·sàck *n.* **1** 양털 부대. **2** (the W-) 《영》(양털을 넣은 상원(上院)의) 의장(Lord Chancellor)석, 상원 의장〔대법관〕의 직: reach the *Woolsack* 상원 의장이 되다.
wóol·shèars *n. pl.* 양털 깎는 가위.
wóol·shèd *n.* 양털 깎는 헛간.
wóol·skìn *n.* 양털이 붙어 있는 양가죽.
wóol·sòrter *n.* 양모 선별자(選別者). ***~'s disease*** 〖의학〗 탄저병, 비탈저(脾脫疽).
wóol spònge 《미》 울스펀지《Florida 주·서인도 제도산(産)의 해면》.
wóol stàpler 양털 중매(상)인; 양털을 선별하는 사람.
wóol·wòrk *n.* Ⓤ 털실 세공, 털실 자수.
Wool·worth [wúlwə̀:rθ/-wəθ, -wə̀:θ] *n.* 울워스《F.W. Woolworth(1852-1919)가 처음 미국에 창업하여(1879) 현재 캐나다·영국·독일 등지에 점포를 갖는 연쇄 백화점》.
woon·erf [vú:nərf] *n.* 《D.》 보네르프《녹지가 있는 안전 도로》. [《D.》 '생활의 뜰']
woop·ie, woopy [wú:pi] *n.* 《구어》 유복한 노인. [◂ *w*ell-*o*ff *o*lder *p*erson 〔*p*eople〕].
Woop Woop [wú(:)pwù(:)p] 《Austral.》 《우스개》 오지의 개척지〔부락〕.
wootz [wu:ts] *n.* Ⓤ 인도제 강철(=~ **stèel**) 《본래 칼 만드는 재료로서 구미로 수출되었음》.
woozy [wú(:)zi] (***wooz·i·er; -i·est***) *a.* 《구어》 멍청한, 멍한, 얼빠진 듯한; (술 따위로) 머리가 흐릿한; 기분이 나쁜. ㊕ **wóoz·i·ly** *ad.* **-i·ness** *n.*
wop [wɑp/wɔp] 《속어·경멸》 *n.* (종종 W-) (이탈리아로부터의) 이주민; 타지방 사람. ── *a.* 이탈리아 (사람)의, 라틴계의.
Worces·ter [wústər] *n.* 잉글랜드의 Hereford and Worcester 주의 주도; =WORCESTERSHIRE.
Worces·ter·shire [wústərʃìər, -ʃər] *n.* 잉글랜드 서부의 옛 주《생략: Worcs.》; =WORCESTER(-SHIRE) SAUCE.
Wórcester(shire) sàuce 우스터소스《간장·식초·향료 등을 원료로 한》.
Worcs. Worcestershire.
†**word** [wə:rd] *n.* **1** 말, 낱말: an English ~ 영어 단어. **2** Ⓒ 이야기, 한 마디 말; 짧은 담화: a ~ of advice 〔praise〕 충고〔칭찬〕의 말/have a ~ to say 할 말이 있다/May I have a ~ with you? 한 마디 말씀드리고자 합니다만. **3** Ⓤ (one's ~, the ~) 약속, 서언, 언질: His ~ is (as good as) his bond. 그의 약속은 증서와도 같다《절대 신용할 수 있다》/I give you my ~ for it. 맹세코 그렇다/He gave me his ~ *that* he would never do it again. 그는 다시는 그것을 않겠다고 나에게 약속했다. **4** (*pl.*) 말다툼, 논쟁: after many ~*s* 많은 논란 후에. **5** 〖관사 없이〗 소식, 알림, 기별; 소문; 전갈: No ~ has come from home. 집에서 아무 소식이 없다/*Word* is out *that*.... …라는 소문이다/leave ~ *that*... …라는 전갈을 남기다. **6** Ⓒ (one's ~, the ~) 지시, 명령; 변말, 암호: His ~ was law. 그의 명령이 법이었다/give the ~ 암호를 대다/He gave the ~ *to* fire. 그는 발포 명령을 내렸다. **7** (*pl.*) 가사; (연극의) 대사: a book of ~*s* (연극의) 대본. **8** (the W-) 하느님(의 말씀); 복음, 성서: preach the *Word* 복음을 전하다. **9** 《고어》 격언, 표어. **10** 〖컴퓨터〗 낱말, 단어《자료 처리를 위한 기본 단위》.
a good ~ 솔깃한 이야기, 좋은 소식; 추천, 알선. ***a man of few*** 〔***many***〕 ***~s*** 말이 적은〔많은〕 사람. ***a man*** 〔***woman***〕 ***of his*** 〔***her***〕 ~ 약속을 지키는 사람. ***at a*** 〔***one***〕 ~ 일언지하에, 곧. ***a*** ~ ***in*** a person***'s ear*** 귀엣말, 충고, 내밀한 이야기.

a ~ in 〔***out of***〕 ***season*** 때에 알맞은〔알맞지 않은〕 말, 적절한〔적절하지 못한〕 말. ***A ~ with you.*** 잠깐 말씀드릴 것이 있는데. ***be as good as*** one***'s ~*** 약속을 이행하다, 언행이 일치하다. ***be better than*** one***'s ~*** 약속 이상의 것을 하다. ***be not the ~ for it*** 합당한 말〔적평〕이 아니다. ***beyond ~s*** 더 말할 나위 없이《아름다움 따위》. ***big ~s*** 자랑; 허풍. ***bitter ~s*** 심한〔과격한〕 말. ***break*** one***'s ~*** 약속을 깨뜨리다〔어기다〕. ***bring ~ that ...*** …라고 전(갈)하다. ***by ~ of mouth*** ⇨ MOUTH. ***come to*** (***high***) ***~s*** 격론이 되다, 언성이 높아지다. ***eat*** one***'s ~s*** 앞에 한 말을 취소하다, 자신의 잘못을 인정하다. ***exchange*** (***angry***) ***~s*** 말다툼하다, 언쟁하다《*with*》. ***fair ~s*** 감언, 달콤한 말. ***from the ~ go*** ⇨ GO. ***get a ~ in*** (***edgeways***) (남이 한창 말하고 있는데) 무어라고 참견하다. ***give*** 〔***pass***〕 one***'s ~*** 약속하다, 언질을 주다. ***give*** a person one***'s ~ for*** 〔***that***〕 …을〔…이라고〕 아무에게 보증〔추천〕하다. ***give the ~ for*** 〔***to*** do〕 …의〔하라는〕 명령을 내리다. ***give ~s to*** …을 말로 나타내다. ***God's Word*** =***the Word of God*** 성서; 하느님의 말씀; 그리스도. ***hang on*** a person***'s ~s*** 〔***every ~***〕 =***hang on the ~s of*** a person 아무의 말을 열심히 듣다. ***hard ~s*** 욕; 난어. ***have a ~ with*** …와 한두 마디 말하다. ***have no ~s for*** 〔***to express***〕 …을 무어라 표현할 말이 없다. ***have*** 〔***get, say***〕 ***the final ~*** 최후의 결단〔결정〕을 내리다. ***have the last ~*** (토론 따위에서) 마지막 말을 하여 상대방의 입을 봉하다. ***have ~s with*** …와 말다툼하다. ***high*** 〔***hot, warm, sharp***〕 ***~s*** 격론, 언쟁. ***in a few ~s*** 간단히 말하면, 요컨대. ***in a*** 〔***one***〕 ***~*** 한마디로 말하면. ***in other ~s*** 바꾸어 말하면, 즉. ***in so many ~s*** 글자 그대로, 꼭 그대로; 명백히. ***in these ~s*** 이렇게 말하고, 이런 말로. ***in ~ and deed*** 언행이 모두. ***keep*** one***'s ~*** 약속을 지키다. ***make ~s*** 〖부정어로〗 말하다. ***My ~!*** 어이구 (깜짝이야), 아이고머니; 이런. ***my ~ upon it*** 맹세코. ***not a ~ of it*** (말 따위에 대해) 조금도〔한 마디도〕 …않다. ***not breathe a ~*** ⇨ BREATHE. ***not have a good ~*** (***to say***) ***for*** …에 반대〔부정적〕이다. ***not have a ~ to throw at a dog*** 뚱해 있다. ***not mince*** one***'s ~s*** ⇨ MINCE. ***on*** 〔***with***〕 ***the ~*** 그렇게 말하자(마자), 일언지하에. ***put in a ~*** 말참견하다. ***put into ~s*** 말로 나타내다. ***put ~s into*** a person***'s mouth*** ⇨ MOUTH. ***say*** 〔***put in***〕 ***a good ~ for*** …을 추천〔변호〕하다; …을 칭찬하다; …을 중재〔조언〕하다. ***say the ~*** 〖보통 명령법으로〗 (그렇게 하라고) 명령하다; 그렇다고 말하다: If you're tired, *say the ~*. 만일 피곤하면 그렇다고 해라. ***suit the action to the ~*** ⇨ SUIT. ***swallow*** one's ***~*** 말을 얼버무리다; =eat one's *~s*. ***take*** a person ***at*** his ***~*** 아무의 말을 곧이듣다, 말하는 대로 믿다〔받아들이다〕. ***take*** a person***'s ~ for it*** (***that ...***) 아무의 말을 믿다. ***take the ~s out of*** a person***'s mouth*** 아무가 말하려 하는 것을 먼저 앞질러서 말해 버리다. ***take*** (***up***) ***the ~*** 지껄이다, (뒤를 이어 또는 남 대신) 논하다; 믿다《*for*》. ***There is no other ~ for it.*** 딱 들어 맞는 표현이다. ***too*** (beautiful) ***for ~s*** 너무 (아름다워서) 말로 표현할 수 없는. ***upon my ~*** 맹세코; 반드시, 꼭; 어이구, 이거 참《놀람·성냄·흥분 따위의 표현》. ***waste ~s*** 쓸데없이 〔공연히〕 말하다. ***weigh*** one***'s ~s*** 잘 생각해서 말을 하다, 조심해서 말을 하다. ***~ by ~*** 한 마디 한 마디, 축어적으로. ***~ of honor*** 명예를 건 약속〔언명〕: give one's *~ of honor* 맹세하다. ***Words fail*** a person. (불신하거나 당황하여) 말이 안 나오다.

— *vt.* 〖보통 부사를 수반하여〗 말로 나타내다: ~ a document carefully 문서의 단어 사용을 신중히하다 / a well-~*ed* letter 표현이 잘 된 편지 / *Worded* plainly, ... 알기 쉽게 말하면….

wórd àccent =WORD STRESS.

word·age [wə́:rdidʒ] *n.* 말(words); 요설(饒舌); 어휘 수; 어법, 용어의 선택(wording).

wórd associàtion 〖심리〗 단어 연상(聯想).

wórd-blìnd *a.* 〖의학〗 언어맹(言語盲)의, 실독증(失讀症)의.

wórd blìndness 〖의학〗 언어맹(言語盲), 실독증(失讀症)(alexia)《시각성 실어증》.

wórd·bòok *n.* 단어집; (간단한) 사전; (가극·가곡 따위의) 가사집.

wórd·brèak *n.* 〖인쇄〗 (행 끝에서) 단어의 분할〔분철〕점, 분절하는 곳.

wórd-buìlding *n.* 단어의 구성.

wórd clàss 〖문법〗 품사.

wórd-dèaf *a.* 〖의학〗 언어농(言語聾)의; 담화를 이해하지 못하는.

wórd dèafness 〖의학〗 언어농(言語聾)《피질(皮質)성 감각 실어증》.

wórd divìsion 〖인쇄〗 =WORDBREAK.

wórd èlement 〖문법〗 낱말 요소《연결형 등》.

wórd-formátion *n.* 〖문법〗 낱말의 형성; 조어법(造語法).

wórd-for-wórd *a.* 축어적인, 한 마디 한 마디의: a ~ translation 축어역.

wórd gàme (각종) 언어 놀이.

wórd-hàppy *a.* 말에 사로잡힌.

wórd-hòard *n.* 어휘(vocabulary). 「타내기.

wórd·ing *n.* Ⓤ 말씨, 어법, 용어; Ⓤ,Ⓒ 말로 나

wórd·less *a.* 말 없는, 무언의, 벙어리의(dumb); 입 밖에 내지 않는(unexpressed). ㊐ **~·ly** *ad.* └**~·ness** *n.*

wórd-lòre *n.* 단어〔어원〕 연구.

wórd·mònger *n.* 아는 체하고〔충분히 의미를 생각지 않고〕 무의미한〔공소한〕 말을 쓰는 작가〔웅변가〕; 매문가(賣文家).

wórd of commánd 구령, 지시; (컴퓨터에 대한) 명령: at the ~ 명령 하에, 구령에 따라.

wórd-of-móuth *a.* 구두의, 구전(口傳)의.

wórd òrder 〖문법〗 어순(語順).

wórd·pàinting *n.* 그림을 보는 듯한 묘사, 생생한 서술. ㊐ **-pàinter** *n.*

wórd-pérfect *a.* **1** (배우 등이) 대사가 완전한. **2** 축어적인; (문서·교정쇄가) 완벽한, 정확한.

wórd pìcture 그림을 보는 듯한 서술.

wórd·plày *n.* Ⓤ 재치 있는 말의 주고받기, 결말놀이; Ⓒ 익살, 신소리.

wórd pròcessing 〖컴퓨터〗 워드 프로세싱《생략: WP》: ~ program 워드 프로세싱 프로그램 / ~ system 워드 프로세싱 체계.

wórd pròcessor 〖컴퓨터〗 워드 프로세서.

wórds·màn [-mæ̀n] (*pl.* **-mèn** [-mèn]) *n.* 언어학자. ㊐ **wórds·man·shìp** [-mənʃip] *n.* 작문술(作文術).

wórd·smith *n.* 말을 잘하는 사람, 명(名)문장가; 컴퓨터. 「엄격함.

wórd splìtting 너무 세밀한 말의 구별; 어법의

wórd squàre 사각 연어(四角連語)《세로로 읽으나 가로로 읽으나 똑같은 말이 되도록, 사각으로 배열한 낱말》. 「accent).

wórd strèss 〖음성〗 말의 강세〔악센트〕(word

Words·worth [wə́:rdzwə̀:rθ/-wəθ] *n.* **William ~** 워즈워스《영국의 자연파 계관 시인; 1770–1850》.

wórd wàtcher 언어 관찰자〔수집가〕; 《우스개》 언어학자, 사전 편집자.

wórd·wràp, -wràpping *n.* 〖컴퓨터〗 단어 넘김, 워드랩.

wordy [wə́ːrdi] (***word·i·er; -i·est***) *a.* 말의; 구두의, 언론의, 어구의 ; 말많은, 수다스러운, 장황한: ~ warfare 논전, 논쟁. [파] **wórd·i·ly** *ad.* **-i·ness** *n.* (군)말이 많음, 다언(多言).

wore [wɔːr] **1** WEAR¹의 과거. **2** WEAR²의 과거·「과거분사.

†**work** [wəːrk] *n.* [U] **1** 일, 작업, 노동; 공부, 연구; 노력: a (good) day's ~ (충분한) 하루 일의 양/He laid out his ~ on his desk. 그는 책상 위에 일거리를 벌여 놓았다/do a stroke of ~ 한 바탕 일하다/All ~ and no play makes Jack a dull boy. 《속담》 공부만 시키고 놀리지 않으면 아이는 바보가 된다.

> [SYN.] **work** 가장 일반적인 말이며, 다음의 어떤 말보다도 넓은 뜻을 가짐. 특히 작업·노동을 수반하는 일을 나타내는 경우가 많음. **occupation** 사람이 시간·관심·정력을 바쳐서 하는 뜻으로서의 일: His *occupation* is farming. 그의 직업은 농업이다. **employment** 고용주와 피고용자와의 고용 관계·계약·임금 등을 중심으로 해서 본 일: *Employment* Exchange 직업소개소. **business** 그것을 사는 손님 또는 요구하는 사회와의 관계에서 본 일. 주로 상업·서비스업에 쓰임: What line of *business* is he in? 그는 무슨 일을 하고 있습니까. **pursuit** 자기의 일생을 건 직업으로서의 일. 보다 완전함을 기하기 위해 꼭 해야 할 연찬(硏鑽)의 뜻 따위가 시사됨. **profession** 학문적 소양이 필요한 지적 직업. 성직자·법률가·의사·교사·문필가·기자 따위. **vocation** avocation(부업)의 대어(對語). 본직. **job** 임금을 받을 것을 전제로 한 일. employment 와는 달리 계약·고용 관계는 고려되어 있지 않음. 따라서 아르바이트, 혹은 어쩌다 손에 걸린 일도 job임. **trade** 주로 숙련을 요하는 직업, 전문직: the *trade* of a carpenter 대목(大木)의 직.

2 a (해야 하는) 일, 업무, 과업; 《비어》 성교: I have lots of ~ *to* do today. 오늘은 할 일이 많다. **b** 일자리, 직(업): look for 〔find〕 ~ 일자리를 찾다〔찾아내다〕/be in regular ~ 일정직을 갖고 있다/go to ~ 일하러〔회사에〕 가다. **c** 근무처, 회사, 직장: get home from ~ 회사에서 귀가하다. **d** 하고 있는 일《바느질·자수 따위》; 〘집합적〙 그 재료〔도구〕: Bring your ~ to my room. 일거리를 내 방으로 가져와요. **3 a** 소행, 짓; 작용, 효과; (사이다 등의) 거품: the ~*s* of God 자연/It's the ~ of the devil. 악마의 짓이다. **b** 일하는 품, 솜씨: sharp ~ 빈틈없는 솜씨/camera ~ 촬영 기술. **c** (*pl.*) 〘신학〙 의로운 행위, (종교적·도덕적) 행위: faith and ~*s* 믿음과 행위《정신면과 실행면》/~*s* of mercy 자선 행위. **4 a** 세공, 가공, 제작; 〘집합적〙 세공물, 공작물, 가공물, 제작품: What a beautiful piece of ~! 참으로 멋진 세공이로구나. **b** [U,C] (예술) 작품, 저작: musical ~s 음악 작품/the complete ~*s* of Shelley 셸리 전집. **5 a** (*pl.*) 〘종종 단수취급〙 공장, 제작소; 〘형용사적〙 (경주용 차 등) 제작자 자신의 손에 의한: The glass ~*s* is near the town. 유리 공장은 읍 가까이에 있다. **b** (*pl.*) (시계 등의) 장치, 구조, 기구(機構); 《우스개》 내장. **6** (*pl.*) 공사, 토목; (다리·제방·댐·빌딩 등의) 건조물; 방어 공사, 보루(堡壘): public ~*s* 공공 토목 공사/water-~*s* 수도, 분수. **7** (the (whole) ~s) 《속어》 부속품〔딸린 물건〕 전부, 일체: a car with the ~*s* 자동차와 그 부속품 일체. **8** 〘물리〙 일. **9** (보통 *pl.*) 《미속어》 마약 주사 기구 일습. ***all in the day's*** **~** 〘서술적〙 《구어》 《종종 우스개》 (불쾌하나) 언제나의 일(로), (뜻밖의 일이라도) 참으로 당연한, 일상 있을 수 있는 일(로). ***at*** **~** 일터에서; 일하고, 작동〔작용〕하여: be hard *at* ~ 힘써 일하고 있다. ***fall*** 〔***get, go***〕 ***to*** **~** 일에 착수하다; 행동 개시하다. ***get the*** **~*s*** 《구어》 충분한 대접을 받다; 몹쓸 욕을 당하다. ***give ... the*** (***whole*** 〔***entire***〕) **~*s*** 《구어》 …에게 가능한 한의 일을 해 주다, …에게 모두 밝히다〔주다〕; 《구어》 …를 혼내 주다, 몹시 질책하다, 죽이다. ***have one's*** **~** ***cut out*** (***for*** one) 《구어》 벅찬〔어려운〕 일이 맡겨지다. ***in good*** 〔***full***〕 **~** 순조로이〔바쁘게〕 일하여. ***in the*** **~*s*** 《구어》 완성 도상에 있어, 진행 중이어서. ***in*** **~** 취직〔취업〕하고; (말이) 조교(調教) 중이어서. [cf.] out of work. ***make*** (***a***) **~** 혼란시키다, 소동을 일으키다; 일을 배당하다《*for*》, …의 일을 하다. ***make hard*** **~** ***of*** …을 매우 힘겹게 해내다. ***make light*** **~** ***of*** 〔***with***〕 …을 손쉽게 해치우다. ***make sad*** **~** ***of it*** 실수를 저지르다. ***make short*** 〔***quick***〕 **~** ***of*** …을 척척 해치우다; …을 제거하다. ***make*** **~** ***for*** …에게 일을 주다; …에게 폐를 끼치다. ***of all*** **~** 잡일(종사)의《하녀 등》. ***out of*** **~** 실업하고; (기계 등이) 고장 나서. ***put*** a person ***to*** **~** 아무에게 일을 시키다. ***set about*** one***'s*** **~** 일에 착수하다. ***set to*** **~** 일에 착수하다, 작용하기 시작하다. ***set*** a person ***to*** **~** 아무에게 일을 시작하게 하다. ***shoot the*** **~*s*** 《미속어》 성패를 운에 맡기고 모험을 해보다; 온갖 노력을 다하다, 크게 분발하다.

— (*p., pp.* ***worked,*** 《고어》 ***wrought*** [rɔːt]) *vi.* **1** 《~/+[부]/+[전]+[명]》 일하다, 노동하다: ~ hard 열심히 일하다/~ *on* till late at night 밤늦게까지 일을 계속하다/She ~*s as* a nurse. 그녀는 간호사로 일한다/Men *Working* 작업〔공사〕 중《게시》.

2 《~/+[전]+[명]》 노력〔공부〕하다: He is ~*ing at* Latin 〔*on* a new novel〕. 그는 라틴어를 공부하고〔새 소설을 집필하고〕 있다/They're ~*ing toward* settl*ing* the dispute. 그들은 분쟁을 해결하려고 노력하고 있다.

3 《~/+[전]+[명]》 근무하고 있다; 종사〔경영〕하다《*in*》: ~ *at* a factory 공장에 근무하고 있다/~ *in* leather 피혁(皮革) 가공을 업으로 하다.

4 《~/+[전]+[명]/+[부]》 (기계 따위가) 작동하다, 움직이다: The switch doesn't ~. 스위치가 듣지 않는다/The door ~*s on* a spring. 문은 용수철 장치로 움직인다/My brain isn't ~*ing well* today. 오늘은 머리가 잘 돌지 않는다.

5 《~/+[부]》 (계획 등이) 잘 되어 가다; (약 등이) 듣다: The plan did not ~ *well* in practice. 그 계획은 실제로 해 보니 잘 되지 않았다.

6 《~/+[전]+[명]》 영향을 미치다, 작용하다, 효과가 있다《*on, upon*》: This medicine doesn't ~ *on* me. 나에게 이 약은 듣지 않는다/They ~*ed on* me to vote for him. 그들은 나로 하여금 그를 지지하는 투표를 하게 했다.

7 《~/+[부]》 (쉽게) 다룰 수 있다: This wood ~*s easily*. 이 목재는 공작하기 쉽다.

8 《+[부]/+[전]+[명]》 조금씩〔겨우〕 나아가다〔들어가다〕, 점차 …되다: ~ *through* college 대학을 고학으로 나오다/The ship ~*ed to* windward. 배는 바람을 안고 천천히 나아갔다/The rain ~*ed through* the roof. 비가 지붕에서 스며들었다/~ *up* (셔츠 등이) 말려 오르다/~ *down* (스커트 등이) 흘러내리다.

9 《+[보]》 (혹사당하여) …이 되다: The window catch has ~*ed* loose. 창문 걸쇠가 느슨해졌다.

10 《~/+[전]+[명]》 〘*p., pp.*는 종종 ***wrought***〙 (…을 자료로) 세공하다《*in*》; 바느질을 하다, 수를 놓다: ~ *in* leather 〔bamboo〕 가죽〔죽(竹)〕 세공을 하다.

11 가공되다, 섞이다; 발효하다, 《비유》 빚어지다;

싹트다: Yeast makes beer ~. 효모(酵母)〔이스트〕는 맥주를 발효시킨다.
12 (마음·물결이) 동요하다, 술렁이다: The sea ~*s* high. 바다가 사납게 물결친다.
13 (얼굴이) 실룩거리다: Her face ~*s* with emotion. 얼굴이 감동으로 실룩거리고 있다.
— *vt.* **1** 《~+목/+목+보/+목+전+명》 일시키다, 부리다; 《구어》 (이기적으로) 이용하다, (아무를) 속이다: ~ one's wife 〔horses〕 hard 아내를〔말을〕 혹사하다/He ~*ed* himself ill 〔*to* death〕. 일을 너무해서 병이 났다〔죽었다〕.
2 《~+목/+목+전+명》 (손가락·기계·도구·기관 등을) 움직이다, 조작〔운전〕하다, (공장 등)의 가동〔조업〕을 계속하다; 《속어》 처리해 나가다, 해내다: ~ a typewriter 타이프라이터를 치다/a pump ~*ed by* hand 〔electricity〕 수동〔전동〕식 펌프.
3 《~+목/+목+*to* do》 이용〔활용〕하다: ~ one's connection 연고 관계를 이용하다/~ one's charm *to* get what one wants 자기의 매력을 발휘하여 원하는 것을 수중에 넣다.
4 (특정 지역을) 담당하다, …에서 영업하다: The salesman ~*s* the Eastern States 〔both sides of the street〕. 그 판매원은 동부 여러 주에서 영업을 한다〔양쪽 거리에서 팔고 다닌다〕.
5 (농장·사업을) 경영하다; (광산을) 채굴하다; 경작하다: ~ a farm 농장을 경영하다.
6 《~+목/+목+부》 (계획을) 세우다, 실시하다, 주선하다: The engineer was ~*ing out* a method of driving a tunnel under the Thames. 그 기사는 템스 강 밑에 터널을 뚫을 방법을 구상하고 있었다.
7 《~+목/+목+보/+목+전+명》〔*p.*, *pp.*는 종종 ***wrought***〕 (어떤 상태를) 일으키게 하다, 생기게 하다, 가져오다: The storm *wrought* much damage. 폭풍우는 많은 피해를 가져왔다/He ~*ed* himself free of the ropes. 그는 묶인 밧줄을 풀고 빠져나왔다/~ oneself *into* favor with a person 아무에게 빌붙어 총애를 얻다.
8 《+목+전+명》 (아무를) …하도록 만들다, 설득하다: ~ men *to* one's will 사람들을 자기의 뜻에 따르게 하다/~ a friend *for* a loan 친구를 설득하여 돈을 빌리다.
9 《+목+전+명》 점차로〔교묘하게, 솜씨 좋게〕 …하게 하다: swing one's arms to ~ the stiffness *out of* one's shoulder 양팔을 휘둘러서 어깨의 피로를 풀다.
10 《+목+전+명/+목+부》 (서서히) 애쓰며 나아가다; 노력하여 얻다: ~ oneself *into* a crowd 군중 속으로 비집고 들어가다/~ one's way *up* 차츰 출세하다.
11 《+목+부/+목+전+명》 (점차로) 흥분시키다: ~ oneself (*up*) *into* a rage 흥분하여 성내다.
12 《~+목/+목+부》 (문제 등을) 풀다, 《미》 산출하다: ~ calculation in one's head 암산하다/He managed to ~ *out* the coded message. 그럭저럭 그 암호 전보를 해독했다.
13 《~+목/+목+전+명》〔*p.*, *pp.*는 때때로 ***wrought***〕 (노력을 들여) 만들다, 가공〔세공〕하다; 반죽하다, 뒤섞다; 불리다: ~ silver coins *into* a bracelet 은화를 팔찌로 만들다/the ornaments *wrought in* gold 금세공의 장식물.
14 《~+목/+목+전+명》〔*p.*, *pp.*는 때때로 ***wrought***〕 짜서 만들다; …에 수놓다; 꿰매다; (초상을) 그리다, 파다: ~ the buttonholes 단춧구멍을 사뜨다/~ a floral design in silk *on* a dress 드레스에 명주실로 꽃무늬를 수놓다.
15 《+목+부》 일〔노동〕하여 지급하다: ~ *off* a debt 빌려 쓴 돈을 일해서 갚다.
16 발효시키다; 접지(椄枝)하다; 발아시키다; (동물에게) 재주를 부리게 하다.
17 (얼굴 등을) 씰룩이게 하다.
be ~ing 잘 움직이고 있다, 고장 나 있지 않다: The elevator *is* not ~*ing*. 엘리베이터는 고장 나 있다. **~ *against*** …에 반대하다; …에 나쁘게 작용하다; (시간)을 다투며 일하다〔분투하다〕. **~ *around*** 〔***round***〕 (바람이) 방향을 바꾸다; (…에) 자기 의견을 바꾸다《*to*》. **~ *around*** 〔***round***〕 ***to*** a thing 〔do***ing*** ***...***〕 겨우 …에 착수하다, …까지 손이 미치다, …할 시간이 되다. **~ *at*** …에 종사하다; …을 연구하다. **~ *away*** 열심히 일을〔공부를〕 계속하다《*at*》. **~ *back*** 《Austral.구어》 초과 근무하다. **~ *for*** (peace) (평화)를 위하여 힘을 다하다. **~ *in*** 《*vi.*+전》 ① ⇨ *vi.* 10. — 《*vi.*+부》 ② 들어가다: The dust had ~*ed in* everywhere. 어디에나 먼지가 스며들어 끼어 있었다. ③ 알맞다, 조화하다, 잘 되어 가다《*with*》. — 《*vt.*+부》 ④ 넣다, 삽입하다, 섞다, 문질러 바르다. **~ *into*** …에 삽입하다〔넣다, 섞다〕; …에 (서서히) 밀어 넣다, 삽입하다: ~ new courses *into* the curriculum 커리큘럼에 새로운 과정을 집어넣다. **~ *it*** 《속어》 잘 하다; 몰래 마련하다; (생각대로) 해치우다. **~ *it out*** 해답을 내다. **~ *off*** 《*vi.*+부》 ① 빠지다, 벗어나다. — 《*vt.*+부》 ② …을 제거하다. ③ …을 처분하다, 팔아 버리다. ④ (울분 등을) 풀다, (딴 데) 떠넘기다. ⑤ 인쇄하다. ⑥ 일을 끝내다, 처리하다; (빚을) 일해서 갚아 버리다. ⑦ 《속어》 죽이다, 교살하다. ⑧ 속이다. **~ *on*** 《*vi.*+부》 ① 계속 일하다. — 《*vi.*+전》 ② …에 종사하다. ③ ⇨ *vi.* 6. ④ (사람·감정 등)을 움직이다, 흥분시키다; 애써 설득하다: They tried to ~ *on* us by vicious threats. 그들은 악의에 찬 위협으로 우리를 움직이려 하였다. **~ *on*** 〔***onto***〕 …에 (서서히) 끼우다〔씌우다〕. **~ *on it*** 《구어》 노력하다. **~ *out*** 《*vi.*+부》 ① (총액 등) 합해서 …이 되다《*at; to*》; 결국 …이 되다; 잘 되다, 쓸만한 것이 되다. ② 빠져나가다. ③ (문제가) 풀리다, 성립하다; 제대로 답이 나오다. ④ (스포츠 등의) 트레이닝을 하다. — 《*vt.*+부》 ⑤ (문제를) 풀다; 잘 해결하다. ⑥ …의 사실을 알다, 이해하다. ⑦ 애써서 성취하다. ⑧ 제거하다, 쫓아내다, 산출〔계산〕하다, (계획 등을) 완전히 세우다, 만들어 내다, 안출하다. ⑨ 결정하다; 실시하다. ⑩ (광산을) 다 파다; 써서 낡게 하다; 피로케 하다. ⑪ (빚 등을) 일하여 갚다, 노무제공으로 갚다. **~ *over*** 철저히 연구〔조사〕하다; 다시 하다, 손을 보다, 다시 문제 삼다; 《속어》 거칠게 다루다, 때리다. **~ one*'s fingers to the bone*** ⇨ FINGER. **~ one*'s head off*** 《구어》 지독하게 일하다〔공부하다〕. **~ one*'s way*** 일〔고생〕하면서 나아가다; 일하면서 여행하다; 고학하다: ~ one's *way* through college 고학으로 대학을 졸업하다. **~ one*'s will upon*** …을 소원대로 행하다. **~ *to rule*** ⇨ RULE. **~ *toward*** …을 지향하여 노력하다. **~ *up*** 〔'점차로 노력해서'라는 뜻을 내포하여〕 《*vt.*+부》 ① …까지 흥분시키다《*to*》, 부추기다; 부추겨 …로 하다《*into*》; (흥미·식욕 등을) 불러일으키다. ② (회사·세력 등을) 발전시키다, 확대하다. ③ (자료 따위를) 집성(集成)하다《*into*》; (찰흙 등을) 빚어내다, 파서 만들다, 섞어서 만들다; (계획 등을) 작성하다, 마련하다. ④ 나아가다, 승진하다; 제가락이 나게 하다. ⑤ 지식〔기량〕을 닦다. ⑥ 《속어》 (땀을) 내다. ⑦ 〖의학〗 정밀 검사를 하다. — 《*vi.*+부》 ⑧ 흥분하다. ⑨ …에까지 이르다, 나아가다, 오르다; 입신하다, 출세하다. **~ *with*** ① …와 함께 일하다. ② …을 일〔연구〕의 대상으로 삼다: I am ~*ing with* children. 나는 아이들을 대상으로 일을〔연구를〕 하고 있습니다.

wórk·a·ble *a.* 일시킬〔일할〕 수 있는; 움직일 수

있는; 운전할 수 있는; (광산이) 채굴〔경영〕할 수 있는; 실행〔실현〕할 수 있는; 가공〔세공〕할 수 있는; (토지가) 경작할 수 있는. ㉥ **~·ness** *n.* **wòrk·a·bíl·i·ty** *n.* 가동성(可動性); 실행 가능성. **-bly** *ad.*

work·a·day [wə́ːrkədèi] *a.* 일하는 날의, 평일의; 보통의, 평범한; 실제적인, 무미건조한: this ~ world 이 평범한 세상.

work·a·hol·ic [wə̀ːrkəhɔ́ːlik, -hál-/-hɔ́l-] *n.* 지나치게 일하는 사람, 일벌레. **—** *a.* 일벌레의. [◂ *work*+*alcoholic*]

work·a·hol·ism [wə́ːrkəhɔ̀ːlizəm, -hàl-/-hɔ̀l-] *n.* Ⓤ 일중독, 지나치게 일함.

wórk-alìke *n.* 꼭 닮은 제품, 유사(類似) 제품.

wórk àrea 〖컴퓨터〗 작업 영역《자료 항목이 처리되거나 일시 저장되는 기억 장치의 한 영역》.

wórk·aròund *n.* **1** 〖항공우주〗 (예정대로 안 된 경우의) 예비 수단, 차선책. **2** 〖컴퓨터〗 (프로그램〔시스템〕 문제의) 회피 방법.

wórk·bàg *n.* 연장 주머니; 재봉〔바느질〕 도구 주머니.

wórk·bàsket *n.* 도구 바구니《특히 재봉〔바느질〕 도구의》.

wórk·bènch *n.* (목수 등의) 작업대; 〖컴퓨터〗 작업대.

wórk·bòat *n.* (어선·화물선 등) 업무용 소형선.

wórk·bòok *n.* **1** 과목별 학습 지도 요령; (교과서와 병행해 쓰는) 워크북, 학습장. **2** (일의) 규정집, 기준서; 업무 일람. **3** 업무 예정〔성적〕 기록부.

wórk·bòx *n.* 도구 상자; 《특히》 재봉〔자수, 편물〕함.

wórk càmp 모범수 노동자 수용소(prison camp); (종교 단체 등을 위한) 근로 봉사 캠프〔단〕; (청년에게 농업 등을 체험케 하는) 하계 작업 합숙.

wórk·dày *n.* 근무일, 작업일, 평일; 하루의 법정 노동 시간(working day). **—** *a.* =WORKADAY.

worked [-t] *a.* 가공한, 장식을 한, 자수(刺繡)를 한: ~ material 가공 원료.

wórked úp 흥분한, 신경을 곤두세운, 끙끙 고민하는.

work·er [wə́ːrkər] *n.* **1** 일을〔공부를〕 하는 사람: a hard ~ 노력가, 근면가.

> SYN. **worker** 가장 일반적인 말. 손 또는 머리를 써서 생계를 위해 일하는 사람. **workman** 보통, 손을 쓰는 노동자. **laborer** 기술보다 체력을 요하는 일을 하는 사람.

2 일손, 일꾼, 인부; 근로자, 공원, 직공; 세공인: office ~*s* 사무원. **3** 〖곤충〗 일벌(=∠ **bée**), 일개미(=∠ **ánt**); 일벌레, 근면가; 〖인쇄〗 실용판(版)《인쇄기에 거는 전주판(電鑄版)》.

wórker-diréctor *n.* 《영》 사원 중역《선출되어 중역 회의에 참석하는》.

wórker-òwner *n.* 《특히》 종업원 지주(持株) 제도에 의한 사원 주주.

wórker participàtion (기업 경영에의) 근로자 참가, 노사 협의제.

wórkers' compensátion 〔**còmp**〕 = WORKMEN'S COMPENSATION.

wórkers' co-óperative 근로자 생활 협동조합 (상점).

wórk èthic (근면·근로를 선(善)으로 보는) 노동관(觀).

wórk expèrience 1 실무 경험. **2** 《영》 (젊은이를 위한) 실무 연수.

wórk·fàre *n.* (노동 장려를 위한) 근로 복지 제도; 근로자 재교육.

wórk fàrm (단기 수용 경범죄자의) 교화 농장.

wórk·fèllow *n.* 작업 동료, 회사〔직장〕 동료.

wórk·flòw *n.* (회사·공장 등의 각 사업부서 또는 종업원 간의) 작업〔일〕의 흐름.

wórk·fòlk(s) *n. pl.* (농업) 노동자, 일손.

wórk fòrce (국가·지역·산업체 등의) 총노동력, 노동 인구; (어떤 활동에 종사하는) 작업 요원.

wórk fùnction 〖물리〗 일함수《고체 중에서 고체 외부의 진공 속으로 전자를 끌어내는 데 요하는 에너지》.

wórk-hàrdened *a.* 일로 단련된.

wórk hárdening 〖금속공학〗 가공 경화(加工硬化).

wórk·hòrse *n.* **1** 일말, 사역마《race horse, riding horse에 대해》. **2** 부지런히 일하는 사람; 내구력(耐久力)이 있는 기계〔차〕.

wórk·hòuse *n.* 《미》 소년원, 경범죄자 노역소 (house of correction); 《영》 구빈원(救貧院) (poorhouse).

wórk-ìn *n.* 근로자의 공장 관리《폐쇄되려는 공장을 근로자가 점거하여 자주적으로 관리하는 일》.

work·ing [wə́ːrkiŋ] *n.* **1** Ⓤ,Ⓒ 일, 노동; 작용, 활동; 작업, 운전: ~ conditions 근로 조건 / the ~*s of* the brain 두뇌의 작용. **2** Ⓤ,Ⓒ 공작, 가공; 제조, 건조. **3** Ⓤ 해결; (*pl.*) 계산 과정. **4** Ⓤ (얼굴 등의) 씰룩임, 경련; 발효 작용. **5** (*pl.*) 짜임, 기구; (광산·채석장 따위의) 작업장, 채굴장, 갱도; 갱도망(網).

— *a.* **1 a** 일하는, 노동에 종사하는; 경작에 쓰이는《가축 등》: the ~ population 노동 인구 / a ~ partner (합자회사의) 노무 출자 사원. **b** 경영의, 영업의; 운전하는; 공작의, 마무리의; 실행의; 작업의, 취업의; 일의: ~ expenses 운영비, 경비 / a ~ breakfast 〔lunch, dinner〕 (정치가·중역 등의) 용담(用談)을 곁들이는 조찬〔오찬, 만찬〕회 / a ~ plan 공작도; 작업 계획. **c** 소용되는; 일의 추진을 위한〔에 필요한〕: a ~ knowledge 소용되는〔실용적인〕 지식 / a ~ majority (정당의) 안정 다수. **2** 경련하는《얼굴》; 발효 중인《맥주》.

wórking àsset 〖상업〗 운용〔운전〕 자산.

wórking càpital 〖상업〗 운전 자본; 유동 자산.

wórking clàss 임금〔육체〕 노동자 계급.

wórking-clàss *a.* 임금〔육체〕 노동자 계급의〔에 어울리는〕.

wórking còuple 맞벌이 부부.

wórking dày =WORKDAY; 1일 노동 시간.

wórking-dày *a.* 일하는 날의, 출근일의(workaday), 일상의, 평일의.

wórking dòg (애완견·사냥개 등과 구별되는) 작업견《썰매 따위를 끄는》.

wórking dràwing 설계도, 공작도; (공사의) 시공도.

wórking flúid 〖물리〗 작동 유체(流體).

wórking gìrl 일하는〔근로〕 여성; 여공; 《미속어》 매춘부; 《속어》 독신의 여자 사무원.

wórking gròup 특별 조사〔자문〕위원회(working party).

wórking hòurs 노동〔근무〕 시간.

wórking hypóthesis 작업 가설(假說).

wórking-lèvel *a.* 실무적인, 실무 차원의.

wórking lífe (일생 중의) 취업 기간; (기계의) 내용(耐用) 연수.

wórking·màn [-mæ̀n] (*pl.* **-mèn** [-mèn]) *n.* (임금) 노동자; 직공; 《CB속어》 트럭 운전사.

wórking mèmory 〖컴퓨터〗 작업 메모리; 〖심리〗 작동 기억.

wórking mèn's clúb 노동자 클럽《영국의 도시에 있는 노동자 사교장》.

wórking módel (기계 따위의) 실용 모형.

wórking órder 운전〔작동〕할 수 있는 상태: in ~ 정상 운전을 할 수 있는 상태로; (일이) 순조로이 진척되어.

wórking òut 결과의 산출; 세부의 완성.

wórking pàpers 근로 증명서, 취업 서류《연소자·외국인의 고용에 필요》; 연구 (조사) 보고서.

wórking pàrty 《영》 특별 조사 위원회; 〖군사〗 특별 작업반.

wórking pràctices 일의 방법〔절차〕.

wórking stìff 《미속어》 (생계를 위해 일하는) 일반 근로자.
wórking stòrage 〚컴퓨터〛 작업 기억 장치 《실행 중인 프로그램의 결과를 일시적으로 저장해 두기 위한 기억 영역》.
wórking strèss 〚기계〛 사용 응력(應力).
wórking súbstance 〚물리〛 작업 물질.
wórking wèek =WORKWEEK.
wórking·wòman (*pl.* ***-wòmen***) *n.* 여성 근로자; 여자 공원(工員).
wórk-in-prócess〔prógress〕 〚회계〛 재공품(在工品)(goods in process)《생산 공정 중의 미완성 제품》.
wórk ìsland 작업 섬《기획의 각 영역을 자주적 관리로 담당하는 근로자 그룹》.
wórk·less *a.* 일거리가 없는, 실업한: the ~ 〘집합적〙 실업자. ㊞ **~·ness** *n.*
wórk lòad (사람·기계의) 작업 부하(負荷); 표준 작업량〔시간〕.
⁑**work·man** [wə́ːrkmən] (*pl.* ***-men*** [-mən]) *n.* **1** 노동자, 직공, 공원: a ~'s train (노동자를 위한) 조조할인 열차 / ⇨TOOL 《속담》. **2** 기술자; 숙련가: a master ~ 명공(名工); 직공장.
wórkman·lìke, wórk·man·ly *a.* 직공다운; 능숙한, 솜씨 좋은. **—** *ad.* 능란하게, 솜씨 있게.
°**wórk·man·shìp** [-mənʃip] *n.* Ⓤ **1** 솜씨, 기량, 기술; 만듦새. **2** 세공, 제작품.
wórk·màte *n.* =WORKFELLOW.
wórkmen's compensátion 근로자 재해 보상: ~ insurance 근로자 산업 재해 보상 보험.
wórk of árt 미술품《회화·조각 등》; 《비유》 예술품: His life was a ~.
wórk·òut *n.* 〚경기〛 연습, 트레이닝; 연습 시합; 격한 운동, 격무; (적성 따위의) 검정, 시험; 《미속어》 때림, 구타.
wórk·òver *n.* (석유 채취정(井)의) 개수(改修).
wórk·pèople *n. pl.* 《영》 근로자들; 공원들.
wórk pèrmit (외국인에 대한) 취업 허가증.
wórk·pìece *n.* 제조 공정에 있는 제품〔소재(素材)〕, 만들기 시작한 제품.
wórk·plàce *n.* 일터, 작업장.
wórk relèase 근로 석방《수형자(受刑者)를 매일 낮 노동에 출근시키는 갱생 제도》.
wórk·ròom *n.* 작업실, 일하는 방.
wórks còuncil〔commìttee〕 **1** (근로자 대표로 조직된) 공장 협의회. **2** 노사 협의회.
wórk·shàdowing *n.* 작업 관찰《교육이나 연구를 목적으로, 일하는 사람들을 관찰하는 일》.
wórk shàring 워크셰어링《일을 전원이 나누어 분담함으로써 근로 시간 단축과 실업자 방지를 꾀하려는 근로 관리 형태》.
wórk shèet (작업 계획·예정·공정(工程)·지시 등을 기입한) 작업표(job ticket); 기획 참고 자료 용지; 〚회계〛 시산(試算)용지; 연습 문제지.
⁑**work·shop** [wə́ːrkʃàp/-ʃɔ̀p] *n.* **1** 일터, 작업장, 직장. **2** (참가자가 실습을 행하는) 연수회, 공동 연구회: a theater ~.
wórk-shỳ *a.* 일하기 싫어하는, 게으른《사람》.
wórk·spàce *n.* 〚컴퓨터〛 작업 공간《작업용으로 할당된 눈금상의 영역》.
wórk·stàtion *n.* 워크스테이션《(1) 사무실 안 등에서 한 사람의 근로자가 일하기 위한 장소〔자리〕. (2) 〚컴퓨터〛 특정 기능을 지닌 이용자 지향의 단말 장치; 또 개인의 업무상 사용을 주로 하는 범용(凡用) 컴퓨터》.
wórk stòppage (근로자에 의한) 작업 중지 《파업보다 소규모》.
wórk stúdy 작업 연구《능률 향상을 위한 작업 「공정 분석 따위》.
wórk-stúdy prògram 〚미교육〛 근로 학습 과정《고교생·대학생의 취로(就勞)를 인정하는 것》.
wórk sùrface =WORKTOP.
wórk·tàble *n.* 작업대; (테이블형의) 재봉대.
wórk-to-hóurs *n.* 《영》 정규 근무 시간만 일함.
wórk·tòp *n.* 《특히》 (부엌의) 조리대; 작업 탁자.
wórk-to-rùle *n.* Ⓤ, *vi.* 《영》 준법 투쟁(하다).
wórk·ùp *n.* 〚의학〛 정밀 검사. 「긴) 얼룩, 오점.
wórk-ùp *n.* 〚인쇄〛 (끼운 것이 떠서 인쇄면에 생
wórk·wèar *n.* 근로복, 작업복 (스타일).
wórk·wèek *n.* 《미》 주 노동〔실동(實動), 근무〕 시간: a 40-hour ~ 주 40 시간 노동 / a 5-day ~ 주 5일 노동제.
wórk·wòman (*pl.* ***-wòmen***) *n.* 여성 근로자; 여자 공원; 여성 기예가(技藝家), 침모(針母).
†**world** [wəːrld] *n.* **1 a** (the ~) 세계, 지구; (세계 속의) 사람, 인류: a journey around the ~ 세계 일주 여행 / the whole ~ 전 세계 (사람들). **b** (흔히 the ~) (시대·지역·내용에 의해서 한정된) 세계: ⇨ the NEW WORLD / the ~ of 19 century, 19 세기의 세계. **2** (이〔저〕) 세상; 현세; (the ~) (살아가는) 세상, 누리; 세인, 속인; 세속, 세태, 세상사: this ~ 이승, 이 세상 / the next〔other〕~ =the ~ to come 저 세상, 저승 / the end of the ~ 세상의 마지막 날 / a better ~ =another ~ 내세 / the wise old ~ 일반적 경험·습관 / What will the ~ say? 세인은 뭐라고 할까. **3 a** 분야: the academic ~ 학자의 세계 / the ~ of American history 미국사의 분야. **b** (동식물 따위의) (세)계(界): the animal〔mineral, vegetable〕~ 동물〔광물, 식물〕계. **4** (the ~) 상류 사회, 사교계(界): the fashionable ~ (화려한) 사교계 / the great ~ 상류 사회. **5 a** 우주, 만물; (거주자가 있는) 천체, 별의 세계: Are there any other ~s besides ours? 지구 이외에 다른 천체가 있습니까. **b** 삼라만상, 모든 것: I wouldn't part with it to gain the whole ~. 무슨 일이 있어도 그것은 놓치고 싶지 않다. **6** (종종 *pl.*) 대량, 다수; (a ~, ~s) 〘부사적〙 크게, 마치: a ~〔the ~, ~*s*〕 *of*... 막대한, 무수한, 무한한 / the ~ *of* waters 큰 바다 / a ~ *of* faults 많은 결점.
against the ~ 전 세계를 적으로 돌리고, 세상과 싸워. ***(all) the ~ and his wife*** 《우스개》 (신사 숙녀의) 그 누구나, 어중이떠중이 모두. ***all the ~ over*** =***all over the ~*** 온 세계에서. ***as the〔this〕~ goes*** 지금 상태로는; 보통으로 말하면. ***a ~ of*** ⇨6. ***a ~ too...*** 너무나 …한: *a ~ too* many〔much〕 너무나 많은. ***be all the ~ to〔for〕*** (아무에게 있어) 무엇과도 바꿀 수 없는 것이다. ***before the ~*** 공공연히. ***begin the ~*** 실사회에 나가다. ***be not long for this ~*** 죽어 가고 있다, 오래지는 않다. ***carry the ~ before*** one ⇨CARRY. ***come〔go〕 up in the ~*** 출세하다. ***come into〔to〕 the ~*** 태어나다; 출판되다. ***dead to the ~*** ⇨DEAD. ***for (all) the ~*** 〘부정문에서〙 결코. ***for all the ~ like〔as if, as though〕...*** 아주 …와 똑같은, 아주 꼭 닮은 (exactly like). ***forsake the ~*** 속세를 떠나다; 유혹을 뿌리치다. ***get on in the ~*** 처세하다, 출세하다. ***give to the ~*** 세상에 내다, 출판하다. ***give ~s〔the ~〕 for〔to do〕*** 《구어》 …을〔하기〕 위해서는 어떤 희생도 감수하다. ***go out into the ~*** 사회에 나가다. ***have〔get〕 the best of both ~s*** (양자택일이 아니라) 양자의 좋은 점을 취하다. ***have the ~ against*** one 전 세계를 적으로 삼다. ***have the ~ before*** one 앞길이 양양하다. ***How goes the ~ with you?*** 그 후 어떻게 지내십니까; 경기는 어떻습니까. ***in a ~ of*** ***one's own*** =***in a ~ by*** one***self*** 자기 혼자의 세계에 들어박혀; 《속어》 독선으로. ***in the ~*** ① 세계에(서). ② 〘의문사를 강조하여〙 도대체: What

in the ~ is it? 도대체 그것은 무엇이냐. ③〔부정을 강조하여〕 전혀, 조금도: *Nothing in the* ~ will change his mind. 그의 마음은 결코 변하지 않을 것이다. ***It's a small*** **~.** 《구어》 세상은 넓은 것 같아도 좁다. ***live out of the*** **~** 남과의 교제를 피하다. ***make*** one***'s way in the*** **~** (노력하여) 출세하다, 성공하다. ***make the best of both*** **~*s*** ① 세속적 이해와 정신적 이해를 조화시키다; 두 상반된 요구를 채우다. ② 서로 다른 양쪽에서 이득을 얻다. ***make the worst of both*** **~*s*** 두 생활〔행동, 사고〕 방식에서 제일 나쁜 것만 합쳐 갖다. ***mean all the*** **~** ***to*** =be all the ~ to. ***not for*** (***all***) ***the*** **~** =***not for*** **~*s*** =***not for anything in the*** **~** 결코 …이 아니다〔하지 않다〕. ***on top of the*** **~** ⇨ TOP¹. ***out of this*** 〔***the***〕 **~** 《구어》 비길 데 없는, 아주 훌륭한. ***see the*** **~** 세상 여러 가지를 경험하다, 세상을 알다. ***set the*** **~** ***on fire*** ⇨ FIRE. ***set the*** **~** ***to rights*** 《구어》 많이 토론하여 세상을 바로잡았다고 여기다, 천하와 국가를 논하다. ***take the*** **~** ***as it is*** 〔***as*** one ***finds it***〕 (세상 일을 그대로 받아들여) 현재의 추세에 순응하다. ***The*** **~** ***is*** one***'s oyster.*** 세상이 다 제 것이다, 만사가 뜻대로다. ***the*** **~** ***over*** =all over the ~. ***the*** **~*, the flesh, and the devil*** 여러 가지 유혹물《명리·정욕 등》. ***think the*** **~** ***of*** …을 대단히 중히 여기다: My son *thinks the* ~ *of* you. 내 아들은 당신을 대단히 높이 평가하고 있어요. (be tired) ***to the*** **~** 《속어》 아주〔완전히〕 (지쳐 버리다). ***to the*** **~*'s end*** 세계의 끝까지, 영원히. (***weight of the***) **~** ***on*** one***'s shoulders*** 〔***back***〕 중대한 책임, 큰 심로(心勞). **~*s apart*** 완전히 동떨어져서. **~** ***without end*** 영원히.
— *a.* 세계의; 세계적인; 유명한: a ~ artist.

Wórld Bánk (the ~) 세계은행《International Bank for Reconstruction and Development의 별칭》.

wórld-bèater *n.* 《구어》 기록 보유자, 제 1 인자; 대성공.

Wórld Cálendar (the ~) 세계력(曆).

wórld càr 월드 카《전 세계 시장으로의 보급을 목표로 한 경량의 소형 자동차》.

wórld-clàss *a.* 세계적〔국제적〕인《선수》, 세계 일류의.

Wórld Cóuncil of Chúrches (the ~) 세계 교회 협의회《생략; WCC》.

Wórld Cóurt (the ~) **1** 상설 국제 사법 재판소《the Permanent Court of International Justice의 속칭》. **2** 국제 재판소《the International Court of Justice 의 속칭》.

Wórld Cúp (the ~) 〖경기〗 월드컵《축구·스키·골프 따위 세계 선수권 대회; 그 우승배; 1930 년 이래 4 년마다 개최됨》.

Wórld Énglish 월드 잉글리시《(1) 전 세계의 영어 사용국에서 통용되는 영어. (2) 세계 각국에서 사용되는 갖가지의 영어》.

wórld exposítion (때로 W- E-) =WORLD'S FAIR.

wórld-fámous, -fámed *a.* 세계적으로 유명한, 천하에 이름 높은.

wórld féderalism 세계 연방론; (W- F-) (제 2차 대전 후) 세계 연방주의〔운동〕 (추진 단체).

wórld féderalist 세계 연방주의자.

Wórld Federátion of Tráde Únions (the ~) 세계 노동조합 연맹 《생략: WFTU》.

Wórld Fóod Cóuncil (the ~) 세계 식량 이사회《유엔 산하 기구》.

Wórld Gámes 월드 게임《비(非)올림픽 경기 종목의 세계 대회》.

Wórld Héalth Organizàtion (the ~) (유엔) 세계 보건 기구《생략: WHO》.

Wórld Héritage Sìte 세계 유산 등록지.

Wórld Ísland (the ~, 종종 the w- i-) 세계도(島)《아시아·유럽·아프리카의 총칭》.

wórld lánguage 세계어, 국제어《Esperanto 등의 인공어; 또, 영어 등 많은 나라에서 쓰이는 언어》.

world·ling [wə́ːrldliŋ] *n.* 속인, 속물; 현세의 사람.

***world·ly** [wə́ːrldli] (**-li·er; -li·est**) *a.* 이 세상의, 세속적인, 속세의, 속인의, 명리를 좇는; 약삭빠른. ⓒⓕ earthly. ¶ ~ goods 재화, 재산 / ~ people 속인들 / ~ wisdom 세속의 지혜; 세재(世才). **—** *ad.* 〔복합어 이외는 《고어》〕 세속적으로. ⓜ **-li·ness** *n.* 속심(俗心); 속취(俗臭); 세속적임.

wórldly-mínded [-id] *a.* 세속적인; 명리(名利)를 좇는. ⓜ **~·ness** *n.*

wórldly-wíse [-wáiz] *a.* 처세술이 능한, 세상 물정에 밝은.

Wórld Meteorológical Organizátion (the ~) 세계 기상 기구《생략: WMO》.

wórld mùsic 월드 뮤직《세계 각지, 특히 제 3 세계의 민족 음악을 도입한 팝 음악》.

wórld póint 〖수학·물리〗 세계점.

wórld pówer 세계적 강대국, 강력한 국제 조직.

wórld premíere (연극·영화 따위의) 세계에서의 첫 공연.

Wórld 〔**Wórld's**〕 **Séries** (the ~) 〖야구〗 미국 프로 야구 선수권 대회; 〖일반적〗 최고 선수권 대회.

Wórld Sérvice (the ~) 월드 서비스《BBC World Service 의 약칭》.

wórld's 〔**world**〕 **fáir** 만국 박람회.

wórld-shàking *a.* 세계를 뒤흔드는, 매우 중대한; 획기적인.

wórld sóul 세계 정신〔영혼〕《모든 자연을 통합하여 일대 유기체(一大有機體)로 하는》.

wórld spírit 신; =WORLD SOUL.

Wórld Tóurism Organizàtion 세계 관광 기구《1975 년 창설; 생략: WTO》.

Wórld Tráde Cènter 세계 무역 센터《뉴욕시의 최고층 빌딩; 2001년 테러로 붕괴됨》.

Wórld Tráde Organizàtion (the ~) 세계 무역 기구《GATT 의 조직을 흡수·확대하여 1995년에 발족한 국제 무역 기구; 생략: WTO》.

wórld vìew =WELTANSCHAUUNG.

wórld wár 세계 대전.

Wórld Wár I [-wʌ́n] 제 1 차 세계 대전(the First World War)《1914-18》.

Wórld Wár II [-túː] 제 2 차 세계 대전(the Second World War)《1939-45》.

wórld-wèary *a.* 염세적인, 《특히》 물질적 쾌락에 싫증이 난. ⓜ **-wèariness** *n.*

***world·wide** [wə́ːrldwáid] *a.* (명성 등이) 세계에 미치는, 세계적인, 세계 속의: ~ inflation 세계적인 인플레이션.

Wórld Wìde Fúnd for Náture (the ~) 세계 자연보호 기금《국제 자연 보호 단체》.

Wórld Wíde Wéb 〖컴퓨터〗 월드 와이드 웹 《인터넷에 존재하는 정보 공간; 생략: WWW》.

WORM [wəːrm] *n.* 〖컴퓨터〗 웜(=∠ dìsk) 《같은 장소에는 한 번밖에 data 를 써넣을 수 없는(write once) 광 디스크》. [◂ *w*rite *o*nce *r*ead *m*any (times)].

****worm** [wəːrm] *n.* **1 a** 벌레《지렁이·털벌레·땅벌레·구더기·거머리·회충류(類)》 ⓒⓕ insect. ¶ Even a ~ will turn. =Tread on a ~ and it will turn. 《속담》 지렁이도 밟으면 꿈틀한다. **b** (*pl.*) (체내의) 기생충; (~s) 〖단수취급〗 기생충병; 장충(腸蟲)병. **2** 벌레 같은 인간, '구더기'. **3** 고통〔회한(悔恨)〕의 원인. **4 a** 나사(screw); 나사산; 〖기계〗 웜《worm wheel과 맞물리는 전동축(傳動軸)의 나선》; =ARCHIMEDES' SCREW; SCREW CONVEYOR; (증류기의) 나선관. **b** 〖해부〗 충양(蟲樣) 구조, (소뇌(小腦)의) 충양체; (육식동물의 혀 안쪽의) 종행근(縱行筋) 섬유. **c** (*pl.*)

《미속어》 마카로니, 스파게티. ***food*** 〔***meat***〕 ***for ~s*** (인간의) 시체. ***I am a ~ today.*** 오늘은 아주 기운이 없다. ***the ~ of conscience*** 양심의 가책.
— *vi.* **1** 벌레처럼 움직이다〔기다〕; 몰래 나아가다. **2** 《+[전]+[명]》 교묘히 빌붙다: He *~ed into* his teacher's favor. 그는 교묘히 알랑거려 선생님의 환심을 샀다. **3** 〖야금〗 (금속 · 도자기 등 겉면에) 금이 가다. **—** *vt.* **1** 《+[목]+[전]+[명]》 서서히 나아가게 하다; 차차 환심을 사게 하다: The soldiers *~ed* themselves *toward* the enemy's lines. 병사들은 적진을 향하여 한발한발 나아갔다. **2** 《+[목]+[전]+[명]》 점점 기어 들어가게〔나오게〕 하다《*into; out of*》: ~ one's way *out of* a crowd 군중 속에서 빠져나오다. **3** 《+[목]+[부]/+[목]+[전]+[명]》 (비밀 따위를) 캐내다: ~ a secret *out* (*of* a person) (아무에게서) 비밀을 캐내다. **4** 기생충을 없애다; (식물에서) 벌레를 구제(驅除)하다: ~ a flower bed 꽃밭의 벌레를 잡다.
~ out of ... 《속어》 (곤란한 장면)에서 물러나다, (약속 · 의무)를 어기다, 《비유》 (문제, 싫은 의무)에서 몰래 도망치다. ***~ oneself into*** …으로 기어들어가다; 살살 …의 환심을 사다. ***~ oneself through*** 슬금슬금 나아가다.
[파] ∠·like *a.* ∠·less *a.*

wórm·càst *n.* 지렁이 똥.

wórm-èaten *a.* 벌레 먹은; 낡아 빠진; 케케묵은, 시대에 뒤진.

wórm·er *n.* (조수(鳥獸)용의) 구충제.

worm·ery [wə́ːrməri] *n.* 벌레 사육장《낚시용 지렁이 따위의》.

wórm fènce 지그재그 담장〔울타리〕(snake fence).

wórm fishing 지렁이 미끼 낚시질.

wórm gèar 〖기계〗 웜 기어(worm wheel); 웜 기어 장치.

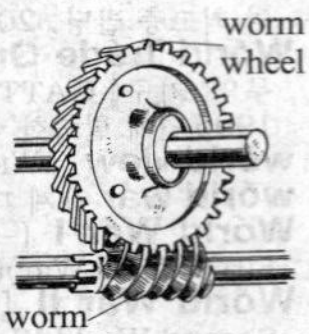

worm gear

wórm·hòle *n.* (목재 · 의류 · 종이 등에 난) 벌레 먹은 자리, 벌레 구멍; (지면(地面)에 생긴) 벌레 구멍; 〖천문〗 웜홀《black hole 과 white hole의 연락로(路)》. [파] **-hòled** *a.* (나무 · 과실 따위의) 벌레 구멍이 있는, 벌레먹은.

wórm·sèed *n.* [U] 〖식물〗 세멘시나《국화과의 다년초》; [C] 그 열매《구충제》.

wórm's-èye víew **1** 충첨도(蟲瞻圖), 앙시도(仰視圖)《아래에서 올려다본 조망〔관측〕》. [opp] *bird's-eye view*. **2** 현실에 의거하여 보는 식.

wórm whèel 〖기계〗 웜 기어.

wórm·wòod *n.* [U] 〖식물〗 다북쑥속(屬)의 식물, 《특히》 쓴쑥; 고뇌, 고민거리.

wormy [wə́ːrmi] (***worm·i·er; -i·est***) *a.* 벌레 붙은〔먹은〕, 벌레가 많은; 벌레 같은. [파] **wórm·i·ness** *n.*

◇**worn**[1] [wɔːrn] WEAR[1]의 과거분사. **—** *a.* 닳아 빠진; 야윈, 초췌한: ~ rugs 닳아빠진 깔개.

worn[2] WEAR[2]의 과거분사.

wórn-óut *a.* **1** 닳아빠진, 써서 낡은: ~ trousers 입어서 낡은 바지. **2** 기진맥진한: a ~ man 노쇠한 노인. **3** 케케묵은, 진부한.

wor·ried [wə́ːrid, wʌ́rid/wʌ́r-] *a.* 난처한, 딱한, 걱정〔근심〕스러운, 곤란한〔귀찮은〕 듯한: a ~ look 근심스러운 얼굴/look ~ 근심스러운 표정이다. ***be ~ about*** 〔***over***〕 …의 일을 걱정하다. [파] **~·ly** *ad.*

wor·ri·er [wə́ːriər, wʌ́r-/wʌ́r-] *n.* 괴롭히는 사람; 걱정 많은 사람.

wor·ri·less [wə́ːrilis, wʌ́r-/wʌ́r-] *a.* 근심〔걱정〕거리가 없는; 태평스러운.

wor·ri·ment [wə́ːrimənt, wʌ́r-/wʌ́r-] 《구어》 *n.* 걱정, 근심; 근심거리.

wor·ri·some [wə́ːrisəm, wʌ́r-/wʌ́r-] *a.* 곤란한, 귀찮은; 걱정되는, 늘 걱정하는. [파] **~·ly** *ad.* **~·ness** *n.*

wor·ry [wə́ːri, wʌ́ri/wʌ́ri] *vi.* **1** 《~/+[전]+[명]/+*that* [절]/+*wh.*[절]/+-*ing*》 걱정〔근심〕하다, 고민하다; 안달하다《*about; over*》: Don't ~. 《구어》 걱정 마라/There's nothing to ~ *about*. 아무 걱정할 것 없다/~ *over* one's husband's health 남편의 건강을 걱정하다/He is *~ing that* he may have made a mistake. 그는 실수하지는 않았나 하고 걱정하고 있다/Don't ~ *how* expensive it is. 그것이 얼마나 비싸든 걱정 마라/You needn't ~ (*about*) try*ing* to find me a job. 직장을 구해 주시려고 걱정하실 것 없습니다. [SYN.] ⇨CARE. **2** 《+[부]/+[전]+[명]》 애쓰며 나아가다; 간신히 타개하다《*along; through*》: ~ *up* a slope 비탈을 애써 기어오르다. **3** 《+[전]+[명]》 (개 등이) (달려들어) 물다, 물고 흔들다〔괴롭히다〕《*at*》: There was Floss, *~ing at* a shoe. (개) 플로스가 신발을 깨물며 놀고 있다. **4** 《영방언》 질식하다. **—** *vt.* **1** 《~+[목]/+[목]+[전]+[명]/+[목]+[보]/+[목]+*to* do》 난처하게 하다, 괴롭히다, (…하라고) 성가시게 굴다: A bad tooth is *~ing* me. 치통(齒痛)으로 고생하고 있다/He *worried* himself ill 〔*into* illness〕. 그는 너무 걱정하여 병이 났다/Children ~ their parents *with* 〔*by asking*〕 questions. 아이들은 부모에게 여러 가지 질문을 해서 괴롭힌다/~ a person *to* do 아무에게 …해 달라고 조르다. **2** 《+[목]+[전]+[명]》 〖수동태〗 곤란을 당하다, 고민하다《*about; over*》: He *was worried over* the situation. 그는 그 사태로 고민했다. **3 a** 집적거리다, 귀찮게〔못살게〕 굴다, 쑤석거리다; (개가) 물고 뒤흔들다: ~ lunch rather than eat it 점심을 안 먹고 쑤석거리다/The dog is *~ing* a bone. 개가 뼈다귀를 물고 뒤흔들고 있다. **b** 자꾸 만지다〔움직이다〕, 계속 염려하다; 밀거나 당기거나 하여 움직이다; 애무(愛撫)하다. **4** 《영방언》 질식시키다.
I should ~! 《구어》 조금도 상관없습니다. ***Not to*** 〔***No***〕 ***~.*** 《영구어》 걱정 마라, 신경 쓰지 마라. ***~ along*** (고생해 가면서) 그럭저럭 해나가다〔살아가다〕. ***~ aloud*** 불평하다《*about*》. ***~ at*** ① ⇨*vi.* 3. ② (어떤 목적을 위해서) …에게 귀찮게 조르다〔매달리다〕《*to* do》. ***~ out*** (a problem) (문제를) 애써서 풀다. ***~ the life out of*** a person ***to*** do 아무에게 끈덕지게 …하라고 다그치다. ***~ through*** 그럭저럭〔간신히〕 타개하다.
— *n.* **1** 걱정, 고생; (보통 *pl.*) 골칫거리: I have a lot of *worries*. 나에게는 걱정거리가 많이 있다/*Worry* has made him look an old man. 근심 때문에 그는 얼굴이 노인처럼 되었다/What a ~ the child is! 참 성가신 아이로군. [SYN.] ⇨ANXIETY. **2** [U] 사냥개가 사냥감을 물어뜯기.

wórry bèads 걱정거리가 있을 때 손으로 만지작거려 긴장을 푸는 염주.

wór·ry·ing *a.* 성가신, 귀찮은; 애타는, 걱정되는. [파] **~·ly** *ad.*

wórry·wàrt *n.* 《구어》 사소한 일을 늘 걱정하는 사람, 소심한 사람.

worse [wəːrs] *a.* 〖bad, ill의 비교급〗 보다 나쁜; (병이) 악화된. [opp] *better*. ¶ This is ~ than that. 이것은 저것보다 나쁘다/He is much ~ this afternoon. 오늘 오후 그의 병세는 훨씬 악화되었다/He could handle a ~ situation. 그 같으면 더 곤란한 사태라도 처리할 수 있을 것이다/We couldn't have had ~ weather. 가장 나쁜 날씨였다《이 이상 더 나쁜

날씨는 있을 수 없었다》. **be ~ than** one**'s word** 약속을 깨다〔어기다〕. **none the ~ for** (the accident) (사고)를 당해도 태연하게; 《구어》 …으로 좋아져서. **nothing ~ than** (최악의 경우에도) 고작 …만: I managed to escape with *nothing ~ than* a few scratches. 몇 군데 생채기만 입고 그럭저럭 위험을 모면했다. **so much the ~** (오히려) 그만큼 나쁜. **the ~ for ...** …때문에 악화되어〔상태가 나빠져〕: The house was in a state *the ~ for* an earthquake. 집은 지진 때문에 더 형편없이 되었다. **the ~ for drink** 취하여. **the ~ for wear** 지쳐 버려; 입어서 낡은; 《구어》 취하여. (and) **what is ~** =**to make matters ~** =**~ than all** 설상가상으로. **~ luck** ⇨LUCK.

— *ad.* 〖badly, ill의 비교급〗 더 나쁘게, 보다 심하게, 더 서투르게: She is singing ~ than ever. 그녀의 노래는 전보다 훨씬 서투르다/The wind is blowing ~ than before. 바람이 한층 더 세어졌다/They are ~ off than ever. 그들은 이전보다도 지내기가 어려워졌다. **be ~ off** 돈 융통이 더욱 나쁘다, 살림이 더욱 어렵다. **could do ~ than** …하는 것도 나쁘지 않다《삼가는 말투》: One *could do ~ than* go into teaching as a profession. 교직(教職)을 택하는 것도 나쁘지 않다. **none the ~** 역시; 그럼에도 불구하고: He will like you *none the ~* if you tell the truth. 사실을 털어놓아도 그는 역시 네게 호감을 가질 것이다. **think none the ~ of** …을 여전히 중히 여기다〔존경하다〕. **~ still** 설상가상으로.

— *n.* Ⓤ **1** 더욱 나쁨: There is ~ to follow. 다음에 더 나쁜 일이 생긴다. **2** (the ~) 더욱 나쁜 쪽, 불리, 패배; 불화. **for better or for ~** 좋든 나쁘든. **for the ~** 나쁜 쪽으로, 더욱 나쁘게: The patient took a turn *for the ~*. 환자의 병세는 악화되었다. **have the ~** (경기 등에) 지다; 〖일반적〗 불리한 입장에 있다. **or** 〔**and**〕 **~** 더욱 나쁜 것. **put** a person **to the ~** 아무를 지우다〔지게 하다〕.

㊎ **∠·ness** *n.*

wors·en [wə́ːrsən] *vt., vi.* 악화하다, 악화시키다. ㊎ **~·ing** *n.* 악화, 저하.

⁑**wor·ship** [wə́ːrʃip] *n.* Ⓤ **1** 예배, 참배; Ⓒ 예배식: the ~ of idols 우상 숭배. **2** 숭배, 존경; 숭배의 대상: hero ~ 영웅 숭배. **3** 《고어》 명예, 존엄, 위엄: men of ~ 《고어》 훌륭한 사람들; 명사. **4** 《영》 각하《치안 판사·시장 따위에 대한 경칭, 때로 반어적》: your *Worship* 각하《그 사람에게 향해서》/his 〔her〕 *Worship* 각하《3 인칭으로서》. **a house** 〔**place**〕 **of ~** 교회; 예배소. **a public ~** 교회의 예배식. **attend ~** 예배에 참가〔참석〕하다; 교회에 가다. — (*-p-*, 《영》 *-pp-*) *vt., vi.* **1** 예배하다, …에 참배하다, (신으로) 모시다〔공경하다〕: ~ God 신을 섬기다. **2** 숭배〔존경〕하다; 찬미하다: ~ money 돈을 중히 여기다. ㊎ **°~·(p)er** *n.* 예배자, 참배자, 숭배자.

°**wor·ship·ful** [wə́ːrʃipfəl] *a.* 존경할 만한, 훌륭한, 존귀한, 고명한《경칭으로서》; 믿음이 깊은, 경건한: the Most 〔Right〕 *Worshipful* 각하. ㊎ **~·ly** *ad.* **~·ness** *n.*

wórship·less *a.* 존경받지 못하고 있는.

⁑**worst** [wəːrst] *a.* 〖bad, ill의 최상급〗 최악의, 가장 나쁜; (용태가) 최악의; 가장 심한. OPP. *best.* ¶ the ~ storm for five years, 5 년 만의 심한 폭풍우. **come off ~** 지다, 혼나다. **the ~ way** 〔**kind**〕 《미속어》 가장 나쁘게; ((in) the ~ way) 도저히; 대단히, 매우: The girl wanted a doll for Christmas *in the ~ way*. 소녀는 크리스마스 선물로 인형을 몹시 갖고 싶어했다.

— *n.* (the ~) Ⓤ 최악, 최악의 것〔사람〕: be

prepared for the ~ 최악의 사태에 대비하다. **at** one**'s ~** 최악의 상태로: John is always *at his ~* when we have guests. 손님이 있을 때 존은 언제나 버릇이 아주 없다. **at** (**the**) **~** 최악의 경우는; 아무리 나빠도: You will lose only five cents *at ~*. 최악의 경우라도 5 센트밖에 손해 안 볼 것이다. **Do your** 〔**Let him do his**〕 **~!** 무슨 일이건 멋대로 해봐《도전의 말》. **get** 〔**have**〕 **the ~** (**of ...**) 《구어》 …에(서) 지다, 혼나다. **get** 〔**have**〕 **the ~ of it** 지다. **give** a person **the ~ of it** 아무를 이기다. **if ~ comes to ~** 최악〔만일〕의 경우에는. **make the ~ of** (곤란 따위)를 과장해서〔큰일인 것처럼〕 말하다; …을 비관하다, 최악의 경우로 여기다. **put** a person **to the ~** 아무를 패배시키다. **speak** 〔**talk**〕 **the ~ of** …을 나쁘게 말하다, …을 깎아내리다. **The ~ of it is that ...** 가장 곤란한 일은 …이다.

— *ad.* 〖badly, ill의 최상급〗 가장 나쁘게; 매우, 대단히; 가장 서툴게: John played ~. 존의 연주〔연기〕가 가장 서툴렀다. **~ of all** 무엇보다도 나쁜 것은.

— *vt.* 패배시키다, 무찌르다: The enemy was ~*ed*. 적은 패배했다.

wórst-càse *a.* 최악의 경우도 고려한.

wor·sted [wústid, wə́ːr-/wús-] *n.* Ⓤ, *a.* 소모사(梳毛絲)(의), 우스티드(의); 소모사 직물(의), 모직물(의).

wort[1] [wəːrt, wɔːrt/wəːt] *n.* Ⓤ (발효 전의) 맥아즙(麥芽汁)《맥주 원료》.

wort[2] *n.* 풀, 초본《현재는 복합어로 쓰임》; 《고어》 =POTHERB: rag*wort* 개쑥갓. [OE *wyrt* root]

⁑**worth**[1] [wəːrθ] *a.* 〖서술적〗 **1** …의 가치가 있는, 보람 있는, …의 값어치가 있는; 〖동명사를 수반하여〗 …할 만한 가치가 있는. cf. worthy. ¶ This picture is ~ fifty hundred dollars. 이 그림은 5천 달러의 값어치가 있다/It isn't ~ much. 그것은 별로 값어치가 없다/It is ~ nothing. 아무런 가치도 없다/It is ~ what you have paid for it. 그것은 돈을 들인 만큼의 값어치가 있다/The play is ~ see*ing*. 그 연극은 볼 만한 가치가 있다/It's ~ read*ing* this book. 이 책을 읽는 것은 보람 있는 일이다/Whatever is ~ do*ing* at all is ~ do*ing* well. 《속담》 적어도 할 가치가 있는 일이라면 훌륭하게 할 가치가 있다. **2** 재산이 …인, …만큼의 재산을 가지고: He is ~ a million. 그는 백만장자이다/What's he ~? 그는 재산이 얼마나 있느냐. **as much as ... is ~** …의 가치에 필적할 만큼: It's *as much as* my place *is ~* to do it. 그것을 하면 내 지위가 위태롭다. **for all** one **is ~** 《구어》 전력을 다해서: Do it *for all you are ~*. 열심히 해라. **~ it** 《구어》 (시간·수고 따위를 들일 만한) 가치가 있는. **~ its** 〔**one's**〕 **weight in gold** 대단히 귀중한. **~ one's salt** 급료만큼의 일을 하는. **~ (a person's** 〔**one's**〕**) while** 〖서술적〗 …할 가치가 있는, 할 보람이 있는《*to* do; do*ing*》: It isn't ~ *your while to* go now. 네가 지금 갈 만한 일이 못 된다/find something ~ *while to* do 뭔가 보람 있는 일을 찾아내다. ★ 부가어적으로는 한 단어로 worthwhile로 씀. **~ the trouble** 애쓴 보람 있는.

— *n.* Ⓤ **1** 가치, 값어치: the ~ of education 교육의 가치/the ~ of the man 사람의 가치.

SYN. **worth** value 와 바꿔 쓸 수도 있지만 주로 인간의 정신으로 느낄 수 있는 가치를 말함: Few knew his true *worth*. 아무도 그의 참 가치를 몰랐다. a man of *worth* 귀중한 인재. **value** 효과상의 가치, 중요성, 또는 금액으로

환산되는 가치: the *value* of experience 경험의 가치(중요성). **merit** 칭찬할 만한 가치, 미점: The book's only *merit* is its sincerity. 이 책의 유일한 가치는 그 진실성이다. **virtue** 사람 또는 사물 따위의 특질로서의 가치: the *virtue* of knowing of one's weakness 자기의 결점을 알고 있다는 장점/believe in the *virtue* of the cause one serves 자기가 몸바치는 주의(主義)의 가치를 믿다.

2 …의 값만큼의 분량, …어치《*of*》: three dollars' ~ *of* meat, 3 달러어치의 고기. **3** 재산. ***of great*** ~ 대단히 가치가 있는. ***of little*** 〔***no***〕 ~ 가치가 적은〔없는〕. ***put*** 〔***get***〕 ***in*** one***'s two cents*** 〔***twopence***〕 (~) 《구어》 (토론 따위에서) 자기의 의견을 말하다〔주장하다〕.

worth² *vt.* 《고어》 (아무)에게 닥쳐오다. ***Woe ~ …!*** …에 재앙이 있으라. ***Woe ~ the day!*** 오늘은 더럽게도 재수 없군. 「~**·ness** *n.*

worth·ful [wə́ːrθfəl] *a.* 가치 있는, 훌륭한. ⓟ

*****worth·less** [wə́ːrθlis] *a.* 가치 없는, 하잘것 없는, 쓸모없는, 시시한, 무익한; 품행이 나쁜. ⓟ **~·ly** *ad.* **~·ness** *n.*

*****worth·while** [wə́ːrθ*h*wáil] *a.* 〖보통 부가어적〗 할 보람이 있는, 시간을 들일 만한; 상당한; 훌륭한: a ~ book 읽을 만한 책. ★ 서술적 용법은 worth a person's while (⇨ WORTH 관용구). ⓟ **~·ness** *n.*

******wor·thy** [wə́ːrði] (***-thi·er; -thi·est***) *a.* **1** 훌륭한, 존경할 만한, 가치 있는, 유덕한. ⓒⓕ worth¹. ¶ a ~ man 인격자/~ gentlemen 훌륭한 신사들/~ motives 훌륭한 동기/a ~ life 훌륭한〔뜻있는〕 인생. **2** (…에) 어울리는, (…하기에) 족한《*of*; *to* be done》: He is ~ *of* reward. 그는 상을 받기에 족하다/a behavior ~ *of* praise 〔~ *to* be praised〕 칭찬할 만한 행위/be ~ *of* note 주목할 만하다. ★ 2의 뜻으로는 보통 보어적으로만 쓰이나, 문어에서는 부가어적으로도 쓰임: a *worthy* reward 상당한 보수. **—** *n.* 훌륭한 인물; 명사; 《우스개·반어적》 양반: local *worthies* 지방 유지/How are you, my ~? 이 양반 요즘 어때. ⓟ **wórth·i·ly** *ad.* 훌륭하게; 어울리게, 정당하게. **-i·ness** *n.* 「뜻의 결합사.

-wor·thy [wə̀ːrði] '…에 알맞은, …할 만한' 의

wot¹ [wɑt/wɔt] 《고어》 WIT²의 직설법 현재 제 1·제 3 인칭 단수.

wot² (***-tt-***) *vt., vi.* 알다, 알고 있다《*of*》.

wotch·er, watch- [wɑ́tʃər/wɔ́tʃ-] *int.* 《영속어》 안녕하십니까(What cheer!).

†**would** ⇨《p. 2881》 WOULD.

°**wóuld-bè** *a.* …이 되려고 하는, …지망의; …연(然)하는, …이라고 자인하는: a ~ author 작가 지망자/a ~ poet 자칭 시인.

†**would·n't** [wúdnt] would not의 간약형.

wouldst, would·est [wudst, wutst], [wúdist] *aux. v.* 《고어》 =WOULD 《thou가 주어일 때》: Thou ~ (=You would) ….

would've [wúdəv] would have의 간약형.

******wound¹** [wuːnd, 《고어·시어》 waund] *n.* **1** 부상, 상처: a knife ~ 칼로 베인 상처. ⓈⓎⓃ ⇨ INJURY. **2** (정신적) 고통, 상처, 타격; 《시어》 사랑의 상처: a ~ *to* one's self-esteem 자존심을 상하게 하는 것. ***inflict ~s upon*** …에 상처를 입히다. ***lick*** one***'s ~s*** ⇨ LICK. ***open up old ~s*** 묵은 상처를 쑤시다. **—** *vt.* 《~+목/+목+전+명》 상처를 입히다; (감정을) 해치다: be ~*ed* 부상을 입다/lie ~*ed* 상처를 입고 넘어져 있다/The bullet ~*ed* him *in* the shoulder. 탄환이 그의 어깨에 상처를 입혔다. **—** *vi.* 상처 내다. ***willing to ~*** 악의 있는. ***~… to death*** …에게 깊은 상처를 주어 죽이다. ~ a person ***to the quick*** 아무의 마음에 바로 와 닿다, 아무의 감정을 몹시 해치다.

wound² [waund] WIND²·³의 과거·과거분사.

wound·ed [wúːndid] *a.* 상처 입은, 부상당한; (마음을) 상한. **—** *n.* 〖집합적〗 (the ~) 부상자.

wóund·less *a.* 부상 없는, 상처 없는.

wove [wouv] WEAVE의 과거·과거분사.

wov·en [wóuvən] WEAVE의 과거분사.

wóve pàper 비쳐 보면 그물 무늬가 있는 종이. ⓒⓕ cream wove, laid paper.

wow¹ [wau] 《구어》 *int.* 야아《놀라움·기쁨·고통 등을 나타냄》. **—** *n.* (흥행의) 대성공; (무의식 중에 야아 하고 소리 지르게 될 만한) 굉장한 것, 잘생긴 여자. **—** *vt.* (관중을) 열광시키다, 대성공하다. [imit.] 「일그러짐》. [imit.]

wow² *n.* 와우《재생 장치의 속도 변화로 소리가

wow·ser [wáuzər] *n.* 《Austral.구어》 엄격한 사람; 절대 금주자; 흥을 깨는 사람.

WP [dʌ́bəljuːpíː] *n.* 《미》 (성적 평가에서) WP《합격 점수를 따면서 학과 이수(履修)를 중지한 학생에게 교사가 매기는 평점》. ⓒⓕ WF. [◂ *w*ithdrawn *p*assing]

WP word processing; word processor. **WP, W.P.** weather permitting; wettable powder; white phosphorus; without prejudice. **wp** water proof. **w.p.** wastepaper; wire payment; working pressure. **WPA, W.P.A.** Works Projects 〔본래는 Progress〕 Administration (공공사업 촉진국). **WPB, W.P.B.** 《미》 War Production Board. **w.p.b., W.P.B.** wastepaper basket(휴지통에 넣으시오). **WPC, wpc, w.p.c.** watts per candle. **W.P.C.** 《영》 woman police constable. **WPI** wholesale price index (도매 물가 지수). **WPM, wpm, w.p.m.** words per minute(1 분간 타자 속도). **wpn.** weapon. 「SYNDROME.

WPW sỳndrome =WOLFF-PARKINSON-WHITE

W.R. warehouse receipt; Wassermann reaction; with rights. **WRAC, W.R.A.C.** [+ræk] 《영》 Women's Royal Army Corps (육군 여군 부대; WAAC, ATS의 후신).

wrack¹ [ræk] *n.* **1** Ⓤ 바닷가에 밀려 올라온 해초. **2** Ⓒ 표착물; 난파선. **3** Ⓤ 파멸; 파괴. ***go to ~ and ruin*** 파멸하다. [MLG, MDu *wrak* wreckage]

wrack² *n.* (중세의) 고문대. **—** *vt.* 고문하다, 괴롭히다. [OE *wræc* persecution, misery]

WRAF, W.R.A.F. [ræf/ræf, rɑːf] 《영》 Women's Royal Air Force(공군 여군 부대).

wraith [reiθ] (*pl.* **~s** [-θs, -ðz]) *n.* (죽어 가는 사람의) 생령, (막 죽은 사람의) 영혼; 〖일반적〗 유령, 망령; 《비유》 앙상하게 말라빠진 사람; 피어오르는 연기〔증기〕. ⓟ **∠·like** *a.*

wran·gle [rǽŋgəl] *vi.* 말다툼하다, 논쟁하다, 다투다. **—** *vt.* 설복하다《*out; in*》, 토론하다; 《미》 (가축 따위를) 보살피다. **—** *n.* Ⓤ,Ⓒ 말다툼, 논쟁, 입씨름(dispute).

wrán·gler *n.* 토론자, 논쟁자; 《미》 말지기, 가축지키는 사람, 카우보이; 《영》 (Cambridge 대학에서) 수학 학위 시험의 일급 합격자: the senior ~ 수석 일급 합격자.

******wrap** [ræp] (*p., pp.* ***~ped*** [ræpt], ***~t*** [ræpt]; ***∠·ping***) *vt.* **1** 《~+목/+목+부/+목+전+명》 감싸다, 싸다; 포장하다《*up; in*》: ~ one's shoulders *in* the shawl 숄로 어깨를 두르다/be ~*ped up in* a blanket 담요를 둘러쓰다/He ~*ped* the package *up in* 〔*with*〕 brown paper. 그는 꾸러미를 갈색 종이로 포장했다. **2** 《+목+전+명》 둘러싸다, 감다, 얽다《*about; around; round*》: ~ a rubber band would는 will의 과거형이므로 물론 직설법에도 쓰인다: He said that his brother *would* arrive soon. (←He said, "My brother will arrive soon.") 그러나 이것은 주로 시제의 일치 및 과거의 습관에 한정되며 가정법에 의외로 널리 쓰인다. 이것은 다른 조동사의 과거형 should, could 따위에서도 볼 수 있는 경향이다. 가정법과거는 동사라도 if-절이나 I wish에 잇따르는 절에서는 쓰인다: if I *knew* / I wish I *had* a son. 그러나 현대 영어에서는, 동사의 가정법과거는 귀결절이나 독립된 평서문에는 사용치 않는다《이런 위치에서는 직설법이 되며, 실제의 과거를 나타낼 뿐이다》. 조동사의 가정법과거는 그 경우에도 쓰이므로 활용 범위가 그만큼 넓어지는 셈이다. 독립된 평서문에 사용된 때, 그것이 직설법으로서 실제의 과거를 나타내느냐, 가정법이냐의 판단은 문맥에 따를 때가 많다.

또한 if I *would* 〔*should, might*〕 have done so의 형태는 없으며 이 구문은 could에만 허용된다: If I *could* have found him, I would have told you. 만일 내가 그를 발견해낼 수 있었다면 네게 말했을 것이다.

would [wud, 약 wəd, əd] (would not의 간약형 ***would·n't*** [wúdnt]; 2 인칭 단수 《고어》 (thou) ***wouldst*** [wudst, wutst], ***would·est*** [wúdist]) *aux. v.* **1** 〖종속절 안에서, 시제의 일치에 의한 간접화법〗 **a** 〖단순미래〗 …할 것이다: She believed that her husband ~ soon get well. 그녀는 남편의 병이 곧 나으리라고 믿었다 / I asked her if she ~ go to the party. 파티에 갈 것인지 그녀에게 물었다《직접화법: I asked her, "Will you go to the party?"》/ She said she ~ be very pleased. 매우 기쁘게 생각할 것이라고 그녀는 말했다《직접화법에서의 단순미래의 I 〔we〕 shall 이, 간접화법에서 2 · 3 인칭을 주어로 해서 나타낼 경우, 종종 should를 대신해서 would가 사용됨》/ I thought you ~ have finished it by then. 그 때까지는 네가 일을 마쳤을 것으로 생각했었다《would have+과거분사는 과거의 어느 시점까지 완료되었으리라고 생각한 동작이나 일을 나타냄》. **b** 〖의지미래〗 …하겠다: I said I ~ try. 해보겠다고 말했다《직접화법: I said, "I will try."》/ He said that he ~ do his best. 그는 최선을 다하겠다고 말했다《직접화법: He said, "I will do my best."》.

2 〖과거의 의지 · 주장 · 고집 · 거절〗 《흔히 부정문에서》 (기어코) …하려고 했다《'had the will to (do)' 와 바꿔칠 수가 있으며, 또 모든 인칭에 쓰임》: He ~ go despite my warning. 나의 경고에도 불구하고 그는 간다고 우겼다 / The door ~*n't* open. 문이 도무지 안 열렸다 / I told you so, but you ~*n't* believe it. 너에게 그렇게 말했는데도 너는 믿으려 하지 않았다 / I ~ have *nothing* to do with it. 나는 그것과 관계하고 싶지 않았다.

3 〖말하는 이의 짜증 · 비난을 나타내어〗 (아무가) 상습적으로 …하다; (공교로운 사태 등이) 늘 …하다《종종 과거의 때와는 관계없이 쓰임》: He ~ be unavailable when we want him. 그는 필요할 때면 꼭 없어지거든 / Stop teasing me or I'll tell mama. — You ~! 그만 놀리지 않으면 엄마한테 이를 테다 — 알고 있어.

4 〖과거의 가능성 · 추측〗 …했을 것이다, …했을는지도 모른다: She ~ be 80 when she died. 그녀가 죽었을 때 80 세는 되었을 것이다 / I ~n't have thought he'*d* do a thing like that. 그가 설마 그런 짓을 하리라곤 생각지도 못했다.

5 〖과거의 습관 · 습성〗 (사람이) 곧잘 …하곤 했다: He ~ jog before breakfast. 그는 조반 전에 흔히 조깅을 하였다 / He ~ (often) go fishing in the river when he was a child. 어렸을 때 그는 (자주) 강에 낚시질을 가곤 했었지.

6 〖과거의 수용력 · 능력〗 …할 능력이 있었다, …할 수(가) 있었다(could): The hall ~ seat 500 people. 홀의 수용력은 500 명이었다 / He bought a car that ~ hold six people easily. 그는 6 사람이 편히 탈 수 있는 차를 샀다.

7 〖가정법, 주어의 의지를 나타내는 조건절 속에서〗 …하려고 했으면, …할 마음만 있으면: He could help us, if only he ~! 마음만 있으면 그는 우리를 도울 수 있을 텐데.

8 〖가정법, 주절 속에서 (1): I would〗 **a** 〖상상을 포함한 의지〗 …할 텐데: If I had a chance, I ~ try. 기회가 있으면 해볼 텐데 / If I were you, I ~ not do it. 만일 내가 자네라면 그것을 안 할 거야 / I ~ not suffer the slightest affront. 어떤 사소한 모욕도 용서하지 않겠다 / If I had been in your place, I ~ not have given him any money. 만일 내가 자네 입장이었다면 그에게 한 푼도 주려고 안 했을 것이다. ★ 주어의 의사가 들어 있지 않아 전통적으로는 I should 로 해야 될 곳도, 현대어 특히 《미》에서는 흔히 I would 로 함: If it hadn't been for him, I *would* have died. 만약 그가 없었더라면 나는 죽었을 것이다. **b** 〖조심스러운 바람〗 …하고 싶다: I ~ rather die than submit. 굴복하느니 차라리 죽겠다 / I'*d* sooner be idle than do it. 그것을 하느니 차라리 빈들거리겠다 / I ~ like to go. 가고 싶다 《주로 《미》에서, 《영》에서는 I should like to...》. ★ 다음의 would도 이 부류에 든다고 할 수 있음: *Would* that I were young again. 다시 한번 젊어질 수 있다면 좋으련만.

9 〖가정법, 주절 속에서 (2): you 〔he, she, it, they〕 would〗 **a** 〖조건절 또는 그에 상당하는 구의 귀결로서, 또는 조건절 따위가 생략되어〗 …할 것이다《이 would는 말하는 이의 추측을 보이는 것으로 주어의 의지는 없음》: You ~ do better if you used a dictionary. 사전을 사용하면 좀더 잘 할 것이다 / If it had not rained last week, the river ~ be dry. 지난 주 비가 오지 않았더라면 강은 말라붙었을 게다 / If you had given enough food to your little birds, they ~ not have died. 네 작은 새들에게 충분한 모이를 주었더라면 죽지 않았을 게다 / It ~ be a great help to me for you to come. 당신이 와 준다면 크게 도움이 되겠는데. **b** 〖말하는 이의 상상〗: Of course you ~n't know. 물론 당신은 모르실 테죠 / *Would* it be enough? 그것으로 충분할까요. **c** 〖말하는 이의 바람을 나타내는 문장에서〗: I wish he ~ come. 그가 와 주었으면 싶은데 / I wish you ~ give up smoking. 당신이 담배를 끊었으면 좋겠는데 / If only Ann ~ not talk like that. 앤이 그런 식으로 말을 하지 않으면 좋으련만 / What ~n't I give for a really comfortable house! 정말이지 살기 좋은 집만 있다면 좋을 텐데. **d** 〖Would you...?로 의뢰 · 권유를 나타내어〗 …해 주겠습니까: *Would you* tell me what to say? — Certainly(, I will). 어떻게 말해야 좋을지 가르쳐 주시겠습니까 — 그러고 말고요《*Yes, I *would*.라고 대답하지 않음; 부정의 대답은 I'm afraid I can't. 따위로 함》/ *Would* you like (to have) a cup of tea? 차 한 잔 드시겠습니까.

10 〖놀람·뜻밖〗《주로 wh- 의문문에서》《미》… 하다니(《영》 should): *Why* ~ he talk like that? 어째서 그는 그런 식으로 말하는 거지/ *Who* ~ take on such hard work? 그런 중노동을 누가 떠맡아 주겠다고 하겠는가.

~ **best** do …하는 것이 제일〔가장〕좋다. ~ **rather** do ⇨ RATHER. ***Would that ... !*** …면 좋을 텐데《절 안은 가정법과거(완료)형》: *Would* (*that*) she were here! 그녀가 여기 있으면 좋을 텐데/ *Would that* it had been true! 그게 사실이었더라면 좋으련만. ***You ~n't*** 〔***couldn't***〕 (***do that***)! 《구어》 설마 그럴 리는 없겠지.

around the box 상자에 고무 밴드를 두르다. 3 《~+目/+目+전+명》 (사건·진의 등을) 가리다, 숨기다《*in*》: ~ one's meaning *in* obscure language 의도를 애매한 말로써 얼버무리다/ The affair is *~ped in* mystery. 그 사건은 의혹에 싸여 있다. 4 포함하다《*up*》: The pamphlet ~*s up* necessary information about it. 이 소책자는 그것에 대한 필요한 지식을 싣고 있다. 5 (냅킨 등을) 접다. 6 〖영화·TV〗 촬영을 완료하다. 7 《Austral.구어》 …을 칭찬하다《*up*》. — *vi.* 1 (+부) (몸을 옷 따위로) 휘감다《*up*》: Mind you ~ *up* well. 옷을 따뜻하게 감싸 입도록 주의해라. 2 《+전+명》 감기다: A vine ~*s round* the pillar. 덩굴풀이 기둥을 감고 있다. 3 (의복·가장자리 등이) 겹쳐지다(overlap).
be ~ped up in ① ⇨ *vt.* 1. ② …에 열중하고 있다; …에 정신을 빼앗기고 있다: She *is ~ped up in* her child. 그녀는 자기 아이에게 열중하고 있다〔아이밖에 안중에 없다〕. ③ 《구어》 …와 관련이 있다, 말려들다. ~ ***it up*** 《미속어》 잘 해내다; (경쟁에서) 결정적 타격을 가하다. ~ ***over*** 포개다, 포개지다. ~ ***up*** (*vt.*+부) ① ⇨ *vt.* 1, 4. ② (진의를) …에 숨기고 표현하다《*in*》. ③ 《구어》 (협정 따위를) 체결하다, 결말을 짓다. ④ (모임·일 따위를) 마치다; (숙제·리포트 따위를) 다 쓰다. ⑤ 《구어》 (기사 따위를) 요약하다. ⑥ 〖명령형〗《속어》 입 다물다, 침묵하다. — (*vi.*+부) ⑦ ⇨ *vi.* 1.
— *n.* 1 두르개, 덮개, 외피, 싸개; 어깨두르개, 목도리, 무릎가리개, 외투. 2 (*pl.*) 구속, 억제, 비밀 (유지책), 검열. 3 완성, 끝냄. ***keep ... under*** 〔***in***〕 ***~s*** (계획·사람 등을) 숨겨 두다, 비밀로 해두다, 공개하지 않고 두다.

wráp·aròund *a.* 몸에 둘러서 입는; 광각(廣角)의, (끝쪽이) 굽은, 겹친: ***a ~ windshield*** (자동차의) 폭이 넓고 굽은 앞창(窓), 광각 앞창. — *n.* 1 (몸〔허리〕에) 두르는 식의 스커트 등의 옷(wrapover). 2 〖제본〗 바깥 접장(outsert).

wráp còat 랩코트《단추가 없고 몸에 휘감듯이 입고 벨트를 매는 코트》.

wráp·òver *a.*, *n.* 몸에 두르는 식의(옷)(wraparound).

wrap·page [rǽpidʒ] *n.* 포장(지); U,C 포장 재료; 몸에 두르는 옷(wrapper).

wrapped [ræpt] *a.* 《Austral.구어》 매우 기뻐하는(rapt), 즐거워하는; 열중하는《*in*》; 《미구어》 억누르는. ***be ~ tight*** (정신적으로) 정상이다. ***be ~ up*** ⇨ WRAP.

wráp·per *n.* 1 싸는 사람, 포장 담당원. 2 포장지, (잡지·신문의) 봉(封)띠, 띠지; 《영》 (책의) 커버. cf. jacket. 3 목욕 가운; (졸업식 따위의) 가운. 4 여송연의 겉잎.

wráp·ping *n.* U 포장, 쌈; (보통 *pl.*) 포장지, 보자기.

wrápping pàper (소포용) 포장지.

wrapt [ræpt] WRAP의 과거·과거분사.

wráp-ùp *n.* 1 뉴스의 요약; (일반적인) 요약. 2 결말, 최종 결과, 결론. 3 선선히 물건을 사는 손님; 곧 팔림. 4 간단한〔손쉬운〕 일; (경기 등의) 낙승. 5 《Austral.속어》 칭이 마르게 칭찬함, 열심히 추천함. — *a.* 맺는, 종결의; 요약의.

wrasse [ræs] *n.* 〖어류〗 놀래깃과의 물고기.

◇**wrath** [ræθ, rɑːθ/rɔ(ː)θ] *n.* U 《시어·문어》 격노, 분노, 신의 노여움; 복수, 천벌; (자연현상 등의) 혹독함, 폭위(暴威): in ~ 격노하여. ***bottle up*** one's ~ 노여움을 참다. ***children*** 〔***vessels***〕 ***of ~*** 〖성서〗 진노의 자녀〔그릇〕《천벌을 받을 사람들; 로마서 IX:22》. ***incur*** a person's ~ 아무의 노여움을 사다. ***slow to ~*** 쉽게 노하지 않는: be *slow to* ~ 좀처럼 화내지 않다. ***the grapes of ~*** 〖성서〗 분노의 포도《하느님의 진노; 요한 계시록 XIV:10》. 파 **~·less** *a.*

wrath·ful [rǽθfəl, rɑ́ːθ-/rɔ́(ː)θ-] *a.* 분격한, 격노한. 파 **~·ly** *ad.* 분연히. **~·ness** *n.*

wrathy [rǽθi, rɑ́ːθi/rɔ́(ː)θi] (***wrath·i·er***; ***wrath·i·est***) *a.* 《구어》 =WRATHFUL. 파 **wráth·i·ly** *ad.*

wreak [riːk] *vt.* 《~+目/+目+전+명》 1 (원수를) 갚다, (벌을) 주다, (분노를) 터뜨리다; (원한을) 풀다, (위해(危害) 따위를) 가하다, 가져오다《*on*, *upon*》: He ~*ed* his anger *on* his brother. 아우에게 분풀이를 했다/ ~ vengeance *upon* an enemy 적에게 복수를 하다. 2 (노력을) 기울이다; 《고어》 …에게〔의〕 복수를 하다. 파 **~·er** *n.* **~·ful** *a.*

◇**wreath** [riːθ] (*pl.* ~*s* [-ðz, -θs]) *n.* 1 화관, 화환: a laurel ~ 월계관. 2 (연기·구름 따위의) 소용돌이, 동그라미《*of*》: a ~ *of* smoke 소용돌이치는 연기. 3 《시어》 (춤추는 사람·구경꾼 등의) 일단《*of*》. 4 〖건축〗 계단 난간의 만곡부. — *vt.*, *vi.* =WREATHE. 파 **~·less** *a.* **~·like** *a.*

◇**wreathe** [riːð] (**~*d***; **~*d***, 《고어》 ***wréath·en***) *vt.* 《~+目/+目+전+명》 1 (화환 따위로) …을 장식하다: The poet's brow was ~*d with* laurel. 시인의 이마는 월계관으로 장식되었다. 2 (꽃·가지 등을 엮어) 둥글게 하다, 환상(環狀)으로 만들다: ~ flowers *into* a garland 꽃을 엮어 화환으로 만들다. 3 (팔을) 휘감다; (발 따위로) 감다《*about*; *around*》: ~ itself *around* …에 휘감다/ ~ one's legs *about* a stool 다리로 걸상을 감다. 4 (둥글게) …을 둘러싸다, …에 휘감기다, 감다: a face ~*d* in smiles 만면에 웃음을 띤 얼굴. — *vi.* 《~/+부》 (수목이) 원을 이루다, 서로 얽히다; (연기 따위가) 동그라미가 되(어 움직이)다, 감돌다, 소용돌이쳐 오르다: The smoke was *wreathing upward*. 연기가 소용돌이치며 올라갔다. 파 **wréath·er** *n.*

wreathy [ríːθi, -ði] *a.* 화환(花環) 모양의; 동그라미를 이루고 있는.

*****wreck** [rek] *n.* 1 U,C (배의) 난파: save a ship from ~/ The gale caused many ~*s*. 폭풍으로 많은 배가 난파했다. 2 U 파괴, 파멸. cf. ruin. ¶ the ~ of one's hopes 소망〔희망〕의 소멸. 3 C 난파선(의 잔해). 4 U,C 〖법률〗 조난 화물, 표착물. 5 C 《미속어》 (파괴된 열차·건물 등의) 비참한 잔해, 부서진 차, 사고 차; 패잔〔몰락〕한 몸; (병으로) 수척해진 사람, 신경 쇠약자: a train ~ 열차의 잔해/ a (mere) ~ of one's former self 옛 모습은 찾아볼 수도 없는 비참한 몰골. ***go to ~*** (***and ruin***) 파멸하다. ***make a ~ of*** a person's ***life*** 아무의 일생을 망쳐 놓다.
— *vt.* 1 난파시키다; (선원을) 조난시키다: The ship was ~*ed*. 배는 난파했다/ ~*ed* sailors 조난당한 선원들. 2 파괴하다, 부수다. 3 파멸로 이끌다. 4 결딴내다: You're ~*ing* my whole life. 너는 내 인생을 엉망으로 만들고 있다. 5 《미속어》 (지폐를) 주화로 바꾸다; 《미속어》 활수(滑手)하게 (돈을) 써 즐기다. — *vi.* 1 난파〔파멸〕하다: The ship ~*ed* on a sunken rock. 배는 암

초에 걸렸다〔걸려 난파했다〕. **2** 부서지다. **3** 폐물을 회수〔이용, 제거, 약탈, 수리〕하다.

wreck·age [rékidʒ] *n.* [U] **1** 난파, 난선. **2** 난파 화물, 표착물; 잔해, 파편. **3** 파멸, 파괴.

wrecked [-t] *a.* 《미속어》 몹시 취한, 마약으로 몽롱해 있는.

wréck·er *n.* **1** 배를 난파시키는 사람; 난파선 약탈자. **2** 《미》 조난선 구조자〔선〕; 구조(작업)선, 구조차〔열차〕; 구난 자동차, 레커차(tow truck). **3** 《미》 건물 해체업자; (자동차 등의) 해체 수리업자; (제도) 파괴자; 철거기(機).

wrécker's 〔**wrécking**〕 **bàll** 건물 철거용 철구(鐵球)(skull cracker). ｢(destructive).

wreck·ful [rékfəl] *a.* 《고어·시어》 파괴적인

wréck·ing *n.* [U] 난파, 난선; 구난(救難) 작업; 파괴; 《미》 건물 철거 (작업). **— *a.*** 구난〔난선 구조, 해체〕 작업에 종사하는.

wrécking améndment 〖영정치〗 (법안의) 골자를 빼낸 수정안.

wrécking càr 《미》 〖철도〗 구조차, 레커차.

wrécking còmpany 구조대; 파괴 소방대.

wrécking crèw 《미》 〖철도〗 구조대; 파괴 소

wréck màster 난파선 화물 관리인. ⌊방대.

wréck tràin 《미》 〖철도〗 구조 열차, 구원차.

Wren [ren] *n.* 《영》 해군 여군 부대원. [◂ *Women's Royal Naval Service*]

wren *n.* **1** 〖조류〗 굴뚝새《유럽산(産)》. **2** 《속어》 젊은 여자, 아가씨.

wren 1

wrench** [rentʃ] *vt.* **1** 《~+[목]/+[목]+[부]/+[목]+[전]+[명]/+[목]+[보]》 (갑자기, 세게) 비틀다(twist), 비틀어 돌리다 《*round*》; 비틀어〔잡아〕 떼다《*away; off; from; out of*》: He *~ed* the boy's wrist. 그는 그 소년의 손목을 비틀었다 / ~ one's head *round* 〔*around*〕 고개를 홱 돌리다 / ~ a fruit *off* a branch 가지에서 과일을 따다 / ~ a box open 상자를 비틀어 열다. **2** 삐다, 접질리다: ~ one's ankle 발목을 삐다. **3** (말·의미·사실 따위를) 견강부회하다, 왜곡하다; (생활양식 등을) 싹 바꾸다; (마음을) 괴롭히다. **— *vi.* 1** 《~/+[부]》 (세게, 갑자기) 비틀리다, 뒤틀리다; 몸을 틀다: He *~ed away*. 그는 몸을 돌려 달아났다. **2** 《+[전]+[명]》 (…을) 비틀다《*at*》: He *~ed at* the door-knob. 그는 문손잡이를 돌렸다. **— *n.* 1** 세차게 비틂: give a ~ at a doorknob 〔door handle〕 문의 손잡이를 비틀다. **2** 접질림, 삠: give a ~ to one's ankle 발목을 삐다. **3** 〖기계〗 **a** 렌치《볼트·너트 등을 돌리는 공구》. **b** 《미속어》 (자동차 경주에서) 자동차 정비사〔수리공〕. **4** (모진) 고통; (이별의) 쓰라림. **5** 견강부회, 왜곡. ***throw a* (*monkey*) *~ into ... …을 방해하다, 실패시키다, 파괴하다.

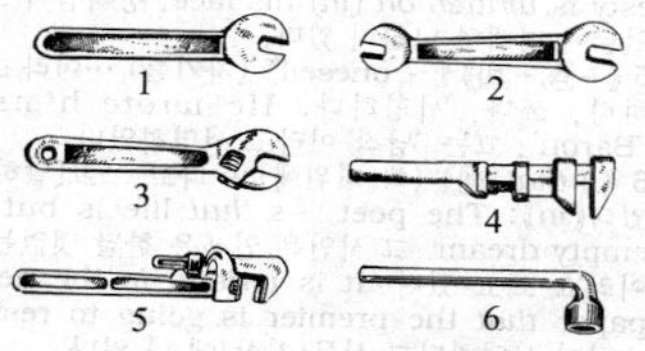

wrenches 3a

1. single-head wrench 2. open-end wrench
3. adjustable end wrench 4. monkey wrench
5. pipe [Stillson] wrench 6. socket wrench

wrest [rest] *vt.* **1** 비틀다. **2** 《~+[목]/+[목]+[전]+[명]》 비틀어 떼다, 잡아 떼다, 억지로 빼앗다: The policeman *~ed* the gun *from* the gunman. 경관은 총잡이로부터 총을 뺏었다. **3** 《~+[목]/+[목]+[전]+[명]》 …을 노력하여 얻다, 애써서 손에 넣다: ~ a victory (고전 끝에) 승리를 얻다 / ~ a living *from* the barren ground 불모의 땅에서 살아나가다. **4** (사실 등을) 왜곡하다, 견강부회하다: ~ a person's words 아무의 말을 곡해하다. **— *n.* 1** 비틂. **2** 《고어》 (피아노·하프 등의) 조율건(調律鍵)《현의 고정 못을 조절하는 도구》.

wres·tle** [résəl] *vi.* **1** 《~/+[부]/+[전]+[명]》 맞붙(어 싸우)다, 레슬링〔씨름〕하다《*with*》: ~ *together* (둘이) 맞붙어 싸우다 / He began to ~ *with* his opponent. 그는 상대와 맞붙어 싸우기 시작했다. **2** 《+[전]+[명]》 (고통·유혹 따위와) 싸우다《*with; against*》; (일과) 씨름하다, (문제 따위에) 전력을 다하다; 애써서 전진하다 《*through*》: ~ *against* adversity 역경과 싸우다 / ~ *with* problems 문제와 씨름하다. **— *vt.* 1** …와 맞붙어 싸우다: ~ an alligator 악어와 맞붙어 싸우다. **2** 《+[목]+[부]/+[목]+[전]+[명]》 (레슬링 따위에서) …을 넘어뜨리다: He *~d* me *down* 〔*to* the ground〕. 그는 나를 넘어뜨렸다〔땅에 쓰러뜨렸다〕. **3** 《~+[목]/+[목]+[전]+[명]》 힘껏 밀다〔밀어 움직이게 하다〕; 《미서부》 (낙인을 찍기 위해) 소 따위를 넘어뜨리다: ~ a heavy box *along* the corridor 복도에서 무거운 상자를 밀고 가다. ***~ in prayer = ***~ with God*** 일심불란하게 기도하다. ***~ out*** 열심히 행하다, 분투하여 완수하다. **— *n.* 1** 맞붙(어 싸우)기; 레슬링(의 한 경기). **2** 분투, 고투(苦鬪), 대단한 노력.

°**wrés·tler** *n.* 레슬링 선수; 씨름꾼; 격투하는 사람; 《미서부》 (낙인을 찍기 위해) 소를 넘어뜨리는 사람. ｢움, 격투.

***wrés·tling** *n.* [U] **1** 레슬링; 씨름. **2** 맞붙어 싸

°**wretch** [retʃ] *n.* **1** 가엾은 사람, 비참한 사람. **2** 《종종 우스개》 비열한 사람, 천박한 사람, 비열한(漢): You ~! 이놈(아). **3** 《우스개》 (귀여운) 녀석, 놈: The little ~! 이 꼬마놈(아), 이 꼬마녀석(아) / a ~ of a child 불쌍한 아이.

wretch·ed** [rétʃid] (보통 ***~·er; ~·est) *a.* **1** 가엾은, 불쌍한, 비참한, 불행한《생활》: feel ~ 비참한 생각이 들다 / I'm ~ you are going. 가버리다니 슬픈 일이군요. **2** 야비한, 비열한: a ~ traitor 가증스런 배반자. **3** 지독한, 불쾌한, 견딜 수 없는: ~ food 맛없는 음식. **4** 초라한: a ~ house. ㊞ **~·ly** *ad.* **~·ness** *n.* ｢Institute.

W.R.I. War Risk Insurance; Women's Rural

wrick [rik] 《영》 *vt.* (목·등뼈·관절 따위를) 틀기다, 접질리다, 삐다. **— *n.*** 접질림, 삠.

wrig·gle [rígəl] *vi.* **1** 《~/+[부]/+[전]+[명]》 몸부림치다, 꿈틀거리다; 꿈틀거리며 나아가다 《*along*》; 몸을 비틀며 들어가다〔나가다〕《*into; out of*》: The eel *~d away* (*out of* his hands). 장어는 꿈틀거리며 (그의 손에서) 빠져나갔다. **2** 우물쭈물하다: Don't ~ when you take an oral test. 면접시험 때 우물쭈물해서는 안 되네. **3** 《+[전]+[명]》 교묘히 환심을 사다《*into*》; 그럭저럭 헤어나다《*from; out of*》: He could ~ *out of* the difficulty. 그는 이럭저럭 곤경을 헤어날 수 있었다. **— *vt.* 1** 《~+[목]/+[목]+[부]/+[목]+[전]+[명]/+[목]+[보]》 몸부림치게 하다, 꿈틀거리게 하다: ~ one's hips 엉덩이를 흔들다 / ~ oneself *out* at a small hole 몸을 뒤틀며 작은 구멍에서 나오다 / ~ oneself *out of* a person's grasp 몸부림쳐 아무의 손아귀에서 벗어나다 / The thief *~d* himself free from the ropes.

도둑은 몸부림쳐 밧줄에서 풀려났다. **2** 《+목+전+명》 교묘히 …하게 하다: ~ oneself *into* a person's favor 아무에게 빌붙어 환심을 사다. **~ one's way** 꿈틀거리며 나아가다: The earthworm ~*d its way* into the earth. 지렁이는 꿈틀거리며 땅속으로 기어 들어갔다. **—** *n.* 몸부림침, 꿈틀거림; 꿈틀거린 흔적.

wríg·gler *n.* 꿈틀거리는 사람〔것〕; 〖곤충〗 장구벌레(wiggler); 교묘히 환심을 사는 사람.

wrig·gly [rígəli] (*-gli·er; -gli·est*) *a.* 몸부림치는, 꿈틀거리는; 우물쭈물하는.

Wright [rait] *n.* **Orville** ~ (1871-1948), **Wilbur** ~ (1867-1912) 라이트《비행기를 발명한 미국인 형제; 1903년 사상 최초의 비행에 성공》.

wright *n.* 《드물게》 건조자, 제작자; (배·수레 따위의) 목수. ★ 주로 복합어로 사용됨: play*wright*, ship*wright*, wheel*wright*.

wring** [riŋ] (*p.*, *pp.* ***wrung [rʌŋ]) *vt.* **1** 《~+목/+목+부/+목+보》 짜다, 틀다, 비틀다; 비틀어 꺾다: ~ (*out*) wet clothes 젖은 옷을 짜다 / ~ the neck of a chicken 닭의 목을 비틀다 / She *wrung* the towel dry. 그녀는 수건을 물기 없이 짰다. **2** 《~+목/+목+전+명》 (물 따위를) 짜내다; (돈 따위를) 우려내다; (승낙 따위를) 억지로 얻다: ~ water *out of* clothes 옷에서 물을 짜내다 / ~ money *from* a person 아무에게서 돈을 우려내다 / ~ a confession *from* a thief 도둑을 죄어쳐 죄를 자백시키다. **3** 《~+목/+목+전+명》 (짜듯이) 괴롭히다: ~ one's heart 마음을 아프게 하다 / My heart was *wrung with* agony. 고민이 있어 마음이 괴로웠다. **4** 《+목+전+명》 (말뜻을) 왜곡하다: ~ the words *from* their true meaning 말의 진의를 왜곡하다. **5** (손을) 굳게 잡고 크게〔세게〕 흔들다: ~ a person's hand 아무의 손을 꽉 쥐다. **—** *vi.* 짜다, 짜내다; (고통 따위로) 몸부림치다, 바르작거리다. (***know***) ***where the shoe ~s*** a person 아무의 아픈 데(를 알고 있다). **~ *down*** (특히 목을) 세게 조르다. **~ *in*** 끼어들게 하다. **~*ing wet*** 짤 수 있을 만큼 젖어, 흠뻑 젖어. **~ *off*** 비틀어 끊다〔자르다〕, 비틀어 떼다. **~ *out*** ① ⇨ *vt.* 1. ② 〖보통 수동태로〗 지쳐 빠지게 하다, 녹초가 되게 하다; (고민 따위로) 격정시키다《*with*》. **~ one's *hands*** (비통한 나머지) 양손을 쥐어 틀다. **~ *up*** 세게〔꽉〕 조르다.

— *n.* **1** 쥐어짬, 한 번 비틂: give the wet towel a ~ 젖은 타월을 쥐어짜다. **2** 손을 부르쥠: give one's hand a ~. **3** (사과즙·치즈 등의) 압착기.

wríng·er *n.* 쥐어짜는 사람〔기계〕; 착취자; 쓰라린 경험. ***put*** a person ***through the ~*** 《미속어》 아무를 (신문(訊問) 등으로) 추궁하다, 협박하다.

wríng·ing *a.*, *ad.* 짤 수 있을 만큼 젖은〔젖어서〕.

***wrin·kle**[1] [ríŋkəl] *n.* (피부·천 따위의) 주름〔구김〕(살); 쪼그랑 할멈: smooth (out) a ~ 주름〔구김〕을 펴다. **—** *vt.* 《~+목/+목+부》 …에 주름을 잡다: ~ (*up*) one's forehead 이마에 주름살을 짓다 / His face was ~*d* with age. 나이가 들어 그의 얼굴에는 주름이 졌다. **—** *vi.* 주름(살)이 지다: The skirt ~*s*. 이 스커트는 잘 구겨진다.

wrin·kle[2] *n.* 《구어》 재치 있는 조언, 좋은 생각, 묘안, 신기축(新機軸), 유행; 얻어 들음, 정보: Give me 〔Put me up to〕 a ~ or two. 좋은 수 좀 가르쳐주게 / the latest ~ 최신 유행, 최신형.

wrínkled lóok 〖복식〗 주름살 룩《면이나 견직물에 주름살이 지게 한 소재로 만든 옷》.

wrin·kly [ríŋkəli] (*-kli·er; -kli·est*) *a.* 주름(살)진〔많은〕; 잘 구겨지는.

****wrist** [rist] *n.* **1** 손목; 〖의학〗 손목 관절. **2** 손끝〔손목〕의 힘〔재주〕. **3** 〖기계〗 =WRIST PIN. ***a slap*** 〔***tap***〕 ***on the ~*** ⇨ SLAP.

wríst·bànd *n.* (셔츠 등의) 소매 끝, 소맷동; (손목시계 따위의) 밴드, 팔찌.

wríst·bòne *n.* 〖해부〗 완골(腕骨).

wríst·dròp *n.* 〖의학〗 수근하수(手根下垂), 손목처짐《수지신근(手指伸筋) 마비로 인함》.

wrist·let [rístlit] *n.* 토시; 팔목끈, (가죽) 팔찌; (손목시계의) 줄; 《속어·우스개》 수갑(handcuffs).

wríst·lòck *n.* 〖레슬링〗 리스트록《손목 비틀기 공격》.

wríst pìn 〖기계〗 피스톤 핀.

wríst shòt 〖골프·하키〗 리스트샷《손목으로 치는 짧은 스트로크》.

wríst wàrmer 벙어리장갑.

wríst·wàtch *n.* 손목시계.

wríst wrèstling (엄지손가락만을 맞걸어서 하는) 팔씨름.

wristy [rísti] *a.* 〖스포츠〗 손목을 쓴, 손목이 센.

writ[1] [rit] *n.* 〖법률〗 영장; 《영》 공식 서한, 칙서; 《고어》 서류, 문서; (the W-) =HOLY 〔SACRED〕 WRIT; 《미속어》 필기시험. ***a ~ of assistance*** 〖법률〗 판결 집행 명령장; 〖미국사〗 가택 수색 영장. ***a ~ of attachment*** 〖법률〗 압류 영장. ***a ~ of execution*** 〖법률〗 강제 집행 영장. ***a ~ of summons*** 〖영법률〗 소환 영장. ***serve a ~ on*** …에 영장을 보내다. [OE writing]

writ[2] 《고어》 WRITE의 과거·과거분사. **~ *large*** ⇨ WRITE.

†**write** [rait] (***wrote*** [rout], 《고어》 ***writ*** [rit]; ***writ·ten*** [rítn], 《고어》 ***writ***) *vt.* **1** (글자·말·책·악보 등을) 쓰다; …에 써넣다. cf. draw. ¶ ~ a story 〔a book〕 이야기를〔책을〕 쓰다 / ~ a check 수표에 쓰다〔에 기입하다〕 / ~ music 작곡하다 / Don't ~ an application in red ink. 신청서는 붉은 잉크로 기입하지 마라 / ~ a book on English literature 영문학 책을 쓰다.

2 《~+목/+목+목/+목+전+명/+목+*to* do/+목+*that* 절/+목+*wh.* 절》 (…에게) 써서 보내다〔주다, 알리다〕; 《미》 (…에게) 편지를 쓰다: Will you ~ me soon? 곧 편지를 주시겠습니까 / He *wrote* me a letter yesterday. =He *wrote* a letter *to* me yesterday. 어제 그는 나에게 편지를 보내왔다 / I *wrote* him a check (for the sum 〔$40〕). 그에게 (그 금액의 〔40 달러짜리〕) 수표를 써 주었다 / He *wrote* his mother *to* come up to New York. 그는 모친에게 뉴욕으로 오라는 편지를 썼다 / She ~*s* me *that* she is going to leave there. 그녀는 곧 그곳을 떠날 작정이라고 편지에 써 있다 / He *wrote* me *when* he would come to see me. 그는 언제 나를 방문하겠는지 편지로 써 보내왔다.

3 기재〔기록〕하다: ~ one's wrongs 자신의 잘못에 관해서 쓰다 / ~ the life of a general 어느 장군의 전기를 쓰다.

4 《+목+전+명》 (얼굴 따위에 기록된 것처럼) 똑똑히 나타내다; (마음 따위에) 새겨 넣다: Honesty is *written on* 〔*in*〕 his face. 정직함이 그의 얼굴에 명백히 나타나 있다.

5 《+목+보》 〖~ oneself〗 (자기를) …이라고 칭하다, 쓰다, 서명하다: He *wrote* him*self* 'Baron'. 그는 '남작'이라고 서명하였다.

6 《+*that* 절》 (책 따위에) …라고 쓰고〔말하고〕 있다《*in*》: The poet ~*s that* life is but an empty dream. 그 시인은 인생은 한낱 덧없는 꿈이라고 쓰고 있다 / It is *written in* the newspaper *that* the premier is going to resign. 수상이 사임한다고 신문(지상)에 나 있다.

7 (보험 회사가 보험을) 인수하다, (보험 증서)에 서명하다(underwrite): What company *wrote* your insurance policy? 당신의 보험 증서는 어느 회사가 서명했습니까; 어느 보험에 들었습니까.

8 〖컴퓨터〗 (정보를) 기억시키다, 써넣다.

— vi. 1 《~/+전+명》 쓰다, 쓰는 일을 하다, 저술하다: He can not read or ~. 그는 읽지도 쓰지도 못한다/She ~*s* well. 그녀는 글을 잘 쓴다/~ with a pen 〔in ink〕 펜으로〔잉크로〕 쓰다/~ *about* one's school 자기 학교에 관해서 쓰다. **2** 《+부/+전+명/+*to* do/+*-ing*》 편지를 쓰다〔보내다〕: ~ *home* 〔*to* a friend〕 집에〔친구에게〕 편지를 쓰다/He *wrote to* me *to* start at once. 내게 곧 출발하라는 편지를 보내왔다/He *wrote* ask*ing* me to meet him at the airport. 그는 나더러 비행장으로 마중 나와 달라고 편지했다. **3** 《~/+전+명》 (…을 위해) 글을〔원고를〕 쓰다《*for; to*》: ~ *to* a newspaper 신문에 기고하다/~ *for* a living 문필을 업으로 하다/He ~*s for* the press. 그는 그 신문의 기고자〔기자〕이다. **4** 《+부》 써지다: This pen ~*s well*. 이 펜은 잘 써진다. **5** 〖컴퓨터〗 기억 장치에 기록하다〔기억시키다〕.

nothing to ~ home about 특별히 내세울 만한 것이 없는 것, 하찮은 것. ***~ a good hand*** 글씨를 잘 쓰다. ***~ away*** (…을) 우편으로 주문〔청구〕하다《*for*》. ***~ back*** (…에게) 답장을 쓰다〔써서 보내다〕《*to*》. ***~ down*** 《*vt.*+부》 ① 써 두다; 기록하다: *Write* it *down* before you forget it. 잊기 전에 기록해 두어라. ② (…라고) 쓰다, 말하다, 보다; 깎아내리다, 헐뜯다《*as*》: ~ oneself *down as* a student 학생이라고 말하다/I should ~ him *down as* a scoundrel. 어쩐지 그는 악당이란 생각이 든다. ③ (자산 따위의) 장부 가격을 내리다. **—** 《*vi.*+부》 ④ 정도를 낮추어서 쓰다, 쉽게 쓰다: ~ *down* to the public 대중이 알아볼 수 있도록 쉽게 쓰다. ***~ for*** ① 편지로 …을 청구하다: ~ home *for* money 집에 돈을 보내라고 편지하다. ② ⇨ *vi.* 3. ***~ home about*** ⇨ HOME *ad.* ***~ in*** 《*vt.*+부》 ① 써넣다. ② 조회〔신청, 고충 등〕의 편지를 내다, 제출하다: ~ *in* one's requests 청원서를 제출하다. ③ 《미》 (후보자 명부에 없는 후보자를) 기명 투표하다; (표를) 기명하여 투표하다. **—** 《*vi.*+부》 ④ (회사·방송국 따위에) 투서하다《*to*》. ⑤ 편지로 주문〔요구〕하다《*for*》. ***~ off*** 《*vi.*+부》 ① (…에게) 곧 편지를 쓰다《*to*》; (…을) 우편으로 주문〔청구〕하다《*for*》. **—** 《*vt.*+부》 ② (시 따위를) 술술 쓰다. ③ (회수 불능 자금 등을) 장부에서 지우다; (자산을) 감가상각하다. ④ 무가치〔실패〕로 보다, 고려의 대상 외로 치다, 없는 것으로 치다, (빚을) 청산하다, (실패 등을) (…을 위해 잘되었다고) 단념하다《*to*》. ⑤ (아무를) 죽은 것으로 생각하다, 죽이다; …을 (…로서) 부적절하게 보다《*as*》; …을 (무용지물·실패 등으로) 간주하다《*as*》; (차·비행기를) (폐기하려고) 마구 부수다. ***~ out*** 다 써 버리다, 생각하지 않고 쓰다; 고스란히 그대로 베끼다, 정서하다; (작가 등이) 다 써서 쓸 거리가 없어지다; (연속극 등에서) 등장인물을 없애다; (수표·영수증 따위를) 쓰다: ~ a person *out* a receipt 영수증을 써 주다. ***~ out fair(ly)*** 정서(淨書)하다. ***~ over*** 《*vt.*+부》 ① 다시 쓰다. **—** 《*vi.*+전》 ② …에 가득히 쓰다. ***~ oneself out*** 다 써 버려서 쓸 것이 없어지다. ***~ one's own ticket*** ⇨ TICKET. ***~ up*** 《*vt.*+부》 ① 써서 높은 곳에 달다. ② 자세히 쓰다; (문장으로) 표현하다: ~ *up* one's diary 일기를 자세히 쓰다. ③ (영화·연극·소설의) 평을 쓰다; 지상(紙上)에 칭찬하여 논평하다. ④ …의 장부 가격을 올리다: ~ *up* an asset 자산의 평가 가격을 올리다. ⑤ (일기·장부 등의) 당일(當日) 현재까지의 사항을 기입하다. **—** 《*vi.*+부》 ⑥ (회사 따위에) 투서하다《*to*》. ***writ*** 〔***written***〕 ***large*** 대서특필하여; 대규모로; 확대〔강조〕하여. ***writ small*** 축소한 규모로.

㊕ **wrít·a·ble** *a.* 쓸 수 있는.

wríte-dòwn *n.* 평가 절하, 상각《자산 따위의 장부 가격의 절하》.

wríte-ìn *a.*, *n.* 기명 투표(의)《후보자 리스트에 없는 후보자 이름을 기입하는》; 기명 투표를 얻은〔으려는〕 후보자(의).

wríte-ín campàign 《미》 write-in의 후보자에 대한 지지를 호소하는 선거 운동.

wríte-òff *n.* (장부에서의) 삭제(cancelation); 감가 계정(減價計定), 결손 처분; 미수 계정; (충돌하여) 수리 불능의 비행기〔자동차 따위〕, 폐품.

wríte-ònce *a.* 한번 기록의《CDR처럼 기록은 되지만 지우기·바꿔쓰기가 안 되는》. ⓒⓕ WORM.

wríte-on tápe 라이트온 테이프《표면에 글씨를 써넣을 수 있도록 코팅된 플라스틱 테이프》.

wríte protéct 〖컴퓨터〗 쓰기 방지, 기록 보호.

wríte-protect tàb 〖컴퓨터〗 (플로피디스크 등의) 기록 보호 태브.

****writ·er** [ráitər] *n.* **1** 저자, 필자: the ~ of a story 어떤 소설의 작자, 어떤 기사의 기자. **2** 작가, 문필가: a professional ~ (전업) 작가/a good ~ 훌륭한 작가; 문필에 능한 사람. **3** 필기자; (관청, 특히 해군의) 서기(clerk). **4** 사자기(寫字器). **5** 《Sc.》 법률가, 사무 변호사. ***a Writer to the Signet*** 〖Sc.법률〗 법정외(外) 변호사《생략: W.S.》. ***the*** (***present***) ***~*** =***this ~*** 필자《저자 자신인 I를 가리킴》: *The* 〔*This, The present*〕 ~ believes that .... 필자는 …라고 생각한다.

㊕ **~·ly** *a.* 작가의〔에 특징적인〕. **~·shìp** *n.* writer의 직〔지위〕.

wríte/réad hèad 〖컴퓨터〗 쓰기/읽기 헤드《자기 테이프·하드 디스크 등에 정보를 기록·읽기·지우기 등을 하는 작은 전자 자기 장치》.

wríter's blòck 작가의 슬럼프; 창작상의 막다름; 벽《작가의 심리적 요인으로》.

wríter's crámp 〔**pálsy, spásm**〕 〖의학〗 서경(書痙)《손가락의 경련》: get ~ 서경에 걸리다.

wríte-ùp *n.* **1** 《구어》 (신문 따위의) 기사; 《특히》 칭찬 기사. **2** 《미》 (법인 자산의) 과대평가, 평가 절상.

°writhe [raið] *vt.* (몸을) 비틀다, 굽히다. **— *vi.*** 《~/+전+명》 몸부림치다, 몸부림치며 괴로워하다; 고민하다《*at; under; with*》, (뱀 따위가) 꿈틀꿈틀 기어가다, 구불구불 움직이다〔나아가다, 올라가다〕: ~ in agony 고민하다, 고통으로 몸부림치다. **— *n.*** 몸부림; 고뇌.

****writ·ing** [ráitiŋ] *n.* **1** Ⓤ 쓰기, 씀, 집필, 저술: Have you done much ~ today? 오늘은 많이 썼느냐. **2** 저술업: He turned to ~ at an early age. 젊어서 작가 생활에 들어갔다. **3** 쓴 것; 문서, 서류; 문장; 논문; 비명(碑銘), 명(銘). **4** Ⓤ 필적; 서법(handwriting): His ~ is difficult to read. 그의 필적은 읽기 힘들다. **5** (종종 *pl.*) 저작, 작품《문학·작곡의》: the ~*s* of Poe 포의 작품/his collected ~*s* in ten volumes, 10권으로 된 그의 저작. **6** (the W-s) =HAGIOGRAPHA.

at this 〔***the present***〕 ***~*** 이것을 쓰고 있는 현시점에서는. ***in ~*** 쓴, 써 있는; 서면으로, 써서: The contract should be *in* ~. 계약은 서면으로 할 것. ***put ... in ~*** …을 쓰다, 서면으로 하다. ***system of ~*** 문자 (체계). ***the*** (***sacred*** 〔***holy***〕) ***~s*** 성서. ***the ~ on the wall*** 〖성서〗 임박해 오는 재앙의 전조(前兆)《다니엘서 V》.

wríting bòok 습자책.

wríting càse 필갑; 문방구 상자.

wríting dèsk 글 쓰는 책상; 사자대(寫字臺).

wríting ìnk 필기용 잉크《printing ink에 대한》.

wríting màster 습자 선생.

wríting matèrials 문방구.

wríting pàd (한 장씩 떼어 쓰는) 편지지.

wríting pàper 필기용지; 편지지; 원고용지.
wríting tàble 필기에 쓰는 테이블. 「장.
wrít of érror 〖법률〗 오심(誤審)〔복심(覆審)〕영
wrít of extént 〖법률〗 (옛 영국의) 재산 차압 영장.
wrít of hábeas córpus 〖법률〗 인신 보호 영장.
wrít of mandámus 〖법률〗 직무 집행 영장.
wrít of prohibítion 〖법률〗 (하급 법원에 대한) 금지 영장.
wrít of protéction 〖법률〗 보호 영장.
wrít of ríght 〖법률〗 권리 영장《토지 소유자가 토지 점유를 회복하려고 소송을 개시하는 영장》.
writ·ten [rítn] WRITE의 과거분사.
— *a.* **1** 문자로 쓴〔된〕, 필기의: a ~ examination 필기시험 / ~ evidence 문자로 되어 있는 증거 / a ~ application 신청서, 원서, 의뢰서. **2** 서면으로 된, 성문의. **3** (구어에 대하여) 문어의. opp *spoken.* ¶ ~ language 문어.
wrítten constitútion 〖법률〗 성문 헌법.
wrítten láw 〖법률〗 성문법. 「재).
WRM 〖군사〗 war reserve material(비축 자
W.R.N.S. 《영》 Women's Royal Naval Service(해군 여군 부대). **wrnt.** warrant.
†**wrong** [rɔːŋ, rɑŋ/rɔŋ] (***more*** **~,** 때때로 **~·*er*; *most*** **~,** 때때로 **~·*est***) *a.* **1** (도덕적 · 윤리적으로) 그릇된, 부정의, 올바르지 못한, 나쁜. cf. bad. ¶ It is ~ to tell lies. 거짓말을 하는 것은 좋지 않다 / It was ~ *of* you *to* do that. =You were ~ *to* do that. 그렇게 한 것은 네가 나빴다 / It was ~ *for* him *to* desert her. 그가 그녀를 버린 것은 옳지 못했다. **2** 잘못된, 틀린: a ~ answer 틀린 대답 / get on the ~ train 열차를 잘못 타다 / He was ~ *in* his conjecture. 그의 추측은 틀렸다 / You're ~ *in* think*ing* that I did it. 내가 그것을 했다고 생각하는 것은 잘못이다. **3** 부적당한, …답지 못한, 어울리지 않는《*for; to* do》: the ~ clothes *for* the occasion 그 자리에 맞지 않는 옷 / The tide is ~ *for* landing. 조수(潮水)의 형편이 상륙에 부적당하다 / the ~ way *to* do a thing 어떤 일을 하는 데 잘못된 방법. **4** 《서술적》 상태가〔컨디션이〕 나빠서, 고장 나서: Something is ~ *with* the engine. 어딘가 엔진에 고장이 있다 / Is there anything ~ *with* you? 몸이 편찮으신가요. **5** 뒷면의, 반대쪽의: the ~ side of carbon paper 먹지의 뒷면 / the ~ side of fabric 천의 뒷면 / the ~ end of the brush 브러시 자루의 끝. opp *right.*
get on the* ~ *side of …의 역정을 사다, …에게 미움받다. ***go* (*down*) *the* ~ *way*** (음식물이) 숨통으로 잘못 들어가다. ***go the* ~ *way*** (일이) 잘 안 되다. ***have* 〔*get*〕 *hold of the* ~ *end of the stick*** (이론 · 입장 따위를) 잘못 알다, 착각〔오해, 전도〕하다. ***on the* ~ *side of*** (연령)을 초과한 (older than): He is *on the* ~ *side of* 50. 그는 50세가 넘었다. **(*the*) ~ *way round*** 역으로, 반대로. ***What's* ~ *with it?*** 《구어》〖반어적〗 그것이 어디가 나쁘단 말이냐《좋지 않으냐》. **~ *in the head*** 《구어》 미쳐서, 머리가 돌아. **~ *side out*** 뒤집어서; 거꾸로 해서: pull the pocket ~ *side out* 호주머니를 뒤집다.
— *ad.* 〖비교 변화는 없음〗 **1** 부정하게, 나쁘게. **2** 잘못된 방법으로, 그릇〔잘못〕되게, 틀리게: do it ~ 그 방법이 틀리다 / guess ~ 그릇 추측하다. **3** 탈이 나, 고장 나. **4** 반대로, 거꾸로. cf. wrongly. ***get it* ~** 계산을 잘못하다, 오산하다; 오해하다. ***get*** a person **~** 아무를 오해하다. ***go* ~** ① 길을 잘못 들다; 정도(正道)를 벗어나다. ② (일이) 잘 안 되다; 실패하다: Everything is *going* ~ today. 오늘은 만사가 잘 안 된다. ③ 고장 나다. ④ (여자가) 몸을 망치다, 타락하다. ⑤ 불쾌해지다; (음식이) 썩다. ***put ...* ~** …을 그르치다〔어지럽히다〕.
— *n.* **1** U (도덕적인) 악, 부정, 사악, 죄: the difference between right and ~ 정사〔선악〕의 구별. **2** U,C (남에게 대한) 부당 (행위), 부정 행위, 부당한 대우, 학대: the ~*s* that are to be righted 바로잡아야 할 부당 행위 / complain of one's ~*s* 자기가 받은 부당한 처우를 호소하다. **3** U,C 과실, 과오; 손해, 해; 《미속어》 밀고자.
do* ~** 나쁜 짓을 하다; 잘못을 저지르다: People who *do* ~ are punished. 나쁜 짓을 하는 자는 처벌을 받는다. ***do a person **~** =***do* ~ *to*** a person 아무를 부당하게 다루다; (남의 동기를) 나쁘게 해석하다; 오해하다. ***get*** a person ***in* ~** 《미구어》 아무를 (…에게) 미움받게 하다《*with*》. ***get in* ~ *with*** a person 《미구어》 아무의 반감을 사다, 아무에게 미움을 받다. ***in the* ~** 부정으로; 그릇되어 (있는), 나쁜: You are *in the* ~. 네가 잘못이다. ***put*** a person ***in the* ~** 잘못을 아무의 탓으로 돌리다. ***suffer* ~** 학대를 받다: They had *suffered* some ~. 그들은 부당한 처우를 다소 받고 있었다.
— *vt.* **1** …에게 해를 끼치다; 모욕을 주다. **2** …에게 부당한 취급을 하다, 학대하다. **3** 오해하다: You ~ me. 너는 나를 오해하고 있어. **4** …에게서 사취하다《*out of*》: ~ a person *out of* his land 아무의 땅을 사취하다.
㊕ **~·er** *n.* ***~·ly** *ad.* **1** 부정하게, 불법으로. **2** 잘못해서. **~·ness** *n.*
wróng·dòer *n.* 악행자; 《특히》 범죄자; 가해자; 〖법률〗 권리 불법 침해자, 불법〔부정, 부당〕행위자. 「짓; 범죄, 가해.
wróng·dòing *n.* U 나쁜 짓을 함; 비행, 악한
wronged *a.* 부당한 취급을 받은, 학대받은.
wróng fónt 〖인쇄〗 활자 자체(字體) · 크기의 틀림《생략: w.f.》.
wróng-fòot *vt.* 〖테니스〗 (상대가) 균형을 잃도록 치다; 《구어》 …에게 불의의 습격을 가하다.
wrong·ful [rɔ́ːŋfəl, rɑ́ŋ-/rɔ́ŋ-] *a.* 부정한, 불법의, 무법의; 나쁜, 사악한(wicked): a ~ act 불법 행위 / ~ dismissal 부당 해고. ㊕ **~·ly** *ad.* **~·ness** *n.*
wróng·héaded [-id] *a.* (생각이) 비뚤어진, 뒤틀어진; 완미한, 사리에 어두운. ㊕ **~·ly** *ad.* **~·ness** *n.*
wróng númber **1** 전화(번호)를 잘못 걺; 잘못 건 (전화)번호, 잘못 불러낸 상대〔집〕: You have the ~. 번호가 틀립니다《잘못 걸려 온 전화에 답하여》. **2** 그릇된 생각; 《미속어》 부적당한 〔바람직하지 못한, 신용할 수 없는〕 사람〔것〕. **3** 《미속어》 정신병자. 「무법자, 악당.
wrongo [rɔ́ːŋou, rɑ́ŋou/rɔ́ŋ-] (*pl.* ***wróng·os***) *n.*
wróng'un [-ən] *n.* 《구어》 나쁜 놈, 악당.
wrote [rout] WRITE의 과거.
wroth [rɔːθ, rɑθ/rouθ, rɔθ] *a.* 《고어 · 시어》 〖서술적〗 격노하여; (바람 · 바다 따위가) 사나워져서. cf. wrath.
wrought [rɔːt] 《고어 · 문어》 WORK의 과거 · 과거분사. — *a.* **1** 가공한, 만든: be ~ in marble 대리석으로 만들어져 있다. **2** 정련(精鍊)한, 단련한. **3** 정교한, 공들여 세공한. **4** 수놓은, 장식을 붙인, 꾸민《*with*》. **5** (지나치게) 흥분한; 짜증 난 《*up*》.
wróught íron 〖야금〗 단철(鍛鐵).
wróught-úp *a.* 매우 흥분한, 초조한.
wrung [rʌŋ] WRING의 과거 · 과거분사.
— *a.* 쥐어짠, 비튼; 고통〔슬픔〕에 짓눌린.
°**wry** [rai] (***wrý·er, wrí·er; wrý·est, wrí·est***) *a.* **1** 뒤틀린, 비틀어진, 옆으로 굽은: a ~ nose 구부러진 코. **2** 곧잘 비꼬는, 비뚤어진; 심술궂은; 찌푸린 얼굴의: a ~ smile 쓴웃음. **3** 예상이 틀

린, (뜻을) 왜곡한. ***make a ~ mouth*** 〔***face***〕 (불쾌하여) 얼굴을 찡그리다〔찌푸리다〕. **—** *vi.* 일그러지다, 비틀어지다. **—** *vt.* 뒤틀다, 비틀다; (얼굴을) 찡그리어〔찌푸리어〕 고통〔불쾌함〕을 나타내다. [파] **∠·ly** *ad.* **∠·ness** *n.*

wrý·nèck *n.* 《구어》 목이 비뚤어진 사람; 《구어》 〖의학〗 사경(斜頸); 〖조류〗 딱따구릿과(科)의 일종. [파] **-nècked** [-t] *a.* 목이 비뚤어진; 사경의.

wrý·tàil *n.* 뒤틀린 꼬리《가축의 유전적 변이》.

WS, W/S water sports. **W.S.** Writer to the Signet. **WSC** World Student Council. **WSJ** Wall Street Journal. **W.S.P.U.** Women's Social and Political Union. **WSW, W.S.W., w.s.w.** west-southwest. **WT, W/T** wireless telegraphy 〔telephone, telephony, transmitter〕. **wt.** weight. **wth** width.

W3 [dʌ́bəljuːθríː] World Wide Web.

WTO World Tourism Organization; World Trade Organization(세계 무역 기구).

W-2 (**fòrm**) [dʌ́bəljuːtúː(-)] *n.* 《미》 더블유투《한국의 소득세 원천 징수표에 해당》.

Wu·han [wùːhɑ́ːn/-hǽn] *n.* 우한(武漢)《중국의 후베이(湖北) 성의 성도(省都)》.

wul·fen·ite [wúlfənàit] *n.* 〖광물〗 수연(水鉛)〔몰리브덴〕 연광(鉛鑛), 울페나이트.

wump, wumph [wʌmp], [wʌmf] *n.*, *int.* 쿵, 털썩, 쾅, 쑥《낙하나 충돌 등의 묵직한 소리》. [imit.]

wun·der·bar [G. vúndɐbàːɐ] *a.*, *int.* 《G.》 훌륭한〔해〕; 굉장한〔하다〕(wonderful).

wun·der·kind [vúndərkìnd, wʌ́n-; G. vúndɐkint] (*pl.* ***~s, -kin·der*** [G. -kindɐ]) *n.* 《G.》 신동, 귀재.

wurst [wəːrst, wuərst] *n.* 《G.》 《종종 복합어로》 (특히 독일·오스트리아의) 소시지: brat*wurst*, knack*wurst*.

wur·zel [wə́ːrzəl] *n.* =MANGEL-WURZEL. 「술」.

wu shu [wúːʃúː] (중국의) 우슈(武術)《전통 무

wuss, wussy [wus], [wúsi] *n.* 《미속어》 겁쟁이, 암사내. 「불다, 거칠게 휘몰아치다.

wuth·er [wʌ́ðər] *vi.* 《영방언》 (바람이) 사납게

wuth·er·ing [wʌ́ðəriŋ] *a.* 《N.Eng.》 쌩쌩 강하게 부는《바람》, 쌩쌩 바람이 부는《땅》.

wuz [wəz] 《속어》 =WAS.

WV 〖미우편〗 West Virginia. **W.Va.** West Virginia. **W.V.S.** 《영》 Women's Voluntary Service(s)《현재는 W.R.V.S.》. **WW** warehouse warrant; with warrants; World War. **W/W** wall to wall. **WWF** World Wildlife Fund(세계 야생 생물 기금); World Wrestling Federation. **WWMCCS** 《미》 World-Wide Military Command and Control System(전세계 군사 지휘 통제 시스템). **WWI** World War I. **WWII** World War II. **WWW** World Weather Watch(세계 기상 감시 계획); 〖컴퓨터〗 World Wide Web. **WX** women's extra (large size). **WY, Wy.** 〖미우편〗 Wyoming.

Wy·an·dot [wáiəndɑ̀t/-dɔ̀t] (*pl.* **~, ~s**) *n.* 와이언도트족《북아메리카 인디언의 한 종족》; [U] 와이언도트 말.

Wy·an·dotte [wáiəndɑ̀t/-dɔ̀t] *n.* 와이언도트《미국산 닭의 일종》; =WYANDOT.

Wy·att, -at [wáiət] *n.* Sir **Thomas ~** 와이엇《영국의 시인·외교관; 1503?-42》.

wych-, wich-, witch- [witʃ] *pref.* 《나무 이름에 붙여서》 'pliant'의 뜻.

wých èlm [wítʃ-] 〖식물〗 느릅나무속(屬)의 일종《영국산》; 그 재목.

Wych·er·ley [wítʃərli] *n.* **William ~** 위철리《영국의 극작가·시인; 1640?-1716》.

wych-ha·zel [wítʃhèizəl] *n.* 〖식물〗 =WITCH HAZEL; WYCH ELM.

Wyc·lif(fe), Wic(k)- [wíklif] *n.* **John ~** 위클리프《영국의 종교 개혁가·성경의 최초 영역자; 1320?-84》.

Wyc·lif(f)·ite [wíklifàit] *n.* 〖영종교사〗 =LOLLARD. **—** *a.* 위클리프(의 설)의, 위클리프 설교 신봉자들의.

Wye [wai] *n.* (the ~) 와이 강《웨일스 중부에서 발하여 잉글랜드 남서부를 흐름》.

wy(e) [wai] *n.* Y자; Y자 모양의 것; Y자관; 〖전기〗 Y자꼴 회로; (소 따위의) 멍에.

wýe lèvel =Y LEVEL.

Wyke·ham·ist [wíkəmist] *a.*, *n.* (영국의) Winchester College의 (학생, 출신자).

wy·lie·coat [wáilikòut] *n.* 《Sc.》 따뜻한 내의《모직·플란넬》; =PETTICOAT; 여성〔어린이〕용 나이트가운.

wyn [win] *n.* =WEN².

wynd [waind] *n.* 《Sc.》 좁은 길, 골목길.

wynn [win] *n.* =WEN².

Wy(o). Wyoming.

Wy·o·ming [waióumiŋ] *n.* 와이오밍《미국 북서부의 주; 생략: Wy., WY., Wyo.》. [파] **~·ite** [-àit] *n.* ~ 주(州)의 사람.

WYSIWYG, wysiwyg [wíziwìg] *n.* 《미구어》〖컴퓨터〗 위지위그《화면상으로 본 이미지가 그대로 프린터 출력으로 되는 기능》. [◂*W*hat *Y*ou *S*ee *I*s *W*hat *Y*ou *G*et]

Wys·tan [wístən] *n.* 위스턴《남자 이름》.

wyte [wait] *n.*, *vt.* =WITE.

wy·vern [wáivərn] *n.* =WIVERN.

X

X, x [eks] (*pl.* **X's, Xs, x's, xs** [éksiz]) **1** 엑스《영어 알파벳의 스물넷째 글자》; X자 모양의 것. **2** 《미구어》 10달러 지폐; 로마 숫자의 10: XX=20 / XV=15. **3** 〖수학〗 (제1) 미지수(cf. Y, Z), 변수, x축, x좌표; 미지의 것〔사람〕; 예측할 수 없는 것; 〖통신〗 공중 장애. **4** X표; 글자를 못 쓰는 사람의 서명 대용; 키스의 부호《연애 편지의 끝 따위에 씀》; 지도상의 지점 등을 나타내는 부호. **5** 24번째의 것《J를 제외할 때에는 23번째, 또 J, V, W를 제외할 때에는 21번째》. **6** 《미》 성인영화의 기호. ***put*** one's ***X on the line*** 《미속어》 서명하다. ***put the X on ...*** 《속어》 …에 X표를 하여 지우기로 하다. ***X marks the spot.*** 저 곳이 문제의 지점이다; 바로 이 곳이다.

— *a.* X형의; X표가 있는.

— (*p., pp.* ***x-ed, xed, x'd*** [ekst]; ***x-ing, x'ing*** [éksiŋ]) *vt.* …에 X표를 하다. ***X out,*** X표로 지우다; 《미속어》 무효로 하다, 취소하다: *x out* an error 틀린 것을 가위표〔X표〕로 지우다.

X Christ; Christian; cross. **X, x** 〖상업〗 ex³; experimental; extra. **x** 〖수학〗 abscissa. **x.** 《영》 〖기상〗 hoarfrost.

X-Acto [eksǽktou] *n.* 엑스액토《미국 Hunt/X-Acto 사제의 예리한 나이프 · 날이 얇은 톱 따위의 공구류; 상표명》.

Xan·a·du [zǽnədjù:/-djù:] *n.* 도원경《Coleridge의 시 *Kubla Khan*에서 읊은 중국 원(元)나라 때의 고도(古都) '상도(上都)' 에서》.

xanth- [zǽnθ] =XANTHO-《모음 앞에서》.

xan·thate [zǽnθeit] *n.* Ⓤ 〖화학〗 크산틴〔크산토겐〕산염(酸鹽)〔에스테르〕.

xan·the·in [zǽnθiin] *n.* Ⓤ 〖화학〗 크산테인《수용성의 황색 색소》. cf. xanthin.

xan·thene [zǽnθi:n] *n.* Ⓤ 〖화학〗 크산텐.

xánthene dýe 〖화학〗 크산텐 염료〔물감〕.

xan·thic [zǽnθik] *a.* 황색의; 황색을 띤; 〖화학〗 황색 색소의: ~ calculus 〖의학〗 (방광의) 크산틴 요석(尿石).

xánthic ácid 〖화학〗 크산틴산(酸).

xan·thin [zǽnθin] *n.* Ⓤ 〖화학〗 (불용해성의) 황색 색소. cf. xanthein.

xan·thine [zǽnθi:n, -θin] *n.* Ⓤ 〖화학〗 크산틴《혈액 · 오줌 · 간장 등에 있는 질소 화합물》; 크산틴 유도체(誘導體).

Xan·thip·pe [zæntípi/-θípi, -típi] *n.* 크산티페《Socrates의 아내》; 〔일반적〕 잔소리 많은 여자, 악처(惡妻).

xan·tho- [zǽnθou, -θə] '황색' 이란 뜻의 결합사.

xan·thoch·roi [zænθákrouài/-θɔ́k-] *n. pl.* (또는 X-) 〖인류〗 황백(黃白) 인종《금발이며 살갗이 흰 코카서스 인종》. ㉺ **xan·tho·chro·ic** [zæ̀nθəkróuik] *a.* 황백 인종의. **xan·tho·chroid** [zǽnθəkrɔ̀id, zænθákrɔid/zǽnθəkrɔ̀id] *a., n.*

xan·tho·ma [zænθóumə] (*pl.* ***~s, -ma·ta*** [-mətə]) *n.* 황색종(腫)《피부병의 일종》.

xàntho·mélanous *a.* 머리가 검고 올리브색〔황갈색〕 피부의.

xan·thone [zǽnθoun] *n.* 〖화학〗 크산톤《살충제 · 약제 등에 쓰임》.

xan·tho·phyl(l) [zǽnθəfìl] *n.* Ⓤ 〖화학〗 크산토필, (가을 나뭇잎의) 황색 색소.

xan·thop·sia [zænθápsiə/-θɔ́p-] *n.* 〖의학〗 황(색)시증(黃(色)視症).

xan·thous [zǽnθəs] *a.* 황색의; 〖인류〗 황색 인종의, 몽고 인종의.

Xan·tip·pe [zæntípi] *n.* =XANTHIPPE.

Xa·vi·er [zéiviər, zǽv-, zéivjər] *n.* **Saint Francis** ~ 사비에르《인도 · 중국 · 일본 등에 포교한 스페인의 가톨릭 선교사; 1506-52》.

x́-àxis (*pl.* ***x-ax·es***) *n.* (the ~) 〖수학〗 x축《가로 좌표축》.

X́ bànd X주파수대《5,200-10,900 MHz의 무선 주파수대; 선박 레이더 · 기상 레이더 · 우주통신 따위에 사용되고 있는 특수한 주파수대》.

X́-bòdy *n.* 〖식물〗 무정형 봉입체(無定形封入體)《식물 세포 속의》.

XC across-country. **XC, X.C., x.c., xcp, x-cp.** 〖상업〗 ex coupon(=without coupon) (이자락(利子落)).

X́-certìficate *a.* =X-RATED.

X́ chròmosome 〖유전〗 X 염색체《성(性)염색체의 하나》. cf. Y chromosome.

x̀-coórdinate *n.* 〖수학〗 x 좌표.

X̀-Ć skíing *n.* 크로스컨트리 스키. [◂X(cross)+Country]

X.D., x.d., x-div. 〖상업〗 ex dividend(=without dividend)(배당락(配當落)).

X́-disèase *n.* 〖의학〗 X병《병원(病原)을 알 수 없는 바이러스 병》.

Xe 〖화학〗 xenon.

xe·bec [zí:bek] *n.* 지벡《지중해의 세대박이의 작은 범선》.

xen- [zén], **xen·o-** [zénou, -nə, zí:n-/zén-] '손님, 외국인, 외래의(것), 이종(異種)의' 란 뜻의 결합사: *xenogamy*.

Xen. Xenophon.

xe·nate [zí:neit, zén-] *n.* 〖화학〗 크세논산(酸)염〔에스테르〕.

xe·nia [zí:niə] *n.* Ⓤ 〖식물〗 크세니아《배유(胚乳)에 꽃가루가 주는 영향》.

xe·ni·al [zí:niəl] *a.* 접대상(接待上)의, 주객 관계의.

xe·nic [zí:nik, zén-] *a.* 미확인 유기물을 함유한 배양기의〔를 쓴〕. ㉺ **xé·ni·cal·ly** *ad.*

XENIX 〖컴퓨터〗 제닉스《Intel의 마이크로 프로세서를 채용하고 있는 IBM PC 시스템에서 사용될 수 있도록 개발된 PC용 UNIX 운영체제의 이름》.

xeno- ⇨ XEN-.

xèno·biólogy *n.* Ⓤ 우주 생물학.

xèno·biótic *n., a.* 〖생물 · 의학〗 생체 이물(異物)(의).

xèno·cúrrency *n.* 〖경제〗 국외 유통 화폐.

xèno·diagnósis *n.* 〖의학〗 외인(外因) 진단법.

xe·nog·a·my [zinágəmi/zenɔ́g-, zí:-] *n.* Ⓤ 〖식물〗 타화(他花) 수정〔수분(受粉)〕, 딴꽃가루받이.

xe·no·ge·ne·ic [zènədʒəní:ik] *a.* 〖생물 · 의학〗 (이식 조직 따위가) 이종(異種)의.

xe·no·gen·e·sis [zènədʒénəsis] *n.* 〖생물〗 **1** 세대교체 =HETEROGENESIS. **2** 이종(異種) 발생, 완전 변이 세대.

xen·o·glos·sia [zènəglásiə/-glɔ́s-] *n.* 〖심령〗 배운 일이 없는 언어를 말하고 이해하는 능력.

xe·no·graft [zénəgræ̀ft, -grɑ̀:ft] *n.* 〖의학〗 이종 이식편(移植片)《이종 동물에서 이식된 장기〔조직〕》; 이종 이식.

xen·o·lith [zénəliθ] *n.* 포로암(捕虜岩)《화성암 속의 이질(異質) 암석 조각》.
xen·o·ma·nia [zènəméiniə, zìːn-/zèn-] *n.* 외제품광(狂), 외국열.
xe·non [zíːnɑn, zé-/-nɔn] *n.* [U] 【화학】 크세논《비활성 기체 원소; 기호 Xe; 번호 54》.
xénon hexa·flúoride 【화학】 6 플루오르화(化) 크세논.
xénon tetraflúoride 【화학】 4 플루오르화「(化) 크세논.
Xe·noph·a·nes [zənɑ́fənìːz/-nɔ́f-] *n.* 크세노파네스《그리스의 시인 · 철학자; 유일신의 존재를 처음으로 주장; 570? - 480? B.C.》.
xen·o·phile [zénəfàil] *n.* 외국(인)을 좋아하는 사람. ㊞ **xe·noph·i·lous** [zenɑ́fələs, zi-/-nɔ́f-] *a.*
xen·o·phil·ia [zènəfíliə, zìːn-/zèn-] *n.* 외국인〔문물〕에 대한 선호〔매력〕. ㊞ **-phíl·ic** *a.*
xen·o·phobe [zénəfòub] *n.* 외래자〔외국인〕 공포증 환자, 외국(인)을 싫어하는 사람; 인간〔사교〕 혐오.
xen·o·pho·bia [zènəfóubiə, zìnə-/zènə-] *n.* [U] 외국(인) 혐오. ㊞ **-phó·bic** *a.*
Xen·o·phon [zénəfən] *n.* 크세노폰《그리스의 철학자 · 역사가 · 장군; 434? - 355? B.C.》.
xen·o·trop·ic [zènətrɑ́pik, -tróup-, zìːn-/zènətrɔ́p-] *a.* 【생물】 (바이러스 따위가) 숙주 이외의 세포에서 증식하는.
X-er [éksər] *n.* X Generation 의 사람.
xe·ric [zíərik] *a.* (토양 따위가) 건조한; (식물 등이) 건조를 좋아하는, 내건성(耐乾性)의, 건성의.
xe·ro- [zíərou, -rə], **xer-** [ziər] '건조한, 건조 제법에 의한' 이란 뜻의 결합사: *xero*phyte.
xe·ro·der·ma, -mia [zìərədə́ːrmə], [-miə] *n.* [U] 【의학】 피부 건조증.
xerodérma pig·men·tó·sum [-pìgməntóusəm] 【병리】 색소성 건피증(乾皮症).
xe·ro·gel [zíərədʒèl] *n.* 【화학】 크세로겔, 건성「겔.
xer·o·gram [zíərəgræ̀m] *n.* 제로그래피에 의한 복사물, 제록스 카피.
xe·rog·ra·phy [zirɑ́grəfi/ziərɔ́g-] *n.* [U] 제로그라피, 전자 사진(술). ㊞ **xè·ro·gráph·ic** [zìə-] *a.* **-i·cal·ly** *ad.*
xe·roph·i·lous [ziərɑ́fələs/-rɔ́f-] *a.* 【동물·식물】 건조를 좋아하는, 내건성(耐乾性)의; 열대 건조지에 나는〔사는〕. ㊞ **xe·róph·i·ly** *n.* 건성.
xe·roph·thal·mia [zìərɑfθǽlmiə/-rɔf-] *n.* [U] 【의학】 안구(眼球) 건조증.
xe·ro·phyte [zíərəfàit] *n.* 건생(乾生)식물《선「인장 따위》.
xe·ro·phyt·ic [zìərəfítik] *a.* 건생식물의.
xèro·rádiograph *n.* 엑스선 전자 사진. ― *vt.* 엑스선 전자 사진법으로 촬영〔기록〕하다.
xèro·radiógraphy *n.* [U] 엑스선 전자 사진법.
xe·ro·sis [ziəróusis] (*pl.* **-ses** [-siːz]) *n.* [U] 【의학】 건조증(症)《피부 · 안구 따위의》.
Xe·rox [zíərɑks/-rɔks] *n.* 제록스《서류복사기; 상표명》; [C] 제록스에 의한 복사〔카피〕. ― *vt., vi.* (x-) 제록스로 복사하다.
Xer·xes [zə́ːrksiːz] *n.* 크세르크세스《옛 페르시아의 왕; 519? - 465? B.C.》.
X́-èyed *a.* =CROSS-EYED.
x́-fàctor *n.* 미지의 요인(要因)〔인물, 것〕.
X́-film *n.* (X-rated의) 포르노〔성인〕 영화.
xg crossing.
X́ Generàtion X 세대《1980 년대 중반에서 후반의 번영에서 소외된, 실업과 불황에 시달린 세대》. [cf.] X'er.
Xho·sa [kóusə, -zə, kɔ́ː-/kɔ́ːsə] *n.* **1** (*pl.* **~s,** 《특히 집합적》 ~) 코사〔호사〕족(族)(의 한 종족)《남아공화국 Cape Province 동부에 사는 Nguni 족》. **2** 코사〔호사〕어. ― *a.* 코사족〔어〕의.
xi [zai, sai] *n.* 그리스어 알파벳의 열넷째 글자《Ξ, ξ; 로마 글자의 x에 해당함》; 【물리】 크시 입자(粒子)(~ particle).
X.I., x.i., x-i, x-int. 【상업】 ex interest (=with- out interest 이자락(利子落)).
Xia·men, Hsia·men [ʃjɑ̀ːmə́n], [ʃjɑ̀ːmʌ́n] *n.* 샤먼(厦門)《중국 푸젠(福建)성 남동부의 한 섬을 이루는 항만 도시; 별칭 Amoy》.
XING [krɔ́ːsiŋ, krɑ́s-/krɔ́s-] *n.* 【교통표지】 동물 횡단길; (철도의) 건널목. [◂X〔cross〕+ing]
Xin·gu [ʃiŋgúː] *n.* (the ~) 싱구 강《브라질 중앙부를 북으로 질러 Amazon 하구에 이름》.
Xin·hua·she [ʃínhwɑ̀ːʃʌ́] *n.* 신화사(新華社) (New China News Agency)《중국의 통신사》.
x́-intercépt *n.* 【수학】 x 절편(截片).
-xion [kʃən] *suf.* 《주로 영》 =-TION.
xí párticle 크시 입자《소립자(素粒子)의 하나》.
xiph- [zif], **xiph·i-** [zífi], **xiph·o-** [zífou, -fə] '검(劍) 모양의' 란 뜻의 결합사.
xiph·i·as [zífiəs] (*pl.* ~) *n.* =SWORDFISH.
xiph·i·ster·num [zìfəstə́ːrnəm] (*pl.* **-na** [-nə]) *n.* 【해부】 검상 연골(劍狀軟骨); 검상 돌기(突起). ㊞ **-nal** *a.*
xiph·oid [zífɔid] 【해부】 *n.* =XIPHISTERNUM. ― *a.* 검 모양(돌기)의.
x́-irrádiate *vt.* (종종 X-) (환부 따위에) X 선을 조사(照射)하다. ㊞ **x̀-irradiátion** *n.*
Xi·zang, Si·tsang [ʃìːzɑ́ːŋ], [sìːtsɑ́ːŋ/-tsǽŋ] *n.* 시짱(西藏)《Tibet의 중국어 이름》.
XL extra large. **XLP** extra long playing (record)(초(超)LP 판). **Xm.** Christmas.
***Xmas** [krísməs, 《속어》 éksməs] *n.* =CHRISTMAS. ★ X는 Christ의 그리스 문자(文字) *Χριστός*의 첫글자; X'mas 라고 쓰는 것은 잘못.
XML 【컴퓨터】 Extensible Markup Language.
XMODEM, Xmodem 【컴퓨터】 엑스 모뎀《PC 통신에서 파일 전송을 위하여 개발된 파일 전송 프로토콜의 이름》.
XMS 【컴퓨터】 Extended Memory Specification(확장 메모리 규약).
Xn. Christian. **x.n.** ex new. **Xnty.** Christianity. **XO** executive officer.
xo·a·non [zóuənɑ̀n/-nɔ̀n] (*pl.* **-na** [-nə]) *n.* (옛 그리스의) 원시적 목조 신상(木彫神像).
X·o·graph [éksəgræ̀f, -grɑ̀ːf] *n.* 3 차원 복사 사진(술)《상표명》.
XOR [eksɔ́ːr] *n.* 【컴퓨터】 배타적 논리합(exclusive OR) 《2 입력의 어느 쪽 하나만이 참일 때, 그 때만 참이 되는 논리 연산자》.
XP [kàiróu, kíː-] 예수의 표호(標號)《Christ 의 그리스 문자 *Χριστός*의 첫 두 글자》.
XR, x.r., xr 【증권】 ex rights(권리락(權利落)으로〔의〕《신주 인수권 등이 붙지 않는》).
X́-ràdiate *vt.* (신체의 일부에) 엑스선을 조사(照射)하다.
X́-radiátion *n.* 엑스선 방사(放射)〔조사(照射)〕.
X́-ràted [-id] *a.* (영화가) 성인용의; 《구어》 (서적·쇼 등이) 외설한, 음란한; 《구어》 품위 없는《말》.
◦**X́ ray** **1** 엑스선, 뢴트겐선(Röntgen rays). **2** 엑스선 사진.
◦**X-ray** [éksrèi] *a.* 엑스선의: an ~ examination, 엑스선 검사. ― *vt.* …의 엑스선 사진을 찍다; 엑스선으로 검사〔치료〕하다.
X́-ray astrònomy 엑스선 천문학.
X́-ray bùrst 【천문】 엑스선 버스트《엑스선원(源)이 발하는 강력한 엑스선 펄스》.
X́-ray bùrster 【천문】 엑스선 버스터《X-ray burst를 발하는 엑스선원(源)》.
X́-ray diffràction 【물리】 엑스선 회절(回折)「(법).

X́-ray làser 〖물리〗 엑스선 레이저.
X́-ray nòva 엑스선 신성(新星).
X́-ray phòtograph 〔**pìcture**〕 엑스선 사진, 엑스레이 사진.
X́-ray pùlsar 〖천문〗 엑스선 펄서《엑스선을 방사(放射)하는 전파 천체》.
X́-ray sàtellite 〖천문〗 엑스선 위성《천체의 엑스선을 관측하는 장치를 실은 인공 위성》.
X́-ray scànning 〖공학〗 엑스선 주사(走査)《엑스선을 주사하여 용접 부분 등의 균열 · 흠의 유무를 검사하는 기술》.
X́-ray stàr 〖천문〗 엑스선 별.
X́-ray tèlescope 〖천문〗 엑스선 망원경.
X́-ray thèrapy 〖의학〗 엑스선 요법.
X́-ray tùbe 엑스선관(管).
X. rts. 〖증권〗 ex rights((신주 인수의) 권리락(權利落)으로〔의〕).
XS, xs extra short; extra small.
x-sec·tion [krɔ́:ssékʃən, krás-/krɔ́s-] *n.* = CROSS SECTION. ㊕ **∼·al** *a.*
Xt. Christ. **Xtian.** Christian.
Xtra [ékstrə] *n.* 호외; 〖영화〗 엑스트라(extra).
Xty. Christianity.
xu [su:] (*pl.* ∼) *n.* 수《베트남의 화폐 단위; =1/100 dong =1/10 hao》; 1수짜리 주화; (옛 베트남의) 1센트짜리 주화.
X́-ùnit *n.* 〖물리〗 엑스 단위《방사선의 파장 측정에 쓰이는》.
XW, x.w., xw ex warrants(신주 인수 권리락(權利落)으로〔의〕).
X́ Wíndows 〖컴퓨터〗 엑스 윈도《UNIX를 채용하고 있는 워크스테이션에서 화면에 그래픽 작업을 수행할 수 있는 그래픽 사용자 인터페이스 환경의 이름》.
XX double X《에일(ale)의 알코올 강도를 나타내는 기호; 보통보다 알코올 성분이 많음》; 《속어》 =DOUBLE CROSS. **XXX** triple X《에일(ale)의 알코올 강도를 나타내는 기호; XX 보다 알코올 성분이 많음》. **xyl.** xylograph.
xyl- [záil] =XYLO-《모음 앞에서》.
xy·lan [záilæn] *n.* 〖화학〗 크실란《펜토산(pentosan)의 하나, 식물이 목화(木化)한 세포막 속에 존재》.
xy·lem [záiləm, -lem] *n.* 〖식물〗 목질부.
xýlem ràу 〖식물〗 목부(木部) 방사(放射) 조직(=**wóod ràу**). 「료).
xy·lene [záili:n] *n.* Ⓤ 〖화학〗 크실렌《물감 원
xy·li·tol [záilətɔ̀:l, -tàl/-tɔ̀l] *n.* 크실리톨《xylose의 환원으로 얻어지는 당(糖)알코올》.
xy·lo- [záilou, -lə] '나무' 란 뜻의 결합사.
xy·lo·carp [záiləkà:rp] *n.* 〖식물〗 경목질과(硬木質果); 경목질 과수(果樹).
xy·lo·car·pous [zàiləká:rpəs] *a.* 〖식물〗 경목질과(果)가 열리는.
xy·lo·gen [záilədʒən] *n.* 〖식물〗 =XYLEM.
xy·lo·graph [záiləgræ̀f, -grà:f] *n.* 목판《특히 15세기의》; 목판화; 목판 인쇄. ― *vt.* 목판으로 찍다〔인쇄하다〕.
xy·log·ra·pher [zailágrəfər/-lɔ́g-] *n.* 목판사(師), 조판사(彫版師).
xy·log·ra·phy [zailágrəfi/-lɔ́g-] *n.* Ⓤ 목판술; 목판 인화법. ㊕ **xy·lo·graph·ic** [zàiləgrǽfik] 「*a.*
xy·loid [záilɔid] *a.* 나무 같은; 목질의.
xy·lol [záilɔ:l, -lal/-lɔl] *n.* =XYLENE.
Xy·lo·nite [záilənàit] *n.* 자일로나이트《합성수지; 상표명》.
xy·loph·a·gous [zailáfəgəs/-lɔ́f-] *a.* 나무를 먹는, 나무에 구멍을 내는《곤충의 유충 따위》.
xy·lo·phone [záiləfòun] *n.* 실로폰, 목금(木琴). ㊕ **xý·lo·phòn·ist** *n.* 실로폰 연주자.

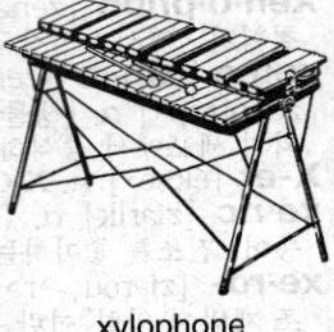
xylophone

xy·lose [záilous] *n.* 〖화학〗 크실로오스《목재 · 짚 등에 들어 있는 당(糖)의 일종》.
xy·lot·o·mous [zailátəməs/-lɔ́t-] *a.* (곤충이) 나무에 구멍을 팔 수 있는, 나무를 갉아 먹을 수 있는.
xy·lot·o·my [zailátəmi/-lɔ́t-] *n.* 목질 박편(木質薄片) 절단법《검경용(檢鏡用)》. ㊕ **-mist** *n.* **xy·lo·tom·ic, -i·cal** [zàilətámik/-tɔ́m-], [-əl] 「*a.*
xyst [zist] *n.* =XYSTUS.
xys·ter [zístər] *n.* (외과용의) 뼈 깎는 작은 칼.
xys·tus [zístəs] (*pl.* **-ti** [-tai]) *n.* 〖고대그리스〗 (주랑식(柱廊式)) 옥내 경기장; 〖고대로마〗 정원 안의 산책길, 테라스.
XYY sỳndrome [èksdʌ́bəlwái-] 〖의학〗 XYY 증후군(症候群)《남성 염색체(染色體), 곧 Y 염색체를 하나 더 갖고 있는 염색체 이상(異常); 저지능 · 공격적이 됨》.
XYZ [ékswàizí:/-zéd] *int.* 《미속어》 지퍼 주의(注意)《바지 앞 지퍼가 열려 있다는 지적》. [◀ *E*xamine *y*our *z*ipper]

Y

Y, y [wai] (*pl.* **Y's, *Ys*, y's, *ys*** [-z]) **1** 와이《영어 알파벳의 스물다섯째 글자》; Y자 모양의 것. **2** 〖수학〗 (제 2) 미지수(의 부호)(cf. x, z), 변수, y축, y좌표. **3** 25 번째의 것《J를 제외할 때에는 24 번째, 또 J, V, W를 제외할 때에는 22 번째》. **4** 중세 로마 숫자의 150.

Y [wai] 《구어》 *n.* (the ~) =Y.M.C.A., Y.W.C.A.; (the ~) =Y.M.H.A., Y.W.H.A.

Y 〖화학〗 yttrium; 〖전기〗 admittance; 〖물리〗 upsilon particle; yuan.

y- [i] *pref.* 《고어》《특히》 과거분사를 나타냄: *y*clad (clad), *y*clept (called).

-y[1] [i] *suf.* **1** 명사에 붙어서 '…투성이의, …으로 찬, …로 된, …와 같은'의 뜻을 나타내는 형용사를 만듦: dirt*y*, greed*y*, hair*y*, ic*y*, water*y*. **2** 색을 나타내는 형용사에 붙어서 '…빛이 도는'의 뜻을 나타냄: pink*y*, yellow*y*. **3** 다른 형용사로부터 같은 뜻의 형용사(주로 시어)를 만듦: pal*y*, steep*y*.

-y[2] [i] *suf.* 라틴·프랑스 계통의 언어에 붙어 추상명사를 만듦: deliver*y*, jealous*y*.

-y[3], **-ie, -ey** [i] *suf.* 사람·동물을 나타내는 단음절의 말에 붙어 '애착·친밀'의 뜻을 더함: aunt*y*, bird*ie*, nurs*ey*.

¥, ¥, Y yen. **y.** 《영》〖기상〗 dry air; yard(s); year(s).

ya [jə] *pron.* 《속어·방언》 =YOU, YOUR.

YA young adult.

yab·ber [jǽbər] *n.*, *vi.* 《Austral.구어》 수다(떨다).

yab·by, -bie [jǽbi] *n.* 〖동물〗 오스트레일리아산(産)의 작은 가재.

yacht [jat/jɔt] *n.* 요트《돛·엔진으로 달리는 유항(遊航)·레이스용 배; 대형의 호화 쾌주선》. **— *vi.* 요트를 타다, 요트를 조종하다, 요트로 항해하다.

yácht chàir 옥외용(屋外用) 팔걸이 접의자.

yácht clùb 요트 클럽.

yacht·ie [játi/jɔ́ti] *n.* 배(특히 요트)의 소유자; 요트에 타는 사람.

yácht·ing *n.* Ⓤ 요트 조종(술); 요트놀이; 요트 항해: a ~ match 〔race〕 요트 경주. ***go*** ~ 요트를 타러 가다.

yácht ràcing 〔**ràce**〕 요트 경주.

yáchts·man [-mən] (*pl.* ***-men*** [-mən]; *fem.* ***-wòman***) *n.* 요트 조종자〔소유자, 애호가〕. ㊎ **~·shìp** *n.* Ⓤ 요트 조종술.

yack [jæk] *n.*, *vi.* =YAK[2].

ya(c)k·e·ty-yak, yak·i(t)·ty-, yack·e·ty-yack [jǽkitijǽk] *n.*, *vi.* 《속어》 허튼 이야기, 지절거림; 지절거리다(yak[2]).

yad·da, yad·da, yad·da [jǽdə jǽdə jǽdə] 《미구어》 저 저 저《미처 생각이 나지 않거나 말을 망설일 때 내는 소리》.

yaff [jæf] *vi.* 《Sc.》 개처럼 짖다(bark); 흘닦다, 나무라다.

YAG [jæg] *n.* 〖물리〗 야그, YAG《이트륨과 산화 알루미늄의 합성 가닛; 레이저 발진용(發振用)》. [◂ *y*ttrium *a*luminum *g*arnet]

ya·ger [jéigər] *n.* =JAEGER[2].

yah[1] [jaː] *int.* 야아, 어어이《불쾌·조소·초조 등을 나타냄》.

yah[2] *ad.* 《구어》 =YES.

Ya·hoo [jáːhuː, jéi-, jaːhúː/jəhúː, jaː-] *n.* **1** 야후《Swift 의 소설 *Gulliver's Travels* 속의 인간의 모습을 한 짐승》. **2** (y-) 짐승 같은 인간. **3** (y-) 《미》 무무(貿貿)한 사람, 시골뜨기. **4** 〖컴퓨터〗 야후《전세계의 www 서버를 장르별로 정리, 메뉴화한 검색 시스템을 가진 인터넷 포털 사이트의 하나》.

Yah·veh, Yah·weh [jáːve/-vei], [jáːwe, -wei/-wei] *n.* 〖유대교·성서〗 야훼(Jehovah)《히브리어로 '하느님'의 뜻인 YHWH의 음역; 구약성서에서 하느님에 대한 호칭의 하나》. cf. Elohim, Adonai.

Yah·wism [jáːwizəm] *n.* Ⓤ 고대 히브리 사람의 Yahweh 신앙, Yahweh를 신의 이름으로 쓰는 일.

Yah·wist [jáːwist] *n.* 구약성서 중 신을 Yahweh라고 적은 부분의 필자(筆者); Yahweh 숭배자. **—** *a.* =YAHWISTIC.

Yah·wis·tic [jaːwístik] *a.* Yahweh를 신의 이름으로 쓰는; Yahweh 필자가 쓴; Yahweh 신앙(상)의.

Yaj·ur-Ve·da [jʌ́dʒuərvéidə, -víːdə] *n.* (the ~) 야주르베다《제사(祭詞)를 집록한 4 베다의 하나》. cf. Veda.

yak[1] [jæk] (*pl.* **~*s*,** 《집합적》 ~) *n.* 〖동물〗 야크《티베트·중앙 아시아산의 털이 긴 소》.

yak[1]

yak[2] 《속어》 *n.* 수다, 쓸데없는 말. **—** (***-kk-***) *vi.* 수다떨다, 재잘거리다.

yak[3] [jæk, jaːk] *n.* 《미속어》 동료, 짝; 바보, 얼간이; 《미속어》 큰 웃음(laugh); 농담, 재담. **—** (***-kk-***) *vi.*, *vt.* 크게 웃다〔웃기다〕.

yak·ka, yak·ker, yack·er [jǽkər] *n.*, *vi.* **1** 《미야구속어》 날카로운 커브. **2** 《Austral.구어》 (힘든) 일(을 하다).

yák láce 야크레이스《야크 털로 짠 레이스》.

yak·ow [jǽkau] *n.* 〖축산〗 야카우《영국에서 만들어진 야크와 하일랜드산(產) 암소와의 교배 잡종; 육용》.

Ya·kut [jəkút] *n.* 야쿠트 사람《동부 시베리아의 터키 인종의 일파》; Ⓤ 야쿠트어(語).

yak-yak [jǽkjǽk] *n.* 《미속어》 (쉴새없이) 지껄임.

Yale [jeil] *n.* 미국 Connecticut주 New Haven에 있는 대학《1701 년에 창립》.

Yále (lòck) 예일 자물쇠《미국인 L. Yale이 발명한 문에 쓰는 원통형 자물쇠; 상표명》.

Yal·ie [jéili] *n.* Yale 대학 출신자.

y'all [jɔːl] *pron.* 《미남부》 =YOU-ALL.

Yal·ta [jɔ́ːltə/jǽl-] *n.* 얄타《우크라이나 남부의 항구》.

Yálta Cónference (the ~) 얄타 회담《1945 년 2 월 미·영·소의 수뇌가 모여 제 2 차 세계대전 종전의 사후 처리를 논의한 회담》.

Ya·lu [jáːlùː] *n.* (the ~) 압록강.

yam [jæm] *n.* 〖식물〗 참마속(屬)의 식물; 그 뿌리; 《미남부》 고구마(의 일종); 《Sc.》 감자.

Ya·ma [jʌ́mə/jáːmə] *n.* 《Sans.》〖불교〗 염마(閻魔).

ya·men, ya·mun [já:mən] *n.* 《Chin.》 아문(衙門), 관아(官衙).

yam·mer [jǽmər] 《구어·방언》 *vi., vt.* 한탄하다, 슬퍼하다, 울다; 투덜대다. — *n.* 불멘〔불평의〕 소리; 수다. ㊎ **~·er** *n.*

yang [jaːŋ, jæŋ] *n.* Ⓤ 《Chin.》 양(陽). OPP. yin.

Yan·gon [jáŋgɔn] *n.* 양곤(Myanmar의 수도).

Yang·zi (Jiang), Yang·tze (Kiang) [jæŋsí:(dʒiá:ŋ), -tsí:(-)/jǽŋksi(-)], [jæŋsí:(kjá:ŋ), -tsí:(-)] *n.* (the ~) 양쯔강(Yangtse).

Yank [jæŋk] *n., a.* 《속어》 =YANKEE.

yank *vt.* **1** 《구어》 확 잡아당기다(jerk)《*at*》; 《미속어》 (시원찮은 사람을) 교체하다, 물러나게 하다(retire). **2** 《미속어》 **a** (업적 부진으로) 해임하다, 쫓아내다, 목자르다; (광고·공연 등이 인기 없어) 취소하다, 중단하다: He was *~ed out of* school. 그는 학교에서 쫓겨났다. **b** 체포하다, 연행하다. **3** 《미속어》 괴롭히다; 속이다, 봉으로 삼다. — *vi.* 휙 잡아당기다; 《속어》 수음(手淫)하다 《*off*》; 《미학생속어》 토하다. — *n.* 《구어》 홱 당김.

◇**Yan·kee** [jǽŋki] *n.* **1** 미국 사람, 양키. **2** New England 사람; 미국 북부 여러 주의 사람; 북부〔북군〕의 사람《남북 전쟁 당시 남부 사람들이 적의와 경멸의 뜻을 함축시켜서 썼던 말》.

NOTE Yankee 라는 말은 미국인 자신들은 주로 2의 뜻으로, 영국인 및 기타 외국 사람들은 보통 1의 뜻으로 씀. 그러나 미국 사람 자신도 *Yankee* enterprise 〔ingenuity〕(미국인적인 적극성〔창의성〕) 등의 용법으로는 1의 뜻으로 쓰는 일이 있음.

3 (영어의) 뉴잉글랜드 방언. **4** 〖경마〗 사중승식(四重勝式) 투표법. ***sell out to the ~s*** 《미남부》 사고를 당하다, 입원하다; 《미흑인속어》 (좋은 일거리를 찾아) 북부로 가다.
— *a.* 양키(식)의: ~ blarney 미국인식의 발림말 / ~ notions 양키의 세공품; 미국인의 고안품 / ~ rails 《영속어》 미국 철도주(株).
㊎ **~·dom** [-dəm] *n.* 〔집합적〕 양키; 미국, 양키의 나라《특히 New England 지방》.

Yánkee Dóo·dle [-dú:dl] **1** 독립 전쟁 때 미국인이 애창한 국민가. **2** 양키, 미국 사람.

Yan·kee·fy [jǽŋkifài] *vt.* 양키화하다. ㊎ **-fied** [-fàid] *a.* 양키화한, 미국식의.

Yán·kee·ìsm *n.* Ⓤ 미국풍; New England 사람 기질; 미국 말씨〔사투리〕.

Yánkee·lànd *n.* Ⓤ 《미남부》 미국 북부 여러 주; 《미북부》 New England 지방; 《영》 미국.

yan·(n)i·gan [jǽnigən] *n.* 《야구속어》 2군의 프로 선수.

Ya·no·ma·mo [jɑ̀:nəmá:mou] (*pl.* ***-mos,*** 《집단적》 ***-mo***) *n.* 야노마모족(族)《브라질 북부, 베네수엘라 남부의 호전적 종족》; 야노마모어족(=**Yà·no·má·ma** [-mə]).

yan·qui [já:ŋki:] *n.* 《Sp.》 (종종 Y-) (중남미인(人)이 자기들과 구별하여) 미국인.

Yan·qui·ol·o·gy [jæ̀ŋki:álədʒi(:)/-ɔ́l-] *n.* 《경멸》 **1** (중남미인이 본) 양키식의 독선적 방법. **2** 양키〔미국인〕 연구, 미국 외교 정책의 연구.

yan·tra [jántrə, jǽn-, já:n-] *n.* 《Sans.》 얀트라《명상할 때 쓰는 기하학적 도형》.

Ya·oun·dé [jaundéi] *n.* 야운데《카메룬의 수도》.

ya·ourt [já:uərt] *n.* =YOG(H)URT.

Yap [jaːp, jæp] *n.* 야프《서태평양 Caroline 제도 서부의 구역; 그 구역 안의 섬들》. ㊎ **~·ése** [-pí:z, -s] *n.*

yap [jæp] (*-pp-*) *vi.* **1** (개가) 요란하게 짖어대다. cf. yelp. **2** 《구어》 시끄럽게〔재잘재잘〕 지껄이다; 《미속어》 투덜거리다. — *n.* **1** 요란하게 짖음〔짖는 소리〕. **2** 《미속어》 시끄러운 사람; (수다스러운) 입; 요구, 불평, 항의. **3** 《속어》 무지렁이, 투미한 자; 《미속어》 (범죄, 특히 소매치기의) 봉; 《속어》 불량자.

ya·po(c)k [jəpák/-pɔ́k] *n.* 〖동물〗 물주머니쥐 《남아메리카산(産)》.

yapp [jæp] *n.* Ⓤ 《영》 야프형 제본(=∠ **bìnding**)《가죽 표지의 가장자리를 접은, 성서 따위의 제본 양식》, 귀접은 표지. ㊎ **~ed** [-t] *a.* 야프형 제본의.

yap·py [jǽpi] *a.* 《속어》 요란하게 짖어대는 《개》; 시끄럽게 지껄이는《사람》.

Yar·bor·ough [já:rbə̀:rou, -bʌ̀r-/já:bərə] *n.* (*or* y-) (whist² 나 bridge² 에서) 9점 이상의 카드가 없는 손에 든 패.

‡yard¹ [jaːrd] *n.* **1** (건물에 인접한) 울을 친 지면, 안마당, 구내; 《미·Austral.》 (가축용) 울: a front 〔back〕 ~ 앞〔뒷〕마당. SYN. ⇨ GARDEN.

NOTE (1) 종종 합성어를 만듦: a church*yard* 교회 경내, 묘지 / school*yard* 학교 마당, 운동장. (2) 미국의 대학 교정은 campus라고 부르는데, Harvard만이 yard라고 부름.

2 〘흔히 복합어〙 작업장, 제조소; (재료) 두는 곳: a brick*yard* 벽돌 공장 / a dock*yard* 조선소(造船所). **3** 〖철도〗 (화물) 조차장(操車場) (《영》 railway yard). **4** 《미》 (사슴류(類)가) 겨울철에 풀을 뜯어먹는 곳. **5** (the Y-) =SCOTLAND YARD.
— *vt.* (가축 따위를) 울 안에 넣다《*up*》; ~에 비축하다. — *vi.* (뜰에) 모이다; 《미속어》 연인〔남편, 처〕 외의 상대와 자다, 바람피우다.

‡yard² *n.* **1** 야드《길이의 단위; 36 인치, 3 피트, 약 0.914 미터》; 마(碼); 1 마(碼)의 분량: 2 ~s of calico 옥양목 2 마 / a cubic ~ 세제곱 야드 / a square ~ 제곱 야드. **2** 막대, 지팡이; 야드 자 (yardstick). **3** 〖선박〗 활대. **4** 《미속어》 100 달러(지폐), 《때로》 1,000 달러. ***by the ~*** 《비유》 상세히, 장황하게. ***man the ~s*** 〖해사〗 등현례(登舷禮)를 행하다.

yard·age¹ [já:rdidʒ] *n.* Ⓤ (가축 등의) 위탁장 사용료〔사용권〕; 역 구내 사용료〔사용권〕.

yard·age² *n.* Ⓤ (야드제(制) 채탄(採炭)에서) 야드수(數)《임금의 기준으로서》; 야드로 잰 길이〔양〕《골프 코스의 타구(打球) 거리 따위》; 《미》 =YARD GOODS.

yárd·àrm *n.* 〖선박〗 (가로돛의) 활대 양쪽 끝.

yárd·bìrd *n.* (벌로서) 잡(雜)일을 하는 군인; 초년병; 〘일반적〙 보병, 병사, 죄수, 전과자.

yárd gòods 《미》 야드 단위로 파는 옷감.

yárd gràss 〖식물〗 왕바랭이.

yárd lìne 〖미식축구〗 야드라인《골라인에 평행하게 1야드마다 그은》.

yárd·man [-mən] (*pl.* ***-men*** [-mən]) *n.* **1** 〖철도〗 조차장(操車場) 작업원. **2** (날품팔이) 일꾼, 《미》 (특히 저택 뒤의) 뜰을 손질하는 사람.

yárd·màster *n.* 〖철도〗 조차장장(操車場長).

yárd mèasure 야드 자.

yárd ròpe 〖선박〗 활대 밧줄.

yárd sàle 《미》 (개인이 집 뜰 앞에서 벌이는) 중고(中古) 가정용품 판매(garage sale).

yárd·stìck *n.* 야드 자; 《비유》 (판단 등의) 표준, 척도.

yárd·wànd *n.* 《고어》 =YARD-STICK.

yárd wòrk 《미》 뜰〔마당〕 일.

yare [jɛər, jaːr/jɛə] *a.* 활발한; 재빠른; (배 등이) 다루기 쉬운; 《고어》 준비가 된. ㊎ **∠·ly** *ad.*

yar·mul·ke [já:rməlkə] *n.* 〖유대교〗 정통파 남자 신자가 기도할 때나 Torah를 읽을 때 쓰는 작은 두건.

***yarn** [jaːrn] *n.* **1** Ⓤ (자은) 실, 피륙 짜는 실, 방적사. SYN. ⇨ THREAD. **2** 털실, 모사(woolen

~), 뜨개실, 꼰 실; 실 모양의 유리〔금속, 플라스틱〕: worsted ~ 소모사(梳毛絲). **3** Ⓒ《구어》(특히 꾸며낸) 이야기, 긴 이야기; 허풍. ***breast the*** ~《속어》(경주에서) 테이프를 끊다, 1착을 하다. ***spin a*** ~〔~***s***〕《구어》장광설을 늘어놓다. ─ *vi.* 《구어》 이야기를 하다, 긴 이야기를 늘어놓다. ─ *vt.* …에 실을 휘감다.

yárn bèam〔**ròll**〕방직기의 날실을 감는 막대.

yárn-dỳe *vt.* 짜기 전에 염색하다, 실염색을 하다. ㊕ ~**d** *a.* 「풍선이.

yárn-spìnner *n.* 《구어》 입담이 좋은 사람, 허

yarovize ⇨JAROVIZE.

yar·ra·man [jǽrəmən] (*pl.* ***-men*** [-mən, -mèn]) *n.* 《Austral.》 말, 미친 듯이 날뛰는 말.

yar·row [jǽrou] *n.* Ⓤ 〖식물〗 서양톱풀.

yash·mak [jɑːʃmɑ́ːk, jǽʃmæk/jǽʃmæk] *n.* 《Ar.》(이슬람교 국가의 여자가 얼굴을 가리는) 긴 베일.

yat·a·g(h)an [jǽtəgæ̀n, -gən/-gən] *n.* 《Turk.》(이슬람교도가 쓰는) 날밑이 없는 긴 칼.

ya·ta·ta [jɑ́ːtətə, jǽt-] *vi., n.* 《미속어》 재잘재잘 수다떨다〔떨기〕.

yate [jeit] *n.* 〖식물〗 오스트레일리아산(産) 유칼리속 여러 나무의 총칭; 그 단단한 재목.

yat·ter [jǽtər] 《구어》 *vi.* 재잘재잘 지껄이다 (chatter), 수다떨다《*on*》. ─ *n.* 수다스러움; 쓸데없는 이야기.

yauld [jɔːld, jɑːld] *a.* 《Sc.》 방심 않는, 민활한, 건장한; 활동적인.

yaup ⇨YAWP.

ya(u)·pon [jɔ́ːpɑn/-pɔn, -pɔn] *n.* 〖식물〗 미국 남부산의 감탕 나무속의 관목《잎은 차 대용》.

YAVIS 《미》 Young, Attractive, Verbal, Intelligent, and Successful.

yaw [jɔː] 〖항공·해사〗 *n.* Ⓤ 한쪽으로 흔들림; (선박·비행기가) 침로에서 벗어남; (우주선이) 옆으로 흔들림. ─ *vi.* 한쪽으로 흔들리다; 침로에서 벗어나(흔들리며 나아가)다. ─ *vt.* …을 침로에서 벗어나게 하다; 한쪽으로 흔들리게 하다.

yawl¹ [jɔːl] 〖해사〗 *n.* **1** 배에 실은 보트, 함재(艦載)한 잡용선(雜用船). **2** 일종의 작은 범선.

yawl¹ 2

yawl² *vi., vt., n.* 《영방언》 =YOWL, HOWL.

yawn** [jɔːn] *vi.* **1** 하품하다: ~ over the newspapers 신문을 보면서 하품을 하다. **2** (입·틈 따위가) 크게 벌어지다. ─ *vt.* 하품하면서 말하다: "Are you ready?" he ~*ed.* '준비됐느냐' 고 그는 하품을 하면서 말하였다. ***make a person ~ 아무를 지루하게 하다. ─ *n.* **1** 하품; 입을 크게 벌림: with a ~ 하품하면서/give a ~ 하품을 하다. **2** 틈; 《속어》 따분한 사람〔것, 일〕. ㊕ **∠·er** *n.*

yawn·ful [jɔ́ːnfəl] *a.* (지루하여) 하품이 나오는〔나오게 하는〕. ㊕ **~·ly** *ad.*

yáwn·ing *a.* 하품을 하고 있는, 피로한〔지루한〕 기색을 보이는; (입·틈 등이) 크게 벌어져 있는. ㊕ **~·ly** *ad.*

yawny [jɔ́ːni] (***yawn·i·er; -i·est***) *a.* 하품하는; 하품을 나오게 하는: a ~ story 지루한 이야기.

yawp, yaup [jɔːp, jɑːp/jɔːp] 《미구어·영방언》 *vi.* 시끄럽게 외치다, 소리치다; 반대를 외치다, 불평을 하다; 바보 같은 소리를 하다. ─ *n.* 거슬리는 (목)소리; 새된 소리; 지껄임, 불평; 외침(소리).

yáwp·ing *n.* 푸념, 잡담.

yaws [jɔːz] *n. pl.* 〖단수취급〗〖의학〗 인도마마 (frambesia).

ý-àxis *n.* (the ~) 〖수학〗 y축(軸).

yay [jei] *ad., n.* =YEA.

Yb 〖화학〗 ytterbium. **Y.B., YB** yearbook.

YBP years before present.

Ý-brànch *n.* Y자형관(管).

YC Young Conservative. 「체의 하나).

Ý chròmosome 〖생물〗 Y 염색체《성(性) 염색

yclept, ycleped [iklépt] *a.* 《고어·우스개》 …이라고 불리는, …이라는 이름의: a giant ~ Barbarossa 바르바로사라는 이름의 거인.

ý connèction 〖전기〗 Y 결선(結線), Y 접속.

ý-coórdinate *n.* 〖수학〗 y 좌표.

Ý cròss Y자형 십자가《예수의 못박힘을 나타내는 것으로 제의(祭衣) 위에 띰》.

yd. yard(s). **yds.** yards.

°**ye**¹ [jiː, 약 ji] 《문어·방언》 *pron. pl.* **1** 〖thou의 복수형〗 너희, 그대들. ★ ye는 본디 주격이지만 때로는 목적격으로도 쓰임. 또, you는 본디 ye의 목적격. **2** =YOU: How d'*ye* do [háudidúː]? 처음 뵙겠습니다; 안녕하십니까/Thank *ye* [θǽŋki]. 고맙다/Hark *ye* [hɑ́ːrki]. 들어라/Look *ye* [lúki]. 보라.

ye² [ðiː, 약 jiː] *def. art.* 《고어》 =THE. ★ ye는 th [θ, ð]의 음을 나타내는 옛 영어 문자 þ와 y를 혼동한 것: *Ye* Arte Shoppe 《고어》 미술품 상점《간판》.

°**yea** [jei] *ad.* **1** 그렇고말고; 그렇지. **2** 《고어·문어》 실로, 참으로(indeed). OPP *nay.* **3** 《고어·문어》 그 위에; 아니 그뿐 아니라. ~ ***and*** 아니 그뿐만 아니라; 게다가(moreover). ~ ***big*** 〔***high***〕《미속어》(손을 펼치며) 이렇게 큰〔높은〕, 아주 큰〔높은〕. ─ *n.* 긍정; 찬성; 찬성 투표(자). ~, ~, ***nay, nay*** 찬성이면 찬성, 반대면 반대라고 솔직하게. ~ ***and nay*** 우유부단(한), (판단이) 왔다갔다 변하는 (일), 주저, 망설임. ~***s and nays*** 찬부(의 투표).

yeah [jɛə] *ad.* 《구어》 =YES: Oh, ~? 정말, 거짓말(이야).

yeah-yeah [jɛ́əjɛ́ə] *int.* 《구어》 허 그래《불신을 나타내어 비꼬는 투》.

yéah-yéah-yéah *int.* 《구어》 이젠 그만 해라 《수다스럽다는 핀잔》. 「위가).

yean [jiːn] *vt., vi.* (새끼를) 낳다《양·염소 따

yean·ling [jíːnliŋ] *n.* 새끼 양; 새끼 염소. ─ *a.* 갓 태어난; 어린.

†**year** [jiər] *n.* **1** 연(年), 해《1월 1일에 시작하여 12월 31일에 끝남》: in the ~ 1840, 서기 1840년에/last 〔next, this, every〕 ~ 작〔내, 금, 매〕 년《이들은 부사구로서 쓰여지며, 그 앞에 in 은 불필요》/the ~ before last 〔after next〕 재작년〔내후년〕(에)《이것들도 부사구》. **2** 1년간: in a ~'s time, 1년 지나면/rent a house by the ~ 연간 계약으로 집을 빌리다. **3** (*pl.*) 다년 (ages); 시대: It's ~*s* since I saw him. 여러 해 동안 그를 만나지 못했다/for ~*s* 여러 해 동안/the ~*s* of Queen Victoria 빅토리아 여왕 시대/in (the) ~*s* to come 다가올 시대에는. **4** (*pl.*) 연령(age); 노령: She is three ~*s* of age. 그녀는 세 살입니다/in one's last ~*s* 만년에/*Years* bring wisdom. 《속담》 나이 들면 지혜도 든다. **5** 연도, 학년; 동연도생, 동기생 (class): the fiscal ~ 회계 연도/the school 〔academic〕 ~ 학년. **6** (천문학상·관행상의) 역년(曆年): a civil 〔calendar〕 ~ 역년/a common ~ 평년/a leap ~ 윤년/a solar 〔equinoctial, natural, tropical〕 ~ 태양년/a lunar ~ 태음(太陰)년. **7** 《미속어》 달러(지폐): 5 ~*s*, 5

달러(지폐). ***all the ~ round*** 일년 내내. ***a ~ and a day*** 〖법률〗 만 1 개년(《꼭 1 년과 하루의 유예(猶豫) 기간》). ***from ~ to ~*** = ***~ after ~*** = ***~ by ~*** 매년, 해마다; 연년. ***in ~s*** 《고어》 나이 들어; 《미》 몇 년 동안이나. ***of late ~s*** ⇨ LATE. ***... of the ~*** 그 해에 뛰어난(것으로 뽑힌); 월등한…, 제 일급의…: a man *of the ~* 그 해를 대표하는 사람. the understatement *of the ~* 너무 조심스럽게〔에둘러〕 하는 말〔표현〕. ***put ~s on*** a person 아무를 (나이보다) 늙게 보다; 늙은이 취급하는 투의 말을 하다; 《비유》 매우 짜증나게 하다. ***the ~ one*** 〔《영》 ***dot***〕 《구어》 《종종 우스개》 때의 시작, 오래 전, 오랜 옛날: in 〔since, from〕 *the ~ one* 〔*dot*〕. ***~ in, ~ out*** = ***~ in and ~ out*** 연년세세, 해마다; 끊임없이; 언제나.

yéar-aróund *a.* = YEAR-ROUND.

yéar·bòok *n.* 연감, 연보; 졸업 기념 앨범.

yéar-énd *n., a.* 연말(의), 《특히》 회계 연도말(의); 《구어》 (주식의) 기말 배당: a ~ report 연말 보고.

°**year·ling** [jíərliŋ] *n.* 한 살 아이; (식물의) 1 년 지난 것; (동물의) 1 년생; 〖경마〗 한 살 된 말, 하릅말(《경마 말은 난 해의 1 월부터 따짐》); 《미속어》 (육사(陸士) 등에서) 2 년생. **—** *a.* 한 살의, 당년치의; 1 년 지난; 1 년 만기의: a ~ bride 결혼한 지 1 년 되는 새색시.

yéar·lòng *a.* 1 년 계속의; 1 년을 통한; 몇 년에 걸친. **—** *ad.* 1 년에 걸쳐.

year·ly [jíərli] *a.* **1** 매년의, 연 1 회의: a ~ event 예년의 행사/half-~ 연 2 회의. **2** 1 년 간의, 그 해(만)의: a ~ income 연수(年收)/a ~ plant 한해살이 식물. **—** *ad.* **1** 매년, 해마다. **2** 1 년에 한 번. **—** *n.* 1 년에 1 회 발간되는 간행물, 연간지.

*__yearn__ [jəːrn] *vi.* **1** 《+전+명》 그리워〔동경〕하다, 갈망하다(《*for; after*》): ~ *for* a long vacation 긴 여름 휴가를〔방학을〕 갈망하다. **2** 《+*to* do》 간절히〔몹시〕 …하고 싶어하다: ~ *to* see a friend 몹시 친구를 만나고 싶어하다. **3** 《+전+명》 그리다, 사모하다(《*to; toward*》); 동정하다(《*over*》): ~ *over* a person 아무를 동정하다. **—** *vt.* 절실한 목소리로 말하다〔읽다〕. ㊞ **∠·er** *n.* **∠·ful** *a.*

yéarn·ing *n.* Ⓤ,Ⓒ 그리워〔동경〕함, 사모; 열망(《*for; of; toward*》): They felt a ~ *for* the country. 그들은 시골을 동경했다/our ~ *to* know the truth 우리의 진리 탐구욕. **—** *a.* 그리워〔동경〕하는, 사모〔열망〕하는. ㊞ **~·ly** *ad.*

yéar of gráce (the ~) 그리스도 기원(紀元), 서기(西紀)(=**yéar of Chríst** 〔**Our Lórd**〕): in the ~ 2001, 서기 2001 년에.

yéar-on-yéar *a.* (통계 따위가) 1 년 전과 비교한, 전년(前年) 대비의, 연도별의: ~ comparisons 연도별 비교.

yéar plànner 연간 예정표(《사무실 벽에 걸어놓고 쓰는 대형의 행사 예정과 연간 계획표》).

yéar-róund *a.* 연중 계속되는: a ~ sport. ㊞ **~·er** *n.* 《구어》 한 곳에 1년 내내 살고 있는 사람.

yéar's mínd 〖가톨릭〗 죽은 후 1 주기(周忌)의 추도 미사.

yéar-to-yéar *a.* = YEAR-ON-YEAR.

yéa-sàyer *n.* 인생 긍정론자; = YES-MAN.

*__yeast__ [jiːst] *n.* **1** Ⓤ 이스트, 효모(酵母), 누룩; 이스트균. **2** 고체 이스트(= **∠ càke**). **3** 거품(foam). **4** 활동을 왕성케 하는 것, 자극, 영향. **5** 소동, 흥분. **—** *vi.* 발효하다; 거품이 일다. **—** *vt.* …에 이스트를 넣다.

yéast éxtract 효모 추출물, 효모 엑스(《특유한 풍미가 있고, 비타민 B가 풍부함》).

yéast plànt 〔**céll**〕 이스트균, 효모균.

yéast-pòwder *n.* 《영》 베이킹파우더.

yeasty [jíːsti] (***yeast·i·er; -i·est***) *a.* **1** 이스트의; 이스트 비슷한〔를 함유한〕; 발효하는; 거품이 이는. **2** 동요하고 있는, 불안정한. **3** 활력 있는, 기력이 왕성한. **4** 거품처럼 실질이 없는, 경박한. ㊞ **yéast·i·ly** *ad.* **-i·ness** *n.*

Yeats [jeits] *n.* 예이츠. **1 Jack Butler ~** 아일랜드의 화가(1871-1957). **2 William Butler ~** 아일랜드의 시인·극작가(《1의 형; 노벨 문학상 수상(1923); 1865-1939》). ㊞ **~·i·an** *a.*

ye(c)ch [jex, jek, jʌx, jʌk] *int.* 《미구어》 웩, 체, 어허(《구토·혐오·심한 불쾌 등을 나타냄》). [imit.]

ye(c)chy [jéxi, jéksi, jʌ́xi, jʌ́ksi] *a.* 《미속》 「어》 = YUCKY.

yegg(·man) [jég(mən), jéig(-)] *n.* 《미속어》 떠돌이 도둑, 좀도둑, 금고털이; 살인 청부자.

yeh [jei] *ad.* 《미속어》 = YES.

yelk [jelk] *n.* 《방언》 = YOLK.

*__yell__ [jel] *vi.* 《~/+부/+전+명》 **1** 고함치다, 소리지르다, 외치다(《*out*》); (응원단 등이) 일제히 큰 소리로 성원하다; 불만〔항의〕의 소리를 지르다: ~ *at* a person 아무에게 고함치다/~ (*out*) *for* help 도와달라고 외치다. **2** (바람·물·기계 등이) 굉음을 내다. **—** *vt.* 《~+목/+목+부/+목+전+명》 큰 소리로 외치며 말하다(《*out*》); 큰 소리로 외쳐 …에 영향을 끼치다: ~ *out* abuse 〔a command〕 *at* a person 아무에게 큰 소리로 악담을 퍼붓다〔명령하다〕. **—** *n.* **1** (날카로운) 외침 소리; (고통 등의) 부르짖음. **2** 옐(《미국·캐나다의 대학에서 응원할 때 쓰는 특정한 외침 소리》): give the college ~ 대학의 옐을 외치다.

yéll lèader 《미》 (대학·고교의) 옐 선창자, 응원단장.

†**yel·low** [jélou] *n.* **1** Ⓤ 노랑, 황색. **2** Ⓒ 노란 물건; (달걀의) 노른자위; 노란 옷. **3** Ⓤ 노란 그림 물감; 노란색 안료. **4** Ⓒ 노란 나비; 노란 나방. **5** (the ~s) (가축의) 황달(jaundice); (식물의) 위황(萎黃)병. **6** 《구어》 겁; (the ~s) 《폐어》 시기, 질투. **7** Ⓒ 황색 신문(《속된 기사를 쓰는 신문》). **8** (the Y-) 황하(黃河). **—** *a.* **1** 노란, 황색의. **2** 살갗이 누런; 황색〔몽고〕 인종의: a ~ man 황색 인종. **3** 질투심 많은. **4** 《구어》 겁 많은. **5** (신문 기사가) 선정적인; 속된: a ~ journal 황색 신문(《선정적인 기사를 보도함》). **6** 《종종 경멸》 흑백 혼합의; 누르스름한. ***~ as a guinea*** (옛날의 기니 금화처럼) 노란. **—** *vt.* 노랗게 하다; 노랗게 물들이다. **—** *vi.* 노랗게 되다; 노란빛이 돌다: ~*ing* leaves 노랗게 물든 나뭇잎. ㊞ **~·ly** *ad.* **~·ness** *n.*

yéllow alért 황색 경보.

yéllow·bàck *n.* (19 세기에 유행한 황색 표지의) 저속한 싸구려 소설; (노란 표지의) 프랑스 통속 소설.

yéllow-bèllied *a.* 복부가 노란; 《구어》 겁 많은.

yéllow-bèlly 《속어》 *n.* 겁쟁이; 누런 피부의 사람; 《미남서부·경멸》 멕시코 사람.

yéllow·bìll *n.* 〖조류〗 (미국산(產)) 검둥오리 (scoter).

yéllow·bìrd *n.* 〖조류〗 각종 황색 명금(鳴禽); 《미방언》 = YELLOW WARBLER.

Yéllow Bòok 1 황서(黃書)(《프랑스·중국 정부의 보고서》). **2** 예방 접종 증명서(Yellow Card) (《정식 명칭은 International Certificate of Vaccination》).

yéllow bráss 〖야금〗 (구리 70%, 아연 30%의) 황동(黃銅).

Yéllow Cáb 옐로 캐브(《미국 최대의 택시 회사; 상표명》).

yéllow-càke *n.* 조제(粗製) 우라늄광.

yéllow cárd 〖축구〗 옐로카드(《심판이 반칙을 범한 선수에게 경고할 때에 보이는》); (Y- C-) = YELLOW BOOK 2.

yéllow dóg 잡종개, 똥개; 야비한 인간, 비겁한 자, 겁쟁이; 《미속어》 노동조합에 가입하지 않은 〔조합 가입을 지지하지 않는〕 노동자.
yéllow-dóg *a.* 똥개 같은; 비겁한, 비굴한; 《미》 반(反)노동조합(주의)의.
yéllow-dóg còntract 《미》 황견(黃犬)계약 《노동조합에 가입하지 않는 등의 조건으로 이루어진 고용계약; 현재는 위법임》.
yéllow dwárf 『식물』 황화 왜소(黃化矮小), 위황병(萎黃病). 「황색토.
yéllow éarth (습윤(濕潤) 아열대 상록수림의)
yéllow féver 황열병(黃熱病).
yéllow flág 황색기《검역기; 전염병 환자가 있다는 표시로서 배에 게양함》.
yéllow flú 《미》 옐로플루《강제 버스 통학에 항의하기 위해 병을 빙자한 집단 결석》.
yéllow gírl 《미속어》 백인과 흑인 사이의 혼혈녀, (성적 매력이 있는) 피부색이 엷은 흑인녀.
yéllow góods 한번 사면 좀처럼 개비(改備)하지 않으나 이익률은 비교적 높은 상품《냉장고, 텔레비전, 자동차 따위》. cf. red goods, orange goods.
yéllow-gréen *n.* Ⓤ, *a.* 황록색(의).
yéllow gúm **1** 『의학』 갓난아기의 황달. **2** 『식물』 오스트레일리아산(產)의 유칼립투스나무.
yéllow·hàmmer *n.* 『조류』 멧새의 일종.
Yéllowhammer Státe (the ~) Alabama 주의 속칭.
°**yel·low·ish** [jélouiʃ] *a.* 누르스름한, 황색을 띤.
yéllow jàck 황열병(yellow fever); 검역기(檢疫旗)(~ flag).
yéllow jàcket 『곤충』 말벌(wasp); 《속어》 (노란 캡슐의) 펜토바르비탈《마약》.
yéllow jóurnalism 『신문』 선정주의.
Yéllow·knífe (*pl.* ~, ~**s**) *n.* 옐로나이프족 (copper Indian)《캐나다 북서부 Great Slave 호(湖) 동쪽에 사는 아메리칸 인디언》.
yéllow·lègs (*pl.* ~) *n.* 『조류』 노랑발도요.
yéllow líght 노란 불《황색의 교통 신호등》.
yéllow líne **1** 《영》 (주차 규제 구역임을 표시하는 길가의) 황색선. **2** (추월 금지를 표시하는 도로 중앙의) 황색선.
yéllow-livered *a.* 《미》 겁 많은.
yéllow métal **1** 놋쇠(Muntz metal)《구리 6, 아연 4의 합금》. **2** 금(金)(gold).
yéllow ócher 『광물』 황토; (그림물감의) 연한 황갈색, 황토색.
Yéllow Páges (종종 y- p-) (전화부의) 직업별 페이지; 《미》 업종별 기업〔영업, 제품〕 안내; 『컴퓨터』 옐로우 페이지《인터넷 사이트들의 주소 목록을 알려주는 인터넷 서비스》.
yéllow péril (the ~, 종종 the Y- P-) 황화(黃禍)《동양 인종의 세력 신장이나 저임금 노동력의 유입에 대한 서양인의 두려움》; 황색 인종.
yéllow píne 소나무의 일종《미국산(產)》.
yéllow póplar =TULIP TREE; TULIPWOOD
yéllow préss (the ~) 선정적인 신문.
yéllow quártz 『광물』 황수정(黃水晶).
yéllow ráce 황색 인종(Mongoloid).
yéllow ráin 황색비《화학전 때 비행기에서 뿌리는 황색 유독 분말로, 이것에 맞으면 경련·출혈을 일으키고 곧 죽음》.
yéllow ríbbon 《미》 노란 리본《억류된 인질·포로나 멀리 떨어진 남성이 되돌아오기를 기원하여 나무에 거는》.
Yéllow Ríver (the ~) (중국의) 황허강.
Yéllow Séa (the ~) 황해. 「색》.
yéllow sóap 보통의 가정용 비누《노랑 내지 갈
yéllow spòt 『해부』 (망막의) 황반(黃斑).
Yel·low·stone [jéloustòun] *n.* (the ~) 옐로스톤 강《미국 Wyoming 주에서 시작하여 Missouri강으로 들어감; 큰 계곡으로 유명함》.
Yéllowstone Nátional Párk 옐로스톤 국립 공원《미국에서 최고(最古)·최대의 국립 공원》.
yéllow stréak 겁 많은 행동〔성격〕: show 〔have〕 a ~ 겁을 먹고 있다.
yéllow súnshine 《미속어》 =LSD.
yéllow·tàil *n.* 『어류』 방어류(類).
yéllow tìcket 《군대속어》 불명예 제대.
yéllow wárbler 『조류』 아메리카솔새.
yéllow·wòod *n.* 재목이 노란 나무《gopherwood, smoke tree 따위》.
yel·lowy [jéloui] *a.* =YELLOWISH.
°**yelp** [jelp] *vi.* **1** (개·여우·칠면조 따위가) 캥캥〔꽥꽥〕하고 울다〔짖다〕. **2** 새된 소리를 내다, 소리치다. ── *vt.* 소리쳐 말하다. ── *n.* **1** (개 따위의) 캥캥 짖는〔우는〕 소리. **2** 소리침, 비명.
yélp·er *n.* 새된 소리를 내는 것, 《특히》 캥캥 짖는 개; 수칠면조 울음소리처럼 소리를 내는 기구 《사냥꾼용》.
Yel·tsin [jéltʃin] *n.* **Boris** ~ 옐친《러시아 연방 대통령(1991~2000); 1931-2007》.
Yem·en [jémən] *n.* 예멘《정식명 the Republic of Yemen; 1990년 남·북예멘이 통일했으나 1994년 내전(內戰)에 들어가 북예멘이 제압함; 수도는 San'a 〔Sanaa〕》. ㊞ ~**·ite** [-àit] *a.*, *n.* 예멘의; 예멘 사람(의).
Yem·e·ni [jéməni] *n.*, *a.* =YEMENITE.
***yen**[1] [jen] 《구어》 *n.* 열망; 야심《*for*》; 마약에 대한 강한 욕구; 성욕. ── (**-nn-**) *vi.* 열망하다, 간절히 바라다《*for*》. 「¥, ¥》.
yen[2] (*pl.* ~) *n.* 엔(円)《일본의 화폐 단위; 기호
yen·ta, yen·te [jéntə] *n.* 《속어》 수다스러운 〔오지랖넓은〕 여자.
yeo(m). yeomanry.
yeo·man [jóumən] (*pl.* **-men** [-mən]) *n.* **1** 『영국사』 자유민, 향사(鄕士). **2** 《영》 소지주; 중류 농민, 자작농. **3** 《영》 (yeoman 계급의 자제로 편성된) 기마 의용병. **4** 《고어》 (국왕·제후의) 시종, 종자(從者), (주(州)장관 따위의) 보좌관. **5** 《영》 (해군의) 통신계 부사관; 《미》 (해군의) 서무계 부사관. **6** 크게 공헌하는 사람〔것〕. ***a ~ of the (royal) guard*** 영국왕의 위병(beefeater). ㊞ ~**·ly** *a.*, *ad.* ~다운〔답게〕; 용감한〔하게〕.
yeo·man·ry [jóumənri] *n.* 〔집합적〕 자유민, 향사; 소지주들; 자작농; 《영》 기마 의용병《18세기에 yeoman의 자제로 조직》.
yéoman('s) sèrvice 유사시의 충성, 다급할 때의 원조, 적절한 조력(助力), 큰 공헌.
yep [jep] *ad.* 《구어》 =YES. OPP *nope*. ★ 마지막 p는 입술을 다물 뿐 파열되지 않음. 「YOUR.
yer [jər], **yere** [jiər, jər] *pron.* 《방언》 =
-yer [jər] *suf.* 명사의 어미에 붙어 '…하는 사람' 이라는 뜻의 명사를 만듦: law*yer*.
yer·ba bue·na [jέərbəbwéinə, jə́:r-] 《Sp.》 『식물』 부에나 풀《북아메리카 태평양 연안산(產)의 꿀풀과의 다년초; 약초로 썼음》.
yerba maté [∠∠] =MATÉ.
yerk [jə:rk] *vt.* 《방언》 세게 치다, 채찍질하다; 선동하다. ── *n.* 《Sc.》 일격(一擊); 재빠른 동작.
Yerk·ish [jə́:rkiʃ] *n.* 침팬지와 인간의 교신용으로 창안된 기하학적 도형을 쓰는 인공 언어.
†**yes** ⇨《p. 2896》 YES. 「여자.
yés-gìrl *n.* 《미속어》 (섹스 제의에) 바로 응하는
ye·shi·va(h) [jəʃí:və] (*pl.* ~**s** [-z], ***ye·shi·vot(h)*** [jəʃi:vóut]) *n.* 탈무드 학원, 예시바《(1) Talmud의 고도한 연구를 하는 유대교의 대학. (2) 종교 교육 이외에 보통 교육도 하는 유대교의 초등학교》. 「의 간약형.
yes'm [jésəm] 《속어》 yes, ma'am 〔madam〕
yés-màn [-mæ̀n] (*pl.* **-mèn** [-mèn]) 《구어》 *n.* (윗사람의 말에) 그저 예예 하는 사람; 아첨꾼

(sycophant). OPP no-man.

yes·sir [jésər] *int.* 《우스개》 예예(그리하지요).

yes·ter- [jéstər] 《시어 · 고어》 '어제의, 지난…'이라는 뜻의 결합사: *yester*morning.

†**yes·ter·day** [jéstərdèi, -di] *ad.* 어제, 어저께; 작금, 요즘: I saw him (only) ~. 나는 (바로) 어저께 그를 만났다. ***be not born ~*** 경험이 없지는 않다, 좀처럼 속아 넘어가지 않다. — *n.* 1 어제, 어저께: ~'s newspaper 어제 신문 / ~ afternoon 어제 오후 / ~ evening 어젯밤〔저녁〕(《미》 last evening) / ~ morning 어제 아침〔오전 중〕/ ~ week =a week (from) ~ 지난 주의 어제 / Until ~ I knew nothing about it. 어제까지 그 일에 관해서 아무 것도 몰랐다. 2 최근, 요즘, 작금: an invention of ~ 최근의 발명. 3 (종종 *pl.*) 과거: the dim ~s of man 인류의 여명기(黎明期). ***all ~*** 어제 하루 종일. ***the day before ~*** 그저께. ***~, today, and forever*** 《미속

yes

yes는 우리말에서 볼 때 상대의 발언이 긍정적이면 '예, 그렇습니다'에, 상대의 발언이 부정적이면 '아뇨'에 상당하며, no는 이것의 역(逆)이 된다. 그러나 영어 자체로서 yes와 no를 가려서 사용하는 가장 간단한 방법은 상대의 발언 중에 not 따위의 부정어가 있더라도 이것을 무시해야 하는 것이다. 즉 *Don't* you like it ?으로 묻더라도 Do you like it ?으로 물었다고 생각하면 된다.

yes [jes] *ad.* **1** 〖의문사 없는 상대방 발언에 대한 대답〗 **a** 〖긍정의 질문에 답하여〗 네, 그렇(습니)다, 암〔참〕 그래; 〖부정의 질문에 답하여〗 아뇨, 아니, 그렇지 않(습니)다(《부정의 질문 때 Yes, No의 우리말 번역은 반대로 됨에 주의》): Are you ready ? — Yes (, I am.). 준비는 됐나 — 네(,다 됐습니다) / He is impatient. — *Yes*, but he is kind. 그는 성급하다 — 그래, 하지만 상냥해 / Can 〔Shall〕 I open the window ? — *Yes*, please. 창문을 열까요 — 네, 그렇게 하세요(《거절할 때에는 No, thank you.》) / You do*n't* like it ? — *Yes*(, I do)〔Oh, ~.〕. 싫은가요 — 아뇨(좋아요)〔천만에요〕/ Did*n't* they notice you ? — *Yes*, they did. 그들은 자네를 알아채지 못했는가 — 아냐, 알아챘어. **b** 〖부름 · 명령에 대답하여〗 네, 예: Jane ! — *Yes*, ma'am 〔sir〕. 제인 — 네, 선생님 / Waiter ! — *Yes*, sir 〔ma'am〕. 웨이터 — 네, 손님(《점원이 손님에게 하는 말이므로 존칭이 일반적》). / Be quiet while you eat. — *Yes*, mam. 식사 중엔 떠들지 마라 — 응, 엄마. **c** 〖상대의 부정적인 말에 반론하여〗 아니, 아냐: *Don't* do that ! — Oh, ~, I will ! 그런 짓 하지 마라 — 아냐 할 거야 / You do*n't* have to go, do you ? — *Yes*, I'm afraid I must. 갈 필요는 없겠지. — 아냐, 안 가면 안 돼. **d** 〖상대의 말에 동의하여〗 그렇(습니)다, 맞(습니)다: This is an excellent book. — *Yes*, it is. 이건 훌륭한 책이다 — (정말) 그래 / And you were in this room at six. — *Yes*.(↘) 그래 당신은 6시에 이 방에 있었단 말이죠 — 그렇습니다(《Yes. 뒤에는 definitely, quite (so), indeed, precisely 따위를 붙일 때가 많음》) / Is*n't* she very attractive ? — *Yes*, is*n't* she ! 그 여자 정말 매력적이 아닌가 — (그래) 맞아 / Has*n't* he grown ! — *Yes*, has*n't* he ? 그 애는 어른이 다 되었군 — 그렇군. ★ 나중 두 예문에서의 Yes 뒤의 부정의문형은, 전자는 감탄문의, 후자는 부가 의문문의 변형.

2 〖흔히 Yes ?(↗)〗 **a** 〖상대를 부르거나 다음 말이 궁금할 때〗 네 ?, 왜 그러지, 무슨 ?: 그래서 ?, 그런데 ?: Mother ! — *Yes ?* 엄마 — 왜 (그러니) ? / I have a favor to ask you. — *Yes ?* 한 가지 부탁이 있는데요 — 무슨 ? / It was quite a surprise. Who do you think I met there ? — *Yes ?* 정말 놀랐어. 거기서 누구를 만났다고 생각하나 — 누굽니까. **b** 〖말 없이 기다리는 사람의 의향 · 목적을 알 수가 없어〗 저 무슨 (일로) ?, 무슨 일이시죠: A girl behind the receptionist's desk said, "*Yes ?*" when I hesitated. 내가 망설이고 있는데, '저 무슨 일로?' 라고 접수대에 앉아 있는 여성이 말(을) 했다 / "*Yes ?*" he said as he saw the stranger waiting to speak to him. '무슨 용건이시죠 ?' 하고 그는 낯선 손님이 그와 이야기를 하려고 기다리는 것을 보고 말했다. **c** 〖상대말에 대해 맞장구 · 가벼운 의문을 나타내어〗 그래(서) ?, 정말 ?, 설마: Then I happened to meet him. — *Yes ?* 그리하여 그자를 우연히 만났다네 — 허, 그래서 ? / I was always good at drawing. — *Yes ?* 나는 언제나 미술을 잘 했다네 — 그래(《그게 정말이냐》) / I'm going to Hawaii next week. — *Yes ?* 다음 주에 하와이로 갈 예정이다 — 정말. **d** 〖상대에게 자신의 말을 다짐하여〗 알겠죠 ?: You have to finish this work by tomorrow. *Yes ?* 이 일은 내일까지 끝내야 한다, 알겠나.

3 〖Oh와 함께 혼잣말로〗 아, 그렇다, 그렇지, 옳지(《무엇인가 생각이 났을 때》): *Oh*, ~ ! I left it on the desk. 아 그래, 그걸 책상 위에 놓아두었지. ★ That's right ! 라고도 함.

4 〖종종 ~, and... 또는 ~, or...〗 (《긍정적 진술에 이어 강조적으로》) 아니 (그뿐인가), 더구나, 게다가(moreover); 확실히, 암: He is a scholar, ~, *and* a fine man as well. 그는 유식한 사람이야, 게다가 훌륭한 사람이기도 하지. ★ 앞의 진술이 부정어를 포함하면 no가 됨: You could*n't* possibly tame that horse, *no*, *and* you should stay away from it. 저 말은 도저히 길들일 수 없어, 참말이지, 그래서 가까이 가지 않는 것이 좋아.

5 〖앞의 말을 강조하여〗 다름 아닌 (바로)…: I beat Thomas — ~, Thomas the champion. 나는 토머스에게 이겼다 — 그럼, (다름 아닌) 챔피언인 토머스에게 말이다. ***Yes and no.***(↘) 글쎄 어떨지, 어느 쪽이라고도 할 수가 없군(《단지 yes 나 no 로 대답할 수 없을 경우에 쓰임》).

— (*pl.* **~·es, ~·ses** [jésiz]) *n.* **1** C,U yes라는 말, 동의〔수긍〕의 말; 긍정, 승낙: say ~ '네'라고 하다, 동의하다, 승낙하다(《*to*》) / Answer with a plain ~ or no. 단지, 예, 아니요로 대답하시오 / He refused to give a *Yes* or No answer. 그는 가부(可否)의 대답을 거부했다. **2** C 〖보통 복수형으로〗 찬성표, 찬성 투표자(《이 뜻으로는, 특히 영국 의회에서는 보통 aye》): a shout from the *yeses* 찬성 투표자들의 함성.

NOTE **yes**+부정, **no**+긍정 Are you feeling well ? — *Yes*, I *never* felt better.; *No*, *I'm* feeling awfully bad. (기분이 좋으십니까 — 네 전에 없이 좋습니다; 아뇨 기분이 몹시 좋지 않습니다). 이 보기에서도 상대방이 쓴 동사 be feeling 을 써서 각기 *Yes*(, I am).; *No*(, I am not).이라는 ( )속 말이 생략된 셈임. Are you a student ? — *No*, (I'm not. I am) a policeman.처럼 ( )속의 생략이 있지만, 그것은 특수한 예임.

어 · 보통 우스개》(매일 팔다 남은 것을 보태어 손님에게 내놓는) 해시 요리(hash).

yéster·éve, -éven, -évening *n., ad.* 《고어 · 시어》 어제저녁, 지난밤, 간밤. 「아침.

yéster·mórn(ing) *n., ad.* 《고어 · 시어》 어제

yéster·níght *n., ad.* 《고어 · 시어》 간밤, 지난밤, 어젯밤.

yéster·nóon *n., ad.* 《고어 · 시어》어제 정오(에)(yesterday noon).

yéster·wéek *n., ad.* 《고어 · 시어》 지난 주(에).

yéster·yéar 《문어 · 시어》 *n., ad.* 작년(에); 근년(에), (머지 않은) 지나간 세월; 최근.

yes·treen [jestríːn] *n., ad.* 《시어 · Sc.》 어제 저녁, 지난밤, 간밤(yesterday evening).

†**yet** ⇨ 《아래》 YET.

yet

yet 용법은 '아직' 〖부정에 수반〗 또는 '이미' 〖긍정에 수반〗의 뜻의 부사와 '그래도'의 뜻인 등위접속사로 대별된다. 전자의 yet와 already의 관계는 any 와 some의 관계와 비슷하며, 부정문 또는 의문문에서 yet를 사용할 곳에 긍정문에서는 already 를 사용한다. 그러나 yet는 긍정에도 '아직' (still)의 뜻으로 사용되는 경우가 있으며, 그 밖에 접속사의 경우도 포함하여 전반적으로 꽤 광범위하게 still과 대치시킬 수 있음에 주목하여야 한다.

yet [jet] *ad.* **1** 〖부정문에서〗 아직 (…않다), 아직〔지금〕까지는 (…않다); 아직 당장은 (…않다) 《흔히 문장 끝 또는 부정어 바로 뒤에 옴》: He has *not* arrived ~. 그는 아직 도착하지 않았다 《비교: He has arrived *already*. 벌써〔이미〕 도착했다》/I have *never* ~ lied. 나는 이제까지 거짓말을 해 본 적이 없다/Are they here ~? — No, *not* ~. 모두 다 와 있느냐 — 아뇨, 아직 다 안 왔습니다/Are*n't* you ready ~? 아직 준비가 안 되었나《부정의문문에서의 yet는 흔히 놀람 · 안타까움을 나타냄》/Do*n't* start ~. 아직 출발하지 마라/He will *not* come just ~. 그는 지금 당장은 오지 않을 게다.

2 〖의문문에서〗 이미, 벌써, 이제: Are my socks dry ~? 내 양말은 이제 말랐는가/Has she come home ~? 그녀는 이미 집에 돌아왔나요 《비교: Has she come *already*? 벌써 왔나요. — 놀라는 말투》/Do you have to go ~? 벌써 가지 않으면 안 되는가/Is it raining ~? 벌써 비가 오고 있느냐《비교: Is it raining *still*? 아직도 비가 오고 있느냐》.

> SYN. **yet** 보통 의문문 · 부정문에 쓰임: "Has the train started *yet*?" "No, it has not started *yet*." **already** 보통 긍정문에 쓰임. 의문문에 쓰이면 놀람을 나타냄: Has he started *already*? 그는 벌써 출발했다면서요.

3 〖긍정문에서〗 **a** 〖현재적 긍정 표현에서〗 아직도, 지금도; (그 당시에도) 아직, 여전히《(1) still이 보통이지만, yet를 쓰면 감정적 색채를 띰. (2) 진행형이나 계속의 뜻을 나타내는 동사와 함께 씀》: The baby is crying ~. 아기는 아직도 울고 있다/His father is ~ alive. 그의 아버지는 아직 건재하시다/His hands were ~ red with blood. 그의 손은 아직도 피로 물들어 있었다. **b** 〖be ~ to do; have ~ to do〗 아직 …(하지)않다, (아직) 이제부터 …하다〔할 참이다〕: The point *is* ~ *to* come. 이야기의 중심은 (아직) 이제부터다《이제부터가 들을 만한 대목이다》/He *is* ~ *to* know the truth. 그는 사실을 아직 모른다/The time *is* ~ *to* come. 때는 아직 오지 않았다/Much ~ remains *to* be done. =There *is* ~ much *to* do. 아직 할 일이 많다/I *have* ~ *to* find out what she wants. 그녀가 무엇을 원하는지 알아봐야겠다(=I have still not found out what she wants.).

4 a 그 위에, 다시 (더): ~ once (more) = ~ another time 다시 한 번 더/~ again 또 다시/He hopes to work for another year ~. 그는 또 1년 더 일하고자 한다/I have ~ much to do. 나에겐 그 밖에 더 할 일이 잔뜩 있다. **b** 〖비교급을 강조하여〗 더 한층, 더욱 (더)(still, even): a ~ *milder* tone 더욱 부드러운 어조/He beat it ~ *harder*. 그는 더욱 더 호되게 그것을 쳤다/He spoke ~ *more* harshly. 그는 더욱 혹독하게 말했다/It came *nearer* and ~ *nearer*. 그것은 점점 더 다가왔다.

5 언젠가(는), 머지않아, 조만간《흔히 문장 끝에 오지만, 《정식》 또는 《문어》에서는 조동사 바로 뒤에 쓰임》: The thief will be caught ~. 도둑은 머지않아 잡힐 것이다/You'll regret it ~. 언젠가 후회할 게다/He may come here ~. 그는 조만간 올지도 모른다.

6 《옛풍》 〖nor를 강조하여〗 …도 또한(—않다), 그 위에 (…도 — 않다); 더욱이(…은 — 아니다), 하물며 (…조차도 — 않다): He wouldn't listen to me *nor* ~ to my father. 그는 나의 말은 어쨌든 아버지의 말씀조차도 들으려고 하지 않았다/I've never read it *nor* ~ intend to. 그건 아직 읽지 않았으며 또 읽을 생각도 없다.

7 〖보통 and 〔but〕 ~로〗 그럼에도, 그런데도, (…) 했음에도, 그러나: It is strange, *and* 〔*but*〕 ~ very true. 기묘한 일이지만 사실이다/I offered him still more, *and* ~ he was not satisfied. 그 이상 내겠다고 했으나 그는 만족하지 않았다.

8 〖최상급과 함께〗 이제까지(ever): the *greatest* book ~ written 이제까지 쓰여진 가장 위대한 책/Yours is the *largest* pearl ~ found. 당신의 진주는 이제까지 발견된 것 중 최대의 것입니다. ***and*** **~** ⇨7. ***another and*** **~** ***another*** 꼬리를 이어서, 차례차례, 잇따라. ***as*** **~** ⇨AS[1]. ***be*** **~** ***to*** do ⇨3 b. ***but*** **~** ⇨7. ***have*** **~** ***to*** do. ⇨3 b. ***just*** **~** 이제 막; 〖부정어와 함께〗 지금 당장은 (…않다)(⇨1). ***may*** **~** 언제 …하지 않으리라고 장담 못하다: The enemy *may* ~ win if we relax our efforts. 방심하면 언제 적이 이길지 모른다. ***more and*** **~** ***more*** 더욱더욱. ***nor*** **~** ⇨6. ***not*** **~** ① ⇨1. ② 〖부정문을 대표해〗 아직이다: Have you finished it? — *Not* ~. 이제 끝내셨습니까 — 아직입니다. **~** ***again*** ⇨ 4 a. **~** ***once*** (***more***) ⇨4 a.

— *conj.* **1** 그럼에도 (불구하고), 그런데도(…), 하나 (그래도), 하지만 (그래도): It is good, ~ it could be improved. 그것은 그것대로 좋으나 더 개선할 수 있을 것이다/His speech was almost unintelligible, ~ for some reason I enjoyed it. 그의 이야기는 이해할 순 없었지만 어쩐지 재미있었다. **2** 〖though 또는 although와 상관적으로 쓰이어〗 그래도: *Though* 〔*Although*〕 we are prepared for the worst, ~ we shall do all in our power to prevent it. 우리는 최악의 사태를 각오하고 있긴 하나, 그래도 이를 막기 위해 만반의 대책을 강구하겠다.

yeti [jéti] *n.* (때로 Y-)(히말라야 산맥의) 설인(雪人)(Abominable Snowman). ⓒⓕ snowman.

◇**yew** [ju:] *n.* Ⓒ 〖식물〗 주목(朱木)(속(屬)의 나무)《흔히 묘지에 심는 상록수》; Ⓤ 주목재(朱木材)《가구 등을 만듦》.

yé-yé [jéijéi; *F.* jeje] 《속어》 *a.*, *n.* 《F.》 예예의(스타일)《1960년대 프랑스에서 유행한 로큰롤조 음악이나 디스코풍 스타일》; 세련된(사람).

Ý-frònts *n.* 《영》 와이프런츠《남성용 짧은 팬츠; 상표명》.

Ygg·dra·sil, Yg- [ígdrəsil] *n.* 〖북유럽신화〗 이그드라실《하늘 · 땅 · 지옥을 연결한다는 거대한 물푸레나무》.

Ý-gùn *n.* 〖군사〗 Y형 대(對)잠수함 폭뢰 투사포「(投射砲), Y포(砲).

Y.H.A. 《영》 Youth Hostels Association.

YHWH, YHVH [já:we, -ve] *n.* =YAHWEH, YAHVEH.

Yid [jid] *n.* 《경멸》 유대인(Jew).

Yid. Yiddish.

Yid·dish [jídiʃ] *n.* Ⓤ 이디시 말《독일어 · 히브리어 등의 혼성 언어; 중부〔동부〕 유럽 여러 나라, 미국 등의 유대인이 씀》. **—** *a.* 이디시 말의; 유대인의.

Yíd·dìsh·er *n.*, *a.* 유대인(의), 이디시 말을 하「는 (유대인).

Yíd·dish·ìsm *n.* 이디시 특유의 어법〔어구〕; 이디시어〔문화〕 옹호 운동. ⓟ **-ist** *n.*, *a.*

⁑**yield** [ji:ld] *vt.* **1** 생기게 하다, 산출(產出)하다(produce); (이익 따위를) 가져오다: A tree ~*s* fruit. 나무에는 열매가 연다/Land ~*s* crops. 땅에서 농작물이 난다/The cow ~*s* milk twice a day. 이 암소는 하루에 두 번 젖을 낸다/a test which ~*s* a yes or no answer 예나 아니오로 답하게 하는 시험/These investments now ~ 7%. 이들 투자는 7푼의 이익이 있다. SYN. ⇨ CROP. **2** 《~+목/+목+전+명/+목+목》 양보〔양도〕하다, 굴복하다, 명도하다; 주다; 포기하다《*up*; *over*; *to*》: ~ possession 소유권을 양도하다/~ a position *to* a newcomer 신인(新人)에게 지위를 내어주다/He ~*ed* me his property. 《주로 미》 그는 내게 재산을 양도해 주었다. SYN. ⇨ SURRENDER. **3** 《+목+부/+목+전+명/+목+(*as*) 보》 〖~ oneself〗 (…에) 몸을 맡기다, (유혹 따위에) 지다, (악습 따위에) 빠지다《*to*》: He ~*ed* him*self* (*up*) *to* the temptation. 그는 유혹에 넘어갔다/He ~*ed* him*self* (*as*) (a) prisoner. 그는 항복하여 포로가 되었다. **4** 《목+부》 (사물이 비밀 따위를) (끝내) 밝히다《노력에 의해》: The universe will never ~ *up* its secret. 우주는 그 비밀을 밝히는 일이 없을 것이다. **5** 《고어》 지급하다, 치르다; (빌려 쓴 돈 등을) 갚다; (대)갚음하다.

— *vi.* **1** 《+부》 (땅이) 농작물을 산출하다; (노력이) 보수를 가져오다: The apple tree ~*s* *well* 〔*poorly*〕 this year. 금년은 사과의 수확이 좋다〔나쁘다〕. **2** 《~/+전+명》 지다, 굴복하다; 따르다《*to*》: courage never to submit or ~ 불요 불굴의 용기/Don't ~ *to* impulse. 충동에 이끌리지 마라. **3** 《~/+전+명》 (압력 때문에) 움직이다, 구부러〔휘어〕지다《*to*》; 무너지다: The floor ~*ed* under the heavy box. 무거운 상자로 마룻바닥이 휘었다/The door ~*ed* *to* a strong push. 세게 미니까 문이 열렸다. **4** 《+전+명》 (남에게) 한결 뒤지다; …만 못하다: Their mutton ~*s* *to* ours but their beef is excellent. 그들의 양고기는 우리 것보다 못하지만 그들의 쇠고기는 질이 참 좋다/~ *to* none 아무에게도 뒤지지 않다. **5** 《+전+명》 명도 〔양도〕하다; 양보하다: *Yield.* 《미》 양보하시오《도로 표지에서》(《영》 Give way.)/~ *to* conditions 양보하여 조건에 동의하다. **6** 《+전+명》 (치료한 결과로 병이) 낫다, 좋아지다《*to*》: ~ *to* treatment 치료하여 좋아지다.

~ ***consent*** 승낙하다. ~ ***precedence to*** …에게 차례를 양보하다. ~ ***submission*** 복종하다. ~ ***the palm to*** …에게 승리를 양보하다. ~ ***the*** 〔***a***〕 ***point*** 논점을 양보하다. ~ ***up the life*** 〔***ghost, spirit***〕 죽다.

— *n.* **1** 산출고〔물〕; 수확(량), 농작물: a large ~ 풍작. **2** (투자에 대한) 수익, 이율: the ~ on a bond 채권의 이율. **3** (전자 부품 제조에서) 양품률(良品率)《합격품 수를 검사 총수로 나눈 수치》; 〖화학〗 수득률(收得率)《반응 생성물의 실제량의 이론적 기대량에 대한 비율》. **4** (킬로톤〔메가톤〕으로 표시한) 핵출력, 핵무기에 의한 열량〔파괴력〕.

ⓟ **∠·a·ble** *a.* **∠·er** *n.*

yíeld at íssue 〖채권〗 발행 이율.

yíeld·ing *a.* 다산의, 수확이 많은(productive); 압력에 대해 유연한; 영향을〔감화를〕 받기 쉬운, 하라는 대로 하는, 순종하는. ***in ~ mood*** 동의할 생각으로. ⓟ **~·ly** *ad.* **~·ness** *n.*

yíeld pòint 〖물리〗 (금속 따위의) 항복점(降伏點)《인장(引張) 시험에서의》.

yíeld strèngth 〖물리〗 (금속 따위의) 항복 강「도(降伏強度).

yíeld strèss 〖야금〗 항복응력(降伏應力).

yíeld to matúrity 〖채권〗 만기 이율.

YIG [jig] *n.* 〖물리〗 이그, 이트륨철(鐵) 석류석. [◂ *y*ttrium *i*ron *g*arnet]

yikes [jaiks] *int.* 《속어 · 옛투》 이키, 이키나《놀람 · 두려움을 나타냄》.

yill [jil] *n.* 《Sc.》 =ALE.

yin [jin] *n.* Ⓤ 《Chin.》 음(陰). OPP *yang.* ~ ***and yang*** 음양(陰陽).

Yin·glish [jíŋgliʃ] *n.* 이디시(Yiddish)의 단어가 많이 섞인 영어. [◂ *Y*iddish+E*nglish*]

ying yang [jíŋjæŋ] 〖다음 관용구로〗 ***have*** something ***up the*** ~ 《미구어》 무엇을 많이 가지고 있다.

ý-intercépt *n.* 〖수학〗 와이 절편(切片).

Yín-Yáng schòol [jínjá:ŋ, -jǽŋ-] (the ~) (동양 철학의) 음양오행설(陰陽五行說).

yip [jip] 《미구어》 (*-pp-*) *vi.* (강아지 등이) 깽깽 울다(yelp); 커다란〔새된〕 소리로 불평을 말하다. **—** *vt.* 새된 소리로 말하다. **—** *n.* 깽깽거리는 소리. [imit.]

yipe [jaip] *int.* 앗《놀람 · 공포의 외침》. [imit.]

yip·pee [jípi, jipí:] *int.* 야, 만세(hurrah). [imit.]

yip·pie [jípi] *n.* (때로 Y-) 이피(족)《hippie 보다도 정치색이 짙은 반체제의 젊은이》. [◂ *Y*outh *I*nternational *P*arty+hip*pie*]

Ý jòint 〖해부〗 Y자형 관절.

-yl [il, əl/il, àil] 〖화학〗 '근(根), 기(基)'란 뜻의 결합사: eth*yl*, hydrox*yl*.

ylang-ylang, ilang-ilang [í:la:ŋí:la:ŋ] *n.* 일랑일랑《말레이 · 자바산(產)의 교목; 그 꽃에서 향유를 채취함》.

yld. yield.

ylem [áiləm] *n.* 〖물리〗 아일럼《우주 창조 이론으로, 모든 원소의 기원이 된다는 물질》.

Ý lèvel 〖측량〗 Y자형 수준기(水準器).

Y.L.I. Yorkshire Light Infantry.

Ý lìgament 〖해부〗 Y자형 인대(靭帶).

Y.M.C.A. Young Men's Christian Association. **Y.M.Cath. A.** Young Men's Catholic Association. **Y.M.H.A.** Young Men's Hebrew Association.

Ymir, Ymer [í:miər] *n.* 〖북유럽신화〗 이미르《거인족의 조상; 그의 사체(死體)로 세계는 창조되었다고 함.》.

YMODEM 〖컴퓨터〗 와이 모뎀《PC통신에서 파일 전송을 위하여 개발된 파일 전송 프로토콜의 이름》.
YNA Yonhap News Agency《한국의 연합 통신사》.
yo [jou] *int.* **1** 여어《격려·경고의 소리》. **2** =YO-HO.
YO year(s) old. **y.o.** yarn over; year(s) old.
yob [jɑb/jɔb] *n.* 《영속어》 **1** 신병. **2** 건달, 깡패. **3** 무지렁이, 시골뜨기. 「속어》 =YOB.
YOB year of birth(생년).
yobo, yob·bo [jábou/jɔ́bou] (*pl.* **~s**) *n.* 《영
yock [jɑk/jɔk] *n., vi., vt.* =YAK[3].
yo·del [jóudl] *n.* 요들《스위스나 티롤의 산간 주민 사이에서 불려지는 노래》. **—** (**-l-**, 《영》 **-ll-**) *vt., vi.* 요들 가락으로 노래하다; 요들을 부르다.
yo·del·(l)er *n.* 요들 가수; 《야구속어》 3루 코치; 《미속어》 밀고자. 「10번째 글자》.
yod(h) [jud, jɔːd] *n.* 요드《히브리어 알파벳의
yo·dle [jóudl] *n., vt., vi.* =YODEL.
yo·ga, Yo·ga [jóugə] *n.* Ⓤ 〖힌두교〗 유가(瑜伽), 요가《주관과 객관과의 일치를 이상으로 삼는 인도의 신비 철학》; 요가의 도(道). 「의 자모 ʒ》.
yogh [jouk, joug/jɔg, joug] *n.* 요흐《중세 영어
yo·g(h)urt, yo·ghourt [jóugəːrt/jɔ́-] *n.* 《Turk.》 Ⓤ 요구르트《유산 발효로 응고시킨 우유》.
yo·gi, yo·gin [jóugi], [-gin] *n.* 요가 수도자; (Y-) 요가 철학 신봉자; 명상적〔신비적〕인 사람.
yo·gic [jóugik] *a.* 요가의; (Y-) 요가 철학의.
yo·gi·ni [jóugəni] *n.* yogi 의 여성형.
yo·gism [jóugizəm] *n.* **1** 요가의 수행(修行). **2** (Y-) Ⓤ 요가의 교리〔철리〕.
yo-heave-ho [jóuhíːvhóu] *int.* 어기여차《본디 뱃사람들이 닻을 감아올릴 때 내는 소리》. [imit.] 「《최음제》.
yo·him·bine [jouhímbiːn] *n.* 〖약학〗 요힘빈
yo-ho [jouhóu] *int.* 야호, 어이, 어기여차, 어영차《주의를 환기할 때 부르는 소리, 또는 동작을 맞출 때의 메김소리》. **—** *vi.* 어이〔어영차〕 하고 소리치다. [imit.]
yoicks [jɔiks] *int., vi.* 《영》 쉿(하고 소리치다). **—** *vt.* 쉿 하고 (사냥개를) 부추기다. [imit.]
◇**yoke**[1] [jouk] *n.* **1** 멍에; (*pl.* **~, ~s**) (멍에에 맨) 한 쌍(의 소): two ~(s) *of* oxen 두 쌍의 소/ put to the ~ 멍에를 씌우다. **2** 《비유》 (보통 the ~) 속박, 지배, 멍에: cast 〔shake, throw〕 off the ~ (of duty)(의무의) 속박(束縛)을 벗어 내던지다. **3** 연결, 이어매는 것, 기반(羈絆), 인연: the ~ *of* love 사랑의 인연. **4** 멍에 모양의 것; 목도의 일종; 종을 매다는 가로대; 〖선박〗 (키의) 가로 손잡이; 〖기계〗 테, 거멀쇠, 이음쇠, 계철(繼鐵); 〖건축〗 이음보. **5** (시트·윗도리·블라우스·스커트 따위의) 어깨, 요크, 말기(천). **6** 《고어》 한 쌍〔두 필〕의 소가 하루에 갈 수 있는 토지(~ of land); 《영방언》 농부와 소가 쉬지 않고 일하는 시간, 노동시간. **7** 〖로마사〗 복종의 표시로 포로로 하여금 기어 나가게 한 멍에 또는 세 자루의 창으로 된 아치. **8** 〖항공〗 (대형 항공기의) 조종륜(操縱輪)(control column). **9** 〖전자〗 요크《브라운관(管)에 있는 편향(偏向) 코일을 짜맞춘 것》. ***endure the*** **~** 남의 지배를 받다. ***pass*** 〔***come***〕 ***under the*** **~** 굴복하다. ***put to the*** **~** 멍에를 얹다, 멍에에 연결하다. ***send under the*** **~** 굴복시키다, 지배를 받게 하다. ***submit to*** a person***'s*** **~** 아무의 지배에 굴복하다.

yoke[1] 1

— *vt.* **1** 《~+목/+목+전+명/+목+부》 …에 멍에를 얹다; 멍에로 연결하다; (마소를 수레·쟁기에) 매다(*to*): ~ a horse *to* a cart 말을 수레에 매다/~ oxen *together* 소들에 멍에를 얹어 함께 연결하다. **2** 《~+목/+목+전+명》 이어맞추다, 결합하다; 〖보통 수동형〗 …을 결혼시키다(couple): I *was* ~*d to* 〔*with*〕 a pleasing fellow. 재미있는 남자와 짝이 되었다/*be* ~*d* in marriage 결혼으로 결합되다. **3** 《미속어》 (강탈하려고) …을 뒤에서 덮쳐 나이프를 목에 들이대다. **4** 일을 시키다, 취역시키다; 《고어》 속박〔압박〕하다. **—** *vi.* **1** 《+부》 결합하다, 짝이 되다, 동행이 되다; 걸맞다, 어울리다: ~ *together* 짝이 되다/They ~ *well.* 잘 어울린다. **2** 《+부/+전+명》 협조하다, 함께 일하다(*together; with*). **3** 《미속어》 뒤에서 덮쳐 목에 나이프를 들이대다.
yoke[2] *n.* =YOLK.
yóke bòne 〖해부〗 광대뼈. 「자.
yóke·fèllow *n.* (일 따위의) 동료, 협동자; 배우
yo·kel [jóukəl] *n.* 《경멸》 촌놈, 시골뜨기, 촌부(rustic). ㊎ **~·ish** *a.*
yóke·lìnes *n. pl.* 〖선박〗 키를 조종하는 밧줄.
yóke·màte *n.* =YOKEFELLOW.
yóke-ròpes *n. pl.* =YOKELINES.
Yo·lan·de [joulǽndə] *n.* 욜랜더《여자 이름》.
yold [jould] *n.* 《속어》 잘 속는 사람, 바보.
◇**yolk** [jouk] *n.* Ⓒ,Ⓤ (계란) 노른자위, 난황(卵黃); 양모지(羊毛脂). ㊎ **~ed** [-t] *a.* **~·less** *a.* **~·y** *a.* 노른자위(질)의; (양털이) 야드르르한.
yólk glànd 난황선(卵黃腺). 「머니.
yólk sàc 〔**bàg**〕 난황낭(卵黃囊), 노른자위 주
Yom Kip·pur [jɔ́ːmkípər/jɔ́m-] (유대교의) 속죄일《일을 쉬고 단식(斷食)함, 유대력(曆) Tishri 달의 10일》.
Yóm Kíppur Wár 제4차 중동 전쟁《1973년 10월 6일 유대교의 속죄일에 이집트·시리아가 공동으로 이스라엘에 대해 일으킨 전쟁》.
yomp [jɑmp/jɔmp] *vi., vt.* 《영속어》 (중장비를 갖추고 험한 곳을) 고생하면서 걷다《특히 군인》.
yon [jɑn/jɔn] *a., ad., pron.* 《고어·방언》 =YONDER.
yond [jɑnd/jɔnd] *a., ad., pron.* 《고어·방언》 =YONDER. **—** *prep.* 《고어》 …의 저쪽에, …을 지나서.
◇**yon·der** [jándər/jɔ́n-] *a.* 저쪽의, 저기의: That road ~ is the one to take. 저쪽 저 길을 가야 한다.

> NOTE 보통 시계(視界) 범위 내의 것에 대하여 쓰며, 관사는 붙이지 않음. 단 'more distant', 'farther'의 뜻으로 쓰일 때에는 the yonder ....로 함: ~ group of trees 저쪽에 보이는 한 떼의 나무들/the ~ side 저쪽.

— *ad.* 저쪽에, 저기에(over there): *Yonder* stands an oak. 저쪽에 오크나무가 있다.
— *pron.* 저쪽에 있는 것〔사람〕.
yo·ni [jóuni] *n.* 〖힌두교〗 여음상(女陰像)《인도에서 Shakti의 표상으로 예배하는》. cf. lingam.
yonks [jɑŋks/jɔŋks] *n.* 《영구어》 오랜 기간.
yoo-hoo [júːhùː] *int.* 야《주의를 환기시킬 때 지르는 소리》. **—** *vi.* '야' 하고 부르다. [imit.]
yor·dim [jɔːrdíːm] *n. pl.* 《경멸》 국외로〔《특히》 미국으로〕 이주하는 이스라엘 시민. cf. olim.
yore [jɔːr] *n., ad.* Ⓤ 《문어》 옛날, 옛적《지금은 다음 관용구에만》. ***in days of*** **~** 옛날에는. ***of*** **~** 옛날의, 옛적의; 옛날, 옛적.
York [jɔːrk] *n.* **1** 요크《잉글랜드 North Yorkshire 주의 주도(州都)》. **2** =YORKSHIRE. ***the House of*** **~** 〖영국사〗 요크 왕가《1461-85년 사이의 영국 왕가; 흰 장미를 가문(家紋)으로 함》.

cf. Lancastrian.

york *vt.* 〖크리켓〗 yorker로 (타자를) 아웃시키다. ㊎ **∠·er** *n.* 〖크리켓〗 배트(bat)의 바로 밑에 떨어지게 던진 공.

Yórk-and-Láncaster ròse [-ənd-] 홍백 얼룩 장미《장미 전쟁 때 두 왕가의 문장의 빛깔에 비겨서》.

York·ist [jɔ́ːrkist] *n.* 〖영국사〗 (장미 전쟁 당시의) 요크 왕가 지지자, 요크 당원; 요크 왕가의 사람. ── *a.* 요크 왕가의, 요크 당원〔파〕의.

Yorks, Yorks. [jɔːrks] Yorkshire.

York·shire [jɔ́ːrkʃiər] *n.* **1** 요크셔《이전의 잉글랜드 북동부의 주; 1974 년 North Yorkshire, Humberside, Cleveland의 일부, South Yorkshire, West Yorkshire로 나뉨; 생략: Yorks(.)》. **2** 〖축산〗 요크셔종(種)《육용의 흰 돼지》. ***come ~ on*** 〔***over***〕 a person =***put ~ on*** a person 《구어》 아무를 (감쪽같이) 속이다. 「데 쓰는」.

Yórkshire grít 요크셔 사암(砂岩)《대리석 가는

Yórkshire púdding 요크셔푸딩《달걀·밀가루·우유 등을 개어 고기 밑에 깔고 구워, 그 고기와 함께 먹음》.

Yórkshire stóne 요크셔 돌《건축재》.

Yórkshire térrier 요크셔테리어《영국 원산의 애완용 개》.

Yorkshire terrier

Yórk·tòwn *n.* 요크타운《미국 Virginia 주 남동부의 도시; 독립 전쟁 때 Washington이 영국의 장군 Cornwallis를 항복시킨 땅》.

Yo·ru·ba [jɔ́ːrəbə/jɔ́ru-] (*pl.* **~, ~s**) *n.* 요루바족(族)《Guinea 지방에 사는 흑인》; Ⓤ 요루바어(語).

Yo·sem·i·te [jousémiti] *n.* (the ~) (미국 California 주의) 요세미티 계곡.

Yosémite Nátional Párk 요세미티 국립공원.

†**you** [juː, 약 ju, jə] *pron.* **1** 〖인칭대명사 2 인칭 주격·목적격〗 당신(들)은〔이〕; 당신(들)에게〔을〕; 너희〔자네〕(들)은〔이〕; 너희〔자네〕(들)에게〔을〕; 여러분은〔이〕; 여러분에게〔을〕: *You* are a pupil. 당신은 학생입니다/*You* are pupils. 당신들은 학생입니다/I'll show ~ the way. 당신(들)에게 길을 가르쳐 드리겠습니다. **2** 〖일반 사람을 가리킴〗: *You* never can tell. 아무도 모른다. **3** 〖부를 때 또는 감탄문 중에서〗 여보세요, 야, 어이: *You*, there, what's your name? 여보세요, 거기 계신 분 성함은. **4** 《구어》 〖동명사 앞에서 your 대신에〗: He is worrying about ~ working too hard. 그는 당신이 너무 일하는 것을 걱정하고 있다. **5** 《고어》 당신 자신(yourself): Get ~ gone. 《고어》 꺼져 버려. ★ 다른 인칭과 내세울 때는 원칙적으로 you를 앞에 내놓음: *you* (, he) and I/for *you* and them. ***Are ~ there?*** (전화로) 여보세요. **~ *all*** ① 당신들 모두. ② =YOU-ALL. ***You and your ...!*** …은 너의 입버릇이구나《또 시작했구나 따위》. **~ *folks*** =**~ *people*** 《구어》 당신들《단수의 you와 구별하기 위하여, 기타의 보기: *you* boys 너희 소년들》. ***You're another.*** 《속어》 (욕설에 대한 대꾸로) 너야말로 (그렇)다, 너도 그렇다. **~ *see*** 실은 …, 자아 그렇지: *You see*, I happen to be his father. 실인즉 나는 그의 아버지란 말야. ── *n.* 당신을 꼭 닮은 사람〔것〕.

you-all, y'all [juːɔ́ːl, jɔːl], [jɔːl] *pron.* 《미남부》 (2 인(이상)에게 또는 한 집안을 대표하는 한 사람에게) 당신들, 자네들.

yóu-and-mé *n.* 《영운율속어》 차(tea); 오줌.

‡**you'd** [juːd, 약 jud, jəd] you had, you would의 간약형.

yóu-knòw-whàt〔**-whò**〕 *n.* 저 그거〔사람〕 말이야《자명하거나 분명하게 말하고 싶지 않을 때

yóu-knòw-whère *n.* 《미구어》 =HELL. ⌊씀》.

‡**you'll** [juːl, 약 jul, jəl] you will, you shall의 간약형.

you-náme-it *n.* (몇 가지 동류의 것을 열거한 다음에 붙여) 그 밖에 무엇이든지.

†**young** [jʌŋ] (**~·*er*** [jʌ́ŋgər]; **~·*est*** [jʌ́ŋgist]) *a.* **1** 젊은, 어린, 연소한. OPP *old.* cf. middleaged. ¶a ~ child 어린아이, 소아/~ things 《우스개》 젊은이들/*Young* John was excited. 존은 젊은이라서 흥분했다《무관사인 경우는 대개 감정적 표현; 2와 비교》.

> SYN. **young** 가장 일반적인 말. 사람·동물에게만 쓰는 것은 아님: The month is still *young*. 아직도 달의 상순이다. **youthful** 청년의 좋은 면을 강조함. 한창 젊은: a *youthful* face 젊음이 넘치는 얼굴. *youthful* sports 젊은이의 스포츠. **juvenile** 청소년의 유치함 또는 나쁜 면·충동적인 것·무분별(無分別)·무책임 등을 시사하며, 심리·교육·법률 따위의 전문 영역을 연상케 하는 바가 있음: *juvenile* books 소년 소녀를 위한 책들. *juvenile* delinquency 소년 비행(非行), 소년 범죄.

2 나이가 아래인: (the) ~ Thomas (아버지가 아닌) 아들 토머스. ★ 보통은 the가 붙음. 또한 '젊은 시절의 토머스'라는 뜻이 되는 수도 있음. **3** 새로운, 된 지 얼마 안 되는; 신흥의: This part of the road is ~*er* than the part farther west. 이 부분의 도로는 여기서 서쪽 부분보다 나중에 생겼다/a ~ college 창립된 지 얼마 안 되는 대학/a ~ nation 신생국. **4** 시작한 지 얼마 안 되는, 초기의: when the war was ~ 전쟁이 시작되어 얼마 안 되었을 무렵/The day was still ~. 아직 아침이었다. **5** 한창 젊은, 쌩쌩한, 기운찬: a ~ dreadful boy 한창 개구쟁이짓할 때의 소년/a ~ hopeful 전도유망한 아이/Stay ~ as you grow old. 나이를 먹어도 젊음을 유지하시오/her ~ voice 그녀의 젊음에 넘치는 목소리/be ~ for one's age 나이에 비해 젊다. **6** 경험 없는, 미숙한: He is too ~ *in* experience for the job. 그는 그 일에는 너무 미숙하다/I was but ~ *at* the work. 나는 그 일에 풋내기에 지나지 않았다. **7** (과실 따위가) 익지 않은; (술 따위가) 안 익은; 연한(tender): ~ cheese 안 익은 치즈/~ pork 연한 돼지고기. **8** 소규모의: His collection makes a ~ museum. 그의 수집품은 소규모 박물관을 이루고 있다. **9** (*or* Y-) (정치 운동 등에서) 진보파의, 청년당의: the *Young* Ireland 아일랜드 청년당. **10** 〖지학〗 (지질이) 유년기(幼年期)의(youthful).

a ~ man in a hurry 급진적 개혁자. ***her ~ man*** 그녀의 애인. ***his ~ woman*** 그의 애인. ***in one's ~(er) days*** 청년 시절에(는).

── *n.* 〖집합적; 복수취급〗 **1** (the ~) 젊은이들. **2** (동물의) 새끼, 치어(稚魚): the ~ of the eel 뱀장어 새끼. ***with ~*** (동물이) 새끼를 배어. **~ *and old*** 남녀 노소; 늙은이나 젊은이나: a sport for ~ *and old* 노소가 다 즐길 수 있는 스포츠. ㊎ **∠·ness** *n.* 「반의 사람.

yóung adúlt 10 대 후반의 청소년; 성인기 전

yóung·bèrry *n.* 〖식물〗 검은딸기(blackberry)와 단풍딸기(dewberry)와의 교배 품종.

yóung blóod 〖집합적〗 젊은이들; 젊은 혈기, 청년의 사상·행동.

Yóung Éngland (the ~) 영국 청년당《19 세기 중엽에 청년의 입장을 대표한 정당》.

yóung·er *a.* (형제 자매의) 연하(年下)쪽의(opp. *elder*): a 〔one's〕 ~ brother 〔sister〕 남동생〔여동생〕/a ~ son 작은 아들; (장남 상속권 때문에) 귀족 출신이지만 가난한 남자/the *Younger* Pitt =Pitt the *Younger* 소(小)피트《영국 정치가》. **—** *n.* (보통 a person's ~) 연하인 사람《생략: yr.》; (보통 *pl.*) 젊은이, 자녀.

yóung·est (*pl.* ~) *n.* 최연소자, 《특히》 가장 나이 어린 가족, 막내아이.

yóung-éyed *a.* 눈이 맑은〔빛나는〕; 관찰 방식이 참신한; 열심인.

yóung fámily (한 가족의) 어린이들, 유아(幼兒)들이 있는 가족.

yòung gún 어른 빰칠 젊은이.

young·ish [jʌ́ŋiʃ] *a.* 다소〔좀〕 젊은; 아직 젊은.

Yóung Ítaly (the ~) 청년 이탈리아당《1831 년 결성된 비밀 결사》.

yóung lády 1 적령기의 미혼 여성, '아가씨'. **2** 여자 친구; 연인; 약혼자. **3** 《속어》 정부(情婦).

young·ling [jʌ́ŋliŋ] *n.* 어린 것, 유아, 동물의 새끼, 어린〔애〕나무《따위》; 애송이. **—** *a.* 젊은, 어린.

yóung mán 1 젊은 남성. **2** 남자 친구; 연인; 약혼자. **3** 젊은 고용인, 조수. **4** 《호칭》 젊은이.

yóung márrieds 신혼부부.

Yóung Mén's Chrístian Associátion 기독교 청년회《생략: Y.M.C.A.》.

yóung offénders' institútion 《영》 청소년 범죄자 수용소《14-20 세의 범죄자 수용 시설》.

yóung-òld *a.* 나이는 들었지만 몸과 마음이 젊은.

yóung òne [-*w*ən] 《구어》 어린이, 새끼 동물.

yóung péople (18-25 세 정도의) 젊은이; (결혼 적령기의) 젊은이들.

yóung pérson 젊은 사람; (a ~) 젊은 여자《하녀가 모르는 여자를 주인에게 전갈할 때》; (the ~) 세상사에 익숙지 않은 청년《단, 법률상으로는 유아 이외의 18 세 이하인 자》.

Yóung's mòdulus 〖물리〗 영률(率), 영 계수.

*__young·ster__ [jʌ́ŋstər] *n.* **1** 젊은이, 청(소)년, 아이. opp. *oldster*. **2** 어린 동물《망아지 따위》; (식물의) 묘목. **3** 《미》 해군 사관학교 2 년생; 《영》 근무 경력 4 년 이하의 해군 소위 후보생.

yóung thìng 《특히》 젊은 여성; 어린 동물.

Yóung Túrk 1 (the ~) 터키 청년당《1908 년 혁명 달성》. **2** (때로 y- T-) 정당내(內)의 반당〔급진〕 분자. **3** (y- t-) 난폭한 아이〔젊은이〕.

young'un [jʌ́ŋʌn] *int.* 어이 젊은이《호칭》.

yóung wóman 1 젊은 여성, 《우스개》 소녀; 《호칭》 아가씨. **2** 연인, 여자 친구, 약혼자.

Yóung Wómen's Chrístian Associátion 기독교 여자 청년회《생략: Y.W.C.A.》.

youn·ker [jʌ́ŋkər] *n.* **1** 《고어》 젊은이, 소년. **2** 《폐어》 =JUNKER.

†**your** [juər, jɔːr/jɔː, juə; 약 jər] *pron.* 〖you의 소유격〗 **1** 당신(들)의; 너(희들)의: Do ~ best. 최선을 다하라. **2** 《구어》 흔히 말하는, 이른바, 소위, 예의: No one is so fallible as ~ expert. 소위 전문가만큼 잘못에 빠지기 쉬운 사람은 없다. ★ 보통 비꼼·경멸을 함축시켜서 말함. **3** 〖경칭 앞에 붙임〗: *Your* Highness (상대방을 향해서) 전하/*Your* Majesty 폐하. **4** 〖동명사의 '의미상의 주어'를 나타내〗 당신(들)이: I insist on ~ joining us. 꼭 우리와 합류해 주십시오.

‡**you're** [juər, 약 jər/juə, jɔː] you are의 간약형.

yourn [juərn, jɔːrn] *pron.* 《방언》 =YOURS.

†**yours** [juərz, jɔːrz/jɔːz, juəz] *pron.* 〖you의 소유대명사〗 **1** 당신(들)의 것: some friends of ~ 당신의 친구들/Are those ~ or theirs? 저것들은 당신들의 것인가 또는 그들의 것인가/It's ~ to tell him. 그에게 말해 주는 것이 네 일이다/This money is ~. 이 돈을 당신께 드립니다/*Yours* is a novel idea. 당신 것은 참신한 아이디어요. **2** 당신의 가족〔재산, 편지, 임무 따위〕: you and ~ 당신과 당신의 가족〔재산〕/*Yours* is just to hand. 당신의 편지는 분명히 받아 보았습니다/~ of the 5th inst. 이달 5 일자의 당신의 편지/It is ~ to carry it out. 그것을 실행하는 것이 너의 임무다. cf. mine. **3** (보통 Y-) (편지의 끝맺음의) 경구(敬具), 총총, 여불비례, …드림, …올림. ★ 첨가하는 부사에 따라 친소(親疎)의 구별이 있음; 첨가하는 말 없이 단순히 yours, (생략하여) yrs. 라고도 씀: *Yours* sincerely = Sincerely ~《동배(同輩) 사이에서》/*Yours* respectfully《관청의 관리에게, 하인이 주인에게》/*Yours* faithfully《윗사람에게, 회사에, 미지(未知)의 사람이 상용(商用)으로》/*Yours* truly《조금 아는 사람에게(⇨관용구)》/*Yours* very truly《격식 차리고 공손히》/*Yours* (ever 〔always〕)《친구 사이에서》/*Yours* affectionately《친척간에서》. ***Up ~*** (***and twist it***)***!*** 《속어》 맘대로 해, 엿 먹어라. ***What's ~?*** 《구어》 무엇을 마시렵니까. ***~ truly*** 《구어·우스개》 나, 소생.

‡**your·self** [juərsélf, jɔːr-/jɔː, juə-, jə-] (*pl.* ***-selves*** [-sélvz]) *pron.* **1** 〖재귀적〗 당신 자신을〔에게〕. **a** 〖동사의 직접 목적어로서〗: Know ~. 자기 자신을 알라/Don't blame ~. 자신을 탓하지 마라/Please help ~ to the cake. 어서 케이크를 마음껏 드세요. **b** 〖동사의 간접목적어로서〗: Did you ever ask ~ why? '왜'라고 자문한 일이 있느냐/You've hurt ~, haven't you? 다치지 않았느냐. **c** 〖전치사의 목적어로서〗: Please take care of ~. 부디 몸조심해라/Do you have a room to ~? 자신의 방이 있느냐. **2** 〖강조적〗 당신 자신(이). **a** 〖You와 함께 동격적으로〗: You ~ said so. =You said so ~. 네 자신이 그렇게 말했다. **b** 〖and ~로, You 대용으로〗: Did your father *and* ~ go there? 자네 아버지와 자네 자신이 그곳에 갔었느냐. **c** 〖You 대용으로, as, like, than 뒤에서〗: No one knows more about it than ~. 그것에 대해 당신 이상 아는 사람은 아무도 없다. **d** 〖독립구문의 주어관계를 특히 나타내기 위해〗: *Yourself* poor, you will understand the situation. 자네가 가난하므로 그 사정은 이해할 것이다. (***all***) ***by ~*** 혼자만으로; 혼자 힘으로. ***Be ~!*** 진정〔침착〕해라, 정신차려라. ***for ~*** ① 당신 자신을 위하여. ② 자기 자신이; 혼자 힘으로. ***Help ~.*** (음식·담배 등을) 마음대로 드십시오. ***How's ~?*** 《속어》 당신은 어떻습니까《How are you? 등의 인사에 대답한 후에 하는》.

your·selves [juərsélvz, jər-, jɔːr-/jɔː-, juə-, jə-] YOURSELF의 복수형.

‡**youth** [juːθ] (*pl.* ***~s*** [juːðz, -θs]; 소유격 ***~'s*** [-θs]) *n.* **1** Ⓤ 젊음, 원기; 혈기; 무분별: eternal ~ 영원한 젊음, 불로불사/be full of ~ 젊음에 넘쳐 있다/the secret of keeping one's ~ 젊음을 유지하는 비결. **2** Ⓤ 청년 시절, 청춘기; 초기의 시대: in (the days of) one's ~ 젊었을 때/from ~ onwards 젊었을 때부터 줄곧/in the ~ of civilization 문명의 초기에 있어서. **3** Ⓒ 청년: two handsome ~*s* 멋진 두 젊은이/promising ~*s* 전도 유망한 젊은이들. **4** 〖집합적〗 (the ~) 청춘 남녀, 젊은이들: the ~ of our country 우리나라의 젊은이들. ***in one's hot ~*** 혈기 왕성한 시절에. ***the ~ of the world*** 고대; 상고(上古), 태고. ⓜ **∠·less** *a.*

yóuth cènter 〔**clùb**〕 《영》 유스 센터〔클럽〕《청소년 남녀의 여가 활동을 위한 장소〔단체〕》.

yóuth·cùlt *n.* =YOUTH CULTURE.

yóuth cùlture 청소년〔젊은이〕 문화《30 세 이하 세대에 특유한》.

youth·en [júːθən] *vt.* 젊게 하다, 되젊게 만들다.

*__youth·ful__ [júːθfəl] *a.* **1** 젊은, 발랄한: a ~ mother 〔bride〕 젊은 어머니〔신부〕/ a ~ appearance 발랄한 용모. SYN. ⇨YOUNG. **2** 청년의; 젊은이 특유의: ~ enthusiasm 청년다운 열정. **3** 초기의: the ~ season of year 봄. **4** 〖지학〗 (지질이) 유년기의. ㊕ **~·ly** *ad.* **~·ness** *n.*

yóuthful offénder 〖법률〗 청소년 초범(初犯).

yóuth gróup (정당·교회의) 청년회.

youth·hood [júːθhùd] *n.* 젊음, 청춘 (시절); 〔집합적〕 젊은이들.

yóuth hòstel 유스호스텔《주로 청소년 여행자들을 위한 숙박 시설》.

yóuth hósteler 〔《영》 **hósteller**〕 유스호스텔 숙박자.

yóuth·quàke *n.* 젊은이의 반란《1960–70 년대의 사회 체제를 뒤흔든 젊은이의 문화·가치관의 우세(優勢)》.

Yóuth Tráining Schème 《영》 청소년 훈련 계획《16–17 세의 중등학교 졸업자를 대상으로 한, 정부에 의한 직업 훈련 계획; 생략: YTS》.

yóuth wòrker 《영》 청소년 상담원.

*__you've__ [juːv, 약 juv, jəv] you have의 간약형.

yow [jau] *int.* 아야, 이크, 으응《아픔·놀람·고통을 나타냄》. [imit.]

yowl [jaul] *n.* (길고 슬프게) 짖는〔우짖는〕 소리, 신음 소리. **—** *vi.* 길고 슬프게 (우)짖다, 신음하다; 비통한 소리로 불만을 호소하다. **—** *vt.* 비통한 소리로 호소하다. [imit.]

yo-yo [jóujou] (*pl.* **~s**) *n.* **1** 요요《장난감의 일종》; (Y-) 그 상표 이름; (요요처럼) 상하 운동을 거듭하는 것; (인공위성의) 크게 요동하는 궤도. **2** 《속어》 의견이 자꾸 변하는 자; 《미속어》 얼간이, 아둔패기. **—** *a.* 상하〔전후〕로 움직이는, 흔들리는, 변동하는. **—** *vi.* 흔들리다, 변동하다; (생각 등이) 흔들리다.

yó-yo díeting 요요 다이어팅《다이어트를 하면 체중이 줄고 그치면 다시 체중이 느는 현상》.

yper·ite [íːpəràit] *n.* Ⓤ 이페리트《독가스의 일종》.

Y.P.S.C.E. Young People's Society of Christian Endeavor(기독교 청년 면려회(勉勵會)). **yr.** year(s); younger; your. **yrbk.** yearbook. **yrs.** years; yours.

Y.T. Yukon Territory. **Yt** 〖화학〗 yttrium《지금은 Y》.

Ý tràck 〖철도〗 (기관차의 방향 전환용) Y자형 궤도.

YTS 《영》 Youth Training Scheme.

yt·ter·bia [itə́ːrbiə] *n.* Ⓤ 〖화학〗 산화 이테르븀. ㊕ **yt·tér·bic** [-bik] *a.*

yt·ter·bi·um [itə́ːrbiəm] *n.* Ⓤ 〖화학〗 이테르븀《희토류 원소; 기호 Yb; 번호 70》.

yt·tria [ítriə] *n.* Ⓤ 〖화학〗 산화 이트륨.

yt·trif·er·ous [itrífərəs] *a.* 〖화학〗 이트륨을 함유한.

yt·tri·um [ítriəm] *n.* Ⓤ 〖화학〗 이트륨《희토류 원소; 기호 Y; 번호 39》. ㊕ **yt·tric, yt·tri·ous** [ítrik], [ítriəs] *a.* 이트륨의〔을 함유한〕.

ýttrium gàrnet 이트륨 가닛《인공적으로 만든 강(強)자성체》.

ýttrium mètal 〖화학〗 이트륨족(族) 금속.

ýttrium óxide 〖화학〗 산화 이트륨(yttria).

Y2K [wáitùːkéi] *n.* 〖컴퓨터〗 Year 2000. ⓒⓕ millennium bug.

Yu·an[1] [juːáːn] *n.* 《Chin.》 (때로 y-) 유안(院)《타이완 의회》.

yu·an[2] (*pl.* ~) *n.* 《Chin.》 위안, 원(元)《(1) 중국의 화폐 단위; =10 角(jiao)=100 分(fen); 기호 RMB, Y. (2) 대만의 화폐 단위; =100 cents; 기호 NT$》.

Yü·an [juːáːn] *n.* 〖중국사〗 원(元)나라, 원조(元朝)《1271–1368》.

yuca [jʌ́kə] *n.* **1** =CASSAVA. **2** 상승 지향의 젊은 쿠바계 미국인. [◂ *y*oung *u*pwardly mobile *C*uban-*A*merican]

Yu·ca·tan [jùːkətǽːn/-táːn] *n.* 유카탄《멕시코 남동부의 주(州)〔반도〕》.

yuc·ca [jʌ́kə] *n.* 백합과(百合科) 유카속(屬)의 각종 식물《실없는 유카, 실유카 따위》.

yuck[1] [jʌk] 《미속어》 *n., vi., vt.* =YAK[3].

yuck[2], **yuk** [jʌk] *int.* =YE(C)CH. [imit.]

yucky, yuk·ky [jʌ́ki] *a.* 《미속어》 불쾌한, 구역질나는; 불결한.

Yug., Yugo. Yugoslavia.

Yu·go·slav, Ju- [júːgouslàːv, -slæ̀v/-slàːv] *a.* 유고슬라비아(사람)의. **—** *n.* 유고슬라비아 사람〔말〕.

Yu·go·sla·via, Ju- [jùːgousláːviə] *n.* 유고슬라비아《유럽 남동부의 공화국; 1991 년 6 월 슬로베니아와 크로아티아가, 1992 년 1 월 마케도니아가, 동년 3 월 보스니아헤르체고비나가 각기 공화국으로 독립하고, 세르비아와 몬테네그로의 양공화국은 1992 년 4 월 신유고슬라비아 연방을 선포함; 2002 년 신유고 연방은 국명을 세르비아-몬테네그로로 바꾸었으나 2006년 각각 분리 독립함》. ㊕ **-vi·an** [-n] *a., n.* =YUGOSLAV.

Yu·go·slav·ic [jùːgousláːvik] *a.* 유고슬라비아(사람)의.

yuk ⇨YUCK[2].

Yu·ka·ghir [jùːkəgiər] (*pl.* **~s,** 〔특히 집합적〕 ~) **1** 유카기르족《시베리아 북동부의 토나카이 수렵민》. **2** 유카기르어《옛 아시아어군의 하나》.

yukky ⇨YUCKY.

Yu·kon [júːkɑn/-kɔn] *n.* **1** 유콘《캐나다 서북부의 지방》. **2** (the ~) 유콘 강《Yukon에서 발원해 알래스카 중앙부를 거쳐 베링해로 흐르는 강》.

Yúkon (stándard) tìme 유콘 표준시《캐나다 Yukon 준주(準州) 및 Alaska 주 남부를 포함하는 시간대; GMT 보다 9 시간 늦음》.

yuk-yuk [jʌ́kjʌ̀k] *n.* 《미속어》 =YAK-YAK.

yu·lan [júːlæn] *n.* 〖식물〗 백목련.

yule [juːl] *n.* (종종 Y-) 크리스마스; 크리스마스 계절.

yúle lòg 〔**blòck, clòg**〕 (종종 Y-) 크리스마스 전날밤에 때는 굵은 장작.

yúle·tìde *n.* (종종 Y-) 크리스마스 계절. **—** *a.* 크리스마스 계절의.

yum [jʌm] *int.* =YUM-YUM.

Yu·man [júːmən] *n.* 유마 어족(語族)《미국 남서부 및 멕시코 북서부의 원주민》. **—** *a.* ~의.

yum·my [jʌ́mi] (**-mi·er; -mi·est**) *a.* 《구어》 **1** 맛있는, 즐거운, 아주 멋진. **2** 아름다운, 매력 있는; 사치스러운. **—** *n.* 《구어》 맛있는 것, 《소아어》 냠냠; 《여성어》 아주 멋진 것.

yum·pie [jʌ́mpi] *n.* 《미》 염피《출세 지향적인 젊은 지적 직업인》. [◂ *y*oung *u*pwardly *m*obile *p*rofessionals+*-ie*]

yum·pish [jʌ́mpiʃ] *a.* 염피족(族)풍의.

yúm-yúm *int.* 아 맛있다! **—** *n.* 《소아어》 맛있는 것, 냠냠, 즐거운 것.

yup [jup] *ad.* 《구어》 =YEP.

yup·pie [jʌ́pi] *n.* (종종 Y-) 여피족(=**Yúp·py**) 《고학력으로 직업상의 전문적인 기술을 지니고, 도시(근교)에 살며, 높은 소득을 올리는 젊은 엘리트》. [◂ *y*oung *u*rban *p*rofessional+*-ie*]

yup·pi·fy [jʌ́pifài] *vt.* …을 여피풍(風)으로 하다〔바꾸다〕, …에 여피적 요소를 넣다(=**yúp·pie·fy**). ㊕ **yùp·pi·fi·cá·tion, Yùp-** *n.*

yurt, yur·ta [juərt], [júərtə] (키르기스 사람·몽골 사람 등이 쓰는) 이동식 원형 텐트.

Yvonne [iván, iː-/ivɔ́n] *n.* 이본《여자 이름》.

Y.W.C.A. Young Women's Christian Association. **Y.W.C.T.U.** Young Women's Christian Temperance Union. **Y.W.H.A.** Young Women's Hebrew Association.

ywis [iwís] *ad.* 《고어》 확실히(iwis).

Z

Z, z [ziː/zed] (*pl.* ***Z's, Zs, z's, zs*** [-z]) **1** 제트《영어 알파벳의 스물 여섯째 글자〔마지막 글자〕》. **2** 26번째(의 것)《J를 제외하면 25번째, 또 J,V,W를 제외하면 23번째》. **3** 〖수학〗 (제3) 미지수, 변수, z축, z좌표. ⓒⓕ x, y. **4** Z자 모양의 것. **5** (Z) 중세 로마 숫자의 2,000. **6** 《미속어》 1온스의 마약. **7** 수면, 잠; 코고는 소리, 드르릉 드르릉: I've got to catch some *Z's*. 한잠 자야겠다. ── *vi.* 《미속어》 자다, 잠자다(sleep): I'm tired. I'm gonna *Z*. 피곤하군, 자야지. ***cut some Z's*** 《CB 속어》 한잠 자다, 잠깐 쉬다. ***from A to Z*** ⇨ A.

Z 〖화학〗 atomic number; 〖천문〗 zenith; zenith distance. **Z., z.** zero; zone. **z.** 《영》 〖기상〗 haze. **ZA** 〖자동차 국적표시〗 South Africa. 「칭》.

Zach [zæk] *n.* 잭《남자 이름; Zachariah의 애

Zach·a·ri·ah [zækəráiə] *n.* 재커라이어《남자 이름》.

zad·dik [tsáːdik] (*pl.* ***zad·di·kim*** [tsaːdíːkim, -dík-]) *n.* 《Heb.》 덕이 있고 경건한 사람; 하시디즘(Hasidism)파의 지도자(=**tzád·dik**).

Zad·ki·el [zǽdkièl, -əl] *n.* 자드키엘력(曆)《민간에서 쓰이는 점성술의 달력; 작자 R.J. Morrison(1795-1874)의 필명에서》.

Za·dok [zéidɑk/-dɔk] *n.* 제이독《남자 이름》.

zaf·fer, 《영》 **-fre** [zǽfər] *n.* Ⓤ 오수(吳須)《에나멜·도자기 등의 착색제》, 화감청(花紺青).

zaf·tig [záːftik, -tig] *a.* 《속어》 (여자가) 성적 매력이 있는, 풍만한. [Yid. =juicy]

zag [zæg] *n.* 지그재그로 꺾이는 코스에서 가파른 각〔커브, 변화, 동작〕; (정책 등의) 급격한 방향 전환. ── (**-gg-**) *vi.* (지그재그로 나아가는 과정에서) 급히 꺾이다; 급히 방향을 바꾸다.

Za·greb [záːgreb] *n.* 자그레브《Croatia 공화국의 수도》.

Za·ire [zaːíər, ⌐-⌐/-⌐] *n.* **1** 자이르 공화국《이전의 콩고 민주 공화국; 수도 Kinshasa》. **2** (the ~) 자이르 강. **3** (z-) 자이르《자이르의 화폐 단위》. ㊞ **Za·ir·i·an, -e·an** [zaːíəriən] *n., a.* 자이르 공화국 원주민(의).

za·kat [zəkáːt] *n.* 〖회교〗 자카트《법에 의한 회사(喜捨); 동산은 2.5%, 농산물은 10%》.

Zam·be·zi [zæmbíːzi] *n.* (the ~) 잠베지 강《남아프리카에서 인도양으로 흐르는 강》.

Zam·bia [zǽmbiə] *n.* 잠비아《아프리카 중부의 공화국; 수도 Lusaka》. ㊞ **-bi·an** *a., n.* Zambia의 (사람).

zam·bo [zǽmbou] (*pl.* **~s**) *n.* 아메리카 원주민과〔흑백 혼혈아와〕 흑인의 혼혈아.

Zam·bo·ni [zæmbóuni] *n.* 잼보니《스케이트 링크용 정빙기(整氷機); 상표명》. ── *vt.* (빙면을) 정빙기로 고르다.

Za·men·hof [záːmənhɔ̀ːf, -hɑ̀f/-hɔ̀f] *n.* **Lazarus Ludwig** ~ 자멘호프《Esperanto를 창안한 폴란드의 안과 의사; 1859-1917》.

za·mia [zéimiə] *n.* 〖식물〗 소철과(科)의 나무《열대 아메리카·남아프리카산》.

za·min·dar, ze- [zəmiːndáːr], [zə-/zémin-dɑ̀ː, zəmiːndáː] *n.* 〖역사〗 **1** (영국 정부에 지조(地租)를 바친) 인도인 대지주. **2** (무굴 제국 시대의) 수세리(收稅吏).

ZANU [záːnuː, zǽ-] Zimbabwe African National Union《(짐바브웨 아프리카 민족 동맹; 1963년 ZAPU에서 분리, 1976년에는 ZAPU와 애국전선(PF)을 결성했고 짐바브웨 독립(1980년) 후 제1 당이 됨》.

za·ny [zéini] *n.* **1** 바보. **2** 어릿광대; 알랑쇠. ── (***-ni·er; -ni·est***) *a.* 어릿광대 같은; 짝없이 어리석은; 미치광이 같은.

Zan·zi·bar [zǽnzəbɑ̀ːr, ⌐-⌐] *n.* 잔지바르《아프리카 동해안의 섬; 1963년 공화국으로 독립, 1964년에 Tanganyika와 합병하여 Tanzania가 됨》. ㊞ **Zàn·zi·bá·ri** [-ri] *a., n.* 잔지바르의 (사람).

zap [zæp] (**-pp-**) 《속어》 *vt.* **1** 갑자기〔철저히, 홱〕 치다〔패배시키다, 분쇄하다, 습격하다, 죽이다, 움직이다〕; (활·광선총·전류 등으로) 공격하다; (특히 말로) …와 대결하다; 〖컴퓨터〗 EPROM에 들어 있는 프로그램을 소거하다. **2** …에게 강한 인상을 주다, 매우 감동시키다. **3** 《미속어》 (음식에) 매운 양념을 넣어 남을 깜짝 놀라게 하다. **4** 〖TV〗 (광고방송을) 꺼버리다. ── *vi.* 확 움직이다; 〖TV〗 (시청자가) 광고방송을 안 보다; 광고방송 시간에 채널을 바꾸거나 자리를 뜨다. ~ (***it***) ***up*** (일을) 한층 활발하게 하다. ── *n.* **1** 정력, 원기; 공격, 일격; 대결; 굴욕; 〖컴퓨터〗 (EPROM상의 프로그램의) 잽. **2** 〖TV〗 (시청자의) 광고방송 기피. ── *int.* (종종 ~~) 앗!; 탕, 휙; (마법을 걸 때의) 얏. [imit.]

Za·pá·ta mústache [zəpáːtə-] 사파타 수염《좌우 입가에서 갑자기 처진 수염; 멕시코 혁명가 Emiliano Zapata(1877?-1919)의 이름에서》.

za·pa·te·a·do [zɑ̀ːpəteiáːdou] *n.* 사파테아도《발끝·뒤꿈치를 구르며 탭(tap)을 하는 스페인 무용》.

zap·per [zǽpər] *n.* 《미》 **1** (해충·잡초 등의) 마이크로파 구제(驅除) 장치. **2** 《비유》 (비판·공격의) 급선봉, 유력한 비판자, 강력한 적수. **3** 《구어》 (텔레비전 등의) 리모컨(remote control)

zap·ping [zǽpiŋ] *n.* 〖TV〗 비디오리코더에 녹화한 프로를 재생시킬 때 광고방송 부분을 빨리 돌리는 일.

zap·py [zǽpi] (***-pi·er; -pi·est***) *a.* 《구어》 원기 왕성한, 활발한.

ZAPU [záːpuː, zǽ-] Zimbabwe African People's Union《짐바브웨 아프리카 인민동맹; 1961년에 결성, 1976년 ZANU와 애국전선(PF)을 결성했다가 1987년 ZANU에 흡수된 정당》.

Zar·a·thus·tra [zæ̀rəθúːstrə] *n.* =ZOROASTER.

za·re(e)·ba, -ri- [zəríːbə] *n.* 가시나무 울타리(에 둘린 장소)《동부 아프리카의 촌락·캠프 등의 방어용》.

zarf [zɑːrf] *n.* (Levant 지방에서 쓰는) 금속제 컵 받침《손잡이 대용》.

zax [zæks] *n.* 슬레이트를 자르는 연장.

ź-àxis (*pl.* ***ź-àxes***) *n.* (the ~) 〖수학〗 z축.

ZBB, Z.B.B. zero-base(d) budgeting.

Ź bòson 〖물리〗 Z 보손(Z particle).

ź-coórdinate *n.* 〖수학〗 z좌표.

ZCZC 〖국제전보〗 전보의 시작을 나타내는 기호.

ZD zenith distance; zero defects.

Z-DNA *n.* 〖생화학〗 좌선(左旋)의 이중 나선 구조 DNA((보통은 우선(右旋)임; 1981년 발견)).

zeal** [ziːl] *n.* Ⓤ 열중, 열의, 열심; 열성; 열정 ((*for*)): show ~ *for* …에 열의를 나타내다. SYN. ⇨ PASSION. ***with **~** 열의를 갖고.

Zea·land [zíːlənd] *n.* 덴마크 최대의 섬.

zeal·ot [zélət] *n.* 열중하는 사람, 열광자((*for*)); ((구어)) 광신자; (Z-) 열심당원(熱心黨員)((1세기경 로마에 반항한 유대 민족주의자)). ㊈ **~·ry** *n.* Ⓤ 열광; 열광적 행위.

***zeal·ous** [zéləs] *a.* 열심인, 열광적인, 열성적인; 열망하는((*for; to* do; *in* do*ing*)): be ~ *for* freedom 자유를 열망하다 / be ~ *in* the pursuit of truth 진리 추구에 열중하다 / be ~ *to* satisfy a person 아무를 만족시키기에 열심이다. ◇ zeal *n.* ㊈ **~·ly** *ad.* **~·ness** *n.*

ze·a·tin [zíːətin] *n.* 제아틴((식물 호르몬의 일종)).

ze·bec(k) [zíːbek] *n.* =XEBEC.

Zeb·e·dee [zébədiː] *n.* 〖성서〗 세베대((사도(使徒) 야곱과 요한의 부친)).

°**ze·bra** [zíːbrə/zéb-, zíːb-] (*pl.* **~, ~s**) *n.* 〖동물〗 얼룩말; 얼룩무늬 있는 것; ((미식축구속어)) 심판원((얼룩무늬 셔츠를 입은 데서)); ((영)) =ZEBRA CROSSING. **—** *a.* (얼룩말처럼) 무늬가 있는.

zébra cròssing ((영)) 횡단 보도((길 위에 흰 줄무늬를 쳐 놓은)).

ze·brass [zíːbræs/zéb-, zíːb-] *n.* 얼룩말과 당나귀와의 튀기. [◂ *zebra*+*ass*]

zébra·wòod *n.* Ⓤ 〖식물〗 남아메리카 기아나산(産)의 줄무늬가 있는 경질(硬質)의 재목.

ze·brine, ze·broid [zíːbrain, -brin/zébrain, zíːb-], [-brɔid] *a.* 얼룩말(무늬)의; 얼룩말을 닮은.

ze·bu [zíːbjuː] *n.* 제부((등에 혹이 있는 소; 중국·인도산)).

zebu

Zech. Zechariah.

Zech·a·ri·ah [zèkəráiə] *n.* **1** 제커라이어((남자 이름)). **2** 〖성서〗 스가랴 ((히브리의 예언자)); 스가랴서((구약성서의 한 편)).

zech·in [zékin, zekíːn] *n.* =SEQUIN.

zed [zed] *n.* ((영)) Z자의 명칭(((미)) 에서는 zee)). (*as*) ***crooked as the letter*** **~** 몹시 굽은.

Zed·e·ki·ah [zèdəkáiə] *n.* 〖성서〗 시드기야((바빌론에 의해 망한 유대의 마지막 왕)).

zed·o·ary [zédouèri/-əri] *n.* 〖식물〗 인도·스리랑카산 생강과의 약초((뿌리를 건조시켜서 약용·향료·염료로 함)).

ze·donk [zíːdaŋk, -dɔːŋk, -dʌŋk/zédɔŋk] *n.* 수 얼룩말과 암탕나귀의 잡종. [◂ *zebra*+*donkey*]

zee [ziː] *n.* ((미)) Z자의 명칭(((영) 에서는 zed)).

Zee·land [zíːlənd] *n.* 젤란트((네덜란드 남서부의 주; 주도는 Middelburg)).

Zee·man [zéimaːn, zíːmən] *n.* **Pieter ~** 제만((네덜란드의 물리학자(1865-1943); 노벨 물리학상 수상(1902))).

Zéeman effèct 〖물리〗 제만 효과((자기장(場) 중의 물질의 에너지 준위(準位)가 분열하는 현상)).

ZEG, Z.E.G. zero economic growth(경제의 제로 성장).

ze·in [zíːin] *n.* 〖생화학〗 제인((옥수수에서 추출하는 일종의 단백질; 섬유·플라스틱 제조용)).

Zeiss [G. tsais] *n.* 차이스. **1 Carl ~** 독일의 광학기술자·기업가((Jena에 정밀 기계 공장을 설립하여 Carl Zeiss사의 기초를 이룸; 1816-88)). **2 1**이 설립한 독일의 광학 정밀기기 제조 회사; 또 그 상표명.

Zeit·ge·ber [tsáitgèibər] *n.* ((G.)) 〔단·복수 취급〕 자연 시계(時計)((생물 시계에 영향을 주는 빛·어두움·기온 등의 요소)).

Zeit·geist [tsáitgàist] *n.* ((G.)) Ⓤ 시대 정신〔사조〕.

zek [zek] *n.* (옛 소련의 형무소·강제 수용소의) 수용자.

zel·ko·va [zélkəvə, zelkóu-] *n.* 〖식물〗 느티나무.

ze·lo·so [zilóusou] *a., ad.* ((It.)) 〖음악〗 열렬한; 열렬하게.

zemindar ⇨ ZAMINDAR.

zem·stvo [zémstvou] (*pl.* **~s**) *n.* ((Russ.)) (제정 러시아의) 지방 자치 단체, 주의회.

Zen [zen] *n.* 〖불교〗 선(禪).

ze·na·na [zenáːnə] *n.* (인도·페르시아의) 여인방(女人房); 〖집합적〗 여인방의 여성: the ~ mission 인도 여성 전도회((기독교의)).

Zén Búddhism 선종(禪宗).

Zend [zend] *n.* Ⓤ **1** 고대 페르시아 말. **2** 젠드, 조로아스터교의 경전 Avesta의 주석서. ㊈ **∠·ic** *a.*

Zènd-Avésta *n.* (the ~) 젠드아베스타((조로아스터교의 경전과 그 주석서)).

zé·ner dìode [zíːnər-] 〖전자〗 (종종 Z-) 제너다이오드((전압 안전 장치로 쓰이는 규소(珪素) 반도체; 미국의 물리학자 C.M. Zener 에서)).

°**ze·nith** [zíːniθ/zén-] *n.* **1** 천정(天頂). OPP. *nadir.* **2** Ⓤ ((비유)) (성공·힘 등의) 정점, 절정; 전성기: He has passed his ~. 전성기가 지났다 / He was at the ~ *of* his fame. 그는 명성이 절정에 달해 있었다. **3** 제니스((테이프리코더로 쓰이는 오디오헤드·비디오헤드의 기울기; '도(度)'로 나타냄)) (cf. azimuth). **4** (Z-) 제니스. **a** 미국의 전기 제품 회사; 또 그 제품(TV, 라디오 등)). **b** 스위스의 시계 제조 회사; 또 그 제품. ***at one's*** **~** 전성기에, 득의의 절정에. ***at the*** **~** ***of*** …의 절정에 달하여.

ze·nith·al [zíːniθəl/zén-] *a.* 천정의; 정점의, 절정의; 중심으로부터의 실지 방위를 나타나게 그린((지도)).

zénithal (equidístant) projéction 〖지도〗 =AZIMUTHAL (EQUIDISTANT) PROJECTION.

zénith dístance 〖천문〗 천정(天頂)거리((천정에서 천체까지의 각거리)).

zénith tèlescope 〔tùbe〕 〖천문〗 천정의(天頂儀)((시간·위도 측정용 망원경)).

Ze·no [zíːnou] *n.* 제논(((1) **~ of Ci·ti·um** [-síʃiəm] 그리스의 철학자; 스토아 학파의 시조(335?-263? B.C.). (2) **~ of Elea** [-íːliə] 그리스 엘레아학파의 철학자(490?-430? B.C.))).

Ze·no·bia [zənóubiə] *n.* 제노비아. **1** 여자 이름. **2** Syria의 Palmyra의 여왕((재위 267-272)).

ze·o·lite [zíːəlàit] *n.* 〖광물〗 비석(沸石), 제올라이트.

Zeph. Zephaniah.

Zeph·a·ni·ah [zèfənáiə] *n.* **1** 제퍼나이어((남자 이름)). **2** 〖성서〗 스바냐((히브리의 예언자)); 스바냐서(書)((구약 성서의 한 편)).

zeph·yr [zéfər] *n.* **1** (Z-) 서풍(西風)((의인적(擬人的))). **2** 살살〔솔솔〕 부는 바람. **3** 제퍼((얇은 여성용 옷감의 일종(=**∠ clòth**), 그것으로 만든 속옷)); 매우 얇은 모직 운동복; 부드럽고 가는 털실(=**∠ yàrn**).

Zeph·y·rus [zéfərəs] *n.* 〖그리스신화〗 제피로스((서풍(西風)의 신)).

Zep·pe·lin [zépəlin] *n.* (종종 z-) 체펠린 비행선((발명자 독일인 F. von Zeppelin에서)).

****ze·ro** [zíərou] (*pl.* **~(e)s**) *n.* **1** Ⓒ 〖수학〗 제로, 영(naught): six-~-seven, 607 번((전화번호 따위; 그러나 0을 [ou]라고 발음하는 일이 많음)). **2** Ⓒ 영점(零點): I put a ~ on his paper.

그의 답안지에 영점을 주었다 / get a ~ for one's English 영어에서 영점을 받다. **3** Ⓤ (온도계의) 영도; (기준이 되는) 영위(零位), 빙점(氷點): It is five degrees below ~. 영하 5 도이다 / The thermometer fell to ~. 기온은 영도로 떨어졌다 / The thermometer is at ~. 온도계는 영도다 / ⇨ ABSOLUTE ZERO. **4** Ⓤ 최하점; 밑바닥; 무(無); Ⓒ 가치없는 인간[물건]: Our hopes were reduced to ~. 우리들의 희망은 무산되었다. **5** Ⓤ 〖항공〗 500 피트 이하의 고도: fly at ~. **6** 〖군사〗 = ZERO HOUR; 〖포술〗 영점 규정(規正).
— *a.* **1** 영의; 결여되어 있는, 빠져서 없는. **2** 〖기상〗 (시계(視界)가) 제로인《수평 165 피트, 수직 50 피트 이하》.
— *vt.* **1** (계기의 바늘을) 제로에 맞추다; (주의를) 집중하다. **2** 《해커속어》 (비트(bit)를) 영의 값으로 하다; (정보를) 버리다, 소거(消去)하다.
— *vi.* 화기의 조준을 바르게 하다; 《구어》 목표를 향하여 접근[주의를 집중]하다. **~ *in*** (소총 등의 가늠자를) 영점 조준을 하다. **~ *in on*** …에 겨냥을 정하다; 《구어》 …에 주의를[화제가] 집중하다; 《구어》 (순찰차 등이) …로 집결하다.
zéro-bàse(d) [-(t)] *a.* (지출 등의) 각 항목을 비용과 필요성을 고려하여 백지 상태로부터 검토한, 제로베이스의.
zéro-base(d) búdgeting 제로베이스 예산 편성《모든 항목을 제로 상태에서 검토하여 예산을 정하는 방법; 생략: ZBB》.
zéro-cóupon bònd 〖경제〗 제로쿠폰채(債), 표면 이율 없는 할인채《상환 기일까지 이자는 없으나 액면을 대폭 할인한 가격으로 발행됨》.
zéro défects 〖경영〗 무결점 운동, ZD 운동《종업원 개개인이 자각적으로 추진자가 되어 일의 결함을 제거해 나가려는 관리 기법; 생략: ZD》.
zéro-emission véhicle 무공해 자동차.
zéro-ǵ, zéro-Ǵ *n.* = ZERO GRAVITY.
zéro-ǵ manufàcturing 〖우주〗 무중력 상태에서의 제품 생산《약품 · 미소 기계부품, 특히 마이크로 칩의 생산》.
zéro grávity 〖항공 · 우주〗 무중력 (상태).
zéro grówth 경제의[인구의] 제로 성장(zero economic [population] growth); 비확대[비확장] 정책.
zéro hòur 〖군사〗 예정 행동[공격] 개시 시각; 《구어》 예정 시각; 결정적 순간, 위기; 하루의 시간 계산 개시 시각; 영시.
zéro·ìze *vt.* 〖컴퓨터〗 제로로 하다; 기억 영역의 내용을 제로로 하다.
zéro láunch 〖로켓〗 영(零)거리 발사《발사용 레일이 없는 발사대에 의한 로켓 발사》.
zéro nórm = NIL NORM.
zéro óption 〖군사〗 제로 옵션, 제로 선택《냉전 시대에 NATO 측과 소련측 쌍방이 유럽의 전역핵(戰域核)을 전면 폐기한다는 구상》.
zéro pòint 영점, 영도.
zéro-ráte *vt.* 《영》 (상품의) 부가가치세 납부를 면제하다. ㊞ **-ráted** *a.* **-ráting** *n.*
zéro-sùm *a.* 영합(零合)의《게임의 이론 등에서 한 쪽의 득점[이익]이 다른 쪽에 실점[손실]이 되어 플러스 마이너스 제로가 되는》.
zéro-sum gáme 〖경제〗 제로섬[영합(零合)] 게임《플레이어 사이의 득실의 합계가 항상 제로가 되는 게임》.
zéro suppréssion 〖컴퓨터〗 제로 억제《수치 중의 의미 없는 제로를 표현하지 않는 일》.
ze·roth [zíərouθ] *a.* 영[제로]의.
Zéro tíllage, zéro-tíll *n.* = NOTILLAGE.
zéro tòlerance (규칙 등이) 허용도 제로임, 사소한 규칙 위반도 허용치 않음.
zéro vèctor 〖수학〗 영[제로] 벡터.
zéro-zéro *a.* 〖기상〗 (수평 · 수직 모두가) 시계(視界) 제로의.

zéro/zéro sèat 〖항공〗 제로제로 시트《사출 좌석이 기체가 지상에 정지해 있는 경우에도 낙하산이 안전하게 펴지는 높이까지 승무원을 사출시키는 능력이 있는 것》.
***zest** [zest] *n.* Ⓤ **1** 풍미, 맛; 향미. **2** Ⓒ 풍미를 더하는 것, 맛을 곁들이는 것. **3** (종종 a ~) 풍취, 묘미: add [give] a ~ to …에 풍취를 더하다. **4** (종종 a ~) 비상한 흥미; 열의; 열정: (a) ~ for pleasure 강한 쾌락의 욕구 / with ~ 열심히; 흥미 깊게. — *vt.* …에 풍취[풍미]를 더하다. ㊞ **∠·y** *a.* (짜릿하게) 기분좋은 풍미가 있는; 뜨거운. [《F.》 = orange or lemon peel < ?]
zest·ful [zéstfəl] *a.* 풍미[묘미]가 있는; 풍취가 있는; 열의가 있는. ㊞ **~·ly** *ad.* **~·ness** *n.*
ze·ta [zéitə, zíː-/zíː-] *n.* 제타《그리스어 알파벳의 여섯째 글자 Z, ζ; 로마자의 z 에 해당함》.
ZETA [zíːtə] 〖물리〗 zero-energy thermonuclear apparatus (제어 열핵반응 장치).
ze·tet·ic [zitétik] *a.* 의문[탐구심]을 갖고 나아가는. — *n.* 회의론자.
Zet·land [zétlənd] *n.* 제틀랜드《1974 년까지 영국 Shetland 주의 공식명》.
zetz [zets] 《미속어》 *n.* 일격, 구타. — *vt.* (일격을) 가하다, (한대) 먹이다.
zeug·ma [zúːgmə/zjúːg-] *n.* 〖문법〗 액어법(軛語法)《하나의 형용사 또는 동사를 두 개 (이상)의 명사에 무리하게 사용함: *kill* the boys and *destroy* the luggage를 *kill* the boys and the luggage라고 하는 따위》. ⓒⓕ syllepsis. ㊞ **zeug·mát·ic** [-mǽtik] *a.*
Zeus [zuːs/zjuːs] *n.* 〖그리스신화〗 제우스신(神)《Olympus 산의 주신(主神); 로마의 Jupiter에 해당함》.
ZEV zero-emission vehicle.
ź-gùn *n.* 《영군대속어》 고사 로켓포.
Zhda·nov·ism [ʒdɑ́ːnəvìzəm] *n.* 즈다노프 비판《스탈린 치하에서 Andrei A. Zhdanov (1896–1948)를 중심으로 추진된 소련 문예의 정풍(整風) 운동》.
Zhe·jiang, Che·kiang [dʒə̀ːdʒjɑ́ːŋ], [tʃèkjǽŋ] *n.* 저장(浙江)《중국 동부의 성》.
Zheng·zhou, Cheng·chow [dʒə̀ːŋdʒóu], [tʃéŋtʃáu] *n.* 정저우(鄭州)《허난(河南)성 중부의 도시》.
zhlob [ʒlɔːb, ʒlʌb] *n.* 《속어》 멀렁이, 촌놈(= **zhlub, schlub, shlub**). ㊞ **zhlóby, zhlúb·by** *a.*
ZI 〖미군사〗 Zone of the Interior (미국 내).
zib·el·(l)ine [zíbəlàin, -lin, -lìːn] *a.* 검은담비(sable)의; 검은담비 모피로 만든. — *n.* 검은담비 모피; Ⓤ 검은담비 비슷한 보풀이 긴 모직물.
zib·et [zíbit] *n.* 〖동물〗 사향고양이의 일종.
zi·do·vu·dine [zaidóuvjuːdìːn] *n.* 〖약학〗 지도부딘《azidothymidine 의 국제적 총괄적 명칭》. ⓒⓕ AZT.
ziff [zif] *n.* 《Austral.구어》 (짧은) 턱수염.
zig [zig] *n.* 지그재그 코스에서 꺾이는 각[커브]; (정책 등의) 급격한 방향 전환. ⓒⓕ zag. — (**-gg-**) *vi.* (지그재그의 진행 과정에서) 급하게 꺾이다; 급히 방향 전환하다. ⓒⓕ zag.
zig·gu·rat, zik·(k)u- [zígurǽt], [zíku-] *n.* 지구라트《옛 바빌로니아 · 아시리아 신전의 성탑(聖塔); 피라미드꼴》.
***zig·zag** [zígzæ̀g] *a.* 지그재그의, Z자형의, 톱니 모양의, 번개 모양의, 꾸불꾸불한. — *n.* 지그재그, Z자꼴《보행 · 댄스 스텝 등》; 번개꼴[갈지자꼴]; 지그재그꼴의 것《장식 · 선 · 도로 등》; 〖건축〗 Z자꼴 쇠시리. — *ad.* 지그재그로, Z자 모양으로, 꾸불꾸불하게: run ~ 지그재그로 달리다. — (**-gg-**) *vt.* 지그재그로[Z 자 모양으

로] 하다. — *vi.* 《~/+전+명》 지그재그로 나아가다; Z 자 모양을 하다; 갈짓자로 걷다: The demonstrators *~ged along* the street. 데모대는 거리를 지그재그로 행진했다. ㊞ **~·ger** *n.* ~하는 사람[것]; (재봉틀의) 지그재그 재봉용 부분품.

Zil [zil] *n.* 질(옛 소련제 요인용 고급차).

zilch [ziltʃ] 《속어》 *n., a.* **1** 제로(의), 영. **2** 아주 무능한[하찮은, 중요치 않은] (인물). **3** (Z-) 모씨(某氏), 아무개.

zil·lah [zílə] *n.* 《Ind.》 주(州), 군(郡)《행정 구역》. [《Hind.》 < 《Ar.》=part]

zil·lion [zíljən] *n., a.* 《구어》 (몇 조억이라는) 엄청난 수(의): a ~ mosquitoes 무수한 모기. [◂z (미지(未知)의 양(量))+m*illion*]

zil·lion·aire [ziljənέər] *n.* 《미속어》 억만 장자.

Zim·bab·we [zimbáːbwei] *n.* 짐바브웨《남아프리카의 공화국; 수도 Harare》. ㊞ **~·an** *a., n.*

◇**zinc** [ziŋk] *n.* Ⓤ 〖화학〗 아연《금속 원소; 기호 Zn; 번호 30》; Ⓒ 함석. ***flowers of ~*** 아연화(亞鉛華). ***sulfate*** [***sulphate***] ***of ~*** 황산아연. — (***-c***(***k***)***-***) *vt.* 아연으로 도금하다[을 입히다].

zinc·ate [zíŋkeit] *n.* 아연산염(亞鉛酸塩).

zínc blènde 〖광물〗 섬아연광(閃亞鉛鑛).

zínc chlóride 〖화학〗 염화아연.

zinc·ic [zíŋkik] *a.* 아연의; 아연에서 얻은; 아연을 함유한.

zinc·if·er·ous [ziŋkífərəs, zinsíf-] *a.* 아연을 함유한.

zinc·i·fy [zíŋkəfài] *vt.* 아연을 입히다; 아연을 함유하게 하다. ㊞ **zìnc·i·fi·cá·tion** [-fikéiʃən] *n.* Ⓤ 아연 도금.

zinc·ite [zíŋkait] *n.* Ⓤ 〖광물〗 홍(紅)아연광.

zincky [zíŋki] *a.* =ZINKY.

zin·co [zíŋkou] (*pl.* **~s**) *n., vt.* 《영》 =ZINCOGRAPH.

zinc·ode [zíŋkoud] *n.* (전지의) 양극.

zin·co·graph [zíŋkəgræ̀f, -gràːf] 〖인쇄〗 *n.* 아연판[볼록판(版)·평판(平版)]; 아연판 인쇄(물). — *vt.* 아연판에 식각(蝕刻)하다, 아연 식각법으로 인쇄하다.

zin·cog·ra·phy [ziŋkágrəfi/-kɔ́g-] *n.* Ⓤ 아연 제판(술). ㊞ **zin·cóg·ra·pher** [-ər] *n.* 아연 제판공. **zin·co·graph·ic, -i·cal** [zìŋkəgrǽfik], [-ikəl] *a.* 아연 제판술의.

zinc·oid [zíŋkɔid] *a.* 아연의; 아연 비슷한.

zínc óintment 〖약학〗 아연화 연고.

zin·co·type [zíŋkətàip] *n.* =ZINCOGRAPH.

zinc·ous [zíŋkəs] *a.* 아연의; 아연을 함유한; 아연 비슷한; (전지의) 양극의.

zínc óxide 〖화학〗 산화아연, 아연화.

zínc óxide óintment =ZINC OINTMENT.

zínc súlfate 〖화학〗 황산아연.

zínc whíte 산화아연, 아연화, 아연백《백색의 안료》.

zincy [zíŋki] *a.* =ZINKY.

zine, 'zine [ziːn] *n.* 《미》 SF 애호가의 동인지[회보]. [◂fan*zine*(*fan*+*magazine*)]

zin·eb [zíneb] *n.* Ⓤ《미》 지네브《살충·살균제》.

zin·fan·del [zínfəndèl] *n.* (캘리포니아산의) 흑포도; 그것으로 빚은 붉은 포도주.

zing [ziŋ] 《구어》 *n.* 윙윙[쌩쌩](하는 소리); Ⓤ 활기, 기력, 열성. — *int.* 쌩쌩, 핑핑. — *vi.* 쌩쌩 소리를 내다[내고 나아가다]. [imit.]

zíng·er 《속어》 *n.* 기운찬[위세 좋은] 사람; 활발한 발언[행동], 재치있는 대답; 사람을 깜짝 놀라게 하는 것; 《야구속어》 쾌속구.

zingy [zíŋi] 《구어》 (***zing·i·er; -i·est***) *a.* 활기[열기] 있는; 자극적이고 재미있는; 신선하고 매력적인.

Zinj·an·thro·pus [zindʒǽnθrəpəs, zìndʒænθróu-] (*pl.* ***-pi*** [-pài, -piː], ***~·es***) *n.* 진잔트로푸스《아프리카 동부에서 발견된 구석기 시대 전기의 화석 인류》.

zinky [zíŋki] *a.* 아연으로 만든; 아연을 함유한; 아연과 비슷한.

zin·nia [zíniə] *n.* 백일초.

◇**Zi·on** [záiən] *n.* **1** 시온 산《Jerusalem에 있는 유대인이 신성시하는 산》; (유대인의 고국·유대교의 상징으로서의) 이스라엘(Israel). **2** 〖집합적〗 신의 선민(選民), 이스라엘 백성. **3** Ⓤ (헤브라이의) 신정(神政). **4** 천국; 이상향. **5** 《영》 영국 비국교파의 교회당.

Zí·on·ìsm *n.* Ⓤ 시온주의《Palestine에 유대인 국가를 건설하려는 민족 운동》. ㊞ **-ist** *n.* 유대 민족주의자.

Zi·on·ward(s) [záiənwərd(z)] *ad.* 천국으로.

zip[1] [zip] *n.* **1** 핑, 찍《총알 따위가 날아가는 소리 또는 천을 찢는 소리》. **2** 《구어》 원기, 정기(精氣). — (***-pp-***) *vi.* 《~/+부/+전+명》 핑 소리를 내다; 휭하고 날다; 《구어》 힘차게 전진[행동]하다: ~ *by* 핑 소리를 내며 지나가다 / ~ *along* the street 거리를 힘차게 나아가다. — *vt.* 《~+목/+목+부》 《구어》 빠르게 하다; 활발히 하다, …에 활기[풍미]를 주다《*up*》: A little garlic *~s up* the salad. 마늘을 조금치면 샐러드의 맛이 산다. ***~ across the horizon*** 《미구어》 갑자기 유명해지다, 인기가 대단해지다. [imit.]

zip[2] *n.* 《영》 지퍼(zipper). — (***-pp-***) *vt.* **1** 《~+목/+목+전+명/+목+보/+목+부》 지퍼로[척으로] 잠그다[열다]: He *~ped* the money *into* his wallet. 지퍼를 열고 그 돈을 지갑에 넣었다 / ~ one's bag open [closed] 가방의 지퍼를 열다[잠그다] / ~ *up* one's jacket 재킷의 지퍼를 잠그다. **2** 《미속어》 (입을) 다물다, …에 지퍼를 달다. — *vi.* 지퍼를[척을] 닫다[열다]. ~ [***button***] ***one's lips*** 《속어》 입을 다물다. ㊞ **~·less** *a.*

zip[3] 《속어》 *n.* (스포츠 득점 등의) 영; 《미군대속어》 《경멸》 베트남인. — (***-pp-***) *vt.* 무득점으로 누르다, 완봉[영봉]하다.

zip[4]**, ZIP, Zip** *n.* 《미》 =ZIP CODE.

ZIP Zone Improvement Program.

Zi·pan·gu [zipǽŋguː] *n.* 지팡구《Marco Polo에 의한 일본의 호칭》.

zíp [**ZÍP, Zíp**] **còde** 《미》 우편 번호(《영》 postcode). [◂*z*one *i*mprovement *p*rogram [*p*lan]]

zíp-còde, ZÍP-, Zíp- *vt.* 《미》 …에 우편 번호를 써 넣다.

zíp drìve 〖컴퓨터〗 집 드라이브.

zíp fástener 《영》 =ZIPPER 2.

zíp file 〖컴퓨터〗 압축 파일.

zíp fùel 《미구어》 〖우주·항공〗 고(高)에너지 연료.

zíp gùn 《미속어》 수제(手製) 권총.

zíp-in lìning (오버코트 등의) 지퍼로 달 수 있는 안.

Zíp·loc bág [zíplɑ̀k-/-lɔ̀k] 집록 백《요철(凹凸)로 된 양쪽 선을 맞물리어 닫는 지퍼식 비닐 주머니; 미국 Dow Chemical 사제; 상표명》.

zíp-lòck *a.* (비닐 주머니가) 집록식인《주머니 아가리가 지퍼처럼 맞물려 닫게 된》.

zíp-òut *a.* (양복 등이) 지퍼로 여닫을 수 있는, 지퍼식의.

zipped [zipt] *a.* =ZIPPERED.

zip·per [zípər] *n.* **1** zip[2]하는 사람[것]. **2** 《미》 지퍼(slide [《영》 zip] fastener). **3** 지퍼 달린 (고무) 장화. — *vt.* …을 지퍼로 채우다[열다]. — *vi.* 지퍼로 열리다[채워지다]. ㊞ **~ed** *a.* 지퍼가 달린.

zípper·hèad *n.* 《미속어》 동양인(東洋人).

zip·pie, -py[1] [zípi] *n.* 지피《히피족의 일파》.

zip+4 (code) [zípplʌ̀sfɔ́ːr(-)] 《미》 집플러스 포 (코드)《종래의 5자릿수의 우편 번호 뒤에 다시 세분한 배달 구역을 나타내는 4자리 숫자를 더한 우편 번호》.

Zip·po [zípou] *n.* 지포《(1) 어릿광대가 많이 쓰는 이름. (2) 미국제 기름 라이터; 상표명》.

zip·py² [zípi] (**-pi·er; -pi·est**) *a.* 《구어》 기운찬, 활발한, 민첩한.

zíp-tòp *a.* 뚜껑 가장자리의 금속띠를 말면서 따는 식의, 집톱(식)의: a ~ can.

zíp-ùp *a.* 지퍼로〔척으로〕 잠그는.

zir·ca·loy, -cal·loy [zə́ːrkəlɔ̀i, ⌐-⌐] *n.* Ⓤ 지르코늄 합금.

zir·con [zə́ːrkɑn/-kɔn] *n.* Ⓤ 〖광물〗 지르콘《투명한 것은 보석으로 씀》. 「산염(酸塩).

zir·con·ate [zə́ːrkənèit] *n.* Ⓤ 〖화학〗 지르콘

zir·co·nia [zərkóuniə] *n.* 〖화학〗 지르코니아, 산화 지르코늄.

zir·con·ic [zərkɑ́nik/-kɔ́n-] *a.* 〖화학〗 지르콘의〔과 비슷한〕; 지르코늄을 함유한: ~ acid 〖화학〗 지르콘산(酸).

zir·co·ni·um [zərkóuniəm] *n.* Ⓤ 〖화학〗 지르코늄《금속 원소; 기호 Zr; 번호 40》.

zit [zit] *n.* 《미속어》 여드름(pimple).

zith·er [zíθər, zíð-] *n.* 치터《현(絃)이 30-40개 있는 기타 비슷한 현악기》. **—** *vi.* 치터를 켜다. ㊕ **~·ist** [-rist] *n.* 치터 연주자.

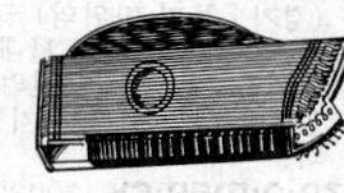
zither

zith·ern [zíθərn, zíð-/zíð-] *n.* =ZITHER; CITTERN.

zi·zit(h), tzi·tzit(h), tzi·tzis [*Heb.* tsi(ː)tsíːt] *n. pl.* 《Heb.》 〖유대교〗 (유대인 남성의 어깨걸이 네 귀에 드리우는) 청실 · 백실로 꼰 술《민수기 XV : 38-39》.

zizz [ziz] *n.*, *vi.* 《구어》 한잠 (자다), 선잠 (자다); 《영구어》 윙윙(소리를 내다). 「한.

zizzy [zízi] 《속어》 *a.* 화려한, 현란한; 떠들썩

zlo·ty [zlɔ́ːti/zlɔ́ti] (*pl.* **~s,** ~) *n.* 즈워티《폴란드의 화폐 단위; =100 groszy; 기호 Zl, Z》.

ZMODEM 〖컴퓨터〗 Z모뎀《PC통신에서 보다 대량의 파일 전송을 위해 XMODEM에 기능이 추가되어 개발된 통신 프로토콜의 명칭》.

Zn 〖화학〗 zinc.

zoa [zóuə] ZOON의 복수.

-zoa [zóuə] '동물' 의 뜻의 복수형 명사를 만드는 결합사: Hydro*zoa*, Proto*zoa*.

ZOA Zionist Organization of America(재미 시온단(團)《유대인 단체》).

Zo·ar [zóuər, zóuɛər/zóuɑː] *n.* 〖성서〗 피난처, 성역(聖域) 《롯(Lot)과 그 아들이 피난한 마을이름에서; 창세기 XIX: 20-30》. 「인.

zod [zɑd/zɔd] *n.* 《미속어》 묘한 사람, 괴짜, 기

°**zo·di·ac** [zóudiæ̀k] *n.* **1** (the ~) **a** 〖천문〗 황도대(黃道帶), 수대(獸帶). **b** 〖천문〗 12 궁(宮); 12 궁도(圖). **2** (시간 · 세월 등의) 일주(一周); 《비유》 범위, 한계 (compass); 《비유》 12로 되는 한 조(組). ***the signs of the*** ~ 〖천문〗 12궁《Aries, Taurus, Gemini, Cancer, Leo, Virgo, Libra, Scorpio, Sagittarius, Capricorn, Aquarius 및 Pisces를 말함》. ㊕ **zo·di·a·cal** [zoudáiəkəl] *a.* 황도대(내)의; 수대(獸帶)의: *zodiacal* light 황도광(光) / the *zodiacal* constellations 12궁의 성좌.

zodiac 1b

Zoe [zóui, zóu/zóui] *n.* 조《여자 이름》.

zo·e·trope [zóuitròup] *n.* 활동 요지경《연속된 동작의 그림을 그린 원통을 회전시켜, 구멍으로 들여다보는 장치》. ⓒⓕ wheel of life.

zof·tig [zɑ́ftig/zɔ́f-] *a.* 《미속어》 =ZAFTIG.

Zo·har [zóuhɑːr] *n.* 14세기경의 유대 신비교의 주해서(註解書).

zo·ic [zóuik] *a.* 동물의; 동물 생활의; 〖지학〗 생물의 유적이 있는, 화석 동식물을 함유하는.

Zo·la [zóulə] *n.* **Émile** ~ 졸라《프랑스의 자연주의 소설가; 1840-1902》. ㊕ **Zò·la·ésque** [-ésk] *a.* Zola의(작풍(作風)과 비슷한). **Zó·la·ism** *n.* Ⓤ Zola주의; Zola의 작풍; 사실(寫實)주의, 자연주의. **Zó·la·ist** *n.*

Zoll·ver·ein [tsɔ́ːlfəràin/tsɔ́l-] *n.* 《G.》 (19세기) 독일연방 관세동맹; 〔일반적〕 관세동맹.

zom·bi(e) [zɑ́mbi/zɔ́m-] (*pl.* **~s**) *n.* **1** 죽은 사람을 살리는 초자연적인 힘《서인도 제도 원주민의 미신》; 마법으로 되살아난 사람. **2** (무의지적 · 기계적인 느낌의) 무기력한 사람, 얼간이, 멍청이. **3** 《구어》 괴짜, 기인. **4** 좀비《몇 가지의 럼술 · 과즙이 든 칵테일의 일종》. **5** 서부 아프리카 원주민이 받드는 뱀 신.

zon·al [zóunl] *a.* 띠의; 띠 모양의; 지역〔구역〕으로 갈린; 토양대(土壤帶)의. ㊕ **~·ly** *ad.*

zónal sóil 〖지학〗 성대(成帶) 토양.

zo·na pel·lu·ci·da [zóunəpəlúːsidə, -peljúː-] (*pl.* ***zó·nae pel·lú·ci·dae*** [-niː-dìː]) 〖해부〗 투명대(帶)《포유 동물 난자를 에워싼 투명한 무세포질의 층》.

zo·na·ry [zóunəri] *a.* 띠 모양의.

zon·ate, zon·at·ed [zóuneit], [-id] *a.* 〖동물 · 식물〗 윤층대(輪層帶)가 있는, 띠 모양의 얼룩무늬가 있는.

zo·na·tion [zounéiʃən] *n.* 띠 모양 구성〔반문〕; (생물의) 대상(帶狀) 분포.

⁑zone [zoun] *n.* **1** 〖지학〗 (한대 · 열대 등의) 대(帶): ⇨ FRIGID 〔TEMPERATE, TORRID, etc.〕 ZONE. **2** (특정한 성격을 띤) 지대, 지역; 지구: the barley ~ 보리 지대 / the sterling ~ (달러에 대하는 말로서) 파운드 지역〔제국〕 / an occupied ~ 점령(占領) 지구 / the alpine ~ 고산대(高山帶) / the floral ~ 식물대(植物帶). **3** 시간대(time ~). **4** (옷감 등의 뚜렷한) 띠 모양의 부분; 선(線) 모양의 부분. **5** 〖수학〗 (구면 · 원뿔 등의) 대(帶): spherical ~ 구대(球帶). **6** 《미》 소포 우편의 동일 요금 구역(parcel post ~); 통화료 · 운임 등의 동일 요금 구간; 《미》 (대도시 안의) 우편구(區)(postal delivery ~): the 20-cent fare ~, 20센트 구간. **7** (도시 안의) …(지정)지구, 지역; (도로의) 교통규제 구간: the school 〔business〕 ~ 교육〔상업〕 지구 / a residence ~ 주택 지역 / ⇨ SAFETY ZONE. **8** 《고어》 띠, 끈: a maiden 〔virgin〕 ~ 처녀대(帶)《처녀성의 상징》. **9** 〖지학〗 정대(晶帶). **10** 윤상대(輪狀帶), 환대(環帶): an annual ~ 〖식물〗 연륜(年輪). **11** 〖컴퓨터〗 존《데이터의 내부 표현에서 숫자 이외의 문자나 기호를 나타내기 위해 사용되는 특정 bit가 놓이는 위치》. ***in a*** ~ 멍청히, 집중이 안 되는 상태에, 공상에 잠겨.

— *vt.* **1** 띠(모양으)로 두르다. **2** 《+목+전+명》 …을 띠 모양으로 구획하다; 지역으로〔지구로〕 나누다, 구분하다: ~ the world *into* climatic provinces 세계를 기후 구역으로 구분하다. **3** 《+목+전+명/+목+*as*보》 (건축법에 의하여) …을 구획하다: ~ a city *into* several districts 도시를 몇 개의 지역으로 나누다 / ~ a district *as* residential 어떤 지역을 주택 구역으로서 구분하다. **—** *vi.* 대상(帶狀)이 되다, 존을 형성하다.

[파] **~d** *a.* 지대〔구역, 지구〕로 나누어진; 정조대를 차고 있는, 정조(貞操)가 굳은, 처녀의.

zóne defènse 〖경기〗 존디펜스, 지역 방어《축구·농구 등에서 선수가 책임 지역만을 수비하는 방법》. [opp] *man-to-man defense.*

zóne mèlting 〖야금〗 대역(帶域) 용융법(熔融法)〔용해〕.

zóne of saturátion 〖지학〗 포화대(飽和帶).

zóne plàte 〖광학〗 동심원 회절판(同心圓回折板)《회절을 이용하여 광선을 초점에 모으는 유리판》.

zóne refìning 존 정제법《재료의 정제법; 막대 모양의 금속 따위의 한쪽 끝에서 좁은 용융 부분을 순차 이동하여 불순물을 다른 끝으로 모으는 것》. [파] **zóne-refined** *a.*

zóne tìme 지방시(地方時), 경대시(經帶時)《Greenwich 표준시에 대하여》.

zon·ing [zóuniŋ] *n.* [U] (공장·주택 지대 등의) 지대 설정, 지역제; (소포 우편의) 구역제.

zonk [zaŋk, zɔːŋk/zɔŋk] 《속어》 *vt.* (종종 ~ out) 제정신을 잃게〔멍하게〕 만들다, (술·마약에) 취하게 하다; 철썩 때리다. **—** *vi.* 곧 잠들어 버리다; 지치다; (술·마약으로) 제정신을 잃다, 술에 곤드라지다.

zonked [zaŋkt, zɔːŋkt/zɔŋkt], **zónked-òut** 《속어》 *a.* 마약 또는 술에 취한〔로 멍청해진〕; 기진맥진한; 곯아 떨어진.

Zón·ta (Clùb) [zántə(-)/zɔ́n-] *n.* 존타 클럽《도시별·직업별의 여성 경영자 국제 사교단체》.

zon·ule [zóunjuːl/zɔ́n-] *n.* 소대(小帶); 〖해부〗 (눈의) 모양 소대(毛樣小帶). [파] **zon·u·lar** [zóunjələr] *a.* 작은 띠(모양)의.

zoo [zuː] *n.* **1** 동물원(zoological garden). **2** 《속어》 사람으로 혼잡한 비좁은 장소; 고에너지 물리학 연구 결과로 나타나는 많은 소립자군(群). **3** 《미군대속어》 정글 (지역); 《CB속어》 경찰서.

zo·o- [zóuə] '동물 (생활)…'의 뜻의 결합사.

zo·o·blast [zóuəblæ̀st, -blàːst] *n.* 동물 세포.

zòo·chémistry *n.* [U] 동물 화학. [파] **-chémical** *a.*

zòo·dynámics *n. pl.* 《단수취급》 동물 역학; 동물 생리학.

zo·og·a·my [zouágəmi/-ɔ́g-] *n.* [U] 유성(有性) 생식, 양성 생식.

zo·og·e·ny [zouádʒəni/-ɔ́dʒ-] *n.* [U] 동물 발생론.

zòo·geógraphy *n.* [U] 동물 지리학. [파] **-pher** *n.* 동물 지리학자. **zòo·geográphic, -ical** *a.* 동물 지리학상의.

zòo·geólogy *n.* 동물 지질학《화석에 남긴 동물을 다루는 지질학》.

zo·o·gl(o)ea [zòuəglíːə] (*pl.* **~s, -gl(o)e·ae** [-glíːiː]) *n.* 젤리 모양의 물질로 싸인 세균 집단. [파] **-gl(o)é·al** *a.*

zóo·gràfting *n.* [U] 동물 조직의 인체 이식.

zo·og·ra·phy [zouágrəfi/-ɔ́g-] *n.* [U] 동물지학(動物誌學)《동물의 형태·습성 따위를 연구함》. [파] **-pher** [-fər] *n.* 동물지학자. **zo·o·graph·ic, -i·cal** [zòuəgrǽfik], [-əl] *a.* 동물지학의.

zo·oid [zóuɔid] *a.* 동물(성)의; 동물 비슷한. **—** *n.* 〖생물〗 (군체를 구성하는) 개충(個蟲); (분열·증식에 의해 생기는) 독립 개체.

zóo·kèeper *n.* 동물원 관리자〔소유자, 사육사〕(zooman); 《호모속어》 야수 같은 사내를 좋아하는 호모. [파] **-kèeping** *n.* 동물원 경영, (동물원에서의) 동물 사육.

zooks [zu(ː)ks] *int.* 《고어》 제기랄, 쳇.

zool. zoological; zoologist; zoology.

zo·ol·a·try [zouálətri/-ɔ́l-] *n.* [U] 동물 숭배. [파] **-ter** *n.* 동물 숭배자; (특히 애완) 동물 편애자.

zo·o·lite [zóuəlàit] *n.* 《드물게》 화석 동물.

zo·o·log·i·cal [zòuəládʒikəl/-lɔ́dʒ-] *a.* 동물학(상)의; 동물에 관한. [파] **~·ly** *ad.*

zoológical gárden 동물원; (the Z- G-s) 런던 동물원《생략: the Zoo》.

zo·ol·o·gist [zouálədʒist/-ɔ́l-] *n.* 동물학자.

zo·ol·o·gy [zouálədʒi/-ɔ́l-] *n.* [U] 동물학.

zoom [zuːm] *vi.* **1** 《+[부]/+[전]+[명]》 붕 소리를 내다, 붕하고 달리다〔움직이다〕: The motorbike ~*ed past* 〔*off, away*〕. 그 오토바이는 붕 소리를 내며 지나갔다〔가버렸다〕/ The racing cars ~*ed around* the course. 경주용 자동차들이 붕 소리를 내며 코스를 돌았다. **2** (비행기가) 급상승하다; (물가가) 급등하다. **3** 《+[부]》 〖사진〗 줌 렌즈로 피사체(被寫體)가 급격히 확대〔축소〕되다; 〖영화·TV〗 (카메라가) 피사체에 초점을 맞추고 급격히 접근하다〔멀어지다〕《*in; out*》. **4** 《미속어》 무료로〔거저〕 손에 넣다. **—** *vt.* **1** (비행기를) 급상승시키다. **2** 〖영화·TV〗 (영상을) 갑자기 확대〔축소〕시키다. **3** 《미속어》 거저 손에 넣다. **—** *n.* **1** (비행기의) 급각도 상승, 줌. **2** 〖일반적〗 (경기·물가 따위의) 급상승, 급등. **3** 〖영화·TV〗 줌《영상의 급격한 확대·축소》. **4** (브랜디·벌꿀 따위를 넣은) 칵테일의 일종. **—** *a.* (렌즈가) 줌인; 줌 렌즈의〔를 장치한〕; 《미구어》 무료의, 공짜의.

zo·o·man·cy [zóuəmæ̀nsi] *n.* [U] 동물점(占).

Zóom·ar lèns [zúːmaːr-] 텔레비전용 줌 렌즈(상표명).

zóom bòx 〖컴퓨터〗 줌박스《윈도를 전면적으로 확대하거나 원래 크기로 되돌아가게 하는 버튼》.

zòo·mechánics *n.* =ZOODYNAMICS.

zóom·er *n.* =ZOOM LENS.

zo·om·e·try [zouámətri/-ɔ́m-] *n.* [U] 동물 측정(測定). [cf] biometry. [파] **zo·o·met·ric** [zòuəmétrik] *a.*

zóom·ing *n.* 〖군사〗 급상승, 줌상승《요격기(邀擊機)에서 쓰이는 방법》; 〖컴퓨터〗 주밍《(1) 표시 요소의 집합 부분 또는 일부를 단계적으로 확대·축소하는 기법. (2) 그림(graphic)의 화면 표시 체계에서 도형을 확대·축소하는 일》.

zóom lèns 줌 렌즈《화상을 연속적으로 확대〔축소〕키 위해 초점거리를 임의로 바꿀 수 있는 렌즈》.

zoo·mooze·phone [zuːmúːzfoun] *n.* 주무즈폰《미분음(微分音)의 연주가 가능한 비브라폰 모양의 악기》.

zo·o·mor·phic [zòuəmɔ́ːrfik] *a.* 동물 모습을 한, 동물을 본뜬; 수형신(獸形神)의: a ~ deity 수형신.

zo·o·mor·phism [zòuəmɔ́ːrfizəm] *n.* [U] 동물 형태관(觀)《신 등을 동물의 형상으로 나타내는》; (미술·상징 따위에) 동물의 형상을 사용함.

zoomy [zúːmi] *a.* 줌 렌즈에 의한, 줌 렌즈를 사용한.

zo·on [zóuan/-ɔn] (*pl.* **zoa** [zóuə]) *n.* =ZOOID.

-zo·on [zóuan/-ɔn] '동물·생물'의 뜻의 명사를 만드는 결합사: spermato*zoon*.

zo·on·o·my [zouánəmi/-ɔ́n-] *n.* [U] 동물 생리학.

zo·on·o·sis [zouánəsis/-ɔ́n-] (*pl.* **-ses** [-siːz]) *n.* 〖의학〗 동물원성(原性) 감염증《동물로부터 사람에게 전염되는 질병》. [파] **zo·o·not·ic** [zòuənátik/-nɔ́t-] *a.*

zòo·párasite *n.* **1** 기생(寄生) 동물; 원생 동물. **2** 동물에 기생하는 생물. [파] **zòo·parasític** *a.*

zo·oph·a·gous [zouáfəgəs/-ɔ́f-] *a.* 〖동물〗 육식하는, 육식 동물의.

zo·o·phile [zóuəfàil] *n.* 동물에 의하여 꽃가루가 매개되는 식물; 동물 애호가.

zo·o·phil·ia [zòuəfíliə] *n.* **1** 동물 애호. **2** 〖정신의학〗 동물 성애(性愛)《동물을 상대로 성욕을 만족시키는 일》.

zo·oph·i·list [zouáfəlist/-ɔ́f-] *n.* 동물 애호가.

zo·oph·i·lous [zouáfələs/-ɔ́f-] *a.* **1** 〖식물〗

(씨가) 새·작은 동물 따위에 의하여 전파되는. [cf.] anemophilous, entomophilous. **2** 동물을 사랑하는.
zo·oph·i·ly [zouάfəli/-ɔ́f-] *n.* [U] 동물 애호.
zo·o·pho·bia [zòuəfóubiə] *n.* 동물 공포증. [파] **zo·oph·o·bous** [zouάfəbəs/-ɔ́f-] *a.*
zòo·phýsics *n. pl.* 〖단수취급〗 동물 구조학.
zo·o·phyte [zóuəfàit] *n.* 〖동물〗 식충류(植蟲類)《불가사리·산호·해면 따위》. [파] **zo·o·phyt·ic, -i·cal** [zòuəfítik], [-əl] *a.*
zo·o·phy·tol·o·gy [zòuəfaitάlədʒi/-tɔ́l-] *n.* 식충학(植蟲學), 식충론(論). [파] **-gist** *n.* 식충류 연구가.
zóo plàne 《미》 (선거 운동 때 후보자를 동행하는 기자단이 탄) 수행 비행기.
zòo·plánkton *n.* 동물성 플랑크톤.
zo·o·plas·ty [zóuəplæ̀sti] *n.* =ZOOGRAFTING. [파] **zò·o·plás·tic** [-tik] *a.*
zòo·psychólogy *n.* [U] 동물 심리학.
zo·o·se·mi·ot·ics [zòuəse:miάtiks] *n.* 동물 기호학《동물 사이의 커뮤니케이션 연구》.
zo·o·sperm [zóuəspə̀:rm] *n.* =SPERMATOZOON; ZOOSPORE.
zòo·sporángium (*pl.* **-gia**) *n.* 〖식물〗 유주자낭《유주자(zoospore)를 생기게 하는 기관》.
zo·o·spore [zóuəspɔ̀:r] *n.* 〖식물·동물〗 운동성 홀씨, 유주자(遊走子). [파] **zò·o·spór·ic, zo·os·por·ous** [-rik], [zouάspərəs/-ɔ́s-] *a.*
zo·os·ter·ol [zouάstərɔ̀:l, -rὰl/-ɔ́stərɔ̀l] *n.* 〖생화학〗 동물 스테롤《동물 체내에 존재하는 스테로이드 알코올; 콜레스테롤 등》.
zoot [zu:t] *a.* 《속어》 너무 화려한, 최신 유행의. ── *n.* 젠체하는 자, 멋쟁이. ── *vt.* 대금(大金)을 쓰게 하다.
「물 계통학.
zo·o·taxy [zóuətæ̀ksi] *n.* [U] 동물 분류학, 동
zòo·téchnics *n. pl.* 〖단·복수취급〗 [U] 동물 사육 개량술, 축산학; 동물 조종법. [파] **-téchnical** *a.* 축산학의.
zo·o·tech·ny [zóuətèkni] *n.* =ZOOTECHNICS.
zo·o·the·ism [zóuəθi̇̀izəm, zòuəθí:izəm] *n.* [U] 동물신교(神敎), 동물 숭배(zoolatry).
zo·ot·o·my [zouάtəmi/-ɔ́t-] *n.* [U] 동물 해부(학). [파] **zo·o·tom·ic, -i·cal** [zòuətάmik/-tɔ́m-], [-əl] *a.* **zo·ot·o·mist** [zouάtəmist/-ɔ́t-] *n.* 동물 해부학자.
zòo·tóxin *n.* 동물 독소《뱀독(毒) 등》.
zóot sùit 《구어》 주트슈트《상의는 어깨가 넓고 기장이 길며, 바지는 위가 넓고 아래가 좁은 사치한 남성복; 1940 년대 전반에 유행》. [파] **zóot-sùiter** *n.* ~를 입은 남자.
zooty [zú:ti] *a.* 《미속어》 현란한, 아주 멋진《헤어스타일 따위》.
Zo·ra [zɔ́:rə] *n.* 조라《여자 이름》.
zor·il [zɔ́:ril, zάr-/zɔ́r], **zo·rille** [zəríl], **-ril·la** [zərílə] *n.* 〖동물〗 조릴《족제비 비슷한 식육(食肉) 짐승의 일종; 남아프리카·소아시아산(産)》.
Zo·ro·as·ter [zɔ́:rouæ̀stər, ⌐-⌐-/zɔ̀rouǽs-] *n.* 조로아스터, 자라투스트라《조로아스터교의 개조(開祖); 기원 전 7-6 세기경 포교》.
Zo·ro·as·tri·an [zɔ̀:rouǽstriən/zɔ̀r-] *a.* 조로아스터(교)의. ── *n.* 조로아스터 교도, 배화교도(拜火敎徒). [파] **~·ism** *n.* [U] 조로아스터교, 배화교.
Zor·ro [zɔ́:rou] *n.* 조로《J. McCulley의 만화(1919) 주인공; 스페인령 California에서 활약했던 검은 복면의 쾌걸》.
zorse [zɔ:rs] *n.* 〖동물〗 조스《수말과 암얼룩말의 교배 잡종》. [◂ zebra+*horse*]
zos·ter [zάstər/zɔ́stər] *n.* 띠《옛 그리스 남성용의》; 〖의학〗 대상포진(帶狀疱疹)(herpes ~).
zos·ter·ops [zάstəràps/zɔ́stərɔ̀ps] *n.* 동박새류《동박새속의 총칭》.
zot *int.* 싹, 휙《재빠른 동작》, (우레 따위의) 우르르, 퉁탕. [imit.]
Zou·ave [zu:ά:v, zwά:v] *n.* **1** 주아브병(兵)《프랑스의 경보병(輕步兵); 원래는 알제리인으로 편성되어, 아라비아 옷을 입었음》. **2** 미국 남북 전쟁의 의용병《주아브병의 복장을 모방했음》. **3** (z-) 주아브 형의 여자 재킷(~ jacket).
zouk [zu:k] *n.* 〖음악〗 주크《서인도 제도 Guade- loupe 섬의 민족 음악과 서양 음악의 요소를 가미한 팝 뮤직; 강렬한 비트가 특징임》.
zounds [zaundz] *int.* 《고어》 에잇, 쳇《분노·놀람 따위를 나타냄》. [◂ God's *wounds*]
Zo·vi·rax [zouváiræks] *n.* 〖약학〗 조비랙스《아시클로비어(acyclovir)의 상표명; 항(抗)헤르페스 바이러스 약》.
zow·ie [záui] *int.* 《미》 아, 와《놀람·감탄을 나타냄》. ── *n.* 정기, 활력, 큰〔보람있는〕 기쁨.
Ź pàrticle 〖물리〗 Z입자《핵 안에서 약한 힘을 전달한다는 가설적인 입자》.
ZPG zero population growth (인구의 제로 성장). **Zr** 〖화학〗 zirconium.
Z's [zi:z/zedz] *n. pl.* 《CB속어》 수면: We gonna cut some Z's. 잠깐 눈붙이고 싶다.
ZS 《영》 Zoological Society(동물학회).
Ź thèrapy 〖정신의학〗 Z요법《환자에 대하여 일단의 사람들이 육체적·정신적으로 거칠게 다룸으로써 억압된 감정의 해방을 꾀하는》. [◂ Robert W. Zaslow《20 세기 미국의 정신과 의사》]
Ź twìst 〖방직〗 Z 꼬임《실꼬임의 방향이 Z 자처럼 오른쪽 위부터 왼쪽 아래로 향함》.
zuc·chet·to, -ta [zu:kétou], [-tə] (*pl.* **~s**) *n.* 《It.》 〖가톨릭〗 모관(毛冠)《검정은 신부, 보라는 주교, 빨강은 추기경, 흰 것은 교황이 씀》.
zuc·chi·ni [zu:kí:ni] (*pl.* **~, ~s**) *n.* 《It.》 〖식물〗 애호박; (오이 비슷한) 서양 호박.
Zui·der 〔**Zuy·der**〕 **Zee** [záidərzéi, -zí:] (the ~) 자위더르 해《네덜란드 북쪽 해안의 얕은 만(灣); 지금은 둑으로 바다와 차단되어 에이설(Ijsselmeer)호(湖)로 명명됨》.
Zu·lu [zú:lu:] *n.* **1** (*pl.* **~, ~s**) 줄루 사람《남아공화국 Natal 주 일대의 용맹(勇猛)한 종족》; [U] 줄루 말. **2** 문자 z를 나타내는 통신 용어. **3** 〖항공〗 =GREENWICH MEAN TIME《경도 0(zero)의 머리 글자 z를 나타내는 통신 용어에서》. ── *a.* 줄루 사람의, 줄루 말의.
Zu·lu·land [zú:lu:læ̀nd] *n.* 줄루란드《남아공화국의 인도양에 면한 Natal 주 북동부 지방》.
Zu·ni, Zu·ñi [zú:ni], [zú:nji] (*pl.* **~, ~s**) *n.* 주니족《Arizona 주 북동부에 사는 아메리칸 인디언》; 주니 말.
zunk [zʌŋk] *int.* 푹, 쓱, 삭, 쿵, 퉁《찌르거나 자르거나 부딪거나 하는 소리》. [imit.]
Zu·rich, Zü- [zúərik/zjúə-], [G. tsý:riç] *n.* **1** 취리히《스위스 북부의 주; 그 주도》. **2** (Lake (of) ~) 취리히 호《스위스 중북부의 호수》.
Zwícky gàlaxy [tsvíki-] 〖천문〗 츠비키 은하, 콤팩트 은하《밝은 영역이 작은 중심핵에 집중한 은하》. [◂ 불가리아 태생 스위스의 천문학자 F. Zwicky(1898-1974)]
zwie·back [zwáibæ̀k, -bὰ:k, zwí:-, swái-, swí:-/zwái-, zwí:-] *n.* 《G.》 〖식품〗 러스크(rusk)의 일종.
Zwing·li [zwíŋgli, swíŋ-] *n.* **Ulrich ~** 츠빙글리《스위스의 종교 개혁가; 1484-1531》.
Zwing·li·an [zwíŋgliən, swíŋ-] *a., n.* 츠빙글리(주의)의, 츠빙글리파의 (교도). [파] **~·ism** *n.* 츠빙글리주의. **~·ist** *n.*

zwit·ter·ion [tsvítəràiən] *n.* 〖화학〗 쌍극성〔양성(兩性)〕 이온《음전기와 양전기를 띤 이온》.

zy·de·co [záidəkòu] *n.* Ⓤ 자이데코《미국 남부의 댄스 음악의 일종》.

zy·gal [záigəl] *a.* H자 꼴의: the ~ fissure 〖해부〗(대뇌의) H자 열구(裂溝).

zy·go·dac·tyl [zàigədǽktl, zìgə-/-til] 〖조류〗 *a.* 대지족(對趾足)의, 전후에 발가락이 둘씩 있는. **—** *n.* 대지족의 새, 반목류(攀木類)의 새《딱따구리·앵무새 따위》.

zy·go·gen·e·sis [zàigədʒénəsis, zìgə-] 〖생물〗 *n.* 특수한 배(胚)세포〔배우자(配偶子)〕에 의한 생식; 접합자〔체〕 형성. ㊕ **-ge·net·ic** [-dʒənétik] *a.*

zy·goid [záigɔid, zíg-] *a.* 〖생물〗 접합자〔체〕의.

zy·go·ma [zaigóumə, zi-] (*pl.* **~·ta** [-tə]) *n.* 〖해부〗 =ZYGOMATIC ARCH〔BONE, PROCESS〕.

zy·go·mat·ic [zàigəmǽtik, zìgə-] *a.* 관골(顴骨)〔광대뼈〕의. **—** *n.* ZYGOMATIC BONE.

zygomátic árch 〖해부〗 관골궁(顴骨弓).

zygomátic bóne 〖해부〗 관골(顴骨).

zygomátic prócess 〖해부〗 관골돌기.

zy·go·mor·phic, -mor·phous [zàigəmɔ́ːrfik, zìgə-], [-mɔ́ːrfəs] *a.* 〖식물·동물〗 (꽃 등이) 좌우 상칭(相稱)〔동형(同形)〕의.

zy·go·phyte [záigəfàit, zíg-] *n.* 〖식물〗 접합식물.

zy·go·sis [zaigóusis, zi-] (*pl.* **-ses** [-siːz]) *n.* Ⓤ,Ⓒ 〖생물〗 (생식 세포의) 접합(接合).

zy·gos·i·ty [zaigásəti, zi-/-gɔ́s-] *n.* 접합자〔체〕의 구조〔특징〕.

zy·go·sperm, zy·go·spore [záigəspəːrm, zígə-], [-spɔ̀ːr] *n.* 〖식물〗 접합자《2 개의 생식 세포가 결합해서 생김》, 접합 포자.

zy·gote [záigout, zíg-] *n.* 〖생물〗 접합자〔체〕. ㊕ **zy·got·ic** [zaigátik/-ɔ́t-] *a.* **-i·cal·ly** *ad.*

zy·go·tene [záigətiːn, zíg-] *n.* 〖생물〗 합사기(合絲期), 접합기(接合期).

zy·mase [záimeis] *n.* Ⓤ 〖생화학〗 치마아제《당(糖)을 분해하여 알코올로 바꾸는 효소》.

zyme [zaim] *n.* 《폐어》 〖병리〗 발효병(zymotic disease)의 병소(病素); 전염병의 병원체.

zy·mo- [záimou, -mə], **zym-** [záim, zim] '효모'의 뜻의 결합사.

zy·mo·gen [záimədʒən] *n.* Ⓤ 〖생화학〗 치모겐, 효소원(酵素原)《효소가 되는 모체》; 〖생물〗 발효균.

zỳmo·génesis *n.* 〖생화학〗 (효소 전구체(前驅體)의) 효소화.

zỳmo·génic, zy·mog·e·nous [zaimádʒənəs/-mɔ́dʒ-] *a.* 〖생화학〗 발효를 일으키는, 녹말 분해 작용으로 활력을 얻는; 발효성의; zymogen의.

zy̆mo·gràm *n.* 〖생화학〗 효소 전기 영동상(泳動像)〔도(圖)〕.

zy·mol·o·gy [zaimálədʒi/-mɔ́l-] *n.* Ⓤ 〖생화학〗 발효학, 발효론. ㊕ **-gist** *n.* **zy·mo·log·ic, -i·cal** [zàiməládʒik/-lɔ́dʒ-], [-əl] *a.*

zy·mol·y·sis [zaimáləsis/-mɔ́l-] *n.* 발효. ㊕ **zy·mo·lyt·ic** [zàimələ́tik] *a.*

zy·mom·e·ter, zy·mo·sim·e·ter [zaimámətər/-mɔ́m-], [zàiməsímətər] *n.* 발효계(計), 발효도 측정기.

zỳmo·plástic *a.* 효소를 형성하는, 반응에 관여하는.

zy·mo·san [záiməsæ̀n] *n.* 〖생화학〗 치모산, 자이모산《효모에서 얻어지는 다당(多糖); 항보체(抗補體) 작용을 지님》.

zymosimeter ⇨ ZYMOMETER.

zy·mo·sis [zaimóusis] (*pl.* **-ses** [-siːz]) *n.* Ⓤ 발효《특히 병적인》; Ⓤ,Ⓒ 《폐어》 〖병리〗 발효병, 발효 작용; 《드물게》 전염병.

zy·mos·then·ic [zàiməsθénik] *a.* 효소 작용을 강화하는.

zỳmo·téchnics *n.* 발효법, 양조법.

zy·mot·ic [zaimátik/-mɔ́t-] *a.* 발효(성)의; 발효병의; 전염병〔성〕의. ㊕ **-i·cal·ly** *ad.*

zymótic diséase 《폐어》 〖병리〗 발효병《티푸스·천연두 따위 세균성 질환의 옛 이름》.

zy·mur·gy [záiməːrdʒi] *n.* Ⓤ 양조학(釀造學), 발효(醱酵) 화학.

Zyr·i·an [zíriən] *n.* 지리안어(語)《Finno-Ugric에 속함》. **—** *a.* 지리안어〔사람〕의.

zy·thum [záiθəm] *n.* Ⓤ 옛 이집트〔북방민족〕의 맥주.

ZZ zigzag.

ZZZ, zzz, z-z-z 드르릉드르릉《코고는 소리》; 부르릉부르릉《동력 톱 등의 소리》; 윙윙《파리·벌 따위가 나는 소리》.

부 록

차 례

Ⅰ. 문법편 ……………………………………………………………… 2912

1. 문장(Sentence) …………… 2912
2. 법(Mood) …………… 2913
3. 목적어(Object) …………… 2913
4. 보어(Complement) …………… 2914
5. 동사변화(Conjugation) …………… 2916
6. 시제(Tense) …………… 2918
7. 진행형(Progressive Form) …………… 2919
8. 완료시제(Perfect Tense) …………… 2920
9. 분사(Participle) …………… 2921
10. 부정사(Infinitive) …………… 2923
11. 동명사(Gerund) …………… 2926
12. 의문사(Interrogative) …………… 2928
13. 태(Voice) …………… 2929
14. 구(Phrase) …………… 2931
15. 절(Clause) …………… 2932
16. 상관접속사(Correlative Conjunction) … 2933
17. 비교(Comparison) …………… 2934
18. 관계사(Relative) …………… 2936
19. 주어(Subject) …………… 2938
20. 격(Case) …………… 2939
21. 소유격(Possessive Case) …………… 2940
22. 가정법(Subjunctive Mood) …………… 2942
23. 화법(Narration) …………… 2944
24. 강조(Emphasis) …………… 2946
25. 도치(Inversion) …………… 2947
26. 전치사적 부사구(Prepositional Adverb) … 2948
27. 강형과 약형(Strong Form, Weak Form) … 2950
28. 가산명사, 불가산명사 (Countable, Uncountable) … 2950
29. 수(Number) …………… 2951
30. 수사 Ⅰ(Numeral Ⅰ) …………… 2953
31. 수사 Ⅱ(Numeral Ⅱ) …………… 2954

Ⅱ. 부호 · 기호 · 약호 ……………………………………………… 2957
Ⅲ. 도량형 환산표 ……………………………………………… 2958
Ⅳ. 세계 주요 화폐 단위 ……………………………………………… 2959
Ⅴ. 영어참고도 ……………………………………………… 2960
Ⅵ. 불규칙 동사표 ……………………………………………… 2964

I. 문 법 편

문장(**Sentence**)

우리가 언어를 사용할 때에는 말할 것도 없이 음성(音聲) (또는 그 대용으로서 문자)을 쓰거나 낱말을 사용하는데, 어떤 목적으로 음성이나 낱말을 사용하는가를 생각해 보면, 다음 네 가지 기능이 있음을 알 수 있다.

(1) 언명(言明) 남 또는 자기에 대하여 어떤 사태 · 상황을 판단 · 전달한다: Two and three make(s) five. 둘 더하기 셋은 다섯 / You will hear from me again very shortly. 곧 다시 소식을 올리겠습니다.

(2) 의문 남에게(때로는 자기에게) 언명을 요구한다: Will this be possible? 이것이 가능할까 / Are you coming? 오시겠습니까 / What does he want? 그는 무엇을 원하는가.

(3) 명령 남에게 무엇을 요구하거나 행동을 바란다: Come here! 이리 오시오 / Be quiet! 조용히(하시오).

(4) 감탄 어떤 사태에 관해 발언자가 자기의 감동을 나타낸다: How nice she is! 그 여자 참 좋군 / What a beautiful day it was! 얼마나 청명한 날이었던가!

영어에서는 '명령' 은 동사의 명령법(imperative mood)으로 나타내며, '언명 · 의문 · 감탄' 은 동사의 직설법(indicative mood)이나 가정법(subjunctive mood)으로 나타낸다. 이들 법(mood) 형태의 동사를 포함하지 않는 어군은, 대개의 경우 위의 네 가지 기능 중의 어느 것을 다할 수 없다. 더구나 어떤 법의 동사형은 반드시 주어와 결부되어 있어 영어 문장은 원칙적으로 '주어+동사' 로 이루어진다고 할 수 있다.

문장을 이루는 어군 중에서 주어(subject)가 속하는 부분을 주부(subject part), 주어에 연결된 동사가 중심이 되는 부분을 술부(predicate), 그 동사를 술어동사(predicate verb)라고 한다.

주어와 술어동사

1) 명령문과 주어

영어에서는 주어와 술어동사를 갖춘 어군이라야 비로소 '글, 문장' 이 되는데, 명령문에서는 보통 주어가 나타나지 않는다. 이것은 명령문이 주어를 안 갖는다는 것이 아니고, 단지 주어가 나타나지 않을 뿐이다. 그것은 다음 이유에 의해서 말할 수 있다.

a) 때에 따라서는 주어가 나타난다: *You* sit down here! 당신은 여기에 앉으시오 / Don't *you* worry about that! 그 일일랑 걱정 마시오 / This must be done quickly, mind *you*. 잘 들어 둬. 이것을 빨리 해 치워야 돼.

b) 문장 중에 yourself, yourselves 가 나타남으로써 그 주어가 you 임을 보인다: Do it *yourself*. 네 자신이 하여라 / Take good care of *yourselves*. (여러분) 몸조심들 하시오. 주 He praised him. (그는 그를 칭찬했다)은 주어와 목적어가 다른 인물이고, He praised *himself*. (그는 자기 자신을 칭찬했다 ⇨ 제 자랑했다)에서는 주어와 목적어가 같은 인물임. 따라서, Take good care of *yourselves*. 의 주어는 당연히 you 임.

2) 생략문

주어나 술어동사 또는 이 두 가지가 모두 나타나 있지 않아도 어군(語群)이 언명 · 의문 · 감탄을 나타내는 일이 있다. 이것을 생략문(elliptical sentence)이라고 한다: Very good! 아주 좋다〔맛이 있다〕(=This is very good.) / Tired? 피곤한가 (=Are you tired?) / How nice! 아주〔정말이지〕근사하군(=How nice it is!).

생략문은 위의 괄호 속에 보인 문장과 같이 주어와 술어동사가 보충되어야 비로소 정식 문장이 된다. 생략된 부분은 음성의 억양과 주위의 상황이나 문맥으로써 보완된다. 따라서, 생략문이 쓰여질 경우란 당사자가 서로 만나 말하는 때와 같은 한정된 경우뿐이고, 길고 상세한 서술 따위는 생략문만 가지고는 불가능하다. 주 Thank you! (=I thank you.) 모양으로 생략이 습관화된 표현도 있음.

참[1] yes, no 는 의문에 대하여 언명(긍정 · 부정)을 하는 말로서 이것들은 문장에 맞먹는 말들임.

참[2] '주어+술어동사' 의 형식은 영어 '문장' 의 근본이라고 생각할 수 있는데 그것은 모든 언어에 해당되는 것은 아님. 우리말에서는 주어를 나타내지 않는 문장이 흔하며 술어로서 동사뿐만 아니라 형용사도 쓰인다는 점에 유의해야 한다.

문장의 종류(기능상의 분류)

문장은 언명 · 의문 · 명령 · 감탄 중 어느 것을 나타내느냐에 따라서 아래의 네 가지 종류로 나눌 수 있다.

(1) 서술문 (Declarative sentence)
(2) 의문문 (Interrogative sentence)
(3) 명령문 (Imperative sentence)
(4) 감탄문 (Exclamatory sentence)

이 중에서 '언명' 을 나타내는 서술문을 기본적인 것으로 본다면, 의문문은 주어와 술어 동사의 어순이나(의문문을 만드는 do 도 술어동사의 일부), 글머리의 의문사에 따라 특징지어진다: *Is George* at home? 조지는 집에 있습니까 / *Do you* like swimming? 수영을 좋아하십니까 / *What did she* say? 그녀가 뭐라고 합디까 / *Where is the dog?* 개는 어디 있느냐.

명령문은, 동사의 명령법이라는 특별한 형태로 특징지어지며, 그 외에도 대개는 주어가 생략된다는 특징이 있다.

감탄문은, 서술문에 감탄사를 덧붙이는 것이 특징이다. 감탄사 how, what 는 의문사와 공통이며 (⇨ HOW, WHAT) 그에 이끌리어 어순(語順)에 변화를 일으켜 의문문 비슷하게 되는 경우도 있다: She is very nice. ⇨ *How* nice *she is!* = *What* a nice person *she is!* 그녀는 정말 좋은 사람이군 / *What doesn't he* know! 그 친구 정말(이지) 모르는 것이 없군.

또 한 가지 기능면으로 보아 긍정문(affirmative sentence)과 부정문(negative sentence)으로 나눌 수도 있다. 위에 보인 네 문장은 모두 긍정으로도 부정으로도 될 수 있다.

문장의 내적 구조

1) 문장의 5 형식

동사는 자동사(intransitive verb)나 타동사(transitive verb)에 속하며, 타동사는 목적어(object)를 가진다. 그리고, 자동사건 타동사건 보어를 필요로 하는 것이 있다. 즉, 불완전자동사(incomplete intransitive verb)와 불완전타동사(incomplete transitive verb)가 그것이다. 또한, 타동사에는 직접

목적(direct object)과 간접목적(indirect object)의 목적어 둘을 취하는 이른바 수여동사(dative verb)가 있다.

술어동사가 위의 동사 분류 중의 어느 것에 속하느냐에 따라서 아래의 다섯 가지 기본 문형이 생긴다.

(1) S+V
(2) S+V+C
(3) S+V+O
(4) S+V+ind.O+dir.O
(5) S+V+O+C

㊟ S=subject, V=verb, C=complement, O=object, ind.=indirect, dir.=direct.

2) 단문(單文)·복문(複文)·중문(重文)

문장의 형태 (즉, '주어+술어동사')를 갖춘 어군이 두 개 이상 모여서 언명·의문·명령·감탄을 나타내는 경우가 있다. 한 문장이 단 하나의 '주어+술어동사' 관계만을 지녔을 때 이것을 단문(simple sentence)이라 하며, 한 문장에 두 개 이상의 '주어+술어동사'를 갖는 어군이 있을 경우 그 각 어군을 절(clause)이라고 한다.

문장 중에 절(節)이 같은 자격으로 나란히 있을 때 그 문장은 중문(compound sentence)이라 하며, 절이 문장 중에서 명사·형용사·부사의 구실을 할 경우, 그 문장을 복문(complex sentence)이라고 한다. ⇨ CLAUSE.

법(**Mood**)

'문장, 글'을 입으로 말하거나 종이에 쓸 경우에, 사람은 대개 무엇인가를 단정하거나 명령하거나 상상(가정·소망)하거나 한다. 그러한 심적 태도가 동사의 형태로 나타나는 경우 이것을 법(mood)이라고 한다('기분, 분위기'의 뜻인 mood와 같은 어원으로서 '마음의 분위기'란 뜻이다): This book *is* interesting. 이 책은 재미있다《판단·단정·언명: 직설법》/ *Be* honest. 정직하여라《명령·지시: 명령법》/ Long *live* the King!(국왕께서 만수 무강하시기를! ⇨) 국왕 폐하 만세《소망: 가정법》. ⇨ SENTENCE.

영어에는 직설법(indicative mood), 가정법(subjunctive mood), 명령법(imperative mood)의 세 가지 법이 있다. ⇨ TENSE, SUBJUNCTIVE MOOD

시제와의 관계

1) 법과 시제

법이건 시제건 동사가 문장의 주요 요소로서 술어동사가 되기 위해서는 반드시 이에 따라다니게 마련이며, 그것은 동사의 형태상으로 함께 나타난다. 예컨대, 동사 be의 변화형의 하나인 am은 주어가 제1인칭 단수라는 것 외에도 법이 직설법(가정법·명령법이면 be), 시제가 현재(과거이면 was, were)임을 나타내고 있다.

2) 현재시제와 법

직설법과 가정법 사이에 동사의 어형상의 차이는 극히 적다. 현재시제에서는, 제3인칭 단수의 주어를 갖는 동사의 어미인 -s의 유무만으로 직설법과 가정법을 가려낼 뿐이다(따라서, 이른바 '3·단·현의 s'는 엄밀하게 말하여 '3·단·직·현의 s'이다). 다만, be 동사만이 직설법 현재에서 I *am*, you *are*, he 〔she, it〕 *is*, we *are*... 임에 대하여, 가정법 현재는 I *be*, you *be*, he 〔she, it〕 *be*, we *be*...와 같이 형태상의 차이를 나타낸다.

따라서, 가정법임을 뚜렷이 나타내기가 어려운 경우도 없지 않으므로, 그런 경우에는 may따위의 조동사가 그 결함을 보충한다. May you succeed!(당신이 성공하시기를 바랍니다 ⇨성공하시기를!)의 may는 어순(語順)과 더불어 succeed가 사실에 관한 것이 아니라 절실히 바라고 있음을 나타낸다.

3) 과거시제와 법

과거시제에 있어서는, 직설법과 가정법 사이에 동사 어형의 차이를 나타내는 것은 I 〔he, she, it〕 *was*《직설법》, I 〔he, she, it〕 *were*《가정법》 이외에는 존재치 않는다. 따라서, 일반적인 경우에는, 동사의 어형 그 자체보다도, 뜻과 내용으로 보아 현재의 일에 관하여 말하고 있음에도 형태상 과거형으로 되어 있을 경우 가정법과거로 단정하게 된다: It is time children *went* to bed. 애들은 (이제) 잘 시간이다 / I wish you *were* here!(당신은 현재 이곳에 없지만) 이 곳에 계셨으면 합니다.

그 결과, 가정법과거의 were와 직설법과 거의 was가 종종 혼용되는 일이 있다: I wish he *was* 〔*were*〕 here. 그가 여기 있었으면 좋겠는데.

명 령 법

1) 어 형

이른바 동사의 원형(=원형부정사)과 같은 형태가 쓰인다. 시제는 현재뿐이다.

㊟ Be gone!(꺼져버려), Have done!(집어치워), Have done with...(…을 집어치워, 속히 끝내)는 본래 명령법의 현재완료 시제이지만, 오늘날에는 특수한 관용적 표현이 되어 있음. 이리하여, 일반적으로 명령법에는 현재시제 이외에는 없다고 할 수 있다.

2) 조건·가정을 나타내는 명령법

명령법 뒤에 and가 와서 (때로는 and없이) 서술문을 계속시킬 때 명령법은 '…하면'과 같이 조건·가정을 나타내게 된다: *Come* to my office any time, *and* I'll be glad to give you the information you want. 언제든지 제 회사에 오신다면, 물으시는 바를 가르쳐 드리겠습니다.

목적어(**Object**)

타동사·전치사는 명사·대명사(또는 명사상당어구·명사절)를 뒤에 수반하며, 이것을 목적어(object)로 한다. 인칭대명사가 목적어로 될 때에는 목적격의 형태를 취한다. 타동사에는 한 개의 목적어를 취하는 것과 두 개의 목적어, 즉 직접목적과 간접목적을 취하는 것이 있다.

목적어의 특수 용법

1) 부사적 목적어

예를 들면 We walked ten miles. (우리들은 10마일 걸었다)에서는 ten miles는 얼핏 보아 목적어처럼 보여서 We covered ten miles.(우리들은 10마일 답파(踏破)했다)에서와 같은 뜻으로 생각된다. 그러나 후자에서는 Ten miles were covered.로 수동태가 가능하며 ten miles가 능동태의 문장에서는 그것이 틀림없는 목적어임을 알 수 있음에 반하여,

전자에서는 수동태의 문장이 불가능하다. 따라서 We walked ten miles.의 ten miles 는 부사적으로는 사용된 것이라 볼 수 있으며, 부사적 목적어(adverbial object)라고 한다. 거리(距離)·시간(時間)·시점(時點)·수량(數量)·방법(方法) 따위를 나타낼 때, 명사가 이와 같이 부사적 목적어로 사용되는 경우가 많다:

We took the children out for a walk *a long distance*. 우리는 아이들을 데리고 멀리까지 산보하러 갔다/We talked away *hours* and *hours*. 우리는 몇 시간이나 계속해서 이야기했다/They arrived *last night*. 그들은 간밤에 도착했다/I don't care *a bit*. 조금도 상관치 않습니다/Write *this way*, not *that way*. 그런 식으로 쓰지 말고 이렇게 쓰시오.

참 관계대명사 that가 다음처럼 관계부사적으로(즉 in which, on which 따위와 같이) 사용되는 때에는, 실은 관계절 중의 부사적 목적어로 생각할 수 있음:

I was born (in) the year *that* the war ended. 나는 전쟁이 끝나던 그 해에 출생했다/Look at the way *that* he walks. 그의 걸음걸이를 보라/The moon shone very clearly the night (*that*) we went to see the play. 우리가 연극을 보러 간 그날 밤에는 달이 정말 밝게 비쳤다.

즉, 이와 같은 that 는 관계절 중에서 this year, this way, that night 따위와 같은 기능을 갖고 있음. 또한 이와 같은 that 는 종종 (특히 둘째 예에서는 보통) 생략된다.

2) 동족(同族)목적어

타동사가 어원적으로 같은 명사를 목적어로 취하는 경우가 있다. 그와 같은 목적어를 동족목적어(cognate object)라 부른다. 동족목적어는 종종 형용사와 함께 쓰인다:

live *a strenuous life* 불요불굴의 삶을 살다, 부지런히 노력하여 살아가다/smile *a happy smile* 행복스러운 듯 미소를 짓다/die *a violent death* 뜻하지 않은 죽음을 당하다/dream *dreams* 여러 가지 꿈을 꾸다.

주 동족목적어는 반드시 어원적(語源的) 관계를 요하는 것은 아니고, 동사와 목적어가 의미상에서만 동종(同種)인 경우도 있음: fight *a battle* 교전(交戰)하다. run *a race* 경주(競走)하다. It is blowing *a gale*. 강풍이 불고 있다.

3) 이중목적어 및 그 비슷한 구문

(a) I told *a story* to *him*.
(1) (2)
(b) I told *him a story*.
(2) (1)

(a) She bought *a cake* for *Tom*.
(1) (2)
(b) She bought *Tom a cake*.
(2) (1)

위의 문장에 있어서, (b)의 구문을 '이중목적어'를 갖는다고 하며, 각각 (1)을 직접목적어, (2)를 간접목적어라고 한다. 여기서 (a)의 전치사가 없어지고 (b)가 될 때, 목적어 (1)과 (2)가 서로 바뀌는 점에 주의할 것.

이중목적어는 취하지 않지만, (b)의 두 개의 목적어 (1), (2)사이에 전치사 with 가 삽입될 뿐으로 다른 점에서는 극히 성질이 비슷한 일군의 동사가 있다. 여기서는 (a)와 (b)에서 전치사가 바뀜과 동시에, 타동사의 목적어와 전치사의 목적어가 위에서와 마찬가지로 서로 바뀌는 점에 주의할 것.

(a) I presented *a book* to *him*.
(b) I presented *him* with *a book*.
나는 그에게 책을 선사했다.

(a) He impressed *an idea* on *us*.
(b) He impressed *us* with *an idea*.
그는 우리에게 어떤 관념을 심어 주었다.

(a) They planted *trees* in *the garden*.
(b) They planted *the garden* with *trees*.
그들은 정원에 나무를 심었다.

주₁ present 는 미국에서 이중목적의 용법도 있음.
주₂ with 의 용법에 관해서는, 자동사에도 이와 비슷해서 주어와 전치사의 목적어가 서로 바뀌는 것이 허용되는 일이 있음: *Ants* are teeming in *the sugar pot*. =*The sugar pot* is teeming with *ants*. 개미 떼가 설탕 단지 속에 우글거리고 있다.

영어의 표현과 우리말의 격조사

영어에 있어서 동사의 목적어는 일반적으로 우리말에서는 '…을'로 표현되며, 직접목적과 간접목적이 둘 다 있을 때에는 흔히 전자에 '…을', 후자에 '…에(게)'가 대응하게 되는데, 이러한 관계가 언제나 성립되는 것은 아니다.

1) 목적이 '…에(게)'로 번역되는 경우

'…을'로 번역돼야 할 부분은, 영어에서는 전치사로 이끌린다: She furnished *the room with* new curtains. 그녀는 방에 새 커튼을 달았다/They informed *me of* their decision. 그들은 나에게 결정을 알려 왔다.

2) 목적이 '…을' '…에(게)' 이외의 격조사로 번역되는 경우

영어와 우리말 사이에 대단한 차이가 있으므로 평소부터 주의해야 된다: The man robbed *me of* my wallet. 그 남자는 나에게서 지갑을 탈취했다/The men fought *the fire* desperately. 사람들은 필사적으로 화재와 싸웠다.

보어(Complement)

보어(complement)는, 그 어원적 의미로는 '보충하는 것' '완전히 하는 것'(√ple-'채우다')으로서 문법상 보통 '동사를 보충하는 것'이 된다. 동사에 어떤 어구가 수반되어, 그 어구가 없으면 동사가 '불완전'하게 되어 제 기능을 잃게 될 때 문제의 어구를 complement 라고 한다.

예컨대, "She is happy." 에서 happy를 없애버리면 나머지의 "She is..."로는 뜻이 통하지 않게 되고('그녀는 존재한다'로 억지로 뜻을 붙인다면 모르지만…),

마찬가지로 "God made her happy." '신은 그녀를 행복하게 했다'에서도 happy를 없애버린다면, '신은 그녀를 만들었다'가 되어 원래의 뜻과는 아주 달라진다. 게다가 이 후자의 문장은 "she was happy"의 상태를 신이 만들었다는 뜻으로서 실은 made의 참목적어는 her만은 아니라고 할 수 있다.

"She is happy."에서는 happy가 주어의 she를 수식한다. 이와 같은 보어를 주격보어(subjective complement)라고 한다. "God made her happy."에서는 happy는 목적어 her를 꾸민다. 이와 같은 보어를 목적보어(objective complement)라고 한다. 주격보어는 자동사와 함께 나타나며, 보어를 필요로 하는 자동사는 불완전자동사이다. 목적보어는 타동사와 함께 나타나며, 보어를 필요로 하는 타동사는 불완전타동사이다.

주격보어를 취하는 불완전자동사

1) be 의 부류
'있는 상태' 내지 '상태의 계속'을 가리킨다:
I ***am*** a *boy*. 나는 소년이다 / How *old* ***is*** he? 저 분은 몇 살입니까 / He ***remained*** *single* all his life. 그는 한평생을 독신으로 지냈다 / You must ***keep*** *quiet*. 조용히 해야 합니다 / He ***continued*** *obstinate*. 그는 계속 고집을 부렸다.
㊟₁ "The natives ***go*** *naked*." '원주민은 벌거숭이로 지낸다'의 go도, 이처럼 보어를 취하며, 완전자동사 본래의 '가다'의 뜻을 잃고 불완전자동사로 되어 있음. 완전자동사는 때로는 불완전자동사로서, 때로는 반 불완전자동사로서 쓰이는 일이 있음: She ***sat*** *silent* all day. 그녀는 하루 종일 아무 말 없이 앉아 있었다.
㊟₂ "The theory ***holds*** *good*." '그 설(說)은 여전히 효력을 갖는다'에 있어서의 hold도 불완전자동사로서 쓰인 것임.

2) become 의 부류
'…상태로 되다'의 뜻을 나타낸다:
Soon it ***became*** *dark* all around. 곧 주변 일대가 어두워졌다 / The teacher ***grew*** *impatient*. 선생은 짜증이 나기 시작했다 / I ***got*** *acquainted* with a young poet. 나는 (한) 젊은 시인과 알게 되었다 / Her face ***turned*** *pale*. 그녀는 얼굴이 핼쑥해졌다 / The rumo(u)r ***turned out*** *false*. 소문은 거짓이었음이 판명되었다 / His prediction ***proved*** *correct*. 그의 예언은 정확히 맞았다 / All this will ***come*** *right* in the end. 결국 이 모든 것이 다 잘 수습될 거야 / The well ***ran*** *dry*. 우물은 말라버렸다.
㊟₁ 다음 표현들은 숙어적임: He ***fell*** *ill*. 그는 몸져 누었다. She ***went*** *mad*. 그녀는 미쳤다. That ***comes*** *cheap*. 그것이 싸게 치인다.
㊟₂ "He ***died*** a *martyr*." '그는 죽어서 순교자가 되었다; 순교자로서 죽었다'도 이 부류에 속한다고 생각할 수 있음. 참고: He ***was born*** a *poet*. 그는 타고난 시인이다; 그는 시인으로서 태어났다.
㊟₃ "She will ***make*** a good *wife*." '그녀는 훌륭한 아내가 될 게다'의 make는 become과 뜻이 유사하므로 이런 종류의 make도 이 부류로 볼 수 있음《흔히 타동사로 분류되지만》.

3) seem 의 부류
'외견상…이다〔하다〕' '…(인 것)처럼 보인다'의 뜻을 나타내며 '보이다' 이외에 '들리다' '느낌이 들다' 등 지각(知覺)에 관계되는 동사:
The man ***seems*** *honest*. 저 분은 정직해 보인다 / The meadow ***looked*** *pleasant*. 목장은 시원해 보였다 / Roses ***smell*** *sweet*. 장미는 향기롭다 / Her voice ***sounds*** sweet. 그녀의 목소리는 아름답다 / This cloth ***feels*** *soft*. 이 천은 보들보들하다.
㊟ 다음 예문의 feel도 이 부류에 넣어서 해석할 수 있음《자기 자신의 몸 컨디션에 대한 감각》: I ***feel*** ***good*** this morning. 오늘 아침은 기분이 상쾌하다.

목적보어를 취하는 불완전타동사

1) make 의 부류(1)
'…로 하다'의 뜻을 나타낸다:
They wanted to ***make*** their son a *scholar*. 그들은 아들을 학자로 만들고 싶었다 / Worry has ***turned*** his hair *grey*〔*gray*〕. (걱정이 그의 머리를 희게 하였다. ⇨) 걱정으로 그는 백발이 되었다 / They ***got*** their hands *dirty*. 그들은 손을 더럽혔다 / We ***painted*** the house *green*. 우리는 집을 초록으로 칠했다 / We ***appointed*** him *manager*. 우리는 그를 지배인으로 임명했다 / The boys ***elected*** him *captain* of the team. 소년들은 그를 팀의 주장으로 뽑았다.
㊟₁ 위의 예에서 paint 나 elect 는 완전타동사이지만 여기에서는 불완전타동사로 쓰이어 보어가 덧붙어 있음.
㊟₂ 예문 중의 make 에서 get 에 이르기까지에서 보인 것처럼 보어의 유무에 따라 동사의 뜻이 크게 달라지는 것과 paint 이하처럼 별로 달라지지 않는 것이 있음.

2) keep 의 부류
'…한 상태(狀態)로 해 두다'의 뜻을 나타낸다:
Keep the windows *open*. 창문을 열어 놓아 두시오 / Don't ***leave*** your books *lying* about. 책(들)을 여기저기 내버려 두어서는 안 된다.

3) call 의 부류
'이름지어 …로 하다' '…라고 부르다'의 뜻을 나타낸다:
They ***called*** their town *New Amsterdam*. 그들은 도시를 뉴암스테르담이라고 불렀다 / They ***named*** the child *John*. 그들은 아이를 존이라고 이름지었다 / They ***declared*** him *enemy* to humankind. 그들은 그를 인류의 적이라고 선언하였다.

4) think 의 부류
'…하다고 생각하다'의 뜻을 나타냄:
We ***think*** him *honest*. 우리는 그가 정직하다고 여긴다 / We ***believe*** her a very respectable *person*. 우리는 그녀를 매우 훌륭한 사람으로 믿고 있다 / ***Imagine*** yourself *on a desert island*. 자신이 무인도에 있다고 상상해 보게 / I ***esteem*** it a *privilege* to address this audience. 여기 모이신 여러분들에게 말씀드리는 것을 영광으로 생각합니다 / I ***found*** it *impossible* to convince him. 그를 설득할 수는 없음을 알았다.
㊟ '지각동사'에 타동사의 과거분사가 보어로서 수반될 때에도 이 부류로 생각할 수 있음:
I ***felt*** myself *touched*. 몸에 닿은 것을 느꼈다. I ***heard*** my name *called*. 나는 내 이름을 부르는 소리를 들었다.

5) want 의 부류
보어에 타동사의 과거분사를 취하여, '…상태로 해 주었으면 싶다'의 뜻을 나타냄:
I ***want*** it *finished* by 6 tomorrow. 그것을 내일 6시까지 끝마쳐 주었으면 싶다 / I ***like*** my shirt *ironed*. 와이셔츠를 다림질해 주기를 바랍니다 / I ***prefer*** it quickly *done*. 그것은 빨리 좀 해주었으면 좋겠다.
㊟ 이들 예문에서는 보어 앞에 to be를 보충할 수 있음.

6) have 의 부류
'…의 상태(狀態)로 하게 하다〔해받다〕'의 뜻을 나타내며 보어에는 타동사의 과거분사가 쓰임:
I ***had*** my hair *cut*. 나는 머리를 깎았다 / I ***got*** my watch *repaired*. 시계를 수리케했다 / I couldn't ***make*** myself *understood* in my poor Spanish. 나의 서툰 스페인어로는 내 말을 (남에게) 이해시킬 수가 없었다.
㊟ "I must ***get*** this business quickly *done*." '이 일은 빨리 해치워야지'도, 뜻은 좀 다르지만 구문상으로는 이 부류에 속함.

7) make 의 부류(2)
'아무아무로 하여금 …하게 하다'의 뜻을 나타내는 '사역동사'로서, 보어로는 to 없는 원형부정사를 취한다:
I ***made*** him *leave* the room. 나는 그로 하여금 방을 나가게 했다 / I ***let*** them *stay* in my house. 나는 그들로 하여금 나의 집에 머무르게 하였다 / I must ***have*** him *come* back again. 나는 그로 하여금 다시 한 번 오게 하지 않으면 안 되겠다.

8) see 의 부류
'…하는 것을 보다〔듣다, 느끼다〕'의 뜻을 나타낸다. '지각동사'가 이에 속하며 보어로는 to 없는 부정사, 혹은 현재분사를 취할 때가 많다:

I ***saw*** her *come* into the garden. 나는 그녀가 마당에 들어서는 것을 보았다 / I ***heard*** her *sing* 〔*singing*〕 in a sweet voice. 나는 그녀가 고운 목소리로 노래하는 것을 들었다 / I ***felt*** my heart *beat* with joy. 가슴이 기쁨으로 뛰는 것을 느꼈다.

주 know 는 '경험했다' 는 뜻으로 완료형·과거형으로 쓰이는 경우에 한하여 위의 예와 마찬가지로 to 없는 부정사를 보어로 취함: I have never ***known*** him *tell* a lie. 그가 거짓말하는 것을 들은 일이 없다. 비교: I ***know*** him *to be* honest 〔a hard worker〕. 저 분이 정직하다는 〔일꾼이라는〕 것을 알고 있다《현재형》.

보어가 될 수 있는 어구

명사·형용사 및 이와 맞먹는 어구. 다만, 사역동사·지각동사의 목적보어로서는 원칙적으로 to 없는 원형부정사.

1) 명사:

He is not *a fool*. 그는 바보가 아니다 / We thought him *a foreigner*. 우리는 그가 외국인인 줄로 알았다.

2) 형용사:

It is getting *warmer*. 날씨가 더워져 오고 있다 / Lincoln set slaves *free*. 링컨은 노예를 해방시켰다.

3) 분사:

I remained *waiting* for hours. 나는 몇 시간이나 계속 기다렸다 / He seemed *absorbed* in his work. 그는 일에 열중해 있는 것같이 보였다 / He kept me *standing* at the door. 그는 나를 문간에 서 있게 했다 / She always kept the box *locked*. 그녀는 언제나 궤에 자물쇠를 채워 두었다.

4) 구(句):

Whether you do it or not is *of little consequence*. 네가 그것을 하느냐 안 하느냐는 그리 대수로운게 못 된다 / Make yourself *at home*. 스스러워 마시고 편히 하십시오 / The question is *how to do it*. 문제는 어떻게 하느냐다.

주 age, size, color 따위는, 본래 of로 시작되는 구이나 of가 생략되는 일이 많음: The boys are (*of*) the same age. 소년들은 한 동갑이다. What color (= *Of* what color) is her hair? 그녀의 머리카락은 무슨 빛깔입니까.

5) 절:

The question is *whether he will agree or not*. 문제는 그가 동의하느냐 안 하느냐이다 / This is why I came here. 이것이 내가 여기 온 이유이다.

6) 부정사:

These children make me *forget* my sorrow. 이 아이들은 나로 하여금 슬픔을 잊게 해준다 / We never saw him *smile*. 우리들은 그가 미소짓는 것을 한 번도 본 일이 없었다.

참₁ 다음의 구별에 주의:

She made him a strong boy. 그녀는 그를 튼튼한 아이로 길렀다《him 은 목적, boy 는 그 보어》. She made him a cake. 그녀는 그를 위하여 과자를 구웠다《him 은 간접목적, cake 는 직접목적》. He called me a fool. 그는 나를 바보라고 했다. He called me a taxi. 그는 나를 위해 택시를 잡아주었다.

다음의 예도 같은 식으로 가를 수가 있다: She made herself a good wife. (그녀는 자신을 좋은 아내로 만들었다⇨) 그녀는 좋은 아내가 되었다《이 경우 wife 는 herself 를 꾸미는 목적보어. herself 는 생략할 수 있음》. She made him a good wife. 그녀는 그를 위하여 좋은 아내가 되었다《him 은 간접목적(이해(利害)의 여격)으로서 생략할 수 있음. wife 는 직접목적이며 보어는 아님》.

참₂ 문장이 수동태로 바뀌어지면 본래의 목적보어는 주격보어가 됨:

They crowned him *king*. ⇨He was crowned *king*. 그는 왕관을 쓰고 왕이 되었다. ⇨VOICE.

동사변화(Conjugation)

동사의 어형변화를 동사변화(conjugation)라고 일컫는다. 동사의 변화꼴은 대별하여 정형(定型)(finite form)과 비정형(非定型)(non-finite form)으로 구별된다.

정형동사는 주어와 결합되어 있어 일정한 서술법, 일정한 시제에 속한다. 이를테면 am 은 be 동사의 직설법 현재 제 1 인칭 단수꼴이다. 정형동사는 일정한 서술법을 가지므로 진술 작용을 하며, '문장' 을 구성할 수가 있다. ⇨ MOOD, SENTENCE.

비정형동사는 주어와 결합되어 있지 않고 일정한 서술법에 속하지 않으며, 시제에 관해서도 극히 제한되어 있다. 부정사·동명사·현재분사·과거분사는 동사의 비정형이며, 이것들은 '서술법' 을 갖지 않는데, 따라서 서술력이 없어 '문장' 을 구성할 수가 없다.

동사의 정형·비정형의 온갖 형태를 만듦에는 일반적으로 이른바 3 기본형, 즉 원형과 과거형과 과거분사형을 알고 거기에 직설법 현재 제 3 인칭 단수꼴과 현재분사꼴을 알면 족하다. 이 중 직설법 현재 제 3 인칭 단수꼴과 현재분사는 비교적 규칙적으로 만들 수 있으나 3 기본형에는 불규칙동사가 있다(동사 be 는 예외적으로 변화가 많다).

규칙동사에 있어서는 과거형·과거분사를 원형에 -ed(또는 -d)를 붙여서 만들 수 있다. 그리고 원형 자체에는 변화가 일어나지 않는다. 그 밖의 방식으로 과거형·과거분사를 만드는 것은 불규칙동사이다.

또한 조동사에 있어서도 conjugation 이라는 말을 쓸 수 있다.

1) 직설법 현재 제 3 인칭 단수꼴

이른바 3·단·형 -s 를 붙인다. be 의 3·단·현이 is 가 되며, have 의 3·단·현은 has 가 되는 따위의 불규칙의 예는 있으나 대체로 규칙적인 변화를 한다.

a) 원칙적으로 원형에 -s 를 붙인다: stop ⇨ stop*s*, make ⇨ make*s*, hate ⇨ hate*s*, leave ⇨ leave*s*, lead ⇨ lead*s*, hear ⇨ hear*s*.

b) 어미가 y 인 경우 (1) y 의 바로 앞이 자음자이면 y 를 ie 로 바꾸고 거기에 -s 를 붙인다: study ⇨ syud*ies*, copy ⇨ cop*ies*. (2) y 의 바로 앞이 모음자이면 y 는 그대로 두고 -s 를 붙인다: play ⇨ play*s*, employ ⇨ employ*s*, monkey (*v.*) ⇨ monkey*s*.

주 say [sei] ⇨ says [sez] 처럼 -s 의 첨가로 모음의 발음이 변하는 예외도 있다.

c) 원형의 어미가 발음상으로 [s, z; ʃ, ʒ; tʃ, dʒ] 로 끝날 때에는 철자상으로 -es 를 붙인다(발음은 [-iz]): pass [pæs, pɑːs] ⇨ pass*es*, wish [wiʃ] ⇨ wish*es*, catch [kætʃ] ⇨ catch*es*.

주₁ 단, 원형의 철자가 e 로 끝나 있을 때엔 -s 만을 붙인다(발음은 [-iz]): please [pliːz] ⇨ please*s* [plíːziz], judge [dʒʌdʒ] ⇨ judge*s* [dʒʌ́dʒiz].

주₂ s, z 로 끝나는 말로 바로 앞 모음이 단 모음이면, s 또는 z를 거듭해 주고, -es를 붙인다: gas ⇨gasses, quiz ⇨quizzes; 《bus를 동사로 썼을 때에는 3 · 단 · 현에서 busses와 buses》.

㊟₃ bias, focus 따위에서는 영식으로는 s를 겹쳐 준다: 《미》 biases, focuses; 《영》 biasses, focusses.

d) 원형의 어미가 o로 끝날 때에는 일반적으로 -es가 붙음: go ⇨goes, radio ⇨radioes, veto ⇨vetoes. ㊟ do ⇨does는 철자상으론 이 항에 해당되나 발음은 [dʌz]가 되어 불규칙(do를 포함하는 합성어에 있어서도 마찬가지: overdo ⇨ overdoes).

발음상의 주의 3 · 단 · 현의 s는 특히 지시한것 외에는 무성음 뒤에서는 [s], 유성음 뒤에서는 [z]로 발음된다: makes [meiks], hates [heits]; leaves [liːvz], leads [liːdz], hears [hiərz], studies [stʌ́diz], plays [pleiz]

2) 현재분사 · 동명사

원형 뒤에 -ing를 붙인다. 이 때 철자상 주의를 요하는 주요점을 다음에 든다.

a) 원형의 어미의 e는 없앤다: come ⇨coming, make ⇨making, dine ⇨dining, assume ⇨ assuming.

㊟₁ 이 사전에서는 낱말이 긴 경우 용례나 숙어에서는 ~(*m*)*ing* 처럼 약기한다.

㊟₂ dye '물들이다'는 dyeing으로 e를 빼지 않고 다음 항의 die '죽다' ⇨dying과 구별된다. singe '태워 그을리다'도 singeing [síndʒiŋ] 처럼 e를 간직하며, sing '노래하다' ⇨singing [síŋiŋ]과 구별됨. free '해방하다' ⇨freeing도 그대로.

b) 원형의 어미가 ie인 때에는 e가 빠지는 외에 i가 y로 변한다: die ⇨ dying; lie[1] '눕다', lie[2] '거짓말을 하다' ⇨lying; tie ⇨ tying; vie ⇨ vying. ㊟ 단, eye ⇨eyeing, eying.

c) 어미가 "단모음+자음자 한 개"로 끝나며 그 단모음에 악센트가 오는 경우 자음자를 겹친다(원형이 단음절인 때도 마찬가지): admít ⇨admitting; forgét ⇨forgetting; get ⇨ getting, stop ⇨ stopping.

㊟₁ 단모음이라도 철자상 모음자가 둘 포함되어 있을 때는 어미의 자음을 겹치지 않는다: look ⇨ looking, head ⇨heading.

㊟₂ visit ⇨visiting에서는 악센트가 원형의 최종 음절에 오지 않고 jump ⇨jumping, lock ⇨ locking, butt ⇨butting에서는 어미의 자음이 하나가 아니어서 이러한 경우에는 원형의 마지막 자음자를 겹치지 않는다.

㊟₃ hándicap [hǽndikæ̀p] ⇨handicapping 처럼 끝절에 제 2 악센트가 있을 때에도 자음 바로 앞에 영미 공히 세게 발음되는 단모음이 오면 똑같은 요령으로 다룬다. 특히 이 경우 영국에서는 최종 음절이 미국보다 약하며 악센트가 없다고 여겨질 경우이므로 주의를 요한다.

d) 어미가 r로 끝나며 최종 음절에 악센트가 올 경우(원형이 단음절인 때도 마찬가지)엔, (1) 만일 r 앞에 모음자가 하나밖에 없으면 r를 겹친다: occúr ⇨occurring, refér ⇨referring, bar ⇨ barring (비교: enter ⇨entering). (2) r 앞에 둘 이상의 모음자가 이어졌으면 r를 겹치지 않는다; hear ⇨ hearing, air ⇨airing, roar ⇨roaring, devour ⇨ devouring.

e) 어미가 l로 끝나며 그 앞에 모음자가 하나일 때는 영식으로는 l을 겹치나 미식에서는 최종 음절에 악센트가 올 때만 겹쳐 준다: travel ⇨《미》 traveling, 《영》 travelling; equal ⇨《미》 equaling, 《영》 equalling; annul ⇨《미》, 《영》 annulling. ㊟ 단, parallel ⇨《미》, 《영》 paralleling.

f) 어미가 s로 끝나고 그 앞 모음이 단모음일 땐 영식에서는 단음절어가 아니라도 s를 겹친다: bias ⇨《미》 biasing, 《영》 biassing; focus ⇨《미》 focusing, 《영》 focussing.

g) 어미가 c로 끝나는 것에는 k를 더하고 -ing를 붙인다: picnic ⇨picnicking, panic ⇨panicking, traffic ⇨trafficking.

3) 과거형 · 과거분사

규칙동사의 경우와 불규칙동사의 경우 두 가지로 대별된다.

a) 규칙동사인 경우: 과거형 · 과거분사 다 함께 원형에 -ed 또는 -d를 붙여 만든다(따라서 과거형과 과거분사는 같은 꼴).

(1) 원형에 -ed를 붙인다: walk ⇨walked, play ⇨played.

(2) 원형이 e자로 끝날 때에는 -d만을 붙인다: like ⇨liked, love ⇨loved.

(3) 단음절의 동사로 모음이 단모음이며, 낱말 끝이 단 하나의 자음자로 끝나는 것엔 끝의 자음자를 겹쳐 주고 -ed를 붙인다: beg ⇨begged, stir ⇨ stirred, quiz ⇨quizzed(비교: pick ⇨picked).

㊟₁ stir처럼 r로 끝나는 동사는, 2) d)의 -ing의 경우와 마찬가지로 취급된다.

㊟₂ 단모음이라도 그 철자가 모음자를 둘 함유하는 경우 낱말 끝의 자음자를 겹치지 않는다: look ⇨looked, head ⇨headed.

(4) 원형이 2 음절 이상의 동사로서 최종 음절에 악센트 있는 단모음을 가지며 자음자 하나로 끝나는 것에 대해서는 그 자음자를 겹쳐준다: permít ⇨ permitted.

㊟₁ occur와 같이 r로 끝나는 동사는 2) d)의 -ing의 경우와 마찬가지로 취급된다: occúr ⇨ occurred. 따라서 r 앞에 모음자가 둘 이상 있으면 r를 겹치지 않는다: devour ⇨devoured.

㊟₂ óffer ⇨offered에서는 악센트가 마지막 음절에 없으므로 자음자는 겹치지 않는다.

(5) 원형의 어미가 "자음자+y"인 경우엔 y를 i로 바꾸고 -ed를 붙이는데 y 앞이 모음자인 때에는 그대로 -ed를 붙인다: cry ⇨ cried, study ⇨ studied, play ⇨played. ㊟ 이 사전에서는 낱말이 긴 경우 예문이나 숙어에서는 ~(*i*)*ed*, ~*ed*로 줄여 썼다.

(6) 원형이 l로 끝나며 그 앞 모음자가 하나인 경우 영식으로는 l을 겹치고, 미식에서는 마지막 음절에 악센트가 있는 것에만 l을 겹친다: travel ⇨ 《미》 traveled, 《영》 travelled; annul ⇨《미》, 《영》 annulled. ㊟ 단, parallel ⇨paralleled.

(7) bias, focus 따위처럼 어미가 s로 끝나고 바로 앞 모음이 단모음이면 영식에서는 s를 겹친다: bias ⇨《미》 biased, 《영》 biassed; focus ⇨《미》 focused, 《영》 focussed.

(8) 원형의 어미가 c로 끝날 때 k를 더하고 -ed를 붙인다: picnic ⇨picnicked, panic ⇨panicked.

발음상의 주의 어미의 ed는 다음과 같이 세 가지로 발음된다: (1) t, d에 이어지는 ed는 [-id]로 발음된다: repeated [ripíːtid], ended [éndid], faded [féidid].

(2) 무성자음에 잇따르는 ed는 [-t]로 발음된다: worked [wəːrkt], laughed [læft, lɑːft], missed [mist], washed [wɑʃt, wɔ(ː)ʃt], fetched [fetʃt].

(3) 유성자음 또는 모음에 이어지는 ed는 [-d]로 발음된다: learned [ləːrnd], loved [lʌvd], called [kɔːld], begged [begd], stayed [steid], studied [stʌ́did].

b) 불규칙동사인 경우: 권말(卷末)의 불규칙동사표를 참조할 것. 대별하여 다음 다섯 가지가 있다.

(1) 원형 · 과거형 · 과거분사가 같은 형태: hit—hit—hit, put—put—put, set—set—set.

(2) 과거형과 과거분사가 같은 꼴: buy—bought—bought, stand—stood—stood.

(3) 원형과 과거형이 같은 꼴: beat—beat—beaten.

(4) 원형과 과거분사가 같은 꼴: come—came—

come, run — ran — run.

(5) 원형 · 과거형 · 과거분사가 모두 다른 것: eat — ate — eaten, drive — drove — driven, go — went — gone, sing — sang — sung.

시제(Tense)

동사는 어형변화에 따라서 그 나타내는 행위 · 상태의 시간 관계를 보인다. 이것을 시제(tense)라고 한다. 영어에는 현재시제(present tense), 과거시제(past tense), 미래시제(future tense)의 세 가지 단순시제(simple tense)가 있는데 이 중에서 미래시제는 shall, will이라는 조동사를 사용해서 만들고, 동사 그 자체의 어형변화에 의한 것이 아니므로 이를 하나의 시제로 보지 않는 학자도 있다.

이상의 세 가지에는 각기 'have+과거분사'의 형태를 취하는 완료형이 있어 그것을 완료시제(perfect tense)라고 한다. 즉, 현재완료시제(present perfect tense), 과거완료시제(past perfect tense), 미래완료시제(future perfect tense)의 세 가지가 있다. ⇨PERFECT TENSE.

단순시제 · 완료시제에는 각기 'be+현재분사'의 형태로 이루어지는 진행형(progressive form)이 있다. 이것도 시제의 한 종류로 볼 수가 있으며 때로 확충(擴充)시제(expanded tense)라고 한다.

완료시제와 확충시제는 본질적으로 현재 · 과거 · 미래의 세 시제 중에 있으면서 전자는 '완료'의, 후자는 '계속'의 상(相)(aspect)을 나타낸다.

동사의 여러 가지 시제의 형태 변화에 대해서는 ⇨CONJUGATION.

여기서는 직설법의 시제의 의미 · 용법에 관해서 요점을 말하기로 한다. 가정법에 있어서의 형태 및 의미 · 용법에 관해서는 ⇨ SUBJUNCTIVE MOOD.

시제의 뜻 · 용법

1) 현재시제

a) 현재의 사실

The house *is* full-packed this evening. 오늘 밤은 극장이 만원이다《현재의 상태》/He *is painting* out in the garden. 그는 정원에서 그림을 그리고 있다《현재의 행위》/He sometimes *paints*. 그는 가끔 그림을 그린다《현재의 습관》. 注 마지막 예문에 있어서와 같이 되풀이되는 행위 · 습관도 나타냄.

b) 영속적인 상태 · 진리

The Mississippi *is* one of the longest rivers in the world. 미시시피강은 세계에서 가장 긴 강 중의 하나이다/The earth *goes* (a)round the sun. 지구는 태양 둘레를 돌고 있다/Two and two *make*(*s*) four. 둘 더하기 둘은 넷이다.

c) 과거 사실의 생생한 묘사

Caesar now *crosses* the Rubicon. 카이사르는 이제 루비콘강을 건너간다. 注 이것은 역사적 현재(historical present) 또는 극적 현재(dramatic present)라는 용법임.

d) 확실시되는 미래의 일에 관한 미래시제의 대용

I *leave* 〔*am leaving*〕 next week. 내주에 떠납니다. 注 이 용법에서 나온 'be going to (do)'는 미래시제의 대용으로 널리 쓰임.

e) '때' '조건'을 나타내는 부사절 속에는 미래를 나타냄

Let's wait until he *comes*. 그가 올 때까지 기다리자/If she *comes* tomorrow, we will take her with us. 그녀가 내일 오면, 같이 데리고 가야지.

2) 과거시제

a) 과거의 사실

We *had* a very nice time last evening. 어젯저녁에는 아주 즐거웠다/He is no longer what he *was*. 그는 이제 예전의 그는 아니다/I *was drowsing* when you called me. 자네가 부를 때 나는 꾸벅꾸벅 졸고 있었네.

b) 과거 사실로 미루어 일상 진리를 헤아리게 함

Man *were* deceivers ever.(인간은 항상 인간을 속여 왔다 ⇨)인간이란 사람을 속이게 마련이다.

3) 미래시제

a) 미래의 예상 · 의지

What *will happen* fifty years from now? 앞으로 50년 후(後)에 어떤 일이 일어날까/*Won't* you *have* another helping? 하나 더 들지 않으시렵니까/When *shall* I *have* your answer? 언제 회답(回答)을 받을 수 있을까요.

b) 현재에 관한 추측

That *will be* the Rockefeller Center. 저것이 록펠러 센터의 건물일 게다.

注 'will 〔shall〕 have+과거분사'(미래완료)는 미래에 있어서 완료되어 있거나, 현재 완료되어 있는 일 또는 과거의 일에 대한 추측을 나타낸다: He *will have arrived* at his destination by tomorrow 〔this time〕. 그는 내일이면 〔지금쯤은〕 이미 목적지에 도착해 있을 게다.

시제의 일치

종속명사절 속의 동사의 시제는, 주절의 동사시제와 관련지어 생각해야 한다. 종속절의 시제가 주절의 시제에 의하여 영향 받는 것을 시제의 일치(sequence of tense)라고 한다.

1) 주절이 현재시제

종속절에는 여러 가지 시제가 가능하다. 주절이 현재완료시제일 때에도 이에 준한다: I *believe* 〔*have learned*〕 that he *is* innocent. 나는 그가 결백하다고 믿는다〔는 것을 알았다〕/I *believe* that his innocence *will be* proved. 그의 결백함이 증명되리라고 믿는다/I *believe* that he *was* innocent. 그는 결백했다고 믿는다/This *is* the book which I *bought* yesterday. 이것이 내가 어제 산 책이다/I *believe* that he *has* not *done* it. 그가 그것을 하지 않은 것으로 믿는다/I *believe* that he *had* already *left* the spot when it *happened*. 그 일이 있었을 때 그는 이미 그 장소를 떠났었으리라고 믿는다.

2) 주절의 동사가 과거시제

종속명사절 중의 동사도 전부 과거 또는 과거완료가 된다. 주절이 과거완료시제일 때에도 이에 준한다:

I *believed* that he *was* innocent. 그가 결백하다고 믿었다《he is innocent라는 사태에 관해서의 신념 · 정보》/I *believed* that his innocence *would be* proved. 나는 그의 결백함이 증명되리라는 것을 믿었다.

注 다만, 예외로서 다음과 같은 경우에는 주절 동사의 변화에 따라 과거시제 · 과거완료 시제로 바뀌지 않음:

(1) He *told* us that the earth *goes* (a)round the sun. 그는 우리에게, 지구가 태양 둘레를 돈다고 말했다《고금을 통한 진리》

(2) He *said* that Milton *was* born in 1608.

그는 밀턴이 1608년생이라고 했다《과거의 역사적 사실》.

(3) He *said* that he *must* 〔*should*〕 go. 가야만 한다고 했다《조동사 must, 가정법》. ⇨NARRATION, SUBJUNCTIVE MOOD.

진행형(Progressive Form)

동사의 'be+현재분사'의 형태를 진행형이라고 하며, 여러 가지 시제를 취하여 현재진행형(present progressive form), 과거진행형(past progressive form), 미래진행형(future progressive form) 따위를 이룬다. 능동형의 동사 work와 수동형의 build를 예로 들어 진행형의 시제를 정리하면 아래와 같다.

	능 동 태	수 동 태
현 재 진 행 형	He *is* work*ing*.	The house *is being* built.
현재완료진행형	He *has been* work*ing*.	*
과 거 진 행 형	He *was* work*ing*.	The house *was being* built.
과거완료진행형	He *had been* work*ing*.	*
미 래 진 행 형	He *will be* work*ing*.	The house *will be being* built.
미래완료진행형	He *will have been* work*ing*.	*

*공란의 진행형은 사실상 안 쓰인다.

㊟ The book is interesting. (이 책은 재미있다)은 'be+-ing'의 형태이지만 동사 interest의 진행형으로 보지 않는다. 그 이유로는, (1) The book is *very* interesting. 처럼 interesting을 very로써 수식할 수 있는데 very가 수식하는 것은 동사가 아니라 형용사라고 볼 수 있고, (2) '나에게(는) 재미있다'는 The book is interesting *to me*. 가 되며, interest는 본래 타동사인데도 interesting me라고 목적어를 취하지 않는다. 여기에서의 interesting은 형용사이기 때문에 to me라는 부사구로써 수식되어 있다.

1) 현재진행형의 용법 · 의미

동사가 나타내는 행위(드물게는 상태)가 이미 시작되어 있어 현재 전개 중에 있고 미래에도 계속됨을 나타내는데, 특히 그 '전개 중'이라는 점에 역점을 둔다. 여기에서 몇 개의 파생적 뜻이 생긴다.

a) 동작의 진행 계속

He is reading.과 He reads.를 비교컨대, 전자는 '현재 책을 읽고 있다'는 진행 중의 사실을 뜻하며, 후자는 '책을 (평소에) 읽는다'는 습관을 나타내는 것으로서 반드시 지금 읽고 있다는 것을 뜻하는 것은 아니다.

b) 생생한 표현

위의 설명은 You are looking fine.과 You look fine.(건강해 뵈는군)에 관해서도 해당되는 것은 아니다. 이 두 예문은 모두 '현재 건강해 보인다'는 것을 뜻하기 때문이다. 여기에서는 의미상의 차이란 거의 없다시피 하고 다만 첫째 예문에서 생생한 표현을 느낄 수 있다.

c) 고립적 · 습관적

He reads.는 습관적 행위를 나타내는 데 대하여, He is reading.은 눈앞의 사실을 나타내므로 이것은 꼭 습관을 보이지는 않고 오히려 눈앞의 고립적 사실을 말하고 있을 때가 많다. 따라서, He writes poetry.는 '시를 쓴다, 시인이다'라는 뜻인 데 반하여, He is writing poetry.는 '지금 (일시적으로) 시를 쓰고 있다'는 것 뿐이고, 주인공이 시인이 아닐지라도 좋은 것이다.

㊟1 진행형을 사용하더라도 always, constantly, incessantly, forever 따위 '언제나, 끊임없이'의 뜻을 가진 부사를 수반하면 '일시적'이라는 뜻이 없어진다. 그것은 '언제 보아도 …하고 있다'라는 느낌으로서 도리어 되풀이되는 행동 · 동작을 나타내는데 이 때의 진행형은 서술에 생기를 더하게 된다: He is always complaining 〔smiling〕. 그는 언제나 불평을 하고 있다〔생글거리고 있다〕/He is constantly being asked for advice. 그는 쉴새없이 상담을 요청받고 있다.

㊟2 진행형에는 '일시적'이란 뜻이 담기는 때가 있기 때문에 I am living in…은 '현재 일시적으로 살고 있다'는 뜻이고, I live in…은 '나의 주소는 〔집은〕…이오'라고 되어 대조적임. 동사 be는 대개의 경우 진행형에는 안 쓰이나 이러한 함축적인 뜻으로 쓰이는 수가 있음: She *is being* happy. 지금 행복합니다. He *is being* a poet! 그는 시인적 기분에 젖어 있다.

d) 가까운 미래를 나타낸다.

come, arrive, go, leave, depart 따위 왕래 · 발착을 보이는 동사의 현재진행형은 '가까운 미래' 내지는 '확실한 예정'을 나타내는 경우가 많다(흔히 미래를 나타내는 부사를 수반한다): *Is* Charlie *going*, too? 찰리도 가느냐/They *are coming* later. 그들은 나중에 옵니다/Mary *is leaving* tomorrow for America. 메리는 내일 미국으로 떠날 예정이다/What time *are* you *starting*? 몇시에 떠나십니까.

e) **be going to** do

go의 진행형은 뒤에 'to 부정사'를 수반하여 '가까운 장래' 또는 '예정'을 나타내는 데 빈번히 쓰인다: It's *going to* rain. 비가 올 것 같다/I'*m going to* invite Helen. (일간) 헬렌을 초대해야지/*Is* Bess *going to* have a baby? 베스가 애기를 갖게 되나요.

be going to는 will, shall과 같이 '미래'의 조동사로서 쓰인다 하여도 좋으며, 이렇게 조동사화된 결과 He *shall* not do such a thing. (그로 하여금 그렇게는 못하게 할 걸)도 He *is* not *going to* do such a thing. 이라고 하며, I am *going to go* there.라는 표현도 I'll go there.의 뜻으로서 허용된다. 또한, be going to가 '예정'의 뜻을 담으면 '먼미래'에 관해서도 말할 수 있게 되었다: What *are* you *going to* be when you grow up? 크면 무엇이 되려느냐.

㊌ 진행형이 안 되는 동사: '계속 · 상태'나 '지각 · 심리 상태'를 나타내는 동사가 본래의 뜻으로 사용된 경우에는 원칙적으로 진행형을 안 가진다: resemble, have(다만, I'm having a good time. 즐겁게〔유쾌하게〕 지내고 있다), belong, contain, seem, appear, see(다만, I'm seeing her tomorrow. 내일 그녀를 만납니다), hear, smell, taste, feel(다만, Are you feeling better? 기분이 좀 나으십니까), know, believe, think, love, hate, remember, want, hope.

2) 현재완료진행형

완료형이기 때문에 의미의 중심이 현재 진행 중이라는 것에는 없으며, 과거에서 현재까지 계속되어

온 것 및 되풀이하여 행해진 것을 나타낸다(단순한 현재완료에 비하여 생기 있는 표현): It *has been raining* since last night. 간밤부터 비가 계속 내리고 있다《비가 그친 적이 없음을 시사함》/I *have been coming* here regularly since 1990. 나는 1990년부터 규칙적으로 이 곳을(연거푸) 방문하고 있다〔방문해 왔다〕.

㊟ 현재 행위가 완료되어 있어도 좋고 이제부터 계속되어도 좋음: I *have been waiting* for the bus for twenty minutes. 20분 동안이나〔20분 전부터〕 버스를 기다리고 있습니다〔있었다〕《버스가 아직 모습을 보이지 않은 경우라도 좋고, 버스가 이제 도착한 경우에도 쓸 수 있다》.

3) 과거진행형

현재진행형을 과거로 옮긴 것으로서, 과거의 어느 시기에 있어서의 동작·상태의 진행·계속 따위를 나타낸다: I *was reading* a novel when you came. 네가 왔을 때 나는 소설을 읽고 있었다/It *was* still *raining* at seven o'clock this morning. 오늘 아침 7시에도 비는 아직 오고 있었다.

4) 과거완료진행형

과거의 어떤 때 이전에 시작된 동작·상태가 그 과거 때까지 계속되었거나, 계속 중에 있었음을 분명히 나타낸다: I *had been waiting* about an hour when he came. 나는 그가 올 때가지 1시간이나 기다렸다; 1시간이나 기다리고 나서야 그가 왔다.

5) 미래진행형

미래의 어떤 때에 동작·상태가 진행 중임을 나타낸다: About this time tomorrow I *shall be flying* en route for Hawaii. 내일 이맘때쯤에는 나는 하와이로 비행 중일 게다/He *will be reading* the novel this evening. 그는 오늘 밤에 소설을 읽고 있을 게다.

6) 미래완료진행형

미래의 어느 때까지 동작·상태가 계속된 것이 되든가, 그 때까지도 계속 중에 있을 것임을 나타낸다: It *will have been raining* for three days on end if does not stop tomorrow. 만일 내일 비가 그치지 않는다면 사흘 간이나 계속 비가 오는 셈이(된)다.

7) 수동태진행형

수동태진행형은 거의 현재형과 과거형에만 국한된다: Preparations *are* just now *being* completed. 준비는 이제 막 끝나간다/The cat *was being* chased. 고양이는 쫓기고 있었다.

㊟ 수동태진행형은 19세기 초에 쓰여지기 시작한 것으로서, 그 때까지는 '관념적 수동태(notional passive)'라고 하여 'be+현재분사'가 쓰이고 있었는데 지금도 그 흔적이 적지않이 남아 있음: The house *is building* (=being built). 집은 건축 중(中)이다. The book *is* now *printing*(=being printed). 책은 지금 인쇄 중이다. Corn *is selling* well(=being sold well). 곡물(穀物)은 잘 팔리고 있다.

완료시제(**Perfect Tense**)

'조동사의 have+과거분사'로 형성되는 시제를 완료시제(perfect tense)라고 하며 have가 현재형이면 현재완료(present perfect), have가 과거형이면 과거완료(past perfect), have 앞에 will이나 shall이 선행하면 미래완료(future perfect)가 된다.

I *have bought* a house. ≪현재완료≫
I *had bought* a house when I met him. ≪과거완료≫
I *will have bought* a house by that time. ≪미래완료≫

전에는 조동사로서 be도 쓰이어 자동사의 과거분사에 덧붙였었으나, 현재는 그 흔적만이 겨우 남아 있을 뿐이다: He *is* dead and *gone*. 그는 죽어서 없다(현재〔이제는〕 없다) / *Be gone!* 꺼져라(완료시제는 '순식간에 해치우다, 후딱 끝내다'의 뜻을 나타낼 경우가 있음).

완료시제를 쓸 경우, 현재완료의 경우에 있어서는 현재라는 시점에서, 과거완료의 경우에는 과거의 한 시점에서, 미래완료인 때에는 미래의 한 시점에서 동사가 나타내는 행위·상태가 이미 그 시점 이전에 발생·존재하였으나, 문제의 그 시점에 어떤 의미로든 아직 강력한 관계를 지니고 있다는 것을 나타낸다(예컨대, 전의 사건의 결과가 남아 있다든가, 이미 완료되어 있어 계속되고 있지 않다든가…).

1) 현재완료: **have**+과거분사

현재완료란 현재를 표준으로 하면서 어떤 의미에서든 과거에 연관을 갖는 시제(tense)인데, 현재완료에는 아래의 네 가지 용법이 있다.

a) ≪완 료≫ 어떤 동작이 현재 이미 완료된 것을 나타낸다: I *have* just *read* the book through. 나는 이제 막 그 책을 다 읽었다《현재 읽기를 끝내고 있다》.

㊟₁ 완료를 나타내는 현재완료에는 just, now, already, this year 〔week, month〕, lately, recently 따위의 부사(구)를 수반하는 경우가 많음. 다만, long ago, yesterday, last year, when 따위의 과거를 나타내는 부사(구·절)과는 함께 쓰이지 않음.

㊟₂ just와 now는 각기 현재완료와 더불어 쓰이지만, just now는 a little time ago '방금'이라는 과거로서 현재완료는 쓰이지 않음. just now가 at this very moment '바로 지금'을 뜻할 때에는 현재형과 함께(I'm busy just now), presently '머지 않아, 곧'을 뜻할 경우에는 미래형과 더불어 (I'll do it just now.) 쓰임.

b) ≪결 과≫ 완료 후의 상태가 아직도 그 결과로서 계속되어 있는 것을 나타낸다: I *have lost* my purse somewhere. 어디선가 돈지갑을 잃었다《잃어서 현재 갖고 있지 않다》.

㊟ 단지 과거의 일을 말하든가, 이미 새로운 돈지갑을 사서 현재 사용하고 있다면 과거형을 씀: I *lost* my purse yesterday, and I have a new one now.

c) ≪경 험≫ 현재에 있어서의 (과거) 경험의 유무를 나타낸다: *Have* you ever *met* such a funny creature? 이런 재미있는 사람을 본 적이 있나《우리말의 '…한 일이 있다'는 바로 이에 해당한다고 보면 된다》.

㊟ 경험을 나타내는 현재완료에는, ever, never, before, once 〔twice, three times, etc.〕와 같은 부사(구)를 수반할 때가 많음. 또한, 이러한 부사(구)가 있으면 과거형으로 대용하여도 무방하다: *Have* you *ever tasted* milk? ⇄ *Did* you *ever taste* milk? 우유를 맛본 적이 있습니까. the largest house they *have ever built* ⇄ the largest house they *ever built* 그들이 이제까지 세운 최대의 집. 이 경우, 현재완료는 보통 의문에, 과거는 강한 의심이나 놀람 따위를 지닌 의문에 쓰이는 경향이 있음.

d) ≪계 속≫ 현재까지의 동작의 계속을 나타낸

다: He *has lived* here for the last ten years. 그는 지난 10년 동안 여기(에서) 살고 있다.

㊟ 진행형을 허용하는 동사에서는 *have been* (do)*ing*의 형태를 취함: He *has been* sing*ing* two hours. 그는 2시간 동안 계속 노래하고 있다.

have been to 〔***in, at***〕 ≪장소·의식(儀式) 따위≫ …에 간〔갔다 온, …에 있었던, …에 참가한〕 경험이 있다: *Have* you ever *been to* America? 미국에 가본 적이 있습니까《비교: Has she gone to America? 그녀는 미국으로 가버렸느냐》/I *have been to* the station. 역에 갔다 왔다/I *have* never *been in* Italy. 이탈리아에 살아〔가〕 본 적이 없다/*Have* you *ever been at* a funeral? 장례식(葬禮式)에 참가(參加)한 적이 있습니까. ***have been to*** do …하고 왔다, 현재까지 …했다: I *have been to* see him off. 그를 배웅하러 갔다 왔다/I *have been to* see the play three times. 이 연극(演劇)을 이제까지 세 번이나 보았다. ***have got, have got to*** do ⇨ GET, HAVE.

2) 과거완료: **had**+과거분사

과거완료란 과거를 표준으로 하여 과거 이전에 일어난 일에 쓰인다: When I got to the station, the train *had left* already. 내가 정거장에 닿았을 때엔 열차는 이미 떠나 버렸(었)다/I lost my mother when my father *had been* dead three years. 아버지를 잃고 3년 만에 어머니를 여의었다/The man claimed (that) he *had seen* a ghost. 그 사람은 도깨비를 본 적이 있다고 주장했다.

㊟1 after 따위의 때를 나타내는 접속사에 의해 이끌리는 부사절에서는 과거완료 대신에 단순한 과거를 써도 무방함: After I *got* (=had got) to the house, I opened the box. 집에 와 상자를 열었다.

㊟2 앞의 ㊟1에서 말한 이외의 종속절에 있어서도 단순한 과거가 과거완료로 대용되는 때가 있음: He was reproached, because he *did* not keep (=had not kept) his promise. 그는 약속을 지키지 않아서 비난을 받았다.

㊟3 다음 차이에 주의: I *had been reading*. 그 때까지 독서하고 있었었다《그 때에는 끝나 있었다》. ≒I was *reading*. 독서하고 있는 중이었다.

3) 미래완료: **will** 〔**shall**〕 **have**+과거분사

미래완료는 미래의 어느 때까지 어떤 동작이 완료돼 있을 것임을 추정하는 표현이다: I *shall have recovered* when you return from America. 네가 미국에서 돌아올 무렵에는 나의 건강이 회복되어 있을 게다/I *shall have finished* this work by five o'clock. 5시까지에는 이 일을 끝내고 있을 게다/By this time next year he *will have taken* his university degree. 내년 이맘때까지에는 그는 대학을 마칠 거다/By the time summer comes, I *shall have been studying* abroad two years. 여름이 올 무렵이면 나는 2년간 유학하고 있는 셈이 된다.

㊟ 'will have+과거분사'가 현재까지의 경험·완료 등에 대한 추측을 나타내는 경우가 있음: You *will have read* about it. 그것에 관하여 읽으신 일이 있으실 테지요. They *will have arrived* by now. 이미 닿았을〔도착해 있을〕 게다.

㊟ 부사절의 시제 (1) 위의 보기에 있어서 '때'를 나타내는 부사절 속의 동사가 현재형임에 주의할 것 (when you *return* from America/By the time summer *comes*). 논리적으로는 when you *will* return/By the time summer *will* come이라고 하여야 하지만, 영어에서는 부사절 속에서는 현재시제로써 미래시제를 대신한다는 원칙이 있음. (2) 이와 마찬가지로, '때'의 부사절에 있어서의 미래완료는 현재완료로써 대용함: Tell me when you *have finished* the work. (이 일이 끝나는 대로 알려 주게)에서 when you *will have finished* the work라고는 하지 않음《또한 Tell me when you *finish* the work.는 '이 일을 끝낼 때(나도 보고 싶으니) 알려주게'라는 뜻》.

분사(Participle)

동사의 변화형으로서, 본디 동사의 기능을 부분적으로 유지하면서 목적어나 보어를 취하며, 부사에 의해 수식되거나 또는 자신이 수식어로서 형용사(때로는 부사)의 작용을 하는 것을 분사(participle)라고 한다. participle이란 이름 자체 part-'부분'+cap-'갖다'에서 온 것이며, 동사와 형용사의 두 가지 성질을 나누어 가지고 있음을 보인 것이다.

분사는 준동사(verbal)에 속하며, 문장의 술어동사로서의 기능은 하지 않는다. 따라서, 엄밀히 말하여 시제를 갖지 않는다. 분사의 2종류, 즉 현재분사(present participle), 과거분사(past participle)는, '현재' 내지는 '과거'라고 하지만, 이것들은 참다운 현재나 과거를 나타내는 것은 아니며, 단지 동작·상태가 전개 중에 있거나 완료돼 있거나의 차이를 보임에 불과하다(게다가 그것도 엄밀하지는 않다).

현재분사는 어미가 -ing로 끝나며(형태상으로는 동명사와 같음), 과거분사는 원형·과거형과 함께 동사의 이른바 3기본형의 하나이다. make와 go를 예로 든다면, 현재분사는 making, going, 과거분사는 made, gone이 되며, 현재분사에는 다시 다음과 같은 변화형이 있다.

	타동사(보기: make)		자동사(보기: go)
	능 동 태	수 동 태	
Present Participle	mak*ing*	be*ing* made	go*ing*
Perfect Participle*	hav*ing* made	hav*ing* been made	hav*ing* gone
Perfect Progressive Participle*	hav*ing* been making	——	hav*ing* been going

*현재분사의 변화형인데 각기 별개의 명칭을 갖고 있다: 완료분사(perfect participle), 완료진행분사(perfect progressive participle).

분사의 기능

본래의 동사로서의 성질과, 수식어(=형용사, 때로 부사)로서의 성질과를 갈라서 생각할 수 있다.

1) 동사적 성질

본래의 동사로서, 목적어·보어·부사(구)를 수반한다: a boy *carrying a ball* 공을 갖고 있는 아이 ≪목적어≫/leaves *turning yellow* 누렇게 변하기 시작하는 나뭇잎 ≪보어≫/a new train *running at a speed of* 250 *miles per hour* 시속 250마일로 달리는 새 열차≪부사구≫/a cottage *painted white* 하얗게 칠한 오두막집≪보어≫/a job *done quickly* 재빨리 마친 일≪부사≫/a symphony *composed by Beethoven* 베토벤 작곡의 교향악≪부사구≫.

2) 분사의 동사적 용법

분사는 술어동사로서의 기능은 없지만, 조동사 be, have 를 수반하면 술어동사가 될 수 있다.

a) 현재분사는 be 동사와 함께 동사의 진행형을 만든다: He *is reading* a book. 그는 책을 읽고 있다.

b) 과거분사는 조동사 have(때로는 be)와 함께 완료시제를 만든다: I *have finished* the book. 나는 그 책을 다 읽었다.

c) 타동사의 과거분사는 조동사 be 와 함께 써서 수동태를 이룬다: The book *is written* in English. 그 책은 영어로 쓰여져 있다.

3) 분사의 형용사적 성질

a) 현재분사는 일반적으로 능동적인 뜻을 갖는 형용사로 되며, 과거분사는 수동적인 뜻을 가진다(단, 자동사의 과거분사는 능동적이다): a *sleeping* boy (=a boy who is sleeping) 자고 있는 소년/a *wounded* soldier (=a soldier who is wounded) 부상(당)한 군인/a *retired* officer 퇴역한 장교≪자동사≫/a *fallen* apple 떨어진 사과≪자동사≫/days *gone* by 지나간 날들≪자동사≫.

b) 형용사의 기능을 하는 분사에는 명사 · 부사 · 형용사 따위가 첨가되어 합성형용사를 이루는 수가 있다: *epoch*-making 획기적인/*well*-bred 가정교육이 좋은/*good*-looking 잘 생긴. 분사는 일반 형용사와 똑같은 기능을 갖게 되는 때가 있다. 그와 같은 분사를 특히 형용사적 분사라고 하는 때가 있다.

㊟ 특히 '명사(-)~ing' 와 '명사(-)~ed' 의 구별을 할 필요가 있다: a *man-eating* tiger 식인(食人) 호랑이(=a tiger that eats man). *spellbound* 주문에 걸린, 홀린(=bound by spell).

c) 형용사적 분사의 기능과 위치

(1) 한정형용사로서: a *rising* tide 밀물/a *spoiled* child 응석받이로 키워 버린 아이.

㊟ 일반 형용사와 같이 강조를 위해 뒤에 올 때도 있다: on the day *following* 이튿날(=on the *following* day).

(2) 동격적 위치: A woman, *frightened* and *quaking*, ran up the steps. 한 여자가 잔뜩 겁을 먹고 떨면서 계단을 뛰어 올랐다/*Disgusted*, he left the room. 아주 불쾌해져서 그는 방에서 나갔다.

㊟ 이것들은 분사구문의 일종임(⇨아래 '분사구문')

(3) "the+분사"로 복수명사를 만든다: The *wounded* and *dying* were carried to a nearby hospital. 부상자나 빈사자는 근처 병원으로 실려갔다.

(4) 보어로서 쓰인다: The delay was *maddening*. 지체는 화가 치밀 정도였다/The girl seemed *worried*. 처녀는 근심스러워 보였다/He stood *gazing* at the pond. 그는 연못을 바라보며 서 있었다/I became *acquainted* with him. 나는 그와 알게 되었다/He thinks the job *exciting*. 그는 일을 매우 재미있다고 생각하고 있다/We found him somewhat *recovered*. 가보니 그는 다소 회복되어 있었다/He kept me *waiting*. 그는 나를 기다리게 했다/He always leaves things *undone*. 그는 언제나 사물을 중동무이로 내버려 둔다/I heard him *singing*. 나는 그가 노래하는 것을 들었다/I had my watch *mended*.(시계를 고치게 했다 ⇨) 시계를 수리했다. ㊟ 완료분사는 동격적 용법과 타동사의 목적격 보어로서만 쓰인다: The orator, *having given* his opinion, stepped down. 연사는 자기 의견을 말하고 연단(演壇)에서 내려갔다≪동격≫. The police named him as *having been involved* in the crime. 경찰은 그가 그 범죄에 관계가 있다고 지목했다≪목적격 보어≫.

4) 분사의 부사적 용법

a) 현재분사에 한하여 '…할 만큼 ― 한' 의 뜻을 가진다: *dripping* wet 물이 뚝뚝 떨어질 만큼 젖어/*freezing* cold 얼어붙을 듯이 추운.

b) go *shopping*(쇼핑(하러) 가다), go *fishing*(낚시(질) 가다), fall cry*ing*(울기 시작하다), set go*ing*(움직이다) 따위는 본래 go *a*-fishing, fall *a*-crying 에 유래하여, a 는 on 의 약한 형태였다. 즉, 여기 보인 -ing 형은 현재분사가 아니라 동명사이며 '…하기 위해 가다' '…할 상태로 되다' 의 뜻을 나타냈었다. 현재에 와서는 그 유래는 잊혀지고 이들 -ing 는 분사로 간주하게 되고 동사의 보어로 해석된다.

분사의 '시제'

보통의 현재분사 · 과거분사 외에, 완료분사 · 완료진행분사가 있는데, 이것은 엄밀히 말하여 시제의 구별을 나타내는 것은 아니다. 현실의 시간과는 관계없이 흔히 문장 술어동사의 시제와는 시간적 앞뒤 관계를 보이고 있음에 불과하다.

1) 현재분사 (1)

현재분사는 보통 주문(主文)의 동사와 같은 때를 나타낸다: He spends hours, *reading* books. 그는 책을 읽으며 몇 시간이고 보낸다《때를 보내는 것도 독서도 현재의 습관》/The girl, *peeling* the onion, smiled shyly. 양파를 까고 있던 처녀는 수줍은 듯 미소했다《양파를 깐 것도 미소를 지은 것도 과거》/Students *wearing* slacks tomorrow will be cautioned. 내일 슬랙스를 입고 오는 학생은 주의를 받을 게다《슬랙스를 입는 것도 주의를 받는 것도 모두 미래》.

2) 현재분사(2)

현재분사는, 술어동사의 시제와는 관계없이, 문장이 쓰여진〔말해진〕 때를 나타낼 때가 있다: The man *wearing* the blue shirt *used to be* a Socialist. 청셔츠를 입고 있는 사나이는 본디 사회주의자였다《현재 청셔츠를 입고 있음》/The house now *being built* probably *will be rented*. 지금 지어지고 있는 집은 아마 세를 줄 것이다.

3) 과거분사

과거분사는 주문(主文)의 동사에 의해 보여진 때보다도 앞서의 때를 가리킨다: *Struck* by Edgar, Stanley fell dead. 에드가의 칼을 맞고 스탠리는 쓰러져 죽었다《쓰러지기 전에 칼을 맞았음》/The trees *knocked down* by the wind *were chopped* up for firewood. 바람에 쓰러진 나무는 장작용으로 잘게 빠개졌다.

4) 완료분사

완료분사도 과거분사와 마찬가지로 주문의 동사가 나타내는 때보다 앞서의 때를 나타내는데, 완료분사는 과거분사보다도 능동 · 수동의 뜻을 좀더 분명히 표현할 수가 있다: The dean, *having summoned* Tom, waited impatiently. 학생감은 톰에게 출두를 명한 후 안타까이 기다렸다≪능동≫/Tom, *having been summoned* by the dean, prepared his defense. 톰은 학생감에게 출두 명령을 받고 답변을 준비했다. ㊟₁ 둘째번 예는 수동태로 되어 있으므로 다음처럼 해 줄 수도 있다: Tom, *summoned* by the dean, prepared his defense. ㊟₂ 문장의 의미로 보아 시간의 앞뒤 관계가 분명한 경우에는, 완료분사 대신 현재분사로 족하다: Having written the letter, he mailed it at once. ⇨ *Writing* the letter, he mailed it at once. 그는 편지를 써 즉시 부쳤다.

5) 완료진행분사

완료진행분사도 과거분사와 같이 쓰이는데 능동형 밖에 없으며 극히 드물게 사용된다: *Having been driving* all day, we were rather tired. 온종일 운전을 했으므로 우리는 꽤 피곤했다. ㊟ 시간의 앞뒤 관계는 문장의 뜻으로 보아 뚜렷해지므로, 보통의 현재분사, 또는 완료분사면 족하다: *Driving* all day, we were… 또는 *Having driven* all day, we were…

분사구문(participial construction)

주절과 종속부사절로 되는 복문(複文)에 있어서, 두 절의 주어가 동일한 때에는, 부사절의 술어동사를 분사형으로 고치고, 주어와 접속사를 생략해 줄 수가 있다. 이렇게 해서 새로 된 부사구를 분사구문(participial construction)이라고 한다: When *he* saw me, he ran off. ⇨*Seeing* me, he ran off. 나를 보자 그는 달아나 버렸다/After *I* had driven one whole day, *I* felt tired. ⇨*Having driven* one whole day, *I* felt tired. 하루 종일 차를 운전한 나머지 나는 몹시 지쳤다. [주]$_1$ 진행형으로서의 being+-ing라는 형태가 생기게 될 때에는 being을 생략한다: When I was walking along the street, I met John. ⇨*Walking* along the street, I met John. 거리를 걸어가다 존을 만났다《*being* walk*ing* ⇦ *was* walk*ing*》. [주]$_2$ 수동형으로서의 "being+과거분사"의 being은 생략할 수가 있다: *Being tired* 〔*Tired*〕, I went to bed immediately. 피곤했으므로 곧 잠자리에 들었다.

1) 분사구문의 의미

부사구는, <때 · 이유 · 원인 · 조건 · 양보 · 부대 상황> 따위를 나타낸다: *Seeing* me(=When he saw me), he called out. 내 자태를 보았을 때 그는 소리를 질렀다≪때≫/*Having*(=Because I had) no money, I couldn't buy the book. 돈이 없어서 그 책을 살 수 없었다≪이유≫/*Turning* (=If you turn) to the right, you will come to a public library. 오른쪽으로 돌면 공립 도서관이 나타납니다≪조건≫/*Admitting* (=Though I admit) what you say, I cannot yet believe the story. 자네의 말을 인정한다 해도, 나는 그 이야기가 아직도 믿어지지 않네/*Looking* around cautiously(=As he looked…), he took a few steps forwards. 조심스레 주변을 둘러보면서, 그는 몇 걸음 앞으로 나아갔다≪부대 상황≫. [주] *Speeding* down the road, the clock tower came into sight. (길을 부리나케 가자 시계탑이 보였다)에서는 speed 한 것이 문장의 주어 the clock tower가 아님은 명백하다. 이 분사 speeding은 문장의 주어에 관계가 없으므로, 공중에 뜨게 되는데 이와 같은 분사(分詞)를 현수(懸垂)분사(dangling participle)라고 한다. speed down 한 것이 인물이냐 무어냐에 따라서 다음처럼 해 주는 것이 좋다: As I 〔he, they, …〕 sped 〔speeded〕 down the road, the clock tower came into sight.

2) 독립〔절대〕분사 구문

주절의 주어와 부사절의 주어가 다를 때에는 분사구문으로 바꿀 경우, 부사절의 주어를 생략하지 않는다. 이것을 독립〔절대〕분사구문(absolute participial construction)이라고 부른다: *Night* coming on(=When *night* came on), *we* started for home. 밤이 되어 우리들은 집으로 향했다.

3) 비인칭 독립분사

독립〔절대〕분사구문으로서, 분사의 의미상의 주어가 특정의 것이 아닌 일반적인 사람(we, you, one 따위)을 나타내는 것일 때에는 이를 생략한다. 이 때의 분사는 특히 비인칭 독립분사(impersonal absolute participle)라고 한다: Strictly *speaking*(=If *we* speak strictly), he is not a scientist. 엄밀히 말하면〔말해서〕 그는 과학자가 아니다. [주] 과거분사의 경우를 참조: *Admitted* he is not to blame, who is responsible for this? 그가 나쁘지 않다고 치고, 누구에게 이 책임이 있는가(<*Admitting* he is not to blame, … <If we admit he is not to blame, …).

부정사(Infinitive)

동사 be를 예로 들어 보면, 그 변화형 am의 주어는 I로서, 복수의 we나 3인칭의 he나 they가 아님을 나타내며, 그 시제는 현재이다. be라는 형태는 (명령법의 경우를 제외하고는) I want to be a scholar. 에서 학자가 되는 것은 I이며, He wants to be a scholar. 에서는 he가 되는데, be자체는 어떤 특정 주어와 결부돼 있지 않다. 또, I used to go there.는 과거습관을 나타내며, I intend to go there.는 미래에의 의도를 말하는 것으로서 go자체는 어떤 특정의 시제에 결부되어 있지 않다. 특정 주어의 인칭 · 수에 따라서도, 또는 특정 시제에 따라서도 제한받지 않는 동사의 형태로서 명령형으로도 쓰이는 것을 부정사라고 한다. 주어를 갖지 않고 시제의 변화가 없기 때문에, 부정사는 명령문 이외에서는 문장의 술어동사가 안 된다.

부정사는 원래 동사이기 때문에 목적어를 취하거나 부사 요소에 의하여 수식될 수 있다. 그러나, 부정사 그 자체는 문장 중에서 명사 · 형용사 · 부사 모양으로 작용한다.

부정사는 동사의 원형이 되며, 동사를 사전에서 찾아 내려면 그 동사의 부정사의 형태로 찾는다. 원형 앞에 to가 붙을 경우 이것을 **to** 부정사(to-infinitive)라고 하며 to가 앞에 오지 않는 원형을 원형부정사(bare infinitive)라고 한다.

부정사에는 6가지 형태가 있다.

	능동 태		수 동 태
	부 정 형	진 행 형	
단 순 형	(to) speak	(to) be speaking	(to) be spoken
완 료 형	(to) have spoken	(to) have been speaking	(to) have been spoken

부정사의 의미상의 주어

부정사는 특정 주어와 결부되지 않음을 그 특질의 하나로 삼고 있으나, 동사는 동작 · 상태를 나타내는 말이기 때문에 그 동작 · 상태의 주체를 생각할 수 있다. 예컨대 I want *to read* that book. (나는 그 책을 읽고 싶다)에서 책 읽는 사람은 문장의 주어인 I이다. 이에 대하여, I want *you to read* the book.(나는 자네가 그 책을 읽기를 바란다)에서는 책을 읽는 사람은 문장의 술어동사의 주어 I가 아니라 그 목적어인 you이다. 부정사의 의미상의 주어에 관하여 아래의 요점을 들어 둔다.

1) 타동사의 목적어로서의 부정사

I want *to go*. (나는 가고 싶다)에서, 부정사 go의 의미상의 주어는 문장의 주어와 같다. 이에 반하여, I want you *to go*.(나는 네가 가기를 바란다

⇨ 네가 가주어야 겠다)에서는, 부정사의 의미상의 주어는 you 이다. 이것은 I want [ ] (나는 [ ] 을 원한다)에 you to go 가 목적어로서 덧붙은 것으로 볼 수 있다. I persuaded him *to go*.(나는 그에게 가도록 설득했다)에 있어서도 him 은 부정사의 의미상의 주어이다. 이것은 I persuaded him [ ]에, [ ]=him to go 를 덧붙인 것으로서 부정사 앞에서는 전치사 of 는 생략되고, 중복된 him 의 하나가 없어진 것으로 볼 수 있다: I persuaded him (of)+(him) to go.

다만, I promised him *to take* him with me.(나는 그에게 데리고 가겠다고 약속했다)에서는 부정사의 의미상의 주어는 I 이지 주문 중의 him 이 아니다. 이에 반(反)하여, I told him *to take* the child with him.(나는 그에게 어린애를 데리고 가라고 했다)에서는 부정사의 의미상의 주어는 술어동사의 목적어 him 이지 문장의 주어 I 가 아니다.

이상의 예에서 알 수 있듯이, 문장 중의 술어동사에 따라서 주어=부정사의 의미상의 주어이거나, 또는 술어동사의 목적어=부정사의 의미상의 주어가 되거나 한다.

2) 그 밖의 경우의 의미상의 주어

a) 문장의 주어가 부정사의 의미상의 주어: I want something *to read*. 나는 뭔가 읽고 싶다 / He is willing *to go* alone. 그는 혼자 가고 싶어한다.

b) 위와 같은 문장에 있어서 의미상의 주어를 문장의 주어 이외의 것으로 하려면 'for+명사·대명사'를 부정사 앞에 가져온다.

I want something **for children** *to read*. 뭔가 어린애의 읽을거리가 필요하다 / He is willing **for her** *to go* alone. 그는 그녀가 혼자서 가는 것에 찬성이다.

c) 주어가 특정한 것이 아니라 일반적인 의미일 때에는 부정사만으로 족하다:

To master English is difficult =It is difficult *to master* English. 영어에 숙달하기란 어렵다 / *To marry* young is not altogether bad. 어려서 결혼하는 것은 그리 나쁘지 않다.

이와 같은 구문에서 의미상의 주어를 특정의 것으로 하기 위하여서는 'for+명사·대명사'를 부정사 앞에 가져온다: **For a Korean** *to master* English is difficult. =It is difficult *for a Korean* to master English. 한국인이 영어에 숙달하기는 어렵다 / **For girls** *to marry* young is not altogether bad. 여자가 어려서 결혼하는 것은 그리 나쁘지만은 않다.

'to 부정사' (to-infinitive)의 용법

명사·형용사·부사의 구실을 한다.

1) 명사적 용법

'…하기; …하는 일'의 뜻을 나타내며, 명사와 똑같은 구실을 한다. 따라서, 그 용법도 주어·목적어·보어로 나뉘어진다.

a) 주어로서: *To master* English is not easy. 영어를 습득하기란 쉽지 않다. 이 때, 주어가 되는 'to 부정사'를 뒤로 돌리고 대신 형식주어로서 'it'를 글머리에 가져오는 수가 많다: *It* is not easy *to master* English.

b) 목적어로서: I want *to read* that book. 나는 그 책을 읽고 싶다 / I want *you to read* that book. 나는 네가 그 책을 읽기 바란다.

[주]1 둘째 번 보기에서는 you 가 to read 의 의미상의 주어인데 동시에 술어동사 want 의 목적어로 되어 있음. 이런 형태를 특히 부정사 붙은 대격(accusative with infinitive)이라고 한다《대격(對格)이란 직접목적어의 격(格)을 가리키는 말》.

[주]2 He makes *it* a rule *to take* a walk every morning.(그는 매일 아침 산책하기로 하고 있다)에서 it 는 형식목적어로서 to take 이하가 의미상의 목적어 즉, 진(眞)목적어임《⇐ 그는 그것을 습관으로 하고 있다. 매일 아침 산책하는 것을》.

to 부정사가 know, show 나 '가르치다, 가리키다'의 뜻인 tell 따위 동사의 목적어가 되는 때에는 의문사가 따른다(learn, teach 도 흔히 같음):

I don't know *how to read* this word. 나는 이 낱말을 어떻게 읽는지 모르겠다 / I don't know *in what words to thank* you. 무슨 말로 감사를 드려야 좋을지 모르겠군요.

[주] to 부정사가 의문사를 수반하는 경우에, 전치사 'of'의 목적어가 되는 수가 있음: He had his choice of *what to do with the money*. 그 돈을 어떻게 쓰든 그것은 그의 자유였다.

c) 보어로서: To see is *to believe*. 백문이 불여일견 / My task is *to teach* oral English. 나의 임무는 영어 회화를 가르치는 일이다.

이상은, 불완전자동사에 있어서의 주격보어이다. 이하의 예문에서는, 부정사는 불완전타동사에 있어서의 목적격보어로서 him 은 각기 '부정사 붙은 대격'이다:

I thought him *to be* a great man. 나는 그를 위인이라고 생각하고 있었다 / I found him *to be* a great liar. 나는 그가 굉장한 거짓말쟁이라는 것을 알았다.

2) 형용사적 용법

'…할', '…하기 위한'의 뜻으로서, 명사·대명사의 뒤에 와서 그것을 꾸며 준다:

He has no friend *to help* him. 그는 그를 도울 친구를 갖고 있지 않다; 그에게는 자기를 도와 줄 친구가 없다 / I want something *to read*. 나는 읽을 무엇이 필요하다; 무엇 좀 읽을거리가 필요하다 / This is the way *to do* it properly. 이것이 그것을 옳게 하기 위한 방법이다; 이것이 옳은 방법이다 / He seems *to be* honest. 그는 정직해 보인다.

첫번째 예문에서는, to help 는 선행하는 friend 를 수식하며, friend 는 to help 의 의미상의 주어가 되어 있으나, 둘째 예문에서의 to read 는 something 을 꾸미며, something 은 to read 의 의미상의 목적어로 되어 있다. 셋째 예문에서의 to do...는 the way 를 수식하고, 후자는 전자의 부사적 목적어. 끝의 예문에서는 to be 이하가 형용사로서 불완전자동사 seem 의 보어로 되어 있다.

[주]1 전치사의 목적어가 될 관계대명사를 생략하고 부정사로써 직접 명사를 꾸미는 경우에는 그 전치사를 부정사 뒤로 돌린다: (I want a knife *with which* I can sharpen pencils. ⇨) I want a knife *to sharpen* pencils *with*. 연필을 깎을 칼이 필요하다. How he wished for a friend *to open* his mind *to!* 그는 마음 속을 털어놓을 만한 친구를 얼마나 바랐던가.

[주]2 명사 앞에 오는 부정사에는 다음과 같은 것이 있음: a *never-to-be-forgotten* sight 결코 잊을 수 없는 광경. these *not-to-be-avoided* expenses 이러한 불가피한 경비.

3) 부사적 용법

a) 동사를 수식

'…하기 위하여', '…하여서 (그 결과) —하다', '…하다니', '…하고' 등의 뜻으로 목적·결과·원인·판단의 근거·조건 등을 보임: He went *to see* his friend. 《목적》 그는 친구를 만나러 갔다 / The boy grew up *to be* a fine youth. 《결과》 소년은 성장하여 (그 결과) 훌륭한 젊은이가 되었다 / I rejoice *to hear* of your recovery. 《원인》 당신의 회복 소식을 들으니 반갑습니다 / He must be crazy *to talk* like that. 《판단의 근거》 저렇게 말하다니 〔말하는 것을 보니〕 그는 미쳤음에 틀림없다 / *To tell* the truth, the prospect isn't bright. 《조건》 사실을 말하면, 전망이 밝지 않다.

b) 형용사를 수식

형용사에 관하여 '…하기에', '…하여' 따위의 목

적 또는 원인을 나타낸다:

Korean is not *easy to learn*. 한국어를 배우기는 쉽지 않다 / What is *good to eat* is good for you. (먹기에 좋은 것은 당신에게 좋다 ⇨) 맛있는 것은 몸에도 좋다 / I am *glad to see* you. 만나 뵈어서 반갑습니다.

㊟ 이 용법에서는 끝에 전치사가 오는 경우가 많음: He is *difficult to deal with*. 그는 다루기 어렵다. The smock is *better to move around in*. 작업복이 (다른 옷보다) 활동하기에 편하다. —in은 in the smock(작업복을 입고)의 in임.

c) 부사를 수식

Your hair is *so* long *as to touch* the floor. 당신의 머리는 바닥에 닿을 정도로 길다 / He is rich *enough to buy* a car. 그는 자동차를 살 만한 재력을 지니고 있다 / I am *too* poor *to buy* such a thing. 나는 이러한 것도 살 수 없을 만큼 가난하다.

원형부정사의 용법

아래와 같은 경우에는 to 없는 원형부정사가 쓰인다.

1) 조동사의 뒤

will, shall, can, may, must, do 따위의 뒤에:

I shall *go*. 나는 간다 / You must *walk*. 너는 걸어야 한다 / I do *like* it. 정말이지 그것을 좋아한다《do는 강조》.

㊟ dare와 need 뒤에는 원형부정사가 쓰이거나 to 부정사가 쓰임. cf. DARE, NEED.

2) **I saw him *run*.** 따위의 경우

see, hear, feel, watch, smell, notice, observe 따위의 '지각동사' 뒤에 쓰이어 목적격보어가 되는 경우:

We saw him *cross* the street. 우리는 그가 길을 건너는 것을 보았다 / We heard him *sing* a song. 우리는 그가 노래부르는 것을 들었다.

㊟ 다만, 수동태의 구문이면 to를 붙임: He was seen *to cross* the street. 그가 길을 건너는 것이 보였다.

3) 사역동사의 뒤

let, make, bid, have 따위의 사역동사 뒤에: Let him *come*. 그를 오게 하여라 / He made me *laugh*. 그는 나를 웃겼다 / I had him *mend* my shoes. 나는 그에게 구두를 고치게 하였다.

㊟₁ 이 용법의 부정사는 목적격보어로서 형용사에 해당한다고 보는 것이 통례. 그러나 '목적어+부정사'를 목적어로 볼 수도 있음.

㊟₂ 이 때에도 수동태가 되면 to를 붙여야 함: I was made *to laugh*.

4) **help**의 뒤:

She helped (to) *raise* money. 그녀는 기금 조달에 힘을 도왔다.

이것은 She helped *them* (to) raise money. 처럼 help 다음에 그 목적어가 있어야 할 것이 생략된 것이다. 또한, to 없는 형태는 주로 미국에서, to 있는 형태는 영·미 공통으로 쓰인다.

5) 어떤 종류의 관용구의 뒤:

You *had better go* to bed. 너는 이제 자는게 좋겠다 / I *cannot but laugh*. 나는 웃지 않을 수 없다 (=I cannot help laughing.) / He does *nothing but laugh*. 그는 웃고만 있다《but 대신에 except, save도 쓰인다》/ I *had rather go* now than *wait* another day. 나는 하루 더 기다리느니 지금 가는것이 낫다.

6) 몇 개의 부정사가 계속될 때

보통 둘째 번 이하의 to를 생략:

I must learn to speak, *read*, and *write* English. 나는 영어의 회화, 읽기, 쓰기를 배워야 한다.

7) 미국에서는 **be** 동사 다음에:

What I've got to do is *go* and *see* him. 내가 해야 할 일은 그를 만나러 가는 일이다 / All he does is *complain*. 그는 불평만 한다.

㊟ to 부정사이면 영·미 공통.

단순형 부정사와 완료형 부정사

단순형 부정사는 술어동사의 '때'에서 보아 동시 또는 미래를 나타내며, 완료형 부정사는 이미 완료되어 있음을 나타낸다.

1) 조건을 나타내는 부정사의 경우:

I am happy *to see* you. 만나 뵈어 반갑습니다《현재 '만나고' 있다》/ I am happy *to have had* this talk with you. 당신과 이 이야기를 한 것이 기쁩니다《이야기는 이미 끝나 있음》.

2) 판단의 동사 다음에

seem, be thought 따위의 추단의 뜻을 가진 동사 뒤에 쓰일 경우:

He *seems to be* diligent. 그는 부지런한 것 같다 (=It *seems* that he *is* diligent.) / He *seemed to be* diligent. 그는 부지런한 것 같아 보였다(=It *seemed* he *was* diligent.) / He *seems to have been* diligent. 그는 부지런했던 것처럼 보인다(=It *seems* he *has been* 〔*was*〕 diligent.)《현재완료 또는 과거》/ He *seemed to have been* diligent. 그는 부지런했던 것같이 보였다(=It *seemed* he *had been* diligent.)《과거완료》.

3) 희망·기대의 동사 다음에

(would) like, wish, hope, expect 따위 미래의 관념적(觀念的) 뜻을 가진 동사 뒤에 쓰인 때:

He *hopes to succeed*. 그는 성공하기를 바라고 있다《to succeed는 미래》/ He *hoped to succeed*. 그는 성공하기를 바랐다《to succeed는 과거에서 본 미래. 그 후 성공했는지 못했는지의 여부는 불분명함》/ He *hoped to have succeeded*. 그는 성공하기를 바랐었다《to have succeeded는 성공 못한 것을 암시함. 완료부정사는 가끔 실현되지 못한 것을 나타냄》.

4) 타동사에 수반되는 경우:

He ordered the troops *to attack*. 그는 부대에 공격을 명령했다《to attack는 미래를 나타냄》/ I suppose him *to be guilty*. 나는 그가 유죄라고 생각한다《to be guilty는 현재를 나타냄》/ We know him *to have been a partisan*. 그가 당원이었다는 것을 우리는 알고 있다《to have been a partisan은 과거를 나타냄》/ I found him *to have aged* shockingly. 그가 놀랄 만큼 나이 먹었음을 나는 알았다《to have aged는 과거완료에 상당》/ We expect them to *have finished* by the time we arrive. 우리가 도착할 때까지는 그것들이 끝나 있을 게다《to have finished는 미래완료에 상당》.

독립〔절대〕부정사(absolute infinitive)

문장 전체를 수식하여 문장 중의 다른 부분에 대하여 독립된 입장에 있는 부정사로서 조건 또는 양보를 나타내는 것:

To be frank with you, he doesn't care much for your plan. 솔직히 말해서, 그는 너의 계획을 그다지 좋아하지 않는다《to be frank...의 의미상의 주어는 문장의 주어 he가 아니라 이 글에서 이야기하는 이》/ *To tell the truth*, I can't agree with him. 사실을 말하면, 나는 그에게 동의할 수 없다. 이 밖에 to return to the subject(본론으로 돌아가서) / to begin with(우선, 무엇보다 먼저) / to do one justice(공정하게 말하면) / to be sure(확실히) / to make matters worse(설상 가상) 따위가 있다.

㊟ 위의 특정 관용구를 제외하고 부정사의 주어와 주문의 주어가 일치하지 않을 경우를 현수(懸垂) 부정사(dangling infinitive)라고 하는데, 이것은 정식 영어로는 보지 않고 있다: *To get there*, a detour was made. 거기에 닿기 위해 우회로가 만들어졌다

《detour가 '도착' 하는 것이 아님》.

분리부정사(split infinitive)

I want to master English.(영어에 숙달하고 싶다)라는 문장에 really(정말)라는 부사를 삽입하여, '(정말이지 숙달하기)를 바라고 있다'는 의미 관계를 전하고 싶을 때, I want *really* to master English.와 같이 부사를 to 앞에 두든가, I want to master Enghlish *really*.라고 하는 것이 옳은 용법이다. I want to *really* master English.라고 하면 to와 부정사를 분리하므로 일반적으로 분리부정사(split infinitive)라고 하여 금지되어 있다. 그러나, I want *really* to master English.라고 하면 really가 앞의 want에 걸려서 '…하는 것을 정말 바라고 있다'(=I really want to...)로 해석될 우려도 있기 때문에, 때로는 I want to *really* master English.라고 할 경우도 있다.

대(代)부정사(pro-infinitive)

같은 동사의 되풀이를 피하고자 둘째 번의 'to 부정사'의 to만을 동사 대신에 쓰는 것:

Will you be back soon? — I shall try *to*. 곧 돌아오시겠습니까 — 그러도록 하지요.

특 수 용 법

1) be+to 부정사

예정·의무·필연·가능 따위의 뜻을 나타냄:

We *are to have* an examination tomorrow. 우리는 내일 시험이 있을 예정이다/Tell him that he *is to come* at once. 그에게 곧 와야 한다고 일러라/Not a sound *was to be* heard. 소리 하나 들리지 않았다.

2) have+to 부정사

의무·필요 따위의 뜻을 나타냄:

You *have to do* it at once. 너는 그것을 곧 해야 한다/You *do not have to go* there. 너는 거기에 갈 필요가 없다/You *have only to go* there. 너는 거기에 가기만 하면 된다.

주₁ 구어에서는 흔히 have got to의 형태가 쓰임: I'*ve got to do* it. 그것을 하지 않으면 안 된다.

주₂ have to는 보통 [hǽf-tə, həf-tə], has to는 [hǽs-tə, həs-tə]로 발음됨.

주₃ 상세한 설명은 ⇨ HAVE.

동명사(Gerund)

동사 변화형의 하나로서, 어미가 -ing로 끝난다는 점에서 현재분사와 그 형태가 같으나, 현재분사가 동사의 본질적 성질의 일부와 형용사적 성질을 아울러 갖추고 있음에 대하여, 동명사는 동사의 본질적 성질의 일부와 명사적 성질을 아울러 갖는다.

동명사는 그 동사로서의 성질에 따라 목적어를 취하거나 보어를 취하며 혹은 부사적 요소에 의해서 수식될 수가 있다.

동명사는 4가지 형태가 있는데, 그 어느 것에나 -ing가 붙는다.

	능 동 태	수 동 태
단 순 형	writ*ing*(쓰기)	be*ing* written(쓰여지기)
완 료 형	hav*ing* written(쓴 것)	hav*ing* been written(쓰여진 것)

참 -ing를 붙일 때 동사의 철자에 일어나는 변화는 현재분사의 경우와 같음.

1) 동명사와 -ing형의 명사

He was arrested for *stealing* the cow.(그는 소를 훔친 죄로 체포되었다)에서 stealing은 동사 steal에 어미인 -ing를 붙인 것으로서, 본래 동사이기 때문에 the cow라는 목적어를 취하는 동시에 전치사 for의 목적어로서의 명사 구실도 하고 있다.

같은 뜻으로 He was arrested for the *stealing* of the cow.라고 할 수도 있으나, 이 때의 stealing은 목적어를 취하지 않고 관사에 의하여 한정되어 있기 때문에 이미 명사화하였다고 볼 수 있다. 동사의 -ing형태가 관사를 취하거나 복수의 -s어미를 취할 경우 그것은 명사(동사적 명사)이지 동명사는 아니다:

The *lightning* struck the house. 벼락이 집에 떨어졌다/The child took a *beating*. 아이는 매를 맞았다/*Partings* are always painful. 이별은 언제나 고통스러운 것이다/I had to have three *fillings*. 가솔린의 보급을 세 번 해야 했다.

2) 동명사와 현재분사

-ing를 어미에 가져온다는 점에서 양자는 같은 형태이지만, 동명사는 명사의 구실을 하고 현재분사는 형용사의 구실을 한다는 점에서 전혀 다른 기능을 갖는다. 동명사가 명사 앞에 있을지라도, 본질적으로는 명사+명사로서 a schóol year [-́-] (학년)가 복합어인 것처럼 복합어이다. 이와 반대로, 현재분사+명사는, a béautiful flówer(아름다운 꽃)의 경우에서와 마찬가지로 형용사+명사의 구실을 한다.

따라서, 동명사+명사에서는 일반적으로 앞의 동명사에 1차적 강세(primary stress)를, 뒤의 명사에 2차적 강세(secondary stress)를 두고 발음하지만, 현재분사+명사의 경우에는 뒤의 명사에도 주(主)강세가 주어져 이중 강세가 된다:

a smóking room [-́-̀-] ≪동명사≫ 흡연실/a smóking dísh ≪현재분사≫ 김이 무럭무럭 나는 요리/a dáncing pàrty ≪동명사≫ 무도회/a dáncing gírl ≪현재분사≫ 춤추고 있는 소녀.

의미상으로 보아도 a smoking dish에서는 '요리가 김을 모락모락 내고 있다' 지만, a smoking room에서는 '방 자체가 담배를 피운다'는 것은 있을 수 없다.

3) 준동사(verbal)로서의 동명사

동명사는 준동사의 일종이기 때문에 술어 동사가 될 수는 없지만, 기타 동사의 여러 성질은 이어받고 있다.

a) 목적어나 보어를 수반한다:

What do you mean by pushing *me* aside? ≪대명사가 직접목적≫ 어쩔려고 나를 떠다미는 거나/Meaning *to do something* isn't doing it. ≪to 부정사가 목적어≫ 하려는 의도가 있다고 해서 그것으로 실행한 것은 되지 않는다/I blame him for thinking *that he is better than other men*. ≪명사절이 목적어≫ 제가 남보다 낫다고 생각하는 것에 대해 그를 비난한다/Being *a hero* is not always being *a successful man*. ≪명사 보어≫ 영웅이라는 것이 반드시 성공한 남자라고는 할 수 없다/You can't arrest a man for looking *suspicious*. ≪형용사 보어≫ 수상쩍은 것만으로는 체포할 수 없다/Feeding *the monkeys peanuts* is forbidden. ≪직접 및 간접목적≫ 원숭이에게 땅콩

을 주는 것은 금지되어 있다 / She is fond of wearing *her hair long*. ≪목적어 및 목적보어≫ 그녀는 머리를 길게 하기를 좋아한다.

b) 부사적 수식어를 수반한다:

What will running *away* accomplish? ≪부사≫ 도망친다고 무엇이 되는가 / I enjoy lying *in the sun*. ≪부사구≫ 일광욕을 좋아한다 / There are laws against driving *while* (*you are*) *under the influence of liquor*. ≪부사절≫ 술에 취해 운전하면 안 된다는 법률이 있다.

㊟ 형용사에 수식되는 -ing 형은 명사가 됨: *Heavy* drinking was his downfall. ≪명사≫ 폭주(暴酒)가 그를 망쳤다《비교: Drinking *heavily* was his downfall. ≪동명사≫》.

4) 동명사의 주어

a) 동명사의 주어는 (대)명사의 소유격으로써 나타낸다:

The ship came. (배가 왔다) ⇨the *ship's* coming (배의 도착) / She wept. (그녀는 울었다) ⇨ *her* weeping (그녀의 울음) / That George should return so soon surprised us. (조지가 이렇게(도) 속히 돌아오리라곤, 우린 놀랐다) ⇨ *George's* returning so soon surprised us. 《같음》/ He 〔Tom〕 will go. (그가〔톰이〕 가기로 되어 있다) ⇨ *his*〔*Tom's*〕 going (그〔톰〕의 가기) / I have no objection to *his* 〔*Tom's*〕 going there. 그가〔톰이〕 그 곳에 간다는 것에는 이의가 없다《다만, 아래의 b)의 (3) 참조》.

b) one's -ing (동명사의 주어＋동명사)가 동사 또는 전치사의 목적어 자리에 올 때에는 동명사의 주어가 목적격이 되는 경향이 강하다.

(1) 동명사의 주어가 추상명사나 무성(無性) 명사인 경우:

He worried about *the field* lying fallow. 그는 밭을 묵혀두는 것을 걱정하였다 / It's just a question of *recklessness* getting her into trouble. 무모함이 그녀로 하여금 말썽 속에 말려들게 한다는 것 뿐이다.

(2) 동명사의 주어가 사람이라도 그것이 절(節)이나 구(句)를 이루거나 수식구(修飾句)를 갖는 경우:

Was there any chance of *the people in the next room* hearing the conversation? 옆 방 사람들이 그 대화를 엿들었을 가능성이 있었을까 / The teacher insisted on *whoever broke the window* apologizing. 선생님은 유리창을 깬 사람이 누구이든 사과하여야 한다고 하셨다《whoever 의 주격은 관계절 중의 동사 broke 에 대한 것일 뿐 관계절 전체의 격과는 관계가 없음》.

(3) 동명사의 주어가 사람이고 짧은 어구로 나타내 있으나 구어인 경우:

I remember *my father* teaching me the alphabet. 나는 아버지께서 알파벳을 가르쳐 주신 일을 기억하고 있다.

㊟ 구어에서는 동명사의 주어가 대명사일지라도 목적격을 취할 때가 있음: Pardon *me* saying it. 제가 그런 말씀을 올리는 것을 용서하십시오. I hate *him* going away. 그가 가버리는 것이 아주 싫다.

(4) all, each, this, some, few 가 동명사의 주어가 되는 경우: Is there any likelihood of *this* being true? 이것이 정말일 수 있을까 / There is a possibility of *several* coming later. 나중에 몇 사람 더 올 가능성이 있다.

c) 동명사의 주어가 문장 전체의 주어와 일치되거나 일반적인 일을 나타내는 동명사인 경우에는 특히 동명사의 주어를 나타낼 필요는 없다:

Papa enjoys *telling* us fairy tales. 아빠는 우리들에게 옛날 이야기를 들려 주시기를 좋아하신다 (⇦Papa tells us fairy tales.) / *Reading* good books nourishes one's mind. 양서(良書)를 읽는 것은 마음의 양식이 된다.

㊟ 주어 이외의 문장 중의 명사 · 대명사가 동명사의 주어가 될 때에도 생략될 때가 있음: The pain in my throat made *speaking* difficult. 목의 통증으로〔목이 아파〕 말하기가 괴로웠다《의미상의 주어는 '나'》.

5) 동명사의 용법

동명사는 명사에 맞먹는 말이기 때문에 주어 · 보어 · 목적어가 된다.

a) 주어가 되는 경우:

Teaching is learning. 가르친다는 것은 곧 배우는 것이다 / *Speaking* English is not easy. 영어를 (말)한다는 것은 쉬운 일이 아니다.

b) 보어가 되는 경우:

Seeing is *believing*. 백문(百聞)이 불여일견(不如一見)이라 / His business is *selling* books. 그의 직업은 책 파는 일이다.

c) 목적어가 되는 경우:

I like *swimming*. 나는 수영하기를 좋아한다 / He likes *playing* baseball. 그는 야구하기를 좋아한다 / He is fond of *reading*. 그는 독서하기를 좋아한다.

6) 동명사와 부정사(不定詞)

a) 부정사도 주어 · 보어 · 동사의 목적어가 될 수 있으므로, *Seeing* is *believing*. ⇨*To see* is *to believe*. / His business is *selling* books. ⇨His business is *to sell* books. / I like *swimming*. ⇨I like *to swim*. 이라고 바꿀 수가 있다. 다만, 동사의 목적어가 될 때는 그 동사에 따라 동명사를 취하든가 부정사를 취하든가 또는 양자를 취하든가의 차이가 있으므로 주의를 요함. 양자를 취하더라도 대개의 경우 의미상의 큰 차이는 없지만, 경우에 따라 차이가 생길 때도 있다: He *wants to paint*. 그는 그림을 그리고 싶어한다 / The door *wants painting*. 문은 칠을 할 필요가 있다.

(1) 주로 동명사만을 목적어로 하는 동사: acknowledge, admit, deny, own, report, adore, escape, evade, fancy, finish, justify, mind, miss, postpone, resent, risk, stop, tolerate, understand 따위.

(2) 동명사 · 부정사의 둘을 다 목적어로 하는 동사: begin, cease, commence, decline, deserve, hate, like, dislike, propose, regret, remember 따위.

b) 부정사는 전치사의 목적어가 되지는 않지만 동명사는 목적어가 된다:

I am fond *of teaching*. 나는 가르치기를 좋아한다《I am fond *of* to teach.라고는 할 수 없음》.

7) 동명사의 시제와 태(態)

a) 문장의 앞뒤 관계로 판단할 수 있을 때에는 동명사에는 시제가 없다:

She spends most of her time in *reading*. (그녀는 대부분의 시간을 독서에 소비한다)에서, reading 은 현재를 가리킨다. I am sure of *arriving* in time for the train. (나는 기차 시간에 댈 수 있을 것을 확신한다)에서, arriving 은 미래를 가리킨다. We thank them for *coming*. (우리는 와 준 데 대하여 그들에게 감사한다)에서는 coming 은 과거를 가리킨다.

b) 문맥만으로 동명사의 동작이 문장의 술어동사의 동작보다 시간적으로 앞섬을 뚜렷이 나타낼 수 없는 경우에는 완료형을 쓴다:

He regrets *having said* such things. (그는 그런 말을 한 것을 뉘우치고 있다)에서 having said 는 현재완료나 과거임을 보인다. He regretted *having said* such things. (그는 그런 말을 한 것을 뉘우쳤다)에서는, having said 는 과거완료를 보인다.

c) 동명사는 태(voice)에 무관하다:

His house wants *mending*. (그의 집은 수리할 필요가 있다)이나, The subject is not worth *discussing*. (이 문제는 토의할 가치가 없다)에서

mending, discussing 은 각기 수동의 뜻이다. 다만, 능동과 수동으로 의미상의 다름이 생길 우려가 있을 때에는 수동태가 쓰인다: He was afraid of *being punished*. 그는 벌받을 것을 두려워했다(비교: He was afraid of *punishing*. 그는 벌할 것을 두려워했다).

㊟ 다음과 같은 때도 있음: She deserved *punishing* for *punishing* me. 그녀는 나를 벌준 탓으로 마땅히 벌을 받을 만했다.

8) 동명사의 관용

a) There is no -ing (…할 수가 없다):
There is no saying what may happen. 어떻게 될지〔무슨 일이 있을지〕 알 도리가 없다 / *There was no believing* a word she uttered. 그녀의 말은 한 마디도 믿을 수 없었다 / *There is no accounting* for tastes. 취미란 설명할 수가 없다; 갓 쓰고 박치기해도 제 멋《속담》.

b) cannot help -ing. (…하지 않을 수 없다):
I *cannot help laughing*. 나는 웃지 않을 수 없다 / I *cannot help thinking* so. 나는 그렇게 생각하지 않을 수 없다. ㊟ help 는 avoid '피하다'의 뜻.

c) feel like -ing (…하고 싶은 심정〔느낌〕이다):
I *feel like crying*. 나는 울고 싶은 심정이다 / I *feel like reading* that book. 나는 그 책을 읽고 싶은 마음이 든다.

d) be far from -ing (…이기는 커녕…, 결코 …는 아니다): She *was far from being* a kind girl. 그녀는 결코 친절한 소녀는 아니었다.

e) It is no use -ing (…해도 소용 없다):
It is no use trying to persuade him. 그를 설득시키려고 해도 헛일이다 / *It is no use crying* over spilt milk. 엎지른 우유를 가지고 울어보았자 소용 없다; 엎지른 물《속담》. ㊟ 주어의 it는 뒤에 나오는 동명사를 대신하는 글머리의 가주어라고 볼 수 있음.

f) be worth -ing (…할 가치가 있다):
The book *is worth reading*. 그 책은 읽을 가치가 있다 / The place *is worth visiting*. 그 곳에 가 볼만한다.

g) be busy (in) -ing (…하기에 바쁘다):
Mother *is busy* (in) *making* cookies. 어머님은 쿠키 만들기에 바쁘시다. ㊟ in이 없으면 구어적인데 이 때의 -ing 는 현재분사로도 볼 수 있음.

의문사(Interrogative)

의문을 나타내는 다음 일곱 낱말을 의문사(interrogative)라고 한다: **what** '무엇', **which** '어느 것', **who** '누구', **when** '언제', **where** '어디에서', **why** '왜', **how** '어떻게'. 이 중 how를 빼고는 모두 wh-로 시작된다.

품사별로는 (1) 의문대명사(interrogative pronoun): what, which, who; (2) 의문형용사(interrogative adjective): what, which; (3) 의문부사(interrogative adverb): when, where, why, how 가 되며, 이 중 what 와 which 는 (1)(2)를 겸하고 있다. 이들 중 how 를 제외한 여섯 낱말은 모두 동시에 관계사로서의 구실도 겸하고 있다. ⇒RELATIVE 및 WHAT 등 각 항.

이들 낱말의 의문사로서의 공통된 특징으로서 먼저 주의해야 할 중요한 점은 이들 모두가 yes 나 no 로는 대답할 수 없는 이른바 특수 의문문(special question)을 이끈다는 것이다:

특수 의문문: *What* did you buy? — I bought a book. 무엇을 샀습니까. — 책을 샀습니다 (yes, no 로는 대답할 수 없음).

일반 의문문: Did you buy the book? — Yes, I did. 책을 샀습니까. — 네, 샀습니다. (yes, no 로 대답할 수 있음).

우리말에서는 일반 의문문에 상당하는 '책을 샀습니까'나 특수 의문문에 해당하는 '무엇을 샀습니까'나 모두 같은 구문임에 대하여 영어에서는 위의 예에서처럼 어순이 바뀐다. 이것은 이하에 설명하는 것에 대해서도 중요하다.

1) 품사별의 기능

의문대명사는 주어·목적어 및 보어로서 쓰인다《단, who 는 격변화를 함: 소유격 whose, 목적격 who(m)》: *Who* said so? 누가 그러던가? / *What* 〔*Who*〕 is that? 저것은 무엇〔누구〕인가 / *Who*(*m*) did you talk to? 누구에게 말하였나.

의문형용사+명사는 기능상으로 의문대명사에 맞먹는다: *Which book* 〔*What*〕 do you want? 어느 책〔무엇〕을 원합니까.

의문대명사 who 의 소유격 whose 는 한편으로는 대명사(주로 동사 be 의 보어)로서의 구실을 함과 동시에, 다른 한편으로는 의문형용사로서의 구실도 하고 있다: *Whose* (book) is this? 이것은 누구의 것〔책〕입니까.

의문부사는 때·장소·이유·방법을 묻기 위한 부사로서 쓰인다.

2) 어순(語順)의 총원칙

의문사는 그것에 이끌린 특수 의문문〔절〕의 서두에 온다:

Where do you live? 당신은 어디에 사십니까.
I remember *when* he came. 나는 그가 언제 왔는지 기억하고 있다.

3) 의문문에서의 주어와 동사

a) 의문사 자체(의문대명사 또는 의문형용사+명사)가 주어일 때엔 원칙 2)에 의하여 당연히 이것이 글머리에 나온다. 이 때 도치(倒置)는 일어나지 않고 조동사 do 도 쓰이지 않는다:

What happened? 무엇이 일어났는가.
Who 〔*Whose son*〕 *won*? 누가〔누구의 아들이〕 이겼느냐.
Which (*boy*) *came*? 어느 쪽(소년)이 왔느냐.

b) 의문사가 주어가 아닌 경우에는 주어와 동사의 사이에 일반 의문문에서와 같은 도치가 일어난다:

Who *is he*? 그는 누구냐. 《보어》
Whose *is this*? 이것은 누구 것이냐. 《보어》
When *did she* come? 그녀는 언제 왔느냐. 《부사》
Whose daughter *did he* marry? 그는 누구의 딸과 결혼했는가. 《목적어》

4) 절 속의 어순(語順)

의문사에 이끌리는 종속절 중의 주어와 동사는 도치를 일으키지 않고 평서문의 어순을 취한다:

I know how kind *he is*. 나는 그가 얼마나 친절한지 알고 있다.
Tell me where *you got* it. 어디에서 그것을 손에 넣었는지 가르쳐 주세요.
When *he wrote* it, is a riddle. 그가 그것을 언제 썼는지는 수수께끼다.

㊟ 절을 이끄는 의문사에는 그 자체가 접속력이 있으므로, "I know *that how* kind he is."처럼 앞에 that 를 가져오는 일은 없다. 하지만 다음과 같이 의문사에 이끌린 절이 한 요소《주어》로 되어 다시

새 절을 가지게 될 경우는 다르다: I know *that* how kind he is, is the most important point here. 여기에서는 그가 얼마나 친절한가가 문제의 핵심임을 나는 알고 있다.

㊟₂ 이 경우의 where, when 은 접속사인 경우와 위치가 비슷하므로 구별에 주의를 요한다.

5) do you think 따위가 삽입되는 경우

원칙 2)와 4)는 do you think 따위가 삽입될 경우에도 지켜진다:

How do you think *I did* it? 내가 그것을 어떻게 했다고 생각하십니까.

Who shall I say *wants* to speak to him? 《전화를 대신 받을 때》(어느 분이 그 분께 말씀하시려 한다고 전해 드릴까요 ⇨그 분께 누구시라고 여쭐까요 ⇨)누구십니까.

즉 원칙 2)에서 의문사는 글머리에 오며, 원칙 4)에서 절 속의 주어(두번째 예에서는 의문사 자체)와 동사는 평서문의 어순을 취하고 있다. 여기에서 이들 예문은 각기 how, who 에 대한 답을 기대하는 특수 의문문임을 상기해야 한다. 여기서는 do you think 나 shall I say 가 주절(主節)인데, 원칙 2)를 지키기 위해서는 이들은 의문사 다음에 끼워 넣을 수 밖에 없다. 이에 대해

Do you know *how* I did it? 내가 그것을 어떻게 했는지 아십니까.

에서는 특수 의문은 how 에 이끌리는 종속절에 흡수되어서 문장 전체로서는 그것을 알고 있는지 어떤지를 묻는, 즉 yes 나 no 로 대답할 수 있는 의문문이므로, 의문사가 아니라 주절이 글머리에 와 있다. "Do you think how I did it?"로는 영어가 되지 않는데 설사 그렇게 말할 수 있다고 하더라도, 무엇을 생각하고 있는지의 여부를 묻는 것이 되므로 문제의 핵심을 벗어난 질문이 된다.

단, 대화에서는 원칙 3)의 형식의 보통의문문 뒤에 do you think 나 I wonder 를 붙이는 일이 있다:

Which is better, *do you think?* 어느 것이 좋다고 생각하나요.

How much *is it, I wonder?* 얼마나 할까요.

㊟ How do you think I did it?와 일견 같은 구문인 How do you know (that) he is rich? '그가 부잔 줄을 어떻게 아는가' 에서는, How 는 주절인 do you know 에 걸려 있으며, 종속절인 he is rich 와는 관계가 없다. 이에 대해 앞 문장에서는 How 는 I did it 에 걸리며, do you think 는 삽입적이다《단 Why do you think I did it?에서는 이 두 수식 관계가 함께 일어날 수 있다. ⇨WHY *ad.* A)의 ②》.

6) 부정사와 함께

의문을 보이는 종속절을 압축해서 의문사+to 부정사로 나타낼 수 있을 때가 있다:

I don't know *what to do*. 어떻게 해야 좋을지 모르겠다.

We asked them *which* way *to go*. 우리는 그들에게 어느 길로 가야 할지를 물었다.

He told me *how to make* it. 그는 나에게(그것을 어떻게 만들 것인가 ⇨) 그것을 만드는 법을 일러 주었다.

㊟ 예를 들면 I don't know *what to do*.는 논리적으로는 I don't know *what* I am *to do*.가 단축된 것으로 볼 수 있다.

7) 되묻는 의문사

대화에서 이를테면 상대가 I was born in Seoul. '나는 서울에서 태어났다' 고 했을 때 in Seoul 을 못 들었다면 You were born where? '어디서 태어났다고요?' 라고 되물을 수 있다. 즉 상대방의 발언 그대로의 구문을 써서 불분명한 곳에 의문사를 넣는 것이다. 단, I was born 다음에 장소를 말했는지 때를 말했는지 그마저 모를 경우에는 You were born *what*? '『태어났다』의 다음에 뭐라고 하셨던가?' 고 되물을 수 있다.

8) God knows, I don't know 따위와의 결합

I don't know 〔God knows〕 *where* he is gone. 그가 어디로 가 버렸는지, 나는 모른다〔하느님만이 아신다, 아무도 모른다〕는 위 4)의 한 경우에 불과하며, I don't know where..., God knows where... 는 물론 각기 완결된 문장으로서의 기능을 보유하고 있다. 또 차 따를 때 따위에 말하는 Say when.(언제 그만 따르면 좋을지 말씀하세요)도, *Say when* I should stop. 따위의 생략형으로 볼 수 있으며 역시 하나의 문장을 이루고 있다.

그런데 이 생략구문에서 발전했다고 볼 수 있는 다음과 같은 용법이 있다: He is gone *God knows where*. 그는 어딘지 모르게 가버렸다.

이 때 God knows where 는 이미 완결된 문장으로서의 기능을 잃고, 문장의 1 요소(여기에서는 somewhere 따위의 부사와 같음)가 되어 있다. 마찬가지로

If this project is ever completed *Heaven* 〔*Goodness, Nobody*〕 *knows when*, it will be of great help to us all. 이 계획이, 언제쯤일지 짐작도 할 길 없으나, 아무튼 완성되면 우리들 모두에게 크나큰 편의를 가져올 것이다《sometime 따위와 같음》.

The task was barely carried out with the help of *I don't know how many* men. 그 임무(任務)로 수없는 사람 손을 빌리어 가까스로 어떻게 달성(達成)되었다《innumerable 따위와 같음》.

태(Voice)

동사가 나타내는 행위의 방향성이 동사의 형태에 나타날 때 이것을 태(態)라고 한다. Lincoln *delivered* this speech. (링컨이 이 연설을 하였다)와 This speech *was delivered* by Lincoln. (이 연설은 링컨에 의하여 행해졌다)을 비교하면, 링컨에 의하여 행동되고 있는 점은 같으나, 언어 표현상으로 보면 전자에서는 행동이 주어에서 나왔고, 후자에서는 행동이 주어에 미치고 있어서 각기 그 방향이 다르다.

영어에서는 태에 능동태(active voice)와 수동태(passive voice)의 두 가지가 있는데 특히 수동태는 'be+과거분사' 의 형태로 특징지어진다. 원래 타동사만이 수동태를 이루는 것이나 '자동사+전치사' 따위의 어군(語群)이 '타동사 상당어구' 로서 수동태가 되는 경우가 흔히 있다.

1) 능동태에서 수동태로

능동태의 문장의 목적어를 주어로 하고, 동사를 'be+과거분사' 로 하여 본디 문장의 시제에 맞춘 후 능동태의 주어에 by 를 덧붙임으로써 부사구로 바꾼다:

The students *issue* a campus weekly. ⇨A campus weekly *is issued* by the students. 주간 대학 신문이 학생들에 의해 발행되고 있다 / The flood *has destroyed* a number of bridges. ⇨A number of bridges *have been destroyed* by the flood. 홍수로 많은 교량이 파괴되었다.

㊟ 조동사나 조동사 비슷한 동사구는 원칙적으로 그대로 남고, 그 뒤에 오는 동사가 be+과거분사가 됨:

Private individuals *cannot do* this. ⇨This *cannot be done* by private individuals. 이것은 개인(個人)으로서는 해 낼 수 없다. The government *will have to make* a difficult choice. ⇨A difficult choice *will have to be made* by the government. 까다로운 선택이 정부에 의하여 단행(斷行)되지 않으면 안 될 것이다.

[주]₂ 능동태의 주어(행위자)가 일반적 의미의 one, they, you, we, people 따위인 경우에는, 수동태에서는 이것이 'by one', 'by them' 따위로는 되지 않으며, 행위자는 대개 나타내지 않는다:

They say that spring will be late in coming. ⇨It *is said* that spring will be late in coming. 봄이 오는 것이 늦을 것이라고 한다.

2) **by** 와 **with**

능동태를 수동태로 바꿀 때 능동문의 주어는 by에 의하여 부사구가 되는데 by 이외에 with 도 가끔 쓰인다. by 는 주로 동작주(動作主)로 나타내며, with 는 주로 도구·수단을 나타낸다(그러나 그 한계가 반드시 뚜렷한 것은 아니다):

A reckless driver killed him. ⇨He was killed *by* a reckless driver. 그는 폭주 운전(기)사 때문에 목숨을 잃었다/The poison killed him. ⇨He was killed *with* the poison. 그는 독(毒) 때문에 죽었다.

[주] 다음 예문을 참고하라: He was slain *by* his enemy *with* the sword. 적의 칼에 맞아서 죽었다. It was done *by* him *with* my assistance. 나의 도움을 받아서 그가 했다.

a) by 는 또한 원인·이유·방법을 나타낸다: The parcel was carried *by* rail. 소포는 철도편으로 운반되었다.

b) with 는 상태를 나타내는 형용사로서 쓰인 동사와 더불어 사용된다: The mountains are *covered with* snow. 산은 눈으로 덮여 있다/The streets were *crowded with* people. 거리는 사람으로 붐볐다.

c) by, with 이외의 전치사도 쓰인다: The fire destroyed the whole building. ⇨The whole building was destroyed *in* 〔*by*〕 the fire. 건물은 그 불로 몽땅 타버렸다.

d) 동사 know 의 경우에는 to 가 쓰인다: They did not know the news. ⇨The news *was* not *known to* them. 그 소식은 그들에게 알려져 있지 않았다.

3) 수동태가 가능한 동사에 관한 주의 사항

a) 이중목적을 취하는 타동사

직접목적과 간접목적을 취하는 타동사에는 이 2 개의 목적 중 어느 하나가 수동태의 주어로 되느냐에 따라 2 개의 수동태가 가능한 경우가 있다. 주어로 바뀌는 일 없이 그대로 남은 목적어를 보류목적어(retained object)라고 한다:

The guest speaker told us a charming story. (내빈께서 우리에게 재미 있는 이야기를 해 주셨다) ⇨(1) A charming story was told (to) *us* by the guest speaker. (2) We were told *a charming story* by the guest speaker / We gave him a prize. ⇨(1) A prize was given (to) *him*. (2) He was given a *prize*.

[주] 위의 (2)에서 보인 문형 We were told a charming story., He was given a prize.가 허용되는 동사는 tell, give, afford, accord, deny 따위 소수의 타동사에 국한되고 있음. 이들은 결국 하나씩 개별적으로 기억해 둘 수밖에 없으나, 다만 위의 문형이 금지되는 경우는 대개 판별할 수 있음. 즉, 능동태에서 2 개의 문형 (3) They told us a story.(S+V+ind.O+dir.O) 및 (4) They told a story to us.(S+V+dir.O+to+ind.O)의 두 가지가 모두 가능한 동사가 아니면 (2)의 문형은 허용되지 않음. 예컨대, buy 에서는 (3)의 문형 He bought me a book.은 가능하나, (4)의 "He bought a book *to* me."는 불가능하기때문에(*for* me 이면 가능) 실격임. steal 에 있어서는 "He stole me my money."도 "He stole my money *to* me."도 모두 불가능(후자에서 *from* me 이면 가능)하기 때문에, '나는 돈을 도둑맞았다'는 뜻으로 "I was stolen my money."라고 한다면 이것은 당연히 불가능이며, I had my money stolen. 또는 My money was stolen.이라고 해 주어야 한다. ⇨아래의 5).

또한, (3), (4)는 필요 조건이지 충분 조건은 아님. 예를 들어 He wrote me a letter.나 He wrote a letter to me.나 모두 가능하다고 해서, "I was written a letter."가 가능하다고는 할 수 없다.

b) 자동사+전치사

종종 숙어적으로 하나의 타동사 같은 기능을 하며 수동태가 될 수 있다:

We must *look after* the child. (저 애는 돌봐줘야 한다) ⇨The child must *be looked after*./ Everybody *laughed at* me. (모두 나를 비웃었다) ⇨I *was laughted at* by everybody./Nobody *listened to* his warnings. (그의 경고(警告)에는 누구 하나 귀를 기울이지 않았다) ⇨His warnings *were listened to* by nobody 〔*were* not *listened to* by anybody〕.

c) 타동사+목적어+전치사

숙어로서 전체가 하나의 타동사 취급을 받아 수동태가 되는 일이 있다:

They did not *pay attention to* the problem. 그들은 그 문제에 주의를 기울이지 않았다. ⇨The problem *was* not *paid attention to*./The committee will *take* (good) *care of* the matter. (위원회에서 이 문제를 (충분히) 검토합니다) ⇨The matter will *be taken* (good) *care of* by the committee./They *made an example of* him. (그들은 그에게 본때를 보였다) ⇨He *was made an example of*.

[참] 영어에서 놀람·슬픔·기쁨·만족·실망 따위의 '감정'을 나타내는 동사는 수동태로 표현되는 것이 보통임: I *was surprised* at the news. 그 소식에 놀랐다. He *was satisfied* with my offer. 그는 나의 제안을 만족해 했다.

4) **get**+과거분사

I was pleased with my secretary.에서 with my (old) secretary의 뜻으로 '(전의) 비서에 만족하고 있었다'라고 상태를 나타내는 수도 있고, with my (new) secretary '(신임) 비서가 마음에 들었다'라고 상태의 일어남을 나타내는 일도 있다. 전자에서는 was *very* pleased로 되고, 후자에서는 was *much* pleased로 되는 것이 원칙이다. 상태와 상태의 생기(生起) 내지 행위는 모두 'be+과거분사'로 나타내어서 그 구별이 어려울 때가 있다. 이러한 때에 get를 be대신 사용하면 상태의 일어남 또는 동작을 나타내게 된다:

He *was absorbed* in reading. (그는 독서에 열중하고 있었다) ⇨He *absorbed* in reading. (그는 독서에 열중했다) / In 1980 he *was* not *married; he got married* in 1983. (그는 1980 년에는 독신이었다; 1983 년에 결혼하였다).

[주] get 대신에 become 을 사용할 수도 있다.

5) **have** 〔**get**〕+목적어+타동사의 ***pp.***

영어의 수동적 표현의 하나로, 주어의 수동이 아니라 주어와의 관계에서 주어 이외의 것의 수동을 나타내는 구문이 있다. '…을 —시키다〔—하게 하다, —해 받다〕', '…을 —당하다' 따위에 해당하는 수가 많다:

I *had a letter written* for me. 편지 한 통(通)을 대서시켰다〔대필해 받았다〕/ *Have your watch repaired*. 시계를 수리(修理)시켜라 / He *had his head cut* off. 그는 목을 잘리었다.

[주]₁ get 는 have 보다 더 구어적임.

[주]₂ 명령형을 제외하고, 목적어를 주어로 하여 일

... *A letter was written* ... cut off. ...되다' 등 피해 표현 ...뜻의 표현은 말할 것도 없 ...영어에서는 이런 구문은 ...로 위의 5) 및 3) a) 2)로써 ...만 극히 제한을 받아서 그 범 ...나 아래 예문에서 볼 수 있듯이 ...로써 적절히 그러한 뉘앙스를 살 ...을 드는 수가 많다: ... coming 〔to come〕 too often. ...진절나게 와 주어서는 곤란하다/ ...ly wife died 〔I *had the misfortune of* losing my wife〕 when our children were still very young. 아직 애들이 어렸을 때에 아내를 여의었다/I *can't stand* my children spending so much money for pleasure. 많은 돈이 애들의 오락을 위해 소비를 당해서는 곤란하다.

㊟ 피해 표현도 아니요 자동사 상당어구도 아니며 문법적으로는 수동태가 가능한 경우일지라도 영어의 습관으로서 구조가 간단하고 자연스러운 능동태가 보통인 때가 있음: '내가 가르침을 받은 적이 있는 선생님' ≪직역≫ a teacher *by whom I was* once *taught* 〔from whom I once learned〕 ⇨≪정상적 표현≫ a teacher *who* once *taught me*.

구(Phrase)

낱말이 집합한 것으로서, (1) 주어와 술어동사를 포함하지 않고, (2) 문장 중에서 한 낱말과 같이 어떤 품사의 구실을 할 때 그와 같은 어군(語群)을 구(句)(phrase)라고 한다: I stayed *in Boston* ⟪in Boston 자리에 there를 대입(代入)할 수 있음⟫/a question *of importance* ⟪of importance 대신 형용사 important를 쓸 수 있음⟫.

부정사·동명사·분사, 즉 준동사(準動詞)를 중심으로 하는 어군도 구(句)를 이룬다: *To say* 〔*Saying*〕 is one thing, *to do* 〔*doing*〕 is another. 말하는 것과 행동하는 것은 별개의 문제이다.

구는 흔히 그 어군(語群)의 중심이 되는 말의 품사와 그 기능이 다르다. 상례(上例)의 in Boston에서 Boston은 명사이지만 구는 부사로서의 기능을 하며, say는 동사지만, to say 또는 saying은 문장의 주어로서 명사로서의 구실을 하고 있다.

1) 명사구(**Noun Phrase**)

a) 주어로서: *To tell a lie* is wrong. =It is wrong *to tell a lie*. 거짓말하는 것은 나쁘다/*How to break the story* puzzles me. 어떻게 이야기를 꺼내야 할지 당황케 만든다/*Your doing it for me* will be appreciated. 당신이 그것을 대신 해 주셔서 감사히 여깁니다.

b) 보어로서: My aim is *to warn you*. 나의 목적은 너에게 경고를 주는 데 있다.

c) 동사·전치사의 목적어로서: I did not know *what to do*. 어찌해야 좋을지 몰랐다/I don't like *your going*. 자네가 가지 말았으면 싶다/I find it difficult *to explain the case*. 사정을 설명하기는 어렵다/It depends on *what course to take*. 그것은 어떤 방침을 취하느냐에 달려 있다/There is no possibility of *her telling lies*. 그녀가 거짓말을 할 리가 없다.

2) 형용사구(**Adjective Phrase**)

He is a man *of great importance*. 그는 중요(한) 인물이다/*She is of a very good* family. 그녀는 명가문의 출신이다/He is *in perfect health*. 그는 아주 건강하다/We took it *for granted*. 그것을 당연한 것으로 생각했다/Give me something *to eat*. 무어 먹을 것 좀 주시오/I have no money *to give you*. 네게 줄 돈은 없다/It's time *to get started*. 출발할 시각이다.

3) 부사구(**Adverbial Phrase**)

a) 장소를 가리킨다: *In the back yard* we found an old car. 뒤뜰에서 우리는 낡은 차를 발견했다.

b) 때를 나타낸다: It happened *in* 1979. 그것은 1979년에 일어났다/He has been ill *since your leaving England*. 자네가 영국을 떠난 이래 그는 병을 앓고 있다.

c) 양태(樣態)를 나타낸다: He is living *in comfort*. 그는 편안히 살고 있다/He solved the problem *with great ease*. 그는 문제를 아주 수월히 풀었다/Why did you respond *that way?* 왜 그런 식으로 반응을 보였나.

d) 조건을 보인다: *In better times*, he would have been respected. 더 나은 시대라면 그는 존경받고 있었을 게다/You will do well *to follow my advice*. 당신은 나의 충고를 따르는 것이 좋을 것이오/*Strictly speaking* that is not correct. 엄밀히 말하면 그것은 정확치 않다.

e) 제외를 나타낸다: No one *except John* could have done it. 존 이외엔 누구도 그것을 했다고는 생각되지 않는다.

f) 양보를 보인다: I love him *with all his faults*. 여러 결점이 있(긴 하)지만 나는 그를 좋아한다/*Right or wrong*, this is my temper. 옳건 그르건 이것이 내 성미〔기질〕일세.

g) 원인·이유를 보인다: I am glad *to see you*. 만나뵈어 반갑습니다/I could not go out *because of the rain*. 비 때문에 외출 못했다.

h) 목적을 나타낸다: I dropped on him *for a talk*. 나는 이야기를 하러 그에게 들렀다/He worked hard (*in order*) *to pass the examination*. 그는 시험에 붙기 위해 열심히 공부했다.

i) 결과를 보인다: He lived *to be ninety*. 그는 90살까지 살았다/He awoke *to find himself famous*. (깨어) 눈을 떠 보니 자신이 유명해져 있었다/He was rich enough *to afford a big house*. 그는 부자여서 큰 집을 살 수 있었다/He was frozen *to death*. 그는 얼어죽었다.

j) 정도를 나타낸다: She adored dancing *to folly*. 그녀는 미칠〔사족을 못쓸〕 정도로 춤을 좋아했다.

4) 동사구(**Verb Phrase**)

A war *took place*. 전쟁이 일어났다/The cop *caught hold of* the robber. 순경이 도둑을 잡았다/We *lost sight of* the ship. 우리는 시야에서 배를 놓쳤다.

㊟ 동사구에서는 중심어가 동사이고, 구(句)도 동사로서의 기능을 발휘해서, 문장 중의 품사 기능은 (종종 자동사 기능과 타동사 기능과의 사이에 변환이 일어나는 외에는) 변함이 없지만, 어군(語群) 전체가 한 말과 같은 구실을 하므로 역시 구(句)로 볼 수가 있다: They *laughted at* him. (사람들은 그를 비웃었다) ⇨He was *laughted at* (by them)./We *lost sight of* the ship. ⇨The ship was *lost sight of*.

5) 접속사구(**Conjunction Phrase**)

According as the demand increases, prices

go up. 수요가 늚에 따라 물가는 오른다/I'll let you know *as soon as* I hear. 제가 듣는 대로〔즉시〕 알려 드리겠습니다.

6) 전치사구(**Preposition Phrase**)

He was praised *because of* his willingness to work. 그는 일을 좋아해서 칭찬을 받았다/*Instead of* studying, he looked on it vacantly. 그는 그것을 잘 보지 않고 멍청히 바라보고 있었다/

Let me say a few wo... tion. 서론으로서 몇 마디 해...

7) 대명사구(**Pronomina**l **Phra**se)

He and she loved *each other*... 로 사랑했다.

8) 감탄사구(**Interjection Phrase**)

Good Heavens! I did never th... 저런(일 봤나), 그런 일은 꿈에도 생각...

절(**Clause**)

문장(sentence)이란 '여러 낱말이 모인 것으로, 주어를 중심으로 하는 주부와 동사를 중심으로 하는 술부를 갖추고 있는 것'이라고 형식적인 면에서 정의를 내릴 수 있으나, 실제적인 면에서는 이러한 어군(語群)이 둘 이상 모여 '문장'을 형성하는 경우가 있다. 이러한 때 큰 단위로서의 '글'을 문장(sentence)이라 하고, 그 속에 포함되는 작은 '글'을 절(clause)이라고 한다.

She often goes to concerts, *because* she is fond of music.
clause — clause
sentence

She is fond of music, *and* (she) often goes to concerts.
clause — clause
sentence

문장에 포함되는 둘 이상의 절은, 어떤 방법으로든 서로 연결되어지는데, 이를 위해서는 주로 접속사(conjunction)와 관계사(relative)가 연결 요소로서 사용된다. 위 보기 중에 because, and는 접속사의 예이다.

둘 이상의 절을 포함하는 문장은 복문(complex sentence)과 중문(compound sentence)으로 분류된다. "주부+술부"의 관계가 한 번 밖에 없는 문장은 단문(單文)(simple sentence)이라 한다.

복 문(複文)

어떤 절이 그것을 포함하는 문장 (또는 절) 안에서 1개의 명사·형용사·부사와 같은 역할을 할 때에, 그 절을 종속절(subordinate clause)이라 한다. 따라서 종속절은 명사절(noun clause), 형용사절(adjective clause), 부사절(adverb clause)로 분류된다.

종속절은 그 안에 연결 요소를 포함하고 있는 것이 보통이다. 복문에서 종속절을 뺀 나머지를 주절(principal clause; main clause)이라 부른다. 다음 예문에서 이탤릭체로 된 부분이 종속절, 그 밖의 부분이 주절이다:

I know *that he is honest*. 나는 그가 정직하다는 것을 알고 있다(비교: I know *his honesty*.)/That girl *who has blond hair and blue eyes* is Elizabeth. 금발에 푸른 눈을 가진 저 아가씨가 엘리자베스다(비교: That *blond*, *blue-eyed* girl is Elizabeth.)/He is willing to help me *whenever I have a difficult problem*. 내가 어려운 문제에 부닥치면 언제나 그는 자진하여 도와준다(비교: He is *always* willing to help me.).

명사절·부사절은 접속사, 더 정확하게 말하면 종속접속사(Subordinate conjunction)에 의해 이끌리며, 형용사절은 관계사에 의해 이끌린다.

1) 명사절

연결 요소에 따라, 두 종류로 나뉜다.

a) **that-**절 연결 요소로서 접속사 that가 쓰이며, that는 다음에 연속되는 절을 명사화한다.

that-절이 주어가 되는 경우를 제외하고, that는 생략이 가능하다.

I think (*that*) *you are right*. 너의 말이 옳다고 나는 생각한다/*That he is mistaken* is evident. 그가 잘못인 것은 명백하다/I know the fact (*that*) *the outlook is not very bright*. 전망이 그리 밝지 못하다는 사실을 알고 있다《that-절은, fact라는 명사와 '동격'의 관계》.

that-절은, 흔히 미리 it로 대치되고, that-절 그 자체는 뒤에 표시된다《that-절이 주어일 때, 이런 일이 자주 있다》:

It is likely *that the offer will be accepted*. 제안은 수락될 것 같다/I find *it* unpleasant *that such misdeeds go unpunished*. 그러한 비행이 벌을 받지 않는 것을 나는 불쾌히 여긴다.

注1 문장을 읽을 때 발음을 일시 중단한다면 that의 앞에서 멈추는 것이 보통임: I know (that) you are tired.

注2 that-절 앞에 전치사가 올 때에는, 흔히 전치사가 생략되지만, 때로는 '전치사+it'의 형식으로 that-절을 이 it와 '동격'으로 다룰 경우가 있음: I am sure (*that*) you will succeed. 성공을 확신합니다(비교: I am sure *of* your success). My wife will see (*to it*) *that you will be comfortable*. 불편하시지 않도록 집사람이 보살펴 드릴 것입니다(비교: My wife will see *to that*. 그 일은 집사람이 맡아 처리할 것입니다).

b) 의문사에 의한 절 어떤 의문사 또는 if가 절의 맨 앞에 나온다:

I could not discover *how he had managed to get that job*. 그가 어떻게 해서 용케도 그 직업을 잡았는지 나는 알아낼 수가 없었다/I don't know *if she will be willing* 〔*whether she will be willing or not*.〕. 그녀가 기꺼이 받아들일는지 어떨지 나는 알 수 없다/*Who will go* hasn't been decided yet. 누가 갈 것인가는 아직 결정되어 있지 않다.

注1 이 경우에도, that-절의 때와 마찬가지로, 종속절 앞에 와야 할 전치사는 흔히 생략되나, 생략되지 않는 때도 있음: I am not sure *if* she will be willing(비교: I am not sure *of* her willingness.). The question boiled down *to* who would take the first step. 문제는 우선 누가 첫발을 내딛느냐로 집약되었다.

注2 You cannot imagine *with* what care she brought up her children.(그녀가 얼마나 한 정성으로 아이들을 키웠느냐 하는 것은 상상도 못할 일이다)에서, with는 종속절의 내부에 속하는 것이며 주절에 속하는 것이 아님(비교: You cannot imagine *how* carefully she..../She brought up her children *with* great care.).

c) 관계사에 의해 이끌리는 절 예를 들어 Hand

over to me *what you have there*. (거기 갖고 있는 것을 이리 건네다오)와 같은 문장에서 이탤릭체의 부분도 일반적으로 명사절로 취급된다. 이 부분이 절이며, hand over 라는 동사의 목적어이기도 하므로, 이를 명사절로 보는 것은 일단 이유가 있다. 그러나 정확히 말하면, what = that which 로서, that 가 주절의 동사 hand over 의 목적어이고, which 이하는 that 를 꾸미는 형용사절이다.

다음 예문에서도 마찬가지:

Who sleeps dines. 잠 잘 자는 자는 잘 먹는다 (비교: *He who* sleeps well, dines well.).

2) 형용사절

주절 중의 명사〔대명사〕를 받는 관계사가 종속절을 이끌어, 연결 요소가 된다:

This is the house *that Jack built*. 이것은 재크가 세운 집이다(that=the house) / That is the river *where my father used to fish*. 저것이 아버지께서 늘 낚시질을 하셨던 강이다(where= (in) the river) / There are times *when true friends are necessary*. 진실한 친구가 필요할 때가 있다 (when=(at) times) (⇨ RELATIVE).

㊟ The day *after I came* was very beautiful. (내가 도착한 이튿날은 매우 청명했다)에서, after I came 은 본래 부사절이나, 전용(轉用)에 의해 형용사절이 된 것이다(비교: The house stands *over there*.《부사구》 ⇨ The house *over there* is quite old.《형용사구》).

3) 부사절

때 · 장소 · 이유 · 양보 · 조건 · 제외 · 정도 · 비교 · 상태 따위를 나타내는 종속접속사에 의해 이끌린다:

It was already dark *when they came*. 《때》 그들이 왔을 때는 이미 어두웠다 / I can't go, *because I am busy right now*. 《이유》 지금 바쁘기 때문에 갈 수 없다 / I'll go *unless it rains*. 《조건》 비가 아니오면 가겠다 / He was *so* angry *that he could not speak*. 《정도》 말이 안 나올 정도로 성이 나 있었다 / Do in Rome *as the Romans do*. 《상태》 입향순속(入鄕循俗).

㊟1 You may live *where you wish*. (원하는 곳에서 살아도 좋다)의 where you wish 는 본래 ...there where you wish 로서, there 라는 부사를 선행하는 형용사절로도 볼 수 있으나, 일반적으로 where 는 '장소'의 부사절을 이끄는 종속접속사로 취급되어 where you wish 전체를 부사절로 봄.

㊟2 *Every time* I read them, I feel his novels are delightful. (읽을 때마다 그의 소설을 재미있다고 느낀다)에서, 본래 I read them 은 every time 에 걸리는 형용사절이며, every time 은 I feel...에 부사적으로 걸린 것이지만, every time 자체를 일종의 종속접속사(구)로 볼 수가 있다.

㊤1 **연결 요소가 없는 부사절** 특별한 연결 요소가 없어도, 어순에 의하여, 또는 관용적으로 은연 중에 부사절임을 나타낼 때가 있음:

Were I rich, I would go abroad. 돈이 있다면 외국에 갈 텐데…(=*If* I were rich,...). *Be it ever so humble*, there's no place like home. 《be 가 가정법 형태임에 주의》 아무리 초라할지라도 제 집 같은 곳은 없다(=*Though* it may be ever so humble,...).

The sooner you go, *the better* it will be. (빨리 가면 갈수록, 그만큼 더 좋다)에서는, 첫번째의 the 는 종속접속사로 간주되고, 두번째의 the 는 이것을 받는 '정도'를 나타내는 부사로 봄《이 경우 형용사 · 부사의 비교급이 the 에 따름》.

㊤2 **종속절 동사의 생략** 부사절 중의 be동사는, 때때로 주어와 함께 생략됨《진행형을 만드는 be 에 있어서도 같음》:

We'd like you to pay this bill *as soon as convenient*(=as soon as *it is* convenient). 형편 닿으시는 대로 이 셈을 지불하시기 바랍니다. *Wherever possible*(=Wherever *it was* possible), we planted roses. 가능한 곳이면 어디에나 장미를 심었다. He behaved *as if crazed* (=as if *he were crazed*). 마치 정신이 돈 것처럼 행동하였다. *While in the hospital*(=While *he was* in the hospital), Robert read a lot of books on that matter. 입원(入院) 중 로버트는 그 문제에 관한 많은 책을 읽었다. He was drowned *while bathing in the sea*(=while *he was* bathing in the sea). 그는 바다에서 해수욕을 하다가 익사(溺死)했다.

중 문(重文)

한 문장에 포함된 둘 이상의 절이, 서로 다른 절속의 명사 · 형용사 · 부사가 됨이 없이, 동등한 자격으로 나열된다.

중문의 연결 요소는 등위접속사(coordinate conjunction)라 한다.

She opened the closet door, *and* a skeleton fell out. 그녀가 반침의 문을 열자 해골이 픽 쓰러져 나왔다 / The pig got up, *but* it was unable to walk away. 새끼 돼지는 일어섰지만 걷지는 못 하였다.

㊟1 셋 이상이 절로 이뤄지는 중문의 도중에는 ',' 가 사용됨. 또 등위접속사 대신에 ';' 이 사용되는 때도 있다: Tom threw down the hay, Dick milked the cows, *and* Harry cleaned out the barn. 톰은 건초를 내리고, 딕은 소젖을 짜고, 해리는 헛간을 청소했다. I turned on the cold water; it was most refreshing. 찬물을 틀었더니, 그것은 매우 시원했다.

㊟2 for 는 등위접속사이며, 종속접속사인 because 와는 다르다. because 에 이끌리는 종속절은 주절에 앞설 수가 있다(*Because I like it*, I'll buy it.); for 의 경우는 이것이 불가능함. because 는 주절의 일부로서 긴밀히 결합되어 있기 때문에 다음과 같은 경우가 있을 수 있으나, for의 경우는 일단 선행의 절에서 떨어져 이와 대등한 위치에 놓인다:

I don't love her *because* she is pretty, but (I love her) *because* she is such a charming personality. 나는 그녀가 예쁘기 때문에 사랑하는 것이 아니라, 무척 매력적인 인품 때문이다《전반의 not 는 I love her 만 부정하는 것이 아니라, I love her because she is pretty 의 전부를 부정함》.

상관접속사
(Correlative Conjunction)

both... and, either... or, neither ... nor, not only ... but (also) 따위처럼 한 쌍의 어구가 연관되어 접속작용을 하는 것을 상관접속사(correlative conjunction)라고 하며, 각 쌍의 제 1 (both 따위), 제 2 (and 따위)의 각각의 요소를 상관어구(correlative)라고 한다. 또한 여기에서 다루는 것은 and 따위 등위접속사를 포함하여 등위접속사에 상당하는 기능을 가지고 있어, 정확히는 등위상관접속사(co-ordinate correlative conjunction)라고 부른다. 이 밖에 so ... that 처럼 종위(從位)상관접속사(subordinate correlative conjunction)라고 불리는 것이 있는데, 본항에서는 다루지 않는다.

등위상관접속사 전반에 공통되는 것으로, 다음과 같은 사항에 주목할 수 있다.

1) 병렬(並列)의 형식

both A and B 따위에서 A와 B는 같은 품사이든가 문법상 같은 기능의 것이 원칙:

a) Both *my brother* and *I* are students. 형도 나도 학생이다.

b) He must be either *a singer* or *a dancer*. 그는 성악가나 아니면 무용가의 그 어느쪽임에 틀림없다.

c) They are neither *rich* nor *poor*. 그들은 부자도 가난뱅이도 아니다.

d) Mr. X is well-known not only *in Korea*, but also *in many other countries* 〔but *all over the world*〕. X씨는 한국(에서) 뿐 아니라 다른 많은 나라에서도〔온 세계에서〕 유명하다.

이들 예문에서 a)에서는 my brother와 I는 주격의 명사·명사 상당어구, b)에서는 a singer도 a dancer도 관사가 붙은 보통명사, c)에서는 rich도 poor도 형용사, d)에서는 in Korea도 in many other countries 〔all over the world〕도 장소를 나타내는 부사구이다.

d)에서 Mr. X is well-known not only *in Korea* but *many other countries*.라고 하면 평형이 깨짐(in Korea가 부사구, many other countries는 명사구임). 실제로는 어조의 관계상 both *on Sunday* and *Saturday*처럼 불평형은 종종 일어나는데 전통적 문법에서는 잘못으로 친다. 우리 외국인으로서는 초보 단계에서는 피하는 것이 안전.

2) 주어와 동사

상관접속사를 쓴 어구가 주어가 될 경우, 동사의 인칭과 수에 주의를 요한다.

a) *both* A *and* B는 항상 복수: *Both* my brother *and* I *are* students. ≪my brother and I=we≫.

b) 다른 세 상관접속사에서는 (1) A, B가 취하는 동사꼴이 일치하면 동사는 이에 맞추며, (2) A, B가 취하는 동사꼴이 다르면 동사는 B에 맞춘다:

(1) Either he or she *is* to blame. 그나 그녀의 어느 쪽인가가 나쁘다≪he *is*, she *is*≫ / Neither he nor I *was* wrong. 그도 나도 잘못되지 않았었다≪he *was*, I *was*≫ / Not only we but (also) they *know*. 우리뿐만 아니라 그들도 알고 있다≪we *know*, they *know*≫.

(2) Either he or I *am* to blame. 그든 나든 어느 쪽인가가 나쁘다≪he is, I *am*≫ / Not only he but we *were* glad. 그 사람뿐 아니라 우리도 반가웠다≪he was, we *were*≫ / Not only she but (also) they *know*. 그녀뿐만 아니라 그들도 알고 있다≪she knows, they *know*≫.

[주] 단, (2)의 형태는 되도록 피하며 다음과 같이 바꾸어 말하는 것이 무난: Either *he is* to blame, or *I* am. 그가 나쁘든가 내가 나쁘든가 어느 쪽인가 다 / Both *she* and *they* know. 그녀도 그들도 알고 있다.

[참]₁ **A as well as** B와 **both A and** B, **not only** A **but** (**also**) B 이 셋은 대체로 뜻은 같으나 A as well as B에서, B는 곁붙음이며 동사는 A만으로 결정된다: *He* as well as I *is* to blame. 나와 한가지로 그도 나쁘다. ⇨ 위의 a), b)의 해당례와 비교.

[참]₂ *both* A *and* B의 both, 및 *either* A *or* B의 either는 '곁붙음'이며 이것을 빼어도 뜻에 변함이 없는 때가 많다. 위의 주어와 동사에 관한 법칙도, 각기 A *and* B, A *or* B에 대한 일반 법칙의 응용에 불과하다.

[참]₃ **not only** A **but** (**also**) B에 있어서의 **also**의 유무

a) **also** 없음: (1) ≪B가 A를 포함함≫ He is well-known *not only* in Korea *but* throughout the world. 그는 한국에서뿐 아니라 온 세계에서 유명하다. (2) ≪B는 A의 상술(詳述)≫ This dictionary is *not only* good, *but* very good. 이 사전은 단지 좋다 뿐만 아니라 (그것도) 썩 좋다.

b) 두 형태의 병용 ≪A와 B는 대등하며 별개≫: He is well-known *not only* in Korea *but* (*also*) in America 〔in many other countries〕. (그는 한국에서 뿐아니라 미국〔다른 많은 나라〕에서도 유명하다). 결국 애매할 때는 언제나 also 없이 하면 안전.

[참]₄ **not only**에 이어지는 절의 어순(語順).

not only A but B에서 A, B는 보통은 문장의 한 요소(주어·술어동사·목적어·보어·부사 따위)에 불과하나 때론(주로 쓴 문장에서) A, B에 절(節)을 쓸 일이 생긴다. 그런 경우 보통 A에서의 주어와 동사는 도치(倒置)된다.

a) be, have 및 일반 조동사(즉 변칙 정형동사)에서는 그대로 도치: Not only *was he* the right man, but *his friends were* very co-operative. 그는 적임자였을 뿐만 아니라 그 친구들이 대단히 협조적이었다.

비교: Not only *he* but *she* is kind. 그뿐만 아니라 그녀도 친절하다.

b) 일반동사의 경우에는 동사에 조동사 do를 더하여 도치《물론 do는 인칭·시제·수에 따라 변화함》: Not only *do we know* him, but *we know* him inside out. 우리는 그를 알고 있을 뿐 아니라 그에 대하여 속속들이 알고 있다.

위의 a)의 예(例)에서 A, B는 주부·술부가 모두 공통점을 갖지 않으므로 바꿔 말할 수 없지만, b)의 예에서는, 주어가 공통이므로 도치를 쓰지 않는 보통 형태로 바꾸어 말할 수 있다: *We* not only *know him*, but *know him* inside out. 따라서 이 때 글머리에 Not only를 가져오는 것은 주로 강조를 위한 문체상의 요청에 의한다. 이 종류의 것으로 다음과 같이 B가 절을 이루지 않는 것도 있는데 A, B의 기능이 병행하지 않으므로 잘못이라고 하는 이도 있다: Not only *was he ready*, but *pleased* to help us. 그는 자진하여 도와 주었을 뿐만 아니라 기꺼이 도와 주었다(=He *was* not only *ready* but *pleased* to help us).

비교(Comparison)

형용사의 대부분은 명사에 대하여 그 성질을 말하는 것이므로 a fast train '빠른 열차', a fast*er* train '더 빠른 열차', the fast*est* train '가장 빠른 열차'의 예에서 볼 수 있듯이, 성질의 정도를 둘 내지 여럿 사이에서 비교하여 나타낼 수 있다. 수량을 나타내는 형용사에 있어서도, 정도의 비교를 보일 수 있다: many mistakes '많은 잘못', *more* mistakes '더 많은 잘못', the *most* mistakes '가장 많은 잘못' 부사의 대부분은 동사에 대해서 그 양태(=동작·상태의 성질)를 말하는 것이므로 speak loud '큰 소리로 말하다' speak loud*er* '더 큰 소리로 말하다', speak (the) loud*est* '가장 큰 소리로 말하다'에서 볼 수 있듯이 양태에 관한 정도의 비교를 나타낼 수 있다. 형용사·부사가 주로 형태의 변화에 따라, 정도의 비교를 나타내는 것을 비교(comparison)라고 일컫는다.

이처럼 형용사·부사는 '비교'에 의해 형태를 변화하며 아래 표에 요약했듯이 세 가지 형태를 취한다. 이 세 가지 형태는 각각 형용사·부사의 급(degree of comparison)이라고 한다. 변화하

는 모양의 분류에 대해서는 다음 면의 '어형변화' 참조.

원 급 positive degree	비 교 급 comparative degree	최 상 급 superlative degree
a *fast* train 빠른 열차	a *faster* 〔the *faster*〕 train 더 빠른 〔빠른 쪽〕 열차	the *fastest* train 가장 빠른 열차
Tom is *tall*. 톰은 키가 크다	John is *taller* than Tom. 존은 톰보다 키가 크다	Ben is the *tallest* of all. 벤은 모두 중에서 키가 가장 크다
My dog runs *fast*. 우리〔내〕 개는 빨리 달린다	Your dog runs *faster* than mine. 네 개는 우리〔내〕 개보다 빨리 달린다	His dog runs *fastest* of all. 그의 개는 여럿 중에서 제일 빨리 달린다

형태상으로 변화가 나타나 있지 않은 본디꼴의 형용사·부사에 대해서도 '비교'의 견지에서 이를 고찰할 수가 있다: The State of Kansas is about *as large as* Korea. 캔자스 주(州)는 한국과 거의 같은 크기의 넓이다.

원급의 용법

1) 비교를 포함하지 않는 수식

서술 또는 한정: Tom is *tall* 〔a *tall* boy〕. 톰은 키가 크다〔키가 큰 아이다〕/We ran *fast*. 우리는 빨리 달렸다.

2) 동등한 비교

Tom is ***as*** *tall* ***as*** Bill. 톰은 키가 빌만하다/My dog runs ***as*** *fast* ***as*** yours. 우리〔내〕 개는 네 개와 같은 정도로 빨리 달린다.

[주]₁ 부정에는 두 가지 형태가 있다: (1) Tom is ***not so*** *tall* ***as*** John. 톰은 존만큼 키가 크지 않다. (2) Tom is ***not as*** *tall* ***as*** John. 톰은 존과 키가 같지 않다.—즉 (1)에서는 톰의 키가 존에게 미치지 못한다는 뜻. (2)에서는 톰과 존은 키가 단지 같지 않다는 것으로, 톰 쪽이 클 경우도 있을 수 있다. 그러나 실제로는 양자는 엄밀히 구별되지 않으며 모두 (1)의 뜻으로 쓰인다. 단, (1)을 (2)의 뜻으로 쓰는 일은 없다.

[주]₂ 다음과 같은 구문에서는 둘째번 as는 종종 생략된다: This is as good (*as*) or even better than that. 이것은 저것만 못지않으며, 아니 오히려 한층 나을 정도다.

3) 배수 관계

This book is *twice* 〔*three times*, *half*〕 ***as*** *thick* ***as*** that. 이 책은 저 책의 2배〔3배, 반〕의 부피이다.

[주] 이 구문에서 (half 따위 1배 이하인 경우를 제외하고) as thick as 대신에 thicker than 형태가 종종 쓰이지만 결벽(潔癖)한 사람은 이를 피한다.

비 교 급

정도의 차가 있는 두 가지 요소의 비교:

1) 기본적인 용법

John is *taller* ***than*** Tom. 존은 톰보다 키가 크다/John is ***the*** *taller* ***of*** the two. 존은 둘 중에서 키가 큰 쪽이다/Let's take a *taller* boy ***than*** Tom. 톰보다 키가 큰 소년을 데리고 가자/He is now *wiser* ***than*** (he was) ten years ago. 그는 10년 전보다 슬기로워졌다《두 시기에 있어서의 동일물의 비교》/He is *more strong* ***than*** rough. 그는 거칠다기보다는 힘이 세다《동일물의 동일 시기에 있어서의 두 가지 성질의 비교. strong*er*가 아니라 *more* strong.》

[주] than과 함께는 반드시 비교급(rather, other, else를 포함함)을 씀: ≪잘못≫ I want time *than* money. ⇨≪바름≫ I want time ***rather*** *than* money. 돈보다 시간을 원한다.

2) 차이를 나타내는 법

a) 부정량(不定量) John is ***a little*** 〔***much, far, a great deal***〕 *taller* than Tom. 존은 톰보다 조금〔훨씬〕 키가 크다/He is ***by far*** the *faster* of the two. 두 사람 중 그 쪽이 훨씬 빠르다/This is ***little*** 〔***a little***〕 *better* than that. 이것은 저것에 비하여 거의 좋다고는 할 수 없다〔극히 약간 좋다〕.

[주]₁ '훨씬'의 뜻일 때 very taller는 잘못이나 very much taller는 괜찮다. lot는 much의 뜻으로 쓸 수 있으나 매우 구어적임. considerably, substantially를 쓰면 '상당히' '어지간히'의 뜻.

[주]₂ 강조의 far와 by far의 구별: 비교급의 형용사에 직접 선행할 때는 far, 그 밖에서는 by far: This is *far* better than that. 이것이 저것보다 훨씬 좋다/This is *by far* the better of the two. 둘 중에서 이것이 훨씬 낫다.

b) 정량(定量) John is ***five inches*** taller than Tom. =John is *taller* than Tom ***by five inches***. 존은 키가 톰보다 5인치 크다.

3) **still**+비교급

John is tall. Ben is ***still*** *taller* (than John). 존은 키가 크다. 벤은 더욱〔더〕 (키가) 크다/John is taller than Tom. Ben is ***still*** *taller* (than John). 존은 톰보다 키가 크다. 벤은 (존보다) 더욱 크다.

[주]₁ still taller라고 하면 비교의 상대도 tall하다는 뜻이 담긴다. 그저 taller than이라고 할 때는 반드시 이 함축이 있는 것은 아니다. 따라서 taller than을 '더 키가 크다'로 새기는 것은 안전하지 못하며, '…에 비하여 키가 크다' 일 뿐이다.

[주]₂ "even+비교급"은 "still+비교급"에 가까워지는 일이 많다: This is ***even*** *better* than that. (이것은 저것보다 좋기까지 하다 ⇨) 이것은 저쪽보다 더욱 좋다〔저쪽보다 좋을 정도다〕.

4) **the**+비교급…, **the**+비교급

The *harder* you study, ***the*** *more* you learn. 열심히 공부하면 할수록 그만큼 더 배운다.

[주]₁ 종속절을 뒤에 가져오면 선행하는 주절 속의 "the+비교급"은 절의 끝으로 옮긴다: One wants ***the*** *more*, ***the*** *more* one has. 인간은 가지면 가질수록 더욱 많은 것을 원한다.

[주]₂ "the+비교급"은 '이유·원인'을 나타내는 어구와 함께 쓰이며, '그만큼 더(욱)…'의 뜻을 보인다: I took a good rest, and feel ***the*** *better*. 푹 쉬어서 덕분에 기분이 좋다.

5) **less**+원급

'열세비교'라고 하며 정도가 약함을 나타낸다: Tom is ***less*** *tall* than John. 톰은 존만한 키가 안 된다. [주] 이 형식은 그다지 쓰이지 않으며, 예컨대 'less strong than'의 경우 not so strong as나 weaker than처럼 됨. "Tom is *not so* 〔*as*〕 *tall as* John." 또는 "Tom is *shorter than* John."이 잘 쓰인다.

6) 비교의 뜻이 약화된 용법('절대비교급')

higher education 고등교육/the *greater* part of our students 우리 학교 학생의 태반(太半).

최 상 급

정도의 차가 있는 셋 이상의 요소의 비교:

1) 기본적인 용법

Ben is *the tallest* of all 〔of the threes〕. 벤은 모두 중에서〔셋 중에서〕 제일 키가 크다/Seoul is *the largest* 〔by far *the largest*〕 city in Korea. 서울은 한국에서 가장 큰〔뛰어나게 큰〕 도시이다/This is *her best* dress. 이것이 그녀의 가장 좋은 의상이다.

注1 형용사의 최상급에는 정관사 혹은 소유·지시 형용사 따위의 확정적인 수식어가 붙는다. 단, 형용사가 서술적으로 쓰였을 때는 보통 the를 생략한다: The days are *longest* in summer. 해는 여름에 가장 길다. The lake is *deepest* at this point. 호수는 이 근처가 제일 깊다.

注2 부사의 최상급은, 보통 정관사를 붙이지 않는다: His dog runs *fastest* of all. 그의 개가 모든 개중에서 제일 빨리 달린다.

注3 최상급의 뜻을, 원급·비교급을 써서 나타낼 수도 있다: No other city in Korea is so 〔as〕 *large* as Seoul. 한국의 어떤 다른 도시도 서울만큼 크지가 않다. Seoul is *larger* than any other city in Korea. 서울은 한국의 다른 어떤 도시보다도 크다.

2) **even** '조차도'의 뜻이 함축되는 경우

The *best* student in the class was unable to solve the problem. 학급에서 가장 우수한 학생까지도 이 문제는 풀지 못했다(=Even the best student...).

3) 단순한 강조('절대최상급')

He is a *most kind* man. 그는 매우 친절한 사람이다/They helped us with *deepest* sympathy. 그들은 매우 깊이 동정하여 우리의 힘이 되어 주었다/The man treated the boy *most cruelly*. 그 사나이는 소년을 매우 가혹하게 다루었다.

注1 보통 -est의 어미(語尾)를 붙이는 말이라도 이 용법에서는 most에 의한 최상급의 형태로 쓰일 때가 많다.

注2 관사가 가산명사에 대해서는 a를 붙이며, 불가산명사일 때는 붙이지 않는 일이 많다. ⇨COUNTABLE, UNCOUNTABLE.

어형 변화

1) 원급에 **-er, -est**를 붙이는 것(단음절어; 일부 2음절어)

원 급	비교급	최상급
tall	taller	tallest
long	longer	longest
large	larger	largest
free	freer	freest
polite	politer	politest
thin	thinner	thinnest
dry	drier	driest
early	earlier	earliest
pretty	prettier	prettiest

注1 원급이 e로 끝나는 것은 단지 -r, -st를 붙인다. 다음의 발음에 주의: freer [fríːər], freest [fríːist] 《[friər] [friːst]로는 되지 않음》.

注2 원급이 "단모음+자음"으로 끝나는 것에는 그 자음자를 겹친다.

注3 원급이 "자음자+y"로 끝나는 것은 y를 i로 바꾸어 -er, -est를 덧붙인다. 단, 단음절어에서는 shy-shyer, shier-shyest, shiest처럼 두 가지 꼴이 있는 것이 많다.

注4 long처럼 'ŋ'음으로 끝나는 것은, longer, longest에서 [-ŋgər], [-ŋgist]처럼 발음상 'g'가 들어간다.

注5 보통은 -er의 어미를 취하는 낱말도 경우에 따라 예외가 있다. 이를테면 동일물의 두 가지 다른 성질을 비교하는 경우: He was *more shrewd* than wise. 현명하다기보다 약빠른 편이었다.

2) 원급 앞에 **more, most**를 덧붙이는 것(2음절 이상의 낱말; 일부 단음절어)

원 급	비교급	최상급
useful	more useful	most useful
finely	more finely	most finely
difficult	more diffcult	most difficult
French*	more French	most French

注 *는 단음절이나 국적을 보이는 것.

3) 불규칙 변화

원 급	비교급	최상급
many / much	more	most
little	less	least
good / well	better	best
bad / ill	worse	worst
far*	farther	farthest
	further	furthest
late*	later**	latest**
	latter	last
old*	older**	oldest**
	elder	eldest

注1 *는 뜻에 따라 두 종류로 비교변화하는 말. **는 규칙변화.

注2 위에 보인 little의 변화꼴은 '적은' '적게'의 뜻일 경우에 한함. '작은'의 뜻으로는 보통 smaller, smallest를 씀.

注3 other, another도 본래는 비교급으로서, 원급·최상급이 없는 것.

라틴어계 비교급

어미가 -(i)or로 끝남: superior, inferior, senior, junior, major, minor 따위. 注 이것들은 than 대신에 to와 함께 쓰임: This is much *superior to* that. 이것이 그것보다 훨씬 좋다.

관계사(**Relative**)

관계사(relative)는 (1) 종속절 속에서 명사·형용사 또는 부사로서의 구실을 하며, (2) 원칙적으로 주절 속의 어느 말과 같은 것을 가리킴으로써 종속절을 주절에 연결시킨다. 관계사에는 관계대명사(relative pronoun), 관계형용사(relative adjective), 관계부사(relative adverb)의 세 가지가 있다. ⇨CLAUSE.

1) 관계대명사

a) 기본 문례(文例)

(1) I know a boy *who* 〔*that*〕 speaks English very well. 나는 영어를 아주 능숙하게 하는 소년을 알고 있다.

(2) That is the man (*whom, that*) I saw yesterday. 저 사람이 내가 어제 만난 분이다.

(3) I have a friend *whose* father is a doctor. 나에게는 그의 아버지가 의사인〔의사를 아버지로 가진〕 친구가 있다.

(4) My friend has a dog *which* 〔*that*〕 looks like a fox. 내 친구는 여우같이 생긴 개를 한 마리 가지고 있다.

(5) Please show me the book (*which, that*)

you bought yesterday. 어제 당신이 산 책을 보여 주시오.

b) 관계절과 선행사

a)의 예문 (1) I know a boy *who* speaks English very well.은 I know a boy.+*The boy* (=He) speaks English very well. 같이 2개의 문장이 연결된 것으로 생각할 수 있다. boy가 두 번 되풀이되어 있어서 보통이면 두번째의 boy는 인칭대명사 he로 대용되어야 할 것이나, 두 문장 중의 하나를 종속절로 하여 다른 문장(=주절)에 결합할 경우에는 관계대명사를 명사에 대용한다. 즉, who는 후반부의 문장〔절〕을 전반부의 문장〔절〕에 연결시켜 주는 접속사로서의 구실과, 후반부의 절 속에서의 he라는 대명사의 구실을 겸하고 있다. 이와 같이, 접속사와 대명사의 역할을 겸하는 것이 관계대명사이다.

여기에서 I know a boy는 주절이고, who speaks English very well은 boy를 꾸며주는 종속절인데, 이와 같이 관계대명사나 관계부사에 이끌리는 종속절을 관계절(relative clause)이라고 한다. 관계절은 본질적으로 형용사절이기도 하다.

관계대명사 who는 명사 boy를 대표하고 있다. 이러한 관계를 'boy는 who의 선행사(antecedent)'라고 한다.

c) 관계대명사의 격(格)

위의 예 a)의 (1), (2), (3)에 있어서는, 각기

(1) *he* speaks English very well. ⇨ *who* speaks English very well

(2) I saw *him* yesterday ⇨ *whom* I saw yesterday

(3) *his* father is a doctor ⇨ *whose* father is a doctor와 같이 *who*, *whom*, *whose*는 관계절 중에서 각기 주격, 목적격, 소유격을 나타내고 있다. 이것을 '관계대명사의 격'이라고 한다. 관계대명사 who, which, that의 격은 다음 표와 같다.

주 격	who	which	that
소 유 격	whose	of which (whose)	—
목 적 격	whom	which	that
적용대상	사람(때로는 동물)	사물, 동물	사물, 동물, 사람

관계대명사의 격은, 오로지 관계절 속에서의 역할에 의하여 정해지는 것으로서, 선행사가 주절 속에서 갖는 격과는 관계가 없다. 예를 들면 a)의 (1)에서는 boy는 주절 중의 목적격이지만, who는 그것과는 관계없이 관계절 속에서의 *he* speaks...라는 역할상 주격이 된다.

[注]1 which에는 소유격이 없고, 소유격의 뜻은 of which로 나타내는데 간혹 whose도 쓰인다: Here is a book *the author of which* 〔*whose author*〕 is unknown.(여기에 (그) 저자 불명의 책이 있다).

[注]2 최상급과 함께 쓰일 때에는 that를 쓰는 수가 많음: "War and Peace" is the longest story *that* I have ever read.('전쟁과 평화'는 지금까지 내가 읽은 중에서 가장 긴 소설이다). 단, who, which를 아주 안 쓰는 것은 아님.

[注]3 that는 항상 제한적으로 쓰이고 비제한적 용법(⇨ 아래 4)은 없음.

d) 관계대명사의 수

관계대명사는 모두 단수·복수 동형(同形)이다: I know a boy *who* speaks English very well. — I know some boys *who* speak English very well.

e) 관계대명사의 생략

위의 a) (2) 및 (5)에서 ( )로 표시한 바와같이 목적격이 되는 관계대명사 whom, which, that는 생략할 수 있다. 예컨대, (2)는 That is the man I saw yesterday.

[注]1 구문상 목적격과 같은 위치에 있는 아래의 that도 가끔 생략됨.

(a) 보어의 유(類): He is no longer the idle man (*that*) he used to be.(그는 이제 그가 예전에 그러했던 바의 게으름뱅이는 아니다 ⇨)그는 예전과 달라서 이제 게으름뱅이는 아니다《주격보어》. He is not the fool (*that*) we thought him. 그는 우리가 생각하는 것처럼 바보는 아니다《목적격보어》. That's all (*that*) there is to it. 그저 그것뿐이다《is의 참주어: that이 보통 없음》.

(b) 관계부사적으로 쓰인 that: I entered school the year (*that*) you were born. 나는 당신이 태어난 해에 입학했다.

[注]2 주절이 there is로 시작되는 문장 중에서, 아래와 같은 who의 생략은 특히 구어적: There is a man (*who*) wants to see you. 당신을 만나겠다는 사람이 있다.

f) 전치사+관계대명사

(1) This is the village *in which* I was born. (⇦ I was born *in it*.) 이것이 내가 태어난 동네요.(⇨아래 3) a) (1))

(2) That is the boy *with whom* I sang.(⇦ I sang *with him*). 저 애가 나와 같이 노래한 소년입니다.

[注]1 (1)에서 우리말에 이끌리어 in을 빼놓고 This is the village (*which*) I was born. 이라고 하면 잘못임. I was born *in the village*. 라고는 할 수 있지만, I was born *the village*. 라고는 할 수 없기 때문임.

[注]2 전치사를 수반할 수 있는 것은 whom과 which에 한함. that를 쓰거나 아주 생략해 버리거나 하면 전치사는 끝에 옴: This is the village (*that*) I was born *in*./That is the boy (*that*) I played *with*.

g) 선행사를 그 자체에 포함한 관계대명사

That is *what*(=the thing that) I want. 그것이 내가 원하는 것이다/*Whatever* (=anything that) can be done, must be done. 할 수 있는 것이면 무엇이든 하여야 한다/*Whoever* (=anyone who) likes travel(l)ing is welcome to join us. 여행을 즐기는 분이면 누구나 환영합니다.

이상의 예문에서 what 및 그 밖의 것은 각기 ( )속의 어군과 거의 같은 뜻을 갖기 때문에 "선행사+관계대명사"의 구실을 하고 있다.

[注] ***whoever*** 와 ***whomever*** 의 용법에 특히 주의할 것:

(1) I will give this book to *whoever*(=anyone *who*) wants it. 누구든 원하는 사람에게 이 책을 주겠다.

(2) *Whomever* (=anyone whom) you like may come. 당신이 좋아하는 사람이면 누구든 와도 좋다.

(1)에서는 whoever에 포함된 anyone은 주절 속에서 목적격이지만, 같은 whoever에 포함된 who는 관계절 중에서 주격이므로, 실제로는 whomever는 사용되지 않고 *whoever*를 씀. (2)에서는 이와 반대임. (⇨ WHAT, WHATEVER, WHICHEVER, WHOEVER, WHOMEVER, WHOSEVER.)

h) 강조 구문

It is I *who* 〔*that*〕 did it. 그것을 한 것은 나요.(⇨IT *pron*. ⑥, EMPHASIS).

i) 기타의 관계대명사

⇨AS, THAN, BUT.

2) 관계형용사

(1) I gave him *what* money I had with me. 그에게 갖고 있던 돈 전부를 주었다.

(2) We consulted him, *which* step later proved effective. 우리는 그에게 상의하였는데, 그 조처는 나중에 가서 효과가 컸다는 것을 알았다.

(1)은 I gave him money.+I had that money with me.와 같이 두 문장을 하나로 결합한 것이다. 이 때에는, (a) 주절이 되는 문장과 종속절이 되는

문장에서 같은 명사가 되풀이되고 있으므로 주절의 명사가 생략되고, (b) 종속절 속의 지시형용사 대신에 관계형용사가 쓰여지며(that ⇨ what), (c) '관계형용사+명사'가 종속절의 글머리로 옮겨진다.

(2)는 We consulted him.+That step later proved effective.로 이루어져 있다. That step은 내용적으로 선행하는 문장 전체 '그에게 상의한(일)'을 가리킨다.

주 관계형용사를 관계대명사의 형용사적 용법이라고 할 때도 있음.

3) 관계부사

a) 기본 문례

(1) This is the village *where*(=in which) I was born. 이것이〔여기가〕 내가 태어난 동네다.

(2) Summer is the season *when*(=in which) we swim. 여름은 우리가 수영하는 계절이다.

(3) That is the reason *why*(=for which) I was late. 이것은 내가 지각한 이유이다.

이와 같이 관계부사는 '전치사+관계대명사', 즉 접속사와 부사구를 겸한 작용을 지닌다:

(1) I was born *in the village*(=*there*).

(2) We swim *in the season*(=*then*).

(3) I was late *for that reason*(=*therefore* I was late).

관계대명사의 경우와 같이 선행사가 있다: (1) village, (2) season, (3) reason.

주1 where는 '장소·경우' 등에, when은 '때'에 쓰임.

주2 This is the way *how* he did it.(이것이, 그가 그것을 한 방식이다)도 이 부류에 드는데 오늘날 이 용법은 일반적이 아니고, 흔히는 the way나 how만을 사용해서, This is *the way* he did it. 또는 This is *how* he did it.라고 한다.

b) 선행사의 생략

(1) We camped (at a place) *where* we could get enough water. 우리는 넉넉한 물을 구할 수 있는 곳에서 야영했다《이 where는 접속사로서도 취급된다》/We came out from (the place) *where* we were hiding. 우리는 숨어 있던 곳에서 나왔다/That's (the point) *where* you are wrong. 그 점이 당신 생각이 틀린 데다.

(2) We got home (at the time) *when* it was getting dark. 우리는 어두워질 무렵에 집에 닿았다《이 때의 When은 보통 접속사로 취급》.

(3) That is (the reason) *why* I was absent. 그것이 내가 결석한 이유입니다.

c) 기타의 관계부사

⇨ WHEREVER, WHENEVER 따위.

4) 관계절의 제한적 용법과 비제한적 용법

위의 1) a) (1)의 I know a boy *who* speaks English very well. 이나 3) a) (1)의 This is the village where I was born.에 있어서는 who 및 where 이하의 관계절은 각기 boy 및 village를 수식하여 그 의미를 제한함으로써 비로소 '어떠한 소년'인지, '어떠한 동네'인지가 분명해진다. 이러한 용법을 관계절(따라서 관계사)의 제한(적) 용법(restrictive use)이라고 한다.

이에 대하여 아래와 같이 관계절이 선행사의 뜻을 한정한다기보다는 부가적인 설명이나 서술의 역할을 할 경우를 비제한(적) 용법(nonrestrictive use) 또는 계속적 용법(continuative use)이라고 한다.

(1) John wrote a letter, *which* he mailed(=*and* he mailed *it*) at once. 존은 편지를 써서 그것을 곧 부쳤다.

(2) My father, *who* is fond of swimming, goes to the seaside every summer. 아버지께서는 수영을 즐기시므로 여름마다 해변에 가십니다《삽입적 설명》.

(3) My friend trusts that old woman, *who* (=*but she*) is actually very wicked. 내 친구는, 저 노파를 신용하고 있으나, 사실은 그녀는 매우 질이 나쁘다.

(4) They went to the lake, *where*(=*and there*) they saw a number of swans. 그들은 호수로 갔다. 그런즉 거기에는 많은 백조가 보였다.

(5) They all like him, *which*(=*and this*) shows that he is a kind man. 그들은 모두 그를 좋아하는데, 이것은 그가 친절한 사람이라는 것을 말한다《선행사는 They all like him의 절 전체》.

(6) We reached the village *when*(=*and then*) it began to rain. 우리가 동네에 닿자 비가 왔다《선행사는 앞의 절 전부. 어구(語句)를 선행사로 하는 when의 비제한적 용법의 보기는 ⇨ WHEN C) (2)》.

이상과 같이 비제한적 용법에서의 관계대명사 및 관계부사는 흔히 'and〔but〕+대명사〔부사〕'로 바꿔 놓아도 그 뜻에는 거의 변함이 없을뿐더러, 관계절을 없애도 전체의 뜻에 큰 영향은 없다.

주1 비제한적 용법에서는 관계사 앞에서 음조(音調)를 낮춤으로써 단락이 지어지는 경향이 있으므로, 글로 쓸 경우에는 보통(,)를 붙인다.

주2 동일문을 두 가지 용법으로 쓸 수 있는 때가 종종 있음: My friend has two brothers *who* are older than I. 나의 친구에게는 나보다 손위의 형제가 둘 있다《제한적 용법: 그 외에도 형제가 있음을 암시》. My friend has two brothers, *who* are older than I. 내 친구에게는 형제가 둘이 있는데 이 둘은 나보다 손위이다《비제한적(非制限) 용법: 형제는 둘 뿐》.

주3 위의 (2)는 '수영 좋아하시는 우리 아버지께서는 여름마다 바다에 가십니다'라고도 새길 수 있으나, 번역 자체가 용법을 구별하는 기준이 될 수는 없음. '수영 좋아하는'은 수식어로서 부수적 설명인데, 이 구절이 없더라도 '나의 아버지'라는 인물은 명시됨. 따로이 '수영 좋아하지 않는' 다른 아버지를 전제하고 있는 것은 아님. 이런 경우가 매우 흔함.

주4 제한적 용법에서는 언제나 선행사에는 정관사가 붙는 것으로 잘못 생각하기 쉬우나 부정관사가 붙는 경우가 없지 않음: I know *a* student who speaks good English. 영어를 잘 하는 (*a*=어떤) 학생을 알고 있다. I know *the* student who speaks good English. 영어를 잘 하는 (*the*=그) 학생을 알고 있다.

주어(Subject)

영어에서는 우리말의 경우와는 달라서, '문장'은 반드시 주어(subject)를 필요로 한다. 주어는 술어동사가 나타내는 행위·상태의 주체를 보일 수가 있는데 그러한 의미로서의 규정 외에, 그리고 극히 중요한 점이지만, 주어는 명사·대명사(또는 명사 상당어구·명사절)가 되며, 게다가 술어동사와의 사이에 인칭 및 수(數)의 일치를 보인다는 특징을 지니고 있다. 주어와 술어동사와의 사이의 수의 일치에 관해서는 ⇨ NUMBER.

술어동사와의 인칭·수의 일치가 없는 경우, 즉 술어동사 이외의 동사의 변화형에 있어서도 의미상으로는 주어·술어 관계가 생길 때가 있다《의미상의 주어》: I want to *go*. 나는 가고 싶다《go의 의미상의 주어는 문장의 주어와 같이 I》/I want *you* to *go*.(나는 자네가 가는 것을 바란다 ⇨) 나는 자네가 가 주었으면 싶네《go의 의미상의 주어는 you》.

주어로서의 it의 특수 용법

1) 비인칭주어 it

우리말로 '비가 내리다'란 뜻을 영어는 to rain 그 자체 속에 전부 담고 있다. 그러나 영어에서는 문장이라면 주어를 필요로 하므로 "*It* rains."와 같이 주어로서 특정의 명사로 바뀌지 않는 It를 가져오고, 술어동사는 이 주어와 인칭·수에 있어서 일치시키고, 현재형이면 rains로 된다. 이런 유(類)의 it를 비인칭주어(impersonal subject)라고 한다.

기상·온도 따위에 관한 표현에서는 비인칭주어의 it가 흔히 사용된다. 시간·거리에 관해서도 마찬가지:

It may snow before long. 《기상》 일간 눈이 올지도 모른다 / *It* is very cold in the northern part of Michigan. 《기온》 미시간 (주) 북부는 무척 춥다 / *It* was Sunday and seven in the morning. 《시간》 일요일로서 아침 7시였다 / How far is *it* to the nearest station? 《거리》 가장 가까운 정거장까지 거리가 얼마나 되나요.

2) 상황을 나타내는 it

주의의 상황을 어떻다고 명사로 보이지 않고, it로 대용한다:

How is *it* at your home? 댁에서는 어떻습니까 / Who is *it*? 누구십니까《예를 들면 노크 소리가 났을 때 밖에다 대고》.

3) 형식 주어의 it

글머리 또는 글머리 가까이 it를 주어로서 가져오고 뒤에 동명사·부정사·절 따위를 진짜 주어로서 내세운다. it는 형식주어(formal subject)이며 뒤에 나오는 것이 진주어(眞主語)(real subject)이다:

It's no use *crying over spilt milk*. 엎지른 우유를 가지고 울어 봤자 (그것은) 소용없다; 엎지른 물《속담》/ *It* is good *to remain young in spirit*. 정신적으로 언제까지고 젊은 것은 좋다 / *It* was not definite *whether* (*or not*) *he was coming*. 그가 올지 어떨지 (그것은) 확실히 정해져 있지 않았다.

4) 강조형식 it is... that __ 의 it

문장 중의 어떤 말을 강조하기 위한 이 형식에서는, it는 본래는 앞의 항 3) 또는 2)의 it로 해석할 수 있다:

It was there *that* I first met him. 내가 처음 그를 만난 것은 거기였다 / *It is* you *that* are wrong. 잘못된 것은 당신이다《that은 관계대명사로서 you를 선행사로 함》. 상세한 점은 ⇨ IT, *pron.* ⑥ 및 EMPHASIS, THAT.

주어의 생략

1) 명령문의 주어 you

명령문(命令文)에서는 주어 you가 생략되는 것이 보통:

Sit down here. 여기 앉으시오(=*You* sit down here!) / Don't buy that stuff. 그런 것을 〔것일랑〕사지 마시오(=Don't *you* buy that stuff!).

2) 관용적 생략

Thank you. 고맙습니다(=*I* thank you.) / See you again. 다시 만나 뵙지요; 안녕(=*I will* see you again. ― 조동사도 생략되어 있음) / Serves him right. 그것 고소하다(그에겐 당연한 보답이다)(=*It* serves him right. ― 이 it는 '상황'의 그것).

3) (딱딱하지 않은) 평이한 말투

주어와 함께 조동사 따위도 생략된다:

Seems he's tired. 그는 피곤한 것 같다(=*It* seems he's tired.) / Why reproach him? 왜 그를 책〔비난〕하는가(=Why *do you* reproach him?).

4) as, than 의 뒤에 와야 할 비인칭의 it

본래 비인칭의 it, 상황을 보이는 it, 가〔형식〕주어의 it 따위가 생략된다:

Come as soon as possible. 가급적 빨리 오시오《=Come as soon as *it is* possible. be 동사도 생략되어 있음》/ Don't stay there longer than is necessary. 필요 이상으로 그곳에 오래 머물지 마라《=...than *it* is necessary (to stay there)》.

격(Case)

명사·대명사가 문장 속의 다른 낱말에 대하여 지니는 관계를 나타내는 어형을 격(case)이라고 한다. I know him.(나는 그를 알고 있다)에 있어서, I는 '나'라는 뜻 외에 주어이기도 하며(목적어이면 me가 됨), him은 '그'라는 뜻 외에 목적어임을 나타낸다(주어이면 he가 됨). 또 my book에서 my는 '나'라는 뜻 외에 이 낱말이 다른 명사를 수식하고 있음을 나타낸다. I, he 따위를 주격(nominative, nominative case), me, him 따위를 목적격(objective, objective case), my, his 따위를 소유격(possessive, possessive case) 또는 속격(genitive, genitive case)이라 한다. 명사는 the boy's book 처럼 소유격으로 특별한 형태가 있으나 The boy loves the dog. (소년은 개를 사랑한다) / The dog loves the boy. (개는 소년을 좋아한다)의 예에서 볼 수 있듯이, 주격과 목적격과의 구별을 나타내는 특별한 형태가 존재하지 않으므로, 이 두 가지를 대신하여 통격(common case)을 설정해서 이것과 소유격과의 두 종류를 인정할 수 있다.

목적격은 직접목적으로서 쓰일 때, 특히 대격(accusative, accusative case)이라고 부르며, 간접목적으로서 쓰일 때의 여격(dative, dative case)과 대립시키는 일도 있으나, 이는 라틴 문법의 영향에 의한 것이며, 영어에는 대격과 여격을 구별짓는 형태는 존재하지 않는다.

1) 형 태

명사의 소유격은 's를 붙여서 만들며, 복수형은 이미 복수의 s가 어미에 붙어 있으므로 -s's로는 하지 않고 단지 '만을 붙인다(복수형으로 어미에 s가 없는 것에 있어서는 소유격(所有格)의 's가 붙는다. 보기: men's, children's).

	단 수	복 수
통 격	boy	boys
소유격	boy's	boys'

대명사일 때, 인칭대명사는 주격·소유격·목적격의 세 형태를 갖는다.

	단 수	복 수
주 격	I	we
소유격	my	our
목적격	me	us

	단 수	복 수
주 격	you*	you
소유격	your*	your
목적격	you*	you

※ 옛 꼴의 thou(주격), thy(소유격), thee(목적

격)가 있다.

	단 수	복 수
주 격	he she it	they
소유격	his her its	their
목적격	him her it	them

㊟ 여기에 든 것 이외의 소유격의 형태 변화 및 용법(用法)에 대해선 ⇨ POSSESSIVE CASE.

또 아래의 것 이외의 주격 · 목적격에 대해선 각기 ⇨ SUBJECT, OBJECT.

2) 격의 용법(소유격을 제외함)

a) 주격(통격을 포함함)

(1) 주어: *Henry* and *I* went there together. 헨리와 나는 그곳에 함께 갔다 / *She* speaks Russian just as fluently as *he* (does). 그녀는 그에 못지 않게 러시아어를 유창하게 한다.

(2) 주격과 동격: We will sit here, *you* and *I*. 우리는 여기에 앉자, 너와 나 말이야.

(3) 부르는 말: *You*, sit down here. 당신 여기에 앉으시오.

(4) 주어의 보어: *Who* is it? 누구십니까 / It's *I*. 접니다. ㊟ 단, It's *me*.는 문법상 잘못으로 치나 실제로는 자주 쓰인다.

(5) 독립〔절대〕분사구문의 의미상의 주어: *He* being absent, I had to take his place. 그가 결근했으므로 나는 그를 대신해야만 했다.

(6) 불완전한 문장의 주어: *She* a beauty! 저 여자가 미인이라니(웃기는 군) / *I* a liar? 내가 거짓말쟁이라니(말도 아니다). ㊟ She *is* a beauty!, I *am* a liar?의 be 동사가 심한 감정의 영향으로 빠진 것.

(7) **who** 의 경우: who 가 문장 속에서 목적어로서 whom 이 되어야 할 경우에, 의문사로서 글머리에 나올 때에는 종종(특히 대화체에서) who 로 된다: *Who* do you want to see? 누구를 만나고 싶습니까 / *Who* did you talk to? 누구에게 말하였습니까.

b) 목적격(통격을 포함함)

(1) 동사의 직접목적어: I haven't seen *him* for some time. 얼마 동안 그를 만나지 못했다 / He took *me* by the hand. 그는 내 손을 잡았다. ㊟ 다음과 같은 문장에서는 보통 자동사로서 쓰이는 동사가 타동사로서 쓰이며, 직접목적어를 취한다: He stared *me* in the face. 그는 내 얼굴을 빤히 쳐다보았다.

(2) 동사의 간접목적어: They gave *us* nice souvenirs. 그들은 우리에게 좋은 선물을 주었다. ㊟ My father built *me* a nice house. (아버지가 나에게 좋은 집을 지어 주셨다)의 me 는 간접목적어의 일종이지만, for me (나를 위하여)의 뜻이므로 이해의 여격(dative of interest)이라고 한다. 이해의 여격의 목적어는 수동태의 주어가 될 수 없다. 따라서 I was built a house by my father.라고는 할 수 없게 된다.

(3) 목적어의 보어: We elected him *President*. 우리는 그를 회장으로 뽑았다 / He suspects the criminal to be *me*. 그는 내가 범인이라고 의심하고 있다.

(4) 전치사의 목적어: This is *for you*, not for your husband. 이것은 당신에게 드리는 것이지 부군께 드리는 것이 아닙니다 / This has been a splendid occasion *for* my wife and *me*〔*myself*〕. 집사람과 저에게는 좋은 기회였습니다.

(5) (전치사 취급) 형용사의 목적어: like, near, next, opposite, worth 따위의 뒤: It isn't *worth a penny*. 그것은 한푼의 값어치도 없다 / Let her sit *near* me. 그녀를 내 곁에 앉히시오.

(6) 부사 용법: 시기 · 시간 · 거리 · 방향 · 방법 · 정도 따위를 나타내는 명사에는 전치사를 수반하지 않고 부사적으로 쓰이는 것이 있다: He arrived *this morning*. 그는 오늘 아침 도착했다 / We stayed there *two weeks*(=for two weeks). 그곳에 2주일 동안 머물렀다 / We walked *ten miles* at a stretch. 단숨에 10 마일을 걸었다 / Don't act *the way* those light-headed youngsters do. 분별없는 젊은이들이 하듯이 행동해서는 안 되네 / Is this *a bit* too tight? 좀 꼭 끼지〔거북하지〕 않니.

(7) 형용사적으로 쓰인 명사: 형상 · 색채 · 연령 따위를 나타내는 명사는 그 앞에 있어야 할 전치사가 빠져서 형용사와 같은 기능을 한다: They are *the same shape* 〔*age*〕(=of the same shape 〔age〕). 같은 모양〔나이〕이다 / It's *no use* trying to persuade him(=of no use). 그를 설득하려 해도 헛일이다. ㊟ 다음과 같은 문장에서는 of를 더할 수 없지만 역시 같은 종류의 용법: We painted the gate a *bright blue*. 문을 밝은 청색(青色)으로 칠했다.

㊟ 목적격은 상기(上記)의 것 외에 부정사 · 동명사의 의미상의 주어가 됨. ⇨INFINITIVE, GERUND.

소유격 (Possessive Case)

단지 possessive, 또는 속격(屬格)(genitive, genitive case)이라고도 하는데, 명사 및 대명사의 격(case)의 하나로서, 명사 · 대명사를 다른 명사에 이어주어 소속 · 소유의 관계 따위를 나타낸다. ⇨ CASE.

소유격을 만들기

1) 대명사의 소유격

a) 인칭대명사

	단 수	복 수
제 1 인칭	my 나의	our 우리들의
제 2 인칭	your 〔《옛》 thy〕 너의	your 너희들의
제 3 인칭	his 그의 her 그녀의 its 그(것의)	their 그들의 그녀들의 그것들의

㊟ 이것들은 소유형용사(possessive adjective)라고도 하는데, 이것과 짝을 이루어서 mine(나의 것), yours〔《옛》 thine〕 (너의 것), his(그의 것), hers(그녀의 것), ours(우리들의 것), yours(너희들의 것), theirs (그들의 것, 그녀들의 것)가 있으며, 이것은 소유대명사(possessive pronoun)라고 한다. 이것들은 함께 '인칭대명사의 소유격' 으로 한데 몰아서 생각할 때도 있다.

b) 의문대명사 who 의 소유격은 whose.

c) 관계대명사 who 의 소유격은 whose; 관계대명사 which 의 소유격은 of which(때로는 whose).

a book { *whose* cover / the cover *of which* / *of which* the cover } is red

㊟ of which the cover 는 잘 쓰지 않음.

	의문대명사·관계대명사	관계대명사
주 격	who	which
소유격	whose	of which*
목적격	whom	which

* 때로 whose를 대용

d) 부정대명사 's의 어미를 쓴다.

One must fulfill *one's* [wʌnz] duty. 자기 의무를 이행치 않으면 안 된다 / *Everybody's* [évribàdiz/-bɔ̀diz] business is *nobody's* business. 《속담》 모두의 일은 아무의 일도 아니다; 공동책임은 무책임.

2) 명사의 소유격

a) 단수명사 공통격(＝주격과 목적격)의 형태에 's(＝apostrophe s)를 붙인다. 발음의 규칙은 복수형의 경우와 마찬가지지만, 철자상으로는 그 때와 달라서 어미의 y를 ie로 바꾸거나, 어미에 e를 덧붙이거나 하는 일은 없다. ⇨NUMBER.

(1) 낱말 끝이 다음 항 (2)에서 설명된 이외의 음인 때, 's는 모음 또는 유성자음 다음에서는 [z], 무성자음 다음에서는 [s]: lady ⇨lady's [léidiz] 부인의 《비교: lady ⇨ladies [léidiz] 부인들》. gentleman's [dʒéntlmənz] 신사의. Jack's [dʒæks] 재크의. Pat's [pæts] 패트의.

(2) 치찰음(齒擦音)·파찰음 [s, z, (t)ʃ, (d)ʒ]으로 끝나는 명사에서는, 덧붙인 's의 음가(音價)는 [iz]로 된다. 단, 이 경우에도 철자상으로는 직접 's를 붙인다: Mr. Bush's [búʃiz] son 부시씨의 아들. the Church's [tʃə́ːrtʃiz] doctrine 교회의 교리. the witch's [wítʃiz] head 마녀의 머리. the judge's [dʒʌ́dʒiz] decision 판사의 판결. George's [dʒɔ́ːrdʒiz] brother 조지의 형. Mrs. James's [dʒéimziz] anxiety 제임즈 부인의 걱정. 주 다음의 복수형과 비교: wish*es* [wíʃiz] 소망. watch*es* [wátʃiz, wɔː-/wɔ́tʃiz] 시계. lens*es* 렌즈.

참₁ 특히 s로 끝나는 고유명사는, '만을 붙이고 s를 생략한 별형도 있는데 어조(語調)상 종종 후자를 택하는 수가 많다: James' [dʒeimz] brother 제임즈의 형. Keats' [kiːts] poems 키츠의 시. Moses' [móuziz], Jesus' [dʒíːzəs], Odysseus' [odísjuːs], Xerxes' [zə́ːrksiːz], Achilles' [əkíliːz], Archimedes' [àːrkimíːdiːz]

참₂ 다음의 경우에는 보통 '만을 붙인다: princess' [prinsés, prínsis], for conscience' sake [fər-kánʃəns-sèik/-kɔ́n-] 《for goodness' 〔old times'〕 sake 따위도 같음》.

b) 복수명사 s로 끝나는 것에는 단지 '를, 그 밖에는 's를 붙여 준다: boys' [bɔiz] shirts 남아용 셔츠. these ladies' [léidiz] names 이 부인들의 이름. the cooks' salaries 요리사들의 급료. men's [menz] hats 남자용 모자. children's [tʃíldrənz] room 아이들 방.

3) 어군(語群)의 소유격

Governor Brown's administration 브라운 지사의 시정(施政). *the Duke of Wellington's* fame 웰링턴경의 명성. *somebody else's* business 타인의 문제. *my brother-in-law's* house 나의 의형 《처남·매부·동서 따위》의 집. *an hour or two's* delay 한두 시간의 지체.

주₁ 이런 유(類)의 형태를 군속격(群屬格)(group-genitive)라 부를 때가 있다.

주₂ 군속격에는 다음과 같은 예까지도 있다: *the man we met yesterday's* son 어제 우리가 만났던 사람의 아들.

4) **a, this, any, no** 따위와 소유격

예를 들어서 a my friend 라든가 my a friend 처럼 a, this, any, no 따위와 소유격과를 늘어놓아 동일의 명사를 꾸미는 일은 허용되지 않는다. 다음처럼 해준다:

Tom is a friend *of mine*. 톰은 나의 친구다 / *This* book *of mine* is 〔*These* books *of mine* are〕 expensive. 나의 이 책〔책들〕은 값이 비싸다 / I know *every* friend *of my brother's*. 나는 형의 친구를 모두 알고 있다.

주 보통 다음의 구별이 있다: *a* picture *of* my *father's* 나의 아버지 소유의 한 폭의 그림 ≒*a* picture *of* my *father* 나의 아버지를 그린 한 폭의 그림.

소유격의 용법

소유격은 다음과 같은 의미를 나타낸다:

1) 소유·기원

my house 우리〔나의〕 집. *Turner's* pictures 터너작(作)의 그림. 단, ⇨ 위의 4) 주.

2) 동작의 주체

the *doctor's* care 의사의 보살핌〔치료〕 / Mr. *White's* suggestion of a new plan 화이트씨의 새 계획의 제안 / Mrs. *Gray's* education 그레이 선생의 교육 / I have no objection to *your* 〔*Tom's*, *Tom*〕 going there. 자네가〔톰이〕 그곳에 가는 데 이의(異議)는 없다〔반대하지는 않는다〕.

3) 동작의 목적

his dismissal 그의 해고《고용주가 그를 해고하는 일》 / my *children's* education 우리 아이들의 〔이 받는〕 교육.

4) 성질·종류

These are *lady's* gloves. 이것은 여성용 장갑입니다 / He speaks *child's* language. 그는 아기말을 한다 / Here is a pretty *girl's* handkerchief. 여기 소녀용의 예쁜 손수건이 있다《a pretty는 girl이 아니라 handkerchief에 걸림》.

5) 수량

an *hour's* walk, 1시간의 보행(의 거리) / two *tons'* weight, 2톤의 중량 / a nine *days'* wonder 9일간의 경이(＝'남의 말도 석달')《nine days'와 wonder가 한데 복합어를 이루어, a는 wonder에 걸림》.

6) 그 밖의 관용(慣用)

today's newspaper 오늘의 신문 / at one's *wits'* 〔*wit's*〕 end (어찌) 할 바를 몰라 / for *conscience'* sake 양심 때문에, 양심에 걸려.

7) 독립소유격

a) 앞뒤 관계에 의한 경우: Your pen is newer than *Tom's*. 네 만년필은 톰의 것보다 새거다(＝*Tom's* pen) / This book is *mine*(＝my book). 이 책은 내 것이다《my book의 명사 book이 생략되면, 소유형용사 my는 소유대명사 mine으로 바뀜》.

b) 건물을 가리킨다: He stayed at his *brother's*. 그는 형님의 집에 묵었다(＝*his brother's* house) / I went to the *dentist's*. 나는 치과(齒科)에 갔다(＝*the dentist's* office) / Take this to the *watchmaker's*. 이것을 시계포에 가져가게(＝*the watchmaker's* shop).

소유격과 of

1) 인간·동물 이외의 것

일반적으로 소유격이 아닌 of를 쓴다: the legs *of* this chair 이 의자의 다리《비교: the boy's legs 소년의 다리》. 주 위의 보인 절 5) 및 6) 따위의 경우는 제외.

2) 동작의 목적

of를 사용할 때가 많다: his love *of* music 그의 음악에 대한 사랑 / the education *of* children by good teachers 훌륭한 교사에 의한 아동의 교육.

참 소유격의 경우건, of의 경우건, 동작의 주체를 보이느냐 목적을 보이느냐는 흔히 앞뒤 관계에 의한다: Tom's education 톰이 하는〔받는〕 교육 / the shooting *of* the hunters 사냥꾼이〔을〕 쏘기.

가정법(Subjunctive Mood)

문장의 진술에 있어서, 그 진술이 사실을 그대로 나타내는 것이 아니라 가정(假定) 또는 요망(要望)·간망(懇望)을 나타내는 것임을 보이는 동사의 형태를 가정법이라고 한다. 직설법(indicative mood)이 사실을 나타내기 때문에 때로는 서실법(fact-mood, 敍實法)이라고 하는 데 대하여, 가정법은 머릿속에 그려진 것을 나타낸다는 뜻에서 서상법(thought-mood, 敍想法)이라고 부를 때도 있다.

가정법은 술어동사를 갖는 형태이기 때문에 시제(時制)가 있다. 시제에는 가정법현재(subjunctive present), 가정법과거(subjunctive past), 가정법과거완료(subjunctive past perfect), 가정법미래(subjunctive future)를 그 주요한 것으로 들 수 있다.

형 태

a) 가정법현재 동사의 원형(bare infinitive=원형부정사)과 같다. be, have를 제외한 일반 동사에서는 3인칭 단수형의 어미에 s가 붙지 않는 점만이 직설법현재와 다를 뿐이다(have의 경우에는 직설법의 has에 대하여 가정법에서는 have). be에 관하여서는 주어의 인칭·수에 관계없이 be이다.

b) 가정법과거 be동사 이외의 동사에서는 직설법(直說法)의 과거와 같다. 동사 be의 경우에는 주어의 인칭·수에 관계없이 were가 된다.

c) 가정법과거완료 직설법 과거완료와 같다.

d) 가정법미래 'would 〔should〕+동사원형'

注₁ would, should는 본래 will, shall의 가정법 과거형이지만, will, shall이 미래형을 만드는 데 대하여 would, should를 가정법 미래라고 부를 수 있음.

注₂ 'would 〔should〕 have+과거분사'를 가정법 미래완료라고 할 때도 있음.

용 법

1) 가정법현재

a) 주절 기원·간망을 나타낸다.

God *bless* you! 그대에게 하느님의 은총이 있으라!〔있으시기를!〕/Long *live* the King 〔Queen〕! (국왕〔여왕〕께서 오래 사시기를 ⇨) 국왕〔여왕〕 폐하 만세!

注 오늘날에는 조동사 may를 써서 이 뜻을 나타낼 경우가 많음: *May* God bless you!/*May* the King live long!(임금님께서 오래 사시기를⇨)국왕폐하 만세/*May* you be happy! 행복을 빕니다.

b) 명사절 요망을 나타내는 주절 뒤의 that로 이끌리는 명사절에 쓰임:

I move that Mr. X *be* nominated chairman. X씨가 의장(議長)에 지명되기를 동의(動議)합니다/It is necessary that he *attend* the meeting. 그가 모임에 출석할 필요가 있다.

注₁ 이 가정법현재는 demand, desire, insist(강력히 요구하다), move(동의(動議)하다), order, propose, request, suggest(제안하다) 따위 다음에 오는 명사절에 흔히 쓰임. 이것은 주로 미식 용법인데 이 때 영국에서는 보통 should를 씀. (다만, should는 미국에서도 쓰임): I suggest that everyone of you *should* try. 여러분께서 모두가 다 해 보시면 좋으리라고 생각합니다.

注₂ if, whether에 이끌리는 명사절에서도 가정법 현재가 쓰이는 경우가 있는데, 이것은 옛 용법임(현재는 직설법이 보통): We do not know if the rumo(u)r *be* true. 풍설이 사실인지 어쩐지 우리는 모른다(=if the rumor *is* true).

c) **if**에 이끌리는 부사절 현재 또는 미래에 관한 불확실한 일을 나타내며 다음의 구문(構文)을 취한다:

If … 동사원형 …, —— {shall / will} ~~~
만약 …이라면, ~~~일〔할〕 게다.

If this rumor *be* true, anything may happen. 이 풍설이 사실이라면 무슨 일이 일어날지 모른다/He will work *if* need *be*. 필요하면 일할 테지.

注 현대 영어에서는 시(詩)나 장중한 문어체인 경우 외에는 직설법현재로써 대용함: If this rumor *is* true, anything may happen./He will work if *there is* need《if need *is*는 안 쓰임》.

d) '양보'의 부사절

Whatever excuses he *make*, we do not believe him. 그가 어떠한 변명을 하든 우리는 그의 말을 믿지 않는다《보통은 he *may make* 또는 he *makes*》/Whether it *be* a boy or a girl, ... 그것이 소년이든 소녀이든 간에, ...《보통 it *may be* 또는 it *is*》/*Be* it ever so humble, ... 비록 그것이 아무리 초라할지라도(=However humble it may be, ...)/*Be* the matter what it may, ... 그것이 무슨 일이든(=Let the matter be what it may, ...).

e) '목적'을 나타내는 부사절

They hasten that no time *be* lost. 그들은 한시라도 허비치 않으려고 급히 서두른다.

注 현재는 대개 *so* that no time *may* 〔미국에서는 종종 *will*〕 be lost.

2) 가정법과거

현재 또는 장래에 있어서 실현 불가능(또는 실현 곤란)한 바람이나, 현재의 사실에 반대되는 가정을 나타낸다. 그 형태는 동사가 be이면 주어의 인칭·수에 관계 없이 항상 were, 그 밖의 동사·조동사에 있어서는 직설법의 과거형과 같다.

注 이 were는, 구어에서는 주어가 1인칭·3인칭 단수일 때 was로 되는 수가 있음. 그렇게 되면, 가정법과거는 직설법과거와 형태상 같게 되며 다만 용법·의미상으로만 구별될 뿐이다.

a) 명사절 현재·미래에 있어서 실현 불가능(또는 실현 곤란)한 바람을 나타낸다.

I wish I *could* fly. 날 수 있었으면; 날 수 있다면 좋을 텐데《사실은 날 수 없다》/I wish I *were* younger. 좀 더 젊었으면 좋으련만/I wish I *could* study abroad some day. 언젠가 해외 유학이 이루어진다면 좋겠는데《가능할지도 모르지만, 바라는 바의 실현은 그리 간단치 않을 것 같다》. 注 I wish 대신에 문어체에서는 Oh that를 사용하는 때도 있음.

b) 부사절 if에 이끌리는 부사절에 쓰이어, 다음과 같은 구문을 이루어서 현재의 사실에 반대되는 가정을 나타낸다:

If … {were / 동사 과거형 / 조동사 과거형+동사원형} …, —— {should / would / could / might} ~~~,
만약 …이라면 ~~~겠는데.

If I *were* in America, I *could* learn English better. 만약 내가 (지금) 미국에 있다면 영어를 좀 더 잘 배울 수 있겠는데/He *would* tell you if he *knew*. 그가 만약 알고 있다면 당신에게 이야기할 텐데/If I *were* you, I *would* never do so. 내가 당신이라면 결코 그렇게는 하지 않겠는데/If I *could* skate, I *would* go with you. 스케이트를 탈 줄 안다면 자네와 같이 가겠는데.

[주]₁ if-절의 용법은 가정법과거이고, 주절의 should, would 는 가정법미래임(⇨ 아래의 4)).

[주]₂ if ... were to (do), ... 는 미래에 관한 특히 강한 의문을 지닌 가정을 나타냄: If I *were to* die tomorrow, I *should* never forget your name. 만약 내가 내일 죽는 한이 있더라도 당신의 이름은 결코 잊지 않을게요.

이 'were+to 부정사'는 미래에 관해서 말하는 것이기 때문에 분류상 가정법미래에 포함시키는 경우도 있으나, were 가 원래 가정법과거의 형태이므로 가정법과거의 용법 속에 포함시키는 수가 많음.

3) 가정법과거완료

형태는 'had+과거분사'로서, 직설법과거완료와 같으나 그 의의(意義)와 용법이 다르다.

a) 명사절 과거의 사실에 반대되는 바람을 나타낸다:

I wish I *had seen* him. 그를 만났더라면 좋았을 텐데《사실은 그를 못 만났다》/I wish you *could have come* with me. 당신이(나와) 같이 오실 수 있었더라면 좋았을 것을《오시지 못해 섭섭했다》.

b) 부사절 if에 이끌리는 종속절 속에서 과거의 사실에 반대되는 가정을 나타내는데, 다음과 같은 구문을 취한다:

> If ... had+과거분사..., —— {should / would / could / might / must} have
>
> +과거분사 ~~~,
> 만약 ...했더라면, ~~~했을 텐데.

If I *had* not *been* there, you *might have been* drowned. 만약 내가 거기 없었더라면, 너는 물에 빠져 죽었을는지도 모른다《그러나, As I *was* there, you *were* not *drowned*. 내가 거기 있었기 때문에 너는 빠져 죽지 않았다》.

[주] if-절의 용법은 가정법과거완료이고, 주절의 should 〔would〕 have+과거분사는 가정법미래완료에 속한다(⇨ 위의 5)).

4) 가정법미래

'would 〔should〕+원형'의 형태를 취한다. ⇨ WOULD, SHOULD.

a) 'if+가정법과거'의 종속절에 대하여 주절로서 쓰인다: If I *were* rich, I *would build* myself a large library. 부자라면 굉장한 장서를 모으겠는데.

[주] would 〔should〕의 위치에 could, might 를 쓸 수도 있음(⇨ 위의 2) b)).

b) if에 이끌리는 종속절이 없는 경우, would, should 는 will, shall 의 어세(語勢)를 약화시킨 표현이 될 수 있다. 어세가 약하므로 종종 겸손의 뜻을 내포한 정중한 표현이 되며, 또 should 는 '...하여야 한다'의 뜻이 된다:

Would you please call back? 다시 한번 전화를 해 주시겠습니까(≒Will you please...?)/You *should* go by all means. 꼭 가야 합니다; 꼭 다녀오시오.

c) 부사절 if에 이끌리는 종속절 속에서 주어의 인칭에 관계없이 항상 should 를 씀으로써 '만약 ...이라면'의 뜻을 나타내고, 의지를 갖는 가정이라면 would 를 써서 '만일 ...하고 싶으면'의 뜻을 나타낸다:

> If ... {should / would} +동사원형..., — {should / would} —.
> 만약 ...이라면, ~~~,
> ...하고 싶으면, ~~~.

If you *should* meet him, please give him this letter. 만약 그를 만나면 부디 이 편지를 전하여 주시오/If you *would* succeed, you would have to do your best. 만일 성공하고 싶으면 최선을 다해야 할 것이다.

5) 가정법미래완료

이 명칭은 그다지 널리 쓰여지지는 않지만, 그 형태는 'would 〔should〕 have+과거분사'이다. 가정법미래의 'would 〔should〕+원형'에 비하여 (1) 동사의 행위·상태가 과거에 속하든가, (2) 그것이 완료되어 있음을 보이는 점에서 다르다.

a) 'if+가정법 과거완료〔과거〕'의 종속절에 대해 주절로써 쓰인다:

If I *had been* rich, I *would have built* myself a large library. 만약 부자였다면, 장서(藏書)를 굉장히 모았을 텐데. [주] 'might 〔could, must〕 have+과거분사'도 이와 같은 구문으로 쓰임(⇨ 위의 3) b)).

b) if에 이끌리는 종속절이 없을 경우에는 'will 〔shall〕 have+과거분사'의 약화된 표현이 될 수 있음. 이 경우에는, 현실적으로는 이루어지지 않았으나 이루어졌더라면 좋았다, 이루고 싶었다는 뜻이거나 또는 이미 이루어졌을지도 모른다는 약한 추측의 뜻을 가짐:

You *should have seen* it.(너는 그것을 보았어야 했다. 실제로 보지 않았지만 ⇨) 너에게 보이고 싶었다/Having left here at 11:00 a.m., he *should have arrived* in Honolulu by now. 오전 11시에 여기를 떠났으니 지금쯤은 이미 호놀룰루에 도착했을 텐데《실제 도착했는지 어떤지는 모른다》.

특 별 용 법

1) 도치에 의한 **if**의 생략

가정법 과거·과거완료·미래를 포함하여 if에 이끌리는 부사절에서는 주어와 동사·조동사를 도치함으로써 if를 생략할 수 있다:

Were I rich (=*If I were* rich), I could help all of them. 만약 부자라면 그들 전부의 힘이 되어 줄 수 있을 텐데《*Were I* ...의 경우, Was I ...라고는 할 수 없다》/*Should I* fail this time(=*If I should* fail...), I would try it again. 만일 이번에 실패한다면 나는 그것을 다시 한 번해 보겠다/*Had I* left the house a little earlier(=*If I had* left...), I might have been killed. 만약 내가 좀 더 일찍 집을 나섰더라면 죽었을지도 모른다.

2) 부사(구)·앞뒤 관계에 의한 가정의 표현·암시

a) 보통 부사(구)에 의한 대용:

I *could* read more comfortably *at home*. 집에 있다면 좀 더 편하게 독서할 수가 있겠는데/*To hear him speak English*, everyone *would* think he was an Englishman. 그가 영어를 하는 것을 들으면, 누구나 그가 영국인이라고 생각할 게다/*Without your help* I *should* have failed. 당신의 도움이 없었더라면 나는 실패했을 테죠.

b) 관용구 but for ...(=without ...)에 의한 if-절의 대용:

But for your help(=*If it were not for* your help=*Were it not for* your help), I *should* be lost. 당신의 도움이 없다면 나는 낭패볼 것이다/*But for* your help(=*If it had not been for* your help=*Had it not been for* your help), I *should* have failed. 당신의 도움이 없었던들 나는 실패했을 테죠.

c) 주어에 의한 암시:

A wiser man would wait patiently. 좀 더 현명한 사람이라면 참을성 있게 기다릴게다.

d) 앞뒤 관계:

If he were not busy, he would not refuse. He *would* be willing to help you. 그는 바쁘지 않다면 거절하지는 않는다. 기꺼이 도우려 들 게다《맨앞 If he were…가 뒤에까지 걸린다》/We *could* have left last night(, but we decided to wait a little more). (그럴려고 했으면) 간밤에 떠날 수 있었는데 (, 그러나 좀 더 기다려 보기로 했다.)

3) 가정절만으로의 바람의 표현

If only I *were* a little younger! 좀더 젊기만 하다면!/Oh, *had* he listened to us then! 아, 그 때 그가 우리 말을 들었었던들!

4) 관용구

a) 가정법현재: *be* that as it may 그야 어떻든, 좌우지간/*come* what may 어떤 일이 일어나더라도〔있든〕. ㊟ be를 사용한 것이 많음.

b) 가정법과거 및 과거완료

(1) 가정법을 지닌 관용구: The new session is, **as it were**, a new year to students. 신학기는 학생에게는 말하자면 신년이다/We **had better** begin at once. 곧 시작하는 것이 좋다/I **would rather** die than disgrace myself. 창피를 당하느니 차라리 죽는 편이 낫다/I **should** 〔**would**〕 **like to** ask you a question. 질문을 하고 싶은데요.

(2) 가정법을 수반하는 관용구: **It is** (**high**) **time** she *were* 〔*was*〕 going. 이제 그녀는 가야 할 때다.

(3) **as if**: She sings as nicely **as if** she *were* 〔**as if** she *had* once *been*〕 a professional singer. 그녀는 마치 가수이기나 한 듯이〔마치 전에 가수였던 것처럼〕 노래를 잘 부른다.

㊟ **as if**에는 가정법이 꼭 따라다니는 것은 아니고 직설법이 올 때도 있다: It looks **as if** it's going to snow. 눈이 올 듯하다《비교: It looks **as if** it *were* 〔*was*〕 going to snow. 마치 눈이라도 내릴 것 같은 날씨다》.

5) 가정법과 시제

가정법은 일반적으로 시제의 일치에 영향받지 않는다(⇨ NARRATION):

I wish I *were* younger. 나는 내가 더 젊었으면 좋겠다고 생각한다. I *wish* I *had seen* him. 그를 만났더라면 좋았을 것라고 생각한다 ⇨ I *wished* I *were* younger. I *wished* I *had seen* him. …《앞과 같음》고 생각했다/He *says* that he *would* tell me if he *knew*. 그는 '알고 있다면 이야기하겠는데' 라고 말하고 있다. ⇨ He *said* that he *would* tell me if he *knew*. …《앞과 같음》 라고 말했다/She *sings* as nicely as if she *were* 〔*had* once *been*〕 a professional singer. 그녀는 마치 가수이기나 한 듯이〔전에 가수였던 것같이〕 노래를 잘 부른다. ⇨ She *sang* as nicely as if she *were* 〔*had* once *been*〕 a professional singer. …《앞과 같음》 불렀다.

화법(Narration)

다른 사람의 말·생각 또는 자기가 다른 때에 한 말·생각을 말하는 이〔필자〕의 입장에서 듣는 사람〔독자〕에게 전달하는 방식을 화법이라고 한다. 이 때 본디 말한 그대로를 전달하는 형식을 직접화법(direct narration)이라고 하며, 원래의 말내용을 자기말로 고쳐서 전달하는 방식을 간접화법(indirect narration)이라고한다.

≪직접화법≫ He said, "I am too busy." "바빠서 안 된다"고 그는 말했다.

≪간접화법≫ He said that he was too busy. 그는 바빠서 안 된다고 말했다.

위의 예문 중 said와 같이 말을 직접·간접으로 전달하는 동사를 전달동사(reporting verb)라고 하며, 전달동사를 포함한 he said의 부분을 전달부(reporting clause)라고 한다. 직접화법에서 전달되는 말("…"의 부분)은 피전달부(reported speech)라고 한다.

직접화법과 간접화법의 중간에 위치하는 묘출(描出)화법(represented speech)이라는 표현 형식이 있는데, 특히 소설에서 자주 쓰인다. 전달부는 없어지고 문맥에 따라 이해된다. 그 형식은 구문상 직접화법을 이루고, 인칭·시제 따위는 간접화법에 가까울 때가 많다: He said that he had no idea. *How did he know?* 그는 전혀 모른다고 말했다. 알 턱이 없지 않은가《< He said, "How do I know?"》.

직접화법을 간접화법으로 바꾸는 방법

전달부가 글머리에 올 경우에 관해서만 설명한다.

(1) 우선 전달동사 다음의 콤마와 따옴표(quotation marks)를 없앤다.

(2) 피전달부가 서술문인 때에는 전달동사의 뒤에 접속사 that가 온다《다만, 이 that는 생략되는 수가 있음》.

(3) that의 다음은(고유명사·고유형용사가 아닌 한) 소문자로 시작한다.

(4) 그 밖의 문장 중의 여러 요소 및 구문에 따라서 다음 점을 고려할 필요가 있다.

1) 인 칭

피전달부 속의 인칭대명사의 인칭은, 그 내용에 따라서 모두 전달자〔말하는 이〕의 입장에서 본 것으로 바꾼다.

a) 전달부의 주어가 2인칭인 때 " " 속의 주어는: *I* ⇨ you. *we*《전달자 자신을 포함치 않음》⇨ you. *we*《전달자 자신을 포함》⇨ we. *you* ⇨ I, we, he, she, it, they. *he, she, it.* ⇨ I, he, she, it.

보기: You say, "*I* am happy." ⇨ You say (that) *you* are happy.

You said (to me), "*You* are pretty." ⇨ You said (that) *I* was pretty.

You said (to her), "*You* are pretty." ⇨ You said (that) *she* was pretty.

b) 전달부의 주어가 3인칭인 때 " " 속의 주어는: *I* ⇨ he, she. *we*《전달자를 포함치 않음》⇨ they, you. *we*《전달자를 포함》⇨ we. *he, she, it* ⇨ I, you, he, she, it, *they* ⇨ we, you, they.

보기: He said, "*I* like summer." ⇨ He said (that) *he* liked summer.

He said (to her), "*You* are pretty." ⇨ He said (that) *she* was pretty.

She said, "*We* are young." ⇨ She said (that) *they* were Young. 《"we"가 말을 듣는 자도 전달자도 포함되지 않는 경우》

She said, "*We* are young." ⇨ She said (that) *you* were young. 《"we"가 말을 듣는 자만을 포함하고 전달자를 포함하지 않을 때》

She said, "*We* are young." ⇨ She said (that) *we* were young. 《"we"가 전달자를 포함하는 경우》

㊟ 간접화법에서의 they, you, we 따위의 내용이 문맥만으로는 뚜렷치 않을 때엔 실제로는 이것을 보충하는 여러 방법을 쓰게 됨. 예컨대, they 대신에: She said (that) *she and her brother* were young.

c) 전달부의 주어가 1인칭인 때, 원래 듣는 이에게(또는 독백으로 자기 자신에게) 한 말을 전달할 때는 인칭변화는 일어나지 않는다. 그 밖의 경우에는: *I* ⇨ I. *you* ⇨ he, she, they. *he, she, they*

⇨ he, she, they, you.

보기: I said (to him), "*You* are very tall." ⇨ I said (that) *he* was very tall.

I said (to him), "*She* resembles *your* mother." ⇨ I said (that) *you* resembled *his* mother. 《"she"가 듣는 사람일 경우》

2) 시 제

전달동사의 시제(時制)에 따라 피전달부의 시제가 변화할 때가 있다. 그 규칙은 다음과 같음:

a) 전달부의 시제가 현재 · 현재완료 · 미래 · 미래완료 중의 어느 것에 속할 때에는, 피전달부의 시제는 변화하지 않는다.

He *says*, "I *am* 〔*was, have been*〕 sick." ⇨ He *says* (that) he *is* 〔*was, has been*〕 sick.

I *have said*, "I always *welcome* it." ⇨ I *have said* (that) I always welcome it.

b) 전달동사가 과거 또는 과거완료인 때에는 피전달부의 시제는 아래와 같이 변화한다. 이러한 주절의 동사와 종속절의 동사 간의 시제의 연관을 '시의 호응', '시제의 일치' (sequence of tenses)라고 부른다:

≪직접화법≫	≪간접화법≫
현 재	과 거
현재완료	과거완료
과 거	과거완료
과거완료	과거완료 그대로
will, shall	would, should
can, may	could, might
must	must 그대로

참₁ 간접화법에서 피전달부의 동사는 과거 완료에서 더 앞으로 소급하지 않음.

참₂ must는 변화하지 않음: He *said*, "I *must* go." ⇨ He *said* (that) he *must* go. 이와 마찬가지로 should '…하여야 한다' 따위도 변화하지 않음. 후자는 원래 가정법이므로.(⇨ d).)

참₃ will, shall은 위와 같이 시제가 변화하는 외에 현재형의 용법에 따라서, 인칭변화에 따라서 바뀜: My father said, "I *shall* be back on Monday." ⇨ My father said (that) he *would* be back on Monday. 단, 원래의 will, shall이 시제만 바꾸어 그대로 보존되는 때도 있음: She asked him if he *should* be sorry. (< *Shall* you be sorry?)

참₄ 전달동사가 피전달부 동사에 흡수되는 경우가 있음: She *said* to me "*Thank* you very much." ⇨ She *thanked* me very much.

c) 말하는 이가 피전달부에서 불변의 진리 · 습관적 사실 · 역사상의 사실 따위를 나타낼 경우에는 그 부분의 동사와 시제는 변하지 않는다:

Our teacher said to us, "The earth *is* round." ⇨ Our teacher told us that the earth *is* round.

My friend said, "I *get* up at six every morning." ⇨ My friend said (that) he *gets* up at six every morning.

He said, "the French Revolution *broke* out in 1789." ⇨ He said (that) the French Revolution *broke* out in 1789.

주 말하는 이가 피전달부의 진술에 의심을 갖고 있든가, 그 진부(眞否)를 문제삼지 않고 말한 그대로를 전달할 때에는 일반적 법칙에 따름: He *said* that the earth *was* sightly flatter than a perfect sphere. 그는, 지구가 완전한 구체(球體)라기보다는 다소 편평한 구체라는 뜻의 말을 했다《나는 어쩐지 잘 모르겠지만》.

d) 가정법은 전달부의 시제의 영향을 받지 않는다:

He said (to me), "I wish I *could* help you." ⇨ He said that he wished he *could* help me. 그는, 도와드릴 생각은 태산 같습니다만이라고 말했다.

They said, "It *could* 〔*might*〕 be true." ⇨ They said (that) it *could* 〔*might*〕 be true. 어쩌면 그것이 정말일지 모른다고 했다.

I said to him, "You *should* have seen it." ⇨ I told him that he *should* have seen it. 나는 그에게, 그것을 보아두었더라면 좋았을 텐데라고 말했다.

참 전달동사가 피전달부에 있는 동사에 흡수되는 경우가 있다: He *said*, "I *move* that the provision be revised." ⇨ He *moved* that the provision be revised. 그는 규정을 개정하여야 한다고 동의(動議)했다.

3) 장소와 때의 부사 · 형용사

피전달부 속에 있는 장소나 때를 나타내는 부사 · 형용사는, 현재 그것을 전달하고 있는 장소나 때가 다를 경우에는 다음같이 바뀐다:

this ⇨ that. these ⇨ those. here ⇨ there. now ⇨ then. ago ⇨ before. today ⇨ that day. yesterday ⇨ the day before 〔the previous day〕. tomorrow ⇨ the day after 〔the following day, the next day〕. last week ⇨ the week before 〔the previous week〕. next year ⇨ the following year.

4) 의문문

피전달부가 의문문인 경우에는 의문부호《?》를 없애고, 전달동사를 ask, inquire, demand, wonder 따위로 바꾼 다음, 원칙적으로 어순을 '주어+동사'로 고친다.

a) 특수 의문문: who, which, what, when, where, how 따위의 의문사로 시작되는 의문문인 때에는 의문사를 제 위치에 그대로 두고 그것을 연결사로서 쓴다.

I *said to* him, "*Where* are you staying?" ⇨ I *asked* him *where* he was staying. (⇨ INTERROGATIVE 4)).

b) 일반 의문문: 의문사로 시작되지 않는 의문문인 때에는, 평서문의 경우의 접속사 that의 자리에 if 또는 whether를 연결사로 하고, 의문문을 평서문으로 고침으로써 전달동사 ask 따위의 목적어로 한다:

He *said to* me, "*Did* you *see* my dog?" ⇨ He *asked* me *if* I *had seen* his dog.

5) 명령문

피전달부가 명령문일 때에는 전달동사를 tell, ask, order, request, beg, command, forbid 따위로 바꾸고, 피전달부의 동사를 부정사로 고친다. 이 때, 보통은 접속사 that을 사용치 않으나, 전달동사의 종류에 따라서는 that-절을 쓸 수도 있다:

The policeman *said to* me. "*Wait* a moment." ⇨ The policeman *told* me *to wait* a moment.

The nurse *said to* us, "*Wait* a moment, please." ⇨ The nurse *asked* us *to wait* a moment.

The doctor *said to* me, "*Don't smoke*." ⇨ the doctor *ordered* 〔*advised*〕 me *not to smoke*. 또는 The doctor *ordered* 〔*advised*〕 *that I should not smoke*. 또는 The doctor *forbade* me *to smoke*.

6) 감탄문 · 기원문

피전달부가 감탄문이나 기원문인 때에는 감탄부호《!》를 없애고, 전달동사를 피전달부의 내용에 따라 cry, exclaim, shout, sigh, pray, wish 따위로 바꾸고, 경우에 따라서는 적당한 수식어구를 붙여서 평서문의 형태로 한다. 접속사 that은 피전달문에 따라서 쓰이거나 쓰이지 않거나 한다:

He *said*, "*How* happy I am!" ⇨ He *cried* 〔*said loudly*〕 that he was *very* happy.

They *said*, "God save the king!" (그들은 '하느님이시어 국왕을 지켜 주시옵소서'라고 말했다) ⇨ They *prayed* God to 〔that God might〕 save the King. (그들은 하느님이 왕을 지켜 주시기를 빌었다).

묘출화법(描出話法)

묘출화법은 소설에서의 '지문'처럼 전달부가 없지만, 이 전달부는 문맥으로 이해가 된다. 형식은 대체적으로 보아 구문상으로는 직접화법에 가깝고, 인칭·시제나 때·장소의 부사·형용사 따위의 점으로 볼 때에는 간접 화법에 가깝다.

1) 전달부가 앞에 있는 보통 간접화법으로 이해되는 경우

He told them that he wanted to make an appointment with them. *Were they free the following afternoon?* 그는 그들에게 날짜를 정해 만나고 싶다고 말했다. 다음 날 오후 틈이 있을는지(라고 묻는 것이었다).

즉, 직접화법 "Are you free tomorrow afternoon?" he said.와, 간접화법 He asked (them) if they were free the following afternoon.의 중간것으로서, 전달부 he said나 He asked (them)은 앞의 He told them에서 이해된다.

2) 전달부의 암시가 보다 간접적인 경우

He hesitated. *He certainly liked that sort of job, but could he really do it? What if he should fail?* 그는 망설였다. 나는 확실히 이런 일을 좋아한다. 그러나 정말 내가 그걸 해 낼 수 있을까. 만약 실패하면 어쩌나.

직접화법으로 하면 아래와 같이 된다: He thought, "*I* certainly *like this* sort of job, but *can I* really do it? What if *I* should fail?"

3) 지문과의 구별이 곤란한 때

He shook his head. *He was too busy.* 그는 머리를 가로 저었다. 바빠서 안 된다(는 것이다).

이 예에서는 '그'라는 인물은 말로써 "I am too busy."라고 했을는지도 모르며, 또는 그저 머리를 가로 저음으로써 무언 중 그런 뜻이 전달되었는지도 모른다《*He meant that* he was too busy. 등》.

직접화법의 어순과 구두법(句讀法)의 용법

전달부(he said 따위)의 자리에는 문두·문말·문중의 세 경우가 있으며, 그에 따라 구두점 및 전달부 자체의 주어와 동사의 어순이 바뀌는 수가 있다.

1) 전달부의 위치와 구두점

a) 전달부가 글머리에 나올 때에는 전달부 다음에 콤마《,》를 붙이고, 피전달부 전체를 그대로 따옴표《" "》 속에 넣으면 된다:

I am happy. ⇨ He said, "I am happy." / Are you busy? ⇨ She asked, "Are you busy?"

b) 전달부가 문장 끝에 올 경우:

(1) 피전달부의 끝의 마침표《.》는 콤마《,》로 바뀐다: Yes, please, thank you. ⇨ "Yes, please, thank you," I said.

(2) 의문부호《?》 및 감탄부호《!》는 그대로:

Do you like it? = "Do you like it?" he asked. / What a kind man! = "What a kind man!" she exclaimed.

c) 전달부가 피전달부의 중간에 끼이게 될 경우:

(1) 피전달부가 2개 이상의 문장으로 구성되어 있고 첫 문장의 끝에 전달부를 삽입할 때, 이 부분에 대하여서는 b)의 규칙이 그대로 적용되기 때문에 전달부를 일단 마침표로 끝맺은 다음, 다시 따옴표《" "》를 써서 피전달부의, 나머지를 대문자로 시작한다:

I'm afraid I can't come. My mother is sick. ⇨ "I'm afraid I can't come," he said, "*My* mother is sick."

You like it? Well, I don't. ⇨ "You like it?" she said. "*Well*, I don't."

거꾸로 말하면 삽입된 전달부(he said. 따위)에 있는 마침표는 그 바로 앞의 " " 속의 끝이 본래 피전달부 속의 문장 끝임을 나타낸다.

(2) 전달부가 피전달부의 문장 도중에 끼일 때에는, 전달부 바로 앞에 있는 "의 안쪽이나, 전달부의 문장 끝이나 다 같이 콤마《,》로 끊겨지며, 피전달부의 나머지는 " 다음에 소문자로 시작된다:

My friend is a good doctor. ⇨ "My friend," he said, "*is* a good doctor."

This is not much, but I hope you'll like it. ⇨ "This is not much," she said, "*but* I hope you'll like it."

주 둘째 예와 같이 분할된 피전달부의 전반이 본래 콤마로 끝나 있으며, 이 콤마는 그대로 남음.

2) 전달부의 도치

전달부가 글머리에 있는 경우에는 일반적으로 도치가 안 되나, 전달부의 주어가 명사, 특히 명사구인 때 그것이 문장 끝 또는 문장 중에 올 때엔 종종 도치된다《동사가 say인 경우 특히 흔함》.

주 전달부의 주어가 인칭대명사인 때에는 제자리에 있을 때가 많음: "Thank you," *he said*. / "I know," *she said*, "that you did your best."

"Thank you," *said the old man*. / "I know," *said my friend*, "that you did your best."

강조(Emphasis)

문장 속의 특정한 곳을 특히 강조(emphasis)하여 표현하는 방법으로서, 영어에는 다음의 네가지 문법적 수단이 있다. (1) 강조구문 It is... that 〔which, who〕 —; (2) 도치법(inversion); (3) 강조의 조동사 do; (4) 강조어구(intensifier).

또 그 밖에 발음에 의한 방법이 있다. 즉 강조하는 곳을 높은 음조로 세게 발음함으로써 그 뒷부분은 음조가 낮아진다《이때의 강조 부분은 인쇄에서는 보통 이탤릭체가 쓰임》: *I* bought that book. 내가 그 책을 산 것이다(딴 사람이 아니라 내가) / I *bought* the book. 나는 그 책을 산 것이다(남의 것을 빌린 것이 아니다) / I bought *that* book. 나는 그 책을 산 것이다(이 책이 아니라 그 책을) / I bought a *book*. 나는 책을 산 것이다(펜이 아닌).

1) 강조구문 **It is... that** __

이 구문에서 문장 속의 주어·목적어·부사(구) 따위를 강조할 수가 있다《단, 술어동사를 이 구문으로 강조할 수는 없다》. "Tom speaks French with great ease."를 예문으로 들어 보면,

a) 주어를 강조: *It is* ***Tom*** *that* speaks French with great ease.

b) 목적어를 강조: *It is* ***French*** *that* Tom speaks with great ease.

c) 부사(구)를 강조: *It is* ***with great ease*** *that* Tom speaks French.

주₁ 강조되는 부사구가 '때' 혹은 '장소'를 나타낼 때에는 that 대신에 각기 when, where가 쓰이는 때가 있다:

It is in the spring time *when*(=that) the orange trees are beautiful. 오렌지 나무가 아름다운 것은 봄(에)이다. It is always in New York *where*(=that) I come across strange things. 묘한 일을 당하게 되는 것은 언제나 뉴욕(에서)이다.

주₂ "전치사+명사"의 부사구를 강조할 경우 부사구 전체가 앞에 나오는 것과 명사만 앞에 나오는 것 두 가지가 가능한 경우가 있다:

They are fighting for their independence. ⇨
{ It is *for their independence* that they are fighting.
{ It is *their independence* that they are fighting *for*.

참₁ It is... that —에서 주어가 강조될 때 that

는 관계대명사이며 종종 who〔which〕로 변한다. 이에 잇따르는 동사의 인칭 · 수는 강조된 명사 · 대명사와 일치한다:

It is brave *people who are* necessary on this occasion. 차제에 필요한 것은 용기 있는 사람들이다. It is *you who are* wrong. 잘못된 것은 당신들이다. It's *I who am* right. 올바른 것은 나다.

[참]₂ 강조구문에서 It is... that __의 be 동사의 시제는 종속절의 시제를 따른다:

It *was* Mr. Hardison who *came* in. 들어온 것은 하디슨씨였다. —단, it must〔may, can〕be 일 때에는 it must〔may, can〕have been 의 형태로 현재의 판단을 나타낼 수가 있다: It *may have been* my husband who *wrote* this letter. 이 편지를 쓴 것은 그이일지도 몰라요.

2) 전도(顚倒)에 의한 강조

That I had told him many times. 그것은 이미 몇 번이나 그에게 말해 두었었다. ⇨INVERSION.

3) **do** 에 의한 강조

동사를 강조하기 위해 do 를 쓰며, 여기에 시제 · 인칭 · 수 따위를 일치시키고 원래 동사를 부정사의 꼴로 쓴다.

Yes, I *do* remember it quite well. 네, 잘 기억하고 있고말고요 / He said he would come, and he *did* come. 그는 오겠다고 하더니 정말로 왔습니다.

[주]₁ 발음의 강세는 동사에는 있지 않고 do 쪽에 있음.

[주]₂ be 동사에 있어서는 이 방법은 명령형에 있어서만 사용됨: *Do* be quiet! 조용히 하세요!

[주]₃ 명령형 이외의 be 의 정형(定形) 동사는 그 자체에 발음의 강세를 두어 강조한다《인쇄에서는 보통 이탤릭체로 이를 표시》: I *am* tired. 정말이지 지쳤어.

4) 강조어구

이것은 문장의 어디에 특히 강조가 있는지를 보이는 것은 아니라, 그저 어떤 부분을 강조하여 말하는 방법인데 그 주요한 것을 다음에 든다.

a) 부정의 강조 not a..., at all, in the least, by any means, on earth, whatever 따위: *Not a* soul was to be seen in the street. 거리에는 사람의 그림자 하나 없었다 / I'm not tired *in the least*. 조금도 피곤하지 않습니다 / It's no use *on earth*. 도무지 소용이 닿지 않는다 / I saw nothing *whatever*. 무엇 하나〔아무것도〕보이지 않았다.

b) 의문의 강조 ever, on earth, in the world 따위:

Did you *ever* hear of such a thing? 도대체 그런걸 들어본 일이 있는가 / What *on earth* is the matter? 대체 어떻게 된 거야〔무슨 일이야〕/ What *the devil* did you do? 대체 무슨 일을 저질렀단 말이냐.

c) **oneself** 에 의한 강조 '…자신' '…조차(도)':

The President *himself* could not find the answer. 대통령 자신〔조차도〕《무어라 해야 할지》회답의 말을 찾아낼 수 없었다.

d) **all, every** 의 강조 '있을 수 있는 한의, 생각할 수 있는 한의' 의 뜻인 possible, conceivable, imaginable 따위를 더한다:

We shall employ every means *conceivable*. 우리는 온갖 수단을 강구할 것이다.

e) 비교급 · 최상급의 강조 much, by far, ever 따위를 씀:

By far the better means is this. 훨씬 좋은 수단은 이것이다 / the *very* best one 최고로 좋은 것 / He is the greatest poet that *ever* lived. 일찍이 그 이상 가는 시인은 없다.

f) **as...as, so, such** 의 강조 ever 를 씀:

be it *ever* so humble 아무리 그것이 보잘 것 없을지라도 / Be as quick as *ever* you can! 가능한 한 서둘러라!

g) 부사(구)의 강조 very, quite; right, just; way, away 따위가 쓰인다:

Do it *right* now. 바로 지금 해라 / He ran *right* against the wall. 그는 벽에 맞바로 부딪쳤다 / *way* ahead 훨씬 앞에.

도치(Inversion)

영어 문장에서는 주어와 술어동사가 S(ubject)+V(erb)의 순서로 배열되는 것이 기본적 어순(語順)이다. 그러나, 실제로는 V+S 의 어순도 종종 볼 수 있는데, 이것을 도치(倒置) 또는 어순전도(語順顚倒)라고 한다.

도치는 다음 네 가지 경우에 있게 된다: (1) 의문문 · 감탄문 따위 문장의 종류를 밝히기 위하여. (2) 문법적 습관상. (3) 강조의 필요상. (4) 수사상(修辭上)의 이유로 문장을 다듬기 위해.

도치를 할 경우, (1) '조동사+동사' 에서는 조동사만을 주어 앞에 내 놓는다: Hardly *could he* believe what he saw. 그는 눈앞의 광경을 믿을 수 없었다. (2) be 이외의 동사인 때에는 do 를 주어 앞에 가져옴으로써 도치를 한다: Little *did* he imagine that he was much talked of. 자기가 그렇게 이야깃거리가 되고 있다는 것을 그는 상상도 못하고 있었다. (3) 동사가 be 인 경우에는 be 가 주어 앞으로 나온다: *So am* I. 나도 그렇다.

1) 문장의 종류를 분명히 하고자

a) 의문문: *Are you* getting well? 안녕하십니까 / What *is it* like? 그것은 어떻게 생겼나요.

b) 감탄문: How happy *was the boy* who won the prize! 입상한 소년은 얼마나 기뻐했던가. [주] 다만, 감탄문에서 이런 어순은 비교적 드묾. 주어가 짧으면 대개 S+V: How happy *he was!* 그는 얼마나 기뻐했던가.

c) 기원문: *May God* bless you! 하느님의 축복이 있으시기를.

[주] 도치가 되지 않을 경우도 있음: God bless you!

d) '조건' 을 나타내는 부사절: *Had he* seen it, he would have been astonished. (만일 그가) 그것을 보았더라면, 그는 기절 초풍했을 게다.

[주] 다음 용법은 V+S 는 아니지만, 부사절 중의 어순에 관한 관련 사항으로서 주목을 요한다: *Rich as he is*, he is industrious. 그는 부자이지만 부지런하다. *Do what he may*, he will not succeed. 무엇을 하더라도〔하든〕성공하지 못할 게다. 이상의 예문은 Though he is rich; Whatever he may do 의 뜻인데, 본래는 Be he rich as he is, ... =Let him be rich as he is,.... (그가 저토록 부자일지라도 …); Do he what he may, ... =Let him do what he may, ... (그가 할 수 있는 일은 무엇이든 한다(손)치더라도…)의 뜻임.

2) 문법적 습관상

a) There is〔are〕....; Here is〔are〕.... 등의 구문: There *are two books* on the desk. 책상 위에 두 권의 책이 있다 / There *stands a shrine* on the hilltop. 언덕 위에 신전(神殿)이 있다 / Here *lies the difficulty*. 여기에 그 어려움이 있다 / There *lived* once *a great king*. 옛날에 한 훌륭한 왕이 있었다 / There *comes the bus!* 저봐 버스가 온다《다

만, There *it comes!*》/There *was born a child* to them. 그들에게 어린애가 태어났다.

b) neither, so 다음에서 '나〔그, 그들〕도 마찬가지로' 라는 뜻으로 쓰일 때: I am not at all happy. —Neither *am I*. 나는 조금도 행복하지 않네—나도/I think he will come. —So *do I*. 그는 오리라고 생각하네—나도 그렇게 생각하네. ㊟ 이에 대하여, So *I do* 〔*am*〕. 은 Indeed do 〔am〕.이라는 뜻: Are you in a hurry?—So *I am*. 급하냐—암 급하고말고. I am in a hurry. —So *am I*. 나는 급하다—나도 그래. I think he is a poet. —So *he is*. 그는 시인이라고 생각한다—그렇고 말고. She is an early-riser. —So *is her brother*. 그녀는 일찍 일어나는군—그녀의 오빠도 그렇다네.

c) 부정문의 연속을 나타내는〔암시하는〕 nor 다음에서: I said I had not seen it, nor *had I*. 그것을 못 보았다고 했는데, 사실 못 보았어(=and (indeed) I had not (seen it))/Nor *will I* deny that... 또한 …이라는 것도 부정 않는다.

d) ≪the+비교급≫의 구문에서(단, S+V의 어순도 쓰임): the more we knew about it, the more *were we* convinced that we were right. 그것에 관하여 알면 알수록 더욱 더 우리들이 옳다는 것을 확신하게 되었다.

3) 강조의 필요상

강조코자 하는 어구를 글머리에 가져오기 때문에 술어동사가 그에 이끌리어 주어 앞에 나오는 수가 있다: Such *was the case*. 사태는 그러하였다/Especially interesting *is the sight of* the old cathedral from the other side of the river. 대안(對岸)에서 보는 옛 성당의 광경은 특히 흥미롭다《다음 말투와 비슷하다: '특히 흥미로운 것이 대안에서 보는 옛 성당의 광경이다'》/Only on one point *are we* agreed. 단 한 개 점에서 우리의 의견이 일치하고 있다/So angry *was he* that he could not speak. 격노(激怒)하여 그는 말이 안 나왔다/Blessed *are the poor* in spirit; for theirs is the kingdom of heaven. 마음이 가난한 자는 복이 있나니, 천국이 저희 것임이요/Fools *are we* all that serve them. 그들을 섬기고 있는 우리들은 모두 바보다/Never *did I* dream such a happy result. 그런 다행한 결과를 가져오리라고는 꿈에도 생각지 못했다/Thus, and only thus, *will you* succeed. 오로지 이렇게 함으로써만 너는 성공할 것이다/On *went her old brown jacket*; on *went her brown hat*. 그녀는 갈색(褐色) 재킷을 후딱 걸쳐 입고, 갈색 모자를 푹 눌러썼다.

4) 수사(修辭)상, 문장의 균형을 맞추기 위해

When I got to the town, *down came the rain* with a clap of thunder. 시내에 들어섰을 때 천둥소리와 함께 비가 쏟아지기 시작했다/Her hair was almost pure auburn. With it *went dark beautiful eyes*. 그녀의 모발은 순수한 적갈색이었다. 거기에다 까만 아름다운 눈을 지니고 있었다/In the house just opposite ours, *dwelt three spinsters*. 우리 맞은 편 집에는 노처녀 셋이 살고 있었다.

전치사적 부사구(**Prepositional Adverb**)

이것은 다음의 up, off, on과 같이 전치사와 부사를 겸한 말의 총칭이다:

≪전치사≫ Go *up* the stream. 흐름〔물〕을 거슬러 올라가라.
≪부 사≫ Let's go *up*. 올라가세〔거슬러 올라가세〕.

≪전치사≫ We got *off* the bus. 버스에서〔를〕 내렸다.
≪부 사≫ We get *off* next. 요 다음 (정류장에서) 내린다.

≪전치사≫ The picture is *on* the wall. 그림은 벽에 걸려 있다.
≪부 사≫ Turn *on* the radio. 라디오(의 스위치)를 트시오.

이들 전치사적 부사는 기본어인 동시에, 두 가지 기능을 겸한 매우 중요한 낱말이다. 게다가 기본적인 동사와 결합해서 많은 숙어 동사구를 이루는데 이 동사구들은 '동사·부사 결합' (verb-adverb combination)이라고 할 때가 있다.

주요한 전치사적 부사

주요한 전치사적 부사(이하 PA로 약함)는 in, out; on, off; up, down; about, across, (a)round, over, through 따위인데, 이 밖에 by, to 따위도 들어간다.

out는 그대로의 형태로는 주로 부사로서 활약하며, 전치사로서의 용법은 한정되어 있지만, out of라는 전치사 상당의 형태로 많이 쓰인다. 마찬가지로 away (from)도 이 범주에 넣어 생각할 수가 있다. 또 at, with 따위는 보통 부사의 기능은 없지만, 전치사로서 유사한 동사구를 이루는 일이 많으므로 동시에 취급해 둔다(이 경우의 전치사도 부사로 생각하는 사람도 있다).

PA와 결합하는 주요한 동사

break, bring, call, come, fall, get, give, go, lay, make, put, set, take, turn 따위 주로 단음절의 기본적인 동사이다.

동사구의 종류

첫째 자동사의 경우와 타동사인 경우로 갈리며, 또한 PA의 기능에도 전치사만, 부사만, 양자 공존(共存)의 세 가지 경우가 있다.

자동사 중에는, 타동사가 자동사화한 것이 상당한 비율을 차지하는데, 그 자동사화 중의 한 가지 중요한 형(型)으로서 다음의 get나 take처럼 ( )속의 것과 같은 oneself를 포함시킨 가공의 문장을 생각하여, 논리적으로는 이 oneself가 생략된 것 같은 의미 관계로 해석될 수 있는 것이 적지 않다: *Get* up. 일어나라. (⇐*Get yourself* up. 스스로를 일으켜라)/He *took* to drinking. 그는 술마시는 버릇이 배었다. (⇐He *took himself* to drinking. 그는 스스로를 음주로 가져갔다).

1) 자동사+**PA**≪전치사≫

PA가 전치사로만 쓰이고, 상당하는 부사적인 용법이 없는 것. 이 때의 PA는 흔히 보통 전치사로 전용되는 낱말이다:

I am *looking for* a job. 나는 일을 찾고 있다/Don't *laugh at* me. 나를 비웃지 말게/A drowning man will *catch at* a straw. 물에 빠지면 짚이라도 잡는다/We *got to* the station at five. 5시에 정거장에 닿았다/He *takes after* his father. 그는 아버지를 닮았다.

또한 자동사+전치사는 전체로서 타동사의 기능을 갖고 있다. 또 동사가 본래의 자동사인 경우 he *was laughed at*.처럼 동사구로서 수월히 수동형을 이룰 수 있는 것이 꽤 많은데 이런 경향은 We *sleep in* this bed.에서의 sleep in과 같은 결합이 느슨한 것에까지 미치는 수가 있다: The bed must have *been slept in* till a few minutes ago. 잠자리는 불과 몇 분 전까지 사람이 자고 있었음에 틀림없다.

2) 자동사＋**PA**≪부사≫

앞서의 설명과는 역으로 PA가 부사로만 쓰이어 그것에 상당하는 전치사적인 용법이 없는 경우이다. 이 때에도 타동사의 자동사화가 많다: *Get up*. 일어나라/War *broke out*. 전쟁이 터졌다《다음 절 3)의 broke out (of...)와 비교》.

3) 자동사＋**PA**≪전치사·부사≫

같은 동사구로서 PA가 전치사로도 부사로도 쓰일 경우, 바꿔 말하면, 부사를 전치사의 목적어가 생략된 것으로도 볼 수 있는 때이다: He *went up* (the mountain). 그는 (산을) 올라갔다/Let's *get on* (the train). 자아 (열차에) 타세/We *broke out* (of the room). 우리들은 (방에서) 뛰쳐 나왔다.

4) 타동사＋**PA**≪부사≫

이것은 구문상 문제가 가장 많은 것이다. 부사가 목적어의 앞에 올 때와 뒤에 올 때가 있기 때문이다: We *gave up* Tom 〔the plan〕. 톰〔계획〕을 단념했다. —We *gave* him 〔it〕 *up*. 그를〔그것을〕 단념했다/*Take off* your hat. 모자를 벗어라. —*Take* your hat *off*. 같음《단, 이편이 더 강하다는 사람도 있음》.

또한 PA가 전치사인 경우도 물론 있지만, 이 때에는 반드시 목적어의 뒤에 오기 때문에 이제와 같은 문제는 일어나지 않으므로, 여기서는 특히 다루지는 않기로 했다. ⇨아래 a) 3) 注1

a) PA가 목적어 다음에 오는 경우(동사와 PA가 떨어질 때)

(1) 목적어가 짧고, 특히 강세가 없는 단음절의 인칭대명사인 경우:

We *gave* **him** *up*. 그를 단념했다/*Put* **it** *on*. 그것을 입으시오/He *put* **them** *off* till the next week. 그것《예정 따위》을 다음 주까지 연기했다/We want to *speed* things *up*. 만사 스피드를 내고 싶다/It was a common practice to *take* work *home* at night. 밤에 일을 집에 갖고 돌아가는 것이 보통 습관이었다《PA는 아니지만 비슷한 예》.

(2) PA가 and 그 밖의 등위접속사로 다른 부사와 결합돼 있을 때:

Draw your stomach *in and up*. 배를 안쪽으로 당겨 들여 위로 끌어 올리도록 해라.

(3) PA가 바로 뒤에 있는 전치사구 (특히 방향을 나타내는 것)와 밀접히 결합될 때:

He *ordered* the survivors *back to* the oars. 그는 생존자에게 노젓는 일로 돌아가라고 명했다/They *took* the boy *away from* his parents. 그들은 소년을 부모 곁에서 떼어〔데리고〕 갔다/What *sets* these unfortunates *off from* the social drinkers? 이 불행한 사람들을 사교상 술 마시는 사람들과 구별하고 있는 것은 무엇인가/He *clawed* his way *back up* the cliff. 그는 손끝으로 벼랑을 기어 올라 위로 되올라갔다. 注1 PA 자체가 전치사인 경우에는, 당연히 이런 어순(語順)을 취한다: I *took* the brush *off* the peg. 걸이못에서 솔을 떼었다.

注2 (3) 중의 back의 두 예(例) 및 아래 b) (3), (5)의 back은 PA는 아니지만 목적어와의 위치 관계상 PA와 비슷한 성질을 보인다.

(4) PA가 앞에 나오면, 습관상 오해를 일으키기 쉬울 때:

The doctor *looked* Tom *over*. '의사는 톰을 진찰했다' 이 때 ...*looked over* Tom으로 하면 '톰의 어깨너머로 저쪽을 보았다' 란 뜻으로 들리기 쉽다.

b) PA가 목적어의 앞에 올 때(PA가 동사 바로 뒤에 계속되는 경우)

(1) 목적어가 절·동명사를 포함하든가 매우 긴 때:

He *picked up* **the pen which lay on the desk**. 책상 위에 놓인 만년필을 집어들었다.

(2) 위의 a) 의 (2)와는 반대로, 동사가 다른 동사와 등위접속사로 이어져서 목적어를 공유(共有) 할 때:

The doctor *cleaned and sewed up* wounds. 의사는 상처를 소독하고 꿰맸다.

(3) 목적어가 다른 (대)명사와 등위접속사로 이어져 있을 때:

They *brought back* themselves *and* as many men as they could. 자신들이 돌아왔을 뿐 아니라 될 수 있는 대로 많은 사람을 데리고 돌아왔다. ⇨ 위의 4) a) (3) 注2.

(4) 목적어는 단음절이지만 고유명사일 때:

Don't *give up* **Tom**. 톰을 저버리지 마라《비교: Don't *give* him *up*. 그를 저버리지 마라》. 또 아래 (6) 및 위 a)의 (4) 참조.

(5) 목적어는 대명사지만, 비교적 길고, 강세가 있을 때:

They *brought back* **themselves** as they had been told to do. 미리 지시되었던 대로 그들은 스스로 귀환했다/Mother doesn't want us to *give up* **everything**. 어머니는 우리들이 모든 것을 포기할 것을 원치는 않으신다.

(6) 목적어는 단음절의 인칭대명사지만, 특히 강조를 받아 부사 뒤에 올 경우:

If you want to blow up somebody, *blow up* **me**. 호통칠 상대가 필요하시면 저를 호통쳐 주시오. 注 이 때 me는 세게 발음된다. 보통은 약하게 발음되며, a) (1)을 따라 *blow* me *up*의 어순(語順).

c) 어순 선정(選定)의 정리

(1) 목적어와의 관계: 대체로 목적어가 짧거나 가벼운 때(특히 단음절의 인칭대명사인 경우)에는 PA가 목적어를 사이에 끼고 분리되며, 목적어가 길든가 무거운 경우(다음절 어구 및 단음절·다음절의 고유명사인 때)에는 PA가 목적어의 앞에 나와 동사와 직결된다. 전체로서는 직결(直結)되는 구문이 보통이다. 목적어가 3음절 이상인 때에는 분리되는 일이 드물지만, 2음절 정도의 경우라면 이 두 가지 형(型)이 거의 같게 분포하며, 같은 동사구(動詞句)로 양자가 가능한 경우도 있다:

The students *put down* their pens and walked out of the room. 학생들은 펜을 내려놓고 방에서 나갔다/He *puts* his books *down* and they stay where they are. 그는 책을 내려놓았는데 책은 놓여진 그대로 있다.

(2) 결합의 소밀(疎密): 위의 put down '내려놓다' 나 본절(本節) 4)의 모두의 *take off* '(옷가지를) 벗다' 와 같이, 동사와 PA가 본디의 의미를 잘 보존해 있는 동사구는 분리되기 쉬운데, give up '단념하다' 처럼 결합된 결과로서 의미가 비유적, 추상적으로 된 것은 분리되기 어렵다. 따라서 같은 carry out 라도, 뜻에 따라, *Carry* your things *out* '소지물을 내어가라' 에 대해 *Carry out* the plan. '계획을 실행해라' 처럼 된다.

(3) 수동태: 여기서 다룬 '타동사＋PA≪부사≫' 에서는 타동사가 그 기능을 그대로 유지하고 있어 자동사화(化)되어 있지 않으므로 항상 수동태가 가능하다. 또한 이 경우에는 목적어가 주어로 변해 있으므로, 동사와 PA가 떨어지는 일은 없다:

The plan *was carried out*. 계획은 실행되었다/His things *were carried out*. 그의 소지물이 반출되었다.

참 **He went up the mountain**. 대 **He gave up the plan**. 동사와 PA의 순서는 같지만, 전자는 ≪자동사＋전치사≫ (위의 구문 3))이며, 후자는 ≪타동사＋부사≫(구문 4)의 b))임은 주의를 요한다. 후자에서는 4)의 a)를 따라 He *gave* it *up*. 가 가능하지만, 전자에서는 "He *went* it *up*."가 불가능하다. 때로는 똑같은 동사와 PA의 결합이 두 가지 용법으로 쓰이어 뜻이 다른 경우가 있다:

(1) {(a) She *turned on* the man. 그녀는 그 남자에게 대들었다. (b) She *turned on* him. 그녀는 그에게 대들었다.}

(2) {(a) She *turned on* the gas. 그녀는 가스의 꼭지를 틀었다. (b) She *turned* it *on*. 그녀는 그것(＝가스)의 꼭지를 틀었다.}

강형과 약형 (Strong Form, Weak Form)

사서적(辭書的)으로 명료한 의미를 가진 말, 예를 들면 hurt(상처 입히다)에 대해서 다음 2 문장 중의 발음을 비교해 본다: He was not just *húrt* [-hə́ːrt]. He was bádly *hurt* [-həːrt]. (그는 단지 부상을 한 것만이 아니었다. 지독히 부상이 컸었다). 보통 처음 hurt 에 비해 나중의 hurt 는 훨씬 약하게 발음되지만 발음 그 자체에는 변함이 없다.

이에 대해, 인칭대명사 her ≪목적격≫에 관하여 같은 비교를 해 보면: (1) Ask *hér* [-hə́ːr], not mé. (2) I sáw *her* [-(h)ər]. Lét *her* [-ər-] gó. 가 된다. 즉 발음 그 자체가 변하여, (1) 세게 발음되면 [həːr], (2) 약하게 발음되면 모음이 약화되어, 또한 흔히 [h]가 탈락되어 [(h)ər]로 된다. [h]의 탈락은 특히 자음 뒤에서 두드러진다.

이처럼 강세의 정도에 따라 동일한 말에 현저히 다른 발음 변종이 있을 때, 세게 발음되었을 때의 [həːr]와 같은 형태를 강형(strong form), 약하게 발음될 때의 [hər], [ər]와 같은 형태를 약형(weak form)이라고 부른다. 이와 같은 것들은 이 책에서는 다음처럼 표시된다: **her** [həːr, 약 ər, hər]. 곧 처음 변종이 강형, '약'이라고 한 것은 약형이다. 보통 약형이 빈도가 잦지만, 특히 강형의 빈도가 두드러지게 낮은 때에는 순서를 거꾸로 해서 다음과 같이 표시된다: **a** [보통 약 ə, 강 ei].

1) 약형을 갖는 말의 종류

문법적 기능을 주로 한, 관사 · 전치사 · 접속사 · 조동사 · 대명사 · 의문사 따위, 얼마 되진 않지만 사용도가 높은 일련의 낱말에는 강형 · 약형의 구별이 있는 것이 많다. 이 책에서 테두리를 두른 각 항목이 그 대표적인 것으로서, 대부분이 이에 해당한다. 또한 이 낱말들은 기능어(function word)라 일컬어지는 것과 대체로 일치한다.

2) 강형의 용도

a) 단어로서 고립되어 발음하든가, '…라는 말'의 뜻으로 인용적으로 사용될 경우: "*Her*" [hə́ːr] is a pronoun. "her"는 대명사이다 / "*A*" [éi] and "*an*" [ǽn] are indefinite articles. "a"와 "an"은 부정관사이다.

b) 위치 관계로 필연적으로 세게 발음되는 때: Yes, I *can* [-kǽn].

c) 대비(對比)따위로 강세를 받을 때: I have no prejudice either *for* [fɔ́ːr-] or against it. 그것에 대해선 호의적으로도, 비호의적으로도 편견은 갖고 있지 않다 / You look tired. —I *am* [-ǽm-] tired. 피곤한 것 같군. — 그래 정말이지 지쳐 있네 《am 은 look 와 대비되어 있다. 필기에서는 하선(下線)을 긋고, 인쇄에서는 사체(斜體)를 쓰는 습관이 있음》/ Write "*a* [-éi-] man", not "*the* [-ðíː-] man." '그 남자'가 아니라, '한 사람의 남자'로 써라.

d) 강세가 없더라도 속도가 더디든가 특히 (받아쓰기 따위에서) 매우 느리게 발음하는 경우 따위: This — is — a — book. [ðís-ìz-ei-bùk]

e)인접음(隣接音)과의 관계: He'll *be* in. [hiːl-biː-ín] 《이것은 [-bi-ín]보다 발음하기 쉬운 때문》.

3) 약형의 용도

보통의 속도로서 2)에 해당되지 않을 때에는 대개 약형이 쓰인다: It's *a* [-ə-] pity. / I like *to* [-tə-] play. / *Shall* [ʃəl-] we go?

4) 약형의 특징

a) 음의 탈락: his [hiz] ⇨ [iz]: What's *his* name? [hwɑ̀ts-iz-néim/wɔ̀ts-] / to [tuː] ⇨ [tə] ⇨ [ə]: You ought *to* know. [ju-ɔ́ːt-ə-nóu] / than [ðæn] ⇨ [ðən] ⇨ [ðn]: He'll do it better *than* I.

㊟ it's [its], he's [hiːz], is*n't* [íznt] 따위의 단축형은 각기 [it] + [s], [hiː] + [z], [iz] + [nt]라고 이해되므로, 음성면에서만 보면 [s, z]는 모음탈락에 따른 is 또는 has 의 약형, 마찬가지로 [nt]는 not 의 약형이라 할 수 있다. 그러나 이 때 철자에 변화가 일어나서 단축형으로서 앞의 말과 일어(一語)로서 융합시켜 다루는 습관이 있으므로, 이 책에서도 그런 식으로 다루며, is, has, not 의 약형으로서는 취급하지 않는다. 특히 단축형에는 don't [dount], can't 의 영음(英音) [kɑːnt]와 같이 결합요소의 음이 아주 바뀌어 버려 분리할 수 없는 것도 있으므로 이러한 취급법이 타당하다.

b) 음의 변화, 특히 모음의 약화

(1) 모음의 [ə], [ər]로의 변화《특히 많음》: can [kæn] ⇨ [kən] / them [ðem] ⇨ [ðəm] / to [tuː] ⇨ [tə] 《자음의 앞: easy *to* read》/ my [mai] ⇨ [mə] 《빠른 소리로 자음의 앞: Give it to *my* brother.》/ there [ðɛər] ⇨ [ðər] 《"예비의 there": *There* is ...》.

(2) 모음 긴장(緊張)의 감소《장모음 ⇨ 단모음》: to [tuː] ⇨ [tu] 《모음의 앞에서: *to* own a house》. be [biː] ⇨ [bi] 《특히 자음의 앞에서: Try to *be* nice》.

가산명사, 불가산명사 (Countable, Uncountable)

명사는 여러 가지 관점에서 분류할 수 있으나, 그 중의 하나로서 가산명사(可算名詞)와 불가산명사(不可算名詞)로 나누는 방법이 있다.

가산명사라 함은 셀 수 있는 것을 가리키는 명사로서, 단수 · 복수의 구별을 지을 수 있는 명사이다. 불가산명사란 셀 수 없는 것을 가리키는 명사로서 복수로 쓸 수 없는 것이다. 그러나, 이러한 구별상의 기준은 그것 자체만으로는 충분한 것이 못 된다. 셀 수 있는 것이라고 해도, 우리말로 '가구(家具)'라고 하면 하나, 둘, …로 셀 수 있는 것으로 생각되나, 영어의 furniture 는 불가산명사에 속한다. '가구 한 점'이라고 할 때에는 a piece of furniture라고 한다. 또, '민주주의'라고 하면 셀 수 없는 추상명사로서 불가산명사로 생각되는 것이 보통이며 영어로도 democracy 는 그렇게 쓰이지만, 그것이 '민주주의 정체〔국가〕', '민주주의의 종류'란 뜻이 되면 가산명사로 취급되어 a democracy, democracies처럼 쓰인다.

따라서, 대체로 어떠한 명사가 어떠한 어의(語義)에 있어서 가산명사 또는 불가산명사로 쓰이느냐 하는 경향을 파악하는 것이 중요한데, 동시에 그 구분 자체가 절대적인 것이 아니라는 점에도 유의할 필요가 있다.

1) 가산명사

단수(singular)·복수(plural)로 구별되는데, 단수는 보통 관사 없이는 쓰이지 않고 부정 관사 a, an 따위를 앞세우며, 복수면 many, (a) few, several 따위를 첨가할 수가 있다: *a* book 한 권의 책 / *an* animal 한 마리〔일종〕의 동물 / *a* large family (하나의) 대가족 / *many* children 많은 어린이들 / *a few* 〔*few*〕 countries 수개국〔소수의 나라〕/ *several* nations 몇몇의 (다른) 민족.

이에 속하는 명사는:

a) 보통명사(common noun): book, animal, child, word, etc.

b) 집합명사(collective noun): family, nation, army, audience, etc.

c) 고유명사 (1) ≪보통명사적으로 쓰여지는 것≫: His wife was *a Wilson*. 그의 아내는 윌슨 집안의 사람이었다 / There are *three Smiths* in my class. 우리 반엔 스미스 성이 세 사람 있다 / He will make *another Lincoln* some day. 그는 언젠가는 링컨 같은 위인이 될 게다. (2) the *New York Yankees* 뉴욕 양키스《야구 팀 이름》.

2) 불가산명사

단수·복수의 구별 없이 무관사로 쓰이든가, much, (a) little 따위를 붙인다: *much* water 다량의 물 / *(a) little* patience 약간의 인내.

이에 속하는 명사는:

a) 물질명사(material noun): water, ink, money, etc.

주 다음 말들도 물질명사로 취급함: furniture, fruit《종류가 아닌, 총칭적 뜻일 때》, fish《'생선의 살'의 뜻으로》.

b) 추상명사(abstract noun): kindness, patience, attention, knowledge, etc.

참₁ 불가산명사가 주어가 되는 경우에는 동사는 단수가 된다: Much time *has* been wasted. 많은 시간이 낭비되었다. Kindness *is* a virtue. 친절은 미덕이다.

참₂ 불가산명사에 수(數)의 개념을 주기 위해서는 보통 그 명사 앞에 아래와 같은 말을 덧붙여야 함: *a cup of* tea 한 잔의 차. *a glass of* milk 한 컵의 우유. *a piece of* advice 하나의 충고. *several pieces of* chalk 몇 자루의 분필. *a few bits* 〔*slices*〕 of bread 몇 조각의 빵. *two sheets* 〔*pieces*〕 *of* paper, 2장의 종이.

참₃ 보통, 불가산명사로 쓰이는 낱말이 가산명사로 쓰이어 부정관사를 취하거나 복수형이 되는 수가 있는데, 이러한 경우에는 뜻이 달라짐: This is *an excellent coffee*. 이것은 특상품의 커피이다《종류》. I bought *an iron* made in Korea. 나는 한국산(産) 다리미를 샀다《제품》. Good listening is one of the greatest *courtesies*. (남의 말을) 잘 경청(傾聽)하는 것은 최대의 예의 중의 하나이다《구체적 행위》. cross the *waters* 바다를 건너다. drink 〔take〕 the *waters* 광천수(鑛泉水)를 마시다; 탕치(湯治)하다《말뜻의 전화(轉化)》.

참₄ '가산명사' 대신에 '사물어(事物語)' (thing word), '불가산명사' 대신에 '질량어(質量語)' (mass word)라고 할 때도 있다.

수(Number)

영어의 명사에는 a *book* — three *books* 처럼 하나의 것을 나타내는 꼴, 즉 단수(형)(singular(form))과 둘 이상의 것을 나타내는 꼴, 즉 복수(형)(plural (form))이 구별된다. 이 구별을 문법상의 수(number)라고 한다.

대명사에도 he, she, it — they 와 같이 수의 구별이 있다. 다만, we 는 같은 1인칭인 I의 복수형이긴 해도 I+I(+I+...)가 아니라 I+you(+you+...)이든가, I+he(+he+...)와 같이 되는데, 전자는 이야기 상대를 포함한 '우리'이며, 후자는 이야기 상대를 제외한 '우리'이다.

술어동사에도 수의 구별이 있으며(He *works* hard. — They *work* hard.), 주어의 수와 술어동사의 수의 사이에 관계를 일치(concord)라고 일컫는다. 주어와 술어동사 사이의 수의 일치에 있어서는, 때로 미묘한 문제가 생긴다.

명사의 복수

1) 규칙적인 복수

a) 가장 간단한 것. 단수형에 -s 만을 붙여 [-s] 또는 [-z]로 발음. (1) 모음 및 유성자음 다음에서는 s=[z]: boy*s*, egg*s*. (2) 무성자음 다음에서는 s=[s]: pipe*s*, hat*s*.

b) 단, s, x, z, sh, ch=[s, z, ʃ, tʃ]로 끝나는 말은 -es=[iz]를 더한다: gas*es*, bus(s)*es*, quiz*zes*, dish*es*, match*es*. 주₁ 발음은 [s, z, ʃ, tʃ]로 끝나도 단수형의 철자가 e로 끝나는 것 및 ce, (d)ge [-ʒ, -dʒ]로 끝나는 것에는 -s를 더해 준다(발음은 [-iz]: horses, axes, mazes, races, bridges. 주₂ ch(e)의 발음이 [k]이면 -s 만을 붙인다(발음은 [-s]): aches [eiks], stomachs [stʌ́məks]. 주₃ house [haus]는 houses [háuziz]로 된다.

c) 자음자+y는 y를 i로 바꾸어 -es를 붙인다: city [síti] — cit*ies* [sítiz], lady [léidi] — lad*ies* [léidiz]. 주 모음자+y에서는 단지 -s: boys, days.

d) 자음자+o로 끝나는 말에는 -es (발음은 [-z]): echo*es*, hero*es*, motto*es*, potato*es*, tomato*es*. 주 예외가 많다: autos, photos, pianos, radios, bamboos; cargo(*e*)s; kangaroo(s) 따위.

e) f, fe로 끝나는 어미는 -s를 붙일 때에 -ves로 바꿔 준다. (발음은 [vz]): knife — kni*ves*, leaf — lea*ves*, loaf — loa*ves*, thief — thie*ves*. 주 예외가 많다: beliefs, chiefs, cliffs, handkerchiefs (단, handkerchieves 도 있음), roofs 따위.

2) 불규칙한 복수

a) 어미의 변화: child [tʃaild] — child*ren* [tʃíldrən], ox — ox*en*. 주 child — children 에서는 어간의 모음의 변화가 따른다.

b) 모음의 변화: foot — *feet*, goose — *geese*, man — m*e*n, woman [wúmən] — wom*e*n [wímin], mouse — m*ic*e 따위.

c) 단복수 같은 꼴

(1) 동물 이름: deer, sheep, salmon, trout, fish 따위. 주₁ 동물 이름이라도 규칙적인 것은 많다: horses, lions, tigers, eagles 따위. 주₂ fish 에는 fish*es* 도 있다. 어류명에는 이런 유(類)의 것이 많음.

(2) 본래 복수형인 것: means (방법), headquarters (본부) 따위.

(3) Chinese, Japanese, Swiss 따위.

(4) series, species 따위.

(5) aircraft, apparatus(복수 apparatuses 도 있음) 따위.

d) 복합명사의 복수: son*s*-in-law, m*e*n-of-war(군함), looker*s*-on《비교: onlookers》, pass*ers*-by, attorney*s* general 〔attorney generals〕(법무장관), secretar*ies*-general(사무 총장), pickpocket*s*, go-between*s* 따위. 주 sons-in-law 〔brothers-in-law 따위〕는 구어에서는 흔히 son-in-laws 처럼 된다.

e) 항상 복수인 것

(1) 두 부분으로 되는 것: compasses 컴퍼스; scissors 가위; spectacles 안경; tongs 부집게; trousers 바지 따위.

[주]1 항상 복수이며 개수는 *a pair of* scissors (가위 한 자루), *two pair(s)* of pants 〔trousers〕 (바지 두 벌)처럼 pair 를 써서 나타냄. 또한 pair 의 복수는 s 를 붙이는 것이 보통.

[주]2 1 개라도 these compasses 또는 this pair of compasses(이 컴퍼스), those spectacles 또는 that pair of spectacles(저 안경)처럼 복수적으로 나타냄. this 〔a〕 scissors 와 같이 단수 취급도 있으나 이는 보통 피한다.

[주]3 이 부류는 구성의 두 부분이 밀접하게 붙어 있는 점이, 보통은 짝을 이루는 shoes 따위와 다르다. 후자에서는 분리가 가능하므로 these *shoes*(이 신한 켤레, 또는 몇 켤레), a pair of *shoes*(신 한 켤레)처럼 복수 외에 *a shoe* (한 짝신) this *shoe*(이 한 짝 신)처럼 단수형이 정상으로 쓰인다.

[주]4 compasses 에는 a compass 의 꼴도 있다. ⇨COMPASS.

(2) 학문명: economics, physics, politics. [주] 보통 단수 취급: *Mathematics is* a difficult subject. 수학은 어려운 학과다.

f) 복수형이 둘 있는 낱말: cloth — cloths(몇 종류의 천), clothes(의류); brother — brothers(형제), brethren(동포); penny — pennies(화폐의 복수), pence(가격의 복수).

g) 인명 · 기호 · 낱말 따위: three Marys (Mary 라는 사람 셋), two i's(i 자 둘), do's and don'ts (할것과 말 것 — 주의 사항).

h) 외래어: formul*a* — formul*ae* 〔formulas〕, ax*is* — ax*es*, foc*us* — foc*i* 따위.

대명사 · 형용사의 복수

1) 대명사

a) 단복수 같은 꼴: (1) all, any, none, some, you.

(2) 의문대명사 · 관계대명사: who, what, which.

(3) 관계대명사 that. (4) 소유대명사 mine, yours, his, hers, ours, yours, theirs. [주]1 you의 단복수는 보통 앞뒤 관계로 결정되나 you boys (너희 사내 아이들)처럼 동격명사로 명시되는 일이 있음. [주]2 *Who* is he? — *Who* are they? [주]3 *Mine* is a small house. 우리〔나의〕 집은 작다. — His brothers are tall. *Mine* are short. 그의 형제는 키가 크다. 우리 〔나의〕 형제는 키가 작다.

b) 그 밖의 주의: (1) 인칭대명사: they '그들, 그녀들, 그것들 ≪it 의 복수≫' 에서 마지막 뜻이 곧잘 잊혀져서 해독을 그르치게 된다. (2) 부정대명사: If you buy dictionaries, buy good *ones*. 사전을 사려면 좋은 것을 사라≪형용사가 붙어 있음≫. — If you have many pencils, lend me *some*. 연필을 많이 갖고 계시면 좀 빌려 주십시오≪형용사가 붙어 있지 않음≫.

2) 형용사

단복수의 구별이 있는 것은 지시형용사 this, that 뿐임: *this* book 이 책 — *these* books 이들 책 / *that* child 저 아이 — *those* children 저 아이들. [주] 우리 말에서는 '저…' 따위와 '저들…' 따위를 흔히 구별하지 않으므로 주의를 요한다.

주어와 술어동사

주어의 단복수에 따라 동사도 형태를 바꾼다: My *friend lives* in town. 내 친구는 읍내에 살고 있다. — My *friends live* in town. 내 친구들은 읍내에 살고 있다 / The *child was* happy. 아이는 행복했다. — The *children were* happy. 아이들은 행복했다.

[주] 동사에서 단복수가 문제되는 것은 일반적으로 직설법현재(및 현재완료) 뿐이나, be 동사는 예외로서 과거에도 단복수가 있음.

수의 일치에 대한 주의사항

a) 둘 이상의 단수의 주어가 **and** 로 연결된 경우에는 동사는 복수형: He *and* I *are* (of) the same age. 그와 나는 동갑이다 / Drinking *and* smoking *do* much harm to weak people. 술과 담배는 약한 사람에게는 매우 해가 된다.

b) 둘 이상의 단수의 주어가 **and** 로 연결되었어도 그것이 단일한 관념을 나타낼 때에는 단수형을 취한다: Bread *and* butter *is* my usual breakfast. 버터를 바른 빵은 나의 일상(日常)의 아침 식사이다 / Truth *and* honesty *wins* in the long run. 결국엔 진실과 정의가 이긴다 / The scholar *and* poet *loves* nature. ≪관사 하나; 동일인≫ 학자이며 시인인 그 분은 자연을 사랑한다 (≒The scholar *and the* poet *love* nature. ≪관사 둘; 딴 사람≫ 학자와 시인은 자연을 사랑한다). [주]1 단, 관사에 의한 위의 구별 원칙은 실제로는 반드시 지켜지지는 않음. [주]2 여기에 기술한 사항 이외는 ⇨AND.

c) 복수의 주어가 단일한 관념을 나타낼 때는 동사는 보통 단수: (1) Six months(=A period of six months) *is* not enough. 6 개월로는 부족하다. [주]1 이 경우 복수로 하는 일도 있음. [주]2 비교: Six months *have* passed since then. 그로부터 6 개월이 지났다《항상 복수》. (2) the United States 〔the Netherlands〕 *has* concluded an agreement with Korea. 미국은〔네덜란드는〕 한국과 어떤 협정을 맺었다《언제나 단수》.

d) and 로 연결되고 동일 관념을 나타내지 않는 둘 이상의 단수명사라도 각기의 명사 앞에 **each, every, no** 가 왔을 경우엔 동사는 단수형: *Every* worker and *every* machine *counts*. 한 사람의 직공, 하나의 기계라 할지라도 소홀히는 할 수 없다.

e) 둘 이상의 주어가 **or** 또는 **nor** 로 이어져 있을 때 동사의 수(및 인칭)은 마지막 주어에 일치한다: You *or* he *is* wrong. 너든가 그든가가〔너 아니면 그가〕 잘못이다 / Either he *or* his parents *were* to blame. 그나(아니면) 그의 부모가 비난받아야 했다 / Neither Dick, Tom, *nor* their children *live* here. 디크도 톰도 그들의 아이들도 여기에는 살고 있지 않다. [주] 기타 as well as, not only ... but (also) — 에 대해서는 ⇨ CORRELATIVE CONJUNCTION.

f) 집합명사는 단수형의 주어라도 그 구성원 하나 하나를 생각했을 때는 복수동사를 취한다. 그 명사 앞에 'the members of', 'all of' 가 붙을 수 있는지의 여하로 차이를 판단할 수 있다: This class *is* large. 이 학급〔반〕은 (학생)수가 많다 / This class *are* diligent. 이 학급〔반〕의 학생들은 부지런하다(=The members 〔students〕 of this class...) / The family *is* old. 오래된 가문이다 / The family *are* old. 저 일가는 노인들이다.

g) **all** 은 사람을 가리키면 복수, 사물이나 관념을 가리키면 단수: All *were* happy. 모두 기뻐하고 있었다 / **All** *is* still. 만물이 고요하다.

h) 부분이 문제일 때 동사의 수는 전체를 나타내는 명사의 수에 따른다: Half 〔Two-thirds〕 of *the floor was* wet. 마룻바닥의 반은〔3 분의 2 는〕 젖어 있었다 / Half 〔One-third〕 of *these children speak* English. 이 아이들의 반수는〔3 분의 1 은〕 영어를 한다.

i) 그 밖에 특히 주의해야 할 것

(1) **None** *are* completely happy. 완전히 행복한 것은 없다. [주] none 은 원래 단수이나(=no one), 오늘날에는 복수 취급이 보통임.

(2) It is **I who** *am* responsible. 책임이 있는 것은 나다. ⇨ EMPHASIS.

(3) **The rich** (=The rich people) *are* not always happy. 부자라고 해서 반드시 행복한 것은 아니다.

(4) **Many a** man *has been* successful. 많은 사람이 성공해 왔다.

(5) (a) **The number** of the graduates this year *is* 90 in all. 금년도의 졸업생 총수는 90 명이다. (b) **A number of** people *were* present at the meeting. 많은 사람이 모임에 참석했다.

(6) **No books** *are* so interesting. 이처럼 재미있는 책은 없다.

(7) **One or two** explanations *were* needed. 한두 마디 설명이 필요했다.

(8) **More than one** experiment *has* been made. 여러 번이나 실험이 행해졌다. [주] 명사와 동사 쌍방이 단수형임에 주의할 것. 복수는 쓰지 않음.

수사 Ⅰ (**Numeral** Ⅰ)

기수(基數)와 서수(序數), 분수와 배수 따위

수를 나타내는 말을 수사라고 하며, 이 중에는 one, two, three… 처럼 수를 부르는 기수(cardinal number, cardinal numeral, cardinal)와 first, second, third… 처럼 차례를 나타내는 서수(ordinal number, ordinal numeral, ordinal)의 두 계열이 있다. 다시 이들 두 계열에서 소수·분수·배수가 만들어진다.

이 항에서는 오로지 수사에 관한 일반적인 문법상의 사실을 해설하기로 한다. 크고 작은 구체적인 수의 명칭, 로마 숫자에 관하여서는 ⇨ NUMERAL Ⅱ.

기수와 서수

1) 기수의 일반 용법

a) 형용사

two books 책 두 권 / *three* children 세 아이들 / *five* families 다섯 가구 (⇨ b)의 (4) 및 (6)).

b) 명 사

(1) Please count from *one* to *ten*. 1 에서 10 까지 세시오.

(2) *Three* is a small number. 3 은 작은 수이다 / *Two millions* is a large number. 200 만은 큰 수이다.

(3) *Four* of them were absent. 그들 중 네 사람이 결석했다《'네 사람'은 '그들'의 일부》≒The *four* of them (=They *four*) were absent. 그들 네 사람은 결석했다《'네 사람'은 '그들'의 전부》. [주] 이들 두 예문에서 관사의 유무에 주의할 것. of 는 앞 예문에서는 부분을, 뒷 예문에서는 동격을 나타냄.

(4) a family of *five*, 5 인 가족(≒five families 다섯 가구) / a child of *three* 세 살짜리 아이(≒three children 세 아이들).

(5) an *eight*, a *nine*, … 8, 9, …의 숫자의 한 자; (카드의) 8, 9, …의 패 한 장; 기타 8, 9, …의 번호가 붙어 있는 것.

(6) *Five* (persons, sheets, etc.) is 〔are〕 enough. 다섯 〔다섯 사람, 다섯 장 따위〕으로 충분하다. [주] Five persons ≪Five 는 형용사≫나 단순히 Five ≪명사≫나 다같이 여기에서는 '다섯 개의 것'이라는 구체성을 가지며, (3)의 Four 와 같이 본디 복수이지만, 하나의 수량으로 간주하며, 단수로 취급하는 일이 많음. 같은 구문에서도 (2)의 Three 〔Two millions〕는 추상적인 '3〔200만〕이라는 수'의 뜻으로서 언제나 단수임.

(7) *hundreds* 〔*thousands, millions*〕 of men 수백〔수천, 수백만〕의 사람.

[참] 관용구에 관해선 각기 ⇨ TWO, THREE 따위.

2) 서수의 일반 용법

a) 형용사

(1) the *first* man 첫(번)째의 사람 / the *second* year 제 2 년(째).

(2) the (one) *hundredth* 〔*thousandth, millionth*〕 part, 100 〔1,000, 100만〕분의 1(⇨ 아래 b)). [주] one 은 보통 붙이지 않음.

(3) George *the Sixth* 조지 6 세. [주] 보통 로마 숫자를 사용하여 George Ⅵ로 씀. (1), (2)와 순서가 거꾸로 됨. the sixth George 라고는 거의 하지 않음.

b) 명 사

He was the *first* to come. 그는 제일 먼저 왔다 / Of these chapters, the *first* and the *second* are more difficult than the *third*. 이 3 장 중에서 제 1 장과 제 2 장은 제 3 장보다 어렵다 / the *fifth* of May=May the fifth, 5 월 5 일. [주] 보통 May 5 또는 May 5th 라 쓰고 위와 같이 읽음. 이 밖에 미국에서는 May fifth, May five 처럼 말할 때도 있음.

c) 부 사

travel *second*, 2 등객으로 여행하다 / *First*, …; *second*, …; *third*, …; *fourth*, …첫째로 …; 둘째로 …; 셋째로 …; 넷째로 … / She stands *first* in her class. 반에서 1 등. [cf.] FIRST, SECOND.

3) 서수와 관사

위 2) 의 a) b)에서 알 수 있듯이 서수의 형용사적 명사적 용법에는 보통 the 가 붙지만, 다음의 예외가 있다.

a) my, this 따위 정관사와 동등한 수식어가 앞에 올 때에는 관사가 붙지 않는다: *my first* visit to Italy 나의 최초의 이탈리아 여행 / *this sixth* day of July 오늘 7 월 6 일《조약 기타 공문서에서 조인 당일임을 가리키는 데 쓰임》.

b) '또 하나 별개의'의 뜻을 보일 때는 부정관사가 붙는다: One came from England, another from America, *a third* from France, and *a fourth* from Germany. 한 사람은 영국에서, 또 한 사람은 미국에서, 또 한 사람은 프랑스에서, 또 한 사람은 독일에서 왔다 / I tried it *a second* 〔*third*, …〕 time. (이미 한 번〔2 번, …〕 시도해 보았는데) 다시 한 번 더 시도했다. [주] for the second 〔third, …〕 time 과 거의 같은 뜻이지만, a 를 쓴 경우는 추가의 뜻이 더 강함.

c) 다음 명사와 결합하여 복합명사적인 색채가 강해질 때: My friend is a *third son*, and I am another. We are both *third sons*. 내 친구는 3 남, 나도 3 남. 둘 다 셋째 아들이다《비교: He is *the third son* of my friend. 그는 친구의 셋째 아들이다》.

4) 서수와 기수와의 혼동에 주의

우리말에서는 격식 차린 말투 이외에는 서수의 경우에도 '제'를 붙이지 않을 때가 많다. 이를 테면 '8 페이지'는 페이지 수《기수: *eight* pages》와 페이지 번호《서수: the *eighth* page=page 8》를 다 같이 나타낼 수 있으나, 영어에서는 언제나 이 두 가지는 뚜렷이 구별된다: *The eighth page* is badly printed. 8 페이지(째)는 인쇄가 잘 안 됐다 / *Eight pages* are missing. 여덟 페이지가 빠졌다.

5) 서수의 대용 형식상 기수로써 서수의 뜻을 나타내는 방법이 있다.

a) 일반적인 것

page 123, (제) 123 페이지 (=the 123rd page) 《p. 123 로 줄여 쓰고 page one hundred and twenty-three 또는 page one two three 라고 읽음》/line 11, (제) 11행(=the eleventh line)《l. 11으로 생략하고 line eleven 이라고 읽음》/Article 5, 제(第) 5조 (=the fifth article)《읽을 때 Article Five》/Act Ⅰ 제 1 막(=the first act)《읽기 Act One》/Chapter Ⅷ 제 8 장 (=the eighth chapter)《읽기 Chapter Eight》.

[주]₁ 이런 경우 보통은 명사 앞에 the 를 붙이지 않음: *page* 2《비교: *the* second *page*》.

[주]₂ Act the First, Chapter the Eighth 와 같이 읽는 수도 있으나 그다지 일반적이 아님. 단, George Ⅵ=George the Sixth(⇨ 위 2) a) (3)) 따위의 경우는 별도.

[주]₃ page, Article 따위의 대문자 소문자의 사용 구분은 절대적인 것은 아니지만 습관상 page, line 따위는 보통 소문자, 기타의 경우는 대문자임. 또 로마 숫자 아라비아 숫자의 사용 구분도 절대적인 것은 못되며, Chapter Ⅷ, Chapter 8 와 같이 사람의 기호에 따르는 경우도 많다.

[주]₄ page 123(=the 123rd page)≒123 pages (⇨ 위 4)).

b) 연호(年號)의 호칭법

(1) 1979=nineteen (hundred) seventy-nine 과 같이 백자리와 십자리에서 갈라서 부르는 것이 가장 보통이다. hundred 는 흔히 생략된다. 단, 다음 같은 경우엔 생략할 수 없다: 1900=nineteen hundred. 1600=sixteen hundred.

(2) 공문서 따위에서 the year 가 붙을 때나, the year 가 오지 않아도 1,000 미만의 연호인 때에는 보통의 수 읽기로 말한다: the year 1972=the year one thousand nine hundred and seventy-two / (the year) 873=(the year) eight hundred and seventy-three / (the year) 500=(the year) five hundred.

(3) 그 밖에: 1807=eighteen O [ou] seven, eighteen hundred and seven.

[주]₁ 기원전은 476 B.C. 처럼 쓰기 때문에, 이와 구별하여 서기 연호를 A.D. 365 처럼 쓰기도 함.

[주]₂ 단기 4312 년 따위는 보통 1979 년이라고 서기 연호로 고쳐 쓰는 편이 좋음.

c) 전화 번호

302-7095=three O [ou] two (dash) seven O nine five. [주] O 대신에 naught [nɔːt]를 쓰는 수도 있음.

분수 · 소수를 읽는 법, 배수사 따위

1) 분 수(**fraction**)

문법상으로는 부분수사(partitive numeral)이라고 부른다.

a) 보통 분수(**common fraction**) 분자를 numerator, 분모를 denominator 라고 한다.

(1) 분자가 1 인 것: $\frac{1}{2}$=(a) half. [cf.] HALF. $\frac{1}{3}$=one 〔a〕 third, a 〔the〕 third part. $\frac{1}{4}$=a quarter, one 〔a〕 fourth, a 〔the〕 fourth part. $\frac{1}{10}$=one 〔a〕 tenth, a 〔the〕 tenth part. $\frac{1}{100}$ =one 〔a〕 hundredth, a 〔the〕 hundredth part.

[주]₁ ... part 가 붙지 않는 간단한 꼴이 일반적임.

[주]₂ $\frac{1}{10}$에 대하여 tithe 는 현재에는 특수한 의미에 한하여 씀. [cf.] TITHE.

[주]₃ 분수는 서수를 쓰기 때문에, 위의 것 이외는 ⇨ NUMERAL Ⅱ.

(2) 분자가 2 이상의 것: $\frac{2}{3}$=two-thirds. $\frac{3}{4}$= three-quarters, three-fourths. $\frac{4}{7}$=four-sevenths. $\frac{63}{100}$=sixty-three hundredths, sixty-three over a hundred《제 1 형의 발음은 sixty-three | hundredths 의 요령으로 함. 다음 보기와 비교: $\frac{60}{300}$=sixty-three hundredths, sixty over three hundred. 제 1 형의 발음은 sixty | three hundredths 의 요령으로 함》.

b) 대분수(**mixed number**)

$1\frac{3}{4}$=one and three quarters.

2) 소 수(**decimal, decimal fraction**)

3.141,592=three (decimal) point one four one five nine two; three, and one hundred and forty-one thousand, five hundred and ninety-two millionths.

3) 횟수 · 도수 배수사(multiplicative) 따위로 불린다.

(1) half(반), single(단일), double(2 배, 2 중); treble〔triple〕(3 배, 3 중); quadruple(4 배, 4 중); 따위(⇨ 각기 그 항목).

(2) once(1 회, 1 배); twice(2 회, 2 배); three times(3 회, 3 배)《thrice 는 문어적》; four times (4 회, 4 배). [cf.] ONCE 이하 각 항목 및 TIME.

(3) two-fold(2 배, 2 중); three-fold(3 배, 3 중). ⇨ -FOLD.

수사 Ⅱ (**Numeral** Ⅱ)

— 정수(整數)의 표 —

1 에서 100,000,000(일 억)까지의 수

이 항에서는, 표기(表記)의 구체적인 수의 명칭, 로마 숫자의 사용법 따위를 취급한다. 수사(數詞)에 관한 일반적인 문법상의 해설은 ⇨ NUMERAL Ⅰ. 또한 각개의 수에 관한 주의는 각기 그에 딸린 [주]를, 특히 로마 숫자에 대해서는 [주] 12)-14)를 참조하라.

기 수(cardinal numeral)			서 수(ordinal numeral)	
명 칭	아라비아숫자 (Arabic numeral)	로마숫자[12] (Roman numeral)	명 칭	간 약 형
naught, zero	0		zeroth [zíərouθ][15]	
one[1]	1	I	first	1st
two	2	II	second	2nd, 2d
three	3	III	third	3rd, 3d

four	4	IV, IIII[13]	fourth	4th
five	5	V	fifth [fifθ]	5th
six	6	VI	sixth	6th
seven	7	VII	seventh	7th
eight	8	VIII	eighth [eitθ][16]	8th
nine	9	IX, VIIII[13]	ninth [nainθ][17]	9th
ten	10	X	tenth	10th
eleven	11	XI	eleventh	11th
twelve	12	XII	twelfth [twelfθ][18]	12th
thirteen[2]	13	XIII	thirteenth	13th
fourteen[2]	14	XIV, XIIII[13]	fourteenth	14th
fifteen[3]	15	XV	fifteenth	15th
sixteen[2]	16	XVI	sixteenth	16th
seventeen[2]	17	XVII	seventeenth	17th
eighteen[2]	18	XVIII	eighteenth	18th
nineteen[2]	19	XIX, XVIIII[13]	nineteenth	19th
twenty	20	XX	twentieth [twéntiiθ][19]	20th
twenty-one[2]	21	XXI	twenty-first	21st
twenty-two	22	XXII	twenty-second	22nd
twenty-three	23	XXIII	twenty-third	23rd
twenty-four	24	XXIV	twenty-fourth	24th
twenty-five	25	XXV	twenty-fifth	25th
twenty-six	26	XXVI	twenty-sixth	26th
twenty-seven	27	XXVII	twenty-seventh	27th
twenty-eight	28	XXVIII	twenty-eighth	28th
twenty-nine	29	XXIX	twenty-ninth	29th
thirty[4]	30	XXX	thirtieth [θə́ːrtiiθ][19]	30th
thirty-one	31	XXXI	thirty-first	31st
thirty-two	32	XXXII	thirty-second	32nd
thirty-three	33	XXXIII	thirty-third	33rd
…				
thirty-nine	39	XXXIX	thirty-ninth	39th
forty[5]	40	XL, XXXX[13]	fortieth[19]	40th
forty-one	41	XLI	forty-first	41st
forty-two	42	XLII	forty-second	42nd
forty-three	43	XLIII	forty-third	43rd
…				
forty-nine	49	XLIX	forty-ninth	49th
fifty	50	L	fiftieth[19]	50th
sixty	60	LX	sixtieth[19]	60th
seventy	70	LXX	seventieth[19]	70th
eighty[6]	80	LXXX, XXC[13]	eightieth[19]	80th
ninety	90	XC, LXXXX[13]	ninetieth[19]	90th
one hundred[7]	100	C	one hundredth[20]	100th
one hundred and one[8]	101	CI	one hundred and first[20]	101st
one hundred and two[8]	102	CII	one hundred and second[20]	102nd
one hundred and fifty[8]	150	CL	one hundred and fiftieth[19,20]	150th
two hundred[9]	200	CC	two hundredth	200th
three hundred	300	CCC	three hundredth	300th
four hundred	400	CD, CCCC[13]	four hundredth	400th
five hundred	500	D, IↃ[13]	five hundredth	500th
six hundred	600	DC, IↃC[13]	six hundredth	600th
seven hundred	700	DCC, IↃCC[13]	seven hundredth	700th
eight hundred	800	DCCC	eight hundredth	800th
nine hundred	900	CM	nine hundredth	900th
one thousand[7]	1,000	M CIↃ[13]	one thousandth[20]	1,000th
two thousand[9]	2,000	MM	two thousandth	2,000th
ten thousand 1 만[9,10]	10,000	X̄[14]	ten thousandth	10,000th
one hundred thousand 10 만[8,10]	100,000	C̄[14]	one hundred thousandth[20]	100,000th
one million 100 만[7]	1,000,000	M̄[14]	one millionth[20]	1,000,000th
ten million(s) 1,000 만[11]	10,000,000		ten millionth	10,000,000th
one hundred million(s) 1 억[11]	100,000,000		one hundred millionth[20]	100,000,000th

㊟ 1) one 에 관해서는 ⇨ ONE.

2) 13 에서 19 까지는, 대개 3 에서 9 까지의 말에 -teen 을 붙인 것이지만, thirteen, fifteen, eighteen《eightteen 이 아님》 처럼, 약간의 변형이 있다.

3) 이하 옛꼴로서 one-and-twenty 따위로 말하는 법이 있으나, 오늘날에는 짐짓 젠체하는 표현으로 쓰이며, 주로 20 대의 수에만 쓰인다.

4) thirty, 위의 thirteen 과 혼동하기 쉬우므로 주의가 필요하며, forty 이하도 마찬가지.

5) forty 의 철자. u 가 없는 것에 주의.

6) eighty. 철자(綴字)는 eight+ty 가 아니고, t 를 하나 없앤다. eighteen 의 경우(境遇)도 같음.

7) one hundred, one thousand, one million, ...의 대신에 종종 a hundred, a thousand, a million, ...이 쓰임. 또 정관사 기타의 수식어가 앞에 붙을 때는, 보통 the 〔these, my〕 hundred books 처럼 one 을 붙이지 않고 쓴다.

8) hundred 다음에 and 는 미국에서는 종종 생략된다.

9) two hundreds, three thousands 처럼 s 를 붙이지 않으며 다만 부정(不定)의 경우는 이에 따르지 않는다: *hundreds* 〔*thousands*〕 of people 수백〔수천〕의 사람 / *hundreds of thousands* of dollars 수십만 달러의 돈 / a good many *hundreds* of years 좋이 수백년이나.

10) 이하, 글자대로는 '십 천' '백 천'이 되어 우리말의 경우와 호칭의 구조가 바뀌는 점에 주의를 요한다.

11) 수로서 독립하여 쓰일 때는, hundred, thousand 의 경우와 달라서, two millions, three millions 와 같이 s 를 붙인다. 단, two million people 과 같이 다음에 명사가 오거나 two million three hundred thousand(2,300,000)와 같이 '우수리' 붙을 때에는 단수형이 보통이다.

12) 로마 숫자(Roman numeral)는 주로 책의 장(章) 번호 · 연호 · 시계의 문자반 등에 쓰인다. 원칙 ① 병렬은 가산함을 나타냄: VI=V+Ⅰ=6, XXIV=XX+IV=24(다음 항 참조). 원칙 ② 작은 수의 기호 우측에 큰 수의 기호가 오면, 후자에서 전자를 뺀다:
IV=V－I=4, IX=X－I=9, XC=C－X=90. 《빨셈은 한 단위만: IX=X－I 을 쓰지만 II X=X—II 와 같이는 보통 안 씀. 용례: Chapter III 제 3 장. the year MCMXCII 1992 년》.

13) IV 와 IIII 중 좌측이 보통 쓰이는 형태이며, 이하 IX 와 VIIII 따위도 같다. IↃ, CIↃ는 각기 하나의 기호이다.

14) $\overline{X}$따위의 윗 부분의 횡선은 1,000 배를 나타내며, 생략할 때도 있다.

15) Zeroth 제 0 번(의). 수학 · 물리학 따위 특수한 경우에 한한다.

16) eight+th 가 아니라 t 가 하나 빠지는 점에 주의. 단, 발음에서는 t 가 살아서 [eitθ]. [tθ]는 단숨에 발음하여 [ts]와 비슷한 느낌의 음. twenty-eighth 따위도 같다.

17) ninth, nine 의 e 가 빠지는 점에 주의. twenty-ninth (29th)이하 ninety-ninth(99th) 까지도 같다. 단, 발음은 [nainθ]이며 [ninθ]로는 안 된다. 이에 대해 ninety, ninetieth, nineteen, nineteenth 에서는 e 가 빠지지 않는다.

18) twelfth [twelfθ]는 twelveth 가 아닌 점에 주의.

19) twentieth [twéntiiθ]이하 ninetieth [náintiiθ]까지의 -tieth 는 2 음절[-tiiθ]이며, [-tiːθ]나 [-tiθ]로는 되지 않는다.

20) the hundredth 와 같이 앞에 the 가 붙으면 one 이 빠질 때가 많다.

일반적인 수의 예

a) 123,456,789 '1억 2천 3백 45만 6천 7백 89' =one hundred and twenty-three million, four hundred and fifty-six thousand, seven hundred and eighty-nine. 이를 직역하면 '123 million, 456thousand, 789' 가 됨. 곧 영어에서는 1, 10, 100 의 호칭이 되풀이되어 3 자리마다 호칭이 바뀐다《thousand, million》. 숫자를 세 개씩 묶어서 끊는 것은 그 때문이다. 우리말에서는 1, 10, 100, 1000 까지의 호칭이 반복되어 4 자리마다《만, 억, 조》 호칭이 바뀌므로 1 만 이상에서는 호칭법이 우리말과 영어는 달라진다.

b) 1,100 이나 1,800 에서와 같이 4 자리 수로 마지막 2 자리가 0 인 것은 one thousand one〔eight〕 hundred 라고 말하나 종종 eleven〔eighteen〕 hundred 와 같이 100 을 단위로 한 간결한 표현법이 쓰인다.

1,000,000,000(10억) 이상의 수

10 억 이상에서는 다음과 같이 영 · 미에서 각기 달리 말한다.

	미 국	영 국
1,000,000,000(10억)	one billion*	one thousand millions
10,000,000,000(100억)	ten billions	ten thousand millions
100,000,000,000(1,000억)	one hundred billions	one hundred thousand millions
1,000,000,000,000(1조)	one trillion	one billion*

곧 미식(美式)으로는 1,000(thousand)배마다, 영식(英式)에 있어서는 100 만(million)배마다 부르는 명칭이 바뀐다. 그런 까닭에 위 * 와 같이 같은 one billion 이라 해도 영 · 미에서 수가 달라지게 된다《미는 10억=10^9; 영은 1조=10^{12}》. 이것은 trillion 이상에서도 역시 같다《이하 one billion 따위의 one 은 생략한다》.

명 칭	미 국	영 국
billion	million×thousand=10^9	million×million=10^{12}
trillion	billion×thousand=10^{12}	billion×million=10^{18}
quadrillion	trillion×thousand=10^{15}	trillion×million=10^{24}
quintillion	quadrillion×thousand=10^{18}	quadrillion×million=10^{30}
sextillion	quintillion×thousand=10^{21}	quintillion×million=10^{36}
septillion	sextillion×thousand=10^{24}	sextillion×million=10^{42}
octillion	septillion×thousand=10^{27}	septillion×million=10^{48}
nonillion	octillion×thousand=10^{30}	octillion×million=10^{54}
decillion	nonillion×thousand=10^{33}	nonillion×million=10^{60}

Ⅱ. 부호·기호·약호

,	comma
;	semicolon
:	colon
.	period
?	question mark
!	exclamation mark
( )	parentheses
[ ]	brackets
〈 〉	angle brackets
'	apostrophe
—	dash
-	hyphen
=(〃)	double hyphen
" "	quotation marks
' '	single quotation marks
{ }	braces
〃, ″	ditto marks
/	virgule, slant
… (***, --)	ellipsis
…	suspension points
~	swung dash
.	dot
´	acute accent: employé
`	grave accent: première
^	circumflex: château
~	tilde: *señora*
¯	macron: bācon
˘	breve: băckt
¨	dieresis: coöperation
¸	cedilla: façade
*	asterisk
†	dagger
‡	double dagger

§	section: §12
¶(⁋)	paragraph
☞	index, fist
⁂, ⁂	asterism
©	copyright(ed)
®	registered trademark
@	at: 300@ $ 700 each
%	percent
‰	per thousand
&	ampersand: Brown & Co.
&c.	and so on, and the rest
c/o	care of: Mr. F. Morris c/o Dr. H.L. Jones
¢	cent(s)
$, $	dollar(s)
£	pound(s)
₩, ₩	won
°	degrees
′	feet; minutes
″	inches; seconds
#	number: a # 6 bolt
	pounds: 53#
♁(♂)	male
♀	female
○	individual (female)
□	individual (male)
×	crossed with (of a hybrid)
∞	infinity
‖	parallel: AB‖CD
∠	angle: ∠DEF
∟	right angle
⊥	perpendicular: EF⊥MN

Ⅲ. 도량형 환산표

길　이 (Linear Measure)

	1 inch	= 2.54 cm	(1 cm = 0.3937 in.)
12 inches	= 1 foot	= 0.3048 m	(1 m = 3.2808 ft.)
3 feet	= 1 yard	= 0.9144 m	(1 m = 1.0936 yd.)
5.5 yards	= 1 rod	= 5.029 m	(1 m = 0.1988 rd.)
320 rods	= 1 mile	= 1.6093 km	(1 km = 0.6214 mi.)

넓　이 (Square Measure)

	1 square inch	= 6.452 cm²	(1 cm² = 0.1550 sq. in.)
144 square inches	= 1 square foot	= 929.0 cm²	(1 cm² = 0.0011 sq. ft.)
9 square feet	= 1 square yard	= 0.8361 m²	(1 m² = 1.1960 sq. yd.)
30.25 square yards	= 1 square rod	= 25.29 m²	(1 m² = 0.0395 sq. rd.)
160 square rods	= 1 acre	= 0.4047 ha	(1 ha = 2.4711 acres)
640 acres	= 1 square mile	= 2.590 km²	(1 km² = 0.3861 sq. mi.)

부　피 (Cubic Measure)

	1 cubic inch	= 16.387 cm³	(1 cm³ = 0.0610 cu. in.)
1728 cubic inches	= 1 cubic foot	= 0.0283 m³	(1 m³ = 35.3148 cu. ft.)
27 cubic feet	= 1 cubic yard	= 0.7646 m³	(1 m³ = 1.3080 cu. yd.)

액　량 (Liquid Measure)　USA [Great Britain]

	1 gill	= 0.1183 [0.142] *l*	(1 lit. = 8.4531 [7.0423] gi.)
4 gills	= 1 pint	= 0.4732 [0.568] *l*	(1 lit. = 2.1133 [1.7606] pt.)
2 pints	= 1 quart	= 0.9464 [1.136] *l*	(1 lit. = 1.0566 [0.8803] qt.)
4 quarts	= 1 gallon	= 3.7853 [4.546] *l*	(1 lit. = 0.2642 [0.2200] gal.)

건　량 (Dry Measure)　USA [Great Britain]

	1 pint	= 0.5506 [0.568] *l*	(1 lit. = 1.8162 [1.7606] pt.)
2 pints	= 1 quart	= 1.1012 [1.136] *l*	(1 lit. = 0.9081 [0.8803] qt.)
8 quarts	= 1 peck	= 8.8096 [9.092] *l*	(1 lit. = 0.1135 [0.1100] pk.)
4 pecks	= 1 bushel	= 35.2383 [36.368] *l*	(1 lit. = 0.0284 [0.0275] bu.)

무　게 (Avoirdupois Weight)

	1 dram	= 1.772 g	(1 g = 0.5643 dr. av.)
16 drams	= 1 ounce	= 28.35 g	(1 g = 0.0353 oz. av.)
16 ounces	= 1 pound	= 453.59 g	(1 kg = 2.2046 lb. av.)
2000 pounds	= 1 (short) ton	= 907.185 kg	(1 kg = 0.0011 s.t.)
2240 pounds	= 1 (long) ton	= 1016.05 kg	(1 kg = 0.00101.t.)

금은보석 무게 (Troy Weight)

	1 grain	= 0.0648 g	(1 g = 15.4321 gr.)
24 grains	= 1 pennyweight	= 1.5552 g	(1 g = 0.6430 pwt.)
20 pennyweights	= 1 ounce	= 31.1035 g	(1 g = 0.0322 oz. t.)
12 ounces	= 1 pound	= 373.24 g	(1 kg = 2.6792 lb.t.)

약제용 무게(Apothecaries' Weight)

	1 grain	= 0.0648 g	(1 g = 15.4321 gr.)
20 grains	= 1 scruple	= 1.296 g	(1 g = 0.7716 s. ap.)
3 scruples	= 1 dram	= 3.8879 g	(1 g = 0.2572 dr. ap.)
8 drams	= 1 ounce	= 31.1035 g	(1 g = 0.0322 oz. ap.)
12 ounces	= 1 pound	= 373.24 g	(1 kg = 2.6792 lb. ap.)

Ⅳ. 세계 주요 화폐 단위

(본위 화폐와 보조 화폐 단위의 비율은 별도 표시가 없으면 1:100)

country	monetary units *basic: fractional*	country	monetary units *basic: fractional*
Afghanistan	afghani: pul	Laos	kip: at
Albania	lek: qintar	Latvia	ruble: kopeck
Algeria	dinar: centime	Lebanon	pound: piaster
Argentina	peso: centavo	Liberia	dollar: cent
Australia	dollar: cent	Libya	dinar: dirham
Austria	schilling:		(1:1000)
	groschen	Lithuania	litas: —
Bahrain	dinar:	Luxembourg	franc: centime
	fils(1:1000)	Macedonia	denar: —
Bangladesh	taka:paisa	Madagascar	franc: centime
Belgium	franc: centime	Malaysia	ringgit: sen
Bolivia	boliviano: peso	Mexico	peso: centavo
	boliviano, *also*	Moldova	ruble: kopeck
	peso (1:1000)	Mongolia	tugrik: mongo
Brazil	cruzeiro: centavo	Morocco	dirham: centime
Bulgaria	lev: stotinka	Mozambique	metical: centavo
Cambodia	riel: sen	Myanmar	kyat: pya
Canada	dollar: cent	Netherlands	guilder: cent
Chile	peso: centesimo	New zealand	dollar: cent
China	yuan: fen	Nicaragua	cordoba: centavo
Colombia	peso: centavo	Nigeria	naira: kobo
Congo	franc:centime	Norway	krone: øre
Costa Rica	colon: centimo	Oman	rial: baiza
Cuba	peso: centavo		(1:1000)
Czech Republic	koruna: haler	Pakistan	rupee: paisa
Denmark	krone: øre	Panama	balboa: cent
Dominican	peso: centavo	Paraguay	guarani: centimo
Republic		Peru	sol: centimo
Ecuador	sucre: centavo	Philippines	peso: centavo
Egypt	pound: piaster	Poland	zloty: grosz
Estonia	ruble: kopeck	Portugal	escudo: centavo
Ethiopia	birr: cent	Qatar	riyal: dirham
Finland	markka: penni	Romania	leu: ban
France	franc: centime	Russia	ruble: kopeck
Germany	Deutsche Mark:	Saudi Arabia	riyal: halala
	pfennig	Singapore	dollar: cent
Ghana	cedi: pesewa	Slovakia	koruna: haler
Greece	drachma: lepton	Slovenia	tolar: —
Guatemala	quetzal: centavo	South Africa	rand: cent
Guinea	franc: centime	Spain	peseta: centimo
Haiti	gourde: centime	Sri Lanka	rupee: cent
Honduras	lempira:	Sweden	krona: öre
	centavo	Switzerland	franc: centime
Hungary	forint: fillér	Syria	pound: piaster
Iceland	króna: eyrir	Taiwan	dollar: cent
India	rupee: paisa	Tanzania	shilling: cent
Indonesia	rupiah: sen	Thailand	baht: satang
Iran	rial: dinar	Turkey	lira: kurus
Iraq	dinar: fils	Uganda	shilling: cent
	(1:1000)	Ukraine	ruble: kopeck
Ireland	pound: penny	United Arab	dirham: fils
Israel	shekel: agora	Emirates	
Italy	lira: centesimo	United Kingdom	pound: penny
Jamaica	dollar: cent	United States	dollar: cent
Japan	yen: sen	Uruguay	peso: centesimo
Jordan	dinar: fils	Uzbekistan	ruble: kopeck
	(1:1000)	Venezuela	bolivar: centimo
Kazakhstan	ruble: kopeck	Vietnam	dong: —
Kenya	shilling: cent	Yemen	riyal: fils
Korea	won: jeon or jun		(1:1000)
Kuwait	dinar: fils	Yugoslavia	dinar: para
	(1:1000)		

V. 영어 참고도

Architecture 건축 양식

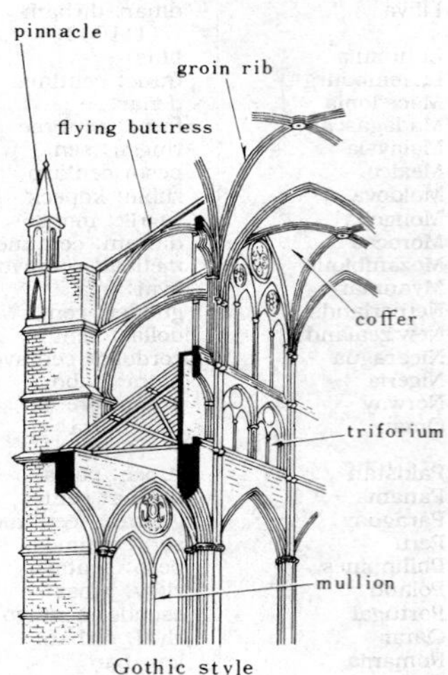

Gothic style

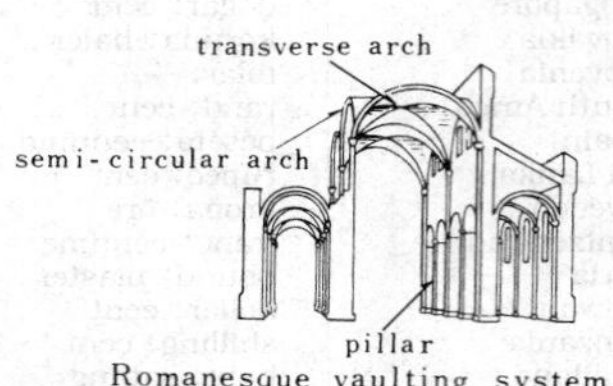

Romanesque vaulting system

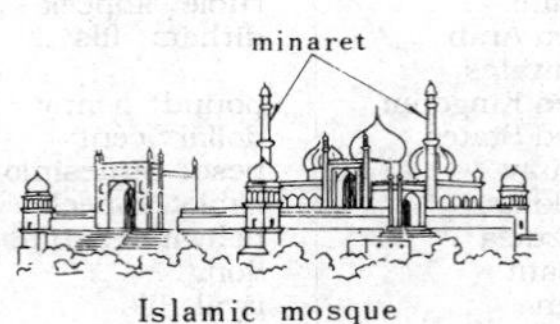

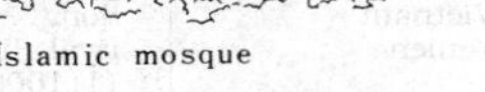

Islamic mosque

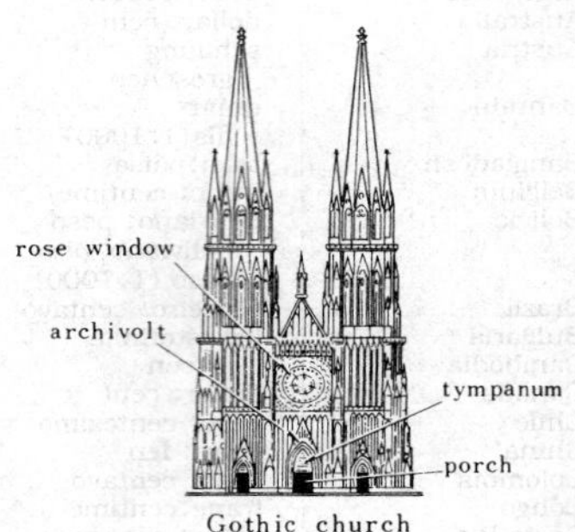

Gothic church

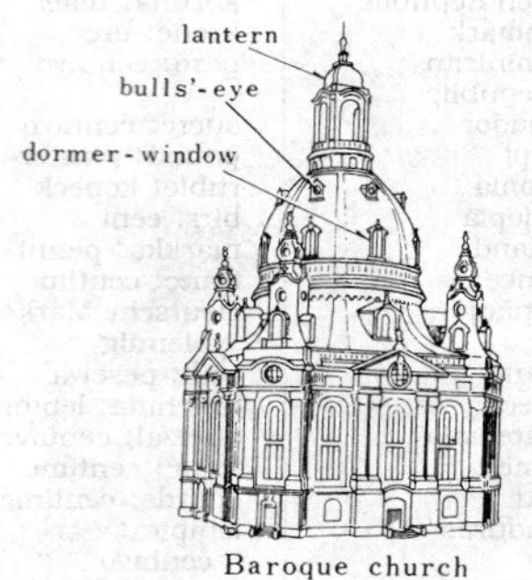

Baroque church

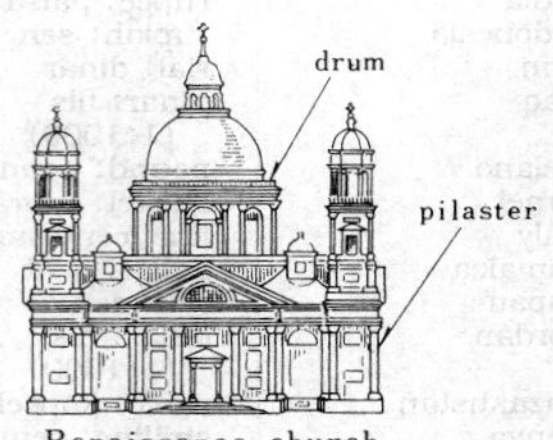

Renaissance church

House 집

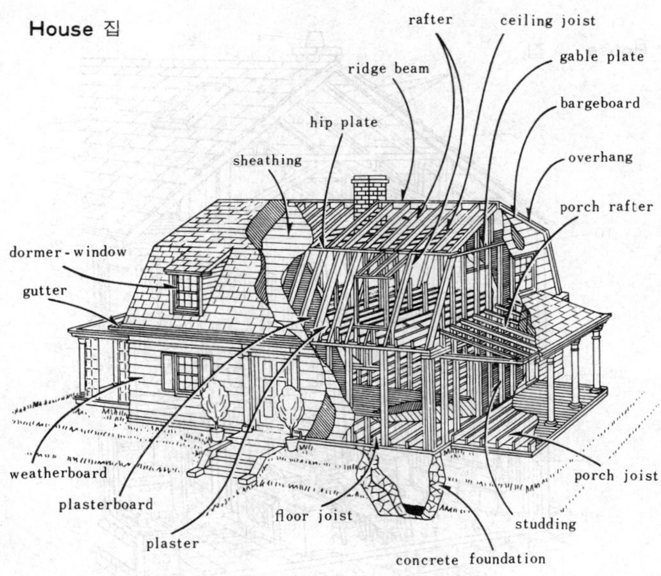
rafter
ceiling joist
gable plate
ridge beam
bargeboard
hip plate
overhang
sheathing
porch rafter
dormer-window
gutter
weatherboard
porch joist
plasterboard
floor joist
studding
plaster
concrete foundation

Roof 지붕

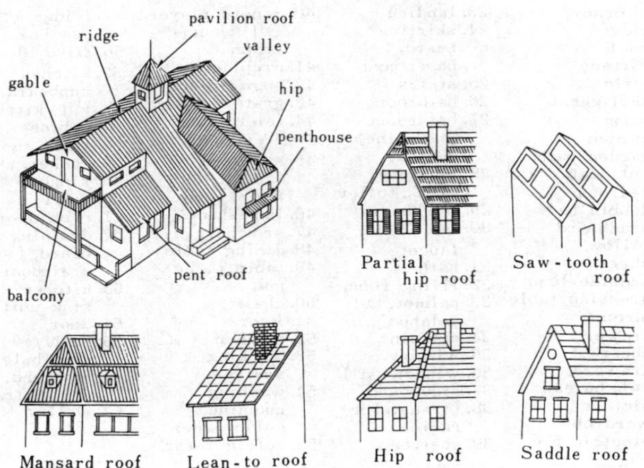
pavilion roof
ridge
valley
gable
hip
penthouse
pent roof
balcony
Partial hip roof
Saw-tooth roof
Mansard roof
Lean-to roof
Hip roof
Saddle roof

House 집

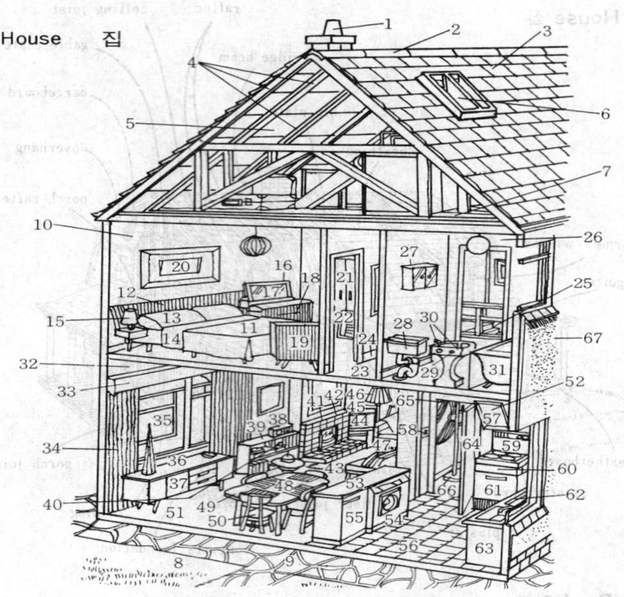

1. chimney
2. ridge
3. roof
4. rafter
5. attic
6. skylight
7. beam
8. garden
9. garden path, (미) walk
10. bedroom
11. double bed
12. headboard
13. pillow
14. sheet
15. bedside lamp
16. dressing table
17. mirror
18. drawer
19. chest of drawers, (미) bureau
20. picture
21. wardrobe
22. electric fire
23. landing
24. skirting board, (미) baseboard
25. stairs
26. bathroom
27. bathroom [medicine] cabinet
28. lavatory, W. C., toilet
29. washbasin
30. tap, (미) faucet
31. bath
32. living room
33. pelmet, (미) valance
34. curtain
35. window
36. window sill
37. sideboard
38. (transistor) radio
39. shelves
40. record player, (미) phonograph
41. fireplace
42. mantelpiece
43. grate
44. television, TV
45. standard lamp, (미) floor lamp
46. lampshade
47. armchair
48. dining table
49. table [place] mat
50. chair
51. floor
52. kitchen
53. working surface
54. washing machine, (미) washer
55. refrigerator, fridge, (미) ice box
56. tiled floor
57. kitchen cupboard, (미) kitchen cabinet
58. light switch
59. cooker, (미) range
60. grill
61. oven door
62. draining board, (미) drainboard
63. kitchen sink, sink unit
64. door
65. hall, (미) vestibule
66. hatstand, (미) hatrack
67. wall

Hall 현관 홀

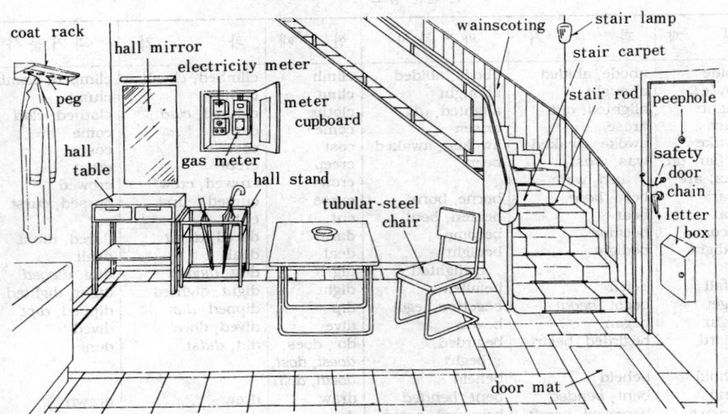

Chimney 굴뚝

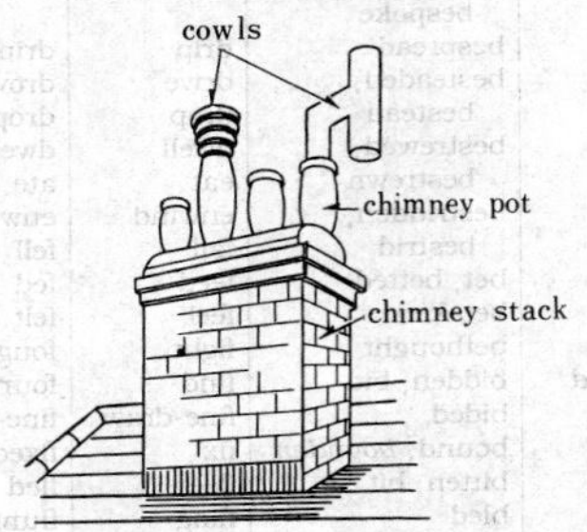

Window 창

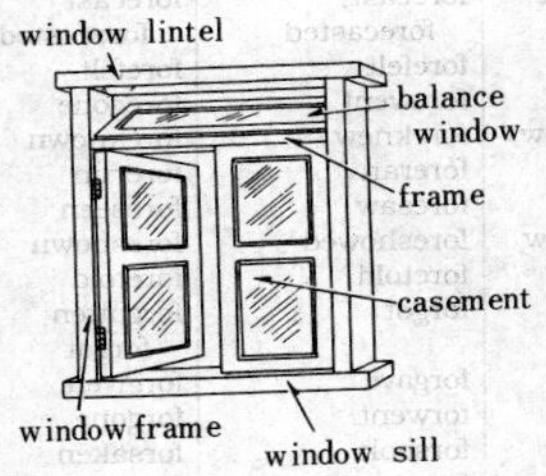

Door 문

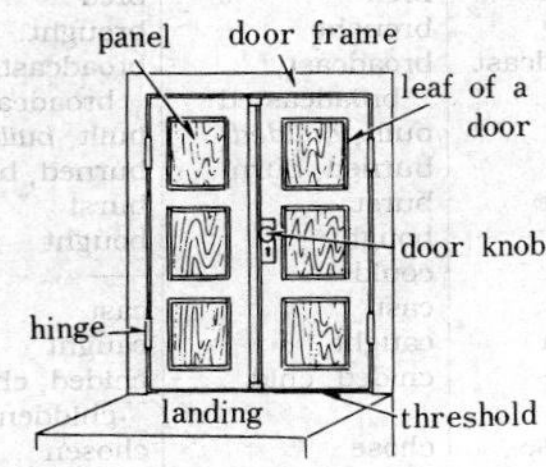

Ⅵ. 불규칙 동사표

이탤릭체는 옛형 또는 문어 · 방언임
*은 본문 참조

현재	과거	과거분사
abide	abode, abided	abode, abided
aby(e)	abought	abought
alight[1]	alighted, *alit*	alighted, *alit*
arise	arose	arisen
awake	awoke, awaked	awoken, awaked
be 〔am, *art*, is; are〕	was, *wast*, *wert*, were	been
bear[1]	bore, *bare*	borne, born*
beat	beat	beaten, *beat*
become	became	become
bedight	bedight	bedight, bedighted
befall	befell	befallen
beget	begot, *begat*	begotten begot
begin	began	begun
begird	begirded, begirt	begirded, begirt
behold	beheld	beheld
bend	bent, *bended*	bent, *bended*
bereave	bereaved, bereft	bereaved, bereft
beseech	besought	besought
beset	beset	beset
bespeak	bespoke, *bespake*	bespoken, bespoke
bespread	bespread	bespread
bestead	besteaded	besteaded, bestead
bestrew	bestrewed	bestrewed, bestrewn
bestride	bestrode, bestrid	bestridden, bestrid
bet	bet, betted	bet, betted
betake	betook	betaken
bethink	bethought	bethought
bid	bade, bid, *bad*	bidden, bid
bide	bode*, bided*	bided
bind	bound	bound, *bounden*
bite	bit	bitten, bit
bleed	bled	bled
blend	blended, *blent*	blended, *blent*
bless	blessed, blest	blessed, blest
blow[1,3]	blew	blown, blowed*
break	broke, *brake*	broken, *broke*
breed	bred	bred
bring	brought	brought
broadcast	broadcast, broadcasted*	broadcast, broadcasted*
build	built, *builded*	built, *builded*
burn	burned, burnt	burned, burnt
burst	burst	burst
buy	bought	bought
can[1]	could	——
cast	cast	cast
catch	caught	caught
chide	chided, chid	chided, chid, chidden
choose	chose	chosen
cleave[1]	cleft, cleaved, clove, *clave*	cleft, cleaved, cloven
cleave[2]	cleaved, *clave*, clove	cleaved

현재	과거	과거분사
climb	climbed, *clomb*	climbed, *clomb*
cling	clung	clung
clothe	clothed, *clad*	clothed, *clad*
come	came	come
cost	cost	cost
creep	crept	crept
crow[2]	crowed, crew*	crowed
curse	cursed, curst	cursed, curst
cut	cut	cut
dare	dared, *durst*	dared, *durst*
deal	dealt	dealt
dig	dug, *digged*	dug, *digged*
dight	dight, dighted	dight, dighted
dip	dipped, *dipt*	dipped, *dipt*
dive	dived, dove*	dived
do[1], does, *doest*, *dost*, *doeth*, *doth*	did, *didst*	done
draw	drew	drawn
dream	dreamed, dreamt	dreamed, dreamt
dress	dressed, *drest*	dressed, *drest*
drink	drank	drunk, *drunken*
drip	dripped, dript	dripped, dript
drive	drove, *drave*	driven
drop	dropped, dropt	dropped, dropt
dwell	dwelt, dwelled	dwelt, dwelled
eat	ate, *eat*	eaten
enwind	enwound	enwound
fall	fell	fallen
feed	fed	fed
feel	felt	felt
fight	fought	fought
find	found	found
fine-draw	fine-drew	fine-drawn
fix	fixed, *fixt*	fixed, *fixt*
flee	fled	fled
fling	flung	flung
fly[1]	flew, fled*	flown, fled*
forbear[1]	forbore	forborne
forbid	forbade, forbad	forbidden
fordo	fordid	fordone
forecast	forecast, forecasted	forecast, forecasted
forefeel	forefelt	forefelt
forego[1]	forewent	foregone
foreknow	foreknew	foreknown
forerun	foreran	forerun
foresee	foresaw	foreseen
foreshow	foreshowed	foreshown
foretell	foretold	foretold
forget	forgot	forgotten, forgot
forgive	forgave	forgiven
forgo	forwent	forgone
forsake	forsook	forsaken
forswear	forswore	forsworn
freeze	froze	frozen
gainsay	gainsaid, *gainsayed*	gainsaid, *gainsayed*

현 재	과 거	과거분사
geld[2]	gelded, gelt	gelded, gelt
get	got, *gat*	got, gotten
gild	gilded, gilt	gilded, gilt
gird	girt, girded	girt, girded
give	gave	given
gnaw	gnawed	gnawed, gnawn
go	went	gone
grave[3]	graved	graven, graved
grind	ground	ground
grow	grew	grown
hagride	hagrode	hagridden
hamstring	hamstrung, *hamstringed*	hamstrung, *hamstringed*
hang	hung, hanged*	hung, hanged*
have, has, *hast*	had, *hadst*	had
hear	heard	heard
heave	heaved, hove*	heaved, hove*
hew	hewed	hewn, hewed
hide[1]	hid	hidden, hid
hit	hit	hit
hold[1]	held	held, *holden*
hurt	hurt	hurt
impress[1]	impressed, *imprest*	impressed, *imprest*
indwell	indwelt	indwelt
inlay	inlaid	inlaid
inset	inset	inset
interlay	interlaid	interlaid
interweave	interwove, interweaved	interwoven, interwove, interweaved
interwind	interwound	interwound
interwork	interworked, interwrought	interworked, interwrought
inweave	inwove, inweaved	inwoven
keep	kept	kept
kneel	knelt, kneeled	knelt, kneeled
knit	knit, knitted	knit, knitted
know	knew	known
lade	laded	laden
lay[1]	laid	laid
lead[1]	led	led
lean[1]	leaned, leant	leaned, leant
leap	leaped, leapt	leaped, leapt
learn	learned, learnt	learned, learnt
leave	left	left
lend	lent	lent
let[1]	let	let
let[2]	letted, let	letted, let
lie[1]	lay	lain
light[1,3]	lighted, lit	lighted, lit
list[4], *listeth*	list, listed	list, listed
lose	lost	lost
make	made	made
may	might	——
mean[1]	meant	meant
meet	met	met
melt	melted	melted, molten
methinks	methought	——
misbecome	misbecame	misbecome
mischoose	mischose	mischosen
misdeal	misdealt	misdealt
misdo	misdid	misdone
misgive	misgave	misgiven
mishear	misheard	misheard
mislay	mislaid	mislaid
mislead	misled	misled

현 재	과 거	과거분사
misread [-ríːd]	misread [-réd]	misread [-réd]
missay	missaid	missaid
misshape	misshaped	misshaped, misshapen
misspeak	misspoke	misspoken
misspell	misspelled, misspelt	misspelled, misspelt
misspend	misspent	misspent
mistake	mistook	mistaken
misteach	mistaught	mistaught
misunder-stand	misunderstood	misunderstood
mix	mixed, mixt	mixed, mixt
mow[1]	mowed	mowed, mown
offset	offset	offset
outbid	outbid, outbade	outbid, outbidden
outbreed	outbred	outbred
outdo	outdid	outdone
outgo	outwent	outgone
outgrow	outgrew	outgrown
outlay	outlaid	outlaid
outride	outrode	outridden
outrun	outran	outrun
outsell	outsold	outsold
outshine	outshone	outshone
outshoot	outshot	outshot
outsing	outsang	outsung
outsit	outsat	outsat
outspeak	outspoke	outspoken
outstand	outstood	outstood
outtell	outtold	outtold
outthink	outthought	outthought
outthrow	outthrew	outthrown
outwear	outwore	outworn
overbear	overbore	overborne
overbid	overbid	overbid, overbidden
overblow	overblew	overblown
overbuild	overbuilt	overbuilt
overbuy	overbought	overbought
overcast	overcast	overcast
overcome	overcame	overcome
overdo	overdid	overdone
overdraw	overdrew	overdrawn
overdrink	overdrank	overdrunk
overdrive	overdrove	overdriven
overeat	overate	overeaten
overfeed	overfed	overfed
overflow	overflowed	overflown
overfly	overflew	overflown
overgild	overgilded, overgilt	overgilded, overgilt
overgrow	overgrew	overgrown
overhang	overhung	overhung
overhear	overheard	overheard
overlay	overlaid	overlaid
overleap	overleaped, overleapt	overleaped, overleapt
overlie	overlay	overlain
overpass	overpassed, overpast	overpassed, overpast
overpay	overpaid	overpaid
overread	overread	overread
override	overrode	overridden
overrun	overran	overrun
oversee	oversaw	overseen
oversell	oversold	oversold
overset	overset	overset

현 재	과 거	과거분사
oversew	oversewed	oversewed, oversewn
overshoot	overshot	overshot
oversleep	overslept	overslept
overspend	overspent	overspent
overspill	overspilled, overspilt	overspilled, overspilt
overspread	overspread	overspread
overtake	overtook	overtaken
overthrow	overthrew	overthrown
overwind	overwound	overwound
overwork	overworked, overwrought	overworked, overwrought
overwrite	overwrote	overwritten
partake	partook	partaken
pass	passed	passed, *past*
pay[1]	paid, payed*	paid, payed*
pay[2]	payed	payed
pen[2]	penned, pent	penned, pent
plead	pleaded, ple(a)d*	pleaded, ple(a)d*
precut	precut	precut
prepay	prepaid	prepaid
prove	proved	proved, proven
put	put	put
quit	quitted, quit*	quitted, quit*
read [ri:d]	read [red]	read [red]
reave	reaved, reft	reaved, reft
rebind	rebound	rebound
rebroadcast	rebroadcast, rebroadcasted	rebroadcast, rebroadcasted
rebuild	rebuilt	rebuilt
recast	recast	recast
redo	redid	redone
reeve[1]	rove, reeved	rove, reeved
refreeze	refroze	refrozen
rehear	reheard	reheard
re-lay	re-laid	re-laid
remake	remade	remade
rend	rent	rent
repay	repaid	repaid
reread	reread	reread
rerun	reran	rerun
resell	resold	resold
reset	reset	reset
retake	retook	retaken
retell	retold	retold
retread	retrod	retrodden, retrod
rewrite	rewrote	rewritten
rid[1]	rid, ridded	rid, ridded
ride	rode, *rid*	ridden
ring[2]	rang	rung
rise	rose	risen
rive	rived	riven, rived
roughcast	roughcast	roughcast
rough-hew	rough-hewed	rough-hewn, rough-hewed
run	ran	run
saw[1]	sawed	sawn, sawed
say	said	said
see	saw	seen
seek	sought	sought
seethe	seethed, *sod*	seethed, *sodden*
sell	sold	sold
send[1]	sent	sent
set	set	set
sew	sewed	sewed, sewn

현 재	과 거	과거분사
shake	shook	shaken
shall, *shalt*	should, *shouldst*, *shouldest*	
shape	shaped	shaped, *shapen*
shave	shaved	shaved, shaven
shear	sheared, *shore*	sheared*, shorn
shed	shed	shed
shew	shewed	shewn
shine	shone	shone
shoe	shod, shoed	shod, shoed
shoot	shot	shot
show	showed	shown, showed
shred	shredded, shred*	shredded, shred*
shrink	shrank, shrunk	shrunk, shrunken
shrive	shrived, shrove	shriven, shrived
shut	shut	shut
simulcast	simulcast	simulcast
sing	sang, *sung*	sung
sink	sank, sunk*	sunk, sunken
sit	sat	sat
slay	slew	slain
sleep	slept	slept
slide	slid	slid, slidden
sling	slung	slung
slink[1]	slunk, *slank*	slunk
slink[2]	slinked, *slunk*	slinked, slunk
slip	slipped, *slipt*	slipped, *slipt*
smell	smelled, smelt	smelled, smelt
smite	smote	smitten, smit
sow[1]	sowed	sowed, sown
speak	spoke, *spake*	spoken, *spoke*
speed	sped, speeded	sped, speeded
spell[1,3]	spelled, spelt	spelled, spelt
spend	spent	spent
spill	spilled, spilt	spilled, spilt
spin	spun, *span*	spun
spit[1]	spat, spit*	spat, spit*
split	split	split
spoil	spoiled, spoilt	spoiled, spoilt
spread	spread	spread
spring	sprang, sprung	sprung
squat	squatted, squat	squatted, squat
stand	stood	stood
stave	staved, stove	staved, stove
stay[1]	stayed, *staid*	stayed, *staid*
steal	stole	stolen
stick[2]	stuck	stuck
sting	stung, *stang*	stung, *stang*
stink	stank, stunk	stunk
stop	stopped, *stopt*	stopped, *stopt*
strew	strewed	strewed, strewn
stride	strode	stridden, *strid*
strike	struck	struck, stricken*
string	strung	strung
strive	strove	striven
strow	strowed	strown, strowed
sublet	sublet	sublet
sunburn	sunburned, sunburnt	sunburned, sunburnt
swear	swore, *sware*	sworn
sweat	sweat, sweated	sweat, sweated
sweep	swept	swept